ステッドマン
医学大辞典

改訂第6版
【英和・和英】

STEDMAN'S

ENGLISH-JAPANESE
Medical Dictionary
6th Edition

MEDICAL VIEW

ステッドマン
医学大辞典

改訂第6版
【英和・和英】

STEDMAN'S

ENGLISH-JAPANESE
Medical Dictionary
6th Edition

MEDICAL VIEW

28th English Edition published in 2006 by Lippincott Williams & Wilkins, A Wolters Kluwer Health Company, Baltimore, Maryland, U.S.A.
Japanese Edition Copyright: 1980, 1st ed.; 1985, 2nd ed.; 1992, 3rd ed.; 1997, 4th ed.; 2002, 5th ed.; 2008, 6th ed.
By Medical View Co., Ltd. Tokyo, Japan

Published by Medical View Co., Ltd., 2–30 Ichigaya Honmuracho, Shinjuku–ku, Tokyo 162–0845, Japan

第６版刊行の辞

まもなく100周年を迎えるStedman's Medical Dictionaryは常に良心的かつ正確な医学辞典として高く評価され続けてきた。この辞典の第23版の日本語版として、メジカルビュー社より1980年に刊行されたのが、『ステッドマン医学大辞典』である。従って、日本語版もじつに四半世紀以上の歴史を重ねてきたことになる。この間『ステッドマン医学大辞典』は、原著の優れた点をそのまま受け継ぐばかりでなく、充実した和英索引、外国人名の母国語読みによるカナ表記、独自の補足説明や注記など、日本語版独自の創意を組み入れることによって発売以来高い評価を得、広く愛用されてきた。

『ステッドマン医学大辞典』の改訂第６版をここに出版することになった。原著の第28版が2006年に刊行されたのに併せたものであり、改訂第５版の刊行以来６年を経て、さらなる改訂を行って刊行するものである。『ステッドマン医学大辞典』は初版以来28年、ほぼ５年毎に改訂してきたことになる。

すでに改訂第５版において、原著の改訂に併せる形で、とくに遺伝学、細菌学、肉眼解剖学などの分野を中心に大幅な改訂がなされてきたが、今回の原著第28版では、医学ならびにその周辺科学の進歩、変貌を反映することはもとより、内分泌学、胃腸病学、老年病学、リウマチ学などの分野を中心に、広範囲な改訂が行われた。従って、『ステッドマン医学大辞典』改訂第６版では新たに収載した言葉は5,000語以上、削除語を含めた改訂項目は30,000語以上、全収載語は10万語に及ぶ。また本書の特徴である和英索引は、90,000語に及んでいる。

このような大幅な改訂に対応するため、第６版の編集スタッフは70余名の第一線の方々にお願いした。今版より新たに加わっていただいた新進の方々も大勢おられる。いずれの方々もわが国の医学界の指導的な立場にある方々である。翻訳にあたっては従来の版と同様、原著の単なる翻訳だけでなく、進歩の著しい分野の用語や原著の説明が不十分な用語に対しては、補足説明を行うとともに、日本の実情にあわせるための訳注も適宜付記するということが行われている。

辞典にとってきわめて重要な事は、必要な言葉を十分に網羅していると同時に、その言葉の語義を理解するための説明をいかに簡潔に充実させているかである。その点、『ステッドマン医学大辞典』改訂第６版は、10万語に及ぶ多数の言葉を収載しているにもかかわらず、個々の語についての説明は十二分な内容といってよいであろう。今回新しい試みとして、説明文明記の類義語をひと目でわかるように青字表記した。これは語義説明をいち早く知りたい読者に対し、本書ならではの工夫である。また、つづり方や発音に関しては、欧米人でも相似形や意味の混乱が起きている。その混乱に注意を促すコメントが今改訂では付記された。国際化された医療の現場に身をおく方々には大変有益なコメントと言えるであろう。もちろん、この辞典の従来からの特徴である多くの優れたイラストは健在で、すべてのイラストはカラー化され、イラスト、写真類は500点以上に達している。また、各医学英語の語源の詳細な解説は、第６版においても引き継がれている。この語源の解説は、医学英語の理解、記憶にとってきわめて有用であり、本辞典のもっている大きなセールスポイントといってよいであろう。

医学辞典を出版するということは、大変な作業である。しかも、その内容が医学の進歩を反映した最新なものであり続けるためには、常に改訂を繰り返さなければならない。『ステッドマン医学大辞典』が初版以来28年で改訂第６版を出版するのも、最新の内容を読者に紹介するという本来の目的を達成するためであったし、この改訂第６版の内容はその目的を十分に達成していると信じている。この点に対し、編集の方々、翻訳に従事された方々ならびに制作にあたったメジカルビュー社の方々のご努力に深甚の感謝の意を表する次第である。

医学の研究領域は急速な広がりを示している。また医療に関係する人達も医師や看護師、技師、MRばかりではなく、広い分野の人達に及んでいる。私もこの第６版が医師や看護師、技師、MRだけでなく、研究の分野では生命科学の全分野の研究者に、また医療の分野では様々な職種のコメディカルの人達の間でも広く愛用されるものと信じている。

2007年10月

自治医科大学　学長

高久史麿

高久史麿

第６版刊行にあたって

ここに「ステッドマン医学大辞典」改訂第６版をお届けいたします。すでに読者諸氏もご高承のとおり、第５版の刊行から６年を経ての、更なる改訂を加えての刊行であります。

わが国だけでなく、全世界で、新しくかつ正確な医学辞典として確固たる評価を勝ち得ているStedman's Medical Dictionaryの日本語版「ステッドマン医学大辞典」初版を私どもが刊行したのは1980年秋でしたので、実に28年間で５回の改訂を重ねてきたことになり、ほぼ５年毎の改訂ということになります。そしてこのことこそが、原著Stedman's Medical Dictionaryならびに「ステッドマン医学大辞典」が国内外において多くの読者の信頼を得、幅広く支持されている理由であるといっても過言ではないでしょう。

「辞書」の使命は、今さら言うまでもなく、豊富な内容、語彙数、そして新しさであります。我々の日常生活においても、社会の変化に伴って次々と新語が生まれ、また古い言葉は駆逐されていきます。まして自然科学の世界では、とりわけ医学・医療の分野では、眞に目覚しい進化がみられ、最先端医学とその周辺科学への大きな拡がりをみせ、文字通り日進月歩に発展しております。その進歩・発展に伴って数多くの新語が生まれ、また多くの言葉が死語として消滅していくのです。「ステッドマン医学大辞典」はこのような絶えず進化・発展する情報に敏感に対応しながら改訂を重ねてきたわけで、まさにそのことによって本辞典は「生きた医学辞書」として、多くの読者に支えられてきたものと自負する次第です。

今回の改訂第６版は、原著Stedman's Medical Dictionaryの第28版が2006年に刊行されたのに併せての刊行ですが、その特徴をあげれば以下のようなことになります。

まずは、日々に進歩・変貌する医科学を余すところなく反映して改訂を加えたのは言うまでもありません。特に今回は内分泌学、胃腸病学、老年病学、リウマチ学などの臨床分野を中心に幅広く改訂されました。そのため、新規収載語は5,000語以上、削除を含め何らかの加筆、訂正などが加わった項目は30,000語以上をかぞえ、現在、実際に使用されている最新の医学用語は全て取り上げ、その全収載語数は10万語以上に及びました。

その上、発音記号が記載された語は56,000語となり、前版より20,000語増えました。オーラル・コミュニケーションのための基本教材としても有用なものといえるでしょう。（別売のCD–ROM版では音声データとして収録されております。）

また、第６版ではイラスト、写真、図表は500点以上で、全てオールカラー表記しました。また、この第６版から類義語同士で説明がされている語を青字で明記しました。類義語を参照する上で、迅速な検索ができることとなります。そのうえ、「幅広い内容とわかりやすい説明」という本辞典の基本方針は当然ながら踏襲しました。すなわち、見出し語の単なる日本語訳ではなく、その語義を簡潔かつ十二分に解説しております。そして、補足説明や日本の実情にあわせた注記を適宜付記してあります。また、つづり方、発音と語法に関する注意点が今回の改訂で加わりました。90,000語に及ぶ「和英索引」、語源解説や解剖用語集などの「付録」もまた新しく改訂されていることは言うまでもありません。

このような改訂を確実に進めるため、73名の先生方に編集に携わっていただきました。それぞれ各分野の第一線で活躍されている方々で、その半数以上が今回新たに編集委員として参画されました。それはともかくなおさず、進歩・発展する医科学を着実に捉えていくためであり、新規収載語の翻訳はもとより、改訂項目の全てにあらためて内容の推敲と再検討をおこない、真摯に、着実に編集していただきました。その結果、ここに新しい時代に対応した新しい医学辞典として上梓されましたことは、誠に意義深いものであります。

ここに、前版に引き続きご監修いただいた高久史麿博士をはじめ、多大なるご尽力を賜りました編集委員会の先生方に、深甚の感謝をささげるものです。誠に有難うございました。篤く御礼申し上げます。

最後に、本書が時代に即応した最新の医科学辞典として、またそれ故にこそ「生きた辞書」として、臨床の現場で、研究室で、あるいは医学生をはじめ広く医療に携わる全ての方々に少しでもお役に立てれば、発行者として望外の喜びとするものです。

2007年12月

株式会社メジカルビュー社

浅原実郎

ステッドマン医学大辞典　第6版
編集委員会

総　監　修

高久　史麿
自治医科大学　学長

編集委員

青山　隆夫
東京理科大学薬学部　薬学科薬物治療学　教授

阿部　一幸
東京医科大学　医学英語　講師

有阪　治
獨協医科大学医学部　小児科学　教授

稲田　陽一
聖マリアンナ医科大学　物理学分野（生理学）
講師

稲山　誠一
東洋医科学研究所　所長

今井　壯一
日本獣医生命科学大学　獣医寄生虫学　教授

井廻　道夫
昭和大学医学部　第二内科学　教授

上原　譽志夫
東京大学保健センター　准教授

大石　実
日本大学医学部　内科学系神経内科学分野
准教授

太田　伸生
東京医科歯科大学大学院医歯学総合研究科
国際環境寄生虫病学分野　教授

大橋　靖雄
東京大学大学院医学系研究科　生物統計学　教授

大林　民典
東京都立駒込病院　臨床検査科　部長

小川　郁
慶應義塾大学医学部　耳鼻咽喉科　教授

小澤　敬也
自治医科大学　内科学講座血液学部門　教授

小田　哲子
東邦大学医学部　医学科解剖学（微細形態学分野）
講師

鹿島　晴雄
慶應義塾大学医学部　精神神経科　教授

木原　和徳
東京医科歯科大学大学院医歯学総合研究科
泌尿器科学　教授

木村　健二郎
聖マリアンナ医科大学　腎臓高血圧内科　教授

栗原　伸公
神戸女子大学家政学部　公衆衛生学　教授

黒澤　博身
東京女子医科大学大学院医学研究科　心臓血管外科
教授

小瀧　一
国際医療福祉大学　薬学部　教授

坂井　建雄
順天堂大学医学部　解剖学第１　教授

佐藤　幹二
東京女子医科大学大学院医学研究科
病態治療学分野　教授

佐藤　健次
東京医科歯科大学大学院保健衛生学研究科
形態・生体情報解析学分野　教授

佐藤　二美
東邦大学医学部　医学科解剖学（生体構造学分野）
教授

澤　　充
日本大学医学部　眼科　教授

塩貝　敏之
恵心会京都武田病院　脳神経科学診療科　部長

須田　英明
東京医科歯科大学大学院医歯学総合研究科
歯髄生物学分野　教授

武谷　雄二
東京大学大学院医学系研究科　産科婦人科学　教授

谷　憲三朗
九州大学生体防御医学研究所
ゲノム機能制御学部門ゲノム病態学分野　教授

辻本　元
東京大学大学院農学生命科学研究科　獣医内科学
教授

堤　晴彦
埼玉医科大学総合医療センター
高度救命救急センター　教授

寺田　一志
東邦大学佐倉病院　放射線科　教授

長野　昭
浜松医科大学　整形外科　教授

中村　真理子
東京慈恵会医科大学　ウイルス学　准教授

名川　弘一
東京大学大学院医学系研究科　腫瘍外科学　教授

貫和　敏博
東北大学加齢医学研究所　呼吸器腫瘍研究分野
教授

百束　比古
日本医科大学　形成外科　教授

堀　　均
徳島大学大学院ソシオテクノサイエンス研究部
ライフシステム部門生命情報工学　教授

増田　豊
昭和大学医学部　麻酔科学　客員教授

松村　讓兒
杏林大学医学部　解剖学　教授

宮田　哲郎
東京大学大学院医学系研究科　血管外科学　准教授

宮地　良樹
京都大学大学院医学研究科
皮膚生命科学講座皮膚科学　教授

山田　安彦
東京薬科大学薬学部　臨床薬効解析学　教授

和田　攻
日本労働文化協会　理事長
東京大学名誉教授

渡邉　聡明
帝京大学医学部　外科　教授

編集協力

赤尾　信明
東京医科歯科大学

池　和憲
日本獣医生命科学大学

市村　浩一郎
順天堂大学

大谷　壽一
東京大学

大関　健志
東京薬科大学

甲斐崎　祥一
東京大学

川上　理
東京医科歯科大学

川島　伸之
東京医科歯科大学

神崎　晶
慶應義塾大学

久具　宏司
東京大学

佐藤　英貴
東京大学

澤井　直
順天堂大学

澤野　誠
埼玉医科大学

志村　直人
獨協医科大学

高柳　理早
東京薬科大学

谷岡　未樹
京都大学

寺原　敦朗
東邦大学

田　亮介
慶應義塾大学

遠田　譲
東京女子医科大学

中川　敦夫
慶應義塾大学

野村　健介
慶應義塾大学

福島　啓太郎
獨協医科大学

前田　正幸
三重大学

増田　均
癌研有明病院

門澤　秀一
明石市立市民病院

山田　治美
国際医療福祉大学

吉川　信一郎
慶應義塾大学

〈敬称略・五十音順・平成19年10月現在〉

ステッドマン医学大辞典第５版編集委員会

ステッドマン医学大辞典第4版編集委員会

ステッドマン医学大辞典第３版編集委員会

ステッドマン医学大辞典第２版編集委員会

ステッドマン医学大辞典第１版編集委員会

総監修

吉利　和　　浜松医科大学　学長

監　修

阿部　令彦	斎藤　太郎	中村　治雄	真島　英信
稲山　誠一	桜井　健司	馬場　一雄	丸山　勝一
牛場　大蔵	清水　直容	古谷　博	山田　英智
小酒井　望	砂田　今男	堀　原一	我妻　堯

編　集

相川　直樹	大石　実	保志　宏	村勢　敏郎
浅井　昌弘	神谷　敏郎	堀　均	山口　武雄
鵜飼　直子	喜多尾憲助	松本　純夫	鰐渕　康彦

協　力

青木　芳朗	川又　健	惣万　真弓	福富　和夫
赤川　公朗	川村　直見	高野　利也	藤井　康男
秋谷　忍	木村　邦彦	高橋　隆一	藤野　豊美
浅見　敬三	木村　俊次	田崎　瑛生	保坂　隆
芦沢　正見	桐野　高明	田崎　寛	細田　裕
飯田　恵子	草野　敏臣	田中　霧子	堀内　克明
池田　康夫	草間　敏夫	田中　勧	前島　一淑
石井　裕正	栗原　操寿	角田　透	牧野　英一郎
石嶋　紘	河野　敦	寺島　俊男	桝本　サク
井島　宏	高麗　文晶	外口　崇	松橋　正和
市川　陽一	児島　完治	戸谷　重雄	丸山　太郎
犬塚　則久	小島　洋子	長島　正治	向島　達
入　久巳	斎藤　成司	永田　博司	村上　雅昭
臼倉　治郎	桜田　知己	中山　知雄	村上　隆一
大倉　多美子	沢田　元	中山　道規	森谷　良彦
岡本　尚	柴田　徹一	西山　正徳	柳川　洋
片山　義郎	島崎　三郎	橋本　勉	山田　武
金子　章道	杉山　太規子	長谷川篤彦	横山　尚洋
加納　六郎	鈴木　安恒	広沢　邦浩	若井　晋
神定　守	瀬川　彰久	福井　次矢	

翻訳協力

国際医学情報センター

〈敬称略・五十音順〉

PREFACE

Welcome to the 28th edition of *Stedman's Medical Dictionary*. This edition continues the long-standing tradition of a quality medical terminology reference that you have come to expect from Stedman's.

Stedman's Medical Dictionary is the successor to the first American medical dictionary, Dr. Robley Dunglinson's *A New Dictionary of Medical Science and Literature*, first published in 1833. The work continued through successive editions until the 23rd and last edition, which was edited by Thomas Lathrop Stedman, MD, in 1903. Five years later, Dr. Stedman wrote a modernized version of the Dunglinson dictionary. It was published in 1911 as *A Practical Medical Dictionary* and is now known as *Stedman's Medical Dictionary*.

New in This Edition

Each new edition of *Stedman's Medical Dictionary* undergoes a thorough revision process. For this edition, our editorial team members completed a comprehensive review of each and every term to ensure accuracy and consistency. We worked with our leading content experts (48 total consultants covering 47 medical specialties) in our development and representation of all of the terms in the dictionary. As a direct consequence of these efforts, this edition provides our readers with over 5,000 new terms, bringing our total term count to over 107,000. In addition, our entire art program was reviewed by our esteemed consultant team and our customers——students and practitioners like you. As a result, the art in the 28th edition has been substantially updated and enhanced.

New Specialties We've added new consultants in Endocrinology, Gastroenterology, Rheumatology, and Geriatrics, reflecting the increased importance of these specialties.

Usage Notes Although labels or notes identifying deviant or substandard words, spellings, and pronunciations have long been a feature of general dictionaries, the present edition of *Stedman's Medical Dictionary* is the first full-scale medical dictionary published in English to contain an extensive system of usage notes.

The purpose of these notes is not to impose arbitrary rules, much less to preserve traditional or archaic forms in the face of normal language evolution. Rather, they are meant to enhance the usefulness of the dictionary by alerting users to common errors of sense, spelling, and pronunciation, including confusion between words of similar form or meaning.

The spellings and meanings of many anatomical, chemical, and pharmaceutical terms and units of measure have been fixed by official bodies wielding iternational authority. For all other terms, our principal guides in formulating usage notes have been precedent, analogy, and the example of recognized language authorities. We have also paid close attention, where appropriate, to contemporary practice, no matter how far it deviates from what is standard or traditional.

Departures from usual or customary spellings and pronunciations vary widely in importance and in their potential for causing miscommunication. Spelling variations such as American *anemia* and *tranquilizer* as contrasted with British *anaemia* and *tranquillizer* are clearly unobjectionable, as are alternative pronunciations such as American *cérvical* and *nómenclature* as contrasted with British *cervícal* and *noméńclature*.

Many common errors in medical usage (redundancies such as *foot pedal*, mispronunciations such as *shoddy* for *shotty*, misspellings such as *discreet* for *discrete*) arise simply from an unfamiliarity with Standard English. Notes drawing attention to common errors of this kind should be of particular help to users of the dictionary who have learned English as a second language. Other notes are intended to help the user avoid the intrusion of colloquial, informal, and imprecise terms and usages into formal medical speech and writing.

In selecting entries for annotation we have particularly targeted errors and corruptions of usage that blur or destroy essential distinctions, such as those between *cysteine* and *cystine*, *ileum* and *ilium*, *normal saline* and *1 N NaCl*. We have also paid particular attention to terms borrowed or derived from Latin and Greek, a prolific source of error and uncertainty in medical communication. Although the placement of syllable stress in Greek and Latin words depends on rules that are thousands of years old, modern usage has made certain deviations from those rules so widespread that they have acquired the status of legitimate variants. Where current pronunciation is at odds with classical precedent, that fact is noted so that the user may make an informed decision.

You will find these usage notes throughout the dictionary, and they are easily identified by the italic text preceding a term's definition.

Updated Design You will also notice a new look for this edition. We have added color bars to identify entries that have many subentries, as well as color boxes highlighting all of the terms with high-profile descriptions.

Precision Cut Thumb Tabs Also new to this edition, letter sections are now easily identified with precision cut thumb tabs, allowing the reader to easily find the information they are searching for more quickly.

Expanded Art Program The art program for this edition has also undergone extensive revision and expansion. Over 1,200 new and revised images were added based on input from our consultants and readers. You will also notice that the color inserts have doubled in size and provide much more comprehensive coverage of image references. The images in the anatomy insert have also been upgraded with excellent, high-quality images from the Anatomical Chart Company.

Expanded Appendices The art program is not the only area in which you will notice an increase in content. Over 15 new quick-reference appendices have been added to this edition covering such areas as cancer classification systems, body mass and body surface calculations, and common abbreviations to use and not use in medication orders.

Continuing Features

In addition to the new features in this edition, we've also included and improved upon the tried-and-true features of *Stedman's Medical Dictionary*.

Pronunciations A new pronunciation key was used for this edition (see inside cover or "How to Use This Dictionary"), and a complete written pronunciation review resulted. We have added written pronunciations for nearly every main entry in this edition.

High Profile Terms All of the High Profile Terms were reviewed and revised to ensure that the information on these terms, which so profoundly affect the practice of medicine that they warrant more than the standard dictionary definition, was as up-to-date and accurate as possible. You will also find many new High Profile Terms in this edition.

Terminologia Anatomica All of the Gross Anatomy and Neuroanatomy terms in this edition have once again undergone a thorough review to reflect the most recent anatomical nomenclature (*Terminologia Anatomica*) approved by the Federative Committee on Anatomical Terminology. All of the Latin anatomical terms and their English translations are identified with a [TA] within the text of the dictionary.

Easy-to-Find Subentries We continue our practice of starting each subentry on a new line to help readers easily find the terms they need.

Cross-References in Blue Some entries do not have definitions; they are synonyms that point the reader to the preferred main term where the definition appears. All such synonyms are printed in blue, signaling readers to look up the preferred term to find the definition.

Building Blocks Approximately 1,200 Greek and Latin word parts account for about 90 percent of medical language, so identifying and learning these word parts is an integral part of understanding medical language. A recycle symbol icon (♺) is used to identify these prefixes, suffixes, and combining forms in the margins of the A-Z section. A complete list of these building blocks is also present in the Medical Prefixes, Suffixes, and Combining Forms appendix (see page APP 11).

Acknowledgments

We at Lippincott Williams & Wilkins are grateful to all of our consultants from the medical disciplines for their help in reviewing, writing, and revising the thousands of entries in this dictionary. Without them, none of the terminology presented here would be relevant or useful. We are also indebted to the many reviewers who assisted us in making critical decisions about the presentation of the dictionary, the actual dictionary entries themselves, and the content presented in this new edition.

We also continue to be very fortunate to collaborate with Dr. Thomas W. Filardo, MD and Dr. John H. Dirckx, MD. Their review and suggestions of new terms, additions of etymologies and usage notes, and guidance on any content-related issues that arose provided an enormous amount of beneficial content and assistance to our internal staff throughout the publishing process for this edition. Their expertise in medicine, and particularly medical language, makes each of them very valuable members of the Stedman's team.

The development of this new edition has greatly benefited from the experience and expertise of Raymond Lukens, Chief Copyeditor, whose patience, dedication, and hard work have given this edition an unparalleled level of quality. Along with Raymond, copyeditors Vincent Ercolano, Ellen Erkess, and Ellen Atwood functioned as our quality-assurance team, making certain that the content was as accurate, complete, and consistent as possible. Our thanks must also go out to the online editing of team of Barbara Ferretti, Kathryn Cadle, and Lisa Fahnestock, who worked countless hours to ensure that all of the content corrections made by our consultants, copyeditors, and the in-house editorial team were made accurately and in a timely fashion. We would also like to thank Susan Caldwell for her assistance and quality work in helping us prepare the art program for this edition. In addition, we are indebted to our colleagues at Lippincott Williams & Wilkins, including Tiffany Piper, Associate Managing Editor, and Jennifer Clements, Art Program Consultant. Without the Lippincott Williams & Wilkins team's commitment to our readers and to the quality expected of Stedman's publications, this new edition would not have been possible.

Your Medical Word Resource Publisher

We strive to provide our readers, whether students, educators, or practitioners, with the most up-to-date and accurate medical language references. We, as always, welcome any suggestions you may have for improvements, changes, corrections, and additions —— whatever would make it possible for this Stedman's product to serve you better.

Julie K. Stegman
Publisher
Lippincott Williams & Wilkins
Baltimore, Maryland

Eric Branger
Senior Product Manager
Lippincott Williams & Wilkins
Baltimore, Maryland

Preface to the Japanese Edition

Stedman's Illustrated Medical Dictionary is a unique combination of a heritage of nearly one and one-half centuries of American medical lexicography which has been edited and published using modern contributions of computer technology and is now available in a Japanese language edition.

In 1908 Thomas Lathrop Stedman (1853–1938), a prominent New York physician and distinguished medical editor and author, began preparation of the 1st edition of A Practical Medical Dictionary (his name was not used in the dictionary's title until after his death) which was published in 1911. He considered it a successor to his favorite medical dictionary which had been first published in 1833 and had continued through successive editions until the final 23rd edition (1903) which he had edited. Dr. Stedman's primary purpose in writing a new dictionary was to challenge the two preeminent medical dictionaries of the time which he believed persisted in not correctly spelling terms in accordance with their derivations and therefore debased the medical language. The new dictionary was so successful that it was published in a new edition every other year until the 11th edition (1930). At this time Dr. Stedman felt that he had nearly accomplished his intention because the other two dictionaries had by then conceded and corrected most of their errors.

After the Williams & Wilkins Company acquired the Dictionary from his original publisher in 1932, Dr. Stedman continued to prepare new editions every three years into the 14th edition (1939) which was published posthumously. Several other physicians edited successive editions until the 20th edition (1961) which introduced the concept of an Editorial Board of medical and scientific consultants who reviewed terminology entries relevant to their respective specialties. This was indicative of the publisher's awareness that by now the breadth and depth of medical knowledge had developed and expanded far beyond the competency of any one person.

The 22nd edition of STEDMAN'S (1972) was the first medical dictionary to utilize computer technology for the storing, reviewing, revising, editing, and composition of its entries. Further technologic refinements introduced in the present 23rd edition enabled the 36 consultants representing 46 specialty areas to each review only those entries relevant to his particular specialties, the editors to correlate and process the consultants' contributions (over 15,000 new defined entries, nearly 5,000 new synonym cross references, and about 13,000 substantial definition revisions) into a vocabulary of approximately 100,000 entries, and the publisher to incorporate such a massive undertaking into book form within four years.

This new Japanese language edition of STEDMAN'S is a welcomed needed edition to the world's medical literature. It demonstrates that, while English may be widely used as a language in medical communications, no one language is preeminent in its contributions to the vocabulary of medicine. Such contributions are usually introduced in the contributor's native tongue, and STEDMAN'S contains numerous entries of Japanese origin, both eponymic and derivational, throughout the various medical specialty areas. It is fitting, then, that a vocabulary to which the Japanese medical and scientific community made substantial contributions in turn be made available in that language to stimulate further contributions from and dissemination among Japanese students and practitioners of medicine for the betterment of medicine at both the national and international level.

The Stedman's staff and the Williams & Wilkins Company are pleased to be associated with Medical View Company, Ltd. in this endeavor.

July 1980

WILLIAM R. HENSYL
Managing Editor, Dictionaries
The Williams & Wilkins Company

監修・編集者一覧

Steven Ades, MD, FRCPC **Oncology**
Associate Professor of Medicine and Oncology, McGill University Health Center, Montreal, QC, Canada

R. Donald Allison, PhD **Biochemistry**
Associate Scientist, Department of Biochemistry and Molecular Biology, University of Florida College of Medicine, Gainesville, FL, USA

David A. Bloom, MD **Genitourinary Surgery**
The Jack Lapides Professor of Urology, University of Michigan, Ann Arbor, MI, USA

Jane Bruner, PhD **Bacteriology**
Chair, Department of Biological Sciences, California State University, Stanislaus, Turlock, CA, USA

Kathleen E. Cavanagh, BSC, DVM **Veterinary Medicine**
Fonthill, ON, Canada

Mitchell Charap, MD, FACP **Internal Medicine**
The Abraham Sunshine Associate Professor of Clinical Medicine, Associate Chair for Postgraduate Programs, Program Director, Department of Medicine, NYU School of Medicine, New York, NY, USA

George P. Chrousos, MD, FAAP, MACP, MACE **Endocrinology**
Professor and Chairman, First Department of Pediatrics, Athens University Medical School, Aghia Sophia Children's Hospital, Athens, Greece

Mark B. Constantian, MD **Plastic/Reconstructive Surgery**
St. Joseph Hospital, Southern New Hampshire Medical Center, Nashua, NH, USA

Arthur F. Dalley, II, PhD **Gross Anatomy**
Professor of Cell and Developmental Biology and Director, Gross Anatomy Program, Department of Cell and Developmental Biology, Vanderbilt University School of Medicine, Nashville, TN, USA; Adjunct Professor for Anatomy, Belmont University School of Physical Therapy, Nashville, TN, USA

Ivan Damjanov, MD, PhD **Pathology/Anatomy**
Professor of Pathology, University of Kansas School of Medicine, Kansas City, KS, USA

John A. Day, Jr., MD, FCCP **Pulmonary Diseases**
Assistant Professor of Medicine, University of Massachusetts Medical School, Worcester, MA, USA

John H. Dirckx, MD **Etymologies and High Profile Terms**
Dayton, OH, USA

Thomas W. Filardo, MD **Chief Lexicographer and New Terms Editor**
Physician-Consultant, Evendale, OH, USA

Benjamin K. Fisher, MD, FRCP (C) **Dermatology**
Professor Emeritus, University of Toronto Medical School, Toronto, ON, Canada

Lee A. Fleisher, MD **Anesthesiology**
Robert D. Dripps Professor and Chair of Anesthesiology and Critical Care, Professor of Medicine, University of Pennsylvania School of Medicine, Philadelphia, PA, USA

Robert J. Fontana, MD **Gastroenterology**
Associate Professor of Medicine, University of Michigan, Ann Arbor, MI, USA

Paul J. Friedman, MD **Radiology**
Professor Emeritus, Department of Radiology, University of California, San Diego, CA, USA

Leslie P. Gartner, PhD **Histology**
Professor of Anatomy, Department of Biomedical Sciences, Dental School, University of Maryland at Baltimore, Baltimore, MD, USA

Douglas J. Gould, PhD **Gross Anatomy**
Associate Professor, University of Kentucky College of Medicine, Lexington, KY, USA

Steven Gutman, MD, MBA **Stains/Procedures**
Director, Office of In Vitro Diagnostics, Center for Devices and Radiological Health, Food and Drug Administration, Rockville, MD, USA

Duane E. Haines, PhD **Neuroanatomy**

Professor and Chairman of Anatomy, Professor of Neurosurgery and of Neurology, University of Mississippi Medical Center, Jackson, MS, USA

Nicola C. Y. Ho, MD **Genetics**
Assistant Professor of Pediatrics and Active Staff of Johns Hopkins Medical Institutions, Baltimore, MD, USA

Iain H. Kalfas, MD, FACS **Neurosurgery**
Chairman, Department of Neurosurgery, Cleveland Clinic Foundation, Cleveland, OH, USA

John B. Kerrison, MD **Ophthalmology**
Assistant Professor of Ophthalmology, Neurology, and Neurosurgery, Wilmer Eye Institute, Johns Hopkins Hospital, Baltimore, MD, USA

Jeffrey L. Kishiyama **Immunology**
Associate Clinical Professor of Medicine, University of California, San Francisco, CA, USA

John M. Last, MD, FRACP, FRCPC, FFPH (UK) **Medical Statistics/Epidemiology**
Professor Emeritus, Department of Epidemiology and Community Medicine, University of Ottawa, Ottawa, ON, Canada

James L. Lear, MD **Nuclear Medicine**
Founder, Scientific Imaging, Inc., Larkspur, CO, USA; Professor and Director, Division of Nuclear Medicine, University of Colorado Health Sciences Center, Aurora, CO, USA

Joseph Lo Cicero, III, MD **Thoracic Surgery**
Professor and Chair, Department of Surgery, University of South Alabama, Mobile, AL, USA

Lisa Marcucci, MD **Biography/Eponyms**
Fellow, Division of Critical Care, Department of Surgery, Johns Hopkins University, Baltimore, MD, USA

Keith L. Moore, PhD, FIAC, FRSM **Embryology**
Professor Emeritus in Division of Anatomy, Department of Surgery, Faculty of Medicine, University of Toronto, Toronto, ON, Canada; Member of Federative International Committee on Anatomical Terminology of the International Federation of Associations of Anatomists

Marianna M. Newkirk, MSc, PhD **Rheumatology**
Associated Professor of Medicine, Physiology, Microbiology and Immunology, McGill University, Montreal, QC, Canada

J. Patrick O'Leary, MD **General Surgery**
Associate Dean for Clinical Affairs, The Isidore Cohn, Jr., Professor and Chairman of Surgery, LSU Health Sciences Center, New Orleans, LA, USA

Stephen J. Peroutka, MD, PhD **Biotechnology**
Consultant, Hillsborough, CA, USA

Sharon T. Phelan, MD, FACOG **Obstetrics/Gynecology**
Professor, Department of Obstetrics and Gynecology, University of New Mexico, Albuquerque, NM, USA

Richard A. Prayson, MD **Neuropathology**
Section Head of Neuropathology, Department of Anatomic Pathology, Cleveland Clinic Foundation, Cleveland, OH, USA

William Reichel, MD **Geriatrics**
Affiliated Scholar, Center for Clinical Bioethics, Georgetown University, School of Medicine, Washington, DC, USA

George S. Schuster, DDS, MS, PhD **Dentistry**
Ione and Arthur Merritt Professor, Chair, Department of Oral Biology and Maxillofacial Pathology, Medical College of Georgia, School of Dentistry, Augusta, GA, USA

Linda N. Sevier, MD **Pediatrics**
Pediatric Faculty, The Children's Hospital at Sinai, Baltimore, MD, USA

James B. Snow, Jr., MD, FACS **Otorhinolaryngology**
Former Director, National Institute on Deafness and Other Communication Disorders, National Institutes of Health, Bethesda, MD, USA; Professor Emeritus of Otorhinolaryngology, University of Pennsylvania, Philadelphia, PA, USA

Roger M. Stone, MD, MS, FAAEM, FACEP **Emergency Medicine**
Clinical Assistant Professor, Emergency Medicine Residency, University of Maryland School of Medicine, Baltimore, MD, USA; EMS Medical Director, Montgomery and Caroline Counties, MD, USA

Janet L. Stringer, MD, PhD **Pharmacology/Toxicology**
Associate Professor of Pharmacology and Neuroscience, Baylor College of Medicine, Houston, TX, USA

Deanna A. Sutton, PhD, MT, SM (ASCP), RM, SM (NRM) **Medical Mycology**
Assistant Professor, Department of Pathology, Administrative Director, Fungus Testing Laboratory, University of Texas Health Science Center at San Antonio, San Antonio, TX, USA

Alexandra Valsamakis, MD, PhD **Virology**
Assistant Professor of Pathology, Johns Hopkins School of Medicine, Baltimore, MD, USA

Galen S. Wagner, MD **Cardiology**
Duke University Medical Center, Durham, NC, USA

Dr. Brian J. Ward **Parasitology/Tropical Medicine**
Chief, McGill University Division of Infectious Diseases, Departments of Medicine & Microbiology, McGill University, Montreal, QC, Canada

Asa J. Wilbourn, MD **Neurology**
Director, EMG Laboratory, Cleveland Clinic; Clinical Professor of Neurology, Case University School of Medicine, Cleveland, OH, USA

Helaine R. Wolpert, MD **Clinical Pathology/Hematology/Laboratory Medicine**
Anatomic and Clinical Pathologist, Newton, MA, USA

Douglas B. Woodruff, MD **Psychiatry/Psychology**
Private Practice, Baltimore, MD, USA

David B. Young, PhD **Physiology**
Professor, Physiology and Biophysics, University of Mississippi Medical Center, Jackson, MS, USA

Joseph D. Zuckerman, MD **Orthopaedics**
Professor & Chairman, Department of Orthopaedic Surgery, NY-Hospital for Joint Diseases, New York, NY, USA

アートワーククレジット

Artwork in this edition of *Stedman's Medical Dictionary* was created or adapted by the following companies and artists (see Illustration Credits for sources of adaptations):

Anatomical Chart Company: amniocentesis, coronary artery, atherosclerosis, separation of blood components, septal defects, diaphragm, fissures, kidney, liver lobule and sinusoids, cranial nerves, thrombosis, all artwork in the anatomy insert. All rights reserved.

Mary Anna Barratt–Dimes, Parkton, MD: dark and light adaptation, pure tone audiogram, circadian rhythm, coenzyme, cardiac cycle, Venn diagram, electropherogram, electroretinogram, heteroduplex formation, myocardial infarction, mendelian inheritance, kinins, menstruation, nomogram, operon, polycythemia vera, radioimmunoassay, radioallergosorbent test, retrovirus, Ogino-Knaus rule, sick sinus syndrome, mononuclear phagocytic system, reverse transcriptase, inheritance of translocation trisomy, active transport, vasopressin, lung volume compartments, fever, cell-mediated immunity, humoral immunity, olfaction.

Kathryn Born, Arlington, TX: palpation of the prostate gland.

Susan Caldwell, Parsonsburg, MD: frequent numeric chromosome aberrations, aberration (spheric), aerosol therapy, antibiotic groups, autoimmune disease in humans, classification of bacteria, ABO blood group, muscles used in breathing, Angle classification of malocclusion, coagulopathy, minimal alveolar concentration, diagnosis of cytomegalovirus, accommodation of eye, development of fetus, nerve fiber groups, types of glycogenosis, nomenclature of hepatitis antigens, classification of human herpesvirus, FDA approved clinical uses of interferons, lymphocytes, maldigestion or malabsorption, tumor markers used in primary diagnosis, main components of nonprotein nitrogen, pressure: various units, clinical diagnosis of HIV-infected patients, cardiomyopathies (WHO classification), Ann Arbor system, viruses associated with acute gastroenteritis in humans, major digestive enzymes, T-helper subsets, insulin, some common lasers used in medicine, Head lines, plasma lipoproteins, lochia, milk, etiology of osteomalacia, acute pancreatitis, precancers, intracardial pressure, plasma proteins, β-adrenergic receptors, afferent and efferent reflexes, Glasgow coma scale, Apgar score, sensation, sphingolipidoses, TNM staging, autonomic nervous system, taxonomy, classification of conjoined twins, vitamins and minerals, causes of vomiting, hydronephrosis, urine, oncogenic viruses, representative DNA-containing tumor viruses, cytokines and chemokines, complement components, lymphoma classification, classification of primary immunodeficiency disorders, assessment of chest pain, important deep tendon reflexes, neurotransmitters, collagen, inflammation, delusions, depression, sleep, wound types, diabetes mellitus, and motor, social, verbal development of child.

Duckwall Productions, Baltimore, MD: osteoarthritis, homunculus.

Neil O. Hardy. Westport, CT: olfaction, abdominal regions, alveolar abscess, accommodation, ameba, amnion, surgical anastomosis, angina pectoris, artery, bacteriophage, blood brain barrier, biceps & triceps muscles, bite, bone, segmental bronchi, coronary bypass, caduceus, callus, capillary bed, Foley catheter, chromosome, fetal circulation, pulmonary circulation, cochlea, colostomy, successive contrast, spinal curvatures, dentition, dermatomes, digestive organs, diverticulosis, diverticulum, postural drainage, cochlear duct and spiral organ, nasolacrimal duct, dura mater, ear, ECG lead placement, embolism, human embryos, endocrine system, enterostomy, esophagus, eye, fetus, fibroids, bone flap, flexures, ovarian follicle, obstetric forceps, foxglove, types of fractures, Le Fort fractures, spinal ganglion, gastroenterostomy, gastrula, glands, glaucoma, glomerulus, graft types, gustation, hair, hemodialysis, hemothorax, indirect inguinal hernia, types of hydroceles, hydrocephalus, hyperopia, hyphema, ileocolostomy, ileostomy, cochlear implant, dental implant, surgical incisions, injection, innervation of the hand and wrist, islets of Langerhans, temporomandibular joint, keratoconus, full and partial corneal transplantation, kidney anomalies, germ layers, cruciate ligaments of knee, heart-lung machine, Heimlich maneuver, closed chest massage, muscles of mastication, Mastigophora, electronic fetal monitor, mouth, myopia, structure of the nail, nasopharynx, nematode, nephrolithiasis, nephron, Heberden nodes, nutrient absorption, total parenteral nutrition, nystagmus, surgical procedures to control obesity, orbit, auditory ossicles, osteoporosis, otitis externa, otitis media, ovulation, pancreas, circumvallate papillae of tongue, bimanual percussion, periosteum, phalanges, central placenta previa, plasmodium, lumbosacral plexus and sciatic plexus, Toxicodendron, sites of ectopic pregnancy, prostate, peripheral pulses, lumbar puncture, renal pyramid, quadrants, respiration, layers of the retina, abdominal retractor, Babinski sign, paranasal sinuses, cell receptor site, skin components and layers, poisonous snakes, somites, human spermatozoon, spleen section, splenomegaly, airplane splint, sternum, stomach, swallowing, synapses, hepatic portal system, meniscal tears, talipes cavus and talipes planus, tendons and ligaments, hammer toe, tooth, torsion, tracheostomy, rubrospinal tract, urinary tract, transplants and prostheses, twins, decubitus ulcer, open urachus, heart valves, venous valves, varicosis, vasectomy, ventricles of the brain, internal podalic version, HIV, vision, vulva, wound healing, intervertebral disc herniation, phagocytosis, spinal column, lungs and respiratory anatomy, reflex arcs, baroreceptors, haversian canal, erythrocytes, fontanelles and sutures, gallbladder, intestines, laryngeal cartilages, skeletal muscle, typical efferent neurons, organelles, somatic and visceral pathways, development, scoliosis, flexor tendon sheaths, cranial venous sinuses, spermatogenesis, corticospinal tract, breast, cell with organelles, thoracic and right lymphatic ducts, vocal folds, Bryant traction, spinal cord injury, episiotomy, pyloric stenosis, fetal presentations, neuroglia, Pap smear, cardiac tamponade, superficial veins, CT illustration, sonography, MR imaging, fiberoptic bronchoscopy, laparoscopy, assessment of chest pain, important deep tendon reflexes.

Timothy Hengst, Thousand Oaks, CA: amputation.

Michael Schenk, Jackson, MS: perirectal abscess, venous angle, bomb calorimeter, human calorimeter, carcinoma, boutonnière deformity, jersey finger, mallet finger, sliding esophageal and paraesophageal hernias, intracranial infections, skinfold measurement, spinal nerves, pinch and grasp patterns, spina bifida occulta, carpal tunnel syndrome, carpal tunnel.

Mikki Senkarik, San Antonio, TX: radiographic projection, Kawasaki disease, regional anesthesia for childbirth, Leopold maneuvers, caput succedaneum, arthroplasty, internal fixation, hypothalamic-pituitary-thyroid axis, positions, stripping of the saphenous vein, heart transplantation, external cephalic version, different configurations of skin lesions.

Larry Ward, Salt Lake City, UT : pelvic examination, Weber test, Rinne test, ptosis, Schiötz tonometer, anal and rectal masses, stress response, goniometer.

イラスト出典一覧

From Agur AMR, Lee M. *Grant's Atlas of Anatomy*. 10th ed. Baltimore, MD: Lippincott Williams & Wilkins; 1999 (spinal column).

From Baker CL. *The Hughston Clinic Sports Medicine Book*. 1st ed. Baltimore, MD: Williams & Wilkins; 1995 (dislocation).

From Ballenger JJ, Snow JB. *Otorhinolaryngology: Head and Neck Surgery*. 15th ed. Baltimore, MD: Williams & Wilkins; 1996 (pharyngoesophageal diverticulum).

Courtesy of Benjamin Barankin, MD, Edmonton, Alberta, Canada (acrodermatitis, albinism, varieties of digital clubbing, dermatitis, necrosis, basal cell papilloma of skin, paronychia).

Thomas G. Barnes @ USDA-NRCS PLANTS Database (*Digitalis purpurea*, *Rhododendron periclymenoides*, *Aconitum uncinatum*).

From Bear MF, Connors BW, Paradiso MA. *Neuroscience: Exploring the Brain*. Baltimore: Williams & Wilkins, 1996 (homunculus).

From Bear MF, Conners PW, Paradiso MA. *Neuroscience: Exploring the Brain*. 2nd ed. Philadelphia, PA: Lippincott Williams & Wilkins; 2001 (brain, mitochondrion, hypothalamic-pituitary-adrenal axis, neurotransmitters).

From Becker AE, Anderson RH. *Cardiac Pathology*. New York, NY: Raven Press; 1983 (rheumatic aortic valve).

From Beckmann CRB MD, MHPE, Ling FW MD, Laube DW MD MED, Smith RP MD, Barzansky BM PhD MHPE, Herbert WN MD. *Obstetrics and Gynecology*. 4th ed. Baltimore, MD: Lippincott Williams & Wilkins; 2002 (conization).

From Bickley LS, Szilagyi P. *Bates' Guide to Physical Examination and History Taking*. 8th ed. Philadelphia, PA: Lippincott Williams & Wilkins; 2003 (decussations, rigidity, blood pressure cuff).

From Brant WE, Helms CA. *Fundamentals of Diagnostic Radiology*. 2nd ed. Baltimore, MD:Williams & Wilkins;1999 (Scheuermann disease, upper gastrointestinal series, lemon and banana signs, small bowel obstruction).

Adapted from Burtis CA, Ashwood ER, Aldrich JE. *Tietz Fundamentals of Clinical Chemistry*. 4th ed. Philadelphia, PA: WB Saunders Company; 1996 (differential diagnosis of hypercalcemia).

From Byrum CD. *AACN Clinical Simulations Cardiovascular System I* [CD-ROM]. Baltimore, MD: Lippincott Williams & Wilkins, 2001 (ventricular fibrillation).

Courtesy of Cavallucci D., CDA, EFDA, RDH. Harcum College, Bryn Mawr, PA (dental film techniques: occlusal, bitewing, periapical)

Adapted from Centers for Disease Control and Prevention. *Morbidity and Mortality Weekly Report Series*. Atlanta, GA: Centers for Disease Control and Prevention; 1991: Vol. 40 RR03 (rabies postexposure prophylaxis guide).

From Chaffee EE, RN, MN, Greisheimer, MD, PhD. *Basic Physiology and Anatomy*. 3rd ed. Philadelphia, PA: JB Lippincott Company ; 1974 (reflex arcs, baroreceptors, haversian canal, erythrocytes, fontanelles and sutures, gallbladder, intestines, laryngeal cartilages, skeletal muscle, typical efferent neurons, organelles, somatic and visceral pathways, development, flexor tendon sheaths, cranial venous sinuses, spermatogenesis, corticospinal tract, spinal cord and meninges, breast, cell with organelles, thoracic and right lymphatic ducts, vocal folds, Kawasaki disease, important deep tendon reflexes).

Courtesy of Toby Chai, MD and Geoffery N.Sklar, MD, Assistant Professors of Urology, University of Maryland School of Medicine (catheter and ureter).

Adapted from Champe PC, Harvey RA, Ferrier DR. *Lippincott's Illustrated Reviews: Biochemistry*. 3rd ed. Philadelphia, PA: Lippincott Williams & Wilkins; 2004 (collagen).

Courtesy of H. Chehabi, Newport Diagnostic Center, Newport Beach,CA (PET: Alzheimer disease).

From Cohen BJ. *Medical Terminology*. 4th ed. Philadelphia, PA: Lippincott Williams & Wilkins; 2003 (intraocular lens implant, sigmoidoscopy).

From Cohen BJ. *Memmler's The Human Body in Health and Disease*. 10th ed. Baltimore, MD: Lippincott Williams & Wilkins; 2005 (percutaneous transluminal angioplasty, plasma membrane).

Courtesy of College of American Pathologists, Chicago, IL. From McClatchey KD MD DDS. *Clinical Laboratory Medicine*. 2nd ed. Philadelphia, PA: Lippincott Williams & Wilkins; 2002 (uric acid crystals).

From Collier L, Mahy BWJ. *Topley & Wilson's Microbiology and Microbial Infections*. Vol. 1. 9th ed. London: Arnold Publications; 1998 (representative cellular oncogenes).

From Cormack DH. *Essential Histology*. 2nd ed. Philadelphia, PA: Lippincott Williams & Wilkins; 2001 (centriole).

From Crapo JD MD, Glassroth J MD, Karlinsky JB MD MBA, King TE Jr MD. *Baum's Textbook of Pulmonary Diseases*. 7th ed. Philadelphia, PA: Lippincott Williams & Wilkins; 2004 (aspergillosis, Wegener granulomatosis, emphysema).

From Crepeau EB, Cohn ES, Boyt Schell BA. *Willard & Spackman's Occupational Therapy*. 10th ed. Philadelphia, PA: Lippincott Williams & Wilkins; 2003 (familiar cues, Pocket Talker).

From Daffner RH. *Clinical Radiology: The Essentials*. 2nd ed. Baltimore, MD: Williams & Wilkins; 1998 (pancreatic pseudocyst).

From Damjanov I. *High-Yield Pathology*. Baltimore, MD: Lippincott Williams & Wilkins; 2000 (polyps, inflammation).

From Dean D PhD, Herbener TE MD. *Cross-Sectional Human Anatomy*. Baltimore, MD: Lippincott Williams & Wilkins; 2000 (aneurysm, angiography, arteriography, circle of Willis).

From De Vita VT Jr, Hellaman S, Rosenberg S. *AIDS: Etiology, diagnosis, treatment, and prevention*. 4th ed. Philadelphia, PA: Lippincott-Raven; 1997 (Kaposi sarcoma).

From Edwards L MD. *Genital Dermatology Atlas*. Philadelphia, PA: Lippincott Williams & Wilkins; 2004 (hypospadias).

From Eisenberg RL. *Clinical Imaging: An Atlas of Differential Diagnosis*. 4th ed. Philadelphia, PA: Lippincott Williams & Wilkins; 2003 (cystic fibrosis, meningioma, pneumatosis cystoides intestinalis, pneumothorax, aspergillosis, hematoma).

From Elder DE, Elenitsas R, Johnson BL, Murphy GF. *Lever's Histopathology of the Skin*. 9th ed. Philadelphia, PA: Lippincott Williams & Wilkins; 2005 (scabies, Ziehl-Neelsen stain).

From Erkonen WE, Smith WL. *Radiology 101: Basics and Fundamentals of Imaging*. Philadelphia, PA: Lippincott Williams & Wilkins; 1998 (barium enema, urography).

From Erochenko VP. *diFiore's Atlas of Histology with Functional Correlations*. 8th ed. Baltimore, MD: Williams & Wilkins; 1996 (lungs and respiratory anatomy).

From Eroschenko VP PhD. *diFiore's Atlas of Histology with Functional Correlations*. 10th ed. Baltimore, MD: Lippincott Williams & Wilkins; 2005 (basal body, nasal cartilage, juxtaglomerular complex).

Adapted from The Expert Committee on the Diagnosis and Classification of Diabetes Mellitus. Report of the Expert Committee on the Diagnosis and Classification of Diabetes Mellitus. *Diabetes Care*. 2004;27: S5-S10. Reprinted with permission from the American Diabetes Association. Copyright ©2004 American Diabetes Association (diabetes mellitus).

Adapted from Fadam B, Simring S. *High-Yield Psychiatry*. Baltimore, MD: Lippincott Williams & Wilkins; 1998 (motor, social, verbal development of child).

Adapted from Fauci A, et al. *Harrison's Principles of Internal Medicine* [book on CD-ROM]. 14th ed. New York, NY: The McGraw-Hill Companies; 1998 (Ann Arbor system).

From Feinsilver SH, Fein A. *Textbook of Bronchoscopy*. Baltimore, MD: Williams & Wilkins; 1995 (trachea, carina, right upper lobe bronchus, vocal folds).

Courtesy of Douglas Fix, PhD, Southern Illinois University, Carbondale IL (complement components).

From Fleisher G, Ludwig S. *Textbook of Pediatric Emergency Medicine*. 4th ed. Philadelphia, PA: Lippincott Williams & Wilkins; 2000 (convergent strabismus).

From Fleisher GR MD, Ludwig S MD, Baskin MN MD. *Atlas of Pediatric Emergency Medicine*. Philadelphia, PA: Lippincott Williams & Wilkins; 2004 (spondyloysis, common lice of humans, lupus erythematosus, pyelography, dislocation, iron overdose).

From Fuller J RN PhD, Schaller-Ayers J RN MNSc PhD. *A Nursing Approach*. 2nd ed. Philadelphia, PA: J.B. Lippincott Company; 1994 (palpation of prostate gland, Bryant traction, origin of cardiac murmurs, pelvic examination, Weber test, Rinne test, ptosis, Schiötz tonometer, anal and rectal masses).

Reproduced with permission from Garcia LS, Bruckner DA. *Diagnostic Medical Parasitology*. 3rd ed. Washington, DC: ASM Press; 1997 (fecal concentration procedures).

From Gold DH MD, Weingeist TA MD PhD. *Color Atlas of the Eye in Systemic Disease*. Baltimore, MD: Lippincott Williams & Wilkins; 2001 (Fabry disease, filaria, spirochetes, Trichinella spiralis).

From Goodheart HP MD. *Goodheart's Photoguide of Common Skin Disorders*. 2nd ed. Philadelphia: Lippincott Williams & Wilkins; 2003 (alopecia areata).

From Haines DE PhD. *Neuroanatomy: An Atlas of Structures, Sections, and Systems*. 6th ed. Baltimore, MD: Lippincott Williams & Wilkins; 2004 (gyrus, hematoma, optic chiasm).

Adapted from Harris NL, et al. A revised European-American classification of lymphoid neoplasms: a proposal from the International Lymphoma Study Group. *Blood*. 1994;September 1;84(5):1361-92 (International Lymphoma Study Group).

From Harwood-Nuss A MD FACEP, Wolfson AB MD FACEP FACP, et al. *The Clinical Practice of Emergency Medicine*. 3rd ed. Philadelphia, PA: Lippincott Williams & Wilkins; 2001 (orbital floor blowout fracture).

Courtesy of Haywood VB, DMD, School of Dentistry, Medical College of Georgia, Augusta, GA (vital bleaching).

Reprinted with permission from Hertig AT, Rock J, Adams EC. A description of a 34 human ova within the first 17 days of development. *Am J Anat*. 1956;98:435. Courtesy of Carnegie Institution of Washington, Washington, DC (blastocyst).

From Irwin RS, Rippe JM. *Irwin and Rippe's Intensive Care Medicine*. 5th ed. Philadelphia, PA: Lippincott Williams & Wilkins; 2003 (bronchiectasis, epistaxis).

Adapted from Kapikian AZ. Viral Gastroenteritis. *JAMA*. 1993;229:627 (viruses associated with acute gastroenteritis in humans).

From Kean BH, Sun T, Ellsworth RM. *Color Atlas/Text of Ophthalmic Parasitology*. New York, NY: Igaku-Shoin; 1991 (hydatid cyst, *Schistosoma mansoni*).

From Kelsen DP MD, Daly JM MD FACS, Kern SE MD, Levin B MD, Tepper JE MD. *Gastrointestinal Oncology: Principles and Practice*. Philadelphia, PA: Lippincott Williams & Wilkins; 2002 (cholangiography, vasculara stent).

From Koval KJ, Zuckerman JD. *Atlas of Orthopaedic Surgery: A Multimedia Reference*. Philadelphia, PA: Lippincott Williams & Wilkins; 2004 (lumbar spinal laminectomy, lateral decubitus position, beach chair position, knee-chest position, arthroscopic graspers, arthroscopic cannulas, arthroscopic shaver, arthroscopic procedure, shoulder arthroscopy: patient in beach chair position, shoulder arthroscopy: view from posterior portal, arthroscopy of knee: meniscus tear).

Reprinted with permission from Krumlauf R. Hox genes and pattern formation in the branchial region of the vertebrate head. *Trends in Genetics*. 1993;9:106-112 (7-week human embryo).

Adapted from IMMUNOLOGY by Kuby © 1992, 1994, 1997 by W.H. Freeman and Company (immunoglobulin, antigen presenting cells, summary of nonspecific host defenses, classification of hypersensitivity reactions, antibody-dependent cell-mediated cytotoxicity). Used with permission.

From Langlais RP, Miller CS. *Color Atlas of Common Oral Diseases*. 3rd ed. Baltimore, MD: Lippincott Williams & Wilkins; 2003 (paradental cyst, attrition,).

From Langland OE, Langlais RP. *Principles of Dental Imaging*. Baltimore, MD: Williams & Wilkins; 1997 (apical periodontal cyst).

Courtesy of Dr. E. L. Lansdown, University of Toronto, Toronto, Ontario, Canada. From Agur A, Lee MJ. *Grant's Atlas of Anatomy*. 10th ed Baltimore, MD: Lippincott Williams & Wilkins; 1999 (lymphangiography).

Courtesy of Last JM, MD, University of Ottawa, Ontario, Canada (choroplethic and spot maps).

From Levine RA. *Principles and Practice of Echocardiography*. 2nd ed. Philadelphia, PA: Lea & Febiger; 1994 (echocardiography).

From LifeART image copyright © 2005 Lippincott Williams & Wilkins (asthma, cerebral cortex, lobi cerebri, Tanner stages: female, fetal presentations, oxygen masks, atrium, cell meiosis, cell mitosis). All rights reserved.

From Macnab I, McCulloch J. *Neck Ache and Shoulder Pain*. 1st ed. Baltimore, MD: Williams & Wilkins; 1994 (spondylolysis).

Adapted from Male D, Roitt I, Brostoff J. *Immunology: An Illustrated Outline*. 5th ed. London: CV Mosby Company; 1994 (adhesion molecules involved in leukocyte migration).

Adapted from Martin FN. *Introduction to Audiology*. 5th ed. Englewood Cliffs, NJ: Prentice Hall; 1994 (tympanogram).

From McClatchey KD MD DDS. *Clinical Laboratory Medicine*. 2nd ed. Philadelphia, PA: Lippincott Williams & Wilkins; 2002 (*Candida albicans*, urinary casts, yeast, Zygomycetes, chromosome 5 painting probe, spinal bifida).

From McClatchey K. *Clinical Laboratory Medicine*. Baltimore, MD: Williams & Wilkins; 1994 (cystinosis).

From McKenzie SB, Clare N, Burns C, Larson L, Metz J. *Textbook of Hematology*. 2nd ed. Baltimore, MD: Williams & Wilkins; 1996 (poikilocytes, thalassemia, Philadelphia chromosome translocation).

From MediClip image copyright © 2005 Lippincott Williams & Wilkins (development anomalies of the uterus). All rights reserved.

Adapted from Melnick JL, Adelberg EA, Brooks GF, Jawetz E, Morse SA, Butel JS. *Jawtez Melnick and Adelberg's Medical Microbiology*. 21st ed. New York, NY: McGraw Hill Companies, Inc.; 1998 (representative DNA-containing tumor viruses, T-helper subsets).

Adapted from Miller CA. *Nursing for Wellness in Older Adults: Theory and Practice*. 4th ed. Philadelphia: Lippincott Williams & Wilkins; 2004 (delusions, depression).

Adapted from Mims C, Playfair J, Roitt I, Wakelin D, Williams R. *Medical Microbiology*. 2nd ed. London: CV Mosby Company; 1998 (majour groups of viruses).

From Moore KL PhD FRSM FIAC, Dalley AF II PhD. *Clinical Oriented Anatomy*. 4th ed. Baltimore, MD: Lippincott Williams & Wilkins, 1999 (hydrocephalus: MRI, fistula, cleft lip, nomal eye with labels).

Courtesy of Dr. P. Motta. From Sadler T PhD. *Langman's Medical Embryology Image Bank*. 9th ed. Baltimore, MD: Lippincott Williams & Wilkins; 2003 (sperms binding to oocyte).

Courtesy of Nellcor Incorporated, Pleasanton, California (pulse oximetry monitor).

From Nettina SM. *The Lippincott Manual of Nursing Practice*. 7th ed. Philadelphia, PA: Lippincott Williams & Wilkins; 2001 (decubitus ulcer).

From Neville BW, Damm DD, White DK. *Color Atlas of Clinical Oral Pathology*. 2nd ed. Baltimore, MD: Williams & Wilkins; 1998 (dental fluorosis, hypodontia, Kaposi sarcoma, hairy leukoplakia, oral hairy leukoplakia).

From *Nursing Procedures*. 4th ed. Ambler, PA: Lippincott Williams & Wilkins; 2004 (electrocardiography).

From Oatis CA. *Kinesiology: The Mechanics and Pathomechanics of Human Movement*. Baltimore, MD: Lippincott Wiliams & Wilkins; 2003 (capsule, joints, spondylolysis, movements of the eyes and muscles employed, facial nerve, vertebral processes, spondylolisthesis).

Adapted with permission from Pantaleo G, Graziosi C, Fancim AS. The Immunopathogenesis of Human Immunodeficiency Virus Infection. *N Engl J Med*. 1993;238:327-335. Copyright © 1993 Massachusetts Medical Society (HIV infection). All rights reserved.

Courtesy of PharMingen, San Diego, CA. Adapted from *Cytokines/Chemokine Manual*, 2nd edition, 1998.

From Pillitteri A PhD RN PNP. *Maternal & Child Health Nursing: Care of the Childbearing & Childrearing Family*. 3rd ed. Philadelphia, PA: Lippincott Williams & Wilkins; 1998 (cell-mediated immunity, humoral immunity, regional anesthesia for childbirth, Leopold maneuvers, caput succedaneum, audiogram).

From Premkumar K. *The Massage Connection: Anatomy and Physiology*. Baltimore, MD: Lippincott Williams & Wilkins; 2004 (DNA, atom).

Adapted from Richardson P, McKenna W, Bristow M, et al. Report of the 1995 World Health Organization/International Society and Federation of Cardiology Task Force on the Definition and Classification of Cardiomyopathies. *Circulation*. 1996;93:841-42 (cardiomyopathies: WHO classification).

From Riordan CL, McDonough M, Davidson JM, et al. Noncontact laser Doppler imaging in burn depth analysis of the extremities. *J Burn Care Rehabil*. 2003;24:177-86 (burns).

Copyright Judy Roger, MD. From Greenberg MI, Hendrickson RG, Silverberg M, eds. *Greenberg's Text-Atlas of Emergency Medicine*. Philadelphia, PA: Lippincott Williams & Wilkins; 2005 (*Inocybe calamistrata*, *Inocybe olympiana*, *Clitocybe nebularis*).

Courtesy of Judy Roger, MD. From Greenberg MI, Hendrickson RG, Silverberg M, eds. *Greenberg's Text-Atlas of Emergency Medicine*. Philadelphia, PA: Lippincott Williams & Wilkins; 2005 (*Psilocybe stuntzii*, *Amanita ocreata*, *Amanita phalloides*, *Galerina autumnalis*, *Gyromitra esculenta*, *Coprinus atramentarius*, *Amanita muscaria*).

From Roldan CA. *The Ultimate Echo Guide*. Philadelphia, PA: Lippincott Williams & Wilkins; 2004 (M-mode echocardiography, transesophageal echocardiography, automated border detection).

From Rosdahl DB. *Textbook of Basic Nursing*. 7th ed. Philadelphia, PA: Lippincott Williams & Wilkins; 1999 (spinal cord injury, blood clotting, ausculation).

Adapted from Royal Adelaide Hospital, Sexually Transmitted Diseases Services. *Diagnosis and Management Guidelines: Human Immunodeficiency Virus (HIV) Infection*. Available at: http://www.stdservices.on.net/std/hiv-aids/management.htm. Accesssed March 22, 2005 (clinical diagnosis of HIV-infected patients).

From Rubin E, Gorstein F, Schwarting R, Strayer DS. *Rubin's Pathology Clinicopathologic Foundations of Medicine*. 4th ed. Baltimore, MD: Lippincott Williams & Wilkins; 2004 (retinitis pigmentosa, adenoma, temporal arteritis, Lewy body, cholelithiasis, Alzheimer disease, bacterial endocarditis, oligodendroglioma, lobar pneumonia).

From Sadler T, PhD. *Langman's Medical Embryology Image Bank*. 9th ed. Baltimore, MD: Lippincott Williams & Wilkins; 2003 (neuroglia, blastocyst, morula).

Mikki Senkarik, San Antonio, TX (lateral position, oblique position).

Adapted from Skarin AT, Dorfman DM. Non-Hodgkin's lymphoma: current classification and management. *CA Cancer J Clin*. 1997; Vol. 47: No 6 (lymphoma classification).

From Smeltzer SC, Bare BG. *Brunner & Suddarth's Textbook of Medical-Surgical Nursing*. 8th ed. Philadelphia, PA: JB Lippincott Company; 1996 (arthroplasty, internal fixation, hypothalamic-pituitary-thyroid axis, positions, stripping of the saphenous vein, heart transplantation, external cephalic version, different configurations of skin lesions, Pap smear, cardiac tamponade, superficial veins, amputation, major digestive enzymes, assessment of chest pain)

From Smeltzer SC, Bare BG. *Brunner & Suddarth's Textbook of Medical-Surgical Nursing*. 9th ed. Philadelphia, PA: Lippincott Williams & Wilkins; 2000 (ventricular defibrillation, extra shock wave lithotripsy).

From Smith DS. *Field Guide to Bedside Diagnosis*. Philadelphia, PA: Lippincott Williams & Wilkins; 1999 (tophi).

From Snell R. *Clinical Anatomy*. 7th ed. Baltimore, MD: Lippincott Williams & Wilkins; 2003 (crura of diaphragm, duodenum, trigeminal nerve).

From Snell R. *Clinical Neuroanatomy*. Philadelphia: Lippincott Williams and Wilkins; 2001 (human cerebrospinal fluid, neuron types).

Courtesy of Larry Staugger, Oregon State Public Health Laboratory. From Centers for Disease Control and Prevention, Atlanta, GA (bacteria: bacilli).

Adapted from Stites DP, Terr AI, Parslow TG. *Basic and Clinical Medical Immunology*. 8th ed. New York, NY: McGraw Hill Companies, Inc.; 1994 (classification of primary immunodeficiency disorders).

From Suddarth DS. *Lippincott's Manual of Nursing Practice*. 5th ed. Philadelphia, PA: JB Lippincott Company; 1991 (stress response, goniometer, episiotomy, pyloric stenosis).

From Sun T. *Parasitic Disorders: Pathology, Diagnosis, and Management*. 2nd ed. Baltimore, MD: Lippincott Williams & Wilkins; 1999 (*Dracunculus medinensis*, *Entamoeba histolytica*, *Trichinella spiralis*, liver fluke, *Taenia saginata*, worms).

From Sutton DA, Fothergill AW, Rinaldi MG. *Guide to Clinically Significant Fungi*. Baltimore, MD: Williams & Wilkins; 1998 (*Rhizopus arrhizus*, *Trichophyton mentagrophytes*).

From Sutton DA, Fothergill AW, Rinaldi MG, Sun T, Koneman EW, Straus SE. *LWW's Organism Central* [CD-ROM]. Baltimore, MD: Lippincott Williams & Wilkins; 2001 (potassium hydroxide stain).

From Sweet RL, Gibbs RS. *Atlas of Infectious Diseases of the Female Genital Tract*. Philadelphia, PA: Lippincott Williams & Wilkins; 2005 (strawberry cervix, hydrops fetalis).

From Swischuk LE. *Emergency Imaging of the Acutely Ill or Injured Child*. Philadelphia, PA: Lippincott Williams & Wilkins, 2000 (foreign body).

From Swischuk LE. *Imaging of the Newborn, Infant and Young Child*. 4th ed. Philadelphia, PA: Lippincott Williams & Wilkins; 1997 (segmental colitis: cow's milk allergy, nephrogram).

From Tasman W, Jaeger E. *The Wills Eye Hospital Atlas of Clinical Ophthalmology*. 2nd ed. Philadelphia, PA: Lippincott Williams & Wilkins; 2001 (fluorescein angiography, episcleritis, nevus flammeus, trachoma, cataract, blepharitis, hyphema).

From Taylor C, Lillis C, LeMone P. *Fundamentals of Nursing: The Art and Science of Nursing Care*. 5th ed. Philadelphia, PA: Lippincott Williams & Wilkins; 2005 (acupuncture, restraints, surgical sutures, sleep, wound types).

From USDA-NRCS PLANTS Database (*Aesculus*).

Used with permission from the U.S. Drug Enforcement Administration (lysergic acid diethylamide, MDMA, crystal meth, heroin, cocaine).

From Volk WA, et al. *Essentials of Medical Microbiology*. 5th ed. Philadelphia, PA: Lippincott-Raven; 1996 (*Xenopsylla cheopis*).

Courtesy of Wang F., University of California at Irvine Medical Center, Orange, CA (perfusion, ventilation).

From Weber J RN EdD, Kelley J RN PhD. *Health Assessment in Nursing*. 2nd ed. Philadelphia, PA: Lippincott Williams & Wilkins; 2003 (Tanner stages: male).

Courtesy of Welch Allyn, Inc., Skaneatleles Falls, NY (retinitis pigmentosa).

From Wilcox RB. *High-Yield Biochemistry*. Baltimore, MD: Lippincott Williams & Wilkins; 1999 (tricarboxylic acid cycle, polymerase chain reaction, transcription—schematic representation).

From Willis MC, CMA-AC. *Medical Terminology: A Programmed Learning Approach to the Language of Health Care*. Baltimore, MD: Lippincott Williams & Wilkins; 2002 (electroencephalography, spirometry).

From Willis MC. *Medical Terminology: The Language of Health Care*. Baltimore, MD: Williams & Wilkins; 1996 (lesions, rhythm).

From Yeo C, Cameron JL. The pancreas. In: Hardy J, ed. *Hardy's Textbook of Surgery*. 2nd ed. Philadelphia, PA: JB Lippincott Co.; 1998 (pancreaticoduodenectomy).

From Yochum TR, Rowe LJ. *Essentials of Skeletal Radiology*. 2nd ed. Baltimore, MD: Williams & Wilkins; 1996 (dental film techniques, exostosis, myositis ossifications).

イラスト一覧

spheric **aberration**
alveolar **abscess**
perirectal (supralevator) abscesses (**abscess**)
eye **accommodation**
acne vulgaris
acrodermatitis continua
acupuncture meridians
dark and light **adaptation**
parathyroid **adenoma**
oculocutaneous **albinism**
ameba
amniocentesis
amnion and related structures
amputation
surgical **anastomoses**
regional **anesthesia** for childbirth
aneurysm of the aortic arch
angina pectoris
normal fluorescein **angiogram**
angiography
percutaneous transluminal coronary **angioplasty**
venous **angle**
reflex **arc**
electrocardiogram tracings showing common types of **arrhythmia**
arteriography, thigh
coronary arteries (**artery**)
temporal **arteritis**
artery
rheumatoid **arthritis**
arthroplasty
aspergillosis
asthma
atherosclerosis
atom
types of esophageal **atresia**
atria
pure tone **audiogram**
screening **audiogram**
auscultation of lungs
eye motions and **axes**
hypothalamic-pituitary-adrenal axis (**axes**)
immobilization **bandages** (bandage)
baroreceptors (**baroreceptor**)
blood-brain **barrier**
biceps
excisional punch **biopsy** of epidermoid cyst
human **blastocyst**
compounds of **blood**
basal bodies (**body**), cilia, and microvilli
Lewy **body**
Pappenheimer bodies (**body**)
tracheal foreign bodies (**body**)
bone
brain
breast
segmental **bronchi**
bronchiectasis
burns
bursae of knee
coronary **bypass**
caduceus
callus
calorimeter
haversian canals (**canal**)
capillary bed
capsule
caput succedaneum and cephalhematoma
carcinoma
caries
cartilages (**cartilage**) of larynx
nasal **cartilage**
urinary casts (**cast**)
mature **cataract** with complete ossification of lens
Foley **catheter**
cell with atypical organelles
centriole
cerebral hemispheres
strawberry **cervix**
optic **chiasm**
transhepatic **cholangiogram**
cholelithiasis
chromosome
circadian rhythm and performance capacity
circle of Willis
fetal **circulation** vs. postnatal **circulation**
pulmonary **circulation**, systemic **circulation**
blood **clotting**
clubbing
crack (**cocaine**)
cochlea
coenzyme
colostomy
vertebral **column**
juxtaglomerular **complex** and glomerulus
fecal **concentration** procedures
conization of cervix
allergic **conjunctivitis**
successive **contrast**
cerebral **cortex**
crura of diaphragm
normal and abnormal **curves** of vertebral column
menstrual **cycle**
tricarboxylic acid **cycle**
apical periodontal **cyst**
hydatid **cyst** of liver
cystinosis
sensory pathways in **decussation**
septal **defects**
defibrillator
boutonnière **deformity**
esthetic **dentistry**
deciduous **dentition**
permanent **dentition**
atopic **dermatitis**
dermatomes (**dermatome**)
milestones of **development**
Venn **diagram**
diaphragm
digestive system and associated structures
digitalis
intervertebral **disc** herniation
vertebral and intervertebral **disc** anatomy
Alzheimer **disease**
Fabry **disease**
graft-versus-host **disease**
Kawasaki **disease**
dislocations (**dislocation**)
diverticulosis
diverticulum
pharyngoesophageal **diverticulum**
DNA
Dracunculus *medinensis*
postural **drainage**
cochlear **duct** and spiral organ
nasolacrimal **duct**
thoracic and right lymphatic **ducts**
duodenum
dura mater
ear
ECG lead placement
echocardiography
electrocardiography
electroencephalography
electropherogram
electroretinogram
embolism
early human **embryos** (embryo)
human **embryos** (embryo)
emphysema
endocarditis, bacterial
endocrine system
endocytosis and exocytosis
barium **enema**
Entamoeba *histolytica*
enterostomy tubes
interconnections between **nuclear** envelope and rough-surfaced endoplasmic reticulum
nodular **episcleritis**
episiotomy
methods for controlling **epistaxis**
types of **epithelium**
erythrocytes
pelvic **examination**
exostosis
eye
fetus
fever
ventricular **fibrillation**
uterine **fibroleiomyomata**
cystic **fibrosis**
filarial infestation
dental **film** techniques
jersey **finger**
mallet **finger**
fissures (**fissure**) of the lung
tracheoesophageal **fistula**
fistulae of vagina
internal **fixation**

bone **flap**
flexures (**flexure**)
cerebrospinal **fluid**
liver **fluke**
dental **fluorosis**
vocal folds (**fold**)
hair **follicle**
primary **follicle** containing oocyte
fontanelles and sutures of fetal skull
obstetric **forceps**
blow-out **fracture**
fracture types
Le Fort classification of facial fractures (**fracture**)
gallbladder, liver, and biliary system
spinal **ganglion**
gastroenterostomy
gastrula
types of gland (**gland**)
glaucoma
renal **glomerulus**
goiter
goniometer
graft types
Wegener **granulomatosis**
pinch and **grasp** patterns
gustation
gyri and sulci
hematoma
hemodialysis
hemothorax
indirect inguinal **hernia**
sliding esophageal and paraesophageal hernias (**hernia**)
umbilical **hernia**
herpes simplex
heteroduplex formation
homunculus
types of hydroceles (**hydrocele**)
hydrocephalus
hyperopia
hyphema
hypodontia
hypospadias
hypothalamic-pituitary-thyroid axis
ileocolostomy
ileostomy
cell-mediated **immunity**
humoral **immunity**
cochlear **implant**
dental **implant**
intraocular lens **implant**
surgical incisions (**incision**)
myocardial **infarction**
intracranial infections (**infection**) secondary to paranasal sinusitis
mendelian **inheritance**
injection
spinal cord **injury**
sensory **innervation** of hand and wrist
biting and stinging **insects**
intestines (**intestine**)
pancreatic **islet**
joints (**joint**)
interphalangeal **joint** capsules and ligaments
temporomandibular **joint**
karyotype
keratoconus
full and partial corneal transplantation (**keratoplasty**)
kidney
kidney anomalies
kinins (**kinin**)
direct **laryngoscopy**
germ layers (**layer**)
skin lesions (**lesion**)
hairy **leukoplakia**
lice
cruciate ligaments (**ligament**) of knee
linea nigra
cleft **lip**
extracorporeal shock wave **lithotripsy**
liver **lobule**
lobi cerebri
lungs (**lung**) and respiratory system
systemic **lupus** erythematosus
lymphangiography
heart-lung **machine**
malocclusion
Heimlich **maneuver**
Leopold maneuvers (**maneuver**)
choroplethic and spot maps (**map**)
oxygen masks (**mask**)
closed chest **massage**
anal and rectal masses (**mass**)
muscles of **mastication**
Mastigophora
skinfold **measurement** types
cell **meiosis**
plasma **membrane**
meningioma
meninges of spinal cord
meniscal tears
menstruation
mitochondrion and cellular respiration
cell **mitosis**
impacted mandibular third **molar**
electronic fetal **monitoring**
morula
mouth
origin of cardiac murmurs (**murmur**)
skeletal muscles (**muscle**)
muscular anatomy of head and neck
muscular and skeletal anatomy of wrist and hand
muscular and skeletal anatomy of ankle and foot
myopia
myositis ossificans
structure of **nail**
nasopharynx and surrounding structures
necrosis
nematode
nephrolithiasis
nephron
trigeminal **nerve**
cranial nerves (**nerve**)
spinal nerves (**nerve**)
neuroglia
anatomic classification of **neuron** types
typical efferent **neurons** (neuron)
nevus flammeus
Heberden nodes (**node**)
nomogram
nutrient absorption
total parenteral **nutrition**
nystagmus
surgical procedures to control morbid **obesity**
small-bowel **obstruction**
olfaction
oligodendroglioma
operon
contents of **orbit**
organelles (**organelle**)
auditory ossicles (**ossicle**)
osteoporosis
otitis externa
otitis media
ovarian cycle of follicle
pulse **oximetry** monitor
palpation of prostate
pancreas and duodenum into which it empties
classic **pancreatico-duodenectomy**
vallate **papilla** of tongue
basel cell **papilloma**
chronic **paronychia**
Parvovirus infection
somatic and visceral reflex pathways (**pathway**)
percussion
acute **perichondritis**
periosteum
phalanges of fingers and thumb
central **placenta** previa
Plasmodium
lumbosacral **plexus**
pneumatosis intestinalis
lobar **pneumonia**
spontaneous **pneumothorax**
poikilocytes
polycythemia vera
benign polyps (**polyp**) of large intestine
beach chair **position**
positions (**position**) on operating table
development of fetus during **pregnancy**
sites of ectopic **pregnancy**
fetal **presentation**
vertebral **processes**
radiographic projections (**projection**)
prostate and surrounding structures
pancreatic **pseudocyst**
ptosis
peripheral pulses (**pulse**)
lumbar **puncture**
intravenous **pyelography**
renal pyramids (**pyramid**)
quadrants (**quadrant**)
radioimmunoassay
polymerase chain **reaction**
abdominal regions

(**region**)
respiration at expiration
restraints (**restraint**) for adults and children
layers of **retina**
retinitis pigmentosa
abdominal **retractor**
position of uterus (**retroflexion**)
retrovirus
rigidity
Ogino-Knaus **rule**
Kaposi **sarcoma**
sarcomere
scabies
Schistosoma *mansoni*
scoliosis
upper gastrointestinal **series**
synovial sheaths (**sheath**) of hand and digits
Babinski **sign**
lemon and banana signs (**sign**)
doral venous **sinuses**
paranasal **sinuses**
muscular and **skeletal** anatomy of wrist and hand
skeletal anatomy
cell **receptor** site
skin layers and components
anterior and posterior views of **skull**
lateral view of **skull**
sagittal section through **skull**
Papanicolaou (Pap) **smear**
Poisonous snakes (**snake**)
somites (**somite**)
specula
spermatogenesis
human **spermatozoon**
spina bifida
spirochetes (**spirochete**)
incentive **spirometer**
spleen
airplane **splint**
grading **spondylolisthesis**
spondylolysis
Tanner stages (**stage**) in female
Tanner stages (**stage**) in male
potassium hydroxide **stain**
Ziehl-Neelsen **stain**
hypertrophic pyloric **stenosis**
vascular stents (**stent**)
sternum and surrounding structures
stomach
stomatocytosis
strabismus
stress response
stripping of saphenous veins
surgical sutures (**suture**)
swallowing
synapses (**synapse**)
carpal tunnel **syndrome**
sick sinus **syndrome**
arterial **system**
endocrine **system**
hepatic portal **system**
cells belonging to mononuclear phagocytic **system**
lymphatic **system**
muscular **system**
nervous **system** of thorax and upper limb
nervous **system** of pelvis and lower limb
respiratory **system**
venous **system**
urinary **system**
male urogenital **system**
female urogenital **system**
peripheral nerve terminations (**system**)
Taenia *saginata*
talipes cavus and talipes planus
assessment for cardiac ***tamponade***
meniscal tears (**tear**)
tendons (**tendon**) and ligaments
radioallergosorbent **test**
Rinne **test**
Weber **test**
thalassemia
deep vein **thrombosis**
toe deformities
Schiøtz **tonometer**
tooth and supporting tissues
torsion of spermatic cord
Toxicodendron
tracheostomy
trachoma
motor pathways to spinal cord via a direct route (corticospinal **tract**) and through subcortical relay station (rubro-spinal **tract**)
principal fiber tracts (**tract**) of spinal cord
female urinary **tract**
Bryant **traction**
reverse **transcriptase**
transcription
inheritance of **translocation** trisomy
transplants (**transplant**) and prostheses
heart **transplantation**
active **transport**
Trichinella *spiralis*
sympathetic **trunk**
carpal **tunnel**
twins (**twin**)
decubitus **ulcer**
patent **urachus**
urography
developmental anomalies of **uterus**
heart valves (**valve**)
venous valves (**valve**)
vasectomy
vasopressin
superficial **veins** of hand and forearm
ventricles (**ventricle**) of brain
external cephalic **version**
internal podalic **version**
human immunodeficiency **virus**
viscera of thorax
abdominal **viscera**
vision
lung **volume** compartments and subdivisions
differentiation of tumors and cysts of **vulva**
worm
wound healing
yeast
different configurations of skin lesions (**zosteroid**)
Zygomycetes

表一覧

chromosome **aberration**：染色体異常

aerosol therapy：エアロゾル療法

antibiotic groups：抗生物質・化学療法剤

autoimmune diseases：ヒトにおける自己免疫疾患

classification of **bacteria**：細菌の分類

ABO **blood** group：ABO血液型群

muscles used in **breathing**：呼吸に用いられる筋肉

cardiomyopathies（WHO classification）：心筋症

T-helper subsets：Tヘルパーサブセット

Angle **classification** of malocclusion：Angelの不正咬合の分類

coagulopathy：凝固障害

collagen：コラーゲン

components of the classical pathway：古典経路の構成要素

components of the alternate pathway：副経路の構成要素

components of the membrane-attack complex：膜侵襲複合体の構成要素

minimal alveolar **concentration**（MAC）：最小肺胞濃度（MAC）値

cytokines and chemokines：サイトカイン，ケモカイン

laboratory diagnosis of **cytomegalovirus**（CMV）infection：サイトメガロウイルス

deafness due to developmental dysplasias of the cochlea：蝸牛の形成異常による難聴

distinguishing features of **delusions**, hallucinations, and illusions：妄想，幻覚と幻覚の目立った特徴

medical conditions that can cause **depression**：うつ病を起こす医学的状態

motor, social, verbal and cognitive **development** of normal child：正常小児における運動性，社会性，言語性および認識性の発達

etiologic classification of **diabetes** mellitus：真性糖尿病の病因の分類

electroencephalogram：脳波

lipoprotein **electrophoresis**：リポ蛋白電気泳動

viral **embryopathy**：ウイルス性胎児病

major digestive **enzymes**：主要消化酵素

accommodation of **eye**：眼の調節

development of the **fetus**：胎児発育

nerve **fiber** groups：神経線維の分類

viruses associated with acute **gastroenteritis** in humans：ヒトの急性胃腸炎に関連するウイルス

types of **glycogenosis**：糖原病の分類

nomenclature of viral **hepatitis** antigens and antibodies：肝炎抗原・抗体の名称

classification of human **herpesviruses**：ヒトヘルペスウイルスの分類

clinical diagnosis of **HIV**-infected patients：HIV感染患者

causes of **hydronephrosis**：水腎症の原因

classification of primary **immunodeficiency** disorders：原発性免疫不全疾患の分類

inflammation：炎症

insulin（metabolic effects）：インスリン（代謝効果）

FDA-approved indications for **interferon** therapy：FDAで認められているインターフェロン治療

common **lasers** used in medicine：医療に用いられるレーザー

head **lines**：Head線

plasma **lipoproteins**：血漿リポ蛋白

lochia：おろ（悪露）

lymphocytes：リンパ球

lymphoma：リンパ腫

malabsorption：吸収不良

tumor markers：腫瘍マーカ

milk：乳

muscles of the eye：外眼筋

neurotransmitters：神経伝達物質

main components of nonprotein **nitrogen**：非蛋白性窒素の主要成分

representative cellular **oncogenes**：代表的なC-オンコジーン

etiology of **osteomalacia**：骨軟化症の成因

assessment of chest pain：胸痛の評価

acute **pancreatitis**：急性膵炎

precancers：前癌状態

Pascal equivalents of other units of measure（**pressure**）：他の測定単位のパスカル等量

intracardial **pressure**：心腔内圧の正常値

plasma **protein**：血漿蛋白

temporal sequence of events in **puberty**：思春期発達の進行

β-adrenergic **receptors**：β-アドレナリン作動性レセプタ

locations of neuronal cell bodies of the afferent and efferent limbs of representative **reflexes**：代表的反射の求心性と遠心性経路の神経細胞体の位置

myotatic **reflexes**：筋伸展反射

Glasgow **coma** scale：Glasgow昏睡スケール

Apgar **score**：Apgarスコア

sensation：感覚

characteristics of NREM and REM **sleep**：ノンレム睡眠とレム睡眠の特徴

sphingolipidoses：スフィンゴリピドーシス

Ann Arbor **staging** system for lymphomas：Ann Arborのリンパ腫の病気分類システム

TNM lung cancer **staging**：TNM肺癌病期分類

autonomic nervous **system**：自律神経系

taxonomy：分類学

tongue plaques：舌苔

classification of conjoined **twins**：接着双生児の分類

urine：尿

representative DNA-containing tumor **viruses**：典型的なDNA腫瘍ウイルス

oncogenic **viruses**：腫瘍ウイルス

vitamins：ビタミン

causes of **vomiting**：嘔吐の原因

wounds：創傷

ハイプロフィールターム一覧

activator, tissue plasminogen
AIDS
alcoholism
angioplasty, percutaneous transluminal coronary
anorexia nervosa
antibody, monoclonal
antigen, prostate-specific
antileukotriene
antioxidant
apnea, obstructive sleep
apoptosis
areas, Brodmann
asthma, bronchial
atherosclerosis
bias
blocker, angiotensin II receptor
carcinoma
carcinoma of breast
carcinoma, bronchogenic
carcinoma of prostate
care, end of life
care, managed
Chlamydia pneumoniae
CLIA
cocaine
colposcopy
complex, histocompatibility
cytogenetics
cytokine
dehydroepiandrosterone (DHEA)
depression, major
diabetes, gestational
diabetes mellitus
Diagnostic and Statistical Manual of Mental Disorders
diet, Mediterranean
directive, advance
disease, Alzheimer
disease, Creutzfeldt-Jakob
disease, gastroesophageal reflux
disease, Lyme
disorder, attention deficit hyperactivity (ADHD)
encephalopathy, bovine spongiform
ethanol
fibromyalgia
fingerprinting, DNA
flunitrazepam
fluoroquinolone
folic acid
Framingham Heart Study
gene, BRCA1
gene, BRCA2
gene, tumor suppressor
Helicobacter pylori
hepatitis
herpesvirus 8
HIPAA
Hippocratic Oath
HMO
homocysteine
hospitalist
Human Genome Project
γ-hydroxybutyrate
hypertension
immunotherapy
infarction, myocardial
influenza
inhibitor, ACE
inhibitor, COX-2
inhibitor, HMG CoA reductase
inhibitor, protease
interferon
Knife, Gamma
laparoscopy
leptin
lipoprotein
lipoprotein Lp (a)
load, plasma viral
mammography
MDMA
medicine, complementary and alternative
melatonin
mouse, knockout
nephropathy, diabetic
neuropathy, diabetic
nicotine
nitric oxide
nutraceutical
obesity
oncogene
osteoporosis
papillomavirus, human
parvovirus B19
pill, morning after
period, window
prion
probe
radical, free
raloxifene
reaction, polymerase chain
resistance, drug
resistance, insulin
retinopathy, diabetic
retrovirus
rhinosinusitis
smallpox
stroke
suicide, physician-assisted
syndrome, chronic fatigue
syndrome, metabolic
syndrome, premenstrual
syndrome, shaken baby
syndrome, sudden infant death
system, Bethesda
system, cytochrome P450
tamoxifen
telomerase
Terminologia Anatomica
test, stress
testing, genetic
therapy, estrogen replacement
therapy, gene
therapy, thrombolytic
tobacco
tomography, positron emission
trial, clinical
tuberculosis
ultrasonography, Doppler
universal precautions
virus, West Nile
wellness
will, living
window
workaholic

凡 例

本辞典の体裁

A R E A 　主見出し語テーブル

I　見出し語
II　発音記号
III　語源
IV　出典
V　訳語
VI　説明文
主見出し語

ar·e·a (a), pl. **ar·e·ae** (ār′ē-ă, -ē)［L. a courtyard］. ***1***［TA］. 野，区（限られた面または空間）. ***2*** 野，区

主見出し語に相当する語は略記

副見出し語

acoustic a. 聴野（第4脳室の外側陥凹の床．内側は境界溝までのび，菱脳の蝸牛・前庭神経核の上にある）. = a. acustica.

cochlear a.［TA］蝸牛野（蝸牛神経線維が，蝸牛管にはいるために通過する内耳道底の横陵の下方領域で蝸牛管がらせんに捲いている円錐形の蝸牛軸の底部をなしている. ⇀ *base* of modiolus of cochlea). = a. cochleae［TA］.

VII　参照

イタリック体は，用語が掲載されている主見出し語を示す

hy·po·derm (hī′pō-derm)［hypo- + G. *derma*, skin］. 皮下組織. = subcutaneous *tissue.*

VIII　類義語
*説明文が付記されている場合，青字で表記

tris- 化学において，続いて別個に結合する3つの同じ置換基があることを示す接頭語. *cf.* tri-.

pi·mel·ic ac·id (pĭ-mel′ik as′id). ピメリン酸； heptanedioic acid; $HOOC(CH_2)_5COOH$（油の酸化作用およびある種の微生物中の中間体．ビオチンの先駆物質）.

語義区分
訳語が異なる

hyp·not·ic (hip-not′ik)［G. *hypnōtikos*, causing one to sleep］. ***1***〚adj.〛催眠性〔の〕(催眠を引き起こす). ***2***〚n.〛催眠薬. = soporific (2). ***3***〚adj.〛催眠術の，催眠法の.

品詞（品詞が異なる場合のみ示す）

訳語が同じ

ther·mo·dy·nam·ics (ther′mō-dī-nam′iks)［thermo- + G. *dynamis*, force］. 熱力学（①物理化学の一分野，熱およびエネルギーあるいは力学的作用を含むそれらの一方から他方へのエネルギー変換を扱う．②熱の流れの研究）.

fuch·sin·o·phil·ic (fuk′sin-ō-fil′ik). = fuchsinophil (1).

類義語の該当語義区分

見出し語の略または記号

dec·i·bel (**dB, db**)(des′i-bel)［L. *decimus*, tenth + bel］. デシベル（［誤った発音 des′i-b′l を避けること］. 1ベルの1/10．対数法で相対的な音の大きさを示す単位）.

e·lec·tro·car·di·o·gram (**ECG, EKG**) (ē-lek-trō-kar′dē-ō-gram)［electro- + G. *kardia*, heart + *gramma*, a drawing］. 心電図（［electrocardiograph と混同しないこと］. 心電計によって得られる心臓全体を総合した活動電流の図形記録で，電位差の時間経過で示される）.

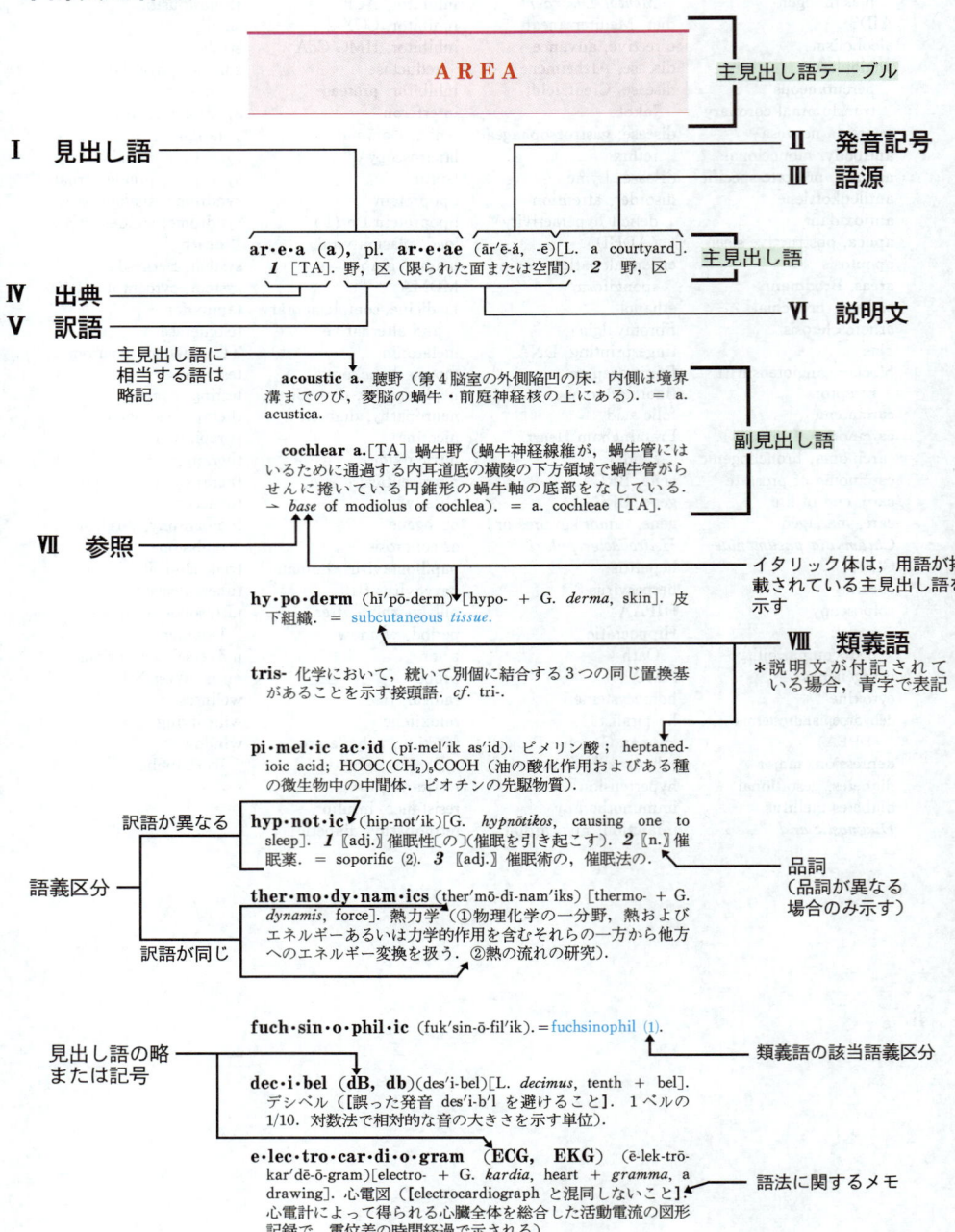

語法に関するメモ

Hu·man Ge·nome Pro·ject (hyū′man jē′nōm pro′jek-t). ヒトゲノム計画（ヒトゲノムをマップするため，世界中の分子生物学者による包括的努力．2003年に終了した．本計画の結果によりヒトゲノム30億個のDNA文字が99.99％の正確さで明らかにされた）．＝ Human Genome Initiative.

米国ヒトゲノム計画は1990年に議会により創設された多くの学問領域を網羅した努力で，エネルギー省および国立衛生研究所が共同で管理し，ヒトゲノムをマップし，配列を決定することである．国際ヒトゲノムシーケンス決定コンソーシアムは米国，英国，中国，フランス，ドイツならびに日本の20か所のゲノム配列決定センターに数百人の科学者を抱えていた．46染色体中のすべてのDNAを決定するのにポリメラーゼ連鎖反応，FISH法，DNA断片クローン化，自動DNA配列決定技術の手助けを得てすら10年を要した．その結果得られた遺伝子地図は解剖図鑑に示されているように高度に理想的化された内容であり，おそらくは一卵性双生児以外，どの２人も正確に同じ遺伝子構成をもたない．現在見積られている３万一４万個のヒト遺伝子は，以前予想されていたよりもかなり少ないが，その10倍以上の蛋白をコードしている．これらの遺伝子の約1,200に影響する異常により1,600以上の疾患が同定されている．遺伝子地図の完成によりヒトの生物学の理解が広がり，遺伝病の発見と治療を加速化し，オーダーメイド薬による標的化可能な遺伝子ならびに遺伝子産物の同定を可能にし，医療の個別化を促進することが期待できる．また現在研究が行われている細菌，酵母，作付植物，家畜，および他の生物のゲノム計画は農業，環境科学，および産業工程の進歩を促進するであろう．ヒトゲノム計画の予算の５％はこの研究から引き起こされそうな倫理的，法的，および社会的問題を予測し，解決することに当てられてきた．

ハイプロフィールターム　医学の実践，世界保健に関して広く意義のある語を示す

黒いバーで始まりと終わりを示す

I　見出し語

1) 本辞典は，一般的な辞書と異なり，見出し語を主見出し語(メインエントリー)と副見出し語(サブエントリー)に分けた親子形式の配列で掲載した。すなわち共通する単語を有する連語を一括して配列することにより情報を整理した。

hemorrhagic fever → fever の項

myocardial infarction → infarction の項

carcinoid tumor
giant cell tumor of bone → tumor の項
Wilms tumor

2) ある種の連語の配列は，標準的な見出し語の構成とは異なっている。通常，一語として続けるか，またはハイフネーションでまとめる連語は，副見出し語としてではなく，主見出し語として掲載した。

aftercontraction → Aの項に掲載（contraction の項ではない）

self-hypnosis → Sの項に掲載（hypnosis の項ではない）

3) 化合物および薬品名としての連語は，おおむね主見出し語として掲載した。ただし，一般的な名詞を含んでいて，明らかにそのタイプや種類を表しているとみなされる場合，あるいは副見出し語として掲載したほうが好ましいと思われる場合はこの限りではない。

adrenergic blocking agent（agent の一種） → agent の項に掲載
Agent Orange（合成語） → 主見出し語として掲載

bile acid（acid の一種） → acid の項に掲載
acid red（acid でも red でもない染料） → 主見出し語として掲載
ribonucleic acid（acid というより分子） → 主見出し語として掲載

1．主見出し語の構成・配列

1) 主見出し語は，単語ごとではなく，一文字ごとのアルファベット順に配列した。

blood	**cross**
blood clot	**crossbreed**
bloodletting	**cross-eye**
blood relative	**crossing-over**
bloodstream	**cross-matching**
blood vessel	**crossway**

2) 前置詞的な語句，特にラテン語表記は，前置詞を含めた形で配列した。

ante cibum → Aの項に掲載

in vitro → Ｉの項に掲載

3) 英語でつづり表記されたギリシア文字は，配列に含めた。

alpha-blocker → Aの項に掲載（α-naphthylthiourea はNの項に掲載）

levodopa → Lの項に掲載（L-dopa はDの項に掲載）

4) 同一つづりの単語がある場合は，大文字で始まる語を小文字で始まる語の前に掲載してある。

Streptococcus → streptococcus の前に配列

Emery → emery の前に配列

5) 前置詞，接続詞，人名の所有格を示す“'s”，また，接頭語あるいは化合物の名称の一部としての，スペース，句読点，ギリシア文字(α，β，γ)，数字，立体配置を表す記号(D-，+，−)，イタリック体文字(*p*-，*N*-，*cis*-)などはアルファベット順配列から除外した。

cytidine
cytidine 5′-**diphosphate**
cytidine diphosphocholine
cytidine diphosphoglyceride
cytidine diphosphosugar
cytidine 5′-**triphosphate**
cytidylic acid

6) 様々な冠名として知られている人名は，それぞれの冠名の参照の便を図るため，独立の項目として掲載した。冠名の項目は，説明文を付した同義語が別にある場合もあり，イタリック体で掲載されていても，必ずしも説明文があるとは限らない。

Hoffmann (hof′mahn), Johann. ドイツ人神経科医，1857–1919. ⇀ H. muscular *atrophy*, *phenomenon*, *reflex*, *sign*; Werdnig-H. *disease*, muscular *atrophy*.

Sylvius (sil′vē-ŭs). オランダ人医師・解剖・生理学者, 1614–1672. ⇀ sylvian *angle*, *aqueduct*, *fissure*, *line*, *point*, *valve*, *ventricle*; *fossa* of S.; *vallecula* sylvii.

Wilms (vilmz), Max. ドイツ人外科医，1867–1918. ⇀ W. *tumor*.

最近の出版傾向を反映させ冠名の所有格の使用はしていない。

7) 一般的な頭字語などの略および記号は主見出し語として配列してある。また，相互参照できるようにフルスペルの主見出し語のすぐ後に（　）でくくって示してある。

Cyt シトシンの記号.

cytosine (**Cyt**) (sī′tō-sēn). シトシン（核酸中に見出されるピリミジンの1つ).

PET positoron emission *tomography* の略.

tomography
　positron emission t. (**PET**) 陽電子断層撮影法（放射性に標識された物質が組織内…

2．副見出し語の構成・配列

1) 副見出し語では，主見出し語に相当する語を頭文字で略記した。複数形は規則変化するものは“'s”を付して示したが，不規則変化するもの，およびラテン語の複数形は完全なつづりを記した。

artery
　　ileal a.'s

arteria
　　arteriae ileales

2) 副見出し語も，主見出し語の規則と同様に，一文字ずつのアルファベット順の配列基準に従っている。ただし，副見出し語中の主見出し語自体はその複数形変化も含め配列からは無視した。また，前置詞，接続詞，冠詞，あるいは冠名で用いられている所有格も同様に除外した。

crest
　　gluteal c.
　　c. of greater tubercle
　　inguinal c.
　　c.'s of nail bed
　　nasal c.
　　c. of neck of rib

gyrus
　　angular g.
　　gyri breves insulae
　　central gyri
　　g. dentatus
　　short gyri of insula
　　gyri temporales transversi

3) 連語のなかには，検索すべき名詞の同義語である他の主見出し語の項に副見出し語として掲載されている場合もある。例えば，外科的な procedure のなかには，operation, technique, あるいは method などとして表現されるものもあり，同様に，disease と syndrome も頻繁に言い換えられている。このような主見出し語には，求める語が副見出し語として掲載されている可能性のある他の主見出し語を参照語として掲載してある。

operation (op-ĕr-ā′shŭn). ***1*** 手術（外科的処置のすべてについていう）. ***2*** 施行，操作，作用（機能の働き，方法，過程. → method; procedure; technique).

procedure (prō-sē′jŭr). 手技，処置，方法，〔手〕法（治療や手術の行為，手法. → method; operation; technique).

disease (di-zēz′) [Eng. *dis-* 欠性辞＋ ease]. ***1*** 病気（身体の機能，構造，器官などの断絶，停止，または障害). ＝illness; morbus; sickness. ***2*** 疾患，疾病（次の基準のうち少なくとも２つを満たす病変．病因物質をもつこと．はっきりと指摘できる徴候や症候群があること．一致した解剖学的変化があること．→ syndrome).

syndrome (sin′drōm) [G. *syndromē*, a running together, tumultuous concourse; 医学的には症状の集合＜ *syn*, together ＋ *dromos*, a running]. 症候群（病的経過に伴った徴候や症状の集合で，病状を構成しているもの．→ disease).

4) 上記にあげた例以外で，語の掲載箇所が検索できない場合は，その語を構成しているそれぞれの単語をアルファベット順で検索されたい。また検索語と類義の他の主見出し語を検索されたい。

3．つづり

1) ２種類以上のつづりのある語は，主見出し語の項で別のつづりを明示し，相互参照の便を図った。

curet ⇀curette.

hem-, hema- [G. *haima*]. 血液に関する連結形. → hemat-; hemato-; hemo-.

kyto- ⇀cyto-.

2) 現在のつづりに取って代わられた古いつづりは，主見出し語の項に相互参照として，掲載されている。

oari-, oario- [G. *ōarion*, a small egg: *ōon*(egg)の指小辞]. 卵巣を示す連結形で，現在では用いられない. ⇀ oo-; oophor-; ovario-.

pleio- pleo-と同義にまれに用いられるつづり.

3) 米国式と英国式で，特に語の最初あるいはそれに準ずる位置でつづりが異なる語では，相互参照を用いて検索の便を図った。

ae- この形で始まり以下に記載のない語については e- の項参照.

oe- この形で始まり以下に記載のない語については e- の項参照.

4) 合成語の英国式つづりも，見出し語のアルファベット順を変更する場合がある。

	英国式	米国式
aeはeに	*ae*tiology	*e*tiology
	*ae*sculapian	*e*sculapian
	*ae*stival	*e*stival
oeはeに	c*oe*nesthesia	c*e*nesthesia
	c*oe*nocyte	c*e*nocyte
	*oe*strogen	*e*strogen
ourはorに	col*our*	col*or*
reはerに	fib*re*	fib*er*

連結形 aero- の一部としての*ae*は，*aero*sol, an*aero*be，あるいはギリシア語 *aer*, air から派生した語のように，両方のつづりで用いられている。*aero*plane/*air*plane はよく知られたこの規則からの例外である。

5) 人名は，最も多く使用されているつづりを採用した。そのためäとae，öとoe，üとue，あるいは Mac と Mc など様々なつづりが掲載されている。Van, van der, von, de, のような前置詞で始まる人名に関しては，その有無は慣例に従い，相互参照を用いて検索の便を図った。人名も，その形にかかわらず（例えば，Crohn, Bence, Jones, d'Herelle, von Willebrand, Loeffler, Löffler)，一文字ごとのアルファベット順で配列した。

II 発　音

発音記号は，主見出し語の場合に見出し語のすぐ後に（　）でくくって示した。

1．発音表記

1) 主見出し語のつづりと発音表記のつづりが同じ場合は発音表記を示していない。

2) 副見出し語の場合は，原則的に発音表記を示していないが，英語以外の言語および冠名には発音表記を示した。

2．発音記号の読み方

1) 2種の音声区分をするため，長母音には記号（¯），短母音には記号（˘）を用いた。

2) 強勢符（ʹ）を用いて強勢する音節を示した。単音節語の場合は，強勢符はない。

3) その他の音節は，ハイフンによって分けられている。

4) 個々の発音については，次頁の発音記号例解を参照。

発音記号例解

母音

	〈国際音声記号〉(IPA)	〈例〉
ā	[ei]	day, gauge
	[ε(:)r]	care
a	[æ]	mat, damage
ă	[ə]	about, para
ah	[ɑ(:)]	father
ar	[ɑ:(r)]	artery, heart
aw	[ɔ:]	fall, cause, raw
ē	[i:]	be, equal
e	[e]	met, leg, error
ĕ	[ə]	taken, genesis
er	[ə:r]	term, learn
	[ər]	operation
	[er]	merry

	〈国際音声記号〉(IPA)	〈例〉
ī	[ai]	pie
ĭ	[i]	pit, sieve, build
ō	[ou]	note, so
	[ɔ:r]	for
o	[ɑ/ɔ]	not, oncology
	[ɔ:]	ought
oo	[u:]	food
ow	[au]	cow, out
oy	[ɔi]	troy, void
ū	[ju(:)]	unit, curable
ŭ	[ʌ]	cut

子音

	〈国際音声記号〉(IPA)	〈例〉
b	[b]	bad
ch	[tʃ]	child
d	[d]	dog
dh	[ð]	this
	[θ]	smooth
f	[f]	fit
g	[g]	got
h	[h]	hit
[h]	フランス語の音節の終わりにみられ，舌を上歯の後ろに触れるように持ち上げる（英語の ‘zone’ に近い）。フランス語の単語および名前の発音を助けるために用いた。	
j	[dʒ]	jade
k	[k]	kept
ks	[ks]	tax

	〈国際音声記号〉(IPA)	〈例〉
kw	[kw]	quit
l	[l]	law
m	[m]	me
n	[n]	no
ng	[ŋ]	ring
p	[p]	pan
r	[r]	rot
s	[s]	so, miss
sh	[ʃ]	should
t	[t]	ten
th	[θ]	thin
	[ð]	with
v	[v]	very
w	[w]	we
y	[j]	yes
z	[z]	zero
zh	[ʒ]	azure, measure

いくつかの語は以下の例のように，冒頭部分の発音が冒頭文字と一致しない。すなわち冒頭文字を発音しないか別の発音である。

aerobe（ār′ōb）　knuckle（nŭk′ĕl）　pneumonia（nū-mō′nē-ă）　ptosis（tō′sis）
eidetic（ī-det′ik）　oedipism（ed′i-pizm）　psychology（sī-kol′ŏ-jē）　xanthoma（zan-thō′mă）
gnathic（nath′ik）　phthalein（thal′ē-in）

Ⅲ　語　源

語源は，見出し語・発音記号の後に［　］でくくって示した。

1．構成

1）①語源の言語名は略語を用い(略語については48頁の「略語・記号一覧」を参照)，②語源はイタリック体で示し，③英語訳を付した。

①　②　③
diphtheria (dif-thēr′ē-ă) [G. *diphthera*, leather].

①　②　③
graph (graf) [G. *graphō*, to write].

①　②　③
union (yūn′yŭn) [L. *unus*, one].

①　②　③
duct (dŭkt) [L. *duco*, pp. *ductus*, to lead] [TA].

2）見出し語と語源の意味やつづりが同一かほぼ同じ場合は，その部分の記載を省略した。

fascia, pl. **fasciae**, **fascias** (fash′ē-ă, -ē-ē) [L. a band or fillet] [TA].

hashish (hash′ish, -ish′) [Ar. hay].

locus, pl. **loci** (lō′kŭs, lō′sī) [L.].

psychic (sī′kik) [G. *psychikos*].

3）語源はしばしば複合語で成り立っている。ギリシア語またはラテン語の動詞は，ハイフネーションで区切って示してあり，第2の語幹は単純動詞を表し，修飾している形容詞または副詞の接頭辞と同意かほぼ同意である。また，単純動詞が変化する場合はその変化も示している。

apocrine (ap′ō-krin) [G. *apo-krinō*, to separate].

component (kom-pō′nent) [L. *com-pono*, pp. *-positus*, to place together].

4）語彙が2つ以上の語源から成り立っている場合は，各々の語源とその英訳を付している。語源が同一言語の場合は最初にだけその言語を示している。

apicectomy (ap′i-sek′tō-mē) [L. *apex*, summit or tip + G. *ektomē*, excision].

gonarthitis (gon′ar-thrī′tis) [G. *gony*, knee + *arthron*, joint + *-itis*, inflammation].

5)-a）接頭語として，あるいは合成語の一部として用いられる連結形は，主見出し語としてその語源と意味を掲載した。この場合，他の見出し語の語源として記載されるときには，語源および英語訳は省略した。

neur-, neuri-, neuro- ［G. *neuron*］. 神経を意味する，または神経系に関する連結形.

neuralgia（nū-ral′jē-ă）［neur- ＋ G. *algos*, pain］. 神経痛（神経の走行路あるいは分布領域に起こる，激しく，拍動性の，刺すような痛み）.

5)-b）接尾語として用いられる連結形も，主見出し語としてその語源と意味を掲載した。この場合は，他の見出し語の語源として記載されるときにも，その語源と英語訳は示されている。

-osis, pl. **-oses** ［G.］. 通常，疾病の過程，状況または状態を意味する接尾語. …

halitosis（hal′i-tō′sis）［L. *halitus*, breath ＋ G. *-osis*, condition］. 口臭. ＝ fetor oris; ozostomia; stomatodysodia.

Ⅳ　出　典

出典は見出し語・発音記号・語源の後に［　］でくくって示した。また説明文中でも適宜付した。

1．解剖学用語

肉眼解剖学と神経解剖学では Terminologia Anatomica を適用し，［TA］で示した。☆の付いた語はTAの公式の別名である。

2．酵素名

Enzyme Commission of the International Union of Biochemistry Committee on Nomenclature によるEC分類番号を［EC］で示した。

3．遺伝子番号

ヒトにおけるメンデル遺伝 *Mendelian Inheritance in Man* によるナンバーを［MIM］で示した。

Ⅴ　訳　語

訳語は見出し語・発音記号・語源・出典の後に示した。ただし，適切な訳語のないものは記載されていない。

1．訳語の選定

1）一般医学用語は，日本医学会医学用語委員会編『医学用語辞典第３版』（南山堂），文部科学省『学術用語集医学編』（日本学術振興会）および各科の学会選定用語集の趣旨になるべく沿うように編集した。

2） Terminologia Anatomicaの用語は，日本解剖学会編『解剖学用語　改訂13版』（医学書院）に従った。

3）化合物名のカタカナ書きによる訳語は，文部科学省『学術用語集化学編』（日本化学会）の字訳の原則に従うようにしたが，慣用されている訳語を採用したものもある。

4）人名を付した用語の人名部分のカタカナ表記は，英・独・仏語で欧米の一流医学雑誌に多数の論文を発表している大石実博士を中心に，各国外国人の協力を得て，母国語での発音に基づき行った。このため，従来の英語式やローマ字式発音に基づくカタカナ表記とは異なるものも多々ある。
原則として下記のようにカタカナ表記したが，日本語として定着しているものは母国語式発音の後に（　）で慣用されているカタカナ表記を付した。

人名を付した用語	その人の母国語	カタカナ表記
Colles fracture	英語	コリーズ骨折
Lobstein ganglion	ドイツ語	ロープシュタイン神経節
Apert syndrome	フランス語	アペール症候群
Civinini canal	イタリア語	チヴィニーニ管
Cajal cell	スペイン語	カハル細胞
Mikulicz disease	ポーランド語	ミクリッチ病
Anitschkow cell	ロシア語	アニチコフ細胞
Crafoord clamp	スウェーデン語	スラフォード鉗子
Voorhoeve disease	オランダ語	フォールフッフェ病

2．語義区分

1) 複数の語義を有する見出し語では，語義に応じて区分した。
2) 語義区分には，***1***，***2***，***3***…を用いた。
3) 語義区分が品詞別になされている場合には，その品詞名を〖n.〗，〖v.〗，〖adj.〗，〖adv.〗など略記して付した。

3．（　）と〔　〕の使い分け

（　）：①直前の語と取り換えてもよいことを示す。
　　　：②難読の漢字の読み仮名，また逆に仮名の漢字を示す。
〔　〕：省略してもよいことを示す。

Ⅵ　説 明 文

説明文は，見出し語訳の後に（　）でくくって示した。

1．説明文中の分類

説明文中の分類には，①，②，③…，またはⓘ，ⓘⓘ，ⓘⓘⓘ…を用いた。

2．原語表記

1) ラテン語の生物学術名（属名，種名），および *in vitro*, *in vivo* はイタリック体で表記した。
2) 原語の掲載が必要と思われるところは，原語を出して後に（　）で訳語を入れるか，訳語の後に原語を並記するか，いずれかを採用した。先に記す語が原語か訳語かは，いずれが説明文の主内容かにより異なる。
3) 人名の付く用語，耳慣れない地名や固有名詞の付く用語は，その人名や固有名詞の部分を原語表記とした。

3．語法メモ

見出し語に関する語法的・慣用的注意点がある場合，メモとして **[　]** でくくって示し，原則的に説明文中の冒頭に置いた。

Ⅶ　参　照

本辞典では，様々な形の参照を用いて，情報を整理・統合し，各項目間の有機的な結合を図った。また，一部簡略化のために以下のような参照記号も使用した。

⇀　"…を参照" に相当し，強い参照指示
→　"…をも参照" に相当し，⇀よりも弱い参照指示
⇀　"…の項参照" に相当し，"…の項から見出し語を探せ" の意
cf.　"比較せよ（*confer*）"

cartilage（kar′ti-lij）[L. *cartilago*(*cartilagin-*), gristle] [TA]. 軟骨（原則として血管を欠き，また細胞間質の硬さを特徴とする結合組織… 解剖学的な記述については cartilago の項参照）.

"主見出し語の cartilago ならびにその副見出し語も参照" の意

1) 参照の対象となる語が連語の場合は，イタリック体を用いてそのイタリック体の単語から検索するように示した。青字の語は説明文が付記されていることを示す。

nucleus
n. amygdalae＝amygdaloid *body*.

body
amygdaloid b. [TA]. 扁桃体（鉤の嗅皮質内部の側頭葉にみられる円形の灰白質塊で側脳室下角の直前にある… 扁桃体核，外嗅路の諸核がある）. ＝amygdaloid complex [TA]; corpus amygdaloideum [TA]; amygdaloid nucleus; nucleus amygdalae.

cartilage
semilunar c. 関節半月（⇀ lateral *meniscus; medial meniscus*）.

coma
hyperosmolar (hyperglycemic) nonketotic c. 高浸透圧性(高血糖性)非ケトン性昏睡（著しい高血糖(800 mg/dL 以上)により，脳細胞内の水分が高浸透圧のため昏睡に陥る，糖尿病 *diabetes* mellitus にみられる合併症. …

disease
salivary gland d. 唾液腺病（唾液腺の病気. 例えば Sjögren 症候群(⇀ syndrome)）.

"Sjögren syndrome を参照" の意

2) 参照語や類義語の後に付した(1), (2), (3)…は，それぞれ語義区分の ***1***，***2***，***3***…を示す。

densimeter（den-sim′ĕ-ter）[L. *densitas*, density ＋ G. *metron*, measure]. 密度計，比重計. ＝ densitometer (1).

densitometer（den′si-tom′ĕ-ter）[L. *densitas*, density ＋ G. *metron*, measure]. ***1*** 密度計（液体の密度を図るための機器）. ＝ densimeter. ***2*** 濃度計（相対的混濁度によって，…

本辞典では，同義関係にある複数の見出し語のうち１つにだけ説明文を付し(紙面の節約を図るためで，説明文を付した語が優先するとは限らない)，相互参照を適用した。したがって，参照の類義語が連語の場合は，主見出し語に相当する部分をイタリック体で示した。ただし，同じ主見出し語内での副見出し語の参照は，主見出し語を略記してイタリック体は使用していない。

Ⅷ　類 義 語

1) 類義語は，原則として見出し語・訳語・説明文の後に＝を付して示した。完全な同義語ではない語もあることに注意。

laryngofissure (lă-ring′gō-fish′ŭr). 喉頭切開〔術〕(喉頭の手術による開口で，通常，正中線に沿って，初期腫瘍の切除や喉頭狭窄矯正のために行われる). ＝ median laryngotomy; thyrofissure; thyroidotomy; thyrotomy (2).

leukolysin (lū-kol′i-sin). ロイコリジン. ＝ leukocytolysin.

2) 語義区分のある場合には，それぞれの語義に充当する類義語を語義区分された訳語・説明文の後に置いたが，すべての語義に一括して充当するものは見出し語の後に付した。

movement (mūv′ment) [L. *moveo*, pp. *motus*, to move]. ***1*** 運動 (全身あるいはその一部またはいくつかの部分についていう). ***2*** 〔大〕便，糞〔便〕. ＝ stool. ***3*** 排便. ＝ defecation.

Ⅸ　用 字 用 語

1．漢字・仮名使い

見出し語の訳語・説明文では，常用漢字・新仮名使いを原則としたが，常用漢字にこだわらず，意を伝えやすいよう配慮した。

2．略字

簡略化を図るため，正字でない略字でも頻繁に使用されているものは用いた。この例としては，彎(彎)，蛍(螢)，沪(濾，瀘)などがある。

X　略語・記号

本辞典で用いる略語・記号類を下記に一覧表として示す。

acc.	accusative	n.	noun
adj.	adjective	NA	*Nomina Anatomica*
adv.	adverb	N.G.	New Guinea
Am.Ind	American Indian	O.E.	Old English
Ar.	Arabic	O.Fr.	Old French
A.S.	Anglo–Saxon	O.H.G.	Old High German
Br.	British	O.N.	Old Norse
c., *ca.*	L. *circa*, about	p.	participle
cf	L. *confer*, compare	Pers.	Persian
Ch.	Chinese	Pg.	Portuguese
C.I.	Colour Index	pl.	plural
D.	Dutch	pp.	past participle
EC	Enzyme Commission	pr.p.	present participle
E., Eng.	English	Sansk.	Sanskrit
etym.	etymology	Sc.	Scandinavian
Fr.	French	sing.	singular
G.	Greek	Sp.	Spanish
Gael.	Gaelic	Sw.	Swedish
gen.	genitive	TA	*Terminologia Anatomica*
Ger.	German	UK	United Kingdom
Hind.	Hindu	US	United States
Ice.	Icelandic	v.	verb
Ind.	Indian	W.Af.	West African
It.	Italian		
Jap.	Japanese	＜	語の派生関係を示す
L.	Latin	＋	語源要素の連結関係を示す
L.L.	Late Latin	[註]	訳者註記
M.E.	Middle English	⇀	…を参照
Med.L., Mediev.L.	Medieval Latin	→	…をも参照
Mod.L.	Modern Latin	⥬	…の項参照
myth.	mythologic		

A

α ***1*** アルファ（ギリシア語アルファベットの第１字 alpha．科学の多くの分野で，命名の際，分類記号として用いる(α)．***2*** Bunsen 溶解度係数(⇀coefficient)の記号．***3*** 化学においては，系列中の１番目．例えばカルボキシル基に隣接する位置や類縁化合物の系列中最初のもの．例えば脂肪族鎖上の芳香族置換基や化学結合が観測者から遠ざかって行く方向に向いていることなどを示す．***4*** alpha *particle* の略．***5*** 化学においては，旋光度 optic *rotation* の角度，解離度を表す記号．この接頭語で始まる用語については，各化合物の項参照．

[α] 比旋光度 specific optic *rotation* の記号．

α_1PI human α_1-protease *inhibitor* の略．

A ***1*** ampere; adenine; alanine; alanyl の略．***2*** 下付き文字の場合は肺胞ガス alveolar *gas* を示す．***3*** 吸光度，吸収度の記号．通常は大文字のイタリック体(A)を用いる．***4*** ポリヌクレオチド中のアデノシンまたはアデニル酸の記号．ポリペプチド中のアラニンまたはアラニルの記号．***5*** 多基質酵素触媒反応の最初の基質を表す記号．

Å オングストロームの記号．

A^- 陰イオンの記号．

A 吸光度；親和力；Helmholtz エネルギー(⇀energy)の記号．

a ***1*** total *acidity*; ante; area; asymmetric; auris; artery; arteria [TA] の略．***2*** atto- の記号．***3*** 下付き文字で，体循環動脈血を示す．

a 比吸光係数 specific absorption *coefficient* の記号．absorptivity; activity の略．

a-, an- [G. not, un-. 母音の前では通常 *an-* を用いる]．無，不，非を意味する接頭語．ラテン語 *in-* および英語 *un-* と同意．

AA, aa amino acid; aminoacyl の略．

aa arteriae [TA]; arteries [TA] の略．

āā ギリシア語 *ana*（それぞれの)の略．処方箋で，成分が２つ以上あるとき，成分名の後に付ける．

AAA abdominal aortic aneurysm(腹部大動脈瘤)の古い略．通常，AAA の外科的矯正として処置．

Aad α-aminoadipic acid の略．

Aag·e·naes (aj′ĕ-nēz), O. ノルウェー人医師．⇀A. *syndrome*.

AAMC Association of American Medical Colleges(米国医科大学協会)の略．

AAR antigen-antibody *reaction* の略．

Aar·on (ar′on), Charles D. 米国人医師，1866－1951．⇀A. *sign*.

Aars·kog (ahrs′kog), Dagfinn J. 20世紀のノルウェー人小児科医．⇀A.-Scott *syndrome*.

AASH adrenal androgen-stimulating *hormone* の略．

AAV adeno-associated *virus* の略．

AB abortion の略．

Ab antibody の略．

ab-, abs- [L. *ab*, from；通常，c, q, t の前では *abs-* を用いる；m, p, v の前ではしばしば *a-* になる]．[本接頭語でつくられた語を接頭語 ad- でつくられた語と混同しないこと]．***1*** …から，…を離れて，遠くに，を表す接頭語．***2*** CGS 電磁単位系の電気単位を，CGS 静電単位系の電気単位(接頭語は stat-)や，メートル法あるいは国際単位系(SI)の電気単位(これらの単位では接頭語を使用しない)から区別するために用いる接頭語．

A·ba·die (ah-bah′dē), Joseph Louis Irénée Jean. フランス人神経外科医，1873—1946．⇀A. *sign* of tabes dorsalis.

ab·am·pere (ab-am′pēr). アブアンペア（電流の電磁単位，10 絶対アンペアに等しい．１アブアンペアの電流は，導線でつくる半径 1 cm の輪の中心に置いた単位磁極に 2π ダインの力を及ぼす)．

a·bap·i·cal (ă-bap′i-kăl). 先端を外れた，頂点と反対側の．

a·bar·og·no·sis (ā-bar′og-nō′sis) [G. *a-* 欠性辞 + *baros*, weight + *gnōsis*, knowledge]．重量感覚喪失（[二重字 gn において，g は語頭にあるときのみ無音である]．手に持った物の重量を見積ったり，異なる重量の物を鑑別したりする能力の喪失．一次性感覚が正常な場合は，反対側の頭頂葉の病変で起こる)．

a·ba·si·a (ă-bā′zē-ă) [G. *a-* 欠性辞 + *basis*, step]．歩行不能〔症〕，失歩（⇀gait)．

atactic a., ataxic a. 失調性歩行不能〔症〕（脚部の運動失調による歩行困難)．

a·ba·si·a-a·sta·si·a (ă-bā′zē-ă-ă-stā′ze-ă). ⇀astasiaabasia.

a·ba·sic (ă-bā′sik). ＝abatic. ***1*** 歩行不能〔症〕の，失歩の．***2*** 無塩基の（DNA のピリミジン部位の欠失についていう)．

a·bate·ment (ă-bāt′ment) [abate < M.E. *abaten* < O.Fr. *abattre*, to beat down < L.L. *batto*, to beat + -ment]．***1*** 軽減，緩和．***2*** 除去，排除（喫煙や騒音など大衆の健康に害を及ぼすものを減少させ，最終的には排除すること)．

sound a. 騒音対策，騒音排除（環境騒音を減少させる種々の手段の総称)．

a·bat·ic (ă-bat′ik). ＝abasic.

a·bax·i·al, ab·ax·ile (ab-ak′sē-ăl, -ak′sīl). ***1*** 軸を外れて．***2*** 軸の反対端に位置する．

Ab·be (ab′ē), Robert W. 米国人外科医，1851－1928．⇀A. *flap*.

Ab·bé (ah-bā′), Ernst K. ドイツ人物理学者，1840—1905．⇀A. *condenser*.

Ab·bott (ab′ŏt), W. Osler. 米国人医師，1902－1943．⇀A. *tube*; Miller-A. *tube*.

Ab·bott (ab′ŏt), Alexander C. 米国人細菌学者，1860－1935．⇀A. *stain* for spores.

ab·cou·lomb (ab-kū-lom′) [ab + coulomb]．絶対クーロン（電荷の単位で10クーロンに等しい．ある面を１絶対アンペア(電磁アンペア)の電流が流れているとき，その面を１秒間に通過する電荷量．[註] CGS 系電磁単位である)．

ab·do·men (ab-dō′men, ab′dō-men) [L. *abdomen* 語源不明] [TA]．腹，はら（[伝統的に正しい発音は ab-dō′men であるが，米国ではしばしば第１音節にアクセントを置く]．胸郭と骨盤の間にある体幹の一部で，背部の椎骨部は含まないが，解剖学者によっては骨盤を含むとする者もいる．腹腔の大部分を占める．人為的に定めた平面により９部位に分割される．→abdominal *regions*)．＝venter (1) [TA]．

acute a. 急性腹症（虫垂炎のように，痛み，圧痛，筋硬直を伴い，緊急の手術を要する腹部の重篤な急性疾患)．＝surgical a.

carinate a. 竜骨状腹（腹部正中線の隆起を伴う両側腹部の陥凹)．

navicular a. 舟状腹．＝scaphoid a.

a. obstipum 腹直筋短縮性腹（先天的に腹直筋が短いことによる腹部奇形を表す，現在ではほとんど用いられない語)．

pendulous a. 下垂腹，懸垂腹（著しく弛緩した筋肉質の腹壁で，恥骨部上に垂れ下がっている)．

protuberant a. 尖腹（腹部の異常な，あるいは著しい突出．皮下脂肪の過剰，腹筋の緊張低下，腹腔内容の増加などによって起こる)．

scaphoid a. 舟状腹（前腹壁が陥没し，凸状ではなく凹状輪郭を呈している状態)．＝navicular a.

surgical a. ＝acute a.

ab·dom·i·nal (ab-dom′i-năl). 腹の．

abdomino-, abdomin- (ab-dom′i-nō) [L. *abdomen*, *abdominis*]．腹を表す連結形．

ab·dom·i·no·cen·te·sis (ab-dom′i-nō-sen-tē′sis) [abdomino- + G. *kentēsis*, puncture]．腹腔穿刺（[誤った形 abdominal centesis を避けること])．

ab·dom·i·no·cy·e·sis (ab-dom′i-nō-sī-ē′sis) [abdomino- + G. *kyēsis*, pregnancy]．***1*** ＝abdominal *pregnancy*．***2*** ＝secondary abdominal *pregnancy*.

ab·dom·i·no·cys·tic (ab-dom′i-nō-sis′tik) [abdomino- + G. *kystis*, bladder]．＝abdominovesical.

ab·dom·i·no·gen·i·tal (ab-dom′i-nō-gen′i-tăl). 腹部性器の（腹と生殖器に関する)．

ab·dom·i·no·hys·ter·ec·to·my (ab-dom′i-nō-his-ter-ek′tō-mē). ＝abdominal *hysterectomy*.

ab·dom·i·no·hys·ter·ot·o·my (ab-dom′i-nō-his-ter-ot′ō-mē). ＝abdominal *hysterotomy.*

ab·dom·i·no·pel·vic (ab-dom′i-nō-pel′vik). 腹骨盤の（腹部と骨盤部とについて，特に腹腔と骨盤腔を一括して扱う場合にいう）.

ab·dom·i·no·per·i·ne·al (ab-dom′i-nō-per-i-nē′ăl). 腹部会陰の（腹部と会陰の両方に関連した，の意味で，直腸の腹会陰式切除術といったように使われる）.

ab·dom·i·no·plas·ty (ab-dom′i-nō-plas-tē) [abdomino- ＋ G. *plastos*, formed]. 腹壁形成〔術〕（整(美)容的目的のために腹壁に施行される手術）.

ab·dom·i·nos·co·py (ab-dom-i-nos′kŏ-pē) [abdomino- ＋ G. *skopeō*, to examine]. 腹腔鏡検査〔法〕. ＝laparoscopy.

ab·dom·i·no·scro·tal (ab-dom′i-nō-skrō′tăl). 腹部陰嚢の（腹と陰嚢に関する）.

ab·dom·i·no·tho·rac·ic (ab-dom′i-nō-thō-ras′ik). 腹胸の（腹と胸郭の両方に関する）.

ab·dom·i·no·vag·i·nal (ab-dom′i-nō-vaj′i-năl). 腹部腟の（腹と腟の両方に関する）.

ab·dom·i·no·ves·i·cal (ab-dom′i-nō-ves′i-kăl). 腹部膀胱の，腹部胆嚢の（腹と膀胱，あるいは腹と胆嚢に関する）. ＝abdominocystic.

ab·duce (ab-dūs′). ＝abduct.

ab·du·cens (ab-dū′senz) [L.]. 外転の. ＝abducent.

a. oculi 眼外側直筋. ＝lateral rectus (*muscle*).

ab·du·cent (ab-dū′sent) [L. *abducens*]. ***1*** 〘adj.〙 外転の（特に正中矢状面から遠ざかって）. ***2*** 〘n.〙 外転神経. ＝abducent *nerve* [CN VI]; abducens.

ab·duct (ab-dŭkt′). 外転する（[adduct と混同しないこと]. 正中矢状面から遠ざかる方向へ動かす）. ＝abduce.

ab·duc·ti·o (ab-duk′sē-ō) [TA]. 外転，外転運動. ＝abduction.

ab·duc·tion (ab-dŭk′shŭn) [L. *abductio*]. [本語と adduction を混同しないこと．講義および口述において，一部の医師は間違いを避けるために "A B duction" と発音する]. ＝abductio [TA]. ***1*** 外転（四肢の場合は体の正中矢状面から，指の場合は手または足の正中矢状面から，四肢または指が遠ざかる方向への運動）. ***2*** 外ひき，外転（側頭方向への単眼の回転(ひき運動)）. ***3*** 外転位（***1***，***2***のような運動の結果として生じた位置．*cf.* adduction）.

ab·duc·tor (ab-dŭk′ter, -tōr). 外転筋. ＝abductor (*muscle*).

A·begg (ab′eg), Richard. デンマーク人化学者，1869—1910. →A. *rule*.

A·bell-Ken·dall meth·od (ā′bel kendăl). ⇒method.

A·bel·son (ā′bĕl-sŏn), Herbert T. 20世紀の米国人医師. →A. murine leukemia *virus*.

ab·em·bry·on·ic (ab′em-brē-on′ik) [L. *ab*, from ＋ embryonic]. 胚子外の（胚盤胞で胚結節(初期胚)が位置するのと反対側の部分についていう）.

ab·en·ter·ic (ab-en-ter′ik) [L. *ab*, from ＋ G. *enteron*, intestine]. 腸外の（正常では腸内で起こる過程が，腸外で起こった場合の病的な過程を表す，現在ではほとんど用いられない語）.

A·ber·neth·y (ab′er-neth-ē), John. 英国人外科医・解剖学者，1764—1831. →A. *fascia*.

ab·er·rant (ab′er-ant) [L. *aberrans*]. ***1*** 異常の（通常または正常とは異なる．植物学や動物学において，同種の中の異型個体についていう）. ***2*** 迷入〔性〕の，迷走〔性〕の（横道へそれて通常または正常な経過や型からはずれる，ある種の管，血管，神経についていう）. ***3*** 異所の. ＝deviant (1).

ab·er·ra·tion (ab′er-ā′shŭn) [L. *aberratio*]. ***1*** 収差，迷入（通常のあるいは正常な進路または様式からの偏位）. ***2*** 異常（発育または成長が正常の状態から逸脱すること．→chromosome）.

chromatic a. 色収差（白色光が様々な波長の光で構成され，波長によって屈折が異なることから起こる像の位置のずれや拡大率の差）. ＝chromatism (2); color a.; newtonian a.

chromosome a. 染色体異常（正常な染色体数または形態からの逸脱．またそれについての表現型としての結果）.

color a. ＝chromatic a.

coma a. [G. *komē*, hair, foliage]. ＝coma (3). ***1*** コマ収差（光学系に入射する光線束が光軸に対して平行でないときに生じる像のゆがみ）. ***2*** 種髪，種毛，包葉群（植物学において，ふさ，種子の毛，あるいは大根やパイナップルの青葉）.

curvature a. 曲率収差（物体とその光学像との空間対応の欠陥で，直線的な物体の像が曲がって見えること）.

dioptric a. 屈折収差. ＝spheric a.

distortion a. ゆがみ収差（レンズを通して物体を見たとき，周辺部と中心部とでは拡大率が異なるために起こる像のゆがみ．→Petzval *surface*）.

lateral a. 横収差（球面収差で，光軸と中心光線がつくる近軸焦点の間の隔たりのこと）.

longitudinal a. 縦収差（曲面収差で，近軸光線と周辺光線の光軸上における焦点の間の隔たりのこと）.

mental a. 精神異常（心理的または精神医学的障害による連合弛緩，両価性，幻聴または行動の障害．→delusion）.

meridional a. 経線収差（レンズの１つの経線を含む面内に生じる収差）.

monochromatic a. 単色収差（レンズの性質に起因する光学像の欠陥．その主なものは，斜めに入射する光束に対する球面収差，コマ収差，曲率収差，ゆがみ収差，非点収差である）.

newtonian a. (nū-tō′ne-ăn). ニュートン収差. ＝chromatic a.

optic a. 光学収差（点光源からの光線が，光学系を通過した後に完全な像を結ばないこと）.

spheric a. 球面収差（球面での屈折によって生じる単色収差で，近軸光線および周辺光線が軸の異なる場所に焦点を結ぶこと）. ＝dioptric a.

ventricular a. ＝aberrant ventricular *conduction.*

ab·er·rom·e·ter (ab′er-rom′ĕ-ter) [L. *aberratio*, aberration ＋ G. *metron*, measure]. 収差計，誤差測定器（光学収差または誤差を実験的に測定する器械）.

a·be·ta·lip·o·pro·tein·e·mi·a (ā-bā′tă-lip′ō-prō′tēn-ē′-

頻度の高い数的染色体異常

染色体総数(性クロマチン)	
常染色体性	
トリソミー21（Down症候群）	
a）1個過剰第21染色体	
b）過剰第21染色体	47
モザイク	46/47
c）第21あるいは22染色体と結合した過剰第21染色体	46
d）第13，第14，または第15染色体と結合した D/G転座型過剰染色体	46
トリソミー13（Patau症候群） 1個過剰第13染色体	47
トリソミー18（Edward症候群） 1個過剰第21染色体	47
性染色体	
モノソミーX（Turner症候群） 1個X染色体が欠けている．女性の表現型	45
トリソミーXXX（超女性症候群） 1個過剰X染色体	47(＋＋)
トリソミーXXY（Klinefelter症候群） 1個過剰X染色体．男性の表現型	47(＋)
トリソミーXYY 1個過剰Y染色体．男性の表現型	47(0)
テトラソミー(XXXX，XXXY，XXYY)およびペンタソミーがまれに観察される	

（＋）：性染色質

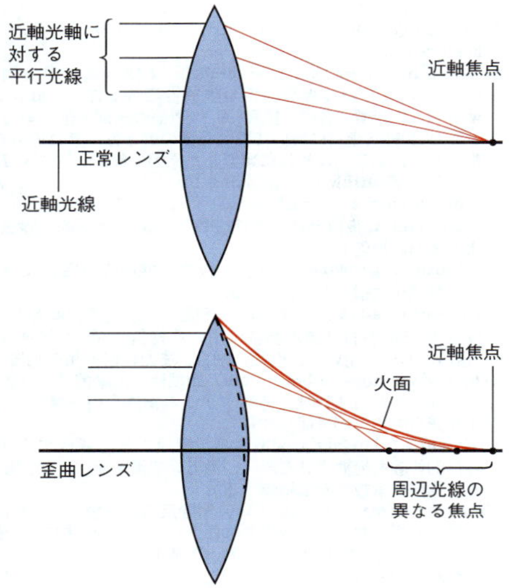

spheric aberration

mē-ă) [G. *a-* 欠性辞 + β + lipoprotein + *-emia*, blood] [MIM*200100]. 無β-リポ蛋白血症（低比重β-リポ蛋白欠損症，血中の有棘赤血球の存在，網膜色素変性，吸収不良，食事中のトリグリセリドによる上部腸管の吸収細胞の膨張および神経筋異常を特徴とする疾患．常染色体劣性遺伝．第4染色体長腕のミクロソームトリグリセリド移送蛋白(*MTP*)の突然変異により生じる)．＝Bassen-Kornzweig syndrome.

normotriglyceridemic a. 正常トリグリセリド性無β-リポ蛋白血症（トリグリセリドが正常レベルである無β-リポ蛋白血症．この遺伝性疾患(恐らく，常染色体劣性)はアポリポ蛋白 β-100 の欠損によると考えられる)．

a·bey·ance (ă-bā′ants) [< O. Fr.]. 機能停止（機能の一時的な停止状態)．

ab·far·ad (ab-far′ad). アブファラッド（電気容量の電磁単位．10^9 ファラッドに等しい)．

abfraction (ab-frak′shŭn). アブフラクション（壊れること．壊すこと)．

ABG arterial blood gas(動脈血血液ガス)の略．→blood *gases*.

ab·hen·ry (ab-hen′rē). アブヘンリー（インダクタンスの電磁単位．10^{-9} ヘンリーに等しい)．

ABI ankle-brachial *index* の略．

a·bil·i·ty (ă-bil′i-tē) [L. *habilitas*, aptitude]. 能力，体力，手腕（肉体的，精神的，または法律的に機能する能力があること)．

ab initio (ahb i-nish-ē-ō). 最初から，当初，初めに．

a·bi·ot·ic (ā-bī-ot′ik). *1* 生命力のない，非生物の．*2* 生命のない．

ab·i·ot·ro·phy (ab-ē-ot′rō-fē) [G. *a-* 欠性辞 + *bios*, life + *trophē*, nourishment]. 無生活力（遺伝的に決定された形質で，その発現は年齢依存的である)．

ab·ir·ri·ta·tion (ab-ir-i-tā′shŭn) [L. *ab*, from + *irrito*, pp. *-atus*, to irritate]. 局所における被刺激性を軽減または消失させることを表す現在では用いられない語．

abl エイブル（マウス白血病ウイルスの Abelson 株で発見され，慢性骨髄性白血病におけるフィラデルフィア染色体転座に含まれる癌遺伝子)．

a·blas·te·mic (ā-blas-tem′ik) [G. *a-* 欠性辞 + *blastēma*, sprout]. 非生殖性の，非芽性の．

a·blas·tin (ă-blas′tin) [G. *a-* 欠性辞 + *blastos*, germ]. アブラスチン（トリパノソーマ繁殖を阻止する活性を有する抗体．*Trypanosoma lewisi* を感染させたラットに形成される)．

ab·late (ab-lāt′) [L. *au- fero*, pp. *ab- latus*, to take away]. 剝離する，離解する，切除する，切断する（[誤った発音 ab′late を避けること]．生体の一部を除去する，またはその機能を破壊する)．

ab·la·tion (ab-lā′shun) [L. →ablate]. 剝離，離解，切除，切断（本語は完全な除去あるいは消滅を意味しており単なる軽減や縮小ではない．外科的処置，病的過程，あるいは有毒物質の存在や投与により，生体の一部を除去またはその機能を破壊すること)．

electrode catheter a. 電極カテーテル焼灼法（不整脈の発生部位または伝導路を焼灼して治療する方法で，高エネルギーの電流を心内カテーテルに通電する)．

endometrial a. 内膜剝離術（治療目的で行う内膜掻爬)．

laparoscopic uterosacral nerve a. 内視鏡的仙骨子宮神経切除（原発性月経困難症治療のための仙骨子宮神経(仙骨子宮靱帯)の内視鏡的切断(通常，KTPまたはアルゴンレーザーを使用する))．

thermal a. 熱焼灼（熱により組織を破壊すること．子宮腔内に温水入りバルーンカテーテルを留置する子宮内膜焼灼は過多月経に対する治療法として行われている)．

ABLB alternate binaural loudness balance test(〔両耳音の交代性大きさ〕バランス試験)の略．

a·bleph·ar·i·a (ā-blef-ar′ē-ă) [G. *a-* 欠性辞 + *blepharon*, eyelid]. 無眼瞼〔症〕（眼瞼の先天的欠損．→cryptophthalmos; microblepharon)．

ab·lu·ent (ab′lū-ent) [L. *abluens* < *ab-luo*, to wash off]. [誤った発音 ablu′ent を避けること]．*1*〘adj.〙洗浄の．*2*〘n.〙洗浄剤．

ab·lu·tion (ab-lū′shŭn) [L. *ablutio*, washing off, cleansing]. 洗浄，沐浴．

ab·ner·val (ab-ner′văl). 神経から離れる方向の（特に神経線維がはいる点から離れる方向に筋線維を通過する電流についていう)．＝abneural (1).

ab·neu·ral (ab-nūr′ăl) [L. *ab*, away from + G. *neuron*, nerve]. *1* ＝abnerval. *2* 神経軸から離れた．

ab·nor·mal (ab-nōr′măl). [本語のもつ否定的および軽蔑的な響きは，文脈によっては不快な表現になるかもしれない]．*1* 異常の，不規則の（通常の形態，構造，状態，または法則から，何らかの点で異なっている．*cf.* normal)．*2* ＝deviant (1).

ab·nor·mal·i·ty (ab-nōr-mal′i-tē). *1* 異常〔性〕（異常である状態または性質)．*2* 奇形，変形，変則，障害，機能不全．

figure-of-8 a. 8〔の〕字異常（肺静脈血液がすべて右大静脈か異常な左大静脈に戻り，拡大した大静脈が心陰影の上に球状の陰影をつくる．このため縦隔陰影が8の字を呈するX線写真の所見．→anomalous pulmonary venous *connections*, total or partial)．＝snowman a.

neuronal migration a. ニューロン遊走異常．＝cortical *dysplasia*.

snowman a. 雪ダルマ状の奇形．＝figure-of-8 a.

ABO blood group *systems* の記号．

ABO blood group (blŭd grūp). ABO血液型（付録 Blood Groups 参照)．

ab·ohm (ab′ōm). アブオーム（抵抗の電磁単位．10^{-9} オームに等しい)．

ab·o·rad, ab·o·ral (ab-ō′rad, -răl) [L. *ab*, from + *os* (*or-*), mouth]. 口から遠ざかる方向の．orad の対語．

a·bort (ă-bōrt′) [L. *aborior*, to fail at onset]. *1* 自然流産する（子宮外で成育できる以前に胎芽または胎児を出産する．→miscarry)．*2* 人工流産する（生存可能限界以前に，胎児および付属物を除去すること)．*3* 頓挫する（病気の進行がその初期でとどまる)．*4* 中断する（正常に終了する前に，その行為や過程が停止する)．

a·bor·ti·cide (ă-bor′ti-sīd) [L. *flabboriri*, to miscarry + *cadere*, to kill]. 人工流産．＝abortifacient (1).

a·bor·tient (ă-bōr′shent). ＝abortifacient (1).

a·bor·ti·fa·cient (ă-bōr-ti-fā′shent) [L. *abortus*, abortion + *facio*, to make]. [誤ったつづり abortefacient を避けること]．*1*〘adj.〙流産させる．＝aborticide; abortient; abortigenic; abortive (3). *2*〘n.〙流産を促す物質．

a·bor·ti·gen·ic (ă-bōr-ti-jen′ik) [L. *abortus*, abortion + *genesis*, production]. 流産性の．＝abortifacient (1).

a·bor·tion (AB) (ă-bōr′shŭn). ***1*** 流産（子宮外での成育が不可能な胎芽または胎児(妊娠 20 週すなわち胎齢 18 週未満，または体重 500 g 未満)を娩出すること．子宮外で成育可能であるが妊娠 37週未満で娩出される早産とは区別される．流産には自然流産と人工流産がある．㊟日本における流産の定義は妊娠 22 週未満での胎芽または胎児の娩出である)．***2*** 中絶（正常の妊娠終了以前にその経過を中断すること)．

ampullar a. 卵管膨大部流産（卵管膨大部に着床し胎児が発育したものが流産すること)．

complete a.〔完〕全流産（①胎児または胎芽が母体から完全に排出されること．②妊娠による他の子宮内容(例えば枯死卵)の完全な排出)．

criminal a. 犯罪流産，堕胎（違法に行われる妊娠中絶)．＝illegal a.

elective a. 人工妊娠中絶（医学的適応以外であるが合法的な中絶(米国におけるような実施))．

habitual a. 習慣〔性〕流産．＝recurrent a.

illegal a. 違法な流産．＝criminal a.

incomplete a. 不全流産（妊娠子宮の内容の一部は排出されたが，一部(通常は胎盤)は子宮内に残っている流産)．

induced a. 人工流産（薬物または機械的方法を用いて人工的に行われる流産)．

inevitable a. 進行流産（不正性器出血および子宮収縮があり，破水あるいは頸管開大を伴う胎児生育可能限界以前の流産)．

infected a. 感染性流産（流産の感染性合併症)．

menstrual extraction a. 月経抽出法，人工流産（予定月経が数日間遅れた妊娠の初期に子宮の内容物を吸引する妊娠中絶法)．

missed a. 稽留流産（胎児は子宮内で死んでいるが，妊娠産物は 2 か月以上(㊟日本では 2 か月以上とはいわない)，子宮内に残っている流産)．

recurrent a. 反復流産（妊娠 20 週以前の 3 回以上の連続流産)．＝habitual a.

septic a. 敗血〔性〕流産（発熱，子宮内膜炎，子宮傍結合組織炎を伴う感染性流産)．

spontaneous a. 自然流産（人工的誘発によらない流産)．＝miscarriage.

therapeutic a. 治療的流産（母体の身体的または精神的健康の保持のため，または先天奇形児や強姦によりできた胎児が生まれないように人工的に行う流産．㊟日本では先天奇形児出産防止のための治療的流産は認められていない)．

threatened a. 切迫流産（妊娠 20 週(㊟日本では 22 週)未満に，出血の有無にかかわらず痙攣性の痛みがみられることであり，その後に胎児の排出が起こり得る状態をいう)．

tubal a. 卵管流産（子宮外妊娠の部位となった卵管内から卵管采を経て妊卵が排出されること．または卵管の破裂により妊卵が排出されること)．＝aborted ectopic pregnancy.

a·bor·tion·ist (ă-bōr′shŭn-ist). 人工流産施行者（人工流産を行う人)．

a·bor·tive (ă-bōr′tiv)［L. *abortivus*］. ***1*** 頓挫性の（完了しない(例えば疾病の発作が完全に進行しない)うちに治まる場合などをいう)．***2*** 不全型の．＝rudimentary. ***3*** 流産の．＝abortifacient (1).

a·bor·tus (ă-bōr′tŭs)［L.］. 流産児（[abortus の複数形は aborti でも aborta でもなく abortus である．〝流産を経験した女性〟を意味する aborta のような語はない]．流産の結果出てくるもの)．

a·bou·li·a (ă-bū′lē-ă). ＝abulia.

ABP androgen binding *protein* の略．

ABPA allergic bronchopulmonary *aspergillosis* の略．

ABR auditory brainstem *response* の略．

a·bra·chi·a (ă-brā′kē-ă)［G. *a-* 欠性辞 + *brachiōn*, arm］. 無腕〔症〕(腕の先天的欠損．⇀amelia)．

a·bra·chi·o·ceph·a·ly, a·bra·chi·o·ce·pha·lia (ă-brā′kē-ō-sef′ă-lē, -se-fā′lē-ă)［G. *a-* 欠性辞 + *brachiōn*, arm + *kephalē*, head］. 無腕無頭〔症〕(腕と頭の先天的欠損)．＝acephalobrachia.

a·brade (ă-brād′)［L. *ab-rado*, pp. *-rasus*, to scrape off］. ***1*** 磨耗する（機械的行為で磨滅する)．***2*** 剝離する，掻爬する，擦過する（ある部分から一部分または全部の表層を削り取る)．

A·bra·hams (ā′bră-hamz), Robert. 米国人医師，1861—1935. ⇀A. *sign*.

A·brams (ā′brămz), Albert. 米国人医師，1863—1924. ⇀A. heart *reflex*.

a·bra·sion (ă-brā′zhŭn)［⇀abrade］. ***1*** 擦過傷，表皮剝脱（すり傷，または皮膚や粘膜の限局性表皮剝離)．＝abraded wound. ***2*** 剝離，剝脱，掻爬〔術〕(表面の一部を削り取ること)．***3*** 磨耗（歯科において誤った歯の磨き方，異物の存在，歯ぎしり，あるいはそれに類似した原因で歯が病的にすり減ること．*cf.* attrition)．＝grinding.

brush burn a. ⇀brush *burn*.

gingival a. 歯肉磨耗（表面上皮の一部の機械的な除去による歯肉の損傷)．

tooth a. 歯の磨耗〔症〕(食物以外の磨耗性物質によって歯の組織が欠損したり，すり減ること)．

a·bra·sive (ă-brā′siv). ***1***〘adj.〙剝離の，剝脱の，磨耗の．***2***〘n.〙表皮剝脱材（表皮剝脱に用いる物質)．***3***〘n.〙研磨剤（歯科において用いる，磨耗，削合，または研磨用の物質)．

a·bra·sive·ness (ă-brā′siv-nes). 摩損性（①摩擦により表面の磨耗をもたらす物質の特性．②他の物体を引っ掻いたり，すり減らすことが可能な性質)．

ab·re·act (ab-rē-akt′). 発散する，解除する，解放する（①外傷的体験を発散させる際に，激しい感情を示す．②抑圧された感情を解放または解除する)．

ab·re·ac·tion (ab-rē-ak′shŭn). 解除反応，解放反応（Freud の精神分析において，過去の抑圧された不快な体験を意識野に再現させることにより，情動の解放あるいはカタルシスが行われる現象)．

motor a. 運動〔性〕解除(解放)反応（体動あるいは筋肉運動により，無意識に思考，観念，衝動を解放すること)．

ab·rin (ab′rin). アブリン（トウアズキ *Abrus precatorius* や Indian glycyrrhiza の種子に含まれる毒物で，服用すると出血・溶血を起こす．眼科で用いられる)．

ab·rup·tion (ab-rŭp′shŭn). 剝離（くっついているものを引きはがす，分離する，あるいは引き離すこと)．

ab·rup·tio pla·cen·tae (ab-rŭp′shē-ō pla-sen′tē). 常位胎盤早〔期〕剝〔離〕([誤ったつづりまたは発音 abruptio placenta を避けること]．正常な位置にある胎盤が早期に剝離すること)．

Ab·rus (ā′brŭs)［より正確には *Habrus* < G. *habros*, graceful］. トウアズキ属（マメ科の植物．インド甘草であるトウアズキ *A. precatorius* の根は甘草の代わりとして用いることもある．その種子には毒性があり，かむと嘔吐，下痢，痙攣，ひいては死をまねくこともある)．

ABSCESS

ab·scess (ab′ses)［L. *abscessus*, a going away］. 膿瘍（[誤ったつづり abcess および absess を避けること．本語の複数形の誤った発音 ab′sĕ-sēz を避けること]．①膿状の滲出物の限局性集積で，しばしば腫脹や他の炎症徴候を伴う．②固形組織内の液化壊死によって形成された窩洞)．

acute a. 急性膿瘍（新しくできた膿瘍で，窩洞壁に線維形成がほとんど，あるいはまったくみられない)．＝hot a.

alveolar a. 歯槽膿瘍（顎骨の歯槽突起内にみられる膿瘍で，そのほとんどが当該する失活歯に起因した感染が拡大波及することにより生じる)．＝dental a.; dentoalveolar a.; root a.

amebic a. アメーバ性膿瘍（アメーバによって引き起こされる肝臓または他の器官の液化壊死の部分．アメーバ赤痢に引き続いて起こり得る)．＝tropic a.

apical a. 根尖膿瘍．＝periapical a.

apical periodontal a. 根尖歯周膿瘍．＝periapical a.

appendiceal a. 虫垂炎膿瘍（通常，右腸骨窩にみられ，急性虫垂炎，特に虫垂穿孔を伴う場合の，感染の拡大により生じる腹腔内膿瘍)．＝periappendiceal a.

Bartholin a. (bahr′tō-lĭn). バルトリン〔腺〕膿瘍（大前庭腺の膿瘍)．

Bezold a. (bāt′sōlt). ベツォルト膿瘍（乳様突起炎で乳突

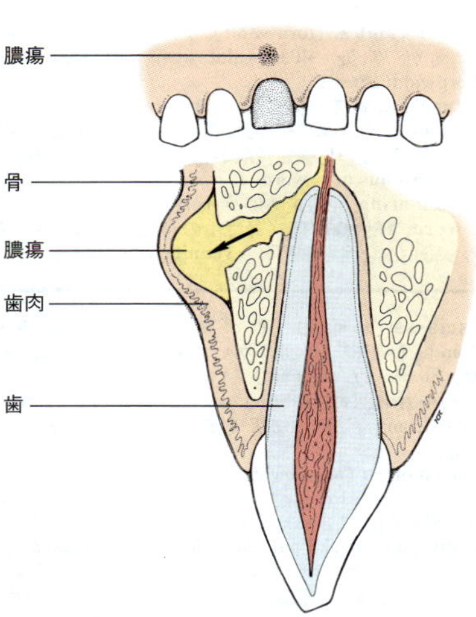

alveolar abscess
矢状断．

蜂巣洞の化膿性破壊による胸鎖乳突筋の上部に及ぶ深部膿瘍）．

bicameral a. 二房性膿瘍（2分された腔または房をもつ膿瘍）．

bone a. 骨膿瘍（骨髄腔内の化膿（骨髄炎），骨皮質または骨膜の化膿）．

Brodie a. (brō′dē). ブローディー膿瘍（密な線維組織と硬化した骨で囲まれた骨の慢性膿瘍．治まっている現在は不活性な化膿の部位を示すこともある）．

bursal a. 滑液包膿瘍，滑液囊膿瘍（滑液包内の化膿）．

caseous a. 乾酪性膿瘍（チーズ様の硬さの白色の固体または半固体が含まれる膿瘍．通常は結核性膿瘍）．＝cheesy a.

cheesy a. 乾酪〔性〕膿瘍．＝caseous a.

cholangitic a. 胆管炎膿瘍（胆道感染に由来する肝臓の膿瘍巣）．

chronic a. 慢性膿瘍（長期にわたり，線維組織に囲まれた場所へ膿がたまっている状態）．

cold a. 冷膿瘍，寒性膿瘍（熱やその他の炎症の徴候を欠く膿瘍）．

crypt a.'s 陰窩膿瘍（大腸粘膜の腸腺の膿瘍．潰瘍性大腸炎の特徴）．

dental a., dentoalveolar a. 歯性膿瘍．＝alveolar a.

diffuse a. びまん性膿瘍（はっきりした被膜で限局されていない状態で膿が集まっている膿瘍）．

Douglas a. (dŭg′lăs). ダグラス〔窩〕膿瘍（Douglas 窩の膿瘍）．

dry a. 乾性膿瘍（膿が吸収された後の膿瘍の残遺物）．

Dubois a.'s (dū-bwah′). デュボワ膿瘍（多形核球を含む，扁平上皮で区切られた胸腺の小さい囊腫．先天梅毒にみられるという報告もあるが，梅毒でない場合もある）．＝Dubois disease; thymic a.'s.

embolic a. 塞栓性膿瘍（感染症性栓子の塞栓部の末梢に生じる膿瘍）．

epidural a. 硬膜外膿瘍（頭蓋骨と硬膜との間に生じる膿瘍で，乳様突起や前頭洞の感染や外傷，救急医療の状況における違法な注射薬使用などが原因で生じる）．

fecal a. 糞便〔性〕膿瘍．＝stercoral a.

follicular a. 沪胞性膿瘍，小胞性膿瘍（毛髪，扁桃，その他の小胞内の膿瘍）．

gas a. ガス膿瘍（ガスを含む膿瘍，しばしば *Enterobacter aerogenes*，大腸菌 *Escherichia coli*，その他のガス産生微生物により生じる）．

gingival a. 歯肉膿瘍（歯肉の軟組織に限局した膿瘍）．＝gumboil; parulis.

gravitation a. 流注膿瘍．＝perforating a.

gummatous a. ゴム腫性膿瘍（ゴム腫が軟化したり，崩れて起こる膿瘍で，特に骨内でみられる）．

hematogenous a. 血行性膿瘍（血液で運ばれる細菌により生じる膿瘍）．

hot a. 熱膿瘍．＝acute a.

hypostatic a. 就下性膿瘍．＝perforating a.

ischiorectal a. 坐骨直腸膿瘍（坐骨直腸窩内に生じる膿瘍）．

lateral alveolar a. 根側膿瘍（歯根の側面に生じた歯槽膿瘍）．＝pericemental a.

lateral periodontal a. 根側歯周膿瘍（歯周ポケットの深部に生じる膿瘍で，化膿性細菌の増大や異物の存在が発症原因となる）．

lung a. (lŭng). 肺膿瘍（肺の実質に形成された膿瘍．空洞形成，気管支との交通，あるいは膿が喀出されて空気に置き換わり，診断される）．

mastoid a. 乳〔様〕突〔起〕膿瘍（乳様突起炎の際に乳突蜂巣が融合し生じる膿瘍）．

metastatic a. 転移〔性〕膿瘍（化膿性細菌がリンパまたは血液により運ばれたために，一次病巣から離れた場所にできる二次膿瘍）．

migrating a. ＝perforating a.

miliary a. 粟粒膿瘍（多くの微細な膿の集合で，局所全体または全身に広がっている膿瘍）．

Munro a. (mŭn-rō′). マンロー膿瘍．＝Munro *micro-abscess.*

orbital a. 眼窩〔内〕膿瘍（眼窩骨膜と篩骨紙様板との間に，しばしば限局的に膿が貯留したもの．副鼻腔（通常は篩骨洞）の化膿性炎症が広がったものが多い）．

otitic a. 耳炎性膿瘍（中耳の細菌感染に続発し，通常側頭葉または小脳半球に生じる膿瘍）．

palatal a. 口蓋膿瘍（①根側歯周膿瘍のうち，上顎歯の舌側面に由来するもの．②歯槽膿瘍のうち，口蓋の骨皮質を穿破し，口蓋の軟組織に進展したもの）．

pancreatic a. 膵〔臓〕膿瘍（膵あるいは膵周囲の膿瘍で，通常は膵炎に関連する）．

parafrenal a. 小帯傍〔結合〕組織膿瘍（陰茎小帯の片側に生じる膿瘍）．

parametric a., parametritic a. 子宮傍〔結合〕組織膿瘍（子宮広靱帯の結合組織内に生じる膿瘍）．

paranephric a. 腎傍〔結合〕組織膿瘍（Gerota 筋膜（腎筋膜）の外側に生じる膿瘍）．

parapharyngeal a. 副咽頭腔膿瘍（咽頭の外側部の膿瘍）．

parotid a. 耳下腺膿瘍（耳下腺における化膿．しばしば進行の急速な耳下腺炎の合併症）．

Pautrier a. (pō-trē-ā′). ポトリエ膿瘍．＝Pautrier *micro-abscess.*

pelvic a. 骨盤膿瘍（骨盤腔内の膿瘍．広汎性腹膜炎または卵管炎のような腹部か骨盤の炎症性疾患に伴う限局性腹膜炎の合併症として生じる．膿は直腸膀胱窩または直腸子宮窩内に集まることが多い）．

perforating a. 穿孔〔性〕膿瘍（組織壁を貫いて隣接部位に侵入する膿瘍）．＝gravitation a.; hypostatic a.; migrating a.; wandering a.

periapical a. 根尖周囲膿瘍（根尖周囲に限局した歯槽膿瘍）．＝apical a.; apical periodontal a.

periappendiceal a. 虫垂周囲膿瘍．＝appendiceal a.

periarticular a. 関節周囲膿瘍（関節周囲に生じ，必ずしも関節そのものは侵さない膿瘍）．

pericemental a. 歯周膿瘍．＝lateral alveolar a.

pericoronal a. 歯冠周囲膿瘍（半萌出歯の歯冠周囲の歯小囊組織に炎症が波及して生じた膿瘍）．

perinephric a. 腎周囲膿瘍（腎被膜外で，Gerota 筋膜を越えない膿瘍）．

periodontal a. 歯周膿瘍（歯槽膿瘍または根側歯周膿瘍）．

perirectal a. 直腸周囲膿瘍，肛門周囲膿瘍（直腸または肛門に隣接する結合組織内の膿瘍．次頁の図参照）．

peritonsillar a. 扁桃周囲膿瘍（扁桃窩の被膜と筋層の間に膿瘍形成を伴う，扁桃被膜の外まで広がった扁桃感染）．

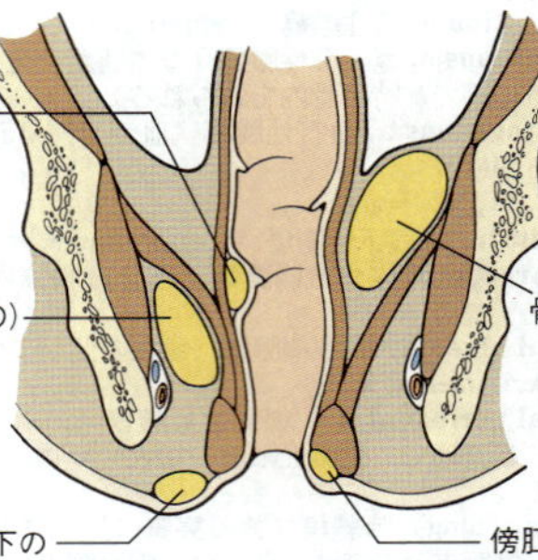

perirectal (supralevator) abscesses
黄色の部分は膿瘍を示す.

periureteral a. 尿管周囲膿瘍（尿管の周囲に生じる膿瘍).
periurethral a. 尿道周囲膿瘍（尿道の周囲組織，特に尿道海綿体の周囲組織に及んでいる膿瘍).
phlegmonous a. 蜂巣炎性膿瘍（特徴的な限局性の化膿で，罹患部の硬化および肥厚を引き起こす周囲の高度な炎症反応).
Pott a. (pot). ポット膿瘍（脊椎の結核性膿瘍).
premammary a. 乳房前膿瘍（乳腺をおおう皮下組織内の膿瘍).
psoas a. 腰筋膿瘍（通常は結核性膿瘍で，結核性脊椎炎によって引き起こされ，腸腰筋を通って鼡径部に広がる).
pulp a. 歯髄膿瘍（歯の髄腔内に生じる膿瘍で，通常，う食の続発症として生じるが，外傷に起因することも少数ながらある).
pyemic a. 膿血症性膿瘍（膿血症，敗血症，または菌血症の結果生じる血行性膿瘍). ＝septicemic a.
radicular a. 歯根膿瘍（歯槽や歯根周囲の膿瘍).
residual a. 残留膿瘍（微生物や膿の残留により，以前に膿瘍があった場所に再発した膿瘍).
retrobulbar a. 球後膿瘍（眼球の後方の膿瘍).
retrocecal a. 盲腸後膿瘍（盲腸の後方にできる膿瘍．通常，盲腸後方の虫垂の穿孔による).
retropharyngeal a. 咽後膿瘍（乳児に多く，通常は咽後リンパ節内に生じる).
ring a. 輪状膿瘍（壊死巣が白血球浸潤の輪状帯によって囲まれている急性化膿性の角膜周辺部の炎症).
root a. 歯根膿瘍. ＝alveolar a.
satellite a. 衛星膿瘍（原発性膿瘍と近接した膿瘍).
septicemic a. 敗血症性膿瘍. ＝pyemic a.
stellate a. 星状膿瘍（組織球で囲まれた星状の壊死巣．性病性リンパ肉芽腫とネコ引っ掻き熱の腫脹したリンパ節内にみられる).
stercoral a. 宿便性膿瘍（膿と便の集まった膿瘍). ＝fecal a.
sterile a. 無菌性膿瘍（①化膿性細菌によらない膿瘍．②吸引あるいは培養しても細菌の成長がみられない膿瘍).
stitch a. 縫合部膿瘍. ＝suture a.
subdiaphragmatic a. 横隔膜下膿瘍. ＝subphrenic a.
subepidermal a. 表皮下膿瘍（表皮直下の真皮内に位置する顕微鏡的膿瘍).
subhepatic a. 肝臓下膿瘍（肝臓のすぐ下に形成された膿瘍).
subperiosteal a. 骨膜下膿瘍（骨膜と骨皮質間の膿瘍).
subphrenic a. 横隔膜下膿瘍（横隔膜の直下の膿瘍). ＝subdiaphragmatic a.
subungual a. 爪下膿瘍（手足の指の爪の下の化膿．通常，爪周囲炎から起きる).
sudoriferous a. 汗腺膿瘍（汗腺に膿が集まっているもの).
suture a. 縫合糸膿瘍（縫合糸，特に角膜縫合糸周囲の膿性滲出物). ＝stitch a.
thymic a.'s 胸腺膿瘍. ＝Dubois a.'s.
Tornwaldt a. (torn'vahlt). トルンヴァルト膿瘍（咽頭嚢の慢性感染. →Tornwaldt *syndrome*; Tornwaldt *cyst*; Tornwaldt *disease*).
tropic a. 熱帯〔性〕膿瘍. ＝amebic a.
tuboovarian a. 卵管卵巣膿瘍（卵管と卵巣を侵す大きな膿瘍で，卵管の化膿性炎症が広がった結果生じる).
verminous a. ＝worm a.
wandering a. 遊走膿瘍. ＝perforating a.
worm a. 虫性膿瘍（寄生虫の存在によって生じる，すなわち寄生虫を含む膿瘍). ＝verminous a.

---

ab·scis·sa (ab-sis'ă) ［L. *ab-scindo*, pp. *-scissus*, to cut away from］. 横座標（平面デカルト座標系において，水平軸（x軸）をいう. *cf.* ordinate).

ab·scis·sion (ab-si'shŭn)［L. *ab-scindo*, pp. *-scissus*, to cut away from］. 切除，切断（［誤った発音 ab-si'zhŭn を避けること］).

ab·scon·si·o (ab-skon'sē-ō)［Mod. L. < *abs-condo*, pp. *-conditus*, *-consus*, to hide］. 窩，陥凹（特に骨学において隣接する骨の頭部に合わせるようにくぼんでいるところをいう).

ab·sco·pal (ab-skō'păl, -skop'ăl)［ab- + G. *skopos*, target + -al］. アブスコパル（組織に放射線を照射する場合に，直接照射されていない組織に対しても二次的に効果の及ぶ現象).

ab·sence (ahb-sahns')［L. *absentia*］. アブサンス，アブサンス，欠神（［フランス語の absence(欠神発作)に基づく本語は，ここに示すように ahb-sahns' とフランス語のように発音するのが正しい］．意識障害の発作で，ときに頭部の筋肉の痙攣を伴い，過換気で通常，誘発できる．単純アブサンスでは脳波は 3Hz 棘徐波の突発を呈し，異型アブサンスでは 4Hz 棘徐波や 4Hz 以上の棘波複合を呈する．ⓘ単純アブサンス，てんかん性アブサンス，無症候性アブサンスのようなはっきりした症状を呈さないアブサンス，ⓘⓘミオクロニーアブサンスのように間代性運動を伴うアブサンス，ⓘⓘⓘ無緊張性アブサンスのように無緊張状態を伴うアブサンス，ⓘⓥ過緊張性筋収縮のような強直性収縮を伴うアブサンス，ⓥ通常，顔と手のいろいろな常同運動のような自動症を伴うアブサンス，ⓥⓘおかしな運動のような非典型的な特徴をもつアブサンス，のように脳波異常を呈する臨床状態を6型に分類することがある).
pure a. 純粋アブ(ブ)サンス，純粋欠神. ＝simple a.
simple a. 単純アブ(ブ)サンス，単純欠神（脳波での3Hz 棘徐波の突発に伴う短時間の意識混濁). ＝pure a.

abs. feb. ラテン語 *absente febre*(熱のないとき)の略.

Ab·sid·i·a (ab-sid'ē-ă). アブシディア属（一般に自然界にみられるケカビ科の真菌類の一属．好熱性の種は，45°C を超えるような堆肥の中でも生存し，またヒトにムコール菌症(接合真菌症)を引き起こすことがある).

ab·sinthe (ab'sinth). アブサン（アブシンチウム，アニス，ウイキョウその他の薬草の香りをつけた 60—75％エタノールを含むリキュール．その毒性と依存性のため，長く米国およびその他の国々で禁止されている．活性成分はツヨン(ツジョン)).

ab·sin·thin (ab'sin-thin). アブシンチン（苦味成分．アブシンチウムから得られる).

ab·sin·thi·um (ab-sin'thē-ŭm)［L. < G. *apsinthion*］. アブシンチウム（キク科ニガヨモギ *Artemisia absinthium* の乾燥葉および上端部．浸剤は強壮薬として用いられてきたが，現在はほとんど用いられない．大量または頻繁に用いると，頭痛，震え，てんかん様痙攣を起こす). ＝wormwood.

ab·sin·thol (ab-sin'thawl). アブシントール. ＝thujone.

ab·so·lute (ab'sō-lūt)［L. *absolutus*, complete: *ab-solvo*(to loosen from)の完了分詞］. 絶対の，無条件的な，無制限の，純粋の，正確な，無水の（［伝統的な発音は示した通りであるが，米国ではしばしば最後の音節にアクセントが置かれる］．アルコールの場合のように).

ab·sorb (ab-sōrb')［L. *ab-sorbeo*, pp. *-sorptus*, to suck in］. 吸収する（［adsorb と混同しないこと］．①吸収によって取り込む．②透過光の強度を減少させる).

ab·sor·bance (***A*, A**) (ab-sōr'bants). 吸光度，吸収度（分光計測法で用いられ，透過光の強さに対する入射光の強さの比を対数で表した値).＝absorbancy; absorbency; extinction (2); optic density.

specific a. 比吸光度，比吸収度（単位濃度当たりの吸光度.→specific absorption *coefficient*).

ab·sor·ban·cy (ab-sōrb′an-sē). ＝absorbance.

ab·sor·be·fa·cient (ab-sōr-bĕ-fā′shŭnt)［L. *ab-sorbeo*, to suck in＋*facio*, to make］. *1*〖adj.〗吸収〔促進〕性の. *2*〖n.〗吸収〔促進〕剤.

ab·sorb·en·cy (ab-sōr′ben-sē). ＝absorbance.

ab·sor·bent (ab-sōr′bent). **[誤ったつづり absorbant を避けること].** *1*〖adj.〗吸収性の（気体，液体，光線，熱などを吸着または吸収する力のある).＝absorptive; bibulous. *2*〖n.〗吸収剤（*1* のような作用をもつ物質). *3*〖n.〗吸収剤（麻酔器や基礎代謝測定装置のような再呼吸を行う回路から，二酸化炭素を除去するための物質(通常は腐食剤)).

ab·sorb·er head (ab-sōr′ber hed). 吸収装置ヘッド（再呼吸麻酔回路の二酸化炭素吸収剤が含まれる部分．しばしばキャニスターをさす).

absorptiometry 吸収測定法（例えば放射線の吸収の測定法).

dual energy x-ray a. 二重エネルギーX線吸収測定法（2つの異なるエネルギーのX線の吸収測定から骨密度を計算し，測定する方法．きわめて低線量で骨粗鬆症の評価をするために用いられる.→T-*score*).

ab·sorp·tion (ab-sōrp′shŭn)［L. *absorptio* < *absorbeo*, to swallow］. 吸収（**[adsorption と混同しないこと].** ①気体，液体，光，熱などを取り込むこと. *cf.* adsorption. ②放射線科学において，組織・媒体内を放射線が通過する場合にそれに取り込まれるエネルギーをいう.→half-value *layer*; photoelectric *effect*; attenuation. ③対応する抗原を加えることにより，混合液から特定の抗体を取り除くこと).

cutaneous a. 皮膚吸収.＝percutaneous a.

disjunctive a. 分離吸収（壊死部と直接に接した生きている組織による吸収で，その際，分画線ができる).

electron resonance a. 電子共鳴吸収（→electron spin *resonance*).

external a.〔消化管〕外吸収（皮膚，粘膜皮膚の表面，あるいは他の粘膜からの物質の吸収).

interstitial a. 間質性吸収（間質液内の水または他の物質のリンパ管による除去).

parenteral a. 腸管外吸収（消化管以外の経路を通じての吸収).

pathologic a. 病的吸収（膿，尿，胆汁などのような排泄物または病的物質の血流内への腸管外吸収).

percutaneous a. 経皮吸収（薬剤，アレルゲンなどの物質が皮膚に損傷を与えないで吸収されること．表皮の角膜層が主なバリアである).＝cutaneous a.

photoelectric a. 光電吸収（入射光子が完全に吸収され，その全エネルギーが内殻電子を放出し加速することで消費されるようなガンマ線と物質との相互作用.→photoelectric *effect*).

ab·sorp·tive (ab-sōrp′tiv). ＝absorbent (1).

ab·sorp·tiv·i·ty (*a*) (ab-sōrp-tiv′i-tē). *1* ＝specific absorption *coefficient*. *2* ＝molar absorption *coefficient*. *3* 吸収能（電磁放射線を吸収する物質の能力(特性)).

molar a. ＝molar absorption *coefficient*.

ab·sti·nence (ab′sti-nents)［L. *abstineo*, to hold back < *teneo*, to hold］. 禁断，離脱，禁欲（ある種の食物，アルコール飲料，非合法の薬剤，性行為，その他の行動などを断つこと).

ab·stract (ab′strakt)［L. *ab-traho*, pp. *-tractus*, to draw away］. *1* 散剤（流エキス剤を蒸発させて粉末にし，乳糖を加えて摩砕したもの). *2* 抄録（論文や講演などの要約または要旨).

structured a. 構造化抄録（発表された論文の要約で，特に論文の研究内容についての情報が，目的，方法，主要アウトカム測定法，結果，結論などの見出しの下に，パラグラフに分けて系統化，様式化された形態で述べられているものをいう).

ab·strac·tion (ab-strak′shŭn)［L. *abs-traho*, pp. *-tractus*, to draw away］. *1* 抽出（物質の揮発成分の蒸留または分離). *2* 極度の精神集中. *3* 抽出（生薬から散剤をつくること). *4* 低位歯（歯またはその関連組織が正常な咬合平面より低位置にある不正咬合.→odontoptosis). *5* 抽象（特定の実例から一般概念を定式化する洞察の過程あるいは結果．全体の概念から一定の側面を確認すること).

ab·stric·tion (ab-strik′shŭn)［L. *ab-*, from＋*strictura*, a contraction］. 隔裂（菌類において，分裂隔板が成長して胞子体の一部が切り離され，無性胞子が形成されること).

ab·ter·mi·nal (ab-ter′mi-năl)［L. *ab-*, from＋*terminus*, end］. 末端から離れる方向の（末端から離れて中心に向かう方向の．筋肉内の電流の流れについていう).

γ-A·bu (a′bū). γ-aminobutyric acid の略.

a·bu·li·a (ă-bū′lē-ă)［G. *a-* 欠性辞＋*boulē*, will］. 無為（①自発的行動や決定する能力が喪失または障害されている状態．②会話，動作，思考，および情緒的反応の減少で，両側前頭葉疾患で一般にみられる).＝aboulia.

a·bu·lic (ă-bū′lik). 無為の.

a·bun·dance (a-bŭn′dants). アバンダンス（細胞当たりの高分子(例えばメッセンジャーRNA)型の平均数).

a·buse (ă-byūs′). *1* 乱用（何かを誤ってあるいは不法に使用，特に過度に使用すること). *2* 虐待（小児虐待，あるいは性的虐待におけるような，不法な，有害な，あるいは攻撃的な扱い).

child a. 小児(児童)虐待（親，義理の親，または代理の親による小児に対する心理的，情緒的，および性的虐待.→domestic violence).

drug a. 薬物乱用（治療目的には必要でない，もっぱら気分，感情，意識状態を変化させたり，身体機能を不必要に損なう(例えば下剤の乱用)ことのみを目的とした習慣的な薬物使用).

elder a. 高齢者虐待（その子供，老人ホームのスタッフ，またはその他の人による，高齢者に対する身体的または情緒的虐待で，経済的搾取を伴うこともある).

sexual a. →domestic violence.

spouse a., spousal a. →domestic violence.

substance a. 物質乱用（社会的，職業的，心理的または身体的な問題を生じるような，薬物，アルコールまたは他の化学物質の不適切な使用).

a·but·ment (ă-bŭt′ment). 橋脚歯，アバットメント（歯科において，固定または可撤義歯の維持あるいは固定源のために用いる，天然歯または植立された代替歯).

auxiliary a. 補助橋脚歯（橋脚を直接維持する歯以外で，可撤局部義歯全体の維持を助ける歯).

ball and socket a. ボール状・ソケット状アバットメント（ボール状，並びにソケット状の形態からなる緩圧型連結装置により，橋義歯に結合するアバットメント).

dovetail stress-broken a. 鳩尾形緩圧型アバットメント（横断面が台形の緩圧型連結装置により，橋義歯に結合するアバットメント).

intermediate a. 中間橋脚歯（他の自然歯と隣接面の接触がない自然歯あるいは人工歯で，義歯を維持するために近心および遠心の橋脚歯とともに用いる．しばしば pier とよばれる).

isolated a. 孤立橋脚歯（その近心および遠心が無歯状態のときに橋脚歯として用いられる孤立歯あるいは孤立歯根).

splinted a. 固定橋脚歯（複数歯根で単純な橋脚をつくるために，固定修復物によって2歯以上の歯を連結して，しっかりした装置にしたもの).

ABVD 化学療法の1つで，*a*driamycin(doxorubicin), *b*leomycin, *v*inblastine，および *d*acarbazine の各頭文字からなる略語．Hodgkinリンパ腫の治療に用いられる.

ab·volt (ab′vōlt). アブボルト（電位差のCGS電磁単位．10^{-8} ボルトに等しい．1絶対クーロンの電荷が2点間を移動したときに1エルグの仕事がなされた場合の2点間の電位差).

ab·zyme (ab′zīm)［*anti*body＋en*zyme*］. アブザイム.＝catalytic *antibody*.

AC alternating *current* の略.

Ac アクチニウムの元素記号．アセチルの記号.

aC アラビノシルシトシンの記号.

a.c. ラテン語 *ante cibum, ante cibos*（食前に)の略.

AC:A accommodative convergence:accommodation *ratio* の略.

a·ca·ci·a (ă-kā′shē-ă)［G. *akakia*］. アカシア（アカシアセネガおよびその他のマメ科アカシア種由来のゴム状滲出物を

乾燥させ，粘液あるいはシロップに調製したもの．皮膚軟化薬，保護作用のある賦形剤，医薬品や食品中の懸濁剤として用いる．以前は輸液として用いられた)．＝gum arabic.

a·cal·cu·li·a (ā′kal-kyū′lē-a) [G. *a-* 欠性辞＋L. *calculo*, to reckon]．失算〔症〕，計算不能〔症〕(簡単な数字の問題を解く能力の欠如を特徴とする失語症の一型．大脳半球の損傷でみられる．しばしば認知症の初期徴候である)．

a·camp·si·a (ă-kamp′sē-ă) [G. *a-* 欠性辞＋*kamptō*, to bend]．関節強直〔症〕(何らかの原因による関節の強直を表す，まれに用いる語)．

a·canth- (ă-kanth′)．→acantho-.

a·can·tha (ă-kan′thă) [G. *akantha*, a thorn]．[canthus と混同しないこと]．***1*** 棘，棘状の突起．***2***〔椎骨の〕棘突起．

a·can·tha·me·bi·a·sis (ă-kan′thă-mē-bī′ă-sis)．アカントアメーバ症(土壌や水中の自由生活性アメーバである*Acanthamoeba* 属の感染で，壊死性の皮膚病変，激症で通常は致命的な原発性アメーバ性髄膜脳炎，あるいは亜急性または慢性の肉芽腫性アメーバ性脳炎を起こす)．

A·can·tha·moe·ba (ă-kan′thă-mē′bă) [G. *akantha*, thorn, spine＋Mod. L. *amoeba*＜G. *amoibē*, change]．アカントアメーバ属，アカンスアメーバ属(土壌中，下水中，水中にみられる自由生活性アメーバ(アメーバ目アカンスアメーバ科)の一属で，棘状仮足の存在により特徴付けられる．ヒトへの感染として，皮膚への侵入と障害を伴う集落形成，角膜への侵入と集落形成，また恐らく肺または泌尿生殖器系での集落形成などがある．まれな症例として脳あるいは中枢神経系への侵入が報告されているが，この場合，より強い病原性をもつ *N. fowleri* の感染のように単に嗅覚上皮のみが侵入経路ではない．原因となる種は主に *A. culbertsoni* であり，*A. castellanii*, *A. polyphaga*, *A. astronyxis* による症例も報告されている．ほとんどの症例は，*Naegleria fowleri* 感染でみられるような劇的で急激に致死的経過をとるというよりも慢性的である)．

ac·an·thel·la (ă-kan-thel′ă) [G. *akantha*, thorn, spine]．アカンテラ幼生(鉤頭虫類の中間段階幼生で，中間宿主の節足動物の体内で形成される．前感染性の非被嚢状態の段階で，これから感染性のシストアカント幼生へと進む)．

a·can·thes·the·si·a (ă-kan′thes-thē′zē-ă) [G. *akantha*, thorn＋*aisthēsis*, sensation]．棘感覚，アカンセスセジア(針で刺されるような感覚異常)．

A·can·thi·a lec·tu·lar·i·a (ă-kan′thē-ă lek-tū-lār′ē-ă) [G. *akantha*, thorn, prickle; L. *lectus*, a bed]．ナンキンムシ *Cimex lectularius* の旧名．

a·can·thi·on (ă-kan′thē-on) [G. *akantha*, thorn]．アカンチオン(前鼻棘の先端)．＝akanthion.

acantho- (ă-kan′thō) [G. *akantha*, a thorn, the backbone, the spine ＜ *akē*, a point＋*anthos*, a flower]．棘突起，有棘の，を意味する連結形．

A·can·tho·ceph·a·la (ă-kan′thō-sef′ă-lă) [acantho-＋G. *kephalē*, head]．鉤頭虫門(とげのある頭をもった蠕虫．消化管を欠いた真正寄生虫の一門(以前は綱とみなされていた)．特徴は，体前方の反転できないとげ状の吻である．表面上は線虫類と似ているが，他の特徴では条虫に似ている．したがって，蠕虫類の中ではっきり他と区別できる1つの門として分類される．成虫期は脊椎動物(主として魚類や両生類)に寄生し，幼虫期は無脊椎動物(主として甲殻類や昆虫)の体内で過ごす)．

a·can·tho·ceph·a·li·a·sis (ă-kan′thō-sef-ă-lī′ă-sis)．鉤頭虫症(鉤頭虫類の感染で起こる疾病)．

A·can·tho·chei·lo·ne·ma (ă-kan′thō-kī-lō-nē′mă) [acantho-＋G. *cheilos*, lip＋*nēma*, thread]．アカントケイロネマ属(ヒトに寄生する糸状虫の一属で，現在では *Mansonella* 属の一部とみなされている)．

a·can·tho·cyte (ă-kan′thō-sīt) [acantho-＋G. *kytos*, cell]．有棘赤血球(有棘赤血球増加症にみられるような，多数のとげ状の細胞質突起を有する赤血球)．

a·can·tho·cy·to·sis (ă-kan′thō-sī-tō′sis)．有棘赤血球増加〔症〕(大部分の赤血球が有棘赤血球であるという珍しい状態．無 *β*-リポ蛋白血症に通常はみられる特徴．またときには，重症肝疾患において認められる)．

a·can·thoid (ă-kan′thoyd)．とげ状の．

ac·an·thol·y·sis (ak-an-thol′i-sis) [acantho-＋G. *lysis*, loosening]．棘細胞離開，棘融解([誤った発音 acantholy′sis を避けること]．個々の表皮角化細胞がその周囲の有棘細胞から分離または融解すること．尋常性天疱瘡や Darier 病のような疾患にみられる)．

ac·an·tho·ma (ak-an-thō′mă) [acantho-＋G. *-oma*, tumor]．棘細胞腫(表皮有棘細胞の増殖によって形成された腫瘍．→keratoacanthoma)．

clear cell a. 透明細胞棘細胞腫(下腿または腕に生じる境界のきわめて明瞭で小さな良性の表皮性腫瘍で，表皮肥厚と糖原蓄積による角化細胞細胞質の透明化を示す)．

a·can·tho·po·di·a (ă-kan′thō-pō′dē-ă) [acantho-＋G. *pous*, *podos*, foot]．歯状偽足(ある種アメーバに認められる歯状偽足で，*Acanthamoeba*属のものに典型的にみられる)．

a·can·thor (ă-kan′thōr) [G. *akantha*, thorn, spine]．鉤状幼虫(鉤頭虫門の紡錘状幼生．くちばし状の鉤と体に棘をもち，卵殻内で成長する．この段階の幼生は，その最初の宿主(通常，水生生活環では甲殻類，陸上生活環では昆虫)の体腔内に潜んでいる)．

ac·an·tho·sis (ak-an-thō′sis) [G. ＜ acantho-, thorn＋G. *-osis*, condition]．表皮肥厚[症]，有棘層肥厚，アカントシス(表皮有棘層の厚みが増すこと)．

glycogenic a. グリコゲンアカントシス，グリコゲン表皮肥厚(下部食道粘膜または腟粘膜の盛り上がった灰白色の斑で，大きなグリコゲンを有する扁平上皮細胞の増殖で厚くなった上皮)．

a. nigricans [L. ＜ *niger*, black] [MIM*100600]．黒色表皮〔肥厚〕症，黒色表皮腫(ビロード状で良性の乳頭状増殖と色素沈着からなる皮疹で，腋窩，頸部，肛門性器部，鼡径部に生じる．成人の場合は内臓の悪性腫瘍，内分泌障害(インスリン抵抗性を特徴とする)，または肥満症を伴うことがある．青年の2型糖尿病でみられる．小児には良性の遺伝型がみられる．→pseudoacanthosis nigricans)．

ac·an·thot·ic (ak-an-thot′ik)．表皮肥厚〔症〕の，有棘層肥厚の，アカントシスの．

a·can·thro·cyte (a-kan′thrō-sīt)．acanthocyte を表す現在では用いられない語．

a·can·thro·cy·to·sis (ă-kan′thrō-sī-tō′sis)．acanthocytosis を表す現在では用いられない語．

a·cap·ni·a (ă-kap′nē-ă) [G. *a-* 欠性辞＋*kapnos*, smoke]．炭酸欠乏〔症〕([誤ったつづり acapnea を避けること]．血液中の二酸化炭素が欠乏すること．ときに hypocapnia(低炭酸症)と誤用される)．

a·car·di·a (ā-kar′dē-ă) [G. *a-* 欠性辞＋*kardia*, heart]．無心症(心臓の先天的欠損．この状態は一卵性双胎または接着双生児の一方が胎盤血液供給を独占すると，小さいほうの寄生体にしばしば生じる．三胎においても起こりうる)．

a·car·di·ac (ā-car′dē-ak)．無心〔症〕の(心臓のない)．

a·car·di·us (ā-kar′dē-ŭs)．無心体(双胎の一方で，心臓をもたないもの．胎内では，もう一方の児の胎盤循環を利用して生存している．通常，他の身体の部分欠損を伴っている)．

a. acephalus 無頭無心体(頭や胸郭内器官のない無心症の胎児．肋骨や椎骨は存在するが，上肢は全欠損ないし部分欠損している)．

a. amorphus 無形無心体(皮膚や毛髪におおわれた形のない受胎産物)．

a. anceps 無形無心体(部分的に発達した頭部と不完全な顔・体幹・四肢をもつ無心症の胎児)．

ac·a·ri·a·sis (ak-ar-ī′ă-sis)．ダニ症([ascariasis と混同しないこと]．ダニ類が寄生する(通常は皮膚)ことによって生じる疾患の総称．→mange)．

psoroptic a. キュウセンヒゼンダニ症(哺乳類の皮膚にキュウセンヒゼンダニ属 *Psoroptes* のダニが侵入するもの)．

sarcoptic a. ヒゼンダニ性ダニ症，疥癬虫性ダニ症(皮膚にヒゼンダニ *Sarcoptes scabiei* が侵入するもの．→scabies (1))．

a·car·i·cide (ă-kar′i-sīd) [Mod. L. *acarus*, a mite＜G. *akari*＋L. *caedo*, to cut, kill]．ダニ駆除薬(ダニ目のダニを殺す薬剤．一般にダニを殺す化学物質を表すのに用いる語)．

ac·a·rid (ak′ă-rid) [G. *akari*, mite]．ダニ(コナダニ科に属する小型のダニの一般名)．＝acaridan.

A·car·i·dae (ă-kar′i-dē)．コナダニ科(ダニ目の一科で，通常は 0.5 mm かそれ以下の特別に小さなダニからなる分類上の大グループ．乾燥した果実，肉類，穀類，ひき割り，粉などに多く発生し，それらの産物を頻繁に扱って過敏となった人々に，しばしば重篤な皮膚炎を起こす）．

a·car·i·dan (ă-kar′i-dan). ＝acarid.

Ac·a·ri·na (ak-ă-rī′nă)［G. *akari*, a mite］. ダニ目（蛛形綱の一目で，マダニおよびその他の小型ダニを含む）．

ac·a·rine (ak′ă-rīn). ダニ類（ダニ目に属するダニ）．

ac·a·ro·der·ma·ti·tis (ak′ă-rō-der-mă-tī′tis)［G. *akari*, mite + *derma* (*dermat-*), skin］. ダニ皮膚炎（【acrodermatitis と混同しないこと】．ダニに反応して生じた皮膚の炎症または発疹）．

a. urticarioides じんま疹様ダニ皮膚炎（穀物そう痒ダニ *Pyemotes ventricosus* が侵入するもの．→grain *itch*）．

ac·a·roid (ak′ă-royd)［G. *akari*, mite + *eidos*, resemblance］. ダニ様の．

ac·a·rol·o·gy (ak-ă-rol′ō-jē)［G. *akari*, mite + *logos*, study］. ダニ学（ダニ，およびダニが媒介する疾病の研究）．

ac·a·ro·pho·bi·a (ak′ă-rō-fō′bē-ă)［G. *akari*, mite + *phobos*, fear］. ダニ恐怖〔症〕，微細物恐怖〔症〕（【acrophobia または agoraphobia と混同しないこと】．小皮膚寄生生物，小粒子に対する病的な恐怖で，しばしばかゆみに支配される）．

Ac·a·rus (ak′ă-rŭs)［G. *akari*, mite］. コナダニ属（コナダニ科の一属）．

A. balatus ダニの熱帯種で，特に激しい疥癬様刺激症状を引き起こす．

A. folliculorum ニキビダニ，毛包虫．＝*Demodex folliculorum.*

A. hordei オオムギダニ（皮下に侵入するダニ．英名 barley mite）．

A. rhizoglypticus hyacinthi 破棄されたタマネギ中に発生するダニ．皮膚炎を引き起こす．

A. scabiei *Sarcoptes scabiei* の旧名．

a·car·y·ote (ă-kar′ē-ōt). ＝akaryocyte.

a·cat·a·la·se·mi·a (ā-kat′ă-lā-sē′mē-ă)［MIM*115500］. 無カタラーゼ血〔症〕．＝acatalasia.

a·cat·a·la·si·a (ā-kat′ă-lā′zē-ă)［MIM*115500］. 無カタラーゼ血〔症〕（血液や組織のカタラーゼが欠如あるいは欠乏している状態で，繰り返す感染や歯肉や口腔内の構造物の潰瘍によって明らかになる．第 11 染色体短腕のカタラーゼ遺伝子(CAT)の突然変異により起こる．ホモ接合体の場合は，カタラーゼが完全に欠損する(日本型変種)か，低レベルとなる(Swiss 型変種)．ヘテロ接合体の場合は，カタラーゼは減少する(低カタラーゼ血症)が，正常範囲の場合もある）．＝acatalasemia; Takahara disease.

ac·a·thec·tic (ak-ă-thek′tik). 分泌物異常放出の（まれに用いる語）．

ac·a·thex·i·a (ak-ă-thek′sē-ă)［G. *a-* 欠性辞 + *kathexis*, retention］. 分泌物異常放出（分泌物の異常な放出を表す，まれに用いる語）．

ac·a·thex·is (ak-ă-thek′sis)［G. *a-* 欠性辞 + *kathexis*, retention］. 無感動（物事を見聞きしたり考えたりしても感情反応が起きないような精神障害を表す，まれに用いる語）．

a·ca·thi·si·a (ak-ă-thiz′ē-ă). ＝akathisia.

a·cau·dal, acau·date (ă-kaw′dăl, ă-kaw′dāt)［G. *a-* 欠性辞 + L. *cauda*, tail］. 無尾の．

ACC anodal closure *contraction* の略．

ac·cel·er·ans (ak-sel′er-anz)［L. accelerator］. ***1***《adj.》促進の，触媒の．***2***《n.》促進神経（心臓の作用を促進する交感神経を表す，現在では用いられない語）．

ac·cel·er·ant (ak-sel′er-ănt). ＝accelerator (3).

ac·cel·er·a·tion (ak-sel-er-ā′shŭn)［→accelerator］. 【誤った発音 uh-sel-er-ā′shŭn を避けること】. ***1*** 加速，促進．***2*** 加速度（単位時間当たりの速度の増加割合．一般に *g* 単位で表すが，cm/sec^2，あるいはフート/sec^2 も用いる）．***3*** 直進コースからの偏位の時間増加率．→radial a.

angular a. 角加速度（角速度の変化の時間的割合．この変化は，例えば，遠心機の回転子が速度を上げるときや，航空機が急旋回し，速度と方向が同時に変わるような場合に起こる）．

linear a.〔直〕線加速度（方向に変化のない速度の変化率．例えば，直線路を飛行中の航空機の速度が増加する場合に生じる）．

radial a. 半径方向加速度，動径加速度（一定の速度で，曲線を描いて運動している粒子や乗物の向心加速度．例えば，カーブする自動車，急降下から水平飛行への移行，旋回飛行中の航空機にみられる．航空機では，この加速度は航空機の速度の 2 乗と，回転半径の逆数で決まる($a=V^2/r$．V は航空機の速さ，r は回転半径)）．

ac·cel·er·a·tor (ak-sel′er-ā-ter)［L. *accelerans*: *ac-celero*(to hasten) の現在分詞形 ＜*celer*, swift］. 【誤った発音 uh-sel′er-ā-ter を避けること】. ***1*** 加速装置，アクセルレータ，促進因子（行動または機能の速度を増すもの）．***2*** 促進神経，促進物質(因子)（生理学において，動きや反応を速める神経，筋肉，または物質）．***3*** 促進剤（化学反応を速める触媒）．＝accelerant. ***4*** 加速器（原子核物理学において，ターゲットと核反応を起こさせるために荷電粒子(例えば陽子)を加速する装置．原子内の構造の研究や放射性核種の生成や放射線治療に用いられる）．

linear a. (**LINAC**) 直線加速器，リニアアクセルレータ（原子あるいは原子を構成する粒子を高速かつ高エネルギーとする装置．放射線治療に用いる重要な装置）．

proserum prothrombin conversion a. (**PPCA**) →*factor* VIII.

prothrombin a. プロトロンビン促進因子（factor V を表す現在では用いられない語）．

serum a. 血清促進因子（factor VII を表す現在では用いられない語）．

serum prothrombin conversion a. (**SPCA**) 血清プロトロンビン転換促進因子（factor VII を表す現在では用いられない語）．

ac·cel·er·in (ak-sel′er-in). アクセレリン（かつて凝固の中間産物と考えられていたが，現在では存在していないと考えられているものを表す語．現在では用いられない）．

ac·cel·er·om·e·ter (ak-sel-er-om′ĕ-ter). 加速度計（単位時間当たりの速度の変化率を測定する器械）．

ac·cen·tu·a·tor (ak-sent′chū-ā-ter)［L. *accentus*, accent ＜ *cano*, to sing］. 染色強化剤（アニリンのような物質．これにより他の方法では望めない組織または組織要素と染料との結合が可能になる）．

ac·cep·tor (ak-sep′ter)［L. *ac-cipio*, pp. *-ceptus*, to accept］. アクセプタ，受容体（①アミン基，メチル基，カルバモイル基などの化学基を，他の化合物(供与体)から受け取る化合物．アラニントランスアミナーゼでは，L-グルタミン酸はアミン供与体でピルビン酸はアミン受容体となる．②ホルモンと結合するレセプタ．③内因性リガンドが未知である薬物受容体）．

hydrogen a. 水素受〔容〕体．＝hydrogen *carrier*.

ac·cès per·ni·ci·eux (ak-sā′ per-ni-syu′)［Fr. pernicious attacks or symptoms］. 悪性発作（一見軽症と思われる症例にときに生じる一連の熱帯熱マラリアの重篤な発作．脳性と悪寒性に大別される）．

ac·cess (ak′ses)［L. *accessus*］. アクセス，近付く手段（【assess または axis と混同しないこと】．①接近あるいは侵入する方法・手段．②歯科において，う食を除去し，修復する際，歯の切削器具の操作および術部の明視化に必要な空間．③根管の洗浄，形成，および充填といった一連の根管治療において必要とされる適切な髄腔開拡のための歯冠部の穴）．＝access opening.

ac·ces·so·ri·us (ak-ses-ō′rē-ŭs)［L.］. 副の，副存の，付属の，補助的の．＝accessory.

a. willisii ウィリス副神経．＝accessory *nerve*［CN XI］.

ac·ces·so·ry (ak-ses′ō-rē)［L. *accessorius* ＜ *ac-cedo*, pp. *-cessus*, to move toward］. 副の，副存の，付属の，補助的の（【誤った発音 uh-ses′ō-rē を避けること．accessary と混同しないこと】．同じタイプでより典型的なあるいはより大きな構造物(筋肉，動脈，神経，腺その他)に対して，補助的なもの(通常存在する場合)あるいは過剰なもの(破格の場合)を意味する解剖学的用語．多くの場合，副次的な構造物は重複変異である）．＝accessorius.

ac·ci·dent (ak′si-dent)［L. *ac-cido*, to happen］. 事故，災害，偶発症候（傷害に導く，計画したり企図したのではないが，ときには予言できる出来事．例えば，交通，産業，家庭内の出来事や，病気の経過中に起こるもの）．

cardiac a. 心臓偶発症候（冠状動脈閉塞によるような突然の心臓異変）.

cerebrovascular a. (**CVA**) 脳血管障害（広義の脳卒中を意味する用語）.

serum a. 血清事故（治療目的で異種血清を注射したために起こるアナフィラキシーショック. →serum *sickness*）.

ac·ci·dent-prone (ak′si-dent prōn). ***1*** 事故を起こしやすい（似たような環境における平均的な人に想定されるよりもはるかに多くの事故を起こす）. ***2*** 事故頻発〔性〕の（事故を起こしやすい性格を有する）.

ac·cli·ma·tion (ak-li-mā′shŭn). ＝acclimatization.

ac·cli·ma·ti·za·tion (ă-klī′mă-ti-zā′shŭn). 気候順化（馴化，順応），風土順化（馴化，順応）（異なった気候，特に気温や地理的高さなどの環境変化に対して個体が生理的調節を行い適合していくこと）. ＝acclimation.

ac·com·mo·da·tion (ă-kom′ŏ-dā′shŭn) [L. *ac-commodo*, pp. *-atus*, to adapt < *modus*, a measure]. 調節，順応，適応（①調整や馴化を行うこと，またはその状態. ②感覚運動理論において，経験に適合するように先験的な図式や認識予想を変えること. →equilibration (5)）.

amplitude of a. 調節幅（無調節時と完全調節時の眼の屈折値の差）.

a. of eye 眼の調節（外部の物体の像を網膜上に認知するため，毛様体筋の収縮に応じて水晶体の厚みと凸面を増やすこと）.

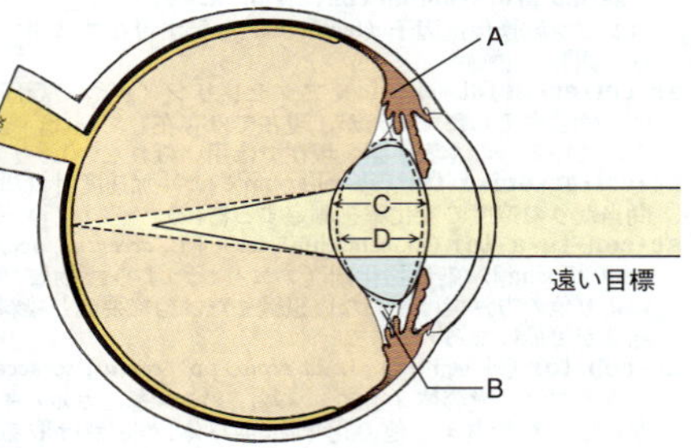

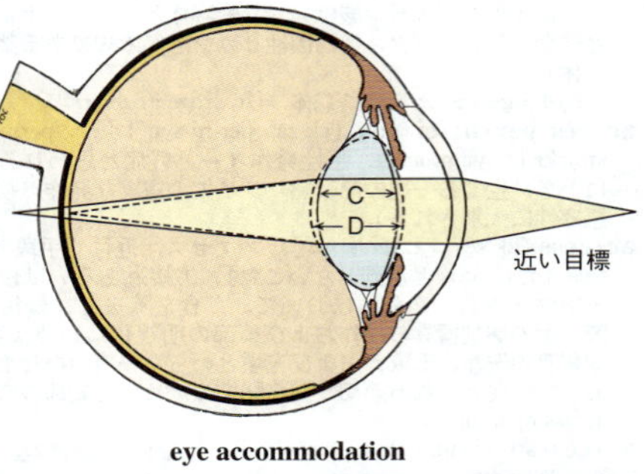

eye accommodation

A：毛様体. B：毛様小帯. C：遠い目標では，レンズは網膜の前に像の焦点を合わせる. 近い目標では，レンズは網膜の後に像の焦点を合わせる. D：レンズは調節で網膜上に焦点を合わせる. 像は鮮明.

histologic a. 組織学的調節（身体の状態変化に合わせるように細胞の形が変化すること. 例えば，圧力がかかったときに嚢胞内の立方形の細胞が平たくなること）. ＝pseudometaplasia.

negative a. 虚性調節（近くの物から遠くの物を見るときに調節が減退すること）.

a. of nerve 神経の順応（神経が徐々に増加する刺激レベルの強さに適応する性質のこと. そのため刺激レベル強度がより急速に上昇する場合に比べて徐々に上昇する場合のほうが，興奮が生じる閾値は高い）.

positive a. 実性調節（遠くの物から近くの物を見るときに生じる眼の屈折力の増強）.

range of a. 調節域（眼の最小屈折値で見た対象と最大調節時に見た対象の間の距離）.

relative a. 相対調節（ある特定の距離または輻輳度に対する単一の両眼視に必要な調節量）.

ac·com·mo·da·tive (ă-kom′ŏ-dā-tiv). 調節〔性〕の.

ac·com·plice (ă-kom′plis) [M.E. < O. Fr. < L. *comples*, closely connected]. 随伴菌（混合感染において，主たる感染菌に随伴し，主菌の毒力に影響を与える菌）.

ac·couche·ment (a-kūsh-mawn[h]′) [Fr. < *coucher*, to lie down]. 分娩（出産，特に分娩のこと. →birth）.

a. forcé (fōr-sā′). 強行分娩，強制分娩（ごく一般的には回転術や鉗子を用いて人工的，積極的に急速分娩を行うこと. 本来は，頸管を用手的に急速に開大し，胎児を回転し骨盤位として牽出術により娩出させる）.

ac·cou·cheur (a-kū-sher′). 米国ではもはや用いられない obstetrician を表す歴史的用語.

ac·cre·men·ti·tion (ak′rĕ-men-ti′shŭn) [L. *accresco*, pp. *-cretus*, to increase]. ***1*** 芽生生殖（発芽または分芽による生殖）. ***2*** 付加性成長. ＝accretion (1).

ac·cre·ti·o cor·dis (ă-krē′shē-ō kōr′dis). 心膜癒着，心癒着（[誤ったつづり acretio cordis を避けること]. 心膜が隣接する心外構造に癒着すること）.

ac·cre·tion (ă-krē′shŭn) [L. *accretio* < *ad*, to + *crescere*, to grow]. ***1*** 付着成長（すでにある物体と同じ性質をもつ物体が周囲に付着して増加すること. 例えば結晶の成長）. ＝accrementition (2). ***2*** 付着物（歯科において，歯の表面または窩洞内に沈着した異物（通常，歯垢または歯石））. ***3*** 癒着.

ac·cro·chage (ak-rō-shahzh′) [Fr. hooking, hitching]. 心拍同調（心臓の2つの異なる調律が間欠的に同調すること. 両者のどちらか一方が他より優位である必要はないが，お互いが明らかに他方の行動に影響を与え合っている. 房室解離で心室拍動の直後に心房拍動が起こると心室拍動は心房拍動を予定より早く起こす）.

ac·cur·a·cy (ak′kū-ră-sē). 正確度（[precision と混同しないこと]. 測定値または測定値に基づく推定値が測定項目の真の値を表わす度合い. 臨床検査室において，ある検査法の正確度は，その検査法による結果を標準的な検査法または確立された基準法の結果と比べることができれば決定できる）.

ACD acid-citrate-dextrose(酸性クエン酸－デキストロース)の略.

ACE angiotensin-converting *enzyme* の略.

a·ce·di·a (ă-sē′dē-ă). 無感動（精神症候の古典的用語で，その主徴は物憂げさ，不注意さ，無感動，およびメランコリーである）.

ACEI angiotensin-converting enzyme inhibitors(アンギオテンシン変換酵素阻害薬)の略.

a·cel·lu·lar (ā-sel′yū-lăr) [G. *a-* 欠性辞 + L. *cellula*, a small chamber]. 無細胞の（①細胞がまったくない. ＝noncellular (2). ②単細胞で多細胞とはならず，単細胞単位で完成されている単細胞生物に対して用いる語. しばしば原虫が単細胞内に完成された構成をもつことを強調するのに用いる）.

a·ce·lom (ā-sē′lom) [G. *a-* 欠性辞 + *koilōma*, hollow (celom)]. 無体腔，無腹（中皮で仕切られた腔または体腔の欠損. 真の体腔の代わりに実質細胞の合胞体を有する，扁形動物門(扁虫類)に典型的にみられる）.

a·ce·lo·mate, ace·lo·ma·tous (ā-sē′lŏ-māt, ā-sē-lō′mă-tŭs). 無体腔の，無腹の（腔または体腔をもたない）.

a·cen·tric (ā-sen′trik) [G. *a-* 欠性辞 + *kentron*, center]. 無動原体の，非中枢性の，中心外の（[eccentric と混同しないこと]. 中心のない. 細胞遺伝学において，動原体のない染色体断片についていう）.

a·ce·pha·li·a, a·ceph·a·lism (ā-se-fā′lē-ă, ā-sef′ă-lizm). ***1*** ＝ acephaly. ***2*** ＝acephalus.

a·ceph·a·line (ā-sef′ă-līn). アセファリナ類（真グレガリナ目のうち，単純な無隔壁の体をもつアセファリナ亜目に属する原生動物の一般名称. 無脊椎動物に寄生する）.

a·ceph·a·lo·bra·chi·a (ā-sef′ă-lō-brā′kē-ă) [G. *a-* 欠性辞 + *kephalē*, head + *brachiōn*, arm]. 無頭無腕症. ＝abrachiocephaly.

a·ceph·a·lo·car·di·a (ā-sef′ă-lō-kar′dē-ă) [G. *a-* 欠性辞 + *kephalē*, head + *kardia*, heart]. 無頭無心症（寄生双生児における頭部と心臓の欠損）.

a·ceph·a·lo·chei·ri·a, a·ceph·a·lo·chi·ri·a (ā-sef′ă-lō-kī′rē-ă) [G. *a-* 欠性辞 + *kephalē*, head + *cheir*, hand]. 無頭無手症（頭部と手の先天的欠損）.

a·ceph·a·lo·cyst (ā-sef′ă-lō-sist) [G. *a-* 欠性辞 + *kephalē*, head + *kystis*, bladder]. 無頭胞子（生殖不能の包虫嚢胞．頭節(条虫頭)を生じないので，そのようによばれる）.

a·ceph·a·lo·gas·ter·i·a (ā-sef′ă-lō-gas-tēr′ē-ă). 無頭無胴症（寄生双生児にみられるような，先天的に頭部，胸部，腹部が欠損し，骨盤と下肢しかない状態）.

a·ceph·a·lo·po·di·a (ā-sef′ă-lō-pō′dē-ă) [G. *a-* 欠性辞 + *kephalē*, head + *pous*, foot]. 無頭無足症（頭部と足の先天的欠損）.

a·ceph·a·lor·rha·chi·a (ā-sef′ă-lō-rak′ē-ă) [G. *a-* 欠性辞 + *kephalē*, head + *rhachis*, spine]. 無頭無脊柱症（頭部と脊柱の先天的欠損）.

a·ceph·a·lo·tho·ra·ci·a (ā-sef′ă-lō-thōr-ās′ē-ă) [G. *a-* 欠性辞 + *kephalē*, head + *thorax*, chest]. 無頭無胸症（頭部と胸部の先天的欠損）.

a·ceph·a·lous (ā-sef′ă-lŭs). 無頭の.

a·ceph·a·lus (ā-sef′ă-lŭs) [G. *a-* 欠性辞 + *kephalē*, head]. 無頭の胎児. = acephalia (2); acephalism.

a. acormus 無頭体（頭部のない体が臍帯によって胎盤に付着している状態）.

a. dibrachius 両腕無頭体（上肢として認められるほどに発育した2本の腕があるが，頭部の欠損している胎児）.

a. dipus 両足無頭体（下肢として認められるほどに発育した2本の足があるが，頭部が欠損している胎児）.

a. monobrachius 単腕無頭体（上肢として認められる腕が1本しかみられず，頭部が欠損している胎児）.

a. monopus 単足無頭体（下肢の癒合が強いため足が1本しか認められず，頭部が欠損している胎児）.

a. sympus 合足無頭体（下肢が癒合し，頭部が欠損している胎児）.

a·ceph·a·ly (ā-sef′ă-lē) [G. *a-* 欠性辞 + *kephalē*, head]. 無頭症（頭部の先天的欠損）. = acephalia (1); acephalism.

a·ce·ro·la (ă-sĕ-rō′lă). アセロラ（中南米およびプエルトリコに産する低木(*Malpighia glabra*)の果実．果粒は知られているなかではビタミンC(アスコルビン酸)が最も豊富である）.

a·cer·vu·lus (ă-ser′vyū-lŭs) [Mod. L.: L. *acervus*(a heap)の指小辞]. 脳砂. = *corpora* arenacea(⇒corpus).

a·ces·to·ma (ă-ses-tō′mă) [G. *akestos*, curable + *ōma*, tumor]. 瘢痕形成肉芽（瘢痕からの肉芽の過増殖）.

acet-, aceto- (a-sēt′, as′e-tō). 酢酸の炭素2個のフラグメントを示す連結形.

ac·e·tab·u·la (as-ĕ-tab′yū-lă). acetabulum の複数形.

ac·e·tab·u·lar (as-ĕ-tab′yū-lăr). 寛骨臼の，股臼の.

ac·e·tab·u·lec·to·my (as′ĕ-tab-yū-lek′tō-mē) [acetabulum + G. *ektomē*, excision]. 寛骨臼切除〔術〕，股臼切除〔術〕.

ac·e·tab·u·lo·plas·ty (as-ĕ-tab′yū-lō-plas-tē) [acetabulum + G. *plastos*, formed]. 寛骨臼形成〔術〕，股臼形成〔術〕（できるだけ正常な状態に寛骨臼を修復するための手術）.

ac·e·tab·u·lum, pl. **ac·e·tab·u·la** (as-ĕ-tab′yū-lŭm, -lă) [L. a shallow vinegar vessel or cup] [TA]. 寛骨臼(寛骨の外部表面の杯状くぼみ．その中に大腿骨頭がはまる）. = cotyle (2); cotyloid cavity.

ac·e·tal (as′e-tal). アセタール（アルデヒド1モルにアルコール2モルを付加した生成物．混合アセタール(例えばグリコシド)では2種のアルコールが同じアルデヒド基に結合している．→hemiacetal; hemiketal; ketal）.

ac·et·al·de·hyde (as-e-tel′dĕ-hīd). アセトアルデヒド（炭水化物の酵母発酵およびアルコール代謝の中間体．それはエタノールの毒性の主因の化合物である）. = acetic aldehyde; ethanal.

activated a. 活性アセトアルデヒド（活性型アセトアルデヒドで活性ピルビン酸の脱炭酸により生成される．アルコール発酵や糖質代謝の中間体として生成する）. = α-hydroxyethylthiamin pyrophosphate.

ac·et·a·mide (as-et-am′īd, ă-set′ă-mīd). アセトアミド；CH_3CONH_2（生物医学的研究で用いる）. = acetic amide.

ac·et·a·min·o·phen (APAP) (as-et-ă-mi′nō-fen). アセトアミノフェン（アスピリンと同様の効力を有する解熱・鎮痛薬）. = paracetamol.

ac·e·tate (as′e-tāt). アセテート（酢酸塩またはエステル）.

active a. 活性アセテート. = acetyl-CoA.

a. kinase [EC 2.7.2.1]. アセテートキナーゼ（リン酸転移酵素で，ATP とアセテートからアセチルホスフェートと ADPを生成する．ある種の微生物の高エネルギーリン酸の生成反応の重要な酵素）. = acetokinase.

a. thiokinase アセテートチオキナーゼ. = *acetyl-CoA* ligase.

ac·e·tate: CoA ligase (as′e-tāt lī′gās). 酢酸CoAリガーゼ. = *acetyl-CoA* ligase.

a·cet·a·zol·a·mide (as′ĕ-tă-zol′ă-mīd). アセタゾラミド；5-acetamido-1,3,4-thiadiazole-2-sulfonamide（複素環式サルファ剤．腎臓内で炭酸脱水酵素の作用を抑制し，ナトリウム，カリウム，重炭酸塩の尿排出量を増加させ，アンモニア排出を減少させる．その際，尿の pH は上昇，血液の pH は下降する．呼吸性アシドーシスの利尿および体液バランスのコントロール，緑内障における眼内圧の低下，およびてんかんに用いる）.

a·ce·tic (a-sē′tik, -set′ik) [L. *acetum*, vinegar]. **[acidic または ascitic と混同しないこと]**. ***1*** 酢酸の炭素2個のフラグメントが存在することを表す．***2*** 酢の，すっぱい.

a·ce·tic ac·id (a-sē′tik as′id). 酢酸（エタノールの酸化，または木の乾留により得られる生成物．反対刺激薬として局所的に，またときには内用に用い，試薬としても用いられる）. = ethanoic acid.

diluted a. a. 希酢酸（酢酸の6% w/v 水溶液）.

glacial a. a. 氷酢酸（純酢酸を99%含む．うおのめ，いぼの除去に用いる腐食薬）.

a·ce·tic al·de·hyde (a-sē′tik al′di-hīd). = acetaldehyde.

a·ce·tic am·ide (a-sē′tik am′īd). 酢酸アミド. = acetamide.

a·ce·ti·co·cep·tor (a-sē′ti-kō-sep′tōr) [L. *acetum*, vinegar + *capio*, to take]. 酢酸受容体，アセチコセプター（酢酸基に対して特別な親和性をもつ分子の側鎖）.

a·ce·ti·fy (ă-set′i-fī) [L. *acetum*, vinegar + *facio*, to make; *fieri*, to be made, to become]. 酢化する（酢になる）.

ac·e·tim·e·ter (as-ĕ-tim′ĕ-ter) [L. *acetum*, vinegar + G. *metron*, measure]. 酢酸計（酢またはその他の溶液中の酢酸の量を測定する器械）. = acetometer.

aceto- (as′e-tō). →acet-.

ac·e·to·ac·e·tate (as′e-tō-as′e-tāt). アセト酢酸塩（アセト酢酸塩またはアセト酢酸イオン．ケトン体生成で生成するケトン体の1つ）. = diacetate (1).

a. decarboxylase [EC 4.1.1.4]. アセトアセテートデカルボキシラーゼ（アセトアセテートを脱炭酸してアセトンを生じるカルボキシラーゼ）.

ac·e·to·a·ce·tic ac·id (as′e-tō-a-sē′tik as′id). アセト酢酸（ケトン体の一種で，飢餓状態や糖尿病の場合に過剰に生成され，尿中にみられる）.

ac·e·to·a·ce·tyl-CoA (as′e-tō-a-sē′til). アセトアセチルCoA（脂肪酸が酸化されるときやケトン体の生成に生じる中間物質．またアセチルCoA 2モルでの合成やケト原性アミノ酸の分解によっても生成される．アセチルCoA と縮合して重要な β-ヒドロキシ-β-メチル-グリタリルCoA を生成するのが主な役割である）. = acetoacetyl-coenzyme A.

a.-CoA reductase アセトアセチルCoA レダクターゼ（3-オキソシアルCoA とNADPH とそれに対応する D-3-ヒドロキシアシルCoA と$NADP^+$間の相互転換を触媒するオキシドレダクターゼ．脂肪酸合成の一段階）.

a.-CoA thiolase アセトアセチルCoA チオラーゼ. = *acetyl-CoA* acetyltransferase.

ac·e·to·a·ce·tyl-co·en·zyme A (as′e-tō-a-sē′til-kō-en′-zīm). = acetoacetyl-CoA.

ac·e·to·a·ce·tyl-suc·cin·ic thi·o·phor·ase (as′e-tō-a-sē′til-sŭk-sin′ik thī-ō-fōr′ās). アセトアセチルコハク酸チオホラーゼ. = 3-oxoacid-CoA transferase.

ac·et·o·in (as-et′-ō-in). アセトイン（アセトアルデヒド2モルの縮合物）.

A

ac·e·to·ki·nase (as′e-tō-kī′nās). アセトキナーゼ．＝acetate kinase.

ac·e·tol (as′e-tol). 1-hydroxy-2-propanone，または hydroxyacetone を表す一般用語．

α-ac·e·to·lac·tic ac·id (as′e-tō-lak′tik as′id). α-アセト乳酸（ピルビン酸の異化とバリン生合成の中間体）．

ac·e·tol·y·sis (as-e-tol′i-sis). アセトリシス，酢化分解，酢解（分解点で酢酸分子を付加して有機化合物を分解すること．加水分解，加リン酸分解に類似する）．

ac·e·tom·e·ter (as-ĕ-tom′ĕ-ter). ＝acetimeter.

ac·e·tone (as′e-tōn). アセトン（無色の揮発性，引火性の液体．正常人の尿中に微量に存在するが，糖尿病患者の尿および血中には大量にみられ，その際，尿と呼気がしばしばエーテル臭を発する．アセトンはケトン体の1つで，医薬品や多くの商業製品の調製の際に溶媒として用いられる）．＝dimethyl ketone.

ac·e·ton·e·mi·a (as′ĕ-tō-nē′mē-ă) ［acetone＋G. *haima*, blood］. アセトン血〔症〕（血液中に比較的多量のアセトンまたはアセトン体が存在すること．症状として，初期には異常興奮，後には進行性抑うつがみられる）．

ac·e·to·ne·mic (as′ĕ-tō-nē′mik). アセトン血〔症〕の．

ac·e·to·ni·trile (as′e-tō-nī′tril). アセトニトリル；methyl cyanide（芳香のある無色の液体．水とアルコールに可溶）．

ac·e·to·nu·ri·a (as′e-tō-nyūr′ē-ă) ［acetone＋G. *ouron*, urine］. アセトン尿〔症〕（尿中に多量のアセトンが排出することで，大量の脂質の不完全酸化を示す．通常，糖尿病性アシドーシスにみられる）．

ac·e·tous (as′e-tŭs). 酢の，酸味の．

ac·e·to·whit·en·ing (ă-sē′tō-wīt′en-ing) ［acetic acid＋whitening］. 酢酸白化（3－5％の酢酸を皮膚または粘膜に塗ると白色化する現象のことで，細胞の蛋白や核の密度が増加している場合に陽性となる．外陰部の皮膚，粘膜，子宮頸部によく用いられ，生検目的に扁平上皮化した部分を検出したり，尖圭コンジローム *condyloma* acuminatum をみつけたりするのに使われる）．＝visual inspection with acetic acid.

a·ce·tum, pl. **ace·ta** (a-sē′tŭm, -tă) ［L. *vinum acetum*, soured wine, vinegar］. 酢剤，す(酢)．＝vinegar.

a·cet·u·rate (ă-set′ū-rāt). アセチュレート（*N*-acetylglycinate の USAN 承認の短縮名）．

ac·e·tyl (**Ac**) (as′e-til). アセチル（［誤った発音 ace′tyl を避けること］．CH_3CO–基．酢酸分子から水酸基が遊離したもの）．

a. chloride 塩化アセチル（試薬として用いる無色の液体．腐食薬としても用いられ，加水分解により HCl を生じるため重症の熱傷を起こす）．

a. phosphate アセチルリン酸（各種細菌の代謝の際に，アセチル供与体として作用する高エネルギーリン酸）．

a. transacylase アセチルトランスアシラーゼ．＝ACP-acetyltransferase.

ac·e·tyl·ad·e·nyl·ate (as′ĕ-til-ă-den′il-āt). アセチルアデニレート（酢酸のカルボキシル基とアデノシン 5′-一リン酸塩のリン酸残基との混合無水物）．

a·cet·y·lase (a-sĕt′il-ās). アセチラーゼ（アセチルCoAのついたグルタミン酸塩から *N*-アセチルグルタミン酸塩を生成したり，またはその逆反応の場合，アセチル化または脱カルボキシル化に関与する酵素．通常は acetyltransferase とよばれる）．

***N*-ac·e·tyl·as·par·tate** (as′ĕ-til-as-par′tāt). *N*-アセチルアスパラギン酸（脳内に存在するアスパラギン酸の *N*-アセチル体．脳 NMR および神経画像におけるマーカとして用いる）．

a·cet·y·la·tion (a-set′i-lā′shŭn). アセチル化（アセチル誘導体を生成すること）．

***O*-a·ce·tyl·car·ni·tine** (a-sĕ′til-kar′ni-tēn). *O*-アセチルカルニチン（カルニチンのアセチル体で，カルニチンアセチルトランスフェラーゼにより生成する．これにより，ミトコンドリア内へのアセチル基輸送が容易になる．また，精子の重要なエネルギー源である）．

a·ce·tyl·cho·line (**ACH, Ach**) (a-sē′til-kō′lēn). アセチルコリン（コリン酢酸エステルで，コリン作動性神経における神経伝達物質．組織中のアセチルコリンエステラーゼや血中の偽コリンエステラーゼによって，速やかにコリンと酢酸に加水分解される）．

acetylcholinergic (ă-sē′til-kō-lin-ĕr′jik) ［acetylcholine＋G. *ergon*, work］. アセチルコリン性（アセチルコリン作用や伝達物質として機能する神経系または代謝経路に関すること）．

a·ce·tyl·cho·lin·es·ter·ase (a-sĕ′til-kō′lin-es′ter-ās) ［MIM＊100740］. アセチルコリンエステラーゼ（中枢神経系や末梢神経接合部(例えば，運動神経終板や自律神経節)内でアセチルコリンを加水分解し，酢酸とコリンを与えるコリンエステラーゼ）．＝choline esterase I; "e"-type cholinesterase; specific cholinesterase; true cholinesterase.

a·ce·tyl-CoA (a-sĕ′til). アセチルCoA（CoA と酢酸の縮合物で CH_3CO–SCoA または AcCoA で表す．炭素2個のフラグメントを転移する場合，特にトリカルボン酸回路や脂肪酸合成経路へはいるときの二炭素フラグメントの移動のための中間体）．＝acetyl-coenzyme A; active acetate.

a.-CoA acetyltransferase アセチルCoAアセチルトランスフェラーゼ（アセチルCoA 2分子からアセトアセチルCoA を生成し，CoA 1分子を遊離させるアセチルトランスフェラーゼ．ケトン体生成やステロール合成の重要段階である）．＝acetoacetyl-CoA thiolase; a.-CoA thiolase; thiolase.

a.-CoA acylase アセチルCoA アシラーゼ．＝a.-CoA hydrolase.

a.-CoA acyltransferase アセチルCoAアシルトランスフェラーゼ（β-ケトアシルCoA のCoA によるチオ基開裂を触媒し，2原子短い炭素鎖をもつアシルCoA をつくる酵素．失われた2原子はアセチルCoA として現れる．脂肪酸分解の一段階．→a.-CoA acetyltransferase）．＝3-ketoacyl-CoA thiolase; β-ketothiolase.

a.-CoA carboxylase アセチルCoAカルボキシラーゼ（共役結合性ビオチンの存在下，アセチルCoA，CO_2，H_2O，ATP の反応を触媒し，マロニルCoA，ADP，P_i を生成またはその逆(デカルボキシラーゼ)を行うリガーゼ．*N*-カルボキシビオチンは中間体．脂肪酸合成の重要な酵素）．

a.-CoA deacylase アセチルCoAデアシラーゼ．＝a.-CoA hydrolase.

a.-CoA: α-glucosaminide acetyltransferase アセチルCoA:α-グルコサミニドアセチルトランスフェラーゼ（蛋白のある糖鎖の生合成に関与する酵素．この酵素の欠損により，ムコ多糖症 III C 型が発症する）．

a.-CoA hydrolase アセチルCoAヒドロラーゼ（アセチルCoA から酢酸とCoA を産生する加水分解酵素）．＝a.-CoA acylase; a.-CoA deacylase.

a.-CoA ligase アセチルCoA リガーゼ（酢酸，CoA，および ATP により AMP，二リン酸，アセチルCoA への反応を触媒するリガーゼの一種．酢酸の活性化反応の重要な段階である）．＝acetate thiokinase; acetate: CoA ligase; acetyl-activating enzyme; a.-CoA synthetase.

a.-CoA synthetase アセチルCoAシンテターゼ．＝a.-CoA ligase.

a.-CoA thiolase アセチルCoAチオラーゼ．＝a.-CoA acetyltransferase.

a·ce·tyl-co·en·zyme A (a-sĕ′til-kō-en′zīm). ＝acetyl-CoA.

a·ce·tyl·cys·te·ine, *N*-a·ce·tyl·cys·te·ine (a-sĕ′til-sis′tē-in). アセチルシステイン（粘液分泌物の粘度を減少させる粘液溶解薬．アセトアミノフェン中毒により生じる肝障害を防ぐために用いられる）．

α-*N*-a·ce·tyl·ga·lac·to·sam·in·id·ase (a-sĕ′til-gal-ăk′tōs-a-min′i-dās). α-*N*-アセチルガラクトサミニダーゼ（2-アセトアミド-2-デオキシ-α-D-ガラクトシドを加水分解し，アルコールと遊離型の 2-アセトアミド-2-デオキシ-D-ガラクトースを生成する酵素．この酵素欠損により Schindler 病になる）．

***N*-a·ce·tyl·glu·co·sam·ine** (a-sĕ′til-glū-cōs′a-mēn). *N*-アセチルグルコサミン（*N*-アセチル化されたアミノ糖の一種．糖蛋白の重要な構成成分である）．

α-*N*-a·ce·tyl·glu·co·sam·in·id·ase (a-sĕ′til-glū-cōs′a-min′i-dās). α-*N*-アセチルグルコサミニダーゼ（*N*-アセチルグルコサミンのグルコシドを加水分解し，アルコールと *N*-アセチルグルコサミンを遊離させる酵素．この酵素欠損病としてはムコ多糖症 III B 型が知られている）．

***N*-a·ce·tyl·glu·ta·mate** (**NAG**) (a-sĕ′til-glū′tă-māt). *N*-アセチルグルタミン酸（*N*-アセチルグルタミン酸塩尿素の

生合成でのカルバモイルリン酸シンターゼ賦活物質．このアミノ酸は，その酵素の立体配置を変化させ，その酵素活性を増大させる．*N*–アセチルグルタミン酸の合成不能は尿素生合成の欠損による）.

***N*-a·ce·tyl·neu·ra·min·ic ac·id (NeuAc)** (a-sĕ′til-nur-a-min′ik as′id). *N*–アセチルノイラミン酸（哺乳類でのシアル酸としては最も一般的な種類）.

a·ce·tyl·or·ni·thine de·a·cet·yl·ase (a-sĕ′til-ōr′ni-thēn dē-as′e-til′ās). アセチルオルニチンデアセチラーゼ（N^2–アセチル–L–オルニチンをL–オルニチンと酢酸に加水分解する酵素）.

3-a·ce·tyl·pyr·i·dine (a-sĕ′til-pir′i-dēn). 3–アセチルピリジン（ニコチンアミドの代謝拮抗薬．マウスに投与するとニコチンアミド欠乏症状を起こす．視床下部，脳幹および脳幹神経節を障害する神経毒素）.

a·ce·tyl·sal·i·cyl·ic ac·id (a-sĕ′til-sal′i-sil′ik as′id). アセチルサリチル酸．＝aspirin.

***N*⁴-a·ce·tyl·sul·fa·nil·a·mide** (ă-sē′til-sŭl′fă-nil′ă-mīd). N^4–アセチルスルファニルアミド（スルファニルアミド合成の中間産物．スルファニルアミドのアセチル化により動物の体内に生成される）.＝*p*-sulfamylacetanilide.

a·ce·tyl·trans·fer·ase (as′ĕ-til-trans′fer-ās). アセチルトランスフェラーゼ（アセチル基を化合物AからBへ転移させる酵素．→*acetyl-CoA* acetyltransferase; *choline* acetyltransferase; dihydrolipoamide *S*-acetyltransferase）.＝transacetylase.

AcG, ac-g accelerator *globulin* の略.

ACH, Ach acetylcholine の略.

Ach →ACH.

a·cha·la·si·a (ak-ă-lā′zē-ă) [G. *a-* 欠性辞 ＋*chalasis*, a slackening]. アカラシア，弛緩不能症，無弛緩〔症〕，噴門痙攣，噴門無弛緩〔症〕（弛緩しないことで，特に幽門や噴門などの内臓開口部または括約筋についていう）.

a. of the cardia 噴門アカラシア．＝esophageal a.

cricopharyngeal a. 輪状咽頭アカラシア（輪状咽頭筋が弛緩できないために生じる上部食道括約筋のレベルでの機能的閉鎖．しばしば咽頭食道憩室 pharyngoesophageal *diverticulum* を伴う）.＝a. of the upper sphincter; hypertensive upper esophageal sphincter.

esophageal a. 食道アカラシア（下部食道括約筋の拡張不全で胸部食道の非協調性の収縮を伴い，機能的閉塞，えん下困難を生じる）.＝a. of the cardia; cardiospasm.

a. of the upper sphincter 上部括約筋アカラシア．＝cricopharyngeal a.

A·chard (ah-shahrd′), Émile C. フランス人医師，1860—1941. →A. *syndrome*; A.-Thiers *syndrome*.

ache (āk). 疼痛，痛み（鈍い局在のはっきりしない痛みで，通常，激痛よりも軽い痛み）.

bone a. 骨痛（1か所または数か所の骨の鈍痛で，しばしば重篤である．デング熱では極端に多様な痛みが生じる）.

stomach a. 胃痛（通常，胃または腸に生じる痛み）.＝gastralgia; gastrodynia.

a·chei·li·a (ă-kī′lē-ă) [G. *a-* 欠性辞 ＋*cheilos*, lip]. 無唇症（唇の先天的欠損）.

a·chei·lous, a·chi·lous (ă-kī′lŭs). 無唇症の.

a·chei·ri·a (ă-kī′rē-ă) [G. *a-* 欠性辞 ＋*cheir*, hand]. ***1*** 欠手症（片手または両手の先天的欠損）. ***2*** 手無感覚〔症〕（片手または両手における所有感覚の欠如を伴う知覚消失．ヒステリーにときにみられる症状）. ***3*** 体側感覚消失（患者が体のどちら側に刺激を加えられたかがわからない感覚障害）.

a·chei·rop·o·dy, a·chi·rop·o·dy (ă-kī-rop′ō-dē) [G. *a-* 欠性辞 ＋*cheir*, hand ＋*podos*, foot] [MIM*200500]. 欠手欠足症（手足の先天的欠損．常染色体劣性遺伝）.

a·chei·rous, achi·rous (ă-kī′rŭs). 欠手症の.

Ach·en·bach (ahk′ĕn-bahk), Walter. 20 世紀のドイツ人内科医. →A. *syndrome*.

A·chil·les (ă-kil′ēz). アキレス（踵だけが弱点だったギリシア神話の勇士. →A. *bursa*, *reflex*, *tendon*）.

a·chil·lo·bur·si·tis (ă-kil′ō-ber-sī′tis). アキレス腱滑液包炎，アキレス腱滑液嚢炎（アキレス腱の近くにある滑液包の炎症）.＝retrocalcaneobursitis.

a·chil·lo·ten·ot·o·my (ă-kil′ō-ten-ot′ō-mē) [Achilles (tendon) ＋G. *tenōn*, tendon ＋*tomē*, a cutting]. アキレス腱切り〔術〕（アキレス腱の切離）.

a·chi·ral (ă-kī′răl) [G. *a-* 欠性辞 ＋*cheir*, hand]. アキラルの（キラリティの欠如を表す語）.

a·chlor·hy·dri·a (ā-klōr-hī′drē-ă) [G. *a-* 欠性辞 ＋ chlorhydric (acid)]. 塩酸欠乏〔症〕，無遊離塩酸症，無酸症（胃液の塩酸が欠如していること）.

a·chlor·o·phyl·lous (ā-klōr-ŏf′ĭ-lŭs). 無葉緑素性（葉緑素（クロロフィル）を欠く．（真）菌にみられる）.

A·cho·le·plas·ma (ă-kō-lē-plas′mă). アコレプラスマ属（*Mycoplasma*属の種と同じ性質をもつ細菌の一属．ただし，アコレプラスマは生育するのにステロールを必要としない．腐生菌種や寄生生物種がみられる．*Acholeplasma*属は動物の血清を添加した組織培養の培地中に汚染物として出現する．標準種は *A. laidlawii*）.

A. axanthum 最初，マウスの白血病細胞系で見出された種．自然界ではウシ，ブタ，植物に存在.

A. laidlawii 下水，肥料，腐植土，土壌中に腐生菌として存在する種．ヒトから分離されている2種のうちの一種．＝*Mycoplasma laidlawii*.

A. ocular (ok′yū-lar). ヒトから分離されたわずか二種のうちの一種. →*A. laidlawii*.

A. oculi (ă-kō-lē-plas′mă ok′yū-lī). 角結膜炎に罹患したヤギの眼から分離された．ヤギの乳腺および生殖器の病変から，またウシ感染性角結膜炎の仔ウシからも分離されている．＝*A. oculusi*.

A. oculusi (ă-kō-lē-plas′mă ok-yū-lū′sī). ＝*A. oculi*.

a·cho·li·a (ă-kō′lē-ă) [G. *a-* 欠性辞 ＋*cholē*, bile]. 胆汁欠乏〔症〕，無胆汁〔症〕（胆汁分泌の抑制または欠乏）.

a·chol·ic (ā-kō-lik′). 無胆汁の（[acolous と混同しないこと]．無胆汁(白色)便におけるように，便中に胆汁がない）.

a·chol·u·ri·a (ā-kol-yū′rē-ă) [G. *a-* 欠性辞 ＋*cholē*, bile ＋ *ouron*, urine]. 無胆汁色素尿〔症〕（ある種の黄疸で，尿の胆汁色素が欠如している状態）.

a·chol·u·ric (ā-kol-yū′rik). 無胆汁色素尿〔症〕の（尿中に胆汁がない）.

a·chon·dro·gen·e·sis (ā-kon′drō-jen′ĕ-sis) [G. *a-* 欠性辞 ＋*chondros*, cartilage ＋*genesis*, origin]. 軟骨無発生症（新生児期の致死的な小人症で四肢すべての高度の骨異形成，小肢症，拡大した頭蓋，下部脊椎と恥骨骨化の遅延または欠如を伴った短い体幹をもつ．様々な型を有する．本語の副見出し語参照）.

a. type IA [MIM*200600]. 軟骨無発生症 IA 型（血管過形成を伴った軟骨と細胞過形成の骨を有する軟骨無発生症．遺伝形式は確定されていない）.＝Houston-Harris syndrome.

a. type IB [MIM*600972]. 軟骨無発生症 IB 型（高度に整合性の取れていない軟骨内骨化を有する軟骨無発生症．常染色体劣性遺伝形式をとり，第5染色体長腕の DTDST (diastrophic dysplasia sulfate transporter gene) の突然変異に起因する）.＝Parenti-Fraccaro syndrome.

a. type II [MIM*200610]. 軟骨無発生症 II 型（第12染色体長腕のコラーゲンタイプ II 遺伝子(*COL2A1*)の突然変異に起因する．常染色体優性遺伝形式をとる）.＝Langer-Saldino syndrome.

a·chon·dro·pla·si·a (ā-kon′drō-plā′zē-ă) [G. *a-* 欠性辞 ＋ *chondros*, cartilage ＋*plasis*, a molding][MIM*100800, *134934]. 軟骨無形成症，軟骨形成不全症（軟骨から骨への転換異常(内軟骨性骨化障害)を特徴とするこの軟骨異栄養症は四肢短縮型の小人症のなかで最も多い．四肢の付着部の短縮による低身長，前額部の突出を伴った大きな頭，顔面中央部の低形成(鼻根部陥凹)，過剰な腰椎前弯，肘関節の伸展制限，内反膝，三尖手，X線検査上特徴的な骨格所見，神経学的所見を伴った水頭症，脊柱管狭窄などを有する．ほとんどの場合孤発性ながら，常染色体優性遺伝をとることが知られ，第4染色体短腕の線維芽細胞増殖因子受容体3遺伝子(*FGFR3*)の突然変異による）.

homozygous a. ホモ接合性軟骨無形成症（2つの軟骨無形成の遺伝形式により起こる．両親の対立遺伝子により，通常，生後1年以内に死亡する）.

a·chon·dro·plas·tic (ā-kon′drō-plas′tik). 軟骨無形成症の（軟骨無形成症に関する，またはそれに特徴的なことについていう）.

a·chor·date, achor·dal (ā-kōr′dāt, ā-kōr′dăl). 無脊索の

（脊索または索が発育しない，脊索動物門のレベルより下位の動物についていう）．

a·cho·re·sis (ā-kō-rē′sis)［G. *a-* 欠性辞 + *chōreō*, to make room < *chōros*, space］. 縮小〔症〕（胃または膀胱などの中空臓器の永久収縮で，容積が減少する）．

A·cho·ri·on (ă-kō′rē-on)［G. *achōr*, dandruff］. 黄癬菌属（現在は *Trichophyton*属あるいは *Microsporum*属に位置づけられている皮膚糸状菌の旧名）．

a·chro·a·cyte (ā-krō′ă-sīt)［G. *a-* 欠性辞 + *chroa*, color + *kytos*, a hollow (cell)］. 無色素球（無色の細胞）．

ach·ro·dex·trin (ak-rō-deks′trin)［G. *a-* 欠性辞 + *chrōma*, color + dextrin］. ＝achroodextrin.

ach·ro·ma·cyte (ă-krō′mă-sīt). ＝achromocyte.

ach·ro·ma·si·a (ak′rō-mā′sē-ă)［G. *achrōmos*, colorless］. ***1*** 蒼白（ヒポクラテス顔貌，るいそう，および衰弱に伴う蒼白．しばしば瀕死状態の前兆となる）．＝cachectic pallor. ***2*** ＝achromia.

ach·ro·mat (ăk-rō′măt)［G. *a-* 欠性辞 + *chrōma*, color］. 色覚異常患者．

ach·ro·mat·ic (ak′rō-mat′ik)［G. *a-* 欠性辞 + *chrōma*, color］. ***1***〘adj.〙無色の．***2***〘adj.〙難染性の（容易に染色されない）．***3***〘n.〙非染色性（染色体異常によらない屈折光）．

ach·ro·ma·tin (ă-krō′mă-tin). 不染色質（核液や真正染色質のように薄く染色される核成分）．

ach·ro·ma·tin·ic (ak′rō-mă-tin′ik). 不染色質の．

ach·ro·ma·tism (ă-krō′mă-tizm). ***1*** 無色，無色収差．***2*** 色消し，色収差矯正（屈折率と分散の異なるガラスを組み合わせて行う色収差の補正）．

ach·ro·mat·o·cyte (ak′rō-mat′ō-sīt). ＝achromocyte.

ach·ro·ma·tol·y·sis (ă-krō′mă-tol′i-sis). 不染色質溶解（細胞やその核の不染色質が溶解すること）．＝karyoplasmolysis.

ach·ro·mat·o·phil (ak′rō-mat′ō-fil)［G. *a-* 欠性辞 + *chrōma*, color + *philos*, fond］. ＝achromophil. ***1***〘adj.〙不染色性の（組織染色法や細菌染色法によって染色されない性質）．＝achromophilic, achromophilous. ***2***〘n.〙不染色性細胞，不染色性組織（通常の方法では染色できない細胞や組織）．

ach·ro·mat·o·phil·i·a (ă-krō′mat-ō-fil′ē-ă). 色素嫌性，不染色性（染色によって染まらない状態または性質）．

ach·ro·ma·top·si·a, ach·ro·ma·top·sy (ă-krō′mă-top′sē-ă, a-krō′mă-top-sē)［G. *a-* 欠性辞 + *chrōma*, color + *opsis*, vision］［MIM*216900, MIM*262300, MIM*603096］. 1色覚（重症の色覚障害で，眼振，羞明，視力低下，昼盲を伴う．常染色体劣性遺伝．1系，1型1色覚は第14染色体に位置する．2型1色覚は錐体光受容体 cGMP- ゲートのカチオンチャネル，第2染色体長腕上のアルファサブユニット3遺伝子(*CNGA3*)での変異による．3型1色覚は第8染色体長腕上の *CNGB3* での変異による．㊟旧名は全色盲）．＝achromatic vision; monochromasia; monochromasy; monochromatism (2).

atypical a. 非定型1色覚（正常視力を有し，眼振がみられない不完全1色覚．*cf.* dyschromatopsia）．

complete a. 完全1色覚（色覚喪失，眼振，視力低下，羞明を伴う色覚異常）．＝rod monochromatism; typical a.

incomplete a.［MIM*200930］. 不完全1色覚（障害されてはいるが欠損していない色覚を有し，羞明，眼振を伴う1色覚より視力低下が著しくない色覚異常．常染色体劣性遺伝．常染色体優性［MIM*180020］および複数のX連鎖型［MIM*304020, *300085, *303700］の遺伝形式が存在する）．

typical a. ＝complete a.

ach·ro·ma·to·sis (ă-krō′mă-tō′sis)［G. *a-* 欠性辞 + *chrōma*, color］. ＝achromia.

ach·ro·ma·tous (ă-krō′mă-tŭs). 無色の．

ach·ro·ma·tu·ri·a (ă-krō′mă-tyū′rē-ă)［G. *a-* 欠性辞 + *chrōma*, color + *ouron*, urine］. 無色尿〔症〕（無色または非常に色の薄い尿の排泄）．

ach·ro·mi·a (ă-krō′mē-ă)［G. *a-* 欠性辞 + *chrōma*, color］. ＝ achromasia (2); achromatosis. ***1*** 色素脱失（皮膚および虹彩の自然な色素沈着の欠乏または消失で，先天的あるいは後天的であると思われる．→depigmentation）．***2*** 不染色性（細胞または組織における染料を受け入れる能力の欠如）．

a. parasitica 寄生菌性色素脱失（皮疹部の色素沈着の減少または欠乏．でん風菌 *Malassezia furfur* によって起こる．→*tinea* versicolor）．

ach·ro·mic (ă-krō′mik). 無色の．

Ach·ro·mo·bac·ter (a-krō′mō-bak′ter). アクロモバクター属（臨床上の重要性は明確でないグラム陰性の細菌属で，*Alcaligenes* 属や *Ochrobactrum*属の菌種と密接に関係している）．

ach·ro·mo·cyte (ă-krō′mō-sīt)［G. *a-* 欠性辞 + *chrōma*, color + *kytos*, hollow (cell)］. 無色赤血球（低色素性，三日月形の赤血球．人工的破壊によりヘモグロビンを失ったと考えられる）．＝achromacyte; achromatocyte; ghost corpuscle; phantom corpuscle; Ponfick shadow; shadow corpuscle; shadow (3); Traube corpuscle.

ach·ro·mo·phil (ă-krō′mō-fil). ＝achromatophil.

ach·ro·mo·phil·ic, ach·ro·moph·i·lous (ă-krō′mō-fil′ik, ā-krō′mof′i-lŭs). ＝achromatophil (1).

ach·ro·mo·trich·i·a (ă-krō′mō-trik′ē-ă)［G. *a-* 欠性辞 + *chrōma*, color + *thrix*, hair］. 毛髪色素欠乏〔症〕（毛髪の色素の欠乏または消失．→canities）．

ach·ro·o·dex·trin (ak-rō′ō-deks′trin)［G. *achromos*, uncolored + dextrin］. アクロデキストリン（デンプンのアミラーゼによる消化の際にデンプンからつくられる低分子量のデキストリン．ヨードによる呈色反応は陰性．*cf.* amylodextrin; erythrodextrin）．＝achrodextrin.

ach·y·li·a (ă-kī′lē-ă)［G. *a-* 欠性辞 + *chylos*, juice］. ***1***〔消化酵素〕分泌欠乏〔症〕（胃液または他の消化分泌液の欠乏）．***2*** 乳び欠乏〔症〕．

a. gastrica 胃液分泌欠乏〔症〕（胃粘膜の萎縮に伴う胃液分泌の減少または停止）．

a. pancreatica 膵液分泌欠乏〔症〕（膵液分泌の欠乏または欠如で，通常，脂肪便，るいそう，栄養障害となる）．

ach·y·lous (ă-kī′lŭs)［G. *achylos*, without juice］. ***1***〔消化酵素〕分泌欠乏〔症〕の（胃液または他の消化分泌液が不足している）．***2*** 乳び欠乏〔症〕の．

ac·ic·u·lar (ă-sik′yū-lar)［L. *acicular*, small pin］. 針状の（針の形をした，針のようにとがった．特に葉や結晶についていう）．

ac·id (as′id)［L. *acidus*, sour］. ***1***〘n.〙酸（極性溶媒(例えば水)中では水素イオンを生成する化合物．イオン化水素の一部または全部を電気的陽性の元素または基と置換し塩をつくる）．***2***〘n.〙酸性物質（日常会話では，酸味をもつ化学物質の総称で，酸味は水素イオンによる）．***3***〘adj.〙酸味の．***4***〘adj.〙酸の，酸性の（酸に関する，酸性反応を起こす．ここに記載されていない個々の酸については各々の項参照）．

agaric a. アガリン酸（ハラタケから得られ，制汗作用を有する）．

amino a. →amino acid.

bile a.'s 胆汁酸（胆汁酸にみられるステロイド酸．例えば，タウロコール酸およびグリココール酸．治療上では，胆汁分泌が不十分な場合および胆石に用いられる．生理的な役割は脂肪の乳化．ペルオキシソーム疾患で合成が低下する）．

Brønsted a. (bron′sted). ブレンステズ(ブレンステッド)酸（プロトン供与体として定義されたときの酸の呼称）．

conjugate a. 共役酸（移動できるプロトンの有無にのみ，構造的な相違がある2つの化合物のうち，プロトン化した化合物のほうの名称）．

dibasic a. 二塩基酸（分子中に2個のイオン化できる水素原子をもつ酸．→acid (1)）．

hydroperoxyeicosatetraenoic a. ヒドロペロキシエイコサテトラエノイン酸（アラキドン酸代謝産物の1つ(8,15-diHETE および 14,15-diHETE など)で，感覚神経終末に影響したり，白血球機能を調節する）．

inorganic a. 無機酸（有機基をもたない分子で構成される酸．例えば，塩化水素酸，硫酸，リン酸）．

Lewis a. (lū′wis). ルイス酸（電子対受容体として定義された酸の呼称）．

mandelic a.［Ger. *Mandel*, almond］. マンデル酸（アーモンドまたはモモおよびアンズの種子から抽出される芳香性化合物．化学合成によっても得られる．尿路殺菌剤としては，誘導体であるメテナミンに取って代わられている）．＝hydroxytoluic acid; phenylglycolic acid.

microribonucleic a. マイクロリボ核酸（RNA の蛋白への翻訳を阻害する小分子 RNA 群．→small *ribonucleic acid*; ribonucleic acid *interference*).

monobasic a. 一塩基酸（分子中に1個のイオン化できる水素原子をもつ酸. →acid (1)).

organic a. 有機酸（有機基をもつ分子で構成される酸. 例えばイオン化 -COOH 基をもつ，酢酸，クエン酸).

plasmenic a. プラスメン酸. ＝alk-1-enylglycerophospholipid.

polybasic a. 多塩基酸（分子中に3個以上のイオン化できる水素原子をもつ酸. →acid (1)).

ruberythric a. ルベルトリン酸（→alizarin).

shikimic a. シキミック酸（バニリンとサリチル酸が誘導される親化学物質).

wax a. ワックス酸（一般的に偶数の炭素数をもつ異常な長さの長鎖モノカルボン酸で，ワックス中にエステルとしてしばしば見出される(例えば，ラウリン酸). しばしば，モノヒドロキシル化されている).

ac·id-cit·rate-dex·trose (ACD) (as′id-si′trāt-deks′trōs). 酸性クエン酸-デキストロース（全血の採取・保存に用いるクエン酸系抗擬固剤. 現在では，ACDの代わりに，血液および血液製剤の長期保存を可能にした新規抗擬固剤が汎用されている).

ac·i·de·mi·a (as′i-dē′mē-ă) [acid + G. *haima*, blood]. 酸血症（血中の水素イオン濃度が増加するか，または pH が正常値以下に下がっている状態. 酸血症の個々の型については，isovaleric acidemia, aminoacidemia のように特定の名称で記載している).

ac·id-fast (as′id-fast). 抗酸性の（塩基性フクシンなどの染料で染色した後，酸アルコールでは脱色できないバクテリアを表す. 例えば，ミコバクテリアと少数のノカルジア).

ac·id·i·fy (a-sid′i-fī). 酸性化する（①酸性にする. ②酸性になる).

ac·id·i·ty (a-sid′i-tē). 酸性度（①酸性の程度. ②溶液の酸の強さの程度).

total a. (a) 胃液の酸度を表す現在では用いられない語. フェノールフタレインを指示薬として酸性度を水酸化ナトリウム滴定法で測定する.

ac·i·do·phil, ac·i·do·phile (ă-sid′ō-fil, ă-sid′ō-fīl) [acid + G. *philos*, fond]. ***1*** 酸性色素で容易に染色される構造体，細胞，またはその他の組織学的成分. ***2*** 下垂体前葉の酸性色素で染まる細胞の1つ. ***3*** 好酸性微生物（高酸性培養で良好に生育する微生物).

ac·i·do·phil·ic (as′i-dō-fil′ik, ă-sid′ō-fil-ik). 好酸性の，酸親和〔性〕の（酸性染料に対して親和性を有する. エオシンのような酸性染料に染まる細胞または組織成分についていう). ＝oxychromatic.

ac·i·do·sis (as′i-dō′sis) [acid + G. *-ōsis*, condition]. アシドーシス（動脈血中の水素イオン濃度が正常(40 nmol/L または pH 7.4未満)よりも増加した病的状態. 炭酸ガスや酸性の代謝産物の蓄積で生じる. また，アルカリ化合物濃度の減少によっても生じる).

carbon dioxide a. 炭酸ガスアシドーシス. ＝respiratory a.

compensated a. 代償性アシドーシス（体液の pH が正常なアシドーシス. 代償は呼吸または腎臓の働きによって適正化される).

compensated respiratory a. 代償性呼吸性アシドーシス（低換気状態などで，血中に炭酸ガスが蓄積し pH が低下するときに，腎尿細管において代償性に重炭酸イオンを保持して pH の低下を緩和している状態).

diabetic a. 糖尿病性アシドーシス（糖尿病のためケトン体が蓄積し，固定塩基が喪失することにより生じる代謝性アシドーシス).

hypercapnic a. ＝respiratory a.

hyperchloremic a. 高クロール血症性アシドーシス. ＝renal tubular a.

lactic a. 乳酸アシドーシス（乳酸の蓄積により生じる代謝性アシドーシス. 組織の酸素欠乏，薬剤反応，その他の不明の原因によって起こる).

metabolic a. 代謝性アシドーシス（下痢または腎疾患の場合のように，酸の蓄積，または人体からの固定塩基の異常喪失のいずれかによって起こる体液の pH および重炭酸濃度の減少).

primary renal tubular a. 原発性尿細管性アシドーシス（尿の酸性化機構の代謝性欠陥で，幼児期に発病する一過性，または小児期や成人期に発病する持続性のどちらかである. いずれも家族性である).

renal tubular a. (**RTA**) 尿細管性アシドーシス（酸性化尿の排泄不全症，血漿重炭酸塩の低値，血漿塩素の高値を特徴とする症候群で，しばしば低カリウム血症を伴う. しばしば骨軟化症，腎石灰沈着症，腎石を合併する. →primary renal tubular a.; secondary renal tubular a.). ＝hyperchloremic a.

respiratory a. 呼吸性アシドーシス（肺換気不全あるいは換気低下による炭酸ガス貯留が原因となって起こり，腎臓での重炭酸貯留による代償が起こらない限り血液 pH は低下する). ＝carbon dioxide a.; hypercapnic a.

secondary renal tubular a. 続発性尿細管性アシドーシス（高カルシウム血症，高グロブリン血症性疾患，場合によっては他の慢性腎疾患の合併症として起こる尿細管性アシドーシス. むしろ Toni-Fanconi 症候群の主症状である).

starvation a. 飢餓性アシドーシス（絶食時に生じるケトアシドーシス. エネルギーを供給するために脂肪組織が分解し，酸性ケトン体が大量に産生される).

uncompensated a. 非代償性アシドーシス（正常な酸塩基平衡の回復が不可能または達成されないため，体液 pH が正常以下となるアシドーシス).

ac·i·dot·ic (as′i-dot′ik). アシドーシスの.

ac·id red 87 (as′id red). ＝*eosin* y.

ac·id red 91 (as′id red). ＝*eosin* B.

ac·i·du·ri·a (as′i-dyū′rē-ă) [acid + G. *ouron*, urine]. 酸性尿〔症〕（①酸性尿を排泄すること. ②ある種の酸を異常量排泄すること. 酸性尿の個々の型については，aminoaciduria, ketoaciduria のように特定の酸の名称を頭に付す).

argininosuccinic a. [MIM*207900]. アルギニノコハク酸尿症（アルギニノコハク酸の尿中排泄増加，てんかん，運動失調，精神遅滞，肝疾患，もろく房状の髪を特徴とした常染色体劣性遺伝疾患である. アルギニノコハク酸をアルギニンとフマル酸に分解する酵素の欠損によると考えられる). ＝arginosuccinate lyase deficiency.

ac·i·du·ric (as′i-dyū′rik) [acid + L. *duro*, to endure]. 耐酸性の（酸性環境に耐えるバクテリアについていう).

ac·i·nar (as′i-năr). 腺房の，細葉の. ＝acinic.

Ac·i·ne·to·bac·ter (as-i-ne′tō-bak′ter). アシネトバクター属（モラクセラ科の非運動性・好気性細菌の一属. グラム陰性またはグラム不定性の球杆菌か短杆菌，または球菌で，しばしば対でみられる. 非胞子形成性である. これらの細菌は血清を加えないでも通常の培地に増殖する. オキシダーゼ陰性，カタラーゼ陽性，炭水化物を酸化的に利用することもあるが，まったく利用しないときもある. アルギニンデヒドロラーゼは産生しない. ときに院内感染の原因となり，しばしばそれらは多くの抗生物質に耐性をもっている. また免疫的に無防備なヒトに重篤な一次感染症を起こすこともある. 標準種は *A. calcoaceticus*). ＝*Lingelsheimia*.

A. calcoaceticus 最初キニン酸塩添加時に見出された細菌の一種. 以前 *Bacterium anitratum* と同定されていたこの菌株は尿生殖器路で発見された. *Acinetobacter*属の標準種. ＝*Lingelsheimia anitrata*.

ac·i·ni (as′i-nī). acinus の複数形.

ac·in·ic (a-sin′ik). ＝acinar.

ac·in·i·form (a-sin′i-fōrm) [L. *acinus*, grape + *forma*, shape]. 小胞状の，房状の，細葉状の. ＝acinous.

ac·i·nose (as′i-nōs). ＝acinous.

ac·i·nous (as′i-nŭs). 〔小〕胞状の，房状の，細葉状の（腺房またはブドウ状構造に類似する). ＝aciniform; acinose.

ac·i·nus, gen. & pl. **ac·i·ni** (as′i-nŭs, -nī) [L. berry, grape][MIM*604562]. 腺房，細葉，小胞（微細なブドウの形をした，細葉状腺の分泌部分の1つ. acinus を alveolus (胞)と同義とする専門家もいるが，acinus の導管への狭窄した開口部によって，両者を区別している専門家もいる).

liver a. 肝腺房（肝の機能単位. 門脈肝動脈末梢枝により還流されている肝実質からなり，典型的には2本の肝細静脈終末枝の間の2つの肝小葉の区域を含んでいる). ＝Rappaport a.

pulmonary a. 肺細葉（呼吸細気管支とその枝全部からなる気道の部分). ＝primary pulmonary lobule; respiratory lobule.

Rappaport a. (rap′ă-port). ラパポート腺房. ＝liver a.

a·clas·i·a (ă-klā′zē-ă). ＝aclasis.

ac·la·sis (ak′la-sis) [G. *a-* 欠性辞 ＋ *klasis*, a breaking away, a fragment]. 病的組織結合（正常組織と病的組織との間の連続状態）. ＝aclasia.

tarsoepiphysial a. (tăr′sō-ep′ĭ-fiz′e-al). 足根骨端病的組織結合. ＝Trevor *disease*.

ac·me (ak′mē) [G. *akmē*, the highest point]. 〔病勢〕極期（症状または徴候過程が最強度にある時期）.

ac·ne (ak′nē) [恐らく G. *akmē*(point of efflorescence)の転訛または写字者の誤り]. ざ瘡，痤瘡，アクネ（脂腺系に発生する炎症性の毛孔性，丘疹性，膿疱性の皮疹. →a. vulgaris）.

a. artificialis 人工痤瘡（タール(塩素痤瘡)などの外因性刺激物，あるいはヨウ化物や臭化物など一般的には経口薬によって生じる痤瘡）. ＝a. venenata.

bromide a. ブロム痤瘡（臭化物摂取あるいはブロム過敏症により，顔面，体幹および四肢に現れる毛孔性の発疹. →bromoderma; bromism）.

a. cachecticorum 悪液質性痤瘡（消耗性体質性の疾患をもつ患者に現れる痤瘡. 軟らかくて大きな，化膿性，潰瘍性，嚢腫性，および瘢痕性の皮疹を特徴とする）.

a. ciliaris 睫毛痤瘡（眼瞼の遊離縁上の毛孔性丘疹および膿疱）.

a. conglobata 集簇性痤瘡（重症の嚢腫性痤瘡で，嚢腫性病変，膿瘍，相互に連絡のある洞および肥厚性結節性の瘢痕を特徴とする. 通常は顔面を侵さない）.

a. cosmetica 化粧品痤瘡（化粧品に含まれる，面ぽう形成をきたす成分を反復して外用することによって生じる軽症の非炎症性痤瘡）.

cystic a. 嚢腫性痤瘡（破裂し，瘢痕化する毛孔性嚢腫を主病変とする重症の痤瘡）.

a. fulminans [*fulmen*, *fulminis*, thunder, lightning]. 激症痤瘡（重症の瘢痕性痤瘡で，発熱，多発関節痛，痂皮を伴う潰瘍局面，体重減少，貧血を伴うこともある）.

a. generalis 汎発性痤瘡（顔面，胸部，背部に皮疹を生じる痤瘡）.

halogen a. ハロゲン痤瘡（臭化物あるいはヨウ化物によって生じる痤瘡様の発疹）.

a. hypertrophica 肥厚性痤瘡（治癒時に肥厚性瘢痕を残す尋常性痤瘡）.

iodide a. ヨード痤瘡（顔面，体幹，四肢に生じる毛包性の発疹で，ヨード過敏症の人がヨウ化物を注射または服用した場合にみられる. →iododerma）.

a. medicamentosa 薬物性痤瘡（薬剤，例えばリチウム，ハロゲン，ステロイド，抗結核薬などによって生じる，あるいは悪化する痤瘡）.

a. necrotica miliaris 粟粒性壊疽性痤瘡. ＝a. varioliformis.

a. neonatorum 新生児痤瘡（新生児にみられる前頭部と頬部の丘疹，膿疱，および面ぽうを特徴とする痤瘡. 通常2―3か月で治癒する）.

pomade a. ポマード痤瘡（毛包よりの皮脂放出を阻害する作用をもつ油分を含むようなヘアクリームによって引き起こされる痤瘡の一型. 若いアフリカ系米国人の額や側頭部によくみられる）.

a. punctata 点状痤瘡（黒色開放性面ぽうを有する痤瘡）.

a. pustulosa 膿疱性痤瘡（膿疱性皮疹が大部分を占める尋常性痤瘡）.

a. rosacea しゅさ(酒皶)性痤瘡，赤鼻. ＝rosacea.

steroid a. ステロイド痤瘡（ステロイド内服や外用によって生じた毛包炎または毛包の過角化）.

tar a. タール痤瘡. ＝chloracne.

tropic a. 熱帯痤瘡（体幹全体，肩，上肢，殿部および大腿部に生じる重症型の痤瘡. 高温多湿の気候のもとで生じる）.

a. varioliformis 痘瘡状痤瘡（主に前額とこめかみの毛嚢に生じる化膿性感染症. 臍窩を有する痂皮性発疹の消退後に瘢痕が形成される）. ＝a. necrotica miliaris.

a. venenata 毒物性痤瘡. ＝a. artificialis.

a. vulgaris 尋常性痤瘡（主に顔面，上背，前胸にみられる発疹で，面ぽう，嚢腫，丘疹，および膿疱からなり炎症を伴う. 主として思春期および青年期の大半の人にみられ，男性ホルモン刺激による皮脂分泌の亢進や角栓による毛孔の閉塞により生じる. 痤瘡プロピオンバクテリウム *Propionibacterium acnes* の増殖にも関連する. 毛包が化膿して瘢痕化することがある. 局所療法としてトレチノイン，過酸化ベンゾイル，抗生物質がある. 日光照射や抗生物質内服，13-*cis*-レチノイン酸の内服(妊婦は除く)も有効である. →acne）.

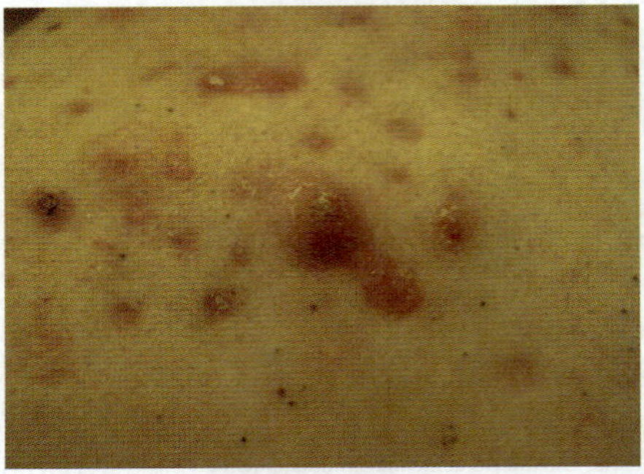

acne vulgaris
小結節性嚢胞型，背中の図.

ac·ne·form (ak′nē-fōrm). 痤瘡様の. ＝acneiform.

ac·ne·i·form (ak-nē′i-fōrm). ＝acneform.

ac·ne·mi·a, ak·ne·mi·a (ak-nē′mē-ă, ak-nē′mē-ă) [G. *a-* 欠性辞 ＋ *knēmē*, leg]. ***1*** 無下肢症（下肢の先天的欠損）. ***2*** 腓腹筋萎縮症（下肢の腓腹筋の萎縮）.

ACNM American College of Nuclear Medicine(米国核医学専門医会)の略.

ACNP American College of Nuclear Physicians(米国核医学物理士会)の略.

ac·o·kan·ther·a (ak-ō-kan′ther-ă) [G. *akōkē*, a point ＋ *anthēros*, blooming]. アコカンテラ（キョウチクトウ科 *Acokanthera ouabaio* および関連種の葉や茎から滲出する汁. ウアバインを含むアフリカの矢毒）.

ac·o·lous (ak′ō-lŭs) [G. *a-* 欠性辞 ＋ *kōlon*, limb]. 無肢の（四肢のない）.

ac·on·i·tase (ă-kon′i-tās). アコニターゼ. ＝aconitate hydratase.

***cis*-ac·on·i·tate** (ă-kon′i-tāt). シス-アコニット酸（クエン酸の脱水物. トリカルボン酸サイクルの酵素結合中間体）. ＝*cis*-aconitic acid.

ac·on·i·tate hy·dra·tase (ă-kon′i-tāt hī′dra-tās). アコニテートヒドラターゼ（トリカルボン酸サイクルの重要な反応であるクエン酸をシス-アコニット酸に脱水分解する反応を触媒する鉄含有酵素）. ＝aconitase.

ac·o·nite (ak′ō-nīt). アコニット（キンポウゲ科トリカブト *Aconitum napellus* の根を乾燥したもの. 強力で速効力のある毒薬で，トリカブトまたはレイジンソウとして一般的には知られている. 以前は，解熱薬，利尿薬，発汗薬，鎮痛薬，心臓および呼吸機能改善薬，外用鎮痛薬として用いた）.

***cis*-ac·o·nit·ic ac·id** (ak′ō-nit′ik as′id). シス-アコニット酸. ＝*cis*-aconitate.

a·con·i·tine (ă-kon′i-tēn). アコニチン（トリカブト属 *Aconitum* とデルフィニウム属 *Delphinium* の有効成分(ジテルペンアルカロイド)で猛毒性. 以前は，心機能鎮静薬として用いられ，神経痛の外用薬としても適用された）.

a·co·re·a (ă-kō′rē-ă) [G. *a-* 欠性辞 ＋ *korē*, pupil]. 無瞳孔〔症〕（瞳孔の先天的欠損）.

A·cos·ta (ah-kōs′tă), Joseph (José) de. スペイン人イエズス会宣教師，1539―1600. →A. *disease*.

a·cous·tic (ă-kūs′tik) [Gr. *akoustikos*]. 聴覚の，聴音の（音に関する. 例えば，acoustic trauma 音響外傷，acoustic wave 弾性波）.

a·cous·ti·co·pho·bi·a (ă-kūs′ti-kō-fō′bē-ă) [G. *akoustikos*, acoustic ＋ *phobos*, fear]. 音響恐怖〔症〕（音に対する

病的な恐れ).

a·cous·tics (ă-kūs′tiks) [G. *akoustikos*, relating to sound]. 音響学 (音に関する科学).

ACP acyl carrier *protein*; American College of Physicians(米国内科医師会)の略.

ACP-a·ce·tyl·trans·fer·ase (a-sĕ′til-tranz′fer-ās). ACP アセチルトランスフェラーゼ (アセチル基をアセチル CoA から ACP に転移させ, CoA を遊離させ, 脂肪酸合成を開始する酵素). = acetyl transacylase.

ACP-mal·o·nyl·trans·fer·ase (mal′ō-nil-tranz′fĕr-ās). ACPマロニルトランスフェラーゼ (マロニル基をマロニル CoA からの ACP に転移させ, 遊離 CoA を放出する酵素で, 脂肪酸合成の主要段階である). = malonyl transacylase.

ACPS acrocephalosyndactyly の略.

ac·quired (ă-kwīrd′) [L. *ac-quiro* (*adq-*), to obtain < *quaero*, to seek]. 後天〔性〕の, 獲得〔性〕の (遺伝性でない疾病, 素因あるいは異常などについていう).

ac·qui·si·tion (ak′wi-zi′shŭn). 獲得, 習得 (心理学において, 条件刺激と無条件刺激を一対にする連続試験における条件反射の強度の増加を経験的に証明すること).

gradient-recalled a. in the steady state 定常状態におけるMRI での自由誘導減衰描出を用いたグラージェントエコーシークエンスの一種. いわゆる〝定常状態自由歳差運動を用いた高速撮像〞. このシークエンスはスピンエコー法より速く, MR アンギオグラフィや心画像に用いられる.

ACR American College of Radiology(米国放射線科専門医会)の略.

ac·ral (ak′răl) [G. *akron*, extremity]. 先端の, 肢端の (先端部分(例えば, 四肢, 指, 耳など)に関する, またはそれらを侵す).

A·cra·ni·a (ă-krā′nē-ă) [G. *a-* 欠性辞 + *kranion*, skull]. 無頭類 (脊索, 鰓裂, および神経索はあるが, 脊椎, 肋骨, または頭蓋がない脊索動物門の一群. 例えば, ナメクジウオ属 *Amphioxus*, ホヤ類, ウミタル類).

a·cra·ni·a (ă-krā′nē-ă) [G. *a-* 欠性辞 + *kranion*, skull]. 無頭〔蓋〕症 (頭蓋が完全にまたは部分的に欠損していること. 部分無脳症(無脳症)に合併する).

a·cra·ni·al (ă-krā′nē-ăl). 無頭〔蓋〕症の, 無頭〔蓋〕体の.

a·cra·ni·us (ă-krā′nē-ŭs). 無脳症 (頭部欠損の奇形胎児).

Ac·rel (ahk′rel), Olaf. スウェーデン人外科医, 1717—1806. ⇀A. *ganglion*.

Ac·re·mo·ni·um (ak′rĕ-mō′nē-ŭm). アクレモニウム属 (モニリア目モニリア科の真菌類の一属で, 真菌性菌腫の原因となる. *A. falciforme*, *A. kiliense*, *A. recifei* の 3 種は組織中に白色または黄色の顆粒を形成する. 角膜真菌症やときには他の感染症の原因となり, また抗生物質のセファロスポリンを産生する).

ac·ri·bom·e·ter (ak′ri-bom′ĕ-ter) [G. *akribēs*, exact + *metron*, measure]. 微細物測定計 (非常に小さい物を測定する器械).

ac·rid (ak′rid) [L. *acer* (*acr-*), pungent]. 辛い, 刺激性の.

ac·ri·dine (ak′ri-dēn). アクリジン (染料, 染料中間体, および防腐薬前駆物質(例えば, 9-アミノアクリジン, アクリフラビン, プロフラビンヘミスルフェート). コールタールから生成され, 皮膚や粘膜を刺激する. 強力な突然変異原). = dibenzopyridine.

tetramethyl a. テトラメチルアクリジン. = acridine orange.

ac·ri·dine or·ange (ak′ri-dēn ōr′enj) [C.I. 46005]. アクリジンオレンジ ; 3,6-bis(dimethylamino)acridine hydrochloride (核酸に対して異染性染色に有効な塩基性蛍光色素. 異常量の DNA や RNA が増殖中または腫瘍にみられる異常な悪性の細胞に対し, 子宮頸部スミアのスクリーニングにも用いる(DNA は黄色から緑色に, RNA は橙色から赤色に蛍光する)). = tetramethyl acridine.

ac·ri·dine yel·low (ak′ri-den yel′ō). アクリジンイエロー (強烈な青紫色の蛍光をもつ淡黄色溶液で, 組織学において, 代表的な防腐薬および蛍光染料として用いる). = 5-aminoacridine hydrochloride; 9-aminoacridine hydrochloride.

ac·ri·fla·vine (ak′ri-flā′vin) [C.I. 46000]. アクリフラビン (アクリジン色素で, 以前は局所的な尿路防腐薬として用いられた. 多糖類および DNA を明示する Kasten 蛍光 Schiff 試薬の 1 つとして用いる).

ac·ri·mo·ni·a (ak′ri-mō′nē-ă) [L. pungency]. 辛らつ体液 (古代の体液病理学において, 強烈で刺激性の疾病誘発性の体液をいう).

ac·ri·mo·ny (ak′rĭ-mō-nē) [L. *acrimonia*, pungency]. 辛らつ性, 峻烈性 (強度に刺激性の, 刺すような, 辛らつな性質).

ac·ri·nol (ak′ri-nol). アクリノール.

a·crit·i·cal (ă-krit′i-kăl, ā-) [G. *a-* 欠性辞 + *kritikos*, critical]. *1* 無分利の, 危険のない (危険でない, 分利がないことを特徴とし, 漸進的回復により終息する疾患をいう. まれに用いる語). *2* 予後不定の (明確でない, 特に予後に対してまれに用いる語).

acro- (ak′rō) [G. *akron*, highest point, extremity; *akros*, topmost, outermost, inmost, extreme, tip]. 【誤ったつづり achro- を避けること】. *1* 四肢, 先端, 末端, 頂点, 頂上を意味する連結形. *2* 極端な, を意味する連結形.

ac·ro·ag·no·sis (ak′rō-ag-nō′sis). 先端(肢端)失認, 四肢感覚性認識欠如 (【二重字 gn において, g は語頭にあるときのみ無声音である. acrognosis と混同しないこと】. 肢の感覚認識の喪失または障害. 四肢の体感の欠如).

ac·ro·an·es·the·si·a (ak′rō-an-es-thē′zē-ă) [acro- + G. *an-* 欠性辞 + *aisthēsis*, sensation]. 先端(肢端)知覚麻痺 (1 本以上の四肢の麻痺).

ac·ro·ar·thri·tis (ak′rō-arth-rī′tis) [acro- + G. *arthron*, joint + *-itis*, inflammation]. 先端(肢端)関節炎, 四肢関節炎 (手関節または足関節の炎症).

ac·ro·as·phyx·i·a (ak′rō-as-fik′sē-ă) [acro- + G. *asphyxia*, stoppage of the pulse]. 先端仮死, 先端(肢端)知覚異常〔症〕(紫色またはろう白色の指を特徴とし, 局所的に正常以下の低体温および知覚異常を伴う指血流不全. Raynaud 病の軽い状態と思われる). = dead fingers; waxy fingers.

ac·ro·a·tax·i·a (ak′rō-ă-tak′sē-ă) [acro- + ataxia]. 先端(肢端)運動失調 (四肢の末端部分(すなわち手, 手指, 足, 足指)の運動失調. *cf.* proximoataxia).

ac·ro·blast (ak′rō-blast) [acro- + G. *blastos*, germ]. アクロブラスト, 精子先端形成体 (多数の Golgi 成分からなる, 発育する精子細胞の一成分. 前先体顆粒群を含む).

ac·ro·brach·y·ceph·a·ly (ak′rō-brak-i-sef′ă-lē) [acro- + G. *brachys*, short + *kephalē*, head]. 尖短頭〔症〕(冠状縫合が早期に閉じられたため, 頭蓋の前後径が異常に短い頭蓋骨癒合症の一型).

ac·ro·cen·tric (ak′rō-sen′trik) [acro- + G. *kentron*, center]. 末端動原体型の (末端付近に動原体が存在する染色体. 第13—15および第21—22番の正常染色体でみられる).

ac·ro·ce·pha·li·a (ak′rō-se-fā′lē-ă). 尖頭〔症〕, 塔状頭〔症〕. = oxycephaly.

ac·ro·ce·phal·ic (ak′rō-se-fal′ik). 尖頭〔症〕の, 塔状頭〔症〕の. = oxycephalic.

ac·ro·ceph·a·lo·pol·y·syn·dac·ty·ly (ak′rō-sef′ă-lō-pol′ē-sin-dak′ti-lē). 尖頭多合指〔症〕(精神遅滞, 合指症, 尖頭症, 先天性心疾患, 軽度の肥満, 性器発育不全を呈するまれな常染色体性遺伝疾患). = Carpenter syndrome.

ac·ro·ceph·a·lo·syn·dac·ty·ly (ACPS) (ak′rō-sef′ă-lō-sin-dak′ti-lē) [acrocephaly + G. *syn*, together + *daktylos*, finger]. 尖頭合指症 (頭蓋骨癒合による尖頭, 皮膚, さらには骨癒合を伴う合指症を特徴とする先天性症候群. いくつかの型があるが, ほとんどは常染色体優性遺伝. II型, IV型の表現型はいまだ明らかにされていない).

a. type I 尖頭合指症 I 型. = Apert *syndrome*.

a. type II 尖頭合指症II 型. = Vogt cephalodactyly.

a. type III 尖頭合指症 III 型. = Saethre-Chotzen *syndrome*.

a. type V 尖頭合指症 V 型. = Pfeiffer *syndrome*.

ac·ro·ceph·a·lous (ak′rō-sef′ă-lŭs). 尖頭〔症〕の, 塔状頭蓋〔症〕の. = oxycephalic.

ac·ro·ceph·a·ly (ak′rō-sef′ă-lē) [acro- + G. *kephalē*, head]. 尖頭〔症〕, 塔状頭蓋〔症〕. = oxycephaly.

ac·ro·chor·don (ak′rō-kōr′don) [acro- + G. *chordē*, cord]. 〔先端〕線維性軟ゆう(疣) (【誤ったつづり achrochordon, acrocordon, および achrocordon を避けること】). = skin *tag*.

ac·ro·ci·ne·si·a, ac·ro·ci·ne·sis (ak′rō-si-nē′zē-ă, -ē′sis) [acro- + G. *kinēsis*, movement]. 過剰運動〔性〕. = acrokinesia.

ac·ro·con·trac·ture (ak′rō-kon-trak′chur). 肢端拘縮, 四肢拘縮（手関節または足関節の拘縮).

ac·ro·cy·a·no·sis (ak′rō-sī-ă-nō′sis) [acro- + G. *kyanos*, blue + *-osis*, condition]. 先端(肢端)チアノーゼ（手, まれには足が常時冷たく青色である循環障害. Raynaud 現象に関連する場合もある). =Crocq disease; Raynaud sign.

ac·ro·cy·a·not·ic (ak′rō-sī-ă-not′ik). 先端(肢端)チアノーゼの.

ac·ro·der·ma·ti·tis (ak′rō-der-mă-tī′tis) [acro- + G. *derma*, skin + *-itis*, inflammation]. 先端(肢端)皮膚炎（[acarodermatitis と混同しないこと]. 四肢の皮膚の炎症).

a. chronica atrophicans 慢性萎縮性先端(肢端)皮膚炎（徐々に進行する皮膚症状で, 最初に, 足, 手, 肘あるいは膝に現れて硬結性紅斑性の局面からなるが, これがやがて萎縮をきたしてティッシュペーパー様の外観を呈するようになる).

a. continua 稽留性先端(肢端)皮膚炎. =a. perstans; dermatitis repens.

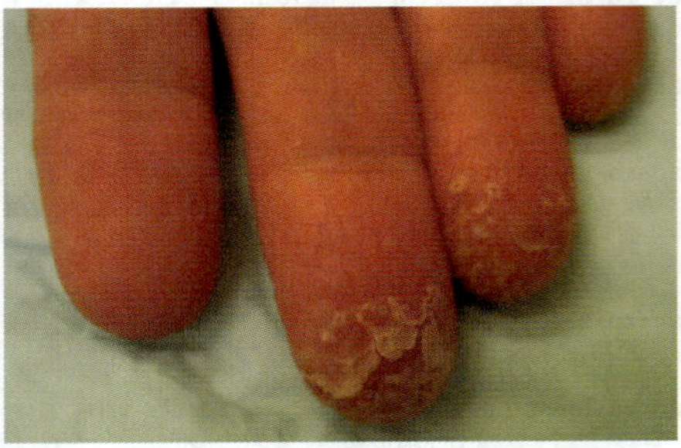

acrodermatitis continua

a. enteropathica [MIM*201100]. 腸性先端(肢端)皮膚炎（進行性, 遺伝性の亜鉛代謝不全で乳幼児(発生は生後3週間—18か月)にみられ, 多くは初めに水疱, 出血, 痂皮などの皮疹が一肢または開口部の周囲に現れ, 続いて脱毛, 下痢または他の胃腸障害が起こる. 生涯にわたる亜鉛の経口投与により改善する. 常染色体劣性遺伝).

papular a. of childhood 小児丘疹性先端(肢端)皮膚炎. = Gianotti-Crosti *syndrome*.

a. perstans 固定性先端(肢端)皮膚炎, 持続性先端(肢端)皮膚炎. =a. continua; dermatitis repens.

ac·ro·der·ma·to·sis (ak′rō-der-mă-tō′sis) [acro- + G. *derma*, skin + *-osis*, condition]. 先端(肢端)皮膚病（四肢の末端部にみられる皮膚病変).

ac·ro·dont (ak′rō-dont) [acro- + G. *odous*, tooth]. 隅角生歯の, 端生〔歯〕の（歯が歯槽または歯槽窩よりむしろ顎骨の端に生えている下級脊椎動物門(主に魚)の歯の付着状態についていう).

ac·ro·dyn·i·a (ak-rō-din′ē-ă) [acro- + G. *odynē*, pain]. 先端(肢端)疼痛〔症〕（①身体の末梢部分または先端部分の痛み. ②ほとんど過去において水銀中毒のみによって起こった症候群. 小児の場合は, 肢・胸・鼻の紅斑, 胃腸症状, 行動変化, および多発神経炎を特徴とし, 成人の場合は食欲不振, 羞明, 発汗, および頻拍を特徴とする. =acrodynic erythema; dermatopolyneuritis; erythredema; Feer disease; pink disease).

ac·ro·dys·es·the·si·a (ak′rō-dis-es-thē′zē-ă) [acro- + dysesthesia]. 先端(肢端)知覚不全（四肢の末梢部分の異常で不快な感覚).

ac·ro·dys·os·to·sis (ak′rō-dis-os-tō′sis) [acro- + dysostosis][MIM*101800]. 先端異骨症（手足が異常に小さく, 指が太く短い疾患. 成長遅延は進行性で, 精神遅滞と著明な鼻低形成もみられる. 常染色体優性遺伝).

ac·ro·es·the·si·a (ak′ro-es-thē′zē-ă) [acro- + G. *aisthēsis*, sensation]. ***1*** 知覚鋭敏（極度の知覚過敏). ***2*** 先端(肢端)知覚過敏（1本以上の四肢にみられる知覚過敏).

a·crog·e·nous (ak-roj′ĕ-nŭs) [acro- + G. *genos*, birth]. 頂生の（分生子柄の先端の分生子産生細胞によって産出される真菌の分生子についていう).

ac·ro·ger·i·a (ak-rō-jēr′ē-ă) [acro- + G. *gerōn*, old] [MIM*201200]. 先端(肢端)早老〔症〕（手足の皮下脂肪, コラーゲンの欠乏または欠如で, 老化の外観を呈す).

ac·rog·no·sis (ak-rog-nō′sis) [acro- + G. *gnōsis*, knowledge]. 四肢体感, 四肢感覚認知（[二重字 gn において, g は語頭にあるときのみ無音である. acroagnosis と混同しないこと]. 四肢の正常な感覚認知).

ac·ro·hy·per·hi·dro·sis (ak′rō-hī′pĕr-hī-drō′sis). 肢端多汗症（手足の多汗症).

ac·ro·hy·per·ker·a·to·sis (ak′rō-hī′pĕr′ker-ă-tō′sis) [acro- + hyperkeratosis]. 肢端(先端)角質増殖〔症〕（皮膚角質層の肥厚で, 通常は, 手指・足指背面で結節状となる. ときに耳介縁や鼻尖部に生じる).

focal a. =acrokeratoelastoidosis.

ac·ro·ker·a·to·e·las·toi·do·sis (ak′rō-ker′ă-tō-ē-las-toy-dō′sis) [acro- + G. *keras*, horn + *elastos*, beaten + *eidos*, resemblance + *-ōsis*, condition] [MIM*101850]. 尖端角化類弾力線維症（真皮の弾力線維の破壊を伴う掌蹠の角化性丘疹で, 常染色体優性遺伝を示す. 日光暴露による皮膚障害に伴って, 手にこれと似た変化が後天性に生じることがある.→keratoelastoidosis). =focal acrohyperkeratosis; type III punctate palmoplantar keratoderma.

ac·ro·ker·a·to·sis (ak′rō-ker-ă-tō′sis) [acro- + G. *keras*, horn + *-osis*, condition]. 肢端角化症（手指背面および足指背面, ときには耳介辺縁や鼻尖部にみられる, 通常は結節状の皮膚角質層の増殖).

paraneoplastic a. 腫瘍随伴性肢端角化症（肢端の紅斑を伴うまれな爪の異栄養症. 上部呼吸器や上部消化管の癌に伴って生じる). =Bazex syndrome.

a. verruciformis of Hoff (hoft). ホフ(ホッフ)の疣贅状肢端角化症（手背, 足背, 膝, 肘に生じる多数の扁平で疣贅状丘疹を特徴とするまれな遺伝性皮膚疾患).

ac·ro·ki·ne·si·a (ak′rō-ki-nē′zē-ă). =acrocinesia.

ac·ro·me·ga·li·a (ak′rō-mĕ-gā′lē-ă). =acromegaly.

ac·ro·me·gal·ic (ak′rō-mĕ-gal′ik). 先端巨大症の, 末端肥大症の.

ac·ro·meg·a·lo·gi·gan·tism (ak′rō-meg′ă-lō-jī′gan-tizm) [acro- + G. *megas*, great + *gigas*, giant]. 先端(肢端)巨大性巨人症（大きな顔貌, 異常に腫大した四肢および他の先端巨大徴候を有する巨人症).

ac·ro·meg·a·loid·ism (ak′rō-meg′ă-loyd-izm). 類先端(肢端)巨人症（身体の割合が先端巨大症に類似する状態に対して, まれに用いる語).

ac·ro·meg·a·ly (ak′rō-meg′ă-lē) [acro- + G. *megas*, large] [MIM*102200]. 先端巨大症, 末端肥大症（成長ホルモンの過剰分泌による, 身体の末梢部, 特に頭, 顔, 手足の進行性肥大を特徴とする疾患. 臓器肥大症および代謝異常が起こり, 糖尿病が生じることも多い). =acromegalia.

ac·ro·mel·al·gi·a (ak′rō-mel-al′jē-ă) [acro- + G. *melos*, limb + *algos*, pain]. 先端(肢端)疼痛〔症〕（→erythromelalgia).

ac·ro·mel·i·a (ak′rō-mē′lē-ă). 遠位肢・中間肢短縮症. = acromesomelic *dwarfism*.

ac·ro·mel·ic (ak′rō-mel′ik) [acro- + G. *melos*, limb]. 先端の, 肢端の（四肢の末梢部を侵す).

ac·ro·mes·o·me·li·a (ak′rō-mē-sō-mē′lē-ă) [acro- + G. *melos*, limb + *ia*, condition]. 遠位肢・中間肢短縮症. =acromesomelic *dwarfism*.

ac·ro·met·a·gen·e·sis (ak′rō-met-ă-jen′ĕ-sis) [acro- + G. *meta*, beyond + *genesis*, origin]. 肢端過剰発育, 四肢過剰発育（四肢が異常発育をして変形を生じること).

a·cro·mi·al (ă-krō′mē-ăl). 肩峰の.

ac·ro·mic·ri·a (ak′rō-mik′rē-ă, ak′rō-mī′krē-ă) [acro- + G. *mikros*, small]. 小先端(肢端)〔症〕, 先端(肢端)矮小〔症〕（acromegaly の対語. 顔および四肢の骨が小さく繊細である状態. ソマトトロピンの欠乏によると思われる).

a·cro·mi·o·cla·vic·u·lar (ă-krō′mē-ō-kla-vik′yū-lăr). 肩

〔峰〕鎖〔骨〕の（肩峰と鎖骨に関する．鎖骨と肩甲骨の肩峰との間にある関節についていう）．＝scapuloclavicular (1).

ac·ro·mi·o·cor·a·coid (ă-krō′mē-ō-kōr′ă-koyd). 肩峰烏口突起の．＝coracoacromial.

ac·ro·mi·o·hu·mer·al (ă-krō′mē-ō-hyū′mer-ăl). 肩峰上腕骨の（肩峰と上腕骨に関する）.

a·cro·mi·on (ă-krō′mē-on) ［G. *akrōmion* < *akron*, tip + *ōmos*, shoulder］［TA］. 肩峰（［誤ったつづり achromion を避けること］．関節窩上にかぶさるように広く平坦な突起として突き出ている肩甲棘の外側端．鎖骨と関節をなし，三角筋の一部と付着する．外側縁は触察できる計測点となっている(肩峰点 the point of the shoulder)）．＝acromial process.

a·cro·mi·o·plas·ty (ă-krō′mē-ō-plas′tē). 肩峰形成〔術〕（肩峰を手術的につくり直すこと．肩峰と上腕骨大結節との間で肩関節腱板の棘上筋部分が圧迫されている場合にしばしば行われる治療法）.

a·cro·mi·o·scap·u·lar (ă-krō′mē-ō-skap′yū-lăr). 肩峰肩甲骨の（肩峰と肩甲骨体の両方に関する）.

ac·ro·mi·o·tho·rac·ic (ă-krō′mē-ō-thō-ras′ik). 肩峰胸郭の，肩峰胸〔動脈〕の．＝thoracoacromial.

ac·rom·pha·lus (ak-rom′fal-ŭs)［acro- + G. *omphalos*, umbilicus］. 出臍（臍の異常突出）.

ac·ro·my·o·to·ni·a (ak′rō-mī-ō-tō′nē-ă)［acro- + G. *mys*, muscle + *tonos*, tension］. 先端(肢端)筋緊張〔症〕（四肢だけに現れる筋緊張症．手足の痙性変形を起こす）．＝acromyotonus.

ac·ro·my·ot·o·nus (ak′rō-mī-ot′ō-nŭs). ＝acromyotonia.

ac·ro·os·te·ol·y·sis (ak′rō-os-tē-ol′i-sis)［acro- + G. *osteon*, bone + *lysis*, loosening］［MIM*102400］. 先端(肢端)骨溶解症（手足の末節骨の骨溶解を伴って手掌や足底に潰瘍性病変が現れる先天性疾患．塩化ビニルにさらされた労働者において，後天性の肢端骨溶解が報告されている．常染色体性遺伝疾患である Cheney 症候群［MIM*102500］という疾患があり，これでは先端骨溶解症に縫合骨，下顎骨の低形成と頭蓋底部の骨萎縮を伴う．→Cheney *syndrome*).

ac·ro·pachy (ak′rō-pak-ē, ă-krop′ă-kē)［acro- + G. *pachys*, thick］［MIM*119900］. 末端肥厚症，アクロパチー．＝hereditary *clubbing*.

thyroid a. 甲状腺由来の末端肥厚症（ばち指形成のこと．中毒性甲状腺腫による皮膚障害の１つ）.

ac·ro·pach·y·der·ma (ak′rō-pak-i-der′mă)［acro- + G. *pachys*, thick + *derma*, skin］. 先端(肢端)強皮症，先端(肢端)硬皮症，先端(肢端)肥大性皮膚症．＝pachydermoperiostosis.

ac·ro·par·es·the·si·a (ak′rō-par-es-thē′zē-a)［acro- + paresthesia］. 先端(肢端)異常感覚，先端(肢端)触覚異常（①１本以上の四肢の異常感覚．②中年女性に最もしばしばみられる手の夜間の異常感覚．以前は胸郭出口の病変によるとされていたが，現在は手根管症候群の古典的症状とされている）.

ac·ro·path·y (ă-krop′ă-thē). 先端(肢端)部障害（→idiopathic hypertrophic *osteoarthropathy*).

ac·rop·e·tal (ă-krop′ĕ-tăl)［acro- + L. *peto*, to seek］. 求頂〔性〕の（①頂点に向かう方向．②尖に向かって連続的に生産することで，最も若い分生子は先端に，最も古いものは分生子鎖の底部に位置する．真菌類の胞子鎖において，末端胞子が順次出芽して，無性的に胞子を生産することについていう）.

ac·ro·pho·bi·a (ak-rō-fō′bē-ă)［acro- + G. *phobos*, fear］. 高所恐怖〔症〕（［acarophobia と混同しないこと］．高所に対する病的な恐れ）.

ac·ro·pig·men·ta·tion (ak′rō-pig-men-tā′shŭn). 先端(肢端)色素沈着〔症〕（手指背面および足指背面の斑点状かつ網目状の色素沈着で，小児期早期に始まり，通常，年齢とともに増加する．浅黒い顔色のアジア系の人々によくみられる）.

ac·ro·pleu·rog·e·nous (ak′rō-plū-roj′ĕ-nŭs). 先端体側性の（真菌類の菌糸の先端で，菌糸体の側方に沿って発生する胞子についていう）.

ac·ro·pus·tu·lo·sis (ak′rō-pŭs-tyū-lō′sis)［acro- + pustulosis］. 先端(肢端)膿疱症（手足の膿疱性発疹で，しばしばみられる乾癬の一病型）.

infantile a. 乳児先端(肢端)膿疱症（周期的に再発する丘疹性膿疱および痂皮を伴うそう痒性皮疹で，たいてい黒人の子供にみられ，出生直後から生後 10 か月までの間に現れる．２歳頃に軽快する）.

ac·ro·scle·ro·der·ma (ak′rō-sklēr-ō-der′mă)［acro- + G. *sklēros*, hard + *derma*, skin］. ＝acrosclerosis.

ac·ro·scle·ro·sis (ak′rō-sklĕ-rō′sis). 先端(肢端)硬化〔症〕（指の皮膚が固く引き締まった状態で，手足の軟組織の萎縮と末節骨の骨粗しょう症を伴う．Raynaud 現象および前腕の皮膚硬化とともに生じる進行性全身性硬化症の限局型．→CREST *syndrome*）．＝acroscleroderma; sclerodactyly; sclerodactylia.

ac·ro·sin (ak′rō-sin)［MIM*102480］. アクロシン（精子中に存在するセリンプロテイナーゼ．トリプシンと同様な基質特異性をもつ）.

ac·ro·some (ak′rō-sōm)［acro- + G. *soma*, body］. 先体，アクロソーム（先帽状の器官またはGolgi器官に由来する嚢．精子細胞の前 2/3 を囲む Golgi 装置．この先体の酵素は卵子の透明帯を精子が貫通するのを容易にする）．＝ acrosomal cap; head cap.

ac·ro·so·min (ak′rō-sō′min). アクロソミン（先体帽に存在するリポ糖蛋白複合体）.

ac·ro·spi·ro·ma (ak′rō-spī-rō′mă)［acro- + G. *speira*, coil + *-oma*, tumor］. 先端汗腺〔腺〕腫（汗腺の真皮部分の末端にできる腫瘍）.

eccrine a. エクリン先端汗腺〔腺〕腫．＝clear cell *hidradenoma*.

ac·ro·ter·ic (ak′rō-ter′ik)［G. *akrōtērion*, the topmost point］. 末端の，先端の（手足の指の先端，鼻の先端のような，末端あるいは先端に関する）.

Ac·ro·the·ca (ak′rō-thē′kă)［→acrotheca］. アクロテカ属（現在では *Rhinocladiella*属または *Fonsecaea*属に位置づけられている真菌種の旧名）.

ac·ro·the·ca (ak′rō-thē′kă)［acro- + G. *thēkē*, box, case］. 頂胞（真菌類において，*Fonsecaea*属に特徴的な胞子形成の一型で，不規則なこん棒状の菌糸の末端および側方に沿って分生胞子が形成される）.

a·crot·ic (ă-krot′ik)［G. *a-* 欠性辞 + *krotos*, a striking］. 無脈の，脈拍触知不能の（脈拍が非常に弱いこと，あるいは脈拍の欠如を特徴とする）.

ac·ro·tism (ak′rō-tizm)［G. *a-* 欠性辞 + *krotos*, a striking］. 無脈〔状態〕，脈拍触知不能（脈拍の欠如あるいは触知不可能なこと）.

ac·ro·troph·o·dyn·i·a (ak′rō-trōf′ō-din′ē-ă)［acro- + G. *trophē*, nourishment + *odynē*, pain］. 先端(肢端)栄養性疼痛〔症〕（通常，足に起こる肢遠位部の痛み，異常感覚，感覚消失，栄養変化で，肢を長時間寒さや湿気にさらした後に起こる）.

acrylamide (ă-kril′ă-mīd). アクリルアミド（高温で調理されたデンプン質の食物中に形成される発癌物質の一つ）.

a·cryl·ate (ă′kril-āt). アクリル酸塩またはエステル.

a·cryl·ic (ă-kril′ik). アクリルの（アクリル酸から得られる合成可塑性樹脂についていう．→acrylic *resin*).

a·cryl·ic ac·ids (ă-kril′ik as′idz). アクリル酸（一般式 R=CH–COOH で表される一連の不飽和脂肪族酸．原型であるアクリル酸(R＝CH_2)または 2-プロペノイン酸は，プロピオン酸の還元またはグリセロールの脱水によって得られる）.

ACT activated clotting *time* の略.

ACTH adrenocorticotropic *hormone* の略．コルチコトロピンともよばれる．＝ corticotropin (3).

big ACTH 大ACTH（ある種の腫瘍によってつくられる不完全にプロセシングされた ACTH の一種．小ACTH より大きく酸性が強いペプチド分子だが，免疫化学的には区別はできず，ACTH に特徴的な生物学的活性を示さない．大 ACTH の蛋白分解による消化によりホルモン活性小ACTH が生じる）.

little ACTH 小 ACTH（大 ACTH と比較して従来の ACTH 分子を示す）.

ac·tin (ak′tin). アクチン（アクトミオシンが分解してできる蛋白成分の１つ．線維状(F-アクチン)または球状(G-アクチン)として存在しうる）.

F-a. (ak′tin). F-アクチン（塩濃度増加により G-アクチンサブユニットが会合して生じる線維状蛋白(F は線維 fibrous を表す)．G-アクチンのF-アクチンへの転換は，低濃度のマグネシウムイオンを触媒として行われ，可逆的である．また結合ATP分子のADPとリン酸への転換，反応型チオール(-SH)基の非反応型への転換を伴う)．

G-a. G-アクチン（アクチン分子の球状サブユニット(Gは球状 globular を表す)．分子量42kD．希釈塩溶液に可溶性．イオン強度が大きくなると重合してF-アクチンになる)．

act·ing out (akt′ing owt)．行動化，行為化（情緒を放出することで情緒的葛藤を表現する顕在化した行為)．

ac·tin·ic (ak-tin′ik)［G. *aktis* (*aktin*-), a ray］．化学線の，化学作用をもつ（電磁波のうち化学的活性を与える光線に関する)．

ac·tin·ides (ak′tin-īdz)［*actinium* 系列の最初の元素］．アクチナイド（周期律表のランタニド以下で，原子番号89から103までの元素)．＝actinide elements.

α-ac·tin·in (ak-tin′in)．α-アクチニン（脊椎動物細胞に存在するF-アクチン結合蛋白．アクチンフィラメントを架橋し規則的平行配列にする．横紋筋のZ線およびI帯の両方にみられる)．

ac·tin·i·um (Ac) (ak-tin′ē-ŭm)［G. *aktis*, a ray］．アクチニウム（原子番号89，原子量227.05．安定同位元素はなく，ウランおよびトリウムの崩壊物質としてのみ自然界に存在する)．

actino- (ak′tin-ō)［G. *aktis*, *aktinos*, a ray of light, a beam］．光線を意味する連結形．あらゆる種類の放射線または放線部分をもつすべての構造に対して用いる．→radio-．

ac·ti·no·bac·il·lo·sis (ak′tin-ō-bas-i-lō′sis)．アクチノバチルス症（*Actinobacillus lignieresii* によるウシやブタの疾患であるが，ときにヒトも感染するという報告がある．しばしば舌や頸部リンパ節などの軟組織を侵し，肉芽腫の腫脹が形成され最後には自壊して膿瘍を形成する)．

Ac·ti·no·ba·cil·lus (ak′tin-ō-bă-sil′lŭs)［actino- + L. *bacillus*, a little rod］．アクチノバチルス属（非運動性，非胞子形成，好気性，条件通性嫌気性の微細な細菌の一属で，グラム陰性の杆状菌と点在する球状菌とからなる．この細菌の代謝は発酵である．動物に対して病原性である．標準種は *A. lignieresii*)．

A. actinomycetemcomitans 分類学的位置がはっきりしない種．しばしばヒトの急性および慢性心内膜炎や，いくつかの様式の歯周病と関係している．また，放線菌症病変内に放線菌とともにみられる．＝*Haemophilus actinomycetemcomitans*.

A. lignieresii ウシおよびブタの上部消化管と口腔内に感染を起こし(アクチノバチルス症)，ヒツジの皮膚と肺内に化膿性病変を起こす種．*Actinobacillus*属の標準種．

ac·ti·no·he·ma·tin (ak′ti-nō-hē′mă-tin)［actino- + G. *haima*, blood］．アクチノヘマチン（ウメボシイソギンチャク属 *Actinia* のある種にみられる赤色呼吸色素)．

Ac·ti·no·ma·du·ra (ak′ti-nō-ma-dū′ră)［actino- + *Madura*, India］．好気性で，グラム陽性の，分枝する非抗酸性糸状細菌の一属．気中菌糸を形成することもあり，また胞子が15個連なり鎖状となることもある．

A. africana アフリカにおいて足菌腫の症例でみられる細菌種．

A. latina 南米における菌腫に関与する細菌種．

A. madurae 好気性放線菌類．放線菌腫の原因．

A. pelletieri →*A. latina*.

ac·ti·no·my·ce·li·al (ak′ti-nō-mī-sē′lē-ăl)．放線菌糸の（放線菌類の菌糸体様糸状体に関する)．

Ac·ti·no·my·ces (ak′ti-nō-mī′sēz)［actino- + G. *mykēs*, fungus］．放線菌属，アクチノミセス属（放線菌科の非運動性，非胞子形成で発育の遅い嫌気から通性嫌気性細菌の一属で，グラム陽性で不規則に染まる線状体を有する．ジフテリア様菌体が主体である．真の分枝を示したり，菌糸型のコロニーを形成したりする．ほとんどの種は線状小集落をつくる．これらの有機栄養菌の代謝は発酵である．グルコース発酵の生成物には，酢酸，ギ酸，乳酸，コハク酸があるが，プロピオン酸は含まれない．本属は排膿中で特徴的な硫黄顆粒をつくることがある．この微生物はヒトや動物に対して病原性があり，ヒトに慢性の化膿性感染症を起こすことがある．16種以上が記載されている．標準種は *A. bovis*)．

A. bernardiae (ber-nard′di-ē)．以前に CDC におけるコリネ型細菌の2群とよばれていた菌種．

A. bovis ウシ放線菌（ウシの放線菌症を起こす細菌の一種．ヒトへの感染性は立証されていない．放線菌属 *Actinomyces* の標準種)．

A. denticolens ウシの歯苔の原因となる細菌種．

A. georgiae ヒトの歯肉溝にみられる細菌種．

A. gerencaeriae ヒトの歯周細菌叢にみられる細菌種．

A. hordeovulneris イヌの感染症でみられた細菌種．

A. howellii ウシの歯垢の原因となる細菌種．

A. hyovaginales ブタの膣にみられる細菌種．

A. israelii イスラエル放線菌（ヒトの放線菌症を起こす最も一般的な放線菌の一種．ときにはウシにも感染する)．

A. meyeri (mī′ĕr-ī)．ヒトの歯肉溝，脳の膿瘍や，頭部および頸部感染で認められる菌種．

A. naeslundii ネスルンド放線菌（口腔内を通常の生息場所とする菌種で，ヒトでの感染が認められており，他の動物種において，ときに歯周炎を起こすことがある)．

A. neuii* subsp. *anitratus (nū′i-ī an-i-trā′tŭs)．以前は CDC におけるコリネ型の1群類似菌とされていた種で，ヒトで認められる．

A. neuii* subsp. *neuii 以前は CDC におけるコリネ型の1群とよばれていた種で，ヒトで認められる．

A. odontolyticus ヒトの口腔内を正常の生息場所とする菌種で，う食深部から分離される．

A. pyogenes 以前は *Corynebacterium pyogenes* とよばれていた種で，ヒトで認められる．

A. slackii ウシの歯苔を起こす細菌種．

A. suis 以前は *Eubacterium suis* とよばれていた細菌で，ブタでみられる．

A. viscosus ヒトおよび数種動物の口腔から分離される菌種で，動物の歯周疾患を惹起し，ヒトの歯石やう食歯の歯根表面から分離される．

Ac·ti·no·my·ce·ta·ce·ae (ak′ti-nō-mī-sē-tā′sē-ē)．放線菌科（非胞子形成，非運動性，元来は通性嫌気性(好気性，嫌気性の種がある)の細菌の一科で，組織内または培養のある段階で分枝したフィラメント(線状体)を形成する傾向を有する．グラム陽性，非抗酸性，主に類ジフテリア細胞よりなる．この有機栄養菌の代謝は発酵である．本科には放線菌属 *Actinomyces*(標準属)，*Arachnia*属，*Bacterionema*属，*Bifidobacterium*属，*Rothia*属の各属がある)．

Ac·ti·no·my·ce·ta·les (ak′ti-nō-mī-sē-tā′lēz)．放線菌目（細菌の一目で，カビ様，杆菌様，こん棒状，または真正分枝する傾向が確実にある線状体からなり，内生胞子を欠くが，ときには分生子を形成する．ミコバクテリア科，放線菌科，ノカルジア科が含まれる)．

ac·ti·no·my·ce·tes (ak′ti-nō-mī-sē′tēz)．放線菌類（放線菌属 *Actinomyces* に属す菌をさして用いる語．ときに，誤って放線菌科，放線菌目に属する菌をさして用いる)．

ac·ti·no·my·ce·to·ma (ak′tin-ō-mī-se-tō′ma)．放線菌腫（高次細菌による菌腫．*cf.* eumycetoma)．

ac·ti·no·my·cins (ak′tin-ō-mī′sinz)．アクチノマイシン（数種の *Streptomyces*属(本来は放線菌属 *Actinomyces*)から分離されるペプチド系抗生物質の一群で，グラム陽性細菌，真菌，新生物に対して活性．色素ペプチドで，ほとんどが発色団アクチノシンを有する．アミノ酸とペプチド鎖の配列順序が異なるフェノキサジン誘導体．DNAと複合体をつくり，主にリボソーム型のRNA合成を阻止する)．

a. A アクチノマイシンA（結晶形で分離されたアクチノマイシンの最初のもの)．

a. C アクチノマイシンC．＝cactinomycin.

a. D アクチノマイシンD．＝dactinomycin.

a. F_1 アクチノマイシンF_1；KS4（*Streptomyces chrysomallus* のアクチノマイシンC産生菌株によってつくられる．抗腫瘍薬として用いる)．

ac·ti·no·my·co·sis (ak′ti-nō-mī-kō′sis)［actino- + G. *mykēs*, fungus + *-osis*, condition］．放線菌症，アクチノミセス症（主にウシとヒトの細菌性疾患で，ウシの場合はウシの放線菌 *Actinomyces bovis*，ヒトの場合はイスラエル放線菌 *Actinomyces israelii* および *Arachnia propionica* によって起こる．これらの放線菌類は，口腔および喉頭の正常細菌フローラの一部であるが，組織内に導入されると，最後に細かい黄色の顆粒(硫黄顆粒)を含む粘質膿を排出する慢性破壊性膿瘍または肉芽腫を生じる場合がある．ヒトの場合は，一般に頸顔面部，腹部，胸部を侵し，ウシの場合は，一般に下顎にみられる)．＝actinophytosis (1); lumpy jaw.

ac·ti·no·my·cot·ic (ak′ti-nō-mī-kot′ik). 放線菌〔症〕の，アクチノミセス〔症〕の．

Ac·ti·no·myx·id·i·a (ak′ti-nō-mik-sid′ē-ă) [actino- + G. *myxa*, mucus]. アクチノミクシジア目（胞子虫目で，2重の細胞性エンベロープ，3個の極性被膜および8個の胞子をもつ．主にミミズなどの環形動物に寄生する)．

ac·tin·o·phage (ak-tin′ō-fāj) [actino(myces) + G. *phagō*, to eat]. アクチノファージ（放線菌類に特異なウイルス)．

ac·ti·no·phy·to·sis (ak′ti-nō-fī-tō′sis). ***1*** ＝actinomycosis. ***2***＝ botryomycosis.

Ac·ti·no·po·da (ak′ti-nop′ō-dă) [actino- + G. *pous*, foot]. 有軸仮足綱（中心軸糸のある細い仮足を有する肉質虫類の一綱)．

ac·ti·no·ther·a·py (ak′ti-nō-thār′ă-pē). 紫外線療法，化学線療法（皮膚科における日光または紫外線による療法)．

ac·tion (ak′shŭn) [L. *actio* < *ago*, pp. *actus*, to do]. ***1*** 行為，活動機能（生体機能の活動，その行動様式またはその行動の結果)．***2*** 作用（物理的，化学的，精神的な力または能力を発揮すること)．

ball valve a. 球弁作用（管または腔の排出口を，何かの物体または材料で一方向にだけ通じるようにした断続的な閉鎖運動)．

calorigenic a. 熱産生作用（甲状腺ホルモンなどにより身体の熱産生を増加する作用)．＝thermogenic a.

cumulative a. 蓄積作用．＝cumulative *effect*.

salt a. 塩類作用（浸透活性電解質の高張濃度によって生じる物理化学作用)．

sparing a. 節約作用（食物中に必須ではない栄養素があることにより，必須成分の必要性が小さくなること．例えば，非必須アミノ酸であるL-システインが十分に存在すると，必須アミノ酸であるL-メチオニンが，また非必須アミノ酸であるL-チロシンが十分に存在すると，必須アミノ酸であるL-フェニルアラニンの必要量が減少する)．＝sparing phenomenon.

specific a. 特異作用（疾患に対して直接的な影響，特に治療効果をもたらすような薬剤または治療方法の作用．例えば悪性貧血に対するビタミンB_{12}の作用)．

specific dynamic a. (**SDA**) 特殊力源作用，特殊動的作用（食物，特に蛋白の消化による熱産生の増加)．

thermogenic a. ＝calorigenic a.

ac·ti·vate (ak′ti-vāt). ***1*** 活性化する，賦活する．***2*** 放射性にする，放射化する．

ac·ti·va·tion (ak′ti-vā′shŭn). ***1*** 活性化（活性化する行為)．***2*** 活性化，賦活，活動化（温度を上昇させたり光量子を吸収させたりして，原子または分子のエネルギー含量を増加させ，その原子や分子の反応性を高めること)．***3*** 賦活，活動化（脳波で，異常活動を引き出すために，光，音，電気，または化学薬品で脳を刺激する方法)．***4*** 活性化，活動化（活動電位が起こる点まで末梢神経線維を刺激すること)．***5*** 活性化（受精または人工的な手段で卵母細胞の細胞分裂を刺激すること)．***6*** 放射化（放射性にすること．→cross-section)．

amino acid a. アミノ酸活性化（アミノアシルアデニレート誘導体の生成(例えば，蛋白生合成経路でみられる))．

EEG a. 脳波賦活（集中覚醒状態の速波低電圧パターン)．

feedback a. フィードバック活性化（生化学的経路の最終生成物による，その経路に関与している酵素の活性化．例えば，血液凝固過程でのトロンビン血液凝固因子 VIII およびVの活性化)．

feed-forward a. フィードフォワード活性化（その酵素の基質の前駆物質による酵素活性化または刺激)．

gene a. 遺伝子活性化（特定の時期に発現するような遺伝子活性化のプロセス．(細胞の)成長や発生分化においてきわめて重要な過程である)．

ac·ti·va·tor (ak′ti-vā-tōr). ***1*** 活性薬，活性化剤（他の物質(例えば触媒)を活性化，またはある過程や反応を加速する物質)．***2*** 賦活体，賦活物質（前駆賦活体の化学分解でつくられ，他の物質の酵素活性を誘発するフラグメント)．***3*** 物質を放射性にする装置で，中性子発生装置またはサイクロトロンなどをいう．***4*** 歯や歯槽突起に接触し，活性化された筋機能によって生じる力を受動的にそれらに伝達する可撤型筋機能矯正装置．***5*** RNA ポリメラーゼによる転写が起こる前にDNA 配列に結合する蛋白であり，ときにコアクチベーターとよばれる．

catabolite gene a. (**CGA**) カタボライト遺伝子活性化因子．＝catabolite (gene) activator *protein*.

plasminogen a. プラスミノゲン活性化因子（プラスミノゲンのアルギニン-バリン結合を切断してプラスミンに変換するプロテイナーゼ)．＝urokinase.

polyclonal a. ポリクローナルアクチベータ（T細胞やB細胞，あるいはそれらの特異性に関係なく両方とも活性化する物質)．

---

tissue plasminogen a. (**TPA, tPA**) [MIM*173370]. 組織プラスミノゲン賦活剤（①アルギニン-バリンの一重結合の加水分解によるプラスミノゲンからプラスミンへの酵素変換を自然に触媒する血栓崩壊性セリンプロテアーゼ．②遺伝子工学により合成された蛋白で，心筋梗塞，脳梗塞，末梢血管血栓症に血栓崩壊剤として用いる)．

TPA は分子量70キロダルトンの一本鎖糖蛋白．血管障害部の内皮細胞で生産され，フィブリン結合型のプラスミノゲンの560と561番目のアルギニン-バリン結合を分解してプラスミンに変換し血栓生産を変える．その結果，凝固血栓内のフィブリンは化学的に分解され血小板凝集と付着が抑制される．TPA はフィブリンのないときにはプラスミノゲンにほとんど働かない．またフィブリノーゲンの血中濃度も有意に減少させない．組換えDNA 技術で合成されたアルテプラーゼは心筋梗塞，脳虚血の一部，肺塞栓症，血栓による末梢虚血の場合，静注することで予後が改善する．血中の半減期は4－6分ときわめて短いが，血栓内では7時間まで持続する．→thrombolytic *therapy*.

---

ac·tiv·in (ak′ti-vin) [active + -in]. アクチビン（分娩中に母体血清中の濃度が最高となる胎盤由来ホルモン．ゴナドトロピン放出ホルモン，ヒト絨毛性ゴナドトロピン，胎盤由来ステロイドの産生を調整する)．

activities of daily living (**ADLs**) 日常生活動作（一般的に入浴，更衣，排泄，食事の支度といった機能的な活動や身の回りのことをすることに関連する日常の基本的な行動をさす．これらを行うことができない状態は他人に頼って生活することを意味し，セルフケアが困難な状態であるといえる．利用者が日常生活動作を行えるようになることが作業療法の主要な目標とされている．→instrumental activities of daily living *scale*)．

ac·tiv·i·ty (***a***) (ak-tiv′i-tē). ***1*** 活性，活動（脳波記録法において，神経性電気エネルギーがあること)．***2*** 活性度（物理化学において，質量作用の法則が完全に当てはまる理想濃度．真の濃度に対する活性度を活性度係数 activity coefficient (γ) といい，無限希釈状態では1.00となる)．***3***〔酵素〕活性（酵素において，一定条件，一定時間当たり消費する基質(または生成する生成物)の量．代謝回転数 turnover *number*)．***4*** 放射能壊変速度（単位時間の物質量の核変換．(壊変)数，単位キュリー(Ci)，ミリキュリー(mCi)，ベクレル(Bq)，メガベクレル(MBq)．→radioactivity)．

blocking a. 遮断活動（感覚刺激の到達による，脳内の電気活性の抑制または排除)．

insulinlike a. (**ILA**) インスリン様活性（各種のバイオアッセイにおいて，通常，血漿中に存在しインスリンに類似の生物学的効果を与える物質の測定値．血漿インスリン濃度の測定値として用いる．インスリン測定の免疫化学的方法より常に高い値を示す)．

intrinsic sympathomimetic a. (**ISA**) 内因性交感神経〔様〕作用活性（交感神経系刺激と同様の効果をもたらすような，アドレナリン作動性受容体活性化を起こす薬剤の性質)．

nonsuppressible insulinlike a. (**NSILA**) 非抑制性インスリン様活性（抗インスリン抗体によって抑制されないインスリン様活性，膵を摘出しても血漿中に存在する．大部分の非抑制性インスリン様活性は IGF-I や IGF-II などのインスリン様成長因子によるものである)．

optic a. 光学活性（偏光面を回転させる溶液内の物質(通

常は1個以上の非対称炭素原子の存在により対称面がない）の能力）.

plasma renin a.（PRA）血漿レニン活性（血漿レニンはアンギオテンシンⅠまたはⅡの生成速度をもって測定する）.

pulseless electrical a.（PEA）＝electromechanical *dissociation.*

specific a. *1* 比放射能（元素または化合物の単位質量当たりの放射能）. *2* 比活性（酵素に対し，mg蛋白当たりある条件下ある時間で消費される基質（または生成する生成物）の量）. *3* 比放射能（特定の放射性核種の，単位質量当たりの放射能）.

triggered a. 誘（激）発活性（再分極後に，活動電位が閾値に達して1つあるいはシリーズをなす心拍動が自然に生じること）.

ac·to·clamp·in（ak-to-klamp′in）. アクトクランピン（ATP加水分解依存性の親和性を変調させた駆動ユニットで，アクチンに基づく運動での膨張力を起こすのに関与する）.

ac·to·my·o·sin（ak′tō-mī′ō-sin）. アクトミオシン（アクチンとミオシンからなる蛋白複合体．筋線維中の基本的収縮性物質で，MgATPで活性化される）.

platelet a. 血小板アクトミオシン（血小板の収縮蛋白で，血餅退縮，血小板凝集，ADPや血小板機能に必須な他の生物学的アミン類の放出などに関与している）.＝thrombosthenin.

Ac·u·a·ri·a spi·ra·lis（ak′yū-ā′rē-ă spī-rā′lis）［L. *acus*, needle; Mod. L. *spiralis*, spiral］. ニワトリ，シチメンチョウ，キジ，その他の鳥類の前胃および食道，ときには腸内に見出される寄生線虫類.

a·cu·i·ty（ă-kyū′i-tē）［＜Fr.＜L. *acuo*, pp. *acutus*, sharpen］. *1* 明瞭度. *2* 重症度.

absolute intensity threshold a. 絶対光度閾値視力（認知可能な光の最小閾）.

resolution a. 分解視力（2つ以上の部分をもつ視標を認知することで，通常はSnellen視標を用いて測定する．2つの数字で表記される．最初の数字は患者と視標までの距離（通常は6m）を表し，2番目の数字は5分の角度に対する距離を示す．例えば，視力6/9は6mの距離で測定し9mで5分に相当する指標が認められたことを示す）.＝visual a.

spatial a. 空間視力（視標の形，例えば，同じ大きさであるが，わきに異なった数字を有する多角形を認識すること）.

stereoscopic a. 立体視力（網膜上のわずかな像のずれを脳で単一像に重ね合わせることにより遠近の差を認知する能力）.

Vernier a. ヴェルニエ視力，副尺視力（線の一部分のずれを認知する能力）.

visibility a. 視感度力（異なった性状の背影における物体の認識力）.

visual a.（V）視力.＝resolution a.

a·cu·le·ate（ă-kyū′lē-āt）［L. *aculeatus*, pointed＜*acus*, needle］. とげのある，刺針のある，とがった.

ac·u·men·tin（ak′yū-men′tin）. アクメンチン，アキュメンチン（好中球およびマクロファージの運動性蛋白でアクチンと連結してフィラメントの長さを調節する）.

a·cu·mi·nate（ă-kyū′mi-nāt）［L. *acumino*, pp. *-atus*, to sharpen］. 尖形の，先鋭形の，先細の.

ac·u·ol·o·gy（ak′yū-ol′ŏ-jē）［L. *acus*, needle＋G. *logos*, study］. 針学（刺鍼術において，治療用針の作用法を研究する分野）.

ac·u·pres·sure（ak′yū-presh′ŭr）. 指圧（治療目的ではりのツボに圧を加える方法）.

ac·u·punc·ture（ak′yū-punk′chŭr）［L. *acus*, needle＋puncture］. 刺鍼術（法），はり（鍼）（①昔の東洋の治療システムで，症状や疾患と関係していると考えられている部位に長く細い針を刺入する．②最近では，はり麻酔法acupuncture *anesthesia*または無痛法をいう）.

a·cu·sis（ă-kū′sis）［G. *akousis*, hearing］. 正常聴覚（正常に音を知覚する能力）.＝normal hearing.

a·cute（ă-kyūt′）［L. *acutus*, sharp］. 急性の（［acute sedationのように，短期治療を示すために本語を隠語的に使うのを避けること］．①健康効果に関して，通常，発症が急な，短い，持続性でない，の意味．ときに重症な，の意味で不正

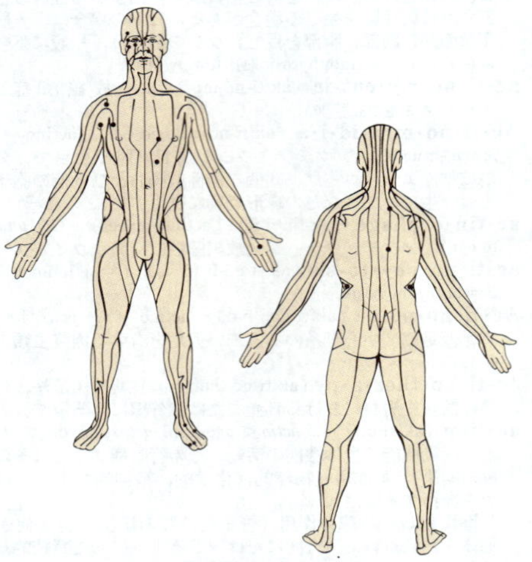

acupuncture meridians

確に用いられることがある．②暴露に関して，短い，強い，短期間の，の意味．ときに強い短期間の暴露として特異的に用いられる）.

a·cy·a·not·ic（ā′sī-ă-not′ik）. 非青色性の，無チアノーゼの（チアノーゼの欠如を特徴とする）.

a·cy·clic（ā-si′klik）. 非環式の（環式でない．特に非環式化合物についていう）.

ac·yl（as′il）. アシル（有機酸からカルボキシル基の水酸基を除いた有機基）.

ac·yl-ACP de·hy·dro·gen·ase, ac·yl-ACP re·duc·tase（as′il de-hī-drŏj′e-nās）. アシルACPデヒドロゲナーゼ，アシルACPレダクターゼ.＝enoyl-ACP reductase (NADPH).

ac·yl·ad·e·nyl·ate（as′il-ă-den′il-āt）. アシルアデニレート（構造的には脂肪酸のアシル基がAMPと，カルボキシル基からH_2OとAMPのリン酸残基を脱離することにより連結している化合物．通常はATPとの縮合反応により無機ピロリン酸が脱離して生成する）.

***N*-ac·yl·a·mi·no ac·id**（as′il-am′i-nō as′id）. *N*–アシルアミノ酸（馬尿酸（*N*–ベンゾイルグリシン）またはフェナセツール酸のように，アミノ基にアシル基が付いたアミノ酸）.

ac·yl·a·tion（as′i-lā′shŭn）. アシル化（有機化合物にアシル基を導入すること．または有機化合物中におけるアシル基の生成）.

***O*-a·cyl·car·ni·tine**（as′il-kar′ni-tēn）. *O*–アシルカルニチン（カルボン酸とカルニチンとによる縮合生成物．ミトコンドリア膜を通過する脂肪酸の輸送型誘導体）.

ac·yl-CoA（as′il）. アシルCoA（カルボン酸とCoAの縮合物で，特に脂肪の酸化および合成に重要な中間代謝物）.＝acyl-coenzyme A.

a.-CoA dehydrogenase（NADPH）アシルCoAデヒドロゲナーゼ（NADPHを水素供与体として，鎖長4から16のエノイルCoA誘導体を可逆的還元し，アシルCoAと$NADP^+$を生成する反応を触媒する酵素）.＝enoyl-CoA reductase.

a.-CoA synthetase アシルCoAシンセターゼ（①アシルCoAを形成する酵素類を一般的に分類する用語．現在はリガーゼとよばれている．②特に，長鎖脂肪酸CoAリガーゼ）.

ac·yl-co·en·zyme A（as′il-kō-en′zīm）.＝acyl-CoA.

1-ac·yl·gly·ce·rol-3-phos·phate ac·yl·trans·fer·ase →*lysophosphatidic acid.*

ac·yl-mal·o·nyl-ACP syn·thase（as′il-mal′ō-nil sin′-thās）. アシルマロニルACPシンターゼ.＝3-oxoacyl-ACP synthase.

ac·yl·mer·cap·tan（as′il-mĕr-kap′tan）. アシルメルカプタ

ン．＝thioester.

***N*-ac·yl·sphin·go·sine** (as′il-sfing′gō-sēn). *N*–アシルスフィンゴシン（スフィンゴシンのアミノ基における有機酸との縮合物）．

ac·yl·trans·fer·as·es (as′il-trans′fĕr-ā-sĕz). アシルトランスフェラーゼ（アシルCoA から各種受容体へのアシル基転移を触媒する酵素）．＝transacylases.

a·cys·ti·a (ā-sis′tē-ă)［G. *a-* 欠性辞＋*kystis*, bladder］．無膀胱症（膀胱の先天的欠損）．

AD Alzheimer *disease* の略．

A.D. ［JCAHOは，類似の略語との混同を避けるために right ear は完全表記するように指導している］．ラテン語 *auris dextrd*(右耳)の略．

ad- (ad)［L. *ad*, to, toward］．［本接頭語でつくられた語と接頭語 ab- でつくられた語を混同しないこと］．増加，付着，方向，近似，を意味する接頭語．

-ad (ad)［L. *ad*, to］．解剖学用語における -ward と同義の接尾語で，語の主部が示す身体の部分の方へ，に向かって，を意味する．

ADA *adenosine* deaminase; American Dental Association(米国歯科医師会); Americans with Disabilities Act(米国障害者法)の略．

a·dac·ry·a (ā-dak′rē-ă)［G. *a-* 欠性辞＋*dakryon*, tear＋-ia］．無涙症，涙液欠損．

a·dac·ty·lous (ā-dak′tĭ-lŭs). 無指症の（手または足の指がない）．

A·dair-Kosh·land-Ném·e·thy-Film·er mod·el (AKNF) (ă-dār′ kosh′lănd nem′ĕ-thē fil′mĕr). ⇒model.

ad·a·man·tine (ad′ă-man′tēn)［G. *adamantinos*, very hard］．エナメル質の（歯のエナメル質に関して以前用いられた語）．

ad·a·man·ti·no·ma (ad′ŏ-man-ti-nō′mă). アダマンチノーム，アダマンチノーマ（①末梢で柵状の基底類似細胞巣の増殖を特徴とする長骨(主として脛骨)の低異型度悪性腫瘍．*cf.* ameloblastoma．②低頻度で，進行は遅いが局所性に進行が早い腫瘍．組織形成過程については論議が分かれている．1913 年に最初に報告されて以来，約 200 例が報告されている．腫瘍の好発部位は長骨で，症例の 80 %以上が脛骨に発生する．骨幹部の発生頻度が最も高い．アダマンチノームの組織学的所見は多様で患者間だけでなく同じ腫瘍の異なる部分にも違いがみられる．症例の約 15—20 %に転移があり，肺と局所リンパ節への転移が多い）．

a. of long bones［MIM*102660］．長骨アダマンチノーマ（四肢骨(通常は脛骨)のまれな腫瘍で，顕微鏡的にエナメル上皮腫に類似する．組織発生は不明）．

pituitary a. 下垂体アダマンチノーマ．＝craniopharyngioma.

A·dam·ki·e·wicz (ah-dahm′kē-ā′vich), Albert. ポーランド人病理学者，1850—1921. ⇀*artery* of A.

Ad·ams (a′dămz), Robert. アイルランド人医師，1791—1875. ⇀A.-Stokes *disease*, *syncope*, *syndrome*; Stokes-A. *disease*, *syndrome*; Morgagni-A.-Stokes *syndrome*.

Ad·am's ap·ple (ad′ămz a′pĕl). ＝laryngeal *prominence*.

A·dan·son (ad′an-sohn[h]), Michel. フランス人博物学者，1727—1806. ⇀adansonian *classification*.

ad·ap·ta·tion (ad′ap-tā′shŭn)［L. *ad-apto*, pp. *-atus*, to adjust］．適応，順応，調節（［誤った形 adaption を避けること］．①生態学を含めて，環境に耐えるだけの能力を十分備えた表現型を有するがために，その種族が優先的に生存するということ．②器官や組織の機能あるいは組成などが，新しい条件に適合するように有利に変化すること．③光の強度に対する網膜の感度の調節．④強さが一定の反復性または持続性刺激に対して，反応を修飾する感覚器受容体の特性．⑤整復材料，箔，歯冠を歯や鋳型に密着させるために行う仕上げ，凝縮または形成．⑥絶えず変化する環境に応じて，個人の思考，感情，行動，生理機能が連続的に変化する動的過程．⇀development (1); equilibration (5).＝adjustment (2). ⑦ホメオスタシス応答）．

dark a. 暗順応（照明を弱くしたときに起こる視覚の順応で，光に対する網膜の感受性が増進する．→dark-adapted *eye*; Purkinje *shift*）．＝scotopic a.

light a. 明順応（照明を強くしたときに起こる視覚の順応で，光に対する網膜の感受性が減退する．→light-adapted *eye*; Purkinje *shift*）．＝photopic a.

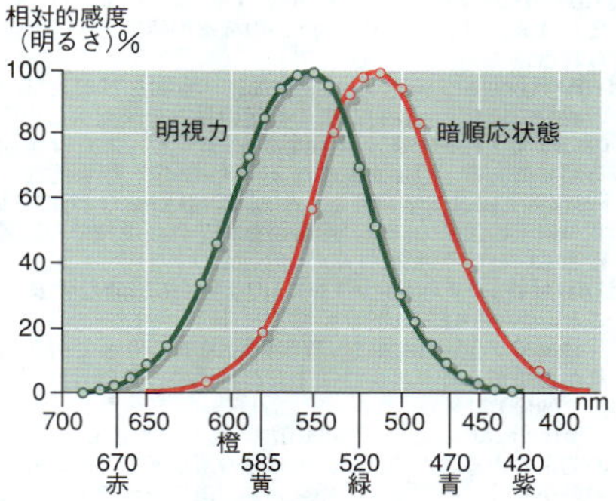

dark and light adaptation
昼間と薄明時の色の明るさ．

photopic a. ＝light a.

reality a. 現実適応（現実社会に順応する能力）．

retinal a. 網膜順応（照明の程度に応じる順応）．

scotopic a. ＝dark a.

social a. 社会的適応（対人的・社会的・文化的規範に応じた生活に適応すること）．

a·dapt·er, adap·tor (ă-dap′tĕr, -tōr). アダプタ（①2つの装置(器官)の結合部．②電流を望む形に変える変換器．③制限酵素断片の一致しない2端をつなぎ合わせるのに用いる単鎖または2本鎖オリゴヌクレオチド）．

a·dap·tin (ă-dap′tin)［*adapt*＋*-in*］．アダプチン（蛋白のマルチサブユニット複合体で，クラスリン分子の結合部位としてだけでなく積み荷レセプタ分子の細胞質側の結合部位ももっている．その結果，小胞の周囲にクラスリンコートの形成を促進させる．現在までに4種の異なったアダプチンが知られている．各々は4種の異なった積み荷レセプタの細胞質側で結合することができる）．

ad·ap·tom·e·ter (ad′ap-tom′ĕ-tĕr). 〔明暗〕順応計（網膜の暗順応の経過を決定し最小明度閾値を測定するための装置）．

ADAR *a*denosine *d*eaminase *a*cting on RNA(リボ核酸のアデノシンデアミナーゼ活性)の短縮形．

ad·ax·i·al (ad-ak′sē-ăl). 向軸性の，軸側の．

ADC AIDS dementia *complex* の略．

ADCC antibody-dependent cell-mediated *cytotoxicity* の略．

ADD attention deficit *disorder* の略．

add. ラテン語 *adde*（加える）；*addantur*（それらを加える）；*addendus*（加えるための）；*addendo*（加えることにより）の略．

ad·der (ad′ĕr)［M.E. *naddre* ＜ O.E. *nāedre*］．アダー，クサリヘビ（クサリヘビ科の多種のヘビ類の一般名で，数属に適用しているが，真のアダーはクサリヘビ属 *Vipera* のものだけである）．

ad·dict (ad′ikt). 常用者，常習者（特に有害または非合法と考えられる物質や行為を常用または常習する者）．

ad·dic·tion (ă-dik′shŭn)［L. *ad-dico*, pp. *-dictus*, consent ＜ *ad-* ＋ *dico*, to say］．嗜癖（ある物質または行為に対する制御不能の心理的または身体的な常習性の依存）．

alcohol a. アルコール嗜癖．＝alcoholism.

cybersex a. (sī′bĕr-seks ă-dik′shŭn). サイバーセックス依存（日常生活を犠牲にするほど常習的かつ強迫的にインターネットの性的刺激を利用すること）．

Ad·dis (ad′is), Thomas. 米国人内科医，1881—1949. ⇀A. *count*.

Ad·di·son (ad′i-sŏn), Christopher. イングランド人解剖学者，1869—1951. ⇀A. clinical *planes*.

Ad·di·son (ad′i-sŏn), Thomas. イングランド人医師，1793—1860. ⇀A. *anemia*, *disease*; addisonian *anemia*, *crisis*; A.-

Biermer *disease*.

ad·di·so·ni·an (ad′i-sō′nē-an). Thomas Addison に関する，または彼の記した．Addison 病の種々の病態と関連して用いられる．

ad·di·tive (ad′i-tiv). ***1***〚n.〛添加物（食物などの素材の本来の成分ではなく，保存などの特定の目的を果たすために意図的に添加される物質）．***2***〚adj.〛添加する，または添加される傾向にある．添加を意味する．***3***〚adj.〛相加的な（計量研究(例えば遺伝学，疫学，生理学，統計学など)において，２つ以上の因子の同時の影響がそれぞれの単独での影響の和に等しいという性質．*cf.* synergism)．

ad·di·tiv·i·ty (ad′i-tiv′i-tē). 相加性（相加的な性質をもつこと．あるいは相加的な状態)．

causal a. 原因相加（複数の原因因子によって引き起こされた結果が，各々によって生じた結果の代数的合計であるような関係)．

interlocal a. 遺伝子座間相加（異なった遺伝子座の各々の効果の大きさの合計が，それらの遺伝子を連結させたときの効果と等しいような関係をいい，遺伝子の優性や相互関係は欠如している)．

intralocal a. 遺伝子座内相加（異型接合体の計量的な表現型が，２つの同型接合体に対する表現型の平均であるような対立遺伝子間の関係．非優性)．

ad·dres·sin (ad-res′in) [address < O.Fr. *adresser*, to direct < L.L. *addirectiare* < L. *ad*, to + *directus*, straight, direct + -in]. アドレシン（(血管内皮)細胞表面にある(細胞接着)分子で，他の分子を特定の場所に導くホーミング装置として役立つ)．

ad·du·cent (ă-dū′sent) [L. *adducens*: *ad-duco*(to bring)の現在分詞]. 内転の（体に近づけるように動かす)．

ad·du·cin (ă-dū′sen). アデューシン（スペクトリンとアクチンとに結合した膜蛋白で，スペクトリンの構築に働く)．

ad·duct (a′dŭkt) [L. *ad-duco*, pp. *-ductus*, to bring toward]. [abduct と混同しないこと]. ***1***〚v.〛内転する（正中矢状面の方へ引き寄せる)．***2***〚n.〛付加物（付加生成物，付加複合体またはその一部)．

ad·duc·tion (ă-dŭk′shŭn). [本語と abduction を混同しないこと．講義および口述において，一部の医師は間違いを避けるために "A D duction" と発音する]. ***1*** 内転（四肢の場合は体の正中矢状面へ向かって，指の場合は手または足の正中矢状面へ向かって，四肢または指が近づく方向への運動)．***2*** 内ひき，内転（鼻側方向への単眼の回転(ひき運動))．***3*** 内転位（***1***，***2*** の運動の結果として生じた位置．*cf.* abduction)．

ad·duc·tor (ă-dŭk′tŏr). 内転筋．＝adductor *muscle.*

Ade adenine の略．

a·del·o·mor·phous (ă-del′ō-mōr′fŭs) [G. *adēlos*, uncertain, not clear + *morphē*, shape]. 形態の明確でない（明確に限定されていない形状の．以前この語は，胃腺のある細胞に対して用いられた)．

adelophialide (ă-del-ō-fī′ă-līd). 擬梗子（基部隔壁を欠く梗子が短縮した形のもの．*Phialemonium*属および*Lecythophora*属でみられる)．

a·den- (ā-den′). →adeno-.

ad·e·nal·gi·a (ad′ĕ-nal′jē-ă) [aden- + G. *algos*, pain]. 腺痛を表す，まれに用いる語．

a·den·dric (ā-den′drik). ＝adendritic.

a·den·drit·ic (ā-den-drit′ik) [G. *a-* 欠性辞 + *dendron*, tree]. 樹状突起のない．＝adendric.

ad·e·nec·to·my (ad′ĕ-nek′tō-mē) [aden- + G. *ektomē*, excision]. 腺切除〔術〕．

ad·e·nec·to·pi·a (ad′ĕ-nek-tō′pē-ă) [aden- + G. *ek*, out of + *topos*, place]. 腺転位〔症〕（腺が正常の解剖学的位置以外にあること)．

ad·e·nem·phrax·is (ad′ĕ-nem-frak′sis) [aden- + G. *emphraxis*, stoppage]. 腺閉塞〔症〕（腺分泌物の排出障害を表す，まれに用いる語)．

a·den·i·form (ă-den′i-fōrm). ＝adenoid (1).

ad·e·nine (A, Ade) (ad′ĕ-nēn). アデニン（RNA および DNA に含まれる２つの重要なプリンの１つ(他方はグアニン)．身体にとって重要な各種の遊離ヌクレオチド，例えば，AMP(アデニル酸)，ATP，NAD^+，$NADP^+$，FAD にも含まれる．これらの小分子化合物のすべてでは，アデニンが N-9 位でリボースと縮合しアデノシンを生成する．構造については adenylic acid 参照)．＝6-aminopurine.

a. arabinoside arabinosyladenine の誤称．

a. deaminase アデニンデアミナーゼ（アデニンを加水分解し，アンモニアとヒポキサンチンを遊離させる反応を触媒する酵素．プリン分解経路の一部)．

a. deoxyribonucleotide アデニンデオキシリボヌクレオチド．＝deoxyadenylic acid.

a. nucleotide アデニンヌクレオチド．＝adenylic acid.

a. phosphoribosyltransferase [MIM*102600]. アデニンホスホリボシルトランスフェラーゼ（アデニンが 5-ホスホ-α-D-リボース 1-二リン酸(PRPP)と作用し，AMP とピロリン酸が生成する反応を触媒する酵素．プリンサルベージ回路の重要段階．この酵素欠損により 2,8-ジヒドロキシアデニン結石症になる)．

a. sulfate 硫酸アデニン（硫酸と結合したアデニン．顆粒球減少症において，白血球産生を促進するために用いる)．

ad·e·ni·tis (ad′ĕ-nī′tis) [aden- + G. *-itis*, inflammation]. 腺炎（リンパ節または腺の炎症)．

mesenteric a. 腸間膜腺炎（腸間膜リンパ節の腫大，炎症による腹痛，発熱を伴った病気．しばしば虫垂炎と間違われる)．＝mesenteric lymphadenitis.

ad·e·ni·za·tion (ad′ĕ-nī-zā′shŭn). 腺様化（腺様構造への変化)．

adeno-, a·den- (ad′ĕ-nō, ā-den′) [G. *adēn*, *adenos*, a gland]. [本連結形を adreno- と混同しないこと]. 腺との関連を表す連結形．ラテン語 glandul-, glandi- に相当する．

ad·e·no·ac·an·tho·ma (ad′ĕ-nō-ak′an-thō′mă). 腺棘細胞腫（主として腺上皮からなる悪性新生物(腺癌)．通常は高分化型で，腫瘍細胞の扁平上皮(または上皮様)化生病巣を伴う)．

ad·e·no·am·e·lo·blas·to·ma (ad′ĕ-nō-am′el-ō-blas-tō′mă). 腺エナメル上皮腫．＝adenomatoid odontogenic *tumor.*

ad·e·no·blast (ad′ĕ-nō-blast) [adeno- + G. *blastos*, germ]. 腺芽細胞（増殖中の胎芽細胞で，腺実質形成能を有する)．

ad·e·no·car·ci·no·ma (ad′ĕ-nō-kar′si-nō′mă). 腺癌（腺または腺様の上皮細胞の悪性新生物)．＝glandular cancer; glandular carcinoma.

acinic cell a. 腺房細胞腺癌（ブドウ状腺，特に唾液腺の分泌細胞に発生する腺癌)．＝acinar carcinoma; acinic cell carcinoma.

alveolar a. 肺胞性腺癌（腫瘍細胞が肺胞に似た構造を示す肺の腺癌)．

a. in Barrett esophagus (ba′rĕt). バレット食道腺癌（円柱上皮(Barrett 粘膜)になった食道の部分にできた腺癌)．

bronchiolar a. ＝alveolar cell *carcinoma.*

bronchioloalveolar a. 気管支肺胞腺癌．＝alveolar cell *carcinoma.*

clear cell a.〔透〕明細胞腺癌（①腎腺癌の一種．②男女の主に泌尿生殖路に生じる腺癌の一種で，鋲釘形をした独特な腫瘍細胞が，板状，乳頭状，癒合した腺状に増殖するのが特徴)．

mesonephric a. ＝mesonephroma.

minimal volume prostatic a. (min′i-măl vol′yūm pros-tat′ik ad′ĕ-nō-kar′si-nō′mă). 生険から得た組織の５％未満に認められる前立腺腺癌．

mucoid a. 類粘液腺癌，ムコイド腺癌（ときに粘液性癌腫，またはムチンを分泌する腫瘍性細胞を含有する腺癌に適用される語)．

nonbronchioalveolar a. (non-brong′kē-ō-al-vē′ō-lăr ad′ĕ-nō-kar′si-nō′mă). 非肺胞上皮性肺腺癌（肺胞上皮癌の特徴がない肺腺癌)．

papillary a. 乳頭状腺癌（腫瘍上皮におおわれた血管結合組織の指状突起を有し，嚢胞，腺腔，あるいは小胞中に突出した腺癌．卵巣および甲状腺に最も多発する)．

renal a. 腎腺癌（腎実質に発生する腺癌．両性(男性のほうが多いが)とも特に中年期や老年期にみられる)．＝clear cell carcinoma of kidney; renal cell carcinoma.

a. in situ 上皮内腺癌（腺組織の非侵襲性異常増殖．侵襲性腺癌に先行すると考えられている．子宮内膜，乳房，大腸，子宮頸部，その他で報告されている)．

ad・e・no・cys・to・ma (ad′ĕ-nō-sis-tō′mă). 腺嚢腫（腫瘍腺上皮が嚢胞を形成する腺腫）.

ad・e・no・cyte (ad′ĕ-nō-sīt) [adeno- + G. *kytos*, a hollow (cell)]. 腺分泌細胞.

ad・e・no・di・as・ta・sis (ad′ĕ-nō-dī-as′tă-sis) [adeno- + G. *diastasis*, a separation]. 腺転位（腺または腺組織が通常の解剖学的位置から離れ，転位すること．例えば，小腸壁中の膵腺，食道壁中の胃腺）.

ad・e・no・dyn・i・a (ad′ĕ-nō-din′ē-ă) [adeno- + G. *odynē*, pain]. adenalgia に対してまれに用いる語.

ad・e・no・fi・bro・ma (ad′ĕ-nō-fī-brō′mă). 腺線維腫（腺および線維組織からなる良性新生物で，腺の占める割合が比較的大きいもの）.

ad・e・no・fi・bro・sis (ad′ĕ-nō-fī-brō′sis). 腺線維症．=sclerosing *adenosis.*

ad・e・nog・en・ous (ad-ĕ-noj′en-ŭs). 腺組織由来の.

ad・e・no・hy・po・phy・si・al (ad′ĕ-nō-hī′pō-fiz′ē-ăl). 腺下垂体の.

ad・e・no・hy・poph・y・sis (ad′ĕ-nō-hī-pof′i-sis) [TA]. 腺性下垂体（末端部，中間部，漏斗部からなる下垂体前葉.→pituitary *gland*）. =lobus anterior hypophyseos [TA]; anterior lobe of hypophysis*; glandular lobe of hypophysis; lobus glandularis hypophyseos.

ad・e・no・hy・poph・y・si・tis (ad′ĕ-nō-hī-pof′ĭ-sī′tis). 下垂体炎（下垂体前葉を侵す炎症および線維症．妊娠に伴うことが多い）.

lymphocytic a. リンパ球性腺下垂体炎（下垂体前葉にびまん性にリンパ球の浸潤がみられ，しばしば妊娠に併発する．免疫機構の破綻によると思われる）.

ad・e・noid (ad′ĕ-noyd) [adeno- + G. *eidos*, appearance]. [誤ったつづりまたは発音 adnoid を避けること]. ***1*** 〚adj.〛腺様の，腺様の構造をもった．=adeniform. ***2*** 〚n.〛アデノイド（鼻咽頭の後壁にある被膜におおわれていない上皮性およびリンパ性の構造物．小児期に必然的に大きくなり，思春期に退縮していく．炎症性または生理的な腫大は，中耳炎，鼻閉，副鼻腔炎，閉塞性睡眠時無呼吸症候群などでみられる）. =tonsilla pharyngealis [TA]; Luschka gland (1); Luschka tonsil; pharyngeal tonsil; third tonsil; tonsilla adenoidea.

ad・e・noid・ec・to・my (ad′ĕ-noy-dek′tŏ-mē) [adenoid + G. *ektomē*, excision]. アデノイド切除〔術〕，咽頭扁桃切除〔術〕（鼻咽腔からアデノイド組織を除去する手術）.

ad・e・noid・i・tis (ad′ĕ-noy-dī′tis). アデノイド咽頭炎，アデノイド扁桃炎（ウイルスあるいは細菌感染とアレルギーによって引き起こされるアデノイドの炎症）.

ad・e・noids (ad′ĕ-noydz) [G. *adēn*, gland + *-eidos*, resemblance]. →adenoid.

ad・e・no・li・po・ma (ad′ĕ-nō-li-pō′mă) [G. *adēn*, gland + *lipos*, fat + *-oma*, tumor]. 腺脂肪腫（腺および脂肪組織よりなる良性腫瘍）.

ad・e・no・lip・o・ma・to・sis (ad′ĕ-nō-lip′ō-mă-tō′sis). 腺脂肪腫症（多発性の腺脂肪腫の発生を特徴とする病態）.

symmetric a. =multiple symmetric *lipomatosis.*

ad・e・no・lym・pho・cele (ad′ĕ-nō-lim′fō-sēl) [adeno- + L. *lympha*, spring water + G. *kēlē*, tumor]. 腫様リンパ瘤（遠位リンパ管閉塞後のリンパ節の嚢胞性拡張）.

ad・e・no・lym・pho・ma (ad′ĕ-nō-lim-fō′mă). 腺リンパ腫．=Warthin *tumor.*

ad・e・no・ma (ad′ĕ-nō′mă) [adeno- + G. *-oma*, tumor]. 腺腫，アデノーマ（良性の腫瘍で，その腫瘍細胞が基質中に腺または腺様構造を形成する．通常，境界が明らかで，周囲組織を圧迫する傾向があり，浸潤や侵襲はむしろ少ない）.

acidophil a. 好酸性腺腫（細胞質が酸性の色素に染まる下垂体前葉腫瘍．一般に成長ホルモン分泌性であるが分泌しないこともある）. =eosinophil a.

ACTH-producing a. ACTH産生腺腫（ACTH を産生する細胞より構成されている下垂体腫瘍．一般に好塩基性腺腫であるが，必ずしもそうではない．Cushing 病や Nelson 症候群を呈する）.

adnexal a. 付属器腺腫（皮膚付属器に生じる腺腫，あるいは皮膚付属器に類似した構造を形成する腺腫）.

adrenocortical a. 副腎皮質腺腫（副腎皮質細胞の良性腫瘍．副腎皮質の小型の非被嚢小結節は腺腫ではなく過形成の

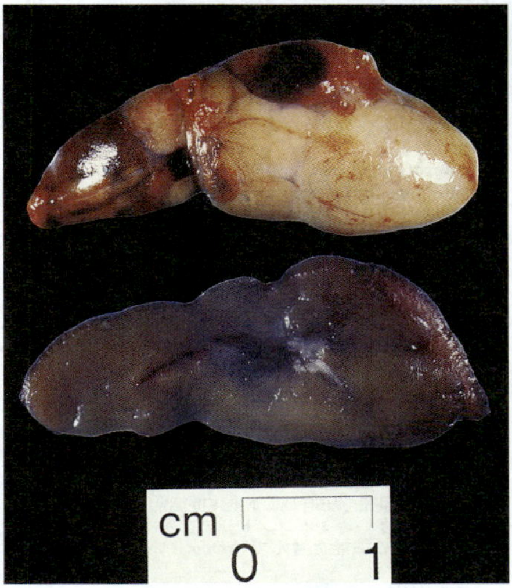

parathyroid adenoma
外側図（上）および切断表面.

限局部分であると思われる．真性腫瘍はまれであり，無症状であったり，Cushing 症候群や原発性アルドステロン症に合併する）.

apocrine a. アポクリン腺腫．=papillary *hidradenoma.*

basal cell a. 基底細胞腺腫（大・小唾液腺や他の器官に生じる良性腫瘍で，その辺縁は小細胞が柵状に配列している）.

basophil a. 好塩基性腺腫（細胞質が塩基性の色素に染まる下垂体前葉腫瘍．ACTH を分泌していることが多い）.

bronchial a. 気管支腺腫（カルチノイド腫瘍，粘液類皮癌，腺様嚢状癌を表すのに以前用いられた，現在では用いられない語）.

bronchial mucous gland a. 気管支粘液腺腺腫（気管支粘膜の粘液腺から発生するまれな良性腫瘍）.

canalicular a. 管状腺癌（単形性腺腫の一種．2 列に並んだ上皮細胞が長い索状をなす）.

chromophobe a., chromophobic a. 色素嫌性腺腫，嫌色素性腺腫（酸性および塩基性色素にも染まらない細胞による下垂体前葉の腫瘍）.

colloid a. 膠様腺腫（甲状腺の小胞状腺腫．コロイドを含む大きな小胞からなる）. =macrofollicular a.

embryonal a. 胎生期腺腫（腺の上皮要素が十分に分化していない良性新生物で，胚発生の際の未熟組織に類似する）.

eosinophil a. 好酸性腺腫，酸親和〔性〕腺腫．=acidophil a.

follicular a. 小胞状腺腫（単純な腺型を有する甲状腺の腺腫）.

Fuchs a. (fūks). フックス腺腫（毛様体の非色素上皮の良性上皮腫瘍で，まれに 1 mm を超えるものもある）.

gonadotropin-producing a. ゴナドトロピン産生腺腫（FSH や LH を産生するまれな下垂体腺腫．免疫化学的に同定できる）.

growth hormone-producing a. GH産生腺腫，成長ホルモン産生腺腫（巨人症や末端肥大症を呈する下垂体腺腫．無顆粒性の細胞や好酸性と色素嫌性の細胞が混在しているものが 1/3 を占める．成長ホルモンとプロラクチンを一緒に産生している腺腫もある．大部分は好酸性腺腫である）.

hepatic a. 肝細胞腺腫（肝の良性腫瘍の 1 つで，生殖年齢の女性に，長期経口避妊薬の使用に伴って生じることが多い．通常，単発性で被膜をもち，大きい．門脈域を有する肝細胞索からなる）. =hepatocellular a.

hepatocellular a. 肝細胞腺腫．=hepatic a.

Hürthle cell a. ヒュルトレ細胞腺腫（ミトコンドリアの

豊富な好酸性の細胞質を特徴とするまれな甲状腺腫瘍．広範な転移を伴い悪性であることも多い．放射性ヨードはほとんど取り込まない．→Hürthle cell *carcinoma*)．＝oncocytic a.

invasive pituitary a. 侵襲性下垂体腺腫（硬膜，骨や洞に広範に浸潤する下垂体腺腫）．

lactating a. 乳汁分泌性腺腫（まれな乳腺の腺腫で，妊娠授乳期にみられるような明らかな分泌変化を伴う管状腺房構造よりなる）．

macrofollicular a. 大沪胞状腺腫．＝colloid a.

mammosomatotroph cell a. プロラクチン・成長ホルモン産生細胞腺腫（まれなプロラクチンと成長ホルモン産生性の下垂体腺腫．成長ホルモンとプロラクチン産生細胞に分化した単一の形態をもった細胞より構成される）．

microfollicular a. 小沪胞状腺腫（甲状腺上皮細胞の微小な小胞および充実性胞状群からなる甲状腺の胎児腺腫）．

monomorphic a. 単形性腺腫（唾液腺に生じる良性の管状新生物で，単一の表皮の形状を示し，多形性腺腫に認められる軟骨様および粘液様の間質をもたない）．

nephrogenic a. 腎性腺腫（膀胱または尿路上皮にできる良性腫瘍．腎の尿細管に類似した腺状構造を示す）．

a. of nipple 乳頭腺腫．＝subareolar duct *papillomatosis*.

null-cell a. ホルモン非産生細胞下垂体腺腫（ホルモンを産生している証拠のない細胞より構成されている下垂体腺腫．近傍の組織を圧迫して下垂体機能低下症や視力障害を生じることが多い．ミトコンドリアを多く含有する腫瘍もあり，何らかの機能を営んでいるらしい）．＝undifferentiated cell a.

oncocytic a. ＝Hürthle cell a.

oxyphil a. 好酸性腺腫．＝oncocytoma.

papillary cystic a. 乳頭状嚢〔胞〕状腺腫（腺房腔がしばしば液体により膨張し，腫瘍性上皮要素が不規則な指状突起を形成する傾向のある腺腫）．

papillary a. of large intestine 大腸乳頭状腺腫．＝villous a.

pituitary a. 下垂体腺腫（下垂体前葉に生じた下垂体の良性腫瘍）．

pleomorphic a. 多形腺腫（唾液腺組織から構成される良性腫瘍．腺上皮および中胚葉性の細胞からなる）．＝mixed tumor of salivary gland.

polypoid a. ポリープ状腺腫．＝adenomatous *polyp*.

prolactin-producing a. プロラクチン産生腺腫（通常は小さい被嚢性の下垂体腺腫．プロラクチン産生細胞より構成される．女性では非産褥性の無月経および乳汁漏出(Forbes-Albright 症候群)，男性ではインポテンツを生じる）．＝prolactinoma.

prostatic a. 前立腺腺腫（良性前立腺過形成における典型的増殖パターン）．

renal cortical a. 腎皮質腺腫（通常，小さな腺腫で，ときに解剖時に偶然腎皮質に発見されることがあり，腎尿細管組織から発生する）．

sebaceous a. 脂腺腺腫（脂腺組織の良性腫瘍．成熟した分泌性の脂腺細胞が多い．*cf.* a. sebaceum）．

a. sebaceum〔皮〕脂腺腫（以前用いられた誤った名称．過誤腫であり，顔面に生じ，線維性血管性組織からなり，赤色または黄色の丘疹の集簇という形で現れる．結節性硬化症に合併することがある．脂腺は存在しても増大しない．*cf.* sebaceous a.）．＝Pringle disease.

thyrotropin-producing a. TSH産生腺腫（甲状腺機能亢進症を惹起するまれな下垂体腺腫）．

tubular a. 管状腺腫（①管状腺に類似する上皮組織よりなる良性新生物．②腺癌となる可能性のある大腸粘膜の変形したポリープ）．

undifferentiated cell a. ホルモン非産生性の未分化細胞〔性〕下垂体腺腫．＝null-cell a.

villous a. 絨毛腺腫（しばしば孤立性無茎性の大腸粘膜腫瘍としてみられ，形は大きいことが多い．しかし消化管のどの部位にも生じうる．細かい血管突出をおおうムチン上皮からなり，しばしば悪性変化をきたす．分泌過多はまれである．アデノーマとしてもまた，知られている）．＝papillary a. of large intestine.

ad·e·no·ma·toid (ad′ĕ-nō′mă-toyd). 腺腫様の．

ad·e·no·ma·to·sis (ad′ĕ-nō-mă-tō′sis). 腺腫症（多発性腺発育過剰を特徴とする状態）．

erosive a. of nipple びらん性乳頭腺腫症．＝subareolar duct *papillomatosis*.

familial multiple endocrine a. [MIM*131100]．家族性多発性内分泌腺腫症．＝multiple endocrine *neoplasia*.

fibrosing a. 線維化〔性〕腺腫症，線維形成性腺腫症．＝sclerosing *adenosis*.

multiple endocrine a. 多発性内分泌腺腫症．＝multiple endocrine *neoplasia*.

pulmonary a. 肺腺腫症（肺胞と末端気管支に粘液と粘液分泌性円柱上皮細胞が充満している新生物疾患．極度に粘性の高い喀痰，悪寒，発熱，咳，呼吸困難，胸膜痛を特徴とする）．

ad·e·nom·a·tous (ad′ĕ-nō′mă-tŭs). 腺腫〔様〕の（腺腫およびある型の腺過形成に関する）．

ad·e·no·meg·a·ly (ad′ĕ-nō-meg′ă-lē) [adeno- + G. *megas*, large]．副腎過形成（副腎の肥大）．

ad·e·no·mere (ad′ĕ-nō-mēr) [adeno- + G. *meros*, part]．腺節（発育中の腺の実質における構造単位で器官の機能を営む部分になっていくところ）．

ad·e·no·my·o·ma (ad′ĕ-nō-mī-ō′mă) [G. *adēn*, gland + *mys*, muscle + *-oma*, tumor]．腺筋腫（腺要素を有する筋(通常は平滑筋)の良性新生物．子宮と子宮靭帯に最も多く発生する）．

ad·e·no·my·o·sis (ad′ĕ-nō-mī-ō′sis) [G. *adēn*, gland + *mys*, muscle + *-osis*, condition][MIM*600458]．腺筋症（筋肉(通常は平滑筋)における腺腫様組織の異所性発生またはびまん性移植）．

a. uteri 子宮腺筋症（子宮内膜組織の子宮筋層への良性浸潤）．

ad·e·nop·a·thy (ad′ĕ-nop′ă-thē) [adeno- + G. *pathos*, suffering]．アデノパシー，腺症（リンパ節の腫脹または病的肥大）．

ad·e·no·phleg·mon (ad′ĕ-nō-fleg′mon) [adeno- + G. *phlegmonē*, inflammation]．腺フレグモーネ，腺蜂巣炎（腺および隣接結合組織の急性炎症）．

Ad·e·no·pho·ra·si·da (ad′ĕ-nō-fō-ras′i-dă) [G. *adēn*, gland + *phōr*, thief]．双器綱（線形動物の一綱で，排泄系へ開口する側管およびファスミド(尾の感覚器)を欠き，尾乳頭はないか，または少ない．卵は分節せず，極栓(両極のノブ)をもつ種類と，胎生の種類とがある．ヒトおよび家畜の重要な寄生虫の中では，鞭虫属 *Trichuris*，毛頭虫属 *Capillaria*，および旋毛虫属 *Trichinella* を含む．→Secernentasida)．＝Adenophorea; Aphasmidia.

Ad·e·no·pho·re·a (ad′ĕ-nō-fō′rē-ă). ＝Adenophorasida.

ad·e·no·sal·pin·gi·tis (ad′ĕ-nō-sal-pin-jī′tis). 腺性卵管炎．＝*salpingitis* isthmica nodosa.

ad·e·no·sar·co·ma (ad′ĕ-nō-sar-kō′mă). 腺肉腫（同一部位の中胚葉性組織と腺上皮に，同時または連続して発生する悪性新生物）．

müllerian a. ミュラー管由来肉腫（子宮または卵巣の腫瘍で，低悪性度．良性腺腫と肉腫様間質から構成される）．

ad·e·nose (ad′ĕ-nōs). 腺〔状〕の．

a·den·o·sine (Ado) (ă-den′ō-sēn). アデノシン（アデニンとD-リボースの縮合物．核酸および ATP を含む種々のアデニンヌクレオチドの加水分解生成物に検出されるヌクレオシド．アデノシンは重篤な複合免疫不全症で蓄積される．放射性核種心筋灌流の研究で運動負荷の代わりに用いられる強力な冠血管拡張薬）．＝9-β-D-ribofuranosyladenine.

a. cyclic phosphate →adenosine 3′,5′-cyclic monophosphate.

a. deaminase(ADA) [MIM*102700]．アデノシンデアミナーゼ（哺乳類の組織中に見出される酵素．アデノシンの脱アミノ触媒能があり，イノシンとアンモニアを生成する．アデノシンデアミナーゼ欠損によりある種の重篤な複合免疫不全症になる）．

a. diphosphate アデノシン二リン酸（→adenosine 5′-diphosphate)．

a. kinase [MIM*102750]．アデノシンキナーゼ（MgATP からリン酸基をアデノシンへ転移することにより，MgADP と AMP を生成させる反応を触媒する酵素．ヌクレオシドの回収や調節における重要な段階）．

a. monophosphate (AMP) アデノシン一リン酸（特にアデノシン 5′-一リン酸をいう．→adenylic acid）.

a. nucleosidase アデノシンヌクレオシダーゼ（アデノシンをアデニンと D-リボースに加水分解する酵素）.

a. phosphate アデノシンホスフェート（特にアデノシン 2′-リン酸，3′-リン酸，または 5′-リン酸．→adenylic acid）.

a. tetraphosphate アデノシン四リン酸（5′位でのアデノシンと四リン酸との縮合物）.

a. triphosphate アデノシン三リン酸．＝adenosine 5′-triphosphate.

a·den·o·sine 3′,5′-cy·clic mo·no·phos·phate (cAMP) (ă-den′ō-sēn sī′klik mo′nō-fos′fāt). アデノシン 3′,5′-サイクリック一リン酸（ホスホリラーゼキナーゼの活性化物質で他の酵素のエフェクター．筋肉内でアデニル酸シクラーゼにより ATP から合成され，ホスホジエステラーゼにより 5′-AMP に分解される．ときに第二メッセンジャーといわれることもある．代謝の調整を行う．関連のある化合物(2′,3′)も知られている）．＝cyclic adenylic acid; cyclic AMP; cyclic phosphate.

a·den·o·sine 3′,5′-cy·clic phos·phate phos·pho·di·es·ter·ase (ă-den′ō-sēn sī′klik fos′fāt fos′fō-dī-es′tĕr-ās). アデノシン 3′,5′-サイクリックリン酸ホスホジエステラーゼ（アデノシン 3′,5′-サイクリックリン酸を加水分解し，5′-AMP を生成させる反応を触媒する酵素．細胞内アデノシン 3′,5′-サイクリックリン酸濃度の制御における最重要段階．カフェインにより阻害される）．＝cAMP phosphodiesterase.

a·den·o·sine 5′-di·phos·phate (ADP) (ă-den′ō-sēn dī-fos′fāt). アデノシン 5′-二リン酸（アデノシンとピロリン酸との縮合物．ATP の末端リン酸基の加水分解により ATP から生成される）.

a·den·o·sine 3′-phos·phate (a-den′ō-sēn fos′fāt). アデノシン 3′-リン酸；3′-adenylic acid（→adenylic acid）.

a·den·o·sine 5′-phos·phate (ă-den′ō-sen fos′fāt). アデノシン 5′-リン酸；5′-adenylic acid（→adenylic acid）.

a·den·o·sine 3′-phos·phate 5′-phos·pho·sul·fate (PAPS) (ă-den′ō-sēn fos′fāt fos′fō-sūl′fāt). アデノシン 3′-リン酸 5′-ホスホ硫酸（尿のエーテル硫酸生成の中間産物．高エネルギー硫酸結合を含有することは注目に値する．アデノシンの 3′-OH は$-OPO_3H_2$で，5′-OH は$-OP(O_2H)-OSO_3H$で置換されている）．＝active sulfate.

a·den·o·sine 5′-phos·pho·sul·fate (APS) (ă-den′ō-sen fos′fō-sŭl′fāt). アデノシン 5′-ホスホ硫酸（PAPS(活性硫酸塩)の生成経路の中間体）.

adenosine 5′-phosphosulfate kinase アデノシン 5′-ホスホ硫酸キナーゼ（アデノシン 5′-ホスホ硫酸と ATP から活性硫酸塩を生成する反応を触媒する酵素）.

a·den·o·sine tri·phos·pha·tase (ATPase) (a-den′ō-sēn trī-fos′fă-tās). アデノシントリホスファターゼ，ATP アーゼ（アデノシン 5′-三リン酸の末端のリン酸を解離させる反応を触媒する酵素で，種々の細胞膜，ミトコンドリア，およびミオシンと関係のある横紋筋筋節の A 帯において，細胞化学的に検出される）.

a·den·o·sine 5′-tri·phos·phate (ATP) (ă-den′ō-sēn trī-fos′fāt). アデノシン 5′-三リン酸（その 5′位でエステル化されたリン酸がついたアデノシン．RNA でのアデニンヌクレオチドの中間的前駆物質．細胞の主要エネルギー伝達体である）．＝adenosine triphosphate.

ad·e·no·sis (ad-ĕ-nō′sis). 腺疾患（①全身性の腺疾患について，まれに用いる語．②通常は認められない部位に生じる腺組織）.

blunt duct a. 閉塞性腺症（乳房の腺症で，乳管の拡張がみられるが，数的増加はみられない）.

fibrosing a. 線維化〔性〕腺疾患，線維形成〔性〕腺疾患．＝sclerosing a.

microglandular a. 微小乳腺腺症（乳房の腺症で，小腺管の不規則な集簇が脂肪組織あるいは線維組織の中にみられ，管状腺癌に似た組織像を示すが，間質に線維芽球の増殖像はみられない）.

sclerosing a. 硬化〔性〕腺疾患（比較的若い女性に多発する結節性良性乳房病変．腺組織の小葉は過形成で異常な形をとり，膠原性基質の増加を伴う．この変化は顕微鏡的に癌との鑑別が困難なこともある．加えて，前立腺の顕微鏡的な病変で，基底細胞層が特徴的な平滑筋化生を示し，基質の増加を伴う腺房組織からなる良性結節をいうこともある）．＝adenofibrosis; fibrosing adenomatosis; fibrosing a.

a·den·o·syl (a-den′ō-sil). アデノシル（リボシルの OH 基の 1 つ．通常は 5′位の OH から H または OH の取れたアデノシンの基．例えば *S*-アデノシル-L-メチオニン）.

a·den·o·syl·co·bal·a·min (a-den′ō-sil-kō-bal′ă-min). アデノシルコバラミン（ビタミン B_{12} 誘導体．生合成欠陥によりメチルマロン酸血症をきたす）.

***S*-a·den·o·syl-L-ho·mo·cys·te·ine** (a-den′ō-sil-hō-mō-sis′te-ēn). *S*-アデノシル-L-ホモシステイン（*S*-アデノシル-L-メチオニンの脱メチル基により生成される化合物．多くのメチルトランスフェラーゼにより生成される）.

ad·e·not·o·my (ad-ĕ-not′ŏ-mē) [adeno- + G. *tomē*, a cutting]. アデノイド切除〔術〕，咽頭扁桃切除〔術〕.

ad·e·no·ton·sil·lec·to·my (ad′ĕ-nō-ton-si-lek′tŏ-mē). アデノイド口蓋扁桃摘出〔術〕.

ad·e·nous (ad′ĕ-nŭs). adenose に対してまれに用いる語.

Ad·e·no·vi·ri·dae (ad′ĕ-nō-vir′i-dē). アデノウイルス科（一般にアデノウイルスとして知られている二重鎖の DNA を有するウイルスの一科で，哺乳類と鳥類に感染し，細胞の核内で増殖する．ビリオンは直径 70–90 nm，裸殻で，エーテル耐性である．カプシドは二十面体で，252 のカプソメアから形成されている．本科には *Mastadenovirus* 属と *Aviadenovirus* 属の 2 属がある）.

ad·e·no·vi·rus (ad′ĕ-nō-vī′rŭs) [G. *adēn*, gland + virus]. アデノウイルス（アデノウイルス科のウイルス．40 タイプ以上がヒトに感染して上部気道症状，急性呼吸器病，結膜炎，胃腸炎，出血性膀胱炎，および新生児の重篤な感染症を起こすことが知られている）．＝A-P-C virus; adenoidal-pharyngeal-conjunctival virus.

canine a. イヌアデノウイルス（イヌに呼吸器疾患を引き起こすウイルスの 1 つ．イヌに一般的に接種される混合ワクチンの成分．弱毒化ウイルスの接種によりイヌアデノウイルス 1 型(CAV-1)および 2 型(CAV-2)の感染を防御できる）.

canine a. 1 (CAV-1) イヌアデノウイルス 1（イヌにイヌ伝染性肝炎を引き起こすウイルス）．＝Rubarth disease virus.

ad·e·nyl (ad′e-nil). アデニル（アデニンの基またはイオン．adenylosuccinic acid(アデニロコハク酸)のように，しばしば adenylyl の意味で用いる）.

a·den·y·late (a-den′i-lāt). アデニレート（アデニル酸塩またはエステル）.

a. cyclase アデニレート(アデニル酸)シクラーゼ（ATP に作用して 3′,5′-サイクリック AMP とピロリン酸塩を生成する酵素．第二メッセンジャーの制御や生成の重要段階）．＝3′,5′-cyclic AMP synthetase.

a. kinase アデニレート(アデニル酸)キナーゼ（MgADP の 1 分子による ADP の 1 分子の可逆的リン酸化により MgATP および AMP を生成する反応を触媒するホスホトランスフェラーゼ）．＝adenylic acid kinase; myokinase.

ad·e·nyl cy·clase (ad′e-nil sī′klās). アデニルシクラーゼ（アデノシン一リン酸(AMP)を 3′,5′-サイクリック AMP に変換する酵素．3′,5′-サイクリック AMP は神経やホルモンの活性化の細胞内第二メッセンジャーである）.

ad·e·nyl·ic ac·id (ad-e-nil′ik as′id). アデニル酸（アデノシンとリン酸の縮合物．すべての核酸の加水分解生成物の中に見出されるヌクレチオド．3′-アデニル酸(アデノシン 3′-一リン酸)と 5′-アデニル酸(アデノシン 5′-一リン酸(AMP))は，D-リボースへのリン酸の結合場所が異なる．デオキシアデニル酸は 2′位で OH の代わりに H を有する点が D-リボースと異なる．→AMP）．＝adenine nucleotide.

cyclic a. a. 環状アデニル酸．＝adenosine 3′,5′-cyclic monophosphate.

a. a. deaminase アデニル酸デアミナーゼ．＝AMP deaminase.

a. a. kinase アデニル酸キナーゼ．＝*adenylate* kinase.

ad·e·nyl·o·suc·ci·nase (ad′e-nil-ō-sŭk′sin-ās). アデニロスクシナーゼ．＝adenylosuccinate lyase.

ad·e·nyl·o·suc·ci·nate ly·ase (ad′e-nil-ō-sŭk′sin-āt lī′ās)[MIM*103050]. アデニロコハク酸リアーゼ（アデニロコハク酸から AMP とフマル酸，および 4-(*N*-スクシノカル

ボキサミド)-5-アミノイミダゾールヌクレオチドからフマル酸とアミノイミダゾールカルボシアミドリボシル-5-リン酸への非加水分解的な切断反応を触媒する酵素．両加断反応はプリンヌクレオチド生合成の段階である)．＝adenylosuccinase; adenylylosuccinate lyase.

ad·e·nyl·o·suc·ci·nate syn·thase (ad′e-nil-ō-sŭk′sin-āt sin′thās). アデニロコハク酸シンターゼ (イノシン酸とアスパラギン酸と GTP からアデニロコハク酸，GDP，リン酸塩の生成を触媒するリガーゼ．プリンヌクレオチド生合成の重要な酵素である)．＝adenylylosuccinate synthase; IMP-aspartate ligase.

ad·e·nyl·o·suc·cin·ic ac·id (sAMP) (ad′e-nil-ō-sŭk′sin-ik as′id). アデニロコハク酸 (アスパラギン酸塩とイノシン 5-一リン酸との縮合物．アデニル酸の生合成中間体．形式的には，その NH_2 基のHをコハク酸で置換したアデニル酸)．＝adenylylosuccinic acid; *N*-succinyladenylic acid.

a·den·y·lyl (a-den′i-lil). アデニリル (リン酸基から OH を除いたアデニル酸の基．化合物名では，adenylosuccinic acid (アデニロコハク酸)のように，しばしば adenyl と短縮される)．

a. cyclase アデニリルシクラーゼ (*adenylate* cyclase の旧名)．

a·den·y·lyl·o·suc·ci·nate ly·ase (a-den′i-lil-ō-sŭk′sin-āt lī′ās). アデニリロスクシネートリアーゼ．＝adenylosuccinate lyase.

a·den·y·lyl·o·suc·ci·nate syn·thase (a-den′i-lil-ō-sŭk′-sin-āt sin′thās). アデニリロコハク酸シンターゼ．＝adenylosuccinate synthase.

a·den·y·lyl·o·suc·cin·ic ac·id (a-den′i-lil-ō-sŭk′sin-ikas′id). アデニリロコハク酸．＝adenylosuccinic acid.

a·den·y·lyl·sul·fate ki·nase (a-den′i-lil-sŭl′fat kī′nās). →*adenosine 5′-phosphosulfate* kinase.

a·deps, gen. adi·pis, adi·pes (ad′eps, ad′i-pis, -pēz) [L. lard, fat]. *1*〘adj.〙脂肪の，脂肪組織の．*2*〘n.〙ラード，豚脂 (軟膏の調製に用いる．→a. lanae)．＝lard.

a. lanae [L. fat of wool]. 羊毛脂 (*Ovis aries* 種(牛科)のヒツジの毛より得られる脂質成分．クリームや軟膏の皮膚軟化性基剤として用いられる)．＝hydrous wool fat; lanolin; wool wax.

a. renis 腎〔周囲〕脂肪組織 (腎を取り巻く脂肪組織(″脂肪被膜″)の層(腎外膜脂肪 perirenal fat)を表す現在では用いられない語)．

a·der·mi·a (ă-der′mē-ă) [G. *a*- 欠性辞 + *derma*, skin]. 無皮膚〔症〕(皮膚の先天的欠損)．

ADH antidiuretic *hormone*; alcohol dehydrogenase の略．

adhalin (ad′hal-in) [Ar. *adhal*, muscle + -in]. アドハリン (ジストロフィーに関連する 50 キロダルトンの糖蛋白の1つ．筋ジストロフィのいくつかの型の患者で不足する)．

ADHD attention deficit hyperactivity *disorder* の略．

ad·her·ence (ad-hēr′ĕnts) [L. *adhaereo*, to stick to]. *1* 粘着性 (あるものにくっつくこと，またはそのような性質．→adhesion)．*2* 指示順守度 (患者が，いったん了承した治療法をほとんど監視なしで継続する度合．*cf.* compliance (2); maintenance)．

immune a. 免疫粘着，免疫付着 (補体レセプタを有する細胞が抗原抗体複合物によって活性化された補体が結合すること)．

ad·he·sins (ad-hē′zins) [L. *ad-haereo*, pp. *ad-haesum*, to stick to + -in]. 付着(粘着)因子 (しばしば線維状突起の形で存在し(線毛または細毛)，上皮細胞膜上の特異受容体に結合する微生物の表層抗原．通常各動物種の赤血球の凝集を惹起する性質，種々の由来の上皮細胞に対する異なった付着性あるいはマンノース存在下での結合活性消失に対する感受性によって分類される)．

ad·he·si·o, pl. ad·he·si·o·nes (ad-hē′zē-ō, ad-hē-zē-ō′nēz) [L.]. 癒着，索状帯．＝adhesion (1).

a. interthalamica [TA]. 視床間橋．＝interthalamic *adhesion*.

ad·hes·i·ol·y·sis (ad-hēz-ē-ol′ŏ-sis) [adhesion + lysis]. 癒着切離，癒着切断 (癒着索状帯の切離．腹腔鏡あるいは開腹術によって行う)．

ad·he·sion (ad-hē′zhŭn) [L. *adhaesio* < *adhaereo*, to stick to]. *1* 癒着，癒合，粘着，付着 (2つの表面や部分の付着または結合の過程．特に創傷の相対向する面の癒合)．＝adhesio; conglutination (1). *2* 索状帯 (胸腔および腹腔内で，相対する漿膜面を結合させる炎症性の帯状物．漿膜面の外傷や炎症の直接的結果)．*3* 付着力 (異種の分子同士の間の物理的引力)．*4* 付着力 (接触している物体の表面同士の間に働く分子間力)．

amnionic a.'s 羊膜癒着．＝amnionic *band*.

fibrinous a. 線維素性癒着 (①血漿，リンパ液の滲出あるいは血液の溢出の結果生じるフィブリンの線維からなる．②フィブリンの細かいまたは薄い線条)．

fibrous a. 線維性癒着 (線維素性癒着の器質化の結果生じる強固な線維性糸状体で，手術手技の後に起こり，通常，器質的腸閉塞となる)．

interthalamic a. [TA]. 視床間橋 (第3脳室を横切る両側の視床間の変異に富んだ結合．約 20％のヒトの脳で欠損が認められる)．＝adhesio interthalamica [TA]; massa intermedia☆; commissura cinerea; commissura grisea (1); intermediate mass.

primary a. 一次癒合．＝*healing* by first intention.

secondary a. 二次癒合．＝*healing* by second intention.

ad·he·si·ot·o·my (ad-hē-sē-ot′ŏ-mē). 癒着切離〔術〕，癒着剝離〔術〕(癒着の外科的切離)．

ad·he·sive (ad-hē′siv). *1*〘adj.〙癒着性の，粘着性の．*2*〘n.〙接着剤 (表面へ付着する，あるいは表面間を癒合する物質)．

adhib. ラテン語 *adhibendus*(投与する)の略．

a·di·a·ba·tic (ā-dē-ă-ba′tik) [G. *adiabatos*, impassable < *a*- 欠性辞 + *diabainō*, to go through]. 断熱 (ある系とその周囲との間に起こる熱の出入りがない熱力学的状態(過程))．

a·di·ad·o·cho·ci·ne·si·a, a·di·ad·o·cho·ci·ne·sis (ă-dī′ă-dō-kō-si-nē′sē-ă, -sis) [G. *a*- 欠性辞 + *diadochos*, successive + *kinēsis*, movement]. ＝adiadochokinesis.

a·di·ad·o·cho·ki·ne·sis (ă-dī′ă-dō-kō-kin-ē′sis) [G. *a*- 欠性辞 + *diadochos*, successive + *kinēsis*, movement]. 変換運動障害，拮抗〔運動〕反復不能〔症〕(急速交互運動ができないこと．小脳機能障害の臨床所見．*cf.* diadochokinesia.→dysdiadochokinesia)．＝adiadochocinesia; adiadochocinesis; dysdiadochokinesis.

a·di·a·pho·re·sis (ā′dī-ă-fō-rē′sis) [G. *a*- 欠性辞 + *diaphorēsis*, perspiration]. 無汗〔症〕．＝anhidrosis.

a·di·a·pho·ret·ic (ā-dī′ă-fō-ret′ik). ＝anhidrotic.

a·di·a·pho·ri·a (ă-dī-ă-fōr′ē-ă) [G. *a*- 欠性辞 + *dia*, through + *phoros*, bearing]. 不応性 (一連の刺激を与えられた後で刺激に対して反応が減退すること)．

a·di·a·spi·ro·my·co·sis (ā′dē-ă-spī′rō-mī-kō′sis). アジアスピロミコーシス (真菌 *Emmonsia parva* var. *crescens* によって引き起こされる，ヒトならびに土壌中や水中に生息するげっ歯類やその他の動物にみられるまれな肺真菌症)．

a·di·a·spore (a′dē-ă-spōr) [G. *a*- 欠性辞 + *dia*, through + *sporos*, seed]. 不応胞子 (動物の肺で産生したり，あるいは *in vitro* で温度を上げて培養した場合，サイズは非常に増すが，結局は，増殖や複製を行わないような真菌類胞子)．

a·di·as·to·le (ă-dī-as′tō-lē) [G. *a*- 欠性辞 + *diastolē*, dilation]. 心拡張欠如 (心臓の拡張期運動の欠如，またはその知覚不能)．

a·di·a·ther·man·cy (ă-dī-ă-ther′măn-sē) [G. *dia-thermainō*, to warm through < *a*- 欠性辞 + *dia*, through + *thermē*, heat]. 断熱性，不透熱性 (熱に対して不透過性であること)．

A·die (a′dē), William J. オーストラリア人医師，1886—1935. →A. *pupil*, *syndrome*; Holmes-A. *pupil*, *syndrome*.

ad·i·em·or·rhy·sis (ad′i-em-ōr′i-sis) [G. *a*- 欠性辞 + *dia*, through + *haima*, blood + *rhysis*, a flowing]. 血行停止 (毛細管循環の停止)．

A·din·i·da (ă-din′i-dă) [G. *a*- 欠性辞 + *diēn*, a whirling]. 無溝類 (べん毛が遊離していて溝中にない渦鞭毛藻類の一亜目)．

adip-, adipo- (a-dip′, ad′i-pō) [L. *adeps*, *adipes*, soft animal fat, lard, grease; fatty tissus; obesity; G. *aleipha* (unguent, anointing-oil, oil, fat, pitch, resin); *lipos* (animal fat, lard, tallow, vegetable oil)に類似]. 脂肪に関する連結形．ギリシ

ア語の lip-, lipo- に相当. →lipo-.

a·dip·ic ac·id (ă-dip′ik as′id). アジピン酸；hexanedioic acid; $HOOC(CH_2)_4COOH$ (ジカルボン酸).

a·dip·i·o·done (a-dĭp-ī′ō-dōn). アジピオドン (イオン性, 二量体性, 水溶性の経静脈的胆管造影に用いられているX線造影剤. ナトリウムまたはメチルグルカミン塩として用いられる).

adipo- (ad′i-pō). →adip-.

ad·i·po·cel·lu·lar (ad′i-pō-sel′yū-lăr). 脂肪細胞性の (脂肪性でかつ細菌性の組織, または脂肪細胞の多い結合組織に関する).

ad·i·po·cer·a·tous (ad′i-pō-ser′ă-tŭs). 死ろうの. =lipocer-atous.

ad·i·po·cere (ad′i-pō-sēr) [adipo- + L. *cera*, wax]. 死ろう(嫌気性状態におかれた死亡した動物組織(死骸など)から生じるろう状の脂肪物質). =grave wax; lipocere.

ad·i·po·cyte (ad′i-pō-sīt). =fat *cell*.

ad·i·po·gen·e·sis (ad′i-pō-jen′ĕ-sis). 脂質生成, 脂肪生成. =lipogenesis.

ad·i·po·gen·ic, ad·i·pog·e·nous (ad′i-pō-jen′ik, ad-i-poj′ĕ-nŭs). 脂質生成の, 脂肪生成の. =lipogenic.

ad·i·poid (ad′i-poyd) [adipo- + G. *eidos*, resemblance]. 脂肪様の. =lipoid.

ad·i·po·kine (ad′i-pō-kīn) [*adipo* + G. *kinēsis*, movement]. アディポカイン (脂肪組織によって産生されるサイトカイン(腫瘍壊死因子アルファやインタロイキン-6など)で, オートクリン/パラクリン機構で局所的に, あるいはホルモンとして全身的に働く).

ad·i·po·ki·net·ic (ad′i-pō-ki-net′ik) [adipo- + G. *kinēsis*, movement]. 脂肪動員物質の (貯留脂質の動員を引き起こす物質または因子についていう).

ad·i·po·ki·nin (ad′i-pō-kī′nin). アジポキニン, 脂肪動員ホルモン (脂肪組織からの脂肪の動員を促進する下垂体前葉ホルモン). =adipokinetic hormone.

ad·i·pom·e·ter (ad′i-pom′ĕ-tĕr) [adipo- + G. *metron*, measure]. 〔皮下〕脂肪〔測定〕計 (皮膚の厚さを測定する器械).

ad·i·po·ne·cro·sis (ad′i-pō-nĕ-krō′sis). 脂肪壊死〔症〕(出血性膵炎にみられるような脂肪の壊死を表す, まれに用いる語).

ad·i·po·nec·tin (ad′i-pō-nek′tin) [*adipo-* + L. *necto*,to fasten + *-in*]. アディポネクチン (脂肪組織より産生されて全身の血液に分泌される蛋白ホルモン. 末梢組織のインスリンに対する感受性を促進する).

ad·i·po·sal·gi·a (ad′i-pō-sal′jē-ă) [adipo- + G. *algos*, pain]. 疼痛性脂肪蓄積〔症〕(皮下脂肪に痛みが生じてくる状態).

ad·i·pose (ad′i-pōs). 脂肪の.

ad·i·po·sis (ad-i-pō′sis) [adipo- + G. *-osis*, condition]. 脂肪症, 脂肪過多〔症〕, 肥満〔症〕(身体における脂肪の局所的または全身的過剰蓄積). =lipomatosis; liposis (1); steatosis (1).

a. cerebralis 脳性脂肪症 (頭蓋内疾患, 視床下部疾患, に起因する肥満症で, 過食症を生じる).

a. dolorosa [MIM*103200]. 有痛脂肪症 (身体の種々の部位における, 対称性の小結節性, 結節性または有茎性の脂肪塊の蓄積を特徴とする疾患. 不快感や苦痛を伴う). =Anders disease; Dercum disease; lipomatosis neurotica.

a. orchica 精巣性脂肪症. =adiposogenital *dystrophy*.

a. tuberosa simplex 単純性結節性脂肪症 (有痛脂肪症に類似した症状. 脂肪が腹部または四肢に, 小さな結節として発生する. この結節は触れると敏感で, 自発痛を伴うことも多い).

a. universalis 全身〔性〕脂肪症 (内臓を含む身体全体の脂肪の過剰蓄積).

ad·i·pos·i·ty (ad-i-pos′i-tē). ***1*** 肥満〔症〕. =obesity. ***2*** 皮下または内臓に脂肪組織が過剰に蓄積した状態.

ad·i·po·su·ri·a (ad′i-pōs-yūrē-ă) [adipo- + G. *ouron*, urine]. 脂肪尿〔症〕. =lipuria.

a·dip·si·a, a·dip·sy (ă-dip′sē-ă, -dip′sē) [G. *a-* 欠性辞 + *dipsa*, thirst]. 渇感欠如, 無飲症 (**[**誤ったつづり adypsia を避けること**]**. 渇感の欠如または飲水欲求の喪失).

ad·i·tus (ad′i-tŭs) [L. access < *ad-eo*, pp. *-itus*, go to] [TA]. 口, 入口. =aperture; inlet.

a. ad antrum mastoideum [TA]. =a. to mastoid antrum.

a. ad aqueductum cerebri 中脳水道口. =*opening* of aqueduct of midbrain.

a. ad infundibulum [TA]. 漏斗口. =infundibular *recess*.

a. ad saccum peritonei minorem 小腹膜嚢口. =omental *foramen*.

a. glottidis inferior 下声門口. =infraglottic *cavity*.

a. glottidis superior 上声門口. =intermediate laryngeal *cavity*.

laryngeal a. 喉頭口. =laryngeal *inlet*.

a. laryngis [TA]. 喉頭口. =laryngeal *inlet*.

a. to mastoid antrum [TA]. 乳突洞口 (鼓室上陥凹から乳突洞への入口). =a. ad antrum mastoideum[TA]; aperture of mastoid antrum.

a. orbitalis [TA]. 眼窩口. =orbital *opening*.

a. pelvis 骨盤入口. =pelvic *inlet*.

ad·just·ment (ă-jŭst′mĕnt). ***1*** 調整 (歯科において, 固定または可撤補てつ物の装着時あるいは装着後に, その適合と機能を完全にするために行われるすべての修正). ***2*** 適応. =adaptation (6). ***3*** 調整 (ある統計的尺度を用いて集団間の比較を行うとき, 比較される集団の構成割合の差の影響が最小になるように行われる統計的要約の手続き).

occlusal a. 咬合調整 (歯の咬合表面および切縁表面間の調和関係がとれるように行う修正).

ad·ju·vant (ad′jū-vănt) [L. *ad-juvo*, pres. p. *-juvans*, to give aid to]. ***1*** 佐剤, 補助薬 (主要成分の作用機構に所定の増強効果を期待して, 処方調剤の際に加える薬剤). ***2*** アジュバント (免疫学において, 抗原性を増強するために用いる賦形剤. 例えば, 抗原が吸着する無機物(ミョウバン, 水酸化アルミニウム, リン酸アルミニウム)の懸濁液. また, 抗原水溶液が鉱油中で乳化されている油乳剤(Freund 不完全アジュバント). ときに, 抗原性をさらに増強させる(抗原の分解を抑制する, あるいはマクロファージの遊走を引き起こす)ために死滅したミコバクテリアを含んだ油乳剤(Freund 完全アジュバント)などである). ***3*** アジュバント, 補助療法 (治療の効果を増強・拡大するために加えられる付加的治療. 例えば, 手術療法に加えられる化学療法). ***4*** アジュバント, 付加療法 (顕微鏡的な遺残病変から, 臨床的癌の再発を防ぐため根治的治療に付加される治療).

Freund a. (froynd). →adjuvant.

Freund complete a. (froynd). フロイント完全アジュバント (ミコバクテリアまたは, 結核菌の死菌を加えた抗原水溶液の油乳剤).

Freund incomplete a. (froynd). フロイント不完全アジュバント (ミコバクテリアを含まない抗原水溶液の油乳剤).

Ad·ler (ad′lĕr), Alfred. オーストリア人精神科医, 1870—1937. →adlerian *psychology*; adlerian *psychoanalysis*.

Ad·ler (ad′lĕr), Oscar. ドイツ人医師, 1879—1932. →A. *test*.

ad·le·ri·an (ad-lĕr′i-ăn). Alfred Adler に関する, または彼の記した.

ad lib. ラテン語 *ad libitum*(適宜に)の略.

ADLs activities of daily living(日常生活動作)の略. →activities of daily living *scale*.

adm. →admov.

ad·me·di·al, ad·me·di·an (ad-mē′dē-ăl, -dē-ăn). 正中面に向かう, 正中面の近くの.

ad·mi·nic·u·lum, pl. **ad·mi·nic·u·la** (ad-mi-nik′yū-lŭm, ad-mi-nik′yū-lă) [L. hand-rest, prop < *ad* + *manus*, hand]. 補束 (ある部分を支える物).

a. lineae albae [TA]. 白線補束. =posterior *attachment* of linea alba.

administrator (ad-min′i-strā-tŏr). 管理者 (執行業務を管理する人).

third-party a. 第三者管理機関 (ヘルスケアの請求に対して事前承認や処理を行う団体や個人のこと. 保険約款に基づいて給付の支払いを決定する).

ad·mit·tance (ad-mit′ănts). →impedance; immittance; compliance. =*compliance* of the middle ear.

admov. ラテン語 *admove*(適用する)の略.

ad·ner·val (ad-nĕr′văl). =adneural.

ad·neu·ral (ad-nūr′ăl). =adnerval. ***1*** 神経の近くの. ***2*** 神経

A

の方へ向かう（筋肉内を神経の進入点に向かって流れる電流についていう）.

ad·nex·a, sing. **ad·nex·um** (ad-nek′să, -sŭm)［L. connected parts］. 付属器（→appendage）. ＝accessory *structures.*

a. oculi 眼付属器. ＝accessory visual *structures.*

a. uteri 子宮付属器. ＝uterine *appendages.*

ad·nex·al (ad-nek′săl). 付属器の. ＝annexal.

ad·nex·ec·to·my (ad-nek-sek′tŏ-mē). ***1*** 付属器切除〔術〕（付属器の切除）. ***2***〔子宮〕付属器摘出〔術〕（婦人科において，片側性の場合は，左右いずれかの卵管と卵巣の摘出．両側性の場合は，両側の卵管と卵巣(子宮付属器)の摘出）.

ad·nex·i·tis (ad-nek-sī′tis)［L. *annexa*, adnexa + *-itis*, inflammation］. 子宮付属器炎（子宮付属器の炎症）.

ad·nex·o·pex·y (ad-neks′ŏ-pek-sē)［L. *annexa*, adnexa + G. *pēxis*, fixation］.〔子宮〕付属器固定〔術〕（卵管と卵巣の固定手術．通常，卵巣固定術は卵管を固定せずに行う）.

Ado アデノシンの記号.

ad·o·les·cence (ad-ŏ-les′ĕnts)［L. *adolescentia* < *adultus essere*, becoming an adult］. 青年期，青春期（思春期に始まり完全な成長および身体的な成熟に至る人生の期間）.

ad·o·les·cent (ad-ŏ-les′ĕnt). ***1***〚adj.〛青年期の，青春期の. ***2***〚n.〛青年（成長の段階にある人）.

AdoMet S-adenosyl-L-methionine の略.

a·don·is (ă-don′is)［G. *Adōnis*, 神話上の人物 < Phoenicial *adon*, lord］. アドニス草（キンポウゲ科のフクジュソウ属 *Adonis vernalis* から得られる薬草．東欧に植生し，その地域ではうっ血性心疾患の治療に用いられる．ストロファンチジンと強心配糖体を含む）. ＝false hellebore.

a·don·i·tol (ă-don′i-tol). アドニトール. ＝ribitol.

ADP adenosine 5′-diphosphate の略.

ADPase ADPアーゼ. ＝apyrase.

ADR adverse drug *reaction* の略.

adren- (ă-drēn). →adreno-.

a·dre·nal (ă-drē′năl)［L. *ad*, to + *ren*, kidney］. ***1***〚adj.〛腎傍の，腎上の（腺としての副腎についていう）. ***2***〚n.〛副腎，腎上体（本体のみならず，これから遊離・分離した組織をも含む. →suprarenal）.

accessory a. 副副腎（副腎とは別の皮質組織の島．一般に後腹膜組織，腎臓，または性器にみられる）. ＝adrenal rest.

Marchand a.'s (mahr′shahn[h]). マルヒャント副腎（子宮の広靱帯または精巣にある副副腎組織の小集合体）. ＝Marchand rest.

a·dre·nal·ec·to·my (ă-drē-năl-ek′tŏ-mē)［adrenal + G. *ektomē*, excision］. 副腎摘出〔術〕，副摘（1つまたは両側の副腎摘出）.

a·dren·a·line (ă-dren′ă-lin). アドレナリン. ＝epinephrine.

a. oxidase アドレナリンオキシダーゼ. ＝*amine* oxidase (2).

a·dre·nal·ism (ă-drē′năl-izm). ＝hypercorticoidism.

a·dre·nal·i·tis (ă-drē-năl-ī′tis). 副腎炎（副腎の炎症）.

a·dren·a·lone (ă-dren′ă-lōn). アドレナロン（エピネフリンの製造過程における前駆物質．以前は眼科において，局所性のアドレナリン作用薬として用いられた）.

a·dre·na·lop·a·thy (ă-drē-nă-lop′ă-thē)［adrenal + G. *pathos*, suffering］. 副腎疾患（副腎の何らかの病的状態）. ＝adrenopathy.

ad·ren·ar·che (ad-ren-ar′kē)［adren- + G. *archē*, beginning］.［誤った発音 ad′renarche を避けること］. ***1*** 副腎皮質性思春期徴候（思春期早期に副腎皮質の活動が盛んになり腋毛や陰毛が生じること）. ***2*** 副腎皮質徴候発現（男性ホルモンやその前駆体が副腎皮質より分泌されることにより惹起される思春期の生理的変化）.

ad·re·ner·gic (ad-rĕ-ner′jik)［adren- + G. *ergon*, work］. アドレナリン作用(作動)〔性〕の（①神経伝達物質としてノルエピネフリンを用いる自律神経系の神経細胞または神経線維についていう．*cf.* cholinergic. ②交感神経系の作用と類似した作用をする薬物についていう. →α-adrenergic *receptors*; β-adrenergic *receptors*）.

a·dren·ic (ă-drē′nik). 副腎の.

adreno-, adrenal-, adren- (ă-drē′nō, ă-drēn)［L. *ad*, to, near + *ren*, kidney + -o- + *-alis*, pertaining to］.［本連結形を adeno- と混同しないこと］. 副腎に関する.

a·dre·no·cep·tive (ă-drē-nō-sep′tiv). アドレナリン受容〔体〕の（化学伝達物質の一種であるアドレナリンが結合する効果器細胞の部位についていう．*cf.* cholinoceptive）.

a·dre·no·cep·tor (ă-drē′nō-sep′tŏr). ＝adrenergic *receptors.*

a·dre·no·cor·ti·cal (ă-drē-nō-kōr′ti-kăl). 副腎皮質の.

a·dre·no·cor·ti·coid (ă-drē-nō-kor′ti-koyd). アドレノコルチコイド. ＝corticosteroid.

a·dre·no·cor·ti·co·mi·met·ic (ă-drē′nō-kōr′ti-kō-mi-met′-ik)［adrenal + cortex + G. *minētikos*, imitating］. 副腎皮質〔様〕作用の（副腎皮質機能に類似する）.

a·dre·no·cor·ti·co·tro·pic, a·dre·no·cor·ti·co·tro·phic (ă-drē′nō-kōr′ti-kō-trō′pik, -trō′fik)［adrenal cortex + G. *trophē*, nurture; *tropē*, a turning］. 副腎皮質刺激の（副腎皮質の成長や副腎皮質ホルモンの分泌を刺激すること）. ＝adrenotropic; adrenotrophic.

a·dre·no·cor·ti·co·tro·pin (ă-drē′nō-kōr′ti-kō-trō′pin). アドレノコルチコトロピン，アドレノコルチコトロフィン. ＝adrenocorticotropic *hormone.*

a·dre·no·gen·ic, adre·nog·e·nous (ă-drē-nō-jen′ik, a-drĕ-noj′ĕ-nŭs)［adreno- + G. *-gen*, producing］. 副腎由来の.

a·dre·no·leu·ko·dys·tro·phy (ALD) (ă-drē′nō-lū-kō-dis′trŏ-fē)［MIM*300100］. 副腎脳白質ジストロフィ（X連鎖劣性遺伝形式をとる疾患で，若年の男性を侵し，長鎖脂肪酸の代謝障害をきたす．慢性副腎皮質不全，皮膚色素沈着，進行性の知能低下，痙性麻痺や神経障害を特徴とし，脳の白質のミエリン変性による神経障害を起こす．原因遺伝子はX染色体長腕にあり，ペルオキシソーム膜上に存在するATP結合性トランスポーターである副腎脳白質ジストロフィ蛋白(ALDP)をコードしている．男児・青年や成人男子にみられる軽症型は副腎脊髄ジストロフィとよばれる）.

a·dre·no·lyt·ic (ă-drēn-ō-lit′ik)［adreno- + G. *lysis*, loosening, dissolution］. 抗アドレナリン〔性〕の（エピネフリン，ノルエピネフリン，およびそれに関連する交感神経様作用薬の作用との拮抗または阻害についていう. →adrenergic blocking *agent*）.

adrenomedullin［adreno- + medulla + -in］. アドレノメデュリン（血管内皮と副腎髄質で産生されるペプチド．動物実験では，血管抵抗を減弱させ長時間の血圧降下作用を示す．また副腎皮質球状帯(zona glomerulosa)でのアルドステロン産生を阻害する）.

a·dre·no·meg·a·ly (ă-drē-nō-meg′ă-lē)［adreno- + G. *megas*, big］. 副腎腫脹（片側または両側の副腎腫脹）.

a·dre·no·mi·met·ic (ă-drē′nō-mi-met′ik)［adreno- + G. *mimētikos*, imitative］. アドレナリン〔様〕作用(作動)の（副腎髄質やアドレナリン作用性神経から放出されるエピネフリンやノルエピネフリンに類似した作用を有することについていう．あまり正確ではない語である sympathomimetic に代わる用語．*cf.* adrenergic; cholinomimetic）.

a·dre·no·my·e·lo·neu·rop·a·thy (ă-drē′nō-mī′ĕ-lō-nū-rop′ă-thē)［adreno- + G. *myelos*, medulla + *neuron*, nerve + *pathos*, suffering］. 副腎脊髄神経障害（長期間持続する副腎不全，性腺機能低下症，進行性の脊髄障害，末梢神経障害，括約筋の障害を呈する成人男性の疾患．副腎脳白質ジストロフィの変異型と考えられている）.

a·dre·nop·a·thy (a-dren-op′ă-thē). 副腎疾患. ＝adrenalopathy.

a·dre·no·pause (ă-dren′ŏ-pawz). 副腎機能停止（加齢による副腎のアンドロゲン分泌層の機能低下. menopause と類語）.

a·dre·no·pri·val (ă-drē-nō-prī′văl)［adreno- + L. *privo*, to deprive］. 副腎〔機能〕喪失の（疾病または外科的切除の結果としての副腎機能の喪失に対してまれに用いる語）.

adre·no·re·ac·tive (ă-drē′nō-rē-ak′tiv). 副腎反応性の，アドレナリン反応性の（カテコールアミンに反応する）.

a·dre·no·re·cep·tors (ă-drē′nō-rē-sep′tĕrz). ＝adrenergic *receptors.*

a·dre·nos·ter·one (a-drē-nos′tĕr-ōn). アドレノステロン（副腎から単離された弱いアンドロゲン作用をもつアンドロゲン(男性ホルモン)の一種）.

a·dre·no·tox·in (ă-drē-nō-tok′sin)［adreno- + toxin］. 副

腎毒素（副腎にとって有害な物質）．
a·dre·no·tro·pic, adre·no·tro·phic (ă-drē-nō-trō′pik, -trō′fik)．副腎刺激性の．＝adrenocorticotropic.
a·dre·no·tro·pin (ă-drē-nō-trō′pin)．アドレノトロフィン，アドレノトロピン．＝adrenocorticotropic *hormone.*
a·dri·a·my·cin (ā′drē-ă-mī′sin)．アドリアマイシン．＝doxorubicin.
ad sat ラテン語 *ad saturatum*(飽和する)の略．
Ad·son (ad′sŏn), Alfred W. 米国人神経外科医，1887—1951．→A. *test, forceps, maneuver*; Brown-A. *forceps.*
ad·sorb (ad-sōrb′) [L. *ad,* to + *sorbeo,* to suck in]．吸着する（[absorb と混同しないこと]．吸着により吸い上げる）．
ad·sorb·ate (ad-sōr′bāt)．吸着物（吸着された物質）．
ad·sorb·ent (ad-sōr′bĕnt)．吸着剤，吸着薬（①吸着する物質，すなわち，共有結合によらずに表面に他の物質を付着させる特性をもつ固形物質，例えば活性炭．②免疫吸着で用いる抗原または抗体）．
ad·sorp·tion (ad-sōrp′shŭn) [L. *ad,* to + *sorbeo,* to suck up]．吸着（[absorption と混同しないこと]．ある固形物質がガス，液体，溶液，または懸濁液中の他の物質を表面に吸い付けたり，結合させたりする性質．例えばガスの表面への凝縮．*cf.* absorption)．
immune a. 免疫吸着（①特異抗原を用いて行う抗血清からの抗体(凝集素または沈降素)の除去．凝集後，抗原抗体複合体は，遠心分離または沪過により分離される．②同様の方法で行う特異抗血清による抗原の除去）．
ad·ster·nal (ad-stĕr′năl)．胸骨付近の，胸骨上の．
ad·ter·mi·nal (ad-tĕr′mi-năl)．末端へ向かう（神経終末，筋の停止点，またはある構造物の先端の方向へ向かうことについていう．→anterograde)．
a·dult (ă-dŭlt′) [L *adultus,* grown up < *adolesco,* to grow up]．***1***〖adj.〗成人の，成虫の，成体の．***2***〖n.〗成人，成虫，成体．
a·dul·ter·ant (ă-dŭl′tĕr-ănt)．不純物（混合物．好ましくない影響を与えたり治癒的価値や金銭的価値を低減させるために活性物質を希釈するためと考えられる付加物）．
a·dul·ter·a·tion (ă-dŭl-tĕr-ā′shŭn)．不純物混和（その物質の成分ではないものを故意に添加することにより，その物質を変えること．通常は結果として品質低下のみられることを意味して用いる語）．
a·dul·to·mor·phism (ă-dŭl-tō-mōr′fizm)．擬成人化（小児の行動を成人の概念で解釈すること）．
adv. ラテン語 *adversum*(〜と反対に)の略．
ad·vance (ad-vants′) [Fr. *avancer,* to set forward]．進展する（末端に向かって進んでいく）．
ad·vanced life sup·port (ALS) (ad-vanst′ līf sŭp-ōrt′)．高次的救命（心室除細動，挿管や人工呼吸器，薬剤を用いた治療などの最終的段階の救命処置．*cf.*basic life support)．
ad·vance·ment (ad-vants′mĕnt)．前位縫合（組織をさらに遠位に移すことができるように付着部(通常起始部)で部分的に切断したり，はずしたりする手術手技）．
capsular a. 嚢前位縫合（Tenon 嚢前部を再縫着させること）．
tendon a. 腱前位縫合（眼筋の腱を切除し，それをさらに眼球の前側部分で縫着すること）．
ad·ven·ti·tia (ad-ven-tish′ă) [L. *adventicius,* coming from abroad, foreign < *ad,* to + *venio,* to come][TA]．外膜（器官，血管，その他の構造あるいはそれらの一部の漿膜(臓側腹膜)でおおわれていない部分をおおう結合組織性の膜で，もともとは外部の結合組織などに由来し，その器官や構造の本来の部分ではないもの．TAは以下のものの外膜をあげている．血管，精管，食道，腎盤(腎盂)，精嚢，子宮)．＝membrana adventitia (1); tunica adventitia [TA]．
ad·ven·ti·tial (ad-ven-tish′ăl)．外膜の（血管または他の構造物の外皮や外膜に関する)．＝adventitious (3)．
ad·ven·ti·tious (ad-ven-tish′ŭs)．***1*** 外来性の，外因性の（外的な要因から生じてくること．あるいは普通でない場所または形で起こること．→extrinsic)．***2*** 自然的または遺伝的ではなく，偶発的あるいは自発的な．***3*** ＝adventitial.
a·dy·nam·i·a (ā-dī-nam′ē-ă, ad-i-nā′mē-ă) [G. *a-* 欠性辞 + *dynamis,* power]．〔筋〕無力〔症〕，〔筋〕脱力〔症〕（①＝asthenia．②運動活動や運動力の欠如）．
a. episodica hereditaria 遺伝性挿間性〔筋〕無力〔症〕，遺伝性挿間性〔筋〕脱力〔症〕（ミオトニーのない高カリウム血性周期性四肢麻痺 hyperkalemic periodic *paralysis.* paralysis の項参照）．
a·dy·nam·ic (ā-dī-nam′ik)．〔筋〕無力〔症〕の，〔筋〕脱力〔症〕の．
ae- この形で始まり以下に記載のない語については e- の項参照．
Ae·by (ā′bē), Christopher T. スイス人解剖学者，1835—1885．→A. *plane.*
AECB acute exacerbation of chronic bronchitis(慢性気管支炎の急性増悪)の略．
AED automated external *defibrillator* の略．
A·e·des (ā-ē′dēz) [G. *aēdēs,* unpleasant, unfriendly]．ヤブカ属（熱帯および亜熱帯地域に広く分布する，最も一般的な小型のカの属）．
A. aegypti ネッタイシマカ（黄熱病を媒介するカで，デング熱の病原体も媒介するカ．胸郭に竪琴状の白紋を有するのが特徴）．
A. albopictus ヒトスジシマカ（太平洋沿岸に広く分布する．近年はアメリカでも見られている．デング熱の重要な媒介カで，ウエストナイルウイルスも媒介する可能性がある）．
A. atlanticus デング熱，黄熱病，脳炎の原因となるウイルスを媒介することが知られているカ科のカ．
A. caballus 南アフリカにおけるリフト渓谷熱の重要な媒介カ．
A. dorsalis 西部ウマ脳炎の二次的または擬似媒介カ．
A. leucocelaenus 南アフリカで黄熱を媒介するカ．
A. melanimon 西部ウマ脳炎およびカリフォルニア群脳炎の媒介カ．
A. mitchellae 東部ウマ脳炎の二次的または擬似媒介カ．
A. nigromaculis 西部ウマ脳炎およびカリフォルニア群脳炎の二次的または擬似媒介カ．
A. polynesiensis ポリネシアヤブカ（ポリネシアでフィラリア症やデング熱の重要な媒介カ）．
A. sollicitans 塩沢によくみられるカで，米国の大西洋岸およびメキシコ湾沿岸における東部ウマ脳脊髄炎の媒介カ．
A. taeniorhynchus ベネズエラウマ脳炎の媒介カで，カリフォルニア群脳炎の二次的または擬似媒介カ．
A. triseriatus カリフォルニア群脳炎の媒介カ．
A. trivittatus カリフォルニア群脳炎の媒介カ．
A. variegatus 太平洋諸島(ギルバートおよびエリス群島)における寄生糸状虫の媒介カ．
A. vexans カリフォルニア群脳炎の媒介カおよび東部ウマ脳炎の二次的または擬似媒介カ．
Ae·lu·ro·stron·gy·lus (ē′lūr-ō-stron′jī-lŭs) [G. *ailuros,* cat + Mod. L. < G. *strongylus,* round]．ネコ肺虫（ネコの肺寄生虫として一般的な属．カタツムリやナメクジが中間宿主となり，これを食べる動物が運搬宿主となりうる）．
ae·quo·rin (ē′kwō-rin)．エクオリン（クラゲ *Aequorea* から単離された発光蛋白で，微少量のカルシウムイオンでさえも青色光線を発する．細胞内注入により，細胞での遊離カルシウムイオンを測定するのに用いられる．→fura-2; quin-2)．
aer-, aero- (ār, ār′ō) [G. *aēr* (L. *aer*), air]．空気，ガスを表す連結形．
aer·ate (ār′āt)．通気する，空気(酸素または炭酸ガス)を通す（①(血液に)酸素を供給する．②精製中，空気を循環し曝気させる．③(液体に)ガス，特に二酸化炭素ガスを供給または充填する）．
aeration (ār-ā′shŭn)．通気，含気，エアレーション（空気を封じ込めた状態，または空気で充填させる含気．放射線科で用いる，特に肺内部の拡張）．
aer·en·do·car·di·a (ār-en-dō-kar′dē-ă) [aer- + G. *endon,* within + *kardia,* heart]．心臓内空気搬入（心臓内の血液中に非溶解空気があること）．
aero- (ār′ō) →aer-.
Aer·o·bac·ter (ār-ō-bak′tĕr) [aero- + G. *baktērion,* a small staff]．アエロバクター属（→*Enterobacter*)．
aer·obe (ār′ōb) [aero- + G. *bios,* life]．好気性生物（①酸素の存在下で生息または成長できる生物．②呼吸反応連鎖において，最終の電子受容体として酸素を利用しうる生物）．
obligate a. 偏性好気性菌（酸素がないと生息または成長

できない細菌).

aer・o・bic (ār-ō′bik). =aerophilic; aerophilous. ***1*** 好気〔性〕の，有酸素〔性〕の（空気中に生息する）. ***2*** 好気性生物に関する.

aer・o・bi・ol・o・gy (ār′ō-bī-ol′ŏ-jē). 航空生物学，空中生物学（生体，非生体を問わず生物学的に重要な大気成分の研究．例えば，浮遊胞子，病原菌，アレルゲン性物質，汚染物などの研究）.

aer・o・bi・o・scope (ār-ō-bī′ō-skōp) [aero- + G. *bios*, life + *skopĕo*, to view]. 空中細菌検査器（空気中の細菌含量を測定する装置）.

aer・o・bi・o・sis (ār′ō-bī-ō′sis) [aero- + G. *biōsis*, mode of living]. 好気生活（酸素を含有する大気中で生活すること）.

aer・o・bi・ot・ic (ār′ō-bī-ot′ik). 好気生活の.

aer・o・cele (ār′ō-sēl) [aero- + G. *kēlē*, tumor]. 気瘤（自然にできた小さな窩内にガスが貯留している状態）.

Aer・o・coc・cus (ār-ō-kok′ŭs) [aero- + G. *kokkos*, berry]. アエロコッカス属（好気性グラム陽性球菌の一属で，空気媒介の腐生者として働く．血液寒天培地で α− 溶血を起こし，40%胆汁の存在下で発育する．標準種である *A. viridans* は正常皮膚細菌叢の一部として普通に回収される．病原性は弱いが，まれに心内膜炎の原因となることが報告されている）.

A. urinae *A. viridans* に似た菌種であるが，胆汁エスクリン試験が陰性である細菌種.

aer・o・col・pos (ār-ō-kol′pos) [aero- + G. *kolpos*, lap, hollow]. 腟内空気貯留（腟内にガスが充満している状態を表す現在では用いられない語）.

aer・o・der・mec・ta・si・a (ār′ō-dĕr-mek-tā′zē-ă) [aero- + G. *derma*, skin + *ektasis*, a stretching out]. =subcutaneous *emphysema.*

aer・o・don・tal・gi・a (ār′ō-don-tal′jē-ă) [aero- + G. *odous*, tooth + *algos*, pain]. 航空性歯痛（大気圧の増加または減少によって起こる歯痛）. =aeroodontalgia; aeroodontodynia.

primary a. 原発性航空性歯痛（歯の充塡物下，あるいは感染歯髄内のガスの膨張による歯痛）.

secondary a. 続発性航空性歯痛（航空性副鼻腔炎の部位から歯に伝播した痛み）.

aer・o・don・ti・a (ār-ō-don′shē-ă) [aero- + G. *odous*, tooth]. 航空歯科学（大気圧の増加または減少が歯に及ぼす影響に関する学問）.

aer・o・dy・nam・ics (ār′ō-dī-nam′iks) [aero- + G. *dynamis*, force]. 空気力学，航空力学（空気，その他の気体の運動，それらを動かす力およびそのような動きの結果についての研究）.

aer・o・dy・nam・ic size (ār′ō-dī-nam′ik sīz). 空気力学的サイズ（エーロゾルで，粒子の空気力学的挙動を最もよく表す単位密度をもつ粒子の大きさ）.

aer・o・gas・tri・a (ār-ō-gas′trē-ă). 胃内空気貯留（気体により胃が膨張すること）.

blocked a. 遮断性胃内空気貯留（おくびを妨げる下部食道の括約筋部分の痙攣による胃内ガスの貯留）.

aer・o・gen (ār′ō-jĕn). 醸気菌，ガス産生菌（ガスを生成する細菌）.

aer・o・gen・e・sis (ār-ō-jen′ĕ-sis) [aero- + G. *genesis*, origin]. 醸気，ガス産生（例えば微生物によるガス生成）.

aer・o・gen・ic, aer・og・e・nous (ār-ō-jen′ik, -oj′ĕ-nŭs). 醸気の，ガス産生の.

aer・o・med・i・cine (ār-ō-med′i-sin). =aviation *medicine.*

aer・o・mo・nad (ār-ō-mō′nad). アエロモナス菌（*Aeromonas* 属の種についていう通称）.

Aer・o・mo・nas (ār-ō-mō′năs). アエロモナス属（オキシダーゼ陽性，好気性あるいは通性嫌気性のグラム陰性細菌の一属（ビブリオ科）で，杆菌状のものから球状のものまである．運動性細胞は通常，単一の極べん毛を有しているが，非運動性の種もある．その代謝は，酸化および発酵の両者による．栄養要求性は厳格ではない．水中や下水中に見出されるが，淡水動物や海水動物，およびヒトの病原体となるものもある．ヒトでの症状として，蜂巣炎，創傷性感染，急性下痢(特に *A. sobria* によって起こる)，敗血症，尿路感染症，および肝胆汁性，髄膜性，耳性感染症，ならびに心内膜炎などがある．標準種は *A. hydrophila*）.

A. hydrophila ヒトに蜂巣炎，創傷感染，急性下痢症(水介在性および貝類関連)，敗血症，尿路感染症を起こす細菌種．カエルの赤足病の原因にもなる．*Aeromonas* 属の標準種.

aer・o・o・don・tal・gi・a (ār′ō-ō-don-tal′jē-ă). =aerodontalgia.

aer・o・o・don・to・dyn・i・a (ār′ō-ō-don-tō-din′ē-ă). =aerodontalgia.

aer・o・pause (ār′ō-pawz). エアロポーズ（成層圏と宇宙空間との間にある大気上層部．そこに存在する気体粒子は非常に希薄で，人間の生理的要求をほとんど満たさず，また燃料の燃焼に空気を必要とする運搬手段を働かすことはできない）.

aer・o・pha・gi・a, aer・oph・a・gy (ār-ō-fā′jē-ă, -of′ă-jē) [aero- + G. *phagō*, to eat]. 空気えん(嚥)下〔症〕，呑気〔症〕（ウマの空気の異常えん下．さくへき(いわゆる齰癖)にみられる）. =pneumophagia.

aer・o・phil, aer・o・phile (ār′ō-fil, -fīl) [aero- + G. *philos*, fond]. ***1*** 空気に対する親和性および必要性をもつ細胞小器官，細胞，器官，もしくは生物. ***2*** 好気性生物（特に偏性好気性菌をいう）.

aer・o・phil・ic, aer・oph・i・lous (ār-ō-fil′ik, ar-of′i-lŭs). =aerobic.

aer・o・pho・bi・a (ār-ō-fō′bē-ă) [aero- + G. *phobos*, fear]. 空気恐怖〔症〕（新鮮な空気や動いている空気に対する病的な恐れ）.

aer・o・pi・e・so・ther・a・py (ār′ō-pī-ē′sō-thār′ă-pē) [aero- + G. *piesis*, pressure + *therapeia*, medical treatment]. 気圧療法（圧縮あるいは希薄化した空気による疾患の治療）.

aer・o・plank・ton (ār-ō-plank′tŏn) [aero- + G. *planktos*, (中性形 *-on*), wandering]. 空中プランクトン，空中浮遊生物（空気によって運ばれる生体または物質．例えば，バクテリア，花粉粒など）.

aer・o・si・al・oph・a・gy (ār′ō-sī-al-of′ă-jē). 空気唾液えん(嚥)下〔症〕. =sialoaerophagy.

aer・o・si・nus・i・tis (ār-ō-sī-nŭ-sī′tis). 航空〔性〕副鼻腔炎. =barosinusitis.

aer・o・sis (ār-ō′sis) [aero- + G. *-osis*, condition]. ガス形成，ガス産生（組織内のガス生成）.

aer・o・sol (ār′ō-sol) [aero- + solution]. エーロゾル〔剤〕，エアロゾル，煙霧質（①治療，殺虫，その他の目的として細かい霧状に空気中や気体中，蒸気中に放散される液体または微粒子状の物質．②局所的適用，吸入，身体開口部への導入を目的として，圧力をかけて装塡された治療的または化学的に活性な成分を含有するもの）.

吸入エアロゾル療法

解剖学的標的における粒子サイズの影響.

粒子サイズ	標的部位
>100 μm	粒子は気道に入らない
5—100 μm	口，鼻，喉頭，気管
2—5 μm	気管支と細気管支
0.5—2 μm	肺胞に入ることができる
<0.5 μm	沈着されないで，呼出される

respirable a.'s 呼吸用エーロゾル〔剤〕（10 μm 以下の空気力学的サイズをもつエーロゾル）.

aer・o・sol・i・za・tion (ār-ō-sol-i-zā′-shŭn). エーロゾル適用，エーロゾル投与（一般に治療を目的として，細かい霧状の液体または溶液を空気中で，特に気道へ拡散すること）.

aer・o・ther・a・peu・tics, aer・o・ther・a・py (ār′ō-thār-ă-pū′tiks, -thār′ă-pē). 大気療法〔学〕，空気療法〔学〕（新鮮な空気，種々に圧力を変えた空気や希薄な空気，種々の治療的処理を加えた空気による疾患の治療）.

aer・o・ti・tis me・di・a (ār-ō-tī′tis mē′dē-ă) [aero- + G. *ous*, ear + *-itis*, inflammation]. 航空〔性〕中耳炎. =barotitis media.

aer・o・ton・om・e・ter (ār′ō-ton-om′ĕ-ter) [aero- + G. *tonos*, tension + *metron*, measure]. ***1*** 気圧計（気体の張力また

は圧力を測る器械). *2* 血液ガス圧測定器. ＝tonometer (2).

aes·cu·la·pi·an (es-kū-lā′pē-an) [L. *Aesculapius*, G. *Asklēpios*, the god of medicine]. 医薬と医術の神 Aesculapius に関する. ＝esculapian.

aes·ti·val (es′ti-văl). ＝estival.

AFB *1* acid-fast bacillus(抗酸性杆菌)の略. →acid-fast. *2* 人工血管手術の aortofemoral bypass(大動脈大腿動脈バイパス)の略で，その手術法や結果を含む.

a·fe·brile (ā-feb′ril). 無熱〔性〕の. ＝apyretic; apyrexial.

a·fe·tal (ă-fē′tăl). 胎児と無関係の.

af·fect (af′fekt) [L. *affectus*, state of mind < *afficio*, to have influence on]. 情動（ある考えに結び付いた情動的感情，調子，気分で，外的発現を含む).

blunted a. 感情鈍麻（統合失調症患者にみられる気分の障害で，感情表現がきわめて乏しく平板になること).

flat a. 平坦な情動（類似の状況下で他者あるいは自分自身が典型的に示す情緒の調子，あるいは外部に向かう情動反応の量が欠如または減少していること．軽度のものは感情鈍麻とよばれる).

inappropriate a. 不相応な情動（付随する観念，対象，または思考と調和しない情動気分または外部への情動反応).

labile a. 感情易変性（外へ向けての感情表出の急変のこと．中毒のような器質脳症候群でしばしばみられる).

af·fect dis·play (af′fekt dis-plā′). 感情表出（感情状態を示す顔貌，姿勢，身振り手振り).

af·fec·tion (ă-fek′shŭn) [L. *affectio* < *af-ficio*, to affect, influence]. *1* 情動，感情，愛情. *2* 疾患，障害（身体あるいは精神の異常な状態).

af·fec·tive (af-fek′tiv). 感情の（気分，情緒，気持ち，感受性，または精神状態についていう).

af·fec·tiv·i·ty (af-fek-tiv′i-tē). 情動性，感情性. ＝feeling *tone*.

af·fec·to·mo·tor (a′fek-tō-mō′tĕr). 情動運動の（情動または感情気分を伴う筋肉運動発現についていう).

af·fer·ent (af′ĕr-ĕnt) [L. *afferens* < *af-fero*, to bring to]. 求心〔性〕の，輸入の（[efferent と混同しないこと．efferent との違いを強調するため時々使われる，誤った発音 ā′fe-rent を避けること]．ある種の動脈，静脈，リンパ管，神経で，中心部，中枢部へ流入するものについていう). ＝centripetal (1); esodic.

af·fin·i·ty (*A*) (ă-fin′i-tē) [L. *affinis*, neighboring < *ad*, to + *finis*, end, boundary]. *1* 親和力（化学において，ある原子または分子を他の原子または分子と結合させ，複合体や化合物を形成する力). *2* 親和性，結合性（色素による組織の選択染色，または色素，化学薬品，その他の物質の組織による選択的取り込み). *3* 親近感，親しみ（心理学や精神医学において，人々や集団間での積極的なきずなや関連，またはある人の対象や考え，活動に対する積極的な関心のことをさす．すなわち前向きなカテクシス(充当 cathexis)である). *4* アフィニティ，親和性（免疫学では抗原決定基との間の相互作用の強さ). *5* アフィニティ（特異性を示す生体分子の相互反応).

residual a. 残余親和力（見かけ上，飽和している原子，イオン，あるいは分子に対し，他の原子または原子団を引き寄せ，錯生成，水和，吸着などの現象を起こさせる二次的な力).

af·fi·nous (af′i-nŭs) [L. *affinis*, related by marriage < *ad*, to + *finis*, limit]. 類縁の，義理の親類関係にある（配偶者同士が血縁的にではなく，義理の類縁関係にある結婚についていう).

af·fir·ma·tion (a-fer-mā′shŭn) [L. *affirmatio* < affirm, to make strong < *firmus*, strong]. 確認，肯定（自己暗示において，被検者が肯定的に反応傾向を示す段階).

af·fu·sion (ă-fyū′zhŭn) [L. *af-fundo*, to pour into]. 灌注，灌水（治療の目的で，水を身体やその一部に注ぐこと).

AFH anterior facial *height* の略.

AFI amnionic fluid *index* の略.

a·fi·bril·lar (ā-fī′bri-lăr). 原線維のない（原線維をもたない生物学的構造についていう).

a·fi·brin·o·gen·e·mi·a (ā-fī′brin-ō-jĕ-nē′mē-ă). 無線維素原血〔症〕，無フィブリノ〔ー〕ゲン血〔症〕（血漿フィブリノーゲンの欠如. →hypofibrinogenemia).

congenital a. [MIM*202400]. 先天性無線維素原血〔症〕，先天性無フィブリノ〔ー〕ゲン血〔症〕（血漿中にフィブリノーゲンがほとんど，またはまったくみられないまれな血液凝固障害．3つのフィブリノーゲンローカスのうちの1つの変異型による．血小板凝集の欠損を導く．常染色体劣性遺伝).

A·fip·i·a (ă-fip′ē-ă). アフィピア属（オキシダーゼ陽性，運動性，非発酵性のグラム陰性菌の一属で，プロテオバクテリア綱に位置している．形態は変化に富み，染色性の弱い杆菌あるいは糸状菌としてみられる．10種以上が知られており，当初ネコ引っ掻き病の原因として報告されたが，これらの病原因子としての役割は今のところ不明のまま残されている．標準種は *A. felis*．他にヒトから分離されたものに *A. clevelandensis*, *A. broomeae* がある).

af·la·tox·i·co·sis (af′la-toks-ē-cō′sis). アフラトキシン〔中毒〕症（アフラトキシンの摂取により起こる病気).

af·la·tox·in (af′lă-tok′sin). アフラトキシン（黄色アスペルギルス *Aspergillus flavus*, *Aspergillus parasiticus*, *Aspergillus oryzae* のうちの数種の株の有毒代謝物．ヒトにおける原発性肝癌の病因に何らかの役割を果たし，これらのカビで汚染された荒挽きピーナツ，その他の飼料を食べた動物に疾病を引き起こす).

AFORMED *a*lternating *f*ailure *o*f *r*esponse, *m*echanical, to *e*lectrical *d*epolarization の頭字語. →AFORMED *phenomenon*.

AFP α-fetoproteins の略. →fetoproteins.

af·ter·birth (af′ter-berth). 後産，胎盤娩出（胎児娩出後に子宮から排出される胎盤と胚膜). ＝secundina; secundines.

af·ter·care (af′ter-kār). アフタケア，後療法，後保護（①術後あるいは疾病からの回復期にある患者の世話および処置．②精神科への入院治療後，治療効果を強化するためにつくられる社会復帰の継続プログラム．部分入院，デイホスピタル，外来治療を含むことがある).

af·ter·chrom·ing (af′ter-krōm′ing). アフタクロミング，クロム後処理（特別な着色性を加えるためのクロム酸または金属媒染剤による組織標本の付加処理). ＝postchroming.

af·ter·con·trac·tion (af′ter-kon-trak′shŭn). 後収縮（刺激停止後もかなりの時間持続する筋収縮).

af·ter·cur·rent (af′ter-kŭr′ent). 後電流（筋肉を通過させた定電流の停止時に，筋肉に誘発される電流).

af·ter·dis·charge (af′ter-dis′charj). 後発射，後放電（刺激停止後に起こる神経要素の反応の延長．ミオトニーは，筋肉の後発射が延長した臨床症候である).

af·ter·ef·fect (af′ter-ĕ-fekt′). 後〔続〕効果，後〔症〕作用，残効（刺激除去後も続く肉体的，生理的，心理的，あるいは情動的効果. →flashback).

af·ter·gild·ing (af′ter-gild′ing). 後鍍金（金塩を用いて，固定し，硬化させた神経組織の組織学的標本の処理).

afterhearing (af′tĕr-hēr-ing). 残聴. ＝aftersound.

af·ter·im·age (af′ter-im′ij). 残像（刺激が終わった後でも，視覚反応が残る現象). ＝accidental image; negative image.

auditory a. ＝Zwicker *tone*.

negative a. 陰性残像（明るさが逆転する残像．色ならば補色に見える).

positive a. 陽性残像（明るさの関係が同じような残像．色ならば同色に見える).

af·ter·im·pres·sion (af′ter-im-presh′ŭn). 残感覚. ＝aftersensation.

af·ter·load (af′ter-lōd). 後負荷（①筋の収縮時に，調節可能な支持から重しを持ち上げたり，安静時にはさらされていない一定の対抗する力に対して働くように筋肉を調節すること．②このようにして収縮時にかけられる負荷または力).

ventricular a. 心室後負荷（駆出期に心室が収縮している間，打ち勝たなくてはならない動脈圧または他の測定値で，大動脈または肺動脈インピーダンス，末梢血管抵抗，血液の量と粘度が関与していると以前は考えられていた．現在は，壁応力という用語でより厳格に表現されている．壁応力とは(心腔内圧，心室腔半径と壁厚から Laplace の法則を拡大解釈して計算された)心筋線維の単位断面積当たりの張力で，これは血液の駆出に必要な心腔内の圧をつくり出している).

af·ter·move·ment (af′ter-mūv′ment). 後運動（三角筋と棘上筋の持続性等尺性収縮を伴う上肢の不随意外転(通常，壁など不動性の垂直面に接して立って，強力に上肢を押したときに起こる)). ＝Kohnstamm phenomenon.

af·ter·pains (af′ter-pānz). 後陣痛（分娩後に起こる子宮の有痛性痙攣性収縮）.

af·ter·per·cep·tion (af′ter-per-sep′shŭn). 後認知. = after-sensation.

af·ter·po·ten·tial (af′ter-pō-ten′shăl). 後電位（刺激された神経において，主電位またはスパイクの後に起こる電位の小変化．オシログラフでは，この変化は最初陰性に振れ，続いて陽性に振れる）.

diastolic a. 拡張期後〔活動〕電位（心臓において，再分極過程に続いて生じる細胞膜を通しての電位の変化で，これが閾値の大きさに達すると不整脈を生じる．しばしばジキタリス中毒などの中毒症で認められる）.

positive a. 陽性後電位（自発性に，あるいは誘導性に心筋や神経細胞が再分極後に膜電位が増加する状態．通常，時間の経過に伴い心電図のU波に一致する）.

af·ter·sen·sa·tion (af′ter-sen-sā′shŭn). 残感覚（刺激が終わった後も持続する自覚的感覚）. = afterimpression; afterperception.

af·ter·sound (af′ter-sownd). 残音（聴刺激の中止後も主観的に聴覚が残存している状態）. = afterhearing.

af·ter·taste (af′ter-tāst). 後味(あとあじ)（味覚刺激との接触が終わった後に残る自覚的味覚）.

af·ter·touch (af′ter-tŭch). 残触覚（刺激中止後も引っぱられた感覚が自覚的に続く現象．残感覚の一型）.

af·to·sa (af-tō′să) [Sp. *fiebre aftosa*, aphthous fever]. 口蹄疫. = foot-and-mouth *disease*.

Ag *1* 銀の元素記号．*2* antigen の略.

a·gal·ac·ti·a (ă-gal-ak′shē-ă) [G. *a-* 欠性辞 + *gala* (*galakt-*), milk]. アガラクシア，乳汁分泌欠如（分娩後の乳汁分泌の欠如）. = agalactosis.

a·ga·lac·tor·rhe·a (ā-ga-lak-tō-rē′ă) [G. *a-* 欠性辞 + *gala*, milk + *rhoia*, a flow]. 乳汁分泌不全（乳汁の流出または分泌欠如）.

ag·a·lac·to·sis (ă-gal-ak-tō′sis). = agalactia.

a·ga·lac·tous (ă-gal-ak′tŭs). 乳汁分泌欠如の，無乳〔症〕の（アガラクシアまたは母乳の減少や欠如に関する）.

a·ga·mete (ā-gam′ēt, ag′a-mēt) [G. *a-* 欠性辞 + *gametēs*, husband]. 非配偶体（無性増員分裂により産生される原生動物. →schizogony）.

a·gam·ic (ā-gam′ik). 非配偶子性の（分裂や出芽による無性生殖についていう）. = agamous.

a·gam·ma·glob·u·lin·e·mi·a (ā-gam′ă-glob′yū-li-nē′-mē-ă). 無ガンマグロブリン血〔症〕（血清中のガンマグロブリン分画がきわめて低濃度か欠如していること．ときには広義に，免疫グロブリン一般の欠乏をいうこともある. → hypogammaglobulinemia）.

acquired a. 後天性無ガンマグロブリン血〔症〕. = common variable *immunodeficiency*.

Bruton a. (brū′tŏn). ブルトン無ガンマグロブリン血症. = X-linked a.

secondary a. 続発性無ガンマグロブリン血〔症〕. = secondary *immunodeficiency*.

Swiss type a. スイス型無ガンマグロブリン血〔症〕. = severe combined *immunodeficiency*.

transient a. 一過性無ガンマグロブリン血〔症〕. = transient *hypogammaglobulinemia* of infancy.

X-linked a. (**XLA**) X連鎖無ガンマグロブリン血症（連鎖劣性B細胞免疫不全症で，低または無ガンマグロブリン血症がある．母体から移行した免疫グロブリンが減少する新生児期に顕在化する免疫不全）. = Bruton a.

a·gam·o·cy·tog·e·ny (ā-gam′ō-sī-toj′ĕ-nē) [G. *agamos*, unmarried + *kytos*, cell + *genesis*, becoming]. = schizogony.

A·gam·o·fi·lar·i·a (ă-gam′ō-fī-lā′rē-ă) [G. *agamos*, unmarried + L. *filum*, thread]. アガモフィラリア（未成熟型のフィラリアに与えられた名称．成虫の属は未決定である）.

ag·a·mo·gen·e·sis (ag′ă-mō-jen′ĕ-sis, ā-gan-ō-) [G. *agamos*, unmarried + *genesis*, production]. 無配偶子生殖. = asexual *reproduction*.

ag·a·mo·ge·net·ic (ag′ă-mō-jĕ-net′ik, -ā-gam-ō-). 無配偶子生殖の.

ag·a·mog·o·ny (ag-ă-mog′ō-nē) [G. *agamos*, unmarried + *gonos*, offspring]. 無配偶子生殖. = asexual *reproduction*.

Ag·a·mo·mer·mis cu·li·cis (ag-ă-mō-mer′mis kū′li-kes) [G. *agamos*, unmarried + Mod. L. < G. *mermis*, cord; L. *culex*, gnat]. カに寄生する線虫の一種．ヒトにみられたという報告も数例ある．その場合，通常，感染した昆虫が口にはいったり，自由生活性の幼虫を有する湿った土が身体に付着したりした後に，身体開口部から見出される.

ag·a·mont (ag′ă-mont) [G. *agamos*, unmarried + *ōn* (*ont-*), being]. アガモント，無性親. = schizont.

ag·a·mous (ag′ă-mŭs) [G. *agamos*, unmarried]. = agamic.

a·gan·gli·on·ic (ā-gang-glē-on′ik). 神経節細胞欠損の.

a·gan·gli·o·no·sis (ā-gang′glē-ō-nō′sis) [G. *a-* 欠性辞 + ganglion + *-osis*, condition]. 神経節細胞欠損（神経節が欠如している状態．例えば，先天性巨大結腸の特徴としてあげられる筋層間神経叢の神経節細胞の欠損）.

a·gap·ism (ah′gahp-izm) [G. *agapē*, brotherly love]. アガピズム（無性愛を称揚する主義）.

a·gar (ah′gar, ā′gar) [ベンガル語]. 寒天，寒天培地（海草（紅藻類）に含まれる複合多糖類(硫酸化ガラクタン)．培地の凝固剤として用いる．100 ℃で溶け，49 ℃になるまで固まらないという有益な性質がある．合成品もある）.

bile salt a. 胆汁酸塩寒天〔培地〕（グラム陰性杆菌の成長と分離のために，ラクトース，ペプトン，タウロコール酸ナトリウム，ニュートラルレッドを含む寒天培地）.

birdseed a. バードシード寒天〔培地〕（キク科のキバナタカサブロー *Guizottia abyssinica* の種子から抽出したカフェ酸を含む培地．*Cryptococcus neoformans* の培養と仮同定に用いる）.

blood a. 血液寒天〔培地〕（通常は，ヒツジあるいはウマの血液と寒天を基本とした培地との混合物．医学上重要な多くの微生物の培養に用いる）.

Bordet-Gengou potato blood a. (bōr-dā′ zahn-gū′). ボルデー－ジャングージャガイモ血液寒天〔培地〕（血液 25%を含むグリセリンジャガイモ寒天培地．百日咳菌 *Bordetella pertussis* の分離に用いる）.

brain-heart infusion a. 脳－心臓浸出物寒天〔培地〕，ブレイン－ハートインフュージョン寒天〔培地〕（栄養要求の高い微生物，特に真菌類を分離培養するのに用いる培地）.

chocolate a. チョコレート寒天〔培地〕（血液が茶色がかるまで熱してつくった血液寒天培地．特に，インフルエンザ菌 *Haemophilus influenzae* や *Neisseria*属など，非加熱血が抑制的に働く菌種を分離するのに用いる）.

cholera a. コレラ寒天〔培地〕（コレラ菌 *Vibrio cholerae* の培養に用いるアルカリ性寒天培地）.

cornmeal a. コーンミール寒天〔培地〕（栄養物の少ない培地で酵母様真菌や糸状菌の研究に広く用いる培地．多くの種で，菌体の成長は抑制するが，胞子形成は促進する．一般に，鵞口瘡カンジダ *Candida albicans* の厚膜胞子を形成させて，診断するのに用いる）.

Czapek solution a. (shah′pek). ツザペク溶液寒天〔培地〕（細菌培養と *Aspergillus*属および *Penicillium*属の種の同定のために用いる培地）. = Czapek-Dox medium.

EMB a. = eosin-methylene blue a.

Endo a. 遠藤寒天〔培地〕（ペプトン，乳糖，リン酸カリウム，寒天，亜硫酸ナトリウム，塩基性フクシンおよび蒸留水を含む培地．本来，腸チフス菌 *Salmonella typhi* の分離用につくられたが，現在，この培地は水の細菌学的検査に最も有益である．大腸菌群細菌は乳糖を発酵するため，その集落は赤色化し，周囲の培地を染色する．非乳糖発酵性細菌は，培地の薄桃色の背景に対して透明無色の集落を形成する）. = Endo medium.

eosin-methylene blue a. エオシン－メチレンブルー寒天〔培地〕（ペプトン，乳糖，ショ糖，エオシン，メチレンブルーを含んだ寒天培地．乳糖発酵性と非発酵性のグラム陰性菌を鑑別・選択するのに用いる．*Escherichia*属が特徴的な光沢を呈する）. = EMB a.

MacConkey a. (mă-kon′kē). マッコンキー寒天〔培地〕（ペプトン，乳糖，胆汁酸，ニュートラルレッド，クリスタルバイオレットを含んだ寒天培地．グラム陰性菌を同定し，乳糖発酵性の有無を調べる．乳糖発酵菌は赤いコロニーを形成し，非発酵菌は無色のコロニーを形成する）.

Mueller-Hinton a. (mū′lĕr hin′tŏn). ミュラー－ヒントン寒天〔培地〕（肉汁，ペプトン，デンプンを含む培地．主に，ディスク寒天拡散法として抗菌剤に対する感受性を調べるのに用いる).

Novy and MacNeal blood a. (nō′vē măk-nēl′). ノーヴィ－マックニール血液寒天〔培地〕(ウサギの脱線維素血液2容量を含む普通寒天培地．いくつかのトリパノソーマ類の培養に適している).

nutrient a. 普通寒天〔培地〕(牛肉エキス，ペプトン，寒天，水を含む単純な固形培地．多くの一般的有機栄養菌の増殖に用いる).

oatmeal-tomato paste a. オートミール－トマトペースト寒天〔培地〕(皮膚糸状菌に子嚢胞子形成を起こさせるための特殊培地).

potato dextrose a. ポテトデキストロース寒天〔培地〕(真菌の培養に広く用いる培地．特に，分生胞子その他の胞子形成の発育に適し，それを顕微鏡で検索して菌種を同定する).

rice-Tween a. ライス－トゥウィーン寒天〔培地〕(鵞口瘡カンジダ *Candida albicans* の厚膜胞子を発育させるための培地．他の真菌類の別型式の胞子形成をスライド培養で行わせるためにも用いる).

Sabouraud a. (sah-bū-rō′). サブロー寒天〔培地〕(ペプトンまたはポリペプトン寒天とブドウ糖を含み，pH 5.6 に調節した真菌培養培地．真菌研究に最も広く用いられている標準的培地で，国際基準となっている．コロニーの色素産生をみるにはブドウ糖含量を減らした Sabouraud 寒天培地の変法(Emmons らの変法)がよい).

Sabouraud dextrose a. サブローデキストロース寒天〔培地〕(デキストロースとペプトンを含む培地で，大部分の病原真菌の発育に適する).

serum a. 血清寒天〔培地〕(有機栄養性細菌の培養に用いる強化培地．溶解した寒天培地に滅菌血清を加えて調製する).

Thayer-Martin a. (thā′ĕr mar′tin). セーアー－マーティン寒天〔培地〕(Mueller-Hinton 寒天に熱処理して溶血させたヒツジ赤血球を 5%，抗生物質を数種加えたもので，淋菌 *Neisseria gonorrhoeae*，髄膜炎菌 *Neisseria meningitidis* の搬送や1次分離に用いる). ＝Thayer-Martin medium.

yeast extract a. イースト抽出物寒天〔培地〕(真菌培養において，胞子形成を起こさせ菌体の成長を抑制するために用いる培地).

a·gar·ic (ă-gar′ik) [G. *agarikon*, a kind of fungus]. ハラタケ(サルノコシカケ科 *Polyporus officinalis* の乾燥果肉．茶色または白色の軽い塊でアガリン酸を含む). ＝amadou.

deadly a. ＝*Amanita phalloides.*

fly a. ベニテングダケ. ＝*Amanita muscaria.*

a·gar·ic (a·gar·i·cic) acid (ă-gar′ik ă-gar-is′ik as′id) [G. *agarikon*, a kind of fungus]. アガリン酸(ハラタケから得られる成分．以前は制汗剤として使用された).

A·gar·i·cus (ă-gar′i-kŭs) [L. *agaricum* < G. *agarikon*, a tree fungus]. ハラタケ属(多くは食用であるが，それ以外は有毒な，真菌西洋キノコの大きな属).

a·gar·o·pec·tin (ag′ă-rō-pek′tin). アガロペクチン(寒天の構成成分で，D-ガラクトースと3,6-アンヒドロ-L-ガラクトースがβ1,3グリコシド結合した多糖類である．ガラクトシル部分の一部は硫酸化されている).

ag·a·rose (ag′ă-rōs). アガロース(寒天製品にみられる中性直鎖型多糖類画分．一般に D-ガラクトースおよびそれより変化した3,6-アンヒドロ-L-ガラクトース残基．クロマトグラフィおよび電気泳動で用いる).

a·gas·tric (ă-gas′trik) [G. *a-* 欠性辞 ＋ *gastēr*, belly]. 無胃の(胃または消化管のない).

a·gas·tro·neu·ri·a (ă-gas-trō-nyū′rē-ă) [G. *a-* 欠性辞 ＋ *gastēr*, belly ＋ *neuron*, nerve]. 胃神経支配不全〔症〕.

AGC automatic gain *control* の略.

age (āj) [Fr. *âge*; L. *aetas*]. ***1*** 〘n.〙年齢(出生以来経てきた期間). ***2*** 〘n.〙期(肉体的な発育，平衡，および衰退によって区分した人生の時期．例えばヒトの場合，乳児期，小児期，青年(青春)期，成年期，中年(壮年)期，初老期，老年期の7期に分けられる). ***3*** 〘v.〙年をとる(予防可能な疾病や外傷によらずに，生体機能の減退や死の可能性の増大と結び付くような構造の変化が徐々に進展する). ***4*** 〘v.〙熟成させる，ねかす(長く生きてきた人や，長く存在し続けてきた物に特徴的な外見を人工的に起こさせる). ***5*** 〘v.〙時効〔硬化〕する(歯科，材料科学において，材料を安定化させるための熱処理，もしくはコヒーレントな析出物の形成によって材料を強化するための熱処理．コヒーレントな析出物とは，2種類以上の原子からなる格子の中に，ある種の原子がクラスター化することによって生じるものである).

achievement a. 成就年齢(標準学力テストから達成度の度合いを算出した年齢で，その人の暦年齢と比較できる).

anatomic a. 解剖学的年齢(機能および時間の経過よりもむしろ構造についての年齢). ＝physical a.

basal a. 基礎年齢(ある年齢までの全項目に合格したときの Stanford-Binet 知能スケールの最高精神年齢値).

Binet a. (bē-nā′). ビネー年齢(遅滞児の知能に相応する正常児の(Stanford-Binet 知能スケールで測定した)年齢をいい，最重度遅滞は1－2歳，中等度から重度は3－7歳，境界から軽度は8－12歳の児童の能力に相当する).

bone a. 骨年齢(暦年齢とは対照的に，X線撮影により判断した骨の発達段階).

child-bearing a. 妊娠可能年齢(女性の一生において思春期から閉経期までの期間).

chronologic a. (**CA**) 暦年齢(年数と月数で表した年齢．Stanford-Binet 知能指数を計算する際に小児の精神年齢を評価したり，小児の身体的，感情的な年齢を評価したりするための比較基準として用いる).

conceptual a. 受精齢. ＝fertilization a.

developmental a. 発達年齢(①着床から経過した時間．②(**DA**)．解剖学的，生理学的，知的，情緒的成熟の程度から評価した患者の年齢).

emotional a. 情動年齢(平均的な情動発育との比較による情動成熟の程度).

fertilization a. (fĕr-til-i-zā′shŭn āj). 受精齢(卵細胞が受精した時期から決定される胚または胎児の齢). ＝conceptual a.

gestational a. 在胎齢(①産科学では胎児発育期間をさすが，通常は正常月経周期での最終月経初日から算定する．②発生学においては，この用語は無意味である．なぜなら卵子の受精が起こった時点で妊娠が始まるのであり，その時期は月経と月経の中間頃であるからだ).

height a. 身長年齢(成長曲線において，現在の身長が平均(50 パーセンタイル)となる年齢).

menstrual a. 母体の最終月経から算出した妊娠期間.

mental a. (**MA**) 精神年齢，知能年齢(Stanford-Binet 知能スケールにより決定される小児の知能の測定値で，各年齢の標準値と比較して年数と日数で表される).

physical a. 身体年齢. ＝anatomic age.

physiologic a. 生理的年齢(機能について推定される年齢).

a·gen·e·sis (ā-jen′ĕ-sis) [G. *a-* 欠性辞 ＋ *genesis*, production]. 無発育(ある部分の欠如，形成不全).

gonadal a. [MIM*600171]. 性腺無形成(片側または両側の性腺の欠損).

müllerian a. (mū-ler′ē-ăn). ミュラー管欠損症. ＝Mayer-Rokitansky-Küster-Hauser *syndrome.*

renal a. 腎欠損(一方または両方の腎の欠如で，最も一般的には，同側の中腎傍管とその誘導体の欠如を伴う一側性のもの．他側腎が完全な限り腎機能は正常である．両側性または完全腎無発育は，Potter 顔貌と新生児死亡を伴う).

thymic a. 胸腺無発育(胸腺の欠如で，DiGeorge 症候群において上皮小体の欠損を伴う).

a·gen·i·tal·ism (ă-jen′i-tal-izm). 無性器〔症〕(性器の先天的欠損).

a·gen·o·so·mi·a (ā-gen-ō-sō′mē-ă) [G. *a-* 欠性辞 ＋ *genos*, sex ＋ *soma*, body]. 性器発育不全奇形(胎児における性器の著明な不完全形成または欠如．通常，不完全な腹壁を通す腹部内臓の突出を伴う).

a·gent (ā′jent) [L. *ago*, pres. p. *agens* (*agent-*), to perform]. ***1*** 〔作用〕物質，〔作用，作動〕薬，〔作用〕因子(効果を生み出すことのできる活性力または活性物質．以下に記載のない語は各々の項参照). ***2*** 外的病原因子(疾病，微生物，化学物質，放射線などで，その存在が，あるいは欠乏症の場合にはそれがないことが病気を起こしたり悪化させたりするもの).

adrenergic blocking a. 抗アドレナリン薬，アドレナリン遮断薬(交感神経のアドレナリン作用性神経の活動を遮断または抑制する化合物(交感神経遮断薬). またエピネフリン, ノルエピネフリン, その他のアドレナリン性アミンに対する反応を選択的に遮断または抑制する化合物(抗アドレナリン薬). α- および β-アドレナリン受容体遮断薬の 2 種類がある).

α-adrenergic blocking a. α-アドレナリン遮断薬 (受容体の部位で α-アドレナリン作動性アゴニストと競合する薬物の分類. いくつかの薬物は α_1 受容体と α_2 受容体の両方と競合(例えばペントラミン, 塩酸フェノキシベンザミン)し, 他に主に α_1 受容体と競合(例えばプラゾシン, テラゾシン)または α_2 受容体と競合(例えばヨヒンビン)するものがある). = α -adrenoceptor antagonist; alpha-blocker.

β-adrenergic blocking a. β-アドレナリン遮断薬 (有効受容体部位に対して β-アドレナリンアゴニストと競合する薬物の分類. β_1 および β_2 (例えばプロプラノロール)受容体の両方と競合するものと, β_1 (例えばメトプロロール)あるいは β_2 のいずれかを主に競合するものがある. β-アドレナリン作用遮断が望まれる各種心臓血管系疾患の治療に用いる). = β-adrenergic receptor blocking a.; β-adrenoreceptor antagonist; beta-blocker.

adrenergic neuronal blocking a. アドレナリン作用(作動)性ニューロン遮断薬 (交感神経終末からのノルエピネフリンの放出を阻害する薬物. 循環エピネフリン, ノルエピネフリン, および他のアドレナリン性アミンに対するアドレナリン受容体の反応は阻害しない).

β-adrenergic receptor blocking a. β-アドレナリン受容体遮断薬. = β-adrenergic blocking a.

alkylating a. アルキル化薬 (共有結合を形成することによって組織の構成成分の類似体の形で永久的に取り込まれる薬物または化学物質. 多くの場合, 発癌性または変異原性であるが, 癌の化学治療にしばしば用いられる. 例えばナイトロジェンマスタード類およびカルムスチン).

antianxiety a. 抗不安薬 (不安の治療に有効で, 過剰な鎮静を起こさない用量で不安を減少させうる薬物を機能的に分類したもの. このカテゴリーにはいるものの大部分はベンゾジアゼピン系薬物で, γ-アミノブチル酸(GABA)受容体に作用する. 以前はバルビツレートが主にこのカテゴリーにはいっていた. セロトニン受容体($5\text{-}HT_{1A}$)に作用する薬物が新しいカテゴリーにはいり, ブスピロンに代表される). = anxiolytic (1); minor tranquilizer.

antidyskinetic a. 抗ジスキネシア薬 (抗コリン作用を有し, パーキンソン病や抗精神病薬によって引き起こされる急性運動障害の一部の治療に用いられる薬物の実用的分類).

antifoaming a.'s 消泡剤 (表面張力(泡の生成)を低下させる化学薬品で, 実験室での蒸発に用いる. また肺水腫において, 酸素とともに用いて水腫液の泡で悪化した気道閉塞を軽減させる(肺サーフェクタント)).

antipsychotic a. 抗精神病薬 (精神病の治療に役立ち, 思考障害を軽減しうる神経弛緩薬を機能的に分類したもの). = antipsychotic (1); major tranquilizer.

atypical antipsychotic a. 非定型抗精神病薬 (主にセロトニン遮断とドパミン遮断とを介して作用を示すと考えられている, より新しい抗精神病薬の機能上の分類. 現在, しばしば第 2 世代抗精神病薬とよばれる).

bacteriostatic a. = bacteriostat.

biotherapeutic a. バイオセラピューティク薬 (治療目的に使用される微生物).

Bittner a. (bit′nĕr). ビットナー因子. = mammary tumor *virus* of mice.

blister a. びらん剤 (皮膚に水ぶくれを起こす化合物や化学製品. 第一次世界大戦に使用されたマスタードガスはびらん剤であった). = vesicant.

blocking a. 遮断薬 (軸索伝導または伝達, あるいは受容体へのアクセスや細胞膜を通過するイオンの移動のような, 生物学的活動または過程を抑制(遮断)する薬物の分類. しばしば "blockers" とよばれる).

calcium channel-blocking a. カルシウムチャネル遮断薬. = calcium channel *blocker*; calcium antagonist; slow channel-blocking a.

chimpanzee coryza a. (**CCA**) チンパンジーの鼻感冒因子. = respiratory syncytial *virus*.

cholinergic a. コリン作用(作動)薬 (副交感神経系を作動させる物質. 例えばメタコリン).

contrast a. 造影剤. = contrast *medium*.

cycle-specific a. 細胞周期特異的物質 (細胞周期(S 期)の一時期のみ, あるいは細胞が細胞周期の特定の時期にあるときのみ効果がある物質(例えば, メトトレキセートまたはヌクレオシド類似物)).

delta a. デルタ因子. = hepatitis D *virus*.

Eaton a. (ē′tŏn). イートン因子. = *Mycoplasma pneumoniae*.

embedding a.'s 包埋剤 (顕微鏡検査のために組織標本を薄切りする前に包埋する物質. 例えばセロイジン, パラフィン).

enterokinetic a. 腸ぜん動薬 (腸のアトニーを軽減するのに用いる薬物).

F a. F 因子 (F *plasmid* を表す現在では用いられない語).

fertility a. 交配因子 (F *plasmid* を表す現在では用いられない語).

foamy a.'s 泡沫状因子. = foamy *viruses*.

ganglionic blocking a. 〔神経〕節遮断薬 (自律神経神経節における刺激伝導を減じる薬物. 例えばトリメタファン).

high osmolar contrast a. 高浸透〔圧〕性造影剤 (イオン性で水溶性のヨード造影剤). = high osmolar contrast medium.

initiating a. → initiation.

inotropic a.'s 強心薬 (心筋の収縮力を高める薬物. 例えばジギタリス配糖体, アムリノン, エピネフリンなど).

LDH a. LDH 因子. = lactate dehydrogenase *virus*.

low osmolar contrast a. (**LOCA**) 低浸透圧造影剤 (非イオン性水溶性造影剤). = low osmolar contrast medium; nonionic contrast a.

luting a. 合着材 (接着物質またはセメント. 例えば, 咬合器に模型を固定する石膏またはワックス, あるいは冠を歯に固定するための材料).

mood stabilizing a. 抗躁うつ病薬 (感情, 特に感情の波を和らげる薬物. リチウム, カルバマゼピンやバルプロ酸などの抗てんかん薬がある).

neuroleptic a. 神経弛緩薬. = neuroleptic.

neuromuscular blocking a.'s 神経筋遮断薬 (運動神経終末において骨格筋の興奮を妨げる一連の物質. 神経伝達物質であるアセチルコリンと競合的に作用する(例えば D-ツボクラリン, ミバクリウム, パンクロニウム)か, または接合後部の筋の細胞膜を刺激して筋をアセチルコリンに反応しない状態にする(例えばスクシニルコリンやデカメトニウム)ことにより作用する. 外科手術時に用いられ, 筋を麻痺させることにより手技を容易にする).

non-cycle-specific a. 細胞周期非特異的物質 (細胞が分裂周期にあるにかかわらず効果がある物質).

nondepolarizing neuromuscular blocking a. 非脱分極性神経筋遮断薬 (運動神経終板または筋線維の膜電位に作用するよりもむしろ, 主に神経筋接合部での神経インパルスの伝達を抑制することによって骨格筋を麻痺させる化合物. 例えばクラール, ガラミン, ベクロニウム).

nonionic contrast a. 非イオン性造影剤. = low osmolar contrast a.

Norwalk a. [*Norwalk*, 病気が最初に報告されたオハイオ州の地名]. ノーウォーク因子 (流行性胃腸炎ウイルスの一株で, カルシウイルスと関連するようである).

Pittsburgh pneumonia a. ピッツバーグ肺炎起炎菌. = *Legionella micdadei*.

promoting a. プロモーター, 促進物質 (→ promotion).

psychotropic a. 向精神薬 (人間の精神に影響を及ぼす薬物. 註日本において向精神薬といった場合, 麻薬および向精神薬取締法によって定義された一連の薬物を示すこともある).

reoviruslike a. = rotavirus.

sclerosing a. 硬化薬 (静脈内膜上皮を刺激することによって作用する化合物. 静脈瘤の治療に用いる).

slow channel-blocking a. スローチャネル遮断薬. = calcium channel-blocking a.

spreading a. 拡散剤 (ヒアルロン酸の加水分解により, 結合組織の透過性を加減する物質).

sympathetic a. 交感神経作用(作動)薬 (→ sympathomimetic *amine*).

transforming a. *1* 形質交換薬. ＝mitogen. *2* 細胞に形質転換を起こしうるウイルス.

TRIC a.'s トラコーマ *tr*achoma および封入体結膜炎 *i*nclusion *c*onjunctivitis を引き起こすトラコーマクラミジア *Chlamydia trachomatis* の菌株. →*Chlamydia trachomatis*.

typical antipsychotic a. 定型抗精神病薬（主にドパミン遮断作用を介して効果を発現すると考えられている，より古い抗精神病薬の機能上の分類．現在は，より一般的に第１世代抗精神病薬とよばれる）.

A·gent Or·ange (ā′jent ōr′anj). エージェントオレンジ（2,4,5–トリクロロフェノキシ酢酸，2,4–ジクロロフェノキシ酢酸からなる除草枯葉剤の１つで，ベトナム戦争で広く用いられた．ヒトに対し，残留性で被曝後の発癌性と催奇形性を有することがわかっている）.

a·ge·ra·si·a (ă-jer-ā′zē-ă) [G. *agērasia*, eternal youth < *a-* 欠性辞 + *gēras*, old age]. かくしゃく，不老（老年にあっても若い容貌をしていること）.

a·geu·si·a (ă-gū′sē-ă) [G. *a-* 欠性辞 + *geusis*, taste]. 無味覚〔症〕（味感覚の欠如．すべての味覚物質の味がわからない，一部の味覚物質の味がわからない，１つまたはそれ以上の味覚物質の味だけがわからない，のどれもありうる．味蕾の内部への輸送障害のことも，味覚細胞，味覚神経，中枢味覚神経経路のどれかを侵す感覚神経障害のこともある．遺伝性のことも，後天性のこともある）. ＝ageustia; gustatory anesthesia.

a·geus·ti·a (ă-gūs′tē-ă). ＝ageusia.

ag·ger, pl. **ag·ger·es** (aj′er, -ēz; ag′er) [L. mound] [TA]. 堤，隆起（低い高まりをいう）.

a. nasi [TA]. 鼻堤（中鼻道房と嗅溝の間に位置する鼻腔の外側壁上の隆起．上顎骨篩骨稜の基底をおおう粘膜によって形成される）. ＝nasal ridge.

a. perpendicularis ＝*eminence* of triangular fossa of auricle.

a. valvae venae 静脈弁隆起. ＝*prominence* of venous valvular sinus.

ag·glom·er·ate, ag·glom·er·at·ed (ă-glom′er-āt, -āt′-ed) [L. *ag-glomero*, to wind into a ball < *ad*, to + *glomus*, a ball]. 凝集した，凝塊形成した. ＝aggregated.

ag·glom·er·a·tion (ă-glom′er-ā′shŭn). 凝塊形成，凝集. ＝aggregation.

ag·glu·ti·nant (ă-glū′ti-nant) [L. *ad*, to + *gluten*, glue]. 凝着剤（部分間を結合，凝集させる物質）.

ag·glu·ti·nate (ă-glū′ti-nāt). 凝集させる，膠着させる.

ag·glu·ti·na·tion (ă-glū-ti-nā′shŭn) [L. *ad*, to + *gluten*, glue]. *1* 凝集反応，凝集〔作用〕（懸濁した細菌，細胞，他の粒子などに付着が生じ，塊を形成するようになるまでの過程．凝集反応は沈降反応に類似するが，粒子はより大きく，溶液状態というよりも懸濁状態になっている．種々の血液型にみられる特異的凝集反応については付録 Blood Groups 参照）. *2* 膠着（創傷面の癒着）. *3* 癒着の過程.

acid a. 酸凝集反応（高水素イオン濃度におけるある種の微生物の凝集）.

bacteriogenic a. 細菌性凝集反応（細菌またはその生成物の作用の結果，細胞が凝集すること）.

cold a. 寒冷凝集反応（血液が体温以下に冷やされたときみられる，自己血清（→autoagglutination）または同種血清によって起こる赤血球の凝集．特に 25°C 以下で顕著となる．本現象は寒冷凝集素に由来するが，ときとして正常ヒト血液でも観察される現象である．一般には原発性非定型性肺炎，伝染性単核球症，その他のウイルス感染症，ある種の原虫症およびリンパ球系白血病などの病的状態で観察される. →autoagglutination).

cross a. 交差凝集反応. ＝group a.

false a. 偽〔性〕凝集反応. ＝pseudoagglutination (1).

group a. 群凝集反応（数種の微生物群に共通な群特異（マイナー）抗原に対する抗体による凝集反応．各微生物は自己の種特異（メイジャー）抗原をもつ）. ＝cross a.

immune a. 免疫凝集反応（細菌浮遊液，細胞浮遊液や抗原物質が吸着している適当な大きさの粒子の浮遊液に対し，特異的な抗体（凝集素）による凝集反応）.

indirect a. ＝passive a.

nonimmune a. 非免疫凝集反応（①レクチンによる凝集反応で，特定の糖に特異性があるが，その機序は判明していない．②酸凝集や自然凝集反応のような，非特異因子による凝集反応）.

passive a. 受身凝集反応（可溶性抗原を表面に吸着した粒子が凝集することで，吸着した抗原に対する特異抗血清による反応）. ＝indirect a.

spontaneous a. 自然凝集反応（電解質溶液中の極性群の欠如により，生理食塩水中で細菌が非特異的に凝集すること）.

ag·glu·ti·na·tive (ă-glū′ti-nă-tiv). 凝集〔性〕の（凝集反応を起こす，あるいは起こす能力がある）.

ag·glu·ti·nin (ă-glū′ti-nin). 凝集素（①凝集反応の形成を刺激したり，または（表面に）免疫学的に類似の反応抗原を含有する細菌やその他の細胞を認識して架橋によって凝集塊とする抗体. ＝agglutinating antibody; immune a. ②特異的凝集抗体以外で，有機粒子をある条件下で凝集させるもの（例えば植物性凝集素））.

blood group a.'s 血液型凝集素（付録 Blood Groups 参照）.

chief a. ＝major a.

cold a. 寒冷凝集素（37°C 以下でより高率に反応する抗体）.

cross-reacting a. 交差反応性凝集素. ＝group a.

flagellar a. べん毛凝集素. ＝H a. (1).

group a. 群凝集素（共通あるいは一般的な抗原に対して特異的な免疫凝集素）. ＝cross-reacting a.

H a. H凝集素（①微生物の運動性株のべん毛中にある易熱性抗原による刺激の結果として形成される凝集素. ＝flagellar a. ②付録 Blood Groups の「ABO 血液型」の項参照）.

immune a. 免疫凝集素. ＝agglutinin (1).

incomplete a. 不完全凝集素（抗原に結合するが凝集を誘導できない抗体のこと．通常，IgG で，不完全抗体とよばれる）.

major a. 主凝集素（抗血清中にその主要抗体として存在し，種々の抗原の中で最も主要な抗原によって惹起された免疫凝集素）. ＝chief a.

minor a. 副凝集素（主凝集素より低濃度で，抗血清中に存在する免疫凝集素）. ＝partial a.

O a. O凝集素（①ある種の微生物の細胞壁中にある比較的耐熱性の抗原による刺激の結果として形成され，同抗原と反応する凝集素. ＝somatic a. ②付録 Blood Groups 参照）.

partial a. 部分的凝集素. ＝minor a.

plant a. 植物性凝集素（レクチンの一種）.

saline a. 食塩水凝集素（食塩水または蛋白を含む溶液に懸濁されると，赤血球の凝集を起こす抗体）. ＝complete antibody.

somatic a. 菌体凝集素. ＝O a. (1).

warm a. 温暖凝集素（37℃以上でより高率に反応する抗体）.

ag·glu·tin·o·gen (ă-glū-tin′ō-jen) [agglutinin + G. *-gen*, production]. 凝集原（特異凝集素（抗体）の産生を刺激する抗原物質．抗原を有する細胞，または抗原でおおわれた粒子を凝集させる）. ＝agglutogen.

blood group a.'s 血液型凝集原（付録 Blood Groups 参照）.

T a. T凝集原（現在では用いられない語．ある種の細菌の培養中にできる酵素の作用によって，ヒト赤血球の表面にあった潜在性のレセプタが変化してできてくる凝集原を表す）.

ag·glu·tin·o·gen·ic (ă-glū′tin-ō-jen′ik). 凝集原性の（凝集素の産生を可能とする）. ＝agglutogenic.

ag·glu·tin·o·phil·ic (ă-glū′tin-ō-fil′ik) [agglutination + G. *phileō*, to love]. 好凝集性の（顕著な凝集反応が容易に行われる）.

ag·glu·to·gen (ă-glū′tō-jen). ＝agglutinogen.

ag·glu·to·gen·ic (ă-glū-tō-jen′ik). ＝agglutinogenic.

ag·gre·can (ag′re-kan). アグレカン（骨硬化症の原因遺伝子候補で，第15染色体長腕25—26領域に存在する）.

ag·gre·gate (ag′rĕ-gāt) [L. *ag-grego*, pp. *-atus*, to add to < *grex* (*greg-*), a flock]. *1* 〘v.〙 凝集する，集合する. *2* 〘n.〙 凝集物，集合体（集団または群をなす個々の単位の集まり）.

proteoglycan a. プロテオグリカン集合体（長いヒアルロン酸分子と非共有性結合をしたプロテオグリカンの大きな集合体で，軟骨基質のコラーゲン線維の架橋に関与している）.

ag·gre·gat·ed (ag′rĕ-gā-ted). 凝集の，集合の，塊状の（寄り集まって個々の単位が群，塊，集団を形成する）.＝agglomerate; agglomerated; agminate; agminated.

ag·gre·ga·tion (ag-rĕ-gā′shŭn). 凝集（個別ではあるが類似した単位で集まった塊．一群になったもの）.＝agglomeration.

familial a. 家族集積性（ある形質の発現率が，自然界での発生率に比べ，ある家系の近縁者により高い確率でみられること．遺伝因子の計算のための仮定には用いられるが，確実な証拠とはなり得ない）.

nuclear a. of chorionic villus 絨毛膜絨毛の核の凝集.＝syncytial *knot*.

ag·gre·gom·e·ter (ag-rĕ-gom′ĕ-ter). 血小板凝集計（血小板凝集の測定機器．ADP，コラーゲン，エピネフリンなどの凝集剤を血小板浮遊液に添加したとき，光学密度における変化を経時的にモニターする）.

ag·gres·sin (ă-gres′in) [L. *agressor*, assailant < *ad-gredio*, pp. *-gressus*, to attack]. アグレッシン（宿主の抵抗機構を抑制するとみなされている微生物由来物質．現在では用いられない語）.

ag·gres·sion (ă-gre′shŭn) [L. *aggressio* < *aggredior*, to accost, attack]. ***1*** 攻撃〔性〕（他の動物や人間を傷つけようと意図したごう慢な，激しいまたは攻撃的な言語的もしくは身体的な行動．怒りや敵意，逆上などの感情の言語もしくは行動での表明）. ***2*** 侵襲（病原体や疾病過程での侵入，浸潤）.

ag·gres·sive (ă-gres′iv). 攻撃的な（①攻撃をさす．②競合的または侵略的行動様式，病原生物，あるいは病気の過程を表す）.

ag·ing (ā′jing) [MIM*502000]. 加齢，老齢化，老化（①年をとっていく過程で，特に完全な生体機能を維持するのに十分な数の細胞を補充できないことによって起こる．これは特に有糸分裂が不可能な細胞(例えばニューロン)に影響を及ぼす．②時間依存性で不可逆的な変化が種に固有な構造に起こり，成熟した生体が徐々に退歩すること．このため外界のストレスに対処する能力が必然的に低下し，その結果，死の確率が増加する．③心血管系では機能する細胞が徐々に線維性の結合組織に置き変わる．④人口学の用語で，時を経るごとに集団における高齢者の割合が増加することを意味する）.

clonal a. クローン老化（クローンの継続的世代における変質．ゾウリムシその他の単純な形態の生物が，何世代か無性的に繁殖させると常に変性を受け，子孫の各群の特性が，元の有性生殖した先祖の特性から次第に離れていくこと）.

ag·i·to·la·li·a (aj′i-tō-lā′lē-ă).＝agitophasia.

ag·i·to·pha·si·a (aj′i-tō-fā′zē-ă) [L. *agito*, to hurry + G. *phasis*, speech]. 速話症（非常に速い話し方のため，単語を不完全に話したり文から落としたりすること）.＝agitolalia.

Agkistrodon rhodostoma マレーマムシ.

a·glo·mer·u·lar (ā-glō-mer′yū-lăr). 無糸球体〔性〕の（特に糸球体が破壊された腎臓，または細管は有するが，糸球体がないある種の魚(例えばフグ)の腎臓についていう）.

a·glos·si·a (ā-glos′ē-ă) [G. *a-* 欠性辞 + *glōssa*, tongue]. 無舌〔症〕（舌の先天的欠損）.

a·glos·so·sto·mi·a (ā-glos-ō-stō′mē-ă) [G. *a-* 欠性辞 + *glōssa*, tongue + *stoma*, mouth]. 無舌閉口体（舌の先天的欠損で，形成異常の(通常は閉じた)口を有する）.

a·glu·con (ā-glū′kon) [G. *a-* 欠性辞 + glucose + -on]. アグルコン（グルコシドの非糖質部分）.

ag·lu·ti·tion (ā-glū-tish′ŭn). えん(嚥)下不能（飲み下せないこと.→dysphagia）.

a·gly·ca (ā-glī′kă). aglycone の複数形.

a·gly·con, a·gly·cone, pl. **a·gly·ca** (ā-glī′kon, ā-glī′kon, ā-glī′kă) [G. *a-* 欠性辞 + *glykys*, sweet]. アグリコン（グリコシドの非糖質部分．例えば digoxigenin）.

a·gly·cos·u·ri·a (ā-glī-kō-syū′rē-ă). 無糖尿（尿中の糖質の欠如）.

a·gly·cos·u·ric (ă-glī-kō-syū′rik). 無糖尿〔性〕の.

ag·men, pl. **ag·mina** (ag′men, ag′min-ă) [L. a multitude]. 集合〔体〕（aggregation を表す現在では用いられない語）.

a. peyerianum パイアー(パイエル)板.＝aggregated lymphoid *nodules* of the small intestine.

ag·mi·nate, ag·mi·nat·ed (ag′mi-nāt, ag′mi-nā-ted) [L. *agmen*, a multitude]. 集合する，集合した.＝aggregated.

ag·na·thi·a (ag-nā′thē-ă) [G. *a-* 欠性辞 + *gnathos*, jaw]. 無顎〔症〕（[二重字 gn において，g は語頭にあるときのみ無音である]．通常，両耳の接近を伴う下顎の先天的欠損.→otocephaly; synotia）.

ag·na·thous (ag′nā-thŭs). 無顎〔症〕の（[二重字 gn において，g は語頭にあるときのみ無音である]）.

ag·ne·a (ag-nē′ă) [G. *agnoia*, want of perception]. 失認.＝agnosia.

ag·no·gen·ic (ag-nō-jen′ik) [G. *a-* 欠性辞 + *gnōsis*, knowledge + *genesis*, origin]. 原因不明の.＝idiopathic.

ag·no·si·a (ag-nō′zē-ă) [G. ignorance < *a-* 欠性辞 + *gnōsis*, knowledge]. 失認，認知不能〔症〕（一次受容体や知能の障害に起因しない．種々の感覚刺激の意味を認識したり理解したりする能力の障害．失認は大脳の種々の部位の病変で起こる認識障害）.＝agnea.

auditory a. 聴覚失認（音を符号，言葉または音楽として認識できないことで，側頭葉大脳皮質の聴覚野の病変による）.

color a. 色失認〔症〕，色覚失認〔症〕（見た色の名前を述べたり認識できなくなった状態．優位半球の後頭葉と側頭葉病変によって生じる）.

finger a. 〔手〕指失認（自分自身や他人の個々の指の名前を言ったり，認識したりする能力の欠如．優性大脳半球の角回あるいはその付近の病変によって起こることが多い）.

gustatory a. 味覚失認〔症〕（味覚物質の区別や認識はできることがあるが，味覚物質を分類したり固定したりすることはできない．全般性，部分性，特異性のことがある）.

localization a. 局在失認（皮膚の触れられた部分を認識できないこと）.

olfactory a. 嗅覚脱失（におい刺激物質を分類あるいは同定することができないこと．ただしにおい刺激物質を区別したり感知する能力は正常であることもある．全般的，部分的，あるいは特異的である場合がある）.

optic a. 視覚失認.＝visual a.

position a. 位置覚失認（四肢の姿勢を認識できないこと）.

tactile a. 触覚失認（皮膚や手の固有感覚の障害がないのに接触によって物体を認識できないこと．反対側の頭頂葉の病変による）.＝astereognosis; stereoagnosis; stereoanesthesia.

visual a. 視覚失認（視覚情報から物体の認識ができなくなった状態．通常は両側の頭頂後頭葉病変によって生じる）.＝optic a.

visual-spatial a. 視空間失認（物体を局在したり，距離，動き，空間的関係を認識する能力の障害．後頭葉の病変で起こる．*cf.* simultanagnosia）.

-agogue, -agog (ă-gog′) [G. *agōgos*, leading forth < *agō*, to lead]. [誤ったつづり -ogog および -ogogue を避けること]．誘導，促進，刺激，促進物または刺激物を示す接尾語.

a·gom·phi·ous (ă-gom′-fē-us). 無歯症.＝edentulous.

a·gom·pho·sis, agom·phi·a·sis (a-gom-fō′sis, fī′ă-sis) [G. *a-* 欠性辞 + *gomphos*, peg, bolt]. 無歯症.＝anodontia.

a·go·nad·al (ă-gon′ă-dăl). 性腺欠損の.

ag·o·nal (ag′on-ăl). 瀕死の，死の（死の過程または死の瞬間に関する．死の過程は苦痛の過程または死との戦いであるというかつての誤った観念でこうよばれる）.

ag·o·nist (ag′on-ist) [G. *agōn*, a contest]. ***1*** 作動筋，主動筋（対立筋または拮抗筋に対して，収縮状態にある筋肉）. ***2*** 作用(作動)薬，アゴニスト（受容体と結合して薬物作用を発揮する薬物．親和性と内活性がある）.

dopamine a. ドパミン作動薬，ドパミンアゴニスト（ドパミン作動受容体を直接活性化することにより，薬理効果を呈する薬剤）.

ag·o·ny (ag′ŏ-nē) [G. *agōn*, a struggle, trial]. アゴニー，死戦（肉体または精神の激しい痛みや苦悶）.

a·gor·a·pho·bi·a (ag′ōr-ă-fō′bē-ă) [G. *agora*, marketplace + *phobos*, fear]. 広場恐怖〔症〕（[誤った発音 agor′aphobia を避けること．acarophobia または acrophobia と混同しないこと]．自宅の慣れた状況を離れることや開けた場所に行く

ことに対する不合理な恐れを特徴とする精神疾患．そのため，外の生活状況の多くをいやがったり避けたりする．パニック発作を伴うことが多い）．

a·gor·a·pho·bic (ă-gōr-ă-fō′bik). 広場恐怖〔症〕の（広場恐怖症に関する，またはそれに特徴的な）．

a·gou·ti (ah-gu′tē) [Fr. < インディアン土語]．アグーチ（①哺乳類で見られる野生型の毛色をもつ帯．数種のネコ科の動物で見られる．被毛は基部では明色あるいは灰色で，先端は暗色または黒色の色素をもつ．多様な帯をもつ被毛が生じることもある．→*Dasyprocta*. ②熱帯産のゲッ歯類．→*Dasyprocta*）．

-agra (a′gre) [G. *agra*, a hunting, a catching, a trap]．急性疼痛が突然襲うことを意味する接尾語．

a·graffe (ah-graf′) [Fr. *agrafe*, a hook, clasp]．アグラッフ（縫合糸の代わりに用いて創縁を癒着させる器具）．

ag·ram·mat·i·ca (ag′ră-mat′i-kă). ＝agrammatism.

a·gram·ma·tism (ā-gram′a-tizm). 失文法〔症〕（文法的な文を構成する能力の欠如，および理解できない言葉または正しくない言葉の使用を特徴とする失語症の一型．優位脳半球の病巣によって引き起こされる．語字を言い落としながら話す）．＝agrammatica; agrammatologia; jargon aphasia.

a·gram·ma·to·lo·gi·a (ă-gram′mă-tō-lō′jē-ă). ＝agrammatism.

a·gran·u·lo·cyte (ă-gran′yū-lō-sīt) [G. *a-* 欠性辞 + L. *granulum*, granule + G. *kytos*, cell]．無顆粒〔白血〕球（無顆粒の白血球）．

a·gran·u·lo·cy·to·sis (ă-gran′yū-lō-sī-tō′sis). 顆粒球減少〔症〕（多核白血球数の大幅な減少（しばしば顆粒球 500/mm^3 以下）を伴う，顕著な白血球減少を特徴とする急性の潜在的致死病態．皮膚はもとより，のど，腸管，および他の粘膜に感染潰瘍が発生しやすい）．＝agranulocytic angina; angina lymphomatosa; neutropenic angina.

a·gran·u·lo·plas·tic (ă-gran′yū-lō-plas′tik) [G. *a-* 欠性辞 + L. *granulum*, granule + G. *plastikos*, formative]．無顆粒球形成の（無顆粒細胞を形成でき，顆粒細胞を形成できない）．

a·graph·i·a (ă-graf′ē-ă) [G. *a-* 欠性辞 + *graphō*, to write]．失書〔症〕，書字不能〔症〕（肢の異常がないのに適切に書けないこと．しばしば失語と失読を伴う．大脳の種々の部位，特に角回付近の病変が原因となる）．＝graphic aphasia; graphomotor aphasia.

absolute a. 絶対失書〔症〕（活字体の文字さえ書けない失書症）．＝atactic a.; literal a.

acoustic a. 聴覚性失書〔症〕（口述書取りの不能）．

amnemonic a. 作文不能性失書〔症〕（文字と単語は書けるが連続した文章が書けない失書症）．

atactic a. 失調性失書〔症〕．＝absolute a.

constructional a. 構成失書〔症〕，構成書字不能〔症〕（文字や単語は正しく書けるが，それらを紙の上に適切に並べられない失書）．

literal a. 〔文字〕失書〔症〕．＝absolute a.

motor a. 運動性失書〔症〕（筋協調不能に基づく失書症）．

musical a. 楽譜失書〔症〕（音譜を書く能力がないこと）．

verbal a. 単語失書〔症〕（個々の文字は書けるが単語が書けない失書症）．

a·graph·ic (ă-graf′ik). 失書〔症〕の，書字不能〔症〕の．

ag·re·tope (ag-rē′tōp). アグレトープ（ペプチド抗原上で，主要組織適合抗原(MHC)と結合する部位）．

AGRP agouti-related *protein* の略．

AgRP agouti-related *peptide* の略．

a·gue (ā′gū) [Fr. *aigu*, acute]．【誤った発音 āg を避けること】．***1*** malarial fever(マラリア熱)の古語．***2*** 悪寒．

brass founder's a. 鋳銅工悪寒．＝brass founder's *fever*.

AGUS atypical glandular *cells* of undetermined significance の頭文字．→Bethesda *system*.

ag·yi·o·pho·bi·a (aj′ē-ō-fō′bē-ă) [G. *agyia*, street + *phobos*, fear]．街路恐怖〔症〕（街頭にいることに対する病的な恐れを特徴とする広場恐怖症の一型）．

a·gy·ri·a (ă-jī′rē-ă) [G. *a-* 欠性辞 + *gyros*, circle]．無脳回〔症〕，脳回欠損（大脳皮質の脳回の先天的欠損または発育不良）．＝lissencephalia; lissencephaly.

a·haus·tral (ā-haws′trăl) [G. *a-* 欠性辞 + haustra]．ハウストラのない，平滑な（潰瘍性大腸炎のバリウム注腸造影像での所見）．

AHF antihemophilic *factor* A の略．

AHG antihemophilic *globulin* の略．

aHyl アロヒドロキシリシンの記号．

a·hy·log·no·si·a (ā-hī-log-no′sē-ă) [G. *a-* 欠性辞 + *hylē*, matter + *gnōsis*, recognition]．素材失認（密度，重さ，粗さの差を認識できないこと）．

Ai·car·di (ī-kahr′dē), J. Dennis. 20 世紀のフランス人神経科医．→A. *syndrome*.

aich·mo·pho·bi·a (īk-mō-fō′bē-ă) [G. *aichmē*, a point + *phobos*, fear]．尖鋭恐怖〔症〕（指または細くとがった物体で触れられることに対する病的な恐れ）．

AID activation-induced *cytidine* deaminase; artificial insemination heterologous donor (insemination)（非配偶者間人工授精）の略．

aid (ād) [M. E. *aiden* < O. Fr *aider* < L. *adjutare*, to help]．***1*** 扶助，救護，援助．***2*** 補助装置．

feeding a. 哺乳補助具，哺乳床，ホッツ床，口蓋床．＝feeding *appliance*.

aidoi-, aidoio- [G. *aidoia*, shameful things, the genitals]．性器に関する旧連結形．ラテン語の pudend- に相当．

AIDP acute inflammatory demyelinating *polyradiculoneuropathy* の略．

AIDS (ādz) [*a*cquired *i*mmuno*d*eficiency *s*yndrome の頭字語]．エイズ（ヒト免疫不全ウイルス(HIV–1)感染によって誘発される細胞性免疫不全．ニューモシスチス・イロベキー *Pneumocystis jiroveci*(以前はカリニ *carinii*)肺炎，Kaposi 肉腫，口腔毛髪状白斑，サイトメガロウイルス症，結核，鳥結核菌 *Mycobacterium avium* 複合体(MAC)病，カンジダ食道炎，クリプトスポリジウム症，イソスポーラ症，クリプトコッカス症，非 Hodgkin リンパ腫，進行性多巣性白質脳症(PML)，帯状疱疹，リンパ腫といった日和見感染症を特徴とする．HIV は性交，感染血液の付着した針の共有(静注麻薬常用者)，感染血液のその他の接触(医療従事者の針事故)で，細胞成分の豊富な体液(特に血液と精液)を介してヒトからヒトへ伝搬する．母児感染も起こりうる．HIV の第 1 の標的は，CD4を表面に有する細胞で，主としてヘルパー T リンパ球である．HIV に対する抗体は，感染後 6 週から 6 か月で出現し，確実な診断マーカとなるが，HIV に結合したり，不活性化したりはしない．CD4リンパ球数は典型例では 10—12 年という期間を経て徐々に減少し，ついには日和見感染に抵抗不能となる．こうした感染症が 1 つ以上出現したら，エイズ発症と定義される．患者の中には，HIV 感染の経過中，かなり早い時期に，全身性リンパ節腫脹，発熱，体重減少，認知症，慢性の下痢を呈する場合もある．治療しなければ，最初に日和見感染が出現してから 2 — 5 年以内に確実に死に至る．日和見感染の予防の他に，HIV 感染症の標準的な治療としてはヌクレオシドアナログ(例えば，ジダノシン，ラミブジン，リバビリン，スタブジン，ジドブジン)，非ヌクレオシド逆転写酵素阻害剤(例えば，デラビルジン，エファビレンツ，ネビラピン)，プロテアーゼインヒビター(例えば，アタザナビル，インジナビル，リトナビル，サキナビル)が用いられる．→human immunodeficiency *virus*; plasma viral *load*)．＝acquired immunodeficiency syndrome.

毎年，世界中で約 500 万人がエイズに侵され，300 万人がエイズで死亡する．4,000 万—5,000 万人が HIV に感染しているだろうと予想されている．男女比はほぼ同じである．最も罹患率が高いのはアフリカのいくつかの国であり，そこでは大人の約 25 %が HIV 陽性であり，世界の感染者のおよそ 70 %はサハラ砂漠以南のアフリカにいる．エイズが初めて報告されたのは，1981 年の 6 月，アメリカであった．それから 20 年の間にアメリカでは，140 万人が HIV に感染したと推測され，81 万 6,149 人がエイズになり，46 万 7,910 人が死亡したと米国疾病予防管理センター(CDC)に報告されている．1990 年の終わりに，多剤併用抗レトロウイルス療法が適用された後は，新たなエイズ症例や死亡例は大幅に減少した．1998 年以降アメリカでは毎年，新たにエイズになる症例は約 4 万で，1 万 6,000 人の死亡とともに一定に保たれている．HIV 感染者数は増え続けており，推定100万人のうちの1/4は，自分が感染していることに気づいていない．アメリカでは25—44歳男性の死因の第1位であり，同じ年齢の女性では死因の第4位である．有効な抗エイズ薬(例えば，逆転写酵素阻害剤とプロテアーゼインヒビター)が開発され，血漿中のHIV RNAの定量法が確立して病気の進行と治療への反応性をモニター可能となったことにより，エイズ管理の最終目標が，日和見感染の予防と治療からウイルス増殖抑制治療による病気の寛解へと移行した．免疫不全は経時的なCD4数測定によってモニターされ，ウイルス増殖は血漿HIV RNA定量法(すなわち，血漿ウイルス量，PVL)で把握される．抗エイズ治療の開始の指標は，日和見感染症状の出現，CD4数の350/mm^{3}以下への減少，ウイルス量の3万コピー/mL以上への増加である．CD4細胞数は，ウイルス量よりも病気の進行をより鋭敏に推定すると考えられている．経験的には免疫機能を維持し，患者自身のウイルスに対する防御能を高める目的で，治療は早期から(抗HIV抗体陽性に転じて6か月以内)始められてきた．しかし，現在のガイドラインでは，薬剤耐性の誘導が起こらないように，可能な限り治療開始を遅らせるよう推奨している．プロテアーゼインヒビターは非常に有効な抗エイズ薬であることが証明されており，標準的な治療方針である2剤の逆転写酵素阻害剤と1剤のプロテアーゼインヒビターの混合投与(3剤併用療法)は単剤投与に比してはるかに有効であることが明らかに示されている．しかしながらこれらの薬剤は高価である．レジメはしばしば複雑であり，投与の中断や時期を変更する必要性がある場合もある．しかも副作用や薬剤間相互作用も日常茶飯事である．プロテアーゼインヒビターでは，コレステロールとトリグリセリドの増加，インスリン抵抗性，リポジストロフィが認められている．ある大規模調査によると，治療を受けている成人HIV感染者の半数で，1つ以上の抗レトロウイルス薬に耐性のウイルスに感染しており，承認されているプロテアーゼインヒビターのすべてに耐性のウイルスも出現していた．現在行われているエイズ治療の根本原理は，すべての感染細胞が死滅するまで，新たな細胞にウイルスが広がっていくのを防ぐことによって，HIV感染を根絶させようということである．しかしながら，実際に完治など決して起こりえない．患者体内では，検出限界以下の血漿HIV RNAとともに，少数の休止CD4メモリー細胞が，複製可能なHIVプロウイルスDNAを潜伏させており，これらの細胞は数か月から数年生存できる．マクロファージと中枢神経系ニューロンは，その解剖学的要因から，治療に十分な濃度の抗ウイルス薬は浸透できないので，HIVの避難所たりうる可能性がある．抗ウイルス療法が早期に開始されると，CD4ヘルパー細胞数は増加し，CD4細胞活性は維持され，HIV RNAレベルは長期間にわたって検出限界以下に留まる．しかし，病気が進行した患者の約50％では，多剤併用のレジメですらも，血漿中のウイルスRNAを検出限界以下に抑えることはできない．治療失敗例の多くは，多剤併用のコンプライアンスが不十分であることによる．抗レトロウイルス薬間では交差耐性の程度が高いために，1つの治療法に失敗すると，他の方法も失敗することが多い．最初の治療法が失敗した後に，遺伝子型検査をすると，HIVゲノム上で，抗HIV薬に対する耐性をもたらした突然変異を同定することができる．多くの患者では，CD4細胞数が正常に保たれているにもかかわらず，日和見感染にかかりやすくなっている．恐らく，T細胞のある集団が全滅してしまったために，たとえHIV増殖が抑制されたとしても元には戻れないからであろう．さらに，ウイルスが検出されないような患者でも，他人への感染性を有することが認識されるべきである．HIV感染者の中のごく一部は，免疫が傷害されても，エイズにまで進行するのが遅い，あるいはエイズにまで進行しない．そのような非発症者のCD8T細胞はα-ディフェンシンという蛋白を産生していることがわかった．妊娠時，あるいは針刺し事故や性的暴行後では，HIV感染症の治療は，積極的予防へとその治療基準が進化している．HIV陽性の妊婦に対して，妊娠中から出産時まで，さらに新生児に生後6週まで，抗エイズ薬を投与すると，HIVの垂直感染を顕著に低下させた．医療従事者がHIV陽性血液に非経口的に暴露した場合，HIVに感染する確率はおよそ0.3％である．暴露後に予防的に抗ウイルス薬を28日間投与すると，感染のリスクを80％低下させることが示された．どの薬剤を選択するかは患者の治療歴に依存する．ウイルスの特質とエイズは潜伏期が長いという理由で，ワクチン開発の試みは頓挫している．21世紀当初，公衆衛生の専門家は以下の事柄を目標として掲げた．医療現場の日常業務としてHIV検査を行うこと，本格的な医療機関以外でも診断ができるようになること，人々を教育することによって新たな感染を防ぐこと，妊娠女性や未検査の母親から生まれた子供について日常的にHIV検査をして母児感染を減少させること．

AIH autoimmune *hepatitis*; artificial insemination by husband (夫による人工受精)；artificial insemination, homologous(配偶者間人工受精)の略．

AILD angioimmunoblastic *lymphadenopathy* with dysproteinemia の略．

aIle alloisoleucine の略．

ai・lu・ro・pho・bi・a (ī′lū-rō-fō′bē-ă) [G. *ailouros*, cat + *phobos*, fear]．ネコ恐怖〔症〕，恐猫〔症〕(ネコに対する病的な恐れまたは嫌忌)．

ai・nhum (ī′ŭm) [< Af.(Lagos), to saw][MIM*103400]．アイユーム(通常，小趾の足趾底ひだに発生する緩慢な進行性の痛みを伴う線維性絞窄で，徐々に足指の自然離断に至る．熱帯地方の黒人男性に最も多い)．

AIR 5-aminoimidazole ribose 5′-phosphate; 5-aminoimidazole ribotide の略．

air (ār) [G. *aēr*; L. *aer*]．***1*** 〖n.〗空気(飽和水蒸気を除いた後の以下の近似体積百分率を有する混合気体．酸素20.95，窒素78.08，アルゴン0.93，二酸化炭素0.03，その他の気体0.01．以前は組成には関係なく呼吸している気体を意味するのに用いられた)．***2*** 〖v.〗換気．＝ventilate.

alveolar a. 肺胞気．＝alveolar *gas*.

complemental a. 補気〔量〕．＝inspiratory reserve *volume*.

complementary a. ＝inspiratory *capacity*.

functional residual a. 機能〔的〕残気．＝functional residual *capacity*.

a. hunger 空気飢餓〔感〕(アシドーシス患者などにみられる著しく深い換気で，肺胞換気を増加させ，また炭酸ガスをより呼出しようとするために生じる．→Kussmaul *respiration*)．

liquid a. 液体空気(低温と高圧下で液化された空気)．

minimal a. 最少残〔留〕気(肺に残留し，身体から肺を除去した後，または開胸した後でも，駆逐できない空気の量)．

reserve a. 予備呼気量．＝expiratory reserve *volume*.

residual a. 残気．＝residual *volume*.

supplemental a. 予備呼気量．＝expiratory reserve *volume*.

tidal a. 一回換気量，一回呼吸(呼気)量．＝tidal *volume*.

vitiated a. 低質空気(酸素の割合が減少している空気)．

Aird (ārd), Robert B. 20世紀の米国人神経科医． →Flynn-A. *syndrome*.

air・sick・ness (ār′sik-nes)．航空病，航空酔い(内耳の誤った，増加した，減少した，または持続性の刺激による，飛行機や宇宙船に乗っているときに起こる船酔いや他の動揺病に似た状態)．＝air sickness.

air・space (ār′spās)．気腔(誘導気道や気管支より末梢の肺に所属する部位)．

air・trap・ping (ār-trap′ing)．空気とらえこみ，エアトラッピング(呼気時に肺全体あるいは一部での緩徐あるいは不完全な呼出．気道の局所的閉塞あるいは肺気腫を意味する)．

air・way (ār′wā)．***1*** 気道(呼吸時，空気が通過する気道の部分)．***2*** エアウェイ(麻酔と蘇生において，呼吸に対する閉塞を矯正する器具のこと．特に，口咽頭・鼻咽頭エアウェイ，気管内エアウェイ，気管切開チューブをいう)．

anatomic a. ＝anatomic dead *space*.

conducting a. 誘導気道(鼻腔から終末細気管支までの気道)．

Guedel a. (gū-del′)．ゲデルエアウェイ(全身麻酔中の気道確保に用いる口咽頭エアウェイ)．

lower a. 下気道（声門下から終末細気管支を含む呼吸気道の部分）.

neurogenic a. 神経因性気道（上気道にみられる異常筋肉緊張に基づく上気道の閉塞．重症の発育障害や脳外傷，特にこれらの症例で緊張性四肢麻痺のある患者にみられる）.

respiratory a. 呼吸気道（気道のうちで，ガス交換が起こる部分．呼吸細気管支，肺胞管，嚢，および肺胞を含む）.

upper a. 上気道（鼻孔あるいは口腔より喉頭までの呼吸気道の部分）.

AJCC American Joint Committee on Cancer（米国対癌共同委員会）の頭字語.

A·jel·lo·my·ces cap·su·la·tum (ah-jĕ-lō-mī′sēz kap-sū-lā′tŭm). *Histoplasma capsulatum* の子嚢菌世代（完全世代，有性世代，完全型）. =Emmonsiella capsulata.

A·jel·lo·my·ces der·ma·tit·i·dis (ah-jĕ-lō-mī′sēz der-mă-tit′i-dis). 真菌 *Blastmyces dermatitidis* の完全世代（完全型）.（+）と（−）の交配型が同じ頻度で疾病を引き起こす．この有性世代は，ギムノアスクス科に入れられる.

aj·ma·line (aj′mă-lēn). アジマリン（インドジャボク *Rauwolfia serpentina* の根から得られるインドールアルカロイドで，レセルピン，セルペンチン，ヨヒンビンと同類）.

aj·o·wan oil (aj′ō-wan oyl). アジョワン油（チモールの供給源の１つである *Carum copticum* の果実から蒸留した揮発油．駆風薬，芳香薬，去痰薬）. =ptychotis oil.

a·kan·thi·on (ă-kan′thē-on). =acanthion.

a·kar·y·o·cyte (ā-kar′ē-ō-sīt) [G. *a-* 欠性辞 + *karyon*, kernel + *kytos*, a hollow (cell)]. 無核細胞（赤血球のように，核（細胞核）のない細胞）. =acaryote; akaryote.

a·kar·y·ote (ā-kar′ē-ōt) [G. *a-* 欠性辞 + *karyon*, kernel]. =akaryocyte.

a·ka·thi·si·a (ak-ă-thiz′ē-ă) [G. *a-* 欠性辞 + *kathisis*, a sitting]. 静座不能（座った姿勢の保持不能を特徴とする症候群で，運動性不穏状態，および筋肉の震え感を伴う．抗精神病薬や精神安定薬の副作用として起こることもある）. =acathisia.

a·kem·be (ă-kem′bē). アケムベ. =onyalai.

Åk·er·lund (ek′er-lund), A. Olof. スウェーデン人放射線専門医，1885—1958. ⇀Å. *deformity*.

a·ki·ne·si·a (ā-ki-nē′sē-ă, ā-kī-) [G. *a-* 欠性辞 + *kinēsis*, movement]. =akinesis. ***1*** 運動不能〔症〕（錐体外路疾患による随意運動力の欠如または喪失）. ***2*** 心収縮期後の静止期間を表す現在では用いられない語. ***3*** 壁運動消失（収縮中の心室壁において内向きの動きまたは外向きの動き（奇異性壁運動）が消失していること）. ***4*** 無動〔症〕，失動〔症〕（麻痺症状を伴う神経症）.

a. algera [G. *algos*, pain]. 有痛無動〔症〕（どんな動作をしても強い全身性の痛みが起こるために動かない状態．通常精神的な原因で起こる）.

a. amnestica 健忘性無動〔症〕（筋肉を使わないために起こる筋力の喪失）.

a·ki·ne·sic (ā-ki-nē′sik, ā-kī-). =akinetic.

a·ki·ne·sis (ā-ki-nē′sis, ā-kī-). =akinesia.

a·kin·es·the·si·a (ā-kin′es-thē′zē-ă) [G. *a-* 欠性辞 + *kinēsis*, motion + *aisthēsis*, sensation]. 運動〔感〕覚消失（運動や位置を感じる能力がないこと．動きを知覚する感覚，筋感覚の欠如）.

a·ki·net·ic (ā-ki-net′ik, -kī-net′ik). 無動〔症〕の，失動〔症〕の，運動不能〔症〕の. =akinesic.

a·ki·ya·mi (ah-kē-yah′mē). あきやみ（秋疫）. =hasamiyami.

ak·ne·mi·a (ak-nē′mē-ă). ⇀acnemia.

AKNF Adair-Koshland-Némethy-Filmer *model* の略.

Al アルミニウムの元素記号.

ALA δ-aminolevulinic acid の略.

Ala アラニン，またはその一置換基あるいは二置換基を示す記号.

a·la, gen. & pl. **alae** (ā′lă, ā′lē) [L. wing]. 翼（① [TA]. =wing. ②線虫類にみられるクチクラの顕著な縦方向の隆起で，成虫に存在する（ぎょう虫 *Enterobius vermicularis*）こともあるが，通常は幼虫期に認められる（回虫 *Ascaris lumbricoides*））.

a. auris 耳翼. =auricle.

a. cerebelli 小脳翼. =*wing* of central lobule.

a. cinerea 灰白翼. =vagal (nerve) *trigone*.

a. cristae galli [TA]. 鶏冠翼. =a. of crista galli.

a. of crista galli [TA]. 鶏冠翼（篩骨が鶏冠の前部両側にわずかに延び，先端が前頭骨と関節をなし，盲孔を形成する）. =a. cristae galli [TA]; alar process; wing of crista galli.

a. of ilium [TA]. 腸骨翼（腸骨の上部拡大部分で，腸骨筋や殿筋の付着のための広い面を提供している．前面のくぼみは腸骨窩をなす）. =a. ossis ilii [TA]; wing of ilium*.

alae lingulae cerebelli 小脳小舌翼. =*lingula* of cerebellum.

a. lobulis centralis [TA]. 中心小葉翼. =*wing* of central lobule.

a. major ossis sphenoidalis [TA]. 蝶形骨大翼. =greater *wing* of sphenoid (bone).

a. minor ossis sphenoidalis [TA]. 蝶形骨小翼. =lesser *wing* of sphenoid (bone).

a. nasi [TA]. 鼻翼，こばな（[複数形は alae nasae ではなく alae nasi である]）. =a. of nose.

a. of nose [TA]. 鼻翼，こばな（前鼻孔外壁の外側拡張部分）. =a. nasi [TA]; pinna nasi; wing of nose.

a. orbitalis 眼窩翼. =lesser *wing* of sphenoid (bone).

a. ossis ilii [TA]. 腸骨翼. =a. of ilium.

a. sacralis [TA]. 仙骨翼. =a. of sacrum.

a. of sacrum [TA]. 仙骨翼（仙骨体の外側にある部分の上面）. =a. sacralis [TA]; wing of sacrum*.

a. temporalis =greater *wing* of sphenoid (bone).

a. of vomer [TA]. 鋤骨翼（鋤骨の上縁にあって，蝶形骨吻をはさむ唇状突出物）. =a. vomeris [TA]; wing of vomer.

a. vomeris [TA]. 鋤骨翼. =a. of vomer.

a·la·cri·ma (ā-lak′ri-ma) [G. *a-* 欠性辞 + L. *lacrima*, tear] [MIM*601549]. 無涙液症（涙液分泌の欠除）.

A·la·gille (ah-lah-zhēl′), Danielle. 20世紀のフランス人医師. ⇀A. *syndrome*.

Al·a·jou·a·nine (ah-lah-zhū-ah-nēn′), Théophile. フランス人神経科医，1890—1980. ⇀Foix-A. *myelitis*, *syndrome*.

a·la·li·a (ă-la′lē-ă) [G. *a-* 欠性辞 + *lalia*, talking]. 構語障害（無言症，発声不能. ⇀aphonia）.

a·lal·ic (ă-lal′ik). 構語障害の.

al·a·nine (A, Ala) (al′ă-nēn). アラニン；2-aminopropionic acid; α-aminopropionic acid（その L-立体異性体は蛋白に広く存在するアミノ酸の１つ）.

β-al·a·nine (al′ă-nēn). β-アラニン；3-aminopropionic acid; β-aminopropionic acid（アスパラギン酸の脱炭酸生成物．脳内やカルノシン，CoA の構成成分として存在する）.

al·a·nine a·mi·no·trans·fer·ase (ALT) (al′ă-nēn a-mē′nō-tranz′fer-ās). アラニンアミノトランスフェラーゼ（アミノ基を L-アラニンから 2-ケトグルタル酸へ，またはその逆（L-グルタミン酸からピルビン酸塩）へ転移する酵素．同様な反応は D-アラニントランスアミナーゼでも進行するが，D-アラニンおよび D-グルタミン酸は転移反応が起こらない．その血中濃度はウイルス性肝炎や心筋梗塞で高い）. =alanine transaminase; glutamic-pyruvic transaminase; serum glutamic:pyruvic transaminase.

al·a·nine-gly·ox·y·late a·mi·no·trans·fer·ase (al′a-nē-glī-oks′i-lāt a-mē′nō-tranz′fĕr-ās). アラニン－グリオキシレートアミノトランスフェラーゼ（L-アラニンのアミノ基をグリオキシル酸へ転移させ，ピルビン酸とグリシンに変換させる反応を可逆的に触媒する酵素．この酵素活性の変調により生じる先天的疾患としては，原発性高シュウ酸尿症 I 型がある）.

al·a·nine-ox·o·mal·o·nate a·mi·no·trans·fer·ase (al-ă-nēn-oks-ō-mal′ō-nāt a-mē′nō-tranz′fĕr-ās). アラニン－オキソマロネートアミノトランスフェラーゼ（L-アラニンのアミノ基のオキソマロン酸への可逆的転移を行う酵素で，ピルビン酸とアミノマロン酸を生成するアラニンアミノトランスフェラーゼの作用と類似の作用を有する）.

β-al·a·nine-py·ru·vate ami·no·trans·fer·ase (al′ă-nēn-pī-rū′vāt a-mē′nō-tranz′fĕr-ās). β-アラニン－ピルビン酸アミノトランスフェラーゼ（β-アラニンのアミノ基をピルビン酸へ転移させ，L-アラニンとマロン酸セミアルデヒドを与える反応を可逆的に触媒する酵素．この酵素の欠損が，高β–アラニン血症の原因であるといわれている）．

al·a·nine ra·ce·mase (al′ă-nēn rāsē-mās). アラニンラセマーゼ（補酵素としてピリドキサールリン酸を必要とする酵素．L–アラニンのD–アラニンへの可逆的ラセミ化を触媒する．種々の微生物にみられ，被膜蛋白に存在するD–アミノ酸の生合成を助ける）．

al·a·nine trans·am·i·nase (al′ă-nēn tranz-a′mi-nās). アラニントランスアミナーゼ．＝alanine aminotransferase.

a·lan·o·sine (ă-lan′ō-sēn). アラノシン（*Streptomyces alanosinicus* によって生成される抗生物質で，抗腫瘍性および抗ウイルス性の特性を有する）．

Al·an·son (al′ăn-sŏn), Edward. 英国人外科医，1747—1823. ⇀A. *amputation*.

a·lan·tin (ă-lan′tin). アランチン．＝inulin.

al·an·tol (al′an-tol). アラントール（オオグルマ *Inula helenium* の根を蒸留して得られる帯黄色の液体．以前は刺激性緊張薬として内服され，外用で弱発赤薬として用いられた）．＝inulol.

al·ant starch (ă-lant′ starch). アラントデンプン．＝inulin.

al·a·nyl (A) (al′ă-nil). アラニル（アラニンのアシル基）．

a·lar (ā′lăr). ***1*** 翼の，翼のある．***2*** 腋窩の．＝axillary. ***3*** 翼状の（鼻，蝶形骨，仙骨などの構造物の翼についていう）．

ALARA アララ（放射線の診断，治療，その他における利用上の哲理である，*as low as reasonably achievable*（できうる限り低線量を用いる）の頭字語）．

a·lar·mone (ă-lar′mōn) [*alarm* + *-mone*]. アラーモン（あるストレス状態下（例えばある酵素に影響を及ぼす栄養不良状態）でその合成が亢進する生体成分）．

a·las·trim (ă-las′trim) [Pg. *alastar*, to scatter over]. アラストリム（ウイルスの弱毒株によって引き起こされる痘瘡の軽症型）．＝milkpox; pseudosmallpox; pseudovariola; variola minor; West Indian smallpox; whitepox.

al·ba (al′bă) [L. *albus*(white)の女性形]. ＝white *matter*.

Al·bar·ran y Do·min·guez (ahl′bah-rahn ē dō-min′gez), Joaquin. キューバ人泌尿器科医，1860—1912. ⇀A. *glands*, *test*; A. y Dominguez *tubules*.

al·be·do (al-bē′dō) [L. whiteness]. 散光，白色，アルベド（浮腫や梗塞によって網膜に生じる白色領域）．

Al·bers-Schön·berg (ahl′berz shĕrn′bĕrg), Heinrich E. ドイツ人放射線科医，1865—1921. ⇀A.-S. *disease*.

Al·bert (al′bĕrt), Eduard. ハプスブルク帝国の外科医，1841—1900. ⇀A. *suture*.

Al·bert (al′bĕrt), Henry. 米国人医師，1878—1930. ⇀A. *stain*.

al·bi·cans, pl. al·bi·can·tia (al′bi-kanz, -kan′tē-ă) [L.]. ***1*** 〘adj.〙 白い．＝white. ***2*** 〘n.〙 白体．＝*corpus* albicans.

al·bi·du·ri·a (al-bi-dyū′rē-ă) [L. *albidus*, whitish + G. *ouron*, urine]. 白色尿，水様尿（乳び尿のように低比重で，色の薄いまたは白色の尿）．＝albinuria.

al·bi·dus (al′bi-dŭs) [L.]. 白い，白みがかった．

Al·bi·ni (ahl-bē′nē), Giuseppe. イタリア人生理学者，1827—1911. ⇀A. *nodules*.

al·bi·nism (al′bi-nizm) [albino + ism]. 白皮症，白子〔症〕（メラニン産生異常により，皮膚・毛髪・眼の，あるいは眼のみの色素が欠乏または欠損する遺伝的（通常は常染色体劣性遺伝）疾患群．⇀ocular a.; piebaldism）．

Åland Island a. オーランド島白子〔症〕．＝ocular a. type 2.

cutaneous a. [MIM*126070]. 皮膚白子〔症〕＝piebaldism.

Forsius-Eriksson a. (fōr′sē-us ehr′ik-sŏn). フォルシウス－エリックソン白子〔症〕．＝ocular a. type 2.

Nettleshop-Falls a. (net′ĕl-shŏp fahlz). ネトルショップ－フォールス白子〔症〕．＝ocular a. type 1.

ocular a. [MIM*300500]. 眼白子〔症〕（主に虹彩，脈絡膜および網膜（色素）上皮での色素の欠損によるX連鎖性疾患．他の合併所見は網膜黄斑低形成と先天性眼球振とうがある）．

ocular a. type 1 [MIM*300500]. 眼白子〔症〕1型（眼底の無色素および著明な脈絡膜血管，眼球振とうと頭部振せんを特徴とする眼白子症．視力は通常，障害される．X染色体短腕の *OA1* 遺伝子での変異による．X連鎖遺伝）．＝

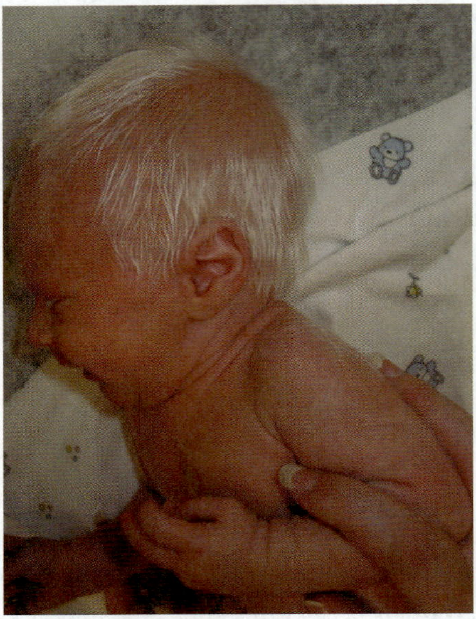

oculocutaneous albinism

Nettleshop-Falls a.

ocular a. type 2 [MIM*300600]. 眼白子〔症〕2型（眼底の白子症に加えて，黄斑低形成，著明な視力障害，眼球振とう，近視，乱視，および1型色覚異常を特徴とする眼白子症）．＝Åland Island a.; Forsius-Eriksson a.

ocular a. type 3 [MIM*203310]. 眼白子〔症〕3型（視力障害，虹彩透光性，先天性眼球振とう，羞明，黄斑低形成を伴う白子状眼底と斜視を特徴とする眼白子症．第6染色体長腕の pinkeye 遺伝子（P）での変異による，常染色体劣性遺伝）．

ocular a. with late-onset sensorineural deafness [MIM*300650]. 晩発性感音難聴を伴う眼白子〔症〕（X連鎖遺伝）．

ocular a. with sensorineural deafness [MIM*103470]. 感音難聴を伴う眼白子〔症〕（Waardenburg 症候群 II 型．⇀Waardenburg *syndrome*）．

oculocutaneous a. 眼・皮膚白皮症（皮膚，毛髪，眼の色素欠損，および羞明，眼振，視力障害を伴う疾患．チロシナーゼ陰性型［MIM*203100］ではチロシナーゼが欠損する．チロシナーゼ陽性型［MIM*203200］ではチロシナーゼは正常にあるが色素細胞内にはいることができない．複合的ヘテロ接合体は正常で，2つの型は対立ではない．常染色体劣性遺伝を示すいくつかの型がある．IA型は終生完全にメラニンが欠損するチロシナーゼの欠損，羞明，眼振を特徴とする．第11染色体長腕のチロシナーゼ遺伝子（*TYR*）の変異による．II型はチロシナーゼ活性が正常で最も一般的であり，毛髪は黒っぽく，母斑，雀卵斑ができる．第15染色体長腕の眼・皮膚白皮症遺伝子（*OCA2*）の変異による．III型はチロシナーゼを欠損するが，最初の10年間で虹彩に色素沈着することを特徴とする．第9染色体短腕のチロシナーゼ関連蛋白1遺伝子（*TYRP1*）の変異による．IV型は正常なチロシナーゼをもったアフリカ人にみられる．V型は赤毛，VI型は Hermansky-Pudlak 症候群［MIM*203300］で血小板の欠乏または低下のため出血し，またチロシナーゼの低下や欠損を伴う．第10染色体長腕の Hermansky-Pudlak 遺伝子（*HPS*）の変異による）．

rufous a. 赤褐色白皮症．＝xanthism.

al·bi·no (al-bī′nō) [Pg. little white one ＜ *albo*, white ＜ L. *albus* + 指小接尾辞 *-ino*]. 白子（白皮症を有する個体）．

al·bi·not·ic (al-bi-not′ik). 白皮症の，白子〔症〕の．

al·bi·nu·ri·a (al-bi-nyū′rē-ă). = albiduria.

Al·bi·nus (Weiss) (ahl-bē′nūs, wīs), Bernhard S. ドイツ人解剖学者・外科医，1697—1770. ⇀A. *muscle*.

al·bo·ci·ne·re·ous (al′bō-si-nē′rē-ŭs) [L. *albus*, white + *cinereus*, ashen < *cinis* (*ciner-*), ashes]. 白質灰白質の（脳または脊髄の白質と灰白質の両方に関する）.

Al·brecht (ahl′brekt), Karl M.P. ドイツ人解剖学者，1851—1894. ⇀A. *bone*.

Al·bright (awl′brīt), Fuller. 米国人医師，1900—1969. ⇀A. *disease*, *syndrome*, hereditary *osteodystrophy*; Forbes-A. *syndrome*; McCune-A. *syndrome*.

al·bu·gin·e·a (al-bū-jin′ē-ă) [L. *albugineous* < *albugo*, white spot]. 白膜（[誤った発音 albugine′a を避けること]．精嚢の白膜のような，白っぽい線維層. ⇀*tunica* albuginea; *tunica* albuginea of corpus spongiosum; *tunica* albuginea of corpora cavernosa; *tunica* albuginea of ovary; *tunica* albuginea of testis; sclera).

al·bu·gin·e·ot·o·my (al-bū-jin-ē-ot′ō-mē) [albuginea + G. *tomē*, cutting]. 白膜切開〔術〕.

al·bu·gin·e·ous (al-bū-jin′ē-ŭs) [L. *albugineus* < *albugo*, white spot]. ***1*** 卵白様の（ゆで卵の白身に類似した）. ***2*** 白膜の.

al·bu·men (al-bū′men) [⇀albumin]. [誤った発音 al′byū-men を避けること．albumin と混同しないこと]. = ovalbumin.

al·bu·min (al-bū′min) [L. *albumen* (*-min-*), the white of egg][MIM*103600]. アルブミン（[誤った発音 al′byū-men を避けること．albumen と混同しないこと]．ほとんどは単純蛋白で，動植物の組織および体液中に広く分布している一群である．アルブミンは水に溶け，強い酸によって溶液から沈殿，酸性または中性溶液中で熱によって凝固する）.

a. A Aアルブミン（ヒト血清アルブミンの正常または一般的な型）.

acetosoluble a. 酢酸可溶性アルブミン. = Patein a.

a. B Bアルブミン（⇀inherited albumin *variants*）.

Bence Jones a. (bents jōnz). ベンス・ジョーンズアルブミン（⇀Bence Jones *proteins*）.

blood a. 血液アルブミン. = serum a.

bovine serum a. (**BSA**) ウシ血清アルブミン（通常は，*in vitro* で行う生理学の研究で用いるアルブミン）.

dried human a. 乾燥ヒトアルブミン. = normal human serum a.

egg a. 卵アルブミン. = ovalbumin.

a. Ghent ゲントアルブミン（⇀inherited albumin *variants*）.

iodinated ^{131}I human serum a. ヨウ素(^{131}I)標識ヒト血清アルブミン（1 mL につき放射性ヨウ素標識正常ヒト血清アルブミンを 10 mg 以上含み，1 mL につき(^{125}I または ^{131}I に由来する)1 mCi 以上の放射活性のないように調製された殺菌緩衝化等張溶液．血液量と心拍出量の測定に用いる診断補助薬）.

iodinated ^{125}I serum a. ヨウ素(^{125}I)標識血清アルブミン（1 mL につき放射性ヨウ素標識正常ヒト血清アルブミンを 10 mg 以上含み，1 mL につき 1 mCi 以上の放射活性のないように調製された殺菌緩衝化等張溶液．血液量と心拍出量の測定に用いる診断補助薬）. = radioiodinated serum a.

macroaggregated a. (**MAA**) 巨大凝集アルブミン（懸濁液状になったヒト血清アルブミンの集合したもの．通常，大きさ 10—50 μm の粒子のことをいう．肺スキャンを行う際の標識物質として用いる）.

a. Mexico メキシコアルブミン（⇀inherited albumin *variants*）.

a. Naskapi ナスカピアルブミン（⇀inherited albumin *variants*）.

native a. 天然アルブミン（自然の状態で存在するアルブミンで，主要 2 型は血清アルブミンと卵アルブミンである．水溶性で，希酸では沈殿しない）.

normal human serum a. 正常ヒト血清アルブミン（健康人から血漿蛋白を分画して得られる血清アルブミンの滅菌製剤．輸液剤として，また低蛋白血症に基因する浮腫の治療に用いる）. = dried human a.

Patein a. (pă-tēn′). パタンアルブミン（血清アルブミンに類似するが，酢酸に溶ける物質）. = acetosoluble a.

plasma a. 血清アルブミン. = serum a.

radioiodinated serum a. (**RISA**) 放射性ヨウ素標識血清アルブミン. = iodinated ^{125}I serum a.

a. Reading レディングアルブミン（⇀inherited albumin *variants*）.

serum a. 血清アルブミン（血漿中の主要蛋白で，血漿と漿液に存在する．脂肪酸輸送に関与したり，血液浸透圧の制御を助ける．それは，ホルモン，ビリルビン，薬剤とも結合すると考えられる）. = blood a.; plasma a.; seralbumin.

a. tannate タンニン酸アルブミン（アルブミンに対するタンニン酸の作用によって得られる収れん性粉末．約 50% のタンニン酸を含む．以前は下痢に収れん性解毒薬として，また散布薬として用いられた）.

al·bu·min·ate (al-bū′min-āt). アルブミネート（天然アルブミンと，希酸，または希アルカリとの反応産物．その反応により酸性アルブミン，またはアルカリ性アルブミンが生じる．両型とも希酸またはアルカリに可溶，水あるいは薄い塩類の溶液，およびアルコールには比較的不溶であることを特徴とする）.

al·bu·mi·na·tu·ri·a (al-bū′mi-nat′yū′rē-ă) [albuminate + G. *ouron*, urine]. アルブミネート尿〔症〕（排泄した尿中にアルブミネートが異常に大量に存在すること）.

al·bu·min·if·er·ous (al-bū′min-if′er-ŭs) [albumin + L. *fero*, to bear]. アルブミン生成の.

al·bu·min·ip·ar·ous (al-bū′min-ip′ăr-ŭs) [albumin + L. *pario*, to bring forth]. アルブミン生成の.

al·bu·min·og·e·nous (al-bū′min-oj′en-ŭs). アルブミン生成の.

al·bu·mi·noid (al-bū′min-oyd). ***1*** 《adj.》 アルブミン様の. ***2*** 《n.》 蛋白. ***3*** 《n.》 アルブミノイド，類アルブミン（角質と軟骨質，および眼の水晶体に存在する，中性溶媒に不溶の単純蛋白．ケラチン，エラスチン，コラーゲンなどがある）. = glutinoid; scleroprotein.

al·bu·mi·nol·y·sis (al-bū′min-ol′i-sis) [albumin + G. *lysis*, dissolution]. 蛋白溶解（しばしば特にアルブミンの分解についていう）.

al·bu·mi·nop·ty·sis (al-bū′mi-nop′ti-sis) [albumin + G. *ptysis*, a spitting]. アルブミン喀痰〔症〕.

al·bu·mi·nor·rhe·a (al-bū′min-ō-rē′ă) [albumin + G. *rhoia*, a flow]. 蛋白過剰排泄，アルブミン過剰排泄. = albuminuria.

al·bu·min·ous (al-bū′min-ŭs). アルブミン〔性〕の，蛋白〔性〕の.

al·bu·min·ur·i·a (al-bū-min-yū′rē-ă) [albumin + G. *ouron*, urine]. 蛋白尿〔症〕，アルブミン尿〔症〕（[より正確な proteinuria の代わりに本語を使わないこと]．蛋白(主にアルブミンだがグロブリンも)が尿中に存在していること．一般に疾患の存在を示すが，ときには一時的または一過性の機能障害の結果起こる）. = albuminorrhea; proteinuria (2).

adolescent a. 青年期蛋白尿〔症〕（思春期のころに起こる機能性蛋白尿．一般に周期性蛋白尿または起立性蛋白尿）.

adventitious a. 偶発性蛋白尿〔症〕（尿路のどこかに逸脱した血液，乳び，または何か他のアルブミン様液体があるために起こる蛋白尿．腎臓において血液から沪過されたアルブミンに由来するものではない）. = false a.

a. of athletes 運動性蛋白尿〔症〕（過剰筋肉労作の後で発生する機能性蛋白尿の一形態）.

Bamberger a. (bam′bĕr-gĕr). 進行した貧血の後期にときにみられる血性蛋白尿を表す現在では用いられない語.

benign a. 良性蛋白尿〔症〕（腎臓の病変の結果によるものではない蛋白尿の総称）. = essential a.

cardiac a. 心臓性蛋白尿〔症〕（うっ血性心不全によって起こる蛋白尿）.

colliquative a. 回復期蛋白尿〔症〕（最初は軽度であるが，例えば腸チフスのような高熱のでる疾病からの回復期に，不意に大きく増加する蛋白尿）.

cyclic a. 周期性蛋白尿〔症〕（主に若年者に，12—36 時間の周期で間欠的にときにみられる機能性蛋白尿．蛋白尿の程度は通常，軽微である）. = recurrent a.

dietetic a. 食事性蛋白尿〔症〕，消化性蛋白尿〔症〕（ある種の食品の摂取後に発生する蛋白の尿中排泄）.

essential a. 本態性蛋白尿〔症〕. ＝benign a.

false a. 偽〔性〕蛋白尿〔症〕. ＝adventitious a.

febrile a. 熱性蛋白尿〔症〕（熱を伴う蛋白尿）.

functional a. 機能性蛋白尿〔症〕（肉体労作，あるいは妊娠中や青年期などの生理的変化が起こるその他の状態に伴ってみられる良性蛋白尿の総称）. ＝physiologic a. (2).

intermittent a. 間欠性蛋白尿〔症〕（周期性蛋白尿，運動性蛋白尿など，間欠的に起こる機能性蛋白尿）.

lordotic a. 前弯性蛋白尿〔症〕（蛋白尿が腰椎の前弯による圧迫によって生じるという理論に基づいてよばれた語）.

neuropathic a. 神経病性蛋白尿〔症〕，神経〔疾患〕性蛋白尿〔症〕（てんかん，その他の痙攣性障害，脳の外傷，および脳出血に合併する蛋白尿）.

orthostatic a. 起立性蛋白尿〔症〕（患者が起立姿勢であるとき尿中に蛋白が出現し，横になると消失する蛋白尿）. ＝orthostatic proteinuria; postural proteinuria; postural a.

physiologic a. 生理的蛋白尿〔症〕（①他の点では正常な尿中に，蛋白のわずかな痕跡が存在すること． ②＝functional a.）.

postrenal a. 腎後性蛋白尿〔症〕（腎臓より遠位の組織の疾患によって起こる蛋白尿）.

postural a. 体位性蛋白尿〔症〕. ＝orthostatic a.

prerenal a. 腎前性蛋白尿〔症〕（腎臓または泌尿生殖器の疾患以外で起こる蛋白尿）.

recurrent a. 反復性蛋白尿〔症〕. ＝cyclic a.

regulatory a. 調節性蛋白尿〔症〕（不慣れな肉体労作の後に発生する一過性蛋白尿）.

transient a. 一過性蛋白尿〔症〕（機能性または一時性の蛋白尿）.

al·bu·min·ur·ic (al-bū-min-yū′rik). 蛋白尿〔症〕の.

al·bu·ter·ol (al-bū′ter-ol). アルブテロール（吸入で用いて β_2 受容体に比較的，選択的効果のある交感神経興奮性の気管支拡張薬）. ＝salbutamol.

Al·ca·lig·e·nes (al-kā-lij′en-ēz)［alkali + G. *-gen*, producing］. アルカリゲネス属（運動性で周毛性あるいは非運動性のアクロモバクター科に属するグラム陰性非発酵性杆菌の一属．完全に好気性だが，菌株によっては，硝酸塩または亜硝酸塩が存在する場合には嫌気性呼吸ができる．その代謝は呼吸性で，決して発酵性ではない．炭水化物を利用しない．主として腸管内，腐敗物，乳製品，水中，土壌から見出される．ヒトの呼吸器や消化管，および免疫系に障害のある入院患者の傷口から分離されることがある．ときに院内敗血症などの日和見感染を引き起こす．標準種は *A. faecalis*）.

A. xylosoxidans 血液，脳脊髄液，気管支洗浄液，尿，膿，傷から分離される細菌種である．本種の亜種である *Alcaligenes xylosoxidans* subsp. *xylosoxidans* は嚢胞性線維症の患者や卵管内に疾患をもつ患者でコロニーを形成する.

al·cap·ton (al-kap′tŏn). アルカプトン. ＝homogentisic acid.

al·cap·ton·u·ria, al·kap·ton·u·ria (al-kap-tōn-yū′rē-ă)［alkapton + G. *ouron*, urine］［MIM*203500］. アルカプトン尿〔症〕（ホモゲンチジン酸1,2–ジオキシゲナーゼの先天的欠損によりホモゲンチジン酸(アルカプトン)が尿中に排泄される．この酵素は，フェニルアラニン，チロシンの代謝に必須のものである．放置しておくかアルカリ化すると(ホモゲンチジン酸の重合産物の生成の結果)尿は黒変する．一般に，比較的長い期間にわたって持続するが，不規則な間隔で現れることもある．関節炎，組織黒変症は晩期の合併症である．常染色体劣性遺伝．第３染色体長腕にあるホモゲンチジン酸1,2–ジオキシゲナーゼ遺伝子(*HGD*)の突然変異により生じる）.

al·cap·ton·ur·ic, al·kap·to·nur·ic (al-kap-tō-nyū′rik). ***1***〖adj.〗アルカプトン尿〔性〕の(アルカプトン尿症に関連する）. ***2***〖n.〗アルカプトン尿症患者の病態の表現.

Al·ci·an blue (al′sē-an blū)［C.I. 74240］. アルシアンブルー（スルホムチンとシアロムチンやウロン酸化ムチンの識別，硫酸化多糖類の同定，電気泳動での糖蛋白検出のための染料として用いる複合フタロシアニン色素．しばしば過ヨウ素酸 Schiff 染色あるいはアルデヒドフクシンと組み合わせて用いる）.

Al·cock (al′kok), Benjamin. 19世紀のアイルランド人解剖学者. → A. *canal*.

al·co·gel (al′kō-jel). アルコゲル（ヒドロゲルで，分散媒として水の代わりにアルコールを用いる）.

al·co·hol (al′kŏ-hol)［Ar. *al*, the + *kohl*, fine antimonial powder. 本用語は最初，微細末に，後に，触知できないもの(霊)という意味で用いられた］. ***1*** アルコール（炭素に付いた水素Hがヒドロキシル OH によって置換される一連の有機化学化合物の１つ．アルコールは酸と反応してエステルを生成し，アルカリ金属と反応してアルコラートを生成する．以下に記載のない個々のアルコールについては各々の項参照）. ***2*** エチルアルコール；CH_3CH_2OH（酵母との発酵によって砂糖，デンプン，および他の糖類から生成し，またエチレンあるいはアセチレンから合成される．飲料や溶媒，賦形剤，保存剤として用いられてきた．医薬品では発赤薬，冷却剤，消毒薬として外用で用いられる．また鎮痛薬，健胃薬，鎮静薬，解熱薬として内用で用いられてきた）. ＝ethyl alcohol; grain a.; rectified spirit; wine spirit. ***3*** CH_3CH_2OH と水との共沸混合物(15.56°C において重量で92.3％，容量では94.9%のエタノールを含有する）.

absolute a. 無水アルコール（①水分を除いた100％アルコール. ＝anhydrous a. ②水分が１％以下のアルコール. ＝dehydrated a.）.

acid a. 酸アルコール（塩酸１％を含有するエチルアルコール(70%)）.

anhydrous a. ＝absolute a. (1).

bile a. 胆汁アルコール（コレスタン誘導体で，一群のポリヒドロキシアルコールの１つ）.

dehydrated a. 無水アルコール. ＝absolute a. (2).

denatured a. 変性アルコール（商業的な目的から化学薬品の１つまたは数種を添加して，飲料としての使用に適さないようにしたエチルアルコール．例えばメタノール，アルデホール，オクタアセチルスクロース）. ＝industrial methylated spirit; methylated spirit.

dihydric a. 二価アルコール（分子中に OH 基を２個含有するアルコール．例えばエチレングリコール）.

dilute a. 希アルコール（種々の濃度の水との混合物のアルコール）.

fatty a. 脂肪アルコール（長鎖のアルコール．脂肪アルコールは脂肪酸の還元生成物とみなされるその脂肪酸に名称が類似している．例えばステアリン酸から得られるステアリルアルコール(オクタデカノール)．ワックス中，エステル化された状態で含有していることが多い）. ＝wax a.

grain a. ＝alcohol (2).

methyl a. メチルアルコール；CH_3OH（可燃性の有毒な流動性液体で，工業用溶剤，不凍液，化学製造に用いる．摂取されると，重篤なアシドーシス，視力障害，その他の中枢神経系障害を起こすことがある）. ＝carbinol; methanol; pyroligneous a.; pyroligneous spirit; pyroxylic spirit; wood alcohol; wood naphtha; wood spirit.

monohydric a. 一価アルコール（OH基を１つ有するアルコール）.

multiple a. 多価アルコール（OH 基を２つ以上有するアルコール）.

polyoxyethylene a.'s ポリオキシエチレンアルコール（用途としては，乳化剤，湿潤剤，静電気防止剤，可溶化剤，消泡剤や他の工業的応用がある）.

primary a. 第一級アルコール（１価の基–CH_2OH を特徴とするアルコール）.

pyroligneous a. 木精. ＝methyl a.

rubbing a. 摩擦アルコール（外用のためのアルコール混合物で，通常は無水アルコールまたはイソプロピルアルコールを容量で70%含有する．残りは水，変性剤(コールタール色を有するものも，有さないものも含む)，香油からなる．筋肉痛や関節痛の発赤薬として用いる）.

secondary a. 第二級アルコール（２価の原子団をもつアルコール）.

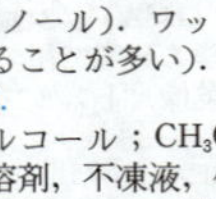

sugar a. 糖アルコール（単糖類のカルボニル基の水酸基への還元によって得られる多価アルコール．例えばキシロースからキシリトール）.

tertiary a. 第三級アルコール（３価の原子団をもつアルコール）.

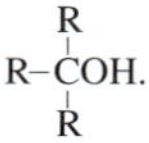

trihydric a. 三価アルコール（OH 基を 3 個有するもの．例えばグリセロール）．

unsaturated a.'s 不飽和アルコール（炭素鎖に一重結合以外に，炭素-炭素二重結合，または三重結合を含有するアルコール）．

wax a. ワックスアルコール．＝fatty a.

al・co・hol ac・ids (al′kă-hol as′idz)．アルコール酸（カルボキシル基とヒドロキシ基の両方を有する化合物群．例えばグリコール酸）．

al・co・hol・ate (al-kŏ-hol′āt)．アルコラート（①アルコールを含むチンキ剤または他の製剤．②アルコールの OH基の水素がアルカリ金属で置換されている化合物．例えばナトリウムメチラート）．

al・co・hol de・hy・dro・gen・ase (ADH) (al′kŏ-hol dē-hi-droj′e-nās)．アルコールデヒドロゲナーゼ（NAD^+ を水素受容体として，アルコールのアルデヒド(またはケトン)への転換を可逆的に触媒する酸化還元酵素．例えば，エタノール ＋ NAD^+ ⇌アセトアルデヒド ＋ NADH．→alcohol dehydrogenase (acceptor); alcohol dehydrogenase ($NADP^+$)）．

al・co・hol de・hy・dro・gen・ase (ac・cep・tor) (al′kŏ-hol dē-hī′droj′e-nās ak-sep′tōr)．アルコールデヒドロゲナーゼ（受容体）（NAD^+または$NADP^+$以外の水素受容体で，第一級アルコールをアルデヒドに可逆的に転換する酸化還元酵素）．

al・co・hol de・hy・dro・gen・ase ($NADP^+$) アルコールデヒドロゲナーゼ($NADP^+$)（$NADP^+$ を水素受容体として，アルコールをアルデヒド(またはケトン)に可逆的に転換する酸化還元酵素）．＝aldehyde reductase.

al・co・hol・ic (al-kō-hol′ik)．***1***〘adj.〙アルコール性の，アルコール含有の，アルコールにより産生される．***2***〘n.〙アルコール症者．***3***〘n.〙アルコール依存者（アルコール摂取に関して乱用あるいは依存している者）．

---

al・co・hol・ism (al′kŏ-hol-izm)［MIM*103780］．アルコール症（慢性のアルコール乱用，依存，嗜癖．アルコール性飲料の慢性的な過度摂取で，結果として健康および(または)社会的・職業的機能を損ない，アルコールの作用効果に対する順応性が増加し，期待する効果を達成し維持するために飲酒量を増やす必要がでるような耐性の増加をもたらす．離脱症状はアルコール摂取の急激な中断により起こる可能性がある）．＝alcohol addiction.

アルコール症はエタノールを摂取する強い衝動と，有害な結果をもたらすにもかかわらず飲酒量の制限ができないことによって特徴づけられる慢性，進行性の行動障害で，社会的機能や職業的機能の障害や身体的健康の悪化を含んでいる．この病気は身体依存(禁酒の結果として嘔気，発汗，振せん，せん妄などの離脱症状)と耐性(期待する効果を達成するためにアルコール摂取量の増加が必要になること)を含む．アルコールの過剰摂取は毎日または数日から数か月にわたるしらふの時期をおいて現れることがある．米国の成人の約30%が少なくとも時に飲み過ぎることがあり，女性の 3—5% と男性の10%が過剰飲酒の慢性的な問題を抱えている．習慣的にアルコール乱用をしているおおよそ40%では，不適切な飲酒の形態が20歳前に明らかになっている．アルコール症は頻繁にニコチンや他の薬物の依存や不安，うつ，反社会性人格を合併している．家系内で伝播する傾向があるが，経歴や環境要因は恐らく少なくとも遺伝的素因と同じくらい重要なようである．アルコール症に典型的な行動特性としては独酌，朝飲酒，飲酒の程度についてうそをつく，隠れ飲みの持続が知られている．アルコール症は年間約2,000億ドルの費用がかかるといわれている．慢性のアルコール症は平均寿命が約15年短く，心不整脈，高血圧，脳卒中，急性肝炎，肝硬変，胃炎，膵炎，失神，健忘，性格変化の発生率の増加と関連がある．エタノールは非栄養カロリー源なので，大量飲酒はたびたび栄養失調やビタミン欠乏を引き起こす．アルコール症に関連した中枢神経系の変性疾患は Wernicke 脳症(サイアミン欠乏による)や Korsakoff 精神病がある．アルコール依存症は非アルコール依存症より自動車事故や配偶者や児童に対する虐待や殺人といった暴力的な罪を犯すことと関係がありそうだ．アルコール依存症の家庭に生まれた子供は低出生体重や顔面形成異常や心奇形や精神発達遅滞によって特徴付けられる胎児アルコール症候群の烙印に苦しむかもしれない．アルコール症の治療は患者と家族の集中的なカウンセリングが必要である．認知行動療法や動機づけ強化療法，集団療法，サポートグループはすべて実証済みの評価がある．離脱期のベンゾジアゼピン投与や禁酒を維持するためのトピラメイトやナルトレキソンの使用はしばしば効果的である．定期的に服用するジスルフィラムはアルコールを摂取したならば強烈な倦怠感や嘔気を引き起こすことによって再発の危険性を下げることができる．急性アルコール中毒の管理のための解毒プログラムにはあらゆるアルコールの消費の離脱や栄養学的，薬理学的，心理学的サポートの対策が含まれている．

---

acute a. 急性アルコール中毒〔症〕（アルコール性飲料を急激に摂取することによって誘発される，筋の協調不能と不全麻痺とを伴う一過性の精神機能障害）．＝intoxication (2).

chronic a. 慢性アルコール中毒〔症〕（アルコール性飲料を習慣的に中毒量摂取することによって引き起こされる，主に神経系と胃腸系が侵される病的状態．社会的・職業的機能を損なうことになる）．

al・co・hol・i・za・tion (al′kŏ-hol-i-zā′shŭn)．アルコールづけ，アルコール化．

al・co・hol・o・pho・bi・a (al′kŏ-hol-ō-fō′bē-ă)［alcohol ＋ G. *phobos*, fear］．アルコール恐怖〔症〕（アルコールに対する，またはアルコール中毒になることに対する病的な恐れ）．

al・co・hol・y・sis (al-kŏ-hol′i-sis)［alcohol ＋ G. *lysis*, dissolution］．アルコール分解（分解点でのアルコール成分の添加による化学結合の分解）．

al・cur・o・ni・um chlo・ride (al-kūr-ō′nē-yŭm klōr′īd)．二塩化アルクロニウム（非脱分極性神経筋遮断薬として有効な，クラーレにその作用が類似した骨格筋弛緩薬）．

ALD adrenoleukodystrophy の略．

al・dar・ic ac・id (al′dar-ik as′id)．アルダン酸（化学式 HOOC-$(CHOH)_n$-COOH を特徴とする一群の糖酸の 1 つ．例えばグルカル酸）．

al・de・hol (al′dĕ-hol)．アルデホール（灯油の酸化生成物．エチルアルコールの変性に用いる）．

al・de・hyde (al′dĕ-hīd)．アルデヒド（-CH=O の基を有する化合物．アルコールに還元でき(-CH_2OH)，カルボン酸に酸化できる(-COOH)．例えばアセトアルデヒド）．

activated glycol a. 活性グリコールアルデヒド；2-(1,2-dihydroxyethyl)thiamin pyrophosphate（糖質代謝やケトール基転移経路での中間体の 1 つ）．

active a. 活性アルデヒド（チアミンピロリン酸のアルデヒド誘導体の総称）．

angular a. 環間アルデヒド（アルドステロンのステロイド核の C-13(C環とD環の間)に付着したアルデヒド基）．

a. reductase アルデヒド還元酵素．＝alcohol dehydrogenase ($NADP^+$).

al・de・hyde de・hy・dro・gen・ase (ac・yl・at・ing) (al′de-hīd dē-hī-droj′e-nās ak′sil-āt-ing)．アルデヒドデヒドロゲナーゼ(アシル化)（NAD^+ を水素受容体として，アルデヒドと CoA をアシルCoA に転換する酸化還元酵素）．

al・de・hyde de・hy・dro・gen・ase (NAD^+) (al′de-hīd dē-hī-droj′e-nās)．アルデヒドデヒドロゲナーゼ(NAD^+)（$NADP^+$ を水素受容体として，アルデヒドを酸に可逆的に転換させる酸化還元酵素）．

al・de・hyde de・hy・dro・gen・ase ($NAD(P)^+$) (al′de-hīd dē-hī-droj′e-nās)．アルデヒドデヒドロゲナーゼ(NAD^+ または $NADP^+$)（NAD^+ または $NADP^+$ を水素受容体として，アルデヒドを酸に可逆的に転換させる酸化還元酵素）．

al・de・hyde-ly・as・es (al′de-hīd-lī′ās-ez)．アルデヒド-リアーゼ（アルドール縮合の逆反応を触媒する酵素）．

Al・der (ahl′dĕr), Albert von. スイス人血液学者，1888—1951. →A. *anomaly*, *bodies*.

al・dim・ine (al′dĕ-mēn)．アルデミン．＝Schiff *base*.

al·di·tol (al′di-tol). アルジトール（例えばソルビトールなど，アルドースの還元によって得られる多価アルコール.→*aldose* reductase).

al·do·bi·u·ron·ic ac·id (al′dō-bī-yū-ron′ik as′id). アルドビウロン酸（アルドースとウロン酸の縮合物．このような配合は，種々のムコ多糖類の成分，特にヒアルロン酸にみられる).

al·do·hex·ose (al-dō-heks′ōs). アルドヘキソース（分子中にアルデヒド基が存在することを特徴とする六炭糖．例えば，グルコース，ガラクトース).

al·do·ke·to·mu·tase (al′dō-kē-tō-myū′tās). アルドケトムターゼ.＝lactoylglutathione lyase.

al·dol (al′dōl). →aldol *condensation*.

al·dol·ase (al′dō-lās). アルドラーゼ（① aldehyde-lyase の総称名．②ときに fructose-1,6-bisphosphate aldolase に対して用いる名称).

al·don·ic ac·ids (al-don′ik as′idz). アルドン酸（アルデヒド基がカルボキシル基に酸化されている単糖類誘導体．それらはラクトン(例えばガラクトン酸)を形成しやすい).＝glyconic acids.

al·do·pen·tose (al-dō-pen′tōs). アルドペントース（５個の炭素原子のうち１個がアルデヒド基である単糖類．例えばリボース).

al·dose (al′dōs). アルドース（アルデヒドの特徴的な基である −CHO を潜在的に有する単糖類．ポリヒドロキシアルデヒド).

a. mutarotase アルドースムタロターゼ.＝aldose 1-epimerase.

a. reductase アルドースレダクターゼ；polyol dehydrogenase (NADP⁺) (NADPH を水素供与体として，アルドースをアルジトール(例えばグルコースをソルビトール)に可逆的に転換させる酸化還元酵素．ソルビトール代謝および糖尿病性白内障の発症の重要段階.→D-sorbitol-6-phosphate dehydrogenase).

al·dose 1-e·pim·er·ase (al′dōs ep′i-mĕr-ās). アルドース1-エピメラーゼ（α-およびβ-アルドース(例えば，α-およびβ-D-グルコース)の可逆的相互変換を触媒する酵素．L-アラビノース，D-キシロース，D-ガラクトース，マルトース，ラクトースにも作用する).＝aldose mutarotase; mutarotase.

al·do·side (al′dō-sīd). アルドシド（糖成分がアルドースであるグルコシド).

al·dos·ter·one (al-dos′tĕr-ōn). アルドステロン（[誤った発音 aldoster′one を避けること]．副腎皮質の球状帯によって生成されるミネラルコルチコイドホルモン．主な作用は，遠位尿細管におけるナトリウムとカリウムの交換を促進させ，ナトリウム再吸収およびカリウムと水素の喪失を引き起こすことである．主要ミネラルコルチコイド．そのアルデヒド型と平衡状態で存在する).

al·dos·ter·on·ism (al-dos′tĕr-on-izm). アルドステロン症（アルドステロンの過剰分泌により惹起される障害).＝hyperaldosteronism.

idiopathic a. 特発性アルドステロン症.＝primary a.

primary a. 原発性アルドステロン症（アルドステロンの過剰分泌により誘発され，頭痛，夜間多尿，多尿，疲労，高血圧，カリウム欠乏，低カリウム性アルカローシス，循環血液量過多，および血漿レニン活性の減少を特徴とする副腎皮質障害．小型で良性の副腎皮質腺腫を合併することもある).＝Conn syndrome; idiopathic a.

secondary a. 続発性アルドステロン症（副腎皮質の内因性欠陥ではなく，副腎外の障害により惹起されるホルモン分泌刺激の結果起こるアルドステロン症．血漿とレニン活性増加に伴うもので，心不全，ネフローゼ症候群，肝硬変，および蛋白血症に発生する).

al·do·ste·ron·o·gen·e·sis (al-dos-tĕr-on′ō-jen′ĕ-sis) [aldosterone＋G. *genesis*, production]. アルドステロン合成（アルドステロンを合成すること).

al·do·tet·rose (al-dō-tet′rōs). アルドテトロース（四炭素アルドース．例えば，トレオース，エリトロース).

al·do·tri·ose (al-dō-trī′os). アルドトリオース（三炭糖．例えば D-または L-グリセルアルデヒド).

al·dox·ime (al-doks′ēm). アルドキシム（アルドースとヒドロキシルアミンの反応により得られ，アルドキシム基 −HC=NOH を有する化合物).

Al·drich (awl′drich), Robert Anderson. 米国人小児科医，1917—1999. →A. *syndrome*; Wiskott-A. *syndrome*.

al·drin (al′drĭn). アルドリン（殺虫薬として用いる揮発性塩素化炭化水素．皮膚から吸収されると，焦燥，それに続くうつ病からなる中毒症状を起こす．現在では多くの国で禁止されている).

a·lec·i·thal (ă-les′i-thal) [G. *a-* 欠性辞＋*lekithos*, yolk]. 無卵黄の（卵黄質がほとんど，またはまったくない卵母細胞についていう).

A·lec·to·ro·bi·us ta·la·je (ă-lek-tōr-ō′bē-ŭs tă-lā′jē). ナガカメムシ（メキシコと南アメリカによくみられる昆虫．ナンキンムシと同様，その咬創は化膿する).

a·lem·mal (ă-lem′ăl) [G. *a-* 欠性辞＋*lemma*, husk]. 無鞘の（神経線維鞘が欠損している神経線維についていう).

a·leu·ke·mi·a (ă-lū-kē′mē-ă) [G. *a-*欠性辞＋*leukos*, white＋*haima*, blood]. 非白血病，無白血病（①文字どおりでは血液中の白血球の欠損．本用語は一般に，末梢血液中の白血球数が正常か正常以下である(すなわち白血球増加を認めない)が，少数の幼若白血球を認める種々の白血病を示すのに用いられている．ときにはさらに限定して，末梢血に白血球増加や幼若白血球がないまれな白血病の場合に用いる．②骨髄中には白血病性変化を認めるが，末梢血の白血球数はやや正常以下である状態.→subleukemic *leukemia*).

a·leu·ke·mic (ā-lū-kē′mik). 非白血病性の，無白血病性の.

a·leu·ke·moid (ā-lū-kē′moyd).非白血病様の，無白血病様の.

a·leu·ki·a (ā-lū′kē-ă) [G. *a-* 欠性辞＋*leukos*, white]. ***1*** 無白血症（循環血液中に白血球が欠如している，または白血球数が極度に減少していること．aleukemic myelosis ともよばれる). ***2*** thrombocytopenia を表す，現在では用いられない語.

a·leu·ko·cyt·ic (ā-lū-kō-sit′ik). 無白血球性の（血液または病変部における白血球の欠如または白血球数の極度の減少).

a·leu·ko·cy·to·sis (ā-lū-kō-sī-tō′sis) [G. *a-* 欠性辞＋*leukos*, white＋*kytos*, a hollow (cell)]. 無白血球症（循環血液中の白血球の欠如または白血球数の(相対的または絶対的な)極度の減少(すなわち重症の白血球減少)，または解剖学的病巣内の白血球欠如).

a·leu·ri·o·co·nid·i·um (ă-lū′rē-ō-kŏ-nid′ē-yŭm) [G. *aleuron*, flour＋conidium]. 粉状(アレウリオ)型分生子（分生子形成細胞または分枝菌糸の発芽端から発育する分生子で，付着基点下が破れて分離する).＝aleuriospore.

a·leu·ri·o·spore (ă-lū′rē-ō-spōr). 粉状胞子. ＝aleurioconidium.

al·eu·ron (al′ū-rōn) [G. flour]. アリューロン（種子の胚乳の蛋白顆粒．可食種子や可食穀類のビタミンを含有すると推定されている).

a·leu·ro·nate (ă-lū′rō-nāt). アリューロネート（穀類のアリューロン層(胚乳)の蛋白．糖尿病患者用のパンをつくるのに用いる).

a·leu·ro·noid (ă-lū′rō-noyd). アリューロン様の，類アリューロン〔性〕の，穀粉様の.

Al·ex·an·der (al-ek-zan′dĕr), Gustav. オーストリア人耳鼻咽喉科医，1873—1932.→A. *hearing impairment*.

Al·ex·an·der (al-ek-zan′der), W. Stewart. 20 世紀のニュージーランド人病理学者.→A. *disease*.

a·lex·i·a (ă-lek′sē-ă) [G. *a-* 欠性辞＋*lexis*, a word or phrase]. 失読〔症〕（大脳の損傷によって，書かれたり印刷された単語や文章の意味を理解することができないこと．意味は理解できるとしても，声を出して読む力が喪失しており，**motor a.**（運動失読）や構音障害と区別するために，**optic a.**（眼性失読），**sensory a.**（感覚失読），**visual a.**（視覚失読）ともよばれる).＝text blindness; word blindness; visual aphasia (1).

musical a. 音楽盲（楽譜を読む能力がないこと).＝music blindness; note blindness.

a·lex·ic (ă-lek′sik). 失読〔症〕の.

a·lex·in (ă-lek′sin) [G. *alexō*, to ward off]. アレキシン（血清中の殺菌性成分系を表す旧名で，現在の補体系のことである).

a·lex·i·thy·mi·a (ă-lek-si-thī′mē-ă) [G. *a-* 欠性辞＋*lexis*, word＋*-thymia*, feelings, passion]. 失感情症（自分の情動

を理解し，言葉で述べることが困難な状態．そのような情動は身体の感覚や行動を通して表現される）．

al・fa・cal・ci・dol (al-fă-kal′si-dol). アルファカルシドール（上皮小体機能減退症，ビタミンD依存性くる病および吸収不良症候群と関連したくる病の治療に用いるビタミンD誘導体）．

ALG antilymphocyte *globulin* の略．

al・gae (al′jē)［L. *alga*(seaweed)の複数形］. 藻類（光合成能をもつ，隠花性の真核生物の一門で，多くの海藻を含む）．

blue-green a. 藍藻（青緑色細菌の旧名．現在は青緑色細菌門として分類されている）．

al・gal (al′găl). 藻類の，藻類様の．

al・ga・ro・ba (al-gă-rō′bă). アルガロバ（イナゴマメ *Ceratonia siliqua* の果肉をひいて粉にしたもの．多くの地域で吸着・粘滑薬として下痢の治療に用いられる）. ＝carob flour; locust gum.

alge-, algesi-, algio-, algo- (al′jē, al-jē′zē, al′jē-ō, al′gō)［G. *algos*, a pain］. 痛みを意味する連結形．ラテン語の dolor- に相当．

al・ge・fa・cient (al-jē-fā′shent)［L. *algeo*, to be cold ＋ *facio*, pr. pl. *-iens*, to make］. 清涼剤（冷却作用を有する物質）．

algesi- (al-jē′zē). →alge-.

al・ge・si・a (al-jē′zē-ă)［G. *algēsis*, a sense of pain］. ＝algesthesia.

al・ge・sic (al-jēz′ik). ＝algetic. ***1*** 疼痛性の．***2*** 痛覚過敏の．

al・ge・si・chro・nom・e・ter (al-jē′zē-krō-nom′ĕ-ter)［G. *algēsis*, sense of pain ＋ *chronos*, time ＋ *metron*, measure］. 痛覚速度計（痛刺激を感じるのに要する時間を記録する器械）．

al・ge・sim・e・ter (al-jē-sim′ĕ-ter). ＝algesiometer.

al・ge・si・o・gen・ic (al-jē′zē-ō-jen′ik)［G. *algēsis*, sense of pain ＋ *-gen*, production］. 痛覚発生の．＝algogenic.

al・ge・si・om・e・ter (al-jē′zē-om′ĕ-ter)［G. *algēsis*, sense of pain ＋ *metron*, measure］. 痛覚計，圧痛計（痛刺激に対する感受性の程度を測定する器械）．＝algesimeter; algometer.

al・ges・the・si・a (al-jes-thē′zē-ă)［G. *algos*, pain ＋ *aisthēsis*, sensation］. ＝algesia; algesthesis. ***1*** 痛覚．***2*** 痛覚過敏．

al・ges・the・sis (al-jes-thē′sis). ＝algesthesia.

al・get・ic (al-jet′ik). ＝algesic.

-algia (al′jē-ă)［G. *algos*, a pain］. 痛みあるいは痛みのある状態を意味する接尾語．

al・gi・cide (al′ji-sīd)［algae ＋ L. *caedo*, to kill］. 殺藻薬（藻類に対して有効な物質）．

al・gid (al′jid)［L. *algidus*, cold］. 寒冷の，悪寒の．

al・gin (al′jin). アルギン（海草類 *Macrocystis pyrifera* の炭水化物生成物．製剤上はゲル化剤として用いる）．＝sodium alginate.

al・gi・nate (al′ji-nāt). アルギン酸塩（アルギン酸の塩からなる非可逆性ヒドロコロイド．海草から得られるコロイド状の酸性多糖類でマヌロン酸残基からできている．歯科用印象材に用いる）．

algio- (al′jē-ō). →alge-.

al・gi・o・mo・tor (al′jē-ō-mō′tōr)［algio- ＋ L. *motor*, mover］. 疼痛性運動の（疼痛を伴う筋収縮を起こす）．＝ algiomuscular.

al・gi・o・mus・cu・lar (al′jē-ō-mŭs′kyū-lăr). 疼痛性筋肉の．＝algiomotor.

al・gi・o・vas・cu・lar (al′jē-ō-vas′kyū-lăr). ＝algovascular.

algo- (al′gō). →alge-.

al・go・dys・tro・phy (al-gō-dis′trō-fē)［algo- ＋ G. *dys*, bad ＋ *trophē*, nourishment］. 疼痛ジストロフィ（痛みのある局所の成長障害で，特に骨と軟骨の局所性無菌壊死による）．

al・go・gen・e・sis, al・go・ge・ne・sia (al-gō-jen′ĕ-sis, -jĕ-nē′zē-ă)［algo- ＋ G. *genesis*, origin］. 痛覚発生（痛みの発生あるいは起始）．

al・go・gen・ic (al-gō-jen′ik). ＝algesiogenic.

al・go・lag・ni・a (al-gō-lag′nē-ă)［algo- ＋ G. *lagneia*, lust］. 疼痛性愛（algophilia を表す現在では用いられない語）．

al・gol・o・gy (al-gō′lō-jē). ***1***［G. *algos*, pain ＋ -logy］. 疼痛学（痛みの学問）．***2*** 藻類学（藻類の科学的な学問）．

al・gom・e・ter (al-gom′ĕ-ter)［algo- ＋ G. *metron*, measure］. ＝algesiometer.

al・gom・e・try (al-gom′ĕ-trē). 痛覚測定〔法〕（痛みを測定する過程）．

al・go・phil・i・a (al-gō-fil′ē-ă)［algo- ＋ G. *phileō*, to love］. 苦痛嗜愛（性倒錯の一種．苦痛を加えたり加えられたりすることによって性行為の喜びが増強する，または性行為とは関係なく性的快楽をもたらす．サディズム（能動的疼痛性愛）とマゾヒズム（受動的疼痛性愛）の両方を含む）．

al・go・pho・bi・a (al-gō-fō′bē-ă)［algo- ＋ G. *phobos*, fear］. 疼痛恐怖〔症〕（疼痛への異常な恐怖．その人の心理学的背景によるが，過敏性は疼痛恐怖を引き起こす可能性がある．もちろん疼痛への過敏性は心理学的な背景のみではない）．

al・go・rithm (al′gō-ridhm)［Mediev.L. *algorismus*, アラビアの数学者 Muhammad ibn-Musa *al-Khwarizmi* にちなむ ＋ G. *arithmos*, number］. アルゴリズム（各ステップが順番に書かれている系統的な手順．各ステップは，その前段階のステップの結果によって異なる．臨床医学では，健康問題を処理する手順のプロトコルとして，またCTではX線の透過率のデータから最終的な画像を計算するために用いられる数式として使われる）．

genetic a. 遺伝的アルゴリズム（コンピュータ・シミュレーションによる自己進化的過程を踏むアルゴリズム．クラスター分析で用いられる）．

al・gos・co・py (al-gos′kŏ-pē)［L. *algor*, cold ＋ G. *skopeō*, to view］. 氷点法．＝cryoscopy.

al・go・spasm (al′gō-spazm)［G. *algos*, pain ＋ *spasmos*, convulsion］. 疼痛性痙攣（疼痛によって起こる痙攣）．

al・go・vas・cu・lar (al-gō-vas′kyū-lăr)［G. *algos*, pain］. 疼痛性血管の（疼痛の影響で起こる血管腔の変化に関する）．＝algiovascular.

al・i・ble (al′i-bŭl)［L. *alibilis*, nutritive ＜ *alo*, to nourish］. ＝nutritive.

al・i・cy・clic (al-i-sik′lik). 脂環式の（脂環式化合物を示す）．

a・li・en・a・tion (ā-lē-en-ā′shŭn)［L. *alieno*, pp. *-atus*, to make strange］. 疎隔，疎遠，精神異常（他者との有意義な関係の欠如を特徴とし，ときには離人症になったり他者と疎遠になる状態）．

a・li・e・ni・a (ā-li-ē′nē-ă)［G. *a-* 欠性辞 ＋ L. *lien*, spleen］. 無脾〔症〕（脾臓の先天的欠損）．

al・i・form (al′i-fōrm)［L. *ala* ＋ *forma*, shape］. 翼状の．

a・lign・ment (ă-līn′ment)［Fr. *aligner*, to line up ＜ L. *linea*, line］. 配列（①骨あるいは体肢での縦軸方向への配置．②一列にする行為．③歯科において，支持組織，隣在歯，および対合歯との関係を考慮して歯を配列すること）．

al・i・ment (al′i-ment)［L. *alo*, to nourish］. ***1*** 栄養物，食物．＝nourishment. ***2*** 感覚運動理論において，同化されて1つの機構となるもの．刺激に類似している．

al・i・men・ta・ry (al-i-men′ter-ē)［L. *alimentarius* ＜ *alimentum*, nourishment］. 食事〔性〕の，食物〔性〕の，栄養の．

al・i・men・ta・tion (al-i-men-tā′shŭn). 栄養法（栄養物を与えること．→feeding）．

forced a. 強制栄養〔法〕．＝forced *feeding*.

parenteral a. 非経口〔的〕栄養法（経静脈的に行う栄養の補給）．

rectal a. 直腸栄養〔法〕（注腸による栄養の補給）．

al・i・na・sal (al′i-nā′săl)［L. *ala* ＋ *nasus*, nose］. 鼻翼の（外鼻孔のすそ広がりの部分に関する）．

al・in・jec・tion (al′in-jek′shŭn). アルコール注射（病理学や組織学標本の硬化と保存のために行うアルコール注入）．

al・i・phat・ic (al-i-fat′ik)［G. *aleiphar* (*aleiphat-*), fat, oil］. 脂肪族の（ほとんどが脂肪酸族に属する非環式炭素化合物についていう）．

a. acids 脂肪族系酸（非芳香族炭化水素の酸，例えば，酢酸，プロピオン酸，酪酸．いわゆる脂肪酸で，一般式 R–COOH で示される．Rは非芳香族炭化水素）．

a・li・poid (ā-lip′oyd)［G. *a-* 欠性辞 ＋ *lipoidēs*, resembling fat］. リポイド欠如の．

a・lip・o・tro・pic (ā′lip-ō-trōp′ik)［G. *a-* 欠性辞 ＋ *lipos*, fat ＋ *tropos*, a turning］. 非脂〔肪〕向性の，非脂肪親和〔性〕の（脂肪代謝または脂肪の肝臓への移動に対して何の効果も示さない）．

al・i・quot (al′i-kwot)［L. a few, several］. アリコート，一定分量，分割量，一部分，部分，部分標本（［any sample のあいまいな意味での隠語的使用を避けること］．化学や免疫学において，全体の分画としての試料体積や重量）．

al·i·sphe·noid (al-i-sfē′noyd) ［L. *ala* + *sphēn*, wedge］. 蝶形骨大翼の（蝶形骨の大翼に関する）．

a·liz·a·rin (ă-liz′ă-rin)［C.I. 58000］. アリザリン； 1,2-dihydroxyanthraquinone（ブドウ糖結合(ルベリトリン酸)でセイヨウアカネ *Rubia tinctorum* と他のアカネ科 *Rubiaceae*属の根にみられる赤色染料．橙色の針状晶で水にわずかに可溶．古代人は染料として用いた．現在では，アントラセンから合成され，アリザリンブルーやアリザリンオレンジ，ターキーレッドなどの染料の製造に用いる．指示薬として用い，pH 5.5—6.8 で黄色から赤色に変わる．他の変性アリザリンは別の色を有し，他の pH 値で変色する）．

a. cyanin［C.I. 58610］. アリザリンシアニン（ヘキサヒドロキシアントラキノンの二硫酸塩．媒染剤処理後の核染色，紫外線鏡検法の蛍光色素として用いる酸性染料）．

a. purpurin アリザリンプルプリン．＝purpurin (2).

a. red S［C.I. 58005］. アリザリンレッドS（アリザリンスルホン酸ナトリウム．骨中のカルシウムの染料として用いる(カルシウムは赤橙色に染まり，マグネシウム，アルミニウム，バリウムは少しずつ異なった色合いの赤色に染まる)．フッ素の測定に用いる．pH 指示薬として，pH 3.7—5.2 で黄色から紫色に変わる）．

al·ka·di·ene (al-kă-dī′ēn). アルカジエン（［誤った発音 al′ka-dēn を避けること］．2つの炭素–炭素二重結合を有する非環式炭化水素(アルカン)）．

al·ka·le·mi·a (al-kă-lē′mē-ă)［alkali + G. *haima*, blood］. アルカリ血〔症〕（血液中の H^+ イオン濃度が減少し，pH 値が上昇すること）．

al·ka·li, pl. **al·ka·lies, al·ka·lis** (al′kă-lī, al′kă-līz)［Ar. *al*, the + *qaliy*, soda ash］. ***1*** アルカリ（溶液中で水酸イオン(OH^-)を生じる強塩基物質．例えば，水酸化ナトリウム，水酸化カリウム）．***2*** 塩基．＝base (3). ***3*** アルカリ金属．＝alkali *metal*.

caustic a. 苛性アルカリ（(溶液中で)高度にイオン化されたアルカリ．例えば水酸化ナトリウム）．

fixed a. 不揮発性アルカリ，固定アルカリ（アンモニアのような，弱イオン化されたもの以外のアルカリ）．

vegetable a. 植物アルカリ（水酸化カリウムと炭酸塩の混合物）．

al·ka·line (al′kă-līn). アルカリ〔性〕の．

al·ka·lin·i·ty (al-kă-lin′i-tē). アルカリ度．

al·ka·lin·i·za·tion (al′kă-lin-i-zā′shŭn). ＝alkalization.

al·ka·li·nu·ri·a (al′kă-li-nyū′rē-ă)［alkaline + G. *ouron*, urine］. アルカリ尿〔症〕（アルカリ尿の排泄）．＝alkaluria.

al·ka·li·ther·a·py (al′kă-lī-thār′ă-pē). アルカリ療法（アルカリを用いて局部効果または全身効果を上げる治療法）．

al·ka·li·za·tion (al′kal-i-zā′shŭn). アルカリ化（アルカリ性にする過程）．＝alkalinization.

al·ka·liz·er (al′kă-līz-er). アルカリ化薬（酸を中和する，またはアルカリ性にする薬剤）．

al·ka·loid (al′kă-loyd). アルカロイド（本来はアルカリ性(塩基性)反応を特性とする多数の植物あるいは真菌類の成分を表したが，現在は，薬理作用があり複素環式含窒素をもち，多くが複雑な構造に限定されている．慣用名は通常，-ine で終わる(例えば，モルヒネ，アトロピン，コルヒチン)．アルカロイドは植物によって生合成され，通常は生薬の有効成分となる葉，樹皮，種子，その他の部分に見出される．大まかに定義された群だが，主要環の化学構造によって分類できる．薬用には水溶性を上げるため通常，アルカロイドの塩類(例えば硫酸モルヒネ，リン酸コデイン)を用いる．個別のアルカロイドやアルカロイド群も参照)．＝vegetable base.

ergot a.'s 麦角アルカロイド類（麦角菌 *Claviceps purpurea* より得られる一連のアルカロイド，あるいはその半合成誘導体．エルゴタミン，エルゴノビン，ジヒドロエルゴタミン，リゼルグ酸ジエチルアミド(LSD)，メチセルギドなど）．

fixed a. 固定アルカロイド，不揮発性アルカロイド．

***Vinca* a.'s** ビンカアルカロイド類（ビンクリスチンやビンブラスチン(抗癌剤)など，ツルニチニチソウから抽出されるアルカロイド）．＝*Catharanthus* alkaloids.

al·ka·lo·sis (al-kă-lō′sis). アルカローシス（［ankylosis と混同しないこと］．動脈血水素イオン濃度が正常レベルの 40 nmol/L 以下に減少あるいは pH 7.4 以上に増加したことで特徴づけられる状態．アルカリ化合物濃度上昇あるいは酸化合物あるいは炭酸ガス濃度の低下による）．

acapnial a. 炭酸欠乏性アルカローシス．＝respiratory a.

compensated a. 代償性アルカローシス（体液 pH は正常に補正されているが，重炭酸イオンに変化がみられるアルカローシス．呼吸性アルカローシスは，代謝性に酸の産生が亢進することにより，あるいは腎臓からの重炭酸イオンの排泄量が増加することにより補正される．代謝性アルカローシスは，換気低下のみではほとんど補正されない）．

compensated metabolic a. 代償性代謝性アルカローシス（生体内でアルカリが過量に産生され pH が上昇するときに，肺が炭酸ガスを保持し，腎尿細管が酸性イオンを保持することにより，pH の上昇を緩和している状態）．

compensated respiratory a. 代償性呼吸性アルカローシス（過呼吸などで血中の炭酸ガスは減少して pH が上昇するときに，腎臓が酸性イオンを排泄して pH の低下を緩和している状態）．

metabolic a. 代謝性アルカローシス（動脈の血漿重炭酸イオン濃度の増加を伴うアルカローシス．この状態は，恐らくアルカリ性物質の過剰摂取，または尿中への酸の排泄過剰あるいは持続的嘔吐による酸の過剰喪失が原因となって起こる．ベースエクセスおよび標準重炭酸イオン濃度はいずれも増加する．→compensated a.）．

respiratory a. 呼吸性アルカローシス（過呼吸による炭酸ガスの異常喪失によって起こるアルカローシス．能動性と受動性の両者があり，同時に動脈の血漿重炭酸イオン濃度の減少を伴う．→compensated a.）．＝acapnial a.

uncompensated a. 非代償性アルカローシス（代償性アルカローシスの代償機能の欠損によって体液 pH が上昇するアルカローシス）．

al·ka·lot·ic (al-kă-lot′ik). アルカローシスの．

al·ka·lu·ri·a (al-kă-lyū′rē-ă). ＝alkalinuria.

al·kane (al′kān). アルカン（飽和非環式炭化水素の総称名．例えば，プロパン，ブタンなど）．

al·ka·net (al′kă-net)［C.I. 75530, 75520］. アルカネット(赤色染料(アルカンナン，アルカンニン)を生じる薬草であるムラサキ科の *Alkanna tinctoria*, *Anchusa tinctoria* の根．着色剤，またはタンニンと併用し収れん薬としても用いる）．

al·kan·nin (al′kă-nin)［C.I. 75530］. アルカンニン（アルカネットから得られる主要赤色染料．収れん薬として，また化粧品や食品の中で用いる．指示薬としても使用され，pH 6.8 で赤色，pH 8.8 で紫色，pH 10 で青色に変わる．脂肪染色としても用いる）．＝anchusin.

al·kap·ton (al-kap′tŏn)［Boedeker の造語＜alkali + L + G. *kaptein*, to suck up greedily］. アルカプトン．＝homogentisic acid.

al·ka·tri·ene (al-kă-trī′ēn). アルカトリエン（［誤った発音 al′ka-trēn を避けること］．3個の炭素–炭素二重結合をもつ非環式炭化水素．例えば，2,4,6–オクタトリエン CH_3–CH=CH–CH=CH–CH=CH–CH_3）．

al·ka·ver·vir (al-kă-ver′vir). アルカベルバー（種々の有機溶媒を用いて *Veratrum viride* から選択的に抽出して得るアルカロイド混合物．降圧薬として経口的または非経口的に用いる）．

al·kene (al′kēn). アルケン（1個かそれ以上の炭素–炭素二重結合をもつ非環式炭化水素．例えばエチレン，プロペン）．＝olefin.

al·ke·nyl (al′ken-il). アルケニル（アルケンの基）．

alk-1-en·yl (alk-en′il). アルク–1–エニル（"en(e)" で表される二重結合が C–1 と C–2(C–1 は radical または "yl" 炭素）の間にあるアルケンの基，すなわち R–CH=CH–．alk-1-en-1-yl で表されることもある）．

alk-1-en·yl·glyc·er·o·phos·pho·lip·id (alk-en′il gli′-sĕr-ō-fos-fō-lip′id). アルク–1–エニルグリセロリン脂質（グリセリンと結合している基の少なくとも1つは通常のアシル基ではなく，むしろアルク–1–エニルであるホスファチジン酸．酸よりむしろアルデヒドから誘導されたものなので，古い慣用名は phosphatidal phosphatid(at)e, acetal phosphatid(at)e とよばれた）．＝plasmenic acid.

al·kide (al′kīd). ＝alkyl (2).

al·kyl (al′kil). アルキル（①一般式 C_nH_{2n+1} の炭化水素基．

②四エチル鉛のように，金属がアルキル基と結合している化合物．=alkide).

arylated a. =aralkyl.

al·kyl·a·mine (al-kil′ă-mēn). アルキルアミン（1つの水素原子が $-NH_2$ 基で置き換わったアルカン．例えばエチルアミン).

al·kyl·a·tion (al′ki-lā′shŭn). アルキル化（水素原子をアルキル基で置換すること．例えば芳香族化合物に側鎖を導入すること).

ALL acute lymphocytic leukemia の略.

al·la·ches·the·si·a (al′ă-kes-thē′zē-ă) [G. *allachē*, elsewhere + *aisthēsis*, sensation]. 異所感覚，部位錯誤〔症〕（刺激が加えられた部位以外の場所に触覚が生じる状態.→allochiria).

al·lan·to-, al·lant- (al-lan′tō, al-lant′) [G. *allas*, *allantos*, sausage]. 尿膜，尿膜の，ソーセージ形の，を表す連結形.

al·lan·to·ate de·im·i·nase (ă-lan-tō′lat dē-im′ĭ-nās). アラントイン酸塩脱イミン酵素（アラントイン酸のウレイドグリシンと NH_3，CO_2 への変換を触媒する酵素).

al·lan·to·cho·ri·on (ă-lan-tō-kōr′ē-on). 尿嚢絨毛膜（尿膜と絨毛膜との融合によりつくられた胚体外膜).

al·lan·to·gen·e·sis (ă-lan-tō-jen′ĕ-sis) [allanto- + G. *genesis*, origin]. 尿膜発生.

al·lan·to·ic (ă-lan-tō′ik). 尿膜の，尿嚢の.

al·lan·to·ic ac·id (ă-lan-tō′ik as′id). アラントイン酸；diureidoacetic acid（アラントインの分解産物．植物の重要な窒素源である).

al·lan·toid (ă-lan′toyd) [allanto- + G. *eidos*, appearance]. ***1*** ソーセージ形の．***2*** 尿膜〔様〕の，尿嚢〔様〕の.

al·lan·toid·o·an·gi·op·a·gus (ă-lan-toyd′ō-an-jē-op′ă-gŭs) [allantoid + G. *angeion*, vessel + *pagos*, fastened]. 尿膜脈管癒合児（⇀allantoidoangiopagous *twins*). =omphaloangiopagus.

al·lan·to·in (ă-lan′tō-in). アラントイン（尿膜腔液や胎児尿などに存在する物質．尿酸の酸化生成物およびヒトや他の霊長類以外の動物のプリン代謝の終産物). = 3-ureidohydantoin; cordianine; glyoxyldiureide.

al·lan·to·in·ase (ă-lan-tōi-nās). アラントイナーゼ（アラントインからアラントイン酸への加水分解を触媒する酵素（アミドヒドロラーゼの一種)).

al·lan·to·in·u·ri·a (ă-lan′tō-in-yū′rē-ă) [allantoin + G. *ouron*, urine]. アラントイン尿〔症〕（アラントインの尿中への排泄．ほとんどの哺乳類で普通にみられ，ヒトでは異例).

al·lan·to·is (ă-lan′tō-is) [allanto- + G. *eidos*, appearance]. 尿膜，尿嚢（後腸から発生する卵膜(またはヒトの卵黄嚢)．ヒトでは線維索，尿膜管になる．その他の哺乳類では，外部は臍帯や胎盤の形成に寄与し，鳥類や爬虫類では，多孔性卵殻のすぐ下に存在し，呼吸器として働く). =allantoid membrane.

al·lax·is (ă-laks′is) [G. *allattein*, to alter]. 変形，変態. = metamorphosis.

al·lele (ă-lēl′) [G. *allelōn*, reciprocally]. 対立遺伝子，対立因子，対立遺伝単位（[誤った発音 al-ĕl′ および al′ēl を避けること]．特定の染色体上の同一の座を占める2つ以上の一連の異なった遺伝子のうちの1つ．常染色体は対になっているので，各常染色体の遺伝子は正常の体細胞中では二重になる．もし同じ対立遺伝子が両方の座を占めると，その個体あるいは細胞はこの対立遺伝子に関してホモ接合となる．対立遺伝子が異なるときは，その個体あるいは細胞は，両方の対立遺伝子に関してヘテロ接合となる.⇀DNA markers.→*dominance* of traits). =allelomorph.

codominant a. 共優性対立遺伝子（⇀codominant).

silent a. サイレント対立遺伝子. =amorph.

al·le·lic (ă-lē′lik). 対立遺伝子の，対立因子の，対立遺伝単位の. =allelomorphic.

al·lel·ism (al′ē-lizm). 対立〔性〕（対立遺伝子に共通に存在する状態). =allelomorphism.

al·le·lo·ca·tal·y·sis (ă-lē′lō-kă-tal′i-sis) [G. *allēlōn*, mutually, reciprocally + *catalytikos*, able to dissolve]. 相互触媒（細菌培養中に同種の細胞を添加することによって起こる成長の自己刺激).

al·le·lo·cat·a·lyt·ic (ă-lē′lō-kat-ă-lit′ik). 相互触媒の（互いに他方の存在によって分解される2つの物質の性質についていう).

al·le·lo·chem·i·cals (ă-lē′lō-kem′i-kălz) [G. *allēlōn*, reciprocally + chemical]. アレロケミカル（異なる種の個体間でのシグナル物質．*cf.* pheromone).

al·le·lo·morph (ă-lē′lō-mōrf) [G. *allēlōn*, reciprocally + *morphē*, shape]. =allele.

al·le·lo·mor·phic (ă-lē-lō-mōr′fik). =allelic.

al·le·lo·mor·phism (ă-lē-lō-mōr′fizm). =allelism.

al·le·lo·tax·is, al·le·lo·taxy (ă-lēl-ō-taks′is, -taks′ē) [G. *allēlōn*, reciprocally + *taxis*, an arranging]. アレロタクシス，単一器官指向（数個の胚性構造または組織から1つの器官が発生すること).

Allen (al′ĕn), Alfred Henry. 米国人化学者，1846—1904.⇀A. *test*.

Allen (al′ĕn), Edgar van Nuys. 米国人医師，1900—1961.⇀A. *test*.

Allen (al′ĕn), Edgar. 米国人内分泌専門医，1892—1943.⇀A.-Doisy *test*, *unit*.

Allen (al′ĕn), Willard Myron. 米国人婦人科医，1904—1993.⇀Corner-A. *test*, *unit*; A.-Masters *syndrome*.

al·ler·gen (al′er-jen) [allergy + G. *-gen*, producing]. アレルゲン（アレルギーあるいは過敏症反応を誘発する抗原).

al·ler·gen·ic (al-er-jen′ik). アレルゲン性の. =antigenic.

al·ler·gic (ă-ler′jik). アレルギー〔性〕の（アレルゲンの刺激によって惹起されるすべての生体反応に関連することについていう).

al·ler·gic sa·lute (ă-ler′jik să-lūt′). アレルギー患者のあいさつ（アレルギー性鼻炎を有する小児にみられる，手を横や上下に動かし鼻をふいたりこすったりする特徴的動作).

al·ler·gist (al′er-jist). アレルギー専門医（アレルギー疾患の治療を専門とする者).

al·ler·gi·za·tion (al′er-ji-zā′shŭn). 現在では用いられない語．アレルゲンを自然にあるいは人工的に感受性組織と接触させた結果生じる能動感作．アレルギー状態を形成させること.

al·ler·gized (al′er-jīzd). アレルギー反応性が特に変化した状態．一定の反応またはその他の反応を示すように変化したアレルギーのこと.

al·ler·gol·ogy (al′er-gol′ō-gē). アレルギー学（[誤った発音 al-er-jŏl′ō-jē を避けること]．アレルギー状態に関する科学).

al·ler·go·sis (al′er-gō′sis) [allergy + G. *-osis*, condition]. アレルギー疾患，アレルギー症（アレルギーを特徴とする異常状態).

al·ler·gy (al′er-jē) [G. *allos*, other + *ergon*, work]. アレルギー（①ある特定の抗原(アレルゲン)に暴露することによって引き起こされた過敏症で，再度同一の抗原にさらされると過度に反応性が高まり，ときとして有毒な免疫反応を引き起こす.→allergic *reaction*; anaphylaxis; immune. =acquired sensitivity; induced sensitivity. ②アレルギー状態(疾患)の研究，診断，治療を包含する医学の分野．③ある種の薬物および生物由来物質に対する獲得過敏性).

atopic a. ⇀atopy.

bacterial a. 細菌性アレルギー（①細菌性アレルゲンによって起こるI型過敏性アレルギー反応．②遅延型の皮膚反応（IV型過敏性反応)．初期に細菌性抗原と関与するためにこうよばれている．例えばツベルクリン試験).

cold a. 寒冷アレルギー（寒冷に対する過敏性により生じる理学的症状).

contact a. 接触アレルギー. =allergic contact *dermatitis*.

delayed a. 遅延〔型〕アレルギー（IV型過敏性アレルギー反応．感作された個体では，アレルゲン(抗原)と接触してから数時間後に反応が現れ，24—48時間後にピークに達し，その後徐々に消失する．細胞性免疫反応に由来している．*cf.* immediate a. →delayed *reaction*; delayed *hypersensitivity*).

drug a. 薬物〔誘発〕アレルギー，薬剤〔誘発〕アレルギー（薬物や他の化学薬品に対する感受性(過敏性)).

immediate a. 即時〔型〕アレルギー. =immediate *hypersensitivity*.

latent a. 潜在性アレルギー，潜伏性アレルギー（現時点で何の徴候も症状もないが，特異的アレルゲンを用いた免疫テストによって現れるアレルギー).

physical a. 理学的アレルギー（熱あるいは寒冷のような環境因子に対する過剰反応).

polyvalent a. 多価アレルギー（いくつもの多くの特異的アレルゲンに対して同等に現れるアレルギー反応).

Al·les·che·ri·a boy·di·i (al-es-kē′rē-ă boy′dē-ī). *Pseudallescheria boydii* の旧名．無性世代は *Scedosporium apiospermum*.

al·les·the·si·a (al-es-thē′zē-ă) [G. *allos*, other + *aisthēsis*, sensation]. 感覚体側逆転．= allochiria.

al·le·thrins (al′ĕ-thrinz). アレスリン（キクモノカルボン酸のアレスロロンエステルまたはキクモノカルボン酸のピレスロロンエステルであるピレトリンの合成類似化合物．粘稠液で水に不溶．肺，皮膚，粘膜から吸収され，肝臓や腎臓に肺うっ血を伴う障害を起こすことがある．殺虫薬として用いる).

al·leth·ro·lone (ă-leth′rō-lōn). アレスロロン（アレスリン類の１つとして用いられているピレスロロン類似体(2,4-ペンタジエニル基の代わりに 2-プロペニル基)).

allicin (al′i-sin). アリシン（ニンニクの主活性成分).

al·lied health pro·fes·sion·al (al′īd helth prō-fesh′ŏn-ăl). 関連保健専門家（医師や公認看護師以外で患者のケアサービスを行う教育を受けた人．種々の治療技術者(呼吸器治療技術者など)，放射線技師，理学療法士など).

al·li·ga·tion (al-i-gā′shŭn) [L. *alligatio* < *al-ligo* (*adl-*), pp. *-atus*, to bind to]. 混合法，調剤方式（[allegation と混同しないこと]．混合物作製の法則．これにより，ⓘ数種の成分のそれぞれの混合率と価格がわかれば混合物作製のコストが決定され，ⓘⓘ薬学においては，ある濃度をもつ混合物を形成するのに要する，異なる百分率をもつ溶液の相対量が決定される).

alliin (al-i-yĭn). アリイン（ニンニクの成分の１つ).

Al·lis (al′is), Oscar Huntington. 米国人外科医，1836—1921. ⇀A. *forceps, sign.*

al·lit·er·a·tion (ă-lit-er-ā′shŭn) [Fr. *allitération* < L. *ad*, to + *littera*, letter of alphabet]. 頭韻〔症〕（精神医学において，会話中に同じ音(通常は子音)で始まる言葉が著しく多い言語障害).

al·li·um (al′ē-ŭm) [L.]. ニンニク（ユリ科の *Allium sativum.* 球根に防腐作用のある揮発性で刺激性の油が 0.9％含まれている．調味料，発汗薬，利尿薬，去痰薬として用いられてきた). = garlic.

all or none (awl ōr nŭn). 全か無か（⇀Bowditch *law*).

allo- (al′ō). [G. *allos*, other]. ***1*** 他の，正常または通常と違った，を意味する接頭語．***2*** 以前はアミノ酸の側鎖に不斉炭素を含む場合にいつも付けられた化学の接頭語．例えば，アロイソロイシンとアロスレオニン．***3*** 普通の生体分子の立体異性体または幾何異性体．

al·lo·al·bu·mi·ne·mi·a (al′ō-al-bū′mi-nē′mē-ă) [allo- + albumin + G. *haima*, blood + -ia] [MIM*103600]. 異種アルブミン血〔症〕（正常型のＡアルブミンとは電気泳動度が異なる異型血清アルブミンをもっている常染色体優性の状態．これを有するヒトは，変異アルブミン型の対立遺伝子の１つに対してヘテロ接合体またはホモ接合体である．臨床的意義の判明していない遺伝的多形性．→inherited albumin *variants*).

al·lo·an·ti·body (al′ō-an′ti-bod-ē). 同種〔異系〕抗体（同種異系抗原に対して特異的な抗体).

al·lo·an·ti·gen (al′ō-an′ti-jen). 同種〔異系〕抗原（同一動物種の個体を特徴づけている抗原．各個体が特異的にもつ抗原).

al·lo·cen·tric (al′ō-sen′trik) [allo- + G. *kentron*, center]. 他人中心〔性〕の（自分自身よりも他人に関心が集中することについていう．*cf.* egocentric). = heterocentric (2).

al·lo·chi·ri·a, al·lo·chei·ri·a (al′ō-kī′rē-ă, alō-kī′rē-ă) [allo- + G. *cheir*, hand]. 感覚体側逆転（異所感覚の一型で，一方の肢に加えられた刺激が反対側の肢の感覚として伝えられる). = allesthesia; alloesthesia; Bamberger sign (2).

al·lo·cho·les·ter·ol (al′ō-kō-les′ter-ol). アロコレステロール（コレステロールの異性体で，二重結合の位置が１か所異なるもの). = coprostenol.

al·lo·chro·ic (al′ō-krō′ik). 変色した，変色しうる，変色の．

al·lo·chro·ism (al′ō-krō′izm) [allo- + G. *chrōa*, color]. 変色．

al·lo·cor·tex (al′ō-kōr′teks) [allo- + L. *cortex*, bark (cortex)]. 異種皮質，不等皮質（大脳皮質の数か所，特に嗅覚皮質と海馬を示す，O. Vogt の用語で，同種皮質 isocortex より細胞層数が少ないのが特色．→cerebral *cortex*). = heterotypic cortex.

α-al·lo·cor·tol (al′ō-kōr′tol). α-アロコルトール（α-コルトールの 5α 鏡像異性体．尿中に見出されるヒドロコルチゾンの代謝産物).

β-al·lo·cor·tol (al′ō-kōr′tol). β-アロコルトール（α-アロコルトールの 20β 異性体および β-コルトールの 5α 鏡像異性体．尿中に見出されるヒドロコルチゾンの代謝産物).

α-al·lo·cor·to·lone (al′ō-kōr′tō-lōn). α-アロコルトロン（α-コルトロンの 5α 鏡像異性体．尿中に見出されるヒドロコルチゾンの代謝産物).

β-al·lo·cor·to·lone (al′ō-kōr′to-lōn). β-アロコルトロン（α-アロコルトロンの 20β 異性体および β-コルトロンの 5α 鏡像異性体．尿中に見出されるヒドロコルチゾンの代謝産物).

al·lo·de·ox·y·cho·lic ac·id (al′ō-dē-oks′e-ko′lik as′id). アロデオキシコール酸（胆汁酸の一種).

al·lo·dip·loid (al′ō-dip′loyd). アロディプロイド，異質二倍体（⇀alloploid).

al·lo·dyn·i·a (al′ō-din′ē-ă) [allo- + G. *odynē*, pain]. 異痛〔症〕（通常は痛くない刺激で痛みが起こる状態).

al·lo·er·o·tism (al′ō-ār′ō-tizm) [allo- + G. *erōs*, love]. 他体愛（性的に他者にひかれること).

al·lo·es·the·si·a (al′ō-es-thē′zē-ă). = allochiria.

al·log·a·my (al-og′ă-mē) [allo- + G. *gamos*, marriage]. 他殖（個体の卵母細胞が他の個体の精子によって受精すること．*cf.* autogamy).

al·lo·gen·ic, al·lo·ge·ne·ic (al-ō-jen′ik, -jĕ-nē′ik). 同種異系の（移植生物学で用いる．同種内の異なった遺伝子組成についていう．抗原性は明確である).

al·lo·go·tro·phi·a (al′ō-gō-trō′fē-ă) [allo- + G. *trophē*, nourishment]. 代償栄養（身体のある部分の代償によって他の部分または組織が成長したり栄養を与えられること).

al·lo·graft (al′ō-graft). 同種移植片，〔同種〕異系移植片（受容者と同種であるが，遺伝学的に異なる個体からの移植片．*cf.* autograft; xenograft). = allogeneic graft; homograft; homologous graft; homoplastic graft.

al·lo·group (al′ō-grūp). アログループ（密接に連関したアロタイプマーカよりなるハプロタイプを表す，以前用いられた語).

al·lo·hex·a·ploid (al-ō-heks′ă-ployd). 異質六倍体（⇀alloploid).

al·lo·hy·drox·y·ly·sine (aHyl) (al′lō-hī-drok′sē-lī′sēn). アロヒドロキシリシン；5-allohydroxylysine（5-ヒドロキシリシンの立体異性体．ᴅ-アロヒドロキシリシンは ᴅ-5-ヒドロキシリシンのジアステレオマーである).

al·lo·im·mune (al′ō-im-yūn′) [all- + immune]. 同種免疫（同種抗原に対する免疫).

al·lo·im·mu·ni·za·tion (al-lō′im-myū′nī-zā′shŭn). 同種免疫〔法，処置〕（輸血を受けた患者で起こる現象で，非自己蛋白で感作されること).

al·lo·i·so·leu·cine (aIle) (al′ō-ī-sō-lū′sēn). アロイソロイシン（イソロイシンの立体異性体．ᴅ-アロイソロイシンは ᴅ-イソロイシンのジアステレオマーである).

al·lo·i·so·mer (al′ō-ī′sŏm-er). アロ異性体（幾何異性を含む立体異性体).

al·lo·ker·a·to·plas·ty (al′ō-ker′ă-tō-plas′tē). 異物〔使用〕角膜移植〔術〕（不透明な角膜組織を透明なプロテーゼ(通常はプラスチック)で置き換える方法).

al·lo·ki·ne·sis (al′ō-ki-nē′sis, -kī-nē′sis) [allo- + G. *kinēsis*, movement]. 偶発運動（受動的または反射性の運動．随意的でない運動).

al·lo·lac·tose (al′ō-lăk′tōs). アロラクトース（糖で，ラクトースの異性体で，*lac* オペロンの真の誘発因子).

al·lo·la·li·a (al′ō-lā′lē-ă) [allo- + G. *lalia*, talking]. 発語障害（言語障害，特に大脳の疾患に起因するもの).

A

al·lom·er·ism (ă-lom′er-izm) [allo- + G. *meros*, part]. 異質同形（化学組成は異なるが，同じ結晶形を有する状態）.

al·lom·e·tron (al′ō-me′tron) [allo- + G. *metron*, measure]. アロメトロン（生物の形や比率の進化に伴う変化）.

al·lo·mone (al′ō-mōn) [G. *allos*, other + -mone]. アロモン（生産者に対して利益をもたらすように他の種の生物に行動的・生理学的影響を与えるフェロモン. *cf.* kairomone; pheromone）.

al·lo·mor·phism (al′ō-mōr′fizm) [allo- + G. *morphē*, form]. ***1*** 異形症（細胞の形態の変化．原因には機械的なもの(例えば圧力により平らになること)や進行化生によるもの(例えば胆管細胞が肝細胞に変化すること)がある）. ***2*** 同質異像仮晶（化学組成は相似であるが構造が違うこと．特に結晶性無機質についていう）.

al·longe·ment (al-onzh′-mōn[h]) [Fr. elongation]. 延長（手術中に適切な切開によって構造が長くなることを表す，まれに用いる語）.

al·lo·path (al′ō-path). =allopathist. ***1*** 折衷療法やホメオパシーの施術者と区別して，伝統的な医術を行う医師. ***2*** 逆症治療医（逆症療法を行う医師）.

al·lo·path·ic (al-ō-path′ik). 逆症療法の，異症療法の.

al·lop·a·thist (al-op′ă-thist). =allopath.

al·lop·a·thy (al-op′ă-thē) [allo- + G. *pathos*, suffering]. 逆症療法，異症療法，アロパシー（医療の慣習的な，または伝統的な型. *cf.* homeopathy）. =heteropathy (2); substitutive therapy.

al·lo·pen·ta·ploid (al′ō-pent′ă-ployd). 異質五倍体（→allo-ploid）.

al·lo·phan·ic ac·id (al′ō-fan′ik as′id). アロファン酸；urea carbonic acid（このアミドはビウレット(アロファンアミド)である）. =carbamoylcarbamic acid; *N*-carboxyurea.

al·loph·a·sis (al-of′ă-sis) [allo- + G. *phasis*, speech]. 言語錯乱，言語障害（散乱し，滅裂な言語）.

al·lo·phe·nic (al′ō-fē′nik) [allo- + G. *phainō*, to appear + -ic]. 異形質の（別々の遺伝子型すなわち別々の２組の両親由来の割球を接着・融合させてつくる個体についていう.→mosaic）.

al·lo·phore (al′ō-fōr). 赤色色素顆粒細胞. =erythrophore.

al·loph·thal·mi·a (al′of-thal′mē-ă). 異色眼. =heterophthalmus.

al·lo·pla·si·a (al′ō-plā′zē-ă) [allo- + G. *plasis*, a molding]. 異形成. =heteroplasia.

al·lo·plast (al′ō-plast) [allo- + G. *plastos*, formed]. アロプラスト（組織を構築したり，再建したり，増大させるのに使われる不活性な材料）.

al·lo·plas·ty (al′ō-plas′tē). 同種〔移殖〕形成〔術〕（同種移殖による欠陥修復）.

al·lo·ploid (al′ō-ployd) [allo- + -ploid]. 異質倍数体（２種の異なる祖先に由来する染色体を２組以上有する雑種個体あるいは雑種細胞についていう．染色体セットの多重度により，異質二倍体 allodiploids，異質三倍体 allotriploids，異質四倍体 allotetraploids，異質五倍体 allopentaploids，異質六倍体 allohexaploids のようによばれる.→heterokaryon）.

al·lo·ploi·dy (al′ō-ploy′dē). 異質倍数性（異質倍数体になっている状態）.

al·lo·pol·y·ploid (al′ō-pol′i-ployd) [allo- + polyploid]. 異質〔多〕倍数体（３組以上の染色体セットを有する異質倍数体）.

al·lo·pol·y·ploi·dy (al′ō-pol′i-ploy-dē). 異質〔多〕倍数性（異質多倍数体になっている状態）.

al·lo·preg·nane (al′ō-preg′nān). アロプレグナン（5α-pregnane の原名.→pregnane）.

α-al·lo·preg·nane·di·ol (al′ō-preg-nān′dē-ōl). α-アロプレグナンジオール（プロゲステロンや副腎皮質ホルモンの代謝産物．尿中に存在する）.

β-al·lo·preg·nane·di·ol (al′ō-preg-nān′dē-ōl). β-アロプレグナンジオール（尿中に存在する，黄体ホルモンと副腎皮質ホルモンの代謝産物）.

al·lo·psy·chic (al′ō-sī′kik) [allo- + G. *psychē*, mind]. 外界〔精神〕の（外界に関連する精神過程についていう）.

al·lo·pu·ri·nol (al′ō-pū′ri-nol). アロプリノール（尿酸合成を抑制するキサンチンオキシダーゼ阻害薬．痛風の治療に用い，6-メルカプトプリンの急速な代謝退化を遅らせる）.

al·lo·rhyth·mi·a (al′ŏ-rith′mē-ă) [allo- + G. *rhythmos*, rhythm]. 反復調律，反復リズム，周期性不整脈（心臓の不整脈が一定の型をもって反復されること）.

al·lo·rhyth·mic (al′ō-ridh′mik). 反復調律の，反復リズムの，周期性不整脈の.

al·lose (al′ōs). アロース(アルドヘキソース，D体は D-グルコースに対するエピマー).

al·lo·sen·si·ti·za·tion (al′ō-sen′si-ti-zā′shun). アロ感作，同種感作（アロ抗原(同種抗原)に暴露することによって，メモリ細胞を誘導すること）.

al·lo·some (al′ō-sōm) [allo- + G. *sōma*, body]. 異質染色体（常染色体と形や動きが異なり，ときに生殖細胞に不均一に分布している染色体の１つ．現在では用いられない語）.

paired a. 対性異質染色体. =diplosome.

unpaired a. 非対性異質染色体. =accessory *chromosome*.

al·lo·sta·sis (al-ō-stā′sis) [*allo* + [*homeo*] *stasis*]. アロスターシス（生物が快適さや生存期間を犠牲にしてでも，生き残るべく長期間にわたり恒常性が乱れている内分泌環境(dyshomeostasis)）.

al·lo·ste·ric (al′ō-ster′ik). アロステリズムの.

al·lo·ster·ism, al·lo·ste·ry (ă-los′ter-izm, -los′ter-ē). アロステリズム（蛋白の立体配座の変化により，酵素活性またはリガンドの蛋白への結合が影響を受けること．酵素の活性部位以外の部位(アロステリック部位)に，基質あるいは他のエフェクターが結合することによって生じる. *cf.* cooperativity; hysteresis）.

al·lo·tet·ra·ploid (al′ō-tet′ră-ployd) [allo- + tetraploid]. 異質四倍体（→alloploid）.

al·lo·therm (al′ō-therm) [allo- + G. *thermē*, heat]. 変温動物，不定体温動物. =poikilotherm.

al·lo·thre·o·nines (aThr) (al′o-thrē′ō-nēnz). アロトレオニン（トレオニンの４つのジアステレオマーのうちの２つ．L-およびD-トレオニンとは，側鎖の水酸基の配置が異なる）.

al·lo·tope (al′ō-tōp) [allo- + -tope]. アロトープ（[allotrope と混同しないこと]．アロタイプの定常部位にある抗原決定基を構成する多型領域）.

al·lo·to·pi·a (al′ō-tō′pē-ă) [allo- + G. *topos*, place]. 変位，位置異常. =dystopia.

al·lo·trans·plan·ta·tion (al′ō-tranz-plan-ta′shŭn). 同種移植〔術〕（同種移植片を移植すること）. =homotransplantation.

al·lot·ri·o·don·ti·a (al-ot′rē-ō-don′shē-ă) [G. *allotrios*, foreign + *odous* (*odont-*), tooth]. ***1*** 異所萌出歯（異常位置に歯が生えること）. ***2*** 歯〔牙〕移植〔術〕.

al·lot·ri·os·mi·a (al-ot-rē-oz′mē-ă) [G. *allotrios*, foreign + *osmē*, smell]. 異嗅覚（においの異なった認識）. =heterosmia.

al·lo·trip·loid (al′ō-trip′loyd) [allo + triploid]. 異質三倍体（→alloploid）.

al·lo·trope (al′ō-trōp) [allo- + G. *tropos*, a turning]. 同素体（[allotope と混同しないこと]．ある元素がとりうる物性の異なる種々の形態の１つ．例えば，カーボンブラック，グラファイト(黒鉛)，ダイヤモンドはすべて純炭素の同素体である）.

al·lo·tro·phic (al′o-trō′fik) [allo- + G. *trophē*, nourishment]. 栄養価の変化した.

al·lo·tro·pic (al-ō-trop′ik). ***1*** 同質異形の，同素体の. ***2*** 他人指向の（他人の反応に気をとられることを特徴とする人格のタイプについていう）. ***3*** 突然変異によって，ある組織型に典型的な特性が別の組織へ授けられること.

al·lot·ro·pism, al·lot·ro·py (ă-lot′rō-pizm, -lot′rō-pē) [allo- + G. *tropos*, a turning]. 同質異形，同素体（ある種の元素が，物理的性状の異なる数種の形態をとって存在する性質．例えば，カーボンブラック，黒鉛，フラーレン，ダイヤモンドはすべて純粋の炭素である）.

al·lo·type (al′ō-tīp) [allo- + G. *typos*, model]. アロタイプ（免疫グロブリンアイソタイプ内でみられるような，同種内で遺伝的に決定された抗原性の違い.→antibody）. =allotypic marker.

Gm a.'s Gm アロタイプ（種々の Gm アロタイプ決定基

(抗原)を発現するヒト免疫グロブリン γH 鎖をいう．25 種類の異なった Gm アロタイプのそれぞれはヒト γH 鎖の定常領域内にある遺伝子産物である).

InV a.'s. ＝Km a.'s.

Km a.'s Km アロタイプ（種々の Km アロタイプ決定基(抗原)を発現するヒト κ 免疫グロブリン L 鎖)．＝InV a.'s.

al·lo·typ·ic (al'ō-tip'ik). アロタイプの.

al·low·ance (a'low-antz). ***1*** 許可，割当．***2*** 許容量.

recommended daily a. (**RDA**) 一日許容量（通常の成人が良好な栄養状態を維持するのに必要な，1日に摂取すべき栄養素量).

al·lox·an (ă-loks'an). アロキサン；2,4,5,6-pyrimidinetetrone (尿素の酸化生成物．実験動物に投与するとインスリン遊離により低血糖症を，続いて Langerhans 島が破壊されて過血糖症(アロキサン糖尿病)を引き起こす).

al·lox·an·tin (ă-loks'an-tin). アロキサンチン（2分子のアロキサンの縮合物．還元剤の存在下で生成される．糖尿病誘発物質)．＝uroxin.

al·lox·u·re·mi·a (al'oks-yū-rē'mē-ă) [alloxan ＋G. *haima*, blood]. アロクスール血〔症〕（血液中にプリン塩基が存在すること).

al·lox·u·ri·a (al'oks-yū'rē-ă) [alloxan＋G. *ouron*, urine]. アロクスール尿〔症〕（尿にプリン体が存在すること).

al·loy (al'oy). 合金（液体状態で混和して生成される金属類の組み合わせ).

base metal a. 卑金属合金（貴金属の含有率が重量比で 25 %未満である合金).

chrome-cobalt a.'s クロム－コバルト合金（コバルトとクロムの合金．単体，あるいは微量のタングステンと結合したモリブデンを含有する．歯科において，義歯床，フレーム，その他の構造物に用いる).

eutectic a. 共晶〔型〕合金（一般的にもろく，変色腐食しやすい合金で，どの構成成分よりも低い温度で溶解する．歯科において，主としてろう材として用いる).

gold a. 金合金（主成分が金である合金で，通常，銅または白金および銀を含む．歯科において，かなりの強度を必要とする修復に用いる).

noble a. 貴金属合金（貴金属の含有率が重量比で 25 %以上である合金).

silver-tin a. 銀－スズ合金（銀とスズの合金．一般的に，銀が 3 でスズが 1 の割合で Ag_3Sn をつくる．歯科用アマルガム合金中の主要な金属間化合物).

solid solution a. 固溶体．＝solid *solution*.

all-*trans*-ret·i·nal (awl'tranz-ret'i-năl). オール-*trans*-レチナール（網膜のロドプシンに対する光の作用によって生じる橙色レチナルデヒドで，ロドプシンの 11-*cis*-レチナール成分をオール-*trans*-レチナールとオプシンに転換する)．＝*trans*-retinal; visual yellow.

all·spice oil (awl'spīs oyl). オールスパイス油．＝*pimenta* oil.

al·lyl (al'il). アリル（1価の基 $CH_2{=}CHCH_2{-}$).

a. alcohol アリルアルコール（刺激臭をもつ無色の液体．樹脂や可塑剤をつくるのに用いる．粘膜への刺激が非常に強い．容易に吸収され，暴露はうつ症状や昏睡を引き起こす)．＝vinyl carbinol.

a. cyanide シアン化アリル（何種かのカラシ油中に見出される．架橋結合剤(クロスリンク剤)として用いられる).

a. isothiocyanate イソチオシアン酸アリル（カラシの揮発性油．クロガラシ *Brassica nigra* からその成分のシニグリンとミロシンに水を作用させて得られるアリル．合成によっても製造される．発疱薬で，神経痛の反対刺激薬として50%アルコール溶液に10%溶解させて用いる．カラシ特有の香気や風味のもとである.→mustard oil)．＝volatile mustard oil.

a. sulfide 硫化アリル（ニンニク油の成分，香味料の製造に用いる).

al·lyl·a·mine (al'il-ā-mēn'). アリルアミン（真菌の細胞壁の構成物質であるエルゴステロールの生合成に関わるスクアレンエポキシターゼを阻害する作用を有する抗真菌薬の 1 つ).

al·lyl·mer·cap·to·meth·yl·pen·i·cil·lin (al'il-mer-kap'tō-meth'il-pen-isil'in). ＝*penicillin* O.

***N*-al·lyl·nor·mor·phine** (al'il-nor-mor'fēn). *N*-アリルノルモルフィン．＝nalorphine.

al·ly·sine (al'i-sēn). アリシン（原位置でリシンから生成した炭素数 6 の α-アミノ酸で，ある種の蛋白間の共有結合性架橋に必須である.→desmins).

Al·mei·da (ahl-mā'dă), Floriano Paulo de. ブラジル人医師，1898—1977.→A. *disease*; Lutz-Splendore-A. *disease*.

Al·mén (awl'měn), August Teodor. スウェーデン人生理学者，1833—1903.→A. *test* for blood.

al·mond oil (al'mŭnd oyl). 扁桃油（甘扁桃，すなわち種々の苦扁桃 *Prunus amygdalus* の仁を圧搾して得る不揮発性油．軟膏剤に用いる).

bitter a. o. 苦扁桃油（揮発性油で，苦扁桃の熟した仁を乾燥させたものやアミグダリンを含む他の仁から得る．シアン化水素酸 2—4%，ベンズアルデヒド 95%を含む).

al·oe (al'ō). アロエ，ロカイ（[属名 *Aloe* は al'ō-ē と発音される]．①ユリ科アロエ *Aloe*属の植物の葉汁を乾燥したもの．アロイン，レジン，エモジン，揮発性精油が得られる．②便通薬．ソコトラアロエ *Aloe perryi*，バルバドスアロエ *A. barbadensis* およびキュラソー(Curaçao)アロエ，あるいはケープアロエ *A. capensis* の葉汁を乾燥したもの．価値は証明されていないが，化粧品として局所的に用いられる).

al·o·e·tin (al'ō-ē'tin). アロエチン．＝aloin.

a·lo·gi·a (ă-lō'jē-ă) [G. *a-* 欠性辞＋*logos*, speech]. アロギー（①＝aphasia．②精神遅滞または認知症による会話不能).

al·o·in (al'ō-in). アロイン（アロエエモジンとグルコースからなる黄色の結晶体で，アロエから得る．緩下薬として用いる)．＝aloetin; barbaloin.

al·o·pe·ci·a (al'ō-pē'shē-ă) [G. *alōpekia*, a disease resembling fox mange ＜ *alōpēx*, a fox]. 脱毛〔症〕（毛髪がないこと，あるいはなくなること)．＝baldness; calvities; pelade.

a. adnata 先天性脱毛〔症〕（睫毛の発育不良.→a. congenitalis; milphosis)．＝madarosis (2).

androgenic a. 男性ホルモン性脱毛〔症〕（[誤った語 androgenetic alopecia を避けること]．成人で終毛から軟毛への変化を伴う緩徐な頭髪密度の減少であり，思春期以後の男性ホルモン分泌に対する毛嚢の感受性が家族性(遺伝性)に増加する結果として毛を喪失するようになる．男性では通常，頭皮の 2 か所(前頭と頭頂)が侵される．これが女性に起こると，多毛性早熟症のような過剰な男性ホルモン活性の症状を合併する．常染色体の優性遺伝.→female pattern a.; male pattern a.)．＝common baldness.

a. areata [MIM*104000]. 円形脱毛〔症〕（原因不明の疾患で，頭皮，眉毛，顔のひげの部分に，通常は非対称性で非瘢痕性の限局性脱毛を特徴とする．体表有毛部位であれば，どこでも発生しうる．ときに常染色体優性遺伝である．毛球部周辺のリンパ球浸潤や，自己免疫疾患の合併から，自己免疫機序による発症が考えられている．緩徐に拡大するが，結局，一般的に 1 年以内に毛の再生が認められる．しかし，再発は頻々起こり，全頭性脱毛への進行も起こりうる．特に小児発症例に多い).

a. capitis totalis 〔完〕全頭部脱毛〔症〕．＝a. totalis.

cicatricial a. [L. *cicatrix*, *cicatricis*, scar ＋ *-al*, characterized by]. 瘢痕性脱毛〔症〕．＝scarring a.

a. congenitalis 先天性脱毛〔症〕（出生時に毛がまったくないこと．精神運動発作 [MIM*104130]に合併する場合もある．常染色体優性遺伝あるいは X 連鎖遺伝 [MIM*300042])．＝congenital baldness; hypotrichiasis (2).

congenital sutural a. 先天性縫合性脱毛〔症〕（*dyscephalia* mandibulooculofacialis を表す現在では用いられない語).

female pattern a. 女性型脱毛〔症〕（頭頂中央部に生じるびまん性，不完全な脱毛．前頭髪際と側頭髪際は保たれている．女性のアンドロゲン性脱毛症の最も多い型).

a. hereditaria 遺伝性脱毛〔症〕．＝male pattern a.

a. leprotica らい性脱毛〔症〕（眉毛，睫毛，および体毛の外側 1/3 の減毛または全脱毛で，らいで認められる．頭髪脱毛はまれである).

a. liminaris frontalis 前頭髪際部脱毛〔症〕．＝a. marginalis.

lipedematous a. 成人黒人女性にみられる脱毛症で，頭皮のそう痒，疼痛，または圧痛を伴う．頭皮は肥厚し軟らかく，皮下脂肪織が増加し，毛髪は疎で短い.

male pattern a. [MIM*109200]．男性型脱毛〔症〕（最も一般的な男性ホルモン性脱毛．前額と両側の側頭三角の髪際部の後退と頭頂部の脱毛として男性に認められる．これは全頭性脱毛に進行することがある．男性においては常染色体優性遺伝，女性においては劣性遺伝である）．＝a. hereditaria; male pattern baldness; patterned a.

a. marginalis 辺縁脱毛〔症〕（髪際部の脱毛で，黒人に最も好発する．通常は一時的なもので，慢性的な毛の引っ張りによって起こる．長期間にわたって毛を引っ張り続けると永久脱毛を起こすことがある）．＝a. liminaris frontalis.

a. medicamentosa 薬物性脱毛〔症〕（各種薬物（例えば癌化学療法薬）の投与によって生じるびまん性の脱毛で，頭髪に最も顕著に現れる）．

moth-eaten a. 虫食い状脱毛〔症〕（頭部および後頭部の斑点状の脱毛で，二期梅毒の特徴である）．

a. mucinosa ムチン性脱毛〔症〕（あごひげの部分あるいは頭皮に，紅斑および浮腫を生じる脱毛を伴う毛包性ムチン沈着）．

neonatal occipital a. 新生児後頭部脱毛（寝具に後頭部の頭皮をこすりつけることで悪化する新生児期の生理的脱毛）．

patterned a. ＝male pattern a.

postoperative pressure a. 術後圧迫性脱毛〔症〕．＝pressure a.

postpartum a. 産褥性脱毛〔症〕（分娩後に，頭髪が毛根休止期にびまん性に脱毛すること）．＝telogen effluvium.

premature a., a. prematura 若年性脱毛〔症〕，早発性脱毛〔症〕，若はげ（異常に若い年齢で現れる男性型禿頭症）．

a. presenilis 初老性脱毛〔症〕（外見上，頭皮疾患は何も認められないのに，壮年期や初老期に発生する普通の禿頭症）．

pressure a. 圧迫性脱毛〔症〕（長時間の手術の際，あるいは薬を飲みすぎて意識不明の状態になり，後頭部が持続的に圧迫されることによって，通常，後頭部の毛髪が限局性に脱落すること）．＝postoperative pressure a.

rub a. こすりすぎ脱毛〔症〕（アトピー性皮膚炎のかゆみにより頭皮をこすることで起こる乳児期の脱毛症）．

scarring a. 瘢痕性脱毛〔症〕（外傷，熱傷，エリテマトーデス，毛孔性扁平苔癬，強皮症，脱毛性毛包炎あるいは原因不明にみられる瘢痕形成過程で生じる不可逆性の毛包破壊による脱毛（萎縮性脱毛症））．＝cicatricial a.

a. senilis 老人性脱毛〔症〕（老年期における頭髪の生理的な脱毛）．

a. symptomatica 症候性脱毛〔症〕（種々の疾患にかかっているとき，あるいは持続性の熱性疾患後に生じる脱毛）．

a. syphilitica 梅毒性脱毛〔症〕（二期梅毒にみられる頭皮の虫食い状脱毛）．

a. totalis〔完〕全脱毛〔症〕（非常に短期間に生じるか，限局性脱毛，特に円形脱毛症から進行する頭髪の全脱毛．*cf.* a. universalis）．＝a. capitis totalis.

a. toxica 中毒性脱毛〔症〕（熱性疾患に起因する脱毛）．

traction a. 牽引性脱毛〔症〕（限局性あるいはびまん性の脱毛で，繰り返し毛を引っ張ったりねじったりする結果生じる．パーマネント液のような毛髪軟化剤あるいは熱いくしを過度に用いた場合にも生じる．辺縁性脱毛の一型である）．＝traumatic a.

traumatic a. 外傷性脱毛〔症〕．＝traction a.

a. triangularis 三角形脱毛〔症〕（男性型脱毛症における両側性の側頭部毛髪際の後退）．

a. triangularis congenitalis 先天性三角形脱毛〔症〕（前頭部または側頭部における三角形状の先天的脱毛）．

a. universalis 全身性脱毛〔症〕（体のすべての部分の毛が全部なくなること．*cf.* a. totalis）．

al·o·pe·cic (al′ō-pē′sik)．脱毛〔症〕の．

Al·pers (al′pĕrz), Bernard J. ［誤ったつづり Alper および Alper's を避けること］．米国人神経科医，1900—1981．⇀A. *disease*.

al·pha (al′fă)．アルファ（［alpha というつづりは化学名に用い，alfa は製薬名に用いる］．ギリシア文字のアルファベットの最初の文字 α）．

al·pha am·y·lase (al′fă am′i-lās)．アルファアミラーゼ（非病原性バクテリアの枯草菌 *Bacillus subtilis* から得られるデンプン分解酵素．外傷に伴う軟組織の炎症および浮腫の治療に用いる．治療の有用性については，まだ完全には立証されておらず，作用機序も不明）．

al·pha-block·er (al′fă-blok′er)．アルファ遮断薬，α–ブロッカー．＝α-adrenergic blocking *agent*.

Al·pha·her·pes·vir·in·ae (al′fa-her′pēz-vir′i-nē)．アルファヘルペスウイルス科（単純ヘルペスウイルスおよび水痘–帯状疱疹ウイルスが属するヘルペスウイルス科の中の亜科）．

5-alpha reductase (al′fa re-duk′tās)．5–アルファレダクターゼ（テストステロンを5–アルファジヒドロテストステロン（DHT）変換する細胞内酵素．２つの異なったアイソホームがヒトや実験動物で見出されている）．

5-a. r. deficiency 5α–還元酵素欠損症（5α–還元酵素の II 型同位酵素欠損による部分的男性偽半陰陽．常染色体劣性遺伝である）．

Al·pha·vi·rus (al′fă-vī′rŭs)．アルファウイルス属（トガウイルス科の一属で，以前はA群アルボウイルスに分類されていた．東部ウマ脳炎，西部ウマ脳炎，およびベネズエラウマ脳炎の原因となるウイルスを含んでいる）．

Al·port (awl′port), Arthur Cecil．南アフリカ人医師，1880—1959．⇀A. *syndrome*.

al·pros·ta·dil (al-pros′tă-dil)．アルプロスタジル（先天性心欠陥の新生児において動脈管の開通性を維持する一時療法に用いる血管拡張薬）．＝prostaglandin E_1.

ALS amyotrophic lateral *sclerosis*; antilymphocyte *serum*; advanced life support の略．

al·ser·ox·y·lon (al′ser-ok′si-lon)．アルセロキシロン（インドジャボク *Rauwolfia serpentina* の根から抽出される脂溶性アルカロイド分画．レセルピンや他の抗アドレナリン性でない無晶形アルカロイドを含有する．以前は精神病や軽い高血圧症の鎮痛薬として，また比較的強力な効果のある降圧薬の補助薬として用いられた）．

Al·ström (ahl′strem), Carl Henry．スウェーデン人遺伝学者，1907—1993．⇀A. *syndrome*.

ALT alanine aminotransferase の略．

ALTE apparent life-threatening *event* の略．

Alte·mei·er (ahlt′mī-ĕr), William A．20 世紀の米国人外科医．⇀A. *operation*.

alteplase (awl-tĕ-plāz)．アルテプラーゼ（DNA 組換え技術によってつくられた組織プラスミノゲンアクチベータ．血栓溶解剤として使用される）．

al·ter·a·tion (awl′ter-ā′shŭn)．［alternation と混同しないこと］．***1*** 変質，変性，変調，変化，交替．***2*** 変化する（させる）こと，変質する（させる）こと，変性する（させる）こと．

modal a. 様式変化（電気的被刺激性において，変性した筋の電気刺激に対する反応様式における変化．筋収縮は正常の筋では速いが，変性した筋では緩慢になる）．

qualitative a. 質的変化（電気的被刺激性において，筋肉が陰極適用と同様に，陽極適用で容易に収縮する変化）．

quantitative a. 量的変化（電気的被刺激性において，静電流，感応電流，直流電流の順に電流に対する筋肉の収縮反応が徐々に失われること）．

al·ter·e·go·ism (awl′ter-ē′gō-izm)．一心同体，自己の分身（自身と類似した人格の人々に自分を同一化すること）．

al·ter·nans (awl-ter′nanz) [L.]．［誤った発音 al′ter-nans を避けること］．***1***〚adj.〛交代〔性〕の，交互〔性〕の（しばしば電気的または機械的な心臓の交代拍動をいう）．***2***〚n.〛交互脈．

auditory a. ＝auscultatory a.

auscultatory a. 聴診交代（心臓の機械的な交代拍動の結果，規則正しい心臓のリズムがある中で心音や雑音の強度に交互性があること）．＝auditory a.

concordant a. 調和性交代（右心室および肺動脈交代が，左心室および末梢性の脈拍交代と同時に起こること）．

cycle length a. 交互性周期長（拡張期間隔が長短を繰り返す連続波）．

discordant a. 不調和性交代（右心室および肺動脈交代が末梢性の脈拍交代と共存するが，右心室の強拍と左心室の弱拍とが一致し，またこの逆も起こること）．

electrical a. 電気的交代（心臓の電気的な交代）．

Al·ter·nar·i·a (al′ter-nā′rē-ă)．アルテルナリア属（真菌類の一属．容易に空気中から分離され，一般的な実験室汚染菌およびアレルゲンとみなされている．ときにヒトに対して病

原性をもつ).

al·ter·na·tion (awl′ter-nā′shŭn). 交代，交互，交互脈（[alteration と混同しないこと]．2つの事柄や局面が，連続して反復的に起こること).

cardiac a. 交互脈（心拍が交互に現れる現象).

concordant a. 調和性交代（心臓の機械的または電気的活動における交代．全身循環と肺循環の両方で起こる).

discordant a. 不調和性交代（全身循環または肺循環のいずれかの心臓活動における調和を伴わない交代，または互いに逆方向性を示す交代).

electrical a. of heart 心臓の電気的交代（心房または心室波群が，時間は規則正しいが形や大きさが交代する障害．P波，QRS 複合体，PR 部分，T波，QRS–T 複合体または P–QRST 複合体が単独または組み合わさって生じる).

a. of generations 世代交代（祖先に似ている個体の世代と似ていない個体の世代の継承，または有性世代と無性世代の交代).

mechanical a. of the heart 機械的交互脈（心収縮が規則的ではあるが，強・弱を交互に示す障害).

al·ter·na·tor (awl′ter-nā-ter) [L. *alterno*, to do by turns < *alter*, either of two]. オルタネータ（多数のX線写真を掛けることのできる，移動可能な複数の光透過性ラックをもつ装置．動かない光源列の前にラックがくることによってX線写真の選択や観察が可能となる).

al·ter·noc·u·lar (awl′ter-nok′yū-lăr) [L. *alternus*, by turns + ocular]. 交代眼の（両眼ではなく片眼ずつを交互に使うことについていう).

Al·te·ro·mo·nas (al′tĕr-ō-mō′năs). アルテロモナス（弯曲した末端を有するグラム陰性菌で，単極性のべん毛により運動能がある．増殖には海水中の塩基が必要である).

A. putrefaciens 魚類の廃棄の原因となりうる細菌の海産種であるがヒトに対する病原性はほとんどない.

al·the·a (al-thē′ă) [L. < G. *althaia*, marshmallow]. アルテア（ヨーロッパの湿地でみられる多年草アオイ科ビロウドアオイ *Althea officinalis* から採れる．デンプン，ペクチン，糖を高い割合で含む．香料，粘滑剤として用いる).＝marshmallow root.

Alt·herr (alt′hār), Franz. 20 世紀のスイス人医師．⇀ Meyenburg-A.-Uehlinger *syndrome*.

alt. hor. ラテン語 *alternis horis*(1時間おきに)の略.

al·ti·tu·di·nal (al′ti-tū′di-năl). 高さの（垂直方向の相互関係を表す．例えば a. hemianopsia(上下半盲)).

Alt·mann (ahlt′mahn), Richard. ドイツ人組織学者，1852—1900. ⇀ A. *fixative*, *granule*, anilin-acid fuchsin *stain*, *theory*; A.-Gersh *method*.

al·trose (al′trōs). アルトロース（グルコースの異性体であるアルドヘキソース．D体は D-マンノースに対するエピマー).

al·um (al′ŭm) [L. *alumen*]. ミョウバン（アルミニウムと，アルカリ土類金属元素またはアンモニウムの硫酸塩からなる複塩．化学的には，アルミニウム，鉄，マンガン，クロム，またはガリウムの硫酸塩と，リチウム，ナトリウム，カリウム，アンモニウム，セシウム，またはルビジウムの硫酸塩との組合せでつくられる複塩で，顕著な収れん作用がある．止血薬として局部的に用いる).

burnt a. ＝dried a.

cake a. ＝*aluminum* sulfate octadecahydrate.

chrome a. クロムミョウバン（クロムとカリウムの硫酸塩．組織染色の媒染薬として用いる).

dried a. 焼ミョウバン（加熱によって結晶水が除かれたミョウバン．収れん性の散布剤).＝burnt a.

exsiccated a. 焼ミョウバン，乾燥ミョウバン，枯礬（加熱して完全乾固したミョウバン．局所収れん薬).

whey a. 乳漿ミョウバン（収れん性の止血薬．ミョウバン 1オンスとミルク 10 オンスを煮沸してつくる).

al·um-he·ma·tox·y·lin (al′ŭm-hē-mă-tok′si-lin). ミョウバンヘマトキシリン（組織学で用いる紫色の塩基性染料．アンモニアミョウバンの水溶液と，熟成または酸化されヘマテインになるヘマトキシリンのアルコール溶液の混合物).

a·lu·mi·na (ă-lū′mi-nă). アルミナ．＝*aluminum* oxide.

hydrated a. ＝*aluminum* hydroxide.

a·lu·mi·nat·ed (ă-lū′mi-nā-ted). ミョウバンを含んだ.

a·lu·mi·non (ă-lū′min-on). アルミノン（オーリントリカルボン酸のアンモニウム塩．いわゆる水，食物，および組織の中のアルミニウムの検出に有用性をもつ).

a·lu·mi·no·sis (ă-lū′min-ō′sis). アルミニウム肺〔症〕（アルミニウム粉塵を肺へ吸入することにより引き起こされる塵肺症).

a·lu·mi·num (Al) (ă-lū′min-ŭm) [L. *alumen*, alum]. アルミニウム（この元素は米国以外の国ではアルミニウム aluminium という名称であるが，米国ではアルーミナム aluminum が1925年アメリカ化学会によって公式に採用された．銀白色の非常に軽い金属．原子番号 13，原子量 26.981539．多種の塩やアルミニウムの化合物が医学，歯学で用いられている).

a. acetate 酢酸アルミニウム（死体防腐処置の際の殺菌薬として用いるアルミニウム化合物).

a. acetylsalicylate アセチルサリチル酸アルミニウム．＝a. aspirin.

a. aspirin アスピリンアルミニウム（鎮痛・解熱薬).＝a. acetylsalicylate.

a. bismuth oxide 酸化ビスマスアルミニウム．＝*bismuth* aluminate.

a. carbonate, basic 塩基性炭酸アルミニウム（アルミニウムの水酸化物および炭酸塩の錯体．白い塊で水に不溶．水性懸濁液は，腸内でリンと結合し，血清中の無機リンの濃度を下げて，尿細管によるリンの再吸収の増加とリンの尿中排泄減少を起こす．リン酸塩尿結石形成を抑えたり，胃の酸度を弱める).

a. diacetate 二酢酸アルミニウム．＝a. subacetate.

a. hydrate ＝a. hydroxide.

a. hydroxide 水酸化アルミニウム（収れん性の散布剤．弱収れん性の制酸薬として内服で用いる).＝a. hydrate; hydrated alumina.

a. hydroxide gel 水酸化アルミニウムゲル（水酸化アルミニウムの形で主として酸化アルミニウムを含む懸濁液．制酸薬として用いる．乾燥型は同様の用途に用いられ，アルミニウム塩水溶液と炭酸アンモニウムあるいは炭酸ナトリウムとの相互作用の生成物を乾燥して得られる).

a. hydroxychloride アルミニウムヒドロキシクロリド（制汗薬).

a. monostearate モノステアリン酸アルミニウム（脂肪から得られる固体有機酸の混合物とアルミニウムの化合物．固体有機酸の主成分は，モノステアリン酸とモノパルチミン酸．製剤の際，懸濁化剤として用いる).

a. nicotinate アルミニウムニコチネート（末梢血管拡張作用を有する血中脂肪減少薬).

a. oleate オレイン酸アルミニウム（熱傷やある種の皮膚疾患の治療に軟膏剤として用いるアルミニウム化合物).

a. oxide 酸化アルミニウム（研磨剤，耐火物として，またクロマトグラフィにおいて用いるアルミニウム化合物).＝alumina.

a. phenolsulfonate フェノールスルホン酸アルミニウム（防腐・収れん薬として局所的に用いる．通常，皮膚潰瘍に用いる).

a. phosphate リン酸アルミニウム（不溶融性粉末で，水に不溶であるがアルカリ性水酸化物には可溶．硫酸カルシウム，ケイ酸ナトリウムとともに歯科用セメントに用いる).

a. phosphate gel リン酸アルミニウムゲル（リン酸アルミニウム 4—5%の水性懸濁液．制酸薬として用いる).

a. potassium sulfate 硫酸アルミニウムカリウム，ミョウバン（収れん・止血薬．獣医学において，潰瘍性口内炎，白帯下，結膜炎の治療に用いる).＝potassium alum.

a. salicylate, basic 塩基性サリチル酸アルミニウム（臭鼻症，咽頭炎の治療に用いるアルミニウム化合物).

a. salicylate, basic, soluble 溶性塩基性サリチル酸アルミニウム（スプレー溶液で上気道疾患の治療に用いるアルミニウム化合物).

a. silicate ケイ酸アルミニウム．＝kaolin.

a. subacetate 塩基性酢酸アルミニウム（(Burow 液のような)溶剤で収れん薬，口内洗浄液の成分，および死体防腐処置液として用いるアルミニウム化合物).＝a. diacetate.

a. sulfate octadecahydrate 硫酸アルミニウム十八水和物（皮膚潰瘍に用いる収れん性洗浄剤).＝cake alum.

a·lu·mi·num group (ă-lū′mi-nŭm grūp). アルミニウム族

（アルミニウム，ホウ素，ガリウム，インジウム，およびタリウム）．
al·ve·i (al′vē-ī). alveus の複数形．
al·ve·o·al·gi·a (al′vē-ō-al′jē-ă) [alveolus + G. *algos*, pain]．歯槽痛（抜歯後の合併症で，抜歯窩の血餅が分解し，その結果，局所の骨髄炎と激しい痛みを生じる）．= alveolalgia; alveolar osteitis; dry socket.
al·ve·o·lal·gi·a (al′vē-ō-lal′jē-ă). = alveoalgia.
al·ve·o·lar (al-vē′ō-lăr). 槽の，歯槽の，肺胞の．
alveolarization (al-vē′ō-lăr-i-zā′shŭn). 肺胞像陰影（気管支造影などに使用する造影剤により肺胞の一部が白く可視化されること．食事などの誤嚥後にもみられる）．
al·ve·o·late (al-vē′ō-lāt) [L. *alveolus*: *alveus*(trough, hollow, sac, cavity)の指小辞]．胞状の（ミツバチの巣のように穴の開いた）．
al·ve·o·lec·to·my (al′vē-ō-lek′tō-mē) [alveolus + G. *ektomē*, excision]．歯槽骨切除〔術〕（歯槽突起の一部の外科的切除．歯槽頂を再形成するために抜歯時に行う）．
al·ve·o·li (al-vē′ō-lī). alveolus の複数形．
al·ve·o·lin·gual (al′vē-o-ling′gwăl). = alveololingual.
al·ve·o·li·tis (al′vē-ō-lī′tis). ***1*** 肺胞炎．***2*** 歯槽〔骨〕炎．
acute pulmonary a. 急性肺胞炎（肺胞腔への滲出とガス交換障害を伴う急性炎症で，びまん性肺胞障害，薬剤誘起性肺疾患，急性免疫性障害を含む様々な間質性肺疾患患者にみられる）．
chronic fibrosing a. 慢性線維化肺胞炎．= idiopathic pulmonary *fibrosis*.
cryptogenic fibrosing a. 特発性線維化肺胞炎．= idiopathic pulmonary *fibrosis*.
extrinsic allergic a. 外因性アレルギー性肺胞炎（有機じん埃を繰り返し吸入することによる過敏性から起こるじん肺症．通常，職業的に暴露されるじん埃の種類に従って特記される．急性のものは，じん埃にさらされて数時間後に呼吸器系の症状と発熱が始まる．慢性のものでは，数年間の暴露後，最終的に広汎性肺線維症を招来する）．
fibrosing a. 線維化肺胞炎．= idiopathic pulmonary *fibrosis*.
alveolo- (al-vē′lō-lō) [L. *alveolus*, a concave vessel, a bowl, a basin < *alveus*, a trough + *-olus*, small, little; *alvus*(the belly, the womb) の同族語]．胞，槽，歯槽突起，歯槽，肺胞との関連を示す連結形．
al·ve·o·lo·cla·si·a (al-vē′ō-lō-klā′zē-ă) [alveolo- + G. *klasis*, breaking]．歯槽崩壊．
al·ve·o·lo·den·tal (al-vē′ō-lō-den′tăl). 歯槽〔歯〕の（歯槽および歯に関する）．
al·ve·o·lo·la·bi·al (al-vē′ō-lō-lā′bē-ăl). 歯槽唇側の（上顎と下顎の歯槽突起の唇側面あるいは前庭(外側面)に関する）．
al·ve·o·lo·la·bi·a·lis (al-vē′ō-lō-lā′bē-ā′lis) [L.]．歯槽唇側〔溝〕の（歯槽唇溝の部位に関する）．
al·ve·o·lo·lin·gual (al-vē′ō-lō-ling′gwăl). 歯槽舌側の（下顎の歯槽突起の舌側面(内側面)に関する）．= alveolingual.
al·ve·o·lo·pal·a·tal (al-vē′ō-lō-pal′ă-tăl). 歯槽口蓋側の（上顎の歯槽突起の口蓋面に関する）．
al·ve·o·lo·plas·ty (al-vē′ō-lō-plas′tē) [alveolo- + G. *plassō*, to form]．歯槽形成〔術〕，歯槽整形（義歯装着のために，歯槽堤に施す外科的処置．歯の抜去後，抜歯槽縁を形成したり，平らにし，続いて最良の治癒をするように縫合する）．= alveoplasty.
interradicular a., intraseptal a. 歯槽中隔形成〔術〕（歯槽堤形態をより望ましくするために，歯槽中隔骨を取り除き，皮質板を壊す）．
al·ve·o·los·chi·sis (al-vē′ō-los′ki-sis) [alveolo- + G. *schisis*, cleaving]．歯槽突起披裂．
al·ve·o·lot·o·my (al-vē′ō-lot′ō-mē) [alveolo- + G. *tomē*, incision]．歯槽切開〔術〕（根尖周囲膿瘍あるいは他の骨内膿瘍から排膿させるために，外科的に歯槽に穿孔すること）．
al·ve·o·lus, gen. & pl. al·ve·o·li (al-vē′ō-lŭs, -ō-lī) [L. *alveus*(trough, hollow sac, cavity)の指小辞]．【誤った発音 alveo′lus を避けること】．***1*** 肺胞．= pulmonary a. ***2*** 腺胞（胞状腺，ブドウ状腺の末端にある分泌部）．***3*** 胃小窩（胃壁の蜂巣状小窩）．***4*** 歯槽．= tooth *socket*.
a. dentalis, pl. alveoli dentales [TA]．歯槽．= tooth *socket*.
pulmonary a. 肺胞（呼吸細気管支，肺胞管，肺胞嚢にある薄壁の袋状拡張部で，そこを通して肺胞内の空気と肺毛細血管の間でガス交換が営まれる）．= air cells (1); air vesicles; alveoli pulmonis; alveolus (1); bronchic cells.
alveoli pulmonis = pulmonary a.
al·ve·o·plas·ty (al′vē-ō-plas′tē). = alveoloplasty.
al·ve·us, pl. al·ve·i (al′vē-ŭs, -vē-ī) [L. tray, trough, cavity < *alvus*, belly]．槽，腔．
a. hippocampi [TA]．= a. of hippocampus.
a. of hippocampus [TA]．海馬白板（海馬脳室面をおおう薄く白い脳弓線維層）．= a. hippocampi [TA].
a. urogenitalis prostatic *utricle* を表す，現在では用いられない語．
ALW arch-loop-whorl *system* の略．
a·lym·phi·a (ă-lim′fē-ă) [G. *a-* 欠性辞 + lymph + -ia]．無リンパ（リンパ液の欠如または欠乏）．
a·lym·pho·cy·to·sis (ă-lim′fō-sī-tō′sis). 無リンパ球症（リンパ球の欠如または大量の減少）．
a·lym·pho·pla·si·a (ă-lim′fō-plā′zē-ă). リンパ形成不全〔症〕（リンパ様組織の無形成あるいは低形成）．
Nezelof type of thymic a. (ne′zĕ-lof). ネゼロフ型胸腺リンパ形成不全〔症〕（T細胞あるいはT細胞機能の発達不全による細胞性免疫不全）．
thymic a. 胸腺リンパ形成不全〔症〕（Hassall 小体の欠如，および胸腺，通常はリンパ節，脾臓，胃腸管のリンパ球欠乏を伴う胸腺形成不全．重篤な免疫不全に陥る．→*immunodeficiency* with hypoparathyroidism）．
Alz·hei·mer (awltz′hī-mĕr), Alois. ドイツ人神経科医，1864—1915. ⇀A. *dementia, disease, sclerosis*.
al·zyme (al′zīm). アルザイム（抗体と酵素が結合して雑種触媒分子を形成したもの）．
Am アメリシウムの元素記号．
am ammeter の略．
AMA American Medical Association(米国医師会)の略．
am·a·crine (ahm′ă-krin) [G. *a-* 欠性辞 + *makros*, long + *is* (*in-*), fiber]．***1*** 《n.》 無軸索（長い線維性突起がない細胞または構造．⇀amacrine *cell*）．***2*** 《adj.》 無軸索の．
A·ma·do·ri (ă-mă-dō′rē), Mario. 20 世紀のイタリア人化学者．⇀Amadori *rearrangement*.
am·a·dou (ahm′ă-dū) [Fr.]．ホクチ．= agaric.
a·mal·gam (ă-mal′gam) [G. *malagma*, a soft mass]．アマルガム（ある元素または金属と水銀との合金．歯科で用いられ，元来少量の銅，亜鉛，および他の金属を含む銀–スズ合金と，銅を多く含む(重量で 12—30%)銀–スズ合金の 2 種類があり，歯の修復および歯型の作製に使われる）．
pin a. ピンアマルガム（歯質に開けた穴に突き立てた小さな金属棒によって正しい位置に保持されるアマルガム修復のこと）．
spheric a. 球状アマルガム（削片粒子の代わりに球形粒子からつくる歯科用アマルガム合金）．
a·mal·ga·mate (ă-mal′gă-māt). 汞和する，アマルガムをつくる．
a·mal·ga·ma·tion (ă-mal′gă-mā′shŭn). 汞和〔方〕法，アマルガム化（金属あるいは合金を水銀と結合させて新しい合金をつくる方法）．
a·mal·ga·ma·tor (ă-mal′gă-mā-tŏr). アマルガメータ（金属あるいは合金を水銀と結合させて新しい合金をつくる装置）．
AMAN acute motor axonal *neuropathy* の略．
Am·a·ni·ta (am-ă-nī′tă) [G. *amanitai*, fungi]．テングタケ属（菌類の一属．その多くは猛毒を有す）．
A. muscaria ベニテングタケ（赤色から黄色の菌傘と白いひだを有する毒キノコの種．精神病様状態やその他の諸症状を生じるコリン様作用のムスカリンを含んでいる）．= fly agaric.
A. phalloides タマゴテングタケ（ファロイジンやアマニチンを含有する有毒因子を含む真菌の種で，胃腸炎，肝臓壊死，腎臓壊死を起こす）．= deadly agaric.
α-am·a·ni·tin (am-ă-nī′tin). α–アマニチン（タマゴテングタケ *Amanita phalloides* に含まれている毒性の強い，熱安定性の二環性オリゴペプチド．ある種の RNA ポリメラーゼに

より転写を阻害する).

a·man·ta·dine hy·dro·chlor·ide (ă-man′tă-dēn hī′drō-klōr′īd). 塩酸アマンタジン (インフルエンザの治療に用いる抗ウイルス薬. ドパミンの放出を増大させ, 黒質ニューロンのドパミン作用性神経終末への再取り込みを弱めるのでパーキンソン症候群の治療にも用いられる).

a·ma·ra (ă-mah′ră) [L. *amarus*(bitter)の中性・複数形]. 苦味薬. ＝bitters (2).

am·a·ranth, am·a·ran·thum (am′ă-ranth, am-ă-ran′-thŭm) [G. *amaranthon*, a never-fading flower] [C.I. 16185]. アマランス (アゾ染料の1つ. 可溶性赤褐色粉末, 溶解するとマゼンタレッドに変化する. 食品, 医薬品および化粧品の着色剤として, またときには組織学で用いる).

am·a·rine (am′ă-rin) [L. *amarus*, bitter]. アマリン (植物から採れる種々の苦味成分につけられた総称. 特に苦扁桃油から採れる有毒物質 2,4,5-triphenylimidazoline をいう).

am·a·roid (am′ă-royd) [L. *amarus*, bitter＋G. *eidos*, like]. 苦味質 (苦味配糖体, アルカロイド, その他植物の既知近似成分に属さない苦味抽出物).

am·a·roi·dal (am′ă-roy′dăl). 苦味質の, 苦味の.

a·ma·rum (ă-mah′rŭm) [L. *amarus*(bitter)の中性形]. 苦味性の植物性薬の一種. ゲンチアナ, 苦木などを含み, 食欲促進薬, 強壮薬として用いる.

a·mas·ti·a (ă-mas′tē-ă) [G. *a-* 欠性辞＋*mastos*, breast]. 無乳房〔症〕(乳房の欠損).

a·mas·ti·gote (ă-mas′ti-gōt) [G. *a-* 欠性辞＋*mastix*, whip]. 無べん毛型. ＝Leishman-Donovan *body*.

a·math·o·pho·bi·a (ă-math-ō-fō′bē-ă) [G. *amathos*, dust＋*phobos*, fear]. じん(塵)埃恐怖〔症〕(ほこりやちりに対する病的な恐れ).

am·a·tox·in (am-a-tok′sin). アマトキシン (〝殺し屋キノコ〟あるいは〝猛毒ヒダキノコ〟とよばれているタマゴテングタケ *Amanita phalloides* に含まれる二環性オクタペプチドの1つ).

am·au·ro·sis (am-aw-rō′sis) [G. *amauros*, dark, obscure＋*-osis*, condition]. 黒内障 (脳の病巣によるような, 特に眼そのものに明瞭な病変がない失明状態).

a. congenita of Leber (lā′bĕr) [MIM*204000, *204100]. レーバー先天性黒内障 (錐体−杆体細胞の変性で, 生下時に盲または重篤な弱視を起こす. 少なくとも3つの遺伝子変異部位が存在する常染色体劣性遺伝. I 型は第17染色体長腕の網膜グアニル酸シクラーゼ遺伝子(*GUC2D*)の変異によるもの. II 型は第1染色体短腕の網膜色素上皮特異的 65-kD 蛋白遺伝子(*RPE65*)の変異によるもの. III 型は第19染色体長腕の光受容体特異的ホメオボックス遺伝子(*CRX*)の変異によるもの).

a. fugax 一過性黒内障 (頸動脈不全, 網腔血管の塞栓, または遠心力(飛行中の視覚性ブラックアウト)による一過性虚血に由来する一過性の失明).

pressure a. 圧迫黒内障 (眼圧が網膜動脈収縮期圧により上昇して, 2—3秒後に起こる視力障害).

toxic a. 中毒性黒内障 (メチルアルコール, 鉛, ヒ素, キニーネ, または他の毒物によって起こる視神経炎に起因する失明).

am·au·rot·ic (am-aw-rot′ik). 黒内障〔性〕の.

amaxoapraxia (ă-maks-ō-ă-prak′sē-ă). 運転失行 (きちんと運転できないこと).

a·max·o·pho·bi·a (ă-mak′sō-fō′bē-ă) [G. *amaxa*, *hamaxa*, a carriage＋*phobos*, fear]. 乗物恐怖〔症〕(乗物, あるいは乗物に乗ることに対する病的な恐れを表す古語).

am·ba·geu·si·a (am-bă-gū′sē-ă) [L. *ambo*, both＋G. *a-* 欠性辞＋*geusis*, taste]. 両側無味覚〔症〕(舌の両面から味覚が失われること).

AMBER (am′bĕr). advanced multiple-beam equalization *radiography* の頭字語.

am·ber (am′bĕr) [Ar. *anbar*]. 琥珀(こはく) (①松の樹脂が化石化したもので, 固く, 暗黄色ないし黄褐色. ②暗黄色ないし黄褐色を有していること. ③→amber *codon*).

Amberg (am′bĕrg), Emil. 米国人耳科医, 1868—1948. →A. lateral sinus *line*.

am·ber·gris (am′bĕr-gris) [Mod.L. *ambra grisea*, gray amber]. 龍涎(りゅうぜん)香 (【本語の s は無音ではない】. マッコウクジラの腸から分泌される灰色の物質. 可燃性, ろう状物質(融点は 60°C)で, 水に不溶. コレステロール, 安息香酸を含有. 香料の主薬として用いる).

am·bi- (am′bi) [L. around, about, *ambo* (both) に類似]. 【本接頭語を ambly- と混同しないこと】. 周囲に, 両側の, 両方の, 二重の, を意味する接頭語. ギリシア語の amphi- に相当. →ambo-.

am·bi·dex·ter·i·ty (am′bi-deks-ter′i-tē). 両手利き. ＝ambidextrous.

am·bi·dex·trism (am′bi-deks′trizm). ＝ambidextrous.

am·bi·dex·trous (am′bi-deks′trŭs). 両手利きの (【誤ったつづりまたは発音 ambidexeterous を避けること】). ＝ambidexterity; ambidextrism.

am·bi·ent (am′bē-ent) [L. *ambiens*, going around]. 周囲の (生体または装置が機能するすぐ近くの環境についていう).

am·bi·gu·i·ty (am′bi-gyū′ĭ-tē). 迷走性 (迷走性を示す状態).

genital a. 外陰異形成 (女児でのアンドロゲン過剰あるいは男児でのアンドロゲン不足によって生じる胎児外陰部の形成異常). ＝ambiguous external genitalia; ambiguous genitalia.

am·big·u·ous (am-big′yū-ŭs) [L. *ambiguus* < *ambigo*, to wander]. ***1***〚adj.〛多義の, あいまいな (2つ以上の解釈を許容する). ***2***〚adj.〛遊走〔性〕の (解剖学において, 2つ以上の方向性をもつことについていう). ***3***〚n.〛疑核 (神経解剖学において, 迷走神経や舌咽神経に遠心性の内臓神経を送り込んでいる核(nucleus ambiguus)についていう).

am·bi·lat·er·al (am′bi-lat′er-ăl) [ambi-＋L. *latus*, side]. 両側の.

am·bi·le·vous (am′bi-lē′vŭs) [ambi-＋L. *laevus*, left]. 両手不器用の. ＝ambisinister; ambisinistrous.

am·bi·sex·u·al (am′bi-sek′shū-ăl). 両性の (陰毛のような, 両方の性にみられる性的特徴に関する).

am·bi·sin·is·ter (am′bi-sin′is-ter) [ambi-＋L. *sinister*, left]. ＝ambilevous.

am·bi·si·nis·trous (am′bi-sin′is-trŭs). ＝ambilevous.

am·biv·a·lence (am-biv′ă-lens) [ambi-＋L. *valentia*, strength]. アンビヴァレンス, 両価性 (特定の人や物に対して, まったく相反した態度や感情や観念が共存すること. 同一人に対する愛と憎悪の同時感情およびその表出などをいう. →approach-avoidance *conflict*).

am·biv·a·lent (am-biv′ă-lent). アンビヴァレンスの, 両価性の.

am·bi·vert (am′bi-vert). 両向型 (内向と外向の両極端の間にあって, 両傾向をいくらかずつもっている人).

ambly- (am′blē) [G. *amblys*, blunt, dulled; faint, dim]. 【本連結形を ambi- と混同しないこと】. 鈍さ, ほのかさ, を示す連結形.

am·bly·geus·ti·a (am′blē-gūs′tē-ă) [ambly-＋G. *geusis*, taste]. 味覚鈍麻 (味覚が鈍感なこと).

am·bly·o·gen·ic (am′blē-ō-jen′ic) [amblyopia＋-genic]. 弱視惹起性 (弱視を誘発すること).

Am·bly·om·ma (am′blē-om′ă) [ambly-＋G. *omma*, eye, vision]. キララマダニ属 (華麗な, 硬いマダニ(マダニ科)の一属で, 眼, 花采, 雄の花采近くに深く食い込んだ腹側板がある).

A. americanum 主として米国南部, 北部メキシコにみられる重要な害虫で, ロッキー山紅斑熱やヒトのエールリッヒア症の媒介動物である. イヌやその他の家畜, 鳥, ヒトを含めた多くの宿主に寄生する. 幼虫, 若虫, 成虫の各段階でそれらを刺す. 英名 Lone-Star tick.

A. cajennense 南部テキサス, 中央・南アメリカ, カリブ海の島々における重要な害虫. メキシコ, 中央・南アメリカでロッキー山紅斑熱の媒介動物. 変態のどの期においても, ヒト, 家畜および野生動物の多くの種を襲う. 英名 Cayenne tick.

A. hebraeum 南部アフリカにおける心水病の重要な媒介動物. 英名 South African bont tick.

A. maculatum 米国南東部における家畜の害虫であるダニ. 英名 Gulf Coast tick.

A. variegatum アフリカやカリブ海沿岸における家畜の重要な害虫で, 心水病(→heartwater)の主要な媒介動物であ

る．カリブ海沿岸においてはウシの重篤なデルマトフィルス症の発生と密接な関連がある．英名 tropic bont tick.

am·bly·o·pi·a (am′blē-ō′pē-ă) ［G. *amblyōpia*, dimness of vision < *amblys*, dull + *ōps*, eye］. 弱視（視覚発達期早期における異常な視覚刺激に反応した大脳視覚領野の発達異常による視覚障害）.

anisometropic a. 不同視性弱視（少なくとも 2 ジオプトリ以上の屈折異常差(不同視)による中心視の抑制．これは両眼での結像の大きさを異ならせ(不等像視)，両眼の像が融像できない．その像の大きさの混乱状態を避けるために，より不鮮明な側の像が抑制される）. ＝refractive a.

deprivation a. 遮断弱視. ＝sensory a.

a. ex anopsia ＝suppression a.

hysterical a. ヒステリー性弱視（機能的視力喪失）.

meridional a. 視機能発達での弱視惹起期間 amblyogenic *period* における矯正しない状態での強い乱視による弱視.

nocturnal a. 夜間弱視. ＝nyctalopia.

nutritional a. 栄養性弱視（ビタミン B 複合体成分の欠乏による弱視）.

pattern distortion a. パターン歪像弱視（視機能発達での弱視惹起期間 amblyogenic *period* における不正な網膜像による弱視）.

refractive a. 屈折弱視. ＝anisometropic a.

sensory a. 感覚性弱視（例えば，角膜瘢痕，白内障，眼瞼下垂などの結像障害による一眼での中心視の抑制）. ＝deprivation a.

strabismic a. 斜視弱視（両眼の視線の異常による中心視の抑制．両眼の像は 1 つに融像されないため，視混乱を避けるために一方の像が抑制される）.

suppression a. 抑制弱視（両眼からの像が非常に異なり，融像できない場合に，片眼の視覚に中枢性に抑制がかかった状態．ⓘ不鮮明な像が形成された場合(感覚性弱視)．ⓘⓘ両眼に大きな屈折異常の差がある(不同視性弱視)．ⓘⓘⓘ両眼位が異常な場合(斜視性弱視)．大部分の抑制弱視では 6 歳以下で適切な治療が行なわれれば視力は回復する）. ＝a. ex anopsia.

tobacco-alcohol a. タバコ－アルコール弱視（過度のアルコール，喫煙による乳頭黄斑神経線維障害を特徴とする後天性視神経症）.

toxic a. 中毒性弱視（⇀toxic *amaurosis*）.

am·bly·o·pic (am′blē-ō′pik). 弱視の.

am·bly·o·scope (am′blē-ō-skōp′) ［amblyopia + G. *skopeō*, to view］. 弱視鏡（両眼視機能の評価や訓練のために用いる反射立体鏡. →haploscope）.

major a. 大型弱視鏡（照明の強度や目標物が変えられる弱視鏡）.

Worth a. ワース弱視鏡（最初の弱視鏡．手持ち型で，輻輳から開散まで，どの方向にも回転できる，角度付きの鏡筒から構成されている）.

ambo- (am′bō) ［L. *ambo*, both］. 周囲に，両側の，を意味する接頭語．ギリシア語の ampho- に相当. →ambi-.

am·bo·cep·tor (am′bō-sep′tŏr) ［ambo- + L. *capio*, to take］. アンボセプタ，両受体（Ehrlich が補体結合抗体の構造について述べるのに用いた語で，現在この意味では用いない．現在は主として補体結合試験の溶血系で用いる抗ヒツジ赤血球抗体の意で用いる）.

am·bo·mal·le·al (am′bō-mal′ē-ăl). きぬた骨つち骨の. ＝incudomalleal.

am·bro·sin (am-brō′sin). アンブロシン（アブシンチンに関係のあるブタクサの成分）.

am·bu·lance (am′byū-lants) ［Fr. < (*hôpital*) *ambulant*, mobile hospital］. 救急車（病人や外傷を受けた人を治療施設へ運ぶのに用いられる車）.

am·bu·la·to·ry, am·bu·lant (am′byū-lă-tōr-ē, am′bū-lant) ［L. *ambulans*, walking］. 歩行〔可能〕の，外来(通院)の（歩き回る，あるいは歩き回ることが可能である．病気や手術の結果として寝かせておく，あるいは入院させる必要のない患者についていう）.

a·me·ba, pl. **ame·bae, ame·bas** (ă-mē′bă-, -bē, -băz). アメーバ（［単数形の ameba を複数形として用いないこと］. *Amoeba*属，またはこれに類似の原生動物に対する一般名．体の外側に殻やべん毛などをまったくもたず，舌状の偽足をもつ軟らかい虫体からなる）.

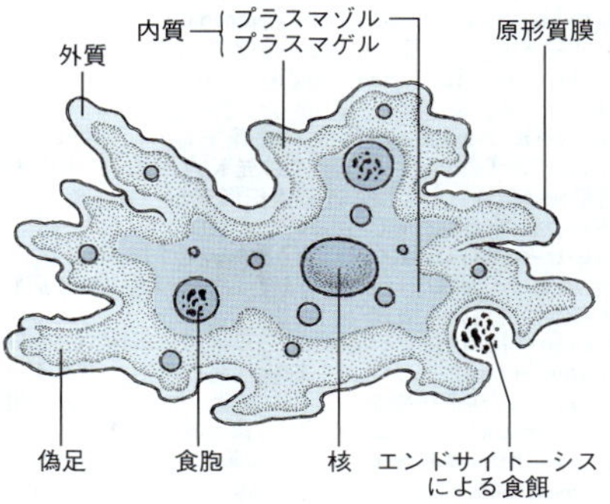

ameba

a·me·ba·cide (ă-mē′bă-sīd). ＝amebicide.

a·me·bi·a·sis (ă′mē-bī′ă-sis) ［ameba + G. *-iasis*, condition］. アメーバ症（原生動物赤痢アメーバ *Entamoeba histolytica* による感染）.

canine a. イヌのアメーバ症（ヒト由来の赤痢アメーバ *Entamoeba histolytica* によるイヌでの感染．イヌにおいてはシスト形成はまれで，したがってヒトの感染の感染源にはならない）.

a. cutis 皮膚アメーバ症（通常，下床にある感染の広がりにより生じる皮膚のアメーバ症(例えば，肛門周囲，結腸瘻造設部，肝膿瘍の上側)）.

hepatic a. 肝アメーバ症（赤痢アメーバ *Entamoeba histolytica* による肝感染．基礎疾患としてアメーバ性赤痢を伴うときと伴わないときがある）.

pulmonary a. 肺アメーバ症（アメーバによる肺の感染症．通常は赤痢アメーバ *Entamoeba histolytica* 感染の肝膿瘍が横隔膜を穿通して肺に進展したことをさす）.

a·me·bic (ă-mē′bik). アメーバ〔性〕の，アメーバ様の.

a·me·bi·ci·dal (ă-mē′bi-sī′dăl). 殺アメーバ性の，抗アメーバ性の.

a·me·bi·cide (ă-mē′bi-sīd) ［ameba + L. *caedo*, to kill］. 殺アメーバ薬，抗アメーバ薬（アメーバを死滅させる薬物）. ＝amebacide.

a·me·bi·form (ă-mē′bi-fōrm) ［ameba + L. *forma*, shape］. アメーバ状の（アメーバの形，すなわち外見をしている）.

a·me·bi·o·sis (ă-mē-bī-ō′sis). amebiasis を表す現在では用いられない語.

a·me·bism (ă-mē′bizm). ***1*** ＝ameboidism (1). ***2*** ＝ameboidity. ***3*** amebiasis を表す現在では用いられない語.

a·me·bo·cyte (ă-mē′bō-sīt) ［ameba + *kytos*, cell］. アメーバ様細胞（①無脊椎動物にみられる遊走細胞．② leukocyte を表す現在では用いられない語．③ *in vitro* の組織培養白血球）.

a·me·boid (ă-mē′boyd) ［ameba + G. *eidos*, appearance］. アメーバ様の（①外見や特徴がアメーバに似ている．②末梢突起が不規則な形をしている．平板培養のコロニーの外形についていう）.

a·me·boi·did·i·ty (ă′mē-boy-did′i-tē). アメーバ様運動能（アメーバ状の細胞にみられる運動の能力）. ＝amebism (2).

a·me·boid·ism (ă-mē′boyd-izm). ***1*** 〚n.〛 アメーバ様運動性（アメーバ運動に類似の運動を行うこと）. ＝amebism (1). ***2*** 〚adj.〛 アメーバ様運動性の（細胞の運動がアメーバに似ているある種の神経細胞にときにみられる状態についていう）.

a·me·bo·ma (ă′mē-bō′mă) ［ameba + G. *-oma*, tumor］. アメーバ〔性肉芽〕腫（慢性アメーバ症において特に大腸壁にみられる増殖性炎症の結節性腫瘍状病巣）. ＝amebic granuloma.

a·me·bu·la, pl. **a·me·bu·lae** (ă-mē′byū-lă, -lē) ［< G. *amoibē*, a change, alteration］. アメーバ胚子（*Entamoeba*属の脱嚢した若いアメーバ(通常 8 個体)およびそのすぐの子孫．これらは大腸内に局在する前に脊椎動物の腸管でシストから脱出する）.

a·me·bule (ă-mē′byūl). アメーバ状胞子，小アメーバ.

am·e·bu·ri·a (am-ē-byū′rē-ă) [ameba + G. *ouron*, urine]. アメーバ尿〔症〕(尿中にアメーバが存在すること).

a·mel·a·not·ic (ā-mel-ă-not′ik) [G. *a-* 欠性辞 + *melas*, black]. メラニン欠乏の.

a·me·li·a (ă-mē′lē-ă) [G. *a-* 欠性辞 + *melos*, a limb]. 無肢症 (四肢のいずれかまたはすべての先天的欠損．常染色体優性，常染色体劣性，およびX連鎖遺伝形式が報告されているが，多くの症例は散発性である).

a·me·li·o·ra·tion (ă-mēl-ē-ō-rā′shŭn) [L. *ad*, to + *melioro*, to make better]. 改善，回復 (病気の重症度や症状の強さに関して用いる語).

am·e·lo·blast (am′ĕ-lō-blast) [Early E. *amel*, enamel + G. *blastos*, germ]. エナメル芽細胞 (発育する歯のエナメル器の内層の円柱上皮細胞の1つ．エナメル基質形成に関与する). = enamel cell; enameloblast; ganoblast.

am·e·lo·blas·to·ma (am′ĕ-lō-blas-tō′mă) [ameloblast + G. *-oma*, tumor]. エナメル上皮腫 (上皮由来の良性の歯原性腫瘍で，組織学的に歯胚のエナメル器に類似しているが，歯の硬組織形成までは分化していない．発育は緩やかで，膨張性のX線透過像を示す．好発部位は下顎の後方部で，十分に摘出されなかった場合，再発の危険が高い).

pigmented a. = melanotic neuroectodermal *tumor* of infancy.

pituitary a. 下垂体エナメル芽腫. = craniopharyngioma.

am·e·lo·den·tin·al (am′ĕ-lō-den′ti-năl). エナメル質ぞうげ質の. = dentinoenamel.

am·e·lo·gen·e·sis (am′ĕ-lō-jen′ĕ-sis). エナメル質形成 (エナメル質の石灰化と成熟). = enamelogenesis.

a. imperfecta エナメル質形成不全〔症〕(遺伝性の外胚葉性疾患で，エナメル質の構造に欠陥が認められたり，形成が障害されたりする．3群に大別される．形成不全型は石灰化は正常でありながらエナメル基質の形成障害が特徴的に認められる．低石灰化型は基質の形成は正常であるが石灰化に障害が認められる．低成熟型はエナメル質結晶が未成熟である．これらには常染色体優性遺伝[MIM*104500, 104510, 104530]，劣性遺伝[MIM*204650, 204690, 204700]，X連鎖遺伝[MIM*301100, 301200, 301201]をするものがあると考えられている). = enamel dysplasia; enamelogenesis imperfecta.

am·e·lo·gen·ins (am′el-ō-jen′inz) [amelogenesis + -in]. アメロジェニン (歯のエナメル質形成初期における有機基質の多くを構成する一群の蛋白).

a·me·ni·a (ă-mē′nē-ă) [G. *a-* 欠性辞 + *mēn*, month]. amenorrhea(無月経)を意味する，まれに用いる語.

a·men·or·rhe·a (ă-men′ō-rē′ă) [G. *a-* 欠性辞 + *mēn*, month + *rhoia*, flow]. 無月経 (月経がないこと，または月経の異常な停止).

dietary a. 食事性無月経 (重篤な体重減少あるいは増加による月経機能の喪失).

emotional a. 情動性無月経 (強い感情的な影響，例えば，恐怖や悲しみによって起こる無月経).

exercise-induced a. ジョギングのようなやや激しい日常的な運動で惹起される月経機能の一時的停止．エンドルフィンやその他の神経ペプチドの増加による下垂体機能の抑制.

hyperprolactinemic a. 高プロラクチン血症性無月経 (血清プロラクチン異常高値を伴う無月経で，しばしば非生理的乳汁分泌を合併する).

hypophysial a. 下垂体性無月経 (下垂体前葉由来の性腺刺激ホルモン分泌不全により起こる無月経).

hypothalamic a. 視床下部性無月経 (下垂体前葉に対する視床下部刺激の欠如のための続発性無月経).

lactation a. 授乳性無月経 (授乳中の生理的な月経の抑制).

ovarian a. 卵巣性無月経 (卵巣で産生された卵胞ホルモンの欠乏により起こる無月経．永続性の場合は閉経 menopause と称する).

pathologic a. 病理的無月経 (臓器疾患の卵巣や下垂体の器質的疾患などに由来する無月経).

physiologic a. 生理的無月経 (妊娠あるいは閉経による無月経で，器質的疾患を伴わない).

postpartum a. 分娩後無月経 (Sheehan 症候群により出産後に起こる持続性無月経. → Sheehan *syndrome*).

primary a. 原発〔性〕無月経 (最初から月経がないこと).

secondary a. 続発〔性〕無月経 (思春期に始まった月経が，その後に停止したもの).

traumatic a. 外傷性無月経 (病気や損傷に起因する内膜の瘢痕あるいは頸管狭窄による月経の閉鎖). = Asherman syndrome.

a·men·or·rhe·al, amen·or·rhe·ic (ă-men′ō-rē′ăl, -rē′ik). 無月経〔性〕の.

a·men·ti·a (ă-men′shē-ă) [L. madness < *ab*, from + *mens*, mind]. アメンチア (① = mental *retardation*. ② = dementia).

nevoid a. 母斑性アメンチア. = Brushfield-Wyatt *disease*.

phenylpyruvic a. フェニルピルビン酸性アメンチア (尿中にフェニルピルビン酸の出現を伴うアメンチア).

a·men·ti·al (ă-men′shē-al). アメンチアの.

A·mer·i·can Law In·sti·tute for·mu·la·tion (ă-mĕr′i-kan law in′sti-tūt fōrm-yū-lā′shŭn). 米国法律協会公式 (→ criminal *insanity*). = American Law Institute *rule*.

A·mer·i·can Law In·sti·tute rule (ă-mĕr′i-kan law in′sti-tūt rūl). ⇀rule.

A·mer·i·can Na·tion·al Stand·ards In·sti·tute (ANSI) (ă-mĕr′i-kan na′shŭn-ăl stan′derdz in′sti-tūt). 米国規格協会 (米国における物理的な基準値を定める機関).

A·mer·i·can Red Cross (ă-mĕr′i-kan red kraws). 米国赤十字 (米国の全国赤十字社で，下院によって創立され，傷病者の介護を援助し，米国軍人およびその家族の間の情報網として働き，災害からの救済を図り，予防を目指し，その他の人道的サービスを行う．その最大のものが血液および血液製品を供給する地域血液供給センター網である).

am·er·i·ci·um (Am) (am′ĕ-ris′ē-ŭm) [the Americas]. アメリシウム (ウランを中性子で衝撃するか，プルトニウム 241, 242, および 243 の β 崩壊によって得る元素．原子番号 95，原子量 243.06. ^{241}Am(半減期 432.2 年)は骨疾患の診断に用いられている. ^{243}Am は半減期 7370 年である).

am·er·ism (am′er-izm) [G. *a-* 欠性辞 + *meros*, part]. 無分割〔性〕，無分節〔性〕(部分，分節，メロゾイトに分割しない状態あるいは性質).

am·er·is·tic (am-ĕ-ris′tik). 無分割〔性〕の，無分節〔性〕の.

Ames (āmz), Bruce N. 20世紀の米国人分子遺伝学者. → A. *assay*, *test*.

a·me·thop·ter·in (ă-meth-ōp′ter′in). アメトプテリン. = methotrexate.

a·me·tri·a (ă-mē′trē-ă) [G. *a-* 欠性辞 + *mētra*, uterus]. 無子宮〔症〕(子宮の先天的欠損を表す現在では用いられない語．原因ははっきりしない).

am·e·tro·pi·a (am-ĕ-trō′pē-ă) [G. *ametros*, disproportionate < *a-* 欠性辞 + *metron*, measure + *ōps*, eye]. 非正視，屈折異常〔症〕([emmetropia と混同しないこと]. ある屈折障害があって，その結果，非調節眼では遠方の物体からの光線が網膜上に焦点を結ばず，ある一定距離以内の物体のみが網膜上に焦点を結ぶ，眼球の状態).

axial a. 軸性非正視 (眼球軸上で眼球が短くなったり長くなったりすることによる非正視．それぞれ遠視または近視となる).

index a. 屈折率性非正視 (水晶体の屈折率の変化に起因する非正視). = refractive a.

refractive a. 屈折性非正視. = index a.

am·e·tro·pic (am-ĕ-trō′pik). 非正視の，屈折異常〔症〕の.

am·i·an·ta·ceous (am′i-an-tā′shŭs) [G. *amiantus*, asbestos]. 石綿状の (炎症の薄い板状の所見で痂皮のある皮膚病変).

am·i·an·thoid (am-i-an′thoyd) [G. *amianthus*, asbestos]. アミアントイド (アスベスト様の結晶状態をした). = asbestoid.

-amic (a′mik) ジカルボン酸のカルボキシル基(COOH) 1 個がカルボン酸アミド基($-CONH_2$)に置換していることを示す接尾語．慣用名のみに用いる(例えば succinamic acid).

a·mi·cro·bic (ā′mī-krō′bik). 非微生物の (微生物とは無関係の，あるいは微生物が原因ではない).

a·mi·cro·scop·ic (ā′mī-krō-skop′ik). 超顕微鏡的の. = submicroscopic.

am·i·dase (am′i-dās). アミダーゼ（モノカルボン酸アミドを加水分解して遊離酸とアンモニアを生成する酵素．ω–アミダーゼはアミド，例えば α–ケトスクシンアミド酸に作用する）．

am·i·das·es (am′i-dās′ez). アミダーゼ．＝amidohydrolases.

am·ide (am′īd, am′id). アミド（アンモニアの1個以上の水素原子をアシル基で置換して生成する物質(R–CO–NH_2)．あるいはカルボン酸のカルボキシル基の OH を NH_2 で置換して生成する物質．水素原子を1個置換したものを一級アミド **primary a.**，2個置換したものを二級アミド **secondary a.**，3個置換したものを三級アミド **tertiary a.** という）．

substituted a. 置換アミド（二級あるいは三級アミド．ペプチド結合は置換アミドである）．

am·i·dine (am′i-dēn). アミジン（1価の基 –C(NH)–NH_2）．

am·i·di·no·hy·dro·las·es (am′i-din-ō-hī′drō-lās-ez) アミジノヒドロラーゼ（線状アミジンを分解する酵素．例えば，アルギナーゼ，クレアチナーゼ）．

am·i·din·o·trans·fer·as·es (am′i-din-ō-trans′fer-ās-ez) アミジノトランスフェラーゼ（アミジン基転移反応を触媒する酵素．例えばグリシンアミジン基転移酵素）．＝transamidinases.

amido- (am′i-dō) [am(monia) ＋ -id(e) ＋ -o-]. アミド基を示す接頭語．

am·i·do black 10B (am′i-dō blak) [C.I. 20470]. アミドブラック 10B（酸性ジアゾ染料．結合組織の染色，ペーパークロマトグラフィでの蛋白の染色，および電気泳動における染色に用いる）．

ami·do·hy·dro·las·es (am′i-dō-hī′drō-lās′ez). アミドヒドロラーゼ（アミド基の C–N 結合を加水分解する酵素．例えば，アスパラギナーゼ，バルビツラーゼ，ウレアーゼ，アミダーゼ）．＝amidases; deamidases; deamidizing enzymes.

am·i·do·naph·thol red (am′i-dō-naf′thol red) [C.I. 18050]. アミドナフトールレッド（アゾ染料．実質酸性対比染料として光学および蛍光顕微鏡検査法で用いる）．＝azophloxin.

am·i·do·py·rine (am′i-dō-pī′rēn). アミドピリン．＝aminopyrine.

Am·i·dos·to·mum an·ser·is (am-i-dos′tō-mŭm an′ser-is) [amido- ＋ G. *stoma*, mouth ＋ L. *anser*, goose]. 吸虫性線虫の一種．家禽および野生のカモやガチョウの砂嚢，ときには前胃と食道に寄生する．毛様線虫属 *Trichostrongylus* の種に類似．若鳥の高死亡率の原因となっている．

am·i·dox·imes (am-i-doks′īmz, -dok′sēmz). アミドキシム（一般式 R–C(NH_2)=NOH）．＝amide oximes.

am·i·dox·yl (am-i-dok′sil). アミドキシル（アミドキシムの基．NOH の末端Hが取れている）．

a·mil·o·ride hy·dro·chlor·ide (ă-mil′ŏ-rīd hī′drō-klōr′-īd). 塩酸アミロライド（非ステロイド化合物．アルドステロン抑制薬類似の作用を発揮する．すなわち，ナトリウムの尿排泄を促進し，カリウム排泄を抑制する．カリウム保持性利尿薬）．

a·mim·i·a (ā-mim′ē-ă) [G. *a-* 欠性辞 ＋ *mimos*, a mimic]. ***1*** 無表情（身振りや合図のような非言語的コミュニケーションによって考えを表現することができないこと）．***2*** 象徴欠如（身振り，合図，シンボル，またはパントマイムの意味を把握できないこと）．

am·i·nate (am′i-nāt). アミノ化する（アンモニアと化合する）．

am·i·na·tion (am′i-nā′shŭn). アミノ化（アミノ基を化合物へ導入すること）．

a·mine (ă-mēn′, am′in). アミン（[正しいアクセントは第1音節に置くが，米国の用法ではしばしば最後の音節にアクセントを置く]．形式的にはアンモニアの水素原子を炭化水素や他の基で置換して得られる物質．1個の水素原子を置換したものは，一級アミン **primary a.**，2個置換したものを二級アミン **secondary a.**，3個置換したものを三級アミン **tertiary a.**，4個置換したものを四級アンモニウムイオン **quaternary ammonium ion** といい，正の電荷を有し，負イオンと会合した状態でのみ単離される．アミンは酸とともに塩を形成する）．

adrenergic a. アドレナリン性アミン，アドレナリン〔様〕作用(作動)アミン．＝sympathomimetic a.

adrenomimetic a. ＝sympathomimetic a.

biogenic a.'s 生体アミン（生物体が産生するアミノ基を含有する化合物の種類．普通，ここにはアミノ酸ははいらない）．

a. oxidase アミンオキシダーゼ（①銅，そして恐らくリン酸ピリドキサルを含有し，フラビン含有アミンオキシダーゼと同様の反応を行う酸化還元酵素．＝diamine oxidase; histaminase. ②酸化還元酵素で，フラビンを含有している．アミンを酸素と水で酸化してアルデヒド，ケトンにし，アンモニアと過酸化水素を遊離する．抗うつ薬はこの酵素を阻害する．＝adrenaline oxidase; monoamine oxidase; tyraminase; tyramine oxidase）．

pressor a. 昇圧アミン．＝pressor *base*.

sympathetic a. ＝sympathomimetic a.

sympathomimetic a. 交感神経〔様〕作用(作動)アミン（アドレナリン作用性神経活性によるものと同様の反応を誘発する薬物．例えば，エピネフリン，エフェドリン，イソプロテレノールなど）．＝adrenergic a.; adrenomimetic a.; sympathetic a.

vasoactive a. 血管作用性アミン（ヒスタミンまたはセロトニンのような物質で，アミノ基を有し，血管への作用(血管径あるいは血管透過性を変化させる)により薬理学的に特徴付けられる）．

am·in·er·gic (a′mi-nār′jik). アミン作動(作用)〔性〕の（神経細胞や神経線維についていう）．

amino- (ă-mē′nō) [am(monia) ＋ in(e) ＋ -o-]. アミノ基 –NH_2 を含有する化合物の接頭語．

a·mi·no ac·id (AA, aa) (ă-mē′nō as′id). アミノ酸（炭素原子上の水素原子の1つが NH_2 に置換された有機酸．一般名としてはアミノカルボン酸である．しかしタウリンもまたアミノ酸である．→α-amino acid）．

acidic a. a. 酸性アミノ酸（もう1つ酸部分をもつアミノ酸．例えば，グルタミン酸，アスパラギン酸，システイン酸などがある）．

activated a. a. 活性化アミノ酸．＝aminoacyl adenylate.

basic a. a. 塩基性アミノ酸（もう1つ塩基性部分(普通はアミノ基)をもつアミノ酸．例えば，リシン，アルギニン，オルニチン）．＝dibasic a. a.

a. a. dehydrogenases アミノ酸デヒドロゲナーゼ（アミノ酸を酸化的脱アミノ化し，対応するケト酸とする反応を触媒する酵素．比較的非特異的な L 体，D 体の2変種が存在し，L–アミノ酸，D–アミノ酸がそれぞれの基質である．生成物はアンモニアと，還元型水素受容体(L 体では NADH)である．グリシンデヒドロゲナーゼのようにさらに特異性を有するアミノ酸デヒドロゲナーゼも存在する．*cf.* a. a. oxidases）．

dibasic a. a. 二塩基性アミノ酸．＝basic a. a.

essential a. a.'s 必須アミノ酸（生体に栄養学的に必要な α–アミノ酸で，遊離アミノ酸あるいは蛋白として食事によって摂取しなければならないもの(すなわち生体によって生合成できないもの)）．

nonessential a. a.'s 可欠アミノ酸（生体によって合成できるので，食事によって摂取しなくてもよいアミノ酸）．

nonpolar a. a. 非極性アミノ酸（α–炭素に結合した官能基(すなわち RCH(NH_3^+)COO^- の R)が疎水性である α–アミノ酸．例えば，バリン，ロイシン）．

a. a. oxidases アミノ酸酸化酵素（O_2 と水を用いて特異的に L–アミノ酸，D–アミノ酸をそれぞれ対応するケト酸，アンモニア，過酸化水素に酸化するフラビン酵素．*cf.* a. a. dehydrogenases; yellow *enzyme*）．

polar a. a. 極性アミノ酸（α–炭素に結合した官能基(すなわち RCH(NH_3^+)COO^- の R)が親水性である α–アミノ酸．例えば，セリン，システイン，ホモシステイン）．

***α*-a·mi·no ac·id** (ă-mē′nō as′id). α–アミノ酸（典型的には一般式 R–CHNH_3^+–COO^-(すなわち α 位にアミノ基が存在する)をもつアミノ酸．L 体は蛋白の加水分解生成物である．まれに α–アミノリン酸や α–アミノスルホン酸のこともある）．

a·mi·no·ac·i·de·mi·a (ă-mē′nō-as′i-dē′mē-ă) [amino acid ＋ G. *haima*, blood]. アミノ酸血〔症〕（血液中に過剰の特異アミノ酸が存在すること）．

a·mi·no·ac·id-tRNA li·gas·es (ă-mē′nō-as′id lī′gās-ez).

アミノ酸-tRNAリガーゼ（アミノアシル-tRNAシンテターゼの系統名．例えば，チロシル-tRNAシンテターゼはチロシン-tRNAリガーゼとなる）．

a·mi·no·ac·i·du·ri·a (ă-mē′nō-as-i-dyū′rē-ă) [amino acid + G. *ouron*, urine]．アミン酸尿〔症〕（尿中にアミノ酸が特に大量に排泄されること）．=hyperaminoaciduria.

hyperbasic a. 二塩基性アミノ酸の輸送欠損による遺伝性疾患．患者は蛋白不耐症を呈さない．*cf.* lysinuric protein *intolerance*.

5-a·mi·no·ac·ri·dine hy·dro·chlor·ide, 9-a·mi·no·ac·ri·dine hy·dro·chlor·ide (ă-mē′nō-ak′ri-dēn hī-drō-klōr′īd)．塩酸 5-アミノアクリジン，塩酸 9-アミノアクリジン．=acridine yellow.

ami·no·ac·yl (AA, aa) (ă-mē′nō-as′il)．アミノアシル（アミノ酸の COOH基から OH を取り除くことによって生じる基）．

a·mi·no·ac·yl a·den·y·late (ă-mē′nō-as′il ă-den′i-lāt)．アミノアシルアデニル酸（アミノ酸のアシル基とアデノシン 5′-一リン酸(本来ピロリン酸基の脱離した，アデノシン 5′-三リン酸の形で存在)との縮合体．蛋白生合成の最初の段階で生成される）．=activated amino acid.

a·mi·no·ac·yl·ase (ă-mē′nō-as′i-lās)．アミノアシラーゼ（広範な種類の *N*-アシルアミノ酸を加水分解し，対応するアミノ酸と酸のアニオンを生成する反応を触媒する酵素）．=hippuricase; histozyme.

a·mi·no·ac·yl-tRNA (ă-mē′nō-as′il)．アミノアシル-tRNA（アミノ酸の COOH 基が転移 RNA の末端アデノシン残基の 3′-(または 2′-)OH基でエステル化された化合物の総称．例えば，アラニル-tRNA，グリシル-tRNA など．それぞれの化合物は，1つまたは少数の特異的化学構造をもつ tRNA を含む．蛋白生合成で用いられる）．

a.-tRNA ligases アミノアシル-tRNA リガーゼ．=a.-tRNA synthetases.

a.-tRNA synthetases アミノアシル-tRNA シンテターゼ（アミノ酸とアデノシン 5′-三リン酸から特異的アミノアシル-tRNA の生成を触媒する酵素．同時に副生成物としてアデノシン 5′-一リン酸とピロリン酸を生じる）．=amino acid activating enzyme; a.-tRNA ligases.

a·mi·no·a·dip·ic δ-sem·i·al·de·hyde syn·thase (ă-mē′nō-ă-dip′ik se′mē-al′di-hīd sin′thās)．アミノアジピン酸 δ-セミアルデヒドシンターゼ（リジン分解に使われる二機能性酵素．この酵素は α-ケトグルタール酸レダクターゼ活性やサッカロピンデヒドロゲナーゼ活性がある．この酵素欠損の結果家族性高リシン血症になる）．

α-a·mi·no·a·dip·ic ac·id (Aad) (ă-mē′nō-ă-dip′ik as′id)．α-アミノアジピン酸（高等な菌類やバクテリアのリシンの生合成の中間物質．しかし，藻類や高等植物にはみられない．哺乳類のリシンの分解においても同様に生成される）．

a·mi·no·ben·zene (ă-mē′nō-ben′zēn)．アミノベンゼン．=aniline.

***o*-a·mi·no·ben·zo·ic ac·id** (ă-mē′nō-ben-zō′ik as′id)．*o*-アミノ安息香酸．=anthranilic acid.

***p*-a·mi·no·ben·zo·ic ac·id (PABA)** (ă-mē′nō-ben-zō′ik as′id) *p*-アミノ安息香酸（4-アミノ安息香酸．ビタミンB複合体の一因子で，葉酸の光合成に必要．バクテリアの必須発育因子を備えているため，スルホンアミドの静菌作用を中和する．スルホンアミド濃度の上昇は本薬物や葉酸の利用を阻害する．ローションやクリームでの紫外線遮へい物質として用いられる．膵臓試験において使用される）．=paraaminobenzoic acid; vitamin B_x.

D(−)-α-a·mi·no·ben·zyl·pen·i·cil·lin (ă-mē-nō-ben′-zil-pen′i-sil′in)．D(−)-α-アミノベンジルペニシリン．=ampicillin.

δ-a·mi·no·bu·ty·rate a·mi·no·trans·fer·ase (ă-mē′nō-bū-ter-āt ă-mē′nō-tranz′fĕr-ās)．δ-アミノ酪酸アミノトランスフェラーゼ（δ-アミノ酪酸から2-オキソグルタル酸へ可逆的アミノ基転移反応を触媒する酵素で，L-グルタル酸とコハク酸セミアルデヒドを生成する(δ-アミノ酪酸の異化での重要な段階)）．

γ-a·mi·no·bu·tyr·ic ac·id (GABA, γ-A·bu) (ă-mē′nō-bū-tēr′ik as′id)．γ-アミノ酪酸；4-aminobutyric acid（中枢神経系の一成分で，量的に主要な抑制性神経伝達物質．てんかんなど数多くの神経疾患の治療に用いられる）．

a·mi·no·ca·pro·iate (ă-mē′nō-că-prō′ē-āt)．アミノカプロン酸塩（抗線維素溶解剤の1つ．血友病および心臓や前立腺の手術後のプラスミノゲンやウロキナーゼが活性化されたときの出血を防ぐために用いる）．

am·i·no·car·bon·yl (ă-mē′nō-kar′bon-il)．アミノカルボニル．=carboxamide.

a·mi·no·cit·ric ac·id (ă-mē′no-sit′rik as′id)．アミノクエン酸（ヒト脾臓のリボ核蛋白の酸加水分解産物の1つとして見出される酸）．

2-a·mi·no-2-de·ox·y-D-ga·lac·tose(ă-mē′nō-dē-oks′ē-gă-lak′tōs)．→galactosamine.

a·mi·no·gly·co·side (ă-mē′nō-glī′kō-sīd)．アミノ配糖体（*Streptomyces*属あるいは小胞子菌属 *Micromonosporum* から得られる殺菌性抗生物質で，中心のヘキソースにグリコシド結合によって2つ以上のアミノ糖が結合したものをいう．バクテリアのリボソームにおいて誤読を引き起こし，蛋白合成を阻害することによって作用を示し，好気性のグラム陰性杆菌とヒト結核菌 *Mycobacterium tuberculosis* に対して有効である．ストレプトマイシン，neomycin，ゲンタマイシンがよく用いられる）．

***p*-a·mi·no·hip·pu·ric ac·id (PAH)** (ă-mē′nō-hi-pūr′-ik as′id)．*p*-アミノ馬尿酸（腎機能検査で，腎血流量を測定するのに用いる酸．腎より分泌，沪過される）．

***p*-a. a. synthase** *p*-アミノ馬尿酸シンターゼ（肝臓に存在する酵素．*p*-アミノ安息香酸(またはその CoA 誘導体)とグリシンから *p*-アミノ馬尿酸を合成する反応を触媒する．グリシンアシルトランスフェラーゼと同一であるといわれている）．

5-a·mi·no·im·id·az·ole ri·bose 5′-phos·phate (AIR) (ă-mē′nō-im-id-az′ōl rī′bōs fos′fāt)．5-アミノイミダゾールリボース 5′-ホスフェート（プリン類の生合成における中間体）．=5-aminoimidazole ribotide.

5-a·mi·no·im·id·az·ole ri·bo·tide (AIR) (ă-mē′-nō-im-id-āz′ōl rī′bō-tī′d)．5-アミノイミダゾールリボチド．=5-aminoimidazole ribose 5′-phosphate.

5-a·mi·no·im·id·az·ole-4-*N*-suc·ci·no·car·box·am·ide ri·bo·nu·cle·o·tide (ă-mē′nō-im-id-āz′ōl sŭk-si′nō-kar-boks′ă-mīd rī-bō-nū′klē-ō-tīd)．5-アミノイミダゾール-4-*N*-サクシノカルボキサミドリボヌクレオチド（プリン生合成の中間体の1つ）．

β-a·mi·no·i·so·bu·ty·rate : py·ru·vate a·mi·no·trans·fer·ase (ă-mē′nō-ī′sō-bū′ti-rāt pī-rū′vāt ă-mē′nō-tranz′fĕr-ās)．β-アミノイソ酪酸：ピルビン酸アミノトランスフェラーゼ（アミノ基を β-アミノイソ酪酸からピルビン酸へ転移させ，L-アラニンとメチルアロン酸セミアルデヒドを生成させる反応を可逆的に触媒する酵素．バニリンの分解の1ステップ．この酵素の欠損により，高 β-アミノイソ酪酸酸性尿症になる）．

α-a·mi·no·i·so·bu·tyr·ic ac·id (ă-mē′nō-ī′sō-bū-tēr′-ik as′id)．α-アミノイソ酪酸；2-amino-2-methylpropionic acid（細胞膜のアミノ酸輸送の研究とサイトカインの作用の研究に用いる合成アミノ酸．細胞では代謝されない）．

β-a·mi·no·i·so·bu·tyr·ic ac·id (ă-mē′nō-ī′sō-bū-tēr′ik as′id)．β-アミノイソ酪酸；3-amino-2-methylpropionic acid（チミンの異化の最終産物．ある疾患過程によるかまたは遺伝型によって，ある人々の場合，高い尿中含量 200—300 mg/日が報告されている）．

α-a·mi·no-β-ke·to·a·dip·ic ac·id α-アミノ-β-ケトアジピン酸；2-amino-3-oxo-1,6-hexanedioic acid (ă-mē′nō-ke′tō-ă-dip′ik as′id)（スクシニル CoA とグリシンから δ-アミノレブリン酸シンターゼにより生成されるポルホビリノーゲン合成の中間体．速やかに脱炭酸し，δ-アミノレブリン酸になる）．

δ-a·mi·no·lev·u·li·nate de·hy·dra·tase (ă-mē′nō-lev-ū-lin′āt dē-hī′dră-tās)．δ-アミノレブリンデヒドラターゼ．=*porphobilinogen* synthase.

δ-a·mi·no·lev·u·lin·ic ac·id (ALA) (ă-mē′nō-lev-yū-lin′ik as′id)．δ-アミノレブリン酸（δ-アミノレブリンシンターゼによってグリシンとスクシニル補酵素Aから生成される．ポルホビリノーゲンの前駆物質なのでヘマチンの生合成に重要な中間物である．血漿値は鉛中毒の場合上昇する)．

δ-a. a. synthase δ-アミノレブリン酸シンターゼ（スクシニル-CoAとグリシンにより，δ-アミノレブリン酸塩，コエンザイムA，および，CO_2を生成する反応を触媒する酵素．ポルフィリン生合成に関連する段階)．

am·i·nol·y·sis (am′i-nol′i-sis). アミノ分解（ハロゲン化水素を除去してアルキル基分子またはアリール基分子のハロゲンをアミン基で置換すること)．

a·mi·no·pen·i·cil·lins (ă-mē′nō-pen-i-sil′inz). アミノペニシリン〔類〕（ペニシリン系抗生物質の一種で，化学的にはアミノ基を有する．アンピシリン，アモキシシリンなどが含まれる．上気道感染，尿路感染，髄膜炎，サルモネラ菌感染症などの治療に用いられる)．

a·mi·no·pep·ti·dase (ă-mē′nō-pep′ti-dāz). アミノペプチダーゼ(総称)（ペプチドの分解を触媒する酵素．ペプチド鎖のN末端よりアミノ酸残基を加水分解によって切り離す(すなわちN-エキソペプチダーゼ)．腸液中にみられる)．

a·mi·no·pep·ti·dase (cy·to·sol) (ă-mē′nō-pep′ti-dās sī′tō-sol). アミノペプチダーゼ(細胞内液の)（幅広い基質特異性をもつ亜鉛を含む酵素．ペプチド鎖のN末端よりアミノアシル基を加水分解によって除去する反応を触媒する(すなわちエキソペプチダーゼ))．

a·mi·no·pep·ti·dase (mi·cro·som·al) (ă-mē′nō-pep′ti-dās mī-krō-sō′mal). アミノペプチダーゼ(ミクロソームの)（基質特異性は強くないが，N末端アラニン残基を優先的に好み，プロリン残基を嫌うアミノペプチダーゼ)．

a·mi·no·phen·a·zone (ă-mē′nō-fen′ă-zōn). アミノフェナゾン．＝aminopyrine.

a·mi·no·phyl·line (ă-me-nō-fil′in). アミノフィリン（テオフィリンをより水溶性にした化合物．利尿薬，血管拡張薬，強心薬．気管支拡張薬としてぜん息や獣医学でも用いられている)．＝theophylline ethylenediamine.

a·mi·no·pro·pi·on·ic ac·id (ă-mē′nō-prō-pē-on′ik as′-id). → alanine.

6-a·mi·no·pu·rine (ă-mē′nō-pyūr′ēn). 6-アミノプリン．＝adenine.

a·mi·no·py·rine (am′i-nō-pī′rēn). アミノピリン（以前はリウマチ，神経炎，肺結核，および感冒に用いる解熱・鎮痛薬として広く使われていた．白血球減少を引き起こすことがある．体内総水分量の測定に用いられていた)．＝amidopyrine; aminophenazone; dipyrine.

***p*-a·mi·no·sal·i·cyl·ic ac·id (PAS, PASA)** (ă-me′-nō-sal-i-sil′ik as′id). *p*-アミノサリチル酸；4-amino-2-hydroxybenzoic acid（結核菌に対する静菌薬．ストレプトマイシン，カリウム塩，ナトリウム塩，およびカルシウム塩の補助薬として用いる)．

a·mi·no-ter·mi·nal (ă-mē′nō-ter′min-ăl). アミノ末端基(α-NH_2基，またはペプチドや蛋白の一端(通常は左側に書く)のα-NH_2基を有するアミノアシル残基)．＝NH_2-terminal.

a·mi·no·trans·fer·ase (ă-mē′nō-trans′fĕr-ase) アミノトランスフェラーゼ，アミノ基転移酵素（アミノ基をアミノ酸からケト酸へ転移する酵素．例えば，L-アラニン，2-ケトグルタミン酸塩．多くはアミノ酸としてはα-アミノ酸ケト酸としてはα-ケト酸である)．＝transaminases.

histidine a. ヒスチジンアミノトランスフェラーゼ（L-ヒスチジンとα-ケトグルタル酸からイミダゾール5-イルピルビン酸とL-グルタミン酸への可逆反応を触媒する酵素)．

tyrosine a. チロシンアミノトランスフェラーゼ（L-チロシンとα-ケトグルタル酸とから*p*-ヒドロキシフェニルピルビン酸とL-グルタミン酸への可逆反応を触媒する酵素．この酵素はL-フェニルアラニンとL-チロシン異化の一段階を触媒する．この酵素の欠損により，チロシン血症IIになる)．

a·mi·no·tri·a·zole (ă-mē′nō-trī′ă-zol). アミノトリアゾール（抗甲状腺作用を有する強力な除草薬)．

a·mi·no·tri·pep·tid·ase (ă-mē′nō-trī-pep′ti-dās). アミノトリペプチダーゼ（腸内ペプチダーゼの1つで，トリペプチドに作用してアミノ酸とジペプチドを遊離させる)．

am·i·nu·ri·a (am-i-nyū′rē-ă)［amine＋G. *ouron*, urine］. アミン尿〔症〕（尿中にアミンが排泄されること)．

am·i·to·sis (am′i-tō′sis)［G. *a-* 欠性辞＋mitosis］. 無糸分裂（核と細胞の直接分裂．普通の細胞分裂過程で起こるような核分裂の複雑な変化を伴わない)．＝direct nuclear division; Remak nuclear division.

am·i·tot·ic (am′i-tot′ik). 無糸分裂の．

am·i·trip·ty·line hy·dro·chlor·ide (am′i-trip′ti-lēn hī-drō-klōr′īd). 塩酸アミトリプチリン（ある種の睡眠障害や神経性疼痛の治療に利用される三環系抗うつ薬に分類される化学物質の1つ)．

AML acute myelogenous leukemia(急性骨髄性白血病)の略．

am·me·ter (am) (am′mē-ter). 電流計（電流の強さをアンペアで測定する機器)．

Am·mon (ah′mŏn), Friedrich A von. ドイツ人眼科医・病理学者，1799—1861. → A. *fissure*, *prominence*.

Am·mon (ah′mŏn). エジプトの神 Amun のギリシア名．→ A.'s *horn*.

am·mo·ne·mi·a, am·mo·ni·e·mia (am′ō-nē′mē-ă, am′ō-ne-ē′mē-ă)［ammonia＋G. *haima*, blood］. アンモニア血〔症〕（血中にアンモニアあるいはアンモニア化合物が存在すること．尿素の分解によって形成されると考えられている．一般に低体温，微弱脈拍，胃腸症状，昏睡などを引き起こす)．＝hyperammonemia.

am·mo·ni·a (ă-mō′nē-ă)［＜L. *sal ammoniacus*, salt of Amen(G. *Ammōn*)，リビアのアモンの神殿近くで得られた］. アンモニア；NH_3（無色の揮発性ガス．水に非常によく溶け，弱塩基を形成しやすい．この水酸化アンモニウムは酸と結合してアンモニウム化合物をつくる)．

am·mo·ni·ac (ă-mō′nē-ak). アンモニアク（西アジア産植物，セリ科 *Dorema ammoniacum* から採れるゴム樹脂．内用で興奮薬，去痰薬，外用で反対刺激硬膏剤として用いる)．

am·mo·ni·a·cal (ă-mō-nī′ă-kăl). アンモニアの．

am·mo·ni·a-ly·as·es (ă-mō′nē-ă-lī′ās-ēz). アンモニアリアーゼ（1つの二重結合を残してC–N結合を切る(EC subgroup 4.3)ことにより，アンモニアまたはアミノ化合物を非加水分解的(そのためリアーゼ，EC class 4)に除去する酵素．例えばアスパラギン酸分解酵素)．

am·mo·ni·at·ed (ă-mō′nē-āt-ed). アンモニアを含んだ，アンモニアと化合した．

am·mo·ni·o- (ă-mō′nē-ō). trimethylammonioethanol(choline)などのアンモニア基を意味する連結形．

am·mo·ni·um (ă-mō′nē-yŭm). アンモニウム；NH_4^+（NH_3とH^+の結合(pK_aは9.24)によって生成するイオン．アンモニウム化合物形成の際には，1価金属のように働く)．

a. benzoate 安息香酸アンモニウム（刺激性利尿薬，尿路消毒薬，抗リウマチ薬として用いられている化合物)．

a. carbonate 炭酸アンモニウム（強心薬，呼吸刺激薬，駆風去痰薬)．

a. chloride 塩化アンモニウム（刺激性去痰薬，利胆薬．アルカローシスを緩和し，鉛の排泄を促進するのに用いる．尿の酸性化剤)．＝sal ammoniac.

dibasic a. phosphate 第二リン酸アンモニウム（耐火材料，ふくらし粉中に，また抗リウマチ薬として用いる物質)．

a. ichthosulfonate イクトスルホン酸アンモニウム．＝ichthammol.

a. molybdate モリブデン酸アンモニウム（電子顕微鏡の陰性染色に，またアルカロイド類やその他の物質の試薬として用いる化合物)．

monobasic a. phosphate 第一リン酸アンモニウム（ふくらし粉中に用いる)．

a. nitrate 硝酸アンモニウム（亜酸化窒素(笑気)ガスの生成，寒剤，マッチ，肥料に用い，尿酸性化剤，去痰薬として獣医学でも用い，利尿作用を有する)．

am·mo·ni·u·ri·a (ă-mō-nē-yū′rē-ă)［ammonia＋G. *ouron*, urine］. アンモニア尿〔症〕（過剰のアンモニアを含む尿の排泄)．＝ammoniac urine.

am·mo·nol·y·sis (ă′mō-nol′i-sis)［ammonia＋G. *lysis*, dissolution］. アンモノリシス（アンモニア成分(アミンと水素)を添加して化学結合を切断し，その切断された個所にアンモニア成分が新しく結合すること)．

am·mo·no·tel·i·a (ă-mōn-ō-tēl′e-ă)［ammonia＋G. *telos*, end, outcome＋-ia］. アンモニア排泄（窒素を生体から，主にアンモニアやアンモニウムイオンとして排泄する過程または種類)．

am·mo·no·tel·ic (ă-mŏn′ō-tĕl′ik). アンモニアを排出する(アンモニア排出する性質をもつこと).

am·mo·no·tel·ism (ă-mŏn′ō-tĕl′izm). アンモニア排出(アンモニアやアンモニウムイオンの排出. *cf.* ammonotelia).

am·ne·si·a (am-nē′zē-ă) [G. *amnēsia*, forgetfulness]. 健忘〔症〕, 記憶消失(喪失)(短期記憶ではなく, 数分から数カ月のようにかなり不定な期間に蓄えられた情報の記憶障害. 過去の経験をまったくあるいは部分的に呼び戻すことができないこと).

anterograde a. 前向〔性〕健忘〔症〕(健忘状態を引き起こす原因となった外傷や疾患を受けた後に起きた事柄についての健忘).

emotional a. 情動〔性〕健忘 (心理的原因による健忘や, 感情の抑制).

lacunar a., localized a. 脱漏〔性〕健忘〔症〕, 限局〔性〕健忘〔症〕(個々の事柄についての健忘).

posthypnotic a. 催眠後健忘〔症〕(催眠状態の後で, 催眠中のことを選択的に忘れているか, 自分の名前, 住所, 親戚の名前などの長期記憶の情報を選択的に忘れること).

retrograde a. 逆向〔性〕健忘〔症〕(健忘状態を引き起こす原因となった外傷や疾患を受ける以前に起きた事柄についての健忘).

transient global a. 一過性全健忘 (最近の頭部外傷やてんかんをもたない老人に主に認める, 突然発症する記憶形成障害(前向性健忘)と当惑を生じることを特徴とする障害. この数分から数時間続くエピソードの間は, その人は意識は清明で, 見当識もあり複雑な活動も実行でき, 神経学的所見は正常である. 原因は, はっきりしないが, 最近は, 中側頭葉の虚血性エピソードが関連していると最も考えられている).

traumatic a. 外傷〔性〕健忘 (頭部外傷やアルコール過剰摂取に伴う脳障害ないし, アルコールや他の精神作用薬物の摂取中止により生じる記憶障害. またヒステリーや他の型の解離性障害でみられる記憶障害をさす).

am·ne·si·ac (am-nē′sē-ak). 健忘症患者 (記憶喪失にかかっている人).

am·ne·sic (am-nē′sik). 健忘〔症〕の, 記憶消失(喪失)の. = amnestic (1).

am·nes·tic (am-nes′tik). ***1*** 〚adj.〛= amnesic. ***2*** 〚n.〛健忘〔症〕の原因となる要因(物質).

am·ni·o- (am′nē-ō). [G. *amnion*]. 羊膜に関する連結形.

am·ni·o·cele (am′-nē-ō-sēl). 臍帯ヘルニア. = omphalocele.

am·ni·o·cen·te·sis (am′nē-ō-sen-tē′sis) [amino- + G. *kentēsis*, puncture]. 羊水穿刺 (経腹壁的に羊膜腔を穿刺して羊水を吸引する操作).

am·ni·o·cho·ri·al, am·ni·o·cho·ri·on·ic (am′nē-ō-kōr′ē-ăl, -kōr-ē-on′ik). 羊膜絨毛膜の (羊膜と絨毛膜の両方に関する).

am·ni·o·gen·e·sis (am′nē-ō-jen′ĕ-sis) [amnio- + G. *genesis*, production]. 羊膜形成.

am·ni·og·ra·phy (am-nē-og′ră-fē) [amnio- + G. *graphō*, to write]. 羊水造影〔法〕(羊膜腔内に水溶性造影剤を注入した後にX線撮影を行う操作で, これにより, 臍帯, 胎盤, 胎児の軟部組織の輪郭を見ることができる. 現在では行われない方法. →fetography).

am·ni·o·hook (am′nē-ō-huk′). 羊膜鉤 (胎児を障害せずに安全に破膜を行う器具).

am·ni·o·in·fu·sion (am′nē-ō-in-fyu′zhŭn). 羊水補充療法 (分娩中の羊水過少あるいは濃厚な胎便汚染による臍帯圧迫を解除するために行う子宮内カテーテルによる温生食の注入療法).

am·ni·o·ma (am-nē-ō′mă) [amnio- + G. *-oma*, tumor]. 羊膜腫 (妊娠中の羊膜癒着により起こりうる, 胎児皮膚の広汎で扁平な腫瘤).

am·ni·on (am′nē-on) [G. the membrane around the fetus < *amnios*, lamb]. 羊膜 (子宮内で胎児を包んでいる最も内側の膜で, 羊水で満たされている. 外胚葉成分を伴う内胚層と中胚葉成分の外側からなる. 妊娠後期には, 羊膜は広がり, 絨毛膜嚢の内壁と接触し, 部分的にこれと融合する. 絨毛細胞に由来する). = amniotic sac.

a. nodosum 結節性羊膜 (典型的な重層扁平上皮からなる羊膜の小結節). = squamous metaplasia of amnion.

am·ni·on·ic (am′nē-on′ik). 羊膜の. = amniotic.

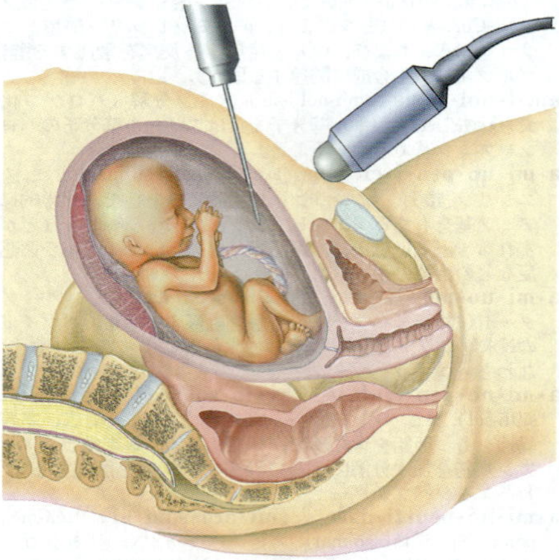

amniocentesis

胎児細胞を含んだ羊水を検査するための処置は, 通常妊娠15—17週に行われる. Down症候群および鎌状赤血球貧血のような遺伝疾患の同定に役立つ.

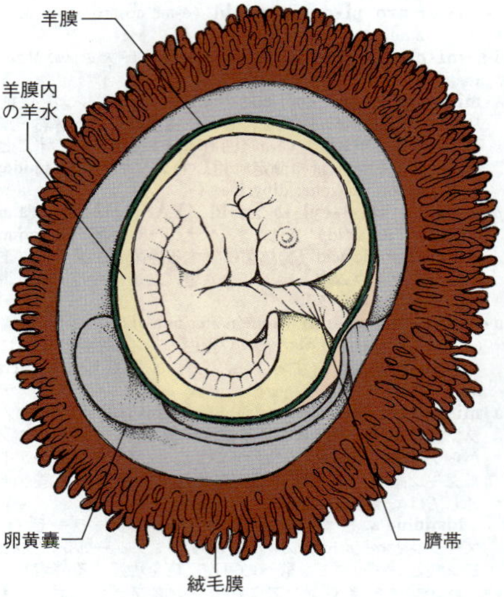

amnion and related structures

妊娠5週目の胚子図.

am·ni·o·ni·tis (am′nē-ō-nī′tis) [amnion + G. *-itis*, inflammation]. 羊膜炎 (感染により起こる羊膜の炎症. 引き続いてしばしば早期破水が起こり, しばしば新生児への感染を伴う).

am·ni·or·rhe·a (am′nē-ō-rē′ă) [amnio- + G. *rhoia*, flow]. 羊水漏 (羊水の漏出).

am·ni·or·rhex·is (am′nē-ō-rek′sis) [amnio- + G. *rhēxis*, rupture]. 破膜, 破水, 羊膜破裂.

am·ni·o·scope (am′nē-ō-skōp). 羊水鏡 (破水前の卵膜を介して羊水の状態を調べる内視鏡).

am·ni·os·co·py (am′nē-os′kō-pē) [amnio- + G. *skopeō*, to view]. 羊水鏡〔検査〕法（子宮頸管を通して挿入した内視鏡によって，羊膜最下部内にある羊水を調べること）.

Am·ni·o·ta (am′nē-ō′tă).〔有〕羊膜類（胎児が羊膜に包まれている脊椎動物の一群．は虫類，鳥類，哺乳類のすべてを含む）.

am·ni·ot·ic (am′nē-ot′ik). ＝amnionic.

am·ni·o·tome (am′nē-ō-tōm) [amnio- + G. *tomē*, cutting]. 破膜器，羊膜切開器（卵膜を穿刺するのに用いる器具）.

am·ni·ot·o·my (am′nē-ot′ō-mē). 人工破膜(破水)，羊膜切開〔術〕（分娩を誘発または促進する手段として，人工的に卵膜を破り破水させる方法）.

am·o·bar·bi·tal (am′ō-bar′bi-tahl). アモバルビタール(作用が中時間の中枢神経系抑制薬).

A-mode (mōd). Aモード（超音波検査法で行う反射音波の一次元表示様式．この場合，エコー振幅(A)が垂直軸に，また音響遅延(深さ)が水平軸で表され，組織境界面からのエコー情報は音波ビームと同じ方向の線上で得られる）.

amoeb- (ă-mēb′). アメーバ，*Amoeba*属に関する連結形.

A·moe·ba (ă-mē′bă) [Mod.L. < G. *amoibē*, change]. アメーバ属（肉質虫(根足虫)綱の無毛・裂片状・偽足形成性原虫の一属．土壌中，特に肥沃の有機土礫中に多い．また，寄生生物としてよく発見される．典型的なヒトの寄生性アメーバは，現在は *Entamoeba*属，*Endolimax*属，*Iodamoeba*属に分類される.→*Naegleria*).

A. buccalis 口腔アメーバ（*Entamoeba gingivalis* の旧名）.

A. coli 大腸アメーバ（*Entamoeba coli* の不適切な旧名）.

A. dentalis 歯肉アメーバ（*Entamoeba gingivalis* の旧名）.

A. dysenteriae 赤痢アメーバ（*Entamoeba histolytica* の不適切な旧名）.

A. histolytica 赤痢アメーバ（*Entamoeba histolytica* の不適切な旧名）.

A. proteus プロテウスアメーバ（多数の非寄生性の種．偽足の数や形の多いことが特徴）.

a·moe·ba·pore (ă-mē′ba-pōr) [amoeba + G. *poros*, passageway]. 赤痢アメーバ *Entamoeba histolytica* から遊離する活性ペプチドで，リポソームにイオンチャネルを入れることができ，細胞溶解性や活殺菌性をもつ．

A·moe·bo·tae·ni·a (ă-mē′bō-tē′nē-ă) [amoeb- + L. < G. *tainia*, band, tape, a tapeworm]. アメーボテニア属（鳥類の腸に寄生する小型の条虫の一属．体節が 30 個以上になることはまれである．*A. cuneata*(*A. sphenoides*)は家禽に普通にみられる種で，その擬嚢尾虫はミミズ体内で発育する）.

a·mok (ă-mok′) [Malay, *amoq*, engaged in battle]. アモク（①最初にマレー半島で発見された文化結合精神障害で，患者は“running amok”とよばれる危険な躁状態になる．②他人に危害を加える躁状態で，狂暴な，抑制がきかない行動を表す口語的表現．＝amuck）.

a·morph (ā′mōrf) [G. *a-* 欠性辞 + *morphē*, form, shape]. 無定形体，アモルフ（形質発現の作用をまったくもたない対立遺伝子で，その存在は分子レベルでのみ推測され，可能な検出方法の巧緻度に依存する）.＝silent allele.

a·mor·phag·no·si·a (ă-mōr′fag-nō′sē-ă) [G. *a-* 欠性辞 + *morphē*, shape + *gnōsis*, recognition]. 形態失認〔症〕（対象物の大きさや形を認識できないこと）.

a·mor·phi·a, a·mor·phism (ă-mōr′fē-ă, -fizm) [G. *a-* 欠性辞 + *morphē*, form]. 無定形〔性〕，無構造（無定形，無構造である状態）.

a·mor·pho·syn·the·sis (ă-mōr′fō-sin′thĕ-sis) [G. *a-* 欠性辞 + *morphē*, form + synthesis]. 形態合成不能〔症〕（空間関係における身体の右側の認識の障害．左頭頂葉の病巣によって引き起こされる）.

a·mor·phous (ă-mōr′fŭs). ***1*** 無定形の，無構造の．***2*** 非晶質の.

a·mor·phus (ă-mōr′fŭs) [G. *a-* 欠性辞 + *morphē*, form, shape]. 無形体（頭部，四肢，心臓が痕跡程度にしか発達していない奇形胎児）.

a·mox·i·cil·lin (ă-mok′si-sil′in). アモキシリン（アンピシリンと類似の抗菌スペクトルをもつ半合成ペニシリン抗生物質）.

amoxycillin (ă-mok′si-sil-in). amoxicillin の英国つづり.

AMP *adenosine* monophosphate の略．特に，数字の接頭語によって修飾されない限りは 5′-monophosphate を示す.→adenylic acid.

AMP de·am·i·nase (dē-am′i-nās). AMPデアミナーゼ（アデニル酸を加水分解し，イノシン酸とアンモニアを与える酵素．筋肉中の AMP デアミナーゼ欠損により運動後の過度の疲労を生じさせる）.＝adenylic acid deaminase.

am·per·age (am′pĕr-ij). アンペア数（電流の強さ.→ampere）.

Am·père (ahm′pēr), André-Marie. フランス人物理学者，1775—1836.→ampere; statampere; A. *postulate*.

am·pere (A) (am′pēr) [André-Marie *Ampère*]. アンペア（①絶対実用アンペアは，本来，電磁単位の 1/10 の値をもつもの(→abampere; coulomb)．②米国法令上の定義では，硝酸銀溶液から 1 秒間に 1.118 mg の銀を析出させるような電流．③科学的定義(国際単位系)では，真空中に 1 m の間隔で平行に置かれた無限に小さい円形断面積を有する無視できるほど長い 2 本の直線状導体のそれぞれを流れ，これらの導体の間に，導体 1 m につき 2×10^{-7} N の力を及ぼし合う一定の電流）.

am·per·om·e·try (am-pĕ-rom′ĕ-trē). 電流滴定（ある化学反応において，発生した電流を測定することによる被分析物濃度の測定）.

amph- (amf). →amphi-; ampho-.

am·phe·clex·is (am′fĕ-klek′-sis) [G. *amphi*, two-sided + *eklexis*, selection]. 雌雄性的淘汰，両性選択，相互選択（雄と雌の両方による相互の性的選択）.

am·phet·a·mine (am-fet′ă-mēn). アンフェタミン（交感神経作用アミンの構造をもつ化学物質で，精神刺激薬であり，FDAには，ナルコレプシーと注意欠陥多動性障害(ADHD)の治療薬として認められている．主として前シナプス神経からのノルエピネフリン，ドパミンおよびセレトニンの遊離を刺激することによって作用する．乱用の危険性のためFDAでは，医療用薬として最も制限が厳しい分類に入っている）.

***d*-am·phet·a·mine sul·fate** (am-fet′ă-mēn sŭlfāt). *d*-硫酸アンフェタミン.

amphi- (am′fi) [G. *amphi*, *amphi-*, on both sides, about, around]. 両側の，周囲の，2 倍の，などを意味する連結形．ラテン語 *ambi-* に相当する.

am·phi·ar·thro·di·al (am′fē-ar-thrō′dē-ăl). 線維軟骨結合の，半関節の.

am·phi·ar·thro·sis (am′fē-ar-thrō′sis) [amphi- + G. *arthrōsis*, joint]. 線維軟骨結合，半関節.＝symphysis (1).

am·phi·as·ter (am′fē-as′ter) [amphi- + G. *astēr*, star]. 双星，両星（1 対の星状体．有糸分裂中に，2 個の星状球とそれらを結ぶ紡錘糸によって形成される）.＝diaster.

am·phi·bol·ic (am′fi-bol′ik) [amphi- + metabolic]. 両方向性の（代謝経路について生合成および分解(すなわち同化と異化)の両方の性質をもっている場合の呼称）.

am·phi·ce·lous (am′fē-sē′lŭs) [amphi- + G. *koilos*, hollow]. 両凹〔面〕の（魚の椎体のように両端がくぼんでいる）.

am·phi·cen·tric (am′fi-sen′trik) [amphi- + G. *kentron*, center]. 両中心性の（両端に中心のあること．血管が分かれていくつかの枝になって始まり，それらの枝が再び結合して同じ血管を形成して終わる怪網をいう）.

am·phi·chro·ic (am′fi-krō′ik). ＝amphichromatic.

am·phi·chro·mat·ic (am′fi-krō-mat′ik) [amphi- + G. *chrōma*, color]. 両色反応の（2 色のいずれにも呈色する性状を有する．例えば，酸で赤色，アルカリで青色を示す，両色反応色素リトマス）.＝amphichroic.

am·phi·cyte (am′fi-sīt) [amphi- + G. *kytos*, cell]. 周囲細胞（脳脊髄と交感神経節ニューロンの体の周囲に局在する細胞の 1 つ）.＝capsule cell.

am·phid (am′fid) [amphi- + -id]. アンフィド（線虫類の神経系のうち，頭部または頸部の側方に存在する一対の微細な受容器官）.

am·phi·dip·loid (am′fi-dip′loid) [amphi- + diploid]. 複二倍体（各々の親株由来の完全な二倍体の染色体セットをもつもの）.

am·phi·kar·y·on (am′fĕ-kar′ē-on) [amphi- + G. *karyon*, kernel]. 複核体（2 組の染色体を含む二倍体核）.

am·phi·leu·ke·mic (am′fi-lū-kē′mik). 白血病相互変化の

（臓器組織の変化に対応した白血病の状態についていう）．

Am·phim·er·us (am-fim′er-ŭs) [amphi- + G. *meros*, segment]. アンフィメルス属（哺乳類，鳥類，は虫類の胆管に見出されるオピストルキス科吸虫の一属．魚によって媒介されると考えられている）．

am·phi·mi·crobe (am′fi-mī′krōb). 両気性微生物，好気嫌気両性菌（環境によって好気性にも嫌気性にもなる微生物）．

am·phi·mic·tic (am′fi-mik′tik) [amphi + G. *miktos*, joined, mated < *mignumi*, to mix, mae + -ia]. 交雑性の（品種間で問題なく交雑し，生殖能力のある子孫を産む能力）．

am·phi·mix·is (am′fi-mik′sis) [amphi- + G. *mixis*, mingling]. 両性混合（①卵子に精子が進入後，父親の染色質と母親の染色質とが結合すること．②精神分析において，性器愛と肛門愛の組合せをいう）．

am·phi·nu·cle·o·lus (am′fi-nū-klē′ō-lŭs) [amphi- + L. *nucleolus*: *nucleus*(kernel) の指小辞]. 複合仁（好塩基性，好酸性の両方の成分を有する二重仁）．

am·phi·ons (am′fē-ons). 両性イオン．＝dipolar *ions*.

Am·phi·ox·us (am′fē-ok′sŭs) [amphi- + G. *oxys*, sharp]. ナメクジウオ属（小さな，半透明の魚の形をした脊索動物の一属．温暖海水中に生息している．脊索，えら，消化管，神経索を有するなど，構造的に脊椎動物に似ているが，対になったひれ，脊椎，肋骨，頭骨がない．一例として *Branchiostoma lanceolatum*）．

am·phi·path·ic (am′fē-path′ik) [amphi- + G. *pathos*, feeling]. 両親媒性の（特徴的に異なった性質，例えば，親水性および疎水性の両方の置換基をもつ洗浄剤または湿潤剤などの分子についていう）．＝amphiphilic; amphiphobic.

am·phi·phil·ic (am′fē-fil′ik) [amphi- + G. *philos*, fond]. ＝amphipathic.

am·phi·pho·bic (am′fē-fōb′ik) [amphi- + G. *phobos*, fear]. ＝amphipathic.

am·phis·tome (am′fis′tōm) [amphi- + G. *stoma*, mouth]. 双口吸虫（双口吸虫属 *Paramphistomum* の吸虫の一般名）．

am·phit·ri·chate, am·phit·ri·chous (am-fit′ri-kāt, am-fit′ri-kŭs) [amphi- + G. *thrix*, hair]. 両毛〔性〕の，両毛菌の（細胞の両端に１本から数本のべん毛を有する．ある種の微生物についていう）．

am·phit·y·py (am-fit′i-pē). 両型性（２つの型の特徴をもつ性質を呈すること）．

am·phix·en·o·sis (am-fiks′en-ō′sis) [amphi- + G. *xenos*, stranger + G. *-osis*, condition]. 人獣共通感染症（ヒトと下等動物の間に自然にみられる人獣共通伝染病．例えば，ある種の連鎖球菌やブドウ球菌症．*cf.* anthropozoonosis; zooanthroponosis）．

ampho- (am′fō) [G. *amphō*, both]. 両方の，周囲の，二重の，などを意味する連結形．

am·pho·chro·mat·o·phil, am·pho·chro·mat·o·phile (am′fō-krō-mat′ō-fil, -ō-fīl). ＝amphophil (2).

am·pho·chro·mo·phil, am·pho·chro·mo·phile (am′fō-krō′mō-fil, -fīl) [ampho- + G. *chrōma*, color + *philos*, fond]. ＝amphophil.

am·pho·cyte (am′fō-sīt). ＝amphophil (2).

am·pho·lyte (am′fō-līt). 両性電解質．＝amphoteric *electrolyte*.

am·pho·my·cin (am′fō-mī′sin). アンホマイシン（*Streptomyces canus* によってつくられる抗生物質．皮膚感染症に局所的に用いる）．

am·pho·phil, am·pho·phile (am′fō-fil, -fīl) [ampho- + G. *philos*, fond]. ＝amphochromophil; amphochromophile. *1* 〚adj.〛 両染性の（酸性染料，塩基性染料の両方に親和性を有する）．＝amphophilic; amphophilous. *2* 〚n.〛 両染性細胞（酸性染料，塩基性染料のいずれにも容易に染色される細胞）．＝amphochromatophil; amphochromatophile; amphocyte.

am·pho·phil·ic, am·phoph·i·lous (am′fō-fil′ik, am-fof′i-lŭs). ＝amphophil (1).

am·phor·ic (am-fōr′ik) [G. *amphora*, a jar]. 空壺音性の（肺の聴診(打診ではない)の際に聞こえる音で，びんの口を吹くときの音に似ている）．

am·pho·ril·o·quy (am′fō-ril′ō-kwē) [G. *amphora*, a jar + *loquor*, to speak]. 空壺音性発声（空洞音(空びんの中で共鳴するような音)が存在すること）．

am·phor·oph·o·ny (am′fō-rof′ō-nē) [G. *amphora*, a jar + *phōnē*, voice]. 空洞音．＝amphoric *voice*.

am·pho·ter·ic (am′fō-tār′ik) [G. *amphoteroi* (pl.), both < *amphō*, both]. 両性の，両向性の（２つの相反する特質を有する．特に，酸，塩基のどちらとしても反応することを示す．例えば $Al(OH)_3$ ≡ H_3AlO_3 やアミノ酸など）．

am·pho·ter·i·cin, am·pho·ter·i·cin B (am′fō-tār′i-sin). アンホテリシン，アンホテリシンB（*Streptomyces nodosus* からつくる両性ポリエンの抗生物質．デオキシコール酸ナトリウム錯体として用いる．また，全身性真菌症の治療に広範囲に用いる腎毒性のある抗真菌薬でもある）．

am·pi·cil·lin (am′pi-si′lin). アンピシリン（酸に安定性の半合成ペニシリン．6–アミノペニシラン酸から誘導される．抗菌スペクトルはペニシリンGより広域で，グラム陽性・陰性菌の成長を抑制する．ペニシリナーゼ耐性はない．アンピシリンナトリウム，アンピシリントリヒドレートとしても用いる）．＝D(−)-*α*-aminobenzylpenicillin.

ampl. ラテン語 *amplus*(大きい)の略．

am·plex·us (am-plek′sŭs) [L. an embrace < *amplector*, pp. *-plexus*, to wind around]. 抱接（[複数形は amplexi ではなく amplexus である]．カエルのように受精が体外で行われる動物で，卵子と精子が周囲環境に同時に放出されるとき，雌雄が抱き合う行動．受精は体外で起こる．雄は雌をしっかりと抱きしめる）．

am·pli·fi·ca·tion (am′pli-fi-kā′shŭn) [L. *amplificatio*, an enlarging]. 増幅（聴覚や視覚刺激を増加させ，その認知を高めるように増大させる作用）．

genetic a. 遺伝的増幅（遺伝物質の増加を生じる過程．特に細菌 DNA に対してプラスミド DNA の割合を増加することをいう．遺伝情報としての RNA が染色体外コピーを産生することを含む．ヒトではこの過程は通常，悪性細胞内でみられる）．

linear a. 直線増幅（ゲインがすべてのインプットレベルと同程度の増幅である補聴器回路）．

am·pli·fi·er (am′pli-fī′ĕr). 増幅器（①顕微鏡の倍率を上げる装置．②入力信号を増強する電子装置）．

image a. イメージアンプリファイアー，蛍光倍増管（弱い蛍光透視像を明るい環境下でも肉眼で見えるようにする装置．通常，光電子増幅器としてブラウン管に接続されている）．＝image intensifier.

am·pli·tude (am′pli-tūd) [L. *amplitudo* < *amplus*, large]. 振幅，較差，許容度，大きさ，広さ．

a. of pulse 脈幅，脈拍の大きさ（→average pulse *magnitude*; peak *magnitude*）．

am·poule (am′pul). アンプル．＝ampule.

am·pule, am·pul (am′pyūl) [L. *ampulla*]. アンプル〔剤〕（密封した容器で，通常はガラス製．無菌の薬剤溶液あるいは溶液に調製される粉末がはいっていて，皮下注射，筋肉注射，静脈注射に用いる）．＝ampoule.

am·pul·la, gen. & pl. **am·pul·lae** (am-pul′lă, -ē) [L. a two-handled bottle] [TA]. 膨大〔部〕（[誤った発音 am′pulla を避けること]．管の嚢状に拡張した部分）．

biliaropancreatic a.* 胆膵管膨大部（hepatopancreatic a. の公式の別名）．

a. biliaropancreatica* 胆膵管膨大部（hepatopancreatic a. の公式の別名）．

bony ampullae of semicircular canals [TA]. 骨膨大部（前側・後側・外側の各骨性三半規管の一端における限局された膨大部で，それぞれ中に膜膨大部を含む）．＝ampullae osseae canalium semicircularium [TA]; osseous a.

a. canaliculi lacrimalis [TA]. ＝a. of lacrimal canaliculus.

a. chyli ＝*cisterna* chyli.

a. of ductus deferens [TA]. 精管膨大部（膀胱底部で精嚢排出管と結合して射精管になる直前の精管の膨大部）．＝a. ductus deferentis [TA]; Henle a.

a. ductus deferentis [TA]. 精管膨大部．＝a. of ductus deferens.

a. ductus lacrimalis a. of lacrimal canaliculus に対する不適切な語．

duodenal a. *1* 十二脂腸膨大部．＝a. of duodenum. *2* 胆膵

管膨大部. =hepatopancreatic a.

a. duodeni [TA]. 十二指腸膨大部. =a. of duodenum.

a. of duodenum [TA]. 十二指腸膨大部（十二指腸上部で拡張している部分. →duodenal *cap*). =a. duodeni [TA]; bulbus duodeni*; duodenal a. (1).

a. of gallbladder =Hartmann *pouch*.

Henle a. (hen′lē). ヘンレ膨大部. =a. of ductus deferens.

hepatopancreatic a. [TA]. 胆膵管膨大部（通常，（総）胆管と主膵管の両方を受け入れる大十二指腸乳頭内の拡張部分). =a. hepatopancreatica [TA]; a. biliaropancreatica*; biliaropancreatic a.*; a. of Vater; duodenal a. (2).

a. hepatopancreatica [TA]. 胆膵管膨大部. =hepatopancreatic a.

a. of lacrimal canaliculus [TA]. 涙小管膨大（涙点からはいってすぐの涙管のやや膨大した部分). =a. canaliculi lacrimalis [TA].

a. lactifera 乳管膨大部. =lactiferous *sinus*.

lactiferous a. =lactiferous *sinus*.

a. of lactiferous duct =lactiferous *sinus*.

a. membranacea, pl. **ampullae membranaceae ductuum semicircularium** [TA]. =membranous ampullae of the semicircular ducts.

membranous a. 膜膨大部. =membranous ampullae of the semicircular ducts.

membranous ampullae of the semicircular ducts [TA]. 膜膨大部（前側・後側・外側の各半規管の卵形嚢に結合する端がほぼ球状に膨大した部分. 各膨大部は神経上皮性の稜をもつ). =a. membranacea [TA]; membranous a.

a. of milk duct 乳管膨大部. =lactiferous *sinus*.

ampullae osseae canalium semicircularium [TA]. =bony ampullae of semicircular canals.

osseous a. 骨膨大部. =bony ampullae of semicircular canals.

phrenic a. 横隔膜膨大部（食道遠位部の生理的に拡張した部分. 食道造影で証明される).

rectal a. [TA]. 直腸膨大部（骨盤隔膜(肛門挙筋)の上で肛門管の近位の直腸膨大部). =a. recti [TA]; a. of rectum.

a. recti [TA]. =rectal a.

a. of rectum 直腸膨大部. =rectal a.

Thoma a. (tō′mah). トーマ膨大部（脾臓のさや動脈の先にある動脈性毛細血管における膨大部).

a. tubae uterinae [TA]. 卵管膨大部. =a. of uterine tube.

a. of uterine tube [TA]. 卵管膨大部（卵管采に近い卵管の幅の広い部分. 分泌細胞を間にはさむが，大部分は線毛細胞よりなる円柱上皮におおわれた複雑なひだを示す粘膜をもつ). =a. tubae uterinae [TA].

a. of Vater (vah′tĕr). ファーター膨大部. =hepatopancreatic a.

am·pul·lar (am-pul′ăr). 膨大〔部〕の（何らかの意味で膨大部分に関する).

am·pul·li·tis (am′pūl-lī′tis) [ampulla + G. *itis*, inflammation]. 膨大部炎（膨大部，特に精管の拡張端あるいは Vater 膨大部の炎症).

am·pul·lu·la (am-pul′ū-lă) [Mod. L.: L. *ampulla* の指小辞]. 小膨大〔部〕（細いリンパ管，血管，または管の限局性拡張).

AMPUTATION

am·pu·ta·tion (am′pyū-tā′shŭn) [L. *amputatio* < *am-puto*, pp. *-atus*, to cut around, prune]. 切断〔術，法〕（①肢または肢の一部，乳房，その他突出部分を切り取ること. ②歯科において，歯根，歯髄，あるいは神経根や神経節の除去. pulp a.(歯髄切断法)，root a.(歯根切除術)のような形で用いる).

A-E a. 肘上切断，上腕切断（*a*bove-the-*e*lbow a. の頭字語).

A-K a. 膝上切断，大腿切断（*a*bove-the-*k*nee a. の頭字語).

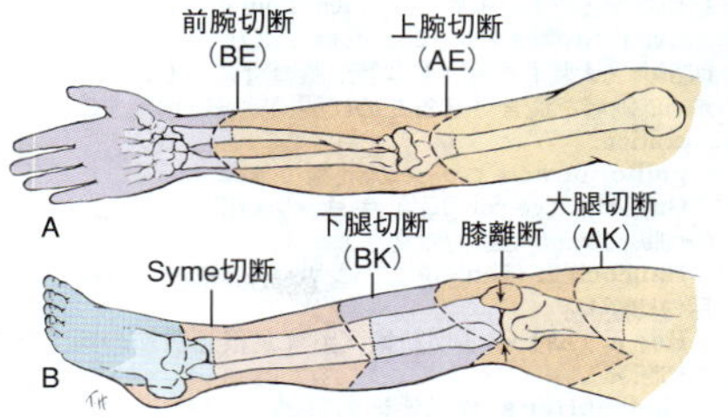

amputation

A：上肢の切断レベル. B：下肢の切断レベル.

Alanson a. (al′ăn-sŏn). アランソン切断術（断端が円錐状をした環状切断).

amnionic a. =congenital a.

aperiosteal a. 無骨膜切断〔術〕（切断部位の骨から骨膜を除去する切断).

B-E a. 肘下切断，前腕切断（*b*elow-the-*e*lbow a. の頭字語).

Bier a. (bēr). ビール切断術（脛骨と腓骨の骨形成切断).

B-K a. 膝下切断，下腿切断（*b*elow-the-*k*nee a. の頭字語).

bloodless a. 無血切断〔術〕（止血帯を用いて切断面からの出血を最小量にする切断). =dry a.

Callander a. (kal′ăn-dĕr). カランダー切断術（膝で大腿骨を切断する腱形成切断). =knee disarticulation a.

Carden a. (ka′dĕn). カーデン切断術（下肢を大腿骨顆部まで切断する方法. 大腿骨を関節面の真上の大腿骨顆部で切断する).

central a. 中心切断〔術〕（瘢痕が断端を横切るように皮膚弁を結合する切断).

cervical a. 子宮頸〔部〕切断術（子宮頸の切断).

Chopart a. (shō-pahr′). ショパール切断術（距舟関節と踵立方関節の間での切断).

cinematic a. =cineplastic a.

cineplastic a. 動形成切断〔術〕（四肢切断術の１つ. 筋肉や腱が独立した動きが可能で，特別につくられた人工装具に，その動きを伝えることができるように断端で形成した切断術). =cinematic a.; cineplastics; kineplastic a.

circular a. 環状切断〔術〕（皮膚を環状切開して行う切断. 筋肉も同様に高位で切離し，骨はさらに高位で切断する). =guillotine a.; linear a.

congenital a. [MIM*217100]. 先天性切断（子宮内で起こる切断. 羊膜帯の圧力によって起こると考えられている. →amputation (1)). =amnionic a.; intrauterine a.; spontaneous a. (1).

a. in continuity 関節外切断〔術〕（関節部ではない肢部で行う切断).

double flap a. 二弁切断〔術〕（肢の両側の軟部組織から皮弁を形成する).

dry a. 乾式切断〔術〕. =bloodless a.

Dupuytren a. (dū-pwē-tren[h]′). デュピュイトラン切断術（肩関節における上肢の切断).

eccentric a. 偏心切断〔術〕（断端の瘢痕が中心から外れている切断). =excentric a.

elliptic a. 楕円状切断〔術〕（環状切断で，小刀の動きが肢の軸に対して正確に垂直でないために，切断面の外郭が楕円形になるもの).

excentric a. 離心切断〔術〕. =eccentric a.

Farabeuf a. (fahr-ă-buf′). ファラブフ(ファラブェフ)切断術（①皮弁を外側に大きく作製する下腿切断術. ②足切断の一術式で，距骨下関節と距舟関節での関節離断術).

flap a. 皮弁切断〔術〕（筋肉と皮膚の組織弁で，骨端をおおう切断). =flap operation (1).

flapless a. 無弁切断〔術〕（断端をおおう組織がない切断).

forequarter a. 肩甲帯離断〔術〕(肩甲骨と鎖骨の一部分を切除する上肢の切断). = interscapulothoracic a.

Gritti-Stokes a. (grē′tē stōks). グリッティ－ストークス切断術 (大腿骨の顆上部切断. 膝蓋骨を残し, 切断端にあてがう. 両者を癒合させるために関節軟骨は切除する). = Gritti operation.

guillotine a. ギロチン切断〔術〕. = circular a.

Guyon a. (gē-yon[h]′). ギヨン切断術 (足関節両果の上での切断. Syme 切断術の変法).

Hancock a. (han′kok). ハンコック切断術 (距骨における足の切断).

Hey a. (hā). ヘイ切断術 (踵骨足根骨関節の前で行う足の切断).

hindquarter a. 片側骨盤離断〔術〕. = hemipelvectomy.

immediate a. 即時切断〔術〕(受傷後 12 時間以内に行う, 回復の見込みがない肢の損傷の場合に行われる切断).

intermediate a. 中間〔期〕切断〔術〕(以前, 外傷または初期壊疽から化膿までの時期に行われた切断). = primary a.

interscapulothoracic a. 肩甲帯離断〔術〕, 肩甲胸間離断〔術〕. = forequarter a.

intrauterine a. 子宮内切断. = congenital a.

Jaboulay a. (zhah′bū-lā′). ジャブレー切断術. = hemipelvectomy.

kineplastic a. 動形成切断〔術〕. = cineplastic a.

Kirk a. (kĕrk). カーク切断術 (大腿骨下端の切断. 大腿四頭筋の腱を用いて断端をおおう).

knee disarticulation a. 膝関節離断術. = Callander a.

Krukenberg a. (krū′kĕn-berg). クルーケンベルク切断術 (前腕遠位端を橈骨と尺骨の間で分け, フォーク状の断端に形成した手根部での動形成切断術. 断端に知覚があるため特に盲人に有用である).

Le Fort a. (lĕ fōrt′). ル・フォール切断術 (Pirogoff 切断術の変法. 患者が術前と同じ踵の部分で踏むことができるように, 踵骨を垂直ではなく水平に切断する方法).

linear a. 線状切断〔術〕. = circular a.

Lisfranc a. (lis-frahnk′). リスフラン切断術 (踵骨足根関節における足の切断. 足底の軟組織は皮膚弁をつくるために残す). = Lisfranc operation.

Mackenzie a. (mă-ken′zē). マッケンジー切断術 (足関節における Syme 切断術の変法. 皮膚弁を内側から取る).

major a. 大切断術 (足関節または手関節より近位での下肢や上肢の切断).

Malgaigne a. (mahl-gān′). マルゲーニュ切断術. = subastragalar a.

Mikulicz-Vladimiroff a. (mē′kū-lich vlad′ē-mĭ-rof). ミクリッチ－ヴラディミロフ切断術 (足の骨形成切除術. 距骨と踵骨を切除し, 前列にある足根骨と脛骨の下端を両者の関節面を切除して結合させる. したがって下端は足の前部となるので, 患者はつま先立ちで歩くことになる). = Vladimiroff-Mikulicz a.

minor a. 小切断〔術〕(手または足, あるいはそれらの一部の切断に対して以前用いられた語).

multiple a. 多部位切断〔術〕(同じ手術中に, 2 肢以上または四肢の 2 部分以上を切断すること).

oblique a. 斜走切断〔術〕(四肢の切断線が直角以外の角度で行われる切断. 切断面が卵形になるので, まれに oval a. (卵円状切断)ともいわれる).

osteoplastic a. 骨形成切断〔術〕(足根で行われる何種類かの切断のように, 最初に切断した骨に他の骨の断面を付着させ, 両方の骨を癒合させる. その結果よい断端がつくられる).

pathologic a. 病的切断〔術〕(外傷ではなく肢の癌, その他の疾患のために必要となる切断).

Pirogoff a. (pē′rō-gof). ピロゴッフ切断術 (足の切断術. 脛骨と腓骨の下部関節面を切断し, 断端を後上方から下方および前方に切断した踵骨の一部でおおう).

primary a. 一次切断〔術〕. = intermediate a.

pulp a. 歯髄切断〔法〕, 断髄〔法〕. = pulpotomy.

quadruple a. 四肢切断〔術〕(両上肢と両下肢の切断).

racket a. ラケット形切断〔術〕(環状またはやや楕円形の切断. 肢の軸を長く切開する).

rectangular a. 長方形〔弁状〕切断〔術〕(皮膚弁を長方形にする切断).

root a. 歯根切除〔術〕(多根歯の 1 根以上の根を外科的に除去することで, 残存歯根は通常, 歯内療法を受けている). = radectomy; radiectomy; radisectomy.

secondary a. 二次切断〔術〕(満足な治癒をみなかった前回の切断後しばらくして行う切断).

spontaneous a. 自然離断 (① = congenital a. ②外傷によらず疾患の経過の結果として起こる切断).

Stokes a. (stōks). ストークス切断術 (Gritti-Stokes 切断術の変法. 大腿骨の切断線がわずかに高い位置にある).

subastragalar a. 距骨下切断〔術〕(距骨だけを残す足の切断). = Malgaigne a.

subperiosteal a. 骨膜下切断〔術〕(骨膜を骨からはがし, 骨切断後に元へ戻して断端を骨膜弁でおおう).

Syme a. (sīm). サイム切断術 (足関節における足の切断. 内果と外果を切断し, 皮膚弁を踵の軟部組織でつくる). = Syme operation.

tarsotibial a. 足根脛骨切断〔術〕(足関節における切断).

transverse a. 横断切断〔術〕(四肢の切断線が長軸に対して直角に走る切断).

traumatic a. 外傷性切断〔術〕(事故または非外科的傷害による切断. 完全なもの, 部分的なもの, あるいは不完全なものがあると考えられる).

Tripier a. (trē-pē-ā′). トリピエ切断術 (Chopart 切断術の変法. 踵骨の一部も切除する).

Vladimiroff-Mikulicz a. (vlad′ē-mĭ-rof mē′kū-lich). ヴラディミロフ－ミクリッチ切断術. = Mikulicz-Vladimiroff a.

---

am·pu·tee (am′pyū-tē′). 肢切断者 (1 つ以上の肢を部分的または完全に切断された人).

Am·sler (ahm′slĕr), Marc. スイス人眼科医, 1891—1968. → A. *chart*, *grid*, *test*.

amu atomic mass *unit* の略.

a·muck (ă-mŭk′). = amok (2).

a·mu·si·a (ă-mū′zē-ă) [G. *a-* 欠性辞 + *mousa*, music]. 失音楽〔症〕, 音痴 (失語症の一種. 音楽をつくったり認識したりする能力の欠如が特徴).

instrumental a. 楽器失音楽症, 楽器音痴 (楽器を弾く能力の喪失).

motor a. 運動性失音楽〔症〕(音楽を奏でられないこと).

sensory a. 感覚性失音楽〔症〕(音楽を理解したり鑑賞することができないこと).

vocal a. 発声性失音楽〔症〕(歌うことができないこと. 会話は正常である).

A·mus·sat (ah-mū-sah′), Jean Z. フランス人外科医, 1796—1856. → A. *valve*, *valvula*.

am·y·cho·pho·bi·a (am′ī-kō-fō′bē-ă) [G. *amychē*, a scratch + *phobos*, fear]. 掻傷恐怖〔症〕(引っ掻かれることに対する病的な恐れ).

Am·y·co·la·top·sis (am′ē-kō-la-top′sis). 1986 年に独立されたグラム陽性の糸状細菌の一属で, 四角形の断片に分かれる傾向がある. 土壌や植物から分離される. 本属はまれではあるが脊髄液を含む各種の臨床材料から分離されるヒトの病原菌である. 標準種は *A. orientalis*.

A. orientalis subsp. ***lurida*** リストセチンを産生する細菌種.

a·my·el·en·ce·pha·li·a (ă-mī′el-en-sĕ-fā′lē-ă) [G. *a-* 欠性辞 + *myelos*, marrow + *enkephalos*, brain]. 無脊髄脳〔症〕(脳と脊髄の両方の先天的欠損).

a·my·el·en·ce·phal·ic, amy·el·en·ceph·a·lous (ă-mī′el-en-se-fal′ik, -sef′ă-lŭs). 無脊髄脳〔症〕の.

a·my·e·li·a (ă-mī-ē′lē-ă) [G. *a-* 欠性辞 + *myelos*, marrow]. 無脊髄〔症〕(脊髄の先天的欠損で, 無脳症に伴ってのみみられる).

a·my·el·ic (ă-mī-ē′lik). = amyelous.

a·my·e·li·nat·ed (ă-mī′ĕ-li-nā′ted). 無髄の. = unmyelinated.

a·my·e·li·na·tion (ă-mī′ĕ-li-nā′shŭn). 髄鞘消失 (神経の髄鞘の形成不全).

a·my·e·lin·ic (ă-mī′ĕ-lin′ik). 無髄の. = unmyelinated.

a·my·e·lo·ic, a·my·e·lon·ic (ă-mī′ĕ-lō′ik, ă-mī-ĕ-lon′ik) [G. *a-* 欠性辞 + *myelos*, marrow]. ***1*** = amyelous. ***2*** 無骨髄〔症〕の（血液学において，造血における骨髄欠損あるいは骨髄の機能的分化欠如を示すのにときに用いる語）.

a·my·e·lous (ă-mī′ĕ-lŭs). 無脊髄〔症〕の. = amyelic; amyeloic (1); amyelonic (1).

a·myg·da·la, gen. and pl. **amyg·da·lae** (ă-mig′dă-lă, -lē) [L. < G. *amygdalē*, almond; in Mediev. & Mod. L. a tonsil]. 扁桃（①リンパ扁桃(咽頭，口蓋，舌，喉頭，耳管). ②扁桃体に用いられる通称. 扁桃体は，体性感覚，臓性感覚，嗅覚入力に対する情動の重み付けに関与していると考えられている）.

a. cerebelli 小脳扁桃（cerebellar *tonsil* を表す現在では用いられない語）.

a·myg·da·lase (ă-mig′dă-lās). アミグダラーゼ. = β-D-glucosidase.

a·myg·da·lin (ă-mig′dă-lin) [G. *amygdala*, almond + -in]. アミグダリン（ハタンキョウやバラ科の他の植物の種に存在する青酸グルコシド. レトリルの主成分. エムルシンはアミグダリンをベンズアルデヒド，D-グルコース，シアン化水素酸に分解する）. = amygdaloside.

a·myg·da·line (ă-mig′dă-līn). 扁桃の（①扁桃(アーモンド)に関する. ②[TA].（リンパ小節の集団としての)扁桃に関する，または扁桃体核群とよばれる脳構造に関する. ③ = tonsillar）.

a·myg·da·loid (ă-mig′dă-loyd) [amygdala + G. *eidos*, appearance]. 類扁桃の，扁桃様の.

a·myg·dal·ose (ā-mig′dal-ōs). = gentiobiose.

a·myg·da·lo·side (ă-mig′dă-lō-sīd). = amygdalin.

am·yl (ā′mil). アミル（ペンタン C_5H_{12} からHを1つ除いてできる基. いくつかの異性体が存在する. 重要なものは $CH_3CH_2CH_2CH_2CH_2$–（アミル基またはペンチル基），$(CH_3)_2$-$CHCH_2CH_2$–（イソアミル基またはイソペンチル基），$CH_3CH_2CH_2CH(CH)_3$–，$(CH_3CH_2)_2CH$–（第二アミル基または第二ペンチル基），$CH_3CH_2C(CH_3)_2$–（第三アミル基または第三ペンチル基））. = pentyl (1).

a. alcohol アミルアルコール（ワニスと油の溶媒に用いる無色アルコール. 毒性が強く，刺激性の蒸気を伴う. →fusel *oil*）.

a. nitrite 亜硝酸アミル（狭心症，シアン化物中毒の治療に用いる血管拡張薬）.

tertiary a. alcohol 第三アミルアルコール. = *amylene* hydrate.

a. valerate 吉草酸アミル（鎮静薬として用いる物質. コレステロール溶解作用があるため，以前は胆石の治療に用いた）. = apple oil.

amyl- (am′il). ***1*** →amylo-. ***2*** pentyl- を意味する連結形. →amyl.

am·y·la·ceous (am′i-lā′shŭs). デンプン〔様〕の，デンプンを含む.

am·y·lase (am′il-ās). アミラーゼ（デンプン，グリコゲン，および近縁の α-1,4-グルカンを分解するデンプン分解酵素の1つ）.

α-am·y·lase (am′il-ās). α-アミラーゼ（α-1,4-グルカンからエンド型加水分解によりランダムに主にマルトースを生成し一部 α-グルコースを生成するグルカノヒドロラーゼ. 消化補助剤として臨床に用いられているアミラーゼ）. = glycogenase; ptyalin; Taka-diastase.

β-am·y·lase (am′il-ās). β-アミラーゼ（α-1,4-グルカンの非還元末端から β-マルトースを生成するグルカノヒドロラーゼ. エキソアミラーゼ）. = glycogenase; saccharogen amylase.

γ-am·y·lase (am′il-ās). γ-アミラーゼ. = exo-1,4-α-D-glucosidase.

am·y·la·su·ri·a (am′i-lā-syū′rē-ă). アミラーゼ尿〔症〕（尿中にアミラーゼ(ときにジアスターゼともいう)が排出すること. 急性膵炎におけるように，特に量が増えた場合にいう）. = diastasuria.

am·y·le·mi·a (am′i-lē′mē-ă) [amylo- + G. *haima*, blood]. デンプン血〔症〕（循環血液中にデンプンが存在すると考えられる）.

am·yl·ene (am′i-lēn). アミレン（アミルアルコールの分解によってできる引火性の液体炭化水素. 麻酔作用があるが，望ましくない副作用をもつ）. = trimethylethylene.

a. chloral アミレンクロラール（鎮静，催眠作用を有する化学物質）.

a. hydrate 抱水アミレン水和物（トリブロモエタノールの溶媒として用いられていたが，現在では用いられない催眠薬）. = tertiary amyl alcohol.

am·y·lin (am′i-lin)[amyloid + -in]. アミリン（37アミノ酸からなるペプチドで膵ベータ細胞からインスリンとともに分泌される. その生物活性の多くはカルシトニン遺伝子関連ペプチド(ベータ細胞のペプチドではない)に類似している. 1型糖尿病患者ではアミリンは普通血漿中には存在しない. アミリンの血漿濃度は食後やグルコース負荷により上昇する）.

amylo- (am′i-lō) [G. *amylon*, unmilled; starch < *a-* + *mylē*, a mill]. デンプンを意味する，多糖類特性や由来を示す接頭語.

am·y·lo·dex·trin (am′i-lō-deks′trin). アミロデキストリン（β-アミラーゼによるアミロペクチンの加水分解最終生成物. さらに加水分解させるには分枝点に作用するアミロ-1,6-グルコシダーゼが必要. ヨウ素による呈色反応により同定される(アミロデキストリンは青色を呈する). *cf.* achroodextrin; erythrodextrin）.

am·y·lo·gen·e·sis (am′i-lō-jen′ĕ-sis) [amylo- + G. *genesis*, production]. デンプン形成（デンプンの生合成）.

am·y·lo·gen·ic (am′i-lō-jen′ik). デンプン形成の.

am·y·lo-1,4:1,6-glu·can·trans·fer·ase (am′i-lō-glū′-can-trans′fĕr-ās). アミロ-1,4：1,6-グルカントランスフェラーゼ. = 1,4-α-D-glucan-branching enzyme.

am·y·lo·glu·co·si·dase (am′i-lō-glū′kō′si-dās). アミログルコシダーゼ. = exo-1,4-α-D-glucosidase.

am·y·lo-1, 6-glu·co·si·dase (am′i-lō-glū-kō′si-dās). アミロ-1,6-グルコシダーゼ（1,4 結合の α-D-グルコース残留物の連鎖における α-D-1,6 結合(分枝点)を加水分解する酵素. それゆえブランチングエンザイム(分枝酵素)あるいはブランチング因子ともいわれる. 欠乏症(遺伝性)は糖原病3型を引き起こす）. = dextrin 6-α-D-glucosidase.

am·y·loid (am′i-loyd) [amylo- + G. *eidos*, resemblance]. アミロイド（①光学顕微鏡的には均一であるが，電子顕微鏡的にはシート状の直線性の非分枝性の塊状になった原線維から構成されている. ヨウ素で暗褐色に染まり，コンゴーレッドで染色後，偏光顕微鏡下で特徴的な緑色の複屈折を発する. メチルバイオレット(桃赤色)またはクリスタルバイオレット(紫赤色)によって異染性を示し，チオフラビンT染色により黄色の蛍光を発する. ②アミロイドーシスで沈着される病的細胞外蛋白性物質. アミロイド蛋白には主に2種類のタイプがある. アミロイド軽鎖蛋白は原発性アミロイドーシスで生成し，アミロイドは反応性全身性アミロイドーシスで生成する蛋白である. ③デンプンに似た，デンプンを含んだ）.

am·y·loi·do·ma (am′il-oyd-ō′ma) [amyloid + G. *-oma*, tumor]. アミロイドーマ（腫瘍内にアミロイドが産生される腫瘍）.

am·y·loi·do·sis (am′i-loy-dō′sis) [amyloid + G. *-osis*, condition]. アミロイドーシス，アミロイド症（①身体の種々の器官や組織における，アミロイドの細胞外蓄積を特徴とする原発性あるいは続発性の疾病. 局所的にも全身的にも生じうる. ②アミロイド蛋白の沈着する過程）.

AA a. AA アミロイドーシス. = secondary a.

a. of aging 加齢によるアミロイドーシス（様々な蛋白，特に神経組織，心筋，膵などにコンゴーレッドで染色される物質が沈着するのを特徴とするアミロイドーシス. Alzheimer 症候群に合併することが多い(β-アミロイド). 難治性の心不全を伴うことがある）.

chronic a. 慢性アミロイドーシス（長期間にわたるアミロイドーシス）.

a. cutis 皮膚アミロイドーシス. = lichenoid a.

familial a. 家族性アミロイドーシス. = familial amyloid *neuropathy*.

focal a. 限局性アミロイドーシス. = nodular a.

hereditary a. [MIM*106100]. 遺伝性アミロイド症. = familial amyloid *neuropathy*.

lichen a. 苔癬アミロイドーシス. = lichenoid a.

lichenoid a. [G. *leichēn*, lichen, a lichen-like eruption + *eidos*, resemblance]. アミロイド苔癬，苔癬様アミロイドーシス（そう痒を伴う茶褐色丘疹を生じ，しばしば落屑を伴う限

局性皮膚アミロイドーシス．中年に多く，下肢にみられ，真皮乳頭層のアミロイド沈着による）．＝a. cutis; lichen a.

light chain-related a. L鎖関連性アミロイドーシス（原発性アミロイドーシスの最も一般的な一型．免疫グロブリンL鎖の可変部分に由来する物質が，フィブリン状のアミロイドとして沈着した病態で，Bリンパ球やプラズマ細胞系の疾患(特に多発性骨髄腫)および他のガンマグロブリン異常症で認められる）．

macular a. 斑状アミロイドーシス（皮膚アミロイドーシスの限局型で，そう痒感ある左右対称性の網目状の褐色斑が特徴的で，特に上背部に多い．組織学的には，表皮直下にアミロイドの小さい集塊が沈着してみられる）．

a. of multiple myeloma 多発性骨髄腫アミロイドーシス（多発性骨髄腫患者の一部に認められる間葉組織のアミロイドーシス．アミロイドと Bence Jones 蛋白とは直接の関係はないとされる）．

nodular a. 結節性アミロイドーシス（アミロイドが，皮膚または喉頭などの粘膜下に硬質の塊や結節をなして生じるアミロイドーシスの限局型．しばしば形質細胞の浸潤を伴う．形質細胞異混和症や全身性アミロイドーシスに伴うこともある）．＝amyloid tumor; focal a.

primary a. 原発性アミロイドーシス（他の疾患の合併が認められないアミロイドーシス．常染色体性で，優性遺伝[MIM*104750, *105120, *105150, *105200, *105210, *105250]および劣性遺伝[MIM 204850,*204900]をとるものや，X連鎖遺伝[MIM 301220]をとるものなど，いくつかの型が知られている．舌，肺，腸管，皮膚，骨格筋，および心筋の動脈壁および間葉組織を広範に侵す傾向があり，生命機能を障害する．本疾患のアミロイドはコンゴーレッド染色に対する通常の親和性を必ずしも示さず，隣接組織に異物様の炎症反応を引き起こすことがある）．

reactive systemic a. 反応性全身性アミロイドーシス．＝secondary a.

renal a. 腎アミロイドーシス（腎臓，特に糸球体毛細管壁へのアミロイドの沈着．蛋白尿とネフローゼ症候群を引き起こすことがある）．＝amyloid nephrosis (1).

secondary a. 続発性アミロイドーシス（他の慢性炎症性疾患に併発するアミロイドーシス．侵される主な器官は，肝臓，脾臓，腎臓，および副腎(頻度は低い)である）．＝AA a.; reactive systemic a.

senile a. 老年(老人)性アミロイドーシス（高齢者によくみられるアミロイドーシス．通常は軽度で心臓または精嚢に限局する．→a. of aging）．

am·y·lol·y·sis (am′i-lol′i-sis) [amylo- + G. *lysis*, dissolution]. デンプン分解（デンプンから可溶性生成物への加水分解）．

am·y·lo·lyt·ic (am′i-lō-lit′ik). デンプン分解の．

am·y·lo·malt·ase (am′i-lō-mal′tās). アミロマルターゼ．＝4-*α*-D-glucanotransferase.

am·y·lo·pec·tin (am′i-lō-pek′tin). アミロペクチン（1,4 および 1,6 結合からなるデンプン中の，分子鎖をもつポリグルコース(グルカン)．*cf.* amylose）．

am·y·lo·pec·tin 6-glu·can·o·hy·dro·lase (am′i-lō-pek′tin glū-kan′ō-hī′drō-lās). *α*-dextrin endo-1,6-*α*-glucosidase の旧名．

am·y·lo·pec·tin 1, 6-glu·co·si·dase (am′i-lō-pek′tin glū-kō′si-dās). アミロペクチン 1,6–グルコシダーゼ（現在では少なくとも 2 つの酵素，*α*–デキストリンエンドグルカノヒドロラーゼとイソアミラーゼであることが知られている酵素の旧名）．

am·y·lo·pec·tin·o·sis (am′i-lō-pek-tin-ō′sis) [amylopectin + G. *-osis*, condition]. アミロペクチン症（→*glycogenosis* type 4）．

am·y·lo·pha·gi·a (am′i-lō-fā′jē-ă) [amylo- + G. *phagō*, to eat]. デンプン貪食（デンプン質に対する病的な渇望）．＝starch-eating.

am·y·lo·plast (am′i-lō-plast) [amylo- + G. *plastos*, formed]. アミロプラスト，デンプン〔形成〕体（デンプン形成過程やデンプン貯蔵の中心となる植物細胞原形質中の顆粒）．＝amylogenic body.

am·y·lop·sin (am-il-op′sin). アミロプシン（膵液のアミラーゼ）．

am·y·lor·rhe·a (am′i-lō-rē′ă) [amylo- + G. *rhoia*, flow]. デンプン不消化便（糞便中に未消化デンプンが排泄されることで，腸におけるアミラーゼ活性の欠乏を意味する）．

am·y·lose (am′i-lōs). アミロース（セルロース様で，*α*(1→4) 結合からなるデンプン中の非分枝鎖ポリグルコース(グルカン)．*cf.* amylopectin）．

am·y·lo·su·ri·a (am′i-lōs-yū′rē-ă). デンプン尿〔症〕（尿中へのデンプンの排泄）．＝amyluria.

am·y·lo-(1, 4→1, 6)-trans·glu·co·si·dase, am·y·lo-(1, 4→1, 6)-trans·glu·co·syl·ase (am′i-lō-trans′glū-kō′si-dās, lās). アミロ–(1,4→1,6)–トランスグルコシダーゼ，アミロ–(1,4→1,6)–トランスグルコシラーゼ．＝1,4-*α*-D-glucan-branching enzyme.

am·y·lum (am′i-lŭm). デンプン．＝starch.

am·y·lu·ri·a (am-il-yū′rē-ă). ＝amylosuria.

a·my·o·es·the·si·a, amy·o·es·the·sis (ă-mī′ō-es-thē′-zē- ă, thē′sis) [G. *a-* 欠性辞 + *mys*, muscle + *aisthēsis*, perception]. 無筋〔感〕覚〔症〕，筋〔感〕覚消失（筋肉感覚の欠如）．

a·my·o·pla·si·a (ă-mī′ō-plā′zē-ă) [G. *a-* 欠性辞 + *mys*, muscle + *plasis*, a molding]. 筋形成不全〔症〕（筋形成不全や筋成長不全を生じる疾患）．

a. congenita 先天性筋形成不全〔症〕．＝*arthrogryposis* multiplex congenita.

a·my·o·sta·si·a (ă-mī′ō-stā′zē-ă) [G. *a-* 欠性辞 + *mys*, muscle + *stasis*, standing]. 筋〔肉〕静止不能〔症〕（筋振せんまたは協調不能による起立困難）．

a·my·o·stat·ic (ă-mī′ō-stat′ik). 筋〔肉〕静止不能〔症〕の，筋不安定性の（筋振せんを呈する）．

amy·os·the·ni·a (ă-mī′os-thē′nē-ă) [G. *a-* 欠性辞 + *mys*, muscle + *sthenos*, strength]. 筋無力〔症〕．

a·my·os·then·ic (ă-mī′os-then′ik). 筋無力〔症〕の（筋無力に関する，または筋無力を引き起こす）．

a·my·o·tax·y, amy·o·tax·ia (ă-mī′ō-tak-sē, ă-mī-ō-tak′sē-ă) [G. *a-* 欠性辞 + *mys*, muscle + *taxis*, order]. 筋性運動失調〔症〕．

a·my·o·to·ni·a (ă-mī′ō-tō′nē-ă) [G. *a-* 欠性辞 + *mys*, muscle + *tonos*, tone]. 筋無緊張〔症〕（筋緊張の全身性の消失．ぐにゃぐにゃした筋肉と関節の受動運動域の拡大を伴うことが多い）．

a. congenita [MIM*205000]. 先天〔性〕筋無緊張〔症〕（乳児や幼小児において筋緊張の全身性喪失と，ときに筋力低下を起こす多くの先天性神経筋疾患を意味する不明確な用語で，多くは良性の経過をとる）．＝congenital atonic pseudoparalysis; myatonia congenita; Oppenheim disease; Oppenheim syndrome.

a·my·o·tro·phi·a (ă-mī′ō-trō′fē-ă). 筋萎縮〔症〕．＝amyotrophy.

a·my·o·tro·phic (ă-mī′ō-trō′fik). 筋萎縮〔性〕の，筋萎縮〔症〕の．

a·my·ot·ro·phy (ă′mī′ot′rō-fē) [G. *a-* 欠性辞 + *mys*, muscle + *trophē*, nourishment]. 筋萎縮〔症〕．＝amyotrophia.

diabetic a. 糖尿病性筋萎縮〔症〕（年配の糖尿病患者を主に侵す糖尿病性末梢神経障害の一型．臨床的には片側または両側の大腿前部の痛み，脱力，萎縮を特徴とする．突然または徐々に発症し，両側性の場合は同時または順次に起こり，通常非対称性である．糖尿病性多発神経根障害の一型．誤って，糖尿病性大腿神経障害 diabetic femoral neuropathy とよばれることがときにある）．

hemiplegic a. 片麻痺性筋萎縮〔症〕（片麻痺の肢にみられる筋萎縮）．

neuralgic a. 神経痛性筋萎縮〔症〕（原因不明の神経疾患．通常，肩付近のしばしば夜間に起こる強い痛みの突発を特徴とする．まもなくその肢の肩甲帯などの種々の筋肉の脱力と萎縮が起こる．孤発例と家族性に起こるものがあり，孤発例のほうが多い．しばしば上気道感染，入院，ワクチン接種，非特異的外傷などが前駆する．障害された神経線維は上幹に由来するものが多いので，通常，上腕神経叢の病変が原因とされる）．＝acute brachial radiculitis; brachial neuritis; brachial plexitis; brachial plexus neuropathy; Parsonage-Turner syndrome; shoulder-girdle syndrome.

progressive spinal a. 進行性脊髄性筋萎縮〔症〕．＝amyotrophic lateral *sclerosis*.

A

am·y·ous (am′ē-ŭs) [G. *a-* 欠性辞 + *mys*, muscle]. 筋組織欠損の（筋組織の欠損あるいは筋力の欠如）.

a·myx·or·rhe·a (ă-mik′sō-rē′ă) [G. *a-* 欠性辞 + *myxa*, mucus + *rhoia*, flow]. 粘液分泌欠乏（粘液の正常分泌の欠乏）.

an- →a-.

ANA antinuclear *antibody*; American Nurses Association（米国看護師協会）の略.

ana- (an′ă) [G. *ana*, up]. [本接頭語でつくられた語と接頭語 an- でつくられた見た目の似た語を混同しないこと]. 上へ，再び，後ろへ，を意味する接頭語．ときに母音の前で *an-*. ラテン語 *sursum-* に相当．通常，母音の前の *an-* は，無を意味する *a-* を表す．時々 p, b, ph の前の *ana-* は *am-* になる．

An·a·bae·na (an′ă-bē′nă). アナベナ属（淡水にみられ，水源に臭気を生じさせるシアノバクテリア門の一属．侵入性の病原性はないが，サキシトキシン様の神経毒を産生するので，大量に発生した池の水を飲んだ家畜を毒殺することがある）.

an·a·bi·o·sis (an′ă-bī-ō′sis) [G. a reviving < *ana*, again + *biōsis*, life]. 蘇生.

an·a·bi·ot·ic (an′ă-bī-ot′ik) [ana- + G. *bios*, life]. [antibiotic と混同しないこと]. ***1*** 〖adj.〗 蘇生しうる. ***2*** 〖n.〗 蘇生薬（蘇生させる薬．強力な刺激薬）.

an·a·bol·ic (an′ă-bol′ik). 同化〔作用〕の，同化を促進する.

a·nab·o·lism (ă-nab′ō-lizm) [G. *anabolē*, a raising up]. 同化〔作用〕，物質合成代謝（①小分子の物質より様々な化学物質を合成し，体内に蓄積すること(例えばアミノ酸からの蛋白合成)．一般にエネルギーを要する代謝過程である．*cf.* catabolism; metabolism. ②合成代謝反応の総称）.

a·nab·o·lite (ă-nab′ō-līt). 同化産物（同化作用で形成された物質）.

an·a·camp·tom·e·ter (an′ă-kamp-tom′ĕ-ter) [G. *anakampsis*, a bending back, reflection + *metron*, measure]. 反射計（深部反射の強度を測定するための器具）.

an·a·cat·es·the·si·a (an′ă-kat′es-thē′zē-ă) [G. *ana*, up + *kata*, down + *aisthēsis*, sensation]. 彷徨感〔覚〕，浮遊感.

an·a·cid·i·ty (an′ă-sid′i-tē). 無酸〔症〕（酸度の欠如．特に胃液中の塩酸欠如をさす）.

a·nac·la·sis (ă-nak′lă-sis) [G. a bending back, reflection]. ***1*** 反射（光や音の反射）. ***2*** 屈折（レンズなどの屈折）.

an·a·clit·ic (an′ă-klit′ik) [G. *ana*, toward + *klinō*, to lean]. 依存的な，依託的な（精神分析において，乳児が母親またはその代理となる人に依存することについていう．→anaclitic *depression*）.

an·a·crot·ic (an′ă-krot′ik). 上行脚隆起の（動脈拍動軌跡上の上行拍動または上行脚についていう．上行拍動上に2回の鼓動がみられることをいう anadicrotic の略）. ＝anadicrotic.

a·nac·ro·tism (ă-nak′rō-tizm) [G. *ana*, up + *krotos*, a beat]. 上行脚隆起（脈拍が異常なこと．→anacrotic *pulse*）. ＝anadicrotism.

an·a·cu·sis (an′ă-kū′sis) [G. *an-* 欠性辞 + *akousis*, hearing]. 聴覚消失症，ろう(聾)（音をそれとして感知する能力がまったくないこと．→deafness）. ＝anakusis.

anadamide (an-ad′a-mīd) アナンダミド（カンナビノイド受容体の内在性リガンド）.

an·a·de·ni·a (an′ă-dē′nē-ă) [G. *an-* 欠性辞 + *adēn*, gland]. 無腺症（腺の欠如あるいは腺機能の一時的休止を表す現在では用いられない語）.

a. ventriculi 胃腺欠損〔症〕.

an·a·di·crot·ic (an′ă-dī-krot′ik). 上行脚重複隆起の. ＝anacrotic.

an·a·dic·ro·tism (an′ă-dik′rō-tizm) [G. *ana*, up + *dikrotos*, double beating]. 上行脚重複隆起. ＝anacrotism.

an·a·did·y·mus (an′ă-did′i-mŭs) [G. *ana*, up + *didymos*, twin]. ＝*duplicitas* posterior.

an·a·dip·si·a (an′ă-dip′sē-ă) [G. *ana*, intensive + *dipsa*, thirst]. 煩渇（極度ののどの渇きを表す，まれに用いる語．→polydipsia）.

an·ad·re·nal·ism (an′ă-drē′năl-izm). 副腎機能欠如〔症〕.

an·a·dro·mous (an′a-drō′mus). 溯上性の（産卵のために海洋から淡水に移動する魚を表す．そのような魚のいくつかはヒトに対する病原体を保持している．→catadromous）.

an·aer·obe (an′ār-ōb, an-ār′ōb) [G. *an-* 欠性辞 + *aēr*, air + *bios*, life]. 嫌気性菌，嫌気性生物（酸素が存在しないときに活動または成長する微生物）.

facultative a. 通性嫌気性菌(生物)，条件的嫌気性菌(生物)（遊離酸素の有無にかかわらず増殖する微生物）.

obligate a. 偏性嫌気性菌(生物)，純嫌気性菌(生物)（遊離酸素が存在しないときにのみ増殖する微生物）.

an·aer·o·bic (an′ār-ō′bik). 嫌気〔性〕の，無酸素〔性〕の（酸素なしで生きている）.

an·aer·o·bi·o·sis (an′ār-ō-bī-ō′sis) [G. *an-* 欠性辞 + *aēr*, air + *biōsis*, way of living]. 嫌気生活（無酸素大気中で生存すること）.

An·aer·o·bo·plas·ma (an′ār-ō′bō-plaz′ma). アネロボプラズマ目（酸素感受性のモリキューテス綱に属する細菌の一目．ヒトの病気における役割は不明である）.

an·aer·o·gen·ic (an′ār-ō-jen′ik) [G. *an-* 欠性辞 + *aēr*, air + *-gen*, producing]. 非気体産生の.

an·aer·o·phyte (an-ār′ō-fīt) [G. *an-* 欠性辞 + *aēr*, air + *phyton*, plant]. ***1*** 嫌気性植物（空気なしに成長する植物）. ***2*** 嫌気性細菌.

an·aer·o·plas·ty (an-ār′ō-plas-tē) [G. *an-*欠性辞 + *aēr*, air + *plastos*, formed]. 嫌気療法（空気排除による創傷の治療）.

an·a·gen (an′ă-jen) [G. *ana*, up + *-gen*, producing]. 成長期（毛周期における成長相で，ヒトの頭髪では約3－6年続く）.

an·a·gen·e·sis (an′ă-jen′ĕ-sis) [G. *ana*, up + *genesis*, production]. 組織再生（①組織の修復．②喪失部分の再生）.

an·a·ge·net·ic (an′ă-jĕ-net′ik). 組織再生の.

an·a·ges·tone ac·e·tate (an′ă-jes′tōn as′e-tāt). 酢酸アナゲストン（月経前期黄体活性ホルモン薬）.

an·a·go·gy (an-ă-go′-jē) [G. *anagōgē* < *an-ago*, to lead up]. 神秘的意味（観念的あるいは精神的な心的内容を表す，まれに用いる語）.

an·a·kat·a·did·y·mus, an·a·cat·a·did·y·mus (an′-ă-kat′ă-did′i-mŭs) [G. *ana*, up + *kata*, down + *didymos*, twin]. 上下両部結合奇形（上部と下部は離れているが，中央部で結合している重視双生児）. ＝dicephalus dipygus.

an·á·khré (an-ah-krā′) [Fr. < big nose を意味するアフリカの土語]. 大鼻〔症〕. ＝goundou.

an·ak·me·sis (an-ak′mē-sis) [G. *an-* 欠性辞 + *akmēnos*, full grown < *akmē*, highest point]. 成熟停止（白血球産生の中心部において白血球の成熟が停止し，その結果，無顆粒球症にみられるように骨髄で幼若型細胞の数が増え，成熟顆粒細胞の比率が低くなる）.

an·a·ku·sis (an-ă-kū′sis). ＝anacusis.

a·nal (ā′năl). 肛門〔側〕の.

an·al·bu·mi·ne·mi·a (an′al-bū′mi-nē′mē-ă) [G. *an-* 欠性辞 + albumin + G. *haima*, blood]. 無アルブミン血〔症〕（血清からアルブミンが欠如すること）.

an·a·lep·tic (an′ă-lep′tik) [G. *analēptikos*, restorative]. ***1*** 〖adj.〗 興奮性の，強化する，活気づける. ***2*** 〖n.〗 蘇生薬. ***3*** 〖n.〗 中枢神経興奮(刺激)薬（特に，通常は抑制された中枢神経系の機能を回復させる薬物をいう）.

an·al·ge·si·a (an′ăl-jē′zē-ă) [G. insensibility < *an-* 欠性辞 + *algēsis*, sensation of pain]. 痛覚脱失(消失)〔症〕，無痛覚〔症〕，無痛〔法〕（[anesthesia と混同しないこと]．痛み刺激が知覚はされるが痛くはないように変化した神経学的または薬理学的状態．*cf.* anesthesia）.

conduction a. 伝導無痛〔法〕. ＝regional *anesthesia*.

inhalation a. 吸入無痛〔法〕（中枢神経系抑制性の気体(特に笑気)または蒸気の吸入による無痛法）.

patient-controlled a. (**PCA**) 希釈した麻酔薬を持続的に静脈内，まれに硬膜外腔へ注入器によって注入する疼痛管理法で，その量で痛みがとれない場合，あらかじめ設定された麻酔薬量を，あらかじめ設定された投与間隔で，自己投与できる機構を併せ備えている. ＝patient-controlled anesthesia.

sedation a. ＝conscious *sedation*.

spinal a. 脊椎無痛〔法〕（脊椎麻酔法 spinal *anesthesia* の婉曲語法）.

an·al·ge·sic (an′ăl-jē′zik). ***1*** 〖n.〗 鎮痛薬（無痛覚を起こし

うる化合物，すなわち麻酔状態や意識喪失を起こさずに侵害受容器刺激の知覚を変化させて痛みを和らげる化合物)．＝analgetic (1). *2*〘adj.〙鎮痛性の（疼痛性刺激に対する反応の軽減を特徴とする)．＝antalgic.

an·al·ge·sim·e·ter (an′ăl-jē-zim′i-ter) [analgesia + G. *metron*, measure]．無痛覚計（実験によって疼痛を測定するための疼痛刺激をつくる装置)．

an·al·get·ic (an′ăl-jet′ik). *1*〘n.〙鎮痛薬．＝analgesic (1). *2*〘adj.〙鎮痛性の（疼痛知覚の変化についていう)．

a·nal·i·ty (ā-nal′i-tē). 肛門愛（精神性的発達の肛門期に由来し，Freud 学派の肛門期の特徴を有する心理的機構についていう.→anal *phase*)．

an·al·ler·gic (an′ă-ler′jik). 非アレルギー〔性〕の．

a·nal·o·gous (ă-nal′ō-gŭs). 類似〔性〕の，相似〔性〕の（機能的に類似しているが起源あるいは構造が異なる)．

an·a·logue (an′ă-log) [G. *analogos*, proportionate]. *1* 類似化合物，類似体（化学において，構造が他のものと似ている化合物．必ずしも異性体ではない(例えば，5-フルオロウラシルはチミンの類似化合物)．しばしば酵素と結合させて酵素反応を阻害するために用いる(例えば，イソプロピルチオガラクトシドに対する乳糖))．*2* 類似物，相似物（異種の動植物の２つの器官あるいは部分で，構造や発達は異なるが，機能は同じもの)．

enzyme a. 酵素類似体．＝synzyme.

an·al·pha·lip·o·pro·tein·e·mi·a (an-al′fă-lip′ō-prō′tēn-ē′mē-ă) [G. *an-* 欠性辞 ＋ *alpha*, α ＋ lipoprotein ＋ *-emia*, blood]．無αリポ蛋白血〔症〕（HDL 欠損症，遺伝性の脂質代謝異常で，血漿中の HDL がほとんど完全に欠損し，泡沫細胞中のコレステロールエステルの蓄積，扁桃腺の肥大，オレンジ色または黄灰色の咽頭や反応性の粘膜，肝脾腫大，リンパ節腫大，角膜の混濁，末梢神経障害といった所見が認められる．常染色体劣性遺伝)．＝familial high-density lipoprotein deficiency; Tangier disease.

a·nal·y·sand (ă-nal′i-sand) [analysis ＋ L. *-andus*, gerundive ending]．被分析者（精神分析において，分析を受ける人)．

a·nal·y·sis, pl. **anal·y·ses** (ă-nal′i-sis, -sēz) [G. a breaking up ＜ *ana*, up ＋ *lysis*, a loosening]. *1* 分解（化合物あるいは混合物をより単純な成分に分解すること．物質の組成を決定する過程)．*2* 分析（全体を，それを構成する部分に分けて検討し研究すること)．*3* →psychoanalysis.

accumulation a. 累積分析（代謝経路の中間体の１つを，その経路の特定の段階での選択的阻害，または，代謝経路のある段階が欠損した変異体において集積させる技術．そして，その中間体は単離し，分析され同定される)．

activation a. 放射化分析（未知の元素に中性子や荷電粒子線を照射して放射能をもたせた後，その特徴的な放出放射線と壊変定数から同定し定量化する方法)．

amino acid a. アミノ酸分析（①高分子のアミノ酸組成の決定と同定．②高分子，しばしば変異蛋白内の特定アミノ酸の同定．③血清や尿中のアミノ酸の同定および定量．重要な診断上の検査)．

bite a. ＝occlusal a.

blood gas a. 血液ガス分析（血液中の酸素および炭酸ガス分圧の電極法による直接測定法.→blood *gases*)．

bradykinetic a. 〔緩〕徐動分析（スローモーション映画によって運動を分析すること)．

breath a. ＝breath *test*.

cephalometric a. 頭部規格写真分析（矯正の症例分析に用いる骨格と歯との関係の研究)．

character a. 性格分析（個人を特徴付ける防衛パターンと人格特徴の分析)．

cluster a. クラスター分析（変数または観測値を互いに強い内的相関をもつサブグループにグループ化する統計的方法)．

content a. 内容分析（正常者あるいは心理的障害のある患者の言語内容の分類および研究のための種々の技法)．

decision a. 決定分析（オペレーションズリサーチやゲーム理論から生まれたもので，患者のケア(診断，治療のレジメン，予後の予測)に対してくだされる一連の決定に関してすべての可能な選択とそれぞれの起こりうる結果を同定することから始められる．一連の選択は決定樹上に示される)．

discriminant a. 判別分析（従属変数が離散変数の場合に用いられる統計的方法．観測値を群に分け，新たな値をそれらの群のいずれかに割りつける．従属変数が連続変数の場合の回帰分析に代わって用いられる)．

displacement a. 置換分析．＝competitive binding *assay*.

distributive a. 分布分析（医師が患者の愁訴と症状に沿って，患者についての情報とその分布とを分析すること)．

Downs a. (downz). ダウンズ分析（矯正診断の補助として用いる一連の頭部規格写真分析基準)．

ego a. 自我分析（精神内界の葛藤を自我が処理する方法についての精神分析的研究)．

Fourier a. (fūr-ē-ā′). フーリエ解析（関数を，異なる周波数の周期関数(正弦波および(または)余弦波)の和として近似する数学的手法．時間または空間(座標)の関数を周波数(座標)の関数に変換する方法．放射線診断における CT や MRI の画像再構成や，あらゆる信号の周波数成分の解析に用いられる)．＝Fourier transfer; Fourier transform.

gastric a. 胃分析，胃液検査（胃内容の pH および酸分泌量の測定．一夜の胃分泌物の採取あるいは１時間採取で基礎酸分泌量を測定する．最大刺激酸分泌量はヒスタミンの注射の後測定する．酸分泌量の測定は強塩基による滴定により行う)．

intention-to-treat a. 全例解析（無作為対照試験の結果の解析法の１つで，治療を受けるはずだったが何らかの理由で受けなかった人も含めてすべての症例を対象とするもの．それぞれのグループに割り当てられた症例すべてを，指示された治療を最後まで受けたか途中で止めたかに関わりなく，そのグループを代表するものとしてひっくるめて解析する)．

interaction process a. 相互作用過程分析（心理学において，小集団の行動を連帯責任，緊張解消，同意など 12 の特別なカテゴリーにしたがって分析すること)．

Kaplan-Meier a. (kap′lăn mī′ĕr). カプラン－マイヤー解析（対象とする患者集団の生存割合を計算する方法．ある時点における生存割合(グラフの縦座標)が増えることが，患者の実生存時間が増えることに対応する．㊟用語としては analysis ではなく estimate または estimator(推定量)のほうが適切である)．

linkage a. 連鎖分析（家系内でのデータを検定することにより，２つの遺伝子座間の連鎖関係を評価すること．古典的には組換え率を算定することについてであり，(その柔軟性，効率，および他の適性から)最大尤度法が好んで用いられる．しかし，近年では，特に遺伝子座の順序を決めること，染色体地図上での距離を推定すること，他の方法(例えば細胞遺伝学，in situ ハイブリダイゼーション法による研究など)から得た証拠と家系データを適合させること，により多くの考察がなされている)．

Northern blot a. [Southern blot a. に由来して分類上造語された]．ノザンブロット解析（Southern ブロットに類似した手法で，RNA 断片を識別・同定するのに用いる．一般的にはアガロースゲルで展開された RNA 断片をニトロセルロース紙に転写(ブロット)して，適当なプローブで検出，同定する)．

occlusal a. 咬合分析（対合歯の咬合面の関係と，それらの関連構造への作用を研究すること)．＝bite a.

path a. パス解析（多くの変数が互いにからみ合って関連している状況において，因果関係の方向性に一定の仮定をおいて解析する方法)．

pedigree a. 家系分析（ある家系にみられる形質のパターンについて，その遺伝確率，発現年齢，表現型の多様性などを決定する古典的調査)．

percept a. 知覚分析（インクのしみによる一連の Rorschach テストを用いた患者の人格に対する心理学的研究)．

qualitative a. 定性分析（物質を構成する諸要素の量ではなく，性質の決定)．

quantitative a. 定量分析（物質を構成する諸要素の量および性質の決定)．

regression a. 回帰分析（ある変数を，他の変数で定められる関数として記述するための，〝最良の〟数学的モデルを決定する統計的方法)．

root cause a. 根本原因解析（医療の質改善に用いる方法．悪い結果や不適切な結果をもたらす明瞭な，または不明瞭な原因を捜し，間違った過程を正すような解析を行い，結果を改善する．患者の安全確保，危険管理，航空関連医療において，特に重要である．→sentinel *event*）．

saturation a. 飽和分析．＝competitive binding *assay.*

segregation a. 分離比分析（遺伝学において，表現型として明確に区別できる子孫を選んで，遺伝のパターン(例えばメンデル性，常染色体優性，上位性，年齢依存性)の推定を行う）．

sequential a. 逐次分析（所望の精度が得られた場合，すぐに実験を終了することを可能にする統計的方法）．

Southern blot a. (sŭdh′ĕrn)．サザンブロット解析（DNA配列を識別・同定する方法．DNA 断片をアガロースゲルで電気泳動して分離した後，ニトロセルロースあるいはナイロン膜上に移行・転写させ，相補的な(ラベルされた)核酸プローブとハイブリダイゼーションさせる）．

survival a. 生存時間解析（生存率の推定や治療，予後因子，その他の関心事の効果の推測などのための統計的手法）．

training a. 教育分析，訓練分析（精神分析訓練研究所の公式援助の下に実施される分析候補者の精神分析的治療）．

transactional a. 交流分析，トランスアクショナル分析(個人・集団療法の両方に用いられ，治療の場における人間関係の性質を組織的に理解しようとする精神療法システム．この治療システムには，ⓘ心内現象の構造分析，ⓘⓘ交流分析そのものともいうべき，出席者それぞれにおける現在優勢となっている自我状態(親，子供，成人)の判定，ⓘⓘⓘ相互に演じているゲームとそれによって得られる喜びの同一化を行うゲーム分析，ⓘⓥ患者の情動問題の原因を明らかにする筆記分析，の４つの要素が含まれる）．

univariate a. 単変量解析（興味のあるパラメータ変数が１つしかないデータセットにおいてばらつきを解析する際に用いられる多変量解析のテクニック）．

a. of variance (ANOVA) 分散分析（連続的な従属変数の平均値の変動に対するカテゴリカルな独立変数の寄与を分離し評価する統計的方法）．

volumetric a. 容量分析（秤量された標準試薬の溶液を，分析される物質の既知容積の溶液へ，反応がちょうど終了するまで漸次添加して行う定量分析．試液と未知検体間の反応の化学量論的性質に依存する）．

Western blot a. [Southern blot a. に由来して分類上造語された]．ウエスタンブロット解析（ポリアクリルアミド電気泳動によって分離された蛋白をニトロセルロースあるいはナイロン膜へ移行・転写させた後，ラベルされた二次蛋白によって標識された特異的抗体との結合によって検出される．→immunoblot）．

zoo blot a. ズーブロット分析（Southern ブロット解析を使って１つの種から得た核酸プローブが他種の DNA 断片とハイブリダイズすることができるかを検査する方法）．

an·a·lyst (an′ă-list)．分析者（①分析測定を行う人．② psychoanalyst の略）．

an·a·lyte (an′ălīt)．被検体（分析に供する材料あるいは化学物質）．

an·a·lyt·ic, an·a·lyt·i·cal (an′ă-lit′ik, -i-kăl)．分析の（①分析に関する．②精神分析に関する）．

an·a·lyz·er, an·a·lyz·or (an′ă-līz′er, -ŏr)．***1*** 分析器（分析を行う装置一般）．***2*** 検光子（偏光を検査する偏光器中のプリズム）．***3*** 〔感覚〕分析部（条件反射の神経的基礎．反射弓のすべての感覚側とその中枢連結を含む）．***4*** 脳波分析器(脳波の特定のチャネルの頻度と振幅を測定するための装置)．

batch a. バッチ式分析装置（分離型自動化学分析装置の１つで，計測装置は連続的にサンプル群の各々を１つずつ検査していく）．

centrifugal fast a. 遠心高速分析器（自動分光光度計の一種．遠心力を利用して試料と試薬を混ぜ合わせ，その中にできた反応生成物を多重吸光度測定のため，検出器のある場所へ向けてすばやく押し出すことができるようになっている）．

continuous flow a. 連続フロー型分析装置（自動化学分析装置の１つで，サンプルと試薬がチューブで連結されたモジュール装置から連続的にポンプで送り込まれる）．

discrete a. 分離型分析装置（自動化学分析装置の１つで，計器は，連続フロー型分析装置と異なり，分離型コンテナーに入れられたサンプルを検査していく）．

kinetic a. 反応速度分析器（化学物質の変換速度を測る装置．主として酵素測定に用いる）．

pulse height a. パルス波高分析器（検出器によって記録されたシンチレーションのエネルギーを決める回路で，特定の光子を選択する弁別装置として用いられる）．

wave a. 波形分析器（複合波形を観測し，振動数成分に分離し，その分布を記録できる装置）．

an·am·ne·sis (an′am-nē′sis) [G. *anamnēsis*, recollection]．***1*** 記憶．***2*** 既往歴，病歴．

an·am·nes·tic (an′am-nes′tik)．***1*** 記憶を助ける．＝mnemonic．***2*** 既往〔歴〕の，病歴の．***3*** 連続したワクチン接種によって免疫が増強すること．

an·am·ni·on·ic, an·am·ni·ot·ic (an′am-nē-on′ik, -ot′ik)．無羊膜の．

An·am·ni·o·ta (an-am′nē-ō′tă)．無羊膜類（胎児または胎芽が羊膜に包まれていない脊椎動物の一群．円口類，魚類，両生類を含む）．

an·a·morph (an′ă-mōrf) [G. *ana*, up + *morphē*, form]．無性世代，不完全世代（核の融合なしに(無性生殖で)みられる体細胞性ないし生殖性組織構造．真菌の生活環における不完全世代）．

an·a·mor·pho·sis (an′ă-mōr-fō′sis) [G. *ana*, up + *morphē*, form]．***1*** 漸進的進化，増節現象（系統発生学において，一群の動物または植物の進化における一連の進行的変化）．***2*** 歪像矯正（光学において，曲面鏡を用いて歪曲した像を矯正する過程）．

an·an·a·sta·si·a (an′an-ă-stā′zē-ă) [G. *a-* 欠性辞 + *anastasis*, stand up]．起立不能．

an·an·casm (an′an-kazm) [G. *anankasma*, compulsion]．強迫行為，アナンカズム（妨害されると不安になるような，繰返しの常同的行為の総称）．

an·an·cas·ti·a (an′an-kas′tē-ă) [G. *anankastos*, compelled]．強迫観念（人が自分の意志に反して行動あるいは考えることを強制されているように感じる強迫）．

an·an·cas·tic (an′an-kas′tik)．アナンカズムの，強迫の．

an·an·da·mide (an-an′dă-mīd)．アナンダミド（*N*–アラキドノイルエタノールアミンのことで，脳内脂質の１つで，カンナビノイド受容体に結合する．またココアにも見出されている）．

an·an·dri·a (an-an′drē-ă) [G. want of manhood < *an-* 欠性辞 + *anēr-* (*andr-*), man]．男性性徴欠乏〔症〕（男性的性格，性的役割，男性の特徴などの欠乏症）．

an·an·gi·o·pla·si·a (an′an′jē-ō-pla′zē-ă) [G. *an-* 欠性辞 + *angeion*, vessel + *plastos*, formed]．血管形成不全〔症〕（血管の無形成あるいは血管径不適による部分的血管新生不全）．

an·an·gi·o·plas·tic (an-an′jē-ō-plas′tik)．血管形成不全〔症〕の．

ANAP anionic neutrophil-activating *peptide* の略．

an·a·phase (an′ă-fāz) [G. *ana*, up + *phasis*, appearance]．後期（有糸分裂あるいは減数分裂において，染色体が赤道板から細胞の両極へと動く時期．有糸分裂では，娘染色体群(ヒトでは 46)が各々の極へ向かって動く．減数分裂の第一分裂では，動原体部で結合した２本の染色分体からなる相同染色体の対(ヒトでは 23)が１本ずつ極へ移動する．減数分裂の第二分裂では，動原体はすでに分裂しており，対をなしている２本の染色分体は分かれ１本ずつ極へ移動する）．

an·a·phi·a (an-ā′fē-ă, an-af′ē-ă) [G. *an-* 欠性辞 + *haphē*, touch]．触覚脱失(消失)〔症〕，無触覚〔症〕．＝anhaphia．

an·a·pho·re·sis (an′ă-fō-rē′sis) [G. *ana*, up + *phorēsis*, a being borne]．アナフォレーシス，陽極泳動（電気泳動において，溶液または懸濁液中の負の粒子(陰イオン)が陽極へ移動すること．*cf.* cataphoresis）．

an·aph·o·ret·ic (an′ă-fō-ret′ik)．アナフォレーシスの，陽極泳動の．

an·aph·ro·di·si·ac (an′af-rō-diz′ē-ak) [G. *an-* 欠性辞 + *aphrodisia*, sexual pleasure]．＝antaphrodisiac; antaphroditic (1)．***1*** 〚adj.〛 冷感症の，無性欲の．***2*** 〚adj.〛 性欲抑制の．***3*** 〚n.〛 制淫薬，性欲抑制薬（性欲を減少または消失させる薬物）．

an·a·phy·lac·tic (an′ă-fi-lak′tik)．アナフィラキシーの(異種蛋白その他の物質に対して非常に高度の感受性を示す)．

an·a·phy·lac·to·gen (an′ă-fi-lak′tō-jen). アナフィラクトゲン（ヒトにアナフィラキシーを起こしやすくする物質(抗原)．また，そのように感作されたヒトにアナフィラキシー反応を引き起こす物質(抗原)）．

an·a·phy·lac·to·gen·e·sis (an′ă-fi-lak′tō-jen′ĕ-sis). アナフィラキシー発現．

an·a·phy·lac·to·gen·ic (an′ă-fi-lak′tō-jen′ik). アナフィラキシー性の，アナフィラキシー誘発の（アナフィラキシーを生じる．ヒトにアナフィラキシーを起こさせる原因となる物質(抗原)に関する）．

an·a·phy·lac·toid (an′ă-fi-lak′toyd) ［anaphylaxis + G. *eidos*, resemblance］．IgEは関与しないアナフィラキシー様の．＝pseudoanaphylactic.

an·a·phyl·a·tox·in (an′ă-fil-ă-tok′sin) ［anaphylaxis + toxin］．アナフィラトキシン（補体カスケードの活性化によって生じる低分子の分解産物(C3a，C4a，C5a)．炎症誘発物質であり，血管透過性亢進，平滑筋収縮，肥満細胞の脱顆粒を引き起こす）．＝anaphylotoxin.

an·a·phyl·a·tox·in in·ac·ti·va·tor (an′ă-fil-ă-tok′sin in-ak′ti-vā-tōr)．アナフィラトキシン不活化物質（補体分解産物のアナフィラトキシン活性を酵素的な分解によって奪う血清カルボキシペプチダーゼ．→anaphylatoxin)．

an·a·phy·lax·is (an′ă-fi-lak′sis) ［G. *ana*, away from, back from + *phylaxis*, protection］．アナフィラキシー（誘発性の全身性過敏症，アナフィラキシーショックに対して用いる語．本用語は，全身性IgE媒介性過敏症反応によって出現する臨床症状を表現するのに通常用いられる．多価抗原が組織中の肥満細胞表面にあるIgEを架橋することによって，貯蔵されていたメディエーター(例えばヒスタミン)の遊離を伴う脱顆粒が起こる．新たなメディエーターの合成は迅速に行なわれる．身体的所見はこれらメディエーターの生物学的作用を反映している．皮膚症状としては，かゆみ，紅斑，じんま疹，血管性浮腫がみられる．呼吸器の病態は，喉頭の閉塞や気管支痙縮による．心臓への影響としては不整脈，低血圧，ショックがみられる．窒息や心血管失調が生じると致死的になり得る）．＝anaphylactic reaction.

active a. 能動〔性〕アナフィラキシー（特異抗原によって，あらかじめ感作された被検者に抗原の再接種後起こる反応）．

aggregate a. 集合アナフィラキシー（抗原抗体複合体の形成による補体活性化で開始するアナフィラキシー反応）．

antiserum a. 抗血清アナフィラキシー．＝passive a.

chronic a. 慢性アナフィラキシー．＝*enteritis* anaphylactica.

inverse a. 逆アナフィラキシー（Forssman 抗体を含む血清の静脈内注射から生じるもので，Forssman 抗原を含む組織をもつ動物(例えばモルモット)におけるアナフィラキシーショック）．

local a. 局所アナフィラキシー（感作されたヒトの皮膚に抗原(アレルゲン)の注射後生じる即時的一過性の反応で，接種部位の周辺に限定されるもの．→skin *test*)．

passive a. 受身アナフィラキシー，被動性アナフィラキシー（現在では用いられない語．他の動物の特異抗血清を静脈内に前もって接種した動物で，抗原の接種によって起こる反応．この２つの接種の間に潜伏期が必要である）．＝antiserum a.

passive cutaneous a. (**PCA**) 受身皮膚アナフィラキシー（モルモット皮膚内に抗血清を注射後 6—24 時間に，特異抗原と Pontamine ブルーや Evans ブルーのような染料を静脈内接種したときに起こる反応．抗体注射部位の青色を呈する領域の大きさが，色素結合アルブミンに対する透過性変化の測定尺度となる）．

reversed a. 逆アナフィラキシー．＝reversed passive a.

reversed passive a. 逆受身アナフィラキシー（現在では用いられない語．反応組織と結合する特異抗原を注射し，その後一定の潜伏期をおいて，同一抗原であらかじめ感作した別の動物の血清を注射した動物に誘発させるアナフィラキシー反応）．＝reversed a.

an·a·phyl·o·tox·in (an′ă-fil-ō-tok′sin)．＝anaphylatoxin.

an·a·pla·si·a (an′ă-plā′zē-ă) ［G. *ana*, again + *plasis*, a molding］．退生，脱分化，退形成（構造的分化の欠失．特にほとんどの悪性新生物にみられるようなものをいう）．＝dedifferentiation (2).

an·a·plas·tic (an′ă-plas′tik). ***1*** 形成外科の．***2*** 退生の，脱分化の，退形成の．***3*** 無構造性に発育する．

Anaplastologist (an-a-plast′ol′ō-jist) ［anaplastology + -ist］．補填術士（一般的には癌や外傷によって，顔面や上半身の組織欠損を正常に見せかけるようにする補填物を造る人）．

an·a·plas·to·lo·gy (an′ă-plas-tol′ō-jē) ［G. *ana*, again + *plastos*, formed］．アナプラストロジー（欠損した生体の一部を作成あるいは再建するための人工物(プロテーゼ)の適用)．

an·a·plas·ty (an′ă-plas-tē) ［G. *ana*, again + *plastos*, formed］．補填術（一般的には美容的手法による，健常な組織を用いた何らかの構造の再構築あるいは再建を行う外科手術)．

an·a·ple·ro·sis (an′ă-pler-ō′sis) ［G. filling up < *ana*-, up + *plerosis*, filling < *pleroō*, to fill］．アナプレロティック反応（不足した代謝回路または経路中間体を補充する経路．主に，トリカルボン酸回路にみられる反応)．

an·a·ple·rot·ic (an′ă-pler-ŏ′tik)．アナプレロティック（アナプレロティック(補充)反応または経路に関する)．

an·a·poph·y·sis (an′ă-pof′i-sis) ［G. *ana*, back + *apophysis*, offshoot］．椎骨副棘突起（椎骨の副棘突起．特に胸椎や腰椎にみられるもの)．

a·nap·tic (ă-nap′tik)．触覚脱失(消失)〔症〕の，無触覚〔症〕の．

an·a·rith·mi·a (an′ă-ridh′mē-ă) ［G. *an-* 欠性辞 + *arithmos*, number］．失算〔症〕（数を数えたり用いたりする能力の欠如を特徴とする一種の失語症)．

an·ar·thri·a (an-ar′thrē-ă) ［G. < *an-anthos*, without joints; (of sound) inarticulate］．構語障害，失構語〔症〕（明瞭な音声言語表出能力の欠如．→aphasia; alexia; dysarthria)．

an·a·sar·ca (an′ă-sar′kă) ［G. *ana*, through + *sarx* (*sark-*), flesh］．全身水腫(浮腫)（皮下結合組織内への浮腫液の全身性浸潤)．＝hydrosarca.

fetoplacental a. 胎児胎盤全身水腫(浮腫)（胎児水症にみられるような胎児と胎盤の水腫)．

an·a·sar·cous (an′ă-sar′kŭs)．全身水腫(浮腫)の．

an·a·stig·mat·ic (an′as-tig-mat′ik)．非乱視の．

an·as·tig·mats (an′as-tig′matz)．アナスチグマート（①レンズなどの光覚系で，非点収差などが補正されたもの．②非点収差および像面彎曲の収差の両方の補正されたもの)．

an·as·to·le (an-as′tō-lē) ［G. *anastolē*, the laying bare of a wound］．創の周縁部が収縮し，創口が大きく開くことを表す現在では用いられない語．

a·nas·to·mose (ă-nas′tō-mōs). ***1*** 吻合する（ある構造を他の構造へ直接あるいは通路の連結により開通させる．血管，リンパ管，管腔臓器についていい，神経についていうのは妥当ではない)．***2*** 吻合連結する（吻合，あるいは以前は分かれていた構造間の連結により連絡する)．

a·nas·to·mo·sis, pl. **a·nas·to·mo·ses** (ă-nas′tō-mō′sis, -sez) ［G. *anastomōsis* < *anastomoō*, to furnish with a mouth］．【本語は，管状あるいは空洞状の構造に関してのみ用いるのが正しく，神経には用いない】．***1*** 吻合，交通（２つの血管またはその他の小管構造物間の直接あるいは間接的な天然の交通．→communication)．***2*** 吻合〔術〕（２つの構造物(血管，尿管，神経など)の手術的結合)．***3*** ２つ以上の通常は独立している腔または器官の間に，外科的，外傷，疾患によって形成される開口部．

acromial a. of the thoracoacromial artery ［TA］．胸肩峰動脈の肩峰吻合網（肩峰と肩の皮膚との間にある血管網で，肩甲上動脈の肩峰枝と胸肩峰動脈の肩蜂枝との吻合により形成される)．＝rete acromiale arteriae thoracoacromialis ［TA］; acromial arterial network; acromial plexus.

arteriolovenular anastomoses ［TA］．動静脈吻合．＝arteriovenous *malformations*; a. arteriolovenularis*; a. arteriovenosa; arteriovenous a.

a. arteriolovenularis* arteriolovenular anastomoses. の公式の別名．

a. arteriovenosa 動静脈吻合．＝arteriolovenular anastomoses.

arteriovenous a. (**ava**) 動静脈吻合．＝arteriolovenular anastomoses.

Béclard a. (bā-klahr′)．ベクラール吻合．＝ranine a.

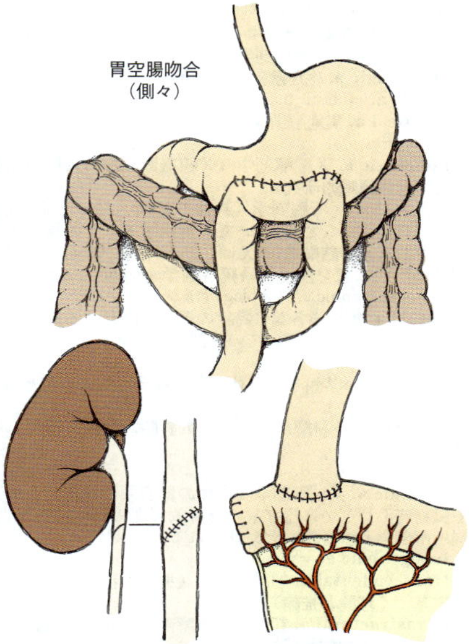

surgical anastomoses

bevelled a. 斜端吻合（接合する器官をそれぞれ斜めに切断して行う吻合）.

Billroth I a. (bĭl′rōt). ビルロートⅠ吻合〔術〕（幽門側胃切除術後胃十二指腸吻合による腸管交通の再建.→Billroth I *operation*).

Billroth II a. (bĭl′rōt). ビルロートII吻合〔術〕（ループ胃空腸吻合による遠位胃切除後の腸管連続性の再建.→Billroth II *operation*).

Braun a. (brown). ブラウン吻合〔術〕（ループ胃腸吻合術後，空腸輸入脚・輸出脚に行う吻合）.

bronchial anastomoses 気管支端端吻合術（肺癌手術において，機能温存のため切除肺を除く正常肺の部分を気管支端端吻合する手術）.

calcaneal a. [TA]. 踵骨動脈網（踵骨上に広がる浅動脈網で，腓骨動脈および後脛骨動脈の枝，および両側の果動脈網からの小枝により形成される）. = rete calcaneum [TA]; calcaneal arterial network.

cavopulmonary a. 大静脈肺動脈吻合（チアノーゼ性心疾患を姑息的に治療する方法で，上大静脈を右肺動脈に吻合する）. = cavopulmonary shunt; Glenn shunt.

Clado a. (klah-dō′). クラド吻合（虫垂動脈と卵巣動脈の間の右懸垂靱帯内での吻合）.

conjoined a. 連合吻合（２つの細い血管を側々に楕円吻合で１つにし，次に行う端端吻合のための大きな吻合口を得る方法）.

cruciate a., crucial a. 十字形吻合（深部大腿動脈，下部殿部動脈，および内側・外側大腿回旋動脈の第一貫通枝間の４方向性の吻合で大腿骨上部の後面に位置する．以前は頻回に起こると考えられた，最近の研究では４方向性に交叉することはまれとされている）.

cubital a. [TA]. 肘関節動脈網（肘部の動脈網で，橈側・中側副動脈，上・下尺側側副動脈，橈側反回動脈，反回骨間動脈，および尺側反回動脈の枝の吻合からなる）. = rete articulare cubiti [TA]; articular vascular network of elbow.

Damus-Stancel-Kaye a. (dā′mŭs stan′sĭl kā). ダムス－スタンセル－ケイ吻合法. = Damus-Kaye-Stancel *procedure*.

elliptic a. 楕円吻合（管状臓器の一方あるいは両方をあらかじめへら状に切開し，斜端吻合や輪状吻合によりでき上がる輪状で，しかも断面積も大きい楕円の吻合部をつくる直接吻合の変法）.

end-to-end a. 端端吻合（２つの管を切離した後に，管を通る流れと直交するように形成される吻合（切離端と切離端とを口径を合わせてストレートに吻合すること））.

Galen a. (gā′lĕn). ガレン吻合. = communicating *branch* of internal laryngeal *branch* with recurrent laryngeal nerve.

genicular a. [TA]. 膝関節動脈網（膝の前面および側面に広がる関節周囲の動脈網で，下行膝動脈，膝窩動脈から出る５つの膝関節動脈，前脛骨反回動脈，および後脛骨動脈の腓側回旋枝から形成される）. = rete articulare genus [TA]; articular vascular network of knee.

Hofmeister-Pólya a. (hof′mīs-tĕr pōl′yah). ホーフマイスター－ポーリャ吻合〔術〕（⇀Hofmeister *operation*; Pólya *operation*).

Hoyer anastomoses (hoy′ĕr). = Sucquet-Hoyer *canals*.

Hyrtl a. (hĕr′tĕl). ヒルトル吻合. = Hyrtl *loop*.

intermesenteric arterial anastomoses 腸間膜動脈吻合. = intestinal arterial *arcades*.

intestinal a. 腸吻合〔術〕. = enteroenterostomy.

isoperistaltic a. 順ぜん動〔性〕吻合〔術〕（内容物を正常な方向へ流す吻合）.

Martin-Gruber a. (mahr′tin grū′ber). マルティン－グルーベル吻合（尺骨神経によって支配される種々の内在手筋を最終的に神経支配する運動神経軸索が，正中神経(典型的には前骨間枝)から尺骨神経主幹に交叉する前腕の神経異常. median-to-ulnar crossover ともよばれる）.

microvascular a. 微小血管吻合（外科用顕微鏡の下で行う細小血管の吻合）.

patellar a. [TA]. 膝蓋動脈網（膝関節周囲の浅層の動脈網）. = rete patellare [TA]; patellar network.

portacaval anastomoses 門脈下大静脈吻合〔術〕. = portal-systemic anastomoses.

portal-systemic anastomoses 門脈全身静脈系交通（①門脈系支流と全身静脈系支流との間に自然に形成された静脈交通．主な門脈系交通は以下のものを含む．ⓘ左胃静脈食道枝と食道静脈，ⓘⓘ上直腸静脈と中・下直腸静脈，ⓘⓘⓘ臍傍静脈と前腹壁皮下静脈，ⓘⓥ後腹膜静脈と結腸および肝無漿膜野の静脈分枝，ⓥ門脈左枝に交通した開存静脈管と下大静脈(まれ)．これらの交通は臨床的に重要で門脈閉塞あるいは門脈圧亢進の際の側副血行路となるが，静脈瘤を形成することがある．⇀*caput* medusae; esophageal *varices* (⇌varix); hemorrhoids. ②門脈圧亢進を減弱させるために手術的に形成された門脈と下大静脈またはその支流との間の交通）. = portacaval anastomoses.

postcostal a. 後肋骨吻合（脊椎動脈のもととなる体節間動脈の縦吻合）.

Potts a. (pots). ポッツ吻合〔術〕. = Potts *operation*.

precapillary a. 前毛細血管吻合（毛細血管になる直前の小動脈間の吻合）.

precostal a. 前肋骨吻合（甲状頸動脈および肋頸動脈のもととなる胎生期の体節間動脈の縦吻合）.

pulmonary artery a. 肺動脈吻合（肺動脈の吻合．40—50%は先天的心疾患と関連する）.

ranine a. ガマ吻合，ベクレール吻合（左右舌深動脈の終末枝間の吻合）. = arcus raninus; Béclard a.

Riolan a. (rē-ō-lŏn[h]′). リョラン(リオラン)吻合（中部および左結腸動脈間を結ぶ結腸の辺）. = Riolan arc (3).

Roux-en-Y a. (rū on[h] ē). ルーＹ吻合〔術〕（切離した空腸の遠位端を，胃，胆管，あるいはその他の臓器に吻合し，空腸近位端は先の吻合部肛側の適当な距離(通常 40cm 以上)の部位の空腸へ端側吻合する方法．再建された腸の型がＹ字型をしているためこうよばれる）.

Schmidel anastomoses (schmī′del). シュミーデル吻合（門脈系と大静脈との間の異常な連絡路）.

sequential a. 連続吻合（体の血管，例えば静脈グラフトや内胸動脈から2つ以上連続して直列の吻合を形成すること）.

Sucquet anastomoses (sū-kā′). シュケー吻合. = Sucquet-Hoyer *canals*.

Sucquet-Hoyer anastomoses (sū-kā′ hoy′ĕr). = Sucquet-

Hoyer *canals.*

terminoterminal a. 末梢間吻合〔術〕，終末終末吻合〔術〕(動脈の中心端と静脈の末梢端，または逆に動脈の末梢端と静脈の中心端の吻合).

transureteroureteral a. 尿管対側尿管吻合〔術〕. ＝transureteroureterostomy.

ureteroileal a. 尿管回腸吻合〔術〕(尿管と遊離回腸係蹄との吻合.→Bricker *operation*).

ureterosigmoid a. 尿管S状結腸吻合〔術〕(尿管とS状結腸の分節または全体との吻合.→ureterosigmoidostomy).

ureteroureteral a. 尿管尿管吻合〔術〕(尿管の一部から，同じ尿管の他部への吻合).

a·nas·to·mot·ic (a-nas′tō-mot′ik). 吻合〔術〕の.

an·as·tral (an-as′trăl). 無星状球の.

an·a·tom·ic (an′ă-tom′ik). ***1*** 解剖〔学〕の. ***2*** 構造の. ＝structural. ***3*** 解剖学的の(生理学的あるいは外科学的な観点とは異なって厳密に形態学的観点からの意. 例えば，上腕骨解剖頸，解剖学的死腔，解剖学的肝小葉区分，など).

an·a·tom·i·co·med·i·cal (an′ă-tom′i-kō-med′i-kăl). 解剖医学の(医学と解剖学の両方についていう).

an·a·tom·i·co·path·o·log·ic (an′ă-tom′i-kō-path′ŏ-loj′ik). 病理解剖学の.

an·a·tom·i·co·sur·gi·cal (an′ă-tom′i-kō-ser′ji-kăl). 外科解剖学の.

an·a·tom·ic snuff·box (an′ă-tom′ik snŭf′boks). 解剖的嗅ぎタバコ入れ，タバティエール(母指を十分に伸展したとき，手首の橈骨側にみられるくぼみ. 後方は長母指伸筋の腱の突出，前方は短母指伸筋および長母指外転筋の腱の突出によって境界される. 橈骨動脈は舟状骨と大菱形骨が形づくる床を横切る). ＝tabatière anatomique.

a·nat·o·mist (ă-nat′ŏ-mist). 解剖学者.

a·nat·o·my (ă-nat′ŏ-mē) [G. *anatomē*, dissection < *ana*, apart + *tomē*, a cutting] [TA]. ***1*** 解剖学的構造(生物体の形態学的な構造). ***2*** 解剖学(生物体の形態あるいは構造の科学). ***3*** 解剖. ＝dissection. ***4*** 生物体とその各部の形態および構造が記述してあるもの.

applied a. ***1*** ＝clinical a. ***2*** 人体構造あるいは構造特性の実用的な応用. 例えば，人体構造に特に適合したあるいはそれを反映した人間工学デザイン.

artificial a. 人工解剖学(解剖構造の模型を製作したり，そのような模型を用いて解剖を研究すること).

artistic a. 美術解剖学(絵画，デッサン，彫刻などに応用されるような芸術的目的のための解剖研究).

clastic a. 分解〔模型〕解剖学(生物体や器官の構造を示すために，次々と取りはずせるようにできている層状の模型の組立てまたは研究). ＝plastic a.

clinical a. 臨床解剖学(解剖学的知識を臨床的問題の解決，例えば診断や治療や外科的解決を計画するなどの実地に役立てる学). ＝applied a. (1).

comparative a. 比較解剖学(相同器官または相同の部分に関する動物構造の比較研究).

dental a. 歯科解剖学(①歯の形態，部位，位置，および関係に関する肉眼解剖学の一分野. ②歯科大学のカリキュラムの必要性に適合するよう特別にデザインされた解剖学のコース).

descriptive a. 記述解剖学(身体構造の，特にヒトの構造の記述. 特にそれを(単に同定するだけのものに対して)記述した論文). ＝systematic a.

developmental a. 発育解剖学(受精から成人期に至るまでのヒトの構造変化の解剖学. 発生学，胎児学，および生後発育を含む).

functional a. 機能解剖学(機能との関連において研究する解剖学). ＝morphophysiology; physiologic a.

general a. 解剖学総論(身体・組織・体液の組成，および肉眼的顕微鏡的構造の研究).

gross a. 肉眼解剖学(顕微鏡を用いずに研究できる範囲の解剖学で，通常は死体解剖による研究をいう.→practical a.). ＝macroscopic a.

living a. 生活解剖学(生活する個体の観察による解剖研究).

macroscopic a. ＝gross a.

medical a. 臨床解剖学(疾病の診断と治療に関する解剖学).

microscopic a. 顕微解剖学(細胞，組織，および器官の構造を光学顕微鏡で研究する解剖学の一分野.→histology).

pathologic a. 病理解剖学. ＝anatomic *pathology.*

physiologic a. 生理解剖学. ＝functional a.

plastic a. ＝clastic a.

practical a. 実地解剖学(解剖を実際に行って研究する解剖学.→gross a.).

radiologic a. X線解剖学(X線撮影や他の造影方法を用いての身体構造の研究).

regional a. 局所解剖学(身体の区域・領域・部位(例えば，足，鼡径部など)についての解剖学で，その場所での異なった器官系の諸構造(例えば，筋，神経，動脈など)の相互関係の解明に意を注ぐ. 系統解剖学 systemic a. と対比される). ＝topographic a.; topology (1).

special a. 解剖学各論(特定の機能に関与する一定の器官または一群の器官についての解剖学. 別々の系統を扱う記述解剖学).

surface a. 体表解剖学(体表面の構造，特に深部との関連における研究).

surgical a. 外科解剖学(外科的診断，解剖，治療に関する応用解剖学).

systematic a. ＝descriptive a.

systemic a. 系統解剖学(身体の器官系の解剖学，例えば心臓血管系などで，器官系の全身的展開の解明に意を注ぐ. 局所解剖学 regional a. と対比される).

topographic a. ＝regional a.

transcendental a. 超越解剖学(身体の器官と各部の形態学に基づく理論と推論).

ultrastructural a. 超微細構造解剖学(光学顕微鏡では不可視の構造の超顕微鏡的研究).

a·nat·o·pism (ă-nat′ŏ-pizm) [G. *ana*, backward + *topos*, place]. アナトピズム(文化の型に十分順応できないこと).

an·a·tox·ic (an′ă-tok′sik). アナトキシンの(アナトキシン(トキソイド)の特性に関する).

an·a·tox·in (an′ă-tok′sin). アナトキシン. ＝toxoid.

an·a·tri·crot·ic (an′ă-trī-krot′ik). 上行脚三隆起の(静脈波上行脚の3つの波).

an·a·tric·ro·tism (an′ă-trik′rō-tizm) [G. *ana*, up + *tri-*, thrice + *krotos*, beating]. 上行脚三隆起(脈波記録で上行脚に3回の拍動が現れる脈波の状態).

an·a·trip·sis (an′ă-trip′sis) [G. a rubbing < *anatribō* < *ana*, intensive + *tribō*, to rub]. 摩擦療法(薬剤併用の有無にかかわらず摩擦を治療的に用いること).

an·a·trip·tic (an′ă-trip′tik). ***1*** 〚adj.〛 摩擦療法の. ***2*** 〚n.〛〔塗〕擦剤(摩擦または塗擦により適用される治療薬).

an·ax·on, an·ax·one (an-aks′on, -aks′ōn) [G. *an-* 欠性辞 + *axōn*, axis]. 無軸索の(軸索をもたない. 網膜中に amacrine cell(無軸索細胞)として最初に Ramón y Cajal が記述し，後に脳のいくつかの領域で発見された神経細胞についていう).

an·a·zo·tu·ri·a (an′az-ō-tyū′rē-ă) [G. *an-* 欠性辞 + azoturia]. 無窒素尿〔症〕(尿中に排泄される含窒素代謝産物の欠乏または欠如. 特に尿中の尿素が異常に少量であることをいう).

ANCA antineutrophil cytoplasmic *antibodies* の略.

AnCC anodal closure *contraction* の略.

an·ces·tor (an′ses-tōr). 祖先(対象となる個人に対して直系の人物(例えば，両親，祖父母など. 傍系親族や子孫ではない)).

leading a. 主要祖先(まだ発病していないが，病気の保因者あるいは病気の潜伏期の相談当事者の遺伝カウンセリングにおいて，問題となる疾患遺伝子をもつとみられる祖先のうち当事者から最も近い者).

anchor (ang′ker) [M.E. *anker* < O.E. *ancor* < L. *ancora* < G. *ankyra*]. アンカー(ある物をその周囲組織に固定する器具).

glycosylphosphatidylinositol a. (glī′kō-sil-fos-fă-tī′dil-ī-os′i-tal ang′kŏr). グリコシルホスファチジルイノシトールアンカー(ある種の表面蛋白を細胞膜につなぎとめるもの. 発作性夜間血球素尿症の患者の血球ではX染色体上の PIG-A 遺伝子が突然変異することによりこれらの蛋白が欠損してい

る．GPI アンカー蛋白は正常なリンパ球機能と末梢リンパ組織のホメオスタシス(自然免疫)を維持するのに必要である)．

an·chor·age (ang′kōr-ij) [L. *ancora* < G. *ankyra*, anchor]. ***1*** 固定〔法〕(緩んだり脱出した腹部または骨盤の器官の手術的固定)．***2*** 固定〔源〕(何かが固定される部分．歯科において，固定あるいは可撤局部義歯，冠，または修復物を保持する歯あるいは植立された代替歯)．***3*** 固定〔源〕(歯の移動に影響を及ぼす目的で用いられる場合，解剖学的に生じる変位に対する抵抗力の性状と大きさをいう)．

cervical a. 頸部固定 (頸部から皮砥を回し，頸背部を抵抗にして行う固定法)．

extraoral a. 顎外固定 (口腔外に抵抗器がある固定法．例えば，頭部固定，後頭固定，頸部固定など)．

intermaxillary a. 顎間固定 (一顎の装置が対顎の歯の移動に影響するように用いられる固定法)．

intramaxillary a. 顎内固定 (抵抗器がすべて同側の顎内にある固定法)．

intraoral a. 口腔内固定 (抵抗器がすべて口腔内にある固定法)．

multiple a. 複合固定 (2つ以上の抵抗器を用いる固定法)．＝reinforced a.

occipital a. 後頭固定 (頭頂と頭背部をヘルメットを使って抵抗とした固定法)．

reciprocal a. 相反固定 (1歯以上の歯の移動が，相反する1歯以上の歯の移動と釣り合うような相互の固定源)．

reinforced a. 加強固定．＝multiple a.

simple a. 単純固定 (1歯以上の歯の移動に対する抵抗が，単独に固定源の傾斜移動に対する抵抗に由来する歯の固定法)．

stationary a. 不動固定 (1歯以上の歯の移動に対する抵抗が，固定法自身の移動に対する抵抗に由来する歯の固定法．固定源歯が比較的堅固であるというだけで，疑問のある概念である)．

an·chor·in (ang′kōr-in) [anchor + -in]. ＝ankyrin.

an·chu·sin (an′kū-sin). アンクーシン．＝alkannin.

an·cil·lary (an′si-lār-ē) [L. *ancillaris*, relating to a maidservant]. 補助的の，副の，付属の．

an·cip·i·tal, an·cip·i·tate, an·cip·i·tous (an-sip′i-tăl, -i-tāt, -i-tŭs) [L. *anceps*, two-headed]. 二頭の，二稜の．

an·con (ang′kŏn) [G. *ankōn*, elbow]. 肘，ひじ．＝elbow (2).

an·co·nad (ang′kō-nad) [G. *ankōn*, elbow + L. *ad*, to]. 肘方向へ．

an·co·nal, an·co·ne·al (ang′kŏ-năl, ang-kō′nē-ăl). ***1*** 肘の．***2*** 肘筋の．

an·co·ne·us (ang-kō′nē-ŭs) [L.]. ＝anconeus *muscle*.

an·co·noid (ang′kō-noyd). 肘様の．

an·crod (an′krod). アンクロド (マレーマムシの一種 *Agkistrodon rhodostoma* の毒から得られる成分で，フィブリノーゲン分解酵素を含んでいる．線維素原減少症を惹起し，血液および血漿粘度を減少させ，血液のレオロジー特性を改善する．慢性の末梢血管疾患の治療に用いられる)．

ancylo- (an′si-lō). →ankylo-.

An·cy·los·to·ma (an′si-los′tō-mă, an-ki-) [G. *ankylos*, curved, hooked + *stoma*, mouth]. 鉤虫属 (線形動物門の一属で，十二指腸に寄生する旧世界鉤虫．粘膜の絨毛に付着・吸血し，特に栄養不良の場合は貧血を引き起こすことがある．卵は糞便とともに排出され，幼虫は湿った土壌中で発育し，感染力のある第3期幼虫(フィラリア型幼虫)は経皮的に，また恐らく，飲用水を通じても人体内にはいる．その後，血流によって肺胞に移動し，気管支や気管に運ばれ，えん下されて腸に達し，そこで成熟する．→ancylostomiasis; *Necator*)．＝*Ankylostoma* (1).

A. braziliense ブラジル鉤虫 (1対の口腔内腹側歯の存在で特徴付けられる種．本来はイヌとネコの腸内寄生虫であるがヒトにもみられ，ヒトの皮膚幼虫移行症の原因となる)．

A. caninum イヌ鉤虫 (口腔に3対の腹側歯をもつ種．イヌに普通にみられるが，ヒトの皮膚にも寄生し，皮膚幼虫移行症を引き起こす)．

A. ceylanicum セイロン鉤虫 (スリランカのジャコウネコにみられる種．まれに，東南アジアでヒトの腸内寄生が報告される)．

A. duodenale ズビニ鉤虫 (ヒトに寄生する旧世界鉤虫で，より熱帯に分布する新世界鉤虫，アメリカ鉤虫 *Necator americanus* とは対照的に，温帯地方に広く分布する種．米国でみられる唯一の鉤虫)．

A. tubaeforme ネコ鉤虫 (ネコにみられる種．ヒトでみられる皮膚幼線虫移行症の原因となる)．

an·cy·lo·sto·mat·ic (an′si-lō-stō-mat′ik, an′ki-). 鉤虫属の (鉤虫属 *Ancylostoma* の鉤虫についていう)．

an·cy·lo·sto·mi·a·sis (an′si-lō-stō-mī′ă-sis, an′ki-). 鉤虫症 (十二指腸鉤虫 *Ancylostoma duodenale* によって起こる鉤虫症．好酸球増加，貧血，るいそう，消化不良を引き起こす．重篤で慢性的に感染のある小児では，腹部膨満がみられ，精神的・肉体的発育障害を伴う)．＝ankylostomiasis; intertropical hyphemia; tropic hyphemia; miner's disease ; tunnel disease; uncinariasis.

cutaneous a. 皮膚鉤虫症．＝cutaneous *larva migrans*.

an·cy·roid (an′si-royd) [G. *ankyra*, anchor + *eidos*, resemblance]. 鉤状の (脳の側脳室の角および肩甲骨の烏口突起についていう)．＝ankyroid.

An·der·nach (ahn′dĕr-nahk), Johann W. (Guenther von Andernach). ドイツ人医師，1505—1574. →A. *ossicles*.

An·ders (an′dĕrz), James Meschter. 米国人医師，1854—1936. →A. *disease*.

An·dersch (ahn′dĕrsh), Carolus Samuel. ドイツ人解剖学者，1732—1777. →A. *ganglion*, *nerve*.

An·der·sen (an′dĕr-sĕn), Dorothy Hansine. 米国人小児科医，1901—1963. →A. *disease*.

An·der·son (an′dĕr-sŏn), Evelyn. 米国人医師，1899—1985. →A.-Collip *test*.

An·der·son (an′dĕr-sŏn), Roger. 米国人外科医，1891—1971. →A. *splint*; Roger A. pin fixation *appliance*.

An·der·son (an′dĕr-sŏn), James C. 20世紀の英国人泌尿器科医．

An·der·son (an-dĕr′son), William. 英国人皮膚科・外科医，1842—1900.

an·di·ra (an-dī′ră) [西インド土語]. アンジラ (熱帯アメリカのマメ科高木 *Andira inermis* の樹皮．催吐薬，しゃ下薬，駆虫薬として用いる)．＝cabbage tree; worm bark.

An·dral (ahn′drahl), Gabriel. フランス人医師，1797—1876. →andral *decubitus*.

an·dri·at·rics, an·dri·a·try (an′dri-at′riks, -drī′ă-trē) [G. *anēr*, a man + *iatreia*, medical treatment]. 男子科 (男性生殖器の疾患および男性の疾患一般に関する医学)．＝andrology.

andro- (an′drō) [G. *anēr*, *andros*, a male human being]. [本連結形を anthropo- と区別すること]．男性，雄性を意味する連結形．

an·dro·gen (an′drō-jen). アンドロゲン，男性ホルモン (男性付属性器の活動を刺激し，男性性徴の発達を促進したり，去勢後の男性性徴の変化を防ぐ物質に対する総称で，通常はホルモン(例えば，アンドロステロンまたはテストステロンなど)をいう．天然のアンドロゲンはステロイドで，アンドロスタンの誘導体である)．＝testoid (2).

adrenal a. 副腎アンドロゲン (副腎皮質由来のアンドロゲンホルモン．例えば，デヒドロエピアンドロステロン(およびその硫酸塩)，アンドロステネジオン，11β-ヒドロキシアンドロステネジオンである)．

an·dro·gen·e·sis (an′drō-jen′ĕ-sis) [andro- + G. *genesis*, production]. 雄性発生，雄核発生 (父系の染色体のみを有する発生)．

an·dro·gen·ic (an′drō-jen′ik). アンドロゲン〔性，作用〕の．＝testoid (1).

an·drog·e·nous (an-droj′ĕ-nŭs). 男系生殖の (男子を出産する傾向がある)．

an·drog·y·nism (an-droj′i-nizm). ＝female *pseudohermaphroditism*.

an·drog·y·noid (an-droj′i-noyd) [andro- + G. *gynē*, woman + *eidos*, resemblance]. 男性仮性陰陽 (女性に似た，または女性の特徴をもつ男性)．

an·drog·y·nous (an-droj′i-nŭs). 女性仮性陰陽の．

an·drog·y·ny (an-droj′i-nē) [andro- + G. *gynē*, woman]. ***1*** 女性仮性陰陽．＝female *pseudohermaphroditism*．***2*** 態度や

行動において男性と女性の両方の特徴を示すことであり，このなかには一般的で，その文化で認められた両性の性役割が含まれる．

an·droid (an′droyd) [andro- + G. *eidos*, resemblance]．男性様の．＝andromorphous.

an·drol·o·gy (an-drol′ō-jē) [andro- + G. *logos*, treatise]．男性学，男性病学．＝andriatrics.

an·drom·e·do·tox·in (an-drom′ĕ-dō-tok′sin)．アンドロメドトキシン（ツツジ科ヒメシャクナゲ属 *Andromeda* およびツツジ属 *Rhododendron* の数種から得られる強力な催吐性の活性成分．心臓毒で，迷走神経を刺激し，次いで麻痺させる．また横紋筋にある運動神経末端をも麻痺させる）．

an·dro·mor·phous (an-drō-mōr′fŭs) [andro- + G. *morphē*, form]．男性体型の．＝android.

an·drop·a·thy (an-drop′ă-thē) [andro- + G. *pathos*, suffering]．男性疾患（前立腺炎のような，男性に特有の疾患）．

an·dro·pause (an′drō-pawz)．男性更年期（加齢によって男性生殖腺の機能が低下する状態．女性の menopause の類義語）．

an·dro·pho·bi·a (an′drō-fō′bē-ă) [andro- + G. *phobos*, fear]．男性恐怖〔症〕（男性に対する病的な恐れ）．

an·dro·stane (an′drō-stān)．アンドロスタン（アンドロゲンステロイドの母体となる炭化水素．構造については steroids 参照）．

an·dro·stane·di·ol (an′drō-stān′dī-ol)．アンドロスタンジオール（5β 異性体のステロイド代謝産物もまた知られている）．

an·dro·stane·di·one (an′drō-stān′dī-ōn)．アンドロスタンジオン（5β 異性体のステロイド代謝産物もまた知られている．テストステロンやエストロンの前駆物質．副腎から分泌される）．

an·dro·stene (an′drō-stēn)．アンドロステン（分子中に不飽和結合(すなわち –CH=CH–)をもつアンドロスタン）．

an·dro·stene·di·ol (an′drō-stēn′dī-ol)．アンドロステンジオール（C–5 と C–6 の間に二重結合を有する点が，アンドロスタンジオールと異なるステロイド代謝産物）．

an·dro·stene·di·one (an′drō-stēn′dī-ōn)．アンドロステンジオン（C–4 と C–5 の間に二重結合をもつアンドロスタンジオン．テストステロンよりも弱い生物学的効果をもつ男性ホルモン．精巣，卵巣，副腎皮質より分泌される）．

an·dro·sten·ol (an-dros′ten-ol)．アンドロステノール（フェロモンであるといわれている物質．アンドロステノールは男性の汗内でみつけられ，酸化されてアンドロステノンになる．テストの結果，女性はアンドロステノールがもつ乾いたジャコウのような臭いを好むが，アンドロステノンのほうは化学品に似た，また尿のような不快な臭いとして認知する．しかし，排卵時の女性は中立的に反応する．イノシンのフェロモンの主成分であり，トリュフに含有する）．

an·dro·sten·o·lone (an′drō-stēn′ō-lōn)．アンドロステノロン．＝dehydroepiandrosterone.

an·dros·ter·one (an-dros′ter-ōn)．アンドロステロン（男性尿中にみられる弱アンドロゲン作用をもつステロイド代謝産物）．

an·ec·dot·al (an′ek-dō′tal) [G. *anekdota*, unpublished items < *an-* 欠性辞 + *ekdido*, to publish]．逸話的な，逸話のような（適切な対照を用いた標準的研究方法による組織だった検査ではなく，個々の経験に基づいた臨床経験の報告）．

an·e·cho·ic (an′ĕ-kō′ik) [G. *an-* 欠性辞 + echo + ic]．無響の（残響のない，あるいはソノグラフで残響のない状態．清明な液体の充満している嚢胞には残響がない．→transonic）．＝echo-free.

A·nel (ah′nĕl), Dominique．フランス人外科医，1679—1725．→A. *method*.

an·e·lec·tro·ton·ic (an′ē-lek-trō-ton′ik)．陽極電気緊張の．

an·e·lec·trot·o·nus (an′ē-lek-trot′ō-nŭs) [anelectrode + G. *tonos*, tension]．陽極電気緊張（定電流が流れている間に，陽極付近にある神経細胞または筋肉細胞の興奮および伝導性が変化すること）．

ANEMIA

a·ne·mi·a (ă-nē′mē-ă) [G. *anaimia* < *an-* 欠性辞 + *haima*, blood]．貧血（血液 1 mm^3 中の赤血球数，血液 100 mL 中のヘモグロビンの量，ヘマトクリット値が正常よりも低い状態．したがって，臨床的には一般に，一定量の血液の酸素運搬物質の濃度の低下を意味し，赤血球減少症，血色素減少症，および血液減少症とよばれるような身体全体の量の低下ではない．貧血は多くの場合，皮膚・粘膜の蒼白，息切れ，心悸亢進，軟性収縮期雑音，嗜眠，および易疲労性などとして現れる）．

achlorhydric a. 無酸症〔性〕貧血（無酸症または胃液分泌欠乏症に合併する慢性低色素性小球性貧血の一型．20—40 代の女性に最も多くみられる）．＝Faber a.; Faber syndrome.

achrestic a. [G. *a-* 欠性辞 + *chrēsis*, a use]．非利用性貧血（骨髄，循環血液の変化が悪性貧血の場合に酷似した慢性進行性大赤血球性貧血の一型で，しばしば致命的．ビタミン B_{12} を用いる療法はよくて一過性の反応である．舌炎，胃腸障害，中枢神経系疾患，発熱などはみられず，軽度の出血または溶血がある）．

acquired hemolytic a. 後天性溶血性貧血（赤血球外の因子に関連あるいは起因する非遺伝性の急性または慢性の溶血性貧血．因子には病原体，化学物質(自己抗体や医薬品を含む)，熱傷，高等植物や動物由来(蛇毒など)の毒物がある）．

Addison a. (ad′i-sŏn)．アディソン(アジソン)貧血．＝pernicious a.

addisonian a. (ad′ĭ-sōn′i-ăn)．アディソン(アジソン)貧血．＝pernicious a.

angiopathic hemolytic a. 血管障害性溶血性貧血（尿毒症や腎硬化症を伴う原因不明のまれな分娩後の貧血．避妊ステロイド剤の使用によるまれな合併症としても起こりうる）．

aplastic a. 再生不良性貧血，無形成貧血（赤血球産生とヘモグロビン形成能の著明な低下を特徴とし，通常，骨髄の低形成または無形成による著明な顆粒球減少症および血小板減少症を合併する）．＝a. gravis; Ehrlich a.

asiderotic a. 鉄欠乏性貧血．＝chlorosis.

autoimmune hemolytic a. [MIM*205700]．自己免疫性溶血性貧血（ⓘ冷式抗体型．4°C で最大の活性を示す．寒冷凝集素抗体(通常 IgM)による．寒冷凝集素症における強い溶血の原因となる．ⓘⓘ温式抗体型．最も一般的である．患者自身の赤血球と血清中の自己抗体(通常 IgG クラス)との間の反応による後天性溶血性貧血で，37°C で最大の溶血反応を示す．溶血の程度は様々あり，すべての年齢層に発生し性差はなく，特発性または悪性腫瘍や自己免疫疾患その他の疾患による二次性のものがある）．

***Bartonella* a.** バルトネラ性貧血（*Bartonella bacilliformis* 感染で発症し，急性発熱性貧血で突発的で死亡率が高いことを特徴とする．南米北部の中央アンデス山脈にみられる．媒介体はサシスナバエ *Lutzomyia* である）．

Belgian Congo a. ベルギー領コンゴ貧血．＝kasai.

Biermer a. (bēr′mĕr)．ビールマー貧血．＝pernicious a.

brickmaker's a. れんが職人貧血（鉤虫症に合併する貧血）．

chlorotic a. 萎黄病性貧血．＝chlorosis.

congenital a. 先天性貧血．＝*erythroblastosis* fetalis.

congenital aplastic a. 先天性再生不良性貧血，先天性無形成貧血．＝Fanconi *syndrome* (1).

congenital dyserythropoietic a. 先天性赤血球異形成貧血（無効造血，骨髄赤芽球の多核化，二次性のヘモクロマトーシスなどを特徴とする貧血．I 型[MIM*224120]は赤芽球の核間クロマチン橋を有する大球性，巨赤芽球性貧血，II 型[MIM*224100]は多核赤芽球を有する正赤芽球性貧血，III 型[MIM*105600]は多核赤芽球および巨大赤芽球を有する大球性貧血．I 型および II 型は常染色体劣性遺伝で，III 型は常染色体優性遺伝である）．

congenital hemolytic a. 先天性溶血性貧血（遺伝性の異常(例えば遺伝性球状赤血球症に起こる赤血球膜の異常)による赤血球の破壊の亢進状態）．

congenital hypoplastic a. [MIM*205900]. 先天性赤芽球ろう，先天性低形成貧血（大球性貧血．骨髄の先天的低形成に由来する赤血球系前駆細胞の欠如が主体で，他の細胞系は正常である．貧血は進行性で重篤であるが，白血球と血小板値は正常かやや低下している．輸血赤血球の赤血球寿命は正常である．遺伝性の小奇形が一部の患者にみられる．常染色体優性と劣性の型が報告されている．第19染色体長腕のリボソーム蛋白S19(RBS19)をコードする遺伝子の突然変異による)．＝congenital nonregenerative a.; Diamond-Blackfan a.; Diamond-Blackfan syndrome; erythrogenesis imperfecta; familial hypoplastic a.; pure red cell a.

congenital nonregenerative a. ＝congenital hypoplastic a.

Cooley a. (kū′lē). クーリー貧血．＝*thalassemia* major.

cow's milk a. 牛乳貧血（乳児で鉄の補充なしに牛乳で哺乳栄養している場合に起こる貧血．消化管のアレルギー反応を起こし，血液の喪失を生じ，その結果，鉄欠乏となる）．

deficiency a. 欠乏性貧血．＝nutritional a.

Diamond-Blackfan a. (dī′mŏnd blak′fan). ダイアモンド－ブラックファン貧血．＝congenital hypoplastic a.

dilution a. 希釈貧血．＝hydremia.

dimorphic a. 二型性貧血（2つの異なった形態を有する赤血球が末梢血液中に存在する貧血）．

diphyllobothrium a. 裂頭条虫貧血（広節裂頭条虫 *Diphyllobothrium latum* 感染に合併する大球性貧血のまれな型．特にフィンランドでみられる）．＝fish tapeworm a.

drepanocytic a. ＝sickle cell a.

dyshemopoietic a. 造血不全性貧血（骨髄機能の欠損に由来する貧血）．

Ehrlich a. (ār′lik). エールリッヒ貧血．＝aplastic a.

elliptocytotic a. 楕円赤血球貧血（楕円赤血球症を伴う貧血．遺伝性の貧血の種々の疾患の総称．血液標本上で一般的に楕円赤血球を認める．この欠陥は赤血球膜骨格の機能異常または欠如によるものと考えられている）．

erythroblastic a. 正赤芽球性貧血（多数の有核赤血球(正赤芽球と赤芽球)が末梢血中に存在することを特徴とする．ABOやRh不適合が原因の同種免疫による溶血性貧血の新生児に認められる．→*erythroblastosis* fetalis)．＝erythronormoblastic a.

erythronormoblastic a. 正赤芽球性貧血．＝erythroblastic a.

essential a. 本態性貧血（pernicious a. を表す現在では用いられない語．また以前は原因不明の貧血の意味で用いられた）．

Faber a. (fah′bĕr). ファーバー貧血．＝achlorhydric a.

false a. 偽〔性〕貧血．＝pseudoanemia.

familial hypoplastic a. 家族性赤芽球ろう，家族性低形成貧血．＝congenital hypoplastic a.

familial microcytic a. [MIM*206200]. 家族性小球性貧血（高鉄血症，鉄の肝蓄積と骨髄の可染鉄の貯蔵欠如などの鉄代謝障害を合併する常染色体劣性低色素性小球性貧血のまれな型）．

familial pyridoxine-responsive a. [MIM*206000]. 家族性ピリドキシン反応性貧血（まれな常染色体劣性遺伝の遺伝性低色素性貧血で，ピリドキシンに反応する）．

Fanconi a. (fahn-kō′nē) [MIM*227650]. ファンコーニ(ファンコニー)貧血．＝Fanconi *syndrome* (1).

fish tapeworm a. 魚の条虫による貧血．＝diphyllobothrium a.

folic acid deficiency a. 葉酸欠乏性貧血（葉酸欠乏に原因する貧血で，大球性の赤血球と骨髄の赤血球前駆細胞に大きな核が存在すること(巨赤芽球)を特徴とする）．

goat's milk a. ヤギ乳貧血（鉄含量が比較的低いヤギ乳で主に授乳された乳児における栄養性貧血）．

a. gravis 重症貧血．＝aplastic a.

ground itch a. 鉤虫貧血，土壌かゆみ〔症〕性貧血（鉤虫症に合併する貧血）．

Heinz body a. (hīnz). ハインツ小体性貧血（→unstable hemoglobin hemolytic a.)．

hemolytic a. 溶血性貧血（赤血球の破壊率の増加により生じる貧血）．

hemolytic a. of newborn 新生児溶血性貧血．＝*erythroblastosis* fetalis.

hemorrhagic a. 出血性貧血（血液の喪失による貧血）．

hookworm a. 鉤虫貧血（十二指腸鉤虫 *Ancylostoma duodenale*，またはアメリカ鉤虫 *Necator americanus* による重症の感染に合併する貧血）．

hypochromic a. 低色〔素〕性貧血（赤血球容積に対するヘモグロビン重量の比率の減少を特徴とする貧血．すなわち，平均ヘモグロビン濃度が正常より低く，個々の細胞に含まれるヘモグロビンは最適条件下における場合よりも少なく，より薄く染色される）．

hypochromic microcytic a. [MIM*206100]. 低色素性小球性貧血（鉄欠乏または地中海貧血により起こる貧血．平均赤血球容量，平均ヘモグロビン量，平均ヘモグロビン濃度が正常以下であることを特徴とする）．

hypoferric a. ＝iron deficiency a.

hypoplastic a. 低形成貧血（骨髄が高度に抑制され，機能異常をきたしたことによる進行性非再生性貧血．この状態が持続すると，再生不良性貧血が起こる場合もある）．

infectious a. 感染性貧血（各種感染症．造血障害抑制と赤血球寿命の短縮と異常な鉄代謝に由来すると考えられる）．

iron deficiency a. 鉄欠乏性貧血（低色素性小球性貧血で，血清鉄低値，血清鉄結合能の上昇，血清フェリチンの減少，骨髄貯蔵鉄の減少を特徴とする）．＝hypoferric a.

lead a. 鉛貧血（鉛中毒に伴う貧血．鉄とポルフィリン環との結合不全に基づくヘモグロビン合成の欠陥に由来すると考えられる）．

leukoerythroblastic a. 白赤芽球性貧血．＝leukoerythroblastosis.

local a. 局所貧血（血管閉塞のように，ある部分への血液供給の減少の結果生じる貧血）．

macrocytic a. 大球性貧血（循環赤血球の平均の大きさが正常以上，すなわち平均赤血球容積が94 μm^3 以上(正常範囲82—92 μm^3)の貧血．悪性貧血，スプルー，小児脂肪便症，妊娠性大球性貧血，裂頭条虫症性貧血でみられる）．

macrocytic a. of pregnancy 妊娠性大球性貧血（妊娠中に起こる貧血で，葉酸欠乏に関連し，ヘモグロビンの低下，赤血球数の減少を特徴とし，赤血球は通常大きい(大赤血球))．

macrocytic a., tropic 熱帯性大球性貧血（熱帯性スプルーによる大球性巨赤芽球性貧血）．

Marchiafava-Micheli a. (mahr-kē-ă-fah′vah mē-kā′lē). マルキアファーヴァ－ミケーリ貧血．＝paroxysmal nocturnal *hemoglobinuria*.

megaloblastic a. 巨赤芽球性貧血（悪性貧血のように，骨髄の過形成の赤芽球のうち，正赤芽球が比較的少なく巨赤芽球が非常に多い貧血）．

metaplastic a. 化生性貧血（悪性貧血．血液中の各種の細胞成分が変化を示す貧血のこと．例えば，過分葉，異常に大きな好中球(大分葉核球)，未熟骨髄細胞，異常な形をした血小板など）．

microangiopathic hemolytic a. 細血管異常性溶血性貧血（赤血球の血管内破砕による溶血．小循環病変や心血管系の人工物の装着によることが多い）．

microcytic a. 小球性貧血（循環赤血球の平均の大きさが正常以下，すなわち平均赤血球容積が80 μm^3 以下(正常範囲82—92 μm^3)の貧血）．

microdrepanocytic a. 小鎌状赤血球貧血．＝sickle cell-thalassemia *disease*.

milk a. 乳汁性貧血（非常に長期にわたり牛乳だけを与えられた乳児に起こる．鉄欠乏の結果生じる低色素性小赤血球性貧血の一型）．

mountain a. 高山病に対しときに用いる語．

myelophthisic a., myelopathic a. 骨髄ろう性貧血，骨髄障害性貧血．＝leukoerythroblastosis.

neonatal a. 新生児貧血．＝*erythroblastosis* fetalis.

normochromic a. 正色〔素〕性貧血（赤血球中のヘモグロビン濃度が正常範囲内，すなわち平均血球ヘモグロビン濃度が32—36%の貧血）．

normocytic a. 正球性貧血（赤血球が正常の大きさ，すなわち平均赤血球容積が82—92 μm^3 の貧血）．

nutritional a. 栄養性貧血（赤血球形成のための必須物質のいくつか，例えば，鉄，ビタミン類(特に葉酸)，蛋白の欠乏から生じる貧血）．＝deficiency a.

nutritional macrocytic a. 栄養性大球性貧血（大球性巨赤芽球性貧血で，葉酸またはビタミンB_{12}の欠乏による）．

osteosclerotic a. 骨硬化性貧血（骨硬化による赤血球産生の抑制から生じる貧血）．

pernicious a. ［MIM*170900］．悪性貧血（50歳以上に頻発し，30歳以下ではまれな高齢者の慢性進行性貧血．胃粘膜萎縮とそれに関連する内因子の分泌の欠如をきたす胃の欠陥で，ビタミンB_{12}が吸収できなくなることにより生じると考えられている．麻痺，刺痛，衰弱，赤く平滑な舌，軽い運動後の息切れ，失神，皮膚・粘膜の蒼白，食欲不振，下痢，体重減少，発熱を特徴とする．臨床検査では一般に赤血球数の激減，ヘモグロビンの減少，多数の楕円形を特徴とする大球性赤血球（色素指数は正常より大きいが高色素性ではない），および低酸症または無酸症を示す．また骨髄中には著しく多数の巨赤芽球と比較的少ない正赤芽球がみられる．末梢血液中の白血球数は正常より少なく，リンパ球および過分葉好中球の相対的増加を伴う．末梢血液中の赤血球にビタミンB_{12}の減少がみられる．悪性貧血が他の疾患を合併していない場合は，ビタミンB_{12}の投与により，特徴的な網状赤血球反応，症状の軽減や，赤血球の増加をみる．ビタミンB_{12}による治療を行えば，悪性貧血は実際には〝悪性〟ではない．少なくとも2つの常染色体劣性の遺伝形式が知られている．1つは内因子の欠乏があるもの［MIM*261000］で，もう1つは消化管からのビタミンB_{12}の吸収不全があるもの［MIM*261100］である）．＝Addison a.; Addison-Biermer disease; addisonian a.; Biermer a.; Biermer disease.

physiologic a. 生理学的貧血（血液中の液体量の増加（過水症）により引き起こされる見かけ上の貧血を表す語）．

polar a. 極地貧血（温帯に住んでいた人が北極または南極地域へ移住したときに時々みられる貧血の一型）．

posthemorrhagic a. 出血後貧血（突発的で急速な血液の喪失により引き起こされる急性貧血．比較的大きい血管の外傷性裂傷，十二指腸潰瘍における動脈のびらん，または子宮外妊娠における出血のような疾患の結果起こる）．＝traumatic a.

primary refractory a. 原発性不応性貧血（輸血以外に効果的な治療はなく，持続的で，多くは重症の貧血状態で，他の基礎疾患がないもの）．

pure red cell a. 赤芽球ろう．＝congenital hypoplastic a.

radiation a. 放射線性貧血（イオン化放射線に対する高濃度急性被曝または低濃度慢性被曝後にときに起こる低形成貧血）．

refractory a. 不応性貧血（輸血以外の他の治療に不応性である進行性の貧血．→primary refractory a.; secondary refractory a.）．

scorbutic a. 壊血病貧血（壊血病の患者にみられる貧血．通常，付随する栄養障害に由来する．例えば，付随する葉酸欠乏が原因の壊血病の巨赤芽球性貧血）．

secondary refractory a. 二次性不応性貧血（輸血によってのみ治療が可能であり，他の疾患に合併する持続性の貧血）．

sickle cell a. ［MIM*603903］．鎌状赤血球貧血（三日月状または鎌状の赤血球があり，溶血が亢進することを特徴とする常染色体劣性の遺伝性貧血．原因は第11染色体にあるヘモグロビンβ鎖の第6番目のアミノ酸置換（グルタミン酸がバリンに）にある．罹患したホモ接合体の患者は，85—95％がヘモグロビンSとなり，重症の貧血となる．一方ヘテロ接合体の患者は，（鎌状赤血球の特徴をもつといわれているが）40—45％のヘモグロビンSをもち，残りは正常ヘモグロビンである．酸素分圧が低下すると，異常なβ鎖はポリマーとして凝縮し，このことが赤血球の鎌状の形態変化の原因となる．ホモ接合体の患者は微小血管の閉塞，骨壊死，下腿潰瘍，細菌感染，特に連鎖球菌性肺炎に対する感受性の増大と関連する脾の萎縮などによる激痛が特徴である発作を起こす．アフリカの家系に多く認められる）．＝drepanocytic a.; sickle cell disease.

sideroblastic a., sideroachrestic a. 鉄芽球性貧血，鉄利用不能性貧血（骨髄に環状鉄芽球が存在することを特徴とする難治性の貧血）．

slaty a. スレート色貧血，石板状貧血（アセトアニリドまたは銀中毒（銀沈着症）による灰白蒼白）．

spastic a. 痙攣性貧血（罹患部を供給する動脈血管の非持続的な内因性の収縮から生じる局所貧血）．

splenic a. 脾性貧血．＝Banti *syndrome.*

spur cell a. 拍車細胞貧血（突起をもつ赤血球で，早期に主に脾臓で破壊される．重篤な肝疾患の患者にみられ，原因は赤血球膜のコレステロール内容の異常である）．

target cell a. 標的赤血球性貧血（末梢血液中に非常に多数の標的赤血球を有する貧血．サラセミアマイナー（軽症型サラセミア）に特徴的で，いくつかの異常ヘモグロビン症においてもみられる）．

toxic a. 中毒性貧血（化学薬品，代謝毒，細菌毒素，蛇毒などで生じる貧血）．

traumatic a. 外傷性貧血．＝posthemorrhagic a.

tropic a. 熱帯貧血（通常，栄養不足または鉤虫症やその他の寄生生物症により起こり，熱帯地方の人々によくみられる種々の症候群）．

unstable hemoglobin hemolytic a. 不安定ヘモグロビン性溶血性貧血（遺伝性の溶血性貧血．常染色体遺伝で，多数の不安定ヘモグロビンの中の一種である．貧血は，多様な重症度を示し，*in vivo* と *in vitro* で存在する Heinz 小体が特徴的である）．

---

a·ne·mic (ă-nē′mik). 貧血［性］の（貧血の様々な特徴を表す，に関する）．

an·e·mom·e·ter (an′ĕ-mom′ĕ-ter) [G. *anemos*, wind + *metron*, measure]. 風速計.

an·e·mo·pho·bi·a (an′ē-mō-fō′bē-ă) [G. *anemos*, wind + *phobos*, fear]. 風恐怖［症］，隙風恐怖［症］（風に対する病的な恐れ）．

an·e·mot·ro·phy (an′ĕ-mot′rō-fē) [G. *an-* 欠性辞 + *haima*, blood + *trophē*, nourishment]. 無血液栄養症（血液の形成に必須の物質の欠如．再生不良性貧血をもたらす）．

an·en·ce·pha·li·a (an′en-se-fā′lē-ă). ＝meroanencephaly.

an·en·ce·phal·ic (an′en-se-fal′ik). 無脳症の．＝anencephalous.

an·en·ceph·a·lous (an′en-sef′ă-lŭs). ＝anencephalic.

an·en·ceph·a·ly (an′en-sef′ă-lē) [G. *an-* 欠性辞 + *enkephalos*, brain][MIM*206500]. 無脳症．＝meroanencephaly.

partial a. ＝hemicephalia.

an·en·ter·ous (an-en′ter-ŭs) [G. *an-* 欠性辞 + *entera*, intestines]. 無腸の（条虫のようなある種の寄生虫についていう）．

an·en·zy·mi·a (an′en-zī′mē-ă). 無酵素［症］（酵素の先天的欠如）．

a·neph·ric (ă-nef′rik) [*a-* 欠性辞 + G. *nephros*, kidney]. 無腎の（腎臓の欠如した）．

an·ep·i·plo·ic (an-ep′i-plō′ik). 無大網の（大網の欠如した）．

an·er·gic (an-er′jik). アネルギーの（アネルギーに関する，アネルギーによって特徴付けられる）．

an·er·gy (an′er-jē) [G. *an-* 欠性辞 + *energeia*, energy < *ergon*, work]. アネルギー（①抗原性（免疫原性，アレルギー原性）を有するであろう物質に対して，過敏症反応を引き起こす能力の欠如．②エネルギーの欠如）．

negative a. 陰性アネルギー（無関係な疾病の干渉による正常または通常の免疫反応の減少）．＝nonspecific a.

nonspecific a. 非特異的アネルギー．＝negative a.

positive a. 陽性アネルギー（特異アレルゲンに対する反応の結果，正常または通常の免疫反応の減少）．＝specific a.

specific a. 特異的アネルギー．＝positive a.

an·er·oid (an′er-oyd) [G. *a-* 欠性辞 + *nēros*, wet + *eidos*, form]. アネロイドの，液体を含まない（水銀を使用しない気圧計，すなわち弾力性をもつ真空容器の壁の動きを伝える指針によって気圧の変化を示すようになっている気圧計を表す語．また，ある種の血圧計で用いる水銀を使わない圧力計を示す語）．

an·e·ryth·ro·pla·si·a (an′ĕ-rith-rō-plā′zē-ă) [G. *an-* 欠性辞 + erythro(cyte) + G. *plasis*, a molding]. 赤血球形成不全．

an·e·ryth·ro·plas·tic (an′ĕ-rith-rō-plas′tik). 赤血球形成不全の．

an·e·ryth·ro·re·gen·er·a·tive (an′ĕ-rith′thrō-rē-jen′er-ă-tiv). 赤血球再生不能の.

an·es·the·ki·ne·si·a, an·es·the·ci·ne·si·a (an-es-thē-ki-nē′zē-ă, an-es′thē-si-nē′zē′-ă)［G. *an-* 欠性辞 + *aisthēsis*, sensation + *kinēsis*, movement］. 知覚運動麻痺（知覚麻痺と運動麻痺の併発）.

ANESTHESIA

an·es·the·si·a (an′es-thē′zē-ă)［G. *anaisthēsia* < *an-* 欠性辞 + *aisthēsis*, sensation］.［analgesia または hypesthesia と混同しないこと］. ***1*** 感覚(知覚)脱失(消失), 知覚麻痺, 無感覚〔症〕（神経機能の薬理的抑制または神経機能障害により生じる感覚消失）. ***2*** 麻酔〔法〕（臨床の専門的知識としての広義の麻酔学）.

acupuncture a. はり麻酔〔法〕（身体の特定部分への針の経皮挿入あるいは刺激により, 他の領域の感覚消失をつくり出す）.

ambulatory a. 外来麻酔（本来外来患者に実施される麻酔）. = outpatient a.

axillary a. 腋下麻酔〔法〕（腋下にある神経幹周辺への局所麻酔薬の注入後に起こる上肢の末端 2/3 の感覚消失）.

balanced a. バランス麻酔〔法〕（全身麻酔の一技法. 数種の神経抑制薬(例えば麻薬や吸入麻酔薬)の少量を混合投与することにより, 混合物の個々の成分の利点を相加させ, 欠点は相加させないという概念に基づく）.

basal a. 基礎麻酔〔法〕（1種以上の鎮静薬を非経口的に投与し, 全身麻酔まで至らない意識抑制状態をつくる）.

block a. 遮断麻酔〔法〕, ブロック麻酔〔法〕. = conduction a.

brachial a. 上腕麻酔〔法〕（腕神経叢周辺に局所麻酔薬を注入する上肢の麻酔）.

caudal a. 仙骨麻酔〔法〕, 仙麻（仙骨裂孔を経て硬膜外腔に局所麻酔薬を注入する局所麻酔）.

cervical a. 頸部麻酔〔法〕（頸神経周辺または頸部硬膜外腔への局所麻酔薬の注入による頸部の局所麻酔）.

circle absorption a. 循環吸収式麻酔〔法〕（呼気ガスの完全(閉鎖)または部分的(半閉鎖)再呼吸のために炭酸ガス吸収剤を備えた回路が用いられる吸入麻酔）.

closed a. 閉鎖循環式麻酔〔法〕（吸収装置で吸収される炭酸ガスを除き, 全呼気ガスすべてを再呼吸する吸入麻酔法. 麻酔回路内のガス流量は, 患者の代謝で消費する等量の酸素と, 患者に持続的に取り込まれ, 分配する少量のその他のガス(例えば笑気ガス)で成り立つ）.

compression a. = pressure a.

conduction a. 伝達麻酔〔法〕, 伝導麻酔〔法〕, 伝麻（神経伝達を遮断するために神経周辺に局所麻酔薬を注入する局所麻酔. 脊椎麻酔, 硬膜外麻酔, 神経ブロック麻酔, 周囲浸潤麻酔を含むが, 局所麻酔, 表面麻酔は含まない）. = block a.

continuous epidural a. 持続硬膜外麻酔〔法〕（麻酔の持続延長手段として, 局所麻酔薬の反復投与のために頸胸および腰椎または仙椎硬膜外腔にカテーテルを挿入する方法）. = fractional epidural a.

continuous spinal a. 持続脊椎麻酔〔法〕（脊椎麻酔を持続させるために, 局所麻酔薬の間欠的注入の繰返しを可能にするように脊髄クモ膜下腔にカテーテルを挿入する方法）. = fractional spinal a.

conversion a. 転換性感覚消失（神経解剖学的分布と一致しない, 通常身体の表面部の感覚消失）. = hysteric a.

crossed a. 交差(交叉)性感覚(知覚)脱失(消失), 交差(交叉)性知覚麻痺（顔の片側およびその反対側の身体の感覚消失で, 脳幹の病変に起因する）.

dental a. 歯科麻酔〔法〕（歯, 歯肉, または周囲組織の手術のための, 全身・伝達・局所・表面麻酔）.

diagnostic a. 疼痛状態の原因機序の評価のために実施する麻酔.

differential spinal a. 分離脊椎麻酔〔法〕（局所麻酔薬に対する感受性の差に基づいて, クモ膜下腔における種々のタイプの神経のブロックを引き起こす診断的脊椎麻酔の一種. 外科的脊椎麻酔中にもみられる）.

dissociated a. 解離性感覚(知覚)脱失(消失), 解離性知覚麻痺（感覚のある型が喪失し, 他の型は残る. 触覚は消失せず温痛覚が消失する神経ブロックに関してよく用いられる）.

dissociative a. 解離麻酔〔法〕（必ずしも完全に意識が消失しない全身麻酔の一種. 特に, ケタミンを含むフェニルシクロヘキシルアミン化合物によるカタレプシー, カタトニー, 健忘を特徴とする）.

a. dolorosa 有痛〔性〕感覚(知覚)脱失(消失), 有痛〔性〕知覚麻痺（感覚消失帯に起こる重症の自発性疼痛）. = painful a.

electric a. 電気麻酔〔法〕（電流を用いることによって行う麻酔. 通常は全身麻酔）.

endotracheal a. 気管内麻酔〔法〕（麻酔薬および呼吸ガスが, 口または鼻から気管内に置かれた管を通過する吸入麻酔法）. = intratracheal a.

epidural a. 硬膜外麻酔〔法〕, 硬麻（局所麻酔薬の硬膜外腔内注入によって行う局所麻酔）. = peridural a.

extradural a. 硬膜外麻酔〔法〕, 硬麻（硬膜の外部の脊髄管近辺の神経を局所麻酔薬で麻酔すること. しばしば epidural a.(硬膜外麻酔)をさすが, paravertebral a.(傍脊椎麻酔)をも含むことがある）.

field block a. 周囲浸潤麻酔〔法〕, 周囲浸麻（小神経を, 神経ブロック麻酔のように個々に麻酔せずに, 手術部位の周りに障壁を形成するように局所麻酔薬を注入して遮断する伝達麻酔）.

fractional epidural a. = continuous epidural a.

fractional spinal a. = continuous spinal a.

general a. 全身麻酔〔法〕, 全麻（静脈内または吸入麻酔薬による意識消失と疼痛を感知する能力を消失する麻酔法. 記憶喪失と筋弛緩を含むことがある）.

girdle a. 帯状感覚(知覚)脱失(消失), 帯状知覚麻痺（腹部を取り囲んで帯状に分布する麻痺）.

glove a. 手袋状感覚(知覚)脱失(消失), 手袋状知覚麻痺（上肢遠位部, すなわち手と指の感覚消失）.

gustatory a. 味覚脱失(消失). = ageusia.

high spinal a. 高位脊椎麻酔〔法〕（感覚脱失の範囲が第二または第三胸神経皮膚分節, ときには頸神経皮膚分節の高さにまで広がる脊椎麻酔）.

hyperbaric a. 高圧麻酔〔法〕（1気圧より高い圧力で抑制薬のガスまたは吸入剤を吸入させること. 特に1気圧では効果の弱い薬剤で全身麻酔を起こさせようとするときに行われる手段）.

hyperbaric spinal a. 高比重脊椎麻酔〔法〕（局所麻酔薬の比重をブドウ糖を添加して脳脊髄液の比重より大きくし, クモ膜下腔における局所麻酔薬の拡散を, 患者の姿勢の調節によりコントロールする脊椎麻酔）.

hypobaric spinal a. 低比重脊椎麻酔〔法〕（局所麻酔薬の比重を, 蒸留水を添加して脳脊髄液の比重よりも低下(低比重)させ, 患者の体位を調整することで, クモ膜下腔の局所麻酔薬の広がりを調節する脊椎麻酔）.

hypotensive a. 低血圧麻酔〔法〕（手術による血液喪失を少なくする手段として, 意図的に低血圧を惹起させる麻酔法）.

hypothermic a. 低体温麻酔〔法〕（体温の人工的低下と併せて適用される全身麻酔）.

hysteric a. ヒステリー性知覚麻痺, ヒステリー性感覚(知覚)脱失(消失). = conversion a.

infiltration a. 〔局所〕浸潤麻酔〔法〕（疼痛部位または術野に直接局所麻酔薬を注入する麻酔法）.

inhalation a. 吸入麻酔〔法〕（麻酔ガスまたは吸入剤を吸入させて行う全身麻酔）.

insufflation a. 吹送麻酔〔法〕（自発呼吸下の患者の気道に, 直接麻酔ガスを供給し吸入麻酔を維持する方法）.

intercostal a. 肋間〔神経〕麻酔〔法〕（肋間神経周辺に局所麻酔薬を注射して行う局所麻酔）.

intramedullary a. 髄内麻酔〔法〕（静脈内麻酔薬を長骨の髄管内へ注入して行う全身麻酔で, まれに用いる）. = intraosseous a.

intranasal a. 鼻内麻酔〔法〕（①吸入麻酔薬を, 鼻または鼻咽頭を通過する吸気に添加する吹送麻酔. ②鼻粘膜への局所麻酔薬溶液の表面塗布, 局所浸潤または神経ブロックによる鼻腔の麻酔）.

intraoral a. 口腔〔内〕麻酔〔法〕（①吸入麻酔薬を口腔を通過する吸気に添加する吹送麻酔．②局所麻酔薬の，口腔粘膜への表面塗布，局所浸潤，または神経ブロックより得られる口およびその周辺の局所麻酔）．

intraosseous a. 骨内麻酔〔法〕．＝intramedullary a.

intratracheal a. ＝endotracheal a.

intravenous a. 静脈〔内〕麻酔〔法〕（中枢神経系抑制薬を循環血液中に注入して行う全身麻酔）．

intravenous regional a. 経静脈内局所麻酔〔法〕．＝Bier *block.*

isobaric spinal a. 等比重脊椎麻酔〔法〕（麻酔域が患者の体位の変化で影響しないように，脳脊髄液と等比重の局所麻酔薬を用いる脊椎麻酔）．

local a. 局所麻酔〔法〕，局麻（通常は脊椎麻酔または硬膜外麻酔を除き，表面麻酔，浸潤麻酔，周囲浸潤麻酔または神経ブロックによる麻酔法をさす一般名．局所麻酔を行うために用いられる薬理学的物質や因子をさすこともある．→local *anesthetics*）．

low spinal a. 低位脊椎麻酔〔法〕（感覚脱失の範囲が第十または第十一胸椎神経の皮膚分節まで広がる脊椎麻酔）．

nerve block a. 神経ブロック麻酔〔法〕，神経遮断麻酔〔法〕（局所麻酔薬を神経，神経幹，または神経叢に注入する伝達麻酔法）．

nonrebreathing a. 非再呼吸麻酔〔法〕（回路から呼気すべてを排出する弁を用いた吸入麻酔の技法）．

open drop a. 開放滴下麻酔〔法〕（口と鼻をおおうガーゼマスク上に滴下した液体麻酔薬の気化によって行う吸入麻酔）．

outpatient a. 外来〔患者〕麻酔．＝ambulatory a.

painful a. ＝a. dolorosa.

paracervical block a. 〔子宮〕頸管傍ブロック麻酔〔法〕（子宮頸管に隣接する組織内へ，局所麻酔薬を注入する子宮頸管の局所麻酔）．

paravertebral a. 傍脊椎麻酔〔法〕（①神経が脊柱管から出る部位の周辺に，局所麻酔薬を注入して行う麻酔．②脊柱傍交感神経鎖の周辺に局所麻酔薬を注入して，節前，節後，および交感神経節をともに遮断すること）．

patient-controlled a. （**PCA**）＝patient-controlled *analgesia.*

peridural a. 硬膜周囲麻酔〔法〕．＝epidural a.

periodontal a. 歯根膜麻酔〔法〕，歯周麻酔〔法〕（局所麻酔薬の注入により行う歯根膜靱帯の麻酔）．

presacral a. 局所麻酔薬を仙骨前部に注入し，神経が仙骨孔から出る位置で神経を遮断すること．

pressure a. 圧迫〔性〕感覚（知覚）脱失（消失），圧迫〔性〕知覚麻痺（神経に加えられた圧迫により生じる感覚消失）．＝compression a.

pudendal a. 陰部麻酔〔法〕（坐骨の坐骨棘近くで陰部神経を遮断する局所麻酔．産科で用いる）．

rebreathing a. 再呼吸麻酔〔法〕（呼気の一部または全部が，二酸化炭素の吸収後に続いて吸入される吸入麻酔の技法）．

rectal a. 直腸麻酔〔法〕（中枢神経系の抑制薬を含んだ溶液を直腸内に点滴注入して行う全身麻酔）．

refrigeration a. 冷凍麻酔〔法〕．＝cryoanesthesia.

regional a. 局所麻酔〔法〕（限局性の感覚消失領域をつくるために局所麻酔薬を用いること．一般用語としての局所麻酔は，伝達・神経ブロック・脊椎・硬膜外・周囲浸潤・浸潤・表面麻酔を含む）．＝conduction analgesia.

retrobulbar a. 球後麻酔（眼の感覚運動脱失を引き起こすために球後に局所麻酔薬を注入すること）．

sacral a. 仙骨麻酔〔法〕，仙麻（仙骨感覚神経が支配する領域に限定された局所麻酔）．

saddle block a. サドル麻酔〔法〕，サドルブロック麻酔〔法〕（殿部，会陰，大腿の内面にわたる領域にのみ限定された脊椎麻酔の一種）．

segmental a. 分節性感覚（知覚）脱失（消失），分節性知覚麻痺（脊髄神経根の支配領域に限定された感覚消失）．

spinal a. *1* 脊椎麻酔〔法〕，脊麻（脊椎クモ膜下腔に局所麻酔薬を注入することにより惹起される感覚脱失）．＝subarachnoid a. *2* 脊髄性感覚（知覚）脱失（消失），脊髄性知覚麻痺（脊髄の疾患により生じた感覚消失）．

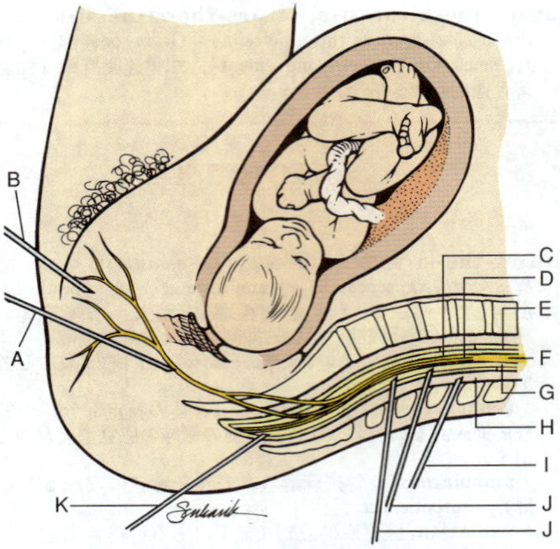

regional anesthesia for childbirth

注入位置．A：陰部神経麻酔，B：会陰の局所浸潤，C：軟膜，D：クモ膜腔，E：硬膜，F：脊髄，G：クモ膜下，H：硬膜外，I：腰椎硬膜外ブロック，J：低脊髄ブロック，K：サドルブロック

splanchnic a. 内臓感覚（知覚）脱失（消失）（内臓神経の支配している内臓腹膜領域の感覚脱失）．＝visceral a.

stocking a. 靴下状感覚（知覚）脱失（消失），靴下状知覚麻痺（下肢遠位部，すなわち足と趾の感覚脱失）．

subarachnoid a. クモ膜下麻酔〔法〕．＝spinal a. (1).

surgical a. 外科麻酔〔法〕（①手術操作の実施を可能にする目的で適用される麻酔で，産科麻酔，診断麻酔，治療麻酔とは区別される．②手術に適切な筋弛緩を伴う感覚脱失）．

tactile a. 触覚脱失（消失）（触覚の消失または障害）．

therapeutic a. 治療麻酔〔法〕（治療の手段としての麻酔薬の投与）．

thermal a., thermic a. 温覚脱失（消失）．

to-and-fro a. 往復式麻酔〔法〕（呼吸ガスが，患者と呼吸バッグの間に置かれた二酸化炭素吸収剤を通って出入りする無弁の閉鎖麻酔回路による麻酔）．

topical a. 表面麻酔〔法〕（局所麻酔薬の溶液，軟膏，ゼリー剤などを直接塗布して得られる結膜，粘膜や皮膚の表面の感覚脱失）．

total spinal a. 全脊椎麻酔〔法〕，全脊麻（脳神経を除くすべての感覚神経根の感覚脱失を起こすのに十分な程度の広範な脊椎麻酔）．

traumatic a. 外傷性感覚（知覚）脱失（消失），外傷性知覚麻痺（神経障害の結果としての感覚消失）．

unilateral a. 片側感覚（知覚）脱失（消失），片側知覚麻痺．＝hemianesthesia.

visceral a. ＝splanchnic a.

---

an·es·the·si·ol·o·gist (an′es-thē′zē-ol′ō-jist). 麻酔科医（①麻酔学および関連領域だけを専門とする医師．②麻酔とその関連技術を管理するため，専門委員会で証明され，法的に資格を与えられた，博士の学位を有する人．*cf.* anesthetist）．

an·es·the·si·ol·o·gy (an′es-thē′zē-ol′ō-jē) ［anesthesia＋G. *logos*, treatise］．麻酔学（麻酔および関連分野の薬理学的・生理学的・臨床的基礎に関する医学の専門分野で，蘇生，集中治療，急性・慢性の疼痛の分野をも含む）．

an·es·thet·ic (an′es-thet′ik). *1*〚n.〛麻酔薬（神経機能を可逆的に抑制し，痛みその他の感覚を知覚する能力を消失させる化合物）．*2*〚n.〛ある特定の時期に患者に投与される麻酔薬を集合的にいう名称．*3*〚adj.〛感覚（知覚）脱失（消失）〔性〕の．*4*〚adj.〛麻酔の（麻酔に合併する，麻酔状態に起因する）．

flammable a. 可燃性麻酔薬（燃焼を助け，空気または酸性気体と爆発性混合物を形成する吸入麻酔薬）.

general a.'s 全身麻酔薬（手術中，患者を無意識にして痛みをわからなくするために，静脈内または吸入で用いる薬剤）.

inhalation a. 吸入麻酔薬（気体，または吸入したとき全身麻酔を起こさせるのに十分な蒸気圧をもつ液体）.

intravenous a. 静脈〔内〕麻酔薬（静脈系に注入したときに麻酔を起こさせる化合物）.

local a.'s 局所麻酔薬（痛覚の神経伝導を遮断するために用いる薬剤．それらは痛みの感覚を投与部位で阻害する．例えばプロカインやリドカインなど）.

primary a. 一次麻酔薬（麻酔薬の混合投与において，感覚の消失に最も寄与する化合物）.

secondary a. 二次麻酔薬（２種以上の麻酔薬を同時に投与したとき，感覚消失に寄与はするが，最も重要な役割を果たすというわけではない化合物）.

spinal a. 脊椎麻酔薬（クモ膜下腔への注入時に感覚消失を引き起こすことのできる局所麻酔薬）.

topical a. 表面麻酔〔法〕（皮膚表面または粘膜の麻酔に適した局所麻酔法．軟膏，クリーム，ゼリー，スプレーまたは溶液として用いられる）.

volatile a. 揮発性麻酔薬，気化性麻酔薬（室温で気化して蒸気となる液体麻酔薬．その蒸気の吸入により全身麻酔が得られる．→anesthetic *vapor*）.

a·nes·the·tist (ă-nes′thĕ-tist). 麻酔士，麻酔手（①麻酔科医，他科の医師，看護師などを問わず麻酔薬を投与する人．②英国では anesthesiologist）.

a·nes·the·ti·za·tion (ă-nes′thĕ-ti-zā′shŭn). 麻酔〔法〕，麻酔施行.

a·nes·the·tize (ă-nes′thĕ-tīz). 麻酔する.

an·es·trous (an-es′trŭs). 発情休止期の，無発情期の.

a·nes·trum (an-es′trŭm) [G. *an-* 欠性辞 + *oistros*, estrus]. 無発情期（２つの発情期間の間の時期）.

an·es·trus (an-es′trŭs) [G. *a-* 欠性辞 + *oistros*, a gadfly, mad desire (estrus)]. 発情休止期，無発情期（哺乳類の発情周期における性的静止期．これは，ⓘ単発情性動物(イヌ)または季節による多発情性動物(ヒツジ)における発情周期の延長，またはⓘⓘ妊娠していない成熟多発情性動物における発情不全期間の延長である）.

an·e·to·der·ma (an-ĕ-tō-der′mă) [G. *anetos*, relaxed + *derma*, skin]. 斑状皮膚萎縮〔症〕（皮膚が袋状およびひだ状または陥凹を呈する皮膚萎縮症．皮膚の弾性が欠如する）．= atrophia maculosa varioliformis cutis; atrophoderma maculatum; macular atrophy; primary idiopathic macular atrophy; primary macular atrophy of skin.

Jadassohn-Pellizzari a. (yah′dah-sōn pel-ĭ-zah′rē). ヤーダッソーン－ペリツァーリ皮膚萎縮〔症〕（体幹，前腕，大腿に炎症性紅斑または膨疹が先行し，2—3 cm 拡大し退縮した後に生じる皮膚萎縮症）.

Schweninger-Buzzi a. (shwen′ing-ĕr but′zē). シュベーニンガー－ブッチ皮膚萎縮〔症〕（突然生じる永久的，非炎症性の青白色調の空胞状病変で，柔かく容易に陥凹し，主として女性の体幹に好発する）.

an·eu·ploid (an′yū-ployd) [G. *an-* 欠性辞 + euploid]. 異数体の（二倍体や三倍体のように染色体基本数の整数倍の異常に対し，一倍体の正しい整数倍でない異常な数の染色体をもつ）.

an·eu·ploi·dy (an′yū-ploy′dē). 異数性（異常な数の染色体をもつ状態）.

partial a. 部分異数性（細胞のあるものは正常数の染色体をもち，またあるものは異常数をもつ一種のモザイク）.

an·eu·rine (an′ū-rēn). アノイリン．= thiamin.

a. hydrochloride = *thiamin* hydrochloride.

a. pyrophosphate アノイリンピロリン酸．= *thiamin* pyrophosphate.

a·neu·ro·lem·mic (ă-nū′rō-lem′ik). 無神経線維鞘の.

an·eu·rysm (an′yū-rizm) [G. *aneurysma* (*-mat-*), a dilation < *eurys*, wide]. 動脈瘤（[誤ったつづり aneurism を避けること]．動脈あるいは心室の限局性の拡張で，内腔と直接交通している後天性あるいは先天性の動脈あるいは心室の壁の弱さからくる）.

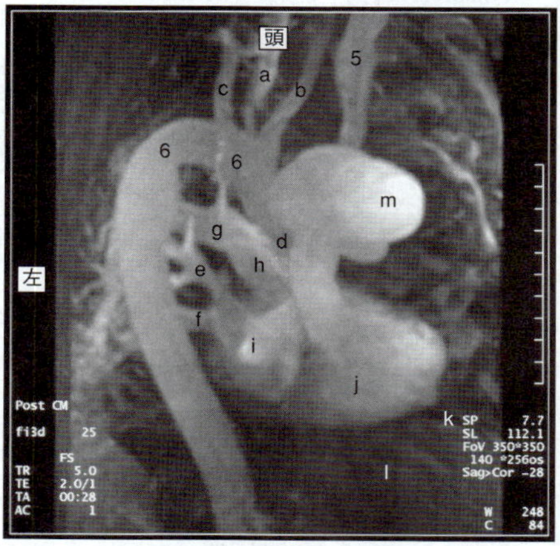

aneurysm of the aortic arch

矢状斜断面でのMR血管造影図．注入された造影剤が血管構造を明瞭に示す．(5)：上大静脈，(6)：大動脈弓，a：左総頸動脈，b：腕頭動脈，c：左鎖骨下動脈，d：上行大動脈，e：右肺静脈，f：左肺静脈，g：左肺動脈，h：肺動脈幹，i：左心房，j：左心室，k：横隔膜，l：肝臓，m：上行大動脈から生じた大きな小嚢性動脈瘤.

ampullary a. = saccular a.

a. by anastomosis 吻合性動脈瘤（通常，表在性に拍動腫瘤を形成する拡張吻合血管の塊）.

aortic a. 大動脈瘤（大動脈の一部のびまん性または全周性拡張(例えば，腹部大動脈瘤，大動脈弓動脈瘤)．→dissecting a.）.

aortic sinus a. 大動脈洞動脈瘤（３つの大動脈弁尖の後ろにある３つの大動脈洞の１つあるいはそれ以上の異常な拡張）.

arteriosclerotic a. 動脈硬化性動脈瘤．= atherosclerotic a.

arteriovenous a. 動静脈瘤（①動静脈短絡の拡張したもの．②動静脈間の短絡路で，通常，先天性または動脈硬化性の病変を伴う．正確には動静脈瘻または動静脈奇形とよばれる）.

atherosclerotic a. アテローム硬化性動脈瘤（動脈瘤の中では最も頻度が高く，高齢者の腹部大動脈，その他の大きい動脈に起こる．しばしば体の他の部位の血管のアテローム性硬化性変化を伴っている）．= arteriosclerotic a.

axial a. 軸性動脈瘤（1本の動脈全周に及ぶ動脈瘤）.

benign bone a. 良性骨動脈瘤（aneurysmal bone *cyst* を表す現在では用いられない語）.

Bérard a. (bā-rahr′). ベラール動脈瘤（損傷を受けた静脈の外側の組織内の動静脈瘤）.

berry a. 漿果状動脈瘤（脳動脈の小さな嚢状の動脈瘤で，漿果状を呈する．破裂してクモ膜下出血の原因となる）.

cardiac a. 心室瘤．= ventricular a.

Charcot-Bouchard a. (shahr′kō bū-shahr). シャルコー－ブシャール動脈瘤．= miliary a.

cirsoid a. 蔓状動脈瘤，静脈瘤状動脈瘤（動静脈短絡を伴う先天的奇形による一群の血管の拡張）．= cirsoid varix; racemose a.; racemose hemangioma.

compound a. 複合性動脈瘤（動脈壁の一部の層は裂傷し，一部の層は無傷である動脈瘤）.

congenital cerebral a. 先天性脳動脈瘤（脳血管の限局性の拡張．通常，脳動脈に生じる漿果状動脈瘤をさす）.

consecutive a. 継続性動脈瘤（血流経路に沿った２つ以上の動脈瘤）.

coronary artery a. 冠動脈瘤（冠動脈の動脈瘤で，ごくまれに先天性，多くの場合は動脈硬化，炎症，あるいは冠動脈瘻による）.

cylindroid a. 円柱状動脈瘤．＝tubular a.

diffuse a. 広汎性動脈瘤（被覆破裂の結果拡大し，周囲の組織へと広がった動脈瘤）．

dissecting a. 解離性動脈瘤（動脈本来の真腔から動脈壁内の偽腔に血液が流れ込んで生じる病態．壁内の層は事実上分離している．Marfan 症候群(⇒syndrome)でみられるように，しばしば中膜の壊死を原因とし，上行胸部大動脈(Type A)あるいは下行胸部大動脈(Type B)，ときに総頸動脈などのより小さな動脈から単発または複数の裂傷を発生する．偽腔 false *lumen* は血栓化，破裂，下流の真腔 true *lumen* へのリエントリー，健全な動脈枝の損傷などを生じる．全層病変ではないので，動脈瘤というより動脈解離とするのがより適切である．→aortic *dissection*)．

ductal a. 動脈管動脈瘤（開存動脈管の動脈瘤．乳児か成人にみられる）．＝ductus diverticulum.

ectatic a. 拡張性動脈瘤（動脈の壁の全層が伸展しているが，裂けてはいない動脈瘤）．

false a. 偽〔性〕動脈瘤．＝pseudoaneurysm.

fusiform a. 紡錘状動脈瘤（動脈の細長い紡錘形の拡張）．

hernial a. ヘルニア状動脈瘤（外膜の傷を通して，動脈の内膜が伸展して突出する）．

infraclinoid a. 床突起下動脈瘤（蝶形骨の前床突起のレベルより下(中枢側)に生じる頭蓋内動脈瘤）．

intracavernous a. 海綿体動脈瘤（海綿洞内の動脈に発生する動脈瘤）．

intracranial a. 頭蓋内動脈瘤（頭蓋内の動脈瘤をさし，いかなる血管にも生じる）．

miliary a. 粟粒動脈瘤（長期に存在する高血圧症により脂肪硝子変成の結果生じた小脳動脈や細動脈の血管径の拡大，脳内血腫を合併する）．＝Charcot-Bouchard a.

mural a. ＝ventricular a.

mycotic a. 真菌性動脈瘤（主に敗血病性塞栓の埋伏後，血管壁内での真菌または細菌の増殖により生じる動脈瘤）．

Park a. (park)．パーク動脈瘤（上腕動脈が上腕および尺側正中皮静脈と通じている動静脈瘤）．

peripheral a. *1* 周囲動脈瘤（動脈の一側に生じる嚢様動脈瘤）．*2* 末梢動脈瘤（動脈の小分枝にみられる動脈瘤）．

phantom a. 幻想動脈瘤（初心者が触診で，動脈瘤と間違いやすい拍動性の腹部大動脈）．

Pott a. (pot)．ポット動脈瘤．＝aneurysmal *varix.*

pulmonary artery a. 肺動脈瘤（肺動脈の動脈瘤で，先天性の弁部分または漏斗部の狭窄による．一部は真菌性動脈瘤(mycotic a. 参照)もある）．

racemose a. 蔓状動脈瘤，静脈瘤状動脈瘤．＝cirsoid a.

Rasmussen a. (ras′mŭs-ĕn)．ラスムッセン動脈瘤（結核性空洞内にある肺動脈の一分枝の動脈瘤性拡張．その破裂は重症の喀血を引き起こすことがある）．

a. of the right ventricle or right ventricular outflow tract 右室あるいは右室流出路の動脈瘤（右心室切開後に起きる瘤で，真性の，あるいは偽性の動脈瘤のことがある）．

ruptured a. 破裂性動脈瘤（血管壁あるいは周囲組織への出血を伴う動脈瘤．緊急の外科的処置を必要とする）．

saccular a., sacculated a. 小嚢性動脈瘤（動脈の一側の嚢状膨隆）．＝ampullary a.

serpentine a. 蛇行性動脈瘤（動脈の拡張と蛇行．しばしば高齢者の側頭動脈，脾動脈，腸骨動脈にみられる）．

a. of sinus of Valsalva (vahl-sahl′vă)．ヴァルサルヴァ(バルサルバ)洞動脈瘤（先天性の薄壁性の動脈瘤．通常，右あるいは非冠動脈洞以外から発生し，心内の経路を通って右，ごくまれに左心腔に注ぐ瘻）．

supraclinoid a. 床突起上動脈瘤（蝶形骨の前床突起直上に位置する頭蓋内の動脈瘤）．

syphilitic a. 梅毒性動脈瘤（三期梅毒性大動脈炎の結果，通常，胸部大動脈を侵す動脈瘤）．

traumatic a. 外傷性動脈瘤（動脈壁の物理的損傷から生じる動脈瘤．通常，偽性動脈瘤または動静脈瘤）．

true a. 真性動脈瘤（動脈の限局的な拡張で，拡大した管腔は伸展した動脈壁により囲まれている）．

tubular a. 管状動脈瘤（かなりの距離にわたって起こる動脈の一様の拡張）．＝cylindroid a.

varicose a. 静脈瘤性動脈瘤（動脈と静脈の両方に通じる，血液を含む嚢）．

ventricular a. 心室瘤（弱化した心室壁が薄層化，伸展して隆起した状態．通常，心筋梗塞の結果として起こる．まれに炎症後や先天性に起こる）．＝cardiac a.; mural a.

a. of the ventricular portion of the membranous septum [MIM*105805]．心室中隔膜様部の収縮期性右側膨出瘤（しばしば三尖弁の前尖より形成される）．

an·eu·rys·mal, an·eu·rys·mat·ic (an′yū-riz′măl, -riz-mat′ik)．動脈瘤の．

an·eu·rys·mec·to·my (an′yū-riz-mek′tō-mē) [aneurysm + G. *ektomē*, excision]．動脈瘤切除〔術〕．

an·eu·rys·mo·plas·ty (an′yū-riz′mō-plas′tē) [aneurysm + G. *plastos*, formed]．動脈瘤整復〔術〕（動脈の管腔を正常の大きさに保つために，嚢を開き，その壁を縫合して行う動脈瘤の修復．→aneurysmorrhaphy）．＝endoaneurysmoplasty; endoaneurysmorrhaphy.

an·eu·rys·mor·rha·phy (an′yū-riz-mōr′ă-fē) [aneurysm + G. *raphē*, suture]．動脈瘤縫縮術，動脈瘤形成術（正常の大きさの管腔に修復するために動脈瘤の嚢を縫合して行う閉鎖）．

an·eu·rys·mot·o·my (an′yū-riz-mot′ō-mē) [aneurysm + G. *tomē*, incision]．動脈瘤切開〔術〕（動脈瘤の嚢の切開）．

ANF antinuclear *factor*; atrial natriuretic *factor* の略．

angei- (an′jē)．→angio-.

an·gel·i·ca root (an-jel′i-kă rūt)．アンゲリカ根（セリ科ヨロイグサ *Angelica archangelica* の根．強壮薬および刺激薬．吐気を引き起こすこともある強壮・刺激薬．以前は駆風薬，利尿薬，外用で刺激誘導薬として用いられた）．

An·ge·luc·ci (ahn-jĕ-lū′chē), Arnaldo．イタリア人眼科医，1854—1934．→A. *syndrome.*

An·ger (ang′gĕr), Hal．20世紀の米国人電気技師．→A. *camera.*

angi- (an′jē)．→angio-.

an·gi·ec·ta·si·a, an·gi·ec·ta·sis (an′jē-ek-tā′zē-ă, -ek′tă-sis) [angio- + G. *ektasis*, a stretching]．血管拡張〔症〕，脈管拡張〔症〕（リンパ管または血管の拡張）．

congenital dysplastic a. 先天性形成異常性血管拡張〔症〕．＝Klippel-Trenaunay-Weber *syndrome.*

an·gi·ec·tat·ic (an′jē-ek-tat′ik) [angio- + G. *ektatos*, capable of extension]．血管拡張〔症〕の（拡張した血管の存在を特徴とする）．

an·gi·ec·to·pi·a (an′jē-ek-tō′pē-ă) [angio- + G. *ektopos*, out of place]．血管走行異常，血管転位〔症〕（血管の位置異常）．＝angioplany.

an·gi·i·tis, an·gi·tis (an′jē-ī′tis, an-jī′tis) [angio- + G. *-itis*, inflammation]．血管炎，脈管炎（血管の炎症(動脈炎，静脈炎)，またはリンパ管の炎症(リンパ管炎)）．＝vasculitis.

allergic granulomatous a. アレルギー性肉芽腫性血管炎．＝Churg-Strauss *syndrome.*

consecutive a. 延長性血管炎（周囲の組織の炎症過程の波及により生じる脈管炎）．

frosted branch a. 霜状分枝血管炎（木の枝状の外見を示す血管周囲の鞘状の炎症を特徴とする血管炎）．

hypersensitivity a. 過敏性血管炎（血管における炎症性反応．抗原(アレルギー性)物質または個体が異常な血管感作を示すような薬剤に対する特異反応の結果起こる）．

necrotizing a. 壊死性血管炎（組織(特に血管壁)の類線維素壊死をもたらす血管の炎症反応）．

an·gi·na (an′ji-nă, an-jī′nă) [L. quinsy]．［正しい古典的発音は第１音節にアクセントを置く(an′gina)が，米国ではアクセントがしばしば第２音節に置かれる(angi′na)．医学ドイツ語では，単語 Angina は心筋虚血により起こる胸痛ではなく重症の咽頭炎を表す］．*1* アンギナ（しばしば絞扼感あるいは圧迫感を伴う激痛．通常，a. pectoris(狭心症)を示す）．*2* アンギナ（何らかの原因による咽喉痛を表す古語）．

abdominal a., a. abdominis 腹部アンギナ，腹部狭心症（食後の一定時間にしばしば起こる間欠的腹部痛で，動脈硬化または他の動脈疾患による不十分な腸間膜循環により引き起こされる）．＝intestinal a.

agranulocytic a. 顆粒球減少性アンギナ．＝agranulocytosis.

crescendo a. クレッセント狭心症，増強型狭心症（頻度，強さ，あるいは持続時間が次第に増加するような狭心症）．

A

a. cruris 下腿アンギナ（間欠性跛行）.
a. decubitus 水平，通常は仰臥位と関連する狭心症.
a. of effort 労作狭心症（肉体的運動によって引き起こされる狭心症）.
false a. 偽〔性〕アンギナ（心筋虚血がないときも感じる狭心症様の感覚）.
Heberden a. (hē′bĕr-dĕn). ヘーバーデン(ヒーバーデン)アンギナ. =a. pectoris.
hypercyanotic a. チアノーゼ増強性アンギナ（先天性心疾患または慢性肺疾患をもつチアノーゼ患者におけるアンギナ痛．痛みは活動中に起こるチアノーゼの増強とともに発生する）.
intestinal a. 腸管アンギナ. =abdominal a.
a. inversa 逆狭心症. =Prinzmetal a.
Ludwig a. (lūd′vig)［W. F. Ludwig］. ルートヴィヒアンギナ（通常，歯性疾患による両側性の蜂巣炎で，顎下部，舌下部，おとがい部に及び，口腔壁の疼痛性腫脹，舌の挙上に，えん下困難，発語障害，ときに気道障害を引き起こす）.
lymphatic a. リンパ性アンギナ（Vincent 病に似た疾患で，血液中のリンパ球数の増加を特徴とする）.
a. lymphomatosa リンパ腫性アンギナ. =agranulocytosis.
neutropenic a. 好中球減少性アンギナ. =agranulocytosis.
a. pectoris 狭心症（胸部の重症の収縮性の痛みで，しばしば前胸部から肩(通常，左肩)，腕へ向かって放散する．心筋虚血に起因し，通常，冠状動脈疾患によって引き起こされる）. =breast pang; coronarism (2); Heberden a.; Rougnon-Heberden disease; stenocardia.

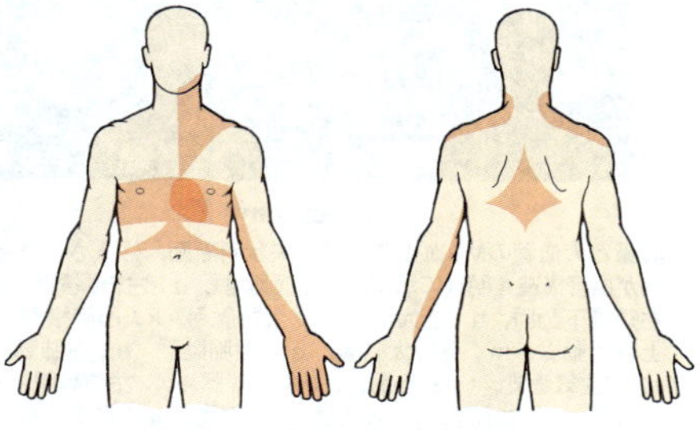

angina pectoris
痛みの範囲.

a. pectoris decubitus 安静狭心症（患者が横臥しているときに発生する狭心症）.
a. pectoris sine dolore 無痛性狭心症. =Gairdner *disease.*
a. pectoris vasomotoria 血管運動性狭心症（胸部痛は比較的軽いが，蒼白となりチアノーゼが起こり，四肢の冷たさと麻痺が著しい狭心症）. =a. spuria; a. vasomotoria; pseudangina; pseudoangina; reflex a.; vasomotor a.
preinfarction a. crescendo a. を含む unstable a. を表す現在では用いられない語.
Prinzmetal a. (prinz′met-ăl). プリンズメタル(プリンツメタル)型狭心症（狭心症の一型．心臓負荷により痛みが増悪せず，持続が長く，通常はより重症で，典型的な狭心症では通常低下する誘導で，ST 部分が上昇するという非典型的な心電図徴候を伴う点で，典型的な狭心症と異なる．そして通常，このような ST 上昇は，夜間就寝中に起こる急性冠動脈血栓症のときにみられる）. =a. inversa; variant a. pectoris.
reflex a. 反射性アンギナ. =a. pectoris vasomotoria.
a. spuria 偽〔性〕アンギナ. =a. pectoris vasomotoria.
unstable a. 不安定狭心症（①胸の痛みや圧迫感を特徴とする狭心症であり，冠状動脈を由来とする．通常，狭心症を発症するのに必要とされるよりも，だんだんわずかな労作(または無負荷)またはわずかな他の刺激で発症するようになる．治療しないと心筋梗塞に至ることが多い．②狭心症の中で 30—60 日以内に安定化しない狭心症を示す）.
variant a. pectoris 異型狭心症. =Prinzmetal a.
vasomotor a. =a. pectoris vasomotoria.
a. vasomotoria 血管運動性狭心症. =a. pectoris vasomotoria.
Vincent a. (vin′sent). ヴァンサンアンギナ（紡錘菌属やスピロヘータ属の微生物に起因する扁桃と咽頭の軟部組織を侵す潰瘍性感染．通常，壊死性潰瘍性歯肉炎を伴い，水癌に進行する可能性もある．窒息発作や敗血症で死亡することもある）.
walk-through a. 通過性狭心症（歩行などの動作を続けても狭心症の痛みが軽減するような場合）.

an·gi·nal (an′ji-năl, an-jī′). 狭心症の，アンギナ〔性〕の.
an·gi·ni·form (an-jin′i-fōrm). アンギナ様の.
an·gi·noid (an′jin-oid). 狭心症様の，アンギナ様の，を表すのにまれに用いる語.
an·gin·o·pho·bi·a (an′ji-nō-fō′bē-ă)［angina + G. *phobos*, fear］. 狭心症恐怖〔症〕（狭心症発作に対する極度の恐れ）.
an·gi·nose, an·gi·nous (an′ji-nōs, -ji-nŭs). アンギナの（アンギナに関することを表すのにまれに用いる語）.
angio-, angi- (an′jē-ō, an′jē)［G. *angeion*, a vessel or cavity of the body < *angos*, a vessel, vat, bucket + *-eion*, small, little］. 血管，リンパ管，被覆，封入物に関する連結形．ラテン語の vas-, vaso-, vasculo- に相当.
an·gi·o·ar·chi·tec·ture (an′jē-ō-ar′ki-tek-chūr). 血管構造学（①器官の血管の配列と分布．②器官または組織の血管外郭構造）.
an·gi·o·blast (an′jē-ō-blast)［angio- + G. *blastos*, germ］. 血管芽細胞（①血管形成に関与する細胞. =vasoformative cell. ②胚子血球および血管内皮が分化する原始間葉組織. =angioderm）.
an·gi·o·blas·to·ma (an′jē-ō-blas-tō′mă). 血管芽〔細胞〕腫. =hemangioblastoma.
a. of Nakagawa (na-ka-gow′a). 〔中川の〕血管芽細胞腫. =acquired tufted *angioma.*
an·gi·o·car·di·og·ra·phy (an′jē-ō-kar′dē-og′ră-fē)［angio- + G. *kardia*, heart + *graphō*, to write］. 血管心臓造影(撮影)〔法〕（放射線不透過性溶液の注入により可視化された心臓と大血管の X 線撮影. →coronary *angiography*）. =cardioangiography.
exercise radionuclide a. 運動負荷放射線核種(RI)心血管造影（放射性核種(RI)を用いた心血管の造影法で，トレッドミルあるいは自転車による運動負荷を行い施行する）.
gated radionuclide a. 同期性核心血管撮影（異なった心周期(例えば収縮期と拡張期)で画質を向上させるため，心電図同期を用いて数画面を各相で加算平均した核医学画像の抽出法．註不整脈があるときは，正確な画像を得にくい）.
radionuclide a. 核心血管撮影（心電図同期をかけない通常のシンチレーションカメラで，核ラベルした試薬を急速に投与して，心血管造影を行う画像診断法）. =radionuclide ventriculography.
an·gi·o·car·di·o·ki·net·ic, an·gi·o·car·di·o·ci·net·ic (an′jē-ō-kar′dē-ō-ki-net′ik, -dē-ō-si-net′ik)［angio- + G. *kardia*, heart + *kinēsis*, movement］. 血管心臓運動〔性〕の（心臓および血管の拡張または収縮を引き起こす）.
an·gi·o·car·di·op·a·thy (an′jē-ō-kar′dē-op′ă-thē)［angio- + G. *kardia*, heart + *pathos*, disease］. 血管心臓障害（心臓と血管の両方を侵す病気）.
an·gi·o·cho·li·tis (an′jē-ō-kō-lī′tis). 胆管炎. =cholangitis.
an·gi·o·cyst (an′jē-ō-sist). 血管嚢胞（血管内皮および血球を生じさせる胚子中胚葉細胞の小嚢胞状集合）.
an·gi·o·derm (an′jē-ō-derm). 血管〔胚〕葉，血管中胚葉. =angioblast (2).
an·gi·o·dys·pla·si·a (an′jē-ō-dis-plā′zē-ă). 血管形成異常，血管異形成（正常脈管系の変性による拡張）.
an·gi·o·dys·tro·phy, an·gi·o·dys·tro·phia (an′jē-ō-dis′trō-fē, -dis-trō′fē-ă)［angio- + G. *dys-*, bad + *trophē*, nourishment］. 血管異栄養〔症〕，血管ジストロフィ（顕著な血管変化を伴う，形成または成長の欠損）.
an·gi·o·e·de·ma (an′jē-ō-ĕ-dē′mă). 血管性水腫(浮腫)（通常，突発性で 24 時間以内に消失する皮下または粘膜の浮腫で，再帰性で巨大な限局性を示し，しばしば食物や薬物に対するアレルギー反応として認められる）. =angioneurotic edema; giant hives; giant urticaria; periodic edema.
hereditary a. 遺伝性血管浮腫（遺伝性，常染色体優性の

血管性浮腫で，ときに起こる茶色の加圧痕を残さない浮腫を特徴とし，しばしば四肢に起こるが，体内の他の部位，例えば小腸の粘膜表面(これは腹痛を起こす)あるいは呼吸系(窒息を起こし死に至らないためにチューブを気管内に挿入する必要がある)を含む．補体の第 I 成分(C1)の阻害物質の欠損を伴う．緊急治療としてエピネフリンや長時間作用型の薬剤を用いる)．

an·gi·o·el·e·phan·ti·a·sis (an′jē-ō-el′ĕ-fan-tī′ă-sis). 脈管象皮病（大きなびまん性の血管腫形成に似た大肥厚を生じさせる皮下組織脈管の広範な増加)．

angioendothelioma (an′jē-ō-en-dō-thē-lē-ō′mă) ［angio- + endothelioma］. 血管内皮腫（血管内皮から生じる良性または悪性の新生物)．

malignant endothelial papillary a. 悪性内皮性乳頭状血管内皮腫．＝papillary intralymphatic a.

papillary intralymphatic a. 乳頭状リンパ管内血管内皮腫（四肢・体幹の皮下組織に生じる局所侵襲性の腫瘍で，まれに転移する．リンパ管様管腔構造と無数の血管内乳頭状増殖からなり，網状血管内皮腫に似る)．＝Dabska tumor; malignant endothelial papillary a.

an·gi·o·en·do·the·li·o·ma·to·sis (an′jē-ō-en′dō-thē′-lē-ō-mă-tō′sis). 血管内皮細胞腫症（血管内部での血管内皮細胞の増殖)．

proliferating systematized a. 増殖性全身性血管内皮細胞腫症（まれな疾患で，全身性の皮膚，内臓の血管内血栓や閉塞を伴った毛細血管内の血管内皮細胞の増殖．良性の反応性の型と急速に進行する致命的な新生物の型とに分類される．ただし後者の大半は，血管内の大細胞型悪性リンパ腫である)．

an·gi·o·fi·bro·li·po·ma (an′jē-ō-fī′brō-li-pō′mă). 血管線維脂肪腫（線維細胞，毛細血管，脂肪組織からなる新生物)．＝angiolipofibroma.

an·gi·o·fi·bro·ma (an′jē-ō-fī-brō′mă). 血管線維腫（良性だが局所侵襲性の新生物で密な線維組織と壁の薄い血管腔からなる)．

juvenile a. 若年性血管線維腫（通常は 10 代の男子の鼻咽頭に起こり，著しく血管に富んだ線維性腫．鼻出血および局所侵入がみられるが，性的成熟後に自然退行する場合がある)．＝juvenile hemangiofibroma.

an·gi·o·fi·bro·sis (an′jē-ō-fī-brō′sis). 血管線維症，血管線維増殖〔症〕（血管壁の線維症)．

an·gi·o·gen·e·sis (an′jē-ō-jen′ĕ-sis) ［angio- + G. *genesis*, production］. 新脈管形成＝arteriogenesis.

an·gi·o·gen·ic (an′jē-ō-jen′ik). ***1*** 脈管形成の．***2*** 血管由来の．

an·gi·o·gli·o·ma (an′jē-ō-glī-ō′mă). 血管神経膠腫（神経膠腫と血管腫の混合)．

an·gi·o·gli·o·ma·to·sis (an′jē-ō-glī′ō-mă-tō′sis). 血管神経膠腫症（増殖性毛細血管および神経膠の多数の領域での発生．あるいは多数の血管神経膠症の状態)．

an·gi·o·gli·o·sis (an′jē-ō-glī-ō′sis). 血管神経膠症（血管周囲の神経膠細胞による瘢痕．あるいは多数の血管神経膠症の状態)．

an·gi·o·gram (an′jē-ō-gram) ［angio- + G. *gramma*, a writing］. 血管写〔像〕，血管造影(撮影)図（血管造影法により得られるX線写真)．

projection a. 投影血管像（ディジタルの血管像．コンピュータ断層撮影法や磁気共鳴撮像法において，通常の血管撮影と同様に見えるように，コンピュータで再構成される)．

an·gi·o·graph·ic (an′jē-ō-graf′ik). 血管造影的（血管造影に関する，またはそれを用いた)．

an·gi·og·ra·phy (an′jē-og′ră-fē) ［angio- + G. *graphō*, to write］. 血管造影(撮影)〔法〕，血管写（放射線不透性物質を注入して行う血管のX線撮影法.→arteriography; venography)．

biplane a. 二方向血管造影（心血管造影で，通常，互いに直交する 2 平面で同時に造影する)．

cerebral a. 脳血管造影(撮影)〔法〕（頭蓋外の走行部分も含む，脳にはいる血管のX線撮影法．造影剤注入は，経皮的に，あるいは皮膚を切開し頸動脈を穿刺，あるいは他の部位から挿入したカテーテルを介して行う)．＝cerebral arteriography.

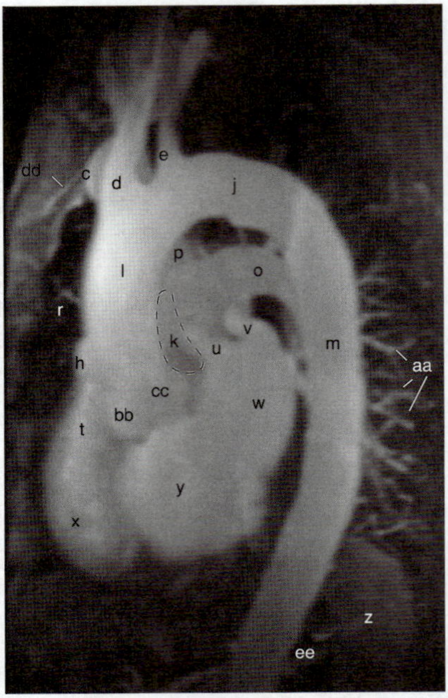

angiography

心臓と大血管のMR血管造影図，矢状斜断面．注入された造影剤が血管構造を明瞭に示す．c：腕頭動脈，d：左総頸動脈，e：左鎖骨下動脈，h：上大静脈，j：大動脈弓，k：心膜横洞，l：上行大動脈，m：下行大動脈，o：左肺動脈，p：右肺動脈，r：右主気管支，t：左心房，u：右肺静脈，v：左肺静脈，w：左心房，x：右心室，y：左心室，z：脾臓，aa：肋間の動脈，bb：大動脈弁の右弁葉，cc：大動脈弁の左弁葉，dd：右内胸動脈，ee：脾動脈．

computed tomography a. (**CTA**) コンピュータ断層血管撮影，CT 血管撮影（経静脈性造影下CT画像データをコンピュータ処理して得られる血管画像検査法．多くは最大値投影法 maximum intensity *projection* により標示される.→projection *angiogram*)．

coronary a. 冠動脈造影（心循環を造影するX線撮影．通常，右または左冠動脈に選択的にカテーテルを挿入し，各血管の基部から造影剤を注入する．以前は大動脈基部から非選択的に注入していた)．

digital subtraction a. (**DSA**) ディジタル(デジタル)サブトラクションアンギオグラフィ（コンピュータ利用により，骨や軟部陰影が重なることなく心血管系を描出する，X線による血管造影法．血管内造影剤を注入する前後に得られた画像の引き算によって，造影剤によって染まらない構造が消去される．その他の画像処理も行うことができる．造影剤は，経静脈的に投与するかあるいは比較的低濃度のものを経動脈的に投与する)．

fluorescein a. 蛍光眼底血管造影(撮影)〔法〕（蛍光物質を静注後，それが眼内の血管を通過するところを写真に撮影する方法)．

indocyanine green a. インドシアニングリーンアンギオグラフィ（赤外線を805 nmで吸収し，835 nmで放射するインドシアニングリーンによって染まる脈絡膜の脈管構造を調べるための検査．経静脈的に注射され，網膜血管と脈絡膜の脈管が撮像される)．

interventional a. 治療的血管造影〔法〕．＝angioplasty.

magnetic resonance a. 磁気共鳴血管造影．＝MR a.

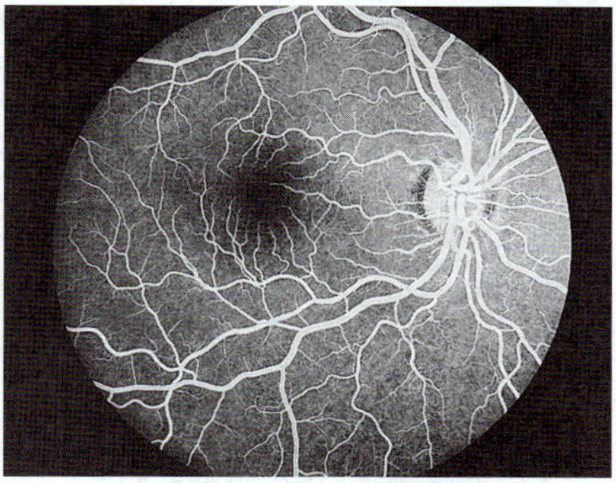

normal fluorescein angiogram
静脈相（15秒）は動脈と静脈を等しく明瞭に示す．

magnification a. 拡大心血管造影（小血管を被写体とフィルムの間の距離を広げ，拡大して造影を行う）．

MR a.（**MRA**）MR 血管撮影法（特殊な MR パルス系列を用いて血流の信号を強調し，他の組織からの信号を抑制することで血管を画像化する方法）．＝magnetic resonance a.

radionuclide a. 放射性核種血管造影(撮影)〔法〕（放射性核種の血管内注入後の組織内灌流のシンチカメラ．→radionuclide *angiocardiography*）．＝scintigraphic a.

scintigraphic a. ＝radionuclide a.

selective a. 選択的血管造影(撮影)〔法〕（検査領域の血管に造影剤を直接注入することによって描画が改善される血管造影法．その領域の動脈内に挿入したカテーテルから注入することにより行う．例えば冠動脈造影）．

therapeutic a. 治療的血管造影(撮影)〔法〕（血管造影用のカテーテルを改良・修正して治療の手段として用いること．例えば，局所血流を増減したり，薬剤を血管内に到達させたいときなどのために用いる．→angioplasty; balloon *catheter*; interventional a.）．

an·gi·o·hy·a·li·no·sis (an′jē-ō-hī′ă-li-nō′sis) ［angio- ＋ G. *hyalos*, glass ＋ *-osis*, condition］．血管ヒアリン症（血管壁のヒアリン変性）．

an·gi·o·hy·per·to·ni·a (an′jē-ō-hī′per-tō′nē-ă) ［angio- ＋ G. *hyper*, over ＋ *tonos*, tension］．血管緊張過度，血管緊張亢進．＝vasospasm.

an·gi·o·hy·po·to·ni·a (an′jē-ō-hī′pō-tō′nē-ă) ［angio- ＋ G. *hypo*, under ＋ *tonos*, tension］．血管緊張低下．＝vasoparalysis.

an·gi·oid (an′jē-oyd) ［angio- ＋ G. *eidos*, resemblance］．血管様の（樹木状に枝分れする）．

an·gi·o·in·va·sive (an′jē-ō-in-vā′siv)．血管侵入性の（血管床に侵入しうる新生物，またはその他の病的状態についていう）．

an·gi·o·ker·a·to·ma (an′jē-ō-ker′ă-tō′mă) ［angio- ＋ G. *keras*, horn ＋ *-ōma*, tumor］．被角血管腫（真皮浅層内にある毛細血管の後天性毛細血管拡張症で，いぼ状の角質増殖と表皮肥厚を伴う）．＝keratoangioma; telangiectasia; verrucose; telangiectatic wart.

a. corporis diffusum びまん性体幹被角血管腫．＝Fabry *disease.*

diffuse a. びまん性角化血管腫．＝Fabry *disease.*

Fordyce a. (fōr′dīs)．フォーダイス角化血管腫（陰嚢の無症状の血管性丘疹で成人に出現する）．

Mibelli a.'s (mē-bel′ē)．ミベリ被角血管腫（四肢の毛細血管拡張性小丘疹で，若年女子に多い）．

an·gi·o·ker·a·to·sis (an′jē-ō-ker′ă-tō′sis)．角化血管腫症（角化血管腫の多発）．

an·gi·o·lei·o·my·o·ma (an′jē-ō-lī′ō-mī-ō′mă)．血管平滑筋腫．＝vascular *leiomyoma.*

an·gi·o·lip·o·fi·bro·ma (an′jē-ō-lip′ō-fī-brō′mă)．＝angiofibrolipoma.

an·gi·o·li·po·ma (an′jē-ō-li-pō′mă)．血管脂肪腫（増殖性で新生物様であり，しばしば拡張した血管性の管を異常に多数または巣状に含有している脂肪腫）．＝lipoma cavernosum; telangiectatic lipoma.

an·gi·o·lith (an′jē-ō-lith) ［angio- ＋ G. *lithos*, stone］．血管結石（動脈結石または静脈結石）．

an·gi·o·lith·ic (an′jē-ō-lith′ik)．血管結石の．

an·gi·o·lo·gi·a (an′jē-ō-lō′jē-ă) ［angio- ＋ G. *logos*, treatise, discourse］．脈管学．＝angiology.

an·gi·ol·o·gy (an-jē-ol′ō-jē) ［angio- ＋ G. *logos*, treatise, discourse］．脈管学（血管とリンパ管をそれらのすべての関係において扱う科学）．＝angiologia.

an·gi·ol·y·sis (an-jē-ol′i-sis) ［angio- ＋ G. *lysis*, destruction］．血管退化（新生児の臍帯結紮後に起こるような血管閉塞）．

an·gi·o·ma (an-jē-ō′mă) ［angio- ＋ G. *-ōma*, tumor］．血管腫（拡張の有無にかかわらず血管(血管腫)またはリンパ管(リンパ管腫)の増殖に起因する腫脹または腫瘍）．

acquired tufted a. 後天性の房状血管腫（小児および成人に発生する紅斑．顕微鏡的には皮膚静脈の菲薄化した溝に沿って走る毛細血管と紡錘型細胞の房よりなる）．＝angioblastoma of Nakagawa.

capillary a. 毛細血管腫．＝capillary *hemangioma.*

cavernous a. 海綿状(様)血管腫（太い栄養動脈を欠く洞様血管で構成された血管奇形で，特に常染色体優性遺伝による場合は多発することがある）．＝nevus cavernosus.

cherry a. サクランボ色血管腫．＝senile *hemangioma.*

petechial a.'s 点状出血状血管腫（点状出血に似ているが毛細血管壁の拡張に起因する多発病変．圧力により消失する）．

a. serpiginosum ［MIM*106050］．蛇行性血管腫（皮膚上の赤色斑点の環の存在．特に女児では，末梢に広がる傾向がある．表在毛細管の拡張に起因する）．＝essential telangiectasia (2); primary telangiectasia.

spider a. クモ状血管腫（皮膚の動脈性毛細血管の拡張でクモの足のように毛細血管の枝が放射状配列したもの．疾患特異的ではないが，実質性肝疾患に特徴的である．妊娠時にもみられ，しばしば出産後消失する．またときには健常者にもみられる）．＝arterial spider; nevus araneus; spider hemangioma; spider nevus; spider telangiectasia; vascular spider.

superficial a. 表在〔性〕血管腫．＝capillary *hemangioma.*

telangiectatic a. 毛細血管拡張性血管腫（拡張血管からなる血管腫）．

a. venosum racemosum 蔓状静脈腫（表在静脈の静脈瘤様腫脹により生じる蛇行性腫脹）．

venous a. 静脈性血管腫（異常静脈で構成される血管腫瘍）．＝venous malformation.

an·gi·o·ma·toid (an′jē-ō′mă-toyd)．血管腫様の．

an·gi·o·ma·to·sis (an′jē-ō-mă-tō′sis)．血管腫症（多発血管腫を特徴とする状態）．

bacillary a. 杆菌性血管腫症状（①免疫系が侵された患者に新しく発見された細菌 *Bartonella henselae* により起こる感染症．発熱，肉芽性皮膚結節，ときには肝臓性紫斑病を伴う．皮膚生検で血管増殖と血管壁の好中球の浸潤と Warthin-Starry 銀染色で認められる菌体の塊を特徴とする．②発熱と肉芽性皮膚病変を特徴とする感染症で２型存在する．１つは *Bartonella henselae* によるネコの咬傷と引っ掻き傷が先行し，リンパ節と内臓障害を含み肝臓と脾臓に杆菌集積を認めることがある．*B. quintana* に合併する他の型は衛生状態が不良な条件(低収入，貧困，ホームレスなど)と関連している．皮下と骨病変が頻繁に先行する）．

cephalotrigeminal a. 頭三叉神経領域血管腫症．＝Sturge-Weber *syndrome.*

cerebroretinal a. 網膜小脳血管腫症．＝von Hippel-Lindau *syndrome.*

congenital dysplastic a. ［MIM*185300,149000］．先天性形成異常性血管腫症（下層組織の形成障害がみられる常染色体優性の血管腫症で，骨の過成長(Klippel-Trenaunay-Weber 症候群)あるいは三叉神経領域血管腫症(Sturge-Weber 症候群)を伴う場合もある．脳三叉神経領域血管腫症では，三叉神経の１本以上の分枝の支配域に血管腫がみられ，血管異常や大脳皮質の石灰化を伴う）．

cutaneomeningospinal a. ＝Cobb *syndrome.*
encephalotrigeminal a. 脳三叉神経領域血管腫症．＝Sturge-Weber *syndrome.*
oculoencephalic a.［MIM*185300］．眼脳血管腫症（Sturge-Weber 症候群の不全型で，脈絡膜と脳脊髄膜のみの血管腫よりなり，常染色体優性遺伝の可能性が高い）．
telangiectatic a. 毛細血管拡張性血管腫症（大脳半球および軟髄膜の毛細血管および静脈血管の散在性奇形．Sturge-Weber 症候群において生じる）．

an·gi·o·ma·tous (an′jē-ō′-mă-tŭs). 血管腫の．

an·gi·o·meg·a·ly (an′jē-ō-meg′ă-lē)［angio- + G. *megas*, large］．脈管拡張［症］（血管またはリンパ管の拡張）．

an·gi·o·my·o·car·di·ac (an′jē-ō-mī′ō-kar′dē-ak)［angio- + G. *mys*, muscle + *kardia*, heart］．血管心筋の（血管と心筋に関する）．

angiomyofibroblastoma (an′gē-ō-mī′ō-fī′brō-blas-tō′mă). 血管線維芽細胞腫（血管，筋線維芽細胞，および脂肪細胞からなる限局性の良性腫瘍で，女性の骨盤会陰部に発生することが多い）．

an·gi·o·my·o·fi·bro·ma (an′jē-ō-mī′ō-fī-brō′mă). 血管筋線維腫．＝vascular *leiomyoma.*

an·gi·o·my·o·li·po·ma (an′jē-ō-mī′ō-li-pō′mă)［angio- + G. *mys*, muscle + *lipos*, fat + *-oma*, tumor］．血管筋脂肪腫（筋細胞と血管構造物を豊富に含む脂肪組織の良性新生物（脂肪腫）．最も一般的なものは平滑筋を含む腎腫瘍で，しばしば結節硬化症を合併する）．
monotypic epithelioid a. 単型類上皮血管筋脂肪腫．＝PEComa.

an·gi·o·my·o·ma (an′jē-ō-mī-ō′mă)［angio- + G. *mys*, muscle + *-ōma*, tumor］．血管筋腫．＝vascular *leiomyoma.*

an·gi·o·my·op·a·thy (an′jē-ō-mī-op′ă-thē)［angio- + G. *mys*, muscle + *pathos*, suffering］．血管筋障害（筋肉層を含む血管の病気）．

an·gi·o·my·o·sar·co·ma (an′jē-ō-mī′ō-sar-kō′mă). 血管筋肉腫（増殖し，しばしば拡張した異常に多数の血管通路をもつ筋肉腫）．

an·gi·o·myx·o·ma (an′jē-ō-miks-ō′mă). 血管粘液腫（異常に多数の血管構造物をもつ粘液腫）．
aggressive a. 浸潤性血管粘液腫（若年婦人の性器に発生する局所浸潤性は強いが転移性のない腫瘍）．

an·gi·o·neu·rec·to·my (an′jē-ō-nū-rek′tō-mē)［angio- + G. *neuron*, nerve + *ektomē*, excision］．血管神経切除［術］（血管および神経の切除）．

an·gi·o·neu·rop·a·thy (an′jē-ō-nū-rop′ă-thē). 血管性神経症（血管を支配する自律神経，すなわち血管運動系の異常による血管障害）．

an·gi·o·neu·rot·ic (an′jē-ō-nū-rot′ik). 血管神経症の．

an·gi·o·neu·rot·o·my (an′jē-ō-nū-rot′ō-mē)［angio- + G. *neuron*, nerve + *tomē*, a cutting］．脈管神経切離［術］（神経と脈管の両方の部分的切断）．

an·gi·o·pa·ral·y·sis (an′jē-ō-pă-ral′i-sis). 血管神経麻痺．＝vasoparalysis.

an·gi·o·pa·re·sis (an′jē-ō-pă-rē′sis, -par′ĕ-sis). 血管神経不全麻痺．＝vasoparesis.

an·gi·o·path·ic (an′jē-ō-path′ik). 血管障害の，脈管障害の．

an·gi·op·a·thy (an′jē-op′ă-thē)［angio- + G. *pathos*, suffering］．血管障害，脈管障害（血管またはリンパ管の何らかの疾病）．＝angiosis.
amyloid a. アミロイド血管症（老人の脳軟膜，大脳皮質の小動脈および細小動脈の無細胞性硝子状物質の沈着．再発性実質内出血腫に起因することが多い）．
cerebral amyloid a. 脳のアミロイドアンギオパチー（血管壁のアミロイドの沈着を特徴とする脳の小血管の病的状態で，脳梗塞や脳出血を引き起こす．Alzheimer 病または Down 症候群においても起こる．→congophilic a.）．
congophilic a. コンゴー好染血管障害（コンゴー染色によって赤染する物質（通常はアミロイド）が，血管壁に沈着することを特徴とする状態．→cerebral amyloid a.）．
giant cell hyaline a. 巨細胞性硝子状血管症（異物を含む巨細胞と好酸性物質を含む炎症性浸潤．異物の断片は植物物質と似る）．＝pulse granuloma.

an·gi·o·phac·o·ma·to·sis, an·gi·o·phak·o·ma·to·sis (an′jē-ō-fak′ō-mă-tō′sis). 血管母斑症（血管腫性母斑症．例えば von Hippel-Lindau 病および Sturge-Weber 症候群）．

an·gi·o·pla·ny (an′jē-ō-plā′nē)［angio- + G. *planē*, a wandering］．血管走行異常．＝angiectopia.

an·gi·o·plas·ty (an′jē-ō-plas′tē)［angio- + G. *plastos*, formed, shaped］．血管形成［術］（血管の再建または再疎通で，バルーンでの拡張，機械的な内膜の剝離，フィブリン溶解性物質の注入，またはステントの留置が関与する）．＝interventional angiography.
percutaneous transluminal a. (PTA) 経皮経管動脈形成［術］（血管造影用カテーテルの先端にあるバルーンを狭窄部位で膨張させる(その後撤退する)ことにより狭窄した血管内腔を拡大する手技で，血管内ステントの留置を含むこともある）．

---

percutaneous transluminal coronary a. (PTCA) 経皮(経管)的冠動脈形成［術］（経皮経血管的にカテーテルを挿入し，バルーンやステントで冠動脈を拡大する術式）．

PTCA は，冠状動脈硬化症の治療のための最小限に侵襲的な外科手技である．バルーンが先端についたカテーテルは，経皮的に動脈(の循環)に挿入され，大動脈基部へ進められ，そして冠状動脈狭窄の部位に柔軟なガイドワイヤで導かれる．いったん狭窄した動脈の領域中で位置を定められると，バルーンは膨らまされ，内腔を拡大する，またはふさいでいるプラークを砕く，あるいは両方を起こす．急性の合併症なしに，狭窄した動脈の直径の 20 %以上の増加および少なくとも 50 %の正常開存性の回復が得られると，バルーン血管形成術は成功とみなされる．手技は直後には約 90 %の成功率である．内科治療と比較して，特に短期的には症状改善，運動許容度における利点を提供し，冠状動脈バイパス術(CABG)より危険が少なく短い回復期間ですむ．手技による死亡率は約 2 %である．非致命的な急性心筋梗塞は 1—3 %の危険で，手技の間に起こり，緊急CABGは 1—3 %の危険で必要となる．それゆえに，バイパス手術チームを直ちに使える場合を除き手技は禁忌である．有意な血管の閉塞のない患者，また同様に重症多枝病変，左冠状動脈主幹部に 50 %以上の狭窄のある患者において禁忌である．急性心筋梗塞の発症 2 時間以内に冠動脈形成術を行えば死亡率と非致死性再梗塞の発生率を低く抑え，血栓融解療法よりも頭蓋内出血の発生率を低く抑えることができる．PTCAの利点にもかかわらず，30—50 %の患者は 6 か月以内に再狭窄のために再度バルーン血管形成術またはCABGを必要とする．動脈の開存性を維持するためにバルーン血管形成術の時点でのステンレススチール製ステントの挿入は，初期の成功を改善し，6 か月以内での再狭窄率を減らした．パクリタクセル paclitaxel とシロリムス sirolimus 融解型ステントは再狭窄のリスクをさらに低下させる．

---

an·gi·o·poi·e·sis (an′jē-ō-poy-ē′sis)［angio- + G. *poiesis*, making］．脈管形成（血管またはリンパ管の新しい形成）．＝vasifaction; vasoformation.

an·gi·o·poi·et·ic (an′jē-ō-poy-et′ik). 脈管形成の．＝vasifactive; vasofactive; vasoformative.

an·gi·or·rha·phy (an′jē-ōr′ă-fē)［angio- + G. *rhaphē*, a seam］．脈管縫合［術］（脈管，特に血管の縫合）．

an·gi·o·sar·co·ma (an′jē-ō-sar-kō′mă). 血管肉腫（軟組織に最も多くみられ，血管の内皮細胞から発生すると考えられている，まれな悪性新生物．鏡検すると，紡錘形の細胞が密になっており，その間隙は血管に似た細裂となっている）．

an·gi·o·scope (an′jē-ō-skōp)［angio- + G. *skopeo*, to view］．［毛細］血管［顕微］鏡（毛細血管やそれより多少太い血管を調べるために改変された顕微鏡）．

an·gi·os·co·py (an′jē-os′kō-pē)［angio- + G. *skopeō*, to view］．*1* 血管顕微鏡検査［法］（造影剤などの放射線不透過性物質を血管内に注入後，それらが毛細管内を通過するのを顕微鏡を用いて観察する方法）．*2* 血管内視鏡（末梢から挿入したファイバースコープを用いて血管の内腔を観察する）．

an·gi·o·sco·to·ma (an′jē-ō-skō-tō′mă)［angio- + G. *sko-*

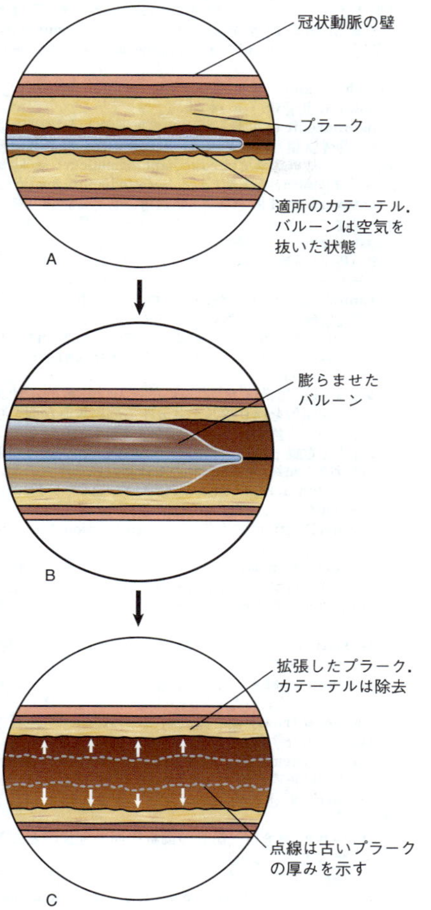

percutaneous transluminal coronary angioplasty

A：ガイド付きカテーテルが冠状動脈へ縫うように進められる．B：バルーンカテーテルが閉塞を通って挿入され，膨張する．C：バルーンカテーテルは，プラークが平坦になり血管が再度開くまで繰り返し膨らんだりしぼんだりする．

tōma, dizziness]. 血管暗点（視細胞上の網膜血管に起因するリボン状の視野欠損）.

an·gi·o·sco·tom·e·try (an′jē-ō-skō-tom′ĕ-trē). 血管暗点計測〔法〕（血管暗点パターンの測定または投影）.

an·gi·o·sis (an-jē-ō′sis). 血管症. = angiopathy.

an·gi·o·some (an′jē-ō-sōm). アンギオソーム（動脈の分布・灌流に基づいて皮膚，筋肉，腱，神経，骨を解剖学的血管領域として合成的に示したもの）.

an·gi·o·spasm (an′jē-ō-spazm). 血管痙攣. = vasospasm.

an·gi·o·spas·tic (an′jē-ō-spas′tik). 血管痙攣の. = vasospastic.

an·gi·o·sta·tin (an-jē′ō-sta-tin) [angio- + G. *statos*, stalled, standing still + -in]. アンギオスタチン（いくつかの種類の腫瘍により産生される抗血管新生因子で，蛋白分解プラスミノゲンの 38kD の分解産物）.

an·gi·o·ste·no·sis (an′jē-ō-stĕ-nō′sis) [angio- + G. *stenōsis*, a narrowing]. 血管狭窄〔症〕（1本以上の血管の狭窄）.

an·gi·o·stron·gy·lo·sis (an′jē-ō-stron′ji-lō′sis). アンギオストロンギルス症，住血線虫症（動物やヒトの住血線虫属 *Angiostrongylus* の線虫による寄生虫病. → eosinophilic *meningitis*）.

An·gi·o·stron·gy·lus (an′jē-ō-stron′jĭ-lŭs) [G. *angeion*, vessel + *strongylos*, round]. 住血線虫属（げっ歯類，食肉類，有袋類の呼吸器系および循環器系に寄生する肺虫類線虫の一属）. = *Parastrongylus*.

A. cantonensis 広東住血線虫（げっ歯類の肺虫で，感染軟体動物をげっ歯類が食べて感染する種．脳内での発育後，肺に移行して成虫となる．太平洋圏のヒトの好酸球性脳脊髄膜炎の原因と考えられる．生のカタツムリを食べたタイ在住の人の脳脊髄液や前眼房より幼虫が検出されている）.

A. costaricensis コスタリカ住血線虫（中央アメリカにおけるラットその他のげっ歯類の寄生線虫で，ヒトにも感染することがわかった．ヒトでは腸間膜動脈に局在する．感染力のある第3期幼虫はナメクジ *Vaginulus plebeius* に見出されている）. = *Morerastrongylus costaricensis*.

A. malaysiensis マレーシア産のげっ歯類に普通にみられる，広東住血線虫 *A. cantonensis* に類似の種．この地域における好酸性髄膜炎の実際的あるいは潜在的因子である.

an·gi·o·te·lec·ta·sis, an·gi·o·tel·ec·ta·sia (an′jē-ō-tĕ-lek′tă-sis, -tel′ek-tā′sē-ă) [angio- + G. *telos*, end + *ektasis*, a stretching out]. 毛細血管拡張，末梢血管拡張. = telangiectasia.

an·gi·o·ten·sin (an′jē-ō-ten′sin). アンギオテンシン（既知または同種の配列をもつペプチドの一種で，血管収縮性を有する．アンギオテンシノゲンから酵素作用を有するレニンの働きによってできる. → angiotensin I; angiotensin II; angiotensin III）.

an·gi·o·ten·sin I (an′jē-ō-ten′sin). アンギオテンシン I（動物源によって多少配列の異なるアミノ酸からなるデカペプチド．テトラデカペプチドであるアンギオテンシノゲンから，レニンが触媒する反応によってアミノ酸残基4個が除去されてつくられる．ペプチダーゼが，ジペプチド(ヒスチジルロイシン)を分解して生理的活性型であるアンギオテンシン II を生成する）.

an·gi·o·ten·sin II (an′jē-ō-ten′sin). アンギオテンシンII（血管作用性オクタペプチドで，アンギオテンシン変換酵素によりアンギオテンシン I から生成される．アンギオテンシン II は，血管平滑筋を刺激したりアルドステロンの分泌を促進し，また交感神経系を刺激する）.

an·gi·o·ten·sin III (an′jē-ō-ten′sin). アンギオテンシンIII（血管作用性ヘプタペプチドで，血管平滑筋に対してはアンギオテンシン II より活性が弱いが，アルドステロン分泌促進作用では同等の活性をもつ）.

an·gi·o·ten·sin am·ide (an′jē-ō-ten′sin a′mīd). アンギオテンシンアミド（体内に生じるアンギオテンシン II に非常に類似した合成物質．C末端アミド基を持つ．強力な昇圧薬として用いる）.

an·gi·o·ten·sin·ase (an′jē-ō-ten′sin-ās). アンギオテンシナーゼ（アンギオテンシン I をアンギオテンシン II に変換させる働きをもつ酵素の旧名．現在はアンギオテンシン II を分解する酵素をいう．この酵素はチロシン残基とイソロイシン残基間のペプチド結合を加水分解する）.

an·gi·o·ten·sin·o·gen (an′jē-ō-ten-sin′ō-jen). アンギオテンシノゲン（レニン基質で，酵素作用によりアンギオテンシン I で放出される．血漿中で循環する多量の α_2-グロブリンのことである）. = angiotensin precursor.

an·gi·o·ten·sin·o·gen·ase (an′jē-ō-ten-sin′ō-jen-ās). アンギオテンシノゲネース. = renin.

an·gi·o·ten·sin pre·cur·sor (an′jē-o-ten′sin prē-kŭr′-sōr). アンギオテンシン前駆体. = angiotensinogen.

an·gi·ot·o·my (an-jē-ot′ō-mē) [angio- + G. *tomē*, cutting]. 血管切開〔術〕（血管の切開または血管を修復する前に血管に開口をつくること）.

An·gle (ang′gĕl), Edward Hartley. 米国人矯正歯科医，1855—1930. → A. *classification* of malocclusion.

A

ANGLE

an·gle (*θ*) (ang′gl) [L. *angulus*][TA]. 角（2線または2平面の交点．2線または2平面の交わりによってできる図形．一か所に集まる2線または2平面によって境界される空間．angle の項に axioincisal, distobuccal, labiogingival, linguogingival (2), mesiogingival, proximobuccal などの語は含まれていないので，それぞれを見出し語として検索せよ）．＝angulus [TA].

acromial a. [TA]. 肩峰角（肩峰の後部と外側部との接合部で突出する部分）．＝angulus acromii [TA].

acute a. 鋭角（90度以下の角）．

adjacent a. 隣接角（他の角と1辺を共有する角）．

alpha a. アルファ角（①眼の節点で互いに交わる視線と眼軸との間の角．②角膜曲線の主軸と視線との間の角）．

alveolar a. 歯槽角（水平面と，前鼻棘基部と上顎歯槽突起の前正中点とを結ぶ線とがなす角）．

anorectal a. 肛門直腸角．＝anorectal *flexure.*

a. of antetorsion 前捻角．＝a. of femoral torsion.

a. of anteversion 前捻角．＝a. of femoral torsion.

a. of aperture 開口角（レンズの直径の両端と焦点を結ぶ線によってできる角．→angular *aperture*）．

apical a. 尖角（プリズムの2平面間の角）．＝refracting a. of a prism.

axial a. 軸角（身体の2面のなす角であり，その接線は身体の軸に平行である．歯の軸角には，遠心面頬面角，遠心面唇面角，遠心面舌面角，近心面頬面角，近心面唇面角，および近心面舌面角がある）．

basilar a. 基底角（スブナザーレとナジオンから出る線がバジオンで交差してできる角）．

Bennett a. (ben′ĕt). ベネット角（水平面観で，側方下顎運動における平衡側下顎頭の軌跡と矢状面とのなす角）．

beta a. ベータ角（ブレグマとホルミオンとを結ぶ線が固定径と交わる角）．

biorbital a. 両眼窩角（両眼窩の軸が交差してできる角）．

Broca a.'s (brō-kah′). ブロカ角（①＝Broca basilar a. ②＝Broca facial a. ③＝occipital a. of parietal bone (1)）．

Broca basilar a. (brō-kah′). ブロカ基底角（ナジオンとプロスチオンからバジオンに引いた線によってできる角）．＝Broca a.'s (1).

Broca facial a. (brō-kah′). ブロカ顔面角（オフリオンとプロスチオンから引いた線がアウリクラーレ軸で交差してできる角）．＝Broca a.'s (2).

buccal a.'s 頬角（歯の頬側面と他の面によってできる角）．

buccoocclusal a. 頬面咬合面角（歯の頬面と咬合面との接線の角）．

cardiodiaphragmatic a. 心横隔膜角．＝cardiophrenic a.

cardiohepatic a. 心肝角（特に打診によって示される肝臓の上縁と心臓の右縁によってできる角）．＝cardiohepatic triangle.

cardiophrenic a. 心横隔膜角（通常，胸部X線写真上の心臓陰影の右・左両サイドで心臓と横隔膜で形成される角度．レントゲン上は右の横隔膜角は正常では心肝臓角と区別がつかないが，下大静脈によって架橋されて見えることがある）．＝cardiodiaphragmatic a.; phrenopericardial a.

carrying a. 肘外偏角，キャリングアングル（肘を十分に伸ばした状態で上腕軸と前腕軸とのなす角．肘外偏角は男性よりも女性のほうが総体的に大きい）．

cavity line a. 窩洞線角（歯科において，歯髄腔などの窩洞の2壁が接してできる線状の角）．

cavosurface a. 窩縁隅角，窩洞歯面隅角（窩壁と歯牙表面の接合面がなす角）．

cephalic a. 頭角（顔または頭蓋のいくつかの点を通る2線が交差してできる角）．

cephalomedullary a. 大脳延髄角（大脳と脳幹の結合によってできる角）．

cerebellopontile a. ＝cerebellopontine a.

cerebellopontine a. 小脳橋角（小脳，橋，延髄の連結部に形成される角．ここに頻発するのがときに聴神経腫といわれる前庭神経鞘腫である）．＝angulus pontocerebellaris [TA]; cerebellopontile a.; pontine a.; pontocerebellar recess.

Cobb a. (kob). コッブ(コブ)角（→Cobb *method*）．

costal a. 肋骨角．＝a. of rib.

costophrenic a. 肋骨横隔膜角（肋骨胸膜と横隔胸膜の間の角．肋骨胸膜と横隔胸膜は，胸膜反転部の肋骨横隔膜線で連続する．放射線学では costodiaphragmatic recess(肋骨横隔洞)を示す同義語として使われる．→costodiaphragmatic *recess*）．

costovertebral a. (**CVA**) 肋椎角，肋骨脊柱角（第十二肋骨と脊柱により形成されるいずれか一方の側の鋭角）．

costoxiphoid a. 肋剣状角（左右どちらかの肋骨弓と剣状突起の長軸(通常，正中線)との間でつくられる角．胸骨下角の半分の角．→infrasternal a.）．＝xiphocostal a.

craniofacial a. 頭蓋顔面角（蝶形骨篩骨縫合の中央で，鼻棘頭蓋底軸と頭蓋底軸によってできる角）．

critical a. 臨界角（光線が2つの媒質の境界面に対してある角度で入射するとき，屈折を起こさず全反射するようになる角）．＝limiting a.

cusp a. 咬頭傾斜角（①近遠心的または頬舌的に計測するもので，咬頭頂を通り咬頭を2分する線に垂直な面と咬頭の斜面とがつくる角．②近遠心的または頬舌的な計測で，咬頭を2分する垂線と咬頭の斜面がつくる角．③咬頭の頬舌傾斜または近遠心傾斜がつくる角の半分）．

Daubenton a. (dō-ban-ton[h]′). ドバントン角．＝occipital a. of parietal bone (2).

a. of declination 方位角（a. of anteversion を表す現在では用いられない語）．

a. of deviation 偏角（①プリズムにおいて，入射角と射出角との和からプリズムの頂角を引いた値．②光学系において，屈折角 a. of refraction に同じ．③斜視において，偏位角 a. of anomaly のこと）．

disparity a. 固視ずれ角（融像を保ってはいるが網膜像の位置にずれがあるとき，そのずれの程度）．

duodenojejunal a. 十二指腸空腸角．＝duodenojejunal *flexure.*

a. of eccentricity 偏心角（斜視において，主注視方向と正常視線とのなす角）．

a. of emergence 射出角（プリズムから射出する光線が，その射出面に垂直な線となす角．*cf.* a. of deviation）．

epigastric a. 上腹角（剣状突起と胸骨体によってできる角）．

ethmoid a. 篩骨角（篩骨の篩板平面の延長線と頭蓋底軸とが交わってできる角）．

a. of eye [TA]. 眼角（上・下眼瞼間の内側および外側の交連部．→lateral a. of eye; medial a. of eye）．＝angulus oculi; canthus.

facial a. 顔面角（①様々に名付けられ，定義されている解剖学的角で，顔面突出度を定量化するのに用いられてきた．②歯科において，Frankfort 水平面とナジオン－ポゴニオン線とが交差してできる角(内側下方角)であり，Frankfort 水平面上で上顔面に対する下顎の前後関係を表す．＝Frankfort-mandibular incisor a.）．

a. of femoral torsion 大腿骨捻転角（大腿骨体を立てて上から見たとき，近位の骨頭，骨頸，大転子を通る縦軸と遠位の大腿骨顆の横軸とのなす角で，成人では約12度であるが小児では著しく大きい）．＝a. of antetorsion; a. of anteversion.

filtration a. ＝iridocorneal a.

flip a. フリップ角（MRI 撮影パルス系列における，RF 波の印加によって生じる陽子全体の向きが横平面に傾く際の角度．小さいフリップ角は，高速撮像法や血流信号を可視化するために使用される）．

Frankfort-mandibular incisor a. フランクフォルト－下顎切歯角．＝facial a. (2).

frontal a. of parietal bone [TA]. 頭頂骨の前頭角（頭頂骨の前上方のかど）．＝angulus frontalis ossis parietalis [TA].

a. of Fuchs (fūks). フックス角（瞳孔領の虹彩表層の萎縮により形成された虹彩毛様体部と瞳孔部の裂け目）．

gamma a. ガンマ角（眼球の中心と固視点を結ぶ線と眼軸との間につくられる角）.

hypsiloid a. イプシロン字形角. ＝y-a.

impedance a. インピーダンス角（身体の組織，その他の物質内の電気容量に対する電気抵抗率(オーム対マイクロファラッド)を表す用語）.

a. of incidence 入射角（①屈折媒質にはいる光線が，この媒質表面に垂直に引かれる線となす角. ②反射表面にぶつかる光線が，この表面に垂直な線となす角）. ＝incident a.

incident a. ＝a. of incidence.

incisal guide a. 切歯路角（歯が中心咬合位にあるとき，矢状面に上顎および下顎の中切歯の切縁を結ぶ線と水平面(咬合平面)がなす角）.

a. of inclination 傾斜角（長骨の骨幹部の長軸とその近位部の長軸とが交差してできる角. 通常，大腿骨と上腕骨で計る. →a. of inclination of femur）. ＝neck-shaft a.

a. of inclination of femur 大腿骨内傾角，頸体角（大腿骨幹軸と大腿骨頸部と骨頭の長軸とが交わってつくられる角度. 角度が増加している場合を内反股といい，減少している場合を外反股という. 角度が異常な場合は股関節へのストレスが増加し，歩行に影響を与える）.

inferior a. of scapula [TA]. 〔肩甲骨の〕下角（肩甲骨の内側縁と外側縁とが出合って鋭角をなす部分）. ＝angulus inferior scapulae[TA].

infrasternal a. [TA]. 胸骨下角（両側の肋軟骨の下縁が胸骨に近づいてなす角）. ＝angulus infrasternalis [TA]; subcostal a.☆; subcostal arch☆; substernal a.

iridocorneal a. [TA]. 虹彩角膜角（前眼房周縁において，虹彩と角膜とが鋭角をなして結合する部分）. ＝angulus iridocornealis [TA]; a. of iris; angulus iridis; filtration a.

a. of iris ＝iridocorneal a.

Jacquart facial a. (zhah-kahr′). ジャカール顔面角（スブナザーレで常に交差する顔面角. →ophryospinal a.）.

a. of jaw 下顎角. ＝a. of mandible.

kappa a. カッパ角（瞳孔中心線と視線のなす角. 前者が後者の鼻側にあるときは陽性(＋)，耳側では陰性(－)となる）.

lateral a. of eye [TA]. 外眼角，めじり（下上眼瞼の外側部分が連結するところ）. ＝angulus oculi lateralis [TA]; angulus oculi temporalis; external canthus; lateral canthus.

lateral a. of scapula [TA]. 〔肩甲骨の〕外側角（肩甲骨の上縁と外側縁とが出合うところにある肩甲骨の頭部で，浅く陥凹して関節窩を形成しているところ）. ＝angulus lateralis scapulae [TA].

lateral a. of uterus 子宮の外側角（卵管との接合点における子宮の側面上部）.

limiting a. ＝critical a.

line a. 線角（歯科において，歯冠あるいは窩洞の2面のなす角(窩洞線角)）.

Louis a. (lū-ē′). ルイ角. ＝sternal a.

Lovibond a. (lŏ′vĭ-bond). ラヴィボンド角（橈側面からみて，後爪郭と爪甲との間に形成される角. 正常では180度以下であるが，ばち状指の場合これが180度を超える）. ＝Lovibond profile sign.

Ludwig a. (lūd′vig). ルートヴィヒ角. ＝sternal a.

lumbosacral a. 腰仙角（脊柱の腰部の長軸と仙骨の長軸によってできる角）.

a. of mandible [TA]. 下顎角（下顎体の下縁と下顎枝の後縁とが出合うかどの部分）. ＝angulus mandibulae [TA]; a. of jaw.

mastoid a. of parietal bone [TA]. 頭頂骨の乳突角（頭頂骨の後下方のかど）. ＝angulus mastoideus ossis parietalis [TA].

maxillary a. 上顎角（オフリオンから引いた線と下顎点から引いた線が上下顎切歯の接触点で交差してできる角）.

medial a. of eye [TA]. 内眼角，めがしら（上下眼瞼の内側部分が連結するところ）. ＝angulus oculi medialis [TA]; angulus oculi nasalis; internal canthus; medial canthus.

mesial a. 近心隅角（歯の近心面が唇面(頬面)または舌面となす角）.

metafacial a. 後顔面角（翼状突起と頭蓋底とがつくる角）. ＝Serres a.

meter a. メートル角（1m離れた物体を両眼で見るのに必要な輻輳の量で，1ジオプトリの調節を行う）. ＝unit of ocular convergence.

a. of mouth [TA]. 口角（口裂の外側境界. →labial *commissure* (of mouth)）. ＝angulus oris [TA].

neck-shaft a. 頸体角. ＝a. of inclination.

occipital a. of parietal bone 頭頂骨後頭角（①頭頂骨の後上方のかど. ＝Broca a.'s (3). ②バジオンと眼窩下縁の正中面上の突部から引いた線がオピスチオンで会合してできる角. →Daubenton *line*; Daubenton *plane*. ＝angulus occipitalis ossis parietalis [TA]; Daubenton a.）.

olfactory a. 嗅角（篩板平面と頭蓋底軸によってできる角）.

ophryospinal a. 眉間鼻棘角（眼窩上点(オフリオン)を用いるJacquart顔面角の変法. →Jacquart facial a.）.

parietal a. 頭頂角（各側で頬骨弓の最隆起部と頭頂前頭縫合に接する2線が延長して交差した角. 2線が平行であれば角度は0度となり，開散すれば角度はマイナスになる）. ＝Quatrefages a.

pelvivertebral a. 骨盤椎骨角（体幹または脊柱の全身軸と骨盤上口面とによってできる角. →pelvic *inclination*）.

phrenopericardial a. 横隔膜心膜角. ＝cardiophrenic a.

Pirogoff a. (pē′rō-gof). ピロゴッフ角. ＝venous a. (1).

point a. 尖角，点角（歯冠の3表面，または窩洞の3壁面の接合部）.

a. of polarization 偏光角（反射光がすべて偏光する入射角）.

pontine a. 橋角. ＝cerebellopontine a.

pubic a. ＝subpubic a.

Q a. Q角（大腿四頭筋の引っ張り方向と膝蓋腱の縦軸とがなす角）.

Quatrefages a. (kah-trĕ-fahzh′). カトルファージュ角. ＝parietal a.

Ranke a. (rahn′kĕ) [J. Ranke]. ランケ角（頭部の水平面と，スブナザーレの下で上顎の歯槽弓縁の中心と前頭鼻骨縫合の中心とを結ぶ線とによってできる角）.

a. of reflection 反射角（反射光線が，反射表面に垂直に引かれた線となす角）. ＝a. of incidence (2).

refracting a. of a prism プリズムの屈折角. ＝apical a.

a. of refraction 屈折角（屈折媒質を出た光線が，この媒質表面に垂直に引かれた線となす角）.

a. of retroversion 後捻角（上腕骨頭を上から真下に見おろしたときに，上腕骨頸部と骨頭の長軸の中心を通る線と両顆の横軸に沿って引かれる線とによりつくられる角度. 上腕骨の正常後捻角は20度から40度である）.

a. of rib [TA]. 肋骨角（肋骨体後方の強い屈曲部. ここから肋骨頸と肋骨頭とが上方に向かう）. ＝angulus costae [TA]; costal a.

Rolando a. (rō-lan′dō). ロランド角（Rolando裂溝(中心溝)が正中面とつくる角）.

Serres a. (sār). セール角. ＝metafacial a.

S-N-A a. [sella-nasion-subspinale (or point *A*)]. S–N–A角（頭部計測法において，上顎歯槽基底部と頭蓋底との前後関係を測定する角で，上顎前突の程度を示す. → subspinale）.

S-N-B a. [sella-nasion-supramentale (or point *B*)]. S–N–B角（頭蓋底に対する下顎歯槽基底部の前方限界を示す角. →supramentale）.

sphenoid a., sphenoidal a. 蝶形骨角（①ナジオンからの線と蝶形骨吻尖からの線がトルコ鞍(鞍背)の頂上で交差してできる角. ②＝sphenoidal a. of parietal bone）.

sphenoidal a. of parietal bone [TA]. 頭頂骨蝶形骨角（頭頂骨の前下方のかど）. ＝angulus sphenoidalis ossis parietalis [TA]; sphenoid a. (2); sphenoidal a.; Welcker a.

sternal a. [TA]. 胸骨角（胸骨柄と胸骨体とが両者の連結部でなす角. 肋骨または肋間隙で数えて第2番目の肋軟骨の高さに触れる. 大動脈弓・気管分岐部・第四と第五椎骨の間の椎間板がこの高さに存在する）. ＝angulus sterni [TA]; Louis a.; Ludwig a.; manubriosternal junction.

sternoclavicular a. 胸鎖角（胸骨と鎖骨が結合してできる角）.

subcostal a.* 肋下角（infrasternal a. の公式の別名）.

subpubic a.［TA］. 恥骨下角（左右の恥骨下枝のなす角. 女性では母指と示指とをいっぱいに広げたときの角度にほぼ等しい(約90度). 男性では示指と中指とをいっぱいに広げたときの角度にほぼ等しい(約60度). →pubic *arch*）. =angulus subpubicus［TA］; pubic a.

substernal a. =infrasternal a.

superior a. of scapula［TA］.〔肩甲骨の〕上角（肩甲骨の上縁と内側縁とが出合うところの角. 以前は medial angle (内側角)とよばれていた）. =angulus superior scapulae［TA］.

sylvian a. (sil′vē-ăn). シルヴィウス角（Sylvius 線と大脳半球の最高点に正接する水平面に垂直な線がなす角）.

tentorial a. テント角（テント平面と頭蓋底軸によってできる角）.

Topinard facial a. (tō-pē-nahr′). トピナール顔面角（→Jacquart facial a.）.

a. of torsion ねじれ角, 捻転角（長骨の軸に沿ってのねじれ, または2つの軸の間での回転量をいう. 度で表す. この角が前方に向いている場合は前捻角といい, 大腿骨で最もよく使用される. この角が後方に向いている場合は後捻角といい, 上腕骨で最もよく使用される）.

urethrovesical a. 尿道膀胱角（女性の尿道と膀胱後壁の間の角度で, 正常は約90度. この角度が小さくなると膀胱瘤の際, 腹圧性尿失禁を起こしやすくなる）.

venous a. 静脈角（①左右の頸部で, 内頸静脈と鎖骨下静脈とが合流してできる角. =Pirogoff a. ②神経放射線学において, 通常, 室間孔(Monro)の後縁で内大脳静脈と視床線条体静脈(分界静脈)が合流する角）.

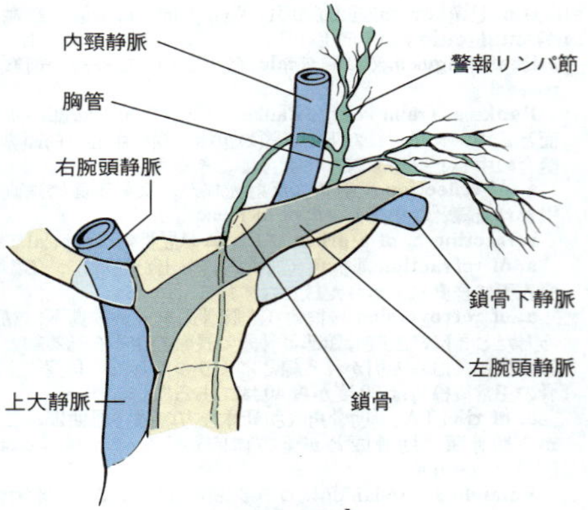

venous angle
左からの図.

Virchow a. (fēr′kow). フィルヒョー角（前頭鼻骨縫合の中央から前鼻棘底に引いた線と, 後者の点から外耳道中央に引いた線がなす角）. =Virchow-Holder a.

Virchow-Holder a. (fēr′kow hold′er). フィルヒョー－ホルダー角. =Virchow a.

visual a. 視角（見る物体の周辺部から引かれた線が網膜で出合うときできる角）.

Vogt a. (vōt)［K. Vogt］. フォークト角（ナジオン・バジオンとナジオン・プロスチオンがつくる頭蓋計測角）.

Weisbach a. (vīs′bahk). ヴァイスバッハ角（バジオンと前頭鼻骨縫合の中央からの線が, プロスチオンで連結してできる頭蓋計測角）.

Welcker a. (velk′er). ヴェルカー角. =sphenoidal a. of parietal bone.

xiphocostal a. =costoxiphoid a.

y-a. y角（頭蓋計測において, ホルミオンとラムダから引いた線がイニオンで交差してできる角）. =hypsiloid a.

an·gor (ang′gōr)［L. quinsy, anguish］. 苦悶, 苦悩に対してまれに用いる語.

a. animi 生命苦悶, 死切迫感（死の恐怖または死の願望とは異なって, 死が切迫し死へと進行しつつあるという感覚. 狭心症, ときには延髄疾患に起こる症状）. =a. pectoris (2).

a. pectoris 胸部苦悶（①=Gairdner *disease*. ②=a. animi）.

Ång·ström (ang′strŏm), Anders J. スウェーデン人物理学者, 1814—1874. →angstrom; Å. *law, scale*; angstrom *unit*.

ang·strom (Å) (ang′strŏm)［A.J. Ångström］. オングストローム（波長の単位で, 1Åは 10^{-10} m. ほぼ原子の直径に相当する. 0.1 nm に等しい）.

An·guil·lu·la (ang-gwil′lū-lă)［Mod. L.: L. *anguilla*(eel) の指小辞］. 自由生活線虫の一属の旧名. →*Turbatrix*.

an·gu·la·tion (ang′gyū-lā′shŭn). ***1***〔屈曲〕角形成（器官における角度または屈曲）. ***2*** 整形外科学では, 外傷あるいは疾病に侵された長骨のアラインメントの記述方法. 前後面と側面の2つの面で記述される.

apex anterior a. 頂点前方屈曲角形成（角度の頂点が前方にくるような側面の屈曲角形成）.

apex posterior a. 頂点後方屈曲角形成（角度の頂点が後方にくる側面の屈曲角形成）.

an·gu·lus, gen. & pl. **an·gu·li** (ang′gyū-lŭs, -lī)［L.］［TA］. 角. =angle.

a. acromii［TA］. 肩峰角. =acromial *angle*.

a. costae［TA］. 肋骨角. =*angle* of rib.

a. frontalis ossis parietalis［TA］. 頭頂骨前頭角. =frontal *angle* of parietal bone.

a. inferior scapulae［TA］. 肩甲骨下角. =inferior *angle* of scapula.

a. infrasternalis［TA］. 胸骨下角. =infrasternal *angle*.

a. iridis =iridocorneal *angle*.

a. iridocornealis［TA］. 虹彩角膜角. =iridocorneal *angle*.

a. lateralis scapulae［TA］. 肩甲骨外側角. =lateral *angle* of scapula.

a. mandibulae［TA］. 下顎角. =*angle* of mandible.

a. mastoideus ossis parietalis［TA］. 頭頂骨乳突角. =mastoid *angle* of parietal bone.

a. occipitalis ossis parietalis［TA］. 頭頂骨後頭角. =occipital *angle* of parietal bone (2).

a. oculi =*angle* of eye.

a. oculi lateralis［TA］. 外眼角, めじり. =lateral *angle* of eye.

a. oculi medialis［TA］. 内眼角, めがしら. =medial *angle* of eye.

a. oculi nasalis =medial *angle* of eye.

a. oculi temporalis =lateral *angle* of eye.

a. oris［TA］. 口角. =*angle* of mouth.

a. pontocerebellaris［TA］. =cerebellopontine *angle*.

a. sphenoidalis ossis parietalis［TA］. =sphenoidal *angle* of parietal bone.

a. sterni［TA］. 胸骨角. =sternal *angle*.

a. subpubicus［TA］. 恥骨下角. =subpubic *angle*.

a. superior scapulae［TA］. 肩甲骨上角. =superior *angle* of scapula.

an·haph·i·a (an-hă-fē-ă). 触覚脱失(消失)〔症〕, 無触覚〔症〕. =anaphia.

an·he·do·ni·a (an′hē-dō′nē-ă)［G. *an-* 欠性辞 + *hedonē*, pleasure］. 快感消失〔症〕, 無快感〔症〕（本来, 快感になるはずの行為から快感を得られないこと）.

an·hi·dro·sis (an′hĭ-drō′sis)［G. *an-* 欠性辞 + *hidrōs*, sweat］［MIM*206600］. 無〔発〕汗〔症〕（汗腺または発汗の欠損. 例えば抗コリン作用性薬物の使用による）. =adiaphoresis.

an·hi·drot·ic (an′hi-drot′ik). =adiaphoretic. ***1***〖adj.〗無〔発〕汗〔症〕の（熱に対して耐容性のないこと. 汗腺の欠損）. ***2***〖n.〗制汗薬, 汗止め. =antiperspirant (2). ***3***〖adj.〗無汗腺の（先天性外胚葉欠損および無発汗性外胚葉性形成異常の特徴である汗腺の減少または欠如についていう）.

an·his·tic, an·his·tous (an-his′tik, -tŭs)［G. *an-* 欠性辞

+ *histos*, web]. 非組織性の，無構造の.
an·hy·drase (an-hī′drās). アンヒドラーゼ，脱水酵素（化合物から水を除去する反応を触媒する酵素．この種の酵素は現在では hydrase, hydro-lyase, dehydratase として知られる).
carbonic a. カルボニックアンヒドラーゼ（亜鉛酵素で，CO_2 から HCO_3^- と H^+ への相互反応を触媒する．少なくとも7種のヒトアイソザイムが存在し，主として赤血球，分泌組織，筋肉中に見出される．カルボニックアンヒドラーゼIIの欠損により大理石骨病や代謝性アシドーシスになる．スルホンアミドによるカルボニックアンヒドラーゼIVや恐らくカルボニックアンヒドラーゼIIの阻害による方法が緑内障の最新治療法である). = carbonate dehydratase; carbonate hydro-lyase.
an·hy·dra·tion (an′hī-drā′shŭn). 脱水. = dehydration (1).
an·hy·dride (an-hī′drīd). 無水物（水と結合して酸になる酸化物，あるいは水の除去により酸から得られる酸化物).
anhydro- (an-hī′drō) [G. *an-* 欠性辞 + *hydōr*, water]. 水の除去を意味する化学的な接頭語. *cf.* pyro- (2).
an·hy·dro·bi·o·sis (an-hī′drō-bī-ō′sis) [anhydro- + biosis]. 乾眠（完全に蘇生可能な形で生物が脱水状態にあること).
3,6-**an·hy·dro·ga·lac·tose** (an-hī′drō-gă-lak′tōs). 3,6-アンヒドロガラクトース（多くの多糖類(例えばアガロース)に見出されるガラクトース誘導体).
an·hy·dro·gi·tal·in (an-hī′drō-jit′ă-lin). アンヒドロギタリン. = gitoxin.
an·hy·dro·leu·cov·o·rin (an-hī′drō-lū-kō-vōr′in). アンヒドロロイコボリン（葉酸触媒のグリシン－セリン相互転化で生成する中間体). = N^5,N^{10}-methenyltetrahydrofolic acid.
an·hy·dro·sug·ars (an-hī′drō-shug′ărz). 無水糖（結晶水以外の水の分子が１つ以上除去された糖). = dehydrosugars.
an·hy·drous (an-hī′drŭs). 無水の（水，特に結晶水を含まないことをさす).
a·ni·a·cin·am·i·do·sis (ă-nī′ă-sin-am′i-dō′sis) [G. *a-* 欠性辞 + niacinamide + *-osis*, condition]. ナイアシンアミド欠乏〔症〕，ニコチン酸アミド欠乏〔症〕（ペラグラを合併することもあるナイアシンアミド欠乏症に対してまれに用いる語).
a·ni·a·cin·o·sis (ă-nī′ă-sin-ō′sis) [G. *a-* 欠性辞 + niacin + *-osis*, condition]. ナイアシン欠乏〔症〕，ニコチン酸欠乏〔症〕(aniacinamidosis に対してまれに用いる語).
an·ic·ter·ic (an-ik-ter′ik). 無黄疸性の.
an·id·e·an (an-id′ē-an) [→anideus]. 無形体の（形にならない組織塊についていう). = anidous.
an·id·e·us (an-id′ē-ŭs) [G. *an-* 欠性辞 + *eidos*, shape]. 無形体（部分的に不鮮明な，分化の乏しい組織塊からなる寄生胎児. →*holoacardius* amorphus).
embryonic a. 胚〔子〕無形体（軸性構築のない胚盤葉).
an·i·dous (an-ī′dŭs). = anidean.
an·i·lide (an′i-līd). アニリド（*N*-アシルアニリン，例えばアセトアニリド).
ani·linc·tion, ani·linc·tus (ā-ni-lingk′shŭn, -lingk′tŭs). 肛門接吻. = anilingus.
an·i·line (an′i-lin, -lēn) [Ar. *an-nil*, indigo]. アニリン（芳香と刺激性の味をもつ無色または褐色がかった油性の液体で，多くの合成染料の母体となる．ベンゼンの水素原子の１つを NH_2 基で置換した誘導体．アニリンは強い毒性をもち，工業上の中毒を起こし，発癌性があると考えられている). = aminobenzene; benzeneamine; phenylamine.
an·i·line blue (an′i-lin blū) [C.I. 42755]. アニリンブルー（結合組織染料および対比染料として広く用いるトリフェニルメタン硫酸塩の混合物).
a·ni·lin·gus (ā′ni-ling′gŭs) [L. *anus* + *lingo*, to lick]. 肛門接吻（性的刺激を引き起こすために肛門をなめたり口づけしたりすること．口を用いた性行為の一種). = anilinction; anilinctus.
an·i·lin·ism (an′il-in-izm). = anilism.
an·i·li·no·phil, an·i·li·no·phile (an′i-lin′ō-fil, -fīl) [aniline + G. *philos*, fond]. アニリン親和性の（アニリン染料に染まりやすい細胞または組織構造についていう). = anilinophilous.
an·i·li·noph·i·lous (an′i-li-nof′ĭ-lŭs). = anilinophil.
an·il·ism (an′il-izm). アニリン中毒〔症〕（慢性アニリン中毒で，胃と心臓の衰弱，めまい，筋力低下，間欠脈，チアノーゼが特徴). = anilinism.
an·i·ma (an′i-mă) [L. breath, soul]. ***1*** アニマ（Jung 心理学において，男性の夢の中や想像において認められる無意識と自我の間の介在因子で，無意識内に存在する女性的元型). ***2*** 関連性，価値感，感情的反応を引き起こす生き生きとした女性的生命力. ***3*** 魂の人格化や魂のイメージで自己と体験されないもの.
an·i·mal (an′i-măl) [L.]. 動物（①膜性の細胞壁を備え，酸素と有機性食物を必要とし，植物や鉱物と違って任意的に動くことができる知覚のある生物．②ヒトと区別して下等動物の全体).
cold-blooded a. 冷血動物. = poikilotherm.
control a. 対照動物（研究において，他の動物と同じ条件下におかれるが，決定的な操作(例えば，抗毒素注入，薬物投与など)は加えられない動物. →control; control *experiment*).
conventional a. 通常動物（その種に常在する微生物が存在する動物).
Houssay a. (ū′sā). オーサイ動物（膵臓と脳下垂体を摘出された動物．脳下垂体摘出後，動物はインスリンに対していっそう敏感になり，膵摘出動物の糖尿病は下垂体摘出後軽減するという原理をもつ．発見者の名がつけられた).
normal a. 正常動物（研究において，特殊な病気にかかったり，特殊な微生物またはその毒素の注入を受けていない実験動物).
sentinel a. 歩哨動物（ウイルスのような有害要因の存在を検出するため，特定の環境に慎重におかれた動物).
warm-blooded a. 温血動物. = homeotherm.
an·i·mal black (an′i-măl blak). = animal *charcoal*.
an·i·mal·cule (an′i-mal′kūl) [Mod. L. *animalculum*: L. *animal*(a living being)の指小辞]. 微小動物（前成説の信奉者が，配偶子にあると仮想した微小体に対して用いる語).
a·ni·ma·li·a (a-nē-ma′lē-a). 動物界（分類のカテゴリー. →kingdom).
an·i·ma·tion (an′i-mā′shŭn) [L. *animo*, pp. *-atus*, to make alive; *anima*, breath, soul]. ***1*** 生きている状態. ***2*** 生気，活気（生き生きしていること．陽気であること).
suspended a. 仮死状態（呼吸が停止し，死に似た一時的な状態．動物のある種の冬眠の型，またはバクテリアによる内性胞子の形成についていうこともある).
an·i·mat·ism (an′i-mă-tizm). アニマティズム（生物，無生物ともに精神的あるいは霊的な性状をもつとする説. →animism).
an·i·mism (an′i-mizm) [L. *anima*, soul]. アニミズム（生物，無生物ともに自然界のものはすべて霊魂または精神をもつという考え方．霊魂や精神が人間および自然界に宿っているという，多くの宗教上の教義の一部. →animatism).
an·i·mus (an′i-mŭs) [L. *anima*, soul]. ***1*** アニムス（Jung 心理学において，女性の夢の中や想像において認められる無意識と自我の間の介在因子で，無意識内に存在する男性的元型). ***2*** 分析，判断，中核信念，確信を引き起こす生き生きとした男性的生命力. ***3*** 魂の人格化，魂のイメージで自己と体験されないもの. →animatism; anima.
an·i·on (A^-) (an′ī-on). 陰イオン，負イオン（陰電荷を運ぶイオンで，陽極のほうに動く．塩の中では酸基が陰イオン).
an·i·on ex·change (an′ī-on eks-chānj′). 陰イオン交換（可動(液)相内の陰イオンが，固体で非移動性陽電荷相にあらかじめ結合するもう１つの陰イオンと交換する過程のことで，その固相を陰イオン交換体という．例えば，陰イオン交換は脱塩中に Cl^- が OH^- と交換するときに起こる．その反応式は(溶液中の Cl^-) + (陰イオン交換体の OH^-)→(陰イオン交換体の Cl^-) + (溶液中の OH^-)．陽イオン交換を併用すれば，塩化ナトリウムが溶液から取り除かれる．陰イオン交換は陰イオン種を分離するためのクロマトグラフィに使われ，医薬としては胃の内容物または腸内の胆汁酸から陰イオン(例えば Cl^-)を取り除くために用いられる).
an·i·on ex·chang·er (an′ī-on eks-chānj′ĕr). 陰イオン交換体（$-NR_3^+$ または$-NR_2H^+$ などの陽イオン基を有する不溶性の固体で，通常はポリスチレンまたは多糖類．この陽イオン基は溶液内のすでに保持された陰イオンとの交換に際して移動溶液中を通過する陰イオンを誘引して保持する).

an·i·on·ic (an-ī-on′ik). 陰イオンの（負に荷電したイオンについていう).

an·i·on·ot·ro·py (an′-ī-on-ot′rō-pē). 向陰イオン性，アニオノトロピー（互変異性変化における陰イオンの移動).

an·i·rid·i·a (an′i-rid′ē-ă) [G. *an-* 欠性辞 + irid- + -ia] [MIM*106210]. 無虹彩〔症〕(虹彩の欠損. *cf.* irideremia).

an·i·sa·ki·a·sis (an′i-să-kī′ă-sis) [G. *anisos*, unequal + *akis*, a point + *-iasis*, condition]. アニサキス症（*Anisakis marina* および他のアニサキス鉤虫(*Contracaecum*, *Phocanema*)の迷入による腸管の感染症で，小腸の好酸球性肉芽腫と消化性潰瘍あるいは腫瘍に類似する症状を特徴とする).＝herring-worm disease.

an·i·sa·kid (an′i-sā′kid). アニサキス（アニサキス科線虫の一般名).

An·i·sa·ki·dae (an′i-sā′ki-dē). アニサキス科（魚食性鳥類と海洋哺乳類の胃腸にみられる大型線虫類(Heterocheilidae上科)の一科. 未調理の海産魚を摂食することにより感染する. ヒトのアニサキス症は主に日本で報告されている.→ *Anisakis*).

An·i·sa·kis (an′i-sā′kis) [G. *anisos*, unequal + *akis*, a point]. アニサキス属（線虫類(アニサキス科)の属で，海洋性の魚食性鳥類や海洋哺乳類の多くの一般的な寄生虫を含んでいる).

an·is·ate (an′ĭ-sāt). アニス酸塩（通常，防腐性のアニス酸の塩).

an·ise (an′is). アニス，ウイキョウ（セリ科 *Pimpinella anisum* の果実. ウイキョウ様の芳香薬，駆風薬).

an·is·ei·ko·ni·a (an′ī-sī-kō′nē-ă) [G. *anisos*, unequal + *eikōn*, an image]. 不等像〔視〕〔症〕(一眼に映る像の形や大きさが他眼のそれと異なる状態).＝unequal retinal image.

an·is·ic (an-is′ik). アニスの.

an·is·ic ac·id (an-is′ik as′id). アニス酸（アニスから得られる結晶性揮発性酸で，その化合物は防腐性アニス酸塩である).＝4-methoxybenzoic acid.

an·i·so- (an-ī′sō) [G. *anisos*, unequal < *an-*, not + *isos*, equal]. 不等または不同を意味する連結形.

an·i·so·ac·com·mo·da·tion (an-ī′sō-ă-kom′ō-dā′shŭn) [aniso- + L. *accommodo*, to adapt]. 不同調節（調節能力において両眼間に差があること).

an·i·so·chro·ma·si·a (an-ī′sō-krō-mā′zē-ă) [aniso- + G. *chrōma*, color]. 色調不同〔症〕，赤血球染色不同〔症〕(赤血球内のヘモグロビンの不均等分布. そのため外側は着色されるが，中央部はほとんど無色である. ある種の鉄欠乏性貧血のヒトの血液スミアにみられる. 正常の赤血球は両凹形のために軽度の染色不同を示す).

an·i·so·chro·mat·ic (an-ī′sō-krō-mat′ik). 色調不同の（全体が同一の色ではない).

an·i·so·co·ri·a (an-ī′sō-kō′rē-ă) [aniso- + G. *korē*, pupil] [MIM*106240]. 瞳孔〔左右〕不同〔症〕(2つの瞳孔の大きさが異なる状態).

essential a. 生理的瞳孔不同.＝simple a.

physiologic a. 生理的瞳孔不同.＝simple a.

simple a. 生理的(単純性)瞳孔不同（よくみられる(正常者の20%)良性瞳孔不同. 径に左右差があるもの).＝essential a.; physiologic a.; simple-central a.

simple-central a. 生理的(単純性)瞳孔不同.＝simple a.

an·i·so·cy·to·sis (an-ī′sō-sī-tō′sis) [aniso- + G. *kytos*, cell + *osis*, condition]. 赤血球〔大小〕不同〔症〕(特に赤血球について，正常では一様である細胞の大きさにかなり違いがあること).

an·i·so·dac·ty·lous (an-ī′sō-dak′ti-lŭs). 不等指症の.

an·i·so·dac·ty·ly (an-ī′sō-dak′ti-lē) [aniso- + G. *daktylon*, finger]. 不等指症（対応する(手または足の)指の長さが異なること).

an·i·sog·a·my (an′-i-sog′ă-mē) [aniso- + G. *gamos*, marriage]. 異形配偶（大きさや形が異なる2つの配偶子の融合. 同形配偶または接合と区別される受精).

an·i·sog·na·thous (an′i-sog′nă-thŭs) [aniso- + G. *gnathos*, jaw]. 不同顎型の（[二重字gnにおいて，gは語頭にあるときのみ無音である]. 上顎が下顎より広い，大きさの異なる顎をもつ).

an·i·so·kar·y·o·sis (an-ī′sō-kar′ē-ō′sis) [aniso- + G. *karyon*, nut (nucleus) + *-osis*, condition]. 核大小不同（ある組織についての正常範囲を超えた核の大きさの不同).

an·is·ole (an′i-sōl). アニソール（アニス酸から得られる物質で，香水の原料である).

an·i·so·mas·ti·a (an-i′sō-mas′tē-ă) [aniso- + G. *mastos*, breast] [MIM*605746]. 乳房不同（左右の乳房の大きさが等しくないこと).

an·i·so·me·li·a (an-i′sō-mē′lē-ă) [aniso- + G. *melos*, limb]. 四肢不同（対をなす2組の肢が等しくないこと).

an·i·so·me·tro·pi·a (an-ī′sō-me-trō′pē-ă) [aniso- + G. *metron*, measure + *ōps*, sight]. 屈折〔左右〕不同〔症〕，不同視，不同像症（両眼の屈折力が異なること).

an·i·so·me·tro·pic (an-ī′sō-me-trop′ik). 屈折不同の（①不同視についていう. ②屈折力が異なる眼についていう).

an·i·so·pi·e·sis (an-ī′sō-pī-ē′sis) [aniso- + G. *piesis*, pressure]. 血圧不同（身体の両側の動脈圧が等しくないこと).

an·i·sor·rhyth·mi·a (an-ī′sō-ridth′mē-ă) [aniso- + G. *rhythmos*, rhythm]. 非同期律動（不規則な心臓の動き. 心房と心室の律動に同期性がないこと).

an·i·so·sphyg·mi·a (an-ī′sō-sfig′mē-ă) [aniso- + G. *sphygmos*, pulse]. 〔左右〕不同脈（身体の両側の対応する動脈，例えば，橈骨動脈または大腿動脈の容量，動脈圧，あるいは脈拍時間に差があること).

an·i·sos·then·ic (an-ī′sos-then′ik) [aniso- + G. *sthenos*, strength]. 不同力の（強さが等しくない2つの筋肉，あるいは対をなす筋肉または拮抗筋の群についていう).

an·i·so·ton·ic (an-ī′sō-ton′ik) [aniso- + G. *tonus*, tension]. 非等張の，不等浸透圧の.

an·i·so·tro·pic (an-ī′sō-trop′ik) [aniso- + G. *tropos*, a turning]. 異方性の（すべての方向について性質や特性が等しくない).

an·i·so·tro·pine meth·yl·bro·mide (an-i′sō-trō′pēn meth′ĭl-brō′mīd). 臭化メチルアニソトロピン（抗コリン作用性の消化管鎮痙薬).

A·nitsch·kow (ah-nich′kov), Nikolai. ロシア人病理学者，1885−1964.→A. *cell*, *myocyte*.

an·kle (ang′kl). ***1*** 足根. ***2*** 足関節.＝ankle *joint*. ***3*** 距腿関節部. ***4*** 距骨.＝tarsus (1).

ankylo- (ang′ki-lō) [G. *ankylos*, bent, crooked; *ankylōsis*, stistiffening of the joints < *ankos*, a bend, a hollow]. 屈曲，鉤，固定，融合，接近，に関する連結形.→ ancylo-.

an·ky·lo·bleph·a·ron (ang′ki-lō-blef′ă-ron) [ankylo- + G. *blepharon*, eyelid]. 眼瞼癒着（先天的または後天的に上下の眼瞼が索状組織により癒着している状態).＝blepharocoloboma.

an·ky·lo·dac·ty·ly, an·ky·lo·dac·tyl·ia (ang′ki-lō-dak′ti-lē, -dak-til′ē-ă) [ankylo- + G. *daktylos*, finger]. 強直指〔症〕，指強直症，指癒着〔症〕，指膠着〔症〕(2本以上の手指や足指が癒着すること.→syndactyly).

an·ky·lo·glos·si·a (ang′ki-lō-glos′ē-ă) [ankylo- + G. *glōssa*, tongue] [MIM106280]. 舌小帯短縮〔症〕，舌癒着症（舌の口腔底との部分的または完全癒着. 舌小帯の異常な短縮).＝tongue-tie.

an·ky·lo·me·le (ang′ki-lō-mē′lē) [ankylo- + G. *mēlē*, probe]. 彎曲消息子（彎曲または屈曲したゾンデ).

an·ky·losed (ang′ki-lōst). 強直した（癒着によって結合した，強直状態の，癒合した関節についていう).

an·ky·lo·sis (ang′ki-lō′sis) [G. *ankylōsis*, stiffening of a joint]. 強直〔症〕([alkalosis と混同しないこと]. 疾患の経過に伴い，関節が線維性あるいは骨性に結合し硬直すること. 癒合すること).

artificial a. 人工強直.＝arthrodesis.

bony a. 骨性強直.＝synostosis.

dental a. 骨性癒着（歯根表面とその周囲の歯槽骨との骨性の癒合. 癒合部ではそれに先立って部分的な歯根吸収が起こる).

extracapsular a. 〔関節〕包外強直（関節周囲組織の硬化または異所性骨化により関節の運動性が失われた状態. 関節包外固定術で関節周囲組織を架橋することにより関節を固定する).＝spurious a.

false a. 偽強直.＝fibrous a.

fibrous a. 線維性強直（関節を形成する骨と骨との間に線維帯が存在することにより関節の運動性が失われた状態）. = false a.; pseudankylosis; pseudoankylosis.

intracapsular a. 囊内強直，〔関節〕包内性強直（関節を形成する骨と骨との間の骨性癒着または線維性癒着により関節の運動性が失われた状態）.

spurious a. 偽強直. = extracapsular a.

true a. 真性強直. = synostosis.

An·ky·los·to·ma (ang′ki-los′tō-mă) [ankylo + G. *stoma*, mouth]. ***1*** = *Ancylostoma*. ***2*** = trismus.

an·ky·lo·sto·mi·a·sis (ang′ki-lō-stō-mī′ă-sis). = ancylostomiasis.

an·ky·lot·ic (ang′ki-lot′ik). 強直〔症〕の.

an·ky·rin (ang′ki-rin) [G. *ankyra*, anchor + -in]. アンキリン（赤血球の膜蛋白で，スペクトリンと結合する．アンキリンの欠乏は遺伝性球状赤血球症の1型の原因となる.→nexins). = anchorin; syndein.

an·ky·roid (an′ki-royd). = ancyroid.

an·la·ge, pl. **an·la·gen** (ahn′lah-ge, -gen) [Ger. plan, outline]. 【本語のドイツ語のつづり Anlage はすべての名詞同様に大文字で始まるが，英語では小文字の a でつづられる】. ***1*** 原基. = primordium. ***2*** 素質（精神分析学において，与えられた特性または人格特徴の遺伝的要因）.

an·neal (an-nēl′) [A.S. *anaelan*, to burn]. ***1*** 焼還する，なます（加熱や冷却を調節して，金属を軟らかくしたり金属に焼きを入れる．その結果，金属をたやすく修正でき，曲げたり，またスエージで型をつけたりでき，しかももろくならない). ***2*** 焼還する，なます（歯科において，金箔を窩洞に充塡する前に加熱し，吸着したガスや他の汚染物を除去する). ***3*** アニール（DNA の相補的一本鎖との対合，あるいは DNA–RNA の対合). ***4*** 2つの高分子末端で付着すること．例えば2つの微小管がアニーリングして，1つの長い微小管を形成すること．***5*** 分子生物学においては，アニーリングは，第1の試料から得た一本鎖 DNA の短い断片をフィルタに結合させ，第2の試料から得た放射活性のある一本鎖 DNA と反応させる過程である．2種の DNA が相補的ヌクレオチド配列をもつところでは結合が起こる．2種の DNA の類似度(相同性)はフィルタの放射活性のレベルで推定される．この手法はバクテリアやウイルスの分類に中心的な役割を演じている. = nucleic acid hybridization. ***6*** 蛋白やポリ核酸を徐冷することにより再生させる.

an·nec·tent (a-nek′tent) [L. *an-necto*, pres. p. *-nectnes*, pp. *-nexus*, to join to]. 連結した，つながった.

An·nel·i·da (an′ně-lī′dă). 環形動物門（ミミズのような，分節と真の体腔をもつ蠕虫を包含する門).

an·ne·lids (an′ně-lids). 環形動物（環形動物門に属する生物を表す一般名).

an·nel·lide (an′ĕ-līd) [Fr. *annelide* < L. *anellus*, a ring]. アネリド，環紋状細胞（連続的に分生子を産生する分生子産生細胞で，各分生子が分離すると細胞壁上には環状の襟がそれぞれ残ることになる).

an·nel·lo·co·nid·i·um (an′ĕ-lō-kŏ-nid′ē-um). 環紋〔型〕分生子，アネロ〔型〕分生子（アネリドから産生される分生子).

an·nexa (a-nek′să). = accessory *structures*.

an·nex·al (a-neks′ăl). = adnexal.

an·nex·ins (a-nek′sinz). アネキシン（少なくとも13種の Ca^{2+} 依存性リン脂質結合蛋白の一群．細胞内カルシウムシグナルのメディエイタとして作用する).

an·not·to (ă-not′ō). アンナット（ベニノキ *Bixa orellana* の種子から抽出する着色剤．ビキシンおよびその他の黄色から橙赤色に至る数種の色素を含む．バター，マーガリン，チーズ，油脂の色付けに用いる).

an·nu·lar (an′yū-lăr) [L. *anulus*, ring]. 輪状の，環状の. = anular.

an·nu·lus (an′ū-lŭs). 輪（【この伝統的な anulus の異つづりは TA では認められていない】). = ring.

an·nu·lo·plasty (an′yū-lō-plas-tē) [L. *anulus*, ring + G. *plastos*, formed]. 輪状形成〔術〕(心弁膜(通常は僧帽弁)を再建すること).

an·nu·lor·rha·phy (an-yū-lōr′ă-fē) [L. *anulus*, ring + G. *rhaphē*, seam]. ヘルニア輪縫合〔術〕(ヘルニア輪を縫合して閉じること).

AnOC anodal opening *contraction* の略.

an·o·chro·ma·si·a (an′ō-krō-mā′zē-ă) [G. *anō*, upward + *chrōma*, color]. アノクロマジア，無染性，染色性欠如（①染料で処理するとき，細胞や他の組織要素が常法で着色されないこと．②ヘモグロビンが赤血球の辺縁部に蓄積し，その結果，中心部が白みを帯びて実質的には無色になること).

a·no·ci·as·so·ci·a·tion (ă-nō′sē-ă-sō′sē-ā′shŭn) [G. *a-* 欠性辞 + L. *noceo*, to injure + association]. 有害刺激除去〔法〕(求心性の刺激，特に疼痛が手術ショックの発生に寄与し，必然の結果として手術野の伝導麻酔と手術前の鎮静がショックを防ぐという，G.W. Crile によって唱えられた理論).

a·no·coc·cyg·e·al (a′nō-kok-sij′ē-ăl). 肛門尾骨の（肛門と尾骨の両方に関する).

an·od·al (an′ōd-ăl). 陽極の. = anodic.

an·ode (an′ōd) [G. *anodos*, a way up < *ana*, up + *hodos*, a way]. = positive electrode. ***1*** 正極（電池の正極あるいはそれと接続されている電極で，陰電荷イオン(陰イオン)がそれに向かって移動する(例えば電気泳動)．正荷電をもつ電極. *cf.* cathode). ***2*** 陽極（X線管の構成要素で，通常タングステン製であり，陰極線(電子)の衝突によってX線が生じる).

rotating a. 回転〔型〕陽極（X線撮影において使用される，近代的X線管球のキノコ型の陽極．X線の発生中は，電子線の衝突によって生じる局所的温度上昇を避けるため高速に回転する).

an·o·derm (ā′nō-derm). 肛門管上皮（櫛状線直下から肛門縁までの約 1.5 cm の上皮．毛や皮脂腺，汗腺がなく真の皮膚ではなく，扁平上皮である．やや白っぽく，平滑で，薄く，繊細で，ひっぱると光沢がある．また，摩擦(粗いトイレットペーパーなど)や，化学刺激物(石けんなど)によって特に傷つきやすく，下直腸(陰部)神経に支配された触覚・知覚(疼痛，そう痒)受容器をよく備えている).

an·od·ic (an-ōd′ik). = anodal.

an·o·don·ti·a (an′ō-don′shē-ă) [G. *an-* 欠性辞 + *odous*, tooth]. 無歯〔症〕(抜歯や埋伏によるものではなく，先天的に歯がないこと). = agomphosis; agomphiasis.

partial a. 部分的無歯〔症〕. = hypodontia.

an·o·dont·ism (an′ō-dont′izm). 無歯〔症〕(歯蕾成長の先天的欠損).

an·o·dyne (an′ō-dīn) [G. *an-* 欠性辞 + *odynē*, pain]. 鎮痛薬（痛みを和らげることのできる麻酔薬ほど強力ではない薬物).

an·o·et·ic (an′ō-et′ik) [G. *anoēsia* < *a-* 欠性辞 + *noos*, perception]. 理解力欠如の（重度および最重度の精神遅滞におけるような，理解する能力の欠如についていう).

ano·gen·i·tal (ā′nō-jen′ĭ-tăl). 肛門性器の（肛門および生殖器の両方に関する).

a·nom·a·lad (ă-nom′ă-lad) [→anomaly]. ***1*** 奇形症候群（奇形とそれに付随して派生した構造上の変化). ***2*** = sequence.

a·nom·a·lo·scope (ă-nom′ă-lō-skōp) [G. *anōmalos*, irregular + *skopeō*, to examine]. アノマロスコープ（色覚の異常を診断するための器械で，視界を2分割し，一方の視野で患者は2色を混ぜ合わせ，他方の固定色と比較することにより判定する).

a·nom·a·ly (ă-nom′ă-lē) [G. *anōmalia*, irregularity]. 破格，異常，奇形（構造的奇形による出生時損傷，または平均または正常から高度に逸していること．先天性欠損など，構造的にみて一般的な規律に反し通常の形ではなく不規則であること．異常には，奇形，破裂，変形，形成異常の4つの臨床的にはっきりした型がある).

Alder a. (ahl′dĕr) [MIM*103800]. アルダー異常（ガーゴイリスムと Morquio 症候群に伴う白血球，特に顆粒球の粗いアズール親和顆粒化).

Aristotle a. (ar′is-tot-ĕl). アリストテレス異常（第一指と第二指を交差してその間に小さなものをはさむと，まるで2つのものをはさんでいるように感じること).

Chédiak-Steinbrinck-Higashi a. (chē′dē-ak stīn′brink hē-gah′shē). チェディアック－シュタインブリンク－東異常. = Chédiak-Higashi *syndrome*.

developmental a. 発生異常（子宮内での発育中に起こる異常．先天異常).

Ebstein a. (eb′stēn) [MIM*224700]. エブスタイン奇形

（右心室中に三尖弁が下方変位している先天性心疾患）．＝Ebstein disease.

eugnathic a. 下顎奇形．＝eugnathia.

Freund a. (froynd). フロイント奇形（第一肋骨とその軟骨の短縮による胸郭の上部開口部の狭窄で，以前は肺尖の展開不全のため結核に罹患しやすいと信じられていた）．

Hegglin a. (heg′lin). ヘグリン異常（好中球と好酸球がDöhle体，Amato体として知られる好塩基構造物を含有し，血小板減少症を伴う血小板成熟障害のある疾患．常染色体優性遺伝）．＝May-Hegglin a.

May-Hegglin a. (mī heg′lin). メイ－ヘグリン異常．＝Hegglin a.

morning glory a. アサガオ異常（視神経乳頭の先天性奇形．視神経乳頭は漏斗状を呈し，陥凹底部には点状の白色組織があり，乳頭周囲は隆起した色素輪で取り囲まれている．網膜血管は乳頭縁に多数の狭い帯としてみられる）．

Pelger-Huët nuclear a. (pel′zhā hū-et′) [MIM*169400]. ペルゲル－フエット核異常（好中球の核の分葉の先天的障害．ほとんどの細胞は帯状または双葉構造を示すが，まれに三葉構造をもつ細胞もある．疾患と関連しないが，白血球の左方移動と混同されることがある．常染色体優性遺伝）．

Peters a. (pē′tĕrz) [MIM*604229]. ペーテルス異常．＝anterior chamber cleavage *syndrome.*

Rieger a. (rē′gĕr). リーガー異常．＝iridocorneal mesenchymal *dysgenesis*.

Shone a. (shōn). ショーン奇形（大動脈狭窄．パラシュート形僧帽弁と関連してみられる大動脈下狭窄および左心房の狭窄輪）．

Uhl a. (yūl). ウール奇形（右心室筋形成不全症．右室は拡張し壁は薄く，雑音は生じない．小児期の初めに死亡する）．

urogenital sinus a. 泌尿生殖洞の奇型．＝hypospadias.

an·o·mer (an′ō-mer). アノマー（ヘミアセタールまたはヘミケタール炭素原子(アルドースではC-1，ほとんどのケトースではC-2)においてエピマーである2つの糖分子の1つ．例えば，α-D-グルコースやβ-D-グルコースなど．*cf.* epimer. →sugars).

a·no·mi·a (ă-nō′mē-ă) [G. *a-* 欠性辞 + *ōnoma*, name]. 名称失語〔症〕，失名詞〔症〕．＝nominal *aphasia.*

an·o·mie (an′ō-mē) [Fr. < G. *anomia*, lawlessness]. アノミー（①社会的基準や価値がなかったり弱まったりして，それに対応して社会的結合が乱れること．②精神医学において，不安，孤立，人間に関する先見当識を特徴とする個人の規準や価値の欠如または減退）．

an·o·nych·i·a, an·o·ny·cho·sis (an′ō-nik′ē-ă, an-ō-nī-kō′sis) [G. *an-* 欠性辞 + *onyx* (*onych-*), nail][MIM*206800]. 無爪〔症〕，爪甲欠損〔症〕．

anon·y·ma (ă-non′i-mă) [G. *an-* 欠性辞 + *onyma*, name]. 無名の．＝innominate.

A·noph·e·les (ă-nof′ĕ-lēz) [G. *anōphelēs*, useless, harmful < *an-* 欠性辞 + *ōpheleō*, to be of use]. ハマダラカ属（カ科ハマダラカ亜科のカの一属．本属のある種の雌のカの体腔内で，マラリア原虫が胞子形成期を過ごす．媒介カの種を(90種以上の中から)いくつか抜粋して以下にあげる）．

A. aconitus インドネシア，タイ，カンボジアにおけるマラリア媒介カ．

A. albimanus 白い後足を特徴とする，西インド諸島，中央アメリカにおけるマラリアの一般的な媒介カ．

A. albitarsus 南アメリカにおけるマラリア媒介カ．

A. annularis インドにおける主要なマラリア媒介カ．

A. annulipes オーストラリアにおけるマラリアの媒介カ．

A. aquasalis 小アンティル諸島，トリニダード，ブラジルにおけるマラリア媒介カ．

A. arabiensis アフリカのサハラ周辺からケニアおよびスーダンにまたがる乾燥した低山帯における主要なマラリア媒介カ．

A. aztecus メキシコの高地におけるマラリアの媒介カ．

A. balabacensis 東南アジア，ミャンマー，インドにおけるマラリア媒介カ．

A. barbirostris インドネシア，マレー半島におけるマラリア媒介カ．

A. bellator トリニダード，ブラジルにおけるマラリア媒介カ．

A. brunnipes 熱帯地域全域における主要なマラリア媒介カ．

A. campestris マレーシアにおけるマラリア媒介カ．

A. crucians 米国におけるマラリア，ベエズエラウマ脳炎，ウマ脳炎の二次的または擬似媒介カ．

A. cruzi ブラジルにおけるマラリア媒介カ．

A. culicifacies インド，スリランカ，中国，その他の中央・東アジアにおける一般的なマラリア媒介カ．

A. darlingi 南アメリカにおける主要なマラリア媒介カ．

A. flavirostris フィリピン，ジャワ，北部セレベスにおける重要なマラリア媒介カ．

A. fluviatilis インド，パキスタンにおける主要なマラリア媒介カ．

A. freeborni 米国西部におけるマラリア媒介カ(風土病的症例はすでになくなっている)．

A. funestus アフリカにおける主要なマラリア媒介カ．

A. gambiae アフリカに生息するハマダラカの一種で，Ronald Rosso によって最初に記載された，マラリアの重要な媒介者．

A. jeyporiensis 中国南部におけるマラリア媒介カ．

A. karwari ニューギニアにおけるマラリア媒介カ．

A. kweiyangensis 中国四川省における重要なマラリア媒介カ．

A. labranchiae 旧北亜区(すなわち，ヨーロッパ，アフリカの北西沿岸部およびヒマラヤ以北のアジア)における主要なマラリア媒介カ．

A. lesteri 中国長江(以前は揚子江)下流域における重要なマラリア媒介カ．

A. leucosphyrus ボルネオにおける重要なマラリア媒介カ．

A. maculatus マレー，インドネシアにおけるマラリア媒介カ．

A. maculipennis *Anopheles*属の標準種で，鱗片の集合よりなる斑点が羽に存在する．最も広範囲に分布している種類の1つで，マラリアの伝播に重要な影響を与える．以前はヨーロッパ大陸における主要な媒介カであった．

A. messeae ハンガリーの一部地域および東部ルーマニアにおけるマラリア媒介カ．

A. minimus コガタハマダラカ（アジア地域全体における主要なマラリア媒介カ）．

A. pseudopunctipennis 南アメリカにおけるマラリア媒介カ．

A. quadrimaculatus 以前は米国南部における主要なマラリア媒介カであった．

A. stephensi アジアの広域に分布する主要なマラリア媒介カ．

A. sundaicus 東アジア，東南アジアにおける主要なマラリア媒介カ．

A. superpictus 地中海沿岸，中東，南アジアにおける主要なマラリア媒介カ．

a·noph·e·li·cide (ă-nof′ĕ-li-sīd). ハマダラカ殺虫薬（ハマダラカ属 *Anopheles* のカに対する殺虫薬）．

a·noph·e·li·fuge (ă-nof′ĕ-li-fyūj). ハマダラカ駆逐薬（ハマダラカ属 *Anopheles* のカに対する駆虫・忌避薬）．

A·noph·e·li·nae (an-of′ĕ-lī′nē). ハマダラカ亜科（カ科の亜科で，ハマダラカ属 *Anopheles* を含む数属からなる）．

a·noph·e·line (ă-nof′ĕ-līn). ハマダラカ属 *Anopheles* のカに関する．

A·nophe·li·ni (ă-nof′ĕ-lī-nī) [G. *anōphelēs*, useless, troublesome]. ハマダラカ族（カ科のうち，ハマダラカ属 *Anopheles* を含む族）．

a·noph·e·lism (ă-nof′ĕ-lizm). ハマダラカ浸淫（一地方にハマダラカ属 *Anopheles* のカが常在すること）．

an·oph·thal·mi·a (an′of-thal′mē-ă) [G. *an-* 欠性辞 + *ophthalmos*, eye]. 無眼球〔症〕（眼の全組織の先天的欠損）．＝anophthalmos.

an·oph·thal·mos (an′of-thal′mōs). 無眼球〔症〕．＝anophthalmia.

a·no·plas·ty (ā′nō-plas′tē) [L. *anus* + G. *plastos*, formed]. 肛門形成〔術〕（皮膚弁移動による肛門の再建手術）．

An·op·lo·ceph·a·la (an-op′lō-sef′ă-lă) [G. *anoplos*, unarmed + *kephalē*, head]. 裸頭条虫属（裸頭条虫科に属する大型条虫の一属で，はっきりした直線の片節をつくり，多数の精巣が散在し，卵には洋ナシ状装置がある．草食動物に寄生し，中間宿主として土壌生活性のダニをとる）．

A. perfoliata ウマ，ロバ，ラバ，シマウマなどに寄生する条虫の一種．ウマに回盲の疝痛および下痢を引き起こす．ときに著しい腸壁潰瘍の原因となる．糞便検査では虫卵が偽陰性となることが多いので，確定診断のためにはしばしばELISAが用いられる．擬嚢尾虫は節足動物にみられる．＝*Taenia equina*; *Taenia quadrilobata*.

An·o·plu·ra (an′ō-plū′ră) [G. *anoplos*, unarmed + *oura*, tail]. シラミ目（哺乳類の血を吸うシラミを含む昆虫の一目．約450種あり6科に分ける．そのうち次の4種が医学的あるいは獣医学的に重要である．家畜につくブタジラミ *Haematopinus*，ケモノホソジラミ *Linognathus*，ウシジラミ *Solenopotes*，およびヒトの吸血性シラミとしてキモノジラミ *Pediculus humanus*）．

an·or·chi·a (an-ōr′kē-ă). ＝anorchism.

an·or·chism (an-ōr′kizm) [G. *an-* 欠性辞 + *orchis*, testis]. 無精巣(睾丸)〔症〕（精巣の欠損．先天性または後天性と思われる．→monorchia; monorchism)．＝anorchia.

a·no·rec·tal (ā′nō-rek′tăl). 肛門直腸の（肛門と直腸の両方に関する）．

an·o·rec·tic, an·o·ret·ic (an′ō-rek′tic, -ret′ik). ＝anorexic. ***1***〖adj.〗食欲不振の（食欲不振，特に神経性食欲不振に関する，を特徴とする，に苦しむ）．***2***〖n.〗食欲抑制薬（食欲不振を起こす薬物）．

an·o·rex·i·a (an′ō-rek′sē-ă) [G. < *an-* 欠性辞 + *orexis*, appetite]. 食欲不振，無食欲（**[**anorexia nervosa の代わりに単純な単語 anorexia を使わないこと**]**．食欲減退．食物に対する嫌悪）．

---

a. nervosa 神経性食思不振症（肥満になる恐怖と食物に対する嫌悪がきわめて強い精神疾患で，通常，若い女性にみられ，生命を脅かすほどの体重減少をまねく場合もある．実際にはやせているのに，自分では太っているという思い込みや，機能亢進，無月経などに伴い起こる）．

神経性食思不振症(AN)は健康を犠牲にしたやせに対する強迫的な追求と定義されている．身長に対する通常の体重の85％以下の安定した体重減少により特徴付けられ，厳密な減量によって達成され，激しい運動やときには自己誘発性嘔吐，利尿剤や下剤の使用により頻繁に補完する．発症は典型的には青年期である．患者の90％は女性である．罹患率の推計は10—25歳の女性の0.3—3％である．危険因子としては，白色人種，上流階級といった社会的背景，強迫的で完璧主義的な性格が挙げられる．身体イメージは著しくゆがんでいる．正常な体型と認識したり，やせ衰えているときでさえも太りすぎていると認識したりする．わずかな洞察にもかかわらず，患者はたびたび非常に操作的であり，食事療法の実践を拒絶し，医療職の人との接触を避け，体の細さを隠す衣類を選ぶ．ANの身体的結果として，筋肉の消耗や皮下脂肪がなくなることに加えて，貧血や電解質異常，徐脈，低血圧，無気力，過度の敏感さ，便秘，色素沈着の増加や産毛の成長を伴った皮膚の乾燥がみられる．女性は無月経になり，骨粗鬆症や圧力骨折や不可逆性の骨変形の危険がある．女性の運動選手の三つ組(不規則な食事，無月経，骨粗鬆症)は特にランニングや水泳，体操，フィギュアスケートなどの低体重を重視するスポーツと関連している．認知行動療法や抗うつ薬による治療，リチウムや他の物質による治療により，多くの患者が寛解状態に至るが，再発率も高い．重度の悪液質または極度の食事の逸脱は入院や急性の栄養失調や電解質欠乏に対する経静脈的な修正の必要性が出てくるかもしれない．患者の少なくとも50％は生涯にわたり精神科的問題，特に食事と性に関する問題が持続している．ANの死亡率は約5％である．

---

reverse a. nervosa (rē-vĕrs′ an-ō-rek′sē-ă nĕr-vō′să). 反拒食症，反神経性食思不振症（実際は適当な，もしくは肥大した筋肉がついているにもかかわらず，十分に筋肉が発達していなく貧弱であるといった自己認識を有するボディイメージの障害）．

an·o·rex·i·ant (an′ō-rek′sē-ănt). 食欲抑制物（食欲不振をまねく薬，方法，または出来事など）．

an·o·rex·ic (an′ō-rek′sik). ＝anorectic.

an·o·rex·i·gen (an-ō-rek′si-jĕn) [anorexia + -gen]. 食欲抑制薬(剤)（食欲を減退させるために用いられる任意の薬物）．

an·o·rex·i·gen·ic (an′ō-rek′si-jen′ik). 食欲不振誘発性の，食欲不振を起こす．

an·or·gas·my, an·or·gas·mia (an′ōr-gaz′mē, -gaz′mē-ă)[G. *an-* 欠性辞＋orgasm＋-ia]. 無オルガスム〔症〕（オルガスムを経験できないこと．身体因性(身体疾患または投薬(SSRI，あるいは向精神薬など)，乱用薬物による二次性のもの)，心因性(心理的または状況的要因または複数の要因による二次性のもの)，または両者の合併であることがある）．

a·no·scope (ā′nō-skōp). 肛門鏡（**[**誤ったつづりまたは発音 anuscope を避けること**]**．肛門管と直腸下部を検査する短い鏡で，筒状または弁状の器械）．

Bacon a. (bā-kŏn). ベーコン肛門鏡（片側に長い切れ目，反対側に光源の付いた直腸鏡に似た器械）．

a·no·sig·moid·os·co·py (ā′nō-sig′moy-dos′kŏ-pē). 肛門S状結腸鏡検査〔法〕（肛門，直腸，およびS状結腸の内視鏡検査法）．

an·os·mia (an-oz′mē-ă) [G. *an-* 欠性辞 + *osmē*, sence of smell][MIM*301700]. 無嗅覚〔症〕，嗅覚脱失(消失)（嗅覚を失うことで次のような分類法がある．ⓘ嗅覚を失う程度により，完全または部分嗅覚脱失．ⓘⓘ障害部位の違いにより，呼吸性(鼻閉塞)または感覚神経性(嗅上皮性または中枢性嗅覚路性)嗅覚脱失．ⓘⓘⓘ先天性または後天性嗅覚脱失．最近の研究では嗅覚脱失が Alzheimer 病に直接関連した最初の感覚低下であることを示している）．

an·os·mic (an-oz′mik). 無嗅覚〔症〕の，嗅覚脱失(消失)の．

a·no·so·di·a·pho·ri·a (ă-nō′sō-dī-ă-fōr′ē-ă) [G. *a-* 欠性辞 + *nosos*, disease + *diaphora*, difference]. 疾病無関心（疾患，特に麻痺の存在についてまったく無関心であるか，または無関心なふりをすること）．

a·no·sog·no·si·a (ă-nō′sog-nō′sē-ă) [G. *a-* 欠性辞 + *nosos*, disease + *gnōsis*, knowledge]. 疾病失認（**[**二重字gnにおいて，gは語頭にあるときのみ無音である**]**．疾患，特に麻痺の存在について知らないこと．非優位頭頂葉に病巣をもつ患者に最も多くみられ，片麻痺を否定する）．

a·no·sog·no·sic (ă-nō′sog-nō′sik). 疾病失認の．

a·no·spi·nal (ā′nō-spī′năl). 肛門脊椎の（肛門と脊椎に関する）．

an·os·te·o·pla·si·a (an-os′tē-ō-plā′zē-ă) [G. *an-* 欠性辞 + *osteon*, bone + *plassō*, to form]. 造骨不全，骨形成欠損（骨形成が不完全なこと）．

an·os·to·sis (an′os-tō′sis) [G. *an-* 欠性辞 + *osteon*, bone]. 骨発育不全〔症〕（骨化が不完全な状態）．

an·o·ti·a (an-ō′shē-ă) [G. *an-* 欠性辞 + *ous*, ear]. 無耳〔症〕（片耳または両耳の耳介の先天的欠損）．

ANOVA *analysis* of variance の略．

a·no·ves·i·cal (ā′nō-ves′i-kăl). 肛門膀胱の（肛門と膀胱の両方に関する）．

an·ov·u·lar (an-ov′yū-lăr). 無排卵〔性〕の．＝anovulatory.

an·ov·u·la·tion (an′ov-ū-lā′shŭn). 無排卵（排卵の一時的または永久的停止）．

an·ov·u·la·to·ry (an-ov′yū-lă-tōr-ē). 無排卵性（成熟卵胞の発育の欠除あるいは月経周期での排卵の欠除）．＝anovular.

an·ox·e·mi·a (an′ok-sē′mē-ă) [G. *an-* 欠性辞 + oxygen + G. *haima*, blood]. 無酸素血〔症〕（動脈血中の酸素が欠乏している状態．以前はしばしば中等度低下を含めて用いられたが，現在は hypoxemia(低酸素血症)とは区別して用いられる）．

an·ox·i·a (an-ok′sē-ă) [G. *an-* 欠性辞 + oxygen]. 無酸素〔症〕，酸素欠乏〔症〕（**[**hypoxia または hypoxemia の代わりに本語を不注意に使うのを避けること**]**．吸気ガス，動脈血，組織中の酸素が欠如またはほとんど欠如している状態．以前はしばしば酸素の中等度低下を含めて用いられた）．

anemic a. 貧血性無酸素〔症〕（以前は anemic hypoxia(貧血性低酸素症)と同義とみなされていたが，現在は酸素と機能的赤血球量がほとんど完全に欠如している極度の重症例に用いられる語).

anoxic a. 無酸素性無酸素〔症〕(以前は hypoxic hypoxia (低酸素性低酸素症)と同義とみなされていたが，現在は酸素がほとんど完全に欠如している極度の重症例に用いられる語).

diffusion a. 拡散性無酸素〔症〕(肺胞気酸素の欠如をきたすような重篤な拡散性低酸素症).

histotoxic a. 組織中毒性無酸素〔症〕(シアン化物によるチトクローム酸化酵素の抑制におけるように，組織の呼吸酸素系の中毒．組織細胞の酸素使用能力が低下するため，動脈血および毛細管血の酸素張力は一般に正常より大きい).

a. neonatorum 新生児無酸素〔症〕(新生児にみられる無酸素症).

oxygen affinity a. 酸素親和性無酸素〔症〕(ヘモグロビンが酸素を遊離しにくいために起こる無酸素症).

stagnant a. うっ血性無酸素〔症〕(組織中の酸素の欠如をきたすような重篤なうっ血性低酸素症).

an・ox・ic (an-ok′sik). 無酸素性の，低酸素性の (無酸素，低酸素に関する性状を示す).

ANP atrial natriuretic *peptide* の略.

Anrep (ahn′rep), G.V. 英国に在住した 20 世紀のレバノン人生理学者. ⇀A. *phenomenon*.

ANS autonomic nervous *system* の略.

an・sa, gen. & pl. **an・sae** (an′să, -sē) [L. loop, handle] [TA]. わな，係蹄 (輪や弓状を呈する解剖的構造. →loop).

a. cervicalis [TA]. 頸神経わな (第一から第三までの頸神経からなる頸神経叢にみられるわな．第一・第二頸神経のわなからの神経線維は少しの間舌下神経に伴行した後離れて頸神経わな上根となる．第二・第三頸神経のわなからの神経線維が頸神経わな下根となる．多くの場合，両根が合流して頸神経わなとなり，ここから舌骨下筋群を支配する神経枝が出る). ＝cervical loop; loop of hypoglossal nerve.

Haller a. (hah′lĕr). ハラーわな. ＝communicating *branch* of facial nerve with glossopharyngeal nerve.

Henle a. (hen′lē). ヘンレわな. ＝nephron *loop*.

a. hypoglossi 舌下神経わな (a. cervicalis を表す現在では用いられない語).

lenticular a. レンズ核わな. ＝lenticular *loop*.

a. lenticularis [TA]. レンズ核わな. ＝lenticular *loop*.

ansae nervorum spinalium 脊髄神経わな. ＝*loops* of spinal nerves.

peduncular a. 脚わな. ＝a. peduncularis.

a. peduncularis [TA]. 脚わな (内包の内側縁を回り，側頭葉の前部(側頭皮質，扁桃核，嗅皮質)と視床の内側背側核を連絡する線維束．これは眼窩前頭皮質と内側背側核を連絡する下視床脚の大部分を構成する). ＝peduncular a.; peduncular loop; Reil a.

Reil a. (rīl). ライルわな. ＝a. peduncularis.

a. sacralis 仙骨わな (交感神経幹の一方または両方と不対神経節を結ぶ神経索).

a. subclavia [TA]. 鎖骨下わな (交感神経幹の中頸神経節と星状神経節をつなぐ神経線維で，鎖骨下動脈を前後に通るわなを形成する). ＝subclavian loop; Vieussens a.; Vieussens loop.

Vieussens a. (vyū-sŏn[h]′). ビューサンわな. ＝a. subclavia.

an・sate (an′sāt). ＝ansiform.

an・ser・ine (an′ser-in) [L. *anserinus* < *anser*, goose]. ***1*** (an′ser-īn). 〖adj.〗 ガチョウ〔様〕の (ガチョウに似ている，あるいはガチョウに特徴的なことをいう. ⇀*cutis* anserina; *pes* anserinus). ***2*** (an′ser-ēn). 〖n.〗 アンセリン；N^{α}-(β-alanyl)-π-methyl-L-histidine (筋肉および脳に存在する). ＝*N*-methylcarnosine.

ANSI American National Standards Institute の略.

an・si・form (an′si-fōrm) [L. *ansa*, handle + *forma*, shape]. わな状の. ＝ansate.

an・sot・o・my (an-sot′ō-mē) [L. *ansa*, handle + G. *tomē*, cutting]. 係蹄切断 (①係蹄，通常，狭窄している係蹄の外科的分断．②線条体症候群の治療のためのレンズ核わなの外科的切断術).

ant (ant). アリ (最も数の多い昆虫の1つ(膜翅目)で，集団生活の異常な発達と階級制度を特徴とする).

black imported fire a. ＝*Solenopsis richteri*.

bull a. (bul). ブルアント，ブルドックアリ. ＝myrmecia.

fire a. 火蟻 (*Solenopsis*属の数種のアリの総称．これに咬まれると焼けるような刺激感があり，ときに重篤なアレルギー反応を引き起こす. →solenopsin A.).

harvester a. 収穫アリ. ＝*Pogonomyrmex*.

jack jumper a. ＝*Myrmecia pilosula*.

red imported fire a. ＝*Solenopsis invicta*.

velvet a. アリバチ (有毒針で知られる翅のない，膜翅目アリバチ科のアリバチ類).

ant- (ant). ⇀anti-.

ant・ac・id (ant-as′id). ＝antiacid. ***1*** 〖adj.〗 制酸の (酸を中和する). ***2*** 〖n.〗 制酸薬 (胃液，その他の分泌物の酸性度を減じたり中和する薬物．例えば炭酸カルシウム，水酸化マグネシウム).

an・tag・o・nism (an-tag′ŏ-nizm) [G. *antagōnisma* < *anti*, against + *agōnizomai*, to fight < *agōn*, a contest]. ＝mutual resistance. ***1*** 拮抗〔作用〕，対抗〔作用〕(構造，薬剤，疾患，または生理過程間における作用の相互の対立についていう. *cf.* synergism). ***2*** 拮抗〔作用〕(2種またはそれ以上の因子の複合効果において各々の因子の単独効果よりも小さい状態).

bacterial a. 細菌性拮抗 (細菌が別の細菌によって抑制されること).

an・tag・o・nist (an-tag′ŏ-nist). 拮抗質，拮抗筋，対抗筋，拮抗薬(物質) (他のものの作用に対立あるいは抵抗するもの．他の活動や作用を中和または阻害する傾向にある，ある種の構造，薬剤，疾患，または生理過程についていう. *cf.* synergist).

α-adrenoceptor a. ＝α-adrenergic blocking *agent*.

β-adrenoreceptor a. β–アドレナリン受容体アンタゴニスト. ＝β-adrenergic blocking *agent*.

aldosterone a. アルドステロン拮抗薬(アンタゴニスト) (副腎ホルモンであるアルドステロンの腎尿細管における電解質保持作用に拮抗的に作用する薬物．スピロノラクトンをはじめとするこれらの薬物は，原発性高アルドステロン症による高血圧や二次性高アルドステロン症によるナトリウム貯留の治療に有用である).

associated a. 共軛拮抗(対抗)筋 (ほぼ反対方向に引っ張り合うが，ともに作用するときは，分岐する作用線の間の通路で部位を動かす2つの筋肉または筋肉群の1つ).

calcium a. カルシウムアンタゴニスト. ＝calcium channel-blocking *agent*.

competitive a. 競争拮抗質，競合的拮抗質 (代謝拮抗物質をいう).

enzyme a. 酵素拮抗質 (代謝拮抗質または酵素作用の抑制物質).

estrogen a. エストロゲン拮抗物質，抗エストロゲン薬. ＝antiestrogen.

folic acid a.'s 葉酸拮抗薬 (アミノプテリン，メトトレキセートのような修飾プテリン類で，葉酸の作用を阻害することにより葉酸欠乏症の症状を引き起こすものをいう．癌化学療法および炎症性疾患に用いられてきた).

5-hydroxy tryptamine a.'s 5–ヒドロキシトリプタミン(5–HT)拮抗薬(アンタゴニスト) (セロトニン(5–HT)受容体を阻害し，セロトニンの生物学的作用を抑制する薬物．[註] セロトニン受容体のサブクラスである 5-HT_3 に対する拮抗薬は，臨床上抗癌剤による嘔吐を抑制する制吐剤として用いられている).

insulin a. インスリン拮抗物質 (血清の β および γ グロブリン分画，または β_1 リポ蛋白分画にあり，機能的にはインスリン欠乏を引き起こす．この中にはヒト以外のインスリンに対する非沈降抗体も含む可能性がある).

leukotriene receptor a. ロイコトリエン受容体拮抗薬 (zileuton, montelukast，ザフィルルーカストが最もよく知られる一群の薬剤で，年長児と成人のぜん息の予防や慢性期治療に用いられる．これらの薬剤はそれ自身は気管支拡張剤ではないが，ぜん息に起こるロイコトリエン由来の炎症過程を阻害することにより作用する).

leukotriene receptor a.'s ロイコトリエン受容体拮抗薬 (システイニルロイコトリエン T1 受容体へのロイコトリエ

ンの結合を阻害する薬物であり，その結果ロイコトリエンの作用を不活性化する.→antileukotriene).

muscarinic a. ムスカリン〔性〕〔受容体〕拮抗薬(アンタゴニスト)(ムスカリン性アセチルコリン受容体に結合し，活性は示さないがアセチルコリンの結合を阻害する薬物．アトロピン，スコポラミン，プロパンテリン，ピレンゼピンなど).

neurokinin-1 a. (**NK1**) ニューロキニン-1拮抗薬 (NK1) (脳と消化管に見出されたペプチドであるサブスタンスPmの作用を阻害する薬物であり，ニューロキニン-1受容体に結合することによりその作用が始まる．ニューロキニン-1受容体の拮抗薬は，制吐作用をもつことがわかっている.→*substance* P).

opioid a.'s オピオイド〔受容体〕拮抗薬(アンタゴニスト)(ナロキソンやナルトレキソンのように，オピオイド受容体に高親和性を有するが活性を示さない一連の薬物．これらは，モルヒネ，ヘロイン，メペリジン，メサドンなどの外来性の麻薬や，エンドルフィン，エンケファリンなどの内因性の麻薬性物質の作用を阻害する).

progesterone a. プロゲステロン拮抗物質，抗プロゲステロン薬. =antiprogestin.

ant·a·lar·min (ant-ă-larm′in) [*ant-* + *alarm* + *in*]. アンタラーミン (CRHに対する小分子のアンタゴニスト．CRHの1型受容体に結合して，ストレスに対する行動的，身体的反応を抑制する).

ant·al·ge·si·a (ant′al-jē′zē-ă) [anti- + G. *algēsis*, sense of pain]. 抗痛覚過敏 (以前には上昇していた痛覚閾値が低下することを表すまれに用いる語).

ant·al·gic (ant-al′jik). =analgesic (2).

ant·al·ka·line (ant-al′kă-līn). アルカリ中和性の.

ant·aph·ro·di·si·ac (ant′af-rō-diz′ē-ak). =anaphrodisiac.

ant·aph·ro·dit·ic (ant′af-rō-dit′ik). ***1*** =anaphrodisiac. ***2*** =antivenereal.

ant·ar·thrit·ic (ant′ar-thrit′ik). 抗関節炎薬 (関節炎治療薬 *antiarthritic* を表す，まれに用いる語).

ant·as·then·ic (ant′as-then′ik) [anti- + G. *astheneia*, weakness]. ***1***〘adj.〙強める，活気づける. ***2***〘n.〙強壮薬.

ant·asth·mat·ic (ant′az-mat′ik). =antiasthmatic.

ant·a·tro·phic (ant′ă-trof′ik). ***1***〘adj.〙萎縮抑制の (萎縮を予防または治療する). ***2***〘n.〙萎縮治療薬 (萎縮状態の回復を促進する薬物).

ante- (an′tē) [L. *ante*, before, in front of]. **[本接頭語と anti- を混同しないこと]**. (時間，場所，順序において)前，前方，前部，を意味する接頭語.→pre-; pro- (1).

an·te·brach·i·al (an′tē-brā′kē-ăl). 前腕の (**[誤ったつづり antibrachial を避けること]**).

an·te·bra·chi·um (an′te-brā′kē-ŭm) [ante- + L. *brachium*, arm][TA]. 前腕，まえうで. =forearm.

an·te·car·di·um (an′te-kar′dē-ŭm). 心臓前部. =precordia.

an·te·ced·ent (an′te-sē′dent) [L. *antecedo*, to go before]. 前駆体，前駆物質. =precursor.

plasma thromboplastin a. (**PTA**) =*factor* XI.

ante ci·bum (an′tē sī′bŭm) [L.]. 食前 (複数形は *ante cibos*).

an·te·cu·bi·tal (an′tē-kū′bi-tăl) [ante- + L. *cubitum*, elbow]. 肘前の.

an·te·flex (an′tē-fleks) [ante- + L. *flecto*, pp. *flexus*, to bend]. 前屈する，前屈させる.

an·te·flex·ion (an′tē-flek′shŭn). 前屈 (特に正常の位置関係で子宮体と子宮頸部の接合部における前屈についていう).

a. of iris 虹彩外反 (強い虹彩離断後の部分的皺襞を有する前進状態の虹彩に対してまれに用いる語).

an·te·grade (an′tĕ-grād) [ante- + L. gradior, to walk]. 順行性の (血流や蠕動のような，正常の運動方向に沿った).

an·te·mor·tem (an′te-mōr′tem) [ante- + L. *mors*(*mort-*) (death)の対格]. 死前に (*cf.* postmortem).

an·te·na·tal (an′tē-nā′tăl) [ante- + L. *natus*, birth]. 出生前の. =prenatal.

an·te·par·tum (an′tē-par′tŭm) [ante- + L. *pario*, pp. *partus*, to bring forth]. 分娩前 (*cf.* intrapartum; postpartum).

an·te·po·si·tion (an′tē-pō-zi′shŭn). 前位，前偏 (前方位).

an·te·py·ret·ic (an′tē-pī-ret′ik) [ante- + G. *pyretos*, fever]. 発熱前の (ショック後の反応として発熱する前についていう).

an·te·ri·or (an-tēr′ē-ōr) [L.]. 前の，前方の，腹側の (①[TA]. 人体解剖学では，身体の前面について用い，しばしば2つの構造を対比して前面に近い，の意. =ventral (2) [TA]; ventralis [TA]. ②ある種の胚子について頭端または吻端に近い，の意. ③獣医解剖学では，その使用は眼と耳の構造に限定される．四足動物の解剖学において，その他の部位に関してはこの語句は不明確であり，*cranial*(頭側)の表現が望ましい．④時間あるいは空間に関して前の，前に，の意).

antero- (an′ter-ō) [L. *anterior*, more before, earlier < *ante*, before + -r- -*ior*, more]. 前，前方，を意味する接頭語.

anterocollis (an-tĕr-ō-kol′is) [antero- + L. *collum*, neck]. 頸部前屈 (頸部ジストニアでみられるような頸部前屈).

an·ter·o·ex·ter·nal (an′ter-ō-eks-ter′năl). 前外方の (前方で外寄りの部位をいう).

an·ter·o·grade (an′ter-ō-grād) [L. *gradior*, pp. *gressus*, to step, go]. 前向性の (①前方に動く. *cf.* antegrade. ②特定の時点より時間的に以降のこと．健忘に関して用いる. ③神経科学において，軸索の中を近位部から遠位部へ向かう輸送や，損傷部位から遠位部の軸索変性についていう).

an·ter·o·in·fe·ri·or (an′ter-ō-in-fēr′ē-ōr). 前下方の.

an·ter·o·in·ter·nal (an′ter-ō-in-ter′năl). 前内方の (前方で内寄りの部位をいう).

an·ter·o·lat·er·al (an′ter-ō-lat′er-ăl). 前外側の (前方で正中線から遠い部位をいう).

an·ter·o·me·di·al (an′ter-ō-mē′dē-ăl). 前内側の (前方で正中線に近い部位をいう).

an·ter·o·me·di·an (an′ter-ō-mē′dē-an). 前正中の (前方で正中線上にあることをいう).

an·ter·o·pos·te·ri·or (**AP**) (an′ter-ō-pos-tēr′ē-or). 前後の，前後方向の，腹背の (①前方と後方の両方に関する. ②X線撮影において，患者の前方から後方にX線を入射する方向についていう．例えば腹部のA-P projection，あるいはA-P viewのように，X線の入射方向に関係なく，あたかも患者に向かっているとしてフイルムを見た場合の前方から後方への画像の方向).

an·ter·o·su·pe·ri·or (an′ter-ō-sū-pē′rē-or). 前上方の.

ant·e·rot·ic (ant′er-ot′ik) [anti- + G. *erōtikos*, pertaining to love]. 制淫〔性〕の (色情的感情を避けようとする努力についていう).

an·te·sys·to·le (an′te-sis′tō-lē). Wolff-Parkinson-White 型または Lown-Ganong-Levine 型の早期興奮症候群の原因となる心室の早期興奮.

an·te·ver·sion (an′te-ver′zhŭn) [ante- + Mediev. L. *versio*, a turning]. 前傾 (前方向に向きを変えること，屈曲せずに全体的に前方へ傾くこと．正常の子宮の位置を記載するのに広く用いられる表現であるが，子宮の正常の位置は腟の長軸に比し前方に傾いており，そのため子宮は膀胱の上方に載るような状態となっている).

an·te·vert·ed (an′te-vert′ed). 前傾の (前方へ傾いた．前傾姿勢の).

ant·he·lix (ant′hē-liks, an′thē-liks) [anti- + G. *helix*, coil] [NA]. 対輪. =antihelix.

ant·hel·min·thic (ant′hel-min′thik). =anthelmintic (1).

ant·hel·min·tic (ant′hel-min′tik, an-thel-) [anti- + G. *helmins*, worm]. ***1***〘n.〙駆虫薬，虫下し (腸管内寄生虫を殺したり，駆除する薬物). =anthelminthic; antihelminthic; helminthagogue; helminthic (2); helmintic (2); vermifuge. ***2***〘adj.〙駆虫性の，排虫性の (腸寄生虫を殺したり，駆除する力のある). =vermifugal.

an·the·lone (an′thĕ-lōn). アンテロン. =urogastrone.

a. E アンテロンE. =enterogastrone.

a. U アンテロンU. =urogastrone.

an·ther·id·i·um (an′ther-id′ē-um) [Mod. L. *anthera*, flower < G *anthēros*, blooming < *antheō*, to bloom + 指小接尾辞 -*idium* < G. -*idion*]. 造(蔵)精器 (真菌の生活史における完全時代で産生される雄性配偶子嚢).

an·tho·cy·a·nins (an′thō-sī′ă-ninz) [G. *anthos*, flower + *kyanos*, a blue substance]. アントシアニン (植物色素の一

群で，グルコースやセルビオース分子と結合した配糖体として存在し，赤色から青色をもち，しばしばpHにより変化する．水およびアルコールに可溶で，エーテルに不溶である．アントシアニンは，ペラルゴニン，シアニン，およびデルフィニジン誘導体に分類される．ヘマトキシリン代用剤として用いられるものもある）．

An·tho·my·i·a (an-thō-mī′yă) [G. *anthos*, flower + *myia*, fly]. ハナバエ属（一般的なイエバエに外観の似たイエバエ類の一属）．

A. canicularis 小さな黒色のハエ．ヒトの腸内で，摂取された卵からふ化した幼虫が，偶発的寄生虫として報告されている．それにより，胃腸刺激の症状を起こすことがある．成虫は，ハエウジ症の原因となる熱帯産の寄生バエであるヒトヒフバエ *Dermatobia hominis*（中央・南アメリカ産）の卵の伝搬者として働くことがある．

an·thra·ce·mi·a (an′thră-sē′mē-ă). 炭疽菌血〔症〕（循環血液中に炭疽菌 *Bacillus anthracis* が存在すること．通常，以前に発生した皮膚または肺の炭疽による）．＝anthrax septicemia.

an·thra·cene (an′thră-sēn) [G. *anthrax*, coal]. ***1*** アントラセン（コールタールから取れる炭化水素．酸化してアントラキノンとなるが，これはアリザリン(紅色色素)染料に変換される）．＝anthracin. ***2*** アントラセン化合物（構造の構成部分として ***1*** を含有する化合物）．

an·thrac·ic (an-thras′ik). 炭疽の．

an·thra·cin (an′thră-sin). アントラシン．＝anthracene (1).

anthraco- (an′thră-kō-) [G. *anthrax*, *anthrakos*, charcoal, a live coal; a carbuncle, a pustule]. 石炭，炭素，よう(癰)に関する連結形．ラテン語の carb-, carbo- に相当する．

an·thra·co·sil·i·co·sis (an′thră-kō-sil′i-kō′sis) [anthraco- +silicosis]. 炭粉珪肺〔症〕（吸入された炭じんにより，肺に炭素とケイ土が蓄積して生じるじん肺症．このケイ土が線維性小結節をつくる）．＝coal worker's pneumoconiosis.

an·thra·co·sis (an′thră-kō′sis) [anthraco- + G. *-osis*, condition]. 炭粉症（煙や炭じんを吸い込み，肺に炭素が蓄積して生じるじん肺症．→pneumomelanosis）．＝collier lung; miner's lung (1).

an·thra·cot·ic (an′thră-kot′ik). 炭粉症の．

an·thra·cyc·line (an′thra-sīk′lin, -lēn). アントラサイクリン（抗悪性腫瘍剤．有色のアグリコン，アミノ糖，および側鎖の3構造よりなる．ドキソルビシン，ダウノルビシン，ダウノマイシン(エピルビシン)など）．

an·thra·mu·cin (an′thră-myū′sin). アントラムチン（炭疽菌 *Bacillus anthracis* の被膜にある中和物質で，血清や組織の抗菌作用を中和する）．

an·thra·nil·ic ac·id (an′thră-nil′ik as′id). アントラニル酸（トリプトファンの異化生成物の１つ）．＝*o*-aminobenzoic acid.

an·thra·nil·oyl (an′thră-nil′oyl). アントラニロイル（アントラニル酸のアシル基）．

an·thra·pur·pu·rin (an′thră-pūr′pū-rin). アントラプルプリン（組織学でカルシウムの指示試薬として用いる紫色染料．しかしその特異性は問題である）．

9,10-**an·thra·qui·none** (an′thră-kwi′nōn). ***1*** 9,10–アントラキノン（天然の植物性しゃ下薬の成分．試薬として用いる）．***2*** 9,10–アントラキノン化合物（構造の構成成分として9,10–アントラキノンを含有する化合物．この種の化合物としては，天然由来のキノン類の大きな一群がある）．

anthrax (an′thraks). 炭疽（炭疽菌 *Bacillus anthracis* によるヒトの疾患で，感染動物または動物製品，炭疽菌胞子の摂取や吸入で感染する．吸入性の状態にしたものをバイオテロに用いる可能性で世界的に注目されている．通常のヒトの炭疽の症状は皮膚病変であり，吸引性または消化器型のものはきわめてまれである．動物の炭疽は世界に広く分布し，特にウシ，ウマ，ヤギ，ヒツジなど草食動物でみられる）．＝charbon.

cerebral a. 脳炭疽（肺炭疽，腸炭疽に合併する炭疽の一病型で，炭疽菌が脳の毛細血管に侵入することで激しいせん妄が現れ，しばしば出血髄膜炎を併発する）．

cutaneous a. 皮膚炭疽（炭疽菌 *Bacillus anthracis* 感染を起こした皮膚症状で，丘疹として始まり，すぐに小水疱になり，破裂して血性の血清を放出することを特徴とする病変である．この小水疱の基部は約36時間で青黒色の壊死塊となる．全身症状は重く，高熱，嘔吐，多量の発汗，極度の衰弱を伴う．この疾患はしばしば死に至る）．＝malignant pustule.

inhalational a. 吸入性炭疽（5μg 以下の空気浮遊粒子として炭疽菌 *Bacillus anthracis* の胞子を呼吸により吸入することによる炭疽症の一形態．胞子は肺胞でマクロファージに貪食され，縦隔のリンパ節へ運ばれ，そこで出血性縦隔炎を惹起する．吸入性炭疽の古典的な胸部X線写真あるいは胸部CT写真の像は拡大した縦隔所見である．最初の徴候が非特異的な悪寒，発熱，筋肉痛，咳などであるので，吸入性炭疽症の早い診断は困難である．１—３日後，呼吸困難，低血圧，高熱，およびぜん鳴聴取は主徴候となる．吸入性炭疽による致死率は治療を受けても100％に近い）．

intestinal a. 腸炭疽（悪寒，高熱，頭・背中・四肢の痛み，嘔吐，血性の下痢(点状出血)，極度の心血管系の虚脱，またしばしば粘膜や皮膚の出血を特徴とする炭疽の一種．→*mycosis* intestinalis）．

pulmonary a. 肺炭疽（炭疽菌 *Bacillus anthracis* を含んだじん埃を吸入して罹患する炭疽の一種．悪寒に続いて背中と四肢の痛み，多呼吸，呼吸困難，咳，発熱，速脈，極度の心血管系の虚脱が現れる）．＝ragpicker's disease; ragsorter's disease; woolsorter's disease; woolsorter's pneumonia.

anthrax lethal factor (an′thraks lē′thăl fak′tŏr). 炭疽菌致死因子（炭疽菌 *Bacillus anthracis* から分泌される蛋白で，マイトジェン活性化プロテインキナーゼキナーゼ(MKKs)のアミノ末端伸長部分を切断することにより活性化マクロファージを選択的にアポトーシスを誘導する）．

an·throne (an′thrōn). アントロン（炭水化物の検出に用いる試薬）．

anthropo- (an′thrō-pō) [G. *anthrōpŏs*, a human being (of either sex)]. **[本連結形を andro- と区別すること]**．ヒトを意味する連結形．

an·thro·po·bi·ol·o·gy (an′thrō-pō-bī-ol′ō-jē). 人類生物学（種としてのヒトの生物学的関係の研究）．

an·thro·po·cen·tric (an′thrō-pō-sen′trik) [anthropo- + G. *kentron*, center]. 人類中心主義の（①人類やその価値観，経験からの見方で宇宙を評価する．②人類が宇宙の中心であると仮定する）．

an·thro·po·gen·e·sis (an′thrō-pō-jen′ĕ-sis). ＝anthropogeny.

an·thro·po·gen·ic, an·thro·po·ge·net·ic (an′thrō-pō-jen′ik, -jĕ-net′ik). 人類発生の．

an·thro·pog·e·ny (an′thrō-poj′ĕ-nē) [anthropo- + G. *genesis*, origin]. 人類発生（個人および種族としてのヒトの起源と発生）．＝anthropogenesis; anthropogony.

an·thro·pog·o·ny (an′thrō-poj′ō-nē). ＝anthropogeny.

an·thro·pog·ra·phy (an′thrō-pog′ră-fē) [anthropo- + G. *graphō*, to write]. 人類誌（人類の地誌，すなわち人類の変異の地理的分布）．

an·thro·poid (an′thrō-poyd) [G. *anthrōpo-eidēs*, man like]. ***1*** 〖adj.〗類人の（構造および形態がヒトに似ていることをいう）．***2*** 〖n.〗類人猿（ヒトに似たサルの一種）．

An·thro·po·id·e·a (an′thrō-poyd′ē-ă). 真猿亜目（哺乳類霊長目の一亜目で，オマキザル科(新大陸のサル)，キヌザル科(マーモセット)，オナガザル科(旧大陸のサル)，ショウジョウ科(ギボン，ゴリラ，チンパンジー，オランウータン)，およびヒト科(ヒト)の各科よりなる）．

an·thro·pol·o·gy (an′thrō-pol′ō-jē) [anthropo- + G. *logos*, treatise]. 人類学（肉体的，社会的，文化的関係などすべての面において，人類の起源と発達に関する科学の一分野）．

applied a. 応用人類学（文明人の文化の研究で，近代文化人類学と社会学のある面を融合しそれを応用する学問）．

criminal a. 犯罪人類学（犯罪者の肉体的・精神的特徴および遺伝的・社会的関係などに関する人類学．→criminology）．

cultural a. 文化人類学（とりわけ言語，思考，社会構造，文化的人工産物を含む人類の行動による文化のすべての面の学問）．

physical a. 形質人類学（人類の肉体的な属性を研究する学問）．

an·thro·pom·e·ter (an′thrō-pom′ĕ-ter). 人体計測器（人体の様々な部分を測る器械）.

an·thro·po·met·ric (an′thrō-pō-met′rik). 人体計測の.

an·thro·pom·e·try (an′thrō-pom′ĕ-trē) [anthropo- + G. *metron*, measure]. 人体計測〔法〕（人体の比較計測に関する人類学の一分野）.

an·thro·po·mor·phism (an′thrō-pō-mōr′fizm) [anthropo- + G. *morphē*, form]. 擬人化，人間化（ヒト以外の生物や無生物に対してヒトの形や性質を与えること．*cf.* theriomorphism）.

an·thro·pon·o·my (an′thrō-pon′ō-mē) [anthropo- + G. *nomos*, law]. 人類発達法則学（人類の発生および人類とその環境との関係を支配する法則を研究する学問）.

an·thro·pop·a·thy (an′thrō-pop′ă-thē) [anthropo- + G. *pathos*, suffering]. 神人同感同情論（人間的感情を非人間的なものに帰すること．例えば，神や下等動物に帰する）.

an·thro·po·phil·ic (an′thrō-pō-fil′ik) [anthropo- + G. *phileō*, to love]. 好人性の，ヒト寄生性の（ヒトを求める，あるいはヒトを好む，の意で，特に次の２つについて用いる．ⓘ血液源あるいは組織源として動物宿主よりもヒト宿主を好む吸血性の節足動物．ⓘⓘ他の動物よりもヒトを好んで繁殖する皮膚糸状菌）.

an·thro·po·pho·bi·a (an′thrō-pō-fō′bē-ă) [anthropo- + G. *phobos*, fear]. 対人恐怖〔症〕（人間との交際を病的に避けたり，恐れたりすること）.

an·thro·pos·co·py (an′thrō-pos′kŏ-pē) [anthropo- + G. *skopeō*, to view]. 人体視察〔学，法〕（視診により体型および体格を判断すること）.

an·thro·po·so·ma·tol·o·gy (an′thrō-pō′sō-mă-tol′ō-jē) [anthropo- + G. *sōma*, body + *logos*, study]. 人類生体学（解剖学，生理学，病理学など人体に関する人類学の一分野）.

an·thro·po·zo·o·no·sis (an′thrō-pō-zō′ō-nō′sis) [anthropo- + G. *zōon*, animal + *nosis*, disease]. 人畜伝染病（動物が維持し，ヒトに伝染する動物原性感染．例えば，狂犬病，ブルセラ症など．*cf.* zooanthroponosis; amphixenosis）.

anti- (an′tē) [G. *anti*, against, opposite, instead of]. [本接頭語を ante- と混同しないこと]. ***1*** …に対して，反対の，また症状や疾患に関して治療の，を意味する連結形．***2*** 表示物質に対する特異抗体(免疫グロブリン)を意味する接頭語．例えば，antitoxin(抗毒素特異抗体).

an·ti·ac·id (an′tē-as′id). ＝antacid.

an·ti·ad·ren·er·gic (an′tē-ad-rĕ-ner′jik). 抗アドレナリン作用(作動)〔性〕の（交感神経または他のアドレナリン作用性神経線維の作用に拮抗する．→sympatholytic）.

an·ti·ag·glu·ti·nin (an′tē-ă-glū′ti-nin). 抗凝集素（凝集素の作用を抑制あるいは破壊する特異抗体）.

an·ti·a·lex·in (an′tē-ă-lek′sin). アレキシン拮抗物，抗アレキシン．＝anticomplement.

an·ti·al·ler·gic (an′tē-ă-ler′jik). 抗アレルギー〔性〕の（アレルギー反応を予防，抑制，あるいは緩和する物質または方法に関する）.

an·ti·an·a·phy·lax·is (an′tē-an′ă-fi-lak′sis). 抗アナフィラキシー．＝desensitization (1).

an·ti·an·dro·gen (an′tē-an′drō-jen). 抗男性ホルモン（男性ホルモンが反応組織に対して生物学的作用を十分に発現することを阻害する物質．エストロゲンのように標的組織で拮抗的に作用する場合と細胞膜上にある結合部位に競合することにより，男性ホルモン作用を単に阻害する場合がある）.

an·ti·a·ne·mic (an′tē-ă-nē′mik). 抗貧血の（貧血症状を予防または治す因子や物質についていう）.

an·ti·an·ti·body (an′tē-an′tē-bod-ē). 抗抗体（他の抗体に特異的な抗体）.

an·ti·an·ti·tox·in (an′tē-an′tē-tok′sin). 抗抗毒素（抗毒素の作用を抑制または中和する抗抗体）.

an·ti·a·rach·nol·y·sin (an′tē-ar′ak-nol′i-sin) [anti- + G. *arachnē*, spider + lysin]. クモ毒素中和抗体（クモの毒物(溶解素)を中和する抗毒素抗体）.

an·ti·ar·rhyth·mic (an′tē-ă-ridh′mik). 抗不整脈〔性〕の（不整脈を調整する）．＝antidysrhythmic.

an·ti·ar·thrit·ic (an′tē-ar-thrit′ik). ***1***〘adj.〙関節炎を寛解させる．***2***〘n.〙関節炎治療薬.

an·ti·asth·mat·ic (an′tē-az-mat′ik). ＝antasthmatic. ***1***〘adj.〙ぜん息鎮静の（ぜん息を軽減または予防する傾向のある）．***2***〘n.〙ぜん息治療薬（ぜん息発作を予防または阻止する薬物）.

an·ti·au·tol·y·sin (an′tē-aw-tol′i-sin). 抗自己溶解素（自己溶解素の活性を抑制または中和する抗体）.

an·ti·bac·te·ri·al (an′tē-bak-tēr′ē-ăl). 抗菌〔性〕の（菌を殺すかまたは増殖を阻止する）.

an·ti·bech·ic (an′tē-bek′ik) [anti- + G. *bēx* (*bēch-*), *cough*]. ＝antitussive.

an·ti·bi·ont (an′tē-bī′ont). 抗生〔物質産生〕菌（抗菌物質をつくる微生物）.

an·ti·bi·o·sis (an′tē-bī-ō′sis) [anti- + G. *biōsis*, life]. 抗生作用（① probiosis (共生)とは対照的に，一方にとっては有害になるような２種類の生物の組合せ．②細菌などの生物が他の生物，特に土壌微生物に阻止的に作用する抗生物質を産生すること）.

an·ti·bi·ot·ic (an′tē-bī-ot′ik). [参照が単一薬剤について述べる場合，複数形 antibiotics を隠語的に使うのを避けること]. ***1***〘adj.〙抗生の．***2***〘adj.〙生命にとって不利な．***3***〘n.〙抗生物質（他の微生物を殺すか増殖を抑えるカビまたは細菌から得る可溶性物質．次頁の表参照）.

broad-spectrum a. 広域抗生物質（グラム陽性・陰性菌の両方に対して広範な活性を有する抗生物質）.

cyclic lipopeptide a. 環状リポペプチド系抗菌薬（バンコマイシンと同様なスペクトル活性を有する抗菌薬群の１つ）.

glycopeptide a. グリコペプチド系抗生物質（細胞壁合成を阻害する抗生物質の分類．→vancomycin）.

peptide a. ペプチド抗生物質（ペプチドを成分とする抗生物質．抗菌作用は細胞膜の物理的破壊に基づく）.

transport a. 膜透過亢進型抗生物質（細胞膜に対しある種のイオンの透過性を上昇させるような作用を有する物質）.

an·ti·bi·ot·ic-re·sis·tant (an′tē-bī-ot′ik rē-zis′tant). 抗生物質抵抗性の，抗生物質耐性の（抗生物質にさらされてもなお増殖し続ける微生物を示す）.

an·ti·bi·o·tin (an′tē-bī′ō-tin). 抗ビオチン．＝avidin.

an·ti·blen·nor·rhag·ic (an′tē-blen-ō-raj′ik). ***1***〘adj.〙抗膿漏性の（粘液排出(膿漏)を予防または治療することを表す，まれに用いる語）．***2***〘n.〙抗濃漏薬に対してまれに用いる語.

ANTIBODY

an·ti·bod·y (Ab) (an′tē-bod′ē). 抗体（[参照が a single antibody species(単一抗体種)について述べる場合，複数形 antibodies を隠語的に使うのを避けること]．Ｂリンパ球で産生される免疫グロブリン分子のことで，免疫原もしくは抗原に特異的に結合する．抗体は自然に存在する場合もある．抗体の特異性は，遺伝子再構成や体細胞置換によって決定される．抗体はまた，刺激に反応した結果として産生されることもある．抗体は血液や体液中に存在し，基本的な分子構造は各２本の軽鎖と重鎖からなるが，二量体，三量体，五量体としても存在する．抗原に結合するだけでなく，補体を吸着したり，免疫担当細胞表面の受容体に結合したり，微生物を中和する抗体もある．→immunoglobulin）．＝immune protein; protective protein; sensitizer (2).

affinity a. アフィニティ抗体（抗体と抗原の結合の強さ．この相互作用は可逆反応である．また，抗原・抗体分子間のアビディティとは，抗原の免疫原性領域と免疫グロブリン分子の結合部位との間の相補的な立体構造の程度によって決定される）.

agglutinating a. 凝集抗体．＝agglutinin (1).

anaphylactic a. アナフィラキシー抗体．＝cytotropic a.

antibasement membrane a. 抗基底膜抗体（腎糸球体基底膜に対する自己抗体）.

anticardiolipin a.'s 抗カルジオリピン抗体（心臓の細胞膜に存在する脂肪酸のリン酸化多糖類エステルに対する抗体．免疫疾患，梅毒，脳卒中に関与し，過剰凝固状態に起因

抗生物質・化学療法剤・抗真菌薬
抗生物質
β-ラクタム系 ペニシリン(ペニシリンGとその誘導体，経口ペニシリン，ペニシリナーゼ固定ペニシリン，広域抗菌スペクトルペニシリン，プロテウス属とシュードモナス属抗菌活性ペニシリン)
セフェム系・セファロスポリン系 (例：セファロチン，セファロリジン，セファレキシン，セファゾリン，セフォタキシム)
クロラムフェニコール系 (クロラムフェニコール，チアンフェニコール，アジダムフェニコール)
リンコマイシン系 (リンコマイシン，クリンダマイシン)
マクロライド系 (例：アジスロマイシン，エリスロマイシン，オレアンドマイシン，スピラマイシン，クラリスロマイシン)
テトラサイクリン系 (例：テトラサイクリン，オキシテトラサイクリン，ミノサイクリン，ドキシサイクリン)
ホスホマイシン系 (ホスホマイシン)
アミノ配糖体系 (例：ストレプトマイシン，ゲンタマイシン，シソマイシン，トブラマイシン，アミカシン)
グリコペプチド，ペプトリド，ポリペプチド系 (ポリミキシンBとE，カプレオマイシン，バンコマイシン)
その他 (フジシン酸)
化学療法剤
キノロン剤 (ナリジクス酸，オフロキサシン，シプロフロキサシン，ノルフロキサシン)
抗結核薬 (例：リファマイシン)
抗真菌薬
ポリエン系抗生物質 (ナイスタチン，ピマリシン，アンホテリシンB，ペチロシン)
ベンゾフラン誘導体 (例：グリセオフルビン)
トリアゾール系 (フルコナゾール，イトラコナゾール)

すると考えられている).

antiidiotype a. 抗イディオタイプ抗体（免疫グロブリン分子(抗体)の抗原決定基(イディオトープ)に特異的に反応するという抗体に対する抗体．イディオタイプ－抗イディオタイプ抗体ネットワークでは，１つの抗体分子の抗原結合領域が，抗イディオタイプ抗体の抗原として働く)．＝idiotypic a.

anti-MAG a. 抗MAG抗体（ミエリン関連糖蛋白に対する特異的な抗体．ミエリンに対する特異的な抗体の中で，最も重要なものである．IgM 関連多発ニューロパシーの患者の大部分でみられる).

antineutrophil cytoplasmic a. 抗好中球細胞質抗体（単球や好中球の細胞質を構成する成分に対する自己抗体．血管炎の患者にみられる).

antineutrophil cytoplasmic a.'s (**ANCA**) 抗好中球細胞質抗体（ある種の自己免疫患者にみられる自己抗体で，好中球の細胞質に反応する．２種類あり，c-ANCA はプロテイナーゼ3 と反応し，Wegener 肉芽腫でみられ，p-ANCA はミエロペルオキシダーゼと反応し，多発性血管炎，Churg-Strauss 症候群でみられる).

antinuclear a. (**ANA**) 抗核抗体（DNA を含む核抗原に親和性を有する抗体．全身性エリテマトーデス，関節リウマチ，ある種の膠原病患者の血清に高率に認められる．さらに，患者の健康な血縁者の一部，約１%の正常人にも認められる．各抗核抗体は，蛍光免疫染色によって各々特徴的なパターンを呈する．こうしたパターンは臨床上の意味があり，どの核成分(自己抗原)が特異的な抗体反応を誘起したかを反映する).

antiphospholipid a.'s 抗リン脂質抗体（脂肪酸のリン酸化多糖類エステルに対する抗体で，ルーパス抗凝固因子，VDRL，抗カルジオリピン抗体を含む．免疫疾患，梅毒，脳卒中で認められる．過剰凝固状態に起因すると考えられる).

antithyroglobulin a. 抗サイログロブリン抗体（サイログロブリンに対する抗体).

avidity a. アビディティ抗体（多価抗原と抗血清との間の結合活性の総和．個々のアフィニティの総和をさす).

bispecific a. 双特異性抗体（① ２つの抗原結合部位のうち，一方は標的細胞に特異的で，他方は治療や細胞傷害のための薬剤に特異性を有する抗体．→bivalent a. ②別々のモノクローナル抗体由来の Fab フラグメントを架橋して作成した合成抗体).

bivalent a. 二価抗体（凝集，沈降などのように，特異抗原と可視反応を起こす抗体．いわゆる "格子説 lattice theory" によって，抗体分子が２つあるいはそれ以上の結合部位を有し，１つの抗原粒子を他の粒子に交叉結合させるので凝集が起こる．恐らく免疫グロブリンのクラス特性).

blocking a. 遮断抗体（①ある濃度範囲では特異抗原と結合しても沈降物を形成せず，この結合状態にある溶液に，さらに通常では沈降物が形成される濃度にまで抗体を加えても沈降反応が起こらない．すなわち付加された沈降抗体の沈降活性を遮断する抗体のこと．②アトピー性のアレルゲンと特異的に結合するが，Ｉ型アレルギー反応の発現を阻止する IgG 抗体のこと．結合した IgG 抗体が反応可能な IgE 抗体(レアギン)の活性を遮断する).

blood group a.'s 血液型抗体（付録 Blood Groups 参照).

catalytic a. 触媒抗体（触媒作用を有するように変換された抗体)．＝abzyme.

cell-bound a. 細胞結合抗体（細胞表面に抗原結合部位を介するか，または抗体の定常部位(Fc)を介して結合している抗体のことを定義した語).

CF a. ＝complement-fixing a.

chimeric a.'s キメラ抗体（異種抗体由来の Fab 領域と Fc 領域とを有する抗体).

cold a. →cold *agglutinin*.

cold-reactive a. →cold *agglutinin*.

complement-fixing a. 補体結合抗体（抗原と結合して，補体を活性化し，これと結合しうる抗体．この結合反応の結果として，オプソニン作用または細胞溶解反応を起こすに至る場合が多い)．＝CF a.

complete a. 完全抗体．＝saline *agglutinin*.

cross-reacting a. 交差反応抗体（①群構成要素間で，共通のエピトープに特異的な抗体．②類似しているが同一ではない三次構造および免疫原性の機能群をもつ抗原に特異的な抗体).

cytophilic a. 細胞親和性抗体．＝cytotropic a.

cytotropic a. 細胞親和性抗体（抗体自身の有する抗原特異的な反応性の有無にかかわらず，ある種の細胞に親和性を有する抗体．細胞への親和性は抗体分子Ｈ鎖の Fc 部分の性質による．→heterocytotropic a.; homocytotropic a.; cytotropic antibody *test*)．＝anaphylactic a.; cytophilic a.

fluorescent a. 蛍光抗体（蛍光色素が付着した免疫グロブリン(抗体)).

Forssman a. (fōrs′măn). フォルスマン抗体（Forssman群の異種抗原に特異的な異種抗体）. = heterophil a.; heterophile a.

hepatitic C virus a. C型肝炎ウイルス抗体（C型肝炎ウイルス感染の診断に用いられる血中の抗 HCV 抗体. HCV抗体の検出には酵素標識免疫吸着法(ELISA)がスクリーニングに用いられる. 組換え HCV 抗原を使用した免疫ブロット法で確定診断となる. PCR で検出される活動性のウイルス増殖がみられる患者の 70 %に HCV 抗体が認められる）.

heterocytotropic a. 異種細胞親和抗体（反応性は同種細胞親和抗体に類似するが, 同種または近縁種の細胞よりむしろ異種の細胞に対して親和性をもつ(主に IgG 分画の)細胞親和抗体）.

heterogenetic a. 異種抗体（異種抗原 heterogenetic antigen に対して反応する抗体）.

heterophil a. 好異種抗体. = Forssman a.

heterophil a.'s = heterophile a.'s.

heterophile a. 異好性抗体. = Forssman a.

heterophile a.'s 異好性抗体（動物の免疫グロブリンと結合可能なヒト抗体であらゆる免疫学的分析において, それを構成する動物由来の抗体や物質と干渉する可能性がある. 複数の特異性を有する抗体, 抗免疫グロブリン抗体, 動物種抗原に対して超特異的高親和性の抗体, の 3 群に分けられる. 臨床の現場で最も重要な意味をもつ異好性抗体は, 伝染性単核球症の診断に用いられるものである）. = heterophil a.'s.

homocytotropic a. 同種細胞親和抗体（同種または近縁種の組織(特に肥満細胞)に対して親和性をもち, 特異抗原と結合すると, その抗体の接着した細胞からアナフィラキシーを誘導する化学伝達物質を放出させる抗体. 通常 IgE である. 細胞への親和性は抗体分子の Fc 部分を介する. モルモットで観察されるアナフィラキシー反応では関与している同種細胞親和抗体は IgG 型である）. = reagin (4); reaginic a.

human antimouse a. (**HAMA**) ヒト抗マウス抗体（マウスの蛋白に暴露されて生じる抗体）.

idiotypic a. イディオタイプ抗体（抗体のイディオトープ, すなわち抗原結合領域に結合する抗体）. = antiidiotype a.

immobilizing a. 運動抑制抗体. = treponema-immobilizing a.

incomplete a. 不完全抗体（① = univalent a. ② nonagglutinating antibody(非凝集抗体)ともいう）.

inhibiting a. 抑制抗体. = univalent a.

lymphocytotoxic a.'s リンパ球傷害性抗体（リンパ球抗原に特異的で, 抗原と結合すると細胞傷害あるいは細胞死を誘発する抗体）.

---

monoclonal a. (**MAB, MoAb**) モノクローナル抗体（1つのクローンあるいは遺伝的に同一の集団からなる融合ハイブリッド細胞(ハイブリドーマ細胞)が産生する抗体. ハイブリッド細胞は一種の特異的な抗体を産生する細胞株を樹立するためにクローニングされる. こうして得られた抗体は化学的にも免疫学的にも単一である）.

1975 年に分子生物学者の César Milstein と Georges Köhler とにより発明されたモノクローナル抗体産生技術は, 免疫学的研究や医学診断分野の主要な手法となった. モノクローナル抗体は細胞生物学, 生化学, 寄生虫学の分野において物質探査プローブとして用いられたり, 生体物質やある種の薬剤(例えばインターフェロン)の精製にも利用されている. 標的抗原への高い反応特異性ゆえに, 従来の抗血清に比べて, はるかに厳密な検定が可能になった. Crohn 病, 関節リウマチ, 移植臓器の拒絶, 腫瘍, とりわけ骨髄性・リンパ性白血病とリンパ腫, を始めとした多岐にわたる疾患の治療に用いられている. モノクローナル抗体は, アポトーシスや, 補体と細胞傷害性T細胞を介した細胞溶解など, いくつかのメカニズムによって, 腫瘍細胞を殺傷する. モノクローナル抗体はまた, 放射性同位元素や毒性物質を結合して運び屋のように機能することもできる. モノクローナル抗体, またはその断片につけられた一般的名称は, -*mab* で終わる. 接尾辞の前にくる音節は抗体の由来(-*a*- ラット, -*o*- マウス, -*u*- ヒト)を示し, その前の音節は関連疾患の病型や腫瘍の部位(-*cir*- 循環器, -*gov*- 生腺 - 卵巣, -*tum*- 特定されていない腫瘍)について表現している. したがって, *satumomab* はマウス由来の抗腫瘍抗体である.

---

natural a. 自然抗体. = normal a.

neutralizing a. 中和抗体（感染因子(一般にウイルス)と反応し, その感染力や発病力を破壊または抑制する抗体. 血清と感染因子を混合し, 問題の因子に対し感受性のある動物に混合液を接種することによって証明される）.

nonprecipitable a. 非沈降抗体. = nonprecipitating a.

nonprecipitating a. 非沈降抗体（沈降検査において, 通常用いる条件の下で抗原を少量ずつ連続的に加えたときに, 通常であればみられる特異抗体による沈降反応を示さない抗体. 非沈降抗体は補体を加えるなど特別の条件の下で沈降する）. = nonprecipitable a.

normal a. 正常抗体（特異抗原の刺激に対する反応というよりもむしろ, 免疫グロブリンDNAの再編成や体細胞超突然変異の結果として生じた抗体）. = natural a.

P-K a.'s P–K 抗体（Prausnitz-Kustner 反応に関与する IgE 抗体）.

polyclonal a. ポリクローナル抗体（種々の異なった形質細胞クローンが産生する抗体分子の集団で, 抗原に存在する種々のエピトープに反応する）.

Prausnitz-Küstner a. (prows′nitz kēst′nĕr). プラウスニッツ - キュストナー抗体（Prausnitz と Küstner が皮膚への移入によって初めて証明した抗体の IgE 分画の 1 つ. → homocytotropic a.）.

precipitating a. 沈降抗体. = precipitin.

reaginic a. レアギン抗体. = homocytotropic a.

ricin-blocked a. リシン結合抗体（リシンを付着させた抗体）.

treponema-immobilizing a. トレポネーマ運動抑制抗体（梅毒感染で誘発される梅毒トレポネーマ *Treponema pallidum* に対し特異親和性をもつ抗体. 補体が存在するとそのスピロヘータを不動化する抗体）. = immobilizing a.; treponemal a.

treponemal a. トレポネーマ抗体. = treponema-immobilizing a.

univalent a. 一価抗体（単一の結合部位を有する不完全な形の抗体. "Rh + 赤血球" の場合, このような抗 Rh 抗体は細胞をおおうが, 食塩水中で凝集させることはない. しかし血清中または他の蛋白(アルブミンなど)中で, このようにおおわれた細胞を懸濁すると凝集反応が起こるため, 血清凝集素とよばれる）. = incomplete a. (1); inhibiting a.

Vi a. Vi抗体（腸チフス菌 *Salmonella typhi* の強毒株すなわち Vi 抗原をもつ細胞を凝集させる抗体の一種. このような細菌は Vi 抗原が破壊されるまで抗血清 O と凝集できない. → Vi *antigen*）.

Wassermann a. (vahs′ĕr-mahn). ヴァッセルマン(ワッセルマン)抗体（梅毒感染中に誘発される非特異的抗体で, レシチンとコレステロールが存在するとカルジオリピンと結合する. 抗トレポネーマ抗体ではない）.

---

an·ti·bra·chi·al (an′tē-brā′kē-ăl). antebrachial の誤ったつづり.

an·ti·bra·chi·um (an′tē-brā′kē-ŭm). antebrachium の誤ったつづり.

an·ti·bro·mic (an′tē-brō′mik) [anti- + G. *brōmos*, smell]. ***1***〖adj.〗防臭性の. ***2***〖n.〗防臭薬.

an·ti·cal·cu·lous (an′tē-kal′kyū-lŭs). = antilithic.

an·ti·car·i·ous (an′tē-kār′ē-ŭs). う食予防性の（う食を予防または抑制する）.

an·ti·ca·thex·is (an′tē-kă-thek′sis). 逆備給, 反対充当（精神分析において, 1つの情動表出が反対の意味の衝動または行動に代わることをいう. 例えば無意識の憎しみは意識的な愛として表現される）. = counterinvestment.

an·ti·ceph·a·lal·gic (an′tē-sef-ă-lal′jik). 抗頭痛性の（頭痛を和らげるまたは頭痛を予防する）.

an·ti·chol·a·gogue (an′tē-kol′ă-gog). 胆汁分泌抑制, 胆汁分泌抑制薬（胆汁分泌を減少あるいは停止させる薬物または過程を表すまれに用いられる語）.

an·ti·cho·lin·er·gic (an′tē-kol-i-ner′jik). 抗コリン作用(作動)性の，コリン〔作用，作動〕抑制性の（副交感神経または他のコリン作用性神経線維の作用に拮抗することについていう．例えばアトロピン）．

an·ti·cho·lin·es·ter·ase (an′tē-kō-lin-es′ter-ās). 抗コリンエステラーゼ（アセチルコリンエステラーゼを阻害または不活性化する薬物の1つ．可逆的にはフィソスチグミン，非可逆的にはテトラエチルピロリン酸がその働きをする）．

α_1-an·ti·chy·mo·tryp·sin (an′tē-kī′mō-trip-sin). α_1-アンチキモトリプシン（消化性プロテアーゼ，キモトリプシンのインヒビター蛋白）．

an·tic·i·pate (an-tis′i-pāt)［L. *anticipo*, pp. *-cipatus*, to anticipate < *anti* (*ante* の旧形), before + *capio*, to take］. 予期する，先行する（定められた時間前にくること．次第に短い間隔で再発するマラリア発作のような周期的な疾患症状についていう）．

an·tic·i·pa·tion (an-tis′i-pā′shŭn). 予期，先行（①周期的症状や徴候が決まった時間の前に出現すること．②何代にもわたる遺伝病がだんだん若年で発症すること．人為的な場合もあり得るし(その疾患の初期症状に着目しすぎるため，あるいは若年で症状がより顕著なため)，真正である場合もある(上位遺伝子・修飾遺伝子が組換えや分離によって徐々に欠損するため，あるいは経代により不安定な対立遺伝子が増大するため)．③家族内で経代により表現型の重篤度が増加すること．しばしば原因遺伝子のトリプレットリピート数の増加に関与する．例えば，ぜい弱X症候群，筋緊張性ジストロフィ，Huntington 病など）．

an·ti·cli·nal (an′tē-klī′năl)［anti- + G. *klinō*, to incline］. 背斜の（ピラミッドの両側のように反対方向に傾いている）．

an·tic·ne·mi·on (an′tik-nē′mē-on)［G. *antiknēmion*］. 脛，すね（［二重字 cn において，c は語頭にあるときのみ無音である］）．＝anterior *border* of tibia.

an·ti·co·ag·u·lant (an′tē-kō-ag′ū-lant). ***1***〖adj.〗抗凝固性の（凝血を予防する）．***2***〖n.〗抗〔血液〕凝固薬(剤)（***1*** の作用をもつ薬物．例えば warfarin）．

lupus a. (**LA**) ループス性抗凝固因子（部分トロンボプラスチン時間を延長させる抗リン脂質抗体で，静脈および動脈血栓に合併する）．

an·ti·co·don (an′tē-kō′don). アンチコドン（トランスファー RNA のループに存在するコドンに相補的なトリヌクレオチド配列．例えば，もしコドンが A–G–C ならば，そのアンチコドンは U(または T)–C–G である．この相補性原理は，Watson-Crick の塩基対から生じるもので，A は U(または T)に相補的であり，G は C に相補的である．アンチコドンはしばしば nodoc とよばれる）．

an·ti·com·ple·ment (an′tē-kom′plĕ-ment). 抗補体（補体と結合した結果，抗体と補体との結合を阻害することによって，補体の作用を中和する物質）．＝antialexin.

an·ti·com·ple·men·ta·ry (an′tē-kom′plĕ-men′tă-rē). 抗補体〔性〕の（補体の作用を減少または停止させる力をもつ物質についていう）．

an·ti·con·ta·gious (an′tē-kon-tā′jŭs). 抗接触伝染性の（接触伝染を予防する）．

an·ti·con·vul·sant (an′tē-kon-vŭl′sant). ＝anticonvulsive; antiepileptic. ***1***〖adj.〗鎮痙性の（痙攣を予防または抑える）．***2***〖n.〗鎮痙薬，抗痙攣薬（***1*** の作用をもつ薬物）．

an·ti·con·vul·sive (an′tē-kon-vŭl′siv). ＝anticonvulsant.

an·ti·cu·ra·re (an′tē-kyū-ră′rē). 抗クラーレ薬（d–ツボクラリンや他のクラーレ様の神経筋接合部を遮断する薬物によって引き起こされた筋弛緩に対し，その遮断を回復させるような作用を有する薬物）．

an·ti·cus (an-tī′kŭs)［L. in the very front < *ante*, before］. 前（［誤った発音 ant′icus を避けること］．すべての類似構造のなかで，前部または腹部表面に最も近い筋肉や他の構造に関する以前用いられた解剖学用語）．

an·ti·cy·to·tox·in (an′tē-sī-tō-tok′sin). 抗細胞毒〔抗体〕（細胞毒素の活性を抑制または停止する特異抗体）．

an·ti·de·pres·sant (an′tē-dē-pres′ănt). ***1***〖adj.〗抗うつ〔作用〕の（うつ病に有効に作用する）．***2***〖n.〗抗うつ薬（うつ病治療に用いる薬物）．

tetracyclic a. 四環系抗うつ薬（三環系抗うつ薬と類似した薬物群であり，フェノチアジン系抗精神病薬とも関連する）．

triazolopyridine a. トリアゾロピリジン抗うつ薬（化学構造上および薬理学的性質上他の抗うつ薬と異なる薬物群．臨床効果の点では三環系抗うつ薬と同等であるが，抗コリン性副作用が弱い）．

tricyclic a. 三環系抗うつ薬（化学的に三環を有する抗うつ薬の群）．

an·ti·di·a·bet·ic (an′tē-dī-ă-bet′ik). 抗糖尿病性の（糖尿病に反作用する．血糖値を下げる．例えばトルブタミド，インスリン）．

an·ti·di·ar·rhe·al, an·ti·di·ar·rhet·ic (an′tē-dī-ă-re′ăl, -dī-ă-ret′ik). ***1***〖adj.〗下痢止めの．***2***〖n.〗下痢止め薬（***1*** の作用をもつ薬物．例えばロペラミド）．

an·ti·di·u·re·sis (an′tē-dī-yū-rē′sis). 抗利尿（尿量を減らすこと）．

an·ti·di·u·ret·ic (an′tē-dī-yū-ret′ik). 抗利尿薬（尿量を減少させる薬物）．

an·ti·dot·al (an-tĕ-dō′tăl). 解毒〔性〕の．

an·ti·dote (an′tĕ-dōt)［G. *antidotos* < *anti*, against + *dotos*, what is given < *didōmi*, to give］. 解毒薬（毒物を中和するまたはその臨床あるいは生理的影響を消去する薬物）．

chemical a. 化学的解毒薬（毒物と結合して無毒の化合物に変化させる薬物）．

mechanical a. 機械的解毒薬（毒物の吸収を予防する薬物）．

physiologic a. 生理的解毒薬（ある毒物の全身作用と反対の全身作用を発揮する薬物）．

universal a. 万能解毒薬（活性炭，タンニン酸および酸化マグネシウムを 2：1：1 の割合で混合した旧式の混合物．毒を服用した者に対して使用が試みられた．この混合物は有効性はなく，現在では用いられない．活性炭は有用である）．

an·ti·drom·ic (an′tē-drom′ik) 逆方向性の，逆行性の（伝導系(例えば神経線維)に沿って，インパルスが正常に伝わる方向と逆の方向に伝わることを意味する）．

an·ti·dys·en·ter·ic (an′tē-dis-en-ter′ik). 抗赤痢〔性〕の（赤痢を軽減または予防する）．

an·ti·dys·rhyth·mic (an′tē-dis-ridh′mik). ＝antiarrhythmic.

an·ti·dys·u·ric (an′tē-dis-yū′rik). 抗排尿障害〔性〕の（有痛排尿困難や排尿困難を予防または軽減する）．

an·ti·e·met·ic (an′tē-ĕ-met′ik)［anti- + G. *emetikos*, emetic］. ***1***〖adj.〗制吐作用の，鎮吐作用の，抗嘔吐作用の（嘔吐を予防または阻止する）．***2***〖n.〗制吐薬，鎮吐薬，抗嘔吐薬．

an·ti·e·ner·gic (an′tē-en-er′jik)［anti- + G. *energos*, active］. 抗エネルギーの（逆にまたは反対に作用する）．

an·ti·en·zyme (an′tē-en′zīm). 酵素阻害薬，酵素抑制薬，抗酵素〔抗体〕（酵素の活性を遅延，阻害，休止させる薬物または因子．阻害酵素または酵素に対する抗体．例えば血清抗トリプシン）．

an·ti·ep·i·lep·tic (an′tē-ep-i-lep′tik). ＝anticonvulsant.

an·ti·es·tro·gen (an′tē-es′trō-jen). 抗エストロゲン（反応組織に対して発情ホルモン(卵胞ホルモン)の生物学的作用が十分発揮されるのを防ぐことのできる物質．アンドロゲンやプロゲステロンのように標的組織に拮抗作用を発揮することによって，またはエタモキシトリフェトールといった薬物のように単に卵胞ホルモン作用を阻害することで卵胞ホルモンの影響を抑制する．例えばタモキシフェン）．＝estrogen antagonist.

an·ti·fe·brile (an′tē-fē′brīl, -feb′ril)［anti- + L. *febris*, fever］. ＝antipyretic (1).

an·ti·fi·bril·la·tory (an′tē-fi′bri-lă-tōr-ē). 抗細動性の（心房細動，心室細動などの細動性の不整脈を抑制する手段あるいは薬剤）．

an·ti·fi·bri·nol·y·sin (an′tē-fī′bri-nol′i-sin). 抗線維素溶解素．＝antiplasmin.

an·ti·fi·bri·no·lyt·ic (an′tē-fī-brin′ō-lit′ik). 抗線維素溶解剤（線維素(フィブリン)の溶解を抑制する物質を表す．例えばアミノカプロン酸）．

antiflux (an′ti-flŭks). ろう(鑞)流れ止め剤，アンチフラックス（歯科において，ろうの流れを阻害する材料）．

an·ti·fo·lic (an′tē-fō′lik). ***1***〖adj.〗抗葉酸性の（葉酸の作用

に拮抗する）．*2*〘n.〙 葉酸代謝拮抗薬（→folic acid *antagonists*）．

an·ti·fun·gal (an′tē-fŭng′ăl)．抗真菌性の．＝antimycotic.

an·ti-G (an′tē)．反 G〔の〕（厳密には antigravity（抗重力）という意味の用語であるが，一般に用いられている形容詞形は重力の影響からの保護を意味する．例えば，抗 G 服(anti-G *suit*)）．

ANTIGEN

an·ti·gen (Ag) (an′ti-jen) [anti(body) + G. *-gen*, producing]．抗原（免疫担当細胞に遭遇した結果，過敏状態や免疫反応状態を誘導し，さらに感作物質に対する抗体や免疫担当細胞の反応性を *in vivo* または *in vitro* で顕化できるようなあらゆる物質．現代では抗原に広い意味をもたせる傾向があり，抗原特異性を与える分子の特定の化学基に対して，antigenic determinant(抗原決定基)や determinant group (決定群)という用語を採用するようになった．→hapten)．＝immunogen.

ABO a.'s ABOの抗原（付録 Blood Groups の「ABO血液型」の項参照）．

acetone-insoluble a. アセトン不溶性抗原．＝cardiolipin.

allogeneic a. アロ抗原，同種抗原（同種の動物個体間でみられる抗原の遺伝子多様性）．

Am a.'s Am 抗原（ヒト IgA 分子 H 鎖上のアロ抗原決定基）．

Au a. *1* Au抗原（付録 Blood Groups の「Auberger 血液型」の項参照）．*2*＝Australia a.

Aus a. Aus 抗原．＝Australia a.

Australia a. [MIM*209800]．オーストラリア抗原（本抗原がオーストラリア原住民の肝炎患者に初めて認められたためこのようによばれる．しかし現在では，B型肝炎ウイルスの表面抗原サブユニットとして知られている）．＝Au a. (2); Aus a.

Be^a a.'s Be^{a}抗原（付録 Blood Groups の「低頻度に認められる血液型」の項参照）．＝Becker a.

Becker a. (bek′ĕr)．ベッカー抗原．＝Be^a a.'s.

Bi a. Bi抗原（付録 Blood Groups の「低頻度に認められる血液型」の項参照）．＝Bile a.

Bile a. バイル抗原．＝Bi a.

blood group a. 血液型抗原（特異的抗血清との血液型判定反応を決定する赤血球表面にみられる遺伝抗原．ABO 血液型および Lewis 血液型の抗原は唾液や他の体液中にもみられる．血液型抗原の発生を決定する遺伝子は地域や人種によって頻度が異なる．付録 Blood Groups も参照）．＝ blood group substance.

By a. By抗原（付録 Blood Groups の「低頻度に認められる血液型」の項参照）．

CA-125 a. CA–125 抗原（腫瘍マーカの 1 つ．進行性卵巣癌の85%で上昇する．→cancer antigen 125 *test*）．

CA-15-3 a. CA–15–3 抗原（腫瘍抗原．乳癌患者で高くなることがある）．

CA-19-9 a. CA–19–9 抗原（胆管癌，膵臓癌でみられる腫瘍抗原）．

capsular a. 莢膜抗原（ある種の微生物の莢膜中にのみみられる抗原．例えば，種々の肺炎球菌の特異的多糖類）．

carcinoembryonic a. (CEA) 癌胎児抗原（胎児の内胚葉上皮のグリコカリックスの糖蛋白成分．大腸癌をはじめ，ある種の癌患者の血清中や長期間喫煙者の血清中で上昇することがある）．

Casoni a. (kă-sō′nē)．カソーニ抗原（包虫嚢包液から無菌的に得た皮膚反応用の抗原．包虫症の診断に用いる）．

C carbohydrate a. C糖鎖抗原（連鎖球菌属 *Streptococcus* の細胞壁に見出される抗原で，株を規定する．→*β*-hemolytic *streptococci* (⇒streptococcus)）．

CDE a.'s CDE抗原（付録 Blood Groups の「Rh 血液型」の項参照）．

cholesterinized a. コレステロール添加抗原（コレステロールが添加されたカルジオリピン）．

Chr^a a.'s Chr^{a}抗原（付録 Blood Groups の「低頻度に認められる血液型」の項参照）．

class I a.'s クラス I 抗原（主要組織適合遺伝子複合体を構成するヒト白血球抗原遺伝子で規定されており，ほとんどの有核細胞にみられる細胞膜糖蛋白）．

class II a.'s クラス II 抗原（主要組織適合遺伝子複合体を構成するヒト白血球抗原遺伝子で規定されている細胞膜糖蛋白．マクロファージ，B細胞，樹状細胞などの抗原提示細胞に存在する）．

class III a.'s クラス III 抗原（主要組織適合遺伝子複合体の S 領域に支配される非細胞膜蛋白．組織適合性の決定には関与せず，TNF–*α* およびTNF–*β* などのある種のサイトカイン遺伝子とともに補体成分を含む）．

cluster of differentiation (CD) a. 細胞膜分化抗原，CD 抗原（細胞表面，多くはリンパ球の表面にある抗原）．

common a. 共通抗原（交叉反応性を有する抗原(エピトープ)．2 種またはそれ以上の分子や生体にみられる共通構造）．

common acute lymphoblastic leukemia a. コモン急性リンパ芽球性白血病抗原（コモン急性リンパ芽球性白血病および類縁のリンパ芽球性リンパ腫を認識する抗原）．

complete a. 完全抗原（不完全抗原(ハプテン)とは異なり，*in vivo* または *in vitro* でそれに反応する抗体の生成をこの物質のみで誘導することのできる抗原）．

conjugated a. 接合抗原．＝conjugated *hapten*.

cytotoxic T-lymphocyte a.-4 (CTLA-4) 細胞毒性 T リンパ球抗原–4（活性 T 細胞により表現される抗原．IgG の Fc フラグメントに融合する可溶性分子として合成されれば，B リンパ球の共起刺激分子をブロックするので，リウマチ疾患の生物学的治療に用いられる）．

D a. D抗原（Rh 領域を構成する 6 抗原のうちの 1 つ．D 抗原に誘導される抗体は，新生児の溶血性疾患の最多原因となる）．

delta a. デルタ抗原．＝hepatitis D *virus*.

Dharmendra a. (dar-men′dră)．ダーメンデュラ抗原（らい菌 *Mycobacterium leprae* のクロロホルム－エーテル抽出物の懸濁液．レプロミン試験において，皮下に Fernandez 反応を起こさせるのに用いる．付録 Blood Groups も参照）．

Di a. Di抗原（付録 Blood Groups の「Diego 血液型」の項参照）．

Duffy a.'s ダッフィ抗原（付録 Blood Groups の「Duffy 血液型」の項参照）．

epithelial membrane a. (EMA) 上皮膜抗原（高度に糖化された 70–kD の蛋白分子．ヒト乳汁の脂肪小滴中から初めてみつかった．種々の腺上皮，特に乳癌細胞中に存在する．培養線維芽細胞，リンパ系細胞，ある腫の間質細胞にもみられる．免疫組織化学染色が組織診断の助けとなる）．

flagellar a. べん毛抗原（菌体抗原とは対照的に，細菌べん毛に由来する，熱に不安定な抗原．→H a.）．

Forssman a. (fōrs′măn)．フォルスマン抗原（イヌ，ウマ，ヒツジ，ネコ，カメ，ある種の魚の卵，特定の細菌(腸内細菌や肺炎球菌のある株など)，種々の穀物中にみられる異種抗原の一型．通常は血液中にはなく組織や器官の中にあるが，ヒツジの場合は赤血球内に存在する．ただし，ヒツジの組織内にはみられない．Forssman 抗原は，モルモットやハムスターを除くげっ歯類，カエル，ブタ，ほとんどの霊長類にはみられない．ヒトの伝染性単核球症で発生する抗体は，Forssman 抗原と特異的に反応する）．

Fy a.'s Fy抗原（付録 Blood Groups の「Duffy 血液型」の項参照）．

G a. [Ger. *gebundenes*, bound]．G抗原（ウイルス粒子の内部にある核蛋白で，特異抗原性を有する．ギャグ Gag ともいう）．

Ge a. Ge抗原（付録 Blood Groups の「高頻度に認められる血液型」の項参照）．

Gerbich a. (gĕr′bich)．ジャービッチ抗原（糖蛋白 C．→glycophorins）．

Gm a.'s Gm 抗原（IgG H 鎖に存在するアロタイプ決定基の 1 つ．ヒトでは 25 種存在する）．

Good a. グッド抗原（付録 Blood Groups の「低頻度に認められる血液型」の項参照）．

Gr a. Gr 抗原（付録 Blood Groups の「MNSs 血液型」の

項の Vw 抗原参照). = Vw a.

group a.'s 群抗原 (種々の生物種に存在する抗原).

H a. H抗原 (①運動性細菌のべん毛内の抗原. 腸内細菌の血清学的分類に重要である. →O a. (1). ②ABO 血液型系の抗原の化学的前駆体).

H-2 a.'s H-2 抗原 (マウスのH-2 複合体遺伝子に規定されている抗原で, 自己・非自己の識別に関与する. H-2 抗原系はHLAに相似).

He a.'s He抗原 (付録 Blood Groups の「MNSs 血液型」の項参照). = Hu a.'s.

heart a. 心〔臓〕抗原. = cardiolipin.

hepatitis-associated a. (**HAA**) 肝炎関連抗原 (その本質が立証される以前はB型肝炎ウイルスの表面抗原に対して用いられた語. ⇀hepatitis B surface a.).

hepatitis B core a. (**HB$_c$Ab, HB$_c$Ag**) B型肝炎コア抗原, HB$_c$抗原 (Dane 粒子(感染性を有する完全ウイルス粒子)のコアに見出される抗原. またB型肝炎ウイルスの感染した肝細胞核中からも検出される).

hepatitis B e a. (**HB$_e$Ab, HBe, HB$_e$Ag**) B型肝炎 e 抗原, HB$_e$ 抗原 (B型肝炎ウイルス感染に関係する抗原または抗原群. 表面抗原(HB$_s$ 抗原), コア抗原(HB$_c$抗原)とは区別される. ウイルスのヌクレオカプシドと関連している. HB$_e$ 抗原が存在するということは, ウイルスが増殖している証拠であり, この患者は感染性が高いということである).

hepatitis B surface a. (**HB$_s$Ab, HB$_s$Ag**) B型肝炎表面抗原, HB$_s$抗原 (糸状形および小球形(20 nm)の抗原. または, 大きな(42 nm) Dane 粒子(完全な感染性を有するB型肝炎ウイルス粒子の表面抗原). →hepatitis B core a.; hepatitis B e a.).

heterogeneic a. 非対応抗原 (⇀heterophile a.).

heterogenetic a. 異原性抗原. = heterophile a.

heterophil a. 異好性抗原. = heterophile a.

heterophile a. = heterogenetic a.; heterophil a. ***1*** 多価抗原 (動物種を越えて, 異なった組織でみられる抗原, あるいは抗原決定基). ***2*** 異種抗原 (系統発生学的に関係のない多くの異なった種がもつ種特異抗原. 例えば, 様々な器官や組織の特異抗原, 眼の水晶体のα-およびβ-クリスタリン, Forssman 抗原など).

hexon a. ヘキソン抗原 (ウイルスサブユニット. ⇀hexon).

histocompatibility a. 組織適合抗原 (有核細胞, ことに白血球や血小板表面に存在する抗原. →H-2 a.'s). = transplantation a.

HL-A a.'s HL-A抗原 (ヒト白血球組織適合抗原 *h*uman *l*eukocyte histocompatibility a.'s を表す古語. ヒトにおいて HLA 組織適合系は MHC クラス I, II, III からなる. ⇀major histocompatibility *complex*).

Ho a. Ho 抗原 (付録 Blood Groups の「低頻度に認められる血液型」の項参照).

homologous a. 相同抗原 (その抗原に反応可能な抗体の形成を次々に派生可能な抗原).

Hu a.'s Hu 抗原. = He a.'s.

human leukocyte a.'s (**HLA**) [MIM*142560]. ヒト白血球抗原 (ヒトの第6染色体上に存在する少なくとも4つの関連した遺伝子座位(A, B, C, D)と一群の亜座位からなる主要組織適合抗原複合体遺伝子産物を表現する体系的名称. これらの抗原は, ヒトの同種移植, 難病患者における輸血, ある種の抗原に対する免疫反応性, ある種の疾患との関連性, などに多大な関与があることが示されている. 常染色体優性遺伝型をとる. ⇀major histocompatibility *complex*).

H-Y a. H-Y抗原 (Y染色体に支配されている抗原因子で, 当初は両性に分化可能な胎児性腺を精巣に発育させることによって, ヒト胎児を雄表現型へと分化させる役割をもつ. この抗原が欠落すると性腺は卵巣となる. これには少なくとも2つの遺伝子座が関与している. 1つは本抗原を産生する常染色体遺伝子[MIM*143170], 他はこの物質の受容体を形成する遺伝子[MIM*143150]である).

I a.'s I 抗原 (実験動物の抗原提示細胞に発現している抗原で, 免疫反応を確定する. ヒトでのMHCクラスII抗原に相似).

incomplete a. 不完全抗原. = hapten.

InV group a. InV 群抗原. = Km a.

Jk a.'s Jk 抗原 (付録 Blood Groups の「Kidd 血液型」の項参照).

Jobbins a. (jŏb′inz). ジョビンズ抗原 (付録 Blood Groups の「低頻度に認められる血液型」の項参照).

Js a. Js抗原 (付録 Blood Groups の「Sutter 血液型」の項参照).

K a.'s K抗原 (付録 Blood Groups の「Kell 血液型」の項参照).

Km a. Km 抗原 (ヒト免疫グロブリン Lκ 鎖に存在するアロタイプ). = InV group a.

Kveim a. (kvīm). クヴェーム(クベイム)抗原 (活動性サルコイドーシス患者の脾臓から取ったサルコイド組織の生食懸濁液. Kveim 試験に用いる). = Kveim-Siltzbach a.

Kveim-Siltzbach a. (kvīm siltz′bahk). クヴェーム(クベイム)-シルツバッハ抗原. = Kveim a.

Lan a. ラン抗原 (付録 Blood Groups の「高頻度に認められる血液型」の項参照).

Le a.'s Le 抗原 (付録 Blood Groups の「Lewis 血液型」の項参照).

leukocyte common a. (loo′kō-sīt). リンパ球共通抗原 (大部分のリンパ球に存在し, 他の細胞にはない糖蛋白群. 膜蛋白CD45の最大限 10% までをなす).

leukocyte-function-assisted a. (**LFA**) 白血球機能補助抗原 (リンパ球や内皮の表面にある分子のこと. 接着受容体や別のタイプの分子に対する受容体として働く).

Levay a. レヴェー抗原 (付録 Blood Groups の「低頻度に認められる血液型」の項参照).

Lu a.'s Lu 抗原 (付録 Blood Groups の「Lutheran 血液型」の項参照).

lymphocyte function associated a. (**LFA**) リンパ球機能関連抗原 (インテグリンファミリーに属し, すべてのリンパ球に発現しており, 種々の細胞上の ICAM-1 と ICAM-2 に結合する).

lymphogranuloma venereum a. 性病性リンパ肉芽腫抗原 (家禽の卵黄嚢中で培養したクラミジアを不活化した無菌調製品で, Frei *test* の抗原として用いる).

Lyt a.'s Lyt 抗原 (マウスのT細胞あるいはB細胞に存在するアロ抗原の一群. 例えば, Lyt 2,3 はヒト CD8 に対応する).

M a. M抗原 (*Streptococcus pyogenes* 菌体から検出された抗原で毒性に関与している. ⇀β-hemolytic *streptococci* (⇒streptococcus)).

M$_1$ a., M^g a., M^c a., M$_2$ a. M$_1$抗原, M^{g}抗原, M^{c}抗原, M$_2$抗原 (付録 Blood Groups の「MNSs 血液型」の項参照).

Mitsuda a. (mit′sū-dah). 光田抗原 (らい菌 *Mycobacterium leprae* による自然感染を起こしたヒトの組織を加熱滅菌した浮遊液. レプロミン試験における光田反応を起こすのに用いる).

MNSs a.'s MNSs抗原 (付録 Blood Groups の「MNSs 血液型」の項参照).

Mu a. Mu抗原 (付録 Blood Groups の「MNSs 血液型」の項参照).

mumps skin test a. 流行性耳下腺炎皮膚試験抗原 (流行性耳下腺炎の不活化ウイルスを等張食塩水に懸濁した滅菌液. 流行性耳下腺炎に対する感受性を調べたり, 感染の既応症を確認するのに用いる).

O a. O抗原 (①グラム陰性腸内細菌の菌体抗原. 菌体外壁の糖脂質. →H a. (1). ②付録 Blood Groups の「ABO 血液型」の項参照).

oncofetal a.'s 腫瘍胎児抗原 (胎児組織およびある種の悪性腫瘍中には見出されるが, 正常成人組織には存在しない腫瘍関連抗原で, α-フェトプロテインが含まれる).

organ-specific a. 器官特異性抗原, 臓器特異性抗原 (器官特異性を有する異種抗原. 例えば, 種特異性抗原に加えて, ある種の腎臓が他種の腎臓と同一の抗原をもつ場合). = tissue-specific a.

Ot a. Ot抗原 (付録 Blood Groups の「低頻度に認められる血液型」の項参照).

P a.'s P抗原 (付録 Blood Groups の「P 血液型」の項参照).

partial a. 部分抗原. = hapten.

penton a. ペントン抗原 (⇀penton).

pollen a. 花粉抗原（植物の花粉の抗原性蛋白の抽出物．すなわち，枯草熱の診断や治療に用いる花粉アレルゲン）．

private a.'s 私有抗原（付録 Blood Groups の「低頻度に認められる血液型」の項参照）．

proliferating cell nuclear a.（**PCNA**）［MIM*176740］．増殖細胞核抗原（核の非ヒストン蛋白で分子量 36– kD．DNAポリメラーゼの働きを増強し，細胞分裂の開始に一役買っている．この抗原の染まり具合は腫瘍の悪性度および有糸分裂活性と相関する）．

---

prostate-specific a.（**PSA**）前立腺特異抗原（240 アミノ酸残基と 4 炭水化物側鎖を有する 31 キロダルトンの単鎖状糖蛋白．前立腺上皮細胞で産生されるカリクレインプロテアーゼの一種で，通常は精液や循環血液中に見出される．血清 PSA の上昇は非常に臓器特異的であるが，癌(腺癌)と良性疾患(例えば，良性前立腺肥厚や前立腺炎)との両者でみられる．前立腺限局性の癌患者のかなり多くで PSA 値は正常である）．＝human glandular kallikrein 3.

PSA が 4 ng/dL(4mg/L)以下は正常とされ，一方 10 ng/dL(10 mg/L)以上になると強く前立腺癌が示唆される．PSA がこの中間の患者の約 30 % で 1 年以内にバイオプシーで検出可能な前立腺癌が発生する．遊離の PSA とプロテアーゼインヒビター α-1 アンチキモトリプシンとの複合体状態の PSA(PSA–ACT) の両者を測定することによって，総 PSA 4—10ng/dL の男性での癌診断の感度が上昇する．前立腺癌患者での血中遊離 PSA の割合は，正常時あるいは良性疾患時に比較して低い．しかしながら，総 PSA は，遊離 PSA 対総 PSA の比よりも，前立腺癌の指標としては，より正確である．触知可能な良性腺を有する患者で，遊離 PSA が総 PSA の25 %以上である場合，総 PSA が 10 ng/mL 以下であれば，前立腺のバイオプシーの必要性は確実に除外できる．遊離 PSA が 15 %以下であれば癌が強く疑われる．この 1 年で PSA が 0.75 ng/mL(0.75μg/L)以上増加した場合もまた，悪性が強く示唆される．PSA のレベルは，前立腺炎，最近の射精，前立腺マッサージでも上昇し得るが，前立腺の指診では上昇しない．フィナステリドやノコギリヤシによる治療では逆に抑制される可能性がある．PSA は前立腺の全体積と相関するという研究もあるが，これは，良性の前立腺肥大では混乱を引き起こす要因となり得る．ある大規模調査によると，PSA レベルが上昇した1/3の症例で，後のテストで自然に正常レベルに戻っていた，と報告されている．無症候の老人について前立腺癌のスクリーニングのために PSA テストを用いることは，他の診断法と同様に議論の多いところである．米国予防医療専門委員会 USPSTF も，米国国立癌研究所も，日常スクリーニングとして PSA を薦めてはいない．50歳以降(アフリカ系アメリカ人と，前立腺癌の家族歴がある場合は40—45歳)ではスクリーニング検査を薦めている専門家ですら，余命10年未満の人にはスクリーニングを推奨していない．なぜなら前立腺癌の10年生存率は約90%だからである．

---

public a.'s 公有抗原（付録 Blood Groups の「高頻度に認められる血液型」の項参照）．

R a. R 抗原（→β-hemolytic *streptococci*（⇀streptococcus））．

Rh a.'s Rh抗原（付録 Blood Groups の「Rh 血液型」の項参照）．

Rhus toxicodendron a. ツタウルシ抗原（ツタウルシの新葉を 0.4%の塩酸プロカインで抽出した溶液．毒に対する感受性を調べるために皮内注射する）．

Rhus venenata a. 毒ウルシ抗原（ウルシの新葉の抽出液．ウルシに対する感受性を調べるため，またはウルシの葉に触れて起こる皮膚炎を治療するために用いる）．

S a.［MIM*181031］．S 抗原（①＝soluble a. ②杆体と松果体にみられる光受容蛋白で，光変換伝達機構で抑制的に機能する．＝arrestin）．

sensitized a. 感作抗原（抗原が特異抗体と結合するときに生成される複合体．抗体の介在によって抗原が補体の作用に対し感作されるのでそうよばれる．現在では用いられない語）．

shock a. ショック抗原（感作された動物にアナフィラキシーショックを起こすことのできる抗原）．

Sm a. Sm抗原（付録 Blood Groups の「高頻度に認められている血液型」の項参照）．

soluble a. 可溶性抗原（遠心でウイルス粒子を除いた後の上清に残るウイルス抗原．インフルエンザウイルスの場合には内部のらせん構造を構成している部分で，外部のエンベロープを含まない）．＝S a.(1).

somatic a. 菌体抗原（べん毛にある抗原(べん毛抗原)や莢膜にある抗原(莢膜抗原)とは対照的に，細菌の細胞壁にある抗原）．

species-specific a. 種〔属〕特異性抗原（1つの動物種の組織および体液内にある抗原成分．種は，それぞれその抗原成分によって免疫学的に区別される．例えば，ウマの血清アルブミンは，ヒト，イヌ，ヒツジなどのそれとは免疫学的に異なる）．

specific a.'s 特異性抗原（唯一無二でそのものを特徴付けるような抗原）．

Stobo a. (stō′bō). ストーボ抗原（付録 Blood Groups の「低頻度に認められる血液型」の項参照）．

Streptococcus M a. 連鎖球菌M抗原（A 群連鎖球菌の毒性と型特異性に関連する菌体抗原．食作用抵抗性で，80 種以上の型がある）．＝M protein (1).

Sw^a a. Sw^{a}抗原（付録 Blood Groups の「低頻度に認められる血液型」の項参照）．

Swann a.'s (swahn). スヴァン抗原（付録 Blood Groups の「低頻度に認められる血液型」の項参照）．

T a.'s T 抗原（腫瘍細胞や，アデノウイルスやパポバウイルスなどの DNA 型腫瘍ウイルスによって形質転換した細胞で発現している腫瘍抗原．→β-hemolytic *streptococci*（⇀streptococcus); tumor a.'s）．

Tac a. Tac 抗原（ヒトインターロイキン–2 レセプタの抗原決定基で，抗 Tac(マウスモノクローナル抗体)で同定される．TAC に対する抗体と結合してしまうと，通常はインターロイキン–2 との結合によって刺激される T 細胞の増殖が妨げられる）．

T-dependent a. 胸腺(T 細胞)依存性抗原（抗原特異的な細胞によって液性免疫反応を惹起するのに，T 細胞の助けを必要とする抗原．大部分の抗原は T 依存性である）．

theta a. シータ抗原（マウスとラットの胸腺細胞および成熟T細胞表面に存在する糖蛋白）．

thymus-independent a. 胸腺非依存性抗原（B 細胞刺激のために，ヘルパーT細胞を必要としない抗原．例としては多糖類のような反復型のポリマーがある）．

tissue-specific a. 組織特異抗原．＝organ-specific a.

Tj a. Tj抗原（付録 Blood Groups の「P 血液型」の項参照）．

Tr^a a. Tr^a 抗原（付録 Blood Groups の「低頻度に認められる血液型」の項参照）．

transplantation a. 移植抗原．＝histocompatibility a.

tumor a.'s 腫瘍抗原（①腫瘍に関連している抗原，または特定の腫瘍細胞に特異的に発現している抗原．②腫瘍抗原は，ことに DNA 型腫瘍ウイルスの増殖とトランスフォーメーションに関与している．ウイルスとしてはアデノウイルスやパポバウイルスがある．→T a.'s）．＝neoantigens (2).

tumor-associated a. 腫瘍関連抗原（ある一定の腫瘍細胞と相関性の高い抗原．正常細胞には普通みられないか，みられてもわずかである）．

tumor-specific transplantation a.'s（**TSTA**）腫瘍特異移植抗原（DNA 腫瘍ウイルスによってトランスフォームした細胞の表層抗原で，特定の腫瘍ウイルスで免疫した動物に，ウイルスによって腫瘍化した細胞を移植したとき，この細胞がウイルスを産生していなくても免疫的拒絶を誘発する）．

V a. V 抗原（ウイルス粒子と密接に関連するウイルス抗原．性状は蛋白で，多くの抗原性をもち，ウイルスの種(株)特異性である．インフルエンザウイルス表面のヘマグルチニン突起のような抗原に対する抗体は，防御または中和抗体としての性状を呈する）．

Vel a. Vel抗原（付録 Blood Groups の「高頻度に認められる血液型」の項参照）．

Ven a. Ven抗原（付録 Blood Groups の「低頻度に認めら

れる血液型」の項参照).

Vi a. Vi抗原（腸内細菌の菌体外莢膜抗原．以前には菌の毒性に関与すると考えられていた).

Vw a. Vw抗原（付録 Blood Groups の「MNSs 血液型」の項参照). ＝Gr a.

Webb a. ウェッブ抗原（付録 Blood Groups の「低頻度に認められる血液型」の項参照).

Wr^a a.'s Wr^a抗原（Wright antigens の略．→Wright a.'s).

Wright a.'s (Wr^a) ライト抗原（付録 Blood Groups の「低頻度に認められる血液型」の項参照).

Xg a. Xg抗原（付録 Blood Groups の「Xg 血液型」の項参照).

Yt^a a. Yt^a抗原（付録 Blood Groups の「高頻度に認められる血液型」の項参照).

---

an·ti·ge·ne·mi·a (an′ti-jĕ-nē′mē-ă) [antigen + G. *haima*, blood]. 抗原血〔症〕（循環血液中に抗原物質が存続すること．例えば，HB_S 抗原血(血清中にB型肝炎ウイルス粒子の表面(s)抗原が存在すること)).

an·ti·gen·ic (an-ti-jen′ik). 抗原性の（抗原(アレルゲン)の特性を有する). ＝allergenic; immunogenic.

an·ti·ge·nic·i·ty (an′ti-jĕ-nis′i-tē). 抗原性（抗原の特性をもつ状態．抗原としての特性). ＝immunogenicity.

an·ti·gen·ome (an′tē-jē′nōm). アンチゲノム（相補的プラスRNA鎖で，これをもとにウイルスのマイナス鎖ゲノムが合成される).

an·ti·gon·or·rhe·ic (an′tē-gon-ō-rē′ik). 抗淋疾〔性〕の（淋疾を治療する).

an·ti·grav·i·ty (an′tē-grav′i-tē). →anti-G.

anti-HB_C 〔抗〕HB_c抗体（B型肝炎コア抗原(HB_cAg)に対する抗体).

anti-HB_E 〔抗〕HB_e抗体（B型肝炎 e 抗原(HB_eAg)に対する抗体).

anti-HB_S 〔抗〕HB_s抗体（B型肝炎表面抗原(HB_sAg)に対する抗体).

an·ti·he·lix (an′tē-hē′liks) [TA]. 対輪（外耳の耳輪後部の前にあり，耳輪にほぼ平行している軟骨の隆起). ＝anthelix.

an·ti·helminth·ic (an′tē-hel-minth′ik). ＝anthelmintic (1).

an·ti·hem·ag·glu·ti·nin (an′tē-hē-mă-glū′ti-nin, an′tē-hem-ă-). 抗〔赤〕血球凝集素（血球凝集素の作用を抑制または予防する物質(抗体を含む)).

an·ti·he·mo·ly·sin (an′tē-hē-mol′i-sin, an′tē-hem-ol′-). 抗溶血素（溶血素の作用を抑制または予防する物質(抗体を含む)).

an·ti·he·mo·lyt·ic (an′tē-hē-mō-lit′ik, an′tē-hem-ō-). 抗溶血性の（溶血を予防する).

an·ti·hem·or·rhag·ic (an′tē-hem-ō-rāj′ik). 抗出血性の（出血を止める). ＝hemostatic (2).

an·ti·his·ta·mines (an′tē-his′tă-mēnz). 抗ヒスタミン薬（H_1 受容体または H_2 受容体のいずれかのヒスタミンの作用に拮抗する作用をもつ薬物).

an·ti·his·ta·min·ic (an′tē-his-tă-min′ik). ***1*** ヒスタミンの作用に拮抗する作用．ヒスタミン遊離の生理的発現は組織にあるヒスタミン受容体の型(H_1 または H_2)によって決定される．抗ヒスタミン薬は，1つの受容体または他の受容体におけるヒスタミンの効果を選択的に遮断する．***2*** アレルギーの症状を軽減する薬物(H_1 アンタゴニスト)や胃過酸症の症状を軽減する薬物(H_2 アンタゴニスト).

an·ti·hor·mones (an′tē-hōr′mōnz). 抗ホルモン，アンチホルモン（ある種のホルモンの通常の効果を阻止あるいは妨害する作用をもつ血清中の物質．例えば特異抗体).

an·ti·hy·drop·ic (an′tē-hī-drop′ik). ***1*** 〖adj.〗 抗水腫(浮腫)の（水腫を軽減する). ***2*** 〖n.〗 抗水腫(浮腫)薬（蓄積した液体を動員する薬物).

an·ti·hy·per·ten·sive (an′tē-hī-per-ten′siv). ***1*** 〖adj.〗 抗高血圧性の（高血圧患者の血圧を下げる治療法についていう). ***2*** 〖n.〗 抗高血圧〔症〕薬.

an·ti·hyp·not·ic (an′tē-hip-not′ik). ***1*** 〖adj.〗 覚醒性の（催眠を妨げる，または妨げる傾向のある). ***2*** 〖n.〗 覚醒薬（睡眠に拮抗する薬物).

an·ti·hy·po·ten·sive (an′tē-hī′pō-ten′siv). 抗低血圧性の（低下した血圧を上昇させる手段あるいは薬剤).

an·ti·ic·ter·ic (an′tē-ik-ter′ik). 抗黄疸性の（黄疸を予防あるいは治療することを表す，まれに用いる語).

an·ti·in·flam·ma·to·ry (an′tē-in-flam′ă-tō-rē). 抗炎症の（原因子に直接作用せずに，体内の反応系に作用して炎症を軽減する．抗炎症薬の例として，糖質コルチコイド，アスピリンがある).

an·ti·in·su·lin (an′tē-in′sū-lin). 抗インスリン（インスリンの作用に対し拮抗的に作用する因子．多くの場合，抗体).

an·ti·ke·to·gen·e·sis (an′tē-kē′tō-jen′ĕ-sis). 抗ケトーシス（ケトン体の産生を抑制または利用を亢進することによりケトーシスを予防または緩和すること).

an·ti·ke·to·gen·ic (an′tē-kē′tō-jen′ik). ケトン体生成阻止性の（ケトン体生成を阻止する，またはケトン体の利用を促進する).

an·ti·leu·koc·i·din (an′tē-lū-kos′i-din). 抗ロイコチジン（①ロイコチジンの作用を抑制または阻止する物質．②ロイコチジン特異抗体).

an·ti·leu·ko·tox·in (an′tē-lū-kō-tok′sin). 抗ロイコトキシン（ロイコトキシン(白血球溶解酵素)の作用を抑制あるいは阻止する物質(抗体を含む)．しばしば antileukocidin と同義とみなされる).

---

an·ti·leu·ko·tri·ene (an′tē-lū′kō-trī′ēn). 抗ロイコトリエン薬（自然産生されるロイコトリエンの生成または作用の遮断によりぜん息の気管支収縮を予防または緩和する薬物．乾癬に対する有効性もある).

ロイコトリエンはアラキドン酸から誘導されるエイコサノイドで細胞膜に存在する．システニルロイコトリエンは気管支肺のマスト細胞や好酸球，おそらく肺胞マクロファージにより産生され，運動や冷気中での呼吸亢進，アスピリン投与，アレルゲン吸入によって誘導される気管支収縮を仲介することが示されており，特異的受容体である1型システニルロイコトリエン受容体(CysLT1)刺激により作用する．臨床においてぜん息に有用な抗ロイコトリエン薬はロイコトリエン生合成の必須酵素である 5–リポキシゲナーゼを阻害する zileuton とロイコトリエン受容体阻害薬(cinalukast, montelukast, zafirlukast 等)である．ぜん息における抗ロイコトリエン薬の抗気管支収縮作用は β_2 アドレナリン作用薬の作用よりも弱いが，両薬物は相加的に作用する．抗ロイコトリエン薬は慢性気管支ぜん息において最大呼気流量，FEV1 を改善し，急性ぜん息発作の頻度や重篤度，β_2 アドレナリン作用薬やコルチコステロイド投与の必要性を低下させる．特に運動やアスピリンにより誘発されるぜん息の予防には有効であるが，アレルギー性ぜん息の患者に対する効果はほとんどみられない．抗ロイコトリエン薬は急性ぜん息発作の治療や吸入 β_2 アドレナリン作用薬の屯用でコントロール可能な間欠性ぜん息には適さない．また，コルチコステロイドの吸入による発作予防の代替薬物としても使用されない．抗ロイコトリエン薬は経口投与あるいは吸入で使用される．臨床効果の発現および消失はともに緩徐である．副作用は少ないが，チトクロム P450 を介した薬物間相互作用が生じる可能性がある．また，いくつかの薬物において，まれに肝酵素の一過性上昇が起こることが報告されている．

---

an·ti·lew·is·ite (an′tē-lū′i-sīt). ＝dimercaprol.

an·ti·lip·o·tro·pic (an′tē-lip-ō-trop′ik). 抗脂肪親和性の（例えば，メチル基と競合し，コリン合成を抑制して食事性脂肪肝を促進する物質についていう).

an·ti·lith·ic (an′tē-lith′ik) [anti- + G. *lithos*, stone]. ＝anticalculous. ***1*** 〖adj.〗 抗結石〔性〕の（結石の生成を防ぐ，または結石の溶解を促進する). ***2*** 〖n.〗 抗結石薬（***1*** の作用をもつ薬物).

an·ti·lo·bi·um (an′tē-lō′bē-ŭm) [L. < G. *antilobion*]. 耳珠. ＝tragus (1).

an·ti·lu·te·o·gen·ic (an′tē-lū′tē-ō-jen′ik). 抗黄体形成性の（黄体の成長を抑制したり退化を促進する).

an·ti·ly·sin (an′tē-lī′sin). 抗溶解素（溶解素の作用を抑制あるいは阻止する抗体).

an·ti·ma·lar·i·al (an′tē-mă-lā′rē-ăl). ***1*** 〖adj.〗 抗マラリア

性の（マラリアを予防あるいは治療する）．*2*〖n.〗抗マラリア薬（マラリア原虫を阻害または殺す化学療法薬）．

an·ti·mere (an′ti-mēr)［anti- + G. *meros*, a part］．対称部分，対質，体輻（①体軸に直交する平面によって区切られる動物体の分節．②動物体の対称性を示す部分．③身体の右または左半分）．

an·ti·mes·en·ter·ic (an′tē-mez′en-ter′ik)．対腸間膜の（腸間膜付着部の反対側にある腸の部位を示す）．

an·ti·me·tab·o·lite (an′tē-me-tab′ō-līt)．代謝拮抗物質（薬）（代謝物と競合，置換，または拮抗する物質．例えば，エチオニンはメチオニンの代謝拮抗物質である）．

an·ti·me·tro·pi·a (an′tē-me-trō′pē-ă)［anti- + G. *metron*, measure + *ōps*, eye］．異種不同視，左右異種屈折〔症〕（一眼が近視，他眼が遠視というような不同視の一型）．

an·ti·mi·cro·bi·al (an′tē-mī-krō′bē-ăl)．抗菌の（微生物を死滅させ，増殖や発育を阻止し，病原性を除く傾向のある）．

an·ti·mi·tot·ic (an′tē-mī-tot′ik)．*1*〖adj.〗抗有糸分裂性の（有糸分裂に対して停止作用を有する）．*2*〖n.〗抗有糸分裂薬（*1*の作用をもつ薬物．例えば，白血球増殖を抑制する目的で白血病に用いる葉酸拮抗薬）．

an·ti·mon·gol·oid (an′tē-mon′gō-loyd)．逆蒙古症様の（眼瞼裂の外側が中央より下がっている状態）．

antimonials (an-ti-mō′nē-ălz)．アンチモン剤（トリパノソーマ感染症(例えば，アフリカ睡眠病，Chagas 病)の治療に用いられるアンチモンを含んだ薬剤）．

an·ti·mo·nid (an′tē-mō′nid)．アンチモン化合物（より陽性の元素と結合したアンチモンを含有する化合物．例えばアンチモン化ナトリウム）．

an·ti·mo·nous ox·ide (an′ti-mō′nŭs oks′īd)．酸化アンチモン．= *antimony* trioxide.

an·ti·mo·ny (Sb) (an′ti-mō′nē)［G. *anti*+*monos*, not found alone］．アンチモン（［antinomy と混同しないこと］．金属元素．原子番号 51，原子量 121.757，原子価 0，−3，+3，+5．合金に用いる．有毒で皮膚や粘膜を刺激する）．= stibium.

a. chloride 塩化アンチモン．= a. trichloride.

a. dimercaptosuccinate ジメルカプトサクシニルアンチモン（Manson 住血吸虫 *Schistosoma mansoni* とビルハルツ住血吸虫 *Schistosoma haematobium* に対して有効な駆虫薬）．= stibocaptate.

a. oxide = a. trioxide.

a. potassium tartrate 吐酒石（去痰薬，および日本住血吸虫症の特効薬として用いる化合物であるが，極度に毒性が強いので，ゆっくりと静脈内に注入しなければならない．一般的な毒性症状は静脈炎，頻脈，低血圧症である．主に循環虚脱による急死が報告されている）．= potassium antimonyltartrate; tartar emetic; tartrated a.

a. sodium tartrate 酒石酸アンチモンナトリウム（住血吸虫症の治療に，また催吐薬として用いる化合物）．= sodium antimonyl tartrate.

a. sodium thioglycollate チオグリコール酸アンチモンナトリウム（三酸化物とチオグリコール酸の化合物で，熱帯の寄生虫に対して用いる）．

tartrated a. = a. potassium tartrate.

a. thioglycollamide アンチモンチオグリコールアミド（チオグリコール酸のトリアミド．トリパノソーマ症，カラアザール，フィラリア症の治療に用いる）．

a. trichloride 三塩化アンチモン（ビタミンAと化合して青色化合物をつくり，β-カロチンと化合して緑色化合物をつくる金属化合物．これらの物質の定量法として用いる．また腐食薬としても外用される）．= a. chloride.

a. trioxide 三酸化二アンチモン（工業的にはペンキや耐火薬品に用いる化合物．また以前は去痰薬，催吐薬としても用いられた）．= antimonous oxide; a. oxide; flowers of antimony.

an·ti·mus·ca·rin·ic (an′tē-mŭs′kă-rin′ik)．抗ムスカリンの（ムスカリン，ムスカリン様薬物の作用または神経効果器接合部で，副交感神経の刺激作用を抑制あるいは阻止する．例えばアトロピン）．

an·ti·mu·ta·gen (an′tē-myū′tă-jen)．抗変異原（ある物質の突然変異誘発作用を軽減あるいは阻害する因子）．

an·ti·mu·ta·gen·ic (an′tē-myū-tă-jen′ik)．抗変異原性（抗変異原に関連したあるいは特有な）．

an·ti·my·as·then·ic (an′tē-mī′as-then′ik)．抗筋無力症の（重症の筋無力症の症状を矯正するのに役立つ．例えばネオスチグミンの作用）．

an·ti·my·cot·ic (an′tē-mī-kot′ik)［anti- + G. *mykēs*, fungus］．抗真菌〔症〕の，抗カビ性の（真菌に拮抗する）．= antifungal.

an·ti·nau·se·ant (an′tē-naw′sē-ănt)．制吐性の（悪心を予防する作用を有する）．

an·ti·ne·o·plas·tic (an′tē-nē′ō-plas′tik)．抗腫瘍性の（腫瘍細胞の発生，成熟，または拡散を予防する）．

anti·neo·plas·tons (an′tē-nē′ō-plas′tonz)．アンチネオプラストン（アミノ酸やペプチドなど様々な化合物の混合体．様々な悪性腫瘍に対し天然の防御として理論的に補助する）．

an·ti·neu·ro·tox·in (an′tē-nū′rō-tok′sin)．神経毒拮抗薬（神経毒に対する抗体）．

an·tin·i·ad (an-tin′ē-ad)．頭部前極方向へ．

an·tin·i·al (an-tin′ē-ăl)．頭部前極の．

an·tin·i·on (an-tin′ē-on)［anti- + G. *inion*, nape of the neck］．頭部前極（両眉毛の間の部分．イニオンと反対の頭蓋骨上の点．→glabella）．

an·tin·o·my (an-tin′ō-mē)［anti- + G. *nomos*, law］．二律背反（［antimony と混同しないこと］．各々正しいと考えられる 2 つの原理が矛盾対立すること）．

an·ti·nu·cle·ar (an′tē-nū′klē-er)．抗核の（細胞核に対して親和性を有する，あるいは反応する）．

an·ti·o·don·tal·gic (an′tē-ō′don-tăl′jik)［anti- + G. *odous*, tooth + *algos*, pain］．*1*〖adj.〗抗歯痛性の（歯痛を和らげる）．*2*〖n.〗歯痛止め．

an·ti·on·co·gene (an′tē-ong′ō-jēn)．= tumor suppressor *gene*.

---

an·ti·ox·i·dant (an′tē-oks′ĭ-dănt)．抗酸化物質，アンチオキシダント，抗酸化剤（酸化防止剤．これらの多くの化学物質(ある生体内物質や栄養素を含む)はほとんど，フリーラジカルや他の物質のオキシダント効果を中和できる）．

フリーラジカルは，正常な細胞呼吸や代謝過程で生成されたり，もっと多量にある種の環境化学物質や日光の影響下で生成され，様々な種類の組織障害，特に動脈硬化，老化プロセス，癌の発生の原因といわれている．フリーラジカルとは 1 個以上の不対電子をもち，その結果高い反応性をもち，他の物質から電子を得ようとする原子または分子をいう．フリーラジカルは正常な場合，抗酸化酵素，スーパーオキシドジスムターゼやグルタチオンペルオキシダーゼによって組織から捕捉される．ユビデカレノン(補酵素 Q10)もミトコンドリア呼吸反応において抗酸化物質として働くと考えられている．さらに，多くの栄養素，ビタミン，ミネラルは普通，副因子や補酵素として抗酸化作用をもつことが示された．この中にはセレン，β-カロチン，ビタミン C と E がある．フリーラジカルの産生と天然抗酸化経路との不均衡が老化や多くの慢性退化性疾患での主病因であるかもしれないともいわれ，抗酸化栄養素が疾患予防に働いていると考えている研究者もいる．事実，LDL コレステロールの酸化がアテローム性動脈硬化プラーク発生での泡沫細胞形成に関与しているようである．さらに，フリーラジカルが悪性化の方向へ進行するような DNA 障害を起こすことが証明される．しかし酸化も多くの有益なプロセスで起こっている．例えば，免疫機能をもつ細胞の化学走性，ファゴサイトーシス，血液凝固機構，アポトーシスでみられる．さらに抗酸化物質はただ一通りの仕方で働くだけでなく，種々の細胞内での反応のイニシエーションやプロパゲーション段階で働き，ある環境ではプロオキシダントになれる．ビタミンなどの栄養素の多量摂取により心臓発作や癌を予防し，老化を遅らせるとの主張には科学的根拠がない．食品からの抗酸化栄養素の多量摂取が多少の健康への利益をもたらすと思われているが，どのような抗酸化栄養素が基準所要量を超える量を摂取することにより心臓血管疾患，癌，どんな他の異常症状の予防や治療に価値があるとのはっきりした知見は，明らかに栄養的ビタミン欠乏関連疾患の場合を除いて現在のところない．冠動脈疾患のリスクがある 2 万人以上を対象とした抗酸化サプリメントの二重マスク化ランダム化コントロール試験の結果，あらゆる原因による死亡率，心臓血管系死亡率，非致死性心筋梗塞，脳卒中，癌の発生率において効果がみられなかった．β-カロチンやレチノールの比較実験は，どのような効果も証明できなかっただけでなく，肺癌や心臓血管性疾患から死亡へのリスクがより増大するという統計が示され，失敗した．

---

an·ti·pa·in (an′tē-pā′in)［*anti-* + pa*pain*］. アンチパイン（パパイン，トリプシン，プラスミンなどの蛋白分解酵素の作用を阻害するペプチド）.

an·ti·par·al·lel (an′tē-par′ă-lel). ***1*** 逆行性の（平行であるが逆方向の極性をもつ分子についていう．例えばDNA二重らせんの2本鎖）. ***2*** 反平行の（同じ電子軌道上に2つの電子があり，異なる向きのスピン量子数をもっている状態をさす）.

an·ti·par·a·sit·ic (an′tē-par-ă-sit′ik). 駆虫性の.

an·ti·pe·dic·u·lar (an′tē-pe-dik′yū-lăr). 駆シラミの.

an·ti·pe·dic·u·lot·ic (an′tē-pe-dik′yū′lot′ik). 抗シラミ性の（シラミ寄生症の治療に効果のある．特にそのような薬剤をいう）.

an·ti·pe·ri·od·ic (an′tē-pēr′ē-od′ik). 抗周期性の（疾患(例えばマラリア)または症状の周期的な再発を予防する）.

an·ti·per·i·stal·sis (an′tē-per′i-stal′sis). 逆ぜん動. ＝reversed *peristalsis.*

an·ti·per·i·stal·tic (an′tē-per′i-stal′tik). ***1*** 逆ぜん動の. ***2*** 抗ぜん動〔性〕の（ぜん動を妨げるまたは阻止する）.

an·ti·per·spi·rant (an′tē-per′spi-rant). ***1***〚adj.〛制汗性の（汗の分泌に対して抑制作用を有する）. ***2***〚n.〛制汗薬（***1*** の作用をもつ薬物．例えば塩化アルミニウム）. ＝anhidrotic (2).

an·ti·phag·o·cyt·ic (an′tē-fag-ō-sit′-ik). 食作用阻止性の（食細胞の活動を阻害するまたは防ぐ）.

an·ti·phlo·gis·tic (an′tē-flō-jis′tik)［anti- + G. *phlogistos*, burnt up］. ＝antipyrotic (1). ***1***〚adj.〛消炎〔性〕の（炎症を予防するあるいは軽減する能力を表す古語）. ***2***〚n.〛消炎薬，抗炎症薬（炎症を和らげる薬物）.

an·ti·pho·bic (an′tē-fō′bik). ***1***〚n.〛恐怖症対策（恐怖症を抑えるように計画された治療戦略）. ***2***〚adj.〛抗恐怖症性の（恐怖症を抑える可能性のあるような）.

an·ti·plas·min (an′tē-plaz′min). 抗プラスミン（プラスミンの作用を抑制あるいは阻害する物質．血漿およびいくつかの組織，特に脾臓と肝臓にみられる）. ＝antifibrinolysin.

an·ti·plate·let (an′tē-plāt′let). 抗血小板物質（血小板に溶解作用または凝集作用を発現して，血小板の作用を抑制あるいは破壊する物質）.

an·ti·pneu·mo·coc·cic (an′tē-nū′mō-kok′sik). 抗肺炎菌の（肺炎菌を死滅させる，またはその増殖を抑制する．例えばペニシリン）.

an·tip·o·dal (an-tip′ŏ-dăl). 対掌体の（細胞体または他の体の反対側，特に極または対称の一側に位置する．→contralateral）.

an·ti·pode (an′ti-pōd)［G. *antipous*, with the feet opposite］. 対掌体（まったく正反対の位置にあること）.

optic a. 光学的対掌体. ＝enantiomer.

an·ti·port (an′tē-pōrt)［anti- + L. *porto*, to carry］. 交互輸送（一般的な輸送機構(交互輸送機構)によって，膜を通して2つの異なった分子またはイオンが反対方向に相互輸送されること．*cf.* symport; uniport）.

an·ti·por·ter (an′tē-pōr-ter). 交互輸送機構（膜を逆方向に，同時に2つの異なった分子またはイオンの運搬を仲介する蛋白）.

an·ti·pre·cip·i·tin (an′tē-prē-sip′i-tin). 抗沈降素（沈降素の作用を抑制あるいは阻害する特異抗体）.

an·ti·pro·ges·tin (an′tē-prō-jes′tin). 抗黄体ホルモン（黄体ホルモンの生成を抑制し，血液内でその運搬あるいは安定を阻害し，あるいは標的器官による吸収，標的器官への影響を抑える物質．例えばRU486，ミフェプリストン）. ＝progesterone antagonist.

an·ti·pro·throm·bin (an′tē-prō-throm′bin). アンチプロトロンビン（プロトロンビンのトロンビンへの転換を抑制あるいは阻害する抗凝固薬．例えば，ヘパリン(様々な組織，特に肝臓に存在する)およびジクマリン(部分的に腐敗したスイートクローバーから分離される)）.

an·ti·pru·rit·ic (an′tē-prū-rit′ik). ***1***〚adj.〛止痒性の（かゆみを抑え，和らげる）. ***2***〚n.〛かゆみ止め（かゆみを和らげる薬物）.

an·ti·psy·chot·ic (an′tē-sī-kot′ik). ***1***〚n.〛抗精神病薬. ＝antipsychotic *agent.* ***2***〚adj.〛抗精神病の（抗精神病薬の作用についていう．例えばchlorpromazine）.

an·ti·pu·rine (an′tē-pyūr′ēn). プリン〔代謝〕拮抗薬（代謝拮抗物質として作用するプリンおよびプリンヌクレオチドの構造類似体）.

an·ti·py·o·gen·ic (an′tē-pī′ō-jen′ik)［anti- + G. *pyon*, pus + *-gen*, production］. 抗化膿性の.

an·ti·py·re·sis (an′tē-pī-rē′sis). 解熱処置（原疾患そのものの治療よりむしろ熱の対症療法）.

an·ti·py·ret·ic (an′tē-pī-ret′ik)［anti- + G. *pyretos*, fever］. ***1***〚adj.〛解熱〔作用〕の，解熱〔性〕の. ＝antifebrile; febrifugal. ***2***〚n.〛解熱薬（例えばacetaminophenとアスピリン）. ＝febrifuge.

an·ti·py·rim·i·dine (an′tē-pir-im′i-dēn). ピリミジン〔代謝〕拮抗薬（代謝拮抗物質として作用するピリミジンおよびピリミジンヌクレオチドの構造類似体）.

an·ti·py·rine (an′tē-pī′rin). アンチピリン（鎮痛・解熱薬．無顆粒球症の危険性のため全身投与では現在使用されない．急性中耳炎の鎮痛薬および外耳道からの耳垢の除去，そして耳垢除去後の鎮痛薬として，局所的にまだ用いられている）.

a. acetylsalicylate アセチルサリチル酸アンチピリン（アンチピリンとアスピリンを調合したもの．抗リウマチ薬，鎮痛薬）.

a. salicylacetate サリチル酢酸アンチピリン（鎮痛薬，抗リウマチ薬，解熱薬）.

a. salicylate サリチル酸アンチピリン（月経不順，インフルエンザ，急性鼻炎の初期に用いられていた鎮痛・解熱薬）.

an·ti·py·rot·ic (an′tē-pī-rot′ik)［anti- + G. *pyrōtikos*, burning, inflaming］. ***1*** ＝antiphlogistic. ***2***〚adj.〛熱傷治療〔性〕の（表在性熱傷の痛みを軽減し，治癒を促進する）. ***3***〚n.〛熱傷治療.

an·ti·ra·chit·ic (an′tē-ră-kit′ik). 抗くる病〔性〕の（くる病の治癒を促進する，またはその進展を防ぐ．例えばビタミンD製剤）.

an·ti·rheu·mat·ic (an′tē-rū-mat′ik). [ギリシア語起源の単語では，音節の初めにある二重字rhは，接頭語または他の語彙要素がその前に置かれる場合，通常rrhに変更されるが，本語ではrを重ねない]. ***1***〚adj.〛抗リウマチ性の（リウマチ性疾患の発現を抑制する薬剤を示す．通常，抗炎症薬あるいは炎症性関節炎における基礎疾患過程の進行を遅らせることのできる薬物についていう）. ***2***〚n.〛抗リウマチ薬（***1*** のような性質をもつ薬物(例えば金製剤)）.

an·ti·ri·cin (an′tē-rī′sin). リシン抗毒素（摂取するリシンの作用を抑制あるいは阻止する抗体または抗毒素）.

an·ti·ru·mi·nant (an′tē-rū′mi-nănt)［anti- + L. *rumino*, to chew the cud ＜ *rumen*, throat］. 抗反すう〔性〕の（食物の逆流を抑える．思考の強迫的反復傾向を打破する）.

an·ti-S (an′tē). 抗-S（付録Blood Groupsの「MNSs血液型」の項参照）.

antisaccade 逆衝動（刺激に向かう方向の衝動運動）.

an·ti·schis·to·so·mal (an′tē-shis′tō-sō′mal). ***1***〚adj.〛抗住血吸虫の（住血吸虫に対して破壊的な，もしくは有害な）. ***2***〚n.〛抗住血吸虫薬（住血吸虫の生存に影響を及ぼす効果のある作用因）.

an·ti·scor·bu·tic (an′tē-skōr-byū′tik). ***1***〚adj.〛抗壊血病〔性〕の（壊血病を予防あるいは治療する）. ***2***〚n.〛抗壊血病薬（壊血病の治療薬．例えばビタミンC）.

an·ti·seb·or·rhe·ic (an′tē-seb′ō-rē′ik). ***1***〚adj.〛抗脂漏〔性〕の（皮脂の過剰な分泌を防ぐ，あるいは軽快させる．脂漏性皮膚炎を予防あるいは軽減する）. ***2***〚n.〛抗脂漏薬（***1*** の作用をもつ薬剤）.

an·ti·se·cre·to·ry (an′tē-sē-krē′tō-rī). 抗分泌〔性〕の（分泌を抑制する．胃液の分泌を減少または抑制する薬物(例えば，ranitidine, omeprazole)はその一例）.

an·ti·sense (an′tē-sents). →antisense DNA; antisense RNA.

an·ti·sep·sis (an′tē-sep′sis) [anti- + G. *sēpsis*, putrefaction]. 防腐〔法〕(感染性病原物質の成長を抑制することにより感染を防ぐこと.→disinfection).

an·ti·sep·tic (an′ti-sep′tik). [aseptic と混同しないこと]. ***1***〚adj.〛防腐〔性〕の. ***2***〚n.〛防腐薬 (防腐作用を有する薬物または物質).

an·ti·se·rum (an′tē-sē′rŭm). 抗血清 (検出可能な抗体値を有するポリクローン性の血清, または単一抗原に対する(1価または特異の)抗体あるいは複数の抗原に対する(多価の)抗体. 抗原物質を接種された動物の血液からつくられるか, 疾病から回復したヒトの場合のように抗原と自然に接触することによって感作されたヒトや動物の血液からつくられる). ＝immune serum.

blood group a.'s 血液型抗血清 (付録 Blood Groups 参照).

heterologous a. 異種抗血清 (ある微生物または抗原物質の刺激によってつくられた抗血清であるのに, 異なった種の微生物や, 他の抗原複合体に反応する(例えば凝集する), あるいは他の動物種に由来する抗血清.→homologous a.).

homologous a. 同種抗血清 (抗体の内容と抗血清をつくるのに用いる抗原物質が完全に一致している抗血清).

monovalent a. 一価抗血清 (⇀antiserum).

nerve growth factor a. 神経発育因子抗血清, NGF 血清 (神経発育因子に対する抗体を含む抗血清. 新生動物にこれを注射すると, 大多数の交感神経節細胞が永久に破壊され, その結果, 末梢組織の神経支配の低下をもたらす). ＝NGF a.

NGF a. ＝nerve growth factor a.

polyvalent a. 多価抗血清 (⇀antiserum).

specific a. 特異抗血清 (⇀antiserum).

an·ti·shock gar·ment (an′tē-shok gar′ment). ⇀military antishock trousers; pneumatic antishock garment.

an·ti·si·al·a·gogue (an′tē-sī-al′ă-gog) [anti- + G. *sialon*, saliva + *agōgos*, drawing forth]. 制唾薬, 唾液分泌抑制薬 ([誤ったつづり antisialogogue を避けること]. 唾液の流出を減少または停止させる薬物. 例えばアトロピン).

an·ti·si·der·ic (an′tē-sid-er′ik) [anti- + G. *sideros*, iron]. 鉄禁忌の (キレート化または沈殿によって, 鉄の生理作用に反作用する).

an·ti·so·cial (an′tē-sō′shŭl). 反社会的な (反社会性人格障害のいくつかの気質を示している. 社会や法の規範を無視し, うそをつき, 攻撃的で, 他者の権利や安全に無関心, 無責任, 他者を責め, 反省をほとんど, またはまったく示さない. ⇀antisocial *personality*; antisocial personality *disorder*. *cf.* asocial).

an·ti·spas·mod·ic (an′tē-spaz-mod′ik). ***1***〚adj.〛抗痙攣性の (筋攣縮や筋痙攣を予防あるいは治療する). ***2***〚n.〛鎮痙薬 (痙攣を鎮める薬物).

an·ti·staph·y·lo·coc·cic (an′tē-staf′i-lō-kok′sik). 抗ブドウ球菌性の (ブドウ球菌またはその毒素に拮抗する).

an·ti·staph·y·lol·y·sin (an′tē-staf-i-lol′i-sin). 抗ブドウ球菌溶解素 (ブドウ球菌性溶解毒素の作用に拮抗あるいは作用を中和する物質).

an·ti·ste·ap·sin (an′tē-stē-ap′sin). 抗ステアプシン (膵リパーゼ(ステアプシン)の作用に拮抗する抗体).

an·ti·strep·to·coc·cic (an′tē-strep′tō-kok′sik). 抗連鎖球菌性の (連鎖球菌を破壊する, またはその毒素に拮抗する).

an·ti·strep·to·ki·nase (an′tē-strep′tō-kī′nās). 抗ストレプトキナーゼ (ストレプトキナーゼによる線維素分解を抑制あるいは阻止する抗体).

an·ti·strep·tol·y·sin (an′tē-strep-tol′i-sin). 抗ストレプトリジン ([誤った発音 antistreptoly′sin を避けること]. A群連鎖球菌に対して産生される抗体で, ストレプトリジンOの作用を抑制あるいは阻害する. 血清中の抗ストレプトリジンの量は, 連鎖球菌感染症に罹患中または罹患後にしばしば増加するので, 力価比較が診断や予後の判定に役立つ).

an·ti·tac (an′tē-tak). 抗 tac (インターロイキン-2 レセプタの α 鎖を認識するモノクローナル抗体).

an·ti·ter·min·a·tion (an′tē-ter-min-ā′shŭn). 抗終止, アンチターミネーション (バクテリアRNAポリメラーゼの過程で, そこでは休止, 停止, あるいは終止シグナルに対して抵抗性がある. ある種のバクテリオファージの複製機構を調節するうえで重要である.→hesitant; overdrive).

an·ti·te·tan·ic (an′tē-te-tan′ik). 抗破傷風の ([誤った発音 antitet′anic を避けること]. 破傷風による筋収縮を予防したり軽減する).

an·ti·the·nar (an′tē-thē′nar). 小指球. ＝hypothenar.

an·ti·throm·bin (an′tē-throm′bin). 抗トロンビン, アンチトロンビン (トロンビンの作用を抑制し, 血液凝固を抑制または阻止する物質. 抗トロンビンの欠損は血漿中の凝固因子 IIa, IXa および Xa の抑制を不十分なものとし, 血栓症を繰り返す原因となる).

a. III アンチトロンビン III (トロンビンを阻害する血漿 α_2-グロブリンで抗凝固作用を有する. その欠損症 [MIM *107300]は通常, 常染色体優性遺伝をする. アンチトロンビン III 遺伝子(AT_3)または第1染色体長腕の突然変異により生じる. トロンビン系統の疾患のなかではメンデルの法則どおりに遺伝する数少ない病気の1つ).

normal a. 正常抗トロンビン (異常な状態, または他の源からの抗トロンビンと対比して, 正常な条件下で血液およびある種の組織に自然に発生する抗トロンビン).

an·ti·thy·roid (an′tē-thī′royd). 抗甲状腺〔性〕の (甲状腺機能を抑制する薬物(例えば propylthiouracil)に関する).

an·ti·ton·ic (an′tē-ton′ik). 緊張緩和性の (筋肉や血管の緊張を減少する).

an·ti·tox·ic (an′tē-tok′sik). 抗毒〔素〕性の (毒物の作用を中和する. 特に抗毒素に関する.→antidotal).

an·ti·tox·i·gen (an′tē-toks′i-jen). 抗毒素原. ＝antitoxinogen.

an·ti·tox·in (an′tē-tok′sin) [anti- + G. *toxikon*, poison]. 抗毒素 (菌の外毒素(例えば, 破傷風菌 *Clostridium tetani* またはジフテリア菌 *Corynebacterium diphtheriae* によってつくられるもの), 植物毒素, 動物毒素など, 生物から発生した抗原性毒物質に反応して形成される抗体. 通常は, 特異トキソイドの注射で免疫されたヒトまたは動物(通常はウマ)から得る全血清または血清のグロブリン分画をさす. 抗毒素は, もし毒素が組織細胞内に固着されていなければ, *in vitro* または *in vivo* で特異毒素薬理作用を中和する).

bivalent gas gangrene a. 二価ガス壊疽抗毒素 (ウェルチ菌 *Clostridium perfringens* や悪性水腫菌 *C. septicum* の毒素に特異的な抗毒素).

bothropic a. マムシ抗毒素 (ガラガラヘビ科 *Bothrops* (*Bothrophora*)属のマムシの毒に特異的な抗毒素). ＝*Bothrops* a.

***Bothrops* a.** マムシ抗毒素. ＝bothropic a.

botulinum a. ＝botulism a.

botulism a. ボツリヌス抗毒素 (ボツリヌス菌 *Clostridium botulinum*の1種以上の菌株の毒素に特異的な抗毒素). ＝botulinum a.

bovine a. ウシ抗毒素 (ウマの代わりにウシからつくる抗毒素で, ウマの血清に過敏なヒトの治療に用いる. ウシは特異抗毒素を必要とする毒素に対して免疫されている).

***Crotalus* a.** ガラガラヘビ抗毒素 (ガラガラヘビ *Crotalus* 属の毒に特異的な抗毒素).

despeciated a. 特異性除去抗毒素 (動物性蛋白に感作されたヒトが, 抗毒素を投与されても重大な反応を起こさないように, 種特異性蛋白を変えるために, 適当な方法で処理された抗毒素血清).

diphtheria a. ジフテリア抗毒素 (ジフテリア菌 *Corynebacterium diphtheriae* の毒素に特異的な抗毒素).

dysentery a. 赤痢抗毒素 (志賀赤痢菌 *Shigella dysenteriae* の神経毒素に特異的な抗毒素).

gas gangrene a. ガス壊疽抗毒素 (ガス壊疽とこれに合併する毒血症を引き起こす *Clostridium*属の1種以上, 特にウェルチ菌 *C. perfringens*, ノーヴィ菌 *C. novyi*, ヒストリチクス菌 *C. histolyticum* の毒素に特異的な抗毒素. 市販の製品は通常, 多価で2種以上に対する抗毒素をもつ). ＝pentavalent gas gangrene a.

normal a. 正常抗毒素 (等量の正常毒素溶液を中和できる血清).

pentavalent gas gangrene a. 五価ガス壊疽抗毒素. ＝gas gangrene a.

plant a. 植物抗毒素 (植物毒素に特異的な抗毒素).

scarlet fever a. 猩紅熱抗毒素 (A群 β型溶血連鎖球菌の

発赤毒素に特異的な抗毒素）．

staphylococcus a. ブドウ球菌抗毒素（黄色ブドウ球菌 *Staphylococcus aureus* の α 毒素がもつ溶血性，皮膚壊死性，致死的性状を特に中和する抗毒素性免疫グロブリンを含有する血清）．

tetanus a. 破傷風抗毒素（破傷風菌 *Clostridium tetani* の毒素に特異的な抗毒素）．

tetanus and gas gangrene a.'s 破傷風・ガス壊疽抗毒素（破傷風菌 *Clostridium tetani*，ウェルチ菌 *C. perfringens* (*C.welchii*)，悪性水腫菌 *C. septicum* の毒素に対して免疫された動物から得る抗体混合物）．

tetanus-perfringens a. 破傷風－ウェルチ（ウェルシュ）抗毒素（破傷風菌 *Clostridium tetani* およびウェルチ菌 *C. perfringens* の毒素に対して免疫された動物からつくる抗毒素）．

an·ti·tox·in·o·gen (an′tē-tok-sin′ō-jen) ［antitoxin + G. *-gen*, producing］．抗毒素原（動物またはヒトに抗毒素形成を刺激する抗原．すなわち毒素または類毒素）．＝antitoxigen.

an·ti·trag·i·cus (an′tē-traj′i-kŭs)．対珠の（→antitragicus (*muscle*)）．

an·ti·tra·go·hel·i·cine (an′tē-trā′gō-hel′i-sēn)．対珠耳輪の（→antitragohelicine *fissure*）．

an·ti·tra·gus (an′tē-trā′gŭs)［G. *anti-tragos*, the eminence of the external ear < *anti*, opposite + *tragos*, a goat, the tragus］［TA］．対珠（耳垂の真上にあり，珠間切痕によって分離されている耳珠の後方で，耳輪尾の前にある耳介軟骨突起）．

an·ti·trep·o·ne·mal (an′tē-trep′ō-nē′măl)．抗トレポネーマ性の．＝treponemicidal.

an·ti·tris·mus (an′tē-triz′mŭs)．開口性咬筋痙攣（口の閉鎖を妨げる緊張性筋肉痙攣の状態）．

an·ti·trope (an′ti-trōp)［anti- + G. *tropē*, a turn］．対称器官（同じ形の他方と対称的に裏返した1対を形成する器官あるいは付属器．例えば脊椎動物の左右の脚）．

an·ti·tro·pic (an′tē-trō′pik)．対称器官の（鏡像のように向かい合った位置にあるが，左右両側に対称である相似形，例えば，左手親指と右手親指の関係）．

an·ti·tryp·sic (an′tē-trip′sik)．＝antitryptic.

an·ti·tryp·sin (an′tē-trip′sin)．抗（アンチ）トリプシン（トリプシンの作用を抑制または阻止する物質）．

α_1-a. α_1-抗（アンチ）トリプシン（糖蛋白であり，ヒト血清の主要なプロテアーゼ抑制因子である．肝臓で生合成され，25の対立遺伝子をもつ遺伝的多形体である．あるホモ接合のヒトでは，α_1-トリプシンが欠乏しており，糖蛋白のアミノ酸やシアル酸成分の変性で肺気腫や若年性肝硬変に罹患しやすくなる．α-抗トリプシン濃度は損傷や感染によって上昇する．α-抗トリプシンはまたトロビンやエラスターゼを阻害する）．＝α_1-trypsin inhibitor; human α_1-protease inhibitor.

an·ti·tryp·tic (an′tē-trip′tik)．抗（アンチ）トリプシンの．＝antitrypsic.

an·ti·tu·mor·i·gen·e·sis (an′tē-tū-mōr′i-jen′ĕ-sis)．抗腫瘍形成（新生物の発育を抑制すること）．

an·ti·tus·sive (an′tē-tŭs′iv)［anti- + L. *tussis*, cough］．＝antibechic. *1*〖adj.〗鎮咳〔症〕の．*2*〖n.〗鎮咳薬，咳止め（例えばコデイン）．

an·ti·ty·phoid (an′tē-tī′foyd)．抗チフス〔症〕の（チフスを予防あるいは治療する）．

an·ti·ve·nene (an′tē-vĕ-nēn′)．＝antivenin.

an·ti·ve·ne·re·al (an′tē-ve-nē′rē-ăl)．抗性病〔性〕の（性病を予防または治療することを意味する，まれに用いる語）．＝antaphroditic (2).

an·ti·ven·in (an′tē-ven′in)［anti- + L. *venenum*, poison］．抗〔蛇〕毒素（［誤ったつづりまたは発音 antivenom を避けること］．動物または昆虫の毒に特異的な抗毒素）．＝antivenene.

an·ti·vi·ral (an′tē-vī′răl)．抗ウイルス性の（ウイルスに対する，ウイルスの増殖を阻害する．例えばジドブジン，アシクロビル）．

an·ti·vi·ta·min (an′tē-vī′tă-min)．抗ビタミン（ビタミンが典型的な生物学的作用を発揮するのを妨げる物質．ほとんどの抗ビタミンは（例えば，ピリドキシンとその抗ビタミンのデオキシピリドキシンのように）ビタミンに類似した化学構造をもち，競合的拮抗物質として機能するようである．さらにビタミン拮抗作用に関係のない作用を有するものもいくつかある）．

an·ti·viv·i·sec·tion (an′tē-viv′i-sek′shŭn)．生体解剖反対〔論〕（生きている動物を実験に使うことに反対すること．→vivisection）．

an·ti·xe·roph·thal·mic (an′tē-zē′rof-thal′mik)［anti- + G. *xēros*, dry + *ophthalmos*, eye］．抗眼球乾燥性の（結膜の病的な乾燥（眼球乾燥）を抑制する物質（例えばビタミンAやレチン酸）に対して用いる語）．

an·ti·xe·rot·ic (an′tē-zē-rot′ik)．抗乾燥症性の（乾燥症を予防する）．

An·ton (ahn′ton), Gabriel．ドイツ人神経精神科医，1858—1933．→A. *syndrome*.

An·to·ni (ahn′tō-nē), Nils R．スウェーデン人神経科医，1887—1968．→A. type A *neurilemoma*, type B *neurilemoma*.

an·tra (an′tră)．antrum の複数形．

an·tral (an′trăl)．洞の，腔の．

an·trec·to·my (an-trek′tō-mē)［antrum + G. *ektomē*, excision］．*1* 上顎洞部分切除〔術〕（上顎洞壁一部の除去）．*2* 幽門洞切除〔術〕（胃の幽門洞部（遠位側半分）の切除．消化性潰瘍の治療でしばしば両側迷走神経幹切除に併用される．消化管の再建は胃十二指腸吻合（Billroth I）またはループ胃空腸吻合（Billroth II）による）．

antro- (an′trō)［L. *antrum* < G. *antron*, a cave］．洞を表す連結形．

antroconchopexy (an-trō-kon′chō-pek-sē)．上顎に向かう下鼻甲介の外方骨折．

an·tro·na·sal (an′trō-nā′săl)．上顎洞性鼻腔の（上顎洞および上顎洞と対応する鼻腔に関する）．

an·tro·phose (an′trō-fōz)［antro- + G. *phos*, light］．中枢性視覚（脳の視覚中枢に起因する光や色の主観的感覚．→phosphene）．

an·tro·py·lo·ric (an′trō-pī-lōr′ik)．幽門洞の（幽門に関する，幽門洞を侵す）．

an·tro·scope (an′trō-skōp)［antro- + G. *skopeō*, to view］．上顎洞鏡（空洞，特に上顎洞を視診するときに用いる器具）．

an·tros·co·py (an-tros′kō-pē)．上顎洞鏡検査〔法〕（上顎洞を始め，種々の洞を上顎洞鏡で検査すること）．

an·tros·to·my (an-tros′tō-mē)［antro- + G. *stoma*, mouth］．乳突洞開口〔術〕，洞フィステル形成〔術〕（洞に永続的な開口部を形成すること）．

intraoral a. 口内開口〔術〕．＝Caldwell-Luc *operation*.

an·trot·o·my (an-trot′ō-mē)［antro- + G. *tomē*, incision］．洞切開〔術〕，乳突洞削開〔術〕（洞壁を切開すること）．

an·tro·to·ni·a (an′trō-tō′nē-ă)．洞緊張（胃幽門洞のような洞の筋層の緊張）．

an·tro·tym·pan·ic (an′trō-tim-pan′ik)．〔乳突〕洞鼓室の（乳突洞の鼓室に関する）．

an·trum, gen. **an·tri,** pl. **an·tra** (an′trŭm, -trī, -tră)［L. < G. *antron*, a cave］［TA］．［atrium と混同しないこと］．*1* 洞（ほとんど閉鎖された腔．特に骨壁を有するもの）．*2* 幽門洞．＝pyloric a.

a. auris (an′trŭm aw′ris)．＝external auditory *canal*; external acoustic *meatus*.

cardiac a. 噴門洞（時々存在する腹部食道の拡張．→abdominal *part* of esophagus）．＝a. cardiacum; forestomach.

a. cardiacum 噴門洞．＝cardiac a.

antra ethmoidalia 篩骨洞．＝ethmoid *cells*.

follicular a. 卵胞腔（卵胞液で満たされた卵胞の腔）．

a. of Highmore (hī′mōr)．ハイモー洞．＝maxillary *sinus*.

mastoid a.［TA］．乳〔様〕突〔起〕洞（後方で乳突蜂巣とつながり，前方では洞孔を経て中耳の上鼓室陥凹とつながる側頭骨錐体部の空洞）．＝a. mastoideum［TA］; tympanic a.; Valsalva a.

a. mastoideum［TA］．乳突洞．＝mastoid a.

maxillary a. 上顎洞．＝maxillary *sinus*.

pyloric a.［TA］．幽門洞（胃の幽門部の始まりの部分．消化活動の際一時的に，いわゆる幽門前括約筋のぜん動運動によって胃体から部分的または完全に締め切られることもある．ときに幽門部の第2の部位と浅い溝によって区別できることもある). =a. pyloricum [TA]; antrum (2)[TA]; lesser cul-de-sac.

a. pyloricum [TA]. 幽門洞. =pyloric a.

tympanic a. =mastoid a.

Valsalva a. (vahl-sahl′vă). ヴァルサルヴァ洞. =mastoid a.

ANTU α-naphthylthiourea の略.

An•tyl•lus (an-til′ŭs). 紀元 150 年頃のギリシア人医師. ⇀A. *method*.

ANUG acute necrotizing ulcerative *gingivitis* の略.

an•u•lar (an′yū-lar). 輪状の. =annular.

an•u•lus, pl. **an•u•li** (an′yū-lŭs, -lī) [L.] [TA]. 輪 ([TA では認められていない, 変則的なつづり annulus を避けること]). =ring (1).

a. abdominalis deep inguinal *ring* を表す現在では用いられない語.

a. ciliaris 毛様体輪. =ciliary *body*.

a. conjunctivae [TA]. 結膜輪. =conjunctival *ring*.

a. femoralis [TA]. 大腿輪. =femoral *ring*.

a. fibrocartilagineus membranae tympani [TA]. 鼓膜の線維軟骨輪. =fibrocartilaginous *ring* of tympanic membrane.

a. fibrosus [TA]. 線維輪 (①=(right and left) fibrous *rings* of heart. ②=a. fibrosus of intervertebral disc).

a. fibrosus dexter/sinister cordis =(right and left) fibrous *rings* of heart.

a. fibrosus disci intervertebralis [TA]. =a. fibrosus of intervertebral disc.

a. fibrosus of intervertebral disc [TA]. 椎間板線維輪 (膠原線維と線維性軟骨とでできた輪状構造物で, 椎間板の周縁を形成する. 内部に包み込まれた髄核は, この線維輪がゆるむとヘルニアを起こしやすくなる). =a. fibrosus disci intervertebralis [TA]; a. fibrosus (2) [TA]; fibrous ring of intervertebral disc; fibrous ring (2).

a. of fibrous sheath 線維鞘輪. =anular *part* of fibrous digitai sheath of digits of hand and foot.

Haller a. (hah′lĕr). ハラー輪. =Haller *insula*.

a. hemorrhoidalis 痔輪. =hemorrhoidal *zone*.

a. inguinalis profundus [TA]. 深鼡径輪. =deep inguinal *ring*.

a. inguinalis superficialis 浅鼡径輪. =superficial inguinal *ring*.

a. iridis [TA]. 虹彩輪. =*border* of iris.

a. iridis major [TA]. =outer *border* of iris.

a. iridis minor [TA]. =inner *border* of iris.

a. lymphaticus cardiae [TA]. =*lymph nodes* around cardia of stomach.

a. lymphoideus pharyngis [TA]. =pharyngeal lymphatic *ring*.

a. ovalis =*limbus* fossae ovalis.

a. tendineus communis [TA]. 総腱輪. =common tendinous *ring* of extraocular muscles.

a. tympanicus [TA]. 鼓室輪. =tympanic *ring*.

a. umbilicalis [TA]. 臍輪. =umbilical *ring*.

a. urethralis 尿道輪. =internal urethral *sphincter*.

Vieussens a. (vyū-sŏn[h]′). ビューサン輪. =*limbus* fossae ovalis.

a. of Zinn (zin). =common tendinous *ring* of extraocular muscles.

an•u•ri•a (an-yū′rē-ă). 無尿〔症〕(尿生成のないこと).

an•u•ric (an-yūr′ik). 無尿〔症〕の.

a•nus, gen. & pl. **a•ni** (ā′nŭs, -nī) [L.] [TA]. 肛門 (糞便が押し出される, 殿部の膨らみの間の殿裂にある消化管の下口. 肛門括約筋がある). =anal orifice.

Bartholin a. (bahr′tō-lĭn). *opening* of aqueduct of midbrain を表す現在では用いられない語.

a. cerebri 大脳門 (*opening* of aqueduct of midbrain を表す現在では用いられない語).

imperforate a. [MIM*207500, MIM*301800]. 無孔肛門. =anal *atresia*.

a. vesicalis 膀胱肛門 (直腸が膀胱内に開口すること).

vesicalis a. 膀胱鎖肛 (膀胱に開口する鎖肛).

vestibular a., vulvovaginal a. 前庭肛門, 外陰腟肛門 (肛門が外部に開口せず, 直腸が外陰の真上で腟へ開口する先天奇形).

an•vil (an′vil). きぬた骨. =incus.

anx•i•e•ty (ang-zī′ĕ-tē) [L. *anxietas*, anxiety < *anxius*, distressed < *ango*, to press tight, to torment]. 不安 (①予期される内的, 外的な危険に対して恐怖や危惧を体験することで, 以下の徴候のいくつかあるいはすべてを伴う. 筋緊張, 不穏, 交感神経系(自律神経系)の過活動(下痢, 動悸, 呼吸促迫, 震えなど), 認知上の徴候と症状(過覚醒, 錯乱, 集中力低下, コントロールを失う恐怖など). これらは強度と期間において, 一過性, 適応的あるいは病的であり得る. ②実験心理学において, 以前に中立的なきっかけから学習し, その後それに伴って生じる動因または動機付けの状態).

a. attack 不安発作 (不安の急性エピソード).

castration a. 去勢不安. =castration *complex*.

free-floating a. 浮動性不安 (明確に表されるような恐怖の概念や対象とは結び付けられない, 広範で非現実的な期待(不安)を表現するときに, 精神分析で用いる語. 特に不安神経症で観察され, また潜在統合失調症のある種の症例にもみられる).

noetic a. 知的不安 (実存的心理療法において, 錯乱あるいは人生の意義の喪失によって起こる不安).

separation a. 分離不安 (親あるいは深い関係のある他者から引き離されたり, 彼らを失ったりすることに関する子供の不安あるいは恐れ).

situation a. 状況不安 (現在の生活問題に関する不安).

anx•i•o•lyt•ic (ang′zē-ō-lit′ik) [anxiety + G. *lysis* a dissolution or loosening]. ***1*** 〘n.〙 抗不安薬. =antianxiety *agent*. ***2*** 〘adj.〙 抗不安薬の (抗不安薬(例えばジアゼパム)の作用についていう).

AOC anodal opening *contraction* の略.

A•on•cho•the•ca (ā-on′kō-the′ka). アオンコテーカ属 (鞭虫科に属する線虫の 3 属のうちの 1 つ. 通常は *Capillaria* 属として記述されている).

a•or•ta, gen. & pl. **a•or•tae** (ā-ōr′tă, ā-ōr′tē) [Mod. L. < G. *aortē* < *aeirō*, to lift up] [TA]. 大動脈 (体循環系の主幹をなす弾性型の大きな動脈で, 左心室底から起こり第四腰椎体の左側に終わり, 左右の総腸骨動脈に分岐する. 上行大動脈, 大動脈弓, 下行大動脈に分けられ, 下行大動脈はさらに胸部と腹部に分けられる). =arteria aorta.

abdominal a. [TA]. 腹大動脈 (下行大動脈のうち第十二胸椎の高さにある横隔膜の大動脈裂孔より遠位(下方)にある部分). =pars abdominalis aortae [TA]; a. abdominalis☆; abdominal part of descending aorta.

a. abdominalis☆ 腹部大動脈 (abdominal a. の公式の別名).

a. angusta 大動脈狭窄 (大動脈の先天的な狭窄).

a. ascendens☆ 上行大動脈 (ascending a. の公式の別名).

ascending a. [TA]. 上行大動脈 (大動脈の心膜内の部分のうち, 大動脈弓の手前の部分で, ここから冠状動脈が起始する). =pars ascendens aortae [TA]; a. ascendens☆; ascending part of aorta.

ascending part of a. =ascending a.

buckled a. 縮窄大動脈. =pseudocoarctation.

a. descendens☆ 下行大動脈 (descending a. の公式の別名).

descending a. [TA]. 下行大動脈 (大動脈弓の遠位(下部)にある大動脈の一部で, さらに胸大動脈と腹大動脈に区別される). =pars descendens aortae [TA]; a. descendens☆; descending part of aorta.

dorsal a. 背側大動脈, 背部大動脈 (原始大動脈の尾側の対が融合して形成される胎児期の大きな動脈. 下行大動脈(胸大動脈と腹大動脈)および正中仙骨動脈になる).

dynamic a. 動的大動脈 (大動脈の著明な拍動).

kinked a. 捻転大動脈. =pseudocoarctation.

overriding a. 騎乗大動脈 (先天的に位置異常の大動脈で, 起始部が心室中隔膜をまたぎ, 左右両心室から駆出される血液を受け取る. 特に Fallot 四徴にみられる).

primordial a. 原始大動脈弓 (発生初期の重複大動脈弓).

pseudocoarctation of the a. 偽性大動脈縮窄 (まれな大動脈弓の異常で, 血管は締められはするが, 血管の内腔は高度に侵害されないため，本来の縮窄(症)と異なる).

shaggy a. けばだった大動脈（大動脈の著明な退行変性で，口語的ではあるが適切な表現．大動脈の内面は極端にもろく，粥腫性塞栓の原因になりやすい).

thoracic a. [TA]．胸大動脈（下行大動脈のうち横隔膜の大動脈裂孔(第十二胸椎の高さ)より上の部分)．＝pars thoracica aortae [TA]; a. thoracica*; thoracic part of a.

thoracic part of a. ＝thoracic a.

a. thoracica* 胸大動脈（thoracic a. の公式の別名).

ventral aortae 腹側大動脈（胎生初期咽頭の腹側にある一対の血管で，ここから大動脈弓が起始する).

a·or·tal (ā-ōr′tăl). 大動脈の．＝aortic.

a·or·tal·gi·a (ā′ōr-tal′jē-ă) [aorta + G. *algos*, pain]．大動脈痛（動脈瘤または他の大動脈の病的状態によると思われる痛み).

a·or·tarc·ti·a (ā′ōr-tark′shē-ă) [aorta + L. *arcto*, properly, *arto*, to narrow]．＝aortostenosis.

a·or·tar·ti·a (ā′ōr-tar′shē-ă)．＝aortostenosis.

a·or·tec·ta·sis, a·or·tec·ta·si·a (ā′ōr-tek′tă-sis, -tek-tā′zē-ă) [aorta + G. *ektasis*, a stretching]．大動脈拡張〔症〕.

a·or·tec·to·my (ā′ōr-tek′tō-mē) [aorta + G. *ektomē*, excision]．大動脈切除〔術〕（大動脈の一部の切除).

a·or·tic (ā-ōr′tik). 大動脈の（大動脈または心臓の左心室の大動脈口に関する)．＝aortal.

a·or·tic cur·tain (ā-ōr′tik kĕr′tin). 大動脈弁輪と僧帽弁前尖の間にある線維性三角の膜.

a·or·ti·co·re·nal (ā-ōr′ti-kō-rē′năl). 大動脈腎の（大動脈および腎臓，特に大動脈腎神経節に関する).

a·or·ti·tis (ā′ōr-tī′tis). 大動脈炎.

giant cell a. 巨細胞〔性〕大動脈炎（大動脈をも侵す巨細胞性動脈炎).

syphilitic a. 梅毒性大動脈炎（通常，三期梅毒の病変として，胸部大動脈を障害する．中膜の弾性組織を破壊し，その結果動脈の拡張が起こり，動脈瘤を形成する).

a·or·to·cor·o·nar·y (ā-ōr′tō-kōr′ō-nār-ē). 大動脈冠動脈の（大動脈と冠動脈に関する).

a·or·to·gram (ā-ōr′tō-gram). 大動脈造影(撮影)図（大動脈造影による画像).

a·or·tog·ra·phy (ā′ōr-tog′ră-fē) [aorta + G. *graphō*, to write]．大動脈造影(撮影)〔法〕，アオルトグラフィ（①造影剤注入による大動脈あるいはその分枝のX線像．②超音波あるいはMRIによる大動脈像).

retrograde a. 逆行性大動脈造影(撮影)〔法〕，逆行性アオルトグラフィ（大動脈の分枝の1本，例えば上腕動脈を通して，すなわち血流と反対の方向に造影剤を注入して行う大動脈造影法).

translumbar a. 経腰大動脈造影(撮影)〔法〕（第十二肋骨の真下で脊椎の棘突起の左側，四横指の場所に針を挿入し，造影剤を腹部大動脈に注入して行う初期の大動脈造影法).

a·or·top·a·thy (ā′ōr-top′ă-thē) [aorta + G. *pathos*, suffering]．大動脈障害（大動脈を侵す疾患).

a·or·to·pex·y (ā-ōr′tō-peks′ē). 大動脈胸骨固定術（気管軟化症や気管圧迫に対する手術操作).

a·or·to·plas·ty (ā′ōr′tō-plas′tē). 大動脈形成術（大動脈を修復する外科的手技).

a·or·top·to·sia, aor·top·to·sis (ā-ōr′top-tō′zē-ă, -top-tō′sis) [aorta + G. *ptōsis*, a falling]．大動脈下垂〔症〕（内臓下垂による腹部大動脈の下垂).

a·or·tor·rha·phy (ā′ōr-tōr′ă-fē) [aorta + G. *rhaphē*, seam]．大動脈縫合.

a·or·to·scle·ro·sis (ā-ōr′tō-skler-ō′sis). 大動脈硬化〔症〕.

a·or·to·ste·no·sis (ā-ōr-tō-stĕ-nō′sis) [aorta + G. *stenōsis*, a narrowing]．大動脈狭窄〔症〕（大動脈の狭窄)．＝aortarctia; aortartia.

a·or·tot·o·my (ā′ōr-tot′ō-mē) [aorta + G. *tomē*, a cutting]．大動脈切開〔術〕.

AP *area* postrema; anteroposterior の略.

APA antipernicious anemia *factor* の略.

a·pall·es·the·si·a (ă-pal′es-thē′zē-ă) [G. *a-* 欠性辞 + *pallo*, to tremble, quiver + *aisthēsis*, feeling]．振動覚脱失(消失)〔症〕．＝pallanesthesia.

a·pal·lic (ă-pal′ik) [G. *a-* 欠性辞 + L. *pallium*, brain mantle (cerebral cortex)]．失〔脳〕外套の．＝apallic *state*.

a·pan·cre·at·ic (ā-pan′krē-at′ik). 無膵〔性〕の.

APAP acetaminophen の略.

a·par·a·lyt·ic (ā-par′ă-lit′ik). 無麻痺〔性〕の.

a·par·a·thy·re·o·sis (ă-par′a-thī′rē-ō′sis) [G. *a-* 欠性辞 + parathyroid + *-osis*, condition]．無副甲状腺症（特に副甲状腺を摘出したときに生じる副甲状腺機能低下症).

a·par·a·thy·roid·ism (ā-par′ă-thī′royd-izm). 上皮小体欠損〔症〕（副甲状腺の先天的欠損，欠乏症あるいは外科的除去).

a·par·eu·nia (ă-par-yū′nē-ă) [G. *a-* 欠性辞 + *para*, alongside + *eunē*, bed]．性交不能〔症〕（性交が不可能なこと，またはないこと).

ap·a·thet·ic (ap′ă-thet′ik). 無関心の，無欲の.

ap·a·thism (ap′ă-thizm). 反応緩徐〔症〕，反応緩徐〔性〕（反応が遅いこと).

ap·a·thy (ap′ă-thē) [G. *apatheia* < *a-* 欠性辞 + *pathos*, suffering]．無関心，感情鈍麻（環境への関心の欠如．大脳疾患の最も初期の徴候の1つであることが多い).

ap·a·tite (ap′ă-tīt). アパタイト，リン灰石（Dが2価の陽イオン，Tが3価の四面体イオン，Mが1価の陰イオンで，一般式がD_5T_3Mの組成を有する一群の無機化合物に与えられる総称名．リン酸カルシウムアパタイトは骨と歯の無機成分である．→hydroxyapatite).

APC 解熱・鎮痛薬として以前広く使われたアセチルサリチル酸 *a*cetylsalicylic acid，フェナセチン *p*henacetin，およびカフェイン *c*affeine を合したものに対する頭字語．antigen-presenting *cells* の略.

A-P-C adenoidal-pharyngeal-conjunctival(扁桃咽頭結膜の); antigen-presenting *cells* の略.

APECED [*a*utoimmune *p*oly*e*ndocrinopathies, *c*andidiasis, *e*ctodermal *d*ystrophies]. autoimmune polyendocrinopathy-candidiasis-ectodermal *dystrophy* の略．＝multiple autoimmune endocrinopathy type 1; Whitaker syndrome.

apel·lous (ā-pel′ŭs) [G. *a-* 欠性辞 + L. *pellis*, skin]．***1*** 皮膚欠損の（皮膚のない)．***2*** 包皮欠如の（包皮のない．割礼した).

ap·en·ter·ic (ap′en-ter′ik) [G. *apo*, from + *enteron*, intestine]．abenteric を表す現在では用いられない語.

a·pep·sin·i·a (ā′pep-sin′ē-ă). 無ペプシン〔症〕（胃液中のペプシンの欠乏を表す，まれに用いる語).

a·per·i·od·ic (ā-pēr′ē-od′ik). 無周期の（周期的に起こらない).

a·per·i·stal·sis (ā′per-i-stal′sis). 無ぜん動.

a·per·i·tive (ă-per′i-tiv) [Fr. *apéritif* < L. *aperio*, to open]．食欲促進〔性〕の（食欲を刺激する).

A·pert (ah-par′), Eugène. フランス人小児科医，1868—1940. →A. *syndrome*.

a·per·to·gnath·i·a (ă-per′tōg-nath′ē-ă) [L. *apertus*, open + G. *gnathos*, jaw]．開咬（[二重字gnにおいて，gは語頭にあるときのみ無音である]．一種の不正咬合で，臼歯部の早期咬合と前歯部の咬合欠如を特徴とする)．＝open bite (2).

ap·er·tom·e·ter (ap′er-tom′ĕ-ter). 開〔放〕角測定計（顕微鏡対物の開放角を測る器具).

ap·er·tu·ra, pl. ap·er·tu·rae (ap′er-tū′ră, -rē) [L. < *aperio*, pp. *apertus*, to open] [TA]．口，開口．＝aperture(1).

a. aqueductus cerebri* *opening* of aqueduct of midbrain の公式の別名.

a. aqueductus mesencephali [TA]．＝*opening* of aqueduct of midbrain.

a. canaliculi cochleae [TA]．＝external *opening* of cochlear canaliculus.

a. canaliculi vestibuli [TA]．＝*opening* of vestibular canaliculus.

a. ductus nasolacrimalis [TA]．＝*opening* of nasolacrimal duct.

a. externa canalis carotici [TA]．＝external *opening* of carotid canal.

a. interna canaliculi cochleae [TA]．＝internal *opening* of cochlear canaliculus.

a. interna canaliculi vestibuli [TA]．＝internal *opening* of vestibular canaliculus.

a. interna canalis carotici [TA]. =internal *opening* of carotid canal.

a. lateralis ventriculi quarti [TA]. 第4脳室外側口. =lateral *aperture* of fourth ventricle.

a. mediana ventriculi quarti [TA]. 第4脳室正中口. =median *aperture* of fourth ventricle.

a. nasalis posterior =choana.

a. pelvis inferior [TA]. =pelvic *outlet*.

a. pelvis minoris 骨盤下口. =pelvic *outlet*.

a. pelvis superior [TA]. =pelvic *inlet*.

a. piriformis [TA]. =piriform *aperture*.

a. sinus frontalis [TA]. 前頭洞口. =*opening* of frontal sinus.

a. sinus sphenoidalis [TA]. 蝶形骨洞口. =*opening* of the sphenoidal sinus.

a. thoracis inferior [TA]. 胸郭下口. =inferior thoracic *aperture*.

a. thoracis superior [TA]. 胸郭上口. =superior thoracic *aperture*.

a. tympanica canaliculi chordae tympani [TA]. 鼓索小管鼓室口. =tympanic *aperture* of canaliculus for chorda tympani.

ap·er·ture (ap′er-chūr) [L. *apertura*, an opening]. =aditus [TA]. ***1*** [TA]. 口, 開口, 孔 (腔所あるいは導管の入口あるいは入江. 解剖学では開かれた裂隙またはラッパ形に開いた穴. →fossa; ostium; orifice; pore). = apertura [TA]. ***2*** 口径, 鏡径, 開き (顕微鏡の対物レンズの直径).

angular a. 開口角 (顕微鏡において, 物点からの光線が(空気中で)対物レンズ前面のへりに対して張る角).

external acoustic a.* external acoustic *pore* の公式の別名.

external a. of cochlear canaliculus 蝸牛小管外口. =external *opening* of cochlear canaliculus.

external a. of vestibular aqueduct 前庭水管外口. =*opening* of vestibular canaliculus.

frontal sinus a. 前頭洞口. =*opening* of frontal sinus.

inferior pelvic a. 骨盤下口. =pelvic *outlet*.

inferior thoracic a. [TA]. 胸郭下口 (第十二胸椎, 肋骨ケージ, 胸骨の下縁からなる骨性胸郭の下方境界). =apertura thoracis inferior [TA]; thoracic outlet (1).

laryngeal a. =laryngeal *inlet*.

lateral a. of fourth ventricle [TA]. 第4脳室外側口 (小脳橋角でクモ膜下腔(外側小脳延髄槽)へ連結する第4脳室の左右にある開口). =apertura lateralis ventriculi quarti [TA]; foramen lateralis ventriculi quarti; foramen of Key-Retzius; foramen of Luschka; foramen of Retzius.

a. of mastoid antrum 乳突洞口. =*aditus* to mastoid antrum.

median a. of fourth ventricle [TA]. 第4脳室正中口 (後小脳延髄槽(大槽)と脳室を連絡する第4脳室蓋の後下部にある大きな正中線上の開口). =apertura mediana ventriculi quarti [TA]; arachnoid foramen; foramen of Magendie.

numeric a. (**N.A.**) 開口数 (公式 *n* sine *a* と定義される. *n* は対象と対物レンズ間の物質の屈折率を示し, *a* は対物レンズに中心線と周縁光線間が張る角度を示す).

a. of orbit =orbital *opening*.

piriform a. [TA]. 梨状口 (頭蓋の前鼻口. 通常, 梨の形をしている). =apertura piriformis [TA]; piriform opening.

posterior nasal a.* choana の公式の別名.

sphenoidal sinus a. 蝶形骨洞口. =*opening* of the sphenoidal sinus.

superior pelvic a. 骨盤上口. =pelvic *inlet*.

superior thoracic a. [TA]. 胸郭上口 (第一胸椎と, 第一肋骨, 胸骨柄の上縁からなる骨性胸郭の上方境界. 註臨床医はこれを胸郭出口 thoracic outlet とよぶことがある. 例えば胸郭出口症候群 thoracic outlet syndrome など). =apertura thoracis superior [TA]; thoracic inlet; thoracic outlet (2).

tympanic a. of canaliculus for chorda tympani [TA]. 鼓索小管鼓室口 (中耳腔後壁の錐体隆起の両外側にみられる小管口で, 鼓索がここから出て茎突乳突動脈と伴行しながら耳小骨の間を前方へ進む). =apertura tympanica canaliculi chordae tympani [TA]; tympanic opening of canaliculus for chorda tympani.

a·pex, gen. **a·p·i·cis,** pl. **ap·i·ces** (ā′peks, ap′i-sis, ap′i-sēs) [L. summit or tip][TA]. 尖 (心臓や肺のような円錐形またはピラミッド形構造物の先端).

a. of arytenoid cartilage [TA]. 〔披裂軟骨〕尖 (披裂軟骨のとがった上端部で, 小角軟骨と披裂喉頭蓋ひだを支える). =a. cartilaginis arytenoideae [TA].

a. of auricle [TA]. 耳介尖 (耳輪の上端よりやや下外方の遊離縁から後上外方に突出した点. →auricular *tubercle*). =a. auriculae [TA]; tip of ear*; a. satyri; tip of auricle; Woolner tip.

a. auriculae [TA]. 耳介尖. =a. of auricle.

a. capitis fibulae [TA]. 腓骨頭尖. =a. of head of fibula.

a. cartilaginis arytenoideae [TA]. 〔披裂軟骨〕尖. =a. of arytenoid cartilage.

a. cordis [TA]. 心尖. =a. of heart.

a. cornus posterioris [TA]. 後角尖. =a. of posterior horn.

a. cuspidis dentis [TA]. 咬頭尖. =a. of cusp of tooth.

a. of cusp of tooth [TA]. 咬頭尖 (歯冠から峰状に突出した部分の先端). =a. cuspidis dentis [TA].

a. of dens [TA]. 歯突起尖 (第二頸椎(軸椎)の歯突起の尖端で歯尖靱帯が付着する). =a. dentis [TA].

a. dentis [TA]. 歯突起尖. =a. of dens.

a. of head of fibula [TA]. 腓骨頭尖 (腓骨頭端のとがった部分で, 膝窩筋の弓状靱帯や大腿二頭筋腱の一部が付着している). =a. capitis fibulae [TA]; styloid process of fibula.

a. of heart [TA]. 心尖 (左心室により形成される心臓の鈍な先端. →apex *beat*). =a. cordis [TA]; vertex cordis.

a. linguae [TA]. 舌尖. =a. of tongue.

a. of lung [TA]. 肺尖 (胸膜頂にのびる両肺の丸い上端). =a. pulmonis [TA].

a. nasi [TA]. 鼻尖, はなさき. =a. of nose.

a. of nose [TA]. 鼻尖 (外鼻の最も前方にとがった点). =a. nasi [TA]; tip of nose*.

a. of orbit 眼窩尖 (眼窩の後端で視神経管が開口しているところ. 円錐形空間の尖端をなす).

a. ossis sacralis/sacri [TA]. 仙骨尖. =a. of sacrum.

a. partis petrosae ossis temporalis [TA]. =a. of petrous part of temporal bone.

a. of patella [TA]. 膝蓋骨尖 (膝蓋骨のとがった下端で, そこから膝蓋靱帯が通り脛骨粗面上に付着する). =a. patellae [TA].

a. patellae [TA]. 膝蓋骨炎. =a. of patella.

a. of petrous part of temporal bone [TA]. 側頭骨の錐体尖 (側頭骨錐体部の不規則な形をした前内側端で, ここに頸動脈管の前端が開口している). =a. partis petrosae ossis temporalis [TA].

a. of posterior horn [TA]. 後角尖 (脊髄灰白質の後柱(後角)の尖端). =a. cornus posterioris [TA]; tip of posterior horn.

a. prostatae [TA]. 〔前立腺の〕尖. =a. of prostate.

a. of prostate [TA]. 〔前立腺の〕尖 (会陰膜の上にある前立腺の最下部). =a. prostatae [TA].

a. pulmonis [TA]. 肺尖. =a. of lung.

a. radicis dentis [TA]. 歯根尖. =root a.

root a. [TA]. 根尖 (歯根の最先端. 切側または咬合側から最も遠い部分). =a. radicis dentis [TA]; root tip; tip of tooth root.

a. of sacrum [TA]. 仙骨尖 (尾骨と関節で接合する仙骨の先細りの下端). =a. ossis sacralis/sacri [TA].

a. satyri 耳介尖. =a. of auricle.

a. of tongue [TA]. 舌尖 (舌の前端で探ったり味わったりするときはとがらせる. 通常は切歯の舌側面に位置している). =a. linguae [TA]; tip of tongue*.

a. of (urinary) bladder [TA]. 膀胱尖 (上方で正中臍索に続く膀胱の上面および前下面の移行部). =a. vesicae.

a. vesicae 膀胱尖. =a. of (urinary) bladder.

a·pex·car·di·o·gram (ā′peks-kar′dē-ō-gram). 心尖拍動図 (心尖の鼓動により生じる胸壁の動きをグラフに記録したもの).

a·pex·car·di·og·ra·phy (ā′peks-kar′dē-og′ră-fē). 心尖部心臓図（心尖部，通常は左心室心拍の非観血的な記録法．心室内圧と近似する）.

a·pex·i·fi·ca·tion (ā-pek′si-fi-kā′shŭn). アペキシフィケーション（根尖の発育または，硬組織の沈着により根尖孔の閉鎖を図る治療法）.

a·pex·i·graph (ā-pek′si-graf)［apex + G. *graphō*, to write］. 根端計（歯根の先端の大きさと位置を決める器具）.

APF animal protein *factor* の略.

Ap·gar (ap′gar), Virginia. 米国人麻酔科医，1909—1974. → A. *score*.

a·pha·gi·a (ă-fā′jē-ă)［G. *a-* 欠性辞 + *phagō*, to eat］. 無〔摂〕食〔症〕，えん(嚥)下不能〔症〕，摂食不能〔症〕（摂食困難あるいは不能）.

a·pha·ki·a (ă-fā′kē-ă)［G. *a-* 欠性辞 + *phakos*, lentil, anything shaped like a lentil］. 無水晶体〔症〕（水晶体の欠如）.

a·pha·lan·gi·a (ă′fă-lan′jē-ă)［G. *a-* 欠性辞 + phalanx］. 無指(趾)〔症〕（手や足の指の先天的欠損．また特に，１つ以上の指(趾)節骨がないこと）.

a·pha·si·a (ă-fā′zē-ă)［G. speechlessness < *a-* 欠性辞 + *phasis*, speech］. 失語〔症〕（優位大脳半球の後天性病変のため，話すこと，読むこと，書くこと，あるいは合図の理解，行為，それらによる意思の疎通が損なわれるか欠如していること）. ＝alogia (1).

acoustic a. ＝auditory a.

acquired epileptic a. 後天性てんかん性失語症．＝Landau-Kleffner *syndrome*.

amnestic a., amnesic a. 健忘失語〔症〕．＝nominal a.

anomic a. ＝nominal a.

anterior a. 前方失語〔症〕．＝motor a.

associative a. 連合性失語〔症〕．＝conduction a.

ataxic a. 失調性失語〔症〕．＝motor a.

auditory a. 聴覚性失語〔症〕（言語の聴覚的形態の理解と伝達の障害．正常な聴力下における口述筆記の能力を含む．自発的な発言．読書，記述は影響されない）. ＝acoustic a.; word deafness.

Broca a. (brō-kah′). ブロカ失語〔症〕．＝motor a.

conduction a. 伝導性失語〔症〕（患者は言葉や文章を理解でき，自分の欠陥を自覚しており，一応話したり書いたりできるが，言葉を飛ばしたり繰り返したり別の語を代用したりする(錯語症)．言葉の暗唱が重度に障害される．責任部位は種々の言語中枢を結ぶ連合神経路である）. ＝associative a.

crossed a. 交差性失語〔症〕（右大脳半球病変だけによる右利きの人の失語）.

expressive a. 表現的失語〔症〕．＝motor a.

fluent a. 流暢失語〔症〕．＝sensory a.

functional a. 機能性失語〔症〕（身体表現性障害の１型である転換性障害に関連する非器質性失語）.

global a. 全失語〔症〕（発語と意思疎通のすべての面が強く障害された失語．最高で２，３語または２，３の熟語を理解できるかしゃべれるが，読んだり書いたりはできない）. ＝mixed a.; total a.

graphic a. 書字失語〔症〕．＝agraphia.

graphomotor a. ＝agraphia.

impressive a. ＝sensory a.

jargon a. ジャーゴン失語〔症〕，錯覚性失語〔症〕．＝agrammatism.

mixed a. 混合性失語〔症〕．＝global a.

motor a. 〔皮質〕運動性失語〔症〕（発語や言語の表出が障害されている失語の一型．書字，合図，あるいはその他の表現で意思疎通することもしばしば障害される．患者は障害に気づかない）. ＝anterior a.; ataxic a.; Broca a.; expressive a.; nonfluent a.

nominal a. 名詞失語〔症〕，失名詞〔症〕（主な障害が，見たり，聞いたり，触れたりした人や物の名前を言うことが困難である失語．言語野の種々の部位の病変による）. ＝amnestic a.; amnesic a.; anomia; anomic a.

nonfluent a. 非流暢失語〔症〕．＝motor a.

pathematic a. 感動性失語〔症〕（怒りや強い情動に関連した無言症）.

posterior a. 後方失語〔症〕．＝sensory a.

psychosensory a. 精神感覚性失語〔症〕．＝sensory a.

pure a.'s 純粋失語〔症〕（意思疎通の唯一の型，例えば読字が障害されており，他の意思疎通の型，例えば書字，聴解力は障害されていない，まれな失語）.

receptive a. 受容失語〔症〕．＝sensory a.

semantic a. 文意失語〔症〕（構音に多少障害がみられるが物の名称を正しく言える失語症．個々の語は理解できるが，聞いたことのより広い意味は把握できない）.

sensory a. 感覚性失語〔症〕（話されたり書かれた語を理解することが障害された失語．構文的にはよいが，意味がわからない発語や書字を努力せずに行う．語の間違い，語の代用，酔っぱらったような話し方を特徴的とする．重篤な状態で発語が理解できない場合は，ジャーゴン失語という．患者はしばしば障害に気づかないようにみえる）. ＝fluent a.; impressive a.; posterior a.; psychosensory a.; receptive a.; Wernicke a.

syntactic a. 文章失語〔症〕（言葉の発音は比較的よいが，冠詞，前置詞，接続詞などのない短い句や拙劣な構造の文章しか話せない失語）.

total a. 全失語〔症〕．＝global a.

transcortical a. 超皮質性失語〔症〕（運動言語野と感覚言語野は障害されていないが，残りの大脳半球皮質から孤立している失語．超皮質性感覚性失語と超皮質性運動性失語に分けられる）.

visual a. 視覚性失語〔症〕（①＝alexia．②誤って anomia (名称失語症)の同義語として用いられる）.

Wernicke a. ヴェルニッケ失語〔症〕，〔皮質〕知覚性失語〔症〕．＝sensory a.

a·pha·si·ac, a·pha·sic (ă-fā′zē-ak, ă-fā′sik). 失語〔症〕の.

a·pha·si·ol·o·gist (ă-fā′zē-ol′ŏ-gist). 失語専門家，失語学者（大脳言語領域の障害による言語疾患の専門家）.

a·pha·si·ol·o·gy (ă-fā′zē-ol′ŏ-gē). 失語学（大脳言語領域の機能障害による言語疾患の科学）.

a·phas·mid (ā-faz′mid). 無ファスミド（①双器綱(無ファスミド綱)に属する線虫類におけるファスミド(尾の感覚器)の欠除．②無ファスミド綱(現在は双器綱 Adenophorasida)に属する線虫の一般名）.

A·phas·mid·i·a (ā-faz-mid′ē-ă). 無ファスミド綱．＝Adenophorasida.

ap·he·li·ot·ro·pism (ap′hē-lē-ot′rō-pizm)［G. *apo*, away + *helios*, sun + *tropein*, to turn］. 非向日性，背日性（負の向日性）.

a·pher·e·sis (ā-fer-ē′sis)［G. *aphairesis*, withdrawal］. アフェレーシス（［広く用いられている別形 pheresisi は plateletpheresis のような合成語にさえみられるが，本語の転訛したものである］．必要な細胞または液性成分(血漿，白血球，血小板など)を除去したのちに，再び患者の血液を患者自身に輸注すること）.

a·phil·op·o·ny (ā′fil-op′ō-nē)［G. *a-* 欠性辞 + *philō*, to like + *ponos*, work］. 仕事への恐怖，働く意欲の欠如，を表す現在では用いられない語.

a·pho·ni·a (ă-fō′nē-ă)［G. *a-* 欠性辞 + *phōnē*, voice］. 失声〔症〕（発声器官(喉頭)の疾患や障害により声が出ないこと）.

conversion a. 転換性失声（心因性に発声ができなくなる，身体表現性障害の１型）. ＝hysteric a.; nonorganic a.

hysteric a. ヒステリー〔性〕失声〔症〕＝conversion a.

nonorganic a. 非器質性失声〔症〕．＝conversion a.

a. paralytica 麻痺性失声〔症〕（声帯の麻痺による失声）.

spastic a. 痙性失声〔症〕（発声しようとして興奮した喉頭の声門閉鎖筋の痙攣性収縮により起こる）.

a·phon·ic (ă-fon′ik). 失声〔症〕の．＝aphonous.

aph·o·nous (af′ō-nŭs). ＝aphonic.

a·phot·es·the·si·a (ă-fot′es-thē′zē-ă)［G. *a-* 欠性辞 + *phōs*, light + *aisthēsis*, perception］. 暴光性視力低下（太陽光線に対する露出過度により，網膜の光に対する感受性が減少する状態）.

a·phra·si·a (ă-frā′zē-ă)［G. *a-* 欠性辞 + *phrasis*, speaking］. 失連句〔症〕（何らかの原因によって話せない状態）.

a·ph·ro·di·si·a (af′rō-diz′ē-ă)［G. *aphrodisios*, relating to Aphrodite］. 性欲亢進（性欲，特に過度の場合）.

aph·ro·di·si·ac (af′rō-diz′ē-ak). ［誤った発音 af-rō-dē′zē-ak を避けること］. *1*〚adj.〛性欲促進の（性欲促進の効果を有していること）. *2*〚n.〛催淫薬，性欲促進薬（性欲を刺激または促進するもの).

aph·ro·di·si·o·ma·ni·a (af′rō-diz′ē-ō-mā′nē-ă) [G. *aphrodisia*, sexual pleasures + *mania*, insanity]. 色情狂（異常で過度の色情的興味).

aph·tha, pl. **aph·thae** (af′thă, af′thē) [G. ulceration]. アフタ（[誤ったつづりまたは発音 aptha を避けること]. ①単数形では粘膜の単発性小潰瘍をさす. ②複数形では，原因不明の間欠性の疼痛を伴う口腔潰瘍のエピソードを特徴とし，灰色の滲出物におおわれ，紅斑性暈輪に囲まれた直径数ミリから 2 cm の口内炎をさす．口腔粘膜にのみ限局し骨膜には達さない 1 つまたは多発性の潰瘍で，1 — 2 週間で自然治癒する. ＝aphthae minor; aphthous stomatitis; canker sores; recurrent aphthous stomatitis; recurrent aphthous ulcers; recurrent ulcerative stomatitis; ulcerative stomatitis).

Bednar aphthae (bed′năr). ベドナルアフタ（乳児の口蓋の正中縫線の両側に存在する外傷性の潰瘍).

herpetiform aphthae ヘルペス様口内炎（口腔内アフタの 1 つで，原因不明の直径 2 — 3 mm のヘルペス様分布を示す，数 10 個以上の口腔内潰瘍).

aphthae major 大アフタ，メジャーアフタ（[広く用いられている本語句には，aphthae が複数形，major が単数形という文法的不一致が含まれている]．非常に多くの大きな深い潰瘍を頻回に生じる重篤な口腔内潰瘍．治癒するのに 6 週間を要し，治癒後も瘢痕を残す). ＝Mikulicz aphthae; periadenitis mucosa necrotica recurrens; recurrent scarring aphthae; Sutton disease.

Mikulicz aphthae (mē′kū-lich). ミクリッツアフタ. ＝aphthae major.

aphthae minor 小アフタ，マイナーアフタ. ＝aphtha (2).

recurrent scarring aphthae 再発性瘢痕性アフタ. ＝aphthae major.

aph·thoid (af′thoyd). アフタ様の.

aph·tho·sis (af-thō′sis). アフタ症（アフタの存在を特徴とする疾患).

aph·thous (af′thŭs). アフタ〔性〕の，アフタ症の（[誤ったつづりまたは発音 apthous を避けること]．アフタまたはアフタ症を特徴とすることを示す).

Aph·tho·vi·rus (af′thō-vī′rus). アフトウイルス属（ウシの口蹄疫に関連するピコルナウイルス科に属する一ウイルス属).

a·phy·lac·tic (ā′fī-lak′tik). 無防御の，抵抗力欠如の，を表す現在では用いられない語.

a·phy·lax·is (ā′fī-lak′sis) [G. *a-* 欠性辞 + *phylaxis*, a guarding]. 無防御，抵抗力欠如（疾病に対する防御の欠如を表す現在では用いられない語). ＝nonimmunity.

ap·i·cal (ap′i-kăl) [TA]. ＝apicalis [TA]. ***1*** 先端の（円錐形または先のとがった構造の先端). ***2*** 先端方〔向〕の（特定の点から見て尖(apex)に近い方に位置する．basal の対語).

ap·i·ca·lis (ap-i-kā′lis) [L.][TA]. ＝apical.

ap·i·cec·to·my (ap′i-sek′tō-mē) [L. *apex*, summit or tip + G. *ektomē*, excision]. ***1*** 錐体尖〔端〕削開〔術〕（側頭骨錐体尖端の含気蜂巣を削開して，内容物を除去すること). ***2*** 歯科手術における根尖切除術を表す現在では用いられない語.

a·pic·e·ot·o·my (ă-pis′ē-ot′ō-mē). ＝apicotomy.

ap·i·ces (ap′i-sēs). apex の複数形.

apico- (ap′i-kō) [L. *apex*, *apicis*, a summit or tip + -o-]. 頂，尖，頂端，先端の，を意味する連結形.

ap·i·co·ec·to·my (ap′i-kō-ek′tō-mē) [apico- + G. *ektomē*, excision]. 根尖切除〔術〕. ＝root resection.

ap·i·co·lo·ca·tor (ap′i-kō-lō′kā-tŏr). アピコロケータ，根尖測定器（歯の根尖の位置を測るのに用いる器具).

ap·i·col·y·sis (ap′i-kol′i-sis) [apico- + G. *lysis*, destruction]. 肺尖剝離〔術〕（壁側胸膜を剝離することにより肺尖を下内側変位させ，肺上部を外科的に虚脱させること).

A·pi·com·plex·a (ap′i-kom-plek′să) [L. *apex*, pl. *apicis*, tip, summit + *complexus*, woven together]. 原生動物亜界の一門．胞子虫綱，球虫類亜綱，およびピロプラスマ目を含み，先端構造物群を有するのが特徴である.

ap·i·co·stome (ap′i-kō-stōm). 根尖切開器（根尖切開に用いるトロカールとカニューレのタイプ).

ap·i·cos·to·my (ap′i-kos′tō-mē) [apico- + G. *stoma*, mouth]. 根尖切開〔術〕（唇側あるいは頬側歯槽骨をトロカールとカニューレで穿孔する手術．根尖に達して，その部分の内容物を取り細菌培養するために行う).

ap·i·cot·o·my (ap′i-kot′ō-mē) [apico- + G. *tomē*, a cutting]. 根尖切除〔術〕. ＝apiceotomy.

a·pic·u·late (ā-pik′yū-lāt) [L. *apiculus*, a tip or point]. 尖端の（小さな点で急に終末することをいう).

a·pic·u·lus (ă-pik′yū-lŭs) [L.]. 〔胞子〕根尖（真菌胞子と，菌糸または分生子柄との接着点，あるいは壁上における胞子端からの小さく鋭い突出物).

ap·i·cu·ret·tage (ap′i-kū′rĕ-tahzh). 根尖搔爬〔術〕（感染歯を抜去した後の根尖の搔爬).

a·pin·e·al·ism (ă-pin′ē-al-izm). 無松果体〔症〕，松果体〔機能〕不全（松果体の後天的欠損).

a·pi·pho·bi·a (ā′pi-fō′bē-ă) [L. *apis*, bee + G. *phobos*, fear]. ハチ恐怖〔症〕（ハチに対する病的な恐れ). ＝melissophobia.

a·pi·tu·i·tar·ism (ā′pi-tū′i-tār-izm). 無下垂体〔症〕（機能的にみた下垂体組織の完全な欠如．医原性(例えば下垂体切除の結果)または自然疾患過程の結果起こることもある).

a·pla·cen·tal (ā′pla-sen′tăl). 無胎盤の（胎盤を有さず産卵を行う単孔類と，一時的に単純な卵黄嚢胎盤をもつ有袋類についていう).

ap·la·nat·ic (ap-la-nat′ik). 不遊の（不遊性または不遊レンズに関する).

a·plan·a·tism (ă-plan′ă-tizm) [G. *a-* 欠性辞 + *planētos*, wandering]. 不遊性（球面収差のないこと．レンズに対していう).

a·pla·si·a (ă-plā′zē-ă) [G. *a-* 欠性辞 + *plasis*, a molding]. ***1*** 発育不全〔症〕，形成不全〔症〕，無形成〔症〕（器官や組織の成長が十分でないこと，またはそれらが先天的に欠如していること). ***2*** 形成不全〔症〕，無形成〔症〕（血液学において，通常の再生過程発生の不完全，遅滞，欠陥，あるいは再生過程の停止をいう).

congenital a. of thymus 先天性胸腺形成不全〔症〕. ＝DiGeorge *syndrome*.

a. cutis congenita [MIM*107600, *207700, *207730]. 先天性皮膚形成不全〔症〕（一部分の皮膚が先天的に欠如している，あるいは十分形成されていないことで，欠損部の基底は薄い半透明の膜でおおわれている．ほとんどの場合，頭頂付近に単発するが，他の部分を含むこともあり，また欠損部の下床の構造も侵されることがある．常染色体優性または劣性遺伝).

germinal a. 性腺発育不全〔症〕. ＝seminiferous tubule *dysgenesis*.

gonadal a. 性腺無形成〔症〕（性腺組織が先天的にまったくないこと．この場合，外性器と生殖管は女性である．しかし，もし間質細胞(Leydig 細胞)が存在していれば外性器はどちらの性かはっきりしないが，生殖管は女性である.→gonadal *dysgenesis*; gonadal *agenesis*. *cf.* Klinefelter *syndrome*; Turner *syndrome*).

pure red cell a. 赤芽球ろう（一過性の赤血球生成不全で，溶血性貧血の経過中にしばしば先行感染を伴ってみられたり，薬剤治療の副作用として起こったりする．生成不全が持続すれば重篤な貧血となる.→congenital hypoplastic *anemia*).

a·plas·tic (ā-plas′tik, ă-). 形成不全〔性〕の，無形成〔性〕の（形成不全，または再生不良性貧血にみられるように，再生不能を特徴とする状態に関する).

a·pleu·ri·a (ā-plūr′ē-ă) [*a-* 欠性辞 + G. *pleura*, rib]. 肋骨欠如（先天的に肋骨が 1 本以上欠如した状態．通常，肋骨突起もない).

ap·ne·a (ap′nē-ă) [G. *apnoia*, want of breath]. 無呼吸（[正しい発音は最後から 2 番目の音節にアクセントを置くが，米国では示した発音が一般的である]).

central a. 中枢性無呼吸（呼吸運動の低下をきたす，延髄機能抑制の結果である無呼吸).

central sleep a. 中枢性睡眠時無呼吸（呼吸筋の運動制御の低下によって生じる睡眠時の呼吸停止．単一の疾患ではなく，睡眠時の無呼吸を呈するいくつかの障害によって生じる．一般に中枢性睡眠時無呼吸は高二酸化炭素型，等二酸化炭素型，低二酸化炭素型に分類される．高二酸化炭素型睡眠時無呼吸は中枢呼吸制御の異常や呼吸筋力低下で生じる肺胞低換気によって生じる．脳幹や呼吸筋を障害するあらゆる疾患が原因となる(脳梗塞や筋ジストロフィなど)．等二酸化炭素型または低二酸化炭素型睡眠時無呼吸は主にチェーンストークス呼吸時に生じ，心不全やある種の脳梗塞が原因となる．→sleep-induced a.)．

deglutition a. えん(嚥)下性無呼吸（飲み込む間は呼吸が止まること)．

induced a. 誘発性無呼吸（炭酸不足，筋弛緩薬，呼吸中枢の抑制，あるいは調節呼吸を急停止させることによる全身麻酔中の意図的な呼吸の停止)．

---

obstructive sleep a. (**OSA**) [MIM*107650]．閉塞性睡眠時無呼吸（1965年に初めて記述された障害で，弛緩した，巨大なあるいは咽頭組織(軟口蓋，口蓋垂，ときに咽頭扁桃)の奇形による気道の一時的閉塞によるもので，低酸素血症や慢性倦怠をもたらす．仰向きで眠ることは無呼吸になりやすい．*cf.* central sleep a.; sleep a.)．

閉塞性睡眠時無呼吸(OSA)は30—60歳の男性の4％，女性の2％にみられる最もよくある睡眠呼吸障害である．さらにほとんどの場合，可逆性扁桃腺肥大により小児の約2％にもみられる．これは自律性呼吸ドライブの障害による睡眠時無呼吸エピソードをさす中枢性睡眠時無呼吸と区別されねばならない．症候としては大いびき，睡眠中の繰り返す無呼吸とそれに続くあえぐような吸気で，部分的あるいは完全覚醒，夜間不眠，昼間睡眠を伴う．無呼吸エピソードは10—120秒間続き，洞性徐脈や房室ブロックを合併することもある．繰り返す無呼吸発作の累積的作用は，低酸素血症と浅くて疲労のとれない眠りで，この結果，過度の眠気，人格変化，知的機能の低下，覚醒時間中の事故増加傾向につながることがある．しかしながら，閉塞性睡眠時無呼吸が自動車事故，心臓発作，脳血管障害，突然死の独立した危険因子であるとの証拠は弱い．肥満，甲状腺機能低下，喫煙，飲酒，およびある種の睡眠薬(特にベンゾジアゼピン)がこの障害の素地をつくり，その発症率は年齢とともに増加する．うっ血性心不全患者の約35％，高血圧患者の50％が本症をもち，逆に本症の50％が高血圧である．また統計学的にOSAと両肢浮腫の合併がある．診断はポリソチノグラフィ(睡眠中の気流，呼吸活動，下顎筋電図，心電図，脳波，眼電図，動脈血酸素飽和度の連続測定)と上気道の形と大きさの評価で確定する．正常呼吸の障害は無呼吸低呼吸指数(AHI)により定量化される．すなわち異常呼吸イベント数(無呼吸は最低10秒の気流停止，低呼吸は最低10秒間，気流が少なくとも50％減少と各々定義する)を睡眠時間で除したものである．AHIが15以上は有意な睡眠障害性呼吸を示す．減量，禁煙，ベンゾジアゼピン系睡眠剤の禁止がすべての患者に勧告される．夜間の口腔内に装着して下顎骨を前方へ移動させる器具が一部の患者で症状を減少させる．わずらわしいけれども効果のある治療法に，間欠的な上気道閉塞を克服するための，夜間に低圧の室内気を鼻から連続的に陽圧で流すものがある．局所麻酔下でレーザーや高周波切除で行われる外科的治療法，例えば口蓋喉頭形成術(口蓋垂と軟口蓋の部分切除と再形成)，あるいは下顎骨切除術と顎舌下筋の前方移動術などが一部の患者に効果がある．

---

sleep a. 睡眠時無呼吸（睡眠中の中枢性ないしは末梢性無呼吸で，頻回の覚醒と，しばしば日中の睡気を伴う．*cf.* sleep-induced a.)．

sleep-induced a. 睡眠誘発性無呼吸（呼吸中枢が，睡眠中適正な呼吸を刺激できなくなるために生じる無呼吸．呼吸性休止(空気の流れが10秒未満止まる)と無呼吸性休止(空気の流れが10秒以上止まる)に分けられる．→central sleep a.)．

ap·ne·ic (ap′nē-ik)．無呼吸の．

a·pneu·mi·a (ap-nū′mē-ă) [G. *a-* 欠性辞 + *pneumōn*, lung]．無肺[症]（[二重字pnにおいて，pは語頭にあるときのみ無音である]．肺の先天的欠損)．

ap·neu·sis (ap-nū′sis) [G. *a-* 欠性辞 + *pneusis*, a breathing < *pneō*, to breathe]．無呼吸症（[二重字pnにおいて，pは語頭にあるときのみ無音である]．全吸気時に休止のある異常呼吸パターン．脳幹の中部あるいは尾側橋の病巣による遷延した吸気拘束)．

apo (ap′ō)．apoenzyme; apolipoprotein の略．

apo- (ap′ō) [G. *apo*, away from, off; *apo-* becomes *ap-*, especially before a vowel or h]．一般に何かから分離した，派生した，を意味する連結形．

ap·o·bi·o·sis (ap′ō-bī-ō′sis) [G. death < *apo*, from + *biōsis*, life]．生理的死，部分的死（特に生体の一部の局所死)．

ap·o·crine (ap′ō-krin) [G. *apo-krinō*, to separate]．アポクリン（[その定義にもかかわらず，本語の語源はapexと無関係である]．分泌腺細胞の先端が一部放出されるかまたは分泌液の中に取り込まれることにより分泌液を産生するような腺組織．→apocrine *gland*)．

ap·o·crus·tic (ap′ō-krŭs′tik) [G. *apokroustikos*, able to beat off < *apo*, off + *krouō*, to strike]．*1* 〖adj.〗収れん性で忌避性の．*2* 〖n.〗*1* の作用をもつ薬物．

a·po·dal (ā-pō′dal) [G. *a-* 欠性辞 + *pous*, foot]．無足の．= apodous.

a·po·di·a (ā-pō′dē-ă) [G. *a-* 欠性辞 + *pous*, foot]．欠足症（足の先天的欠損)．= apody.

ap·o·dous (ap′ō-dŭs)．= apodal.

ap·o·dy (ap′ō-dē)．= apodia.

ap·o·en·zyme (**apo**) (ap′ō-en′zīm)．アポ酵素（非蛋白部分あるいは補酵素あるいは補欠分子族(天然の蛋白中に存在するとして)と対比する酵素の蛋白部分)．

ap·o·fer·ri·tin (ap′ō-fer′i-tin)．アポフェリチン（腸壁中の蛋白．三価鉄の水酸化物とリン酸化物の複塩と結合してフェリチンを生成する．その反応は鉄吸収の第1段階である．アポフェリチンは球形の24個の鎖状構造をもつオリゴマーである．この球体の空洞には4,500個の鉄(Fe^{3+})イオンを包含することができる)．

ap·o·gam·i·a, a·pog·a·my (ap′ō-gam′ē-ă, ă-pog′ă-mē) [G. *apo*, away + *gameō*, to wed]．単為生殖，無配偶生殖．= parthenogenesis.

a·po·gee (ap′ō-jē) [Fr. < Mod. L. *apogaeum* < G. *apogaios*, far from the earth < *apo* + *gaia*, earth]．極期（病状が最も重篤な時期)．

ap·o·in·duc·er (ā′pō-in-dūs′er)．アポ誘導物質，アポインデューサ（DNAに結合し転写を引き起こす蛋白)．

a·po-2L (ap′ō)．= TRAIL.

a·po·lar (ā-pō-lăr)．無極の（①極をもたない．特に，まだ突起を出していない胚神経細胞(神経芽細胞)についていう．② = hydrophobic (2))．

ap·o·lip·o·pro·tein (**apo**) (ap′ō-lip′ō-prō′tēn)．アポリポ蛋白（ヒトの血漿乳び脂粒，HDL，LDL，およびVLDLなどの典型的な成分であるリポ蛋白複合体の蛋白成分)．

a. A-I アポリポ蛋白A–I（HDLやカイロミクロン中に存在するアポリポ蛋白．LCATの活性化因子でありHDLレセプタに対するリガンドである．この蛋白の欠損は，低HDL血症を伴い，Tangier病を生じる)．

a. A-II アポリポ蛋白A–II（HDLやカイロミクロン中に存在するアポリポ蛋白．HDLを安定させる)．

a. A-IV アポリポ蛋白A–IV（カイロミクロンとともに分泌され，またHDLにも見出されるアポリポ蛋白．カイロミクロンやVLDLの異化に関与する．また，リポ蛋白リパーゼおよびLCATの活性化に必須である)．

a. B [MIM*107730]．アポリポ蛋白B（カイロミクロン，LDL，VLPLやIDLに存在するアポリポ蛋白．家族性高脂血症の患者の血漿ではそのレベルが上昇している．B–100とB–48の2型がある)．

a. B-48 アポリポ蛋白B–48（カイロミクロンやカイロミクロンレムナント中に存在するアポリポ蛋白．高カイロミクロン血症の患者の腸内に蓄積する)．

a. B-100 アポリポ蛋白B–100（LDL，VLDLやIDL中に存在するアポリポ蛋白．LDLレセプタのリガンドである．無βリポ蛋白血症では欠損していることもある)．

a. C-I アポリポ蛋白C–I（VLDLやカイロミクロン中に存在するアポリポ蛋白．ビタミンEとVLDLの相互作用を調節する)．

a. C-II アポリポ蛋白C–II（VLDL，HDLやカイロミクロン中に存在するアポリポ蛋白．リポ蛋白リパーゼの活性化因子．この蛋白の欠損により高カイロミクロン血症や高トリグリセリド血症が生じる)．

a. C-III アポリポ蛋白C–III（VLDL, HDL やカイロミクロン中に存在するアポリポ蛋白．リポ蛋白リパーゼなど数種類のリパーゼを抑制する）．

a. D [MIM * 107740]．アポリポ蛋白D（HDL 中に存在するアポリポ蛋白．LCAT と複合体を形成し，ビリンの輸送に関与しているらしい）．

a. E アポリポ蛋白E（カイロミクロン，VLDL, HDLなどの血漿リポ蛋白で発見されたアポリポ蛋白．大別して3種類の同位体があり，E2, E3, E4のアポE遺伝子の対立遺伝子によってコードされている．E2対立遺伝子をもつものは，E3よりも血漿総コレステロールとLDLコレステロール値は低い．E4は，E3よりも血漿LDLと総コレステロール値は高い）．

a. J アポリポ蛋白J．＝clusterin.

ap•o•mix•i•a (ap′ō-mik′sē-ă) [G. *apo*, from + *mixis*, a mingling]．単為生殖，無配偶生殖．＝parthenogenesis.

ap•o•mor•phine hy•dro•chlor•ide (ap′ō-mōr′fēn hī′drō-klōr′īd)．塩酸アポモルフィン（モルフィンの誘導体．非経口投与で催吐薬として使用される）．

ap•o•neu•rec•to•my (ap′ō-nū-rek′tō-mē) [aponeurosis + G. *ektomē*, excision]．腱膜切除〔術〕．

ap•o•neu•ror•rha•phy (ap′ō-nū-rōr′ă-fē) [aponeurosis + G. *rhaphē*, suture]．腱膜縫合〔術〕．＝fasciorrhaphy.

ap•o•neu•ro•sis, pl. **ap•o•neu•ro•ses** (ap′ō-nū-rō′sis, -sēz) [G．筋肉の端で腱になるところ＜*apo*, from + *neuron*, sinew][TA]．腱膜（筋線維が付着し，扁平な筋肉の近位あるいは遠位の付着(起始あるいは停止)の手段として役立つ線維膜または扁平で伸展した腱．ときには他の筋肉に対して筋膜の役をも果たす）．

bicipital a., a. bicipitalis [TA]．上腕二頭筋腱膜（上腕二頭筋の付着部の遠位の腱から放射状に広がる線維で，肘窩を斜めに通って，尺側へとのび，前腕の深筋膜中に混入する三角形の膜で尺骨皮下縁への筋の間接的付着部となっている．以前に grace Dieu 筋膜とよばれたもので，正中肘静脈の静脈穿刺に際し，上腕動脈と正中神経を保護するのに役立つ）．＝a. musculi bicipitis brachii [TA]; lacertus fibrosus*; bicipital fascia; Pirogoff a.; semilunar fascia.

Denonvilliers a. (dĕ-non-vē-yā′)．デノンビリエ腱膜．＝rectovesical *septum*.

epicranial a. [TA]．帽状腱膜（後頭前頭筋の後頭筋腹と前頭筋腹とを連結する腱膜で，側頭頭頂腱膜とともに頭骨外被を形成する）．＝galea aponeurotica [TA]; a. epicranialis*.

a. epicranialis* 帽状腱膜（epicranial a. の公式の別名）．

erector spinae a. [TA]．脊柱起立筋腱膜（脊柱起立筋(腸肋筋，最長筋，棘筋)の起始の共通腱膜で，仙骨から始まり，より下位の筋群の腱膜に連なりながら広がっている）．＝a. musculi erectoris spinae [TA].

extensor a. 伸筋腱膜．＝extensor digital *expansion*.

a. of external abdominal oblique muscle 外腹斜筋腱膜（外腹斜筋のうち幅広く扁平な腱様の部分．筋がこの腱に終わるところの線は第九肋骨肋軟骨結合部位から垂直に下行し臍の直下の高さで上前腸骨棘に達する．腱線維は内下方に走り腹直筋鞘の前葉に流れこみ，正中の白線で反対側の線維と交錯する．前下方では恥骨結合・恥骨枝・恥骨結節に付着する．上前腸骨棘と恥骨結節の間の部分は特に分厚くなって下方に曲り鼡径靱帯を形成する．恥骨に結合している部分は浅鼡径輪を形成して内側脚と外側脚に分離している．→external spermatic *fascia*; inguinal *ligament*; lacunar *ligament*; pectineal *ligament*; reflected inguinal *ligament*; superficial inguinal *ring*; rectus *sheath*）．

a. glutea [TA]．＝gluteal a.

gluteal a. [TA]．殿筋腱膜（上殿部において腸骨稜と大殿筋の上外側縁の間に広がる厚い結合組織の層で，重なりながら広がり，その浅層に中殿筋が付着する）．＝a. glutea [TA].

a. of insertion 筋付着腱膜（幅広い筋肉の遠位付着(停止)部となる幅広い腱）．

a. of internal abdominal oblique muscle 内腹斜筋腱膜（内腹斜筋のうち幅広く扁平な腱様の部分．筋は半月線の外側に終わっている．腱膜の上方は第七から第九肋軟骨の外面と下縁に付着しており，胸骨剣状突起の高さから恥骨まで広がっているが，上方 2/3 は前葉と後葉とに分かれ，腹直筋の外側で腹直筋鞘の前葉と後葉に参加して正中の白線に達する．下方 1/3 は分離せず外腹斜筋や腹横筋の腱膜と合流して腹直筋鞘の前壁を形成し，反対側の線維と正中の白線で交錯する．最下方では腹横筋の腱膜と合流して共同腱となり，恥骨稜ときには恥骨櫛に結合して，浅鼡径輪のところで鼡径管の後壁を形成する．→cremasteric *fascia*; inguinal *falx*; rectus *sheath*）．

a. of investment 外被腱膜（1本の筋肉や筋肉群をおおい一定の形態を保持する線維膜）．

a. linguae [TA]．舌腱膜．＝lingual a.

lingual a. [TA]．舌腱膜（舌筋が付いている舌の厚い固有層）．＝a. linguae [TA].

a. musculi bicipitis brachii [TA]．上腕二頭筋腱膜．＝bicipital a.

a. musculi erectoris spinae [TA]．＝erector spinae a.

a. of origin 筋起始腱膜（幅広い筋の近位の付着(起始)として働く腱膜）．

a. palatina [TA]．口蓋腱膜．＝palatine a.

palatine a. [TA]．口蓋腱膜（軟口蓋の前 2/3 に広がるからみ合った口蓋帆張筋の腱で，他の口蓋筋が付着している）．＝a. palatina [TA].

palmar a. [TA]．手掌腱膜（深手掌筋膜の中央肥厚部で，横手根靱帯(屈筋支帯のこと)の先端の付着部から指の付け根に向かって放射状にのびている．通常は，長掌筋の腱が広がってできたものである．→palmar *fascia*）．＝a. palmaris [TA]; Dupuytren fascia.

a. palmaris [TA]．手掌腱膜．＝palmar a.

Petit a. (pĕ-tē′) [P. Petit]．プティ(プチ)腱膜（子宮の広靱帯の後層）．

a. pharyngea 咽頭腱膜．＝pharyngobasilar *fascia*.

Pirogoff a. (pē′rō-gof)．＝bicipital a.

plantar a. [TA]．足底腱膜（足底の筋を包む筋膜の中央部の厚い部分．踵骨隆起の内側突起から起こり，指に向かって放射状に走っている．短指屈筋の起始部ともなっている．→plantar *fascia*）．＝a. plantaris [TA].

a. plantaris [TA]．足底腱膜．＝plantar a.

Sibson a. (sib′sŏn)．シブソン腱膜．＝suprapleural *membrane*.

temporal a. 側頭腱膜．＝temporal *fascia*.

thoracolumbar a. 胸腰腱膜．＝thoracolumbar *fascia*.

a. of vastus muscles 大腿広筋の筋膜（→patellar *retinaculum*; medial patellar *retinaculum*; lateral patellar *retinaculum*）．

ap•o•neu•ro•si•tis (ap′ō-nū′rō-sī′tis)．腱膜炎．

ap•o•neu•rot•ic (ap′ō-nū-rot′ik)．腱膜の．

ap•o•neu•ro•tome (ap′ō-nū-rō-tōm) [aponeurosis + G. *tomē*, a cutting]．腱膜切開器（現在では用いられない）．

ap•o•neu•rot•o•my (ap′ō-nū-rot′ō-mē)．腱膜切開〔術〕．

a•poph•y•sar•y (ă-pof′i-sā-rē)．＝apophysial.

ap•o•phys•i•al, apoph•y•se•al (ă-pō-fiz′ē-ăl)．骨端の，〔骨〕突起の，アポフィーゼの（[誤った発音 apophysi′al を避けること]）．＝apophysary.

a•poph•y•sis, pl. **apoph•y•ses** (ă-pof′i-sis, -sēz) [G. an offshoot] [TA]．***1*** 骨端，〔骨〕突起（特に骨の増生または突起．骨化の独立中心部のない骨突起あるいは骨増生）．***2*** 柱軸（真菌における，ケカビ目の胞子嚢の下部にある胞子嚢柄の末端に存在するシャンペングラス状の形態を示す膨大部．ケカビ属で顕著）．

basilar a. 基底突起．＝basilar *part* of occipital bone.

a. conchae 甲介突起．＝*eminence* of concha.

a. helicis 耳輪突起．＝*spine* of helix.

lenticular a. 豆状突起．＝lenticular *process* of incus.

temporal a. 側頭〔骨〕突起．＝mastoid *process*.

a•poph•y•si•tis (ă-pof′i-sī′tis)．骨端症（骨端の炎症）．

calcaneal a. 踵骨骨端炎．＝Sever *disease*.

a. tibialis adolescentium 思春期に脛骨結節にみられる骨端症．＝Osgood-Schlatter *disease*.

Ap•o•phy•so•my•ces (ap′ō-fiz′ō-mī′sēz)．アポフィソミセス属（ケカビ科に属する真菌の一属．ムコール症の原因）．

ap•o•plec•tic (ap′ŏ-plek′tik)．卒中〔性〕の（卒中に関する，卒中にかかった，卒中素因のある）．

ap•o•plec•ti•form (ap′ŏ-plek′ti-fōrm)．卒中発作様(形式)

の．

ap·o·plex·y (ap′ŏ-plek′sē) [G. *apoplēxia*]. ＝stroke (1).

abdominal a. 腹卒中（腸間膜血管あるいは腹腔血管の腸間膜出血，血栓症または塞栓症）．

adrenal a. 副腎卒中（副腎への出血，または副腎静脈の血栓症で，急性副腎不全を起こし，Waterhouse-Friderichsen 症候群に発生する）．

bulbar a. 延髄卒中（脳幹内の血管病変による卒中）．

functional a. 機能性卒中（脳病変のない，卒中のような状態．転換障害の一形態．身体化障害の一型）．

heat a. *1* ＝heatstroke. *2* ＝ardent *fever*.

labyrinthine a. 迷路卒中（強いめまい，嘔気，嘔吐の１回の突発する発作を呈する臨床症候群．片側の迷路機能の永久喪失を伴うが，聴力障害や耳鳴は伴わない．迷路動脈の迷路枝の閉塞によると考えられている）．

neonatal a. 新生児における頭蓋内出血．

pituitary a. 下垂体卒中（突発する症候群で，意識障害，眼窩後方痛，髄膜症，眼球運動障害，急速に進行する視覚消失を呈し，下垂体の梗塞が原因で，しばしば下垂体腺腫内への出血が原因となる）．

spinal a. 脊髄卒中（脊髄梗塞による神経症候の突発）．

uteroplacental a. 子宮胎盤溢血．＝Couvelaire *uterus*.

ap·o·pro·tein (ap′ō-prō′tēn). アポ蛋白（活性をもつホロ蛋白を形成するために必要な補欠分子族と結合して複合体形成していない，ポリペプチド鎖(蛋白)）．

---

ap·o·pto·sis (ap′op-tō′sis, ap′ō-tō′sis) [G. a falling or dropping off < *apo*, off ＋ *ptosis*, a falling]. アポトーシス，アポプトーシス，枯死，細胞消滅（[二重字 pt において，p は語頭にあるときのみ無音である．しかし米国では多くの人が本語の p を発音しない]．プログラム化された細胞死．個々の細胞の膜結合粒子に断片化されることによる消滅．その粒子は他の細胞に貪食される）．＝programmed cell death.

ある細胞(例えば，心筋や骨格筋線維，CNS ニューロン)は寿命まで生きるが，他の細胞(例えば，上皮細胞や腺細胞，赤血球)は，有限の寿命をもち，最終は遺伝的にアポトーシスによって自己消滅するようにプログラム化され，普通，生存細胞から有糸分裂により生成した他の細胞に置き換えられる．アポトーシスはまた，胚発生の間に体に必要とされる以外の余剰部分で形成される一時的な器官や組織(例えば前腎や中腎)，および細胞や障害を受けた，あるいはウイルス感染を受けた細胞を除去することにより形態形成や組織の恒常性に本質的な役割を果たしている．組織培養された細胞は，約 50 回細胞分裂すると自然にアポトーシスする．アポトーシスは障害，感染，または循環障害による細胞死と違って，隣接する細胞や組織に炎症反応を引き起こさない．組織学および組織化学的方法により検出できるアポトーシスの特徴としては，主に脱水による細胞の萎縮，細胞内カルシウムの上昇と pH 低下を伴う膜透過性の増大，核および細胞質の凝縮，核DNAのオリゴヌクレオソーム断片への内消化的裂開，そして最終にアポトーシス小体の生成が起きる．これはマクロファージにより吸収，除去される．アポトーシスは遺伝的プログラムによって引き起こされる以外に，癌治療で用いられる放射線照射やある殺細胞薬による細胞 DNA に対する障害によって引き起こされる．アポトーシスは，天然由来の因子(例えばサイトカイン)や，ある薬剤(例えばプロテアーゼインヒビター)によって抑制できる．アポトーシスは，典型的には悪性細胞では起こらない．それでそのような細胞は非悪性前駆細胞の運命を免がれ，不死になるといわれている．不死化は様々な方法で起こる．BCL-2 遺伝子(多くの癌に存在する)がアポトーシスを阻害する酵素を生成させ，目的とする細胞を不死化させる．DNA が障害を受けると普通，p53 癌抑制遺伝子(すべてのヒト癌の約半分では欠損していたり変異している)を活性化することにより，アポトーシスが引き起こされる．この遺伝子の欠損した細胞は癌細胞を破滅させようと用いられた化学療法や放射線照射にも生き残ることができる．また，アポトーシスが起こらないことも，ある退化性疾患(例えばエリテマトーデス)を引き起こしたり，HIV などのあるウイルスによる細胞障害の原因であるかもしれない．したがって，アポトーシスは完全に動物細胞のみにみられるものである．

---

apoptosome (ă-pop′tō-sōm) [apoptosis ＋ -some]. アポプトソーム（七量体アポトーシスプロテアーゼ活性化因子 1 (Apaf -1) − シトクロム c 複合体．アポプトソームはカスパーゼを動員し活性化して細胞内基質を切断してアポトーシスにより細胞死を引き起こす．ミトコンドリアのシトクロム c を細胞質へ放出し Apaf -1の単量体との結合が生じ，それによりコンホメーション変化を誘導し，デオキシアデノシン三リン酸または ATP と安定な会合と七量体複合体の形成を可能にする．→apoptosis）．

ap·o·re·pres·sor (ap′ō-rē-pres′er). 主リプレッサー，アポリプレッサー，主抑制体，アポ抑制体（調節蛋白で，他のコリプレッサーと協同してアロステリック変換を起こし，オペレータ遺伝子座と結合させたり，ある遺伝子の転写を阻害させたりする）．

ap·o·some (ap′ō-sōm) [G. *apo*, from ＋ *sōma*, body]. アポソーム（細胞自体が産生する細胞質内封入体）．

ap·o·stax·is (ap′ō-staks′is) [G. a trickling down]. 滴下出血（少量の出血またはしたたるように出血すること）．

a·pos·thi·a (ă-pos′thē-ă) [G. *a-* 欠性辞 ＋ *posthē*, foreskin]. 先天性無包皮〔症〕（包皮の先天的欠損）．

ap·o·stilb (ap′ō-stilb) [G. *apo*, from ＋ *stilbē*, lamp]. アポスチルブ（輝度の単位．0.1 ミリランベルトに等しい）．

ap·o·tem·no·phi·li·a (ap′ō-tem-nō′phăl′ē-ă) [G. *apotemnō*, to cut off ＋ -philia]. 四肢切断愛（四肢切断の願望で特徴付けられる身体醜形障害）．

ap·o·tha·na·si·a (ap′ō-thă-nā′zē-a) [G. *apo*, away ＋ *thanatos*, death]. 死期延長〔法〕，延命〔法〕(euthanasia の対語)．

a·poth·e·car·y (ă-poth′ĕ-kār-ē) [G. *apothēkē*, a barn, storehouse < *apo*, from ＋ *thēkē*, a box]. 薬剤師を表す現在では用いられない語．

ap·o·them, ap·o·theme (ap′ō-them, ap′ō-thēm) [G. *apo*, from ＋ *thema*, something set down < *tithēmi*, to place]. 植物エキス分解物（植物浸剤を長時間煎じたり，空気にさらしたりして生じる沈殿物）．

ap·ox·e·sis (ap′ok-sē′sis) [G. *apo*, away ＋ *xeein*, to scrape]. ＝subgingival *curettage*.

ap·o·zem, apoz·e·ma (ap′ō-zem, ap-oz′ē-mă) [apo- ＋ G. *zema*, something boiled]. 煎剤．＝decoction.

ap·pa·ra·tus (ap′ă-rā′tŭs) [L. equipment < *ap-paro*, pp. *-atus*, to prepare]. 装置，器（[複数形は apparati ではなく apparatus である]．①特定の目的のためにつくられた道具立て．②いくつかの部分からなる道具．③[TA]．ある機能の遂行に関係する腺，管，血管，筋肉，その他の解剖学的構造の集合．→system）．

accessory visual a. ＝accessory visual *structures*.

achromatic a. 非染色性装置（分裂細胞における非染色性星状体と紡錘糸）．

alimentary a. 消化〔器〕系．＝alimentary *system*.

attachment a. 付着器官（歯を歯槽突起に付着させている組織，すなわちセメント質，歯周靭帯，歯槽骨をいう）．

Barcroft-Warburg a. (bar′kroft vahr′bŭrg). バークロフト-ヴァルブルク装置．＝Warburg a.

Beckmann a. (bek′măn). ベックマン装置（分子量測定のため融点および沸点を正確に測定する装置）．

Benedict-Roth a. (ben′ĕ-dikt roth). ベネディクト-ロス装置（基礎代謝率を測定するため，基礎的状態で静かに呼吸したときに消費される酸素量を測定する装置．被検者は，記録を行っている肺活量計中の酸素をソーダ石灰を通して再呼吸する）．

branchial a. 鰓器官．＝pharyngeal *arches*.

central a. 中央装置（中心体と中心球）．

chromatic a. 染色性装置（分裂細胞において濃く染まる染色体集団）．

chromidial a. クロミジア装置（核外網，不規則性線維，および原形質内に充満する好塩性染色物質の集合体．→ribosome; endoplasmic *reticulum*）．

dental a. そしゃく器．＝masticatory *system*.

digestive a. 消化器〔系〕．＝alimentary *system*.

a. digestorius 消化器〔系〕. ＝alimentary *system.*
genitourinary a. ＝urogenital *system.*
Golgi a. (gol′jē). ゴルジ装置（細胞の核と分泌極または表面の間にある小嚢・小胞からなる膜系．膜結合性分泌蛋白の外被や細胞内輸送に関係している）．＝dictyosome; Golgi body; Golgi complex; Golgi internal reticulum; Holmgrén-Golgi canals.
Haldane a. (hawl′dān). ホールデーン装置（呼吸ガスの分析に用いる装置）．
hyoid a. 舌骨装置（舌骨の獣医解剖学用語．胚期の鰓由来の骨の変化した部分で，左右の頭蓋の乳様突起部から舌根部へ関節をなしてのびる骨の連鎖からなる．ヒトでは数が減って1個の舌骨になる．典型的な哺乳類(イヌ)では，頭蓋に付いた鼓室舌骨軟骨とそれに続く茎状舌骨，上舌骨，角舌骨，体舌骨，甲状軟骨舌骨からなる）．＝a. hyoideus.
a. hyoideus 舌骨装置．＝hyoid a.
juxtaglomerular a. 傍糸球体装置〔器〕．＝juxtaglomerular *complex.*
Kirschner a. (kirsh′nĕr). ＝Kirschner *wire.*
Kjeldahl a. (kyel′dahl). ケルダール装置（窒素分析に用いる有機化合物の酸分解により発生するアンモニアの蒸留装置）．
lacrimal a. [TA]. 涙器（結膜嚢とともに，涙液(涙)の産生，排出経路となる構造物．涙腺，涙湖，涙小管，涙嚢，鼻涙管からなる）．＝a. lacrimalis [TA].
a. lacrimalis [TA]. 涙器．＝lacrimal a.
a. ligamentosus colli ＝*ligamentum* nuchae.
a. ligamentosus weitbrechti ヴァイトブレヒトの靱帯．＝tectorial *membrane* (of median atlantoaxial joint).
masticatory a. ***1*** そしゃく器．＝masticatory *system.* ***2*** ＝stomatognathic *system.*
mental a. 心的装置（思考，気持ち，認知，記憶からなる．精神分析において，心の局在構造を述べるために用いる語）．
pharyngeal a. 咽頭器官．＝pharyngeal *arches.*
pyriform a. 梨状装置（ある種の条虫類(裸頭条虫科)の卵殻中の梨状構造で，機能は不明）．
a. respiratorius 呼吸器．＝respiratory *system.*
respiratory a. 呼吸器．＝respiratory *system.*
Roughton-Scholander a. (row′ton shō′lan-dĕr). ラフトン－ショランダー装置（少量の血液検体中の呼吸ガスを分析するための注射器様装置）．＝Roughton-Scholander syringe.
Scholander a. (shō′lan-dĕr). ショランダー装置（呼吸ガス 0.5 mL 中の酸素と炭酸ガスの割合を測定する装置）．
subneural a. 神経下装置（運動終末板における変形した筋形質）．
a. suspensorius lentis 水晶体懸吊装置．＝ciliary *zonule.*
Taylor a. (tā′lŏr). ＝Taylor back *brace.*
Tiselius a. (tē-sā′lē-ŭs). ティセリウス装置（溶液中の蛋白を電気泳動によって分離し，等電点，分子量などの物理学的性状を測定する装置．蛋白の移動する方向と割合，蛋白溶液と上清塩溶液との境界面の特性が，境界点での屈折率の差として写真に記録される）．
urinary a. ＝urinary *system.*
urogenital a. 尿生殖器．＝urogenital *system.*
a. urogenitalis 尿生殖器．＝urogenital *system.*
Van Slyke a. (van slīk). バン・スライク装置（血中の呼吸ガスを定量する装置）．
vestibular a. 前庭器（第八脳神経の前庭部分の感覚器．3つの半規管と耳石器から構成される．頭蓋の側頭骨の錐体部の中に存在する）．
Warburg a. (vahr′bŭrg) [Otto H. *Warburg*]. ヴァルブルク装置（密封したフラスコ内の酸素吸収により起こる気圧の変動を圧力計で測定して，培養組織片の酸素消費量と炭酸ガス産生量を測定する装置）．＝Barcroft-Warburg a.

ap·par·ent (ă-pār′ent) [L. *apparens*, visible < *appareo*, to come in sight]. ***1*** 明らかな，顕性の（例えば，clinically apparent infection というように用いる）．***2*** 見かけの，外見上の，偽の（***1*** の意味よりも***2*** の意味で用いることのほうが多い）．

ap·pend·age (ă-pen′dij) [L. *appendix*]. 付属器，付属体，付属物（主要な構造に付属し，その機能や大きさにおいて従属する部分．→accessory *structures*）．
atrial a. ＝*auricles* (of atria).
auricular a. ***1*** 心耳．＝right *auricle.* ***2*** 過剰耳（通常，耳珠の前方にある先天性の小さな皮膚の突出．しばしば耳のたれ飾りとよばれる．両側性よりも一側性であることが多い）．
drumstick a. ドラムスチック状付属物，〔太鼓〕ばち状付属物（女性の3％の好中球にみられる不活性異質染色体であるX染色体を表す核の付属物．→sex *chromatin*; lyonization）．
endolymphatic a. 内リンパ付属器．＝endolymphatic *diverticulum.*
epiploic a. 腹膜垂．＝omental *appendices*(⇀appendix).
a.'s of eye 眼付属器．＝accessory visual *structures.*
a.'s of the fetus 胎児付属物（羊膜，卵黄嚢，臍帯を伴う胎盤の胎児側部分）．
left auricular a. 左心耳．＝left *auricle.*
right auricular a. 右心耳．＝right *auricle.*
a.'s of skin 皮膚付属器（毛，爪，汗腺，皮脂腺，乳腺）．
testicular a. 精巣垂，睾丸垂．＝*appendix* of testis.
uterine a.'s 子宮付属器（卵巣，卵管，およびそれに所属する靱帯）．＝adnexa uteri.
vermiform a. 虫垂．＝appendix (2).
vesicular a.'s of epoophoron [TA]. 胞状垂（卵管采に細い茎で付着した，液を含んだ小嚢胞．胚期の中腎小管の遺残物）．＝appendix vesiculosa [TA]; Morgagni hydatid; morgagnian cyst; stalked hydatid; vesicular appendices of uterine tube.

ap·pen·dal·gi·a (ap′pen-dal′jē-ă) [appendix + G. *algos*, pain]. 右下腹部虫垂部の痛みを表す現在では用いられない語．

ap·pen·dec·to·my (ap′pen-dek′tō-mē) [appendix + G. *ektomē*, excision]. 虫垂切除〔術〕．＝appendicectomy.
auricular a. 心耳切除〔術〕（心房の心耳の切除，通常は左）．

ap·pen·di·cal (ă-pen′di-kăl). ＝appendiceal.

ap·pen·dic·e·al (a-pen-dis′ē-ăl). 付属器の（[誤った発音 appendice′al を避けること]）．＝appendical.

ap·pen·di·cec·ta·sis (ap-pen′di-sek′tă-sis). 虫垂拡張〔症〕．

ap·pen·di·cec·to·my (ap-pen′di-sek′tō-mē). ＝appendectomy.

ap·pen·di·cism (ă-pen′di-sizm). 虫垂症（虫垂の慢性疾患または虫垂部の症候的不快を表す，まれに用いる語）．

ap·pen·di·ci·tis (ă-pen′di-sī′tis) [appendix + G. *-itis*, inflammation]. 虫垂炎．
actinomycotic a. 放線菌性虫垂炎，アクチノミセス性虫垂炎（放線菌 *Actinomyces israelii* 感染で起こる慢性の化膿性虫垂炎）．
acute a. 急性虫垂炎（通常，細菌感染による虫垂の急性炎症．糞石による管腔の閉鎖により起こることもある．臍周囲の仙痛，嘔吐などの種々の症状に続いて，発熱，白血球増加，疼痛の持続，右下腹部における腹膜炎症の徴候がみられる．手術が遅れた場合，しばしば穿孔や膿瘍の形成を伴う）．
bilharzial a. ビルハルツ性虫垂炎，住血吸虫性虫垂炎（マンソン住血吸虫 *Schistosoma mansoni* の卵が虫垂に沈着することによって起こる）．
chronic a. 慢性虫垂炎（急性虫垂炎の鎮静後に起こる虫垂の線維性癒着，瘢痕化，または変形．老年者では遠位管腔の線維性閉塞は異常ではない．反復する軽度の急性虫垂炎発作の際，しばしば用いられる用語である）．
focal a. 限局性虫垂炎（虫垂の部分のみ侵される急性虫垂炎．管腔閉塞の部位または閉塞の末端部に起こることもある）．
foreign-body a. 異物虫垂炎（異物による虫垂の管腔閉塞により生じた虫垂炎）．
gangrenous a. 壊疽性虫垂炎（虫垂壁の壊死を伴う急性虫垂炎．閉塞性虫垂炎に起こる場合が最も普通であり，しばしば穿孔や急性腹膜炎を引き起こす）．
left-sided a. 左側虫垂炎（内臓転位のような腸管の回転により腹部左側，通常左下腹部に生じる虫垂炎）．
lumbar a. 腰部虫垂炎（腰部で後転している急性虫垂炎）．
obstructive a. 閉塞性虫垂炎（糞石による管腔の閉塞の背後にある滞留した分泌物の感染，あるいは盲腸の癌腫を含むその他の原因による急性虫垂炎).

perforating a. 穿孔性虫垂炎（虫垂壁の腹腔への穿孔を生じる虫垂の炎症．腹膜炎を生じる).

recurrent a. 再発性虫垂炎（虫垂の炎症の再燃による右下腹部痛の繰り返す発作．以前生じた虫垂炎に対し虫垂切除を行わなかった人に生じる). =relapsing a.

relapsing a. 再発性虫垂炎. =recurrent a.

stercoral a. 宿便性虫垂炎（虫垂における糞便の堆積に続いて起こる虫垂炎).

subperitoneal a. 腹膜下虫垂炎（腹膜下に位置する虫垂の炎症).

suppurative a. 化膿性虫垂炎（虫垂の管腔内および壁に化膿性滲出物がある急性虫垂炎).

verminous a. 寄生虫性虫垂炎（回虫 *Ascaris lumbricoides*, 糞線虫 *Strongyloides stercoralis*, ぎょう虫 *Enterobius vermicularis* などの寄生虫による閉鎖，あるいは寄生虫に対する生体側の反応によって起こる虫垂炎).

appendico- (ă-pen′di-kō) [L. *appendix*, *appendicis* an appendage < *appendo*, to hang something onto something < *ad-*, *ap-*, to, onto + *pendo*, to hang + -o-]. 通常，虫垂に関する連結形.

ap·pen·di·co·cele (ă-pen′di-kō-sēl′) [appendico- + G. *kēlē*, hernia]. 虫垂ヘルニア.

ap·pen·di·co·lith (ă-pen′dĭ-kō-lith′) [appendico- + G. *lithos*, stone]. 虫垂内結石（腹部X線写真にみられる虫垂内の石灰化した結石(糞石). 急性腹症においては虫垂炎を示唆する).

ap·pen·di·co·li·thi·a·sis (ă-pen′di-kō-li-thī′ă-sis) [appendico- + G. *lithos*, stone]. 虫垂結石.

ap·pen·di·col·y·sis (ă-pen′di-kol′i-sis) [appendico- + G. *lysis*, a loosening]. 虫垂剥離〔術〕（虫垂の癒着を解く手術).

ap·pen·di·cos·to·my (ă-pen′di-kos′tō-mē) [appendico- + G. *stoma*, mouth]. 虫垂造瘻術，虫垂フィステル形成術（前腹壁に付着している虫垂の先端を通して腸内に開口させる手術).

ap·pen·di·co·ves·i·cos·to·my (ă-pen′di-ko-ves′ĭ-kos′tō-mē) [eppendico- + L. *vesica*, bladder + G. *stoma*, mouth]. 虫垂膀胱瘻〔術〕（虫垂を血管茎とともに遊離し，皮膚から膀胱へのカテーテルの通路として使うこと.→Mitrofanoff *principle*).

ap·pen·dic·u·lar (ap′en-dik′yū-lăr). ***1*** 垂の，付属器の. ***2*** 四肢の（体幹と頭部をさす axial(身体中心部の)に対応する語.→appendicular *artery*; appendicular *lymph nodes*; appendicular *skeleton*; appendicular *vein*).

ap·pen·dix, gen. **ap·pen·di·cis,** pl. **ap·pen·di·ces, ap·pen·dix·es** (ă-pen′diks, -di-sis, -di-sēs, -dik-sĕz) [L. appendage < *ap-pendo* (*adp-*), to hang something on]. ***1*** 垂あるいは垂状の構造物. ***2*** [TA]. 虫垂（盲腸からのびる線形虫様の腸憩室．長さ 8 —15 cm，先端は盲端に終わる). =a. vermiformis [TA]; a. ceci; processus vermiformis; vermiform appendage; vermiform a.; vermiform process; vermix.

appendices adiposae coli* omental appendices の公式の別名.

auricular a. =*auricles* (of atria).

a. ceci =appendix (2).

a. epididymidis [TA]. 精巣上体(副睾丸)垂. =a. of epididymidis.

a. of epididymidis [TA]. 精巣上体(副睾丸)垂（胎芽の中腎管の痕跡である精巣上体頭部に付着している小さな有茎の小胞状構造). =a. epididymidis [TA]; pedunculated hydatid.

epiploic a. 腹膜垂. =omental appendices.

a. epiploica, pl. **appendices epiploicae** 腹膜垂. =omental appendices.

fatty appendices of colon* omental appendices の公式の別名.

a. fibrosa hepatis [TA]. 肝線維付属. =fibrous a. of liver.

fibrous a. of liver [TA]. 肝線維付属（肝左葉の先端が細くなって移行する線維性突起．左三角間膜とともに横隔膜に付着する). =a. fibrosa hepatis [TA].

Morgagni a. (mōr-gah′nyē). モルガニー垂. =pyramidal *lobe* of thyroid gland.

omental appendices [TA]. 腹膜垂（直腸を除く大腸をおおう漿膜(腹膜)から突出する多数の小突起または小嚢で，中に脂肪を入れる．横行結腸とS状結腸に最も顕著で，自由ひも沿いに最も多い). =appendices omentales [TA]; appendices adiposae coli*; fatty appendices of colon*; a. epiploica; epiploic appendage; epiploic a.; epiploic tags.

appendices omentales [TA]. =omental appendices.

a. testis [TA]. =a. of testis.

a. of the testis =a. of testis.

a. of testis [TA]. 精巣垂，睾丸垂（精巣の上部に付着した無茎の小胞状付属物．中腎傍管の頭端遺残部). =a. testis [TA]; a. of the testis; nonpedunculated hydatid; ovarium masculinum; sessile hydatid; testicular appendage.

a. ventriculi laryngis 喉頭室垂. =laryngeal *saccule*.

vermiform a. 虫垂. =appendix (2).

a. vermiformis [TA]. 虫垂. =appendix (2).

vesicular appendices of uterine tube 胞状垂. =vesicular *appendages* of epoophoron.

a. vesiculosa, pl. **appendices vesiculosae** [TA]. =vesicular *appendages* of epoophoron.

ap·per·cep·tion (ap′er-sep′shŭn) [L. *ad*, to + *per-cipio*, pp. *-ceptus*, to take wholly, perceive]. 統覚（①あることを明確に理解し，比較的はっきりと認識するような，注意を向けた知覚の最終段階．②知覚した観念を自分の人格に属するものとする過程).

ap·per·cep·tive (ap′er-sep′tiv). 統覚の（統覚に関する，統覚の可能な).

ap·per·son·a·tion, ap·per·son·i·fi·ca·tion (ă-per′-sŏ-nā′shŭn, ap-er-son′i-fi-ka′shŭn). 擬自症（他人の属性を自分と同一視する妄想).

ap·pe·stat (ap′e-stat) [appetite + G. *statos*, standing]. 食欲調節機構（食欲に関係し，食物摂取量を調節する脳内(視床下部とされる)の機構).

ap·pe·tite (ap′ĕ-tīt) [L. *ad-peto*, pp. *-petitus*, to seek after, desire]. 欲求，食欲（食物，水，セックスまたは感情に対する生物的または心理的欲求より生じる願望または動因．意識的な肉体的・精神的必要を満たしたいという望みまたは切望). =orexia (2).

ap·pla·na·tion (ap′lan-ā′shŭn) [L. *ad-*, toward + *planum*, plane]. 圧平（眼圧測定法において，角膜を圧して平らにすること．眼内圧は眼外圧に正比例し，圧平された面積に反比例する.→applanation *tonometer*).

ap·pla·nom·e·try (ap′lan-om′ĕ-trē). 圧平眼圧測定〔法〕（眼圧計を用いる測定).

ap·ple oil (ap′l oyl). リンゴ油. =*amyl* valerate.

ap·pli·ance (ă-plī′ants) [< O. Fr. *aplier*, to apply < L. *ap-plico*, to fold together]. 器具，器械，装具（ある部分の機能を改善するため，あるいは治療の目的で用いる装置).

craniofacial a. 頭蓋顔面矯正装置（下顎骨骨折，顔面中央の骨折を固定または整復するために用いる装置.→fixation).

edgewise a. エッジワイズ装置（固定式，多数バンド方式の矯正装置で，付着ブラケットの細長い穴には水平な角形弧線が用いられ，歯軸に対するあらゆる方向への歯の移動の精密な調整が可能である).

extraoral fracture a. 口腔外顎骨骨折固定装置（上顎骨あるいは下顎骨骨折の口腔外整復および固定に用いる装置で，金属あるいはレジン連結子で連結されるピン，クランプ，またはスクリューが破折骨片の整列に用いられる.→external pin *fixation*).

feeding a. 哺乳床，ホッツ床，口蓋床（口蓋裂乳児において，口・鼻腔内の欠損部分をふさいで，正常の吸てつ，摂食，嚥下を可能にするための補綴具．また上顎部の正常な位置関係を保つ役割も果たす). =feeding aid.

Hawley a. (haw′lē). ホーリー装置. =Hawley *retainer*.

intraoral fracture a. 口腔内顎骨骨折固定装置（金属線またはセメントで歯に装着される金属製あるいはレジン製の装置で，上顎骨折および下顎骨折の固定に用いる).

jaw-joint protector a. 顎関節防護装置（顎関節において，関節頭と関節窩との間に水平的・垂直的空隙をつくる目的で，下顎骨を下方および前方に位置づけるために用いる器具で口腔内に装着する．下顎に衝撃が加わった際，下顎骨から顎関節および頭蓋底に働く力を阻害することを目的として本装置を使用する）．

labiolingual a. 唇舌側弧線装置（上顎唇側弧線と下顎舌側弧線とからなる矯正装置）．

light wire a. ライトワイヤ装置（歯列矯正装置．伸縮性ループを内蔵し，個々の歯に適合したバンドに付けた細い唇側ワイヤを使用する．Begg light wire differential force technique ともよばれる）．

obturator a. 栓塞子（先天性あるいは後天性の口蓋および周囲組織の欠損に用いる装置で，通常，レジンまたはラバーでつくられる）．

orthodontic a. 矯正装置（歯とその関連骨組織の関係に変化を生じさせるような力を，歯とその周囲組織に作用させるための機構）．

ribbon arch a. リボンアーチ装置（歯の唇面および頬面に付着させた特殊なブラケットに挿入された角形弧線からなる装置）．

Roger Anderson pin fixation a. (roj′ĕr an′dĕr-sŏn). ロジャー－アンダーソンピン固定装置（下顎骨骨折および上顎前突症の矯正の口腔外固定に用いる装置で，骨片に挿入されたピンは金属性連結杆に結ばれる．→external pin *fixation*）．

surgical a. 外科的固定装置（しばしば手術の施行前あるいは術中に作製し，術後，術中の矯正を保持するために組織を固定あるいは支持する目的で用いる金属あるいはプラスチックの固定装置）．

universal a. ユニバーサル装置（エッジワイズ法とリボンアーチ法との組合せであり，個々の歯のあらゆる方向への精密な調節が可能である）．

ap·pli·cand (ap′li-kand). ラテン語 *applicandus*（塗付せよ，貼付せよ）の略．

ap·pli·ca·tion (ap-li-kā′shun) [L. *applicatio* < *ap-plico*, to affix]. ***1*** 接触（薬剤や包帯，器具を体表面に接触させること）．***2*** 特別使用（特別な使用を行うこと，またはその用途に使えること）．***3*** 正式要請（通常書面で行われる正式な要請）．

New Drug Application (NDA) 新薬申請書（製薬会社やその代理店が米国食品医薬品局に対して１つ以上の適用を有する薬品を市場に出すライセンスを求める書類．薬品の化学的薬学的説明のほかにライセンスに必要とされる方法で行われた臨床治験の結果を示さなければならない）．

ap·pli·ca·tor (ap′li-kā-tōr) [L. *ap-plico*, to attach to]. 塗布具，塗布器（木，曲げやすい金属，あるいは人工材料製の細い棒で，その一端には手の届くあらゆる面に局所塗布ができるように綿花あるいは他の物質が付けられている）．

ap·po·si·tion (ap′ō-zish′ŭn) [L. *ap-pono*, pp. *-positus*, to place at or to]. ＝appositional *growth*. ***1*** 付着，付加（２つの物を接触させて置くこと）．***2*** 並置（合わせて置かれた，あるいはともに合わされた状態）．***3*** 骨折面相互の位置的関係．***4*** 細胞壁が肥厚する過程．

bayonet a. 銃剣状並置（骨折において骨片同士が端々に接するのではなく，横に接している状態）．

hair a. 毛髪添加（有毛部の創で，創の両側の毛髪を結紮あるいは糊付けすることで，創表面を閉じること）．

ap·proach (ă-prōch′) [M. E. < O. Fr. < L. L. *appropio*, to come nearer < *ad*, to + *propius*, nearer]. 接近（①精神医学において，人間関係がいかに成立するかを記述する用語で，しばしば建設的な関係という意味合いで用いられる．②手術中に手術野を露出するために用いられる経路あるいは方法）．

absolute risk a. 絶対リスクアプローチ（あるリスク因子の値が絶対値で一定値減少するときの疾患のリスク減少は，リスク因子の水準によらず比例的であるという観測結果に基づく疾患コントロール方法．例えば収縮期血圧を 10mmHg 減少させることによる心臓発作や脳卒中のリスク減少の大きさ(%)は，治療前の血圧のすべての水準で同じである．このようなリスク因子を減少させることの利益は，リスク因子の治療前の水準ではなく，疾患の絶対リスクの大きさに主に依存する．このアプローチは，治療可能な異常状態(例えば高血圧，高脂血症)の存在を想定し，この異常状態を定義する閾値に基づいて各リスク因子(例えば血圧，コレステロールのレベル)ごとにリスク管理を行う立場とは対照的に異なる．絶対リスクは，年齢，性別，および疾患の既往歴のように変更できないリスク要因に強く影響されており，通常５年または 10 年といった特定の時間範囲内に疾患を発症する確率(%)として表される．絶対リスクアプローチのもとでは，高血圧や高脂血症に対して治療をするかどうかの決断は，どれか一つのリスク因子の水準ではなく，全体としてのリスクの推定値に依存する．絶対リスクアプローチを実行すれば，公共健康政策に大きな変化がもたらされ，予防的薬物治療に資源を割く事が正当化される状況が生まれるだろう）．

facial recess a. 顔面神経窩到達法(アプローチ)（顔面神経管外側のくぼみと鼓索神経内側を経由した，乳突蜂巣中耳への外科的アプローチ）．

idiographic a. 個別的接近（一般的人間行動を理解する基礎としての一個人の包括的研究）．

infratemporal a. 側頭下到達法(アプローチ)（側頭葉の下面から頭蓋底部に達する手術的到達法）．

Mattox-Fisch a. (ma′toks-fish). マトックス－フィッシュアプローチ（側頭下窩への外側頭蓋底アプローチ）．

middle fossa a. 中頭蓋窩到達法(アプローチ)（側頭骨錐体部前縁の中頭蓋底部を経由して小脳橋角部に達する手術的到達法）．

nomothetic a. 法則的接近（集団を研究することにより行動の基準および一般的原理を見出そうとする心理学的考え方）．

posterior fossa a. 後頭蓋窩到達法(アプローチ)（側頭骨の乳様突起を経由して小脳橋角部に達する手術的到達法）．

regressive-reconstructive a. 退行的－再構成的接近（原点にある精神的外傷を掘り起こすために，退行が治療において欠くことのできない部分となっている精神療法の一型）．

retrosigmoid a. 後Ｓ状静脈洞到達法(アプローチ)（Ｓ状静脈洞後方の後頭骨を経由して小脳橋角部に達する手術的到達法）．

transcochlear a. 経蝸牛到達法(アプローチ)（蝸牛を経て内耳道に到達する外科的アプローチ）．

translabyrinthine a. 経迷路到達法(アプローチ)（内耳を経て小脳橋角部に到達する外科的アプローチ）．

ap·prox·i·mate (ă-prok′si-māt) [L. *ad-*, to + *proximus*, nearest]. ***1*** 隣接面の（歯科において，隣接した２本の歯の近心または遠心の接触面についていう）．***2*** 相接の（下等動物における離生の歯と区別してヒトの顎にある接近した歯についていう）．

ap·prox·i·ma·tion (ă-prok′si-mā′shŭn). 近置（外科において，縫合するために望ましい位置で組織端を隣接させること）．

steady state a. 定常状態近似（酵素反応速度式を導くための近似．酵素濃度の変化速度は d[P]/dt に比べてほとんどゼロに近い値であると近似する）．

APR abdominoperineal *resection* の略．

a·prac·tag·no·si·a (ā-prak′tag-nō′sē-ă) [G. *a-* 欠性辞 + *praktea*, things to be done + *gnōsis*, recognition]. 失行失認〔症〕．＝constructional *apraxia*.

a·prac·tic (ă-prak′tik). ＝apraxic.

a·prag·ma·tism (ă-prag′mă-tizm) [G. *a-* 欠性辞 + pragmatism]. 非実践主義（実際の結果よりも理論や独断論に興味をもつこと）．

a·prax·i·a (ă-prak′sē-ă) [G. *a-* 欠性辞 + *prattō*, to do]. 失行〔症〕，行動不能〔症〕（①随意運動の障害で，理解，筋力，知覚，一般的協調作用が保持されているにもかかわらず，細かいまたは目的のある運動の達成が障害されること．後天的な大脳疾患による．②精神運動の欠陥で，ある物の名前をあげることができ，その使用法を説明することができるにもかかわらず，それを正しく使えない状態）．

constructional a. 構成失行（作ったり，組み立てたり，描いたりする能力の障害として現れる失行．頭頂葉病変による）．＝apractagnosia.

cortical a. 皮質性失行〔症〕．＝motor a.

gait a. 歩行失行〔症〕（下肢で歩行運動をすることができない，歩行の失行）．

ideokinetic a., ideomotor a. 有意運動性失行〔症〕，観念失行〔症〕（単純な行為ができない失行症の一型．意志を制御する皮質中枢と運動皮質の間の連絡が障害されるために起こると考えられている）．＝transcortical a.

innervation a. ＝motor a.

limb-kinetic a. 体肢運動失行〔症〕. ＝motor a.

motor a. 運動失行〔症〕（運動する能力および対象物を自分の意図する目的に用いる能力の欠如）. ＝cortical a.; innervation a.; limb-kinetic a.

ocular a. 眼失行症（眼球運動はないにもかかわらず周辺視野のある一点に固視ができない状態）. ＝psychic paralysis of fixation of gaze; psychic paralysis of gaze.

ocular motor a. ［MIM*257550］. 眼球運動失行〔症〕（水平衝動性眼球運動を開始する先天性不能. 本症の小児では左右への眼球運動時に首をまげる）.

transcortical a. 超皮質〔性〕失行〔症〕. ＝ideokinetic a.

verbal a. 言語失行〔症〕, 発語失行〔症〕（言いたい音節や単語の代わりに発声が似たものを常に用いる言語障害）.

a·prax·ic (ă-prak′sik). 失行〔症〕の. ＝apractic.

ap·ri·cot ker·nel oil (ā′pri-kot kĕr′nel oyl). 杏仁油（→persic oil）.

a·proc·ti·a (ă-prok′shē-ă)［G. *a-* 欠性辞 ＋ *prōktos*, anus］. 無肛門症, 鎖肛（先天的な肛門の欠如または無孔状態）.

a·pros·o·dy (ă-pros′ō-dē)［G. *a-* 欠性辞 ＋ *prosōdia*, voice modulation］. アプロソディ（話す言葉に正常な声の高さ, リズム, アクセントの変化がないこと）.

ap·ro·so·pi·a (ap′rō-sō′pē-ă)［G. *a-* 欠性辞 ＋ *prosōpon*, face］. 無顔症（顔の大部分または全部の先天的欠損. 通常, 他の奇形を伴う）.

APS adenosine 5′-phosphosulfate の略.

APS I autoimmune polyendocrinopathy *syndrome*, type I; autoimmune polyendocrine *syndrome*, type I の略.

aPTT activated partial thromboplastin *time* の略.

apud［*a*mine *p*recursor *u*ptake, and *d*ecarboxylation］. 種々の臓器にある, ポリペプチドホルモンまたは神経伝達物質を分泌する細胞集団に対する名称. これらの細胞はある共通した生化学的性質をもち, この名称はその性質を表す言葉の頭文字である. この細胞集団はカテコールアミン, セロトニンのようなアミンをもち, *in vivo* でこれらアミンの前駆体を取り込む. またアミノ酸デカルボキシラーゼも含有する. ＝DNES cells.

a·pu·rin·ic ac·id (a-pū-rin′ik). アプリン酸（緩やかな酸処理(pH3.0)によってプリン塩基のみを除去したDNA）.

a·pyk·no·mor·phous (ă-pik′nō-mōr′fŭs)［G. *a-* 欠性辞 ＋ *pyknos*, thick ＋ *morphē*, shape, form］. 染色性減退の（染色可能または染色容易な物質が稠密に含まれないため濃く染まらない細胞, その他の構造体についていう）.

ap·y·rase (ă-pī′rās) アピラーゼ；ADPase; ATP-diphosphatase（ATP が2個のオルトリン酸を失って AMP になる加水分解, すなわち$ATP + 2H_2O \rightarrow AMT + 2P_i$の反応を触媒する酵素）.

a·py·ret·ic (ā′pī-ret′ik). ＝afebrile.

a·py·rex·i·a (ā′pī-rek′sē-ă)［G. *a-* 欠性辞 ＋ *pyrexis*, fever］. 無熱, 発熱間欠期.

a·py·rex·i·al (ā′pī-rek′sē-ăl). ＝afebrile.

a·py·rim·i·din·ic ac·id (ă-pī′rim-i-din′ik as′id). アピリミジン酸（化学的処理(例えばヒドラジンに暴露する)によってピリミジン塩基のみを除いたDNA）.

aq. ラテン語 *aqua*（水）の略.

aq. bull. ラテン語 *aqua bulliens*（沸騰水）の略.

aq. dest.［誤ったつづり aq. dist. および誤ったつづりまたは発音 aqua distillata を避けること］. ラテン語 *aqua destillata*（蒸留水）の略.

aq. ferv. ラテン語 *aqua fervens*（熱湯）の略.

aq. frig. ラテン語 *aqua frigida*（冷水）の略.

aq·ua, gen. & pl. **aq·uae** (ak′wă, ah′kwah)［L.］. 常水；H_2O（医薬品に使用する水 aquae は揮発性物質の水溶液(例えばバラ水)を, 溶液 solutions は不揮発性物質の水溶液を意味する. →water (3); solution (3)）.

a. regia, a. regalis［L. royal water, 金を溶かす力に由来する］. 王水. ＝nitrohydrochloric acid.

aq·ua·pho·bi·a (ak′wă-fō′bē-ă)［L. *aqua*, water ＋ G. *phobos*, fear］. 水恐怖〔症〕（水に対する病的な恐れ）.

aquaporin (ak-kwă-pōr′in)［L *aqua*, water ＋ *porus*, channel, pore ＋ -in］. アクアポリン（膜貫通チャネル蛋白群の一種で, 体液恒常性に関与する組織での経上皮水分移動を制御する働きをもつ上皮膜に存在する）.

aq·ua·punc·ture (ak′wă-pŭnk′chūr)［L. *aqua*, water ＋ *punctura*, puncture］. 水皮下注射（水を皮下注射することを表す, 現在ではほとんど用いられない語）.

Aq·ua·spi·ril·lum (ak′wă-spī-ril′ŭm)［L. *aqua*, water ＋ *spirillum*, coil］. アクワスピリルム属（スピリルム科の運動性, 非胞子形成性, 好気性の細菌の一属. グラム陰性で硬いらせん状の形態を有し, 直径は 0.2—1.5 μm. 運動性のものは一端または両端にべん毛束をもつ. いくつかの種は最終段階の電子受容体として酸素の代わりに硝酸塩を利用して嫌気的に成育可能である. これらは有機栄養生物で, 厳密な意味の呼吸代謝を行っている. また, 炭水化物を発酵しない. 淡水中に生息する. 標準種は *A. serpens*）.

a·quat·ic (ă-kwat′ik). ***1*** 水の. ***2*** 水生の（水に住む生物についていう）.

aq·ue·duct (ak′we-dŭkt)［L. *aqueductus*］［TA］. 水管, 水道. ＝aqueductus［TA］.

cerebral a. 中脳水道（中脳にある長さが約 2 cm の管で, 上衣細胞におおわれ, 第3脳室と第4脳室とを連結している）. ＝aqueductus mesencephali［TA］; aqueductus cerebri*; a. of cerebrum; aqueductus sylvii; iter a tertio ad quartum ventriculum; sylvian a.

a. of cerebrum 中脳水道. ＝cerebral a.

cochlear a.［TA］. 外リンパ管（側頭骨の中にあって上方の鼓室小管に開く細管で, 頸静脈上球部で, 蝸牛の外リンパ隙とクモ膜下腔を連絡している）. ＝aqueductus cochleae［TA］; ductus perilymphaticus; perilymphatic duct.

Cotunnius a. (kō-tun′ē-ŭs). コツンニウス水管. ＝vestibular a.

dilated vestibular a. **(DVA)** 前庭水管の径の拡大. Mondini 奇形や鰓性耳腎症候群, Pendred 症候群, X 染色体性非症候性難聴(DNF3)などの先天性, 遺伝性難聴に合併する.

fallopian a. ファローピウス〔水〕管. ＝facial *canal.*

sylvian a. シルヴィウス水道. ＝cerebral a.

vestibular a.［TA］. 前庭水管（前庭より始まり, 側頭骨錐体部に開口する骨性の管. 内リンパ管と小血管を入れる）. ＝aqueductus vestibuli［TA］; vestibular canaliculus［TA］; aqueductus cotunnii; Cotunnius a.; Cotunnius canal.

aq·ue·duc·tus (ak′we-dŭk′tŭs)［L.＜*aqua*, water ＋ *ductus*, a leading＜*duco*, pp. *ductus*, to lead］［TA］. 水管, 水道（［複数形は aqueducti ではなく aqueductus である］）. ＝aqueduct.

a. cerebri*［TA offalt］. cerebral *aqueduct* の公式の別名.

a. cochleae［TA］. 外リンパ管. ＝cochlear *aqueduct.*

a. cotunnii コツンニウス水管. ＝vestibular *aqueduct.*

a. fallopii ファローピウス〔水〕管. ＝facial *canal.*

a. mesencephali［TA］. ＝cerebral *aqueduct.*

a. sylvii シルヴィウス水道. ＝cerebral *aqueduct.*

a. vestibuli［TA］. 前庭水管. ＝vestibular *aqueduct.*

a·que·ous (ak′wē-ŭs, ā′kwē-ŭs). 水の, 水性の, 水様の.

a·quip·ar·ous (ă-kwip′er-ŭs)［L. *aqua*, water ＋ *pario*, to bring forth］. 水性分泌の（水様液を分泌あるいは排出する）.

aq·uo-i·on (ak′wō-ī′on). 水和イオン（水分子を1個以上含むイオン. 例えば $Cu(H_2O)_4^{2+}$）.

a·quos·i·ty (ă-kwos′i-tē). 水性（①水の多い, 水を含んだ状態. ②水分, 湿気）.

Ar アルゴンの元素記号.

Ara アラビノース, またはその一置換基か二置換基を示す記号.

ar·a- (a′ră). アラビノース, アラビノシル基の接頭語.

ar·ab- (a′răb)［G. *Araps*, *Arabos*, an Arab］. アラビアゴム, ゴム様物質に類似の, を意味する連結形.

ar·a·ban (a′ră-ban). アラバン（加水分解によりアラビノースを生じるホモポリマー. ある種のペクチンに含まれる）.

ar·a·bic (a′ră-bik). ゴム状または樹脂状物質を滲出する多種のアカシアから誘導されるもの, または関係のあるものについていう.

ar·a·bic ac·id (a′ră-bik as′id). アラビン酸. ＝arabin.

ar·a·bin (a′ră-bin). アラビン（D-アラビノースとヘキソースからなる炭水化物ゴムで, 天然でアラビアゴムに見出される）. ＝arabic acid.

arabin- アラビノースを表す接頭語.

A

a·ra·bin·o·fur·a·no·syl·ad·e·nine (a′ră-bin′ō-fyūr′ă-nō-sil-ad′ĕ-nēn). アラビノフラノシルアデニン（抗ウイルス活性をもつアラビノシド）.

D-**arabino-2-hexulose** D-アラビリ-2-ヘキスロース（→fructose）.

a·rab·i·nose (**Ara**) (ă-rab′i-nōs, a′ră-bin-ōs)［arabin ＋ -ose (1)］. アラビノース（アルドペントース．そのエナンチオマーの両方が植物に広く存在している．通常，複合多糖類として存在する．培地に用いられる．D-アラビノースは D-リボースのエピマーである）.

a. 5-phosphate アラビノース 5-リン酸（アラビノースのリン酸誘導体で，ペントースリン酸経路の中間体の1つ）.

a. 5-phosphate 2-epimerase アラビノース 5-リン酸 2-エピメラーゼ（ペントースリン酸経路の酵素で，アラビノースとリボース 5-リン酸との相互変換を可逆的に触媒する）.

a·rab·i·no·sis (ă-rab′i-nō′sis). アラビノース症（アラビノースの代謝障害）.

ar·a·bi·no·su·ri·a (ă-rab′i-nō-syū′rē-ă). アラビノース尿〔症〕（尿中にアラビノースが排泄されること）.

ar·a·bi·no·syl·cy·to·sine (**aC, araC**) (a′ră-bin-ō-sil-sī′tō-sēn). アラビノシルシトシン（アラビノースとシトシンとの化合物でリボシルシトシン(シチジン)と同族．DNA の生合成を阻害する．抗ウイルス・腫瘍増殖抑制作用をもつ化学療法薬として用いる）.

a·rab·i·tol (ă-rab′i-tol). アラビトール（アラビノースの還元によって得られる糖アルコール）.

AraC *cytosine* arabinoside の略.

araC アラビノシルシトシンの記号.

a·rach·ic ac·id (ă-rak′ik as′id). アラキン酸. ＝arachidic acid.

ar·a·chid·ic ac·id (a-ră-kid′ik as′id)［*Arachis* < G. *arakis*, leguminous weed］. アラキジン酸（落花生油，バター，その他の脂肪に含まれる飽和脂肪酸）. ＝arachic acid; *N*-eicosanoic acid; *N*-icosanoic acid.

ar·a·chi·don·ic ac·id (ă-rak-i-don′ik as′id). アラキドン酸（通常，栄養に必須の不飽和脂肪酸．(エイコサノイド(類)と総称される)プロスタグランジン，トロンボキサンならびにロイコトリエン類の生物学的前駆体）.

ar·a·chi·don·ic ac·id cas·cade (ă-rak′i-don′ik as′id kas-kād′). アラキドン酸カスケード（エイコサノイド合成経路）.

ar·a·chis oil (ar′ă-kis oyl). ＝peanut *oil*.

a·rach·ne·pho·bi·a (ă-rak′nē-fō′bē-ă)［G. *arachne*, spider ＋ *phobos*, fear］. クモ恐怖〔症〕（クモに対する病的な恐れ）. ＝arachnophobia.

A·rach·ni·a (ă-rak′ne-ă). アラクニア属（放線菌科の非運動性，非胞子形成性，通性嫌気性菌の一属．グラム陽性，非抗酸性の分枝した類ジフテリア杆菌(0.2—0.3 × 3.0—5.0 μm 以上)．この細菌は糸状ミクロコロニーをつくる．その代謝は発酵による．主としてプロピオン酸と酢酸がグルコースからつくられるが，カタラーゼは産生しない．細胞壁にはジアミノピメリン酸を含むが，アラビノースは含まない．この細菌はヒトに対して病原性で，涙小管炎と典型的な放線菌症を起こす．標準種は *A. propionica*）.

A. propionica 流管炎や典型的な放線菌症を起こす細菌種．*Arachnia*属の標準種. ＝*Propionibacterium propionicus*.

A·rach·ni·da (ă-rak′ni-dă)［G. *arachnē*, spider］. クモ形綱（鋏角亜門の一綱．クモ，サソリ，メクラグモ，ダニ，その他が含まれる）.

a·rach·nid·ism (ă-rak′ni-dizm). クモ咬刺症（クモ(特にクロゴケクモ)の咬傷による全身的中毒）.

necrotic a. 壊死性クモ咬傷（*Loxosceles*属のクモ咬傷により起こるもので，皮膚壊死を生じて治癒が遅く，醜形を残すこともある）.

a·rach·no·dac·ty·ly (ă-rak′nō-dak′ti-lē)［G. *arachnē*, spider ＋ *daktylos*, finger］. クモ指〔症〕（手と指，しばしば足と足指が異常に長く細い状態．Marfan症候群［MIM*154700］，Achard 症候群［MIM*100700］，MASS 症候群［MIM*157700］，および遺伝性の結合織疾患に関連するもの）. ＝spider finger.

a·rach·noid (ă-rak′noyd)［G. *arachnē*, spider, cobweb ＋ *eidos*, resemblance］. クモ膜. ＝a. mater.

a. barrier cell layer クモ膜関門細胞層（硬膜(硬膜境界細胞層)のすぐ内側に位置するクモ膜の部分．大きな核をもつ扁平化した卵円形細胞，細胞外腔の欠如，数多くのタイトジャンクションを特徴とする）. ＝barrier cell layer of arachnoid mater.

a. of brain 脳クモ膜. ＝cranial a. mater.

cranial a. mater［TA］. 脳クモ膜（頭蓋腔内にあるクモ膜で脳およびクモ膜下腔を囲む．いくつかの部位で脳軟膜との間が広く開いてクモ膜下槽をなしている.→a. mater）. ＝arachnoidea mater cranialis［TA］; arachnoidea mater encephali*; a. mater cranialis; a. mater encephali; a. of brain; cerebral part of arachnoid.

a. mater［TA］. クモ膜（繊細な線維性の膜で中枢神経系を包む3枚の膜の中央のもの．生体では，クモ膜(特にクモ膜境界細胞層)は外側の硬膜(特に硬膜境界細胞層)と緩く結合していて両者の間には通常空間がない．よって脊髄穿刺のときはあたかも1枚の膜のように貫通する．両者が(通常，硬膜境界細胞層の部分で)離れて間に空間が生じるのは外傷やあるいは一般的だが不正確なよび名の硬膜下血腫とよばれるような病的変化が起こったときだけである．クモ膜という名前は，その下面から軟膜までクモ膜下腔の脳脊髄液を貫いて繊細なクモの巣状の細線維が延びているところからきている．→cranial a. mater; spinal a. mater. →leptomeninx）. ＝arachnoidea mater; arachnoides［TA］; arachnoid membrane; arachnoid; parietal layer of leptomeninges.

a. mater cranialis ＝cranial a. mater.

a. mater encephali ＝cranial a. mater.

a. mater and pia mater* leptomeninx の公式の別名.

a. of spinal cord 脊髄クモ膜. ＝spinal a. mater.

spinal a. mater［TA］. 脊髄クモ膜（脊髄腔内にあるクモ膜で脊髄および脊髄クモ膜下腔を囲む．上方は大孔から S2 の高さまで広がる．脊髄は L2 の高さで終わるので，その下ではクモ膜と軟膜の間が広くなって腰部槽をなし脳脊髄液で満たされ馬尾を下垂している）. ＝arachnoidea mater spinalis［TA］; a. of spinal cord; a. spinalis; spinal part of arachnoid.

a. spinalis［TA］. ＝spinal a. mater.

ar·ach·noi·dal (ar′ak-noy′dăl). クモ膜の.

ar·ach·noi·de·a ma·ter, ar·ach·noi·des (ar′ak-noyd′ē-ă, mā′ter -dēz)［Mod. L. *arachnoideus* < G. *arachnē*, spider ＋ *eidos*, resemblance］［TA］. クモ膜. ＝*arachnoid* mater.

a. m. spinalis［TA］. ＝spinal *arachnoid* mater.

a·rach·noid·i·tis (ă-rak′noy-dī′tis)［arachnoidea ＋ *-itis*, inflammation］. クモ膜炎（クモ膜の炎症で，しばしば近接するクモ膜下腔への炎症の波及を認める.→leptomeningitis）.

adhesive a. 癒着性クモ膜炎（クモ膜の肥厚でクモ膜下腔閉塞を伴うこともある．通例，細菌性または化学的原因による急性または慢性軟膜炎と関連している.→leptomeningeal *fibrosis*）. ＝obliterative a.

neoplastic a. 新生物性クモ膜炎. ＝neoplastic *meningitis*.

obliterative a. 閉塞性クモ膜炎. ＝adhesive a.

a·rach·nol·y·sin (ar′ak-nol′i-sin). アラクノリジン（ある種のクモの毒液にある溶血性物質）.

a·rach·no·pho·bi·a (ă-rak′nō-fō′bē-ă). クモ恐怖〔症〕. ＝arachnephobia.

a·ral·kyl (ă-ral′kil). アルアルキル（アルキル基の水素原子をアリル基で置換した基）. ＝arylated alkyl.

A·ran (ah-rahn′), François A. フランス人医師，1817—1861. →A.-Duchenne *disease*; Duchenne-A. *disease*.

a·rane·ism (ă-rān′ism). arachnidism(クモ咬刺症)を表す，まれに用いる語.

A·ran·tius (**Aranzio**) (ă-ran′shūs), Giulio C. イタリア人解剖学者・医師，1530—1589. →A. *ligament*, *nodule*, *ventricle*; *corpus* arantii; *ductus* venosus arantii.

a·ra·phi·a (ă-rā′fē-ă)［G. *a-* 欠性辞 ＋ *rhaphē*, a seam］. 全脊椎裂. ＝holorachischisis.

ARB angiotensin receptor *blocker* の略.

ar·bor, pl. **ar·bo·res** (ar′bōr, ar-bō′rēz)［L. tree］. 樹（解剖学において，樹状あるいは分枝状の構造をいう）.

a. vitae［TA］. 〔小脳〕活樹，生命の木（小脳の矢状断面にみられる白質と灰白質が描く樹枝状の模様）.

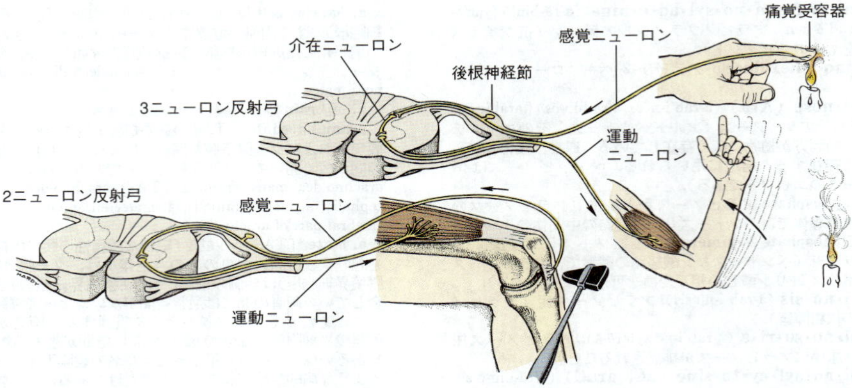

reflex arcs
上：屈筋反射．下：伸展反射．

a. vitae uteri ＝palmate *folds* of cervical canal.

ar·bo·res·cent (ar′bō-res′ent). 樹枝状の，分枝の，枝分かれした．＝dendriform.

ar·bo·ri·za·tion (ar′bōr-i-zā′shŭn). 分枝（①神経線維または血管の末端が樹状に分岐している状態．②頸管粘液の乾燥塗抹標本が，ある条件下で呈する分枝した形状）．

ar·bo·rize (ar′bōr-īz). 分岐する（樹木の枝分かれのように広がること）．

ar·bo·roid (ar′bōr-oyd)［L. *arbor*, tree＋G. *eidos*, resemblance］. 樹状の（細胞と細胞が結合するか，あるいは1か所で主幹に結合して樹枝状をなした原生動物のコロニーについていう）．

ar·bor·vi·rus (ar′bōr-vī′rŭs). arbovirus を表す現在では用いられない語．

ar·bo·vi·rus (ar′bō-vī′rŭs)［*ar*, arthropod＋*bo*, borne＋virus］. アルボウイルス（RNA ウイルスの大きな異質性のグループの名称．数科(トガウイルス科，フラビウイルス科，ブンヤウイルス科，アレナウイルス科，ラブドウイルス科，レオウイルス科)にまたがる500以上の種が，節足動物，コウモリおよびげっ歯類から得られ，そのほとんど(全部ではない)が節足動物媒介性であった．これらの分類学的に多様な動物ウイルスは，疫学的な観点から統合しうる．例えば，これらはカ，マダニ，サシチョウバエ，ヌカカなどの吸血性節足動物ベクターによって脊椎動物宿主間に伝播されている．約100種がヒトに感染しうるが，これらのウイルスによって起こる疫病はほとんどの場合，弱く，他の分類学的グループのウイルスによる疾病と区別できない．見かけ上の感染は，未分化型熱病(全身性熱疾患)，肝炎，出血性熱，および脳炎などいくつかの臨床的症候群に分けられる）．

ARC AIDS-related *complex* の略．

arc (ark)［L. *arcus*, a bow］. ***1*** 弧（円周の一部をなす曲線）．***2*** アーク，電弧（気体あるいは真空中で，2個以上の電極間に生じた連続的に発光する電流の経路）．

auricular a., binauricular a. 横弧（左右の外耳孔中心を結ぶ頭蓋表面の線）．＝interauricular a.

bregmatolambdoid a. 矢状頭頂弧（ブレグマからラムダ縫合頂点へ矢状縫合に沿って走る線）．

crater a. クレーターアーク（陽極にあばた状の孔を生じる直流アーク）．

flame a. フレームアーク（含浸電極の間に立つアークで，電極芯部の蒸発が起こり炎が出る）．

interauricular a. ＝auricular a.

longitudinal a. of skull 矢状弧（正中線上でナジオンとオピスチオンを結ぶ頭蓋表面の線）．

mercury a. 水銀アーク（水銀蒸気内における電極間の放電により紫外線を放出し，治療に用いる．電極の一方は通常水銀．管としては通常，石英を用いるが，ホタル石の窓を付けたガラス管も用いられる）．

nasobregmatic a. 鼻矢状前頭弧（前頭中心線を通ってナジオンからブレグマへ走る線）．

nasooccipital a. 鼻後頭弧（鼻根から外後頭隆起の下限までの中心に沿った弧線）．

pulmonary a. 肺動脈弓（胸部X線写真前後像で主肺動脈の形状で示される）．

reflex a. 反射弓（①神経インパルスが反射行為を生じるときに，末梢受容器から求心神経を経て中枢神経系シナプスへ，それから遠心神経を経て効果器に至る通路．②末梢神経系と中枢神経系の両方を通る神経経路）．

Riolan a. (rē-ō-lŏn[h]′) リョラン(リオラン)動脈弓（①＝intestinal arterial *arcades*. ②＝marginal *artery* of colon. ③＝Riolan *anastomosis*）．

ar·cade (ar-kād′)［L. *arcus*, arc, bow］. 弧，弓（一連の弓状の構造．特に血管についていう）．

anomalous mitral a. 異常僧帽弁弧（両乳頭筋から僧帽弁の前尖の中央部にのびる短い腱索のこと．そのため僧帽弁の狭窄または不全を起こす）．

arterial a.'s 動脈弧（列をなす吻合動脈弓．例えば腸間膜で空腸動脈・回腸動脈の枝がつくる動脈弓の列，あるいは膵頭にみられる膵十二指腸動脈の枝など）．

Flint a. フリント弧（腎錐体基底部の一連の静脈弓）．

intestinal arterial a.'s 腸間動脈弧（隣接する空腸動脈や回腸動脈の吻合枝が腸間膜内につくる動脈弓の列．ここから直細動脈が派出している．回腸のものは空腸のものより短くて複雑である.→arterial *arches* of ileum; arterial *arches* of jejunum; marginal *artery* of colon）．＝intermesenteric arterial anastomoses; Riolan arc (1); Riolan a.'s.

lower dental a.* 下顎歯列弓（mandibular dental a. の公式の別名）．

mandibular dental a.［TA］. 下顎歯列弓（下顎骨の歯槽部に植立している歯の列で，乳歯なら10本，永久歯なら16本）．＝arcus dentalis mandibularis［TA］; arcus dentalis inferior*; lower dental a.*; inferior dental arch; mandibular dentition.

marginal a.* marginal *artery* of colon の公式の別名．

maxillary dental a.［TA］. 上顎歯列弓（上顎骨の歯槽部に植立している歯の列で，乳歯なら10本，永久歯なら16本）．＝arcus dentalis maxillaris［TA］; arcus dentalis superior*; upper dental a.*; maxillary dentition; superior dental arch.

pancreaticoduodenal arterial a.'s 膵十二指腸動脈弧（胃十二指腸動脈の枝である前・後膵十二指腸動脈と，上腸間膜動脈の枝である前・後下膵十二指腸動脈とが，膵頭と十二指腸の前面や後面で吻合する様相．ここから出る細枝が両臓器に分布する）．

Riolan a.'s (rē-ō-lan[h]). リョラン(リオラン)弧 (→Riolan *anastomosis*). ＝intestinal arterial a.'s.

upper dental a.* 上顎歯列弓 (maxillary dental a. の公式の別名).

Ar·can·o·bac·te·ri·um (ar-kā′nō-bac-tēr′ē-um). アルカノバクテリウム属(非運動性でグラム陽性通性嫌気性の細い不整形の杆菌の一属で，しばしばこん棒状の末端をもちV型となる．線毛はない．家畜やヒトの咽頭に好んで寄生する．*A. haemolyticum* はときに咽頭や皮膚に障害を及ぼす).

A. haemolyticum ヒトと大型家畜に咽頭炎，慢性皮膚潰瘍を引き起こす種.

ar·cate (ar′kāt). 弓状の. ＝arcuate.

ARCH

arch (arch) [thru O. Fr. ＜ L. *arcus*, bow] [TA]. 弓 (弓に類似した構造．解剖学において，丸天井のような，または弓状の構造をいう). ＝arcus [TA].

abdominothoracic a. 胸腹弓 (胸骨下端と左右の肋骨弓とでつくられる線で，胸壁と腹壁との前外側部での境界線をなしている).

alveolar a. of mandible [TA]. 〔下顎の〕歯槽弓 (下顎歯が出ている下顎の歯槽突起の自由縁). ＝arcus alveolaris mandibulae [TA]; limbus alveolaris (1).

alveolar a. of maxilla [TA]. 〔上顎の〕歯槽弓 (上顎歯が出ている上顎の歯槽突起の自由縁). ＝arcus alveolaris maxillae [TA]; limbus alveolaris (2).

anterior a. of atlas [TA]. 環椎前弓 (環椎の外側塊を前方で結合する弓状部分で正中後面では軸椎歯突起の前関節窩と関節する). ＝arcus anterior atlantis [TA].

anterior palatine a. ＝palatoglossal a.

a. of the aorta 大動脈弓 (上行大動脈と下行大動脈との間にあって弓状になっている部分．上行大動脈の続きとして胸骨角の背後に起こり，やや左に寄りながら左の肺根をまたぎ，脊柱に達してこれに沿うようになったところで下行大動脈に移行する．腕頭動脈・左総頸動脈・左鎖骨下動脈を分枝する). ＝arcus aortae [TA]; aortic a.

aortic a. 大動脈弓. ＝a. of the aorta.

aortic a.'s 〔第一－第六〕大動脈弓 (鰓弓の間葉にある胚咽頭を取り巻く一連の動脈．哺乳類では順次形成される6対の大動脈弓動脈のうち，第五対の発達が貧弱であるか，または欠如する．第一対と第二対は非常に幼若な胚においてのみ機能し，第三対は総頸動脈形成に関与する．左側の第四は大動脈弓に合併し，また，第六対は肺動脈の近位部を形成する).

arterial a.'s of colon 結腸動脈弓 (結腸間膜の中で隣接する結腸動脈を連結している吻合で，ここから出る血管が結腸に分布する．このとき，結腸沿いに連続する動脈が形成されると結腸縁動脈とよばれる. ⇀marginal *artery* of colon).

arterial a.'s of ileum 回腸動脈弓 (上腸間膜動脈の枝が腸間膜内に形成する動脈弓．そこから出る直細血管が回腸壁に分布する. →intestinal arterial *arcades*).

arterial a.'s of jejunum 空腸動脈弓 (空腸壁に送血する上腸間膜動脈の枝が腸間膜内に形成する動脈弓．そこから出る直細血管が空腸壁に分布する. →intestinal arterial *arcades*).

arterial a. of lower eyelid 下眼瞼動脈弓. ＝inferior palpebral (arterial) a.

arterial a. of upper eyelid 上眼瞼動脈弓. ＝superior palpebral (arterial) a.

axillary a. 腋窩弓. ＝pectorodorsalis *muscle*.

a. of azygos vein [TA]. 奇静脈弓 (奇静脈の末端部が第四－五胸椎間の椎間板の高さ(横胸面)でつくる，上に凸な弓状部．右肺の肺根の上を後ろに向かって乗り越え，後縦隔から下大静脈へと達する). ＝arcus venae azygos [TA].

branchial a.'s 鰓弓 (脊椎動物では一般に6対の動脈弓があるが，下等脊椎動物ではこれに鰓が，ヒト胎児においては鰓弓が付いている. *cf.* pharyngeal a.'s).

carpal a.'s 手根動脈弓 (手首を横走する2本の吻合した動脈小枝．掌側(または前)動脈弓は手根骨の前方にあり，橈骨動脈と尺骨動脈の掌側手根枝によりつくられる．背側(または後)動脈弓は手根骨の背側にあり，橈骨動脈と尺骨動脈の背側手根枝によりつくられる).

coracoacromial a. 烏口肩峰弓 (肩峰の平滑な下面と肩甲骨烏口突起とその間を結ぶ靱帯とでつくられた保護的アーチ構造．上腕骨頭の上方に位置し関節窩からの脱臼を防いでいる).

Corti a. (kōr′tē). コルティ(コルチ)弓 (Corti 内柱細胞と Corti 外柱細胞の頭部の接合部が形成する弓).

cortical a.'s of kidney 腎皮質弓 (腎皮質のうち，腎錐体と腎被膜との間にある部分).

costal a.* 肋骨弓 (costal *margin* の公式の別名).

a. of cricoid cartilage [TA]. 輪状軟骨弓 (輪状軟骨板の前部にある気道を取り巻く軟骨の狭い部分). ＝arcus cartilaginis cricoideae [TA].

crural a. ＝inguinal *ligament*.

deep crural a. ＝iliopubic *tract*.

deep palmar (arterial) a. [TA]. 深掌動脈弓 (長指屈筋腱の深部にある手の動脈弓．橈骨動脈末端部と尺骨動脈深掌枝が吻合してつくられる．掌側中手動脈と母指主動脈が起こる). ＝arcus palmaris profundus; arcus volaris profundus.

deep palmar venous a. [TA]. 深掌静脈弓 (深掌静脈弓に伴行する静脈弓．通常，1対の伴行静脈よりなる). ＝arcus venosus palmaris profundus [TA].

deep plantar (arterial) a. 〔深〕足底動脈弓 (中足骨底と交差し，深足底動脈を経て足背動脈と吻合する外側足底動脈によりつくられる). ＝arcus plantaris profundus [TA].

dental a. 歯列弓 (自然歯列と残存隆線，すなわち自然歯が一部または全部欠けた後の残遺物の複合構造).

distal transverse a. of foot [TA]. 遠位横足弓 (中足骨の近位部が形成する横方向の足弓の浅層の端). ＝arcus pedis transversus distalis [TA].

dorsal carpal arterial a. [TA]. 背側手根動脈網 (手根関節の背面に広がる血管網で，前・後骨間動脈の枝と橈骨動脈および尺骨動脈の背側手根枝の吻合により形成される). ＝rete carpale dorsale [TA]; dorsal carpal network; rete carpi posterius.

dorsal venous a. of foot [TA]. 足背静脈弓 (足背静脈と背側指静脈がつくる足背の皮下組織にあたる静脈弓．内側で背側母指指静脈と交通して大伏在静脈となり，外側で背側小指指静脈と交差して小伏在静脈になる). ＝arcus venosus dorsalis pedis [TA].

double aortic a. 重複性大動脈弓 (通常，1本の大動脈弓が左右に分離した先天性大動脈弓).

expansion a. 歯列弓拡大弧線 (歯列矯正器具．歯を遠心，頬側，あるいは唇側に動かして，大臼歯間の幅や歯列弓の長さを増大させる).

fallen a.'s 扁平足 (足の縦，横，または両方の足弓の消失で，扁平足(縦方向)，開張足(横方向)，あるいは両方の変形をまねく).

fallopian a. ファロービウス弓. ＝inguinal *ligament*.

femoral a. ＝inguinal *ligament*.

first pharyngeal a. 第一咽頭弓 (鰓弓における第1番目に位置する弓). ＝mandibular a.

a.'s of the foot ⇀deep plantar (arterial) a.; medial longitudinal a. of foot; plantar venous a.; transverse a. of foot; superficial plantar (arterial) a.; dorsal venous a. of foot; lateral longitudinal a. of foot.

glossopalatine a. ＝palatoglossal a.

gothic a. ゴシックアーチ. ＝needlepoint *tracing*.

Haller a.'s (hah′lĕr). ハラー弓 (⇀lateral arcuate *ligament*; medial arcuate *ligament*).

hemal a.'s 血管弓 (①1個の椎骨とそれに対応する肋骨・肋軟骨とそれらが付着する胸骨部分とで形成されるアーチの発生学的名称．②第三尾椎から第六尾椎の腹側にある3，4個のV字形の骨の発生学的名称．これらは intercentra に相当し，通常，腹側尾動脈と腹側尾静脈を囲む).

hyoid a. 舌弓. ＝second pharyngeal a.

iliopectineal a. [TA]. 腸恥筋膜弓 (腸骨筋と大腰筋の筋膜が癒合してできた部厚い帯状構造で，前方は鼡径靱帯の後部から起こり，大腿神経の前を横切って，後方は寛骨の腸恥隆起に着付して終わる．これによって鼡径靱帯下の腔所を外側の筋窩と内側の脈管窩とに分けている．小腰筋が存在する場合，その停止腱はここに合流する）．＝arcus iliopectineus [TA]; iliopectineal ligament; ligamentum iliopectineale.

inferior dental a. 下歯列弓．＝mandibular dental *arcade.*

inferior palpebral (arterial) a. [TA]．下眼瞼動脈弓（瞼板縁に沿って涙腺動脈の分枝につながる内・外側眼瞼動脈が形成する下眼瞼の動脈弓）．＝arcus palpebralis inferior [TA]; arterial a. of lower eyelid.

jugular venous a. [TA]．頸静脈弓（胸骨上窩にあり，左右の前頸静脈間を結んで正中線を横切っている静脈）．＝arcus venosus jugularis [TA].

labial a. 唇側弧線（歯の唇側面と接する歯科矯正弧線）．

Langer a. (lahng′ĕr)．ランガー弓．＝pectorodorsalis *muscle.*

lateral longitudinal a. of foot 外側縦足弓．＝lateral *part* of longitudinal arch of foot.

lateral lumbocostal a. 外側腰肋弓．＝lateral arcuate *ligament.*

lingual a. 舌側弧線（歯の舌側面と接する歯科矯正弧線）．

longitudinal a. of foot [TA]．縦足弓（→medial longitudinal a. of foot; lateral longitudinal a. of foot）．＝arcus pedis longitudinalis [TA].

malar a. ＝zygomatic a.

mandibular a. 顎弓．＝first pharyngeal a.

medial longitudinal a. of foot 内側縦足弓．＝medial *part* of longitudinal arch of foot.

medial lumbocostal a. 内側腰肋弓．＝medial arcuate *ligament.*

nasal a. 鼻弓，鼻橋（上顎骨の鼻突起と鼻骨とでつくられた梨状孔のドーム形の天井部分．眼鏡の中央部分はこのあたりに落ち着く）．

nasal venous a. 鼻静脈弓（鼻根で，横静脈により交通する左右の滑車上静脈によって形成される弓）．

neural a. 神経弓（椎体原基の背側部分）．

neural a. of vertebra 椎骨の神経弓（発生段階の椎骨の後部要素．左右の椎弓と椎体の後外側部からなる．すなわち神経弓は椎弓板と椎弓根からなる椎弓より広い部分をさす（椎体軟骨結合より後ろのすべての骨格要素））．

a. of the palate 口蓋弓（口腔のアーチ状の蓋）．

palatoglossal a. [TA]．口蓋舌弓（軟口蓋から舌の側面へのびる粘膜の1対の隆線あるいはひだ．口蓋舌筋を囲み扁桃窩の前縁を形成する．また，口峡部と口腔の境界ともなっている）．＝arcus palatoglossus [TA]; anterior pillar of fauces*; plica anterior faucium*; anterior palatine a.; arcus glossopalatinus; glossopalatine a.; glossopalatine fold.

palatopharyngeal a. [TA]．口蓋咽頭弓（軟口蓋の後縁から咽頭側壁へ下がる1対の粘膜の隆線あるいはひだ．口蓋咽頭筋を囲み扁桃窩の後縁を形成する．また，口峡峡部と咽頭口部の境界ともなっている）．＝arcus palatopharyngeus [TA]; plica posterior faucium*; posterior pillar of fauces*; pharyngopalatine a.; posterior palatine a.

pharyngeal a.'s 咽頭弓（①妊娠第4，5週の間に胎児の頭頸部領域に斜めに配列され，顔部並びに頸部の形成に関与する．②脊椎動物の胚子において，咽頭弓，咽頭嚢，咽頭溝，咽頭膜がみられる）．＝branchial apparatus; pharyngeal apparatus; visceral a.'s.

pharyngopalatine a. ＝palatopharyngeal a.

plantar a. 足底動脈弓（→deep plantar (arterial) a.; superficial plantar (arterial) a.）．

plantar arterial a. →deep plantar (arterial) a.; superficial plantar (arterial) a.

plantar venous a. [TA]．足底静脈弓（足指からの底側指静脈が形成する弓で足底動脈弓に伴行する）．＝arcus venosus plantaris [TA].

popliteal a. ＝arcuate popliteal *ligament.*

posterior a. of atlas [TA]．環椎後弓（環椎の外側塊を後方で結合する弓状部分で後結節がある．この高さでの脊柱管の後壁をなす）．＝arcus posterior atlantis [TA].

posterior palatine a. 後口蓋弓．＝palatopharyngeal a.

postoral a.'s 口後弓（口の尾方にみられる内臓弓および鰓弓）．

primordial costal a.'s 原始肋骨弓（脊柱の胸部で胎児性の肋骨突起から肋骨となる）．

proximal transverse a. of foot [TA]．近位横足弓（外側で3つの楔状骨，内側で立方骨が形成する横方向の足弓の上位端で，長腓骨筋と前・後脛骨筋によって弯曲が保持されている）．＝arcus pedis transversus proximalis [TA].

pubic a. [TA]．恥骨弓（恥骨下枝・恥骨体・恥骨結合が形成する弓形．→subpubic *angle*）．＝arcus pubicus [TA].

ribbon a. リボンアーチ（薄い，リボン状の長方形の歯科矯正弧線．最大幅が歯の唇側または頬側面に平行するように歯列弓にはめる）．

second pharyngeal a. 第二咽頭弓（第二内臓弓あるいは第二鰓弓．鰓弓における第2番目に位置する）．＝hyoid a.

subcostal a.* 肋下角（infrasternal *angle* の公式の別名）．

superciliary a. [TA]．眉弓（前頭骨の眼窩上縁の上方にあり，眉間から両側に広がる幅広の骨隆起あるいは頭蓋骨のふくらみ）．＝arcus superciliaris [TA]; superciliary ridge [TA].

superficial palmar (arterial) a. [TA]．浅掌動脈弓（長指屈筋腱の表層で外反した母指の先端から手掌に引いた線のあたりにある手の動脈弓．主として尺骨動脈浅枝の終末枝として形成され，通常，橈骨動脈の浅掌枝と吻合して終わる．総掌側指動脈を出す）．＝arcus palmaris superficialis [TA]; arcus volaris superficialis.

superficial palmar venous a. [TA]．浅掌静脈弓（浅掌動脈弓に伴行する静脈弓．通常，1対の伴行静脈よりなり，浅尺骨静脈や浅橈骨静脈に流入する）．＝arcus venosus palmaris superficialis [TA].

superficial plantar (arterial) a. [TA]．浅足底動脈弓（内側足底動脈の発達した浅枝と外側足底動脈の吻合によって形成される変異動脈．足底腱膜より深層にあるが，多くは短趾屈筋より浅層にある）．＝arcus plantaris superficialis [TA].

superior dental a. 上歯列弓．＝maxillary dental *arcade.*

superior palpebral (arterial) a. [TA]．上眼瞼動脈弓（内・外側眼瞼動脈の分枝が結合して形成する上眼瞼の動脈弓．2個の動脈弓が存在することが多く，一方は瞼板の自由縁の近くにあり，他方は瞼板の上縁に沿う）．＝arcus palpebralis superior [TA]; arterial a. of upper eyelid.

supraorbital a. ＝supraorbital *margin.*

tarsal a. 眼瞼動脈弓（→inferior palpebral (arterial) a.; superior palpebral (arterial) a.）．

tendinous a. [TA]．腱弓（①骨または筋に付着する白色の線維性帯状構造で，これで神経や血管をおおうことによって圧迫障害から守っている．②深筋膜の一部の線状肥厚で，他の筋の靱帯の付着部となる）．＝arcus tendineus [TA].

tendinous a. of levator ani muscle [TA]．肛門挙筋腱弓（内閉鎖筋の内側面にある閉鎖筋膜の肥厚した部分．恥骨から弓状をなして後方の坐骨棘にのび，肛門挙筋の一部に起始を与える）．＝arcus tendineus musculi levatoris ani [TA]; arcus tendineus of obturator fascia; arcus tendineus of pelvic diaphragm.

tendinous a. of pelvic fascia [TA]．骨盤筋膜腱弓（膀胱（女性では腟）に沿って恥骨体から後方にのび，骨盤臓器を支える靱帯に付着する上骨盤隔膜筋膜の線状の肥厚部）．＝arcus tendineus fasciae pelvis [TA].

tendinous a. of soleus muscle [TA]．ヒラメ筋腱弓（脛骨，腓骨間にある膝窩動静脈（ここから名称が変わる）をまたいでのびる腱弓．ヒラメ筋の中央部に起始部を与える）．＝arcus tendineus musculi solei [TA].

a. of thoracic duct [TA]．胸管弓（胸管の最終部分で第七胸椎レベルで急反転して左鎖骨静脈と内頸静脈との合流点の上外側部に流入する．→thoracic *duct*）．＝arcus ductus thoracici [TA].

transverse a. of foot 横足弓（中足骨，3個の楔状骨，立方骨が形成する下部に凹の足弓）．＝arcus pedis transversus [TA].

Treitz a. (trīts)．トライツ弓．＝paraduodenal *fold.*

vertebral a. [TA]．椎弓（椎体から後方に突出した突起で椎孔を囲む．1対の椎弓根と椎弓板からなる．棘突起，横突起，関節突起がこの弓から出る．椎弓とそれをつなぐ黄色靱帯とで脊柱管の後壁が形成されている．[椎弓は神経弓と同義語ではない．神経弓は発生学的な面からみた構造物で椎弓と椎体の後外側部になる］）．＝arcus vertebrae［TA］; neural a. of vertebra.

visceral a.'s 内臓弓．＝pharyngeal a.'s.

W-a. Wアーチ（臼歯の舌側に取り付ける固定性上顎拡大装置で，両側または片側の拡張腕を備えている）．

wire a. 弧線（歯列弓に合わせた針金．歯に正常なカーブをつけるために用いる）．

zygomatic a.［TA］．頬骨弓（頬骨の側頭突起が側頭骨の頬骨突起と結合して，形成する弓）．＝arcus zygomaticus［TA］; cheek bone (2); malar a.; zygoma (2).

---

arch-, arche-, archi- (arch; ark, ar′kē; ar′ki)［G. *archē*, origin, beginning ＋ -o-］．［これらの連結形における ch の発音は k である］．原始の，先祖の，第一の，先端の，を意味する連結形.

ar·chae·o·cer·e·bel·lum (ar′kē-ō-ser′ĕ-bel′lŭm)［G. *archaios*, ancient ＋ cerebellum］．＝archicerebellum.

ar·chae·us (ar-kē′ŭs)［L. ＜ G. *archaios*, chief, leader］．原力（肉体的過程を統轄し，支配する精神力を示す用語として最初に Valentine が，次いで Paracelsus と van Helmont が用いた語）．＝archeus.

ar·cha·ic (ar-kā′ik)［G. *archaikos*, ancient］．原始の，太古の（Jung の心理学において，古い過去の祖先にみられた精神過程を示す）．

Ar·cham·bault (ahr′shahm-bō′), LaSalle. 米国人神経科医，1879—1940. ⇀Meyer-A. *loop*.

arche- (ark,ar′kē). ⇀arch-.

arch·en·ter·on (ark-en′ter-on)［G. *archē*, beginning ＋ *enteron*, intestine］．原腸．＝primordial *gut*.

ar·che·o·cer·e·bel·lum (ar′kē-ō-ser′-ĕ-bel′lŭm). ＝vestibulocerebellum.

ar·che·o·ki·net·ic (ar′kē-ō-ki-net′ik)［G. *archaios*, ancient ＋ *kinētikos*, relating to movement］．古運動［性］の（末梢神経系や神経節神経系にみられるような下等で原始的な運動神経機序についていう．*cf.* neokinetic; paleokinetic）．

ar·che·type (ar′kĕ-tīp)［G. *archetypos*, pattern, model＜ *archē*, beginning ＋ *typtō*, to stamp out］．***1*** 原型（種々の変形のもととなる原初的構造のひな型）．***2*** 元(原)型（Jung の心理学では，すべての人にある集合無意識の構造的単位）．＝imago (2).

ar·che·us (ar-kē′ŭs). ＝archaeus.

archi- (ar′ki). ⇀arch-.

ar·chi·cer·e·bel·lum (ar′ki-ser′ĕ-bel′ŭm)［archi- ＋ L. *cerebellum*］［TA］．古小脳（小脳の中で系統発生的に最も古い部分で，主として菱脳の前庭核と相互関係が密であるところから，時には vestibulocerebellum(前庭小脳)とよばれる．哺乳類では，小節，虫部垂，片葉，小脳小舌の 4 部分からなる）．＝archaeocerebellum.

ar·chi·cor·tex (ar′ki-kōr′teks)［archi- ＋ L. *cortex*］［TA］．古皮質（①典型的には，大脳皮質の系統発生学的に古い部分．②狭義で用いた場合，海馬を形成する皮質．→allocortex; cerebral *cortex*）．＝archipallium.

ar·chil (ar′kil)［old C.I. 1242］．アルキール（地衣類の *Roccella tinctoria* や *R. fuciformis* から採取した紫色染料）．＝orchella; orchil; roccellin.

ar·chin (ar′kin). アルキン．＝emodin.

ar·chi·pal·li·um (ar′ki-pal′ē-ŭm)［archi- ＋ L. *pallium*］．古外套．＝archicortex.

ar·chi·tec·ton·ics (ar′ki-tek-ton′iks). 構築学，建築学．＝cytoarchitecture.

arch·wire (arch′wīr). 弧線（歯槽弓または歯列弓に合わせたワイヤ．歯列の矯正に用いる）．＝arch wire.

ar·ci·form (ar′si-fōrm). ＝arcuate.

Ar·co·bac·ter (ar′kō-bak′ter). アルロバクター属（グラム陰性，空気耐性で，15°C 以下で発育できるキャンピロバクター科の一属．標準種は *A. butzleri*）．

A. butzleri 鳥肉や牛肉に認められる *Arcobacter*属の細菌種で，ヒトの下痢や全身感染症に関与している．

arc·ta·tion (ark-tā′shŭn)［L. *arto*（*arcto* の誤用），pp. *-atus*, to tighten］．狭窄，収縮，縮窄［症］．

ar·cu·al (ar′kyū-ăl). 弓の.

ar·cu·ate (ar′kyū-āt)［L. *arcuatus*, bowed］．弓形の，弓状の．＝arcate; arciform.

ar·cu·a·tion (ar-kyū-ā′shŭn). たわみ，曲げ，弯曲.

ARCUS

ar·cus (ar′kŭs)［L. a bow］［TA］．弓（［複数形は arci ではなく arcus である］）．＝arch.

a. adiposus 脂肪環．＝a. senilis.

a. alveolaris mandibulae［TA］．〔下顎の〕歯槽弓．＝alveolar *arch* of mandible.

a. alveolaris maxillae［TA］．〔上顎の〕歯槽弓．＝alveolar *arch* of maxilla.

a. anterior atlantis［TA］．環椎前弓．＝anterior *arch* of atlas.

a. aortae［TA］．大動脈弓．＝*arch* of the aorta.

a. cartilaginis cricoideae［TA］．輪状軟骨弓．＝*arch* of cricoid cartilage.

a. cornealis［MIM*107800］．角膜環．＝a. senilis.

a. costalis［TA］．肋骨弓．＝costal *margin*.

a. costarum ＝costal *margin*.

a. dentalis inferior* 下顎歯列弓（mandibular dental *arcade* の公式の別名）．

a. dentalis mandibularis［TA］．＝mandibular dental *arcade*.

a. dentalis maxillaris［TA］．＝maxillary dental *arcade*.

a. dentalis superior* 上顎歯列弓（maxillary dental *arcade* の公式の別名）．

a. ductus thoracici［TA］．胸管弓．＝*arch* of thoracic duct.

a. glossopalatinus 口蓋舌弓．＝palatoglossal *arch*.

a. iliopectineus［TA］．腸恥筋膜弓．＝iliopectineal *arch*.

a. inguinalis* 鼡径弓（inguinal *ligament* の公式の別名）．

a. juvenilis 若年環．＝a. senilis.

a. lipoides リポイド環．＝a. senilis.

a. lumbocostalis lateralis 外側腰肋弓．＝lateral arcuate *ligament*.

a. lumbocostalis medialis 内側腰肋弓．＝medial arcuate *ligament*.

a. marginalis coli* marginal *artery* of colon の公式の別名.

a. palatini 口蓋弓（⇀palatoglossal *arch*; palatopharyngeal *arch*）．

a. palatoglossus［TA］．口蓋舌弓．＝palatoglossal *arch*.

a. palatopharyngeus［TA］．口蓋咽頭弓．＝palatopharyngeal *arch*.

a. palmaris profundus［TA］．深掌動脈弓．＝deep palmar (arterial) *arch*.

a. palmaris superficialis［TA］．浅掌動脈弓．＝superficial palmar (arterial) *arch*.

a. palpebralis inferior［TA］．下眼瞼動脈弓．＝inferior palpebral (arterial) *arch*.

a. palpebralis superior［TA］．上眼瞼動脈弓．＝superior palpebral (arterial) *arch*.

a. pedis longitudinalis［TA］．縦足弓．＝longitudinal *arch* of foot.

a. pedis longitudinalis pars lateralis ＝lateral *part* of longitudinal arch of foot.

a. pedis longitudinalis pars medialis ＝medial *part* of longitudinal arch of foot.

a. pedis transversus 横足弓．＝transverse *arch* of foot.

a. pedis transversus distalis［TA］．＝distal transverse *arch* of foot.

a. pedis transversus proximalis［TA］．＝proximal transverse *arch* of foot.

a. plantaris profundus［TA］．＝deep plantar (arterial) *arch*.

a. plantaris superficialis［TA］．＝superficial plantar

(arterial) *arch*.

a. posterior atlantis [TA]．環椎後弓．= posterior *arch* of atlas.

a. pubicus [TA]．恥弓．= pubic *arch*.

a. raninus ガマ弓．= ranine *anastomosis*.

a. senilis 老人環（強角膜接合部の角膜周辺部における灰白色輪で，老年者にしばしば起こる．角膜内の脂肪顆粒の沈着，角膜の硝子変性，角膜実質や細胞の変性によって生じる）．= anterior embryotoxon; a. adiposus; a. cornealis; a. juvenilis; a. lipoides; gerontoxon; linea corneae senilis; lipoidosis corneae.

a. superciliaris [TA]．眉弓．= superciliary *arch*.

a. tarseus 瞼板動脈弓（→inferior palpebral (arterial) *arch*; superior palpebral (arterial) *arch*）．

a. tendineus [TA]．腱弓．= tendinous *arch*.

a. tendineus fasciae pelvis [TA]．= tendinous *arch* of pelvic fascia.

a. tendineus musculi levatoris ani [TA]．= tendinous *arch* of levator ani muscle.

a. tendineus musculi solei [TA]．= tendinous *arch* of soleus muscle.

a. tendineus of obturator fascia 閉鎖筋膜腱弓．= tendinous *arch* of levator ani muscle.

a. tendineus of pelvic diaphragm 骨盤隔膜腱弓．= tendinous *arch* of levator ani muscle.

a. unguium 爪弓．= *lunule* of nail.

a. venae azygos [TA]．= *arch* of azygos vein.

a. venosus dorsalis pedis [TA]．足背静脈弓．= dorsal venous *arch* of foot.

a. venosus jugularis [TA]．頸静脈弓．= jugular venous *arch*.

a. venosus palmaris profundus [TA]．深掌静脈弓．= deep palmar venous *arch*.

a. venosus palmaris superficialis [TA]．浅掌静脈弓．= superficial palmar venous *arch*.

a. venosus plantaris [TA]．足底静脈弓．= plantar venous *arch*.

a. vertebrae [TA]．椎弓（→hemal *arches*; neural *arch*）．= vertebral *arch*.

a. volaris profundus = deep palmar (arterial) *arch*.

a. volaris superficialis = superficial palmar (arterial) *arch*.

a. zygomaticus [TA]．頬骨弓．= zygomatic *arch*.

---

ar·dor (ar′dōr) [L. fire, heat]．灼熱感（熱くて焼けるような感覚を表す古語）．

ARDS adult respiratory distress *syndrome*; acute respiratory distress *syndrome*; acquired respiratory distress syndrome(後天性呼吸促迫症候群)の略．

AREA

ar·e·a (a), pl. **ar·e·ae** (ār′ē-ă, -ē) [L. a courtyard]．*1* [TA]．野，区（限られた面または空間）．*2* 野，区（特定の動脈または神経の支配する領域）．*3* 領（脳の運動領のように，特殊な機能をもつ臓器の一部分．→regio; region; space; spatium; zone）．

acoustic a. 聴野（第4脳室の外側陥凹の床．内側は境界溝までのび，菱脳の蝸牛・前庭神経核の上にある）．= a. acustica.

a. acustica 聴野．= acoustic a.

amygdaloclaustral a. [TA]．扁桃前障野（扁桃核の外側部が前障の腹側部と密接または癒着している側頭葉の部位）．= a. amygdaloclaustralis [TA].

a. amygdaloclaustralis [TA]．= amygdaloclaustral a.

a. amygdaloidea anterior [TA]．= anterior amygdaloid a.

amygdalopiriform transition a. [TA]．扁桃梨状葉移行部（扁桃核構成細胞が梨状葉に密接している部位）．= a. transitionis amygdalopiriformis [TA].

anterior amygdaloid a. [TA]．前扁桃体（扁桃複合体の最前端で散在する細胞群から密集して明瞭な配置を示す本体への移行部）．= a. amygdaloidea anterior [TA].

anterior hypothalamic a. 前視床下部（全体として視交叉の内方に位置する視床下部の最前方部分．以下の核を含む．前視床下部核，前室周囲核，前視床下部間質核，外側視索前核，内側視索前核，正中視索前核，室傍核，室周囲視索前核，視交叉上核，視索上核．最後のものは背内側部，腹内側部，背外側部からなる．→hypothalamus）．= a. hypothalamica rostralis [TA]; anterior hypothalamic region☆.

anterior intercondylar a. of tibia [TA]．脛骨の前顆間区（左右の脛骨顆の間の陥凹した区域で，その前部に関節半月の前端と前十字靭帯が付着している部位）．= a. intercondylaris anterior tibiae [TA].

aortic a. (of auscultation)〔聴診上の〕大動脈弁領域（大動脈口から発する音が最もよく聞こえる第二右肋軟骨上の胸壁部分）．

apical a. 根尖〔端〕部，根端組織（歯根末端周囲の組織）．

association areas 連合野（大脳皮質の連合野）．= association *cortex*.

auditory a. 聴覚野．= auditory *cortex*.

bare a. of diaphragm 横隔膜の無漿膜野（肝臓の無漿膜野に対応(接触)する横隔膜の腹腔面の一部分で，肝臓と横隔膜が腹膜を介さず直に接触しており，冠状間膜によって画される）．

bare a. of (diaphragmatic surface of) liver [TA]．肝〔臓横隔面〕無漿膜野（肝臓横隔面後上部の一部で，冠状間膜によって画される．腹膜によっておおわれておらず，肝臓と横隔膜が直に接触し，癒着している）．= a. nuda hepatis [TA].

bare a. of pericardium 心膜無漿膜野（心膜の胸肋面の左側の一部で，壁側胸膜(左胸膜嚢)におおわれておらず，心切痕のために肺によってもおおわれていない．心膜穿刺(例えば心膜腔穿刺術のため)に適している）．

bare a. of stomach 胃無漿膜野（胃横隔靭帯の2枚の開散する層の間にある胃底後面で，腹膜におおわれていない部分）．

basal seat a. 義歯負担域（義歯を支持するのに役立つ口腔内組織．→denture *foundation*）．

body surface a. (BSA) 体表面積（体の外表面の面積．平方メートル(m^2)で表記される．代謝，必要な電解質や栄養量，薬物用量，呼吸機能検査の予測値の算出に用いられる）．

Broca a. (brō-kah′)．ブロカ野．= Broca *center*.

Broca parolfactory a. ブロカ傍嗅部．= parolfactory a.

Brodmann areas ブロードマン野（細胞構築様式に基づいて描かれた大脳皮質の野．→cerebral *cortex*）．

ドイツ人医師 Korbinian Brodmann(1868—1918)は神経疾患サナトリウムで長期間働き，開業する計画はやめた．神経学，神経解剖学，病理学，精神医学を学んだ後，彼はベルリン大学神経生物学研究所で哺乳類の皮質の比較解剖の研究を始めた．以前の研究者は錐体細胞，星状細胞，紡錘状細胞の比率により，皮質を6層に分けていた．新しく開発した Nissl 染色を用いて，Brodmann は細胞の型，大きさ，密度，層構造により，皮質を約50の部位に分けた．ヒト，霊長類，哺乳類において，彼の解剖学的所見と機能局在の相関を示した．彼の皮質地図と番号システムは1909年に発表され，皮質の領域を区別する標準的な方法となり，現在でも臨床神経学者や脳外科医により広く用いられている．後の研究者により彼の仕事の訂正，彼の部位の細分化，彼の番号に文字の追加が行われたが，新しい研究方法でも解剖的にも機能的にも彼の皮質局在が正しいことが立証された．cerebral *cortex* の図参照．

---

a. of cardiac dullness 心濁音界（胸部前面の打診によって決められる三角野．肺組織によって被覆されていない心臓部分に相当する）．

catchment a. 流域，管轄域，対象域（地域の精神保健センターの地理的管轄区で，その特定のセンターで精神保健サービスが受けられる人口の境界を定めるもの).

a. centralis ＝*macula* of retina.

a. cochleae [TA]. 蝸牛野. ＝cochlear a.

cochlear a. [TA]. 蝸牛野 (蝸牛神経線維が, 蝸牛管にはいるために通過する内耳道底の横稜の下方領域で蝸牛管がらせんに捲いている円錐形の蝸牛軸の底部をなしている. → *base* of modiolus of cochlea). ＝a. cochleae [TA].

Cohnheim a. (kōn′him). コーンハイム野 (顕微鏡で骨格筋線維の横断像を観察する際に見える一群の筋原線維によりつくられる多角形モザイク状の図形. 固定による人為的収縮). ＝Cohnheim field.

contact a. 接触域 (歯の隣接面が隣接する歯の近心あるいは遠心に接触する部分). ＝contact point; point of proximal contact.

cribriform a. of the renal papilla [TA]. 腎乳頭篩状野 (10—22 の乳頭管の開口(乳頭孔)が開く腎乳頭の先端). ＝a. cribrosa papillae renalis [TA].

a. cribrosa papillae renalis [TA]. ＝cribriform a. of the renal papilla.

denture-bearing a. ＝denture foundation a.

denture foundation a. 義歯負担域 (咬合荷重下で, 総義歯または部分床義歯を支持する口腔内組織). ＝basal seat; denture-bearing a.; denture-supporting a.; stress-bearing a. (1); supporting a. (2); tissue-bearing a.

denture-supporting a. ＝denture foundation a.

dermatomic a. 皮〔膚分〕節. ＝dermatome (3).

dorsal hypothalamic a. [TA]. 背側視床下部 (視床下溝の下部にある視床下部の小部分. 以下の核を含む. 背内側核の一部, 脚内核, レンズ核わなの核の一部. →hypothalamus). ＝a. hypothalamica dorsalis [TA]; dorsal hypothalamic region*.

embryonal a., embryonic a. 胚〔子〕部, 胎域 (構成細胞層が肥厚している原条の一方, およびその真上にある胚原基).

entorhinal a. 内側嗅領 (Brodmann 野第 28 鉤の嗅皮質のすぐ後方にある海馬傍回の内側で, 細胞構築学的に明確に境界された多層性大脳皮質野. この領域は海馬に求心性線維を送る大きな線維系いわゆる有孔質路の起始となる).

excitable a. ＝motor *cortex*.

facial nerve a. of internal acoustic meatus [TA]. 顔面神経野 (顔面神経が顔面神経管へはいるときに通る横稜の上にある内耳基底部の区域). ＝a. nervi facialis [TA].

Flechsig areas (flek′sig). フレクシッヒ野 (舌下・迷走神経根線維が区画する横断切片にみられる延髄の外側半分の 3 分割区域(前方野, 外側野, 後方野)).

frontal a. 前頭野. ＝frontal *cortex*.

frontoorbital a. 前頭眼窩野. ＝orbitofrontal *cortex*.

fusion a. 網膜隔像野. ＝Panum a.

gastric a. [TA]. 胃小区 (胃粘膜表面にある, 線状陥凹によって分けられた多数の直径 1 — 6 mm の小多角形野. 数個の胃腺の開口する胃小窩を有する). ＝a. gastrica [TA].

a. gastrica [TA]. ＝gastric a.

germinal a., a. germinativa 胚域 (胚が形成され始める胚盤葉内の場所). ＝germinal *disc*.

Head areas (hed). ヘッド野 (内臓疾患による反射性触覚過敏および痛覚過敏を示す皮膚領域).

a. hypothalamica dorsalis [TA]. ＝dorsal hypothalamic a.

a. hypothalamica intermedia ＝intermediate hypothalamic a.

a. hypothalamica lateralis [TA]. ＝lateral hypothalamic a.

a. hypothalamica posterior [TA]. ＝posterior hypothalamic a.

a. hypothalamica rostralis [TA]. ＝anterior hypothalamic a.

impression a. 印象域 (歯科において, 印象に記録される表面).

inferior vestibular a. of internal acoustic meatus [TA]. 下前庭野 (前庭神経の球形嚢神経内側部が通過する横稜下の内耳道底の部位). ＝a. vestibularis inferior [TA].

insular a. ＝insula (1).

a. intercondylaris anterior tibiae [TA]. 脛骨の前顆間区. ＝anterior intercondylar a. of tibia.

a. intercondylaris posterior tibiae [TA]. 脛骨の後顆間区. ＝posterior intercondylar a. of tibia.

intermediate hypothalamic a. [TA]. 中間視床下部 (全体として漏斗の内方に位置する視床下部の部分. 以下の核を含む. 背側核, 背内側核の一部, 弓状核, 後室周囲核, 視交叉後核, 外側隆起核, 腹内側核. →hypothalamus). ＝intermediate hypothalamic region*; a. hypothalamica intermedia.

Kiesselbach a (kē′sĕl-bahk). キーセルバッハ野 (鼻腔前方で毛細血管に富んだ鼻中隔部位であり, 鼻出血が頻繁に発生する.). ＝Little a.

Killian-Jamieson a. (kil′ē-ăn-jā′mē-ē-sŏn). キリアン - ジャミーソン領域 (上方を輪状咽頭筋の下端の線維束で, 下方を食道輪状筋の上端の線維束で境界される領域. 下喉頭神経, 喉頭動脈と喉頭のリンパ管が通っている. 外側の咽頭食道憩室はこの領域から突出することがある. →pharyngoesophageal *diverticulum*).

a. of Laimer (lī′mĕr). ライマーの三角 (近位食道背面の三角形あるいはV形の部分で, 先端は正中で下方を向き, 輪状咽頭筋が底面を形成する. 縦走筋がほとんどないため弱い部分である. 咽頭あるいは食道粘膜がヘルニアを生じやすい部分である). ＝Laimer-Haeckerman a.; V-shaped a. of esophagus.

Laimer-Haeckerman a. (lī′mer hek′er-măn). ライマー - ヘッカーマンの三角. ＝a. of Laimer.

lateral hypothalamic a. [TA]. 外側視床下部 (視床下部のうち脳弓柱と乳頭体視床路束を通る吻尾線の外側にある部分で, 内側前頭束と以下の核を含む. 視索前野の一部, 外側隆起核の一部, 脳弓傍核, 隆起乳頭体核. →hypothalamus). ＝a. hypothalamica lateralis [TA].

lateral inferior hepatic a. [TA]. ＝(left anterior) lateral hepatic *segment* [III].

lateral superior hepatic a. [TA]. ＝(left posterior) lateral hepatic *segment* [III].

Little a. (lit′ĕl). リトル野. ＝Kiesselbach a.

macular a. 黄斑領域. ＝*macula* of retina.

Martegiani a. (mahr-tā-jē-ah′nē). マルテジャーニ野. ＝Martegiani *funnel*.

mitral a. 僧帽弁〔聴診〕域 (心尖をおおう胸の部分. 僧帽弁が出す音は, 正常, 異常にかかわらず, 一般にここで最もはっきり聞こえる).

motor a. 運動野. ＝motor *cortex*.

a. nervi facialis [TA]. 顔面神経野. ＝facial nerve a.of internal acoustic meatus.

a. nuda hepatis [TA]. 肝無漿膜野. ＝bare a. of (diaphragmatic surface of) liver.

olfactory a. 嗅覚野. ＝anterior perforated *substance*.

oval a. of Flechsig (flek′sig). フレクシッヒ卵形野 (→ semilunar *fasciculus*).

Panum a. (pah′nūm). パーヌム野 (経験的なホロプターの前後の範囲で網膜の非対応点の刺激によっても両眼で単一視が得られる領域). ＝fusion a.

parastriate a. 有線傍野 (→visual *cortex*).

a. parolfactoria [TA]. 傍嗅部. ＝parolfactory a.

parolfactory a. [TA]. 傍嗅部 (前頭葉の内面にある大脳皮質の狭い部位. 直回と帯状回の接合部によって形成され, 後傍嗅葉溝により梁下回と分離されている). ＝a. parolfactoria [TA]; Broca parolfactory a.

pear-shaped a. 梨状野. ＝retromolar *pad*.

peristriate a. 有線周野 (→visual *cortex*).

piriform a. 梨状野. ＝piriform *cortex*.

Pitres a. (pē′trĕ). ピートル野 (大脳半球の前前頭皮質. → frontal *cortex*).

portal a. 門脈域. ＝Kiernan *space*.

postcentral a. 中心後野 (中心後回の皮質).

post dam a. ＝posterior palatal seal a.

posterior hypothalamic a. [TA]. 後視床下部 (視床下部のうち乳頭体部の内側にある部分で以下の核を含む. 背側乳頭体核, 乳頭体外側核, 乳頭体上核, 腹側乳頭体前核. 視床下部後核は中間視床下部と後視床下部の間にあるが, ときに後者の一部とみなされることもある．→hypothalamus; posterior hypothalamic *region*）．＝a. hypothalamica posterior［TA］．

posterior intercondylar a. of tibia［TA］．脛骨の後顆間区（左右の脛骨顆の間にある深く切れ込んだ区域で，その後部に後十字靱帯が付着している部位）．＝a. intercondylaris posterior tibiae［TA］．

posterior palatal seal a. 後堤域（義歯維持を助けるために，組織の生理学的に耐えられる限度内で，義歯が圧力をかけることができる硬口蓋・軟口蓋接合部に沿う軟組織）．＝post dam a.; postpalatal seal a.

postpalatal seal a. ＝posterior palatal seal a.

a. postrema（**AP**）［TA］．最後野（第４脳室外側陥凹の側壁にある小隆起部．脳において血液脳関門の欠如する数少ない部位の１つ．嘔吐に関連した化学受容器）．

precentral a. 中心前野（中心前回の皮質）．

precommissural septal a. ＝subcallosal *gyrus*.

prefrontal a. 前前頭野（→frontal *cortex*）．

premotor a. 運動前野．＝premotor *cortex*.

preoptic a.［TA］．視索前野．＝preoptic *region*.

a. preoptica［TA］．＝preoptic *region*.

prestriate a. 前有線野（→visual *cortex*）．

pretectal a.［TA］．〔視〕蓋前野（狭い長軸を横に向けた中脳視蓋の吻側区域で，尾側は上丘，吻側は手綱三角，外側は視床枕により境界される．この視蓋前野は視索から線維連絡を受ける数個の神経核を有する．また動眼神経複合体の Edinger-Westphal 核と両側性の遠心性線維連絡をもち，この経路により瞳孔の光反射を伝導する）．＝pretectal region; pretectum.

primary visual a. 一次視覚野（→visual *cortex*）．

pulmonary a. 肺動脈弁区（胸部第二左肋間隙の部分で，右室の肺動脈弁の出す音が最も明瞭に聞こえる）．

relief a. 緩衝域（歯科において，義歯被覆領域で義歯床が機能圧を減少するように改善された部分）．

rest a. レスト域（歯質あるいは歯の修復物の一部で，可撤性補てつ物の金属性の咬合面レスト，切縁レスト，舌面レスト，あるいは基底結節レストの設置場所として用意されるところ）．＝rest seat.

retention a. 保持域（修復のための窩洞形成中に形成される歯の部位で，修復物の保持を助ける．→retention *groove*; retention *point*）．

retrochiasmatic a.［TA］．視交叉後核（→intermediate hypothalamic a.）．＝a. retrochiasmatica［TA］．

a. retrochiasmatica［TA］．視交叉後核（→intermediate hypothalamic a.）．＝retrochiasmatic a.

Rolando a.（rō-lan′dō）．ロランド野．＝motor *cortex*.

secondary aortic a. 二次性大動脈領域（拡張期雑音が最もよく聞かれる部位．胸骨正中部から左縁の部位）．

secondary visual a. 二次視覚野（→visual *cortex*）．

sensorial areas, sensory areas 感覚野，知覚野（→cerebral *cortex*）．

sensorimotor a. 感覚運動野（大脳皮質の中心前回および中心後回）．

septal a.［TA］．中隔野（脳弓と脳梁腹側面との間に脳組織の薄い板としてのび，側脳室前角の内側壁をつくる脳半球の部分．前交連中隔または梁下野として，大脳前交連と脳梁吻との間の狭い間隙を通って腹側にのびる．その間隙は，尾側は前視覚野および視床下部と，それより外側は無名質と連続する．中隔野は機能的には主に海馬および視床下部と連絡する．背側中隔核，外側中隔核，内側中隔核，中隔采核，中隔三角核よりなる．脳弓下器官もこの部位にみられる）．

silent a. 沈黙野（損傷が明確な症状を引き起こさない大脳または小脳の部位）．

skip a.'s 跳躍病変，跳び越し病変，不連続病変（限局性腸炎や Crohn 病において，主病巣から離れている罹患小腸，大腸の副病巣）．

somesthetic a. 体性感覚野．＝somatic sensory *cortex*.

stress-bearing a. 咬合圧負担域（①＝denture foundation a. ②機能中に抵抗力，ひずみ，あるいは圧力が加えられる口腔粘膜の表面）．

striate a. 有線野（→visual *cortex*）．

a. subcallosa［TA］．梁下野．＝subcallosal *gyrus*.

subcallosal a.［TA］．梁下野．＝subcallosal *gyrus*.

superior vestibular a. of internal acoustic meatus［TA］．上前庭野（前庭神経上部が卵形嚢，前側・外側半規管の膨大部に達するのに通過する横稜上の内耳道底にある部位）．＝a. vestibularis superior［TA］．

supporting a. 負担域（①義歯が働くとき，そしゃく力を支えるのに最も適していると思われる上下顎歯顎堤の部分．②＝denture foundation a.）．

tissue-bearing a. ＝denture foundation a.

a. transitionis amygdalopiriformis［TA］．＝amygdalopiriform transition a.

tricuspid a. 三尖弁領域（胸骨体の下部をおおう胸壁部分で，三尖弁で発する音が最も明瞭に聞こえる）．

trigger a. 引金野．＝trigger *point*.

vagus a. 迷走神経野（迷走舌咽神経核がある第４脳室床の部位）．

vestibular a.［TA］．前庭神経野（第４脳室底で境界溝の外側で索状体の内側にあたる部分で，その下に前庭神経諸核や蝸牛神経核の一部がある．→inferior vestibular a. of internal acoustic meatus; superior vestibular a. of internal acoustic meatus）．＝a. vestibularis［TA］．

a. vestibularis［TA］．＝vestibular a.

a. vestibularis inferior［TA］．下前庭野．＝inferior vestibular a. of internal acoustic meatus.

a. vestibularis superior［TA］．上前庭野．＝superior vestibular a. of internal acoustic meatus.

visual a. 視覚野．＝visual *cortex*.

V-shaped a. of esophagus ＝a. of Laimer.

Wernicke a.（vern′ik-ĕ）．ヴェルニッケ野．＝Wernicke *center*.

---

ar・e・a・tus, ar・e・a・ta（ā-rē-ā′tŭs, -tă）［L.］．限域の，限局性の（斑状あるいは限局的に発生する）．

A・re・ca（ar′ĕ-kă）［マレー語］．ビンロウ属（アジアヤシの一属．本属の木（ビンロウジ *Areca catechu*）の実にはアレコリンと15％の赤色タンニンが含まれ，東インド諸島ではこれを口に含む習慣がある．駆虫および興奮性の作用がある．→betel nut）．

a・rec・ai・dine（ă-rek′ā-dēn）．アレカイジン（ベタインに似た結晶性アルカロイド．ビンロウジから得る）．＝arecaine.

a・re・caine（ar′e-kān）．アレカイン．＝arecaidine.

a・rec・o・line（ă-rek′ō-lēn）．アレコリン（無色油性アルカロイド．ビンロウジから得られ，コリン様作用を有する）．

a・re・flex・i・a（ā′rē-flek′sē-ă）．反射消失，無反射〔症〕．

detrusor a. 排尿筋反射消失，排尿筋無反射〔症〕（膀胱がその容量に達したり超したりしても，排尿筋が収縮を起こさないこと）．

ar・e・na・ceous（ar-ĕ-nā′shŭs）［L. *arena*, sand］．砂状の．

A・re・na・vi・ri・dae（ă′rē-nă-vir′i-dē）［L. *arena*（*harena*），sand］．アレナウイルス科（15以上のRNAウイルスをもつ一科で，その多くは本来げっ歯類の寄生体である．リンパ球性脈絡髄膜炎ウイルス，ラッサウイルス，およびタカリベウイルス群を含む．ウイルス粒子は，直径 50—300 nm（平均 100 nm）で，被膜に包まれ，エーテル感受性で，２本の単鎖 RNA 分子（分子量は3—5×10^6）を含む．ウイルス粒子は，また，リボソームに似た電子密度の高い RNA 含有粒子（直径 20—30 nm）を含み，その電顕的形状は砂粒状である）．

Are・na・vi・rus（ă′rē-nă-vī′rŭs）．アレナウイルス属（アレナウイルス科の一属で，リンパ球性絡膜炎やいくつかの出血熱に関係がある）．

a・re・o・la, pl. are・o・lae（ă-rē′ō-lă, -lē）［L. *area* の指小辞］．［誤った発音 areo′la を避けること］．***1***［NA］．小域．***2*** 小隙（輪紋状組織における腔または間隙の１つ）．***3*** ＝a. of breast. ***4*** 暈（丘疹，膿疱，膨疹，皮膚新生物の周囲の着色性，脱色性，または紅斑性の区域）．＝halo (3).

a. of breast［TA］．乳輪（乳首（乳頭）の周囲の円形で色素沈着した部分．その表面には下層の乳輪腺の存在のため小突起が散在する）．＝a. mammae［TA］; a. of nipple; a. papillaris; areola (3).

a. mammae［TA］．＝a. of breast.

a. of nipple 乳輪．＝a. of breast.

a. papillaris ＝a. of breast.

a. umbilicus 臍暈（妊婦の臍の周りにみられる着色輪）．

a·re·o·lar (ă-rē′ō-lăr)．輪紋状の，乳輪の．

ar·e·om·e·ter (ar′ē-om′ĕ-ter) [G. *araios*, thin + G. *metron*, measure]．比重計，浮秤．＝hydrometer.

Arg (arg)．アルギニン，またはその一置換基か二置換基を示す記号．

Ar·gas (ar′găs)．ナガヒメダニ属（ヒメダニ科の軟ダニの一属．通常は鳥類に寄生するが，ヒトに寄生する種もある）．

A. reflexus 鳩扁ダニ（ヒトの皮膚に炎症性病変を起こすことがある．英名 pigeon tick）．

ar·ga·sid (ar-gas′id)．ヒメダニ科に属するダニの一般名．

Ar·gas·i·dae (ar-gas′i-dē)．ヒメダニ科（ダニ目マダニ上科のダニの一科．しわがあり，なめし皮様，結節状であるが，吸血すると膨らむため，軟ダニ soft tick とよばれる．ヒメダニ科には4属(ナガヒメダニ属 *Argas*，カズキダニ属 *Ornithodoros*, *Otobius*属，*Antricola*属)が含まれる．ヒメダニは主にカズキダニ属 *Ornithodoros* の種であり，鳥類や哺乳類に回帰熱を起こす *Borrelia*属のスピロヘータを寄生させ，媒介する）．

ar·gen·taf·fin, ar·gen·taf·fine (ar-jen′tă-fin, -fēn) [L. *argentum*, silver + *affinitas*, affinity]．銀親和〔性〕の，嗜銀〔性〕の（溶液中で銀イオンを還元し，褐色または黒色に染まる細胞や組織成分に関する）．

ar·gen·ta·tion (ar′jen-tā′shŭn) [L. *argentum*, silver]．銀化，鍍銀，銀染色（銀塩の透浸．→argyria）．

ar·gen·tic (ar-jen′tik)．***1*** 銀の．＝argyric (1)．***2*** 二価銀〔化合物〕の（まれな2価の銀イオン(Ag^{2+})を含有する化合物についていう）．

ar·gen·tine (ar′jen-tēn)．銀の，銀様の，銀を含む．

ar·gen·to·phil, ar·gen·to·phile (ar-jen′tō-fil, -fīl)．＝argyrophil.

ar·gen·tous (ar-jen′tŭs)．一価銀〔化合物〕の（1価の銀イオン(Ag^{+})を含有する化合物についていう．大多数の銀化合物は1価銀イオンを含有する．硝酸銀のように，銀のイオン状態が特に述べられていなければ，1価銀イオン化物とされる）．

ar·gen·tum, gen. **ar·gen·ti** (ar-jen′tŭm, -jen′tī) [L.]．銀．＝silver.

ar·gi·nase (ar′ji-nās)．アルギナーゼ（L-アルギニンのL-オルニチンと尿素への加水分解を触媒する肝臓の酵素．尿素サイクルの主酵素．アルギナーゼ欠損によりアルギニン血症になる）．＝canavanase.

ar·gi·nine (Arg) (ar′ji-nēn)．アルギニン（蛋白の加水分解物中に見出されるアミノ酸．特にヒストンやプロタミンなどの塩基性蛋白中に多い．二塩基性アミノ酸）．

a. deiminase アルギニンデイミナーゼ（L-アルギニンのL-シトルリンとアンモニアへの脱アミノ化を触媒する酵素．*cf. nitric oxide* synthase）．

a. glutamate グルタミン酸アルギニン（アルギニンとグルタミン酸からなる．静注してアンモニアを解毒する．肝機能障害から生じるアンモニア血症の治療に用いる）．

a. hydrochloride 塩酸アルギニン（肝疾患，アンモニア性窒素血症に合併した脳障害の治療に補助薬として静注されるアルギニンの一種）．

a. phosphate リン酸アルギニン．＝phosphoarginine.

ar·gi·ni·no·suc·ci·nase (ar′ji-ni-nō-sŭk′si-nās)．アルギニノスクシナーゼ．＝argininosuccinate lyase.

ar·gi·ni·no·suc·ci·nate ly·ase (ar′ji-ni-nō-sŭk′si-nāt lī′ās)．アルギニノコハク酸分解酵素（L-アルギニノコハク酸を非加水分解的に分解し，L-アルギニンとフマル酸を産生する酵素．この酵素の欠損によりアルギニノコハク酸尿症になる．尿素回路の段階を触媒する）．＝argininosuccinase.

ar·gi·ni·no·suc·cin·ic ac·id (ar′ji-ni-nō-sŭk-sin′ik as′id)．アルギニノコハク酸（尿素サイクル内でL-シトルリンからL-アルギニンへの転換の中間産物として形成される化合物）．

ar·gi·ni·no·suc·cin·ic·ac·i·du·ri·a (ar′ji-nin-ō-sŭk-sin′ik-as′i-dū′rē-ă) [MIM*207900]．アルギニノコハク酸尿〔症〕（アルギニノコハク酸リアーゼ欠損のため生じる尿素サイクル異常症．身体的および知能発育障害，てんかん，運動失調，肝疾患，抜けやすい房状の毛髪を特徴とし，アルギニノコハク酸の尿中排泄が著増している．常染色体劣性遺伝で，第7染色体長腕にあるアルギニノコハク酸リアーゼ遺伝子(*ASL*)の突然変異による）．

ar·gin·yl (ar′jin-il)．アルギニル（アルギニンのアミノアシル基）．

ar·gi·pres·sin (ar′ji-pres′in)．アルギプレシン．＝arginine *vasopressin*.

ar·gon (Ar) (ar′gon) [G. *argos* (lazy, inactive) の中性形 < *a-* 欠性辞 + *ergon*, work]．アルゴン（気体元素，原子番号18，原子量 39.948．大気中に約0.94％の割合で存在する．不活性ガス，希ガスの1つ）．

Ar·gyll Ro·bert·son (ar′gīl rob′ĕrt-son), Douglas. [Argyll と Robertson をハイフンで結ばないこと]．スコットランド人眼科医，1837—1909．⇀Argyll Robertson *pupil*.

ar·gyr·i·a (ar-jir′ē-ă, -jī′rē-ă) [G. *argyros*, silver]．銀皮症，銀症，銀沈着症（可溶性銀塩を薬物として長期服用した結果，不溶性銀アルブミン塩が沈着して，皮膚および深部組織が黒ずんだネズミ色や青色に変色すること．以前は，鼻や洞内に銀を含む製剤が使用されていたためかなり多く発生した）．＝argyrism; silver poisoning.

ar·gyr·ic (ar-jir′ik)．***1*** 銀の．＝argentic (1)．***2*** 銀皮症の．

ar·gy·rism (ar′ji-rizm)．＝argyria.

ar·gy·rol (ar′ji-rōl)．アルジロール．＝mild *silver* protein.

ar·gyr·o·phil, ar·gyr·o·phile (ar-jī′rō-fil, -fīl) [G. *argyros*, silver + *philos*, fond]．銀親和〔性〕の，好銀〔性〕の，嗜銀〔性〕の（銀に特有であり，しみ込ませることができ，還元剤の使用後，眼に見えるようになる組織成分についていう）．＝argentophil; argentophile.

a·rhin·i·a (ā-rīn′ē-ă)．無鼻〔症〕．＝arrhinia.

A·ri·as-Stel·la (ahr′yahs stel′ă), Javier. 20世紀のペルー人病理学者．⇀Arias-Stella *effect*, *phenomenon*, *reaction*.

a·ri·bo·fla·vin·o·sis (ă-rī′bō-flā′vi-nō′sis)．リボフラビン欠乏〔症〕，ビタミンB_2欠乏〔症〕（正確な語は hyporiboflavinosis．食物中のリボフラビン欠乏によって起こる低栄養状態で，口唇症あるいは口角炎やいちご様赤色舌，その他のビタミンB欠乏症状がみられる）．

a·ris·to·loch·ic ac·ids (ă′ris-tō-lō′kik as′idz)．アリストロキン酸（ウマノスズクサ属 *Aristolochia* の植物由来のニトロフェナントレン誘導体の芳香族混合物．いくつかは種々の漢方薬の成分であり，摂取をやめた後でさえも末期腎疾患に進行することがある間質性腎線維症を引き起こすことが知られている．いくつかの成分は強い発癌性物質であり，動物実験や細菌学的研究に使用される．ヒトの尿路上皮癌はこれらの使用に起因することがある）．

ar·is·to·te·li·an (ar′is-tō-tē′lē-ăn, ar′i-stŏ-tēl′yan)．Aristotle に関する，または彼の記した．

A·ris·tot·le (ar′is-tot-ĕl), of Stagira(スタゲイラ，アリストテレスの出生地)．ギリシア人哲学・科学者，384—322 B.C. ⇀A. *anomaly*; aristotelian *method*.

a·rith·mo·ma·ni·a (ă-rith′mō-mā′nē-ă) [G. *arithmeō*, to count < *arithmos*, number + *mania*, madness]．計算癖（計算したいという病的な衝動）．

Ar·i·zo·na (ar′i-zō′nă)．アリゾナ属（*Salmonella enterica* subsp. *arizonae* の旧名）．

A. hinshawii *Salmonella enterica* subsp. *arizonae* の旧名．

Arlt (arlt), Carl Ferdinand von. ハプスブルク帝国の眼科医，1812—1887．⇀A. *operation*, *sinus*.

arm (arm) [L. *armus*, forequarter of an animal; G. *harmos*, a shoulder joint][TA]．***1*** 上腕（[医学的な発言および文書では，本語を upper limb（上肢)の口語的意味合いで使うのを避けること]．肩と肘の間の上肢をさす）．＝brachium (1); brachio-．***2*** 腕（腕と類似した解剖学的伸展構造）．***3*** アーム，鉤〔腕〕（可撤局部義歯のフレームの延長物で，特殊な形をし，特別な位置に設けられる）．***4*** 疫学研究，特にランダム化比較試験において比較の対象となる患者集団あるいは対象者の集団．***5*** 上肢，腕（日常会話では上肢全体をさす）．

bar clasp a. バークラスプアーム（義歯床または大連結子からでる鉤腕．歯肉組織に接触せずに横断する腕と歯肉咬合方向に歯と接触していく末端部からなる）．

brawny a. 肥大腕（リンパ浮腫で腫脹した上肢．同側の根治的乳房切除手術後に発生することがある）．

circumferential clasp a. サーカムファレンシャルクラス

プアーム（小連結子から出て，部分床義歯挿入路にほぼ垂直な平面内で歯の豊隆に沿った鉤腕）.

clasp a. 鉤腕（可撤局部義歯の鉤の一部分で，鉤体からのび出し，口腔内での局部義歯の維持を助ける．→clasp (2)).

dynein a. ダイニン腕（線毛またはべん毛(ヒトの精子尾部を含む)の中央部にみられるもので，双微小管から時計方向に隣の双微小管方向にのびている構造．ダイニンの先天性欠如はダイニン腕の欠失として現れるが，これは Kartagener 症候群や線毛運動不能症候群の原因と思われる).

nuchal a. 上肢巻絡（骨盤位分娩で片側あるいは両側の上肢が頸部後方に挙上し分娩障害となる胎位).

reciprocal a. レシプロカルアーム（維持装置の他部分の作用に対抗するために可撤性部分床義歯に用いる鉤腕または他の延長部分).

retentive a., retention a. 維持鉤腕（維持歯の添窩(アンダーカット)に位置し，義歯を維持するように設計された可撤部分床義歯の弾力性部分).

retentive circumferential clasp a. 保持性サーカムファレンシャルクラスプアーム（柔軟性があり，その末端部が豊隆部の下に位置する鉤腕).

stabilizing circumferential clasp a. 安定性サーカムファレンシャルクラスプアーム（比較的硬く，歯の最大豊隆部を囲む鉤腕).

ar·ma·men·tar·i·um (ar′mă-men-tār′ē-ŭm) [L. an arsenal < *armamenta*, implements, tackle < *arma*, armor, arms]. 用品，器具（健康管理で，健康管理者(開業医)がその業務を行う上で用いることのできる治療用品(薬品，器具など)の総称).

Ar·man·ni (ahr-mah′nē), Luciano. イタリア人病理学者，1839—1903. →A.-Ebstein *kidney, change*.

ar·mar·i·um (ar-mar′ē-ŭm) [L. a closet, chest < *arma*, armor]. armamentarium の一部としての医学図書館を表す，まれに用いる語.

Ar·mil·li·fer (ar-mil′i-fer) [O. Fr. *armille* < L. *armilla*, a bracelet]. 舌虫属（舌虫綱 Porocephalida 目 Porocephalidae 科の一属．これら蠕虫様寄生虫の成虫は，は虫類の肺中に，幼虫はヒトを含む多くの哺乳類中にみられる).

A. armillatus ニシキヘビに寄生する種．ときにヒトの体内でその幼虫や若虫が発見される．イヌでは，被嚢若虫が肝，肺，心に寄生していることがある．伝搬はニシキヘビの排泄物との接触による．成虫が鳥類や哺乳類の呼吸器系に寄生することがある．＝*Porocephalus armillatus*.

Ar·mi·tage (ar′mi-tăj), Peter. 20 世紀の英国人統計学者．→A.-Doll *model*.

arm·pit (arm′it). 腋窩．＝axillary *fossa*.

Arm·strong (arm′strong), Arthur Riley. 20 世紀のカナダ人医師．→King-A. *unit*.

ARN acute retinal *necrosis* の頭字語.

Ar·neth (ahr-net′), Joseph. ドイツ人医師，1873—1956. →A. *classification, count, formula, index, stages*.

ar·ni·ca (ar′ni-kă) [Mod. L.]. アルニカ（キク科 *Arnica montana* の乾燥花頭．心臓鎮静薬だが，めったに内用されていない．捻挫や挫傷に外用薬として用いる．以前，痛み散らしの塗布剤として汎用されていた)．＝leopard's bane.

Ar·nold (ar′nŏld), Julius. ドイツ人病理学者，1835—1915. →A. *bodies*; A.-Chiari *deformity, malformation, syndrome*.

Ar·nold (ar′nŏld), Friedrich. ドイツ人解剖学者，1803—1890. →A. *bundle, canal, ganglion, nerve, tract*; *foramen* of A.

AROM active *range* of motion の略.

ar·o·mat·ic (ar′ō-mat′ik) [G. *arōmatikos* < *arōma*, spice, sweet herb]. ***1*** 〚adj.〛芳香〔性〕の（快い，やや刺激性の薬味，芳香をもった). ***2*** 〚n.〛芳香薬（芳香をもち，多少刺激性のある一群の植物薬). ***3*** →aromatic *compound*.

ar·o·mat·ic D-a·mi·no ac·id de·car·box·yl·ase (ar′ō-mat′ik a-mē′nō as′id dē′kar-boks′i-lās). 芳香族 D-アミノ酸デカルボキシラーゼ（L-ドパからドパミン，L-トリプトファンからトリプタミンへの脱炭酸を触媒し，また，L-ヒドロキシトリプトファンも脱炭酸する酵素．カテコールアミンとメラニンの生合成経路において重要である)．＝dopa decarboxylase; hydroxytryptophan decarboxylase; tryptophan decarboxylase.

a·rot·i·noid (ă-rot′in-oyd) [*ar*omatic + ret*inoid*]. アロチノイド（ビタミンAの合成多環芳香族性レチノイド誘導体．→retinoid; retinoic acid).

ar·o·yl (a′rō-il). アロイル（芳香族酸の基，例えばベンゾイル基．アシルの類語で，より総称的な用語).

ar·rack, ar·rak (a-rak′) [Ar. sweet juice]. 東インドの酒．強力なアルコール飲料．酒はナツメヤシの実，コメ，ココヤシの樹液およびその他の農作物を蒸留したもの.

ar·rec·tor, pl. **ar·rec·to·res** (ă-rek′tōr, ă-rek-tō′rēz) [L. that which raises < *ar-rigo*, pp. *-rectus*, to raise up]. 立筋．＝erector.

ar·rest (ă-rest′) [O. Fr. *arester* < L.L. *adresto*, to stop behind]. ***1*** 〚v.〛停止する，阻止する． ***2*** 〚n.〛停止，阻止（疾患や症状の規則的な経過，または機能の作動を妨害，阻止すること). ***3*** 〚n.〛停止，阻止，制止（成長過程の抑制．通常は成長の最終段階の抑制．未熟なままの停止は先天性異常を起こすことがある).

cardiac a. (**CA**) 心〔拍〕停止（心臓の電気的，機械的または両者の完全な活動停止で，治療上の理由で意図的に導入することもある)．＝heart a.

cardioplegic a. 心筋保護下の心停止（電気的・機械的な心臓の活動の一時的な意図的な停止で，代謝の需要を減少させることによって心臓の筋肉を保護する．通常，カリウムを含んでいる溶液によって，体外循環を用いた開心術の間になされる).

cardiopulmonary a. 心肺停止（心臓と肺の活動の欠如の結果起こる停止).

circulatory a. 循環停止（①心室停止または心室細動の結果，血液循環が止まること．②胸部大動脈の手術中に心肺バイパス血流を一時的に意図的に止めて，血流を遮断すること．全身の低体温手術で生命維持器官を保護するために用いられる).

deep hypothermic a. 超低体温心停止（電気的・機械的な心臓の活動の停止で，心臓が冷却されるときに起こる).

a. of descent 下降の停止（分娩第 II 期において，子宮収縮および努責によっても児先進部の下降が不良であること).

a. of dilatation 頸管開大の停止（有効陣痛があるにもかかわらず，子宮口が全開大(10 cm)にならないこと).

epiphysial a. 骨端部成長停止（骨端線早期癒合による成長停止).

heart a. ＝cardiac a.

a. of labor 分娩停止（分娩経過の 2 時間以上の進行の停止状態(子宮口開大および先進部の下降で判定される)).

maturation a. 成熟停止，成熟抑制（未成熟段階で細胞の完全な分化が停止すること．精子形成性成熟停止においては，細精管は精母細胞を有するが，精子はできない).

sinus a. 洞停止（洞活動の停止．異所性の心房性，房室結節または心室の自動能で，心室は拍動し続けうる．→sinus *standstill*; atrial *standstill*).

ar·res·tin (ar′res-tin). アレスチン．＝S antigen(2).

ar·rhaph·i·a (ă-rāf′ē-ă). 縫合障害状態．＝*status dysraphicus*.

ar·rhen·ic (ă-ren′ik) [G. *arrhenikon* (var.), arsenic]. ヒ素の.

Ar·rhe·ni·us (ă-rē′nē-ŭs), Svante. スウェーデン人化学者・ノーベル賞受賞者，1859—1927. →A. *doctrine, equation, law*; A.-Madsen *theory*.

ar·rhe·no·blas·to·ma (ă-rē′nō-blas-tō′mă) [G. *arrhēn*, male + *blastos*, germ + *-ōma, tumor*]. 〔卵巣〕男性胚〔細胞〕腫．＝Sertoli-Leydig cell *tumor*.

ar·rhin·en·ceph·a·ly, ar·rhin·en·ce·pha·lia (ā′rīn-en-sef′ă-lē, -se-fā′lē-ă) [G. *a-* 欠性辞 + *rhis* (*rhin-*), nose + *enkephalos*, brain]. 無嗅脳〔症〕（一側または両側の嗅脳(脳の嗅葉)の先天的欠如，または痕跡状態しかないもので，それに一致した外嗅覚器の成長欠如に伴う).

ar·rhin·i·a (ă-rīn′ē-ă) [G. *a-* 欠性辞 + *rhis* (*rhin-*), nose]. 無鼻〔症〕（鼻の先天的欠損)．＝arhinia.

ar·rhyth·mi·a (ă-ridh′mē-ă) [G. *a-* 欠性辞 + *rhythmos*, rhythm]. 不整脈（[誤ったつづり arhythmia を避けること]．リズムがないこと，または異常なこと．特に心拍の不規則性についていう．*cf.* dysrhythmia. rhythmの各項も参照).

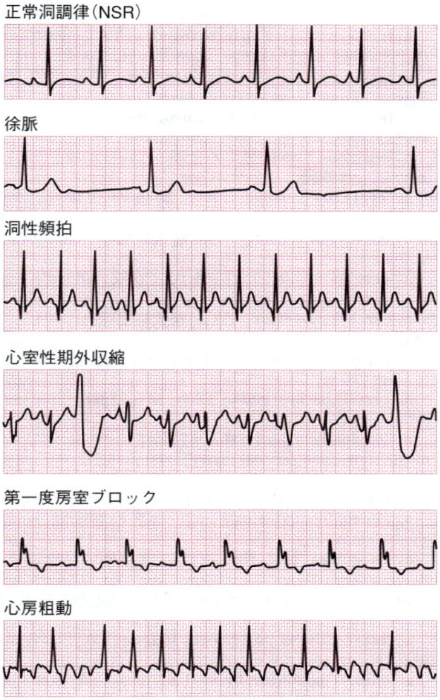

rhythm
不整脈の一般的な型を示す心電図記録.

cardiac a. [MIM*115000]. →cardiac *dysrhythmia*.

continuous a. atrial *fibrillation* を表す現在では用いられない語.

juvenile a. ＝sinus a.

nonphasic sinus a. 非相性洞〔性〕不整脈（リズムの変動が呼吸相と相関しない洞性不整脈).

phasic sinus a. 相性洞〔性〕不整脈（不規則性が呼吸相と相関している洞性不整脈. 吸気時に速く，呼気時に遅い).

respiratory a. 呼吸〔性〕不整脈（呼吸に伴って洞性または他の調律が，周期的に変動する不整脈).

sinus a. 洞〔性〕不整脈（正常のペースメーカである洞房結節が心臓を調節している場合の心拍の不規則性). ＝juvenile a.

ar·rhyth·mic (ă-ridh′mik, ā-). 不整脈の.

ar·rhyth·mo·gen·ic (ă-ridh′mō-jen′ik) [G. *a-* 欠性辞 + *rhythmos*, rhythm + *-gen*, production]. 不整脈原性(惹起性)の.

ar·row·root (ar′ō-rūt). クズウコン（熱帯アメリカの植物 *Maranta arundinacea* の根茎. 以前は補助食として用いられた一種のデンプン源).

Ar·ru·ga (ă-rū′gă), Hermenegildo. スペイン人眼科医, 1886—1972. →A. *forceps*.

ar·sa·ce·tin (ar′să-sē′tin). アルサセチン（梅毒およびトリパノソーマ病の治療に以前用いられていた有機ヒ酸塩).

ar·sen·a·mide (ar-sen′ă-mīd). アルセナマイド（3 価のヒ素で，フィラリア症の治療に用いる).

ar·sen·i·a·sis (ar′sen-ī′ă-sis). 慢性ヒ素中毒. ＝arsenicalism.

ar·se·nic (As) (ar′sĕ-nik) [L. *arsenicum*, G. *arsenikon* < Pers. *zarnik*]. ***1***〘n.〙ヒ素（金属元素，原子番号 33，原子量 74.92159. 多くの有毒化合物を生成し，そのうちのいくつかは医療で用いる). ＝arsenium; ratsbane. ***2*** (ar-sen′ik).〘adj.〙ヒ素の（元素ヒ素またはその化合物の 1 つ. 特にヒ酸についていう). ＝arsenical (2); arsenious; arsenous.

a. acid ヒ酸（ある種の塩基とヒ酸塩をつくる酸化ヒ素または五酸化ヒ素の水和物).

a. trihydride ヒ化水素. ＝arsine.

a. trioxide 三酸化ヒ素；As_2O_3（水に溶け，亜ヒ酸 H_3AsO_3 を生じる. 皮膚病，歴史的にはマラリアの治療に，また強壮薬として用い，外用で消毒薬としても用いる). ＝arsenous oxide; white a.

white a. 白ヒ. ＝a. trioxide.

ar·sen·i·cal (ar-sen′i-kăl). ***1***〘n.〙ヒ素剤（ヒ素含有量に依存する作用をもつ薬物あるいは薬剤). ***2***〘adj.〙ヒ素の（ヒ素あるいはヒ素の含有を意味する). ＝arsenic (2).

ar·sen·i·cal·ism (ar-sen′i-kăl-izm). ＝arseniasis.

ar·se·nic-fast (ar′se-nik fast). 耐ヒ素の，ヒ素耐性の（ヒ素の毒作用に対抗性の，特に繰り返しヒ素剤を投与されて抵抗力を獲得したスピロヘータ菌や他の寄生原虫類についていう).

ar·se·nide (ar′sĕ-nīd). ヒ化物（金属その他の正電荷の原子または原子団を有するヒ素化合物で，ヒ素がまったく酸素原子と結合していないもの). ＝arseniuret.

ar·se·ni·ous (ar-sēn′ē-ŭs). ヒ素の. ＝arsenic (2).

ar·se·ni·um (ar-sē′nē-ŭm). ＝arsenic.

ar·sen·iu·ret (ar-se′nū-ret). ヒ化物. ＝arsenide.

ar·se·no·ther·a·py (ar′sen-ō-thār′ă-pē). ヒ素〔剤〕療法（ヒ素による治療).

ar·se·nous (ar′-sen-ŭs). ***1*** 亜ヒ酸の，三酸化ヒ素の（正電荷 3 価のヒ素化合物についていう). ***2*** ヒ素の. ＝arsenic (2).

ar·se·nous ac·id (ar′sen-ŭs as′id). 亜ヒ酸（→*arsenic* trioxide).

ar·se·nous hy·dride (ar′sen-ŭs hī′drīd). ヒ化水素. ＝arsine.

ar·se·nous ox·ide (ar′sen-ŭs oks′īd). ヒ化酸素. ＝*arsenic* trioxide.

ar·se·nox·i·des (ar-sĕ-noks′i-dēs). アルゼノオキシド，ヒ素酸化物（アルスフェナミンの体内酸化産物. スピロヘータに対して活性試薬とされる).

ar·sine (ar′sēn). ヒ化水素，アルシン（細胞毒，血液毒. この有機誘導体の多くが化学兵器として用いられてきた). ＝arsenic trihydride; arseniureted hydrogen; arsenous hydride.

ar·son·ic ac·id (ar-son′ik as′id). アルソン酸（ヒドロキシルが有機基に置換したヒ酸の誘導体).

ar·so·ni·um (ar-son′ē-ŭm). アルソニウム（正電荷イオン AsH_4^+. アンモニウムイオン(NH_4^+)に類似の構造をもつ).

ars·phen·a·mine (ars-fen′ă-min). アルスフェナミン（以前は，梅毒，フランベジア，その他原生動物性疾患の治療に用いられた黄色い吸湿性の粉. 1907 年のアルスフェナミンの合成と 1909 年の Paul Ehrlich らによる治療薬としての有用性の実証は，化学療法の始まりを示した). ＝phenarsenamine.

ars·thi·nol (ars′thī-nol). アルスチノール（アメーバ撲滅薬).

arteether α (ahr-te-ē-thĕr). 抗マラリア薬として用いるアーテミシニンの誘導体. →artemisinin.

ar·te·fact (ar′tĕ-fakt). ＝artifact.

ar·te·me·ther (ar-tem′ĕ-ther). アルテメテル（アーテミシニンの半合成誘導体. マラリアの治療に用いられる).

Ar·te·mi·sia an·nu·a (ar′tĕ-mis′ē an′yū-a). クソニンジン（キク科の植物. 抗マラリア薬，抗住血吸虫薬の原料となる. →artemisinin).

artemisin (ahr-tĕ-mī′sin). アーテミシン（セスキテルペンラクトン過酸化物. 漢方薬として使用されてきた青蒿素，青蒿素(qinghaosu)に含まれる主たる活性成分).

ar·te·mis·i·nin (ar′te-mis′in-in). アーテミシニン（*Artemisia annua* 由来のセスキテルペン構造を有する抗マラリア・住血吸虫薬. 血液中シゾントを強力かつ速効で殺すアーテミシニンはマラリア治療に用いられる. クロロキン耐性の熱帯熱マラリア原虫 *Plasmodium falciparum*，およびクロロキン感受性の熱帯熱マラリア原虫 *P. falciparum* および三日熱マラリア原虫 *P. vivax* に有効である).

ar·te·re·nol (ar′ter-ē′nol). アルテレノール（ノルエピネフリンの塩酸塩. →norepinephrine).

arteri- (ar-ter′ē). →arterio-.

ARTERIA

ar·te·ri·a (a), gen. & pl. **ar·te·ri·ae (aa)** (ar-tēr′ē-ă, ar-tēr′ĭ-e) [L. < G. *artēria*, 気管，後に静脈と区別しての動脈] [TA]. 動脈 (→branch). =artery.

a. acetabuli =acetabular *branch*.

arteriae alveolares superiores anteriores [TA]. 前上歯槽動脈. =anterior superior alveolar *arteries*.

a. alveolaris inferior [TA]. 下歯槽動脈. =inferior alveolar *artery*.

a. alveolaris superior posterior [TA]. 後上歯槽動脈. =posterior superior alveolar *artery*.

a. anastomotica auricularis magna =atrial anastomotic *branch* of circumflex branch of left coronary artery.

a. anastomotica magna ***1*** =inferior ulnar collateral *artery*. ***2*** =descending genicular *artery*.

a. angularis [TA]. 眼角動脈. =*branch* to angular gyrus.

a. aorta =aorta.

a. appendicularis [TA]. 虫垂動脈. =appendicular *artery*.

arteriae arcuatae renis [TA]. 腎弓状動脈. =arcuate *arteries* of kidney.

a. arcuata (pedis) [TA]. 〔足の〕弓状動脈. =arcuate *artery* (of foot)(inconstant).

a. articularis azygos =middle genicular *artery*.

a. ascendens [TA]. 上行動脈. =ascending *artery*.

arteriae atriales 心房動脈. =atrial *arteries*.

a. auditiva interna =labyrinthine *artery*.

a. auricularis posterior [TA]. 後耳介動脈. =posterior auricular *artery*.

a. auricularis profunda [TA]. 深耳介動脈. =deep auricular *artery*.

a. axillaris [TA]. 腋窩動脈. =axillary *artery*.

a. basilaris [TA]. 脳底動脈. =basilar *artery*.

a. brachialis [TA]. 上腕動脈. =brachial *artery*.

a. brachialis superficialis [TA]. 浅上腕動脈. =superficial brachial *artery*.

a. buccalis [TA]. 頬動脈. =buccal *artery*.

a. bulbi penis [TA]. 尿道球動脈. =*artery* of bulb of penis.

a. bulbi urethrae =*artery* of bulb of penis.

a. bulbi vaginae =*artery* of bulb of vestibule.

a. bulbi vestibuli [TA]. 腟前庭球動脈. =*artery* of bulb of vestibule.

a. calcarina 鳥距動脈. =calcarine *branch* of medial occipital artery.

a. callosa mediana [TA]. =median callosal *artery*.

a. callosomarginalis [TA]. 脳梁縁動脈. =callosomarginal *artery*.

a. canalis pterygoidei [TA]. 翼突管動脈. =*artery* of pterygoid canal.

arteriae caroticotympanicae (arteriae carotidis internae) [TA]. =caroticotympanic *arteries* (of internal carotid artery).

a. carotis communis [TA]. 総頸動脈. =common carotid *artery*.

a. carotis externa [TA]. 外頸動脈. =external carotid *artery*.

a. carotis interna [TA]. 内頸動脈. =internal carotid *artery*.

a. caudae pancreatis [TA]. 膵尾動脈. =*artery* to tail of pancreas.

a. caecalis anterior [TA]. 前盲腸動脈. =anterior cecal *artery*.

a. caecalis posterior [TA]. 後盲腸動脈. =posterior cecal *artery*.

a. celiaca 腹腔動脈. =celiac (arterial) *trunk*.

arteriae centrales anterolaterales [TA]. 前外側中心動脈，前外側視床線条体動脈. =anterolateral central *arteries*.

arteriae centrales anteromediales [TA]. 前内側中心動脈，前内側視床線条体動脈. = anteromedial central *arteries*.

arteriae centrales posterolaterales [TA]. 後外側中心動脈. =posterolateral central *arteries*.

arteriae centrales posteromediales [TA]. 後内側中心動脈. =posteromedial central *arteries*.

a. centralis brevis 短中心動脈. =proximal medial striate *arteries*.

a. centralis retinae [TA]. 網膜中心動脈. =central retinal *artery*.

a. cerebri anterior [TA]. 前大脳動脈. =anterior cerebral *artery*.

a. cerebri media [TA]. 中大脳動脈. =middle cerebral *artery*.

a. cerebri posterior [TA]. 後大脳動脈. =posterior cerebral *artery*.

a. cervicalis ascendens [TA]. 上行頸動脈. =ascending cervical *artery*.

a. cervicalis profunda [TA]. 深頸動脈. =deep cervical *artery*.

a. cervicalis superficialis 浅頸動脈 (→superficial *branch* of the transverse cervical artery). =superficial cervical *artery*.

a. cervicovaginalis 腟頸管動脈. =cervicovaginal *artery*.

a. choroidea anterior [TA]. 前脈絡叢動脈. =anterior choroidal *artery*.

a. choroidea posterior 後脈絡叢動脈. =posterior choroidal *artery*.

arteriae ciliares anteriores [TA]. 前毛様体動脈. =anterior ciliary *arteries*.

arteriae ciliares posteriores longae [TA]. 長後毛様体動脈. =long posterior ciliary *arteries*.

a. ciliaris posterior brevis [TA]. 短後毛様体動脈. =short posterior ciliary *artery*.

arteriae circumferentiales brevis [TA]. =short circumferential *arteries*.

a. circumflexa femoris lateralis [TA]. 外側大腿回旋動脈. =lateral circumflex femoral *artery*.

a. circumflexa femoris medialis [TA]. 内側大腿回旋動脈. =medial circumflex femoral *artery*.

a. circumflexa humeri anterior [TA]. 前上腕回旋動脈. =anterior circumflex humeral *artery*.

a. circumflexa humeri posterior [TA]. 後上腕回旋動脈. =posterior circumflex humeral *artery*.

a. circumflexa iliaca profunda [TA]. 深腸骨回旋動脈. =deep circumflex iliac *artery*.

a. circumflexa iliaca superficialis [TA]. 浅腸骨回旋動脈. =superficial circumflex iliac *artery*.

a. circumflexa scapulae [TA]. 肩甲回旋動脈. =circumflex scapular *artery*.

a. cochlearis communis [TA]. =common cochlear *artery*.

a. cochlearis propria [TA]. =proper cochlear *artery*.

a. colica dextra [TA]. 右結腸動脈. =right colic *artery*.

a. colica media [TA]. 中結腸動脈. =middle colic *artery*.

a. colica sinistra [TA]. 左結腸動脈. =left colic *artery*.

a. collateralis media [TA]. 中側副動脈. =medial collateral *artery*.

a. collateralis radialis [TA]. 橈側側副動脈. =radial collateral *artery*.

a. collateralis ulnaris inferior [TA]. 下尺側側副動脈. =inferior ulnar collateral *artery*.

a. collateralis ulnaris superior [TA]. 上尺側側副動脈. =superior ulnar collateral *artery*.

a. collicularis [TA]. =collicular *artery*.

a. comes nervi phrenici =pericardiacophrenic *artery*.

a. comitans nervi ischiadici [TA]. 坐骨神経伴行動脈. =*artery* to sciatic nerve.

a. comitans nervi mediani [TA]. 正中神経伴行動脈. =

median *artery*.

a. commissuralis mediana [TA]. =median commissural *artery*.

a. communicans anterior [TA]. 前交通動脈. =anterior communicating *artery*.

a. communicans posterior [TA]. 後交通動脈. =posterior communicating *artery*.

a. conjunctivalis anterior [TA]. 前結膜動脈. =anterior conjunctival *artery*.

a. conjunctivalis posterior [TA]. 後結膜動脈. =posterior conjunctival *artery*.

a. coronaria dextra [TA]. 右冠状動脈. =right coronary *artery*.

a. coronaria sinistra [TA]. 左冠状動脈. =left coronary *artery*.

arteriae corticales radiatae [TA]. =cortical radiate *arteries*.

a. cremasterica [TA]. 精巣挙筋(挙睾筋)動脈. =cremasteric *artery*.

a. cystica [TA]. 胆嚢動脈. =cystic *artery*.

a. deferentialis =*artery* to ductus deferens.

a. descendens genus [TA]. =descending genicular *artery*.

arteriae digitales palmares propriae [TA]. 固有掌側指動脈. =proper palmar digital *arteries*.

arteriae digitales plantares propriae [TA]. 固有底側指動脈. =proper plantar digital *arteries*.

a. digitalis dorsalis [TA]. 背側指動脈. =dorsal digital *artery*.

a. digitalis palmaris communis [TA]. 総掌側指動脈. =common palmar digital *artery*.

a. digitalis plantaris communis [TA]. 総底側指動脈. =common plantar digital *artery*.

a. dorsalis clitoridis [TA]. 陰核背動脈. =dorsal *artery* of clitoris.

a. dorsalis nasi [TA]. 鼻背動脈. =dorsal nasal *artery*.

a. dorsalis pedis [TA]. 足背動脈. =dorsalis pedis *artery*.

a. dorsalis penis [TA]. 陰茎背動脈. =dorsal *artery* of penis.

a. dorsalis scapulae [TA]. 背側肩甲動脈. =dorsal scapular *artery*.

a. ductus deferentis [TA]. 精管動脈. =*artery* to ductus deferens.

arteriae encephali [TA]. =*arteries* of brain.

a. epigastrica inferior [TA]. 下腹壁動脈. =inferior epigastric *artery*.

a. epigastrica superficialis [TA]. 浅腹壁動脈. =superficial epigastric *artery*.

a. epigastrica superior [TA]. 上腹壁動脈. =superior epigastric *artery*.

a. episcleralis [TA]. 強膜上動脈. =episcleral *artery*.

a. ethmoidalis anterior [TA]. 前篩骨動脈. =anterior ethmoidal *artery*.

a. ethmoidalis posterior [TA]. 後篩骨動脈. =posterior ethmoidal *artery*.

a. facialis [TA]. 顔面動脈. =facial *artery*.

a. femoralis [TA]. 大腿動脈. =femoral *artery*.

a. fibularis [TA]. 腓骨動脈. =fibular *artery*.

a. flexurae dextrae [TA]. =right flexural *artery*.

a. frontalis =supratrochlear *artery*.

a. frontobasalis lateralis [TA]. 外側前頭脳底動脈. =lateral frontobasal *artery*.

a. frontobasalis medialis [TA]. 内側前頭脳底動脈. =medial frontobasal *artery*.

a. gastrica dextra [TA]. 右胃動脈. =right gastric *artery*.

arteriae gastricae breves [TA]. 短胃動脈. =short gastric *arteries*.

a. gastrica posterior [TA]. =posterior gastric *artery*.

a. gastrica sinistra [TA]. 左胃動脈. =left gastric *artery*.

a. gastroduodenalis [TA]. 胃十二指腸動脈. =gastroduodenal *artery*.

a. gastroepiploica dextra =right gastroomental *artery*.

arteriae gastroepiploicae* gastroomental *arteries* の公式の別名.

a. gastroepiploica sinistra =left gastroomental *artery*.

arteriae gastro-omentales [TA]. =gastroomental *arteries*.

a. gastroomentalis dextra [TA]. 右胃大網動脈. =right gastroomental *artery*.

a. gastroomentalis sinistra [TA]. 左胃大網動脈. =left gastroomental *artery*.

a. genus inferior lateralis 外側下膝動脈. =inferior lateral genicular *artery*.

a. genus inferior medialis 内側下膝動脈. =inferior medial genicular *artery*.

a. genus media 中膝動脈. =middle genicular *artery*.

a. glutea inferior [TA]. 下殿動脈. =inferior gluteal *artery*.

a. glutea superior [TA]. 上殿動脈. =superior gluteal *artery*.

arteriae helicinae penis [TA]. =helicine *branches* of the uterine artery.

arteriae helicinae uteri =helicine *arteries* of the uterus.

a. hepatica communis [TA]. 総肝動脈. =common hepatic *artery*.

a. hepatica propria [TA]. 固有肝動脈. =hepatic *artery* proper.

a. hyaloidea [TA]. 硝子体動脈. =hyaloid *artery*.

a. hypogastrica =internal iliac *artery*.

a. hypophysialis inferior [TA]. 下下垂体動脈. =inferior hypophysial *artery*.

a. hypophysialis superior [TA]. 上下垂体動脈. =superior hypophysial *artery*.

arteriae ileales [TA]. 回腸動脈. =ileal *arteries*.

a. ileocolica [TA]. 回結腸動脈. =ileocolic *artery*.

a. iliaca communis [TA]. 総腸骨動脈. =common iliac *artery*.

a. iliaca externa [TA]. 外腸骨動脈. =external iliac *artery*.

a. iliaca interna [TA]. 内腸骨動脈. =internal iliac *artery*.

a. iliolumbalis [TA]. 腸腰動脈. =iliolumbar *artery*.

a. inferior anterior cerebelli [TA]. =anterior inferior cerebellar *artery*.

a. inferior lateralis genus [TA]. =inferior lateral genicular *artery*.

a. inferior medialis genus [TA]. =inferior medial genicular *artery*.

a. inferior posterior cerebelli [TA]. =posterior inferior cerebellar *artery*.

a. infraorbitalis [TA]. 眼窩下動脈. =infraorbital *artery*.

arteriae insulares [TA]. 島動脈. =insular *arteries*.

arteriae intercostales posteriores prima et secunda [TA]. =first and second posterior intercostal *arteries*.

arteriae intercostales posteriores III–XI =posterior intercostal *arteries* 3–11.

a. intercostalis suprema [TA]. 最上肋間動脈. =supreme intercostal *artery*.

arteriae interlobares renis [TA]. 葉間動脈. =interlobar *arteries* of kidney.

arteriae interlobulares [TA]. 小葉間動脈. =interlobular *arteries*.

a. interlobulares (hepatis) =interlobular *arteries* of liver.

a. interlobulares (renis) =cortical radiate *arteries*.

a. intermesenterica 腸間膜間動脈. =ascending *artery*.

a. interossea anterior [TA]. 前骨間動脈. =anterior interosseous *artery*.

a. interossea communis [TA]. 総骨間動脈. =common interosseous *artery*.

a. interossea posterior [TA]. 後骨間動脈. = posterior interosseous *artery.*

a. interossea recurrens [TA]. 反回骨間動脈. = recurrent interosseous *artery.*

a. interossea volaris 掌側骨間動脈. = anterior interosseous *artery.*

arteriae intestinales 腸動脈 (→ileal *arteries*; jejunal *arteries*).

arteriae intrarenales [TA]. = intrarenal *arteries.*

a. ischiadica, a. ischiatica = inferior gluteal *artery.*

arteriae jejunales [TA]. 空腸動脈. = jejunal *arteries.*

a. juxtacolica* marginal *artery* of colon の公式の別名.

arteriae labiales anteriores [TA]. 〔深外陰部動脈の〕前陰唇枝. = anterior labial *branches* of deep external pudendal artery.

a. labialis inferior 下唇動脈. = inferior labial *branch* of facial artery.

a. labialis superior [TA]. 上唇動脈. = superior labial *branch* of facial artery.

a. labyrinthi [TA]. 迷路動脈. = labyrinthine *artery.*

a. lacrimalis [TA]. 涙腺動脈. = lacrimal *artery.*

a. laryngea inferior [TA]. 下喉頭動脈. = inferior laryngeal *artery.*

a. laryngea superior [TA]. 上喉頭動脈. = superior laryngeal *artery.*

a. lienalis* 脾動脈 (splenic *artery* の公式の別名).

a. ligamenti teretis uteri 子宮円索動脈. = *artery* of round ligament of uterus.

a. lingualis [TA]. 舌動脈. = lingual *artery.*

a. lingularis [TA]. 肺舌動脈 (→left pulmonary *artery*).

a. lingularis inferior [TA]. →left pulmonary *artery.* = inferior lingular *artery.*

a. lingularis superior [TA]. →left pulmonary *artery.* = superior lingular *artery.*

arteriae lobares inferiores pulmonis [TA]. 下葉動脈 (→left pulmonary *artery*; right pulmonary *artery*).

arteriae lobares inferior et superior pulmonis [TA]. →left pulmonary *artery*; right pulmonary *artery.*

arteriae lobares superiores pulmonis [TA]. 上葉動脈 (→left pulmonary *artery*; right pulmonary *artery*).

a. lobaris media [TA]. 中葉動脈 (→left pulmonary *artery;* right pulmonary *artery*).

a. lobaris media pulmonis dextri [TA]. →right pulmonary *artery.*

a. lobi caudati [TA]. 尾状葉動脈. = *artery* of caudate lobe.

arteriae lumbales [TA]. 腰動脈. = lumbar *arteries.*

arteriae lumbales imae [TA]. 最下腰動脈. = lowest lumbar *arteries.*

a. lusoria 奇形動脈 (異所性右鎖骨下動脈で, 下行大動脈より分枝し, 食道後面を通る. しばしばえん下困難の症状を伴う).

arteriae malleolares posteriores laterales 後外果動脈. = lateral malleolar *branch* (of fibular [peroneal] artery).

arteriae malleolares posteriores mediales 後内果動脈. = medial malleolar *branches* (of posterior tibial artery).

a. malleolaris anterior lateralis [TA]. 前外果動脈. = anterior lateral malleolar *artery.*

a. malleolaris anterior medialis [TA]. 前内果動脈. = anterior medial malleolar *artery.*

a. mammaria interna = internal thoracic *artery.*

arteriae mammillares [TA]. = mammillary *arteries.*

a. marginalis coli [TA]. = marginal *artery* of colon.

a. masseterica [TA]. 咬筋動脈. = masseteric *artery.*

a. maxillaris [TA]. 顎動脈. = maxillary *artery.*

a. maxillaris externa = facial *artery.*

a. media genus [TA]. = middle genicular *artery.*

a. mediana 正中動脈. = median *artery.*

arteriae medullares segmentales [TA]. = segmental medullary *arteries.*

arteriae membri inferioris [TA]. = *arteries* of lower limb.

arteriae membri superioris [TA]. = *arteries* of upper limb.

a. meningea anterior 前硬膜動脈. = anterior meningeal *branch* (of anterior ethmoidal artery).

a. meningea media [TA]. 中硬膜動脈. = middle meningeal *artery.*

a. meningea posterior [TA]. 後硬膜動脈. = posterior meningeal *artery.*

a. mentalis おとがい動脈. = mental *branch* (of inferior alveolar artery).

a. mesenterica inferior [TA]. 下腸間膜動脈. = inferior mesenteric *artery.*

a. mesenterica superior [TA]. 上腸間膜動脈. = superior mesenteric *artery.*

arteriae metacarpales dorsales [TA]. 背側中手動脈. = dorsal metacarpal *arteries.*

arteriae metacarpale palmare [TA]. 掌側中手動脈. = palmar metacarpal *arteries.*

a. metatarsalis [TA]. 中足動脈. = metatarsal *artery.*

arteriae metatarsales dorsales [TA]. 背側中足動脈. = dorsal metatarsal *arteries.*

arteriae metatarsale plantare [TA]. 底側中足動脈. = plantar metatarsal *arteries.*

arteriae musculares (arteriae ophthalmicae) [TA]. = muscular *arteries* (of ophthalmic artery).

a. musculophrenica [TA]. 筋横隔動脈. = musculophrenic *artery.*

arteriae nasales posteriores laterales [TA]. 外側後鼻動脈. = posterior lateral nasal *arteries.*

a. nasalis posterior septi 中隔後鼻動脈. = posterior septal *branches* of sphenopalatine artery.

a. nasi externa = dorsal nasal *artery.*

arteriae nervorum 神経の動脈 (神経束に分布する動脈).

a. nutricia [TA]. 栄養動脈. = nutrient *artery.*

a. nutriciae femoris [TA]. 大腿栄養動脈. = femoral nutrient *artery.*

arteriae nutriciae humeri [TA]. 上腕骨栄養動脈. = humeral nutrient *arteries.*

a. nutricia radii = nutrient *artery* of radius.

a. nutricia tibiae [TA]. = tibial nutrient *artery.*

a. nutricia ulnae [TA]. = nutrient *artery* of ulna.

a. nutriens femoris* femoral nutrient *artery* の公式の別名.

a. nutriens fibulae* fibular nutrient *artery* の公式の別名.

a. nutriens humeri* humeral nutrient *arteries.* の公式の別名.

a. nutriens radii* nutrient *artery* of radius の公式の別名.

a. nutriens tibiae* tibial nutrient *artery* の公式の別名.

a. nutriens tibialis = tibial nutrient *artery.*

a. nutriens ulnae* nutrient *artery* of ulna の公式の別名.

a. obturatoria [TA]. 閉鎖動脈. = obturator *artery.*

a. obturatoria accessoria [TA]. 副閉鎖動脈. = accessory obturator *artery.*

a. occipitalis [TA]. 後頭動脈. = occipital *artery.*

a. occipitalis lateralis [TA]. 外側後頭動脈. = lateral occipital *artery.*

a. occipitalis medialis [TA]. 内側後頭動脈. = medial occipital *artery.*

a. ophthalmica [TA]. 眼動脈. = ophthalmic *artery.*

a. orbitofrontalis lateralis* lateral frontobasal *artery* の公式の別名.

a. orbitofrontalis medialis* medial frontobasal *artery* の公式の別名.

a. ovarica [TA]. 卵巣動脈. = ovarian *artery.*

a. palatina ascendens [TA]. 上行口蓋動脈. = ascending palatine *artery.*

a. palatina descendens [TA]. 下行口蓋動脈. = descending palatine *artery.*

a. palatina major [TA]. 大口蓋動脈. = greater palatine *artery.*

arteriae palatinae minores [TA]. 小口蓋動脈. =lesser palatine *arteries*.

arteriae palpebrales (laterales et mediales) [TA]. 〔外側または内側〕眼瞼動脈. =(lateral and medial) palpebral *arteries*.

a. pancreatica dorsalis [TA]. 後膵動脈. =dorsal pancreatic *artery*.

a. pancreatica inferior [TA]. 下膵動脈. =inferior pancreatic *artery*.

a. pancreatica magna [TA]. 大膵動脈. =greater pancreatic *artery*.

a. pancreaticoduodenalis inferior [TA]. 下膵十二指腸動脈. =inferior pancreaticoduodenal *artery*.

a. pancreaticoduodenalis superior (anterior et posterior) [TA]. 〔前・後〕上膵十二指腸動脈. =(anterior and posterior) superior pancreaticoduodenal *artery*.

a. paracentralis 中心〔溝〕傍動脈. =paracentral *branches* (of pericallosal artery).

arteriae parietales (laterales et mediales) 〔外側または内側〕頭頂葉動脈. =(lateral and medial) parietal *arteries*.

a. parietalis anterior [TA]. =anterior parietal *artery*.

a. parietalis posterior [TA]. =posterior parietal *artery*.

arteriae parieto-occipitales 頭頂後頭葉動脈. =parieto-occipital *branches* of pericallosal artery.

arteriae perforantes anteriores [TA]. =anterior perforating *arteries*.

arteriae perforantes arteriae profundae femoris [TA]. =perforating *arteries* (of deep femoral artery).

arteriae perforantes penis [TA]. =perforating *arteries* of penis.

arteriae perforantes radiatae (renis) [TA]. =perforating radiate *arteries* (of kidney).

a. pericallosa [TA]. 脳梁周動脈. =pericallosal *artery*.

a. pericardiacophrenica [TA]. 心膜横隔動脈. =pericardiacophrenic *artery*.

a. perinealis [TA]. 会陰動脈. =perineal *artery*.

a. peronea* 腓骨動脈 (fibular *artery* の公式の別名).

a. pharyngea ascendens [TA]. 上行咽頭動脈. =ascending pharyngeal *artery*.

a. phrenica inferior [TA]. 下横隔動脈. =inferior phrenic *artery*.

arteriae phrenicae superiores [TA]. 上横隔動脈. =superior phrenic *arteries*.

a. plantaris lateralis [TA]. 外側足底動脈. =lateral plantar *artery*.

a. plantaris medialis [TA]. 内側足底動脈. =medial plantar *artery*.

a. plantaris profunda arteriae dorsalis pedis [TA]. = deep plantar *artery*.

a. plantaris profundus [TA]. 深足底動脈. =deep plantar *artery*.

a. polaris frontalis [TA]. =polar frontal *artery*.

a. polaris temporalis [TA]. =polar temporal *artery*.

arteriae pontis [TA]. =pontine *arteries*.

a. poplitea [TA]. 膝窩動脈. =popliteal *artery*.

a. precunealis 楔前部動脈. =precuneal *branches* of pericallosal artery.

a. prepancreatica [TA]. =prepancreatic *artery*.

a. princeps pollicis [TA]. 母指主動脈. =princeps pollicis *artery*.

a. profunda brachii [TA]. 上腕深動脈. =profunda brachii *artery*.

a. profunda clitoridis [TA]. 陰核深動脈. =deep *artery* of clitoris.

a. profunda femoris 大腿深動脈. =deep *artery* of thigh.

a. profunda linguae [TA]. 舌深動脈. =deep lingual *artery*.

a. profunda penis [TA]. 陰茎深動脈. =deep *artery* of penis.

a. pterygomeningealis [TA]. =pterygomeningeal *artery*.

arteriae pudendae externae (profunda et superficialis) [TA]. 外陰部動脈. =(superficial and deep) external pudendal *arteries*.

a. pudenda interna [TA]. 内陰部動脈. =internal pudendal *artery*.

a. pulmonalis =pulmonary *trunk*.

a. pulmonalis dextra [TA]. 右肺動脈. =right pulmonary *artery*.

a. pulmonalis sinistra [TA]. 左肺動脈. =left pulmonary *artery*.

a. quadrigeminalis* collicular *artery* の公式の別名.

a. radialis [TA]. 橈骨動脈. =radial *artery*.

a. radialis indicis [TA]. 示指橈側動脈. =radialis indicis *artery*.

arteriae radiculares (anterior et posterior) =(anterior and posterior) radicular *arteries*.

a. radicularis magna 大脊髄根動脈. =great segmental medullary *artery*.

a. ranina =deep lingual *artery*.

a. rectalis inferior [TA]. 下直腸動脈. =inferior rectal *artery*.

a. rectalis media [TA]. 中直腸動脈. =middle rectal *artery*.

a. rectalis superior [TA]. 上直腸動脈. =superior rectal *artery*.

a. recurrens 反回動脈. =medial striate *artery*.

a. recurrens radialis [TA]. 橈側反回動脈. =radial recurrent *artery*.

a. recurrens tibialis anterior [TA]. 前脛骨反回動脈. =anterior tibial recurrent *artery*.

a. recurrens tibialis posterior [TA]. 後脛骨反回動脈. =posterior tibial recurrent *artery*.

a. recurrens ulnaris [TA]. 尺側反回動脈. =ulnar recurrent *artery*.

a. renalis [TA]. 腎動脈. =renal *artery*.

arteriae renis 腎臓の動脈. =segmental *arteries* of kidney.

a. retinae centralis =central retinal *artery*.

a. retroduodenalis [TA]. 十二指腸後動脈. =retroduodenal *artery*.

arteriae sacrales laterales [TA]. 外側仙骨動脈. =lateral sacral *arteries*.

a. sacralis mediana [TA]. 正中仙骨動脈. =median sacral *artery*.

a. scapularis descendens 下行肩甲動脈. =dorsal scapular *artery*.

a. scapularis dorsalis 背側肩甲動脈. =dorsal scapular *artery*.

a. segmentalis anterior pulmonis (dextri et sinistri) [TA]. →left pulmonary *artery*; right pulmonary *artery*.

a. segmentalis apicalis (dextri et sinistri) [TA]. →left pulmonary *artery*; right pulmonary *artery*.

a. segmentalis basalis anterior pulmonis (dextri et sinistri) [TA]. =anterior basal segmental *artery*.

a. segmentalis basalis lateralis pulmonis (dextri et sinistri) [TA]. =lateral basal segmental *artery*.

a. segmentalis basalis medialis pulmonis (dextri et sinistri) [TA]. =medial basal segmental *artery*.

a. segmentalis basalis posterior [TA]. =posterior basal segmental *artery*.

a. segmentalis basalis posterior pulmonis (dextri et sinistri) [TA]. =posterior basal segmental *artery* of left/right lung.

a. segmentalis lateralis pulmonis (dextri et sinistri) [TA]. →left pulmonary *artery*; right pulmonary *artery*. = lateral basal segmental *artery*.

a. segmentalis medialis pulmonis (dextri et sinistri) [TA]. →left pulmonary *artery*; right pulmonary *artery*. = medial basal segmental *artery*.

a. segmentalis posterior pulmonis (dextri et sinistri) [TA]. →left pulmonary *artery*; right pulmonary *artery*.

a. segmentalis superior pulmonis (dextri et sinistri) [TA]. →left pulmonary *artery*; right pulmonary *artery*.

a. segmenti anterioris inferioris renalis [TA]. 腎下前区動脈 (→segmental *arteries* of kidney).

a. segmenti anterioris superioris renalis [TA]. 腎上前区動脈 (→segmental *arteries* of kidney).

arteriae segmenti hepaticae ＝segmental *arteries* of liver.

a. segmenti inferioris renalis [TA]. 腎下区動脈 (→segmental *arteries* of kidney).

a. segmenti posterioris renalis [TA]. 腎後区動脈 (→segmental *arteries* of kidney).

a. segmenti superioris renalis [TA]. 腎上区動脈 (→segmental *arteries* of kidney).

arteriae sigmoideae [TA]. S 状結腸動脈. ＝sigmoid *arteries*.

a. spermatica interna ＝testicular *artery*.

a. sphenopalatina [TA]. 蝶口蓋動脈. ＝sphenopalatine *artery*.

a. spinalis anterior [TA]. 前脊髄動脈. ＝anterior spinal *artery*.

a. spinalis posterior [TA]. 後脊髄動脈. ＝posterior spinal *artery*.

a. splenica [TA]. 脾動脈. ＝splenic *artery*.

a. striata medialis distalis [TA]. ＝medial striate *artery*.

a. stylomastoidea [TA]. 茎乳突孔動脈. ＝stylomastoid *artery*.

a. subclavia [TA]. 鎖骨下動脈. ＝subclavian *artery*.

a. subcostalis [TA]. 肋下動脈. ＝subcostal *artery*.

a. sublingualis [TA]. 舌下動脈. ＝sublingual *artery*.

a. submentalis [TA]. おとがい下動脈. ＝submental *artery*.

a. subscapularis [TA]. 肩甲下動脈. ＝subscapular *artery*.

a. sulci centralis [TA]. 中心溝動脈. ＝*artery* of central sulcus.

a. sulci postcentralis [TA]. 中心後溝動脈. ＝*artery* of postcentral sulcus.

a. sulci precentralis [TA]. 中心前溝動脈. ＝*artery* of precentral sulcus.

a. superior cerebelli [TA]. ＝superior cerebellar *artery*.

a. superior lateralis genus [TA]. ＝superior lateral genicular *artery*.

a. superior medialis genus [TA]. ＝superior medial genicular *artery*.

a. suprachiasmatica [TA]. ＝suprachiasmatic *artery*.

a. supraduodenalis [TA]. 十二指腸上動脈. ＝supraduodenal *artery*.

a. supraoptica [TA]. ＝supraoptic *artery*.

a. supraorbitalis [TA]. 眼窩上動脈. ＝supraorbital *artery*.

arteriae suprarenales superiores [TA]. 上副腎(腎上体)動脈. ＝superior suprarenal *arteries*.

a. suprarenalis inferior [TA]. 下副腎(腎上体)動脈. ＝inferior suprarenal *artery*.

a. suprarenalis media [TA]. 中副腎(腎上体)動脈. ＝middle suprarenal *artery*.

a. suprascapularis [TA]. 肩甲上動脈. ＝suprascapular *artery*.

a. supratrochlearis [TA]. 滑車上動脈. ＝supratrochlear *artery*.

arteriae surales [TA]. 腓腹動脈. ＝sural *arteries*.

a. tarsalis lateralis [TA]. 外側足根動脈. ＝lateral tarsal *artery*.

a. tarsalis medialis [TA]. 内側足根動脈. ＝medial tarsal *arteries*.

a. temporalis anterior [TA]. 前側頭葉動脈. ＝anterior temporal *branch*.

a. temporalis intermedia 中側頭葉動脈. ＝middle temporal *branch* of insular part of middle cerebral artery.

a. temporalis media [TA]. 中側頭動脈. ＝middle temporal *artery*.

a. temporalis posterior 後側頭葉動脈. ＝posterior temporal *branch* of middle cerebral artery.

a. temporalis profunda (anterior et posterior) [TA]. 深側頭動脈. ＝deep temporal *artery*.

a. temporalis superficialis [TA]. 浅側頭動脈. ＝superficial temporal *artery*.

a. testicularis [TA]. 精巣動脈. ＝testicular *artery*.

a. thalami perforans [TA]. ＝thalamoperforating *artery*.

a. thalamogeniculata [TA]. ＝thalamogeniculate *artery*.

arteriae thalamostriatae anterolaterales 前外側視床線条体動脈. ＝anterolateral central *arteries*.

arteriae thalamostriatae anteromediales 前内側視床線条体動脈. ＝anteromedial central *arteries*.

a. thalamotuberalis [TA]. ＝thalamotuberal *artery*.

a. thoracica interna [TA]. 内胸動脈. ＝internal thoracic *artery*.

a. thoracica lateralis [TA]. 外側胸動脈. ＝lateral thoracic *artery*.

a. thoracica superior [TA]. 上胸動脈. ＝superior thoracic *artery*.

a. thoracoacromialis [TA]. 胸肩峰動脈. ＝thoracoacromial *artery*.

a. thoracodorsalis [TA]. 胸背動脈. ＝thoracodorsal *artery*.

a. thyroidea ima [TA]. 最下甲状腺動脈. ＝thyroid ima *artery*.

a. thyroidea inferior [TA]. 下甲状腺動脈. ＝inferior thyroid *artery*.

a. thyroidea superior [TA]. 上甲状腺動脈. ＝superior thyroid *artery*.

a. tibialis anterior [TA]. 前脛骨動脈. ＝anterior tibial *artery*.

a. tibialis posterior [TA]. 後脛骨動脈. ＝posterior tibial *artery*.

a. transversa cervicis* transverse cervical *artery* の公式の別名.

a. transversa colli [TA]. 頸横動脈. ＝transverse cervical *artery*.

a. transversa faciei [TA]. 顔面横動脈. ＝transverse facial *artery*.

a. tuberis cinerei [TA]. ＝*artery* of tuber cinereum.

a. tympanica anterior [TA]. 前鼓室動脈. ＝anterior tympanic *artery*.

a. tympanica inferior [TA]. 下鼓室動脈. ＝inferior tympanic *artery*.

a. tympanica posterior [TA]. 後鼓室動脈. ＝posterior tympanic *artery*.

a. tympanica superior [TA]. 上鼓室動脈. ＝superior tympanic *artery*.

a. ulnaris [TA]. 尺骨動脈. ＝ulnar *artery*.

a. umbilicalis [TA]. 臍動脈. ＝umbilical *artery*.

a. uncalis [TA]. ＝uncal *artery*.

a. urethralis [TA]. 尿道動脈. ＝urethral *artery*.

a. uterina [TA]. 子宮動脈. ＝uterine *artery*.

a. vaginalis [TA]. 腟動脈. ＝vaginal *artery*.

arteriae ventriculares 心室動脈. ＝ventricular *arteries*.

a. vertebralis [TA]. 椎骨動脈. ＝vertebral *artery*.

a. vesicalis inferior [TA]. 下膀胱動脈. ＝inferior vesical *artery*.

arteriae vesicales superiores [TA]. 上膀胱動脈. ＝superior vesical *arteries*.

a. vestibularis anterior [TA]. ＝anterior vestibular *artery*.

a. vestibuli* anterior vestibular *artery* の公式の別名.

a. vestibulocochlearis [TA]. ＝vestibulocochlear *artery*.

a. vitellina 卵黄動脈. ＝vitelline *artery*.

a. volaris indicis radialis 〔掌側〕示指橈側動脈. ＝radialis indicis *artery*.

a. zygomatico-orbitalis [TA]. 頬骨眼窩動脈. ＝zygomatico-orbital *artery*.

---

ar·te·ri·al (ar-tē′rē-ăl). 動脈〔性〕の (1本以上の動脈または全動脈系に関する).

ar·te·ri·al·i·za·tion (ar-tē′rē-ăl-ĭ-zā′shŭn). ***1*** 動脈化 (動脈性にすること，またはなること). ***2*** 動脈血化 (性質が静

脈性から動脈性に変わる血液の酸素化または酸素付加). ***3*** 血管新生. =vascularization. ***4*** 静脈構造が転換して動脈として機能すること.

ar·te·ri·ec·ta·sis, ar·te·ri·ec·ta·sia (ar′tĕr-ē-ek′tă-sis, -ek-tā′zē-ă) [L. *arteria*, artery + G. *ektasis*, distention]. 動脈拡張〔症〕を表す現在では用いられない語.

ar·te·ri·ec·to·my (ar′tĕr-ē-ek′tō-mē) [L. *arteria*, artery + G. *ektomē*, excision]. 動脈切除〔術〕(動脈の一部分の切除).

arterio-, arteri- (ar-tēr′ē-ō, ar-tēr′ē) [L. *arteria* < G. *artēria*, a windpipe, an artery]. 動脈を意味する連結形.

ar·te·ri·o·at·o·ny (ar-tēr′ē-ō-at′ō-nē) [arterio- + G. *atonia*, atony]. 動脈アトニー, 動脈無緊張〔症〕(動脈壁が異常に弛緩した状態).

ar·te·ri·o·cap·il·lar·y (ar-tēr′ē-ō-cap′i-lār-ē). 動脈毛細血管の (動脈と毛細管の両方に関する).

arteriogenesis (ar-tēr′ē-ō-jen′ĕ-sis) [arterio- + -genesis]. 動脈の発生. =angiogenesis.

ar·te·ri·o·gram (ar-tēr′ē-ō-gram) [arterio- + G. *gramma*, something written]. 動脈造影(撮影)図 (造影剤を動脈に注入後, 撮影したX線写真).

ar·te·ri·o·graph·ic (ar-tēr′ē-ō-graf′ik). 動脈造影的 (動脈造影に関する, あるいはそれを利用した).

ar·te·ri·og·ra·phy (ar-tēr′ē-og′ră-fē) [arterio- + G. *graphō*, to write]. 動脈造影(撮影)〔法〕, 動脈写 (放射線不透過造影剤を注入して, X線で動脈を可視化する方法).

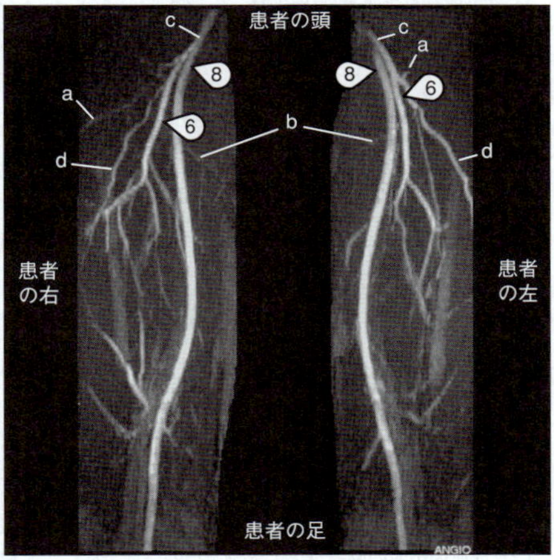

arteriography, thigh

注入造影剤は大腿動脈およびその枝を示す. 6：大腿深動脈, 8：大腿動脈, a：外側大腿回旋動脈, b：内側大腿回旋動脈, c：大腿動脈, d：大腿深動脈の下行枝.

bronchial a. 気管支動脈撮影 (気管支動脈の造影法. 通常, 気管支動脈基部の肋間動脈から選択的に造影剤を注入して撮影する).

cerebral a. =cerebral *angiography*.

ar·te·ri·o·la, pl. **ar·te·ri·o·lae** (ar-tēr′ī′ō-lă, -ō′lē) [Mod. L. *arteria*(artery)の指小辞] [TA]. 小動脈, 細動脈 (**[**誤った発音 arterio′la を避けること**]**). =arteriole.

a. glomerularis afferens renis [TA]. =afferent glomerular *arteriole* of kidney.

a. glomerularis efferens renis [TA]. =efferent glomerular *arteriole* of kidney.

a. macularis inferior [TA]. 下黄斑動脈. =inferior macular *arteriole*.

a. macularis medius [TA]. =middle macular *arteriole*.

a. macularis superior [TA]. 上黄斑動脈. =superior macular *arteriole*.

a. medialis retinae 網膜内側動脈. =middle macular *arteriole*.

a. nasalis retinae inferior [TA]. 網膜下内側動脈. =inferior nasal retinal *arteriole*.

a. nasalis retinae superior [TA]. 網膜上内側動脈. =superior nasal retinal *arteriole*.

arteriolae rectae renis [TA]. 直細動脈. =*vasa* recta renis(⇌ vas).

a. temporalis retinae inferior [TA]. 網膜下外側動脈. =inferior temporal retinal *arteriole*.

a. temporalis retinae superior [TA]. 網膜上外側動脈. =superior temporal retinal *arteriole*.

ar·te·ri·o·lar (ar-ter′ē-ō′lăr). 小動脈の, 細動脈の (1本の小動脈, または小動脈の集合体についていう).

ar·te·ri·ole (ar-tēr′ē-ōl) [TA]. 小動脈, 細動脈 (わずか1–2層の平滑筋層のみからなる中層(筋層)をもつ細い動脈. 毛細血管網に連続する直前の終末動脈). =arteriola [TA].

afferent glomerular a. of kidney [TA]. 糸球体輸入細動脈 (血液を糸球体に運ぶ腎臓の小葉間動脈の分枝). =arteriola glomerularis afferens renis [TA]; afferent vessel (2); vas afferens.

capillary a. 毛細血管小動脈 (毛細血管で終わる微細な動脈).

efferent glomerular a. of kidney [TA]. 糸球体輸出細動脈 (腎糸球体から近位曲尿細管の毛細血管床に血液を運ぶ血管. これらのものの集まりが腎門脈系を形成する). =arteriola glomerularis efferens renis [TA]; efferent vessel; vas efferens (2).

inferior macular a. [TA]. 下黄斑動脈 (網膜中心動脈より起こり, 黄斑下部に分布する). =arteriola macularis inferior [TA].

inferior nasal retinal a. [TA]. 網膜下内側動脈 (網膜の下内側部, すなわち下鼻部に血液を供給する網膜中心動脈の枝). =arteriola nasalis retinae inferior [TA].

inferior temporal retinal a. [TA]. 網膜下外側動脈 (黄斑の下外側を通って網膜の下外側, すなわち下側頭部に血液を供給する網膜中心動脈の枝). =arteriola temporalis retinae inferior [TA].

medial a. of retina 網膜内側動脈. =middle macular a.

middle macular a. [TA]. 中黄斑細動脈 (網膜の視神経円板と黄斑との間の部分に分布する小動脈). =arteriola macularis medius [TA]; arteriola medialis retinae; medial a. of retina.

superior macular a. [TA]. 上黄斑動脈 (網膜中心動脈より起こり, 黄斑上部に分布する). =arteriola macularis superior [TA].

superior nasal retinal a. [TA]. 網膜上内側動脈 (網膜の上内側部, すなわち上鼻部に至る網膜中心動脈の分枝). =arteriola nasalis retinae superior [TA].

superior temporal retinal a. [TA]. 網膜上外側動脈 (黄斑の上外側を通って網膜の上外側部, すなわち上側頭部に血液を供給する網膜中心動脈の枝). =arteriola temporalis retinae superior [TA].

ar·te·ri·o·lith (ar-tēr′ē-ō-lith) [L. *arteria*, artery + G. *lithos*, a stone]. 動脈結石 (動脈壁内または血栓内の石灰性の沈着物).

ar·ter·i·o·li·tis (ar-tēr′ē-ō-lī′tis) [L. *arteriola*, arteriole + G. *-itis*, inflammation]. 細動脈炎 (細動脈壁の炎症).

necrotizing a. 壊死性細動脈炎 (細動脈中膜の壊死, 悪性高血圧症に特徴的に起こる). =arteriolonecrosis.

arteriolo- (ar-tēr′ē-ō′lō) [Mod. L. *arteriola*, arteriole]. 細動脈に関する連結形.

ar·te·ri·ol·o·gy (ar-tēr′ē-ol′ō-jē) [L. *arteria*, artery + G. *logos*, study]. 動脈学 (動脈の解剖学. 一般に, 脈管学としての他の脈管の研究とも関連する).

ar·te·ri·o·lo·ne·cro·sis (ar-tēr′ē-ō′lō-nĕ-krō′sis) [L. *arteriola*, arteriole + G. *nekrōsis*, a killing]. 細動脈壊死. =necrotizing *arteriolitis*.

ar·te·ri·o·lo·neph·ro·scle·ro·sis (ar-tēr′ē-ō′lō-nef′rō-skler-ō′sis). =arteriolar *nephrosclerosis*.

ar·te·ri·o·lo·scle·ro·sis (ar-tēr′ē-ō′lō-skler-ō′sis). 細動脈硬化〔症〕(主に細動脈を侵す動脈硬化で, 特に慢性の高血圧症にみられる). =arteriolar sclerosis.

ar·te·ri·o·lo·ve·nous (ar-tēr′ē-ō′lō-vē′nŭs). 細動静脈の

(細動脈と細静脈の両方に関する). = arteriolovenular.

ar·te·ri·o·lo·ven·u·lar (ar-tēr′ē-ō′lō-vē′nyū-lăr). 細動静脈の. = arteriolovenous.

ar·te·ri·o·ma·la·cia (ar-tēr′ē-ō-mă-lā′shē-ă) [arterio- + G. *malakia*, softness]. 動脈軟化[症].

ar·te·ri·om·e·ter (ar-tēr′ē-om′ĕ-ter) [arterio- + G. *metron*, measure]. 動脈計(動脈の直径, または拍動中の動脈の直径の変化を測る器具).

ar·te·ri·o·mo·tor (ar-tēr′ē-ō-mō′ter). 動脈運動の(動脈の口径に変化を起こす. 特に動脈に関する血管運動の).

ar·te·ri·o·my·o·ma·to·sis (ar-tēr′ē-ō-mī′ō-mă-tō′sis) [arterio- + G. *mys*, muscle + *-oma*, tumor + *-osis*, condition]. 動脈筋腫症(血管軸に対して互いに不規則に交差し配列した筋線維の発育過度による動脈壁の肥厚).

ar·te·ri·o·neph·ro·scle·ro·sis (ar-tēr′ē-ō-nef′rō-skler-ō′sis). = arterial *nephrosclerosis*.

ar·te·ri·o·pal·mus (ar-tēr′ē-ō-pal′mŭs) [arterio- + G. *palmos*, throbbing]. 動脈鼓動[亢進](動脈の鼓動が亢進して, それを自覚すること).

ar·te·ri·op·a·thy (ar-tēr′ē-op′ă-thē) [arterio- + G. *pathos*, suffering]. 動脈症(動脈疾患の総称).

hypertensive a. 高血圧性動脈症(動脈性高血圧による動脈の変性).

plexogenic pulmonary a. 多因性肺動脈症. = Ayerza *syndrome*.

ar·te·ri·o·pla·nia (ar-tēr′ē-ō-plā′nē-ă) [arterio- + G. *planē*, a straying]. 動脈異常走行(動脈の走行が異常な状態).

ar·te·ri·o·plas·ty (ar-tēr′ē-ō-plas′tē) [arterio- + G. *plastos*, formed]. 動脈形成[術](動脈の形状を修復, 再建, あるいは改変する手術).

ar·te·ri·o·pres·sor (ar-tēr′ē-ō-pres′ser). 動脈圧上昇薬(動脈圧を上昇させる薬剤).

ar·te·ri·or·rha·phy (ar-tēr′ē-ōr′ă-fē) [arterio- + G. *rhaphē*, seam]. 動脈縫合.

ar·te·ri·or·rhex·is (ar-tēr′ē-ō-rek′sis) [arterio- + G. *rhēxis*, rupture]. 動脈[破]裂(動脈壁の破裂).

ar·te·ri·o·scle·ro·sis (ar-tēr′ē-ō-skler-ō′sis) [arterio- + G. *sklērōsis*, hardness]. 動脈硬化[症](動脈が固くなる現象. 一般に, アテローム性動脈硬化症, Mönckeberg 動脈硬化症, 細動脈硬化症などの種類がある). = arterial sclerosis; arteriosclerotic heart disease; vascular sclerosis.

coronary a. 冠動脈硬化[症](冠動脈壁の変性および代謝性変化. 通常, 内膜の粥状動脈硬化から始まり中膜の変性に先行する. Mönckeberg の動脈硬化として知られる石灰化病変部位).

hyperplastic a. 肥厚性動脈硬化[症](動脈内膜や内弾性板の過形成, アテローム性病巣の影響を受けていない動脈中膜の肥厚).

hypertensive a. 高血圧性動脈硬化[症](高血圧による動脈壁の筋肉組織および弾性組織の進行性増加. 長期におよぶ高血圧では, 動脈内膜に弾性組織が集中した層を形成し, 筋肉が膠原線維によって置き換えられ, 細動脈内膜の硝子性肥厚がみられる. このような変化は, 高血圧でなくとも年をとるにつれ進行し老年性動脈硬化症とみなされる).

medial a. 動脈中膜硬化[症]. = Mönckeberg a.

Mönckeberg a. (mērn′kĕ-bĕrg). メンケベルク動脈硬化[症](特に老年者の足にみられる末梢動脈を含む動脈硬化症で, 中膜のカルシウム沈着(パルプ柄状運動)を伴うが, 内腔はほとんど侵されない). = medial a.; Mönckeberg calcification; Mönckeberg degeneration; Mönckeberg medial calcification; Mönckeberg sclerosis.

nodular a. 結節性動脈硬化[症](動脈内膜に生じるアテロームで, 分離した腫瘍のようにみえる).

a. obliterans 閉塞性動脈硬化[症](動脈管腔の狭窄および閉塞を起こす動脈硬化症).

peripheral a. 末梢性動脈硬化[症](大動脈遠部の血管の動脈硬化で, 多くの場合下肢の動脈硬化を意味する).

senile a. 老年(老人)性動脈硬化[症](高血圧症に類似した動脈硬化症であるが, 高血圧が原因というよりも高齢のために起こる).

ar·te·ri·o·scle·rot·ic (ar-tēr′ē-ō-skler-ot′ik). 動脈硬化[症]の.

ar·te·ri·o·spasm (ar-tēr′ē-ō-spazm′). 動脈痙攣.

ar·te·ri·o·ste·no·sis (ar-tēr′ē-ō-stĕ-nō′sis) [arterio- + G. *stenōsis*, a narrowing]. 動脈狭窄(血管収縮による一時的な, あるいは動脈硬化症による永久的な動脈管腔の狭窄).

ar·te·ri·ot·o·my (ar-tēr′ē-ot′ō-mē) [arterio- + G. *tomē*, incision]. 動脈切開[術](塞栓を除去するために行う動脈管腔への外科的切開).

ar·te·ri·o·ve·nous (AV) (ar-tēr′ē-ō-vē′nŭs). 動静脈の(動脈と静脈の両方に関する, 動静脈全体に関する, 動脈性でも静脈性でもあるの意. 例えば動静脈吻合のように用いる).

ar·te·ri·tis (ar-ter-ī′tis) [L. *arteria*, artery + G. *-itis*, inflammation]. 動脈炎(動脈または細動脈の炎症または感染).

brachiocephalic a. 腕頭動脈炎(巨細胞性動脈炎で老齢者に認められる, 中等度動脈の炎症性変化. ほとんどの場合, 頭部, 頸から胸にかけて発生する. 病変はエラスチン, マクロファージおよび巨細胞を含む. 赤血球沈降速度は通常著明に亢進し, 知覚障害が起こることがある).

coronary a. 冠動脈炎(冠動脈壁の全層性炎症).

cranial a. 頭蓋動脈炎. = temporal a.

extracranial a. 頭蓋外動脈炎. = temporal a.

giant cell a. 巨細胞性動脈炎. = temporal a.

granulomatous a. 肉芽腫性動脈炎. = temporal a.

Heubner a. (hoyb′nĕr). ホイブナー動脈炎(結核菌(例えば *Mycobacterium tuberculosis*, *M. bovis*)あるいは *Cryptococcus*, *Histoplasma*, または *Coccidiodes* のような特殊な真菌による慢性脳底部髄膜炎に続発する大脳動脈輪部分の動脈炎).

Horton a. (hōr′tŏn). ホートン動脈炎. = temporal a.

intracranial granulomatous a. 脳頭蓋性肉芽性動脈炎(小血管の巨細胞性動脈炎で, 頭蓋内血管のみを侵す. 原因不明で非常に広範な臨床症状を呈し, 脳腫瘍を合併したり, 軽度の髄膜炎を併発, 大脳または小脳の部分性の梗塞に至るものもある). = neurocranial granulomatous a.

neurocranial granulomatous a. 神経頭蓋性肉芽性動脈炎. = intracranial granulomatous a.

a. nodosa 結節性動脈炎. = *polyarteritis* nodosa.

a. obliterans, obliterating a. 閉塞性動脈炎. = *endarteritis* obliterans.

rheumatic a. リウマチ性動脈炎(リウマチ熱による動脈炎. Aschoff 結節は細動脈の外膜, 特に心筋内の細動脈によくみられ, 線維化と血管内腔の狭窄を引き起こすこともある).

rheumatoid a. リウマチ様動脈炎(リウマチ様関節炎を伴う動脈炎, 特に大動脈弁閉鎖不全症を伴う大動脈炎が強直性脊椎炎を合併する場合も関連している).

Takayasu a. (tah-kah-yah′sū) [MIM*207600]. 高安動脈炎(原因不明の動脈炎で, 大動脈弓の慢性炎症により線維症と著明な血管の狭窄を伴い, 大動脈とその枝の狭窄を起こす. しばしば完全な, あるいは強度の動脈閉塞をきたす. ほとんどの場合女性に起こる. →aortic arch *syndrome*). = pulseless disease; Takayasu disease; Takayasu syndrome.

temporal a. [MIM*187360]. 側頭動脈炎(外頸動脈, 特に側頭動脈における, 亜急性の肉芽腫性の動脈炎. 老年者に多くみられ, 体質的症状, 激しい両側頭部の頭痛, それに片眼の突然の視力喪失を含む眼症状などがみられることもある. 赤血球沈降速度は常に上昇する. リウマチ性多発性筋肉痛の症状とほぼ一致する). = cranial a.; extracranial a.; giant cell a.; granulomatous a.; Horton a.

ARTERY

ar·ter·y (a) (ar′ter-ē) [L. *arteria* < G. *artēria*][TA]. 動脈(血液を心臓から遠ざかる方向へ運ぶ血管で相対的に壁が厚く筋に富み拍動を示す. 肺動脈と臍動脈を除けば, 動脈は酸素を多く含んだ赤い血液を運ぶ. 主要動脈の動脈枝は branch の項参照). = arteria [TA].

Abbott a. (ab′ŏt). アボット動脈(異常血管で, 後内側の

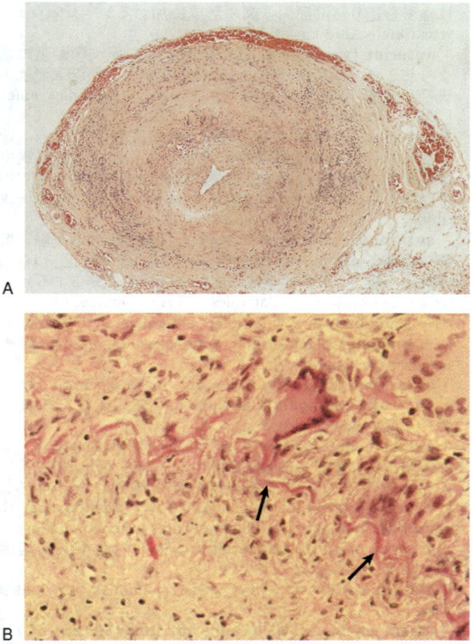

temporal arteritis

A：側頭動脈の顕微鏡写真は，壁，巨細胞および脈管内膜の濃密化により激しく狭くなった管腔の全体にわたって慢性炎症を示す．B：拡大図は破砕した内弾性板に隣接している巨大細胞を示す（矢印）．

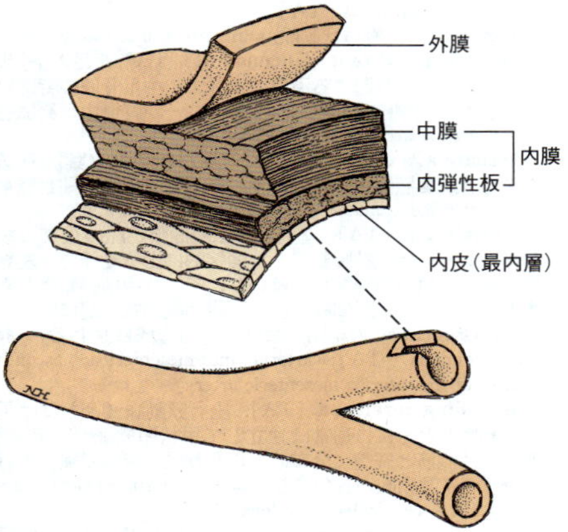

artery
動脈壁の層．

近位下行大動脈から起始する．大動脈縮窄症の修復時に重要）．

aberrant a. 迷走動脈（起始が異常であるか，または走行が異常である動脈）．

aberrant hepatic a. 迷走肝動脈（比較的一般的な副肝動脈，あるいは左右の肝動脈の代替動脈．多様な変異がみられるが，上腸間膜動脈から起こる右迷走肝動脈，左胃静脈から起こる左迷走肝動脈が最も知られている）．

aberrant obturator a. [TA]．迷入閉鎖動脈（→accessory obturator a.; pubic *branch* of inferior epigastric artery）．

accessory meningeal a. 副硬膜枝．＝pterygomeningeal a.

accessory obturator a. [TA]．副閉鎖動脈（下腹壁動脈の恥骨枝と閉鎖動脈の恥骨枝との吻合枝が，内腸骨動脈の枝の(細くはなっているが)通常の閉鎖動脈の存在下で，閉鎖管を通して大量に血液を送る場合に用いられる名称）．＝arteria obturatoria accessoria [TA]; ramus obturatorius arteriae epigastricae inferioris.

acetabular a. ＝acetabular *branch*.

acromial a. ＝acromial *branch* of thoracoacromial artery.

acromiothoracic a. 胸肩峰動脈．＝thoracoacromial a.

a. of Adamkiewicz (ah-dahm-kē-ā′vich)．アダムキエヴィチ動脈．＝great segmental medullary a.

alar a. of nose 鼻翼動脈（鼻翼を走行する眼角動脈の一枝）．

anatomic end a. 解剖学的終動脈．＝end a.

angular a. [TA]．***1*** 眼角動脈（顔面動脈の終末枝．鼻の側面の筋肉および皮膚に分布する．外側鼻動脈，眼動脈からの鼻背動脈・外側眼瞼動脈と吻合し内頸動脈と外頸動脈との吻合路となる）．***2*** 角回動脈．＝*branch* to angular gyrus.

a. of angular gyrus 角回動脈．＝*branch* to angular gyrus.

anterior basal segmental a. [TA]．前肺底区動脈（左右肺下葉動脈の上肺底動脈の前枝）．＝arteria segmentalis basalis anterior pulmonis (dextri et sinistri) [TA]; anterior basal branch; ramus basalis anterior.

anterior cecal a. [TA]．前盲腸動脈（回結腸動脈より起こり，盲腸前部に分布する）．＝arteria caecalis anterior [TA].

anterior cerebral a. [TA]．前大脳動脈（内頸動脈の(中大脳動脈とともに)2本の終末枝の1つ．走行は，前方にループを描き脳梁膝部で屈曲し，対側の同名動脈とともに大脳縦裂を後方に併走する．両者は前交通動脈でつながっている．便宜的に2部に分類される．ⓘ交通前部(A1区)からは前内側中心動脈が出て，これはさらに近位内側線条体動脈，視索上動脈，前貫通動脈，視索前動脈を出す．ⓘⓘ交通後部(A2区)からは遠位内側線条体動脈，内側前頭葉底動脈，前頭極動脈と2本の終末枝である脳梁周囲動脈と脳梁縁動脈とがある．最後の2枝は皮質各部に分布する枝を出す）．＝arteria cerebri anterior [TA].

anterior choroidal a. [TA]．前脈絡叢動脈（内頸動脈またはまれに中大脳動脈から起こり以下の部分に分布する枝を出す．第3・第4脳室脈絡叢，視交叉，内包(内包膝，後脚，レンズ後脚)，外側膝状体，淡蒼球，尾状核尾部，海馬，扁桃体，灰白隆起，視床下部諸核，視床諸核，黒質，赤核，大脳脚）．＝arteria choroidea anterior [TA].

anterior ciliary a.'s 前毛様体動脈（眼動脈の筋枝から出ている動脈の枝で，強膜前部を貫通し，後毛様体動脈と吻合する．大虹彩動脈輪の形成にあずかり，眼球前部の血管膜(虹彩，毛様体，前脈絡膜)を栄養する）．＝arteriae ciliares anteriores [TA].

anterior circumflex humeral a. [TA]．前上腕回旋動脈（腋窩動脈第三部より起こり，肩関節，上腕二頭筋，烏口腕筋，三角筋に分布する．後上腕回旋動脈と吻合）．＝arteria circumflexa humeri anterior [TA]; anterior humeral circumflex a.

anterior communicating a. [TA]．前交通動脈（左右の前大脳動脈をつなぎ，中央を横切り前方で大脳動脈輪(Willis 輪)を完成する短い血管）．＝arteria communicans anterior [TA].

anterior conjunctival a. [TA]．前結膜動脈（結膜に血液を送る前毛様体動脈の多数の小枝）．＝arteria conjunctivalis anterior [TA]; conjunctival a.'s.

anterior ethmoidal a. [TA]．前篩骨動脈（眼動脈より起こり，前頭蓋窩内の硬膜，前篩骨洞，前頭洞，鼻粘膜の前上部，鼻背の皮膚に分布する）．＝arteria ethmoidalis anterior [TA].

anterior humeral circumflex a. ＝anterior circumflex humeral a.

anterior inferior cerebellar a. [TA]．前下小脳動脈（脳底動脈より起こり，小脳外側葉の下部表面および小脳橋角の脈絡叢に分布する．通常は迷路動脈の源泉となる後下小脳動脈と吻合)．＝arteria inferior anterior cerebelli［TA］.

anterior inferior segmental a. of kidney［TA］．腎下前区動脈（腎動脈の前枝より起こる．→segmental a.'s of kidney)．＝a. of anterior inferior segment of kidney.

a. of anterior inferior segment of kidney ＝anterior inferior segmental a. of kidney.

anterior intercostal a.'s 前肋間動脈．＝anterior intercostal *branches* of internal thoracic artery.

anterior interosseous a.［TA］．前骨間動脈（総骨間動脈より起こり，前腕前区画と後区画遠位部の深部に分布する．後骨間動脈，背側手根動脈網と吻合)．＝arteria interossea anterior［TA］; arteria interossea volaris; volar interosseous a.

anterior interventricular a. 前室間動脈．＝anterior interventricular *branch* of left coronary artery.

anterior labial a.'s〔深外陰部動脈の〕前陰唇枝．＝anterior labial *branches* of deep external pudendal artery.

anterior lateral malleolar a.［TA］．前外果動脈（前脛骨動脈より起こり，足関節に分布する．腓骨動脈，外側足根動脈と吻合)．＝arteria malleolaris anterior lateralis［TA］.

anterior medial malleolar a.［TA］．前内果動脈（前脛骨動脈より起こり，足関節と近傍の皮膚に分布する．後脛骨動脈枝と吻合)．＝arteria malleolaris anterior medialis［TA］.

anterior mediastinal a.'s 前縦隔動脈．＝mediastinal *branches* of internal thoracic artery.

anterior meningeal a. 前硬膜動脈．＝anterior meningeal *branch* (of anterior ethmoidal artery).

anterior parietal a.［TA］．前頭頂葉動脈（中大脳動脈の島枝の終末枝の１つで，前頭頂葉の前部に分布している)．＝arteria parietalis anterior［TA］.

anterior perforating a.'s［TA］．前有孔質動脈（前大脳動脈の交連前部から起こる前内側中心動脈の一部から起こり，脳底の前有孔質に分布する)．＝arteriae perforantes anteriores［TA］.

anterior peroneal a. →perforating *branches*.

(anterior and posterior) radicular a.'s 根動脈（脊髄神経前根後根とその周囲に分布する脊髄動脈の枝．→spinal a.'s; segmental medullary a.'s)．＝arteriae radiculares (anterior et posterior).

(anterior and posterior) superior pancreaticoduodenal a.〔前・後〕上膵十二指腸動脈（胃十二指腸動脈より起こり，膵頭，十二指腸，総胆管に分布する．通常，前・後上膵十二指腸動脈とで２本をなす．前・後下膵十二指腸動脈，脾動脈と吻合)．＝arteria pancreaticoduodenalis superior (anterior et posterior).

anterior segmental a. →left pulmonary a.; right pulmonary a.

anterior spinal a.［TA］．前脊髄動脈（椎骨動脈の頭蓋内部分より起こり，前内側の脊髄と隣接する軟膜に分布する．椎骨動脈，肋間動脈，腰動脈の脊髄枝の前体節性脊髄動脈と吻合)．＝arteria spinalis anterior［TA］.

anterior superior alveolar a.'s［TA］．前上歯槽動脈（眼窩下管内で眼窩下動脈より起こり，前歯槽管を経て上顎の切歯と犬歯，上顎洞の粘膜に分布する)．＝arteriae alveolares superiores anteriores［TA］; anterior superior dental a.'s.

anterior superior dental a.'s ＝anterior superior alveolar a.'s.

anterior superior segmental a. of kidney［TA］．腎上前区動脈（腎動脈の前枝より起こる．→segmental a.'s of kidney)．＝a. of anterior superior segment of kidney.

a. of anterior superior segment of kidney ＝anterior superior segmental a. of kidney.

anterior temporal a. 前側頭葉動脈．＝anterior temporal *branch*.

anterior tibial a. 前脛骨動脈（膝窩動脈より起こり，後・前脛骨反回動脈，前内果動脈，前外果動脈，外側足根動脈，内側足根動脈，弓状動脈，背側中足動脈，背側指動脈に分枝する．さらに足関節より遠位に続き，足背動脈となる)．＝arteria tibialis anterior［TA］.

anterior tibial recurrent a.［TA］．前脛骨反回動脈（前脛骨動脈の分枝で，鋭く反回し上行して膝関節の前部と両側に血液を送り膝関節動脈網の形成に加わる)．＝arteria recurrens tibialis anterior［TA］.

anterior tympanic a.［TA］．前鼓室動脈（顎動脈の基部より起こり，中耳に分布する．内頸動脈・上行咽頭動脈・茎乳突孔動脈の鼓室枝と吻合)．＝arteria tympanica anterior［TA］; glaserian a.

anterior vestibular a.［TA］．前前庭動脈（起始：迷路動脈の枝の総蝸牛動脈の終末枝として．分枝：前庭蝸牛動脈．分布：前庭神経節，卵形嚢，外側および後半規管の特に膨大部)．＝arteria vestibularis anterior［TA］; arteria vestibuli*.

anterolateral central a.'s［TA］．前外側中心動脈，前外側視床線条体動脈（中大脳動脈の蝶形骨部(M1 区)から出る多数の小枝で，線条体の外側部および前部に分布する)．＝arteriae centrales anterolaterales［TA］; lenticulostriate a.'s (1)*; anterolateral striate a.'s; anterolateral thalamostriate a.'s; arteriae thalamostriatae anterolaterales; a.'s of cerebral hemorrhage; lateral striate a.'s.

anterolateral striate a.'s ＝anterolateral central a.'s.

anterolateral thalamostriate a.'s 前外側視床線条体動脈．＝anterolateral central a.'s.

anteromedial central a.'s［TA］．前内側中心動脈，前内側視床線条体動脈（前大脳動脈の交通前枝または前交通動脈から出る数本の枝で，線条体の前内側部に分布する)．＝arteriae centrales anteromediales［TA］; anteromedial thalamostriate a.'s; arteriae thalamostriatae anteromediales.

anteromedial thalamostriate a.'s 前内側視床線条体動脈．＝anteromedial central a.'s.

apical segmental a.［TA］．→left pulmonary a.; right pulmonary a.

apical segmental a. of superior lobar artery of right lung［TA］．右肺下葉動脈の肺尖動脈（右肺下葉の尖端域に分布する)．＝apical branch of inferior lobar branch of right pulmonary artery*; ramus apicalis lobi inferioris arteriae pulmonalis dextrae*.

apicoposterior a. 肺尖後動脈（肺上葉の左の肺尖後区に分布する動脈).

appendicular a.［TA］．虫垂動脈（回結腸動脈の枝で回腸末端の後方から虫垂間膜の中を下行し虫垂に分布する)．＝arteria appendicularis［TA］.

arciform a.'s 腎弓状動脈．＝arcuate a.'s of kidney.

arcuate a. (of foot) (inconstant)［TA］．〔足の〕弓状動脈（足背動脈より起こる不定の動脈で，中足骨底の背面を外側に通過し内側楔状骨のあたりで第二—四背側中足動脈を出す)．＝arteria arcuata (pedis)［TA］.

arcuate a.'s of kidney［TA］．腎弓状動脈（葉間動脈から起こり皮質髄質境界を弓なりに走る動脈で小葉間動脈を出す)．＝arteriae arcuatae renis［TA］; arciform a.'s.

ascending a.［TA］．上行枝（下腸間膜動脈の最初の枝として，あるいは左結腸動脈から間接的に出る動脈で，左腎の前を通って横行結腸間膜にはいり，そこで中結腸動脈と吻合する．こうして上腸間膜動脈と下腸間膜動脈の間に吻合が成立し，Drummond の結腸辺縁動脈系の形成に加わる．＝arteria ascendens［TA］; arteria intermesenterica; ascending branch of the inferior mesenteric artery).

ascending cervical a.［TA］．上行頸動脈（ときには下甲状腺動脈とともに，通常は独立して甲状頸動脈から発する．頸部の外側筋と脊髄に分布し，椎骨動脈，後頭動脈，上行咽頭動脈，深頸動脈の各分枝と吻合)．＝arteria cervicalis ascendens［TA］; cervicalis ascendens (2).

ascending palatine a.［TA］．上行口蓋動脈（顔面動脈より起こり，咽頭外側壁，口蓋扁桃，耳管，軟口蓋に分布する．顔面動脈の扁桃枝，舌背動脈，下行口蓋動脈と吻合)．＝arteria palatina ascendens［TA］.

ascending pharyngeal a.［TA］．上行咽頭動脈（外頸動脈より起こり，咽頭壁，軟口蓋，口蓋扁桃，後頭蓋窩に分布する)．＝arteria pharyngea ascendens［TA］.

atrial a.'s 心房動脈（左右の冠状動脈からの枝で，心房の筋に分布する)．＝arteriae atriales.

a. to atrioventricular node ＝atrioventricular nodal *branch*.

axillary a. [TA]．腋窩動脈（鎖骨下動脈が第一肋骨上を通過した以後の部分の呼称で，腋窩に入り，大円筋の下縁を通過したところで上腕動脈と呼び替えられる．腋窩を通過する間は腋窩静脈とともに腕神経叢に囲まれて腋窩鞘をなしている．大胸筋との位置関係からⓘ近位部，ⓘⓘ後部，ⓘⓘⓘ遠位部の3つに区別される．ⓘから上胸動脈，ⓘⓘから胸肩峰動脈，ⓘⓘⓘから肩甲下動脈と前後上腕回旋動脈が分枝する）．＝arteria axillaris [TA].

azygos a. of vagina 腟の奇動脈（腟の前面および後面の中心線を縦に走る動脈．左右の内腸骨動脈の分枝である左右の子宮動脈と腟動脈が中央部で吻合することにより形成される）．

basilar a. [TA]．脳底動脈（左右の椎骨動脈の頭蓋内部分が結合してできる．橋の下縁から斜台に沿ってクモ膜下腔の中を上縁へ走行し，そこで左右の後大脳動脈に分かれる．分枝として前下小脳動脈，橋動脈，中脳動脈，上小脳動脈，後大脳動脈がある）．＝arteria basilaris [TA].

brachial a. [TA]．上腕動脈（腋窩動脈の続きとして大円筋下縁に起こり，上腕深動脈，上・下尺側側副動脈，三角筋枝，上腕骨栄養動脈に分枝し，肘で橈骨動脈と尺骨動脈に分かれて終わる）．＝arteria brachialis [TA]; humeral a.

a.'s of brain [TA]．脳の動脈（脳に分布する動脈の総称で，大脳動脈輪と前脈絡叢動脈から出る）．＝arteriae encephali [TA].

bronchial a.'s 気管支動脈．＝bronchial *branches.*

buccal a. [TA]．頬動脈（顎動脈より起こり，頬筋，頬の皮膚と粘膜に分布する．顔面動脈の頬枝と吻合）．＝arteria buccalis [TA].

buckled innominate a. 腕頭動脈蛇行症（腕頭動脈の過長．右鎖骨上窩の拍動性腫瘍，X線写真で右肺尖または上縦隔の腫瘍や動脈瘤に類似した像などの所見を呈する）．

a. of bulb of penis [TA]．尿道球動脈（尿道球および尿道に血液を送る内陰部動脈の分枝）．＝arteria bulbi penis [TA]; arteria bulbi urethrae.

a. of bulb of vestibule [TA]．腟前庭球動脈（前庭球に血液を送る内陰部動脈の分枝）．＝arteria bulbi vestibuli [TA]; arteria bulbi vaginae.

calcaneal a.'s 踵骨動脈．＝calcaneal *branches.*

calcarine a. 鳥距動脈．＝calcarine *branch* of medial occipital artery.

a. of calf 腓腹動脈．＝sural a.'s.

callosomarginal a. [TA]．脳梁縁動脈（脳梁周囲動脈の第二枝で，帯状溝にはいり，大脳半球の上外側および内側面に分布する）．＝arteria callosomarginalis [TA].

caroticotympanic a.'s (of internal carotid artery) [TA]．頸鼓小管動脈（内頸動脈の錐体部から出る数本の小枝で，鼓室へ分布した後，前鼓室動脈および上顎動脈と吻合する）．＝arteriae caroticotympanicae (arteriae carotidis internae) [TA]; rami caroticotympanici.

carotid a.'s 頸動脈（⇀common carotid a.; external carotid a.; internal carotid a.）．

carpal a. 手根動脈（手首の関節に分布するか関係する動脈の総称．⇀dorsal carpal *branch* of radial artery; dorsal carpal *branch* of ulnar artery; palmar carpal *branch* of radial artery; palmar carpal *branch* of ulnar artery）．

caudal pancreatic a. 膵尾動脈．＝a. to tail of pancreas.

a. of caudate lobe [TA]．尾状葉動脈（固有肝動脈の左枝および右枝より起こり，肝臓の尾状葉に分布する）．＝arteria lobi caudati [TA].

cavernous a.'s 海綿静脈洞動脈．＝cavernous *branches* of cavernous part of internal carotid artery.

cecal a.'s 盲腸動脈（⇀anterior cecal a.; posterior cecal a.）．

celiac a. 腹腔動脈．＝celiac (arterial) *trunk.*

central a. ＝a. of central sulcus.

central a. of retina 網膜中心動脈．＝central retinal a.

central retinal a. [TA]．網膜中心動脈（眼球の約1 cm 後方で眼神経に侵入し，視神経乳頭で網膜内面に分布する眼動脈の分枝．上・下側頭枝と鼻枝に分かれる）．＝arteria centralis retinae [TA]; arteria retinae centralis; central a. of retina; Zinn a.

central sulcal a. 中心溝動脈．＝a. of central sulcus.

a. of central sulcus [TA]．中心溝動脈（中大脳動脈の終末枝の1つで，中心溝の皮質に分布する）．＝arteria sulci centralis [TA]; central a.; central sulcal a.; Rolandic sulcal a.

cerebellar a.'s 小脳動脈（小脳に分布するか関係する動脈の総称．⇀anterior inferior cerebellar a.; posterior inferior cerebellar a.; superior cerebellar a.）．

cerebral a.'s 大脳動脈（大脳皮質に分布するか関係する動脈の総称．⇀anterior cerebral a.; middle cerebral a.; posterior cerebral a.）．

a.'s of cerebral hemorrhage ＝anterolateral central a.'s.

cervicovaginal a. 腟頸管動脈（子宮動脈と腟動脈との間の吻合血管．子宮頸管と腟の側面に沿って走行する）．＝arteria cervicovaginalis.

Charcot a.'s (shahr'kō)．シャルコー動脈．＝lenticulostriate a.'s (2).

chief a. of thumb 母指主動脈．＝princeps pollicis a.

circumflex femoral a.'s ⇀lateral circumflex femoral a.; medial circumflex femoral a.

circumflex fibular a. 腓骨回旋動脈．＝circumflex fibular *branch* (of posterior tibial artery).

circumflex humeral a.'s ⇀anterior circumflex humeral a.; posterior circumflex humeral a.

circumflex iliac a.'s ⇀deep circumflex iliac a.; superficial circumflex iliac a.

circumflex scapular a. [TA]．肩甲回旋動脈（胸背動脈とともに肩甲下動脈の終末枝として起こり，肩および肩甲骨部の筋肉に分布する．肩甲上動脈の分枝と吻合）．＝arteria circumflexa scapulae [TA].

coiled a. of the uterus 子宮ラセン動脈．＝spiral a.

colic a.'s 結腸動脈（結腸に分布する動脈．⇀left colic a.; middle colic a.; right colic a.）．

collateral a. 側副動脈（①神経あるいは，その他何らかの構造と平行して走行する動脈．②側副回路を構成している動脈．⇀articular vascular *network*）．

collateral digital a. ＝proper palmar digital a.'s.

collicular a. [TA]．四丘体動脈（起始：後大脳動脈の交連前部（P1区）から．分布：中脳被蓋の上丘と下丘）．＝arteria collicularis [TA]; arteria quadrigeminalis*; quadrigeminal a.*.

comitant a. of median nerve 正中神経伴行動脈．＝median a.

common carotid a. [TA]．総頸動脈（右側は腕頭，左側は大動脈弓より起こる．頸部を上方に走り，甲状軟骨上縁第四頸椎水準の対側で外・内頸動脈の終末枝に分かれる）．＝arteria carotis communis [TA].

common cochlear a. [TA]．総蝸牛動脈（起始：前前庭動脈とともに迷路動脈の終末枝として．分布：蝸牛軸に入ってラセン神経節に分布し，さらに固有蝸牛動脈を蝸牛管に送り先端から2回まわりのところに分布する）．＝arteria cochlearis communis [TA].

common hepatic a. [TA]．総肝動脈（(脾動脈とともに)腹腔動脈の終枝で，右胃動脈(変異に富む)，胃十二指腸動脈，固有肝動脈に分枝）．＝ arteria hepatica communis [TA].

common iliac a. [TA]．総腸骨動脈（腹部大動脈の左右1対の終末枝．仙骨岬角のレベルにおける仙腸関節の前で，内・外腸骨動脈に分枝する）．＝arteria iliaca communis [TA].

common interosseous a. [TA]．総骨間動脈（尺骨動脈の近位部より起こり，前・後骨間動脈に分枝する）．＝arteria interossea communis [TA].

common palmar digital a. [TA]．総掌側指動脈（浅掌動脈弓より始まり，各々が2本の固有掌側指動脈に分かれ指間裂へ走る3本の動脈）．＝arteria digitalis palmaris communis [TA].

common plantar digital a. [TA]．総底側指動脈（不定枝，浅足底動脈弓より始まる4本の動脈．4本の動脈は貫通枝の遠位で底側中足動脈と吻合）．＝arteria digitalis plantaris communis [TA].

communicating a. 交通動脈（2本の大きい動脈をつないでいる動脈．⇀anterior communicating a.; posterior communicating a.）．

companion a. to sciatic nerve ＝a. to sciatic nerve; ischiadic a.

conjunctival a.'s 結膜動脈. ＝anterior conjunctival a.; posterior conjunctival a.

coronary a. *1* 冠状動脈（→right coronary a.; left coronary a.）. *2* 現在では用いられない語. ＝left gastric a.

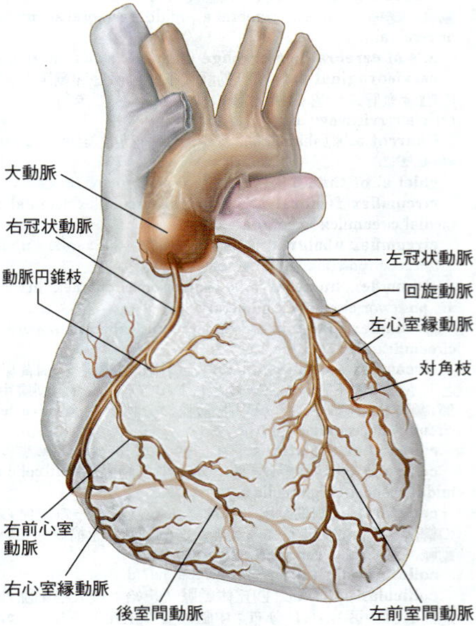

coronary arteries

cortical a.'s 皮質動脈（大脳皮質に血液を送っている前・中・後大脳動脈の枝）.

cortical radiate a.'s [TA]. 皮質放線状動脈, 小葉間動脈（腎弓状動脈の枝で, 腎柱および皮質中を外に向かって放射状に走り腎小体に分布する）. ＝arteriae corticales radiatae [TA]; arteria interlobulares (renis); interlobular a.'s of kidney.

costocervical a. 肋頸動脈. ＝costocervical (arterial) *trunk.*

cremasteric a. [TA]. 精巣挙筋動脈（下腹壁動脈より起こり, 精索被覆に分布する. 外陰部動脈, 精巣動脈, 会陰動脈と吻合）. ＝arteria cremasterica [TA]; external spermatic a.

cricothyroid a. 輪状甲状枝. ＝cricothyroid *branch* of superior thyroid artery.

cystic a. [TA]. 胆嚢動脈（肝動脈の右枝より起こり, 胆嚢, 肝に隣接する臓側面に分布する）. ＝arteria cystica [TA].

deep a. of arm* profunda brachii a. の公式の別名.

deep auricular a. [TA]. 深耳介動脈（顎動脈より起こり, 顎関節, 耳下腺, 外耳道, 鼓膜外面に分布する. 浅側頭動脈, 後耳介動脈の耳介枝と吻合）. ＝arteria auricularis profunda [TA].

deep brachial a. 上腕深動脈. ＝profunda brachii a.

deep cervical a. [TA]. 深頸動脈（上肋間動脈とともに肋頸動脈の終末枝として起こり, 首の後部深筋に分布する. 後頭動脈, 上行頸動脈, 椎骨動脈の枝と吻合）. ＝arteria cervicalis profunda [TA].

deep circumflex iliac a. [TA]. 深腸骨回旋動脈（外腸骨動脈より起こり, 下腹部の筋肉と皮膚, 大腿筋膜張筋, 縫工筋に分布する. 腰椎動脈, 下腹壁動脈, 上殿動脈, 腸腰動脈, 浅腸骨回旋動脈と吻合）. ＝arteria circumflexa iliaca profunda [TA].

deep a. of clitoris [TA]. 陰核深動脈（女性の陰部動脈の深部終末枝. 陰核脚に血液を送る）. ＝arteria profunda clitoridis [TA].

deep epigastric a. ＝inferior epigastric a.

deep femoral a. 大腿深動脈. ＝deep a. of thigh.

deep lingual a. [TA]. 舌深動脈（舌動脈の終末枝. 舌下面の筋肉と粘膜に分布する）. ＝arteria profunda linguae [TA]; arteria ranina; deep a. of tongue; ranine a.

deep a. of penis [TA]. 陰茎深動脈（陰茎背動脈とともに内陰部動脈の終末枝として起こり, 毛細血管網やラセン動脈を経て陰茎海綿体に分布し勃起を起こす動静脈吻合に至る）. ＝arteria profunda penis [TA].

deep plantar a. [TA]. 深足底動脈（第一背側中足動脈の枝（通常, 足背動脈と直接つながる）で, 第一第二中足骨の間を貫通して足底動脈弓の枝と吻合する）. ＝arteria plantaris profunda arteriae dorsalis pedis [TA]; arteria plantaris profundus [TA]; deep plantar branch of dorsalis pedis artery; ramus plantaris profundus arteriae dorsalis pedis.

deep temporal a. 深側頭動脈（前後の２本からなる. 顎動脈の第二部より起こり, 側頭筋・骨膜・側頭窩の骨と板間層に分布する. 浅側頭動脈, 涙腺動脈, 中硬膜動脈の枝と吻合）. ＝arteria temporalis profunda (anterior et posterior) [TA].

deep a. of thigh [TA]. 大腿深動脈（大腿三角内の大腿動脈より起こり, 外側・内側大腿回旋動脈を派出し, 貫通動脈（３, ４本）に分枝して終わる）. ＝arteria profunda femoris; deep femoral a.; profunda femoris a.

deep a. of tongue 舌深動脈. ＝deep lingual a.

deferential a. ＝a. to ductus deferens.

descending genicular a. [TA]. 下行膝動脈（内転筋管内の大腿動脈より起こり, 縫工筋下筋膜を貫通して膝関節と隣接部に分布する. 伏在枝と関節枝に分かれて終わる. 内側上膝動脈, 内側下膝動脈, 外側上膝動脈, 外側大腿回旋動脈, 前脛骨反回動脈と吻合）. ＝arteria descendens genus [TA]; arteria anastomotica magna (2); descending a. of knee; great anastomotic a. (2).

descending a. of knee 下行膝動脈. ＝descending genicular a.

descending palatine a. [TA]. 下行口蓋動脈（顎動脈第三部より起こり, 大口蓋管中を下行して大口蓋動脈と小口蓋動脈に分かれる. 軟口蓋, 歯肉, 硬口蓋の骨と粘膜, 前口腔咽頭部に分布する. 蝶口蓋動脈, 上行口蓋動脈, 上行咽頭動脈, 顔面動脈の扁桃枝と吻合）. ＝arteria palatina descendens [TA].

descending scapular a. 下行肩甲動脈. ＝dorsal scapular a.

digital collateral a. ＝proper palmar digital a.'s.

distal medial striate a. [TA]. ＝medial striate a.

distributing a. 分布動脈. ＝muscular a.

dolichoectatic a. 蛇行し, 拡張し, 延長した動脈. 隣接した神経構造を圧迫することがある.

dorsal a. of clitoris [TA]. 陰核背動脈（女性の内陰部動脈の２本の終末枝の１つで, 他は陰核深動脈. ともに勃起組織を備える）. ＝arteria dorsalis clitoridis [TA].

dorsal digital a. [TA]. 背側指動脈（手の背側中手動脈または足の背側中足動脈の側副指枝. 掌側指動脈と異なり, 背側指動脈は中節骨の部分で終わり, 指の先には達しない）. ＝arteria digitalis dorsalis [TA].

dorsal a. of foot 足背動脈. ＝dorsalis pedis a.

dorsal interosseous a. ＝posterior interosseous a.

dorsalis pedis a. [TA]. 足背動脈（足関節から遠位の前脛骨動脈から続き, 外側足根動脈, 弓状動脈, 第一背側中足動脈に分枝. 外側足底動脈と吻合して, 深足底動脈弓となる）. ＝arteria dorsalis pedis [TA]; dorsal a. of foot.

dorsal metacarpal a.'s [TA]. 背側中手動脈（背側手根動脈網から起こり, 手の骨間筋の背面を遠位方向に走り, 背側指動脈に終わる４本の動脈）. ＝arteriae metacarpales dorsales [TA].

dorsal metatarsal a.'s [TA]. 背側中足動脈（１本は足背動脈から, ３本は弓状動脈から起こり, 足の骨間筋の背面を遠位方向に走り, 背側趾動脈に終わる４本の動脈）. ＝arteriae metatarsales dorsales [TA].

dorsal nasal a. [TA]．鼻背動脈（眼動脈の枝の滑車上動脈より起こり，眼輪筋を貫いて鼻根の横の皮膚に分布する．眼角動脈と吻合）．＝arteria dorsalis nasi [TA]; external nasal a.☆; arteria nasi externa; dorsal a. of nose; external a. of nose.

dorsal a. of nose 鼻背動脈．＝dorsal nasal a.

dorsal pancreatic a. [TA]．後膵動脈（脾動脈の近位部より起こり，膵臓頸部下方を通り(一部は膵臓内に埋もれている)，膵臓の頭部と体部に分布する．上膵十二指腸動脈と吻合）．＝arteria pancreatica dorsalis [TA]; great superior pancreatic a.

dorsal a. of penis [TA]．陰茎背動脈（男性の内陰部動脈の背側終末枝．深陰茎筋膜の深部を通って亀頭に至る．陰茎海綿体に血液を供給する）．＝arteria dorsalis penis [TA].

dorsal scapular a. [TA]．背側肩甲動脈，肩甲背動脈（鎖骨下動脈または頸横動脈の深枝より不定に起こり，菱形筋の深部を通って同筋その他の筋と肩甲骨椎骨縁近傍の皮膚に分布する．肩甲上動脈，肩甲回旋動脈と吻合）．＝arteria dorsalis scapulae [TA]; rami profundi arteriae transversae cervicis [TA]; ramus profundus arteriae transversae colli [TA]; arteria scapularis descendens; arteria scapularis dorsalis; deep branch of the transverse cervical artery; descending scapular a.; ramus profundus arteriae scapularis descendentis.

dorsal thoracic a. 胸背動脈．＝thoracodorsal a.

a. of Drummond (drŭm′ŏnd)．＝marginal a. of colon.

a. to ductus deferens [TA]．精管動脈（臍動脈の開存部(内腸骨動脈の前枝)，またときには上膀胱動脈より起こり，精管，精嚢，精巣，尿管に分布する．精巣動脈，精巣挙筋動脈と吻合）．＝arteria ductus deferentis [TA]; a. to vas deferens☆; arteria deferentialis; deferential a.

elastic a. 弾性動脈（大動脈や肺動脈のような大動脈で，その中膜に弾性板で構成される多くの有窓性膜を有しているもの）.

end a. 終動脈（動脈の閉塞が起きた場合，組織の生存能力を維持しうるだけの十分な吻合をもたない動脈）．＝anatomic end a.; terminal a.; true end a.

episcleral a. [TA]．強膜上動脈（強膜角膜連結部の近くで強膜を穿通して起こり強膜上を走る前毛様体動脈の多数の小枝）．＝arteria episcleralis [TA].

esophageal a.'s 食道枝（①下甲状腺動脈の枝．②左胃動脈の枝．③胸大動脈の枝）.

external carotid a. [TA]．外頸動脈（第四頸椎の高さで総頸動脈より起こり，上甲状腺動脈，舌動脈，顔面動脈，後頭動脈，後耳介動脈，上行咽頭動脈に分枝する．終末枝下顆頸の高さでは顎動脈と浅側頭動脈となる）．＝arteria carotis externa [TA].

external iliac a. [TA]．外腸骨動脈（内腸骨動脈とともに総腸骨動脈終末枝より起こり，下腹壁動脈，深腸骨回旋動脈に分枝する．鼡径靱帯の高さで大腿動脈になる）．＝arteria iliaca externa [TA].

external mammary a. ＝lateral thoracic a.

external maxillary a. ＝facial a.

external nasal a.☆ dorsal nasal a. の公式の別名.

external a. of nose ＝dorsal nasal a.

external spermatic a. ＝cremasteric a.

facial a. [TA]．顔面動脈（外頸動脈の前枝(特に第三)より起こり，上行口蓋動脈，扁桃枝，腺枝，おとがい下動脈，下唇動脈，上唇動脈，咬筋枝，頬枝，外側鼻動脈，眼角動脈に分枝する）．＝arteria facialis [TA]; arteria maxillaris externa; external maxillary a.

femoral a. [TA]．大腿動脈（外腸骨動脈に続いて遠位の鼡径靱帯の高さで起こり，外陰部動脈，浅腹壁動脈，浅腸骨回旋動脈，大腿深動脈，下行膝動脈を分枝．膝関節後面に向かって下行し，内転筋裂孔を通って膝窩にはいり膝窩動脈となる）．＝arteria femoralis [TA].

femoral nutrient a. [TA]．大腿栄養動脈（第一・第三貫通動脈(ときに第二・第四)から起こる上下の2枝）．＝arteria nutriciae femoris [TA]; arteria nutriens femoris☆; nutrient a. of femur.

fibular a. [TA]．腓骨動脈（後脛骨動脈より起こり，長母指屈筋深部を通りヒラメ筋，後脛骨筋，腓骨筋，下脛腓関節，足の関節，外側踵に分布する．前外果動脈，外側足根動脈，外側足底動脈，足背動脈と吻合）．＝arteria fibularis [TA]; arteria peronea☆; peroneal a.☆.

fibular nutrient a. [TA]．腓骨栄養動脈（腓骨動脈から起こり腓骨に分布する）．＝arteria nutriens fibulae☆; nutrient a. of fibula.

first and second posterior intercostal a.'s [TA]．〔第一－第二〕肋間動脈（肋頸動脈の枝である上肋間動脈の終末枝で上方二肋間隙の後部に分布する）．＝arteriae intercostales posteriores prima et secunda [TA]; arteriae intercostales posteriores prima et secunda; posterior intercostal a.'s 1–2.

frontal a. ＝supratrochlear a.

frontopolar a. ＝polar frontal a.

functional end a. 機能的終動脈（吻合はあるが，その吻合は動脈閉塞が起きた場合に組織の生存能力を維持しうるには不十分である動脈）．＝functional terminal a.

functional terminal a. ＝functional end a.

gastric a.'s 胃動脈（胃の小彎に沿って分布する動脈．⇀left gastric a.; right gastric a.）.

gastroduodenal a. [TA]．胃十二指腸動脈（固有肝動脈とともに総肝動脈終末枝より起こり，終末枝は右胃大網動脈，上膵十二指腸動脈）．＝arteria gastroduodenalis [TA].

gastroepiploic a.'s☆ 胃大網動脈（gastroomental a's の公式の別名．⇀left gastroomental a.; right gastroomental a.）.

gastroomental a.'s [TA]．胃大網動脈（胃の大彎沿いに走り胃と大網に分布する）．＝arteriae gastro-omentales[TA]; arteriae gastroepiploicae☆; gastroepiploic a.'s☆.

genicular a.'s 膝の動脈（膝の血管網に寄与する動脈の総称．⇀descending genicular a.; inferior lateral genicular a.; inferior medial genicular a.; middle genicular a.; superior lateral genicular a.; superior medial genicular a.）.

glaserian a. グラーザー動脈．＝anterior tympanic a.

great anastomotic a. ***1*** ＝inferior ulnar collateral a. ***2*** ＝descending genicular a. ***3*** ＝great segmental medullary a.

greater palatine a. [TA]．大口蓋動脈（下行口蓋動脈の前枝で，歯肉と硬口蓋粘膜に血液を送る）．＝arteria palatina major [TA].

greater pancreatic a. [TA]．大膵動脈（脾動脈より起こり，膵臓の尾部に分布する．下膵動脈，膵尾動脈と吻合）．＝arteria pancreatica magna [TA].

great radicular a. ＝great segmental medullary a.

great segmental medullary a. 大脊髄根動脈（脊髄髄質動脈の最大の枝で前脊髄動脈と吻合して脊髄に分布する．下位の肋間動脈もしくは上位の腰動脈(左で65％)から起こり，前脊髄動脈の下2/3に流入する．⇀medullary a.'s of brain）．＝arteria radicularis magna; a. of Adamkiewicz; great anastomotic a. (3); great radicular a.

great superior pancreatic a. ＝dorsal pancreatic a.

helicine a.'s of penis [TA]．陰茎ラセン動脈（陰茎深・陰茎背動脈のらせん状の終末枝．副交感神経刺激によってらせんがほどけ，血圧によって血液が海綿組織内に充満し，勃起が起こる）.

helicine a.'s of the uterus [TA]．子宮ラセン動脈．＝helicine *branches* of the uterine artery; arteriae helicinae uteri.

hepatic a.'s 肝臓の動脈（肝臓に血液を供給する動脈の総称．⇀common hepatic a.; hepatic a. proper; left *branch* of hepatic artery proper; right *branch* of hepatic artery proper）.

hepatic a. proper [TA]．固有肝動脈（総肝動脈より起こり，左右の肝動脈に分枝）．＝arteria hepatica propria [TA].

Heubner a. (hoyb′nĕr)．＝medial striate a.

a. of Heubner (hoyb′nĕr)．ホイブナー動脈．＝medial striate a.

highest intercostal a. 最上肋間動脈．＝supreme intercostal a.

highest thoracic a. 最上胸動脈．＝superior thoracic a.

humeral a. 上腕動脈．＝brachial a.

humeral nutrient a.'s [TA]．上腕骨栄養動脈（上腕動脈深部より起こり上腕骨の脊髄腔に分布する）．＝arteriae nutriciae humeri [TA]; arteria nutriens humeri☆; nutrient a.'s of humerus.

hyaloid a. [TA]．硝子体動脈（胎芽の一次硝子体と水晶体の周りの血管膜に分布する原基眼動脈の終末枝．8.5 か月でこれらの血管はほとんど完全に萎縮するが，飛蚊症ではこの遺残が眼内検査で認められる）．＝arteria hyaloidea [TA].

hypogastric a. ＝internal iliac a.

ileal a.'s [TA]．回腸動脈（上腸間膜動脈より起こり，回腸に分布する．上腸間膜動脈の他の分枝と吻合）．＝arteriae ileales [TA].

ileocolic a. [TA]．回結腸動脈（上腸間膜動脈より起こり，しばしば右結腸動脈と共通する幹をもつ．回腸の終末部，盲腸，虫垂，上行結腸に分布する．右結腸動脈，回腸動脈と吻合）．＝arteria ileocolica [TA].

iliac a.'s 腸管動脈（腸管に関係する動脈．→common iliac a.; deep circumflex iliac a.; external iliac a.; internal iliac a.; superficial circumflex iliac a.).

iliolumbar a. [TA]．腸腰動脈（内腸骨動脈より起こり，骨盤および骨盤筋に分布する．深腸骨回旋動脈，腰動脈と吻合）．＝arteria iliolumbalis [TA].

inferior alveolar a. [TA]．下歯槽動脈（顎動脈の第一部より起こり，下顎管を通って下顎歯およびおとがいに分布する．歯枝，顎舌骨筋枝，おとがい動脈を分枝する）．＝arteria alveolaris inferior [TA]; inferior dental a.

inferior dental a. ＝inferior alveolar a.

inferior epigastric a. [TA]．下腹壁動脈（外腸骨動脈より起こり，恥骨枝，男性では精巣挙筋動脈，女性では子宮円索動脈に分枝し，上腹壁動脈，閉鎖動脈と吻合する．腹膜に包まれて外側臍索となるが，これが異なる型のヘルニアのもととなる．すなわち直接ヘルニアはこの動脈の内側を通り，間接ヘルニアは外側を通る）．＝arteria epigastrica inferior [TA]; deep epigastric a.

inferior gluteal a. [TA]．下殿動脈（内腸骨動脈より起こり，股関節，殿部に分布する．内陰部動脈の枝，外側仙骨動脈，上殿動脈，閉鎖動脈，内側・外側大腿回旋動脈と吻合）．＝arteria glutea inferior [TA]; arteria ischiadica; arteria ischiatica.

inferior hemorrhoidal a. ＝inferior rectal a.

inferior hypophysial a. [TA]．下下垂体動脈（内頸動脈の海綿洞部から出る小枝で，下垂体に分布する）．＝arteria hypophysialis inferior [TA].

inferior internal parietal a. ＝precuneal *branches* of pericallosal artery.

inferior labial a. 下唇動脈．＝inferior labial *branch* of facial artery.

inferior laryngeal a. [TA]．下喉頭動脈（下甲状腺動脈より起こり，喉頭の筋肉と粘膜に分布する．上喉頭動脈と吻合）．＝arteria laryngea inferior [TA].

inferior lateral genicular a. [TA]．外側下膝動脈（膝窩動脈より起こり，膝関節に分布する．外側上膝動脈，前・後脛骨反回動脈，膝の血管網と吻合）．＝arteria inferior lateralis genus [TA]; arteria genus inferior lateralis; lateral inferior genicular a.

inferior lingular a. [TA]．下舌枝（左肺動脈の肺舌動脈の枝．左肺上葉の下舌区に分布する．→left pulmonary a.）＝arteria lingularis inferior [TA]; inferior lingular branch of lingular branch of left pulmonary artery; ramus lingularis inferior.

inferior lobar a.'s [TA]．下葉動脈（→left pulmonary a.; right pulmonary a.).

inferior medial genicular a. [TA]．内側下膝動脈（膝窩動脈より起こり，膝関節に分布する．前・後脛骨反回動脈，内側上膝動脈，膝の血管網と吻合）．＝arteria inferior medialis genus [TA]; arteria genus inferior medialis; medial inferior genicular a.

inferior mesenteric a. [TA]．下腸間膜動脈（第三腰椎の高さで腹大動脈の 3 番目の前臓側枝として起こり，前臓側枝のなかで最も細い．左結腸動脈，S 状結腸動脈，上直腸動脈に分枝する．中結腸動脈，中直腸動脈と吻合）．＝arteria mesenterica inferior [TA].

inferior pancreatic a. [TA]．下膵動脈（後膵動脈より起こり，膵臓の体部と尾部に分布する．大膵動脈と吻合）．＝arteria pancreatica inferior [TA]; transverse pancreatic a.

inferior pancreaticoduodenal a. [TA]．下膵十二指腸動脈（上腸間膜動脈より起こり，膵頭，十二指腸下部に分布する．通常，前および後の 2 本ある．上膵十二指腸動脈と吻合）．＝arteria pancreaticoduodenalis inferior [TA].

inferior phrenic a. [TA]．下横隔動脈（横隔膜下の腹大動脈の左右対の第一枝として起こり，横隔膜に分布する．上横隔動脈，内胸動脈，筋横隔動脈と吻合）．＝arteria phrenica inferior [TA].

inferior rectal a. [TA]．下直腸動脈（内陰部動脈より起こり，肛門管，肛門部の筋肉と皮膚，殿部の皮膚に分布する．中直腸会陰動脈，殿部動脈と吻合）．＝arteria rectalis inferior [TA]; inferior hemorrhoidal a.

inferior segmental a. of kidney [TA]．腎下区動脈（腎動脈の前枝より起こる．→segmental a.'s of kidney）．＝a. of inferior segment of kidney.

a. of inferior segment of kidney 腎下区動脈．＝inferior segmental a. of kidney.

inferior and superior lobar a.'s [TA]．→left pulmonary a.; right pulmonary a.

inferior suprarenal a. [TA]．下副腎（腎上体）動脈（腎動脈より起こり，副腎に分布する）．＝arteria suprarenalis inferior [TA].

inferior thyroid a. [TA]．下甲状腺動脈（上行頸動脈とともに甲状頸動脈の終末枝で，上行頸動脈，下喉頭動脈，筋枝，食道枝，気管枝を分枝する）．＝arteria thyroidea inferior [TA].

inferior tympanic a. [TA]．下鼓室動脈（上行咽頭動脈より起こり，中耳に分布する．他の動脈の鼓室枝と吻合）．＝arteria tympanica inferior [TA].

inferior ulnar collateral a. [TA]．下尺側側副動脈（上腕動脈より起こり，肘背部の筋肉に分布する．尺側反回動脈の前枝および後枝，上尺側側副動脈，上腕深動脈，反回骨間動脈と吻合して肘関節血管網となる）．＝arteria collateralis ulnaris inferior [TA]; arteria anastomotica magna (1); great anastomotic a. (1).

inferior vesical a. [TA]．下膀胱動脈（内腸骨動脈より起こり，膀胱底，尿管，男性の場合は精嚢，精管，前立腺に分布する．中直腸動脈，他の動脈の膀胱枝と吻合）．＝arteria vesicalis inferior [TA].

infraorbital a. [TA]．眼窩下動脈（顎動脈第三部より起こり，上犬歯および切歯，下直筋，下斜筋，下眼瞼，涙嚢，上顎洞，上唇に分布する．眼動脈，顔面動脈，上唇動脈，顔面横動脈，頬動脈の各分枝と吻合）．＝arteria infraorbitalis [TA].

infrascapular a. 肩甲下動脈（肩甲回旋動脈の小枝）.

innominate a. brachiocephalic (arterial) *trunk* を表す現在では用いられない語．

insular a.'s [TA]．島動脈（中大脳動脈の島部(M2区)から出て島皮質に分散分布する動脈群）．＝arteriae insulares [TA].

intercostal a.'s 肋間の動脈（胸壁の肋間を走行する動脈の総称．→anterior intercostal *branches* of internal thoracic artery; first and second posterior intercostal a.'s; posterior intercostal a.'s 3–11; supreme intercostal a.).

interlobar a. 葉間動脈（肺の右中葉および下葉に隣接して下行し分布する右肺動脈）.

interlobar a.'s of kidney [TA]．腎葉間動脈（腎臓の区動脈の枝で，腎葉の間を進んで弓状動脈に続く）．＝arteriae interlobares renis [TA].

interlobular a.'s [TA]．葉間動脈（臓器の小葉の間を通る動脈．→interlobular a.'s of liver; cortical radiate a.'s）．＝arteriae interlobulares [TA].

interlobular a.'s of kidney 腎小葉間動脈．＝cortical radiate a.'s.

interlobular a.'s of liver 肝小葉間動脈（肝小葉間を通る肝動脈の多くの終末枝）．＝arteria interlobulares (hepatis).

intermediate temporal a. 中側頭葉動脈．＝middle temporal *branch* of insular part of middle cerebral artery.

internal auditory a. ＝labyrinthine a.

internal carotid a. (ICA) [TA]．内頸動脈（第四頸椎の高さで甲状軟骨上縁の対側の総頸動脈より始まり，中頭蓋窩で終わり，前・中大脳動脈に分かれる．便宜的に，頸部，錐体部，海綿部，脳部の 4 部に区別される）．＝arteria carotis interna [TA].

internal iliac a. [TA]. 内腸骨動脈（総腸骨動脈より起こり，腸腰動脈，外側仙骨動脈，閉鎖動脈，上殿動脈，下殿動脈，臍動脈，上膀胱動脈，下膀胱動脈，中直腸動脈，内陰部動脈に分枝する）. = arteria iliaca interna [TA]; arteria hypogastrica; hypogastric a.

internal mammary a. = internal thoracic a.

internal maxillary a. = maxillary a.

internal pudendal a. [TA]. 内陰部動脈（内腸骨動脈より起こり，下直腸動脈，会陰動脈，後陰嚢(陰唇)枝，尿道動脈，尿道球(腟前庭球)動脈，陰茎(陰核)深動脈，陰茎(陰核)背動脈に分枝する）. = arteria pudenda interna [TA].

internal spermatic a. = testicular a.

internal thoracic a. [TA]. 内胸動脈（鎖骨下動脈より起こり，心膜横隔動脈，前肋間枝，胸骨枝，縦隔枝，胸腺枝，気管支枝，筋枝，貫通枝となり，最後に筋横隔動脈，上腹壁動脈に分枝する）. = arteria thoracica interna [TA]; arteria mammaria interna; internal mammary a.

intestinal a.'s 腸動脈（⇀ileal a.'s; jejunal a.'s）.

intrarenal a.'s [TA]. 腎臓内の動脈（腎区動脈から発して腎臓内に分布するすべての動脈）. = arteriae intrarenales [TA].

ischiadic a. = companion a. to sciatic nerve.

jejunal a.'s [TA]. 空腸動脈（上腸間膜動脈より起こり，空腸に分布する．いくつものアーチを形成して相互に，回腸動脈と吻合）. = arteriae jejunales [TA].

juxtacolic a.☆ marginal a. of colon の公式の別名.

a.'s of kidney 腎臓の動脈. = segmental a.'s of kidney.

Kugel anastomotic a. (kū′gĕl). クーゲルの吻合動脈，大心房吻合動脈. = atrial anastomotic *branch* of circumflex branch of left coronary artery.

a. of labyrinth 迷路動脈. = labyrinthine a.

labyrinthine a. [TA]. 迷路動脈（内耳の構造を供する内耳道を通って骨迷路にはいる脳底動脈の分枝，内耳道枝）. = arteria labyrinthi [TA]; arteria auditiva interna; a. of labyrinth; internal auditory a.; ramus meatus acustici interni.

lacrimal a. [TA]. 涙腺動脈（眼動脈より起こり，涙腺，外直筋，上直筋，上眼瞼，前額，側頭窩に分布する）. = arteria lacrimalis [TA].

lateral basal segmental a. [TA]. 外側肺底動脈（①左肺動脈の下葉動脈の枝．②右肺動脈の下葉動脈の枝）. = arteria segmentalis basalis lateralis pulmonis (dextri et sinistri) [TA]; arteria segmentalis lateralis pulmonis (dextri et sinistri) [TA]; lateral basal branch; ramus basalis lateralis.

lateral circumflex femoral a. [TA]. 外側大腿回旋動脈（大腿深動脈より起こり，股関節，大腿の筋に分布する．内側大腿回旋動脈，下殿動脈，上殿動脈と吻合）. = arteria circumflexa femoris lateralis [TA]; lateral circumflex a. of thigh; lateral femoral circumflex a.

lateral circumflex a. of thigh 外側大腿回旋動脈. = lateral circumflex femoral a.

lateral femoral circumflex a. = lateral circumflex femoral a.

lateral frontobasal a. [TA]. 外側前頭脳底動脈（中大脳動脈の島部から出て，前頭葉の外側皮質と下部皮質に分布する動脈）. = arteria frontobasalis lateralis [TA]; arteria orbitofrontalis lateralis☆; lateral orbitofrontal a.☆.

lateral inferior genicular a. 外側下膝動脈. = inferior lateral genicular a.

lateral malleolar a.'s 外果動脈. = lateral malleolar *branch* (of fibular [peroneal] artery).

(lateral and medial) palpebral a.'s [TA]. 〔外側または内側〕眼瞼動脈（上下の眼瞼に血液を送る眼動脈の分枝で，外側，内側の2組からなる）. = arteriae palpebrales (laterales et mediales) [TA].

(lateral and medial) parietal a.'s 〔外側または内側〕頭頂葉動脈（中大脳動脈の最終部の枝で前頭頂葉動脈と後頭頂葉動脈の2枝に分かれる）. = arteriae parietales (laterales et mediales).

lateral nasal a. 外側鼻動脈. = lateral nasal *branch* of facial artery.

lateral occipital a. [TA]. 外側後頭動脈（後大脳動脈の終末枝の1つで，前側頭枝，中間側頭枝，内側側頭枝，後側頭枝を出して側頭葉に分布する．後大脳動脈のP3区とよばれている）. = arteria occipitalis lateralis [TA]; P3 segment of posterior cerebral artery [TA]; segmentum P3 arteriae cerebri posterioris [TA].

lateral orbitofrontal a.☆ lateral frontobasal a. の公式の別名.

lateral plantar a. [TA]. 外側足底動脈（後脛骨動脈の2本の終末枝のうち太いほうの枝．足底動脈弓を形成し，そこから足底と足指底面に血液を送る．内側足底動脈，足背動脈と吻合）. = arteria plantaris lateralis [TA].

lateral sacral a.'s [TA]. 外側仙骨動脈（内腸骨動脈またはその枝から出る通常は2本の動脈．付近の筋肉，皮膚に血液を送り，仙骨管内へ分枝し脊髄動脈と根動脈を出した後，仙骨をおおう皮膚や皮下組織に分布する）. = arteriae sacrales laterales [TA].

lateral segmental a. [TA]. ⇀left pulmonary a.; right pulmonary a.

lateral splanchnic a.'s 外側内臓動脈（胎生期の背側大動脈より起こり，中腎，精巣または卵巣，副腎に分布する）.

lateral striate a.'s 外側線条体動脈. = anterolateral central a.'s.

lateral superior genicular a. 外側上膝動脈. = superior lateral genicular a.

lateral tarsal a. [TA]. 外側足根動脈（足背動脈より起こり，足関節，短指伸筋に分布する．弓状動脈，腓骨動脈，外側足底動脈，前外果動脈と吻合）. = arteria tarsalis lateralis [TA].

lateral thoracic a. [TA]. 外側胸動脈（腋窩動脈の第三部より起こり，胸筋外側縁を回って胸筋などの胸壁の筋と乳腺に分布する）. = arteria thoracica lateralis [TA]; external mammary a.; long thoracic a.

left anterior descending a. = anterior interventricular *branch* of left coronary artery.

left colic a. [TA]. 左結腸動脈（下腸間膜動脈より起こり，下行結腸，脾彎曲部に分布する．中結腸動脈，S状結腸動脈と吻合）. = arteria colica sinistra [TA].

left coronary a. (**LCA**) [TA]. 左冠状動脈（左心膜横洞より起こり，前室間溝に下行する前室間枝と左心室の横隔膜表面に向かう回旋枝の2本の大きな枝とに分かれる．その先端はさらに心房，心室，房室の各枝に分かれる）. = arteria coronaria sinistra [TA].

left gastric a. [TA]. 左胃動脈（腹腔動脈より起こり，食道の腹腔部，胃の小彎側の噴門，およびしばしば出現する左肝枝によって肝臓の左葉に分布する．食道枝，右胃動脈と吻合）. = arteria gastrica sinistra [TA]; coronary a. (2).

left gastroepiploic a. 左胃大網動脈. = left gastroomental a.

left gastroomental a. [TA]. 左胃大網動脈（起始は脾動脈で，胃の大彎と大網とに分布し，右胃大網動脈・短胃動脈と吻合している）. = arteria gastroomentalis sinistra [TA]; arteria gastroepiploica sinistra; left gastroepiploic a.

left hepatic a. 左肝動脈. = left *branch* of hepatic artery proper.

left marginal a. [TA]. 左心室縁動脈（左冠状動脈の回旋枝から出る大きな心室枝で，心臓の左肺面中央を心尖まで延びる）. = ramus marginalis sinister arteriae coronariae sinistrae [TA].

left pulmonary a. [TA]. 左肺動脈（肺動脈幹の2分枝のうち短かいほうの枝で，心外膜を貫いて左肺門にはいる．多数の枝を出して気管支区や気管支下区に分布するが個人差は大である．典型的には上葉動脈の枝として肺尖動脈，前区動脈，後区動脈(後2者は上行枝・下行枝を出す)，肺舌動脈の枝として上舌動脈・下舌動脈，下葉動脈の枝として上区動脈と肺底区の枝(前肺底動脈，後肺底動脈，外側肺底動脈，内側肺底動脈)を出す）. = arteria pulmonalis sinistra [TA].

lenticulostriate a.'s レンズ核線条体動脈（①☆ anterolateral central a.'s の公式の別名．②前有孔質より脳底部にはいり，線条体，淡蒼球，内包に分布する多数の小動脈．これらの穿通動脈の大部分は，中大脳動脈のM_1部(臨床的用語)や(まれに)前脈絡叢動脈の分枝である. = Charcot a.'s）.

lesser palatine a.'s [TA]. 小口蓋動脈（大口蓋管の中の

下行口蓋動脈の後方の分枝で，軟口蓋，扁桃に分布する）．＝arteriae palatinae minores [TA].

lienal a. 脾動脈．＝splenic a.

lingual a. [TA]．舌動脈（外頸動脈より起こり，舌面下を走り舌深動脈となる．舌骨上枝，舌背枝，舌下動脈に分枝）．＝arteria lingualis [TA].

lingular a. [TA]．肺舌動脈（→left pulmonary a.）．

long central a. 長中心動脈．＝medial striate a.

long posterior ciliary a.'s [TA]．長後毛様体動脈（強膜外被と脈絡膜外被との間を虹彩に向かって走る眼動脈の2本の枝．2本の分枝は虹彩の外縁と内縁で吻合して2つの円をつくる）．＝arteriae ciliares posteriores longae [TA].

long thoracic a. ＝lateral thoracic a.

a.'s of lower limb [TA]．下肢の動脈（下肢に分布するすべての動脈で，外腸骨動脈から出る）．＝arteriae membri inferioris [TA].

lowest lumbar a.'s [TA]．最下腰動脈（正中仙骨動脈より起こる一対の外側枝で，第五腰動脈に相当する．仙骨および腸骨筋に分布する．深腸骨回旋動脈と吻合）．＝arteriae lumbales imae [TA].

lowest thyroid a. 最下甲状腺動脈．＝thyroid ima a.

lumbar a.'s [TA]．腰動脈（4，5対からなる動脈．腹大動脈より起こり，腰椎，背筋，腹壁に分布する．肋間動脈，肋下動脈，上・下腹壁動脈，深腸骨回旋動脈，腸腰動脈と吻合）．＝arteriae lumbales [TA].

macular a.'s 黄斑動脈（→inferior macular *arteriole;* superior macular *arteriole*）．

mammillary a.'s [TA]．乳頭体動脈（後交連動脈の枝で，視床下部の乳頭体に分布する）．＝arteriae mammillares [TA].

marginal a. of colon [TA]．結腸辺縁動脈（左右の結腸動脈の吻合により形成される．左結腸曲よりS状結腸の尾方端へ下行する）．＝arteria marginalis coli [TA]; arcus marginalis coli*; arteria juxtacolica*; juxtacolic a.*; marginal arcade*; a. of Drummond; Riolan arc (2).

masseteric a. [TA]．咬筋動脈（顎動脈の第二(側頭下)枝より起こり，下顎切痕，顎関節を経由して咬筋に分布する．顔面横動脈の分枝，顔面動脈の咬筋枝と吻合）．＝arteria masseterica [TA].

mastoid a. 乳突動脈．＝mastoid *branch* of occipital artery.

maxillary a. [TA]．顎動脈（側頭下窩の主動脈．外頸動脈より起こり，第一(下顎後)部では，深耳介動脈，前鼓室動脈，第二(側頭下)部では，中硬膜動脈，下歯槽動脈，咬筋動脈，深側頭動脈，頬動脈，第三(翼突口蓋)部では，後上歯槽動脈，眼窩下動脈，下行口蓋動脈，翼突管動脈，蝶口蓋動脈に分枝する）．＝arteria maxillaris [TA]; internal maxillary a.

medial basal segmental a. [TA]．内側肺底区動脈（左右肺の下葉動脈の肺底部から起こる）．＝arteria segmentalis basalis medialis pulmonis (dextri et sinistri) [TA]; arteria segmentalis medialis pulmonis (dextri et sinistri) [TA]; medial basal branch of pulmonary artery; ramus basalis medialis.

medial circumflex femoral a. [TA]．内側大腿回旋動脈(外側大腿回旋動脈とともに大腿骨近位部を取り囲み，大腿骨頭と頸に血液を送る主要枝．大腿深動脈より起こり，股関節，大腿の筋に分布する．下殿動脈，上殿動脈，外側大腿回旋動脈と吻合．外側大腿回旋動脈との吻合が，いわゆる〝十字形吻合〟である）．＝arteria circumflexa femoris medialis [TA]; medial circumflex a. of thigh; medial femoral circumflex a.

medial circumflex a. of thigh 内側大腿回旋動脈．＝medial circumflex femoral a.

medial collateral a. [TA]．中側副動脈（肘関節動脈網を形成する動脈と吻合する上腕深動脈の背側終末枝）．＝arteria collateralis media [TA]; middle collateral a.

medial commisural a. [TA]．内側交連動脈（前交連動脈から起こり視索上交連と視交叉に分布する）．

medial femoral circumflex a. ＝medial circumflex femoral a.

medial frontobasal a. [TA]．内側前頭脳底動脈（前大脳動脈(脳梁周囲動脈)の交通後枝(A2区)の第一枝で，前頭葉下面の内側半に分布する）．＝arteria frontobasalis medialis [TA]; arteria orbitofrontalis medialis*; medial orbitofrontal a.*; orbital a.

medial inferior genicular a. 内側下膝動脈．＝inferior medial genicular a.

medial malleolar a.'s 内果動脈．＝medial malleolar *branches* (of posterior tibial artery).

medial occipital a. [TA]．内側後頭動脈（後大脳動脈の終末枝の1つで，脳梁・頭頂葉後部内側面，視覚領を含む後頭葉内側部に分布し以下の枝を出す．脳梁背側枝，頭頂枝，頭頂後頭枝，後頭側頭枝，鳥距枝．後大脳動脈のP4区とよばれる）．＝arteria occipitalis medialis [TA]; P4 segment of posterior cerebral artery*; segmentum P1 arteriae cerebri posterioris*; segmentum P4 arteriae cerebri posterioris*.

medial orbitofrontal a.* medial frontobasal a. の公式の別名．

medial plantar a. [TA]．内側足底動脈（後脛骨動脈の終末枝．足底の内側に分布し，足背動脈，外側足底動脈と吻合）．＝arteria plantaris medialis [TA].

medial segmental a. [TA]．→left pulmonary a.; right pulmonary a.

medial striate a. 内側線条体動脈（前交連動脈から直接またはすぐ遠位から起こり尾状核前部・被殻・内包前脚に分布する動脈．→distal medial striate a.; proximal medial striate a.'s）．＝arteria striata medialis distalis [TA]; distal medial striate a. [TA]; arteria recurrens; a. of Heubner; Heubner a.; long central a.; recurrent a. of Heubner; recurrent a. (2).

medial superior genicular a. 内側上膝動脈．＝superior medial genicular a.

medial tarsal a.'s [TA]．内側足根動脈（足背動脈の2本の小枝で，足の内側線に分布する）．＝arteria tarsalis medialis [TA].

median a. [TA]．正中動脈（前骨間動脈より起こり，正中神経に伴走して手掌に至り，浅掌動脈弓の分枝と吻合）．＝arteria comitans nervi mediani [TA]; arteria mediana; comitant a. of median nerve.

median callosal a. [TA]．正中脳梁動脈（前交連動脈から起こり脳梁吻と終板に分布する）．＝arteria callosa mediana [TA].

median commissural a. [TA]．正中交連動脈（前交連動脈から起こり視索上交連と視交叉に分布する）．＝arteria commissuralis mediana [TA].

median sacral a. [TA]．正中仙骨動脈（腹大動脈下端分枝部の後面より起こり，下部腰椎，仙骨，尾骨に分布する．外側仙骨動脈，上・中直腸動脈と吻合）．＝arteria sacralis mediana [TA]; middle sacral a.

mediastinal a.'s 縦隔動脈．＝mediastinal *branches.*

medium a. 中血管．＝muscular a.

medullary a.'s of brain 大脳髄質動脈（皮膚動脈の枝で，大脳白質を穿通しこれに分布する）．

medullary spinal a.'s 脊髄髄質動脈．＝segmental medullary a.'s.

mental a. おとがい動脈．＝mental *branch* (of inferior alveolar artery).

metatarsal a. [TA]．中足動脈（中足骨沿いに走る背側4本，足底側4本の動脈で，先端で内側と外側に分かれて指動脈となり，隣接する指の背面・足底面に分布する．→dorsal metatarsal a.'s; plantar metatarsal a.'s）．＝arteria metatarsalis [TA].

middle cerebral a. [TA]．中大脳動脈（内頸動脈の(前大脳動脈とともに)2大終末枝の1つ．側頭葉の極の周囲を外側に走り，次いで後方に向かい外側大脳裂の深部に達する．便宜上次の3つの部分に分けられる．ⓘ蝶形部(臨床的な用語ではM_1部)は，内包，視床，線状体の穿通枝を分岐する．ⓘⓘ島部は，島や周囲の皮質領域に分枝を出す．ⓘⓘⓘ終末部または皮質部は，大脳円蓋部皮質の中央における大部分を栄養する．（後2者をまとめてM_2部とよぶ））．＝arteria cerebri media [TA].

middle colic a. [TA]．中結腸動脈（上腸間膜動脈より起こり，横行結腸に分布する．左・右結腸動脈と吻合）．＝arteria colica media [TA].

middle collateral a. 中側副動脈. =medial collateral a.

middle genicular a. [TA]. 中膝動脈（膝窩動脈より起こり，膝関節の十字靱帯と滑膜とに分布する）. =arteria media genus [TA]; arteria articularis azygos; arteria genus media.

middle hemorrhoidal a. =middle rectal a.

middle lobar a. [TA]. 中葉動脈（⇀left pulmonary a.; right pulmonary a.）.

middle lobar a. of right lung [TA]. ⇀right pulmonary a.

middle meningeal a. [TA]. 中硬膜動脈（顎動脈より起こり，岩様部枝，副硬膜枝，上鼓室動脈，前頭枝，頭頂枝に分枝する．上記の部位と終末枝を通って前頭蓋窩と中頭蓋窩に分布し，後頭動脈の硬膜枝，上行咽頭動脈，眼動脈，涙腺動脈，茎乳突孔動脈，顎動脈の副硬膜枝，深側頭動脈と吻合）. =arteria meningea media [TA].

middle rectal a. [TA]. 中直腸動脈（内腸骨動脈より起こり，直腸中部に分布する．上・下直腸動脈と吻合．上・下直腸動脈は門脈に流入するためこの吻合は門脈－全身静脈，門脈－下大静脈吻合になる）. =arteria rectalis media [TA]; middle hemorrhoidal a.

middle sacral a. 正中仙骨動脈. =median sacral a.

middle suprarenal a. [TA]. 中副腎（腎上体）動脈（腹大動脈の外側臓側枝の第一枝（上枝）として起こる一対の動脈．副腎に分布する）. =arteria suprarenalis media [TA].

middle temporal a. [TA]. 中側頭動脈（浅側頭動脈より起こり，側頭筋膜，側頭筋に分布する．顎動脈の枝と吻合．→middle temporal *branch* of insular part of middle cerebral artery; posterior temporal *branch* of middle cerebral artery）. =arteria temporalis media [TA].

muscular a. 筋性動脈（主として同心円状に配列した平滑筋からなる中膜を有する動脈）. =distributing a.; medium a.

muscular a.'s (of ophthalmic artery) [TA]. 眼動脈の筋枝（直接間接に眼動脈を出て外眼筋に分布する）. =arteriae musculares (arteriae ophthalmicae) [TA].

musculophrenic a. [TA]. 筋横隔動脈（内胸動脈の外側終末枝より起こる．第七－第十前肋間動脈を分枝し，横隔膜，肋間筋に分布する．心膜横隔動脈，下横隔動脈，肋間動脈の枝と吻合）. =arteria musculophrenica [TA].

mylohyoid a. 顎舌骨筋動脈. =mylohyoid *branch* (of inferior alveolar artery).

myometrial arcuate a.'s 子宮筋層弓状動脈（子宮動脈および卵巣動脈の枝）.

myometrial radial a.'s 子宮筋層放射状動脈（子宮筋層弓状動脈の延長）.

Neubauer a. (nū′bow-ĕr). ノイバウアー動脈. =thyroid ima a.

nutrient a. [TA]. 栄養動脈（管状骨の骨髄腔に血液を送る血管）. =arteria nutricia [TA]; nutrient vessel.

nutrient a. of femur 大腿栄養動脈. =femoral nutrient a.

nutrient a. of fibula 腓骨栄養動脈. =fibular nutrient a.

nutrient a.'s of humerus 上腕骨栄養動脈. =humeral nutrient a.'s.

nutrient a. of radius [TA]. 橈骨栄養動脈（橈骨動脈から起こり橈骨の骨髄に分布する）. =arteria nutriens radii*; arteria nutricia radii.

nutrient a. of the tibia 脛骨栄養動脈. =tibial nutrient a.

nutrient a. of ulna [TA]. 尺骨栄養動脈（尺骨動脈から起こり尺骨の骨髄に分布する）. =arteria nutricia ulnae [TA]; arteria nutriens ulnae*.

obturator a. [TA]. 閉鎖動脈（内腸骨動脈の前枝より起こるが，20%の頻度で下腹壁動脈から出る副閉鎖動脈が存在する．腸骨，恥骨，閉鎖筋，内転筋に分布し，恥骨枝，寛骨臼枝，前枝，後枝に分枝する．腸腰動脈，下腹壁動脈，内側大腿回旋動脈と吻合）. =arteria obturatoria [TA].

occipital a. [TA]. 後頭動脈（外頸動脈より起こり，胸鎖乳突筋枝，乳突枝，硬膜枝，耳介枝，後頭枝，下行枝に分枝する）. =arteria occipitalis [TA].

omphalomesenteric a. vitelline a. を表す現在では用いられない語.

ophthalmic a. [TA]. 眼動脈（内頸動脈の頭蓋内部より起こり，毛様体動脈，網膜中心動脈，前硬膜動脈，涙腺動脈，結膜動脈，強膜上動脈，眼窩上動脈，篩骨動脈，眼瞼動脈，鼻背動脈，滑車上動脈に分枝する．顔面動脈，中硬膜動脈，反対側の眼動脈と吻合）. =arteria ophthalmica [TA].

orbital a. =medial frontobasal a.

orbitofrontal a. ⇀lateral frontobasal a.; medial frontobasal a.

ovarian a. [TA]. 卵巣動脈（大動脈より起こり，尿管，卵巣，卵巣索，卵管に分布する．子宮動脈と吻合）. =arteria ovarica [TA].

palmar interosseous a. 掌側中手動脈. =palmar metacarpal a.'s.

palmar metacarpal a.'s [TA]. 掌側中手動脈（深掌動脈弓から出て，3か所の内側中手骨間部を走る3本の動脈．総掌側指動脈および貫通枝を経由して背側中手動脈と吻合する）. =arteriae metacarpale palmare [TA]; palmar interosseous a.

paracentral a. 中心〔溝〕傍動脈. =paracentral *branches* (of pericallosal artery).

paramedian a.'s* posteromedial central a.'s の公式の別名.

parent a. 親動脈（ある動脈が直接に起始してきた元の動脈．起始した動脈は〝枝〟とよばれる）.

parietooccipital a. 頭頂後頭葉動脈. =parietooccipital *branches* of pericallosal artery.

a.'s of penis 陰茎動脈（⇀dorsal a. of penis; deep a. of penis）.

perforating a.'s (of deep femoral artery) [TA]. 貫通動脈（大腿深動脈から起こり，大内転筋の腱膜を貫通する3，4本の血管で，大腿の後区画および前区画外側部に分布する）. =arteriae perforantes arteriae profundae femoris [TA].

perforating a.'s of foot =perforating *branches* of plantar metatarsal arteries.

perforating a.'s of hand =perforating *branches* of deep palmar arch.

perforating a.'s (of internal thoracic artery) =perforating *branches* of internal thoracic artery.

perforating a.'s of penis [TA]. 陰茎貫通動脈（陰茎背動脈の枝で，陰茎背，特に陰茎亀頭近くで白膜を貫通し亀頭に分布した後陰茎深動脈とともに陰茎海綿体に分布する）. = arteriae perforantes penis [TA].

perforating radiate a.'s (of kidney) [TA]. 放線状貫通動脈（腎臓の皮質放線状動脈の続きで，腎被膜を貫通して被膜血管叢に流入する．→cortical radiate a.'s）. =arteriae perforantes radiatae (renis) [TA].

pericallosal a. [TA]. 脳梁周動脈（前交通枝を出した後の前大脳動脈のことで，脳梁に沿って後走しながら小枝を皮質に送る）. =arteria pericallosa [TA].

pericardiacophrenic a. [TA]. 心膜横隔動脈（内胸動脈より起こり，心膜，横隔膜，胸膜に分布する．筋横隔動脈，下横隔動脈，内胸動脈の縦隔枝・心膜枝と吻合）. =arteria pericardiacophrenica [TA]; arteria comes nervi phrenici.

perineal a. [TA]. 会陰動脈（陰部神経管を通る内陰部動脈より起こり，会陰の表層構造に分布する．外陰部動脈と吻合）. =arteria perinealis [TA].

peroneal a.* 腓骨動脈（fibular a. の公式の別名）.

pipestem a.'s パイプ柄状動脈（Mönckeberg 動脈硬化症にみられるような石灰沈着で硬化した動脈で，検査者が指に感じる特徴を表す）.

plantar metatarsal a.'s [TA]. 底側中足動脈（足指に血液を送る足底指動脈へと分かれる足底動脈弓の4本の枝）. = arteriae metatarsale plantare [TA].

polar frontal a. [TA]. 前頭葉極動脈（前大脳動脈交連後部（A2区）からの2番目に大きな枝として起こり前頭葉前端内側面に分布する）. =arteria polaris frontalis [TA]; frontopolar a.

polar temporal a. [TA]. 側頭葉極動脈（中大脳動脈から起こり側頭葉の上内側部から前端までに分布する）. = arteria polaris temporalis [TA].

pontine a.'s [TA]. 橋動脈（脳底動脈から出て橋に分布する動脈で，分枝して内側枝（正中傍枝），外側枝（橋回旋枝）となる．後者は長・短回旋枝に区別されることもある）. =arteriae pontis [TA]; rami ad pontem.

popliteal a. [TA]. 膝窩動脈（膝窩筋下縁で前・後脛骨動脈に分枝する膝窩の大腿動脈の延長部. 外側・内側上膝動脈, 中膝動脈, 外側・内側下膝動脈, 腓腹動脈に分枝する）. ＝arteria poplitea [TA].

postcentral a. ＝a. of postcentral sulcus.

postcentral sulcal a. 中心後溝動脈. ＝a. of postcentral sulcus.

a. of postcentral sulcus [TA]. 中心後溝動脈（中大脳動脈の終末枝の1つで, 中心後溝の皮質に分布する）. ＝arteria sulci postcentralis [TA]; postcentral a.; postcentral sulcal a.

posterior alveolar a. ＝posterior superior alveolar a.

posterior auricular a. [TA]. 後耳介動脈（顎二腹筋直上の外頸動脈後面から出て, まず耳下腺と茎状突起の間を, ついで耳介軟骨と乳様突起との間を上行し, 顎二腹筋・茎状舌骨筋・胸鎖乳突筋に筋枝を, 耳下腺に腺枝を送り, 茎乳突動脈・後頭枝・耳介枝を出し, 後頭動脈および茎乳突動脈を介して前鼓室動脈と吻合する）. ＝arteria auricularis posterior [TA].

posterior basal segmental a. 後肺底動脈（左右の後肺底区を栄養する肺動脈の枝）. ＝arteria segmentalis basalis posterior [TA].

posterior basal segmental a. of left/right lung〔左または右肺の〕後肺底動脈（左右肺の下葉動脈から分かれる肺底動脈の後枝. 後肺底区(S10)を栄養する）. ＝arteria segmentalis basalis posterior pulmonis (dextri et sinistri) [TA]; posterior basal branch; ramus basalis posterior.

posterior cecal a. [TA]. 後盲腸動脈（回結腸動脈より起こり, 盲腸後部に分布する）. ＝arteria caecalis posterior [TA].

posterior cerebral a. [TA]. 後大脳動脈（脳底動脈の分枝によってできる. 大脳脚を旋回し大脳半球内側部に達する. 便宜的に次の3部と4つの区に区別される. ⓘ交通前部(P1区)からは後内側中心動脈, 短回旋動脈, 視床貫通動脈, 中脳丘動脈が出る. ⓘⓘ交通後部(P2区)からは後外側中心動脈, 後内側脈絡叢動脈, 大脳脚動脈, 視床膝状体動脈が出る. ⓘⓘⓘ終末部または皮質部(P3区)は外側後頭葉動脈を側頭葉の内側面に送る. 内側後頭葉動脈(P4区)は後頭葉内側面に分布し鳥距動脈や頭頂後頭動脈を含む）. ＝arteria cerebri posterior [TA].

posterior choroidal a. 後脈絡叢動脈（通常, 後大脳動脈のP_2部の2つの分枝としてみられる. 第3脳室(後内側脈絡叢動脈)の脈絡叢および側脳室(後外側脈絡叢動脈)の脈絡叢の一部分に分布する）. ＝arteria choroidea posterior.

posterior circumflex humeral a. [TA]. 後上腕回旋動脈（腋窩動脈より起こり, 肩関節の筋肉と構造物に分布する. 前上腕回旋動脈, 肩甲上動脈, 胸肩峰動脈, 深上腕動脈と吻合）. ＝arteria circumflexa humeri posterior [TA]; posterior humeral circumflex a.

posterior communicating a. [TA]. 後交通動脈（内頸動脈より起こり, 視束, 大脳脚, 脚間部, 海馬回に分布する. 後大脳動脈と吻合し大脳動脈輪(Willis 輪)の一部をつくる）. ＝arteria communicans posterior [TA].

posterior conjunctival a. [TA]. 後結膜動脈（結膜に血液を送る上下瞼板動脈弓からの一連の枝）. ＝arteria conjunctivalis posterior [TA]; conjunctival a.'s.

posterior dental a. ＝posterior superior alveolar a.

posterior descending coronary a. (PDA) ＝posterior interventricular branch of right coronary a.

posterior ethmoidal a. [TA]. 後篩骨動脈（眼動脈より起こり, 鼻腔外側壁の上後部と後篩骨洞に分布する）. ＝arteria ethmoidalis posterior [TA].

posterior gastric a. [TA]. 後胃動脈（脾動脈から起こり網嚢後壁の腹膜後部を上行して胃底に至り胃横隔間膜を通って胃壁に分布する. 胃の血管分布からしばしば省略されているが, 予想外に存在した場合は噴門部の手術が複雑となる）. ＝arteria gastrica posterior [TA].

posterior humeral circumflex a. ＝posterior circumflex humeral a.

posterior inferior cerebellar a. [TA]. 後下小脳動脈（椎骨動脈の頭蓋内部より起こり, 延髄外側, 第4脳室脈絡叢, 小脳に分布する. 上小脳動脈, 前下小脳動脈と吻合して後脊髄動脈, 小脳扁桃枝, 第4脳室脈絡枝を出す）. ＝arteria inferior posterior cerebelli [TA].

posterior intercostal a.'s 1–2〔第一–第二〕肋間動脈. ＝first and second posterior intercostal a.'s.

posterior intercostal a.'s 3–11 [TA]. 〔第三–第十一〕肋間動脈（胸部大動脈から出て下方の9個の肋間隙, 脊柱, 脊髄, 背の筋肉および外皮に分布する9対の動脈. これらの動脈は筋横隔動脈, 内胸動脈, 上腹壁動脈, 肋下動脈, 腰動脈の各分枝と吻合する）. ＝arteriae intercostales posteriores [TA]; arteriae intercostales posteriores III–XI.

posterior interosseous a. [TA]. 後骨間動脈（総骨間動脈より起こり, 前腕後部に分布する）. ＝arteria interossea posterior [TA]; dorsal interosseous a.

posterior interventricular a. 後室間動脈. ＝posterior interventricular branch of right coronary a.

posterior interventricular branch of right coronary a. [TA]. 後室間動脈（右冠状動脈の続きで後室間溝を心尖に向かって下行し, 心室の横隔面の大部分と心室中隔の後1/3の組織に血液を送る）. ＝ramus interventricularis posterior arteriae coronariae dextrae [TA]; posterior descending coronary a.; posterior interventricular a.

posterior labial a.'s 後陰唇動脈. ＝posterior labial *branches* of perineal artery.

posterior lateral nasal a.'s [TA]. 外側後鼻動脈（蝶口蓋動脈の枝で, 鼻甲介の後部および鼻腔壁外側に血液を送る）. ＝arteriae nasales posteriores laterales [TA].

posterior mediastinal a.'s 後縦隔動脈. ＝mediastinal *branches* of thoracic aorta.

posterior meningeal a. [TA]. 後硬膜動脈（上行咽頭動脈より起こり, 後頭蓋窩の硬膜に分布する. 中硬膜動脈, 椎骨動脈の枝と吻合）. ＝arteria meningea posterior [TA].

posterior pancreaticoduodenal a. ＝retroduodenal a.

posterior parietal a. [TA]. 後頭頂葉動脈（頭頂葉の後部に分布する中大脳動脈のM2区の枝）. ＝arteria parietalis posterior [TA].

posterior peroneal a.'s ＝lateral malleolar *branch* (of fibular [peroneal] artery).

posterior segmental a. [TA]. →left pulmonary a.; right pulmonary a.; segmental a.'s of kidney.

posterior segmental a. (of kidney) [TA]. 腎後区動脈（腎動脈後枝より起こる. →segmental a.'s of kidney）. ＝a. of posterior segment of kidney.

a. of posterior segment of kidney 腎後区動脈. ＝posterior segmental a. (of kidney).

posterior septal a. of nose 中隔後鼻動脈. ＝posterior septal *branches* of sphenopalatine artery.

posterior spinal a. [TA]. 後脊髄動脈（椎骨動脈の頭蓋内部より起こり, 延髄, 脊髄, 軟膜に分布する. 肋間動脈の脊髄枝と吻合）. ＝arteria spinalis posterior [TA].

posterior superior alveolar a. [TA]. 後上歯槽動脈（翼口蓋窩の中で顎動脈第三部より起こり, 上顎臼歯およびその歯肉と上顎洞粘膜に分布する）. ＝arteria alveolaris superior posterior [TA]; posterior alveolar a.; posterior dental a.

posterior temporal a. 後側頭葉動脈. ＝posterior temporal *branch* of middle cerebral artery.

posterior tibial a. [TA]. 後脛骨動脈（膝窩動脈の2本の終末枝のうち太く, 直接続いているもの. 腓骨動脈, 腓骨栄養動脈, 後内果動脈, 後外果動脈, 脛骨栄養動脈, 内側・外側足底動脈に分枝する）. ＝arteria tibialis posterior [TA].

posterior tibial recurrent a. [TA]. 後脛骨反回動脈（後脛骨動脈(ときには前脛骨動脈)の不定枝で膝窩筋の前方を上行し, 膝窩動脈枝と吻合して脛腓関節に小枝を送る）. ＝arteria recurrens tibialis posterior [TA].

posterior tympanic a. [TA]. 後鼓室動脈（茎乳突孔動脈より起こり, 中耳に分布する. 他の鼓室動脈と吻合）. ＝arteria tympanica posterior [TA].

posterolateral central a.'s [TA]. 後外側中心動脈（後大脳動脈の交通後部(P2区)から出る数本の枝で, 中脳の後外側部に分布する. 中脳回旋枝ともよばれる）. ＝arteriae centrales posterolaterales [TA].

posteromedial central a.'s [TA]. 後内側中心動脈（後大脳動脈および後交通動脈の交通前部(P1区)から出る数本

の枝で，中脳の後内側部に分布する．脚間貫通枝ともいう)．＝arteriae centrales posteromediales [TA]; paramedian a.'s*.

precentral a. ＝a. of precentral sulcus.

precentral sulcal a. 中心前溝動脈．＝a. of precentral sulcus.

a. of precentral sulcus [TA]．中心前溝動脈（中大脳動脈の終末枝の1つで，中心前溝の皮質に分布する)．＝arteria sulci precentralis [TA]; pre-Rolandic a.; precentral a.; precentral sulcal a.

precuneal a. 楔前部動脈．＝precuneal *branches* of pericallosal artery.

premammillary a. ＝thalamotuberal a.

prepancreatic a. [TA]．膵前動脈（膵背動脈の左側終末枝で，しばしば2本が膵臓頸部と鉤状突起の間を通って前上膵十二指腸動脈と動脈弓を形成する)．＝arteria prepancreatica [TA].

pre-Rolandic a. ＝a. of precentral sulcus.

princeps cervicis a. ＝descending *branch* of occipital artery.

princeps pollicis a. [TA]．母指主動脈（橈骨動脈深掌動脈弓より起こり，手掌面，母指の両側面に分布する．母指背の動脈と吻合)．＝arteria princeps pollicis [TA]; chief a. of thumb; princeps pollicis; principal a. of thumb.

principal a. of thumb 母指主動脈．＝princeps pollicis a.

profunda brachii a. [TA]．上腕深動脈（上腕動脈より起こり，上腕骨後面で橈骨神経とともに橈骨神経溝を通り，上腕骨，上腕の筋肉および皮膚に分布する．後上腕回旋動脈，橈側反回動脈，反回骨間動脈，尺側側副動脈と吻合し，後三者との吻合により肘関節動脈網を形成する)．＝arteria profunda brachii [TA]; ramus deltoideus arteriae profundae brachii [TA]; deep a. of arm*; deep brachial a.

profunda femoris a. 大腿深動脈．＝deep a. of thigh.

proper cochlear a. [TA]．固有蝸牛動脈（蝸牛軸内の総蝸牛動脈から起こり蝸牛管に分布する)．＝arteria cochlearis propria [TA].

proper palmar digital a.'s [TA]．固有掌側指動脈（総掌側指動脈の終末枝でそれぞれの指の側面を通る動脈)．＝arteriae digitales palmares propriae [TA]; collateral digital a.; digital collateral a.

proper plantar digital a.'s [TA]．固有底側指動脈（足底中足動脈の指枝(動脈))．＝arteriae digitales plantares propriae [TA].

proximal medial striate a.'s [TA]．近位内側線条体動脈（前大脳動脈の交連前部(A1区)から起こり，前頭葉下面から視床および線条体に分布する)．＝arteria centralis brevis; short central a.

a. of pterygoid canal [TA]．翼突管動脈（通常は上顎動脈の第三部分から起こるが，ときに翼口蓋管の中で大口蓋動脈から出ることもある．同名の神経とともに後方に向かい管壁および管内構造や上咽頭粘膜に分布する)．＝arteria canalis pterygoidei [TA]; vidian a.

pterygomeningeal a. [TA]．翼突硬膜動脈（上顎動脈または中硬膜動脈から起こり，卵円孔を通過して頭蓋腔に入り，三叉神経節，硬膜，中頭蓋窩の骨に分布するが，実は主たる分布域は頭蓋の外部にあり，翼状突起，鼓膜張筋，蝶形骨，下顎神経，耳神経節に分布する)．＝arteria pterygomeningealis [TA]; accessory meningeal a.; accessory meningeal branch; ramus meningeus accessorius.

pubic a.'s →pubic *branch* of inferior epigastric vein; pubic *branch* of obturator artery.

pulmonary a. (**PA**) 肺動脈（→right pulmonary a.; left pulmonary a.)．＝pulmonary *trunk*.

a. of pulp ***1*** 脾髄動脈（脾髄の筆毛動脈の最初の部分)．***2*** 歯髄動脈（歯髄にはいり込む動脈)．

pyloric a. ＝right gastric a.

quadrigeminal a.* collicular a. の公式の別名．

radial a. [TA]．橈骨動脈（尺骨動脈とともに上腕動脈の終枝で，橈側反回動脈，背側掌側の手根動脈と中手動脈，背側指動脈，母指主動脈，橈側示指動脈，掌枝と筋枝，貫通枝を出し通常は深掌動脈弓に終わる)．＝arteria radialis [TA].

radial collateral a. [TA]．橈側側副動脈（中側副動脈とともに，上腕深動脈の外側終末枝で，橈側反回動脈と吻合する．肘関節動脈網の形成にあずかる)．＝arteria collateralis radialis [TA].

radial index a. 示指橈側動脈．＝radialis indicis a.

radialis indicis a. [TA]．示指橈側動脈（橈骨動脈の2終枝の深掌動脈弓か母指主動脈より起こり，示指の橈側面に分布する)．＝arteria radialis indicis [TA]; arteria volaris indicis radialis; radial index a.

radial recurrent a. [TA]．橈側反回動脈（橈骨動脈より起こり，肘関節の外側付近を上行する．橈側側副動脈(上腕深動脈の枝)，反回骨間動脈と吻合)．＝arteria recurrens radialis [TA]; recurrent radial a.

ranine a. ＝deep lingual a.

recurrent a. ***1*** 反回動脈（母動脈から分枝して出るとすぐまたは少し先で鋭く反転して母動脈の対側へ走る動脈)．***2*** ＝medial striate a.

recurrent a. of Heubner (hoyb′ner)．ホイブナー反回動脈．＝medial striate a.

recurrent interosseous a. [TA]．反回骨間動脈（後骨間動脈より起こり，肘関節に分布する．中側副動脈(上腕深動脈の枝)，下尺側側副動脈の枝と吻合し肘関節動脈網を形成する)．＝arteria interossea recurrens [TA].

recurrent radial a. ＝radial recurrent a.

recurrent ulnar a. 尺側反回動脈．＝ulnar recurrent a.

renal a. [TA]．腎動脈（第一腰椎の高さで腹大動脈の2番目の外側臓側枝として起こる．外側臓側枝の中で最も太い一対の動脈．腎区域動脈，尿管枝，下副腎動脈に分枝し，腎臓に分布する)．＝arteria renalis [TA].

retinacular a.'s 支帯動脈（内側大腿回旋動脈と外側大腿回旋動脈からの複数の枝で，大腿骨頭へ向かい，大腿骨頸を包む滑膜の支帯のひだへはいり込む．これらの動脈全体が大腿骨頭への主要な血液供給を行っている)．

retroduodenal a. [TA]．十二指腸後動脈（胃十二指腸動脈から十二指腸の後部に向かう数本の小枝．十二指腸の最初の部分に分布する)．＝arteria retroduodenalis [TA]; posterior pancreaticoduodenal a.

right colic a. [TA]．右結腸動脈（上腸間膜動脈より，ときに回結腸動脈との共通幹をもって起こる．上行結腸に分布し，中結腸動脈，回結腸動脈と吻合(この吻合は結腸辺縁動脈の形成にあずかる))．＝arteria colica dextra [TA].

right coronary a. (**RCA**) [TA]．右冠状動脈（右大動脈洞より起こり，冠状溝で心臓を右回し，右心房と右心室に枝を出す．これらの枝には房室枝，洞房結節枝，右辺縁動脈，房室結節枝，後室間枝がある)．＝arteria coronaria dextra [TA].

right descending pulmonary a. (**RDPA**) 右下行肺動脈（右中・下葉を支配する動脈．胸部X線正面像で，右肺門陰影の大部分を構成する)．

right flexural a. [TA]．右結腸曲動脈（主として上腸間膜動脈から，ときに右結腸動脈と中結腸動脈からあるいはその間から起こり右結腸曲に分布する)．＝arteria flexurae dextrae [TA].

right gastric a. [TA]．右胃動脈（総肝動脈より起こり，胃小弯幽門部に分布する．左胃動脈と吻合)．＝arteria gastrica dextra [TA]; pyloric a.

right gastroepiploic a.* 右胃大網動脈（right gastroomental a. の公式の別名)．

right gastroomental a. [TA]．右胃大網動脈（起始は胃十二指腸動脈で，胃の大弯と大網とに分布し，多くの例で左胃大網動脈と吻合する．またこの動脈の枝と左右胃動脈の枝との間にも吻合がある)．＝arteria gastroomentalis dextra [TA]; right gastroepiploic a.*; arteria gastroepiploica dextra.

right hepatic a. 右肝動脈．＝right *branch* of hepatic artery proper.

right pulmonary a. [TA]．右肺動脈（肺動脈幹からの2分枝のうちの長いほうで縦隔上部で正中線を横切って右肺門に肺根の一部となって加わる．その分枝は気管支や細気管支に伴行して分布するが個人差が大きい．典型的には①上肺葉動脈から肺尖動脈と前区動脈・後区動脈がそれぞれ上行枝と下行枝を出す．ⅱ中肺葉動脈から内側区動脈，外側区動脈が出る．ⅲ下肺葉動脈から上区動脈が出る．ⅳ肺底部からは前肺底動脈，後肺底動脈，外側肺底動脈，内側肺底動脈が出る). =arteria pulmonalis dextra [TA].

Rolandic sulcal a. ロランド動脈. =a. of central sulcus.

a. of round ligament of uterus 子宮円索動脈（下腹壁動脈より起こり，子宮円索に分布する). =arteria ligamenti teretis uteri.

a. to sciatic nerve [TA]. 坐骨神経伴行動脈（下殿動脈より起こり，坐骨神経に分布する．大腿深動脈の枝と吻合). =arteria comitans nervi ischiadici [TA]; companion a. to sciatic nerve.

screw a.'s ラセン動脈（子宮粘膜または網膜黄斑部のラセン状動脈).

scrotal a.'s 陰嚢動脈（→anterior scrotal *branch* of deep external pudendal artery; posterior scrotal *branch* of internal pudendal artery).

segmental a.'s of kidney [TA]. 腎区動脈（腎臓の解剖学的区域に血液を送る腎動脈の枝．通常５本あり，それぞれが終動脈で，順に葉間動脈・弓状動脈・小葉間動脈を出す．小葉間動脈は腎小体の輸入細動脈と被膜への枝を出す．腎区動脈はⓘ前下区動脈，ⓘⓘ前上区動脈，ⓘⓘⓘ下区動脈，ⓘⓥ後区動脈，ⓥ上区動脈の５本である). =arteriae renis; a.'s of kidney.

segmental a.'s of liver [TA]. 肝臓の区域動脈（前区動脈・後区動脈(肝動脈右枝から)，内側区動脈・外側区動脈(肝動脈左枝から)で，これらは肝臓の５区域のうち４区域に分布するが，各区域にそれぞれ終動脈として分布する). =arteriae segmenti hepaticae.

segmental medullary a.'s [TA]. 体節性脊髄動脈（大径の脊髄あるいは根動脈で，各脊髄の前根・後根沿いに中枢に向かい脊髄に血液を送り，さらに周囲の硬膜に分布する．さらに進んで(縦走する)前・後脊髄動脈に達して吻合する．わずかに四—九の脊髄動脈のみが脊髄根動脈となるが，主に下部頸髄，下部胸髄，上部腰髄にあり，その最大のものが大脊髄根動脈である.→great segmental medullary a.; spinal a.'s; (anterior and posterior) radicular a.'s). =arteriae medullares segmentales [TA]; medullary spinal a.'s.

septal a. 中隔動脈（鼻中隔下部に分布する上唇動脈の枝).

sheathed a. さや動脈（大食細胞と細網支質に囲まれた脾臓の筆毛動脈の一部分).

short central a. 短中心動脈. =proximal medial striate a.'s.

short circumferential a.'s [TA]. 短回旋動脈（後大脳動脈の交連前部(P１区)からの短い枝). =arteriae circumferentiales brevis [TA].

short gastric a.'s [TA]. 短胃動脈（脾動脈から出て胃脾靱帯を経て大弯沿いに胃底へ走り，大弯部の他の動脈と吻合する４，５本の小動脈). =arteriae gastricae breves [TA]; vasa brevia.

short posterior ciliary a. [TA]. 短後毛様体動脈（眼動脈からの約７本の枝で視神経の周囲を通って眼球にはいり，15—20本に細分枝して視神経の近くで強膜を貫通し脈絡膜と毛様体に分布する．鋸状縁で網膜中心動脈や長前毛様体動脈と吻合する). =arteria ciliaris posterior brevis [TA].

sigmoid a.'s [TA]. Ｓ状結腸動脈（下腸間膜動脈より起こり，下行結腸，Ｓ状結腸に分布する．左結腸動脈，上直腸動脈と吻合). =arteriae sigmoideae [TA].

sinuatrial nodal a. 洞房結節動脈. =sinuatrial (S-A) nodal *branch* of right coronary artery.

a. to the sinuatrial (S-A) node 洞房結節動脈. =sinuatrial (S-A) nodal *branch* of right coronary artery.

sinuatrial node a. =sinuatrial (S-A) nodal *branch* of right coronary artery.

sinus node a. =sinuatrial (S-A) nodal *branch* of right coronary artery.

small a.'s 小動脈（特に名前のない筋性動脈で，通常は６層または７層以下の筋層を有する).

somatic a.'s 分節動脈（胚期の背側大動脈から起こり，体壁に分布する動脈で，後肋間・肋下・腰動脈としてほぼ原型どおりに残る).

sphenopalatine a. [TA]. 蝶口蓋動脈（顎動脈の第三部より起こり，鼻腔外側壁と鼻中隔の後部に分布する．下行口蓋動脈，上唇動脈，眼窩下動脈の枝と吻合). =arteria sphenopalatina [TA].

spinal a.'s 脊髄動脈. =rami radiculares; spinal *branches*.

spiral a. ラセン動脈（月経前あるいは月経前期の子宮内膜にみられるらせん状動脈). =coiled a. of the uterus.

spiral modiolar a. [TA]. 蝸牛軸ラセン動脈（蝸牛軸ラセン板の根元にあるラセン神経節に沿って走行しながら神経節と蝸牛管に分布する．総蝸牛動脈から起こって蝸牛の上２回まわりに分布するものと，前庭蝸牛動脈から起こって蝸牛の下半分まわりに分布するものとからなる).

splenic a. [TA]. 脾動脈（腹腔動脈より起こり，膵枝，左胃大網動脈，短胃動脈，固有脾枝に分枝する.→great segmental medullary a.). =arteria splenica [TA]; arteria lienalis*; lienal a.

stapedial a. あぶみ骨動脈（胚期の，あぶみ骨輪を貫通する小動脈で，後に消失する．ほとんどのヒト胎児において第二大動脈に由来する).

sternal a.'s =sternal *branches* of internal thoracic artery.

sternomastoid a. →sternocleidomastoid *branch* of superior thyroid artery; sternocleidomastoid *branches* of occipital artery.

straight a.'s* *vasa* recta renis (⇒vas)の公式の別名.

stylomastoid a. [TA]. 茎乳突孔動脈（後耳介動脈より起こり，外耳道，乳突蜂巣，半規管，あぶみ骨筋，前庭に分布する．内頸動脈・上行咽頭動脈の鼓室枝，迷路動脈と吻合). =arteria stylomastoidea [TA].

subclavian a. [TA]. 鎖骨下動脈（右側は腕頭動脈より，左側は大動脈弓より起こり，椎骨動脈，甲状頸動脈，内胸動脈，肋頸動脈，下行肩甲動脈に分枝し，第一肋骨を越えたところで腋窩動脈となる). =arteria subclavia [TA].

subcostal a. [TA]. 肋下動脈（胸大動脈より起こり，第十二肋骨の下方でそれより上方の肋間動脈と同様の分布をする). =arteria subcostalis [TA].

sublingual a. [TA]. 舌下動脈（舌動脈より起こり，舌下腺，口腔粘膜に分布する．反対側の舌下動脈，おとがい下動脈と吻合). =arteria sublingualis [TA].

submental a. [TA]. おとがい下動脈（顔面動脈より起こり，顎舌骨筋，顎下腺，舌下腺，下唇に分布する．下唇動脈，下歯槽動脈・舌下動脈のおとがい枝と吻合). =arteria submentalis [TA].

subscapular a. [TA]. 肩甲下動脈（腋窩動脈より起こり，肩甲回旋動脈，胸背動脈に分枝する．肩関節，肩甲骨部の筋肉に分布し，頸横動脈，肩甲上動脈，外側胸動脈，肋間動脈の枝と吻合). =arteria subscapularis [TA].

sulcal a. 溝動脈（脊髄の前正中裂内を走る前脊髄動脈の小枝).

superficial brachial a. [TA]. 浅上腕動脈（不定枝．正中神経より浅層に位置する上腕動脈). =arteria brachialis superficialis [TA].

superficial cervical a. [TA]. 浅頸動脈（甲状頸動脈の枝として起こり副神経に伴行して僧帽筋の下方に走る.→superficial *branch* of the transverse cervical artery). =ramus superficialis arteriae transversae cervicis [TA]; arteria cervicalis superficialis.

superficial cervical a. of transverse cervical artery 頸横動脈の浅頸動脈（脊髄からの副神経枝に伴行して僧帽筋の深層面に分布する．甲状頸動脈幹から直接枝として出ることもあるが，そのときは浅頸動脈とよばれる). =ramus superficialis arteriae transversae colli; superficial branch of the transverse cervical artery [TA].

superficial circumflex iliac a. [TA]. 浅腸骨回旋動脈（鼡径靱帯直下で大腿筋膜を貫き，鼡径靱帯に沿って腸骨稜に向かう皮動脈．大腿動脈より起こり，鼡径リンパ節とその部分の皮膚，縫工筋，大腿筋膜張筋に分布する．深腸骨回旋動脈と吻合). =arteria circumflexa iliaca superficialis [TA].

(superficial and deep) external pudendal a.'s [TA]. 〔浅・深〕外陰部動脈（起始：大腿動脈から２本の枝として派生しそれぞれ大腿静脈の浅層と深部を走行する．分布：恥丘の皮膚，陰茎の皮膚，前陰嚢(陰唇)動脈を経て陰嚢(陰唇)の皮膚に分布．吻合：陰茎(陰核)背動脈，後陰嚢(陰唇)動脈). =arteriae pudendae externae (profunda et superficialis) [TA].

superficial epigastric a. [TA]. 浅腹壁動脈（大腿動脈よ

り起こり，鼡径部と下腹部の皮膚に分布する．下腹壁動脈，浅腸骨回旋動脈，外陰部動脈と吻合）．＝arteria epigastrica superficialis ［TA］．

superficial palmar a. ＝superficial palmar *branch* of radial artery.

superficial temporal a. ［TA］．浅側頭動脈（上顎動脈とともに外頸動脈の終末枝として起こり，顔面横動脈，中側頭動脈，内側前頭脳底動脈，耳下腺枝および前耳介枝，前頭枝，頭頂枝に分枝する）．＝arteria temporalis superficialis ［TA］．

superficial volar a. ＝superficial palmar *branch* of radial artery.

superior cerebellar a. ［TA］．上小脳動脈（脳底動脈より起こり，小脳と脚の上部表面および大部分の小脳核に分布する．後下小脳動脈と吻合して内側枝および外側枝を出す）．＝arteria superior cerebelli ［TA］．

superior epigastric a. ［TA］．上腹壁動脈（内胸動脈の内側終末枝より起こり，腹部筋と皮膚，肝鎌状間膜に分布する．下腹壁動脈と吻合）．＝arteria epigastrica superior ［TA］．

superior gluteal a. ［TA］．上殿動脈（内腸骨動脈より起こり，殿部に分布する．外側仙骨動脈，下殿動脈，内陰部動脈，深腸骨回旋動脈，外側大腿回旋動脈と吻合）．＝arteria glutea superior ［TA］．

superior hemorrhoidal a. ＝superior rectal a.

superior hypophysial a. ［TA］．上下垂体動脈（内頸動脈の大脳部から出て下垂体に分布する小動脈枝）．＝arteria hypophysialis superior ［TA］．

superior intercostal a. 前肋間動脈，最上肋間動脈．＝supreme intercostal a.

superior internal parietal a. ＝parietooccipital *branches* of pericallosal artery.

superior labial a. 上唇動脈．＝superior labial *branch* of facial artery.

superior laryngeal a. ［TA］．上喉頭動脈（上甲状腺動脈より起こり，喉頭の筋肉と粘膜に分布する．上甲状腺動脈の輪状甲状枝，下喉頭動脈の終末枝と吻合）．＝arteria laryngea superior ［TA］．

superior lateral genicular a. ［TA］．外側上膝動脈（膝窩動脈より起こり，膝関節に分布する．外側大腿回旋動脈，第三貫通動脈，前脛骨反回動脈，外側下膝動脈と吻合）．＝arteria superior lateralis genus ［TA］; lateral superior genicular a.

superior lingular a. ［TA］．上舌枝（左肺動脈の肺舌動脈の枝．左肺上葉の上舌区に分布．⇀left pulmonary a.）．＝arteria lingularis superior ［TA］; ramus lingularis superior; superior lingular branch of lingular branch of superior lobar left pulmonary artery.

superior lobar a.'s ［TA］．上葉動脈（⇀left pulmonary a.; right pulmonary a.）．

superior medial genicular a. ［TA］．内側上膝動脈（膝窩動脈より起こり，膝関節に分布する．下行膝動脈，外側上膝動脈，膝の血管網と吻合）．＝arteria superior medialis genus ［TA］; medial superior genicular a.

superior mesenteric a. ［TA］．上腸間膜動脈（第一腰椎の高さで，腹大動脈の２番目の前臓側枝として起こり，下膵十二指腸動脈，空腸動脈，腸骨動脈，回結腸動脈，虫垂動脈，右結腸動脈，中結腸動脈に分枝する．上膵十二指腸動脈，左結腸動脈と吻合）．＝arteria mesenterica superior ［TA］．

superior phrenic a.'s ［TA］．上横隔動脈（横隔膜直上の胸大動脈から出る１対の小動脈．横隔膜に分布し，筋横隔動脈，心膜横隔動脈，下横隔動脈と吻合する）．＝arteriae phrenicae superiores ［TA］．

superior rectal a. ［TA］．上直腸動脈（下腸間膜動脈より起こり，直腸上部に分布する．中・下直腸動脈と吻合）．＝arteria rectalis superior ［TA］; superior hemorrhoidal a.

superior segmental a. ［TA］．⇀left pulmonary a.; right pulmonary a.; segmental a.'s of kidney.

superior segmental a. of kidney ［TA］．腎上区動脈（腎動脈の前枝より起こる．⇀segmental a.'s of kidney）．＝a. of superior segment of kidney.

a. of superior segment of kidney 腎上区動脈．＝superior segmental a. of kidney.

superior suprarenal a.'s ［TA］．上副腎（腎上体）動脈（左右の下横隔動脈から出る多数の枝．副腎に分布する）．＝arteriae suprarenales superiores ［TA］．

superior thoracic a. ［TA］．最上胸動脈（腋窩動脈から出て上胸部の筋に分布する．鎖骨上動脈，内胸動脈，胸肩峰動脈などと吻合）．＝arteria thoracica superior ［TA］; highest thoracic a.

superior thyroid a. ［TA］．上甲状腺動脈（外頸動脈より起こり，上喉頭動脈，舌骨下枝，胸鎖乳突筋枝，輪状甲状筋枝と２本の終末枝に分枝する）．＝arteria thyroidea superior ［TA］．

superior tympanic a. ［TA］．上鼓室動脈（中硬膜動脈より起こり，中耳に分布する．他の鼓室動脈と吻合）．＝arteria tympanica superior ［TA］．

superior ulnar collateral a. ［TA］．上尺側側副動脈（上腕動脈より起こり，肘関節に分布する．尺側反回動脈の後枝，下尺側側副動脈と吻合して肘関節動脈網を形成する）．＝arteria collateralis ulnaris superior ［TA］．

superior vesical a.'s ［TA］．上膀胱動脈（臍動脈より起こり，膀胱，尿膜管，尿管に分布する．他の動脈の膀胱枝と吻合）．＝arteriae vesicales superiores ［TA］．

suprachiasmatic a. ［TA］．視交叉上動脈（前交連動脈から起こり，視交叉の上を越えて視交叉陥凹と視床下部に分布する）．＝arteria suprachiasmatica ［TA］．

supraduodenal a. ［TA］．十二指腸上動脈（胃十二指腸動脈より起こり，十二指腸の下行部分および膵頭に分布する）．＝arteria supraduodenalis ［TA］．

supraoptic a. ［TA］．視索上動脈（前大脳動脈の交連前部（A1区）から起こり，視索の上を越えて前頭葉の眼窩面に分布する）．＝arteria supraoptica ［TA］．

supraorbital a. ［TA］．眼窩上動脈（眼動脈より起こり，前頭筋，頭皮に分布する．浅側頭動脈，滑車上動脈の枝と吻合）．＝arteria supraorbitalis ［TA］．

suprascapular a. ［TA］．肩甲上動脈（甲状頸動脈より起こり，鎖骨，肩甲骨，上肢帯筋，肩関節に分布する．頸横動脈，肩甲回旋動脈と吻合）．＝arteria suprascapularis ［TA］; transverse scapular a.

supratrochlear a. ［TA］．滑車上動脈（眼動脈より起こり，頭皮前部に分布する．眼窩上動脈の分枝と吻合）．＝arteria supratrochlearis ［TA］; arteria frontalis; frontal a.

supreme intercostal a. ［TA］．最上肋間動脈（肋頸動脈から出て第一および第二肋間にはいり，終末枝である第一・第二肋間動脈に至る動脈．内胸動脈の前肋間枝と吻合する）．＝arteria intercostalis suprema ［TA］; highest intercostal a.; superior intercostal a.

sural a.'s ［TA］．腓腹動脈（膝窩動脈から出る４，５本の動脈（ときには共通幹となる）．腓腹筋および皮膚に分布し，後脛骨動脈，内側・外側下膝動脈と吻合）．＝arteriae surales ［TA］; a. of calf.

a. to tail of pancreas ［TA］．膵尾動脈（左胃大網動脈近くの脾動脈より起こり，膵の尾部に分布する．他の膵動脈と吻合）．＝arteria caudae pancreatis ［TA］; caudal pancreatic a.

terminal a. 終動脈．＝end a.

testicular a. ［TA］．精巣動脈（腹大動脈の第三番目の外側臓側枝として起こり，尿管枝，精巣挙筋動脈，精巣上体枝に分枝し，精巣，尿管，精巣挙筋，精巣上体に分布する．腎動脈，下腹壁動脈，精管動脈の枝と吻合）．＝arteria testicularis ［TA］; arteria spermatica interna; internal spermatic a.

thalamogeniculate a. 視床枝（後大脳動脈の一枝で，内側膝状体，外側膝状体，および視床枕を栄養する）．＝arteria thalamogeniculata ［TA］．

thalamoperforating a. 視床貫通動脈（脳底動脈と後大脳動脈の枝の１つで，中脳と視床に血液を供給する）．＝arteria thalami perforans ［TA］．

thalamotuberal a. 視床灰白隆起動脈（後交通動脈（まれに中大脳動脈）からの数本の小枝で，視床と付近の構造を栄養する）．＝arteria thalamotuberalis ［TA］; premammillary a.

thoracoacromial a. ［TA］．胸肩峰動脈（腋窩動脈より起こり，肩および胸郭上部の筋肉と皮膚に分布する．最上胸動脈，内胸動脈，外側胸動脈，前・後上腕回旋動脈，肩甲上動脈の枝と吻合）．＝arteria thoracoacromialis ［TA］; ramus deltoideus arteriae thoracoacromialis [TA]; acromiothoracic a.; thoracic axis (1); thoracoacromial trunk.

thoracodorsal a. [TA]. 胸背動脈（肩甲回旋動脈とともに，肩甲下動脈より起こる終枝．上背部の筋肉，特に広背筋に分布する．外側胸動脈の枝と吻合）．＝arteria thoracodorsalis [TA]; dorsal thoracic a.

thyroid ima a. [TA]. 最下甲状腺動脈（大動脈弓あるいは腕頭動脈より起こる不定の動脈．甲状腺右葉，左葉の内側部に分布する）．＝arteria thyroidea ima [TA]; lowest thyroid a.; Neubauer a.

tibial nutrient a. [TA]. 脛骨栄養動脈（後脛骨動脈上部より起こり，脛骨の後面にある栄養孔にはいる）．＝arteria nutricia tibiae [TA]; arteria nutriens tibiae*; arteria nutriens tibialis; nutrient a. of the tibia.

transverse cervical a. [TA]. 頸横動脈（甲状頸動脈より起こり，浅枝(浅頸動脈)，深枝(下行肩甲動脈)に分枝する）．＝arteria transversa colli [TA]; arteria transversa cervicis*; transverse a. of neck.

transverse facial a. [TA]. 顔面横動脈（浅側頭動脈より起こり，耳下腺，耳下腺管，咬筋，それをおおう皮膚に分布する．頸動脈からの眼窩下動脈および頬枝，顔面動脈の頬枝・咬筋枝と吻合）．＝arteria transversa faciei [TA].

transverse a. of neck 頸横動脈．＝transverse cervical a.

transverse pancreatic a. ＝inferior pancreatic a.

transverse scapular a. ＝suprascapular a.

true end a. 真の終動脈．＝end a.

a. of tuber cinereum [TA]. 灰白隆起の動脈（後交連動脈から外側内側に細枝を出し灰白隆起に分布する）．＝arteria tuberis cinerei [TA].

ulnar a. [TA]. 尺骨動脈（橈骨動脈とともに上腕動脈の終枝で，尺側反回動脈，総骨間動脈，掌側・背側手根枝，深掌枝，指動脈を出す浅掌動脈弓に分枝する）．＝arteria ulnaris [TA].

ulnar recurrent a. [TA]. 尺側反回動脈（尺骨動脈より起こり，前枝，後枝の２つの枝が肘関節を前後に分かれて逆行性に内側に向かって通る．上・下尺側側副動脈と吻合して肘関節動脈網に加わる）．＝arteria recurrens ulnaris [TA]; recurrent ulnar a.

umbilical a. [TA]. 臍動脈（出生前は内腸骨動脈の延長．出生後は膀胱と臍の間で閉塞され，臍動脈索を形成し，内腸骨動脈と膀胱の間に残った部分は形が小さくなり，上膀胱動脈を出す）．＝arteria umbilicalis [TA].

uncal a. [TA]. 鉤動脈（内頸動脈の大脳部，ときには中大脳動脈の蝶形骨部(M1区)から起こり，海馬傍回鉤に分布する）．＝arteria uncalis [TA].

a.'s of upper limb [TA]. 上肢の動脈（上肢に分布するすべての動脈．すべて腋窩動脈からくる）．＝arteriae membri superioris [TA].

urethral a. [TA]. 尿道動脈（会陰動脈より起こり，尿道隔膜部に分布する）．＝arteria urethralis [TA].

uterine a. [TA]. 子宮動脈（女性の内腸骨動脈前部より起こり，子宮，腟上部，子宮円索，卵管の内側部に分布する．卵巣動脈，腟動脈，下腹壁動脈と吻合．妊娠時には胎盤への母体循環血を供給する）．＝arteria uterina [TA].

vaginal a. [TA]. 腟動脈（女性の内腸骨動脈前部(ときには，通常，下膀胱動脈)より起こり，腟，膀胱底，直腸に分布する．子宮動脈，内陰部動脈と吻合）．＝arteria vaginalis [TA].

a. to vas deferens* a. to ductus deferens の公式の別名．

venous a. ＝pulmonary *trunk*.

ventral splanchnic a.'s 腹側内臓動脈（胚期の背大動脈から起こり，消化管に分布する）．

ventricular a.'s 心室動脈（左右の冠状動脈の枝で，心室の筋に分布する）．＝arteriae ventriculares.

vertebral a. [TA]. 椎骨動脈（鎖骨下動脈の最初の枝．便宜的に次の４部(V_1—V_4)に区別される．ⓘ第六頸椎横突孔にはいるまでの椎前部．ⓘⓘ頸椎の横突孔を次々と通過して上行する頸部．ⓘⓘⓘ環椎の後弓に沿って回り込んでいる(環椎(後頭下))部．ⓘⓥ頭蓋腔内にはいり左右合流して脳底動脈となるまでの頭蓋内部）．＝arteria vertebralis [TA].

vestibulocochlear a. [TA]. 前庭蝸牛動脈（前前庭動脈から起こり，球形嚢，蝸牛，前庭後部に分布する）．＝arteria vestibulocochlearis [TA].

vidian a. (vid′ē-ăn). ヴィディウス動脈．＝a. of pterygoid canal.

vitelline a. 卵黄動脈（胚子から卵黄嚢へ血液を送る動脈）．＝arteria vitellina.

volar interosseous a. 掌側骨間動脈．＝anterior interosseous a.

Zinn a. (zin). ツィン動脈．＝central retinal a.

zygomatico-orbital a. [TA]. 頬骨眼窩動脈（浅側頭動脈，ときには中側頭動脈より起こり，眼輪筋，眼窩部に分布する．眼動脈からの涙腺動脈・眼瞼動脈と吻合）．＝arteria zygomatico-orbitalis [TA].

---

artesunate (ahr-tez′ŭ-nāt). アーテスネート（抗マラリア薬であるアーテミシニンの誘導体）．

arthr- →arthro-.

ar·thral (ar′thrăl). 関節の．＝articular.

ar·thral·gi·a (ar-thral′jē-ă) [G. *arthron*, joint + *algos*, pain]. 関節痛（関節の痛み）．＝arthrodynia.

intermittent a. 間欠性関節痛．＝periodic a.

migratory a. 遊走性関節痛（ある関節から他の関節に移動するがごとく異なった時期に異なった関節に関節痛が生じるもの）．

periodic a. [MIM*112270]. 周期性関節痛（規則正しい間隔で疼痛と腫脹を呈する疾患で，初め関節性と考えられていたが，現在は長骨骨幹部にみられるものをいう．ときに腹痛，紫斑，浮腫がみられる）．＝intermittent a.; periodic bone pain.

a. saturnina 鉛関節痛（鉛中毒における激痛で，主に下肢関節の屈曲時に起こる）．

ar·thral·gic (ar-thral′jik). 関節痛の．＝arthrodynic.

ar·threc·to·my (ar-threk′tō-mē) [G. *arthron*, joint + *ektomē*, excision]. 関節切除〔術〕．

ar·thres·the·si·a (ar-thres-thē′zē-ă) [G. *arthron*, joint + *aisthesis*, sensation]. 関節〔感〕覚．＝articular *sensibility*.

ar·thrit·ic (ar-thrit′ik). 関節炎の．

ar·thrit·i·des (ar-thrit′i-dēz). arthritis の複数形．

ar·thri·tis, pl. ar·thrit·i·des (ar-thrī′tis, ar-thrit′i-dēz) [G. < *arthron*, joint + *-itis*, inflammation]. 関節炎（[誤った発音 ar-ther-ī′tis を避けること．複数形 arthritides から不適切に逆成された無意味語(発音 ar-thrit′ī-dē)を避けること]）．＝articular rheumatism.

acute rheumatic a. 急性リウマチ性関節炎（リウマチ熱による関節炎）．

chronic absorptive a. 慢性吸収性関節炎．＝a. mutilans.

chylous a. 乳び関節炎（関節液中のリンパ含有量が高い関節炎で，通常，フィラリア症による）．

a. deformans ＝rheumatoid a.

degenerative a. ＝osteoarthritis.

enteropathic a. 腸疾患に基づく関節炎．関節炎の一種で，潰瘍性大腸炎，Crohn 病，あるいは細菌性腸炎を含むその他の腸疾患の合併症として，ときに関節リウマチ様の症状を呈する．

filarial a. フィラリア性関節炎（フィラリア症にみられる関節炎で，乳びに似た脂質の多いリンパ液が関節腔に浸潤するためと思われる）．

gonococcal a. 淋菌性関節炎（播種性の淋菌 *Neisseria gonorrhoeae* による関節炎．単関節炎が特徴であるが，多関節炎となることもある）．＝gonorrheal a.

gonorrheal a. ＝gonococcal a.

gouty a. 痛風〔性〕関節炎（痛風による関節の炎症）．

hemophilic a. 血友病〔性〕関節炎（血友病による出血が関節に貯留して起こる関節疾患）．

hypertrophic a. 肥厚性関節炎（関節周辺部の求心性骨棘形成を特徴とする変形性関節症の一型）．

Jaccoud a. (zhah-kū′). ジャクー関節炎（まれなタイプの慢性関節炎で，急性リウマチ熱の炎症が繰り返した後に生じるといわれている．中手骨頭に通常みられない型の骨侵食と指の尺側偏位とを特徴とする．関節リウマチに類似しているが，炎症所見はそれに比べて軽く，リウマトイド因子は陰性である）．＝Jaccoud arthropathy.

juvenile a., juvenile rheumatoid a. 若年性関節炎，若年性関節リウマチ（小児期に発症する慢性関節炎で，ほとんどの場合少数関節性，すなわち罹患する関節は数関節にとどまる．本症にはいくつかの病型がある．主に女児を侵し，しばしば虹彩炎を伴い，通常抗核抗体が陽性の型，主に男児を侵し，強直性脊椎炎に類似する脊椎の関節炎が高頻度にみられる型などがある．また小児期に発症した真の関節リウマチである群もあり，この場合リウマトイド因子は陽性で，関節の破壊による関節の変形としばしば思春期に寛解がみられるのが特徴である．→Still *disease*）．＝juvenile chronic a.

juvenile chronic a. 若年性慢性関節炎．＝juvenile a.

Lyme a. ライム関節炎（ライム病が関節に現れたもの）．

a. mutilans 破壊性関節炎（関節リウマチの一型で，骨溶解により関節軟骨と骨の広範な破壊と著しい変形を生じる．主に手足にみられる．乾癬性関節炎でも同様の変化がみられることがある）．＝chronic absorptive a.

neuropathic a. 神経病性関節炎（脊髄空洞症，脊髄ろう，糖尿病性神経障害などの神経疾患に伴う関節炎）．

ochronotic a. アルカプトン尿性関節炎（オクロノーシス（組織褐変症）の合併症として起こる変形性関節症）．

proliferative a. 増殖性関節炎（関節リウマチを表す語で，本疾患に侵された関節にみられる特徴的な滑膜増殖に基づいている）．

psoriatic a. 乾癬性関節炎（乾癬に伴って発生する多発性関節炎で，関節リウマチに似ているが，1つの疾患単位として考えられる．リウマチ因子は陰性で，指に多発する．→a. mutilans）．＝arthropathia psoriatica.

pyogenic a. 化膿性関節炎．＝suppurative a.

reactive a. 反応性関節炎（種々の感染症後の無菌性，通常，一過性の多発性関節症）．

rheumatoid a. （**RA**）［MIM*180300］．関節リウマチ（全身性疾患で，特に女性に多く，最初は結合組織を侵す．関節炎が主な臨床症状で，関節炎は多数の関節，特に手足の関節にみられる関節軟部組織の肥厚を生じ，関節軟骨を滑膜組織がおおい，軟骨を侵食する．経過は多様であるが，しばしば慢性かつ進行性で変形と廃疾に至る）．＝a. deformans; nodose rheumatism (1).

septic a. ＝suppurative a.

suppurative a. 化膿性関節炎（細菌感染による関節への化膿性滲出を伴った滑膜の急性炎症．通常の感染経路は血行性で，滑膜組織へはいり，関節軟骨を破壊する．慢性化すると，瘻孔形成，骨髄炎，変形，機能障害を生じる）．＝purulent synovitis; pyarthrosis; pyogenic a.; septic a.; suppurative synovitis.

arthro-, arthr- (ar′thrō)［G. *arthron*, a joint ＜ *arariskō*, to join, to fit together］．関節を意味する連結形．ラテン語 articul- に相当する．

Arth·ro·bac·ter (ar′thrō-bak′ter)［G. *arthron*, joint + *baktron*, staff or rod］．アルトロバクター属（コリネバクテリア科の，厳密に好気的なグラム陽性細菌の一属．新鮮な複合成長培地に移すと，球菌状から杆菌状へと変化する．第一義的には土壌中に見出されるが，この属に属すると同定される種が，う食巣の進行端に見出されている．標準種は *A. globiformis*）．

ar·thro·cen·te·sis (ar′thrō-sen-tē′sis)［arthro- + G. *kentēsis*, puncture］．関節穿刺（穿刺針による関節内液体の吸引）．

ar·thro·chon·dri·tis (ar′thrō-kon-drī′tis)［arthro- + G. *chondros*, cartilage + *-itis*, inflammation］．関節軟骨炎．

ar·thro·cla·si·a (ar′thrō-klā′zē-ă)［arthro- + G. *klasis*, a breaking］．関節強直砕き〔術〕（強直における癒着を力を加えて剝離すること）．

ar·thro·co·nid·i·um (ar′thrō-kō-nid′ē-um)［G. *arthron*, joint + conidium］．分節分生子（菌糸が細胞隔壁で分断または切断して分離した分生子）．＝arthrospore.

Arth·ro·der·ma (ar′thrō-der′mă)．子嚢菌類に分類される真菌の属で，無性世代は小胞子菌 *Microsporium* と白癬菌 *Trichophyton* の2属である．

ar·throd·e·sis (ar-throd′ĕ-sis, ar-thrō-dē′sis)［arthro- + G. *desis*, a binding together］．関節固定〔術〕（手術により関節を動かなくすること）．＝artificial ankylosis.

ankle a. 足関節固定〔術〕（脛骨遠位端と距骨を固定する術式）．

intramedullary a. 髄内関節固定〔術〕（関節内をまたいで髄腔内に金属棒を挿入することにより2つの長骨を固定する術式．主に膝に用いられる）．

posterolateral a. 後外側〔脊椎〕固定〔術〕（隣接する脊椎の椎弓と横突起間で脊椎を固定する術式）．

shoulder a. 肩関節固定〔術〕（肩甲上腕関節の固定術）．

triple a. 三関節固定〔術〕（距舟状骨，距踵骨，踵楔状骨間の関節を外科的に固定する手術）．

ar·thro·di·a (ar-thrō′dē-ă)［G. *arthrōdia*, a gliding joint ＜ *arthron*, joint + *eidos*, form］．平面関節．＝plane *joint*.

ar·thro·di·al (ar-thrō′dē-ăl)．平面関節の．

ar·thro·dyn·i·a (ar′thrō-din′ē-ă)［arthro- + G. *odynē*, pain］．＝arthralgia.

ar·thro·dyn·ic (ar′thrō-din′ik)．＝arthralgic.

ar·thro·dys·pla·si·a (ar′thrō-dis-plā′zē-ă)［arthro- + G. *dys*, bad + *plasis*, a molding］．関節形成不全〔症〕（遺伝性の先天的な関節の発育不全）．

ar·thro·en·dos·co·py (ar′thrō-en-dos′kŏ-pē)．関節鏡検査〔術〕．＝arthroscopy.

ar·thro·e·rei·sis (ar′thrō-ĕ-rī′sis)．＝arthrorisis.

ar·throg·e·nous (ar-throj′ĕ-nŭs)．*1* 関節起源の．*2* 関節形成の．

ar·thro·gram (ar′thrō-gram)［arthro- + G. *gramma*, a writing］．関節造影(撮影)（関節内の構造をよりよく抽出するため関節包内へ造影剤を注入する関節抽出法）．

ar·throg·ra·phy (ar-throg′ră-fē)［arthro- + G. *graphō*, to describe］．関節造影(撮影)〔法〕（関節造影の手段）．

ar·thro·gry·po·sis (ar′thrō-gri-pō′sis)［arthro- + G. *gryphōsis*, a crooking］．関節拘縮〔症〕（多数の関節の重度拘縮を特徴とする先天性の四肢の欠陥）．

a. multiplex congenita［MIM*108110］．先天性多発性関節拘縮〔症〕（出生時より関節運動の制限と拘縮がみられる疾患で，通常多数の関節にわたる．脊髄，筋肉，結合組織などの変化から起こると思われる多様な病因による症候群．種々な病型があり，常染色体優性遺伝［MIM*108110, 108120, 108130, 108140, 108145, 108200］，常染色体劣性遺伝［MIM*208080, 208081, 208085, 208100, 208150, 208155, 208200］，伴性遺伝［MIM*301830］がある）．＝amyoplasia congenita.

ar·thro·ka·tad·y·sis (ar′thrō-kă-tad′i-sis)［arthro- + G. *katadysis*, a dipping under, a setting ＜ *dyō*, to make sink］．股関節寛骨臼底陥入症（股関節臼蓋の高度な侵食を生じ，その結果骨頭が内方にはまり込んでいる股関節症．→Otto *disease*）．

ar·thro·lith (ar′thrō-lith)［arthro- + G. *lithos*, stone］．関節石（関節における遊離体）．

ar·thro·li·thi·a·sis (ar′thrō-li-thī′ă-sis)．関節石症（articular *gout* を表す，まれに用いる語）．

ar·thro·lo·gi·a (ar′thrō-lō′jē-ă)．＝arthrology.

ar·throl·o·gy (ar-throl′ō-jē)［arthro- + G. *logos*, study］．関節学（関節に関する解剖学の分野）．＝arthrologia; syndesmologia; syndesmology; synosteology.

ar·throl·y·sis (ar-throl′i-sis)［arthro- + G. *lysis*, a loosening］．関節解離(剝離)〔術〕（関節内外の癒着をはがす操作により，強直した関節の可動性を回復させること）．

ar·throm·e·ter (ar-throm′ĕ-ter)．関節計．＝goniometer (3).

ar·throm·e·try (ar-throm′ĕ-trē)［arthro- + G. *metron*, measure］．関節測定〔法〕（関節の可動範囲の測定）．

ar·thro-oph·thal·mop·a·thy (ar′thrō-of′thal-mop′ă-thē)［arthro- + ophthalmo + G. *pathos*, suffering］．関節眼症(障害)（関節と眼を侵す疾患）．

hereditary progressive a.-o. 遺伝性進行性関節眼症(障害)（多発性骨端異形成，長骨の過剰管状形成，扁平椎，骨盤骨変形，関節過度運動性，口蓋裂，進行性近視，網膜剝離，および難聴を伴う骨異形成症．第12染色体長腕の *COL2A1* 遺伝子，第1染色体短腕の *COL11A1* 遺伝子，または第6染色体短腕の *COL11A2* 遺伝子のいずれかの突然変異により生じる常染色体優性遺伝疾患）．＝Stickler syndrome.

ar·thro·path·i·a psor·i·at·i·ca (ar′thrō-path′ē-ă sōr′ē-at′i-ka)．乾癬性関節症．＝psoriatic *arthritis*.

ar·thro·pa·thol·o·gy (ar′thrō-pa-thol′ō-jē)．関節病理学．

ar·throp·a·thy (ar-throp′ă-thē) [arthro- + G. *pathos*, suffering]. 関節症（関節を侵す疾患）.

Charcot a. (shahr-cō′). シャルコー関節症. ＝neuropathic *joint.*

diabetic a. 糖尿病性関節症（糖尿病にみられる神経障害性関節症）.

Jaccoud a. (zhah-kū′). ジャクー関節症. ＝Jaccoud *arthritis.*

long-leg a. 長下肢関節症（下肢長差がある場合，下肢が長い方の股関節および(または)膝関節に長年のうちに発症する変形性関節症）.

neuropathic a. 神経障害性関節症. ＝neuropathic *joint.*

static a. 静的関節症（股関節疾患に侵された膝やくるぶしのように，関節の疾患後に二次的に同肢の他関節が侵されること）.

tabetic a. 脊髄ろう〔性〕関節症（脊髄ろう(脊髄ろう性神経梅毒)で生じる神経病性関節症.→neuropathic *joint*）.

ar·thro·plas·ty (ar′thrō-plas′tē) [arthro- + G. *plastos*, formed]. 関節形成〔術〕（①進行した変形性関節症の治療法として人工的に関節をつくる術式．②関節の本来の形と機能をできるだけ回復させるための手術）.

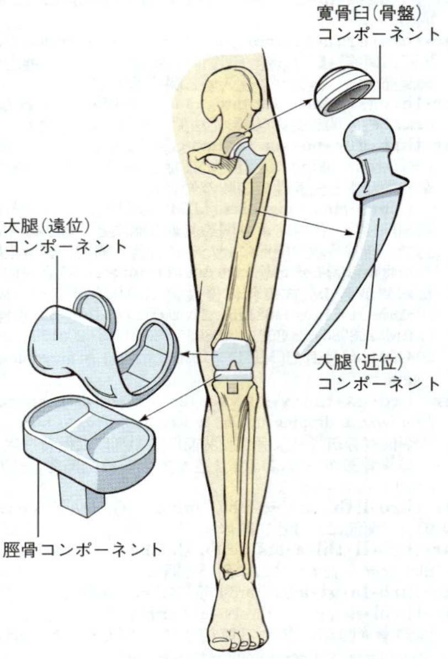

arthroplasty

股関節および膝関節置換を示す.

Charnley hip a. (charn′lē). チャーンレー股関節形成〔術〕（ポリエチレンの人工寛骨臼と金属の人工大腿骨頭を用いて行う股関節全置換術の一方法．股関節全置換術の開発のパイオニアであるJohn Charnleyの名前を冠した手術法）.

fascial a. 筋膜関節形成〔術〕（破壊された関節面を筋膜でおおう関節炎関節の治療法）.

gap a. 間隙関節形成〔術〕（強直部位と可動性が望まれる部位の間に間隙をつくる強直の外科的矯正）.

interposition a. 中間物挿入関節形成〔術〕（可動性の骨片から非可動性の骨片を分離し，その間に物質(例えば，筋膜，軟骨，金属，プラスチック)を挿入する強直の外科的矯正）.

intracapsular temporomandibular joint a. 嚢内顎関節形成〔術〕（関節円板を取り除くことなく，下顎骨関節顆の関節面を手術によって再形成すること）.

resection a. 切除関節形成〔術〕（主として感染性関節炎の治療法として関節面を切除する，また感染治療のために人工関節構成体を切除する術式）.

total joint a. 関節全置換〔術〕（両関節面を通常，金属と高密度合成樹脂で構成された人工材料で置き換える関節形成術．現在は股関節，膝関節，肩関節，肘関節に対して行われている）.

ar·thro·pneu·mo·ra·di·og·raph·y (ar′thrō-nū′mō-rā-dē-og′ră-fē) [arthro- + pneumo- + radiography]. 気関節造影（空気を関節内に注入することにより，関節を造影する方法）.

ar·thro·pod (ar′thrō-pod) [arthro- + G. *pous*, foot]. 節足動物.

Ar·throp·o·da (ar-throp′ŏ-dă) [arthro- + G. *pous*, foot]. 節足動物門（後生動物の一門で，甲殻綱(カニ，エビ，ザリガニ，イセエビ)，昆虫綱，クモ形綱(クモ，サソリ，ダニ，マダニ)，唇脚綱(ムカデ)，倍脚綱(ヤスデ)，節口綱(カブトガニ)，その他すでに絶滅したものや，ほとんど知られていない分類群を含む．節足動物門は生物の中で最大の集団であり，全昆虫類の75％を含み100万以上の種が知られている）.

ar·thro·po·di·a·sis (ar′thrō-pō-dī′ă-sis). 節足動物症（節足動物の脊椎動物に対する直接的影響を指し，ダニ症，アレルギー，皮膚症，昆虫恐怖症および接触による中毒作用を含む）.

ar·thro·po·dic, ar·throp·o·dous (ar′thrō-pŏ′dik, ar-throp′ŏ-dŭs). 節足動物の.

ar·thro·py·o·sis (ar′thrō-pī-ō′sis) [arthro- + G. *pyōsis*, suppuration]. 関節化膿症.

ar·thro·ri·sis (ar′thrō-rī′sis) [arthro- + G. *ereisis*, a propping up]. 関節制動術（麻痺により関節運動域が制御されていない場合に，通常，骨性の制動により関節運動を制限する手術法）. ＝arthroereisis.

ar·thro·scle·ro·sis (ar′thrō-skler-ō′sis) [arthro- + G. *sklērōsis*, hardening]. 関節硬化〔症〕（特に老年者にみられる関節の拘縮）.

ar·thro·scope (ar′thrō-skōp). 関節鏡（関節内部の解剖学的構造を検査する内視鏡）.

ar·thros·co·py (ar-thros′kŏ-pē) [arthro- + *skopeō*, to view]. 関節鏡検査〔法〕（[誤った形 orthoscopy を避けること]．関節鏡を用いて関節の内部を検査すること）. ＝arthroendoscopy.

ar·thro·sis (ar-thrō′sis). ***1*** [G. *arthrōsis*, a jointing]. 関節の変性変化. ＝joint. ***2*** [arthro- + G. *-osis*, condition]. 骨関節症，変形性関節症. ＝osteoarthritis.

temporomandibular a. 顎関節症（側頭骨顎関節の非感染性の変形性機能不全で，疼痛，軋音，下顎の開口制限を特徴とする.→myofascial pain-dysfunction *syndrome*）.

ar·thro·spore (ar′thrō-spōr) [arthro- + G. *sporos*, seed]. 分節胞子. ＝arthroconidium.

ar·thros·to·my (ar-thros′tō-mē) [arthro- + G. *stoma*, mouth]. 関節切開〔術〕（関節腔に一時的に開口部をつくること）.

ar·thro·sy·no·vi·tis (ar′thrō-sin-ō-vī′tis). 関節滑膜炎.

ar·thro·tome (ar′thrō-tōm). 関節刀（軟骨やその他の硬い関節構造物を切るのに用いる大きくて丈夫な円刃刀）.

ar·throt·o·my (ar-throt′ō-mē) [arthro- + G. *tomē*, a cutting]. 関節切開〔術〕（関節の内部を展開するために関節を切開すること）.

ar·thro·tro·pic (ar′thrō-trop′ik) [arthro- + G. *tropos*, a turning]. 関節向性の，関節親和性の（関節を侵す傾向がある）.

ar·thro·ty·phoid (ar′thrō-tī′foyd). 移行性感染による関節症状を伴った腸チフスを表す現在では用いられない語.

Ar·thus (ahr′tūs), Maurice. フランス人細菌学者，1862—1945.→A. *phenomenon*, *reaction*.

ar·tic·u·lar (ar-tik′yū-lăr). 関節〔性〕の. ＝arthral.

ar·tic·u·la·re (ar-tik-yū-lā′rē). アルティクラーレ(アーティクラーレ)，Ar点（X線頭部側面写真上の点で，下顎骨関節突起の後縁の線と頭蓋底の線との交点．左右の関節突起が2重に投影されているときは2つの点の中点を用いる）.

ar·tic·u·late (ar-tik′yū-lit) [L. *articulo*, pp. *-atus*, to articulate]. ***1***《adj.》関節をなす. ＝articulated. ***2***《adj.》意味のある言葉を明確にかつ関連付けて話すことができる. ***3***《v.》

部分間の動きが可能になるよう，緩くつないだり関連付ける．**4**〘v.〙構音する（一語一語はっきり正確に話す）．

ar·tic·u·lat·ed (ar-tik′yū-lā-ted). 関節をなした．＝articulate (1).

ARTICULATIO

ar·tic·u·la·ti·o, pl. **ar·tic·u·la·ti·o·nes*** (ar-tik′yū-lā′shē-ō, -lā-shē-ō′nēz) [L. a forming of vines]. 連結，結合，関節（synovial *joint* の公式の別名）.

a. acromioclavicularis [TA]. 肩鎖関節．＝acromioclavicular *joint*.

articulationes atlantoaxiales [TA]. ＝atlantoaxial *joint*.

a. atlantoaxialis lateralis [TA]. 外側環軸関節．＝lateral atlantoaxial *joint*.

a. atlantoaxialis mediana [TA]. 正中環軸関節．＝median atlantoaxial *joint*.

a. atlanto-occipitalis [TA]. 環椎後頭関節．＝atlanto-occipital *joint*.

a. bicondylaris [TA]. 双顆関節．＝bicondylar *joint*.

a. calcaneocuboidea [TA]. 踵立方関節．＝calcaneocuboid *joint*.

a. capitis costae [TA]. 肋骨頭関節．＝*joint* of head of rib.

a. carpi [TA]. 手根間関節．＝carpal *joints*.

articulationes carpi [TA]. 手根間関節．＝carpal *joints*.

articulationes carpometacarpales [TA]. 手根中手関節．＝carpometacarpal *joints*.

a. carpometacarpalis pollicis [TA]. ＝carpometacarpal *joint* of thumb.

a. cartilaginis 軟骨性連結．＝cartilaginous *joint*.

articulationes cinguli membri inferioris 下肢帯の連結．＝*joints* of pelvic girdle.

articulationes cinguli membri superioris* ＝synovial *joints* of pectoral girdle の公式の別名．

articulationes cinguli pectoralis* synovial *joints* of pectoral girdle の公式の別名．

articulationes columnae vertebralis [TA]. ＝vertebral synovial *joints*.

a. complexa ＝complex *joint*.

a. composita [TA]. 複関節．＝complex *joint*.

a. condylaris 顆状関節．＝condylar *joint*.

articulationes costochondrales [TA]. 肋骨肋軟骨連結．＝costochondral *joints*.

a. costotransversaria [TA]. 肋横突関節．＝costotransverse *joint*.

articulationes costovertebrales [TA]. 肋椎関節．＝costovertebral *joints*.

a. cotylica 臼状関節．＝ball and socket *joint*.

a. coxae [TA]. 股関節．＝hip *joint*.

a. coxofemoralis* hip *joint* の公式の別名．

articulationes cranii [TA]. ＝cranial synovial *joints*.

a. cricoarytenoidea [TA]. 輪状披裂関節．＝cricoarytenoid *joint*.

a. cricothyroidea [TA]. 輪状甲状関節．＝cricothyroid *joint*.

a. cubiti [TA]. 肘関節．＝elbow *joint*.

a. cuneonavicularis [TA]. 楔舟関節．＝cuneonavicular *joint*.

a. cylindrica [TA]. ＝cylindric *joint*.

a. dentoalveolaris 歯根歯槽結合．＝dento-alveolar syndesmosis.

a. ellipsoidea [TA]. 楕円関節．＝condylar *joint*.

a. fibrosa 線維性連結．＝fibrous *joint*.

a. genus [TA]. 膝関節．＝knee *joint*.

a. glenohumeralis* glenohumeral *joint* の公式の別名．

a. humeri [TA]. 肩関節．＝glenohumeral *joint*.

a. humeroradialis [TA]. 腕橈関節．＝humeroradial *joint*.

a. humeroulnaris [TA]. 腕尺関節．＝humeroulnar *joint*.

a. incudomallearis [TA]. きぬた・つち関節．＝incudomalleolar *joint*.

a. incudostapedia [TA]. きぬた・あぶみ関節．＝incudostapedial *joint*.

articulationes intercarpales* 手根間関節（carpal *joints* の公式の別名）.

articulationes interchondrales [TA]. 軟骨間関節．＝interchondral *joints*.

articulationes intercuneiformes [TA]. ＝intercuneiform *joints*.

articulationes intermetacarpales [TA]. 中手間関節．＝intermetacarpal *joints*.

articulationes intermetatarsales [TA]. 中足間関節．＝intermetatarsal *joints*.

articulationes interphalangeae manus [TA]. 手の指節間関節．＝interphalangeal *joints* of hand.

articulationes interphalangeae pedis [TA]. 趾(指)節間関節．＝interphalangeal *joints* of foot.

articulationes intertarseae 足根間関節．＝intertarsal *joints*.

a. lumbosacralis [TA]. 腰仙骨関節．＝lumbosacral *joint*.

a. mandibularis ＝temporomandibular *joint*.

articulationes manus [TA]. 手の関節．＝*joints* of hand.

a. mediocarpalis [TA]. 手根中央関節．＝midcarpal *joint*.

articulationes membri inferioris liberi [TA]. 自由下肢の連結．＝synovial *joints* of free lower limb.

articulationes membri superioris liberi [TA]. 自由上肢の連結．＝synovial *joints* of free upper limb.

articulationes metacarpophalangeae [TA]. 中手指節関節．＝metacarpophalangeal *joints*.

articulationes metatarsophalangeae [TA]. 中趾(指)節関節．＝metatarsophalangeal *joints*.

articulationes ossiculorum auditoriorum* *joints* of auditory ossicles の公式の別名．

articulationes ossiculorum auditus [TA]. 耳小骨関節．＝*joints* of auditory ossicles.

a. ossis pisiformis [TA]. 豆状骨関節．＝pisiform *joint*.

a. ovoidalis 卵形関節．＝saddle *joint*.

articulationes pedis [TA]. 足の関節．＝*joints* of foot.

a. plana [TA]. 平面関節．＝plane *joint*.

a. radiocarpalis [TA]. 橈骨手根関節．＝wrist *joint*.

a. radioulnaris distalis [TA]. 下橈尺関節．＝distal radioulnar *joint*.

a. radioulnaris proximalis [TA]. 上橈尺関節．＝proximal radioulnar *joint*.

a. sacrococcygea [TA]. 仙尾骨結合．＝sacrococcygeal *joint*.

a. sacroiliaca [TA]. 仙腸関節．＝sacroiliac *joint*.

a. sellaris [TA]. 鞍関節．＝saddle *joint*.

a. simplex [TA]. 単関節．＝simple *joint*.

a. spheroidea [TA]. 球関節．＝ball and socket *joint*.

a. sternoclavicularis [TA]. 胸鎖関節．＝sternoclavicular *joint*.

articulationes sternocostales [TA]. 胸肋関節．＝sternocostal *joints*.

a. subtalaris [TA]. 距骨下関節．＝subtalar *joint*.

a. synovialis 滑膜性の連結．＝synovial *joint*.

a. talocalcanea* subtalar *joint* の公式の別名．

a. talocalcaneonavicularis [TA]. 距踵舟関節．＝talocalcaneonavicular *joint*.

a. talocruralis [TA]. 距腿関節．＝ankle *joint*.

a. tarsi transversa [TA]. 横足根関節．＝transverse tarsal *joint*.

articulationes tarsometatarsales [TA]. ＝tarsometatarsal *joints*.

a. temporomandibularis [TA]. 顎関節．＝temporomandibular *joint*.

articulationes thoracis [TA]. ＝synovial *joints* of thorax.

a. tibiofibularis [TA]. 脛腓関節．＝tibiofibular *joint*.

a. trochoidea [TA]. 車軸関節. =pivot *joint.*
articulationes zygapophysiales [TA]. 関節突起間関節. =zygapophysial *joints.*

---

ar·tic·u·la·tion (ar-tik′yū-lā′shŭn) [→articulatio]. ***1*** 連結. =joint. ***2*** 関節（骨端同士が可動性をもって連結している状態のことをいう). ***3*** 構音，歯切れ，ろれつ，明瞭度（明確で筋の通った連続した発語). ***4*** 咬合（歯科において，顎運動中における歯の咬合面の接触関係).
arthrodial a. =plane *joint.*
atlanto-occipital a. 環椎後頭関節. =atlanto-occipital *joint.*
balanced a. 咬合平衡. =balanced *occlusion.*
bicondylar a. 双顆関節. =bicondylar *joint.*
cartilaginous a. =cartilaginous *joint.*
a.'s cinguli membri inferioris =*joints* of pelvic girdle.
a.'s cinguli membri superioris* synovial *joints* of pectoral girdle の公式の別名.
a.'s cinguli pectoralis* synovial *joints* of pectoral girdle の公式の別名.
a.'s columnae vertebralis [TA]. =vertebral synovial *joints.*
compound a. =complex *joint.*
condylar a. 顆状関節. =condylar *joint.*
confluent a. 融合性構音（2つ以上の音節を混合させて発語すること).
cricoarytenoid a. 輪状披裂関節. =cricoarytenoid *joint.*
cricothyroid a. 輪状甲状関節. =cricothyroid *joint.*
cuneonavicular a. 楔舟関節. =cuneonavicular *joint.*
dental a. 咬合（中心咬合に近づいたり，離れたりするときの上顎歯と下顎歯の咬合面の接触をいう). =gliding occlusion.
distal radioulnar a. 下橈尺関節. =distal radioulnar *joint.*
a.'s of foot 足の関節. =*joints* of foot.
glenohumeral a. =glenohumeral *joint.*
a.'s of hand 手の関節. =*joints* of hand.
humeral a. 肩関節. =glenohumeral *joint.*
humeroradial a. 腕橈関節. =humeroradial *joint.*
incudomalleolar a. =incudomalleolar *joint.*
incudostapedial a. きぬた・あぶみ関節. =incudostapedial *joint.*
interchondral a.'s 軟骨間関節. =interchondral *joints.*
intermetatarsal a.'s 中足間関節. =intermetatarsal *joints.*
interphalangeal a.'s 手の指節間関節. =interphalangeal *joints* of hand.
intertarsal a.'s 足根間関節. =intertarsal *joints.*
metacarpophalangeal a.'s 中手指節関節. =metacarpophalangeal *joints.*
metatarsophalangeal a.'s 中足趾(指)節関節. =metatarsophalangeal *joints.*
peg-and-socket a. =gomphosis.
a. of pisiform bone 豆状骨関節. =pisiform *joint.*
proximal radioulnar a. 上橈尺関節. =proximal radioulnar *joint.*
radiocarpal a. 橈骨手根関節. =wrist *joint.*
sacroiliac a. 仙腸関節. =sacroiliac *joint.*
spheroid a. 球関節. =ball and socket *joint.*
sternocostal a.'s 胸肋関節. =sternocostal *joints.*
superior tibial a. =tibiofibular *joint.*
talocrural a. 距腿関節. =ankle *joint.*
temporomandibular a. 顎関節. =temporomandibular *joint.*
tibiofibular a. 脛腓関節（①=tibiofibular *joint.* ②=tibiofibular *syndesmosis*).
transverse tarsal a. 横足根関節. =transverse tarsal *joint.*
trochoid a. 車軸関節. =pivot *joint.*

ar·tic·u·la·tor (ar-tik′yū-lā-tŏr). 咬合器（上顎と下顎の模型が付着できるような顎関節と顎を再現する機械的装置). =occluding frame.
adjustable a. 調節性咬合器（①測定された偏心位へ模型を動かせるよう調節できる咬合器. ②2つ以上の偏心位に調節できる咬合器).
arcon a. アルコン咬合器（①上顎の顆路および下顎のちょうつがい運動軸と同等のものを備えた咬合器. ②上顎のいかなる位置においても咬合平面とアルコンガイドとの間の一定の関係を保つ器具で，下顎運動の正確な再現を可能にするものである).
nonarcon a. ノン-アルコン咬合器（下顎に平衡側顆路を，上顎にちょうつがい運動軸を設けた咬合器).

ar·tic·u·la·to·ry (ar-tik′yū-lă-tō-rē). 構音の，発音の，発語の，明瞭な発語の.

ar·tic·u·lo·stat (ar-tik′yū-lō-stat) [articulo- + G. *stasis*, a standing still]. アーチキュロスタット（別々の時間に撮ったフイルムが正確に重なるように，被験者の歯列やX線装置のヘッドの位置を定める研究用器械).

ar·tic·u·lus (ar-tik′yū-lŭs) [L. joint]. =joint.

ar·ti·fact (ar′ti-fakt) [L. *ars*, art + *facio*, pp. *factus*, to make]. アーチファクト，人工産物（①特に組織標本や画像記録において，その際用いられた技術により生み出されたもので，元の標本または実験を反映していないもの. ②自分自身を傷つける行為により引き起こされた皮膚病変. 人工皮膚炎などでみられる). =artefact.
aliasing a. [L.*alias*, otherwise < *alius*, other]. エイリアシングアーチファクト（視野範囲以外の組織画像が観測したい MR 画像に重なること. 視野範囲のサイズに対し位相エンコードの数が不十分であることから位相エンコード方向に通常現れる. 周波数エンコード方向での不十分なサンプリングでもこのエイリアシングあるいはラップアラウンドという現象は起こるが，こちらは今の MR 装置で起こることは少ない). =wraparound a.
chemical shift a. 化学(ケミカル)シフトによるアーチファクト（MRI において，実際の解剖学上の分離ではなく，隣接する領域の共鳴周波数の生化学的な差異によって生じる暗い帯状部分).
thermal a. 温熱アーチファクト，温熱人工産物（標本の採取に使うループ型電気メスなどから発生する熱によって生じる標本組織の微細構造の歪み).
wraparound a. ラップアラウンドアーチファクト. =aliasing a.

ar·ti·fac·ti·tious (ar′ti-fak-tish′ŭs). =artifactual.

ar·ti·fac·tu·al (ar′ti-fak′chū-ăl). アーチファクトの，人工産物の，人工の. =artifactitious.

Ar·ti·o·dac·ty·la (ar′ti-ō-dak′ti-lă) [G. *artios*, even in number + *daktylos*, finger]. 偶蹄目（2本または4本の偶数趾を有する有蹄類の一目. 第三趾と第四趾の間に中心がある. 4本の偶数趾をもつブタやカバ，2本の偶数趾をもつラクダ，シカ，キリン，カモシカ，ウシなど).

ar·y·ep·i·glot·tic (ar′ē-ep-i-glot′ik). 披裂喉頭蓋の（披裂軟骨と喉頭蓋についていう. 披裂喉頭蓋ひだやその中にある披裂喉頭蓋筋を示す). =arytenoepiglottidean.

ar·yl (ar′il). アリール（水素1原子を除くことにより，芳香族化合物から得られる有機化合物の基).
a. acylamidase アリールアシルアミダーゼ（アニリドから加水分解によりアシル基を開裂し，アニリンと酸のアニオンを生成させるアミドヒドロラーゼ). =arylamidase.

ar·yl·am·i·dase (ar′il-am′i-dās). アリールアミダーゼ. =*aryl* acylamidase.

ar·yl·sul·fa·tase (ar′il-sŭl′fă-tās). アリールスルファターゼ（セレブロシド硫酸などのフェノール硫酸を加水分解する酵素(すなわち，フェノール硫酸 + H_2O→フェノール + 硫酸アニオン). ある種のアリールスルファターゼ(II型)は硫酸により阻害されるが他種の酸(I型)は阻害されない). =sulfatase (2).

ar·y·te·no·ep·i·glot·tid·e·an (a-rit′ĕ-nō-ep′i-glo-tid′ē-an). =aryepiglottic.

ar·y·te·noid (ar′i-tē′noyd) [→arytenoideus][TA]. 披裂の（[誤った発音 a′rytenoid および aryt′enoid を避けること]. 喉頭の軟骨(披裂軟骨)，披裂筋(斜披裂筋と横披裂筋)についていう).

ar·y·te·noi·dec·to·my (ar′ĭ-tē-noy-dek′tō-mē) [arytenoid + G. *ektomē*, excision]. 披裂軟骨切除〔術〕（一般に両側声帯麻痺に対して呼吸を改善させるために行われる).

ar·y·te·noi·de·us (ar′i-tē-noy′dē-ŭs) [G. *arytainoeides*, ladleshaped, applied to cartilage of the larynx < *arytaina*, a ladle + *eidos*, resemblance］. 披裂筋. =oblique arytenoid *muscle*; transverse arytenoid (*muscle*).

ar・yt・e・noi・di・tis (ă-rit′ĕ-noy-dī′tis). 披裂〔軟骨〕炎（輪状披裂関節および披裂軟骨の炎症，あるいは披裂軟骨の軟骨膜炎）.

ar・y・te・noi・do・pex・y (ar′ĭ-tĕ-noy′dō-pek′sē)［arytenoid + G. *pēxis*, fixation］. 披裂軟骨固定〔術〕（披裂軟骨の手術による固定）.

A.S.［JCAHOは，類似の略語との混同を避けるために left ear は完全表記するよう指導している］. ラテン語 ***auris sinistra***（左耳）の略.

As ヒ素の元素記号.

as・a・fet・i・da (as′ă-fet′ĭ-dă)［Pers. *aza*, mastik + L. *fetidus*, fetid］. アギ（セリ科 *Ferula foetida* の根の稠厚性の滲出物であるゴム樹脂．悪臭のある物質のため，イヌ，ネコ，ウサギの忌避薬として用い，以前は鎮痙薬として用いられていた．アジアでは，調味料，香味料として用いる）.

ASAM acute sensory axonal motor *neuropathy* の略.

A・sa・rum (as′ar-ŭm)［L. < G. *asaron*, hazelwort］. アサルム属（ウマノスズグサ科の一属）.

A. canadense 芳香刺激薬および発汗薬. =Canada snakeroot; Indian ginger; wild ginger.

A. europaeum 催吐薬および便通薬. =European snakeroot; hazelwort.

as・bes・toid (as-bes′toyd). アスベストイド. =amianthoid.

as・bes・tos (as-bes′tŏs)［G. unquenchable；燃えにくいので，一度熱されたらその暖かさを消すことができないと誤解し，このようにいった］. アスベスト，石綿（［誤った発音 as-bes′ōz を避けること］．鉱物学的に角閃石(アモサイト，アンスロフィライトとクロシドライト)と蛇紋石(クリソライト)に分類される繊維質のケイ酸塩水和物族を採鉱，加工処理して得られる市販品．アスベストは，事実上不溶で，抗張力と応形機能，熱絶縁性と耐火，耐熱，耐腐食性を付与するのに用いる．アスベスト粒子の吸入は石綿症，胸膜プラーク，胸膜線維症，胸水，中皮腫，および肺癌の原因となる）.

as・bes・to・sis (as′bes-tō′sis). 石綿〔沈着〕症，石綿肺症（環境気(周囲の空気)にただようアスベスト粒子の吸入によるじん肺症．胸膜内皮腫または気管支癌を合併することもある．含鉄小体はアスベスト暴露の組織学的刻印である）.

as・ca・ri・a・sis (as′kă-rī′ă-sis)［G. *askaris*, an intestinal worm + *-iasis*, condition］. 回虫症（［acariasis と混同しないこと］．回虫属 *Ascaris* または近縁の線虫類の感染によって引き起こされる疾患）.

as・car・i・cide (as-kar′i-sīd)［ascarid + L. *caedo*, to kill］. ***1***〘adj.〙回虫を殺す. ***2***〘n.〙回虫駆虫薬，駆除薬（***1*** の作用をもつ薬物）.

as・ca・rid (as′kă-rid). ***1***〘n.〙回虫（回虫科の線虫の一般名）. ***2***〘adj.〙回虫の.

As・car・i・dae (as-kar′i-dē). Ascarididae の旧つづり.

As・car・i・da・ta (as′kă-rid′ă-tă). =Ascaridida.

As・ca・rid・i・da (as′kă-rid′i-dă). 回虫目（線虫の一目で，ヒト，家畜，および家禽の重要な寄生虫の多くを含む．例えば *Ascaris*属，*Ascaridia*属，***Subuluris***属，*Heterakis*属，*Anisakis*属などを含む）. =Ascaridata; Ascarididea; Ascaridorida.

As・ca・rid・i・dae (as′kă-rid′i-dē)［G. *askaris*, an intestinal worm］. 回虫科（腸寄生性の大型の線虫の一科．ヒトの重要な線虫である回虫 *Ascaris lumbricoides*，ブタに多くみられるブタ回虫 *Ascaris suum*，およびイヌやネコに普通にみられる回虫，すなわち *Toxocara*属および *Toxascaris*属を含む）.

As・car・i・did・ea (as′kar-i-did′ē-ă). =Ascaridida.

As・car・i・doi・de・a (as′kă-ri-doy′dē-ă). 回虫上科（三唇をもつ太った腸寄生性回虫類の上科で，回虫科を含む）.

as・car・i・dole (as-kar′ĭ-dōl). アスカリドール（ケノポジ油の主成分で，駆虫薬）.

As・car・i・dor・i・da (as-kăr′i-dōr′i-dă). =Ascaridida.

As・ca・ris (as′kă-ris)［G. *askaris*, an intestinal worm］. 回虫属（大きくて，重量のある線虫の一属．ヒトや他の多くの脊椎動物の小腸に寄生する）.

A. equorum ウマ回虫. =*Parascaris equorum*.

A. lumbricoides 回虫（ヒトに寄生する大きい(長さ 20—25 cm)線虫．最も一般的なヒトの寄生虫の一種である．感染により落着きをなくしたり，発熱，ときには下痢のような多様な症状が認められる場合もあるが，通常は明瞭な症状を起こさない．類似種のブタ回虫 ***A. suum***（***A. lumbricoides suum***)はブタには普通にみられるが，ヒトには伝播しない．***A. lumbricoides*** と ***A. suum*** は形態学的，免疫学的に類似しているが，明らかに宿主適応に差があることから，別種であると考えられる）.

As・ca・roi・de・a (as′kă-roy′dē-ă). Ascaridoidea の旧つづり.

As・ca・rops stron・gy・li・na (as′kă-rops stron′ji-lī′nă)［G. *askaris*, an intestinal worm; *strongylos*, round］. 世界各地のブタやイノシシの胃の中にみられる小さい吸血性寄生虫．幼虫は嗜糞甲虫の体内で発育し，成虫はブタの胃粘膜に付着し，重度感染では炎症や潰瘍形成を起こす.

as・cen・dens (as-sen′denz)［L.］. 上行の（上方へ行く，上行する，高位に向かう）.

as・cen・sus (ă-sen′sŭs)［L. ascent］. 高位（上方へ動くこと．異常高位をとること）.

as・cer・tain・ment (as-ser-tān′ment). 確認〔法〕（疫学的および遺伝学的研究において，個人，家系または集団へ研究者の注目をもたらした方法．分離比，一致率(双生児間の)，連鎖解析，および他の確率に関することと関係がある）.

complete a. 完全把握（ある集団内で，少なくとも 1 人の患者をかかえる家族の全員を，調査によりまたは適当な無作為抽出法によって，完全にまたは同じ抽象確率で把握する方法）.

incomplete a. 不完全把握（罹患した個人を把握する方法．この場合，特定の疾患にかかった者の把握率は 0 — 1 の既知数）. =truncate a.

single a. 単一把握（病院や診療所の入院患者から，または他の手段で罹患した個人を探し出す方法．同家族に 2 度出会う確率は 0 に近い．したがって，1 つの家族が把握される確率は患者数に比例する）.

total a. ある特性をもったリスク集団のすべてのメンバーが明確に区別できる，あるいはそこからのサンプルの中にほぼ均等に含まれるような方法.

truncate a. =incomplete a.

Asc・hel・min・thes (ask-hel-min′thēz). 袋形動物門（後生動物中の以前に使われていた門名で，線虫綱および他の種々の擬体腔動物を含んでいたが，現在は各々が独立の門となっている．分節がなく左右対称，円柱状または糸状で，擬体腔をもち，末端は円形またはとがっている．大きさはかなり多様で，普通，雄は雌よりも小さい）.

Asch・er (ahsh′ĕr), Karl W. 米国人眼科医，1887—1971. ⇀A. aqueous influx *phenomenon*, *syndrome*.

Asch・ner (ahsh′nĕr), Bernhard. オーストリア人婦人科医，1883—1960. ⇀A. *phenomenon*, *reflex*; A.-Dagnini *reflex*.

Asch・off (ahsh′of), Karl Ludwig. ドイツ人病理学者，1866—1942. ⇀A. *bodies*, *cell*, *nodules*; *node* of A. and Tawara; Rokitansky-A. *sinuses*.

as・ci・tes (ă-sī′tēz)［L. < G. *askos*, a bag + *-ites*］. 腹水（腹膜腔内に漿液が貯留すること）. =abdominal dropsy; hydroperitoneum; hydroperitonia.

a. adiposus 脂肪性腹水. =chylous a.

chyliform a. =chylous a.

chylous a., a. chylosus 乳び性腹水（懸濁脂肪を含むミルク様液体が腹膜腔にみられること．通常は胸管または乳び槽の閉塞あるいは損傷によって起こる）. =a. adiposus; chyliform a.; chyloperitoneum; fatty a.; milky a.

fatty a. 脂肪性腹水. =chylous a.

gelatinous a. ゼラチン様腹水. =*pseudomyxoma* peritonei.

hemorrhagic a. 血性腹水（血性または血液の混ざった漿液で，腹膜腔の転移癌の結果である場合が多い）.

milky a. 乳汁状腹水. =chylous a.

pseudochylous a. 偽〔性〕乳び腹水（脂肪を含まない不透明の，あるいは混濁した液体が腹腔にみられること）.

a・scit・ic (ă-sit′ik). 腹水のまたは腹水に関連した.

as・ci・tog・e・nous (as-i-toj′ĕ-nŭs). 腹水を生じる.

as・co・carp (as′kō-karp). =ascoma.

as・cog・e・nous (as-koj′ĕ-nŭs). 子嚢性の（子嚢をもつ菌類の菌糸または細胞についていう）.

as・co・go・ni・um (as′kō-gō′nē-ŭm). 造嚢器（子嚢菌の雌性

細胞で，雄性細胞と受精する).

As·co·li (as′kō-lē), Alberto. イタリア人血清学者，1877—1957. →A. *reaction, test*.

ascoma (as-kō′mă). 子嚢果（真菌にみられる構造で，子嚢を含む). =ascocarp.

ascomata (as-kō′mă-tă). ascoma の複数形.

As·co·my·ce·tes (as′kō-mī-sē′tēz) [G. *askos*, a bag + *mykēs*, mushroom]. 子嚢菌綱（子嚢および子嚢胞子の存在で特徴付けられる真菌類の一綱. これらの菌類は一般に 2 つの異なった生殖相，有性すなわち完全段階と，無性すなわち不完全段階とを有する. 本綱の病原性の種としては *Ajellomyces capsulatum* と *A. dermatitidis* とがある).

as·co·my·ce·tous (as′kō-mī-sē′tus). 子嚢菌門の（子嚢菌門に関連した真菌).

As·co·my·co·ta (as′kō-mī-kō′tă). 子嚢菌門（子嚢および子嚢胞子の存在を特徴とする真菌の門. 真菌学者によっては子嚢菌綱を門や族に移行させている).

as·cor·base (as-kōr′bās). アスコルバーゼ. =ascorbate oxidase.

as·cor·bate (as-kōr′bāt). アスコルビン酸塩またはエステル.

a. oxidase アスコルビン酸オキシダーゼ（銅を含む酵素で，L-アスコルビン酸とO_2によるL-デヒドロアスコルビン酸産生への酸化を触媒する. ある種のアスコルビン酸オキシダーゼは$NADP^+$を同様に用いる. 抗腫瘍性酵素として用いられる). =ascorbase.

a·scor·bic ac·id (as-kōr′bik as′id) [G. *a-* 欠性辞 + Mod.L. *scorbutus*, scurvy < Germanic]. アスコルビン酸（壊血病の予防に用いるビタミン. 強力な還元剤として用いる. また抗酸化剤として用いる). =antiscorbutic vitamin; cevitamic acid; vitamin C.

as·cor·byl pal·mi·tate (as′kōr′bil pal′mi-tāt). アスコルビン酸パルミテート（パルミチン酸とアスコルビン酸の合成エステルで，製剤での防腐剤として用いる).

as·co·spore (as′kō-spōr) [G. *askos*, bag + *sporos*, seed]. 子嚢胞子（子嚢内で形成される胞子. 子嚢菌類の有性胞子).

ASCUS atypical squamous *cells* of undetermined significance の頭字語. →Bethesda *system*.

as·cus, pl. as·ci (as′kŭs, as′ī) [G. *askos*, bag]. 子嚢（子嚢菌類の袋様細胞で，核癒合および減数分裂後に子嚢胞子が発生する).

-ase (ās) [Fr.(*diast*)*ase*(デンプンをマルトースに変換するアミラーゼ) < G. *diastasis*, separation < *dia-*, through, apart + *stasis*, a standing]. 酵素を示す語尾. 酵素が作用する物質(基質)名の接尾語. 例えば，phosphatase, lipase, proteinase など. 触媒される反応を示すときもある. 例えば，decarboxylase, oxidase. この名前の付け方の取り決め以前に名付けられた酵素は，pepsin, ptyalin, trypsin などのように，一般に語尾に -in を付ける.

a·se·cre·to·ry (ā-sē′krē-tōrē). 非分泌性の.

A·sel·li (Asellius, Asellio) (ă-sel′ē), Gasparo. イタリア人解剖学者，1581—1626. →A. *pancreas, gland*.

asep·sis (ă-sep′sis, ā-) [G. *a-* 欠性辞 + *sēpsis*, putrefaction]. 無菌（病原菌が生存していない状態. 滅(無)菌状態).

a·sep·tate (ă-sep′tāt, ā-) [G. *a-* 欠性辞 + L. *saeptum*, partition]. 無隔板性の（真菌類で，菌糸や胞子に横断壁が欠けていること).

a·sep·tic (ă-sep′tik, ā-). 無菌〔性〕の，防腐〔性〕の（[antiseptic と混同しないこと]).

asep·ti·cism (ă-sep′ti-sizm, ā-). 無菌手術〔法〕，無菌的処置〔法〕.

ase·quence (ă-sē′kwens). 房室心拍不整（心房収縮と心室収縮が正常に連続して行われないこと).

a·sex·u·al (ā-seks′yū-ăl) [G. *a-* 欠性辞 + sexual]. ***1*** 1 個体の生物における核融合なしの生殖に関する. ***2*** 無性欲の.

ASH asymmetric septal *hypertrophy* の略.

Ash·by (ash′bē), Winifred. 英国人血液学者，1879—1975. →A. *method*.

ASHD arteriosclerotic heart *disease* の略.

Ash·er·man (ash′ĕr-măn), Joseph G. 20 世紀のチェコスロバキア人婦人科医. →A. *syndrome*.

Ash·man (ash′măn), R. 20 世紀の米国人生理学者. →A. *phenomenon*.

a·si·al·ism (ā-sī′ă-lism) [G. *a-* 欠性辞 + *sialon*, saliva + -ism]. 無唾液〔症〕（唾液分泌がないこと). →xerostomia.

a·si·a·lo·gly·co·pro·tein (ā′sī-al′ō-glī′kō-prō′tēn). アシアログリコプロテイン，アシアロ糖蛋白（シアル酸部分を含まない糖蛋白. そのような蛋白はレセプタによって認識され，分解のターゲットにされる).

ASIS anterior superior iliac *spine* の略.

a·sit·i·a (ă-sish′ē-ă) [G. *a-* 欠性辞 + *sitos*, food]. 無食欲，食欲不振，食思不振.

As·kan·a·zy (as′kă-nah′zē), Max. ドイツ人病理学者，1865—1940. →A. *cell*.

Ask-Up·mark (ask-ŭp′mark), Erik. 20 世紀のスウェーデン人病理学者. →A.-U. *kidney*.

ASL American Sign *Language* の略.

Asn (**Asx**) アスパラギン，またはその一置換基か二置換基を示す記号.

a·so·cial (ā-sō′shŭl). 非社会的な（社会的でないこと，社会からの引きこもり，または社会の規則や習慣に無関心なこと，例えば，隠遁者，退行した統合失調症患者，統合失調質についていう. *cf.* antisocial).

a·so·ma, pl. a·so·ma·ta (ā-sō′mă, -sō′mă-tă) [G. *a-* 欠性辞 + *sōma*, body]. 無体奇形児（身体の一部を痕跡程度にしか残さない胎児).

Asp (**Asx**) アスパラギン酸またはその基の記号.

as·pal·a·so·ma (as′pal-ă-sō′mă) [G. *aspalax*, a mole + *sōma*, body]. アスパラソーマ（下腹部に内臓脱出を有し，腸，膀胱，生殖器が別個に開口している奇形胎児を表す現在では用いられない語).

as·par·a·gi·nase (as-par′ă-ji-nās). アスパラギナーゼ（①L-アスパラギンのL-アスパラギン酸とアンモニアへの加水分解を触媒する酵素. ②大腸菌 *Escherichia coli* から得られる酵素. 急性白血病や他の腫瘍性疾患の治療に用いる).

***Erwinia* L-a.** *Erwinia* 菌由来のL-アスパラギナーゼ. 大腸菌 *Esherichia coli* L-アスパラギナーゼに対するアレルギー患者で用いられる. →asparaginase.

as·par·a·gine (N, Asn) (as-par′ă-jin). アスパラギン（アスパラギン酸の β-アミドで，そのL-異性体は蛋白中にある栄養的には非必須アミノ酸である. 利尿薬).

a. ligase アスパラギンリガーゼ（ATP を AMP ピロリン酸へ分解してL-アスパラギン酸とL-グルタミンからアスパラギンとL-グルタミン酸を生成する酸-アンモニアリガーゼ(アミド合成酵素). 非生理的条件下，哺乳動物酵素は窒素供与体としてアンモニアを利用することができる. アスパラギンリガーゼはまた，グルタミナーゼ様活性を示す). =a. synthetase.

a. synthetase [MIM*108370]. アスパラギンシンテターゼ. =a. ligase.

as·pa·rag·i·nyl (N, N) (as-par′ă-jin-il). アスパラギニル（アスパラギンのアミノアシル基).

As·par·a·gus (as-par′ă-gŭs) [L. < G. *asparagos*]. アスパラガス属（ユリ科植物の一属. *A. officinalis* は食用野菜で，その地下茎と根は食用の若芽とともに利尿薬として用いられた).

as·par·tase (as′-par-tās). アスパルターゼ. =aspartate ammonia-lyase.

as·par·tate (as-par′tāt). アスパラギン酸塩またはエステル.

a. aminotransferase (**AST**) アスパラギン酸アミノトランスフェラーゼ（L-グルタミン酸からオキサロ酢酸へアミノ基を転移し，α-ケトグルタル酸やL-アスパラギン酸を生成する過程を可逆的に触媒する酵素). =a. transaminase; glutamic-aspartic transaminase; glutamic-oxaloacetic transaminase; serum glutamic:oxaloacetic transaminase.

a. ammonia-lyase アスパラギン酸アンモニアリアーゼ，アスパラギン酸分解酵素（アンモニアを除去し，L-アスパラギン酸のフマル酸への転換を触媒する非哺乳類酵素). =aspartase; fumaric aminase.

a. carbamoyltransferase アスパラギン酸カルバモイルトランスフェラーゼ（カルバモイルリン酸から，カルバモイル基をL-アスパラギン酸のアミノ基に移すことにより，ウレイドコハク酸(*N*-カルバモイル-L-アスパルテート)と正リン酸塩を生成する反応を触媒する酵素. ピリミジンの生合成に関与する).

a. kinase アスパラギン酸キナーゼ (ATPによりL-アスパラギン酸をリン酸化して4-ホスホ-L-アスパラギン酸(β-アスパルチルリン酸)とADPを生成する反応を触媒する酵素).

a. transaminase アスパラギン酸トランスアミナーゼ. = a. aminotransferase.

as·par·tate 1-de·car·box·yl·ase (as-par′tāt dē′ker-boks′i-lās). アスパラギン酸1-デカルボキシラーゼ. = *glutamate* decarboxylase.

as·par·tate 4-de·car·box·yl·ase (as-par′tāt dē′kar-boks′i-lās). アスパラギン酸4-デカルボキシラーゼ; aspartate β-decarboxylase (L-アスパラギン酸塩をL-アラニンに転換して二酸化炭素を放出し, また, アミノマロン酸塩を脱炭酸化し, 細菌中にあっては, システインスルフィン酸から亜硫酸ガスを除去するカルボキシリアーゼ. →desulfinase).

as·par·tic ac·id (Asp) (as-par′tik as′id). アスパラギン酸 (L-異性体は天然の蛋白中にあるアミノ酸の1つ. そのD-異性体は多くの細菌の細胞壁に見出される).

as·par·tyl (as-par′til). アスパルチル (アスパラギン酸のアミノアシル基).

β-as·par·tyl (a·ce·tyl·glu·cos·a·mine) (as-par′til-as′-e-til-glū-kō-să-mēn). β-アスパルチル(アセチルグルコサミン) (*N*-アセチルグルコサミンとアスパラギンの化合物で, *N*-アセチルグルコサミンの1位の炭素がアスパラギン酸のアミド基の窒素へ結合したもの. 多くの糖蛋白における重要な構造部分. その血中濃度増加は進行性精神遅滞のある症例にみられる).

aspartylglucosaminuria (as-par′til-glū′kō-sam-i-nū′rē-ă). = aspartylglycosaminuria.

as·par·tyl·gly·co·sa·mine (as-par′til-glī-kō′să-mēn). アスパルチルグリコサミン (アスパラギンと2-アミノ糖の化合物の総称名. 例えばβ-aspartyl(acetylglucosamine)).

as·par·tyl·gly·cos·a·mi·ni·dase (as-par′til-glī-kō′să-mi-ni-dās). アスパルチルグリコサミニダーゼ (加水分解酵素の1つで, アスパルチルグリコサミンからL-アスパラギン酸を脱離させる. この酵素欠損によりアスパルチルグルコサミン尿症を引き起こす).

as·par·tyl·gly·cos·a·mi·nu·ri·a (as-par′til-glī′kō-să-mi-noor′ē-ă) [MIM*208400]. アスパルチルグリコサミン尿〔症〕(アスパルチルグリコサミニダーゼ欠損によるリソソーム異常症. アスパルチルグリコサミンが尿中や髄液中に蓄積することにより生じる. 通常, 生後2—3か月以内に発症し, 感染症や下痢を繰り返す. 思春期には, 知能発育障害, 粗野な顔貌, 骨格の発育異常が顕著となる. 常染色体劣性遺伝. 第4染色体長腕のアスパルトグルコサミニダーゼ(*AGA*)の突然変異による). = aspartylglucosaminuria.

as·pect (as′pekt) [L. *aspectus* < *a-spicio*, pp. *-spectus*, to look at]. ***1*** 外観, 容貌. ***2*** 面, 側 (指定された方向に向けられた物体の面). = norma (1).

facial a. [TA]. 頭蓋顔面観 (前面から見た頭蓋の表面). = norma facialis [TA]; frontal a.*; norma frontalis*; norma anterior.

frontal a.* facial a. の公式の別名.

lateral a. [TA]. 頭蓋側面観 (右側または左側面から見た頭蓋の表面). = norma lateralis [TA]; norma temporalis.

occipital a. [TA]. 頭蓋後面観 (後ろから見た頭蓋の表面). = norma occipitalis [TA]; norma posterior.

superior a. 頭蓋上面観 (上から見た頭蓋の表面). = norma superior [TA]; norma verticalis*; vertical a.*.

vertical a.* superior a. の公式の別名.

As·per·ger (ahs′pĕr-gĕr), Hans. オーストリア人医師, 1906—1980. → A. *disorder*.

as·per·gil·lin (as-per-jil′in). アスペルギリン (*Aspergillus* 属の様々な種から得られる黒色色素. 誤って, *Aspergillus* 属から得られる種々の抗生物質を称するのに用いられる語).

as·per·gil·lo·ma (as′per-ji-lō′mă) [aspergillus + *-oma*, tumor]. アスペルギローム, アスペルギルス腫 (*Aspergillus* 菌糸の球状の集塊で肺内の空洞でコロニー化している).

as·per·gil·lo·sis (as′per-ji-lō′sis). アスペルギルス症 (真菌の *Aspergillus* が組織(侵襲アスペルギルス症)または含気性体腔に存在すること. →aspergilloma).

acute invasive a. 急性侵襲性アスペルギルス症 (特に高度に免疫能低下の患者にみられる *Aspergillus fumigatus* による血管および組織感染症からなる侵襲性感染症. この病気は急性細菌性肺炎の症状に似る).

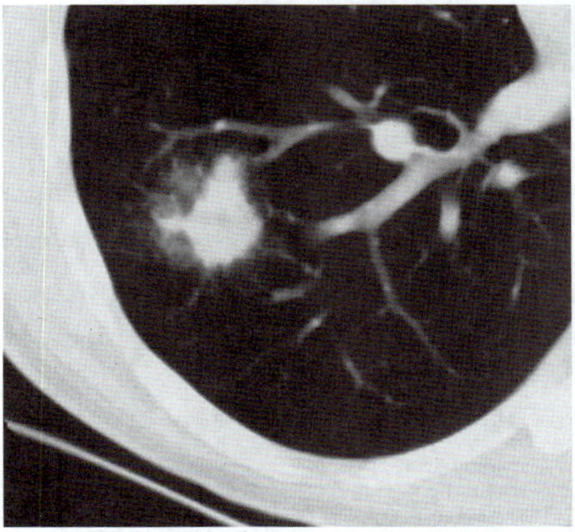

aspergillosis

侵襲性の肺のアスペルギルス症に特有のX線写真の特徴. 胸部CTスキャンはいわゆる暈徴候を明示する (すなわち, 中央の結節を囲む出血または浮腫を表す, すりガラス様濃度の縁).

allergic bronchopulmonary a. [MIM*103920]. アレルギー性気管支肺アスペルギルス症 (黄色気管支鋳型として喀出される, 炎症に引き起こされた粘液の中で真菌が成育する病気. この粘液は間欠的気管支閉塞をきたし, X線写真で一過性浸潤を伴う. ぜん息がしばしば発症し, 気管支壁の破壊は結果として中枢性気管支拡張症をもたらす).

chronic necrotizing a. 慢性壊死性アスペルギルス症 (肺の基礎疾患をもつ患者の肺に起こる, アスペルギルスによって引き起こされる慢性であるが緩徐に進行する感染症. 大部分の罹患患者は例えば糖尿病のような病気に基づく免疫系の適度の抑制がある).

disseminated a. 播種性アスペルギルス症 (免疫学的反応に欠陥のある患者に通常起こる, *Aspergillus*属による肺からの全身感染を特徴とする, 気管支肺アスペルギルス症の変形).

As·per·gil·lus (as′per-jil′ŭs) [Med. L. a sprinkler < L. *aspergo*, to sprinkle]. アスペルギルス属 (真菌の一族(子嚢菌綱)で, 多種を含み, そのいくつかは, 黒色, 褐色, または緑色の胞子をもつ. 2, 3の種は, ヒト, 鳥類, その他の動物に対し病原性である. 本属には約300の種がある).

A. clavatus 土壌や糞便から分離される真菌種. パツリンとして知られる発癌性菌毒素を産生する.

A. flavus 黄色アスペルギルス, 褐殭病菌 (穀類上での発育をみると黄緑色の分生子を有する真菌種. アフラトキシンを産生することがあり, 家禽やウシでアフラトキシン中毒の原因になり, またラットおよび恐らくヒトでも腫瘍原性である. ヒトや動物に侵襲性アスペルギルス症を起こす).

A. fumigatus 抗生物質のフミガシンおよびフミガチンを産生し, ヒトや鳥類のアスペルギルス症の一般的な原因とされている真菌種.

A. nidulans 菌腫の原因となる真菌種で, ときにヒトやその他の動物にアスペルギルス症を起こす.

A. niger 黒色アスペルギルス (しばしば外耳道にみられる, 黒色胞子を有する種で, まれに病原性をもつ. クエン酸とグルコン酸を商業的に生産するのに用いる).

A. terreus 抗生物質シトリニンを産生する真菌種. 耳真菌症から分離された種で, 特に日本と台湾でみられ, ときにヒトや動物にアスペルギルス症を起こす.

a·sper·mat·o·gen·ic (ā-sper′mă-tō-jen′ik, ă-sper′) [G. *a-* 欠性辞 + *sperma*, seed + *-gen*, production]. 精液形成欠如

の（精子の生産ができない）．

a·sper·mi·a (ā-sper′mē-ă, ă-sper′)．無精液〔症〕，射精不能〔症〕（射精後，精液の分泌または排出のないこと）．

as·per·sion (as-per′zhŭn) [L. *aspersio*, a sprinkling]．散布（所定の温度の水を身体にかけて行う水治療法の一種）．

a·spher·ic (ā-sfer′ik) [G. *a-* 欠性辞 + *sphaira*, sphere]．非球面の（特にレンズまたは鏡の，球面収差を防ぐ放物面についていう）．

as·phyg·mi·a (as-fig′mē-ă) [G. *a-* 欠性辞 + *sphygmos*, pulse]．無脈拍（一過性のもの）．

as·phyx·i·a (as-fik′sē-ă) [G. *a-* 欠性辞 + *sphyzō*, to throb]．仮死，窒息（換気障害に基づく酸素と炭酸ガス交換の障害または欠如．炭酸過剰症と低酸素症または無酸素症を合併する）．

cyanotic a. チアノーゼ仮死（チアノーゼを呈するほど血色素が完全に崩壊した時点の仮死状態）．

local a. 局所仮死（循環の停滞で，ときには主として指の局所壊疽を起こす．通常 Raynaud 病に合併する症状の 1 つ）．

symmetric a. 対称性仮死．＝Raynaud *syndrome*.

traumatic a. 外傷性仮死（外傷によるチアノーゼ仮死．皮膚と結膜への血液の溢血で，静脈圧の突然の機械的上昇によって生じ，Rumpel-Leede 徴候に類似する．縊死者によくみられ，ときには押しつぶされてできた外傷にもみられる）．＝pressure stasis.

as·phyx·i·al (as-fik′sē-ăl)．仮死の，窒息の．

as·phyx·i·ant (as-fik′sē-ănt)．*1*〖adj.〗窒息を生じる．＝asphyxiating. *2*〖n.〗窒息剤（窒息を起こすもの．特にガス）．

as·phyx·i·ate (as-fik′sē-āt)．窒息させる．

as·phyx·i·at·ing (as-fik′sē-āt-ing)．＝asphyxiant (1).

as·phyx·i·a·tion (as-fik′sē-ā′shŭn)．窒息（仮死を生じること，あるいは仮死の状態）．

As·pic·u·lu·ris tet·rap·tera (as-pik′yū-lū′ris tet-rap′-ter-ă) [Pers. *espic* < L. *spica*, ear, spike; *tetra-* + *pteron*, feather, wing]．マウスに寄生する蟯虫．マウスの盲腸または大腸に，他の普通にみられる蟯虫 *Syphacia obvelata* とともに多数寄生している．本種はまた，クマネズミ属 *Rattus* を含むその他のげっ歯類にも見出される．

as·pid·i·um (as-pid′ē-ŭm) [G. *aspidion*, a little shield: *aspis* (shield)の指小辞]．メンマ（ウラボシ科 *Dryopteris filixmus* (European a., male fern)または *D. marginalis* (American a., marginal fern)の根茎の子房柄．駆虫薬）．

as·pi·do·sper·mine (as′pi-dō-sper′mēn)．アスピドスペルミン（クエブラチョウから得られるアルカロイドの一種．刺激薬）．

as·pi·rate (as′pi-rāt) [L. *a-spiro*, pp. *-atus*, to breathe on, give the H sound]．*1* (as′pi-rāt′)．〖v.〗吸引する（吸引によって取り除く）．*2* (as′pi-rāt′)．〖v.〗吐物のような外からの粒状の物を気道内に吸入する．*3* (as′pi-rit)．〖n.〗唾液を含め，吸い込まれる異物，食物，胃内容物，あるいは液状物．

as·pi·ra·tion (as′pi-rā′shŭn) [L. *aspiratio* < *aspiro*, to breathe on]．*1* 吸引（体腔または臓器から，異常物質から，あるいは単に容器から，吸引によって気体や液体，あるいは組織を取り除くこと）．*2* 吸引，吸入（何らかの異物，特に胃内容あるいは食物を気道の中へ吸い込むこと）．*3* 吸引〔術〕（白内障の手術手技．角膜を小切開し，水晶体嚢を切除，水晶体物質を十分に破砕し，針で吸引除去する）．

endoscopic ultrasound-guided fine-needle a. 超音波内視鏡ガイド下細針吸引（膵臓癌診断のための組織採取方法．リアルタイム超音波内視鏡ガイド下に，経内視鏡的に，22G 針で標的病変を穿刺する）．

meconium a. 羊水吸引（胎児低酸素性仮死による混濁羊水の吸引）．

as·pi·ra·tor (as′pi-rā-ter, -tōr)．吸引器（体腔から吸引により液体，空気，あるいは組織を取り除くための器具．通常，中空針または套管針とカニューレが，注射器や陰圧(吸引)ポンプによって真空状態となる容器と，管で接続されている）．

vacuum a. 陰圧吸引器（頸管開大後に子宮内受胎産物を吸引によって取り除く器械）．

water a. 水流吸引器（水の噴射排出によって作動するポンプで，通常，検査室用吸引ポンプとして用いる）．

as·pi·rin (as′pi-rin)．アスピリン（鎮痛・解熱・抗炎症薬として広く用いられる．抗血小板薬としても使用される．米国においてはアスピリンは一般名であるが，他の国では依然として登録商標名(商品名)である）．＝acetylsalicylic acid.

a·sple·ni·a (ā-splē′nē-ă)．無脾〔症〕（脾臓の先天的・後天的欠損(例えば摘脾後)）．

functional a. 機能的無脾症（鎌状赤血球貧血において自然経過として発生する脾臓の梗塞のために，脾機能が消失した状態）．

a. with cardiovascular anomalies [MIM*208530]．心奇形を伴った無脾．＝polysplenia.

a·splen·ic (ā-splen′ik)．無脾〔症〕の．

as·po·rog·e·nous (as′pō-roj′ĕ-nŭs) [G. *a-* 欠性辞 + *sporos*, seed + *-gen*, production]．胞子無形成の（胞子をつくらない）．

as·po·rous (as-pōr′ŭs) [G. *a-* 欠性辞 + *sporos*, seed]．無胞子性の（胞子をつくれない）．

as·por·u·late (as-pōr′yū-lāt)．胞子無形成の．

as·say (as′sā, ă-sā′) [M.E. < O. Fr. *essaier* < L.L. *exagium*, a weighing]．*1*〖n.〗検定，定量（不純物の定量，毒性，その他の特性，またはその定量の結果をいう）．*2*〖v.〗試験する，試す，検定する，評価分析する，試金する．*3*〖n.〗定量〔法〕，分析〔法〕，力価検定〔法〕，効力検定〔法〕，アッセイ，評価分析，試金．

Ames a. (āmz)．エームズ(エイムス)検定．＝Ames *test*.

biologic a. 生物学的検定法．＝biotest.

clonogenic a. 試験管内腫瘍細胞感受性試験（腫瘍細胞を *in vitro* で培養し，放射線，化学療法剤に対する感受性や治療薬剤の臨床的有効性を調べる方法）．

competitive binding a. 競合的結合測定〔法〕（ある物質が標識リガンドと非標識リガンドを競合することを利用した測定法の総称．遊離リガンドと結合リガンドを分離すると，非標識リガンドの濃度は標識された結合リガンド量に反比例する．測定値は既知のスタンダードとの相対値で表される．→enzyme-linked immunosorbent a.; radioreceptor a.; immunoassay; enzyme-multiplied *immunoassay* technique; radioimmunoassay）．＝displacement analysis; saturation analysis.

complement binding a. 補体結合測定〔法〕．＝complement *fixation*.

double antibody sandwich a. サンドイッチ測定〔法〕（抗原の測定．ELISA 法を用いて被検材料中の抗原を測定する方法．既知の抗体を吸着させたウェル(穴)に被検材料を加え，吸着抗体に抗原を結合させ，これを直接的に酵素標識した抗体を加えて測定するか，間接的にまず非標識既知抗体を得，さらに酵素標識した抗免疫グロブリン特異抗体を加えて測定する）．

EAC rosette a. →EAC *rosette*.

enzyme-linked immunosorbent a. (**ELISA**) 酵素標識イムノソルベント検定法，エライザ（標識系として放射活性物質の代わりに酵素とその基質を用いる *in vitro* の結合測定法．陽性の場合，両者(酵素と基質)は発色物質あるいは他の容易に検出できる物質を産生する．測定は，免疫グロブリンあるいは抗原物質を前もって吸着させたポリスチレンあるいは他の材料でできたウェル(穴)の中で行う．酵素を標識した既知の免疫グロブリン(あるいは抗原)は，陽性の場合，抗原抗体複合物の一部としてウェルの中に残存し，基質を加えればこれと反応する）．

Grunstein-Hogness a. (grun′stīn hog′nes)．グルンシュタイン-ホグネス分析（コロニーハイブリダイゼーションによってプラスミドのクローンを同定する方法）．

hemizona a. 半透明帯検査（精子と透明帯の結合力を評価する診断法）．

hemolytic plaque a. 溶血斑形成法．＝Jerne plaque a.

immunochemical a. 免疫化学〔的〕定量〔法〕，免疫化学的分析〔法〕．＝immunoassay.

immunoradiometric a. イムノラジオメトリックアッセイ（従来の放射免疫測定法(RIA)と異なり，測定する化合物に放射活性物質で標識した抗体を直接結合させる測定法）．

indirect a. 間接測定〔法〕（抗体の測定法．ELISA 法を用いて血清中の抗体を定量する方法．既知の抗原を吸着させたウェル(穴)に被検血清を加え，抗体を抗原に結合させる．これに酵素を指示薬として標識した抗免疫グロブリン特異抗体を加え，洗浄後，基質を添加することにより測定する）．

Jerne plaque a. (yerd′nĕ). ヤーネ(イエルネ)の溶血斑形成法（抗体産生細胞を1つずつ数え上げる方法）. = hemolytic plaque a.

17-**ketogenic steroid a.** 17-ケトゲニックステロイド測定法（尿中に17-ケトステロイドとして排泄される代謝産物や副腎または睾丸由来のステロイドを測定するための Zimmermann 反応に基づく比色反応試験でたまに使われる．副腎皮質腫瘍高値となり，Addison 病または汎下垂体機能低下症で低値となる）. = ketogenic corticoids test.

Lowry-Folin a. (low′rē fol′ĭn). ローリー－フォリン検定. = Lowry protein a.

Lowry protein a. (low′rē) [Oliver H. *Lowry*]. ローリー蛋白分析（Folin-Ciocalteu 試薬を用いて蛋白濃度を決定する方法）. = Lowry-Folin a.

oxygen-dissociation a. 酸素解離能測定法（赤血球増加症の原因となる酸素親和力の強いヘモグロビンを検出するのに有用な方法．組織で利用可能な酸素量を決定するヘモグロビンの酸素親和力を測定する．親和力が強いと組織は相対的に低酸素状態となりエリスロポイエチンの産生が増加し，多血症となる(家族性赤血球増加症)）．

radioreceptor a. 放射レセプタ測定〔法〕，ラジオレセプタアッセイ（結合物として，抗体の代わりに膜や組織のレセプタを用いる競合的結合定量法）．

Raji cell radioimmune a. (rah′jē). ラージ(ラジ)細胞放射免疫測定〔法〕（免疫複合体の測定法．血清中の免疫複合体を培養リンパ芽球性白血病(Raji)細胞に吸着させ，^{125}I で標識した抗免疫グロブリン抗体の結合能を定量する方法）．

as·sess·ment (ă-ses′ment) [M. E. *assessen*, eto evaluate < Med. L. *assideo*, pp. *assessus*, to sit in judgment, as to estimate a charge or apportion a tax]. アセスメント，査定，評価（①ある一定の目的を達成するために，特定の技術を用いた病歴調査と理学的検査，検体検査，画像検査，および社会的評価を用いて行われる患者評価．②状態，異常，データあるいは患者の全身状態を評価したり，解析したりすること）．

geriatric a. 高齢者機能評価（地域社会の中での高齢者についての評価(例えば，身体的，心理的，認識力，機能的，社会的，価値，痛み，など)．これらの分析は，目的や理解レベルによって変化する．*cf.* geriatric assessment *program*）．

health risk a. (**h.r.a.**) 健康リスク評価（ある条件下にある個人が，ある疾患にかかる確率あるいは死亡する確率を記述評価する方法．保険数理的手法を用いて，その疾患にかかる平均年齢あるいは平均死亡年齢を一般集団のそれらと比べることによって評価を行う．リスク行動の結果が健康にどう影響するか，注意を喚起するために用いられる）．

mental status a. 精神状態評価（認知障害や情動障害，精神障害を研究するための詳細な検査）．

As·sé·zat (ah-sā-zah′), Jules. フランス人人類学者，1832―1876. ⇀A. *triangle*.

as·sim·i·la·ble (ă-sim′i-lă-bil). 同化できる（⇀assimilation）．

as·sim·i·la·tion (ă-sim-i-lā′shŭn) [L. *as-similo*, pp. *-atus*, to make alike]. ***1*** 同化〔作用〕（食物の消化物を組織内に取り込むこと）．***2*** 同化（現存の認識構造の中へ，新たに得た情報や経験を統合すること．⇀equilibration (5)）．

ammonia a. アンモニア同化（窒素含有分子の純合成でのアンモニア(またはアンモニウムイオン)の使用．例えば，グルタミンシンターゼ）. = ammonia fixation.

reproductive a. 再生的同化（感覚運動説において，過去の経験を新しい状況にあてはめる積極的認識過程）．

Ass·mann (ahs′mahn), Herbert. ドイツ人内科医，1882―1950. ⇀A. tuberculous *infiltrate*.

as·so·ci·ate (ă-sō′shi-āt-āt). ***1***〖n.〗仲間，付随物（共通の要素によって他と集団をなしている物または人）．***2***〖v.〗連合させる，関連させる，連想させる．

paired a.'s 対連合子（対で覚えた単語，音節，数字など，一方が与えられると，他方が思い出せるもの）．

as·so·ci·a·tion (ă-sō′sē-ā′shŭn) [L. *as-socio*, pp. *-sociatus*, to join to; *ad* + *socius*, companion]. 連合，関連，連想（①共通の要素による人，物，観念などの結び付き．②学習や経験を通じて確立された2つの観念，出来事，心理的現象の機能的結合. →conditioning. ③2つ以上の出来事，特徴，または他の変数の間の統計的従属．④遺伝学の分野では，予想に反して高頻度に先天異常が分布すること．原因不明の場合にこの語が用いられる. →genetic a.）．

CHARGE a. CHARGE 連合，チャージ連合（多彩な先天性奇形を合わせもつ連合疾患を示す頭字語．患児は，眼のコロボーム *c*oloboma of the eye，先天性心疾患 *h*eart defects (特に，Fallot 四徴症，動脈管開存症，心室・心房中隔欠損症)，後鼻腔閉鎖 *a*tresia of the choanae，成長障害，精神遅滞の一方または双方 *r*enal anomalies and retardation of growth and/or development，マイクロペニスや停留睾丸等の男性器異常 *g*enital anomalies in males，耳奇形，難聴 *e*ar abnormalities or deafness 等の疾患を呈する）. = CHARGE syndrome.

clang a. 類音連合（音によって起こる心的連想．躁うつ病の躁状態のときによくみられる）．

dream a.'s 夢連想（精神分析医の求めで，夢を理解するために述べる患者の記憶や感情）．

free a. 自由連想（患者が心の中を経過していく内容を，制限や検閲なしに言語化する精神分析の手法．それにより明らかになる葛藤は抵抗を構成するものであり，抵抗は精神分析医の解釈の基礎となる）．

genetic a. 遺伝的関連（ある集団に，偶然より高頻度で2つあるいはそれ以上の形質(少なくとも1つは遺伝的であることがわかっているもの)が同時に存在すること）．

independent practice a. (**IPA**) 無所属実地医家団体，独立診療団体（1つ以上の管理医療機関と契約を結ぶ目的で結成された無所属の医師または少数の医師集団の団体．メンバーとなった医師は自分の診療所で HMO 患者に医療を提供するが，私的な医療も続けることができる. →managed *care*; health maintenance *organization*）．

loose a.'s 連合弛緩（思考障害の表現で，患者が面接者の質問に関連のない返答をしたり，ある文章や節，句が前後と論理的なつながりを欠くこと）．

as·so·ci·a·tion·ism (ă-sō′sē-ā′shŭn-izm). 連合説，連合主義（心理学において，人間は世の中の出来事を固有の思考よりもむしろ，感覚的経験と結びついた思考で理解するという説）．

as·sort·ment (ă-sōrt′ment). 組合せ（遺伝学において，それぞれの遺伝子座の連鎖の度合によって個々独立にその配偶子に仕分けされる，親から子に伝達される非対立遺伝的形質間の関係）．

independent a. 独立性組合せ（非連鎖遺伝子座の伝達のパターン）．

as·sump·tion (ă-sŭmp′shŭn). 仮定（推論や推理の基盤として議論の最初におかれる信条．しばしば仮説 hypothesis と混同されるが，これは議論の終りまたは経験的データに基づいた推定から出される結論である）．

AST *aspartate* aminotransferase の略．

a·sta·si·a (ă-stā′zē-ă) [G. unsteadiness < *a*- 欠性辞 + *stasis*, standing]. 失立〔症〕，起立不能〔症〕，無定位〔症〕（筋肉の協調不能により起立できないこと）．

a·sta·si·a-a·ba·si·a (ă-stā′zē-ă-ă-bā′zē′ă). 失立失歩〔症〕，起立歩行不能〔症〕，失歩失行〔症〕（正常の方法で立ったり歩いたりできないこと．歩行はおかしく，特異的な器質的病変を示唆しない．しばしば患者は強くよろけ倒れそうになるが，最後に立ち直る．ヒステリー転換反応の一症状）. = Blocq disease.

a·stat·ic (ā-stat′ik). 失立〔症〕の，起立不能〔症〕の，無定位〔症〕の．

as·ta·tine (**At**) (as′tă-tēn) [G. *astatos*, unstable]. アスタチン（ハロゲン族の人工放射性元素．原子番号 85，原子量 211）．

as·te·a·to·sis (as′tē-ă-tō′sis) [G. *a*- 欠性辞 + *stear* (*steat*-), fat]. 皮脂欠乏〔症〕（皮脂腺の分泌の減少あるいは停止）．

a. cutis 皮脂欠乏〔症〕（皮脂腺分泌の減少を伴った乾燥性・落屑性の外皮）．

as·ter (as′ter) [Mod. L. < G. *astēr*, a star]. 星状体. = astrosphere.

sperm a. ⇀sperm-aster.

a·ster·e·og·no·sis (ă-stēr′ē-og-nō′sis) [G. *a*- 欠性辞

＋ *stereos*, solid ＋ *gnōsis*, knowledge］．立体感覚失認，立体認知不能（[二重字 gn において，g は語頭にあるときのみ無音である]）．＝tactile *agnosia*.

as·te·ri·on (ăs-tē′rē-on)［G. *asterios*, starry］［TA］．アステリオン（ラムダ状縫合，後頭乳突縫合，頭頂乳突縫合の会合部にあたる後側頭泉門の頭蓋計測点）．

as·ter·i·o·sap·on·ins (ă-stēr′ē-ō-sap′ō-ninz)．＝asteriotoxins.

as·ter·i·o·tox·ins (ă-stēr′ē-ō-tok′sinz)．アステリオトキシン（ヒトデ(Asteroidea)の産生する毒性ステロイド類）．＝asteriosaponins.

as·ter·ix·is (as′ter-ik′sis)［G. *a-* 欠性辞 ＋ *stērixis*, fixed position］．アステリクシス，羽ばたき振せん（不随意性の痙動．特に手に多く，患者の上肢をのばさせ，手首を背屈させ，指を広げさせると最もよく現れる．姿位を維持するのが不規則に障害されて起こる．主に種々の代謝性・中毒性脳症，特に肝性脳症でみられる）．＝flapping tremor.

a·ster·nal (ā-ster′năl)［G. *a-* 欠性辞 ＋ *sternon*, chest］．***1*** 胸骨に関連しない，胸骨と結合していない（例えば肋骨など）．***2*** 胸骨のない．

a·ster·ni·a (ă-ster′nē-ă)．無胸骨〔症〕（胸骨の先天的欠損）．

As·ter·o·coc·cus (as′ter-ō-kok′ŭs)［Mod. L. ＜ G. *astēr*, a star ＋ *kokkos*, a berry］．アステロコッカス属．＝*Mycoplasma*.

as·ter·oid (as′tĕ-royd)［G. *astēr*, star ＋ *eidos*, resemblance］．星状の，星芒状の．

as·the·nia (as-thē′nē-ă)［G. *astheneia*, weakness ＜ *a-* 欠性辞＋ *sthenos*, strength］．無力〔症〕（衰弱すること）．＝adynamia (1).

neurocirculatory a. 不安神経症の一型を表す現在では用いられない語．動悸，頻脈，前胸部痛などの心呼吸器症状が顕著で，以前は戦争中の軍人にしばしばみられた．

as·then·ic (as-then′ik)．***1*** 無力〔症〕の．***2*** 虚弱な（やせて虚弱な体質についていう）．

as·the·no·pia (as′thĕ-nō′pē-ă)［G. *astheneia*, weakness ＋ *ōps*, eye］．眼精疲労（眼を使ったために起こる眼の疲労，不快，流涙，頭痛の自覚症状）．＝eyestrain.

accommodative a. 調節性眼精疲労（屈折異常とそれによる毛様体筋の極端な収縮によって起こる眼精疲労）．

muscular a.〔動眼〕筋性眼精疲労（外眼筋の平衡異常による眼精疲労）．

nervous a. 神経性眼精疲労（機能性または器質性神経疾患による眼精疲労）．

as·the·nop·ic (as′thĕ-nop′ik)．眼精疲労の．

as·the·no·sper·mia (as′thē-nō-sper′mē-ă)［G. *astheneia*, weakness ＋ *sperma*, seed, semen］．精子無力〔症〕．＝asthenozoospermia.

as·the·no·zoo·sper·mi·a (as′thē-nō-zō′ō-sperm′ē-ă)［G. *astheneia*, weakness ＋ *zōos*, living ＋ *sperma*, seed, semen ＋ -ia］．精子無力症（精子の運動性減退あるいは運動性の欠除．しばしば不妊症の原因となる）．＝asthenospermia.

asth·ma (az′mă)［G.］［MIM*600807］．ぜん息（肺の炎症性疾患で，大部分の症例で可逆性の気道閉塞を特徴とする．本来は，〝呼吸困難〟の意味で用いた語．現在は，気管支ぜん息を示す語として用いる）．

atopic a. アトピー性ぜん息（アトピーによる気管支ぜん息）．

bronchial a. 気管支ぜん息（広汎な気管支，細気管支の内径の可逆的狭窄によって特徴づけられる急性または慢性の疾患．様々な程度の平滑筋の収縮，粘膜浮腫，気管内腔への分泌物過多に基づく．主症状は息苦しさ，ぜん鳴，咳である．室内のアレルゲン(カビ，花粉，動物のふけ，チリダニ，ゴキブリ抗原)，吸入性刺激物(冷気，タバコの煙，オゾン)，運動，呼吸器感染，心理的ストレス，その他の因子によって発作または増悪が誘導される．気管支ぜん息の症候は，局所的な収縮物質や炎症メディエイタ(ヒスタミン，ロイコトリエン，プロスタグランジン)，マスト細胞，好酸球，リンパ球，好中球，上皮細胞から遊離されるその他の物質による．気道直径は発作，メタコリンやヒスタミンの診断的投与で，突然で激しく狭窄が起こり，そして気管支拡張剤(吸入性 β アドレナリン刺激剤またはエピネフリン皮下注射)の投与で急速に正常に戻る)．＝reactive airway disease.

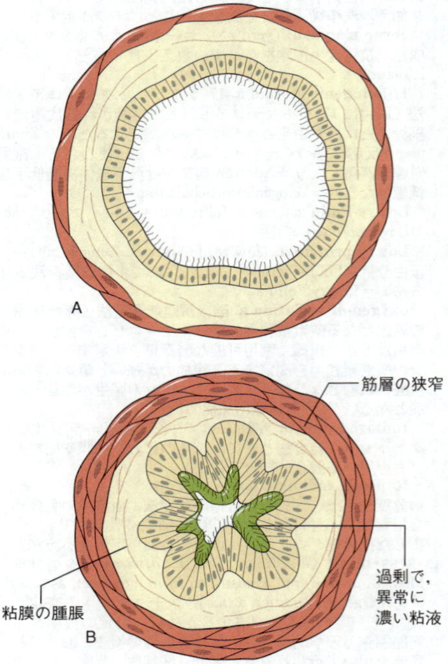

asthma
正常 (A) およびぜん息 (B) の細気管支の断面．

気管支ぜん息はよくみられる病気で，米国での発病率はおよそ 5 %で，2 — 17 歳の年齢層では主要な病気である．米国では年間 1,450 万の外来受診と 5,000 人の死亡をもたらしている．ぜん息の有病率は過去 25 年増加を続けている．ことに 5 歳以下の小児において顕著である．小児期に始まるぜん息はアレルギー性のものが多く，季節変動を示す．慢性副鼻腔炎と胃食道逆流性疾患はぜん息と統計学的な相関がある．アレルギー性ぜん息の一部の人々は，鼻ポリープがあり，アスピリンと大部分の非ステロイド系抗炎症薬の過敏症がある(Samter 三徴．註アスピリン三徴改訂．ぜん息，鼻ポリープ，アスピリンアレルギーが出現する)．成人の慢性ぜん息の少なくとも 10 %は，室内の刺激物質やアレルゲンの職業性暴露が原因である．ぜん息についての最近の病理生理所見では，炎症因子と，コントロール不十分なぜん息での上皮細胞下線維化に基づく非可逆的な気道再構築の危険性が重要視されている．IL–13 がそうした線維化のメディエータであると関連づけられており，肺炎クラミジア *Chlamydia pneumoniae* に対する抗体が存在することによってぜん息患者の肺機能悪化を加速すると統計的に関連づけられている．現在では慢性または重症ぜん息の治療には抗炎症剤(特に吸入性ステロイド)が推奨されている．他の治療法として，β_2アドレナリン性気管支拡張剤(アルブテロール，terbutaline，salmeterol)，キサンチン(テオフィリン，オクストリフィリン，ダイフィリン)，マスト細胞安定剤(クロモリン，ネドクロミル)，抗ロイコトリエン薬(montelukast，ザフィルルーカスト，zileuton)がある．簡便なポータブル最大呼気流量計での自己測定によって，最善効果を発揮するため薬剤量の一助となる．アレルゲン，刺激物，他の誘因を回避することが良いコントロールには欠かせない．

bronchitic a. 気管支炎性ぜん息（気管支炎によって突然

起こるぜん息). =catarrhal a.

cardiac a. 心臓〔性〕ぜん息（ぜん息発作の一種で，左心室不全による肺うっ血や肺浮腫に続発する気管支痙攣）．

catarrhal a. カタル性ぜん息. =bronchitic a.

cotton-dust a. 綿塵喘息. =byssinosis.

dust a. 塵埃喘息（塵埃吸入で悪化する喘息で，特に綿塵の暴露に起因する職業性疾患としてみられる）．

exercise-induced a. (EIA) 運動誘発〔性〕ぜん息. =exercise-induced *bronchospasm.*

extrinsic a. 外因性ぜん息（異物に対するアレルギー反応によって起こる気管支ぜん息で，例えば，ガスアレルゲン，花粉，チリダニ，カビ，動物の毛からの産物などを吸引したり，食物，飲食，薬物などを飲んだ場合に起こる）．

food a. 食物(食事)性喘息（食物に対するアレルギー反応による喘息）．

hay a. 枯草ぜん息（枯草熱のぜん息段階）．

intrinsic a. 内因性ぜん息（外因性の原因が証明されず，内因性過程によるものと思われる気管支ぜん息）．

miller a. 製粉工ぜん息（粉や穀類のアレルゲンにより生じるぜん息）．

miner's a. 坑夫ぜん息（坑夫の炭粉症またはじん肺症による呼吸困難）．

nervous a. 神経性ぜん息（精神的ストレスが誘因となって起こるぜん息）．

reflex a. 反射性ぜん息（内臓，鼻，その他の身体部位の疾患における反射として生じるぜん息）．

spasmodic a. 痙性ぜん息（細気管支の痙攣によるぜん息）．

steam-fitter's a. 蒸気管取付け工ぜん息（断熱材としてのアスベスト繊維で被包された鉛管の取り扱いにより暴露された石綿肺症によるぜん息）．

stripper's a. 剥工ぜん息（綿肺症(→byssinosis)に由来するぜん息）．

summer a. 夏季ぜん息（枯草熱または夏季植物に対するアレルギーに由来するぜん息）．

triad a. ぜん息三徴（鼻ポリープ，ぜん息，アスピリン不耐性を含む症候群）．

asth·mat·ic (az-mat′ik). ぜん息の，呼吸困難の．

asth·ma-weed (az′mă-wēd). *1* =lobelia. *2* =*Euphorbia pilulifera.*

asth·mo·gen·ic (az′mō-jen′ik). ぜん息誘発の．

as·tig·mat·ic (as′tig-mat′ik). 乱視の．

a·stig·ma·tism (ă-stig′mă-tizm) [G. *a-* 欠性辞 + *stigma* (*stigmat-*), a point][MIM*603047]. 乱視（①異なった経線において異なる屈折力をもつレンズや光学系．②眼の１つ以上の屈折面(角膜，水晶体の前面または後面)において異なった経線に沿って不等彎曲のみられる状態で，その結果，発光点からの光線が網膜上の１点に焦点を結ばないこと）. =astigmia.

a. against the rule 倒乱視（角膜曲率または屈折力が水平軸にある乱視）．

compound hyperopic a. 複性遠視性乱視（すべての経線が遠視性だが変数が異なる乱視）．

compound myopic a. 複性近視性乱視（すべての経線が近視だが度数が異なる乱視）．

corneal a. 角膜乱視（角膜表面の彎曲障害による乱視）．

hyperopic a. 遠視性単乱視（経線の１つが遠視で，それに直交する経線に屈折異常のない乱視の型）. =simple hyperopic a.

irregular a. 不正乱視（同一主経線の各部の屈折度が異なる乱視）．

lenticular a. 水晶体乱視（水晶体の曲率，位置，または屈折率の異常による乱視）．

mixed a. 混合乱視，雑性乱視（１つの主経線が遠視で，直交するもう一方の主経線が近視である乱視）．

myopic a. 近視性単乱視（経線の１つが近視で，直交する経線に屈折異常のない乱視の型）. =simple myopic a.

a. of oblique pencils 斜光束乱視（光束が水晶体の軸に平行でない方向に進行したときに生じる収差）．

regular a. 正乱視（各経線の曲率が最後まで等しく，最強・最弱主経線は相互に直交している乱視）．

simple hyperopic a. 遠視性単乱視. =hyperopic a.

simple myopic a. 近視性単乱視. =myopic a.

a. with the rule 直乱視（より強い曲率または屈折力(強主経線)が垂直子午線に一致する乱視）．

a·stig·ma·tom·e·try, as·tig·mom·e·try (ă-stig′mă-tom′ĕ-trē, as-tig-mom′ĕ-trē). 乱視測定〔法〕（乱視の種類を決定し，程度を測定すること）．

a·stig·mi·a (ă-stig′mē-ă). =astigmatism.

a·sto·ma·tous (ă-stō′mă-tŭs). 無口の，無気孔の. =astomous.

a·sto·mi·a (ă-stō′mē-ă) [G. *a-* 欠性辞 + *stoma*, mouth]. 無口〔症〕（口の先天的欠損）．

a·sto·mous (ă-stō′mŭs). =astomatous.

as·trag·a·lar (as-trag′ă-lar). 距骨の．

as·trag·a·lec·to·my (as-trag′ă-lek′tō-mē) [astragalus + G. *ektomē*, excision]. 距骨切除〔術〕．

as·trag·a·lo·cal·ca·ne·an (as-trag′ă-lō-kal-kā′nē-an). 距骨踵骨の（距骨と踵骨の両方に関する）．

as·trag·a·lo·fib·u·lar (as-trag′ă-lō-fib′yū-lar). 距骨腓骨の（距骨と腓骨の両方に関する）．

as·trag·a·lo·scaph·oid (as-trag′ă-lō-scaf′oyd). 距骨舟状骨の. =talonavicular.

as·trag·a·lo·tib·i·al (as-trag′ă-lō-tib′ē-ăl). 距骨脛骨の（距骨と脛骨の両方に関する）．

As·trag·a·lus (as-trag′ă-lŭs). レンゲ属（マメ科の植物の一属．特に北アメリカ西部の放牧地には *A. mollissimus*（ロコ草)が多い．土壌よりセレニウムを吸収するので，ヒツジ，ウシ，ウマなどに中毒を引き起こす．*A. gummifer* はトラガカントゴムの原料である）．

as·tral (as′trăl). 星状〔球〕の．

as·tra·po·pho·bi·a (as′tră-pō-fō′bē-ă) [G. *astrapē*, lightning + *phobos*, fear]. 電光恐怖〔症〕（電光に対する病的な恐れ）．

as·tric·tion (as-trik′shŭn). *1* 収れん作用．*2* 圧迫止血．

as·trin·gent (as-trin′jent) [L. *astringens*]. *1*〘adj.〙収れん性の（①組織の収縮あるいは縮小を促す．②分泌を停止させる．③出血を抑制する）．*2*〘n.〙収れん薬（*1* の作用を有する薬物）．

as·tro·bi·ol·o·gy (as′trō-bī-ol′ŏ-jē) 宇宙生物学（地球外旅行による人間や地球上の生物への影響及び地球外の生態系に関する学問）．

as·tro·blast (as′trō-blast) [G. *astron*, star + *blastos*, germ]. 〔神経膠〕星状芽細胞（中枢神経組織の星状膠細胞へと発達する始原細胞）．

as·tro·blas·to·ma (as′trō-blas-tō′mă) [astro- + G. *blastos*, germ + *-oma*, tumor]. 〔神経膠〕星状芽細胞腫，星芽腫（星状細胞系の未成熟な腫瘍細胞からなる，比較的未分化な神経膠腫．細胞は，しばしば放射状に配列し，小血管に終わる短くて細い突起をもつ）．

as·tro·cele (as′trō-sēl) [G. *astron*, star + *koilia*, hollon]. 星状膠. =centrosphere.

as·tro·cyte (as′trō-sīt) [G. *astron*, star + *kytos*, hollow (cell)]. 〔神経膠〕星状細胞，星状〔神経〕膠細胞（神経組織の大きい神経膠細胞の一種. →neuroglia). = astroglia cell; astroglia; Cajal cell (2); Deiters cells (2); macroglia cell; macroglia; spider cell (1).

Alzheimer type I a. (awltz′hī-mĕr). アルツハイマーＩ型〔神経膠〕星状細胞，アルツハイマーＩ型星状〔神経〕膠細胞（進行性多巣性白質脳症でみられる大きな，しばしば多核性の星状細胞）．

Alzheimer type II a. (awltz′hī-mĕr). アルツハイマーII型〔神経膠〕星状細胞，アルツハイマーII型星状〔神経〕膠細胞（小胞状核と１つ以上の小さな塩基好性核小体をもつ大きな星状細胞．肝脳疾患，Wilson 病でみられる）．

fibrillary a., fibrous a. 線維性〔神経膠〕星状細胞，線維性星状〔神経〕膠細胞（主に脳と脊髄の白質にみられる長い突起をもった星状細胞で，細胞質に神経膠フィラメントの束をもつのが特徴的である．大部分の星状細胞の源）．

gemistocytic a. 大円形細胞性星状細胞（円形または卵形の星状細胞で，豊富な細胞質の中にグリア線維と偏在性の核をもつ．肥大すると２核となることがある）. =gemistocyte; gemistocytic cell; reactive a.; reactive cell.

protoplasmic a. 原形質性星状膠細胞（主として灰白質に

みられる星状膠細胞の一種で，原線維に乏しく，多数の分岐した突起を有する）．

reactive a. 反応性星状細胞．＝gemistocytic a.

as·tro·cy·to·ma (as′trō-sī-tō′mă) [G. *astron*, star + *kytos*, cell + *-oma*, tumor]．〔神経膠〕星状細胞腫，星〔状膠〕細胞腫（星状細胞由来の神経膠腫）．

anaplastic a. 未分化〔神経膠〕星状細胞腫，未分化星状〔膠〕細胞腫（中等度の星状細胞腫で，細胞充実性増加，核の多形性，有糸核分裂を特徴とする）．

cerebellar a. 小脳〔神経膠〕星状細胞腫，小脳星状〔膠〕細胞腫（主に小児に起こる小脳に限局した星状細胞腫の亜型．顕微鏡でみると，粗な網状パターンとより密なしばしば紡錘細胞がみられるパターンの2つの構造パターンからなる）．＝juvenile cerebellar a.

desmoplastic cerebral a. 線維形成〔性〕大脳〔神経膠〕星状細胞腫，線維形成〔性〕大脳星状〔膠〕細胞腫（乳児期に最も高頻度に起こる星状細胞腫のまれな亜型で，腫瘍は紡錘細胞の観を呈する）．

fibrillary a. 線維性〔神経膠〕星状細胞腫，線維性星状〔膠〕細胞腫（線維性星状細胞由来の星状細胞腫）．

gemistocytic a. 大円形細胞性星状細胞腫，肥胖星状〔膠〕細胞腫（主として肥大した星状膠細胞腫）．＝gemistocytoma.

grade I a. I度星状細胞腫（悪性度が低い固形または嚢胞性星状細胞腫．毛嚢胞性星状細胞腫，その他の悪性度の低い星状細胞腫を包含したWHOの命名法）．

grade II a. II度星状細胞腫（悪性度が低い星状細胞腫．高分化原線維性星状細胞腫を包含したWHOの命名法）．

grade III a. III度星状細胞腫（悪性度が中等度の星状細胞腫．WHOの命名法．→anaplastic a.）．

grade IV a. IV度星状細胞腫（悪性度が高度の星状細胞腫．WHOの命名法．→glioblastoma multiforme）．

juvenile cerebellar a. 若年性小脳〔神経膠〕星状細胞腫，若年性小脳星状〔膠〕細胞腫．＝cerebellar a.

low grade a. 低悪性度〔神経膠〕星状細胞腫，低悪性度星状〔膠〕細胞腫（平均的でない分布の細胞充実度増加と軽度の核多形性を特徴とする星状細胞腫）．

pilocytic a. 重細胞性〔神経膠〕星状細胞腫，重細胞性星状〔膠〕細胞腫（組織学的には長い星状細胞からなるゆっくり成長する星状細胞腫．しばしば第3脳室視交差部，視床下部，または小脳に位置する．小児にみられることが多い）．＝piloid a.

piloid a. 毛様〔神経膠〕星状細胞腫，毛様星状〔膠〕細胞腫．＝pilocytic a.

protoplasmic a. 原形質性星状細胞腫（好酸性星状細胞からなる腫瘍）．

subependymal giant cell a. 上衣下巨細胞〔神経膠〕星状細胞腫，上衣下巨細胞星状〔膠〕細胞腫（側脳室の壁にしばしば位置するまれな星状細胞腫．大きな好酸性の細胞質をもつ大きな巨細胞とその間に混ざった長い星状細胞からなる．結節性硬化症に合併する）．

as·tro·cy·to·sis (as′trō-sī-tō′sis)．星状細胞増加〔症〕（星状細胞の数の増加で，しばしば変性病変(例えば脳軟化症)，病巣性炎症(例えば膿瘍)，脳のある種の腫瘍に隣接した，変異限定の不規則領域にみられる．ときには比較的広範囲に広がることがある．星状細胞増加症は修復機序である）．

a. cerebri 大脳星状細胞増加〔症〕．＝*gliomatosis* cerebri.

as·tro·ep·en·dy·mo·ma (as′trō-ē-pen′di-mō′mă)．星状〔脳室〕上衣細胞腫（星状細胞と上衣細胞の混合群からなる神経膠腫）．

as·trog·li·a (as-trog′lē-ă) [G. *astron*, star + neuroglia]．大グリア細胞，大膠細胞（[本語は文法的に単数形である．誤った発音 astrogli′a を避けること]）．＝astrocyte.

as·troid (as′troyd) [G. *astroeidēs* < *astron*, star + *eidos*, resemblance]．星状の，星芒状の．

as·tro·ki·net·ic (as′trō-ki-net′ik) [G. *astron*, star + *kinēsis*, movement]．星状体運動の（分裂している細胞の中心体と星状球の運動に関する）．

as·tro·sphere (as′trō-sfēr) [G. *astron*, star + *sphaira*, ball]．星状球（分裂細胞の中心体と中心球から外にのびる放射状微小管の集合）．＝aster; astral rays; attraction sphere; Lavdovsky nucleoid; paranuclear body.

As·tro·vi·rus (as′trō-vī′rŭs)．アストロウイルス属（小型のRNAウイルスで，アストロウイルス科における唯一の属．下痢に関与し，多くの動物の糞便から検出される）．

As·trup (as′trŭp), Poul. デンマーク人臨床化学者，1915—2000. →micro-A. *method*.

Ast·wood (ast′wud), Edwin B. 米国人内分泌学者，1909—1976. →A. *test*.

Asx "Asn(アスパラギンまたはその一置換基か二置換基)または Asp(アスパラギン酸)" を意味する記号．

a·syl·la·bi·a (ā-si-lā′bē-ă) [G. *a-* 欠性辞 + *syllabē*, syllable]．綴音不能〔症〕（失読症の一型で，個々の文字は認識できるが，音節や言葉にまとめられると理解できない状態）．

a·sy·lum (ă-sī′lŭm) [L. < G. *asylon*, a sanctuary < *a-* 欠性辞 + *sylē*, right of seizure]．療養院，養育院（老齢あるいは心身虚弱などで，自分自身の管理ができない人々を収容し，世話する施設を表す古語）．

a·sym·bo·li·a (ā-sim-bō′lē-ă) [G. *a-* 欠性辞 + *symbolon*, an outward sign]．象徴不能〔症〕，失象徴（合図や記号の意味を判断できない失語症の一型）．＝sight blindness.

a·sym·met·ric (a) (ā′sim-et′rik)．非対称〔性〕の，左右不同の，不斉の（対称性でない．2つ以上の類似した物の間の対称性の欠如についていう）．

a·sym·me·try (ā-sim′e-trē)．＝dissymmetry. ***1*** 非対称，左右不同，不斉，ひずみ（対称性の欠如．通常は2つの類似物間の不均衡）．***2*** 非対称（同一の記録状態下で，脳の両側から同時にとった脳波活動の振幅または周波数における有意の差）．

a·symp·tom·at·ic (ā′simp-tō-mat′ik)．無症候〔性〕の（症候のない，症候を生じない）．

a·symp·tot·ic (ā′simp-tot′ik)．漸近的な（例えば，独立変数を0または無限大に近づけたときに，従属変数がある限界値に近づいていくことをいう）．

a·syn·cli·tism (ă-sin′kli-tizm) [G. *a-* 欠性辞 + *syn-klino*, to incline together]．不正軸定位，不正軸進入（分娩時に，胎児の先進部位の軸の目標となる口蓋弓あるいは頭蓋平面と骨盤平面が正軸でないか平行していないこと）．＝obliquity.

anterior a. 前不正軸定位(進入)．＝Nägele *obliquity*.

posterior a. 後不正軸定位(進入)．＝Litzmann *obliquity*.

a. of the cranium 児頭歪軸定位．＝plagiocephaly.

a·syn·ech·i·a (a-si-nek′ē-ă) [G. *a-* 欠性辞 + *synecheia*, continuity]．〔構造〕不連続性．

a·sy·ner·gi·a (ā-sin-er′jē-ă) [G. *a-* 欠性辞 + *syn*, with + *ergon*, work]．＝asynergy.

a·syn·er·gic (ā′sin-er′jik)．共同(協同)運動不能の．

a·syn·er·gy (a-sin′er-jē) [G. *a-* 欠性辞 + *syn*, with + *ergon*, work]．共同(協同)運動不能〔症〕，共同(協同)運動消失（複雑な運動を行うとき，種々の筋群の共同運動がなく，巧妙さや速さがなくなる．重症の場合は運動の分解が起こり，複雑な運動は1つずつの運動がつながったものとして行われるようになる．小脳病変が原因となる）．＝asynergia.

a·sy·ne·si·a, a·sy·ne·sis (a-si-nē′zē-ă, -nē′sis) [G. *a-* 欠性辞 + *synesis*, union, understanding]．理解力欠如（理解力に乏しく常識に欠けること）．

a·sys·tem·at·ic (ā′sis-tĕ-mat′ik)．非系統的の（一系統の器官と関連していない）．

a·sys·to·le (ā-sis′tō-lē) [G. *a-* 欠性辞 + *systolē*, a contracting]．不全収縮〔期〕（心臓の収縮のないこと．*cf.* cardiac *standstill*）．＝asystolia.

a·sys·to·li·a (a′sis-tō′lē-ă)．＝asystole.

a·sys·tol·ic (a-sis-tol′ik)．***1*** 不全収縮〔期〕の．***2*** 非収縮期〔性〕の．

AT 二本鎖のポリヌクレオチドにみられるアデニン－チミン(adenine-thymine)水素結合性塩基対に対する略．

At アスタチンの元素記号．

ata *atmosphere* absolute の略．

at·a·brine hy·dro·chlor·ide (at′a-brin hī′drō-klōr′īd)．塩酸アタブリン．＝quinacrine hydrochloride.

a·tac·til·i·a (ā′tak-til′ē-ă) [G. *a-* 欠性辞 + L. *tactilis*, relating to touch < *tango*, pp. *tactus*, to touch]．触覚脱失(消失)〔症〕，無触覚〔症〕．

at·a·rac·tic (at′ă-rak′tik) [G. *ataraktos*, calm]．＝ataraxic. ***1***〘adj.〙精神安定〔作用〕の（鎮静作用または精神安定作用のある）．***2***〘n.〙精神安定薬．

at·a·rax·i·a (at′ă-rak′sē-ă) [G. *a-* 欠性辞 + *taraktos*, disturbed + *-ia*]. 平静，冷静，アタラキシア（心の平穏と平安．静穏）．

at·a·rax·ic (at′ă-rak′sik). ＝ataractic.

at·a·vism (at′ă-vism) [L. *atavus*, a remote ancestor]. 先祖返り，隔世遺伝（かなり前の祖先にみられたと想定される特性がある個人に現れること．初期生物型へ逆戻りすること）．

at·a·vis·tic (at-ă-vis′tik). 先祖返りの，隔世遺伝の．

a·tax·i·a (ă-tak′sē-ă) [G. *a-* 欠性辞 + *taxis*, order]. 運動失調，失調（随意運動中の筋活動を協調させられないこと．小脳または脊髄後索の疾患によるものが多い．肢，頭，または体幹を侵す）．＝ataxy; incoordination.

acquired a. 後天性運動失調〔症〕（種々の環境因子または他疾患（飲酒，薬剤，抗痙攣薬，ウイルスなどの感染，腫瘍，脳血管疾患，多発性硬化症，自己免疫機序など）に関連した小脳症候群の総称）．

acute a. 急性運動失調（突発する全身の運動失調で，薬物中毒，中毒，迷路神経炎で起こることが多い）．

a., autosomal recessive, with deafness and optic atrophy 難聴と視神経萎縮を伴う常染色体劣性運動失調〔症〕（運動失調，難聴，視神経萎縮を主徴とする運動失調性神経疾患．第 6 染色体短腕上の遺伝子と関係している）．

Briquet a. (brē-kā′). ブリケー（ブリケ）運動失調（→hysteria）．＝hysteric a.

Bruns a. (brūnz). ブルンス運動失調（足が地面に接している時は前方に足を出すことが困難であるが，仰臥位では下肢の筋力，協調運動，前方運動が正常である運動失調．前頭葉の病変による）．＝magnetic gait.

cerebellar a. 小脳性運動失調（小脳疾患の結果，筋肉の協調が欠如すること）．

a. of Charlevoix-Saguenay [Saguenay-Lac-St. Jean and Charlevoix, 疾病の遺伝子プールが制限された北東ケベックの分離された地方]. シャルルヴォワ－サグネー運動失調〔症〕（小児期に発症する常染色体劣性緩徐進行性痙性運動失調症．第 13 染色体上の遺伝子突然変異による）．

childhood a. with diffuse central nervous system hypomyelination 広範性中枢神経系髄鞘低形成を伴う小児期運動失調〔症〕．＝*leukoencephalopathy* with vanishing white matter.

chronic a. 慢性運動失調（遺伝性小脳疾患や代謝疾患が原因となることが多い持続性の運動失調）．

conversion a. 転換性失調．＝hysteric a.

a. cordis 心臓運動失調．＝atrial *fibrillation*.

a. of early onset with retained reflexes 反射保持早期発症運動失調〔症〕（遺伝的に異なる一群の疾患で，腱反射が障害される早期発症 Friedreich 運動失調症とは臨床的に区別される）．

episodic a. 挿間的運動失調〔症〕，反復発作性運動失調〔症〕（一過性（数分から数時間の持続）の運動失調の発作を特徴とする 2 つの異なる常染色体優性運動失調症候群（EA1 と EA2）を記述するのに用いる語．EA1 では発作間欠期にミオキミアがしばしば存在するが，EA2 では永続的な小脳症候がみられる．第 12 染色体短腕上のカリウムチャネル遺伝子（EA1），第 19 染色体短腕上のカルシウムチャネル遺伝子（EA2）の点突然変異に関係する）．

Friedreich a. (frēd′rīk) [MIM*229300]. フリートライヒ運動失調（常染色体劣性遺伝の神経障害で進行性平衡異常，構語障害，脊柱側弯，凹足，固有感覚脱失と通常深部腱反射の消失がみられる．発症は通常 10 歳代である．第 9 染色体長腕上の Friendreich 運動失調遺伝子の突然変異により生じる．心臓と膵臓がほとんどの患者で侵されるが，最も大きい病理変化は脊髄後柱にみられる．遅発発生と深部腱反射が保たれるという 2 つの異形があり，これらは同じ突然変異による）．＝hereditary spinal a.; heredoataxia.

gluten a. グルテン運動失調（グルテン感受性がある人において，小脳，脊髄後索，末梢神経が免疫学的機序で障害された結果みられるもの）．

hereditary cerebellar a. 遺伝性小脳性運動失調（①小児期後期と成人期早期にみられる疾患．運動失調性歩行，躊躇性・爆発性言語，眼振，（ときには）視神経炎を特徴とする．種々の遺伝型をもついくつかの異なる疾患を含むと考えられている．②小脳徴候が最も顕著な所見である多くの遺伝疾患の総称）．

hereditary spinal a. [MIM*229300]. 遺伝性脊髄性運動失調．＝Friedreich a.

hysteric a. ヒステリー性運動失調〔症〕（皮膚感覚の機能的喪失により，四肢の運動を正確に協調できない．→hysteria）．＝Briquet a.; conversion a.

idiopathic a. 特発性運動失調〔症〕（高齢者に発症する進行性運動失調症候群で，MRI では小脳萎縮または橋小脳萎縮がみられ，運動失調症の家族歴はなく，遺伝子変異は検出されず，後天性運動失調症の原因がないもの．これらの患者の一部は後にパーキンソニズムや自律神経障害の症候を呈し，多系統萎縮症と診断される）．＝late onset sporadic a.

kinetic a. ＝motor a.

late onset sporadic a. 遅発散発性運動失調〔症〕．＝idiopathic a.

Leyden a. (lī′dĕn). ライデン運動失調．＝pseudotabes.

locomotor a. 歩行性運動失調症，脊髄ろう（癆）（脊髄ろう性神経梅毒でみられる強い歩行失調．両足を開いて歩き，一歩ごとに床に足をぶきっちょにたたきつけ，視覚にたよってバランスを保つ．→tabetic *neurosyphilis*）．

Marie a. (mah-rē′). Friedreich 型でない種々の遺伝性運動失調症を表す現在では用いられない語．

motor a. 〔歩行性〕運動失調（協調性筋肉運動を行おうとしたときに出現する運動失調）．＝kinetic a.

optic a. 視覚性運動失調（視覚情報を用いて，手を物体にもっていくことができない．Balint 症候群（⇒syndrome）でみられる）．

respiratory a. 呼吸失調．＝Biot *respiration*.

sensory a. 感覚性運動失調，知覚性運動失調（位置覚の障害による運動失調で，中枢または末梢の感覚経路のどこかの病変が原因となる）．

spinal a. 脊髄性運動失調（脊髄ろうにおけるような脊髄疾患による運動失調）．

spinocerebellar a. 脊髄小脳性運動失調，脊髄小脳失調（進行性の経過を示す常染色体優性遺伝運動失調症を記述するのに現在よく用いられる総称．用語はヒトゲノム機構により規制されており，新しい遺伝子座が発見されるごとに SCA の後に番号を付ける．現在，少なくとも 23 の異なる型（SCA 1—SCA 23）が報告されている．すべての型はお互いに似ており，臨床的に表現型のみで区別はできない．病理学的にはすべての型は，小脳，橋底部，オリーブ核，黒質，前角，胸髄後核の神経細胞消失の異なる組み合わせを呈する．以前は，この群の疾患は Marie 運動失調またはオリーブ橋小脳萎縮症と通常よばれた．SCA 3 は現在 Machado-Joseph 病であることが知られている．これらの疾患の多くは，染色体 3p，6p，20p，5q，6q，7q，8q，11q，12q，15q，19q，22q を含む種々の遺伝子や染色体の CAG リピートの伸長による）．

spinocerebellar a. with axonal neuropathy 軸索ニューロパシーを伴う脊髄小脳運動失調〔症〕（多発ニューロパシーを伴う運動失調疾患で，DNA 修復をするチロシル DNA ホスホジエステラーゼの遺伝子の突然変異と関係している）．

static a. 静的運動失調（筋感覚消失のため，起立時の平衡を保つことができないこと．安静状態でみられる）．

a. telangiectasia, ataxia-telangiectasia 毛細〔血〕管拡張性運動失調（常染色体劣性多系統疾患で，運動失調，眼球失行，筋緊張低下，固有感覚消失，反射消失，舞踏病アテトーゼを呈する．典型的には小児期早期に発症し，身体的特徴は悪性腫瘍になりやすく，結膜と皮膚に毛細血管拡張があり，免疫不全により肺感染を繰り返すことである．第 11 染色体長腕（11q22—23）で異常があり，DNA 修復が障害される）．＝ataxia telangiectasia syndrome; Boder-Sedgwick syndrome; Louis-Bar syndrome.

vasomotor a. 脈管運動失調（自律神経性運動失調の一種．末梢循環不全を起こし，小血管の攣縮により蒼白と紅潮が交互に繰り返される）．

vestibulocerebellar a. 前庭小脳性運動失調（中枢前庭系またはその小脳部の疾患による運動失調．臨床的には不安定な歩行，眼振，および腕と脚の運動の共調不能を呈する）．

a. with infantile onset olivopontocerebellar atrophy 乳児期発症オリーブ橋小脳萎縮症を伴う運動失調〔症〕（乳児期発症の常染色体劣性多系統疾患で，運動失調，多発ニューロパシー，構音障害，難聴，痙攣，視神経萎縮を呈する．第10染色体長腕上の遺伝子と関係する)．

a. with myoclonus ミオクローヌスを伴う運動失調〔症〕．＝Hunt *syndrome* (1).

a. with neurogenic weakness and retinitis pigmentosa 神経原性脱力と色素性網膜炎を伴う運動失調〔症〕(アデノシン三リン酸をコードするミトコンドリア遺伝子の突然変異を伴う運動失調症候群)．

a. with oculomotor apraxia, I & II 眼球運動失行を伴う運動失調〔症〕I，II (眼球運動失行が顕著な小児期発症の2つの異なる常染色体劣性運動失調症．2つとも遺伝子突然変異によるが，II型は第9染色体長腕上の遺伝子と関係する)．

a·tax·i·a·dy·nam·i·a (ă-tak′sē-ă-dī-nam′ē-ă). 運動失調〔筋〕無力〔症〕，運動失調〔筋〕脱力〔症〕(協調不能を伴った筋肉の衰弱)．

a·tax·i·a·gram (ă-tak′sē-ă-gram). 運動失調図 (運動失調描画器による記録)．

a·tax·i·a·graph (ă-tak′sē-ă-graf). 運動失調描画器 (静的運動失調における体と頭の揺れの程度と方向を，両眼を閉じた状態で測定するための器具)．＝ataxiameter.

a·tax·i·am·e·ter (ă-tak′sē-ăm′ĕ′ter). 運動失調計．＝ataxiagraph.

a·tax·i·a·pha·si·a (ă-tak′sē-ă-fā′zē-ă) [G. *a-* 欠性辞 + *taxis*, order + *phasis*, an affirmation, speech]. 失調〔性〕失語〔症〕(1つ1つの単語は恐らく理解して使えるが，つながりのある文章をつくることができないこと)．

a·taxi·a·tel·an·gi·ec·ta·si·a →*ataxia* telangiectasia.

a·tax·ic (ă-tak′sik). 運動失調の，失調〔性〕の．

ataxin (ă-tăks′in) [ataxia + -in]. アタキシン (CAGリピート延長の結果として脊髄小脳運動失調症でみられる異常蛋白)．

a·tax·i·o·pho·bi·a (ă-tak′sē-ō-fō′bē-ă) [G. *a-* 欠性辞 + *taxis*, order + *phobos*, fear]. 秩序恐怖〔症〕(きちんとしていないことに対する病的な恐れ)．

a·tax·y (ă-tak′sē). ＝ataxia.

-ate (āt). 酸が中和(例えば酢酸ナトリウム)やエステル化(例えば酢酸エチル)された際，その酸の塩あるいはエステル体または共役塩基に対する対照化合物を示すのに用いる接尾語．

at·el·ec·ta·sis (at′ĕ-lek′tă-sis) [G. *atelēs*, incomplete + *ektasis*, extension]. 無気肺，アテレクターゼ (肺全体あるいはその一部で空気が減ったあるいはない状態．その結果，肺気量の低下をもたらす．→pulmonary *collapse*)．

adhesive a. 癒着性無気肺 (特に界面活性物質が不活化されたか欠損している際の開いている気道にある肺胞虚脱で，特に新生児呼吸窮迫症候群，急性放射線肺炎やウイルス性肺炎でみられる)．＝microatelectasis; nonobstructive a.

cicatrization a. 瘢痕〔化〕性無気肺 (①線維化と組織増加による肺容量単位当たりの空気の減少で，肺コンプライアンス減少を引き起こす．②瘢痕あるいは肺線維症による)．

a. of the middle ear 中耳アテレクターシス (耳管の閉塞のため中耳腔の容積が減少し，続いて中耳内の酸素が吸収され鼓膜が内側に牽引された状態)．

nonobstructive a. 非閉塞性無気肺．＝adhesive a.

passive a. 受動的無気肺 (気胸あるいは水胸のような場所をとる胸腔内プロセスに基づいて起こる肺虚脱)．＝relaxation a.

patchy a. 斑状無気肺 (肺の多発生小範囲の含気減少と虚脱)．

platelike a. 板状無気肺．＝subsegmental a.

primary a. 原発性無気肺 (すべての死産児と，呼吸機能の確立以前に死亡する新生児にみられる無気肺)．

relaxation a. 弛緩性無気肺．＝passive a.

resorption a. 吸収無気肺 (肺胞と気管の交通が閉塞されると起こる一葉の緩徐で局所的な虚脱)．

rounded a. 円型無気肺 (胸膜の線維化に基づく実質組織を包み込んでもたらされる無気肺野で，アスベスト暴露によるものが最も多い．結節様不透明像として現れるので肺癌と間違えられうる．ほうき星尾(コメット)サインを伴うことがある．ダイナミックCTでは造影剤陰影増強が高度なことが診断を助ける)．＝folded-lung syndrome.

secondary a. 続発性無気肺 (特に新生児の肺虚脱のこと．他の疾患で死亡する過程に起こるヒアリン膜症または肺の弾性減弱による)．

segmental a. 区域性無気肺 (1つないしそれ以上の肺区域の部分的虚脱)．

subsegmental a. 亜区域性無気肺 (亜区域気管支の閉塞による末梢肺の虚脱で，胸部X線写真上，線状の陰影としてみられる．→Fleischner *lines*)．＝platelike a.

at·e·lec·tat·ic (at′ĕ-lek-tat′ik). 無気肺の，アテレクターゼの．

a·te·li·a (ă-tē′lē-ă). ＝ateliosis.

a·tel·i·o·sis (ă-tē′lē-ō′sis) [G. *atelēs*, incomplete + *-osis*, condition]. 発育不全 (幼稚症や小人症におけるような，身体またはその一部の不完全発育)．＝atelia.

a·tel·i·ot·ic (ă-tē′lē-ot′ik). 発育不全の．

a·tel·op·id·tox·in (ā-tel-op′id-tok′sin). アテロピドトキシン (中央・南アメリカに生息するgolden arrow frog(パナマ黄金ガエル *Atelopus zeteki*)の皮膚にある強力な毒素)．

a·the·li·a (ă-thē′lē-ă) [G. *a-* 欠性辞 + *thēlē*, nipple]. 無乳頭〔症〕(乳頭の先天的欠損)．

ath·er·ec·to·my (ath′e-rek′tō-mē). アテレクトミー，じゅく(粥)腫切除術 (外科的または特殊なカテーテルを用いる，冠動脈および他の動脈にあるじゅく腫の摘除)．

coronary a. 冠〔状〕動脈内じゅく(粥)腫切除術 (カテーテル等の器具を用いる冠動脈内のじゅく腫の摘除)．

directional a. 方向性冠〔状〕動脈じゅく(粥)腫切除術 (装置付きのカテーテルを用いる冠動脈のじゅく腫の摘除)．

a·ther·man·cy (ă-ther′man-sē) [G. *athermantos*, not heated < *a-* 欠性辞 + *thermaino*, to heat < *thermē*, heat]. 不透熱性 (熱を透過させない性質)．

a·ther·ma·nous (ă-ther′mă-nŭs). 不透熱の，熱線吸収の．

a·ther·mo·sys·tal·tic (ă-ther′mō-sis-tal′tik) [G. *a-* 欠性辞 + *thermos*, hot + *systaltikos*, constringent]. 熱性不攣縮の (通常の温度変化では収縮または緊縮しないことで，ある種の組織についていう)．

athero- (ath′er-ō) [G. *athērē*, gruel, porridge]. じゅく(粥)状の，軟らかい，のり状物質の沈着に関する連結形．

ath·er·o·em·bo·lism (ath′er-ō-em′bō-lizm). アテローム塞栓症，じゅく(粥)腫塞栓症 (大動脈またはその他の動脈にできたじゅく腫由来のコレステロールによる塞栓症，石灰化を伴うことも伴わないこともある)．

ath·er·o·gen·e·sis (ath′er-ō-jen′ĕ-sis). アテローム発生，じゅく(粥)腫発生 (じゅく腫の形成で，動脈硬化症の病原性において重要である)．

ath·er·o·gen·ic (ath′er-ō-jen′ik). アテローム発生の，じゅく(粥)腫発生の (じゅく腫発生過程の起始，増加，促進の能力を有する)．

ath·er·o·ma (ath′er-ō′mă) [G. *athērē*, gruel + *-ōma*, tumor]. アテローム，じゅく(粥)腫，粉瘤 (動脈内膜の脂質沈着で，内皮表面に黄色のじゅく状物を生じる．アテローム性動脈硬化症を特徴とする)．＝atherosis.

ath·er·om·a·tous (ath′er-ō′mă-tŭs). アテロームの．

---

ath·er·o·scle·ro·sis (ath′er-ō-skler-ō′sis) [G. *athērē*, gruel, + sclerosis]. アテローム〔性動脈〕硬化〔症〕，じゅく(粥)状硬化〔症〕(大動脈および中動脈の内膜に脂質沈着が不規則に分布するのを特徴とする動脈硬化症．動脈腔の狭小化を起こし，最終的には線維化，石灰化する．病変は通常は巣状で，ゆっくりと間欠的に進行する．血流の減少が大部分の症状の原因であり，症状は病変の分布と程度により様々である．下等動物では，ブタや家禽のアテローム性動脈硬化症がヒトのものにかなり似ている)．＝nodular sclerosis.

動脈硬化症のうち一番多いタイプであるアテローム硬化症が生じる過程は複雑で，まず動脈内膜にコレステロールが蓄積したマクロファージ(泡沫細胞)が出現することから始まる．最近の考えでは動脈硬化は変性ではなく炎症性病変とされている．乱流のある個所から始まる傾向があり，炎症性サイトカインが動脈硬化のマーカとしてますます認められるようになっている．その過程はまず，平滑筋が脂質に反応し，血小板因子の作用を受けて増殖する．次いで血液中に循環している単球とリンパ球が内膜表面に付着し，内皮細胞の間を通り抜けて局所の

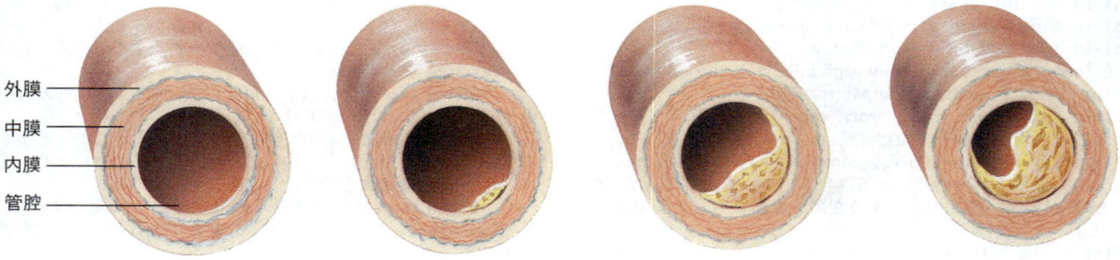

atherosclerosis
冠状動脈における発症段階.

炎症病変を起こす．そこに線維芽細胞，白血球，さらに脂質が沈着してプラークが形成される．やがてプラークは線維化を起こし石灰化することもある．アテローム硬化性のプラークが拡大するにつれ，動脈の閉塞と支配領域の組織の虚血が次第に強くなる．プラークに潰瘍，血栓，塞栓，あるいは内膜の出血，剝離が生じるとさらに急速で重篤な血流障害を起こすことがあり，梗塞の危険性を伴う．以上が冠動脈疾患(心不全を伴うまたは伴わない動脈硬化性心疾患，狭心症，心筋梗塞)，末梢血管疾患(特に間欠性跛行または壊疽を起こす下肢の閉塞性疾患)，脳卒中(内頸動脈または頭蓋内動脈の閉塞による脳梗塞)の主なメカニズムである．アテローム硬化症の独立した危険因子は男性，加齢，閉経，アテローム硬化症の家族歴，喫煙，高血圧，糖尿病，高 LDL 血症，高ホモシスチン血症，肥満，座りがちな生活である．クラミジア肺炎病原体 *Chlamydia pneumoniae* の既感染，中性脂肪，空腹時インスリン，フィブリノーゲン，C反応性蛋白，アミロイドA，インターロイキン-6，リポ蛋白(a)の血中濃度の上昇もまた独立した危険因子であることを示唆する証拠が増えている．アテローム硬化症の診断は通常，病歴と身体検査に基づいてなされ，血管造影，超音波 Doppler 法などの画像診断法で確認する．治療は主として機械的に行う．それにはバルーン伸展法，レーザー焼灼，プラークの外科的切除，様々なバイパスや移植手術がある．アテローム硬化症の予防は現代医学の主な目的である．予防手段には定期的で十分な運動，脂肪やコレステロールの少ない食事，健康的な体重の維持，禁煙，高血圧，糖尿病，高脂血症のコントロールのため医師の指示通り服薬することがある．

---

ath·er·o·scle·rot·ic (ath′er-ō-skler-ot′ik). アテローム〔性動脈〕硬化〔症〕の，じゅく(粥)状硬化〔症〕の.

ath·er·o·sis (ath′er-ō′sis). ＝atheroma.

ath·er·o·throm·bo·sis (ath′er-ō-throm-bō′sis). アテローム血栓症，じゅく(粥)腫性血栓症（じゅく状変性を起こした血管内の血栓形成).

ath·er·o·throm·bot·ic (ath′er-ō-throm-bot′ik). アテローム血栓症の，じゅく(粥)腫性血栓症の.

ath·e·toid (ath′ĕ-toyd). アテトーシス様の.

ath·e·to·sic, ath·e·tot·ic (ath′ĕ-tō′sik, -tot′ik). アテトーシスの.

ath·e·to·sis (ath′ĕ-tō′sis) [G. *athetos*, without position or place]. アテトーシス，無定位運動症（手指や手(ときには足指や足)の屈曲，伸展，回内，回外などの，ゆっくりした，ねじるような不随意運動が，常に連続している状態．通常，錐体外路病変によって起こる). ＝extrapyramidal cerebral palsy; Hammond disease.

double a. 両側アテトーシス（両側不随意運動が前景に出た脳性麻痺の一型．3歳頃に始まるが，全身の筋緊張低下と運動発達遅延が前駆する．核黄疸や出生時低酸素症など種々の原因による). ＝congenital choreoathetosis; double congenital a.; Vogt syndrome.

double congenital a. 両側先天性アテトーシス．＝double a.

posthemiplegic a. 片麻痺後アテトーシス（通常，小児にみられる，片麻痺の肢におこる片側性アテトーシス). ＝posthemiplegic chorea.

aThr allothreonine の略. ⇀allothreonines.

a·threp·si·a, ath·rep·sy (ă-threp′sē-ă, ath′rep-sē) [G. *a*- 欠性辞 + *threpsis* nourishment]. ***1*** 無栄養〔症〕，消耗〔症〕(marasmus を表す現在では用いられない語). ***2*** 栄養欠乏（Ehrlich によって提唱された用語で，移植腫瘍細胞に対する免疫現象を説明するのに栄養欠乏を考えたことによる．すなわち移植された腫瘍細胞の増殖に必要な特殊栄養物質の欠乏の結果であると考えた). ＝atrepsy.

ath·ro·cy·to·sis (ath′rō-sī-tō′sis) [G. *athrō*, gathered together + *kytos*, cell + *-osis*, condition]. 摂食〔作用〕（マクロファージや腎臓の近位曲尿細管細胞の先端面にみられるように，電気陰性コロイドを吸収し貯留する細胞の能力).

a·throm·bi·a (ă-throm′bē-ă) [G. *a*- 欠性辞 + thrombin] [MIM*209050]. トロンビン欠乏症，無トロンビン症（遺伝性の出血性疾患．出血時間の延長，血小板接着と凝集の低下を認めるが，血漿凝固時間，血餅退縮時間は正常，また血小板数，血小板第3因子も正常である．恐らく常染色体劣性遺伝).

a·thy·mi·a (ă-thī′mē-ă) [G. *a*- 欠性辞 + *thymos*, mind, also thymus]. ***1*** 無感情（感情または感動性の欠如．病的無感動). ***2*** 無胸腺症（胸腺の先天的欠損で，しばしば免疫欠損を伴う). ＝athymism.

a·thy·mism (ā-thī′mizm). ＝athymia (2).

a·thy·re·a (ă-thī′rē-ă). ***1*** ＝hypothyroidism. ***2*** ＝athyroidism.

a·thy·roid·ism (ā-thī′royd-izm). 無甲状腺〔症〕（甲状腺の先天的欠損および甲状腺ホルモン分泌が抑制または欠除していること. ⇀hypothyroidism). ＝athyrea (2); athyrosis.

a·thy·ro·sis (ā′thī-rō′sis). ＝athyroidism.

a·thy·rot·ic (ā′thī-rot′ik). 無甲状腺症の.

ATL adult T-cell *leukemia*，または adult T-cell *lymphoma* の略.

at·lan·tad (at-lan′tad). 環椎の方向へ.

at·lan·tal (at-lan′tăl). 環椎の. ＝atloid.

atlanto-, atlo- (at-lan′tō, at′lō) [G. *Atlas*, *Atlantos*, Atlas (天空を双肩で支えるギリシア神話の巨人)]. 環椎(頭骨を支える椎骨)に関する連結形.

at·lan·to·ax·i·al (at-lan′tō-ak′sē-ăl). 環軸の，環軸関節の（環椎と軸椎について，あるいは環椎と軸椎の間の関節についていう). ＝atlantoepistrophic; atloaxoid.

at·lan·to·did·y·mus (at-lan′tō-did′ē-mŭs) [atlanto- + G. *didymos*, twin]. 二頭奇形（1つの頸部と身体に2つの頭が付いている接着双生児). ＝atlodidymus.

at·lan·to·ep·i·stroph·ic (at-lan′tō-ep′i-strof′ik). 環軸の. ＝atlantoaxial.

at·lan·to-oc·cip·i·tal (at-lan′tō-ok-sip′i-tăl). 環椎後頭骨の（環椎と後頭骨に関する). ＝atlo-occipital.

at·lan·to·odon·toid (at-lan′tō-ō-don′toyd). 環椎歯突起の（環椎と歯突起に関する).

at·las (at′las) [G. *Atlas*，天空を双肩で支えるギリシア神話の巨人][TA]. 環椎（第一頸椎．後頭骨と関節し，軸椎の歯突起を中心に回転する). ＝vertebra C1*; first cervical vertebra.

atlo- (at′lō). →atlanto-.
at·lo·ax·oid (at′lō-ak′soyd). ＝atlantoaxial.
at·lo·did·y·mus (at′lō-did′ē-mŭs). ＝atlantodidymus.
at·loid (at′loyd). 環椎の. ＝atlantal.
at·lo-oc·cip·i·tal (at′lō-ok-sip′i-tăl). ＝atlantooccipital.
atm 標準大気 standard *atmosphere* の記号.
atmo- (at′mō) [G. *atmos*, steam, vapor]. 蒸気を示す，またはその作用から由来した接頭語.
at·mol·y·sis (at-mol′i-sis) [atmo- ＋ G. *lysis*, dissolution]. 分気〔法〕(多孔性の膜による混合ガスの分離法. 軽いガスのほうが大きい速度でこのような膜を拡散することを利用する).
at·mom·e·ter (at-mom′ĕ-ter) [atmo- ＋ G. *metron*, measure]. 蒸発計，検湿計 (蒸発の速度を測定する器械).
at·mos (at′mŏs) [atmosphere の略]. 気圧の単位を表した略語で現在では用いられない語. 現在は atm を用いる.
at·mos·phere (at′mŏs-fēr) [atmo- ＋ G. *sphaira*, sphere]. ***1*** ガス体 (物質を取り囲む気体媒質). ***2*** 気圧 (101.325kPa と等しい気圧の単位. →standard a.; torr).
a. absolute (ata) 絶対気圧 (絶対圧力(大気圧ともいう)の単位. atm で表す).
ICAO standard a. ICAO標準気圧 (国際民間航空機関により採用された標準気圧で，高度計の較正や低気圧室圧の表現における高度表示に用いられるが，自然界における多くの偏向を無視している).
standard a. (atm) 標準大気 (①平均海面上，273.15K における大気圧. 101 万 3,250 dyn/cm² あるいは 10 万 1,325 Pa (SI単位では 10 万 1,325 N/m²)に等しい. 単位記号 Pa はパスカル，Nはニュートン. ②海面上の高度の関数としての気圧，気温およびその他の大気の可変因子の相互関係の標準的表現).
At·mungs·fer·ment (aht′munkz-fer′ment) [Ger.]. 呼吸酵素 (①呼吸過程に関するシトクロムおよびその酸化酵素群. ②しばしば，特にシトクロムオキシダーゼのことをいう). ＝Warburg respiratory enzyme.
at·om (at′ŏm) [G. *atomos*, indivisible, uncut]. 原子 (元素の究極的な粒子. 以前はその名が示すとおり分割できないものと考えられていたが，放射能の発見は原子構成粒子の存在を実証した. 陽子，中性子，電子で構成され，最初の 2 つが原子核のほとんどを占めるとされている. 現在では，原子構成粒子はさらにハドロン，レプトン，クォークに分類されていることがわかっている).

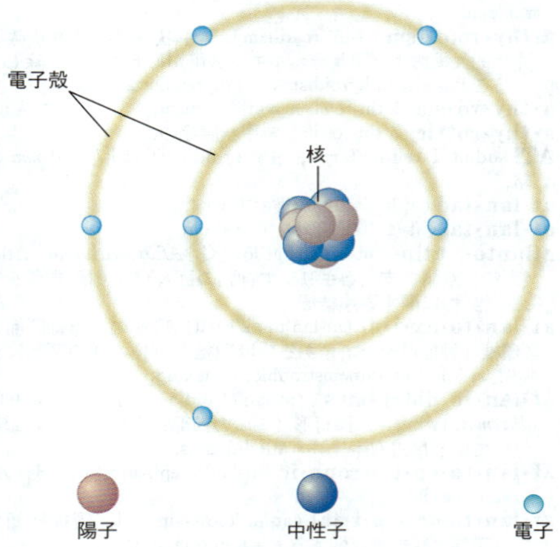

atom
窒素原子のシェーマ図.

activated a. 活性化原子 (エネルギーが注入されたことにより，異常なエネルギーをもっている原子. →excited *state*). ＝excited a.
Bohr a. (bōr). ボーア原子 (原子の概念または模型の 1 つで，負電荷の電子が正電荷の原子の周りの円または楕円形の軌道上を回っており，電子が 1 つの軌道から他の軌道へ移る際に，エネルギーが放出または吸収されるものと考える).
excited a. ＝activated a.
ionized a. イオン化原子 (電子の放出または吸収の結果，静電荷をもつ原子. 例えば，H^+, Ca^{2+}, Cl^-, O^{2-}).
labeled a. 標識原子 (放射性原子または安定しているがまれに存在する原子. 分子中にそれが存在することにより，その分子の位置と測定の一助となる). ＝tagged a.
nuclear a. 有核原子 (原子の概念または模型の 1 つで，原子の中心には，小さいが重い核が存在するということを特徴とする).
quaternary carbon a. 四級炭素原子 (他の 4 個の炭素原子と結合した炭素原子).
radioactive a. 放射性原子 (不安定な原子核をもつ原子で，より安定な状態に到達するため粒子または電磁放射線を放出する(放射能). →radionuclide; half-life; Becquerel).
recoil a. 反跳原子 (原子核粒子を放出した残りの原子. この放出は高速度で起こるため，残留原子はその質量に反比例する速度で反跳する).
stripped a. 裸の原子 (すべての電子をはぎ取られた原子核).
tagged a. 標識原子. ＝labeled a.
a·tom·ic (ă-tom′ik). 原子の.
at·om·ism (at′ŏm-izm). 原子説，原子主義 (心理現象をいくつかの要素からなるものとみなし，これら要素の分析を通して心理現象の研究を行う方法. *cf.* holism).
at·om·is·tic (at′ŏm-is′tik). 原子説の，原子論的心理学の.
at·om·i·za·tion (at′ŏm-i-zā′-shŭn). 噴霧化 (液体を小水滴に変えること).
at·om·iz·er (at′ŏm-ī-zer) [G. *atomos*, indivisible particle]. アトマイザ，噴霧器 (液剤を噴霧やエーロゾルの形の微粒子にするのに用いる装置. 肺，鼻やのどに薬剤を送るのに有効である. →nebulizer; vaporizer).
ato·ni·a (ā-tō′nē-ă) [G. languor]. ＝atony.
aton·ic (ă-ton′ik). 無緊張性の，弛緩した (正常の緊張度がない).
at·o·nic·i·ty (at-ō-nis′i-tē). ＝atony.
at·o·ny (at′ŏ-nē) [G. *atonia*, languor]. アトニー，無緊張〔症〕，緊張減退〔症〕. ＝atonia; atonicity.
postpartum a. 産褥子宮弛緩症 (出産後の子宮壁の弛緩であり，多くの場合産科的出血を伴う). ＝metratonia.
uterine a. 子宮弛緩症，弛緩性出血 (胎盤娩出後，胎盤剝離面より多量出血を惹起する子宮筋の収縮不全).
at·o·pen (at′ō-pen). アトペン (各種のアトピーにおける刺激の原因を表す古語).
a·top·ic (ă-top′ik) [G. *atopos*, out of place, strange]. ***1*** アトピー〔性〕の. ***2*** アレルギー〔性〕の.
A·to·po·bi·um (at-ō-pō′bē-um). アトポビウム属 (グラム陽性，無芽胞の偏性嫌気性細菌で，球菌や球杆菌としてみられ，ときとして短い連鎖をつくる. 標準種は *A. parvulus* で，以前には *Peptostreptococcus parvulus* や *Streptococcus parvulus* とよばれ，標準的な培地では薄いコロニーを形成する緩慢な発育をする細菌である).
a·top·og·no·si·a, a·top·og·no·sis (ă-top′og-nō′zē-ă, -og-nō′sis) [G. *a-* 欠性辞 ＋*topos*, place＋*gnōsis*, knowledge]. 局在失認，局在認知不能〔症〕，感覚部位失認 (感覚部位を適切に位置付けられないこと. 通常，反対側の頭頂葉病変による).
at·o·py (at′ō-pē) [G. *atopia*, strangeness ＜ *a-* 欠性辞 ＋*topos*, a place]. アトピー (一般的に環境因子をアレルゲンとした過敏症の状態をいう. Ⅰ型アレルギー反応は IgE 抗体と関連しており，ぜん息，枯草熱，アトピー性皮膚炎などの疾患群をさす).
a·tox·ic (ā-tok′sik). 無毒の.
ATP adenosine 5′-triphosphate の略.
ATPase adenosine triphosphatase の略.
sodium-potassium ATPase ナトリウムカリウム－ATP アーゼ. ＝sodium-potassium *pump*.
ATP:cit·rate ly·ase (sĭ′trāt lī′ās) [MIM*108728]. ATP:クエン酸リアーゼ (→ATP:*citrate* (*pro*-3*S*)-lyase).

ATPD 常温，大気圧下で，乾燥状態にして気体容積を表示する記号．

ATP-di·phos·pha·tase (di-tos′fă-tās). ATPジホスファターゼ．＝apyrase.

ATPS 常温・常圧下で，水蒸気を飽和状態にして気体容積を表示する記号．これは呼気を肺活量計内で平衡させた状態である．

ATP sul·fur·y·lase (sŭl-fyūr′i-lās). ATP スルフリラーゼ．＝*sulfate* adenylyltransferase.

a·tra·cu·ri·um be·syl·ate (a-tră-kyūr′ē-ŭm bē′sil-āt′). アトラクリウム（中時間作用の非脱分極性筋弛緩薬．全身麻酔の補助薬として用いるクラーレ様薬剤）．

a·trep·sy (ă-trep′sē) [G. *a-* 欠性辞 ＋*trephō*, to nourish]. アトレプシー．＝athrepsia (2).

a·tre·si·a (ă-trē′zē-ă) [G. *a-* 欠性辞 ＋*trēsis*, a hole]. 閉鎖〔症〕（[stenosis と混同しないこと]．正常な開口または正常に開存した管腔の先天的欠損）．＝clausura.

anal a., a. ani 肛門閉鎖〔症〕，鎖肛（上皮栓子(肛門膜の遺残)の存続，あるいは肛門管の完全欠如による肛門開口の先天的欠損）．＝imperforate anus; proctatresia.

aortic a. 大動脈弁閉鎖〔症〕（正常な大動脈弁口の先天的欠損）．

biliary a. 胆道閉鎖〔症〕（主胆管の閉鎖で，胆汁うっ滞と黄疸を起こす．出生後，数日を経ないと現れない．門脈周囲の線維症が発生し，細胆管閉鎖性がない限り細胆管増殖を伴う肝硬変に至る．肝細胞の巨細胞化も起こる．*cf.* neonatal *hepatitis*）．

bronchial a. 気管支閉鎖（区域，亜区域，あるいは葉気管支の高度の限局性狭窄あるいは閉塞で，通常，末梢の空気トラッピングや閉塞により末梢の気管支粘液の詰め込みを伴う）．

choanal a. 後鼻孔閉鎖〔症〕（一側または両側の後鼻孔の先天的な閉鎖．胎生期の頬鼻膜退縮が起こらなかったために生じる．結果として鼻閉を生じ，もし両側であれば，鼻で呼吸をする新生児は危険にさらされる）．

esophageal a. 食道閉鎖〔症〕（食道管腔の先天的な発育不全．一般的に気管食道瘻を伴う）．

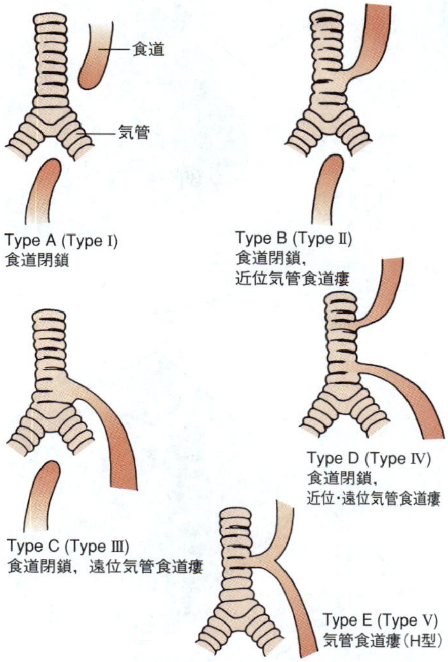

types of esophageal atresia
食道閉鎖および気管食道瘻 (TEF)．

a. folliculi 卵胞閉鎖（卵巣の原始卵胞に正常に起こる過程．卵母細胞が死に，嚢胞性変化を生じ，次いで瘢痕性閉鎖をしたもの）．

intestinal a. 腸閉鎖（小腸管腔の閉塞．50% は回腸に生じ，次に空腸，十二指腸と続く．新生児における腸閉塞の最多原因である．病因は，初期の発達段階における再疎通の不全，または子宮内生活中の血液供給障害に関連していると思われる）．

a. iridis 虹彩閉鎖〔症〕，鎖瞳（瞳孔開口の先天的欠損）．＝atretopsia.

laryngeal a. 喉頭閉鎖〔症〕（喉頭の先天的な開口不全．声門部またはその真上あるいは真下に部分的あるいは全体的閉塞をきたす）．

pulmonary a. 肺動脈弁閉鎖〔症〕（肺動脈弁口の先天的欠損）．

pulmonary artery a. 肺動脈閉鎖〔症〕（片側肺動脈(通常は右側)の欠損）．

tricuspid a. [MIM*605067]. 三尖弁閉鎖〔症〕（三尖弁口の先天的欠損）．

vaginal a. 腟閉鎖〔症〕，鎖腟（腟の先天的または後天的な開口不全あるいは閉鎖，または腟壁の癒着）．＝colpatresia.

a·tre·sic (ă-trē′zik). ＝atretic.

a·tret·ic (ă-tret′ik). 閉鎖〔性〕の．＝atresic; imperforate.

atreto- (ă-trē′tō) [G. *atrētos*, imperforate ＜ *a-*, not ＋ *trētos*, perforated ＜ *tetrainō*, *titrēmi*, to bore through, to pierce]. 特定部分の開口部がないことを表す接頭語．

a·tre·to·ble·pha·ri·a (ă-trē′tō-ble-fār′ē-ă) [atreto- ＋ G. *blepharon*, eyelid]. 瞼閉鎖〔症〕，瞼球〔間〕癒着〔症〕．＝symblepharon.

a·tre·to·cys·ti·a (ă-trē′tō-sis′tē-ă) [atreto- ＋ G. *kystis*, bladder]. 膀胱閉鎖〔症〕（膀胱の開口の先天的または後天的欠損を表す現在では用いられない語）．

a·tre·to·gas·tri·a (ă-trē′tōgas′trē-ă) [atreto- ＋ G. *gastēr*, stomach]. 胃閉鎖〔症〕（胃の開口の先天的欠損）．

a·tre·top·si·a (ă-trē-top′sē-ă) [atreto- ＋ G. *ōps*, eye]. ＝*atresia* iridis.

a·tri·a (ā′trē-ă) [TA]. atrium の複数形．

a·tri·al (ā′trē-ăl). 心房〔性〕の．

a·trich·i·a (ă-trik′ē-ă) [G. *a-* 欠性辞 ＋*thrix*(*trich-*), hair]. 無毛〔症〕（毛の先天的または後天的欠損）．＝atrichosis.

a·tri·cho·sis (at′ri-kō′sis). 無毛〔症〕．＝atrichia.

atrio- (ā′trē-ō) [L. *atrium*, an entrance hall]. 房，心房の，を示す連結形．

a·tri·o·meg·a·ly (ā′trē-ō-meg′ă-lē) [atrio- ＋ G. *megas*, great]. 心房肥大〔症〕．

a·tri·o·nec·tor (ā′trē-ō-nek′ter, -tōr) [atrio- ＋ L. *necto*, to join]. ＝sinuatrial *node*.

a·tri·o·pep·tin (ā′trē-ō-pep′tin) [atrio- ＋ peptide ＋ *-in*, material]. アトリオペプチン．＝atrial natriuretic *peptide*.

a·tri·o·sep·to·plas·ty (ā′trē-ō-sep′tō-plas′tē) [atrio- ＋ L. *septum*, partition ＋ G. *plastos*, formed]. 心房中隔形成〔術〕（心房中隔欠損の外科的修復）．

a·tri·o·sep·tos·to·my (ā′trē-ō-sep-tos′tō-mē) [atrio- ＋ L. *septum*, partition ＋ G. *stoma*, mouth]. 心房隔開口(切開)〔術〕．＝atrial *septostomy*.

balloon a. バルーン式心房中隔開口〔術〕（チアノーゼを伴う先天性心疾患の治療において，心房内で血液混合を増す目的で，バルーン付きカテーテルを心房中隔を越えて引っ張ることにより，卵円孔を破るかまたは大きくする手術）．

a·tri·ot·o·my (ā′trē-ot′ō-mē) [atrio- ＋ G. *tomē*, inasion]. 心房切開〔術〕（心房の外科的切開）．

a·tri·o·ven·tric·u·lar (AV) (ā′trē-ō-ven-trik′yū-lar). 房室性の（心臓の心房および心室の両者に関係する，特に伝導または血流の普通の順行性伝達に関連する場合にいう）．

a·trip·li·cism (ă-trip′li-sizm) [L. *atriplex* (*-plic-*), the orach, a vegetable]. アトリプリシズム（中国で緑野菜(例えばホウレンソウ)として食べられる *Atriplex*属のある種(ハ

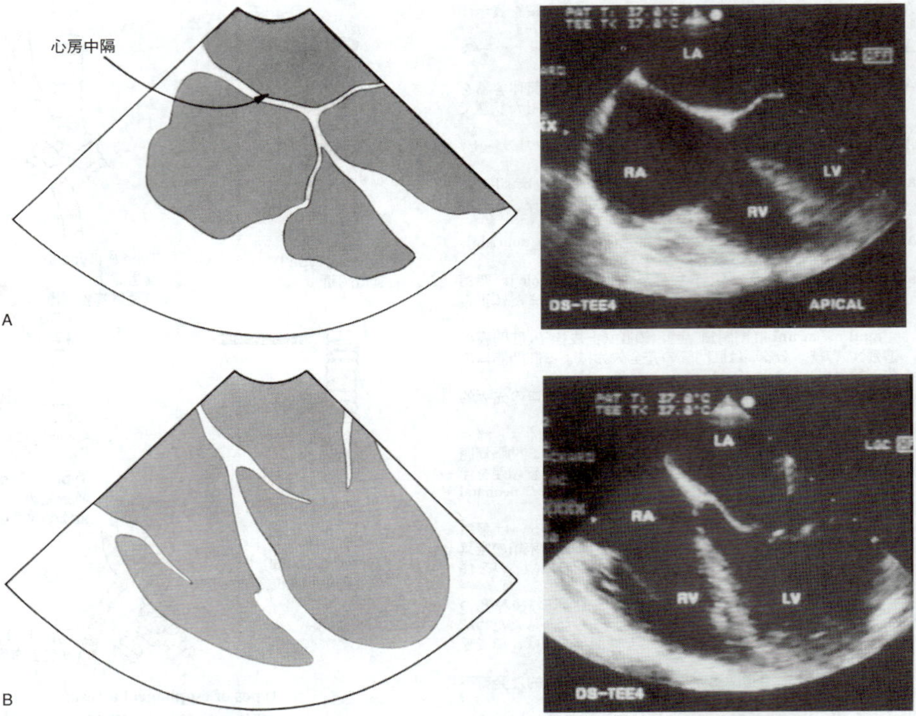

atria

A：心房中隔を強調する四腔断面像の横断面から少し回転させた横断面．B：左心房の四腔断面像の横断面．左図は右の心エコー図のシェーマ．LA：左心房，LV：左心室，RA：右心房，RV：右心室．

マアカザ，クエールブラッシュ quail brush，野生ホウレンソウの３種を含む)を食べることにより起こる中毒症．指の疼痛と腫脹が著しく，前腕に広がってくる．水疱と潰瘍を形成し，指には壊疽を生じる)．

a·tri·um, pl. **a·tri·a** (ā′trē-ŭm, ā′trē-ă) [L. entrance hall]. 房（[antrum と混同しないこと]．① [TA]．数個の小室，または通路と接続している小室・空洞．②＝a. of heart. ③狭義の鼓室．鼓膜の内面に隣接する鼓室の部分．④＝a. of middle nasal meatus. ⑤肺における肺胞が開く肺胞管の細区分)．

accessory a. ＝*cor* triatriatum.

common a. 単心房（心房中隔の欠損による１つの心房をもった奇型)．

a. cordis [TA]．心房．＝a. of heart.

a. cordis dextrum [TA]．＝right a. of heart.

a. cordis sinistrum [TA]．＝left a. of heart.

a. dextrum cordis 右心房．＝right a. of heart.

a. glottidis ＝*vestibule* of larynx.

a. of heart [TA]．心房（心臓の各側の上部の室)．＝a. cordis [TA]; atrium (2).

a. of lateral ventricle [TA]．側脳室房（側脳室のうち中心部(体)，後角，側角が合流する部分．発達した脈絡叢が存在している)．＝a. ventriculi lateralis [TA]; a. ventriculus lateralis [TA].

left a. of heart [TA]．左心房（心臓の左側にある心房で，肺静脈から血液を受け，左心室へ送る)．＝a. cordis sinistrum [TA]; a. pulmonale; a. sinistrum cordis.

a. meatus medii [TA]．＝a. of middle nasal meatus.

a. meatus medii nasalis ＝a. of middle nasal meatus.

a. of middle nasal meatus [TA]．中鼻道前房（中鼻道の前方の拡張した部分で，鼻前庭の真上にある)．＝a. meatus medii [TA]; a. meatus medii nasalis; atrium (4); nasal a.

nasal a. 中鼻道前房．＝a. of middle nasal meatus.

a. pulmonale ＝left a. of heart.

right a. of heart [TA]．右心房（心臓の右側の心房で，大静脈と冠状静脈洞から血液を受け，右心室へ送る)．＝a. cordis dextrum [TA]; a. dextrum cordis.

a. sinistrum cordis 左心房．＝left a. of heart.

a. ventriculi lateralis [TA]．＝a. of lateral ventricle.

a. ventriculus lateralis [TA]．＝a. of lateral ventricle.

At·ro·pa (at′rō-pă) [G. *Atropos*，寿命を断ち切る運命の３女神の一人．致死作用があるために名付けられた]．ロウト属（ナス科の植物の一属で，標準種は *A. belladonna*．→ belladonna)．

a·tro·phi·a (ă-trō′fē-ă) [G. ＜ *a-* 欠性辞 ＋ *trophē*, nourishment]. 萎縮〔症〕，無栄養症．＝atrophy.

a. cutis 皮膚萎縮〔症〕．＝atrophoderma.

a. maculosa varioliformis cutis 痘瘡状斑状皮膚萎縮〔症〕．＝anetoderma.

a. pilorum propria 固有毛萎縮〔症〕（毛ぜい弱症，結節性裂毛症，連珠毛症，毛の萎縮などを含む総称)．

a·troph·ic (ă-trof′ik). 萎縮性の，萎縮〔症〕の，無栄養症の．

a·tro·phie blanche (a-trō′fē blahnsh′) [Fr.]. 白色萎縮（皮膚上の小さくて平滑なぞうげ色の病変で，毛細血管拡張と周囲の色素沈着とを伴い，やがて星形の萎縮性瘢痕を残す．ことに中年女性の下腿および足関節部に生じ，網状皮斑や真皮の硝子化脈管炎に合併してみられる)．

at·ro·phied (at′rō-fēd). 萎縮性の，萎縮した（[誤った発音

at′rō-fīd を避けること]).

at·ro·pho·der·ma (at′rō-fō-der′mă). 皮膚萎縮〔症〕(皮膚の孤立性の限局的あるいは広範な部位に起こる萎縮.→anetoderma). =atrophia cutis.

a. albidum 白色皮膚萎縮〔症〕(靴下のような形になる四肢の皮膚萎縮. 恐らく先天性で, 小児期早期に下肢に初発する. 対称性に皮膚が薄くなり, その部位は敏感になる).

a. diffusum びまん性皮膚萎縮〔症〕(びまん性特発性の皮膚萎縮).

a. maculatum 斑状皮膚萎縮〔症〕. =anetoderma.

a. neuriticum 神経炎性皮膚萎縮〔症〕. =glossy *skin.*

a. of Pasini and Pierini (pah-sē′ne, pēr-ē′ne). パシニ－ピエリニ皮膚萎縮〔症〕(皮膚のスレート色の萎縮の一型で, 直径 2 cm 以上の大きさの境界明瞭な病変が単発あるいは多発し, ときに融合する. これらはある期間, 数と大きさとを増すが, その後は変化しない. 限局性強皮症に続発する型と先行病変の判然としない型の 2 型に分ける学者もいる).

senile a., a. senilis 老年(老人)性皮膚萎縮〔症〕(老年者にみられる皮膚の弾力性の減少や皮膚の菲薄化で, 膠原の減少による).

a. striatum 線状皮膚萎縮〔症〕. =*striae* cutis distensae (⇒stria).

at·ro·pho·der·ma·to·sis (at′rō-fō-der′mă-tō′sis). 萎縮性皮膚病, 萎縮性皮膚疾患 (皮膚萎縮を主症状とする皮膚の病気).

at·ro·phy (at′rō-fē) [G. *atrophia* < *a-* 欠性辞 + *trophē*, nourishment]. 萎縮〔症〕, 無栄養症 (組織, 臓器, または全身の萎縮. 細胞の死と再吸収, 細胞増殖の減退, 細胞容積の減少圧迫, 虚血, 栄養不良, 機能の低下, ホルモンの変化などにより起こる). =atrophia.

acute reflex bone a. 急性反射性骨萎縮. =Sudeck a.

acute yellow a. of the liver 急性黄色肝萎縮. =acute massive liver *necrosis.*

alveolar a. 歯槽萎縮 (機能不全, 血液供給の減少, または未知の原因による歯の支持組織の萎縮).

arthritic a. 関節性萎縮 (慢性炎症または固定した関節によって不活発になった筋肉の萎縮).

blue a. 青色萎縮 (不純物を皮膚へ注射して起こる陥凹した青色の萎縮性瘢痕. 麻薬中毒者にみられる).

brown a. 褐色萎縮 (特に老年者にみられる, 心臓壁の萎縮. 筋肉は暗褐色で, 体積の減少をみる. 筋線維は, 特に核の周辺にリポクロム顆粒の色素沈着がある).

Buchwald a. (buk′wăld). ブーフヴァルト萎縮 (進行性皮膚萎縮の一型).

central areolar choroidal a. 中心性輪紋状脈絡膜萎縮. =areolar *choroidopathy.*

cerebellar a. 小脳萎縮 (無生活力またはアルコール中毒のような毒物への暴露の結果起こる小脳の, 特に Purkinje 細胞の変性).

choroidal vascular a. 脈絡膜血管萎縮 (びまん性あるいは眼球の後極に限局して, すべての脈絡膜血管または脈絡毛細管板が障害された疾患).

congenital cerebellar a. 先天性小脳萎縮〔症〕(小脳の種々の細胞の変性を起こす家族性疾患. 2 つの型があり, 1 つは顆粒層の細胞が変性し, もう 1 つは Purkinje 細胞が変性する).

congenital microvillus a. 先天性微絨毛萎縮. =microvillus inclusion *disease.*

cyanotic a. チアノーゼ性萎縮 (慢性静脈うっ血の結果起こる臓器の実質細胞の破壊による萎縮). =red a.

cyanotic a. of the liver チアノーゼ性肝萎縮 (慢性収縮性心膜炎や長期にわたる重症右心不全などの右心房の高圧による長年の肝うっ血の後遺症).

dentatorubral cerebellar a. with polymyoclonus 多発ミオクローヌスを伴う歯状核赤核小脳萎縮〔症〕. =*dyssynergia* cerebellaris myoclonica.

dentatorubral-pallidoluysian a. 歯状核赤核淡蒼球リュイ(ルイ)体萎縮〔症〕(日本に多い遺伝疾患 [MIM#125370] で, 進行性運動失調, ミオクローヌス, 痙攣, 認知障害を呈する. 染色体上の異常 CAG リピートによる. 遺伝子座は第 12 染色体短腕(12p 13.31)である).

disuse a. 非活動〔性〕萎縮 (ギプスのように動かさないことによって起こる筋萎縮).

dominant optic a. 優性遺伝性視神経萎縮 (緩徐な就学前視力低下を特徴とする常染色体両側性視神経症. 遺伝子の変異によるものが最も多い). =Kjer optic a.

essential progressive a. of iris 本態性進行性虹彩萎縮 (炎症症状を伴わない虹彩の進行性萎縮. 孔形成を伴う虹彩全層の斑状消失, 瞳孔偏位, 角膜内皮の変性, 周辺虹彩癒着, および続発緑内障を特徴とする. 通常, 片側性で中年の女性に多く発症する. →iridocorneal syndrome).

facioscapulohumeral a. 顔面肩甲上腕〔筋〕萎縮. =facioscapulohumeral muscular *dystrophy.*

familial spinal muscular a. 家族性脊髄性筋萎縮. =spinal muscular a. type I.

fatty a. 脂肪萎縮 (臓器または組織の本質的要素の萎縮に続発する脂肪浸潤).

geographic retinal a. 地図状網膜萎縮 (視力低下を生じる脈絡膜血管板および光受容体萎縮を伴う, 辺縁が明瞭な網膜色素上皮萎縮パターン).

gingival a. 歯肉萎縮. =gingival *recession.*

gyrate a. of choroid and retina [MIM*258870]. 脳回転状網膜脈絡膜萎縮 (オルニチン尿症を伴った脈絡毛細血管板, 網膜色素上皮, および網膜神経上皮の不規則な融合性萎縮病巣が徐々に進行する疾患. 常染色体劣性遺伝. 第10染色体長腕上のオルニチン δ-アミノトランスフェラーゼ遺伝子 (*OAT*)の変異が原因であるオルニチン δ-アミノトランスフェラーゼの欠損による).

Hoffmann muscular a. (hof′mahn). ホフマン筋萎縮. =spinal muscular a. type I.

horizontal a. 水平萎縮 (骨の最冠側位に始まる, 歯の周囲の歯槽および支持骨の進行性消失). =horizontal resorption.

infantile muscular a. 小児筋萎縮. =spinal muscular a. type Ⅰ.

infantile progressive spinal muscular a. 小児進行性脊髄性筋萎縮. =spinal muscular a. type I.

ischemic muscular a. 乏血性筋萎縮 (→Volkmann *contracture*).

juvenile muscular a. 若年性筋萎縮. =spinal muscular a. type III.

juvenile spinal muscular a. [MIM*158600]. 若年性脊髄性筋萎縮〔症〕. = spinal muscular a. type III.

Kjer optic a. (kyĕr). =dominant optic a.

Leber hereditary optic a. (lā′bĕr) [MIM*535000]. レーバー遺伝性視神経萎縮 (視神経と乳頭黄斑束の変性で, 中心視力の消失あるいは失明をきたす. 数週間の進行の後は, 通常, 変化のない永続的な中心暗点となる. 発症年齢は不定だが 20 代が最も多く, 女性より男性が優位に発症する. ミトコンドリア遺伝あるいは細胞質遺伝による母系遺伝を示し, 単独あるいは相互に関連して働くミトコンドリア遺伝子の変異による). =Leber optic neuropathy.

linear a. 線状萎縮. =*striae* cutis distensae (⇒stria).

macular a. 斑状萎縮. =anetoderma.

marantic a. 衰弱性萎縮. =marasmus.

multiple system a. (**MSA**) 多系統萎縮〔症〕(原因不明の非遺伝性神経変性疾患. パーキンソン症候群, 運動失調, 自律神経障害, 錐体路徴候が種々の組み合わせで出現する. 病理学的には神経細胞の消失, グリオーシス, 基底核, 小脳, 脊髄中間外側柱の乏突起膠細胞とニューロンの細胞質と核に異常細管構造の蓄積がみられる. パーキンソン症候群が前景に立ったり, 運動失調が前景に立ったり, パーキンソン症候群, 運動失調, 自律神経障害の組み合わせが出現したりする症例もある. 比較的進行が速く致死的な疾患である. パーキンソン症候群が前景に立つ場合は MSA-P と表記し, 小脳性運動失調が前景に立つ場合は MSA-C と表記する).

muscular a. 筋萎縮 (筋組織の萎縮. *cf.* myopathic a.). =myatrophy; myoatrophy.

myopathic a. 筋障害性萎縮 (筋肉そのものの疾患による筋萎縮).

neurogenic a. 神経〔原〕性萎縮 ((廃用性萎縮と異なり)運動神経支配の喪失による筋萎縮).

neurotrophic a. 神経栄養性萎縮 (末梢神経病変による皮膚, 毛髪, 爪, 皮下組織, 骨の異常). =trophoneurotic a.

nutritional type cerebellar a. 栄養型小脳萎縮（特に虫部の前上部の Purkinje 細胞を侵す，小脳皮質変性症の制限された型．チアミン欠乏によると考えられている．アルコール性小脳変性症とよばれる慢性アルコール中毒患者によくみられる）．

olivopontocerebellar a. オリーブ橋小脳萎縮（遺伝的に異なった一群で，小脳皮質，橋底，下オリーブ核におけるニューロンの消失を特徴とする進行性の神経疾患．運動失調，振せん，不随意運動，構音障害を起こす．知覚消失，網膜変性，眼筋麻痺，錐体外路症状などの追加所見に特徴付けられる５つの臨床型（４型は優性遺伝，１型は劣性遺伝）が記述されている．いくつかの部位が障害されている．常染色体優性遺伝は［MIM*164400 —*164600］，劣性遺伝は［MIM *258300］．→spinocerebellar *ataxia*）．＝olivopontocerebellar degeneration.

periodontal a. 歯根膜萎縮（正常成熟後の歯根膜の縮小および細胞内要素の減少）．

peroneal muscular a. 腓骨筋萎縮〔症〕（少なくとも明確に３型に分けられる遺伝性神経筋疾患の総称名．３型とも共通症状として凹足と四肢のより遠位部，特に腓骨筋群の著明な筋萎縮（結果として特徴的な〝コウノトリ足〟を生じる）を呈する．これに含まれる疾患としては，遺伝性運動感覚神経障害Ｉ型（過去には Charcot-Marie-Tooth 病Ｉ型あるいは腓骨筋萎縮症の肥大型といわれたもの），遺伝性運動感覚神経障害 II 型（過去には Charcot-Marie-Tooth 病 II 型あるいは腓骨筋萎縮症の神経型といわれたもの）および遠位遺伝性運動神経細胞障害（過去には Charcot-Marie-Tooth 病 III 型，腓骨筋萎縮症の脊髄型，または遠位脊髄筋萎縮症といわれたもの）とがある）．＝Charcot-Marie-Tooth disease.

Pick a. (pik). ピック萎縮（大脳皮質の限局性萎縮）．＝lobar sclerosis; progressive circumscribed cerebral a.

postmenopausal a. 閉経後萎縮（生殖器の萎縮など，閉経後にみられる萎縮）．

pressure a. 圧迫萎縮（義歯床により過度の圧迫が組織に加えられた結果による硬組織または軟組織の萎縮）．

primary idiopathic macular a. 原発性特発性斑状皮膚萎縮〔症〕．＝anetoderma.

primary macular a. of skin 原発性斑状皮膚萎縮〔症〕．＝anetoderma.

progressive choroidal a. 進行性脈絡膜萎縮．＝ choroideremia.

progressive circumscribed cerebral a. 進行性限局性大脳萎縮〔症〕．＝Pick a.

progressive infantile spinal muscular a. 進行性乳児脊髄性筋萎縮〔症〕．＝spinal muscular a. type I.

progressive muscular a. 進行性筋萎縮．＝amyotrophic lateral *sclerosis*.

progressive spinal muscular a. 進行性脊髄性筋萎縮〔症〕（運動ニューロン疾患の亜型の１つ．脊髄の運動ニューロンの進行性変性疾患で，進行性でしばしば対称性の脱力と筋萎縮を呈す．典型的には四肢，特に上肢の遠位筋から始まり，近位筋に広がる．線維束電位がしばしばみられるが，皮質脊髄路病変の所見（深部腱反射亢進，Babinski 徴候など）はみられない）．

pulp a. 歯髄萎縮（循環障害のため，歯髄の大きさと細胞成分が減少すること）．

red a. 赤色萎縮．＝cyanotic a.

scapulohumeral a. 肩甲上腕筋萎縮．＝Vulpian a.

senile a. 老年（老人）性萎縮（老齢による組織と臓器の消耗．内分泌変化，運動の減少，虚血などにより異化過程または同化過程が減少するために生じる）．＝geromarasmus.

spinal and bulbar muscular a. 脊髄球性筋萎縮〔症〕．＝Kennedy *disease*.

spinal muscular a. (**SMA**) 脊髄性筋萎縮〔症〕（脊髄前角細胞と脳幹運動核が変性する疾患の一群．筋力低下を呈し，上位運動ニューロンは正常である．Werdnig-Hoffmann 病（SMA 1, 2），Kugelberg-Welander 病（SMA 3）を含む．→Fazio-Londe *disease*）．

spinal muscular a. type I ［MIM*253300］．脊髄性筋萎縮〔症〕Ｉ型（早期乳児型．出生時または出生後まもなく発症し，高度の筋力低下と筋萎縮を呈し，２歳まで死亡することが多い．常染色体劣性遺伝．第５染色体長腕の運動ニューロン遺伝子の変異が原因である．ニューロンアポトーシス抑制蛋白（NAIP）の遺伝子も欠損している症例が約半数あり，それが疾患の重症度に影響する）．＝familial spinal muscular a.; Hoffmann muscular a.; infantile muscular a.; infantile progressive spinal muscular a.; progressive infantile spinal muscular a.; Werdnig-Hoffmann disease; Werdnig-Hoffmann muscular a.

spinal muscular a. type II ［MIM*253550］．脊髄性筋萎縮〔症〕II 型（重症度が乳児型（SMAI型）と若年型（SMAIII型）の中間である型．近位筋の筋力低下を呈する．通常，生後３—15か月で発症し青年期まで生存する．常染色体劣性遺伝．第５染色体長腕にある SMN 1 遺伝子の変異が原因である）．

spinal muscular a. type III ［MIM*253400］．脊髄性筋萎縮〔症〕III 型（小児期から思春期に発症する若年型．主に下肢帯の近位筋の筋力低下と筋萎縮で発症し，その後に遠位筋も障害される．脊髄前角の運動ニューロンの変性が原因である．常染色体劣性遺伝．第５染色体長腕にある SMN 1 遺伝子の変異が原因である）．＝juvenile muscular a.; juvenile spinal muscular a.; Kugelberg-Welander disease; Wohlfart-Kugelberg-Welander disease.

striate a. of skin 線状皮膚萎縮．＝*striae* cutis distensae (⇀stria).

Sudeck a. (sū'dek). ズーデック萎縮（骨の萎縮で，通常は捻挫などの軽いけがの後，手根骨または足根骨にみられる．→complex regional pain *syndrome* type I）．＝acute reflex bone a.; posttraumatic osteoporosis; Sudeck syndrome.

traction a. 牽引萎縮．＝*striae* cutis distensae (⇀stria).

transneuronal a. 経ニューロン〔性〕萎縮．＝transsynaptic *degeneration*.

trophoneurotic a. 栄養神経性萎縮．＝neurotrophic a.

villous a. 絨毛萎縮（陰窩の過形成を伴う小腸粘膜の異常で，粘膜の平坦化と絨毛萎縮を生じる．臨床的にはスプルーのような吸収不良症候群でみられる）．

Vulpian a. (vuhl'pē-an). ビュルピャン萎縮（肩から始まる進行性脊髄性筋萎縮）．＝scapulohumeral a.

Werdnig-Hoffmann muscular a. (verd'nig hot'mann). ヴェルドニッヒ－ホフマン筋萎縮〔症〕．＝spinal muscular a. type I.

yellow a. of the liver 黄色肝萎縮（→acute yellow a. of the liver）．

Zimmerlin a. (sim'mer-lin). ツィンメルリン萎縮（萎縮が上半身に始まる遺伝性進行性筋萎縮の一種）．

at·ro·pine (at'rō-pēn). アトロピン（D-および L-ヒヨスチアミンのラセミ混合物．ベラドンナの原植物 *Atropa belladonna* の葉，根より得られるアルカロイドで，ムスカリン作動性受容体でアセチルコリンを競合的，可逆的に遮断することにより，多くの作用（頻脈，瞳孔散大，毛様体筋麻痺，便秘，尿貯留，制汗）を示す．最も一般的には，ある種の型の徐脈はもちろん有機リン殺虫剤や神経ガスの中毒の治療に，そして全身麻酔の準備中の分泌物を予防するために用いられる．（－）体の方が活性が非常に強い）．＝DL-hyoscyamine; tropine tropate.

a. methonitrate 硝酸メチルアトロピン（アトロピンと作用および用途が同じであるが，より脂溶性が低く，中枢作用が弱い．これは四級窒素原子の存在のために，血液脳関門の透過が制限されるためである）．

a·trop·in·ic (at-rō-pin'ik). アトロピン様の（アトロピンと薬理学的な性質が等しいこと）．

at·ro·pin·ism (at'rō-pin-izm). アトロピン中毒症（アトロピンまたはベラドンナによる中毒症状）．

at·ro·pin·i·za·tion (at-rō'pin-i-zā'shŭn). アトロピン投与（薬理学的効果が得られるまでアトロピンまたはベラドンナを投与すること）．

a·tros·cine (at'rō-sēn) [atropine + hyoscine]. アトロスシン（DL-スコポラミン．→scopolamine）．

at·ro·tox·in (at'rō-toks'in). 一種のガラガラヘビ（*Crotalus atrox*）の毒成分であって，単離した筋細胞で電位依存性のカルシウムイオン流入を特異的および可逆的に増強する．

at·tach·ment (ă-tach'ment). ***1*** 連結，結合，付着，付加（ある部分をほかの部分につなぐこと）．***2*** アタッチメント（歯科において，歯科補てつ物を固定し安定させる器械装置）．***3*** 愛着（精神医学や心理学において，霊長類に関連した連結性の強さや表現方法. →approach (1); avoidance; ambivalence).

bar clip a.'s バークリップアタッチメント. =bar-sleeve a.'s.

bar-sleeve a.'s バースリーブアタッチメント（補てつ物の維持や保持のため，局部床義歯に可撤性のスリーブやクリップを付け，橋脚の固定に用いる固定型バージョイントまたは硬いバーユニット）. =bar clip a.'s.

epithelial a. 上皮付着. =junctional *epithelium*.

epithelial a. of Gottlieb (got′lēb). ゴットリーブの上皮付着. =junctional *epithelium*.

frictional a. 摩擦性アタッチメント. =precision a.

internal a. 内側性アタッチメント. =precision a.

key a. キーアタッチメント. =precision a.

keyway a. キーウェイアタッチメント. =precision a.

muscle-tendon a. 筋腱付着（筋肉の腱線維の結合で，その間に筋線維鞘が介在している．筋線維の末端は円形，円錐形，または先細りである）. =muscle-tendon junction.

parallel a. 平行アタッチメント. =precision a.

pericemental a. セメント周囲組織（歯のセメント質を取り囲む組織，すなわち歯周靱帯と歯槽骨）.

peritoneal a.'s of liver [TA]. 肝間膜（肝臓の壁側腹膜の折返し．肝冠状間膜とその部分，右・左三角間膜，肝腎間膜を含む）. =ligamenta hepatis [TA].

posterior a. of linea alba 白線補足（線維性結合組織の三角形の広がり．ときには数本の筋線維を含み，上恥骨靱帯から白線の後表面に通じている）. =adminiculum lineae albae [TA].

precision a. 精密アタッチメント，プレシジョンアタッチメント（①固定性あるいは可撤性補てつ物に用いる摩擦性または機械的維持装置で，よく適合している雄部と雌部とからなる．②機能が精密であり，また，支台歯に加えられるトルクを減らすために，咬合圧を調節機構に統合できるアタッチメント）. =frictional a.; internal a.; key a.; keyway a.; parallel a.; slotted a.

slotted a. スロッテッドアタッチメント. =precision a.

at·tack (ă-tak′). 発作（突発性疾患または慢性・再発性疾患の症状発現，増悪）.

brain a. 脳発作，ブレーンアタック. =stroke (1).

drop a. ドロップアタック（①誘因なしに突然倒れ，他の症候を伴わない．患者は通常老人で，脳波は正常である．原因不明である．②アトニー発作）.

heart a. 心臓発作. =myocardial *infarction*.

panic a. パニック発作，恐慌発作（突然に生じる強い不安，恐怖，死が差し迫っている感じで，自律神経系の活動の増強，様々な身体症状，離人感，現実感消失を伴う. →anxiety; anxiety *disorders*; panic).

salaam a. =nodding *spasm*.

transient ischemic a. (**TIA**) 一過性脳虚血(乏血)発作（神経学的機能の突然の巣状喪失で，通常，24時間以内に完全に回復する．頸動脈または椎骨脳底動脈の流域の一部の灌流が短時間低下して起こる）.

uncinate a. 鉤〔状回〕発作. =uncinate *epilepsy*.

vagal a. 迷走神経〔性〕発作. =Gowers *syndrome*.

vasovagal a. 血管迷走神経〔性〕発作. =Gowers *syndrome*.

at·tar of rose (at′ăr rōz) [Pers. *attara*, to smell sweet]. バラ油. =*rose* oil; *oil* of rose.

at·tend·ing (ă-tend′ing) [L. *attendo*, to bend to, notice]. 心理学において，注意して聞くときや見るときなどのように，知覚する準備が整っていること．ときには感覚神経を集中させることも意味する.

at·ten·u·ant (ă-ten′yū-ănt). ***1*** 〚adj.〛 希釈の，希薄にする. ***2*** 〚n.〛 病原微生物またはウイルスの毒性を減じるために用いる物質，手段や方法.

at·ten·u·ate (ă-ten′yū-āt) [L. *at-tenuo*, pp. *-tenuatus*, to make thin or weak < *tenuis*, thin]. 希釈する，弱毒化する，減衰させる.

at·ten·u·a·tion (ă-ten′yū-ā′shŭn). ***1*** 減衰作用. ***2*** 弱毒化，減毒（自然にまたは実験的手段により発生する変種の選択を通して得られる細菌株の毒性が減退すること）. ***3*** 減衰（媒質中を通る放射線，超音波，あるいは他のエネルギーが，吸収，散乱，発散，その他の原因によりエネルギーを失うこと）. ***4*** 転写減衰，アテニュエーション（転写終結を調節すること．特定の組織における遺伝子発現の調節に関与する）.

interaural a. 両耳間減衰（一側耳に与えられた音が頭部を通じて伝搬し，対側耳で音の強さが減衰すること．気導では減衰量は約35 dB，骨導ではわずかに約10 dB）.

at·ten·u·a·tor (ă-ten′yū-ā-tŏr, -tōr). ***1*** 減衰器（抵抗とコンデンサとからなる電気回路．超音波撮影法では電気信号の大きさを減らすために用いる）. ***2*** 減衰配列，アテニュエータ（アテニュエーションを起こすDNA上の転写終結配列．オペレータとオペロン1番目の蛋白を規定する遺伝子との間の部分）.

at·tic (at′ik). 上鼓室. =epitympanum.

tympanic a. =epitympanum.

at·ti·co·mas·toid (at′i-kō-mas′toyd). 上鼓室乳突の（上鼓室と，乳様突起洞または乳様突起峰巣に関する）.

at·ti·cot·o·my (at′i-kot′ō-mē) [attic + G. *tomē*, incision]. 上鼓室開放〔術〕（手術による上鼓室の開放）.

at·ti·tude (at′i-tūd) [Mediev. L. *aptitudo* < L. *aptus*, fit]. ***1*** 姿勢（体幹と四肢の位置）. ***2*** 態度，態勢（行動の仕方）. ***3*** 態度（社会心理学や臨床心理学において，人々，対象，制度，問題に対して一定の方式で行動または反応する，比較的一貫して永続性のある素質または傾向をいう）.

emotional a.'s =passional a.'s.

fetal a. =lie.

passional a.'s 激しい感情(例えば，怒りや抑えがたい欲望など)を表す態度. =emotional a.'s.

at·ti·tu·di·nal (at′i-tū′di-năl). 姿勢の（姿勢についていう．例えば姿勢(体位)反射）.

atto- (a) (at′ō) [Danish *atten*, eighteen]. 国際単位系(SI)およびメートル法で$1/1000^6(10^{-18})$を表す接頭語.

at·tol·lens (ătol′ens) [L. *at-tollo*, pres. p. *-tollens*, to lift up]. 挙上の（解剖学において，挙上しようとする筋の活動）.

a. aurem, a. auriculam =auricularis superior (*muscle*).

a. oculi =superior rectus (*muscle*).

at·trac·tin (ă-trak′tin) [MIM*603130]. アトラクチン（T細胞に含まれるT細胞由来の糖蛋白で，T細胞のクラスター形成と単球の運動に関与する）.

at·trac·tion (ă-trak′shŭn) [L. *at-traho*, pp. *-tractus*, to draw toward]. 引力，牽引，誘引（2つの物体が互いに近づく傾向）.

capillary a. 毛細管引力（液体を非常に細い管に吸い上げたりまたはすきまのある材質の細孔を通過させる力）.

chemical a. 親和力（異なる元素あるいは分子の原子を結合させて，新しい物質あるいは化合物の形成を促す力）.

magnetic a. 磁気引力（鉄または鋼を磁石へ引き寄せる力）.

neurotropic a. 向神経性牽引力（再生してくる軸索を運動終板の方へ引き寄せる力）.

at·tra·hens (at′ră-henz) [→attraction]. 牽引筋，前引筋（耳介を前方へ引く筋肉で，ヒトでは痕跡的な筋肉(耳介牽引筋)である. →auricularis anterior (*muscle*)).

at·tri·tion (ă-trish′ŭn) [L. *at-tero*, pp. *-tritus*, to rub against, rub away]. ***1*** 摩耗，摩滅（摩擦によってすり減ること）. ***2*** 咬耗〔症〕（歯科において，研磨性食品または歯ぎしりによる生理的な歯牙構造の消耗. *cf.* abrasion).

at. wt. atomic *weight* の略.

a·typ·i·a (ā-tip′ē-ă). 異型性，非定型性. =atypism.

a·typ·i·cal (ā-tip′i-kal) [G. *a-* 欠性辞 + *typikos*, conformed to a type]. 異型の，非定型の（正常な形状または型に該当しない）.

a·typ·ism (ā-tip′izm). =atypia.

A.U. [多くの参考書にみられるaures unitasを表す本略号についての非文法的解説には歴史的根拠がまったくない．JCAHOは，類似した略号との混同を避けるためにeach earまたはboth earsと完全表記するように指導している]. ラテン語 *auris utraque*(片耳または両耳)の略.

Au 金の元素記号.

Aub (awb), Joseph C. 米国人医師，1890―1973. →A.-DuBois *table*.

Au·ber·ger blood group, Au blood group (aw′ber-gĕr blŭd grūp). オベルジェ(Au)血液型（付録Blood Groups参

照).

Au·bert (ow-bĕrt′), Hermann. ドイツ人生理学者，1826—1892. →A. *phenomenon*.

AUC [*a*rea *u*nder the *c*urveの略]. 血中薬物濃度時間曲線下面積．薬物暴露の程度を表す．

Auch·mer·o·my·i·a (awk′mer-ō-mī′yă) [G. *auchmeros*, without rain, hence unwashed, squalid + *myia*, a fly]. オークメロミア属（双翅目クロバエ科の吸血性ボットバエの一属で，中央アフリカおよび東アフリカ(例えばセネガル，コンゴ共和国，タンザニア)の地域でみられる).

A. luteola コンゴユカウシバエ（ウシバエの一種で，その幼虫が吸血性．サハラ砂漠南部のアフリカで，人家の内部や近傍にみられる．ウジは睡眠中のヒトにはい上がり，15—20分間吸血した後，離れて隠れる．発生期間中，夜ごとにこれを繰り返す．しかし，この昆虫が疾病を媒介する事実は知られていない).

au·dile (aw′dil). ***1*** 〚adj.〛 聴覚の．***2*** 〚adj.〛 聴覚型の（見たり読んだりするよりも聞いたことを最も容易に想起できる表象の型についていう(すなわち，音による具象的体系を有している状態). *cf.* motile). ***3*** 〚n.〛＝auditive.

audio- (aw′dē′ō) [L. *audio*, to hear]. 聴覚に関する連結形．

au·di·o·an·al·ge·si·a (aw′dē-ō-an′ăl-jē′zē-ă). 聴覚減痛法（歯科または外科治療の際の疼痛を緩和する目的で，イヤホンを用いて音あるいは音楽を流すこと).

au·di·o·gen·ic (awd′ē-ō-jen′ik) [audio- + G. *genesis*, production]. 聴〔覚〕原性の（聴覚によって，特に大きな音によって引き起こされる).

au·di·o·gram (aw′dē-ō-gram) [audio- + G. *gramma*, a drawing]. オージオグラム，聴力図（オージオメータを用いた聴力検査結果の描画記録．種々の周波数における聴力の閾値をデシベルで表す音の強さで図表化する).

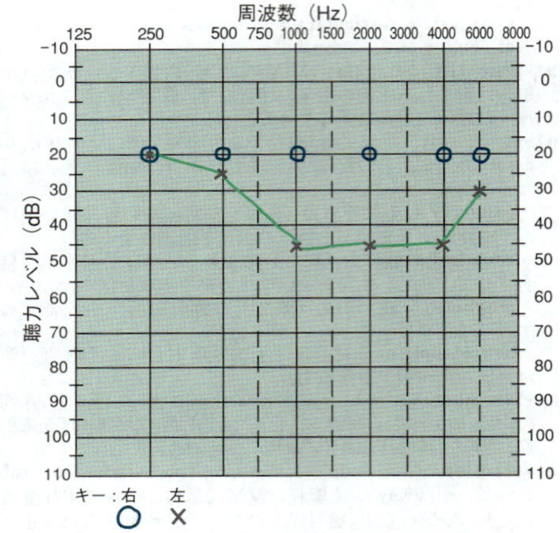

screening audiogram

右耳は正常（すべての周波数は20dBで聞こえる），左耳に聴力損失がある（1,000，2,000，4,000Hzの周波数は45dBでのみ聞こえる）ことに気づく．

pure tone a. 純音オージオグラム，純音聴力図（種々の周波数における聴力閾値を表した図表．通常，正常閾値をデシベルで表し，125—8,000 Hz の周波数を用いる).

speech a. スピーチオージオグラム（長々格の単語リストに対する閾値，およびそれと音声学的につり合った単語リストに対するスコアの記録).

au·di·ol·o·gist (aw′dē-ol′ōjist). オージオロジスト，聴覚〔機能〕訓練士（全面的または部分的な聴覚機能障害によって意思疎通が不能となった患者に対して，評価，リハビリテーションを行う専門家).

au·di·ol·o·gy (aw′dē-ol′ō-jē). 聴能学（①聴覚障害の診断お

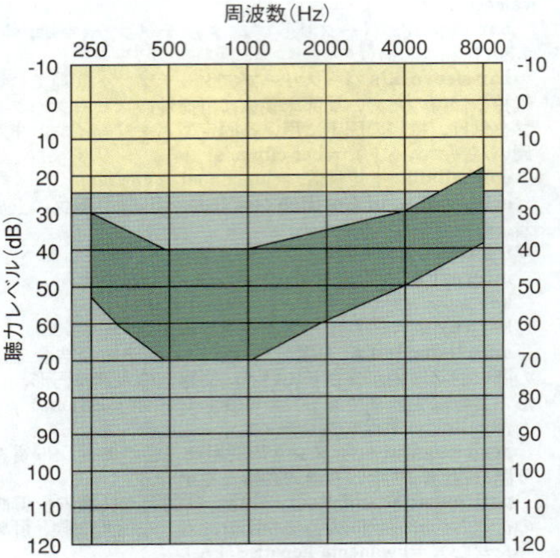

pure tone audiogram

黄色の領域は正常聴力の範囲を示す．暗緑色の領域は英語のスピーチの頻度と強さ対応を表している．
dB：デシベル．Hz：ヘルツ(サイクル/秒).

よび検査を通じての聴覚障害の研究．②聴覚障害者の社会復帰).

au·di·om·e·ter (aw′dē-om′ĕ-ter) [audio- + G. *metron*, measure]. オージオメータ，聴力計（純音，modulate 音，語音，および他の聴覚刺激に対する聴力閾値を測定するために用いられる電気機器).

automatic a. 自動〔式〕オージオメータ．＝Békésy a.

Békésy a. (bā′kā-shē). ベーケーシーオージオメータ（音が聞こえているときボタンを押し，音が聞こえないときボタンを離すという操作によって音の強さを患者がコントロールする間に，検査音が周波数域を広がっているようになっている自動オージオメータ．一定の周波数あるいは，徐々に代わる周波数を用いる). ＝automatic a.

pure-tone a. 純音オージオメータ（選択された周波数で大きさの変化する純音を発生させるオージオメータ．伝音難聴，感音難聴，混合性難聴の鑑別のため，気導および骨導によって刺激を行う).

speech a. 語音用オージオメータ（語音聴取閾値，大きな話し声に対する許容量，および語音弁別能を得るために，制御された音圧レベルで言語を供給するオージオメータ．マイクロホンを通した生の音声，録音した音声を使用する．会話に対する理解力，応答力，聴力全体の能力を測定し，聴覚障害の程度を評価する).

au·di·o·met·ric (aw′dē-ō-met′rik). 聴力の（聴力レベルの測定に関する，またはオージオメータに関する).

au·di·om·e·trist (aw′dē-om′ĕ-trist). 聴力検査士（聴力検査のためオージオメータの使用訓練を受けた人).

au·di·om·e·try (aw′dē-om′ĕ-trē). オージオメトリ〔ー〕，聴力検査（①聴力の検査．②オージオメータを使用すること．③個人または団体に対し，ある決められた正常聴力の有無を測定する簡易検査法．ある一定強度の異なった周波数での聴覚反応を検査する).

automatic a. 自動〔式〕聴力検査〔法〕．＝Békésy a.

behavioral observation a. 聴性行動反応（音圧に対する小さい子供の運動反応を観察することによって聴力閾値を決定する方法).

Békésy a. (bā′kā-shē). ベーケーシーオージオメトリ〔ー〕，ベーケーシー聴力検査〔法〕（ある固定された周波数あるいは，よりまれには，徐々に刺激周波数が変化している状態で，被検者が信号強度の強弱をコントロールし，被検者の聴力閾値を描いていくオージオメトリ). ＝automatic a.

cortical a. 聴性皮質反応聴力検査（脳幹レベルより中枢

聴覚伝導路に生じる聴刺激に反応して生じる電位の測定).

diagnostic a. 診断用聴力検査 (聴覚障害の性質(伝音性, 感覚性, 神経性, 混合性)とその程度を判定するための聴力閾値および他の指標の測定).

screening a. スクリーニング聴力検査〔法〕(個人または団体に対し, ある決められた正常聴力の有無を測定する簡易検査法. ある一定強度の異なった周波数での聴覚反応を検査する).

au·di·o·vi·su·al (aw′dē-ō-vizh′yū-ăl). 視聴覚の (文字や絵と音声を組み合わせた伝達または教え方についていう).

au·dit (aw′dit) [L. *auditus*, a hearing < *audio*, to hear]. 監査, 審査, 検査 (ある状態, 過程, または実行が前もって決められた基準やクライテリアに対しどれくらい達成できたかを決める検査または調査).

au·di·tion (aw-dish′ŭn) [L. *auditio*, a hearing < *audio*, to hear]. 聴覚, 試聴. = hearing.

chromatic a. 聴覚性色感. = color *hearing*.

au·di·tive (aw′di-tiv). 聴覚型の人 (聴覚によって最もよく想起できる人の個性を表現した古い言い方). = audile (3).

au·di·to·ry (aw′di-tōr-ē) [L. *audio*, pp. *auditus*, to hear]. ***1*** 聴覚の (聴覚または聴覚系についていう). ***2*** 聴覚者 (言語的な心のイメージを好んで使用する人を記述するために使われる. →internal *representation*).

a. afterimage = Zwicker *tone*.

Au·en·brug·ger (ow-ĕn-brūg′ĕr), Leopold. ハプスブルク帝国の医師, 1722—1809. ⇀A. *sign*.

Au·er (ow′ĕr), John. 米国人医師, 1875—1948. ⇀A. *bodies*, *rods*.

Au·er·bach (ow′ĕr-bahk), Leopold. ドイツ人解剖学者, 1828—1897. ⇀A. *ganglia*(⇒ganglion), *plexus*.

Au·frecht (ow′frek), Emanuel. ドイツ人医師, 1844—1933. ⇀A. *sign*.

Aug·er (awg′ĕr), Pierre-Victor. フランス人物理学者, 1899—1993. ⇀Auger *electron*.

aug·na·thus (awg-nāth′ŭs) [G. *au*, again + *gnathos*, jaw]. 重複顎体. = dignathus.

Au·jes·zky (ow-yes′kē), Aládar. ハンガリー人病理学者, 1869—1933. ⇀A. disease *virus*.

aur (awr). auris の略.

au·ra, pl. **au·rae** (aw′ră, -rē) [L. breeze, odor, gleam of light]. アウラ, 前兆 (①患者のみに知覚されるてんかん発作現象. ②片頭痛の初めに起こる自覚症状).

abdominal a. 腹部前兆 (吐気, 倦怠感, 腹痛, 空腹感などの腹部不快感を特徴とするてんかんの前兆. 発作による自律神経機能障害を反映するものもある. →aura (1)).

auditory a. 聴覚前兆 (音の錯覚や幻覚を特徴とするてんかんの前兆. →aura (1)).

experiential a. 体験前兆 (内部環境や外部環境の異常認知を特徴とするてんかんの前兆. 聴覚, 視覚, 嗅覚, 味覚, 体性感覚または情動の異常認知を呈することが多い. 1 種類の異常認知が前景に出ている場合は, その用語を用いる. →aura (1)).

gustatory a. 味覚前兆 (味覚の錯覚または幻覚を特徴とするてんかんの前兆. →aura (1)).

intellectual a. 知的前兆 (夢みるような, 放心した, または追憶にふける精神状態). = reminiscent a.

kinesthetic a. 運動感覚性前兆 (身体の一部が動いているような感じ).

olfactory a. 嗅覚前兆 (嗅覚の錯覚または幻覚を特徴とするてんかんの前兆. →aura (1)).

reminiscent a. 追憶前兆. = intellectual a.

somatosensory a. 体性感覚前兆 (局在がはっきりしている感覚異常や腹部身体認知を特徴とするてんかんの前兆. →aura (1)).

visual a. 視覚前兆 (閃光や閃輝暗点など, 形になっているものも形になっていないものもある視覚の錯覚や幻覚を特徴とするてんかんの前兆. →aura (1)).

au·ral (aw′răl). [本語をほぼ同音異語である oral と混同しないこと]. ***1*** 耳の, 聴覚の. ***2*** 前兆性の.

au·ra·mine O (aw′ră-mēn) [C.I. 41000]. オーラミン O (結核菌用染料として, Kasten 蛍光 Feulgen 染色法の DNA の色素として用いる黄色蛍光色素).

au·re·o·lic ac·id (aw′rē-ō′lik as′id). オーレオル酸. = mithramycin.

auri- (aw′rē) [L. *auris*, an ear]. [本連結形を含む語を aurum(金)または os, oris(口)に基づく語と混同しないこと]. 耳を示す連結形. →ot-; oto-.

au·ri·a·sis (aw-rī′ă-sis). 金皮症. = chrysiasis.

au·ric (aw′rik). 金の.

au·ri·cle (aw′ri-kl) [TA]. 耳介 ([時代遅れとなった atrium の意味での使用を避けること]. 外耳道とともに外耳を構成する側頭部に突出した貝殻様構造物). = auricula (1) [TA]; ala auris; pinna (1)*.

accessory a.'s 副耳 (ときに胎児咽頭溝の縁に沿ってみられ, 支持軟骨を伴うこともある小結節またはひだ).

atrial a. 心耳 (→left *atrium* of heart; right *atrium* of heart). = a.'s (of atria).

cervical a. 頸耳介 (頸部にある副耳).

left a. [TA]. 左心耳 (左心房から出た小さな円錐形の突起). = auricula atrii sinistra [TA]; a. of left atrium; left auricular appendage.

a. of left atrium 左心耳. = left a.

a.'s (of atria) [TA]. 心耳 (左右の心房の上前部から突出する小さな円錐形(耳形)の嚢で心房容積をわずかに増している. ⇀left a.; right a.) = auricula (2) [TA]; auriculae atrii [TA]; atrial appendage; atrial a.; atrial auricula; auricular appendix.

right a. [TA]. 右心耳 (右心房から出た小さな円錐形の突起). = auricula atrii dextra [TA]; a. of right atrium; auricular appendage (1); right auricular appendage.

a. of right atrium 右心耳. = right a.

au·ric·u·la, pl. **au·ric·u·lae** (aw-rik′yū-lă, -lē) [L. the external ear: *auris*(ear)の指小辞][TA]. ***1*** 耳介. = auricle. ***2*** = *auricles* (of atria).

atrial a. 心耳 (→left *atrium* of heart; right *atrium* of heart). = *auricles* (of atria).

auriculae atrii [TA]. ⇀left *atrium* of heart; right *atrium* of heart. = *auricles* (of atria).

a. atrii dextra [TA]. = right *auricle*.

a. atrii sinistra [TA]. = left *auricle*.

au·ric·u·lar (aw-rik′yū-lăr). 耳介の, 心耳の.

au·ric·u·la·re, pl. **au·ric·u·lar·ia** (aw-rik′yū-lā′rē, -rē-ă) [L. *auricularis*, pertaining to the ear]. アウリクラーレ (外耳道開口部の中心における頭蓋計測点, また場合によっては外耳道開口部上縁の中央. 註 Martin の定義は上記いずれとも異なる). = auricular point.

au·ric·u·lo·cra·ni·al (aw-rik′yū-lō-krā′nē-ăl). 耳介頭蓋の (耳介または耳翼, および頭蓋に関する).

au·ric·u·lo·tem·po·ral (aw-rik′yū-lō-tem′pō-răl). 耳介側頭の (耳介または耳翼, および側頭部に関する).

au·ric·u·lo·ven·tric·u·lar (aw-rik′yū-lō-ven-trik′yū-lăr). atrioventricular を表す現在では用いられない語.

au·rid, pl. **au·ri·des** (aw′rid, aw′ri-dēz) [L. *aurum*, gold + *-id* (1)]. 金疹 (金塩の注入により生じる皮疹).

au·ri·form (aw′ri-fōrm). 耳形の.

au·rin (aw′rin). オーリン (指示薬(pH 6.8—8.2 で黄色から赤色に変化)および染料中間体として用いられるトリフェニルメタン誘導体. また, 他の抗酸性微生物から結核菌を鑑別するのを補助する). = corallin; *p*-rosolic acid.

au·rin·tri·car·box·yl·ic ac·id (aw′rin-trī′kar-boks-il′-ik as′id). オーリントリカルボン酸 (ベリリウムや他のある物質に特別な親和性を有するので, ベリリウム中毒に対して有効とされるキレート剤. そのアンモニウム塩は aluminon として知られている).

au·ris (a, aur), pl. **au·res** (aw′ris, aw′rēz) [L.][TA]. 耳, みみ. = ear.

a. externa [TA]. 外耳. = external *ear*.

a. interna [TA]. 内耳. = internal *ear*.

a. media [TA]. 中耳. = middle *ear*.

au·ro·chro·mo·der·ma (aw′rō-krō′mō-der′mă) [L. *aurum*, gold + *chrōma*, color + *derma*, skin]. 金皮症, 金色皮膚〔症〕. = chrysiasis.

au·ro·ther·a·py (aw′rō-thār′ă-pē) [L. *aurum*, gold]. 金剤治療法, 金療法. = chrysotherapy.

au·rum (aw′rŭm) [L.]. 金. = gold.
aus·cul·tate, aus·cult (aws′kŭl-tāt, aws-kŭlt′). 聴診する.
aus·cul·ta·tion (aws′kŭl-tā′shŭn) [L. *ausculto*, pp. *-atus*, to listen to]. 聴診〔法〕(診断法の1つで，身体諸器官の立てる音を聴取すること).

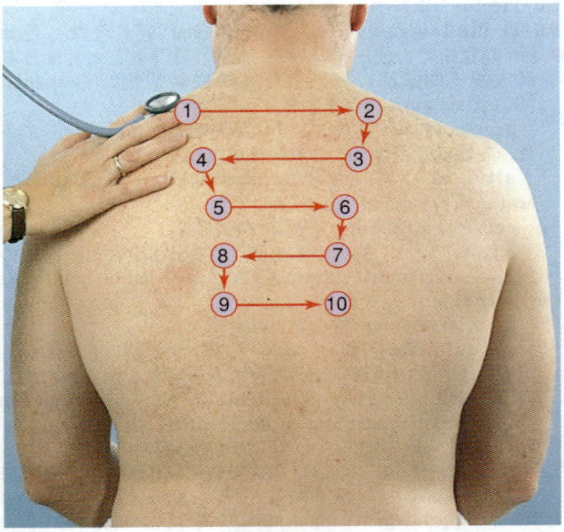

auscultation of lungs
患者が口を通して深く息を吸って吐いている間，検査者は胸部の表面上の選択された場所に聴診器のチェストピース部を置く.

immediate a., direct a. 直接聴診〔法〕(身体の表面に耳を当てて行う聴診法).
mediate a. 間接聴診〔法〕(聴診器を用いる方法).
aus·cul·ta·to·ry (aws-kŭl′tă-tō′rē). 聴診の.
Aus·pitz (ow′spitz), Heinrich. オーストリアハンガリー人医師，1835—1886. →A. *sign*.
Aus·tin Flint (aw′stĭn flint). [Austin と Flint をハイフンで結ばないこと]. →Flint.
aut- (awt). →auto-.
au·ta·coid (aw-tă′-koyd) [G. aut- *autos*, self + *eidos*, form]. オータコイド. = autocoid.
au·te·cic, au·te·cious (aw-tē′sik, aw-tē′shŭs) [G. *autos*, same + *oikion*, house]. 単種寄生の (全生存期間を通して同じ宿主に感染する寄生生物についていう).
au·te·me·si·a (aw′tĕ-mē′zē-ă) [G. *autos*, self + *emesis*, vomiting]. 特発性嘔吐，随意嘔吐，自己嘔吐 (①特発性または機能性嘔吐を表すまれに用いる語. ②催吐反射を起こすことにより誘発される嘔吐を表すまれに用いる語).
au·then·tic·i·ty (aw′then-tis′i-tē) [G. *authentikos*, original, primary]. 真正，確実 (①本物であること. 確実であること. ②心理学的機能および人格では，人が正直に誠実に表現し，伝達する意識的感情，知覚，思考について用いる).
au·tism (aw′tizm) [G. *autos*, self]. 自閉〔症〕(社会的交流や，言語的あるいは非言語的なコミュニケーションの技術における重篤な発達異常によって特徴づけられる精神障害. 罹患した患者は，柔軟性や機能性を欠いた儀式やルーチンに固執したり，その人の環境におけるほんの些細な変化にも取り乱したりすることがある. しばしば興味の対象は限定されるが，非常に狭い範囲の対象や活動に熱中することもある. 他者の感情を理解できないようにみえ，他者とのアイコンタクトに乏しいことがしばしばである. 予測できない感情の動揺が起こることもある. 指や手を打ったり，体を揺すったり，おじぎしたりなど，常同的で衒奇的な運動を示すことも多い. おそらくこの障害は，特に社会的，感情的な情報処理あるいは言語能力についてはは中枢神経系の器質的な機能障害に基づくものである. *cf.* Asperger *disorder*).
early infantile a. 早期幼児自閉症. = infantile a.
infantile a. 幼児自閉〔症〕(相互交流のある対人関係の障害およびコミュニケーション，言語および社会的発達の障害を特徴とする小児期の重症感情障害). = childhood schizophrenia; early infantile a.; Kanner syndrome.
au·tis·tic (aw-tis′tik). 自閉〔的〕の (①自閉症に関連するもしくは自閉症によって特徴づけれらる. ②人々やより広い世界との関係が極端に狭いことを示す心理学用語).
auto-, aut- (aw′tō, awt) [G. *autos*, self]. 自身，同一，を意味する接頭語.
au·to·ac·ti·va·tion (aw′tō-ak′ti-vā′shŭn). 自己賦活. = autocatalysis.
au·to·ag·glu·ti·na·tion (aw′to-ă-glū′ti-nā′shŭn). 自己凝集〔反応〕(①物理的・化学的要因に起因する細胞(バクテリア，赤血球など)の非特異性凝集または凝塊形成. ②自己血清中の特異的自己抗体による赤血球の凝集反応).
au·to·ag·glu·ti·nin (aw′tō-ă-glū′ti-nin). 自己凝集素.
anti-Pr cold a. 抗Pr寒冷自己凝集素 (赤血球の Pr (プロテアーゼ感受性)抗原に特異的な寒冷凝集素).
cold a. 寒冷自己凝集素 (37°C 未満で(多くは 4°C で最もよく反応する)粒子状抗原(例えば，細菌)を凝集させる抗体. 多くは赤血球の Ii 抗原系に親和性を示す IgM クラスの免疫グロブリンであるが，抗 Pr 寒冷自己凝集素もある. 寒冷自己凝集素は感染(例えば，原発性異型肺炎，伝染性単核症や他のウイルス感染，一部の原虫感染症など)に伴って出現することがあるが，このような例では通常，*in vivo* では(抗体)活性を示さない).
au·to·al·ler·gic (aw′tō-ă-ler′jik). 自己(自家)アレルギーの.
au·to·al·ler·gi·za·tion (aw′tō-al′er-ji-zā′shŭn). 自己(自家)アレルギー化 (自己アレルギーの誘発).
au·to·al·ler·gy (aw′tō-al′er-jē). 現在では用いられない語で，自分自身の組織に対して抗体(自己抗体 autoantibodies)をつくり，防御効果よりも破壊的な影響を引き起こすように変化した反応性のこと. = autoimmunity.
au·to·a·nal·y·sis (aw′tō-ă-nal′i-sis). 自己分析 (自分自身について試みた分析，または精神分析). = self-analysis.
au·to·an·a·lyz·er (aw′tō-an′ă-līz-er). 自動分析器 (自動的に分析を行う器具. 通常，化学分析に用いる).
sequential multichannel a. (SMA) 多項目連続自動分析器 (検出器へ続くチューブを流れる連続流体系に検体と試薬を流し込むことにより，多種の(通常は化学)分析を同時に行うことのできる自動器械).
au·to·an·a·phy·lax·is (aw′tō-an′ă-fī-lak′sis). 自己過敏症 (ある種の自己免疫を表す現在では用いられない語).
au·to·an·ti·body (aw′tō-an′ti-bod-ē). 自己抗体 (自己の組織(または自己の抗原)の抗原成分に反応してできる抗体. あるいは刺激された標的組織に反応する抗体).
antiidiotype a. 抗イディオタイプ自己抗体 (→antiidiotype *antibody*). = idiotype a.
cold a. 寒冷自己抗体 (37°C よりも低温でより効果的に反応する自己抗体).
Donath-Landsteiner cold a. (dō′naht lahnd′stī-nĕr). ドーナト-ラントシュタイナー寒冷自己抗体 (発作性寒冷血色素尿症を起こす IgG クラスの自己抗体. 20°C 以下でのみ赤血球に吸着し，それより高温では補体の存在下に赤血球を溶解させる. P 型血液内で特異性を有する. 以前は梅毒によく合併した. 麻疹その他の感染症後にも短期間みられることがある). = cold hemolysin.
hemagglutinating cold a. 〔赤〕血球凝集〔反応〕性寒冷自己抗体.
idiotype a. イディオタイプ自己抗体 (→antiidiotype *antibody*). = antiidiotype a.
warm a. 温暖自己抗体 (反応の至適温度が 37°C の自己抗体).
au·to·an·ti·com·ple·ment (aw′tō-an′ti-com′plĕ-ment). 自己抗補体 (動物の体内で形成され，その動物の補体を抑制または破壊する抗補体).
au·to·an·ti·gen (aw′to-an′ti-jen). 自己抗原 (〝自己(self)〟抗原. 自己の構成成分に表現されている抗原で，自身に免疫反応を引き起こすもの).
au·to·as·say (aw′tō-as′ā). 自己定量法 (生体内で生成される物質の量を，その生体内の検査対象を用いて検出または定量すること. 例えば，ネコを使って血流中に遊離されたエピネフリンまたはシンパチンを定量する際，摘出せずに神経遮断した心臓を用いて検出または定量すること）．

au·to·aug·men·ta·tion (aw′-tō-awg′men-tā-shŭn). 膀胱自家拡張術（膀胱の排尿筋を切開・除去し，粘膜のみを残すことにより膀胱容量を増大させる方法）．＝autocystoplasty.

au·to·blast (aw′tō-blast) [auto- ＋ G. *blastos*, germ]. オートブラスト（①独立細胞．②単独で独立した微生物，原生動物，または単細胞（非細胞性）生物）．

au·to·ca·tal·y·sis (aw′tō-kă-tal′i-sis). 自触反応（生成物の１つ以上が触媒となる反応．反応速度は初めは遅いが，後に急速に増加する．*cf.* chain *reaction*）．＝autoactivation.

au·to·cat·a·lyt·ic (aw′tō-kat′ă-lit′ik). 自触反応の．

au·to·cath·e·ter·i·za·tion, au·to·cath·e·ter·ism (aw′tō-kath′ĕ-ter-i-zā′shŭn, -kath′ĕ-ter-izm). 自己カテーテル挿入（患者自身によるカテーテルの挿入）．

au·toch·thon·ous (aw-tok′thon-ŭs) [auto- ＋ G. *chthon*, land, ground, country]. ***1*** 自所〔性〕の（居住した場所で生まれた．土着の）．***2*** 自発〔性〕の，特発〔性〕の（発見された場所から生じること．疾患が発見された身体の部分に源を発する，または患者がいる場所で罹患した疾病についていう）．

au·toc·la·sis, au·to·cla·sia (aw-tok′lă-sis, aw-tō-klā′zē-ă) [auto- ＋ G. *klasis*, breaking]. 自己崩壊，自己破壊（①内因性または内的原因によって解体あるいは破裂すること．②進行性の，免疫学的に誘発された組織破壊）．

au·to·clave (aw′tō-klāv) [auto- ＋ L. *clavis* a key, in the sense of self-locking]. ***1***〚n.〛オートクレーブ，加圧〔蒸気〕滅菌器（加圧して蒸気で滅菌するため少量の水のはいった強力密閉ボイラーでできている器具．金網のかごの中に品物を入れて滅菌する）．***2***〚v.〛加圧滅菌する（オートクレーブの中で滅菌する）．

au·to·coid (aw′tō-koyd) [G. *autos*, self ＋ *eidos*, form]. オータコイド（あるタイプの細胞によって産生され，同じ場所にある異なるタイプの細胞の機能に影響を及ぼす化学物質．局所ホルモンまたは伝達物質としての役割を果たす）．＝autacoid substance; autacoid.

au·to·crine (aw′tō-krin) [auto- ＋ G. *krinō*, to separate]. オートクライン（細胞が，ある因子やそれに対する特異的なレセプタを産生することによって，さらに自己（それらの産生）を刺激することを意味する）．

au·to·cys·to·plas·ty (aw′tō-sis′tō-plas′tē) [auto- ＋ G. *kystis*, bladder ＋ *plastos*, formed]. 自家〔組織〕移植膀胱形成〔術〕．＝autoaugmentation.

au·to·cy·to·ly·sin (aw′tō-sī-tol′i-sin). 自〔己〕溶解素．＝autolysin.

au·to·cy·tol·y·sis (aw′tō-sī-tol′i-sis). ＝autolysis.

au·to·cy·to·tox·in (aw′tō-sī′tō-toks′in). 自己（自家）細胞毒素．

au·to·der·mic (aw′tō-der′mik) [auto- ＋ G. *derma*, skin]. 自皮の，自家皮膚の（患者自身の皮膚に対してまれに用いる語．特に自己移植片あるいは自己植皮術についていう）．

au·to·di·ges·tion (aw′tō-dī-jes′chŭn). 自己（自家）消化．＝autolysis.

au·to·dip·loid (aw′tō-dip′loyd). 同質二倍体の（→autoploid）．

au·to·drain·age (aw′tō-drān′ij). 自然排液，自己排膿（隣接組織への排液，排膿）．

au·to·ech·o·la·lia (aw′tō-ek-ō-lā′lē-ă) [auto- ＋ echolalia]. 自動反響言語（他の人の言葉または自分の言葉の病的繰り返し）．

au·to·e·rot·ic (aw′tō-ĕ-rot′ik). 自体愛的の．

au·to·e·rot·i·cism (aw′tō-ĕ-rot′i-sizm) [auto- ＋ G. *erōtikos*, relating to love]. 自体愛（オナニーのような，自分自身の体を用いての性的覚醒または性的満足）．＝autoerotism.

au·to·er·o·tism (aw′tō-ār′ō-tizm) [auto- ＋ G. *erōtikos*, relating to love]. ＝autoeroticism.

au·to·flu·o·ro·scope (aw′tō-flōr′ō-skōp). オートフルオロスコープ（それぞれ別個の光導管と光電子増倍管を有する多数のヨウ化ナトリウム結晶を並べた一種のシンチレーションカメラ．放射性核種による画像検査に用いる）．

au·tog·a·mous (aw-tog′ă-mŭs). 自己（自家）生殖の．

au·tog·a·my (aw-tog′ă-mē) [auto- ＋ G. *gamos*, marriage]. 自己（自家）生殖，オートガミー（細胞分裂なしに同一核の分裂が起こり，そのようにして形成された２核が再び結合して合核を形成する自家受精の現象．他の場合では細胞体部も分裂するが，２個の娘細胞が直ちに結合する）．＝automixis.

au·to·gen·e·sis (aw′tō-jen′ĕ-sis) [auto- ＋ G. *genesis*, production]. オートジェネシス（①生物体自身の中で生命物質が生じること．②細菌学において，患者自身から得たバクテリアからワクチンが作られる過程）．

au·to·ge·net·ic, au·to·gen·ic (aw′tō-jĕ-net′ik, jen′ik). オートジェネシスの．＝autogenous (1).

au·tog·e·nous (aw-toj′ĕ-nŭs) [G. *autogenēs*, self-produced]. ***1*** ＝autogenetic; autologous. ***2*** 自原〔的〕な，自原〔性〕の（体内に由来すること．感染した個人から得られるバクテリアやその他の材料（例えば細胞）からつくられたワクチンに対して用いる．*cf.* endogenous）．

au·tog·no·sis (aw′tog-nō′sis) [auto- ＋ G. *gnōsis*, knowledge]. 自己診断（自分自身の性格，性向，および特性を認識すること）．＝self-knowledge.

au·to·graft (aw′tō-graft) [auto- ＋ A.S. *graef*]. 自家（自己）移植片（同一人の体内で，別の位置に移植した組織または臓器．*cf.* allograft; xenograft）．＝autogeneic graft; autologous graft; autoplastic graft; autotransplant.

au·to·graft·ing (aw′tō-graft′ing). ＝autotransplantation.

au·to·gram (aw′tō-gram) [auto- ＋ G. *gramma*, something written]. 皮膚描記（鈍器または手による加圧後，皮膚に膨疹様変化を生じること）．

au·tog·ra·phism (aw-tog′ră-fizm). 皮膚描画症，皮膚描記症．＝dermatographism.

au·to·hem·ag·glu·ti·na·tion (aw′tō-hē′mă-glū-ti-nā′-shŭn). 自己血球凝集（自己の赤血球に対する自己凝集）．

au·to·he·mo·ly·sin (aw′tō-hē-mol′i-sin). 自己（自家）〔赤血球〕溶血素（補体と共同で赤血球の溶解を起こす自己抗体）．

au·to·he·mol·y·sis (aw′tō-hē-mol′i-sis). 自己（自家）溶血（ある種の疾患において，自己溶血素の結果として起こる溶血）．

au·to·he·mo·ther·a·py (aw-tō-hē′mō-thār′ă-pē) [auto- ＋ hemo- ＋ therapy]. 自家血液療法（ある量の血液を採取し，UV 照射，オゾン，あるいは他の物質により処理をした後，筋肉内に一度に注射，あるいは血管内に注射するという代替療法で，有効性は証明されていない）．

au·to·hex·a·ploid (aw′tō-heks′ă-ployd). 同質六倍体（→autoploid）．

au·to·hyp·no·sis (aw′tō-hip-nō′sis). 自己催眠（自己集中思考または催眠術をかけられているという考えに注意を集中させることによって達成される自己誘発睡眠）．＝autohypnotism; idiohypnotism.

au·to·hyp·not·ic (aw′tō-hip-not′ik). 自己催眠の．

au·to·hyp·no·tism (aw′tō-hip′nō-tizm). ＝autohypnosis.

au·to·im·mune (aw′tō-i-mūn′). 自己免疫（自己免疫疾患のように，自己組織に由来する細胞や，自己組織に対する抗体について表現する用語）．

au·to·im·mu·ni·ty (aw′tō-i-myū′ni-tē). 自己免疫（免疫学では，自己アレルギーや自己免疫疾患のように，自分自身の組織が自己の免疫機構によって破壊的な影響を受ける状態をいう．自己の組織に対する特異的な体液性または細胞性免疫反応．次頁の表参照）．＝autoallergy.

au·to·im·mu·ni·za·tion (aw′tō-im′yū-ni-zā′shŭn). 自己免疫化（自己免疫の誘発）．

au·to·im·mu·no·cy·to·pe·ni·a (aw′tō-im′yū-nō-sī′tō-pē′nē-ă). 自己免疫性血球減少症（細胞障害性自己免疫反応に起因する貧血，血小板減少症，白血球減少症）．

au·to·in·fec·tion (aw′tō-in-fek′shŭn). 自己（自家）感染（①生体内ですでに感染過程を経た，微生物や寄生虫による再感染．②直接の接触による自己感染．ぎょう虫（*Enterobius vermicularis*）の卵が手爪を介して（肛門－口経過），感染性のある状態で伝播されるもの）．＝autoreinfection; self-infection.

au·to·in·fu·sion (aw′tō-in-fyū′shŭn). 自己返血，自家注入（血圧を上昇させて重要臓器の血管を満たすために，包帯や圧迫装置を用いて四肢または他の部位，例えば脾臓から血液を押し出すこと．血液または他の体液の大量損失後に行う手段．*cf.* autotransfusion）．

au·to·in·oc·u·la·ble (aw′tō-in-ok′yū-lă-bil). 自己（自家）

ヒトにおける自己免疫疾患

疾患	抗原
	組織特異的疾患
Addison病	副腎皮質
自己免疫性溶血性貧血	赤血球膜蛋白
1型糖尿病	膵臓のベータ細胞
Goodpasture症候群	腎・肺基底膜
Graves病	甲状腺刺激ホルモン受容体
橋本甲状腺炎	甲状腺細胞・蛋白
特発性血小板減少性紫斑病	血小板膜蛋白
重症筋無力症	アセチルコリン受容体
悪性貧血	胃壁細胞，内因子
連鎖球菌感染後糸球体腎炎	糸球腎基底膜
突発性不妊症	精子
	全身性自己免疫疾患
強直性脊椎炎	関節結合組織(棘，仙腸関節)
多発性硬化症	脳と脊髄のミエリン
関節リウマチ	結合組織，IgG
強皮症	核，心臓，肺，胃腸管，腎臓
Sjögren症候群	唾液腺，肝臓，腎臓，甲状腺
全身性エリテマトーデス	DNA，核蛋白，赤血球，血小板膜

接種可能の．

au·to·in·oc·u·la·tion (aw′tō-in-ok′yū-lā′shŭn). 自己(自家)接種（体内にある病巣から病原体が別の部位に移行して播種したり感染病巣を生じさせること．*Staphylococcus* の無症候性キャリアは皮膚の創傷部や他の部位に菌を自己接種して臨床症状や蜂窩織炎を引き起こす）．

au·to·in·tox·i·cant (aw′tō-in-toks′i-kant). 自家(自己)中毒素（動物の体内で生成され，自家中毒を起こす内因性中毒素）．= autotoxin.

au·to·in·tox·i·ca·tion (aw′tō-in-toks′i-kā′shŭn). 自家(自己)中毒（代謝の廃棄物，腸からの分解物質，または壊疽のように死滅した感染組織の産物の吸収の結果起こる障害）．= autotoxicosis; endogenic toxicosis; enterotoxication; enterotoxism; intestinal intoxication; self-poisoning.

au·to·i·sol·y·sin (aw′tō-ī-sol′i-sin). 自己同種溶解素（同種の他の個体内と同じように，体内で溶解素が形成される個体内で，細胞溶解を補体と共同で起こす抗体）．

au·to·ker·a·to·plas·ty (aw′tō-ker′ă-tō-plas′tē) [auto- + G. *keras*, horn + *plastos*, formed]. 自己(自家)角膜移植〔術〕（患者の片方の眼から他方の眼へ角膜組織を移植すること）．

au·to·ki·ne·si·a, au·to·ki·ne·sis (aw′tō-ki-ne′sē-ă, aw-tō-ki-nē′sis) [auto- + G. *kinēsis*, movement]. 随意運動．

au·to·ki·net·ic (aw′tō-kĭ-net′ik). 随意運動の．

au·to·le·sion (aw′tō-lē′zhŭn). 自己加害，自家外傷（自ら自分に加えた外傷）．

au·tol·o·gous (aw-tol′ŏ-gŭs) [auto- + G. *logos*, relation]. 自己〔由来〕の，自家の，自系の（①ある種の組織または身体の特殊な構造に自然に正常に発生する．②移植では，同一の人間における臓器や他の組織の他の部位への移植，通常は手術前にあらかじめ採取され，後に同一の個体内へ戻される血液や血液成分．→autotransfusion. ③まれには，その部位で普通にみられる細胞から発生する新生物を示すのに用いられる．例えば食道上部の扁平上皮癌）．= autogenous (1).

au·tol·y·sate (aw-tol′i-sāt). 自己分解物，自己消化物，自己溶解物（自己(自家)融解の結果得られる(例えば分解された)物質の総称）．

au·to·lyse (aw′tō-līs). = autolyze.

au·tol·y·sin (aw-tol′i-sin). 自己溶解素（溶解素が形成されている個体内で細胞や組織の溶解を補体と共同で起こす抗体）．= autocytolysin.

au·tol·y·sis (aw-tol′i-sis) [auto- + G. *lysis*, dissolution]. 自己分解，自己消化，自己溶解，自己(自家)融解（①死滅または変性した細胞が他の生物の作用によらず，その細胞内の自原性の酵素によって自己消化すること．②細胞が自生の，または同一体内の他の細胞の産生する溶解素により破壊されること）．= autocytolysis; autodigestion; isophagy.

au·to·lyt·ic (aw-tō-lit′ik). 自己分解の，自己消化の，自己溶解の，自己(自家)融解の．

au·to·lyze (aw′tō-līz). 自己分解する，自己消化する，自己溶解する，自己(自家)融解する．= autolyse.

au·tom·a·tism (aw-tom′ă-tizm) [G. *automatos*, self-moving + -in]. = telergy. ***1*** 自動性（意思または中枢神経支配に依存しない状態．例えば心臓の作用など）．***2*** 自動症（意識障害がある状態で行われる常同性の精神的，感覚性または運動性の現象よりなるてんかん発作で，患者は，通常，それを覚えていない）．***3*** 自動症（人がしばしば目的もなく，ときにばかげた有害な運動または言語行為を意識的，無意識的を問わず不随意的に強いられる状態）．

ambulatory a. 歩行自動症，病的徘徊（行為の過程を意識することなく歩き回ったり，ある動作を自動的に行うこと）．

immediate posttraumatic a. 外傷直後自動症（患者が自動的に振舞う外傷後状態で，患者は自分の行動を直後でも後でも記憶していない）．

au·to·mat·o·graph (aw′tō-mat′ō-graf). 自動運動描画器（自動運動を記録する器械）．

au·to·mix·is (aw′tō-miks′is) [auto- + G. *mixis*, intercourse]. 自混，オートミクシス．= autogamy.

au·tom·ne·si·a (aw′tom-nē′zē-ă) [auto- + G. *mnēsis*, remembering]. 自己追想（人生初期の状態の記憶が自然によみがえること）．

au·to·my·so·pho·bi·a (aw′tō-mis′ō-fō′bē-ă) [auto- + G. *mysos*, dirt + *phobos*, fear]. 自己不潔恐怖〔症〕，自己悪臭恐怖〔症〕（自分が不潔なことに対する病的な恐れ）．

au·to·nom·ic (aw′tō-nom′ik). 自律神経〔性〕の．

au·to·nom·o·tro·pic (aw′tō-nom-ō-trop′ik) [autonomic + G. *trepo*, to turn]. 自律神経〔系〕親和性の（自律神経系に作用する）．

au·ton·o·mous (aw-ton′ō-mŭs). 自律〔性〕の（外力あるいは狭義には脳脊髄神経による支配から，独立または自由であること）．

au·ton·o·my (aw-ton′ō-mē) [auto- + G. *nomos*, law]. 自律性（自律している状態，他者に頼らずに決断を下すことができる状態）．

functional a. 機能自律性（社会心理学において，発達した動機系(例えば習得の動機)が，以前の原始的または内的衝動(例えば食物の要求)に依存しなくなる傾向）．

au·to·ox·i·da·tion (aw′tō-oks′i-dā′shŭn). 自己酸化，自動酸化（ある物質と酸素分子とが常温で直接結合すること）．= autoxidation.

au·to·ox·i·diz·a·ble (aw′tō-oks′i-dīz′ă-bil). 自己酸化性の（酸素の直接に反応する物質(例えば，シトクロムのbへモクロモゲン)で，デヒドロゲナーゼの作用を必要としないものについていう）．

au·to·path·ic (aw′tō-path′ik). まれに idiopathic(特発性の)と同義で用いる．

au·to·pen·ta·ploid (aw′tō-pen′tă-ployd). 同質五倍体（→autoploid）．

au·to·pep·si·a (aw′tō-pep′sē-ă) [auto- + G. *pepsis*, digestion]. 自己消化（胃粘膜自身の分泌物による胃粘膜の潰瘍形成や胃癌，直腸瘻周囲の皮膚の消化に対してまれに用いる語）．

au·to·pha·gi·a (aw′tō-fā′jē-ă) [auto- + G. *phagō*, to eat]. ***1*** 自食症，自咬症（自分自身の肉をかむこと．例えば，Lesch-Nyhan 症候群の症状）．***2*** 自己消耗（一部の体組織を

代謝的に消費して全身の栄養状態を保持すること）. ***3*** = autophagy.

au·to·pha·gic (aw′tō-fā′jik). ***1*** 自食症の，自咬症の．***2*** 自己消耗の.

au·to·pha·go·ly·so·some (aw′tō-fā′gō-lī′sō-sōm). オートファゴリソソーム（自己貪食空胞とリソソームが融合してできた自家融解の消化胞）. =autophagosome.

autophagosome (aw-tō′fāg′o-sōm). オートファゴソーム，自食胞. =autophagolysosome.

au·toph·a·gy (aw-tof′ă-jē) [auto- + G. *phagō*, to eat]. 自家融解（細胞内の損傷を受けた細胞小器官の処理と分離）. = autophagia (3).

au·to·pho·bi·a (aw′tō-fō′bē-ă) [auto- + G. *phobos*, fear]. 自己恐怖〔症〕，孤独恐怖〔症〕（孤独や自己に対する病的な恐れ）.

autophonia (aw-tō-fō′nē-ă). =autophony.

au·toph·o·ny (aw-tof′ŏ-nē) [auto- + G. *phōnē*, sound]. 自声強聴，自家強聴，自音共鳴（自己の発した声，呼吸音，動脈雑音，その他身体の上部の雑音が過度に強く聞こえる現象．特に中耳や鼻腔の疾病で認められる）. =autophonia; tympanophonia; tympanophony.

au·to·ploid (aw′tō-ployd) [auto- + -ploid]. 同質〔多〕倍数体（１組の一倍体の重複から生じた２組以上のコピーをもつ個体または細胞についていう．一倍体セットの倍数によって，同質倍数体は同質二倍体，同質三倍体，同質四倍体，同質五倍体，同質六倍体などとよばれる）.

au·to·ploi·dy (aw′tō-ploy-dē). 同質倍数性（同質倍数体になっている状態）.

au·to·pod (aw′tō-pod). =autopodium.

au·to·po·di·um, pl. **au·to·po·dia** (aw′tō-pō′dē-ŭm, dē-ă) [auto- + G. *pous* (*pod*-), foot]. 自脚（四肢の遠位部分．手と足のこと）. =autopod.

au·to·poi·son·ous (aw′tō-poy′zŭn-ŭs). =autotoxic.

au·to·pol·y·mer (aw′tō-pol′i-mer). オートポリマー（→autopolymer *resin*）.

au·to·pol·ym·er·i·za·tion (aw′tō-pol′i-mer-i-zā′shŭn). 自家重合（外部からの熱は用いず，賦活体と触媒体の添加で生じる重合作用）.

au·to·pol·y·ploid (aw′tō-pol′i-ployd). 同質〔多〕倍数体（２組以上の染色体の一倍体セットをもつ倍数体）.

au·to·pol·y·ploi·dy (aw′tō-pol′i-ploy′dē). 同質〔多〕倍数性（同質多倍数体になっている状態）.

au·top·sy (aw′top-sē) [G. *autopsia*, seeing with one's own eyes]. **［誤った発音 autop′sy を避けること］**. ***1*** 剖検，検死（死因を決定する，またはそこにみられる病理学的変化を研究する目的で死体の器官を調べること）. =necropsy ; postmortem examination. ***2*** 経験主義の古代ギリシア学派の用語では，疾病の過程に起こった効果，事柄，状況を計画的に再現すること，およびそれが患者の症状の軽減あるいは悪化に及ぼす影響を観察すること.

verbal a. 言語剖検，言葉による検死（死亡者について，その死亡の経過や死亡直前の状況を話すことができる家族やその他の人に質問することで，可能なかぎり多くの情報を得る方法．主として発展途上国や剖検ができない場面や状況で用いられる）.

au·to·ra·di·o·gram (aw′tō-rā′dē-ō-gram) [auto + radiogram]. =autoradiograph.

au·to·ra·di·o·graph (aw′tō-rā′dē-ō-graf). オートラジオグラフ（ある組織またはその他の器官における放射性物質の分布および濃度の調べようとするものの表面または近くに置いた写真フイルムの映像）. =autoradiogram.

au·to·ra·di·og·ra·phy (aw′tō-rā′dē-og′ră-fē). オートラジオグラフィ（オートラジオグラフをつくる技法）. =radioautography.

paper a. 沪紙オートラジオグラフィ（物質を沪紙クロマトグラフィによって分離するオートラジオグラフィ）.

au·to·re·cep·tor (au′tō-rē-sep′tŏr,tōr) [auto- + receptor]. 自己受容体（そのニューロンが放出した神経伝達物質が，そのニューロンに結合する部位でニューロンの活性を調節する）.

au·to·reg·u·la·tion (aw′tō-reg′yū-lā′shŭn). 自己調節（①臓器または部位へ血液を送る動脈内圧が変化するにもかかわらず，そこへの血流が同じレベルにとどまること，または戻ろうとすること．②一般に，外界からの変化が大部分，または完全に阻止されるような，抑制フィードバックシステムを備えた生体系の総称．例えば，圧受容器反射は全身動脈血圧の自己調節の基盤となる）.

heterometric a. 異尺性自己調節（拡張期の筋線維の長さ（圧力）に関連して心収縮強度が内因性に変化する現像で，後負荷，自律神経や他の外因性の影響を受けない．これはまた，長さ－張力関係，拡張末期容積－圧関係，Starling の法則または Frank-Starling の曲線として知られている）.

homeometric a. 同尺性自己調節（心筋の長さの変化すなわち Frank-Starling 曲線に依存しない内因性の心収縮強度の調節機構で，例えば後負荷が増加するに伴い強度の増加する Anrep 効果，および心拍数が増加するに従い強度の増加する Bowditch 効果にもよらず，かつ交感神経刺激やノルエピネフリン刺激によって強度の増加する外因性の調節にも依存しない）.

au·to·re·in·fec·tion (aw′tō-rē′in-fek′shŭn). =autoinfection.

au·to·re·pro·duc·tion (aw′tō-rē′prō-duk′shŭn). 自己複製（遺伝子やウイルス，または一般的に核蛋白分子が，細胞内でより小さな分子からそれ自身に類似したもう１つ別の分子の合成を行う能力）.

au·tor·rha·phy (aw-tōr′ă-fē) [auto- + G. *rhaphē*, sewing]. 自己縫合（創縁からの筋膜線維組織を用いる創縫合）.

autoscopy (aw-tos′kō-pē). 自己仮視. =autoscopic *phenomenon.*

au·to·sen·si·tize (aw′tō-sen′si-tīz). 自己感作する（自分自身の体細胞に対して感作する）. =isosensitize.

au·to·sep·ti·ce·mi·a (aw′tō-sep′ti-sē′mē-ă) [auto- + G. *sēpsis*, decay + *haima*, blood]. 自己(自家)敗血症（外部から導入されたのではなく，その個体内に存在する微生物から発したとわかる敗血症）.

au·to·se·ro·ther·a·py (aw′tō-sē′rō-thār′ă-pē). 自己(自家)血清療法（患者自身の血清を注射して皮膚疾患を治療することを表す，現在では用いられない語）.

au·to·se·rum (aw′tō-sē′rŭm). 自己(自家)血清（患者自身の血液から得た，自己血清療法に用いられる血清）.

au·to·site (aw′tō-sīt) [auto- + G. *sitos*, food]. 自生体（自立して生存でき，もう片方の寄生性双生児を養うことができる異常不等(接着)双生児の片方）.

au·tos·mi·a (aw-toz′mē-ă) [auto- + G. *osmē*, smell]. 自己嗅覚症（自分の体臭を異常に自覚すること）.

au·to·so·mal (aw′tō-sō′măl). 常染色体の.

au·to·so·ma·tog·no·sis (aw′tō-sō′mă-tog-nō′sis) [auto- + G. *sōma*, body + *gnōsis*, recognition]. 幻体感（取り除かれた身体の一部がまだ存在していると感じること.→phantom *limb*）.

au·to·so·ma·tog·nos·tic (aw′to-sō′mă-tog-nos′tik). 幻体感の.

au·to·some (aw′tō-sōm) [auto- + G. *sōma*, body]. 常染色体（性染色体以外の染色体．常染色体は通常，体細胞では対をなし，配偶子では単独で存在する）. =euchromosome.

au·to·sug·gest·i·bil·i·ty (aw′tō-sŭg-jes′tĭ-bil′i-tē). 自己暗示性（自己暗示が起こりやすい精神状態）.

au·to·sug·ges·tion (aw′tō-sŭg-jes′chŭn). 自己暗示（①ある観念または概念について常に思考することで，それにより精神機能あるいは身体機能が変わる.→autohypnosis. ②以前に受けた印象を再現し，これを新しい行為や考えの出発点とすること）.

au·to·syn·noi·a (aw′tō-sin-noy′ă) [auto- + G. *synnoia*, deep thought < *syn*, with + *noeō*, to think]. 自閉，内閉（自分に関係のない外界との干渉を拒む精神障害. *cf.* narcissism）. =self-centeredness.

au·to·syn·the·sis (aw′tō-sŏ-sin′thĕ-sis). 自己合成，自己(自家)生殖，自己増殖.

au·to·te·lic (aw′tō-tel′ik) [auto- + G. *telos*, end, completeness, purpose]. 自己目的の（個人の主要目的と密接に結び付いた特性についていう）.

au·to·tem·nous (aw′tō-tem′nŭs) [auto- + G. *temnō*, to cut]. 自己分裂の（あらかじめ接合することなく分裂によって増殖する細胞についていう）.

au·to·tet·ra·ploid (aw′tō-tet′ră-ployd). 同質四倍体（→autoploid).
au·to·ther·a·py (aw′tō-thār′ă-pē). *1* 自家療法. *2* 自然治癒.
au·tot·o·my (aw-tot′ŏ-mē) [auto- + G. *tomē*, a cutting]. 自切，自体損傷（脱出の手段として身体の一部を放棄する行為．例えば，カニの足やトカゲの尾).
au·to·top·ag·no·si·a (aw′tō-top′ag-nō′zē-ă) [auto- + G. *topos*, place + G. *a-* 欠性辞 + *gnōsis*]. 自己身体部位失認([二重字 gn において，g は語頭にあるときのみ無声である]．身体のどの部位も認識または方向特定できないこと．大脳優位半球の損傷の結果起こる状態．頭頂葉の病変による．*cf.* somatotopagnosis).
au·to·tox·e·mi·a (aw′tō-tok-sē′mē-ă). 自家毒血症（血液中に自家中毒物質があり，通常，自家中毒を起こす).
au·to·tox·ic (aw′tō-toks′ik). 自家(自己)中毒の．= autopoisonous.
au·to·tox·i·co·sis (aw′tō-tok′si-kō′sis). = autointoxication.
au·to·tox·in (aw′tō-tok′sin). 自家(自己)毒素．= autointoxicant.
au·to·trans·fu·sion (aw′tō-tranz-fyū′zhŭn). 自己(自家)輸血〔法〕，返血〔法〕(①患者自身の血液を取り出し，その患者に再注入，すなわち輸血すること．一般的には患者自身の血液を数回に分けて採取し，ある程度の出血が予想される手術中に再輸注する．*cf.* autoinfusion. ②緊急の場合，体腔から血液を取り出し，恒常性を維持するために血管内に再注入すること).
au·to·trans·plant (aw′tō-tranz′plant). = autograft.
au·to·trans·plan·ta·tion (aw′tō-tranz′plan-tā′shŭn). 自家(自己)移植〔術〕(①臓器や皮膚，骨，筋肉，腱，神経，動脈や静脈などの他所の組織の移植．遊離移植や血管付き(有茎や微小血管吻合による)移植で，同一人物の他の部位から，例えば腎臓を本来の位置から，腸骨血管がある陰部に近い部位へ．②自家移植を施行すること)．= autografting.
au·to·trip·loid (aw′tō-trip′loyd). 同質三倍体（→autoploid).
au·to·troph (aw′tō-trōf) [auto- + G. *trophē*, nourishment]. 自己栄養体(生物)，独立栄養体(生物)，無機栄養体(生物)(無機物のみを栄養源とする微生物．その際，炭酸ガスが自己栄養体の唯一の炭素源).
au·to·tro·phic (aw′tō-trof′ik). *1* 〚n.〛 自己栄養，独立栄養，無機栄養（自身で栄養を作り出すこと．無機物から食物を作り出す生物の能力). *2* 〚adj.〛 自己栄養体(生物)の，独立栄養体(生物)の，無機栄養体(生物)の.
au·tot·ro·phy (aw-tot′rō-fē). 独立栄養，自己栄養，無機栄養，オートトロフィー（独自で生命を維持し，唯一の炭素源として二酸化炭素を用い，無機物から食物をつくりだすことができる様式).
　carbon a. 炭素独立栄養，炭素オートトロフィー（空気中から二酸化炭素を同化することができる能力).
　nitrogen a. 窒素独立栄養，窒素オートトロフィー（窒素同化，あるいは窒素固定を行うことができる能力).
　sulfur a. 硫黄独立栄養，硫黄オートトロフィー（硫化物を同化することができる能力).
au·to·vac·ci·na·tion (aw′tō-vak′si-nā′shŭn). 自家ワクチン療法（ワクチン跡から得たウイルスあるいは感染しているウイルスから抗原を分離して同一患者に二次接種すること).
au·tox·i·da·tion (aw-tok′si-dā′shŭn). = autooxidation.
au·to·zy·gous (aw′tō-zī′gŭs) [auto- + G. *zygōtos*, yoked]. 同質接合の（血族結婚の結果として，ホモ接合体中に存在する同一祖先由来の遺伝子を意味する).
auxano-, auxo-, aux- (awk-san-o, awk-sō) [G. *auxanō*, to increase]. 大きさ，強さ，速度などの増加に対する関係を表す接頭語.
aux·an·o·gram (awk-san′ō-gram) [auxano- + G. *gramma*, something written]. オキサノグラム，細菌成長検査用平板培養（細菌の成長に及ぼす影響を調べるために，種々の条件が与えられている細菌平板培養).
aux·an·o·graph·ic (awk′san-ō-graf′ik). オキサノグラフィの，細菌成長検査〔法〕の（細菌成長検査用平板培養または細菌成長検出法についていう).
aux·a·nog·ra·phy (awk′să-nog′ră-fē). オキサノグラフィ，細菌成長検査法（細菌成長検査用平板培養を用いて，各種条件の細菌の成長に対する影響を研究する方法).
aux·an·ol·o·gy (awk′sa-nol′ō-jē) [auxano- + G. *logos*, study]. 成長学.
aux·e·sis (awk-sē′sis) [G. increase]. 成長（大きさの増加，特に肥大に関して用いる).
aux·il·ia·ry (awg-zil′yă-rē). [誤った発音 og-zil′ă-rē を避けること]. *1* 〚n.〛 補助的能力. *2* 〚adj.〛 下位の，劣った，二次的な.
aux·il·i·o·mo·tor (awg-zil′ē-ō-mō′tŏr). 運動補助の.
aux·i·lyt·ic (awk′si-lit′ik) [G. *auxō*, to increase + *lysis*, dissolution]. 溶解または破壊現象を助成する.
au·xins (auk′sinz). オーキシン（植物ホルモンの一型).
auxo- (awk-sō). →auxano-.
aux·o·car·di·a (awk′sō-kar′dē-ă) [auxo- + G. *kardia*, heart]. *1* 心拡大（肥大または拡張による心拡大をいう). *2* 心臓拡張期.
aux·o·chrome (awk′sō-krōm) [auxo- + G. *chrōma*, color]. 助色団（色素分子内の化学置換基．これにより色素が組織内の活性末端の置換基と結合する．助色団は吸収強度を増強させる).
aux·o·drome (awk′sō-drōm) [auxo- + G. *dromos*, course]. Wetzel 格子図表に記入されている成長過程.
aux·o·flore (awk′sō-flōr). 助蛍光団（分子中に存在すると蛍光を短い波長の方向にずらしたり，蛍光の放出を増加させる原子または原子団．*cf.* bathoflore).
aux·o·gluc (awk′sō-gluk) [G. *auxanō*, to increase + *glykys*, sweet]. オークソグルック，助甘味原子団（分子中に存在すると甘味を強める原子団).
aux·o·ton·ic (awk′sō-ton′ik). 張力変動性の，増負荷性の（増大する負荷に対して収縮筋が短縮する際の状態を表す．*cf.* isometric (2); isotonic (3)).
aux·o·tox (awk′sō-toks) [G. *auxanō*, to increase + *toxikon*, poison]. 毒物形成因子（分子中に存在すると分子の毒性を強化する原子団).
aux·o·troph (awk′sō-trōf) [auxo- + G. *trophē*, nourishment]. 栄養素要求株（原細菌株(原栄養株)が通常要求しない栄養素を要求するようになった変異細菌株．*cf.* polyauxotroph; monoauxotroph).
aux·o·tro·phic (awk′sō-trof′ik, -trō′fik). 栄養素要求株の.
AV arteriovenous; atrioventricular の略.
ava arteriovenous *anastomosis* の略.
a·val·vu·lar (ā-val′vyū-lăr). 無弁の.
a·vas·cu·lar (ă-vas′kyū-lăr, ā-vas′kyū-lăr). 無血管の（血管またはリンパ管のない．ある種の軟骨のように正常である場合と，疾病による場合とがある)．= nonvascular.
a·vas·cu·lar·i·za·tion (ă-vas′kyū-lar-ī-zā′shŭn, ā-vas′-kyū-lar-ī-zā′shŭn). *1* 駆血（駆血帯またはその他の方法による動脈の圧迫によって身体の一部の駆血を行うこと). *2* 無血管化（瘢痕化などで血管がなくなること).
AVC atrioventricular *conduction* の略.
AVD atrioventricular *dissociation* の略.
A·vel·lis (ah-vel′is), Georg. ドイツ人喉頭科医，1864—1916. →A. *syndrome*.
a·ve·nin (ă-vē′nin). アベニン（約 25% がグルタミルであるプロラミン．カラスムギ *Avena* やいろいろなレグミン(アズキ，エンドウ，ソラマメなど)中に含まれる．栄養価は高いと考えられる)．= legumin; plant casein.
av·er·age (av′ĕr-ij) [M. E. *averays*, loss from damage to ship or cargo < It. *avaris* < Ar. *awariya*, damaged goods + damage]. 平均値，代表値（数値の集合を適切に代表し，要約する値．通常，集合の中のそれぞれの値を均等とみなして平均値を求めるという数学的計算により算出される).
　pure-tone a. 純音聴力平均（500，1,000，2,000 Hz の純音聴力閾値(デシベル)の平均．通常，純音聴力平均は語音聴取閾値とおおよそ同じである).
av·er·mec·tins (av′ĕr-mek′tinz). アベルメクチン類（寄生虫駆除薬の分類で，アイバメクチンを含む．→ivermectin).
aVF, aVL, aVR それぞれ左足(foot (left))，左手(left arm)および右手(right arm)からの補正心電図誘導(augmented electrocardiographic leads)の略.

A·vi·ad·e·no·vi·rus (ā′vē-ad′ĕ-nō-vī′rŭs) [L. *avis*, bird + G. *adēn*, gland + virus]. アデノウイルス科の一属で，鳥類にみられる各種のウイルスの型を含んでいる．

a·vi·an (ā′vē-ăn) [L. *avis*, bird]. 鳥類の．

av·i·din (av′i-din) [L. *avidus*, eager < *aveo*, to crave + -in]. アビジン（ビオチンと高い親和性をもつ卵白由来の糖蛋白．標識されたアビジンはビオチン結合した抗体と結合して，検出の困難な抗原抗体反応物を増幅することができる．アビジンを摂取するとビオチン欠乏症を惹起する）．＝antibiotin.

a·vid·i·ty (ă-vid′ĭ-tē) [L. *avidus*, greedy, eager < *aveo*, to crave]. アビディティ（抗原と対応する抗体の結合活性）．

A·vi·pox·vi·rus (ā′vē-poks-vī′rŭs) [L. *avis*, bird + pox + virus]. ポックスウイルス科の一属で，カナリアポックスウイルスと鶏痘ウイルスを含む鳥類のポックスウイルスを含んでいる．

a·vir·u·lent (ā-vir′yū-lent). 無発病性の，無毒性の．

a·vi·ta·min·o·sis (ā-vī′tă-min-ō′sis). ビタミン欠乏症（正確には hypovitaminosis(ビタミン不足症)）．

conditioned a. 条件付きビタミン欠乏症（身体が吸収するビタミンの供給が需要を満たさない特殊な状況で，病的状態あるいは機能不全によって生じるビタミン欠乏症．例えば，抗生物質により消化管内での細菌によるビタミン合成が減少している状態などがある）．

a·vive·ment (ah-vēv-mawn[h]′) [Fr. *aviver*, to quicken, revive]. 創縁更生切除（治癒過程を促進するための創縁の切除を表す，現在では用いられない語）．

AVM arteriovenous *malformations* の略．

AV node atrioventricular *node* の略．

A·vo·gad·ro (ah′vō-gahd′rō), Amadeo. イタリア人物理学者，1776—1856. →A. *constant*, *hypothesis*, *law*, *number*, *postulate*.

a·void·ance (a-voyd′ants) 回避（精神医学において，葛藤が生じた際に関係性を弱めたり，怖れたり，ひきこもることを表す用語．→attachment. *cf.* approach）．

av·oir·du·pois (av′er-du-poyz′) [Fr. to have weight, corrupted < O. Fr. *avoir*, property + *de*, of + *pois*, weight]. 常衡（16 オンスを 1 ポンドとする衡量系．1 ポンドは 453.59237 g．付録 Weights and Measures 参照）．

AVP antiviral *protein*; arginine *vasopressin* の略．

A-V shunt (shŭnt). arteriovenous *shunt* の略．

a·vul·sion (ă-vŭl′shŭn) [L. *a-vello*, pp. *-vulsus*, to tear away]. 捻除，剝離（無理に引き離すこと．*cf.* evulsion）．

nerve a. 神経裂離，神経捻除（引っ張ることによって，末梢神経が親神経からの分岐部位で引きちぎれること）．

root a. 神経根引き抜き損傷（高度の牽引により脊髄から前後の脊髄神経根が引き抜かれて起きる損傷．第五頸神経根と第一胸神経根に最も頻繁にみられる）．

tooth a. 歯の脱臼（歯槽からの歯の外傷性分離）．

AW atomic *weight* の略．

awareness (ă-wār′nes). 意識性（覚醒し，自分の周囲や外的な現象，また自己の状態を認識できる状態）．

hypoglycemia a. (hī′pō-glī-sē′mē-ă ă-wār′nes). 低血糖感知（血漿グルコース濃度の著しい低下により生じる自律神経性警告徴候を自覚すること）．

ax axis の略．

a·xen·ic (ā-zen′ik) [G. *a-* 欠性辞 + *xenos*, foreign]. 無菌〔性〕の，純培養の（特に純培養についていう．また無菌環境（飼育容器，空気，飼料）の中で生まれ，育てられたような無菌動物についていうときに用いる．→gnotobiote）．

ax·er·oph·thol (ak′ser-of′thōl) [antixerophthalmic + -ol]. アクセロフトール．＝*vitamin* A.

ax·es (ak′sēz). axis の複数形．

ax·i·al (ak′sē-ăl). ***1*** [TA]. 軸の，軸性の．＝axialis [TA]; axile. ***2*** 身体中心部の（四肢と区別して，体の中心部，頭部および体幹についていう．例えば軸骨格）．***3*** 軸の，軸面の（歯科において，歯の長軸についていう）．***4*** 軸位像，横断像（放射線医学においては，軸位像とは，装置が人体の長軸周囲を回転して得られる横断像を意味する）．

ax·i·al·is (ak′sē-al′is) [TA]. ＝axial (1).

ax·if·u·gal (ak-sĭ′fū-găl) [L. *axis* + *fugio*, to flee from]. 軸索遠心性の．＝axofugal.

ax·il (ak′sil). 腋窩．＝axilla.

ax·ile (ak′sīl). ＝axial (1).

ax·il·la, gen. & pl. **ax·il·lae** (ak′sil′ă, ak-sil′ē) [L.][TA]. 腋窩，わきのした（肩関節の下方にある空間で，前は大胸筋，後ろは広背筋，内側は前鋸筋，外側は上腕骨で囲まれる．上方は鎖骨，肩甲骨，第一肋骨の間に開き，下方は腋窩筋膜で閉ざされる．空間内には腋窩動脈，腋窩静脈，リンパ節，リンパ管および結合組織がある．→fossa; axillary *fossa*）．＝axil; axillary cavity; axillary space; maschale.

ax·il·lar·y (ak′sil-ār′ē). 腋窩の．＝alar (2).

axio- (ak′sē-ō) [L. *axis*]. 軸に関する連結形．→axo-.

ax·i·o·buc·cal (ak′sē-ō-bŭk′ăl). 軸面頰面の（歯の軸面と頰面の接合部の，通常は線についていう）．

ax·i·o·buc·co·gin·gi·val (ak′sē-ō-bŭk′ō-jin′ji-văl). 軸面頰面歯肉面の（歯の軸面，頰面，歯肉面の接合部の，通常は点についていう）．

ax·i·o·in·ci·sal (ak′sē-ō-in-sī′săl). 軸面切縁の（歯の切端と軸壁の接合部が形成する線角についていう）．

ax·i·o·la·bi·al (ak′sē-ō-lā′bē-ăl). 軸面唇面の（歯の軸壁と唇側壁の接合部が形成する窩洞の線角についていう）．

ax·i·o·la·bi·o·lin·gual (ak′sē-ō-lā′bē-ō-ling′gwăl). 軸面唇面舌面の（歯の長軸に沿った唇側から舌側への部分についていう）．

ax·i·o·lin·gual (ak′sē-ō-ling′gwăl). 軸面舌面の（歯の軸壁と舌側壁の接合部が形成する窩洞の線角についていう）．

ax·i·o·lin·guo·cer·vi·cal (ak′sē-ō-ling′gwō-ser′vi-kăl). 軸面舌面歯頸面の（歯の窩洞の軸壁，舌側壁，歯頸(歯肉)壁の接合部が形成する点角についていう）．

ax·i·o·lin·guo·gin·gi·val (ak′sē-ō-ling′gwō-jin′ji-văl). 軸面舌面歯肉面の（歯の窩洞の軸壁，舌側壁，歯肉(歯頸)壁の接合部が形成する点角についていう）．

ax·i·o·lin·guo·oc·clu·sal (ak′sē-ō-ling′gwō-ŏ-klū′săl). 軸面舌面咬合面の（歯の窩洞の軸壁，舌側壁，咬合面壁の接合部が形成する点角についていう）．

ax·i·o·me·si·al (sk′sē-ō-mē′zē-ăl). 軸面近心面の（歯の軸壁と近心壁の接合部が形成する窩洞の線角についていう）．

ax·i·o·me·si·o·cer·vi·cal (ak′sē-ō-mē′zē-ō-ser′vi-kăl). 軸面近心面歯頸面の（歯の窩洞の軸壁，近心壁，歯頸(歯肉)壁の接合部が形成する点角についていう）．

ax·i·o·me·si·o·dis·tal (ak′sē-ō-mē′zē-ō-dis′tăl). →axiomesiodistal *plane*.

ax·i·o·me·si·o·gin·gi·val (ak′sē-ō-mē′zē-ō-jin′ji-văl). 軸面近心面歯肉面の（歯の窩洞の軸壁，近心壁，歯肉(歯頸)壁が形成する点角についていう）．

ax·i·o·me·si·o·in·ci·sal (ak′sē-ō-mē′zē-ō-in-sī′săl). 軸面近心面切縁の（歯の窩洞の軸壁，近心壁，切端壁の接合部が形成する点角についていう）．

ax·i·on (ak′sē-on). アキシオン，脳脊髄軸（脳と脊髄についていう）．

ax·io·oc·clu·sal (ak′sē-ō-ŏ-klū′săl). 軸面咬合面の（歯の軸壁と咬合面壁の接合部が形成する線角についていう）．

ax·i·o·plasm (ak′sē-ō-plazm′). ＝axoplasm.

ax·i·o·po·di·um, pl. **ax·i·o·po·dia** (ak′sē-ō-pō′dē-ŭm, -dē-ă). ＝axopodium.

ax·i·o·pul·pal (ak′sē-ō-pŭl′păl). 軸面歯髄面の（歯の窩洞の軸壁と髄壁の接合部が形成する線角についていう）．

ax·i·o·ver·sion (ak′sē-ō-ver′zhŭn). 弯曲（歯の長軸が異常にねじれていること）．

ax·ip·e·tal (ak-sip′ĕ-tăl) [L. *axis* + *peto*, to seek]. 求心性の．＝centripetal (2).

ax·i·ram·if·i·cate (ak′sē-ram-if′i-kāt) [G. *axōn*, axis + *grapho*, to write]. 分枝軸索〔性〕の（一般に軸索が短く，多数の枝に分かれている神経細胞についていう．例えば Golgi II 型細胞）．

ax·is (ax), pl. **ax·es** (ak′sis, ak′sēz) [L. axle, axis]. **[access と混同しないこと]**. ***1*** [TA]. 軸（球面体の 2 極間を通る直線．その周囲を球面体が回転する）．***2*** [TA]. 軸線（身体またはその一部の中心線．次頁の図参照）．***3*** [TA]. 軸椎（第二頸椎）．***4*** 脊椎．＝vertebra C2☆; epistropheus; odontoid vertebra; second cervical vertebra; toothed vertebra; vertebra dentata. ***5*** ＝central nervous *system*. ***6*** 軸動脈（起始直後に多数の枝に分かれる動脈．例えば，celiac a. →trunk）．

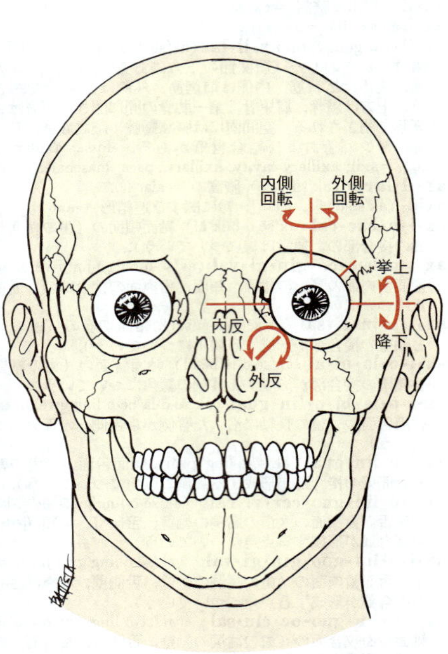

eye motions and axes

basibregmatic a. バジオンブレグマ軸（バジオンからブレグマまでのびている直線）.

basicranial a. 頭蓋底軸（バジオンから蝶篩骨縫合の中点まで引かれる直線）.

basifacial a. 鼻棘頭蓋底軸（鼻棘点から蝶篩骨縫合の中点まで引かれる直線）. ＝facial a.

biauricular a. アウリクラーレ軸（左右の耳介を結ぶ直線. *cf.* auriculare）.

celiac a. ＝celiac (arterial) *trunk.*

cephalocaudal a. 頭尾軸. ＝long a. of body.

cerebrospinal a. 脳脊髄軸（脳と脊髄，すなわち中枢神経系についていう）. ＝encephalomyelonic a.; neural a.

condylar a. 顆軸（左右の下顎骨関節突起を通る線で，下顎が開口運動を行うとき，その周りを回転する）. ＝condyle cord.

conjugate a. 結合線. ＝median *conjugate.*

craniofacial a. 頭蓋基底軸（篩骨，蝶形骨前頭部，蝶形骨基底部，後頭骨底部の各正中部を通る直線）.

electrical a. 電気軸（心臓が活動しているとき発生する起電力の総合した方向. 通常は前額面に現れる. →triaxial reference *system*）.

embryonic a. 胚子軸（胚期に原始線条によって確立された頭尾軸）.

encephalomyelonic a. 脳脊髄軸. ＝cerebrospinal a.

external a. of eye [TA]. 外眼球軸. ＝a. externus bulbi oculi [TA].

a. externus bulbi oculi [TA]. ＝external a. of eye.

facial a. 顔面軸. ＝basifacial a.

axes of Fick (fik). フィック軸（垂直(Z)，冠状面での水平(X)，および矢状面での水平(Y)の中央を通る3つの軸. すべての眼球の回転はこれらの軸のいずれかを中心として記述することができる）.

hinge a. ちょうつがい軸. ＝transverse horizontal a.

hypothalamic-pituitary-adrenal a. (**HPA**) (hī′pō-thă-lam′ik-pi-tū′i-tār-ē-ad-rē′năl ak′sis). 視床下部－下垂体－副腎系（視床下部の傍室核(PVN)，下垂体前葉，副腎皮質より構成されるストレス対応システム. 傍室核より下垂体門脈系にコルチコトロピン分泌刺激ホルモン(CRH)とバソプレッシンが分泌されると下垂体細胞が刺激され，ACTH が末梢血中に分泌される. ACTH は副腎を刺激してコルチゾールの分泌を促進する）.

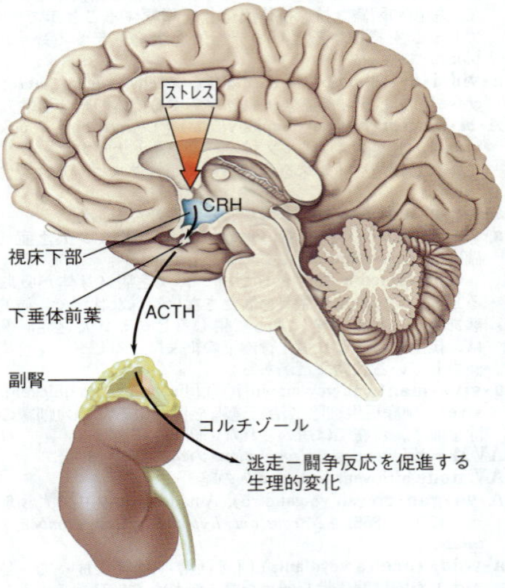

hypothalamic-pituitary-adrenal (HPA) axis

ストレスに応じて副腎からのコルチゾールの分泌を調節するシステム. 副腎皮質刺激ホルモン放出ホルモン(CRH)は，視床下部の傍室核と脳下垂体前葉の間の化学メッセンジャーである. 脳下垂体によって放出された副腎皮質刺激ホルモン(ACTH)は，腎臓の上に位置する副腎まで血流によって移動する. 副腎はコルチゾール放出を刺激し，ストレスへの生理学的反応に影響する.

instantaneous electrical a. 瞬時電気軸（ある瞬間に心臓に発生する起電力の合力）.

internal a. of eye [TA]. 内眼球軸. ＝a. internus bulbi oculi [TA].

a. internus bulbi oculi [TA]. ＝internal a. of eye.

a. of lens 水晶体軸（水晶体の前極と後極を結んだ直線）. ＝a. lentis.

a. lentis 水晶体軸. ＝a. of lens.

long a. 長軸（物体の長軸に対して縦方向の線. 歯科において，歯の軸面に平行に切縁(咬合面)-歯頸側方向にのびる線）.

long a. of body 体長軸（体の横断面の中心をほぼ横切る正中面に想定した直線で，頭蓋の頂点から会陰の中心を通り，両下肢の間を通り，両肢長軸と平行かつ等距離な直線. 理論的には，体が左右対称的に配分されているという前提のうえでの線である. →embryonic a.）. ＝cephalocaudal a.

mandibular a. 下顎軸. ＝transverse horizontal a.

mean electrical a. 平均電気軸（対象としている心臓の事象，例えば，心房脱分極，心室脱分極，または心室再分極の最中に発生したすべての起電力の大きさと方向の平均. →axis *deviation*）.

neural a. 神経軸. ＝cerebrospinal a.

neutral a. of straight beam 直線梁の中立軸（比例限度内の外力に対して，梁の荷重面に垂直な軸で，梁の断面の重力軸にある）.

normal electrical a. 電気軸（−30度と＋90度の間に位置する心臓の平均電気軸. →hexaxial reference *system*）.

opening a. 開口運動軸（下顎の開閉運動時に下顎関節突起がその周りを回転する仮想線. *cf.* fulcrum *line*）.

optic a. [TA]. 視軸（前極と後極を結ぶ眼の軸．通常，視線から5度以上離れる）．＝a. opticus [TA].

a. opticus [TA]. 視軸．＝optic a.

orbital a. 眼窩軸（視神経孔(眼窩先端)の中心から眼窩開口部の中心に，前方，外方，下方に広がっている線）．

pelvic a. 骨盤軸．＝a. of pelvis.

a. pelvis [TA]. 骨盤軸．＝a. of pelvis.

a. of pelvis [TA]. 骨盤軸（骨盤の4平面の各中点を結ぶ仮想線．各平面の高さでそれぞれ中心点を求める）．＝a. pelvis [TA]; pelvic a.; plane of pelvic canal.

principal optic a. 主視軸（屈折系のレンズの中心を表面に対して直角に通る線）．

pupillary a. 瞳孔軸（角膜表面に垂直で，瞳孔の中心を通る線．注視の方向）．

rotational a. 回転軸．＝fulcrum *line.*

sagittal a. 矢状軸（歯科において，作業側顆頭が下顎運動中に前頭面においてその周りを回転する軸）．

secondary a. レンズの光学中心を通る光線．

a. of symmetry 対称軸（粒子(例えばウイルス)が軸上で回転しても，それが同じ形に見える位置が2つ以上あるような平面上にある粒子の軸）．

thoracic a. *1* ＝thoracoacromial *artery.* *2* ＝thoracoacromial *vein.*

thyroid a. ＝thyrocervical (arterial) *trunk.*

transporionic a. 外耳孔の上部中心点を結ぶ仮想線．X線による頭蓋計測法で用いる．→porion.

transverse horizontal a. 水平横走軸（下顎が回転する際の軸となる，水平面上の仮想線）．＝hinge a.; mandibular a.

vertical a. 垂直軸（歯科において，作用側顆頭が下顎運動中に水平面でその周りを回転する軸）．

visual a. 視線（見ている対象から，瞳孔の中心を通って網膜の黄斑へのびる直線）．＝line of vision.

Y-a. Y軸（頭部計測法において，下顎骨の成長の垂直・水平座標の指標の1つで，s(セラ)－グナチオン平面とFrankfort水平面の交差によって生じる下顔面角の大きさ(度)で表す）．

axo- (ak-so) [G. *axōn*, axis]. 軸，脳脊髄軸を意味する連結形．

ax・o・ax・on・ic (ak′sō-sk′son′ik). 軸索軸索間の（2個の神経細胞の各軸索間のシナプス接合についていう．→synapse）．

ax・o・den・drit・ic (ak′sō-den-drit′ik). 軸索樹状突起間の（軸索と樹状突起のシナプス接合についていう．→synapse）．

ax・of・u・gal (ak′sof′ū-găl) [axo- + L. *fugio*, to flee]. ＝axifugal.

ax・o・graph (ak′sō-graf) [axo- + G. *graphō*, to write]. アキソグラフ（キモグラフで記録された目盛りや軸を記入する装置）．

ax・o・lem・ma (ak′sō-lem′ă) [axo- + G. *lemma*, husk]. 軸索鞘（軸索の薄いプラスマ膜）．＝Mauthner sheath.

ax・ol・y・sis (ak-sol′i-sis) [axo- + G. *lysis*, dissolution]. 軸索融解（神経の軸索の破壊）．

ax・on (ak′son) [G. *axōn*, axis]. 軸索（①神経細胞突起のうち単一の突起で，正常条件下では細胞体やその他の細胞突起(樹状突起)からの神経のインパルス伝導を行う，厚さが約0.25—10 μm以上の比較的平滑な糸状突起．長さがめったに1.5 mmを超えない樹状突起と対照的に，親細胞体から遠くまでのびることができる(錐体路の軸索で，長さが40—50 cmのものもある)．厚さが0.5 μm以上の軸索は一般に(脳と脊髄中の)乏突起膠細胞または(末梢神経中の) Schwann細胞によって形成される分節ミエリン鞘に包まれている．樹状突起や神経細胞体のように，神経原線維を多数含む．いくつかの例外を除いて，神経細胞はインパルスを他の神経細胞または効果器(筋細胞または腺細胞)に，それらの軸索のシナプス終末を通してのみ伝達できる．②神経学と他の臨床分野では，樹状突起(→dendrite)の意味で軸索という用語を用いることがある．臨床では樹状突起という用語はあまり用いられない）．

ax・o・nal (ak′sō-năl). 軸索の（広汎性多発性神経障害に関する神経病理学的なタイプを記載するのによく用いられる．疾患を〝脱髄性多発神経障害 demyelinating polyneuropathy〟と区別するのに〝軸索消失多発神経障害 axon loss polyneuropathy〟ではなく，〝軸索性多発神経障害 axonal polyneuropathy〟とよく誤って用いられている）．

ax・o・neme (ak′sō-nēm) [axo- + G. *nēma*, a thread]. 軸糸，アクソネーム，染色糸（①染色体の軸中を走行する中央の糸状体．②＝axial *filament.* ③真核生物の繊毛およびべん毛の中心に存在する微小管に特有の配列で，2本1組の中心束とそれを囲む9組の二重微小管の束よりなる）．

ax・on・og・ra・phy (ak-sŏ-nog′ră-fē). アキソノグラフィ（軸索における電気的変化の描画）．＝electroaxonography.

ax・o・nop・a・thy (aks′on-op′a-thē). 軸索障害（末梢神経線維の軸索を主に侵す(二次性脱髄は起こる)疾患．髄鞘のみを侵す疾患(髄鞘障害)と対照的）．

ax・on・ot・me・sis (ak′son-ot-mē′sis) [axon + G. *tmēsis*, a cutting]. 軸索断裂〔症〕（神経軸索の連続性の破綻で，断裂部以下の軸索変性(ワーラー変性)を生じるが，損傷部の神経支持組織(神経内膜，神経周膜，神経上膜)には目立った傷害がないもの．→neurapraxia; neurotmesis）．

ax・op・e・tal (ak-sop′ĕ-tăl) [axo- + L. *peto*, to seek]. 軸索求心性の．

ax・o・plasm (ak′sō-plazm). 軸索原形質，軸〔索〕漿（軸索の神経細胞形質）．＝axioplasm.

ax・o・po・di・um, pl. **ax・o・po・dia** (ak′sō-pō′dē-ŭm, -ă) [Mod. L. < L. *axis* + G. *podion*: *pous*(*pod-*)(foot)の指小辞]. 有軸仮足，軸足（分化した原形質の硬い軸糸を内部にもつ半永久的な仮足）．＝axiopodium.

ax・o・so・mat・ic (ak′sō-sō-mat′ik) [axo- + G. *sōma*, body]. 軸索細胞体間の（軸索と神経細胞体のシナプス接合についていう．→synapse）．

ax・o・style (ak′sō-stīl) [axo- + G. *stylos*, pillar]. 軸杆，軸索（鞭毛原生動物類において，その長軸に沿って走る細長い支持杆状体または細管で，しばしば後方端から突き出ている．種によって，単一または複数，糸状または硬い，と様々であるが，内骨格構造の役目を果たし，また移動するときに機能を発揮すると思われる）．

ax・ot・o・my (ak-sot′ō-mē) [axo- + G. *tomē*, to cut]. 軸索切断〔術〕（軸索の切開または離断）．

ay・a・hua・sca (ī′ă-wa′skă). アヤフアスカ．＝caapi.

A・ya・la (ah-yah′lă), A.G. イタリア人神経科医，1878—1943．→A. *index*, *quotient.*

A・yer・za (ah-yār′shah), L. アルゼンチン人医師，1861—1918．→A. *disease*, *syndrome.*

Ayre (ār), James Ernest. 20世紀の米国人婦人科医．→A. *brush.*

a・za・cy・clo・nol hy・dro・chlor・ide (ā′ză-sī′klō-nol hī′drō-klōr′īd). 塩酸アザシクロノール（pipradrol hydrochlorideの構造異性体で，その作用に部分的に拮抗する．幻覚や錯乱状態の治療に用いて種々の結果が得られている）．

9-a・za・flu・o・rene (ā-ză-flōr′ēn). 9-アザフルオレン．＝carbazole.

8-a・za・gua・nine (ā-ză-gwah′nēn). 8-アザグアニン（8位のCがNに置換されたグアニン．急性白血病の治療に用いられるグアニン拮抗薬）．＝guanazolo; triazologuanine.

azapirone (āz-ah-pēr-ōn). アザピロン（抗不安作用を有する薬物．→buspirone hydrochloride）．

a・za・pir・ones (ā′za-pī′rōnz). アザピロン（セロトニン1-A受容体作動性の抗不安薬）．

a・za・spi・ro・dec・ane・di・one (ā′ză-spī′rō-dek′ān-dī′ōn). アザスピロデカネジオン（化学的あるいは薬理学的に他の鎮静・抗不安薬と類似していない抗不安薬群．例えば塩酸ブスピロン）．

a・za・thi・o・prine (ā-ză-thī′ō-prēn). アザチオプリン（6-メルカプトプリンの誘導体で，細胞毒・免疫抑制薬として用いる）．

a・ze・o・trope (ā-zē′ō-trōp) [G. *a-* 欠性辞 + *zeō*, to boil + *tropos*, a turning]. 共沸〔混合〕物（液相と気相のどちらにおいても，2種以上の物質の混合比を保ちながら沸騰する液体の混合物をいう．例えば95% エタノール(実際は重量で94.9%，残りは水)）．

halothane-ether a. ハロセン－エーテル共沸混合物（ハロセン68，ジエチルエーテル32の体積割合からなる共沸混合物で，両麻酔薬の長所を兼ね備え，そのうえ不燃性である）．

a・ze・o・tro・pic (ā′zē-ō-trop′ik). 共沸性の（共沸混合物を表

す，またはその特性を示す）．

az·ide (az′īd). アジ化合物（1価の$-N_3$基を含有する化合物）．

az·i·do·thy·mi·dine (AZT) (az′i-dō-thī′mi-dēn). アジドチミジン．＝zidovudine.

azo- (ā′zo, az′o) [Fr. *azote*, Antoine Laurent Lavoisier が唱えた窒素の名称]．≡C–N=N–C≡ 基が分子中に存在することを示す接頭語．*cf.* diazo-.

az·o·bil·i·ru·bin (az′ō-bil-i-rū′bin). アゾビリルビン（van den Bergh 反応において，ジアゾ化スルファニル酸とビリルビンとの濃縮によって生成される赤紫色の色素）．

az·o·car·mine (ā′zō-kar′min). アゾカルミン（組織染色に用いるアゾ色素系の一連の染料）．

az·o·car·mine B, az·o·car·mine G (ā′zō-kar′min) [C.I. 50090, C.I. 50085]．アゾカルミンB，アゾカルミンG（赤色酸性染料で，Bのほうが水に溶けやすい．Heidenhain アザン染色に用いる）．

azo·ic (ă-zō′ik, ā-) [G. *a-* 欠性辞 + *zōikos*, relating to an animal]．無生代の，無生の．

az·ole (az′ōl). アゾール．＝pyrrole.

az·o·lit·min (az′ō-lit′min). アゾリトミン（天然リトマスから得られるか，オルシノールをアンモニア，石灰，カリで酸化することにより合成された紫赤色の色素．pH の指示薬として用い，pH 4.5 で赤色，8.3 で青色を呈す）．

AZOOR (ā′zūr). アズール（acute zonal occult outer *retinopathy* の頭字語）．

a·zo·o·sper·mi·a (ā′zō-ō-sper′mē-ă) [G. *a-* 欠性辞 + *zōon*, animal + *sperma*, seed]．無精子〔症〕（精液中に生きた精子が存在しないこと．精子生成障害．→aspermia）．

az·o·phlox·in (az′ō-flok′sin). アゾフロキシン．＝amido-naphthol red.

az·o·pro·tein (az′ō-prō′tēn). アゾ蛋白（種々の芳香アミンのジアゾニウム誘導体を用いる処理により生成される変性蛋白．抗体形成を誘発し，抗体特異体を立証するために用いる）．

az·o·te·mi·a (az′ō-tē′mē-ă) [azo-(azote) + G. *haima*, blood]．〔高〕窒素血〔症〕，窒素過剰血〔症〕（尿素と他の窒素性物質濃度が血漿中で異常に上昇すること．→uremia）．

nonrenal a., prerenal a. 非腎性高窒素血症，腎前性高窒素血症（一次性腎疾患以外の原因による窒素貯留）．

az·o·tem·ic (az′ō-tēm′ik). 〔高〕窒素血〔症〕の，窒素過剰血〔症〕の．

a·zo·ther·mi·a (az′ō-ther′mē-ă) [azote + G. *thermē*, heat]．窒素血性高体温〔症〕（窒素貯留から起こる発熱に対してまれに用いる語）．

a·zo·tu·ri·a (az′ō-tyūr′ē-ă) [azo- (azote) + G. *ouron*, urine]．窒素尿〔症〕（尿中への尿素の排泄増加）．

az·o·van blue (az′ō-van blū). アゾバンブルー．＝Evans blue.

AZT azidothymidine の略．→zidovudine.

az·ul (azh′ūl) [Sp. blue]．アズール．＝pinta.

az·ure (azh′yūr). アズール（一群の異染性塩基性青色メチルチオニン，またはフェノチアジン色素を示す用語で，特に核や血球の生物学的染料として用いる）．

a. A [C.I. 52005]．アズールA；asymmetrical dimethylthionine chloride（MacNeal 四色血液染色や Romanowsky 血液染色の成分として用いる青色染料．また，ムチン，核酸および肥満細胞顆粒に対する染色にも用いる．組織の強酸性物質に対し異染性紫色から赤色を示す）．

a. B [C.I. 52010]．アズールB；trimethylthionine chloride（アズールAのように用いる青色染料．また，RNA や DNA に異染性染色するためのアズールB臭化物としても用いる）．

a. C [C.I. 52002]．アズールC；monomethylthione chloride（ムチンや軟骨の異染性染色に用いる青紫色のチアジン染料）．

a. I アズールI（アズールAとアズールBの混合物）．＝methylene azure.

a. II アズールII（アズールIとメチレンブルーの混合物．エオシネート，すなわちアズールII–エオシンは Giemsa 染色法で用いる主成分である）．

az·u·res·in (azh′ū-res′in). アズレジン（アズールAとカルバクリル樹脂の錯体．挿管を用いないで行う無酸症の検出の際の指示薬として用いる）．＝quinine carbacrylic resin.

az·u·ro·phil, az·u·ro·phile (azh-ū′rō-fil, -fil) [azure + G. *philos*, fond]．アズール〔親和〕性の，アズール好性の（アズール染料に容易に染まる．特にクロマチン（染色質）過多やある種の血球の赤紫色の顆粒についていう）．

az·u·ro·phil·i·a (azh-ū′rō-fil′ē-ă). 好アズール細胞血症，アズール好性球増多症（血中にアズール好性顆粒をもつ細胞が存在する状態）．

azy·go·gram (az′i-gō-gram) [azygos + G. *gramma*, a writing]．奇静脈造影(撮影)写真（造影剤注入後の奇静脈系のX線像）．

azy·gog·ra·phy (az′i-gog′ră-fē). 奇静脈造影(撮影)〔法〕，奇静脈写（造影剤注入後の奇静脈系のX線撮影）．

az·y·gos (az′ī-gos) [G. *a-* 欠性辞 + *zygon*, a yoke]．*1* 奇性，不対（対をなさない解剖学的構造）．*2* ＝azygos *vein*.

a. continuation (of the inferior vena cava)〔下大静脈の〕奇静脈連続（下大静脈の肝臓下部が形成不全を起こす先天性破格で，下半身の血液は右上主静脈の遺残によって戻されるため，巨大な奇静脈ができる）．

az·y·gous (az′ī-gŭs, ă-zī′gŭs) [L. *azygos*]．単一の，奇数の，不対の，奇の．

B

β ベータ（[印刷文字では，本ギリシア文字の代わりにドイツ語の合成文字βを使わないこと]．①ギリシア語アルファベットの第2字 beta．②化学において系列中の2番目．例えば官能基(例えばカルボキシル基)から数えて2番目の炭素，あるいは観察者(見る人)の方向に化学結合が向いていることを示す．この接頭語をもつ用語については各項参照．③圧力係数)．

β^+ 陽電子の記号．

β^- 電子の記号．

B ***1*** ホウ素の元素記号．アスパラギン酸またはアスパラギンのいずれかが存在するか，どちらであるか不明な場合に用いる記号．ブロモウリジンを示す記号．多基質酵素触媒反応での第2番目の基質を表す記号．***2*** 下付き文字として気圧 barometric *pressure* を表す．

b ***1*** 下付き文字として，血液を表す．***2*** ラテン語 *bis*(2回)；barn の略．

Ba バリウムの元素記号．

Bab·bitt (bab′it), Isaac. 米国人発明家，1799—1862. ⇀B. *metal*.

Bab·cock (bab′kok), Stephen M. 米国人化学者，1843—1931. ⇀B. *tube*.

Ba·bès (bah′besh), Victor. ルーマニア人細菌学者，1854—1926. ⇀*Babesia*; B. *nodes*.

Ba·be·si·a (bă-bē′zē-ă) [V. *Babès*]. バベシア属（経済上，最も重視されている原生動物バベシア科の一属．特徴としては，宿主の赤血球中で増殖し，対体や四裂体をつくる．ほとんどの種類の家畜にバベシア症(ピロプラスマ症)を起こし，また2つの種は，脾摘した患者あるいは正常人に疾病を起こす．媒介動物は，マダニやヒメダニである)．

B. divergens 西・中央ヨーロッパにおいてウシのバベシア症をもたらす．マダニの一種 *Ixodes ricinus* によって媒介される．本種はヨーロッパにおいて脾摘したヒトにヒトバベシア症を起こさせる．トナカイにも寄生がみられる．

B. microti マラリア原虫に類似の原虫で，本来，北米産の数種のげっ歯類(*Peromyscus* および *Microtus* spp.)に寄生する種．ヒト感染例が米国から報告されている．マダニ属の *Ixodes scapularis* がこの地方の媒介動物である．*I. scapularis* の豊富な血液供給源として働くシカ類の増加に伴い，近年原虫数と感染レベルが著しく上昇している．→*Borrelia burgdorferi*.

Ba·be·si·el·la (bă-bē′zē-el′ă). ⇀*Babesia*.

Ba·be·si·i·dae (ba′bē-zī′i-dē, -zē′i-dē). バベシア科（種々の哺乳類の赤血球にみられる寄生原生動物(胞子虫綱ピロプラズマ目)の一科．梨状，球状，あるいは卵円状で，赤血球内で増員生殖(シゾゴニー)して四裂体を，また二分裂により対体を形成する．ダニによって媒介される．本科には，*Babesia*属，*Echinozoon*属および *Entopolypoides*属が含まれる．以前，本科とされた *Aegyptianella*属は，現在ではリケッチアと考えられている．→Theileriidae)．

ba·be·si·o·sis (bă-bē′zē-ō′sis). バベシア症（ダニによって伝染する *Babesia*属の原虫によって引き起こされる感染症．動物の宿主としてはウシ，ヒツジ，シカ，およびイヌがある．ヒトにおける無症候性感染は多いと考えられているが，症状が発現するような疾患は限局した地域において散発性にしか認められない．免疫不全状態にあるヒトや脾摘を受けたヒトでは感染の危険性が高い．本疾患の臨床徴候としては，発熱，悪寒，血色素尿と黄疸を伴う溶血性貧血がある．重篤な場合には，心不全，腎不全，呼吸困難，中枢神経の異常といった併発症が認められることがある．動物と同様，ヒトにおける罹患率と死亡率は年齢とともに高くなる)．＝piroplasmosis.

human b. ヒトのバベシア症（*Babesia*属の種の感染によるまれなヒトの疾患(ヨーロッパでは *B. divergens* が最も多く，米国では *B. microti*)で，脾摘をしたヒトでは致命的であった)．

Ba·bin·ski (bă-bin′skē), Joseph F. フランス人神経科医，1857—1932. ⇀B. *phenomenon*, *reflex*, *sign*, *syndrome*.

ba·by (bā′bē). 乳児（新生児)．

blue b. 青色児（血液の不完全酸素飽和を引き起こす先天性の心臓障害または肺障害のため，チアノーゼを生じた新生児を表す一般用語あるいは廃語)．

blueberry muffin b. ブルーベリーマフィン児（紫色の皮膚病変をもち，ブルーベリーマフィンに外観が似ている新生児．病変は皮膚の赤血球新生やサイトメガロウイルス，トキソプラズマ，風疹などの先天感染に認められる．感染は骨髄における血球の正常な産生を妨げる)．

collodion b. [MIM*146600]．コロジオン児（層状魚鱗癬の新生児．生下時，皮膚が明赤色，光沢，透明感を呈してひきつり，コロジオンを塗ったように顔面が動かずゆがんだ表情をした新生児．皮膚の収縮により外反症が起こり，鼻は押し下げられたようになり，口と唇は裂けている．常染色体優性遺伝)．

test-tube b. 試験管ベビー（体外受精胚移植で生まれた児の通称で俗語)．

bac·cate (bak′āt) [L. *bacca*, berry]. 漿果様の．

Ba·ccel·li (bă-chel′ē), Guido. イタリア人医師，1832—1916. ⇀B. *sign*.

bac·ci·form (bak′sĭ-fōrm) [L. *bacca*, berry]. 漿果状の．

Bach·man (bahk′măn), George W. 20世紀初頭の米国人寄生虫学者．⇀B.-Pettit *test*; B. *test*.

Bach·mann (bahk′măn), Jean George. 米国人生理学者，1877—1959. ⇀B. *bundle*.

Ba·cil·la·ce·ae (bă′si-lā′sē-ē). バチルス科，バシラス科（グラム陽性杆菌で，好気性または通性嫌気性，芽胞形成性で，通常は運動性の細菌(真正細菌目)の一科．病原性の種類もいくつかある．普通は *Bacillus*属および *Clostridium*属の2属を含める．標準属は *Bacillus*)．

ba·cil·lar, bac·il·la·ry (bas′i-lar, bas′i-lā-rē). 杆菌〔性〕の，細菌〔性〕の，杆状〔体〕の．

ba·cil·le Cal·mette-Gué·rin (BCG) (bah-sēl′ kahl-met′ gā-rĭn[h]′) [Fr.]. カルメット－ゲラン杆菌（BCGワクチンの調製に用いるウシ型結核菌 *Mycobacterium bovis* の弱毒株．結核菌および癌に対する免疫力増強に利用される)．＝Calmette-Guérin bacillus.

bac·il·le·mi·a (bas′i-lē′mē-ă) [bacillus + G. *haima*, blood]. 菌血〔症〕（循環血液中に細菌が存在する状態)．

ba·cil·li (bă-sil′ī). bacillus の複数形．

ba·cil·li·form (ba-sil′i-fōrm) [L. *bacillus*, a rod + *forma*, form]. 杆状の．

ba·cil·lin (ba-sil′in). バシリン（枯草菌 *Bacillus subtilis* により産生される抗生物質)．

ba·cil·lo·myx·in (ba-sil′ō-mik′sin) [*Bacillus* + G. *mykēs*, fungus + -in]. バシロミキシン（枯草菌 *Bacillus subtilis* の培養によって生じる抗生物質．ある種の病原性真菌に対して，活性を有する)．

bac·il·lo·sis (bas′i-lō′sis). 杆菌症（杆菌による全身感染)．

bac·il·lu·ri·a (bas′i-lyū′rē-ă) [bacillus + G. *ouron*, urine]. 細菌尿〔症〕（尿中に細菌，特に杆菌が存在する状態)．

Ba·cil·lus (ba-sil′ŭs) [L. *baculus* (rod, staff)の指小辞]. バチルス属，バシラス属（グラム陽性杆菌で，好気性または通性嫌気性，芽胞形成性で，通常は運動性のバチルス科細菌の一属．運動細胞は周毛性．芽胞は厚い壁をもち，グラム染色ではわずかしか染まらない．これらの細菌はその発育に有機栄養素を必要とし，主に土壌中にみられる．少数のものは動物病原体となる．抗体産生を喚起する種もある．標準種は *B. subtilis*)．

B. anthracis 炭疽菌（ヒト，ウシ，ブタ，ヒツジ，ウサギ，モルモット，マウスに炭疽を起こす細菌種．莢膜と関連した毒性のあるプラスミドと毒素産生がある．⇀anthrax)．

B. brevis 短バチルス（土壌，空気，ほこり，ミルク，チーズの中にみられる細菌種．抗生物質グラミシジンまたはチロシジンを産生する菌株もある)．

B. cereus ヒトに嘔吐型および下痢型の食中毒を起こす細菌種．ヒトや他の哺乳類の感染症，および外傷を受けた眼に破壊的な重度の感染を起こすことがある．

B. circulans 土壌中に認められる細菌種で，敗血症，混

合膿瘍感染，さらに創傷感染を含むヒト感染症の原因となる．

B. hemolyticus *Clostridium haemolyticum* の旧名．

B. histolyticus *Clostridium histolyticum* の旧名．

B. megaterium 巨大菌（実験的に重要な腐生細菌種．その菌株はバクテリオシン(メガシン)を産生する)．

B. polymyxa 土壌，水，ミルク，糞便，腐敗野菜にみられる細菌種．抗生物質ポリミキシンを産生する菌株もある．

B. pumilis 通常は腐生菌であるが，食中毒やまれに膿瘍，あるいは腸瘻孔の形成に関与する．

B. sphaericus 昆虫病原菌の一種で，ヒトや他の哺乳類の偶発的感染症，特に免疫不全の宿主の感染に関連する細菌種．ヒト感染では，髄膜炎，心内膜炎，食中毒が知られている．

B. subtilis 枯草菌（[種名 *subtilis* の発音は sub-tī′lis が正しい]．土壌および分解有機物内にみられる細菌種．抗生物質スブチリン，スブテノリン，またはバシロマイシンを産生する菌株もある．主として免疫不全患者でのヒト感染および食中毒に関与している．*Bacillus*属の標準種)．＝grass bacillus; hay bacillus.

B. thuringiensis ベクターコントロールに用いられる昆虫病原性の細菌種で，ヒトや哺乳類の感染症にも関連している．実験室では *B. cereus* の株の１つと誤同定されることがある．

ba·cil·lus, pl. **ba·cil·li** (ba-sil′ŭs, -ī) ［L. *baculus*(a rod, staff)の指小辞］．***1*** *Bacillus*属の細菌を表すのに用いる通称．***2*** 杆状の形態を示すすべての細菌を表すのに用いられる語．

abortus b. ウシ流産菌．＝*Brucella abortus*.

Battey b. (bat′ē)［ジョージア州 Rome の Battey 病院］．バテー杆菌．＝*Mycobacterium intracellulare*.

blue pus b. 緑膿菌．＝*Pseudomonas aeruginosa*.

Bordet-Gengou b. (bōr-dā′ jahn-gū′)．ボルデー－ジャングー杆菌．＝*Bordetella pertussis*.

Calmette-Guérin b. (kahl-met′ gā-rĭn[h]′)．＝bacille Calmette-Guérin.

cholera b. コレラ菌．＝*Vibrio cholerae*.

coliform bacilli (kō′li-fōrm, kol′i-fōrm)．大腸菌型細菌（大腸菌 *Escherichia coli* に対する一般名で，水の糞便汚染の指示に用いられ，大腸菌数として測定される．ときに乳糖発酵性腸内細菌全体に用いられる)．

colon b. 大腸菌．＝*Escherichia coli*.

comma b. コンマ菌．＝*Vibrio cholerae*.

Döderlein b. (der′dĕr-līn)．デーデルライン杆菌（正常な腟分泌中にみられる大きなグラム陽性杆菌．アシドフィルス菌 *Lactobacillus acidophilus* と同一の細菌ともいわれるが，確かではない)．

Ducrey b. (dū-krā′)．デュクレー杆菌．＝*Haemophilus ducreyi*.

dysentery b. 赤痢菌（赤痢を起こす赤痢菌属 *Shigella* の細菌)．

Eberth b. (ā′berth)．エーベルト杆菌．＝*Salmonella typhi*.

Flexner b. (fleks′nĕr)．フレクスナー杆菌．＝*Shigella flexneri*.

Friedländer b. (frēd′len-dĕr)．フリートレンダー杆菌．＝*Klebsiella pneumoniae*.

gas b. ガス杆菌．＝*Clostridium perfringens*.

grass b. 枯草菌．＝*Bacillus subtilis*.

Hansen b. (hahn′sĕn)．ハ〔ー〕ンセン杆菌．＝*Mycobacterium leprae*.

hay b. 枯草菌．＝*Bacillus subtilis*.

Hofmann b. (hof′mahn)．ホフマン杆菌．＝*Corynebacterium pseudodiphtheriticum*.

influenza b. インフルエンザ菌．＝*Haemophilus influenzae*.

Kitasato b. (kit′ah-sah-tō)．北里杆菌．＝*Yersinia pestis*.

Klebs-Loeffler b. (klebz lef′lĕr)．クレープス－レフラー杆菌．＝*Corynebacterium diphtheriae*.

Koch b. (kok)．コッホ杆菌．＝*Mycobacterium tuberculosis*.

Koch-Weeks b. (kok wēks)．コッホ－ウィークス杆菌．＝*Haemophilus aegyptius*.

lactic acid b. 乳酸杆菌（乳酸杆菌属 *Lactobacillus* の細菌)．

leprosy b. らい菌．＝*Mycobacterium leprae*.

Loeffler b. (lef′lĕr)．レフラー杆菌．＝*Corynebacterium diphtheriae*.

Moeller grass b. (mĕr′lĕr)．メラー牧草杆菌．＝*Mycobacterium phlei*.

Morgan b. (mōr′găn)．モーガン杆菌．＝*Morganella morganii*.

Much b. (mūk)．ムーフ杆菌（抗非酸性顆粒で，結核菌の変型と考えられるもの．Ziehl 染料では染色されないが，変法グラム染色では染色される．結核皮膚病変にみられる構造をもつといわれている)．

necrosis b. 壊死杆菌．＝*Fusobacterium necrophorum*.

paracolon b. パラ大腸菌（ラクトースを速やかに発酵させることができない種々の腸内細菌の総称)．

paradysentery b. パラ赤痢菌．＝*Shigella flexneri*.

paratyphoid b. パラチフス菌（パラチフス熱を起こす３種の細菌(A，B，C)のうちの１つ．→paratyphoid *fever*)．

plague b. ペスト杆菌．＝*Yersinia pestis*.

Shiga b. (shē′gah)．志賀杆菌．＝*Shigella dysenteriae*.

Shiga-Kruse b. (shē′gah krūs)．志賀－クルーゼ杆菌．＝*Shigella dysenteriae*.

tubercle b. 結核菌（①＝*Mycobacterium tuberculosis*．②＝*Mycobacterium bovis*)．

typhoid b.〔腸〕チフス菌．＝*Salmonella typhi*.

Vincent b. ヴァンサン杆菌（恐らく *Fusobacterium nucleatum*)．

Weeks b. (wēks)．ウィークス杆菌．＝*Haemophilus influenzae*.

Welch b. ウェルチ(ウェルシュ)杆菌．＝*Clostridium perfringens*.

Whitmore b. ホウィットモー杆菌．＝*Burkholderia pseudomallei*.

bac·i·tra·cin (bas′i-trā′sin)［*Bacillus*＋Margaret *Tracy*, source of orig. culture］．バシトラシン（既知の化学構造をもつ抗菌性，抗生のポリペプチド．好気性菌，グラム陽性菌，有芽胞子性杆菌(*Bacillus subtilis* 群に含まれる)の培養から分離される．溶血連鎖球菌，ブドウ状球菌，およびいくつかのグラム陽性で好気性の杆菌に対して活性がある．通常，局所的に用いる．亜鉛バシトラシンも用いられる)．

back (bak)［TA］．→dorsum．***1*** 背部（頸より下，殿部より上の体幹の後面)．***2*** 背（脊柱，その周囲の筋(脊椎起立筋と横突棘筋)とその上をおおう皮膚)．

adolescent round b. 青年期円背．＝Scheuermann *disease*.

hollow b. 凹背．＝lordosis.

poker b. ポーカー背．＝*spondylitis* deformans.

saddle b. 鞍背．＝lordosis.

back·ache (bak′āk)．背〔部〕痛（背の痛みを表すのに用いる非特異的用語．一般には頸部より下の痛みに対して用いる)．

back·bone (bak′bōn)．脊柱．＝vertebral *column*.

back·cross (bak′kros)．***1*** 戻し交雑，戻し交配（着目する遺伝子座に関してホモ接合体の動物とヘテロ接合体の動物との間で交配すること．通常は近交系で行われる)．***2*** 検定交雑．＝testcross.

back·flow (bak′flō)．逆流（正常の液体または電気とは逆方向の流れ．→regurgitation; retrograde)．

pyelovenous b. 腎盂静脈逆流（腎盂から腎静脈系への液体(尿や注入した造影剤)の逆流で，遠位ネフロンの閉塞や腎集合管への液体の注入の際に起きる)．

back·ground (bak′grownd)．バックグラウンド，背景信号（検体を入れない状態での機器の反応)．

back·ing (bak′ing)．裏装（歯科において，陶歯を義歯に装着するのに用いる金属性支持物)．

back-knee (bak′nē)．反張膝．＝*genu* recurvatum.

back·pro·jec·tion (bak′prō-jek′shŭn)．逆投影〔法〕（CT あるいは画像再構成に複数の投影を必要とする他の画像化技法において，測定されたX線データに対する構造物内各ボクセルの寄与を計算するアルゴリズムで，画像を生成するために用いられる．最も古く，簡単な画像再構成法)．＝apical lordotic projection.

back·scat·ter (bak′skat-ĕr)．後方散乱（一次線より 90度以上後方へ向かって発生した二次放射線．→scattered *radia-*

細菌の分類

界：　原核生物prokaryotes（Prokaryotae）		
門Ⅰ：グラキリクテスgracilicutes（ほとんどグラム陰性菌）		
スピロヘータSpirochetes		
目Ⅰ：スピロヘータSpirochaetales	科Ⅰ　：スピロヘータSpirochaetaceae	属：例えば，*Treponema*，*Borrelia*
	科Ⅱ　：レプトスピラLeptospiraceae	属：*Leptospira*
好気性または微好気性，運動性，らせんまたは弯曲グラム陰性細菌		属：例えば，*Spirillum*，*Campylobacter*
グラム陰性好気性桿菌および球菌		
	科Ⅰ　：シュードモナスPseudomonadaceae	属：例えば，*Pseudomonas*，*Xanthomomas*
	科Ⅶ：レジオネラLegionellaceae	属：*Legionella*
	科Ⅷ：ナイセリアNeisseriaceae	属：例えば，*Neisseria*，*Moraxella*，*Acinetobacter*，*Kingella*
その他の属：例えば，*Alcaligenes*，*Brucella*，*Bordetella*，*Flavobacterium*，*Francisella*		
グラム陰性通性嫌気性杆菌		
	科Ⅰ　：腸内細菌	属：*Escheria*，*Shigella*，*Salmonella*，*Citrobacter*，*Klebsiella*，*Enterobacter*，*Erwinia*，*Serratia*，*Hafnia*，*Edwardsiella*，*Proteus*，*Providencia*，*Morganella*，*Yersinia*
	科Ⅱ　：ビブリオVibrionaceae	属：*Vibrio*，*Aeromonas*，*Plesiomonas*
	科Ⅲ　：パスツレラPasteurellaceae	属：*Pasteurella*，*Haemophilus*，*Actinobacillus*
その他の属：*Zymomonas*，*Chromobacterium*，*Cardiobacterium*，*Calymmatobacterium*，*Gardnerella*，*Eikenella*，*Streptobacillus*		
嫌気性グラム陰性直線状，弯曲状，またはらせん状杆菌		
	科Ⅰ　：バクテロイデスBacteroidaceae	属：例えば，*Bacteroides*，*Fusobacterium*，*Leptotriichia*
嫌気性グラム陰性球菌		
	科：ベイヨネラVeillonellaceae	属：例えば，*Veillonella*他
リケッチア		
目Ⅰ：リケッチアRickettsiales	科Ⅰ：リケッチアRickettsiaceae	属：例えば，*Rickettsia*，*Coxiella*
	エールリヒアEhrlichiaeae	属：例えば，*Ehrlichia*
	科Ⅱ：バルトネラBartonellaceae	属：例えば，*Bartonella*
目Ⅱ：クラミジアChlamydiales	科Ⅰ：クラミジアChlamydiaceae	属：*Chlamydia*
門Ⅱ：フィルミクテスFirmicutes（ほとんどグラム陽性菌）		
グラム陽性球菌		
	科：ミクロコッカスMicrococcaceae	属：*Micrococcus*，*Stomatococcus*，*Planococcus*，*Staphylococcus*
	科：ディノコッカスDeinococcaceae	属：*Deinococcus*
その他の細菌：例えば，*streptococcus*，*pediococcus*，*peptococcus*，*peptostreptococcus*		
内生胞子形成グラム陽性杆菌および球菌		属：例えば，*Bacillus*，*Clostridium*
内生胞子非形成グラム陽性規則杆菌		属：例えば，*Lactobacillus*，*Listeria*，*Erysipelothrix*
内生胞子非形成グラム陽性不規則杆菌		属：例えば，*Corynebacterium*，*Gardnerella*，*Brevibacterium*，*Propionibacterium*，*Eubacterium*，*Actinomyces*，*Bifidobacterium*
ミコバクテリアMycobacteria	科：ミコバクテリアMycobacteriaceae	属：*Mycobacterium*
ノカルジアNocardioforms		属：例えば，*Nocardia*
門Ⅲ：テネリクテスTenericutes（細胞壁を欠く）綱Ⅰ：モリクテスMollicutes		
目Ⅰ：マイコプラズマMycoplasmatales	科Ⅰ：マイコプラズマMycoplasmataceae	属：*Mycoplasma*，*Ureaplasma*
門Ⅳ：メンドシクテスMendosicutess		
綱Ⅰ：古細菌Archaeobacteria（細胞壁はムラミン酸をもたない）		メタン生成細菌，高度好塩性b，高度好熱性b

tion).

back·track·ing (bak-trak′ing). バックトラッキング（RNAポリメラーゼがDNA鋳型上，逆方向に移動していること．これにより転写が活発に行われている所より3′末端でいくつかの塩基対がその結合を開裂するときに生じる状態よりもっと安定となる）．

Ba·con (bā-kŏn), Harry E. 20世紀の米国人肛門病専門医．→B. *anoscope*.

bac·te·re·mi·a (bak′tēr-ē′mē-ă) [bacteria + G. *haima*, blood]. 菌血〔症〕（循環血液中に生菌が存在すること．歯科を含めた医療に関連した外傷により一過性に起こる場合と感染により持続的または繰返し起こる場合がある）．= bacteriemia.

bacteri- (bak-tēr′ē). → bacterio-.

bac·te·ri·a (bak-tēr′ē-ă). [本語を単数名詞として用いないこと(ただしスペイン語では bacteria が単数形，bacterias が複数形である)]. bacterium の複数形．前頁の表参照．

blue-green b. 藍染細菌（→Cyanobacteria）．

cell wall-defective b. 細胞壁の欠損か損傷を受けた細菌で，形態学的には，ほとんどあるいはまったく細胞壁をもっていない丸い構造をしたスフェロプラストとなるか，あるいは球根状に突出した部分があったりなかったりするような糸状形に発展する．

coryneform b. コリネ型細菌群（非ジフテリア型の *Corynebacterium*属の一般名．通常は非病原性でヒトや動物の皮膚や口腔咽頭内細菌叢に属する．ときとして，免疫抑制状態にある宿主では日和見感染症を起こすことがある）．

bac·te·ri·al (bak-tēr′ē-ăl). 細菌〔性〕の．

bac·te·ri·cho·li·a (bak′tēr-i-kō′lē-ă). 胆汁細菌症（胆汁に細菌が存在する状態）．

bac·te·ri·cid·al (bak-tēr′i-sī′dăl). 殺菌〔性〕の（*cf.* bacteriostatic）．= bacteriocidal.

bac·te·ri·cide (bak-tēr′i-sīd) [bacteria + L. *caedo*, to kill]. 殺菌作用を有する薬物．*cf.* bacteriostat. = bacteriocide.

specific b. 特異的殺菌素（特定の細菌の一種または一属に対してのみ殺菌作用のある特異溶菌性免疫血清）．

bac·ter·id (bak′ter-id) [bacteria + *-id* (1)]. 細菌〔性皮〕疹（①掌蹠に孤立性・無菌性膿疱が再発的または持続的に生じるもの．遠隔部の細菌感染症に対するアレルギー反応であると考えられる．②それまでは局所性であった細菌性皮膚感染症が播種性に生じたもの）．

bac·te·ri·e·mi·a (bak-tēr′ē-ē′mē-ă). = bacteremia.

bacterio-, bacteri- (bak-tēr′ē-ō, bak-tēr′ē) [→bacterium]. 細菌に関する連結形．

bac·te·ri·o·ag·glu·ti·nin (bak-tēr′ē-ō-ă-glū′ti-nin). 細菌凝集素（細菌を凝集する抗体）．

bac·te·ri·o·chlo·rin (bak-tēr′-ē-ō-klōr′in). バクテリオクロリン；7,8,17,18-tetrahydroporphyrin（バクテリオクロロフィルの基本構造）．

bac·te·ri·o·chlo·ro·phyll (bak-tēr′ē-ō-klōr′ō-fil). バクテリオクロロフィル（光合成細菌に存在するクロロフィル構造で，いくつかの型がある．ⓘ b. *a*（バクテリオクロロフィル *a*）：クロロフィル *a* の構造の $-CH{=}CH_2$ 基が $-CO-CH_3$ 基で置換され，2つの水素原子も付加している．紅色細菌の光合成色素．ⓘⓘ b. *b*（バクテリオクロロフィル *b*）：クロロフィル *b* の構造の $-CH{=}CH_2$ 基が $-CO-CH_3$ 基で置換され，$-CH_2-CH_3$ 基が $-C{\equiv}CH$ 基で置換されたもの．2つの水素原子も付加している）．

bac·te·ri·o·cid·al (bak-tēr′ē-ō-sī′dăl). = bactericidal.

bac·ter·i·o·cide (bak-tēr′ē-ō-sīd). = bactericide.

bac·te·ri·o·cid·in (bak-tēr′ē-ō-sī′din). 殺菌素（殺菌作用をもつ抗体）．

bacteriocin (bak-tēr-ē-ō′sin). バクテリオシン（細菌が他の類似細菌の増殖を抑制するために産生する抗菌蛋白）．

bac·te·ri·o·cin·o·gens (bak-tēr′ē-ō-sin′ō-jenz). = bacteriocinogenic *plasmids*.

bac·te·ri·o·cins (bak-tēr′ē-ō-sinz). バクテリオシン（バクテリオシン産生プラスミドを有する細菌によってつくられる蛋白．密接な関係にある細菌に対して致死効果を発揮する．一般に，抗生物質より作用範囲は狭く，強力である）．

bac·te·ri·o·flu·o·res·cin (bak-tēr′ē-ō-flōr-es′in). バクテリオフルオレシン（細菌によってつくられる蛍光物質）．

bac·te·ri·o·gen·ic (bak-tēr′ē-ō-jen′ik). 細菌性の．

bac·te·ri·og·e·nous (bak-tēr′ē-oj′e-nŭs). *1* 細菌発生〔性〕の．*2* 細菌性の（細菌が原因となる）．

bac·te·ri·oid (bak-tēr′ē-oyd) [bacterio- + G. *eidos*, resemblance]. *1*〖adj.〗細菌様の．*2*〖n.〗豆科植物の根瘤部分の細胞内での *Rhizobium*属の菌種(根粒菌)の状態．

bac·te·ri·o·log·ic, bac·te·ri·o·log·i·cal (bak-tēr′ē-ō-loj′ik, -i-kăl). バクテリアの，細菌学の．

bac·te·ri·ol·o·gist (bak-tēr′ē-ol′ŏ-jist). 細菌学者．

bac·te·ri·ol·o·gy (bak-tēr′ē-ol′ŏ-jē) [bacterio- + G. *logos*, study]. 細菌学（細菌の研究に関する科学）．

systematic b. 系統細菌学（命名法および分類法(生物分類学)に関する細菌学の一部門）．

bac·te·ri·o·ly·sin (bak-tēr′ē-ol′i-sin). 溶菌素（細菌細胞(すなわち抗原)と結合する特異抗体．補体があれば細菌細胞の溶解または分解を起こす）．

bac·te·ri·ol·y·sis (bak-tēr′ē-ol′i-sis) [bacterio- + G. *lysis*, dissolution]. 溶菌，溶菌反応，溶菌作用，溶菌現象（酵素，低張液，特異抗体および補体などにより細菌が溶解すること）．

bac·te·ri·o·lyt·ic (bak-tēr′ē-ō-lit′ik). 溶菌性の（細菌細胞を溶解する能力についていう）．

bac·te·ri·o·lyze (bak-tēr′ē-ō-līz). 溶菌する（細菌細胞の消化または溶解を引き起こす）．

bac·te·ri·o·pex·y (bak-tēr′ē-ō-pek′sē) [bacterio- + G. *pēxis*, fixation]. 細菌不活化（食細胞による細菌の不活化）．

bac·te·ri·o·phage (bak-tēr′ē-ō-fāj) [bacterio- + G. *phagō*, to eat]. 〔バクテリオ〕ファージ（[誤った発音 bak-te′rē-ō-fahzh を避けること．誤ったつづりや発音 bacterialphage を避けること]．細菌に対して特異的な感染性を有するウイルス．藍細菌門を含む，基本的にはすべての細菌(原核生物)に見出される．他のウイルスと同様，RNA または DNA どちらかをもつ(両方ということはない)．構造は，一見簡単な線維状細菌ウイルスから収縮性の尾部をもつ比較的複雑な形まである．宿主細菌との関係はきわめて特異的で，テンペレートファージでみられるように宿主菌とは遺伝的に近い関係にある．ファージの命名は，〝コリネバクテリオファージ〟，〝大腸菌ファージ〟のように，宿主菌の種，グループ，菌株の名にちなむ．ファージにはいくつかの科があり，次のような暫定的な名が付けられている．Corticoviridae 科，Cystoviridae 科，Fuselloviridae 科，Inoviridae 科，Leviviridae 科，Lipothrixviridae 科，Microviridae 科，Myoviridae 科，Plasmaviridae 科，Podoviridae 科，Styloviridae 科，Tectiviridae 科．→coliphage）．= phage.

defective b. 欠損〔バクテリオ〕ファージ（ゲノムに欠損部分があるために完全な感染性ウイルスは形成されないテンペレートバクテリオファージの変異体，しかし，欠損プロバクテリオファージとして細菌ゲノム中で永久に複製できる．多くの欠損バクテリオファージは形質導入の仲介体である）．= defective phage.

filamentous b. 糸状〔バクテリオ〕ファージ（杆状で長細く，多くのバクテリオファージがもつ頭部と尾部が欠如している）．

mature b. 成熟〔バクテリオ〕ファージ（完全な感染性を有するバクテリオファージ）．

temperate b. テンペレート〔バクテリオ〕ファージ（宿主細菌のゲノムに結合し，宿主とともに複製するバクテリオファージ．溶解(その結果として生じる増殖型バクテリオファージの発育)が低頻度で起こり，細菌溶解および成熟バクテリオファージ放出を生じることがある．それゆえ感受性をもつ細菌株の培養液に移すと，細菌培養の全体の溶解をも可能である）．

typhoid b. チフス〔バクテリオ〕ファージ（腸チフス菌 *Salmonella typhi* に対して特異なバクテリオファージ）．

vegetative b. 増殖型〔バクテリオ〕ファージ（ウイルスの外殻蛋白の形成の有無にかかわらず，ファージ核酸が細菌の核酸増殖とは関係なく宿主細菌内増殖できるファージの状態）．

virulent b. ビルレント〔バクテリオ〕ファージ，溶菌性〔バクテリオ〕ファージ（感染した細菌を溶解するバクテリオファージ．増殖期バクテリオファージが成熟バクテリオファージのどちらかの形で存在する．プロバクテリオファージの形はとらない(すなわちファージゲノムは宿主細菌のゲノムとは結合しない)ため，溶原化を起こさない).

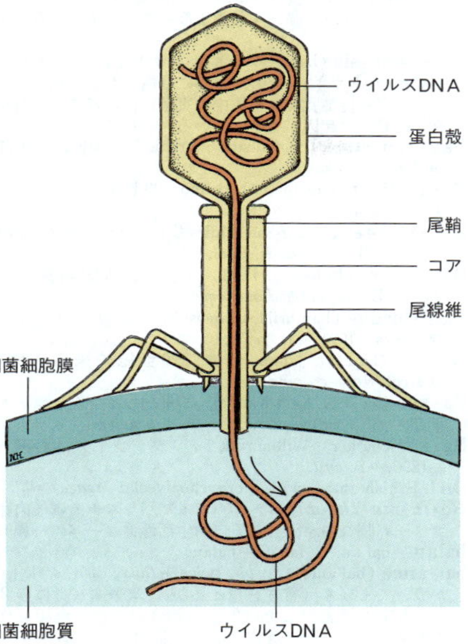

bacteriophage

bac·te·ri·o·pha·gi·a (bak-tēr′ē-ō-fā′jē-ă). バクテリオファージ現象（バクテリオファージによる細菌の溶菌).

bac·te·ri·o·pha·gol·o·gy (bak-tēr′ē-ō-fă-gol′ō-jē). バクテリオファージ学. = protobiology.

bac·te·ri·o·phe·o·phor·bin (bak-tēr′ē-ō-fē′ō-fōr′bin). バクテリオフェオフォルビン（脱エステル化バクテリオフォルビドで，バクテリオクロリンから誘導される).

bac·te·ri·o·phy·to·ma (bak-tēr′ē-ō-fī-tō′mă) [bacterio- + G. *phytos*, plant + *-oma*, growth]. 植物細菌腫（細菌による植物組織内の異常増殖).

bac·te·ri·o·pro·tein (bak-tēr′ē-ō-prō′tēn). 細菌蛋白（細菌細胞内の蛋白の一種. 特徴と性質はそれぞれ異なる).

bac·te·ri·op·so·nin (bak-tēr′ē-op′sō-nin). 細菌オプソニン（オプソニンの一種で，細菌を食細胞に貪食されやすいようにそれらに結合した抗体や活性化補体複合体であると考えられている).

bac·te·ri·o·sis (bak-tēr′ē-ō′sis). 細菌症（局所性または全身性の細菌感染症).

bac·te·ri·o·sper·mi·a (bak-tēr′ē-ō-sper′mē-ă). 細菌性精液（精液中に細菌を認めること).

bac·te·ri·o·sta·sis (bak-tēr′ē-os′tă-sis) [bacterio- + G. *stasis*, a standing still]. 静菌〔作用〕，細菌発育阻止.

bac·te·ri·o·stat (bak-tēr′ē-ō-stat). 静菌薬（細菌の増殖を抑制または阻止する薬物). = bacteriostatic agent.

bac·te·ri·o·stat·ic (bak-tēr′ē-ō-stat′ik). 静菌〔性〕の（細菌の増殖を抑制または阻止する).

bac·te·ri·o·tox·ic (bak-tēr′ē-ō-tok′sik). 細菌に対して毒性の.

bac·te·ri·o·tro·pic (bak-tēr′ē-ō-trop′ik) [bacterio- + G. *tropē*, a turning]. 細菌向性の（細菌の方向に向かう，または移動する. 細菌親和性がある).

bac·te·ri·ot·ro·pin (bak-tēr′ē-ot′rō-pin). バクテリオトロピン（血液成分で，通常は特異抗体，オプソニンをさす. 細菌と結合し食細胞に対する感受性を強化する).

bac·te·ri·o·tryp·sin (bak-tēr′ē-ō-trip′sin). バクテリオトリプシン（細菌，特にコレラ菌 *Vibrio cholerae* により産生されるトリプシン様の酵素).

Bac·te·ri·um (bak-tēr′ē-ŭm) [Mod. L. < G. *baktērion*: *baktron*(a staff or club)の指小辞]. バクテリウム属（[単数形は bacteria ではなく bacterium である]. International Association of Microbiological Societies(国際微生物連合学会)の Judicial Commission and International Committee on Systematic Bacteriology(国際系統細菌学委員会および裁定委員会)による否認名称リストに挙げられた細菌の属名. その結果，この用語は細菌学では用いられていない. 以前 *Bacterium* 属として記載された細菌は，すべて他の属に移行された. 現在，*B. anitratum* は *Acinetobacter calcoaceticus* として知られ，*B. coli* は *Escherichia coli* とよばれる).

B

bac·te·ri·um (bak-tēr′ē-ŭm) [Mod. L. < G. *baktērion*: *baktron*(a staff)の指小辞]. 細菌，バクテリア（通常，細胞分裂によって増殖し，体制を一定に保つ役割をもつ細胞壁を有する単細胞の原核微生物. 好気性・嫌気性，運動性・非運動性，自由生活性，腐食性，片利共生性，寄生性などのものがあり，病原性をもつものもある.→Cyanobacteria).

blue-green b. 藍色細菌，藍藻（→Cyanobacteria).

endoteric b. 内毒素菌（内毒素を形成する細菌).

exoteric b. 外毒素菌（外毒素を分泌する細菌).

lysogenic b. 溶原菌（①テンペレートバクテリオファージのゲノム(プロバクテリオファージ)と宿主菌のゲノムとが共生状態にある細菌. 細菌ゲノムからプロバクテリオファージが分離し増殖期バクテリオファージに変換し，やがて成熟して宿主細菌の溶解と感染性テンペレートバクテリオファージの培養液への流出をもたらす場合もある. ②以前は，偽溶原菌菌株，すなわち低感染性バクテリオファージ〝担体 carrier〟菌株を意味した).

pyogenic b. 化膿菌（化膿球菌(ブドウ球菌，連鎖球菌，肺炎球菌，髄膜炎菌)やインフルエンザ菌 *Haemophilus influenzae* のような細菌で，通常，多形核白血球を含む化膿性滲出物を伴った化膿性感染の原因となる).

bac·te·ri·u·ri·a (bak-tēr′ē-yū′rē-ă). 細菌尿〔症〕（尿中に細菌が存在する状態).

bac·te·roid (bak′ter-oyd). 細菌様.

Bac·te·roi·da·ce·ae (bak′ter-oy-dā′sē-ē). バクテロイデス科（真性嫌気性(菌種によっては微好気性)，真正細菌目，非胞子形成菌の一科. 大きさも微細，沪過性形状から長い，線維状，分枝状まで，種々のグラム陰性杆状菌からなる. 顕著な多形態をとることもある. 運動性の場合と非運動性の場合もある. 運動性細胞は周毛性. 成長には体液を必要とする場合が多い. 多くの種が炭水化物を発酵し，しばしば酸を産生する. グルコースまたはペプトン培地内でガスが産出されることがある. これらの細菌は主に温血動物の腸管下部および粘膜にみられ，病原性の場合がある. 標準属は *Bacteroides*).

Bac·te·roi·des (bak′ter-oy′dēz) [G. *bacterion* + *eidos*, form]. バクテロイデス属（グラム陰性杆菌を含む偏性嫌気性非芽胞形成菌(バクテロイデス科)の多くの種を含む一属. 運動性と非運動性の種がある. 運動性細胞は周毛性. 炭水化物を発酵し，コハク酸，乳酸，酢酸，ギ酸，プロピオン酸などを短鎖アルコールとともに産生する. 酪酸は主要産生物ではない. 炭水化物発酵を行わない種は，ペプトンから微量ないし中量のコハク酸，ギ酸，酢酸，乳酸あるいは中量のアルコールとイソ吉草酸，プロピオン酸，イソ酪酸とともに大量の酢酸および酪酸を産生する. ヒトおよび動物の消化管内細菌叢の一部を構成し，それよりは少ないが呼吸器および泌尿生殖器腔にもみられる. 以前に *Bacteroides*属として分類されていた多くの種は *Prevotella*属に所属するものとして再分類されている. 多くの種が病原性をもつ. 標準種は *B. fragilis*).

B. bivius 泌尿器および腹部感染より通常分離される菌種. 骨盤の炎症性の病気に関連がある.

B. capillosus ヒトの嚢胞や外傷，口腔，糞便，さらにある種の動物の腸管から分離される細菌種. 多くの *Bacteroides*属の種とは性状が異なるので，将来的には再分類が望ましい.

B. corrodens *Eikenella corrodens* の旧名.

B. disiens = *Prevotella disiens*.

B. distasonis 正常人の糞便内フローラを構成する細菌で，ときとして腹腔内感染を起こすことがある.

B. fragilis ヒトや動物の消化管にみられる細菌種. 結腸

内にみられる Bacteroides属の種のうち，およそ10—20 %のみを構成するが，ヒトにおいて腹膜炎，直腸膿瘍，腹部外科創傷，泌尿生殖器感染などの腹部膿瘍およびその他の横隔膜感染症に主として関与している種である．芽胞も単独で膿瘍形成を誘動する能力をもつ．本種は β-ラクタマーゼを産生するのが特徴で，ペニシリンやセファロスポリングループのような β-ラクタム系抗生物質を不活性化する．*Bacteroides* 属の標準種.

B. furcosis *Anaerorhabdus furcosa* の旧名.

B. melaninogenicus = *Prevotella melaninogenica.*

B. nodosus ヒツジやヤギに趾間腐らんを引き起こす細菌種．ヒトの消化管にもみられ，ヒトの感染症に関与している．本種は他の Bacteroides属の種とは多くの性質が異なっているので，最終的な分類は不詳である．=*Dichelobacter nodosus.*

B. oralis *Prevotella oralis* の旧名.

B. oris *Prevotella oris* の旧名.

B. pneumosintes *Dialister pneumosintes* の旧名.

B. praeacutus 乳児や成人の腸管，壊疽性病巣，肺膿瘍および血液から分離される菌種．=*Tissierella praeacuta.*

B. putredinis 糞便，急性虫垂炎の症例，および腹部や直腸の膿瘍から分離される菌種．ヒツジの趾間腐らんおよび農地の土壌からも分離される．本種の性状は多くの *Bacteroides*属の種とは異なっている．

B. splanchnicus インドール産生性グループの細菌種で，正常人の腸内フローラとして，またしばしば大量の *N*-ブチル酸の産生を含むユニークな新陳代謝の特性をもったヒトに認められる．本菌は *Porphyromonas*属と密接に関係しているようである．

B. thetaiotaomicron 腸管内にみられる細菌種で，ヒトの横隔膜下の感染の原因としては，Bacteroides属の中では *B. fragilis* についで多い菌である．

B. ureolyticus 気道および消化管の感染から，ならびに口腔前庭，消化管，尿生殖路，抜歯後の血液から分離される菌種．本種は *Campylobacter*属の種と非常に類似している．

bac·te·roi·do·sis (bak′ter-oy-dō′sis). バクテロイド症 (Bacteroides属による感染症を表す，まれに用いる語).

bac·u·li·form (bă-kyū′li-fōrm) [L. *baculum*, a rod + *forma*, form]. 杆状の，棒状の.

Bac·u·lo·vi·ri·dae (bak′yū-lō-vir′i-dē) [L. *baculum*, rod]. バキュロウイルス科（節足動物でのみ増殖するウイルスの一科．ウイルス粒子はこん棒状で，30—35 nm × 250—400 nm の大きさ．ゲノムは複鎖のスーパーコイル状 DNA(90—160 kb)である．バキュロウイルス由来の発現ベクターはしばしば昆虫細胞内の外来遺伝子を検出するのに用いられる).

bac·u·lo·vi·rus (bak′yū-lō-vī′rŭs) [L. *baculum*, rod + virus]. バキュロウイルス（昆虫細胞に感染するウイルスで，真核生物のプロセシングに必要なリコンビナント蛋白の発現系として広範に使用されている).

BADLs basic activities of daily living の略.

Baehr (bār), George. 米国人医師，1887—1978. →B.-Lohlein *lesion*; Lohlein-B. *lesion*.

Baelz (bālz), Erwin O. 東京に在住したドイツ人医師，1849—1913. →B. *disease*.

BAEP brainstem auditory evoked *potential* の略.

BAER brainstem auditory evoked *response* の略. →evoked *response*.

Baer (bār), Karl E. von. ドイツ系ロシア人発生学者，1792—1876. →B. *law*.

Bae·yer (bār), Johann F.W.A. von. ドイツ人化学者・ノーベル賞受賞者，1835—1917. →B. *theory*.

bag (bag) [A.S. *baelg*]. 袋，嚢，バッグ（入れ物，容器).

breathing b. 呼吸バッグ（全身麻酔または人工換気時，気体が吸入，排出される収縮性貯蔵器). =reservoir b.

colostomy b. 結腸瘻バッグ（手術的に結腸と皮膚の間に形成された交通(人工肛門)に装着する，便を集めるためのバッグ(袋)).

Douglas b. (dŭg′lăs) [C.G. Douglas]. ダグラスバッグ（種々の活動作業の状況下でヒトが消費する酸素量を測定するため数分間呼気を貯蔵するための大きな袋).

nuclear b. 核袋（筋紡錘の内封筋線維の線条のない中央部にみられる核の集塊).

Politzer b. (pol′it-zĕr). ポーリッツァー嚢（耳管に空気を通すために用いる梨状のゴム製袋).

reservoir b. 貯蔵バッグ. =breathing b.

b. of waters 羊膜（羊膜およびその中の羊水を意味する口語).

bag·as·so·sis (bag′ă-sō′sis). サトウキビ肺症（サトウキビの線維(サトウキビの搾りかす)に暴露した後に起こる外因性アレルギー性肺胞炎．土壌中の真菌，特に好熱性放射線菌の胞子の吸入に起因するといろいろいわれてきた).

Bag·gen·stoss (bag′en-stos), Archie H. 20世紀の米国人病理学者. →B. *change*.

Ba·go·li·ni (bag′ō-lē′nē), Bruno. 20世紀のイタリア人眼科医. →B. *test*.

Bail·lar·ger (bī′ahr-zhā), Jules G.F. フランス人神経科医，1809—1891. →B. *bands, lines*.

Bail·li·art (bī-lē-ār′), Paul. フランス人眼科医，1877—1969. →B. *ophthalmodynamometer*.

Bain·bridge (bān′brij), Francis A. イングランド人生理学者，1874—1921. →B. *reflex*.

Ba·ker (bā′kĕr), James Porter. 20世紀の米国人医師. →Charcot-Weiss-B. *syndrome*.

Ba·ker (bā′kĕr), John Randal. 20世紀のイングランド人動物学者. →B. pyridine *extraction*, acid *hematein*.

Ba·ker (bā′kĕr), William M. イングランド人外科医，1839—1896. →B. *cyst*.

BAL British anti-Lewisite; bronchoalveolar *lavage* の略.

Ba·la·mu·thi·a (bal′ă-mū′thē-ă). バラムチア属（肉芽腫性アメーバ脳炎の原因となる自由生活性アメーバの一属).

balan- (bal′an, ba-lan′). →balano-.

bal·ance (bal′ants) [L. *bi-*, twice + *lanx*, dish, scale]. ***1*** はかり，てんびん（重さを量る器械). ***2*** 平衡（身体の2つ以上の相対する部分または器官の釣合いのとれた相互作用). ***3*** 平衡，バランス（身体の成分の量および比率). ***4*** バランス（体内物質の摂取，消費，蓄積，または分泌間の差.→equilibrium). ***5*** バランス（起立，歩行時に立位を保つ行為). ***6*** 平衡，バランス（前庭機能，視覚，固有感覚に依存するシステムで，姿勢を保ったり，周囲の物の間を通ったり，身体の各部位の協調運動をしたり，細かい運動制御を調節したり，前庭動眼反射を起こしたりする).

acid-base b. 酸塩基平衡（血漿中の酸と塩基が正常な平衡状態にあること．水素イオン濃度 pH で表される．身体からの排泄と身体の代謝で消費される酸性および塩基性物質の相対量に対して摂取と身体の代謝で生じた酸性および塩基性物質の相対量によって決まる．正常な酸－塩基平衡は等しい濃度の水素イオンと水酸基イオンを有する中性の状態ではなく，いくぶん水酸基イオンが過剰な，よりアルカリ性の状態である). =acid-base equilibrium.

nitrogen b. 窒素出納（生物体による全窒素摂取量(N_{in})と全窒素排泄量(N_{out})の差．ゼロ窒素出納は健常成人で見出されている．$N_{in}>N_{out}$ は正の窒素出納で，$N_{in}<N_{out}$ は負の窒素出納である).

occlusal b. 咬合平衡，咬合均等（中心位と偏心位で相対する歯列弓の咬合部分が，機能領域内で同時に接触する状態).

phonetic b. 音声均衡（聴力を測定する際にその言語において通常の会話で出現するのと同じ頻度で様々な音素が含まれていること．音声学的に均衡のとれた単語リストは語音弁別スコアを決定するのに用いられる).

Wilhelmy b. ヴィルヘルミーはかり（表面から垂直につるしたプラチナ，あるいはその他の金属の薄片にかかる張力を利用して，表面張力を測る装置．肺の界面活性物質を研究する Langmuir 槽で用いる).

ba·lan·ic (ba-lan′ik) [G. *balanos*, acorn, glans]. 陰茎亀頭の，陰核亀頭の.

Ba·la·ni·tes ae·gyp·ti·a·ca (bal′ă-nī′tēz ē′jip-tī′ă-kă) [L. *balanos*, acorn]. 北アフリカおよび東地中海周辺地域に生育する高木の一属．その漿果は，軟体動物，ミラシジウム(吸虫類の有毛幼虫)，セルカリア(吸虫類の有尾幼虫)，オタマジャクシ，および魚類に対する致死成分を含む．飲料水に加えることによって，住血吸虫症に対する予防薬として用いる．

bal·a·ni·tis (bal′ă-nī′tis) [G. *balanos*, acorn, glans + *-itis*, inflammation]．亀頭炎（陰茎亀頭または陰核亀頭の炎症）．

b. circumscripta plasmacellularis ＝plasma cell b.

b. diabetica 糖尿病性亀頭炎（尿路感染または包皮炎に付随して起こる糖尿病患者の亀頭の炎症）．

plasma cell b. 形質細胞亀頭炎（良性の限局性亀頭炎で，顕微鏡的に上皮下組織に形質細胞の浸潤を，臨床的に小さな紅斑性の丘疹を認めることを特徴とする）．＝b. circumscripta plasmacellularis; Zoon b.

b. xerotica obliterans 閉塞性乾燥性亀頭炎（亀頭の硬化性萎縮性苔癬のこと．尿道狭窄症を起こすことがある）．

Zoon b. (zūn) [Johannes *Zoon*. オランダ人皮膚科医，1902]．ズーン亀頭炎．＝plasma cell b.

balano-, balan- (bal′an-ō; bal′an, ba-lan′) [G. *balanos*, acorn, glans]．陰茎亀頭に関する連結形．

bal·a·no·plas·ty (bal′an-ō-plas′tē) [balano- + G. *plastos*, formed]．亀頭形成術（陰茎亀頭の手術による再建）．

bal·a·no·pos·thi·tis (bal′an-ō-pos-thī′tis) [balano- + G. *posthē*, prepuce + *-itis*, inflammation]．亀頭包皮炎（【誤った発音 bal′an-ō-post-hī′tis を避けること】）．

bal·an·ti·di·a·sis (bal′an-ti-dī′ă-sis)．バランチジウム症（大腸内に大腸バランチジウム *Balantidium coli* がいるために起こる疾病．下痢，赤痢症状，ときに潰瘍形成を特徴とする）．＝balantidial dysentery; balantidosis.

Ba·lan·ti·di·um (bal′an-tid′ē-ŭm) [G. *balantidion*: *ballantion*(a bag)の指小辞]．バランチジウム属（バランチジウム科の繊毛虫の一属．脊椎動物と無脊椎動物の消化管の中に見出される）．

B. coli 大腸バランチジウム（巨大な繊毛虫の一属で，長さ 50—80 μm からブタでは 200 μm にも達する．盲腸や大腸に見出され，管腔を活発に泳ぎ回る．ヒトでは，通常，無害であるが，腸壁に侵入して潰瘍を起こし，アメーバ性赤痢様の大腸炎の原因となる）．

B. suis ブタバランチジウム（本来，ヒトの寄生繊毛虫の *B. coli* とは異なると考えられていたが，現在では同じとされている種．ブタでは非病原性である）．

bal·an·ti·do·sis (bal′an-ti-dō′sis)．＝balantidiasis.

bal·a·nus (bal′ă-nŭs) [G. *balanos*, acorn, glans penis]．陰茎亀頭．＝*glans* penis.

BALB binaural alternate loudness balance *test* の略．

bald (bawld) [M.E. *balled*]．はげた，頭髪の量が減少した．

bald·ness (bawld′nes)．禿頭症，はげ．＝alopecia.

common b. いわゆる禿頭．＝androgenic *alopecia*.

congenital b. 先天性禿頭症．＝*alopecia* congenitalis.

male pattern b. 男性型禿頭症．＝male pattern *alopecia*.

Ba·lint (bā′lint), Rudolph. ハンガリー人精神神経科医，1874—1930. ⇀B. *syndrome*.

Ball (bawl), Charles B. アイルランド人外科医，1851—1916. ⇀B. *operation*.

ball (bawl). ***1*** 球（丸い塊．⇀bezoar）．***2*** 丸剤（獣医学において，大きい丸剤または巨丸剤をいう）．

chondrin b. 軟骨球（硝子様軟骨嚢内にはいった細胞の集まりで形成される球状の塊）．

food b. 毛毬体，植物線維毬体，食物塊．＝phytobezoar.

b. of the foot 母趾(指)球（中足の遠位の足底にある膨らみで，かかとを上げると体重がかかる部分）．

fungus b. 菌球（真菌の菌糸体や細胞屑のぎっしり詰まった塊．直径 1—5 cm で，肺腔中，副鼻腔，あるいは尿管に存在する．アスペルギルス腫は肺の菌球の一型である）．

Bal·lance (bal′ăns), Charles A. イングランド人外科医，1856—1936. ⇀B. *sign*; Koerte-B. *operation*.

ballast (bal′ăst)．バラスト，底荷（①船などを安定化するための物で，それ自体にはあまり価値がない．②内容的に価値がほとんどない物）．

isomeric b. 異性体バラスト（ラセミ化合物において，受容体への活性に乏しく本質的に死荷重である立体異性体の一方(ディストマー)のことを指す，非公式の用語．→distomer)．

bal·lism (bal′izm)．＝ballismus.

bal·lis·mus (bal-iz′mŭs) [G. *ballismos*, a jumping about]．バリスム〔ス〕，舞踏病痙攣様運動（肢の近位筋を侵す不随意運動の一型．肢の痙攣するような，飛ぶような動きを呈する．反対側の視床下核かその近くの病変が原因である．通常，体の片側のみが障害され，片側バリスムになる）．＝ballism.

bal·lis·to·car·di·o·gram (bal-is′tō-kar′dē-ō-gram) [G. *ballō*, to throw + *kardia*, heart + *gramma*, something written]．心弾動図，バリストカルジオグラム（心収縮による大動脈への血液放出および心腔の充満力によって起こる体の反跳の記録．ヒトの心拍出量を計算する基準として用いられたが，精度が悪くまた再現性に乏しいことから用いられなくなった）．

bal·lis·to·car·di·o·graph (BCG) (bal-is′tō-kar′dē-ō-graf)．心弾動計，バリストカルジオグラフ（心弾動図を得るための器械．図式記録装置と天井からつり下げられた可動式テーブルまたは患者の身体(通常は頸部)に固定した装置とからなる）．

bal·lis·to·car·di·og·ra·phy (bal-is′tō-kar′dē-og′ră-fē)．心弾動図記録〔法〕，心弾動図検査〔法〕，バリストカルジオグラフィ（①弾力的な動き(心収縮，それによって起こる血液放出，心室の充満，大血管を通る際の血流の加速と減速)により生じる人体の動きの図式記録．これらの微妙な動きは，ピックアップ装置により電位に変換された後，増幅され，可動チャートに記録される．②心弾動図の研究と解釈）．

bal·lis·to·pho·bi·a (bal-is′tō-fō′bē-ă) [G. *ballista*, catapult < G. *ballistēs* < *ballō* + *phobos*, fear]．弾丸恐怖〔症〕（発射物あるいは弾丸に対する病的な恐れ）．

bal·loon (bă-lūn′) [Fr. *ballon* < It. *ballone* < *balla*, ball < Germanic]．***1*** 〘n.〙 バルーン（種々の人体構造で，管やカテーテルを体内にとどめたり保持したりするために用いる膨張可能な球形または卵形の装置）．***2*** 〘n.〙 狭窄している臓器あるいは血管を拡げたり，あるいはふさぐのに用いられる膨張性の装置．***3*** 〘v.〙 膨張させる（検査を容易にするために体腔に気体または液体を入れて膨張させたり，組織を拡張または管腔を閉塞させたり，また後腹膜での内視鏡操作のための空間をつくること）．

angioplasty b. 血管形成〔術〕用バルーン（血管造影用カテーテルの先端近くにバルーンがあり，狭窄した血管を拡張するよう設計されている．⇀balloon-tip *catheter*)．

detachable b. 取り外し可能なバルーン（カテーテルの先端に小さなバルーンがついており，血管を閉塞させるためにこれを外すことができる）．

Helmstein b. (helm-stīn′)．ヘルムスタイン(ヘルムシュタイン)・バルーンカテーテル（膀胱を拡張して膀胱容量を増加させるために，あるいは広範囲の膀胱癌に対して腫瘍を押しつぶして虚血を起こすために使われる，水圧バルーン拡張機能をもつカテーテル）．

intraaortic b. 大動脈内バルーン．⇀intraaortic balloon *pump*.

bal·lot·ta·ble (bal-ot′ă-bĕl)．浮球感を示しうる．

bal·lotte·ment (bal-ot-mon[h]′) [Fr. *balloter*, to toss up]．浮球感，浮球法，バロットマン（①特に腹水症などがある場合に，バスケット競技のドリブルをするときのように手指を弾ませるようにして表面から離れた所にある器官の大きさを推測するのに用いる一般検診の方法．②現在では用いられない妊娠診断法．腟に示指の先端を当て，子宮下部を強くたたく．もし胎児がいれば上方に飛び上がり，(指を元に戻すと)胎児が下に下がる．そのとき子宮の壁を打つのが感じられる）．

abdominal b. 腹部浮球法（過剰に貯留した腹水の有無を，液体内に浮遊した臓器を軽くたたくことで調べる検査法）．

renal b. 腎浮球感，腎〔臓〕バロットマン（背部から圧することにより腎臓を動かし両手の間で，その大きさ，形，移動度を判断する操作）．

balm (bawlm) [L. *balsamum* < G. *balsamon*, the balsam tree]．***1*** ＝balsam．***2*** 香膏（芳香のある軟膏）．***3*** 鎮静薬．

b. of Gilead ギレアデバーム（メッカバルサムの原植物カンラン科 *Commiphora opobalsamum* から得られる精油樹脂．聖書に出てくるミルラのことと思われる．香料に用いる）．＝Mecca balsam; opobalsamum.

mountain b. マウンテンバーム，エルバサンタ．＝eriodictyon.

sweet b. スイートバーム．＝melissa.

bal·ne·o·ther·a·peu·tics, bal·ne·o·ther·a·py (bal′nē-ō-thār′ă-pū′tiks, -thār′ă-pē) [L. *balneum*, bath]．温泉療法学，温泉〔治〕療法（鉱泉に身体の一部分または全体をつけ

B

る療法).

Ba·ló (bah-lō′), Jozsef. 20世紀のハンガリー人医師. →B. *disease*.

bal·sam (bahl′sam) [G. *balsamon*; L. *balsamum*]. バルサム(各種の樹木や植物から得られる芳香性, 樹脂状または混濁状の油性滲出液). = balm (1); oleoresin (3).

Canada b. カナダバルサム (マツ科バルサムモミ *Abies balsamea* から得られる黄色の液状樹脂. キネンと酢酸ボルニルを含み, 組織標本の固定に, またレンズ接着剤として用いる). = Canada turpentine.

b. of copaiba コパイババルサム. = copaiba.

Mecca b. メッカバルサム. = *balm* of Gilead.

b. of Peru ペルーバルサム (マメ科 *Toluifera pereirae* から得られる混濁状, 暗褐色の液状バルサム. 60%は油性シンナメインである. 創傷の治療に用いる).

Tolu b. トルーバルサム (マメ科トルーバルサムの原植物 *Toluifera balsamum* から得られる黄褐色の軟質塊. 桂皮酸, 安息香酸やそのエステルを含む. 刺激性去痰薬として用いる).

bal·sam·ic (bahl-sam′ik). ***1*** バルサムの. ***2*** 芳香性の.

BALT bronchus-associated lymphoid *tissue* の略.

Bam·ber·ger (bahm′bĕr-gĕr), Eugen. ハプスブルク帝国の医師, 1858—1921. →B.-Marie *disease*, *syndrome*.

Bam·ber·ger (bahm′bĕr-gĕr), Heinrich von. ハプスブルク帝国の医師, 1822—1888. →B. *albuminuria*, *disease*, *sign*; B.-Pins-Ewart *sign*.

ban·crof·ti·a·sis, ban·crof·to·sis (ban′krof-tī′ă-sis, -tō′sis). バンクロフト症 (バンクロフト糸状虫 *Wuchereria bancrofti* による感染症). = bancroftian *filariasis*.

band (band). ***1*** 帯, 帯環 (身体の一部を取り囲む, または縛り付ける器具あるいはその一部. →zone). ***2*** 帯, 線条, 靱帯 (リボン状またはひも状の解剖学的構造. 他の構造を取り囲んだり結合したり, 2つ以上の部分を連結する. →fascia; line; linea; stria; stripe; tenia). ***3*** 帯 (電気泳動やある種のクロマトグラフィで検出されるいくつかの高分子(時折, 小分子)を含有する狭い帯). ***4*** 帯域 (電磁波スペクトルの狭い波長領域). ***5*** 遠心分離を用いる実験における高分子の帯.

A b.'s A帯 (筋線維の筋原線維に生じる暗染される複屈折性の横縞で, 太いミオシンフィラメントと細いアクチンフィラメントが重なっている部分). = A discs; anisotropic discs; Q b.'s (1); Q discs.

absorption b. 吸収帯 (電磁波スペクトルのある特定の波長(または周波数)の範囲. 気体, 液体, 溶解物質を通過する放射エネルギーは, この波長の部分が吸収される. この吸収帯は比色法または分光分析法で, 分析の目的に利用され, 通常, 最大吸収を示す波長λ_{max}を用いて表す).

amnionic b. [MIM*217100]. 羊膜帯 (破膜後形成される羊膜索. 四肢, 指, 顔面, 軀幹などに巻きつき狭窄, 切断などを起こす. 発生原因は不明. →congenital *amputation*). = amnionic adhesions; amnionic band syndrome; anular b.; constriction ring (2); Simonart b.'s (1); Simonart ligaments.

anogenital b. 会陰帯 (胚の会陰部に最初にみられる徴候).

anular b. = amnionic b.

atrioventricular b. = atrioventricular *bundle*.

Baillarger b.'s (bī′ahr-zhā). バイヤルジェ帯. = Baillarger *lines*.

Bechterew b. (bek-tĕr′yev). ベヒテレフ帯. = b. of Kaes-Bechterew.

Broca diagonal b. (brō-kah′). ブロカ対角帯 (前交連中隔内を前脳の底部に向かって, 終板の吻側直前を下行する白線維束. この線維束は水平脚, 垂直脚, 関連細胞体による対角帯核からなる. 底部では, 神経線維束は尾外側方向に向きを転じて視索に沿って無名質の腹側層を通過し, 扁桃核に達する前に消滅する). = diagonal b. [TA]; stria diagonalis [TA].

chromosome b. クロモソームバンド, 染色体縞 (染色体の長軸と直角の方向に濃く, またはくっきりと染まる横縞. この横縞像は, それぞれの染色体で特有の像を示す場合が多い. →banding).

Clado b. (klah-dō′). クラド帯 (卵巣支持靱帯). = suspensory *ligament* of ovary.

b.'s of colon 結腸ひも. = *teniae* coli(⇌tenia).

contraction b. 収縮帯 (心筋細胞における顕微鏡的変化で, 細胞内カルシウムと血清ノルエピネフリンの上昇に伴う心筋の過収縮が, 線維の中に横行の無構造な帯の形成を引き起こし, 二度と収縮できなくなってしまう). = contraction band necrosis.

diagonal b. [TA]. = Broca diagonal b.

Essick cell b.'s (es′ik). エシック細胞帯 (発生中の菱脳にみられる細胞群. 2つの帯になって遊走し, その一方は最終的に下オリーブ核と弓状核を形成し, 他方は橋の核を形成する).

Gennari b. (jē-nah′rē). ジェンナーリ帯. = *line* of Gennari.

b. of Giacomini (jah-kō-mē′nē). ジャコミーニ帯. = uncus b. of Giacomini.

H b. H帯 (横紋筋線維のA帯の中央にある白っぽい領域で, 太いミオシンフィラメントの中央部で細いアクチンフィラメントが存在しないところ). = H disc; Hensen disc; Hensen line.

His b. (hiz). ヒス帯. = atrioventricular *bundle*.

Hunter-Schreger b.'s (hŭn′tĕr shrā′gĕr). ハンター-シュレーガー帯(バンド) (歯のエナメル質に交互にみられる明と暗の線で, ぞうげエナメル境に始まりエナメル質表面に達する前に終わる. これはエナメル小柱束が縦断された部分の間に横断された部分が散在していることを表す). = Hunter-Schreger lines; Schreger lines.

I b. I帯 (横紋筋線維のZ線の両側にある明るい帯状部分で, 細いアクチンフィラメントと太いミオシンフィラメントが重なり合っていない部分に相当する). = I disc; isotropic disc.

iliotibial b. 腸脛靱帯. = iliotibial *tract*.

b. of Kaes-Bechterew (kāz bek-tĕr′yev). ケース(ケス)-ベヒテレフ帯 (大脳新皮質第3層の最表層にみられる, 表面に並行に走る有髄神経線維層). = stria laminae molecularis [TA]; stria of molecular layer [TA]; Bechterew b.; layer of Bechterew; line of Bechterew; line of Kaes.

Ladd b. (lad). ラッド帯 (不完全に回転した盲腸の腹膜付着で, 腸の異常回転でみられる. 十二指腸の閉塞を起こす).

Lane b. (lān). レーン帯 (うっ滞を引き起こす遠位回腸上にある先天性の帯で右腸骨窩に及ぶこともある). = Lane kink.

longitudinal b.'s of cruciform ligament of atlas [TA]. 環椎十字靱帯の縦束 (十字靱帯の中で縦(上下)方向に配置されている靱帯束). = fasciculi longitudinales ligamenti cruciformis atlantis [TA].

M b. = M *line*.

Mach b. (mahk). マッハ帯 (輝度が急速に増加または減少する領域で知覚される比較的明るいあるいは暗い帯).

Maissiat b. (mā-sē-ah′). メシャ帯. = iliotibial *tract*.

matrix b. マトリックスバンド (金属製またはプラスチックのバンドで, 歯冠周囲に固定し, 修復材が窩洞に適合するように制限するもの).

Meckel b. (mek′ĕl). メッケル帯 (前突起基部より, 錐体鼓室裂を通り, 蝶形棘につくつち骨の前靱帯の一部. →anterior *ligament* of malleus). = Meckel ligament.

moderator b. = septomarginal *trabecula*.

Muehrcke b.'s (mēr′kuh). ミュルケ帯 (爪半月と平行な白色帯を伴う白色爪甲. 低アルブミン血症でみられる). = Muehrcke sign.

oligoclonal b. オリゴクローナルバンド (髄液電気泳動でガンマグロブリン領域にみられる互いに分離した数本の細いバンド. 中枢神経系内で免疫グロブリンが産生されていることを示す. 多発性硬化症でしばしばみられるが, 中枢神経系の梅毒, サルコイドーシス, 慢性炎症などの患者でもみられることがある).

orthodontic b. 矯正用バンド (歯の歯冠部によく適合する金属またはプラスチックの薄いストリップで, 歯の移動のためのワイヤをつける).

pecten b. 櫛帯 (うっ血による肛門櫛の線維性硬結, または同部位の慢性の炎症をいう).

Q b.'s ***1*** Q帯, 横帯. = A b.'s. ***2*** →Q-banding *stain*.

Reil b. (rīl). ライル帯 (① = septomarginal *trabecula*. ② = medial *lemniscus*).

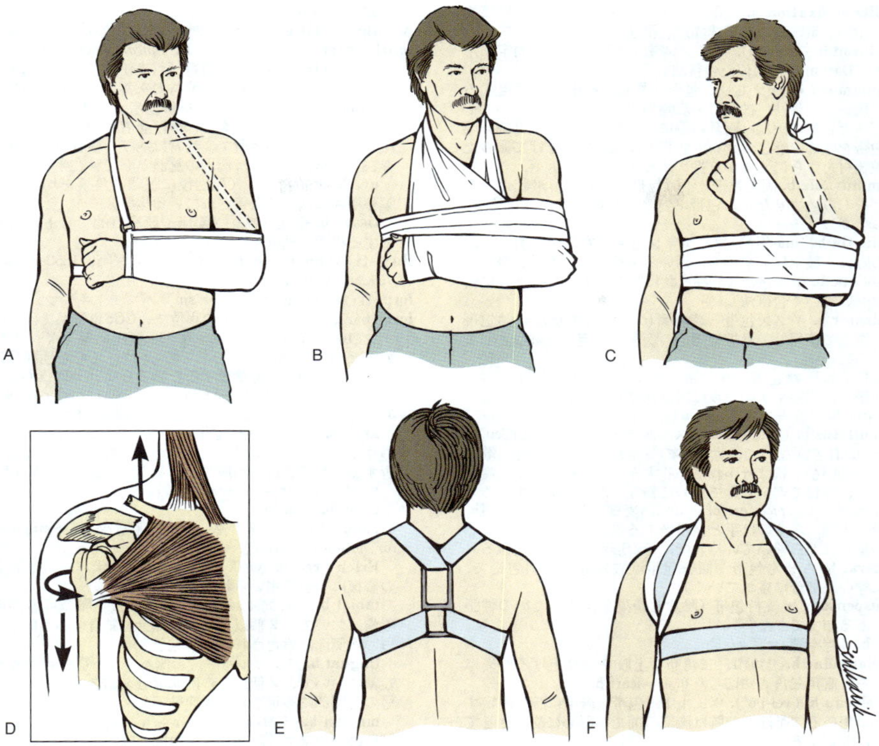

immobilization bandages

近位上腕骨骨折に用いる．A：市販の三角布包帯．B：一般的な三角布と包帯．C：Velpeauストッキネットと包帯．鎖骨骨折に用いる．D：鎖骨骨折．E：鎖骨バンド，後面．F：鎖骨バンド，前面．

silastic b. 永久避妊のために卵管閉塞に用いられる小型のサイラスティックリング．

Simonart b.'s (sē-mō-nahr′). シモナール帯（①＝amnionic b. ②唇裂の内・外側間隙の一部をおおう水かき様帯状組織）.

Soret b. (sō-rā′). ソレー帯（あらゆるポルフィリンの約400 nm の吸収帯）.

uncus b. of Giacomini (jah-kō-mē′nē). ジャコミーニ鉤帯（細く白色の小帯．歯状回の前方への延長で，海馬傍回鉤の反屈した部の表面を横走する）.＝b. of Giacomini; cauda fasciae dentatae; frenulum of Giacomini; tail of dentate gyrus.

ventricular b. of larynx 喉頭の室ひだ．＝vestibular *fold*.

Z b. ＝Z *line*.

zonular b.〔股関節の〕輪帯．＝*zona* orbicularis (articulationis coxae).

ban·dage (ban′dij). [dressing（直接傷口に当てるもの）の意味で本語を使うのを避けること]．*1*〖n.〗包帯，帯具（種々の大きさおよび形をした布または他の材質からできたもので，身体の部位に用いて，圧迫，外部からの汚染の防止，乾燥の防止，ドレナージ吸収，運動の制止，外科包帯の支持の目的に供する）．*2*〖v.〗包帯をする（包帯によって身体の部位をおおう）.

adhesive b. 接着ガーゼ包帯，ガーゼ付絆創膏（圧力により接着するプラスチック，または布に吸収性のガーゼを付着させた被覆材）.

Barton b. (bar′tŏn). バートン包帯（下顎骨を下前方より支える８字形包帯．下顎骨骨折の際に用いる）.

capeline b. [L. *capella*, a cap]．帽子状包帯（帽子のように頭部または切断断端をおおう包帯法）.

circular b. 環状包帯（四肢，四肢の一部分，または体幹を取り巻いておおう包帯法）.

cravat b. クラバット包帯（三角布の先端を基底部中央に向けて折り，適当な幅となるよう縦に折った包帯）.

crucial b. 十字〔形〕包帯（十字形におおう包帯法．例えばＴ字包帯）.

demigauntlet b. 半籠手包帯（指を出したまま手だけをおおう包帯法）.

Desault b. (dĕ-sō′). ドソー（デソー）包帯（鎖骨骨折に用いる．パッドを腋窩に置き，肘を側胸部に固定する包帯法）.

elastic b. 弾力包帯，弾性包帯（伸縮性物質からなる包帯．局所的に圧迫するのに用いる）.

Esmarch b. (es′mark). エスマルヒ帯（バンド）（四肢に巻くゴムの止血帯．四肢を血液の少ない状態にするため手術を始める前に末梢から中枢側へと巻き，その後で中枢側の空気圧式の止血帯を膨らませる）.

figure-of-8 b. ８字〔形〕包帯，８の字包帯（任意の２か所，通常は関節上下の肢の２か所に交互に当てて８の字を描くような形でおおう包帯法．鎖骨骨折の治療に用いる特殊包帯法）.

four-tailed b. 四尾包帯（帯状の布を中央部は残して２つに裂き，顎の下に当て，４つの尾となる部分を頭の上で結ぶ包帯法．下顎の運動を制限するために用いる）.

gauntlet b. 籠手包帯（手と指の８字形包帯）.

gauze b. ガーゼ包帯（→gauze）.

Gibney fixation b. (gib′nē). ギブニー固定包帯（果部捻挫に用いる足，脚の交差式固定包帯法）.

Gibson b. (gib′sŏn). ギブソン帯（下顎骨骨折の固定に用いる．Barton 包帯に似た包帯法）.

hammock b. ハンモック包帯（頭部に被覆材を固定するのに用いる包帯法．被覆材を広幅のガーゼ包帯でおおい，そのガーゼ包帯の両端は両耳の脇に垂らし，その上より細い環状包帯を頭部に巻き，ガーゼ包帯の両端を持ち上げて頭の上で被覆材をさらにしっかり押さえるように縛る）.

immovable b. 固定包帯，不動包帯（焼石膏，液状ガラスなどをしみ込ませた布の包帯．包帯した後すぐに硬化する．→cast (2)）.

Martin b. (mar′tin). マーティン包帯（静脈瘤や潰瘍の治療の際に，肢を圧迫するのに用いる弾性ゴムの巻軸包帯）.

oblique b. 傾斜包帯（渦巻き状に肢の上方または下方に斜めに巻いていく包帯法）.

plaster b. ギプス包帯（焼石膏にしみ込ませた巻軸包帯で，湿して使用し，骨折や関節の疾患に固定した被覆として用いる）.

roller b. 巻軸包帯，巻包帯（種々の幅をもつ材質からなる包帯で，使いやすいように円筒状に巻いてあるもの）.

scarf b. スカーフ包帯．＝triangular b.

Scultetus b. (skŭl-tē′tŭs). スクルテーツス包帯（[Scultetus は固有名詞なので，大文字の S を用いてつづる]．端が多数の細いひも状に分かれている大きな長方形の布で，端を結ぶか，重ねて安全ピンで止めて胸部または腹部に用いる）.

spica b. [L. *spica*, ear of grain]. 麦穂包帯（体幹と上腕，体幹と大腿，あるいは手と指に当てる包帯法．V 字状に少しずつ重ねながら巻いていくので，その形がムギの穂に似る）.

spiral b. らせん包帯，傾斜包帯（肢に巻く傾斜包帯で，前に巻いた部分に重ねていく）.

suspensory b. 支持包帯（陰囊と精巣を支えるための伸張性のある布でできた袋）.

T-b. T 字包帯．＝T-*binder.*

triangular b. 三角巾，三角布（上肢をつり上げるために用いる，直角三角形に切った布）.＝scarf b.

Velpeau b. (vel-pō′). ヴェルポー包帯（胸壁に腕を固定するのに用いる包帯法．前腕は胸部の前で，斜めに交差させて上方に固定する）.

band·ing (ban′ding). ***1*** バンディング，染色法，分染法（細胞(通常)分裂中期の染色体の分染法で，独特の縞目模様のパターンによって，それぞれの染色体の同定と欠けている断片の識別を可能にする．ヒトの 22 対の染色体と X，Y 染色体にはそれぞれ特徴的なバンディングのパターン(模様)がある）．***2*** 絞扼〔術〕（血管や臓器に狭窄または拘束を生じるようにひもでくくる）.

BrDu-b. BrDu(ブロモデオキシウリジン)染色法（増殖細胞に過剰量のブロモデオキシウリジンを取り込ませて染色体をラベルする方法で，BrDu はチミジンの代わりに RNA に取り込まれて，紫外線光の下で蛍光を発する．見出されるバンドは姉妹染色分体交換を示す）.

high-resolution b. 高分解能染色法（分裂前期では，染色体上の識別可能なバンドの数と鮮明度が増加することを利用した分染法）.

NOR-b. NOR(核小体形成部位)染色法（銀染色を用いると，それが核小体形成部位 *n*ucleoli-*o*rganizing *r*egions に特異的に蓄積することを利用した方法．すなわち末端動原体染色体の付随体(サテライト)領域などが染まる）.

prometaphase b. 前中期染色法（有糸分裂の前期と中期の中間段階で行う分染法）.

pulmonary artery b. 肺動脈絞扼〔術〕（肺動脈の血流を減少させることによって左室の容積負荷を減少させる外科手技で，ある種の先天性心疾患のうっ血性心不全を軽減する）.

reverse b. →R-banding *stain.*

band·width (band′width). 帯域(バンド)幅（MRIにおける撮像のための(MR信号の)周波数または波長の受信範囲．信号/雑音の比とは逆比例の関係にある．十分広く設定しないと折り返しアーチファクトが生じる）.

ban·dy-leg (ban′dē-leg). 内反膝．＝*genu* varum.

bane (bān) [O.E. *bana*]. 毒.

Bang (bahng), Bernhard L.F. [誤った形 Bangs および Bangs' を避けること]．デンマーク人獣医・医師，1848―1932．→B. *disease.*

ba·nis·te·rine (ba-nis′tĕ-rēn). バニステリン．＝harmine.

bank (bank) [Fr. *banque* < It. *banca,* bench, teller's counter < Germanic]. バンク，銀行（将来使うために組織を生きたまま保存したり，血液や医療材料を蓄えておくための施設）.

blood b. 血液銀行（血液を供血者から集め，血液型を検査し，いくつかの血液成分に分け患者への輸血のために，貯蔵したり準備する場所で，通常は病院の検査室の部署として存在するか，あるいは個別の施設として存在する）.

eye b. アイバンク（死亡後に眼球の角膜を切除して，角膜移植術に備えて保管されている場所）.

tissue b. 組織バンク（臨床や研究目的でヒトの組織を保管する場所．→bank）.

Ban·ti (bahn′tē), Guido. イタリア人医師，1852―1925．→B. *disease, syndrome.*

bap·ti·tox·ine (bap-tĭ-tok′sin). バプチトキシン．＝cytisine.

bar (bar). ***1*** バール（圧力の単位で，CGS単位系では 1 メガダイン(10^6 ダイン)/cm^2，0.9869233 気圧に等しく，国際単位系では 10^5 Pa(N/m^2)に等しい）．***2*** バー（可撤性部分床義歯の 2 つ以上の部分を接続するための金属部分のうち，その幅径より長径のほうが大きいものをいう．→major *connector*）．***3*** 稜（2 つ以上の類似した構造を結ぶ組織または骨の一部）.

arch b. アーチバー，副線子（歯列弓に沿った，アーチ形のワイヤ，バー，スプリントをいい，唇側あるいは舌側に位置する．顎骨骨折の治療および受傷した歯の固定に用いる）.

b. of bladder ＝interureteric *crest.*

clasp b. →clasp.

connector b. コネクターバー，連結バー（→major *connector*; minor *connector*）.

Erich arch b. (er′ik). エーリッヒ弓状バー（下顎骨骨折の修復に一般に用いられる弓状バー）.

labial b. ラビアルバー，外側バー（下顎の可撤性部分床義歯において，2 個以上の両側部分を結合する目的で，歯列弓の唇側部に設定される大連結子）.

lingual b. リンガルバー，舌側バー（下顎の可撤性部分床義歯において，2 個以上の両側部分を結合する目的で，歯列弓の舌側部に設定される大連結子）.

median b. of Mercier (mār-se′ā). メルシェ正中稜（線維筋性の隆起帯で，膀胱，尿管口間の隆線上に起こる．ときに尿閉の原因となる）.

Mercier b. (măr-sē-ā′). メルシェ稜．＝interureteric *crest.*

occlusal rest b. 咬合面レストバー（咬合面レストを，可撤性部分床義歯の主要部に連結するために用いる小連結子）.

palatal b. パラタルバー（口蓋を横切り，上顎の可撤性部分床義歯の 2 個以上の部分を結合する主連結子）.

Passavant b. (pahs′ă-vahnt). パッサファント稜．＝palatopharyngeal *ridge.*

sternal b. 胸骨帯（1 対の原基の融合によって形成される発育期胸骨の横方向の単位の 1 つ）.

terminal b. 閉鎖堤，接合堤（円柱上皮の頭端で隣接細胞との間にみられるもので，標本の切断面のいかんによって暗調の点や棒としてみられる．接着複合体や接着帯の細線維に相当する）.

bar·ag·no·sis (bar′ag-nō′sis) [G. *baros,* weight + *a-* 欠性辞 + *gnōsis,* a knowing]. 圧覚失認，重量圧感喪失（[二重字 gn において，g は語頭にあるときのみ無音である．barognosis と混同しないこと]．手に持った物の重さを判断できないか，異なる重さの物を鑑別できないこと．一次性感覚が障害されていない場合は，反対側の頭頂葉の病変が原因である）.

Bá·rá·ny (bah′rah-nē), Robert. オーストリア系ハンガリー人耳鼻科医・ノーベル賞受賞者，1876―1936．→B. *sign,* caloric *test;* positional *vertigo* of B.

bar·ba (bar′bă) [L.][TA]. ***1*** ひげ，須毛．***2*** ひげをなしている毛．＝beard [TA].

bar·bal·o·in (bar-bal′ō-in). バルバロイン．＝aloin.

Bar·ber (bar′bĕr), Glenn. 20 世紀の米国人整形外科医．→Blount-Barber *disease.*

bar·bi·e·ro (bar′bē-ā′rō) [Pg. the barber]. バルビエロ（*Trypanosoma cruzi* によって起こる Chagas 病の重要な媒介動物である吸血性の半翅目サシガメ科アカモシサシガメ *Panstrongylus megistus* を示すブラジル語）.

bar·bi·tal (bar′bi-tawl). バルビタール（催眠薬，鎮静薬.

バルビタールナトリウム(可溶性バルビタール)として利用できる．しばしば緩衝剤として用いる)．＝5,5-diethylbarbituric acid; Veronal.

bar·bi·tu·rate (bar-bich′ūr-āt). バルビツレート（[誤ったつづりまたは発音 barbituate を避けること]．フェノバルビタールなどバルビツール酸の誘導体．中枢神経系抑制薬として使用し，鎮静，催眠，痙攣抑制の目的で用いる．バルビツレートは乱用される可能性のあるものが多い）.

bar·bi·tu·ric ac·id (bar′bi-chūr′ik as′id). バルビツール酸（結晶性の二酸基酸．これからバルビタール，その他のバルビツレートを誘導する．鎮静作用はない）．＝malonylurea.

bar·bi·tu·rism (bar-bi′chūr-izm). バルビツレート中毒〔症〕（バルビツール酸の誘導体による慢性中毒．はっきりしていないが徴候は寒気，発熱，頭痛を伴う皮膚発疹がある）.

bar·bo·tage (bar′bō-tahzh′) [Fr. *barboter*, to dabble]. バルボタージ（脊椎麻酔の一方法で，脳髄液に麻酔薬の一部を注入する．その後脳髄液を注射器に吸収し，再びその中身を注入する）.

bar·bu·la hir·ci (bar′bū-lă hir′sī) [L. *barba*(beard)の指小辞＋*hircus*(goat)の属格単数形]. ヤギ小須毛，外耳毛（27歳以上の男性の耳介の耳珠，対耳珠，珠間切痕から生えている毛）.

Bar·clay (bar′klā), Alfred E. イングランド人医師，1877—1949. ⇀B.-Baron *disease*.

Bar·croft (bar′kroft), Joseph F. イングランド人生理学者，1872—1947. ⇀B.-Warburg *apparatus*, *technique*.

Bard (bahrd), Philip. 米国人生理学者，1898—1945. ⇀Cannon-B. *theory*.

Bar·det (bahr′dē), Georges. 20世紀初頭のフランス人医師. ⇀B.-Biedl *syndrome*.

Bar·di·net (bar′di-net), Barthélemy A. フランス人医師，1809—1874. ⇀B. *ligament*.

bar·es·the·si·a (bar′es-thē′zē-ă) [G. *baros*, weight＋*aisthēsis*, sensation]. 圧覚．＝pressure *sense*.

bar·es·the·si·om·e·ter (bar′es-thē′zē-om′ĕ-ter) [G. *baros*, weight＋*aisthēsis*, sensation＋*metron*, measure]. 圧覚計.

bar·i·at·ric (bar′ē-at′rik). 肥満学の.

bar·i·at·rics (bar′ē-at′riks) [G. *baros*, weight＋*iatreia*, medical treatment]. 肥満学（肥満症や同じような病気の予防またはコントロールを扱う医学の分野）.

ba·ric (ba′rik). 通例は，気圧(isobaric のように)または重さに関していう.

ba·ric·i·ty (ba-ris′i-tē) [G. *baros*, weight]. バリシティ（ある物質の重さを，同温同体積の他の物質の重さとの比較で表したもの）.

bar·i·to·sis (bar′i-tō′sis). 重晶石症，バリウム症（重晶石またはバリウムじんにより生じるじん肺症の一種）.

bar·i·um (Ba) (ba′rē-ŭm, bā′rē-ŭm) [G. *barys*, heavy]. バリウム（2価のアルカリ土類金属元素．原子番号56，原子量137.327．不溶性の塩類は，造影剤として放射線医学でしばしば用いられる）.

b. chloride 塩化バリウム（以前は，強心薬および静脈瘤に対しても用いた．毒性が非常に強い）.

b. hydroxide 水酸化バリウム（二酸化炭素吸収薬中で，水酸化カルシウムと結合する苛性化合物．麻酔回路に用いる．→absorbent (3)）.

b. meal バリウム食（上部消化管造影のための硫酸バリウム溶液の経口投与．→b. sulfate; barium *swallow*）.

b. oxide, b. monoxide 酸化バリウム，一酸化バリウム（アルカリ性で，水中で強塩基すなわち水酸化バリウムをつくる．脱水剤として用いる）．＝baryta.

b. sulfate 硫酸バリウム（胃腸管のX線造影用懸濁薬として経口，直腸または管を通して投与される．⇀enteroclysis; barium *enema*.→b. meal）.

bark (bark). *1* 樹皮，木皮（植物の根，幹，枝を包んでいる皮．薬理学的に重要なもので，以下に記載のない bark は特定名でアルファベット順に記載）．*2* キナ皮．＝cinchona.

cotton-root b. 綿根皮（*Gossypium herbaceum* およびワタ属 *Gossypium*(Malvaceae 科)のその他の種の根の乾燥皮．堕胎薬および分娩促進薬として使われてきた）.

Bar·kan (bar′kăn), Otto. 米国人眼科医，1887—1958. ⇀B. *membrane*, *operation*.

Bark·man (bark′măn), Åke. 20世紀のスウェーデン人内科医. ⇀B. *reflex*.

Bar·kow (bar′kof), Hans K.L. ドイツ人解剖学者，1798—1873. ⇀B. *ligaments*.

Bar·low (bar′lō), John B. 20世紀の南アフリカ人心臓学者. ⇀B. *syndrome*.

Bar·low (bar′lō), Thomas. 英国人医師，1845—1945. ⇀B. *disease*.

barn (b) (barn) [かなり小さい面積のもの同士を比較して，ユーモラスに "big as the side of barn(納屋の扉と同じくらい大きい)" といったことによる]. バーン（入射原子に対する原子核の実効断面積を表す単位．10^{-24} cm^2 に等しい）.

Barnes (barnz), Robert. 英国人産科医，1817—1907. ⇀B. *curve*, *zone*.

Barnes (barnz), Stanley. 英国人医師，1875—1955. ⇀Barnes *dystrophy*.

baro- (bar′ō) [G. *baros*, weight]. 重量または圧力に関する連結形.

bar·o·cep·tor (bar′ō-sep-ter, -tōr). ＝baroreceptor.

barodontalgia (bar′ō-don-tal′jē-ă). 歯の周囲に存在する空洞内の気圧が上下することにより軟組織に生じる痛み．→barosinusitis; aerosinusitis. ＝tooth squeeze.

bar·og·no·sis (bar′og-nō′sis) [G. *baros*, weight＋*gnōsis*, knowledge]. 重量認知（[二重字 gn において，g は語頭にあるときのみ無音である．baragnosis と混同しないこと]．対象物の重量を認識する能力，または，異なった重量の対象物を弁別する能力）.

bar·o·graph (bar′ō-graf). 〔自記〕気圧計（気圧を連続的に記録する装置）．＝barometrograph.

bar·o·met·ro·graph (bar′ō-met′rō-graf). ＝barograph.

bar·o·phil·ic (bar′ō-fil′ik) [G. *baros*, weight＋*phileō*, to love]. 好圧性の（高い外圧のもとで繁殖する．微生物に対して用いる）.

bar·o·re·cep·tor (bar′ō-rē-sep′ter, -tōr) [G. *baros*, weight＋receptor]. 圧受容器（①圧変化を感じとるもの一般についていう．②心房壁，大静脈，大動脈弓，頸動脈洞にある感覚神経終末で，内部圧の増加による壁の伸張を知覚し，この圧力を下げようとする中枢反射機構の受容器としての機能をもつ．次頁の図参照）．＝baroceptor; pressoreceptor.

bar·o·re·flex (bar′ō-rē′fleks). 圧反射（圧受容体刺激により誘発される反射）.

bar·o·scope (bar′ō-skōp). 鋭感気圧計（気圧の変化を測定する器械）.

bar·o·si·nus·i·tis (bar′ō-sī′nus-ī′tis) [G. *baros*, weight, pressure＋sinusitis]. 気圧性副鼻腔炎（洞内と外界との圧の違いにより生じる副鼻腔粘膜の炎症．気圧や自然孔閉鎖と関係があり，高度下降時に生じる）．＝aerosinusitis.

bar·o·stat (bar′ō-stat) [G. *baros*, weight, pressure＋*statos*, made to stand]. 圧調節器（頸動脈洞および大動脈弓の圧受容器のように，ネガティブ・フィードバックにかかわる効果器に連結している，血圧を調節する装置または構造物）.

bar·o·tax·is (bar′ō-tak′sis) [G. *baros*, weight＋*taxis*, order]. 圧走性（気圧の変化に対する生体の反応）．＝barotropism.

bar·o·ti·tis me·di·a (bar′ō-tī′tis mē′dē-ă). 気圧性中耳炎（中耳内と外界の気圧差により生じる中耳粘膜の炎症．気圧や耳管の閉塞，耳管の開放不全などと関係があり，高度下降時に起こることが多い）．＝aerotitis media.

bar·o·trau·ma (băr′ō-traw′mă) [G. *baros*, weight＋trauma]. 気圧障害，気圧性外傷，圧力障害（大気圧と罹患腔内圧力の不均衡によって，中耳または副鼻腔に起こる損傷に対して以前用いられた語．現在では，大部分，人工呼吸器をつけられている患者が高気道内圧を受けたときなどのような圧による肺外傷に，むしろ用いられる）.

otic b. 気圧性耳障害（大気と中耳内空気の圧力の不均衡によって起こる耳の損傷．→barotitis media）.

sinus b. 気圧性副鼻腔障害（大気と副鼻腔内空気圧の不均衡によって起こる副鼻腔の損傷．→barosinusitis）.

bar·ot·ro·pism (bar-ot′rō-pizm) [G. *baros*, weight＋*tropē*, a turning]. 向圧性．＝barotaxis.

Barr (bar), Murray L. カナダ人組織学者，1908—1995. ⇀B.

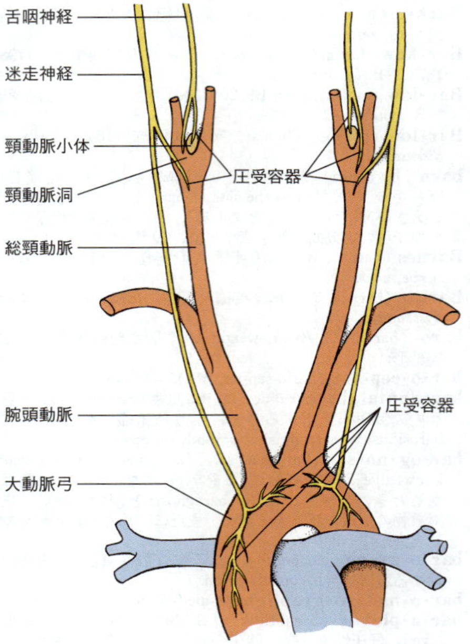

baroreceptors
頸動脈洞と大動脈弓の部分でみられる.

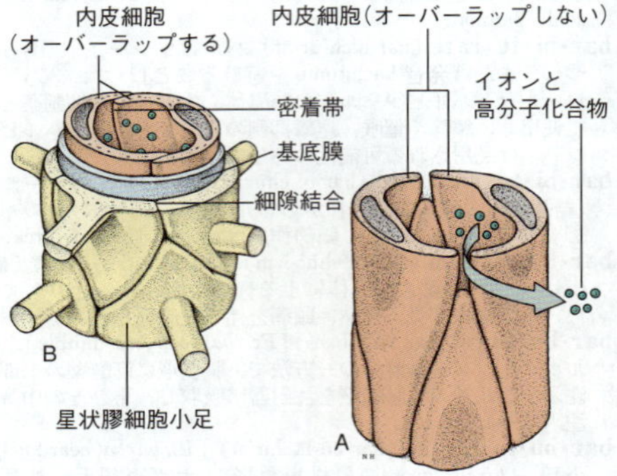

blood-brain barrier
A：脳の神経組織と関係のない毛細血管では，内皮細胞間の細隙を通してイオンや分子化合物が通過する．B：脳の神経組織内の毛細血管では，血管内皮細胞，基底膜，星状膠細胞小足の間にある密着帯よりなる関門によりそれらの物質の通過を阻止する．

chromatin *body*.

Bar·ra·quer (bah-rah-kār′), Ignacio. スペイン人眼科医, 1884—1965. →B. *method*.

Bar·ra·quer Ro·vir·al·ta (bah-rah-kār rō′vi-rawl′tă), Luis. スペイン人医師, 1855—1928. →Barraquer *disease*.

Bar·ré (bah-rā′), Jean-Alexandre. フランス人神経科医, 1880 — 1967. →B. *sign*; Guillain-B. *reflex*, *syndrome*; Landry-Guillain-B. *syndrome*.

bar·ren (bar′en) [M.E. *bareyne*]. 不妊の，不毛の.

Bar·rett (ba′rĕt), Norman R. 20世紀の英国人医師. → *adenocarcinoma* in B. esophagus; B. *esophagus*, *epithelium*, *metaplasia*, *syndrome*.

bar·ri·er (bar′ē-er) [M. E. < O. Fr. *barriere* < L. L. *barraria*]. 関門，障壁，バリア（①障害，障害物．②精神医学において，個人の苦闘を解消する助けとなりうるような行動を阻止する葛藤因子．③精神療法において，患者の内省や前向きの変化，回復，成長を妨げるように働くもの(例えば，不健康または原始的な防衛機制や，疾病利得，アンビヴァレンス，より早い心理的発達段階から残っている葛藤に由来する無意識な動機付け，頑固さ，分離，観察もしくは分析する能力の欠如など)).

blood-air b. 血液空気関門（血液と肺胞気を遮断する物質．非構造性薄膜または界面活性物質，胞上皮，基底板，内皮からなる).

blood-aqueous b. 血液房水関門（毛様体突起の毛細血管床と眼の前房中の房水との間における選択的透過性をもつ関門．単純な立方上皮の2層でなっており，それらは細胞頂部で接合器により接合している).

blood-brain b. (BBB) 血液脳関門（大部分のイオンや高分子量化合物が血液から脳組織へ移行するのを防御する選択的機構で，連続した内皮細胞層が密着帯により結合している．同様の毛細血管は，網膜，虹彩，内耳，末梢神経の神経内膜内にもみられる).

blood-cerebrospinal fluid b., blood-CSF b. 血液脳脊髄液関門（脈絡叢表面の立方上皮の周囲で結合している密着帯に存在する．脈絡叢の毛細血管や結合組織の基質は，蛋白トレーサや色素に対する関門ではない).

blood-testis b. 血液－精巣障壁（精巣の細精管の Sertoli 細胞によって形成される閉塞性の障壁．細精管の管内の壁に付着した区画内における精子形成より成熟した精子細胞を基底部区画における血液により運ばれてくる物質から区分する).

blood-thymus b. 血液胸腺関門（胸腺内毛細血管周囲にある周皮細胞や上皮性網状細胞の層．胸腺皮質の未熟Tリンパ球の循環血液中の抗原との接触を防ぐ).

incest b. 近親相姦障壁（精神分析において，近親相姦に対する親および社会的禁制の学習あるいは内界投射).

placental b. 胎盤関門. ＝placental *membrane*.

Bart (bart), Bruce J. 20世紀の米国人皮膚科医. →B. *syndrome*.

Barth (barth), Jean B. P. ストラスブールの医師, 1806—1877. →B. *hernia*.

Bar·tho·lin (bahr′tō-lĭn), Casper. デンマーク人解剖学者, 1655—1738. →B. *abscess*, *cyst*, *cystectomy*, *duct*, *gland*.

Bar·tho·lin (bahr′tō-lĭn), Thomas. デンマーク人解剖学者, 1616—1680. →B. *anus*.

bar·tho·lin·i·tis (bar′tō-lin-ī′tis). バルトリン腺炎（大前庭腺(Bartholin 腺)の炎症).

Bart·ley (bărt′lē), Samuel H. 20世紀の米国人心理学者. →Brücke-B. *phenomenon*.

Bar·ton (bar′tŏn), John Rhea. 米国人外科医, 1794—1871. →B. *bandage*, *forceps*, *fracture*.

Bar·ton·el·la (bar′tō-nel′ă) [A.L. *Barton*]. バルトネラ属（ヒトおよび節足動物ベクターにみられる細菌の一属．人工培地では緩慢に増殖し，感染患者からは血液培養で回収されることがある．組織や赤血球の細胞内にみられる．本属は小型でグラム陰性の短杆菌で，彎曲しているようにみえる．HIV 感染者を含む免疫不全の患者では，無痛性で特徴の乏しい進行性の疾病を起こすことがある).

B. bacilliformis 杆菌状バルトネラ（オロヤ熱患者の血液中，およびリンパ節・脾臓・肝臓の上皮細胞にみられる種(オロヤ熱の原因)．ペルーいぼ病患者の血液および発疹部分にもみられる．イボサシチョウバエ *Phlebotomus verrucarum* にもみられるといわれる．南アメリカだけでなく中央アメリカにもいるとみられる．*Bartonella*属の標準種).

B. henselae 正常な免疫能をもったヒトにおけるネコ引っ掻き病や，エイズに感染したヒトにおける細菌性血管腫症を起こす細菌種. →catscratch *disease*.

B. quintana 以前は *Rochalimaea*属の標準種であった．本菌は塹壕熱の原因菌で，エイズ患者では敗血症や心内膜炎に

関与する．節足動物ベクターはコロモジラミ *Pediculus humanus* である．

Bar·ton·el·la·ce·ae (bar′ton-el-ā′sē-ē). バルトネラ科（現在のところ，*Bartonella*属を含む細菌の一科である．S16 rRNA での研究をもとに，以前の *Rochalimaea*属や *Grahamella*属は *Bartonella*属と併合されているが，各種名はそのまま継承されている）．

bar·ton·el·lo·sis (bar′tō-nel-ō′sis). バルトネラ症（*Bartonella* 属の一種の細菌感染による疾患）．

Bart·ter (bar′tĕr), Frederic C. 米国人医師，1914—1983. → B. *syndrome*.

Bar·uch (bar-ūk′), Simon. 米国人医師，1840—1921. →B. *law*.

bar·u·ri·a (bar′yū′rē-ă) [G. *barys*, heavy + *ouron*, urine]. 高比重尿〔症〕（異常に高い比重(1.025—1.030 以上)の尿を排泄することに対してまれに用いる語）．

bary- (bar′ē) [G. *barys*]. 重いを意味する連結形．

bar·ye (ba′rē) [G. *barys*, heavy]. バーリー（圧力の CGS 単位．1 ダイン/cm^2 あるいは 10^{-6} バールの圧力に等しい．→ bar (1)）．

ba·ry·ta (ba-rī′tă) [G. *barytēs*, weight]. 酸化バリウム，バリタ．= *barium* oxide.

baryto- 鉱物中のバリウム含有を示す接頭語．

ba·sad (bā′sad).〔基〕底側へ（物体や構造物の基底部の方向についていう）．

ba·sal (bā′săl) [TA]. ***1*** 基底の，底部の（円錐形器官において，特定点からみて底の方にある，の意．*cf.* apical）. = basalis [TA]. ***2*** 窩底の（歯科において，歯の切削面における窩底についていう）. ***3*** 基礎の（比較のための標準，または基準となるもの．基礎代謝率 basal metabolic *rate* など．〝基礎の〟状態は最小のレベルを示すとはかぎらない．例えば，睡眠中の代謝率は基礎代謝率よりも低いが，基準としては利用しにくい）．

ba·sa·lis (bā-sā′lis) [L.] [TA]. 基底の，底部の（[本形容詞は男性名詞(nucleus basalis，複数形 nuclei basales)および女性名詞(lamina basalis，複数形 laminae basales)とともに用いられる．中性名詞では basale の形(stratum basale，複数形 strata basalia)で用いられる．basale の最後の e は発音される]）. = basal (1).

ba·sa·loid (bā′să-loyd). 基底様の（基底的なものに類似していることを示す．起源や位置が必ずしも基底的である必要はない）．

ba·sal ra·tion (bā′săl rā′shŭn). 基礎糧食（必須栄養成分のみを含んだ最小限の食料）．

base (bās) [L. and G. *basis*][TA]. ***1*** 底，基底，基礎（低い方の部分すなわち基盤部で，ピラミッド状あるいは円錐構造の尖の反対部分(例えば心臓)）. = basis [TA]; basement (1). ***2*** 主薬，基剤（薬学において，合剤の主成分）. ***3*** 塩基（化学において，陰イオンと結合して塩を生成するもの．またはイオン化により電離して，水酸イオンを生じる化合物. → Brønsted b.; Lewis b.）. = alkali (2). ***4*** 塩基（Brønsted 塩基として作用する窒素含有有機化合物．例えば，プリン，ピリミジン，アミン，アルカロイド，プトマインなど）. ***5*** 塩基（陽イオンあるいはそれを生じる物質）. ***6*** 塩基（酸と比べて pH7.0 を超えた物質）．

acrylic resin b. アクリルレジン床，アクリル樹脂床（歯槽突起の組織に合わせてアクリルレジンで形成されたもので，義歯の人工歯を支持するのに用いる）．

anterior cranial b. = anterior cranial *fossa*.

b. of arytenoid cartilage [TA]. 披裂軟骨底（披裂軟骨の一部で輪状軟骨と接している部分．ここから声帯突起が前方へ，筋突起が側方へ出る）. = basis cartilaginis arytenoideae [TA].

b. of bladder 膀胱底. = *fundus* of bladder.

b. of brain 脳底（脳の下面で第一義的には脳幹を指すが，一般には拡大して隣接する大脳半球の下面および間脳の外側の特徴(例えば，視神経交叉，漏斗，乳頭体)をも含めてよんでいる）. = basis cerebri; inferior cerebral surface.

Brønsted b. (bron′sted). ブレンステズ(ブレンステッド)塩基（陽子と結合する分子あるいはイオン．例えば，OH^-，CN^-，NH_3．以前の，より限定された base (3) の定義に取って代わる定義）．

cavity preparation b. = cement b.

cement b. セメント裏層（歯科において，ときに薬剤が配合されるセメントの層であり，歯髄の保護，金属修復量の減少，あるいは添窩をなくすことを目的として窩洞の深い部分に充塡される）. = cavity preparation b.

b. of cochlea [TA]. 蝸牛底（後内側に向き，内耳道に隣接する蝸牛の幅の広い部分．蝸牛の基底回転の基礎をなす平面）. = basis cochleae [TA].

cranial b. [TA]. 頭蓋底（脳頭蓋腔の傾斜した床部分．外側からみた外頭蓋底と内側からみた内頭蓋底とを含む）. = basis cranii [TA]; basicranium*; b. of cranium.

b. of cranium →internal *surface* of cranial base. = cranial b.

denture b. 義歯床（①口腔粘膜上に置かれ，人工歯が取り付けられる義歯の部分．②基底面上に置かれ，人工歯が取り付けられる総義歯や部分床義歯の一部分）. = saddle (2).

external b. of skull 頭蓋底. = external *surface* of cranial base.

b. of heart [TA]. 心底（心尖の反対側に位置し主に左心房の後面からなるが，ごく一部は右心房の後面からなる．後右側に向き，食道と大動脈によって脊柱から分けられている）. = basis cordis [TA].

hexone b.'s, histone b.'s ヘキソン塩基，ヒストン塩基（塩基性 α-アミノ酸．すなわち，アルギニン，ヒスチジン，リジン．これらはそれぞれ側鎖にグアニジン，イミダゾール，アミノ基をもっているため塩基性となる．hexone という用語はヒスチジンが 6 個の炭素をもっていないので誤称である）．

b. of hyoid bone 舌骨底. = *body* of hyoid bone.

internal b. of skull 内頭蓋底（→cranial b.）. = internal *surface* of cranial base.

Lewis b. (lū′wis). ルイス塩基（電子対供与体である塩基の呼称）．

b. of lung [TA]. 肺底（横隔膜の円蓋上に位置する下肺凹面）. = basis pulmonis [TA].

b. of mandible [TA]. 下顎底（下顎体の丸みを帯びた下縁）. = basis mandibulae [TA].

b. of metacarpal [TA]. 中手骨底（各中手骨の末広がり状の近位端．1 個以上の手根骨の遠位列と関節をつくる）. = basis ossis metacarpalis [TA].

metal b. 金属床（義歯の基底面の一部をつくっている義歯床の金属部分．義歯のプラスチック部分と人工歯の取付けのための床となる）．

b. of metatarsal [TA]. 中足骨底（各中足骨の末広がりの近位端．1 個以上の足根骨の遠位列と関節をつくる）. = basis ossis metatarsalis [TA].

methamphetamine b. メタンフェタミン塩基．

b. of modiolus of cochlea [TA]. 蝸牛軸底（蝸牛の基底回転によって取り囲まれている蝸牛軸の部分．内耳道の外側端に面する. →cochlear *area*）. = basis modioli cochleae [TA].

nucleic acid b. 核酸塩基（プリンまたはピリミジン．DNA のように自然に発生する核酸にみられる）．

ointment b. 軟膏基剤（活性成分を加える賦形剤．ワセリン(ろうで固くできる)は最も広く使用されている油脂性の軟膏基剤であり，油性物質を加えるのに適している．ラノリン含有基剤は水(および水に溶解した原料)を吸収し，水/油型乳化剤を調製できる．水溶性(水で洗い流せる)基剤はしばしばエチレングリコール(PEGS)の重合体から得られ，これらは水および水に溶解した成分を吸収する．軟膏基剤は通常薬理学的に不活性であるが，水を保持し皮膚を劣化から守ったり皮膚軟化保護膜を形成する）．

b. of patella [TA]. 膝蓋骨底（膝蓋骨の大腿直筋の腱停止部の上縁．膝蓋骨尖の反対部分）. = basis patellae [TA].

b. of phalanx 趾(指)節骨の底（手や足の各指節骨の広がった近位端．隣接する近位指節骨頭と関節をつくる）. = basis phalangis.

b. of phalanx of foot [TA]. 趾節骨底（趾節骨近位部で凹面をなし隣の骨と関節する部分）. = basis phalangis pedis [TA].

b. of phalanx of hand [TA]. 手指節骨底（手指骨近位部で凹面をなし隣の骨と関節する部分）. = basis phalangis

B

manus [TA].

pressor b. 昇圧塩基（①腸内腐敗生成物の1つで，吸収されて本態性高血圧症を引き起こすと考えられているもの．②血圧を高めるアルカリ性物質）．= pressor amine; pressor substance.

b. of prostate [TA]．前立腺の底（膀胱壁と癒着している前立腺上部の幅広い部分）．= basis prostatae [TA].

purine b. プリン塩基．

pyrimidine b. ピリミジン塩基．

record b. = baseplate.

b. of renal pyramid 腎錐体底（腎錐体のうち皮質に面している広がった部分．腎乳頭の反対部分）．= basis pyramidis renis.

b. of sacrum [TA]．仙骨底（第五腰椎の中央部と両翼の上面で椎体と関節をつくる仙骨上端）．= basis ossis sacri [TA].

Schiff b. (shif)．シッフ塩基（アルデヒドおよびケトンの第一級アミンとの縮合反応生成物．この化合物は窒素または炭素原子上に少なくとも1つのアリル基が存在すれば安定である．*cf.* ketimine）．= aldimine.

shellac b. シェラック基礎床（基礎床をつくるために，上下顎の模型に用いる樹脂製のウェファー）．

b. of stapes [TA]．あぶみ骨底（前庭窓に嵌合するあぶみ骨の平らな部分）．= basis stapedis [TA]; footplate (1); foot-plate*.

temporary b. 仮床．= baseplate.

tinted denture b. 自然の口腔組織の色に似せて色付けされた義歯床．

b. of tongue = *root* of tongue.

tooth-borne b. 歯根膜負担義歯〔床〕（支持のための支台歯を両端にもち，無歯領域を修復する義歯床．それが被覆する組織部分は，維持のためには使用されない）．

trial b. 試適床．= baseplate.

vegetable b. 植物塩基．= alkaloid.

wobble b. ウォッブル塩基（3′側のコドン塩基のことで，遺伝暗号の指定のされ方が比較的厳密でない．→wobble; wobble *hypothesis*）．

bas·e·doid (bahz′ĕ-doyd)．バーゼドー（バセドウ）病様の（中毒症状はないが，Graves病(Basedow病)に類似する状態を示すことを表す，まれに用いる語）．

Ba·se·dow (bahz′e-dō), Karl A. von. ドイツ人医師，1799—1854．⇀B. *disease*, *goiter*, *pseudoparaplegia*; Jod-B. *phenomenon*.

ba·se·dow·i·an (bahz′ĕ-dō′vē-an)．K. Basedowの記した，または彼に由来する用語を表す，まれに用いる語．

base·ment (bās′ment)．***1*** 底，基礎．= base (1)．***2*** 地階（上方の大きな空間から部分的あるいは完全に分離されている空洞または空間のこと．地下室にあたる）．

base·plate (bās′plāt)．基礎床（義歯床を表現している一時的な型．上下顎の関係を記録し，人工歯配列などに用いる）．= record base; temporary base; trial base.

stabilized b. 安定基礎床（適合性と安定性をよくするためにプラスチック材で裏打ちした基礎床）．

base-stack·ing (bās′stak-ing)．塩基の積み重ね（DNAあるいはRNA塩基の配置で，そこでは塩基が互いの上面にある）．

bas-fond (bah-fawn′)．底，基底部．= *fundus* of bladder.

Bas·ham mix·ture (bash′am miks′chūr)．= ferric and ammonium acetate *solution*.

basi-, basio-, baso- (bā′sē, bā′sē-ō, bā′sō) [G. and L. *basis*]．底，基礎を意味する連結形．

ba·si·a·lis (bā′sē-ā′lis)．基底の，バジオンの．

ba·si·al·ve·o·lar (bā′sē-al-vē′ō-lăr)．バジオンプロスチオンの（バジオンからプロスチオンまでの2点間の最短距離に関する）．

ba·sic (bā′sik)．基礎の．

basic activities of daily living (BADLs) 基本的日常生活動作（個人的ケアに関する動作(歯磨き，入浴など)）．

ba·sic·i·ty (bā-sis′i-tē)．***1*** 塩基度（酸の結合価．置換可能な分子中の水素原子の数）．***2*** 塩基性（化学塩基の特性）．

ba·sic life sup·port (bā′sik līf sŭ-pōrt′)．基本的救命（心マッサージ，人工呼吸(心肺蘇生)，出血のコントロール，ショック，アシドーシスや中毒の治療，創傷の手当てなど，まず初めに行わなければならないもの）．

ba·si·cra·ni·al (bā′si-krā′nē-ăl)．頭蓋底の．

ba·si·cra·ni·um* (bā′si-krā′nē-ŭm)．頭蓋底（cranial *base*の公式の別名）．

Ba·sid·i·ob·o·lus (ba-sid′ē-ob′ō-lŭs) [Mod. L. *basidium*: G. *basis*(base)の指小辞 + L. *bolus* < G. *bolos*, lump or clod]．バシディオボールス属（接合菌綱に属する菌類の一属．接合真菌症(昆虫性バシディオボールス症)の患者から*B. haptosporus*が分離されている．特に，インドネシア，熱帯アフリカ，東南アジアにみられる）．

Ba·sid·i·o·my·ce·tes (ba-sid′ē-ō-mī-sēt′ez) [Mod. L. *basidium*: G. *basis*(base)の指小辞 + *mykēs*(*mykēt*), fungus]．担子菌綱（真菌の主要4綱の1つ．担子器basidiumで特徴付けられる．これは通常，1個のこん棒状の細胞で，細胞核融合と減数分裂によって担子胞子を生じる．本綱は，クロホ菌，サビ菌，キノコ，ホコリタケよりなる．マイコトキシンを除くと，クリプトコックス菌*Cryptococcus neoformans*の担子胞子期だけがヒトに対し病原性である）．

Ba·sid·i·o·my·co·ta (bă-sid′ē-ō-mī-kō′tă)．担子菌門（胞子を有する器官，担子器を特徴とする真菌の門で，担子器は核融合と減数分裂の後，通常担子胞子のみられるこん棒状の細胞である．真菌学者によっては担子菌綱を門または族に格上げしている）．

ba·sid·i·o·spore (ba-sid′ē-ō-spōr) [G. *basidon*, small base + *sporos*, seed]．担子胞子（担子菌綱の特徴である担子器でつくられる胞子）．

ba·sid·i·um, pl. ba·sid·ia (ba-sid′ē-ŭm, -ă) [L. < G. *basis*, base]．担子器（細胞，胞子を担う器官で，通常こん棒状を呈する．担子菌類に特徴的である．細胞核融合と減数分裂によってつくり出した担子胞子を外側にもつ．細い柄にある膨らんだ端末細胞からなり，通常，4本の細いフィラメント(小柄)を生じ，その先端に担子胞子が発生する）．

ba·si·fa·cial (bā′si-fā′shăl)．下顔面の（顔の下方部分に関する）．

ba·si·hy·al, ba·si·hy·oid (bā′si-hī′ăl, bā-zē-hī′oyd)．舌骨基底の．= *body* of hyoid bone.

bas·i·lar, bas·i·la·ris (bas′i-lăr, bas-i-lā′ris) [TA]．基底の，基部の（錐体あるいは広域構造の基部に関する）．

ba·si·lat·er·al (bā′si-lat′er-ăl)．基底外側の（基底と他の1つ以上の側面に関する）．

ba·si·lem·ma (bā′si-lem′ă) [basi- + G. *lemma*, rind]．基底膜．= basement *membrane*.

ba·sil·i·cus (ba-sil′i-kŭs) [L. < G. *basilikos*, royal]．基本的な，重要な（顕著で重要な部位または構造についていう）．

ba·sin (bā′sin)．手洗鉢，洗面器（水などを入れる容器）．

emesis b., kidney b. 膿盆（[誤った形Emerson(またはEmerson's) basinを避けること]．腎臓の形をした曲線状の浅い容器で，体液やその他の液体を入れる）．

pus b. 膿盆（体表にぴったり付着するカーブのついた容器．創のドレナージ，洗浄や包帯交換の間，膿などを受けるのに用いる）．

ba·si·na·sal (bā′si-nā′săl)．バジオンナジオンの（バジオンからナジオンまでの最短距離についていう）．

basio- (bā′sē-ō)．⇀basi-.

ba·si·oc·cip·i·tal (bā′sē-ok-sip′i-tăl)．後頭骨底の（後頭骨の基底突起に関する）．

ba·si·oc·ci·put (bā-sē-ok′sē-put)．後頭骨底．= basilar *part* of occipital bone.

ba·si·o·glos·sus (bā′sē-ō-glos′ŭs)．舌骨舌筋体部の（舌骨体から起こる舌骨舌筋の部分）．

ba·si·on (bā′sē-on) [G. *basis*, a base] [TA]．バジオン（大後頭孔の前縁の中点．オピスチオンの反対側）．

ba·sip·e·tal (bā-sip′ĕ-tăl) [basi- + L. *peto*, to seek]．求基的な，求底的な（①基底部の方へ向かうことについていう．②真菌において，次々と底部の分生胞子が分枝せずに出芽し，最も若い胞子が基底部にくるような無性的分生胞子形成についていう）．

bas·i·pho·bi·a (bās′i-fō′bē-ă) [G. *basis*, a stepping + *phobos*, fear]．〔起立〕歩行恐怖〔症〕（歩くことに対する病的な恐れ）．

ba·sis (bā′sis) [L. and G.] [TA]．底，基底．= base (1).

b. cartilaginis arytenoideae [TA]. 披裂軟骨底. = *base* of arytenoid cartilage.
b. cerebri 大脳底. = *base* of brain.
b. cochleae [TA]. 蝸牛底. = *base* of cochlea.
b. cordis [TA]. 心底. = *base* of heart.
b. cranii [TA]. = cranial *base*.
b. cranii externa [TA]. = external *surface* of cranial base.
b. cranii interna [TA]. 内頭蓋底. = internal *surface* of cranial base.
b. mandibulae [TA]. 下顎底. = *base* of mandible.
b. modioli cochleae [TA]. 蝸牛軸底. = *base* of modiolus of cochlea.
b. ossis metacarpalis [TA]. 中手骨底. = *base* of metacarpal.
b. ossis metatarsalis [TA]. 中足骨底. = *base* of metatarsal.
b. ossis sacri [TA]. 仙骨底. = *base* of sacrum.
b. patellae [TA]. 膝蓋骨底. = *base* of patella.
b. pedunculi [TA]. 脳脚底（中脳底で大脳脚と黒質とからなる部分. →cerebral *peduncle*).
b. phalangis 趾(指)節骨の底. = *base* of phalanx.
b. phalangis manus [TA]. = *base* of phalanx of hand.
b. phalangis pedis [TA]. = *base* of phalanx of foot.
b. pontis ⇀basilar *part* of pons.
b. prostatae [TA]. 前立腺の底. = *base* of prostate.
b. pulmonis [TA]. 肺底. = *base* of lung.
b. pyramidis renis 腎錐体底. = *base* of renal pyramid.
b. stapedis [TA]. あぶみ骨底. = *base* of stapes.

ba·si·sphe·noid (bā′si-sfē′noyd). 蝶形骨底の（蝶形骨体の後部を形成する胚の独立した骨化中心点を示す). = basisphenoid bone.

ba·si·tem·po·ral (bā′si-tem′pŏ-răl). 側頭底部の（側頭部の下方に関する).

ba·si·ver·te·bral (bā′si-ver′tĕ-brăl). 椎体〔底〕の（椎体に関する).

bas·ket (bas′ket) [M.E. < Celtic]. かご（①小脳皮質の神経細胞軸索のかご状の分枝. Purkinje 細胞の周りを囲んでいる. ②かご状の器具あるいは構造).
fibrillar b.'s 細線維籠(かご)（杆状体と錐状体の近位部を上行する Müller 氏神経膠線維の強膜端で，繊細な先細りした針のような細線組となり，杆状体と錐状体に細糸状の外観を与えている).
nuclear b. of nuclear pore complex 核膜孔複合体の核バスケット（核膜孔複合体の領域の1つで，核リングから核質へ伸びて，遠位リングに付着する).
Stokes b. (stōks). ストークスバスケット（金属網よりなる救助用伸展器).
stone b. 内視鏡を通して尿路結石をつかみ引き出す器具.

***Bas·le Nom·i·na An·a·tom·i·ca* (BNA)** (bohs′el *or* bahl nō′mi-nă an-ă-tom′ka). バーゼル解剖学用語（1895年，スイスのバーゼルで，ドイツ解剖学会のメンバーによって採択された解剖学のラテン語用語集. 1955年パリで開かれた国際解剖学会で本用語集の改訂が採択されるまで，何度か修正本が出版された. 改訂では最初の会合場所の名前が削除された. ⇀*Nomina Anatomica*; *Terminologia Anatomica*).

baso- (bā′sō). ⇀basi-.

ba·so·cyte (bā′sō-sīt) [G. *basis*, base + *kytos*, cell]. 好塩基球. = basophilic *leukocyte*.

ba·so·cy·to·pe·ni·a (bā′sō-sī′tō-pē′nē-ă). 好塩基球減少〔症〕. = basophilic *leukopenia*.

ba·so·cy·to·sis (bā′sō-sī-to′sis). 好塩基球増加〔症〕. = basophilic *leukocytosis*.

ba·so·e·ryth·ro·cyte (bā′sō-ĕ-rith′rō-sīt). 塩基性赤血球（好塩基性斑点，好塩基性顆粒などの好塩基性変性を伴う赤血球).

ba·so·e·ryth·ro·cy·to·sis (bā′sō-ĕ-rith′rō-sī-tō′sis). 塩基性赤血球増加〔症〕（好塩基性変性を伴う赤血球が増加すること. 持続的な低色素性貧血を特徴とする疾患によくみられる).

ba·so·lat·er·al (bā′sō-lat′er-ăl). 基底外側の（特に，細胞学的に扁桃体を構成する2大部分の1つについていう. ⇀amygdaloid *body*).

ba·so·met·a·chro·mo·phil, ba·so·met·a·chro·mo·phile (bā′sō-met′ă-krō′mō-fil, -fīl). 塩基異染〔性〕の（塩基性色素に対し異染性を呈する. ⇀metachromasia).

ba·so·pe·ni·a (bā′sō-pē′nē-ă) [baso- + G. *penia*, poverty]. 好塩基球減少〔症〕. = basophilic *leukopenia*.

ba·so·phil, ba·so·phile (bā′sō-fil, -fīl) [baso- + G. *phileō*, to love]. ***1*** 〘n.〙 好塩基〔性〕細胞，好塩基球（好塩基顆粒を有する細胞). ***2*** 〘adj.〙 = basophilic. ***3*** 〘n.〙 血液中の食細胞作用のある白血球で，ヘパリン，ヒスタミン，リューコトリエンを含む多数の好塩基性の顆粒を特徴とする. 骨髄中の異なった幹細胞を起源としているが，分葉核であることを除けば，形態および機能は肥満細胞に類似する.
tissue b. 組織好塩基球. = mast *cell*.

ba·so·phil·i·a (bā′sō-fil′ē-ă). = basophilism. ***1*** 好塩基球増加〔症〕（循環血液中の好塩基球が正常より多い状態(好塩基球白血球増加症)，あるいは器官の好塩基性実質細胞の割合が増加すること(骨髄では好塩基球過形成)). ***2*** 好塩基性赤血球症（循環血液中に好塩基性赤血球がみられる状態. 白血病，重症貧血，マラリア，鉛中毒などにみられる場合がある). = Grawitz b. ***3*** 未分化な赤血球の塩基性染色への反応. 細胞は青色に染色されたり青色の顆粒を含む場合がある. ***4*** 下垂体腺腫.
Grawitz b. (grah′vits). グラーヴィッツ好塩基性赤血球症. = basophilia (2).
punctate b. 好塩基性斑点，斑点状好塩基性赤血球症. = stippling (1).

ba·so·phil·ic (bā′sō-fil′ik). 好塩基〔性〕の，塩基親和〔性〕の（塩基性色素に対して親和性を示す組織成分についていう). = basophil (2).

ba·soph·i·lism (bā-sof′il′izm). = basophilia.
Cushing b. (kuh′shing). = Cushing *syndrome*.
Cushing pituitary b. クッシング病の下垂体好酸性腺腫. = Cushing *disease*.

ba·so·phil·o·cyte (bā′sō-fil′ō-sīt). = basophilic *leukocyte*.

ba·so·plasm (bā′sō-plazm′). 好塩基〔性〕細胞質（塩基性色素で容易に染まる細胞質の部分).

Bas·sen (bas′ĕn), Frank A. 20世紀の米国人医師. ⇀B.-Kornzweig *syndrome*.

Bas·si·ni (bă-sē′nē), Edoardo. イタリア人外科医，1844—1924. ⇀B. *herniorrhaphy*, *operation*.

Bass·ler (bas′lĕr), Anthony. 米国人医師，1874—1959. ⇀B. *sign*.

bas·sor·in (bas′ōr-in). バソリン（膨潤してゲルを形成するトラガントの60—70%を占める不溶性成分. 複雑なメトキシル化された酸を含有している).

Bas·te·do (bas-tē′dō), Walter A. 米国人医師，1873—1952. ⇀B. *sign*.

bat (bat) [M.E. *bakke*]. コウモリ（哺乳類翼手目に属す).
vampire b. 血吸いコウモリ（チスイコウモリ属 *Desmodus* に属し，中央・南アメリカにおける狂犬病ウイルスの主要な保有宿主である).

bath (bath) [A.S. *baeth*]. ***1*** 入浴，沐浴（水あるいは他の流動性の媒質に身体の一部または全部を浸すこと. あるいはそのような媒質を何らかの形で，身体の一部または全部に適用すること). ***2*** 浴槽（何らかの形で入浴を行うのに用いる器具. 器具は，用いる媒質，媒質の温度，媒質を適用する形態，媒質に添加される薬物，入浴する部分，によって適したものが用いられる). ***3*** 恒温槽（生体試料(例えば生体組織由来の細胞)の代謝活性や増殖を維持するのに用いる液体).
colloid b. 膠質浴（重炭酸ナトリウムやオートミールのような緩和剤を加えた浴で，皮膚刺激やそう痒症を軽減する目的で用いる).
contrast b. 交代浴，対比浴（身体の一部を温水に数分間浸し，次に冷水に浸す. 温水と冷水とを，通例30分間隔で規則的に入れ替える. 身体の一部分の血流を増すのに用いる).
douche b. 注入浴（水の強い噴射や流れを身体の局所に当てること).
dousing b. ダウシング浴（非常に高温で行う発光電気高温空気浴).
electric b., electrotherapeutic b. 電気浴，電気療法浴

(①媒質が荷電しているもの．＝hydroelectric b. ②静電気を治療に利用すること．患者は絶縁された台の上に乗る)．

Greville b. (grĕ′vil). グルヴィル浴 (非常に高温で行う非発光性電気高温空気浴で，現在では行われない治療法)．

hafussi b. [Ger. *Hand*, hand + *Fuß*, foot]. ハフシ浴 (Nauheim 療法の変法．二酸化炭素が通過する温水に患者の手足だけを浸す)．

hydroelectric b. 電気水浴．＝electric b. (1).

immersion b. 薬浴 (全身あるいは身体の一部を治療剤に浸して行う治療的な入浴)．

light b. 光線浴 (皮膚を放射光にさらして行う治療法)．

Nauheim b. (now′hīm). ナウハイム浴．＝Nauheim *treatment*.

needle b. 針状灌水浴 (多量の水を非常に細く噴出させて，身体に勢いよく当てる方法)．

oil b. 油浴 (化学において，物質のはいった容器を油に浸して，熱したり蒸留したりする器具)．

sand b. 砂浴 (化学において，処置すべき物質を火の直接の作用から守るために，砂の層で保護されている容器に入れる方法)．

sitz b. [Ger. *sitzen*, to sit]. 座浴 (足を浴槽外に出してはいる会陰部と殿部の入浴)．

water b. 水浴 (化学において，物質のはいった容器を水に浸して，熱したり蒸留したりする器具)．

batho- (bath′ō) [G. *bathos*, depth]. 深さを表す連結形．→bathy-.

bath·o·chro·mic (bath′ō-krō′mik) [batho- + G. *chrōma*, color]. 深色の (吸収スペクトルの最大値が，より長い波長の方へずれること(深色効果)についていう．浅色の反対)．

bath·o·flore (bath′ō-flōr). 深蛍光団 (分子中に存在して，蛍光をより長い波長の方向にずらしたり，蛍光の放出を減少させる原子あるいは原子団．*cf.* auxoflore)．

bath·o·pho·bi·a (bath′ō-fō′bē-ă) [G. *bathos*, depth + *phobos*, fear]. 深所恐怖〔症〕，墜落恐怖〔症〕(深い所，または深い所をのぞくことに対する病的な恐れ)．

bathy- (bath′ē) [G. *bathys*, deep]. 深さを表す連結形．→batho-.

bath·y·an·es·the·sia (bath′ē-an′es-thē′zē-ă) [G. *bathys*, deep + *an-* 欠性辞 + *aisthēsis*, sensation]. 深部感覚(知覚)消失 (深部感覚能の消失．すなわち筋肉，靱帯，腱，骨，関節)．

bath·y·car·di·a (bath′ē-kar′dē-ă) [G. *bathys*, deep + *kardia*, heart]. 滴状心 (心臓が正常位置より下にあるが，その位置で安定している状態．cardioptosia(心臓下垂症)とは区別される)．

bath·y·es·the·si·a (bath′ē-es-thē′zē-ă) [G. *bathys*, deep + *aisthēsis*, sensation]. 深部感覚(知覚) (皮膚の下の組織，すなわち筋肉，靱帯，腱，骨，関節からのすべての感覚について一般的に用いる．→myesthesia)．

bath·y·gas·try (bath′ē-gas′trē) [G. *bathys*, deep + *gastēr*, stomach]. 胃下垂．＝gastroptosis.

bath·y·hy·per·es·the·si·a (bath′ē-hī′per-es-thē′zē-ă) [G. *bathys*, deep + *hyper*, above + *aisthēsis*, sensation]. 深部感覚(知覚)過敏 (例えば筋肉組織など深部構造の感覚が非常に敏感になること)．

bath·y·hyp·es·the·si·a (bath′ē-hip′es-thē′zē-ă) [G. *bathys*, deep + *hypo*, under + *aisthēsis*, sensation]. 深部感覚(知覚)減退 (例えば筋肉組織などの皮下組織における感覚の欠陥)．

Ba·tis·ta (bah-tēs′tă), Randas. 20 世紀のブラジル人心臓外科医．→B. *procedure*.

ba·trach·o·tox·in (ba-tra-kō-tok′sin) [G. *batrachos*, frog + toxin]. バトラコトキシン (コロンビアヤドクガエル(*Phyllobates* spp.)から分泌される神経毒．通常の経口摂取では無毒であるが，潰瘍部があったり注射されると，神経細胞膜上のナトリウムイオンの透過性が不可逆的に上昇し，麻痺を生じる)．

Bat·son (bat′sŏn), Oscar V. 米国人耳鼻咽喉科医，1894—1979. →B. *plexus*; Carmody-B. *operation*.

Bat·ten (bat′ĕn), Frederick E. 英国人眼科医，1865—1918. →B.-Mayou *disease*; B. *disease*.

bat·ter·y (bat′er-ē) [M. E. *batri*, beaten metal, ＜ O. Fr. *batre*, to beat]. バッテリー (解析または診断のためにまとめて行われる一連の検査)．

Halstead-Reitan b. (hahl′sted rī′tan). ハルステッド－ライタン検査 (脳損傷が行動に与える影響はもちろん脳行動機能を研究するための神経心理学的検査(カテゴリー検査，触覚作業検査，Seashore 検査，語音知覚検査，手指振動検査，trail-making 検査，握力測定検査))．＝Tactual Performance Test.

Bat·tle (bat′ĕl), William H. イングランド人外科医，1855—1936. →B. *sign*.

Bau·er (bow′ĕr), Hans. 20 世紀のドイツ人解剖学者．→B. chromic acid leucofuchsin *stain*.

Bau·er (bow′ĕr), Walter. 20世紀の米国人内科医．→B. *syndrome*.

Bau·hin (bō′an[h]), Gaspard. スイス人解剖学者，1560—1624. →B. *gland, valve*.

Bau·mé (bō-mā′), Antoine. フランス人化学者・薬剤師，1728—1804. →B. *scale*.

Baum·gar·ten (bawm′gar-tĕn), Paul Clemens von. ドイツ人病理学者，1848—1928. →B. *veins*; Cruveilhier-B. *disease, murmur, sign, syndrome*.

bay (bā). 溝 (①解剖学において，液体を含む陥凹部．②特に涙嚢溝)．

celomic b. 体腔溝 (①胚の尿生殖間膜の両側にある内側陥凹と外側陥凹．②網嚢前庭の上陥凹のこと．胚子期に横隔膜が形成されるとき，右の(肺腸)陥凹の上部が横隔膜の上方に切り離されて心臓下包となり，横隔膜より下方の部分が上陥凹となる．左の(肺腸)陥凹は胚子期の初期に消失する)．＝pneumatoenteric.

lacrimal b. 涙嚢溝．＝lacrimal *lake*.

Bayes (bāyz), Thomas. 英国人数学者，1702—1761. →B. *theorem*.

Bay·ley (bā′lē), Nancy. 米国人心理学者，1899—1994. →B. *scales* of Infant Development.

bay·lis·as·car·i·a·sis (bā′lis-as′kă-ī′a-sis). ベイリスアスカリス症 (*Baylisascaris*属の寄生線虫による疾病．ラクーンの寄生虫である *B. procyonis* の移行幼虫が各種の野生動物や家畜およびまれにヒトの中枢神経系の重度の疾患の原因となる．ヒトの疾病では致命的な好酸球性髄膜脳炎またはびまん性片側性の亜急性神経網膜炎を呈する)．

Bay·lis·as·ca·ris (bā-lis-as′kă-ris). バイリスアスカリス属 (哺乳類の腸管にみられる回虫類の一属)．

B. procyonis アライグマ回虫 (アライグマに普通にみられる大形の回虫．ヒトが感染アライグマの糞便由来の感染虫卵を何らかの理由で飲み込むと内臓幼虫移行症や眼幼虫移行症を起こす．→visceral *larva migrans*)．

bay·o·net (bā-ŏ-net′) [Fr. *bayonette* ＜ *Bayonne*, 最初に製作されたフランスの地名]. 銃槍状板歯鉗子 (把柄部に平行で，分岐した刃部または嘴部をもつ器具)．

Ba·zett (bă-zet′), Henry C. 英国人心臓病専門医，1885—1950. →Bazett *formula*.

Ba·zex (băh-zeks′), A. 20世紀のフランス人医師．→B. *syndrome*.

Ba·zin (ba-zĭn′), Antoine P.E. フランス人皮膚科医，1807—1878. →B. *disease*.

BBB blood-brain *barrier*; bundle-branch *block* の略．

BBC bromobenzylcyanide の略．

BBC3 Bcl2-binding *component* 3 の略．

BBT basal body *temperature* の略．

BCG bacille Calmette-Guérin; ballistocardiograph の略．

BCL-2 アポトーシスを抑制する癌遺伝子．

Bcl-6 胚中心細胞の分化マーカーでリンパ球分化と免疫形成を制御する蛋白．結節性リンパ球優位型 Hodgkin リンパ腫では Bcl-6 遺伝子の再配列と Bcl-6 蛋白の発現頻度が高く，Barrett 型食道(食道腺癌の前癌病変)発症には胚中心 B 細胞の関与が示唆されている．→Barrett *epithelium*; Barrett *syndrome*.

BCNU ＝carmustine.

bdel·lin (del′in) [G. *bdella*, leech + -in]. デリン (ヒルから見出されたプロテアーゼインヒビター群の 1 つ)．

Bdel·lo·vib·ri·o (del′ō-vib′rē-ō). デロビブリオ属 (好気性で運動性を有するグラム陰性細菌．他のグラム陰性細菌に寄生することによって生存できる．土壌や水系環境に生存す

る).

B. bacteriovorus 偏性好気性，グラム陰性，コンマ型の一般的でない細菌で，他のグラム陰性菌の細胞壁を貫通し，感染する．主に遺伝子組換えの目的で研究に広く用いられている．ヒトへの病原性は知られていない．

B.D.S. Bachelor of Dental Surgery の略．

B.D.Sc. Bachelor of Dental Science の略．

BE barium *enema* の略．

Be ベリリウムの元素記号．

bead·ed (bēd′ed). 数珠状をなした（①多くの場合，糸に通したビーズのように1列に並んだ多数の丸い小突起を特徴とする．②穿刺培養において，接種線に沿って不連続に並んだ一連の細菌集落についていう．③染色すると濃染した顆粒が菌体中に規則正しい間隔でみられるバクテリアについていう）．

bead·ing (bēd′ing). ***1*** 小さく，丸い突起が多くあること．ビーズがひも状に一列に並んだ形を多く認める．***2*** ビーディング（上顎の義歯の大連結子における粘膜面辺縁の丸い隆起）．***3*** ビーディング（主模型作製前に印象の辺縁部の近くにワックス棒または石膏－軽石混合物を置き，歯科補てつを行うための最終印象の辺縁を保護すること）．

b. of the ribs ＝rachitic *rosary*.

beak (bēk) [L. *beccus*]. ***1*** ビーク（歯科においては，鍛造または鋳造金属装置の形成や調整に用いるプライヤーの先端）．***2*** くちばし状の解剖学的構造を記述するのに用いることもある．→rostrum.

beak·er (bē′kĕr). ビーカー（注ぎ口のある薄いガラスの容器．液体の容器として用いる）．

Beale (bēl), Lionel S. 英国人医師，1828—1906. →B. *cell*.

beam (bēm) [O.H.G. *Boum*]. ***1*** 梁(はり)，ビーム（負荷により，弯曲度が変化する杆(棒)．歯科において，〝バー〟の代わりの語としてしばしば用いる）．***2*** 線束，ビーム（X線線束のように，放射方向がある方向に制限された光または放射線）．

Balkan b. (bal′kin). ＝Balkan *frame*.

cantilever b. 片持ち梁（歯科において，一端のみの固定支点に支えられている梁）．

continuous b. 連続梁（歯科において，3個以上の支点が連続しており，梁の端にない支点は自由支点に等しい梁）．

electron b. 電子線（主として体表面の放射線治療に用いられる放射線の一形態．→betatron）．

restrained b. 拘束梁（歯科において，2個以上の支点をもち，少なくとも1つの支点まである程度自由に回転できるが，自由支点ほどには自由に回転できない梁）．

simple b. 単純支持梁（歯科において，両端に2個のみの支点をもつ真っすぐな梁）．

bean (bēn) [O.E. *bean*]. 豆（種々のマメ科植物のさやの中に含まれている扁平な種子．薬理学的に重要な豆は，アルファベット順に特定名で記載）．

beard (bērd) [TA]. ひげ．＝barba.

bear·ing (bār′ing). 支〔持〕点，支持面．

central b. セントラルベアリング（歯科において，上顎と下顎の咬合圧負担域の中心にできるだけ近い1点において，上顎と下顎の間に力を荷重すること．この方法は，咬合採得したり咬合不良を修正したりするときに，支持組織の全体にわたって，閉口力を均等に分配する目的で行う）．

bear·ing down (bār′ing down). 分娩第2期に産婦が腹圧をかけること．

beat (bēt) [A.S. *beatan*]. ***1*** 〘v.〙鼓動する，収縮する，拍動する．***2*** 〘n.〙収縮，拍動（心臓や脈拍の収縮，刺激）．***3*** 〘n.〙心臓内の他の場所に生じた刺激に反応して生じる心室腔の活動．***4*** 〘n.〙周波数がごくわずかに異なる2つの音が共存するときに別の3番目の音を感じること．***5*** 〘n.〙うなり（周波数のごくわずかに異なる音が同時に鳴ると相互の干渉によって形成される定期的な拍動性の一連の音）．

apex b. 心尖拍動（左室心尖が収縮期に胸壁を打つときに見えたり触れたりできる拍動．正常では正中線の左側約10 cmの第五肋間腔にある）．

atrial capture b. 心房性補充拍動（房室解離の後，心房が心室の制御を受けて拍動すること．心室内の異所性収縮や電気刺激によって逆行性に心室から心房に伝わる脱分極を示す）．

atrial fusion b. 心房融合収縮（一部分心房の洞結節からの刺激と一部分房室接合部あるいは心室の異所性または逆行性刺激により興奮させられて起こる収縮）．

automatic b. 自動〔性〕収縮（強制収縮と対照的に，先行収縮によって誘発されるのではなく新たに発生する異所性収縮．したがって補充収縮，副収縮は自動性である）．＝automatic contraction.

combination b. 連合収縮．＝fusion b.

coupled b.'s 連合収縮（先行する(通常は正常)調律から固定した時間に起こる早期心拍）．

dependent b. 依存収縮．＝forced b.

Dressler b. (dres′lĕr). ドレスラー収縮（心室頻拍の刺激と上室性起源の刺激の融合の結果，正常に近い幅の狭いQRS波形を生じ，心室頻拍を中断させるような融合収縮．Dressler心拍は心室頻拍を中断させることによって心室頻拍の存在を証明する）．

dropped b. 脱落収縮（心拍が現れないこと）．

echo b. 回帰収縮（刺激発生源付近に逆行性に心臓内の刺激が戻り，この刺激で順行性に心臓が2回目の脱分極を起こして生じる期外収縮）．

ectopic b. 異所性収縮（洞房結節以外の部位から発生する心拍）．

escape b. 補充収縮（通常，房室接合部あるいは心室から起こる自動収縮．次にきたるべき正常収縮の脱落後に起こり，したがって常に後発収縮となり，正常収縮より長い周期となる）．＝escape contraction.

forced b. 強制収縮（①連結している先行正常収縮によって，何らかの方法で誘発されると考えられる期外収縮．②心臓の人工的刺激によって発生する期外収縮）．＝dependent b.

fusion b. 融合収縮（1つ以上の電気的刺激波が一緒になり，複数の刺激波が最終的に1つとなって生じた心臓収縮．心電図上は，心房あるいは心室が，同時にまたはほぼ同時に侵入してきた2つの刺激で活性化され，心房波あるいは心室波を生じる形としてみられる）．＝combination b.; mixed b.; summation b.

heart b. 心拍〔動〕（完全な心臓周期．電気的刺激の拡散とそれに続く機械的収縮を含む）．＝ictus cordis.

interference b. 干渉収縮（房室解離の間に，偶然干渉の結果起こる心室捕捉）．

mixed b. 混合収縮．＝fusion b.

paired b.'s 対収縮（→bigeminy）．

parasystolic b. ＝parasystole.

premature b. 期外収縮，早期収縮．＝extrasystole.

pseudofusion b. 偽融合収縮（心臓の脱分極を表す心電図所見の1つで，自己の心臓そのものから生じるQRS群に，電気的ペースメーカの無効なスパイクが重なってできたもの．ペースメーカスパイクが無効な理由は，その電気刺激が出たことが心電図上に表れていても，自己調律の絶対不応期に起こったためで，したがってペースメーカの機能異常を示しているわけではない）．

reciprocal b. 回帰収縮（→reciprocal *rhythm*）．

retrograde b. 逆行性収縮（心拍の発生した心腔の頭側にある心腔の部分の電気的活性化としてみられる拍動．例えば心腔起源の刺激によって誘発された心房拍動）．

summation b. 重合収縮．＝fusion b.

ventricular fusion b. 心室融合収縮（心室が一部分下行する洞性あるいは房室接合部性の刺激と一部分異所性心室刺激によって興奮させられて起こる融合収縮）．

Beau (bō), Joseph H.S. フランス人医師，1806—1865. →B. *lines*.

Beau·ver·i·a (bō-vā′rē-ă). ハクキョウサン(白彊蚕)病菌属（線菌綱の真菌の一属．*B. bassiana* は，昆虫に対し病原性で，生物学的殺虫薬として役立つ可能性がある．ヒトに感染する）．

be·can·thone hy·dro·chlor·ide (be-can′thōn hī′drō-klōr′īd). 塩酸ベカントン（抗住血吸虫薬）．

Bech·te·rew (bek-tĕr′yev), Vladimir M. von. ロシア人神経科医，1857—1927. →B. *band*, *disease*, *nucleus*, *sign*; *layer* of B.; *line* of B.; *band* of Kaes-B.; B.-Mendel *reflex*; Mendel-B. *reflex*.

Beck (bek), Claude S. 米国人外科医，1894—1971. →B. *triad*.

Beck (bek), Emil G. 米国人外科医，1866—1932. →B. *method*.

Beck·er (bek′ĕr), Peter Emil. ドイツ人遺伝学者，1908—

2000. ⇀B.-type tardive muscular *dystrophy*; B. muscular *dystrophy*.

Beck·er (bek′ĕr), Samuel W. 米国人皮膚科医，1894—1964. ⇀B. *nevus*.

Beck·mann (bek′măn), Ernst O. ドイツ人化学者，1853—1923. ⇀B. *apparatus*.

Beck·with (bek′with), John Bruce. 20世紀の米国人病理学者. ⇀B.-Wiedemann *syndrome*.

Bé·clard (bā-klahr′), Pierre A. フランス人解剖学者，1785—1825. ⇀ranine *anastomosis*; B. *hernia, triangle*.

Bec·que·rel (bek-ă-rel′), Antoine H. フランス人物理学者・ノーベル賞受賞者，1852—1908. ⇀becquerel; B. *rays*.

bec·que·rel (Bq) (bek-ă-rel′) [A.H. *Becquerel*]. ベクレル（放射能(の強さ)の SI単位．1秒につき1壊変に等しい．1 Ci＝3.7×10^{10} Bq).

bed (bed). ***1*** 床（解剖学において，他の構造を支持する基底または構造). ***2*** 床，ベッド（睡眠，回復，または治療に用いる備品).

b. of breast 乳房床，乳腺床（乳房(乳腺)の後面が付着している構造で，主に大胸筋であるが，その他に前鋸筋・外腹斜筋も関係している．第二から第六肋骨，胸骨傍線から前腋窩線にわたっている).

capillary b. 毛細血管床（集合的な意味での毛細管とその血液容積).

fracture b. 骨折床（骨折治療用のきわめて堅く狭いベッド．通常，ベッドの頭の部分に牽引装置用および患者の可動性のためのフレームが付いている).

Gatch b. (gatch). ギャッチベッド（患者の頭と膝を個々に持ち上げるためにいくつかの部分からなるベッド).

mud b. 泥ベッド（特殊な陶土からなる半液体の泥状物をプラスチックシーツでおおったマットレスを用いるベッド．熱傷患者や広範囲の麻痺を伴う患者に対して，体重により体表にかかる圧力を広く分散させる目的で用いる).

nail b. 爪床．＝nail *matrix*.

parotid b. 耳下腺床（耳下腺を囲みこれに接触して耳下腺の存在する空間を境している諸構造．前方は咬筋と内側翼突筋に挟まれた下顎枝，内側は咽頭壁，頸動脈鞘，茎状突起に発する諸構造，後方は乳様突起，胸鎖乳突筋，顎二腹筋の後腹，上方は顎関節，鼓室骨，外耳道軟骨).

b. of parotid gland ＝parotid *space*.

b. of stomach 胃床（胃の後下面が座している諸構造で，それによって胃の大部分が網嚢から切り離されている．横隔膜，左副腎，腎臓上部，脾動脈，膵臓前面，左結腸曲，横行結腸間膜).

water b. 水床（密封したゴム袋の形をしたマットレスで，水を満たして用いる．患者の体重を均一に分散させることで，褥瘡を予防あるいは治療する).

bed·bug (bed′bŭg). 南京虫. ⇒*Cimex*.

bed·lam (bed′lăm) [ロンドンの St. Mary of *Bethlehem* Hospital の訛語または短縮形]. ***1*** 精神病院または施設を表す蔑俗語．***2*** 粗野な行為あるいは狂暴な行為の行われる場所あるいは場面．***3*** 不穏な騒ぎ.

Bed·nar (bed′năr), Alois. ハプスブルク帝国の医師，1816—1888. ⇀B. *aphthae* (⇒aphtha).

Bed·nar (bed′năr), Blahoslav. チェコ人病理学者，1916—1998. ⇀B. *tumor*.

bed·sore (bed′sōr). 褥瘡，とこずれ. ＝decubitus *ulcer*.

bed-wet·ting (bed′wet′ing). 夜尿[症]. ＝nocturnal *enuresis*.

bee (bē) [A.S. *beó, bī*]. ミツバチ，ハチ（ミツバチ属 *Apis* の昆虫．ヨーロッパミツバチ *A. mellifica* は蜜とろうをつくる).

beech oil (bēch oyl). ブナノキ油. ＝beechwood tar.

beech·wood tar (bēch′wud tar). ブナノキタール（暗褐色クレオソート臭の濃厚な油性の液体．主としてクレオソートの原料として用いる). ＝beech oil.

Beer (bēr), August. ドイツ人物理学者，1825—1863. ⇀B.-Lambert *law*; B. *law*.

Beer (bēr), Georg J. ハプスブルク帝国の眼科医，1763—1821. ⇀B. *knife*.

bees·wax (bēz′waks). 蜜ろう. ＝wax (1).

white b. サラシ蜜ろう，白ろう. ＝white *wax*.

bee·tu·ri·a (bē-tyū′rē-ă) [MIM*109600]. ビート尿（ビートを食した後の尿中ベータシアニン排泄．ほとんどすべての鉄欠乏性患者と一部の正常者で検出される). ＝betacyaninuria.

Bee·vor (bē′vŏr), Charles E. イングランド人神経科医，1854—1908. ⇀B. *sign*.

Beg·bie (beg′bē), James. スコットランド人医師，1798—1869.

Begg (beg), P. Raymond. 20世紀のオーストラリア人矯正歯科医. ⇀B. light wire differential force *technique*.

Bé·guez Cé·sar (bē′gās sā′sahr), Antonio. キューバ人小児科医. ⇀B.C. *disease*.

be·hav·ior (bē-hāv′yōr) [M. E. < O. Fr. *avoir*, to have]. 行動，態度，習性（①生物が示す反応．②心身の行為，活動．③特に全体的な反応パターンの一部).

adaptive b. 順応行動，適応行動（特殊な状況や環境に生体を適応させる行動).

antisocial b. 反社会的行為（他人の権利や社会の規則に対して好ましくない行動．しかし法的な罰則を受けるほど重度である必要はない．*cf.* juvenile delinquent).

appetitive b. 欲求行動（生体が，ある種の刺激(食物など)の方へ向かうこと．*cf.* aversive b.).

aversive b. 嫌悪行動，嫌忌行動（生体が，ある種の刺激(電気ショックなど)を回避すること．*cf.* appetitive b.).

coronary-prone b. 冠状動脈疾患傾性行動（心疾患の危険性を高める敵対的な行動).

health b. 保健行動（保健に関する活動を起こすために役立つ知識，実践，態度などのすべて).

hookean b. フックの性質，フック性（完全弾性体のもつ性質，挙動．すなわちそのひずみは応力に直接比例する. ⇀Hooke *law*).

hostile b. 敵愾性行動（いろいろな程度の敵愾的行為．敵と思われるまたは敵として振舞う人の存在面を否定し，破壊する目的で敵意や悪意を表して行う).

molar b. モル行動（心理学において，小さな反応単位よりも大きな反応単位で記述される行動．*cf.* molecular b.).

molecular b. 分子行動（心理学において，大きな反応単位よりも小さな反応単位で記述される行動．特異反応．*cf.* molar b.).

obsessive b. 強迫行動（強迫神経症にみられる，反復性のある様式化された行動).

operant b. オペラント行動（行為者に生じた結果によって行動の持続と頻度が決定されること．条件付け行動理論の中心的な要素である. ⇀conditioning).

passive-aggressive b. 受動的攻撃性行動（深く心に抱き直接には表現できない攻撃的な感情を隠すための，見かけ上の従順な行動．内的には妨害的あるいは頑固な性質をもつ).

respondent b. レスポンデント行動（特定の刺激に反応する行動．通常，古典的条件付けに関連する. ⇀conditioning).

ritualistic b. 儀礼的行動（心理的あるいは文化的起源に基づく無意識的行動).

target b. 標的行動（①＝operant. ②行動(変容)療法の対象となる行動).

type A b. A型行動（攻撃的，野心的，せっかちで，いつも時間に追われているように感じているという特徴を有する行動パターン．A型行動パターンに伴いうる特徴の中でも敵愾性行動が冠状動脈疾患の危険性の増加に関連していることが最近の研究で明らかにされた. ⇀hostile b.).

type B b. B型行動（A型行動の特徴をもたないか，それとは反対の特徴を有する行動パターン).

be·hav·ior·al (bē-hāv′yōr-ăl). 行動の，態度の.

be·hav·ior·al sci·enc·es (bē-hāv′yōr-ăl sī′ents-ez). 行動科学（心理学，社会学，文化人類学などの専門領域や科学分野の集合的用語であり，生物行動の観察と研究に基づく理論，概念，研究手段をもつ).

be·hav·ior·ism (bē-hāv′yōr-izm). 行動主義（心理学の一分野．人間や動物の行動の基礎をなす法則や原則を，系統的な観察と実験を通して公式化する．条件付けおよび学習の分野での貢献が大きい). ＝behavioral psychology.

be·hav·ior·ist (bē-hāv′yōr-ist). 行動主義者.

Beh·çet (be-shet′), Hulusi. トルコ人皮膚科医，1889—1948. ⇀B. *disease, syndrome*.

be·hen·ic ac·id (bĕ-hen′ik as′id). ベヘン酸（たいていの脂

肪や魚油の構成要素．ジャンバ，カラシ種，ナタネ油，セレブロシド中に大量にある）．＝*N*-docosanoic acid.

Behr (bār), Carl J. P. ドイツ人眼科医，1874—1943. ⇀B. *disease, syndrome.*

Beh·ring (bār′ing), Emil A. von. ドイツ人細菌学者・ノーベル賞受賞者，1854—1917. ⇀B. *law.*

BEI butanol-extractable *iodine* の略．

Beilby (bēl′bē), George Thomas. 英国人化学者，1850—1924.

bej·el (bej′el) [Ar. *bajlah*]. ベジェル（現在ではアラビア人の小児に多くみられる非性病性伝染による地方病性梅毒．梅毒トレポネーマ *Treponema pallidum* によることが明らかとなっている．→nonvenereal *syphilis*）．

Bek (bek), E.V. ロシア人医師．⇀Kashin-B. *disease.*

Bé·ké·sy (bā′kā-shē), Georg von. 米国に在住したハンガリー人生物物理学者・ノーベル賞受賞者，1899—1972. ⇀B. *audiometer, audiometry.*

bel (bel) [A.G. *Bell*. スコットランド系米国人の科学者，1847—1922]. ベル（音の相対強度を表す単位．ベル数は基準音に対する音の強さの比の対数(10を底とする)で与えられる．通常，基準音には，毎秒1,000 Hzの音に対する正常なヒトの閾値 10^{-16}W/cm² がとられる）．

belch·ing (belch′ing) [A.S. *baelcian*]. おくび．＝eructation.

bel·em·noid (be-lem′noyd) [G. *belemnon*, a dart + *eidos*, resemblance]. 投げ槍状の，茎状の．

Bell (bel), Charles. スコットランド人外科医・解剖・生理学者，1774—1842. ⇀B. *law*, respiratory *nerve*, *palsy*, *spasm*; B.-Magendie *law*; external respiratory *nerve* of B.

Bell (bel), John. スコットランド人外科医・解剖学者，1763—1820. ⇀B. *muscle.*

bel·la·don·na (bel′ă-don′ă) [It. *bella*, beautiful + *donna*, lady]. ベラドンナ，西洋ハシリドコロ（*Atropa belladonna*（ナス科）．暗紫色または黄紫色の花と光沢性黒紫色の液果をもつ多年性草本．葉(ベラドンナアルカロイド含量0.3%)と根(ベラドンナアルカロイド含量0.5%)は，元来，抗コリン性のアトロピン，スコポラミンおよび関連アルカロイドの製造原料となっていた．粉末(ヒオスシアミンで算出してベラドンナアルカロイド含量0.3%)およびチンキ剤として，下痢，ぜん息，仙痛，過酸症の治療に用いる）．＝deadly nightshade.

bel·la·don·nine (bel′ă-don′ēn). ベラドニン（塩酸とともに加温することによって，アトロピンから得られる合成アルカロイド）．

bell-crowned (bel′krownd). 鈴形歯冠の（歯冠が歯頸部よりずっと大きな断面直径を有する歯についていう）．

belle in·dif·fér·ence (bel in-di-fer-ens′). ⇀la belle indifférence.

Bel·li·ni (bĕ-lē′nē), Lorenzo. イタリア人医師・解剖学者，1643—1704. ⇀B. *ducts, ligament.*

bel·ly (bel′ē) [O.E. *belig*, bag]. ***1*** 腹〔部〕．＝abdomen. ***2*** 筋腹（筋の肉付きのよい部分）．＝venter (2) [TA]. ***3*** 俗に，胃または子宮．

anterior b. of digastric muscle [TA]. 〔顎二腹筋〕前腹（顎二腹筋のうち，前方は中間腱から後方は下顎骨に達するまでの部分．下顎神経からの神経に支配される）．＝venter anterior musculi digastrici [TA].

b.'s of digastric muscle 顎二腹筋の筋腹（⇀anterior b. of digastric muscle; posterior b. of digastric muscle）．

frontal b. of occipitofrontalis muscle [TA]. 前頭筋（後頭前頭筋の前腹．⇀occipitofrontalis (*muscle*)）．＝venter frontalis musculi occipitofrontalis [TA]; frontalis muscle.

inferior b. of omohyoid muscle [TA]. 肩甲舌骨筋〔の〕下腹（肩甲舌骨筋のうち肩甲骨に付着している下方の筋腹）．＝venter inferior musculi omohyoidei [TA].

occipital b. of occipitofrontalis muscle [TA]. 後頭筋（後頭前頭筋の後腹．⇀occipitofrontalis (*muscle*)）．＝venter occipitalis musculi occipitofrontalis [TA]; occipitalis muscle.

b.'s of omohyoid muscle 肩甲舌骨筋の筋腹（⇀inferior b. of omohyoid muscle; superior b. of omohyoid muscle）．

posterior b. of digastric muscle [TA]. 〔顎二腹筋〕後腹（顎二腹筋のうち，中間腱より後方で側頭骨の乳突切痕に達する部分．顔面神経からの神経に支配される）．＝venter posterior musculi digastrici [TA].

prune b. ＝abdominal muscle deficiency *syndrome.*

superior b. of omohyoid muscle [TA]. 肩甲舌骨筋〔の〕上腹(肩甲舌骨筋のうち舌骨に付着している上方の筋腹)．＝venter superior musculi omohyoidei [TA].

bel·ly·ache (bel′ē-āk′). 腹痛（腹痛を表す口語で，通常は仙痛をいう）．

bel·ly but·ton (bel′ē bŭt′ŏn). 臍．＝umbilicus.

bel·o·ne·pho·bi·a (bel′ō-nē-fō′bē-ă) [G. *belonē*, needle + *phobos*, fear]. 尖鋭恐怖〔症〕，恐尖症（針，ピン，その他先のとがった物体に対する病的な恐れ）．

Bel·sey (bel′sē), Ronald. 20世紀の英国人外科医．⇀B. *fundoplication*, *procedure*; B. Mark *operation*; Collis-B. *fundoplication*, *procedure.*

bem·e·gride (bem′ĕ-grīd). ベメグリド（中枢神経興奮薬．以前はバルビツレートおよび他の中枢神経抑制薬による中毒の蘇生薬として用いた）．

Bence Jones (bents jōnz), Henry. [BenceとJonesをハイフンで結ばないこと]. 英国人医師，1814—1873. ⇀B.J. *albumin, cylinders, myeloma, proteins, reaction.*

benchmarking (bench′mark-ing). ベンチマーキング（ある人の実験結果を別の施設の結果と一定の決められた手続きに従って比較すること）．

Ben·der (ben′dĕr), Lauretta. 米国人精神科医，1897—1987. ⇀B. gestalt *test*, Visual Motor Gestalt *test.*

bends (bendz) [＜非常に激しい痙攣に苦しんでいる姿勢]. 減圧痛（caisson *sickness*; decompression *sickness* の口語）．

ben·e·cep·tor (ben′ē-sep′ter, tōr) [L. *bene*, well + *capio*, to take]. 有利受容器（有利な刺激を感知，伝達する神経器官あるいは機構．*cf.* nociceptor）．

Ben·e·dek (ben′ē-dek), Ladislaus (László). オーストリア人神経科医，1887—1945. ⇀B. *reflex.*

Ben·e·dict (ben′ĕ-dikt), Francis G. 米国人代謝学者，1870—1957. ⇀B.-Roth *apparatus*, *calorimeter.*

Ben·e·dict (ben′ĕ-dikt), Stanley R. 米国人化学者，1884—1936. ⇀B. *solution*, *test* for glucose; B.-Hopkins-Cole *reagent.*

Ben·e·dikt (ben′ĕ-dikt), Moritz. オーストリア人医師，1835—1920. ⇀B. *syndrome.*

ben·e·fi·cence (be-nef′ĭ-sens) [L. *beneficentia* ＜ *bene*, well ＋ *facio*, to do]. 道徳律（善を行う倫理規範）．

benefit (ben′ĕ-fit). 給付金（医療サービスに対する請求への支払い金として，私立の保険会社や公立のもの(例えば，メディケア，メディケイドなど)が支出したお金）．

coordination of b.'s 利益調整（2つ以上の保険会社あるいは保険団体が，被保険者に提供されたヘルスケアサービスの支払い請求に対するそれぞれの責任を分配すること）．

be·nign (bē-nīn′) [＜O. Fr. ＜L. *benignus*, kind]. 良性の（疾患が軽度，あるいは新生物が悪性でないことをいう）．

ben·ne oil (ben′ĕ oyl). ゴマ油．＝*sesame* oil.

Ben·nett (ben′ĕt), Edward H. アイルランド人外科医，1837—1907. ⇀B. *fracture.*

Ben·nett (ben′ĕt), Norman G. 英国人歯科医，1870—1947. ⇀B. *angle*, *movement.*

Benn·hold (ben′hōld), H. 20世紀のドイツ人医師．⇀B. Congo red *stain.*

ben·ser·a·zide (ben-ser′ă-zīd). ベンセラジド（*l*－芳香族アミノ酸脱炭酸酵素(ドパ脱炭酸酵素)阻害剤で，カルビドパの同効薬．パーキンソン病治療にレボドパと併用して投与する．レボドパの末梢での分解を妨げ，心血管系副作用を低減する）．

Bens·ley (bens′lē), Robert R. 米国系カナダ人解剖学者，1867—1956. ⇀B. specific *granules.*

ben·tir·o·mide (ben-tir′ō-mīd). ベンチロミド（膵外分泌機能不全のスクリーニングおよび膵補充療法の適否のモニターに用いるペプチド）．

ben·ton·ite (ben′ton-īt) [Fort *Benton*, Montana + -ite]. ベントナイト（天然のコロイド状含水ケイ酸アルミニウム．米国西部で発見された吸収性陶土．下痢，皮膚疾患の治療に用いられ，またローション剤における懸濁剤として用いられる）．

benz- (benz). ベンゼンとの化合を表す接頭語．

ben·zal·ac·e·to·phe·none (ben′zal-as-e′tō-fē′nōn). ベン

B

ザルアセトフェノン．＝chalcone.

benz·al·de·hyde (ben-zal′dĕ-hīd). ベンズアルデヒド（合成または苦扁桃油から得られ，80%以上のベンズアルデヒドを含有するアルデヒド．経口投与薬剤に用いる矯味矯臭薬）．＝benzoic aldehyde.

ben·zal·ko·ni·um chlo·ride (ben′zal-kō′nē-ŭm klōr′īd). 塩化ベンザルコニウム（アルキル基が長鎖化合物(C_8—C_{18})である塩化アルキルベンジルジメチルアンモニウムの混合物．多くの病原性非胞子形成性細菌，真菌類に対する表面活性殺菌薬．水溶液は表面張力が低く，洗浄・角質溶解・乳化性を有するので，組織表面の浸透およびぬれを助ける）．

ben·zan·thra·cene (ben-zan′thră-sēn). ベンズアントラセン（発癌性の炭化水素）．＝benzanthrene.

ben·zan·threne (ben-zan′thrēn). ベンズアントレン．＝benzanthracene.

ben·zene (ben′zēn) [*benzoin* + -ene]. ベンゼン（[benzine と混同しないこと]．芳香族化合物の基本六炭素環構造．軽コールタール油から採れるきわめて有毒な炭化水素．溶媒として用いる）．＝benzol; coal tar naphtha.

ben·zene·a·mine (ben-zēn′ă-mēn). ＝aniline.

benz·e·tho·ni·um chlo·ride (benz′ĕ-thō′nē-ŭm klōr′īd). 塩化ベンゼトニウム（合成第四級アンモニウム化合物．陽イオン洗剤(逆性石けん)の一種．殺菌薬，静菌薬）．

ben·zi·dine (ben′zi-dēn). ベンジジン（以前は血便および水の硫酸塩の検出に，さらに特別の染色法の試薬として用いられたp-ジアミノフェニル．現在は発癌性物質と認定されている）．

benz·im·id·a·zole (benz-im-id-ā′zōl). ベンズイミダゾール（①ベンゼン環とイミダゾール環の融合でできた環系．ビタミンB_{12}分子の一部分として自然界に存在する．②駆虫薬の一種．線虫や条虫の駆除に繁用されている）．

ben·zin, ben·zine (ben′zin, ben-zēn). ベンジン．＝*petroleum* benzin.

benzisoxazole (benz-ĭ-sox′a-zōl′). ベンジソキサゾール（酸素と窒素原子をもつ環が付いている置換ベンゼン環を有する化合物群の一つ．いくつかの治療薬は，この群の化学物質から誘導される）．

ben·zo·ate (ben′zō-āt). 安息香酸塩またはエステル．安息香酸塩はしばしば医薬品または食品の防腐剤に用いられる．

ben·zo·at·ed (ben′zō-āt-ed). 安息香酸塩(通常は安息香酸ナトリウム)を含む．

ben·zo·caine (ben′zō-kān). ベンゾカイン（*p*-アミノ安息香酸のエチルエステル．局所麻酔薬）．＝ethyl aminobenzoate.

ben·zo·di·az·e·pine (ben′zō-dī-az′ĕ-pēn). ベンゾジアゼピン（①いくつかの精神活性化合物(例えば，ジアゼパム，クロルジアゼポキシド)の合成の親化合物．②抗不安，催眠，抗痙攣，および骨格筋弛緩の特性をもつ化合物の分類）．

ben·zo·ic (ben-zō′ik). ベンゾインの（ベンゾインから誘導された）．

ben·zo·ic ac·id (ben-zō′ik as′id). 安息香酸（天然にベンゾイン樹脂中に存在する．食物保存剤として，局所的に静真菌薬，経口的に防腐薬として用いる．馬尿酸として迅速に排泄される）．＝benzoyl hydrate; flowers of benzoin.

ben·zo·ic al·de·hyde (ben-zō′ik al′de-hīd). ＝benzaldehyde.

ben·zo·in (ben′zō-in, ben′zoyn) [It. *benzoino* < Ar. *lubān jāwīy*, Javan incense]. 安息香（バルサム樹脂．エゴノキ科アンソッコウノキ *Styrax benzoin* から得られる刺激性去痰薬．通常は，喉頭炎，気管支炎の吸入に用いる．脂肪の酸敗化を遅らせるので，局方安息香酸豚脂にこの目的で用いる）．＝gum benjamin; gum benzoin.

ben·zol (ben′zol). ベンゾール．＝benzene.

ben·zo·mor·phan (ben′zō-mōr′fan). ベンゾモルファン（ペンタゾシンやフェナゾシンを含む一連の鎮痛薬の親化合物．それ自身には鎮痛性はない）．

ben·zo·na·tate (ben-zō′nă-tāt). ベンゾナテート（化学的にテトラカインに関連する鎮咳薬．肺の物理的刺激受容体に対して抑制作用があると考えられている）．

ben·zo·pur·pu·rin 4B (ben′zō-per′pū-rin) [C.I. 23500]. ベンゾプルプリン4B（赤色酸性色素．以前は，染色液，指示薬として用いられた．pH 1.2—4.0 の範囲で，紫色から赤色に変わる）．

1,4-**ben·zo·qui·none** (ben′zō-kwin′ōn). ***1*** 1,4-ベンゾキノン（補酵素QとビタミンEの基礎部分．ヒドロキノンに還元される）．＝quinone (2). ***2*** 1,4-ベンゾキノン化合物（ベンゾキノン誘導体の一種）．

ben·zo·sul·fi·mide (ben′zō-sŭl′fi-mīd). ベンゾスルフィミド．＝saccharin.

ben·zo·thi·a·di·a·zides (ben′zō-thī′ă-dī′ă-zīdz). ベンゾサイアジアザイド（酸塩基平衡を変化させずにナトリウムと塩化物の排泄と，それに伴う水分の排泄を増加させる利尿薬の一種．このグループのほとんどの化合物は，1,2,4-benzothiadiazine-1,1-dioxide の類似体）．

ben·zo·yl (ben′zō-il). ベンゾイル（安息香酸で構成する基で，種々のベンゾイル化合物を形成する）．

b. chloride 塩化ベンゾイル（刺激臭の強い無色の液体，アセチル化反応試薬）．

b. hydrate ＝benzoic acid.

b. peroxide 過酸化ベンゾイル（塩化ベンゾイルと過酸化ナトリウムとの相互作用によってつくられる．油溶液として，潰瘍，熱傷に用いる．また，義歯床樹脂の重合促進，痤瘡治療における角質溶解にも用いる）．

ben·zo·ylec·gon·ine (ben′zō-il-ek′gō-nēn). ベンゾイルエクゴニン（コカインの加水分解代謝物．尿中に検出される）．＝ecgonine benzoate.

benz·py·rene (benz-pī′rēn). ベンズピレン（ジェット燃料の排気ガス，タバコの煙，炭焼肉に存在する環境発癌物質の1つ．強力な酵素誘導物質）．

ben·zyl (ben′zil). ベンジル（炭化水素基 $C_6H_5CH_2$–）．

b. alcohol ベンジルアルコール（局所麻酔作用，静菌作用をもつ）．＝phenmethylol; phenylcarbinol.

b. benzoate 安息香酸ベンジル（平滑筋組織の収縮性を弱め，顕著な鎮痙作用を有する．現在では，シラミ撲滅薬，疥癬撲滅薬として用いられる）．

b. carbinol ベンジルカルビノール．＝phenylethyl alcohol.

b. cinnamate 桂皮酸ベンジル（ペルーバルサム，トルーバルサム，エゴノキの成分）．＝cinnamein.

ben·zyl·ic (ben-zil′ik). ベンジルの．

ben·zyl·i·dene (ben-zil′i-dēn). ベンジリデン（炭化水素基 C_6H_5CH=）．

ben·zyl·i·so·quin·o·lines (ben′zil-ī′sō-kwin′ō-linz). ベンジルイソキノリン系化合物（ケシ科の植物より得られるアルカロイド．クラーレに含まれるアルカロイドがベンジルイソキノリン類である）．

ben·zyl·ox·y·car·bon·yl (Z, Cbz) (ben′zil-ok′sē-kar′-bon-il). ベンジルオキシカルボニル（ペプチド合成で塩酸塩として用いるアミノ保護基．$PhCH_2OCO$–NHR を生じる）．＝carbobenzoxy-.

ben·zyl·pen·i·cil·lin (ben′zil-pen-i-sil′in). ベンジルペニシリン．＝*penicillin* G.

BER basic electrical *rhythm* の略．

Bé·rard (bā-rahr′), Auguste. フランス人外科医，1802—1846. →B. *aneurysm*.

Be·rar·di·nel·li (bĕ-rahr′dĭ-nel′ē), Waldemar. アルゼンチン人医師，1903—1956. →B. *syndrome*.

Bé·raud (bā-rō′), Bruno J. フランス人外科医，1825—1865. →B. *valve*.

ber·ber·ine (ber′ber-ēn). ベルベリン（メギ科 *Hydrastis canadensis* から採れるアルカロイド．抗マラリア薬，解熱薬，駆風薬，また無痛性潰瘍に外用薬として用いられてきた）．

be·reave·ment (bĕ-rēv′ment) [M.E. *bireven*, to deprive + -ment]. 死別反応（愛情を向けている人または金銭には代えがたい持ち物を悲劇的に失った後に強い悲しみや苦悩を感じている急性の状態）．

bergamottin (bĕr-ga-mot′in). ベルガモチン（グレープフルーツジュース中に見出され，CYP450 3A4 を阻害する一連の化学物質(フラノクマリンと総称される)のうちの1つ．→furanocoumarin）．

Ber·ger (ber′gĕr), Emil. オーストリア人眼科医，1855—1926. →B. *space*.

Ber·ger (ber′gĕr), Hans. ドイツ人神経科医，1873—1941. →B. *rhythm*.

Ber·ger (bār′zhā), Jean. 20世紀のフランス人腎臓病学者．→B. *disease*, focal *glomerulonephritis*.

Berg·man (berg′măn), Harry. 米国人泌尿器科医，1912—1998. ⇀B. *sign.*

Berg·mann (berg′mahn), Gottlieb H. ドイツ人神経科医・解剖学者，1781—1861. ⇀B. *cords, fibers.*

Berg·mei·ster (berg-mīs′tĕr), O. オーストリア人眼科医，1845—1918. ⇀B. *papilla.*

ber·i·beri, beri beri (ber′ē-ber′ē) [Singhalese, extreme weakness]. 脚気（特異な栄養欠乏症候群で，東南アジアで発生する地方流行病であるが，世界の他の地方でも，気候に関係なく散在的に発生する．ときにアルコール中毒者にみられ，主に食物中のビタミンB_1の欠乏に起因する．乾燥型は太い体性神経線維，細い体性神経線維，自律神経線維を侵す疼痛性多発ニューロパシーを特徴とし，最初の症状は足の焼けるような痛みで，後に上肢遠位部にも疼痛性感覚異常が出現し，手足の脱力と筋萎縮，遠位部の皮膚萎縮，脱毛が出現する．湿潤型は高拍出型心不全による浮腫を特徴とするが，多発ニューロパシーも同時に存在することが多い．→nutritional *polyneuropathy*）．＝endemic neuritis.

dry b. 乾性脚気（対麻痺性脚気．主に末梢神経を侵す．臨床経過は主としてうっ血性心不全を伴わない多発神経障害）．

infantile b. 幼児性脚気（脚気である母親よりの母乳で育った乳児にみられる脚気．ビタミンB_1不足による．主に，末梢の浮腫が著しい心不全を伴った慢性タイプの脚気(一般に幼児の心不全では末梢の浮腫は起こりにくい)．しばしば，急激に起こり，致死的である．米を多食する東アジア諸国で以前には多発していた．ビタミンB_1により治癒する）．

ship b. 水夫脚気（水夫に多発したチアミン欠乏による脚気）．

wet b. 湿性脚気（浮腫性脚気．多発性神経障害に加えて，うっ血性心不全が起こる）．

berke·li·um (Bk) (berk′lē-um) [カリフォルニア州 *Berkeley* で最初につくられた]. バークリウム（人工の超ウラン放射性元素．原子番号 97，原子量 247.07）．

Ber·lin (bĕr-lin′), Rudolf. ドイツ人眼科医，1833—1897. ⇀B. *edema.*

Ber·lin blue (bĕr-lin′ blū) [C.I. 77510]. ベルリンブルー；ferric ferrocyanide（血管やリンパ管への注入物の染色やシデロサイトの染色に用いる色素）．＝Prussian blue.

Ber·nard (bār-nahr′), Claude. フランス人生理学者，1813—1878. ⇀B. *canal, duct, puncture*; B.-Cannon *homeostasis*; B.-Horner *syndrome*; B.-Sergent *syndrome.*

Ber·nard (bār-nahr′), Jean. 20世紀のフランス人血液病専門医. ⇀B.-Soulier *disease, syndrome.*

Ber·nays (bār-nāz′), Augustus C. 米国人外科医，1854—1907. ⇀B. *sponge.*

Bern·hardt (bern′hart), Martin. ドイツ人神経科医，1844—1915. ⇀B. *disease*; B.-Roth *syndrome.*

Bern·heim (bern′hīm), P. 20世紀初頭のフランス人医師. ⇀B. *syndrome.*

Ber·noul·li (bĕr-nū′lē), Daniel. スイス人数学者，1700—1782. ⇀B. *distribution, effect, law, principle, theorem*, trial.

Ber·noul·li tri·al (bĕr-nū′lē). ベルヌーイ試行（起こりうる結果が２通りであり，それらが互いに排反で，結果の起こる確率は事前に固定されているような確率的事象を考える．このプロセスの実現が Bernoulli 試行である．通常１つの結果が成功(コインの表がでる)とよばれスコア１，もう１つの結果が失敗(コインの裏がでる)とよばれスコア０が与えられる）．

Bern·stein (bern′stēn), Lionel M. 20世紀の米国人内科医. ⇀B. *test.*

Ber·ry (ber′ē), James. カナダ人外科医，1860—1946. ⇀B. *ligaments.*

Ber·son (ber′sŏn), Solomon A. 米国人内科医，1918—1972. ⇀B. *test.*

Ber·the·lot (bār-tĕ-lō′), Pierre Eugene Marcellin. フランス人化学者，1827—1907. ⇀B. *reaction.*

Ber·thol·let (bār-tō-lē′), Claude L. フランス人化学者，1748—1822. ⇀B. *law.*

Ber·ti·ell·a stu·der·i (ber-tē-el′ă stūd-er′ē). 霊長類に普通にみられる条虫．熱帯においてヒトに偶発的な動物原性感染を起こすことが報告されている．

ber·ti·el·lo·sis (ber′tē-ĕ-lō′sis). ベルティエラ症（*Bertiella* 属の条虫によるヒトを含む霊長類での感染症）．

Ber·tin (bĕr-tan[h]′), Exupère Joseph. フランス人解剖学者，1712—1781. ⇀B. *bones, columns, ligament, ossicles.*

Ber·trand (bār-trahn′), Ivan Georges. 20世紀のベルギー人神経科医. ⇀Canavan-van Bogaert-Bertrand *disease.*

ber·yl·li·o·sis (ber′il-ē-ō′sis). ベリリウム症（ベリリウムを吸入した場合に，特に肺に発生する急性肺炎あるいは慢性間質性肉芽腫性線維症を特徴とするベリリウム中毒）．

ber·yl·li·um (Be) (ber-il′ē-ŭm) [G. *beryllos*, beryl]. ベリリウム（アルカリ土類に属する白色の金属．原子番号４，原子量 9.012182）．

Bes·nier (bā-nyā′), Ernest H. フランス人皮膚科医，1831—1909. ⇀B. *prurigo*; B.-Boeck-Schaumann *syndrome.*

Bes·noi·ti·i·dae (bes-noy′tē-i-dē). ベスノイチア科（寄生原生動物の一科．トキソプラスマ科に類似する．*Besnoitia*属が含まれる）．

Best (best), Franz. ドイツ人病理学者，1878—1920. ⇀B. *disease*, carmine *stain.*

bes·ti·al·i·ty (bes-tē-al′i-tē) [L. *bestia*, beast]. 獣姦．＝zoophilia.

be·syl·ate (bes′il-āt). ベシル酸（ベンゼンスルホン酸の USAN 承認の短縮名）．

be·ta (β) (bā′tă) [G.]. ベータ（［印刷文字では，ギリシア文字βの代わりにドイツ語の合字ßを使わないこと］．ギリシア語アルファベットの第２字β（B の文字で始まる項目を参照））．

be·ta-block·er (bā′tă-blok′er). β（ベータ）遮断薬．＝β-adrenergic blocking *agent.*

be·ta·cism (bā′tă-sizm) [G. *bēta* ギリシア語アルファベットの第２字]. バ行発音過多症（b の音を他の子音につける言語障害）．

be·ta·cy·a·nin (bā′tă-sī′ă-nin) [L. *beta*, beet + G. *kyanos*, dark blue substance + -in]. ベータシアニン（数種ある赤色植物色素の１つ．ベタランの一種，例えばベタニン．ビートを多食した患者の尿中に多量に排泄される）．

be·ta·cy·a·ni·nu·ri·a (bā′tă-sī′ă-ni-nūy′rē-ă) [betacyanin + G. *ouron*, urine]. ＝beeturia.

Be·ta·her·pes·vir·i·nae (bā′ta-her′pez-vir′ĭ-nē). ベータヘルペスウイルス亜科（サイトメガロウイルス，バラ疹ウイルスを含むヘルペスウイルス科の亜科）．

be·ta·his·tine hy·dro·chlor·ide (bā′tă-his′tēn hī′drō-klōr′īd). 塩酸ベタヒスチン（Ménière 病の治療に用いるヒスタミン様作用をもつ薬物として使われるジアミンオキシダーゼ抑制物質）．

be·ta·ine (bē′tă-īn). ［誤った発音 bē′tān を避けること］．＝glycine betaine. ***1*** ベタイン（コリンの酸化生成物で，代謝におけるメチル基転移の中間体）．***2*** ベタイン化合物［類］（***1*** の構造をもつ化合物群(すなわち $R_3N^+–CHR′–COO^-$)，例えばグリシンベタイン）．

b. aldehyde ベタインアルデヒド（ベタインとコリンの相互変換の中間体）．

b. hydrochloride 塩酸ベタイン（塩酸欠乏症および低塩酸症の治療に用いる酸性化薬）．

be·ta·ine-al·de·hyde de·hy·dro·gen·ase (bē′tă-in al′dĕ-hīd dē′hī-droj′e-nās). ベタインアルデヒドデヒドロゲナーゼ（ベタインアルデヒドと NAD^+ と水のベタインと NADH への酸化を触媒する酸化酵素．コリンオキシダーゼ系やコリン代謝の一部）．

bet·a·lains (bā′tă-lāns). ベタラン（ナデシコ科類に限定して存在する植物色素の一群．例えば，ベタニン．ベタシアニン(赤紫色の植物中に存在する)とベタキサンチン(黄色の植物中に存在する)とに分類される）．

be·tan·in (bā′tă-nin) [< *betacyanin*]. ベタニン（ビート(*Beta vulgaris*)に存在する赤(紫)色色素．ビートを多食した患者の尿中に多量に排泄される）．

beta-secretase (bā-tă-sē-krĕ-tāz). ベータセクレターゼ（２つのアイソホームが存在する．ベータアミロイド前駆体蛋白の切断に関与するアスパラチルプロテアーゼのペプシンファミリーと相同性がある蛋白．本蛋白の遺伝子は第 11 染色体上に位置する）．

be·ta sheets (bā′tă shētz). ベータシート（１つの蛋白構造

のことで，そこではペプチドが異なるポリペプチド鎖バックボーンあるいは同じ鎖で別の領域にある NH と CO グループ間の水素結合により伸展し，安定化されている）.

beta-sitosterol ベーター-シトステロール．＝sitosterol.

be·ta·tron (bā′tă-tron). ベータトロン，磁気誘導加速器（円形電子加速装置．高エネルギー電子やX線の線源).

be·ta·zole hy·dro·chlor·ide (bā′tă-zōl hī′drō-klōr′īd). 塩酸ベタゾール（ヒスタミンの類似体．H_2受容体に作用して胃液分泌を刺激するが，ヒスタミンでみられるような副作用を示す傾向は少ない．胃液分泌反応の測定にヒスタミンの代わりに用いる).

be·tel (bē′tl) [Pg. *betel, betle*< マラヤラム語，タミル語 *vetilla*]. キンマ（コショウ科 *Piper betle* の乾燥した葉．東インド諸島のはん緑植物．興奮薬，麻薬として用いる．ビンロウの実を刻み，ブヨ(buyo)として知られる小さな包みをつくるため，一片のキンマの葉に包みこむ．東南アジアの料理において香辛料の効いたひき肉を包むために使用される．インドでは未加工の香辛料を包むために使用される).

be·tel nut (bē′tl nŭt). ビンロウの実；areca nut（東インド諸島のヤシ科ビンロウジュ *Areca catechu* の実．陶酔作用，コリン様作用を有するアレコリンを含有し，ある地域住民はこれをかむ．歯やガムを赤色に染色する).

Betel quid (bē′tel kwid). キンマ(ビーテル)かみタバコ（ビンロウの実，少量の石炭，香味料をキンマの葉でくるんでつくったもので，酩酊感を得るためにかむ).

Be·thes·da-Bal·le·rup group (be-thez′dă bal′ĕr-ŭp grūp). ベセズダ-バレラップ群（クエン酸を利用する緩徐な乳糖発酵性細菌の一群(腸内菌科)．乳糖発酵性シトロバクター菌と同様の一連の抗原を共有する．現在では乳糖発酵速度の違いによる区別なく *Citrobacter*属に含まれる).

Bet·ten·dorff (bet′ĕn-dōrf), Anton J. ドイツ人化学者，1839—1902. ⇀B. *test*.

bet·u·la (bet′ū-lă). カバノキ（ヨーロッパ産シラカバ *Betula alba* の樹皮または葉．ヨーロッパ，北アジア，北米，ペンシルバニア北部原産．成分として，ベツリン(カバノキ樟脳)，ベツロレジン酸，揮発油，サポニン，ベツロール(セスキテルピンアルコール)，アピゲニン，ジメチルエーテル，ベツロシド，ゴールセリン，サリチル酸メチル，アスコルビン酸を含有する．ウィンターグリーンのにおいがする．製剤補助剤(香料/芳香剤)として使用される).

Betz (betz), Vladimir A. ロシア人解剖学者，1834—1894. ⇀B. *cells*.

Beu·ren (būr′en), Alois J. ドイツ人心臓病専門医，1919—1984. ⇀B. *syndrome*.

Be·van-Le·wis (be′văn lū′ĭs), William. イングランド人医師・生理学者，1847—1929. ⇀B.-L. *cells*.

bev·el (bev′ĕl). ***1*** ベベル，斜面（斜めに切れたあるいは傾いた端部の表面). ***2*** 直角でないとき，１つの面(線)が他の面(線)となす傾き. ***3*** 切断器具の刃. ***4*** 身体に斜面構造をつくること.

cavosurface b. 窩縁斜面（エナメル壁面に関して，形成された窩壁の窩縁隅角の傾斜面).

reverse b. 逆刃（傾斜したナイフの刃).

be·zoar (bē′zōr) [Pers. *padzahr*, antidote]. 胃石，ベゾアール（動物の消化管で形成される結石．ヒトの場合にもみられる．以前は魔術的な治療に用いていたが，現在でもある地域では用いられている．結石を形成する物質によって trichobezoar(胃毛球)，trichophytobezoar(植物性胃石)などとよばれる).

Bezold (bā′sōlt), Albert von. ドイツ人生理学者，1836—1868. ⇀B. *ganglion*; B.-Jarisch *reflex*.

Bezold (bā′sōlt), Friedrich. ドイツ人耳科医，1842—1908. ⇀B. *abscess*.

BGP bone Gla *protein* の略.

BH bundle of His の略.

Bh bohrium の略.

BHA butylated hydroxyanisole の略.

bhang (bang) [Hind.]. バンク（東アジアで，インドアサ *Cannabis sativa* の粉末製剤につけられた名称．その地域の住民はかんだり喫煙して用いる.→cannabis).

BHN Brinell hardness *number* の略.

BHT butylated hydroxytoluene の略.

Bi ビスマスの元素記号.

bi- [L.]. ***1*** ２倍，２度を意味する接頭語．二重構造，二重動作などに関して用いる. ***2*** 化学において，部分的に中和された酸(酸性塩)を示すのに用いる．例えば bisulfate. *cf.* bis-; di-.

Bi·al (bē′ăl), Manfred. ドイツ人医師，1869—1908. ⇀B. *test*.

Bi·an·chi (bē-ahng′kē), Giovanni. イタリア人解剖学者，1681—1761. ⇀B. *nodule*.

bi·ar·tic·u·lar (bī′ar-tik′yū-lăr). 二関節の．＝diarthric.

---

bi·as (bī′-as) [Fr. *biais*, obliquity, perh < L. *bifax*, two-faced]. 偏り（①測定値と真値間の系統的なずれ．一定値のことも比例的に加わる場合もあり，測定結果と逆方向に働くこともある．②真実から系統的にずれた結論を導くように働く研究プロセス(データ収集，解析，解釈，出版，レビュー)の一定傾向．結果あるいは推論の真実からのずれ，またはこのずれを生み出すようなプロセス).

特別な結果を出したいと思う研究者の欲望ほど，先入観，偏見，そして他の主観的・感情的要素の原因となるものはない．100 種類を超えるバイアスが記述されているが，少数に分類し直すことができる．ⓘ真値からの一方向への系統的な測定ずれ(系統誤差，測定器械誤差)．ⓘⓘ系統的な測定ずれ，あるいはその他のデータ収集時の瑕疵，あるいは研究計画やデータ解析の瑕疵によって起きる要約統計量(平均，率，関連の指標)の真値からのずれ．ⓘⓘⓘ研究計画，データ収集，データ解析や結果解釈の瑕疵によってもたらされる推測の真実からのずれ．ⓘⓥ真実から結果，結論をずらすように働く，研究手続き(研究計画，データ収集，データ解析，解釈，レビューあるいは出版)の一定傾向．ⓥ真実から一定方向のずれを生むような研究手続きの意識的，無意識下での選択につながるような，あるいは結果の一方的解釈につながるような先入観．この最後の型のバイアスは，似非科学的な方法論の結果として，あるいは研究者が意図的に真実をおおい隠すことによって生じる.

---

ascertainment b. 確認バイアス（ある一定割合で標本に含まれるべき症例あるいは対象者の一部が，その割合で反映されない系統的偏り).

cross-level b. クロスレベルバイアス（暴露あるいは効果の大きさを集団レベルにまとめるとき，個人レベルでは意味をなさないような値になることから生じる偏り．地域を比較する地域相関研究で起こりうる).

lead-time b. リードタイムバイアス（より早く，より良いタイミングで診断がなされることにより，見かけ上生存時間が延長されること).

length b. 罹病期間によるバイアス(レングスバイアス)(症状がみられる前にケースを同定するようなスクリーニングを実施した結果，進行が遅い疾患をもつ患者が多く同定され，見かけ上，生存時間が延長されること).

recall b. 思い出しバイアス（過去の事象あるいは経験を想起する場合に，不正確であったり不完全であったりする程度が比較群あるいは対象者ごとに異なることによって生じる系統的偏り).

reporting b. 報告バイアス（疾患に関わる過去の情報を報告するとき，選んで報告したり部分的に省略したりすることから生じる系統的偏り．例えば，性感染症に関する暴露，つまり性交の詳細).

response b. 反応バイアス（研究参加を選択したりボランティアとして参加する人とそうでない人の性格・背景の違いによって引き起こされる系統的偏り).

sampling b. 抽出バイアス（ランダム抽出でないことによって引き起こされる系統的偏り).

bi·as·te·ri·on·ic (bī′as-ter-ē-on′ik). アステリオン間の（特にアステリオン間の直径または幅，すなわち左右のアステリオン間の最短直線距離に関する).

bi·au·ric·u·lar (bī′aw-rik′yū-lăr). 両耳介の，アウリクラーレ間の（左右の耳介に関する).

bib. ラテン語 *bibo*(飲む)の略.

bib·li·o·ma·ni·a (bib′lē-ō-mā′nē-ă) [G. *biblion*, book + *mania*, frenzy]. 蔵書癖，書籍蒐集マニア（書籍，特に珍本を集めたり所有することを，病的に強く欲すること).

bib·u·lous (bib′yū-lŭs) [L. *bibulus*, drinking freely, absorbent]. 吸収剤. = absorbent (1).

bi·cam·er·al (bī-kam′er-ăl) [bi- + L. *camera*, chamber]. 二房性の（2つの室を有する．特に，ほとんど完全な隔壁によって隔てられた膿瘍についていう）.

bi·cap·su·lar (bī-kap′sū-lăr). 二重被膜の.

bi·car·bon·ate (bī-kar′bon-āt). 重炭酸イオン，炭酸水素イオン；HCO_3^-（炭酸の第一解離後に残るイオン・血液中の主要な緩衝剤）.

standard b. 標準重炭酸イオン濃度（37°C で，炭酸ガス圧 40 mmHg および酸素圧 100 mmHg 以上で平衡になる全血のサンプルの血漿重炭酸イオン濃度．異常に高いか低い値はそれぞれ代謝性アルカローシスまたはアシドーシスを示す）.

bi·car·di·o·gram (bī-kar′dē-ō-gram). 双心電図（左右両心室の総合効果を示す心電図の複合曲線）.

bi·cel·lu·lar (bī-sel′yū-lăr). 二細胞性の（2つの細胞または小区分をもつ）.

bi·ceph·a·lus (bī-sef′ă-lŭs). = dicephalus.

bi·ceps, pl. **biceps, bicepses** (bī′seps) [bi- + L. *caput*, head]. 二頭の（[正しい単数形は biceps である．bicep という語はない]．筋頭が2つある筋についていう．最もよく用いられるのは上腕二頭筋をさす場合である）.

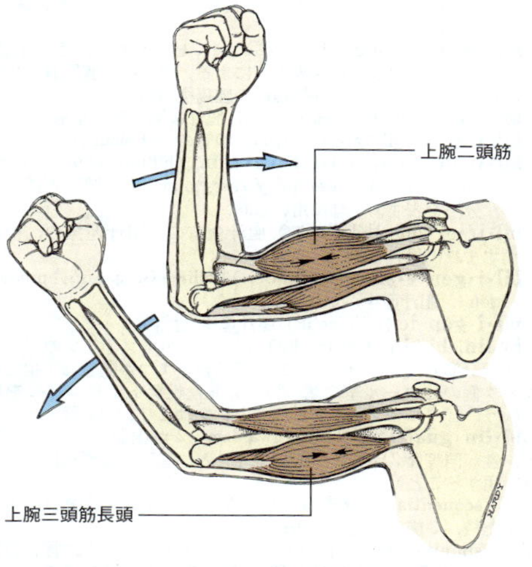

biceps and long head of triceps brachii muscles
屈曲時（上）および伸展時（下）.

Bi·chat (bē-shah′), Marie F.X. フランス人解剖・生物学者・医師，1771—1802. ⇀B. *canal, fat-pad, fissure, fossa, ligament, membrane, protuberance, tunic*.

bi·cho (bē′chō). ビチョ. = epidemic gangrenous *proctitis*.

bi·cil·i·ate (bī-sil′ē-āt). 二重睫毛の.

bi·cip·i·tal (bī-sip′i-tăl) [bi- + L. *caput*, head]. ***1*** 二頭の. ***2*** 二頭筋の.

Bic·kel (bi′kĕl), Gustav. 19 世紀のドイツ人医師. ⇀B. *ring*.

bi·clo·nal (bī-klō′năl). 複クローン性（複クローンで特徴付けられるもの，または属するもの）.

bi·clon·al·i·ty (bī′klōn-al′i-tē). バイクローナリティ，2クローン性（一部の細胞が1つの細胞系列マーカをもち，その他の細胞は異なる細胞系列のマーカをもつ状態で，2クローン性白血病でみられる）.

bi·con·cave (bī-kon′kāv). 両凹の（両側の凹面にある，特にレンズの形についていう）. = concavoconcave.

bi·con·vex (bī-kon′veks). 両凸の（両側の凸面にある，特にレンズの形についていう）. = convexoconvex.

bi·cor·nous, bi·cor·nu·ate, bi·cor·nate (bī-kōr′nŭs, -nū-āt, -nāt) [bi- + L. *cornu*, horn]. 二角の（2つの突起をもつ）.

bicro- (bī′krō). = pico- (2).

bi·cron (bī′kron). ビクロン. = picometer.

BICROS (bī′kros). ビクロス（bilateral contralateral routing of signal(BICROS 型補聴器)の略）.

bi·cu·cul·line (bī′kū-kyū′lēn). ビククリン（アルカロイドの1つで，天然からはD体が得られる．ケマンソウ科の *Dicentra cucullaria* や *Adlumia fungosa*，また数種類の *Corydalis* 属に見出される．強力な痙攣誘発剤であり，抑制性神経伝達物質である γ-アミノ酪酸の作用に拮抗する）.

bi·cus·pid (bī-kŭs′pid) [bi- + L. *cuspis*, point]. ***1***〚adj.〛両尖の，二尖の. ***2***〚n.〛双頭歯（2つの咬頭を有する歯．ヒトには大臼歯の前方に2本ずつ，計8本の小臼歯がある. ⇀bicuspid *tooth*; premolar *tooth*）.

b. aortic valve [MIM*109730]. ⇀familial aortic ectasia *syndrome*.

bi·cus·pi·di·za·tion (bī-kŭs′pi-di-zā′shŭn). 二尖化（正常では三尖の弁を，外科手術によって機能する二尖弁に変えること．三尖の弁の疾患の治療に行う）.

b.i.d. ラテン語 *bis in die*（1日2回）の略.

bi·dac·ty·ly (bī-dak′ti-lē) [bi- + G. *daktylos*, finger]. 二指症（第一指と第五指だけあって，その間の指がない異常. → lobster-claw *deformity*; ectrodactyly）.

bi·det (bē-dā′) [Fr. a small horse]. ビデ（腟または直腸洗浄用の付加装置の付いた座浴用の浴槽）.

bi·dis·coi·dal (bī′dis-koy′dăl). 双円板状の.

BIDS brittle hair(脆弱毛)，impaired intelligence(知能障害)，decreased fertility(受精能減少)，short stature(低身長)症候群の略.

bid·u·ous (bid′yū-ŭs) [L. *biduus*, lasting two days < *bi-* + *dies*, day]. 2日持続の（まれに用いる語）.

Bieb·rich scar·let red (bē′brich skar′let red) [*Biebrich*, Germany] [C.I. 26905]. = scarlet red.

Bie·der·man (bē′dĕr-măn), Joseph. 20 世紀の米国人医師. ⇀B. *sign*.

Bie·dl (bē′dĕl), Artur. オーストリア人医師，1869—1933. ⇀ Bardet-B. *syndrome*.

Bi·els·chow·sky (bē′els-chov′skē), Alfred. ドイツ人眼科医，1871—1940. ⇀B. *sign*.

Bi·els·chow·sky (bē′els-chov′skē), Max. ドイツ人神経病理学者，1869—1940. ⇀B. *disease, stain*; Jansky-B. *disease*.

Bie·mond (bē-mawn[h]′), Avic. 20 世紀のフランス人神経科医. ⇀B. *syndrome*.

Bier (bēr), August K.G. ドイツ人外科医，1861—1949. ⇀B. *amputation, hyperemia, method*.

Bier·mer (bēr′mĕr), Anton. ドイツ人医師，1827—1892. ⇀ B. *anemia, disease*; Addison-B. *disease*.

Bie·sia·dec·ki (byā-syah-det′skē), Alfred von. ポーランド人医師，1839—1888. ⇀B. *fossa*.

bi·fas·cic·u·lar (bī′fă-sik′yū-lăr). 二束の（心室伝導系に想定されている3束のうちの2束を含む）.

bi·fid (bī′fid) [L. *bifidus*, cleft in two parts]. 二裂の，二分の（2つの部分に分かれた）.

Bi·fi·do·bac·te·ri·um (bī′fi-dō-bak-tēr′ē-ŭm) [L. *bifidus*, cleft in two parts + bacterium]. ビフィドバクテリウム属（非常に形状の変わりやすいグラム陽性杆菌を含む放線菌科の嫌気性バクテリアの一属．分離したての菌株は，二叉に分かれたV字形やY字形の形態，単体または分枝状，さらには棒状やへら状の形態をもつ真の分枝および偽分枝を特徴的に示す．染色性もしばしば不規則であって，複数個みられる顆粒はメチレンブルーで染色されることがあるが，残りの細胞部分は染色されない．非抗酸性，非運動性で胞子は形成せず，グルコースから酢酸および乳酸を産生する．幼児，老年者，動物の糞便および消化管からみつかっているが，ヒトに対する病原性はまれである．標準種は *B. bifidum*）.

B. bifidum *Bifidobacterium* 属の標準種で，母乳・人工授乳の乳児および老年者，ラット，シチメンチョウ，ニワトリの糞便および消化管，またウシの前胃にもみられる．ヒト，その他の動物に対する病原性はまれである．多量のヘキソースアミンを有する窒素含有の多糖類のグループに属し，ビフィズス因子として知られる成長因子の産生に関与する.

B. dentium う食および歯周病に関与する細菌種．日和見

病原性も有し，混合感染により膿瘍を形成する．

bi·fo·cal (bī-fō′kăl). 二重焦点の（焦点が2つある）．

bi·fo·rate (bī-fō′rāt) [bi- + L. *foro*, pp. *-atus*, to bore, pierce]. 二孔の（開口部が2つある）．

bi·func·tion·al (bī-fŭngk′shŭn-ăl). 二官能性の（2つの反応性の官能基をもつ分子についていう．架橋試薬は二官能化合物である）．

bi·fur·cate, bi·fur·cat·ed (bī-fŭr′kāt, -kā-ted) [bi- + L. *furca*, fork]. 分岐の，二叉の．

bi·fur·ca·ti·o (bī′fŭr-kā′shē-ō) [TA]. 分岐．= bifurcation.

b. aortae [TA]. 大動脈分岐．= aortic *bifurcation.*

b. carotidis [TA]. = carotid *bifurcation.*

b. tracheae [TA]. 気管分岐部．= tracheal *bifurcation.*

b. trunci pulmonalis [TA]. 肺動脈幹分岐．= *bifurcation* of pulmonary trunk.

bi·fur·ca·tion (bī′fŭr-kā′shŭn)[TA]. 分岐，分枝（二叉．2つの枝に分かれること）．= bifurcatio [TA].

b. of aorta 大動脈分岐．= aortic b.

aortic b. [TA]. 大動脈分岐（腹大動脈が左右の総腸骨動脈に分岐すること．およそ第四腰椎の高さで起こる）．= bifurcatio aortae [TA]; b. of aorta.

carotid b. [TA]. 頸動脈分岐部（総頸動脈の内頸動脈と外頸動脈への分岐．甲状軟骨の上縁(第四頸椎の高さ)にある．頸動脈小体と頸動脈洞が，頸動脈分岐部に近接する）．= bifurcatio carotidis [TA].

b. of pulmonary trunk [TA]. 肺動脈幹分岐（肺動脈幹が胸骨角(胸腔横断面)レベルで左右の肺動脈に分岐すること）．= bifurcatio trunci pulmonalis [TA].

b. of trachea 気管分岐部．= tracheal b.

tracheal b. [TA]. 気管分岐部（気管が左右の主気管支に分岐しているところ．第五・第六胸椎の位置にあり，内部では分岐した気管支間に気管カリーナ，すなわち竜骨状の隆線がみられる）．= bifurcatio tracheae [TA]; b. of trachea.

Big·e·low (big′ĕ-lō), Henry J. 米国人外科医，1818—1890. ⇀B. *ligament, septum.*

bi·gem·i·na (bī-jem′i-nă). 二連脈，二段脈．= bigeminal *pulse.*

bi·gem·i·nal (bī-jem′i-năl). 二重の，対の，双生の．

bi·gem·i·ni (bī-jem′i-nī). = bigeminy.

bi·gem·i·num (bī-jem′i-nŭm) [L. *bigeminus*(doubled)の中性形]. 二丘体．

bi·gem·i·ny (bī-jem′i-nē) [bi- + L. *geminus*, twin]. 二連脈，二段脈（特に心拍が対をなして起こること）．= bigemini.

atrial b. 心房性二連(二段)脈（心房性期外収縮が各洞性収縮と対になること）．

atrioventricular junctional b. 房室結節性二段脈（対をなす心拍で，通常洞性心拍と房室結節由来の過剰興奮が対になって発生する）．= nodal b.

escape-capture b. 補充－捕捉二連(二段)脈（各対が補充収縮とそれに続く伝導された洞性収縮とからなるもの，または補充収縮とそれに続く伝導された異所性(通常，逆行P波を伴う心房の)拍動からなる）．

nodal b. 結節性二連(二段)脈．= atrioventricular junctional b.

reciprocal b. 回帰二連(二段)脈（重複性収縮で，各対が房室結節性収縮とそれに続く回帰収縮とよりなるもの）．

ventricular b. 心室性二連(二段)脈（対になった心室性収縮で，通常，心室性期外収縮と洞性収縮が対になったもの）．

bi·ger·min·al (bī-jer′min-ăl). 二卵性の，二胚性の（2個の胚芽あるいは卵母細胞に関する）．

bi·git·a·lin (bī-jit′ă-lin). = gitoxin.

bi·gly·can (bī′glī-kan) [MIM*301870]. ビグリカン（小さな間質プロテオグリカンで，2つのグルコサミノグリカン鎖からなる）．= proteoglycan I.

Big·na·mi (bēn-yah′mē), Amico. イタリア人医師，1862—1929. ⇀Marchiafava-B. *disease.*

bi·kun·in (bik′ū-nin). ビクニン（血漿糖蛋白で，遊離型とある種のプロテアーゼインヒビターの重鎖に共有結合した型とで存在する．細胞増殖，卵母細胞丘の増殖および安定化に関与すると考えられている）．

bi·labe (bī′lāb) [bi- + L. *labium*, lip]. バイレーブ（尿道結石または膀胱内小結石を除去する鉗子）．

bi·lat·er·al (bī-lat′er-ăl) [bi- + L. *latus*, side]. 両側〔性〕の，左右の．

bi·lat·er·al·ism (bī-lat′er-ăl-izm). 左右相称（左右が対称である状態）．

bile (bīl) [L. *bilis*]. 胆汁（[bile in the urine および bile staining of tissues のような表現で bile pigment(s) の代わりに本語を隠語的に使うのを避けること]．肝臓から分泌される黄褐色または緑色の液．十二指腸に放出され，そこで脂肪の乳濁，ぜん動増加，および腐敗の防止を行う．胆汁には，グリココール酸ナトリウム，タウロコール酸ナトリウム，コレステロール，ビリベルジンとビリルビン，粘膜，脂肪，レシチン，細胞および細胞残屑が含まれる）．= gall (1).

A b. A胆汁（総胆管からの胆汁）．

B b. B胆汁（胆嚢からの胆汁）．

C b. C胆汁（肝管からの胆汁）．

white b. 白色胆汁（胆汁色素の色をもたない胆汁．胆管の種々の部位の閉塞の結果，胆嚢，胆管，あるいは両方に生じる比較的透明でほとんど無色の粘性液をさす語）．= leukobilin.

Bil·har·zi·a (bil-har′zē-ă) [T. *Bilharz*]. ビルハルチア属，住血吸虫属（*Schistosoma* の旧名）．

bil·har·zi·a·sis, bil·har·zi·o·sis (bil′har-zī′ă-sis, bil-har-zē-ō′sis). ビルハルツ住血吸虫症，ビルハルチア病．= schistosomiasis.

bil·har·zi·o·ma (bil-har′zē-ō′mă). ビルハルツ住血吸虫腫，ビルハルチア腫（住血吸虫症による，腸漿膜，腸間膜，または皮膚の炎症性および線維性の腫瘍様腫脹）．

bili- (bil′ē, bil′i) [L. *bilis*, bile]. 胆汁に関する連結形．

bil·i·ar·y (bil′ē-ār-ē). 胆汁の，胆管の．= bilious (1).

bil·i·fac·tion, bil·i·fi·ca·tion (bil′i-fak′shŭn, -fi-kā′-shŭn) [bili- + L. *facio*, pp. *factus*, to make]. 胆汁形成，胆汁分泌を表す，まれに用いる語．

bil·if·er·ous (bil-if′er-ŭs). 胆汁含有の，胆汁運搬の，を表すまれに用いる語．

bil·i·gen·e·sis (bil′i-jen′ĕ-sis) [bili- + G. *genesis*, production]. 胆汁産生．

bil·i·gen·ic (bil′i-jen′ik). 胆汁産生〔性〕の．

bi·lin, bi·line (bī′lin, -līn). ビリン（ポルフィリンのポルフィン部分の4つのメチリジン基結合の1つが開裂して生じる4個のピロール基の鎖．特に非置換性テトラピロールをいう．ビリルビンおよびビリベンジンはビリンの一種）．

bi·lin·gual·ism (bī-ling′gwăl-izm) 2か国語使用（①必要性が同等な2か国語を使用すること．②第二言語を流暢に使用すること）．

sequential b. 継続バイリンガリズム（第一言語を習得した後，3歳前に第二言語を習得すること）．

simultaneous b. 同時バイリンガリズム，同時二言語習得（かなり早い時期(普通3歳未満)に2つの言語をほぼ同時に習得すること）．

bil·ious (bil′yŭs). 胆汁の（①= biliary. ②胆汁に関する，あるいは胆汁に特徴的にみられる．③以前は，気短で興奮しやすいなどの特徴をもつ気質をさした．= choleric）．

bil·ious·ness (bil′yŭs-nes). 胆汁症，胆汁異常（食欲不振，苔舌，便秘，頭痛，めまい，はれぼったい顔，まれに軽度の黄疸などを伴う機序のはっきりしないうっ滞性障害．肝機能障害により起こると考えられる）．

bil·i·ra·chi·a (bil-i-rā′kē-ă) [bili- + G. *rhachis*, spine]. 胆汁性髄液（脊髄液中に胆汁色素があること）．

bil·i·ru·bin (bil′i-rū′bin) [bili- + L. *ruber*, red]. ビリルビン（ビリルビンナトリウム(可溶性)，または胆石中に不溶性カルシウム塩としてみられる黄色の胆汁色素．細網内皮系による赤血球の正常および異常破壊によりヘモグロビンから形成される．2, 3, 7, 8, 12, 13, 17, 18 位炭素に置換基を有し，1, 19 位炭素は酸素と結合しているビリン．過剰に存在すると黄疸となる）．

conjugated b. 抱合型ビリルビン．= direct reacting b.

delta b. デルタビリルビン（アルブミンに共有結合したビリルビン分画．従来の方法では抱合型ビリルビンの一部として測定される．共有結合しているため，肝細胞性黄疸の回復期に，尿が清明になったあとも，1週間以上血中に溜まることがある）．

direct reacting b. 直接〔反応型〕ビリルビン（肝細胞中でグルクロン酸に抱合され，グルクロン酸ビリルビンとして存在する血清ビリルビン分画．Ehrlich ジアゾ試薬と直接反応することからこのようによばれる．肝胆汁性疾患(特に閉塞性変化)において増加する)．＝conjugated b.

indirect reacting b. 間接〔反応型〕ビリルビン（肝細胞中でグルクロン酸に抱合されていない血清ビリルビン分画．Ehrlich ジアゾ試薬とアルコールを加えたときのみ反応することからこのようによばれる．肝疾患や溶血において増加する)．＝unconjugated b.

b. UDPglucuronyltransferase ビリルビン UDP グルクロニルトランスフェラーゼ（UDP グルクロン酸とビリルビンから UDP とビリルビン－グルクロノシドを生成する反応を触媒する酵素．この酵素の欠損により Crigler-Najjar 症候群になる)．

unconjugated b. 非結合ビリルビン．＝indirect reacting b.

bil·i·ru·bi·ne·mi·a (bil′i-rū-bin-ē′mē-ă) [bilirubin + G. *haima*, blood]．ビリルビン血〔症〕（血中にビリルビンが存在すること．ただし正常な場合でも少量は存在する．赤血球の過破壊亢進や胆汁排出機構の障害をきたす種々の病態にみられるビリルビンの濃度増加について通常用いる語．血清ビリルビンの定量により，直接反応型(抱合体)ビリルビンと間接反応型(非抱合体)ビリルビンの 2 分画で示される．血清中の抱合，および総ビリルビンの定量は重要であり，臨床検査でしばしば行われる)．

bil·i·ru·bin·glob·u·lin (bil′i-rū′bin-glob′yū-lin)．ビリルビングロブリン（ビリルビンとグロブリンの複合体．ビリルビンの肝臓への輸送形態．肝臓内でビリルビンはジグルクロン酸誘導体に転化され胆汁内にはいる)．

bil·i·ru·bin-glu·cu·ron·o·side glu·cu·ron·o·syl·trans·fer·ase (bil′i-rū′bin-glū′kū-ron′ ō-sīd glū′kō-ron′ō-sĭl tranz′fĕr-ās)．ビリルビン－グルクロンシドグルクロノシルトランスフェラーゼ；bilirubin monoglucuronide transglucuronidase（ビリルビングルクロノシドの分子間でグルクロノシドを転移させてビリルビンビスグルクロノシドと非共役ビリルビンを形成させるトランスフェラーゼ．ヘム代謝の一段階)．

bil·i·ru·bin·oid (bil′i-rū′bin-oyd)．ビリルビノイド（腸内細菌の還元酵素によりビリルビンがステルコビリンに変換するときの中間物質を示す総称名．これに含まれるのはメソビリルビン，メソビラン，メソビレン b，ウロビリノーゲン，ウロビリン，メソビランの還元生成物(ステルコビリノゲン)，メソビレンの還元生成物(ステルコビリン)，メソビリビオリン．ほとんどが正常な尿および糞便中に存在する．これらの中間物質に由来し，病的状態(黄疸，肝疾患)にみられる生成物は，胆石中にみられる構造的にはっきりしないプロビリフスシンとプロペントジオペントである)．

bil·i·ru·bi·nu·ri·a (bil′i-rū′bi-nyū′rē-ă) [bilirubin + G. *ouron*, urine]．ビリルビン尿〔症〕（尿中にビリルビンが存在すること)．

bil·i·ther·a·py (bil′i-thār′ă-pē)．胆汁療法（胆汁または胆汁塩を用いる治療)．

bil·i·u·ri·a (bil′ē-yū′rē-ă) [bili- + G. *ouron*, urine]．胆汁尿〔症〕（尿中に種々の胆汁塩または胆汁が存在すること)．＝choleuria; choluria.

bil·i·ver·din, bil·i·ver·dine (bil′i-ver′din)．ビリベルジン（ヘムの酸化によって生成される緑色の胆汁色素．ビリルビンとほとんど同一の構造をもつビリン)．＝dehydrobilirubin; verdine.

BILL bass increase at low *levels* の略．

Bill (bil), Arthur H. 米国人産科医，1877—1961．⇀B. *maneuver*.

Bill·ings (bil′ings), J.J. 20 世紀のオーストラリア人婦人科医．⇀B. *method*.

Bill·roth (bĭl′rōt), Christian A.T. オーストリア人外科医，1829 — 1894．⇀B. *cords*, I *operation*, II *operation*, *venae* cavernosae(⇌vena), I *anastomosis*, II *anastomosis*.

bi·lo·bate, bi·lobed (bī-lō′bāt, bī′lōbd)．二葉の．

bi·lob·ec·to·my (bī′lōb-ek′tō-mē)．二葉切除術（右肺の二葉，例えば右上中葉あるいは右中下葉を外科的に切除すること)．

bi·lob·u·lar (bī-lob′yū-lăr)．二小葉の．

bi·loc·u·lar, bi·loc·u·late (bī-lok′yū-lăr, -yū-lāt) [bi- + L. *loculus*: *locus*(a place)の指小辞]．二室〔性〕の，二房〔性〕の．

bi·man·u·al (bī-man′yū-ăl) [bi- + L. *manus*, hand]．双手の，両手を使う．

bi·mas·toid (bī-mas′toyd)．両乳突の．

bi·max·il·lar·y (bī-mak′si-lār-ē)．両側上顎の（左右の上顎に関する．両側の下顎上部に影響するようなことを記載する場合にも用いる)．

bi·mod·al (bī-mō′dăl)．二項の，複峰性の（度数分布曲線で極大値が 2 つある)．

bi·mo·lec·u·lar (bī′mō-lek′yū-lăr)．二分子の（例えば bimolecular reaction(二分子反応)のように用いる)．

bin·an·gle (bin-ang′ŭl) [L. *bini*, pair + *angulus*, angle]．***1*** 二角（角の付いた作業端をハンドルの軸に近付けるために，柄に付けられた第 2 の角で，作業端が取っ手の軸の周りを回転しないようにする)．***2*** 二角のみ（***1*** の特徴を備えた歯科用器具)．

bi·na·ry (bī′nār-ē) [L. *binarius*, consisting of two ＜ *bini*, two at a time]．***1*** 2 つの，二元〔性〕の（成分，元素，分子，あるいはその他の特色を 2 つ含むこと)．***2*** 二者択一の（1 つの事象に対し 2 つの相互に独立した結果の選択を示すこと（例えば，男と女，頭と尾，影響と無影響))．

bin·au·ral (bin-aw′răl) [L. *bini*, a pair + *auris*, ear]．両耳〔性〕の．＝binotic.

bind (bīnd) [A.S. *bindan*]．***1***〘v.〙包帯をする．***2***〘v.〙結ぶ，束ねる．***3***〘v.〙結合する（反応基により，分子それ自体または結合の目的で加えられた科学物質の中で，分子を結合する．毒素と抗毒素の結合，キレート剤と重金属の結合などのような破壊されやすい化学結合(すなわち非共有結合)に関連して用いることが多い)．***4***〘n.〙拘束，結合（密接な対人関係において他人の賛成を得るために，ある一定の仕方で行動せざるを得ないと感じること)．

double b. 二重拘束（同一人物または異なる人々から 2 つの矛盾した命令や要求を，言語的・非言語的に受ける対人的相互作用の一種．どちらに服従しても，1 つの関係を脅かす状態になる)．

bind·er (bīnd′er)．***1*** 支持帯（幅広の厚い布でつくった包帯で，特に腹部に用いる)．***2*** 結合剤（⇀bind (3))．

obstetric b. 産科用腹帯（肋骨から転子までの腹部を包み，背中のところをピンできつく留める支持包帯．出産後，またはまれに分娩中に用いる)．

T-b. T 字〔包〕帯（直角に交わる 2 本の布片からなる包帯で，会陰部などに当てて維持するのに用いる)．＝T-bandage.

binding (bīnd′ing)．結合，連結（動きと色は脳の異なる領域で処理されているにもかかわらず，動く物体の色が物体同士融合してみえるような視覚の状態の認知結合)．

Bi·net (bē-nā′), Alfred. フランス人心理学者，1857—1911．⇀B. *age*, *scale*, *test*; B.-Simon *scale*; Stanford-B. intelligence *scale*.

Bing (bing), Paul Robert. ドイツ人神経科医，1878—1956．⇀B. *reflex*.

Bing (bing), Richard J. 20 世紀の米国人医師．⇀Taussig-B. *disease*, *syndrome*.

Bing·ham (bing′ăm), Eugene C. 米国人化学者，1878—1945．⇀B. *flow*, *model*, *plastic*.

bin·oc·u·lar (bin-ok′yū-lăr) [L. *bini*, paired + *oculus*, eye]．両眼の，双眼の．

bi·no·mi·al (bī-nō′mē-ăl) [bi- + G. *nomos*, name]．二名法，二項式（2 つの項目または名称の組み合わせ．確率論あるいは統計学的概念では Bernoulli 試験に関連している．→binary *combination*)．

bin·ot·ic (bin-ot′ik) [L. *bini*, a pair + G. *ous* (*ōt-*), ear]．両耳の．＝binaural.

Bin·swan·ger (bin′zwang-ĕr), Otto Ludwig. ドイツ人神経科医，1852—1929．⇀B. *disease*, *encephalopathy*.

bi·nu·cle·ar, bi·nu·cle·ate (bī-nū′klē-ăr, -klē-āt)．二核の．

bi·nu·cle·o·late (bī-nū′klē-ō-lāt)．二核小体の（2 つの核をもつ)．

bio- (bī′ō) [G. *bios*, life]．生物，生活を意味する連結形．

B

bioaccumulate (bī-ō-ă-kyū′myū-lāt). 生物濃縮（環境にさらされた生物の組織中の環境化学物質の蓄積）.
bi・o・a・cous・tics (bī′ō-ă-kūs′tiks). 生物音響学（生物に対する音界または機械振動の影響を扱う科学）.
bi・o・ac・tive (bī′ō-ăk′tiv). 生物活性の（生物体，または生物体由来の抽出物により活性発現される物質についていう）.
bi・o・as・say (bī′ō-as′ā). バイオアッセイ，生物〔学的〕検定〔法〕（ある化合物の，動物，分離組織，微生物に及ぼす効果を化学的・物理学的特性分析と比較して，その効力または濃度を決定すること）.
bi・o・as・tro・nau・tics (bī′ō-as-trō-naw′tiks). 宇宙生物学（宇宙旅行および宇宙居住が生物に及ぼす影響の研究）.
bi・o・a・vail・a・bil・i・ty (bī′ō-ă-vāl′ă-bil′i-tē). バイオアベイラビリティ，生物学的利用能（一定量の薬の生理学的効果．化学的効力とは異なる．投与された薬物のうち，全身循環血中に到達した薬物の量および全身循環血中に現われる速度をいう）.
bi・o・bur・den (bī′ō-ber′den). 生物汚染度（微生物汚染または微生物学的負荷の程度．対象を汚染した微生物数）.
bi・o・cat・a・lyst (bī′ō-kat′ă-list). 生体触媒（反応を触媒しうる生物由来の物質．例えば酵素）.
bi・o・ce・no・sis (bī′ō-se-nō′sis) [bio- + G. *koinos*, common]. 〔生物〕群集（特定の小生活圏で生活している種の集合）. = biotic community.
bi・o・chem・i・cal (bī′ō-kem′i-kăl). 生化学の.
bi・o・chem・is・try (bī′ō-kem′is-trē). 生化学（生物に関する化学，および生物内で起こる化学的，分子的，および物理的変化に関する化学）. = biologic chemistry; physiologic chemistry.
biochemopreventives (bī′ō-kē′mō-prē-ven′tivz). 天然化学予防剤（予防医学において価値がある天然から抽出された物質. →functional *food*; designer *food*; nutraceutical; phytochemicals）.
bi・o・chem・or・phic (bī′ō-kem-ōr′fik). 生化学的形態の（食物および薬物の生物学的作用とその化学構造との関係についていう）.
bi・o・chrome (bī′ō-krōm) [bio- + G. *chrōma*, color]. 生体色素. = natural *pigment*.
bi・o・cid・al (bī′ō-sī′dăl) [bio- + L. *caedo*, to kill]. 生物致死性の，殺菌〔性〕の（生物，特に微生物を殺すことについて活性がある）.
bi・o・cli・ma・tol・o・gy (bī′ō-klī′mă-tol′ō-jē). 生物気候学（生物の分布，数，型と気候因子の関係についての科学．生態学の一分野）.
bio・com・pat・i・bil・i・ty (bī′ō-kom-pat′i-bil′i-tē) [bio- + compatibility]. 生物適合性（生物系に有利に働く無機物質の相対能力．生物適合性の程度は，時間に対する物質の化学的安定性，刺激性疾患や炎症を生じさせる傾向，あるいは発癌性の有無による）.
bi・o・cy・ber・net・ics (bī′ō-sī-ber-net′iks). バイオサイバネティクス（生物個体内部におけるコミュニケーションとコントロールを，特に分子レベルに基づいて研究する科学の一分野）.
bi・o・cy・tin (bī-ō-sī′tin). ビオシチン（ビオチンを補酵素とするアポ酵素のリシル残基のε-アミノ基とビオチンのカルボキシル基とが縮合したもの．ビオチンは主としてこの構造で存在する）. = biotinyllysine.
bi・o・cy・tin・ase (bī-ō-sī′tin-āz). ビオシチナーゼ（血液内の酵素で，ビオシチンのビオチンとリジン(またはリシンが蛋白配列の一部に存在すればリシル残基)への加水分解を触媒する）.
bi・o・de・grad・a・ble (bī′ō-dē-grād′ă-bil). 生分解性の（天然エフェクター(天候，土壌バクテリア，植物，動物など)によって化学的分解ができる物質についていう）.
bi・o・de・gra・da・tion (bī′ō-de-grā-dā′shŭn). 生分解. = biotransformation.
bi・o・dy・nam・ic (bī′ō-dī-nam′ik). 生物力学の，生体力学の.
bi・o・dy・nam・ics (bī′ō-dī-nam′iks) [bio- + G. *dynamis*, force]. 生物力学，生体力学，生体機能学（生体の力またはエネルギーを扱う科学）.
bi・o・e・col・o・gy (bī′ō-ē-kol′ō-jē). 生物生態学. = ecology.
bi・o・el・e・ment (bī′ō-el′ĕ-ment). 生元素（生物体に必要な，あるいは生物体が利用する元素）.
bi・o・en・er・get・ics (bī′ō-en-er-jet′iks). 生体エネルギー学論（①生体組織内の化学反応に含まれるエネルギー変化の研究．②生物と環境とのエネルギー交換に関する研究）.
bi・o・en・gi・neer・ing (bī′ō-en-jin-ēr′ing). 生物工学，生体工学（→biomedical *engineering*）.
bi・o・feed・back (bī′ō-fēd′bak). バイオフィードバック（患者が，自律的な身体機能に対して何らかの随意的な支配力を得ることができるようにするための訓練技術．この技術は，ある特別な観念複合や行動が，求める生理反応をもたらしたという情報を，例えば皮膚温の上昇を記録するなどして獲得したときに，その反応が習得される(フィードバック)という学習原理に基づく）.

EMG b. 筋電図生体フィードバック，筋電図バイオフィードバック（筋緊張の筋電図測定を用いて身体症状をなくすバイオフィードバックの一種．頭の前頭筋の緊張を用いて，頭痛をなくすなど）.

biofilm (bī′ō-film). バイオフイルム（生物活性物質を含んでいる薄い塗膜で，歯，カテーテル管，チューブ，他の埋め込みまたは留置器具の内面などの構造体表面をおおっている．バイオフイルムには生菌や死菌としての微生物が存在しており，表面に付着し，有機物(例えば，蛋白，糖蛋白，炭水化物など)のマトリックス相内に閉じ込められている）.
biofixture (bī-ō-fiks′chŭr). 生体備品（永久あるいは長期の役割のために，人体内に埋め込まれた，生物活性があるかあるいはない品目．例えば人工弁，移植臓器）.
bi・o・fla・vo・noids (bī′ō-flāv′on-oydz). バイオフラボノイド，生〔体〕フラボン（天然由来のいわゆるビタミンP活性を示すフラボンまたはクマリン誘導体で，一般に柑橘類の果物に存在する．特にルチンとエスクリンをいう）.
bi・o・gen・e・sis (bī′ō-jen′ĕ-sis) [bio- + G. *genesis*, origin]. 生物発生（①生命は既存の生物からのみ発生し，決して非生物からは発生しないという原理に対して Huxley が与えた用語. →spontaneous *generation*; recapitulation *theory*. ② = biosynthesis. ③生物はそれと類似した生物のみからしか発生できないという原理）.

mitochondrial b. ミトコンドリアバイオジェネシス（ミトコンドリアが，逐次，呼吸酵素複合体を生合成することによりATP 合成能を上げるプロセス）.

bi・o・ge・net・ic (bī′ō-jĕ-net′ik). 生物発生の.
bi・o・gen・ic (bī′ō-jen′ik). 生体の（生物体によって生成された）.
bi・o・ge・o・chem・is・try (bī′ō-jē′ō-kem′is-trē). 生物地質化学（地球の化学的構造と歴史に及ぼす生物および生物反応の影響を扱う学問）.
bioglass (bī′ō-glas). バイオガラス（生体組織に良く適合する表面反応ガラスフイルムを有する，シリカ含有性の融合アルミニウム酸化物．ある種の医科用・歯科用インプラントの表面コーティングとして用いられる）.
bi・o・grav・ics (bī′ō-grav′iks) [bio- + L. *gravis*, weight]. 生物重力学（加速または自由落下などにより生じた異常な重力効果が生体(特にヒト)に及ぼす効果を扱う学問分野．加速による場合は正常な重量より重く，自由落下の場合は無重量となる）.
bi・o・in・for・ma・tics (bī′ō-in′fōr-mat′iks). 生命情報科学，バイオインフォマティクス（生物情報の獲得，処理，保存，配分，分析や解釈についてすべての面を取り込もうとする1つの科学的方法論．種々のデータの生物学的意義を理解するため数学，コンピュータサイエンス，生物学の各種工具や技術を兼ね備えている）.
bi・o・in・stru・ment (bī′ō-in′strū-ment). 生物測定器（生理学的データを受信部およびモニター部に記録したり伝達したりするために，通常，人体や他の生きている動物に取り付けたり埋め込んだりするセンサーや装置）.
bi・o・ki・net・ics (bī′ō-ki-net′iks) [bio- + G. *kinēsis*, motion]. 生物動力学（動物が発育するにつれて生じる成長変化や動きについての学問）.
bi・o・log・ic, bi・o・log・i・cal (bī′ō-loj′ik, -loj′i-kăl). 生物学の，生物学的な.
biologicals (bī′ō-loj′i-kălz). 生物学的製剤（生体から誘導または単離した診断用，予防用，あるいは治療用製剤または製品．例えば，血清，ワクチン，抗原，抗毒素など）．

bi·ol·o·gist (bī-ol′ō-jist). 生物学者．

bi·ol·o·gy (bī-ol′ō-jē) [bio- + G. *logos*, study]. 生物学（生物と生命現象を扱う科学）．

cellular b. 細胞生物学．＝cytology.

developmental b. 発生生物学．＝embryology.

molecular b. 分子生物学（現象を生物学的・分子的(すなわち化学的)相互作用の観点から研究すること．生化学と異なるのは，分子生物学は伝統的に，DNA の複製，その DNA の RNA への転写，その RNA の蛋白への翻訳あるいは発現などの化学的相互作用(すなわち遺伝型と表現型とに関連した化学反応)に特に焦点をあてているところである）．

oral b. 口腔生物学（健康時および疾病時(例えば，う食，そしゃく，歯周疾患)に口腔にみられる生物学的現象を研究することを目的とした生物学の分野）．

pharmaceutical b. ＝pharmacognosy.

radiation b. 放射線生物学（電離放射線の生物学的効果を研究する科学分野）．

biolubrication (bī′ō-lū-bri-kā′shun). 生体潤滑（軟骨表面のような動く解剖学的部位間の摩擦を減らす機構）．

bi·o·lu·mi·nes·cence (bī′ō-lū′min-es′ents) [bio- + L. *lumen* (-*inis*), light]. 生物発光，生体発光，生物ルミネセンス（①ルシフェラーゼの作用により，ルシフェリンの酸化から特定の生物がつくり出す冷光．生体の発する微量の熱，化学エネルギーは直ちに光エネルギーに変換される．＝cold light (1)．②生物から発せられる光）．

bi·ol·y·sis (bī-ol′i-sis) [bio- + G. *lysis*, dissolution]. 生物分解（[誤った発音 bioly′sis を避けること]．生体の化学作用による有機物質の分解）．

bi·o·lyt·ic (bī′ō-lit′ik). ***1*** 生物分解の（生物分解に関する）．***2*** 生物を分解しうる．

bi·o·mac·ro·mol·e·cule (bī′ō-māk′rō-mol′ĕ-kyūl). 生体高分子（天然由来の高分子量の物質(例えば，蛋白，DNA)）．

biomagnification (bī′ō-mag-ni-fi-kā′shŭn) [bio- + magnification]. 生物濃縮（食物連鎖において，化学物質の濃度をより高いレベルに上昇させる生態系の一連の過程(ほとんどの食物連鎖で上位に位置するヒトでは，最大レベルに達する)）．

biomagnify (bī-ō-mag′ni-fī). 生物濃縮（蓄積された環境中化学物質が食物連鎖のそれぞれの段階において相対的に濃度を増す傾向(例えば，ワシは，その主食である魚が食べた毒を摂取するだろうということ)）．

biomarker (bī-ō-mark′ĕr). バイオマーカ（ある物質の吸収量，代謝量，または生物学的有効量すなわち感受性と抵抗性，固有反応といったその物質に対する反応性を測定することができ，その物質への暴露，健康に及ぼす影響，病気になりやすさの指標となる細胞または分子）．

bi·o·mass (bī′ō-mas). 生物体量，バイオマス（一定の面積，生物群集，種集団，環境に生存する全生物の全重量．全生物生産の量）．

bi·o·ma·ter·i·al (bī′ō-ma-tē′rē-al) [bio- + material]. バイオマテリアル，生体材料（合成または半合成材料で，移植用人工器官を構築するため生体系で用いられ，また，その生適合性という点で選ばれたものである）．

bi·ome (bī′ōm) [bio- + -ome]. バイオーム，生物帯（特定の地域または地帯を占拠し，特徴付ける生物群集の全複合体）．

bi·o·me·chan·ics (bī′ō-me-kan′iks). 生体力学（生体に対する内部または外部の力の作用に関する科学）．

dental b. 歯科生体力学．＝dental *biophysics*.

bi·o·med·i·cal (bī′ō-med′i-kăl). 生物医学的な（①医学の基礎となる自然科学の分野(特に生物学，生理学)についていう．②生物学および医学，すなわち科学と技術の両方を含む）．

bi·o·mem·brane (bī′ō-mem′brān). 生体膜（細胞あるいは細胞小器官を包む構造で，脂質・蛋白・糖脂質・ステロイドなどを含む）．＝membrane (2).

bi·om·e·ter (bī-om′ĕ-ter) [bio- + G. *metron*, measure]. バイオメータ（生物から放出される二酸化炭素を測定する装置で，それにより生物体の現存量を測定する）．

bi·o·me·tri·cian (bī′ō-me-trish′ăn). 生物測定学者．

bi·om·e·try (bī-om′ĕ-trē) [bio- + G. *metron*, measure]. 計量生物学（生物学的な観察や現象に基づく数値データを用いる研究に対する統計的方法の応用）．

fetal b. 超音波による胎児計測．妊娠週数に対応した胎児発育の評価に用いる．

bi·o·mi·cro·scope (bī′ō-mī′krō-skōp). 生体顕微鏡．＝slit-lamp.

bi·o·mi·cros·co·py (bī′ō-mī-kros′kŏ-pē). 生体〔顕微〕鏡検〔査〕〔法〕（①生体の生きた組織の顕微鏡検査．②細隙灯と双眼顕微鏡を併せ用いた，角膜・眼房水・水晶体・硝子体液・網膜の検査）．

biomimetic (bī-ō-mi-met′ik). バイオミメティック，生体模倣の（生物学的プロセスまたは生体の模倣の）．

Bi·om·pha·la·ri·a (bī-om′fă-lā′rē-ă). ビオンファラリア属（ヒラマキガイ科ヒラマキガイ亜科の淡水産巻貝の重要な一属．この属の数種は，アフリカ，サウジアラビア，イエメン，南アメリカ，およびカリブ海諸国で，マンソン住血吸虫の中間宿主となっている．宿主巻貝は，以前は *Australorbis* 属，*Tropicorbis*属，*Taphius*属に分けられていたが，現在では別々の属とはみなされていない）．

bi·on (bī′on) [G. *bioō*(to live)の現在分詞中性形]. 生物個体．

Bi·on·di (bē-on′dē), Aldolpho. イタリア人病理学者，1846—1917. →B.-Heidenhain *stain*.

bi·o·ne·cro·sis (bī′ō-ne-krō′sis). 類壊死〔症〕．＝necrobiosis.

bi·on·ic (bī-on′ik). ビオニック，バイオニック（バイオニクスに関連した，またはバイオニクスにより開発された）．

bi·on·ics (bī-on′iks) [bio- + electronics]. ***1*** バイオニクス（生物学的機能およびメカニズムを，物理学・数学・化学の考え方を用いるコンピュータのように，電子論的化学などに応用する科学．例えば，脊椎動物の神経系の仕組みにならって，サイバネティクスを改良すること）．***2*** バイオニクス，生物(生体)工学（生物の特性を研究することにより得られた成果を非有機性デバイスや技術の公式化に応用する科学）．

bi·o·nom·ics (bī-ō-nom′iks). ***1*** ＝bionomy. ***2*** ＝ecology.

bi·on·o·my (bī-on′ō-mē) [bio- + G. *nomos*, law]. 生物機能学（生命の法則．生物機能を調節する法則に関する科学）．＝bionomics (1).

bi·o·phage (bī′ō-fāj). ビオファージ（[誤った発音 bī′ō-fahzh を避けること]．他の生物から栄養を摂取して生命を維持する生物）．

bi·oph·a·gism (bī-of′ă-jizm) [bio- + G. *phagō*, to eat]. 有生物質摂取（生物から栄養を摂取すること）．＝biophagy.

bi·oph·a·gous (bī-of′ă-gŭs). 有生物質摂取の（生体を栄養としている，ある種の寄生生物についていう）．

bi·oph·a·gy (bī-of′ă-jē). ＝biophagism.

bi·o·phar·ma·ceu·tics (bī′ō-far′mă-sū′tiks). 生物薬剤学（薬物の物理的・化学的特質とその投薬法を製剤の構成成分や製造方法を含めて，薬物作用の開始後，持続期間，強度と関連させて研究する学問）．

bi·o·phy·lac·tic (bī′ō-fī-lak′tik). 生体防御の．

bi·o·phy·lax·is (bī′ō-fī-lak′sis) [bio- + G. *phylaxis*, protection]. 生体防御（現在では用いられない語．生体の非特異的防御反応．例えば，食作用や炎症過程に対する血管その他の反応）．

bi·o·phys·ics (bī-ō-phyz′iks). 生物物理学（①物理学の理論と方式による生物学的過程および物質の研究．生物学的諸問題および過程を分析する物理学的方法の適用．②生物における物理的諸過程(例えば，電気や発光)の研究）．

cellular b. 細胞生物物理学（細胞内現象を研究する生物物理学）．

dental b. 歯科生物物理学（口腔構造の生物学的動きと歯科修復の物理的影響との関係）．＝dental biomechanics.

medical b. 医学生物物理学（診断や治療に関連した生物物理学）．

molecular b. 分子生物物理学（膜現象，高分子のコンフォメーションやコンフィグレーション特性，または生物電気現象などを研究する分野）．

radiation b. 放射線生物物理学（放射線の細胞，組織，生体分子，生物体に対する効果を研究する分野）．

bi·o·plasm (bī′ō-plazm) [bio- + G. *plasma*, thing formed]. ビオプラスマ，生形質（特に生命活動の過程と発育に関連する原形質）．

B

bi·o·plas·mic (bī-ō-plas′mik). ビオプラスマの，生形質の．

bi·o·pol·y·mer (bī′ō-pol′ē-mer). 生体高分子（天然由来の同一または類似のサブユニットからなる高分子化合物）．

aperiodic b. 非周期バイオポリマー（異なったサブユニットが非周期性配列で構築されている生体高分子）．

periodic b. 周期バイオポリマー（同一の繰返しサブユニットから構築された生体高分子）．

bi·op·sy (Bx) (bī′op-sē) [bio- + G. *opsis*, vision]. ***1*** 生検，バイオプシー，生体組織検査〔法〕（診断検査のために，患者から組織を採る方法）．***2*** 生検材料．

aspiration b. 吸引生検．＝needle b.

brush b. ブラシ生検，刷毛生検（ブラシを用いて病変部の表面をこすって，顕微鏡検査のための細胞および組織を採取する生検法）．

chorionic villus b. 遺伝診断のための経頸管的あるいは経腹的絨毛採取法．

endoscopic b. 内視鏡生検，内視鏡バイオプシー（内視鏡を通して器具を使ったり，または内視鏡の誘導下に針を穿刺して行う生検法）．

excision b. 切除生検（肉眼的観察および顕微鏡検査の目的で，病変部をすべて除去して施行される組織切除）．

fine-needle b. 細針生検（細い針による組織あるいは浮遊細胞の吸引および採取）．＝fine-needle aspiration b.

fine-needle aspiration b. (fīn-nē′děl as-pi-rā′shŭn). 細針吸引生検．＝fine-needle b.

incision b. 切開生検（病変部を切開し，その一部を除去する生検法）．

needle b. 針生検，針バイオプシー（皮下注入針，あるいは套管針を通して組織標本を吸引採取する生検法．針は皮膚あるいは臓器の外表面を貫通して検査目的の組織内へ穿刺される）．＝aspiration b.

open b. 直視下生検（外科的切開をして病変を切除し，そこから生検組織を採取する生検法）．

punch b. パンチ生検，パンチバイオプシー，細切採取法（小さな円筒形の組織標本を採取する生検法．器官に直接，または皮膚や皮膚の小さい切開部を通して穿刺する特殊な器具を用いる）．＝trephine b.

sentinel node b. センチネルリンパ節生検（腫瘍部位から流出する一次リンパ節を郭清するのに，それを同定するため腫瘍周囲にあらかじめ色素あるいは放射性同位元素を注入(射)しておいてから行う生検．全体のリンパ節郭清を行わずに，他のリンパ節への転移の有無を判断する）．

shave b. 薄片生検（手術用のメスあるいは剃刀の刃を用いて行う生検法．皮膚より隆起していたりあるいは表皮や真皮の上部に限局した病変，あるいは内部からの病変の突出しているものに対して行われる）．

sponge b. 擦過生検（適当なスポンジを用いて病巣を摩擦して行う生検法）．

transrectal ultrasound-guided b. 経直腸超音波ガイド下生検（経直腸的超音波断層法でモニターしながら行う前立腺の針生検）．

trephine b. ＝punch b.

wedge b. くさび状生検（くさび状に標本を切除する生検法）．

bi·o·psy·chol·o·gy (bī′ō-sī-kol′ō-jē). 生物心理学（心理学，生物学，生理学，生化学，神経科学，およびその関連分野を含む学際的研究分野）．

bi·o·psy·cho·so·cial (bī′ō-sī′kō-sō′shăl). 生物・心理・社会的な（生物的，心理的，および社会的影響の相互作用を含む）．

bi·op·ter·in (bī-op′ter-in). ビオプテリン（イースト菌，果実バエ，正常なヒトの尿などにみられるプテリン．還元型ビオプリテンは，多くの酵素触媒反応の補酵素として働く）．

bi·op·tome (bī-op′tōm) [*biopsy* + G. *tomē*, a cutting]. 生検鉗子（カテーテルの中を心臓へ通し生検をするための器具で，診断のために小片を得る）．

bi·or·bit·al (bī-ōr′bi-tăl) [bi- + G. *orbita*, orbit]. 両側眼窩の．

bi·o·rhe·ol·o·gy (bī′ō-rē-ol′ō-jē) [bio- + G. *rheō*, to flow + *logos*, study]. 生体流動学（生体系の変形と流れについての学問）．

bi·o·rhythm (bī′ō-rith-m) [bio- + G. *rhythmos*, rhythm].

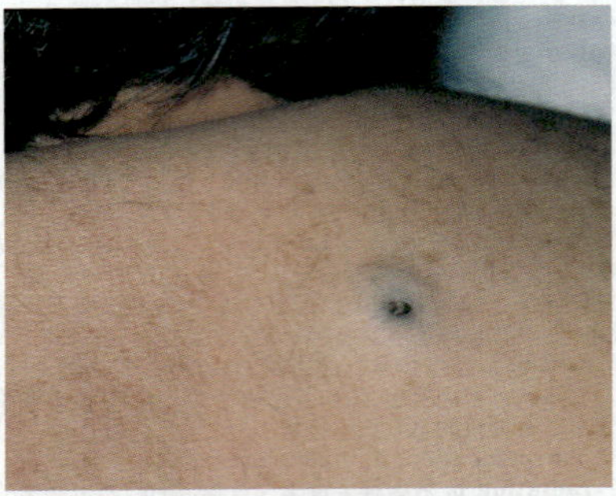

A

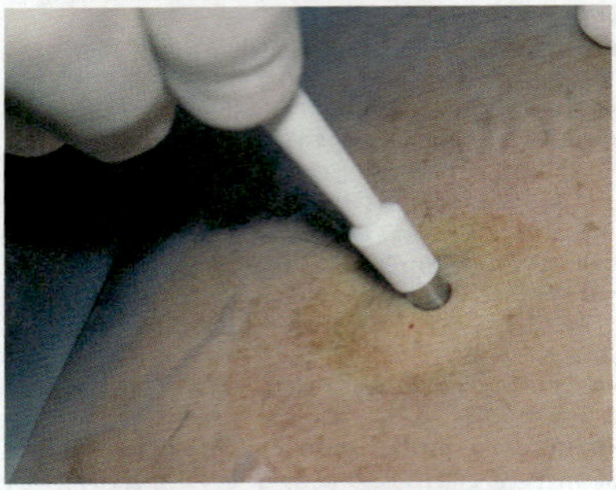

B

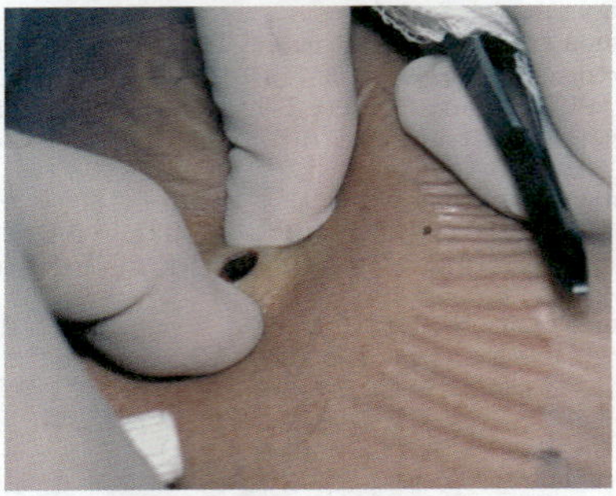

C

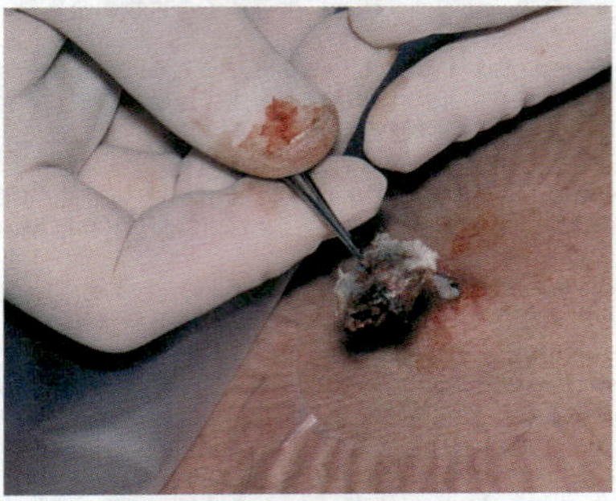

D

excisional punch biopsy of an epidermoid cyst

A：中央に孔のあるわずかに盛り上がった病変．B：6mmの使い捨て穿孔器で円形の開口を作成する．C：虹彩剪刀で切開した後，親指で押すことによって病変は開口から摘出される．D：嚢胞の切除は完了する．

バイオリズム(例えば，睡眠サイクル，日周性変動，周期性疾患のように，ある事象または状態が生体内因性の周期をもって変化あるいは反復すること).

bi·o·safe·ty (b-ī′ō-saf′tē). バイオセイフティー(ヒトに病気を起こす可能性のある生物由来の物質または生物そのものを取り扱う際の安全対策．現在のところ米国疾病予防管理センター(CDC)では，ヒト由来のすべての血液・体液を感染源とみなして取り扱うよう薦めている).

bi·o·sis (bī-ō′sis) [G. *biōsis*, way of living]. 生命(一般的に生きていること).

bi·o·so·cial (bī′ō-sō′shŭl). 生物社会の(生物学的影響と社会的影響との相互作用に関する).

bi·o·spec·trom·e·try (bī′ō-spek-trom′ĕ-trē) [bio- + L. *spectrum*, an image + G. *metron*, measure]. 生体分光〔光度〕法(生体から取り出した生きた組織または液体に存在する種々の物質の種類と量を分光学的に測定すること). =clinical spectrometry.

bi·o·spec·tros·co·py (bī′ō-spek-tros′kō-pē) [bio- + L. *spectrum*, image + G. *skopeō*, to examine]. 生体分光鏡検査〔法〕(組織から採取された液体を含めた，生きた組織の標本の分光学的検査). =clinical spectroscopy.

bi·o·spe·le·ol·o·gy (bī′ō-spē′lē-ol′ō-jē) [bio- + G. *spēliaion*, cave]. 洞穴生物学(主に洞穴を本来の成育地としている生物を研究する学問).

bi·o·sphere (bī′ō-sfēr) [bio- + G. *sphaira*, sphere]. 生物圏(世界中で，生物が存在する全地域).

bi·o·stat·ics (bī′ō-stat′iks) [bio- + G. *statikos*, causing to stand]. 生物静力学(生物体の構造と機能との関係を研究する科学).

bi·o·sta·tis·tics (bī′ō-stă-tis′tiks). 生物統計学(統計学を生物学または医学データに応用する科学).

bi·o·syn·the·sis (bī′ō-sin′thĕ-sis). 生合成(生体内(*in vivo*)，または細胞の破片や抽出物(*in vitro*)，による化学物質の酵素的合成). =biogenesis (2).

bi·o·syn·thet·ic (bī′ō-sin-thet′ik). 生合成の(生合成に関する，または生合成によって産生される).

bi·o·sys·tem (bī′ō-sis-tem). 生物系(直接的あるいは間接的に相互作用しうる生物の全体系).

Bi·ot (bē-ō′), Camille. 19世紀のフランス人医師. →B. *breathing*, *respiration*, breathing *sign*, *sign*.

bi·o·ta (bī-ō′tă) [Mod. L. < G. *bios*, life]. 生物相，ビオタ(一定の地域の動物と植物を合わせた相).

bi·o·tax·is (bī′ō-tak′sis) [bio- + G. *taxis*, arrangement]. ***1*** 生物分類学(解剖学的特徴に従って生物を分類すること). ***2*** 細胞間相互作用. =cytoclesis.

bi·o·tech·nol·ogy (bī′ō-tek-nol′ō-jē). 生物工学(①生化学，細胞生物学，生物物理および分子生物学の技術を応用し，人類，農業および環境に関連した実用的な問題を明らかにする専門分野．②組換えDNAあるいはハイブリドーマ技術を有用な分子の産生あるいはある望ましい性質を増すため，生物学的過程を改変するために使用すること).

bi·o·te·lem·e·try (bī′ō-tel-em′ĕ-trē). 生物テレメトリ，生体遠隔測定〔法〕(生命過程を監視し，無線で離れた地点にデータを伝送する方法).

bi·o·test (bī′ō-test). 生物学的検定法(ある物質，技術，操作などの生物に与える影響を評価する方法). =biologic assay.

bi·ot·ic (bī-ot′ik). 生命に関する.

bi·ot·ics (bī-ot′iks) [G. *biōtikos*, relating to life]. 生命力学，生物機能学(生体の機能，生命作用，生命力を扱う科学).

bi·o·tin (bī′ō-tin). ビオチン(ほとんどの生体に存在し，必要とされるビタミンB_2複合体のビオチンのD-異性体構成成分で，アビジンによって不活性化される．生体カルボキシル化反応に関与している．それはアビジンに対し高親和性をもつ低分子である．アビジンは酵素的または組織化学的方法により可視化できるようにすでに標識化された抗体と容易に結合されうる.→avidin). =coenzyme R; vitamin H; W factor.

b. carboxylase ビオチンカルボキシラーゼ(多数の酵素のサブユニットの1つ(例えば，アセチルCoAカルボキシラーゼ)．ATP，CO_2およびビオチンからカルボキシビオチン(ビオチン担体蛋白上にある)，ADP，およびPiを生成する反応を触媒する).

b. oxidase ビオチンオキシダーゼ(ビオチン側鎖のベータ酸化を触媒する(恐らく非特異的)酵素).

bi·o·tin·i·dase (bī′ō-tin′i-dās). ビオチニダーゼ(ビオチンアミド(ビオチンとアンモニアの生成)，ビオシチン(ビオチンとリシンの生成)，その他のビオチン化合物を加水分解してビオチンを生成する反応を触媒する酵素．この酵素欠損により有機酸血症になる).

bi·ot·i·nides (bī-ot′i-nīdz). ビオチン様物質(ビオチン(ビタミンB群の1つ)の化合物類および誘導体類．例えばビオシチン).

bi·o·tin·yl·ly·sine (bī′ō-tin-il-lī′sin). =biocytin.

bi·o·tope (bī′ō-tōp) [G. *bios*, life + *topos*, place]. 小生活圏，生息場所，ビオトープ(生物に画一的条件を提供する最小の地理的範囲．生態系の物理的部分).

bi·o·tox·i·col·o·gy (bī′ō-tok′si-kol′ō-jē). 生体毒物学(生物が産生する毒素に関する学問).

bi·o·tox·in (bī′ō-tok′sin). 生体毒素(動物の体内で産生される毒性物質で，動物の組織や体液中に含まれる).

bi·o·trans·for·ma·tion (bī′ō-trans′fōr-mā′shŭn). 生体内変化(生体内で起こる分子構造の変化．しばしば薬理作用の変化(増加，減少，あるいはほとんど変化しない)を伴う．特に薬物その他の生体異物についていう). =biodegradation.

bi·o·type (bī′ō-tīp) [bio- + G. *typos*, model]. ***1*** 生物型，同遺伝子型個体群，バイオタイプ(同一遺伝子型をもつ個体集団あるいは個体群). ***2*** 細菌学においてbiovarの旧名．細菌の変異菌株についていう.

bi·o·var (bī′ō-var) [bio- + *variant*]. 次亜種，ビオヴァル(生理学上の特徴が異なるため，同種の他の菌株と区別される亜種以下の細菌菌株群．以前はbiotypeといった).

bi·ov·u·lar (bī-ov′yū-lar). 二卵性. =diovular.

bi·pal·a·ti·noid (bī-pal′ă-ti-noyd). 二室カプセル(2室を有するカプセルで，胃内でカプセルが溶けて2つの物質が反応して治療効果を発揮するもの).

bi·par·a·sit·ism (bī-par′ă-sit-izm). 二重寄生. =hyperparasitism.

bi·pa·ren·tal (bī′pa-ren′tăl). 二親性の(雌雄の二親をもつ).

bi·pa·ri·e·tal (bī′pa-rī′ĕ-tăl) [bi- + L. *paries*, wall]. 両頭頂骨の(頭蓋の両方の頭頂骨に関する).

bip·a·rous (bip′ă-rŭs) [bi- + L. *pario*, to give birth]. 二子を産む.

bi·par·tite (bī-par′tīt). 二部構成の，二分割の.

bi·ped (bī′ped) [bi- + L. *pes*, foot]. ***1*** 〖adj.〗二足の. ***2*** 〖n.〗二足動物.

bip·e·dal (bip′ĕ-dal). ***1*** 二足動物の. ***2*** 二足歩行の(例えば，イグアナやその他多種のトカゲのような歩行をする).

bi·pen·nate, bi·pen·ni·form (bī-pen′āt, -pen′i-fōrm) [bi- + L. *penna*, feather]. 羽状〔筋〕の(鳥の羽のように，中央の1本の腱に向かって筋線維が両側から収れんするように付いている筋についていう).

bi·per·fo·rate (bī-per′fŏ-rāt). 二孔の.

biphasic (bī-fā′z′ik). 二相性(2つの組織形態学的なパターンをもつ細胞組織．例えば，滑膜肉腫では大型球形細胞と紡錘形の線維芽細胞で構成される組織と滑膜様細胞で構成される腺様組織が混在する).

bi·phe·no·ty·pic (bī′fē-nō-tip′ik). バイフェノティピック，バイフェノタイピック，2形質性の.

bi·phe·no·ty·py (bī-fē′nō-tī′pē). バイフェノティピー，バイフェノタイプ，2形質性(ある種の白血病において，同一細胞が2種以上の細胞系列のマーカを表現していること).

bi·phen·yl (bī-fen′il). ビフェニル. =diphenyl.

polychlorinated b. (**PCB**) ポリ塩素化ビフェニル(環炭素に付いているいくつかまたは全部の水素が塩素原子に置換しているビフェニル(誘導体)．ヒトの発癌性物質や催奇形特質の疑いがある).

bi·po·lar (bī-pō′ler). 双極〔性〕の(二極，両端，両極端をもつ).

Bi·po·lar·is (bī′pō-la′ris). ビポラーリス属(フェオヒフォミコーシスの原因菌の1つ．デマチウム科真菌の属．*Drechslera*属の一部と*Helminthosporium*属の種が現在本属に分類されている).

B. australiensis フェオヒフォミコーシスの原因となるデ

B

マチウム科真菌の一種.

B. hawaiiensis フェオヒフォミコーシスの原因となるデマチウム科真菌の一種.

B. spicifera フェオヒフォミコーシスの原因となるデマチウム科真菌の一種.

bi·po·ten·ti·al·i·ty (bī′pō-ten-shē-al′i-tē). 両能性(2通りの発生経路に沿って分化しうる能力. 一例として, 卵巣あるいは精巣に発達する生殖腺がある).

bi·ra·mous (bī-rā′mŭs) [bi- + L. *ramus*, branch]. 二枝の.

Bir·beck (bĕr′bek), Michael S. 20世紀の英国人癌研究者. →B. *granule*.

Birch-Hirsch·feld (bĕrch hĭrsh′feld), Felix V. ドイツ人病理学者, 1842—1899. →B.-H. *stain*.

birch tar (berch tar). =birch tar oil.

birch tar oil (berch tar oyl). 樺タール油(シラカバ *Betula alba* の木部を乾留して, 水蒸気蒸留により精製した焦木油. 外用として皮膚疾患の治療に用いる). =birch tar.

Bird (berd), Samuel D. オーストラリア人医師, 1833—1904. →B. *sign*.

bi·re·frin·gence (bī′rē-frin′jens). =double *refraction*.

bi·re·frin·gent (bī′rē-frin′jent). 複屈折の(2回屈折する. 光線を2つに分ける).

Birk (bĕrk), Yehudith. イスラエル人生化学者, 1926年生まれ. →Bowman-B. *inhibitor*.

Bir·na·vi·ri·dae (bir′nă-vī′ri-dā). ビルナウイルス科(直径60 nm正二十面体のエンベロープを有さないウイルスで, ゲノムは直鎖状の二本鎖RNAの二量体である).

Bir·navi·rus (bir′nă-vī′rŭs) [bi- + RNA + virus]. ビルナウイルス(ビルナウイルス科のウイルスで, ニワトリ, アヒルおよびシチメンチョウの感染性滑液嚢病ウイルス, 魚の感染性膵臓壊死ウイルスが含まれる).

bi·ro·ta·tion (bī′rō-tā′shŭn). 変旋光, 倍旋光, 多旋光. =mutarotation.

birth (berth). 出産, 分娩(①胎児が子宮から外界に出ること. 子を産む行為. ②特にヒトについては, 胎齢にかかわらず, また臍帯切断や胎盤付着の有無にかかわらず, 胎児が母体から完全に娩出あるいは牽出されること).

b. certificate 出生証明書(出生の詳細を記入した公的で法的な書類. 氏名, 出生日時, 場所, 両親の名前(註日本では母の氏名), その他出生時体重などが記入されている).

premature b. 早産(妊娠満20週または出生時体重500 gを経ているが, 37週に達していない出産. 註日本では22週以降, 37週未満の出産).

birth·ing (ber′thing). 分娩経過(胎児娩出の過程).

birth·mark (berth′mark). 母斑, あざ, 血管腫(持続性の肉眼的にかかわる病変で, たいてい皮膚にあり, 出生時あるいはその頃に確認される. 一般的には母斑 nevus あるいは血管腫 hemangioma をいう. →nevus (1)).

strawberry b. イチゴ状血管腫. =strawberry *nevus*.

bis- (bis) [L.]. ***1*** 2あるいは2度の意味を示す接頭語. ***2*** 化学において, 1分子中に同一ではあるが分離した2つの複合基があることを示す. *cf.* bi-; di-.

bis·a·cro·mi·al (bis′ă-krō′mē-ăl). 両肩峰の(左右の肩峰に関する).

bis·al·bu·mi·ne·mi·a (bis′al-byū′mi-nē′mē-ă). 二峰性アルブミン血〔症〕(血清中に電気泳動度の異なる2種のアルブミンが同時にあること. すなわち, 正常アルブミン(Aアルブミン)と, それとは異なる泳動速度をもつ変異アルブミンのうちの1つが現れること. 患者はAアルブミンの遺伝子および変異アルブミンの遺伝子に対して異型を示す. →inherited albumin *variants*).

bis·ax·il·lar·y (bis-ak′si-lār-ē). 両腋窩の(左右の腋窩に関する).

bis·ben·zyl·i·so·qui·no·line al·ka·loids (bis-ben′zil-ī-sō-kwin′ō-lin ăl-ka-loids). ビスベンジルイソキノリンアルカロイド(2つのイソキノリン環が合わさった母核を有するアルカロイドの一群. 例えばクラーレアルカロイド).

Bisch·of (bish′of), W. 20世紀のドイツ人神経外科医. →B. *myelotomy*.

bis·cuit (bis′kit). 素焼, 締め焼(陶器の焼成上の用語. くすり掛け前の焼物をいう. 生地を十分こねて, 構造を強化した段階から収縮が完了した段階までをいう. ガラス化の程度により, 低・中・上素焼があり, 硬素焼, 軟素焼ともよばれる).

bis·cuit-bake (bis′kit bāk). 半焼成, ビスケットベーク(歯科修復物の製作工程で, グレーズ温度より低い温度で収縮を調節する陶材の初焼成). =biscuit-firing.

bis·cuit-fir·ing (bis′kit fīr′ing). =biscuit-bake.

bi·sect (bī′sekt). 切半(解剖学において, 人体を等半に切断すること. 頭・頸・体幹の場合には左半と右半に, 体肢の場合には内側半と外側半に分ける).

bi·sex·u·al (bī-sek′shū-ăl). 両性の, 雌雄同体の(①両性の性腺をもつ. →hermaphroditism. ②異性と同性の両方と性関係をもつ人についていう).

bis·fer·i·ent (bis-fer′ē-ent). 二拍動性の. =bisferious.

bis·fer·i·ous (bis-fēr′ē-ŭs) [L. *bis*, twice + *ferio*, to strike]. 二拍の(脈拍についていう). =bisferient.

Bish·op (bish′ŏp), Louis F. 米国人医師, 1864—1941. →B. *sphygmoscope*.

bishop's nod 主教(司教)のうなずき. =Musset (de Musset) *sign*.

bis·il·i·ac (bis-il′ē-ak). 両腸骨の(腸骨あるいは腸骨窩のように, 腸骨の部位または構造の対応する二者についていう).

bis in di·e (b.i.d.) (bis in dē′ā) [L.]. 1日2回.

Bis·marck brown R (biz′mark brown) [C.I. 21010]. ビスマルクブラウンR(ビスマルクブラウンYに類似したジアゾ染料).

Bis·marck brown Y (biz′mark brown) [Ger. *bismarck-braun*, ドイツの宰相 Otto von *Bismarck* にちなんで名付けられた][C.I. 21000]. ビスマルクブラウンY(組織切片や Papanicolaou 腟スミアのムチンや軟骨の染色に用いるジアゾ染料. 過ヨウ素酸 Schiff 染色や Feulgen 染色において, Kasten Schiff 型試薬の1つとして用いる). =vesuvin.

bis·muth (Bi) (biz′mŭth) [Ger. *Wismut*, *weisse Masse*, white mass]. ビスマス, 蒼鉛(金属元素, 原子番号83, 原子量20.98037. ビスマスの塩には医薬品として用いられるものがある. Bi^{3+} よりはむしろ BiO^{+} を含むものが多く, この場合は塩基性塩とよばれる. 核酸の電子顕微鏡染色に用いる).

b. aluminate アルミン酸ビスマス(制酸薬). =aluminum bismuth oxide.

b. ammonium citrate クエン酸アンモニウムビスマス(腸収れん薬).

b. carbonate 炭酸ビスマス. =b. subcarbonate.

b. chloride oxide =b. oxychloride.

b. citrate クエン酸ビスマス(ビスマスおよびクエン酸アンモニウムをつくるのに用いる).

b. hydroxide 水酸化ビスマス(還元糖の検出に用いる).

b. iodide ヨウ化ビスマス; BiI_3(シナプスを表出するために電子顕微鏡検査で用いる). =b. triiodide.

b. oxide 酸化ビスマス(次硝酸ビスマスと用途は同じ).

b. oxycarbonate オキシ炭酸ビスマス. =b. subcarbonate.

b. oxychloride オキシ塩化ビスマス(次硝酸ビスマスと同じ用途の塩基性塩化ビスマス). =b. chloride oxide; bismuthyl chloride.

b. oxynitrate オキシ硝酸ビスマス. =b. subnitrate.

b. sodium tartrate 酒石酸ナトリウムビスマス(塩基性酒石酸ビスマスナトリウム. 駆梅薬).

b. sodium triglycollamate トリグリコラメートナトリウムビスマス(ニトリロ三酢酸とナトリウムビスマスの複塩).

b. subcarbonate 次炭酸ビスマス(次硝酸ビスマスと用途は同じであるが, 毒性は低い). =b. carbonate; b. oxycarbonate; bismuthyl carbonate.

b. subgallate 次没食子酸ビスマス(内服薬として下痢に, 外用で収れん薬および保護散布剤として用いる).

b. subnitrate 次硝酸ビスマス(調製条件によって組成が異なる塩基性塩. 内用には腸収れん薬として, 外用には緩慢な収れん薬および防腐薬として用いる). =b. oxynitrate.

b. trichloride 三塩化ビスマス; $BiCl_3$(水を加えると塩基性塩化ビスマスを生成する). =butter of bismuth.

b. triiodide =b. iodide.

bis·mu·tho·sis (bis′mŭ-thō′sis). ビスマス中毒症(慢性のビスマス中毒).

bis·muth·yl (biz′mŭ-thil). ビスムチル(化学的には一価金

属イオンと類似している BiO^+ 基．ビスムチルの塩は，ビスマスの塩基性塩）．

b. carbonate 炭酸ビスムチル．＝*bismuth* subcarbonate.

b. chloride 塩化ビスムチル．＝*bismuth* oxychloride.

1,4-bis(5-phen・yl・ox・a・zol-2-yl)ben・zene (bis fē′nil-oks′a-zōl-ben′zēn)．放射能測定に用いる液体シンチレーション試薬．

1,3-bis・phos・pho・glyc・er・ate (**1,3-P_2Gri**) (bis-fos′fō-glis′ĕr-āt)．1,3-ビスホスホグリセリン酸（解糖系の代謝中間体で，酵素によりADPと反応して，ATPと3-ホスホグリセリン酸を生じる）．

2,3-bis・phos・pho・glyc・er・ate (**2,3-P_2Gri**) (bis-fos′fō-glis′er-āt)．2,3-ビスホスホグリセリン酸（Rapoport-Luebering経路の代謝中間体で，1,3-ビスホスホグリセリン酸と3-ホスホグリセリン酸とで生成される．ヘモグロビンの酸素親和性の重要な調節物質の1つ．ホスホグリセリン酸ムターゼの中間体）．

2,3-**b. mutase** 2,3-ビスホスホグリセリン酸ムターゼ（Rapoport-Luebering経路の酵素．1,3-ビスホスホグリセリン酸と2,3-ビスホスホグリセリン酸との可逆的相互変換を触媒する．またホスファターゼ活性も有し，2,3-ビスホスホグリセリン酸を正リン酸と3-ホスホグリセリン酸へ変換する．2,3-ビスホスホグリセリン酸ムターゼの欠損により，軽度の赤血球増加を引き起こす）．

bisphosphonate (bĭs-fos-fō′nāt)．ビスホスホネート（骨粗しょう症の治療に用いられる薬物の分類の一つ．破骨細胞を介する骨吸収を阻害することによって作用する）．

bis・phos・pho・nates (bis-fos′fō-nāts)．ビスホスホネート（合成ピロリン酸アナローグで，破骨細胞による骨吸収を阻害する）．

bi・ste・phan・ic (bī′stĕ-fan′ik)．両ステファニオンの（頭蓋のステファニオン点間の最短距離についていう）．

bi・ste・roid (bī-stēr′oyd)．ビステロイド（1種類のステロイド2分子が，C–C結合している分子）．

bis・tou・ry (bis′tū-rē) [Fr. *bistouri* < It. dialect *bistori*, perh. < *Pistoia*, Italy]．柳葉刀（長くて細いメスで，刃は真っすぐまたは曲がっており，先端は鋭いが，さぐりのために鈍くなっていることもある．腔あるいは管腔構造の切開などに用いる）．

bi・stra・tal (bī-strā′tăl)．二層の．

bi・sul・fate (bī-sŭl′fāt)．重硫酸塩（HSO_4^- を含む塩）．＝acid sulfate.

bi・sul・fide (bī-sŭl′fīd)．陰イオン HS^- をもつ化合物．酸性硫化物．

bi・sul・fite (bī-sŭl′fīt)．亜硫酸水素塩（HSO_3^- の塩またはイオン）．

bit (bit)．ビット（①二進記数法（0または1）で記述されるディジタル情報の最小単位．②コンピュータ処理における電気信号）．＝binary digit.

bi・tar・trate (bī-tar′trāt)．酒石酸水素塩（酒石酸の2つの酸根の1つを中和して生じる塩または陰イオン）．

bitch (bich) [O.E. *bicche*]．雌イヌ（性的に成熟した雌イヌ）．

bite (bīt) [A.S. *bītan*]．***1***〘v.〙かむ，かみつく．***2***〘n.〙かむこと．***3***〘n.〙歯の間にはさまれた食物の小片．***4***〘n.〙顎を閉じたときにかかる圧力を表す語．***5***〘n.〙バイト（咬合間記録，上下顎間記録，デンチャースペース，歯槽間距離といった語に対する不適切な専門用語）．***6***〘n.〙咬傷，刺傷（動物または昆虫によって皮膚にできた損傷または刺し傷）．

balanced b. 平衡咬合．＝balanced *occlusion.*

biscuit b. ビスケットバイト．＝maxillomandibular *record.*

close b. クローズバイト．＝small interarch *distance.*

closed b. クローズドバイト，過蓋咬合（前歯部の著しい垂直被蓋を伴う垂直方向の歯列間距離の減少）．

deep b. 過蓋咬合（中心咬合時において前歯部の垂直的被蓋が異常に大きいこと）．

edge-to-edge b. 切端咬合，切縁咬合．＝edge-to-edge *occlusion.*

end-to-end b. 切端咬合，切縁咬合．＝edge-to-edge *occlusion.*

jumping the b. 咬合跳躍〔法〕（通常，前歯の交差咬合の矯正に用いる歯科矯正法）．

locked b. ロックドバイト（咬頭の位置により側方運動が制限された咬合）．

normal b. 正常咬合．＝normal *occlusion* (1).

open b. 離開咬合，開咬，オープンバイト（①＝large interarch *distance.* ②＝apertognathia）．

rest b. 下顎骨の physiologic rest *position* の誤称．

working b. 構成咬合．＝working *contacts.*

bi・tem・po・ral (bī-tem′pŏ-răl)．両側頭〔骨〕の（左右の側頭または側頭骨に関する）．

bite・plate, bite・plane (bīt′plāt, bīt′plān)．咬合床（対咬歯と咬合するように設計されたアクリリックの面のある可撤装置）．

bite・wing (bīt′wing)．→bitewing *radiograph.*

bi・thi・o・nol (bī-thī′ŏ-nol)．ビチオノール（ヒトの肺吸虫 *Paragonimus westermani*，東洋の肝蛭 *Clonorchis sinensis* の駆虫薬．石けん，洗剤の静菌薬としても用いる．ビチオン酸ナトリウムは局所殺菌薬，殺真菌薬として用いる．今ではプラジカンテルによる治療に取って代わられた）．

bitistatin (bī′ti-stat-in) [< *Bitis*, genus of source viper + G. *istēmi*, to check, arrest + -in]．ビチスタチン（ヘビ由来のディスインテグリンの1つ）．

Bi・tot (bē-tō′), Pierre A. フランス人医師，1822—1888. →B. *spots.*

bi・tro・chan・ter・ic (bī′trō-kan-ter′ik)．両大転子の（2個の転子，すなわち片方の大腿の両転子あるいは左右大転子に関する）．

bi・tro・pic (bī-trop′ik) [bi- + G. *tropē*, a turning]．二向性の（組織または生体内などで2重の親和性をもつ）．

bit・ter ap・ple (bit′ĕr ap′ĕl)．苦リンゴ．＝colocynth.

bit・ters (bit′ĕrz)．***1*** 苦味酒（植物性苦味物質（例えばキニン，ゲンチアナ）をしみ込ませたアルコール飲料．→bitter *tonic*）．***2*** 植物性苦味薬（通常は強壮薬として用いる苦味植物薬で，ニガキ，ゲンチアナ，キナ皮などがある）．＝amara.

aromatic b. 芳香性苦味薬．

Bitt・ner (bit′nĕr), John J. 米国人腫瘍学者，1904—1961. →B. *agent*, milk *factor.*

Bitt・orf (bit′ōrf), Alexander. ドイツ人医師，1876—1949. →B. *reaction.*

bi・u・ret (bī-yū-ret′)．ビウレット（尿素を加熱して，2分子の尿素から1分子アンモニアを除いて得る．蛋白定量に用いられる）．＝carbamoylurea.

bi・va・lence, bi・va・len・cy (bī-vā′lents, bī-vā′lent-sē)．二価〔性〕，二原子価（2つの結合力（原子価）をもつこと）．＝divalence; divalency.

bi・va・lent (bī-vā′lent, biv′ă-lent)．***1***〘adj.〙二価の，二原子価の（2つの結合力（原子価）をもつ）．＝divalent. ***2***〘n.〙二価染色体（細胞学において，2対の相同染色体からなる構造で，各染色体は減数分裂前期の太糸期にみられるようにそれぞれ2本の姉妹染色分体に分裂する．→tetrad）．

bivalirudin ビバリルディン．＝hirulog.

bi・ven・ter (bī-ven′ter) [bi- + L. *venter*, belly]．二腹の（二腹筋についていう）．

b. cervicis ＝spinalis capitis (*muscle*).

b. mandibulae 顎二腹筋．＝digastric (*muscle*) (1).

bi・ven・tral (bī-ven′tral)．二腹の．＝digastric (1).

bi・ven・tric・u・lar (bī′ven-trik′yū-lar)．両心室性の（右心室と左心室の双方が関係する）．

bix・in (bik′sin)．ビキシン（炭素原子24個からなる分枝不飽和ジカルボン酸のモノメチルエステル．カロチノイド（カロテン－ジオ酸）の1つ．*Bixa orellana* の種子から得られる赤橙色の着色物質．エチルエステルは食物および薬物着色剤として用いる．→annotto）．

bi・zy・go・mat・ic (bī′zī-gō-mat′ik)．両頬骨〔弓〕の（両側の頬骨または頬骨弓に関する）．

Biz・zo・ze・ro (bit-zō-zār′ō), Giulio. イタリア人医師，1846—1901. →B. *corpuscle.*

Bjer・rum (byer′ūm), Jannik P. デンマーク人眼科医，1851—1920. →B. *scotoma, screen, sign.*

Björk (byōrk), V.O. 20世紀のスウェーデン人心臓胸部外科医．→B.-Shiley *valve.*

Björn・stad (byōrn′stahd), R. 20世紀のスカンジナビア人皮膚科医．→B. *syndrome.*

Bk バークリウムの元素記号.
Black (blak), Greene V. 米国人歯科医, 1836―1915. →B. *classification*.
Black・fan (blak′fan), Kenneth D. 米国人医師, 1883―1941. →Diamond-B. *anemia, syndrome*.
black・out (blak′owt). ブラックアウト, 黒くらみ (①脳への血流が減少して生じる一時的な意識喪失. ②アブサンスのような一時的な意識喪失. ③過剰な重力により意識障害を伴わずに一過性に視力がなくなること. 中心網膜動脈の血流が低下し, 多くの場合, 飛行士に起こる. ④重症のアルコール中毒(アルコール性ブラックアウト)の際に, 明らかに意識が保たれていた期間の記憶が欠落していること).
　visual b. 視覚性ブラックアウト (→*amaurosis* fugax).
black root (blak rūt). ＝leptandra.
blad・der (blad′er) [A.S. *blaedre*][TA]. 袋, 嚢〔状構造の器官〕(胆嚢や膀胱などのように, 液体の容器となる膨張可能な筋性器官. →detrusor).
　air b. 浮袋 (ほとんどの魚に存在し, 静水圧器官として機能する気体が充満した袋. 脊柱の下に位置し, ほとんどは前腹部にあり, 種によっては(例えば, キンギョ)食道とつながっている. 酸素が豊富な静脈洞から浮袋に放出されて浮力が増す). ＝swim b.
　allantoic b. 尿膜性膀胱 (総排泄腔が成長して形成される膀胱の一種).
　atonic b. 弛緩膀胱〔障害〕(大きく拡張し, 排尿しきらない膀胱, 通常は神経支配の障害あるいは慢性の閉塞による).
　autonomic neurogenic b. 自律性神経因性膀胱〔障害〕(低位脊髄障害に続発する膀胱の機能不全).
　gall b. ＝gallbladder.
　hyperactive b. 過活動膀胱 (頻尿および(または)切迫性尿失禁に特徴づけられる膀胱機能障害).
　hyperreflexic b. 過敏性膀胱 (無抑制な収縮をみせる膀胱の状態をいう). ＝detrusor hyperreflexia.
　hypertonic b. 過緊張膀胱 (膀胱のコンプライアンスが低下している状態).
　ileal b. 回腸膀胱. ＝ileal *conduit*.
　neurogenic b. 神経因性膀胱〔障害〕, 過敏膀胱. ＝neuropathic b.
　neuropathic b. 神経因性膀胱〔障害〕, 過敏膀胱 (神経支配障害による膀胱機能の様々な欠陥, 例えば, 脊髄膀胱, 神経病的膀胱). ＝neurogenic b.
　nonneurogenic neurogenic b. 非神経性神経因性膀胱 (尿失禁, 便秘, 尿路感染症, 上部尿路障害により発生する利尿筋・括約筋協調不全). ＝Hinman syndrome.
　orthotopic neobladder b. 同所性の新膀胱 (腸管を利用して作成した人工膀胱で, 摘除された膀胱の位置に置かれ, 尿道に吻合される).
　overactive b. 過活動膀胱 (頻尿, 切迫性尿失禁, あるいはその両方を特徴とする膀胱機能障害).
　poorly compliant b. 低コンプライアンス膀胱 (排尿筋の障害により少量の尿で内圧が高まること).
　reflex neurogenic b. 反射性神経因性膀胱〔障害〕(膀胱が下位運動神経回路は損われていないが, 脊髄中枢から切り離されているために起こる膀胱機能の異常状態).
　swim b. ＝air b.
　trabeculated b. 肉柱膀胱 (膀胱壁の肥大と尿筋束の肥大を特徴とする. 慢性の下部尿路閉塞例に典型的にみられる).
　uninhibited neurogenic b. 無抑制性神経因性膀胱〔障害〕(中枢神経系による利尿筋機能の正常な抑制的調節が障害または未発達なために起こる膀胱機能の先天性または後天性異常. 尿意促進あるいは遺尿症を生じる).
　unstable b. 不安定膀胱 (排尿筋の不随意の収縮が起こる場合をいう).
　urinary b. [TA]. 膀胱 (筋層と粘膜から構成される尿を蓄えるための柔軟な袋状の臓器. 尿管を経て尿が流れ込み, 尿道へと排泄される). ＝vesica urinaria [TA]; vesica (1) [TA]; cystis urinaria; urocyst; urocystis.
blad・der・worm (blad′er-werm). 嚢虫. ＝*Cysticercus*.
blade・vent (blād′vent). ブレードベント (上顎骨あるいは下顎骨に外科的に形成された溝に埋入される薄い楔状の金属性骨内インプラント).
Blag・den (blahg′dĕn), Charles. 英国人医師, 1748―1820. →B. *law*.
Blain・ville (blăn-vēl′), Henri Marie Ducrotay de. フランス人動物・人類学者, 1777―1850. →B. *ears*.
Blake・more (blāk′mōr), Arthur H. 米国人外科医, 1897―1970. →Sengstaken-B. *tube*.
Bla・lock (blā′lok), Alfred. 米国人外科医, 1899―1964. →B. *shunt*; B.-Hanlon *operation*; B.-Taussig *operation, shunt*.
Blan・din (blahn-dan[h]′), Philippe Frédéric. フランス人解剖学者・外科医, 1798―1849. →B. *gland*.
blank (blank) [M.E. white < O.Fr. *blanc* < Germanic]. ブランク, 盲検 (検定する物質だけ除いた残りすべての分析成分を含む検定液. 検定する物質との対照となる測定強度基線を決定するのに用いる).
blan・ket (blan′ket). 表層.
　mucus b. 粘液表層 (呼吸上皮の表面をおおう粘液層).
blas (blahs) [M.E. *blast* の変形]. ブラス (身体の様々な反応を統轄または支配する神秘的な精神または生命力を表すのに van Helmont が用いた語. 身体の各機能は, 独自の特別なブラスをもっていると考えられる. ブラスは Paracelsus の原力(→archaeus)に対応する語).
Blasch・ko (blahs′kō), Alfred. オーストリア人皮膚科医, 1858―1922. →*lines* of B.
Bla・si・us (blah′sē-ūs), Gerhard (Blaes). オランダ人解剖学者, 1626(?)―1692. →B. *duct*.
blast (blast) [G. *blastos*, germ]. 芽細胞 (未熟細胞または前駆細胞を表す一般的な用語).
-blast (blast) [G. *blastos*, germ]. 前に付く語によって示されるものの芽細胞を示す接尾語.
blas・te・ma (blas-tē′mă) [G. a sprout]. ***1*** 芽体 (始原細胞集団(前駆体)で, ここから器官や部位が発生する). ***2*** 再生芽 (損傷または剝離組織の再生を開始する能力のある細胞の集まり).
　metanephric b. 後腎性芽体 (後腎性の中胚葉細胞の塊, 後腎帽).
　nephric b. 後腎芽, 造後腎組織 (胚子にあって中腎の尾側にのび出た腎形成索の部分. ここへ後腎憩室が進入してきて後腎の形成が開始される). ＝nephroblastema.
blas・tem・ic (blas-tem′ik). 芽体の.
blas・tic (blas′tik) [G. *blastos*, germ + -ic]. ***1***〘adj.〙分芽性の (分生子形成を示すもので, 隔壁で限定される前に分生子形成菌糸から突起が出芽することをいう). ***2***〘n.〙骨芽細胞に対する俗称.
blasto- (blas′tō) [G. *blastos*, germ]. 細胞または組織による出芽過程(および芽形成)を示す語に用いる連結形.
blas・to・cele, blas・to・coele (blas′tō-sēl, blas′tō-sēl) [blasto- + G. *koilos*, hollow]. 胞胚腔, 割腔, 分割腔 (発育する胚の胞胚内にある腔所). ＝cleavage cavity; segmentation cavity.
blas・to・cel・ic, blas・to・coel・ic (blas′tō-sē′lik, blas′tō-sē′lik). 胞胚腔の, 割腔の, 分割腔の.
blas・to・co・nid・i・um (blas′tō-cŏ-nid′ē-ŭm) [blasto- + conidium]. 分芽分生子 (単独または鎖状に産生される全分芽性の分生子で, 酵母細胞での出芽と同様, 成熟して分離した後, 出芽痕がみられる). ＝blastospore.
blas・to・cyst (blas′tō-sist) [blasto- + G. *kystis*, bladder]. 胚盤胞 (哺乳類の胚の変形胞胚. 胚結節とよばれる内部細胞塊と, 胚盤腔すなわち胞胚腔を取り囲む薄い栄養芽層とからなる). ＝blastodermic vesicle.
Blas・to・cys・tis (blas′tō-sis′tis). ブラストシスティス属 (哺乳類の消化管にみられる酵母様の寄生虫の一属. 一般に非病原性であると考えられている. 細胞壁の欠除, 膜結合型の中心体, 仮足運動, 原生動物型のゴルジ体およびミトコンドリアの保有, ならびに出芽ではなく胞子形成あるいは二分裂による増殖など原生動物としての特徴をもつことから, 現在真菌との関連性については疑問視されている).
　B. hominis ヒトに広くみられる *Blastocystis*属の一種で, かつては無害であると考えられていたが, 現在では重感染がみられる場合や免疫不全のヒトでは, まれに下痢やその他の消化管症状および好酸球増多症の原因となることが知られている.
blas・to・cyte (blas′tō-sīt) [blasto- + G. *kytos*, cell]. 未分化胚芽細胞 (胚の桑実期, 胞胚期, あるいは胚盤胞期の未分化

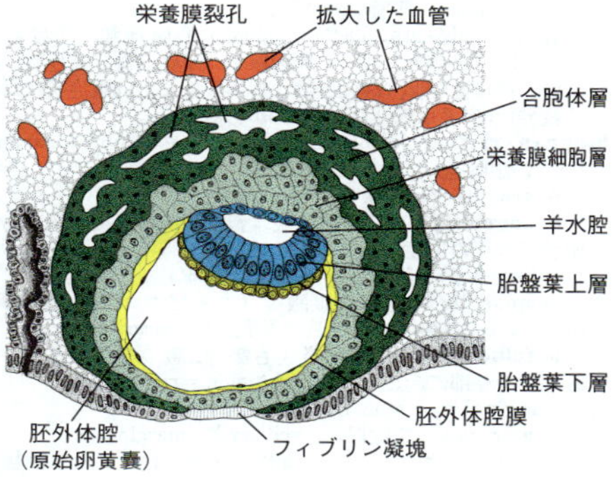

human blastocyst
発育9日目.

割球).

blas·to·derm, blas·to·der·ma (blas′tō-derm, -tō-der′-ma) [blasto- + G. *derma*, skin]. 胚盤葉, 胞胚葉 (幼若胚の薄い円盤状細胞塊と卵黄表面を包む胚体外延長. 完全に形成された場合には, 3層の一次胚葉(内胚葉, 外胚葉, 中胚葉)がすべて存在する). =germ membrane; germinal membrane; membrana germinativa.

bilaminar b. 二層胚盤葉 (最終的には3層になる一次胚葉のうち, 2層のみからなる時期の幼若胚の胚盤葉).

embryonic b. 胚体胚盤葉 (胚体の形成に関与する胚盤葉の部分).

extraembryonic b. 胚体外胚盤葉 (胚には含まれないが, 栄養と保護に関する膜を形成する胚盤葉の部分).

trilaminar b. 三層胚盤葉 (3層の一次胚葉がすべて形成された後の胚盤葉).

blas·to·der·mal, blas·to·der·mic (blas′tō-der′măl, -der′mik). 胚葉の.

blas·to·disc (blas′tō-disk). 胚盤 (①端黄卵の動物極にある活性細胞質の板. ②特に限局している非常に幼若な段階にある胚盤葉をいう).

blas·to·gen·e·sis (blas′tō-jen′ĕ-sis) [blasto- + G. *genesis*, origin]. ***1*** 芽生生殖 (出芽による単細胞生物の増殖). ***2*** 胚〔子〕発生 (卵割と胚葉形成時の胚の発育). ***3*** 芽球化, 幼若化 (組織培養中で, ヒトの末梢血の小リンパ球が, 大型の有糸分裂を行いうる, 大型の形態学的に未分化の芽球様細胞に転換すること. この現象は, 植物性血球凝集素, コンカナバリンA, リンパ球がそれに対しあらかじめ免疫されているような抗原, および無関係の個体から得られる白血球など種々の因子によって誘発される).

blas·to·ge·net·ic, blas·to·gen·ic (blas′tō-je-net′ik, -tō-jen′ik). ***1*** 芽生生殖の. ***2*** 胚〔子〕発生の. ***3*** 芽球化の, 幼若化の.

blas·to·kin·in (blas-tō-kin′in). ブラストキニン. =uteroglobin.

blas·tol·y·sis (blas-tol′i-sis) [blasto- + G. *lysis*, loosening]. 胚〔子〕崩壊 (胚盤胞または芽細胞の分解あるいは破壊と, それによる死).

blas·to·lyt·ic (blas′tō-lit′ik). 胚〔子〕崩壊の.

blas·to·ma (blas-tō′mă) [blasto- + G. *-oma*, tumor]. 芽〔細胞〕腫, 芽〔球〕腫, 真性腫瘍 (ほぼ全部が, 腫瘍が発生した器官の芽体あるいは原基を形成する細胞に似た未熟な未分化細胞からなる新生物).

blas·to·mere (blas′tō-mēr) [blasto- + G. *meros*, part]. 割球, 分割球, 卵割球 (受精後に卵母細胞が分割してできた細胞). =cleavage cell; embryonic cell.

blas·to·mer·ot·o·my (blas′tō-mēr-ot′ō-mē) [blastomere + G. *tomē*, incision]. 割球破壊. =blastotomy.

blas·to·mo·gen·ic (blas′tō-mō-jen′ik). 芽〔細胞〕腫誘発性の.

Blas·to·my·ces der·ma·tit·i·dis (blas′tō-mī′sēz der′mă-tit′i-dis) [blasto- + G. *mykēs*, fungus]. ブラストミセス症を引き起こす二形性土壌真菌. 哺乳類の組織内では出芽性細胞として増殖し, 一方, 培養すると, 白色または鈍黄色の糸状菌となり, 末端あるいは側部の短く細い分生子柄上に, 球形または楕円形の分生子を生じる. その完全世代(完全型)は *Ajellomyces dermatitidis* として知られている.

blas·to·my·cin (blas′tō-mī′sin). ブラストマイシン (*Blastomyces dermatitidis* の線条状菌の培養液を沪過した無菌の沪液から調製する皮内テスト用の抗原).

blas·to·my·co·sis (blas′tō-mī-kō′sis). ブラストミセス症 (*Blastomyces dermatitidis* によって起こる慢性肉芽腫性および化膿性疾患で, 呼吸器感染として初発し全身へ播種し, 通常, 肺, 骨, または皮膚が主として侵される. 以前は北アメリカブラストミセス症とよばれたが, 現在はアフリカ各国でもカナダや米国と同様に見出されている). =Gilchrist disease.

Brazilian b. paracoccidioidomycosis を表す現在では用いられない語.

cutaneous b. 皮膚ブラストミセス症 (*Blastomyces dermatitidis* による感染症でみられるいぼ状あるいは潰瘍を形成する皮膚病変).

North American b. 北アメリカブラストミセス症 (→blastomycosis).

South American b. 南アメリカブラストミセス症. =paracoccidioidomycosis.

systemic b. 全身性ブラストミセス症 (通常の侵入門戸である皮膚または肺から広がる *Blastmyces dermatitidis* 感染症. 骨と性尿器系(特に前立腺と精巣上体)が高頻度に侵される).

blas·to·neu·ro·pore (blas′tō-nū′rō-pōr) [blasto- + neuropore]. 原神経孔 (原口および神経孔の結合によってある種の胚の中に形成される一時的開口部).

blas·to·phore (blas′tō-fōr) [blasto- + G. *phorōs*, bearing]. ブラストフォア (コクシジウム類のシゾントの分裂初期. 各虫体の周辺に1層の核の配列をもった円形または楕円形の虫体が形成される. ブラストフォアの表面の各核上にメロゾイトが形成され, 放射状に発育して, 最終的にブラストフォアから分離する. *Eimeria bovis* の第1世代シゾントでは12万ものメロゾイトが形成される).

blas·to·pore (blas′tō-pōr) [blasto- + G. *poros*, opening]. 原口 (原腸胚を形成する際に, 胞胚の陥入によって生じる, 原腸に通じる開口部). =protostoma; protostome.

Blas·to·schiz·o·my·ces (blas′tō-skiz′ō-mī′sēz). ブラストシゾミセス属 (酵母様真菌の一属).

B. capitatus 免疫が抑制されている患者に重篤な播種性感染を引き起こす真菌の種. 以前は *Geotrichum*属に分類されていた.

blas·to·spore (blas′tō-spōr) [blasto- + G. *sporos*, seed]. 分芽胞子. =blastoconidium.

blas·tot·o·my (blas-tot′ō-mē) [blasto- + G. *tomē*, incision]. 割球破壊 (割球を実験的に破壊すること). =blastomerotomy.

blas·tu·la (blas′tū-lă) [G. *blastos*, germ]. 胞胚 (桑実胚の割球の再配置によって生じる初期段階の胚で, 中空の球状体を形成する).

blas·tu·lar (blas′tū-lar). 胞胚の.

blas·tu·la·tion (blas′tū-lā′shŭn). 胞胚または桑実胚からの胚盤胞形成.

Bla·tin (blah-tan[h]′), Marc. 20世紀初頭のフランス人医師. →B. *syndrome*.

Blat·ta (blat′ă) [L. cockroach]. ゴキブリ属 (数の多いトウヨウゴキブリ *B. orientalis* を含むゴキブリ科昆虫の一属. 乾燥したゴキブリからは利尿薬のアンチヒドロピンがとれる).

Blat·tel·la (bla-tel′ă) [L. *blatta*, cockroach]. チャバネゴキブリ属 (ゴキブリ科の一属. 恐らく最もよく知られ, また広く分布しているゴキブリ, すなわちチャバネゴキブリ(ドイツゴキブリ) *B. germanica* を含む).

Blat·ti·dae (blat′i-dē) [L. *blatta*, cockroach]. ゴキブリ科 (ゴキブリ目の昆虫の一科で, 主として熱帯性の, しかし世界的に分布している4,000以上の種からなる. この中には, 家屋, 台所, 公共建築物や施設など, 食物のある所ならどこにでもたくさんいる病原性の多数の種が含まれる．ヒトに対し病原性の生物を積極的に伝播するのでない場合でも，どこにいようと有害である．家屋内に普通の害虫として，チャバネゴキブリ(ドイツゴキブリ) *Blattella germanica*, ワモンゴキブリ(アメリカゴキブリ) *Periplaneta americana*, およびトウヨウゴキブリ *Blatta orientalis* を含む)．

bleb (blĕb). ブレブ，小水胞，〔胸膜下〕小気疱，肺胞性肺嚢胞(①大きな弛緩性の嚢胞．②胸膜内あるいはそれに連続する空気による肺嚢胞．しばしばX線写真では肺尖部にみられる．大きくなりやすく，また身長の高い人では破れて気胸を帰結する．*cf.* bulla)．

filtering b. 沪過胞((緑内障手術において形成された)眼球壁の強膜のフラップによる結膜胞．この部位を通って房水 aqueous *humor* は眼内から結膜下に排出され眼圧 intraocular *pressure* が低下する)．＝filtering cicatrix.

pulmonary b. 肺ブレブ（肺上葉肺尖部あるいは下葉の最上区の肺先端にある 1 cm 以下の空気の充満した肺胞の拡張．通常若い人に起こり，破裂して原発性気胸を生じる．*cf.* pulmonary *bulla*)．

bleed (blēd). 出血する（血管の破裂または切断の結果として血液を失うこと)．

bleed·er (blēd′er). ***1*** 出血性素因者，血友病者（血友病，Christmas 病，Osler 病，その他の凝固障害の罹患者を表す口語的表現)．***2*** 外科的処理で切断された血管．

bleed·ing (blēd′ing). ***1*** 出血（血管の破裂または切断により血液が失われること)．***2*** しゃ(瀉)血，脱血．

dysfunctional uterine b.〔機能不全性〕不正子宮出血（器質性のものではなく，むしろ内分泌異常による子宮出血)．

occult b. 潜在出血（→occult *blood*)．

blem·ish (blem′ish). ***1***〖n.〗斑点（美容上好ましくないが，(医学上は)問題とならない皮膚の小さな限局性変化)．***2***〖v.〗傷つける，汚す．

blen·nad·e·ni·tis (blen′ad-ĕ-nī′tis) [G. *blennos*, mucus + *adēn*, gland + *-itis*, inflammation]. 粘液腺炎（粘液腺の炎症)．

blen·ne·me·sis (blen-em′ĕ-sis) [G. *blennos*, mucus + *emesis*, vomiting]. 粘液吐出に対してまれに用いる語．

blenno-, blenn- (blen′ō) [G. *blenna, blennos*]. 粘液に関する連結形．

blen·no·gen·ic (blen′ō-jen′ik) [blenno- + G. *-gen*, to produce]. ＝muciparous.

blen·nog·e·nous (ble-noj′ĕ-nŭs). ＝muciparous.

blen·noid (blen′oyd) [blenno- + G. *eidos*, resemblance]. 粘液様の．＝muciform.

blen·noph·thal·mi·a (blen′of-thal′mē-ă). ***1*** ＝conjunctivitis. ***2*** ＝gonorrheal *ophthalmia*.

blen·nor·rhag·ic (blen′ō-raj′ik). ＝blennorrheal.

blen·nor·rhe·a (blen′ō-rē′ă). 膿漏（[誤ったつづり blenorrhea を避けること]．粘液の分泌，特に，尿道または腟からの分泌に対してまれに用いる語)．

inclusion b. 封入体性膿漏眼（トラコーマクラミジア *Chlamydia trachomatis* によって起こる新生児の沪胞性結膜炎)．

b. neonatorum ＝*ophthalmia* neonatorum.

blen·nor·rhe·al (blen′ō-rē′ăl). 膿漏の（blennorrhea に関するまれに用いる語)．＝blennorrhagic.

blen·nos·ta·sis (blen-os′tă-sis) [blenno- + G. *stasis*, standing]. 膿漏抑制（粘膜からの分泌の減少または抑制を表す，まれに用いる語)．

blen·no·stat·ic (blen′ō-stat′ik). 膿漏抑制の（まれに用いる語)．

blen·nu·ri·a (ble-nyū′rē-ă) [blenno- + G. *ouron*, urine]. 粘液尿〔症〕（尿に過剰の粘液が分泌されることに対してまれに用いる語)．

ble·o·my·cin sul·fate (blē-ō-mī′sin sul′fāt). 硫酸ブレオマイシン（*Streptomyces verticillus* から得られる抗腫瘍性の抗生物質．しばしば肺線維症を引き起こす)．

blephar- (bleph′ar). →blepharo-.

bleph·ar·ad·e·ni·tis (blef′ar-ad-ĕ-nī′tis) [blephar- + G. *adēn*, gland + *-itis*, inflammation]. 眼瞼腺炎（瞼板腺あるいは Moll 腺または Zeis 腺の炎症)．＝blepharoadenitis.

bleph·a·ral (blef′ă-răl). 眼瞼の．

bleph·a·rec·to·my (blef′a-rek′tō-mē) [blepharo- + G. *ektomē*, excision]. 眼瞼切除〔術〕．

bleph·ar·e·de·ma (blef′ar-ĕ-dē′mă). 眼瞼浮腫（しばしば腫れと膨れとがみられる．原因はアレルギー性，炎症性，感染性，循環性(例えば瘢痕性)，外傷後性または眼症状に対する続発性(例えば乾性角結膜炎)がある)．

bleph·a·ri·tis (blef′ă-rī′tis) [blepharo- + G. *-itis*, inflammation]. 眼瞼炎．

b. acarica ダニ眼瞼炎．＝demodectic b.

b. angularis 眼角〔部〕眼瞼炎，眥部眼瞼炎（接合角にある眼瞼辺縁部の炎症)．

ciliary b. 睫毛眼瞼炎．＝b. marginalis.

demodectic b. 毛嚢虫眼瞼炎（ニキビダニ *Demodex folliculorum* の感染による眼瞼の炎症)．＝b. acarica.

b. follicularis 毛嚢眼瞼炎（毛嚢や眼瞼の皮脂腺あるいは睫毛腺の深部に起こった化膿性炎症)．＝pustular b.

marginal b. ＝b. marginalis.

b. marginalis 眼瞼縁炎．＝ciliary b.; marginal b.

meibomian b. マイボーム腺性眼瞼炎（瞼板腺と眼瞼縁の炎症)．

b. parasitica 寄生虫性眼瞼炎（シラミがいるために生じる眼瞼辺縁の炎症)．＝b. phthiriatica; pediculous b.

pediculous b. ＝b. parasitica.

b. phthiriatica ＝b. parasitica.

posterior b. 後部眼瞼炎（眼瞼瞼板開口部の凝縮と閉鎖による眼瞼縁の炎症)．

pustular b. ＝b. follicularis.

b. rosacea しゅさ(酒皶)性眼瞼炎（しゅさ性痤瘡を伴う眼瞼縁の炎症)．

seborrheic b. 脂漏性眼瞼炎（紅斑様と白色の慢性の眼瞼縁の炎症の一般的な型．ときに脂漏性皮膚炎を顔面や頭皮に伴う)．

b. sicca 乾性眼瞼炎（睫毛に乾燥した鱗屑が付着した眼瞼縁の炎症)．

staphylococcal b. ブドウ球菌性眼瞼炎（睫毛基部に沿っての固い落屑を特徴とする眼瞼の炎症)．

b. ulcerosa 潰瘍性眼瞼炎．

blepharo-, blephar- (blef′ă-rō, bleph′ar) [G. *blepharon*, an eyelid]. 眼瞼を意味する連結形．

bleph·a·ro·ad·e·ni·tis (blef′ă-rō-ad′ĕ-nī′tis). ＝blepharadenitis.

bleph·a·ro·ad·e·no·ma (blef′ă-rō-ad′ĕ-nō′mă) [blepharo- + G. *adēn*, gland + *-oma*, tumor]. 眼瞼腺腫．

bleph·a·ro·chal·a·sis (blef′ă-rō-kal′ă-sis) [blepharo- + G. *chalasis*, a slackening]. 眼瞼皮膚弛緩〔症〕（眼瞼皮膚の余剰による状態，上眼瞼は上眼瞼板の筋(重眼瞼)が不明瞭化および眼瞼縁が隠されてしまう．下眼瞼では眼窩縁を超えて余分な皮膚と皺形成がみられる)．＝ptosis adiposa.

bleph·a·roc·lo·nus (blef′ar-ok′lō-nŭs) [blepharo- + G. *klonos*, a tumult]. 間代性眼瞼痙攣．

bleph·a·ro·col·o·bo·ma (blef′ă-rō-kol-ō-bō′mă) [blepharo- + coloboma]. 眼瞼欠損．＝ankyloblepharon.

bleph·a·ro·con·junc·ti·vi·tis (blef′ă-rō-kon-jŭnk′ti-vī′tis). 眼瞼結膜炎．

bleph·a·ro·di·as·ta·sis (blef′ă-rō-dī-as′tă-sis) [blepharo- + G. *diastasis*, separation]. 眼瞼離開過度（眼瞼が異常に離開する，または完全に閉瞼ができないこと)．

bleph·a·ro·ker·a·to·con·junc·ti·vi·tis (blef′ă-rō-ker′ă-tō-kon-jŭnk′ti-vī′tis). 眼瞼角結膜炎（眼瞼，角膜，結膜において生じる炎症)．

bleph·a·ron (blef′ă-ron) [G. *blepharon*, eyelid]. 眼瞼．＝eyelid.

bleph·a·ro·phi·mo·sis (blef′ă-rō-fi-mō′sis) [blepharo- + G. *phimōsis*, an obstruction]. 瞼裂縮小（眼瞼辺縁部の融合なしに眼瞼の開口が減少すること)．＝blepharostenosis.

bleph·a·ro·plast (blef′ă-rō-plast′) [blepharo- + G. *plastos*, formed]. 毛基体，生毛体．＝basal *body*.

bleph·a·ro·plas·tic (blef′ă-rō-plas′tik). 眼瞼形成〔術〕の．

bleph·a·ro·plas·ty (blef′ă-ro-plast′tē) [blepharo- + G. *plassō*, to form]. 眼瞼形成〔術〕（眼瞼の異常の矯正を行う手術)．

bleph·a·ro·ple·gi·a (blef′ă-rō-plē′jē-ă) [blepharo- + G.

plēgē, stroke]. 上眼瞼麻痺.

bleph·a·rop·to·sis, bleph·ar·op·to·si·a (blef′ă-rop′tō-sis, -rop-tō′sē-ă) [blepharo- + G. *ptōsis, a falling*]. 眼瞼下垂 (上眼瞼が垂れ下がること). = ptosis (2).

b. adiposa 脂肪性眼瞼下垂 (皮下脂肪組織の集積のために皮膚が眼瞼の自由縁を越えて垂れ下がった状態. まれに用いられる語).

false b. 偽眼瞼下垂. = pseudoptosis.

bleph·a·ro·spasm, bleph·a·ro·spas·mus (blef′ă-rō-spazm′, -spaz′mŭs). 眼瞼痙攣 (眼輪筋の不随意性痙攣性収縮. 単独で生じるか, 顔面, 顎, 首の筋肉の失調性収縮に関連していると考えられる. 感情, 疲労, 幻覚剤によって誘発, 悪化される).

bleph·a·ro·stat (blef′ă-rō-stat) [blepharo- + G. *statos*, fixed]. 開瞼器. = eye *speculum*.

bleph·a·ro·ste·no·sis (blef′ă-rō-ste-nō′sis) [blepharo- + G. *stenōsis*, a narrowing]. = blepharophimosis.

bleph·a·ro·syn·ech·i·a (blef′ă-rō-sin-ek′ē-ă) [blepharo- + G. *synecheia*, continuity < *syn-echō*, to hold together]. 眼瞼癒着 (眼瞼の両端, または眼瞼と眼球が癒着すること).

bleph·a·rot·o·my (blef′ă-rot′ō-mē) [blepharo- + G. *tomē*, incision]. 眼瞼切開〔術〕(診断的治療目的に眼瞼の内部組織層の1つまたはそれ以上を弛緩させるための手術).

blind (blīnd). 盲目の (⇀blindness). = masked (2).

blind·ness (blīnd′nes). 盲, 失明 (①視覚喪失, 完全盲はまったく光を感じない状態. →amblyopia; amaurosis. ②視力は正常であるが像の視覚認識がないこと. ③感覚の認識の欠損. 例えば味盲など). = typhlosis.

change b. 短期の障害と同時に生じる視野の顕性の変化がみられない.

color b. 異常または不全と誤解をまねきやすい用語. complete color b. は原発性の網膜錐体色素の欠損の1つ. 註日本では色覚異常の意. ⇀protanopia; deuteranopia; tritanopia.

cortical b. 皮質盲 (視覚領皮質の病変による視力欠如).

day b. 昼盲〔症〕. = hemeralopia.

eclipse b. 日食盲. = solar *maculopathy*.

flash b. 閃光盲 (網膜の生理的適応力を超えた強い光によって網膜の光感受性色素が漂白されたときに生じる一過性の視力喪失).

flight b. 飛行盲 (飛行者の視覚障害. →*amaurosis* fugax).

functional b. 機能盲 (suggestibility に関連した視力の顕性の欠如).

hysteric b. ヒステリー盲 (自分の子供が事故で死ぬ場面を目撃するといった, 心理的に外傷的な出来事に続いて生じる視力喪失や視力低下. 転換に基づく. ⇀hysteria).

legal b. 法的盲 (一般に, Snellen 視力表で視力 0.1 未満または視力がよい方の眼で視野の 20 度以下の狭窄. 基準は状況により異なる).

letter b. 文〔字〕盲 (文字の視覚失認. 文字は見えるが, それが何の文字かがわからない. 後頭皮質の病変が原因).

mind b. 精神盲, 心盲 (物品に対する視覚失認. 物品は見えているが, それが何であるかがわからない. 後頭葉皮質の Brodmann 18 野の損傷により生じる). = object b.; psychanopsia; psychic b.

music b. 音楽盲. = musical *alexia*.

night b. 夜盲〔症〕. = nyctalopia.

note b. 楽譜盲. = musical *alexia*.

nutritional b. 栄養性盲 (ビタミンA欠乏による眼障害).

object b. 物体盲. = mind b.

psychic b. 精神盲. = mind b.

river b. = ocular *onchocerciasis*.

sight b. = asymbolia.

sign b. 符号盲 (記号に対する視覚失認).

snow b. 雪盲, 雪眼炎 (紫外線角結膜炎に続発する強度の羞明).

solar b. 日食盲. = solar *maculopathy*.

taste b. 味盲 (味覚刺激を認識できないこと).

text b., word b. 文字盲. = alexia.

blink (blink). 瞬目 (眼瞼を急速に閉じたり開いたりすること. 涙が結膜上に広がり, 結膜を湿らせるための不随意行為). = wink.

blis·ter (blĭ′stir). ***1*** 〖n.〗 水疱, 疱疹 (表皮下または表皮内に液体がたまった小胞). ***2*** 〖v.〗 水疱を形成する (熱や水疱形成薬によって水泡をつくる).

blood b. 血性水疱 (血液を含む水疱. 刺傷または挫傷性外傷の結果生じる).

fever b. 熱性疱疹 (口唇の単純疱疹を表す口語).

fly b. ハエ水疱 (*Lytta* (*Cantharis*) *vesicatoria* すなわちスペインバエのような, カンタリジンをつくるツチハンミョウ科のある種の甲虫が発疱性体液を放出することによって起こるカンタリジン性水疱. 非カンタリジン性の発疱液は, 他のハネカクシ科の甲虫, 特に *Paederus*属によってつくられ, その液が皮膚につくと激痛を伴う水疱を生じる).

fracture b. 骨折水疱 (主に下腿, 足首, 前腕, 手首などの骨折に伴って生じる表皮の融解壊死. 骨折部近傍の軟部組織に, 強い張力とねじれが加わることにより起こる).

sucking b. 吸引水疱 (新生児の腕または唇にみられる表在性の水疱性病変. 出生前に児が自分で強く吸引しているために起こると考えられている).

blis·ter·ing (blĭ′stĕr-ing). 水疱形成. = vesiculation (1).

bloat, bloat·ing (blōt, blōt′ing). ***1*** 鼓脹 (えん下ガスまたは発酵による腸内ガスによって生じる腹部膨満). ***2*** 第一胃鼓脹 (ウシの第一胃膨満で, 発酵ガスの蓄積によって起こるもの. ときにマメ科植物の豊富な草地に放牧された動物に起こりやすい. 治癒しない場合はすぐに死亡することもある). ***3*** イヌでは, 胃の拡張あるいは鼓脹から胃拡張捻転症候群 (GDV)に進行することがあり, 生命にかかわる胃の捻転により臓器の循環障害が起こる. 脾臓もその捻転に引き込まれることがある. 単純な鼓脹(拡張)は胸郭の深い大型犬種や超大型犬種においてさらに多い.

Bloch (blok), Bruno. スイス人皮膚科医, 1878—1933. ⇀B.-Sulzberger *disease, syndrome*.

Bloch (blok), Marcel. フランス人医師, 1885—1925. ⇀B. *reaction*.

block (block) [Fr. *bloquer*]. ***1*** 〖v.〗 ブロックする, 遮断する (通過をさえぎる). ***2*** 〖n.〗 ブロック, 遮断 (電気インパルスの伝達が全体的または部分的に, 一時的または永久的にさえぎられる状態). ***3*** 〖n.〗 = atrioventricular b. ***4*** 〖n.〗 ブロック (同一のポリマーで, 連結しているが, 非相容な構成成分からなるポリマー鎖).

alveolocapillary b. 肺胞毛細血管ブロック (肺胞腔内の空気と肺胞毛細血管内の血液との間にガスの拡散を障害する物質が存在すること. ブロックは浮腫, 細胞浸潤, 線維症あるいは腫瘍によって起こり, 末梢動脈血の酸素の不飽和をもたらす).

antegrade b. = anterograde b.

anterograde b. 順行〔性〕ブロック (例えば洞房結節より心室筋に至る伝導のように通常の伝導がブロックされることで, 場所は問わない). = antegrade b.

arborization b. 分枝ブロック (Purkinje 分枝の広範囲な障害によると考えられる心室内ブロックで, 心電図では脚ブロックと同様のパターンを示すが, 小振幅の棘波群を伴うパターンを示す).

atrioventricular b., AV b. 房室ブロック (心房または洞結節由来の電気的興奮が, 房室結節と心室に達しない部分性のまたは完全なブロック状態. first degree AV b.(第一度房室ブロック)においては, 房室間の伝導時間(PR間隔)が延長される. second degree AV b.(第二度房室ブロック)においては, 心房刺激が心室に届かないものがあり, 心室収縮は一部欠落する. complete AV b.(第三度房室ブロック, 完全房室ブロック, 完全房室解離)においては, 心房と心室の収縮は各々独立している). = block (3); heart b.

Bier b. (bēr). ビールのブロック(遮断) (タニケットを装着し, あらかじめ穿刺した四肢末梢の静脈留置針より局所麻酔薬を注入して得られる前腕または下腿の静脈内区域麻酔). = Bier method (1); intravenous regional anesthesia.

bone b. 骨性制動術 (関節の周辺に骨移植することにより関節の運動を機械的に制限する, または関節の安定性を増す手術法. 例えば足関節部で背屈は可能だが, 底屈は0度に制限することにより下垂足を矯正する, また肩関節で後方不安定性を防ぐなどに用いる).

bundle-branch b. (BBB) 脚ブロック (房室束の2主枝の一方における伝導障害による心室内ブロック. 心電図ではQRS群の延長がみられる. 右脚でも左脚のブロックでも明瞭

な QRS 波形を示す).

cell b. 細胞ブロック（吸引液や洗浄液などの細胞浮遊液を遠沈または沪過して集めた細胞を，組織の固形標本と同様に処理してパラフィン包埋したもの．切り出して染色し，顕微鏡で観察するのに適している).

complete AV b. 完全房室ブロック（①→atrioventricular b. ②＝complete atrioventricular *dissociation*).

conduction b. 伝導ブロック（神経線維のある１点でインパルスの伝導ができず，その近位部と遠位部の伝導はできる．臨床的には，局所の脱髄または頻度は低いが一過性虚血によることが多い．末梢神経系の局所の外傷による場合はニューラプラキシーとよばれる).

congenital heart b. [MIM*234700]．先天性心伝導障害（胎内あるいは出生時にみられる房室伝導障害．通常，重症型あるいは完全房室ブロック).

depolarizing b. 脱分極〔性〕遮断（運動神経終板の極性の喪失に伴う骨格筋麻痺．例えば，スクシニルコリン投与により発生する麻痺).

divisional b. 分枝ブロック（房室束の左側枝の主要な2分枝の中の一方，すなわち前(上方)枝または後(下方)枝のいずれかにおける伝達の遮断).＝hemiblock.

entrance b. 進入ブロック．＝protective b.

epidural b. 硬膜外ブロック（硬膜外腔の閉塞．硬膜外麻酔に対して不正確に用いることもある).

exit b. 進出ブロック（刺激が発生した点から離れることができないこと．刺激発生点周囲の無反応性組織が刺激の発生伝達を阻止していると考えられる).

fascicular b. 束ブロック（His束の左脚内伝導系の３束の中の２束を構成し，右脚は第三束目となり，刺激を心房から，房室結節下の心室に伝達する役割を果たすが，その一部が断裂するという概念に基づいた状態で，束の一部または全部にブロックが起こり，３束すべてが断裂すると完全房室ブロックを生じる.→hemiblock).

field b. 周囲浸潤麻酔〔法〕（術野の周囲組織に局所麻酔薬を浸潤することにより，局所の麻酔を得る方法).

first-degree AV b. →atrioventricular b.

Gow-Gates b. (gow-gāts)．ゴウ－ゲーツのブロック（下歯槽神経のブロック法で，下顎骨関節突起の頭部に隣接して，局所麻酔薬を注入．三叉神経下顎枝のほとんどすべての枝がブロックされる).

heart b. 心〔臓〕ブロック．＝atrioventricular b.

incomplete atrioventricular b. 不完全房室ブロック．＝partial heart b.

interatrial b. 心房内ブロック．＝intraatrial b.

intraatrial b. 心房内ブロック（心房内の伝導障害．心電図では，幅の広い結節性のＰ波として現れる).＝interatrial b.

intraventricular b. (IVB), IV b. 心室内ブロック（心室内伝導系または心筋内の伝導の遅延．脚ブロックや梗塞周囲ブロック，束ブロック，非特異的な心室内ブロックおよび Wolff-Parkinson-White(予定前期興奮)症候群を含む).

Mobitz b. (mō′bits)．モービッツブロック（第二度房室ブロックで，２拍以上の心房興奮(Ｐ波)の数と心室応答は比例する).

Mobitz types of atrioventricular b. (mō′bits)．モービッツ型房室ブロック（Ｉ型は，Wenckebach 現象で，心拍が脱落したもの．II 型は，心周期の脱落したもので，先行周期の伝導が変化しないで生じる).

nerve b. 神経ブロック（局所麻酔薬を注入することにより，末梢神経または神経幹のインパルスの伝導を遮断する方法).

nondepolarizing b. 非脱分極〔性〕遮断（運動神経終板の極性の変化を伴わない骨格筋麻痺．例えば，ツボクラリン投与により発生する麻痺).

partial heart b. 部分性心ブロック（心室の心拍数に多少関係を有する房室結節の刺激伝導状態).＝incomplete atrioventricular b.

periinfarction b. 梗塞周囲ブロック（心筋梗塞に伴う心電図の異常．梗塞領域にある心筋の興奮遅延によって起こる．初期ベクトルは梗塞領域と反対方向を呈し，終期ベクトルは梗塞領域方向を呈することを特徴とする).

phase I b. Ｉ相遮断（運動神経終板の脱分極に伴って生じる筋神経接合部の神経刺激伝達の抑制．スクシニルコリンにより生じる筋麻痺にみられる).

phase II b. II相遮断（運動神経終板の脱分極を伴わない筋神経接合部の神経刺激伝達の抑制．ツボクラリンによる筋麻痺にみられる．高用量のスクシニルコリンを長時間使用しても起こる).

protective b. 保護ブロック（もう１つの中心からの刺激によりペースメーカが脱分極させられるのを保護する，完全には理解されていない機序．この機序は，通常，刺激が中心から出ていくのは許すが，中心へ接近するのは阻止する単一方向性不応性組織の環状帯と考えられている．この機序は心室副収縮の発現中にみられ，副収縮中心は洞ペースメーカにより脱分極させられることから保護されるため，固有調律を乱されずに保つことができる).＝entrance b.; protection.

pupillary b. 瞳孔閉鎖，瞳孔ブロック（後眼房から前眼房への瞳孔を通っての房水 aqueous *humor* の流れの抵抗増大．結果的に線維柱帯 trabecular *meshwork* への周辺虹彩の前方彎曲を生じ，閉塞隅角緑内障 angle-closure *glaucoma* を生じる).

retrograde b. 逆行〔性〕ブロック（心室または房室結節から逆に心房へと向かう伝導障害).

reverse pupillary b. 逆瞳孔閉鎖，逆瞳孔ブロック（前眼房から後眼房への瞳孔を通っての房水の流れの抵抗増大．結果として周辺虹彩の Zinn 小帯への後方彎曲を生じる．色素性緑内障の病態の可能性として考えられている).

second-degree AV b. →atrioventricular b.

sinuatrial b., S-A b., sinus b. 洞〔房〕ブロック（洞結節由来の興奮が，心房筋に達するまでにブロックされる状態).＝sinoauricular b.

sinoauricular b. 洞房ブロック．＝sinuatrial b.

spinal b. 脊髄ブロック（脊髄クモ膜下腔に起こる脳脊髄液の流れの障害．脊椎麻酔に対して不正確に用いることもある).

stellate b. 星状神経ブロック，星状神経遮断（星状神経節付近への局所麻酔薬の注入).

suprahisian b. ヒス束上ブロック（His 束の上方(または頭側)に起こる房室伝導遅延).

third degree AV b. 第三度房室ブロック（→atrioventricular b.).＝complete atrioventricular *dissociation*.

unidirectional b. 一方向性ブロック（一方向から来る刺激の通過は阻止するが，他方向からの刺激は阻止しないブロック．例えば，房室結節のブロックで，心室への順行伝導は阻止するが，心房への逆伝導は妨げないような場合).

Wenckebach b. (ven-kă-bahk′)．ウェンケバッハブロック（心内(多くの場合房室結節の)刺激伝導(減衰伝導)が徐々に遅延し，最後に欠落する障害).

Wolff-Chaikoff b. (vulf chī′kof) [Louis *Wolff*; Israel *Chaikoff*]．ウルフ(ヴォルフ)–チャイコフ阻害（大量のヨード投与によるヨードの有機化と甲状腺ホルモン合成の阻害作用．しかし過敏な患者に大量投与すると効果が長引きヨード性粘液水腫を生じる).＝Wolff-Chaikoff effect.

block·ade (blok′ād)．遮断（①通常，作動薬(アゴニスト)が相対的に効果を示さないように拮抗薬(アンタゴニスト)が受容体を占有すること．②受容体遮断．細胞膜表面でホルモン作用を遮断すること．③種々の方法，特に薬物療法による自律神経シナプス連結や自律神経受容体部，あるいは神経筋接合部における神経の刺激伝導または伝達の停止．④網内系細胞の機能を阻止するために(例えば食作用が一時的に抑制されるような)，大量のコロイド色素または他の物質を静脈内に投与すること).

adrenergic b. アドレナリン〔作用，作動〕遮断（薬剤を用いて，効果器細胞のアドレナリン作用性交感神経インパルスに対する反応を阻止(交感神経遮断性)したり，エピネフリン，その関連アミンに対する効果器細胞の反応を阻止(抗アドレナリン性)する選択的遮断).

cholinergic b. コリン〔作用，作動〕遮断（①薬剤を用いて，自律神経節シナプス(神経節遮断)，節後副交感神経効果器細胞(例えばアトロピンにより)，神経筋接合部(神経筋遮断)における神経インパルスの伝達を阻止すること．②コリン作用薬の抑制).

ganglionic b. 〔神経〕節遮断（ニコチン，ヘキサメトニウムなどの薬剤を用いて，自律神経節シナプスにおける神経インパルスの伝達を阻止すること).

myoneural b. 神経筋遮断（クラーレなどの薬剤を用いて，神経節接合部における神経インパルスの伝達を阻止すること).

narcotic b. 麻薬遮断（ナロキソンのような薬剤を用いて麻薬物質の作用を抑制すること).

sympathetic b. 交感神経遮断（交感神経節における伝達遮断，または節前交感神経線維や節後交感神経線維におけるインパルスの伝導遮断).

virus b. ウイルス遮断（あるウイルスが他種の減毒されたウイルスまたは無関係なウイルスにより阻害されること).

block·er (blok′er). 遮断薬，遮断物（経路を遮断するためのもの).

---

angiotensin II receptor b. アンギオテンシンII受容体遮断薬（アンギオテンシン受容体に結合して，内因性のアンギオテンシンIIが受容体に作用してアゴニストが通常に引き起こす血管収縮とNa保持を低下させないようにする薬物).

レニン－アンギオテンシン－アルドステロン系は血圧と電解質平衡を調節する．アンギオテンシンIIは強力な血管収縮剤および神経伝達物質であり，末梢血管抵抗を増加させ，副腎皮質によるアルドステロン分泌を誘導することによってNaを保持し，血管内皮機能障害と血管平滑筋の成長と増殖を促進する．アンギオテンシンIIは，本態性高血圧，うっ血性心疾患，糖尿病性腎症において，重要な役割を果たしているため，その生成や作用を遮断する薬物はこれらの疾患や他の疾患においても有用である．現在使用されているアンギオテンシン受容体遮断薬(ARBs)はアンギオテンシン$_1$(AT$_1$)受容体を選択的に阻害する非ペプチドである．本態性高血圧において，ARBsはアンギオテンシン変換酵素(ACE)阻害薬よりも広範な血圧制御力をもつ．なぜならばアンギオテンシンIIはACE以外の酵素によって組織中，特に疾患の組織において生じるからである．ARBsは高血圧症および左心室肥大(LVH)の患者の発作の危険性を低下させ，このような患者のLVHを元に戻したり，2型糖尿病患者の糖尿病性腎症と高血圧症の進行を遅らせる．ARBsは安全で認容性が高い．ACE阻害剤とは異なり，ブラジキニンの分解を阻害しないので，副作用の一つである空咳の原因とならない．現在，ARBsは米国食品医薬品局(FDA)によって，高血圧症で，ACE阻害薬に耐性がある患者や心疾患の患者に対してのみ，適用が認められている．アンギオテンシンII受容体遮断薬の一般名の最後には“－スタチン，*-sartan*”がついており，これは“選択的アンギオテンシン受容体アゴニスト，*s*elective *a*ngiotensin *r*eceptor *an*tagonist”の句の頭字語から由来している．

---

angiotensin receptor b. (**ARB**) アンギオテンシン受容体遮断薬（アンギオテンシン受容体に結合して，アンギオテンシンIIが受容体と結合できず，血管収縮を減らす結果となる．高血圧治療薬に用いる).

calcium channel b. カルシウムチャネル遮断薬（カルシウムイオンが，生体膜を通過するチャネルを抑制する能力を有する一連の薬剤(㊟厳密には，カルシウム流入阻止薬 calcium entry blocker とよぶほうが正しい)．これらの薬物は高血圧，狭心症，不整脈の治療に用いられる). ＝calcium channel-blocking agent.

block·ing (blok′ing). ***1*** 遮断（経路の遮断). ***2*** 途絶（精神分析において，痛ましい話題や抑圧されたコンプレックスに触れたときに自由連想が突然途切れること). ***3*** 途絶（思考や会話が突然途切れることで，重症の思考障害や精神病の存在を示唆する).

alpha b. アルファ波の抑制，アルファブロッキング（眼を開いたり，真剣な精神集中により生じる，脳波図でみられる後頭アルファ律動(8—14Hz 脳波)の減衰).

block-out (blok′owt). 添窩修正（ワックスや湿った浮石などの媒体を充填することによって，添窩をふさぐこと).

Blocq (blok), Paul O. フランス人医師，1860—1896. ⇀B. *disease.*

Blom (blom), Eric D. 20世紀の米国人言語病理学者. ⇀B.-Singer *valve.*

blood (blŭd) [A.S. *blōd*]. 血液（体内のいわゆる〝循環している組織〟．心臓，動脈，毛細管，静脈を循環する液体およびその浮遊有形成分．血液により，ⓘ酸素および栄養物が組織に運び込まれ，ⓘⓘ二酸化炭素および種々の代謝産物が排出のために運び出される．血液は，薄黄色，灰黄色の液体である血漿と，その中に浮遊している赤血球，白血球，血小板からなる. →arterial b.; venous b.). ＝haema [TA].

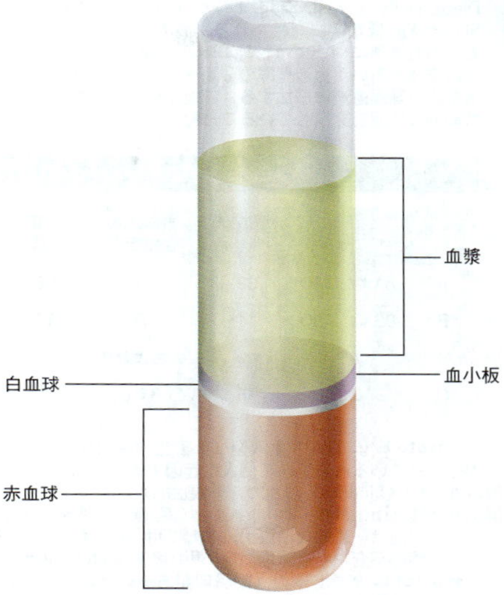

components of blood

血液は液体成分（血漿）および固体成分（赤血球，白血球，血小板）から構成される．

arterial b. 動脈血（肺で酸素飽和される血液．左心室，動脈にみられ，鮮赤色を呈す).

cord b. 臍帯血（分娩時，臍帯血管に遺残する胎児由来の血液).

hub-b. (hŭb-blōd). ハブ血液（静脈ではなく，カテーテルのポートから採取した血液サンプル).

laky b. 溶解血，溶血血液（溶血しつつあるまたは溶血した血液. ⇀lake (2); laky).

occult b. 潜血（糞便に混じる微量の血液．可視できないが，化学テストで検出可能).

sludged b. 泥〔状〕血（熱傷，外傷性ショックのような一般的異常状態および同種のストレスの結果，血球が毛細血管内で凝集して血管を遮断したり，血管内をゆっくり移動する状態).

venous b. 静脈血（肺を除く種々の組織の毛細血管を通過してきた血液で，静脈，右心室，および肺動脈にみられる．酸素の含有量が少ないので一般に暗赤色を呈する).

whole b. 全血（選ばれた供血者から，厳格な無菌的処置で採取した血液．抗凝固薬としてクエン酸イオンまたはヘパリンを含む．血液補充に用いる).

blood count (blŭd kownt). 血球算定〔法〕($1\ mm^3$ の血液中に含まれる赤血球数(RBC)または白血球数(WBC)の計算で，希釈血液の正確な体積内にある血液数を数える).

complete b. c. (**CBC**)〔完〕全血球算定（赤血球数，白血球数，赤血球恒数，ヘマトクリット，白血球分画，および血小板数の測定値をひとまとめにしたもの).

differential white b. c. 白血球分画(分類)（白血球全体を構成する各白血球の種類ごとの百分率の算定).

Schilling b. c. (shil′ing). シリング血球算定〔法〕（血液の多形核好中球を核の塊の数および配列に応じて4群に分けて計算する方法). ＝Schilling index.

blood dust (blŭd dŭst). ＝hemoconia.

blood group (blŭd grūp). 血液型群（①赤血球の表面の抗原系で密接に相関した対立因子によりコントロールされている．個人的に抗原に相違があるため，輸血や母胎不適合(新生児溶血性貧血)，また組織・臓器移植，父親認知，さらに遺伝学や人類学でも血液型は重要である．ある種の血液型ではある種の疾患にかかりやすいとか反対にかかりにくいなどの関係を有すると推察されている．この用語はしばしばblood type(血液型)の同義としても用いられる．ABO, Auberger, Diego, Duffy, I, Kell, Kidd, Lewis, Lutheran, MNSs, P, Rh, Sutter, Xg, 低頻度に認められる，高頻度に認められるなど各々の血液型については付録 Blood Groups 参照．②血液凝集検査法を用いた血液型群の分類法．一般的には既知の抗血清を赤血球浮遊液に添加する．赤血球凝集は赤血球が抗血清特異的な抗原を発現していることを示す)．

ABO血液型群

血液型	遺伝子型	米国での頻度(%)	赤血球の抗原	血清中の抗体
A	AAまたはAO	39	A	抗B(β)
B	BBまたはBO	11	B	抗A(α)
AB	AB	4	AおよびB	なし
O	OO	46	AでもBでもなし	αおよびβ

private b. g. 個人的血液型（1家族のみに発生することが知られている血液型．1個人に起因する)．

blood·less (blŭd′les). 無血の，非観血的の．

blood·let·ting (blŭd′let-ing). しゃ(瀉)血（血液を放出すること．以前は一般的な治療手段として用いられたが，現在はうっ血性心不全や赤血球増加症に用いる)．＝phlebotomy.

general b. 全身しゃ血（動脈切開あるいは静脈切開により血液を放出すること)．

local b. 局所しゃ血（小血管から血液を除去すること．以前は，観血的吸角法あるいは乾燥吸角法が用いられた)．

blood rel·a·tive (blŭd rel′ă-tiv). 血縁者（共通の先祖を共有する親類を表す一般的な語．この場合の血液には遺伝的性質の伝達手段としての特別な重要性は伴っていない．配偶者は通常血縁者ではないが，血縁者である場合は同血族間の結婚となるため，共通の先祖からの遺伝による同型接合体の子孫が生まれるリスクが平均より高い．このような結婚は避けるよう促されており，一定等親の親族間結婚は違法とされる場合もある)．

blood·shot (blŭd′shot). 充血した（局所的にうっ血した部分(例えば結膜)の小血管が拡張して目で見えるようになったことを表す)．

blood·stream (blŭd′strēm). 血流〔量〕（生体から採取した血液などとは区別して，生体内を流れている血液をいう．したがって血流に何かを加えると，血液の流れによって身体の隅々にいきわたることが期待できる)．

blood type (blŭd tīp). 血液型（1つの血液型グループの抗血清に対し，個人の赤血球が示す特異な凝集反応様式．例えば，ABO血液型群は4つの主要な血液型，O, A, B, AB からなる．この分類はA，Bの主な2抗原が存在するかしないかによる．両方とも存在しない場合はO型であり，両方存在する場合はAB型である．血液型は1つの血液型グループの個々の遺伝的表現型であり，その詳細は試験に用いる異なった抗血清の数により異なってくる．付録 Blood Groups 参照)．

blood ves·sel (blŭd ves′il) [TA]. 血管（血液を運ぶ管で，動脈，細動脈，毛細血管，細静脈，静脈がある)．＝vas sanguineum [TA].

choroid b. v.'s [TA]. 脈絡叢血管（粗性結合組織と色素細胞とが基質をつくるところへ，動脈，静脈が走行して脈絡叢の血管板を形成する)．＝vasa sanguinea choroideae [TA].

intrapulmonary b. v.'s [TA]. 肺内血管（肺動静脈の肺区域内の血管で肺実質内を走行するもの)．＝vasa sanguinea intrapulmonalia [TA].

retinal b. v.'s [TA]. 網膜血管（網膜中心動静脈の枝と視神経を取り囲む血管を含む)．＝vasa sanguinea retinae [TA].

blood·worm (blŭd′werm). ***1*** ヒツジの糸状虫である *Elaeophora schneideri*. ***2*** ある種の双翅類吸血小昆虫および小昆虫の赤色水生幼虫．***3*** 柔軟な体と赤い血液をもつフサゴカイ科の海産環形動物．***4*** 住血吸虫属 *Schistosoma* のヒトの住血吸虫のように血液中に生息する寄生虫．

Bloom (blūm), David. 20世紀の米国人皮膚科医．→B. *syndrome.*

blot (blot). →Northern blot *analysis*; Southern blot *analysis*; Western blot *analysis*; zoo blot *analysis*.

blotch (bloch). 斑点，痣（色素沈着または紅斑病変をさすのに一般に用いる語)．

Blount (blŭnt), Walter P. 米国人整形外科医，1900—1992. →B. *disease*; B.-Barber *disease*.

blow·fly (blō′flī). クロバエ類（→*Calliphora; Lucilia; Phormia regina*)．

blue (blū). 青，藍青（スペクトル上の緑色と藍色の間に位置する色．青色色素については各々の項参照)．＝cerulean.

blues (blūz) [slang < *blue devils*]. 抑うつ（抑うつまたは悲哀状態)．

postpartum b. 産後抑うつ（出産後第1週の女性の50%以上に経験される気分障害(不眠，涙もろさ，うつ，不安，易刺激性を含む)．プロゲステロンの急速な離脱により生じると考えられている)．

Blum (blūm), Paul. フランス人医師，1878—1933. →Gougerot and B. *disease*.

Blum·berg (blūm′bĕrg), Jacob M. ドイツ人外科・婦人科医，1873—1955. →B. *sign*.

Blu·me·nau (blū′mĕn-ow), Leonid W. ロシア人神経科医，1862—1932. →B. *nucleus*.

Blu·men·bach (blū′mĕn-bahk), Johann F. ドイツ人生理学者，1752—1840. →B. *clivus*.

Blu·mer (blū′mĕr), George A. 米国人医師，1858—1940. →B. *shelf*.

blunt-end (blunt-end). 平滑末端（ポリヌクレオチドの末端において，不対塩基が存在しないような二本鎖DNAの末端のこと)．

blush (blŭsh) [M.E. < O.E. *blyscan*]. ***1*** 赤面（興奮して顔や頸部が突然赤くなること)．***2*** 濃染（血管造影法における新生血管などの染まり，あるいは尿路造影法における腎実質の部分的な濃染を意味する)．

tumor b. 腫瘍濃染（造影剤の投与による放射線検査における腫瘍の造影効果)．

BLV bovine leukemia *virus* の略．

BM bowel *movement* の略．

BMD bone mineral *density* の略．

BMI body mass *index* の略．

B-mode (mōd). Bモード（超音波検査における生体の断面図をブラウン管上に描く表示法．エコーの強さは各点の輝度によって表れる．エコーの位置は探触子の角度を有する位置と超音波パルスおよびそのエコーの経過時間によって測定される)．

BMP bone morphogenetic *proteins* の略．

BMR basal metabolic *rate* の略．

BNA *Basle Nomina Anatomica* の略．

BNEd Bachelor of Nursing Education(看護教育学士)の略．

BNP β-natriuretic *peptide*; B-type natriuretic *peptide*; brain natriuretic peptide(脳性ナトリウム利尿ペプチド)；brain natriuretic protein(脳性ナトリウム利尿蛋白)の略．

BNSe Bachelor of Nursing Science(看護学学士)の略．

board (bōrd). 委員会（①監督したり調査したり資格の証明を与えたりするために，管理権限を与えられて指名された人々．②方針や予算分配および同様の全体の管理・監督の責任をもった権威者たち)．

institutional review b. (**IRB**) 倫理調査委員会，病院(研究所)調査委員会（研究対象者の安全および健康を確保する義務のある病院やその他の施設の常置委員会．調査は倫理的規範や価値に従う)．

bob·bing (bob′ing). 上下運動．

inverse ocular b. 遅延性のすばやい上方への戻りを伴った眼球の下方へのゆっくりした動き．

ocular b. 眼球上下運動（下方向への突然の眼球共同偏視で，またゆっくりと正常な位置に戻る．両側半球障害をもつ昏睡症例でみられる）．

bob·i·er·rite (bōb′ē-er-īt) [Pierre A. Bobierre, Fr. chemist + -ite]. ボーベリット（リン酸マグネシウムの8水和物で，ときに腎結石に認められる．*cf.* newberyite; struvite）．

BOC, *t*-BOC *t*-butoxycarbonyl に対して以前用いられた略語．現在はBocを使用．

Boc *t*-butoxycarbonyl の略．

Boch·da·lek (bok′dă-lek), Vincent A. チェコ人解剖学者，1801―1883. ⇀B. *foramen*, *ganglion*, *gap*; foramen of B. *hernia*; B. *muscle*, *valve*; flower basket of B.

Bock (bahk), August C. ドイツ人解剖学者，1782―1833. ⇀B. *ganglion*.

Bock·hart (bahk′hart), Max. ドイツ人医師，1883―1921. ⇀B. *impetigo*.

BOD biochemical oxygen *demand* の略．

Bo·dan·sky (bō-dan′skē), Aaron. 米国人生化学者，1887―1961. ⇀B. *unit*.

Bö·deck·er (bod′ĕ-kĕr), Charles F. 20世紀初頭の米国人組織・胎生・病理学者．⇀B. *index*.

Bo·di·an (bō′dē-ăn), David. 20世紀初頭の米国人解剖学者．⇀B. copper-protargol *stain*.

Bo·do (bō′dō). ボド属（自由生活性の卵円形またはやや洋ナシ形の虫形をもつ原生動物の一属で，2本のべん毛を有し，1本は前方に，他の1本は後方にのびている．飲食物中にあるシストを摂取したり，排出後の糞便尿にシストが混入した場合，いずれの場合にも検査前に検体を室温で2，3時間放置すれば，シストはしばしば検体中で栄養型となり増殖する．ヒトに対する病原性はない）．

B. caudatus ヒトの糞便標本に見出される種(特に熱帯地域)．しばしば coprozoic flagellates(糞生鞭毛虫)とよばれる．

B. saltans 腸管に生息する種で，ときに潰瘍中に見出される．

B. urinarius 尿中にときにみられる種．

BODY

bod·y (bod′ē) [A.S. *bodig*]. →soma. ***1*** 体，身体（頭部，頸部，体幹，四肢．頭 caput，頸部 collum，体幹 truncus，肢 membra からなる人体）．＝corpus (1) [TA]. ***2*** 肉体（心や精神と区別されるヒトの物体部分）．***3*** 本体（すべての構造の主要部分）．***4*** 物質．

acetone b. アセトン体．＝ketone b.

adrenal b. 副腎．＝suprarenal *gland*.

alcoholic hyaline b.'s アルコール〔性〕ヒアリン体．＝Mallory b.'s.

Alder b.'s (ahl′dĕr). アルダー〔小〕体（多形核白血球の顆粒状封入体．Giemsa-Wright 染色で暗色に染まり，トルイジンブルーと変色性反応を起こす．→Alder *anomaly*）．

alveolar b. 歯槽突起．＝alveolar *process* of maxilla.

amygdaloid b. [TA]. 扁桃体（鉤の嗅皮質内部の側頭葉にみられる円形の灰白質塊で側脳室下角の直前にある．主な求心性線維は嗅覚性のもので，遠心性には視床下部や視床の背内側核と連絡している．側頭葉とも相互連絡がある．底外側部と皮質内側部の2群に分かれる．個々の核をあげると，底外側扁桃体核，底内側扁桃体核，中心扁桃体核，皮質扁桃体核，間質扁桃体核，外側扁桃体核，内側扁桃体核，外嗅路の諸核がある）．＝amygdaloid complex [TA]; corpus amygdaloideum [TA]; amygdaloid nucleus; nucleus amygdalae.

amylogenic b. デンプン形成体（可溶性デンプン体）．＝amyloplast.

anococcygeal b. [TA]. 肛門尾骨靱帯（肛門と尾骨の間にある筋線維帯）．＝corpus anococcygeum*; ligamentum anococcygeum*; anococcygeal ligament; raphe anococcygea; Symington anococcygeal b.

anterior quadrigeminal b. ＝superior *colliculus*.

aortic b.'s 大動脈体．＝para-aortic b.'s.

Arnold b.'s (ar′nōld). アルノルト〔小〕体（赤血球の微細片(ときに血小板と間違われる)，または小さな赤血球の〝ゴースト〟をいう）．

asbestos b.'s アスベスト(石綿)小体（石綿繊維を中心とする鉄を含む小体．アスベストを吸引したという組織学的な証明となる）．

Aschoff b.'s (ahsh′of). アショフ体（特に急性リウマチ心炎にみられる肉芽腫炎症の一種．完全に発達した Aschoff 体は，結合組織内のフィブリン様変化，リンパ球，ときには形質細胞および特別な組織球から構成される）．＝Aschoff nodules.

asteroid b. 星状体（①繊細な放射線状突起を有する星に似た好酸性封入体で，多核巨細胞の細胞質の空胞部にみられる．特にサルコイドーシスにしばしばみられるが，他の肉芽腫にも生じる．②スポロトリクス症に特有の構造で，病変部皮膚や続発性病変部にみられる．組織では，直径 3―5 μm の *Sporothrix schenckii* の卵形酵母を取り囲んでいる）．

Auer b.'s (ow′ĕr) [John *Auer*]. アウアー(アウエル)〔小〕体（急性骨髄性白血病にみられる未熟な骨髄性細胞，特に骨髄芽球の細胞質に存在する杆状構造で，その性質ははっきりしていない．リソソームの異常形の1つと考えられる．ペルオキシダーゼと酸性ホスファターゼを含み，アズール-エオシン染色により赤色に染色される）．＝Auer rods.

Barr chromatin b. (bar). バー染色質〔小〕体．＝sex *chromatin*.

basal b. 基底〔小〕体，基粒（細胞の頂部で線毛の基部にある細長い中心小体）．＝basal corpuscle; basal granule; blepharoplast; kinetosome.

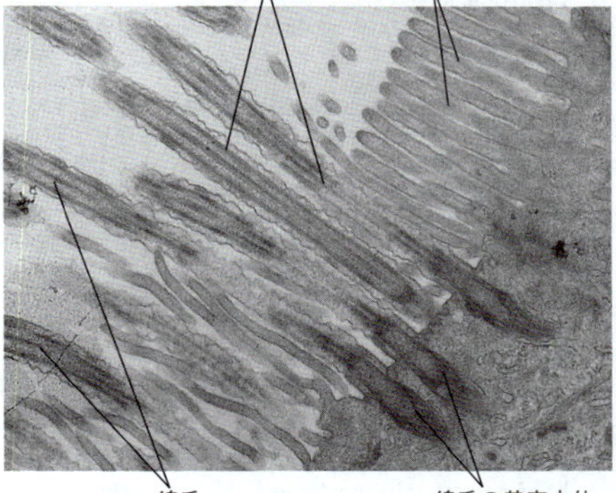

basal bodies, cilia and microvilli

×20,000.

bigeminal b.'s 二丘体（胎性中脳蓋板の左右両側にみられる縦に長い隆起．その後，横走するくぼみが発達して上丘および下丘に分割される．⇀quadrigeminal b.'s）．＝corpora bigemina.

b. of bladder [TA]. 膀胱体（膀胱尖と膀胱底の間の部分）．＝corpus vesicae [TA].

Bollinger b.'s ボリンガー(ボリンゲル)小体（鶏痘において認められるウイルス性封入体）．

brassy b. 真鍮様体（マラリア原虫が寄生した，暗色の，通常は萎縮した赤血球）．

b. of breast [TA]. 乳房体（乳房の主部で，乳腺組織とその支持線維組織からなる．乳頭に向かって集中した円錐状の腺塊は脂肪細胞に囲まれる）．＝corpus mammae [TA]; b. of mammary gland.

Bunina b. ブニナ(バニナ)小体（神経細胞内にみられる小さなエオジン好性の封入体．典型的なものは 2 ― 5 μm 大で，しばしばビーズ状に連なる．筋萎縮性側索硬化症によくみられるが，それに限らない）．

Cabot ring b.'s (kab′ŏt). キャボット環状体（Wright 染

色により赤く染色される環状または8の字形構造で，重症貧血の赤血球に存在し，核膜の遺残物と考えられる．好塩基性の退行変性過程の一型）．

Call-Exner b.'s (kahl eks′nĕr). カル-エクスナー〔小〕体（卵巣沪胞や卵巣顆粒膜細胞腫中の顆粒膜細胞間にある液体が充満している小空間．ロゼット状構造をつくることがある）．

carotid b. [TA]．頸動脈小体（左右の総頸動脈分岐部のすぐ上にある小さい類上皮構造．これは顆粒状主細胞，非顆粒状支持細胞，洞様構造の血管床，舌咽神経の密集した知覚線維網からなっている．酸素欠乏，一酸化炭素過剰，水素イオン濃度の増加に反応する化学受容器として働く）．＝glomus caroticum [TA]; intercarotid b.; nodulus caroticus.

b. of caudate nucleus [TA]．尾状核体（側脳室中央部の床にある尾状核の視床上部）．＝corpus nuclei caudati [TA].

cavernous b.'s of anal canal 肛門管海綿〔状〕体．＝anal *cushions.*

cavernous b. of clitoris 陰核海綿体．＝*corpus* cavernosum of clitoris.

cavernous b. of penis 陰茎海綿体．＝*corpus* cavernosum penis.

cell b. 細胞体（細胞の中で核の存在する部分）．

central b. 中心体．＝cytocentrum.

central fibrous b. 中心線維体，線維三角（心臓で大動脈弁・僧帽弁・三尖弁の弁葉が会合する線維性部分）．

chromaffin b. クロム親和体．＝paraganglion.

chromatin b. 染色質体（細菌の遺伝装置．→nucleus (2)）．

ciliary b. [TA]．毛様体（脈絡膜－虹彩間の眼球血管膜の肥厚した部分．毛様体輪，毛様体冠，毛様体筋の3部よりなる）．＝corpus ciliare [TA]; anulus ciliaris.

Civatte b.'s (sē-vaht′). シヴァット体（表皮の中にみられる好酸性ヒアリン球体で，扁平苔癬や他の皮膚疾患でみられ，個別の基底細胞のアポトーシスにより生じる）．＝colloid b.'s.

b. of clavicle☆ 鎖骨体（*shaft* of clavicle の公式の別名）．

b. of clitoris [TA]．陰核体（陰核のうち杆状で下垂した部分で左右の陰核海綿体が合してできる．その先端が陰核亀頭である）．＝corpus clitoridis [TA].

coccygeal b. [TA]．尾骨小体（正中仙骨動脈の末端で，尾骨先端の骨盤面にみられる動静脈吻合．以前は Luschka 腺または糸球体とよばれ，パラガングリオンに含まれていた）．＝corpus coccygeum [TA]; arteriococcygeal gland; coccygeal gland; glomus coccygeum [TA].

colloid b.'s コロイド〔小〕体．＝Civatte b.'s.

compressible cavernous b.'s 圧縮性海綿体（咽頭食道連結部および肛門管のところにみられる粘膜下の静脈叢で，内腔の縮小または閉鎖を助ける）．

conchoidal b.'s 甲介状〔小〕体．＝Schaumann b.'s.

b. of corpus callosum☆ *trunk* of corpus callosum の公式の別名．

Councilman b., Councilman hyaline b. (kown′sil-măn). カウンシルマン小体，カウンシルマン硝子小体（エオシン好性の球状の構造物で，アポトーシスに陥った1個の肝細胞に由来する．黄色肝でみられる）．

Cowdry type A inclusion b.'s (kow′drē). カウドリーA型封入〔小〕体（核内で，周囲をはっきりとした暈で囲まれた小滴状の好酸性物質の塊．核膜が染色質で縁どりされている．これはヘルペスウイルスに感染したヒトの細胞でみられる）．

Cowdry type B inclusion b.'s (kow′drē). カウドリーB型封入〔小〕体（核内で，周囲をはっきりとした暈で囲まれた小滴状の好酸性物質を表す現在では用いられない語．封入体の発達の初期段階では他の核変化はない灰白髄炎でみられる）．

creola b.'s クレオラ小体（気管支ぜん息患者の一部の喀痰中に見られる線毛円柱細胞の巨大な凝集塊）．

***Cyanobacterium*-like b.'s** 藍藻様小体．＝*Cyclospora.*

cytoid b.'s 細胞様〔小〕体（腫脹した網膜神経線維で，光学顕微鏡上，横断切片で細胞に似る．網膜綿状白斑の組織学的対応物）．

cytoplasmic inclusion b.'s 細胞質〔内〕封入体（→inclusion b.'s）．

Deetjen b.'s (dāt′yĕn). デーチェン〔小〕体（platelet を表す現在では用いられない語）．

demilune b. 半月体（きわめて透明な環状体で，一端にヘモグロビンを含む半月形の点状物質が付いている．赤血球よりははるかに大きいが，恐らく吸収により膨張し退行変性した赤血球であろうと考えられている．マラリアおよび腸チフスの回復期にみられる．透明部分はガラス体 glass b．とよばれる）．＝demilune.

dense b.'s 濃染顆粒（血小板の中心顆粒部にある顆粒で，血漿のセロトニンを取り込み蓄積する．平滑筋細胞の細胞質内の電子濃染顆粒は α-アクチニンを含み細胞膜と関連があるが，骨格筋のZ帯と同様のものと考えられている）．

Döhle b.'s (der′lĕh). デーレ〔小〕体（分散した球体または卵円体で，やっと見えるくらいから 2 μm までの直径をもち，Romanowsky 染色法により空色から灰青色に染色される．感染症，熱傷，外傷，癌の患者および妊婦の好中球にみられる）．＝Döhle inclusions; leukocyte inclusions.

Donovan b.'s (don′ō-văn). ドノヴァン〔小〕体（*Calymmatobacterium granulomatis* の感染によって生じた肉芽組織中の大型単核細胞中にみられる，病原体由来の青または黒に染まった双極形の濃縮した染色体の集合）．

Ehrlich inner b. (ār′lik). エールリッヒ内〔小〕体（特定の血液毒による血球崩壊(溶血)の場合の赤血球にみられる球状の好酸性体）．＝Heinz-Ehrlich b.

elementary b.'s *1* 基本小体（EB と略す．virion の古語．特に染色すると光学顕微鏡で見ることができる最大のウイルス粒子．天然痘や種痘の皮疹中にみられる）．*2* 血小板．＝platelet.

b. of epididymis [TA]．精巣上体体（精巣後面に位置する精巣上体の頭部と尾部との間の中央部）．＝corpus epididymidis [TA].

epithelial b. 上皮小体．＝parathyroid *gland.*

fat b.☆ 脂肪体（fat-pad の公式の別名）．

fat b. of cheek 頬脂肪体．＝buccal *fat-pad.*

fat b. of ischioanal fossa [TA]．坐骨直腸窩脂肪体（直腸窩内の脂肪）．＝corpus adiposum fossae ischiorectalis; corpus adiposum fossae ischioanalis [TA]; fat b. of ischiorectal fossa; ischiorectal fat-pad.

fat b. of ischiorectal fossa 坐骨直腸窩脂肪体．＝fat b. of ischioanal fossa.

fat b. of orbit 眼窩脂肪体．＝retrobulbar *fat.*

b. of femur☆ *shaft* of femur の公式の別名．

ferruginous b.'s 含鉄小体（ヘモジデリンと糖蛋白の複合体で被包された，肺にみられる外来の無機性・有機性線維．これらは線維を貪食したマクロファージで形成されると考えられている．→asbestos b.'s）．

b. of fibula☆ *shaft* of fibula の公式の別名．

foreign b. (FB) 異物（外部から身体の組織，体腔にはいったもので，すぐには吸収されないもの）．

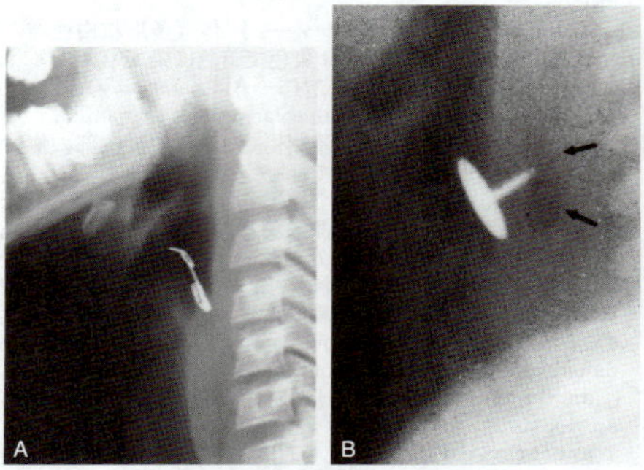

tracheal foreign bodies

A：咽頭喉頭部の開いた安全ピン．B：咽頭後軟組織の自由空気（矢印）と咽頭喉頭部の画鋲．

b. of fornix [TA]．脳弓体（脳梁のすぐ下にある脳弓の中央部）．＝corpus fornicis [TA]．

fruiting b. 子実体（有性胞子を含有する真菌の組織構造）．

fuchsin b.'s フクシン〔小〕体（①＝Russell b.'s．②＝hyaline b.'s）．

b. of gallbladder [TA]．胆嚢体（下端は丸くなった底部に終わり，上端は頸部へ続く胆嚢の主部）．＝corpus vesicae biliaris [TA]; corpus vesicae felleae*.

Gamna-Favre b.'s (gahm′nă fahv)．ガムナ－ファーヴル体（性病性リンパ肉芽腫の内皮細胞にみられる，特徴的な，比較的大きい細胞質内酸性封入体で，退行変性した核物質から構成されると考えられている．→Miyagawa b.'s）．

Gamna-Gandy b.'s (gahm′nă gan′dē)．ガムナ－ガンディ体（黄褐色，褐色，またはさび色をした小さくて硬い回転長円体の不規則な病巣で，主にうっ血性巨脾症や鎌状赤血球病の脾臓にみられる．鉄色素およびカルシウム塩がしみ込んだ比較的厚い線維組織あるいは膠原線維からなり，血管周囲の小出血部位の器質化，瘢痕からできるものと考えられる）．＝G.-G. nodules; Gandy-Gamna b.'s; siderotic nodules.

Gandy-Gamna b.'s (gan′dē gahm′nă)．ガンディ－ガムナ体．＝Gamna-Gandy b.'s.

geniculate b. 膝状体（→lateral geniculate b.; medial geniculate b.）．

glass b. ガラス体（→demilune b.）．

glomus b. ＝glomus (2).

Golgi b. (gol′jē)．＝Golgi *apparatus*.

Guarnieri b.'s (gwahr-nē-ār′ē)．グアルニエーリ〔小〕体（痘瘡およびワクシニア上皮細胞にみられる細胞質内好酸性封入体で，Paschen 小体またはウイルス粒子の集団を含む）．

Halberstaedter-Prowazek b.'s (hahl-bĕr-stādt′ĕr prō-vaht′sek)．ハルベルステッター－プロヴァーツェク〔小〕体．＝trachoma b.'s.

Hassall b.'s (has′ăl)．ハッサル〔小〕体．＝thymic *corpuscle*.

Hassall-Henle b.'s (has′ăl hen′lē)．ハッサル－ヘンレ〔小〕体（角膜周辺部の後境界板の後部表面上にあるヒアリン体）．＝Henle warts.

Heinz b.'s (hīnz)．ハインツ〔小〕体（変性ヘモグロビンからなる赤血球内封入体で，普通細胞膜に付着している．サラセミア，赤血球酵素異常，ヘモグロビン異常症，脾摘後にみられる．観察には超生体染色または位相差顕微鏡を必要とする）．

Heinz-Ehrlich b. (hīnz ar′lik)．ハインツ－エールリッヒ〔小〕体．＝Ehrlich inner b.

hematoxylin b.'s, hematoxyphil b.'s ヘマトキシリン体，好ヘマトキシ体（輪郭が不明瞭な，均質性好塩基性の全核の残骸．ヘマトキシリン染料に親和性があることからこの名称が付けられた．全身性エリテマトーデスの患者の固定された組織標本にときにみられる．腎糸球体および血管壁に高頻度にみられ，LE 現象に関係があると考えられる．）．

Herring b.'s (her′ing)．ヘリング〔小〕体（神経下垂体の拡大した軸索末端での神経分泌顆粒の蓄積）．

Highmore b. (hī′mōr)．ハイモー体．＝*mediastinum* of testis.

Howell-Jolly b.'s (how′ĕl zhō-lē′)．ハウエル－ジョリー〔小〕体（直径約 1 μm の球状または卵形の偏在する顆粒で，循環赤血球の胞体内，特に染色した標本（未乾燥の染色していない塗抹標本と比較して）にみられる．クロマチンに対して特異的な色素で染まるので，核の遺残と考えられる．この小体の意義は正確に知られていない．脾摘後，巨赤芽球性貧血，高度の溶血性貧血でしばしばみられる）．＝Jolly b.'s.

b. of humerus* *shaft* of humerus の公式の別名.

hyaline b.'s ヒアリン体（上皮細胞の細胞質内にある均質な好酸性封入体．腎尿細管内では，内腔から再吸収された蛋白の小滴を示す．→Mallory b.'s; drusen）．＝fuchsin b.'s (2).

hyaline b.'s of pituitary 下垂体ヒアリン体（下垂体後葉の視床下部下垂体路の軸索中に蓄積しているゼラチン状の神経分泌物質）．

hyaloid b. 硝子体．＝vitreous b.

b. of hyoid bone [TA]．舌骨体（舌骨の主体部で，そこから大角や小角がのび出ている）．＝corpus ossis hyoidei [TA]; base of hyoid bone; basihyal; basihyoid.

b. of ilium [TA]．腸骨体（寛骨臼の上 2/5 をつくる部分で，寛骨臼内で恥骨および坐骨と結合する．上方は腸骨翼に続く）．＝corpus ossis ilii [TA]．

inclusion b.'s 封入〔小〕体（ある種の沪過性ウイルスによって感染した細胞内の核または細胞質（ときには両方）内でしばしばつくられる特色のある構造．種々の染料，特に Mann のエオシンメチレンブルーまたは Giemsa 染色法を用いると光学顕微鏡で観察可能になる．nuclear i. b.'s（核封入体）は通常，好酸性で，次の 2 種類の型からなる．ⓘ Cowdry type A i. b.'s は，顆粒，硝子状または無定形で，種々の大きさをもち，単純ヘルペス感染または黄熱病のような病気にみられる．ⓘⓘ Cowdry type B i. b.'s は，限局性であり，しばしば同核内に数個あり（隣接組織内に反応なし），Rift Valley 熱，ポリオなどの病気にみられる．cytoplasmic i. b.'s（細胞質封入体）には，ⓘ痘瘡またはワクシニア，狂犬病，および伝染性軟属腫にみられるような，好酸性で，比較的大きく，球状または卵形，いくぶん顆粒状をしたもの，ⓘⓘトラコーマ，オウム病，および性病性リンパ肉芽腫などにみられるような，好塩基性で，比較的大きく，ウイルス性物質と細胞性物質が複雑に組み合わさったものがある．ある場合には，封入体は感染性で，細胞性物質と組み合わさったウイルス粒子の集合体を示すと考えられるが，感染性でなく，損傷に反応して細胞によりつくられた異常産物を示すにすぎないと考えられる場合もある）．

b. of incus [TA]．きぬた骨体（きぬた骨の主部で，つち骨と関節をつくる．きぬた骨体からは長脚と短脚が出る）．＝corpus incudis [TA]．

infrapatellar fat b. 膝蓋下脂肪体．＝infrapatellar *fat-pad*.

intercarotid b. 頸動脈小体．＝carotid b.

intermediate b. of Flemming (flem′ing)．フレンミング中間体．＝midbody.

b. of ischium [TA]．坐骨体（坐骨枝以外の坐骨全体をさす）．＝corpus ossis ischii [TA]．

Jaworski b.'s (yă-vōr′skē)．ヤヴォルスキー〔小〕体（胃酸過多症で胃の内容物にみられる粘液小片）．

Jolly b.'s (zhō-lē′)．ジョリー〔小〕体．＝Howell-Jolly b.'s.

juxtaglomerular b. 糸球体傍複合体（腎糸球体小動脈の周囲にある変性した平滑筋細胞の集りで，レニンからなると思われる細胞質顆粒を含む）．＝periarterial pad.

juxtarestiform b. [TA]．索状体傍体（下小脳脚の内側の小さいほうの部分．前庭核と小脳を相互に連結している線維からなり，特に小脳小結節，片葉，および虫部垂にみられる．これは，一次感覚線維を前庭神経節から小脳へ，および小脳突起から菱脳網様体および前庭神経核へ伝達する）．＝corpus juxtarestiforme [TA]．

ketone b. ケトン体（ケトン類の 1 つで，アセト酢酸とその還元生成物の β-ヒドロキシ酪酸とその脱炭酸化生成物のアセトンが含まれる．ケトーシスでは組織，体液中のケトン体が増加する）．＝acetone b.; acetone compound.

Lafora b. (lah-fō′rah) [MIM*254780]．ラフォラ〔小〕体（家族性ミオクローヌスてんかんにみられる酸性ムコ多糖体からなるニューロン内細胞質内封入体．常染色体劣性遺伝）．

Lallemand b.'s (lahl-ĕ-mahn′)．ラルマン〔小〕体（①精液中にみられるゼラチン様の凝結物の古語．② Bence Jones *cylinders* の古語）．＝Trousseau-Lallemand b.'s.

lateral geniculate b. 外側膝状体（視床の後下面よりわずかに突出している 1 対の小さな卵形の塊の外側部分．視覚と関係する．一般に視床後部に属すると考えられている）．＝corpus geniculatum laterale [TA]; corpus geniculatum externum.

b. of lateral ventricle ＝central *part* of lateral ventricle.

L-D b. L-D〔小〕体．＝Leishman-Donovan b.

LE b. LE体（LE（紅斑性狼瘡）細胞の細胞質にみられる無定形球状体）．

Leishman-Donovan b. (lēsh′măn don′ŏ-văn)．リーシュマン－ドノヴァン〔小〕体（*Leishmania*属の種や，*Trypanosoma cruzi* の細胞内型のように，特定の細胞寄生性鞭毛虫の細胞質内における無べん毛性のリーシュマニア型．本来，カラアザール（内臓リーシュマニア症）にかかった脾臓および肝臓に寄生する *Leishmania donovani* に用いた）．＝amastigote; L-D b.

Lewy b.'s (lā′vē). レヴィー〔小〕体（特に有色素の脳幹ニューロン内にあり，パーキンソン病，びまん性 Lewy 小体病，ときに Alzheimer 病，まれに健康な高齢者にみられる細胞質内封入体）.

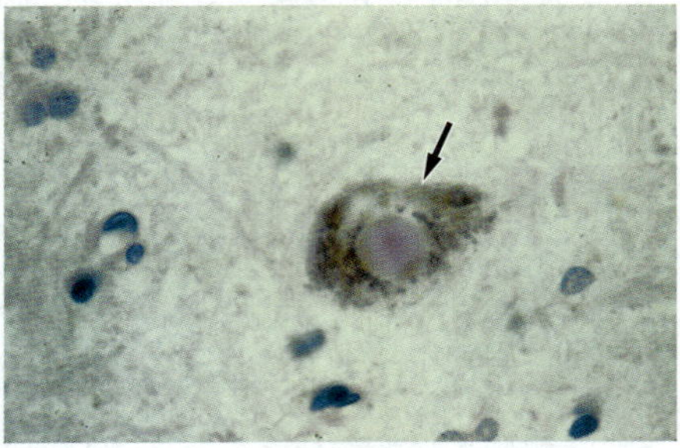

Lewy body
着色されたドパミン作動性ニューロンの細胞質内の暈に囲まれた球状の好酸性封入体（パーキンソン病患者の黒質の切片）.

Lieutaud b. (lyū-tō′). リュトー体. ＝*trigone* of bladder.
Lindner b.'s (lind′nĕr). リンドナー〔小〕体（トラコーマの感染による上皮の剝離物にみられる初期の小体で，封入体に似ている）.
loose b. 遊離体（体腔，特に関節または腹膜腔内に遊離して存在する硬い組織小片．例えば，関節鼠，瓜種子状体，米粒体）.
Luse b.'s (lūs). ルース〔小〕体（電子密な帯状構造間の周期が異常に長い(100nm を超える)膠原線維）.
Luys b. (lū-ēz′). リュイ体. ＝subthalamic *nucleus.*
Mallory b.'s (mal′ŏ-rē). マロリー〔小〕体（境界のはっきりしない大きな好酸性物質蓄積物で，特にアルコール中毒で生じたある型の肝硬変により損傷した肝細胞質内にみられる）. ＝alcoholic hyalin; alcoholic hyaline b.'s.
malpighian b.'s マルピーギ〔小〕体. ＝splenic lymph *follicles.*
b. of mammary gland 乳房体＝b. of breast.
mammillary b. [TA]. 乳頭体（視床下面から脚間窩に突出している左右 1 対の半球状の隆起．脳弓から海馬足の主要線維束を受け，視床前核と脳幹被蓋部とに線維を出す）. ＝corpus mammillare [TA]; mammillary tubercle of hypothalamus.
b. of mandible [TA]. 下顎〔骨〕体（下顎骨の中央部を占めるU字形をした重量のある部分で，後端は下顎角で下顎枝につながる．下顎歯を支える）. ＝corpus mandibulae [TA].
b. of maxilla [TA]. 上顎〔骨〕体（上顎洞をいれる上顎骨の中央部，眼窩面，鼻腔面，前面，側頭下面の 4 面と，前頭突起，頰骨突起，口蓋突起，歯槽突起の 4 突起を支えている）. ＝corpus maxillae [TA].
medial geniculate b. 内側膝状体（視床の後下方より突出している 1 対の小さな塊の内側部分．視覚と関係する．一般に視床後部に属すると考えられている）. ＝corpus geniculatum mediale [TA]; corpus geniculatum internum.
melon-seed b. 瓜種子状〔小〕体（関節や腱鞘に遊離して存在する小さな線維状小体）.
b. of metacarpal* *shaft* of metacarpals (bones) の公式の別名.
metachromatic b.'s 異染〔小〕体（多くのバクテリア，藻類，真菌類，原生動物類にみられるポリメタリン酸塩を主成分とする濃縮沈殿物．この顆粒は周囲にある原形質とは染色性が異なる. ⇀metachromasia）.
b. of metatarsal* *shaft* of metatarsals (bones) の公式の別名.
Michaelis-Gutmann b. (mi-kā′lis gūt′mahn). ミヒャエーリス-グートマン（ミカエリス-ガットマン）〔小〕体（直径 1—10 μm の，カルシウムおよび鉄を含む球状の均質体または同心性の層状体．マラコプラキアのマクロファージにみられる）.
Miyagawa b.'s (mē-yah-gah′wah). 宮川〔小〕体（*Chlamydia trachomatis*(*Miyagawanella lymphogranulomatosis*)を表す現在では用いられない語．性病性リンパ肉芽腫の細胞質内ミクロコロニー内でみられる基本小体）.
molluscum b. 軟属腫〔小〕体（ポックスウイルスによって起こる伝染性軟属腫の病変部に明瞭にみられる円形の細胞質内の封入体．変性した細胞質とウイルスからなる）. ＝molluscum corpuscle.
Mooser b.'s (mū′sĕr). モーザー〔小〕体（発疹熱リケッチア *Rickettsia typhi* に由来する地方病性発疹熱の患者の鞘膜からの滲出液および細胞にみられるリケッチアを示す語）.
multilamellar b. 多層体. ＝cytosome (2).
multivesicular b.'s 多小胞体（細胞質内に存在する，多数の小胞を含む幅 0.5—1.0 μm の膜結合体．基質内に加水分解酵素(特に酸性ホスファターゼ)が存在する．早期エンドソームキャリーから後期エンドソームへの物質移動の渡し舟の役割をしている）.
myelin b. ミエリン体. ＝myelin *figure.*
b. of nail [TA]. 爪体（爪根から遠位の，爪の露出部分）. ＝corpus unguis [TA].
Negri b.'s (nā′grē). ネグリ〔小〕体（好酸性の，はっきりした外縁をもつ直径 2—10 μm の特徴的な封入体．狂犬病ウイルスをもつある種の神経細胞の細胞質，特に海馬の Ammon 角にみられる）.
nerve cell b. 神経細胞体（核を含むが突起は含まないニューロンの一部）.
neuroepithelial b. 神経上皮小体（高度の神経支配を受けた非線毛細胞の集合体で神経分泌物質を含む．主として気管分岐部の正常肺内上皮にみられる）.
Nissl b.'s (nis′ĕl). ニッスル〔小〕体. ＝Nissl *substance.*
nodular b. 小結節体（真菌において，菌糸の末端が渦巻き，ねじれてつくる球状に近いか，角張った形の密な構造体．有性生殖の不完全な状態での成長と考えられている）.
nu b. ＝nucleosome.
nuclear inclusion b.'s 核封入体（⇀inclusion b.'s）.
Odland b. (od′lănd). オドランド小体. ＝keratinosome.
olivary b. オリーブ〔体〕. ＝oliva.
orbital fat b.* retrobulbar *fat* の公式の別名.
pacchionian b.'s パッキオーニ〔小〕体. ＝arachnoid *granulations.*
pampiniform b. ＝epoophoron.
b. of pancreas [TA]. 膵体（頭方は門脈と交わる部位から，尾方は脾腎ひだに接するまでの膵臓部分）. ＝corpus pancreatis [TA].
Pappenheimer b.'s (pahp′ĕn-hī-mĕr). パッペンハイマー体（鉄芽球性貧血，溶血性貧血，鎌状赤血球症などの疾患で赤血球内にみられる鉄含有顆粒を含むファゴゾーム(食作用胞)．電気光学的血球計数器で血小板として誤って計測することがある）.
para-aortic b.'s [TA]. 大動脈傍体（腹大動脈に沿った交感神経節付近にみられるクロム親和細胞の小塊．この器官は胎生期に顕著である）. ＝corpora paraaortica [TA]; glomus aorticum; aortic glomera*; glomera aortica*; aortic b. 's; corpus aorticum; organs of Zuckerkandl; Zuckerkandl b.'s.
parabasal b. 副基体（ある種の寄生鞭毛虫類の巨大ミトコンドリアの一部分である DNA キネトプラストの類義語として用いられた．以前は副基体と毛基体がキネトプラストあるいは運動器官を構成すると考えられていたが，現在ではキネトプラストは DNA 巨大ミトコンドリアの一部のみを意味し，副基体は核付近に存在する独特な構造物で，後生動物細胞の Golgi 体に相当するものと思われる）.
paranephric b. 腎傍体（腎筋膜の後ろにある脂肪の塊）.
paranuclear b. ＝astrosphere.
paraphysial b. 側系〔体〕. ＝paraphysis.
paraterminal b. ＝subcallosal *gyrus.*
Paschen b.'s (pahs′shen). パッシェン〔小〕体（痘瘡またはワクシニア患者の皮膚または実験動物の角膜の扁平上皮細胞に比較的多くみられるウイルス粒子）.
b. of penis [TA]. 陰茎体（陰茎の体外下垂部分で亀頭までの間の主部）. ＝corpus penis [TA]; scapus penis.

perineal b. ＝central *tendon* of perineum.

b. of phalanx* 指節骨体（*shaft* of phalanx（of hand or foot）の公式の別名）.

Pick b.'s (pik). ピック〔小〕体（Pick 病のニューロンにみられる細胞質銀親和性封入体）.

pineal b. [TA]．松果体（松かさ様の，対をなしていない卵形小器官．前極で後交連・手綱交連に付着し，下面は脳梁膨大下に位置する左右の上丘間の陥凹部に接する．腺構造をなし，類上皮細胞や，脳砂とよばれる石灰沈着物を含む小葉からなる．脳の付着器官であるが，末梢自律神経系からの神経線維だけを受ける．メラトニンとセロトニンがつくられる）．＝corpus pineale [TA]; glandula pinealis [TA]; pineal gland [TA]; conarium; epiphysis cerebri; pinus.

polar b. 極体，極細胞（卵母細胞の成熟分裂の 1，2 期でつくられる 2 個の小細胞の 1 個．最初の極体は通常，排卵の直前に放出されるが，第 2 の極体は卵子が卵巣から排出されるまで放出されない．哺乳類では，精子が卵母細胞に侵入しない限り，第 2 の極体は形成されない）．＝polar cell; polar globule; polocyte.

polyhedral b. 多面性体（ある種の昆虫ウイルスの増幅に関与する封入体）.

pontobulbar b. 橋延髄体（延髄下部にある灰白質で，索状体を斜めに横切る隆線を形成する）．＝corpus pontobulbare.

posterior quadrigeminal b. ＝inferior *colliculus*.

Prowazek b.'s (prō-vahtʹsek). プロヴァーツェク〔小〕体（ある種の病気にみられる，次に記す 2 種類の封入体のいずれかに対する古語．ⓘトラコーマ小体 trachoma b.'s．ⓘⓘ小さい卵円状顆粒子で，しばしば対になっており，細胞質および痘瘡またはワクシニアウイルスに感染したヒトや動物の皮膚扁平上皮細胞内の Guarnieri 小体にみられる．Paschen 小体と同じと思われる）.

Prowazek-Greeff b.'s (prō-vahtʹsek grāf). プロヴァーツェク-グレーフ〔小〕体．＝trachoma b.'s.

psammoma b.'s ***1*** 砂腫体（髄膜，脈絡膜叢，およびある種の髄膜腫にみられる鉱化体で，通常，中心の毛細血管の周りを同心性渦状に取り囲んだ，種々の程度に硝子化および鉱化を受けた髄膜細胞からなる．卵巣または甲状腺の乳頭癌のような良性および悪性の上皮性腫瘍でもみられることがある）．＝sand b.'s. ***2*** ＝*corpora* arenacea(⇒corpus). ***3*** ＝calcospherite.

psittacosis inclusion b.'s オウム病封入体（オウム病クラミジア *Chlamydia psittaci* に感染した気管支上皮細胞にみられる *Chlamydia*属の細胞質内ミクロコロニー）.

pubic b., b. of pubic bone 恥骨体．＝b. of pubis.

b. of pubis [TA]．恥骨体（恥骨結合面を含むほぼ直立する恥骨の平らな内側端部で，この部分から細い上枝と下枝がのびる）．＝corpus ossis pubis [TA]; pubic b.; b. of pubic bone.

purine b.'s プリン体.

quadrigeminal b.'s 四丘体（→inferior *colliculus*; superior *colliculus*）．＝corpora quadrigemina.

b. of radius* *shaft* of radius の公式の別名.

Renaut b. (rĕ-nōʹ). ルノー〔小〕体（微細線維性構造の中にまばらに不規則に膠原線維がみられる神経周膜下構造で，ある種の病的状態でみられるが，正常神経細胞にもみられる）.

residual b. 遺残体（粒状の代謝産物(例えばリポフスチン)の蓄積を含有する細胞質内空胞）.

residual b. of Regaud (rĕ-gōʹ). ルゴー残余小体（精子形成の途中において，精子から分離する余剰の細胞質）.

rest b. 残体（ある種の胞子原生動物類のシゾントの核および細胞質が，無性胞子またはメロゾイトに分裂した後に残る細胞質の小片）.

restiform b. [TA]．索状体（下小脳脚の外側を占める大きいほうの束で，延髄の背外側面であり各種の神経線維を含む．例えば(これに限らないが)，オリーブ小脳路，網様体小脳路，楔状核小脳路，三叉神経小脳路，背側脊髄小脳路など．→inferior cerebellar *peduncle*）．＝corpus restiforme [TA]; eminentia restiformis; restiform eminence.

b. of rib [TA]．肋骨体（肋骨結節から外側方へ，ついで前方へ，最後に内側方に伸びている部分）．＝corpus costae [TA].

rice b. 米粒体（ヒグローマ，腱鞘，包，および関節にみられる小さな遊離体の 1 つ．通常，多数の小さな遊離体の 1 つをさす）.

Rushton b.'s ラシュトン〔小〕体（歯胚性囊胞の上皮内にみられる杆状または弓状のヒアリン小体で，恐らくは造血組織由来と思われる）.

Russell b.'s (rŭsʹĕl). ラッセル〔小〕体（フクシンで濃く染まる，小さな，離散した，種々の大きさの球状細胞質内好酸性硝子状体．慢性炎症や悪性疾患の際，形質細胞内に存在し，γ-グロブリンからなる）．＝fuchsin b.'s (1).

sand b.'s ＝psammoma b.'s (1).

Sandström b.'s (sahntʹstrŏm). サンドストレーム〔小〕体（→parathyroid *gland*）.

Savage perineal b. (saʹvăj). サヴィッジ会陰体．＝central *tendon* of perineum.

Schaumann b.'s (showʹmahn). シャウマン〔小〕体（肉芽腫，特に類肉腫症にみられる同心性層状の石灰化小体）．＝conchoidal b.'s.

sclerotic b.'s 硬壁小体（黒色真菌の栄養型で丸く，ネズミの形をした細胞．クロモブラストミコーシスの原因菌の組織中の形態として特徴的である）．＝copper pennies.

segmenting b. 分裂〔小〕体．＝schizont.

b. of sphenoid [TA]．蝶形骨体（蝶形骨の中央部をつくる骨塊で，大翼，小翼，翼状突起が出る．内部に蝶形骨洞をいれる）．＝corpus ossis sphenoidalis.

spongy b. of penis 尿道海綿体．＝*corpus* spongiosum penis.

b. of sternum [TA]．胸骨体（胸骨のうち中央の最大の部分で，上方の胸骨柄，下方の剣状突起にはさまれた部分）．＝corpus sterni [TA]; gladiolus; mesosternum; midsternum.

b. of stomach [TA]．胃体（上方の胃底と下方の幽門洞の間にある胃の部分．境界は不明確である）．＝corpus gastricum [TA].

striate b. 線条体（尾状核とレンズ核．切片にみられる線条は有髄線維の細い線維束によるものである．線条体は組織学的に，尾状核と被殻(レンズ核を広くおおう外側部)の小細胞性部分と淡蒼球(2 つの内側部)の大細胞性部分とに分けられる）．＝corpus striatum [TA].

suprarenal b. 副腎，腎上体．＝suprarenal *gland*.

b. of sweat gland 汗腺体（皮下組織，真皮の深部にある汗腺の糸球状の部分で，長い導管により皮膚表面に開口している）．＝corpus glandulae sudoriferae.

Symington anococcygeal b. (sīʹming-tŏn). シミングトン肛門尾骨体．＝anococcygeal b.

b. of talus [TA]．距骨体（距骨の大部分をなし，上面で脛骨および腓骨と関節をなす距骨滑車を，下面では踵骨と関節する後踵骨関節面を有する）．＝corpus tali [TA].

b. of thigh bone 大腿骨体．＝*shaft* of femur.

threshold b. 閾〔値〕物質．＝threshold *substance*.

thyroid b. ＝thyroid *gland*.

b. of tibia* 脛骨体（*shaft* of tibia の公式の別名）.

tigroid b.'s ＝Nissl *substance*.

b. of tongue [TA]．舌体（分界溝から舌尖までの部分）．＝corpus linguae [TA].

trachoma b.'s トラコーマ〔小〕体（トラコーマの急性期にヒトの結膜上皮細胞内にみられる特有の複雑な細胞形質内形体で，後期段階であまりみられない．次のように順次変化する．ⓘ離散状好酸性顆粒(直結約 250 nm)．ⓘⓘ好塩基性基質中に介在する上記顆粒の不規則な凝集塊．ⓘⓘⓘ比較的大きな好塩基性小体(直径約 700—1,000 nm)．ⓘⓥ小さな離散状好酸性顆粒を含む大きな好塩基性小体）．＝Halberstaedter-Prowazek b.'s; Prowazek-Greeff b.'s.

trapezoid b. [TA]．台形体（橋核の背側(深部)縁上を走っている横走線維群．脳幹の反対側へ横切る上行聴覚神経路の横走線維により形成される）．＝corpus trapezoideum [TA]; trapezoid (4) [TA].

Trousseau-Lallemand b.'s (trū-sōʹ lahl-ĕ-mahnʹ). トルソー-ラルマン〔小〕体．＝Lallemand b.'s.

tuffstone b. 凝灰岩小体（膜結合性の，電子密度の高い顆粒で直径約 0.5 μm．異染性白質ジストロフィ患者の主として Schwann 細胞にみられる．名称から察せられるように凝灰岩に似る).

turbinated b. *1*甲介(粘膜でおおわれ，軟組織を有する). ＝turbinal. *2*鼻甲介. ＝inferior nasal *concha*; middle nasal *concha*; superior nasal *concha*; supreme nasal *concha*.

tympanic b. 鼓室体. ＝tympanic *gland*.

b. of ulna☆ 尺骨体(*shaft* of ulna の公式の別名).

ultimobranchial b. 後鰓体，鰓後体(→ultimopharyngeal *pouch*).

b. of uterus [TA]. 子宮体(子宮峡部より上の部分で，非妊娠時には全体の約2/3を占める). ＝corpus uteri [TA].

vaccine b.'s ワクチン体，封入〔小〕体(ワクシニアの原因と仮定された原生動物類 *Cytorhyctes vaccinae* の生活環中の形態であると誤って考えられた，細胞内小体を示す古語).

Verocay b.'s (ver′ō-kā). ヴェロツァイ〔小〕体(基底膜の増殖によってできた硝子状の無細胞領域で，向き合って平行に並んだ核によって縁どられている．顕微鏡的に神経鞘腫においてみられる).

b. of vertebra 椎体. ＝vertebral b.

vertebral b. [TA]. 椎体(脊柱管の前方にある椎骨の主たる部分で，椎弓と区別される．[〝centrum〟という語は，椎体の同義語としてしばしば誤って用いられている．発生学的には椎体には神経弓が含まれ，centrum は椎体よりも小さい部分をいう] 註 centrum は椎体中心とするのがふさわしい). ＝corpus vertebrae [TA]; b. of vertebra.

Virchow-Hassall b.'s (vēr′kow has′al). フィルヒョー-ハッサル〔小〕体. ＝thymic *corpuscle*.

vitreous b. [TA]. 硝子体(水晶体の後ろの眼球内部を満たしている透明なゼリー状物質．その網目の中に水様の液体(硝子体液)を含む繊細な線維網工(硝子体支質)からなる). ＝corpus vitreum [TA]; hyaloid b.; vitreous (2); vitreum.

Weibel-Palade b.'s (vī′bel pah-lah′dā). ヴァイベル-パラーデ〔小〕体(血管内皮細胞において電子顕微鏡でみられる管状構造物の杆状の束．von Willebrand 因子を含んでいる).

wolffian b. ヴォルフ体. ＝mesonephros.

Wolf-Orton b.'s (wŭlf-ōr′ton). ヴォルフ-オートン〔小〕体(悪性腫瘍，特に神経膠細胞由来の悪性腫瘍の細胞内にみられる核内封入体).

Y b. Y体(Y染色体の長腕にある1個の蛍光斑点で，頬粘膜スミアの体細胞核内にみることができる).

yellow b. 黄体. ＝*corpus* luteum.

zebra b. ゼブラ小体(異染性膜結合顆粒で，直径 0.5—1 μm，5.8 nm 間隔の層状構造を示す．異染性白質ジストロフィ患者の Schwann 細胞とマクロファージにみられる).

Zuckerkandl b.'s (tsuk′ĕr-kahn-dĕl). ツッカーカンドル〔小〕体. ＝para-aortic b.'s.

---

bod·y·bur·den (bod′ē bĕr′den). 身体負荷量(投与後のある特定時間において体内に残留している放射性薬品の放射活性).

body stuffing (bod′ē stŭf′ing). ボディスタッフィング(摘発を逃れるために，所持している不法薬物を慌てて袋に入れてえん下すること).

Boeck (bek), Caesar P.M. ノルウェー人皮膚科医，1845—1917. →B. *disease*, *sarcoid*; Besnier-B.-Schaumann *disease*, *syndrome*.

Boeck (bek), Carl W. ノルウェー人医師，1808—1875. →Danielssen-B. *disease*.

Boer·haa·ve (būr′hah-vē), Hermann. オランダ人医師，1668—1738. →B. *syndrome*.

bog·bean (bog′bēn). ＝buck bean.

Bo·gros (bō′grō), Antoine. 19世紀のフランス人解剖学者. →B. serous *membrane*.

Bo·gros (bō′grō), Jean-Annet. フランス人解剖学者，1786—1823. →B. *space*.

Bohn (bon), Heinrich. ドイツ人医師，1832—1888. →B. *nodules*.

Bohr (bōr), Christian. デンマーク人生理学者，1855—1911. →B. *effect*, *equation*.

Bohr (bōr), Niels H.D. デンマーク人物理学者・ノーベル賞受賞者，1885—1962. →B. *atom*, *magneton*, *theory*.

bohrium (bōr′ē-ŭm) [Niels *Bohr*. デンマーク人物理学者，1885—1962]. ボーリウム(合成超プルトニウム元素．原子番号 107．原子量 262．[以前はウンニルセプチウム ^{262}Uns とよばれていた]).

boil (boyl) [A.S. *byl*, a swelling]. 癤(せつ)，腫脹. ＝furuncle.

Aleppo b. アレッポ腫(→cutaneous *leishmaniasis*).

Biskra b. →cutaneous *leishmaniasis*.

blind b. 盲癤(波動性の中心点がない癤．暗赤色の有痛性丘疹として現れる).

date b. ナツメヤシ腫(→cutaneous *leishmaniasis*).

Madura b. マズラ癤. ＝mycetoma.

Oriental b. 東方(東邦)腫(→cutaneous *leishmaniasis*).

salt water b.'s 塩水癤(漁師の手および前腕に生じる癤).

tropic b. →cutaneous *leishmaniasis*.

bol (bol). bolus の略.

BOLD blood oxygen level dependent の頭字語. →blood oxygen level dependent *imaging*.

bol·din (bol′din). ボルジン(*Peumus boldus* から得られるグリコシド．胆汁分泌促進薬，利尿薬). ＝boldoglucin.

bol·dine (bol′dēn). ボルジン(*Peumus boldus* から得られる苦味アルカロイド).

boldine dimethyl ether (bol′dēn dī-meth′il eth′ĕr). ＝glaucine.

bol·do (bol′dō). ＝boldus.

bol·do·glu·cin (bol-dō-glū′sin). ＝boldin.

bol·dus (bol′dŭs) [チリ土語]. ボルド(チリ産の常緑低木，Monimiaceae 科の *Boldu boldus* または *Peumus boldus* の葉．種々の肝機能障害に用いる). ＝boldo.

Boll (bōl), Franz C. ドイツ人組織・生理学者，1849—1879. →B. *cells*.

Bol·lin·ger (bol′in-gĕr), Otto. ドイツ人病理学者，1843—1909. →B. *granules*.

Boll·man (bōl′măn), Jesse L. 20世紀の米国人生理学者. →Mann-B. *fistula*.

bo·lom·e·ter (bō-lom′ĕ-ter) [G. *bolē*, a throw, a sunbeam + *metron*, measure]. ボロメータ(①微量の放射熱を測定する器械．②血圧とは区別して，心拍力を測定する，現在は用いられない器械).

Boltzmann (bōlts′mahn), Ludwig. ハプスブルク帝国の物理学者，1844—1906. →Boltzmann *constant*.

bo·lus (bol) (bō′lŭs) [L. < G. *bōlos*, lump, clod]. ボーラス(①比較的大量の物質を一度に．例えば bolus dose of a drug injected intravenously(薬物の瞬時静脈内投与)のように，治療上の事柄に対して用いる．②かみ砕いて飲み込むようになっている一口大の食物または放射線検査に用いるバリウム塊のような物質．③高エネルギー放射線療法において，表面組織の吸収線量を増加させるために，X線束内の照射野の表面に置かれる人体の組織と同様の特性を有する物質).

intravenous b. 静脈内ボーラス(反応を早めたり拡大するために静脈内に比較的大量の液体，薬物，または検査物質を急速に投与すること．放射線医学においては，血管造影における像の濃度を上げるために，大量の造影剤を急速に注入すること).

bom·bard (bom-bard′) [Mediev. L. *bombarda*, artillery assault < *bombus*, a booming sound]. 衝撃する(物質を放射性にするために，粒子線または電磁放射線を照射する).

bom·be·sin (bomb′ĕ-sin). ボンベシン(薬理活性テトラデカペプチドで，Piscoglossidae 科(主としてスズガエル *Bombina bombina* および *B. variegata variegata*)のヨーロッパ産両生類の皮膚に見出される．強い胃，膵臓の分泌促進物質．ボンベシン様免疫反応性ペプチドが脳や腸管に見出された．他の作用としては，高血圧性，抗利尿性，高血糖性がある．ラットでは核心温度の低下に強い効果をもつ．ヒトの小細胞肺癌では高濃度の細胞内ボンベシンの存在も明らかになっている).

bond (bond). 結合(化学において，隣接する2個の原子を保持し，両者の分離を妨げる力．相反する荷電をした原子団の間の引力によるものはイオン結合，1対，2対，または3対の電子を結合原子間で共有しているものは共有結合という).

acylmercaptan b. アシルメルカプタン結合(カルボキシル基 –COOH とメルカプタン(またはチオール)基 –SH の縮

合によって生じる高エネルギー結合．一般的には中間代謝の過程で，特に脂肪の酸化において生じ，その場合 -SH は CoA の一部，-COOH は酸化される脂肪酸の一部である）．

apolar b. 無極性結合（→hydrophobic *interaction*）.

conjugated double b.'s 共役二重結合（単結合が介在する2個以上の二重結合）.

coordinate covalent b. 配位共役結合．＝semipolar b.

disulfide b. ジスルフィド結合（2個の硫黄原子間の単結合，特に2本のペプチド鎖(または1本のペプチド鎖の異なる部分)を結合する-S-S-結合．アミノ酸，シスチン分子の一部にみられ，多くの蛋白分子，(例えばケラチン，インスリン，オキシトシンなど)の構造を決めるうえで非常に重要である．対称ジスルフィドは R-S-S-R であり，R′-S-S-R は混合または非対称ジスルフィドである）.

double b. 二重結合（2対の電子を共有することにより生じる共有結合．例えば，$H_2C=CH_2$(エチレン)）.

electrostatic b. 静電結合（原子間あるいは正負の電荷(場合によっては一方の電荷)を帯びた集団間の結合）．＝heteropolar b.; salt bridge.

energy-rich b. 高エネルギー結合（→high-energy *compounds*）.

eupeptide b. 正常ペプチド結合（1つのアミノ酸の α-カルボキシル基ともう1つのアミノ酸の α-アミノ基とでのペプチド結合．*cf.* peptide b.; isopeptide b.）.

heteropolar b. 異極結合．＝electrostatic b.

high energy phosphate b. 高エネルギーリン酸結合（→high-energy *phosphates*）.

hydrogen b. 水素結合（強い電気陰性度をもつ元素(例えば，N，O，またはハロゲン)と共有結合した1個の水素原子が，他の強い電気陰性度をもつ元素（例えば，N，O，またはハロゲン)と共有する結合．生物学的に重要な物質の最も一般的な水素結合は，HがNをOまたはNに連結させている結合にみられる．このような結合は，核酸の一方の鎖にあるプリンともう一方の鎖にあるピリミジンを連結し，Watson-Crick らせんのような二本鎖構造を維持する）.

hydrophobic b. 疎水結合（→hydrophobic *interaction*）.

isopeptide b. イソペプチド結合（1つのアミノ酸のカルボキシル基ともう1つのアミノ酸のアミノ基とでのペプチド結合で，これら少なくとも一方の置換基はアミノ酸の α-炭素に結合していない場合をいう．例えばグルタチオンのグルタミル残基とシステイニル残基とのペプチド結合．*cf.* peptide b.; eupeptide b.）.

noncovalent b. 非共有結合（原子間で電子の共有がない結合．すなわち，静電結合 electrostatic b. および水素結合 hydrogen b.）.

peptide b. ペプチド結合（蛋白のアミノ酸間の一般的な結合 -CO-NH-で，実際は置換アミド．1つのアミノ酸の -CO-OH 基ともう1つのアミノ酸の H_2N 基とから H_2O を除去してつくられる．*cf.* eupeptide b.; isopeptide b.）.

semipolar b. 半極性結合（元来は1個の原子に属する2個の電子を2個の原子で共有する結合．硝酸 $O(OH)N \rightarrow O$ またはリン酸 $(OH)_3P \rightarrow O$ のように，しばしば電子受容体の方を向いた小さい矢印で表される）．＝coordinate covalent b.

single b. 単結合（1対の電子を共有することから生じる共有結合．例えば H_3C-CH_3(エタン)）.

triple b. 三重結合（3対の電子を共有することから生じる共有結合．例えば $HC \equiv CH$(アセチレン)）.

bond·ing (bon′ding). きずな（親子間，恋人間，または夫婦間にみられるような持続的な情緒的愛着）.

BONE

bone (bōn) [A.S. *bān*][TA]. 骨組織（石化した骨基質のマトリックス中に埋め込まれた骨細胞と，膠原線維からなる硬い組織．膠原線維には，リン酸カルシウム結晶を含む無機成分(重量にして85%のリン酸カルシウム，他に10%の炭酸カルシウムとマグネシウム)が密に付着し，大量のリン酸カルシウムを含むため，X線回折を行うとハイドロキシアパタイトの結晶パターンで配列しているようにみえる．重量にして骨の 65—75% は無機質で，25—35% は有機質でできている．一定の形と大きさの骨組織は，動物の骨格の一部を形成する．ヒトでは，鼓室の耳小骨および2個の膝蓋骨以外の種子骨を除いて，骨格中におおよそ200個の骨がある．骨は関節軟骨部以外の全表面にわたって線維性の膜，すなわち骨膜におおわれる．骨膜の直下は，充実した緻密骨(質)で，さらにその下にまばらな海綿骨(質)がある．長骨の中心部は骨髄で占められる）．＝os [TA].

B

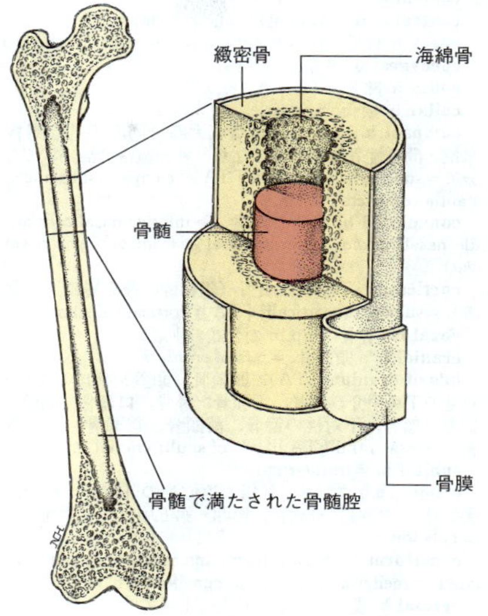

bone

Albrecht b. (ahl′brekt). アルブレヒト骨（蝶形骨底部と後頭骨底部の間にある小骨）.

alveolar b. *1* 歯槽突起．＝alveolar *process* of maxilla. *2* 歯槽骨（歯科において，歯を維持する特殊な骨組織．皮質骨でできており，歯根がはいる歯槽窩があり，海綿質で支えられている）．＝alveolar supporting b.

alveolar supporting b. 歯槽支持骨．＝alveolar b. (2).

ankle b. 距骨．＝talus.

arm b. ＝humerus.

basal b. 顎骨基底部（歯槽突起を除く上顎骨と下顎骨の骨組織）.

basilar b. 後頭骨底部（生後4，5年で左右の後頭顆部分と結合し後頭骨底部を形成する発達中の基底突起．→basilar *part* of occipital bone）．＝basioccipital b.; os basilare.

basioccipital b. ＝basilar b.

basisphenoid b. 底蝶形骨（→*body* of sphenoid）．＝basisphenoid.

Bertin b.'s (bĕr-tan[h]′). ベルタン骨．＝sphenoidal *concha*.

blade b. 肩甲骨．＝scapula.

breast b. 胸骨．＝sternum.

Breschet b.'s (brĕ-shā′). ブレシェ骨．＝suprasternal b.'s.

brittle b.'s [MIM*603828]. ＝*osteogenesis* imperfecta.

bundle b. 束状骨（お互いがほぼ平行に走行する厚いコラーゲン束よりなる未成熟な骨で，コラーゲン束の間に骨細胞を認める．これと類似の骨は Sharpey 線維に貫かれている部位，例えば靱帯と腱の接合部などに認められる）.

calcaneal b. 踵骨．＝calcaneus (1).

calf b. [O.N. *kalfi*, fibula]. 腓骨．＝fibula.

cancellous b. ＝*substantia* spongiosa.

cannon b. [M. E. < It. *cannone* < *canna*, cane]. 管骨（獣医学においてウマの第3中手骨のことをいう．前肢の足

根関節と球節との間にある主要な骨）．

capitate b. 有頭骨．＝capitate (1).

carpal b.'s［TA］．手根骨（２列に並んだ８個の骨で，近位では橈骨および間接的には尺骨と，遠位では５個の中手骨と，それぞれ関節する．家畜においては，近位列にある骨は橈骨，中間手根骨，尺骨，副手根骨とよばれ，遠位列にあるものは，第一・第二・第三・第四手根骨という）．＝carpus (2)［TA］; ossa carpi［TA］.

cartilage b. ＝endochondral b.

central b. 中心骨．＝*os* centrale.

central b. of ankle 足根中心骨．＝navicular.

cheek b. 頬骨（①＝zygomatic b. ②＝zygomatic *arch*）．

coccygeal b. 尾骨．＝coccyx.

coffin b. 蹄骨．

collar b. 鎖骨．＝clavicle.

compact b.［TA］．緻密骨（大部分同心円的な層板状骨単位と間質性骨層板とからなり，骨の緻密で海綿状でない部分）．＝substantia compacta［TA］; compact substance; substantia compacta ossium.

convoluted b. 屈曲した骨（→inferior nasal *concha*; middle nasal *concha*; superior nasal *concha*; supreme nasal *concha*）．

cortical b.［TA］．皮質骨（緻密骨の最表層にある薄い骨層）．＝substantia corticalis［TA］; cortical substance.

coxal b.* 寛骨（hip b. の公式の別名）．

cranial b.'s 頭蓋骨．＝b.'s of cranium.

b.'s of cranium［TA］．頭蓋骨（頭蓋を構成している骨．対性の下鼻甲介，涙骨，上顎骨，鼻骨，口蓋骨，側頭骨，頭頂骨，頬骨，不対性の篩骨，前頭骨，後頭骨，蝶形骨，鋤骨）．＝ossa cranii［TA］; b.'s of skull; cranial b.'s.

cubital b. ＝triquetrum.

cuboid (b.) 立方骨（足根の遠位列の外側骨．踵骨，外側楔状骨，（ときに）舟状骨，第四・第五中足骨と関節する）．＝os cuboideum.

cuneiform b. →triquetrum; intermediate cuneiform (b.); lateral cuneiform (b.); medial cuneiform (b.).

dermal b. 皮骨（真皮の骨化によってできる骨）．

b.'s of digits 指骨＝phalanges; ossa digitorum*.

dorsal talonavicular b. 背側距舟骨（距骨頭の近くにある足の異常骨）．＝Pirie b.

ear b.'s ＝auditory *ossicles*.

elbow b. 尺骨．＝olecranon.

endochondral b. 軟骨〔内〕性骨（軟骨テンプレート上および内に発生する骨．テンプレートは石灰化とそれに引き続いて起こるその吸収により完全に破壊され，骨に置き換わる）．＝cartilage b.; replacement b.

epactal b.'s ＝sutural b.'s.

epihyal b. 舌上骨（茎突舌骨靱帯の骨化）．

epipteric b. プテリオン骨（頭頂骨，前頭骨，蝶形骨大翼，および側頭骨鱗部の接合部すなわちプテリオンにときにみられる小さな縫合骨）．＝Flower b.

episternal b. 胸上骨．＝suprasternal b.'s.

ethmoid b.［TA］．篩骨（不規則な形の骨で，前頭骨の左右の眼窩板の間で蝶形骨の前方にある．含気洞を囲む２つの外側の薄い板でできている篩骨迷路からなり，上部で穿孔のある水平板(篩板)につながり，そこから正中鉛直板が，この２つの迷路の間に降りている．この骨は，蝶形骨，前頭骨，上顎骨，涙骨，口蓋骨，下鼻甲介，鋤骨と連結し，前頭蓋窩，眼窩，鼻腔の形成に関与する．鼻腔では，最上，上，中鼻甲介を形成する）．

exoccipital b. ＝lateral *part* of occipital bone.

facial b.'s 顔面骨（口と鼻の周囲にある骨および眼窩に関係している骨．１対の上顎骨，頬骨，鼻骨，涙骨，口蓋骨，下鼻甲介，および不対の篩骨，鋤骨，下顎骨，舌骨からなる）．＝b.'s of viscerocranium; ossa faciei.

first cuneiform b. ＝medial cuneiform (b.).

flank b. 腸骨．＝ilium.

flat b.［TA］．扁平骨（薄く扁平な形が特徴である骨の一型．肩甲骨あるいは頭蓋骨のある種のものなどにみられる）．＝os planum［TA］.

Flower b. (flow′ĕr). フラワー骨．＝epipteric b.

b.'s of foot［TA］．足の骨（足を構成する骨，すなわち足根骨，中足骨，指骨，種子骨）．＝ossa pedis［TA］; foot b.'s.

foot b.'s ＝b.'s of foot.

fourth turbinated b. ＝supreme nasal *concha*.

frontal b.［TA］．前頭骨（大きな単一の骨で，前額(脳頭蓋前壁)および両側で眼窩上縁および上壁を形成する．頭頂骨，鼻骨，篩骨，上顎骨，頬骨，蝶形骨の小翼と連結する）．＝os frontale［TA］; coronale (1).

funny b. 尺骨の端（肘頭尖端をさす日常会話用語）．

Goethe b. (gār′tĕ). ゲーテ骨．＝preinterparietal b.

greater multangular b. 大多角骨．＝trapezium (b).

hamate (b.)［TA］．有鉤骨（手根の遠位列の内側(尺側)の骨．掌側に突出する鉤が特徴である．第四・第五中手骨，三角骨，月状骨，有頭骨と関節する）．＝hamatum; hooked b.; os hamatum; unciform b.; unciforme; uncinatum.

heel b. 踵骨．＝calcaneus (1).

heterotopic b.'s 異所骨（主要骨格には属さないが，心臓，陰茎，陰核，ある動物の鼻などの器官で規則的に発生する骨）．

highest turbinated b. ＝supreme nasal *concha*.

hip b.［TA］．寛骨（大きな扁平骨で，腸骨，坐骨，恥骨が癒合して形成される(成人の場合)．下肢帯の前外側部を占め，前方ではその反対側の骨と恥骨結合で，後方では仙骨と仙腸関節で，外側では大腿骨と股関節で連結する）．＝os coxae［TA］; coxal b.*; pelvic b.*; innominate b.; os innominatum.

hollow b. 含気骨．＝pneumatized b.

hooked b. 有鉤骨．＝hamate (b.).

hyoid b. 舌骨（①下顎骨と喉頭との間にあるＵ字形の骨．細い茎突舌骨靱帯により茎状突起からつり下がる．②一般的用法では bone を使わず〝the hyoid〟のみで用いられる．→hyoid *apparatus*）．＝lingual b.; os hyoideum; tongue b.

iliac b. 腸骨．＝ilium.

Inca b. インカ骨．＝interparietal b.

incarial b. ＝interparietal b.

incisive b.［TA］．切歯骨（上顎骨の前内側部．胎児およびときには成人でも独立した骨をなしている．切歯縫合は，切歯管から側切歯と犬歯の間へと走る．切歯骨はさらに，中切歯と側切歯の間の縫合によって内切歯骨およびメソグナチオンの２つの骨に分かれるという）．＝os incisivum［TA］; premaxilla (1)*; intermaxilla; intermaxillary b.; os intermaxillare; os premaxillare; premaxillary b.

b.'s of inferior limb 下肢骨．＝b.'s of lower limb.

inferior turbinated b. ＝inferior nasal *concha*.

innominate b. ＝hip b.

intermaxillary b. ＝incisive b.

intermediate cuneiform (b.)［TA］．中間楔状骨（足根の遠位列の骨．内側および外側楔状骨，舟状骨，第二中足骨と関節する）．＝os cuneiforme intermedium［TA］; mesocuneiform; middle cuneiform b.; second cuneiform b.; wedge b.

interparietal b.［TA］．頭頂間骨（後頭鱗の上部で，後頭骨の他の部分が軟骨性に形成されるのに対して膜性に形成される部分．ときに(特に古代ペルー人の頭蓋で)独立した骨をなし，後頭骨の残りの部分から切り離される）．＝os interparietale［TA］; incarial b.; os incae; Inca b.

irregular b.［TA］．不規則形骨（特別な，または複雑な形をした骨．例えば，椎骨や頭骨の多くのもの）．＝os irregulare［TA］.

ischial b. 坐骨．＝ischium.

jaw b. 下顎骨．＝mandible.

jugal b. 頬骨．＝zygomatic b.

Krause b. (krows). クラウゼ骨（寛骨臼の成長期に，腸骨，坐骨，および恥骨の間の３方向に広がる軟骨内に，小骨として一時的に存在する二次骨化中心）．

lacrimal b.［TA］．涙骨（不規側な矩形の薄板．上顎骨の前頭突起後方の眼窩の内壁の一部をなす．下鼻甲介，篩骨，前頭骨，上顎骨と連結する）．＝os lacrimale［TA］; os unguis.

lamellar b. 層板骨（哺乳類成体の骨にみられる通常のタイプで海綿質では並行層板をしており，緻密質では同心円層板をしている．いずれも膠原線維構造の反復配列を反映したもの）．

lateral cuneiform (b.) [TA]. 外側楔状骨（足根の遠位列の骨．中間楔状骨，立方骨，舟状骨，第二—第四中足骨と関節する）．=os cuneiforme laterale [TA]; third cuneiform b.; wedge b.
lenticular b. =lenticular *process* of incus.
lentiform b. =pisiform (b.).
lesser multangular b. 小多角骨．=trapezoid (b.).
lingual b. 舌骨．=hyoid b.
long b. [TA]. 長骨（四肢にある長くのびた骨．管状の骨幹および幅の広い２つの骨端からなる．骨幹は中央の髄腔を囲む緻密な骨からなる．*cf.* short b.）．=os longum [TA]; pipe b.
b.'s of lower limb [TA]. 下肢骨（下肢帯および自由下肢骨(大腿骨，脛骨，腓骨，膝蓋骨，足根骨，中足骨，趾骨)の総称）．=ossa membri inferioris [TA]; b.'s of inferior limb.
lunate (b.) 月状骨（手根の近位列の骨で，舟状骨および三角骨の間にある．橈骨，舟状骨，三角骨，有鉤骨，有頭骨と関節する）．=os lunatum [TA]; lunare; os intermedium.
malar b. =zygomatic b.
marble b.'s 大理石様骨．=osteopetrosis.
mastoid b. =mastoid *process.*
medial cuneiform (b.) 内側楔状骨（３個の楔状骨中で最大の骨．足根の遠位列の内側の骨．中間楔状骨，舟状骨，および第一・第二中足骨と関節する）．=os cuneiforme mediale [TA]; first cuneiform b.; wedge b.
membrane b. 膜性骨（発生学的に血管に富んだ原始間葉組織の膜の中に発達する骨で，軟骨による前形成がない）．
mesethmoid b. 正中篩骨（比較解剖学の用語で，一部の動物種で脳頭蓋底の最前方に出現する骨をいう）．
metacarpal (b.'s) [I–V] [TA]. 中手骨（５つの長骨で，橈側または母指側から数えてI—Vの番号が付けられている．手根の遠位列の骨および５つの基節骨と関節する）．=ossa metacarpi [TA]; ossa metacarpalia I–V.
metatarsal (b.'s) [I–V] 中足骨（５つの長骨で，内側から数えてI—Vの番号が付けられている．後方では３つの楔状骨と立方骨と関節し，前方では５つの基節骨と関節する）．=ossa metatarsi [TA]; ossa metatarsalia I–V.
middle cuneiform b. 中間楔状骨．=intermediate cuneiform (b.).
middle turbinated b. =middle nasal *concha.*
multangular b. →trapezium; trapezoid (b.).
nasal b. [TA]. 鼻骨（長くのびた矩形の骨．左右の鼻骨が鼻橋を形成する．上部で前頭骨と，後方で篩骨および上顎骨の前頭突起と，内側で左右が連結する）．=os nasale [TA].
navicular (b.) 〔足の〕舟状骨．=navicular.
navicular b. of hand =scaphoid (b.).
nonlamellar b. =woven b.
occipital b. [TA]. 後頭骨（頭蓋の後方下部の骨．大きな卵形の穴である大後頭孔を囲む３部(底部，後頭顆，後頭鱗)よりなる．頭頂骨および側頭骨に両側で関節し，前方で蝶形骨，下部で環椎と関節する）．=os occipitale [TA].
orbicular b. =lenticular *process* of incus.
palatine b. [TA]. 口蓋骨（上顎骨の後方の不規則な形の骨．鼻腔，眼窩，硬口蓋の形成に関与する．上顎骨，下鼻甲介，蝶形骨，篩骨，鋤骨および反対側の口蓋骨と関節する）．=os palatinum [TA].
parietal b. [TA]. 頭頂骨（扁平，彎曲した不規則な四角い骨．頭蓋の両側にある．内側でその対と，前方で前頭骨と，後方で後頭骨と，下方で側頭骨および蝶形骨と関節する）．=os parietale [TA].
pelvic b.☆ hip b. の公式の別名．
perichondral b. 軟骨膜骨（長骨の発生過程中，軟骨周囲の結合組織である軟骨膜の中にできる骨組織．それにより，軟骨膜は骨膜となる）．=periosteal b.
periosteal b. =perichondral b.
periotic b. =petrous *part* of temporal bone.
peroneal b. 腓骨．=fibula.
petrosal b. =petrous *part* of temporal bone.
petrous b. =petrous *part* of temporal bone.
ping-pong b. ピンポン骨（骨内の巨細胞腫瘍の周囲にある骨組織の薄い殻）．
pipe b. =long b.
Pirie b. (pēr′ē). ピーリー骨．=dorsal talonavicular b.
pisiform (b.) 豆状骨（マメの大きさや形をした小骨．手根骨の近位列中で，三角骨の前面にあり，三角骨と関節する．尺側手根屈筋の腱が停止する．実際には，豆状骨は尺側手根屈筋腱と豆鉤靱帯の中にできた種子骨と考えられる．手根骨原基には存在しない）．=os pisiforme [TA]; lentiform b.
pneumatic b. 含気骨．=pneumatized b.
pneumatized b. [TA]. 含気骨（空洞であるかまたは多くの含気洞を含む骨．例えば側頭骨の乳様突起）．=os pneumaticum [TA]; hollow b.; pneumatic b.
postsphenoid b. 後蝶形骨（蝶形骨体の後方部分）．
preinterparietal b. 前頭頂間骨（ときに頭頂間骨の前部から分離してみられる大きな縫合骨）．=Goethe b.
premaxillary b. =incisive b.
presphenoid b. 前蝶形骨（比較解剖学で，底蝶形骨前方の脳頭蓋底にみられる骨）．
pubic b. 恥骨．=pubis.
pyramidal b. =triquetrum.
replacement b. 置換骨．=endochondral b.
reticulated b. =woven b.
rider's b. 乗馬骨，騎馬骨，騎手骨（乗馬による反復された緊張のため，長内転筋腱が骨化した異所骨）．
Riolan b.'s (rē-ō-lŏn[h]′). リョラン(リオラン)骨（錐体後頭縫合にときにみられる数個の小縫合骨）．
sacred b. [キリスト教で，世の終わりに人が甦るとき，この骨だけが壊れずに残っていて，ここから人の身体が復活するという俗信から，聖なる骨とよばれた]．仙骨．=sacrum.
scaphoid (b.) 〔手の〕舟状骨（手根の近位列の最大の骨で，外側(橈側)にある．橈骨，月状骨，有頭骨，大菱形骨，小菱形骨と関節する）．=os scaphoideum [TA]; navicular b. of hand; os naviculare manus.
scroll b.'s →inferior nasal *concha*; middle nasal *concha*; superior nasal *concha;* supreme nasal *concha.*
second cuneiform b. =intermediate cuneiform (b.).
semilunar b. lunate (b.) を表す現在では用いられない語．
septal b. =interalveolar *septum.*
sesamoid b. [TA]. 種子骨（出生後に腱中に形成される骨で，腱が関節を越える部分にある）．=os sesamoideum [TA].
shin b. 脛骨．=tibia.
short b. [TA]. 短骨（縦横の寸法がほとんど等しい骨．海綿質および骨髄とそれを囲む皮質の層からなる．*cf.* long b.）．=os breve [TA].
b. sialoprotein 1 骨シアロ蛋白１．=osteopontin.
sieve b. 篩状骨．=cribriform *plate* of ethmoid bone.
b.'s of skull 頭蓋骨．=b.'s of cranium.
sphenoid (b.) 蝶形骨（頭蓋底の中央に位置する不規則な形をした骨．蝶形骨洞を有する中央部の体と，６つの突起，すなわち２つの大翼，２つの小翼，２つの翼状突起からなる．後頭骨，前頭骨，篩骨，鋤骨，側頭骨，頭頂骨，頬骨，口蓋骨，蝶形骨甲介と連結する）．=os sphenoidale [TA]; sphenoid (2) [TA].
sphenoidal turbinated b.'s =sphenoidal *concha.*
spongy b. [TA]. ***1*** =*substantia* spongiosa. ***2*** 鼻甲介の骨．
b.'s of superior limb 上肢骨．=b.'s of upper limb.
superior turbinated b. =superior nasal *concha.*
suprainterparietal b. 上頭頂間骨（矢状縫合の後部にある縫合骨）．
suprasternal b.'s [TA]. 胸上骨（胸鎖関節の靱帯中にみられることのある小骨）．=ossa suprasternalia [TA]; Breschet b.'s; episternal b.
supreme turbinated b. =supreme nasal *concha.*
sutural b.'s [TA]. 縫合骨（頭蓋縫合線に沿ってみられる小さな不規則形の骨で，特に頭頂骨に関連する）．=os suturarum [TA]; Andernach ossicles; epactal b.'s; epactal ossicles; wormian b.'s.
tail b. 尾骨．=coccyx.

tarsal b.'s [TA]. 足根骨（骨格の一分類で，足の甲の7つの骨，すなわち距骨，踵骨，舟状骨，3つの楔状骨，立方骨からなる）. =ossa tarsi [TA]; tarsale [TA]; ossa tarsalia*.

temporal b. [TA]. 側頭骨（頭蓋の底部および側面にある大きな不規則形の骨．3部すなわち鱗部，鼓室部，および岩様部よりなり，出生時には分離している．岩様部は前庭蝸牛器官を含む．蝶形骨，頭頂骨，後頭骨，頬骨と連結し，下顎骨と関節する）. =os temporale [TA].

thigh b.* 大腿骨（femur の公式の別名）.

third cuneiform b. =lateral cuneiform (b.).

three-cornered b. =triquetrum.

tongue b. 舌骨. =hyoid b.

trabecular b.* *substantia* spongiosa の公式の別名.

trapezium (b). 大菱形骨（手根の遠位列の外側(橈側)の骨．第一・第二中手骨，舟状骨，小菱形骨と関節する）. =os trapezium [TA]; greater multangular b.; os multangulum majus; trapezium (2).

trapezoid (b.) 小菱形骨（手根の遠位列の骨．第二中手骨，大菱形骨，頭状骨，舟状骨と関節する）. =os trapezoideum [TA]; trapezoid (3) [TA]; lesser multangular b.; os multangulum minus.

triangular b. 三角骨. =*os* trigonum.

triquetrum (b.) 三角骨（手根の近位列の内側(尺側)の骨で，月状骨，豆状骨，有鉤骨と関節する）. =triquetrum [TA].

turbinated b.'s 鼻甲介（→inferior nasal *concha*; middle nasal *concha*; superior nasal *concha*; supreme nasal *concha*).

tympanic b. =tympanic *ring*.

tympanohyal b. 鼓室舌骨（胎生時に側頭骨錐体部の軟骨性茎状突起基底部を形成する骨の小結節）.

unciform b. 有鉤骨. =hamate (b.).

upper jaw b. 上顎骨. =maxilla.

b.'s of upper limb [TA]. 上肢骨（上肢帯(肩甲骨，鎖骨)および自由上肢骨(上腕骨，橈骨，尺骨，手根骨，中手骨，手の指骨)の総称）. =ossa membri superioris [TA]; b.'s of superior limb.

Vesalius b. (vĕ-sā'lē-ŭs). ヴェサリウス骨. =*os* vesalianum.

b.'s of viscerocranium =facial b.'s.

vomer (b.) 鋤骨（梯形の扁平骨で，鼻中隔の下部と後部を形成する．蝶形骨，篩骨，両上顎骨，両口蓋骨と関節する）.

wedge b. =intermediate cuneiform (b.); lateral cuneiform (b.); medial cuneiform (b.).

wormian b.'s ウォーム骨. =sutural b.'s.

woven b. 網状骨（基質の膠原線維が網状に不規則に配列されている，胎児の骨格の特徴をなす骨組織）. =nonlamellar b.; reticulated b.

yoke b. 頬骨. =zygomatic b.

zygomatic b. [TA]. 頬骨（頬の隆起，眼窩の外側壁と外側縁，頬骨弓の前2/3を形成する四辺形の骨．前頭骨，蝶形骨，側頭骨，上顎骨と連結する）. =os zygomaticum [TA]; cheek b. (1); jugal b.; mala (2); malar b.; os malare; yoke b.; zygoma (1).

---

bone ar·chi·tec·ture (bōn ark'i-tek'chūr). 骨構築（骨梁やその関連構造の配置．→Wolff *law*）.

bone ash (bōn ash). 骨灰(こっぱい). =tribasic *calcium* phosphate.

bone black (bōn blak). 骨炭. =animal *charcoal*.

bone·let (bōn'let). 小骨. =ossicle.

bone-salt (bōn sawlt). 骨塩（骨内の主要化合物．コラーゲンを含む膠原線維の網状の骨基質内に小無定形結晶として沈着している．自然界に存在するフッ素リン灰石 $3Ca_3(PO_4)_2 \cdot CaF_2$ とよく似ているが，骨塩はFがOHで置換された水酸リン灰石と考えられる）.

Bon·hoef·fer (bon'hŏrf-fĕr), Karl. ドイツ人精神科医，1868—1948. →B. *sign*.

Bon·net (bō-nā'), Amédée. フランス人外科医，1802—1858. →B. *capsule*.

Bon·net (bō-nā'), Charles B. スイス人哲学者・医師・自然科学者，1720—1793. →Bonnet *syndrome*.

Bon·nier (bon-nyā'), Pierre. フランス人臨床医，1861—1918. →B. *syndrome*.

Bon·will (bon'wil), William G.A. 米国人歯科医，1833—1899. →B. *triangle*.

Böök (buk), Jan A. 20世紀のスウェーデン人遺伝学者. →B. *syndrome*.

BOOP *bronchiolitis* obliterans with organizing pneumonia の略.

boost·er (būs'ter). →booster *dose*.

boot (būt) [M.E. *bote* < O. Fr.]. 長靴（長靴状の装置）.

Gibney b. (gib'nē). ギブニーブーツ（足関節捻挫に対する絆創膏による治療法で，足首と下腿後面にバスケットウィーブ様に巻く方法）.

BOR branchio-oto-renal(鰓－耳－腎)の略.

bo·rac·ic ac·id (bō-ras'ik as'id). =boric acid.

bo·rate (bō'rāt). ホウ酸塩.

bo·rat·ed (bō'rāt-ed). ホウ砂あるいはホウ酸を混合した，あるいはしみ込ませたことを示す.

bo·rax (bō'raks) [Pers. *būraq*]. ホウ砂. =*sodium* borate.

bor·bo·ryg·mus, pl. **bor·bo·ryg·mi** (bōr-bō-rig'mŭs, -rig'mī) [G. *borborygmos*, rumbling in the bowels]. 腹鳴（胃腸管内の空気や液体の移動によって生じるゴロゴロ，ガラガラという音で，遠くからも聞こえる）.

bor·der (bōr'der) [TA]. 縁（外側の境界を形成する表面の一部．→edge; margin）. =margo [TA].

alveolar b. *1* 歯槽縁（歯槽骨の最も高い端）. *2* 歯槽隆起，歯槽堤，歯槽突起. =alveolar *process* of maxilla.

anterior b. [TA]. 前縁（ある構造の腹側縁または最前縁）. =margo anterior [TA]; anterior margin; ventral b.

anterior b. of body of pancreas [TA]. 膵体の前縁（膵臓の前面と下面を分ける鋭い縁）. =margo anterior corporis pancreatis [TA]; anterior b. of pancreas; margo anterior pancreatis.

anterior b. of eyelids 眼瞼の前縁. =anterior palpebral margin.

anterior b. of fibula [TA]. 腓骨前縁（下腿の前筋間中隔の付着する腓骨体上の隆線）. =margo anterior fibulae [TA].

anterior b. of lung [TA]. 肺臓の前縁（薄い前内側縁または胸骨縁で，前方で心膜にかぶさり，縦隔面と肋骨面との境をなす）. =margo anterior pulmonis [TA].

anterior b. of pancreas 膵前縁. =anterior b. of body of pancreas.

anterior b. of radius [TA]. 橈骨前縁（橈骨粗面から茎状突起前部にのびる橈骨体の隆線）. =margo anterior radii [TA].

anterior b. of testis [TA]. 精巣の前縁（外側面と内側面を区切る仮想上の凸縁）. =margo anterior testis [TA].

anterior b. of tibia [TA]. 脛骨前縁（脛骨粗面から内果の前部に至る脛骨の鋭い隆線）. =margo anterior tibiae [TA]; anticnemion; shin; tibial crest.

anterior b. of ulna [TA]. 尺骨前縁（尺骨粗面から茎状突起前部に至る尺骨体の隆線）. =margo anterior ulnae [TA].

brush b. 刷子縁（ネフロンの近位細管の細胞上に存在するような，長さ約2 μmの密におおわれた微絨毛からなる先端の上皮表面）. =limbus penicillatus.

ciliary b. of iris 虹彩の毛様体縁. =ciliary *margin* of iris.

denture b. 〔義歯〕床縁（①義歯床の境界，辺縁，周囲縁．②研磨された表面と印象(粘膜)表面との接合部の義歯床縁．③頬唇側，舌側，後方限界における義歯床縁）. =denture edge; periphery (2).

b.'s of eyelids 眼瞼縁. =palpebral *margins*.

fibular (peroneal) b. of foot* lateral b. of foot の公式の別名.

free b. [TA]. 自由縁（ある構造の何も付着していない辺縁部．付着縁の対語．→free b. of nail; free b. of ovary）. =margo liber [TA]; free margin.

free b. of nail [TA]. 爪の自由縁（指先から突き出ている爪の末端縁）. =margo liber unguis [TA].

free b. of ovary [TA]. 卵巣自由縁（卵巣の遊離した後縁）. =margo liber ovarii [TA].

frontal b. [TA]. 前頭縁（ある骨のうち，前頭骨と関節している辺縁部. ⇀frontal b. of parietal bone; frontal margin of sphenoid）. =margo frontalis [TA]; frontal margin.

frontal b. of parietal bone [TA]. 頭頂骨前頭縁（前頭骨に連結する頭頂骨縁）. =margo frontalis ossis parietalis [TA].

frontal b. of sphenoid bone 蝶形骨前頭縁. =frontal margin of sphenoid.

hidden b. of nail [TA]. 爪の近位縁（爪壁で完全に被覆された爪の近位縁）. =margo occultus unguis [TA]; occult b. of nail; proximal b. of nail.

inferior b. [TA]. 下縁（ある構造の尾側縁または最下縁）. =margo inferior [TA]; inferior margin.

inferior b. of body of pancreas [TA]. 膵体下縁（膵臓の下面と後面を分ける縁）. =margo inferior corporis pancreatis [TA]; inferior b. of pancreas; margo inferior corporis splenis; margo inferior pancreatis.

inferior b. of liver [TA]. 肝臓の下縁（肝臓を横隔面と臓側面に分ける鋭い縁）. =margo inferior hepatis [TA].

inferior b. of lung [TA]. 肺臓の下縁（肺の肋骨面と縦隔面から横隔面を分ける鋭い縁）. =margo inferior pulmonis [TA].

inferior b. of pancreas 膵臓の下縁. =inferior b. of body of pancreas.

inferior b. of spleen [TA]. 脾臓の下縁（内臓面(腎圧痕)下部と横隔面下部とを境する脾臓の最下縁）. =margo inferior splenis [TA].

inner b. of iris [TA]. 内虹彩輪，小虹彩輪（虹彩前面瞳孔寄りで，まばらな放射状をなす狭い領域. 内側縁は瞳孔との境をなす）. =anulus iridis minor [TA]; lesser ring of iris; pupillary zone of iris.

interosseous b. [TA]. 骨間縁（ある骨のうち，骨同士を連結する線維性の骨間膜が付着している辺縁部. ⇀interosseous b. of fibula; interosseous b. of radius; interosseous b. of tibia; interosseous b. of ulna）. =margo interosseus [TA]; interosseous crest; interosseous margin.

interosseous b. of fibula [TA]. 腓骨骨間縁（骨間膜が付着する腓骨の内側隆線）. =margo interosseus fibulae [TA].

interosseous b. of radius [TA]. 橈骨骨間縁（骨間膜が付着する橈骨の内側隆線）. =margo interosseus radii [TA].

interosseous b. of tibia [TA]. 脛骨骨間縁（骨間膜が付着する脛骨の外側隆線）. =margo interosseus tibiae [TA].

interosseous b. of ulna [TA]. 尺骨骨間膜（骨間膜が付着する尺骨体の外側隆線）. =margo interosseus ulnae [TA].

b. of iris [TA]. 虹彩輪（瞳孔縁と同心の円形線が分かつ虹彩の前面の2つの帯状部分. ⇀inner b. of iris; outer b. of iris）. =anulus iridis [TA]; ring of iris.

lacrimal b. of maxilla 上顎骨涙骨縁. =lacrimal *margin* of maxilla.

lambdoid b. of occipital bone [TA]. 後頭骨ラムダ〔状〕縁（ラムダ縫合で頭頂骨と連結する後頭鱗縁）. =margo lambdoideus ossis occipitalis [TA]; lambdoid margin of occipital bone; margo lambdoideus squamae occipitalis.

lateral b. [TA]. 外側縁（ある構造の辺縁のうち，中心線から最も遠い縁）. =margo lateralis [TA]; lateral margin.

lateral b. of foot [TA]. 足の外側縁（足の小指と踵の間の足の外側縁）. =margo lateralis pedis [TA]; fibular (peroneal) b. of foot*; margo fibularis pedis*; peroneal b. of foot*; fibular margin of foot.

lateral b. of forearm* 前腕骨外側縁（radial b. of forearm の公式の別名）.

lateral b. of humerus [TA]. 上腕骨外側縁（上腕骨の大結節から外側上顆に至る隆線）. =margo lateralis humeri [TA].

lateral b. of kidney [TA]. 腎臓の外側縁（凸彎する狭い縁で前面と後面を区切る）. =margo lateralis renis [TA].

lateral b. of nail [TA]. 爪の外側縁（近位縁から自由縁に至る爪の両外側縁）. =margo lateralis unguis [TA].

lateral b. of scapula [TA]. 肩甲骨外側縁（肩甲骨の関節窩から下角に至る縁）. =margo lateralis scapulae [TA].

mastoid b. of occipital bone [TA]. 後頭骨乳突縁（側頭骨と連結する後頭鱗縁）. =margo mastoideus ossis occipitalis [TA]; margo mastoideus squamae occipitalis; mastoid margin of occipital bone.

medial b. [TA]. 内側縁（ある構造の辺縁のうち，中心線に最も近い縁. ⇀medial b. of forearm; medial b. of foot; medial b. of humerus; medial b. of kidney; medial b. of scapula; medial b. of suprarenal gland; medial b. of tibia）. =margo medialis [TA]; medial margin.

medial b. of foot [TA]. 足の内側縁（足の踵から母指に至る足の内側縁）. =margo medialis pedis [TA]; margo tibialis pedis*; tibial b. of foot*.

medial b. of forearm* 前腕骨内側縁（ulnar b. of forearm の公式の別名）.

medial b. of humerus [TA]. 上腕骨内側縁（上腕骨の小結節稜から内側上顆に至る縁）. =margo medialis humeri [TA].

medial b. of kidney [TA]. 腎臓の内側縁（腎臓の凹型内側縁）. =margo medialis renis [TA].

medial b. of scapula [TA]. 肩甲骨内側縁（肩甲骨の上角から下角に至る脊柱に近い縁）. =margo medialis scapulae [TA]; vertebral b. of scapula.

medial b. of suprarenal gland [TA]. 副腎の内側縁（副腎の脊柱側の縁）. =margo medialis glandulae suprarenalis [TA].

medial b. of tibia [TA]. 脛骨内側縁（脛骨の後面と内面を分ける丸い縁）. =margo medialis tibiae [TA].

mesovarian b. of ovary [TA]. 卵巣の間膜縁（卵巣間膜が付着する卵巣の縁）. =margo mesovaricus ovarii [TA]; mesovarian margin of ovary.

nasal b. of frontal bone 前頭骨鼻骨縁. =nasal *margin* of frontal bone.

occipital b. [TA]. 後頭縁（ある骨のうち，後頭骨と関節している辺縁部. ⇀occipital b. of parietal bone; occipital *margin* of temporal bone）. =margo occipitalis [TA]; occipital margin.

occipital b. of parietal bone [TA]. 頭頂骨後頭縁（後頭鱗と連結する頭頂骨の後縁）. =margo occipitalis ossis parietalis [TA].

occipital b. of temporal bone 側頭骨後頭縁. =occipital *margin* of temporal bone.

occult b. of nail 〔爪の〕潜入縁. =hidden b. of nail.

outer b. of iris [TA]. 外虹彩輪，大虹彩輪（虹彩前面外側で，細かな放射状をなすやや広い領域. 内(小)虹彩輪外側縁と虹彩毛様体縁の間の領域）. =anulus iridis major [TA]; greater ring of iris.

b. of oval fossa* *limbus* fossae ovalis の公式の別名.

parietal b. [TA]. 頭頂縁（ある骨のうち，頭頂骨と関節している辺縁部. ⇀parietal *margin* of frontal bone; parietal *margin* of greater wing of sphenoid; parietal b. of squamous part of temporal bone）. =margo parietalis [TA]; parietal margin.

parietal b. of frontal bone 前頭骨頭頂縁. =parietal *margin* of frontal bone.

parietal b. of sphenoid bone 蝶形骨頭頂縁. =parietal *margin* of greater wing of sphenoid.

parietal b. of squamous part of temporal bone [TA]. 側頭骨鱗部頭頂縁（頭頂骨と結合する側頭骨鱗部の縁）. =margo parietalis partis squamosae ossis temporalis [TA]; margo parietalis ossis temporalis; parietal b. of temporal bone.

parietal b. of temporal bone 側頭骨頭頂縁. =parietal b. of squamous part of temporal bone.

peroneal b. of foot* lateral b. of foot の公式の別名.

posterior b. [TA]. 後縁（構造の端または縁で，最も背側にある部分. ⇀posterior b. of fibula; posterior b. of petrous part of temporal bone; posterior b. of radius; posterior b. of testis; posterior b. of ulna）. =margo posterior.

posterior b. of eyelids 眼瞼の後縁. =posterior palpebral *margin*.

posterior b. of fibula [TA]. 腓骨後縁（腓骨後面にある

隆線で，腓骨頭から腓骨溝の内側面に至る)．=margo posterior fibulae [TA].

posterior b. of petrous part of temporal bone [TA]. 側頭骨錐体後縁（錐体尖から頸静脈切痕に伸びる側頭骨錐体の後縁で，後頭骨の底部および頸静脈部と関節している)．=margo posterior partis petrosae ossis temporalis [TA].

posterior b. of radius [TA]. 橈骨後縁（橈骨粗面から茎状突起後面にわたる橈骨の隆線)．=margo posterior radii [TA].

posterior b. of testis [TA]. 精巣の後縁（脈管がはいり込む精巣の丸い後部)．=margo posterior testis [TA].

posterior b. of ulna [TA]. 尺骨後縁（尺骨後面の肘頭近くから茎状突起にわたって皮下に触れる波状隆線で前腕の前部(屈側)と後部(伸側)の境界をなす)．=margo posterior ulnae [TA].

proximal b. of nail 爪の近位縁．=hidden b. of nail.

pupillary b. of iris 虹彩の瞳孔縁．=pupillary *margin* of iris.

radial b. of forearm 前腕骨外側縁（前腕外側に沿った仮想上の線で前腕の前面と後面を境する線)．=margo radialis antebrachii [TA]; lateral b. of forearm*; margo lateralis antebrachii*.

right b. of heart [TA]. 心臓の右縁（心臓の胸肋面と横隔面との間の境界．固定心臓ではかなりよく識別しうるが，生きている心臓では丸くなっておりはっきりしない)．=margo dexter cordis [TA]; right margin of heart.

ruffled b. 波状縁（破骨細胞の表面積を増大させる指状突起．これは破骨細胞下領域の中へ伸び，消化酵素の輸送と酸性環境の形成を容易にして破骨細胞が骨を分解しやすくする．骨分解産物はこの波状縁から吸収される).

sagittal b. of parietal bone [TA]. 頭頂骨矢状縁（矢状縫合を形成する頭頂骨の内側縁)．=margo sagittalis ossis parietalis [TA].

sphenoidal b. of temporal bone 側頭骨蝶形骨縁．=sphenoidal *margin* of temporal bone.

squamosal b. [TA]. 鱗縁（ある骨のうち側頭骨の鱗部と関節している辺縁部)．=margo squamosus [TA]; squamous b.; squamous margin.

squamosal b. of parietal bone [TA]. 頭頂骨鱗縁（側頭骨鱗部と連結する頭頂骨の外側縁)．=margo squamosus ossis parietalis [TA]; squamous b. of parietal bone.

squamous b. 鱗縁（⇀squamous b. of parietal bone; squamosal *margin* of greater wing of sphenoid)．=squamosal b.

squamous b. of parietal bone 頭頂骨鱗縁．=squamosal b. of parietal bone.

squamous b. of sphenoid bone 蝶形骨鱗縁．=squamosal *margin* of greater wing of sphenoid.

striated b. 線条縁（長さ約1 μm の密におおわれた微絨毛からなる小腸の円柱吸収上皮細胞の遊離表面で，平行な線条が見える)．=limbus striatus.

superior b. [TA]. 上縁（ある構造の頭側縁または最上縁をいう．⇀superior b. of body of pancreas; superior b. of petrous part of temporal bone; superior b. of scapula; superior b. of spleen; superior b. of suprarenal gland)．=margo superior [TA].

superior b. of body of pancreas [TA]. 膵体の上縁（膵臓体部の前面と後面を分ける最上縁)．=margo superior corporis pancreatis [TA]; margo superior pancreatis; superior b. of pancreas.

superior b. of pancreas 膵臓の上縁．=superior b. of body of pancreas.

superior b. of petrous part of temporal bone [TA]. 側頭骨錐体上縁（側頭骨錐体前面と後面とを，中頭蓋窩外側部と後頭蓋窩とを境する)．=margo superior partis petrosae ossis temporalis [TA]; crest of petrous part of temporal bone; crest of petrous temporal bone.

superior b. of scapula [TA]. 肩甲骨上縁（肩甲骨の関節窩から上角に至る縁)．=margo superior scapulae [TA].

superior b. of spleen [TA]. 脾臓の上縁（切れこみのある辺縁で胃面と横隔面の境界をなしている)．=margo superior splenis [TA].

superior b. of suprarenal gland [TA]. 副腎の上縁（副腎の前・後面の上方の移行部における縁)．=margo superior glandulae suprarenalis [TA].

tibial b. of foot* medial b. of foot の公式の別名．

ulnar b. of forearm [TA]. 前腕骨内側縁（上腕骨の内側顆から尺骨茎状突起にかけて引かれた仮想上の線で，前腕の前面と後面を境する線)．=margo ulnaris antebrachii [TA]; margo medialis antebrachii*; medial b. of forearm*; ulnar margin of forearm.

b. of uterus [TA]. 子宮縁（子宮広間膜の付着する左右の子宮外側縁で，その上部縁に卵管と子宮円索が付く)．=margo uteri [TA].

ventral b. =anterior b.

vermilion b. 赤唇縁（口唇の皮膚面と赤色部との境．*cf.* vermilion *zone*; vermilion transitional *zone*).

vertebral b. of scapula =medial b. of scapula.

zygomatic b. of greater wing of sphenoid bone =zygomatic *margin* of greater wing of sphenoid bone.

Bordet (bōr-dā′), Jules. ベルギー人細菌学者・ノーベル賞受賞者，1870—1961. ⇀*Bordetella*; B.-Gengou potato blood *agar*, *bacillus*, *phenomenon*; B. and Gengou *reaction*.

Bor·de·tel·la (bōr-dĕ-tel′ă) [J. *Bordet*]. ボルデテラ属（微小なグラム陰性非芽胞球杆菌を含む絶対好気性のブルセラ科細菌の一属．運動性・非運動性種があり，運動性細胞は周毛性．これらの生体の代謝は呼吸性で，ニコチン酸，システイン，メチオニンを必要とするが，ヘミン(X因子)と補酵素I(V因子)は必要としない，乳腺呼吸管に寄生する病原菌で，標準種は *B. pertussis*).

B. bronchiseptica 気管支敗血症菌（広範囲の動物種にみられる細菌種で，ブタの萎縮性鼻炎，げっ歯類の気管支肺炎，ネコの呼吸器疾患，イヌのきわめて伝染性の高い気管支肺炎の原因となる．免疫不全のヒト患者ではまれに日和見感染的な気道感染症を引き起こす).

B. hinzii ヒトの血液および気道分泌物，鳥の気道分泌物から分離された細菌の新種．

B. holmesii 主に免疫不全患者の血液から分離された細菌の新種．

B. parapertussis パラ百日咳菌（百日咳様の疾病を起こす細菌種．通常，*B. pertussis* でみられるものよりも症状は軽い).

B. pertussis 百日咳菌（乳児や小児の生命をおびやかす呼吸器感染症である，百日咳の原因となる細菌種．激しい咳と7—10日後に起こる痙攣型への進行は，百日咳トキシン，呼吸器の上皮細胞と分子結合する5*B*. サブユニットからなる蛋白，および正常な信号変換に関与する蛋白を干渉するADP-リボシル-トランスフェラーゼであるAサブユニットの産生による．大量の粘液分泌および発作的咳や粘液が原因の通気障害による低酸素症も病状と関連している)．=Bordet-Gengou bacillus.

bo·ric ac·id (bō′rik as′id). ホウ酸（弱い酸で，散布防腐薬として，また飽和溶液は洗眼薬として用いる．グリセリンとともにアフタや口内炎にも用いる)．=boracic acid.

bor·ism (bōr′izm). ホウ酸中毒〔症〕（ホウ砂などホウ素化合物の摂取によって起こる症状).

Bör·je·son (bōr′yĕ-sŏn), Mats. 20世紀のスウェーデン人医師．⇀B.-Forssman-Lehmann *syndrome*.

Born (bōrn), Gustav Jacob. ドイツ人発生学者，1851—1900. ⇀B. *method* of wax plate reconstruction.

bor·nane (bōr′nān). ボルナン（ボルネオール，カンフェン，および類似の精油(テルペン)のモノテルペンの親化合物).

bo·ro·glyc·er·in, bo·ro·glyc·er·ol (bō′rō-glis′er-in, bō-rō-glis′er-ol). ボログリセリン（グリセリンとホウ酸を加熱して得られる軟性物質)．=glyceryl borate.

bo·ron (B) (bōr′on) [Pers. *Burah*]. ホウ素（3価の非金属元素．原子番号5，原子量10.811．硬い結晶または褐色粉末として存在し，ホウ酸塩やホウ酸をつくる).

Bor·rel (bō-rel′), Amédée. フランス人細菌学者，1867—1936. ⇀B. blue *stain*.

Bor·rel·i·a (bō-rē′lē-ă, bo-rel′ē-ă) [A. *Borrel*]. ボレリア属（トレポネーマ科細菌の一属で，きめの粗い，浅くて不規則ならせん形をなし，長さは8—16 μm である．細胞は先細形で末端部は細い糸状をなす．この生物は様々な種類の動物に寄生する．一般的には血液寄生性であるが，粘膜上にみら

れることもある．多くのものは節足動物の刺咬によりヒトや動物に伝搬される．標準種は *B. anserina*．北米では，*B. burgdorferi sensu lato* 群内に 3 つの病原性をもつ群が確認されている．ヒトの病原体としてこれまでに同定されているすべての株は遺伝子種である *B. burgdorferi sensu stricto* に属している）．

B. afzelii ヨーロッパおよびアジアにおいてライム病を引き起こす *B. burgdorferi sensu lato* の細菌遺伝種．中部および西ヨーロッパではマダニの一種である *Ixodes ricinus* により，またバルチック海から太平洋までのユーラシアではシュルツェマダニ *Ixodes persulcatus* によって媒介される．→*B. burgdorferi sensu stricto*.

B. anserina ガチョウスピロヘータ（家禽のスピロヘータ症を起こす菌種．感染したガチョウ，アヒル，その他の家禽の血液内および媒介マダニにみられる．*Borrelia*属の標準種）．

B. burgdorferi ヒトのライム病，およびイヌ，ウシ，また恐らくウマのボレリア症を起こす菌種．マダニ属の *Ixodes dammini* がヒトへこのスピロヘータを伝搬する媒介者となる．

B. burgdorferi sensu lato ライム病の原因となる細菌複合種．*B. burgdorferi sensu stricto*(㊟狭義の *B. burgdorferi*)，*B. garinii*，*B. afzelii* などいくつかの遺伝種からなる．

B. burgdorferi sensu stricto *B. burgdorferi sensu lato* (㊟広義の *B. burgdorferi*)の遺伝種で，北アメリカおよびヨーロッパにおいてライム病の原因となる．米国東部および中部ではマダニの一種である *Ixodes scapularis* に，米国西部では *Ixodes pacificus* により，またヨーロッパでは *Ixodes ricinus* によって媒介される．→*B. garinii*.

B. caucasica コーカサス回帰熱ボレリア（コーカサス地方における回帰熱の病原菌として見出された種．*Ornithodoros verrucosus* により媒介される）．

B. crocidurae 北アフリカ，近東，中央アジアにおける回帰熱の病原菌種．*Ornithodoros erraticus* の小型変種によって媒介される．

B. duttonii ダットン回帰熱ボレリア（中央・南アフリカにおける回帰熱の病原菌種．*Ornithodoros moubata* によって媒介される）．

B. garinii *B. burgdorferi sensu lato* の遺伝種で，ヨーロッパ，アジアにおいてライム病を引き起こす．中部および西ヨーロッパではマダニの一種である *Ixodes ricinus* により，またバルチック海から太平洋までのユーラシアではシュルツェマダニ *Ixodes persulcatus* により媒介される．→*B. burgdorferi*.

B. hermsii カナダ，米国のカリフォルニア，コロラド，アイダホ，ネバダ，オレゴン，およびワシントンの各州における回帰熱の病原菌として見出された種．*Ornithodoros hermsi* によって媒介される．

B. hispanica スペイン回帰熱ボレリア（スペイン，ポルトガル，北西アフリカにおける回帰熱の病原菌種．*Ornithodoros erraticus* の大型変種によって媒介される）．

B. latyschewii イラン，中央アジアにおける回帰熱の病原菌種．げっ歯類，は虫類に寄生する *Ornithodoros tartakovskyi* によって媒介される．

B. mazzottii メキシコと中央・南アメリカにおける回帰熱の病原菌種．*Ornithodoros talajé* によって媒介される．

B. parkeri 米国西部で回帰熱の病原菌として見出された種．マダニ *Ornithodoros parkeri* によって媒介される．

B. persica ペルシア回帰熱ボレリア（中東，中央アジアにおける回帰熱の病原菌種．*Ornithodoros tholozani* によって媒介される）．

B. recurrentis 回帰熱ボレリア（歴史的に，南アメリカ，ヨーロッパ，アフリカ，アジアにおける回帰熱の病原菌種．南京虫 *Cimex lectularius*，アタマジラミ *Pediculus humanus* subsp. *humanus* によって媒介される）．＝Obermeier spirillum; *Spirochaeta obermeieri*.

B. turicatae メキシコ，米国のニューメキシコ，テキサス，オクラホマ，カンザスの各州における回帰熱の病原菌種．*Ornithodoros turicata* によって媒介される．

B. venezuelensis ベネズエラ回帰熱ボレリア（中央・南アメリカにおけるスピロヘータ性回帰熱の病原菌種．*Ornithodoros rudis*, *O. venezuelensis* によって媒介される）．

bor·re·li·o·sis (bō-rē′lē-ō′sis). ボレリア症（*Borrelia*属の細菌による疾患）．

Lyme b. ライムボレリア症．＝Lyme *disease.*

Borst (bōrst), Maximilian. ドイツ人病理学者，1869—1946. →B.-Jadassohn type intraepidermal *epithelioma*.

boss (bos) [M.E. *boce* < O.Fr.]. 隆起，瘤（①限局性の丸い腫脹．＝protuberance. ②脊柱後弯症の隆起）．

bos·se·lat·ed (bos′ĕ-lā-ted) [Fr. *bosseler*, to emboss]. 隆起の，瘤の．

bos·se·la·tion (bos′ĕ-lā′shŭn). ***1*** 隆起，瘤．***2*** 隆起形成，瘤発生（1 つ以上の瘤あるいは丸い隆起のある状態）．

Bo·tal·lo (Botallus) (bō-tah′lō), Leonardo. パリに在住したイタリア人医師，1530—1587(?)．→B. *duct*, *foramen*, *ligament*.

bot·fly (bot′flī). 黒色，黄色，灰色の色彩顕著な，双翅目の丈夫で多毛のハエで，その幼虫はヒトおよび種々の家畜，特に草食動物に多種多様のハエウジ病の症状を起こす．

head b.'s ヒツジバエ類（双翅目ヒツジバエ科，ヒフバエ科のニクバエ．丈夫で多毛の黒色，黄色，灰色のハエで，飛行中にヒツジ，ヤギ，シカ，ウマ，ラクダ，まれにはヒトの鼻孔または鼻の近くに，ふ化したばかりの幼虫，ときには卵を付着させる）．

human b. ＝*Dermatobia hominis.*

skin b.'s ヒフバエ類（→*Cuterebra*）．＝*Dermatobia hominis.*

warble b. ウシバエ（→*Hypoderma*）．＝*Dermatobia hominis.*

both·ri·a (both′rē-ă). bothrium の複数形．

Both·ri·o·ceph·a·lus (both′rē-ō-sef′ă-lŭs) [G. *bothrion*: *bothros*(pit or trench)の指小辞 + *kephalē*, head]. ボトリオケファルス属（プレロセルコイド(前擬尾虫)と成虫期を魚の中で過ごす擬葉条虫類の一属．ヒトに感染することがあるにしても，ごくまれである）．

B. latus *Diphyllobothrium latum* の旧名．

B. mansoni *Spirometra mansoni* の旧名．

B. mansonoides *Spirometra mansonoides* の旧名．

both·ri·um, pl. both·ri·a (both′rē-ŭm, -rē-ă) [G. *bothros*, pit or trench]. 吸溝，吸窩（擬葉条虫類，例えば，ヒトの広節裂頭条虫 *Diphyllobothrium latum* の頭節にみられる細隙状の吸溝）．

bot·ry·oid (bot′rē-oyd) [G. *botryoeidēs*, like a bunch of grapes (*botrys*)]. ブドウ状の（ブドウの房に似た，多数の丸い隆起がある）．＝staphyline; uviform.

Bot·ry·o·my·ces (bot′rē-ō-mī′sēz) [G. *botrys*, a bunch of grapes + *mykēs*, fungus]. ボトリオミセス属（ボトリオミセス症を引き起こすと考えられている菌の属名．現在ではこの疾病は種々のバクテリア(通常はブドウ球菌)が病原体となることが知られているので，この名称は価値がなくなりほとんど用いられない．しかしながら，病名のほうはその特異な組織反応をさすため現在も用いられる）．

bot·ry·o·my·co·sis (bot′rē-ō-mī-kō′sis) [< *Botryomyces*]. ボトリオミセス症（ウマ，ウシ，ブタ，ヒトの慢性肉芽腫様病態で，通常，皮膚に生じるが内臓に生じることもある．周囲に棒状体をもつ硝子状被嚢で囲まれたバクテリア，一般にブドウ球菌あるいはその他の型の菌よりなる顆粒が膿内にみられるのを特徴とする．この病変の解剖学的構造は放線菌症や菌腫に似ている）．＝actinophytosis (2).

bot·ry·o·my·cot·ic (bot′rē-ō-mī-kot′ik). ボトリオミセス症の．

bots (bots) [Gael. *boiteag*, maggot]. ウシバエ，ウマバエ，ヒツジバエなどの幼虫．

ox b. ウシバエ *Hypoderma bovis* およびキスジウシバエ *H. lineatum* の幼虫．別名 cattle grub.

sheep b. ヒツジバエ *Oestrus ovis* の幼虫．

Bött·cher (bērt′shĕr), Arthur. エストニア人解剖学者，1831—1889. →B. *canal*, *cells*, *crystals*, *ganglion*, *space*; Charcot-B. *crystalloids*.

bot·tle (bot′tĕl). びん．

Mariotte b. (mah-rē-ot′). マリョットびん（底に口のあるコック付き吸気びん．一定注入の貯水槽として用いる．空気は，コックを通してほとんど底まで伸びている管から気泡を出す．部分的真空により空気吸入口より上方の液体の高さが調節され，アウトフローに対して一定の重力をかける）．

wash-b. 洗浄びん（①底まで管を通したびんで，管にガスを流してびんの中の水を浄化する．②2本の管を有する栓をしたびん．1本の管は液面下で他方の管の上にその下端がある．したがって，短い管を吹くと液体は長い管の開いた口から細流となって流入する．化学器具の洗浄に用いる）．

Woulfe b. [Peter *Woulfe*]．ウルフびん（2，3個の頸部をもつびんで，管でつなぎ，気体の操作(洗浄，乾燥，吸収など)に用いる）．

bot·u·lin (bot′yū-lin)．ボツリン．= botulinus *toxin*.

bot·u·lin·o·gen·ic (boty′ū-lin′ō-jen′ik)．= botulogenic.

bot·u·lism (bot′yū-lizm) [L. *botulus*, sausage]．ボツリスム，ボツリヌス中毒（ボツリヌス菌 ***Clostridium botulinum*** によって産生された神経毒の摂取によって起きる食中毒で，不良な缶詰や保存食品による．主としてヒト，ニワトリ，水鳥，ウシ，ヒツジ，およびウマにみられ，すべての動物種で麻痺を起こす特徴があり，致死性となることがある．ブタ，イヌ，ネコは多少抵抗性を示す．症例によっては(例えば小児)，摂取された菌により腸管内で産生されることもある．→ *Clostridium botulinum*）．

wound b. 創傷ボツリヌス中毒（創傷の感染によって起こるボツリヌス中毒）．

bot·u·lis·mo·tox·in (bot′yū-liz′mō-tok′sin)．= botulinus *toxin.*

bot·u·lo·gen·ic (bot′yū-lō-jen′ik)．ボツリヌス中毒性の．= botulinogenic.

bou·bas (bū′bahs) [ブラジル土語]．ブーバ．= yaws.

Bou·chard (bū-shahr′), Charles Jacques．フランス人医師，1837—1915．→ B. *disease.*

bouche de ta·pir (būsh-dĕ-tā′pir) [Fr.]．バク(貘)状口(唇)．= tapir *mouth.*

Bou·chut (bū-shū′), Jean A.E．フランス人医師，1818—1891．→ B. *tube.*

bou·gie (bū-zhē′) [Fr. candle]．ブジー，消息子（ゾンデに似た円筒形の器械．一般に多少柔軟性で形を変えられる．尿道や食道のような管状路の狭窄の診断や治療に用いる．可溶性の物質でつくられる場合もあり，薬物を含有して，尿道などへ局所適用される）．

b. à boule 球頭ブジー（玉付きのブジー）．

bulbous b. 球頭ブジー（球状の先端をもつブジー．先端がドングリ状やオリーブ状のものもある）．

Eder-Pustow b. (ed′ĕr pus′tof)．エーデル－プストフブジー（伸縮可能な金属性の拡張機能を有する金属性オリーブ型ブジー．食道狭窄に用いる）．

elastic b. 弾力性ブジー（ゴム，ラテックス，その他の弾力性物質でつくられたブジー）．

elbowed b. 腕付きブジー（先端付近に鋭く角張った屈曲部をもつブジー）．

filiform b. 糸状ブジー（狭窄部を愛護的に検索する目的や，誤って他の部分へ通過し，別の瘻孔を形成しやすい細径の瘻孔を検索する目的で用いる非常に細いブジー．刺入端は直あるいはらせん形，反対側端は，通常，糸のように細い円柱形で，同部を通してねじ付きの先端部をもつ追従ブジーを挿入することができる）．

following b. 追従ブジー（フレキシブルで先細のブジー．ねじ付き先端部を糸状ブジーの根元の部分に取り付け，誤って別の部位を貫くような危険なしに徐々に拡張を行える）．

Hurst b. (hŭrst)．ハーストブジー（直径が段階的になっている，水銀を満たした先端が丸い管の一組のブジー．心臓食道部位を拡張するために用いる）．

Maloney b. (mă-lō′nē)．マロネーブジー（Hurst ブジーに似ているが，円錐状の先端をもつブジー）．

Savary b.'s サヴァリー(セイヴァリー)ブジー（食道拡張の際にガイドワイヤにかぶせて使用する先端の柔らかい先細りブジー）．

tapered b. 先細ブジー（狭窄の拡張に用いる，口径が徐々に増す形をしたブジー）．

wax-tipped b. 先ろうブジー（細長のフレキシブルなブジー．ろうでできた先端部を有す．内視鏡的に尿管へ通すことで結石の存在を確認するもの）．

whip b. むち状ブジー（小さくなって最後にはその先端が糸のようになっているブジー．管腔臓器の狭窄領域に挿入し，拡張するために用いる）．

bou·gie·nage (bū-zhē-nahzh′)．ブジー挿入〔術，法〕，消息子拡張〔法〕（ブジーまたはカニューレを通過させて管の内部を検査および治療すること）．

bouil·lon (bŭl-yin′) [Fr. broth < *bouillir*, to boil]．ブイヨン，肉汁（澄んだ牛肉のスープ）．

Bou·in (bū-in′), Paul．フランス人組織学者，1870—1962．→ B. *fixative.*

bou·lim·i·a (bū-lim′ē-ă)．= *bulimia* nervosa.

bound (bownd)．*1* 〖adj.〗 境界を付ける，周囲を囲む，包む，制限する．*2* 〖n.〗 容易に拡散できる形ではなく，高分子量の物質と結合して存在する物質．例えば，ヨウ素，リン，カルシウム，モルヒネ，または他の薬剤などをいう．*3* 〖adj.〗 細胞膜にあるようなレセプタに結合した．

boundaries (bown′dăr-ēz)．境界（精神医学と心理学において様々なガイドラインが，社会的環境からは明らかに区別される賢明な治療的環境を提供するために，メンタルヘルス専門家の役割および治療的相互作用の設定と領域を明確にしている。これにより，患者に対する最適の治療効果が促進され，治療者に対してはいかなる個人的満足も制限されることとなる(治療的作業そのものからの由来を除く)）．

bou·quet (bū-ka′) [Fr.]．叢（花束に似た形をしている一群または一束の構造物．特に血管についていう）．

Riolan b. (rē-ō-lŏn[h]′)．リョラン(リオラン)叢（茎状突起から起始する筋肉と靱帯 "les fleurs rouges et les fleurs blanches (赤と白の花束)"）．

bourdonnement (būr-don-e-mahn′) [Fr. humming (echoic)]．破壺音，ブンブン音（筋線維収縮音）．

Bour·ge·ry (bū-zhĕ-rē′), Marc-Jean．フランス人解剖学者・外科医，1797—1849．→ B. *ligament.*

Bour·ne·ville (būrn-vēl′), Désiré-Magloire．フランス人医師，1840—1909．→ B. *disease*; B.-Pringle *disease.*

Bour·quin (būr′kwin), Anne．20世紀の米国人化学者．→ Sherman-B. *unit* of vitamin B_2.

bou·ton (bū-tōn[h]′) [Fr. button]．ボタン，膿疱，こぶ様腫脹．

axonal terminal b.'s 軸索終末．= axon *terminals.*

b. de Baghdad, b. de Biskra バグダット腫．= cutaneous *leishmaniasis.*

b. d'Orient 東洋腫．= cutaneous leishmaniasis.

b. en chemise 被覆膿疱（アメーバ赤痢に伴ってみられる腸粘膜の小膿瘍）．

b.'s en passage 通路ボタン（軸索に沿って連続するシナプス）．

synaptic b.'s シナプスボタン．= axon *terminals.*

terminal b.'s, b.'s terminaux 終末球，終末ボタン．= axon *terminals.*

bou·ton·nière (bū-ton-yēr′) [Fr. buttonhole]．ボタン孔変形，ボタン状切開（外傷的につくった細隙またはボタン穴様開口部）．

Bo·vic·o·la (bō-vik′ō-lă)．ボビコーラ属（ハジラミの一属で，現在は *Damalinia*属と名づけられている．→ *Damalinia*）．= *Trichodectes.*

Bo·vie (bō′vē)．*1* ボヴィー（電気外科的な切開や止血に用いる器具．しばしば電気焼灼の同義語として用いられる．すなわち to Bovie a blood vessel(血管を電気焼灼する)）．*2* William．1882—1958．米国人物理学者．組織を乾燥，凝固，焼灼，切開するための高周波電気手術器を考案した．

bo·vine (bō′vīn, -vin) [L. *bos(bov-)*, ox]．ウシの．

bow (bō) [A. S. boga]．ボウ，弓（半円形や弓なりに曲がった形をしたり，あるいは自由に曲げられる装置や物）．

Cupid's b. キューピッド弓（上口唇の上縁がつくる輪郭）．

Logan b. (lō′găn)．ローガン弓（手術したばかりの口唇裂において，切開創を保護するために強いステンレスワイヤを弧状に曲げて，両頰へ縛り付けたもの）．

Bow·ditch (bō′dich), Henry P．米国人生理学者，1840—1911．→ B. *effect, law.*

bow·el [< Fr. < L. *botulus*, sausage]．腸（→ small-bowel *series*）．= intestine.

large b. 大腸（俗語的表現）．

small b. 小腸（俗語的表現．胃より先の腸の近位部で十二指腸・空腸・回腸からなる部分).

Bow·en (bō′wĕn), John T. 米国人皮膚科医, 1857—1941. ⇀B. *disease*, precancerous *dermatosis*; bowenoid *papulosis*; Bowenoid *cells*.

Bo·wie (bō′wē), Donald James. 20世紀のカナダ人医師. ⇀B. *stain*.

bow·leg, bow-leg (bō′leg). 内反膝, O脚. ＝*genu* varum.

Bow·man (bō′măn), Donald E. 米国人生化学者, 1908—2002. ⇀Bowman-Birk *inhibitor*.

Bow·man (bō′măn), William. イングランド人眼科医・解剖・生理学者, 1816—1892. ⇀B. *capsule*, *discs*, *gland*, *membrane*, *muscle*, *probe*, *space*.

box (boks) [L. L. *buxis* < G. *puxis*, box tree]. 箱 (入れ物, 容器).

black b. ブラックボックス (①(専門語). 問題の原因や原理を記述する方法の一手段として利用される方法で, 特にその事象に対して説明や記載もなく, 不明なときにブラックボックスと規定する. したがって, 結論は観察された事象の関連性の記述にとどまる. ②ある文脈においては, 薬理・毒性作用の発現の機序が明確になっている器官や個体(実験動物)を意味することもある).

brain b.* neurocranium の公式の別名.

CAAT b. CAAT ボックス (真核生物の転写開始点の上流(5′側)に位置するDNAの保存領域にみられるヌクレオチド配列. それと結合しているとみられる特異的転写因子. 多くのプロモータにおいて −75 bp の所にみられ, 共通配列 GG-(T/C)CAATCT をもつ. 転写の効率を決定すると信じられている).

Hogness b. (hog′nes). ⇀homeobox.

Pribnow b. (prib′nof). ⇀TATA box.

Skinner b. (skin′ĕr). スキナー箱 (動物がレバーを押すと褒美がもらえるか罰を受けるような仕掛けの実験装置).

TATA b. タタボックス (真核細胞の転写プロモーター領域に現れるコンセンサス配列. 転写開始部位から25—30bp 上流に存在する. 基本転写因子の結合部位で, 正しい位置からの転写開始効率を促進する).

view b. ビューボックス (X線写真や他の光透過性写真の表示に用いられる, 光源を内蔵する箱型装置).

Walker-B b. (waw′kĕr). ウォーカー(ワーカー)Bボックス (⇀Walker-A *sequence* and Walker-B box).

box·ing (boks′ing). ボクシング, 箱枠形成 (歯科において, 模型の基底部を希望の大きさと形にして, 印象の周縁を明確にするために, ビーディング後, 印象の周囲にワックスなどで垂直な隔壁を立てること).

Boyce (boys), William H. 20世紀の米国人泌尿器科医. ⇀Smith-B. *operation*.

Boy·den (boy′dĕn), Edward A. 米国人解剖学者, 1886—1976. ⇀B. *meal*, *sphincter*.

Boy·er (boy′ĕr), Alexis. フランス人外科医, 1757—1833. ⇀B. *bursa*, *cyst*.

Boyle (boyl), Robert. イングランド人物理・化学者, 1627—1691. ⇀B. *law*.

Boze·man (bōz′măn), Nathan. 米国人外科医, 1825—1905. ⇀B. *operation*, *position*; B.-Fritsch *catheter*.

Boz·zo·lo (bot′sō-lō), Camillo. イタリア人医師, 1845—1920. ⇀B. *sign*.

BP blood *pressure*; British Pharmacopoeia; bronchopleural(気管支胸膜の); bronchopulmonary; boiling *point* の略.

b.p. boiling *point*; base *pair* の略.

bp base *pair* の略.

BPF bronchopleural *fistula* の略.

BPH benign prostatic *hyperplasia*; Bachelor of Public Health (公衆衛生学士)の略.

Bq becquerel の略.

Br 臭素の元素記号.

Braasch (brahsh), William F. 米国人泌尿器科医, 1878—1975. ⇀B. *bulb*, *catheter*.

brace (brās) [M.E. < O.Fr. < L. *bracchium*, arm < G. *brachion*]. 装具 (ある部分の運動を制限する副子とは異なり, 身体の一部を正しい位置に支持または把持し, かつ隣接する関節の運動が可能な整形外科的器具).

Taylor back b. (tā′lŏr). テーラー体幹装具 (金属支柱付き脊柱支持装具). ＝Taylor apparatus; Taylor splint.

brac·es (brās′ez). ブレス, 装具, 固定器 (歯科矯正用装具を表す口語).

bra·chi·a (brā′kē-ă). brachium の複数形.

brach·i·al (brā′kē-ăl). 上腕の.

bra·chi·al·gi·a (brā′kē-al′jē-ă) [L. *brachium*, arm + *algos*, pain]. 上腕痛.

b. statica paresthetica 感覚異常性静的上腕痛 (夜だけ起こる腕の傷みに加え, 一過性感覚異常がある).

brachio- (brā′kē-ō) [L. *brachium*]. 腕を意味する連結形. ＝arm (1).

bra·chi·o·ce·phal·ic (brā′kē-ō-se-fal′ik). 腕頭 (腕と頭の両方に関する).

bra·chi·o·cru·ral (brā′kē-ō-krū′răl). 腕脚の (腕と大腿の両方に関する).

bra·chi·o·cu·bi·tal (brā′kē-ō-kyū′bi-tăl). 腕肘の (腕と肘, または腕と前腕の両方に関する).

bra·chi·o·gram (brā′kē-ō-gram). 上腕〔動脈〕脈波曲線.

bra·chi·um, pl. bra·chi·a (brā′kē-ŭm, brak′ē; -ă) [L. arm: G. *brachiōn* に類似のものと思われる]. ***1*** [TA]. 上腕, 二の腕 (肩と肘の間の部分). ＝arm (1). ***2*** 腕 (腕に似た解剖学的構造).

b. colliculi inferioris [TA]. 下丘腕. ＝b. of inferior colliculus.

b. colliculi superioris [TA]. 上丘腕. ＝b. of superior colliculus.

b. conjunctivum cerebelli 小脳結合腕. ＝superior cerebellar *peduncle*.

b. of inferior colliculus [TA]. 下丘腕 (脳幹の左右両側にある下丘から上丘の外側縁に沿って視床後部に至り, そこで内側膝状体にはいる線維束. 上行性聴覚路の大部分を形成する). ＝b. colliculi inferioris [TA]; b. quadrigeminum inferius; inferior quadrigeminal b.

inferior quadrigeminal b. 下四丘体臂. ＝b. of inferior colliculus.

b. pontis 橋腕. ＝middle cerebellar *peduncle*.

b. quadrigeminum inferius 下四丘体臂. ＝b. of inferior colliculus.

b. quadrigeminum superius 上四丘体臂. ＝b. of superior colliculus.

b. of superior colliculus [TA]. 上丘腕 (外側膝状体を迂回し, 上丘と前視蓋野で終わる視索線維束). ＝b. colliculi superioris [TA]; b. quadrigeminum superius; superior quadrigeminal b.

superior quadrigeminal b. 上四丘体臂. ＝b. of superior colliculus.

Bracht (brahkt), Erich Franz. ドイツ人産科婦人科医, 1882—1969. ⇀B. *maneuver*.

Bracht (brahkt), E. 20世紀のドイツ人病理学者. ⇀B.-Wächter *lesion*.

brachy- (brak′ē) [G. *brachys*, short]. [本連結形を brachi-と混同しないこと]. 短小を意味する連結形.

brach·y·ba·si·a (brak′ē-bā′sē-ă) [brachy- + G. *basis*, a stepping]. 小股歩行, 小刻み歩行 (錐体路の疾患に特徴的な小股歩行).

brach·y·ba·so·camp·to·dac·ty·ly (brak′ē-bā′sō-kamp′-tō-dak′ti-lē) [brachy- + G. *basis*, base + *campylos*, curved + *daktylos*, finger]. 基節骨短屈指症 (指の基節骨が他の部位に比較して異常に短く, 近位指節間関節で屈曲している疾患).

brach·y·ba·so·pha·lan·gi·a (brak′ē-bā′sō-fă-lan′jē-ă) [brachy- + G. *basis*, base + phalanx]. 基節骨短縮〔症〕(指の基節骨が異常に短いこと).

brach·y·car·di·a (brak′ē-kar′dē-ă). ＝bradycardia.

brach·y·ce·pha·li·a (brak′ē-sĕ-fā′lē-ă). ＝brachycephaly.

brach·y·ce·phal·ic (brak′ē-se-fal′ik). 短頭〔蓋〕〔症〕の. ＝brachycephalous.

brach·y·ceph·a·lism (brak′ē-sef′ă-lizm) [brachy- + G. *kephalē*, head]. ＝brachycephaly.

brach·y·ceph·a·lous (brak′ē-sef′ă-lŭs). ＝brachycephalic.

brach·y·ceph·a·ly (brak′ē-sef′ă-lē) [brachy- + G. *kephalē*, head]. 短頭〔蓋〕〔症〕(頭部が不釣合いに短く, 頭蓋は頭指

数 80 以上である．短頭症人種としてはアメリカインディアン，マレー人，ビルマ人があげられる）．＝brachycephalia; brachycephalism.

brach·y·chei·li·a, brach·y·chi·li·a (brak′ē-kī′lē-ă)［brachy- + G. *cheilos*, lip］．短唇〔症〕（唇が異常に短いこと）．

brach·yc·ne·mic (brak′ē-nē′mik)［brachy- + G. *knēmē*, leg］．短足〔症〕の（特に脛骨が大腿骨より不釣合いに短く，脛骨大腿骨指数が 82 未満のものについていう）．

brach·y·cra·nic (brak′ē-krā′nik)［brachy- + G. *kranion*, skull］．短頭〔症〕の（頭指数が 80.0—84.9 のものについていう）．

brach·y·dac·tyl·i·a (brak′ē-dak-til′ē-ă)［brachy- + G. *daktylos*, finger］．＝brachydactyly.

brach·y·dac·tyl·ic (brak′ē-dak-til′ik)．短指〔症〕の．

brach·y·dac·ty·ly (brak′ē-dak′ti-lē)［brachy- + G. *daktylos*, finger］．短指〔症〕（手の指が異常に短いこと）．＝brachydactylia.

brach·y·e·soph·a·gus (brak′ē-e-sof′ă-gŭs)［brachy- + esophagus］．短食道（異常に短い食道）．

brach·y·fa·cial (brak′ē-fā′shăl)．＝brachyprosopic.

brach·y·glos·sal (brak′ē-glos′ăl)［brachy- + G. *glōssa*, tongue］．短舌の（異常に短い舌についていう）．

bra·chyg·na·thi·a (brak′ig-nā′thē-ă)［brachy- + G. *gnathos*, jaw］．下顎短小〔症〕（［二重字 gn において，g は語頭にあるときのみ無音である］．下顎が異常に短いか，陥没していること．→micrognathia）．＝bird face.

bra·chyg·na·thous (bra-kig′nă-thŭs)．下顎短小の（陥没した下顎骨を有する）．

brach·y·ker·kic (brak′ē-ker′kik)［brachy- + G. *kerkis*, radius］．短前腕〔症〕の（前腕が上腕より比較的短く，橈骨上腕指数が 75 未満のものについていう）．

brach·y·me·li·a (brak′ē-mē′lē-ă)［brachy- + G. *melos*, limb］．短肢〔症〕（四肢が不釣合いに短いこと）．

brach·y·me·so·pha·lan·gi·a (brak′ē-mes′ō-fă-lan′jē-ă)［brachy- + G. *mesos*, middle + phalanx］．中節骨短縮〔症〕（中節骨が異常に短いこと）．

brach·y·met·a·car·pa·li·a, brach·y·met·a·car·pa·lism (brak′ē-met′ă-kar-pā′lē-ă, -met-ă-kar′pă-lizm)．＝brachymetacarpia.

brach·y·met·a·car·pi·a (brak′ē-met′ă-car′pē-ă)．中手指骨短縮〔症〕（中手骨，特に第四中手骨と第五中手骨が異常に短いこと）．＝brachymetacarpalia; brachymetacarpalism.

brach·y·me·tap·o·dy (brak′ē-me-tap′ō-dē)［brachy- + G. *meta-* (tarsal) + *pous* (*pod-*), foot］．中手骨短縮〔症〕，中足骨短縮〔症〕（中手骨または中足骨の短小あるいは形成不全が原因で，足指または手指が短いこと）．

brach·y·met·a·tar·si·a (brak′ē-met′ă-tar′sē-ă)．中足骨短縮〔症〕（中足骨が異常に短いこと）．

brach·y·mor·phic (brak′ē-mōr′fik)［brachy- + G. *morphē*, form］．短形の（一般に認められている基準より短い形についていう）．

brach·y·o·dont (brak′ē-ō-dont)［brachy- + G. *odous*, tooth］．短〔冠〕歯の（異常に短い歯をもつ）．

brach·y·o·nych·i·a (brak′ē-ō-nik′ē-ă)［G. *brachys*, short + *onyx*, *onychos*, nail + *-ia*, condition］．短爪症，短い爪（爪の幅が長さよりも長い爪で，先天性または爪をかむことにより生じる．また，副甲状腺機能亢進症による骨吸収や乾癬性関節症により生じる）．

brach·y·pel·lic (brak′ē-pel′ik)［brachy- + pelvis］．短骨盤の（横卵形骨盤についていう．→brachypellic *pelvis*）．＝brachypelvic.

brach·y·pel·vic (brak′ē-pel′vik)．＝brachypellic.

brach·y·pha·lan·gi·a (brak′ē-fă-lan′jē-ă)［brachy- + phalanx］．指節骨短縮〔症〕（指節骨が異常に短いこと）．

bra·chyp·o·dous (bra-kip′ŏ-dŭs)［brachy- + G. *pous*, foot］．短足〔症〕の（異常に短い足をもつ）．

brach·y·pro·sop·ic (brak′ē-prō-sop′ik)［brachy- + G. *prosōpikos*, facial］．短顔の（不釣合いに短い顔をもつ）．＝brachyfacial.

brach·y·rhi·ni·a (brak′ē-rī′nē-ă)［brachy- + G. *rhis*, nose］．短鼻〔症〕（鼻が異常に短いこと）．

brach·y·rhyn·chus (brak′ē-ring′kŭs)［brachy- + G. *rhynchos*, snout］．短鼻短顎〔症〕（鼻と上顎骨が異常に短いこと．しばしば単眼症に合併する）．

brach·y·skel·ic (brak′ē-skel′ik)［brachy- + G. *skelos*, leg］．短脚〔症〕の（異常に短い脚に関する）．

brach·y·staph·y·line (brak′ē-staf′i-lin)［brachy- + G. *staphylē*, uvula］．口蓋短小（短い口蓋をもつ．口蓋上顎骨指数が 85 以上のものについていう）．

brach·y·syn·dac·ty·ly (brak′ē-sin-dak′ti-lē)［brachy- + syndactyly］．短合指〔趾〕〔症〕（手指または足指が異常に短く，その間が水かき状になった状態）．

brach·y·te·le·pha·lan·gi·a (brak′ē-tel′ĕ-fă-lan′jē-ă)［brachy- + G. *telos*, end + phalanx］．末節骨短縮〔症〕（末節骨が異常に短いこと）．

brach·y·ther·a·py (brak′ē-thār′ă-pē)．近接照射療法（放射線の線源が体表近くあるいは体腔内に置かれる放射線治療法．例えば，ラジウムの子宮頸管への使用）．

high-dose-rate b. 高線量率近接照射療法．

interstitial b. 間質放射線治療（放射性の針あるいは類似の線源を照射すべき組織の中，および周囲に直接埋め込む放射線療法）．

remote afterloading b. 遠隔装填式近接照射療法（あらかじめ装着された容器へ，遠隔操作により線源を装填して行う近接照射療法）．

stereotactic b. 立体的近接照射療法（CTガイドにより照射部位を決定する放射線療法）．

brach·y·type (brak′ē-tīp)．短型．＝endomorph.

brac·ing (brās′ing)．ブレイシング（歯科において，そしゃく力の水平分力に対する抵抗をいう．→*component* of force）．

brack·et (brak′et)．ブラケット（歯科において，小さな金属製アタッチメントで，矯正バンドにろう着したりまたは歯に直接接着し，アーチワイヤをバンドや歯に固定しようとするもの）．

Brad·bur·y (brad′bĕr-ē), Samuel．米国人医師，1883—1947．→B.-Eggleston *syndrome*.

Brad·ford (brad′fŏrd), Edward H．米国人整形外科医，1848—1926．→B. *frame*.

brady- (brad′ē)［G. *bradys*, slow］．緩徐を意味する連結形．

bra·dy·ar·rhyth·mi·a (brad′ē-ă-ridh′mē-ă)［brady- + G. *a-* 欠性辞 + *rhythmos*, rhythm］．徐脈型不整脈（便宜上，毎分 50 以下の脈拍数となる心臓の調律障害）．

bra·dy·arth·ri·a (brad′ē-arth′rē-ă)［brady- + G. *arthroō*, to utter distinctly < *arthron*, a joint］．言語緩慢，遅語〔症〕（話し方が異常に遅いか，または緩慢であることを特徴とする構語障害の 1 つ）．＝bradyglossia (2); bradylalia; bradylogia.

bra·dy·car·di·a (brad′ē-kar′dē-ă)［brady- + G. *kardia*, heart］．徐脈（心拍動が緩徐であること．便宜上，毎分 50 以下の場合をいう）．＝brachycardia; bradyrhythmia.

central b. 中枢性徐脈（中枢神経系の疾患による徐脈で，通常，頭蓋内圧上昇を伴う）．

essential b. 本態性徐脈（原因不明の徐脈）．＝idiopathic b.

fetal b. 胎児徐脈（120 拍/分以下の胎児心拍数．[註]数値は米国での規準．日本でも同等）．

idiopathic b. 特発性徐脈．＝essential b.

marked fetal b. 高度胎児徐脈（100 拍/分未満の胎児徐脈．[註]数値は米国での規準．日本でも同等）．

mild fetal b. 中等度胎児徐脈（100—120 拍/分の胎児徐脈．[註]数値は米国での規準．日本でも同等）．

nodal b. 結節性徐脈．＝atrioventricular junctional *rhythm*.

postinfectious b. 感染後徐脈（インフルエンザなど種々の感染性疾患により回復期に発生する中毒徐脈）．

sinus b. 洞〔性〕徐脈（正常な洞ペースメーカに由来する徐脈）．

vagal b. 迷走神経性徐脈（迷走神経刺激による過度の徐脈）．

ventricular b. 心室性徐脈（一般には心室拍動数の少ないこと．房室ブロックの存在を意味する）．

brad·y·car·di·ac (brad′ē-kar′dē-ak)．徐脈の．＝bradycardic.

bra·dy·car·dic (brad′ē-kar′dik)．＝bradycardiac.

bra·dy·ci·ne·si·a (brad′ē-si-nē′sē-ă). =bradykinesia.

bra·dy·crot·ic (brad′ē-krot′ik) [brady- + G. *krotos*, a striking]. 脈拍緩徐な，遅脈の.

bra·dy·di·as·to·le (brad′ē-dī-as′tō-lē).〔心〕拡張期延長.

bra·dy·es·the·si·a (brad′ē-es-thē′zē-ă) [brady- + G. *aisthēsis*, sensation]. 知覚遅鈍.

bradygastria (brad-ē-gas′trē-ă). 胃活動緩慢（胃の電気ペースメーカ活動回数の低下．1分間に2サイクル以下が少なくとも1分間続く場合と定義される．皮膚胃電図を用いて，1分間に2—4サイクルの頻度の電気信号がある場合を，正常な活動と定義する．嘔気，胃不全麻痺，過敏性腸症候群，機能的消化不良と関連している可能性がある）.

bra·dy·glos·si·a (brad′ē-glos′ē-ă) [brady- + G. *glōssa*, tongue]. ***1*** 舌運動緩徐. ***2*** =bradyarthria.

bra·dy·ki·ne·si·a (brad′ē-kin-ē′zē-ă) [brady- + G. *kinēsis*, movement]. 運動緩徐（自発性と運動の減少．パーキンソン病などの錐体外路性疾患の症状の1つ）. =bradycinesia.

bra·dy·ki·net·ic (brad′ē-ki-net′ik). 運動緩徐な.

bra·dy·ki·nin (brad′ē-kī′nin) [brady- + G. *kineō*, to move]. ブラジキニン（9個のアミノ酸からなるノナペプチド Arg-Pro-Pro-Gly-Phe-Ser-Pro-Phe-Arg．通常は不活性形で血液中に存在し，作用はトリプシンに類似のカリクレインによって，α_2-グロブリンから生成される10個のアミノ酸からなるデカペプチドカリジン(ブラジキニノゲン)から生成される．ブラジキニンはプラスマキニンの1つで，有効な血管拡張薬である，そして，細胞向性抗体が被覆した肥満細胞から遊離したアナフィラキシーの生理学的メディエイタの1つであり，抗体に特異的な抗原(アレルゲン)と反応する). =kallidin 9; kallidin I; kinin 9.

bra·dy·ki·nin·o·gen (brad′ē-ki-nin′ō-jen). ブラジキニノゲン. =kallidin.

bra·dy·ki·nin po·ten·ti·a·tor B (brad′ē-kī′nin pō-ten′shē-ā-tōr). ブラジキニンポテンシエータ B; Glp-Gly-Leu-Pro-Pro-Arg-Pro-Lys-Ile-Pro-Pro（ブラジキニンとアンジオテンシンのアミノ酸11個からなるペプチド前駆体）.

bra·dy·la·li·a (brad′ē-lā′lē-ă) [brady- + G. *lalia*, speech]. = bradyarthria.

bra·dy·lex·i·a (brad′ē-lek′sē-ă) [brady- + G. *lexis*, word]. 読書緩徐（読むのが異常に遅いこと）.

bra·dy·lo·gi·a (brad′ē-lō′jē-ă) [brady- + G. *logos*, word]. =bradyarthria.

bra·dy·pep·si·a (brad′ē-pep′sē-ă) [brady- + G. *pepsis*, digestion]. 消化緩徐.

bra·dy·pha·gi·a (brad′ē-fā′jē-ă) [brady- + G. *phagō*, to eat]. 遅食〔症〕（食べるのが極端に遅いこと）.

bra·dy·pha·si·a (brad′ē-fā′zē-ă) [brady- + G. *phasis*, speaking]. 中枢性言語緩慢（異常に緩慢な話し方を特徴とする失語症の一種）. =bradyphemia.

bra·dy·phe·mi·a (brad′ē-fē′mē-ă) [brady- + G. *phēmē*, speech]. =bradyphasia.

bradyphrenia (brā-dē′frē-nē-a) [brady- + -phrenia]. 精神緩慢（1つの考えから他の考えへ急に変える能力が低下しているために精神機能が緩慢になる．パーキンソン病でよくみられる）.

bra·dyp·ne·a (brad-ip-nē′ă) [brady- + G. *pnoē*, breathing].〔緩〕徐呼吸，呼吸緩徐（[二重字 pn において，p は語頭にあるときのみ無音である．正しい発音は bradypne′a であるが，米国では広く bradyp′nea と発音される]．呼吸の異常な遅延．特に呼吸数が少ない状態）.

bra·dy·psy·chi·a (brad′ē-sī′kē-ă) [brady- + G. *psychē*, soul]. 精神緩慢（精神反応が遅いこと）.

bra·dy·rhyth·mi·a (brad′ē-rith′mē-ă). =bradycardia.

bra·dy·sper·ma·tism (brad′ē-sper′mă-tizm) [brady + G. *sperma* (*spermat-*), seed + ism]. 射精遅延（射精力欠如のため，精液がゆっくりとしたたること）.

bra·dy·sphyg·mi·a (brad′ē-sfig′mē-ă) [brady- + G. *sphygmos*, pulse]. 脈拍緩徐（脈拍が遅いこと．各拍動が末梢脈拍を起こさないような場合の心室性二段脈のように，徐脈がなくても脈拍緩徐は起こりうる）.

bra·dy·stal·sis (brad′ē-stahl′sis) [G. *bradys*, slow + (*peri*) *stalsis*, contracting around]. ぜん動緩徐（ゆっくりとした腸運動）.

bra·dy·tel·e·o·ki·ne·si·a (brad′ē-tel′ē-ō-kin-ē′sē-ă) [brady- + G. *teleos*, complete + *kinēsis*, movement]. 動作完了緩徐（動作が終了しようとする直前に突然停止し，休止の後にゆっくりとまたは痙攣的な動きによって動作が完了すること，小脳疾患の一症状）. =bradyteleokinesis.

bra·dy·tel·e·o·ki·ne·sis (brad′ē-tel′ē-ō-ki-nē′sis). = bradyteleokinesia.

bra·dy·u·ri·a (brad′ē-yū′rē-ă) [brady- + G. *ouron*, urine]. 排尿緩慢（ゆっくりとした排尿）.

bra·dy·zo·ite (brad′ē-zō′īt) [brady- + G. *zōē*, life]. ブラディゾイト（胞子虫類のゆっくり増殖するシスト内型虫体で，トキソプラスマ *Toxoplasma gondii* の慢性感染時に典型的にみられる．merozoite または zoite ともよばれてきた．ブラディゾイトが集塊となって被膜に包まれているものは偽シスト pseudocyst とよばれてきたが，現在では真のシストとみなされている）.

braille (brāl) [Louis *Braille*, フランス人盲人教育家, 1809—1852]. ブラーユ，点字法（文字，数，句読点に対応した凸点を用いることにより盲人が触覚により読むことができる表記および印刷法）.

Brails·ford (brāls′fŏrd), James Frederick. イングランド人放射線科医, 1888—1961. ⇀B.-Morquio *disease*.

Brain (brān), Walter Russell. イングランド人医師, 1895—1966. ⇀B. *reflex*.

brain (brān) [A.S. *braegen*][TA]. 脳（頭蓋内にある中枢神経系の部分. →encephalon. *cf.* cerebrum; cerebellum).

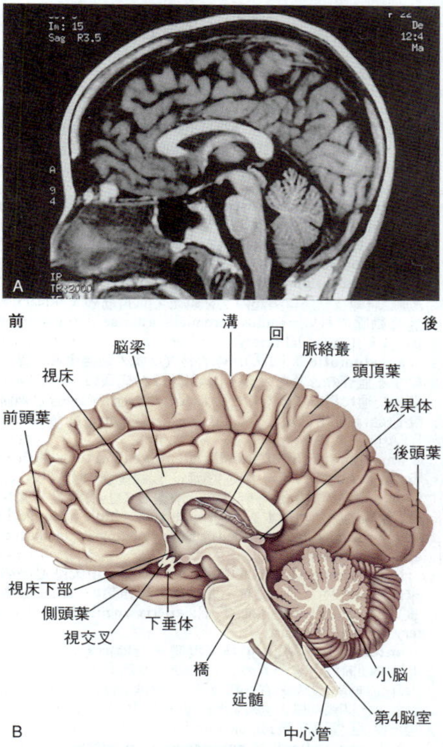

brain

A：sagittal T1-weighted MRI（脳は灰色，脳脊髄液は黒色).
B：矢状断図.

eloquent b. 重要機能局在脳（言語や運動機能，感覚など脳腫瘍の治療において重要な機能局在がみられる脳の部位).

split b. 分離脳（脳梁と通常は前交連および後交連が切断されている脳．普通，薬物治療に抵抗性のてんかんを治療するために行われる）．

visceral b. ＝limbic *system.*

brain·case (brān′kās). 脳頭蓋．＝neurocranium.

brain·stem, brain stem (brān′stem) [TA]. 脳幹（初めは，脳の不対性の部分すなわち菱脳・中脳・間脳を，対性の部分すなわち終脳と区別してよんだ語．近年になって意味内容に様々な変更が加えられることが起こった．例えば，ある人々は菱脳と中脳だけをさす語とし，前脳(終脳と間脳)に対比させて用い，またある人々は厳密に菱脳だけをさす語とした．発生および構造のどちらの観点からみても，原初の解釈が好ましく思われる）．＝truncus encephali [TA].

brain·wash·ing (brān′wash′ing). 洗脳（種々の圧力や拷問で個人の態度や行為をある種の方向に変更させるように仕向けること）．

bran (bran). 麸(ふすま)，糠(ぬか)（不消化セルロースを約20% 含有するコムギ製粉の副産物．通常，穀粒または特別な麸製品の形で摂取されるかさばった一種のしゃ下薬）．

branch (branch) [TA]. 枝（側枝．解剖学においては，神経や血管の一次分枝．→ramus; artery; nerve; vein）．＝ramus (1) [TA].

accessory meningeal b. 副硬膜枝．＝pterygomeningeal *artery.*

accessory meningeal b. of middle meningeal artery 中硬膜動脈の副硬膜枝．＝accessory b. of middle meningeal artery.

accessory b. of middle meningeal artery [TA]. 中硬膜動脈副枝（側頭下窩で中硬膜動脈または上顎動脈から分枝し，上行して卵円孔を通り抜け三叉神経節，硬膜，骨膜，骨内面に分布する）．＝ramus accessorius arteriae meningeae mediae [TA]; accessory meningeal b. of middle meningeal artery; ramus meningeus accessorius arteriae meningeae mediae.

acetabular b. [TA]. 寛骨臼枝（寛骨臼に分布する動脈枝で，閉鎖動脈および内側大腿回旋動脈からの二分枝）．＝ramus acetabularis [TA]; acetabular artery; arteria acetabuli.

acromial b. of suprascapular artery [TA]. 肩甲下動脈の肩峰枝（僧帽筋の起始部を貫き肩峰に達し，ここで胸肩峰動脈の肩峰枝と吻合する）．＝ramus acromialis arteriae suprascapularis [TA].

acromial b. of thoracoacromial artery [TA]. 〔胸肩峰動脈〕肩峰枝（烏口突起の上を越えて三角筋の下へ向かう胸肩峰動脈の枝）．＝ramus acromialis arteriae thoracoacromialis [TA]; acromial artery.

anastomotic b. [TA]. 吻合枝（２本の隣接する血管を連結する血管のことをいう．[本用語は神経系における神経束間の交通に用いてはならない．なぜなら血管の吻合と神経の交通とは同義でないからである]）．＝ramus anastomoticus [TA].

anastomotic b. of middle meningeal artery with lacrimal artery [TA]. 中硬膜動脈と涙腺動脈の吻合枝（頭蓋腔内で中硬膜動脈から起こり，前進して上眼窩裂を通り抜け，涙腺動脈と吻合する．→orbital b. of middle meningeal artery）．＝ramus anastomoticus arteria meningeae mediae cum arteriae lacrimali [TA].

b. to angular gyrus [TA]. 角回動脈（中大脳動脈の終末部の終末枝で，側頭葉・頭頂葉・後頭葉の一部に分布する）．＝angular artery (2) [TA]; arteria angularis [TA]; artery of angular gyrus.

anterior b. [TA]. 前枝（腹側または前方に向かう枝．TA では前枝をもつものとして以下の例をあげている．ⓘ大耳介神経，ⓘⓘ左・右上肺静脈，ⓘⓘⓘ内側前腕皮神経，ⓘⓥ閉鎖動脈，ⓥ閉鎖神経，ⓥⓘ腎動脈，ⓥⓘⓘ肝門脈の右枝，ⓥⓘⓘⓘ右肝管，ⓘⓧ尺側反回動脈）．＝ramus anterior [TA].

anterior abdominal cutaneous b. of intercostal nerve [TA]. 肋間神経の前腹壁皮枝（脊髄神経前枝(肋骨神経) T7—T11 の走行中外側皮枝の分岐より遠位から分かれて前腹壁に分布する神経枝．→thoracoabdominal *nerves*）．＝ramus cutaneus anterior abdominalis nervi intercostalis [TA].

anterior auricular b.'s of superficial temporal artery [TA]. 浅側頭動脈の前耳介枝（耳介，耳垂，外耳道に分布する）．＝rami auriculares anteriores arteriae temporalis superficialis [TA].

anterior basal b. 前肺底枝．＝anterior basal segmental *artery.*

anterior basal b. of superior basal vein (of right and left inferior pulmonary veins)* 〔左・右下肺静脈の〕上肺底静脈の前肺底静脈（anterior basal *vein* の公式の別名）．

anterior cutaneous b.'s of femoral nerve [TA]. 〔大腿神経〕前皮枝（大腿の前面と内側面に分布し，感覚を伝える）．＝rami cutanei anteriores nervi femoralis [TA]; anterior femoral cutaneous nerves.

anterior cutaneous b. of iliohypogastric nerve [TA]. 腸骨下腹神経の前皮枝（外陰部の皮膚に分布する）．＝ramus cutaneus anterior nervi iliohypogastrici [TA]; genital b. of iliohypogastric nerve.

anterior cutaneous b.'s of intercostal nerves 肋間神経の前皮枝（脊髄胸神経前枝の前皮枝．→medial mammary b.'s）．

anterior gastric b.'s of anterior vagal trunk [TA]. 前迷走神経幹の前胃枝（胃前壁へ向かう前迷走神経幹の枝）．＝rami gastrici anteriores trunci vagalis anterioris [TA]; gastric b.'s of anterior vagal trunk; rami gastrici anteriores nervi vagi.

anterior glandular b. of superior thyroid artery 上甲状腺動脈の前腺枝（甲状腺に分布する上甲状腺動脈の３本の枝の１つ，前腺枝は前上部に分布する）．＝rami glandulares anterior arteriae thyroideae superioris.

anterior intercostal b.'s of internal thoracic artery [TA]. 前肋間動脈（胸壁の肋間隙の前部に分布する動脈で，1—6 は内胸動脈の枝，7—11 は筋横隔動脈の枝である）．＝rami intercostales anteriores arteriae thoracicae internae [TA]; anterior intercostal arteries; rami intercostales anteriores.

anterior interventricular b. of left coronary artery [TA]. 左冠状動脈の前室間動脈（回旋枝とともに左冠状動脈の終末枝をなす動脈で，前室間溝を心尖に向かって下行し後室間動脈と吻合する．心室の胸骨面の大部分と心室中隔の前 2/3 の刺激伝導系を含む組織に血液を送る）．＝ramus interventricularis anterior arteriae coronariae sinistrae [TA]; anterior interventricular artery; left anterior descending artery.

anterior labial b.'s of deep external pudendal artery [TA]. 深外陰部動脈の前陰唇枝（女性の外生殖器の大陰唇に分布する動脈枝）．＝rami labiales anteriores arteriae pudendae externae profundae [TA]; anterior labial arteries; arteriae labiales anteriores.

anterior lateral nasal b.'s of anterior ethmoidal artery [TA]. 前篩骨動脈の前外側鼻枝（頭蓋内で前篩骨動脈から出て篩骨篩板を前篩骨神経に伴行して鼻腔に下行し鼻骨深面の溝に沿って鼻腔外壁の前上部に分布する）．＝rami nasales anteriores laterales arteriae ethmoidalis anterioris [TA].

anterior meningeal b. (of anterior ethmoidal artery) [TA]. 前硬膜動脈（前篩骨動脈より起こり，前頭蓋窩の髄膜に分布する．中硬膜動脈の分枝，内頸動脈の硬膜枝，涙腺動脈と吻合）．＝arteria meningea anterior; ramus meningeus anterior arteriae ethmoidalis anterioris [TA]; anterior meningeal artery.

anterior pectoral cutaneous b. of intercostal nerves [TA]. 肋間神経の前胸皮枝（脊髄神経枝(肋間神経 T1—T6)の枝で，外側皮枝より遠位で分かれ胸骨傍線の位置で２分して内側(胸骨枝)と外側(内側乳腺枝)になり，前胸壁に分布する神経枝）．＝ramus cutaneus anterior pectoralis nervi intercostalis [TA]; pectoral anterior cutaneous b. of intercostal nerves.

anterior b. of the renal artery [TA]. →segmental *arteries* of kidney.

anterior scrotal b. of deep external pudendal artery [TA]. 深外陰部動脈の前陰嚢枝（陰嚢前部の皮膚に分布し，内陰部動脈の後陰嚢枝と吻合する）．＝rami scrotales anteriores arteriae pudendae externae profundae [TA].

anterior septal b.'s of anterior ethmoidal artery [TA]. 前篩骨動脈の前中隔枝（前篩骨動脈の頭蓋内で分枝

し，前篩骨神経に伴行して篩骨篩板を通過して鼻腔にはいり，鼻中隔前上部に分布する）．＝rami septales anteriores arteriae ethmoidalis anterioris［TA］.

anterior superior alveolar b.'s of infraorbital nerve 眼窩下神経の前上歯槽枝．＝anterior superior alveolar b.'s of superior alveolar nerve.

anterior superior alveolar b.'s of superior alveolar nerve［TA］．上歯槽神経の前上歯槽枝（上歯槽神経の枝で，上歯神経叢を経て切歯，犬歯，小臼歯，第一大臼歯に分布する）．＝anterior superior alveolar b.'s of infraorbital nerve; nervi alveolares superiores anteriores［TA］; rami alveolares superiores anteriores nervi alveolaris superioris［TA］.

anterior b. of the superior pulmonary vein ＝anterior *vein.*

anterior temporal b.［TA］．前側頭葉動脈（中大脳動脈の島部の枝で側頭葉前部に分布する）．＝ramus temporalis anterior［TA］; anterior temporal artery; arteria temporalis anterior［TA］.

anteromedial central b.'s 前内側中心枝（前交通動脈の枝で，視交叉上動脈と内側交連動脈として視床下部に内側脳梁動脈として脳梁内側部に分布する）．＝rami centrales anteromediales［TA］.

anteromedial frontal b. of callosomarginal artery［TA］．脳梁縁動脈の前内側前頭枝（脳梁縁動脈起始部から起こり前頭葉内側面の前下部に分布する）．＝ramus frontalis anteromedialis arteriae callosomarginalis［TA］.

apical b. of inferior lobar branch of right pulmonary artery* 右肺下葉動脈の上動脈（apical segmental *artery* of superior lobar artery of right lung の公式の別名）.

apical b. of right superior pulmonary vein* 右上肺静脈の肺尖静脈（apical *vein* の公式の別名）.

apicoposterior b. of left superior pulmonary vein* 左上肺静脈の肺尖後静脈（apicoposterior vein の公式の別名）.

articular b.'s［TA］．関節枝（関節に分布する枝．関節と関係のある脈管のほとんどが関節枝を送っている．関節をまたぐ筋肉を支配する運動神経の筋内枝からほとんどの関節に枝が送られている．しかし本書では TA として以下の関節枝のみがあげられている．ⓘ下行膝動脈の関節枝で膝関節に分布する．ⓘⓘ混合脊髄神経の関節枝．ⓘⓘⓘ閉鎖神経後枝の関節枝で股関節に分布する．）．＝rami articulares; joint b.'s.

ascending b.［TA］．上行枝（上方へ向かって進む枝．TA は以下のものの上行枝があげられている．ⓘ左・右肺前区動脈の枝，ⓘⓘ深腸骨回旋動脈の枝，ⓘⓘⓘ下腹壁動脈の枝，ⓘⓥ外側内側大腿回旋動脈の枝，ⓥ左・右肺後区動脈の枝，ⓥⓘ浅頸動脈の枝）．＝ramus ascendens［TA］.

ascending b. of the inferior mesenteric artery 下腸間膜動脈の上行枝．＝ascending *artery.*

ascending b. of superficial cervical artery［TA］．浅頸動脈の上行枝（浅頸動脈または頸横動脈の浅枝から分枝し，僧帽筋上部の深部を上行して僧帽筋とその近隣筋および頸部リンパ節に分布する．後頭動脈の下行枝と吻合する．→superficial b. of the transverse cervical artery）．＝ramus ascendens arteriae superficialis cervicalis［TA］.

atrial b.'s［TA］．心房枝（右冠状動脈および左冠状動脈回旋枝の枝で，それぞれ右心房および左心房に分布する）．＝rami atriales［TA］.

atrial anastomotic b. of circumflex branch of left coronary artery［TA］．大心房吻合動脈（種々のところから派生するが，最も多くは冠状動脈回旋枝から出て心房中隔の基部後方へ進み反対側の冠状動脈枝と吻合し，房室結節，His 束，左心室後上壁に分布する動脈）．＝ramus atrialis anastomoticus ramus circumflexus arteriae coronariae sinistrae［TA］; arteria anastomotica auricularis magna; Kugel anastomotic artery.

atrioventricular nodal b.［TA］．房室結節枝（房室結節に分布する動脈枝．通常は右冠状動脈の最初の中隔枝として起こり，後室間溝を下行する）．＝ramus nodi atrioventricularis［TA］; artery to atrioventricular node; b. to atrioventricular node.

b. to atrioventricular node ＝atrioventricular nodal b.

auricular b. of occipital artery［TA］．後頭動脈の耳介枝（耳介後部に分布し後耳介動脈と吻合する）．＝ramus auricularis arteriae occipitalis［TA］.

auricular b. of posterior auricular artery［TA］．後耳介動脈の耳介枝（耳介軟骨–乳様突起間の溝で起こる動脈枝で，後耳介筋の深部を上行し耳介の頭側面から外側面の一部に分布する）．＝ramus auricularis arteriae auricularis posterioris［TA］.

auricular b. of vagus nerve［TA］．迷走神経耳介枝（迷走神経上神経節の枝で，舌咽神経下神経節からの枝と合流して耳介，外耳道，鼓膜の外面下半部に分布する）．＝Arnold nerve; ramus auricularis nervi vagi.

b.'s of auriculotemporal nerve to tympanic membrane［TA］．耳介側頭神経の鼓膜枝（鼓膜外側面に分布する耳介側頭神経（下顎神経から）の知覚枝）．＝rami membranae tympani nervi auriculotemporalis［TA］; nerve of tympanic membrane.

basal tentorial b. of internal carotid artery 内頸動脈の基底テント枝．＝tentorial basal b. of cavernous part of internal carotid artery.

bronchial b.'s［TA］．気管支枝（気管支に分布する動脈，脈管または神経の枝．以下は気管支枝をもつもの．ⓘ胸大動脈，ⓘⓘ内胸動脈，ⓘⓘⓘ迷走神経）．＝bronchial arteries; rami bronchiales.

buccal b.'s of facial nerve 顔面神経の頬筋枝（顔面神経の耳下腺神経叢から分枝する運動枝で，眼窩の下方，おとがいの上方で頬筋その他の表情筋に分布する）．＝rami buccales nervi facialis［TA］.

calcaneal b.'s［TA］．踵骨動脈（①後脛骨動脈から踵骨部諸構造へ向かう枝．②腓骨動脈から踵骨部諸構造へ向かう枝）．＝rami calcanei［TA］; calcaneal arteries.

calcarine b. of medial occipital artery［TA］．内側後頭動脈の鳥距枝（鳥距溝に沿って走る内側後頭動脈の枝）．＝ramus calcarinus arteriae occipitalis medialis［TA］; arteria calcarina; calcarine artery.

capsular b.'s of intrarenal arteries［TA］．腎臓内動脈の被膜枝（腎皮質内の動脈(皮質動脈と放線状貫通動脈)からの枝で被膜に分布する）．＝rami capsulares arteriorum intrarenalium［TA］.

capsular b.'s of renal artery［TA］．腎動脈の被膜枝（腎動脈から腎臓にはいる手前で分枝し，腎被膜に分布する）．＝rami capsulares arteriae renalis［TA］.

carotid b. of glossopharyngeal nerve［CN IX］ 頸動脈洞枝（舌咽神経の枝で，頸動脈洞壁の圧受容器および頸動脈小体の化学受容器に分布する）．＝ramus sinus carotici nervi glossopharyngei［CN IX］［TA］; ramus sinus carotici［TA］; carotid sinus b.; carotid sinus nerve; Hering sinus nerve; intercarotid nerve; nerve to carotid sinus; sinus nerve of Hering.

carotid sinus b. ＝carotid b. of glossopharyngeal nerve［CN IX］.

caudate b.'s of left branch of portal vein［TA］．門静脈左枝の尾状葉枝（門静脈左枝が肝臓にはいる前の横部から出て尾状葉に入る静脈枝）．＝rami lobi caudati rami sinistri venae portae hepatis［TA］.

cavernous b.'s of cavernous part of internal carotid artery［TA］．内頸動脈海綿部の海綿静脈洞枝（内頸動脈が海綿静脈洞を通過する部から起こる多数の小枝，三叉神経節，海綿静脈洞と下錐体静脈洞の壁，そこに含まれる神経に分布する．一部は中硬膜動脈と吻合する．→b.'s of internal carotid artery to trigeminal ganglion; tentorial basal b. of cavernous part of internal carotid artery; marginal tentorial b. of internal carotid artery）．＝ramus sinus cavernosi partis cavernosae arteriae carotidis internae［TA］; cavernous arteries; cavernous sinus b. of internal carotid artery; ramus sinus cavernosi arteriae carotidis arteriae; ramus sinus cavernosi arteriae carotidis internae.

cavernous sinus b. of internal carotid artery 内頸動脈の海綿静脈洞枝．＝cavernous b.'s of cavernous part of internal carotid artery.

celiac b.'s of posterior vagal trunk［TA］．後迷走神経幹の腹腔枝（後迷走神経幹の終末枝で，副交感神経の節前線維を腹腔神経叢へ送り，ここからの求心性内臓神経をも含む）．＝rami celiaci trunci vagi posterioris［TA］; celiac b.'s of vagus nerve; rami celiaci nervi vagi.

celiac b.'s of vagus nerve 迷走神経の腹腔枝. ＝celiac b.'s of posterior vagal trunk.

cervical b. of facial nerve [TA]. 顔面神経の頸枝（顔面神経耳下腺神経叢の最下枝で下降して広頸筋を支配する）. ＝ramus colli nervi facialis [TA]; ramus cervicalis nervi facialis*.

choroid b.'s 脈絡枝. ＝rami choroidei. ① **rami choroidei posteriores laterales** [TA]. 〔後大脳動脈〕外側後脈絡枝（側脳室の脈絡叢に分布する）. ② **rami choroidei posteriores mediales** [TA]. 〔後大脳動脈〕内側後脈絡枝（第3脳室の脈絡叢に分布する）. ③ **rami choroidei ventriculi lateralis** [TA]. 〔前脈絡叢動脈〕側脳室脈絡枝（側脳室の脈絡叢に分布する）. ④ **rami choroidei ventriculi tertii** [TA]. 〔前脈絡叢動脈〕第3脳室脈絡枝（第3脳室に分布する）. ⑤ **ramus choroideus ventriculi quarti** [TA]. 〔後下小脳動脈〕第4脳室脈絡枝（後下小脳動脈から第4脳室脈絡叢に分布する枝）.

cingular b. of callosomarginal artery [TA]. 脳梁縁動脈の帯状束枝（脳梁縁動脈の終末枝で帯状溝を通って大脳内側面に分布する）. ＝ramus cingularis arteriae callosomarginalis [TA].

circumferential pontine b.'s of pontine arteries* lateral b.'s of pontine arteries の公式の別名.

circumflex fibular b. (of posterior tibial artery) [TA]. 腓骨回旋動脈（後脛骨動脈上部からの枝. 腓骨の脛部を回り膝関節動脈網にはいる）. ＝ramus circumflexus fibularis arteriae tibialis posterioris [TA]; circumflex b. of posterior tibial artery*; circumflex peroneal b. of posterior tibial artery*; ramus circumflexus peronealis arteriae tibialis posterioris*; circumflex fibular artery.

circumflex b. of left coronary artery [TA]. 左冠状動脈の回旋枝（前室間枝とともに左冠状動脈の終末枝で, 冠状動脈溝内を左方ついで下方に進み心房・心室に分布する）. ＝ramus circumflexus arteriae coronariae sinistrae [TA].

circumflex peroneal b. of posterior tibial artery* circumflex fibular b. (of posterior tibial artery) の公式の別名.

circumflex b. of posterior tibial artery* circumflex fibular b. (of posterior tibial artery) の公式の別名.

clavicular b. of thoracoacromial artery [TA]. 胸肩峰動脈の鎖骨枝（鎖骨下筋と胸鎖関節に分布する）. ＝ramus clavicularis arteriae thoracoacromialis [TA].

clivus b.'s of cerebral part of internal carotid artery [TA]. 内頸動脈脳部の斜台枝（眼動脈の近くから出る小枝で, 内側下方を進み斜台の蝶形骨部に分布する）. ＝rami clivales partis cerebralis arteriae carotidis internae [TA].

cochlear b. of labyrinthine artery 迷路動脈の蝸牛枝. ＝cochlear b. of vestibulocochlear artery.

cochlear b. of vestibulocochlear artery [TA]. 前庭蝸牛動脈の蝸牛枝（後前庭枝とともに前庭蝸牛動脈の終末枝で, 総蝸牛動脈と吻合して蝸牛軸ラセン動脈となる. 蝸牛枝はラセン神経節と蝸牛管の基底部に分布する）. ＝ramus cochlearis arteriae vestibulocochlearis [TA]; cochlear b. of labyrinthine artery; ramus cochlearis arteriae labyrinthi.

colic b. of ileocolic artery [TA]. 回結腸動脈の結腸枝（上行結腸に伴って上行して右結腸動脈の枝と吻合する回結腸動脈の枝. 上行結腸に枝を送る辺縁動脈の基部を形成する）. ＝arteria ascendens (1) [TA]; ascending artery (1) [TA]; ramus colicus arteriae ileocolicae [TA].

collateral b. of intercostal nerves [TA]. 肋間神経の側副枝（肋骨角の近位で肋間神経から出る枝で, 肋間を下の肋骨の上縁に沿って肋間神経（これは上の肋骨の下縁に沿う）と平行に進む神経枝）. ＝ramus collateralis nervorum intercostalium [TA].

collateral b.'s of posterior intercostal arteries 3–11 [TA]. 〔第三―第十一〕肋間動脈側副枝（肋骨角の近くから起こり下行してすぐ下の肋骨の上面に沿って走り, 肋間の下半に分布し前肋間動脈側副枝と吻合する）. ＝ramus collateralis arteriarum intercostalium posteriorum III–XI [TA].

communicating b. [TA]. 交通枝（1つの神経から他の神経へ移っていく神経線維の束. **[本用語は脈管系での吻合枝という語に代わって神経系で用いられる]**）. ＝ramus communicans [TA].

communicating b. of anterior interosseous nerve with ulnar nerve [TA]. 前骨間神経の尺骨神経との交通枝（前腕近位部に不定に起こる神経交通枝）. ＝ramus communicans nervi interossei antebrachii anterioris cum nervo ulnari [TA].

communicating b.'s of auriculotemporal nerve with facial nerve [TA]. 耳介側頭神経から顔面神経への交通枝. ＝rami communicantes nervi auriculotemporalis cum nervo faciali [TA].

communicating b. of chorda tympani to lingual nerve 鼓索神経と舌神経との交通枝. ＝communicating b. of chorda tympani with lingual nerve.

communicating b. of chorda tympani with lingual nerve [TA]. 鼓索神経と舌神経との交通枝（鼓索神経の終末枝で, 側頭下窩で舌神経と交通する. 舌の前2/3からの味覚線維を運び, 顎下腺と舌下腺を支配する副交感性節前線維を顎下神経節に送る）. ＝ramus communicans cum chorda tympani (1) [TA]; communicating b. of chorda tympani to lingual nerve; ramus communicans nervi lingualis cum chorda tympani.

communicating b. of facial nerve with glossopharyngeal nerve [TA]. 顔面神経の舌咽神経との交通枝（顔面神経の顎二腹筋枝から舌咽神経への小枝）. ＝ramus communicans nervi facialis cum nervo glossopharyngeo [TA]; Haller ansa; ramus communicans cum nervo glossopharyngeo (1).

communicating b. of facial nerve with tympanic plexus 顔面神経の鼓室神経叢との交通枝. ＝communicating b. of intermediate nerve with tympanic plexus.

communicating b. of fibular artery [TA]. 腓骨動脈の交通枝（腓骨動脈遠位部から起こり, 長母指屈筋の深層で後脛骨動脈の交通枝と連絡する）. ＝ramus communicans arteriae fibularis [TA]; communicating b. of peroneal artery*; ramus communicans arteriae peroneae*.

communicating b. of glossopharyngeal nerve with auricular branch of vagus nerve 鼓室神経叢の迷走神経耳介枝との交通枝. ＝communicating b. of tympanic plexus with auricular branch of vagus nerve.

communicating b. of intermediate nerve with tympanic plexus [TA]. 中間神経の鼓室神経叢との交通枝（舌咽神経の鼓室枝と連結する顔面神経の小枝）. ＝ramus communicans nervi intermedii cum plexu tympanico [TA]; communicating b. of facial nerve with tympanic plexus; ramus communicans nervi facialis cum plexu tympanico.

communicating b. of internal laryngeal b. with recurrent laryngeal nerve [TA]. 上喉頭神経内枝の反回神経との交通枝（上喉頭神経の内枝の枝で, 咽頭喉頭部の壁で反回神経と交通し, この壁に感覚線維を送る）. ＝ramus communicans nervi laryngei interni cum nervo laryngeo recurrente [TA]; communicating b. of superior laryngeal nerve with recurrent laryngeal nerve; Galen anastomosis; Galen nerve; ramus communicans nervi laryngei recurrentis cum ramo laryngeo interno; ramus communicans nervi laryngei superioris cum nervo laryngeo recurrente.

communicating b. of lacrimal nerve with zygomatic nerve [TA]. 涙腺神経と頬骨神経の交通枝（翼口蓋神経節からの副交感性節後線維（分泌性）を（CN V_2 の）頬骨神経から涙腺神経（ここまでは純感覚性）に送り涙腺に分布させる）. ＝ramus communicans nervi lacrimalis cum nervo zygomatico [TA].

communicating b.'s of lingual nerve with hypoglossal nerve [TA]. 舌神経の舌下神経との交通枝（下顎神経の枝である舌神経と舌下筋の表面で神経叢をつくる舌下神経との交通枝）. ＝rami communicantes nervi lingualis cum nervo hypoglosso [TA].

communicating b. of median nerve with ulnar nerve [TA]. 正中神経の尺骨神経との交通枝（正中神経の前骨間枝も前腕近位部で尺骨神経と交通することもある）. ＝ramus communicans nervi mediani cum nervo ulnari [TA].

communicating b. of nasociliary nerve with ciliary ganglion [TA]. 鼻毛様体神経の毛様体神経節との交通枝. ＝nasociliary *root* of ciliary ganglion.

communicating b. of otic ganglion to auriculotemporal nerve 耳神経節から耳介側頭神経への交通枝（耳神経節と耳介側頭神経の基部を結ぶ枝で，副交感性節後線維を耳下腺に送る）．＝ramus communicans ganglii otici cum nervo auriculotemporali.

communicating b. of otic ganglion to chorda tympani 耳神経節の鼓索神経との交通枝．＝communicating b. of otic ganglion with chorda tympani.

communicating b. of otic ganglion with chorda tympani 耳神経節の鼓索神経との交通枝（耳神経節から鼓索へ向かう感覚性の小枝）．＝ramus communicans cum chorda tympani (2) [TA]; communicating b. of otic ganglion to chorda tympani; ramus communicans ganglii otici cum chorda tympani.

communicating b. of otic ganglion with medial pterygoid nerve 耳神経節と内側翼突筋神経との交通枝（耳神経節と内側翼突筋の支配神経とを結ぶ枝）．＝ramus communicans ganglii otici cum nervo pterygoideo mediali.

communicating b. of otic ganglion with meningeal branch of mandibular nerve 下顎神経硬膜枝と耳神経節との交通枝（交感性節後線維が耳神経節から下顎神経本幹へと戻り耳介側頭神経を経て耳下腺に分布する）．＝ramus communicans ganglii otici cum ramo meningeo nervi mandibularis.

communicating b. of peroneal artery[*] 腓骨動脈の交通枝（communicating b. of fibular artery の公式の別名）．

communicating b. of radial nerve with ulnar nerve [TA]．橈骨神経の尺骨神経との交通枝（橈骨神経の浅枝と尺骨神経の背枝とが手背で交通する神経枝）．＝ramus communicans nervi radialis cum nervi ulnari [TA].

communicating b.'s of spinal nerves 脊髄神経の交通枝．＝white *rami* communicantes(⇀ramus).

communicating b. of superficial radial nerve with ulnar nerve 橈骨神経浅枝の尺骨神経との交通枝（手で尺骨神経の背枝と合流し，中指と第四指の対面の背側の感覚を伝える枝）．＝ramus communicans ulnaris nervi radialis; ulnar communicating b. of superficial radial nerve.

communicating b. of superior laryngeal nerve with recurrent laryngeal nerve 上喉頭神経の反回神経との交通枝．＝communicating b. of internal laryngeal b. with recurrent laryngeal nerve.

communicating b.'s of sympathetic trunk 交感神経幹の交通枝．＝gray *rami* communicantes(⇀ramus).

communicating b. of tympanic plexus with auricular branch of vagus nerve [TA]．鼓室神経叢の迷走神経耳介枝との交通枝（舌咽神経の小枝で触覚を伝える）．＝ramus communicans plexus tympanici cum ramo auriculari nervi vagi [TA]; communicating b. of glossopharyngeal nerve with auricular branch of vagus nerve; ramus communicans cum nervo glossopharyngeo (2); ramus communicans nervi glossopharyngei cum ramo auriculari nervi vagi.

cricothyroid b. of superior thyroid artery [TA]．〔上甲状腺動脈の〕輪状甲状枝（輪状甲状筋に分布する上甲状腺動脈の小枝）．＝cricothyroid artery; ramus cricothyroideus (arteriae thyroideae superioris) [TA].

cutaneous b. of anterior branch of obturator nerve [TA]．閉鎖神経前枝の皮枝（閉鎖神経の前枝で膝の上方大腿内側面の皮膚に分布する）．＝ramus cutaneus rami anterioris nervi obturatorii [TA]; cutaneous b. of obturator nerve.

cutaneous b. of mixed nerve [TA]．混合神経の皮枝（混合脊髄神経の枝で皮膚に分布する神経枝．大部分は体性感覚性であるが，内臓運動性の交感性節後線維で血管壁や立毛筋支配のものも含まれている）．＝ramus cutaneus nervi mixti [TA].

cutaneous b. of obturator nerve 閉鎖神経の皮枝．＝cutaneous b. of anterior branch of obturator nerve.

deep b. [TA]．深枝（表面より下方の深いところを走る，もしくは深くはいり込む枝．通常，浅枝に対して用いられる．TA では，外側足底神経，内側大腿回旋動脈，内側足底動脈，橈骨神経，上殿動脈，頸横動脈，および尺骨神経の深枝を例示している）．＝ramus profundus [TA].

deep b. of the lateral plantar nerve [TA]．外側足底神経の深枝（外側足底神経の運動枝で二―四虫様筋，背側骨間筋，母指内転筋に分布する）．＝ramus profundus nervi plantaris lateralis [TA].

deep b. of the medial circumflex femoral artery [TA]．内側大腿回旋動脈の深枝（大腿骨頭部および頸部の後面に分布する）．＝ramus profundus arteriae circumflexae femoris medialis [TA].

deep b. of the medial plantar artery [TA]．内側足底動脈の深枝（母指外転筋の下を通ってこの筋および下方にある短母指屈筋に分布し，さらに足尖部内側半の皮膚に分布する）．＝ramus profundus arteriae plantaris medialis [TA].

deep palmar b. of ulnar artery [TA]．〔尺骨動脈〕深掌枝（小指球筋に分布した後，手掌深部の長屈筋腱へ進み，橈骨動脈の深掌動脈弓と吻合する）．＝ramus palmaris profundus arteriae ulnaris [TA].

deep plantar b. of dorsalis pedis artery 足背動脈の深足底枝．＝deep plantar *artery*.

deep b. of radial nerve [TA]．橈骨神経の深枝（橈骨神経本幹は肘窩で浅枝と深枝とに分かれる．深枝は回外筋を貫いて同筋および前腕の伸筋に分布する．その後は後骨間神経となって伸筋群の浅層と深層の間を通り，前腕の遠位 1/3 に至る．→posterior interosseous *nerve*）．＝ramus profundus nervi radialis [TA].

deep b. of the superior gluteal artery [TA]．上殿動脈の深枝（中殿筋と小殿筋の間を上殿神経に伴行して外側に進み，大腿筋膜張筋に至る）．＝ramus profundus arteriae gluteae superioris [TA].

deep b. of the transverse cervical artery 頸横動脈深枝．＝ dorsal scapular *artery*.

deep b. of the ulnar nerve [TA]．尺骨神経の深枝（尺骨動脈の深掌枝や深掌動脈弓に伴行して手首の関節，虫様筋三と四，掌側・背側骨間筋，母指内転筋，短母指屈筋頭深部に分布する）．＝ramus profundus nervi ulnaris [TA].

deltoid b. [TA]．三角筋枝（三角筋に関係する枝．TA では以下のものの三角筋枝があげられている．ⓘ胸肩峰動脈の枝，ⓘⓘ上腕深動脈の枝）．＝ramus deltoideus [TA].

dental b.'s [TA]．歯枝（歯に関係する枝．TA では以下のものの歯枝があげられている．ⓘ前上歯槽動脈の枝，ⓘⓘ下歯槽動脈の枝，ⓘⓘⓘ後上歯槽動脈の枝）．＝rami dentales [TA]; dental rami.

descending b. [TA]．下行枝（下行する枝．TA には左右肺の上・後区域動脈，外・内側大腿回旋動脈，後頭動脈，浅頸動脈が載っている）．＝ramus descendens [TA].

descending anterior b. 下行前〔上葉〕動脈．＝descending b. of anterior segmental artery of left and right lungs.

descending b. of anterior segmental artery of left and right lungs [TA]．〔左・右肺の〕前区動脈の下行枝（左右肺動脈の上葉動脈の枝）．＝ramus descendens arteriae segmentalis anterioris pulmonis dextri et sinistri [TA]; descending anterior b.; ramus anterior descendens.

descending b. of hypoglossal nerve 舌下神経の下行枝．＝superior *root* of ansa cervicalis.

descending b. of lateral circumflex femoral artery [TA]．外側大腿回旋動脈の下行枝（外側大腿回旋動脈の主枝で，外側広筋への神経に伴行して同筋の前縁沿いに深行して大腿直筋に至り両筋に血液を送る．外側上膝動脈と吻合して膝の血管網に合流する）．＝ramus descendens arteriae circumflexae femoris lateralis [TA].

descending b. of medial circumflex femoral artery [TA]．内側大腿回旋動脈の下行枝（太い動脈で，大腿直筋の深部を大腿神経の筋枝と伴行して外側広筋に分布し，上外側膝動脈と吻合して終わる）．＝ramus descendens arteriae circumflexae femoris medialis [TA].

descending b. of occipital artery [TA]．後頭動脈の下行枝（後頭動脈の後頭窩部分から起こり，後部頸筋や僧帽筋の頸部に分布し，浅深頸動脈や椎骨動脈と吻合する）．＝ramus descendens arteriae occipitalis [TA]; princeps cervicis artery; princeps cervicis.

descending posterior b. 下行後〔上葉〕動脈．＝descending b. of posterior segmental artery of left and right lungs.

descending b. of posterior segmental artery of left and right lungs [TA]．後区動脈の下行枝（右肺動脈の上

葉動脈の枝）．＝ramus descendens arteriae segmentalis posterioris pulmonis dextri et sinistri［TA］; descending posterior b.; ramus posterior descendens.

descending b. of superficial cervical artery［TA］．浅頸動脈の下行枝（僧帽筋の中下部の深層を副神経に伴行して進み，僧帽筋に分布する）．＝ramus descendens rami superficialis arteriae transversae cervicis［TA］.

digastric b. of facial nerve［TA］．顔面神経の顎二腹筋枝（顔面神経管の出口で耳下腺神経叢にはいる直前に分枝し，顎二腹筋の後腹を支配する）．＝ramus digastricus nervi facialis［TA］.

dorsal b. 背側枝，後枝（①［TA］．後方(背側)に向かう枝．TA では後枝をもつ例として，腰動脈，内側後頭動脈(の背側脳梁枝)，(後)肋間動脈，肋下動脈，および尺骨神経をあげている．②脊髄神経後枝．＝posterior *ramus* of spinal nerve).

dorsal carpal b. of radial artery［TA］．〔橈骨動脈〕背側手根枝（手根の背側を通り背側手根動脈網と結合する枝）．＝ramus carpalis dorsalis arteriae radialis［TA］; ramus carpeus dorsalis arteriae radialis.

dorsal carpal b. of ulnar artery［TA］．〔尺骨動脈〕背側手根枝（手根の背側を通り背側手根動脈網にはいる枝）．＝ramus carpalis dorsalis arteriae ulnaris［TA］; ramus carpeus dorsalis arteriae ulnaris.

dorsal b.'s of first and second posterior intercostal artery［TA］．肋間動脈背枝（最上肋間動脈の枝である第一・第二後肋間動脈の枝．分布は第一・第二胸椎の高さで肋間動脈背枝の分布域と同じである）．＝rami dorsales arteriarum intercostalium posteriorum primae et secundae［TA］; dorsal b.'s of the superior intercostal artery; rami dorsales arteriae intercostalis supremae.

dorsal lingual b.'s of lingual artery［TA］．舌動脈の舌背枝（舌の後方 1/3(舌根)に分布する）．＝rami dorsales linguae arteriae lingualis［TA］.

dorsal b.'s of the lumbar arteries［TA］．腰動脈の背枝（第四・第五腰動脈の分枝で，腰背部，脊柱後部，脊髄およびその周辺に分布する）．＝rami dorsales arteriae lumbales［TA］.

dorsal b.'s of the posterior intercostal arteries 3–11［TA］．〔第三—第十一〕肋間動脈背枝（第三から第十一肋間動脈の分枝で，脊柱・脊髄・その周辺の後胸部に分布する）．＝rami dorsales arteriae intercostalium posteriorum III–XI［TA］.

dorsal b. of posterior intercostal veins☆ 肋間静脈背枝（dorsal *veins* of posterior intercostal *veins* の公式の別名）.

dorsal b.'s of the posterior intercostal veins 4–11［TA］．〔第四—第十一〕肋間静脈背枝（肋間動脈背枝が分布する範囲の血液を集める静脈）．＝rami dorsales venarum intercostalium posteriorum IV–XI［TA］.

dorsal b. of the subcostal artery［TA］．肋下動脈の背側枝（肋下動脈から分枝し，第十二肋骨直下の背筋および皮膚領域に分布する）．＝rami dorsales arteriae subcostalis［TA］.

dorsal b.'s of the superior intercostal artery 上肋間動脈背枝．＝dorsal b.'s of first and second posterior intercostal artery.

dorsal b. of the ulnar nerve［TA］．尺骨動脈の後枝（手首の近位で尺骨神経から分枝し，手背内側半，小指背側の近位部，環指(第四指)の内側面に分布する）．＝rami dorsales nervi ulnaris［TA］.

duodenal b.'s of anterior superior pancreaticoduodenal artery［TA］．前上膵十二指腸動脈の十二指腸枝（十二指腸陥凹の膵頭の前面の動脈弓から起こって十二指腸に分布する）．＝rami duodenales arteriae pancreaticoduodenalis superioris anterioris［TA］.

duodenal b.'s of posterior superior pancreaticoduodenal artery［TA］．後上膵十二指腸動脈の十二指腸枝（十二指腸陥凹の膵頭の後面の動脈弓から起こって十二指腸に分布する）．＝rami duodenales arteriae pancreaticoduodenalis superioris posterioris［TA］.

epiploic b.'s 大網枝．＝omental b.'s.

esophageal b.'s［TA］．食道枝（食道に分布する枝．TA では，下甲状腺動脈，左胃動脈，反回神経，胸大動脈，胸神経節(交感神経幹)の食動枝があげられている）．＝rami esophagei［TA］; rami esophageales☆.

esophageal b.'s of the inferior thyroid artery［TA］．下甲状腺動脈の食道枝（食道の上部 1/4（頸部)に分布し胸大動脈の食道枝と吻合する）．＝rami esophageales arteriae thyroideae inferioris［TA］.

esophageal b.'s of the left gastric artery［TA］．左胃動脈の食道枝（横隔膜の食動裂孔を上行して食道の下端部(胸部食道の最下部および腹部食道)に分布し，胸大動脈の食道枝と吻合する）．＝rami esophageales arteriae gastricae sinistrae［TA］.

esophageal b.'s of the recurrent laryngeal nerve［TA］．喉頭反回神経の食道枝（食道の頸部右側と頸部・胸部左側とに運動・知覚線維を送る）．＝rami esophagei nervi laryngei recurrentis［TA］.

esophageal b.'s of the thoracic aorta［TA］．胸大動脈の食道枝（食道に隣接する胸大動脈から直接分枝して食道の胸部の大部分に分布する）．＝rami esophageales partis thoracicae aortae［TA］; rami esophageales aortae thoracicae☆.

esophageal b.'s of thoracic ganglia［TA］．胸神経節の食道枝（交感神経幹の上胸部脊柱傍神経節からの節後性交感神経と内臓求心性神経を食道神経叢に送る心肺内臓神経）．＝rami esophageales gangliorum thoracicorum［TA］.

esophageal b.'s of the vagus nerve 迷走神経の食道枝（迷走神経からの直接枝と反回神経からの枝の合したもので，食道の周囲に食道神経叢を形成し，食道とそれに隣接する心膜に分布する．→esophageal (nerve) *plexus*)．＝rami esophagei nervi vagi.

external nasal b.'s［TA］．外鼻枝（鼻の外面に分布する枝．①眼窩下神経の枝．②鼻毛様体神経の枝）．＝rami nasales externi［TA］.

external b. of superior laryngeal nerve［TA］．上喉頭神経の外枝（喉頭内の神経とともに上喉頭神経の終末枝をなし，輪状甲状筋に分布する）．＝ramus externus nervi laryngei superioris［TA］.

external b. of trunk of accessory nerve［TA］．副神経〔幹〕の外枝（副神経脊髄根由来の線維からなる枝で，頸静脈孔から出て胸鎖乳突筋や僧帽筋に分布する）．＝ramus externus trunci nervi accessorii［TA］.

faucial b.'s of lingual nerve 舌神経の口峡枝．＝b.'s of lingual nerve to isthmus of fauces.

femoral b. of genitofemoral nerve［TA］．陰部大腿神経の大腿枝（大腿前面最上部の皮膚に分布する）．＝ramus femoralis nervi genitofemoralis［TA］.

frontal b. of middle meningeal artery［TA］．中硬膜動脈の前頭枝（頭頂枝と分かれて前方へと向かう太い終枝で，蝶形骨稜の外側部で深い溝をつくるかまたは同部を貫通し，脳硬膜の前外側部および頭蓋の内板—板間層に分布する）．＝ramus frontalis arteriae meningeae mediae［TA］.

frontal b. of superficial temporal artery［TA］．浅側頭動脈の前頭枝（頭頂枝とともに浅側頭動脈の終末枝．前外側の頭皮，皮下の筋，骨膜，頭蓋骨の外骨板と板間層に分布し，反対側の同名枝，滑車上動脈，眼窩上動脈と吻合する）．＝ramus frontalis arteriae temporalis superficialis［TA］.

ganglionic b. of internal carotid artery 内頸動脈の神経節枝(→cavernous b.'s of cavernous part of internal carotid artery)．＝b.'s of internal carotid artery to trigeminal ganglion.

ganglionic b.'s of lingual nerve 舌神経の神経節枝．＝sensory root of submandibular ganglion.

ganglionic b.'s of lingual nerve to sublingual ganglion☆ sensory *root* of sublingual ganglion の公式の別名.

ganglionic b.'s of lingual nerve to submandibular ganglion☆ sensory *root* of sublingual ganglion の公式の別名.

ganglionic b.'s of maxillary nerve 上顎神経の神経節枝．＝sensory *root* of pterygopalatine ganglion.

ganglionic b.'s of maxillary nerve to pterygopalatine ganglion☆ sensory *root* of pterygopalatine ganglion の公式の別名.

gastric b.'s of anterior vagal trunk 前迷走神経幹の前胃枝．＝anterior gastric b.'s of anterior vagal trunk.

gastric b.'s of left and right gastroomental arteries [TA]. 左・右胃大網動脈の胃枝（左・右胃大網動脈の吻合弓から起こる枝で，胃の大弯に分布する）. ＝rami gastrici arteriae gastroomentales sinistri et dextri [TA].

gastric b.'s of posterior vagal trunk 後迷走神経幹の後胃枝（胃後壁へ向かう後迷走神経幹の枝）. ＝rami gastrici posteriores nervi vagi.

genital b. of genitofemoral nerve [TA]. 陰部大腿神経の陰部枝（陰嚢前面，大陰唇，隣接する大腿の皮膚に分布し，運動枝を精巣挙筋に送る．通常は深鼡径輪(管)を通っている）. ＝ramus genitalis nervi genitofemoralis [TA]; external spermatic nerve; nervus spermaticus externus.

genital b. of iliohypogastric nerve 腸骨下腹神経の陰部枝. ＝anterior cutaneous b. of iliohypogastric nerve.

glandular b.'s [TA]. 腺枝（腺に分布する枝）. ＝rami glandulares [TA].

glandular b.'s of facial artery [TA]. 顔面動脈の腺枝（顎下腺に分布する）. ＝rami glandulares arteriae facialis [TA].

glandular b.'s of inferior thyroid artery [TA]. 下甲状腺動脈の腺枝（甲状腺および上皮小体に分布する下甲状腺動脈の枝．上甲状腺動脈の前(腺)枝，外側(腺)枝および後(腺)枝と吻合する）. ＝rami glandulares arteriae thyroideae inferioris [TA].

glandular b.'s of submandibular ganglion 顎下神経節の腺枝（副交感性節後線維を顎下腺および舌下腺に送る）. ＝rami ganglii submandibularis; rami glandulares ganglii submandibularis.

glandular b.'s of superior thyroid artery 上甲状腺動脈の腺枝（→anterior glandular b. of superior thyroid artery; lateral glandular b. of superior thyroid artery; posterior glandular b. of superior thyroid artery).

b. of glossopharyngeal nerve to stylopharyngeus muscle 茎突咽頭筋への舌咽神経の枝. ＝stylopharyngeal b. of glossopharyngeal nerve.

helicine b.'s of the uterine artery 子宮動脈のラセン枝（子宮筋層において，らせん状を示す子宮動脈の終末枝）. ＝arteriae helicinae penis [TA]; helicine arteries of the uterus [TA].

hepatic b.'s of anterior vagal trunk [TA]. 前迷走神経幹の肝枝（前迷走神経幹から出て，肝臓に副交感神経線維を送る枝．機能の詳細は不明）. ＝rami hepatici trunci vagi anterior [TA]; hepatic b.'s of vagus nerve; rami hepatici nervi vagi.

hepatic b.'s of vagus nerve 迷走神経の肝枝. ＝hepatic b.'s of anterior vagal trunk.

iliac b. of iliolumbar artery 腸腰動脈の腸骨枝. ＝iliacus b. of iliolumbar artery.

iliacus b. of iliolumbar artery [TA]. 腸腰動脈の腸骨枝（腰動脈の枝を含む腸腰動脈の終末枝で，腸骨窩に広がり腸骨筋・腸骨そして腸骨稜に付着する近くの筋肉に分布する）. ＝ramus iliacus arteriae iliolumbalis [TA]; iliac b. of iliolumbar artery.

inferior b. [TA]. 下枝（下方(尾側)に向かう枝，あるいは下方に位置する枝．通常，上方(吻側)に向かう(または上方に位置する)上枝に対して用いられる．TA では，例として動眼神経(III 脳神経)，上殿神経，頸横神経の下枝があげられている）. ＝ramus inferior [TA].

inferior cervical cardiac b.'s of vagus nerve [TA]. 迷走神経の下頸心臓枝（迷走神経頸枝の最下方の枝で，心臓神経叢に副交感性節前線維を送り，この神経叢から反射性求心性線維を受け取る．頸の付け根で迷走神経から分枝する）. ＝rami cardiaci cervicales inferiores nervi vagi [TA].

inferior dental b.'s of inferior dental plexus [TA]. 下歯神経叢の下歯枝（下顎の歯根に分布する）. ＝rami dentales inferiores plexus dentalis inferioris [TA]; rami dentales inferiores [TA]; inferior dental rami.

inferior gingival b.'s of inferior dental plexus [TA]. 下歯神経叢の下歯肉枝（下顎の歯肉に分布する）. ＝rami gingivales inferiores plexus dentalis inferioris [TA].

inferior labial b. of facial artery [TA]. 下唇動脈（顔面動脈より起こり下唇に分布する．反対側の下唇動脈，おとがい動脈，口唇下の動脈と吻合）. ＝arteria labialis inferior; inferior labial artery; ramus labialis inferior arteriae facialis.

inferior labial b.'s of mental nerve おとがい神経の下唇枝. ＝labial b.'s of mental nerve.

inferior lingular b. of lingular branch of left pulmonary artery 左肺動脈の肺舌動脈の舌下枝. ＝inferior lingular *artery*.

inferior b. of oculomotor nerve [TA]. 動眼神経の下枝（運動枝を内側直筋・下直筋・下斜筋に送り，副交感神経節前枝をその根部から毛様体神経節に送る）. ＝ramus inferior nervi oculomotorii [TA].

inferior b. of superior gluteal artery [TA]. 上殿動脈の下枝（中殿筋・小殿筋に分布し大腿回旋動脈と吻合する）. ＝ramus inferior arteriae gluteae superioris [TA].

inferior b.'s of transverse cervical nerve [TA]. 頸横神経の下枝（前頸三角下部の皮膚に分布する）. ＝rami inferiores nervi transversi colli*; rami inferiores nervi transversi cervicalis [colli].

infrahyoid b. of superior thyroid artery [TA]. 上甲状腺動脈の舌下枝（上甲状腺動脈の派出部からの小枝で甲状舌骨筋に深く進入し，反対側の対称枝と吻合する）. ＝ramus infrahyoideus arteriae thyroideae superioris [TA].

infrapatellar b. of saphenous nerve [TA]. 伏在神経の膝蓋下枝（膝蓋骨上下の皮膚に分布する）. ＝ramus infrapatellaris nervi sapheni [TA].

inguinal b.'s of deep external pudendal arteries [TA]. 深外陰部動脈の鼡径枝（外陰部動脈の枝として，または大腿動脈の直接の枝として鼡径部の皮膚・皮下組織・鼡径部リンパ節に分布する）. ＝rami inguinales arteriarum pudendarum externarum profundarum [TA].

interganglionic b.'s of sympathetic trunk [TA]. 交感神経幹の節間枝（交感神経幹の隣接する神経節間を結ぶ神経束．節前，節後線維および臓性求心性線維からなり，上位―下位神経節を連絡している）. ＝rami interganglionares trunci sympathici [TA].

intermediate atrial b. of left coronary artery [TA]. 左冠状動脈の中間心房枝（左冠状動脈回旋枝の前枝(左心房へ)と後枝根部との間から出る動脈枝）. ＝ramus atrialis intermedius arteriae coronariae sinistrae [TA]; lateral atrial b. of left coronary artery.

intermediate atrial b. of right coronary artery [TA]. 右冠状動脈の中間心房枝（右冠状動脈が心臓の右縁を回るあたりから上方へ出る枝で，右心房の後外側壁(分界溝のあたり)に分布する）. ＝ramus atrialis intermedius arteriae coronariae dextrae [TA]; lateral atrial b. of right coronary artery; marginal atrial b. of right coronary artery; right atrial b. of right coronary artery.

intermediate b. of hepatic artery (proper) [TA]. 固有肝動脈の中間枝（肝動脈の肝内主要3枝のうち細い中央のもので，肝臓の中央区(IV)に分布する）. ＝ramus intermedius arteriae hepaticae propriae [TA].

intermediate temporal b.'s of lateral occipital artery [TA]. 外側後頭動脈の中間側頭葉枝（後大脳動脈の外側後頭動脈の3側頭葉枝のうち中央のもので，大脳半球側頭葉の下部および上部に分布する）. ＝rami temporales intermedii arteriae occipitalis lateralis [TA]; middle temporal b.'s of lateral occipital artery*; rami temporales medii arteriae occipitalis lateralis*.

intermediomedial frontal b. of callosomarginal artery [TA]. 脳梁縁動脈の中間内側前頭葉枝（脳梁縁動脈の中央部から出て前頭葉の内側面の前上部に分布する）. ＝ramus frontalis intermediomedialis arteriae callosomarginalis [TA].

b.'s of internal carotid artery to trigeminal ganglion [TA]. 内頸動脈の神経節枝（内頸動脈の海綿部から三叉神経節に分布する小枝.→cavernous b.'s of cavernous part of internal carotid artery). ＝rami ganglionares trigeminales arteriae carotidis internae [TA]; ganglionic b. of internal carotid artery; ramus ganglii trigeminalis; b. to trigeminal ganglion.

internal nasal b.'s [TA]. 内鼻枝（鼻腔への枝．①眼窩下神経の枝．②前篩骨神経の枝）. ＝rami nasales interni

[TA].

internal b. of superior laryngeal nerve [TA]. 上喉頭神経の内枝（外枝を含む上喉頭神経の最終感覚枝で喉頭内の声門より上方に感覚を送る）. = ramus internus nervi laryngei superioris [TA].

b.'s to internal capsule, genu [TA]. = *rami* capsulae internae(⇀ramus).

b.'s to internal capsule, posterior limb [TA]. = *rami* capsulae internae(⇀ramus).

b.'s to internal capsule, retrolentiform limb = *rami* capsulae internae(⇀ramus).

internal b. of trunk of accessory nerve [TA]. 副神経〔幹〕の内枝（従来，副神経延髄根から出て頸静脈孔の中で迷走神経に合流するとされていた枝．現在では，迷走神経根の最内側部からなると考えられている．→accessory *nerve* [CN XI]）. = ramus internus trunci nervi accessorii [TA]; internal ramus of accessory nerve.

interventricular septal b.'s of left/right coronary artery 右・左冠動脈の心室中隔枝（心臓の前・後室間動脈の枝で，心室中隔に分布する）. = rami interventriculares septales arteriae coronariae sinistrae/dextrae; rami interventriculares septales; septal b.'s.

joint b.'s = articular b.'s.

labial b.'s of mental nerve [TA]. おとがい神経の唇枝（下唇に分布するおとがい神経の枝）. = rami labiales nervi mentalis [TA]; inferior labial b.'s of mental nerve; rami labiales inferiores nervi mentalis.

laryngopharyngeal b.'s of superior cervical ganglion [TA]. 上頸神経節の喉頭咽頭枝（上頸神経節から咽頭神経叢に走る節後交感神経線維）. = rami laryngopharyngei ganglii cervicalis superioris [TA].

lateral b.'s [TA]. 外側枝（正中線から遠ざかる方向へ伸びる枝．TAでは外側枝をもつ例として以下のものをあげている．ⓘ灰白隆起の動脈，ⓘⓘ左冠状動脈前室間枝，ⓘⓘⓘ橋動脈，ⓘⓥ脊髄神経（頸神経/胸神経/腰神経/仙骨神経/尾骨神経）後枝，ⓥ門脈左枝の臍静脈部，ⓥⓘ左肝管，ⓥⓘⓘ上小脳動脈，ⓥⓘⓘⓘ眼窩上神経）. = rami laterales [TA].

lateral abdominal/pectoral cutaneous b.'s of intercostal nerves 肋間神経の外側皮枝（肋間神経外側皮枝の前枝．前腋窩腺の近くで第二―第六肋間から起こる例（外側胸筋皮神経）と，第七―十一肋間から起こり，肋骨縁を越えて前腹壁に達する例（外側腹筋皮神経）がある）. = ramus cutaneus lateralis abdominalis/pectoralis nervorum intercostalium [TA]; lateral cutaneous b.'s of anterior ramus of thoracic spinal nerves; lateral cutaneous b.'s of intercostal nerves.

lateral b.'s of artery of tuber cinereum [TA]. 灰白隆起動脈の外側枝（灰白隆起動脈の外側から出る動脈枝．→*artery* of tuber cinereum）. = rami laterales arteriarum tuberis cinerei [TA].

lateral atrial b. of left coronary artery 左冠状動脈の外側心房枝. = intermediate atrial b. of left coronary artery.

lateral atrial b. of right coronary artery 右冠状動脈の外側心房枝. = intermediate atrial b. of right coronary artery.

lateral basal b. 外側肺底動脈. = lateral basal segmental *artery*.

lateral calcaneal b.'s of sural nerve [TA]. 腓腹神経の外側踵骨枝（下腿遠位部の後面と足の近位部の外側面に分布する）. = rami calcanei laterales nervi suralis [TA].

lateral costal b. of internal thoracic artery [TA]. 内胸動脈の外側肋骨枝（内胸動脈からの破格の枝で，内胸動脈の外側に並走し胸郭内面に分布して後肋間動脈と吻合する）. = ramus costalis lateralis arteriae thoracicae internae [TA].

lateral cutaneous b. [TA]. 外側皮枝（以下のものの外側皮枝があげられる．ⓘ腸骨下腹神経の枝．ⓘⓘ肋間動脈背枝の枝．ⓘⓘⓘ肋間動脈の枝）. = ramus cutaneus lateralis [TA].

lateral cutaneous b.'s of intercostal nerves = lateral abdominal/pectoral cutaneous b.'s of intercostal nerves.

lateral cutaneous b.'s of anterior ramus of thoracic spinal nerves = lateral abdominal/pectoral cutaneous b.'s of intercostal nerves.

lateral glandular b. of superior thyroid artery [TA]. 上甲状腺動脈の外側腺枝（上甲状腺動脈から出て甲状腺に分布する３本の枝の１つ．外側腺枝は甲状腺の左・右葉の外側部に分布する）. = ramus glandularis lateralis arteriae thyroideae superioris [TA].

lateral malleolar b. (of fibular [peroneal] artery) [TA]. 外果動脈（腓骨動脈の終枝．脛腓靱帯結合を外側前方に横切って外果に向かい，（前脛骨動脈から）前外果動脈と吻合して足根部の動脈網の形成にあずかる）. = rami malleolares laterales arteriae fibularis (peronei) [TA]; arteriae malleolares posteriores laterales; lateral malleolar arteries; posterior peroneal arteries.

lateral mammary b.'s [TA]. 外側乳腺枝（乳腺の外側部に分布する枝）. = rami mammarii laterales [TA].

lateral mammary b.'s of lateral pectoral cutaneous branches of intercostal nerves [TA]. 胸神経の胸外側皮枝の外側乳腺枝（T3—T6の脊髄神経前枝（肋間神経）の外側皮枝から起こり，前方に進んで乳房の外側部に分布する枝）. = rami mammarii laterales ramorum cutaneorum lateralium nervorum intercostalium [TA]; lateral mammary b.'s of lateral cutaneous branches of thoracic spinal nerves; rami mammarii laterales ramorum cutaneorum lateralis nervorum thoracicorum.

lateral mammary b.'s of lateral cutaneous branches of thoracic spinal nerves 胸神経外側皮枝の外側乳腺枝. = lateral mammary b.'s of lateral pectoral cutaneous branches of intercostal nerves.

lateral mammary b.'s of lateral thoracic artery [TA]. 外側胸動脈の外側乳腺枝（大胸筋の外側縁を回って乳腺・乳房の外側部に分布する）. = rami mammarii laterales arteriae thoracicae lateralis [TA].

lateral medullary b.'s (of intracranial part) of vertebral artery [TA]. 椎骨動脈頭蓋内部の外側延髄枝（頭蓋内で椎骨動脈あるいはその太い枝から出る細枝で，延髄の腹側に沿って外側へ分布する）. = rami medullares laterales (partis intracranialis) arteriae vertebralis [TA].

lateral nasal b.'s of anterior ethmoidal nerve [TA]. 前篩骨神経の外側鼻枝（鼻毛様体神経の枝で鼻腔壁に分布する）. = rami nasales laterales nervi ethmoidalis anterioris [TA].

lateral nasal b. of facial artery [TA]. 顔面動脈の外側鼻枝（顔面動脈から出て鼻翼と鼻背に分布し，以下の動脈と吻合する．対側の同名枝，上唇動脈の中隔枝と鼻翼枝，眼動脈の鼻背枝，上顎動脈の眼窩下枝）. = ramus lateralis nasi arteriae facialis [TA]; lateral nasal artery.

lateral b.'s of pontine arteries [TA]. 橋動脈の外側枝（脳底動脈の長い枝で橋下面を通って外側部に分布する）. = rami laterales arteriae pontis [TA]; circumferential pontine b.'s of pontine arteries*.

lateral b. of posterior rami of cervical/thoracic/lumbar/sacral/coccygeal spinal nerves [TA]. 頸/胸/腰/仙骨/尾骨神経後枝の外側枝（内側枝とともに脊髄神経後枝の終末枝．胸神経領域では，上位の枝は筋のみに分布するが，下位の枝は背筋に分布した後，その表面の皮膚に分布する）. = rami laterales ramorum posteriorum nervorum cervicalium/thoracalium/lumbalium [TA].

lateral sacral b.'s of median sacral artery [TA]. 正中仙骨動脈の外側仙骨枝（正中仙骨動脈の仙骨部からの枝で，外側に向かい，（内腸骨動脈から）外側仙骨動脈と吻合して前仙骨孔に進入する）. = rami sacrales laterales arteriae sacralis medianae [TA].

left b. [TA]. 左枝（左右セットになったものの左の枝．体の左側へ行く枝．対になった構造の左側のものへ行く枝．対になっていなくとも左のほうにある構造へ行く枝．右枝に対する左枝．TAは以下のものの左枝があげられている．ⓘ房室束の左脚，ⓘⓘ固有肝動脈の左技，ⓘⓘⓘ肝臓の門静脈の左枝）. = ramus sinister [TA].

left b. of hepatic artery proper [TA]. 固有肝動脈左枝（固有肝動脈の最終左枝で肝臓の左葉に分布する）. = ramus sinister arteriae hepaticae propriae [TA]; left hepatic artery.

lingual b.'s [TA]. 舌枝（舌に分布する枝．TAは以下のものの舌枝があげられている．ⓘ副神経の枝（不定），ⓘⓘ顔面神経の枝，ⓘⓘⓘ舌神経の枝）. = rami linguales [TA].

lingual b. of facial nerve 顔面神経の舌枝（顔面神経の

茎突舌枝からの破格の枝). =ramus lingualis nervi facialis.

b.'s of lingual nerve to isthmus of fauces [TA]. 舌神経の口峡枝（三叉神経(第五脳神経)由来の舌神経の枝. 口腔と咽頭口部に挟まれた領域の口腔粘膜で受ける一般感覚を伝える). =rami isthmi faucium nervi lingualis [TA]; faucial b.'s of lingual nerve; rami fauciales nervi lingualis.

lumbar b. of iliolumbar artery [TA]. 腸腰動脈の腰枝（腸骨枝とともに腸腰動脈の終末枝で, 上行して大腰筋・腰方形筋に分布し第四腰動脈と吻合する). =ramus lumbalis arteriae iliolumbalis [TA].

mammary b.'s 乳腺枝（→lateral mammary b.'s; medial mammary b.'s).

marginal atrial b. of right coronary artery =intermediate atrial b. of right coronary artery.

marginal b. of cingulate sulcus [TA]. 帯状溝の頭頂縁枝（帯状溝が上方へ延びて頭頂葉の上内側縁で終わるまでの後端部). =ramus marginalis sulci cinguli [TA].

marginal b. [TA] **of cingulate sulcus** =marginal *sulcus*.

marginal mandibular b. of facial nerve [TA]. 顔面神経の下顎縁枝（下顎底に平行に走って笑筋および下唇やおとがいの筋に分布する顔面神経耳下腺神経叢). =ramus marginalis mandibulae nervi facialis [TA].

marginal b. of parieto-occipital sulcus [TA]. 頭頂後頭溝の後内側縁枝（頭頂後頭溝が大脳の後内側縁を越えるところから分岐する細い溝). =ramus marginalis sulci parieto-occipitalis [TA].

marginal tentorial b. of internal carotid artery 内頸動脈のテント縁枝. =tentorial marginal b. of cavernous part of internal carotid artery.

mastoid b. of occipital artery [TA]. 乳突動脈（後頭動脈の枝で乳突孔を通って乳突蜂巣に分布し中硬膜動脈と吻合する). =ramus mastoideus arteriae occipitalis [TA]; mastoid artery.

mastoid b.'s of posterior auricular artery 後耳介動脈の乳突枝. =mastoid b.'s of posterior tympanic artery.

mastoid b.'s of posterior tympanic artery 後鼓室動脈の乳突枝（後耳介動脈の茎突乳突枝の枝で顔面神経管内から出て乳突蜂巣に分布する). =rami mastoidei arteriae tympanicae posterioris [TA]; mastoid b.'s of posterior auricular artery; rami mastoidei arteriae auricularis posterioris.

medial b.'s [TA]. 内側枝（正中線の方へ近付く枝, 内向きの枝. TA では内側枝をもつ例として以下のものをあげている. ⅰ橋動脈, ⅱ灰白隆起の動脈の枝, ⅲ脊髄神経後枝, ⅳ門静脈左枝の臍部, ⅴ左肝管, ⅵ右肺の中葉動脈, ⅶ上小脳動脈, ⅷ眼窩上神経). =rami mediales [TA].

medial b.'s of artery of tuber cinereum [TA]. 灰白隆起動脈の内側枝（灰白隆起動脈の内側部から起こる動脈枝. →*artery* of tuber cinereum). =rami mediales arteriarum tuberis cinerei [TA].

medial basal b. of pulmonary artery 肺動脈の内側肺底動脈. =medial basal segmental *artery*.

medial calcaneal b.'s of tibial nerve [TA]. 脛骨神経の内側踵骨枝（脛骨神経の皮枝で踵部の内側面および下面に分布する). =rami calcanei mediales nervi tibialis [TA].

medial crural cutaneous b.'s of saphenous nerve 伏在神経の内側下腿皮枝. =medial cutaneous *nerve* of leg.

medial cutaneous b. of dorsal branch of posterior intercostal arteries [TA]. 肋間動脈背枝の内側皮枝（第三–十一肋間動脈から背側に向かう直接枝より分かれ, 深背筋をおおう正中領域の皮膚に分布する). =ramus cutaneus medialis rami dorsalis arteriarum intercostalium posteriorum III–XI [TA].

medial malleolar b.'s (of posterior tibial artery) [TA]. 内果枝（下腿の最も細い部位で後脛骨動脈の内側から分岐し, 内果後面で前脛骨動脈の内側枝と吻合する動脈枝). =rami malleolares mediales arteriae tibialis posterioris [TA]; arteriae malleolares posteriores mediales; medial malleolar arteries.

medial mammary b.'s [TA]. 内側乳腺枝（乳腺の内側部に分布する枝. TAは以下のものの内側乳腺枝があげられている. ⅰ肋間神経皮枝(前枝)の内側乳腺枝. 内胸動脈の貫通枝に伴行する. ⅱ内胸動脈の貫通枝の内側乳腺枝). =rami mammarii mediales [TA].

medial medullary b.'s of vertebral artery [TA]. 椎骨動脈の内側延髄枝（細い分枝で延髄の前正中裂に分布する). =rami medullares mediales arteriae vertebralis [TA].

medial nasal b.'s of anterior ethmoidal nerve [TA]. 前篩骨神経の内側鼻枝（鼻毛様体神経の枝で鼻中隔に分布する). =rami nasales mediales nervi ethmoidalis anterioris.

medial b.'s of pontine arteries [TA]. 橋動脈の内側枝（脳底動脈からの細い分枝で橋下面内側に分布する). =rami mediales arteriae pontis [TA]; paramedian pontine b.'s of pontine arteries*.

medial b. of posterior branch of spinal nerves* medial b. of posterior rami of cervical/thoracic/lumbar/sacral/coccygeal spinal nerves の公式の別名.

medial b. of posterior rami of cervical/thoracic/lumbar/sacral/coccygeal spinal nerves [TA]. 頸/胸/腰/仙骨/尾骨神経後枝の内側枝（外側枝とともに脊髄神経後枝の終末枝. 胸神経領域では, 上位の枝は背筋とその表面の皮膚に分布するが, 下位の枝は筋のみに分布する). =medial b. of posterior branch of spinal nerves*; ramus medialis ramorum dorsalium nervorum spinalium cervicalium/thoracicalium/lumbalium.

mediastinal b.'s [TA]. 縦隔枝（縦隔に分布する枝). =rami mediastinales [TA]; mediastinal arteries.

mediastinal b.'s of internal thoracic artery [TA]. 内胸動脈の縦隔枝（前縦隔にある構造, 主に胸腺とリンパ節に分布する小枝). =rami mediastinales arteriae thoracicae internae [TA]; anterior mediastinal arteries; rami thymici.

mediastinal b.'s of thoracic aorta [TA]. 胸大動脈の縦隔枝（縦隔後部の胸膜やリンパ節に分布する多数の小枝). =rami mediastinales aortae thoracicae [TA]; posterior mediastinal arteries.

meningeal b.'s [TA]. 硬膜枝（脳脊髄をおおう膜に分布する枝. TA には, 内頸動脈(海綿静脈部/脳部), 下顎神経, 上顎神経, 後頭動脈, 脊髄神経, 迷走神経, そして椎骨動脈の硬膜枝があげられている). =rami meningei [TA].

meningeal b. of cavernous part of internal carotid artery [TA]. 内頸動脈の硬膜枝（内頸動脈が海綿静脈洞を通過するあたりから分枝して前頭蓋窩の硬膜に分布する). =ramus meningeus partis cavernosae arteriae carotidis internae [TA]; meningeal b. of internal carotid artery; ramus meningeus arteriae carotidis internae.

meningeal b. of cerebral part of internal carotid artery [TA]. 内頸動脈脳部の硬膜枝（蝶形骨小翼を通って硬膜と前頭蓋窩に分布する細枝で, 後篩骨動脈の硬膜枝と吻合する). =ramus meningeus partis cerebralis arteriae carotidis internae [TA].

meningeal b. of internal carotid artery 内頸動脈の硬膜枝. =meningeal b. of cavernous part of internal carotid artery.

meningeal b. of (intracranial part of) vertebral artery [TA]. 脊椎動脈の硬膜枝（椎骨動脈の頭蓋内部位から分枝する１本または２本の動脈枝で大孔のあたりから起こり, 硬膜と後頭蓋窩内板の間で分岐して大脳鎌を含む硬膜, 頭蓋窩内板, 板間層に分布する). =ramus meningeus (partis intracranialis) arteriae vertebralis [TA].

meningeal b. of mandibular nerve [TA]. 下顎神経の硬膜枝（下顎神経から分枝すると反転して上行し, 棘孔を通って頭蓋腔にはいり, 中硬膜動脈の後部とともに中頭蓋窩後部の硬膜に分布する). =ramus meningeus nervi mandibularis [TA]; nervus spinosus*.

meningeal b. of maxillary nerve 上顎神経の硬膜枝（上顎神経から分枝した後, 反転して中硬膜動脈とともに頭蓋内にはいり中頭蓋窩前部の硬膜に分布する). =ramus meningeus nervi maxillaris [TA]; middle meningeal b. of maxillary nerve; middle meningeal nerve; ramus meningeus medius nervi maxillaris.

meningeal b. of occipital artery [TA]. 後頭動脈の硬膜枝（後頭動脈の多様な枝で頸静脈管・頭頂孔・顆管を通って後頭蓋窩の硬膜や骨, さらに第九–第十二神経の頭蓋内部分に分布する). =ramus meningeus arteriae occipitalis [TA].

meningeal b. of ophthalmic nerve 眼神経の硬膜枝（→tentorial *nerve*）.

meningeal b. of spinal nerves [TA]．脊髄神経の硬膜枝（脊髄神経の(混合)基部から出ると反転して椎間孔から脊柱管に戻り脊髄硬膜・後縦靱帯・椎間板の後外側縁・椎骨の骨膜に分布する）．＝ramus meningeus nervorum spinalium [TA]; recurrent b. of spinal nerves*; recurrent meningeal b. of spinal nerves; sinuvertebral nerves.

meningeal b. of vagus nerve [TA]．迷走神経の硬膜枝（迷走神経の上神経節から出て後頭蓋窩の硬膜に分布する）．＝ramus meningeus nervi vagi [TA].

mental b.（of inferior alveolar artery） [TA]．おとがい動脈（下歯槽動脈の終末枝．おとがいに分布し下唇動脈と吻合する）．＝ramus mentalis arteriae alveolaris inferioris [TA]; arteria mentalis; mental artery.

mental b.'s of mental nerve [TA]．おとがい神経のおとがい枝（おとがいの皮膚感覚一般を司る）．＝rami mentales nervi mentalis [TA].

middle lobe b. of right superior pulmonary vein ＝middle lobe *vein* of right lung.

middle meningeal b. of maxillary nerve 上顎神経の中硬膜枝．＝meningeal b. of maxillary nerve.

middle superior alveolar b. of infraorbital nerve [TA]．眼窩下神経の中上歯槽枝（上歯槽神経の枝で，上顎小臼歯の上歯神経叢を形成する）．＝ramus alveolaris superior medius nervi infraorbitalis.

middle temporal b. of insular part of middle cerebral artery [TA]．中側頭葉動脈（中大脳動脈の島部(M２区)の枝で，前側頭葉動脈と後側頭葉動脈の支配域の間の側頭葉皮質に分布する）．＝ramus temporalis medius partis insularis arteriae cerebrae mediae [TA]; arteria temporalis intermedia; intermediate temporal artery.

middle temporal b.'s of lateral occipital artery* intermediate temporal b.'s of lateral occipital artery の公式の別名．

muscular b.'s [TA]．筋枝（筋肉に分布する神経あるいは血管で，その多くは名付けられていない．TAは以下のものの筋枝があげられている．1) 副神経の枝，2) 閉鎖神経前枝の枝，3) 前肋間神経の枝，4) 腋窩神経の枝，5) 深腓骨神経の枝，6) 大腿神経の枝，7) 肋間神経の枝，8) 正中神経の枝，9) 筋皮神経の枝，10) 会陰神経の枝，11) 閉鎖神経後枝の枝，12) 橈骨神経の枝，13) 脊髄神経の枝，14) 浅腓骨神経の枝，15) 腕神経叢鎖骨上部の枝，16) 脛骨神経の枝，17) 尺骨神経の枝，18) 椎骨動脈の枝）．＝rami musculares [TA].

mylohyoid b.（of inferior alveolar artery） [TA]．顎舌骨筋動脈（顎舌骨筋へ向かう下歯槽動脈の枝）．＝ramus mylohyoideus arteriae alveolaris inferioris [TA]; mylohyoid artery.

nasal septal b. of superior labial branch of facial artery [TA]．顔面動脈上唇枝の鼻中隔枝（上行して分枝しながら鼻中隔の前下部に分布する）．＝ramus septi nasi arteriae labialis superioris [TA].

obturator b. of pubic branch of inferior epigastric artery [TA]．下腹壁動脈恥骨枝の閉鎖枝（骨盤縁を下行して閉鎖動脈の恥骨枝と吻合する．20—30％で閉鎖動脈より太いか，これに置き換わっている）．＝ramus obturatorius rami pubici arteriae epigastricae inferioris [TA].

obturator b. of pubic branch of inferior epigastric vein [TA]．下腹壁静脈恥骨枝の閉鎖枝．

occipital b. [TA]．後頭枝（TAは以下のものの後頭枝があげられている．ⓘ後耳介動脈の枝，ⓘⓘ後耳介神経の枝，ⓘⓘⓘ後頭動脈の枝）．＝ramus occipitalis [TA].

b. of oculomotor nerve to ciliary ganglion ＝parasympathetic *root* of ciliary ganglion.

omental b.'s [TA]．大網枝（胃動脈と反対側の胃の大弯に沿った左右の胃大網動脈から大網への枝）．＝rami omentales [TA]; epiploic b.'s; rami epiploicae.

orbital b.'s of maxillary nerve [TA]．上顎神経の眼窩枝（下眼窩裂を通って眼窩にはいり，眼窩骨膜・篩骨粘膜・蝶形骨洞に分布する翼口蓋神経節の枝）．＝rami orbitales nervi maxillaris [TA]; orbital b.'s of pterygopalatine ganglion; ramus orbitalis ganglii pterygopalatini.

orbital b. of middle meningeal artery [TA]．中硬膜動脈の眼窩枝（上眼窩裂を通って涙腺に至る．→anastomotic b. of middle meningeal artery with lacrimal artery）．＝ramus orbitalis arteriae meningeae mediae [TA].

orbital b.'s of pterygopalatine ganglion 翼口蓋神経節の眼窩枝．＝orbital b.'s of maxillary nerve.

ovarian b.'s of uterine artery [TA]．子宮動脈の卵巣枝（卵管枝を含めて子宮動脈の終末枝で，卵巣間膜を通り内側から卵巣に分布し，卵巣動脈の卵巣枝と吻合する）．＝rami ovarici arteriae uterinae [TA].

palmar b. of anterior interosseous nerve [TA]．前骨間神経の掌枝（屈筋支帯の近位で起こり，その浅層を走り手掌中央近位部と母指球の皮膚に分布する正中神経の枝．手根管より遠位の皮膚にも分布はするが，手根管を通過するわけではないので，手根管症候群の影響は受けない）．＝ramus palmaris nervi interossei antebrachii anterioris [TA]; palmar b. of median nerve; ramus palmaris nervi mediani.

palmar carpal b. of radial artery [TA]．〔橈骨動脈〕掌側手根枝（手首の内側を横切って手根関節に分布する小枝．尺骨動脈の前手根枝と吻合する）．＝ramus carpalis palmaris arteriae radialis [TA]; ramus carpeus palmaris arteriae radialis.

palmar carpal b. of ulnar artery [TA]．〔尺骨動脈〕掌側手根枝（手根関節に分布し橈骨動脈の前手根枝と交通する枝）．＝ramus carpalis palmaris arteriae ulnaris [TA]; ramus carpeus palmaris arteriae ulnaris.

palmar b. of median nerve 正中神経の掌枝．＝palmar b. of anterior interosseous nerve.

palmar b. of ulnar nerve [TA]．尺骨神経の掌枝（前腕遠位部で分枝し，手掌の動脈に伴行して手に進入し，小指の皮膚・第四指内側半・その近辺の手掌部に分布する）．＝ramus palmaris nervi ulnaris [TA].

palpebral b.'s of infratrochlear nerve [TA]．滑車下神経の眼瞼枝（上下眼瞼の内側部の皮膚に分布する）．＝rami palpebrales nervi infratrochlearis [TA].

pancreatic b.'s [TA]．膵臓枝（TAは以下のものの膵臓枝があげられている．ⓘ脾動脈の枝，ⓘⓘ上膵十二指腸動脈の枝）．＝rami pancreatici [TA].

paracentral b.'s of callosomarginal artery [TA]．脳梁縁動脈の中心傍回枝（脳梁縁動脈の帯状回枝の終末枝で大脳皮質中心傍回に分布する）．＝rami paracentrales arteriae callosomarginalis [TA].

paracentral b.'s（of pericallosal artery） [TA]．中心〔溝〕傍動脈（脳梁周囲動脈の不定枝で，中心溝の近くおよび内側の皮質に分布する）．＝ramus paracentrales [TA]; arteria paracentralis; paracentral artery.

paramedian pontine b.'s of pontine arteries* medial b.'s of pontine arteries の公式の別名．

parietal b. [TA]．***1*** 頭頂枝（頭頂骨もしくは脳の頭頂葉と関係のある枝またはそこに分布する枝）．***2*** 壁側枝，体壁枝（体腔内の内臓に関係する内臓枝(臓側枝)に対して体壁に関係する枝．例えば交感神経幹の灰白交通枝は壁側枝，大内臓神経は臓側枝）．＝rami parietales [TA].

parietal b. of medial occipital artery [TA]．内側後頭動脈の頭頂枝（内側後頭動脈の前枝で大脳皮質頭頂葉の後部に分布する）．＝ramus parietalis arteriae occipitalis medialis [TA].

parietal b. of middle meningeal artery [TA]．中硬膜動脈の頭頂枝（前頭枝を含めて中硬膜動脈の小さいほうの終末枝で，上部・外側部の硬膜や頭蓋の後部に分布する）．＝ramus parietalis arteriae meningeae mediae [TA].

parietal b. of superficial temporal artery [TA]．浅側頭動脈の頭頂枝（大脳皮質頭頂葉にはいるか，またはこれとの関係をもって走行する動脈）．＝ramus parietalis arteriae temporalis superficialis [TA].

parietooccipital b.'s of pericallosal artery [TA]．〔脳梁周囲動脈の〕頭頂後頭溝枝（傍脳梁動脈最大の皮質枝で，頭頂葉の上外側部および内側部で中心後回より後方の部分に分布する．まれに後頭葉の方まで枝がのびていることがある）．＝rami parieto-occipitales arteriae pericallosae[TA]; arteriae parieto-occipitales; parietooccipital artery; superior internal parietal artery.

parieto-occipital b. of medial occipital artery [TA]. 内側後頭動脈の頭頂後頭枝（内側後頭動脈の後枝で後頭葉内側面を経て頭頂後頭溝に分布する）. = ramus parieto-occipitalis arteriae occipitalis medialis [TA].

parotid b.'s [TA]. 耳下腺枝（TA は以下のものの耳下腺枝があげられている. ⓘ耳介側頭神経の枝, ⓘⓘ顔面静脈の枝, ⓘⓘⓘ後耳介動脈の枝, ⓘⓥ浅側頭動脈の枝）. = rami parotidei [TA].

pectoral anterior cutaneous b. of intercostal nerves 肋間神経の胸前皮枝. = anterior pectoral cutaneous b. of intercostal nerves.

pectoral b.'s of thoracoacromial artery 胸肩峰動脈の胸筋枝（胸肩峰動脈から出て大胸筋と小胸筋の間を下行してこれらに枝を送った後, さらに延びて前鋸筋と女性では乳房上部とに分布する）. = rami pectorales arteriae thoracoacromialis [TA].

perforating b.'s [TA]. 貫通枝（壁を貫通したり, 前から後ろへ通り抜けたり, 手や足を貫通して分布したり吻合する動脈枝. TA では貫通枝をもつ例として以下のものをあげている. ⓘ深掌動脈弓, ⓘⓘ腓骨動脈, ⓘⓘⓘ内胸動脈, ⓘⓥ前骨間動脈, ⓥ底側中足動脈）. = ramus perforans [TA].

perforating b. of anterior interosseous artery [TA]. 前骨間動脈の貫通枝（前腕遠位部で骨間膜を貫通し後骨間動脈と吻合する. これと置き換わることもある）. = ramus perforans arteriae interossei anterioris [TA].

perforating b.'s of deep palmar arch 深掌動脈弓の貫通枝（深掌動脈弓の枝で, 中手骨の近位部の間を背側に抜けて背側中手動脈と吻合する）. = rami perforantes arcus palmaris profundi [TA]; perforating arteries of hand.

perforating b. of fibular artery 腓骨動脈の貫通枝（前脛腓靱帯のすぐ上で骨間膜を貫通する枝）. = ramus perforans arteriae fibularis [TA]; perforating b. of peroneal artery☆.

perforating b.'s of internal thoracic artery [TA]. 内胸動脈の貫通枝（内胸動脈から肋軟骨間隙を貫いて, 乳房内側面を含む皮膚および皮下組織に分布する小枝）. = rami perforantes arteriae thoracicae internae [TA]; perforating arteries (of internal thoracic artery).

perforating b.'s (of palmar metacarpal arteries) 掌側中手動脈の貫通枝（掌側中手動脈からそれぞれ第二・第三・第四中手骨間隙を貫いて手背に出る小枝）.

perforating b. of peroneal artery☆ 腓骨動脈の貫通枝（perforating b. of fibular artery の公式の別名）.

perforating b.'s of plantar metatarsal arteries [TA]. 足底中足動脈の貫通枝（足底中足動脈からそれぞれ第二・第三・第四中足骨間隙を貫いて足背に出る小枝）. = rami perforantes arteriarum metatarsearum plantarium [TA]; perforating arteries of foot.

pericardial b. of phrenic nerve [TA]. 横隔神経の心膜枝（横隔神経の枝の1つで, 心膜およびこれと隣接する縦隔胸膜に分布する）. = ramus pericardiacus nervi phrenici [TA].

pericardial b.'s of thoracic aorta [TA]. 胸大動脈の心膜枝（心膜斜洞あたりの心膜と後縦隔リンパ節に分布する小枝）. = rami pericardiaci aortae thoracicae [TA].

perineal b.'s of posterior cutaneous nerve of thigh [TA]. 後大腿皮神経の会陰枝（会陰外側およびその近くの大腿内側上部の皮膚に感覚線維を送る）. = rami perineales nervi cutanei femoris posterioris [TA]; perineal b.'s of posterior femoral cutaneous nerve☆.

perineal b.'s of posterior femoral cutaneous nerve☆ 後大腿皮神経の会陰枝（perineal b.'s of posterior cutaneous nerve of thigh の公式の別名）.

peroneal communicating b. 腓腹神経との交通枝. = sural communicating b. of common fibular nerve.

petrosal b. of middle meningeal artery [TA]. 中硬膜動脈の岩様部枝（中硬膜動脈の頭蓋内の最初の枝で, 顔面神経管裂を通って茎突乳突動脈と吻合する）. = ramus petrosus arteriae meningeae mediae [TA]; petrous b. of middle meningeal artery.

petrous b. of middle meningeal artery = petrosal b. of middle meningeal artery.

pharyngeal b.'s [TA]. 咽頭枝（咽頭に分布する枝. TA では, ⓘ翼突管動脈, ⓘⓘ上行咽頭動脈, ⓘⓘⓘ下行口蓋動脈, ⓘⓥ舌咽神経, ⓥ下甲状腺動脈, ⓥⓘ反回神経, ⓥⓘⓘ迷走神経（第十脳神経）の咽頭枝があげられている）. = rami pharyngei [TA]; rami pharyngeales☆; pharyngei.

pharyngeal b. of the artery of pterygoid canal [TA]. 翼突管動脈の咽頭枝（鼻咽頭腔の最上部咽頭陥凹に分布する）. = ramus pharyngeus arteriae canalis pterygoidei [TA].

pharyngeal b. of the ascending pharyngeal artery [TA]. 上行咽頭動脈の咽頭枝（口腔咽頭・鼻咽頭の壁に分布する）. = rami pharyngeales arteriae pharyngeae ascendentis [TA].

pharyngeal b. of descending palatine artery [TA]. 下行口蓋動脈の咽頭枝（小口蓋動脈の続きとして, または分岐した枝として出現することがある）. = ramus pharyngeus arteriae palatinae descendentis [TA].

pharyngeal b. of glossopharyngeal nerve [TA]. 舌咽神経の咽頭枝（感覚枝を咽頭神経叢を経て口腔咽頭の粘膜に送る）. = rami pharyngei nervi glossopharyngei [TA].

pharyngeal b. of inferior thyroid artery [TA]. 下甲状腺動脈の咽頭枝（咽頭喉頭部に分布する）. = rami pharyngeales arteriae thyroideae inferioris [TA].

pharyngeal b. of pterygopalatine ganglion 翼口蓋神経節の咽頭枝. = pharyngeal *nerve*.

pharyngeal b.'s of recurrent laryngeal nerve [TA]. 反回神経の咽頭枝（喉頭を越えて咽頭下部に分布する神経枝）. = rami pharyngei nervi laryngei recurrentis [TA].

pharyngeal b. of vagus nerve [TA]. 迷走神経の咽頭枝（副神経延髄根からの運動線維を咽頭収縮筋・軟口蓋固有筋・口蓋挙筋などに送る. また感覚線維を咽頭神経叢に送ることもある）. = rami pharyngei nervi vagi [TA].

phrenicoabdominal b.'s of phrenic nerve [TA]. 横隔神経の横隔腹枝（横隔神経の終末枝で横隔膜に運動枝を, 横隔膜・横隔胸膜・腹膜に感覚枝を送る）. = rami phrenicoabdominales nervi phrenici [TA].

posterior b.'s [TA]. 後枝（背側または後方に向かう枝. TA では, 後枝を有する例として, ⓘ大耳介神経, ⓘⓘ下膵十二指腸動脈, ⓘⓘⓘ内側前腕皮神経, ⓘⓥ閉鎖動脈, ⓥ閉鎖神経, ⓥⓘ後大脳動脈（後内側中心枝）, ⓥⓘⓘ門脈右枝, ⓥⓘⓘⓘ右肝管, ⓘⓧ右上肺静脈, ⓧ尺側反回動脈, をあげている）. = rami posteriores [TA].

posterior basal b. 後肺底動脈. = posterior basal segmental *artery* of left/right lung.

posterior choroidal b.'s of posterior cerebral artery [TA]. 後大脳動脈の後脈絡枝（後大脳動脈の P2 区から出る2本の動脈枝で, 側脳室の脈絡叢と第3脳室とに分布する）. = rami choroidei posteriores arteriae cerebri posteriores laterales et mediales [TA].

posterior gastric b.'s. of posterior vagal trunk [TA]. 後迷走神経幹の後胃枝（左胃動脈の後ろを通って肝胃間膜で分岐し胃の後下面に分布する神経枝）. = rami gastrici posteriores trunci vagalis posterioris [TA].

posterior glandular b. of superior thyroid artery [TA]. 上甲状腺動脈の後腺枝（下行して同側の甲状腺頂部に分布し, 後縁を下行して下甲状腺動脈と吻合する）. = ramus glandularis posterior arteriae thyroideae superioris [TA]; posterior b. of superior thyroid artery; ramus posterior arteriae thyroideae superioris.

posterior b. of great auricular nerve [TA]. 大耳介神経の後枝（耳介後部および乳様突起をおおう皮膚に感覚枝を送る）. = ramus posterior nervi auricularis magni [TA].

posterior inferior nasal b.'s of greater palatine nerve 大口蓋神経の後下鼻枝. = posterior inferior nasal nerves.

posterior b. of inferior pancreaticoduodenal artery [TA]. 下膵十二指腸動脈の後枝（下膵十二指腸動脈の2分枝のうち背側のもの. 膵頭・鉤突起・十二指腸第三・第四部に分布し, 上膵十二指腸動脈の後枝と吻合する）. = ramus posterior arteriae pancreaticoduodenalis inferioris [TA].

posterior labial b.'s of internal pudendal artery = posterior labial b.'s of perineal artery.

posterior labial b.'s of perineal artery [TA]. 会陰動

脈の後陰唇枝（大小陰唇の後部に分布する）. ＝posterior labial b.'s of internal pudendal artery ［TA］; rami labiales posteriores arteriae perinealis ［TA］; posterior labial arteries; rami labiales posteriores arteriae pudendae internae.

posterior b. of lateral cerebral sulcus 大脳皮質外側溝の後枝溝. ＝posterior *ramus* of lateral cerebral sulcus.

posterior b. of medial antebrachial cutaneous nerve ＝posterior b. of medial cutaneous nerve of forearm.

posterior b. of medial cutaneous nerve of forearm ［TA］. 内側前腕皮神経の後枝（前腕背側近位 2/3 の内側の皮膚に分布する）. ＝ramus posterior nervi cutanei antebrachii medialis ［TA］; posterior b. of medial antebrachial cutaneous nerve; ramus ulnaris nervi cutanei antebrachii medialis; ulnar b. of medial antebrachial cutaneous nerve.

posterior b. of obturator artery ［TA］. 閉鎖動脈の後枝（寛骨臼枝を分枝した後，坐骨に付着する筋に分布する）. ＝ramus posterior arteriae obturatoriae ［TA］.

posterior b. of obturator nerve ［TA］. 閉鎖神経の後枝（外閉鎖筋に枝を送ってから短内転筋の後方を通り，この筋と大内転筋の内側部に分布する）. ＝ramus posterior nervi obturatorii ［TA］.

posterior b. of recurrent ulnar artery 尺側反回動脈の後枝. ＝posterior b. of ulnar recurrent artery.

posterior b. of renal artery ［TA］. 腎動脈の後枝（前枝とともに腎動脈の終末枝で後腎区動脈となる. →segmental *arteries* of kidney）. ＝ramus posterior arteriae renalis.

posterior b. of right branch of portal vein ［TA］. 門脈右枝の後枝（門脈の後区枝で右肝葉の後区に分布する）. ＝ramus posterior rami dextri venae portae hepatis ［TA］.

posterior b. of right hepatic duct ［TA］. 右肝管の後枝（右肝葉の後区の胆汁を運ぶ）. ＝ramus posterior ductus hepatici dextri ［TA］.

posterior b. of right superior pulmonary vein ［TA］. 右上肺静脈の後枝. ＝posterior *vein*.

posterior scrotal b.'s of internal pudendal artery 内陰部動脈の後陰嚢枝. ＝posterior scrotal b.'s of perineal artery.

posterior scrotal b.'s of perineal artery ［TA］. 会陰動脈の後陰嚢枝（陰嚢後部の皮膚に分布する）. ＝rami scrotales posteriores arteriae perinealis ［TA］; posterior scrotal b.'s of internal pudendal artery; rami scrotales posteriores arteriae pudendae internae.

posterior septal b. of nose 中隔後鼻動脈. ＝posterior septal b.'s of sphenopalatine artery.

posterior septal b.'s of sphenopalatine artery ［TA］. 中隔後鼻動脈（蝶口蓋動脈の枝で，鼻中隔に血液を送り，鼻口蓋神経に伴走する）. ＝rami septales posteriores arteriae sphenopalatinae ［TA］; arteria nasalis posterior septi; posterior septal artery of nose; ramus septi posterioris nasalis; posterior septal b. of nose.

posterior b. of spinal nerves →posterior *ramus* of spinal nerve.

posterior superior alveolar b.'s of maxillary nerve ［TA］. 上顎神経の後上歯槽枝（上歯槽神経の枝で，上顎洞と大臼歯に分布する）. ＝rami alveolares superiores posteriores nervi maxillaris ［TA］.

posterior superior lateral nasal b.'s of maxillary nerve ［TA］. 上顎神経の後上外側鼻枝（上・中鼻甲介，上・中鼻道や後篩骨洞を含む鼻腔の上後外側壁に分布する翼口蓋神経節の枝）. ＝posterior superior lateral nasal b.'s of pterygopalatine ganglion; rami nasales posteriores superiores laterales ganglii pterygopalatini; rami nasales posteriores superiores laterales nervi maxillaris ［TA］.

posterior superior lateral nasal b.'s of pterygopalatine ganglion 翼口蓋神経節の後上外側鼻枝. ＝posterior superior lateral nasal b.'s of maxillary nerve.

posterior superior medial nasal b.'s of maxillary nerve ［TA］. 上顎神経の後上内側鼻枝（通常は鼻口蓋神経の枝で，鼻中隔後上部に分布する翼口蓋神経節の枝）. ＝rami nasales posteriores superiores mediales nervi maxillaris ［TA］; posterior superior medial nasal b.'s of pterygopalatine ganglion; rami nasales posteriores superiores mediales ganglii pterygopalatini.

posterior superior medial nasal b.'s of pterygopalatine ganglion 翼口蓋神経節の後上内側鼻枝. ＝posterior superior medial nasal b.'s of maxillary nerve.

posterior b. of superior thyroid artery 上甲状腺動脈の後枝. ＝posterior glandular b. of superior thyroid artery.

posterior temporal b. of middle cerebral artery ［TA］. 後側頭葉動脈（中大脳動脈の島部(M 2 区)の枝で，側頭葉の後部に分布する）. ＝ramus temporalis posterior arteriae cerebri mediae ［TA］; arteria temporalis posterior; posterior temporal artery.

posterior temporal b.'s of lateral occipital artery ［TA］. 外側後頭動脈の後側頭枝（後大脳動脈の P3 区の枝. 通常は 2 本で，鉤，海馬傍回，内側・外側後頭側頭回に分布する）.

posterior b. of ulnar recurrent artery ［TA］. 尺側反回動脈の後枝（尺側手根屈筋に血液を送った後，肘関節周囲の血管網に合流する）. ＝ramus posterior arteriae recurrentis ulnaris ［TA］; posterior b. of recurrent ulnar artery.

posterior vestibular b. of vestibulocochlear artery ［TA］. 前庭蝸牛動脈の後前庭枝（蝸牛枝とともに前庭蝸牛動脈の終末枝で，卵形嚢と後半規管の膨大部に分布する）. ＝ramus vestibularis posterior arteriae vestibulocochlearis ［TA］.

posteromedial frontal b. of callosomarginal artery ［TA］. 脳梁縁動脈の後内側前頭葉枝（帯状回枝とともに脳梁縁動脈の終末枝で，前頭葉内側面の後部に分布する）. ＝ramus frontalis posteromedialis arteriae callosomarginalis ［TA］.

precuneal b.'s of pericallosal artery ［TA］. 〔脳梁周動脈の〕楔前部動脈（脳梁周動脈の最後の皮質枝で，楔前部の下部に分布する）. ＝rami precuneales arteriae pericallosae; arteria precunealis; inferior internal parietal artery; precuneal artery.

prelaminar b. of spinal branch of dorsal branch of posterior intercostal artery ［TA］. 肋間動脈背枝脊髄枝の椎間板前枝（椎間孔内で脊髄動脈から分岐し，椎間板前面，黄色靱帯，関節突起間関節前面に分布する）. ＝ramus prelaminaris rami spinalis rami dorsalis arteriae intercostalis posterioris ［TA］.

prostatic b.'s of inferior vesical artery ［TA］. 下膀胱動脈の前立腺枝（下行して前立腺に分布，この腺の主たる動脈である）. ＝rami prostatici arteriae vesicalis inferioris ［TA］.

prostatic b.'s of middle rectal artery ［TA］. 中直腸動脈の前立腺枝（下膀胱動脈の前立腺枝と吻合して前立腺に分布する）. ＝rami prostatici arteriae rectalis mediae ［TA］.

pterygoid b.'s of maxillary artery 上顎動脈の翼突枝. ＝pterygoid b. of posterior deep temporal artery.

pterygoid b. of posterior deep temporal artery 後深側頭動脈の翼突筋枝（顎動脈から起こる枝の代わりに後深側頭動脈から起こり，翼突筋に分布する枝）. ＝ ramus pterygoideus arteriae temporalis profundae posterioris ［TA］; pterygoid b.'s of maxillary artery; rami pterygoidei arteriae maxillaris.

pubic b. of inferior epigastric artery ［TA］. 下腹壁動脈の恥骨枝（深鼡径輪の内側部で起こり大腿輪の内側を通って恥骨後面に分布し，閉鎖動脈の恥骨枝と吻合する. この吻合はしばしば大きなもので，副閉鎖動脈とよばれるほどであり，20—30% の患者では閉鎖動脈が欠如してこの吻合が迷走または置換閉鎖動脈とよばれる）. ＝ramus pubicus arteriae epigastricae inferioris ［TA］.

pubic b. of inferior epigastric vein* ［TA］. 下腹壁静脈の恥骨枝（pubic *vein* の公式の別名. →obturator b. of pubic b. of inferior epigastric artery）.

pubic b. of obturator artery ［TA］. 閉鎖動脈の恥骨枝（閉鎖管にはいる直前部から分枝して恥骨後面を上行する. 同名の反対側の枝や下腹壁動脈の恥骨枝と吻合する. →accessory obturator *artery*; pubic b. of inferior epigastric artery）. ＝ramus pubicus arteriae obturatoriae ［TA］.

pulmonary b.'s of autonomic nervous system 自律神経系の肺枝（→pulmonary b.'s of pulmonary nerve plexus; thoracic pulmonary b.'s（of thoracic ganglia））. ＝rami pulmonales systematis autonomici.

pulmonary b.'s of pulmonary nerve plexus［TA］．肺神経叢の肺枝（肺根から左右の肺臓へ分布する神経枝）．＝rami pulmonales plexi nervosi pulmonalis［TA］．

pyloric b. of anterior vagal trunk［TA］．前迷走神経幹の幽門枝（胃肝間膜を通って迷走神経の肝臓枝とともに幽門に分布する神経枝．選択的迷走神経切除術の際は胃虚脱を避けるために残す）．＝ramus pyloricus trunci vagalis anterioris［TA］．

recurrent meningeal b. of spinal nerves ＝meningeal b. of spinal nerves.

recurrent b. of spinal nerves☆ meningeal b. of spinal nerves の公式の別名．

renal b. of lesser splanchnic nerve［TA］．小内臓神経の腎枝（大動脈腎神経叢・神経節への枝）．＝ramus renalis nervi splanchnici minoris［TA］．

renal b.'s of vagus nerve［TA］．迷走神経の腎枝（迷走神経から腹腔神経節を経て腎臓に至る枝）．＝rami renales nervi vagi［TA］．

right b.［TA］．右枝（体の右側に向かう枝，あるいは有対性構造の右のものや，不対性構造の右側部分に分布する枝．対をなす反対側の枝は左枝．TA では，ⓘ固有肝動脈とⓘⓘ門脈の右枝が例示されている）．＝ramus dexter［TA］．

right atrial b. of right coronary artery 右冠状動脈の右心房枝．＝intermediate atrial b. of right coronary artery.

right b. of hepatic artery proper［TA］．固有肝動脈右枝（固有肝動脈の最終右枝で肝臓の右葉に分布する）．＝ramus dexter arteriae hepaticae propriae［TA］; right hepatic artery.

right marginal b. (of right coronary artery)［TA］．右外縁枝(右冠状動脈の)（右冠状動脈の心室枝のうち最大の枝．小心臓静脈とともに走る太く長い枝で，心臓の右縁に沿って心尖に達する）．＝ramus marginalis dexter (arteriae coronariae dextrae)［TA］．

right b. of portal vein［TA］．門脈の右枝（門脈の終末枝で肝臓の右葉に分布する）．＝ramus dexter venae portae hepatis［TA］．

saphenous b. of descending genicular artery［TA］．下行膝動脈の伏在枝（下腿内側上部の皮膚に分布し内側下膝動脈と吻合して膝の血管網に合流する）．＝ramus saphenus arteriae descendentis genicularis［TA］．

b.'s of segmental bronchi 区気管支枝．＝intrasegmental *bronchi*.

septal b.'s〔心室〕中隔枝．＝interventricular septal b.'s of left/right coronary artery.

sinuatrial nodal b. of right coronary artery ＝sinuatrial (S-A) nodal b. of right coronary artery.

b. to sinuatrial node ＝sinuatrial (S-A) nodal b. of right coronary artery.

sinuatrial (S-A) nodal b. of right coronary artery［TA］．洞房結節動脈（約 55% で右冠状動脈の前幹から起こって心房へ上行する枝．35—45% では左冠状動脈の回旋枝から起こる．上大静脈の基部を回って洞房結節に達する）．＝ramus nodi sinuatrialis arteriae coronariae dextrae［TA］; artery to the sinuatrial (S-A) node; b. to sinuatrial node; sinuatrial nodal artery; sinuatrial nodal b. of right coronary artery; sinuatrial node artery; sinus node artery.

spinal b.'s［TA］．脊髄動脈（脊髄硬膜・脊髄神経根そしてときには脊髄そのものにも血液を送る以下の動脈および静脈からの枝．ⓘ脊椎動脈，ⓘⓘ上行頸動脈，ⓘⓘⓘ肋間動脈第一—第十一，ⓘⓥ肋下動脈，ⓥ腰動脈背枝，ⓥⓘ腸腰動脈腰枝，ⓥⓘⓘ外側仙骨動脈．すべての脊髄動脈が脊髄神経の前根と後根とに分布し脊髄根動脈に終わるが，一部(第四—第九)は太く前後脊髄動脈と吻合して脊髄区動脈とされている．→great segmental medullary *artery*; segmental medullary *arteries*）．＝rami spinales (1)［TA］; spinal arteries.

splenic b.'s of splenic artery［TA］．脾動脈の脾枝（固有脾動脈の枝で脾門から脾臓にはいる）．＝rami splenici arteriae splenicae［TA］; rami lienales arteriae lienalis☆．

stapedial b. of posterior tympanic artery［TA］．後鼓室動脈のあぶみ骨枝（直接，茎乳突動脈から，もしくはその枝である後鼓室動脈から出てあぶみ骨筋に分布する）．＝ramus stapedius arteriae tympanicae posterioris［TA］; ramus stapedius arteriae stylomastoideae; stapedial b. of stylomastoid artery.

stapedial b. of stylomastoid artery 茎突乳突動脈のあぶみ骨枝．＝stapedial b. of posterior tympanic artery.

sternal b.'s of internal thoracic artery［TA］．内胸動脈の胸骨枝（内側に出て胸横筋や胸骨後面に分布する）．＝rami sternales arteriae thoracicae internae［TA］; sternal arteries.

sternocleidomastoid b.'s of occipital artery 後頭動脈の胸鎖乳突筋枝（しばしば舌下神経をまわっている．これが外頸動脈から直接枝として出ていることがあり，そのときは胸鎖乳突筋動脈 sternomastoid *artery* と(非公式に)よばれる）．＝rami sternocleidomastoidei arteriae occipitalis.

sternocleidomastoid b. of superior thyroid artery［TA］．上甲状腺動脈の胸鎖乳突筋枝．＝ramus sternocleidomastoideus arteriae thyroideae superioris［TA］．

stylohyoid b. of facial nerve［TA］．顔面神経の茎突舌骨筋枝．＝ramus stylohyoideus nervi facialis［TA］．

stylopharyngeal b. of glossopharyngeal nerve［TA］．舌咽神経の茎突咽頭枝（純運動性神経技）．＝ramus musculi stylopharyngei nervi glossopharyngei［TA］; b. of glossopharyngeal nerve to stylopharyngeus muscle.

subendocardial b.'s of atrioventricular bundles［TA］．房室束の心内膜下枝（変化した心筋細胞が織り混ざった線維．中心部は 1，2 個の核を有する顆粒状の原形質，周辺部には横紋がある．刺激伝導系の終末枝で心内膜下にみられる．→conducting *system* of heart）．＝rami subendocardiales fasciculi atrioventricularis［TA］; Purkinje fibers.

subscapular b.'s of axillary artery［TA］．上腕動脈の肩甲下筋枝（上腕動脈から直接肩甲下筋にはいる枝）．＝rami subscapulares arteriae axillaris［TA］．

superficial b.［TA］．浅枝（表面あるいは表層の浅い部位を走る枝．通常，深枝に対して用いられる．TA では浅枝をもつものとして，ⓘ外側足底神経，ⓘⓘ内側大腿回旋動脈，ⓘⓘⓘ内側足底動脈，ⓘⓥ橈骨神経，ⓥ上殿動脈，ⓥⓘ尺骨神経，をあげている）．＝ramus superficialis［TA］．

superficial b. of the lateral plantar nerve［TA］．外側足底神経の浅枝（大部分は小指・第四指外側半・足底外側の皮膚に分布するが，短小指屈筋や外側・足底骨間筋の外側にも分布する）．＝ramus superficialis nervi plantaris lateralis［TA］．

superficial b. of medial circumflex femoral artery［TA］．内側大腿回旋動脈浅枝（内側大腿回旋動脈の基部から起こり上内側大腿浅層に分布する．浅枝を出した後の内側大腿回旋動脈は深枝となる）．＝ramus superficialis arteriae circumflexae femoris medialis［TA］．

superficial b. of the medial plantar artery［TA］．内側足底動脈の浅枝（内側 3 趾の浅指動脈を派出する）．＝ ramus superficialis arteriae plantaris medialis［TA］．

superficial palmar b. of radial artery［TA］．〔橈骨動脈〕浅掌枝（母指球筋に分布した後，手掌にはいり尺骨動脈からの浅掌動脈弓と交通する）．＝ramus palmaris superficialis arteriae radialis［TA］; superficial palmar artery; superficial volar artery; superficialis volae.

superficial b. of the radial nerve［TA］．橈骨神経の浅枝（深枝とともに橈骨神経の終末枝で，母指・示指・中指・第四指外側半の背面近位部の皮膚，および手背近位部の皮膚に分布する）．＝ramus superficialis nervi radialis［TA］．

superficial b. of the superior gluteal artery［TA］．上殿動脈の浅枝（大殿筋上部に分布する）．＝ramus superficialis arteriae gluteae superioris［TA］．

superficial temporal b.'s of auriculotemporal nerve［TA］．耳介側頭神経の浅側頭枝（前側頭部の頭皮に分布する）．＝rami temporales superficiales nervi auriculotemporalis［TA］．

superficial b. of the transverse cervical artery［TA］．頸横動脈の浅枝．＝superficial cervical *artery* of transverse cervical artery.

superficial b. of the ulnar nerve［TA］．尺骨神経の浅枝（小指と第四指内側半の掌側皮膚，それより近位の手掌部，短掌筋に分布する）．＝ramus superficialis nervi ulnaris

[TA].

superior b. [TA]. 上枝（上方または頭側に向かう枝，あるいは上方に位置する枝．通常，下枝に対して用いられる．TA では上枝をもつものとして，ⓘ左右肺静脈，ⓘⓘ動眼神経（第三脳神経），ⓘⓘⓘ上殿動脈，ⓘⓥ頸横神経，をあげている）．＝ramus superior.

superior cervical cardiac b.'s of vagus nerve [TA]. 迷走神経の上頸心臓枝（最上部の枝で，心臓神経叢に副交感性節前線維を送り，そこから反射性求心性線維を受けとる．頭蓋底に近接したところで分枝する）．＝rami cardiaci cervicales superiores nervi vagi [TA].

superior dental b.'s (of superior dental plexus) [TA]. 上歯神経叢の上歯枝（上顎の歯根に分布する枝）．＝rami dentales superiores (plexus dentalis superioris) [TA]; rami dentales superiores [TA]; superior dental rami.

superior gingival b.'s (of superior dental plexus) [TA]. 上歯神経叢の上歯肉枝（上顎の歯肉に分布する）．＝rami gingivales superiores plexus dentalis superioris [TA].

superior labial b. of facial artery [TA]. 上唇動脈（顔面動脈より起こり，上唇と，鼻中隔枝により鼻中隔の前部および下部に分布する．反対側の上唇動脈，蝶口蓋動脈と吻合）．＝arteria labialis superior [TA]; ramus labialis superior arteriae facialis; superior labial artery.

superior labial b.'s of infraorbital nerve [TA]. 眼窩下神経の上唇枝（上口唇に分布する眼窩下神経の枝）．＝rami labiales superiores nervi infraorbitalis [TA].

superior lingular b. of lingular branch of superior lobar left pulmonary artery 左肺動脈の上葉動脈の肺底動脈の上肺底枝．＝superior lingular *artery*.

superior b. of the oculomotor nerve [CN III] [TA]. 動眼神経の上枝（上直筋および上眼瞼挙筋を支配する）．＝ramus superior nervi oculomotorii [CN III] [TA].

superior b. of the pubic bone ＝superior pubic *ramus*.

superior b. of the right and left inferior pulmonary veins [TA]. 〔右・左〕下肺静脈の上枝（肺下葉のS^6領域の酸素付加された血液を集める枝）．＝ramus superior venae pulmonalis dextrae/sinistrae inferioris.

superior b. of the superior gluteal artery [TA]. 上殿動脈の上枝（中殿筋と小殿筋の間を通って，この両筋ならびに大腿筋膜張筋に分布する）．＝ramus superior arteriae gluteae superioris [TA].

superior b. of the transverse cervical nerve [TA]. 頸横神経の上枝（頸部前三角上部の皮膚に分布する）．＝ramus superior nervi transversalis cervicalis (colli) [TA].

superior vermian b. (of superior cerebellar artery) [TA]. 上虫部枝（上小脳動脈の内側枝から出て小脳の虫部葉に分布する）．＝ramus vermis superior [TA].

suprahyoid b. of lingual artery [TA]. 舌動脈の舌骨上枝（舌骨に沿って走り，上甲状腺動脈の舌骨下枝や正中線を越えて反対側の同名枝と吻合する）．＝ramus suprahyoideus arteriae lingualis [TA].

sural communicating b. of common fibular nerve [TA]. 腓腹神経と交通枝（総腓骨神経の腓腹神経との交通枝．膝窩内の総腓骨神経から起こり，腓腹筋の外側頭上を越えて下腿のなか1/3に達し，内側腓腹皮神経と結合して腓腹神経を形成する）．＝ramus communicans fibularis nervi fibularis communis [TA]; ramus communicans nervi fibularis communis cum nervo cutaneo surae mediali*; ramus communicans nervi peronei communis cum nervo cutaneo surae mediali*; ramus communicans peroneus nervi peronei communis*; sural communicating b. of common peroneal nerve*; nervus communicans fibularis; nervus communicans peroneus; peroneal anastomotic ramus; peroneal communicating b.; peroneal communicating nerve.

sural communicating b. of common peroneal nerve* sural communicating b. of common fibular nerve の公式の別名.

sympathetic b. to submandibular ganglion 顎下神経節への交感神経枝．＝sympathetic *root* of submandibular ganglion.

temporal b.'s of facial nerve [TA]. 顔面神経の側頭枝（眼輪筋の上部および眼より上方の顔面筋に分布する）．＝rami temporales nervi facialis [TA].

tentorial basal b. of cavernous part of internal carotid artery [TA]. 内頸動脈海綿部のテント底枝（内頸動脈の海綿部からの小枝で，小脳テント基底部に分布）．＝ramus basalis tentorii partis cavernosae arteriae carotidis internae [TA]; basal tentorial b. of internal carotid artery.

tentorial marginal b. of cavernous part of internal carotid artery 内頸動脈のテント縁枝（内頸動脈の海綿部から出る小枝で小脳テントの自由縁に至る）．＝ramus marginalis tentorii partis cavernosae arteriae carotidis internae [TA]; marginal tentorial b. of internal carotid artery; ramus marginalis tentorii arteriae carotidis internae.

inferior terminal (cortical) b.'s of middle cerebral artery [TA]. 中大脳動脈の下終末枝（下皮質枝）（中大脳動脈のM2区の一部，側頭葉と島の間の外側溝深くのM1区の遠位で中大脳動脈から起こる．上・下終末枝と島枝とともにM2区をなす）．＝rami terminales arteriae cerebri medii [TA]; M2 segment of middle cerebral artery*.

thoracic cardiac b.'s of thoracic ganglia [TA]. 胸心臓神経（心肺内臓神経の一部．胸交感神経幹の第二―第五神経節からの枝で，前内側方に向かい心臓神経叢にはいる．心臓への交感性節後線維と内臓からの求心性線維を含む）．＝rami cardiaci thoracici gangliorum thoracicorum [TA]; nervi cardiaci thoracici; thoracic cardiac nerves; upper thoracic splanchnic nerves.

thoracic cardiac b.'s of vagus nerve [TA]. 迷走神経の胸心臓枝（胸の高さで分枝して心臓神経叢にはいる．副交感性節前線維が送られ反射性求心性線維を受けとる）．＝rami cardiaci thoracici nervi vagi [TA].

thoracic pulmonary b.'s (of thoracic ganglia) [TA]. 胸神経節の胸肺枝（交感神経幹上胸部脊椎傍神経節から起こる心肺内臓神経で，交感性節後線維と内臓求心性線維を肺神経叢に送る）．＝rami pulmonales (thoracici gangliorum thoracicorum) [TA].

thymic b.'s of internal thoracic artery [TA]. 内胸動脈胸腺枝（内胸動脈近位部（上部）からの横隔枝で，胸腺に分布する）．＝rami thymici arteriae thoracicae internae [TA].

thyrohyoid b. of ansa cervicalis [TA]. 甲状舌骨筋神経（第一・第二頸神経からの線維からなり，舌下神経と伴行して舌骨上部に至り，ここで枝を出して甲状舌骨筋に分布する）．＝ramus thyrohyoideus ansae cervicalis [TA]; nerve to thyrohyoid muscle.

tonsillar b. of the facial artery [TA]. 顔面動脈の扁桃枝（口蓋扁桃への主たる血液供給枝で，他の扁桃枝とも広範に吻合している）．＝ramus tonsillaris arteriae facialis [TA].

tonsillar b.'s of glossopharyngeal nerve [TA]. 舌咽神経の扁桃枝（口蓋扁桃窩からの感覚神経を運ぶ枝）．＝rami tonsillares nervi glossopharyngei [TA].

tonsillar b.'s of lesser palatine nerves [TA]. 小口蓋神経の扁桃枝（口蓋扁桃とそのあたりの粘膜に分布する神経枝）．＝rami tonsillares nervi palatini minores [TA].

tracheal b.'s [TA]. 気管枝（TAは以下のものの気管枝があげられている．ⓘ下甲状腺動脈の枝，ⓘⓘ内胸動脈の枝，ⓘⓘⓘ反回神経の枝）．＝rami tracheales [TA].

transverse b. of lateral femoral circumflex artery [TA]. 外側大腿回旋動脈の横枝（外側大腿回旋動脈の始めころの分枝で，外側広筋内にはいって多くの吻合を形成する）．＝ramus transversus arteriae circumflexae femoris lateralis [TA].

b. to trigeminal ganglion 三叉神経節への枝．＝b.'s of internal carotid artery to trigeminal ganglion.

tubal b. [TA]. 管枝（管状構造物への枝．TA では，ⓘ卵巣動脈卵管枝，ⓘⓘ鼓室神経叢耳管枝，ⓘⓘⓘ子宮動脈卵管枝，があげられている）．＝ramus tubarius [TA].

tubal b. of ovarian artery [TA]. 卵巣動脈の卵管枝（卵巣枝とともに卵巣動脈の終末枝で，卵管遠位部を通って中央方向に走り固有子宮動脈の卵管枝と吻合する）．＝ramus tubarius arteriae ovaricae [TA].

tubal b. of the tympanic plexus [TA]. 鼓室神経叢の耳管枝（舌咽神経の鼓室神経叢から耳管に分布する感覚枝）．＝ramus tubarius plexus tympanici [TA].

tubal b. of the uterine artery [TA]. 子宮動脈の卵管枝

(卵巣枝とともに子宮動脈の終末枝で卵管の内側部に分布し，卵巣動脈の卵管枝と吻合する)．＝ramus tubarius arteriae uterinae［TA］．

ulnar communicating b. of superficial radial nerve 橈骨神経浅枝の尺骨神経との交通枝．＝communicating b. of superficial radial nerve with ulnar nerve.

ulnar b. of medial antebrachial cutaneous nerve 内側前腕皮神経の尺側枝．＝posterior b. of medial cutaneous nerve of forearm.

ureteral b.'s ＝ureteric b.'s.

ureteric b.'s［TA］．尿管枝（TAにはないが，次のものからは通常，尿管に分布する枝が出ている．ⓘ腹大動脈，ⓘⓘ総腸骨動脈，ⓘⓘⓘ内腸骨動脈，ⓘⓥ下膀胱動脈からも出ていて尿管の末端部に分布している)．＝rami ureterici［TA］; ureteral b.'s.

ureteric b.'s of the ovarian artery［TA］．卵巣動脈の尿管枝（卵巣動脈が尿管と交差するあたりで分枝し，尿管中部に分布する)．＝rami ureterici arteriae ovaricae［TA］．

ureteric b.'s of the patent part of umbilical artery［TA］．臍動脈開存部の尿管枝（尿管の骨盤部に分布する)．＝rami ureterici partis patentis arteriae umbilicalis［TA］．

ureteric b.'s of the renal artery［TA］．腎動脈の尿管枝（腎盤(腎盂)と尿管上部に分布する左右腎動脈の枝)．＝rami ureterici arteriae renalis［TA］．

ureteric b.'s of the testicular artery［TA］．精巣動脈の尿管枝（精巣動脈が尿管と交差するあたりで分枝し，尿管中部に分布する)．＝rami ureterici arteriae testicularis［TA］．

ventral b. ⇀ventral primary *rami* of cervical spinal nerves; ventral primary *rami* of lumbar spinal nerves; ventral primary *rami* of sacral spinal nerves; anterior *ramus* of spinal nerve. ＝ramus ventralis.

vestibular b.'s of labyrinthine artery 迷路動脈の前庭枝（⇀posterior vestibular b. of vestibulocochlear artery; anterior vestibular *artery*)．

zygomatic b.'s of facial nerve［TA］．顔面神経の頬骨枝（上頬部を横切って眼輪筋に分布する顔面神経耳下腺神経叢の枝)．＝rami zygomatici nervi facialis［TA］．

zygomaticofacial b. of zygomatic nerve［TA］．頬骨神経の頬骨顔面枝（頬骨を貫いて頬骨部の皮膚に分布する)．＝ramus zygomaticofacialis nervi zygomatici［TA］．

zygomaticotemporal b. of zygomatic nerve［TA］．頬骨神経の頬骨側頭枝（頬骨の前頭突起を貫いて眼球より外側の皮膚に分布する)．＝ramus zygomaticotemporalis nervi zygomatici［TA］．

bran·chi·a, pl. bran·chi·ae (brang′kē-ă, -ē)［G. gill］．鰓（[brachium またはその派生語と混同しないこと]．水生動物の鰓，すなわち呼吸器官)．

bran·chi·al (brang′kē-ăl). ***1*** 鰓の．***2*** 鰓器官の（ヒト発生学において，鰓器官 pharyngeal *apparatus* を構成する種々の構造物についていう)．

branch·ing (branch′ing)［Fr. *branche*: L. *branchium*(arm) に関する］．分枝形成，分枝．＝ramose; ramous.

false b. 偽分枝発生（細菌学において，１つの細胞が繁殖の一般系から押し出されて，残りの細胞が元の増殖系に沿って成長し続ける間に新しい系を発達させること)．

bran·chi·o·gen·ic, bran·chi·og·en·ous (brang′kē-ō-jen′ik, -kē-oj′en-ŭs)［G. *branchia*, gill + *-gen*, to produce］．鰓〔原〕性の，鰓由来の（鰓弓から生じた)．

bran·chi·o·mere (brang′kē-ō-mēr′)［G. *branchia*, gill + *meros*, part］．鰓分節（そこから鰓弓が形成される)．

bran·chi·om·er·ism (brang′kē-om′er-izm)．鰓節構成（鰓節への配列)．

bran·chi·o·mo·tor (brang′kē-ō-mō′tĕr)．鰓運動性の（鰓弓に伴う筋肉の動きに関する，または動きを支配する)．

bran·dy (bran′dē)［Du. *brandewijn*, burnt (distilled)wine］．ブランデー，火酒（腐敗していない熟したブドウの発酵果汁を蒸留して得るアルコール性液体．通常 40—54% のエチルアルコールを含有する)．

Bran·ham (bran′ăm), H.H. 19 世紀の米国人外科医．⇀B. *sign*.

Bran·ha·mel·la (bran′hă-mel′ă)［Sara *Branham*］．ブランハメラ亜属（隣接した側面が平坦化し，対をなして存在するグラム陰性球菌を含む好気性・非運動性・非胞子形成細菌の一亜属．現在，これらの生物は *Moraxella* 亜属と近密な関係があると考えられている．上気道の粘膜に存在する．標準種は *B. catarrhalis*)．

B. catarrhalis カタル球菌．＝*Moraxella catarrhalis*.

bran·ny (bran′ē)［M.E. *bran*, broken coat of cereal grain］．殻状の，糠状の（[brawny と混同しないこと]．皮膚の薄片に関して使われる語で，小さな殻状の薄片の落屑についていう．皮膚に関して用いる．⇀defurfuration)．

B

Bras·dor (brah′dōr), Pierre. フランス人外科医，1721—1798. ⇀B. *method*.

Braun (brown), Christopher Heinrich. ドイツ人外科医，1847—1911. ⇀B. *anastomosis*.

Brau·ne (brow′nĕ), Christian W. ドイツ人解剖学者，1831—1892. ⇀B. *muscle*, *valve*.

brawn·y (braw′nē)［M.E. fleshy］．[branny と混同しないこと]．肥厚(苔癬化)し，浅黒い(黒ずんだ色)．浮腫を形容するのに用いる語．

Brax·ton Hicks (braks′tŏn hiks), John. [Braxton と Hicks をハイフンで結ばないこと]．英国人婦人科医，1823—1897. ⇀B. H. *contraction*.

Bray (brā), Charles William. 20 世紀の米国人耳科医．⇀Wever-B. *phenomenon*.

Braz·el·ton (brā′zĕl-tŏn), T. Berry. 20 世紀の米国人小児科医．⇀Brazelton Neonatal Behavioral Assessment *scale*.

bra·zil·e·in (bră-zil′ē-in)．ブラジレイン（ブラジリンの酸化生成物)．

braz·i·lin (bră-zil′in)［C.I. 75280］．ブラジリン（数種の熱帯産樹木の樹皮から得られる赤色の天然色素．酸化して活性赤色色素ブラジレインになる．発生，化学作用，用途が，ヘマトキシリンに類似しており，細胞核染色剤や指示薬として用いる．アルカリで赤色，酸で黄色を呈する)．

braz·ing (brā′zing)．ろう着，硬ろう付け（歯科において，ろう着すること)．

BrDu bromodeoxyuridine の略．

break (brāk)．切断（部分に分けること)．

double-strand b. 二本鎖切断（二本鎖 DNA における切断で，両鎖は切れ目がはいっているが，切り離されていない状態)．

single-strand b. 一本鎖切断（二本鎖 DNA における切断で，両鎖のうち１つの鎖のみ切れ目がはいっており，両鎖は互いに切り離されていない状態)．

break·point (brāk′poynt)．ブレイクポイント，分岐点（寄生虫疫学の用語．ある集団内で寄生虫の頻度がある限界値以下となると，交配頻度が次世代再生産を維持できなくなり，当該の寄生虫による感染が次第に減少し，やがては消失する．その限界レベルのこと)．

break·through (brāk′thrū)．突破（精神療法において，患者がある一定の間抵抗を示した後，突然新たな洞察が得られ，より積極的な態度を示すこと)．

breast (brest)［A.S. *breōst*］［TA］．＝mamma［TA］; teat (2). ***1*** 胸〔部〕，むね（胸郭の胸筋面)．***2*** 乳房（女性の乳分泌器官．成熟女性の胸筋前面に左右対をなす半球形の高まりで内部に乳腺があり，周囲には種々の程度に皮下脂肪が沈着している．表面中央に乳頭がある．男性では痕跡的である．次頁の図参照)．

accessory b.［TA］．副乳〔房〕（乳分泌腺で，２つの通常の乳房の他に，胸の前の正常の場所以外にあるもの)．＝mamma accessoria［TA］; supernumerary b.; supernumerary mamma.

chicken b. 鳩胸．＝*pectus* carinatum.

funnel b. 漏斗胸．＝*pectus* excavatum.

irritable b. 過敏性乳腺〔症〕（新生物によらない乳房の腫脹と硬結．通常は比較的短期間のもの)．

male b.［TA］．男の乳房（通常，痕跡的な男性の乳腺と表在の乳頭)．＝mamma masculina［TA］; mamma virilis.

pigeon b. 鳩胸．＝*pectus* carinatum.

supernumerary b. 副乳〔房〕，過剰乳房．＝accessory b.

breast-feed (brest-fēd)．授乳する，母乳で育てる（乳児を育てる．乳房を吸わせることで母乳を与える)．

breast self-ex·am·i·na·tion (BSE) (brest self-ek-zam′i-nā′shŭn)．乳房自己診断（乳房と乳腺に関連する構造

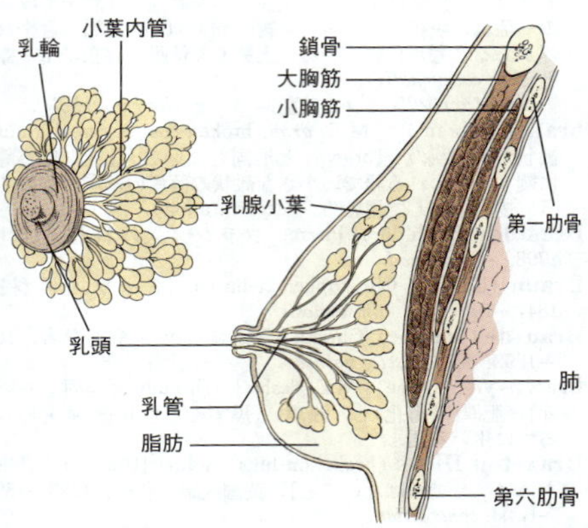

breast (adult female, nonlactating)
腺と腺管.

物を自分自身で観察したり触知することにより，悪性病変の存在を示唆する変化や異常を検出する手技．女性は月に1回BSEを行うことが推奨される．正しい手技の指導のために看護師，保健師他，専門家の果たすべき役割は重要である)．

breath (breth) [A.S. *braeth*]. ***1*** 呼吸，息．***2*** 吸息．

liver b. 肝性口臭．＝*fetor* hepaticus.

uremic b. 尿毒症性口臭（慢性腎不全患者に特徴的な口臭で，〝魚様〟，〝アンモニア様〟，あるいは〝悪臭〟などと様々に記載される．これは，通常，尿に排泄される揮発性代謝物の全身への貯留を示している．ジメチルアミンとトリメチルアミンがこれらの代謝物から同定されており，これらの物質と古典的な魚様口臭との相関がみられる)．

breath-hold・ing (breth′hōld-ing). 息こらえ（呼吸の随意・不随意の停止．しばしば年少小児において欲求不満の反応としてみられる)．

breath・ing (brēdh′ing). 呼吸（空気あるいは混合気体の吸入と呼出)．＝pneusis.

呼吸に用いられる筋肉

吸気筋	補助筋（吸気）
横隔膜 外側肋間筋 内側肋間筋の胸骨側部位（軟骨間）	胸鎖乳突筋 前斜角筋，中および後斜角筋 大胸筋 小胸筋 上後鋸筋 前鋸筋
呼気筋	**補助筋（呼気）**
内側肋間筋 胸横筋 肋下筋	腹直筋 横腹筋 外腹斜筋 内腹斜筋 滑柱起立筋 腰方形筋 下後鋸筋

apneustic b. 無呼吸呼吸（全吸気時の呼吸相での休止で，むしろ尾側橋の呼吸調節中枢の障害による)．

ataxic b. 失調性呼吸．＝Biot *respiration.*

Biot b. (bē-ō′). ビオー呼吸．＝Biot *respiration.*

bronchial b. 気管支性呼吸（胸部聴診で聞かれる荒いまたは吹くような性状の呼吸音で，太い気管支内の空気の移動でつくられ，介在する肺によって修飾されることはほとんどない．呼気音の持続時間は吸気音と同じかより長い．そのピッチは呼気音と同じかより高い．硬化した肺やその下で肺が圧縮されていることにより胸水の上で聞かれ，肺内の空洞の上で聞かれることはまれである．気管支性呼吸音が存在する際にいつも聞かれるのは耳語胸声(囁声)である)．＝bronchial breath sounds.

glossopharyngeal b. 舌咽呼吸（通常の呼吸のように呼吸筋を一義的に使って行われない呼吸．空気は，舌および咽頭筋を用いることにより無理やり肺に送り込まれる)．

intermittent positive pressure b. (**IPPB**) 間欠的陽圧呼吸（患者が圧限定呼吸の引き金を引く機械的換気法．肺へエアロゾルを送る時代遅れの方法)．

mouth b. 口呼吸（鼻ではなく，口で行うのが習慣になっている呼吸で，通常は鼻気道の閉塞が原因である)．

positive-negative pressure b. (**PNPB**) 陽陰圧呼吸（自動換気器を用いて，陽圧で肺を膨張させ，陰圧で空気を抜くこと)．

pursed lips b. 口すぼめ呼吸（空気がゆっくりと鼻と口から吸い込まれ，すぼめた口唇からゆっくりと呼出される技術．慢性閉塞性肺疾患患者によって，気流に対する抵抗を増して強制的に小気管支を広げてその呼吸を改善するために用いられる)．

shallow b. 表在呼吸（一回呼吸量が異常に低い呼吸の一型)．

sleep-disordered b. (**SDB**) 睡眠呼吸障害（いびき，閉塞性睡眠時無呼吸(OSA)，上気道抵抗症候群(UARS)，低呼吸，および閉塞性睡眠時無呼吸－低呼吸症候群(OSAHS)など一連の病態の総称)．

stertorous b. いびき呼吸．＝stertorous *respiration.*

Bre・da (brē′dă), Achille. イタリア人皮膚科医，1850—1933．→B. *disease*.

bre・douille・ment (brā-dwē-mon[h]′) [Fr.]. 速話症，早口（極端に早口であるために言語の一部が省かれること)．

breech (brēch) [A.S. *brēc*]. 殿[部]，しり．＝buttocks.

breed・ing (brēd′ing) [breed＜M.E. *breden*＜O.E. *brēdan*＋-ing]. 交配，育種，飼育，繁殖，養育，品種改良（希望どおりの，あるいは科学的に意義のある株を生産するための個体の選択的交配．→hybridization; linebreeding; inbreeding)．

breg・ma (breg′mă) [G. the forepart of the head][TA]. ブレグマ（冠状縫合および矢状縫合の会合部にあたる頭蓋上の点)．

breg・mat・ic (breg-mat′ik). ブレグマの．

brei (brī) [Ger. pulp]. ブライ，かゆ(粥)，髄質（非常に細かい均一のどろどろとした組織で，細胞はほとんど侵されていない．*cf.* homogenate)．

brems・strah・lung (bremz′strah-lŭng) [Ger. *Bremsstrahlung*, braking radiation]. 制動放射（付近の原子核による電子束中の電子の減速．連続的な放射線スペクトル)．

Brenn (bren), Lena. 20世紀の米国人学術研究者．→Brown-B. *stain*.

Bren・ner (bren′ĕr), Fritz. 20世紀のドイツ人病理学者．→B. *tumor*.

brepho- (bre-fō) [G. *brephos*, embryo or newborn infant]. 発育の最初の段階を表す接頭語．

Bres・chet (**Brechet**) (brĕ-shā′), Gilbert. フランス人解剖学者，1784—1845．→B. *bones, canals, hiatus, sinus, vein*.

Bres・ci・a (bresh′ē-ă), Michael J. 20世紀の米国人腎臓病学者．→B.-Cimino *fistula*.

Bres・low (bres′lō), Alexander. 米国人病理学者，1928—1980．→B. *thickness*.

bre・tyl・i・um (bre-til′ē-ŭm). ブレチリウム（生命を脅かすような，心室の不整脈の治療のために用いられる抗不整脈薬．まず，ノルエピネフリンを遊離し，それから再取り込みをブロックする．その結果，交感神経終末の興奮性を抑制する)．

Breu・er (broy′er), Josef. オーストリア人内科医，1842—1925．→Hering-B. *reflex*.

bre・ve・tox・ins (**BTX**) (brev′ĕ-tok′sins). ブレボトキシン（〝赤潮〟渦鞭毛藻類 *Ptychodiscus brevis Davis*(*Gymnodinium breve Davis*)によって産生される特異な構造をもつ神経毒素．メキシコ湾やフロリダ海岸付近で発生した大型魚類や軟体動物の死，ヒト食中毒の原因である藻類の種．既知の渦鞭毛藻類毒素，例えば水溶性ナトリウムチャネルブロッカーとして知られているサキシトキシンと違って，ブレボトキシンは脂溶性ナトリウムチャネルアクチベータである）．

Brev·i·bac·ter·i·um (brev′ē-bak-tēr′ē-um). ブレビバクテリウム属（非運動性，非芽胞で，グラム陽性の杆菌である細菌属で，正常人の皮膚のフローラとして，また生乳やチーズ表面に認められる．敗血症患者や腹膜透析を受けている患者の腹膜から回収された数種の菌種はヒトの日和見感染の原因菌となるようである）．

brev·i·col·lis (brev′ē-kol′is) [L. *brevis*, short + *collum*, neck]. 短頸〔症〕（頸部が異常に短いこと）．

bre·vis (brev′is) [L. short]. 短い（[本形容詞は男性名詞(adductor brevis，複数形 adductores breves)および女性名詞(arteria centralis brevis，複数形 arteriae centrales breves)でともに用いられる．中性名詞では breve の形(vinculum breve，複数形 vincula brevia)で用いられる．breve の最後の e は発音される]）．

Brew·er (brū′ĕr), George E. 米国人外科医，1861—1939. ⇀B. *infarcts*.

Brick·er (brik′ĕr), Eugene M. 米国人泌尿器科医，1908—2000. ⇀B. *operation*.

bridge (brij). ***1*** 鼻梁（鼻骨が形成する鼻陵の上部）．***2*** 細胞間橋（細胞から細胞へ通っているようにみえる原形質の糸）．***3*** ブリッジ，架工義歯，橋義歯．＝fixed partial *denture*.

arteriolovenular b. 細動静脈橋（細動脈を細静脈につなぐ最大の毛細血管）．

cantilever b. 遊離端ブリッジ，延長ブリッジ（固定式ブリッジの1つで，ポンティックは片側の支台歯のみにより保持される）．＝extension b.

caudolenticular gray b.'s [TA]. 尾レンズ核灰白橋（内包(特にその前脚)を通って尾状核と被殻とを結ぶ神経細胞体の列）．＝pontes grisei caudolenticulares [TA]; transcapsular gray b.'s☆.

cell b.'s ＝intercellular b.'s.

cystine b. シスチン架橋．＝disulfide b.

cytoplasmic b.'s ＝intercellular b.'s.

dentin b. デンティンブリッジ，ぞうげ質橋（露出した歯髄組織をおおうように形成され，その歯髄組織を再び閉鎖する修復ぞうげ質あるいはその他の石灰化物）．

disulfide b. ジスルフィド架橋（①ポリペプチド，オリゴペプチドまたは蛋白での2つのシステイン残基間でのジスルフィド結合．②高分子のチオール含有部分間でのジスルフィド結合）．＝cystine b.

extension b. 延長ブリッジ．＝cantilever b.

fixed b. 固定架工義歯．＝fixed partial *denture*.

Gaskell b. (gas′kĕl). ギャスケル橋．＝atrioventricular *bundle*.

intercellular b.'s 細胞間橋（隣接した細胞を結合している細い細胞質の突起．表皮や他の重層扁平上皮の組織標本にみられるものは細胞質の連続のない突起がデスモソームで結合しているが，実は固定の際，収縮によって生じた人為像である．真の細胞間橋は，不完全分裂をする生殖細胞間にみられる）．＝cell b.'s; cytoplasmic b.'s.

myocardial b. 心筋橋（冠状動脈の心外膜側の上に広がる心筋線維の橋．予期せぬ突然死の症例では，この所見は労作中の心筋収縮が冠状動脈を絞扼していたことを示唆する）．

removable b. 可撤性架工義歯．＝removable partial *denture*.

salt b. 塩橋（異なる電荷をもつ解離基，例えばカルボキシル基とアミノ基が van der Waals 半径まで接近し，クーロン力によるイオンまたはイオン対で形成する結合．強い静電的相互作用のこと）．＝electrostatic *bond*.

transcapsular gray b.'s☆ caudolenticular gray b.'s の公式の別名．

Wheatstone b. (wēt′stōn). ホウィートストーン(ホイートストーン)ブリッジ（電気抵抗を測定する装置．4個の抵抗器を接続し四角形の4辺，または〝腕〟を形成する．その対角点を形成する接続点の1組に電圧を与え，他方の対角点の間の電圧を，検流計などで測定する．測定電圧が0のときにブリッジは〝平衡〟しており，そのとき，接続されている2組の抵抗の比は等しくなる）．

bridge·work (brij′wŏrk). 架工義歯〔術〕．＝partial *denture*.

bridging (brij′ing) [bridge + -ing]. 架橋（2つの構造間に，正常か異常かに無関係に，物理的接続が存在すること，あるいは形成すること）．

myocardial b. 心筋ブリッジ（心筋線維内を走行する心外膜冠状動脈）．

bri·dle (brī′dil) [M. E. *bridel*]. ***1*** ＝frenum. ***2*** 糸状帯（潰瘍または他の病変の表面を横切ってのびたり，相対する漿膜または粘膜表面間の癒着を形成する線維物質の帯）．

Bright (brīt), Richard. イングランド人内科医・病理学者，1789—1858. ⇀B. *disease*.

Brill (bril), Nathan E. 米国人医師，1860—1925. ⇀B. *disease*; B.-Zinsser *disease*.

bril·liant cres·yl blue (brĭl′yant kres′il blū). ブリリアントクレシルブルー（⇀cresyl blue）．

bril·liant green (bril′yant grēn) [C.I. 42040]. ブリリアントグリーン（pH 0—2.6 で黄色から緑色に変わる染料指示薬．培地内で，局所的防腐薬および静菌薬としても用いる）．＝ethyl green.

bril·liant vi·tal red (bril′yant vī′tăl red). ＝vital red.

bril·liant yel·low (bril′yant yel′ō) [C.I. 13085]. ブリリアントイエロー（pH 6.4—8 で，黄色から，橙色または赤色に変わる指示薬）．

brim (brim). 縁（中腔構造物の上縁）．

pelvic b. 骨盤上口．＝pelvic *inlet*.

brim·stone (brim′stōn) [A.S. *brinnan*, to burn]. 褐石．＝sulfur.

brin·dle (brin′dl) [O.E. *brinded* の指小辞]. まだら色（白色または黒色の毛に灰色または黄褐色が均一に混合されている毛皮の色．複合色．通常は褐色の皮膚に黒色のトラ縞ができる．延長部座位の *e* アレルによってコードされている）．

Bri·nell (bri-nel′), Johan A. スウェーデン人冶金学者，1849—1925. ⇀B. hardness *number*.

Bri·quet (brē-kā′), Paul. フランス人医師，1796—1881. ⇀B. *ataxia*, *disease*, *syndrome*.

brise·ment for·cé (briz-mon[h]′ fōr-sā′) [Fr. forcible breaking]. 猛撃矯正〔法〕（凍結肩の治療にまれに用いられる治療法．運動域改善のために行う暴力的徒手矯正法で，通常，癒着組織や周辺の関節包の断裂を生じる）．

Bris·saud (brē-sō′), Edouard. フランス人医師，1852—1909. ⇀B. *disease*, *infantilism*, *reflex*; B.-Marie *syndrome*.

Brit·ish an·ti-Lew·is·ite (BAL) (brit′ish an-tē-lū′is-īt). ＝dimercaprol.

Brit·ish Phar·ma·co·poei·a (BP) (brit′ish far′mă-kō-pē′ă). 英国薬局方（⇀Pharmacopeia）．

broach (brōch). ブローチ，根管針，抜髄針（歯髄を除去したり，根管を探査する治療用器具）．

barbed b. 有棘根管針（有棘の根管用器具．歯髄，歯髄組織残遺物または歯の破片を除去するのに用いる）．

smooth b. スムーズブローチ（歯内治療に用いる探査器具．根管用ブローチ）．

Broad·bent (brod′bent), William H. 英国人医師，1835—1907. ⇀B. *law*, *sign*.

Bro·ca (brō-kah′), Pierre P. フランス人外科・神経科医・人類学者，1824—1880. ⇀B. *angles*, basilar *angle*, facial *angle*, *aphasia*, *area*, parolfactory *area*, diagonal *band*, *center*, *field*, *fissure*, *formula*, visual *plane*, *pouch*.

Brock (brok), Russell C. 20世紀の英国人外科医．⇀B. *operation*, *syndrome*.

Brock·en·brough (brok′en-brō), E.C. 20世紀の米国人外科医．⇀B. *sign*.

Brö·del (broy′del), Max. 米国に在住したドイツ人医師，1870—1941. ⇀B. bloodless *line*.

Bro·die (brō′dē), Benjamin C. 英国人外科医，1783—1862. ⇀B. *abscess*, *bursa*, *disease*, *knee*.

Bro·die (brō′dē), Charles Gordon. スコットランド人解剖学者・外科医，1860—1933. ⇀B. *ligament*.

Bro·die (brō′dē), Thomas Gregor. 英国人生理学者，1866—1916. ⇀B. *fluid*.

brodifacoum (brō-di′fă-kūm). ブロディファクム（4-ヒドロキシクマリン誘導体の市販殺鼠薬で，長時間作用型であり，またワルファリンを超える抗凝血毒性を有する）．

Brod·mann (brod′măn), Korbinian. ドイツ人神経科医，

1868—1918. ⇀B. *areas*.

Broe·si·ke (brē′zē-kē), Gustav. 19世紀のドイツ人解剖学者. ⇀B. *fossa*.

brom-, bromo- (brom, brōmō) [G. *brōmos*, a stench]. ***1*** 悪臭. ***2*** 化合物中の臭素の存在を示す接頭語.

bro·mate (brō′māt). 臭素塩酸(臭素酸の塩または陰イオン).

bro·mat·ed (brō′māt-ĕd). 臭素またはその化合物と結合あるいは飽和した. = brominated.

brom·cre·sol green (brom-krē′sol grēn). ブロムクレゾールグリーン(pH 4.7で黄色から青色へ変化する指示染料. アガロース電気泳動でDNAを追跡したり, 血清アルブミンの分析用の色素結合法に用いられる).

brom·cre·sol pur·ple (brom-krē′sol pŭr′pil). ブロムクレゾールパープル(トリフェニルメタン染料(pK_a 6.3)の置換体の一種で, 水にはほとんど不溶性であるが, アルコール, 希釈アルカリに対しては可溶性. pHの指示薬として用い, pH 5.2で黄色, pH 6.8で紫色を呈する).

bro·me·lain, bro·me·lin (brō′mĕ-lān, -lin). ブロメライン, ブロメリン(パイナップルの茎および果実から得られるペプチド水解酵素群の1つで, 含硫蛋白分解酵素. 肉を軟らかくしたり, 蛋白水解物を得るのに用いる. 外傷によって起こる軟組織の炎症や浮腫の治療に経口投与される).

brom·hi·dro·sis (brom′hi-drō′sis) [G. *brōmos*, a stench + *hidrōs*, perspiration]. 臭汗症(悪臭のある発汗. アポクリン臭汗症は思春期後の腋窩に生じ, エクリン臭汗症は全身性の多汗により生じる). = bromidrosis.

bro·mic (brō′mik). 臭素を含む, 臭素様の(特に臭素酸 $HBrO_3$ についていう).

bro·mide (brō′mīd). 臭化物(陰イオン Br^-. 臭化水素の塩. 以前, 数種の塩が鎮痛薬, 催眠薬, 抗痙攣薬として用いられた).

bro·mi·dro·si·pho·bi·a (brō′mi-drō′si-fō′bē-ă) [bromidrosis + G. *phobos*, fear]. 臭汗恐怖〔症〕(身体から発する悪臭に対する病的な恐れ. ときにそのような悪臭がすると信じ込んでしまうこと).

bro·mi·dro·sis (brōm′i-drō′sis) [G. *brōmos*, a stench + *hidrōs*, perspiration]. 臭汗症. = bromhidrosis.

bro·min·at·ed (brō′min-āt′ĕd). = bromated.

bro·mine (Br) (brō′mēn, -min) [Fr. *brome*, bromine < G. *bromos*, stench]. 臭素(非金属で, 赤味がかった揮発性液体元素. 原子番号35, 原子量79.904. 原子価は−1から+7までの値をとりうる. 水素と結合して臭化水素を生成し, 多くの金属と反応して臭素化合物を生成する. 医薬品に用いるものもある).

bro·mism, bro·min·ism (brō′mizm, -min-izm). 慢性ブロム中毒, 慢性臭素中毒(頭痛, 嗜眠, 錯乱, ときに激しいせん妄, 筋力低下, 心機能低下, 痤瘡様発疹, 口臭, 食欲不振, 胃部不快感を特徴とする慢性のブロム中毒. →bromide *acne*; bromoderma).

bromo- (brō′mō). ⇀brom-.

bro·mo·ben·zyl·cy·an·ide (BBC) (brō′mō-benz′il-sī′a-nīd). ブロモベンジルシアン化物(催涙薬. 軍事訓練や暴動鎮圧時に催涙ガスとして用いる).

bro·mo·de·ox·y·ur·i·dine (BrDu) (brō′mō-dē-ok′sē-yūr′i-dēn). ブロモデオキシウリジン(RNAへの取り込みの際, ウリジンと競合する化合物で, 紫外光下で蛍光を発する. BrDu染色法に用いる).

bro·mo·der·ma (brō′mō-der′mă) [bromide + G. *derma*, skin]. 臭素疹, ブロム疹(臭化物に対する過敏症に起因する痤瘡様あるいは肉芽腫性の発疹).

bro·mo·hy·per·hi·dro·sis, bro·mo·hy·per·i·dro·sis (brō′mō-hī′per-hi-drō′sis, -hī′per-i-drō′sis) [G. *brōmos*, a stench + *hyper*, over + *hidrōsis*, sweating]. 臭汗過多〔症〕(悪臭がある汗の過剰分泌. 通常, エクリン性で, 全身性または足に生じる).

bro·mo·phe·nol blue (brō′mō-fē′nol blū). = bromphenol blue.

5-**bro·mo·u·ra·cil** (brō-mō-yū′ră-sil). 5-ブロモウラシル(チミンのメチル基が臭素原子に代わったチミンの合成類似体(抗代謝物). 変異原物質).

brom·phe·nol blue (brom-fē-nol blū). ブロモフェノールブルー(トリフェニルメタン染料の置換体の一種で, 分子量670, pK 4.0. 酸塩基指示薬として用い, pH 3.1以下で黄色, pH 4.7以上で青色を呈する. 蛋白の組織化学的証明, 電気泳動証明にも用いる). = bromophenol blue.

brom·thy·mol blue (brom-thī′mol blū). ブロモチモールブルー(トリフェニルメタン染料の置換体の一種で, 分子量624, pK 7. 水素イオン指示薬として主に用い, pH 6で黄色, pH 7.6で青色を呈する. 弱毒性の生体染色色素).

bronch- (brongk). ⇀broncho-.

bron·chi (brong′kī). bronchusの複数形.

bronchi- (brong′kī). ⇀broncho-.

bron·chi·a (brong′kē-ă) [G. *bronchos*(trachea)の指小辞, *bronchion*の複数形]. 気管支.

bron·chi·al (brong′kē-ăl). 気管支の.

bron·chi·ec·ta·si·a (brong′kē-ek-tā′zē-ă). = bronchiectasis.

b. sicca = dry *bronchiectasis*.

bron·chi·ec·ta·sis (brong′kē-ek′tă-sis) [bronchi- + G. *ektasis*, a stretching][MIM*211400]. 気管支拡張〔症〕(炎症性疾患または閉塞に続発する, 気管支または細気管支の慢性的拡張で, しばしば多量の痰産生を伴う). = bronchiectasia.

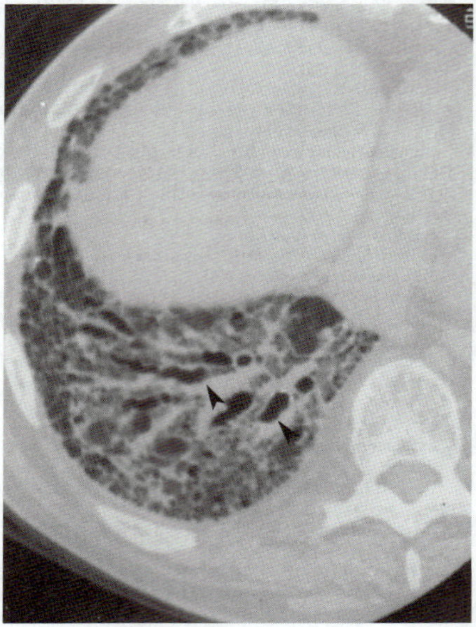

bronchiectasis

高解像度CTは右肺底の拡張した気管支(矢頭)および網状間隙の不透明を示す.

congenital b. 先天性気管支拡張症(気管気管支樹の発育停止に基づくまれな型の気管支拡張症. 一側性か両側性).

cylindric b. 円柱状気管支拡張〔症〕(円柱状に, すなわち管腔は変化しないで, 気管支が拡張すること).

cystic b. 嚢状気管支拡張症(気管支拡張症で, 灌注気管支より気管支末端盲嚢の直径のほうが大きいもの. →saccular b.).

dry b. 乾性気管支拡張〔症〕(喀痰を伴う咳がなく, ときに喀血を特徴とする). = bronchiectasia sicca.

saccular b. 嚢胞状気管支拡張〔症〕(気管支が拡張して嚢胞状または不整形になっている気管支. →cystic b.).

varicose b. 静脈瘤状気管支拡張症(形が静脈瘤に似る不規則な狭窄のある円柱状気管支拡張症).

bron·chi·ec·tat·ic (brong′kē-ek-tat′ik). 気管支拡張〔症〕の.

bron·chil·o·quy (brong-kil′ō-kwē) [bronchi- + L. *loquor*, to speak]. 気管支声 (bronchophony を表す，まれに用いる語).

bron·chi·o·gen·ic (brong′kē-ō-jen′ik). 気管支原性の. = bronchogenic.

bron·chi·ole (brong′kē-ōl) [TA]. 細気管支 (気管支が6回以上分岐して以後の細径のもので，直径1mm以下．その壁には軟骨がないが，平滑筋と弾性線維に比較的富む). = bronchiolus [TA].

respiratory b.'s 呼吸細気管支 (終末細気管支を肺胞管につなぐ最小細気管支(直径0.5 mm)．壁の一部に肺胞をもち，ガス交換も行われる). = bronchioli respiratorii.

terminal b. 終末細気管支 (ガス交換にあずからない気道終末部．内膜は単層円柱または立方上皮で，粘液分泌性杯細胞を欠く．線毛細胞や多数のクララ細胞が認められる). = bronchiolus terminalis.

bron·chi·o·lec·ta·si·a (brong′kē-ō-lek-tā′zē-ă). = bronchiolectasis.

bron·chi·o·lec·ta·sis (brong′kē-ō-lek′tă-sis) [bronchiole + G. *ektasis*, a stretching]. 細気管支拡張〔症〕(細気管支にみられる拡張症). = bronchiolectasia.

bron·chi·o·li (bron-kī′ō-lī). bronchiolus の複数形.

bron·chi·ol·i·tis (brong′kē-ō-lī′tis) [bronchiole + *-itis*, inflammation]. 細気管支炎 (気管支肺炎にしばしば併発する細気管支の炎症).

constrictive b. 狭窄性細気管支炎 (閉塞性細気管支炎に続発する瘢痕による細気管支閉塞．*cf.* proliferative b.).

exudative b. 滲出性細気管支炎 (線維素性滲出を伴う細気管支の炎症).

b. fibrosa obliterans 閉塞性線維性細気管支炎 (粘膜潰瘍によってもたらされた線維性肉芽組織による細気管および肺胞道の閉塞．この状態は刺激性ガス吸入に続発(→silo-filler's *lung*)あるいは肺炎に合併することがある．閉塞所見に合併(→unilateral hyperlucent *lung*; Swyer-James *syndrome*)). = b. obliterans.

b. obliterans 閉塞性細気管支炎. = b. fibrosa obliterans.

b. obliterans with organizing pneumonia (BOOP) 器質化肺炎を伴う閉塞性細気管支炎 (器質化を伴う肺炎を合併する閉塞性線維性細気管支炎).

proliferative b. 増殖性細気管支炎 (細気管支腔内および肺胞が上皮の増殖で閉塞して起こる細気管支炎で，インフルエンザや巨細胞性肺炎に続発することがある).

bronchiolo- (brong′kē-ō′lō) [L. *bronchiolus*]. 細気管支に関する連結形.

bronchiologram (brong-kē-ō′lō-gram) [bronchiole + -gram]. 細気管支〔可視化〕像 (1つ以上の細気管支が，内部の空気と周辺組織の滲出性変化によるコントラストで縁取られ，可視化されたX線写真の画像).

air b. 小気道の放射線画像上のパターンをさす．細い空気含有構造で，肺炎などで不透明化した肺胞を背景に，顕著な細気管支が可視化されたものと考えられる.

bron·chi·o·lo·pul·mo·nary (brong′kē-ō-lō-pul′mō-nār-ē). 細気管支肺の (細気管支と肺に関する).

bron·chi·o·lus, pl. bron·chi·o·li (brong-kī′ō-lŭs, -ō-lī) [Mod. L. *bronchus* の指小辞][TA]. 細気管支 (**[**誤った発音 bronchio′lus を避けること**]**). = bronchiole.

bronchioli respiratorii 呼吸細気管支. = respiratory *bronchioles*.

b. terminalis 終末細気管支. = terminal *bronchiole*.

bron·chi·o·ste·no·sis (brong′kē-ō-sten-ō′sis). = bronchial *stenosis*.

bron·chit·ic (brong-kit′ik). 気管支炎の.

bron·chi·tis (brong-kī′tis). 気管支炎 (気管支粘膜の炎症).

asthmatic b. ぜん息性気管支炎 (気管支痙攣を引き起こす，あるいは悪化させる気管支炎).

Castellani b. (kahs-tĕ-lah′nē). カステラーニ気管支炎. = hemorrhagic b.

chronic b. 慢性気管支炎 (咳，粘液の過剰分泌，喀痰の喀出が長時間にわたってみられることを特徴とする気管支の状態で，頻繁に気管支感染を合併する．通常，じん埃や燃焼の結果生じる有毒ガスによって汚染された空気を長期にわたって吸入することが原因である).

croupous b. クループ性気管支炎 (fibrinous b. を表す現在では用いられない語).

fibrinous b. 線維素〔性〕気管支炎 (線維素性滲出液を伴う気管支粘膜の炎症．滲出液はしばしば気管支の円柱を形成し，強度の気道閉塞をきたす). = plastic b.; pseudomembranous b.

hemorrhagic b. 出血〔性〕気管支炎 (スピロヘータの感染による慢性気管支炎．他の細菌も通常は存在し，感染をもたらす．主症状は咳と血痰). = bronchopulmonary spirochetosis; bronchospirochetosis; Castellani b.

obliterative b., b. obliterans 閉塞性気管支炎 (滲出液が器質化し，気管支の罹患部分を閉塞してしまう線維素性気管支炎．その結果その末梢部肺の永続的な虚脱をきたす).

plastic b. 形成性気管支炎. = fibrinous b.

pseudomembranous b. 偽膜〔性〕気管支炎. = fibrinous b.

putrid b. 腐敗〔性〕気管支炎 (悪臭物の喀出を伴う気管支炎).

bron·chi·um (brong′kē-ŭm) [Mod. L. < G. *bronchion*]. 中一小気管支 (気管支の分枝のうち，細気管支よりも太いもの. →bronchus; bronchiole).

broncho-, bronch-, bronchi- (brong′kō, brongk, brong′kī) [G. *bronchos*, windpipe]. 気管支を表す連結形．古代用法では気管を意味した.

bron·cho·al·ve·o·lar (brong′kō-al-vē′ō-lăr). 気管支肺胞の. = bronchovesicular.

bron·cho·cav·ern·ous (brong′kō-kav′er-nŭs). 気管支空洞の (気管支と肺空洞に関する).

bron·cho·cele (brong′kō-sēl) [broncho- + G. *kēlē*, hernia]. 気管支瘤，気管支ヘルニア (気管支の限局性拡張).

bron·cho·con·stric·tion (brong′kō-kon-strik′shŭn). 気管支収縮 (気管支の管腔が狭くなること．固定した狭窄(気管支狭窄症)よりも通常は，ぜん息や肺気腫のような活発な過程に関わるものをいう．*cf.* bronchospasm).

exercise-induced b. 運動誘発〔性〕気管支収縮. = exercise-induced *bronchospasm*.

bron·cho·con·stric·tor (brong′kō-kon-strik′ter, -tōr). ***1*** 〘adj.〙 気管支収縮〔性〕の (気管支管腔の縮小を起こす). ***2*** 〘n.〙 気管支収縮薬 (***1*** の作用をもつ薬物．例えばヒスタミン，アセチルコリン).

bron·cho·di·la·ta·tion (brong′kō-dil-ă-tā′shŭn). = bronchodilation.

bron·cho·di·la·tion (brong′kō-dī-lā′shŭn). = bronchodilatation. ***1*** 気管支拡張 (薬理学的活性物質または自律神経活動に反応して，気管支と細気管支の管腔が広がること). ***2*** bronchiectasis を表す，まれに用いる語.

bron·cho·di·la·tor (brong′kō-dī-lā′ter, -tōr). ***1*** 〘adj.〙 気管支拡張〔性〕の (気管支口径の拡大を引き起こす). ***2*** 〘n.〙 気管支拡張薬 (***1*** の作用をもつ薬物．例えばエピネフリン，アルブテロール).

bron·cho·e·de·ma (brong′kō-ĕ-dē′mă). 気管支浮腫 (気管支粘膜の腫脹).

bron·cho·e·soph·a·gol·o·gy (brong′kō-ē-sof-ă-gol′ō-jē) [broncho- + G. *oisophagos*, esophagus + *logos*, study]. 気管食道科学 (内視鏡やその他の手段により，気管気管支および食道の疾患を診断・治療する専門分野).

bron·cho·e·soph·a·gos·co·py (brong′kō-ē-sof-ă-gos′kŏ-pē). 気管支食道鏡検査〔法〕(内視鏡による気管気管支および食道の検査).

bron·cho·fi·ber·scope (brong′kō-fī′ber-skōp). = bronchoscope.

bron·cho·gen·ic (brong′kō-jen′ik). 気管支原性の. = bronchiogenic.

bron·cho·gram (brong′kō-gram) [broncho- + G. *gramma*, a writing]. 気管支造影(撮影)図 (気管支造影法で得られるX線写真．気管支のX線造影).

air b. エアブロンコグラム (空気で満たされた気管支が，液体で満たされた気腔により取り囲まれているX線像).

bron·chog·ra·phy (brong-kog′ră-fē) [broncho- + G. *graphē*, a drawing]. 気管支造影(撮影)〔法〕(ある種の放射線不透過物質の1つを注入して行う気管気管支のX線検査．通常は粘稠度の高いヨード性剤の懸濁液の造影剤を用いる．最近では，高分解能CTに取って代わられ，ほとんど施行されることはない).

tantalum b. タンタルム気管支造影(金属タンタルム粉を吸引させることによる歴史的な気管支造影).

bron·cho·lith (brong′kō-lith) [broncho- + G. *lithos*, stone]. 気管支結石(気管支における硬い凝塊. 通常, 気管支壁から管腔へ貫く, 結核性あるいは他の肉芽腫性リンパ節のびらんに起因する). =bronchial calculus.

bron·cho·li·thi·a·sis (brong′kō-li-thī′ă-sis). 気管支結石症(気管支結石によって起こる気管支の炎症または気管支閉塞).

bron·cho·ma·la·ci·a (brong′kō-mă-lā′shē-ă) [broncho- + G. *malakia*, a softening][MIM*211450]. 気管支軟化〔症〕(気管気管支の弾性および結合組織の変性).

bron·cho·mo·tor (brong′kō-mō′ter) [broncho- + L. *motor*, mover]. ***1*** 〘adj.〙 気管支運動の(気管支または細気管支の管腔の拡張または収縮に関する). ***2*** 〘n.〙 気管支運動薬(***1*** の作用をもつ薬物).

bron·cho·my·co·sis (brong′kō-mī-kō′sis) [broncho- + G. *mykēs*, fungus]. 気管支真菌症(気管支真菌疾患全般をさす).

bron·choph·o·ny (brong-kof′ō-nē) [broncho- + G. *phōnē*, voice]. 気管支声(硬化した肺組織に囲まれた気管支部分の体表より聞こえる増強された明瞭な声音.→tracheophony). =bronchial voice.

whispered b. 耳語(呵語)性気管支声. =whispered *pectoriloquy.*

bron·cho·plas·ty (brong′kō-plas′tē) [broncho- + G. *plastos*, formed]. 気管支形成〔術〕(気管支の構造を外科的に変化させること).

bron·cho·pneu·mo·ni·a (brong′kō-nū-mo′nĭ-a). 気管支肺炎(細気管支周囲の肺胞の肺胞管への炎症の広がりによって起こる不規則な硬変を伴う小気管支壁の急性炎症. 融合性または出血性を呈する場合もある). =bronchial pneumonia.

postoperative b. 手術後気管支肺炎(通常, 上腹部手術に続発する術後患者に起こる斑状肺炎で, 吸気時の疼痛による横隔膜運動制限が肺の背側部分の換気低下をもたらし, 分泌液の不適当な移動が感染を助長する. 手術後早期の体動と深呼吸運動が頻度を少なくする).

tuberculous b. 結核性気管支肺炎(広範な斑状の硬化像を特徴とする肺結核の急性型).

bron·cho·pul·mo·nar·y (BP) (brong′kō-pul′mō-nār′ē). 気管支肺の(気管支と肺に関する).

bron·chor·rha·phy (brong-kōr′ă-fē) [broncho- + G. *rhaphē*, a seam]. 気管支縫合〔術〕(気管支の創の縫合).

bron·chor·rhe·a (brong′kō-rē′ă) [broncho- + G. *rhoia*, a flow]. 気管支漏(気管支粘膜からの粘液の過剰分泌. 薄い痰の大量の産生を伴う. 多くの場合, 気管支肺胞癌か肺胞蛋白症による).

bron·cho·scope (brong′kō-skōp) [broncho- + G. *skopeō*, to view]. 気管支鏡(診断目的(生検を含む)あるいは異物除去のために, 気管気管支の内部を観察するための内視鏡. 弾性と硬性の2種がある). =bronchofiberscope.

flexible fiberoptic b. 軟性ファイバー気管支鏡(経鼻または経口で挿入する長い円柱状の気管支鏡で上下気道を明視でき, 受信画像としてスクリーンやモニター画面に投影もできる. 間接喉頭鏡下に挿入できないときの気管内挿管にも用いられる.→bronchofiberscope).

bron·chos·co·py (brong-kos′kŏ-pē). 気管支鏡検査〔法〕(気管支鏡による気管気管支内部の視診).

bron·cho·spasm (brong′kō-spazm). 気管支痙攣(気管支および細気管支壁の平滑筋の収縮で, 気管支管腔の狭窄を起こす. *cf.* bronchoconstriction).

exercise-induced b. (**EIB**) 運動誘発〔性〕気管支攣縮(肉体的運動により引き起こされる気管支攣縮). =exercise-induced asthma; exercise-induced bronchoconstriction.

bron·cho·spas·mo·ly·tic (brong′kō-spaz′mō-li′tik). 鎮咳・気管支拡張〔性〕の(気管支痙攣を緩和する).

bron·cho·spi·ro·che·to·sis (brong′kō-spī′rō-kē-tō′sis). 気管支スピロヘータ症. =hemorrhagic *bronchitis.*

bron·cho·spi·rog·ra·phy (brong′kō-spī-rog′ră-fē) [broncho- + L. *spiro*, to breathe + G. *graphō*, to write]. 〔左右別〕気管支肺容量測定〔法〕, ブロンコスパイログラフィ, 気管支呼吸計測〔法〕(単腔の気管支チューブを用いて, 片肺の換気機能を測定する方法).

bron·cho·spi·rom·e·ter (brong′kō-spī-rom′ĕ-ter) [broncho- + L. *spiro*, to breathe + G. *metron*, measure]. 〔左右別〕気管支肺容量測定器, 〔左右別〕気管支呼吸測定器, 気管支呼吸計(Carlen 管などの二重管腔気管支チューブを使って, 左右肺別々に気流の流速, 流量を測定するのに, まれに用いる装置).

bron·cho·spi·rom·e·try (brong′kō-spī-rom′ĕ-trē). 〔左右別〕気管支肺容量測定〔法〕, 気管支肺機能測定, 左右別肺機能検査, ブロンコスパイロメトリ(左右肺別々の呼吸機能を決定するために, 左右別肺機能測定器具(Carlen 二重管腔カテーテル)を用いる方法).

bron·cho·stax·is (brong′kō-stak′sis) [broncho- + G. *staxis*, a dripping]. 気管支〔滴状〕出血. =hemoptysis.

bron·cho·ste·no·sis (brong′kō-sten-ō′sis). 気管支狭窄(気管支の慢性的な狭窄).

bron·chos·to·my (brong-kos′tō-mē) [broncho- + G. *stoma*, mouth]. 気管支造瘻術(気管支への新しい開口部の外科的形成).

bron·chot·o·my (brong-kot′ō-mē). 気管支切開〔術〕.

bron·cho·tra·che·al (brong′kō-trā′kē-ăl). 気管支気管の(気管支と気管に関する).

bron·cho·ve·sic·u·lar (brong′kō-vĕ-sik′yū-lăr). 気管支肺胞の(気管と肺胞についていう. 特に聴診で聞かれる肺音に関係). =bronchoalveolar.

bron·chus, pl. **bron·chi** (brong′kŭs, brong′kī) [Mod. L. < G. *bronchos*, windpipe][TA]. 気管支(気管の細区分の1つで, 肺に出入りする空気を運ぶ役目を果たす. 気管は左右の主気管支に分かれ, 各々が分岐して葉気管支, 区域気管支, 細気管支となる. 構造的には, 肺内気管支(二次気管支)は, 多列線毛円柱上皮と, 縦走する網状の弾性線維に富む固有層を有する. 平滑筋束はらせん状に配列し, 粘膜漿液腺に富む. また外壁部には不規則なヒアリン様軟骨板がある).

eparterial b. 動脈上気管支(右肺動脈の上を通る右上葉気管支).

hyparterial bronchi 動脈下気管支(左右肺動脈の下を通る気管支. すなわち右中葉・下葉気管支と左上葉・下葉気管支).

intermediate b. 中間幹気管支(上葉気管支入口部から中葉・下葉気管支入口部までの右気管支の部分). =b. intermedius.

b. intermedius 中間幹気管支. =intermediate b.

intrasegmental bronchi [TA]. 区内気管支(肺区域にはいる区気管支の枝管). =bronchi intrasegmentales [TA]; branches of segmental bronchi; rami bronchiales segmentorum.

bronchi intrasegmentales [TA]. =intrasegmental bronchi.

left main b. [TA]. 左主気管支(**[**誤った用語 left main stem(または mainstem) bronchus を避けること**]**. 気管分岐から始まる気管支本幹のうち左側のもの. 食道の前を通って左肺門にはいり, 上葉・下葉気管支に分かれる. 右主気管支より長く細くほぼ水平に走行するため, 吸入異物がはいることは少ない). =b. principalis sinister [TA].

lobar bronchi [TA]. 葉気管支(肺葉に達する主気管支(最初の分岐)の次の分枝. 右肺には3枝の葉気管支(上葉気管支, 中葉気管支, 下葉気管支), 左肺には2枝(上葉気管支, 下葉気管支)がある. 葉気管支は区域(三次)気管支に分かれる). =bronchi lobares; b. lobaris medius; b. lobaris superior; b. lobaris inferior [TA].

bronchi lobares, b. lobaris medius, b. lobaris superior, b. lobaris inferior [TA]. 葉気管支. =lobar bronchi.

mucoid impaction of b. 気管支のムコイド嵌頓(気管支腔を粘稠な粘液で栓をした状態で, 接続する肺区域の換気を障害し, 特徴のある線状影の集合やブドウ状のX線陰影, ときには無気肺や肺炎をもたらす. 典型的には囊胞性線維症でみられるが, 種々の他疾患状態でも起こり得る).

primary b. 主気管支(気管分岐部に起こり, 胚の発育に伴って発達して肺へのびる主要気管支).

b. principalis dexter [TA]. 右主気管支. =right main b.

b. principalis sinister [TA]. 左主気管支. =left main b.

right main b. [TA]. 右主気管支（[誤った用語 right main stem(または mainstem) bronchus を避けること]. 気管分岐から始まる気管支本管のうち右側のもの．右肺門にはいって上葉気管支を分岐した後，下行して中葉・下葉気管支を分岐する．左主気管支より短く太くほぼ垂直に走行するため，吸入異物は右にはいりやすい）. ＝b. principalis dexter [TA].

segmental b. [TA]. 区〔域〕気管支（肺区域に送る葉気管支の分枝．右肺には通常 10 枝，すなわち上葉に肺尖枝(B_1)，後上葉枝(B_2)，前上葉枝(B_3)，中葉に外側中葉枝(B_4)，内側中葉枝(B_5)，下葉に上－下葉枝(B_6)，内側肺底枝(B_7)，前肺底枝(B_8)，外側肺底枝(B_9)，後肺底枝(B_{10})がある．左肺には 9 枝，すなわち上葉に肺尖後枝(B_{1+2})，前上葉枝(B_3)，上舌枝(B_4)，下舌枝(B_5)，下葉に上－下葉枝(B_6)，内側肺底枝(B_7)，前肺底枝(B_8)，外側肺底枝(B_9)，後肺底枝(B_{10})がある）. ＝b. segmentalis [TA].

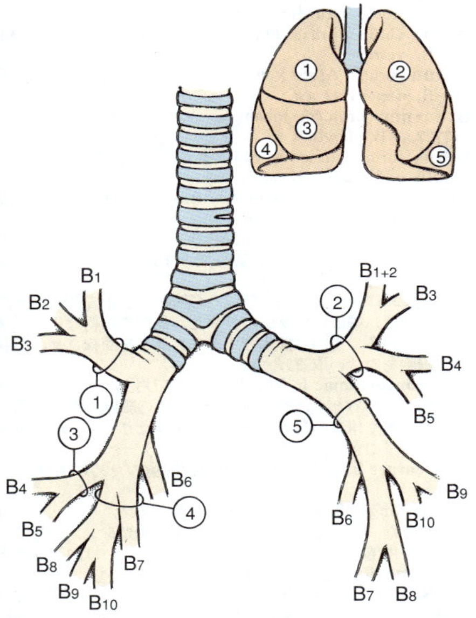

segmental bronchi

[肺葉] ①: 右上葉，②: 左上葉，③: 右中葉，④: 右下葉，⑤: 左下葉に区分される．

[右肺] B_1：肺尖枝．B_2：後上葉枝．B_3：前上葉枝．B_4：外側中葉枝．B_5：内側中葉枝．B_6：上-下葉枝．B_7：内側肺底枝，B_8：前肺底枝．B_9：外側肺底枝．B_{10}：後肺底枝

[左肺] B_{1+2}：肺尖後枝．B_3：前上葉枝．B_4：上舌枝．B_5：下舌枝．B_6：上-下葉枝．B_7：内側肺底枝．B_8：前肺底枝．B_9：外側肺底枝．B_{10}：後肺底枝

b. segmentalis [TA]. 区〔域〕気管支. ＝segmental b.

stem b. 気管支幹（気管支の気管支樹が分岐する部分）.

Brøn·sted (bron′sted), Johannes N. デンマーク人物理学者，1879—1947. ⇀B. *acid, base, theory.*

bron·to·pho·bi·a (bron′tō-fō′bē-ă) [G. *brontē*, thunder ＋ *phobos*, fear]. 雷鳴恐怖〔症〕（雷に対する病的な恐れ）. ＝tonitrophobia.

brood (brūd). ***1*** 〚n.〛 同腹. ＝litter (2). ***2*** 〚v.〛 心配して考え込む，病的なほどに黙想する．

Brooke (bruk), Henry A.G. イングランド人皮膚科医，1854—1919. ⇀B. *tumor.*

Brooke (bruk), Bryan N. 20 世紀の英国人外科医. ⇀B. *ileostomy.*

Bro·vi·ac (brō′vē-ak), J.W. 20 世紀の米国人外科医. ⇀B. *catheter.*

brow (brow) [A.S. *brū*]. ***1*** 眉毛（⇀eyebrow). ***2*** 前頭，額，ひたい. ＝forehead.

Brown (brown), Harold W. 20 世紀の米国人眼科医. ⇀B. *syndrome.*

Brown (brown), James. 米国人形成外科医，1899—1971. ⇀B.-Adson *forceps.*

Brown (brown), James H. 20 世紀の米国人微生物学者. ⇀B.-Brenn *stain.*

Brown (brown), Lester. 米国人耳科医. ⇀Brown *sign.*

Brown (brown), Robert. イングランド人植物学者，1773—1858. ⇀ brownian *motion*; brownian *movement*; brownian-Zsigmondy *movement.*

Browne (brown), Denis John. 20 世紀の英国人外科医. ⇀Denis B. *pouch, splint.*

brown·i·an (brown′ē-ăn). [誤ったつづりまたは発音Browning を避けること]. Robert Brown に関する，または彼の記した.

Brown·ing (brown′ing), William. 米国人解剖学者・神経科医，1855—1941. ⇀B. *vein.*

Brown-Sé·quard (brūn′sā-kahr′), Charles E. [本姓はハイフンで結ぶのが正しい]. フランス人生理学者・神経科医，1817—1894. ⇀B.-S. *paralysis, syndrome.*

Bruce (brūs), Robert A. 米国人心臓病専門医，1917—2004. ⇀B. *protocol.*

Bru·cel·la (brū-sel′lă). ブルセラ属（短い杆状から球状のグラム陰性細胞を含む莢膜を有する非運動性細菌(ブルセラ科)の一属．これらの細菌は炭水化物から気体を生成しない．寄生性で，すべての動物組織に侵入し，生殖器，乳腺，気道，腸管の感染を引き起こし，ヒトおよび多種の家畜に対して病原性を示す．標準種は *B. melitensis*).

B. abortus ウシ流産菌（ウシ(ウシのブルセラ症)，ウマ，ヒツジの流産，ヒトの波状熱，ニワトリの消耗病を起こす細菌種). ＝abortus bacillus.

B. canis イヌ流産菌（イヌの精巣上体炎，ブルセラ症，流産を起こす細菌種．ヒトに感染を起こすことがある).

B. melitensis* biovar *cunis マルタ熱菌（ヒトのブルセラ症，ヤギの流産，ニワトリの消耗病を起こす細菌種．雌ウシやブタに感染し，その乳汁中に排泄される場合もある．*Brucella*属の標準種).

B. melitensis* biovar *ovis *Brucella ovis* の旧名.

B. suis ブタ流産菌（ブタの流産，ヒトのブルセラ症，ニワトリの消耗病を起こす細菌種．ウマ，イヌ，ウシ，サル，ヤギ，実験動物に感染する場合もある).

Bru·cel·la·ce·ae (brū-sel-ā′sē-ē). ブルセラ科（単独，対，短鎖または群をなして存在する小型の球状から杆状グラム陰性細胞を含む真正細菌目細菌の一科．両極染色を示す場合と示さない場合，運動性のものと非運動性のものとがある．運動細胞は周毛性である．V(リン酸ピリジンヌクレオチド)因子，X(ヘミン)因子が増殖に必要な場合もある．血清が成長に必要である場合も，成長を促進する場合もある．高い炭酸ガス圧もまた，特に分離当初には，増殖を助長する場合がある．これらの細菌は，寄生性でヒトを含む温血動物に対して病原体となるが，冷血動物に対して病原体となることはまれである．以前は Parvobacteriaceae とよばれた．標準属は *Brucella*).

bru·cel·ler·gin (brū-sel′er-jin). ブルセレルギン（⇀ brucellin).

bru·cel·lin (brū-sel′in). ブルセリン（*Brucella*属の複数菌種から調製される抗原性物質．結核と同様の皮膚試験でブルセラ症を診断するのに用いられた).

bru·cel·lo·sis (brū′sel-ō′sis). ブルセラ症（*Brucella melitensis* の次亜種の細菌によって起こる伝染病で，発熱，発汗，衰弱，精巣炎，疼痛を特徴とする．罹患動物との直接の接触や菌が寄生した肉，ミルク，チーズの摂取によってヒトに感染する．特に，獣医，農夫，屠殺場従業員にとっては危険であり，慢性で長期間にわたる廃疾をもたらすことがある．菌種によってある程度の交差が起こることもあるが，*B. melitensis* はヤギ，*B. melitensis* biovar *abortus* はウシ，*B. melitensis* biovar *canis* はイヌ，*B. melitensis* biovar *suis* はブタを特異的に侵す). ＝febris undulans; Malta fever; Mediterranean fever (1); undulating fever.

bovine b. ウシのブルセラ症（ウシ流産菌 *Brucella melitensis* biovar *abortus* によって起こるウシの疾患．妊娠牛では，妊娠後期の流産，その後の遺残胎盤および子宮炎を特徴とし，雄ウシでは，精巣炎と精巣上体炎が発現する．菌が乳房に限局して，感染牛の乳汁に出現する場合もある）．＝Bang disease.

Bruch (bruk), Carl W.L. ドイツ人解剖学者，1819—1884.→B. *glands, membrane.*

bru·cine (brū-sēn, -in)［＜ *Brucea* sp., a shrub, スコットランドの探険家, James Bruce, ？—1794 にちなむ］. ブルシン（フジウツギ科の *Strychnos nux-vomica* および *S. ignatii* のアルカロイド．知覚神経と末梢運動神経を麻痺させる．ストリキニーネの特徴である痙攣作用はほとんど皆無．以前は局所鎮痛薬および強壮薬として用いられた）.

Bruck (bruk), Alfred. 19 世紀のドイツ人医師．→B. *disease.*

Brüc·ke (bri′ke), Ernst W. von. ハプスブルク帝国の生理学者，1819—1892.→B. *muscle, tunic*; B.-Bartley *phenomenon.*

Brud·zin·ski (brū-jin′skē), Josef von. ポーランド人医師，1874—1917.→B. *sign.*

Bru·gi·a (brū′jē-ă). ブルギア属（カによってヒト，霊長類，ネコ科の肉食動物，その他の哺乳類に媒介される糸状虫の一属）.

B. malayi マレー糸状虫（東南アジア，インドネシアにおけるヒトフィラリア症や象皮病の重要な病原体．*Mansonia* 属と *Anopheles*属のカによってヒトに媒介される．成虫はリンパ管炎とリンパ節炎を起こすが，バンクロフト糸状虫 *Wuchereria bancrofti*(以前は *Wuchereria malayi* とよばれた)より，性器部と下肢への迷入は少なく，上肢への迷入率は比較的高い）.

bruise (brūz)［M. E. *bruisen* ＜ O. Fr. ＜ Germanic］. 挫傷，打撲傷（［出血病変(例えば，凝固異常疾患による溢血や静脈穿刺部での血液漏出)にはこの言葉を用いてはならない］．皮膚に裂創はないが，血腫や広範な溢血を生じる鈍的損傷）.

bru·isse·ment (brū-ēs-mon[h]′) [Fr.]. 猫喘音（ゴロゴロと鳴る聴診音）.

bru·it (broo-ē′) [Fr.]. 雑音（［英単語としての bruit は boot と韻を踏むように brūt と正しく発音される．米国の医学語法では，brū′ē および brū-ē′ のほうがよく聞かれる．現代の医学フランス語では，本語は 2 つの正常心音のいずれかを示す］．粗い，楽曲様で，断続性の聴診音．特に異常音についていう）.

aneurysmal b. 動脈瘤〔性〕雑音（動脈瘤上で聞かれる吹鳴性雑音）.

carotid b. 頸動脈雑音（大動脈部ではなく頸部で聞かれる収縮性雑音．頸動脈の乱血流により起こる雑音）.

b. de canon 大砲雑音（完全房室ブロックと干渉解離の際に，心房収縮の直後に心室が収縮するため間欠的に聞かれる大きな心臓の第 1 心音）．＝cannon sound.

b. de claquement クリック性血管雑音（心臓のクリック音．→click）.

b. de cuir neuf 新皮擦過性血管雑音（新しい皮を擦るようなキュウキュウいう摩擦音(bruit de craquement ともいう)．主に慢性心膜炎で聞かれる）.

b. de diable ［Fr. humming-top］. ごま音．＝venous *hum.*

b. de frolement ［Fr. rustling］. 衣擦れ状血管雑音（胸膜または心膜摩擦音により衣が擦れるような粗い音）.

b. de galop ［Fr.］. 奔馬〔性〕雑音．＝gallop.

b. de la roue de moulin ［Fr. mill］. 水車音（心膜炎のときに心膜腔に液体と気体が共存して，水車が回るギーギーいう音とピチャピチャいう音が両方聞こえる雑音）.

b. de lime ［Fr. file］. やすり雑音（ガリガリという雑音を説明するのに R. Laënnec が用いた語）.

b. de rape ［Fr. saw, rasp］. のこぎり雑音，石目やすり雑音（耳ざわりなガリガリという雑音を説明するのに R. Laënnec が用いた語）.

b. de rappel ［Fr. drum-beat］. 太鼓雑音（第 2 心音分裂終止音，または開弁期弾撥音または早期第 3 心音に先行する第 2 心音の終止音を説明するのに J.B. Bouillaud が用いた語）．＝double-shock sound.

b. de Roger ロジェ雑音．＝Roger *murmur.*

b. de scie ［Fr. saw］. 鋸状血管雑音（収縮期および拡張期の鋸を挽くような粗い雑音）.

b. de soufflet ［Fr. bellows］. 吹出し雑音（吹鳴性雑音を説明するのに R. Laënnec が用いた語）.

b. de tabourka ［Fr. tambour］. ドラム雑音（ドラム様またはベル様の大きな第 2 心音．梅毒性大動脈炎で大動脈部に聞かれる）.

b. de tambour ［Fr. sound of drum］. 太鼓状血管雑音（大動脈部位に聞かれる第 2 心音で，反響性の楽音状の音を呈する．梅毒性大動脈疾患の後に合併する）．＝tambour sound.

b. de triolet ［Fr. a little trio］. 三連音符雑音（第 1 心音と第 2 心音に加え，収縮期クリックが起こす 3 つの終止音を説明するのに L. Gallavardin が用いた語）.

Roger b. (rō′zhā). ＝Roger *murmur.*

systolic b. 収縮期血管雑音（収縮期に発生する血管由来の異常雑音）.

thyroid b. 甲状腺雑音（活動が亢進した甲状腺上で血流の増加により聞かれる血管音）.

Traube b. (trow′bĕ). トラウベ雑音．＝gallop.

Brunn (brūn), Fritz. 20 世紀の旧チェコスロバキア人医師．→B. *reaction.*

Brunn (brūn), Albert von. ドイツ人解剖学者，1849—1895.→B. *membrane, nest.*

Brun·ner (brūn′ĕr), Johann C. スイス人解剖学者，1653—1727.→B. *glands.*

Bruns (brūnz), Ludwig von. ドイツ人神経科医，1858—1916.→B. *ataxia, nystagmus.*

Brun·schwig (brūn′shwig), Alexander. 米国人外科医，1901—1969.→B. *operation.*

brush (brŭsh)［A.S. *byrst*, bristle］. ブラシ，はけ(刷毛)（動物の毛などの柔軟な物質を把手またはカテーテルの先端に付けた器具）.

Ayre b. (ār). エアーブラシ（癌検診で胃粘膜細胞を採取する装置．端部にブラシの付いた，長くて柔軟なチューブでできている．胃内に挿入してからブラシを回転させ，粘膜から細胞をぬぐい取る）.

bronchoscopic b. 気管支鏡〔鉗子口用〕ブラシ（気管支癌の疑いがあるとき，顕微鏡検査のための細胞をぬぐい取ったり，染色や培養のための細菌検体を得たりする目的で気管支鏡の鉗子口から挿入する小さなブラシ）.

denture b. 義歯ブラシ（可撤性義歯のための清掃用ブラシ）.

Haidinger b.'s (hī′ding-ĕr). ハイディンガーブラシ（青天のような一面平等に照らされた平面を偏光レンズを通して見たときに感じる 2 つの暗黄色のはけ，あるいは固視点から約 5° の放射状に見える滑車）.

Kruse b. (krūs). クルーゼブラシ（ホルダーに取り付けた細い白金製ブラシ．細菌学検査において，培地表面に検体を広げるために用いる）.

polishing b. 研磨ブラシ（通常，回転機械に取り付け，歯や人工補てつ物を研磨するのに用いる）.

Brush·field (brŭsh′fēld), Thomas. 英国人医師，1858—1937.→B. *spots*; B.-Wyatt *disease.*

brush·ite (brŭsh′īt). ブラシュ石（天然産の酸性リン酸カルシウム．ときに歯石，腎石中に見出される）.

Bru·ton (brū′tŏn), Ogden C. 20 世紀の米国人小児科医．→B. *agammaglobulinemia*, tyrosine *kinase.*

brux·ism (brŭk′sizm)［G. *bruchō*, to grind the teeth］. 歯ぎしり（歯を強くかみしめて，側方または前方に下顎を動かすことによって，歯を磨擦したり，きしませたり，擦り合わせたりすること．一般に睡眠中に起こるが，ときには病的状態でも起こる）.

sleep b. 睡眠中歯ぎしり（睡眠中に歯をこすったり，ガチガチしたりする典型的な行動異常．これは睡眠随伴行動の 1 つと考えられ，睡眠関連呼吸障害に関連すると考えられている）.

Bry·ant (brī′ănt), Thomas. イングランド人外科医，1828—1914.→B. *traction.*

BS, BSc Bachelor of Science(Baccalaureus Scientiae)(科学学士)の略.

BSA bovine serum *albumin*; body surface *area* の略.

BSE bovine spongiform *encephalopathy*; breast self-examination の略.

BSER brainstem evoked *response* (audiometry) の略. →auditory brainstem *response*.
BSN Bachelor of Science in Nursing(看護学学士)の略.
BSO bilateral *salpingo-oophorectomy* の略.
BT bleeding *time* の略.
Btk Bruton tyrosine *kinase* の略.
BTPS 測定時の気圧・体温(37°C)・飽和水蒸気圧の条件下におけるガス容量を表す記号. 肺容量の測定に用いる.
BTU British thermal *unit* の略.
BTX brevetoxins; botulinum *toxin* の略.
bu·ak·i (bū-ak′ē). ブアキ（コンゴ共和国の住民にみられる蛋白欠乏性の栄養疾患. 浮腫, 皮膚病変, 貧血を特徴とする. クワシオルコルに関連すると思われる).
bu·ba mad·re (bū′bă mah′dre) [Sp. mather yaw]. =mother *yaw*.
bu·bas (bū′bahs) [*buba*, bubo, swelling <G. *boubō*, groin, inguinal swelling]. ブバス. =mucocutaneous *leishmaniasis*.
b. braziliana ブラジルブバス. =espundia.
bu·bo (bū′bō) [G. *boubōn*, the groin, a swelling in the groin]. 横痃(よこね)（通常, 鼡径部における1個以上のリンパ節の炎症腫脹. 節の化膿性の融合塊. 通常化膿して膿を排出する).
bullet b. 弾丸状横痃（下疳に伴う鼡径部のリンパ節の硬性腫脹).
chancroidal b. 軟性下疳性横痃（軟性下疳菌 *Haemophilus ducreyi* による潰瘍性横痃). =virulent b.
indolent b. 無痛〔性〕横痃（鼡径部の硬化腫脹).
malignant b. 悪性横痃（腺ペストに合併する腫脹したリンパ節).
parotid b. 耳下腺腫脹（二次性敗血症による耳下腺の腫脹).
primary b. 原発性横痃（性病感染の第一徴候として発生する横痃).
tropic b. 熱帯〔性〕横痃. =venereal *lymphogranuloma*.
venereal b. 性病性横痃（性行為感染症, 特に軟性下疳に合併する鼡径部の腫脹した腺).
virulent b. 毒性横痃. =chancroidal b.
bu·bon·al·gi·a (bū′bon-al′jē-ă) [G. *boubōn*, groin + *algos*, pain]. 鼡径部痛（鼡径部の痛みを表すまれに用いる語).
bu·bon·ic (bū-bon′ik). 横痃の.
bu·bon·u·lus (bū-bon′yū-lŭs) [Mod. L. *bubo* の指小辞]. 小横痃（①リンパ管の走行に沿って発生する膿瘍. ②陰茎背の急性炎症を起こしたりリンパ管の走行に沿って形成される多くの硬性小結節の1つ. しばしば崩れて潰瘍となる).
bu·car·di·a (bū-kar′dē-ă) [G. *bous*, ox + *kardia*, heart]. 牛心. =ox *heart*.
buc·ca, gen. & pl. **buc·cae** (bŭk′ă, bŭk′sē) [L.]. 頰, ほほ. =cheek.
buc·cal (bŭk′ăl). 頰の, 頰側の（[誤った発音 byū′kăl を避けること]).
buc·ci·na·tor (buk′si-nā′tēr). →buccinator (*muscle*).
bucco- (buk′kō) [L. *bucca*]. [誤った発音 byū′kō を避けること]. 頰に関する連結形.
buc·co·ax·i·al (bŭk′ō-ak′sē-ăl). 頰面軸面の（窩洞の頰側壁と軸壁が形成する線角についていう).
buc·co·ax·i·o·cer·vi·cal (bŭk′ō-ak′sē-ō-ser′vi-kăl). 頰面軸面歯頸面の（窩洞の頰側壁, 軸壁, および歯頸(歯肉)壁の接合部が形成する点角についていう).
buc·co·ax·i·o·gin·gi·val (bŭk′ō-ak′sē-ō-jin′ji-văl). 頰面軸面歯肉面の（窩洞の頰側壁, 軸壁, および歯肉(歯頸)壁の接合部が形成する点角についていう).
buc·co·cer·vi·cal (bŭk′ō-ser′vi-kăl). ***1*** 頰頸の（頰部と頸部に関する). ***2*** 頰面歯頸面の（歯科解剖学において, セメント－エナメル接合部に隣接する小臼歯または大臼歯の頰側面の部分についていう).
buc·co·clu·sal (bŭk′ō-klū′săl). 頰面咬合面の（頰側壁と髄壁の接合部が形成する線角についていう不正確な用語. →buccopulpal).
buc·co·dis·tal (bŭk′ō-dis′tăl). 頰面遠心面の（窩洞の頰側壁の遠心壁の接合部が形成する線角についていう).
buc·co·gin·gi·val (bŭk′ō-jin′ji-văl). 頰面歯肉面の（頰と歯肉に関する).
buc·co·la·bi·al (bŭk′ō-lā′bē-ăl). ***1*** 頰唇の（頰と唇の両方に関する). ***2*** 頰面唇面の（歯科において, 口唇粘膜と頰粘膜に接触している歯の表面または歯列弓の面についていう).
buc·co·lin·gual (bŭk′ō-ling′wăl). ***1*** 頰舌の（頰と舌に関する). ***2*** 頰面舌面の（歯科において, 口唇粘膜または頰粘膜と舌に接触している歯の表面, または歯列弓の面についていう).
buc·co·me·si·al (bŭk′ō-mē′zē-ăl). 頰面近心面の（窩洞の頰側壁と近心壁の接合部が形成する線角についていう).
buc·co·pha·ryn·ge·al (bŭkō-fă-rin′jē-ăl). 頰咽頭の（頰と咽頭あるいは口と咽頭に関する).
buc·co·pul·pal (bŭk′ō-pŭl′păl). 頰面髄面の（窩洞の頰側壁と髄壁の接合部が形成する線角についていう).
buc·co·ver·sion (bŭk′ō-ver′zhŭn). 頰側転位（正常な歯列より頰側にある臼歯の位置異常).
buc·cu·la (bŭk′yū-lă) [L. *bucca*(cheek)の指小辞]. 二重頤（おとがい下の脂肪性腫脹). =double chin.
Büch·ner (buk′nĕr), Hans E.A. ドイツ人細菌学者, 1850—1902. →B. *extract*.
Büch·ner (buk′nĕr), Eduard. ドイツ人科学者・ノーベル賞受賞者, 1860—1917. →B. *extract*, *funnel*.
bu·chu (bū′kū) [アフリカの土語]. ブッコ(仏古)（南アフリカ産のミカン科低木 *Barosma betulina*, *B. crenulata*, *B. serratifolia* の乾燥葉. 駆風薬, 利尿, 尿路消毒薬として用いる). =Hottentot tea.
Buch·wald (buk′wăld), Hermann Edmund. 20世紀のドイツ人医師. →B. *atrophy*.
Buck (bŭk), Gordon. 米国人外科医, 1807—1877. →B. *extension*, *fascia*, *traction*.
buck bean (bŭk′ bean). スイサイヨウ(睡菜葉)（リンドウ科ミツガシワ *Menyanthes trifoliata* の葉. 通経薬, 抗壊血病薬, また単なる苦味とされている). =bogbean; menyanthes.
Bück·lers (bēk′lerz), Max. ドイツ人眼科医, 1895—1969. →Reis-B. corneal *dystrophy*.
buck·thorn (bŭk′thōrn). クロウメモドキ（クロウメモドキ科の *Karwinskia humboldtiana* の低木で, 一般に Coyotillo または Tullidora とよばれている. 乾燥した米国西南部にみつかっている. 強い毒性をもつ未同定の神経毒素を含有している. 植物原末で体重当たりたった0.05—0.3%の1回摂取によって起こる. 果実は特に有毒である. 小脳や末梢神経機能障害が特徴である. 臨床的症状としては過敏症, 振せん, 異常歩行であり, 特に後四半身の麻痺へ進行する. 肺水腫になる場合も若干ある. この毒素は末梢神経の軸索の節性脱髄と変性とによって進行性多発性神経障害を引き起こし, その結果, 筋変性を生じさせる. →polyneuropathy).
Buck·y (bŭk′ē), Gustav. 米国人放射線科医, 1880—1963. →B. *diaphragm*.
bucky (buk′ē). バッキー（→grid; Bucky *diaphragm*).
bu·cry·late (byū′kri-lāt). ブクリレート（外科で用いる組織接着剤).
Bu·cy (bū′sē), Paul C. 米国人神経外科医, 1904—1992. →Klüver-B. *syndrome*.
bud (bŭd). ***1*** 〘n.〙 芽, 蕾（植物の芽に似た生長物で, 通常多能性で, ある特定の構造物に分化・成長することができる). ***2*** 〘v.〙 発芽する, 出芽する（→gemmation). ***3*** 〘n.〙 出芽（親細胞からの出芽で無性生殖の一様式).
bronchial b. 気管支芽（原始呼吸気管支を形成する気管芽より側方に増生するもの. →laryngotracheal *diverticulum*).
end b. 尾芽. =caudal *eminence*.
gustatory b. 味蕾, 味覚芽. =taste b.
lateral lingual b. 外側舌芽. =lateral lingual *swellings*.
limb b. 肢芽（前肢または後肢を生じるもととなる, 胚の側腹部上の外胚葉でおおわれた間葉における増生).
liver b. 肝芽. =hepatic *diverticulum*.
lung b. 肺芽. =tracheal b.
median lingual b. 正中舌芽. =median lingual *swelling*.
median tongue b. =median lingual *swelling*.
metanephric b. 尿管芽. =metanephric *diverticulum*.
neurohypophysial b. 神経性下垂体芽. =neurohypophysial *diverticulum*.
pancreatic b.'s 膵芽（前腸の尾側部の内胚葉性の配列の

腹側と背側が癒合して膵臓となる．腹側膵芽は鉤状突起と膵頭の下部，残りの部分が背側膵芽を形成する）．

periosteal b. 骨膜芽（将来骨に変わっていく軟骨体の骨化の中心に，軟骨膜から侵入していく血管に富んだ結合組織塊）．

pineal b. 松果体芽（間脳の蓋部の尾側部から正中線上の憩室．その壁の神経細胞の増殖により充実性の松果体となる）．

primary bronchial b.'s 一次気管支芽．＝tracheobronchial *diverticulum.*

primary lung b. 原始肺芽．＝tracheal b.

pulmonary lobar b.'s 肺葉芽．＝secondary bronchial b.'s.

secondary bronchial b.'s 二次気管支芽（気管支の膨隆で，右肺は３葉，左肺は２葉となる）．＝pulmonary lobar b.'s.

syncytial b. ＝syncytial *knot.*

tail b. 尾芽，尾方芽，下肢芽．＝caudal *eminence.*

taste b. 味蕾，味覚芽（舌の有郭乳頭，茸状乳頭，葉状乳頭の上皮，軟口蓋，喉頭蓋，咽頭後壁にある多数のフラスコ状の細胞巣．味蕾は，支持細胞，味細胞，基底細胞で構成され，その間に知覚神経線維が終末する．味覚には５つの基本型があり，その型の後に物質の例をカッコ内に示す．苦味（キニーネ），塩味（塩化ナトリウム），酸味（塩酸），甘味（砂糖，人工甘味料），うま味（グルタミン酸））．＝caliculus gustatorius; gustatory b.; Schwalbe corpuscle; taste bulb; taste corpuscle; organ of taste.

tooth b. 歯蕾（歯を形成する原基構造．エナメル器，歯乳頭，これらを入れる歯嚢からなる）．＝dental germ; tooth germ.

tracheal b. 気管芽（呼吸憩室の遠位端から形成される膨出）．＝lung b.; primary lung b.

ureteric b. ＝metanephric *diverticulum.*

vascular b. 血管芽（血管から出ている内皮性の発芽）．

Budd (bŭd), George. イングランド人医師，1808—1882. ⇀B. *syndrome*; B.-Chiari *syndrome.*

Bud·de (bud-uh), E. 19 世紀のデンマーク人衛生技師．⇀B. *process.*

bud·ding (bŭd′ing). 発芽，出芽，分芽，芽生．＝gemmation.

Budge (bŭj), Julius L. ドイツ人生理学者，1811—1888. ⇀B. *center.*

Bu·din (bū-din′[h]), Pierre C. フランス人婦人科医，1846—1907. ⇀B. obstetric *joint.*

Buer·ger (bŭr′gĕr), Leo. オーストリア系米国人医師，1879—1943. ⇀Winiwarter-B. *disease*; B. *disease.*

bufa-, bufo- (bū′fă, bu′fō) [L. *bufo*, toad]. ヒキガエルに由来することを示す接頭語．動植物から単離されたブファノリド構造をもつ多くの毒物（ゲニン genin）の分類名やその慣用名に用いられる．種の由来を示す接頭語をしばしば付ける．

bu·fa·di·en·o·lide (bū-fă-dī-en′ō-līd). ⇀bufanolide.

bu·fa·gins, bu·fa·gen·ins (bū′fă-jinz, bū′fă-jen-inz). ブファギン（ヒキガエル科ヒキガエルの毒液に含まれるステロイド群（ブファノリド）で，心臓に対してジギタリス様作用をもつ．六員ラクトン環をもつ強心配糖体．→bufotoxins）．＝bufogenins.

bu·fan·o·lide (bū-fan′ō-līd). ブファノリド（数種の植物（例えばカイソウコン）と動物（例えばヒキガエル）の毒素にある基本的なステロイドラクトン．また植物（例えばジギタリス）中に配糖体の形で見出される）．

bu·fa·tri·en·o·lide (bū-fă-trī-en′ō-līd). ⇀bufanolide.

bu·fen·o·lide (bū-fen′ō-līd). ⇀bufanolide.

buff·er (bŭf′ĕr). ***1***〖n.〗緩衝剤（酸とその共役塩基との混合物塩，例えば H_2CO_3 または HCO_3^-; $H_2PO_4^-/HPO_4^{2-}$ で，溶液中に存在する場合，酸またはアルカリが加えられた際に起こる pH の変化を少なくする．したがって酸性の代謝物質が組織において常時生成され，CO_2が肺から失われているにもかかわらず，血液の pH は比較的一定に保たれている（pH 7.45）．→conjugate acid-base *pair*）．***2***〖v.〗溶液に緩衝剤を加えて，ある一定限度の量の酸やアルカリが加えられても pH 変化に抗する性質を与える．

dipolar b. 双極性緩衝液．＝zwitterionic b.

zwitterionic b. 両性イオン緩衝液（対立する電荷をもつ構造の緩衝液）．＝dipolar b.

bufo- (bū′fō). ⇀bufa-.

bu·fo·gen·ins (bū′fō-jen′inz). ＝bufagins.

Bu·fon·i·dae (bū-fon′ĭ-dē) [L. *bufo*, toad]. ヒキガエル科（ヒキガエル類の一科で，皮膚腺からジギタリス様の強心作用をもつ薬理学的に活性の物質を数種分泌する）．

bu·fo·ten·ine (bū′fō-ten′ēn). ブホテニン（ある種のヒキガエルの毒液から分離された精神異常作用薬．いくつかの植物にも存在し，コホバの有効成分の１つである．その血管狭窄作用で血圧を上げ，幻覚も含めた精神的影響を与える）．＝mappine.

bu·fo·tox·ins (bū′fō-toks′inz). ブホトキシン（①ヒキガエル科ヒキガエルの毒液中に存在するステロイドラクトン（ブファギンとスベリルアルギニンの C3 位における抱合体）の一群．効果はブファギンに類似しているが，それよりも弱い．②特に，ヨーロッパヒキガエル（*Bufo vulgaris*）の主要毒素）．

bug (bŭg). トコジラミ，ナンキンムシ（異翅亜目に属する昆虫．通称については各々の項参照）．

assassin b. [Fr. < It. *assassino* < Ar. *hashshāshin*, those addicted to hashish]. サシガメ類（サシガメ科（半翅目）に属する昆虫で，動物およびヒトを刺すことにより炎症や疼痛を与える．cone-nosed bug とよばれるサシガメ亜科は本科に含まれ，アメリカトリパノソーマ症の媒介者となる）．

bug·ger·y (bŭg′ger-ē) [O. Fr. *bougre*, heretic < Mediev. L. *Bulgaris*, a Bulgar (hence presumably a heretic)]. 獣姦．＝sodomy.

bulb (bŭlb) [L. *bulbus*, a bulbous root][TA]. ***1*** 球（球形または紡錘状の構造）．＝bulbus [TA]. ***2*** 鱗茎（タマネギ，ニンニクのような植物の短い肥大した地下茎）．

aortic b. [TA]. 大動脈球（膨大した大動脈の基部で大動脈半月弁と大動脈洞を含む．特に血管造影（大動脈造影図）によりはっきり現れる）．＝arterial b.; bulbus aortae.

arterial b. ＝aortic b.

Braasch b. (brahsh). ＝Braasch *catheter.*

carotid b. 頸動脈球．＝carotid *sinus.*

b. of corpus spongiosum ＝b. of penis.

dental b. 歯乳頭（中胚葉から出た乳頭で，茶わん形エナメル器内にある歯原基の一部をつくる）．

duodenal b. 十二指腸球部．＝duodenal *cap.*

end b. 終末小体（知覚神経線維が粘膜に終わるところの楕円形または円形体構造）．

b. of eye 眼球．＝eyeball.

b. of hair, hair b. 毛球（毛乳頭上にカップ様にかぶさる毛包の膨らんだ下端）．＝bulbus pili.

jugular b. ＝b. of jugular vein.

b. of jugular vein [TA]. 頸静脈球（内頸静脈の２個の膨大した部分の１つ．特に造影Ｘ線撮影（静脈造影法）によりはっきり現れる．頸静脈上球は側頭骨の頸静脈窩内の内頸静脈の始まりの部分にある膨大部（上球）．下方の球は静脈が腕頭静脈に合流する直前の膨大部（下球）である）．＝jugular b.; bulbus venae jugularis [TA].

Krause end b.'s (krows). クラウゼ終末小体（皮膚，口腔粘膜，結膜などにみられる神経終末．結合組織の層状の被膜におおわれ，求心性神経線維末端の分枝した糸球を包んでいる．一般に触覚と圧覚を感受するとされる）．＝bulboid corpuscles; corpuscula bulboidea.

b. of occipital horn [TA]. 後角球（側脳室後角内側壁の背部にある丸い高まりで，大鉗子によってつくられたもの）．＝bulbus cornus posterioris [TA]; b. of posterior horn of lateral ventricle of brain.

olfactory b. [TA]. 嗅球（灰色の膨らんだ嗅索の前端．篩骨篩板上にあって嗅覚線維を受ける）．＝bulbus olfactorius [TA].

b. of penis [TA]. 尿道球（陰茎の尿道海綿体近位部（後部）の膨らんだ部分で左右陰茎脚の間にあり内部を通る尿道はやや拡張していたり鋸歯状になっていたりする）．＝bulbus penis [TA]; b. of corpus spongiosum; b. of urethra; bulbus urethrae.

b. of posterior horn of lateral ventricle of brain ＝b. of occipital horn.

Rouget b. (rū-zhā). ルジェ球（卵巣表面にある静脈叢）．

speech b. スピーチバルブ（硬口蓋や軟口蓋の口蓋裂や開

孔部を閉鎖したり，発語に必要な組織の欠損部を補うのに使用するスピーチプロテーゼ).

taste b. 味蕾，味覚芽. =taste *bud*.

b. of urethra 尿道球. =b. of penis.

b. of vestibule [TA]. 前庭球（会陰交連によって前端で尿道に結合されている腟両側の勃起性組織の塊). =bulbus vestibuli vaginae [TA].

bul·bar (bŭl′bar). *1* 球の. *2* 延髄の（菱脳(後脳)についていう). *3* 球状の.

bul·bi (bŭl′bī). bulbus の複数形.

bul·bi·tis (bŭl-bī′tis). 尿道球炎（尿道の球状部分の炎症).

bulbo- (bul′bō) [L. *bulbus*]. 球状，球形に関する連結形.

bul·bo·cap·nine (bul′bō-kap′nin). バルボカプニン（*Corydalis cava, C. tuberosa*(エンゴサク科)および *Dicentra canadensis*（ケシ科)の根から得られる薬物. 末梢ドパミン受容体に作用してドパミンの効果を抑制する).

bul·bo·cav·er·no·sus (bŭl′bō-kav′er-nō′sŭs). 球海綿体筋（→bulbospongiosus (*muscle*)).

bul·boid (bŭl′boyd) [bulbo- + G. *eidos*, resemblance]. 球状の，球様の.

bul·bo·nu·cle·ar (bŭl-bō-nū′klē-ar). 延髄核の（延髄中の神経核に関する).

bul·bo·pon·tine (bŭl′bō-pon′tēn). 延髄橋の（橋とそのすぐ上にある被蓋とからなる菱脳の吻側部分についていう).

bul·bo·sa·cral (bŭl′bō-sā′krăl). 延髄仙髄の（→bulbosacral *system*).

bul·bo·spi·nal (bŭl′bō-spī′năl). 延髄脊髄の（特に延髄と脊髄を結ぶ神経線維に関する). =spinobulbar.

bul·bo·u·re·thral (bŭl′bō-yū-rē′thrăl). 尿道球の（尿道球と尿道に関する). =urethrobulbar.

bul·bus, gen. & pl. **bul·bi** (bŭl′bŭs, -bī) [L. a plant bulb] [TA]. 球. =bulb (1).

b. aortae 大動脈球. =aortic *bulb*.

b. cordis 心球（動脈幹が大動脈弓群の腹側根につながるところの，胚期の心臓の一過性の拡張部).

b. cornus posterioris [TA]. 後角球. =*bulb* of occipital horn.

b. duodeni* *ampulla* of duodenum の公式の別名.

b. oculi [TA]. 眼球. =eyeball.

b. olfactorius [TA]. 嗅球. =olfactory *bulb*.

b. penis [TA]. 尿道球. =*bulb* of penis.

b. pili 毛球. =*bulb* of hair.

b. urethrae =*bulb* of penis.

b. venae jugularis [TA]. 頸静脈球. =*bulb* of jugular vein.

b. vestibuli vaginae [TA]. =*bulb* of vestibule.

bu·le·sis (bū-lē′sis) [G. *boulēsis*, a willing]. 意思，意図.

bu·lim·i·a (bū-lēm′ē-ă) [G. *bous*, ox + *limos*, hunger]. 過食症（[誤った発音 boo-lim′ē-ă および bū′lē-mē-ă を避けること]). =b. nervosa.

b. nervosa 神経性大食症（隠れて発作性に物を食べることが繰返し認められる慢性的な病態であり，短時間に大量の食物をコントロールできないままに速いスピードで摂取すること(気晴らし食い)が特徴である. その後に体重増加を防ごうと自発的な嘔吐，下剤の使用，絶食，激しい運動を認め，しばしば罪悪感，抑うつ，自己嫌悪感を伴う). =boulimia; bulimia; hyperorexia.

bu·lim·ic (bū-lēm′ik). 過食症の（神経性大食症に関する，にかかる).

Bu·li·nus (bū-lī′nŭs). ブリヌス属，ブリヌス亜属（ヒラマキガイ科ブリヌス亜科の淡水産巻貝の一属およびその亜属. アフリカや中東でのヒト寄生のビルハルツ住血吸虫 *Schistosoma haematobium* の中間宿主となる多数の種を含む. *Bulinus* 属は，*Physopsis* 亜属と *Bulinus* 亜属の 2 つの亜属に分けられる. 前者はサハラ南部の *S. haematobium* を媒介し，後者は北アフリカおよび中東の同種(膀胱寄生性)を媒介する. 重要な種としては，ヒトおよび動物の住血吸虫や，数種の家畜寄生性双口吸虫の宿主となる *B. truncatus* および *B. forskalii* がある).

bulk·age (bŭlk′ij). 膨張性物質（寒天のように腸においてその容積が増加して，腸ぜん動を刺激するもの).

bull (bul). ラテン語 *bulliens, bulliat, bulliant*(煮沸する，煮沸させよ)の略.

bul·la, gen. & pl. **bul·lae** (bul′ă, -ē) [L. bubble]. *1* 水疱，ブラ（液体で満たされた直径 1 cm 以上の水疱で，表皮が表皮下組織から分離したもの(表皮下水疱 **subepidermal b.**)として，あるいは表皮細胞同士が分離したもの(表皮内水疱 **intraepidermal b.**)としてみられる. 血清の存在やときに注入された物質が原因となることもある). *2* [NA]. 胞（気胞状構造).

ethmoidal b. [TA]. 篩骨胞（中鼻甲介の下，中鼻道の篩骨迷路内壁の隆起. 鼻甲介の遺残と考えられる). = b. ethmoidalis [TA].

b. ethmoidalis [TA]. 篩骨胞. =ethmoidal b.

pulmonary b. 肺大気胞（空気のはいった気腫性の空間で 1 cm 以上のものをいい，通常，肺の末梢にある. 大きくなって正常肺組織を圧迫し症状を出すことがある. *cf.* pulmonary *bleb*).

bul·lec·to·my (bul-ek′tō-mē). 肺嚢胞切除術（巨大ブラが正常肺組織を圧迫するような気腫性肺嚢胞などの治療に有用).

bul·lous (bul′ŭs). 水疱性の.

Bum·ke (bum′kĕ), Oswald C.E. ドイツ人神経科医，1877—1950. →B. *pupil*.

BUN blood urea *nitrogen* の略で頭字語.

bun·dle (bŭn′dĕl) [TA]. 束（筋肉あるいは神経線維の集団からなる構造). =fasciculus (3) [TA].

aberrant b.'s 迷走束（脳神経と運動核に向かう皮質核線維からの線維束).

anterior ground b. 前固有束（→*fasciculi* proprii(⇒fasciculus)). =*fasciculus* proprius anterior.

Arnold b. (ar′nŏld). アルノルト束. =temporopontine *tract*.

atrioventricular b. [TA]. 房室束（変形した心筋の束で，房室束幹として房室結節に発し右の線維輪を通り心室中隔の膜性部に至るまでの部分をいう. ここで 2 つの脚，房室束右脚，房室束左脚に分かれ，それぞれの心室の心内膜下に分岐する). =fasciculus atrioventricularis [TA]; atrioventricular band; Gaskell bridge; His band; His b.; Keith b.; Kent b. (1); Kent-His b.; truncus fascicularis atrioventricularis; trunk of atrioventricular bundle; ventriculonector; b. of His.

Bachmann b. (bahk′mahn). バッハマン束（理論的には前結節間路の分枝で，左房に続き特殊化した心房室伝導路を形成する. この構造の解剖学的実体は議論されている).

ciliary b. of palpebral part of orbicularis oculi (muscle) [TA]. 眼輪筋の眼瞼部の瞼縁束（上・下眼瞼縁の近くにある微小な筋線維小束で，睫毛の後方にある). =fasciculus ciliaris partis palpebralis musculus orbicularis oculi palpebralis [TA].

comma b. of Schultze (shūlt′zĕ). シュルツェコンマ〔状〕束. = semilunar *fasciculus*.

Flechsig ground b.'s (flek′sig) [TA]. フレクシッヒ固有束（前固有束と側索固有束. →*fasciculi* proprii(⇒fasciculus)).

Gantzer accessory b. (gahnt′zĕr). ガンツァー副束（→Gantzer *muscle*).

Gierke respiratory b. (gēr′kĕ). ギールケ呼吸束. =solitary *tract*.

ground b.'s 固有束. =*fasciculi* proprii(⇒fasciculus).

Held b. (held). ヘルト束. =tectospinal *tract*.

Helie b. (ā-lē′). エリー束（子宮筋層の表層部で弓状に縦走する(筋)線維束).

Helweg b. ヘルウェグ束. =olivospinal *fibers*.

His b., b. of His(BH) (hiz). ヒス束. =atrioventricular b.

Hoche b. (hok′ĕ). ホーヘ束（→semilunar *fasciculus*).

hooked b. of Russell (rŭs′ĕl). =uncinate *fasciculus* of cerebellum.

Keith b. (kēth). キース束. =atrioventricular b.

Kent b. (kent). ケント束（①=atrioventricular b. ②哺乳類の心臓で房室結節の下にある筋線維束. ヒトの心臓にみられることもある).

Kent-His b. (kent hiz). ケント－ヒス束. =atrioventricular b.

Killian b. (kil′ē-ăn). キリアン束（→inferior constrictor

(*muscle*) of pharynx).

Krause respiratory b. (krows). クラウゼ呼吸束. = solitary *tract.*

lateral ground b. 外側固有束 (現在では用いられない語. →*fasciculi* proprii(⇌fasciculus)).

lateral proprius b. 外側固有束. = *fasciculi* proprii(⇌fasciculus).

left b. of atrioventricular bundle [TA]. 房室束の左脚 (心室中隔膜性部直下で分岐して左心室の中隔壁を下降し, 心内膜下を走行分枝する). = crus sinistrum fasciculi atrioventricularis [TA]; left crus of atrioventricular bundle; left limb of atrioventricular bundle.

Lissauer b. (lis′ow-ĕr). リッサウアー束. = dorsolateral *fasciculus.*

Loewenthal b. (lev′en-tal). レーヴェンタル束. = tectospinal *tract.*

longitudinal pontine b.'s 橋縦束. = longitudinal pontine *fasciculi*(⇌ fasciculus).

medial forebrain b. [TA]. 内側前脳束 (視床下部の外側帯(野)を縦走して, 視床下部を中脳被蓋および辺縁系の種々の構成要素と互いに結ぶ線維系. また, 脳幹にあるノルエピネフリン, セロトニン含有細胞群から視床下部および大脳皮質へ線維を送り, 黒質から尾状核および被殻へドパミンを運ぶ線維を送っている). = fasciculus medialis telencephali [TA].

medial longitudinal b. 内側縦束. = medial longitudinal *fasciculus.*

Monakow b. (mō-nah′kof). モナーコヴ(モナーコフ)束. = rubrospinal *tract.*

muscle b. 筋束 (筋周膜とよばれる結合組織によってくくられた筋線維束).

neurovascular b. of Walsh (walsh). ウォルシュの神経血管束 (前立腺に向かう被膜の動脈と静脈および海綿体神経よりなる解剖学的構造で, 神経保存の骨盤内手術の際, 肉眼的な目印として用いられる).

oblique b. of pons 橋斜束. = oblique pontine *fasciculus.*

olfactory b. 嗅索 (大脳前交連の前にある透明中隔から下行し, 前脳底へつながる線維系で, E. Zuckerkandl によって Reichbündel とよばれた. これには脳弓の交連前線維, すなわち視床下部と中脳から中隔および海馬へ上行する線維を始め, 中隔から視床下部および無名質へいく線維が含まれる. 嗅覚との関係は特にない).

olivocochlear b. オリーブ蝸牛束 (→olivocochlear *tract*).

Pick b. (pik). ピック束 (延髄の錐体路から吻側に反屈している神経線維の束で, 皮質核線維からなると考えられる).

posterior longitudinal b. = medial longitudinal *fasciculus.*

precommissural b. 交連前束 (→olfactory b.).

predorsal b. = tectospinal *tract.*

b. of Rasmussen (rahz′mū-sĕn). = olivocochlear *tract.*

Rathke b.'s (raht′kĕ). ラトケ束. = *trabeculae* carneae of (right and left) ventricles(⇌trabecula).

retroflex b. of Meynert (mī′nĕrt). マイネルト反屈束. = retroflex *fasciculus.*

right b. of atrioventricular bundle [TA]. 房室束の右脚 (心室中隔膜性部直下で左脚から分かれて右心室の中隔壁を下降し, 心内膜下を走行分枝する). = crus dextrum fasciculi atrioventricularis [TA]; right crus of atrioventricular bundle; right limb of atrioventricular bundle.

Schütz b. (shēts). シュッツ束. = dorsal longitudinal *fasciculus.*

solitary b. 孤束. = solitary *tract.*

tendon b. 腱束 (不規則な配列をした結合組織の線維鞘, すなわち腱周膜によりくくられた腱線維束).

Türck b. (tērk). チュルク束. = anterior corticospinal *tract.*

uncinate b. of Russell (rŭs′ĕl). ラッセル鉤状束. = uncinate *fasciculus* of cerebellum.

Vicq d'Azyr b. (vēk dah-zēr′). ヴィック・ダジール束. = mammillothalamic *fasciculus.*

bun·gar·o·tox·ins (bung′gă-rō-tok′sinz). アマガサヘビ毒素 (南アジア産の縞のあるアマガサヘビ *Bungarus multicinctus* およびコブラ科のヘビ毒の蛋白成分である. 神経筋機能に関する薬理学的研究に用いられる).

bung·pag·ga (bŭng-pag′ă). ブングパッガ. = tropic *pyomyositis.*

bun·ion (bŭn′yŭn) [O. Fr. *buigne*, bump on the head]. バニオン, 腱膜瘤 (第一中足指節関節の内側または背側に生じる限局性腫脹. 滑液包の炎症によって起こる. 内側のバニオンは通常, 外反母趾に合併する).

bun·ion·ec·to·my (bŭn-yŭn-ek′tō-mē). バニオン切除〔術〕, 腱膜瘤切除〔術〕.

Keller b. (kel′ĕr). ケラーバニオン切除〔術〕, ケラー腱膜瘤切除〔術〕(第一中足骨上のバニオンの切除と第一趾基節骨近位部位の切除とを併せ行う手術).

Mayo b. (mā′ō). メーオー(メーヨー)バニオン切除〔術〕, メーオー(メーヨー)腱膜瘤切除〔術〕(第一中足骨遠位部分の切除).

bunionette (bŭn-yō-net′) [bunion + 指小接尾語 -ette]. バニオネット (第五中足趾節関節の腫大).

Bun·nell (bū-nel′), Sterling. 米国人外科医, 1882—1957. → B. *suture*; Paul-B. *test.*

bu·no·dont (bū′nō-dont) [G. *bounos*, mound + *odous* (*odont-*), tooth]. 鈍頭歯のある, 丘状歯のある (円形または円錐形咬頭の臼歯をもつ. *cf.* lophodont).

bu·no·loph·o·dont (bū-nō-lof′ō-dont) [G. *bunos*, mound + *lophos*, ridge + *odous*, tooth]. 鈍頭皺壁歯の (咬合面に丸味を帯びた咬頭と横走する隆線を備えた臼歯を有する).

bu·no·se·le·no·dont (bū′nō-sĕ-len′ō-dont) [*bunos* + *selēnē*, moon + *odous*, tooth]. 鈍頭月状歯の (咬合面に半月状の隆線と丸味を帯びた咬頭を備えた臼歯を有する).

Bu·nos·to·mum (bū′nō-stō′mŭm) [G. *bounos*, hill, mound + *stoma*, mouth]. ブノストムム属 (ウシなどの草食動物の体内に見出される鉤虫科 Necatorinae 亜科の鉤虫の一属. アメリカ鉤虫属 *Necator* に類似している).

B. phlebotomum ウシ, ヒツジ, 世界各地に分布している野性反すう動物に寄生する鉤虫.

B. trigonocephalum ヒツジやヤギの小腸に寄生する鉤虫. 全世界に分布している.

Bun·sen (bŭn′sĕn), Robert W. ドイツ人化学・物理学者, 1811 — 1899. →B. burner, solubility *coefficient*; B.-Roscoe *law.*

Bun·sen burn·er (bŭn′sĕn bern′ĕr) [RW Bunsen, 1811—1899]. ブンゼンバーナー, ブンゼン灯 (炭素を完全に燃焼させるため, 側方に十分な空気を取り入れる孔が付いているガスバーナーで, 高熱を発するが輝炎はあまりでない).

Bun·ya·vir·i·dae (bŭn′yă-vir′i-dē) [*Bunyamwere*, Uganda]. ブンヤウイルス科 (アルボウイルスの一科で, 200 以上のウイルス血清型と, 少なくとも *Bunyavirus*属, *Hantavirus*属, *Phlebovirus*属, *Nairovirus*属, および *Tospovirus*属の 5 属からなる. *Hantavirus*属を除くすべての属のビリオンは節足動物体内で複製する. ビリオンの直径は 80—120 nm, 脂質溶媒やデタージェントに感受性があり, グリコポリペプチドの表面突起物でおおわれている. ヌクレオカプシドはらせん対称で 3 分子の一本鎖 RNA(分子量 5—8× 10^6)からなっている).

Bun·ya·vi·rus (bun′ya-vī′rŭs). ブンヤウイルス属 (ブンヤウイルス科に属するウイルスで, カリフォルニア脳炎ウイルスおよび LaCrosse 脳炎ウイルスなど, 少なくとも 160 種を含む).

buph·thal·mi·a, buph·thal·mus, buph·thal·mos (būf-thal′mē-ă, -thal′mŭs, -thal′mos) [G. *bous*, ox + *ophthalmos*, eye]. 牛眼 (乳児期に起こる疾患. 眼球膨大を伴う眼内液の増加が特徴). = congenital glaucoma; hydrophthalmia; hydrophthalmos; hydrophthalmus.

bur (ber). バー ([本つづりは burr より好ましい]. ①回転性切削工具. ②眼科学で, 角膜にはいり込んださびのリングを除去するために使われる道具). = burr.

cross-cut b. クロスカットバー (長軸に直角に刃の切られているバー).

end-cutting b. エンドカッティングバー (末端のみに刃のあるバー).

finishing b. 仕上げバー (細かい刃が数多く密接して付けられているバー. 修復物の形成に用いる).

fissure b. フィッシャーバー（歯の裂溝を延長あるいは広げるための円柱形または先端のとがった回転切断用工具で，一般に歯質の表面を削るために用いる）．

inverted cone b. インバーテッドコーンバー，倒円錐形バー（円錐台形の回転性切削工具で，細いほうの先端が柄に付く．通常，窩洞形成に際し，小さいう窩に入れるかあるいは添窩をつくるのに用いる）．

round b. ラウンドバー，円形バー（切断刃が球状になった歯科用バー）．

Bur·chard (bŭrk′hahrd), H. 19 世紀のドイツ人化学者．→Liebermann-B. *reaction*, *test*.

Bur·dach (būr′dahk), Karl F. ドイツ人解剖・生理学者，1776—1847．→B. *column*, *fasciculus*, *nucleus*, *tract*.

bur·den (ber′den). 負荷．→body burden.

clinical b. 臨床的荷重（遺伝的荷重とは異なり，主に罹患率の付加的要素における荷重．臨床的にも遺伝的にも致死的ではない対立形質はひどく障害を与えるであろう）．

genetic b. 遺伝的荷重（有害な突然変異による遺伝的負債で，いまだ消失していないもの(固定した規模の大集団では，遺伝的適応度が減少した突然変異はすべて最終的には顕性になり，詳細な遺伝に依存するようになる．そして表現型は突然変異当たりある一定数の遺伝死つまり遺伝的負債によって代償されねばならない))．

global b. of disease 世界疾病負担（特定の人口において，疾病によって健康生活が失われた年数を示す統計値．DALYs で計測する．→disability-adjusted life *years*）．

bu·rette (bū-ret′) [Fr.]．ビュレット（液体の容積測定のため下端にコックの付いた目盛り付きガラス管）．

Bür·ger (bēr′gĕr), Max T.F. 20 世紀初頭のドイツ人医師．→B.-Grütz *disease*, *syndrome*.

Burk (berk), Dean. 20 世紀の米国人科学者．→Lineweaver-B. *equation*, *plot*.

Burk·hol·de·ri·a (berk′hol-der′ē-ă). バークホルデリア属（芽胞非形成，運動性のグラム陰性杆菌の一属で，以前に*Pseudomonas*属として分類されていたヒト病原体の重要な種を含む）．

B. cepacia 腐敗したタマネギや臨床材料から見出される細菌種．通常は嚢胞性線維症患者の気道分泌物から発見され，しばしば多くの抗生剤に耐性である．＝*Pseudomonas cepacia*.

B. mallei ウマやロバに感染性があって鼻疽とリンパ腺腫の原因となる細菌の一種．＝*Pseudomonas mallei*.

B. pseudomallei 類鼻疽菌（熱帯地域において類鼻疽に罹患したヒトや他の動物，あるいは土壌中や水中で認められる細菌種．*Pseudomonas pseudomallei* の新名）．＝*Pseudomonas pseudomallei*; Whitmore bacillus.

Bur·kitt (bŭr′kĭt), Denis P. ウガンダに在住した英国人医師，1911—1993．→B. *lymphoma*.

Burn (bern), Joshua Harold. 英国人薬理学者，1892—1981．→B. and Rand *theory*.

burn (bern) [A.S. *baernan*]．***1*** やけどのような痛み（過度の熱による痛み，あるいは他の原因による同様の痛みの感覚）．***2*** 熱傷（熱またはその他の焼灼性の因子，例えば摩擦，腐食剤，電気，電磁エネルギーなどにより生じた病変．熱傷の形態は原因によって比較的特有の形を示し，診断に役立つ．また熱傷はその深さにより 3 段階（浅層，部分層，全層）に分けられ，それぞれ皮膚障害の重症度(紅斑，水疱，炭化)を反映する．次頁の図と写真参照）．

arborescent b. 分枝状熱傷．＝filigree b.

brush b. 擦過熱傷（速く動く物体と皮膚との摩擦あるいは皮膚の擦過によって起こる熱傷）．

chemical b. 化学〔的〕熱傷，薬品熱傷（腐食性の化学薬品による熱傷）．

filigree b. 装飾模様熱傷（電光によるしだ状あるいは羽毛状の一過性の皮膚損傷）．＝arborescent b.; ferning (2); keraunographic marking; Lichtenberg figure; Lichtenberg flower.

first-degree b. I 度熱傷．＝superficial b.

flash b. 輻射線熱傷，閃発熱傷，閃光熱傷，火薬傷（強力な輻射熱にごく短時間さらされて起こる熱傷．原子爆発によって起こったものがこの熱傷の典型）．

full-thickness b. 全層性熱傷（皮膚が完全に破壊される熱傷．より深い全層性熱傷では，皮下組織，筋肉，または骨にまで及び，しばしば高度の瘢痕が形成される）．＝third-degree b.

mat b. マット傷（→brush b.）．

partial-thickness b. 分層熱傷（表皮および真皮が侵され，通常，水疱が形成される．熱傷が真皮全層にまで及ばなければ，皮膚付属器は保持される．表皮再生は皮膚付属器に残された有棘細胞から起こる）．＝second-degree b.

radiation b. 放射線熱傷（ラジウム，X線，種々の原子エネルギー，紫外線などに被曝したときに起こる熱傷）．

rope b. ロープ傷（→brush b.）．

second-degree b. II度熱傷．＝partial-thickness b.

superficial b. 表在性熱傷（表皮のみが侵され，紅斑および浮腫を起こすが水疱形成のない熱傷）．＝first-degree b.

thermal b. 熱傷（熱による熱傷）．

third-degree b. III度熱傷．＝full-thickness b.

burn·ers (bern′erz). バーナーズ（サッカーやレスリングなどのコンタクトスポーツの若手男性選手に主にみられる短時間の上肢の焼熱痛，自発性異常感覚と筋力低下のエピソードをいう．肩が急性に強力に引き下げられて腕神経叢上幹が一過性に損傷され生じる．→burner *syndrome*）．＝stingers.

Bur·nett (ber-net′), Charles H. 米国人医師，1901—1967．→B. *syndrome*.

bur·nish·er (ber′nish-er) [O. Fr. *burnir*, to polish]．研磨器，バニッシャー（修復歯の表面や先端を研磨する器具）．

burn·out (bern′owt). ***1*** 焼却（歯科において，鋳造金属を受け入れる鋳型を準備するため，埋没機の中のろう型を熱により消失させること）．***2*** 燃え尽き（身体的・感情的に消耗した心理状態で，仕事の要求に応じる能力が低下したことに対するストレス反応と考えられている．症状は疲労，不眠，職業遂行の障害，身体疾患への感受性増大，物質乱用など）．

Burns (bernz), Allan. スコットランド人解剖学者，1781—1813．→B. *ligament*, falciform *process*, *space*.

Bur·ow (būr′ov), Karl A. von. ドイツ人外科医，1809—1874．→B. *solution*, *triangle*, *vein*.

burr (ber). ＝bur.

bur·row (ber′ō). ***1*** 〘n.〙 トンネル（寄生虫(例えば疥癬虫)によってつくられる皮下のトンネル）．***2*** 〘n.〙 洞，瘻孔．***3*** 〘v.〙 トンネル形成（まれに用いる語．様々な組織平面の下に，または平面を貫いてトンネルをつくる）．

BURSA

bur·sa, pl. **bur·sae** (ber′să, ber′sē) [Med. L. a purse] [TA]．包，嚢（滑膜で包まれた盲嚢で，中に滑液をためる．例えば，骨の露出部または突出部，腱が骨の上を通る部分など摩擦されやすい部位に生じる．269頁の図参照）．

Achilles b. (ă-kil′ēz). アキレス腱の滑液包．＝b. of tendo calcaneus.

b. achillis アキレス腱の滑液包．＝b. of tendo calcaneus.

b. of acromion 肩峰皮下包．＝subcutaneous acromial b.

adventitious b. 偶発嚢（2 つの部分間の摩擦によって生じる包様の嚢胞）．

b. anserina [TA]．鵞足包．＝anserine b.

anserine b. [TA]．鵞足包（膝関節の内側側副靱帯と，縫工筋・薄筋・半腱様筋の腱がつくる共通停止部(鵞足)との間にある滑液包）．＝b. anserina [TA]; tibial intertendinous b.

anterior tibial b. 前脛骨筋腱下包．＝subtendinous b. of tibialis anterior.

bicipitoradial b. [TA]．二頭筋橈骨包（上腕二頭筋の腱と橈骨粗面の前部との間にある滑液包）．＝b. bicipitoradialis [TA].

b. bicipitoradialis [TA]．二頭筋橈骨包．＝bicipitoradial b.

Boyer b. (boy′ĕr). ボワイエ〔滑液〕包．＝retrohyoid b.

Brodie b. (brō′dē). ブローディー滑液包（①腓腹筋内側腱下包．②＝semimembranous b.）．

b. of calcaneal tendon* b. of tendo calcaneus の公式の別名．

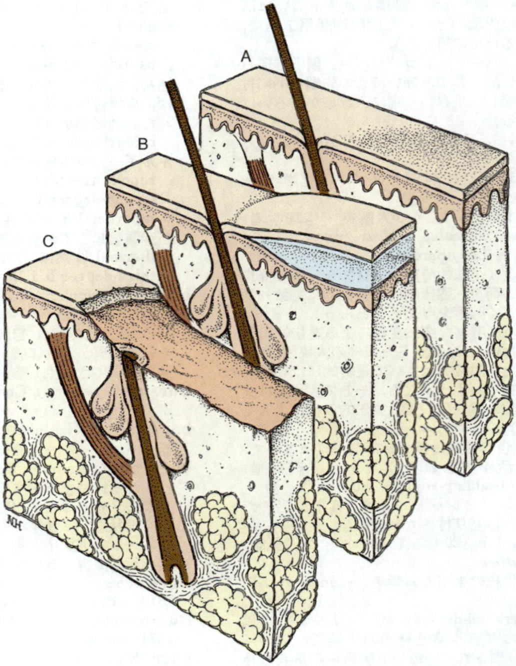

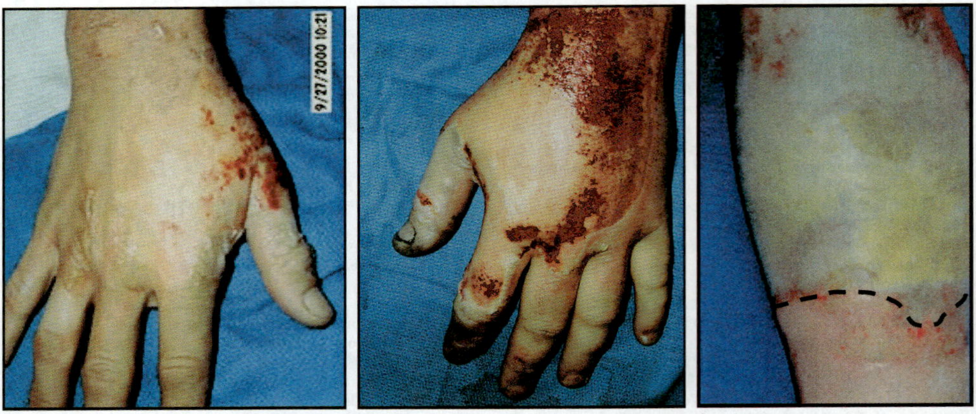

A B C

burns

A：表在性熱傷．B：中間層熱傷．C：全層性熱傷．

Calori b. (kah-lō′rē). カローリ〔滑液〕包（大動脈弓と気管との間にある滑液包）.

coracobrachial b. [TA]．烏口腕筋〔の滑液〕包（烏口腕筋の腱と肩甲下筋との間にしばしばみられる滑液包）. ＝b. musculi coracobrachialis [TA]; subcoracoid b.

b. cubitalis interossea [TA]．骨間肘包．＝interosseous cubital b.

deep infrapatellar b. [TA]．深膝蓋下包（脛骨上部と膝蓋靱帯との間にある滑液包）. ＝b. infrapatellaris profunda [TA].

b. of extensor carpi radialis brevis muscle 短橈側手根伸筋〔の滑液〕包（短橈側手根伸筋の腱と第三中手骨底との間にある滑液包）. ＝b. musculi extensoris carpi radialis brevis.

b. fabricii ファブリーキウス嚢（家禽にみられる Fabricius 嚢で，総排泄腔の後背側壁にある盲嚢様構造物．胸腺様の機能がある）. ＝b. of Fabricius.

b. of Fabricius ＝b. fabricii.

Fleischmann b. (flīsh′mahn). ＝sublingual b.

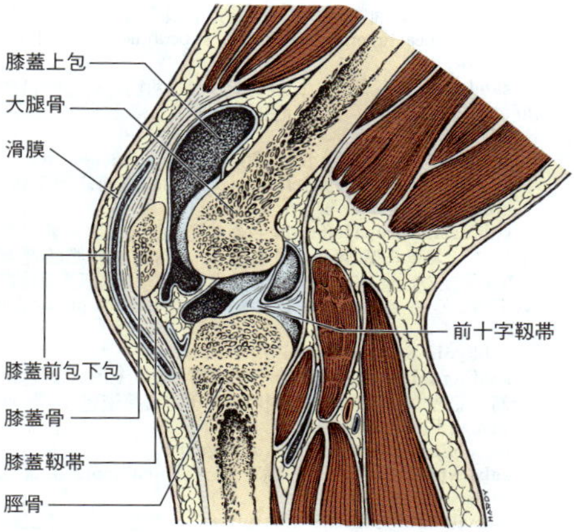

bursae of knee
膝蓋前包と膝蓋上包を示す矢状断面図.

bursae of gastrocnemius =subtendinous bursae of gastrocnemius (muscle).

gluteofemoral b. 殿筋の筋間包. =intermuscular gluteal bursae.

gluteus medius bursae 中殿筋転子包 (⇀trochanteric b. (3)). =trochanteric bursae of gluteus medius.

gluteus minimus b. 小殿筋の転子包 (⇀trochanteric b. (4)). =trochanteric bursae of gluteus minimus.

b. of great toe 足母趾包 (第一中足骨底の後ろの側面と第二中足骨体の内側との間にある滑液包).

b. of hyoid =retrohyoid b.

iliac b. =subtendinous b. of iliacus.

b. iliopectinea [TA]. 腸恥包. =iliopectineal b.

iliopectineal b. [TA]. 腸恥包 (腸腰筋の腱と腸恥隆起との間にある大きな滑液包). =b. iliopectinea [TA].

inferior subtendinous b. of biceps femoris [TA]. 大腿二頭筋下包 (大腿二頭筋の停止腱と膝関節の外側側副靱帯との間にある滑液包). =b. subtendinea musculi bicipitis femoris inferior [TA].

infracardiac b. 心臓下包 (胚の右肺基底の内側にときにみられる小さな漿液包. →pneumatoenteric *recess*; celomic *bay*).

infrahyoid b. [TA]. 舌骨下包 (胸骨甲状筋と正中甲状舌骨靱帯との間の舌骨体の下縁の下にときにみられる滑液包). =b. infrahyoidea [TA].

b. infrahyoidea [TA]. 舌骨下包. =infrahyoid b.

b. infrapatellaris profunda [TA]. 深膝蓋下包. =deep infrapatellar b.

infraspinatus b. 棘下筋腱下包. =subtendinous b. of infraspinatus.

intermuscular gluteal bursae [TA]. 殿筋の筋間包 (大殿筋腱と粗線との間にある 2, 3 の小さな滑液包). =bursae intermusculares musculorum gluteorum [TA]; gluteofemoral b.

bursae intermusculares musculorum gluteorum [TA]. 殿筋の筋間包. =intermuscular gluteal bursae.

interosseous cubital b. [TA]. 骨間肘包 (二頭筋の腱と尺骨または斜索との間にある不定の滑液包). =b. cubitalis interossea [TA]; interosseous b. of elbow.

interosseous b. of elbow 骨間肘包. =interosseous cubital b.

b. intratendinea olecrani [TA]. 肘頭腱内包. =intratendinous olecranon b.

intratendinous b. of elbow 肘頭腱内包. =intratendinous olecranon b.

intratendinous olecranon b. [TA]. 肘頭腱内包 (上腕三頭筋の停止腱内にときとしてみられる滑液包). =b. intratendinea olecrani [TA]; b. of Monro; intratendinous b. of elbow.

b. ischiadica musculi glutei maximi [TA]. 大殿筋の坐骨包. =sciatic b. of gluteus maximus.

b. ischiadica musculi obturatoris interni 内閉鎖筋の坐骨包. =sciatic b. of obturator internus.

ischial b. 大殿筋の坐骨包. =sciatic b. of gluteus maximus.

laryngeal b. 喉頭隆起皮下包. =subcutaneous b. of the laryngeal prominence.

lateral malleolar subcutaneous b. 外果皮下包. =subcutaneous b. of lateral malleolus.

lateral malleolus b. 外果皮下包. =subcutaneous b. of lateral malleolus.

b. of latissimus dorsi 広背筋腱下包. =subtendinous b. of latissimus dorsi.

bursae of lower limb [TA]. 下肢の滑液包 (下肢にあるすべての滑液包の総称). =bursae membri inferioris [TA].

Luschka b. (lūsh′kah). ルシュカ嚢. =pharyngeal b.

medial malleolar subcutaneous b. 内果皮下包. =subcutaneous b. of medial malleolus.

bursae membri inferioris [TA]. =bursae of lower limb.

bursae membri superioris [TA]. =bursae of upper limb.

b. of Monro (mŏn′rō). モンロー〔滑液〕包. =intratendinous olecranon b.

b. mucosa 粘液嚢. =synovial b.

b. musculi bicipitis femoris superior [TA]. 大腿二頭筋上〔の滑液〕包. =superior b. of biceps femoris.

b. musculi coracobrachialis [TA]. 烏口腕筋〔の滑液〕包. =coracobrachial b.

b. musculi extensoris carpi radialis brevis =b. of extensor carpi radialis brevis muscle.

b. musculi piriformis [TA]. =b. of piriformis.

b. musculi semimembranosi [TA]. =semimembranous b.

b. musculi tensoris veli palatini [TA]. 口蓋帆張筋〔の滑液〕包. =b. of tensor veli palatini.

bursae of obturator internus ***1*** 内閉鎖筋の坐骨包. =sciatic b. of obturator internus. ***2*** 内閉鎖筋腱下包. =subtendinous b. of obturator internus.

b. of olecranon 肘頭皮下包. =subcutaneous olecranon b.

omental b. [TA]. 網嚢 (腹膜腔の分離した部分で, 胃の背側にあり, 上後方は肝臓および横隔膜まで, 下方は大網内まで広がる. 網嚢孔のところで腹腔に開く). =b. omentalis [TA]; lesser peritoneal cavity; lesser peritoneal sac; omental sac.

b. omentalis [TA]. 網嚢. =omental b.

ovarian b. 卵巣嚢 (卵巣の内側面と卵管間膜との間にある腹膜陥凹). =b. ovarica.

b. ovarica =ovarian b.

b. pharyngea 咽頭嚢. =pharyngeal b.

pharyngeal b. 咽頭嚢 (咽頭扁桃下端の鼻咽頭腔の後壁にみられることもある盲嚢. 脊索遺残物). =b. pharyngea; Luschka b.

b. of piriformis [TA]. 梨状筋滑液包 (梨状筋の腱, 上双子筋, 大腿骨との間にある小さな滑液包). =b. musculi piriformis [TA].

b. of popliteus 膝窩嚢. =subpopliteal *recess*.

prepatellar b. 膝蓋前皮下包 (⇀subcutaneous prepatellar b.; subfascial prepatellar b.; subaponeurotic prepatellar b.).

b. quadrati femoris 腰方形筋滑液包 (腰方形筋の前面と大腿骨小転子との間にある).

radial b. =tendinous *sheath* of flexor pollicis longus muscle.

retrocalcaneal b.☆ b. of tendo calcaneus の公式の別名.

retrohyoid b. [TA]. 舌骨後包 (舌骨体の後面と甲状舌骨膜との間にある滑液包). =b. retrohyoidea [TA]; Boyer b.; b. of hyoid; subhyoid b.

b. retrohyoidea [TA]. 舌骨後包. =retrohyoid b.

rider's b. 騎馬嚢包 (膝の内側に生じる外膜性の嚢. 乗馬

により起こる).

sartorius bursae 縫工筋腱下包. ＝subtendinous b. of sartorius.

sciatic b. of gluteus maximus [TA]. 大殿筋の坐骨包(大殿筋と坐骨結節との間にある滑液包). ＝b. ischiadica musculi glutei maximi [TA]; ischial b.

sciatic b. of obturator internus [TA]. 内閉鎖筋の坐骨包(内閉鎖筋の腱と小坐骨切痕との間にある大型で定在の滑液包). ＝b. ischiadica musculi obturatoris interni; bursae of obturator internus (1).

b. of semimembranosus muscle 半膜様筋〔の滑液〕包. ＝semimembranous b.

semimembranous b. [TA]. 半膜様筋〔の滑液〕包(腓腹筋頭と膝関節との間にある滑液包). ＝b. musculi semimembranosi [TA]; Brodie b. (2); b. of semimembranosus muscle.

subacromial b. [TA]. 肩峰下滑液包(肩峰と肩関節包との間にある滑液包). ＝b. subacromialis [TA].

b. subacromialis [TA]. 肩峰下滑液包. ＝subacromial b.

subaponeurotic prepatellar b. 膝蓋前腱膜下包(膝蓋前の3つの滑液包で最深のもの. 広筋腱の延長からなる中間(斜)腱膜と膝蓋骨の前方の大腿直筋腱の間にある. 旧概念の subtendinous prepatellar buras(膝蓋前腱下包)に取って代わる).

subcoracoid b. ＝coracobrachial b.

b. subcutanea acromialis [TA]. ＝subcutaneous acromial b.

b. subcutanea calcanea [TA]. 踵骨皮下包. ＝subcutaneous calcaneal b.

b. subcutanea infrapatellaris [TA]. 膝蓋下皮下包. ＝subcutaneous infrapatellar b.

b. subcutanea malleoli lateralis [TA]. ＝ subcutaneous b. of lateral malleolus.

b. subcutanea malleoli medialis [TA]. ＝ subcutaneous b. of medial malleolus.

b. subcutanea olecrani [TA]. ＝subcutaneous olecranon b.

b. subcutanea prepatellaris 膝蓋前皮下包. ＝ subcutaneous prepatellar b.

b. subcutanea prominentiae laryngeae [TA]. ＝subcutaneous b. of the laryngeal prominence.

b. subcutanea trochanterica [TA]. 大転子皮下包. ＝trochanteric b. (1).

b. subcutanea tuberositatis tibiae 脛骨粗面皮下包. ＝subcutaneous b. of tuberosity of tibia.

subcutaneous acromial b. [TA]. 肩峰皮下包(肩峰と皮膚との間にしばしば現れる滑液包). ＝b. subcutanea acromialis [TA]; b. of acromion.

subcutaneous calcaneal b. [TA]. 踵骨皮下包(皮膚と踵骨後表面との間にある滑液包). ＝b. subcutanea calcanea [TA].

subcutaneous infrapatellar b. [TA]. 膝蓋下皮下包(膝蓋靱帯と皮膚との間にある滑液包). ＝b. subcutanea infrapatellaris [TA].

subcutaneous b. of the laryngeal prominence [TA]. 喉頭隆起皮下包(甲状軟骨板の接合部と皮膚との間にある滑液包). ＝b. subcutanea prominentiae laryngeae [TA]; laryngeal b.

subcutaneous b. of lateral malleolus [TA]. 外果皮下包(外果と皮膚との間にある滑液包). ＝b. subcutanea malleoli lateralis [TA]; lateral malleolar subcutaneous b.; lateral malleolus b.

subcutaneous b. of medial malleolus [TA]. 内果皮下包(内果と皮膚との間にある滑液包). ＝b. subcutanea malleoli medialis [TA]; medial malleolar subcutaneous b.

subcutaneous olecranon b. [TA]. 肘頭皮下包(尺骨の肘頭突起と皮膚との間にある滑液包). ＝b. subcutanea olecrani [TA]; b. of olecranon.

subcutaneous prepatellar b. [TA]. 膝蓋前皮下包(大腿筋膜(膝蓋前浅腱膜)表層の皮下組織にある滑液包). ＝b. subcutanea prepatellaris.

subcutaneous b. of tibial tuberosity 脛骨粗面皮下包. ＝subcutaneous b. of tuberosity of tibia.

subcutaneous b. of tuberosity of tibia [TA]. 脛骨粗面皮下包(脛骨粗面表面の皮下または筋膜下にある滑液包). ＝b. subcutanea tuberositatis tibiae; subcutaneous b. of tibial tuberosity.

subdeltoid b. [TA]. 三角筋下包(三角筋と肩関節包との間にある滑液包で, 肩峰下包と交通することもある). ＝b. subdeltoidea [TA].

b. subdeltoidea [TA]. 三角筋下包. ＝subdeltoid b.

b. subfascialis prepatellaris [TA]. 膝蓋前筋膜下包. ＝subfascial prepatellar b.

subfascial prepatellar b. 膝蓋前筋膜下包(膝蓋骨前面において, 大腿筋膜(膝蓋前浅腱膜)と, 内側・外側膝蓋支帯(広筋腱膜の延長)によって形成される中間(斜)膝蓋前腱膜との間にみられる滑液包). ＝b. subfascialis prepatellaris [TA].

subhyoid b. ＝retrohyoid b.

sublingual b. 舌下包(舌小帯の高さにおいて, おとがい舌筋表面と口腔低粘膜との間にある不定の漿液包). ＝b. sublingualis; Fleischmann b.

b. sublingualis 舌下包. ＝sublingual b.

subscapular b. 肩甲下筋腱下包. ＝subtendinous b. of subscapularis.

bursae subtendineae musculi sartorii [TA]. 縫工筋腱下包. ＝subtendinous b. of sartorius.

b. subtendinea iliaca [TA]. 腸腰筋腱下包. ＝subtendinous b. of iliacus.

b. subtendinea musculi bicipitis femoris inferior [TA]. 大腿二頭筋腱下包. ＝inferior subtendinous b. of biceps femoris.

b. subtendinea musculi infraspinati [TA]. 棘下筋腱下包. ＝subtendinous b. of infraspinatus.

b. subtendinea musculi latissimus dorsi [TA]. 広背筋腱下包. ＝subtendinous b. of latissimus dorsi.

b. subtendinea musculi obturatoris interni 内閉鎖筋腱下包. ＝subtendinous b. of obturator internus.

b. subtendinea musculi subscapularis [TA]. 肩甲下筋腱下包. ＝subtendinous b. of subscapularis.

b. subtendinea musculi teretis majoris [TA]. 大円筋腱下包. ＝subtendinous b. of teres major.

b. subtendinea musculi tibialis anterioris [TA]. ＝subtendinous b. of tibialis anterior.

b. subtendinea musculi trapezii [TA]. 僧帽筋腱下包. ＝subtendinous b. of trapezius.

b. subtendinea musculi tricipitis brachii [TA]. 上腕三頭筋腱下包. ＝subtendinous b. of triceps brachii.

b. subtendinea prepatellaris [TA]. 膝蓋前腱下包(現在では用いられない語. →subaponeurotic prepatellar b.). ＝subtendinous prepatellar b.

bursae subtendineae musculi gastrocnemii [TA]. ＝subtendinous bursae of gastrocnemius (muscle).

subtendinous bursae of gastrocnemius (muscle) 腓腹筋腱下包(腓腹筋頭と膝関節包との間にある滑液包で, 外側包と内側包(Brodie b. (1))からなる). ＝bursae subtendineae musculi gastrocnemii [TA]; bursae of gastrocnemius.

subtendinous iliac b. 腸腰筋腱下包. ＝subtendinous b. of iliacus.

subtendinous b. of iliacus [TA]. 腸腰筋腱下包(腸腰筋が小転子に停止する部分にある滑液包). ＝b. subtendinea iliaca [TA]; iliac b.; subtendinous iliac b.

subtendinous b. of infraspinatus [TA]. 棘下筋腱下包(棘下筋の腱と肩関節包との間にある滑液包). ＝b. subtendinea musculi infraspinati [TA]; infraspinatus b.

subtendinous b. of latissimus dorsi [TA]. 広背筋腱下包(大円筋の広背筋との間の交差近傍にある常在の滑液包). ＝b. subtendinea musculi latissimus dorsi [TA]; b. of latissimus dorsi.

subtendinous b. of obturator internus [TA]. 内閉鎖筋腱下包(内閉鎖筋の腱と大腿骨との間にある滑液包). ＝b. subtendinea musculi obturatoris interni; bursae of obturator internus (2).

subtendinous prepatellar b. [TA]. 膝蓋前腱下包(従来, 大腿四頭筋腱と膝蓋骨との間にある不定の滑液包とされていた痕跡的滑液包．３つの膝蓋前滑液包のうち最深部のものを膝蓋前腱膜下包という）．＝b. subtendinea prepatellaris [TA].

subtendinous b. of sartorius [TA]．縫工筋腱下包（縫工筋・半腱様筋・薄筋の腱の間にあり，ときに鵞足包と分離している滑液包）．＝bursae subtendineae musculi sartorii [TA]; sartorius bursae.

subtendinous b. of subscapularis [TA]．肩甲下筋腱下包（肩甲下筋の腱と肩甲骨頸との間にある滑液包で，肩関節と交通する）．＝b. subtendinea musculi subscapularis [TA]; subscapular b.

subtendinous b. of teres major [TA]．大円筋腱下包（大円筋の腱の下，その付着部の近くにある滑液包）．＝b. subtendinea musculi teretis majoris [TA]; b. of teres major.

subtendinous b. of tibialis anterior 前脛骨筋腱下包（第一楔状骨の内側面と前脛骨筋の腱との間にある小さな滑液包）．＝b. subtendinea musculi tibialis anterioris [TA]; anterior tibial b.

subtendinous b. of trapezius [TA]．僧帽筋腱下包（僧帽筋の腱と肩甲棘の内側端との間にある滑液包）．＝b. subtendinea musculi trapezii [TA]; b. of trapezius.

subtendinous b. of triceps brachii [TA]．上腕三頭筋腱下包（上腕三頭筋の腱の深いところ停止部付近肘頭上にある滑液包）．＝b. subtendinea musculi tricipitis brachii [TA]; triceps b.

superior b. of biceps femoris [TA]．大腿二頭筋上〔の滑液〕包（大腿二頭筋の長頭の腱と坐骨結節と半膜様筋の腱との間にしばしばみられる滑液包）．＝b. musculi bicipitis femoris superior [TA].

suprapatellar b. [TA]．膝蓋上包（大腿骨下部と大腿四頭筋腱との間にある大きな滑液包．通常，膝関節腔と交通しており，膝蓋上包炎では血液または滑液により病的に拡大する（〝膝上水〟））．＝b. suprapatellaris [TA].

b. suprapatellaris [TA]．膝蓋上包．＝suprapatellar b.

synovial b. [TA]．滑液包，滑液嚢（滑液を含む包(嚢)で，腱と(腱がその上で作用する)骨との間や皮下の骨隆起上などの摩擦部位にみられる．TA では以下のように分類される．subcutaneous b.; b. subcutanea [TA]; submuscular b.; b. submuscularis [TA]; subfascial b.; b. subfascialis [TA]; subtendinous b.; b. subtendinea [TA]）．＝b. synovialis [TA]; b. mucosa.

b. synovialis [TA]．滑液包，滑液嚢．＝synovial b.

synovial trochlear b. 滑車滑液包．＝tendinous *sheath* of superior oblique muscle.

b. tendinis calcanei [TA]．踵骨腱の滑液包．＝b. of tendo calcaneus.

b. of tendo calcaneus [TA]．踵骨腱の滑液包（踵骨腱と踵骨後面の上部との間にある滑液包）．＝b. of calcaneal tendon☆; retrocalcaneal b.☆; Achilles b.; b. Achillis; b. tendinis calcanei [TA].

b. of tensor veli palatini [TA]．口蓋帆張筋滑液包（口蓋帆張筋の腱が翼突鉤を回る部分にある小さな滑液包）．＝b. musculi tensoris veli palatini [TA].

b. of teres major 大円筋腱下包．＝subtendinous b. of teres major.

tibial intertendinous b. 鵞足包．＝anserine b.

b. of trapezius 僧帽筋腱下包．＝subtendinous b. of trapezius.

triceps b. 上腕三頭筋腱下包．＝subtendinous b. of triceps brachii.

trochanteric b. [TA]．転子包（①大腿骨大転子と皮膚の間にある皮下転子包．＝b. subcutanea trochanterica [TA]．②大殿筋と大腿骨大転子の間にある多房性転子包．＝b. trochanterica musculi glutei maximi [TA]．③中殿筋と大腿骨大転子の間にある転子包．＝bursae trochantericae musculi glutei medii [TA]．④小殿筋の転子包．＝b. trochanterica musculi glutei minimi [TA]）．＝b. trochanterica [TA].

b. trochanterica [TA]．＝trochanteric b.

bursae trochantericae musculi glutei medii [TA]．＝trochanteric b. (3).

b. trochanterica musculi glutei maximi [TA]．大殿筋の転子包．＝trochanteric b. (2).

b. trochanterica musculi glutei minimi [TA]．小殿筋の転子包．＝trochanteric b. (4).

trochanteric bursae of gluteus medius 中殿筋転子包（中殿筋腱と大転子との間の滑液包，および梨状筋と中殿筋との間にある滑液包．⇀trochanteric b. (3)）．＝gluteus medius bursae.

trochanteric bursae of gluteus minimus 小殿筋の転子包（通常，小殿筋と大転子との間にあるかなり大きな滑液包．⇀trochanteric b. (3)）．＝gluteus minimus bursa.

trochlear synovial b. 滑車滑液包．＝tendinous *sheath* of superior oblique muscle.

ulnar b. 尺骨滑液包．＝common flexor *sheath* (of hand).

bursae of upper limb [TA]．上肢の滑液包（上肢にあるすべての滑液包の総称）．＝bursae membri superioris [TA].

B

---

bur·sal (ber′săl)．包の，嚢の．

bur·sec·to·my (ber-sek′tō-mē) [bursa + G. *ektomē*, excision]．滑液包切除〔術〕．

bur·si·tis (ber-sī′tis)．滑液包炎，滑液嚢炎（滑液包の炎症）．＝bursal synovitis.

anserine b. 鵞足滑液包炎（鵞足と脛骨の上内側面との間にある鵞足滑液包の炎症）．

calcific b. 石灰〔性〕滑液包炎（カルシウム塩の沈着を生じた滑液包の炎症．三角筋下滑液包炎に最もよくみられる）．

infrapatellar b. 膝蓋下滑液包炎（膝蓋骨下極の下にあって，膝蓋腱の上にある滑液包に限局性腫脹と圧痛がみられる．この限局した部位に繰り返されるひざまずきに伴う圧迫によりしばしば生じる）．

ischial b. 坐骨滑液包炎（坐骨結節の上にある滑液包の炎症）．＝weaver's bottom.

olecranon b. 肘頭部滑液包炎（肘後方の突起をおおう肘頭部滑液包の炎症）．

prepatellar b. 膝蓋前滑液包炎．＝housemaid's *knee*.

subacromial b. 肩峰下滑液包炎（肩峰(上方)と腱板(下方)の間にある肩峰下滑液包の炎症．三角筋下滑液包に連続していることがある）．

subdeltoid b. 三角筋下滑液包炎（三角筋とその下の上腕骨近部，腱板との間にある三角筋下滑液包の炎症．肩峰下滑液包と連絡していることがある）．

bur·so·lith (ber′sō-lith) [bursa + G. *lithos*, stone]．滑液包結石（滑液包の中に生じた結石）．

bur·sop·a·thy (ber-sop′ă-thē)．滑液包疾患．

bur·sot·o·my (ber-sot′ō-mē) [bursa + G. *tomē*, a cutting]．滑液包切開〔術〕．

burst (berst)．バースト，群発，突発波，爆発（活性の突発的な増加）．

respiratory b. 呼吸バースト（食細胞やある種の他の細胞が粒子をその細胞内に取り込んだときに，急激に代謝活性が増大し，その結果，酸素消費，スーパーオキシドの生成，過酸化水素の生成，ヘキソース一リン酸経路の活性化を増大させる）．

b. size 放出量（感染菌１個当たり産生されるファージの数）．

bur·su·la (ber′sū-lă) [Mod. L: Med. L. *bursa*(purse)の指小辞]．小嚢．

b. testium 陰嚢（scrotum の古語）．

Bur·ton (bĕr′tŏn), Henry. イングランド人医師，1799—1849. ⇀B. *line*.

BUS Bartholin glands, urethra, Skene glands(バルトリン腺，尿道，スキーン腺)の略．

Bu·sac·ca (bū-sah′kă), Archimede. 20 世紀初頭のイタリア人医師．⇀B. *nodules*.

Busch·ke (būsh′kĕ), Abraham. ドイツ人皮膚科医，1868—1943. ⇀B. *disease*; B.-Ollendorf *syndrome*.

bu·spi·rone hy·dro·chlor·ide (bū-spī′rōn)．塩酸ブスピロン（アザスピロデカネジオン．抗不安薬であり，不安障害の治療あるいは不安症状の短期間の改善の目的で用いる）．

Bus·quet (būs-kā′), G. Paul. フランス人医師，1865—1930. ⇀B. *disease*.

bu·tam·ben (byū-tam′ben)．＝*butyl* aminobenzoate.

bu·tane (byū′tān)．ブタン；C_4H_{10}（天然ガスに含まれる気体

の炭化水素．２つの異性体が知られており，ともに麻酔作用を有す．*N*–ブタン；$CH_3(CH_2)_2CH_3$，イソブタン；$CH_3CH(CH_3)CH_3$（または２–メチルプロパン））．

1,4 **butanediol** 1, 4–ブタンジオール（工業用洗浄剤．摂取により代謝され GHB(ガンマヒドロキシ酪酸)になる）．

bu·ta·no·ic ac·id (byū-tă-nō′ik as′id). ブタン酸（normal *n*-butyric acid を表す系統名）．

bu·ta·nol (byū′tă-nol). ブタノール（*N*–ブチルアルコールによく用いる化学名）．

bu·tan·o·yl (byū′tan-ō′il). ブタノイル（ブタン酸を構成する１価の基）．＝butyryl.

bu·to·py·ro·nox·yl (byū′tō-pī′rō-nok′sil). ブトピロノキシル（昆虫駆除薬．サシバエ *Stomoxys calcitrans* に効果がある）．

***t*-bu·tox·y·car·bon·yl (BOC, *t*-BOC, Boc)** (byū-toks′ē-kar′bŏn-il). *t*–ブトキシカルボニル（ペプチド合成でのアミノ保護基の１つ）．＝*tert*-butyloxycarbonyl.

butt (bŭt). ***1*** 衝頭接合する（２つの直角の端と端を突き合わせて接合する）．***2*** 補てつする（歯科において，歯槽隆線をおおう組織に直接修復物を装着する）．

but·ter (bŭt′ĕr) [L. *butyrum*, G. *boutyros*, prob. < *bous*, cow + *tyros*, cheese]. ***1*** バター（分離している脂肪球が混和され，液体残渣としてバター乳が残るまでクリームをかくはんまたは振とうして得られる粘着性の乳脂肪塊）．***2*** バター様の硬さを多少もっている固形〔物〕．

b. of antimony アンチモンバター（*antimony* trichloride の高濃度の酸性溶液）．

b. of bismuth ビスマスバター．＝*bismuth* trichloride.

cacao b., cocoa b. カカオ脂（→cacao）．＝*theobroma* oil.

b. of tin ティンバター；stannic chloride pentahydrate.

b. of zinc 塩化亜鉛．＝*zinc* chloride.

but·ter·fly (bŭt′er-flī). ***1*** 蝶形物（羽を広げたチョウに似た構造または器具）．***2*** 蝶形紅斑（鼻の部分で細く帯状に連なっている両頬部の鱗屑性紅斑性皮疹．紅斑性狼瘡や脂漏性皮膚炎でみられる）．＝butterfly eruption; butterfly patch; butterfly rash.

but·ter·milk (bŭt′ĕr-milk). バター乳（バター製造後に残るカゼインと酪酸を含む液）．

but·ter yel·low (bŭt′er yel′ō) [C.I. 11160]. バターイエロー（脂溶性黄色色素(分子量 225)．実験動物において肝臓の発癌性が見出されている．pH の指示薬として用い，pH2.9 で赤色，pH4 で黄色を呈する）．＝dimethylaminoazobenzene; methyl yellow.

but·tocks (bŭt′oks) [TA]. 殿部，しり（[本語は文法的に複数形である]．殿筋により両側につくられた隆起）．＝nates [TA]; clunes*; breech.

but·ton (bŭt′ŏn) [M.E. < O.Fr. *bouton* < *bouter*, to thrust < Germanic]. ボタン（こぶ状の構造，病巣，または装置）．

Biskra b. ビスクラボタン（→cutaneous *leishmaniasis*）．

mescal b.'s (mes-kal′ bŭt′ŏns). メスカルボタン（メスカリンとその関連アルカロイドを含む．サボテンである *Lophophora williamsii* の茎頂部や花冠を乾燥したもの）．

Murphy b. (mŭr′fē). マーフィボタン（腸管吻合に用いる装置物．２個の円い中空円柱からなり，切離腸管の両側端に挿入し縫合して腸管にしっかり固定する．両端を近づけ２つの円柱をロック機構で結合させる．この器具は分解性で約10日で分解して腸管内に排出される．同名の金属性の改造品もあるが用いられていない）．

Oriental b. 東方(東邦)ボタン（→cutaneous *leishmaniasis*）．

peritoneal b. 腹膜ボタン（腹水を皮下腔へ排出するために用いる装置）．

but·ton·hole (bŭt′ŏn-hōl). ボタン穴（①腔内あるいは管内への直線形小切開．②例えば，極端な僧帽弁狭窄症におけるいわゆる僧帽弁ボタン穴のような，孔口が収縮して細隙となったもの．→buttonhole *stenosis*）．

buttress [M.E. *buteras* < O.Fr. *bouterez* < Germanic]. 支持（構造の基底部に置かれて，支持または安定させるもの）．

canine b. 犬歯バットレス（前涙嚢稜を貫通して梨状孔に沿って上顎骨の上縁から上眼窩縁に至る顔面正中の柱状構造）．＝nasal maxillary b.

nasal maxillary b. 鼻上顎バットレス．＝canine b.

pterygoid b. 翼状支柱（上顎から翼状板を通じて眼窩突起，蝶形骨に拡大する顔面中央の構造的支柱）．

zygomatic b. 頬骨支柱（上顎縁から上方で頬骨を通って前頭側頭骨に広がる顔面中心部の構造柱）．

bu·tyl (byū′til). ブチル；$CH_3(CH_2)_3$–（*N*–ブタンを構成する１価の基）．

b. alcohol ブチルアルコール（種々の異性体がある）．① **primary (normal) b. a.** 第一(*n*–)ブチルアルコール；1-butanol; propylcarbinol (発酵工業におけるブチルアルコール）．② **isobutyl alcohol** イソブチルアルコール；isopropylcarbinol; 2-methyl-1-propanol (高濃度で麻酔作用がある）．③ **secondary b. a.** 第二ブチルアルコール；ethylmethylcarbinol; 2-butanol. ④ **tertiary b. a.** 第三ブチルアルコール；trimethylcarbinol; 2-methyl-2-propanol (エタノールの変性剤)．

b. aminobenzoate アミノ安息香酸ブチル（局所麻酔薬．難溶性で微量しか吸収されない）．＝butamben.

bu·tyl·at·ed hy·drox·y·an·is·ole (BHA) (byū′tĭl-ā′ted hī-droks′ē-an′ĭ-zol). ブチル化ヒドロキシアニソール（食品の抗酸化剤として用いられる）．

bu·tyl·at·ed hy·drox·y·tol·u·ene (BHT) (byū′tĭl-ā′ted hī-droks′ē-tōl′yū-ēn). ブチル化ヒドロキシトルエン（抗酸化剤として食品，動物飼料，石油製品，合成ゴム，プラスチック，動物性および植物性油，石けんに用いられる．また塗料やインクの剝離防止剤としても用いられる）．

***tert*-bu·tyl·ox·y·car·bon·yl (tBoc)** (byū′til-oks′ē-kar′-bŏn-il). *tert*–ブチルオキシカルボニル．＝*t*-butoxycarbonyl.

bu·ty·ra·ce·ous (byū-tir-ā′shē-us). バター状の（硬さがバターのような）．

bu·ty·rate (byū′ti-rāt). 酪酸塩またはエステル．

bu·ty·rate:CoA li·gase (byū′ti-rāt lī′gās). 酪酸CoAリガーゼ（脂肪酸チオキナーゼ(中鎖)．ATP を消費して AMP とピロリン酸塩にするとともに中鎖脂肪酸と CoA からアシル CoA 誘導体を生成するリガーゼ．脂肪酸の活性化の重要段階）．＝ acyl-activating enzyme (2); butyryl-CoA synthetase; octanoyl-CoA synthetase.

bu·tyr·ic (byū-tir′ik). 酪酸の．

bu·tyr·ic ac·id (byū-tir′ik as′id). 酪酸（不快なにおいのある酸で，バター，肝油，汗，その他多くの物質に存在する）．① **normal b. a.** (*N*-butyric acid とも記す)ノルマル酪酸；butanoic acid (牛バター中にグリセリドとして存在)．② **isobutyric acid** イソ酪酸；2-methylpropanoic acid (バリン異化作用の中間生成物の１つで，クロトン油その他の中にグリセリドとしてみられる）．

γ-bu·tyr·o·be·taine (byū-tir′ō-be-tān). γ–ブチロベタイン（γ–アミノ酪酸のベタイン．β–炭素の水酸化によってできるカルニチンの前駆体）．

bu·tyr·o·cho·lin·es·ter·ase (byū′tir-ō′kō′lin-es′ter-ās). ブチロコリンエステラーゼ（プソイドコリンエステラーゼや血漿コリンエステラーゼ．→cholinesterase）．＝butyrylcholine esterase; pseudocholinesterase.

bu·ty·roid (byū′ti-royd). バター状の（①バターのような．②バターに似ている）．

γ-butyrolactone γ–ブチロラクトン（工業用溶剤．γ–ヒドロキシ酪酸の合成における前駆物質）．

bu·tyr·om·e·ter (byū-ti-rom′ĕ-ter) [G. *boutyron*, butter + *metron*, measure]. 乳脂測定計（乳汁中の乳脂量を測定する器械）．

bu·tyr·ous (byū′ti-rŭs). バター様の（バター様の硬さをもつ組織または細菌の増殖を示す）．

bu·tyr·yl (byū′ti-ril). ブチリル．＝butanoyl.

bu·tyr·yl·cho·line es·ter·ase (byū′ti-ril-kō′lēn es′ter-ās). ブチリルコリンエステラーゼ．＝butyrocholinesterase.

bu·tyr·yl-CoA (byū′ti-ril). ブチリル–CoA（コエンザイムＡと *n*–ブタン酸との縮合および生成物．脂肪酸の分解，および生合成経路の中間体の１つ）．

b.-C. synthetase (byū′ti-ril). ブチリル–CoA シンテターゼ．＝butyrate:CoA ligase.

Buz·zard (bŭz′ărd), Thomas. イングランド人医師，1831—1919. →B. *maneuver*.

Buz·zi Cantone (but′zē kahn-tō′nā), Fausto. Ernst Schweninger の共同研究者，1858 — 1907. →Schweninger-Buzzi *anetoderma*.

BVMS Bachelor of Veterinary Medicine and Surgery(獣医学学士)の略.

Bx biopsy の略.

By·ars (bī′ărz), Louis T. 20 世紀の米国人外科医. ⇀B. *flap*.

By·ler (bī′lĕr), 米国のアーミッシュ一族. ⇀B. *disease*.

by·pass (bī′pas). ***1*** 〚n.〛 バイパス，副〔血〕行路，側副路（シャント，補助的流れ）. ***2*** 〚v.〛 バイパス〔を形成〕する（1つの構造からもう1つの構造にう回路を経て新しい流れをつくる.→shunt).

aortocoronary b. 大動脈冠状動脈バイパス. = coronary artery b.

aortoiliac b. 大動脈腸骨動脈バイパス（腹部大動脈とその分岐部および近位腸骨動脈の閉塞を解除するために，大動脈と腸骨動脈を人工血管で結ぶ術式).

aortorenal b. 大動脈腎動脈バイパス（合成品，同種組織，あるいは異種組織による腎動脈閉塞をう回する血管プロテーゼ(人工器官)).

bowel b. 腸管バイパス，空腸回腸バイパス. = jejunoileal b.

cardiopulmonary b. 心肺バイパス（心臓に戻る血流を人工心肺装置を通して体循環の動脈側に戻す方法. 心臓手術の際に体外循環を保つために用いる術式).

coronary artery b. 冠〔状〕動脈バイパス（通常，静脈または内胸動脈を導管として，閉塞を越えて冠状動脈のシャント血を得るために，外科的に大動脈と冠動脈の間をバイパスする). = aortocoronary b.

extraanatomic b. 非解剖学的バイパス（先在の解剖に適合しない血管のバイパス).

extracranial-intracranial b. 頭蓋外－内血管吻合術（頭蓋外血管を頭蓋内血管に吻合することによる血管短絡術. 通常，浅側頭動脈と中大脳動脈の皮質枝との間で行う).

femoropopliteal b. 大腿膝窩動脈バイパス（大腿動脈の閉塞をう回するために人工血管，自家血管を用いて閉塞部位の中枢側と末梢側を結ぶ術式).

gastric b. 胃バイパス（胃を高位で分割し，上側の小胃嚢を空腸へ吻合する術式. 胃の遠位端は閉鎖して残す. 重篤な肥満の治療に行われる).

jejunoileal b. 空腸回腸バイパス（空腸上部と末端の回腸を吻合して短絡させる術式. 重篤な肥満の治療に行われる). = bowel b.; jejunoileal shunt.

left heart b. 左心バイパス（肺循環から体循環へ左の心臓を通らずに血液を短絡する手段. 一部の心臓外科手術と，重症な左心不全あるいは心原性ショックのときに実験的に用いられる).

partial ileal b. 部分的空腸バイパス（小腸を回盲弁の100 cm 近位あたりで切離し，遠位端は閉鎖し，近位端を盲腸に吻合する術式).

right heart b. 右心バイパス（右房・右室周辺の大静脈から直接に肺動脈へ血液を迂回短絡すること).

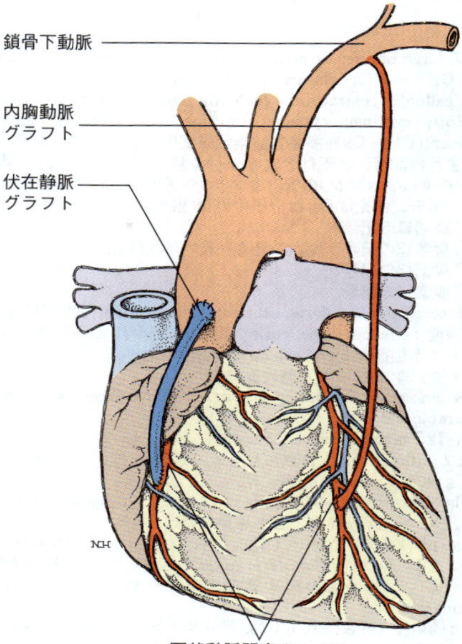

coronary bypass

内胸動脈と伏在静脈を用いた完全二本バイパス.

bys·si·no·sis (bis′i-nō′sis) [G. *byssos*, flax + *-osis*, condition]. 綿肺〔症〕，綿線維沈着〔症〕，綿花肺（未加工の綿，亜麻，大麻を扱う作業をする人々の閉塞性疾患. ほこりに含まれる物質に対する反応によるが，汚染する細菌からのエンドトキシンを含むと考えられている. ときに〝月曜朝のぜん息 Monday morning asthma〟とよばれるが，これは患者が週末に労作業より離れて，症状が改善することによる). = cotton-dust asthma; cotton-mill fever; mill fever.

byte (bīt). バイト（コンピュータでデータの記録や処理に用いられる単位で，普通は連続する4，6または8ビットの集まり. ㊟現在ではバイトを8ビット以外で用いることはない).

C

C *1* large *calorie*; carbon; cathodal; cathode; cervical vertebra (C1 — C7); closure (of an electrical circuit); congius (gallon); contraction; coulomb; curie; cylinder; cylindric *lens*; cytidine; cysteine; cytosine; *component* of complement(C1 — C9); 多基質酵素触媒反応の第３番目の基質の略または記号．*2* 下付き文字が付く場合，例えば C_{in} は物質(例えばイヌリン)の腎クリアランスを示す．下付き数字が付く場合，例えば C_{19} は分子中の 19 個の炭素原子数を示す．

^{11}C 炭素11の記号．

^{12}C 炭素12の記号．炭素の最も一般的形状(同位体)．

^{13}C 炭素13の記号．

^{14}C 炭素14の記号．

c *1* centi-; small *calorie*; centum; concentration; 真空中での光速度；circumference; curie の略または記号．*2* 下付き文字として毛細血管 blood *capillary* を示す．

c̄ ラテン語 *cum*(〜と一緒に)の略．

CA cancer; carcinoma; cardiac *arrest*; chronologic *age*; *cytosine* arabinoside の略．

CA-125 cancer antigen 125 *test* の略．

Ca *1* cathode の略．*2* カルシウムの元素記号．

^{45}Ca カルシウム45の記号．

^{47}Ca カルシウム47の記号．

ca. ラテン語 *circa*(約，およそ)の略．

caa·pi (ka′pē). カアピ（南アメリカのジャングルのキントラノオ科つる植物 *Banisteria caapi* から得られる幻覚誘発薬．ハルミンその他の精神異常発現成分を含有する)．＝ayahuasca.

cab·bage tree (kab′ij trē). キャベツヤシ，ハボタンシュロ．＝andira.

CABG coronary artery bypass *graft* の略．

Cab·ot (kab′ŏt), Richard C. 米国人医師，1868—1939. ⇀C. ring *bodies*; C.-Locke *murmur*.

cabulance (kab′yū-lans) [*cab* + ambu*lance*]．救急タクシー（救急車として傷病者を搬送する機能を備えたタクシーをさす新造語)．

cac- ⇀caco-.

ca·ca·o (kă-ka′ō) [メキシコ土語]．カカオ（調製品カカオすなわちココア．アオギリ科カカオノキ *Theobroma cacao Linné* の熟した種子の仁をいって燻製にしたものからつくった粉末．木はカカオ脂を産する)．＝theobroma.

c. oil カカオ脂．＝*theobroma* oil.

Cac·chi·o·ne (kah′kē-ō′nĕ), Aldo. 20 世紀のイタリア人精神科医．⇀De Sanctis-C. *syndrome*.

ca·chec·tic (kă-kek′tik). 悪液質の．

ca·chec·tin (ka-kek′tin) [G. *kakos*, bad + *hexis*, condition of body]．カケクチン（アジポサイドの代謝の調節，*in vitro* での腫瘍細胞の溶解，さらに *in vivo* である種の移植性腫瘍の出血性壊死を引き起こす能力を有する菌体内毒素活性マクロファージが産生するポリペプチドサイトカイン)．＝tumor necrosis factor.

ca·chet (kă-shā′) [Fr. a seal]．カシェ剤（悪味の粉末を包むためのコムギ粉からつくられたシール状カプセルまたはオブラート．服用する際には，湿らせて飲み込む)．

ca·chex·i·a (kă-kek′sē-ă) [G. *kakos*, bad + *hexis*, condition of body]．悪液質（慢性疾患または情動障害の経過中に起こる全身的な体重減少とるいそう)．

c. aphthosa アフタ性悪液質．＝sprue (1).

c. aquosa 水性悪液質（浮腫性の鉤虫症)．

diabetic neuropathic c. 糖尿病性神経症性悪液質（高齢の男性糖尿病患者に多くみられる症候群．比較的急激に進行する激しい下肢痛，著しい体重減少，うつ病やインポテンスを生じる．このような患者は重篤な糖尿病性多発性神経炎，びまん性の両側性糖尿病性多発神経根筋障害や糖尿病性自律神経障害を有している)．

c. hypophyseopriva 下垂体除去性悪液質（脳下垂体の完全摘出後に起こる汎下垂体機能低下症．体温低下，電解質アンバランス，低血糖を特徴とし，昏睡，死に至る)．

hypophysial c. 下垂体性悪液質．＝panhypopituitarism.

malarial c. マラリア〔性〕悪液質．＝chronic *malaria*.

pituitary c. 下垂体性悪液質．＝Sheehan *syndrome*.

c. strumipriva 甲状腺腫切除性悪液質．＝c. thyropriva.

c. thyroidea 甲状腺性悪液質．＝c. thyropriva.

c. thyropriva 甲状腺切除性悪液質（手術，放射線療法，あるいは種々の疾患により甲状腺組織が喪失した結果起こる甲状腺機能低下症の徴候と症状(粘液水腫を伴う場合と伴わない場合がある))．＝c. strumipriva; c. thyroidea.

cach·in·na·tion (kak′i-nā′shŭn) [L. *cachinno*, to laugh immoderately and loudly]．高笑い（統合失調症によくみられる明白な理由のない笑い)．

caco-, caci-, cac- [G. *kakos*]．悪い，病的な，を意味する連結形．*cf.* mal-.

cac·o·dyl (kak′ō-dil) [G. *kakōdēs*, foul-smelling]．カコジル（亜ヒ酸と酢酸カリウムをともに蒸留すると生成される油)．＝dicacodyl; tetramethyldiarsine.

cac·o·dyl·ic (kak′ō-dil′ik). カコジルの（カコジルに関する．特にカコジル酸についていう)．

cac·o·dyl·ic ac·id (kak′ō-dil′ik as′id). カコジル酸（多くの植物種を枯らしたり，乾燥させる接触性除草剤であるヒ素化合物)．＝dimethylarsinic acid.

cac·o·geu·si·a (kak′ō-gū′sē-ă) [caco- + G. *geusis*, taste]．悪味，異常味覚（悪味物質，鉤状回てんかん，妄想による．→dysgeusia)．

cac·o·me·li·a (kak′ō-mē′lē-ă) [caco- + G. *melos*, limb]．四肢奇形（1 肢または複数肢の先天的変形)．

cac·o·plas·tic (kak′ō-plas′tik) [caco- + G. *plastikos*, formed]．*1* 病的組織形成の（異常発育に関する，異常発育を生じる)．*2* 形成不全の（正常または完全な形成のできない)．

ca·cos·mi·a (kă-koz′mē-ă) [G. *kakosmia*, a bad smell < *kakos*, bad + *osmē*, the sense of smell]．悪臭，異常嗅覚（悪臭を放つ物質，側頭葉てんかん，精神病により悪臭を感じること．⇀dysosmia)．

cac·ti·no·my·cin (kak′ti-nō-mī′sin). カクチノマイシン（*Streptomyces chrysomallus* からつくられる．アクチノマイシン C_1(ダクチノマイシン)，C_2，C_3 の混合物．抗腫瘍薬，免疫抑制薬として用いる．→actinomycins)．＝actinomycin C.

cac·u·men, pl. **cac·u·mi·na** (kak-ū′men, -mi-nă) [L. summit]．頂（植物または解剖学的構造の頂上または先端)．

cac·u·mi·nal (kak-ū′mi-năl). 頂上の，先端の（特に植物または解剖学的構造の頂上または先端に関する)．

CAD coronary artery *disease* の略．

ca·dav·er (kă-dav′er) [L. < *cado*, to fall]．死体（[一般的には，部検のような特定の目的に供される死体をさす])．＝corpse.

ca·dav·er·ic (kă-dav′er-ik). 死体の．

ca·dav·er·ine (kă-dav′er-in). カダベリン；1,5-pentanediamine; 1,5-diaminopentane (悪臭のあるジアミン．リジンの細菌性脱炭酸によって生じる．有毒で皮膚に対して刺激性がある．腐りかけた肉および魚に存在する)．

ca·dav·er·ous (kă-dav′er-ŭs). 死体のような（蒼白で死体のような外観についていう)．

cade oil (kād oyl). ＝*juniper* tar.

cad·her·in (kad-hēr′in) [cell + adhere + -in]．カドヘリン（膜内在性糖蛋白群の１つで，細胞間接着作用をもち，形態形成や分化に重要である．E-カドヘリンは，ウボモルリンともよばれ，上皮細胞のベルトデスモソームに集中分布している．N-カドヘリンは神経，筋肉，水晶体細胞に分布し，神経凝集体の構造を維持させる．P-カドヘリンは胎盤や表皮細胞に存在する．すべてがカルシウム結合蛋白である)．

cad·mi·um (Cd) (kad′mē-ŭm) [L. *cadmia* < G. *kadmeia*, *kadmia*, an ore of zinc, calamine]．カドミウム（金属元素．記号原子番号 48，原子量 112.411．塩は有毒で，医学ではほとんど用いられないが，基礎科学ではよく用いられる．カドミウムの種々の化合物は冶金学，写真術，電子化学などにおいて商業的に用いられており，少数が回虫撲滅薬，防腐薬，殺真菌薬として用いられてきた)．

ca·du·ca (kă-dū′kă) [L. *caducus*(fallen, falling) の女性形]．

脱落膜. = deciduous *membrane.*

ca·du·ce·us (kă-dū′sē-ŭs) [L. the staff of Mercury; G. *kēryx*, herald, the staff of Hermes]. 2匹のヘビが反対方向からからまり2枚の翼を冠したつえ. 米国陸軍軍医部隊 U.S. Army Medical Corps の記章. 医道の象徴である. 獣医学では, 1972年に変更されて, 2匹のヘビから1匹のヘビの形になった. →staff of Aesculapius.

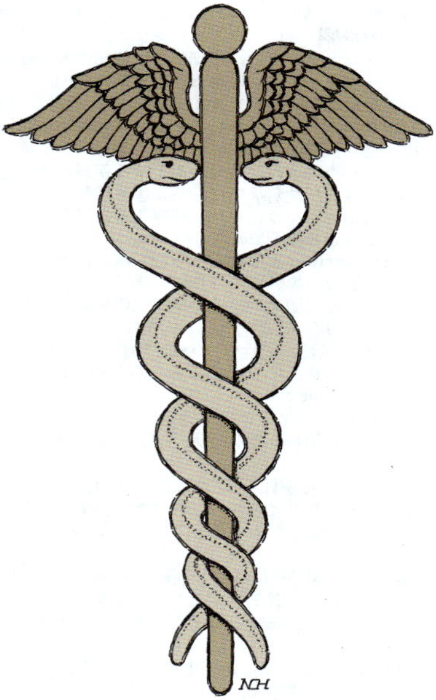

caduceus
これは多くの医学組織の紋章である.

cae- (sē). この形で始まる語は ce- で始まる語参照.

caecum (sē′cum). = cecum (2).

cafestol (kaf′es-tol). カフェストール (コーヒー豆に含まれるジテルペン).

caf·fe·a·rine (kaf′ē-ă-rin). カフェアリン. = trigonelline.

caf·feine (kaf′ēn). カフェイン ([本語は本来3音節で発音されていたが, 現代の用法では第2·第3音節が融合して1音節になっている. 誤った発音 kaf-ēn′ を避けること]. チャノキ *Thea sinensis* の乾燥葉またはコーヒーノキ *Coffea arabica* の乾燥種子から得られるアルカロイド. 中枢神経刺激薬, 利尿薬, 循環・呼吸器興奮薬として, または頭痛の治療の補助に用いる). = guaranine; thein.

c. citrate クエン酸カフェイン (カフェインとクエン酸の等量混合物. カフェインよりも水溶性).

c. hydrate 水化カフェイン (カフェインの一水和物で, 中枢神経系興奮薬).

c. and sodium salicylate サリチル酸ナトリウムカフェイン (サリチル酸ナトリウムとカフェインの混合物. 頭痛, 神経痛の軽減のために以前使用された).

caf·fein·ism (kaf′ēn-izm). カフェイン中毒[症] (いらいら, 振せん, 神経過敏, 興奮, 睡眠障害, 顔面の潮紅, 排尿過多, および消化器系の症状を特徴とするカフェイン中毒で, カフェイン含有物質の過剰摂取によって起こる).

Caf·fey (kaf′ē), John Patrick. 米国人内科・放射線科・小児科医で, "小児放射線の父", 1895—1978. →C. *disease*, *syndrome*; C.-Kempe *syndrome*; C.-Silverman *syndrome*.

cage (kāj) [M.E. < O.Fr. < L. *cavea*, hollow, stall]. おり, ケージ, かご (①部分的にあるいは完全に内部の見える囲い. 通常, 家畜を収容するために用いる. ②①のような囲いに似た構造. ③活性化状態にある選択した遺伝子座へ搬送されるべき活性分子で囲まれている不活性ネットワーク). = cavea.

thoracic c. [TA]. 胸郭 (胸椎, 肋骨, 肋軟骨, 胸骨からなる胸部の骨格. これに剣状突起を加える場合もある). = compages thoracis.

Ca·jal (Ra·món y Ca·jal) (kah-hahl′, rah-mōn′ ē ka-hal′), Santiago. スペイン人組織学者・ノーベル賞受賞者 (1906), 1852—1934. →horizontal *cell* of Cajal; Cajal *cell*, astrocyte *stain*; interstitial *nucleus* of Cajal

caj·e·put oil, caj·u·put oil (kaj′ĕ-pŭt oyl, -ū-pŭt). カヤプト油 (熱帯アジア, オーストラリアの高木 *Melaleuca leucodendra* の新鮮な葉を蒸留して得られる揮発性油. 興奮薬, 反対刺激薬, 去痰薬).

caj·e·put·ol, caj·u·put·ol (kaj′ĕ-pū-tol, -ŭ-pū-tol). = cineole.

Cal large *calorie* の略.

cal small *calorie* の略.

Cal·a·bar bean (kal′ă-bar bēn). カラバル豆. = physostigma.

cal·a·mine (kal′ă-mīn) [Mediev.L. *calamina* < L. *cadmia* < G. *kadmia*, Theban (earth) < *Kadmos*, founder of Thebes]. カラミン (少量の酸化第二鉄の混ざった酸化亜鉛, または酸化第二鉄で着色した塩基性炭酸亜鉛. 散粉剤, ローション剤, 軟膏剤の形で, 弱収れん薬または皮膚疾患の保護薬として用いる).

cal·a·mus (kal′ă-mŭs) [L. reed, a pen]. ***1*** ショウブ根 (ミャンマーおよびスリランカで栽培されているサトイモ科ショウブ *Acorus calamus* の乾燥した皮付きの根茎. 駆風薬, 駆虫薬). ***2*** アシの形をした構造.

c. scriptorius [L. writing pen]. 筆尖 (菱形窩の下部. 2つの薄束結節の間の第4脳室の細くなった下端). = Arantius ventricle.

cal·ca·ne·al, cal·ca·ne·an (kal-kā′nē-al, kal-kā′nē-an). 踵骨の.

calcaneo- (kal-kā′nē-ō) [L. *calcaneum*, heel]. 踵骨に関する連結形.

cal·ca·ne·o·a·poph·y·si·tis (kal-kā′nē-ō-ă-pof′i-sī′tis). 踵骨骨端炎 (アキレス腱付着部における踵骨後部の炎症).

cal·ca·ne·o·as·trag·a·loid (kal-kā′nē-ō-as-trag′ă-loyd). 踵骨距骨の (踵骨と距骨に関する).

cal·ca·ne·o·cav·us (kal-ka′nē-ō-kā′vus). 踵凹足 (踵足と凹足が合併した足).

cal·ca·ne·o·cu·boid (kal-kā′nē-ō-kyū′boyd). 踵骨立方骨の (踵骨と立方骨に関する).

cal·can·e·o·dyn·ia (kal-kā′nē-ō-din′ē-ă) [calcaneo- + G. *odynē*, pain]. 踵骨痛. = painful *heel.*

cal·ca·ne·o·na·vic·u·lar (kal-kā′nē-ō-na-vik′yū-lăr). 踵骨舟状骨の (踵骨と舟状骨に関する). = calcaneoscaphoid.

cal·ca·ne·o·scaph·oid (kal-kā′nē-ō-skaf′oyd). = calcaneonavicular.

cal·ca·ne·o·tib·i·al (kal-kā′nē-ō-tib′ē-ăl). 踵骨脛骨の (踵骨と脛骨に関する).

cal·ca·ne·o·val·go·cav·us (kal-ka′nē-ō-val′go-kā′vŭs). 踵外反凹足 (踵足, 外反足と凹足とが合併した足).

cal·ca·ne·o·val·gus (kal-kā′nē-ō-val′gŭs). →*talipes* calcaneovalgus.

cal·ca·ne·o·var·us (kal-kā′nē-ō-vā′rŭs). →*talipes* calcaneovarus.

cal·ca·ne·um (kal-kā′nē-ŭm) [L. the heel]. 踵骨. = calcaneus (1).

cal·ca·ne·us, gen. & pl. **cal·ca·nei** (kal-kā′nē-ŭs, -kā′nē-ī) [L. the heel(*calcaneum* の別形)]. ***1*** [TA]. 踵骨 (足根骨の中で最も大きいもの. 踵を形成し, 前方は立方骨, 上方は距骨と関節をなす). = calcaneal bone; calcaneum; heel bone; os calcis. ***2*** 踵足. = *talipes* calcaneus.

cal·car (kal′kar) [L. spur, cock's spur][TA]. 距(きょ) (①構造物からの小突起. 動静脈の枝が鋭角で分岐または合流するところの内壁にみられる屋根状突起または中隔. →vascular *spur*. ②骨からの鈍角のとげまたは突起). = spur [TA].

c. avis [TA]. 鳥距. = calcarine *spur.*

c. femorale 大腿距（小転子の前上方で大腿骨頸部の内部にある骨梁による隆起．この部分の骨を補強している）．＝Bigelow septum.

c. pedis 踵，かかと．＝calx (2).

c. sclerae [TA]．＝ scleral *spur*.

cal·car·e·ous (kal-kā′rē-ŭs) [L. *calcarius*, pertaining to lime < *calx*, lime]. 石灰性の，石灰質の，カルシウムの．＝chalky.

cal·ca·rine (kal′kă-rēn). ***1*** 距(きょ)の．***2*** 距(きょ)形の．

cal·car·i·u·ria (kal-kar-ē-ū′rē-ă) [L. *calcarius*, of lime＋G. *ouron*, urine]. 石灰塩尿〔症〕（カルシウム(石灰)塩の尿中への排泄）．

cal·cer·gy (kal′ser-jē) [L. *calx*, chalk, calcium＋G. *ergon*, work, production]. 誘発性石灰化（軟組織の局所石灰化．酢酸鉛や塩化セリウムのような化合物の注射部位に発生する．石灰化部位に水酸化リン灰石の沈着物がみられる）．

cal·ces (kal′sēz). calx の複数形．

cal·cic (kal′sik). 石灰の．

cal·ci·co·sis (kal′si-kō′sis). 石灰症（石灰岩じんの吸入によるじん肺症）．

cal·ci·di·ol (kal-sĭ-dī′ol). カルシジオール（ビタミンD_3のより活性型(カルシトリオール)への生物学的変換の第1段階．ビタミンD_3より強力である）．＝25-hydroxycholecalciferol; calcifediol.

c. 1α-hydroxylase カルシジオール 1α−ヒドロキシラーゼ；25-hydroxycholecalciferol 1α-hydroxylase（カルシジオールからO_2とNADPHとで，カルシトリオールを生成させるモノオキシゲナーゼ．この酵素の欠損症はビタミンD欠乏症の特徴を示す）．

cal·ci·fe·di·ol (kal-sĭ-fē-dī′ol). ＝calcidiol.

cal·cif·er·ol (kal-sif′er-ol). カルシフェロール．＝ergocalciferol.

cal·cif·er·ous (kal-sif′er-ŭs). 石灰質の（①石灰を含む．②カルシウム塩を生じる）．＝calcophorous.

cal·cif·ic (kal-sif′ik). 石灰性の（カルシウム塩を生成する，カルシウム塩が沈着した）．

cal·ci·fi·ca·tion (kal′si-fi-kā′shŭn) [L. *calx*, lime＋*facio*, to make]. ＝calcareous infiltration. ***1*** カルシウム沈着（石灰または他の不溶性カルシウム塩の沈着）．***2*** 石灰化（不溶性のカルシウム塩(マグネシウム塩)，特に，通常は骨や歯の形成過程でのみ発生する炭酸カルシウムおよびリン酸カルシウム(水酸化リン灰石)が沈殿または大量に沈着して，組織あるいは体内の非細胞性物質が硬化する過程）．***3*** X線画像上，金属ほどではないが白く濃く写る個所．

displaced intimal c. 石灰化内膜転位（胸部X線写真上，石灰化した大動脈内膜の線状影がその外側の壁から離れること．大動脈中膜内の血流解離症例の少数でみられる．→aortic *dissection*）．＝calcium sign.

dystrophic c. ジストロフィ性石灰化（変性組織または壊死組織に起こる．ヒアリン化した瘢痕，平滑筋腫における変性病巣，乾酪性結節などにおいて発生する）．

eggshell c. 卵殻状石灰化（通常は珪肺症の胸部X線写真にみられる胸腔内リンパ節をとりまく石灰化薄壁）．

metastatic c. 転移性石灰化（非骨性の生活組織(変性または壊死を起こしていない組織)，例えば，胃，肺，腎臓(まれに他の部位)に発生する石灰化．これらの臓器の細胞は酸性物質を分泌する．一定の条件下における高カルシウム血症例では，pHが変化すると，これらの部位にカルシウム沈着を起こす）．

Mönckeberg c. (mĕrn′kĕ-bĕrg). メンケベルク石灰化．＝Mönckeberg *arteriosclerosis*.

Mönckeberg medial c. (mĕrn′kĕ-bĕrg). メンケベルク中膜石灰化．＝ Mönckeberg *arteriosclerosis*.

pathologic c. 病的カルシウム沈着，病的石灰化（排出路や分泌路に結石として，また骨や歯以外の組織にカルシウム沈着が起こること）．

popcorn c. ポップコーン様石灰化（しばしば肺内結節にみられる辺縁鮮明で不規則に分葉した石灰化巣．肺過誤腫の胸部X線写真の特徴的所見）．

pulp c. 歯髄石灰化．＝endolith.

cal·ci·fy (kal′si-fī). 石灰化する（骨形成のようにカルシウム塩を沈殿させる）．

cal·cig·er·ous (kal-sij′er-us) [calcium＋L. *gero*, to bear]. カルシウム産生の（カルシウム塩を生成する）．

calcimimetic (kal-sĭ-mi-mĕt′ik). カルシウム受容体作動薬（副甲状腺にあるカルシウム感知受容体に結合する薬物群で，副甲状腺ホルモンの放出を阻害する）．

cal·ci·na·tion (kal′si-nā′shŭn). 煆焼（軽焼きの過程）．

cal·cine (kal′sēn). 煆焼する（熱によって水や揮発性物質を除去する）．

cal·ci·neu·rin (kal′sē-nyūr′in) [calcium＋G. *neuron*, nerve＋-in]. カルシニューリン（カルシウム依存性セリン−スレオニンホスファターゼで，T細胞の情報伝達系の転写に関与する．サイクロスポリンによる免疫抑制の標的．それが関与している反応カスケードをカルシニューリン経路という）．

cal·ci·no·sis (kal′si-nō′sis) [calcium＋-*osis*, condition]. 石灰〔沈着〕症（実質性内臓以外の種々の組織の小結節性病巣におけるカルシウム塩の沈着を特徴とする疾患．限局性石灰沈着症や全身性石灰沈着症では組織障害も代謝障害も認められない．その他カルシウムやリン代謝異常に随伴するものがある．→metastatic *calcification*）．

c. circumscripta 限局性石灰〔沈着〕症（皮膚および皮下組織へのカルシウム塩の限局性沈着．通常，肉芽性炎の層に取り囲まれている．臨床的にこの病変は痛風結節に似ている）．

c. cutis 皮膚石灰〔沈着〕症（皮膚のカルシウム沈着．通常，既存の炎症性，変性性または腫瘍性皮膚疾患に続発する．しばしば強皮症においてみられる．→metastatic *calcification*）．＝dystrophic c.

dystrophic c. ジストロフィ性石灰化．＝c. cutis.

c. intervertebralis 椎間石灰〔沈着〕症（椎間板のカルシウム沈着）．

reversible c. 可逆性石灰〔沈着〕症（消化性潰瘍の治療などで常時大量の牛乳とアルカリ性薬剤を摂取する患者にみられる抑えることのできる石灰症の一種．→milk-alkali *syndrome*）．

tumoral c. [MIM*114120]．腫瘍状石灰〔沈着〕症（①南アフリカ黒人にみられる，主として大関節部に生じるコラーゲンの石灰化症．遺伝性と考えられる．②腫瘍性疾患に生じる石灰化症）．

c. universalis 汎発性石灰〔沈着〕症（皮膚，皮下組織，結合組織，その他の部位におけるカルシウム塩の汎発性沈着で，皮膚筋炎に合併することがある．若年者に多く，通常は致命的である．血清中のカルシウムとリンの濃度は一般に正常範囲内にある）．

cal·ci·o·ki·ne·sis (kal′sē-ō-ki-nē′sis) [calcium＋G. *kinēsis*, motion]. カルシウム動員（貯蔵カルシウムを動員すること）．

cal·ci·o·ki·net·ic (kal′sē-ō-ki-net′ik). カルシウム動員性の（カルシウムの動員に関する，またはそれを起こすような）．

cal·ci·ol (kal′sē-ol). カルシオール．＝cholecalciferol.

cal·ci·or·rha·chi·a (kal′sē-ō-ra′kē-ă) [calcium＋G. *rhachis*, spine＋-ia]. カルシウム髄液〔症〕（脳脊髄液中にカルシウムが存在すること）．

cal·ci·o·stat (kal′sē-ō-stat) [calcium＋G. *statos*, standing]. カルシウム調節機構（血清カルシウム濃度が低いと上皮小体ホルモンの生産が増加し，高いと生産が減少するという仮定機序に対してまれに用いる語）．

cal·ci·o·trau·mat·ic (kal′sē-ō-traw-mat′ik). 石灰外傷〔性〕の（くる病誘発食(カルシウムが多く，リン酸が少なく，ビタミンDが皆無)で飼育中の若いラットの切歯のぞうげ質に現れる石灰化障害の石灰外傷線についていう）．

cal·ci·pec·tic (kal′si-pek′tik). カルシウム固定性の（カルシウム固定に関する）．

cal·ci·pe·ni·a (kal′si-pē′nē-ă) [calcium＋G. *penia*, poverty]. カルシウム欠乏〔症〕（体の組織や体液中のカルシウム量が不足している状態）．

cal·ci·pe·nic (kal′si-pē′nik). カルシウム欠乏〔症〕の．

cal·ci·pex·ic (kal′si-pek′sik). カルシウム固定の．

cal·ci·pex·is, cal·ci·pexy (kal′si-pek′sis, kal′si-pek-sē) [calcium＋G. *pēxis*, a fixing]. カルシウム固定（組織におけるカルシウムの固定．乳児のテタニーの原因になることがある）．

cal·ci·phil·i·a (kal′si-fil′ē-ă) [calcium＋G. *phileō*, to love]. カルシウム親和性（血液中を循環しているカルシウ

ム塩に対し，組織が異常な親和性を示し，カルシウム塩を沈着させる状態）．

cal·ci·phy·lax·is (kal′si-fī-lak′sis). カルシフィラキシー（組織が特定の負荷物質に対し，急激に，ときには一過性に局所石灰化という形で反応する誘発性全身性過敏症の状態．臨床症状としては，赤色から紫色の細網状病変の上に黒い痂皮を伴った有痛性の虚血性壊死がみられる．血清カルシウム–リンが上昇する．二次的に副甲状腺機能亢進症がしばしばみられる．X線所見は，病変部位の血管の石灰化である）．

cal·ci·priv·i·a (kal-si-priv′ē-ă). カルシウム欠乏（食事にカルシウムがないか，または不足していること）．

cal·ci·priv·ic (kal′si-priv′ik). カルシウム欠乏の．

cal·cite (kal′sīt). 方解石（天然に存在する鉱物で，いくつかの形態がある．例えば，白亜，氷州石，石灰岩，大理石．→*calcium* carbonate）．＝calcspar.

cal·ci·tet·rol (kal′si-tet′rol). カルシテトロール（コレカルシフェロールの 1,24,25–トリオール(1,3,24,25–テトロール)．カルシトリオールの不活性誘導体）．

cal·ci·to·nin (kal′si-tō′nin) [calci- ＋G. *tonos*, stretching ＋-in]. カルシトニン（甲状腺より分泌される 32 個のアミノ酸よりなるペプチドホルモン．5 種類の動物より 8 種類の組成の異なるカルシトニンが報告されている．カルシトニンはカルシウムやリンを骨に沈着させる作用や，血中カルシウム値を下げる作用があり，PTH(副甲状腺ホルモン)と反対の作用を示す．グルカゴンや Ca^{2+} 負荷により血中濃度は増加し，食後の高カルシウム血症に拮抗している）．＝thyrocalcitonin.

cal·ci·tri·ol (kal′si-trī′ol). カルシトリオール；1α,25-dihydroxycholecalciferol (1,3,25-triol)（カルシトリオールの生成はビタミン D_3 のより活性型への生物学的変換の第 2 段階である．カルシジオールより強力である）．

CALCIUM

cal·ci·um (Ca), gen. **cal·cii** (kal′sē-ŭm, -sē-ī) [Mod.L. ＜L. *calx*, lime]. カルシウム（金属 2 価元素．原子番号 20，原子量 40.078，密度 1.55，融点 842°C．カルシウムの酸化物はアルカリ土(生石灰 CaO)で，水を加えると水酸化カルシウム(消石灰 $Ca(OH)_2$)となる．有機カルシウム塩で以下に記載のない語については有機酸の名称参照．多くのカルシウム塩は代謝や医学で重要な作用をもつ．カルシウム塩は骨の放射線不透過，石灰化軟骨，動脈の動脈硬化プラクの原因となる）．

c. aminosalicylate アミノサリチル酸カルシウム（*p*–アミノサリチル酸のカルシウム塩で，用法は *p*–アミノサリチル酸に同じ）．

c. carbide 炭化カルシウム，カーバイド（黒っぽい結晶塊．水と接触するとアセチレンガスを発生する）．

c. carbimide カルシウムカルビミド（肥料および除草薬で，抗甲状腺作用も示す．ジスルフィラムと同様エタノール代謝を阻害する．シアナミド製造工場の労働者はアルコール摂取後，全身症状(“Monday-morning illness”)を呈する）．＝c. cyanamide.

c. carbonate 炭酸カルシウム（収れん薬，制酸薬およびカルシウムの食事補充物．→calcite）．＝chalk; creta.

c. caseinate カゼインカルシウム（牛乳中に存在するカゼインの形．食事療法の製剤に用いる．乳児の下痢に対して用いられてきた）．

c. chloride 塩化カルシウム（カルシウム欠乏症，低カルシウム血症，マグネシウム中毒，高カリウム血症，心不全，薬物の過投与の治療に用いる）．

citrated c. carbimide クエン酸カルシウムカルビミド（クエン酸 2，カルシウムカルビミド 1 の混合物．エタノール代謝において，アセトアルデヒドからアセテートへの転換を遅延させる．アルコール中毒の治療に用いる）．

crude c. sulfide 粗硫化カルシウム（痤瘡，疥癬，白癬の治療に外用する）．＝sulfurated lime.

c. cyanamide カルシウムシアナミド．＝c. carbimide.

dibasic c. phosphate 第二リン酸カルシウム（カルシウムとリンの食事補充物として用いる）．＝c. monohydrogen phosphate; secondary c. phosphate.

c. folinate フォリン酸カルシウム．＝*leucovorin* calcium.

c. glubionate グルビオン酸カルシウム（カルシウム補充薬）．

c. gluceptate グルセプト酸カルシウム（栄養素あるいは栄養補助食品）．＝c. glucoheptonate.

c. glucoheptonate カルシウムグルコヘプトネート．＝c. gluceptate.

c. gluconate グルコン酸カルシウム（塩化物より苦みが少ないカルシウム塩．ときにカルシウムの補給に使用される）．

c. glycerophosphate グリセロリン酸カルシウム（カルシウムとリンの食事補充物）．

c. hydroxide 水酸化カルシウム（二酸化炭素吸収剤として用いる）．

c. hypophosphite 次亜リン酸カルシウム（くる病および栄養障害に用いられる物質）．

c. iodate ヨウ素酸カルシウム（散粉剤として，またローション剤や軟膏剤の形では防腐・脱臭薬として用いる）．

c. iodobehenate ヨウ化ベーヘン酸カルシウム（以前は，通常のヨウ化物の適応症に用いられた）．

c. ipodate カルシウムイポデート（胆管造影法および胆嚢造影法において用いる放射線不透物質）．

c. lactate 乳酸カルシウム（カルシウム補充薬として用いる）．

c. lactophosphate 乳酸リン酸カルシウム（乳酸カルシウム，乳酸酸性カルシウム，リン酸酸性カルシウムの混合物．カルシウムとリンの食事補充物として用いる）．

c. leucovorin →*leucovorin* calcium.

c. levulinate レブリン酸カルシウム（レブリン酸の水酸化カルシウム塩．経口投与または静脈内投与したカルシウムと同様の効果をもつ）．

c. mandelate マンデル酸カルシウム（マンデル酸のカルシウム塩．尿の抗感染薬）．

milk of c. 石灰乳汁（密に石灰を含む液体．典型的には，慢性の閉塞を合併した胆嚢にX線で観察される）．

c. monohydrogen phosphate リン酸一水素カルシウム．＝dibasic c. phosphate.

c. oxalate シュウ酸カルシウム（尿の沈渣として，あるいは尿結石内にみられる．エチレングリコールを摂取したときの最終有毒産物）．

c. oxide 酸化カルシウム．＝lime (1).

c. pantothenate パントテン酸カルシウム（パントテン酸のカルシウム塩．ビタミンB沪過性因子）．

precipitated c. carbonate 沈降炭酸カルシウム（消化性潰瘍および他の胃酸過多症の治療に制酸薬として用いる）．

c. propionate プロピオン酸カルシウム（プロピオン酸のカルシウム塩．抗真菌薬）．

racemic c. pantothenate パントテン酸カルシウム(ラセミ体)（右旋性・左旋性のパントテン酸異性体のカルシウム塩混合物．パントテン酸カルシウムと同様に用いる）．

c. saccharate サッカリンカルシウム（消化不良および鼓腸に制酸薬として，石炭酸中毒に解毒薬として，またグルコン酸カルシウム溶液の非経口投与の安定薬として用いる）．

secondary c. phosphate ＝dibasic c. phosphate.

c. stearate ステアリン酸カルシウム（打錠時の滑沢剤として，粉末混合物の流動性を保持するために錠剤の調製に用いる石けん）．

c. sulfate 硫酸カルシウム（焼石膏をつくるのに乾燥させて用いる．→gypsum）．

c. sulfite 亜硫酸カルシウム（腸の防腐薬として，また，局所的には寄生虫性皮膚病に用いる）．

tertiary c. phosphate ＝tribasic c. phosphate.

tribasic c. phosphate 第三リン酸カルシウム（制酸薬として用いる）．＝bone ash; bone phosphate; tertiary c. phosphate; tricalcium phosphate; whitlockite.

c. trisodium pentetate ＝pentetate trisodium calcium.

cal·ci·um 45 (^{45}Ca) (kal′sē-ŭm). カルシウム 45（最も容易に入手できる放射性カルシウム 45 同位元素．半減期 162.7

日のベータ線放射体．トレーサとして用いる）．

cal·ci·um 47 (^{47}Ca) (kal′sē-ŭm). カルシウム47（カルシウムの放射性同位元素．半減期4.54日．カルシウム代謝疾患の診断に用いられる）．

cal·ci·um group (kal′sē-ŭm grūp). カルシウム基（アルカリ土類金属のこと．すなわちベリリウム，マグネシウム，カルシウム，ストロンチウム，バリウム，ラジウム）．

cal·ci·u·ri·a (kal-sē-yū′rē-ă). カルシウム尿〔症〕（カルシウムの尿中排出．ときに hypercalciuria と同義に用いる）．

cal·coph·or·ous (kal-kof′er-ŭs)［L. *calx*, lime + G. *phoros*, bearing］. 石灰質の．＝calciferous.

cal·co·sphe·rite (kal′kō-sfēr′īt)［L. *calx*, lime + G. *sphaira*, sphere］. 石灰小球（カルシウム塩の付着性沈着物を含む小さな，やや球形の同心性層状体．甲状腺と卵巣の乳頭状癌，髄膜腫に最も多くみられ，線維血管間質の退行性変化によると思われる）．＝psammoma bodies (3).

calc·spar (kalk′spar). ＝calcite.

cal·cu·li (kal′kyū-lī). calculus の複数形.

cal·cu·lo·sis (kal′kyū-lō′sis)［L. *calculus*, small stone + G. *-osis*, condition］. 結石症.

cal·cu·lus, gen. & pl. **cal·cu·li** (kal′kyū-lŭs, -lī)［L. a pebble］. 石，結石（体のどの部分にでも形成される石で，胆道と尿路に顕著である．通常は無機酸または有機酸の塩，あるいはコレステロールなどの物質からなる）．＝stone (1).

apatite c. リン灰石結石（晶質成分がフッ化リン酸カルシウムよりなる尿路結石）．

arthritic c. 関節石灰沈着，関節〔結〕石．＝gouty *tophus*.

biliary c. 胆石．＝gallstone.

bladder c. ＝bladder *stone*.

blood c. 血液結石（血管結石，または凝固血液の結石）．＝hemic c.

branched c. 分枝状結石．＝staghorn c.

bronchial c. ＝broncholith.

cerebral c. ＝encephalolith.

coral c. サンゴ状結石．＝staghorn c.

cystine c. シスチン結石（シスチンよりなる結石で，柔らかくX線で描出されにくい）．

dendritic c. 樹状結石．＝staghorn c.

dental c. 歯石（①歯の周囲に形成される石灰化沈着物．歯肉下・歯肉上歯石として現れることもある．②＝tartar (2)）．

encysted c. 被嚢結石（膀胱壁にできた嚢に囲まれた尿路結石）．＝pocketed c.

fibrin c. フィブリン結石（主に血液中のフィブリンで形成される尿路結石）．

gastric c. 胃石．＝gastrolith.

hematogenetic c. 血〔液原〕性結石．＝serumal c. (1).

hemic c. ＝blood c.

infection c. 感染結石．＝secondary renal c.

intestinal c. 腸〔結〕石，糞石（腸内の結石）．

lacrimal c. 涙〔結〕石．＝dacryolith.

mammary c. 乳腺結石（乳管内の結石）．

matrix c. 基質結石（黄白色から淡褐色の尿路結石．カルシウム塩を含み，パテの堅さをもつ．ムコ蛋白と硫酸ムコ多糖からなる有機基質から主に構成され，通常は慢性炎症を伴う）．

metabolic c. 代謝結石（代謝異常による結石で，通常は腎結石である．尿酸やシスチンのような溶解度の低い物質の尿中への排泄増加の結果生じる）．

mulberry c. 桑実状結石（硬く滑らかな尿路結石で，成分はシュウ酸カルシウムである．クワの実に似ているのでこのようによばれる）．

nasal c. 鼻石．＝rhinolith.

oxalate c. シュウ酸塩結石（シュウ酸カルシウムよりなる硬い尿路結石．細かく鋭いとげでおおわれたものは腎盂上皮を障害するが，表面平滑なものもある）．

pancreatic c. 膵石（膵管内にみられる結石．通常は多数存在し，慢性膵臓炎に合併する）．＝pancreatolith; pancreolith.

pharyngeal c. ＝pharyngolith.

pleural c. ＝pleurolith.

pocketed c. ＝encysted c.

preputial c. 包皮石（包皮下にできる結石）．＝postholith.

primary renal c. 一次性腎結石（明らかに健常な尿路に形成される結石．通常，シュウ酸塩，尿酸塩，シスチンより構成される）．

prostatic c. 前立腺結石（前立腺内に生じる結石で，主として炭酸カルシウムとリン酸カルシウム（アミロイド小体）からなる）．＝prostatolith.

pulp c. 歯髄結石．＝endolith.

renal c. 腎石，腎結石（腎臓系の結石）．＝nephrolith.

salivary c. 唾石（唾液腺，唾液管内の結石）．

secondary renal c. 二次性腎結石（感染または尿路閉塞に伴う尿路結石で，通常，スツルバイト（リン酸アンモニウムマグネシウム）から構成されている）．＝infection c.

serumal c. 血清性歯石（①歯に生じる緑褐色または暗褐色の石灰沈着物．通常，歯肉縁より根尖側に沈着する．＝hematogenetic c. ②＝subgingival c.）．

staghorn c. 鹿角状結石，サンゴ状結石（腎盂内にみられる結石で，腎盂漏斗と腎杯にのびる数本の枝をもつ）．＝branched c.; coral c.; dendritic c.

struvite c. スツルバイト結石（晶質成分がリン酸アンモニウムマグネシウムよりなる尿路結石．通常，ウレアーゼ産生細菌による尿路感染症に合併して起こる）．

subgingival c. 歯肉縁下歯石（歯根尖から歯肉縁にみられる石灰性沈着物）．＝serumal c. (2).

supragingival c. 歯肉縁上歯石（遊離歯肉縁の冠側の歯表面に付着した石灰化プラク）．

tonsillar c. 扁桃結石．＝tonsillolith.

urethral c. 尿道結石（尿道に嵌頓した結石．上流で形成された結石が尿道に嵌頓する場合と，尿道で結石が形成される場合がある．後者はまれ）．

urinary c. 尿〔結〕石，尿路結石（腎，尿管，膀胱，尿道内の結石）．＝urolith.

uterine c. 子宮結石（子宮内の石灰性筋腫）．＝uterolith.

vesical c. 膀胱結石（膀胱内に生じる，またはとどまる尿結石）．＝cystolith.

weddellite c. ウェデライト結石（晶質成分が二水和シュウ酸カルシウムよりなる尿路結石）．

whewellite c. ウェーベライト結石（晶質成分が一水和シュウ酸カルシウムよりなる尿路結石）．

Cal·cu·lus Sur·face In·dex (CSI) (kal′kyū-lŭs sŭr′fŭs in′deks). 歯石面指数（歯石のみを測定する指数で，大きなグループの調査対象について新たに形成される歯石の評価に用いる）．

Cal·da·ni (kahl-dahn′ē), Leopoldo M.A. イタリア人解剖学者，1725—1813. →C. *ligament*.

cal·des·mon (kal-des′mon)［calcium + G. *desmos*, bond ＜ *deō*, to bind］. カルデスモン（F-アクチン架橋蛋白で，カルシウム濃度が極端に低下すると，トロポミオシンとアクチンに結合してミオシン結合を抑制する）．

Cald·well (kawld′wel), Eugene W. 米国人放射線科医，1870—1918. →C. *projection*, *view*.

Cald·well (kawld′wel), George W. 米国人耳鼻咽喉科医，1834—1918. →C.-Luc *operation*.

Cald·well (kawld′wel), William E. 米国人産科医，1880—1943. → C.-Moloy *classification*.

cal·e·fa·cient (kal′ĕ-fā′shent)［L. *calefacio* ＜ *caleo*, to be warm + *facio*, to make］. ***1***〖adj.〗暖める，熱くする．***2***〖n.〗引熱薬（用いた部分に温熱感を与える薬）．

calf, pl. **calves** (kaf, kavz)［Gael. *kalpa*］. ***1*** 仔ウシ（雌雄の幼若な牛）．***2*** 腓腹，ふくらはぎ（脹脛）（下腿三頭筋（腓腹筋およびヒラメ筋）によって形成される下腿後面のふくらみ）．＝sura.

calf-bone (kaf′bōn). ***1*** 腓骨．＝fibula. ***2*** 子ウシ骨（整形外科での再建手術に用いられる子ウシから採取した骨）．

cal·i·ber (kal′i-ber)［Fr. *calibre*, 語源不明］. 管腔の直径（口径）（中空な管状構造物の直径）．

cal·i·brate (kal′i-brāt). ***1*** 目盛りを定める，検定する（計測機器の目盛り定めや基準合わせを行う）．***2*** 口径を計測する．

cal·i·bra·tion (kal′i-brā′shŭn). 検定，キャリブレーション（機器または検査法の基準合わせ，あるいは目盛り定めをすること）．

cal·i·bra·tor (kal′i-brā-ter, -tōr). 検定物質，標準物質，キ

ャリブレータ（機器または検査法の基準合わせ，あるいは目盛り定めをするために用いる標準(または参照)物質または基質）.

cal·i·ce·al (kal′i-se′al). 腎杯の. ＝calyceal.

cal·i·cec·ta·sis (kal′i-sek′tă-sis) [calix + G. *ektasis*, dilation]. 腎杯拡張〔症〕. ＝caliectasis.

cal·i·cec·to·my (kal′i-sek′tō-mē) [calix + G. *ektomē*, excision]. 腎杯切除〔術〕. ＝calicotomy.

ca·lic·i·form (kă-lis′i-fōrm) [L. *calix* + *forma*, form]. 杯状の，腎杯状の. ＝calyciform.

cal·i·cine (kal′i-sēn). 腎杯の，腎杯様の. ＝calycine.

Cal·i·ci·vi·ri·dae (kal′i-sī-vī′ră-dē). カリシウイルス科（一本鎖のプラス鎖 RNA ウイルスで，エンベロープをもたない正二十面体，直径が 30—38 nm である．流行性ウイルス性胃腸炎やある種の肝炎の原因ウイルスである）.

Cal·i·ci·vi·rus (kal′i-si-vī′rŭs) [G. *kalyx*, cup + virus]. カリシウイルス属（カリシウイルス科の一属で，胃腸炎と関連している．→hepatitis E *virus*; Norwalk *agent*).

ca·li·co·plas·ty (kā′lĭ-sō-plas′tē) [calix + G. *plastos*, formed]. 腎杯形成術. ＝calioplasty.

cal·i·cot·o·my (kal′ĭ-sot′ō-mē) [calix + G. *tomē*, a cutting]. 腎杯切開〔術〕（腎杯への切開．通常，結石除去のために行う）. ＝calicectomy; caliotomy.

ca·lic·u·lus, pl. **ca·lic·u·li** (kă-lik′yū-lŭs, lī) [L. 指小辞 < G. *kalyx*, the cup of a flower]. 小杯，蕾（蕾状または杯状構造で，閉じた花のがくに似ている）. ＝calycle; calyculus.

c. gustatorius 味蕾，味覚芽. ＝taste *bud*.

c. ophthalmicus 眼杯. ＝optic *cup*.

ca·li·ec·ta·sis (kā′lē-ek′tă-sis). 腎杯拡張〔症〕（腎杯の拡張で，通常，閉鎖または感染による）. ＝calicectasis; pyelocaliectasis.

cal·i·for·ni·um (Cf) (kal′i-fōr′nē-ŭm) [*California*, 本物質が最初につくられた州および大学]. カリホルニウム（人工の超ウラン元素の 1 つ．原子番号 98，原子量 251.08．最も安定な既知の同位元素 ^{251}Cf の半減期は 900 年である）.

ca·li·o·plas·ty (kā′lē-ō-plas′tē). 腎杯形成術（腎杯の再建手術で，通常，漏斗の部位で内腔を広げる形とする）. ＝calicoplasty.

ca·li·or·rha·phy (kā′lē-ōr′a-fē) [calix + G. *rhaphē*, suture, seam]. 腎杯縫縮術（①腎杯の縫合．②尿の流出を改善するため，拡張または閉塞した腎杯に行う形成手術．腎杯からの排出路を再建するため 2 つ以上の腎杯を 1 つにしたり，腎盂上皮を大きく移動させることを要する）.

ca·li·ot·o·my (kā′lē-ot′ō-mē). ＝calicotomy.

cal·i·pers (kal′i-perz) [a corruption of *caliber*]. カリパス（径を測るのに用いる器械）.

cal·is·then·ics (kal′is-then′iks) [G. *kalos*, beautiful + *sthenos*, strength]. 徒手体操（健康保持や体力増強の目的で行う系統的な種々の体操）.

ca·lix, pl. **ca·li·ces** (kā′liks, kal′i-sēz) [L. < G. *kalyx*, the cup of a flower] [TA]. 腎杯（[ギリシア語 kalyx に由来するラテン語に基づくこのつづりは calyx より好ましい]）. ＝calyx.

major calices [TA]. 大腎杯（腎盤の第一次分岐で，通常は 2，3 個）. ＝calices renales majores [TA].

minor calices [TA]. 小腎杯（大腎杯の細区分で，その数は 7—13 個あり，腎乳頭を受ける）. ＝calices renales minores [TA].

calices renales majores [TA]. 大腎杯. ＝major calices.

calices renales minores [TA]. 小腎杯. ＝minor calices.

Cal·kins (kahl′kinz), Leroy Adelbert. 米国人産科婦人科医，1894—1960. →C. *sign*.

Call (kahl), Friedrich von. オーストリア人医師，1844—1917. →C.-Exner *bodies*.

CALLA (kahl′ă). common acute lymphoblastic leukemia *antigen* の略.

Cal·la·han (kal′ă-han), John R. 米国人歯内治療医，1853—1918. →C. *method*.

Cal·lan·der (kawl′ăn-dĕr), Latimer. サンフランシスコの外科医，1892—1947. →C. *amputation*.

Ca·lle·ja (Ca·lle·ja y San·chez) (kahl-yā′hah, ē san′chez), Camilo. 20世紀のスペイン人解剖学者，？—1913. →*islands* of C.

Cal·liph·o·ra (kă-lif′ō-ră) [G. *kalli*, beauty + *phoros*, bearing]. クロバエ属（双翅目クロバエ科の一属で，幼虫は死肉を摂取する．米国で普通にみられる種はミヤマクロバエ *C. vomitoria* およびホホアカクロバエ *C. vicina* である）.

Cal·li·son (kal′ĭ-sŏn), James S. 20世紀の米国人医師. →C. *fluid*.

Cal·li·tro·ga (kal′i-trō′gă). アメリカオビキンバエ属（*Cochliomyia*属の旧名）.

cal·lo·sal (ka-lō′săl). 脳梁の.

cal·lose (kal′ōs). カロース（特定の酵素により UDP-グルコースから生じる直鎖状の β-1, 3-D-グルカン．セルロースは GDP-グルコースから生じる β-1, 4-グルカン，デンプンアミロースは ADP-グルコースから生じる α-1, 4-グルカンで，カロースとは異なる．ある種の植物の細胞壁に存在する）.

cal·los·i·ty (ka-los′i-tē) [L. < *callosus*, thick-skinned]. べんち(胼胝)（繰り返される摩擦あるいは間欠的な圧力による上皮角質層の限局性肥厚）. ＝callus (1); keratoma (1); poroma (1).

cal·lo·so·mar·gin·al (ka-lō′sō-mar′jin-ăl). 脳梁縁の（脳梁および辺縁回に関する．両者間の溝を表す．→*sulcus* of corpus callosum).

cal·lous (kal′ŭs). 仮骨の，べんち(胼胝)の.

cal·lus (kal′ŭs) [L. hard skin]. [本名詞を形容詞 callous の代わりに使わないこと．過去分詞 callused の代わりに存在しない語 calloused で使わないこと]. ***1*** べんち(胼胝). ＝callosity. ***2*** 仮骨（骨折両断端間の連続性を得るために骨折部に形成された混合組織で，初期に非石灰化性線維組織と軟骨により構成され，最終的には骨となる）. ＝fracture c.

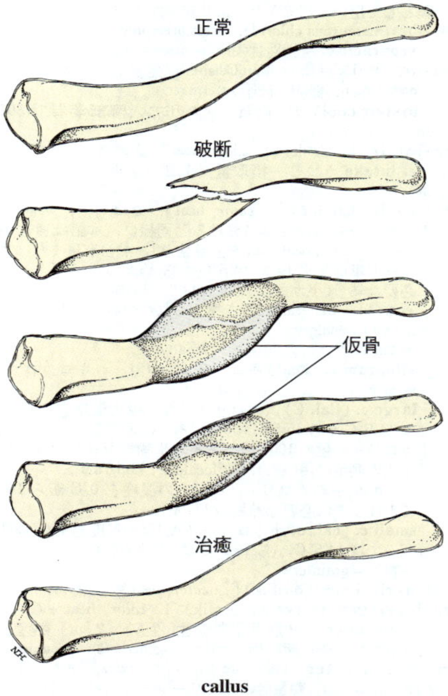

callus

骨折の治癒過程の重要部分.

central c. 中心性仮骨（骨折部の髄腔内の仮骨）. ＝medullary c.

definitive c. 確定性仮骨（骨組織に移行する仮骨）. ＝permanent c.

ensheathing c. 鞘性仮骨（骨折部の外側周囲にある一時

的仮骨の塊).

fracture c. 骨折の仮骨. ＝callus (2).

hyperplastic c. (hī-pĕr-plas′tik kal′ŭs). 過剰仮骨 (特発性, または一部の骨形成不全症での外傷後に起こる骨・線維・軟骨性の石灰化した塊).

medullary c. 髄仮骨. ＝central c.

permanent c. 永久仮骨. ＝definitive c.

provisional c. 暫定的仮骨 (骨折後間もない時期に発達した仮骨. 癒合終了後は吸収される). ＝temporary c.

temporary c. 一時性仮骨. ＝provisional c.

calm·a·tive (kahl′mă-tiv). 鎮静の (興奮を鎮めることを意味し, またその目的で使用される薬を示す).

Cal·mette (kahl-met′), Leon C.A. フランス人細菌学者, 1863—1933. →bacille C.-Guérin; bacillus C.-Guérin *vaccine*; C. *test*; C.-Guérin *bacillus*, *vaccine*.

cal·mod·u·lin (kal-mod′ū-lin) [*cal*cium + *modul*ate]. カルモジュリン (広く存在する真核生物の小さな蛋白で, カルシウムイオンと結合し, そのために長い間カルシウムイオンによると考えられた細胞効果の多くの場合の作用物質となる. このカルシウム－蛋白複合体は, ある種のホスホジエステラーゼについてそのアポ酵素と結合し, ホロ酵素を形成する. これらの機構によって, その複合体はアデニレートシクラーゼやグアニレートシクラーゼ, 多くのキナーゼ, ホスホリパーゼ A_2 活性や他の基本的細胞機能を制御する).

Ca·lo·di·um (ka-lō′dē-um). カロディウム属 (鞭虫科に属する3属のうちの1つ. 通常は *Capillaria*属として扱われている).

cal·o·mel (kal′ō-mel) [Mediev.L. ＜ G. *kalos*, beautiful ＋ *melas*, black]. 甘汞 ; mild mercury chloride; mercury monochloride, protochloride, subchloride (腸管無菌薬, 緩下薬として用いられてきた. より安全な薬剤に代わってきている). ＝mercurous chloride; sweet precipitate.

vegetable c. 植物性甘汞. ＝podophyllum.

ca·lor (kā′lōr) [L.]. 熱 (Celsius が発表した炎症の四徴候 (発熱, 疼痛, 発赤, 腫脹)の1つ).

Ca·lo·ri (kah-lō′rē), Luigi. イタリア人解剖学者, 1807—1896. →C. *bursa*.

ca·lor·ic (kă-lōr′ik) [L. *calor*, heat]. ***1*** 熱量の. ***2*** 熱の.

c. intake カロリー摂取量 (1日の食事中の総カロリー量).

cal·o·rie (kal′ō-rē) [L. *calor*, heat]. カロリー, 熱量 ([栄養学および食事療法学におけると同様に, 本語は通常 kilogram calorie (kilocalorie) を意味する]. 熱含有量またはエネルギーの単位. 水 1g を 14.5°C から 15.5°C へ上昇させるのに必要な熱量(小カロリー). カロリーは国際単位系(SI)のジュール(1J＝0.239cal)に置き換えられつつある. →British thermal *unit*). ＝calory.

gram c. グラムカロリー. ＝small c.

kilogram c. (**kcal**) キログラムカロリー, キロカロリー. ＝large c.

large c. (**Cal, C**) 大カロリー (水 1kg の温度を 1°C(正確には 14.5°C から 15.5°C に)上げるのに要するエネルギー量. 小カロリーの値の 1000 倍である. 生物学を含む化学反応の熱生成の測定に用いる). ＝kilocalorie; kilogram c.

mean c. 平均カロリー (水 1g の温度を 0°C から 100°C まで上げるのに必要な熱量の 1/100).

small c. (**cal, c**) 小カロリー (水 1g の温度を 1°C(標準カロリーでは 14.5°C から 15.5°C に)上げるのに要するエネルギー量). ＝gram c.

cal·o·rif·ic (kal′ŏ-rif′ik) [L. *calor*, heat]. 発熱の.

ca·lor·i·gen·ic (kă-lōr′i-jen′ik) [L. *calor*, heat ＋ G. *genesis*, production]. ***1***〚adj.〛熱産生[性]の. ***2***〚n.〛熱産生物質 (刺激性の熱代謝産物). ＝thermogenetic (2); thermogenic.

cal·o·rim·e·ter (kal′ō-rim′ĕ-ter) [L. *calor*, heat ＋ G. *metron*, measure]. 熱量計, カロリーメータ (化学反応により発生した熱量を測定するための装置).

Benedict-Roth c. (ben′ĕ-dikt roth). ベネディクト－ロス熱量計 (→Benedict-Roth *apparatus*).

bomb c. 爆灼熱量計, ボンブカロリーメータ (有機物(食物中の有機物も含む)のポテンシャルエネルギーを決定するための装置. 白金で内張りして純粋な酸素を充填した鋼製中空容器からなり, その中に重さを量った物質を入れ, 電気ヒューズで点火する. 発生した熱は, この容器の周囲にある水に吸収され, その温度の上昇から発生熱量を計算する).

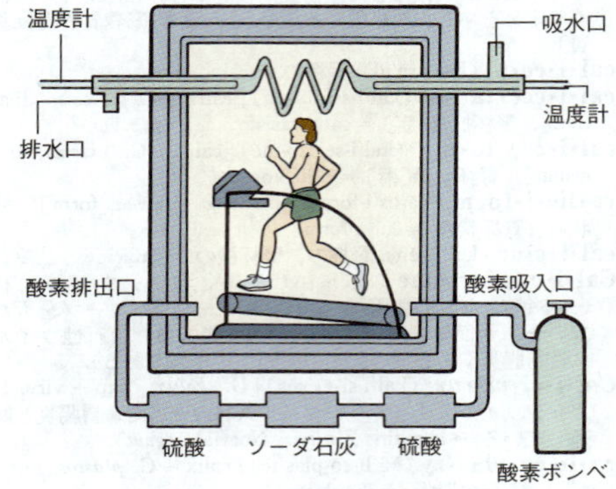

human calorimeter

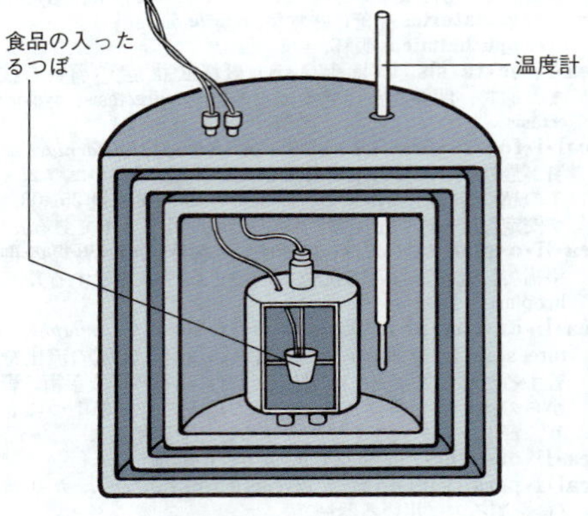

bomb calorimeter

食品検体の完全燃焼による生成熱を測定.

cal·o·ri·met·ric (kă′lōr-i-met′rik). 熱量計上の, 熱量計の.

cal·o·rim·e·try (kal′ō-rim′ĕ-trē). 測熱, 熱量測定〔法〕(1つの反応または(生体などによる)一連の反応で発生または吸収する熱量の測定).

direct c. 直接測熱, 直接熱量測定〔法〕(反応によって発生する熱の測定. 熱発生以外のものの測定を行う間接法とは区別される).

indirect c. 間接測熱, 間接熱量測定〔法〕(酸化反応による熱発生量を決定する方法. 酸素の消費量または炭酸ガスの発生量またはその両方, および窒素の排出量の測定後, 発生した熱の量を計算する).

ca·lor·i·tro·pic (kă-lōr′i-trop′ik). 熱向性の (温度屈性に関する).

cal·o·ry (kal′ō-rē). ＝calorie.

Ca·lot (kah-lō′), Jean-François. フランス人外科医, 1861—1944. →C. *triangle*.

cal·pains (kal′pānz) [calcium ＋ -*pain*, protease ＜ *papain*]. カルパイン (カルシウム依存性含硫蛋白分解酵素. これらは哺乳類の細胞質で産生される酵素である. 異なる型のカルパインはカルシウムイオン濃度に様々な程度で反応する).

cal·re·tic·u·lin (kal-re-tik′yū-lin) [*cal*cium ＋ (endoplasmic and cytoplasmic) *reticula* ＋ -in]. カルレティキュリン (細胞内カルシウム結合蛋白. 細胞接着および血管制御作用

がある．小胞体に存在する）．
calsarcin (kal-sahr′kin)．カルサルチン（サルコメア Z 線の蛋白であり，カルシニューリンと結合する．心筋症研究の中心的物質）．
cal·se·ques·trin (kal′sē-kwes′trin)［calcium + sequester + -in］．カルセケストリン（カルシウム結合蛋白．筋小胞体の小胞中に存在する．この作用によって，カルシウムチャネルからカルシウムイオンが放出される）．
cal·spec·tin (kal-spek′tin)．カルスペクチン．＝fodrin.
ca·lum·ba (kă-lŭm′bă)．カランバ（東アフリカ産のツヅラフジ科はん縁性つる植物 *Jateorrhiza palmata* の乾燥根．苦味強壮薬として用いる）．
cal·um·bin (kal′ŭm-bin)．カランビン（カランバから得られる苦味体で，生薬の苦味成分）．
cal·var·ia, pl. cal·var·i·ae (kal-vā′rē-ă, -vā′rē-ē)［L. a skull］［TA］．頭蓋冠（［誤った形 calvarium を避けること］．頭蓋上部のドーム状の部分）．＝roof of skull; skullcap.
cal·var·i·al (kal-vār′ē-ăl)．頭蓋冠の．
cal·var·i·um (kal-vār′ē-ŭm)．calvaria の誤称．
Cal·vé (kahl-vā′), Jacques．フランス人整形外科医，1875—1954．→C.-Perthes *disease*; Legg-C.-Perthes *disease*.
cal·vit·i·es (kal-vish′e-ēz)［L. < *calvus*, bald］．禿頭，脱毛〔症〕．＝alopecia.
calx, gen. cal·cis, pl. cal·ces (kalks, kal′sis, kal-sēs)．***1***［L. limestone］．石灰．＝lime (1)．***2***［L. heel］．踵，かかと（足の後部の丸い端）．＝calcar pedis; heel (2).
cal·y·ce·al (kal′i-se′ăl)．腎杯の（［正しいアクセントは第 2 音節に置かれるが，一般的に米国ではここに示したように発音される］）．＝caliceal.
ca·ly·ces, ca·li·ces (kal′i-sēz, kal′i-sēz)．calyx の複数形．
ca·lyc·i·form (kă-lis′i-fōrm)．杯状の，腎杯状の（コップあるいはゴブレット様の形をした）．＝caliciform.
cal·y·cine (kal′i-sēn)．腎杯の，腎杯様の．＝calicine.
ca·l·y·cle, ca·lyc·u·lus (kal′i-kĕl, kă-lik′ū-lŭs)．＝caliculus.
Ca·lym·ma·to·bac·te·ri·um (kă-lim′mă-tō-bak-tēr′ē-ŭm)［G. *kalymma*, hood, veil + *baktērion*, rod］．カリマトバクテリウム属（染色質が単極または両極に凝縮しているグラム陰性多形性杆菌を含む分類位置不明の非運動性細菌の一属．1 個または集合して存在する．ヒトの体外では，発生中の鶏胚の卵黄嚢または羊水内，あるいは胚卵黄を含む培養液中においてのみ発育する．ヒトに対してのみ病原性．標準種は *C. granulomatis*）．
　C. granulomatis 肉芽腫カリマトバクテリウム（ヒトに肉芽腫病変（鼡径部肉芽腫または性病性肉芽腫）(Donovan 症）を，特に鼡径部に起こすバクテリアの一種．*Calymmatobacterium* 属の標準種）．
ca·lyx, pl. ca·ly·ces (kā′liks, kal′i-sēz)［G. cup of a flower］［TA］．腎杯（花形または漏斗状の構造．特に腎錐体口が突出している腎盂の枝分かれまたは陥凹をいう）．＝calix［TA］.
CAM cell adhesion *molecule*; complementary and alternative *medicine* の略．
cam·bi·um (kam′bē-ŭm)［L. exchange］．形成層（膜性骨形成における骨膜の内層）．
cam·er·a, pl. cam·er·ae, cam·er·as (kam′er-ă, -ē, ăz)［L. a vault］［TA］．***1*** ＝anterior *chamber* of eyeball．***2*** カメラ，写真機（一般に密閉箱をいうが，特に写真用のレンズ，シャッター，感光フイルムあるいは感光板を備えたものをいう）．
　Anger c. (ang′gĕr)．アンガーカメラ（シンチグラム画像装置で，一種のガンマカメラ．1 個の薄い単結晶と多重発光検出回路系とからなり，全視野を一度で観察でき，100—511 keV の範囲のガンマ線に対して最も効率がよい）．
　c. anterior bulbi［TA］．前眼房．＝anterior *chamber* of eyeball.
　camerae bulbi［TA］.＝ *chambers* of eyeball.
　gamma c. ガンマカメラ（シンチカメラの一種で，全対象視野から同時に記録を取ることができる）．＝scintillation c.
　multiformat c. マルチ〔フォーマット〕カメラ（CT や超音波検査において，1 枚のフイルムに可変枚数の指状の信号画像を記録することができる写真方式またはレーザー方式の記録装置）．
　c. oculi anterior ＝anterior *chamber* of eyeball.
　c. oculi major ＝anterior *chamber* of eyeball.
　c. oculi minor ＝posterior *chamber* of eyeball.
　c. oculi posterior ＝posterior *chamber* of eyeball.
　c. posterior bulbi［TA］．後眼房．＝posterior *chamber* of eyeball.
　c. postrema［TA］.＝ postremal *chamber* of eyeball.
　retinal c. 網膜カメラ（眼底撮影に用いる器械）．
　scintillation c. シンチレーション(シンチ)カメラ．＝gamma c.
　c. vitrea* postremal *chamber* of eyeball の公式の別名．
　c. vitrea bulbi* 硝子体眼房（postremal *chamber* of eyeball の公式の別名）．
　vitreous c. ＝postremal *chamber* of eyeball.
cam·er·o·stome (kam′er-ō-stōm)［L. *camera*, a vault + G. *stoma*, mouth］．房状口（ヒメダニ科のダニの前胴部下面にある顎体部を収めるくぼみ）．
cam·i·sole (kam′i-sōl)．拘束服．＝straitjacket.
cam·o·mile (kam′ō-mil)．＝chamomile.
cAMP adenosine 3′,5′-cyclic monophosphate (cyclic AMP) の略．
Camp·bell (kam′bĕl), Meredith F. 米国人小児泌尿器科医，1894—1969．→C. *sound*.
Campbell (kam′bel), Peter E. 20 世紀のオーストラリア人医師．→Williams-Campbell *syndrome*.
Camp·bell (kam′bĕl), William F. 米国人外科医，1867—1926．→C. *ligament*.
Camp·er (kahm′pĕr), Pieter. オランダ人医師・解剖学者，1721—1789．→C. *chiasm*; fatty *layer* of subcutaneous tissue of abdomen; C. *ligament*, *line*, *plane*.
cam·phene (kam′fēn)．カンフェン（テレビン油，樟脳，シトロネラなどの多くの精油に存在するテルペン類似物）．
cam·phor (kam′fōr)［mediev.L. < Ar. *kāfure*］．樟脳；1,7,7-trimethylbicyclo[2.2.1]heptan-2-one（台湾や東南アジアおよびその隣接諸島の常緑樹クスノキ *Cinnamonum camphora* の樹皮と木部から蒸留されるケトン．テレビン油から合成することもできる．種々の市販製品に，また抗感染薬や止痒薬としても，局所的に用いる）．
　cantharis c. カンタリス樟脳．＝cantharidin.
　c. liniment 樟脳リニメント（樟脳と綿実油，または樟脳と落花生油の混合物．緩和に作用する反対刺激薬）．＝camphorated oil.
　monobromated c. 一臭化樟脳（現在では用いられない語．鎮痙薬，催眠薬，鎮静薬）．
　tar c. タール樟脳．＝naphthalene.
　thyme c. タイム樟脳．＝thymol.
cam·pho·ra·ceous (kam′fō-rā′shŭs)．樟脳様の（外見や堅さおよびにおいが樟脳に似ている）．
cam·phor·at·ed (kam′fō-rā-ted)．樟脳を入れた，樟脳で処理した．
cam·phor·at·ed oil (kam′fō-rā-ted oyl)．樟脳油．＝*camphor* liniment.
cam·pi fo·reli (kam′pē fōr-el′ē)［L. *campus*(field) の複数形］．フォレル野．＝*fields* of Forel.
cam·pim·e·ter (kam-pim′ĕ-ter)［L. *campus*, field + G. *metron*, measure］．〔平面〕視野計（中心視野を測るのに用いる小型の接線板）．
camp·lo·dac·ty·ly (kamp′lō-dak′ti-lē)．＝camptodactyly.
cAMP phos·pho·di·es·ter·ase (kamp fos′fō-dī-es′ter-ās)．cAMP ホスホジエステラーゼ．＝adenosine 3′,5′-cyclic phosphate phosphodiesterase.
camp·to·cor·mi·a (kamp′tō-kōr′mē-ă)［G. *kamptos*, bent + *kormos*, trunk of a tree］．前屈症（体幹の静的で，しばしば著しい前屈．通常は転換反応で現れる）．＝camptospasm; prosternation.
camp·to·dac·ty·ly, camp·to·dac·tyl·ia (kamp′tō-dak′ti-lē, -dak-til′ē-ă)［G. *kamptos*, bent + *daktylos*, finger］［MIM*114200］．屈指〔症〕（1 本以上の指の近位か遠位のいずれか，または両指節間関節が永続的に屈曲していること．通常は小指にみられる．しばしば先天性である）．＝camplodactyly; streblodactyly.

C

camp·to·me·li·a (kamp′tō-mē′lē-ă) [G. *kamptos*, bent + *melos*, limb]. 屈肢〔症〕(四肢長管骨の屈曲を特徴とする骨異形成症で，患肢の永続的弓状変形や彎曲がみられる).

camp·to·mel·ic (kamp′tō-mel′ik). 屈肢〔症〕の (→camptomelic *syndrome*).

camp·to·spasm (kamp′tō-spazm). 体幹前屈〔症〕. ＝camptocormia.

Camptotheca acuminata (kamp-tō-thē′kă ă-kyū-mi-nā′tă). カンレンボク(旱蓮木)，キジュ(喜樹)(カンプトテシンが抽出される木で，アジアに生息する).

camp·to·the·cin (kamp′tō-thek′in) [Camptotheca, genus name of botanic source]. カンプトテシン (構造上ラクトン環と5員環を有する植物性アルカロイド．トポイソメラーゼⅠの阻害作用を有する．トポテカン，irinotecan(CPT-11)などがある).

camp·to·the·cins (kamp′tō-thek′inz). カンプトテシン (①トポイソメラーゼ阻害剤として作用する抗癌剤群．イリノテカンとトポテカンがある．②カンプトテシンから得られる半合成の薬物).

Cam·py·lo·bac·ter (kam′pi-lō-bak′ter) [G. *campylos*, curved + *baktron*, staff or rod]. グラム陰性，無胞子形成のらせん状あるいはＳ字状にカーブした杆菌の一属で，細胞体の一端または両端に１本のべん毛をもつ．不適な状況下では球形の細胞になることもある．糖の利用能はなく，運動性で，らせん状の動きをする．標準種は*C. fetus*.

C. coli ヒトや子ブタにおいて最初は水様性で後に炎症性となる，下痢疾患の原因となる高温性細菌の一種．

C. concisus カタラーゼ陰性の菌種で，正常人の糞便内フローラや歯周病における歯肉裂，ときに血液から分離される．

C. fetus ヒト感染症およびヒツジやウシの流産を起こすことのある細菌で，様々な亜種を含む．*Campylobacter*属の標準種．

C. fetus subsp. ***jejuni*** *C. jejuni* の旧名．

C. hyointestinalis ブタの腸症の原因となる細菌の一種．ヒトで下痢と直腸炎の糞便材料から分離されるが病原性における役割は不明である．

C. jejuni 高温細菌種で，全身性の症候(倦怠，筋肉痛，関節痛および頭痛)および痙攣性腹痛を伴う突発性胃腸炎をヒトに引き起こす．上向性の麻痺を併発する脱髄性後遺症を伴う．ヒトへの感染の可能性のある感染源には家禽，ウシ，ヒツジ，ブタ，およびイヌがあげられる．本菌種はヒツジの流産の原因ともなる．

C. lari 細菌の一種で主に鳥類が保有しているが，ヒトでは水由来腸炎およびときに敗血症と関連がある．

C. pylori キャンピロバクターピロリ．＝*Helicobacter pylori.*

C. sputorum カタラーゼ陰性の通性微好性の種で，ヒツジやウシの生殖器や糞便およびヒトの口腔に認められる．ヒトの気管支炎の原因菌．

cam·py·lo·bac·ter·i·o·sis (kam′pi-lō-bak′ter-ē-ō′sis). キャンピロバクター症 (微好気性細菌の*Campylobacter*属による感染).

Camurati, Mario. イタリア人医師，1896－1948.

Can·a·da (kan′ă-dă), Wilma J. 20世紀の米国人放射線科医．→Cronkhite-C. *syndrome*.

can·a·dine (kan′ă-dēn). カナジン (宿根草であるキンポウゲ科 *Hydrastis canadensis* および Fumaraceae 科 *Corydalis cava* の根茎(golden seal)に存在するアルカロイド．鎮痛薬，筋弛緩薬). ＝xanthopuccine.

CANAL

ca·nal (kă-nal′) [L. *canalis*][TA]. 管 (管状構造．→channel; duct). ＝canalis [TA].

abdominal c. ＝inguinal c.

accessory c. 副根管 (根部歯髄からぞうげ質を通り歯周組織に達している溝．歯根のどこにでもみられるが，根尖1/3以内のところに多く存在する). ＝lateral c.

adductor c. [TA]. 内転筋管 (大腿の中1/3部で，内側広筋と内転筋群の間にある間隙が，縫工筋により上からおおわれて管になったもの．大腿動脈および静脈・伏在神経の通路となり，内転筋裂孔に終わる). ＝canalis adductorius [TA]; Hunter c.; subsartorial c.

Alcock c. (al′kok). アルコック管．＝pudendal c.

alimentary c. 消化管．＝digestive *tract.*

alveolar c.'s of maxilla [TA]. 〔上顎骨の〕歯槽管 (神経および血管を歯槽孔から上顎歯に送達する上顎体内の管). ＝canales alveolares corporis maxillae [TA]; alveolodental c.'s; dental c.'s.

alveolodental c.'s 歯槽管．＝alveolar c.'s of maxilla.

anal c. [TA]. 肛門管 (消化管の最終部分で長さ約4 cm．直腸膨大が突然狭まって骨盤隔膜(肛門挙筋)を貫通する箇所から始まり，肛門管をおおっていた上皮が突然有毛の皮膚に変わる肛門縁に終わる．内外括約筋に囲まれる). ＝canalis analis [TA].

anterior condyloid c. of occipital bone ＝hypoglossal c.

anterior semicircular c. →semicircular c.'s (of bony labyrinth).

archenteric c. 原腸管 (原口が脊索突起に陥入して腔を形成したもの．→neurenteric c.).

Arnold c. (ar′nŏld). アルノルト管．＝*hiatus* for lesser petrosal nerve.

arterial c. 動脈管．＝*ductus* arteriosus.

atrioventricular c. 房室管 (胚の心臓の共同の洞房から心室に通じる管).

auditory c. ＝external acoustic *meatus.*

basipharyngeal c. ＝vomerovaginal c.

Bernard c. (bār-nahr′). ベルナール管．＝accessory pancreatic *duct.*

Bichat c. (bē-shah′). ビシャ管．＝quadrigeminal *cistern.*

birth c. 産道 (胎児が通る子宮および腟の腔). ＝parturient c.

blastoporic c. 原条(primitive *pit*)を表す現在では用いられない語．

bony semicircular c.'s 骨半規管．＝semicircular c.'s (of bony labyrinth).

Böttcher c. (bĕt′sher). ベットヒャー管．＝utriculosaccular *duct.*

Breschet c.'s (brĕ-shā′). ブレシェ管．＝diploic c.'s.

carotid c. [TA]. 頸動脈管 (側頭骨岩様部を下面から上内側前方に貫通し，錐体尖前端で破裂孔の後上方に開口する通路．内頸動脈とともに静脈叢，自律神経が通る). ＝canalis caroticus [TA].

carpal c. ***1*** 手根管．＝carpal *tunnel.* ***2*** ＝carpal *groove.*

caudal c. 仙骨管 (硬膜上腔の仙骨部への広がりによって生じた外隙をいう).

central c. [TA]. 中心管．＝central c. of spinal cord; syringocele (1); tubus medullaris.

central c.'s of cochlea ＝longitudinal c.'s of modiolus.

central c. of spinal cord [TA]. 中心管 (上衣細胞で内壁をおおわれた神経管の管腔で，その脳部は残存して脳室を形成するが，成人では脊髄部はしばしば上衣細胞の変形した充実性の線維束に退化している). ＝central c.[TA].

central c. of the vitreous ＝hyaloid c.

cervical c. [TA]. 子宮頸管 (子宮峡部から外子宮口に至る紡錘状管状部). ＝canalis cervicis uteri [TA].

cervicoaxillary c. 頸腋窩管 (腋窩上方の入口で，前は鎖骨，後ろは肩甲骨，内側は第一肋骨で，腋窩脈管や腕神経叢を通す).

ciliary c.'s ＝*spaces* of iridocorneal angle.

Civinini c. (chē-vē′nē-nē). チヴィニーニ管．＝anterior *canaliculus* of chorda tympani.

Cloquet c. (klō-kā′). クロケー管．＝hyaloid c.

cochlear c. 蝸牛管．＝spiral c. of cochlea.

condylar c. [TA]. 顆管 (左右の後頭顆の後方で後頭骨を貫く非常在の開口で，後頭導出静脈を入れる). ＝canalis condylaris [TA]; condyloid c.; posterior condyloid foramen.

condyloid c. 顆管．＝condylar c.

Corti c. (kōr′tē). コルティ(コルチ)管．＝Corti *tunnel.*

Cotunnius c. (kō-tun′ē-ŭs). コツンニウス管．＝vestibular

aqueduct.

craniopharyngeal c. ＝pituitary *diverticulum*.

deferent c. 精管．＝*ductus* deferens.

dental c.'s 歯槽管．＝alveolar c.'s of maxilla.

dentinal c.'s ぞうげ細管．＝dentinal *tubules*.

diploic c.'s [TA]．板間管（板間静脈を入れる板間層内の管）．＝canales diploici [TA]; Breschet c.'s.

Dorello c. (dō-rel′ō)．ドレロ管（外転神経と下錐体静脈洞の2構造が海綿静脈洞にはいるところで，これらを入れる側頭骨の先端にみられることのある骨性の管）．

Dupuytren c. (dū-pwē-tren[h]′)．デュピュイトラン管．＝diploic *vein*.

ear c. ***1*** ＝external acoustic *meatus*. ***2*** (ēr kă-nal′)．＝external auditory c.

endodermal c. 内胚葉管．＝primordial *gut*.

endometrial c. [TA]．＝uterine *cavity*.

external auditory c. 外耳道（耳介から鼓膜まで側頭骨鼓室部に至る通過路．耳垢腺と毛嚢，皮下組織よりなる厚い線維軟骨組織の外側部と薄い皮膚におおわれた内側の骨部からなる）．＝acoustic meatus (2); antrum auris; ear c. (2).

facial c. [TA]．顔面神経管（顔面神経が通る側頭骨内の骨管．内耳道から水平部として始まり，まず前方に内側脚として進み，次に後方に膝として転じ，鼓室の内側を外側脚として通る．最後に下方に転じ，下行部として茎乳突孔に当たる）．＝canalis nervi facialis [TA]; aqueductus fallopii; fallopian aqueduct; fallopian c.

fallopian c. ファローピウス管．＝facial c.

femoral c. [TA]．大腿管（大腿血管鞘のうち内側のもので，しばしば中間深鼡径リンパ節がはいっており下肢から体幹へのリンパ管の通路をなし隣接して走る静脈の拡張(例えば Valsalva 手技の際に)を容易にしている）．＝canalis femoralis [TA].

Ferrein c. (fer-ān′)．フェラン管．＝lacrimal *pathway*.

Fontana c. (fon-tah′nă)．フォンターナ管．＝scleral venous *sinus*.

galactophorous c.'s ＝lactiferous *ducts*.

Gartner c. (gart′nĕr)．ガートナー管．＝longitudinal *duct* of epoophoron.

gastric c. [TA]．胃体管（えん下の間，小弯に沿って胃粘膜の縦じわの間に一時的に形成される溝．X線上や内視鏡的に観察される．胃粘膜が筋層のうち斜層を欠いている部位に強く固着することにより形成される．唾液や少量のそしゃくされた食物や液体が穿隆部より胃十二指腸境界まで流れる際に都合よく通路を形成するといわれている）．＝canalis gastricus [TA]; magenstrasse.

greater palatine c. [TA]．大口蓋管（上顎骨と口蓋骨の間に形成される管．下行口蓋動脈(大口蓋動脈)に加え，翼口蓋窩から出て口腔粘膜—硬口蓋に分布する大口蓋神経が通る）．＝canalis palatinus major [TA]; pterygopalatine c.

gubernacular c. 歯導管（永久歯胚と乳歯根尖との間に存在する小管で，歯堤の残遺物と結合組織が含まれている）．

c. of Guyon ＝ulnar c.

Guyon c. (gē-yon[h]′)．ギヨン管（手の屈筋支帯と尺側手根屈筋との間にある表在性の管で，ここを前腕から手へ向かう尺骨神経と血管が走行する）．

gynecophoric c. 交接管（雄の住血吸虫の体長に走る腹部溝で，そこに糸状の雌がはまり込む）．

Hannover c. (han′ō-vĕr)．ハノヴァー管（毛様小帯と硝子体の間にある潜在空隙）．

haversian c.'s ハヴァース管（骨の緻密質の Havers 管系の中心を縦貫する管で血管を含む）．＝Leeuwenhoek c.'s.

Hensen c. (hen′sĕn)．ヘンゼン管．＝*ductus* reuniens.

c. of Hering (her′ing)．ヘーリング管．＝cholangiole.

Hirschfeld c.'s (hĭrsh′feld)．ヒルシュフェルト管．＝interdental c.'s.

Holmgrén-Golgi c.'s (hōlm′grĕn gōl′gē)．ホルムグレン－ゴルジ管．＝Golgi *apparatus*.

c. of Hovius (hōv′ē-us)．ホーヴィウス管（ある種の動物の眼の渦状静脈の前小枝間にある吻合静脈輪．正常なヒトの眼にはみられない）．

Hoyer c.'s (hoy′ĕr)．ホイアー管．＝Sucquet-Hoyer c.'s.

Huguier c. (yū-gē-ā′)．ユギエ管．＝anterior *canaliculus* of

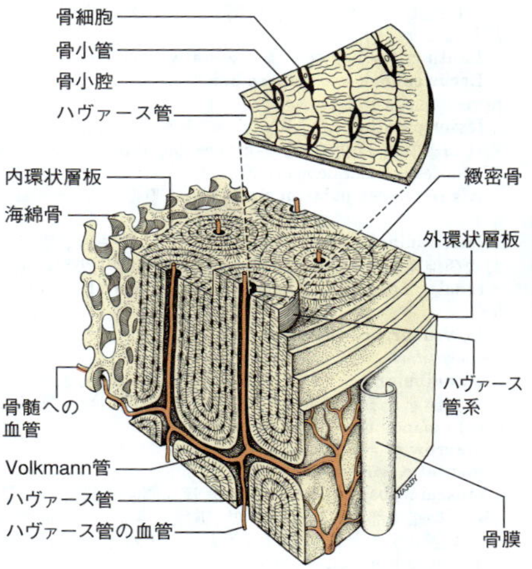

haversian canals

緻密骨組織にみられる．

chorda tympani.

Hunter c. (hŭn′tĕr)．ハンター管．＝adductor c.

hyaloid c. [TA]．硝子体管（視神経乳頭からレンズへ硝子体内を通る細管．胎生期には，網膜の中心動脈の延長である硝子体動脈を容する．→vitreous; hyaloid *artery*）．＝canalis hyaloideus [TA]; central c. of the vitreous; Cloquet c.; Stilling c.

hypoglossal c. [TA]．舌下神経管（舌下神経がこの管を通り頭蓋から外に出る）．＝canalis nervi hypoglossi [TA]; anterior condyloid c. of occipital bone; anterior condyloid foramen; canalis hypoglossalis.

incisive c.'s [TA]．切歯管（鼻腔床から上顎骨口蓋面上の切歯窩に通じる数本の骨管．大口蓋動脈枝と鼻口蓋神経がこの管を通り，大口蓋動脈枝は蝶形骨口蓋動脈の中隔枝と吻合する）．＝canales incisivi [TA]; incisor c.'s.

incisor c.'s 切歯管．＝incisive c.'s.

inferior dental c. ＝mandibular c.

infraorbital c. [TA]．眼窩下管（上顎骨眼窩縁下を，眼窩床の眼窩下溝から眼窩下孔に通じる管．眼窩下動脈および神経を入れる）．＝canalis infraorbitalis [TA].

inguinal c. [TA]．鼡径管（下腹壁の筋腱膜層を斜めに貫通する通路で，男性では精索が，女性では子宮円索が骨盤腔から陰嚢または大陰唇へと通っている）．＝canalis inguinalis [TA]; abdominal c.; Velpeau c.

interdental c.'s 歯間管（上下顎切歯と上顎小臼歯の歯根間にある歯槽骨内を垂直にのびている管）．＝Hirschfeld c.'s.

interfacial c.'s 細胞面間管（重層扁平上皮にあるデスモソームによる細胞連結に関連した細胞間隙．固定処理によって縮んだ結果生じた人工産物であることが多い）．

Jacobson c. (yah′kōb-sŏn)．ヤコブソン管．＝tympanic *canaliculus*.

Kürsteiner c.'s (kĕr′stīn-ĕr)．キュルスタイナー管（小胞状，小管状，および腺に類似した構造をもつ胎児複合体で，副甲状腺，胸腺，または胸腺索に由来する．これは痕跡で機能をもたないが，生後に存続する場合には上皮小体 III と胸腺 III の近傍に嚢胞構造として現れることがある．Kürsteiner は3つのタイプを記載し，タイプ II の管は甲状腺無形成を合併する）．

lateral c. 副根管．＝accessory c.

lateral semicircular c.'s →semicircular c.'s (of bony labyrinth).

Laurer c. (lowr′ĕr)．ラウラー管（吸虫の卵形成腔の表面を起点とする管で，背側表面またはその近傍に通じている．本来は膣あるいは恐らく過剰な卵殻物質の貯蔵場所であると思われる）．

Lauth c. (lōt). ラウト管. ＝scleral venous *sinus.*

Leeuwenhoek c.'s (lā′wen-hūk). レーウェンフーク管. ＝haversian c.'s.

lesser palatine c.'s [TA]. 小口蓋管（口蓋骨の後部にある小口蓋神経の通る管）. ＝canales palatini minores [TA]; c.'s for lesser palatine nerves.

c.'s for lesser palatine nerves 小口蓋管. ＝lesser palatine c.'s.

longitudinal c.'s of modiolus [TA]. 蝸牛軸縦管（血管および神経を蝸牛の頂まで導く管で蝸牛軸の中央部を走る）. ＝canales longitudinales modioli [TA]; central c.'s of cochlea.

Löwenberg c. (lŏr′vĕn-berg). レーヴェンベルク管. ＝cochlear *duct.*

mandibular c. [TA]. 下顎管（下歯槽神経および同名血管の通路となる下顎骨内の管．その後部開口は下顎孔）. ＝canalis mandibulae [TA]; inferior dental c.

marrow c. ＝root c. of tooth.

mental c. ＝mental *foramen.*

musculotubal c. [TA]. 筋耳管管（側頭骨鱗部との縫合部に近い錐体部の前縁に始まり，鼓室に至る．さじ状突起により２管に分かれ，一方は耳管を，他方は鼓膜張筋を入れる）. ＝canalis musculotubarius [TA].

nasolacrimal c. [TA]. 鼻涙管（上顎骨，涙骨，下鼻甲介により形成される骨性の管で，眼窩から下鼻道までの鼻涙管(duct)を通す）. ＝canalis nasolacrimalis [TA].

neural c. 神経〔管〕腔（胚の神経管内にある腔所．脊髄中心管の原基）.

neurenteric c. 神経腸管（脊椎動物の胚にみられる神経管・脊索管と腸管内胚葉との一時的な交通）.

notochordal c. 脊索管（胚の原基から脊索突起に向かって伸びる管状構造. →archenteric c.）.

c. of Nuck (nuk). ヌック管（→*processus* vaginalis of peritoneum）.

nutrient c. [TA]. 栄養管（長骨の骨幹あるいは不規則形骨の種々の個所にある管．この管を通じて栄養動脈が骨にはいる）. ＝canalis nutricius; canales nutriens [TA].

obturator c. [TA]. 閉鎖管（閉鎖孔をおおう閉鎖膜の上部にある開口で，ここを通じて閉鎖神経および同名血管が骨盤腔から大腿へと走る）. ＝canalis obturatorius [TA].

optic c. [TA]. 視神経管（眼窩の奥で蝶形骨の小翼を貫く短管で，視神経および眼動脈の通路）. ＝canalis opticus [TA]; foramen opticum; optic foramen.

palatovaginal c. [TA]. 口蓋骨鞘突管（蝶形骨の鞘状突起下面で，１本の溝が口蓋骨の蝶形骨突起により管となり，顎動脈の咽頭枝と，翼口蓋神経節の咽頭神経を通す）. ＝canalis palatovaginalis[TA]; pharyngeal c.

parturient c. 産道. ＝birth c.

pelvic c. 骨盤管（骨盤の入口から出口への通路）.

pericardioperitoneal c. 心膜腹膜腔管（心膜腔と腹膜腔を結ぶ胚腔部分で，胸膜腔に発達する）. ＝pleural c.

persistent atrioventricular c. 房室口(孔)開存（正常な胎児発育時にみられる心房中隔と心室中隔の融合が起こらず，その結果，軽度心房中隔欠損および高度心室中隔欠損，または共通房室管となる）. ＝endocardial cushion defect.

Petit c.'s (pĕ-tē′). プティ(プチ)管. ＝zonular *spaces.*

pharyngeal c. 口蓋骨鞘突管. ＝palatovaginal c.

c. for pharyngotympanic (auditory) tube [TA]. 耳管半管（筋耳管管の下部で，耳管の骨部分を形成する）. ＝semicanalis tubae auditivae [TA]; semicanal of auditory tube; semicanalis tubae auditoriae [TA].

pleural c. ＝pericardioperitoneal c.

pleuropericardial c.'s 胸膜心膜腔管（胚の心膜腔と胸膜腔を結ぶ左右にそれぞれ１つある腔または管）.

pleuroperitoneal c. 胸膜腹膜腔管（胚の胸膜腔と腹膜腔の間の交通）.

portal c.'s 門脈管（神経，リンパ管，胆管，門脈，肝動脈の前終末枝のある肝実質内の結合組織間隙）.

posterior semicircular c.'s →semicircular c.'s (of bony labyrinth).

pterygoid c. [TA]. 翼突管（蝶形骨の内側翼状突起基部を貫く開口部で，翼突管動脈・静脈・神経が通る）. ＝canalis pterygoideus [TA]; vidian c.

pterygopalatine c. ＝greater palatine c.

pudendal c. [TA]. 陰部神経管（坐骨直腸窩の側壁をおおう内閉鎖筋膜内の間隙．陰部神経および内陰部動・静脈が通り，管内で会陰神経が分枝する）. ＝canalis pudendalis [TA]; Alcock c.

pulp c. ＝root c. of tooth.

pyloric c. [TA]. 幽門管（胃の幽門部(長さ約２—3cm)で，幽門洞に続き胃十二指腸結合部で終わる部分）. ＝canalis pyloricus [TA].

Rivinus c.'s (ri-vē′nŭs). リヴィヌス管（→minor sublingual *ducts*）.

root c. of tooth [TA]. 歯根管（歯根部にある歯髄腔）. ＝canalis radicis dentis [TA]; marrow c.; pulp c.

Rosenthal c. (rō′zen-thahl). ローゼンタール管. ＝spiral c. of cochlea.

sacral c. [TA]. 仙骨管（仙骨内にある脊柱管の延長）. ＝canalis sacralis [TA].

Santorini c. (sahn-tō-rē′nē). サントリーニ管. ＝accessory pancreatic *duct.*

c.'s of Scarpa (skar′pă). スカルパ管（鼻口蓋神経脈管を通す独立した管．通常は切歯管と合体している）.

Schlemm c. (shlem). シュレム管. ＝scleral venous *sinus.*

semicircular c.'s →semicircular c.'s (of bony labyrinth).

semicircular c.'s (of bony labyrinth) [TA]. 骨半規管（耳の迷走路の一部をなす３本の骨管で，内部に膜半規管をもつ．互いに直交する平面上に位置し，前半規管，後半規管，外側半規管からなる）. ＝canales semicirculares ossei [TA]; bony semicircular c.'s.

small c. of chorda tympani 鼓索神経小管. ＝*canaliculus* of chorda tympani.

Sondermann c. (son′dĕr-mahn). ゾンデルマン管（Schlemm 洞から前眼房に向かって突出する盲管．前眼房とは連絡していない）.

spinal c. ＝vertebral c.

spiral c. of cochlea [TA]. 蝸牛ラセン管（蝸牛軸を２回半回る骨迷路のラセン管で，棚状構造すなわち骨ラセン板により不完全ながら２室に分かれている）. ＝canalis spiralis cochleae [TA]; cochlear c.; Rosenthal c.

spiral c. of modiolus [TA]. 蝸牛軸ラセン管（蝸牛神経のラセン神経節が存在する蝸牛軸内の間隙）. ＝canalis spiralis modioli [TA].

Stilling c. (stil′ing). シュティリング管. ＝hyaloid c.

subsartorial c. ＝adductor c.

Sucquet c.'s (sū-kā′). ＝Sucquet-Hoyer c.'s.

Sucquet-Hoyer c.'s (sū-kā′ hoy′ĕr). シュケー-ホイアー管（指の血管系球にみられる血流調節に関与している動静脈吻合）. ＝Hoyer anastomoses; Hoyer c.'s; Sucquet anastomoses; Sucquet c.'s; S.-H. anastomoses.

tarsal c. ＝tarsal *sinus.*

temporal c.'s 側頭管（頬骨内で頬骨顔面神経および頬骨側頭神経と同名血管を通す管）.

c. for tensor tympani (muscle) [TA]. 鼓膜張筋半管（筋耳管管の上部で，鼓膜張筋がはいっている）. ＝semicanalis musculi tensoris tympani [TA]; semicanal for tensor tympani muscle.

Theile c. (tī′lĕ). タイレ管. ＝transverse pericardial *sinus.*

tubotympanic c. 耳管鼓室管（→tubotympanic *recess*）.

tympanic c. 鼓室神経小管. ＝tympanic *canaliculus.*

ulnar c. [TA]. 尺骨管（手根横靱帯を貫く管で，ここを通って尺骨神経や尺骨動脈が手掌にはいる．豆状骨や有鉤骨鉤と密接に関係する）. ＝canalis ulnaris [TA]; c. of Guyon.

uniting c. 結合管. ＝*ductus* reuniens.

uterovaginal c. 子宮膣管. ＝uterovaginal *primordium.*

van Horne c. (vahn horn). ファン・ホールネ管. ＝thoracic *duct.*

Velpeau c. (vel-pō′). ヴェルポー管. ＝inguinal c.

vertebral c. [TA]. 脊柱管（脊髄，脊髄膜，および関連組織を入れる管．関節により結合した一連の椎骨の椎孔によってつくられる). =canalis vertebralis [TA]; spinal c.; tubus vertebralis.

c. for vertebral artery [TA]. 椎骨動脈管（環椎(第一頸椎)の変異で，後弓上面の外側部にある椎骨動脈溝が外側塊から後ろに伸びる骨により管状になったもの). =canalis arteriae vertebralis [TA].

vesicourethral c. 膀胱尿道管（原始尿生殖洞の上部．膀胱および尿道に発達するもの).

vestibular c. =*scala* vestibuli.

vidian c. ヴィディウス管. =pterygoid c.

Volkmann c.'s (vōlk′mahn). フォルクマン管（Havers 系と異なり，同心円状の骨層板に囲まれていない緻密骨中の脈管を入れる管．ほとんどの場所で横走し，Havers 系の層板を貫通し，Havers 管同士を連絡している).

vomerine c. =vomerovaginal c.

vomerobasilar c. =vomerorostral c.

vomerorostral c. [TA]. 鋤骨吻管（鋤骨上線と蝶形骨吻との間にみられる小管). =canalis vomerorostralis [TA]; vomerobasilar c.

vomerovaginal c. [TA]. 鋤骨鞘突管（左右両側の蝶形骨の鞘状突起と鋤骨翼の間にある開口．蝶口蓋動脈を通す). =canalis vomerovaginalis [TA]; basipharyngeal c.; vomerine c.

Walther c.'s (vahl′tĕr). ヴァルター管. =minor sublingual *ducts*.

Wirsung c. (vēr′sung). ヴィルズンク管. =pancreatic *duct*.

---

ca·na·les (kă-nā′lēz). canalis の複数形.

can·a·lic·u·lar (kan-ă-lik′yū-lăr) [L. *canaliculus*, small channel, 指小辞 < *canalis*, canal + *-ar*, pertaining to]. 小管の.

can·a·lic·u·li (kan-ă-lik′yū-lī). canaliculus の複数形.

can·a·lic·u·li·tis (kan′ă-lik-yū-lī′tis) [canaliculus + G. *-itis*, inflammation]. 〔小〕管炎（涙小管の炎症).

can·a·lic·u·li·za·tion (kan′ă-lik′yū-lī-zā′shŭn). 小管形成（組織内の小管や細管の形成).

canaliculodacryocystorhinostomy (kan-ă-lik′yū-lō-dak′rē-ō-sis′tō-rī-nos′t-mē). 涙嚢鼻涙管鼻腔吻合術（共(涙腺)管と角膜窩の結合部狭窄を開放するための手術手技．手術創の創傷治癒までの間に開存維持のために一時的にシリコンカテーテルを鼻涙管から鼻腔に(必要があれば)留置した後に鼻涙管開放術を行う.→dacryocystorhinostomy).

can·a·lic·u·lus, pl. **can·a·lic·u·li** (kan′ă-lik′yū-lŭs, -lī) [L. 指小辞 < *canalis*, canal][TA]. 小管（→iter).

anterior c. of chorda tympani 前鼓索神経小管（錐体鼓室裂内の管で，鼓索神経はその後端の近くを通って頭蓋から出る). =Civinini canal; Huguier canal; iter chordae anterius.

auricular c. =mastoid c.

biliary c. 毛細胆管（胆細胞間に存在する直径 1 μm 以下の細胞間管で胆管系の最初部をなす). =bile capillary.

bone c. 骨細管（骨小窩を互いに連結し，または Havers 管と連結している小管で，内部に骨細胞の細胞質突起がはいっている).

caroticotympanic canaliculi [TA]. 頸鼓小管（内頸動脈と頸動脈交感神経叢の分枝の鼓室への通路を与える頸動脈管内の小開口部). =canaliculi caroticotympanici [TA].

canaliculi caroticotympanici [TA]. =caroticotympanic canaliculi.

c. chordae tympani [TA]. =c. of chorda tympani.

c. of chorda tympani 鼓索神経小管（顔面神経管から鼓室に通じる管で，この管を通じて鼓索神経は鼓室にはいる). =c. chordae tympani [TA]; iter chordae posterius; small canal of chorda tympani; posterior c. of chorda tympani.

c. cochleae [TA]. 蝸牛小管. =cochlear c.

cochlear c. [TA]. 蝸牛小管（蝸牛の下方から始まり頸静脈窩の内側の前面で開口する側頭骨内の細管で，外リンパ管を含む). =c. cochleae [TA].

canaliculi dentales ぞうげ細管=dentinal *tubules*.

c. innominatus 無名小管. =*foramen* petrosum.

intercellular c. 細胞間小管（唾液腺の漿液細胞間にみられるような，隣接する分泌細胞間にある細管).

intracellular c. 細胞内〔分泌〕細管（細胞膜が細胞質内部へ陥入してつくられる細管．例えば胃の壁細胞にみられるもの).

lacrimal c. [TA]. 涙小管（内側眼瞼交連付近の上下の各眼瞼辺縁にある涙点から始まり，内側に横走し他側の涙小管とともに涙嚢に流れ込む曲がった管). =c. lacrimalis [TA].

c. lacrimalis [TA]. 涙小管. =lacrimal c.

mastoid c. [TA]. 乳突小管（頸静脈窩から外側に走り乳様突起を貫通する管．迷走神経の耳介枝を入れる). =c. mastoideus [TA]; auricular c.

c. mastoideus [TA]. 乳突小管. =mastoid c.

posterior c. of chorda tympani 鼓索神経小管 =c. of chorda tympani.

c. reuniens =*ductus* reuniens.

secretory c. 分泌細管（→intercellular c.; intracellular c.).

Thiersch canaliculi (tērsh). ティールシュ小管（新しく形成された修復組織に栄養液を循環させるための細管．血管新生の前段階となるもの).

tympanic c. [TA]. 鼓室神経小管（側頭骨錐体部の下面から始まり，頸静脈管と頸動脈管の間のV字形の骨を通り，鼓室底に達する細管．舌咽神経の鼓室枝が通る). =c. tympanicus [TA]; Jacobson canal; tympanic canal.

c. tympanicus [TA]. =tympanic c.

vestibular c. [TA]. 前庭小管（[vestibular canaliculus (前庭小管)の語は側頭骨の形態を扱うときに用い，vestibular aqueduct(前庭水管)の語は内耳に焦点をあてたときに用いる]). =vestibular *aqueduct*; c. vestibuli [TA].

c. vestibuli [TA]. =vestibular c.

ca·na·lis, pl. **ca·na·les** (ka-nā′lis, -lēz) [L.][TA]. 管. =canal.

c. adductorius [TA]. 内転筋管. =adductor *canal*.

canales alveolares corporis maxillae [TA]. 〔上顎骨の〕歯槽管. =alveolar *canals* of maxilla.

c. analis [TA]. 肛門管. =anal *canal*.

c. arteriae vertebralis [TA]. =*canal* for vertebral artery.

c. caroticus [TA]. 頸動脈管. =carotid *canal*.

c. carpi [TA]. 手根管. =carpal *tunnel*.

c. centralis medullae spinalis [TA]. =central *canal* of spinal cord.

c. cervicis uteri [TA]. 子宮頸管. =cervical *canal*.

c. condylaris [TA]. 顆管. =condylar *canal*.

canales diploici [TA]. 板間管. =diploic *canals*.

c. femoralis [TA]. 大腿管. =femoral *canal*.

c. gastricus [TA]. =gastric *canal*.

c. hyaloideus [TA]. 硝子体管. =hyaloid *canal*.

c. hypoglossalis 舌下神経管. =hypoglossal *canal*.

canales incisivi [TA]. = incisive *canals*.

c. infraorbitalis [TA]. 眼窩下管. =infraorbital *canal*.

c. inguinalis [TA]. 鼡径管. =inguinal *canal*.

canales longitudinales modioli [TA]. 蝸牛軸縦管. = longitudinal *canals* of modiolus.

c. mandibulae [TA]. 下顎管. =mandibular *canal*.

c. musculotubarius [TA]. 筋耳管管. =musculotubal *canal*.

c. nasolacrimalis [TA]. 鼻涙管. =nasolacrimal *canal*.

c. nervi facialis [TA]. =facial *canal*.

c. nervi hypoglossi [TA]. =hypoglossal *canal*.

c. nervi petrosi superficialis minoris =*hiatus* for lesser petrosal nerve.

c. nutricius, canales nutriens [TA]. 栄養管. =nutrient *canal*.

c. obturatorius [TA]. 閉鎖管. =obturator *canal*.

c. opticus [TA]. 視神経管. =optic *canal*.

canales palatini minores [TA]. 小口蓋管. =lesser palatine *canals*.

c. palatinus major [TA]. 大口蓋管. =greater palatine *canal*.

c. palatovaginalis [TA]. 口蓋骨鞘突管. =palatovaginal

C

canal.

c. pterygoideus [TA]．翼突管．＝pterygoid *canal.*

c. pudendalis [TA]．陰部神経管．＝pudendal *canal.*

c. pyloricus [TA]．幽門管．＝pyloric *canal.*

c. radicis dentis [TA]．歯根管．＝root *canal* of tooth.

c. reuniens ＝*ductus* reuniens.

c. sacralis [TA]．仙骨管．＝sacral *canal.*

c. semicircularis anterior [TA]．前半規管（→semicircular *canals* (of bony labyrinth)）．

c. semicircularis lateralis [TA]．外側半規管（→semicircular *canals* (of bony labyrinth)）．

canales semicircularis ossei [TA]．骨半規管．＝semicircular *canals* (of bony labyrinth).

canales semicircularis posterior 後半規管（→semicircular *canals* (of bony labyrinth)）．

c. spiralis cochleae [TA]．蝸牛ラセン管．＝spiral *canal* of cochlea.

c. spiralis modioli [TA]．蝸牛軸ラセン管．＝spiral *canal* of modiolus.

c. ulnaris [TA]．＝ulnar *canal.*

c. umbilicalis ＝umbilical *ring.*

c. vertebralis [TA]．脊柱管．＝vertebral *canal.*

c. vomerorostralis [TA]．鋤骨吻管．＝vomerorostral *canal.*

c. vomerovaginalis [TA]．鋤骨鞘突管．＝vomerovaginal *canal.*

canalithiasis (kan-ă-li-thēʹă-sis). 管結石症．＝benign paroxysmal positional *vertigo.*

can·a·li·za·tion (kanʹăl-ī-zāʹshŭn). 促通，疎通，下水道（あらゆる組織における管あるいは溝の形成）．

Can·a·van (kanʹă-van), Myrtelle M. 米国人病理学者，1879—1953. →C. *disease, sclerosis*; C.-van Bogaert-Bertrand *disease.*

can·av·a·nase (kan-avʹă-nās). カナバナーゼ．＝arginase.

can·a·van·ine (kanʹă-vanʹīn) [*Canavalia* + -ine]．カナバニン；2-amino-4-guanidinohydroxybutyric acid（ある種のマメで発見されたアルギニン類似体．アルギニン依存性代謝系の研究に用いられる．さらに，成長阻害因子としても働く）．

can·cel·lat·ed (kanʹsĕ-lā-ted) [L. *cancello*, to make a lattice work]．＝cancellous.

can·cel·lous (kanʹsĕ-lŭs). 格子状の，網状の（**[**名詞 cancellus と混同しないこと**]**．格子状または海綿状組織の骨についていう）．＝cancellated.

can·cel·lus, pl. **can·cel·li** (kan-selʹŭs, -lī) [L. a grating, lattice]．格子構造（**[**形容詞 cancellous と混同しないこと**]**．海綿骨のような格子状構造）．

can·cer (CA) (kanʹser) [L. a crab, a cancer]．癌，癌腫（**[**canker または chancre と混同しないこと**]**．種々の悪性新生物を表すのによく使われる一般用語．そのほとんどが周囲組織を侵襲し，数か所に転移し，除去してもまた再発しやすく，処置が不十分な場合には患者を死に至らしめる．癌腫も肉腫も含まれるが，通常，特に癌腫に対して用いる）．

betel c. キンマ癌（頰の粘膜の癌で，東インド原住民にみられ，ビンロウジの果実と石灰をキンマの葉で包んだものをかむことから受ける刺激により起こるものと考えられている）．＝buyo cheek c.

buyo cheek c. [フィリピン語 *buyo*, betel]．＝betel c.

chimney sweep's c. 煙突掃除人癌（陰嚢の皮膚に起こる有棘細胞癌．煙突掃除人の職業病である．職業癌の最初の報告である(Percival Pott による)）．

colloid c. 膠様(膠質)癌．＝mucinous *carcinoma.*

conjugal c. 夫婦癌（夫婦に起こる二人癌）．

c. à deux [Fr. *deux*, two]．同棲癌，二人癌（一緒に住んでいる２人が，ほとんど同時か，連続してかかる癌）．

c. en cuirasse [Fr. breastplate]．鎧状癌（胸部の片側または両側の皮膚を広範囲に侵す癌）．

epidermoid c. 類表皮癌．＝epidermoid *carcinoma.*

epithelial c. 上皮癌（上皮から発生する悪性新生物，すなわち癌腫）．

familial c. 家族〔性〕癌（血縁者に集積する癌．まれにメンデルの法則に従って遺伝する．優性遺伝を示すものに網膜芽腫，基底細胞母斑症候群，神経線維腫症，腸ポリポーシス，劣性遺伝を示すものに色素性乾皮症などがある．→cancer *family*）．

glandular c. 腺癌．＝adenocarcinoma.

hereditary nonpolyposis colorectal c. [MIM*114500]．遺伝性非ポリポーシス大腸癌（常染色体優性遺伝の素因を有し，腺腫症を伴わずに大腸癌を若年発症する．大腸にだけ発症する型(Lynch I 型)と，子宮体癌や胃癌などを伴う型(Lynch II 型)がある．DNA ミスマッチ修復を担う数種類の遺伝子の１つに遺伝の原因があり，90％以上の患者で MSH2 または MLH1 の１つに変異がみられる）．

kang c., kangri c. カングリ癌（インド人または中国人の労働者にみられる大腿部または腹部の皮膚癌．熱レンガ炉 kang または火かご kangri の熱による刺激が原因であると考えられている）．＝kangri burn carcinoma.

mouse c. ネズミ癌（ネズミ，特に研究用のある種の〝c 近交系〟に自然発生する種々の型の悪性新生物の総称）．

mule-spinner's c. 紡績工癌（油に接している人の陰嚢および隣接皮膚の癌で，紡績工場の工員にみられる）．

paraffin c. パラフィン癌（パラフィン職人の職業病として生じる皮膚の癌）．

pipe-smoker's c. パイプ喫煙者癌（口唇の扁平上皮癌で，パイプ喫煙者に起こる）．

pitch-worker's c. ピッチ職人癌（顔面，頸部，腕，手，あるいは陰嚢の皮膚癌．自然にはアスファルトとして，あるいはタール乾留の際の残留物として得られるピッチの中に存在する発癌物質にさらされるために起こる）．

scar c. 瘢痕癌．＝scar *carcinoma.*

scar c. of the lungs 肺瘢痕癌（限局した肺実質線維化に密接に関連した肺癌）．

stump c. 残胃癌（良性疾患に対して胃腸吻合術または胃切除術施行後に発生した胃癌）．

telangiectatic c. 毛細管拡張性癌（無数の拡張した毛細管や内皮で裏打ちされた比較的大きな管内に血液の〝たまり〟を有する癌）．

can·cer·o·pho·bi·a (kanʹser-ō-fōʹbē-ă) [cancer + G. *phobos*, fear]．癌恐怖〔症〕（悪性腫瘍発生に対する病的な恐れ）．＝carcinophobia.

can·cer·ous (kanʹser-ŭs). 癌〔性〕の（悪性新生物に関する，またはそのような変化に侵されている）．

can·cra (kangʹkră). cancrum の複数形．

can·cri·form (kangʹkri-fōrm). 癌様の．＝cancroid (1).

can·croid (kangʹkroyd) [cancer + G. *eidos*, resemblance]．*1* 〚adj.〛＝cancriform. *2* 〚n.〛通常みられる癌腫あるいは肉腫より悪性度が低い悪性新生物を表す現在では用いられない語．

can·crum, pl. **can·cra** (kangʹkrŭm, -kră) [Mod. L. < L. *cancer*, crab]．下疳（壊疽性・潰瘍性・炎症性病変）．

c. nasi 壊疽性鼻炎（壊疽性・壊死性・潰瘍性鼻炎で，特に小児にみられる）．

c. oris 水癌．＝noma.

can·de·la (cd) (kanʹde-lă) [L.]．カンデラ（光源の光度の国際単位系(SI)．1 lm/m². 周波数 540×10^{12}Hz の単色光を発し，1/683W/sr^{-1} のその方向の放射強度をもつ光源のその方向の光度のこと）．＝candle.

can·di·cans (kanʹdi-kanz) [L. *candico*, pres. p. *-ans*, to be whitish]．カンジカンス（白体の一種）．

can·di·ci·din (kanʹdi-sīʹdin). カンジシジン（抗真菌性，殺菌性のポリエチレン抗生薬．*Streptomyces griseus* に似た土壌放線菌から得られる．腟カンジダ症の治療に用いる）．

Can·di·da (kanʹdid-ă) [L. *candidus*, dazzling white]．カンジダ属（自然界にみられるイースト状真菌の一属．そのうちの数種は，ヒトの皮膚，糞便，腟や咽頭の組織から分離されるが，唯一の最重要種すなわち鵞口瘡カンジダ *C. albicans* の源は消化管である．以前は *Monilia* 属とよばれた）．

C. albicans カンジダアルビカンス，鵞口瘡カンジダ（通常はヒトの正常消化器微生物叢の一部を占めているが，微生物叢のバランスが崩れたり，宿主の防御能の障害があると，病原性を発揮する．起こってくる病状は，限局性または全身性の皮膚あるいは粘膜感染症から，心内膜炎，敗血症，髄膜炎を含む重症で致命的な全身感染症まで幅が広い）．＝thrush fungus.

C. glabrata ヒトのカンジダ症を起こす真菌の一種．以前

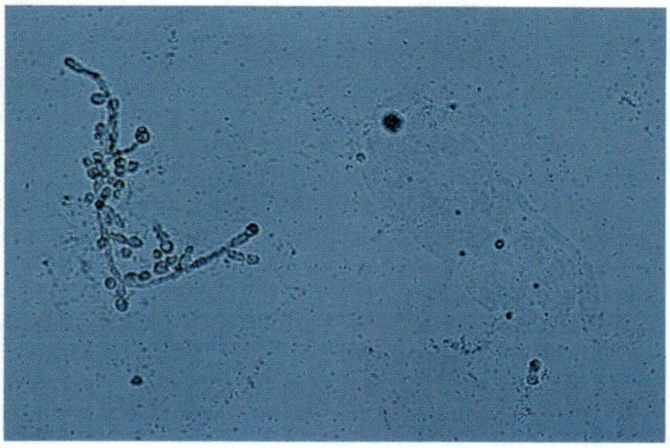

Candida albicans

分枝形成する偽菌糸，分芽胞子，および末端厚膜胞子を示す．

は *Torulopsis glabrata* として分類されていた．

C. krusei フルコナゾール耐性の *Candida*属の種．

C. parapsilosis 病原性は限られている一種で，心内膜炎や爪周囲炎，および外耳炎を起こすことがある．

C. tropicalis ときにカンジダ症に関与することのある種．

can·di·de·mi·a (kan′di-dē′mē-ă) [*Candida* + G. *haima*, blood]. カンジダ血〔症〕(末梢血液中に *Candida*属の細胞が存在すること).

can·di·di·a·sis (kan′di-dī′ă-sis). カンジダ症 (*Candida*属，特に鵞口瘡カンジダ *C. albicans* によって起こる感染あるいは疾患．この疾患は通常，衰弱(免疫抑制および特にエイズによる)，生理学的変調，抗生剤の長期投与，医原的および関門破綻によって起こる). = candidosis; moniliasis.

can·di·do·sis (kan′di-dō′sis). = candidiasis.

can·dle (kan′dĕl). 燭. = candela.

can·dle-me·ter (kan′dĕl-mē′ter). メートル燭. = lux.

can·dle-pow·er (kan′dĕl-pow′er). 燭光. = luminous *intensity.*

Can·i·dae (kan′i-dē) [L. *canis*, dog]. イヌ科 (イヌ，コヨーテ，オオカミ，キツネを含む食肉目の一科).

ca·nine (kā′nīn) [L. *caninus*]. ***1*** 〚adj.〛 イヌの. ***2*** 〚adj.〛 犬歯の. ***3*** 〚n.〛 犬歯. = canine *tooth.* ***4*** 〚adj.〛 尖頭歯の.

ca·ni·ni·form (kā-nī′ni-fōrm). 犬歯状の.

can·is·ter (kan′is-ter). キャニスター，箱，入れ物 (麻酔学において，二酸化炭素吸収装置をいう).

ca·nit·i·es (kă-nish′ē-ēz) [L. < *canus*, hoary, gray]. 白毛〔症〕，しらが，白髪〔症〕(毛髪が灰色になること. →poliosis).

c. circumscripta 限局〔性〕白毛〔症〕. = piebald *eyelash.*

c. poliosis = ectopic *eyelash.*

rapid c. 急激な汎発性白毛 (一夜のうちにあるいは数日中に毛髪が白色化すること．後者は，円形脱毛症で白色毛を残しもっぱら黒色毛が脱落するときなどにみられる).

can·ker (kang′ker) [L. *cancer*, crab, malignant growth]. [cancer または chancre と混同しないこと]. ***1*** イヌ・ネコの外耳炎 (ネコやイヌの外耳および耳管の急性炎症. ⇀aphtha). ***2*** 馬蹄病 (ウマの馬足蹄叉の潰瘍性疾患に似た，しかもより進行した変化．角質蹄叉は一般に白色チーズ状滲出物が下面にみられ，下垂足底全体および蹄壁までが穿掘される).

water c. 水癌. = noma.

can·na·bi·di·ol (kan′ă-bi-dī′ol). カンナビジオール (カンナビノールに関係のあるアサ属 *Cannabis* の成分).

can·nab·i·noids (ka-nab′i-noydz). カンナビノイド (インドアサ *Cannabis sativa* var. *indica* に存在する有機物質で，様々な薬理作用をもつ).

can·na·bi·nol (ka-nab′i-nol). カンナビノール (インドアサ *Cannabis sativa* var. *indica* の雌花の樹脂性滲出物の成分．精神異常発現の作用はないが，マリファナから分離されるテトラヒドロ誘導体はこのような作用を示す).

can·na·bis (kan′ă-bis) [L. < G. *kannabis*, hemp]. アサ(麻)，大麻 (クワ科インドアサ *Cannabis sativa* var. *indica* の花頂部を乾燥したもので，テトラヒドロカンナビノール異性体，カンナビノール，カンナビジオールを含む．大麻製剤(品)は，多幸症，幻覚，嗜眠状態，精神異常発現効果を得るために喫煙または服用される．大麻は，以前は鎮静薬，鎮痛薬として用いられていた．現在は，特に癌化学療法や放射線療法による，医原性の食欲不振の管理に用いる場合に限り利用可能である．marihuana(マリファナ)，marijuana(マリファナ)，pot(ポット)，grass(グラス)，bhang(バング)，charas(チャラス)，ganja(ガンジャ)，weed(ウィード)，herb(ハーブ)など，多くの口語あるいは俗語で知られている).

can·na·bism (kan′ă-bizm). 大麻中毒〔症〕(大麻製剤による中毒).

Can·niz·za·ro (kahn-i-tsah′rō), Stanislao. イタリア人化学者，1826—1910. ⇀C. *reaction*.

Can·non (kan′ŏn), Walter B. 米国人生理学者，1871—1945. ⇀C. *ring*, *theory*; C.-Bard *theory*; Bernard-C. *homeostasis*.

can·nu·la (kan′yū-lă) [L. *canna*(reed)の指小辞]. カニューレ，套管 (管腔に套管針をはめ込み，それと一緒に腔内に挿入することのできる管．挿入後，套管針は抜去し，套管を腔内の液の誘導路または器具の通路として残す).

Hasson c. (has′ŏn). ハッソンカニューレ (腹腔鏡手術の最初の送気用に，盲目的に針で穿刺する代わりに使用される器具．Hasson カニューレの先端は鋭利なトロカールと異なり，鈍になっており，固定のためのバルーンがシース先端についている). = laparoscopic c.

Karman c. (kar′măn). カーマンカニューレ (月経誘発(流産)のために用いられるフレキシブルなプラスチックカニューレ).

laparoscopic c. 腹腔内視鏡下手術用カニューレ. = Hasson c.

perfusion c. 灌流カニューレ (①腔内を洗浄するために用いる二連銃型のカニューレ．一方の管から洗浄液を注入し，他方の管から排液する．②臓器を灌流するために用いる．すなわち，移植術前の準備として提供者の臓器を洗浄するのに用いる).

washout c. ウォッシュアウトカニューレ (動脈から除去することなく洗浄できる管).

can·nu·la·tion, can·nu·li·za·tion (kan-yū-lā′shŭn, -yū-lī-zā′shŭn). カニューレ挿入.

can·thal (kan′thăl). 眼角の.

can·thar·i·dal (kan-thar′i-dăl). カンタリスの (カンタリスに関する，カンタリスを含んでいる).

can·thar·i·des (kan-thar′i-dēz). cantharis の複数形.

can·thar·i·dic ac·id (kan-thar′i-dik as′id). カンタリジン酸 (カンタリスから得られる酸．アルカリと反応して塩(カンタリジン酸塩)を生じる).

can·thar·i·din (kan-thar′i-din). カンタリジン (カンタリスの有効成分，カンタリジン酸の無水物). = cantharis camphor.

can·tha·ris, gen. **can·thar·i·dis,** pl. **can·thar·i·des** (kan′thar-is, kan-thar′i-dis, -dēz) [L. < G. *kantharis*, a beetle]. カンタリス (アオハンミョウ *Lytta* (*Cantharis*) *vesicatoria* という甲虫を乾燥した粉末．反対刺激薬，発泡薬として用いる). = Russian fly; Spanish fly.

can·thec·to·my (kan-thek′tō-mē) [G. *kanthos*, canthus + *ektomē*, excision]. 〔外〕眼角切除〔術〕.

can·thi (kan′thī). canthus の複数形.

can·thi·tis (kan-thī′tis). 眼角炎 (眼角の炎症).

can·thol·y·sis (kan-thol′i-sis) [G. *kanthos*, canthus + *lysis*, loosening]. 眼角〔靱帯〕離断. = canthoplasty.

canthopexy (kan′thō-pek-sē) [canthus + -pexy]. 眼角固定 (外眼角部(外眼角靱帯または支帯)の支持構造を短縮することで下眼瞼を強化し内反を治療する術式).

can·tho·plas·ty (kan′thō-plas′tē) [G. *kanthos*, canthus + *plassō*, to form]. 眼角形成〔術〕，眥部形成〔術〕(外眼角の構造または位置を変化させるための様々な術式．外傷，疾患による変形の矯正または手術前に行われる．眼瞼板と眼瞼縁との結合を強化または動かすことにより下眼瞼への支持を強固にする. →canthopexy). = cantholysis.

can·thor·rha·phy (kan-thōr′ă-fē) [G. *kanthos*, canthus + *rhaphē*, suture]. 眼角縫合〔術〕(眼角部眼瞼の縫合術. *cf.* tarsorrhaphy).

can·thot·o·my (kan-thot'ō-mē) [G. *kanthos*, canthus + *tomē*, incision]. 眼角切開〔術〕，眥部切開〔術〕(①外眼角を切開することで瞼裂を広くする手術．②眼角の修復のための手術)．

can·thus, pl. **can·thi** (kan'thŭs,-thī) [G. *kanthos*, corner of the eye]. 眼角（[acantha と混同しないこと]）. = angle of eye.

external c. = lateral *angle* of eye.

internal c. = medial *angle* of eye.

lateral c. = lateral *angle* of eye.

medial c. = medial *angle* of eye.

Can·tor (kan'tŏr), Meyer O. 20世紀の米国人医師. →C. *tube*.

CAO conscious 意識，alert 注意，oriented 意図の略．

CaOC cathodal opening *contraction* の略．

CAP (kap). catabolite (gene) activator *protein*; community-acquired *pneumonia* の略．

cap (kap). ***1*** 帽〔子〕，おおい（内部がくぼんだ解剖学的構造で，形態的・機能的におおいの役目をはたす）．***2*** 覆髄，覆罩（生体の歯髄を保護するための物質または構造物）．***3*** キャップ（人工歯冠を用いた自然歯冠部の修復を表す口語）．***4*** 歯の発生における1つのステージ(時期)．***5*** キャップ構造(多くの真核細胞メッセンジャー RNA の 5′ の末端にみられるヌクレオチド構造．7-メチルグアノシンのその 5′-水酸基が，三リン酸基によって DNA によりコードされた最初のヌクレオシドの 5′-水酸基と結合している．通常，$m^7G^{5'}ppp^{5'}N$ と表記される．その N は転写された mRNA のヌクレオシド番号1であり，しばしばそれ自体メチル化されている．転写後に付加される)．***6*** 一群の細胞表面上の凝集蛋白．

acrosomal c. 先体〔帽〕. = acrosome.

apical c. 肺尖帽（胸部 X 線写真の一側あるいは両側の肺尖部の弯曲陰影．胸膜および肺の線維化，または，左側においては大動脈の外傷性破裂からの血液による)．

cervical c. 頸部をおおう避妊用ペッサリー．

chin c. チンキャップ（おとがいに圧力を加え，上方および後方への力を下顎骨に働かせるように考案された口外装置．下顎骨の前方発達を防ぐ)．

cradle c. 新生児頭部皮膚炎，乳痂（新生児頭皮の脂漏性皮膚炎を表す口語．生後 3—4 週にかけて，赤いろう様の鱗屑がみられる)．

dental c.'s 萌出永久歯に付着して残るウマの脱落性臼歯．

duodenal c. 十二指腸球部（十二指腸の始部で，X 線写真や X 線透視検査によってみられる). = duodenal bulb.

enamel c. エナメル冠（歯冠をおおうエナメル質)．

head c. = acrosome.

metanephric c. = metanephric *mass*.

metanephric tissue c. 後腎組織帽. = metanephric *mass*.

phrygian c. フリジア帽（胆嚢造影で，形がフランス革命における自由の帽子に似た，胆嚢の不完全な隔壁あるいはひだ)．

pyloric c. 幽門球（duodenal c. を表す現在では用いられない語)．

cap capsule の略．

ca·pac·i·tance (kă-pas'i-tans). キャパシタンス，静電容量(①物体に蓄えられる単位電位当たりの電荷量．ファラッド，アブファラッドまたはスタットファラッドを単位として表す．②遺伝学では，進化上抑制あるいは維持する能力に関する状態．例えば，熱ショック蛋白90(Hsp90)は，緩衝液として働くことによってある種の遺伝形質について中性条件下では，その遺伝的多様性を蓄積し発現しないように保ってその形質が表出されないようにする．Hsp90 のキャパシタンスが弱体化するとこれらの隠れていた変異体が発現するようになる)．

ca·pac·i·ta·tion (kă-pas'i-tā'shŭn) [L. *capacitas* < *capax*, capable of]. 受精能獲得（精子の頭部表面より糖蛋白被膜が変性あるいは除去される過程．精子形態の変化は伴わない．胎外受精の過程でも生じる．この過程により先体反応が可能となる)．

ca·pac·i·tor (kă-pas'i-ter, -tōr). ***1*** 蓄電器，コンデンサ（電荷を保持するためのもの，装置)．***2*** コンデンサ（緩衝作用や保持したり維持したりする能力をもつ物質や蛋白). = condenser (4).

ca·pac·i·ty (kă-pas'i-tē) [L. *capax*, able to contain < *capio*, to take]. ***1*** 容量（うつわの中に入れることのできる分量. → volume)．***2*** 能力．

buffer c. 緩衝能（特定量の緩衝液において，ある特定の pH 変化をもたらすために必要な水素イオンあるいは水酸イオン量. → buffer *value*)．

carrying c. 扶養能〔力〕，耐用人数（ある地域，国家，あるいは地球が支えることのできる推定人数)．

cranial c. 頭蓋容量（頭蓋の内容積で，頭蓋を満たすのに必要な鋼球，種子，あるいはガラス球の体積の測定により得られる)．

diffusing c. 拡散量，拡散能〔力〕(記号 D．下付き文字で測定部位および薬品種を示す．肺胞気体と肺動脈毛細血液との間の単位平均酸素圧勾配当たり，毎分肺動脈毛細血液によって運ばれる酸素量．単位は mL/min/mmHg．これが拡散量の標準的臨床測定法で用いられる．一酸化炭素，その他の気体にも適用される)．

forced vital c. (**FVC**) 努力肺活量（被検者に可及的急速に呼出させて計測した肺活量．呼気量，呼気速度，呼気時間など関連するデータが他の呼吸機能検査の基礎を形成する．例えばフローボリューム(流量 - 容積)曲線，努力呼気肺活量，努力呼気時間，努力呼気流速など)．

functional residual c. (**FRC**) 機能的残気量（安静呼気後に肺に残る気体の体積．予備呼気量と残気量との合計体積)．= functional residual air.

heat c. 熱容量（系の温度を 1°C 上昇させるのに必要な熱量). = thermal c.

inspiratory c. 深吸気量（安静呼気後に可能な吸気量．一回換気量と予備吸気量との合計). = complementary air.

iron-binding c. (**IBC**) 鉄結合能（血清鉄を結合する血清中にある鉄結合蛋白(トランスフェリン)の鉄結合能)．

maximum breathing c. (**MBC**) 分時最大〔呼吸〕換気量. = maximum voluntary *ventilation*.

oxygen c. 酸素容量（血液の単位容積当たりのヘモグロビンと化学的に結合する酸素の最大量で，通常，ヘモグロビン 1 g 当たり酸素 1.34 mL，あるいは血液 100 mL 当たり酸素 20 mL)．

residual c. = residual *volume*.

respiratory c. 呼吸容量. = vital c.

thermal c. = heat c.

total iron-binding c. (**TIBC**) 総鉄結合能（血清中のトランスフェリン値を測定する間接的な方法．血清サンプルに鉄を添加し，トランスフェリンを飽和させる．過剰の鉄を取り除き，サンプル中の鉄含量を測定する．測定値は，トランスフェリンに結合した鉄の総量を示す．貧血の鑑別診断に役立ち，TIBC の高値は鉄欠乏症でみられ，TIBC の低値は鉄過剰症でみられる)．

total lung c. (**TLC**) 全肺気量，総肺気量（最大吸気量と機能的残気量との合計量．すなわち最大吸気後肺に含まれる空気量．肺活量と残気量の合計にも等しい)．

vital c. (**VC**) 肺活量（最大吸気後に肺から排出される最大空気量). = respiratory c.

cap·ac·tins (kap-ak'tinz). アクチンフィラメントの端をおおう蛋白の一種．

CAPD continuous ambulatory peritoneal *dialysis* の略．

capecitabine (kap-e-sit'ă-bēn). カペシタビン（5 - フルオロウラシルに変換されるプロドラッグ)．

Cap·gras (kăh'grah), Jean Marie Joseph. フランス人精神科医，1873—1950. → C. *phenomenon*, *syndrome*.

cap·il·lar·ec·ta·si·a (kap'i-lar-ek-tā'zē-ă) [capillary + G. *ektasis*, extension]. 毛細〔血〕管拡張〔症〕(まれに用いる語)．

Ca·pil·la·ri·a (kap-i-lā'rē-ă) [L. *capillaris* < *capillus*, hair]. 毛頭虫属，毛細線虫属（双器綱線虫の一属で，糸状の外形が特徴．鞭虫属 *Trichuris* に類する)．

C. hepatica 肝毛頭虫（げっ歯類の肝臓に寄生する種．ときにヒト寄生例が報告される)．

C. philippinensis フィリピン毛頭虫（フィリピン北部の漁師の腸管毛頭虫症の原因に関係があるとされているむち状寄生虫の一種)．

ca·pil·la·ri·a·sis (kap'i-lăr-ī'ă-sis). 毛頭虫症（毛頭虫属 *Capillaria* の感染により起こる寄生虫病)．

intestinal c. 腸〔管〕毛頭虫症（*Capillaria philippinensis*

の感染に起因するスプルー様下痢性疾患で，大部分は小腸粘膜における内部自己感染よりなる．腹痛，水腫，下痢，悪液質，低蛋白血症，低血圧，心不全，および反射低下などの症状が特徴．重症感染では，しばしば電撃性の疾病となり，死に至る）．

cap·il·lar·i·o·mo·tor (kap′i-lār′ē-ō-mō′tŏr). 毛細〔血〕管運動の．

cap·il·lar·i·os·co·py (kap′i-lar′ē-os′kŏ-pē). 毛細管顕微鏡検査〔法〕（顕微鏡の低倍率で，指爪根の皮膚毛細管を見ること）．＝capillaroscopy; microangioscopy.

cap·il·lar·i·tis (kap′i-lar-ī′tis). 毛〔細〕管炎．

cap·il·lar·i·ty (kap′i-lar′i-tē). 毛〔細〕管現象，細管作用（毛細管作用（現象）の結果，細管内または遊離した物質の細孔中の液体上昇）．

cap·il·la·ron (kap′i-lă-ron). キャピラロン，毛細管単位（実質細胞とその毛細血管および従属被膜内の滲出液とからなる解剖学的単位．血流が毛細管で調節されているとの説では，これが水力学的単位として機能していることが理論的基礎となっている）．

cap·il·la·rop·a·thy (kap′i-lă-rop′ă-thē) ［capillary＋G. *pathos*, disease］．毛細〔血〕管症，毛細〔血〕管障害（毛細血管の病気の総称．糖尿病性の血管病変に対してしばしば用いる）．＝microangiopathy.

cap·il·lar·os·co·py (kap′i-lar-os′kō-pē). ＝capillarioscopy.

cap·il·lar·y (kap′i-lār-ē) ［L. *capillaris*, relating to hair］［TA］．***1***〘adj.〙毛状の（毛髪に似た，細い，小さい）．***2***〘n.〙毛細管（例えば，毛細血管および毛細リンパ管）．＝vas capillare［TA］; capillary vessel. ***3***〘adj.〙毛細血管の，毛細リンパ管の．

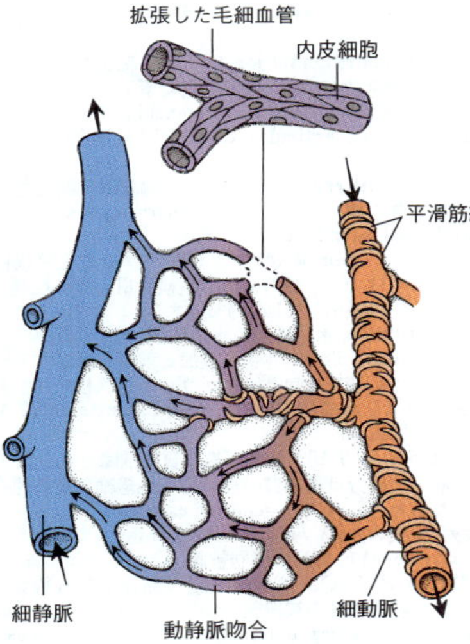

capillary bed

arterial c. 動脈性毛細管（小動脈または後細動脈からの毛細管開通）．

bile c. 毛細胆管．＝biliary *canaliculus*.

blood c. 毛細血管（下付き文字として記号 c を用いる．血管壁は内皮と基底膜からなり，毛細血管が開いたときの直径は約 8 μm．電子顕微鏡を用いると，有窓毛細管と連続毛細管が識別される）．

continuous c. 連続毛細血管，無窓毛細血管（小胞は多数あるが孔がない毛細血管）．

fenestrated c. 有窓毛細血管（腎糸球体，腸絨毛，内分泌腺に見出される毛細管．種々の大きさの超微細孔が存在する．これらの孔は通常，繊細な隔膜で閉鎖されているが，腎糸球体の毛細管では隔膜はみられない）．

lymph c. 毛細リンパ管（リンパ管系の起始部．極度に扁平で基底膜の発達の貧弱な内皮細胞におおわれ，種々の内径をもつ．→lacteal (2)）．

sinusoidal c. 洞様毛細血管．＝sinusoid.

venous c. 静脈性毛細血管（静脈へ開通している毛細血管）．

ca·pi·ta (kap′i-tă). caput の複数形．

cap·i·tate (kap′i-tāt) ［L. *caput*(*capit*-), head］［TA］．***1***〘n.〙有頭骨（手根骨中最大の骨．遠位列に存在する）．＝os capitatum［TA］; capitate bone; magnum; os magnum. ***2***〘adj.〙頭状の，有頭の．

cap·i·ta·tion (kap′i-tā′shun) ［L.L. *capitatio* < *caput*, head］．人頭支払い，頭割り医療費（医療提供者に対し保険会社やその他の財政機関が受け持ち患者当たり一定の年経費を支払う医療支払い制度．その年経費はすべての医療サービスに対する経費となる）．

cap·i·tel·lum (kap′i-tel′ŭm)［L. *caput*(head) の指小辞］．***1*** 小頭．＝capitulum (1). ***2*** ＝*capitulum* of humerus.

cap·i·to·ped·al (kap′i-tō-ped′ăl) ［L. *caput*, head＋*pes* (*ped*-), foot］．頭足の（頭と足に関する）．

ca·pit·u·la (kă-pit′yū-lă). capitulum の複数形．

ca·pit·u·lar (kă-pit′yū-lăr). 小頭の．

ca·pit·u·lum, pl. **ca·pit·u·la** (kă-pit′yū-lŭm, -lă)［L. *caput*(head)の指小辞］．***1***［TA］．小頭（骨頭の小さいもの，あるいは球関節骨端．→caput）．＝capitellum (1). ***2*** 顎体部（マダニの吸血・探査・感覚・付着用の口部で，その基底支持構造を含む．顎体部を形成する口部の相対的な大きさと形状は，マダニ属の特徴である）．

c. humeri［TA］．＝c. of humerus.

c. of humerus［TA］．上腕骨小頭（上腕骨遠位端外側半の小半球状隆起で橈骨と関節している）．＝c. humeri［TA］; capitellum (2); little head of humerus.

Cap·lan (kap′lăn), Anthony. 英国人医師，1907―1976. →C. *nodules*, *syndrome*.

Cap·no·cy·toph·a·ga (kap′nō-sī-tŏf′a-ga). カプノシトファガ属（グラム陰性で紡錘形を呈する細菌の一属．増殖には二酸化炭素を要求し，滑走運動を行う．ヒトの歯周病と関連している．標準種は *C. ochracea*（以前は *Bacteroides ochracea* とよばれていた））．

C. canimorsus 菌血症，心内膜炎，脳膜炎などの犬咬症による感染症に関連する細菌種．以前は CDC により DF-2（すなわち，発育不良発酵体-2（dysgonic fermenter-2））とよばれていたものである．通常これらの感染症は免疫抑制を受けている患者に起こる．

cap·no·gram (kap′nō-gram)［G. *kapnos*, smoke＋*gramma*, something written］．カプノグラム（呼気中の炭酸ガス含量の連続記録）．

cap·no·graph (kap′nō-graf). カプノグラフ（呼気中の炭酸ガス含量を連続的に記録する器械）．

cap·nom·e·try (kap-nom′ĕ-trē). 炭酸ガス測定（呼気あるいは吸気時の中枢気道の CO_2 測定．呼気終末 CO_2（呼気終末時の CO_2）は臨床的に特に有用である）．

cap·ping (kap′ing). ***1*** 覆髄法．***2*** キャッピング（抗体が結合して架橋した表面抗原が細胞の一端に凝集したもの．細胞によってエンドサイトーシスされる）．

direct pulp c. 直接覆髄法（露出している生活歯髄を保護する方法）．

indirect pulp c. 間接覆髄法（ぞうげ質形成を刺激し，歯髄を保護するために，歯髄（ほとんど露出している）の上の薄いぞうげ質層に水酸化カルシウムの懸濁液を塗布すること）．

tooth c. 歯冠被覆，歯冠補綴．＝crowning.

Capps (kaps), Joseph A. 米国人医師，1872―1964. →C. *reflex*.

cap·rate (kap′rāt). カプリン酸塩またはエステル．

cap·re·o·my·cin sul·fate (kap′rē-ō-mī′sin sŭl′fāt). 硫酸カプレオマイシン（*Streptomyces capreolus* から得られる環状ペプチド抗生物質の硫酸塩）．

n-**cap·ric ac·id** (kap′rik as′id). *n*-カプリン酸（ヤギ，ウシの乳中の脂肪，あるいは他の物質の加水分解生成物中にみられる脂肪酸．*cf*. *n*-caproic acid; caprylic acid）．＝*n*-decanoic acid.

ca·pril·o·quism (kă-pril′ō-kwizm) ［L. *caper*, goat＋

loquor, to speak]．ヤギ声．＝egophony.

cap·rin (kap′rin)．カプリン（バター中にあり，バターの香りの源となる物質の1つ．*n*–カプリン酸のグリセルエステル）．＝decanoin; glyceryl tricaprate.

cap·rine (kap′rin) [L. *caprinus*, of goat]．ヤギの．

Cap·ri·pox·vi·rus (kap′ri-poks-vī′rŭs) [L. *capra*, she-goat + virus]．カプリポックスウイルス属（ポックスウイルス科の属で，羊痘ウイルスおよびヤギ痘ウイルスを含む）．

cap·ri·zant (kap′ri-zant) [Fr. leaping < L. *caper*, goat]．ヤギ跳ね様の（脈拍の形態を示す）．

cap·ro·ate (kap′rō-āt)．***1*** *n*–カプロン酸塩またはエステル．***2*** hexanoate, $CH_3(CH_2)_4COO^-$ の USAN 承認の短縮名．

***n*-cap·ro·ic ac·id** (kap-rō′ik as′id)．*n*–カプロン酸（バター，ココナッツオイルなどの脂肪の加水分解生成物にみられる脂肪酸）．＝*n*-hexanoic acid.

cap·ro·yl (kap′rō-il)．カプロイル（カプロン酸を構成するアシル基）．＝hexanoyl.

cap·ro·y·late (kap′rō-i-lāt)．カプロン酸塩またはエステル．＝hexanoate.

cap·ry·late (kap′ri-lāt)．カプリル酸塩またはエステル．＝octanoate.

cap·ryl·ic ac·id (kap-ril′ik as′id)．カプリル酸（バター，ココナッツオイルなどの脂肪の加水分解生成物にみられる脂肪酸）．＝octanoic acid.

cap·sa·i·cin (kap-sā′i-sin)．カプサイシン（トウガラシ属 *Capsicum* の多くの種の果実のアルカロイド成分．トウガラシと同じ用途で用いられる．知覚神経終末からサブスタンスPを枯渇させる．帯状疱疹後神経痛の痛みに用いることもある）．

cap·si·cin (kap′sī-sin)．カプシシン（トウガラシの活性成分を含有する黄色がかった赤色の精油樹脂）．

cap·si·cum (kap′si-kŭm)．トウガラシ（ナス科シマトウガラシ，キダチトウガラシ *Capsicum frutescens* の熟した果実を乾燥させたもの．駆風薬，胃腸刺激薬，外用としては引赤薬．別名 cayenne pepper, African pepper, African red pepper）．

cap·sid (kap′sid)．カプシド，キャプシド（ウイルスの蛋白殻．→virion）．

cap·so·mer, cap·so·mere (kap′sō-mēr)．カプソマー（ウイルス粒子の蛋白殻すなわちカプシドの構成単位(サブユニット)．→hexon; penton; virion）．

cap·su·la, gen. & pl. **cap·su·lae** (kap′sū-lă, -lē) [L. *capsa*(a chest or box)の指小辞] [TA]．被膜，包，嚢．＝capsule (1).

c. adiposa perirenalis [TA]．＝paranephric *fat.*

c. adiposa renis 腎臓の脂肪被膜．＝paranephric *fat.*

c. articularis [TA]．関節包，関節嚢．＝joint *capsule.*

c. articularis cricoarytenoidea [TA]．輪状披裂関節包．＝*capsule* of cricoarytenoid joint.

c. articularis cricothyroidea [TA]．輪状甲状関節包．＝*capsule* of cricothyroid joint.

c. bulbi 眼球被膜．＝fascial *sheath* of eyeball.

c. cordis 心膜，心嚢．＝pericardium.

c. externa [TA]．外包．＝external *capsule.*

c. extrema [TA]．極包．＝extreme *capsule.*

c. fibrosa [TA]．線維性被膜．＝fibrous *capsule.*

c. fibrosa glandulae thyroideae [TA]．＝fibrous *capsule* of thyroid gland.

c. fibrosa perivascularis hepatis [TA]．＝perivascular fibrous *capsule* of liver.

c. fibrosa renis [TA]．＝fibrous *capsule* of kidney.

c. glomeruli 糸球体嚢．＝glomerular *capsule.*

c. interna [TA]．内包．＝internal *capsule.*

c. lentis [TA]．水晶体包，水晶体嚢．＝*capsule* of lens.

c. lienis* [TA]．脾被膜（fibrous *capsule* of spleen の公式の別名）．

c. splenica [TA]．＝fibrous *capsule* of spleen.

c. vasculosa lentis 水晶体結管膜（胎児の水晶体をおおっている血管間葉被膜．被膜の深在の血管は，硝子体動脈の分枝であり，表面近くの血管は，前毛様体動脈から派生している．正常では，すべての血管は胎生8か月の末までに萎縮する）．

cap·su·lar (kap′sū-lăr)．被膜の，包の，嚢の．

cap·su·la·tion (kap′sū-lā′shŭn)．カプセル化（カプセルの中に封入すること）．

cap·sule (cap) (kap′sūl) [L. *capsula*, *capsa*(box)の指小辞]．***1*** [TA]．包（器官，関節などを包む膜状の解剖学的構造物で，通常，緻密で不規則な配列の膠原線維性結合組織からなり，カプセル状を呈するもの）．＝capsula [TA]．***2*** 被膜（臓器や腫瘍，特に良性腫瘍を包む線維組織層）．***3*** カプセル（固形の剤形．薬物を適当な形のゼラチンの硬性または軟性の可溶性容器，すなわち〝殻〟に入れたもの）．***4*** 莢膜（真菌あるいは細菌細胞の周囲に存在する透明な多糖類の被膜．細胞周囲をポリペプチド被膜あるいは粘液層でおおわれた細菌もある）．

adipose c. 〔腎臓の〕脂肪被膜．＝paranephric *fat.*

articular c.* 関節包（joint c. の公式の別名）．

atrabiliary c. ＝suprarenal *gland.*

auditory c. 耳嚢．＝otic c.

bacterial c. 細菌莢膜（ゆるく結合した被膜をもつある種の細菌の表面をおおっている多種多様な組成の粘液層．病原菌で莢膜を有する細胞は，通常，莢膜のない細胞より病毒力が強い．莢膜を有する細胞は食細胞作用に対する抵抗性が強いからである）．

Bonnet c. (bō-nā′)．ボネー嚢（眼球鞘の前部）．

Bowman c. (bō′măn)．ボーマン嚢．＝glomerular c.

brood c.'s 育〔児〕嚢（包虫の内膜からの小さな中空突起．ここから頭節が発生する）．

cartilage c. 軟骨包，軟骨小嚢，軟骨被膜（硝子軟骨において軟骨小腔を囲む基質領域．グルコサミノグリカンやプロテオグリカンを豊富に含むため，強塩基性かつ異染色性を呈する）．＝territorial matrix.

cricoarytenoid articular c. 輪状披裂関節包．＝c. of cricoarytenoid joint.

c. of cricoarytenoid joint [TA]．輪状披裂関節包（披裂軟骨と輪状軟骨の間の関節を包む嚢）．＝capsula articularis cricoarytenoidea [TA]; cricoarytenoid articular c.

cricothyroid articular c. 輪状甲状関節包．＝c. of cricothyroid joint.

c. of cricothyroid joint [TA]．輪状甲状関節包（輪状甲状関節を包む嚢）．＝capsula articularis cricothyroidea [TA]; cricothyroid articular c.

Crosby c. (kroz′bē)．クロズビーカプセル（可撓性の管の端に取り付けて，小腸の経口的生検に用いる．粘膜の小片をカプセル内に吸引して切除する）．

crystalline c. 水晶体包，水晶体嚢．＝c. of lens.

external c. [TA]．外包（被殻と前障を分離する白質の薄層．被殻の両端で内包とつながり，レンズ核の外側をおおう白質の被膜を形成している）．＝capsula externa [TA]; periclaustral lamina.

extreme c. [TA]．極包（島皮質と前障とを分離する薄い白質層．大部分は島皮質の皮質求心性線維と皮質遠心性線維からなると思われる）．＝capsula extrema [TA].

eye c. 眼球被膜．＝fascial *sheath* of eyeball.

fatty renal c. 腎臓の脂肪被膜．＝paranephric *fat.*

fibrous c. [TA]．線維性被膜（部分を包む線維性の鞘．器官を包む線維性の被覆膜．→fibrous *layer*）．＝stratum fibrosum [TA]; tunica fibrosa [TA]; capsula fibrosa [TA]; stratum fibrosum capsulae articularis*.

fibrous articular c. 〔関節包の〕線維膜．＝fibrous *layer* of joint capsule.

fibrous c. of kidney [TA]．腎被膜（腎臓全体を包む線維性の膜）．＝capsula fibrosa renis [TA]; tunica fibrosa renis.

fibrous c. of liver [TA]．〔肝臓〕線維膜（肝臓の外表面を取り囲み，肝臓の脈管周囲被膜と連続する結合組織性の膜．肝臓内の動脈・静脈・胆管とその枝を取り囲む．動物(例えばブタ)によってはこの続きが中隔となって分葉を形成する）．＝tunica fibrosa hepatis [TA]; Glisson c.

fibrous c. of parotid gland ＝parotid *fascia.*

fibrous c. of spleen [TA]．脾臓の線維膜（脾臓の線維被膜．膠原線維，弾性線維，平滑筋を有する）．＝capsula splenica [TA]; capsula lienis* [TA]; tunica fibrosa splenica*; tunica fibrosa lienis; tunica propria lienis.

fibrous c. of thyroid gland [TA]. 甲状腺の被膜(甲状腺の線維性の鞘). =capsula fibrosa glandulae thyroideae [TA].

Gerota c. (gā-rō′tah). ジェロータ被膜. =renal *fascia.*

Glisson c. (glis′ŏn). グリソン鞘. =fibrous c. of liver.

glomerular c. [TA]. 糸球体嚢(ネフロンのふくらんだ起始部. 臓側は, 毛細血管網の塊すなわち糸球体を取り囲む足細胞からなる. 壁側は単層鱗状上皮からなり, 尿細管極で立方上皮に移行する). =Bowman c.; capsula glomeruli; malpighian c. (1); Müller c.

internal c. [TA]. 内包(内側の尾状核および視床と, 外側のレンズ核(淡蒼球と被殻)とを隔てている白質層(厚さ 8—10mm). 2群の投射線維群で構成され, 視覚, 聴覚, 体性感覚放線などを含む視床から大脳皮質への上行線維と, 大脳皮質から視床, 視床腹側部, 中脳および脊髄へ向かう下行線維とが区別される. 内包は, 大脳皮質と脳幹・脊髄を結ぶ主要連絡路である. 外側上方は大脳半球白質の大部分をなす放線冠に続き, 内側下方は細くなって大脳脚(皮質脊髄路線維などを含む)へと至る. 横断面(水平断面)では外側に開くV字形を示し, Vの角部を膝, 前後の肢部をそれぞれ前脚, 後脚という. 内包は, (内包)前脚, (内包)膝, (内包)後脚, レンズ核後部, レンズ核下部の各部に区分される). =capsula interna [TA].

joint c. [TA]. 関節包, 関節嚢(関節をなしている骨端を包んでいる袋状構造で, 外層の線維層と内層の滑膜からなる). =capsula articularis [TA]; articular c.☆.

lens c. 水晶体包, 水晶体嚢. =c. of lens.

c. of lens [TA]. 水晶体包, 水晶体被膜, 水晶体嚢(眼の水晶体を包んでいる被膜で, 小帯線維と連結する). =capsula lentis [TA]; crystalline c.; lens c.; lenticular c.; phacocyst.

lenticular c. 水晶体包, 水晶体嚢. =c. of lens.

malpighian c. ***1*** マルピーギ嚢. =glomerular c. ***2*** マルピーギ被膜(脾臓を包む薄い線維性被膜で, 脾門にはいる血管も包んでいる).

Müller c. (mūl′ĕr). ミュラー嚢. =glomerular c.

nasal c. 鼻胞(発生途上の胎児の鼻腔を囲む軟骨).

optic c. 視嚢(発育中の眼杯周囲の間葉の集中帯. 眼の強膜の原基).

otic c. 耳嚢(内耳構造を囲む軟骨嚢. 板鰓類では, 成体でも軟骨性のままであるが, 高等脊椎動物の胚では, 最初軟骨性であるが後に骨性となる(ヒトでは約 23 週間)). =auditory c.

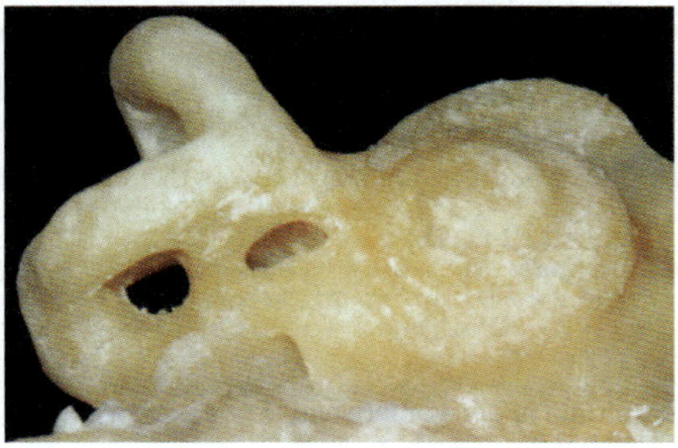

otic capsule
側頭骨錐体部から摘出.

perirenal fat c. 腎傍脂肪体. =paranephric *fat.*

perivascular fibrous c. of liver [TA]. 血管周囲線維鞘(肝臓の線維被膜が肝門から内部に続いたもので, 肝内の肝三つ組(肝動脈, 門脈, 胆管)を包む). =capsula fibrosa perivascularis hepatis [TA].

radiotelemetering c. ラジオテレメータ用カプセル(体内からのラジオインパルスによる測定値を伝達する機器. 例えば, 小腸からの圧力の測定値). =radiopill.

seminal c. 精嚢. =seminal *gland.*

Tenon c. (tĕ-non′). トノン(テノン)嚢. =fascial *sheath* of eyeball.

cap·sul·ec·to·my (kap′sū-lek′tō-mē). 被膜切除〔術〕(通常人工的インプラントの周りにできる平滑な瘢痕, すなわち被膜の切除).

cap·su·li·tis (kap′sū-lī′tis). 被膜炎, 包炎(肝臓や水晶体, あるいは関節周囲のような1つの器官または組織の被膜の炎症).

adhesive c. 癒着性関節包炎(関節包の炎症性肥厚により関節の運動制限をきたした状態で, 肩関節拘縮の原因のなかで最も多いものである). =frozen shoulder.

hepatic c. 肝被膜炎. =perihepatitis.

cap·su·lo·len·tic·u·lar (kap′sū-lō-len-tik′yū-lăr). 水晶体包の, 水晶体嚢の.

cap·su·lo·plas·ty (kap′sū-lō-plas′tē) [L. *capsula*, capsule + G. *plastos*, formed]. 関節包形成術(被膜, 特に関節包の再形成).

cap·su·lor·rha·phy (kap′sū-lōr′ă-fē) [L. *capsula*, capsule + *rhaphē*, suture]. 嚢縫合〔術〕, 包縫合〔術〕(被膜の裂傷の修復または外科的な切開, 特に関節脱臼の再発防止のために関節嚢を縫合すること).

cap·su·lor·rhex·is (kap′sū-lō-reks′sis) [L. *capsula*, capsule + G. *rhēxis*, rupture]. 〔水晶体〕破嚢〔術〕(白内障手術において水晶体前嚢を連続した円形に切開する手技. 註 continuous curvilinear capsulorrhoxis (C.C.C.)(連続円形破嚢術)は capsulorrhexis の一方法).

cap·su·lo·tome (kap′sū-lō-tōm). 切嚢刀. =cystotome (2).

cap·su·lot·o·my (kap′sū-lot′ō-mē) [L. *capsula*, capsule + G. *tomē*, a cutting]. 嚢切開〔術〕, 包切開〔術〕(①乳房インプラントの周囲の, あるいは異物周囲に形成される瘢痕組織の被膜を切開すること. ②包や被膜を通して開口をつくること. しばしば関節への入口を得るために行われる. ③水晶体嚢外摘出術を行う場合の水晶体嚢の切開).

renal c. 腎切開〔術〕(腎臓の嚢の切開).

cap·ture (kap′chūr) [L. *capio*, pp. *-tus*, to take, seize]. 捕捉, 捕獲(別の場所で発生した粒子や電気的興奮をつかまえ保持すること).

atrial c. 心房捕捉(完全房室ブロック, 房室結節性または心室性の異所性収縮または頻脈のような, 無反応休止期の後の逆行性インパルスによる心房調節).

electron c. 電子捕獲(放射性崩壊の様式. 軌道電子(通常はK殻の電子)が核によって捕獲され, 陽子が中性子に変化し, ニュートリノとガンマ線の放出を伴う. また, K殻に生じた孔に外殻電子が遷移することで, 特性X線も放出される). =K c.

K c. K捕獲. =electron c.

ventricular c. 心室捕捉(心房または房室接合部に発する電気的興奮を心室が捕捉すること).

Ca·pu·ron (ka′pŭ-ron), Joseph. フランス人医師, 1767—1850. →C. *points*.

ca·put, gen. **ca·pi·tis,** pl. **ca·pi·ta** (ka′pŭt, kap′i-tis, kap′ĭ-tă) [L.][TA]. 頭, あたま. =head.

c. angulare quadrati labii superioris 上唇方形筋の口角頭. =levator labii superioris alaeque nasi (*muscle*).

c. articulare [TA]. =articular *head.*

c. breve [TA]. 短頭. =short *head.*

c. breve musculi bicipitis brachii [TA]. =short *head* of biceps brachii.

c. breve musculi bicipitis femoris [TA]. =short *head* of biceps femoris.

c. costae [TA]. 肋骨頭. =*head* of rib.

c. epididymidis [TA]. 精巣上体頭. =*head* of epididymis.

c. femoris [TA]. 大腿骨頭. =*head* of femur.

c. fibulae [TA]. 腓骨頭. =*head* of fibula.

c. humerale [TA]. 上腕頭. =humeral *head.*

c. humerale musculi flexoris carpi ulnaris 尺側手根屈筋の上腕骨頭(→humeral *head*).

c. humerale musculi pronatoris teretis [TA]. 円回内筋の上腕骨頭(→humeral *head*).

c. humeri [TA]. 上腕骨頭. =*head* of humerus.

c. humeroulnare musculi flexoris digitorum superfici-

alis [TA]. =humeroulnar *head* of flexor digitorum superficialis muscle.

c. inferius musculi pterygoidei lateralis [TA]. =lower *head* of lateral pterygoid (muscle).

c. infraorbitale quadrati labii superioris =levator labii superioris (*muscle*).

c. laterale [TA]. 外側頭. =lateral *head.*

c. laterale musculi flexoris hallucis brevis [TA]. =lateral *head* of flexor hallucis brevis muscle.

c. laterale musculi gastrocnemii [TA]. 腓腹筋の外側頭 (→lateral *head*).

c. laterale musculi tricipitis brachii [TA]. 上腕三頭筋の外側頭 (→lateral *head*).

c. longum [TA]. 長頭. =long *head.*

c. longum musculi bicipitis brachii [TA]. 上腕二頭筋の長頭 (→long *head*).

c. longum musculi bicipitis femoris [TA]. 大腿二頭筋の長頭 (→long *head*).

c. longum musculi tricipitis brachii [TA]. 上腕三頭筋の長頭 (→long *head*).

c. mallei [TA]. つち骨頭. =*head* of malleus.

c. mandibulae [TA]. 下顎頭. =*head* of mandible.

c. mediale [TA]. 内側頭. =medial *head.*

c. mediale musculi flexoris hallucis brevis [TA]. →medial *head.* =medial *head* of flexor hallucis brevis.

c. mediale musculi gastrocnemii [TA]. 腓腹筋の内側頭 (→medial *head*).

c. mediale musculi tricipitis brachii [TA]. 上腕三頭筋の内側頭 (→medial *head*).

c. medusae [*Medusa*, ギリシア神話上の人物]. メズサ〔の〕頭 (①臍から放射状に出る拡張蛇行静脈. Cruveilhier-Baumgarten 症候群にみられる. ②虹彩ルベオーシスにおいて, 角膜輪郭を取り巻く怒張した毛様体動脈). =Medusa head.

c. nuclei caudati [TA]. 尾状核頭. =*head* of caudate nucleus.

c. obliquum [TA]. 斜頭. =oblique *head.*

c. obliquum musculi adductoris hallucis [TA]. 母趾内転筋の斜頭 (→oblique *head*).

c. obliquum musculi adductoris pollicis [TA]. 母指内転筋の斜頭 (→oblique *head*).

c. ossis femoris 大腿骨頭. =*head* of femur.

c. ossis metacarpali [TA]. 中手骨頭. =*head* of metacarpal.

c. ossis metatarsi [TA]. 中足骨頭. =*head* of metatarsal.

c. pancreatis [TA]. 膵頭. =*head* of pancreas.

c. phalangis (manus et pedis) [TA]. 〔手または足の〕指節骨頭. =*head* of phalanx (of hand or foot).

c. profundum musculi flexoris pollicis brevis [TA]. =deep *head* of flexor pollicis brevis.

c. profundum musculi tricipitis brachii* medial *head* of triceps brachii (muscle) の公式の別名. →medial *head.*

c. quadratum 四角頭 (頭頂隆起や前頭隆起が肥厚したために生じる大きな四角形をした頭. くる病の小児にみられる).

c. radiale musculi flexoris digitorum superficialis [TA]. =radial *head* of flexor digitorum superficialis (muscle).

c. radii [TA]. 橈骨頭. =*head* of radius.

c. rectum musculi rectus femoris [TA]. =straight *head* of rectus femoris (muscle).

c. reflexum musculi rectus femoris [TA]. =reflected *head* of rectus femoris (muscle).

c. stapedis [TA]. あぶみ骨頭. =*head* of stapes.

c. succedaneum 産瘤 ([公式のやりとりでは, caput succedaneum という特別な意味を表すのに, 単語 caput のみを使うのを避けること]. 浮腫状の腫脹で, 出生時に新生児の児頭先進部にできる. 滲出液は骨膜上に貯留する. 漿液ではなく血液が骨膜下にたまった頭血腫 cephalhematoma とは異なる).

c. superficiale musculi flexoris pollicis brevis [TA]. =superficial *head* of flexor pollicis brevis.

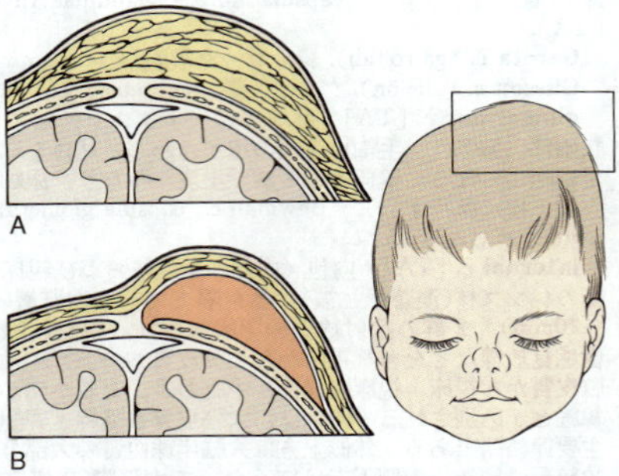

caput succedaneum (A) and cephalhematoma (B)

産瘤は頭蓋骨と頭皮の間の浮腫であり, 縫合線を越えて広がる. 頭血腫は骨膜下の出血であり, 縫合線を越えて広がることはない.

c. superius musculi pterygoideus lateralis [TA]. =upper *head* of lateral pterygoid muscle.

c. tali [TA]. 距骨頭. =*head* of talus.

c. transversum [TA]. 横頭. =transverse *head.*

c. transversum musculi adductoris hallucis [TA]. 母趾内転筋の横頭 (→transverse *head*).

c. transversum musculi adductoris pollicis [TA]. 母指内転筋の横頭 (→transverse *head*).

c. ulnae [TA]. 尺骨頭. =*head* of ulna.

c. ulnare [TA]. 尺骨頭. =ulnar *head.*

c. ulnare musculi extensoris carpi ulnaris [TA]→ulnar *head.* =ulnar *head* of extensor carpi ulnaris (muscle).

c. ulnare musculi flexoris carpi ulnaris 尺側手根屈筋の尺骨頭 (→ulnar *head*).

c. ulnare musculi pronatoris teretis [TA]. 円回内筋の尺骨頭 (→ulnar *head*).

c. zygomaticum quadrati labii superioris 上唇方形筋の頬骨頭. =zygomaticus minor (*muscle*).

CAR cancer-associated *retinopathy* の略.

Ca·ra·bel·li (kah-ră-bel′ē), Georg (Edler von Lunkaszprie). オーストリア人歯科医, 1787—1842. →*cusp* of C.; C. *tubercle.*

car·a·mel (kar′ă-mel) [Sp. < L. L. *calamellus* < L. *calamus*, reed]. カラメル (砂糖をアルカリとともに加熱することにより得られる物質の濃縮液. 濃厚な黒褐色の液体. 製剤上, 食物, 着色剤および着香料として用いる).

ca·ra·te (kă-rah′tē). カラテ. =pinta.

carb-, carbo- (karb, kar′bō) [L. *carbo*, charcoal]. 炭素を含有することを示す接頭語. 特に炭素原子を含む基がついていることを示す接頭語.

car·ba·mate (kar′bă-māt). =carbamoate. ***1***カルバミン酸塩またはエステル. ウレタン催眠薬の基剤となる. ***2***有機リン酸塩, カルバリルと類似したコリンエステラーゼを阻害する殺虫薬の一群.

c. kinase カルバメートキナーゼ (カルバモイルリン酸と ADP が ATP, NH_3, CO_2 を生成する反応を触媒するホスホトランスフェラーゼ).

car·bam·ic ac·id (kar-bam′ik as′id). カルバミン酸 ; NH_2-COOH (カルバミン酸塩を生成するといわれる仮説上の酸. アシル基はカルバモイルである).

car·bam·ide (kar′bă-mīd). カルバミド (urea を表す現在では用いられない語).

car·bam·i·no·he·mo·glo·bin (kar-bam′i-nō-hē′mō-glō′-bin). カルバミノヘモグロビン, カルバミノ血色素 (ヘモグロビンの活性アミノ基によって炭酸ガスがヘモグロビンに結合したもの. すなわち Hb-NHCOOH. 血中炭酸ガスの約20% が, この形でヘモグロビンに結合している). =carbhemoglobin; carbohemoglobin.

car·ba·moate (kar′bă-mōt). =carbamate.

car·ba·mo·yl (kar′bă-mō-il). カルバモイル（1価のアシル基 NH_2–CO– で，その転移はある種の生化学的反応で重要な役割を果たす．例えば，尿素サイクルではカルバモイルリン酸を経由する）.
car·ba·mo·yl·as·par·tate de·hy·drase (kar′bă-mō-il-as-par′ tāt dē-hī′dras). カルバモイルアスパルテートデヒドラーゼ. ＝dihydroorotase.
N-**car·ba·mo·yl·as·par·tic acid** (kar′bă-mō-il-as-par′-tik as′id). *N*–カルバモイルアスパラギン酸. ＝ureidosuccinic acid.
car·ba·mo·yl·a·tion (kar′bă-mō-il-ā′shŭn). カルバモイル化（カルバモイル含有分子(例えばカルバモイルリン酸)からカルバモイル基のアミノ基のようなアクセプター部分への転移．尿素回路の第2段階はカルバモイル化反応である）.
car·ba·mo·yl·car·bam·ic ac·id (kar′bă-mō-il-kar-bam′-ik as′id). カルバモイルカルバミン酸. ＝allophanic acid.
N-**car·ba·mo·yl·glu·ta·mate** (kar′bă-mō-il-glū-ta-māt). *N*–カルバモイルグルタミン酸（尿素サイクルにおいてオルニチンからシトルリンへのカルバモイル化の中間産物．*N*–アセチルグルタミン酸塩合成酵素欠損患者の治療に用いられる）.
car·ba·mo·yl phos·phate (kar′bă-mō-il fos′fāt). カルバモイルリン酸（カルバモイル基を他の受容体分子に転移することのできる活性中間体．尿素サイクルでは，オルニチンからシトルリンを生成し，ピリミジン環形成では，アスパラギン酸からウレイドコハク酸を生成する）.
c. p. synthetase カルバモイルリン酸シンテターゼ（カルバモイルリン酸の生成を触媒するホスホトランスフェラーゼ．2つの重要なアイソザイムが存在する．カルバモイルリン酸シンテターゼIはミトコンドリア内酵素で，2ATP，NH_3，CO_2 および H_2O よりカルバモイルリン酸，2ADP，正リン酸塩を合成する反応を触媒する．*N*–アセチルグルタミン酸や尿素合成系(尿素回路)の中間体によって活性化される．カルバモイルリン酸シンテターゼIの欠損により高アンモニア血症になる．カルバモイルリン酸シンテターゼIIは細胞質内酵素で，生理条件下，NH_3 の代わりに L–グルタミンを窒素源とする(L–グルタミン酸生成)．*N*–アセチルグルタミン酸では活性化されない．ピリミジンの生合成経路に関与する）.
car·ba·mo·yl·trans·fer·as·es (kar′bă-mō-il-trans′fer-ās-ĕz). カルバモイルトランスフェラーゼ（1つの化合物から他の化合物へ、カルバモイル基を転移する酵素の総称(例えば，アスパルテートカルバモイルトランスフェラーゼ，オルニチンカルバモイルトランスフェラーゼ)）. ＝transcarbamoylases.
car·ba·mo·yl·u·re·a (kar′bă-mō-il-yū-rē′ă). カルバモイル尿素. ＝biuret.
car·ba·myl (kar′bă-mil). carbamoyl の旧つづり.
car·ba·myl·a·tion (kar′bă-mil-ā′shŭn). carbamoylation の旧つづり.
carb·an·i·on (karb-an′ī-on). カルバニオン（陰電荷が炭素原子上にある有機アニオン．親化合物の名称に -ide(イド)，-diide(ジイド)を加えて特定な名称をつける．例えば methanide $(CH_3)^-$）.
carbapenem (kahr-bă-pen′em). カルバペネム系抗生物質〔剤〕(細菌の細胞壁合成を阻害する作用をもつ抗生物質群の1つ).
car·ba·pen·ems (kar-bă-pen′emz). カルバペネム類（ペニシリン結合蛋白2に結合し細胞壁構造を障害する殺菌性の広域スペクトル *β*–ラクタム系抗生物質(例えばイミペネム)．*β*–ラクタマーゼに高度耐性で細菌の細胞壁を容易に透過する）.
car·ba·ril (car′bă-ril). カルバリル；1-Naphthalenol methyl carbamate（寄生虫駆除剤として用いるコリンエステラーゼ阻害剤）. ＝carbamate.
car·bar·yl (kar′bă-ril). カルバリル（コリンエステラーゼを阻害する接触性の殺虫薬．シラミやその他の外部寄生虫撲滅薬．ヒトに毒性を示し，悪心，嘔吐，下痢，気管支収縮，霧視，唾液分泌過剰，筋攣縮，チアノーゼ，痙攣，昏睡，呼吸不全などを誘発する）.
car·ba·zides (kar′bă-zīdz). カルバジド；1,3-diaminoureas. ＝carbohydrazides.
car·baz·o·chrome sa·lic·y·late (kar-baz′ō-krōm să-lis′i-lat). サリチル酸カルバゾクロム（毛細血管透過性の増大に伴う毛細血管出血の全身制御に用いるエピネフリンの酸化生成物）.
car·ba·zole (kar′bă-zōl). カルバゾール（炭水化物(ウロン酸，デオキシペントースを含む)と反応し，糖の種類によって特有の色を呈する色素中間体として炭水化物やホルムアルデヒドの測定や分析に用いる．紫外線に感光する）. ＝9-azafluorene; diphenylenimine.
car·ba·zot·ic ac·id (kar-bă-zot′ik as′id). カルバゾチン酸. ＝ picric acid.
car·ben·i·cil·lin (kar-ben-i-sil′in). カルベニシリン（広範囲のグラム陽性菌および陰性菌に対して有効な半合成ペニシリン）.
car·be·ni·um (kar-ben′ē-ŭm). ⇀carbonium.
carb·he·mo·glo·bin (karb′hē-mō-glō′bin). ＝carbaminohemoglobin.
car·bide (kar′bīd). カーバイド，炭化物（炭素より電気的陽性の強い元素を有する炭素化合物．例えば炭化カルシウム CaC_2）.
car·bi·do·pa (kar′bi-dō′pă). カルビドパ（脳に移行しないドパ脱炭酸酵素阻害薬で，パーキンソン病の治療において L–ドパの投与量を減らし，副作用を軽減するためにレボドパと併用される）.
car·bi·nol (kar′bi-nol). カルビノール. ＝methyl *alcohol*.
car·bo (kar′bō) [L. coal]. ＝charcoal.
carbo- ⇀carb-.
car·bo·ben·zoxy- (Z, Cbz) (kar′bō-ben-zok′sē). カルボベンゾキシ. ＝benzyloxycarbonyl.
car·bo·cat·i·on (kar′bō-kat′ī-on). ⇀carbonium.
car·bo·gen (kar′bō-jen) [*carbo*n dioxide + oxy*gen*]. カルボージェン（血管拡張のための吸入療法に用いられる炭酸ガス10％と酸素90％の混合物）.
car·bo·he·mo·glo·bin (kar′bō-hē′mō-glō′bin). カルボヘモグロビン，カルボ血色素. ＝carbaminohemoglobin.
car·bo·hy·drates (CHO) (kar′bō-hī′drāts). 炭水化物，含水炭素，糖質（多価アルコールのアルデヒドまたはケトン誘導体の分類名．これらの化合物のうち最も一般的な単一のものは，$C_m(H_2O)_n$ の一般式をもつのでこの名がある．したがってブドウ糖は $C_6(H_2O)_6$ で表される．しかし，これらは本当の水和物ではなく，その意味では誤った名称である．中には上記のような比較的小さい分子，すなわち単糖(単糖類，二糖類など)はもちろん，デンプン，グリコゲン，セルロースのような巨大分子(重合体の)の化合物も含まれる．最も典型的なものは，その成分元素として炭素，水素，酸素だけを含むが，組織内での炭水化物代謝中間体には，リン酸も含む. ⇀saccharide）.
car·bo·hy·drat·u·ri·a (kar′bō-hī′dră-tyū′rē-ă). 炭水化物尿〔症〕（一種あるいは数種の炭水化物(例えば，ブドウ糖，ガラクトース，乳糖，五炭糖など)が尿中に排泄されることを表す一般用語．したがって本用語は，糖尿病，ガラクトース尿症，乳糖尿症，五炭糖尿症などの状態を包括する）.
car·bo·hy·dra·zides (kar′bō-hī′dră-zīdz). カルボヒドラジド. ＝carbazides.
car·bo·late (kar′bō-lāt). ***1*** 〖n.〗＝phenate. ***2*** 〖v.〗 石炭酸で処理する.
car·bo·lat·ed (kar′bō-lā-ted). ＝phenolated.
car·bol·ic ac·id (kar-bol′ik as′id). 石炭酸. ＝phenol.
β-**carboline** (bā-ta-kahr′ō-lēn). *β*–カルボリン（アミノ酸の L–トリプトファンに化学的に類似したインドールアルカロイド群の1つ．摂取すると幻覚を生じることがある）.
car·bo·lize (kar′bō-līz). 石炭酸で処理する，石炭酸を混和する.
car·bo·lu·ri·a (kar-bō-lyū′rē-ă) [carbolic acid + G. *ouron*, urine]. 石炭酸尿〔症〕（尿中に石炭酸が排泄されること）.
car·bo·mer (kar′bō-mer). カルボマー（多官能化合物と結合しているアクリル酸ポリマー．すなわちポリ(アクリル酸)またはポリアクリル酸塩(エステル)．製剤上，懸濁剤として用いる）.
car·bom·e·try (kar-bom′ĕ-trē). ＝carbonometry.
car·bon (C) (kar′bŏn) [L. *carbo*, coal]. 炭素（四価の非金属元素．原子番号6，原子量12.011．主要生元素．天然に

は，主に 2 つの同位元素 ^{12}C，^{13}C が存在する（^{12}C は 12.00000 の標準原子質量）．人工放射性同位元素の 2 種 ^{11}C，^{14}C が注目されている．炭素の形態は純粋な 3 つの形態（ダイアモンド，黒鉛，フラーレン）と非結晶形態（炭，コークス，煤）と，CO_2として大気中に存在するものがある．炭素の化合物はすべての生体組織中にみられ，その多数の化合物の研究にはほとんどの有機化学が関与する）．

active c. dioxide, activated c. dioxide 活性二酸化炭素（*N*–カルボキシビオチン（ビオチン+二酸化炭素）と酵素の複合体．カルボキシル化反応で二酸化炭素が他の分子に付加される型．ロイシンの異化で，β–メチルグルタコニル CoA 生成のためメチルクロトニル CoA に加えられ，マロニル CoA 生成のためアセチル CoA に加えられる二酸化炭素の形．→ *acetyl-CoA* carboxylase）．

anomeric c. アノマー炭素（糖中の還元状態の炭素．アルドースの C–1, 2–ケトースの C–2）．

c. bisulfide ＝c. disulfide.

c. dioxide (CO_2) 二酸化炭素（酸素の十分な供給下での炭素の燃焼生成物．体積で 99.0％以上の濃度の炭酸ガスを含むもの）．＝carbonic acid gas; carbonic anhydride.

c. dioxide snow 固体炭酸（固体二酸化炭素．いぼ，狼瘡，母斑，他の皮膚疾患の治療，および冷却剤として用いる）．＝dry ice.

c. disulfide (CS_2) 二硫化炭素（特有のエーテル臭がある（不純なものは悪臭を放つ）きわめて引火性の強い（引火点 −30°C），無色で有毒な液体．殺寄生虫薬である）．＝c. bisulfide.

c. monoxide (CO) 一酸化炭素（炭素の不完全燃焼によって形成される無色でほとんど無臭の有毒ガス．毒作用は酸素よりヘモグロビンやシトクロムに対するより強い親和性に基因し，酸素の運搬や組織への運搬や組織での利用を減少させる）．

c. tetrachloride 四塩化炭素（クロロホルムに似た特有のエーテル様のにおいを有する無色流動性液体．清浄液，消火液として用いられ，また，鉤虫に特効を有する駆虫薬として用いられてきた）．＝tetrachloromethane.

car·bon 11 (^{11}C) (kar′bŏn). 炭素 11（陽電子を放出する炭素の放射性同位元素．サイクロトロンで製造され，半減期は 20.3 分．ポジトロン CT（PET，陽電子射出断層撮影）で使用される）．

car·bon 12 (^{12}C) (kar′bŏn). 炭素 12（原子量の基準．天然炭素の 98.90％を占める）．

car·bon 13 (^{13}C) (kar′bŏn). 炭素 13（天然炭素の 1.1％を占める天然同位元素）．

car·bon 14 (^{14}C) (kar′bŏn). 炭素 14（半減期 5,715 年の β 線放出放射性同位元素．種々の代謝機能の研究でトレーサとして用いる．天然に存在する ^{14}C は，宇宙線の衝撃により生成し，天然の含炭素物質を含む遺物の年代を測定するのに用いられる）．

car·bon·ate (kar′bŏn-āt). *1* 炭酸塩．*2* 炭酸イオン；CO_3^{2-}.

c. dehydratase カルボネートデヒドラターゼ．＝carbonic *anhydrase.*

c. hydro-lyase カルボネートヒドロリアーゼ．＝carbonic *anhydrase.*

car·bon·ic (kar-bon′ik). 炭素の，炭酸の（carbonate の項を参照）．

car·bon·ic ac·id (kar-bon′ik as′id). 炭酸；H_2CO_3（酸化水素と二酸化炭素から生成される）．

car·bon·ic an·hy·dride (kar-bon′ik an-hī′drīd). ＝*carbon* dioxide.

car·bon·i·um (kar-bon′ē-ŭm). カルボニウム（炭素原子上に陽電荷，例えば $(CH_3)^+$ がある有機カチオン．現在では，カルボカチオンをそのクラス名として用い，カルベニウムを特定の化合物名として用いることを勧める）．

car·bo·nom·e·ter (kar′bō-nom′ĕ-ter) [L. *carbo*(*carbon-*), coal + G. *metron*, measure]. 炭酸ガス計（現在では用いられない炭酸ガス測定装置）．

car·bo·nom·e·try (kar′bō-nom′ĕ-trē). 炭酸ガス測定〔法〕（現在では用いられない方法で，石灰水により炭酸カルシウムを沈殿させることにより，空気中や呼気中の炭酸ガスの存在，比率を測定する）．＝carbometry.

car·bo·nu·ri·a (kar′bo-nyū′rē-ă). 炭酸尿〔症〕（二酸化炭素あるいは他の炭素化合物が尿中に排泄されることに対してまれに用いる語）．

car·bon·yl (kar′bŏn-il). カルボニル（ケトン，アルデヒド，その他の有機酸に含まれる特徴的な基–C=O–）．

car·bo·plat·in (kar′bō-pla-tin). カルボプラチン（シスプラチンと同様な白金を含有する抗癌剤．骨髄の骨髄成分への毒性はより強いが，悪心，神経・耳・腎臓毒性は少ない．固形腫瘍の化学療法に用いられる）．

car·box·am·ide (kar-boks′am-īd). カルボキサミド（$-CO-NH_2$ の分子構造を有し，関連したカルボキシミド –CO-NH–(iminocarbonyls) とともにバルビツール酸塩，ビダントイン，チアジンなどの多種の催眠薬の成分である）．＝aminocarbonyl.

car·box·im·ide (kar-boks′im-īd). →carboxamide.

carboxy- (kar-boks′ē). CO あるいは CO_2 が付いていることを示す接頭語．

***N*-car·box·y·an·hy·drides** (kar-bok′sē-an-hī′drīdz). *N*–カルボキシ無水物（アミノ酸の複素環式誘導体．ポリペプチドを合成する）．

car·box·y·ca·thep·sin (kar-bok′sē-kă-thep′sin). カルボキシカテプシン．＝peptidyl dipeptidase A.

car·box·y·dis·mu·tase (kar-bok-sē-dis′myū-tās). カルボキシジスムターゼ．＝ribulose-1,5-bisphosphate carboxylase.

4-car·box·y·glu·ta·mate (Gla) (kar-bok′sē-glū-ta-māt). 4–カルボキシグルタミン酸（グルタミン酸のカルボキシル化誘導体．ある種の蛋白に存在する（例えば，プロトロンビン，凝固因子 VII，IX，X，オステオカルシン）．その合成はビタミン K 依存性である）．

car·box·y·he·mo·glo·bin (HbCO) (kar-bok′sē-hē′mō-glō′bin). 一酸化炭素ヘモグロビン，一酸化炭素血色素（一酸化炭素とヘモグロビンのかなり安定した結合体．一酸化炭素ヘモグロビンの生成は，血液循環中の二酸化炭素と酸素の正常な運搬を妨げる．したがって，濃度が高くなると，窒息の種々の段階（死も含めた）が引き起こされる）．＝carbon monoxide hemoglobin; carbonmonoxy myoglobin.

car·box·y·he·mo·glo·bi·ne·mi·a (kar-bok′sē-hē′mō-glō′bi-nē′mē-ă). 一酸化炭素ヘモグロビン血〔症〕，一酸化炭素血色素血〔症〕（一酸化炭素中毒のように，血中に一酸化炭素ヘモグロビンが存在すること）．

car·box·yl (kar-bok′sil). カルボキシル（ある種の有機酸の特徴的な基 –COOH．例えば，HCOOH（ギ酸），CH_3COOH（酢酸），$CH_3CH(NH_2)COOH$（アラニン）．*cf.* carboxylic acid）．

car·box·yl·ase (kar-bok′sil-ās). カルボキシラーゼ（①カルボキシリアーゼの一種．慣用名でカルボキシラーゼまたはデカルボキシラーゼ（EC 4.1.1.x）とよばれるカルボキシル基に関与する酵素群の 1 つ．他の分子の全部あるいは一部への，二酸化炭素の付加を触媒してもう 1 つの –COOH 基を導入する．例えば，ribulose-1,5-bisphosphate carboxylase．②時折 *pyruvate* decarboxylase に対して用いる名称）．

car·box·yl·a·tion (kar-bok′si-lā′shŭn). カルボキシル化（マロニル CoA の生成や光合成のように有機アクセプターに CO_2 を付加して，–COOH 基をつくること．カルボキシラーゼが触媒する）．

car·box·yl·ic ac·id (kar-bok′sil-ik as′id). カルボン酸（カルボキシル基をもつ有機酸．*cf.* carboxyl）．

activated c. a. 活性カルボン酸（カルボキシル基の誘導体．遊離型のカルボキシル基より求核攻撃を受けやすいもの．例えば，酸無水物，塩化アシル，チオエステル）．

car·box·yl·trans·fer·as·es (kar-bok-sil-trans′fer-ās-ez). カルボキシルトランスフェラーゼ（カルボキシル基を 1 つの化合物から別の化合物へと転移させる酵素）．＝transcarboxylases.

car·box·y·meth·yl·cel·lu·lose (kar-bok′sē-meth′il-sel′yū-lōs). カルボキシメチルセルロース（水中でコロイド分散を形成するセルロース誘導体．消化されず，全身循環血中に吸収されない．水を吸収し膨脹性下剤として用いられる．懸濁化剤としても用いられる）．

car·box·y·pep·ti·dase (kar-bok′sē-pep′ti-dās). カルボキシペプチダーゼ（ポリペプチド鎖の遊離 C 末端で，アミノ酸を除去する水解酵素．エキソペプチダーゼ）．

acid c. 酸性カルボキシペプチダーゼ．＝serine c.

serine c. セリンカルボキシペプチダーゼ（蛋白の末端アミノ酸残基に広い特異性をもつカルボキシペプチダーゼ．最適 pH は 4.5—6.0．フルオロリン酸ジイソプロピルで失活する．活性部位にセリン残基を含む）．＝acid c.

car·box·y·pep·ti·dase A (kar-bok′sē-pep′ti-dās)．カルボキシペプチダーゼA（C末端アミノ酸を遊離させる水解酵素．ただし，C末端がアルギニル，リシル，プロリル基は除く．亜鉛含有エキソペプチダーゼ）．

car·box·y·pep·ti·dase B (kar-bok′sē-pep′ti-dās)．カルボキシペプチダーゼB（C末端がリシル，アルギニル基を優先的に遊離させる水解酵素．亜鉛含有エキソペプチダーゼ）．＝protaminase.

car·box·y·pep·ti·dase C (kar-bok′sē-pep′ti-dās)．カルボキシペプチダーゼC（→serine *carboxypeptidase*）．

car·box·y·pep·ti·dase G (kar-bok′sē-pep′ti-dās)．カルボキシペプチダーゼG．＝γ-glutamyl hydrolase.

***N*-car·box·y·u·rea** (kar-bok′sē-yū-rē′ă)．*N*–カルボキシ尿素．＝allophanic acid.

car·bun·cle (kar′bŭng-kil)［L. *carbunculus*, *carbo*(a live coal, a carbuncle)の指小辞］．よう(癰)，カルブンケル（数個の近接する毛包を侵す深在性の化膿性感染症．互いに連続する洞の形成）．

kidney c., renal c. 腎よう(癰)（融合性で多発性の腎実質内膿瘍を表す現在では用いられない語）．

car·bu·ret (kar′bū-ret)．***1***〚n.〛 carbide の古語．***2***〚v.〛炭素と結合させる．***3***〚v.〛気化器(キャブレタ)などで気体に揮発性炭化水素を混入する．

car·cass (kar′kăs)［Fr. *carcasse* ＜ It. *carcassa*］．死体，胴体（死亡した動物の体．人間の食用となる動物のことをいう．皮，頭，尾，四肢，内臓を取り除いた胴体）．

carcino-, carcin- (kar′si-nō, -sin′ō)［G. *karkinos*, crab, cancer］．癌に関する連結形．

carcinocythemia (kar′si-nō-sī-thē′mē-ă)［carcino- ＋ cyt- ＋ hem- ＋ -ia］．カーシノサイセミア，癌血病（循環系に癌細胞が存在すること）．

car·ci·no·em·bry·on·ic (kar′si-nō-em-brē-on′ik)．癌胎児性（c. antigen(癌胎児性抗原)のように，胎児組織に存在する癌に関連した物質に関する）．

car·cin·o·gen (kar-sin′ō-jen, kar′si-nō-jen)［carcino- ＋ G. *-gen*, producing］．発癌物質（多環式芳香族炭化水素，あるいはある種の放射性物質のような癌を生じる物質）．

complete c. 治療を通して取り込まれる癌の促進剤で刺激することなく癌を誘発することのできる化学的発癌物質．

car·ci·no·gen·e·sis (kar′si-nō-jen′ĕ-sis)［carcino- ＋ G. *genesis*, generation］．発癌〔現象〕（癌腫および他の悪性新生物を含む癌の発生）．

field c. フィールド発癌（全領域が発癌しやすいこと．例えば上部消化管と大腸に同時に，あるいは異時性に癌ができることなど）．

car·ci·no·gen·ic (kar′si-nō-jen′ik)．発癌性の．

car·ci·no·gen·i·ci·ty (kar′sin-ō-jen-is′ĭ-tē)．発癌性（癌を発生させる能力）．

car·ci·noid (kar′si-noyd)．→carcinoid *tumor*; carcinoid *syndrome*.

car·ci·no·lyt·ic (kar′si-nō-lit′ik)［carcino- ＋ G. *lytikos*, causing a solution］．癌細胞破壊〔性〕の．

CARCINOMA

car·ci·no·ma (CA), pl. **car·ci·no·mas, car·ci·no·ma·ta** (kar′si-nō′mă, -măz, kar′si-nō′mă-tă)［G. *karkinōma* ＜ *karkinos*, cancer ＋ *-oma*, tumor］．癌〔腫〕（上皮組織から発生する種々の悪性腫瘍．主に腺組織(腺癌)や扁平上皮(扁平上皮癌)から発生し，最も多くは癌(cancer)として発生する）．

他の悪性腫瘍と同様に，癌腫は細胞の制御不能な増殖や無形成性変化(細胞や組織のより初期の未分化な状態への退行)，そして周囲組織に浸潤し，転移により遠隔臓器へ広がる傾向を示す．癌腫は遺伝的な遺伝子異常(癌遺伝子)，自然発生変異，あるいは化学毒物(発癌物質)，放射線照射，ウイルス感染，慢性炎症，または他の外的攻撃により獲得された遺伝子異常の存在する１つの細胞から発生する．癌腫が発生するためには，恐らく，生化学的および遺伝子的障害の複合が生じなくてはならない．ある種の癌腫(例えば，前立腺癌，乳癌)は，部分的にホルモン(アンドロゲン，エストロゲン)の存在に依存して増殖する．癌腫は，組織学的には，浸潤性と無形成性変化(核極性の喪失，細胞(特に扁平上皮細胞)の秩序立った成熟の喪失，細胞の大きさや形の変動，染色質の凝集を伴う核の過染色性，核－細胞形質化の増加など)に基づいて確認される．癌腫は未分化のことがあるし，腫瘍組織が様々の程度で正常上皮の型の１つに類似していることもある．癌腫は全身的(腫瘍随伴性)効果(例えば，高カルシウム血症，血栓性静脈炎)を誘導することができる様々なホルモン類似の物質を分泌することができる．両性において最も頻度の高い癌腫の起源は皮膚である．次に頻度が高いのは，男性では前立腺，女性では乳腺である．しかし，両性で最も致死的な癌腫は気管支原生癌である．

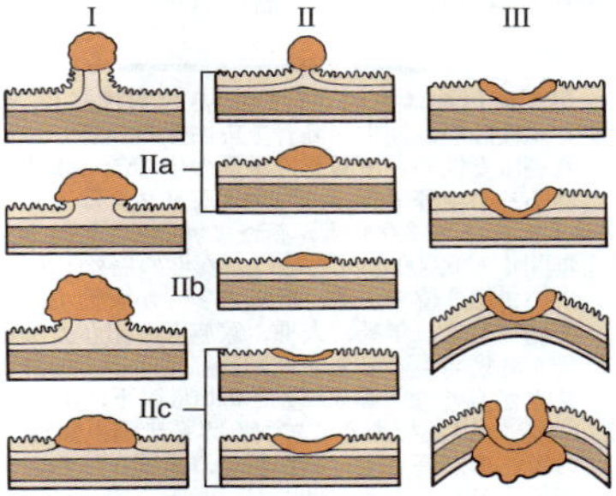

carcinoma

胃癌の発達段階．I型：ポリープ型あるいは茸(キノコ)型．II型：表面型(a：隆起型，b：平坦型，c：陥凹型)．III型：潰瘍型．

acinar c. 小葉癌．＝acinic cell *adenocarcinoma*.

acinic cell c. 小葉癌．＝acinic cell *adenocarcinoma*.

adenoid cystic c. 腺様嚢胞癌（丸い腺様の腔あるいは嚢胞を有する大型の上皮塊を特徴とする癌の一組織型．嚢胞は粘液または膠原質を含んでいることが多く，いくつかの上皮細胞層が，間質に介在することなく境界をなして，スイスチーズのスライスのような篩状型を形成している．腺様嚢胞癌は唾液腺に最も多く発生し，神経周囲組織へ浸潤したり血行性に転移することが多い）．＝cylindromatous c.

adenosquamous c. 腺扁平上皮癌（肺癌の一種で，腺上皮および扁平上皮に明らかに分化した部分と未分化な部分）．

adnexal c. 付属器癌（汗腺あるいは皮脂腺から発生する癌）．

adrenal cortical c. 副腎皮質細胞癌（副腎皮質に発生する癌で，男性化あるいは Cushing 症候群を起こすことがある）．

alveolar cell c. 肺胞細胞癌（腺癌のサブタイプ．終末細気管支の上皮から発生すると思われる癌．腫瘍組織は肺胞壁に沿って浸潤し，肺胞の中で小塊に成長する．肺は均一びまん性に，全体が結節状あるいは小葉性に侵されることもある．顕微鏡的には，腫瘍細胞は立方形か柱状で，乳頭状の構造を形成する．ムチンがいくつかの細胞や剝離細胞を含む肺胞物質内に見出されることもある．局所リンパ節への転移，またさらに遠位部位への転移が起こることが知られているが，それほど多くはない）．＝bronchiolar adenocarcinoma; bronchiolar c.; bronchioloalveolar c.; bronchioloalveolar adenocarcinoma; bronchoalveolar c.

amphicrine c. 同一細胞質内に粘液と神経内分泌顆粒の両

方が存在する，内分泌性と非内分泌性の二重の分化を示す癌．

anaplastic c. 未分化癌，退形成癌（上皮構造への分化がみられない癌）．

anaplastic c. of the thyroid 甲状腺無形成癌（悪性度の高い，まれな甲状腺腫瘍で，紡錘形細胞または巨細胞からなる）．＝undifferentiated c. of the thyroid.

apocrine c. アポクリン癌（①乳房あるいはその他の部位に生じる癌で，主に，細胞質に好酸性顆粒を豊富に含む細胞よりなる．②アポクリン腺の癌）．

basal cell c. 基底細胞癌（発育が遅く浸潤性だが通常転移しない腫瘍．上皮または毛包の基底細胞に似ている．老人，色白の人の日光で障害された皮膚に最もできやすい）．＝basal cell epithelioma.

basaloid c. 類基底細胞癌．＝cloacogenic c.

basal squamous cell c. ＝basosquamous c.

basosquamous c., basisquamous c. 基底有棘細胞癌（皮膚有棘癌の一種．構造および性質が基底細胞癌と有棘細胞癌との移行型と考えられている．本語は，より一般的にみられる角化型の基底細胞癌に対して用いるべきではない．角化型の基底細胞癌の場合，腫瘍細胞は基底細胞型であり，小角化巣あるいは突然の角化がみられるにすぎない）．＝basal squamous cell c.

Bellini duct c. ベリーニ管癌．＝collecting duct c. of the kidney.

---

c. of the breast 乳癌（女性(ときに男性)の乳腺上皮に発生する悪性腫瘍．通常，乳管上皮由来の腺癌）．

乳癌は女性の非皮膚悪性腫瘍の中で最も頻度が高い．女性がその生涯で乳癌に罹患するリスクは8％で，米国では毎年18万2,000人が新たに乳癌の診断を受けている．年間4万6,000の死亡数は，女性の癌死としては肺癌に次いで第2位である．乳癌の多くが女性ホルモン依存性乳癌である．年齢，人種，家族歴，出産歴など多くの因子が乳癌発生のリスクに影響している．加齢とともにリスクが高くなり，30歳で0.1％以下，50歳で約2％，80歳で10％である．アフリカ系米国人女性が最も乳癌の死亡率が高く生存率が低い．米国在住のアジア系女性が最もそれらの率が低いが，米国文化に適応するにつれて発癌率が高くなるという研究がある．乳癌発症のリスクは未経産，35歳以後の初産，若年での初経，高齢での閉経でやや高い．およそ10％の乳癌は遺伝性の遺伝子変異によって生じ，残りは自然発生的な非遺伝性の変異によって生じる(特に *BRCA 1* と *BRCA 2* の変異は，家族性乳癌のおよそ1/3の原因になっている)．185 kD膜蛋白をコードしている癌遺伝子HER-2/neuは，浸潤性乳癌の10—30％，非浸潤性乳癌の40—60％で増幅，過剰発現，あるいはその両方を生じている．癌組織にこの遺伝子を検出する症例は予後不良である(再発，癌死が30％増える)．家族歴に乳癌の集積がみられる女性では，より若い年齢で乳癌を発症する傾向にあり，卵巣癌を含む他の悪性疾患のリスクもある．他の危険因子として喫煙，毎日の飲酒，環境中のラドン被曝，マンモグラフィを含む診断および治療上の放射線被曝，エストロゲン代償療法(プロゲストゲンの併用の有無に関係なく)などがある．大規模な前向き試験では，アスピリンの325 mg錠を1週間に2錠以上内服すれば乳癌のリスクが約20％減少し，イブプロフェンの200 mg錠を1週間に2錠以上内服すればそのリスクが30％減少することが明らかになっている．遺伝した癌遺伝子を同定し得る可能性がでてきたことで，若年乳癌のリスクを有する女性に対する予防的乳房切除には反論が生まれている．エストロゲン依存性乳癌の治療に用いられるエストロゲン拮抗薬tamoxifenは，濃厚な乳癌家族歴をもつ女性，特に40歳以上の女性の浸潤癌を50％減らすことができる．専門家は40歳以上の全女性と25歳以上のハイリスクの女性(濃厚な乳癌家族歴をもつ女性，Hodgkin病で放射線治療を受けた女性)は，毎年マンモグラフィを受けることを勧めている．MRIはマンモグラフィより早期の癌を検出できるのでハイリスクの女性には1年に1回のサーベイランスを勧める専門家もいる．また触知可能な乳癌の約10％はマンモグラフィで見逃されるので，医者による年1回の乳房触診も勧めている．しかし，マンモグラフィに加えて医師の触診を行えば乳癌死亡率が減少することを証明した研究はなく，自己触診を行えば生存期間が延長するという研究もない．乳癌の治療には外科的摘出(局所切除あるいは拡大切除，徹底郭清をするものとしないもの)と，腋窩リンパ節の切除，放射線治療，また乳癌の型と病期によっては化学療法が含まれる．乳房を温存する，小さな浸潤性腫瘍の局所切除でも，非定型的乳房切断術と同等の生存率を得ることができる．放射線の透過性を抑えた接線照射により，心大血管への放射線障害を与えることなく，乳癌切除後の局所再発と遠隔転移を減少させることができる．標準的に使用される化学療法剤にはドキソルビシン，epirubicin，シクロホスファミド，パクリタキセルがある．HER-2/neu癌遺伝子に対するモノクローナル抗体Trastuzumabは，この遺伝子をもつ腫瘍を縮小させるが，心機能障害を引き起こすことがある．エストロゲン感受性の腫瘍は，ゴナドトロピン放出ホルモン類似体のゴセレリン，エストロゲン拮抗剤のタモキシフェンやトレミフェン，エストロゲン受容体拮抗剤のフルベストラント，アロマターゼ，阻害剤のアナストロゾール，レトロゾール，エキセメスタン(閉経後女性の卵巣外エストロゲン産生を抑制する)などのエストロゲン活性を制限あるいはそれに拮抗する薬剤で卵巣機能を廃絶させることにより治療する．エストロゲン反応性腫瘍の転移があるあるいは疑われるものはこれらの薬剤や卵巣摘出術で治療される．→BRCA1 *gene*; BRCA2 *gene*; mammography; tamoxifen.

---

bronchiolar c. 細気管支癌．＝alveolar cell c.

bronchioloalveolar c. ＝alveolar cell c.

bronchoalveolar c. 気管支肺胞癌．＝alveolar cell c.

---

bronchogenic c. 肺癌（肺癌という用語は，かつては気管支または細気管支の上皮から発生する悪性新生物に限られていたが，現在は肺または気道の原発性悪性腫瘍に広く用いられている．肺癌は主たる細胞型により小細胞癌(15—25％)と非小細胞癌(75—85％)に区別される．両方の細胞型を含むものもある．この2分類に含まれない少数(2—3％)の様々な腫瘍もある(カルチノイド，円柱腫，粘表皮癌)．小細胞癌は増殖が速く，早期に転移する傾向がある．しばしばホルモンや抗体を産生し，高カルシウム血症，Cushing症候群，筋無力症などの腫瘍随伴症状を引き起こす．非小細胞癌は腺癌(50—60％．女性と非喫煙者では最も多い)，扁平上皮癌(30—40％)，そして未分化な大細胞癌(10％)に分類される．腺癌は腺から発生する癌で，通常は肺の末梢に生じ，粘液を産生し，管状または乳頭状構造を示し，広範に早期から転移する．扁平上皮癌は中枢気道と下葉に発生することが多く転移は比較的遅い．大細胞癌は増殖が速く，CEAを産生する)．＝non-small cell c.

肺癌は米国では男女を問わず癌死の最大の原因疾患であり，世界的にみても男性に最も多い癌である．米国では毎年20万人が新たに肺癌に罹患する．5年生存率は組織型により10—15％である．米国における20世紀初期の肺癌発生の増加は，タバコ販売量の増加に引き続いて起こったことが1941年OchsnerとDeBakeyによって初めて指摘された．肺癌の男女比の低下は1935年に始まり，女性の喫煙が増加するにつれて着実に進行している．肺癌の年齢補正死亡率は女性においては1965年から1974年にかけて倍増し，1987年には肺癌は乳癌を抜いて女性の最も多い死亡率の高い悪性疾患になった．現在，およそ90％の肺癌死は喫煙が直接の原因とされ，非喫煙者の肺癌の25％は受動喫煙によるとされる．喫煙常習者の11％は肺癌になる．癌を発症するリスクは，喫煙開始年齢，喫煙本数，煙を吸い込む量と相関がある．禁煙は発症リスクを低下させる．肺の腺癌は，他の癌や遺伝性の肺疾患をもつ家族がいる人に多いことから遺伝的要因の関与が疑われている．(遺伝的にニコチン中毒になりやすい人もいる)．産業に関連した発癌物質(特にアスベスト，シリカ，クロム，ニッケル，ポリ塩化ビニル)の吸入や電離放射線やラドンの被曝も原因として知られている．肺癌は気管支内腔で増殖し隣接する肺実質に浸潤する．主な転移部位は縦隔リンパ節，肝，脳，骨である．合併症として上大静脈症候群，食道通過障害，心タンポナーデ，横隔神経麻痺，Pancoast 症候群がある．初期の症状(徐々に発生する咳，慢性的な咳の変化，呼吸困難，ぜん鳴)は誤って喫煙や下気道感染が原因とされることがある．より不吉な症状(喀血，食欲不振，体重減少，胸痛)が現れたときには，状況は進行し切除不能になっている．胸部X線検査やCT検査では，典型的には単発の結節が認められ，無気肺，肺浸潤影，縦隔リンパ節転移，胸水が認められることがある．MRI では脊椎，脊髄，縦隔への浸潤が検出できる．癌の診断は，喀痰，気管支洗浄液，胸水などの中の悪性細胞や気管支鏡検査，経皮的針生検，胸腔鏡検査，縦隔鏡検査，開胸術で得られた生検材料中の悪性所見により確定される．ある研究によると，ハイリスクグループ(60歳以上の喫煙者)をCT または喀痰細胞診でスクリーニングすると罹患率と死亡率を低下させることができるとされる．ヘリカルCT は単純レントゲン検査より肺癌検出率は高いが，ハイリスクグループが対象であったとしても対費用効果は低い可能性がある．外科的切除は肺癌治療の選択肢となる．縮小手術(管状切除，区域切除，楔状切除)は肺予備能の少ない患者でも外科的切除を可能にするが再発率も高くなる．放射線照射やシスプラチン，マイトマイシン，ビンカアルカロイド，イフォスファマイド，エトポシドなどを用いた化学療法は主に進行癌または切除不能癌に対する姑息的治療として行われる．

---

canine c. 1 イヌの癌腫（大型動物の数少ない可植性腫瘍の1つ）.

chromophil renal cell c. 色素親和性腎細胞癌，好色素性腎細胞癌. ＝papillary renal cell c.

chromophobe renal cell c. 色素嫌性腎細胞癌（悪性度の低い腎細胞癌で，辺縁明瞭，好中性または淡い細胞質の大きな多角形細胞よりなる．細胞がぎっしり詰まったシートを重ねたように発育するが，所々尿細管，梁柱，嚢胞を形成することがある）.

clear cell c. 明細胞癌. ＝mesonephroma.

clear cell c. of kidney 腎臓明細胞癌. ＝renal *adenocarcinoma.*

clear cell c. of salivary glands 唾液腺の明細胞癌（明膨大細胞腫，硝子化明細胞癌，上皮－筋上皮性(介存腺管)症などの亜型からなる悪性腫瘍）.

cloacogenic c. [cloaca＋-genic]. 総排泄腔癌（①総排泄腔組織あるいはその遺残から発生した肛門の扁平上皮癌の1つ．②腫瘍学の立場では，櫛状線より口側の肛門癌）. ＝basaloid c.; cuboidal c.

collecting duct c. of the kidney 腎集合管癌（集合管から発生すると考えられている悪性度の高い腎癌）. ＝Bellini duct c.

colloid c. 膠様癌. ＝mucinous c.

cuboidal c. 立方上皮癌. ＝cloacogenic c.

cylindromatous c. 円柱腫様癌. ＝adenoid cystic c.

cystic c. 嚢胞癌（真性上皮に裏打ちされた嚢腫を形成する癌，あるいは退行変性によっても嚢腫様の部分をつくることもある）.

duct c., ductal c. 腺管癌（乳房や膵臓などの腺管の上皮から発生する癌）.

embryonal c. 胎生期癌（精巣あるいは卵巣の悪性新生物．細胞の境界が不明瞭で，両染性の細胞質および多数の大型核小体をもつ卵形，円形，あるいは豆形の核を有する大型の未分化細胞からなる．腫瘍細胞が管状あるいは乳頭状の構造をなす例もある）.

endometrioid c. 類内膜癌（組織型が子宮内膜腺癌に類似する卵巣癌または前立腺癌）.

epidermoid c. 類表皮癌（皮膚あるいは肺の有棘細胞癌）. ＝epidermoid cancer.

epithelial myoepithelial c. 上皮筋上皮癌（唾液腺の悪性腫瘍で，内側の導管細胞層が，明るい筋上皮細胞に囲まれている）.

c. erysipelatoides ＝inflammatory c.

fibrolamellar liver cell c. 線維層板肝細胞癌（線維層板帯によって横切られる腫瘍性肝実質細胞における原発性の肝癌）. ＝oncocytic hepatocellular tumor.

follicular c. 沪胞状癌（乳頭形成のない，よく分化した，または未分化の上皮沪胞からなる甲状腺の癌．腺腫とは区別しがたい．判定基準は，血管への浸潤と頸部リンパ節や骨など他の組織への沪胞状甲状腺組織の転移所見．沪胞状癌は放射性ヨウ素を吸収するものもある）.

follicular-parafollicular c. 沪胞傍沪胞癌（サイログロブリンを分泌する沪胞細胞とカルシトニンを分泌する傍沪胞C細胞からなる甲状腺癌）.

giant cell c. 巨細胞癌（異常に大きな未分化細胞を特徴とする悪性の上皮性新生物）.

giant cell c. of thyroid gland 甲状腺巨細胞癌（甲状腺にみられる，急速に進行する未分化癌で，甲状腺の腺上皮から発生する多数の，かなり大型の未分化細胞を特徴とする）.

glandular c. 腺癌. ＝adenocarcinoma.

hepatocellular c. (**HCC**) [MIM*114550]. 肝細胞癌（慢性肝疾患または肝硬変を背景に発生する肝悪性腫瘍．肝細胞癌は肝細胞腺癌に変異して発生する．患者の60％に AFP の上昇をみる．外科的切除または移植を行わなければ長期予後は不良である．非侵襲性画像診断(MRI や CT)により，血管腫などの良性腫瘍と鑑別される）. ＝hepatocarcinoma; hepatoma; liver cell c.; malignant hepatoma.

Hürthle cell c. (hērt′lĕ). ヒュルトレ細胞癌（酸好性の細胞質をもった細胞からなる唾液腺癌または甲状腺癌.→Hürthle cell *adenoma*）. ＝oncocytic c.; oxyphilic c.

inflammatory c. 炎症性癌（皮膚リンパ管に転移した癌．浮腫と充血を伴う．乳癌に最も頻繁にみられる）. ＝c. erysipelatoides.

insular c. 島状癌（甲状腺の未分化な悪性腫瘍．腫瘍細胞のぎっしり詰まった大きな巣(島)をつくったり，シートを重ねたように発育する．広範な壊死巣を示す）. ＝primordial cell c.

intraductal c. 腺管内癌（分泌管の上皮内層から発生する癌の一種．特に，乳房に発生するものをいい，ここではほとんどの癌が分泌管上皮から発生する．腫瘍細胞は増殖して不規則な乳頭状突起や腫瘍塊を形成し，管腔を閉塞する充実性，篩状あるいは中心壊死を伴う．腺管内癌は管基底膜に囲まれているので腺管内上皮内癌の一種である．周囲の間質に侵入したり，転移したとき，腺管癌とよばれる）.

intraepidermal c. 表皮内癌（皮膚の上皮内癌．例えば Bowen 病）.

intraepithelial c. ＝c. in situ.

invasive c. 浸潤癌（上皮細胞の集合体が，周囲の組織を浸潤あるいは破壊するような新生物）.

juvenile c. 若年性乳癌. ＝secretory c.

kangri burn c. ＝kang *cancer*.

large cell c. 大細胞癌（肺のえん麦細胞よりはるかに大きな細胞よりなる未分化癌．特に気管支癌をいう）.

latent c. 潜伏癌（顕微鏡的には悪性の徴候を示す上皮性新生物で，長時間局在し，かつ無症候性であったと思われるもの．例えば，老年者の前立腺の小さな癌などが剖検の際偶然みつかることがある）.

lateral aberrant thyroid c. 側方迷入甲状腺癌（甲状腺から外に存在する甲状腺癌の頸部小結節を表す現在では用いられない語．以前は変位甲状腺組織から発生すると考えられていたが，現在では甲状腺内の潜伏癌組織からの転移であると信じられている）.

leptomeningeal c. ＝meningeal c.

liver cell c. 肝細胞癌. ＝hepatocellular c.

lobular c. 小葉癌（腺癌の一種．特に乳房のものをいい，乳房ではこの種の癌は腺管癌に比べてはるかに少なく，通常，小細胞から成り立っている）.

lobular c. in situ 上皮内小葉癌. ＝noninfiltrating lobular c.

medullary c. 髄様癌（主として腫瘍性上皮細胞からなる悪性新生物で，線維性支質はごくわずかしかない．比較的軟らかく，脳に似た硬さを示す）.

medullary c. of breast 乳腺髄様癌（線維成分の乏しい間質に囲まれた，大型の上皮細胞群で構成される乳癌の亜型．柔らかく境界明瞭で，湿潤性乳管癌と比較して予後良好である）.

medullary c. of the kidney 腎髄質癌（集合管由来の腎臓癌で，まれ．鎌状赤血球貧血の患者にみられる）.

medullary c. of thyroid 甲状腺髄様癌（カルシトニン産生性のC細胞とアミロイドに富んだ間質からなる悪性の甲状腺腫瘍(新生物)．散発性，家族性がある．家族性では，多発性内分泌腫瘍症候群，2A型と2B型での一部であることがある）．

meningeal c. 髄膜癌腫症（癌細胞のクモ膜およびクモ膜下腔への浸潤．原発性あるいは続発性）．＝leptomeningeal c.; leptomeningeal carcinomatosis; meningeal carcinomatosis.

metaplastic c. 化生性癌（あるものは，一部の腫瘍細胞が紡錘形で，肉腫の形態を示し，またあるものは間質内に骨組織巣や軟骨組織巣を認める．上気道あるいは消化管または乳房に生じる）．

metastatic c. 転移性癌（転移の際のように，原発巣から遠く離れた部位に出現した癌腫）．＝secondary c.

microinvasive c. 小浸潤癌（腺の表面にある，またはその内層と置き換わっている扁平上皮の上皮内癌の一形態で，異常な上皮細胞の小さな集合体を伴い，それが基質の中へごくわずかな距離だけ浸潤しているもの．浸潤の最も初期の段階を示すものと思われる）．

mucinous c. 粘液性癌腫（腫瘍細胞が多量のムチンを分泌するため，新生物がきらきら光り，粘つき，ゼラチン様の硬度を示す腺癌の一形態）．＝colloid cancer; colloid c.

mucoepidermoid c. 粘液性類表皮癌（唾液腺に最もよくみられる悪性度が低い癌で，粘膜，表皮あるいはその中間性の細胞よりなり，粘膜細胞は悪性度の低い癌のみに豊富にみられる．再発することが多く，悪性度の高いものは頸部リンパ節に転移する）．＝mucoepidermoid tumor.

nasopharyngeal c. [MIM*161550]．鼻咽腔癌（鼻咽腔の表面上皮から発生する扁平上皮癌．組織学的に，角化癌，非角化癌，および未分化癌の3つの亜型が確認されている）．

neuroendocrine c. 神経内分泌癌（神経内分泌細胞から発生している腫瘍．肺癌に多くみられるが，どの臓器にも生じる可能性がある）．

noninfiltrating lobular c. 非浸潤性小葉癌（乳房の癌で，小さな腫瘍細胞が小葉内の既存の腺房に充満しているが，周囲の基質への浸潤はみられないもの）．＝lobular c. in situ; lobular neoplasia.

non-small cell c. ＝bronchogenic c.

oat cell c. えん麦細胞癌．＝small cell c.

occult c. 潜伏癌（無症候性であるか，または原発癌による症候なしに転移を起こす小型の癌）．

occult papillary c. of the thyroid 潜在性甲状腺乳頭癌．＝*microcarcinoma* of the thyroid.

oncocytic c. ＝Hürthle cell c.

oxyphilic c. 好酸性癌．＝Hürthle cell c.

papillary c. 乳頭状癌（表層が腫瘍上皮細胞でおおわれた線維性基質が，無数の不規則な指状の突起を形成するのを特徴とする悪性新生物）．

papillary renal cell c. 乳頭状腎細胞癌（腎細胞癌のうち2番目に最も頻度の高い型で，すべての腎悪性疾患の約15％を占める．組織学的には他の臓器の乳頭状癌に似ている．組織発生的には明細胞腎癌とは区別されるものである．結節硬化症を有する人の80％にみられる）．＝chromophil renal cell c.

polymorphous low-grade c. of salivary glands 唾液腺の多型性低異型度癌（組織学的に篩状，管状，乳頭状，増殖を示す，唾液腺の低異型度悪性腫瘍）．＝terminal duct c.

primary c. 原発癌（原発一部位にある癌腫．その器官内での局部的な浸潤を伴う）．

primary neuroendocrine c. of the skin 原発性神経内分泌性皮膚悪性腫瘍．＝Merkel cell *tumor*.

primordial cell c. 原基細胞癌．＝insular c.

---

c. of the prostate [MIM*176807]．前立腺癌（前立腺管の腺上皮から発生する悪性腫瘍）．

前立腺の腺癌(PA)は男性に起こる癌としては最も多く，男性の癌による死亡としては肺癌に次いで第2位である．米国では毎年19万人の症例が新たに診断されており，3万人以上がこの病気で死亡している．50歳以上で死亡した男性の40％に解剖で前立腺癌の病巣がみられる．米国の男性は生涯に前立腺癌と診断される危険性が15％あるが，前立腺癌死する危険性は3％に過ぎない．本腫瘍は男性ホルモン依存性で，去勢された人には発生しない．アフリカ系米国人ではより頻度が高く，かつ悪性度が高い．前立腺癌は診断として前立腺肥大症からは区別されなければならない．前立腺肥大症は前癌病変ではない．前立腺癌は前立腺の辺縁に好発し，被膜を越えて前立腺周辺組織，精嚢，所属のリンパ節へと広がる．診断された時点で40％以上の症例が前立腺の外まで病変が拡大している．長管状骨が通常の遠隔転移部位であるが，肝臓，肺，脳がその他の一般的な転移部位である．初期の病変では無症状であるが，診断される最も多い機会は一見健康な男性のスクリーニングで直腸指診と前立腺特異抗原(PSA)のどちらかまたは両方であることが多い．病期が進行すると尿路の閉塞症状や転移による骨の痛みを起こすことがある．直腸診で左右不均一な腫瘤や硬結があるかPSAが上昇している症例では経直腸の前立腺超音波像により超音波ガイド下の針生検を行って診断される．骨の転移の検査には血清のアルカリホスファターゼの測定，放射性核物質による骨スキャン，CTスキャン，磁気共鳴画像法(MRI)などがある．前立腺癌はGleasonスコア方式によって段階付けされるが，それは2つの最もきわだった悪性病巣の組織学的分化の程度を診断することによる．解剖学的な病期診断は腫瘍の大きさではなく前立腺の被膜を超えて広がっているかによる．前立腺組織の中のp27蛋白のレベルが低いか検出されないとより悪性の癌のマーカとなる．治療は癌の悪性度と病期，年齢，全身状態などによって決まる．高齢者では随伴する疾患別生命延長度，良性疾患除外度によって治療選択が決まる．根治的前立腺全摘出術(前立腺全体と精嚢腺を一緒に摘出する)は一般に初期または限局性の病変に対して少なくとも10年の平均余命がある例に行われる．この治療には尿失禁とインポテンスという明確な危険因子を伴う．外部照射または会陰部からの放射線性アイソトープの植え込みによる放射線治療は手術の追加あるいは代替えとして行われる．精巣摘除術あるいはエストロゲン投与による男性ホルモン阻害を行うか，または男性ホルモン拮抗剤あるいはゴナドトロピン放出ホルモンの使用によって病期が進行した例であっても保存的治療ができる．権威者の一部は10年以内の平均余命の無症状の男性に直腸診とPSAによるスクリーニングを行うことに反対しているが，その背景には偽陰性結果の出る危険因子と生存率または生活の質の面で貢献する可能性がより多い積極的治療に逆行する結果になりうることがある．

---

renal cell c. 腎細胞癌．＝renal *adenocarcinoma*.

sarcomatoid c. 肉腫様癌．＝spindle cell c.

scar c. 瘢痕癌（肺の末梢の瘢痕から生じたり，あるいは蜂巣状肺における間質性線維化に伴う癌で，腺癌のことが多い）．＝scar cancer.

scirrhous c. 硬〔性〕癌（腫瘍上皮があるために間質組織に線維形成反応が起こってできる線維性の硬い癌腫）．

secondary c. ＝metastatic c.

secretory c. 分泌性乳癌（妊娠・授乳期にみられるような顕著な分泌能を示す淡染色性の細胞よりなる乳癌で，主に小児にみられる）．＝juvenile c.

signet-ring cell c. 印環細胞癌（細胞質内の粘液小滴が核を一方の細胞膜側に押し付けているような細胞からなる未分化の腺癌．胃における発生頻度が最も高いが，ときに大腸その他の部位に生じることもある）．

c. in situ (CIS) 上皮内癌（浸潤性の癌に伴うような細胞学的変化を特徴とする病変．病理学的な変化は被覆上皮だけに限定され，隣接する構造物へ浸潤している組織学的証拠はない．明瞭な変化は通常，核に顕著にみられる．例えば，大きさや形の多様化，染色質の増加，多数の有糸分裂(異型性を示すものもいくつかみられる)などの変化が，規則正しい成熟傾向を失った上皮の全層にみられる．病変は，組織学的に認められる侵襲性扁平上皮癌の前駆状態であると推定される．すなわち，癌の局在期および治癒可能期であると推定される）．＝intraepithelial c.

small cell c. 小細胞癌（①小細胞よりなる未分化癌．②未分化で高度に悪性の，通常は気管支より発生する癌．小卵円形で細胞質にきわめて乏しい細胞よりなる．→neuroendocrine c.). ＝oat cell c.

spindle cell c. 紡錘体細胞癌（長くのびた細胞からできている癌腫．未分化の扁平上皮癌であることが多く，肉腫との鑑別が困難なことがある）．＝sarcomatoid c.

squamous cell c. 扁平上皮癌，有棘細胞癌（重層扁平上皮由来の悪性新生物であるが，腺上皮，円柱上皮が正常に存在している気管支粘膜のような部位でも生じることがある．分化の程度に応じて，種々の量のケラチンが形成される．ケラチンが表面になければ，新生物の中に角質真珠として含まれることがある．細胞が十分に分化している場合は，細胞間橋が隣接細胞との間に認められることがある）．

sweat gland c. 汗腺癌（一般に単発性で，結節性．皮内および皮下組織に固定し，長期間にわたりゆっくりと増殖するが，最後には急激な浸潤増殖，転移をみせる）．

terminal duct c. 終末管癌．＝polymorphous low-grade c. of salivary glands.

trabecular c. ＝Merkel cell *tumor*.

transitional cell c. 移行上皮癌．＝urothelial c.

tubular c. 管状腺癌（高分化型の腺管乳癌で，小さな上皮性腺管の間質への浸潤を伴う）．

undifferentiated c. of the thyroid 甲状腺未分化癌．＝anaplastic c. of the thyroid.

urothelial c. 尿路上皮癌（移行上皮から発する悪性新生物．主として膀胱，尿管，あるいは，特によく分化しているものは，腎盂に発生する．しばしば乳頭状を呈する．異型性の程度に応じて区分される．いわゆる上気道移行上皮癌は，扁平上皮癌に分類するほうがより適当である。卵巣にもまれにみられる）．＝transitional cell c.

V-2 c. V–2 癌（実験動物における可植性の，高度に悪性の癌．家兎のウイルスが誘発する乳頭腫の悪性変化の結果できる）．

verrucous c. ゆうぜい(疣贅)癌，いぼ状癌（よく分化している乳頭状扁平上皮癌．特に口腔または陰茎に多く，局所的に浸潤することはあるが，転移はほとんどみられない．細胞の通常の悪性像を欠く．生殖器のゆうぜい癌では尖形コンジロームが先行していることがある）．

villous c. 絨毛状癌（癌の一型で，その中に腫瘍性上皮組織からなる乳頭状の突起物が多数充満しているもの）．

wolffian duct c. ヴォルフ管癌．＝mesonephroma.

yolk sac c. ＝endocervical sinus *tumor*.

---

car·ci·no·ma ex ple·o·mor·phic ad·e·no·ma (kar′si-nō′mă eks plē-ō-mōr′fik ad′ĕ-nō′mă). 悪性多形性腺腫（唾液腺由来の良性の混合腫瘍が悪性化したもので，急速な増大と痛みを特徴とする）．

car·ci·no·ma·ta (kar′si-nō′mă-tă). carcinoma の複数形の別名．

car·ci·no·ma·to·sis (kar′si-nō-mă-tō′sis). 癌腫症（身体の種々の器官や組織内の多数の部位にわたる広範囲な癌の播種から生じる状態をいう．また身体の比較的大きな領域が侵される状態に関連して用いられることもある）．

leptomeningeal c. ＝meningeal *carcinoma*.

lymphangitic c. 癌性リンパ管炎（リンパ管が腫瘍細胞で充満していたり，あるいは腫瘍細胞で閉塞している状態）．

meningeal c. 髄膜癌腫症．＝meningeal *carcinoma*.

car·ci·nom·a·tous (kar′si-nom′ă-tŭs). 癌〔性〕の．

car·ci·no·pho·bi·a (kar′sin-ō-fō′bē-ă). ＝cancerophobia.

car·ci·no·sar·co·ma (kar′si-nō-sar-kō′mă). 癌肉腫（癌腫と肉腫の要素を有する悪性新生物．両者が広範に混在しているので，上皮組織と間葉組織の新形成を示す．→collision *tumor*）．

car·ci·no·stat·ic (kar′si-nō-stat′ik). ***1*** 〚adj.〛 制癌性の，抗癌性の（癌腫の発育や，進行を阻止または抑制する効果に関する）．***2*** 〚n.〛 制癌剤，抗癌剤．

car·co·ma (kar-kō′mă) [Sp. ワラジムシによる樹皮下の木の塵]. カルコマ（熱帯地方のヒト糞中にみられる暗赤褐色，マホガニー色の顆粒状物質．ウロビリノーゲンと同様の化学反応を起こし，酸化カルシウム，鉄，リン酸，炭酸，ウロビリノーゲン，コレリスロゲン，および種々の割合で混ざっている他の有機物質からなる）．

car·da·mom (kar′dă-mom). カルダモン，ショウズク（極楽の穀物ともよばれている．ショウガ科 *Elettaria cardamomum* の乾燥熟成種子．製パン，製菓用，またはカレー粉の香料に用いられる．香料入りリキュールに使用されるカルダモン油製造用．製剤補助剤(香料)．佐剤および駆虫剤)．

Car·den (kar′dĕn), Henry D. 19世紀の英国人外科医．→C. *amputation*.

car·den·o·lide (kar-den′ō-līd). カルデノリド（5個のラクトン環を含む強心配糖体の1つ(例えば，ジギタリス配糖体)）．

cardi- (kar′dē). →cardio-.

car·di·a (kar′dē-ă) [G. *kardia*, heart][TA]. 噴門（噴門腺のある噴門口または噴門に近い胃の部分）．＝pars cardiaca gastricae [TA]; cardiac part of stomach; cardial part of stomach; gastric cardia; pars cardiaca ventriculi.

car·di·ac (kar′dē-ak) [L. *cardiacus*]. ***1*** 心〔臓〕〔性〕の．***2*** 噴門の．***3*** 心臓病治療を意味する現在では用いられない語．

car·di·ac bal·let (kar′dē-ak bal-ā′). カルディアックバレー（一定の順序で出現する，反復する多形性期外収縮よりなる不整脈のショートラン．いわゆる波動性様式を呈する．→torsade de pointes）．

cardial (kar′dē-al). 噴門の（胃の食道への開口部に関する）．

car·di·al·gi·a (kar′dē-al′jē-ă) [cardi- ＋G. *algos*, pain]. ***1*** pyrosis を表す現在では用いられない語．***2*** ＝cardiodynia.

car·di·a·tax·i·a (kar′dē-ă-tak′sē-ă) [cardi- ＋G. *ataxia*, disorder]. 心臓運動失調（心臓の働きが極端に不規則なこと）．

car·di·a·te·li·a (kar′dē-ă-tē′lē-ă) [cardi- ＋G. *atelēs*, incomplete]. 心臓発育不全．

car·di·ec·ta·si·a (kar′dē-ek-tā′zē-ă) [cardi- ＋G. *ektasis*, a stretching]. 心臓拡張〔症〕．

car·di·ec·to·my (kar′dē-ek′tō-mē) [cardi- (2) ＋G. *ektomē*, excision]. 噴門部切除〔術〕（胃の噴門部の切除）．

car·di·ec·to·pi·a (kar′dē-ek-tō′pē-ă) [cardi- ＋G. *ektopos*, out of place]. 心臓転位，異所性心臓　（心臓の位置異常．→*ectopia* cordis）．

car·di·nal (kar′di-năl) [L. *cardinalis*, principal]. 基本的な，枢要の，重要な（発生学において，主要な静脈排出路に関する）．

card·ing (kard′ing). カーディング（ワックスで裏装したトレーに，前歯または臼歯の各々を配列する操作）．

cardio-, cardi- (kar′dē-ō, kar′dē) [G. *kardia*, heart]. ***1*** 心臓に関する連結形．***2*** 噴門に関する連結形．

car·di·o·ac·cel·er·a·tor (kar′dē-ō-ak-sel′er-ā-ter). 心活動促進剤，心臓促進神経（心拍を促進するもの）．

car·di·o·ac·tive (kar′dē-ō-ak′tiv). 心臓作用〔性〕の．

car·di·o·an·gi·og·ra·phy (kar′dē-ō-an′jē-og′ră-fē). ＝angiocardiography.

car·di·o·a·or·tic (kar′dē-ō-ā-ōr′tik). 心臓大動脈の（心臓と大動脈に関する）．

car·di·o·ar·te·ri·al (kar′dē-ō-ar-tēr′ē-ăl). 心臓動脈の（心臓と動脈に関する）．

Car·di·o·bac·te·ri·um (kar′dē-ō-bak-tē′rē-ŭm). カルディオバクテリウム属（非運動性多形性でグラム陰性の通性嫌気性杆菌の一属．鼻内細菌中にみられ，ヒトの心内膜炎に関与している．標準種は *C. hominis*）．

C. hominis ヒトに心内膜炎を起こす細菌種．*Cardiobacterium*属の標準種．→HACEK *group*.

C. violaceum 熱帯，亜熱帯地域の土壌中に認められる運動性，グラム陰性，非芽胞形成の杆菌．敗血症，肺炎，創傷感染，膿瘍を含むヒト感染の起因菌で，迅速に死に至らしめる能力がある．抗菌剤治療の中止後再発する可能性がある．

car·di·o·cele (kar′dē-ō-sēl) [cardio- ＋G. *kēlē*, hernia]. 心臓ヘルニア（横隔膜の孔や創傷を通って，心臓が突出，またはヘルニアを形成すること）．

car·di·o·cha·la·si·a (kar′dē-ō-kă-lā′zē-ă). 噴門痙攣，噴門無弛緩〔症〕．

car·di·o·di·o·sis (kar′dē-ō-dē-ō′sis) [cardio- (2) ＋G. *diōsis*, a spreading open]. 噴門拡張〔術〕（噴門の拡張操作を意味する，まれに用いる語）．

car·di·o·dy·nam·ics (kar′dē-ō-dī-nam′iks). 心臓力学（心臓の運動とそれらによって生じる力を含む心臓作用の力学）．

car·di·o·dyn·i·a (kar′dē-ō-din′ē-ă) [cardio- ＋G. *odynē*,

C

pain]. 心臓痛. ＝cardialgia (2).

car·di·o·e·soph·a·ge·al (kar′dē-ō-ē-sof′ă-jē′ăl). 噴門食道の（食道と胃の噴門とが連結するあたりについていう).

car·di·o·gen·e·sis (kar′dē-ō-gen′ĕ-sis) [cardio- ＋ G. *genesis*, origin]. 心臓発生（胚の心臓形成).

car·di·o·gen·ic (kar′dē-ō-jen′ik). 心臓性の（心起源の).

car·di·o·gram (kar′dē-ō-gram) [cardio- ＋ G. *gramma*, a diagram]. 心拍〔動〕曲線, カルジオグラム（①カルジオグラフのスタイレットで描かれる追跡図. ②一般的に心臓に由来する記録図に, わかりやすいように, apex-, echo-, electro-, phono-, vector- などの接頭語をつけて用いる).

esophageal c. 食道〔内〕心拍〔動〕曲線（感受器を備えた管状または線状の変換器による空気柱の変位をとらえて, 左心房の収縮を追跡したもの).

car·di·o·graph (kar′dē-ō-graf) [cardio- ＋ G. *graphō*, to write]. 心拍〔動〕記録器, カルジオグラフ（心臓の運動を図式的に記録する機器. 脈波計の原理に基づいてつくられる).

car·di·og·ra·phy (kar-dē-og′ră-fē). 心拍〔動〕記録〔法〕, カルジオグラフィ（カルジオグラフを用いること.→electrocardiography).

ultrasonic c. 超音波心臓図. ＝echocardiography.

ultrasound c. 超音波心臓検査〔法〕. ＝echocardiography.

car·di·o·he·mo·throm·bus (kar′dē-ō-hē′mō-throm′bŭs). ＝cardiothrombus.

car·di·o·he·pat·ic (kar′dē-ō-hĕ-pat′ik). 心肝の（心臓と肝臓に関する).

car·di·o·he·pa·to·meg·a·ly (kar′dē-ō-hep′ă-tō-meg′ă-lē). 心肝肥大（心臓と肝臓の両方の肥大).

car·di·oid (kar′dē-oyd) [cardi- ＋ G. *eidos*, resemblance]. 心臓形の.

car·di·o·in·hib·i·to·ry (kar′dē-ō-in-hib′ĭ-tō-rē). 心臓抑制〔性〕の（心臓の作用を停止あるいは低下させる. 拍動または心筋収縮への作用を介する).

car·di·o·ky·mo·gram (kar′dē-ō-kī′mō-gram). 心臓キモグラム（心臓キモグラムによる記録).

car·di·o·ky·mo·graph (kar′dē-ō-kī′mō-graf). 心臓キモグラフ（胸壁上で左室前壁の壁運動を記録する非侵襲的検査法. 径 5 cm の高周波数用のトランスデューサ板および記録用プローベ付きの低周波数用振動子からなる. 壁運動の変化は磁場の変化となり, これが振動子の周波数変化となり多チャンネルアナログ波として記録される).

car·di·o·ky·mog·ra·phy (kar′dē-ō-kī-mog′ră-fē). 心臓キモグラフィ（心臓キモグラフ法).

car·di·o·lip·in (CL) (kar′dē-ō-lip′in). カルジオリピン (1,3-bis(phosphatidyl)glycerol. 免疫学的特性をもち, 多くの生体膜に存在する. 梅毒の血清診断に用いる. レシチン, コレステロールと混ぜると, Wassermann 抗体と結合するが, トレポネーマ運動抑制抗体とは結合しない). ＝acetone-insoluble antigen; heart antigen.

car·di·ol·o·gist (kar′dē-ol′ō-jist). 心臓病専門医（心臓病学を専門とする医師).

car·di·ol·o·gy (kar′dē-ol′ō-jē) [cardio- ＋ G. *logos*, study]. 心臓〔病〕学（心臓およびその疾病に関する科学).

car·di·ol·y·sis (kar′dē-ol′i-sis) [cardio- ＋ G. *lysis*, loosening]. 心膜剝離〔術〕（慢性縦隔心外膜炎の癒着を打破するための, 現在は行われていない手術. 胸骨とそれに関連する肋軟骨の部分を切除することにより心臓を遊離させる).

car·di·o·ma·la·ci·a (kar′dē-ō-mă-lā′shē-ă) [cardio- ＋ G. *malakia*, softness]. 心臓軟化〔症〕（心臓壁の軟化).

car·di·o·meg·a·ly (kar′dē-ō-meg′ă-lē) [cardio- ＋ G. *megas*, large]. 心臓肥大. ＝macrocardia; megacardia; megalocardia.

glycogen c. 糖原性心臓肥大. ＝glycogenic c.

glycogenic c. グリコゲン性心肥大（グリコゲン蓄積症による心拡大で, II 型(リソソーム酸性グルコシダーゼ欠損)に最も多く, 特に幼児–小児期に認められる). ＝glycogen c.

car·di·om·e·try (kar′dē-om′ĕ-trē) [cardio- ＋ G. *metron*, measure]. 心臓計測〔法〕（心臓の大きさおよびその活動力を測定する方法).

car·di·o·mo·til·i·ty (kar′dē-ō-mō-til′ĭ-tē). 心臓運動性.

car·di·o·mus·cu·lar (kar′dē-ō-mŭs′kyū-lăr). 心筋の.

car·di·o·my·op·a·thy (kar′dē-ō-mī-op′ă-thē) [cardio- ＋ G. *mys*, muscle ＋ *pathos*, disease]. 心筋症（心筋の病気. 病気の分類として, 本語は数種類の異なった意味で用いられていたが, 世界保健機関(WHO)によって特発性心筋症を意味するときは〝既知の原因がなくて生じる心筋の本態性の病的過程〞に限定して用いるようになった). ＝myocardiopathy.

心筋症（WHO分類）

型	原因
拡張型(左室のみ, または両室. 収縮を損なう)	虚血性 特発性 家族性/遺伝性 免疫性 アルコール性 有毒物質 弁膜性
肥大型(片室または両室)	家族性/遺伝性常染色体遺伝
拘束型(または充填量減少)	特発性 アミロイドーシス 心内膜心筋線維症
不整脈原性右室 (→Uhl anomaly)	未知の・仮定の家族性/遺伝性常染色体優性遺伝（常染色体劣性遺伝の可能性も)
非分類	線維弾性症 (胎児期の) 心筋緻密化障害 最小拡張の収縮機能不全 様々なミトコンドリア病

alcoholic c. アルコール性心筋症（長期のアルコール中毒患者にみられる心筋症. アルコール毒性, チアミン欠乏の結果, または未知の病因によるものと思われる). ＝alcoholic myocardiopathy; beer heart.

congestive c. うっ血性心筋症. ＝dilated c.

dilated c. 拡張型心筋症（左室の拡張を伴った左心室の機能不全. たいていの患者は全体に収縮力低下を示すが孤立性に部分的壁運動異常が起こることもある. 通常はうっ血を伴う心不全徴候を示すが, 低心拍出量状態を現す倦怠感を示すこともある). ＝congestive c.

familial hypertrophic c. [MIM*192600]. 家族性肥大型心筋症（常染色体優性遺伝形式[MIM*115200]を呈する家族性の肥大型心筋症. 両心室を非対照性に, または心室中隔のみを起こす型 [MIM*192600]もある. 註最近の遺伝子診断により, 一部はミオシン重鎖, トロポニン-T やトロポミオシンの変異によって起こることが示されている).

hypertrophic c. 肥大型心筋症（著しい心筋線維の配列異常を伴う心室中隔や左室壁の肥厚. しばしば自由壁より中隔に肥厚が強いため左室流出路の狭小化と, 流出路の圧較差を生じる. 拡張期コンプライアンスが非常に損なわれる).

idiopathic c. 特発性心筋症. ＝primary c. (1).

peripartum c. 産褥性心筋症（出産の前, 中あるいは後に起こる心筋疾患).

postpartum c. 分娩後心筋症（心臓疾患を起こすような原因もなく, 産褥期に起こる心臓肥大とうっ血性心不全).

primary c. 原発性心筋症（①原因があいまい, または不明の心筋症. ＝idiopathic c. ②一次的に心筋だけに症状が現れ, 他の心臓構造には変化が現れない. 通常, 線維形成, 心臓肥大, または両方を伴う).

restrictive c. 拘束型心筋症（拡張期充満が拘束されることで特徴付けられる種々の状態. しばしば収縮性心膜炎や浸潤性心筋症と混同される. 左室の大きさ・収縮機能は温存されていても, 心室拡張期充満圧の上昇の結果, 呼吸困難が出現し, 右心不全の徴候が顕著となる).

secondary c. 続発性心筋症（全身性疾患, 感染, 代謝性疾患に続発して, 心筋を障害する疾患).

car·di·o·my·o·plas·ty (kar′dē-ō-mī′ō-plas′tē). 骨格筋ポンプ（心機能を補助するために広背筋を刺激して用いる手技．広背筋は胸壁から可動性をもって，切除された第二・第三肋骨床から胸腔へはいる．筋肉は左室と右室の周りをまいて，植え込まれたスティミュレータによって心収縮期に収縮するようにバースト（短時間に高頻度）に刺激される．註直訳は「心筋形成術」であるが，日本では通常「骨格筋ポンプ」とよぶ）．＝cardiac muscle wrap.

car·di·o·my·ot·o·my (kar′dē-ō-mī-ot′ō-mē) [cardio- (2) + G. *mys*, muscle + *tomē*, cutting]. 噴門筋切開〔術〕. ＝esophagomyotomy.

car·di·o·nat·rin (kar′dē-ō-nā′trin) [cardio- + Mod. L. *natrium*, sodium + -in, material]. ＝atrial natriuretic *peptide*.

car·di·o·ne·cro·sis (kar′dē-ō-nĕ-krō′sis). 心臓壊死（心筋層の壊死）.

car·di·o·nec·tor (kar′dē-ō-nek′tŏr, -tōr) [cardio- + L. *necto*, to join]. 心臓刺激伝導系 conducting *system* of heart に対してときに用いる古語.

car·di·o·neph·ric (kar′dē-ō-nef′rik). ＝cardiorenal.

car·di·o·neu·ral (kar′dē-ō-nūr′ăl) [cardio- + G. *neuron*, nerve]. 心臓神経の（心臓の神経調節に関する）.

car·di·o·neu·ro·sis (kar′dē-ō-nū-rō′sis). ＝cardiac *neurosis*.

car·di·o·o·men·to·pex·y (kar′dē-ō-ō-men′tō-pek′sē) [cardio- + omentum + G. *pēxis*, fixation]. 心臓大網固定〔術〕（血液供給を改善するために，心臓に大網を付着させる手術）.

car·di·o·pal·u·dism (kar′dē-ō-pal′ū-dizm) [cardio- + paludism, malaria < L. *palus*, marsh]. マラリア性心臓病（マラリアに起因する，心臓活動が不規則なもの）.

car·di·o·path (kar′dē-ō-path). 心臓病患者.

car·di·o·path·i·a nig·ra (kar′dē-ō-path′ē-ă nī′gră). ＝Ayerza *syndrome*.

car·di·op·a·thy (kar′dē-op′ă-thē) [cardio- + G. *pathos*, disease]. 心臓障害（心臓の何らかの疾患）.

car·di·o·pho·bi·a (kar′dē-ō-fō′bē-ă). 心臓病恐怖〔症〕（心臓病に対する病的な恐れ）.

car·di·o·phone (kar′dē-ō-fōn) [cardio- + G. *phōnē*, sound]. 心音聴診器（心音聴取の補助のために特別に設計された聴診器）.

car·di·oph·o·ny (kar′dē-of′ō-nē). 拡声聴診〔法〕（phonocardiography (1) に対してまれに用いる語）.

car·di·o·phre·ni·a (kar′dē-ō-frē′nē-ă). ＝phrenocardia.

car·di·o·plas·ty (kar′dē-ō-plas′tē) [cardio- (2) + G. *plastos*, formed]. 噴門形成〔術〕（胃の噴門形成手術）. ＝esophagogastroplasty.

car·di·o·ple·gi·a (kar′dē-ō-plē′jē-ă) [cardio- + G. *plēgē*, stroke]. ***1*** 心臓麻痺. ***2*** 心停止法（化学薬品の注射，選択的低体温法，または電気的刺激によって，心臓の活動を一時的に停止させるための選択方法）.

antegrade c. 順行性心停止液（心臓手術の際に心停止させるために用いる液で，冠動脈から順行性に灌流する）.

retrograde c. 逆行性心停止液（心臓手術の際に心停止させるために用いる液で，冠静脈洞から逆行性に灌流する）.

car·di·o·ple·gic (kar′dē-ō-plē′jik). 心臓麻痺の，心停止法の.

car·di·op·to·si·a (kar′dē-op-tō′sē-ă) [cardio- + G. *ptōsis*, a falling]. 心臓下垂〔症〕（心臓が過度に可動性となり，下方に変位した状態．bathycardia（滴状心）とは区別される.→ *cor* mobile; *cor* pendulum）. ＝drop heart.

car·di·o·pul·mo·nar·y (kar′dē-ō-pŭl′mo-nār-ē). 心肺の（心臓と肺に関する）. ＝pneumocardial.

car·di·o·py·lo·ric (kar′dē-ō-pī-lōr′ik, -pi-lōr′ik). 噴幽門の（胃の噴門端と幽門端に関する）.

car·di·o·re·nal (kar′dē-ō-rē′năl). 心腎の（心臓と腎臓に関する）. ＝cardionephric; nephrocardiac; renicardiac.

car·di·or·rha·phy (kar′dē-ōr′ă-fē) [cardio- + G. *rhaphē*, suture]. 心臓縫合〔術〕，心筋縫合〔術〕（心壁の縫合）.

car·di·or·rhex·is (kar′dē-ō-rek′sis) [cardio- + G. *rhēxis*, rupture]. 心臓破裂（心壁の破裂）.

car·di·o·scope (kar′dē-ō-skōp) [cardio- + G. *skopeō*, to view]. 心臓鏡（動いている心臓の内部を視診するための器械）.

car·di·o·se·lec·tive (kar′dē-ō-sĕ-lek′tiv). 心選択性の（心選択性の特徴をもっている，あるいは示す）.

car·di·o·se·lec·tiv·i·ty (kar′dē-ō-sĕ-lek-tiv′i-tē). 心選択性（多くの薬理作用をもつ薬物が，相対的に心臓血管系に対して強い薬理作用をもつこと．特にβ遮断薬の説明に用いる）.

car·di·o·spasm (kar′dē-ō-spazm). 噴門痙攣〔症〕. ＝esophageal *achalasia*.

car·di·o·sphyg·mo·graph (kar′dē-ō-sfig′mō-graf) [cardio- + G. *sphygmos*, pulse + *graphō*, to write]. 心脈波計（心臓の運動と，橈骨動脈脈拍とを図式に描写する器械）.

car·di·o·ta·chom·e·ter (kar′dē-ō-tă-kom′ĕ-ter) [cardio- + G. *tachos*, rapidity + *metron*, measure]. カルジオタコメータ（心拍の速度を測定する器械）.

car·di·o·throm·bus (kar′dē-ō-throm′bŭs). 心臓血栓（心房室の中に血餅ができること）. ＝cardiohemothrombus.

car·di·o·thy·ro·tox·i·co·sis (kar′dē-ō-thī′rō-tok-si-kō′sis). 心臓甲状腺中毒〔症〕（心臓合併症を伴う甲状腺機能亢進症）.

cardiotocography (kar′dē-ō-tō-kog′ră-fē) [cardio- + G. *tokos*, childbirth + -graphy]. 胎児心拍数陣痛図（分娩中の胎児心モニター）.

car·di·ot·o·my (kar′dē-ot′ō-mē) [cardio- + G. *tomē*, incision]. ***1*** 心臓切開〔術〕（心壁を切開すること）. ***2*** 噴門切開〔術〕（胃の噴門部を切開すること）.

car·di·o·ton·ic (kar′dē-ō-ton′ik) [cardio- + G. *tonos*, tension]. 強心性の（心機能に好ましい効果をもつ．通常，収縮力の増強を意味する）.

car·di·o·tox·ic (kar′dē-ō-tok′sik) [cardio- + G. *toxikon*, poison]. 心臓毒〔性〕の（心筋またはその伝導系の中毒によって，心機能に有害な影響を及ぼす）.

car·di·o·tox·in (kar′dē-ō-tok′sin). 心臓毒性（①心臓に特異的な効果を有する有毒な配糖体．例えば細胞膜の不可逆的な脱分極を生じさせる配糖体．②特にコブラ毒由来の毒成分の1つ．③中毒量で心臓障害を生じることのある物質）.

car·di·o·val·vu·li·tis (kar′dē-ō-val′vyū-lī′tis). 心臓弁膜炎.

car·di·o·vas·cu·lar (CV) (kar′dē-ō-vas′kyū-lăr) [cardio- + L. *vasculum*, vessel][TA]. 心臓血管の（心臓と血管または循環に関する）. ＝cardiovasculare [TA]; vasculocardiac.

car·di·o·vas·cu·lare (kar′dē-ō-vas′kyū-lār-ē) [TA]. ＝cardiovascular.

car·di·o·vas·cu·lo·re·nal (kar′dē-ō-vas′kyū-lō-rē′năl). 心臓血管腎臓の（心臓，動脈，腎臓に関する．特にこれらの機能，あるいは疾患についていう）.

car·di·o·ver·sion (kar′dē-ō-ver′zhŭn) [cardio- + conver*sion*]. 電気〔的〕除細動，カルジオバージョン（電気的カウンターショックまたは薬剤により，心臓のリズムを正常に戻すこと）.

car·di·o·vert (car′dē-ō-vert). 心変換（心拍を物理的にまたは薬剤により正常調律に戻すこと）.

car·di·o·ver·ter (kar′dē-ō-ver′ter). 電気〔的〕除細動器（カルジオバージョンを与えるために用いる器械）.

Car·di·o·vi·rus (kar′dē-ō-vī-rŭs). カーディオ（カルジオ）ウイルス（ピコルナウイルス科に属するRNAウイルスで，げっ歯類からはしばしば分離され，まれにヒトにも疾患を起こす．例えばコロンビアS. K. ウイルス，メンゴウイルス）.

car·di·tis (kar-dī′tis). 心臓炎.

rheumatic c. リウマチ性心臓炎（リウマチ熱のときに起こる汎心炎．心間質組織内のAschoff体形成を特徴とする．急性心不全，弁膜尖（特に僧帽弁の）の閉鎖縁上に小さな線維素増殖を伴う心内膜炎，および線維素性心嚢炎を併発することがある．また，続いて狭窄を伴う弁の瘢痕が発生することも多い）.

care (kār). 医療，患者管理（医学や公衆衛生において，地域または各患者の利益のために知識を用いることに対する一般用語）.

comprehensive medical c. 総合医療（診療），包括医療（診療）（急性・慢性疾患の患者に対する，従来の診療だけでなく，疾患の防止，早期発見，身体障害者のリハビリテーションをも含めた医療).

continuity of c. 介護の継続性（介護の望ましい型で，患者が医療介護の種々の段階を移動しても，同じ開業医がアドバイザーや友人として指導する).

---

end-of-life c. 終末ケア，末期医療ケア（末期患者の多角的および学際的な身体・精神・尊厳的医療で，家族や医療関係者の支持も含んだもの).

近年，終末医療に対する関心はますます増加している．Elisabeth Kübler-Ross の死ないし死者に関する先駆的な研究は 1960 年代に始まったものであるが，死にゆく人の感情，体験，およびニーズに関し深い洞察を与えている．医療専門家は公的に，末期には人道的で正当な医療が重要で，患者の尊厳や自律を維持するようにすることが重要と考えるようになった．医師，特に末期疾患患者の治療にあたる癌専門医は，積極的治療法と姑息的治療法を明確に区別し，それ以上の治療的手段は無駄である患者の治療ガイドラインを確立する必要性に力を注いできた．特に進行癌患者に対する適切な疼痛緩和法の施行の重要性を認識するようになった．また，末期疾患でみられやすい倦怠感，食欲不振，悪液質，悪心，嘔吐，呼吸困難の対処にますます注目が増してきた．調査によると末期患者の疼痛緩和治療は不十分で，これは医師が麻薬中毒を恐れたり，死を早めたと追及されるのを恐れることによる．麻薬鎮痛薬のより広い使用および患者管理下での鎮痛法や麻酔法の確立により末期癌やエイズ患者の疼痛緩和は著しく改善されている．専門家としての看護師は，苦痛を除去し，慰めを与え，親しく付き合い，さらに可能であれば死にゆく患者の意志に一致した死を与える義務をもつようになっている．ホスピス運動によって，管理され組織化された保険医療機関では，死にゆく人が治療努力よりも慰めやケアを必要としていることに対し焦点をあてたプログラムや施設がつくられている．これらのプログラムでは，患者の最後の病気の間およびその後の看護人や家族に対する支援も含まれている．末期疾患において生命維持のための治療を控えたりやめたりすることは安楽死でなく，むしろ疾病が自然経過をたどることを許す決定であるという一般的・倫理的なコンセンサスがある．終末ケアでは，心肺蘇生補液，人工栄養などの生命延長医療の採択などについても，これらの医療を用いるかどうかについて決定しなければならなくなる前に，率直で，時機を得た，建設的な意見交換の重要性が強調されている．法律的にも，生命の最期に近づいている患者の尊厳と独立性を確保するため，患者が無能力になったり昏睡となったとき，どのようなケアを行うか前もって指示ができるようになっている．患者と医療専門家の完全な関係は医師の自殺幇助に対する社会的および法的な容認の高まりによって脅かされている．米国医師会や米国看護協会は自殺幇助に対し反対の公式の見解を発表している.→advance *directive*; physician-assisted *suicide*; living *will*.

---

health c. 保健，健康管理（健康の増進，保持，管理または回復を目的として，集団または地域社会に対して健康サービス機関や専門家によって提供されるサービス).

intensive c. 集中治療（重症患者の管理と診療.→intensive care *unit*).

---

managed c. 管理ケア(医療)，統制医療（第三者機関の支払者(保険会社，連邦政府あるいは協会など)が医師と患者の仲介をし，医療費の交渉をしたり，治療内容を監視したりするもの.→health maintenance *organization*).

管理医療は，支払いが自動的で監視が不十分な従来の医療保険計画に大きく取って代わっている．管理医療下では第三機関の支払い例が主にプライマリケア医師を〝門番〟として指定することによって専門医紹介を行ったり診断名ごとの保険の対象となる医療サービス内容(特に診断法，処方薬の選択，および入院期間)を制限したり，入院前の総括検討書や手術選択に関する他の専門家の意見を要求したりする．医療の基準は，二者選択(はい／いいえ)性の簡易な互除法で行われる．実施ガイドラインで定められている．処方薬の選択も計画処方薬にリストされた薬に限られることになる．実施ガイドライン，処方集，その他患者の治療に関係する内容は現在の医学知識や専門的基準によっているが，損益対策やすべての受益者の実際のリスクの平等性を強く反映したものとなっている．この計画では医師，病院，検査所，および薬局と一括経費契約を結んで値切りをしたり，医療経費というより，一人いくらで支払ったり(すなわち保障すべき潜在的な患者の数に基づいて算出される定額の年間費)することもある．管理医療団体は予防医学への重点化，診療録の審査，請求書の厳重なチェック，心ない医療供給側に対する懲罰行動などの費用削減手段を採用している．

---

medical c. 医療，診療（医師の指示下で行われる患者管理の一部門).

palliative c. 緩和ケア．＝palliative *treatment*.

primary medical c. 一次医療(診療)（患者に最初に接触する健康管理システムのメンバーによる診療).

secondary medical c. 二次医療(診療)（一次診療の医師の要請に応じて，相談役となる医師による診療).

step c. 階段ケア，階層介護．＝stepped c.

stepped c. 階段ケア，階層介護（下層の階段ケアの介入では効果がない場合に，階段を上げて行うケア介護.→stratified c.)．＝step c.

stratified c. 層別介護，階層別ケア（状態や疾患の重症度を測定し，計画する介護ケア).

tertiary medical c. 三次医療(診療)（特殊な検査と治療のための人員と設備を備えたセンターで働く専門家が参加して行う専門別諮問的診療で，通常は一次または二次診療の医師の要請による).

ca·ri·bi (kă-rē′bē). カリビ．＝epidemic gangrenous *proctitis*.

car·i·ca (kar′i-kă)．＝papaya.

car·ies (kār′ēz) [L. dry rot]. ***1*** う食(蝕)，カリエス，虫歯(むしば)（微生物による歯の崩壊または壊死). ***2*** カリエス(骨または関節の結核を表す現在では用いられない語).

active c. 活動性う食(蝕)（微生物により誘発された歯の病変で，病変部の大きさが拡大傾向にあるもの).

arrested dental c. 停止性う食(蝕)（活動性を失い，進行が停止したう食病変で，色調や硬さの変化を生じることが多い).

buccal c. 頬面う食(蝕)（歯の頬面に初発するう食).

cemental c. セメント質う食(蝕)（歯のセメント質におけるう食).

compound c. 複合う食(蝕)（①歯の１面以上にわたるう食．②２面あるいはそれ以上のう食巣が，つながって１つのう窩を形成しているもの).

dental c. う食(蝕)〔症〕，虫歯(むしば)（歯の限局性，進行性，破壊性疾患．表面(通常はエナメル質)から始まり，有機酸による無機成分の溶解が明らかである．これらの有機酸は，炭水化物に対する微生物塊(歯苔内)の酵素作用によって，歯のすぐ近くでつくられる．初期無機質破壊に続いて，蛋白基質の酵素による破壊を起こし，次いでう窩形成とバクテリアの直接侵入が生じる．ぞうげ質では，ぞうげ質細管の壁の無機質破壊に続いてバクテリア侵入と，有機基質の破壊が生じる)．＝saprodontia.

distal c. 遠心面う食(蝕)（遠心面，すなわち歯列弓の正中より遠ざかる方向の歯表面における構造欠損).

fissure c. 裂溝う食(蝕)（臼歯咬合面の裂溝に初発するう食).

incipient c. 初期う食(蝕)，初発う食(蝕).

interdental c. 隣接面う歯.

mesial c. 近心面う食(蝕)（歯列弓の正中に向かう方向の歯表面におけるう食).

nursing bottle c. 哺乳瓶う食(蝕)（幼児および小児が就寝時に哺乳瓶から粉ミルク，牛乳，果汁などを断続的に吸うことにより生じる，う食またはエナメル質の侵食)．＝baby bottle syndrome.

occlusal c. 咬合面う食(蝕)（歯の咬合面から始まるう食).

pit c. 小窩う食(蝕)（通常は小さなう食巣で，歯の唇面，頬面，舌面，あるいは咬合面の小窩に初発する).

pit and fissure c. 小窩裂溝う食(蝕)（歯の発育時に生じ

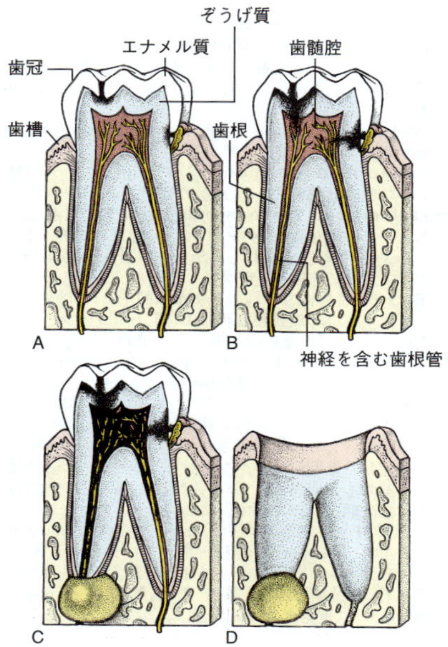

caries

A：口腔バクテリアにより産生された酸や酵素がエナメル質を破壊し，う窩を形成する．

B：バクテリアがぞうげ質から歯髄腔へ侵入する．

C：歯髄の崩壊が進行し，左側の根管を経由して根尖性歯周組織疾患を引き起こす．

D：歯は抜け落ち，左側に歯根嚢胞が残される．

た歯の表面の小窩裂溝に初発するう食）．

primary c. 初期う食(蝕)（外表面から直接広がってできた初期病変）．

proximal c. 隣接面う食(蝕)（歯の遠心または近心隣接面に生じるう食）．

radiation c. 放射線原う食(蝕)（頭頸部の放射線療法に起因する口腔乾燥症により，二次的に歯頸部，切歯切縁および咬頭に発生するう食）．

recurrent c. 再発〔性〕う食(蝕)（初発う食病巣の不十分な除去のため，通常，修復物直下に再発するう食．あるいは以前，う食が生じた部位に新たに発生したう食）．

root c. 根面う食(蝕)（歯の根面のう食で，通常，セメント－エナメル質境において広範な浅い欠損という形で発現する）．

secondary c. 二次う食(蝕)（原病巣からう食が急激に側方へ広がるために，ぞうげ－エナメル質境に生じるエナメル質のう食）．

senile dental c. 老年(老人)性う食(蝕)（老年期に，通常，隣接面とセメント質に発生するう食）．

smooth surface c. 平滑面う食(蝕)（歯の平滑面に初発するう食）．

ca·ri·na, pl. **ca·ri·nae** (kă-rī′nă, -rī′nē) [L. the keel of a boat]. 竜骨，胸峰（①ヒトでは突出した中央隆起を形成する解剖学的構造に用いられる語．②鳥類，コウモリ，モグラの胸筋の起始となっている胸骨の中央隆起部分．飛べない鳥類やほとんどの哺乳類にはみられない）．

c. fornicis 脳弓隆起（脳弓の下面に沿って走っている隆線）．

c. of trachea [TA]．気管竜骨（主気管支と気管との接合部にある主気管支の開口部を左右に分ける隆線）．＝c. tracheae [TA]; tracheal c.

c. tracheae [TA]．＝c. of trachea.

tracheal c. ＝c. of trachea.

c. urethralis vaginae [TA]．＝urethral c. of vagina.

urethral c. of vagina [TA]．膣の尿道隆起（前膣しゅう柱下部にみられる隆起で，平行に走っている尿道が食い込んできたことによって形成されたもの）．＝c. urethralis vaginae [TA]; c. vaginae.

c. vaginae ＝urethral c. of vagina.

car·i·nate (kar′i-nāt). 竜骨形の．

cario- (kār′ē-ō) [L. *caries*]. う食に関する連結形．

car·i·o·gen·e·sis (kār′ē-ō-jen′ĕ-sis). う食(蝕)発生（う食の発生過程．う食発生の機序）．

car·i·o·gen·ic (kār′ē-ō-jen′ik). う食(蝕)原性の（う食を形成する．通常，食事についていう）．

car·i·o·ge·nic·i·ty (kār′ē-ō-jĕ-nis′i-tē). う食(蝕)原性（う食を起こさせる能力あるいは性質）．

car·i·ol·o·gy (kār′ē-ol′ō-jē). う食(蝕)学（歯のう食およびう食発生の研究）．

car·i·o·stat·ic (kār′ē-ō-stat′ik). 抗う食(蝕)性（う食の進行に対する抑制作用を有していること）．

car·i·ous (kār′ē-ŭs). う食(蝕)の，カリエスの．

ca·ris·sin (ka-ris′sin). カリッシン（オーストラリア産カリサ樹 *Carissa ovata stolonifera* から採れる配糖体．強力な心臓毒）．

Car·len (kar′lĭn), Eric. 20世紀のスウェーデン人耳鼻咽喉科医．→C. *tube*.

carm·al·um (kar-mal′ŭm). カルマラム（10%のミョウバン水中のカルミン1%溶液．組織学において，染色液として用いる）．

Car·man (kar′man), Russell D. 米国人放射線科医，1875—1926．→C. *sign*.

car·mi·nate (kar′mi-nāt). カルミン酸からなる赤色の塩．

car·min·a·tive (kar-min′ă-tiv) [L. *carmino*, pp. *-atus*, to card wool; Mod. L. の特殊用語，to expel wind]. ***1*** 〚adj.〛ガスを排出する，駆風的な（膨満の生成を阻止する．膨満を駆除する）．***2*** 〚n.〛駆風薬（鼓腸を緩和する薬物）．

car·mine (kar′min, kar′mēn) [Mediev. L. *carminus*: *carmisinus* < Ar. *qirmizē*(the cochineal insect)の短縮形][C.I. 75470]．カルミン（コチニールから誘導したコクシネリンから生成した赤色物質で組織の染色に用いる．コクシネリンをミョウバンで処理すると，カルミンの基本的成分であるカルミン酸のアルミニウムレーキを生成する）．

lithium c. カルミンリチウム（マクロファージの生体染色に用いられる）．

Schneider c. (shnī′dĕr). シュナイダーカルミン（45%酢酸に10%のカルミンを含有した染料で，新しい染色体標本に用いる）．

car·min·ic ac·id (kar-min′ik as′id). カルミン酸（アントラセンキノンカルボン酸のグルコシド）．

car·min·o·phil, car·min·o·phile, car·mi·noph·i·lous (kar-min′ō-fil, -fīl, kar-mi-nof′i-lŭs) [G. *phileō*, to love]. カルミン親和性の（カルミン染料に容易に染色される）．

Car·mo·dy (kar′mŏ-dē), Thomas Edward. 19世紀の米国人口腔外科医．→C.-Batson *operation*.

car·mus·tine (kar-mŭs′tēn). カルムスチン（抗腫瘍薬）．＝BCNU.

car·nas·si·al (kar-nas′ē-ăl) [Fr. *carnassier*, carnivorous < L. *caro*, flesh]. 裂肉性の（肉を裂くのに適していること．肉を裂くようにつくられた歯を意味する）．

car·ne·ous (kar′nē-ŭs) [L. *carneus*]. 肉様の，肉の．

car·nes (kar′nēz) [L.]. caro の複数形．

Car·nett (kar-net′), J.B. 20世紀の米国人医師．→C. *sign*.

Car·ney (kar′nē), J. Aldan. 米国人病理学者，1934—？ →C. *complex*.

car·ni·fi·ca·tion (kar′ni-fi-kā′shŭn) [L. *caro*(*carn-*), flesh ＋ *facio*, to make]. 肉様変化（組織が肉のようになって，筋組織に似てくる変化）．

car·ni·tine (kar′ni-tēn) [L. *caro carn-*, flesh ＋ ine]. カルニチン（γ-アミノ-β-ヒドロキシ酪酸のトリメチルアンモニウム(ベタイン)誘導体．$N^ε, N^ε, N^ε$-トリメチルリジンから，またはγ-ブチロベタインから生成する．L-異性体は筋肉，肝臓，肉抽出物に見出される甲状腺阻害剤である．L-カルニチンはミトコンドリア膜に関してアシル担体であり，脂肪酸酸化を促進させる)．＝B_T factor; vitamin B_T.

c. acetyltransferase [MIM*600184]．カルニチンアセチルトランスフェラーゼ（ミトコンドリアにある酵素．アセチル–CoA からカルニチンへアセチル基の可逆的転移反応を触媒し，*O*–アセチルカルニチンと CoA を生成させる．アセチルカルニチンは精子内の重要なエネルギー源である)．

c. acylcarnitine translocase カルニチンアシルカルニチントランスロカーゼ（ミトコンドリア内膜に存在する輸送蛋白．アシルカルニチン誘導体をミトコンドリアに輸送し，カルニチンをミトコンドリア外へ輸送する．脂肪酸酸化の重要な反応段階である)．

c. palmitoyltransferase カルニチンパルミトイルトランスフェラーゼ（カルニチンとアシル CoA(しばしば，パルミトイル–CoA)とからアシルカルニチンと CoA の生成を可逆的に触媒する酵素．脂肪酸酸化で重要である．アイソザイム I の欠損によりケトン体生成をきたし低血糖症になる．アイソザイム II の欠損により主に骨格筋に障害を与える)．

Car·niv·o·ra (kar-niv′ŏ-ră) [L. *carnivorus* < *caro*(*carn-*), flesh + *voro*, to devour]．食肉目（主として肉食性の哺乳類の一目．ネコ，イヌ，クマ，ジャコウネコ，ミンク，ハイエナをはじめ，アライグマ，パンダを含む．雑食性，草食性の種もある)．

car·ni·vore (kar′ni-vōr)．肉食動物（食肉目 Carnivora に属する動物)．

car·niv·o·rous (kar-niv′ŏ-rŭs)．肉食性の（動物を食して生命を維持する)．＝zoophagous.

car·nos·in·ase (kar′nō-si-nās)．カルノシナーゼ（哺乳類の酵素．カルノシンを加水分解し，ヒスチジンと *β*–アラニンの生成を触媒する．血漿中の酵素が欠損すると，カルノシン値が上昇する)．

car·no·sine (kar′nō-sēn) [L. *carnosus*, fleshy < *caro*, flesh + -ia]．カルノシン；*N*-*β*-alanyl-L-histidine (脳組織の主要な非蛋白窒素成分で，最初に筋肉で比較的多量見出された．銅とキレートを形成し，ミオシン ATP アーゼを活性化する)．＝ignotine; inhibitine.

car·no·si·ne·mi·a (kar′nō-si-nē′mē-ă) [carnosine + G. *haima*, blood + -ia][MIM*212200]．高カルノシン血症（常染色体劣性遺伝をする先天性疾患．血中や尿中に大量のカルノシンが存在するのが特徴．カルノシン分解酵素の欠損により生じる．臨床的には進行性の神経障害，重篤な知的障害やミオクローヌス発作を特徴とする)．

car·nos·i·ty (kar-nos′i-tē)．***1*** 肉質（肉付きのよいこと)．***2*** ぜい(贅)肉（余分の肉塊．こぶの類)．

Car·noy (kar-noy′), Jean Baptiste．フランス人生物学者，1836—1899．⇀C. *fixative*.

ca·ro, gen. **car·nis**, pl. **car·nes** (kā′rō, kar′nis, -nes) [L.]．肉（身体の俗にいう肉の部分．筋肉組織と脂肪組織)．

c. quadrata sylvii ＝quadratus plantae (*muscle*).

car·ob flo·ur (kar′ob flow′ĕr)．イナゴマメ粉．＝algaroba.

Ca·ro·li (kah-rō′lē), J. 20 世紀のフランス人医師．⇀C. *disease*.

car·ot·en·ase (kar-ot′en-ās)．カロチナーゼ．＝*β*-carotene 15,15′-dioxygenase.

car·o·tene (kar′ō-tēn)．カロチン（carotenoids の 1 つ．広く植物や動物，特にニンジンに多く含まれる一群の黄赤色色素(脂肪色素)で，構造的にはキサントフィル，リコペンと開鎖スクアレンに密接に関連している．また，ビタミン A 前駆物質(プロビタミン A カロチノイド)が含まれている点で特に注目されている．化学的には 8 個のイソプレン単位からなり，その 2 個のイソプレンが両端で環化した対称的鎖状化合物である．そしてその環化により *α*–カロチンや *β*–カロチンが生成する(*γ*–カロチンはどちらか一方の端のみが環化している)．*β*–カロチンの環末端は，*β*–イオノン様構造と等しい．したがって酸化開裂によって，*β*–カロチンはビタミン A の 2 分子を生成する．*α*–カロチンの環末端は異なり，一方は *α*–イオノン，他方は *β*–イオノンで，酸化開裂により，*α*–カロチンは *γ*–カロチンのようにビタミン A の 1 分子を生成する(*β*–イオノン誘導体))．

c. oxidase ＝lipoxygenase.

***β*-car·o·tene 15,15′-di·ox·y·gen·ase** (kar′ō-tēn dī-oks′ē-jen′ās)．*β*–カロチン 15,15′–ジオキシゲナーゼ（*β*–カロチンに酸素を付加し，2 分子のレチナールに変換する酵素)．＝*β*-carotene-cleavage enzyme; carotenase.

car·o·ten·e·mi·a (kar′ō-te-nē′mē-ă)．カロチン血〔症〕（血液内にカロチンが，特に多量に存在すること．皮膚に黄疸様の淡黄赤色色素沈着を生じることがある)．＝carotinemia; xanthemia.

ca·rot·en·o·der·ma (ka-rot′en-ō-der′mă) [carotene + G. *derma*, skin]．皮膚カロチン症．＝carotenosis cutis.

ca·rot·e·noid (ka-rot′e-noyd)．***1*** 〖adj.〗カロチン様の，カロチン色の，黄色の．***2*** 〖n.〗カロチノイドの一種．

ca·rot·e·noids (ka-rot′e-noydz)．カロチノイド（カロチンおよびその酸化物(キサントフィル)などの総称．8 個のイソプレノイド単位(すなわち，テトラテルペン)からなり，鎖の中点で重合の方向が逆転する．それゆえ中点をはさむメチル基は1,6関係にあり，他のメチル基同士は1,5関係．カロチノイドはすべて非環式鎖状構造 $C_{40}H_{56}$(リコペンとして知られている)の共役二重結合を有する主鎖および側鎖の水素添加，脱水素，酸化，環化，あるいはこれらの組合せにより生成すると考えられるが，炭素骨格の転位，切断などによるものもある．しかしレチノール(ビタミン A)とその関連の C_{20} 化合物は含まれない．末端の C_9 部分は炭素の1,2位および5,6位に二重結合をもつ鎖状のもの，5,6位あるいは5,4位に 1 個の二重結合のあるシクロヘキサン類，シクロペンタン類，アリール基のものがある．これらは現在，ギリシア文字を〝カロチン〟の頭につけて示す(*α*，*δ* は，*α*–カロチン，*δ*–カロチンの慣用名があるため用いない)．接尾語 -oic acid, -oate, -al, -one, -ol は，それぞれ－酸，－エステル，－アルデヒド，－ケトン，－アルコールなど酸素含有基をもつことを示す．他の置換は接頭語で表す(例えば alkoxy-, epoxy-, hydro-)．二重結合の幾何異性は，*cis* および位置番号の記載のないときはすべて *trans*．接頭語 *retro-* はすべての単結合，二重結合の位置が 1 つ移動することを表し，*apo-* は分子鎖の短縮を示す．多くのカロチノイドは抗癌活性をもつ)．

ca·rot·en·o·pro·tein (ka-rot′en-ō-prō′tēn)．カロチノイド蛋白（共有結合したカロチノイドを含有する蛋白)．

car·o·te·no·sis cu·tis (kar′ō-te-nō′sis kyū′tis)．皮膚カロチン症（カロチン含有量の増加による無害で可逆性の皮膚の黄色変化．強膜は侵されない)．＝carotenoderma; carotinosis cutis.

ca·rot·ic (kă-rot′ik) [G. *karōtikos*, stupefying]．昏迷の．＝stuporous.

ca·rot·i·co·tym·pan·ic (ka-rot′i-kō-tim-pan′ik)．頸動脈鼓室の（頸動脈管と鼓室に関する)．

ca·rot·id (ka-rot′id) [G. *karōtides*, the carotid arteries < *karoō*, to put to sleep(頸動脈を圧迫すると意識不明となるため)]．頸動脈の．

ca·rot·i·dyn·i·a (kă-rot′i-din′ē-ă)．[carotidodynia の短縮形(第 2 要素 odyne の o を省略)である本語より，carotodynia のほうが好ましい]．＝carotodynia.

car·o·tin·e·mi·a (kar′ō-ti-nē′mē-ă)．＝carotenemia.

ca·rot·i·no·sis cu·tis (ka′rot-i-nō′sis kyū′tis)．＝carotenosis cutis.

ca·rot·o·dyn·i·a (kă-rot′ō-din′ē-ă) [G. *odynē*, pain]．頸動脈圧痛（頸動脈を圧迫することによって起こる痛み)．＝carotidynia.

car·pal (kar′păl)．手根〔骨〕の，手首の．

car·pec·to·my (kar-pek′tō-mē) [G. *karpos*, wrist + *ektomē*, excision]．手根骨切除〔術〕（手根骨の一部分または全部の切除)．

proximal row c. 近位手根列切除術（手根骨の近位列を切除する術式)．

Car·pen·ter (kar′pĕn-tĕr), George Alfred．英国人医師，1859—1910．⇀C. *syndrome*.

Car·pen·ti·er (kar-pen-tē-ā′), Alain. 20 世紀のフランス人心臓胸部外科医．⇀C.-Edwards *valve*.

car·po·car·pal (kar′pō-kar′păl)．手根〔骨〕間の．＝midcarpal (2).

Car·po·gly·phus (kar′pō-glif′us) [G. *karpos*, fruit + *glyphō*, to carve]．サトウダニ属（乾燥果実を取り扱う者に皮膚炎を起こす果実ダニ *C. passularum* を含むダニの一属)．

car·po·met·a·car·pal (kar′pō-met′ă-kar′păl)．手根中手骨〔間〕の（手根と中手骨の両方に関する)．

car·po·ped·al (kar′pō-ped′ăl) [G. *karpos*, wrist + L. *pes* (*ped-*), foot]. 手根足の（手根と足に関する．特に手足痙縮についていう）．

car·pop·to·sis, car·pop·to·sia (kar′pop-tō′sis, -tō′zē-ă) [G. *karpos*, wrist + *ptōsis*, a falling]. 垂手〔症〕. = *wrist-drop.*

car·pus, gen. & pl. **car·pi** (kar′pŭs, kar′pī) [Mod. L. < Gr. *karpos*][TA]. ***1*** 手根，手首. = wrist. ***2*** 手根骨. = carpal *bones.*

c. curvus 手根彎曲症. = Madelung *deformity.*

Carr (kar), Francis H. 20世紀初頭の英国人化学者. →C.-Price *reaction.*

car·ra·geen, car·ra·gheen (kar′ă-jēn, -gēn). カラゲーン（①＝chondrus (2). ②＝carrageenan）．

car·ra·gee·nan, car·ra·gee·nin (kar′ă-gē′nan, -nin) [*Carragheen*，アイルランドの村]. カラゲナン，カラゲニン（アイルランドゴケから得られる多糖類の植物性ゴム．分子構造が寒天に似ている硫酸ガラクトサン）. = carrageen (2); carragheen.

carre-four sen·si·tif (kar-fūr′son-sē-tēf′) [Fr. sensory crossroads]. 知覚神経交叉部（内包の尾脚後部に対し，Charcot が与えた用語）．

Car·rel (kah-rel′), Alexis. フランス系米国人外科医・ノーベル賞受賞者，1873—1944. →C. *treatment*; C.-Lindbergh *pump*; Dakin-C. *treatment.*

car·ri·er (ka′rē-er). ***1*** 保菌者，キャリア（無症候ではあるが感染性病原体を体内に有し，潜在的な感染源となりうる人または動物）. ***2*** 担体，キャリア（ある化合物から原子，ラジカル，原子構成成分を受け取り，他に伝達することができる化学物質．例えば，シトクロムは電子担体，ホモシステインはメチル担体である）. ***3*** 担体（放射性トレーサと密接で区別できない化学的性質をもつことで，折出または同様な化学的過程を通してトレーサを運搬することのできる物質．最良の担体は，問題となっているトレーサの非放射性同位体である. →label; tracer）. ***4*** ハプテンと結合し，ハプテンに免疫反応を惹起させるような大きな免疫原（通常は蛋白）. ***5*** 膜構成成分で，物質を膜の一方側から他方側へ輸送する. ***6*** クロマトグラフィでの移動相. ***7*** リガンドと結合し，それを新しい部位へ運ぶ生体液成分．

amalgam c. アマルガムキャリア（練和アマルガムを窩洞に移し，その中で装着させるために用いる器具）．

convalescent c. 回復期保菌者（臨床上は感染症から回復しているが，感染因子を他者に感染させる可能性を有する人）．

genetic c. 遺伝〔的〕キャリア，遺伝的保因者（劣性遺伝病の素因遺伝子の変異をヘテロ接合でもつ個体．ホモ接合体になると劣性状態となる）．

hydrogen c. 水素担体（組織の酵素系と連結して，水素を一方の代謝物（酸化体）から他方（還元体）または分子酸素に運んで，水を生成させる分子）. = hydrogen acceptor.

incubatory c. 潜伏期保菌者（病気の潜伏期に他人に病原体を伝播しうる人）．

internal c. 体内運搬者. = body *packer.*

latent c. 潜在保因者（形質について固有の遺伝型（劣性に対するホモ接合性，優性に対するホモ接合性あるいはヘテロ接合性，X連鎖性に対するヘミ接合性あるいはホモ接合性）をもつ人．将来的には親となり，ある条件下（例えば年齢，環境障害など）のみで形質を表す）．

manifesting c. 顕在キャリア. = manifesting *heterozygote.*

translocation c. 転座保因者（平衡転座である人）．

car·ri·er-free (ka′rē-er frē). 無担体の（全分子に放射性同位体や他の標識原子が付いている物質．最高の比活性をもつ）．

Car·ri·ón (kah-rē-on[h]′), Daniel A. ペルー人医学生，1859—1885. C. *disease*（彼の名にちなむ）の病原菌を自己に接種し，死亡した. →C. *disease.*

carry-over (kar′ē-ō′ver). 繰越し汚染（検体中の被検物質の一部が次の検体，さらにまたそれ以降の検体中に残る現象．非常に高濃度の検体の後に低濃度の検体が続くときに起きやすい）．

Car·teaud (kar-tō′), Alexandre. 20世紀初頭のフランス人医師. →Gougerot-C. *syndrome.*

car·te·sian (kar-tē′zhŭn). Cartesius（Descartes のラテン語形）に関する．

car·tha·mus (kar′tha-mŭs) [Ar. *qurtum* < *qartama*, paint（べに，染料をつくる植物）]. コウカ（紅花）（キク科ベニバナ *Carthamus tinctorius* の乾燥花. →safflower oil）. = safflower.

CARTILAGE

car·ti·lage (kar′ti-lij) [L. *cartilago*(*cartilagin-*), gristle] [TA]. 軟骨（**[**誤ったつづり cartiledge, cartlage, および他の別形を避けること**]**．原則として血管を欠き，また細胞間質の硬さを特徴とする結合組織．軟骨細胞および膠原線維とプロテオグリカンの基質よりなる．硝子軟骨，弾性軟骨，および線維軟骨の３種の軟骨に分類される．血管の分布がなく，弾力性としなりのある結合組織で，主として関節・胸郭壁，そして喉頭・気道・耳などの管状構造にみられる．胎生初期の大部分の骨格にみられるが，順次，骨に置き換わっていく．解剖学的な記述については cartilago の項参照）. = cartilago [TA]; chondrus (1); gristle.

accessory c. 副軟骨，種子軟骨．

accessory nasal c.'s [TA]. 副鼻軟骨（大鼻翼軟骨と外側鼻軟骨との間隙にある不定数の軟骨小板）. = cartilagines nasales accessoriae [TA]; sesamoid c.'s of nose.

accessory quadrate c. = minor alar c. of nose.

c. of acoustic meatus [TA]. 外耳道軟骨（外耳道側壁を形成する軟骨．上部の開いた溝の形をなし内端では骨性外耳道壁と固く結合する）. = cartilago meatus acustici [TA]; meatal c.

alisphenoid c. 翼蝶形〔骨〕軟骨（胚において，蝶形骨大翼に発達していく軟骨）．

anular c. 輪状軟骨. = cricoid c.

arthrodial c. 関節軟骨. = articular c.

articular c. 関節軟骨（滑膜性の連結をする骨の関節表面をおおう軟骨）. = arthrodial c.; cartilago articularis; diarthrodial c.; investing c.

arytenoid c. [TA]. 披裂軟骨（輪状軟骨板と関節している１対の錐体形をした小形の軟骨．前方に突出する声帯突起には，声帯靱帯の後部が，外側方を向いた筋突起には数種の筋が付着する．基底部は硝子軟骨であるが，上端部は弾性に富む）. = cartilago arytenoidea [TA]; triquetrous c. (2).

c. of auditory tube 耳管軟骨. = c. of pharyngotympanic tube.

auricular c. [TA]. 耳介軟骨（外耳の耳介を形づくる軟骨）. = cartilago auriculae [TA]; c. of ear; conchal c.

basilar c. 頭蓋底軟骨（破裂孔を満たす軟骨）. = basilar fibrocartilage; fibrocartilago basalis.

branchial c.'s 鰓弓軟骨. = pharyngeal c.'s.

calcified c. 石灰化軟骨（カルシウム塩が基質内に沈着した軟骨．骨組織に変わる前や，ときとして老化した軟骨にみられる）．

cellular c. 細胞性軟骨（胎性または未成熟期の軟骨で，基質がほとんどなく，細胞のみからなる）. = parenchymatous c.

ciliary c. 瞼板軟骨（ときに inferior tarsus（下瞼板），superior tarsus（上瞼板）に対して用いられる不適切な語. →tarsus (2)）．

circumferential c. ***1*** 寛骨臼唇. = acetabular *labrum.* ***2*** 肩関節唇. = glenoid *labrum* of scapula.

conchal c. 耳介軟骨. = auricular c.

connecting c. 結合軟骨（恥骨結合などの軟骨性関節にある軟骨）. = interosseous c.; uniting c.

corniculate c. [TA]. 小角軟骨（披裂軟骨尖の上にのる円錐状の小弾性軟骨）. = cartilago corniculata [TA]; corniculum laryngis; Santorini c.; supra-arytenoid c.

costal c. [TA]. 肋軟骨（肋骨前部の肋骨弓形成部分の軟骨で，胸骨まで伸びてこれと関節する）. = cartilago costalis [TA]; costicartilage.

cricoid c. [TA]. 輪状軟骨（最も下位にある喉頭軟骨．

印章付き指輪の形をなし，後部はほぼ正方形に近い板で後壁の大部分を形成する．前部を弓とよぶ)．＝cartilago cricoidea［TA］; anular c.

cuneiform c.［TA］．楔状軟骨（披裂喉頭蓋ひだの内にある小角結節の前外側やや上方に，ときにみられる関節していない小弾性軟骨)．＝cartilago cuneiformis［TA］; Morgagni c.; Morgagni tubercle; Wrisberg c.

diarthrodial c. ＝articular c.

c. of ear 耳介軟骨．＝auricular c.

elastic c. 弾性軟骨（硝子軟骨性の軟骨包に包まれた細胞と細胞の間の細胞領域(包間)基質に，II 型膠原線維や基質物質に加えて弾性線維網が含まれている軟骨)．＝yellow c.

ensiform c., ensisternum c. 剣状軟骨（xiphoid *process* を表す現在では用いられない語)．

epiglottic c.［TA］．喉頭蓋軟骨（喉頭蓋の支柱を形成している扁平な弾性軟骨)．＝cartilago epiglottica［TA］．

epiphysial c.［TA］．骨端軟骨（成長途上にある長骨骨端で新たにつくられ続ける特殊な軟骨で，成長帯(骨端軟骨板)の遠位にある．成長帯の近位(骨幹と結合しているところ)には比較的不活発な軟骨細胞(静止帯)が存在する．→epiphysial *plate*)．＝cartilago epiphysialis［TA］; primary cartilaginous joint*.

falciform c. ＝medial *meniscus*.

first pharyngeal arch c. 第一咽頭弓軟骨（胎子第一咽頭弓の間葉組織の軟骨．中耳のつち骨およびきぬた骨が発生する．その中枢端は蝶下顎靱帯および前つち骨靱帯となる)．＝Meckel c. (2).

floating c. 浮遊軟骨（関節内にある遊離軟骨片で，関節軟骨または関節包から剝離したもの)．＝loose c.

fourth and sixth pharyngeal arch c.'s 第四および第六咽頭弓軟骨（第四および第六咽頭弓の間葉性軟骨で，喉頭蓋を除く喉頭軟骨を形成する)．

greater alar c. 大鼻翼軟骨．＝major alar c. of nose.

Huschke c.'s (hūsh′kĕ)．フシュケ軟骨（鼻中隔軟骨部端にある２本の水平の軟骨様杆状体)．

hyaline c. 硝子軟骨（凍結したようなガラス状の外観をもつ軟骨で，その細胞間質は基質にうもれ，その形態ははっきりしないが，繊細な II 型コラーゲン線維を含んでいる．発達している軟骨では，細胞はしばしば同一起源の基質の中に存在する)．

hyoid c. 舌骨軟骨．＝second pharyngeal arch c.

hypsiloid c. ＝Y c.

interosseous c. 骨間軟骨．＝connecting c.

intervertebral c. ＝intervertebral *disc*.

intraarticular c. ***1*** ＝articular *disc*. ***2*** ＝meniscus *lens*.

intrathyroid c. 甲状〔軟骨〕内軟骨（幼児喉頭でまれにみられる左右の甲状軟骨板を結合する軟骨の細片)．

investing c. ＝articular c.

Jacobson c. (yah′kōb-sŏn)．ヤコブソン軟骨．＝vomeronasal c.

c.'s of larynx［TA］．喉頭軟骨（→thyroid c.; cricoid c.; arytenoid c.; cuneiform c.; triticeal c.; corniculate c.; sesamoid c. of cricopharyngeal ligament; epiglottic c.)．＝cartilagines laryngis［TA］．

lateral c. of nose 外側鼻軟骨．＝lateral *process* of septal nasal cartilage.

lesser alar c.'s 小鼻翼軟骨．＝minor alar c. of nose.

loose c. ＝floating c.

Luschka c. (lūsh′kah)．ルシュカ軟骨（声帯前部にときとしてみられる軟骨小結節)．

major alar c. of nose［TA］．大鼻翼軟骨（鼻尖，鼻柱，鼻柱縁を支持し，左右の内側脚は鼻柱内にあり，中間脚は鼻柱の小葉接合部(内側膝)から小葉尖の外側縁(外側膝)に伸び，外側脚は梨状孔に向かって伸びる．外側脚の軸は，外眼角に向かう線に沿って伸びる)．＝cartilago alaris major nasi［TA］; greater alar c.

mandibular c. 下顎軟骨．＝pharyngeal arch c.

meatal c. ＝c. of acoustic meatus.

Meckel c. (mek′ĕl)．メッケル軟骨（①＝pharyngeal arch c. ②＝first pharyngeal arch c.)．

Meyer c.'s (mī′ĕr)．マイアー軟骨（声帯靱帯の前付着部における前部種子軟骨)．

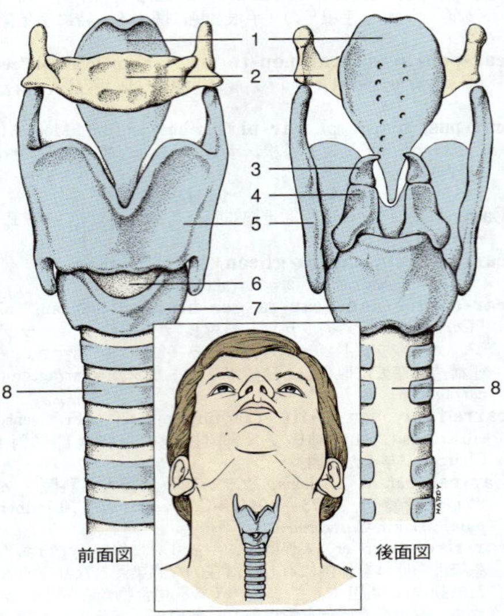

cartilages of larynx

1：喉頭蓋．2：舌骨．3：小角軟骨．4：披裂軟骨．5：甲状軟骨．6：輪状甲状靱帯．7：輪状軟骨．8：気管．

minor alar c. of nose［TA］．小鼻翼軟骨（小鼻翼軟骨後部にある 2—4 個の小さな軟骨板)．＝accessory quadrate c.; cartilagines alares minores nasi［TA］; lesser alar c.'s.

Morgagni c. (mōr-gah′nyē)．モルガニー軟骨．＝cuneiform c.

nasal septal c. 鼻中隔軟骨．＝septal nasal c.

c. of nasal septum 鼻中隔軟骨．＝septal nasal c.

c.'s of nose 鼻軟骨（外側，大・小翼状，副，鋤鼻，鼻中隔の各軟骨よりなる．→lateral *process* of septal nasal cartilage; major alar c. of nose; septal nasal c.; vomeronasal c.; minor alar c. of nose; accessory nasal c.'s)．＝cartilagines nasi.

ossifying c. ＝temporary c.

parachordal c. 索傍軟骨（幼若胚の脊索の頭方部を囲む無対の軟骨原基．軟骨頭蓋形成の第１段階)．

paraseptal c. ＝vomeronasal c.

parenchymatous c. ＝cellular c.

periotic c. 耳周囲軟骨（胎児の軟骨頭蓋において耳胞を囲む軟骨塊．初期軟骨段階にある耳嚢)．

permanent c. 恒久軟骨（骨化することのない軟骨)．

pharyngeal c.'s 咽頭弓軟骨，鰓弓軟骨（胚の咽頭弓(鰓弓)において間葉から発生する軟骨で，内臓頭蓋の原基となる)．＝branchial c.'s.

pharyngeal arch c. 鰓弓軟骨（第一鰓弓にある軟骨板で胎性下顎の一時的な支持構造をなす．近位端からはつち骨ときぬた骨の軟骨原基が発達してくる．蝶下顎靱帯や前つち骨靱帯がここから起こる)．＝mandibular c.; Meckel c. (1).

c. of pharyngotympanic tube［TA］．耳管軟骨（耳管の内側壁，蓋，側壁の一部を形成する樋状の軟骨)．＝cartilago tubae auditivae［TA］; c. of auditory tube; tubal c.

precursory c. ＝temporary c.

primordial c. 原始軟骨（初期発生段階の軟骨)．

quadrangular c. ＝septal nasal c.

Reichert c. (rī′kĕrt)．ライヘルト軟骨．＝second pharyngeal arch c.

reticular c., retiform c. 網状軟骨（線維軟骨に対してまれに用いる語)．

Santorini c. (sahn-tō-rē′nē)．サントリーニ軟骨．＝cornicu-

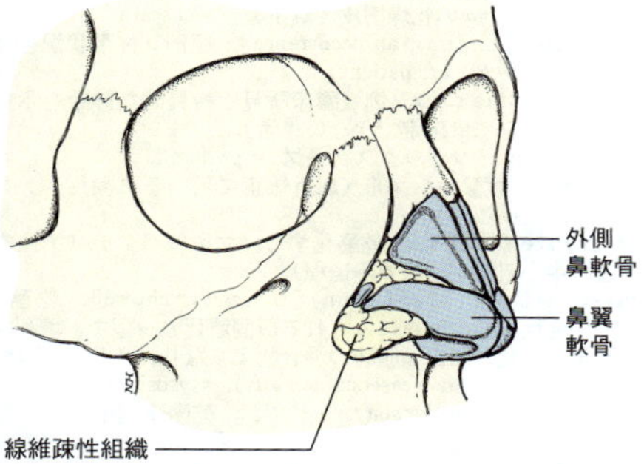

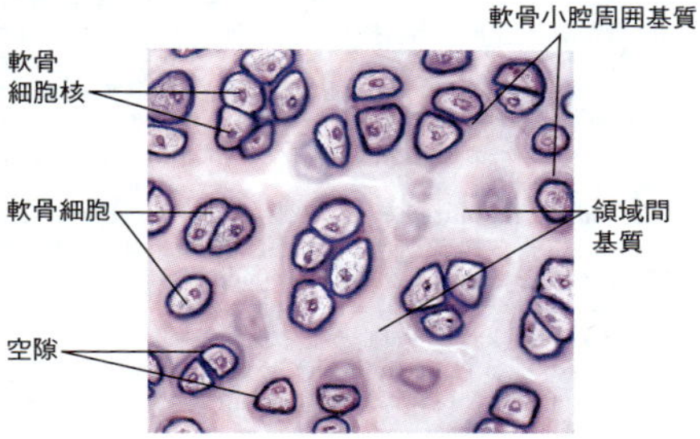

nasal cartilage

顕微鏡用切片は細胞および成熟硝子軟骨の基質を示す．ヘマトキシリン-エオシン染色，×320．

late c.

second pharyngeal arch c. 第二咽頭弓軟骨（胚子の第二咽頭弓の間葉内にある軟骨で，これよりアブミ骨，茎状突起，舌骨の小角と舌骨体の上部が由来し，近位部からは茎状舌骨靱帯が生じる）．＝hyoid c.; Reichert c.

Seiler c. (sī′lĕr). ザイラー軟骨（披裂軟骨の声帯突起に付着する小杆状軟骨）.

semilunar c. 関節半月（→lateral *meniscus*; medial *meniscus*）.

septal c. ＝septal nasal c.

septal nasal c. [TA]．鼻中隔軟骨（鋤骨と篩骨垂直板の間にあり，鼻中隔前部を構成する薄い軟骨板）．＝cartilago septi nasi [TA]; c. of nasal septum; cartilaginous septum; nasal septal c.; pars cartilaginea septi nasi; quadrangular c.; septal c.

sesamoid c. of cricopharyngeal ligament [TA]．〔喉頭の〕種子軟骨（披裂軟骨上端の外側に存在することのある弾性軟骨片）．＝cartilago sesamoidea ligamenta cricopharyngei [TA]; cartilago sesamoidea laryngis; sesamoid c. of larynx.

sesamoid c. of larynx〔喉頭の〕種子軟骨．＝sesamoid c. of cricopharyngeal ligament.

sesamoid c.'s of nose ＝accessory nasal c.'s.

slipping rib c. 肋軟骨亜脱臼（肋軟骨の連結部における肋骨の不全脱臼で，痛みを生じたり，捻音が聞こえる）.

sternal c. 胸肋軟骨（真肋骨の肋軟骨）.

supra-arytenoid c. ＝corniculate c.

tarsal c. 瞼板軟骨（ときに inferior tarsus(下瞼板)，superior tarsus(上瞼板)に対して用いられる不適切な語．→tarsus (2)）.

temporary c. 一過性軟骨（骨化する軟骨で骨格の一部を形成するもの）．＝ossifying c.; precursory c.

third pharyngeal arch c. 第三咽頭弓軟骨（舌骨の大角と舌骨体の下部を形成する第三咽頭弓の間葉組織内の軟骨）.

thyroid c. [TA]．甲状軟骨（最大の喉頭軟骨．2個のほぼ四辺形の板が 90—120 度の角度で正中部で結合し，その突出部が喉頭隆起(Adam's apple)となる）．＝cartilago thyroidea [TA].

tracheal c.'s [TA]．気管軟骨（気管骨格を形成する 16—20個の硝子軟骨輪．この軟骨輪は完全な輪をなさず，後方の 1/5—1/3 は軟骨を欠く）．＝cartilagines tracheales [TA]; tracheal ring.

triangular c. 三角軟骨板．＝articular *disc* of distal radioulnar joint.

triquetrous c. ***1***〔下橈尺関節の〕三角軟骨板．＝articular *disc* of distal radioulnar joint. ***2*** 披裂軟骨．＝arytenoid c.

triticeal c. [TA]．麦粒軟骨（まれに甲状舌骨靱帯の後部辺縁にみられる小麦粒大の球状の軟骨結節）．＝cartilago triticea [TA]; corpus triticeum; triticeum.

tubal c. ＝c. of pharyngotympanic tube.

uniting c. ＝connecting c.

vomerine c. 鋤鼻軟骨．＝vomeronasal c.

vomeronasal c. [TA]．鋤鼻軟骨（軟骨性鼻中隔と鋤骨との間で下方にある幅の狭い軟骨）．＝cartilago vomeronasalis [TA]; Jacobson c.; paraseptal c.; vomer cartilagineus; vomerine c.

Weitbrecht c. (vīt′breckt). ヴァイトブレヒト軟骨．＝articular *disc* of acromioclavicular joint.

Wrisberg c. (ris-bĕrg). ヴリスベルク軟骨．＝cuneiform c.

xiphoid c. ＝xiphoid *process*.

Y c., Y-shaped c. Y字軟骨（腸骨，坐骨，恥骨を連結する軟骨で，寛骨臼にみられるY字形の軟骨）．＝hypsiloid c.

yellow c. ＝elastic c.

---

car·ti·la·gi·nes (kar′ti-laj′i-nĕz). cartilago の複数形.

car·ti·lag·i·noid (kar′ti-laj′i-noyd). 軟骨様の．＝chondroid (1).

car·ti·lag·i·nous (kar′ti-laj′i-nŭs). 軟骨〔性〕の（軟骨に関する，軟骨からなることについていう）．＝chondral.

car·ti·la·go, pl. car·ti·la·gi·nes (kar′ti-lā′gō, -laj′i-nēs) [L. gristle][TA]．軟骨（組織学的な記述については cartilage 参照）．＝cartilage.

cartilagines alares minores nasi 小鼻翼軟骨．＝minor alar *cartilage* of nose.

c. alaris major nasi [TA]．大鼻翼軟骨．＝major alar *cartilage* of nose.

c. articularis 関節軟骨．＝articular *cartilage*.

c. arytenoidea [TA]．披裂軟骨．＝arytenoid *cartilage*.

c. auriculae [TA]．耳介軟骨．＝auricular *cartilage*.

c. corniculata [TA]．小角軟骨．＝corniculate *cartilage*.

c. costalis [TA]．肋軟骨．＝costal *cartilage*.

c. cricoidea [TA]．輪状軟骨．＝cricoid *cartilage*.

c. cuneiformis [TA]．楔状軟骨．＝cuneiform *cartilage*.

c. epiglottica [TA]．喉頭蓋軟骨．＝epiglottic *cartilage*.

c. epiphysialis [TA]．骨端軟骨．＝epiphysial *cartilage*.

cartilagines laryngis [TA]．喉頭軟骨．＝*cartilages* of larynx.

c. meatus acustici [TA]．外耳道軟骨．＝*cartilage* of acoustic meatus.

cartilagines nasales accessoriae [TA]．副鼻軟骨．＝accessory nasal *cartilages*.

cartilagines nasi 鼻軟骨．＝*cartilages* of nose.

c. nasi lateralis 外側鼻軟骨．＝lateral *process* of septal nasal cartilage.

c. septi nasi [TA]．＝septal nasal *cartilage*.

c. sesamoidea laryngis〔喉頭の〕種子軟骨．＝sesamoid *cartilage* of cricopharyngeal ligament.

c. sesamoidea ligamenta cricopharyngei [TA]．＝sesamoid *cartilage* of cricopharyngeal ligament.

c. thyroidea [TA]．甲状軟骨．＝thyroid *cartilage*.

cartilagines tracheales [TA]．気管軟骨．＝tracheal *cartilages*.

c. triticea [L. *triticum*, wheat][TA]．麦粒軟骨．＝triticeal *cartilage*.

c. tubae auditivae [TA]．耳管軟骨．＝*cartilage* of pharyngotympanic tube.

c. vomeronasalis [TA]．鋤鼻軟骨．＝vomeronasal *cartilage*.

ca·run·cle (kar′ŭng-kil) [TA]. 丘，小丘，子宮小丘（小さい肉の隆起，またはそれに似た形をもつもの）．＝caruncula (1) [TA].

lacrimal c. [TA]. 涙丘（内眼角にある小さな帯紅色の肥厚部で，変化した皮脂腺および汗腺を含む）．＝caruncula lacrimalis [TA].

Morgagni c. (mōr-gah′nyē). モルガニー丘．＝middle *lobe* of prostate.

Santorini major c. (sahn-tō-rē′nē). サントリーニ大丘．＝major duodenal *papilla.*

Santorini minor c. (sahn-tō-rē′nē). サントリーニ小丘．＝minor duodenal *papilla.*

urethral c. 尿道小丘（女性の尿道において，上皮から小さい肉片が突出したもので，ときに痛みを伴う．血管腫性，乳頭腫性，あるいは肉芽組織からなるものと考えられる）．

ca·run·cu·la, pl. **ca·run·cu·lae** (kă-rŭng′kyū-lă, -lē) [L. a small fleshy mass < *caro*, flesh]. ***1*** [TA]. 丘，小丘．＝caruncle. ***2*** 子宮小丘（有蹄類においては，約 200 個ある子宮内膜の特異円板領域で，胎児の絨毛叢と結合し胎盤節を形成する．胎児と母体の接触位置として，妊娠中は子宮小丘は同一位置に留まるが成長は続く）．

hymenal c. [TA]. 処女膜痕（処女膜の裂傷後に，膣口を取り囲む多数の小膜片）．＝c. hymenalis [TA]; c. myrtiformis.

c. hymenalis, pl. **carunculae hymenales** [TA]. ＝hymenal c.

c. lacrimalis [TA]. ＝lacrimal *caruncle.*

c. myrtiformis, pl. **carunculae myrtiformes** ＝hymenal c.

c. salivaris ＝sublingual c.

sublingual c. [TA]. 舌下小丘（舌小帯の左右にある小さな乳頭．ここに顎下腺管が開口する）．＝c. sublingualis [TA]; c. salivaris.

c. sublingualis [TA]. ＝sublingual c.

Ca·rus (kah′rŭs), Karl G. ドイツ人解剖・動物学者，1789—1869. → C. *circle, curve.*

car·va·crol (kar′vā-krol). カルバクロール（チモールの異性体．マヨラム，オレガノ，キダチハッカ，タイムなどの揮発油成分中に含まれる．性質・作用ともチモールに類似．殺菌作用をもつが，香料として用いる）．

Car·val·lo (kahr-vah′lō). → Rivero-Carvallo.

car·ve·di·lol (kar-vē′dil-ol). カルベディロール（高血圧および狭心症のための薬物．うっ血性心不全治療薬としても使用される）．

carve-out (karv-owt). カーブアウト（例えば保険会社によって支払いを拒否された請求書の割り当て分．この言葉は時間によって修飾されることもある．例えば，カーブアウト日などのように．これは，入院患者に対して，診断や特別な治療を行わない日曜日などのことをいう）．

carv·er (kar′ver). カーバー（歯科用の手用器具で，末端部の形が様々に変化しており，ワックスの輪郭をつけたり，充塡する際などに用いる）．

caryo- (kar′ē-ō) [G. *karyon*, nut, kernel]. 核に関する連結形．→ karyo-.

car·y·o·phyl·lus, car·y·o·phyl·lum (kar′ē-ō-fi′lŭs, -ŭm) [G. *karyophyllon*, clove tree < *karyon*, nut + *phyllon*, leaf]. チョウジ(丁子)（別名 clove）．

car·y·o·the·ca (kar′ē-ō-thē′kă) [caryo- + G. *thēkē*, sheath, box]. 核膜．＝nuclear *envelope.*

Ca·sal (kah-sahl′), Gasper. スペイン人医師，1691—1759. → C. *necklace.*

cas·a·mi·no ac·ids (kās′ă-mē′nō as′idz). カザミノ酸（カゼインの加水分解物であるアミノ酸混合物の通称．バクテリアなどの倍地に用いる）．

cas·cade (kas-kād′) [Fr. < It. *cascare*, to fall]. カスケード（①生理的過程のような一連の連続的相互作用のことで，いったん開始すると最後まで続く．各相互作用は，前の作用により活性化される．ときに累積効果をもつ．②特に急激に，こぼすこと）．

cas·car·a (kas-kar′ă). カスカラ．＝c. *sagrada.*

c. amara カスカラアマラ（ニガキ科 *Picramnia*属植物の乾燥樹皮．苦味強壮薬として用いる）．＝Honduras bark.

c. sagrada カスカラサグラダ（クロウメモドキ科 *Rhamnus purshiana* の乾燥樹皮．緩下薬）．＝cascara.

case (kās) [L. *casus*, an occurrence]. 症例（付帯状況を伴った疾病の一例．*cf.* patient）．

borderline c. 境界例（臨床所見は特異的な診断を示唆するが，完全には確定できない患者）．

index c. インデックスケース．＝proband.

trial c. 試験レンズ箱（屈折矯正に用いる試験用レンズのはいっている箱）．

ca·se·ate (ka′sē-ate). 乾酪化する（マイコバクテリア性肉芽腫の中心組織が崩壊する過程）．

ca·se·a·tion (kā′sē-ā′shŭn) [L. *caseus*, cheese]. 乾酪化，乾酪変性（特に結核にみられる凝固壊死の一型で，壊死組織がチーズ状の蛋白と脂肪の混合物よりなり，きわめて緩慢に吸収されるもの．→caseous *necrosis*）．＝tyrosis (2).

ca·sein (cā′sē-in, kā′sēn). カゼイン，乾酪素（牛乳の主要蛋白で，チーズの主成分．水に不溶，希アルカリおよび塩溶液に可溶，ホルムアルデヒドと化合し，硬質の不溶性の合成樹脂(可塑剤)が生成する．様々な接着剤，のり，にかわなどの構成成分として用いられる．成分により α–，β–，κ–カゼインなどに分けられる．β–カゼインは乳プロテアーゼによって γ–カゼインに変換される．α–カゼインにはいくつかのイソ型がある．κ–カゼインはカルシウムイオンにより沈殿しない）．

c. iodine, iodinated c. ヨウ化カゼイン（カゼインにヨウ素添加して得られる化合物．カゼイン中のチロシン基にヨウ素が結合することによる）．＝caseo-iodine.

plant c. 植物カゼイン．＝avenin.

ca·se·in·ate (kā′sē-in-āt). カゼイン塩．

ca·se·in·o·gen (kā-sē-in′ō-jen). カゼイノゲン（〝可溶〟，またはκ–カゼイン．レンニンの酵素作用によりパラカゼインに変化する）．

ca·se·o·i·o·dine (kā′sē-ō-i′ō-dīn). ＝*casein* iodine.

ca·se·ose (kā′sē-ōs). カゼオース（カゼインの加水分解または消化による生成物に対するあいまいな用語）．

ca·se·ous (kā′sē-ŭs). 乾酪性の（乾酪化された組織の肉眼的あるいは顕微鏡学的特徴またはその状態についていう）．

Ca·so·ni (kă-sō′nē), Tommaro. イタリア人医師，1880—1933. → C. *antigen*, intradermal *test*, skin *test.*

caspase (kas′pās). カスパーゼ（アポトーシスにかかわる酵素．アスパラギン酸(*asp*artic acid)残基の後で蛋白を切断する(cleave)．それゆえ *c asp*ase）．

caspofungin (kas′pō-fŭn-jin). カスポファンギン（真菌細胞壁に作用するエチノキャンディン系抗真菌薬の 1 つ）．

cas·sa·va starch (kă-sah′vah starch). カッサバデンプン．＝tapioca.

Cas·sel·ber·ry (kas′ĕl-ber-ē), William E. 米国人咽喉科医，1858—1916. → C. *position.*

Cas·ser (Casserio) (kas′ĕr), Giulio. イタリア人解剖学者，1556—1616. → C. *fontanelle*, perforated *muscle.*

cas·se·ri·an (ka-sē′rē-an). Casser に関する，または彼の記した．

cas·sette (kă-set′) [Fr. *casse*(box) の指小辞]. カセット（①写真やX線撮影に用いる感光板，フイルム，長巻きフイルムのホルダー．X線カセットは 2 枚の増感紙と 1 枚のX線フイルムを含んでいる．②パラフィン包埋用の，組織切片を入れる有孔容器）．

susceptibility c. 感受性カセット（HLA-DRB1 の 70—74 アミノ酸残基に共通な配列で，関節リウマチに関連した対立遺伝子中に見出される．グルタミン[Q]–リジン [K]–アルギニン[R]–アラニン[A]–アラニン[A]か QRRAA のいずれかの配列である．多種の DRB1 対立遺伝子座に存在する．これらの抗原提示分子を形成する α 鎖と β 鎖は，単純なくぼみ構造ではなく，抗原はくぼみの底や側面に沿って存在するポケット構造のアミノ酸配列を認識して結合し，この複合体は，CD4 陽性細胞上の T 細胞レセプタとヘテロ三量体を形成する）．＝rheumatoid pocket; shared epitope.

cas·si·a bark (kash′ē-ă bark). 桂皮．＝cinnamon.

cas·si·a fis·tu·la (kash′ēă fis′tyū-lă). アボツロク（植物．乾燥完熟果実は緩下薬として用いる）．＝purging cassia.

cas·si·a oil (kash′ē-ă oyl). 桂皮油．＝cinnamon oil.

cast (kast) [M. E. *kasten* < O. Norse *kasta*]. ***1*** 鋳造物，鋳物

(鋳型の中に液体を入れて固形化した物体). ***2*** ギプス包帯(動かないようにするために，石膏や合成樹脂，繊維ガラスを用いて，ある部分をおおい固めること). ***3*** 円柱(管状構造(例えば，尿細管，細気管支)内で形成される長方形または円柱状の物質で，組織切片あるいは尿や喀痰などの標本にみられる．管状構造内に分泌または排出される液体が濃厚になった結果生じる). ***4*** 大きな動物，通常はウマを，ロープや馬具を用いて横臥位で縛ること. ***5*** 模型(歯科において，上顎または下顎の組織の形態を陽型で再製すること．印象に石膏や金属，その他の物質を注入・硬化させ，その上で義歯床や他の歯科修復物をつくる).

bacterial c. 細菌円柱(細菌からなる尿中の円柱).

blood c.〔赤〕血球円柱(通常は尿細管内につくられる円柱であるが，細気管支にも生じる．血液の各要素(すなわち，赤血球，白血球，フィブリンなど)を含む物質が濃厚化したものからなり，これは糸球体または尿細管，あるいは肺胞，細気管支への出血の結果起こる).

coma c. 昏睡円柱(強力な屈折性のある顆粒の腎円柱で，糖尿病における急迫昏睡を示すといわれる). =Külz cylinder.

decidual c. 脱落円柱(子宮外妊娠の場合に，剝脱した粘膜が形成する子宮内部の鋳型).

dental c. 歯科模型(口腔局所の陽型模型).

diagnostic c. 診断用模型，研究用模型(印象からつくられた歯と組織の形をした陽型模型).

epithelial c. 上皮〔性〕円柱(上皮細胞と残遺物を含む円柱．尿細管や尿中に最も多くみられ，腎尿細管壊死のマーカとなる).

false c. 偽〔性〕円柱(細長くのびた，リボン状の粘液系で，不明瞭な辺縁と，とがったあるいは割れた末端を有する．しばしば真の尿円柱と混同される). =cylindroid; mucous c.; pseudocast; spurious c.

fatty c. 脂肪円柱(主に脂肪球からなる腎円柱または尿円柱．二重屈折体(コレステロールが主成分)を含む脂肪円柱は，ネフローゼ症候群にみられる).

fibrinous c. フィブリン円柱(ろう様円柱に多少類似している黄色円柱．急性腎炎の患者の尿中にみられる場合がある).

granular c. 顆粒円柱(粗いまたは細かい微粒子状細胞破片や他の蛋白様物質からなる，比較的暗色の濃密な尿円柱．慢性腎疾患ばかりでなく，急性腎不全の回復期にしばしばみられる.→waxy c.).

hair c. 被毛(不全角化性の鱗屑からなり，頭髪に付着するが，毛幹上を自由に上下に動かしうる．頭部ひこう疹，乾癬，脂漏性皮膚炎などの頭皮の落屑性の皮膚炎にみられる). =pseudonit.

halo c. ハロキャスト(肩に石膏の型をはめ，これに頭部方向にのびる金属棒を巻きこみ，それに頭蓋骨に固定したハロ(暈輪)型の器具をとりつけるギプス．これにより頭部に牽引を加えることができる).

hyaline c. 硝子円柱(尿中にみられる，細胞崩壊から派生した蛋白様物質を主成分とする比較的透明な腎円柱．腎疾患患者にみられ，また運動，発熱，心不全，利尿剤治療の際に一過性にみられる).

investment c. 埋没材模型. =refractory c.

master c. 主模型，作業用模型(印象によって再現された，形成した歯面，顎堤および(または)歯列弓の他の部分の複製).

mucous c. 粘液円柱. =false c.

red blood cell c. 赤血球円柱(種々の変性段階を示す赤血球を含む基質からなる尿円柱で，糸球体疾患や腎実質性出血の特徴である). =red cell c.

red cell c. 赤血球円柱. =red blood cell c.

refractory c. 耐火性模型(高温の金属の鋳造またははんだ付けにも耐えうる物質でつくられた模型). =investment c.

renal c. 腎円柱(尿細管でつくられ，尿中にみられる．例えば，アルブミン，細胞，血液からなる円柱). =tube c.

spica c. スパイカギプス包帯(股関節と腰部，母指と手関節などのように，大きさが著しく異なる2つの部位にまたがるギプスを巻く場合に，V型にギプスを重ねて巻くギプス包帯).

spurious c. 偽〔性〕円柱. =false c.

tube c. =renal c.

urinary c.'s 尿円柱(尿中に排出される円柱).

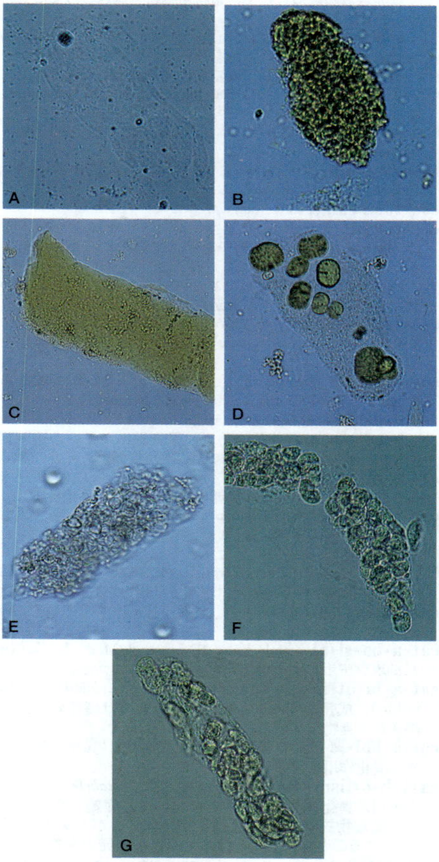

urinary casts

A：硝子円柱，非染色．B：胆汁色素に染色された粗い顆粒円柱．C：ろう様円柱(滑らかな輪郭，平滑末端，胆汁色素による染色)．D：三重リン酸結晶を含む硝子円柱が胆汁色素による染色で示される．E：赤血球円柱．F：白血球円柱(硝子円柱の表面への多形核白血球付着)．G：尿細管性上皮円柱(硝子円柱の表面への細胞付着).

waxy c. ろう様円柱(硝子円柱の低屈折率と対照的に，高屈折率をもつ均質蛋白様物質からなる尿円柱の一型．粗い顆粒状円柱と細かい顆粒状円柱を生じる崩壊過程の進行期を現し，通常，進行した腎疾患を示すと考えられる).

white blood cell c. 白血球円柱(多核白血球からなる尿円柱で，尿細管間質疾患，特に腎盂腎炎の特徴).

cast brace (kast brās). ギプス装具(ちょうつがいやその他の装具用部品と組み合わせて特別に設計された石膏またはプラスチックギプス包帯による装具．骨折の治療の際，固定とともに早期身体活動と関節運動を促進するために用いる).

Cas·tel·la·ni (kahs′tĕ-lah′nē), Aldo. イタリア人医師，1877—1971. →C. *bronchitis*, *paint*.

cast·ing (kas′ting). ***1*** 鋳造物，鋳物(鋳型でつくられる金属物体). ***2*** 鋳造，鋳込法.

centrifugal c. 遠心鋳造（回転アーム末端のるつぼを回転させて，溶けた金属を鋳型に入れて鋳造すること）．

ceramometal c. 陶材焼き付け金属鋳造（貴金属含有あるいは非含有の鋳造合金で，歯科用陶材を焼き付けることができるもの）．

gold c. 金鋳造（失われた歯の形態を再構成し，再び機能させる目的でつくられた金を用いた鋳造物）．

vacuum c. 真空鋳造（真空状態での金属の鋳造）．

CASTLE (kas′ĕl). carcinoma sharing thymuslike elements(胸腺成分を示す癌腫)の頭字語．

Cas·tle (kas′ĕl), William B．米国人医師，1897－1991. →C. intrinsic *factor*.

Cas·tle·man (kas′ĕl-măn), Benjamin. 米国人病理学者，1906―1982. →C. *disease*.

cas·tor bean (kas′ter bēn). トウゴマ．＝*Ricinus*.

cas·tor oil (kas′ter oyl). ヒマシ油（トウダイグサ科トウゴマ *Ricinus communis* の種子を絞って得られる不揮発油．しゃ下薬）．

aromatic c. o. 加香ヒマシ油（ヒマシ油の調製においては，香料を加えるとより味が良くなる）．

cas·trate (kas′trāt) [L. *castro*, pp. *-atus*, to deprive of generative power (male or female)]．去勢する（精巣や卵巣を摘出する）．

cas·tra·tion (kas-trā′shŭn). ***1*** 去勢〔術〕（精巣や卵巣の摘出）．***2*** 去勢（→castration *complex*; castrate）．

chemical c. 化学的去勢．＝functional c.

functional c. 機能的去勢（性腺刺激ホルモンの過剰作用や拮抗作用を伴う長期治療による生殖腺萎縮）．＝chemical c.

ca·su·al·ty (kazh′yū-ăl-tē). 死傷，死傷者（事故，疾病の流行，またはテロ・戦争・犯罪による傷害または犠牲者）．

cas·ui·stry (kăz′wĭ-strē) [L. *casus*, case]．決疑論（類似症例に接した前の経験に基づいて生物医学的倫理に使用される意思決定法）．

CAT *chloramphenicol* acetyl transferase の略．computerized axial *tomography* (CT) を表す現在では用いられない語．

cata- (kat′ă) [G. *kata*, down]．下方を意味する連結形．ana-の対語．→kata-. *cf.* de-.

cat·a·ba·si·al (kat′ă-bā′sē-ăl) [cata- + Mod. L. *basion*]．バジオンがオピスチオンより低い頭蓋についていう．

cat·a·bi·ot·ic (kat′ă-bī-ot′ik) [cata- + G. *biōtikos*, relating to life]．成長以外の生命過程の維持または機能の遂行に消耗される食物エネルギーについていう．

cat·a·bol·ic (kat′ă-bol′ik). 異化〔作用〕の（異化作用に関する，異化作用を促進する）．

ca·tab·o·lism (kă-tab′ō-lizm) [G. *katabolē*, a casting down]．異化〔作用〕（①体内において，複雑な化合物がより単純な物質に分解(例えば，グリコゲンが CO_2 と H_2O になる)することで，しばしばエネルギーの発生を伴う．②全分解経路の全体．*cf.* anabolism; metabolism）．＝dissimilation (2).

ca·tab·o·lite (kă-tab′ō-līt). 異化代謝産物（異化作用の産物）．

cat·a·chron·o·bi·ol·o·gy (kat′ă-kron′ō-bī-ol′ō-jē) [cata- + G. *chronos*, time + biology]．カタクロノバイオロジー（生体系に関する時間の有害な効果についての研究）．

cat·a·crot·ic (kat′ă-krot′ik). 下行脚隆起の（下降拍動が1つまたは複数の上行波によって妨害される脈拍記録についていう）．

ca·tac·ro·tism (kă-tak′rō-tizm) [cata- + G. *krotos*, beat]．下行脚隆起（主拍動の後に1つまたは複数の二次動脈拡大があり，脈拍記録の下降拍動上に二次上行波を生じる脈拍の状態）．

cat·a·di·crot·ic (kat′ă-dī-krot′ik). 下行脚重複隆起の（下行収縮を妨げる2つの小隆起のある脈拍記録についていう）．

cat·a·di·cro·tism (kat′ă-dī′krō-tizm) [cata- + G. *di-*, two + *krotos*, beat]．下行脚重複隆起（主拍動後に脈拍記録の下降拍動上に2つの二次上行波を生じさせる動脈の2つの小拡大を特徴とする脈拍の状態）．

cat·a·did·y·mus (kat′ă-did′i-mŭs) [cata- + G. *didymus*, twin]．下部重複奇形．＝*duplicitas* anterior.

cat·a·di·op·tric (kat′ă-dī-op′trik). 反射屈折の（反射と屈折の両方の光学系をもつ）．

cat·a·dro·mous (kat′a-drō′mus). 降河性の（産卵のために淡水から海洋に移動する．→anadromous）．

cat·a·gen (kat′ă-jen). 退行期（増殖が止まり，毛包の短縮および棍毛が形成される毛周期退行期）．

cat·a·gen·e·sis (kat′ă-jen′ĕ-sis) [cata- + G. *genesis*, origin]．カタゲネシス，退化．＝involution.

cat·a·lase (kat′ă-lās) [MIM*115500]．カタラーゼ（過酸化水素を水と酸素に分解する反応($2H_2O_2 \rightarrow O_2 + 2H_2O$)を触媒するヘム蛋白．カタラーゼの欠損により無カタラーゼ血症になる）．

cat·a·lep·sy (kat′ă-lep′sē) [G. *katalēpsis*, a seizing, catalepsy < *kata*, down + *lēpsis*, a seizure]．カタレプシー（四肢が様々な位置に，しばらくの間固定されてしまうろう様強直の状態で，刺激に対して反応せず，無言となり，活動しなくなる．特にカタトニー性統合失調症など精神病で起こる）．

cat·a·lep·tic (kat′ă-lep′tik). カタレプシーの．

cat·a·lep·toid (kat′ă-lep′toyd). カタレプシー様の．

ca·tal·y·sis (kă-tal′i-sis) [G. *katalysis*, dissolution]．触媒作用〔法〕（触媒が化学反応に及ぼす作用）．

contact c. 接触触媒作用〔法〕（触媒が固体で，触媒反応は反応物(通常は気体)がその固体と接触し進行する）．

surface c. 表面触媒作用〔法〕（固体粒子または巨大分子の表面で行われる触媒作用）．

cat·a·lyst (kat′ă-list). 触媒（化学反応を促進するが，それによって消費されたり，永久変化しない物質）．＝catalyzer.

inorganic c. 無機触媒（炭素–炭素結合や炭素–水素結合を含まない触媒活性をもつ物質(例えば白金やロジウム元素など)）．

negative c. 負触媒，陰性触媒（反応を遅らせる触媒）．

organic c. 有機触媒（①＝enzyme; ribozyme. ②有機分子からなる触媒）．

cat·a·lyt·ic (kat′ă-lit′ik). 触媒性の．

cat·a·lyze (kat′ă-līz). 触媒する．

cat·a·lyz·er (kat′ă-līz′er). ＝catalyst.

cat·a·me·ni·a (kat′ă-mē′nē-ă) [G. the menses, *katamēnios* の中性複数形，monthly < *mēn*, month]．カタメニア（月経．月経関連用語）．

cat·am·ne·sis (kat′am-nē′sis) [cata- + G. *mnēmē*, memory]．病後歴（患者の病後の医学的記録．追跡記録）．

cat·am·nes·tic (kat′am-nes′tik). 病後歴の．

cat·a·pasm (kat′ă-pazm) [G. *katapasma*, a powder; *katapassō*, to sprinkle over]．散布剤（びらんまたは潰瘍に用いる散粉）．

cat·a·pho·re·sis (kat′ă-fō-rē′sis) [cata- + G. *phorēsis*, a being carried]．電気泳動陰極性の（溶液または懸濁液中の陽荷重の粒子(陽イオン)が電気泳動で陰極に向かって移動すること．*cf.* anaphoresis）．

cat·a·pho·ret·ic (kat′ă-fō-ret′ik). 電気泳動の．

cat·a·pla·si·a, cat·a·pla·sis (kat′ă-plā′sē-ă, -plā′sis) [cata- + G. *plasis*, a molding]．降生，降形成（建設的すなわち発育的な変化と逆方向の，細胞または組織の退行的変化．初期すなわち胚期への逆行）．＝retrograde metamorphosis; retrogression; retromorphosis.

cat·a·plasm (kat′ă-plazm) [G. *kataplasma*, poultice < *kataplassō*, to spread over]．パップ〔剤〕，湿罨法．＝poultice.

cat·a·plec·tic (kat′ă-plek′tik). ***1*** 突発〔性〕の．***2*** 脱力発作の．

cat·a·plex·y (kat′ă-plek′sē) [cata- + G. *plēxis*, a blow, stroke]．カタプレキシー，脱力発作（極度の全身脱力の一過性発作．しばしば驚き，恐怖，怒りといった情動反応に誘発される．ナルコレプシーの四徴の1つ）．

CATARACT

cat·a·ract (kat′ă-rakt) [L. *cataracta* < G. *katarrhaktēs*, a downrushing, a waterfall < *katarrhēgnymi*, to break down, rush down]．白内障（**[**重複的な表現 ocular cataract を避けること**]**．眼の水晶体の完全なあるいは部分的な混濁）．＝cataracta.

anular c. 輪状白内障（核が中心性の白膜で置換している先天白内障）．＝disc-shaped c.; life-belt c.; umbilicated c.
atopic c. アトピー性白内障（アトピー性皮膚炎の際にみられる白内障）．
axial c. 中心性白内障（視軸上のレンズが不透明になること）．
black c. 黒色白内障（水晶体が硬化し，暗褐色を呈する白内障．19 世紀にはドイツ黒色白内障 *gutta* serena をさした）．＝cataracta brunescens; cataracta nigra.
blue c. 青色白内障．＝cerulean c.
capsular c. 水晶体嚢白内障（水晶体嚢だけが混濁する白内障）．
capsulolenticular c. 水晶包皮質白内障，水晶嚢皮質白内障（水晶体皮質と水晶体嚢の両方を含む白内障．→membranous c.）．
central c. 中軸白内障（胎生核に混濁が限局している先天白内障）．
cerulean c. ［MIM*115660］．青色白内障（青味がかった放射状の混濁を呈する先天白内障．ときに常染色体優性遺伝を示す）．＝blue c.; cataracta cerulea.
complete c. 完全白内障．＝mature c.
complicated c. 併発白内障．＝secondary c. (1).
concussion c. 振とう白内障（水晶体嚢の断裂を伴う，あるいは伴わないで起こる外傷性白内障）．
congenital c. 先天白内障（通常，両眼性で出生時に存在する．ジャージー種の子ウシの常染色体劣性形式で出現する．ヒトでは両眼性先天白内障の約 25 %は常染色体優性遺伝［MIM*116200, *116700］である．X連鎖型もある［MIM *302200, *302300］．大部分の先天白内障は孤発性であり，他には児の未熟性，子宮内感染，薬剤毒性，外傷，染色体異常あるいは代謝異常によるものもある）．
copper c. 鍋白内障．＝*chalcosis* lentis.
coralliform c. サンゴ状白内障（水晶体中央より，円形または楕円形混濁が放射状にのびている先天白内障）．
coronary c. 冠状白内障（思春期に起こる周辺部皮質の発達白内障．優性遺伝の特徴をもつ）．
cortical c. 皮質部白内障（水晶体皮質部にのみ混濁がみられる白内障）．＝peripheral c.
crystalline c. 結晶状白内障（他は透明な水晶体の中軸部にさんご状あるいは針状の結晶が沈着した遺伝性白内障）．
cuneiform c. 楔形白内障（混濁が車輪の輪のように，周囲から放射状に現れる皮質部白内障）．
cupuliform c. 皿状白内障（後脳直下領域にしばしば限局した老年性白内障の普通型）．＝saucer-shaped c.
dendritic c. 樹枝状白内障（複雑な枝状を呈する先天性縫合白内障）．
diabetic c. 糖尿病〔性〕白内障（1 型糖尿病に起こる白内障）．
disc-shaped c. 円板状白内障．＝anular c.
electric c. 電気性白内障（高圧電流との接触または電光により生じる白内障）．＝cataracta electrica.
embryonic c. 胎生白内障（胎生核の前Y字縫合近くに存在する先天白内障．遺伝形式は単一ではない）．
embryopathic c. 胎児性白内障（風疹ウイルスのような子宮内感染症による先天白内障）．
fibroid c., fibrinous c. 線維性白内障（滲出性虹彩毛様体炎の際に起こる水晶体嚢の硬化性混濁）．
floriform c. 花弁状白内障（混濁が花弁状になっている先天白内障）．
furnacemen's c. 製鉄工白内障．＝infrared c.
fusiform c. ＝spindle c.
galactose c. ガラクトース白内障（ガラクトースアルコールの水晶体内蓄積による新生児白内障．→galactosemia）．
glassworker's c. ガラス職工白内障．＝infrared c.
glaucomatous c. 緑内障性白内障（通常，絶対緑内障にみられる核性の混濁）．
gray c. 灰色白内障（灰色の白内障で，通常，老年性白内障，成熟白内障，皮質部白内障にみられる）．
hard c. 硬〔核〕白内障．＝nuclear c.
hook-shaped c. 鉤状白内障（胎児核と胎生核の間に鉤状の混濁を有する先天白内障）．
hypermature c. 過熟白内障（水晶体が液化し，核が水晶体嚢内に沈下している白内障(Morgagni 白内障)）．＝overripe c.
hypocalcemic c. 低カルシウム性白内障（低カルシウム血症の場合に起こる白内障）．
immature c. 未熟白内障（水晶体混濁化の一段階）．
infantile c. 乳児白内障（乳児に現れる白内障）．
infrared c. 赤外線白内障（水晶体による熱の吸収あるいは隣接虹彩からの伝播によって続発的に起こる白内障）．＝furnacemen's c.; glassworker's c.
intumescent c. 膨張〔性〕白内障（液体を吸収した膨化した白内障）．
juvenile c. 若年性白内障（小児あるいは青年に起こる軟性白内障）．
lamellar c. 層間白内障（混濁が皮質に限定されている白内障）．＝zonular c.
life-belt c. ＝anular c.
mature c. 成熟白内障（核と皮質の両方が混濁する白内障）．＝complete c.; ripe c.

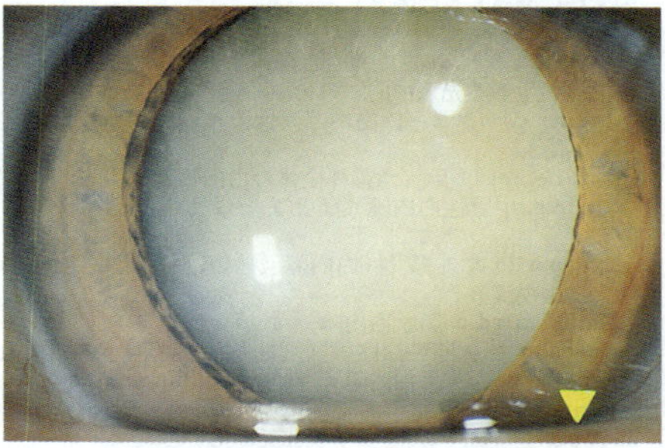

mature cataract with complete opacification of the lens

membranous c. 膜様白内障（肥厚した水晶体嚢の遺残と変性した水晶体線維からなる続発性白内障）．
Morgagni c. (mōr-gah′nyē)．モルガニー白内障（水晶体核が水晶体嚢内に沈下している過熟白内障）．＝sedimentary c.
myotonic c. 筋緊張性白内障（筋緊張性ジストロフィに際して起こる白内障）．
nuclear c. 核性白内障（水晶体核に生じた白内障）．＝hard c.
overripe c. 過熟白内障．＝hypermature c.
perinuclear c. 核周囲性白内障（水晶体核は透明であるが，輪状の混濁によって取り巻かれている層間白内障）．
peripheral c. 周辺白内障．＝cortical c.
pisciform c. 魚形白内障（胎生核の中軸領域に両眼性の魚形の混濁を有する遺伝性白内障）．
polar c. 極白内障（水晶体前極または後極の部分に限られる水晶体嚢白内障）．
posterior subcapsular c. 後嚢下白内障（水晶体後極部で皮質を侵す白内障）．
progressive c. 進行性白内障（混濁過程が進行し，全水晶体をおおう白内障）．
punctate c. 点状白内障（混濁点が水晶体全体に散乱している不完全白内障）．
pyramidal c. 錐体状白内障（円錐状の前極白内障）．
radiation c. 放射線白内障（過剰の紫外線，X線，ラジウム，ガンマ線，熱，放射性同位元素に長期間暴露されて生じた白内障）．
reduplicated c. 重複性白内障（混濁が水晶体の様々な位置にみられる先天白内障の一種）．
ripe c. ＝mature c.
rubella c. 風疹白内障（子宮内風疹感染に続発する胎芽症性白内障）．
saucer-shaped c. ＝cupuliform c.
secondary c. 続発性白内障（①ブドウ膜炎のような他の

眼疾患を伴ったり，その後に起こる白内障．＝complicated c. ②白内障手術の後に，水晶体の残余や包皮に発生する白内障）．

sedimentary c. 沈渣性白内障．＝Morgagni c.

senile c. 老年(老人)〔性〕白内障（老年者に自然に現れる白内障．主に楔状白内障，核性白内障，後嚢下白内障で，単独で起こることも合併することもある）．

siderotic c. 鉄沈着性白内障（鉄含有眼内異物からの鉄の沈着によって引き起こされる白内障）．

soft c. 軟性白内障（核が十分に形成されていない進行したあるいは成熟白内障）．

spindle c. 紡錘状白内障（混濁が紡錘形で，極から極に広がっている白内障）．＝fusiform c.

stationary c. 停在白内障（進行しない白内障）．

stellate c. 星状白内障（水晶体の混濁が，嚢下または皮質部で周辺部に放射状に広がる先天白内障）．

subcapsular c. 嚢下白内障（嚢下に混濁が集中した白内障）．

sugar c. 糖白内障（五炭糖・六炭糖アルコールの水晶体内蓄積に関係した白内障）．

sunflower c. サン－フラワー白内障．＝*chalcosis* lentis.

sutural c. 縫合線白内障（水晶体胎生核のY字縫合に沿って混濁が生じる先天白内障の一種．通常，視力は損わない）．

tetany c. テタニー性白内障（低カルシウム血症に併発する白内障）．

total c. 全白内障（水晶体全体の白内障）．

toxic c. 中毒性白内障（薬物または化学薬品による白内障）．

traumatic c. 外傷〔性〕白内障（挫傷，裂傷，または異物による白内障）．

umbilicated c. 臍状白内障．＝anular c.

vascular c. 欠陥性白内障（変性した水晶体が中胚葉組織と置き換わった先天白内障）．＝cataracta fibrosa.

zonular c. 層間白内障．＝lamellar c.

---

cat·a·rac·ta (kat′ă-rak′tă) [L.]．白内障．＝cataract.

c. adiposa 脂肪性白内障（vascular *cataract* を表す現在では用いられない語）．

c. brunescens 褐色白内障．＝black *cataract*.

c. cerulea ＝cerulean *cataract*.

c. electrica 電気性白内障．＝electric *cataract*.

c. fibrosa 線維状白内障．＝vascular *cataract*.

c. nigra 黒色白内障．＝black *cataract*.

cat·a·rac·to·gen·e·sis (kat′ă-rak-tō-jen′ĕ-sis) [cataract + G. *genesis*, production]．白内障発生（白内障形成の過程）．

cat·a·rac·to·gen·ic (kat′ă-rak-tō-jen′ik)．白内障発生性の．

cat·a·rac·tous (kat′ă-rak′tŭs)．白内障の．

ca·tar·ia (ka-tā′rē-ă) [L. *cattus*, male cat (post-class)]．イヌハッカ（シソ科イヌハッカ *Nepeta cataria* の花穂を乾燥したもの．通経薬および鎮痙薬．精神作用も報告されている）．＝catnep; catnip.

ca·tarrh (kă-tahr′) [G. *katarrheō*, to flow down]．カタル（→catarrhal *inflammation*）．

nasal c. 鼻カタル．＝rhinitis.

vernal c. 春季カタル．＝vernal *conjunctivitis*.

ca·tarrh·al (kă-tah′răl)．カタル性の．

cat·a·stal·sis (kat′ă-stal′sis) [G. *kata-stellō*, to put in order, check]．カタスタルシス（普通のぜん動に似ているが，抑制域が先行しない収縮波）．

cat·a·stal·tic (kat′ă-stal′tik) [cata- + G. *staltos*, contracted < *stellō*, to contract]．抑制の．＝inhibitory.

ca·tas·ta·sis (kă-tas′tă-sis) [G.]．*1* 状態，位置．*2* 正常な状態または位置に戻ること．

cat·a·to·ni·a (kat′ă-tō′nē-ă) [G. *katatonos*, stretching down, depressed < *kata*, down + *tonos*, tone]．*1* 緊張性昏迷．*2* カタトニー，緊張病（身体の硬直，拒絶反応，または昏迷期が特徴の精神運動障害症候群．統合失調症，気分障害，または脳器質疾患に生じる）．

excited c. 興奮性緊張病，緊張病性興奮（患者は興奮し，衝動的で，かつ活動性は亢進し好戦的な緊張病）．

periodic c. 周期性緊張病（緊張病性興奮の病相が規則的に繰り返されること）．

stuporous c. 昏迷性緊張病，緊張病性昏迷（患者は動きがなく無言となり，拒絶症を呈する．凝視，筋固縮，カタプレキシーなどが様々な組合せで認められる緊張病）．

cat·a·ton·ic, cat·a·to·ni·ac (kat′ă-ton′ik, -tō′nē-ak)．緊張性昏迷の，カタトニーの，緊張病の．

cat·a·tri·chy (kat′ă-tri-kē) [cata- + G. *thrix*, hair][MIM *116850]．毛髪下生症（前額部に毛が生えているもの．頭髪と分離して，あるいは異なった外観を呈したものとしてみられる．常染色体優性で遺伝することがある．→Waardenburg *syndrome*）．

cat·a·tri·crot·ic (kat′ă-trī-krot′ik)．下行脚三隆起の（3つの小上昇を伴い，下降拍動を妨げる脈拍曲線についていう）．

cat·a·tri·cro·tism (kat′ă-trī′krō-tizm) [cata- + G. *tri-*, three + *krotos*, beat]．下行脚三重波(隆起)（動脈が3回小さく拡張することが特徴の脈拍の状態を表す語で，脈拍を描かせた場合，主拍動に引き続いて下行脚に3つの上向きの小さな波が生じることをいう）．

CATCH 22 ＝DiGeorge *syndrome*.

cat·e·chase (kat′ĕ-kāz)．カテカーゼ．＝catechol 1,2-dioxygenase.

cat·e·chin (kat′ĕ-kin)．カテキン（ペグ阿仙薬から得られる．下痢の収れん薬として，また染料として用いる）．＝catechinic acid; catechuic acid; cyanidol.

cat·e·chin·ic ac·id (kat′ĕ-kin′ik as′id)．カテキン酸．＝catechin.

cat·e·chol (kat′ĕ-kol)．カテコール（①＝pyrocatechol．② *O*-カテコール構造を含むカテキンについてあいまいに使われ，ピロカテコール誘導体であるカテコラミンの語源としても用いられる語）．

c. *O*-methyltransferase カテコール-*O*-メチルトランスフェラーゼ（ノルエピネフリンやエピネフリンなどを含むカテコールアミンの芳香環の3位の水酸基のメチル化を触媒するトランスフェラーゼ(ノルエピネフリンはノルメタネフリンに，またエピネフリンはメタネフリンに変換される)．そのメチル基は*S*-アデノシル-L-メチオニンに由来する．カテコールアミンの異化の重要段階である）．

c. oxidase カテコールオキシダーゼ（カテコールの酸素による1，2-ベンゾキノンへの酸化反応を触媒する酵素．→monophenol monooxygenase）．＝diphenol oxidase; *o*-diphenolase.

c. oxidase (dimerizing) カテコールオキシダーゼ(二量体)（カテコールの酸素によるジフェニレンジオキシドキノン産生への酸化反応を触媒する酵素．例えば，4 c. + $3O_2$→2 dibenzo[1,4]-2,3-dione + $6H_2O$）．

cat·e·chol·a·mines (kat′ĕ-kol′ă-mēnz)．カテコールアミン（アルキルアミン側鎖をもつピロカテコール．生化学に関与するものとしては，エピネフリン，ノルエピネフリン，L-ドパがある．カテコールアミンはストレス応答の主成分）．

cat·e·chol 1,2-di·ox·y·gen·ase (kat′ĕ-kol dē-oks′ē-jen′ās)．カテコール1,2-ジオキシゲナーゼ（ピロカテコールの酸素による*cis*-*cis*-ムコン酸への酸化反応を触媒する酸化還元酵素）．＝catechase; pyrocatechase.

cat·e·chol 2,3-di·ox·y·gen·ase (kat′ĕ-kol dē-oks′ē-jen′ās)．カテコール2,3-ジオキシゲナーゼ（カテコールの酸素による2-ヒドロキシムコネートセミアルデヒドへの酸化反応を触媒する酸化還元酵素）．＝metapyrocatechase.

cat·e·chu·ic ac·id (kat′ĕ-kū′ik as′id)．＝catechin.

cat·e·chu ni·grum (kat′ĕ-kū nī′grum)．マメ科 *Acacia catechu* の赤木質の抽出物．下痢の収れん薬として用いる．＝cutch.

cat·e·lec·trot·o·nus (kat′ē-lek-trot′ō-nŭs) [cathode + electrotonus]．陰極電気緊張（定電流が流れている間に，陰極付近にある神経または筋肉の興奮・伝導性が変化すること）．

cat·en·ate (kat′e-nāt) [L. *catenatus*, chained together < *catena*, chain]．カテネイト（鎖のように一続きの鎖の輪で連結すること．例えば2つの環状ミトコンドリアDNAはしばしば連鎖している）．

cat·e·nat·ing (kat′e-nāt-ing) [L. *catenatus*, chained]．鎖

形成の（連鎖または連続した形でみられる）．

cat·en·in (ka-tēn′in)［L. *catena*, chain ＋-in］．カテニン（カドヘリンと細胞骨格との間の連結として役立つ細胞質分子で，接着性結合部の形成を可能にする．2種類あり，β-カテニンはカドヘリンそのものに結合し，α-カテニンはアクチンマイクロフィラメントと会合する）．

cat·e·noid (kat′ĕ-noyd)［L. *catena*, chain＋G. *eidos*, resemblance］．***1*** 鎖状の（各個体が末端同士で連結した真菌類胞子鎖や細菌のコロニーのように鎖状のものについていう）．＝catenulate. ***2*** 懸垂面（懸垂線(密度一様な鎖の両端を支えてつり下げたときできるカーブ)を母線とする回転面によって生じる曲面．懸垂面は極小曲面であるため非常に安定性がある．特に特発性肥厚性大動脈弁下部狭窄症においては心臓の心室中隔がこの懸垂面に類似しており，この状態では心室内圧を増加させることができなくなったり，あるいはLaplaceの法則で規定されるように心室容積を減少させることがうまくできなくなる）．

ca·ten·u·late (ka-ten′yū-lāt)．＝catenoid (1).

cat·er·pil·lar (kat′er-pil′er)［M.E. *catirpeller* ＜ O.Fr. *cate*, cat＋*pelose*, hairy］．イモムシ，ケムシ（チョウやガの蠕虫様の幼虫期）．

dermatitis-causing c. 皮膚炎誘発性毛虫（毒毛によって皮膚炎を起こす毛虫のことで，*Sibine stimulea*(サドルバック毛虫)と*Euproctis chrysorrhoea*(ブラウンテイル蛾)が頻度が高い）．

saddleback c. サドルバック毛虫（*Sabine stimulea* の幼虫で，毛虫皮膚炎の原因となる）．

stinging c. 有針毛虫（イラクサ様の棘や針毛をもち，アレルギー性皮膚炎を起こす．例えば，イオ蛾，ネコ毛虫）．

cat·gut (kat′gŭt)［恐らく kit(子ネコ)が *kit*(小さなバイオリン)と混同されたもの］．カットグット〔剤〕，腸線（ある動物(例えばヒツジあるいは雌ウシ)の粘膜下層の膠原線維でつくった吸収性の手術用縫合糸．catgut は誤称）．

chromic c. クローミック腸線（拡張力を長もちさせ，吸収を遅らせるためにクロミウム塩の浸潤処理をした腸線）．

silverized c. 鍍銀腸線（2％の銀コロイド溶液に1週間，次に95％アルコールに15―30分間浸してつくる）．

Cath·a ed·u·lis (kath′ă ed′yū-lis)［Ar. *khat*］．エチオピア，アラビアのニシキギ科の植物で刺激薬として用いるために栽培される．カート(新鮮な葉および小枝)はかんだり，飲料に用いる．有効成分は薬理学的にはアンフェタミンに関連しており，*d*-norisoephedrine であると考えられる．

***Cath·ar·an·thus* al·ka·loids** (kath′ăr-ran′thus al′kă-loydz)．カタランツスアルカロイド類．＝*Vinca alkaloids.*

ca·thar·sis (kă-thar′sis)［G. *katharsis*, purification ＜ *katharos*, pure］．***1*** しゃ(瀉)下，便通，カタルシス．＝purgation. ***2*** カタルシス，浄化〔法〕，開通法（過去の，特に抑圧された出来事から感情を解き放つよう精神分析学的に指導して，情動緊張，不安を取り除くこと）．＝psychocatharsis.

ca·thar·tic (kă-thar′tik)．***1***〖adj.〗しゃ(瀉)下の．***2***〖n.〗しゃ(瀉)下薬，便通薬，下剤．

ca·thec·tic (kă-thek′tik)．カテクシスの．

ca·them·o·glo·bin (ka′thēm-ō-glō′bin)．カトヘモグロビン（グロビンが変性し，鉄が酸化されたヘモグロビンの人工的誘導体）．

ca·thep·sin (kă-thep′sin)．カテプシン（それぞれ特異性の異なる動物組織の多くの細胞内の蛋白分解酵素およびペプチダーゼ(すべてエンドペプチダーゼ)の1つ）．

cath·e·ter (kath′ĕ-ter)［G. *kathetēr* ＜ *kathiēmi*, to send down］．カテーテル（①管状の器具で，体腔内へまたは体腔外，血管から液体を通過させることができる．→line (5). ②一般的に尿を膀胱から流出させるために尿道を通過するようにつくられたものをさす）．

acorn-tipped c. 先ドングリ型カテーテル（尿管腎盂造影で造影剤注入時および注入後に，逆流がないように尿管を塞ぐカテーテル）．

angiography c. 血管造影用カテーテル（壁の薄い管で，経皮的挿入と血管造影のための自動造影剤注入器に適する．カテーテル径はフレンチスケールで計られる．→Seldinger *technique*）．

balloon c. バルーンカテーテル（動脈塞栓摘除術や肺動脈へ流すのに使われるカテーテル）．

balloon-tip c. バルーン付きカテーテル（先端にバルーンが付いている単腔あるいは二腔のチューブ．挿入後，抜去せずにバルーンを膨らませたり脱気することができる．血管内をカテーテルチューブが進みやすくさせるため(血流によって推進される)，あるいはチューブだけでは血流が自由な血管を閉塞させるためにバルーンを膨らませる．このカテーテルは，心血行動態の測定のため，しばしば肺動脈内に挿入される．→Swan-Ganz c.）．

bicoudate c., c. bicoudé［bi＋Fr. *coudé*, bent］．重曲カテーテル（二重に曲がった彎曲カテーテル）．

Bozeman-Fritsch c. (bōz′măn frich)．ボーズマン－フリッチュカテーテル（先端に数個の開口部をもち，多少屈曲した二重管の子宮内洗浄カテーテル）．

Braasch c. (brahsh)．ブラーシュカテーテル（先端に球のついたカテーテル．拡張あるいは内径測定の目的で用いる）．＝Braasch bulb.

Broviac c. (brō′vē-ak)．ブロビアックカテーテル（薬剤投与のための体外ポートを備えた長期用中心静脈カテーテル）．

brush c. ブラシカテーテル（細毛ブラシを先端にした尿管カテーテル．内視鏡的に尿管や腎盂に挿入し，緩やかに前後運動を行い，対象となる腫瘍の表面から細胞を擦過して採取する）．

cardiac c. ＝intracardiac c.

central line c. 中心静脈カテーテル．＝central venous c.

central venous c. 中心静脈カテーテル（末梢静脈あるいは中心静脈から，上大静脈あるいは右心房まで進めたカテーテル．中心静脈圧の測定や，濃厚な薬剤，輸液などを注入するために用いる）．＝central line c.

conic c. 円錐状カテーテル（尿管を拡大するための杆状先端付きカテーテル）．

c. coudé［Fr. *coudé*, bent］．クーデカテーテル（［単語coudéは固有名詞ではないので最初の字を大文字にしない］．先端の近くである角度をもって屈曲したカテーテルで，前立腺が障害になる場合に用いる）．＝elbowed c.; prostatic c.

c. à demeure［Fr. *demeurer*, to dwell］．かなり長期間にわたり尿道に留置されたカテーテルを表す語．現在では用いられていない．

de Pezzer c. (dĕ-pĕ-zā′)．ド・ペゼーカテーテル（膨らんだ端を有する留置カテーテル）．

double-channel c. 二重管(二管腔)カテーテル（洗浄(灌流)と吸引あるいは，注入と内圧測定とが可能な内腔の2つあるカテーテル）．＝two-way c.

elbowed c. 彎曲カテーテル．＝c. coudé.

eustachian c. 耳管カテーテル（耳管を通す中耳のカテーテル挿入に用いる）．

female c. 女子用カテーテル（女性の尿道に通す，短く，ほとんど直線状のカテーテル）．

Fogarty embolectomy c. (fō′găr-tē)．フォガーティ〔塞栓摘除〕カテーテル（先端近くに可膨張性バルーンのついたカテーテルで，血管内から塞栓や血栓を除去したり，胆管から結石を除去するのに用いる）．

Foley c. (fō′lē)．フォーリーカテーテル（先端にバルーンのついた尿道カテーテル．次頁の図参照）．

Gouley c. (gū′le)．グーレーカテーテル（下面に溝を設けた曲状の鋼鉄の器具．ガイドの管に沿って入れることにより，尿道狭窄部を通過させることができる）．

Hickman c. (hik′măn)．ヒックマンカテーテル（体外ポートの付いている長期用中心静脈留置カテーテル）．

indwelling c. 留置カテーテル（膀胱の中に置いておくカテーテルで，通常はバルーンカテーテル）．

intracardiac c. 心〔臓〕カテーテル（動脈または静脈を経て心臓に通すことのできるカテーテル．このカテーテルにより，血液標本を取り出し，心室または大血管内の圧力を測定し，造影剤を注入することができる．主に，先天性，リウマチ性，および冠状動脈などの病変の診断と心機能の評価に用いる）．＝cardiac c.

Malecot c. (mal′ĕ-kō)．マルコーカテーテル（2翼または4翼付きのカテーテル）．

Nélaton c. (nā-lah-tawn[h]′)．ネラトンカテーテル，ゴム製カテーテル（赤色ゴムの軟性カテーテル）．

olive-tipped c. 先オリーブ形カテーテル（先端がオリーブ実状の尿管カテーテル．狭窄した尿管口拡張に用い，大きな

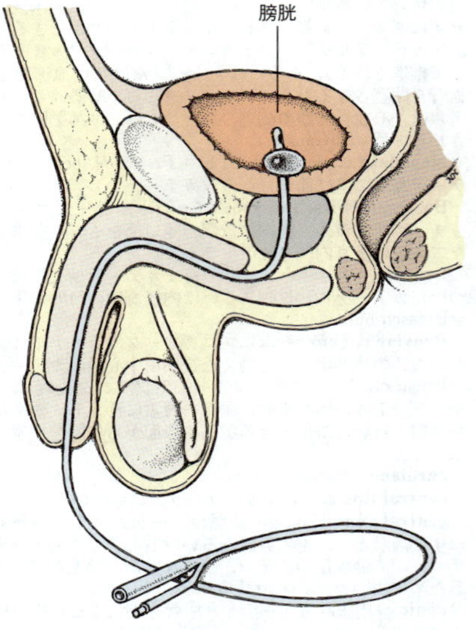

Foley catheter

径のものは尿道狭窄の拡張および内径測定にも用いる).

pacing c. ペーシングカテーテル（心臓カテーテルの1つで，1つまたはそれ以上の電極が先端についていて，心臓を人工的にペースするのに使われる).

peripherally inserted central c. (**PICC**) 末梢挿入中心静脈カテーテル（末梢静脈を通して上大静脈に挿入されたチューブ).

Pezzer c. (pĕ-zā′). →de Pezzer c.

Phillips c. (fil′ŭps). フィリップスカテーテル（尿道に使用する，糸状導子のついたカテーテル).

pigtail c. ピッグテールカテーテル（きつくカールした先端および複数の側孔を有するカテーテルで，心腔内で注入剤の衝撃を減らす．また心嚢内からの排液に用いる).

prostatic c. 前立腺カテーテル．＝c. coudé.

pulmonary artery c. ＝Swan-Ganz c.

Robinson c. (rob′in-son). ロビンソンカテーテル（特に凝血がいくつかの開口部を閉塞する場合に尿の排出をよくするため，2—6個の孔をつけたまっすぐな尿道カテーテル).

self-retaining c. 自留カテーテル（取り除くまで尿道および膀胱に留まるようにつくられたカテーテル．例えば，留置カテーテル，Foley カテーテル).

spiral tip c. 先らせん形カテーテル（らせん状の糸状カテーテル).

Swan-Ganz c. (swahn ganz). スワン－ガンツカテーテル（著しく不健康な患者の治療で一般に使われる，バルーンが先端についた柔軟なカテーテル．主な周辺の静脈，通常頸静脈または鎖骨下部を通して導入され，そして，X線透視下あるいは透視せずに圧力波形誘導により流れ，順に右心房，右心室，肺動脈を通り，最終的に，小さな動脈の枝で，バールンの拡大時に楔入する．先端は心臓の左側から逆行して伝わる圧を測定でき，それは左心室拡張末期圧を表すと仮定される．横穴は，中心静脈圧値を与える．バルーンの空気が抜けると，肺動脈の収縮期，拡張期，そして平均圧を測定できる．また，カテーテルを経て注入ができる．一部のカテーテルは，ペーシング電極をつけている).＝pulmonary artery c.

two-way c. 複筒カテーテル．＝double-channel c.

vertebrated c. 椎骨状カテーテル（鎖の輪のように各々動かすことのできるいくつかの部分からなるカテーテル).

whistle-tip c. 笛尖状カテーテル（側面と末端に開口部をもつカテーテル).

winged c. 翼付カテーテル（膀胱内に保持するために，突出部の両側に小さな弁のついた軟らかいゴムのカテーテル).

cath·e·ter·i·za·tion (kath′ĕ-ter-ī-zā′shŭn). カテーテル法.

clean intermittent bladder c. (**CIC**) 清潔間欠導尿（自排尿のできない神経因性膀胱の患者が，一定の時間間隔で膀胱の尿を排泄する一般的な方法．無菌的よりも清潔な操作で行う).

cath·e·ter·ize (kath′ĕ-ter-īz). カテーテルを挿入する.

cath·e·ter·o·stat (kath-ē′ter-ō-stat) [catheter + G. *statos*, standing]. カテーテル保持台.

ca·thex·is (kă-thek′sis) [G. *kathexis*, a holding in, retention]. 備給，カテクシス（考え，対象，または人に精神エネルギーを意識的または無意識に集中すること).

cath·o·dal (**C**) (kath′ō-dăl). 陰極の．＝cathodic.

cath·ode (**Ca, C**) (kath′ōd) [G. *kathodos*, a way down ＜ *kata*, down + *hodos*, a way]. 陰極（電池の負の極またはそれに連結した電極．正電荷イオン(陽イオン)はこの電極へ向かって動き，減少する．一方，電子はその発生源(陽極または発電機)からこの電極に供給される．陰極の電子はその発生源(電池や発電機)から与えられる．X線やブラウン管では電子がその管電位によって陽極へ加速されるフィラメントをもっている．*cf.* anode).＝negative electrode.

ca·thod·ic (kă-thod′ik). 陰極の．＝cathodal.

cath·ol·y·sis (kath-ol′ē-sis). 陰極分解（陰極針による電気分解).

cat·i·on (kat′ī-on) [G. *katiōn*, going down]. 陽イオン，正イオン，カチオン（[誤った発音 kā′shŭn を避けること]．陽電気を帯びているため負に荷電した陰極に向かって動くイオン).

cat·i·on ex·change (kat′ī-on eks-chānj′). 陽イオン交換（液相にある陽イオンが，陽イオン交換体である負に荷電したポリマーの対イオンとして存在する他の陽イオンと交換する過程をいう．塩化ナトリウム液体から Na^+ を除去する陽イオン交換反応は，$RSO_3^-H^+ + Na^+ \rightarrow RSO_3^-Na^+ + H^+$(Rはポリマー，$RSO_3^-$ は陽イオン交換体)．これを陰イオン交換反応とともに行った場合には，溶液から塩化ナトリウムが除去される(脱塩)．陽イオン交換は，陽イオンを分離するためにクロマトグラフィにも用いられ，医学的には陽イオン，例えば H^+ の胃内容物からの除去，あるいは腸からの Na^+，K^+ の除去に使われる．→anion exchange).

cat·i·on ex·chang·er (kat′ī-on eks-chānj′ĕr). 陽イオン交換体（負に荷電した基(例えば $-COO^-$，$-SO_3^-$)を有する不溶性の固体(通常はポリスチレン，または多糖類)で，そこを通過する溶液中の陽イオンがこれらの基よりも強く酸性に引き付けられると，この陽イオンを吸着し保持することができる).

cat·i·on·ic (kat′i-on′ik). 陽イオンの.

cat·i·on·o·gen (kat′i-on′ō-jen). 陽イオン原（生体内で正に荷電したイオンを発生する物質).

cat·lin, cat·ling (kat′lin, -ling). 切断用両刃刀（先端が鋭くとがった長い両刃のナイフで，切断に用いる).

cat·nep, cat·nip (kat′nep, kat′nip). ＝cataria.

cat·o·chus (kat′ō-kŭs) [G. *katochē*, epilepsy(Galen説)＜ *katechō*, to hold fast]. カトカス（患者は意識はあるが，動いたり話したりすることはできない，カタレプシーの類トランス相).

ca·top·tric (ka-top′trik) [G. *katoptron*, mirror]. 光反射の，反射光線の.

Cattell (kă-tel′), Raymond B. 英国/米国人精神科医，1905—1998．人格の研究にかかわる多種の因子分析を展開した.

cau·da, pl. **cau·dae** (kaw′dă, kaw′dē) [L. a tail][TA]. 尾．＝tail (1).

c. epididymidis [TA]. 精巣上体尾．＝*tail* of epididymis.

c. equina [L. horse tail][TA]. 馬尾（脊髄腰仙骨膨大部および脊髄円錐から発生し，第一腰椎より下方の脊柱管内にあるクモ膜下腔を通る脊髄神経根束．第一腰椎より下方へ向かう脊髄神経根線維のすべてをいう).

c. fasciae dentatae ＝uncus *band* of Giacomini.

c. helicis [TA]. 耳輪尾．＝*tail* of helix.

c. nuclei caudati [TA]. 尾状核尾．＝*tail* of caudate nucleus.

c. pancreatis [TA]．膵尾．＝*tail* of pancreas.

c. striati ＝*tail* of caudate nucleus.

cau·dad (kaw′dad). 尾方に，尾側に，下方に（①尾の方向に．②ある特定の点からみて尾側寄りにあること．→inferior）.

cau·dal (kaw′dăl) [Mod. L. *caudalis*][TA]．尾の．＝caudalis [TA].

cau·da·lis (kaw-dā′lis) [TA]．尾の，尾方の．＝caudal.

cau·date (kaw′dāt). 尾状の，有尾の.

cau·da·to·len·tic·u·lar (kaw-dā′tō-len-tik′yū-lăr). 尾状核レンズ核の（尾状核とレンズ核についていう）.＝caudolenticular.

cau·da·tum (kaw-dā′tŭm). 尾状核.＝caudate *nucleus.*

cau·do·ceph·a·lad (kaw′dō-sef′ăl-ad). 尾方から頭方への.

cau·do·len·tic·u·lar (kaw′dō-len-tik′yū-lăr). ＝caudatolenticular.

caul, cowl (kawl, kowl) [Gaelic *call*, a veil]．***1*** 羊膜（出生時に児の頭部をおおう羊膜の一部．破水しないで新生児と一緒に出産することもある）.＝galea (4); veil (2); velum (2). ***2*** 大網.＝greater *omentum.*

cau·sal·gi·a (kaw-zal′jē-ă) [G. *kausis*, burning + *algos*, pain]．カウザルギー.＝complex regional pain *syndrome* type I.

cau·sal·i·ty (kawz′al-i-tē). 因果律（原因をそれがもたらす結果と関連づけること．病因論や疫学は因果律に大きく関係している）.

cause (kawz) [L. *causa*]．原因（作用または状態をつくるもの．病変または病気をもたらすもの）.

constitutional c. 体質因（全身過程，先天性異常による原因）.

exciting c. 誘因（状態を引き起こす直接の原因）.＝procatarxis (1).

necessary c. 必要原因（それなしでは問題となっている結果が起こらない発症要因．結果が起こることは，その要因が働いている証拠となる）.

precipitating c. 増悪原因（疾患過程において，症状発現を起こさせる要因）.

predisposing c. 素因（それ自体は状態を起こさないが，状態に対する感受性や素因をつくるもの）.

proximate c. 近因（状態を引き起こす直接の原因）.

specific c. 特殊因（問題の状態を必ず引き起こす作用をもった原因）.

sufficient c. 十分原因（問題となっている結果が必ず起こる発症要因．結果が起こらないことは，その要因が働いていない証拠となる）.

caus·tic (kaws′tik) [G. *kaustikos* < *kaiō*, to burn].＝pyrotic (2). ***1***〚adj.〛焼灼性の，苛性(かせい)の（化学的に燃焼と類似の作用を発揮する）. ***2***〚n.〛腐食薬（*1* の作用をもつ薬物）. ***3***〚adj.〛苛性の（強塩基性の溶液についていう．例えば，苛性ソーダ(NaOH)など）.

cau·ter·ant (kaw′ter-ant). ***1***〚adj.〛焼灼の，焼灼する. ***2***〚n.〛焼灼薬.

cau·ter·i·za·tion (kaw′ter-ī-zā′shŭn). 焼灼〔術，法〕，腐食（→cautery）.

cau·ter·ize (kaw′ter-īz). 焼灼する（焼灼器または焼灼薬で焼く）.

cau·tery (kaw′ter-ē) [G. *kautērion*, a branding iron]. ***1*** 焼灼薬，焼灼器（熱，電流，または化学薬品を用いて皮膚あるいは組織に瘢痕をつけたり，焼灼あるいは切断する薬物または装置）. ***2*** 焼灼〔術，法〕（焼灼剤や焼灼器を用いること）.

actual c. 真性焼灼器（電気焼灼器のように，化学的方法ではなく直接熱を作用させる焼灼器）.＝technocausis.

BICAP c. BICAP 電気メス（消化管出血の止血によく使用される双極電気凝固用器具）.

bipolar c. 両極性焼灼器（活性電極と不活性電極との間に組織をはさんで高周波電流を流す電気焼灼器．止血に用いる）.

chemical c. ＝chemocautery.

cold c. ＝cryocautery.

electric c. 電気メス，電気焼灼器.＝electrocautery.

gas c. ガス焼灼（点火ガス噴射による焼灼）.

monopolar c. 単極焼灼器（焼灼する部位に置いた 1 個の電極から高周波電流を流す電気焼灼器で，患者の身体がアースとなる）.

CAV-1 canine *adenovirus* 1 の略.

ca·va (kā′vă). 大静脈（→*vena* cava, inferior; *vena* cava, superior）.

ca·va·gram (kā′vă-gram).＝cavogram.

ca·val (kā′văl). 大静脈の.

cave (kāv) [TA]．洞，窩，腔（→cavity; cavitas; cavernous *space*）.＝cavum [TA].

trigeminal c. [TA]．三叉神経腔（側頭骨下方の岩様部先端付近の中頭蓋窩の硬膜にみられる裂け目で，中に三叉神経根と三叉神経節を収めている）.＝cavum trigeminale [TA]; trigeminal cavity*; Meckel cavity; Meckel space.

C

cav·e·a (kav′ē-ă).＝cage.

cav·e·o·la, pl. **cav·e·o·lae** (kav′ē-ō′lă, -lē) [L.]．小胞（[誤った発音 caveo′la を避けること]．細胞の表面に突出したり内部に落ち込んだりしている小胞腔洞，小嚢，小洞，小窩で，細胞質および細胞膜に突出やくぼみをつけているもの．小胞はちぎれて細胞質内にはいり込むと細胞質内に遊離小胞が生じる．細胞内への物質の摂取，細胞からの物質の排出の際に，細胞表面でみられる細胞(単位)膜の付加や脱落によって生じる小胞や小窩と考えられている）.

cav·e·o·lin (kav′ē-ō-lin). カベオリン（カベオラの膜および Golgi 膜に存在する 22–kD の膜貫通蛋白で，シグナル伝達，コレステロール輸送，細胞内代謝に機能すると考えられている）.

cav·ern (kav′ern). 洞.＝cavernous *space.*

c.'s of corpora cavernosa 陰茎海綿体洞.＝cavernous *spaces* of corpora cavernosa.

c.'s of corpus spongiosum 尿道海綿体洞.＝cavernous *spaces* of corpus spongiosum.

ca·ver·na, pl. **ca·ver·nae** (kă-ver′nă, -nē) [L. a grotto < *cavus*, hollow][TA]．洞.＝cavernous *space.*

cavernae corporis spongiosi [TA]．尿道海綿体洞.＝cavernous *spaces* of corpus spongiosum.

cavernae corporum cavernosorum [TA]．陰茎海綿体洞.＝cavernous *spaces* of corpora cavernosa.

cav·er·nil·o·quy (kav′er-nil′ō-kwē) [L. *caverna*, cavern + *loquor*, to talk]．空洞音（肺空洞から聞こえる低調子の胸音）.

cav·er·ni·tis (kav′er-nī′tis). 海綿体炎（陰茎海綿体の炎症）.＝cavernositis.

fibrous c. 線維性海綿体炎（ときに Peyronie 病または鎌状赤血球症に伴う海綿体炎）.

cav·er·no·si·tis (kav′er-nō-sī′tis).＝cavernitis.

cav·ern·ous (kav′er-nŭs). 空洞性の，海綿状の.

Ca·vi·a (kā′vē-ă) [Mod.L. < インド土語]．テンジクネズミ属（テンジクネズミ科の一属で，モルモットを含む）.

C. porcellus テンジクネズミ，モルモット（外見ではわからないくらい短い尾をもつげっ歯類．南アメリカが原産で，そこでは食用として飼育している．医学の研究に実験動物として広く使われる）.＝guinea pig.

cav·i·tar·y (kav′i-tā-rē). 空洞性の（①空洞に関する，空洞を有する．②腸管または体腔をもち，宿主の体内に住む動物寄生生物についていう）.

cav·i·tas, pl. **cav·i·ta·tes** (kav′i-tas, -tā′tēs) [Mod. L.]．窩洞，窩腔.＝cavity.

c. abdominalis [TA]．腹腔.＝abdominal *cavity.*

c. abdominis et pelvis [TA].＝abdominopelvic *cavity.*

c. articularis [TA]．関節腔.＝articular *cavity.*

c. conchae [TA].＝ *cavity* of concha.

c. coronae [TA]．歯冠腔.＝pulp *cavity* of crown.

c. coronalis 歯冠腔.＝pulp *cavity* of crown.

c. cranii [TA].＝cranial *cavity.*

c. dentis [TA]．歯髄腔.＝pulp *cavity.*

c. glenoidalis 関節窩.＝mandibular *fossa.*

c. glenoidalis scapulae [TA].＝glenoid *cavity* of scapula.

c. infraglottica [TA].＝infraglottic *cavity.*

c. infraglotticum 声門下腔.＝infraglottic *cavity.*

c. laryngis [TA]．喉頭腔.＝laryngeal *cavity.*

c. medullaris [TA]．骨髄腔.＝medullary *cavity.*

c. nasalis ossea [TA]. = bony nasal *cavity*.
c. nasi [TA]. 鼻腔. = nasal *cavity*.
c. orbitalis [TA]. = orbital *cavity*.
c. oris [TA]. 口腔. = oral *cavity*.
c. oris propria [TA]. 固有口腔. = oral *cavity* proper.
c. pelvina* pelvic *cavity* の公式の別名.
c. pelvis [TA]. 骨盤腔. = pelvic *cavity*.
c. pericardiaca, c. pericardialis [TA]. 心膜腔. = pericardial *cavity* (1).
c. peritonealis [TA]. 腹膜腔. = peritoneal *cavity*.
c. pharyngis [TA]. 咽頭腔. = *cavity* of pharynx.
c. pleuralis [TA]. 胸膜腔. = pleural *cavity*.
c. pulparis* pulp *cavity* の公式の別名.
c. thoracica/thoracis [TA]. 胸腔. = thoracic *cavity*.
c. tympani [TA]. 鼓室. = tympanic *cavity*.
c. uteri [TA]. 子宮腔. = uterine *cavity*.

cav·i·ta·tion (kav′i-tā′shŭn). ***1*** 空洞化，空洞形成（結核患者の肺あるいは細菌性肺膿瘍の進展でみられるような，空洞の形成）. ***2*** 空洞現象，キャビテーション（超音波検査で液体中あるいは組織中に小さな気体を含む気洞や空洞を生じること）.

ca·vi·tis (kā-vī′tis). 大静脈炎. = celophlebitis.

cav·i·ty (kav′i-tē) [L. *cavus*, hollow]. = cavitas. ***1*** 窩，腔（中空の場所. ⇀cave; cavitas; cavernous *space*）. ***2*** 窩洞（う食による歯質の欠損をさす俗語）.

abdominal c. [TA]. 腹腔（腹壁，横隔膜，骨盤によって囲まれた腔所. 通常は骨盤上口の面を仮定してそれより下方を骨盤腔とよんで区別しているが，しかし後者を腹腔に含めても差しつかえはない(⇀abdominopelvic c.). 腹腔内には消化器の大部分，脾臓，腎臓，副腎などの器官が収容されている）. = cavitas abdominalis [TA]; cavum abdominis; enterocele (2).

abdominopelvic c. [TA]. 腹骨盤腔（連続している腹腔と骨盤腔とを併せていう. →abdominal c.）. = cavitas abdominis et pelvis [TA].

abscess c. 膿瘍腔（壊死性の感染症により生じる空洞のこと. その内容がガスを含むためX線で識別される）.

amnionic c. 羊水腔（液体で充満した腔. 内容は羊水と胎児を包含する）.

articular c. [TA]. 関節腔（滑膜と関節軟骨に囲まれた潜在的空間で，正常の場合内面を潤滑にするための滑液がはいっている）. = cavitas articularis [TA]; cavum articulare.

axillary c. 腋窩. = axilla.

blastocystic c. 胚盤胞腔（桑実胚がさらに発育し，内部に液体が貯留したものを胚盤胞とよび，液体が貯留する空隙を胚盤胞腔という. 胚盤胞腔の一極に胎児性細胞が密集したものである胚結節が形成されており，この部分を胎児極という）.

body c. 体腔（体幹の内臓を収める腔所で胸腔と腹骨盤腔からなる. 上は胸郭口から下は骨盤底までで，周囲を体壁で囲まれる）. = celom (2); celoma; coelom.

bony nasal c. [TA]. 鼻腔（骨と軟骨の壁からなる骨格の鼻腔(生体または遺体の鼻腔に対する). 鼻粘膜すなわち呼吸上皮によりおおわれる）. = cavitas nasalis ossea [TA].

buccal c. 口腔前庭. = oral *vestibule*.

chorionic c. 絨毛膜腔（胚盤胞の栄養膜細胞層に続く付着茎を除く，一次卵黄嚢と羊膜嚢の周囲腔）.

cleavage c. 分割腔. = blastocele.

c. of concha [TA]. 耳甲介腔（耳輪脚の下方にある耳甲介の下の大きいほうの部分の腔所. 外耳道への前庭を形成する）. = cavitas conchae [TA]; cavum conchae*.

c.'s of corpora cavernosa 陰茎海綿体洞. = cavernous *spaces* of corpora cavernosa.

c.'s of corpus spongiosum 尿道海綿体洞. = cavernous *spaces* of corpus spongiosum.

cotyloid c. 寛骨臼. = acetabulum.

cranial c. [TA]. 頭蓋腔（頭蓋内の腔所で脳・脳膜・脳脊髄液を収容する）. = cavitas cranii [TA]; intracranial c.

crown c. 歯冠腔. = pulp c. of crown.

ectoplacental c. = epamniotic c.

ectotrophoblastic c. 外胚葉栄養芽層間腔（ある種の哺乳類の栄養芽層と，胚板外胚葉との間にみられる発生期の空洞）.

epamniotic c. 外胎盤腔（数種の哺乳類に存在する原始羊膜腔の分割でできる成長性の腔. 羊膜腔よりも胎児から遠くなる）. = ectoplacental c.

epidural c. 硬膜上腔，硬膜外腔. = epidural *space*.

glenoid c. 関節窩. = mandibular *fossa*.

glenoid c. of scapula [TA]. 肩甲骨関節窩（上腕骨頭を受け，肩関節をつくる肩甲骨外側にあるくぼみ）. = cavitas glenoidalis scapulae [TA]; glenoid fossa (1).

greater peritoneal c. 大腹膜腔. = peritoneal c.

head c. 頭腔（外因性の眼筋を発生させる変性原節をもつ脊椎動物の胎児にみられる頭部領域）.

idiopathic bone c. = solitary bone *cyst*.

inferior laryngeal c. 下喉頭腔. = infraglottic c.

infraglottic c. [TA]. 声門下腔（喉頭腔のうちで声門直下の部分）. = cavitas infraglottica [TA]; aditus glottidis inferior; cavitas infraglotticum; cavum infraglotticum; inferior laryngeal c.; infraglottic space.

intermediate laryngeal c. 中喉頭腔（室ひだと声帯ひだの間の喉頭腔の部分で，喉頭室の間を連絡している部分）. = aditus glottidis superior.

intracranial c. 頭蓋腔. = cranial c.

laryngeal c. [TA]. 喉頭腔（上方は披裂喉頭蓋ひだ(喉頭入口)の高さで咽頭に続き，下方は声門裂を通して声門下の腔所に続く空間）. = cavitas laryngis [TA]; c. of larynx; cavum laryngis.

c. of larynx 喉頭腔. = laryngeal c.

lesser peritoneal c. = omental *bursa*.

Meckel c. (mek′ĕl). メッケル腔. = trigeminal *cave*.

medullary c. [TA]. 骨髄腔（長骨の骨幹内部にある骨髄を満たした腔所）. = cavitas medullaris [TA]; cavum medullare.

c. of middle ear = tympanic c.

nasal c. [TA]. 鼻腔（鼻中隔の両側の腔所で，線毛上皮でおおわれ，前は外鼻孔から後鼻孔まで広がる. 副鼻腔とは側壁に開いた口で連結している. 側壁から3個の鼻甲介が突出している. 天井は篩板になっており，ここから嗅神経が出ていく. 床は硬口蓋で形成されている. →bony nasal c.）. = cavitas nasi [TA]; cavum nasi.

nephrotomic c. = nephrocele (2).

oral c. [TA]. 口腔（口腔前庭(唇・頬と歯・歯肉との間の狭い間隙)と固有口腔とからなる）. = cavitas oris [TA]; cavum oris; mouth (1).

oral c. proper [TA]. 固有口腔（歯列弓によって囲まれた空間で，後方は口峡部(口蓋舌弓)が限界である）. = cavitas oris propria [TA].

orbital c. [TA]. 眼窩腔（眼窩壁で囲まれた内腔）. = cavitas orbitalis [TA].

pelvic c. [TA]. 骨盤腔（側方を下肢帯によって囲まれる腔所で，上方は骨盤上口，下方は骨盤隔膜によって境され，骨盤内臓を収容する）. = cavitas pelvis [TA]; cavitas pelvina*; cavum pelvis.

pericardial c. ***1*** [TA]. 心膜腔（漿膜性心膜の壁側板と臓側板の間にある潜在的空隙）. = cavitas pericardiaca; cavitas pericardialis [TA]; cavum pericardii. ***2*** 心嚢（胎児の場合は，心臓を含む一次体腔部分. 最初は心膜腹膜腔に通じ，それを経由して間接的に体腔の腹膜部につながる）.

peritoneal c. [TA]. 腹膜腔（腹膜による袋の内部で，通常は，壁側腹膜と臓側腹膜の間の潜在的空隙にすぎない）. = cavitas peritonealis [TA]; cavum peritonei; greater peritoneal c.

perivisceral c. 内臓周囲腔（腸死の内胚葉と外胚葉の間にある腔）. = primitive perivisceral c.; primordial perivisceral c.

pharyngonasal c. = nasopharynx.

c. of pharynx [TA]. 咽頭腔（この腔所は，鼻腔に続き耳管が開口している鼻部(鼻咽頭部)と，口峡で口腔に続く口部(口腔咽頭部)と，喉頭前庭や食道に続く喉頭部(咽頭喉頭部)とからなる）. = cavitas pharyngis [TA]; cavum pharyngis.

pleural c. [TA]. 胸膜腔（壁側胸膜と臓側胸膜の間の潜在的腔所）. = cavitas pleuralis [TA]; cavum pleurae; pleural space.

pleuroperitoneal c. 胸膜腔（後に胸膜腔と腹膜腔とに分けられる，胎児体腔の部分）.
primitive perivisceral c. ＝perivisceral c.
primordial perivisceral c. 原始体腔. ＝perivisceral c.
pulmonary c. 肺腔（壁側胸膜でおおわれ，肺によって占められる縦隔の両側にある胸腔の両側腔の1側．この語は胸膜腔とは同義ではない．胸膜腔は壁側と臓側胸膜の間の空間で，通常は肺を包む(が肺を含むものではない)薄い胸水の膜を除けばからである）.
pulp c. [TA]．歯髄腔（歯の内部にある腔所で歯冠腔と歯根腔とからなる．内部に線維と血管に富む歯髄を含み，全体がぞうげ芽細胞に囲まれている）. ＝cavitas dentis [TA]; cavitas pulparis*; c. of tooth; cavum dentis.
pulp c. of crown [TA]．歯冠歯髄腔（歯冠の内腔(歯髄腔の一部)で歯根管に続いている）. ＝cavitas coronalis; cavum coronale; crown c.; cavitas coronae [TA].
Retzius c. (ret′zē-ŭs). レッチウス腔. ＝retropubic *space.*
segmentation c. 分割腔. ＝blastocele.
c. of septum pellucidum 透明中隔腔（ヒトの脳の左右の透明中隔にはさまれた細長い間隙で，幅が不定で液体で満たされている．ヒトでは10％以下の率で存在し，第3脳室に連なる）. ＝cavum septum pellucidum [TA]; Duncan ventricle; fifth ventricle; pseudocele; pseudoventricle; sylvian ventricle; ventricle of Sylvius; ventriculus quintus; Vieussens ventricle; Wenzel ventricle.
somite c. 体節腔. ＝myocele (2).
splanchnic c. 内臓腔（体腔，またはそれから生じる体腔の1つ）. ＝visceral c.
subarachnoid c. クモ膜下腔. ＝subarachnoid *space.*
subdural c. 硬膜下腔. ＝subdural *space.*
subgerminal c. 胚芽下腔. ＝primordial *gut.*
superior laryngeal c. 上喉頭腔. ＝*vestibule* of larynx.
thoracic c. [TA]．胸腔（胸壁の内部の空間で，下は横隔膜，上は頸部の基部または胸郭上口によって境される）. ＝cavitas thoracica/thoracis [TA]; cavum thoracis.
c. of tooth 歯髄腔. ＝pulp c.
trigeminal c.* 三叉神経腔（trigeminal *cave* の公式の別名）.
tympanic c. [TA]．鼓室（側頭骨内で鼓膜の内側にある含気腔で，外耳道と内耳に挟まれて位置し，耳小骨を収容する．内面は粘膜でおおわれ，前方は耳管に，後方は乳突洞や乳頭蜂巣に続いている）. ＝cavitas tympani [TA]; c. of middle ear; cavum tympani.
uterine c., c. of uterus [TA]．子宮腔（子宮の内部にある腔所で，子宮頸管から卵管の開口部まで広がっている）. ＝cavitas uteri [TA]; endometrial canal [TA]; cavum uteri.
visceral c. ＝splanchnic c.

ca·vo·gram (kā′vō-gram) [(vena) cava + G. *gramma*, a writing]. 大静脈造影(撮影)図. ＝cavagram.

ca·vog·ra·phy (kā-vog′ră-fē). 大静脈造影(撮影)〔法〕. ＝venacavography.

ca·vo·sur·face (kā′vō-sŭr′fās). 窩洞面の（窩洞とその表面についていう）.

ca·vum (ka′vŭm) [L. 形容詞 *cavus*(hollow) の中性形] [TA]．腔. ＝cave.
c. abdominis 腹腔. ＝abdominal *cavity.*
c. articulare 関節腔. ＝articular *cavity.*
c. conchae* 耳甲介腔（*cavity* of concha の公式の別名）.
c. coronale 歯冠腔. ＝pulp *cavity* of crown.
c. dentis 歯髄腔. ＝pulp *cavity.*
c. douglasi ダグラス窩. ＝rectouterine *pouch.*
c. epidurale 硬膜上腔. ＝epidural *space.*
c. infraglotticum 声門下腔. ＝infraglottic *cavity.*
c. laryngis 喉頭腔. ＝laryngeal *cavity.*
c. mediastinale 縦隔腔（ときに mediastinum(縦隔)に対して用いられる不適切な語）.
c. medullare 骨髄腔. ＝medullary *cavity.*
c. nasi 鼻腔. ＝nasal *cavity.*
c. oris 口腔. ＝oral *cavity.*
c. pelvis 骨盤腔. ＝pelvic *cavity.*
c. pericardii 心膜腔. ＝pericardial *cavity* (1).
c. peritonei 腹膜腔. ＝peritoneal *cavity.*
c. pharyngis 咽頭腔. ＝*cavity* of pharynx.
c. pleurae 胸膜腔. ＝pleural *cavity.*
c. psalterii ＝Verga *ventricle.*
c. retzii [A.A. Retzius]. レッチウス腔. ＝retropubic *space.*
c. septum pellucidum [TA]．透明中隔腔. ＝*cavity* of septum pellucidum.
c. subarachnoideum クモ膜下腔. ＝subarachnoid *space.*
c. subdurale 硬膜下腔. ＝subdural *space.*
c. thoracis 胸腔. ＝thoracic *cavity.*
c. trigeminale [TA]．三叉神経腔. ＝trigeminal *cave.*
c. tympani 鼓室. ＝tympanic *cavity.*
c. uteri 子宮腔. ＝uterine *cavity.*
c. vergae ヴェルガ腔. ＝Verga *ventricle.*
c. vesicouterinum 膀胱子宮窩. ＝vesicouterine *pouch.*

Cb コロンビウムの元素記号.

C-band·ing →C-banding *stain.*

CBC complete *blood count* の略.

CBF cerebral blood flow(脳血流量); coronary blood flow(冠血流量)の略.

CBG corticosteroid-binding *globulin* の略.

Cbl cobalamin の略.

CBT cognitive-behavioral *therapy* の略.

Cbz carbobenzoxy- (benzyloxycarbonyl) の略.

CC chemokines の略.

C.C. 患者の病歴に記録される chief complaint(主訴)の略.

cc, c.c. [容積量の SI 単位は立方メートルやその約数の立方センチメートル($1\ cm^3 = 0.000001 m^3$)であるが，臨床化学では容積量や物質の濃度を表す場合，リットルやミリリットルが立方メートルや立方センチメートルより頻用されている．実際的には$1cm^3 = 1mL$である．JCAHO ではこの cc, c.c. の略号を使用しないように指導している．それは手書きすると単位のUや数字の4に間違いやすいからである]．cubic *centimeter*; chief *complaint* の略.

CCA chimpanzee coryza *agent* の略.

CCC cathodal closure *contraction* の略.

CCDM *Control of Communicable Diseases Manual* の略.

CCK cholecystokinin の略.

CCK-pancreozymin (pan-krē-ō′zī′min). コレシストキニン-パンクレオチミン. ＝cholecystokinin.

CCNU ＝lomustine.

CCU coronary care *unit*; critical care *unit* の略.

CD curative *dose*; circular *dichroism*; cluster of differentiation; compact disc の略.

CD 54 →intercellular adhesion *molecule*-1.

CD 117 膜貫通受容体型チロシンキセーゼ CD 117 をコードするプロトオンコジーン(癌原遺伝子)は，大半の急性骨髄性白血病，少数のTリンパ芽球性とBリンパ芽球性のリンパ腫，および消化管間質腫瘍(GIST)の一部でフローサイトメトリーにより検出される. ＝c kit.

CD_{50} 薬物の試験において，対象の50％を治癒する投与量，すなわち平均治癒量のこと.

Cd カドミウムの元素記号.

cd カンデラの記号.

CDA Certified Dental Assistant(公認歯科助手)の略.

CDC Centers for Disease Control and Prevention((米国)疾病予防管理センター)の略．かつては Communicable Disease Center (伝染性疾患センター)とよばれていた.

CDE blood group (blŭd grūp). CDE 式血液型（付録 Blood Groups 参照）.

CDH23 Usher type 1D syndrome *gene* の遺伝子シンボル.

cDNA complementary DNA の略．ときには copy DNA の略として使用する.

CDP cytidine 5′-diphosphate の略.

CDP-cho·line cytidine diphosphocholine の略.

CDP-glyc·er·ide (glis′ĕr-īd). cytidine diphosphoglyceride の略.

CDP-sug·ar (shu′ger). cytidine diphosphosugar の略.

Ce セリウムの元素記号.

CEA carcinoembryonic *antigen*; carotid *endarterectomy* の略.

ce·bo·ceph·a·ly (sē′bō-sef′ă-lē) [G. *kēbos*, monkey + *kephalē*, head]．猿頭症（顔貌がサルに似る頭部の奇形．鼻が

C

不完全か，またはなく，両眼が接近している．全前脳症のスペクトルの一部である）．

cec- (sēk). →ceco-.

ce·ca (sē′kă). cecum の複数形.

ce·cal (sē′kăl). ***1*** 盲端の，盲腸の．***2*** 盲管または盲嚢で終わる．

ce·cec·to·my (sē-sek′tō-mē) [ceco- + G. *ektomē*, excision]. 〔部分的〕盲腸切除〔術〕. =typhlectomy.

Ce·cil (sē′sĭl), Arthur Bond. 米国人泌尿器科医，1885—1967. →Cecil *urethroplasty*.

ce·ci·tis (sē-sī′tis). 盲腸炎. =typhlenteritis; typhlitis; typhloenteritis.

ce·co-, cec- (sē′ko, sēk) [L. *caecum*, cecum, blind]. 盲腸を表す連結形. →typhlo- (1).

ce·co·co·los·to·my (sē′kō-kō-los′tō-mē). 盲腸結腸吻合〔術〕（盲腸と結腸の間に吻合を形成すること）.

ce·co·fix·a·tion (sē′kō-fik-sā′shŭn). =cecopexy.

ce·co·il·e·os·to·my (sē′kō-il′ē-os′tō-mē). =ileocecostomy.

ce·co·pex·y (sē′kō-pek′sē) [ceco- + G. *pexis*, fixation]. 盲腸固定〔術〕（移動性盲腸の固定手術）. =cecofixation; typhlopexy; typhlopexia.

ce·co·pli·ca·tion (sē′kō-pli-kā′shŭn) [ceco- + L. *plico*, pp. *-atus*, to fold]. 盲腸縫縮〔術〕，盲腸造壁〔術〕（拡張した盲腸壁にひだを形成して縮小させる手術）.

ce·cor·rha·phy (sē-kōr′ă-fē) [ceco- + G. *rhaphē*, suture]. 盲腸縫合〔術〕. =typhlorrhaphy.

ce·co·sig·moid·os·to·my (sē′kō-sig′moyd-os′tō-mē). 盲腸S状結腸吻合〔術〕（盲腸とS状結腸の吻合形成）.

ce·cos·to·my (sē-kos′tō-mē) [ceco- + G. *stoma*, mouth]. 盲腸フィステル形成〔術〕，盲腸瘻造設術. =typhlostomy.

ce·cot·o·my (sē-kot′ō-mē) [ceco- + G. *tomē*, incision]. 盲腸切開〔術〕. =typhlotomy.

ce·co·u·re·ter·o·cele (sē′cō-yū-rē′ter-ō-sēl). 尿道内まで延長しときには尿道口の外まで達することがある尿管瘤.

ce·cro·pins (sē′krō-pinz). セクロピン（抗菌性塩基性ポリペプチドで2つの両親媒性 α-ヘリックスから構成される．アカスジシンジュサン cecropia moth から最初に発見された）.

ce·cum, pl. **ce·ca** (sē′kŭm, sē′kă) [L. *caecus*(blind) の中性形] [TA]. =caecum; intestinal c. ***1*** 盲端，盲腸（回腸末端の下方にある長さ約 6 cm の盲嚢．大腸の起始部分である）. =blind gut; intestinum cecum; typhlon. ***2*** 盲嚢で終わる類似の構造をいう.

cupular c. of the cochlear duct [TA]. 頂盲端（蝸牛管の上部の盲端）. =c. cupulare [TA]; cupular blind sac; lagena (1).

c. cupulare [TA]. 頂盲端. =cupular c. of the cochlear duct.

high c. 高位盲腸（腹部の通常位置よりも高位の盲腸）.

intestinal c. =cecum (2).

mobile c. 移動〔性〕盲腸（後腸の不完全回転異常と上行結腸並びに盲腸の不完全固定で起こる上行結腸と盲腸の固定異常）.

vestibular c. of the cochlear duct [TA]. 蝸牛管の前庭盲端（蝸牛管の下端にあたり前庭の蝸牛陥凹に位置する）. =c. vestibulare [TA]; vestibular blind sac.

c. vestibulare [TA]. 前庭盲端. =vestibular c. of the cochlear duct.

Ced·e·ce·a (sed-e′sē-ă). セデセア属（*C. davisae*(標準株)，*C. lapagei*，および *C. neteri* を含む腸内細菌科の一属．これらはヒト気道から得られたが，これらの病気における役割ははっきりしていない）.

Cee·len (sē′lĕn), Wilhelm. 1884—1964. →C.-Gellerstedt *syndrome*.

cel (sel) [L. *celer*, swift]. セル（速度の単位．1 cm/s）.

-cele (sēl) [G. *kēlē*, tumor]. 腫脹，ヘルニアを表す接尾語.

ce·len·ter·on (sē-len′ter-on) [G. *koilos*, hollow + *enteron*, intestine]. 腔腸，原腸. =primordial *gut*.

cel·ery seed (sel′er-ē sēd). セロリ種子（セリ科 *Apium graveolens* の乾燥完熟果実．以前は通経薬，鎮静薬として用いられた）.

Ce·les·tin (se-les′tin), Felix. 20世紀のフランス人医師. →C. *tube*.

ce·les·tine blue B (se-les′tēn blū) [C.I. 51050]. セレスチンブルーB（ヘマトキシリンの代わりに推奨される色素）.

ce·li·ac (sē′lē-ak) [G. *koilia*, belly]. 腹腔の.

ce·li·ag·ra (sē′lē-ag′ră) [G. *koilia*, belly + *agra*, seizure]. 仙(疝)痛（胃または他の腹部臓器の突然の疼痛疾患に対してまれに用いる語）.

celio- (sē′lē-ō) [G. *koilia*, belly]. 腹に関する連結形. →celo- (3).

ce·li·o·cen·te·sis (sē′lē-ō-sen-tē′sis) [celio- + G. *kentēsis*, puncture]. 腹腔穿刺（腹部の穿刺に対してまれに用いる語）.

ce·li·o·my·al·gi·a (sē′lē-ō-mī-al′jē-ă) [celio- + G. *mys*, muscle + *algos*, pain]. 腹筋痛（腹筋の痛みに対してまれに用いる語）.

ce·li·o·my·o·si·tis (sē′lē-ō-mī′ō-sī′tis) [celio- + G. *mys*, muscle + *-itis*, inflammation]. 腹筋炎.

ce·li·o·par·a·cen·te·sis (sē′lē-ō-par′ă-sen-tē′sis) [celio- + G. *parakentēsis*, a puncture for dropsy]. 腹腔穿刺（腹部の穿刺に対してまれに用いる語）.

ce·li·op·a·thy (sē′lē-op′ă-thē) [celio- + G. *pathos*, disease]. 腹症（腹部疾患に対してまれに用いる語）.

ce·li·or·rha·phy (sē′lē-ōr′ă-fē) [celio- + G. *rhaphē*, seam]. 腹壁縫合（腹壁の創の縫合）. =laparorrhaphy.

ce·li·os·co·py (sē′lē-os′kŏ-pē) [celio- + G. *skopeō*, to view]. 腹腔鏡検査〔法〕. =peritoneoscopy.

ce·li·ot·o·my (sē′lē-ot′ō-mē) [celio- + G. *tomē*, incision]. 開腹〔術〕（腹膜腔内に到達する腹壁切開）. =abdominal section; laparotomy (2); ventrotomy.

vaginal c. 腟式開腹〔術〕（腟を通して腹腔を切開すること）. =culdotomy (2).

ce·li·tis (sē-lī′tis) [G. *koilia*, belly + *-itis*, inflammation]. 腹部炎症（何らかの腹部の炎症）.

CELL

cell (sel) [L. *cella*, a storeroom, a chamber]. ***1*** 細胞，セル（独立して存在できる，生物の最小単位．膜に囲まれた原形質塊で，核あるいは核様体を入れる．形態・機能の両面できわめて多様性に富み，特殊分化している．しかし発生のある段階においてはすべての細胞は自ら蛋白・核酸を複製し，エネルギーを利用して自己再生産しなければならない）．***2*** 全体あるいは一部分が閉じた小空洞．区画された空間または中空の容器．***3*** 容器（化学反応を起こさせ電気を発生させたり，光度分析のための溶液を入れるためのガラス，セラミック，その他の固体材料を用いた容器）.

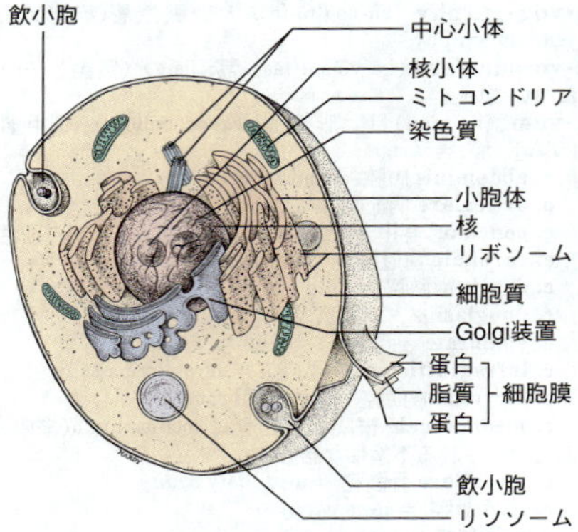

cell with typical organelles

A c.'s A細胞（膵アルファ細胞あるいは下垂体前葉のアル

ファ細胞).

absorption c. 吸収セル(平行な側面をもつ小さなガラス試験容器で,溶液の吸収スペクトルを測る).

absorptive c.'s of intestine 腸の吸収細胞,腸吸収上皮細胞(小腸絨毛の表層および大腸内腔の表層にある細胞で,自由面にみられる微絨毛を特徴とする).

accessory c. アクセサリー細胞.＝antigen-presenting c.'s.

acid c. 酸性細胞.＝parietal c.

acidophil c. 好酸〔性〕細胞(細胞質または顆粒が酸性染料で染まる細胞).

acinar c. 腺房細胞(腺房にある分泌細胞.特に膵臓の酵素を分泌する膵臓の細胞をさし,膵管の細胞や Langerhans 島細胞と区別される).＝acinous c.

acinous c. ＝acinar c.

acoustic c. 聴〔覚〕細胞(ラセン器の有毛細胞).

adipose c. ＝fat c.

adult stem c. 成体幹細胞.＝multipotent adult progenitor c.

adventitial c. 外膜細胞.＝pericyte.

air c.'s ①肺胞.＝pulmonary *alveolus*. ②含気蜂巣(頭蓋骨の空気を含む空隙).

air c.'s of auditory tube 耳管気胞.＝tubal air c.'s (of pharyngotympanic tube).

albuminous c. 蛋白〔分泌〕性細胞(①＝serous c. ②＝zymogenic c.).

algoid c. 藻状細胞(藻の細胞に似た細胞.慢性の下痢便中に時々みられる).

alpha c.'s of anterior lobe of hypophysis 下垂体前葉のアルファ細胞(下垂体前葉細胞の約 35% を占める好酸性細胞で,さらに2種に区別され,その1種は成長ホルモンを,もう1種は黄体刺激ホルモンを分泌する).

alpha c.'s of pancreas 膵アルファ細胞(膵島の細胞で,グルカゴンを分泌する).

alveolar c. 肺胞細胞(肺胞を被包する細胞の総称.扁平肺胞上皮細胞,巨大肺胞細胞,肺胞マクロファージを含む).＝pneumocyte.

amacrine c. アマクリン細胞,無軸索細胞(短い樹状突起の神経細胞であるが,軸索を欠くと考えられる.R. Cajal が網膜中に発見し命名した).

ameboid c. アメーバ様細胞(白血球などのアメーバ様移動運動をする細胞).＝wandering c.; migratory c.

amniogenic c.'s 羊膜原細胞(羊膜となる細胞).

anabiotic c. 蘇生細胞(死細胞にみえて蘇生可能な細胞.術後の非常に長い無症候期間の後の癌の再発は,蘇生腫瘍細胞によると仮定される).

anaplastic c. ***1*** 退生細胞(胚期の状態に退化した細胞).***2*** 未分化細胞(悪性新生物に特有の未分化細胞).

angioblastic c.'s 血管芽細胞(初期胚で,原始的な血球と内皮の基となる細胞).

Anitschkow c. (ah-nich′kov).アニチコフ細胞.＝cardiac *histiocyte*.

anterior c.'s 前部.＝anterior ethmoidal c.'s.

anterior ethmoidal c.'s [TA].前篩骨蜂巣(篩骨蜂巣の前方の部分で,中鼻道で鼻腔とつながっている).＝cellulae ethmoidales anteriores [TA]; anterior c.'s; anterior ethmoidal air c.'s; anterior sinuses; sinus ethmoidales anteriores.

anterior ethmoidal air c.'s 前篩骨蜂巣.＝anterior ethmoidal c.'s.

anterior horn c. 前角細胞.＝motor *neuron*.

antigen-presenting c.'s (APC) 抗原提示細胞(蛋白性抗原を特定のペプチドにまで分解し,自己の細胞表面に提示してリンパ球に認識可能にする.APCs には Langerhans 細胞,樹状細胞,マクロファージやB細胞と,ヒトでは活性化T細胞が含まれる).＝accessory c.

antigen-responsive c. 抗原反応性細胞.＝antigen-sensitive c.

antigen-sensitive c. 抗原感受性細胞(それ自体は免疫活性化細胞ではない小リンパ球で,分裂・分化の過程で抗原性(免疫原性)刺激に反応して,免疫反応にかかわる細胞).＝antigen-responsive c.

apolar c. 無極細胞(突起をもたないニューロン).

APUD c.'s APUD 細胞(→apud).

argentaffin c.'s 銀親和細胞(アンモニア性硝酸銀溶液によって銀沈殿物顆粒を含む細胞.→enteroendocrine c.'s; apud).

argyrophilic c.'s 好銀性細胞(銀塩と結合するが,還元剤の存在下でのみ銀を沈着する細胞類.→enteroendocrine c.'s apud).

Aschoff c. (ahsh′of).アショフ細胞(心筋のリウマチ結節にみられる大型の細胞で,特徴的な核と比較的乏しい細胞質をもつ).

Askanazy c. (as′kă-nah-zē).アスカナジー細胞.＝Hürthle c.

astroglia c. 大グリア細胞,大膠細胞.＝astrocyte.

atypical glandular c.'s of undetermined significance 良・悪性不明の(意義不明)異型腺細胞(頸部・腟細胞診のベセスダシステムでの報告用語.子宮内膜あるいは頸管腺上皮で炎症反応を越える核異型がみられるが明確な腺癌の特徴を欠くもの.→Bethesda *system*).

atypical squamous c.'s of undetermined significance (ASCUS) 良・悪性不明の(意義不明)異型扁平上皮細胞(頸部・腟細胞診のベセスダシステムでの報告用語.炎症反応を越えた細胞異型で量的にも質的にも明確な上皮内低悪性度扁平上皮異型の範疇には属さないもの.良性あるいは悪性の可能性を示唆する.→Bethesda *system*; reactive *changes*).

auditory receptor c.'s 聴〔覚〕受容〔器〕細胞(ラセン器上皮の有毛(stereocilia)円柱細胞.→Corti c.'s).

B c. B細胞(①膵臓あるいは下垂体前葉のベータ細胞.②＝B *lymphocyte*).

balloon c. 気球細胞(①空胞を含むか,網状を呈する淡染性の細胞質を有する異常に大きな変性組織細胞.ウイルス性肝炎または帯状疱疹の変性表皮細胞にみられる.②大型の母斑細胞.メラノソームの空胞変性により形成され,広く,染色液に染まらない細胞色を有する.*cf.* balloon cell *nevus*).

band c. 杆状球,杆状核〔白血〕球(彎曲したあるいはらせん状をした杆状核をもつ顆粒球(白血球)系の細胞.どんなに著しい陥凹があっても,核が糸状体によって連結する分葉に完全に分かれない場合にいう).＝band neutrophil; rod nuclear c.; Schilling band c.; stab c.; stab neutrophil; staff c.

barrier c. layer of arachnoid mater クモ膜の関門細胞層.＝arachnoid barrier cell *layer*.

basal c. 基底細胞(上皮の最深層をなす細胞).＝basilar c.

basaloid c. 基底類似細胞(通常,表皮にあって基底細胞に類似する).

basilar c. ＝basal c.

basket c. かご細胞(①軸索終末分枝で他のニューロンの細胞体を網状に包むニューロン.②＝smudge c.'s. ③分枝突起を有する筋上皮細胞で,ある種の唾液腺や涙腺の腺胞の分泌細胞の基底にみられる).

basophil c. of anterior lobe of hypophysis 下垂体前葉の好塩基性細胞.＝beta c. of anterior lobe of hypophysis.

beaker c. ビーカー状細胞.＝goblet c.

Beale c. (bēl).ビール細胞(1本はらせん状,他の1本は直線状の突起を有する心臓の両極神経節細胞).

Berger c.'s (ber′gĕr).ベルジェ細胞.＝hilus c.'s.

berry c. ベリー細胞(細胞表面が棘状になっている円鋸歯状赤血球).

beta c. of anterior lobe of hypophysis 下垂体前葉のベータ細胞(好塩基性顆粒を含み,ACTH,リポトロピン,TSH,およびゴナドトロピンなどを分泌する細胞群).＝basophil c. of anterior lobe of hypophysis.

beta c. of pancreas 膵ベータ細胞(Langerhans 島の中心的細胞.インスリンを分泌する).

Betz c.'s (betz).ベッツ細胞(大脳皮質中心前回運動領の大型錐体細胞).＝Bevan-Lewis c.'s.

Bevan-Lewis c.'s (be′văn lū′ĭs).ベヴァン・ルイス細胞.＝Betz c.'s.

bipolar c. 両極細胞,双極細胞(網膜または第八脳神経のラセン・前庭神経節のニューロンなどのように,無軸索と樹状突起の2本の突起をもつニューロン).

Bizzozero red c.'s (bētz′ō-tzā′rō).ビツォーツェロ赤血球(ヒトの有核赤血球).

blast c. 芽細胞,芽球(幼若な前駆細胞.例えば,赤芽球,リンパ芽球,神経芽細胞など.→-blast).

C

blood c. 血球（血液細胞の１つ．白血球または赤血球）．＝blood corpuscle.

Boll c.'s (bōl)．ボル細胞（涙腺の基底細胞）．

bone c. 骨細胞．＝osteocyte.

border c.'s 境界細胞（①ラセン器の内縁を形成する細胞．②硬膜のコラーゲン含有層とクモ膜との間にみられる細胞層．硬膜の境界細胞層）．

Böttcher c.'s (bĕt′shĕr)．ベットヒャー細胞（蝸牛基底膜の細胞）．

bowenoid c.'s ボーエン様細胞（Bowen 病の際の特徴的な細胞．クロマチンに富んだ核と極性細胞質をもつ散在性の大型，円形の表皮ケラチノサイト）．

bronchic c.'s ＝pulmonary *alveolus*.

bronchiolar exocrine c. 気管支外分泌細胞．＝Clara c.

brood c. ＝mother c.

burr c. イカ状赤血球，ウニ状赤血球，バーセル（金米糖状赤血球）．

burst forming unit-erythrocyte c. 赤血球バースト形成細胞（骨髄内に存在する前駆細胞のある集団で，CFU-S に由来し，赤血球を形成する．低濃度のエリスロポエチン存在下で，分裂能を持った細胞が〝バースト〟状となるが，それは多数の CFU-E から形成される．→colony forming unit-erythrocyte c.）．

C c. C細胞（①膵臓のガンマ細胞．特にモルモットの膵島組織の細胞．→medullary *carcinoma* of thyroid．②カルシトニンを分泌する円形ないし紡錘状をした甲状腺沪胞細胞．電顕上，60—550 nm の無数の神経分泌顆粒を含む．抗カルシトニン抗体を使って免疫組織化学的にはっきり同定できる．＝light c.'s of thyroid; parafollicular c.'s）．

Cajal c. (kah-hahl′)．カハル細胞（①＝horizontal c. of Cajal．②＝astrocyte）．

caliciform c. ＝goblet c.

capsule c. 被膜細胞．＝amphicyte.

carrier c. 担体細胞．＝phagocyte.

cartilage c. 軟骨細胞．＝chondrocyte.

castration c.'s 去勢細胞（去勢の結果肥大する下垂体前葉の好塩基性細胞．大きな空胞が核を周辺に押しのけるため細胞体が印形付き指輪に似る）．＝signet ring c.'s.

caterpillar c. キャタピラ細胞．＝cardiac *histiocyte*.

centroacinar c. 房心細胞（腺房の内腔を占める膵管の細胞．重炭酸イオンと水を分泌し，腸内の酵素作用に必要なアルカリ性を確保する）．

chalice c. ＝goblet c.

chief c. 主細胞（分泌腺を構成する主な細胞）．

chief c. of corpus pineale 松果体主細胞．＝pinealocyte.

chief c. of parathyroid gland 上皮小体主細胞（上皮小体ホルモンを分泌している中央に核がある丸い明細胞）．

chief c. of stomach 胃主細胞．＝zymogenic c.

chromaffin c. クロム親和細胞（副腎髄質，交感神経系の傍神経節などのクロム酸塩で染まる細胞）．

chromophobe c.'s of anterior lobe of hypophysis 下垂体前葉の色素嫌性細胞（下垂体前葉にあって通常の分別染色によっては酸性，アルカリ性いずれの顆粒も見出せない細胞）．

Clara c. (klahr′ah)．クラーラ細胞（細気管支上皮の線毛をもつ細胞の間に突出している，球形の，こん棒状の線毛をもたない細胞．機能的に分泌性であると考えられている）．＝bronchiolar exocrine c.

Clarke c.'s (klahrk)．クラーク細胞（後胸髄核(VII 層の Clarke 核)に特有の大型多極性細胞）．

Claudius c.'s (klaw′dē-ŭs)．クラウディウス細胞（ラセン器外側の蝸牛管床の円柱細胞）．

clear c. 明細胞（①光学顕微鏡で細胞質が空虚にみえる細胞．エクリン汗腺や上皮小体の分泌細胞のあるものがグリコゲンが染まらないときみられる．②多量のグリコゲン，またはヘマトキシリンやエオシンに染まらない物質を含むため，通常の染色切片上で細胞質が非常に淡い色にみえる細胞，特に新生物(腫瘍)細胞）．

cleavage c. 卵割細胞．＝blastomere.

cleaved c. 分割細胞（核膜中に単裂または多重裂をもつ細胞）．

clonogenic c. クローン化可能細胞（増殖する可能性をもち，細胞の集落を形成しうる細胞．各世代の娘細胞のいくつかにこの増殖できる能力を保存している）．

clue c. クルー細胞（腟上皮細胞の一型で，顆粒状を呈し，球菌様や杆菌様生物でおおわれている．細菌性腟炎でみられる）．

cochlear hair c.'s 蝸牛〔有〕毛細胞（蝸牛神経の遠心性線維および感覚線維とシナプス接触するラセン器の感覚細胞．各細胞の先端の表面から不動毛が約 100 本ずつのび蓋膜と接触する）．＝Corti c.'s.

colony forming unit-erythrocyte c. 赤血球コロニー形成細胞（骨髄内に存在する前駆細胞のある集団で，BFU-E に由来し，赤血球を形成する．低濃度のエリスロポエチンだけで生存することができ，また前赤芽球に分化することができる．→burst forming unit-erythrocyte c.）．

colony forming unit-lymphocyte c.'s リンパ球コロニー形成細胞（骨髄内に存在する多能性造血幹細胞の亜集団で，リンパ球系の血球成分(例えば，Tリンパ球，Bリンパ球など)を形成する．形態はリンパ球に似ており，ヌル細胞に属すると考えられている．自己複製能を有している．→stem c.; null c.'s）．

colony forming unit-spleen c.'s 脾コロニー形成細胞(骨髄内に存在する多能性造血幹細胞の亜集団で，ミエロイド系の血球成分(例えば，赤血球，顆粒球，単球，血小板など)を形成する．形態はリンパ球に似ており，ヌル細胞に属すると考えられている．自己複製能を有している．→stem c.; null c.'s）．

column c.'s 柱細胞（脊髄灰白質中のニューロン．その軸索は中枢神経内にとどまる）．

commissural c. 交連細胞（軸索が脳脊髄幹の反対側へ横切るニューロン）．＝heteromeric c.

compound granule c. 混合顆粒細胞．＝gitter c.

cone c. of retina 網膜錐〔状〕体細胞．＝cone (2).

connective tissue c. 結合組織細胞（結合組織中にみられる種々の細胞）．

contrasuppressor c.'s コントラサプレッサ〔T〕細胞（T細胞の亜群で，ヘルパー細胞とは区別され，サプレッサT細胞の機能を抑制するとされている）．

Corti c.'s (kōr′tē)．コルティ(コルチ)細胞．＝cochlear hair c.'s.

crescent c. 半月細胞，辺縁細胞．＝sickle c.

cytomegalic c.'s 巨大細胞（巨大細胞封入体を含む核内および細胞質内の大きな細胞．ヘルペスウイルス科のサイトメガロウイルスによって起こる）．

cytotoxic c. 細胞傷害性細胞（①Tリンパ球中の一群で，MHC を介して標的細胞と結合し，その細胞を傷害する．＝T cytotoxic c.'s．②病原体や外来性の細胞を殺すことが可能である他の免疫担当細胞集団．例えばマクロファージ，NK 細胞，K細胞）．

cytotrophoblastic c.'s 細胞栄養層細胞（胎盤絨毛の合胞体栄養細胞の重層をつくるために融合する幹細胞．すなわち着床したヒト卵子を包む上皮層をいう）．＝Langhans c.'s (2).

D c. D細胞．＝delta c. of pancreas.

dark c.'s 暗細胞（エクリン汗腺で，リボソームや粘液分泌顆粒を多量に含んだ細胞）．

daughter c. 娘細胞（親細胞の分裂によって生じる細胞）．

Davidoff c.'s (dah′vid-of)．ダーフィドフ細胞．＝Paneth granular c.'s.

decidual c. 脱落膜細胞（妊娠時の子宮内膜に現れる大きな卵形の結合組織細胞）．

decoy c. おとり細胞（尿路感染症でみられる濃縮した核をもつ剝離した上皮細胞）．

deep c. 深細胞．＝mesangial c.

Deiters c.'s (dī′tĕrz)．ダイテルス細胞（①＝phalangeal c. ②＝astrocyte）．

delta c. of anterior lobe of hypophysis 下垂体前葉デルタ細胞（好塩基性顆粒を有する種々の細胞の１つ）．

delta c. of pancreas 膵デルタ細胞（微顆粒を有し，ソマトスタチンを含む膵島の細胞）．＝D c.

dendritic c. 樹状細胞（伸張性の突起を有する神経堤由来の細胞．初期にメラニンを産生する）．＝Langerhans c.'s.

DNES c.'s [diffuse neuroendocrine system]．DNES 細胞．＝apud.

Dogiel c.'s (dō′gē-el). ドギエル細胞（脳脊髄神経節の種々の細胞の型）.

dome c. ドーム細胞（胎児表皮の周皮層にある表面の盛り上がった細胞）.

Downey c. (dow′nē). ダウネー(ダウニー)細胞（伝染性単核球症にみられる異型リンパ球）.

dust c. じん埃細胞. ＝alveolar *macrophage.*

effector c. 効果〔器〕細胞（完全に分化したリンパ球で，特定の機能を発現可能な細胞.→effector）.

egg c. 卵細胞（未受精卵母細胞）.

embryonic c. 胎児性細胞. ＝blastomere.

embryonic stem c. 胎児性幹細胞（胚盤胞の内部細胞塊を構成する全能性細胞．すべてに分化可能な細胞）.

enamel c. エナメル細胞. ＝ameloblast.

end c. 終末細胞（完全に分化，成熟した細胞）.

endodermal c. 内胚葉細胞（卵黄嚢を形成する胚期の細胞で，消化管や呼吸管の上皮とこれに関連する腺の実質に分化する）. ＝entodermal c.

endothelial c. 内皮細胞（血管およびリンパ管の壁と心内膜の内層を形成する単一扁平上皮細胞の１つ）. ＝endotheliocyte.

enterochromaffin c.'s 腸クロム親和細胞. ＝enteroendocrine c.'s.

enteroendocrine c.'s 腸内分泌細胞（消化管および肺全体に散在する数種類の細胞で，少なくとも20種の消化管ホルモンと神経伝達物質を産生すると考えられている．銀親和性あるいは好銀性の顆粒を含む）. ＝enterochromaffin c.'s; Kulchitsky c.'s.

entodermal c. 内胚葉細胞. ＝endodermal c.

ependymal c. 〔脳室〕上衣細胞（脊髄中心管および脳室内面をおおう単層の立方状ないし低円柱状細胞）.

epidermic c. 表皮細胞.

epithelial c. 上皮細胞（上皮を形成する種々の細胞の総称）.

epithelial reticular c. 上皮性網状細胞（樹の枝のように多数の突起をもつ上皮細胞で胸腺内のリンパ球を保持する実質を形成している．胸腺機能を調節するサイモシン，その他のホルモンを分泌しているものと思われる）.

epithelioid c. 類上皮細胞（①上皮の形質をもつ非上皮細胞．②上皮の形質をもつ単核大組織球．特に多角形で好酸性細胞質を有する肉芽腫性炎症の部分にみられる）.

erythroid c. 赤血球系細胞.

ethmoid c.'s 篩骨蜂巣（鼻腔の上中鼻道粘膜が篩骨迷路にはいってつくった多数の小さな副鼻腔で，前篩骨洞，中篩骨洞，後篩骨洞に分けられる.→anterior ethmoidal c.'s; middle ethmoidal c.'s; posterior ethmoidal c.'s）. ＝cellulae ethmoidales [TA]; ethmoid air c.'s [TA]; ethmoidal c.'s [TA]; antra ethmoidalia; ethmoidal sinuses; sinus ethmoidales.

ethmoid air c.'s [TA]. 篩骨蜂巣. ＝ethmoid c.'s.

ethmoidal c.'s [TA]. 篩骨蜂巣. ＝ethmoid c.'s.

external pillar c.'s →pillar c.'s.

exudation c. 滲出細胞. ＝exudation *corpuscle.*

Fañanás c. (fah-nyah′nahs). ファニャナス細胞（小脳皮質にみられる特殊星状細胞）.

fasciculata c. 束状帯細胞，索状層細胞（副腎皮質束状帯の細胞．コルチコステロイドの存在のため多数の脂肪滴を含む.→spongiocyte (2)）.

fat c. 脂肪細胞（１個以上の脂肪粒で膨張した結合組織細胞．周辺の１点にある核とともに，細胞質は通常，薄いエンベロープに押し込まれる）. ＝adipocyte; adipose c; signet c.

fat-storing c. 脂肪摂取細胞（肝臓の類洞周囲腔にみられる脂肪に満ちた多房性の細胞.→Ito c.'s）. ＝lipocyte.

Ferrata c. (fe-rah′tă). ＝hemohistioblast.

fiber c. 〔水晶体〕線維細胞. ＝*fibers* of lens.

flame c. 炎(ほのお)細胞（吸虫類にみられる原始的な有繊毛排泄細胞．住血吸虫卵内のミラシジウム幼虫におけるこの細胞の繊毛運動は虫卵の生存力の指標となる）.

foam c.'s 泡沫細胞（微細な空胞に満ちた淡染の細胞質に富む細胞．通常，プレパラート作製中に溶け出す栄養物質または蓄積物質で，特に脂質を有する組織球をさす.→lipophage）.

follicular dendritic c.'s 沪胞性樹状細胞（脾臓およびリンパ節のリンパ沪胞の胚中心にある細胞．Fcレセプタをもち，抗体に結合した抗原を捉えることができる）.

follicular epithelial c. 沪胞上皮細胞（甲状腺などの小胞の内壁をなす細胞）.

follicular ovarian c.'s 卵巣沪胞細胞，卵胞細胞（発育中の卵母細胞を囲む卵胞の細胞．顆粒層と卵丘を形成する）.

foreign body giant c. 異物巨細胞（慢性炎症性反応で粒子状物質の周囲に形成される多核細胞あるいはシンシチウム．複数のマクロファージが融合してできる）.

formative c. 形成細胞（胚盤胞の内部細胞塊の細胞で，これから胚子が形成される）.

founder c. 元祖細胞（幹細胞ではないが，１種類以上の細胞集団の形成に寄与する能力をもった細胞）.

foveolar c.'s of stomach 胃小窩細胞（胃小窩の被膜細胞）.

fuchsinophil c. 好フクシン性細胞（特にフクシンに親和性のある細胞）.

fusiform c.'s of cerebral cortex 大脳皮質紡錘状細胞（大脳皮質第六層の紡錘状細胞）.

G c.'s G細胞（主に胃の幽門前庭部粘膜にみられる，ガストリンを分泌する腸内分泌細胞）.

gamma c. of pancreas 膵ガンマ細胞. ＝C c. (1).

ganglion c. 神経節細胞（本来は神経細胞(ニューロン)をさすが，現在では脳および脊髄の外側にあり，そこから末梢神経系を形成する１つのニューロン細胞体をいう．神経節細胞には次の２種がある．ⓘ擬単極細胞あるいは脊髄・脳感覚神経由来の細胞(感覚神経節)，ⓘⓘ内臓を神経支配する多極運動性末梢ニューロン(内臓神経節すなわち自律神経節)）. ＝gangliocyte.

ganglion c.'s of posterior spinal root 脊髄後根の神経節細胞（脊髄神経後根の神経節にある擬単極神経細胞体．脊髄感覚神経は，この感覚神経節細胞の軸索末梢枝で構成され，各軸索中心枝は後根となって脊髄にはいる）.

ganglion c.'s of retina 網膜の神経節細胞（網膜の神経細胞で中心突起(軸索)は視神経を形成する．末梢突起は双極細胞と連結し，それを通して杆状・錐状体細胞と連結する．細胞体は丸形あるいはフラスコ形で大きさは様々である.→ganglionic *layer*）.

Gaucher c.'s (gō-shā′). ゴーシェ細胞（網内系由来の大型細胞で細かな均一の空胞を含む．Gaucher病患者の脾臓，リンパ節，肝臓，骨髄中に特にみられる．ケラシン(セレブロシドの１つ)を含む．グルコシルセラミダーゼの遺伝的欠損の結果，蓄積する）.

gemistocytic c. 大円形細胞. ＝gemistocytic *astrocyte.*

germ c. 生殖細胞. ＝sex c.

germinal c. 胚〔芽〕細胞（分裂し分化しうる細胞）.

ghost c. *1* 幽霊細胞（外形はみえるが細胞質の構造や染色性の核をもたない死細胞）. *2* 血球影，ゴースト（ヘモグロビンを失った赤血球）.

giant c. 巨細胞（大型で，しばしば多核である細胞）.

Gierke c.'s (gēr′ke). ギールケ細胞（脊髄後角の膠様室(II層)に特有の小細胞）.

gitter c. [Ger. *Gitterzelle* < *Gitter*, lattice, wire-net]. 格子細胞（[ドイツ語のつづりではGitterは，すべての名詞と同様に大文字で始まるが，派生した英語のつづりでは小文字のgを用いる]．治癒過程にある脳梗塞の辺縁によくみられる脂質をもったミクログリア由来の食細胞．壊死または変性しつつある脳細胞から出た脂質を貪食した結果生じる）. ＝compound granule c.; gitterzelle.

glia c.'s グリア細胞，〔神経〕膠細胞（→neuroglia）.

glitter c.'s 輝細胞（ゲンチアナバイオレットで淡青色に染まる多形核白血球でBrown運動を示す細胞質内顆粒をもっている．尿沈渣中にみられ，腎盂腎炎に特徴的である）.

globoid c. 球様細胞（中胚葉由来の大型細胞で，球様細胞白質萎縮症患者の頭蓋内組織に密集して見出される）.

glomerulosa c. 球状帯細胞（副腎皮質球状帯の細胞．球形あるいは卵形に群をなし，アルドステロンを生成する）.

goblet c. 杯細胞（先端部に大量の粘液原分泌顆粒を蓄積した上皮細胞．膨満により杯形を示す）. ＝beaker c.; caliciform c.; chalice c.

Golgi c.'s (gol′jē). ゴルジ細胞（→Golgi type I *neuron*; Golgi type II *neuron*）.

C

Golgi epithelial c. (gol′jē). ゴルジ上皮細胞（小脳皮質にみられるグリア細胞の一種. ⇀Bergmann *fibers*).

Goormaghtigh c.'s (gūr′mah-tēk). ゴールマグティグ細胞. ＝juxtaglomerular c.'s.

granule c.'s 顆粒細胞（①大脳皮質の外部および内部顆粒層にある小神経細胞体. ②小脳皮質の顆粒層にある小神経細胞体).

granule c. of connective tissue 結合組織の顆粒細胞. ＝mast c.

granulosa c. 顆粒膜細胞（胞状卵胞の内壁の顆粒膜をなす細胞で，排卵後，黄体の中の黄体顆粒層となる).

granulosa lutein c.'s 顆粒膜黄体細胞（成熟卵胞の顆粒膜に由来する細胞で，エストロゲンとプロゲステロンを分泌し，黄体の主構成要素をなす).

great alveolar c.'s 巨大肺胞細胞（扁平肺胞上皮細胞に連なる立方体状の細胞で，細胞質中に層板体を有する．ここで肺胞をおおう界面活性物質がつくられると考えられる). ＝granular pneumonocytes; type II c.'s.; type II pneumocyte; type II pneumonocyte.

guanine c. グアニン細胞（細胞質中にグアニンの光る結晶を含む細胞).

gustatory c.'s ＝taste c.'s.

gyrochrome c. 散点状顆粒神経細胞（⇀gyrochrome).

hair c.'s〔有〕毛細胞（ラセン器，耳の膜迷路の斑および稜にある感覚上皮細胞．光学顕微鏡で，微細毛としてみえる長い不動毛あるいは運動毛(または両方)を有するのが特徴である. ⇀Corti c.'s. →vestibular hair c.'s; cochlear hair c.'s).

hairy c.'s ヘアリーセル，毛様細胞（網内系細胞の特徴を有し細胞表面に多数の胞体突起(ヘアー)をもつが，Bリンパ球の一種と考えられる中型の白血球．白血性細網内皮症(ヘアリーセル白血病)でみられる).

Haller c. (hah′lĕr). ハラー蜂巣（篩骨洞の変異の１つで，上顎洞開口部の近くで眼窩壁にはいり込んだもの．ここに病変が生じると上顎洞開口部を塞ぎ，上顎洞炎を起こすことがある).

heart failure c. 心不全細胞（左心不全の際に肺にみられるマクロファージ，しばしばヘモジデリンを大量に含む.→siderophore).

HeLa c.'s ヒーラ細胞（最初に持続的に培養されたヒトの悪性腫瘍細胞．Henrietta Lacksという患者の頸癌に由来することからその名があり，ウイルスの培養に用いる).

helper c.'s ＝T-helper c.'s.

HEMPAS c.'s HEMPAS 細胞（先天性赤血球生成不全性貧血 congenital dyserythropoietic *anemia* の II 型の異常赤血球. ⇀HEMPAS).

Hensen c. (hen′sĕn). ヘンゼン細胞（ラセン器(Corti 器)の支持細胞の１つ．外指節細胞(Deiters 細胞)の外側に隣接して並ぶ).

heteromeric c. 異節層細胞. ＝commissural c.

hilus c.'s 門細胞（卵巣門にある細胞で，男性ホルモンを産生する．精巣の間質細胞にあたると考えられる). ＝Berger c.'s.

hobnail c. ホブネイル細胞（〔透〕明細胞腺癌に特徴的な細胞．新生した尿細管腔の全周にわたり，明調な細胞質が突出してくるが，核を含んでいる細胞の基底膜側部分は狭い).

Hofbauer c. (hahf′bow-ĕr). ホーフバウアー細胞（絨毛膜絨毛の結合組織にある大型細胞．食細胞の一型と考えられる).

horizontal c. of Cajal (kah′hahl). カハル水平細胞（大脳皮質の表層にみられる長軸が水平の紡錘状小型細胞). ＝Cajal c. (1).

horizontal c.'s of retina 網膜の水平細胞（網膜の内核層の外側部にある細胞で，軸はおおむね表面と平行している．網膜のある部分の杆状体と他の部分の錐状体を結合すると考えられる).

horny c. 角質細胞. ＝corneocyte.

Hortega c.'s (ōr-tā′gă). オルテガ細胞. ＝microglia.

host c. 宿主細胞（媒介者が(例えば細菌を)伝搬することができる細胞).

Hürthle c. (hērt′lĕ). ヒュルトレ細胞（橋本病のような，ミトコンドリアの蓄積による甲状腺胞状上皮由来の好酸性大型顆粒細胞). ＝Askanazy c.

I c. I 細胞（膜に囲まれた封入体を含む培養皮膚線維芽細胞．ムコリピドーシス II に特徴的). ＝inclusion c.

immunologically activated c. 免疫活性化細胞（免疫反応を発現可能な状態まで反応性が上昇した状態の免疫細胞).

immunologically competent c. 免疫反応細胞（小型のリンパ球のうち，それぞれの抗原物質に対応して免疫学的に活性化されうる細胞．活性化には抗体産生の働き，あるいは細胞性免疫反応に関与する働きとがある).

inclusion c. 封入体細胞. ＝I c.

indifferent c. 未分化細胞（未分化で特殊化していない細胞).

inducer c. インデューサ細胞（T helper 1 subset の古語).

inner hair c. 内有毛細胞（Corti 器にある感覚細胞で聴神経の求心性感覚線維のみならず遠心性線維ともシナプス結合する．フラスコ型の内有毛細胞は１列に配列し，支持細胞である内指節間細胞にしっかり取り囲まれている．それぞれの細胞頂部はクチクラ板で固定され，約 100 本の感覚毛はおよそ線型かまたは(浅い)U型に配列し，細胞面よりクチクラ板を貫通して蓋膜下の内リンパ腔に伸びている.→cochlear hair c.'s; Corti c.'s).

innocent bystander c. バイスタンダー細胞（直接的な標的ではないにもかかわらず，免疫系の作用の結果起こる細胞の破壊).

intercapillary c. 毛細〔血〕管間細胞. ＝mesangial c.

interdigitating dendritic c.'s 指状嵌入樹状細胞. ＝Langerhans c.'s (1).

interdigitating reticulum c. 嵌合細網細胞（リンパ節の傍皮質にある抗原提示細胞．Tリンパ球と反応する).

internal pillar c.'s ⇀pillar c.'s.

interphalangeal c. 指節間細胞. ＝pillar c.'s.

interstitial c.'s 間〔質〕細胞（①精巣の精細管の間にあってテストステロンを分泌すると考えられる細胞. ＝Leydig c.'s. ②卵巣の閉鎖細胞の内膜由来の細胞．黄体細胞に似ておりエストロゲンの主要な供給源である. ＝interstitial gland of ovary. ③長い突起を有する神経膠細胞に似た松果体細胞).

irritation c. 刺激細胞. ＝Türk c.

islet c. 〔膵〕島細胞.

Ito c.'s (ē′tō). 伊東細胞（肝臓のシヌソイドに位置する脂肪を含有する細胞.→fat-storing c.).

Jurkat c.'s (yūr′kat). ユールカット(ジャーカット)細胞(Burkitt リンパ腫由来のT細胞株．免疫学的研究に用いる).

juvenile c. 幼若細胞. ＝metamyelocyte.

juxtaglomerular c.'s 傍糸球体細胞（腎小体の血管極にある細胞で，レニンを分泌し傍糸球体複合体の一部をなす．それらは主として腎糸球体の輸入動脈の平滑筋細胞を修正している). ＝Goormaghtigh c.'s.

K c. K細胞（①胃と十二指腸を中心に消化管に存在する神経内分泌系の細胞．胃と十二指腸の内腔に存在する脂質が刺激となってブドウ糖依存性インスリン分泌刺激ポリペプチド(GIP)を産生する．GIP は膵臓ベータ細胞からのインスリン分泌を促進する. ②＝killer c.'s).

karyochrome c. 核染性神経細胞，カリオクロム細胞（⇀karyochrome).

keratinized c. 角化細胞. ＝corneocyte.

killer c.'s キラー細胞，細胞傷害性細胞（標的細胞を破壊する能力をもつ免疫担当細胞のこと. ⓘMHC に拘束されて特異的な細胞傷害活性をもつキラーT細胞(細胞傷害性Tリンパ球，CTL)，ⓘⓘMHC 非拘束性キラーT細胞．NKT(ナチュラルキラーT)細胞，NK(ナチュラルキラー)細胞. ⓘⓘⓘK細胞. ⇀antibody-dependent cell-mediated *cytotoxicity*; CD 8. →natural killer c.'s.). ＝K c. (2); null c.'s (1).

Kulchitsky c.'s (kūl-chit′skē). クルチツキー細胞. ＝enteroendocrine c.'s.

Kupffer c.'s (kūp′fĕr). クップファー細胞（肝臓の洞様血管壁の管腔側にみられる単核食細胞系の食細胞). ＝stellate c.'s of liver.

lacis c. [Fr. *lacis*, meshwork]. 細網状細胞（腎小体の血管極に見出される傍糸球体複合体の細胞の１つ.→extraglomerular *mesangium*).

Langerhans c.'s (lahng′ĕr-hahnz). ランゲルハンス細胞（①表皮に存在し，特徴的顆粒を有する樹枝状明細胞で，組織切片上では杆状またはラケット状の形を呈するが，トノフィラメント，メラノソーム，およびデスモソームを欠く．細胞表面に免疫グロブリン(Fc)および補体(C3)に対する受容体を有する．抗原を固定し，単核球由来のプロセッシング細胞であると考えられている．皮膚の遅延型過敏反応に関与する．＝interdigitating dendritic c.'s. ②肺における好酸球性肉芽腫とリンパ腫でみられる細胞)．＝dendritic c.

Langhans c.'s (lahng'hahnz). ラングハンス細胞（①結核やその他の肉芽腫性疾患にみられる多核巨細胞．核は細胞の周辺に弓形に配列される．＝Langhans-type giant c.'s. ②＝cytotrophoblastic c.'s).

Langhans-type giant c.'s (lahng'hahnz). ラングハンス型巨細胞．＝ Langhans c.'s (1).

LE c. LE細胞（多形核白血球の細胞質中にみられる無定形の円形の小体．これは貪食された他細胞由来の核に血液中の抗核抗体 (IgG) と補体とが作用して形成されたものである．この細胞は *in vitro* で全身性エリテマトーデス患者の血液中に形成される)．＝lupus erythematosus c.

Leishman chrome c.'s (lēsh'măn). リーシュマンクロム細胞（黒水熱患者の循環血液中に見出される好塩基性顆粒球).

lepra c.'s らい細胞（泡状の細胞質を有する明確な大型の単核食細胞(マクロファージ)であり，またこのような細胞の変性による難染性の嚢状構造を有し，炎症性のらいに特異的にみられる．この難染性は圧縮された無数のらい杆菌によるものであり，それらは抗酸性で，常法では染めにくい)．

Leydig c.'s (lī'dig). ライディヒ細胞（精巣の間質細胞)．＝interstitial c.'s (1).

light c.'s of thyroid 甲状腺明細胞．＝C c. (2).

lining c. 管壁細胞．＝littoral c.

Lipschütz c. (lip'shētz). リップシュッツ細胞．＝centrocyte (1).

littoral c. [L. *littoralis*, the seashore]. 沿岸細胞，堤防細胞（リンパ節のリンパ管洞と骨髄の血脈洞にある管壁細胞)．＝lining c.

Loevit c. (lōr'vit). レーフィット細胞（erythroblast を表す現在では用いられない語)．

lupus erythematosus c. 紅斑性狼瘡細胞．＝LE c.

luteal c., lutein c. 黄体細胞，ルテイン細胞（排卵前卵胞の顆粒膜細胞に由来し，プロゲステロンおよびエストロゲンを分泌する)．

lymph c. リンパ球．＝lymphocyte.

lymphoid c. リンパ系細胞，リンパ球様細胞，類リンパ球(免疫系の白血球細胞)．

M c. M細胞．＝microfold c.'s.

macroglia c. 大グリア細胞，星状〔神経〕膠細胞，大〔神経〕膠細胞．＝astrocyte.

malpighian c. マルピーギ細胞（表皮有棘層の細胞)．

Marchand wandering c. (mahr'shahn[h]). マルヒャント遊走細胞（単核食細胞系の細胞)．

marrow c. 骨髄細胞（骨髄中の全細胞，特に造血細胞をいう)．

Martinotti c. (mahr-tĭ-not'ē). マルティノッティ細胞（小型の多極神経細胞で，分枝した短い樹状突起があり大脳皮質の種々の層に散在する．軸索は皮質表面にのびる)．

mast c. 肥満細胞，マスト細胞，肥胖細胞（粗大な好塩基性メタクロマチン分泌顆粒を含む結合組織細胞．顆粒にはヘパリン，ヒスタミン，好酸球走化因子，その他の薬理学的作用を有する物質が含まれる．即時型過敏反応に関与し，基質の合成を調節する)．＝granule c. of connective tissue; labrocyte; mastocyte; tissue basophil.

mastoid c.'s [TA]. 乳突蜂巣（側頭骨乳様突起内にある多数の小さな相通じている腔．乳様突起洞あるいは鼓室洞に連なる)．＝cellulae mastoideae [TA]; mastoid air c.'s; mastoid sinuses.

mastoid air c.'s 乳突蜂巣．＝mastoid c.'s.

memory B c.'s 記憶B細胞（免疫学的記憶をつかさどるBリンパ球．正常な免疫能力を有する個体が抗原に再暴露されたとき，免疫応答を増強する働きをもつ)．

memory T c.'s 記憶T細胞（免疫学的記憶をつかさどるTリンパ球．正常な免疫能力を有する個体が抗原に再暴露されたとき，免疫応答を増強する働きをもつ)．

Merkel tactile c. (měr'kĕl). メルケル触〔覚〕細胞．＝tactile *meniscus*.

mesangial c. 血管間膜細胞，メサンギウム細胞（腎糸球体の毛細血管叢にある食細胞．血管叢の中央部または茎部の基底膜と内皮細胞との間に存在する)．＝deep c.; intercapillary c.

mesenchymal c.'s 間葉細胞（初期胚の外胚葉と内胚葉の間に位置する紡錘形あるいは星状の細胞．固定標本における細胞の形態から，それらの細胞は生涯を通じて本来の場所から集合・分化する部位まで移動することが知られる．間葉細胞は大部分，中胚葉層に由来するが，頭部では神経堤あるいは表層外胚葉からも生じる．胚期ではきわめて多能性で，これよりいくつかの結合組織または支持組織，平滑筋，血管内皮，血球などに分化する)．

mesoglial c.'s 中グリア細胞，中〔神経〕膠細胞．＝mesoglia.

mesothelial c. 中皮細胞（漿膜にある中胚葉起源の扁平な細胞で漿膜の表層をなし，胸腔や腹腔の内面をおおう)．

Mexican hat c. メキシコ帽細胞．＝target c. (1).

Meynert c.'s (mī'nĕrt). マイネルト細胞（鳥距溝の皮質にある孤立した錐体細胞)．

microfold c.'s ミクロフォールド細胞（特殊な腸上皮細胞で，空腸の Peyer 板のリンパ沪胞に接してみられる．細胞先端部表面に豊富な陥入があり，そこには多数のリンパ球，マクロファージが接して存在しているのが特徴である．抗原を貪食し，その下に存在するリンパ系細胞に提示すると考えられている)．＝M c.

microglia c.'s, microglial c.'s 小グリア細胞，小〔神経〕膠細胞．＝microglia.

middle c.'s 中部．＝middle ethmoidal c.'s.

middle ethmoidal c.'s [TA]. 中篩骨蜂巣（篩骨蜂巣のうち前洞と後洞の間に位置する一群で，それぞれ中鼻道に通じている)．＝cellulae ethmoidales mediae [TA]; middle c.'s; middle ethmoidal air c.'s; middle ethmoidal sinuses; sinus ethmoidales mediae.

middle ethmoidal air c.'s 中篩骨蜂巣．＝middle ethmoidal c.'s.

midget bipolar c.'s 小型双極細胞（網膜の核のある内顆粒層の細胞で，外網状層で個々の錐体細胞とシナプス接触する．内顆粒層にある他の大型双極細胞は杆細胞，錐体細胞の両方にシナプス接触する．これら2つの双極細胞の軸索は内網状層で神経節細胞の樹状突起とシナプス接触する)．

migratory c. 遊走細胞．＝ameboid c.

Mikulicz c.'s (mē'kū-lich). ミクリッチ細胞（鼻硬腫菌 *Klebsiella rhinoscleromatis* を含む泡状のマクロファージ．鼻硬化症の粘膜小結節にみられる)．

mirror-image c. 鏡像細胞（①核が同一の形態をもち細胞質中に同じ状態で置かれている細胞．② Hodgkin 病にしばしばみられる Reed-Sternberg 細胞の二核小体形．対をなす核は，1つの核と鏡に映っているその像のように面対称の位置にある)．

mitral c.'s 僧帽状細胞（脳の嗅葉にある大型神経細胞．樹状突起は鼻粘膜の嗅覚受容細胞の軸索と糸状様にシナプス接触し，軸索は嗅索の中心を通り嗅皮質に至る)．

monocytoid c. 単球様細胞（形態は単球の特徴をもつが食細胞ではない)．

mossy c. 苔状細胞（2型ある神経膠細胞のうちの一型で，多数の短い枝状突起のある，やや大型の細胞体からなる)．

mother c. 母細胞（分裂して2個以上の娘細胞を生じる細胞)．＝brood c.; metrocyte; parent c.

motor c. 運動〔神経〕細胞（軸索が，筋線維や腺細胞のような末梢効果細胞を神経支配するニューロン)．

mucoalbuminous c.'s ＝mucoserous c.'s.

mucoserous c.'s 粘液漿液性細胞（組織学的に漿液細胞と粘液細胞の中間の性質を示す腺細胞)．＝mucoalbuminous c.'s; seromucous c.'s.

mucous c. 粘液細胞（杯細胞のように粘液を分泌する細胞)．

mucous neck c. 胃腺頸部粘液細胞（胃腺の頸部にあって酸性ムチンを分泌する細胞)．

Müller radial c.'s (mēl'ĕr). ミュラー放射細胞．＝Müller *fibers* (2).

multipolar c. 多極細胞（細胞体から多数の樹状突起を出す神経細胞）.

multipotent adult progenitor c. 成体多能性前駆細胞（出生後のヒトの骨髄から分離される幹細胞）. ＝adult stem c.

multipotential hemopoietic stem c. (**MHSC**) 多能性造血幹細胞（幼若で，骨髄内に存在する未分化血液細胞のことであり，ミエロイド系(例えば，顆粒球，単球，血小板など)とリンパ球系(例えば，Tリンパ球，Bリンパ球など)の細胞を生ずる．形態はリンパ球に似ており，ヌル細胞に属すると考えられている．正常の血液や骨髄の塗抹標本では同定することができない．自己複製能を有している.→stem c.）.

mural c. 壁細胞（網膜毛細血管の基底膜に包まれた非内皮細胞）.

myeloid c. 骨髄性細胞（特に成熟顆粒球に成長する幼若細胞をさすが，marrow c.(骨髄細胞)と同義に用いることが多い）.

myoepithelial c. 筋上皮細胞（外胚葉由来の平滑筋様細胞．乳腺，汗腺，涙腺など種々の器官の上皮と基底膜の間にみられる）.

myoid c.'s 筋様細胞（中胚葉由来の扁平な平滑筋様細胞で精細管の基底膜のすぐ外側にみられる）. ＝peritubular contractile c.'s.

Nageotte c.'s (nah-zhot′). ナジョット細胞（脳脊髄液中にみられる単核細胞で，正常時には1 mm³当たり1，2個であるが，各種の疾病時にはきわめて多数となる）.

natural killer c.'s (**NK**) ナチュラルキラー細胞（大型の顆粒性リンパ球で，T細胞，B細胞の表面マーカを発現していない．一方，IgG結合性のFcレセプタは発現しており，抗体依存性細胞傷害(ADDC)により標的細胞を破壊する．NK細胞は特異抗体の存在なしでもパーフォリンを利用して標的細胞を破壊することができる．細胞破壊は前もっての感作なしでも起こる）. ＝NK c.'s.

nerve c. 神経細胞. ＝neuron.

neurilemma c.'s 神経〔線維〕鞘細胞. ＝Schwann c.'s.

neuroendocrine c. 神経内分泌細胞（①→neuroendocrine (2)．②＝paraneurone）.

neuroendocrine transducer c. 神経内分泌変換細胞（神経インパルスを受け取ったときにのみホルモンを血液中に放出する内分泌細胞）.

neuroepithelial c.'s 神経上皮細胞. ＝neuroepithelium.

neuroglia c.'s 神経膠細胞（→neuroglia）.

neurolemma c.'s 神経〔線維〕鞘細胞. ＝Schwann c.'s.

neurosecretory c.'s 神経分泌細胞（視床下部神経細胞のように，下垂体前葉などに影響を及ぼす化学物質(例えば放出因子，神経ペプチド，ごくまれには真性のホルモン)を分泌する神経細胞.→neurosecretion）.

nevus c. 母斑細胞（皮膚の色素性母斑にみられる細胞で，メラノサイトと異なり樹状突起をもたない）. ＝nevocyte.

nevus c., A-type 母斑細胞A型（色素性母斑にみられる表皮内のメラノサイトで，表皮細胞に似ていて，しばしばメラニンを含んでいる）.

nevus c., B-type 母斑細胞B型（色素性母斑の真皮中層に認められる，小さく通常は色素のないメラノサイト）.

nevus c., C-type 母斑細胞C型（メラニンをもたない紡錘形のメラノサイトで，色素性母斑の真皮下層にみられる）.

Niemann-Pick c. (nē′mahn pik). ニーマン-ピック細胞. ＝Pick c.

NK c.'s ＝natural killer c.'s.

nonclonogenic c. クローン化不能細胞（細胞のクローン化(遺伝的に同一な細胞の多数集団)のできない細胞．これらは2回またはそれ以上の細胞分裂はするが，すべての娘細胞は死滅するか分化する運命にある(すべて分裂する能力を失う)）.

null c.'s ヌル細胞（①＝killer c.'s．②顆粒性の大型リンパ球で，表面マーカ抗原(Tリンパ球またはBリンパ球を決定する)を発現していない細胞）.

nurse c.'s 栄養細胞. ＝Sertoli c.'s.

oat c. 燕麦細胞. ＝small c.

OKT c.'s [*Ortho-Kung T* cell]. OKT細胞（Tリンパ球抗原に対するモノクローナル抗体で分類される細胞を表す古語．T細胞のサブセット(白血球分化抗原)を認識する各モノクローナル抗体による分類(註現在は，OKT細胞ではなく，CD抗原またはCD分類と称される)．OKT3細胞とはTリンパ球全般のことであり，OKT4細胞はヘルパー細胞，OKT8細胞はサプレッサ細胞などに対応する．OKT4:OKT8はヘルパー/サプレッサ比を表し，免疫機能の状態を示す指標としてしばしば用いられ，臨床上，診断や予後の基準となる．近年ではCD分類に従うのが一般的である）.

olfactory c.'s 嗅細胞，嗅覚細胞. ＝olfactory receptor c.'s.

olfactory receptor c.'s 嗅〔覚〕受容〔器〕細胞（大型核をもつ非常に細長い神経細胞で，鼻根の嗅上皮で6—8本の長い感覚毛によっておおわれる．嗅覚の受容器）. ＝olfactory c.'s; Schultze c.'s.

oligodendroglia c.'s 乏突起〔神経〕膠細胞（→oligodendroglia）.

Onodi c. (on′ŏ-dē). オノディ小房，オノディ小胞（視交叉のすぐ遠位で視神経と密接な関係をもつ後篩骨蜂巣の破格）.

Opalski c. (ō-pahl′skē). オパルスキー細胞（肝レンズ核変性とWilson病で，脳幹神経節，視床にみられる変性した特徴あるグリア細胞）.

osseous c. 骨細胞. ＝osteocyte.

osteochondrogenic c. 骨軟骨形成原細胞（軟骨内に発育する骨髄内層の未分化細胞で，骨芽細胞あるいは軟骨芽細胞に分化しうる.→osteogenic c.）.

osteogenic c. 骨原性細胞（骨膜内層にみられる細胞で，骨芽細胞に分化する）. ＝osteoprogenitor c.; preosteoblast.

osteoprogenitor c. 前骨芽細胞. ＝osteogenic c.

outer hair c. 外有毛細胞（聴神経の遠心性神経線維にシナプス接合するCorti器の感覚細胞．Cortiリンパ液と支持する指節細胞に囲まれた，3列の円柱状の外有毛細胞が存在する．頂端はクチクラ板と約100本の線毛(クチクラ板から蓋膜に向かって細胞の表面から伸びるV状に整列した)が固定している.→cochlear hair c.'s; Corti c.'s）.

oxyntic c. 〔胃〕酸分泌細胞. ＝parietal c.

oxyphil c. 好酸性細胞（加齢とともに増加する上皮小体の細胞．細胞質は多数のミトコンドリアを有し，エオシンで染まる．同様の細胞やその細胞からなる腫瘍が唾液腺や甲状腺にも見出される．特に後者にあってはHürthle細胞ともよばれる）.

P c. P細胞（ペースメーカの機能を有すると思われる特殊に分化した細胞で，洞房・房室結節にみられる）.

packed human blood c.'s 濃縮血液（血漿部分が取り除かれた全血．全血の保存期間中いつでも調製しうるが，血漿と細胞を遠心分離したならば，採血後6日を経過してはならない）.

Paget c.'s (paj′ĕt). パジェット細胞（比較的大型の新生上皮細胞(癌細胞)で，染色体過剰の核と豊富な淡染性の細胞質を含む．乳房Paget病では乳管の新生上皮，乳首，乳輪，近隣の皮膚の表皮に生じる）.

pagetoid c.'s パジェット〔病〕様細胞（Paget細胞に似た異型メラノサイトで，表在性拡大型の皮膚黒色腫でみられる.→Paget c.'s）.

Paneth granular c.'s (pah′net). パーネト(パネート)顆粒細胞（小腸の腸腺の基底部にある細胞で，大型の好酸性複屈折性顆粒を含み，リゾチームを産生しているものと思われる）. ＝Davidoff c.'s.

parafollicular c.'s 傍沪胞細胞. ＝C c. (2).

paraganglionic c.'s パラガングリオン細胞，傍神経節細胞（クロム親和細胞になる胚期の交感神経系の細胞）.

paraluteal c. 傍黄体細胞. ＝theca lutein c.

paralutein c. 傍黄体細胞. ＝theca lutein c.

parenchymal c. →parenchyma.

parenchymatous c. of corpus pineale 松果体の実質細胞. ＝pinealocyte.

parent c. 親細胞. ＝mother c.

parietal c. 壁細胞（胃腺細胞の1つ．主細胞によっておおわれた基底膜上にあり，胃内因子と塩酸を分泌する．塩酸は細胞内分泌細管や細胞間小管を通り腺の内腔に達する）. ＝acid c.; oxyntic c.

peptic c. 消化細胞. ＝zymogenic c.

pericapillary c. 毛細〔血〕管周囲細胞. ＝pericyte.

peripolar c. 周血管極細胞（腎小体の外壁が内壁に移ると

ころにある顆粒をもった細胞で，内腔に面しているものもある）．

perithelial c. 周皮細胞．＝pericyte.

peritubular contractile c.'s 周細管性収縮細胞，筋様細胞．＝myoid c.'s.

permissive c. 許容性細胞（ウイルス感染後期において，大量のウイルス産生に伴って細胞死をきたす細胞．例えば，サルの細胞はSV40に対し許容性である）．

pessary c. ペッサリー細胞（ヘモグロビンが中央から消失し，そのため周縁のみが残ってみえる赤血球）．

phalangeal c. 指節細胞（ラセン器(Corti 器)の支持細胞の1つ．基底膜に付着しその自由端の間に有毛細胞が支持される．→phalanx (2)）．＝Deiters c.'s (1).

photo c. フォトセル（光を検出する電子素子で，照射を自動的に停止するために患者を透過したX線量を測定したり，ディジタル画像の算定のために用いられる）．

photoreceptor c.'s 光受容細胞（網膜の杆体と錐体）．

physaliphorous c. 担空胞細胞（空胞のある細胞質を含む細胞で，脊索腫に特徴的にみられる）．

Pick c. (pik)．ピック細胞（比較的大型で円形あるいは多角形の単核細胞．不明瞭にまたは薄く染まる泡状細胞質を有し，中に多くのリン脂質(スフィンゴミエリン)の小滴を含む．脾臓その他の組織中に広く分布し，特にNiemann-Pick病患者の細網内皮組織に多い）．＝Niemann-Pick c.

pigment c. 色素細胞（色素顆粒を含む細胞）．

pigment c.'s of iris 虹彩色素細胞（色素顆粒をもつ虹彩支質層の細胞で，黒眼にみられ青眼にはみられない）．

pigment c.'s of retina 網膜色素細胞（色素顆粒を含む網膜最外層の細胞）．

pigment c. of skin 皮膚色素細胞．＝melanocyte.

pillar c.'s 柱細胞（ラセン器のトンネルの外壁および内壁を形成する細胞）．＝Corti pillars; Corti rods; pillar c.'s of Corti; tunnel c.'s; interphalangeal c.

pillar c.'s of Corti ＝pillar c.'s.

pineal c.'s 松果体細胞．

plasma c. プラスマ細胞，形質細胞（偏心性核をもった卵形の細胞．細胞質は，小胞体中に豊富にリボ核酸(RNA)を含むため，強い好塩基性を示す．形質細胞はBリンパ球に由来し，抗体産生と分泌の働きをもつ）．＝plasmacyte.

pluripotent c.'s 多能性細胞（間葉細胞のように種々の組織に分化し続けうる始原細胞）．

pluripotential hemopoietic stem c. (**PHSC**) 多能性幹細胞（プリミティブで未分化な血球であり，赤芽球，リンパ芽球，骨髄芽球，およびその他の未熟な細胞のもとになる．血液芽細胞あるいは血液組織芽細胞とたぶん同一，あるいは酷似している．正常骨髄では少数存在し，血液芽球は脆弱でまとまっていないため，塗抹標本では同定が困難である）．

polar c. 極細胞．＝polar *body.*

polychromatic c. 多染〔性〕赤血球（細胞質中に好塩基性物質とヘモグロビン(好酸性)を含む骨髄中の幼若赤血球）．＝polychromatophil c.

polychromatophil c. ＝polychromatic c.

posterior c.'s 後篩骨蜂巣．＝posterior ethmoidal c.'s.

posterior ethmoidal c.'s ［TA］．後篩骨蜂巣（篩骨蜂巣のうち後方にある一群で，それぞれ上鼻道に通じている）．＝cellulae ethmoidales posteriores ［TA］; posterior c.'s; posterior ethmoidal air c.'s; sinus ethmoidales posteriores.

posterior ethmoidal air c.'s 後篩骨蜂巣．＝posterior ethmoidal c.'s.

precursor c. 前駆細胞（骨髄内に存在し，自己複製能をもたない一群の細胞．より未熟な前駆細胞(progenitor)に由来し，形態学的特徴のために認識することが可能な，特定の血球系列における最初の細胞(例えば，前赤芽球)である）．

pregnancy c.'s 妊娠細胞（妊娠中に増殖し好酸性顆粒を蓄積する下垂体色素嫌性細胞）．

pregranulosa c.'s 前顆粒膜細胞（胎児卵巣の卵母細胞原基を囲む被膜細胞で，体腔上皮に由来する）．

prestem c. 前幹細胞（幹細胞ではないが，1つ以上の幹細胞集団の形成に寄与する能力をもった細胞）．

prickle c. 有棘細胞（表皮の有棘層の細胞．組織標本に生じる典型的な収縮した人工的産物のため，デスモソーム結合の部位で細胞間橋が生じるためにこのように名付けられた）．＝spine c.

primary embryonic c. 一次胚細胞（分化する可能性を有する初期胚の細胞）．

primordial c. *1* 始原細胞（胚の器官あるいは部分の原基を構成する細胞）．*2* 接合子および接合子の次の段階．

primordial germ c. 原〔始〕生殖細胞，始原生殖細胞，始原性細胞（最も初期の生殖腺外部にみられる最も原始的かつ未分化の性細胞）．＝gonocyte.

primordial reticular c. 原始細網細胞．＝reticular c.

progenitor c. 前駆細胞（骨髄に存在する単能性造血幹細胞．単一の細胞系統(例えば赤血球)を生じる．リンパ球に類似し，ヌル細胞の一部と考えられている．→stem c.; null c.'s）．

prolactin c. プロラクチン細胞．＝mammotroph.

pseudo-Gaucher c. (gō-shā′)．偽ゴーシェ細胞（形質細胞で，顕微鏡的にGaucher細胞と類似しており，多発性骨髄腫の一部の症例の骨髄に認められる）．

pseudounipolar c. 偽〔性〕単極神経細胞．＝unipolar *neuron.*

pseudoxanthoma c. 偽〔性〕黄色腫細胞（多数の小型脂質胞あるいはヘモジデリン(または双方)を含む比較的大型の食細胞(マクロファージ)で，出血性・炎症性外傷などの際に生じる）．

pulpar c. 髄質細胞（脾臓の特異的マクロファージ）．

Purkinje c.'s (pŭr-kin′jē)．プルキンエ細胞．＝Purkinje cell *layer.*

pus c. 膿細胞．＝pus *corpuscle.*

pyramidal c.'s 錐体細胞（大脳皮質のニューロン．皮質表面に垂直な断面で，皮質表面に向かう長い先端樹状突起を有する三角形を呈す．外側にも樹状突起があり基底軸索は深層にのびる）．

pyrrol c., pyrrhol c. ピロール細胞（ピロールブルーに特に強い親和性をもつ単核マクロファージ系細胞で，食細胞運動によりこの色素を取り入れる）．

Raji c. (rah′jē)．ラージ(ラジ)細胞（Burkittリンパ腫由来のリンパ芽球様の培養系細胞．ある補体成分に対する数多くのレセプタをもつので免疫複合体の検出に適している．IgGに対するFcレセプタのほか，ある種の補体に対するレセプタも発現している）．

reactive c. 反応細胞．＝gemistocytic *astrocyte.*

red blood c. (**rbc, RBC**) 赤血球．＝erythrocyte.

Reed c. (rēd)．リード細胞．＝Reed-Sternberg c.

Reed-Sternberg c. (rēd stĕrn′bĕrg)．リード－スターンバーグ細胞（恐らくB細胞由来の形態の変化した大型リンパ球で，Hodgkin病に特有と一般的にみなされている．典型的な細胞は淡染性の好酸性細胞質をもち，その1，2の大型核は辺縁に染色質の塊と異常に目立つ強い好酸性の核小体を有する．二核性のReed-Sternberg細胞はしばしば鏡像型(鏡像細胞)を呈する）．＝Reed c.; Sternberg c.; Sternberg-Reed c.

Renshaw c.'s (ren′shaw)．レンショー細胞（抑制介在ニューロン．運動ニューロンからの側副枝に刺激され，自身もまたその同じ隣接の運動ニューロンとシナプスを形成し抑制作用を起こす．生理学的に，および細胞内注入法で同定される）．

resting c. 休止細胞（休止期の細胞．有糸分裂を行っていない細胞）．

resting wandering c. 休止遊走細胞．＝fixed *macrophage.*

restructured c. 細胞原形質(細胞質)と細胞核の融合によって生じる生存細胞．

reticular c. 細網細胞（突起によって他の類似細胞の突起と接続し細胞網を形成している細胞．この細胞網は細網線維網をおおい胸腺を除くすべてのリンパ性器官の支質となっている）．＝primordial reticular c.

reticularis c. 網状帯細胞（副腎皮質最内層である網状帯の細胞）．

reticuloendothelial c. 〔細〕網内〔皮〕細胞（細網内皮系の細胞）．

rhagiocrine c. 分泌顆粒をもっている細胞．＝macrophage.

Rieder c.'s (rē′dĕr)．リーダー細胞（直径12—20 μmの異常骨髄芽球で，核は広く深くぎざぎざが付いていて葉のようにみえ，ときには実際に二葉または多葉構造をなす．急性白血病によくみられ，核は細胞質よりも早く成熟すると考えられる）.

rod nuclear c. 杆〔状〕核細胞．＝band c.

rod c. of retina 網膜杆〔状体〕細胞．＝rod (2).

Rolando c.'s (rō-lan′dō). ロランド細胞（脊髄の Rolando 膠様質にある神経細胞）.

rosette-forming c.'s ロゼット形成細胞（ヒツジ赤血球に親和性のあるTリンパ球をさす用語．血清中に浮遊させると非被覆，非感作赤血球と結合しロゼットを形成する）.

sarcogenic c. 筋原細胞．＝myoblast.

satellite c.'s 衛星細胞（脊髄神経節・脳神経節・自律神経節のニューロンの細胞体を取り囲む神経膠細胞）.

satellite c. of skeletal muscle 骨格筋の未分化細胞（筋線維鞘の陥凹，筋線維鞘と基底板の間の陥凹を占める細長くのびた紡錘形細胞．筋の修復や再生の際に活動し，近くの筋線維と癒合する）．＝sarcoplast.

scavenger c. 清掃細胞．＝phagocyte.

Schilling band c. (shil′ing). シリング帯状核細胞．＝band c.

Schultze c.'s (shūlt′sĕ). シュルツェ細胞．＝olfactory receptor c.'s.

Schwann c.'s (shwahn). シュヴァン細胞（外胚葉(神経堤)起源の細胞で，末梢神経の各神経線維の周囲の連続したエンベロープを構成する．Schwann 細胞は脳および脊髄の乏突起神経膠細胞に相当し，膜様に膨張し軸索を取り巻き軸索の髄鞘となる）．＝neurilemma c.'s; neurolemma c.'s.

segmented c. 分葉球，分葉核〔白血〕球，分節核〔白血〕球（杆状核球以上に成熟し，核葉が２つ以上となる多形核白血球）.

sensitized c. 感作細胞（①抗原に暴露され活性化した細胞．②分裂と分化により，休止リンパ球から派生する小型の成熟リンパ球．③特異的な抗体と結合し，補体成分と反応しうる複合体を形成するような細胞のことで，細菌細胞をも含む）.

sensory c. 感覚細胞（求心(感覚)情報を受ける末梢神経系の細胞）.

septal c. 〔肺〕中隔細胞（肺胞中隔にある薄色の円形細胞）.

seromucous c.'s 漿〔液〕粘液性細胞．＝mucoserous c.'s.

serous c. 漿液細胞（粘液細胞とは対照的に，水様あるいは薄い蛋白液を分泌する細胞で，特に唾液腺の細胞をいう）．＝albuminous c. (1).

Sertoli c.'s (sĕr-tō′lē). セルトーリ(セルトリ)細胞（精子細胞を収納し精子形成を支える微細環境を提供する．アンドロゲン結合蛋白を分泌し，近接した Sertoli 細胞を強固に結合することによって血液精巣隔壁(バリア)を確立する）．＝nurse c.'s.

sex c. 性細胞（精子あるいは卵母細胞）．＝germ c.

Sézary c. (sā-zah-rē′). セザール(セザリー)細胞（Sézary 症候群の末梢血液中にみられる非定型のＴリンパ球．大型の回旋した核をもち細胞質は乏しいが，PAS 陽性の小胞を有する）.

shadow c.'s 陰影細胞．＝smudge c.'s.

sickle c. 鎌状〔赤〕血球，鎌状細胞（鎌状赤血球貧血に特徴的な半月形の異常赤血球．低酸素圧での溶解度低下を起こす遺伝性ヘモグロビン異常(ヘモグロビンＳ)の結果生じる）．＝crescent c.; drepanocyte; meniscocyte.

signet c. 印環細胞．＝fat c.

signet ring c.'s 印環細胞．＝castration c.'s.

silver c. 銀細胞（多発性硬化症の斑点にある多数の細胞の１つ．円形あるいは楕円形の核で，細胞体は黄色または淡褐色の粒子を多数含む．多発性硬化症に特有であるが，梅毒などその他の症状でもみられる）.

skein c. 網〔状〕赤血球．＝reticulocyte.

skeletal muscle c.'s 骨格筋細胞．＝skeletal muscle *fibers*.

small c. 小細胞（先端の丸い，短かい紡錘形の細胞で，比較的大きな濃染する核をもつ．未分化型気管支癌のうちのいくつかのタイプでしばしばみられる）．＝oat c.

small cleaved c. 小〔型〕切れ込み核細胞（(リンパ節)胚中心細胞由来のリンパ球．核は不整形，核クロマチンは凝集し，核小体は認められず，核膜に１つ以上の切れ込みがある）.

smudge c.'s よごれ細胞（染色した塗抹標本あるいは組織切片を作成中に，非常に壊れやすいため一部破損した未成熟白血球．急性白血病に多くみられる）．＝basket c. (2); Gumprecht shadows; shadow c.'s.

somatic c.'s 体細胞（生殖細胞以外の生体細胞）.

sperm c. 精子細胞．＝sperm.

spider c. 星状細胞（①＝astrocyte. ②心臓の横紋筋腫にみられる細胞．核は中心部にあり，細胞質塊は，透明なグリコゲンに富む部分によって隔てられた細胞質の線維により細胞壁とつながっている）.

spindle c. 紡錘細胞（大脳皮質深層にあるような紡錘状細胞）.

spine c. ＝prickle c.

splenic c.'s 脾細胞（脾髄にある円形の大型アメーバ様細胞(マクロファージ)）.

spur c. 有棘細胞（突起をもつ赤血球．5—10個の突起が，細胞表面に様々な長さで不整にある．肝疾患や無βリポ蛋白血症の患者に認められる）.

squamous c. 扁平上皮細胞．

squamous alveolar c.'s 扁平肺胞細胞（肺胞を被包し，ガス透過可能な上皮を形成する高度に被薄化した扁平上皮細胞）．＝type I c.'s; type Ⅰ pneumocyte; type Ⅰ pneumonocyte.

stab c. 杆〔状〕核〔白血〕球．＝band c.

staff c. 杆〔状〕核〔白血〕球．＝band c.

standard c. 標準電池（一定の既知電圧を有する電池．他の電池の検定に用いる）.

starburst giant c. 星状巨細胞（著明な樹状突起のため星のようにみえる多核色素細胞で，悪性黒子の診断に有用な所見である）.

stellate c.'s of cerebral cortex 大脳皮質星細胞（大脳皮質第二・第四層にある小型の星形細胞．また視覚皮質第三層の深部にある大型星細胞）.

stellate c.'s of liver 肝〔臓〕星細胞．＝Kupffer c.'s.

stem c. 幹細胞（①あらゆる前駆細胞．②娘細胞が他の細胞に分化することもありえる細胞．③自身の細胞数は維持しつつ，１つ以上の細胞系列に子孫を送り出すことができる細胞）.

Sternberg c. (shtĕrn′bĕrg). スターンバーグ(シュテルンベルク)細胞．＝Reed-Sternberg c.

Sternberg-Reed c. (shtĕrn′bĕrg rēd). ＝Reed-Sternberg c.

stichochrome c. スチコクロム細胞（→stichochrome）.

strap c. 帯状細胞（横紋筋肉腫でみられる幅が一様で細長い腫瘍細胞．横紋のみられることもある）.

supporting c. ＝sustentacular c.

suppressor c.'s サプレッサ細胞（免疫応答を抑制したり，終わらせるのを助けたりする免疫系の細胞．サプレッサマクロファージやサプレッサＴ細胞など）.

surface mucous c.'s of stomach 胃表面粘液細胞（胃の表面と胃小窩をおおう粘液細胞で，各細胞に酸抵抗性粘液が産生されていて胃の表面に広がり潤滑作用と保護にあたっている）．＝theca c.'s of stomach.

sustentacular c. 支持細胞（基底膜にある普通の細長くのびた細胞の１つ．内耳迷路，味蕾，あるいは嗅上皮など，一定の器官の短い分化した細胞を取り囲む）．＝supporting c.

sympathetic formative c. 交感神経形成細胞（胚期の自律神経系の神経芽細胞）.

sympathicotropic c.'s 向交感神経細胞（無髄神経線維に付随して卵巣門に見出される大型の類上皮細胞）.

sympathochromaffin c. 交感神経クロム親和細胞（交感神経節細胞とクロム親和細胞とに分化する胚期の細胞腎上体にみられる）.

synovial c.'s 滑膜細胞（関節の滑膜で1—6層の上皮様層を形成する線維芽細胞様の細胞で滑液にプロテオグリカンやヒアルロン酸を供給するものとみられている）.

T c. Ｔ細胞．＝T *lymphocyte*.

Tγ c.'s Tγ 細胞（IgG に対する Fc レセプタを有するＴ細胞サブセット）.

Tμ c.'s Tμ 細胞（IgM の Fc 部分に対する受容体をもつヘルパーＴ細胞）.

tactile c. 触〔覚〕細胞（触覚小体の類上皮細胞の１つ）．＝touch c.

tanned red c.'s タンニン酸処理赤血球（表面に可溶性抗原を吸着しやすくするために軽くタンニン酸のような化学薬

品で処理を施した赤血球．赤血球凝集試験に用いる）．

target c. 標的赤血球，標的細胞（①暗い中心部を明帯が取り囲み，さらにその外側を暗い環が回って，射撃用の標的に似た形をした赤血球．標的細胞貧血や脾摘後にみられる．＝Mexican hat c. ②組織移植拒絶の際に細胞傷害性Ｔリンパ球により傷害，溶解される細胞）．

tart c. タート細胞（核を飲み込み，その飲み込んだ核の内部構造がそのまま保たれる単核細胞）．

taste c.'s 味細胞（味蕾にある濃染性の細胞で，味孔にのびる微絨毛(味毛)をもつ．微絨毛の中には多数の微小管がぎっしり詰まっている．味細胞は顔面神経，舌咽神経あるいは迷走神経の感覚神経線維とシナプスにより結合する）．＝gustatory c.'s.

T cytotoxic c.'s (Tc) 細胞傷害性Ｔ細胞．＝cytotoxic c. (1).

TDTH c.'s TDTH 細胞（遅延型過敏反応 delayed-type hypersensitivity reaction に関与するヘルパーＴ細胞のサブセット）．

tendon c.'s 腱細胞（腱膠原線維間に列をなして並ぶ長くのびた線維芽細胞）．

theca lutein c. 卵胞膜黄体細胞（排卵時およびプロゲステロンの分泌時に，卵胞の内卵胞膜に由来する黄体のステロイド分泌細胞）．＝paraluteal c.; paralutein c.

theca c.'s of stomach 胃膜細胞．＝surface mucous c.'s of stomach.

T-helper c.'s (Th) Ｔヘルパー(ヘルパーＴ)細胞（免疫反応を調節する種々のサイトカインを分泌するリンパ球サブセット．サブセット１はガンマインターフェロンと TNF-β を合成して，細胞性免疫に関与する．サブセット２はインターロイキン-4，５，９を合成して，免疫グロブリン生成に関与する．[註]ヘルパーＴ細胞は各種免疫反応の作動細胞の分化・成熟を誘導するため，インデューサ細胞ともよばれる．またCD4 抗原を有し，OKT4，Leu3a などの特異抗体で認識される）．＝helper c.'s.

T helper subset 1 c.'s ヘルパーＴ細胞サブセット１，ヘルパーＴ細胞亜群１，T_H1 細胞（$CD4^+$Ｔ細胞の一種で，IFN-γやTNF-βを分泌し，細胞性免疫に関与する）．

T helper subset 2 c.'s ヘルパーＴ細胞サブセット２，ヘルパーＴ細胞亜群２，T_H2 細胞（$CD4^+$Ｔ細胞の一種で，IL-4，IL-5，IL-9を分泌し，免疫グロブリンの産生を促進する）．

Tiselius electrophoresis c. (tē-sq̄′lē-ŭs)［Arne W.K. *Tiselius*］．ティセリウス電気泳動セル（Tiselius 装置における特別の容器で，電気泳動法で分析される溶液を入れる）．

Toker c. (tō′kĕr)．トーカー細胞（正常な乳頭の10%にみられる明るい細胞質をもつ表皮細胞．これは，ケラチン７を含む．Paget 癌の細胞に似ており，細胞学的に鑑別を要する）．

totipotent c. 全能細胞（いかなる細胞にも分化しうる能力をもつ未分化の細胞）．

touch c. ＝tactile c.

Touton giant c. (tū-tawn[h]′)．ツートン巨細胞（非泡状細胞質の小島の周囲に多数の核が集簇する黄色腫細胞）．

transducer c. 変換器細胞（機械的刺激，熱刺激，光刺激，または化学的刺激に反応し，その細胞に接している感覚ニューロンにシナプス伝達される電気的インパルスを生じる細胞）．

transitional c. 移行細胞（ある段階から次の段階への発達過程にあると考えられる細胞）．

tubal air c.'s (of pharyngotympanic tube)［TA］．耳管蜂巣細胞（鼓室と交通する鼓室口近くの耳管下壁にときにみられる小蜂巣細胞）．＝cellulae pneumaticae tubae auditivae［TA］; air c.'s of auditory tube.

tufted c. 房飾細胞（嗅球にある神経細胞の一種で，興奮の伝播方向からみると僧帽細胞と正反対になっている．しかし後者より小型で嗅粘膜寄りに位置している）．

tunnel c.'s トンネル細胞．＝pillar c.'s.

Türk c. (tĕrk)．チュルク細胞（比較的大型の未成熟細胞．形態はプラスマ細胞に似るが核は骨髄芽球の核に似る．病的状態の循環血液中にのみみられる）．＝irritation c.; Türk leukocyte.

tympanic c.'s［TA］．鼓室蜂巣（鼓室腔の壁にある多数の溝状のくぼみ．耳管の含気蜂巣と交通する）．＝cellulae tympanicae［TA］; tympanic air c.'s.

Tヘルパーサブセット

THサブタイプ	分泌されるサイトカイン	主要な免疫学的効果*
T_H1	IFNγ	マクロファージを活性化する．B細胞の増殖とIgG1へのクラススイッチを促進する
	IL-2	抗原特異的T_H細胞とT_C細胞を活性化する
	TNFβ	マクロファージと好中球を活性化する．B細胞増殖と免疫グロブリンを促進する．
T_H2	IL-4	リンパ球，肥満細胞，好塩基球を化学誘引する．肥満細胞と好酸球の増殖を増強する．B細胞増殖とIgE・IgG4へのクラススイッチを促進する．T_H1細胞の分化を抑制する．マクロファージによるサイトカインの産生を抑制する
	IL-5	好酸球の増殖と発生を増強する
	IL-6	B細胞増殖と免疫グロブリン産生を促進する
	IL-10	T_H1，マクロファージなどAPCによるサイトカイン（IFNγを含む）の産生を抑制する．T_H1細胞分化を抑制する．B細胞増殖と免疫グロブリン産生を促進する．
	IL-13	IL-4と同様

IFNγ：インターフェロンガンマ，IL：インターロイキン，TNFβ：腫瘍壊死因子β，APC：抗原呈示細胞．

*：これらサイトカインに関連するわずか数種の効果のみをここでは記載している．個々の過程については言及していない限り，そのサイトカインによって増強する．

tympanic air c.'s 鼓室蜂巣．＝tympanic c.'s.

type I c.'s Ｉ型細胞．＝squamous alveolar c.'s.

type I hair c. タイプＩ有毛細胞（内耳前庭迷路の平衡斑と稜の感覚細胞．前庭神経シナプスにある求心性および遠心性神経線維と接続する．線毛束や不動毛が細胞の頂部から平衡斑あるいは稜クプラの耳石膜まで伸びている．タイプＩ有毛細胞はフラスコ状で，求心性の杯状神経終末で囲まれている．→vestibular hair c.'s）．

type II c.'s II 型肺胞上皮細胞．＝great alveolar c.'s.

type II hair c. タイプ II 有毛細胞（内耳前庭迷路の平衡斑と稜の感覚細胞．前庭神経シナプスにある求心性および遠心性神経線維と接続する．線毛束や不動毛が細胞の頂部から平衡斑あるいは稜クプラの耳石膜まで伸びている．タイプ II 有毛細胞はシリンダー状で，求心性および遠心性のボタン状神経終末と接している．→vestibular hair c.'s）．

Tzanck c.'s (tsahnk)．ツァンク細胞（Tzanck 試験でみられる上皮有棘層融解細胞）．

undifferentiated c. 未分化細胞（その細胞が後に獲得する形態や機能上の特徴が予測できない原始細胞）．

unipolar c. 単極細胞．＝unipolar *neuron.*

unit c. 単位格子，単位胞（結晶の最小単位構造または要素で，他の単位格子と結合して１つの結晶格子を形づくる）．

vasoformative c. 脈管形成細胞．＝angioblast (1).

veil c. ベール細胞（ベール様の胞体突起をもつ抗原提示細胞で，血液，リンパ中を循環している）. ＝veiled c.'s (1).

veiled c.'s ベール細胞（① ＝veil c. ② →Langerhans c.'s）.

vestibular hair c.'s 前庭〔有〕毛細胞（内耳の膜迷路の篩状斑・前庭稜の感覚上皮細胞．前庭神経の求心性・遠心性神経線維がそれらの上でシナプス接触する．各細胞の先端から不動毛と運動毛の束が斑の平衡砂膜と稜の頂にのびる）.

Virchow c.'s (ver′kow). フィルヒョー細胞（①骨組織にある骨細胞を含む凹窩，または骨細胞自体をいう．②骨細胞を表す廃語．③＝corneal *corpuscles*）.

virus-transformed c. ウイルス性トランスフォーム細胞（ウイルス感染によって遺伝的に癌細胞に変化した細胞で，この変化は代々娘細胞に伝えられる．RNA腫瘍ウイルスの感染の場合には，細胞は溶解されることなく高濃度にウイルスを産生し続ける．DNA腫瘍ウイルス感染細胞では(細胞の腫瘍化，その他の変化とともに)腫瘍関連抗原を発現させるが，ウイルス産生はまれ）.

visual receptor c.'s 視〔覚〕受容〔器〕細胞（網膜の杆状体・錐状体細胞）.

vitreous c. 硝子体細胞（ヒアルロン酸，さらにはコラーゲン産生能をもつ末梢部硝子体由来の細胞）. ＝hyalocyte.

wandering c. 遊走細胞. ＝ameboid c.

Warthin-Finkeldey c.'s (wōr′thin fing′kĕl-dā). ウォーシン－フィンケルデー細胞（多分葉核の巨細胞で，特に麻疹の前駆期にリンパ組織にみられる）.

wasserhelle c. 水様透明細胞. ＝water-clear c. of parathyroid.

water-clear c. of parathyroid 副甲状腺の明主細胞（主細胞の一種で，細胞質が，通常の方法で標本を作製すると保存されなかったり染色されないグリコゲンを大量に含んでいることからこのように称される）. ＝wasserhelle c.

white blood c. (**WBC**) 白血球. ＝leukocyte.

WI-38 c.'s [*W*istar *I*nstitute]. WI-38 細胞（ヒトの正常な培養細胞として最初に樹立された細胞で，胎児肺組織から分離され，継代培養されている細胞株）.

wing c. 翼状細胞（表層の下にある角膜上皮の多面体細胞の1つ）.

yolk c.'s 卵黄細胞（内胚葉と中胚葉の間にある原始細胞．卵黄管の内皮の基と考えられる）.

zymogenic c. 酵素原細胞（酵素を分泌する細胞．特に胃腺あるいは膵臓の腺房細胞の主細胞）. ＝albuminous c. (2); chief c. of stomach; peptic c.

---

cel·la, gen. & pl. **cel·lae** (sel′ă, sel′ē) [L. storeroom or compartment]. 部屋，胞室.

c. media ＝central *part* of lateral ventricle.

cel·lic·o·lous (se-lik′ō-lŭs) [L. *cella*, cells + *colo*, to abide in]. 細胞内に生息する.

cel·lo·bi·ase (sel′ō-bī′ās). セロビアーゼ. ＝β-D-glucosidase.

cel·lo·bi·ose (sel′ō-bī′ōs). セロビオース（セルロースとリケニンから得られる二糖．グルコース－β(1→4)－グリコシドのことで，マルトースとはグルコシド結合様式のみ異なる）.

cel·lo·hex·ose (sel′ō-heks′ōs). セロヘキソース. ＝D-glucose.

cel·loi·din (se-loy′din). セロイジン（エーテルおよびアルコールにおけるピロキシリン溶液．組織標本の包埋に用いる）.

cel·lon (sel′on). セロン. ＝tetrachloroethane.

cel·lo·na (sel-ō′nă). セロナ（焼石膏を塗布したセルロースの包帯）.

cel·lu·la, gen. & pl. **cel·lu·lae** (sel′yū-lă, -lē) [L. a small chamber; *cella* の指小辞]. ***1*** [NA]. 蜂巣（肉眼解剖学において，小さいが肉眼で見える小室をさす）. ＝cellule. ***2*** 細胞（組織学において，細胞 cell をさす）.

cellulae coli ＝*haustra* of colon(⇌haustrum).

cellulae ethmoidales [TA]. 篩骨蜂巣（→anterior ethmoidal *cells*; middle ethmoidal *cells*; posterior ethmoidal *cells*）. ＝ethmoid *cells*.

cellulae ethmoidales anteriores [TA]. ＝ anterior ethmoidal *cells*.

cellulae ethmoidales mediae [TA]. ＝ middle ethmoidal *cells*.

cellulae ethmoidales posteriores [TA]. ＝ posterior ethmoidal *cells*.

cellulae mastoideae [TA]. 乳突蜂巣. ＝mastoid *cells*.

cellulae pneumaticae tubae auditivae [TA]. 耳管蜂巣. ＝tubal air *cells* (of pharyngotympanic tube).

cellulae tympanicae [TA]. 鼓室蜂巣. ＝tympanic *cells*.

cel·lu·lar (sel′yū-lăr) [L. *cellula*; *cella*(storeroom) の指小辞]. ***1*** 細胞〔性〕の（細胞に関連した，細胞に由来した，あるいは細胞からなる）. ***2*** 細胞様の（多数の仕切った部屋あるいは間隙をもつことをいう）.

cel·lu·lar·i·ty (sel′yū-lar′i-tē). 細胞〔充実〕性（存在している細胞の程度，質，あるいは状態）.

cel·lu·lase (sel′yū-lās). セルラーゼ（セルロース，リケニンおよび他のβ-D-グルカン中の1,4-β-グルコシド結合の加水分解を触媒する酵素．土壌中の様々な微生物，草食動物の消化管などに見出される．消化性錠剤の製造や，特別な食事のために食物からセルロースを除去するのに用いられる）.

cel·lule (sel′yūl). 小胞，小房. ＝cellula (1).

cel·lu·li·ci·dal (sel′yū-li-sī′dăl) [cellula + L. *caedo*, to kill]. 細胞破壊〔性〕の.

cel·lu·lif·u·gal (sel′yū-lif′yū-găl) [cellula + L. *fugio*, to flee]. 細胞〔体〕遠心性の（細胞または細胞体から遠い方向に移動あるいは伸長すること．他の細胞に拒絶されるある種の細胞または細胞体からのびる突起についていう）.

cel·lu·lin (sel′yū-lin). セルリン. ＝cellulose.

cel·lu·lip·e·tal (sel′yū-lip′ĕ-tăl) [cellula + L. *peto*, to seek]. 細胞〔体〕求心性の（細胞または細胞体へ向かって移動あるいは伸長することについていう）.

cel·lu·lite (sel′yū-līt). ***1*** セルライト（皮膚の表面に小さなくぼみがたくさんできてオレンジの皮のようになった状態をさす日用語．浅在性の筋膜や皮下脂肪の加齢や圧迫による変化の表れと考えられている．素因のある人にしばしばみられる）. ***2*** 脂肪性浮腫. ＝lipodystrophy.

cel·lu·li·tis (sel′yū-lī′tis). 蜂巣炎，フレグモーネ，小胞炎（皮下の疎性結合組織(以前は蜂巣組織 cellular tissue とよばれていた)の炎症）.

acute scalp c. 急性頭皮蜂巣炎（頭皮の非化膿性深在性炎症）.

anaerobic c. 嫌気性蜂窩織炎（様々な嫌気性菌によって起こる軟部皮下組織の感染症．*Bacteroides*属，嫌気性球菌，*Clostridium*属の混合感染のことが多い）.

dissecting c. 解離性蜂巣炎. ＝*perifolliculitis* abscedens et suffodiens.

eosinophilic c. 好酸球性蜂巣炎（再発性の蜂巣炎で，褐色調の浮腫性の皮膚病変を生じ，ときにじんま疹様，丘疹状，環状，花環状の病変を生じる．病変部皮膚，皮下組織には好酸球，組織球が密に浸潤し，小壊死巣(flame figure とよばれる)が散在する．多病因性であり，虫刺されに続発することもある）. ＝Wells syndrome.

gangrenous c. 壊疽性蜂窩織炎（広範な壊死と局所の血管閉塞を起こす微生物による軟部組織の炎症．連鎖球菌，*Clostridium*属，嫌気性菌などが原因として知られているが，最近は複数菌によることが多い）. ＝necrotizing c.

necrotizing c. 壊死性蜂窩織炎. ＝gangrenous c.

orbital c. 眼窩蜂巣炎（眼窩隔壁より後方の組織の蜂巣炎）.

pelvic c. 骨盤蜂巣炎. ＝parametritis.

periorbital c. 眼窩周囲蜂巣炎. ＝preseptal c.

preseptal c. 〔眼窩〕隔壁前蜂巣炎（眼窩隔壁より前方の組織の蜂巣炎）. ＝periorbital c.

cel·lu·los·an (sel′yū-lō′san). セルロサン. ＝hemicellulose.

cel·lu·lose (sel′yū-lōs) [L. *cellula*, cell + -ose]. セルロース（セロビオースの残基からなる直鎖β1→4グルカン．この点で，麦芽糖の残基からなるデンプンとは異なる．植物や木の繊維の基礎物質であり，最も豊富な有機化合物である．ダイエットでの容積増加に用いられる）. ＝cellulin.

c. acetate 酢酸セルロース（一般に電気泳動の支持体として用いるポリマー）.

c. acetate phthalate 酢酸フタル酸セルロース（無水フタル酸とセルロースの部分的酢酸エステルとの反応産物．錠剤の剤皮に用いる）.

carboxymethyl c. カルボキシメチルセルロース（OH基を$-CH_2-COOH$基で置換したセルロース．カラムクロマトグラフィに用いる）．＝CM-cellulose.

***O*-diethylaminoethyl c.** *O*-ジエチルアミノエチルセルロース（ジエチルアミノエチル基の付いたセルロース．陰イオン交換クロマトグラフィに用いる）．＝DEAE-cellulose.

microcrystalline c. 微結晶性セルロース（部分的に解重合し，精製されたセルロース．線維性植物からパルプとして得られるα-セルロースを鉱酸で処理してつくる．錠剤の賦形剤として用いる）．

oxidized c. 酸化セルロース（①ガーゼ様に織られたセルロース酸．吸収力がある．ヘモグロビンと親和性があり人工クロットを形成するので，手術で結紮が不可能な場合に止血薬として用いる．②綿を酸化してつくる滅菌性の吸収力のある物質．16—22％のカルボキシル基を含む．→oxycellulose）．

TEAE-c. TEAE-セルロース（トリエチルアミノエチル基が結合したセルロース．イオン交換クロマトグラフィに用いられる）．＝*O*-(triethylaminoethyl) c.

***O*-(triethylaminoethyl) c.** ＝TEAE-c.

cel·lu·los·ic ac·id (sel′yū-los′ik as′id). セルロース酸（→oxidized *cellulose*）．

CELO chicken embryo lethal orphan (*virus*) の略．→CELO *virus*.

celo- (sē-lō). 【本語幹には様々な意味があるので注意深く区別すること】．***1*** [G. *koilōma*, hollow(celom)]．体腔に関する連結形．***2*** [G. *kēlē*, hernia]．ヘルニアを意味する連結形．***3*** [G. *koilia*, belly]．腹に関する連結形．→celio-.

ce·lom, ce·lo·ma (sē′lom, sē-lō′mă) [G. *koilōma*, a hollow]．体腔（①胚子中胚葉の臓側板と壁側板の間の腔所．②＝body *cavity*）．

extraembryonic c. 胚外体腔（胚の体外にみられる体腔．一時，臍部で胚内体腔と連絡する．羊膜腔の発達による羊膜と絨毛膜との融合に伴い，胚外体腔は受精第8週末までに消失する）．＝exocelom; exocoelom.

intraembryonic c. 胚内体腔（壁側中胚葉と臓側中胚葉の間の体腔部位で，胚内体腔から由来する）．

ce·lom·ic, coe·lo·mic (sē-lom′ik). 体腔の．

ce·lo·phle·bi·tis (sē′lō-flĕ-bī′tis) [G. *koilos*, hollow＋phlebitis]．空静脈炎．＝cavitis.

ce·lo·scope (sē′lō-skōp) [G. *koilos*, hollow＋*skopeō*, to view]．体腔鏡（体腔内部を検査する光学装置に対してまれに用いる語）．

ce·los·co·py (sē-los′kŏ-pē). 体腔鏡検査法（光学器械を用いて体腔を検査することに対してまれに用いる語）．

ce·lo·so·mi·a (sē′lō-sō′mē-ă) [G. *kēlē*, hernia＋*sōma*, body]．セロソミア，先天性胸腹臓器ヘルニア（腹部あるいは胸部内臓の先天性突出．通常，腹壁，胸骨，肋骨の欠損を伴う）．＝kelosomia.

Ce·lo·vi·rus (sel′ō-vī′rŭs) [*c*elo, *c*hicken *e*mbryo *l*ethal *o*rphan＋virus]．セロウイルス（ニワトリにみられるアデノウイルス）．

ce·lo·zo·ic (sē′lō-zō′ik) [G. *koilos*, hollow＋*zoikos*, pertaining to animals]．体腔棲性の（宿主体内の腔所に住むものについていう．ある種の寄生原虫類，主に簇虫類に対して用いられる語）．

Cel·si·us (sel′sē-ŭs), Anders. スウェーデン人天文学者，1701—1744．→C. *scale*.

ce·ment (sē-ment′) [L. *caementum*, rough quarry stone＜*caedo*, to cut][TA]．セメント（①歯根および歯頸部のぞうげ質をおおう骨様の石灰化組織の層で，歯周靱帯の線維と結合している．＝cementum [TA]．②歯科において，成分を混合して硬化する塑性の塊にし，封鎖，充填，あるいは永久または暫間修復の目的に用い，また歯の内外への種々な修復物の合着，あるいは接着性封鎖材として用いる非金属性の材料）．

acellular c. 無細胞セメント質（タイプⅠコラーゲンからなる硬組織．セメント細胞および小腔はなく，歯冠側1/2—2/3の歯根を被覆している．通常，切歯および犬歯では，歯根全体をおおっている．→cellular c.）．

afibrillar c. 無原線維性セメント質（電子顕微鏡で層状に見えるセメント質で，ときにエナメル質の上に存在する電子密度の高い網様物）．

cellular c. 有細胞セメント質（タイプⅠコラーゲンからなる硬組織であり，小腔中にセメント細胞を内包している．歯根の根尖側1/3—1/2を被覆する．通常，切歯および犬歯には存在しない．→acellular c.; secondary c.）．

composite dental c. 歯科用複合セメント（結合剤で処理された無機材料を含有させ，ポリマーと結合するように修正された歯科用有機セメント）．

copper phosphate c. リン酸銅セメント（歯科用材料で，オルソリン酸溶液と酸化銅の種々の配分比率のセメント粉末（通常は酸化亜鉛）との組合せ）．

dental c. →cement (2).

glass ionomer c. [ion＋-mer (1)]．グラスアイオノマーセメント（歯科用セメントの一種で，カルシウムアルミノシリケートガラスより調製された粉末と，ポリアクリル酸の水溶液とを混合練和して用いる）．

inorganic dental c. 歯科用無機セメント（通常，金属塩または酸化物からなる歯科用セメントで，特殊液と混合すると可塑性物質となって硬化する）．

intercellular c. 細胞間質（以前は，ある種の上皮細胞間にみられると信じられていた，仮説の粘着性物質）．

modified zinc oxide-eugenol c. 改良型酸化亜鉛ユージノールセメント（酸化亜鉛とユージノールを1つ以上の添加物と混合して得られる歯科用セメント）．

organic dental c. 歯科用有機セメント（主として合成重合体からなる歯科用セメント）．

polycarboxylate c. ポリカルボキシレートセメント（酸化亜鉛を主成分とする粉末で，ポリアクリル酸を含む液と混ぜて反応させ定常で硬質の結晶状塊をつくる．歯の鋳造金属冠を合着するのに用いるとき，歯中のカルシウムおよび金属冠中の主な金属に強力に接着する）．

primary c. 原生セメント質，一次セメント質，無細胞セメント質（セメント細胞をもたないセメント質．歯根全面をおおっているが，根尖側1/3ではしばしば欠如する）．

resin c. レジンセメント（モノマーあるいはモノマー/ポリマーよりなるシステムで，歯科用合着材として用いる．修復物あるいは矯正用ブラケットの歯への合着時に使用される）．

secondary c. 第二セメント質（歯の萌出後，歯根表面に形成されるセメント質．中にセメント細胞を含む）．

silicate c. ケイ酸セメント，シリケートセメント（歯科用充填材．調製されたリン酸溶液にフッ化シリカアルミナガラスの粉末を適宜混ぜてつくる）．

tooth c. ***1*** セメント質．＝cementum. ***2*** 歯科用セメント（→cement (2)）．

unmodified zinc oxide-eugenol c. 非改良型酸化亜鉛ユージノールセメント（添加剤なしに酸化亜鉛とユージノールを混合して得られる歯科用セメント）．

zinc phosphate c. リン酸亜鉛セメント（酸化亜鉛を主成分とする粉末．正リン酸を含む液と混ぜて定常で硬質の結晶状塊をつくる．歯科においては，鋳造金属修復物，歯科矯正バンドの封塗剤，一時的な修復物，特に深い窩洞の修復物下の基材として用いる）．

ce·men·ta·tion (sē′men-tā′shŭn). セメント合着（①セメントで各部を合着する方法．②歯科において，自然歯にセメントで修復物を合着すること）．

ce·ment·i·cle (sē-men′ti-kil). セメント粒（歯根膜内に遊離するセメント質からなる石灰化球体で，歯のセメント質に付着するか着床する）．

ce·ment·i·fi·ca·tion (sē-men′ti-fi-kā′shŭn). セメント質化，セメント質形成〔作用〕（未分化の結合組織内でのセメント質あるいはセメント様物質の異形成的生成．例えば線維腫のセメント質化）．

ce·ment·o·blast (se-men′tō-blast) [L. *cementum*, cement＋G. *blastos*, germ]．セメント芽細胞（歯根のセメント質層の形成に関与する外胚葉性間葉由来の細胞）．

ce·ment·o·blas·to·ma (sē-men′tō-blas-tō′mă). セメント芽細胞腫（機能的にセメント芽細胞と思われる細胞由来の良性の歯原性腫瘍で，歯根に接したX線透過像と不透過像とが混在する病変として認められ，骨皮質の膨張や痛みを伴うことがある）．＝benign c.; true cementoma.

benign c. 良性セメント芽細胞腫．＝cementoblastoma.

ce·ment·o·cla·si·a (sē-men′tō-klā′zē-ă) [L. *cementum*, cement + G. *klasis*, fracture]. セメント質破壊(崩壊)症（セメント質破壊細胞によるセメント質の破壊）.

ce·ment·o·clast (se-men'tō-klast) [L. *cementum*, cement + G. *klastos*, broken]. 破セメント細胞（多核巨細胞の一種. 破骨細胞と類似あるいは相同の細胞. セメント質の吸収に関与する）.

ce·ment·o·cyte (sē-men'tō-sīt) [L. *cementum*, cement + G. *kytos*, cell]. セメント芽細胞（多数の突起をもつ骨細胞様の細胞で，歯のセメント質中の小腔内に存在する）.

ce·ment·o·den·tin·al (sē-men'tō-den'ti-năl). =dentinocemental.

ce·men·to·gen·e·sis (sē-men'to-jen'ĕ-sis) [cementum + G. *genesis*, production]. セメント質形成（歯の歯根部ぞうげ質をおおっているセメント質の形成）.

ce·men·to·ma (sē-men-tō'mă) [L. *cementum*, cement + G. *-ōma*, tumor]. セメント質腫（様々なセメント質増殖性の良性腫瘍についての非特異的用語. 主に次の4つの型に分けられる. すなわち根尖性セメント質異形成症，顎骨中心性骨形成性線維腫，セメント芽細胞腫，および硬化性セメント質塊. 特に記載がない場合は，一般に根尖性セメント質異形成症をさす）.

gigantiform c. 巨大型セメント質腫（家族性に顎にセメント質塊が生じる. 常染色体優性遺伝.→sclerotic cemental *mass*）.

true c. 真性セメント質腫. =cementoblastoma.

ce·men·tum (sē-men'tŭm) [TA]. セメント質. =cement (1); substantia ossea dentis; tooth cement.

ce·nes·the·si·a (sē'nes-thē'zē-ă) [G. *koinos*, common + *aisthēsis*, sensation]. セネステシア，体感（身体の一般的な感覚. 内部器官の機能に起因する感覚）. =coenesthesia.

ce·nes·the·sic, ce·nes·thet·ic (sē-nes-thē'zik, -sik ; -thet'ik). セネステシアの，体感の.

ceno- *1* [G. *koinos*, common]. 共有の，を意味する連結形. =coeno-. *2* [G. *kainos*, new]. 新しい，新鮮な，を意味する連結形. *3* [G. *kenos*, empty]. まれに空虚を意味する連結形.

ce·no·cyte (sē'nō-sīt) [G. *koinos*, common + *kytos*, cell]. ケノサイト，セノサイト，多核体（多核細胞，すなわち隔壁を欠く菌糸，典型は接合菌綱のもの.→nonseptate *mycelium*）. =coenocyte.

ce·no·cyt·ic (sē'nō-sit'ik). ケノサイトの，セノサイトの，多核体の. =coenocytic.

cen·o·site (sē'nō-sīt) [G. *koinos*, common + *sitos*, food]. 通性共生細菌（通常の宿主から離れて存続できる細菌）.

ce·no·trope (sē'nō-trōp) [G. *koinos*, common + *tropē*, a turning]. セノトロープ，共通趨性（同一の生物的能力および同一の経験を有する1つの大きな群の全員が示す行動様式を意味し，以前の〝本能 instinct〟よりもより科学的に正確な語である）.

CENP セントロメア抗原のこと. これに対する自己抗体が全身性強皮症でみられる.

cen·sor (sen'sōr) [L. a judge, critic < *censeo*, to value, judge]. 検閲（精神分析理論において，表に現れないようにおおい隠すか姿を変えない限り意識に上ってくる無意識の考えや願望を抑制する精神的防壁）.

cen·sor·ing (sen'sōr-ing). 打ち切り（①疫学において，様々な理由により追跡研究から対象者が脱落すること. ②測定閾値を超えたために，頻度分布の端に測定不能と分類される観測値）.

cen·sus (sen'sŭs) [L. < *censeo*, to count]. 国勢調査（徴税，徴兵に起を発する人口集計. 現在では他にも多くの目的を伴う. 国勢調査にはすべての人の基本情報(年齢，性，職業，住居など)が記録され，健康状態など他の情報もしばしば含まれる）.

cen·ter (sen'ter) [L. *centrum*; G. *kentron*][TA]. 中心，中枢，センター（①体の中心点. 漠然と体の内部，何らかの中心，特に解剖学的中心. ②特定の機能を支配する神経細胞群）. =centrum [TA].

active c. 活性中心（基質やリガンドが結合して，生物活性を発現させる高分子中の部分. 酵素においては，触媒中心である. すなわち，反応を触媒する酵素の部分をさす）.

anospinal c. 肛門脊髄中枢（肛門括約筋の収縮を支配する脊髄内の中枢）.

birthing c. 分娩センター（通常，病院内で産婦がリラックスでき家庭分娩と同様なサービスが受けられる設備. 註 LDR (Labor-Delivery Room) として日本でも取り入れられている）.

Broca c. (brō-kah'). ブロカ中枢（Brodmann 第44野にほぼ対応する左大脳半球または優性大脳半球の下前頭回の後部の部分. Broca はこの領野が構音発声をつかさどる運動機序に必須な部分であることを確認した）. =Broca area; Broca field; motor speech c.

Budge c. (bŭj). ブドゲ中枢. =ciliospinal c.

catalytic c. 触媒中心（→active c.）.

cell c. 細胞中心体. =cytocentrum.

chondrification c. 軟骨化中心（体内で最初に軟骨形成が始まるところ）.

ciliospinal c. 毛様脊髄中枢（脊髄第一胸節の節前遠心性ニューロンのある部分で眼球の瞳孔散大筋を支配する交感神経線維が出ていく）. =Budge c.

dentary c. デンタリーセンター，歯系骨化中心（下顎の特異的な骨化中心で，外側板の下縁を生じる）.

diaphysial c. 骨幹中心（長骨幹の骨化の一次中心）.

epiotic c. 耳〔軟骨〕上骨核（側頭骨錐体部の骨化の中心. 後半規管の後ろに現れる）.

expiratory c. 呼息中枢（呼息中に電気的に活性となる延髄の領域. この領域に電気刺激を加えると呼息が継続する）.

feeding c. 摂食中枢（視床下部の外側部分で，ラットに電気刺激を与えると，絶え間なく摂食する. この部分が破壊されると長期の食欲不振が起こる）.

germinal c. 胚中心（リンパ節や(C型肝炎ウイルスに感染した)肝臓と(関節リウマチ患者の)滑膜内で特異B細胞抗原の急激なクローン増殖がみられる部位）.

germinal c. of Flemming (flem'ing). フレンミング胚〔芽〕中心（リンパ節において薄く染色される部位で，その部位の主な細胞は大リンパ球とマクロファージである）. =reaction c.

inspiratory c. 吸息中枢（吸息中に電気的に活性となる延髄の領域. この領域に電気刺激を加えると吸息が継続する）.

Kerckring c. (kerk'ring). ケルクリング中心（後頭骨内にときに発生する独立性の骨化中心. 妊娠約16週目の胎児で大後頭孔後縁に現れる）. =Kerckring ossicle.

medullary c. 髄質中心. =*centrum* semiovale.

microtubule-organizing c. 微細(小)管制御中枢（有糸分裂細胞の静止期に大部分の微細管がそこから放散していく部位でその中心に中心小体が存在する. この部位が微細管の極性を決定する）.

motor speech c. 運動性言語中枢. =Broca c.

ossific c. 骨化準備中心. =ossification c.

c. of ossification 骨化の中心. =ossification c.

ossification c. [TA]. 骨化の中心（骨が最初に形成される個所で，結合組織の中に骨芽細胞が集積してくる膜性骨化と，骨化に先立って軟骨が破壊され始める軟骨内骨化とがある）. =c. of ossification; ossific c.; point of ossification; punctum ossificationis; centrum ossificationis [TA].

primary c. of ossification 第一次骨化の中心. =primary ossification c.

primary ossification c. [TA]. 第一次骨化の中心（長骨の骨幹や不規則形骨の骨体で骨の形成が始まる最初の個所）. =primary c. of ossification; primary point of ossification; punctum ossificationis primarium; centrum ossificationis primarium [TA].

reaction c. 反応中心. =germinal c. of Flemming.

respiratory c. 呼吸中枢（呼吸筋への信号を決定するために求心情報を統合する延髄の部分. 吸息中枢および呼息中枢をともに包含する）.

c. of ridge 歯槽中央（歯槽堤の頬舌的中央線）.

c. of rotation 回転中心（他のすべての点がその周りを動く点または線.→axis）.

satiety c. 満腹中枢（視床下部の腹内側核部分を示す語. ラットのこの小部分が破壊されると，絶え間なく食べ続け，極度の肥満になる）.

secondary c. of ossification 第二次骨化の中心. =secondary ossification c.

secondary ossification c. [TA]. 第二次骨化の中心（第

一次より遅れて出現する骨化の中心．通常は骨端に出現する）．＝punctum ossificationis secundarium; secondary c. of ossification; secondary point of ossification; centrum ossificationis secundarium［TA］.

semioval c. 半卵円中心．＝*centrum* semiovale.

sensory speech c. 感覚性言語中枢．＝Wernicke c.

speech c.'s 言語中枢（発語機能の中枢となる大脳皮質の領域．一方は左下前頭回の中にあり，他方は縁上回，角回，第一・第二側頭回中にある．→Broca c.; Wernicke c.）.

sphenotic c. 蝶形骨中心（蝶形骨の一対の骨化中心）.

vasomotor c. 血管運動中枢（脊髄側索の網様体に存在し血管(動脈)の緊張を調節している境界不鮮明な領域で血管拡張域と血管収縮域に分かれている）.

vital c. 生命中枢（生命に不可欠の中枢．通常は呼吸や循環の維持に必要な延髄内の中枢をさす）.

Wernicke c. (vern′ik-ĕ). ヴェルニッケ中枢（筋道の通った叙述的な会話を理解し，かつ述べるのに不可欠と考えられる大脳皮質部位．左大脳半球側溝近くの頭頂・側頭葉の大きな部位を包含し，Brodmann 第 40・第 39野および第 22 野の隣接部にほぼ対応する）．＝ sensory speech c.; Wernicke area, field, region, zone.

Cen·ters for Dis·ease Con·trol and Pre·ven·tion (CDC) (sen′tĕrz dis-ēz kon-trōl prē-ven′shŭn). 疾病予防管理センター（ジョージア州アトランタに本部をもつ疾病撲滅，疫学，および教育のための米連邦政府の施設．感染症センター，環境健康センター，健康増進教育センター，予防サービスセンター，専門開発研修センター，および職業安全健康センターを包含する．以前は Center for Disease Control(1970), Communicable Disease Center(1946) という名称であった）.

cen·te·sis (sen-tē′sis)［G. *kentēsis*, puncture < *kenteō*, to prick pierce］. 穿刺（特に接尾語として用いるときは穿刺術 paracentesis を表す）.

centi- (c) (sen′ti)［L. *centum*, one hundred］.［本接頭語を centri- と混同しないこと］．国際単位系統(SI)およびメートル法で $1/100(10^{-2})$を表す接頭語.

cen·ti·bar (sen′ti-bar). センチバール（1バールの 1/100）.

cen·ti·grade (C) (sen′ti-grād)［L. *centum*, one hundred + *gradus*, step, degree］. C目盛り（［誤った発音 sahn′ti-grād を避けること］．①水の融点と沸点との間を 100 度で分割した，以前用いられた温度尺度の基準．→Celsius *scale*．②円の 1/100 で，天文学の円の 3.6° に相当する）.

cen·ti·gram (sen′ti-gram). センチグラム（1グラムの 1/100．0.15432358 グレーン）.

cen·tile (sen′til)［L. *centum*, one hundred + *-ilis*, adj. suffix］. 100分位点．→quantile.

cen·ti·li·ter (sen′ti-lē′ter). センチリットル（1リットルの 1/100．10 mL．162.3073 ミニム(U.S.)）.

cen·ti·me·ter (cm) (sen′ti-mē′ter). センチメートル（［誤った発音 sahn′ti-mē-ter を避けること］．1メートルの 1/100．0.3937008 インチ）.

cubic c. (cm^3, cc, c.c.) 立方センチメートル（［容積量のSI単位は立方メートルや約数である立方センチメートル($1 cm^3 = 0.000001 m^3$)であるが，臨床化学では容積量や物質の濃度を表す場合，リットルやミリリットルが立方メートルや立方センチメートルより頻用されている．実際的には$1cm^3$＝1mLである．JCAHO では，cc の略号を使用しないように指導している．それは手書きすると単位のUや数字の4に間違いやすいからである］．1リットルの1/1,000．1ミリリットル）.

cen·ti·mor·gan (cM) (sen′ti-mōr′găn). →morgan.

cen·ti·nor·mal (sen′ti-nōr′măl). 0.01 規定（1規定の 1/100．溶液の濃度を表す）.

cen·ti·pede (sen′ti-pēd)［L. *centum*, hundred + *pes*(*ped-*), foot］. ムカデ（唇脚綱の有毒な捕食性節足動物．接脚節 1 つにつき 1 対の脚があるのが特徴．鋭い毒爪になった第 1 対目の脚様付属器を通じて毒が注入される．咬まれると痛みがあり，部分的に壊死するが，幼児以外は危険ではない．米国で発見された属は，*Scutigera*属，イシムカデ属 *Lithobius*，オオムカデ属 *Scolopendra*，ジムカデ属 *Geophilus* である）.

cen·ti·poise (sen′ti-poyz). センチポアズ（粘性率の単位，1ポアズの 1/100）.

cen·tra (sen′tră). centrum の複数形.

cen·trad (sen′trad). ***1***〘adj.〙向心〔性〕の．***2***〘n.〙セントラド（プリズムの屈折度の単位．弧が円半径の 1/100，すなわち 0.75度の光線の振れに相当する）.

cen·trage (sen′trāj). 中心線（視覚系のすべての反射面および屈折面の光心が同一軸上にある状態）.

cen·tra·lis (sen-trā′lis)［L.］. 中心の，中枢の（［本形容詞は男性名詞(canalis centralis, 複数形 canales centrales)および女性名詞(fovea centralis, 複数形 foveae centrales)とともに用いられる．中性名詞では centrale の形(os centrale, 複数形 ossa centralis)で用いられる．centrale の最後の e は発音される］）.

cen·tre mé·di·an de Lu·ys (sawn′trĕ mā′dē-yawn[h] dĕ lū-ē′)［Fr.］. リュイの中心正中核．＝centromedian *nucleus*.

cen·tren·ce·phal·ic (sen′tren-se-fal′ik). 脳中心の.

cen·tri- (sen′tri).［本連結形を centi- と混同しないこと］．中心を意味する連結形.

cen·tric (sen′trik)［G. *kentron*, center］. 中心がある(種類や分布)，中心になるものがある(例えば関心，焦点).

cen·tric·i·put (sen-tris′i-put)［L. *centrum*, center + *caput*, head］. 頭頂（前頭と後頭との間にある頭蓋上面の中央部）.

cen·trif·u·gal (sen-trif′yū-găl)［L. *centrum*, center + *fugio*, to flee］. 遠心〔性〕の，遠心的な（①回転軸から(離すように)外へ向かって物体を引っ張る力の方向を表す語．②類推によって，中心から離れていくことを表すこともある．*cf.* eccentric (2)）.

cen·trif·u·gal·i·za·tion (sen-trif′yū-găl-i-zā′shŭn). ＝ centrifugation.

cen·trif·u·gal·ize (sen-trif′yū-găl-īz). ＝centrifuge (2).

cen·trif·u·ga·tion (sen-trif′yū-gā′shŭn). 遠〔心〕沈〔殿法〕，遠心法（遠心分離機を使用して液体中に懸濁した固体を沈降させること）．＝centrifugalization.

band c. バンド遠心分離．＝density gradient c.

density gradient c. 密度勾配遠〔心〕沈〔殿法〕（セシウム塩あるいはショ糖の濃縮液中の物質の超遠心分離．液は遠心力の方向に増加する濃度(したがって密度)の勾配を示し，必要な物質は各々密度の層に集まる．→isopycnic *zone*）．＝band c.; zone c.

zone c. ゾーン遠心分離．＝density gradient c.

cen·tri·fuge (sen′tri-fyūj). ***1***〘n.〙遠心〔分離〕機（液体中の懸濁粒子を分離する装置で，液体を回転して回転容器の周辺にその粒子を飛ばす遠心力によって分離する）．***2***〘v.〙遠心分離する（遠心分離機にかけ，高速回転運動に供すること）．＝centrifugalize.

cen·tri·lob·u·lar (sen′tri-lob′yū-lăr). 小葉中心の，小葉中心付近の（例えば肝臓についていう）.

cen·tri·ole (sen′trē-ōl)［G. *kentron*, a point, center］. 中心小体，中心粒（直径150 nm，長さ300—500 nm の管状構造で，9つの三重微小管をもつ壁を有し細胞中心体に存在する，通常，対になっている細胞小器官．中心粒は，例えば骨髄の巨細胞のようなある種の細胞では，重複して多数存在することもある．次頁の写真と図参照）.

anterior c. ＝proximal c.

distal c. 遠位中心小体（発生期の精子内にある中心粒．これからべん毛を生じる）．＝posterior c.

posterior c. ＝distal c.

proximal c. 近位中心小体（発生期の精子の核後壁の陥凹に位置する中心小体）．＝anterior c.

cen·trip·e·tal (sen-trip′ĕ-tăl)［L. *centrum*, center + *peto*, to seek］. ***1*** 求心〔性〕の．＝afferent. ***2*** 向心〔性〕の，求心的な（物体を回転軸の方へ引っ張ろうとする力の方向を表す）．＝axipetal.

centro- (sen′trō)［G. *kentron*］. 中央，中心を意味する連結形.

cen·tro·blast (sen′trō-blast)［centro- + G. *blastos*, germ］. 胚中心細胞（非切れ込み核大型リンパ球）.

Cen·tro·ces·tus (sen′trō-ses′tŭs)［G. *kentron*, point, center + *kestos*, belt; 両語とも *kenteo* (to pierce) から派生］. セントロセストス属（魚に寄生する小さな吸虫類の一属(異形吸虫科)で，異形吸虫 *Heterophyes heterophyes* で生じる腸障害と類似の腸障害を起こすと思われる．台湾において，*C. formosana* がヒトにみられたという報告がある）.

C

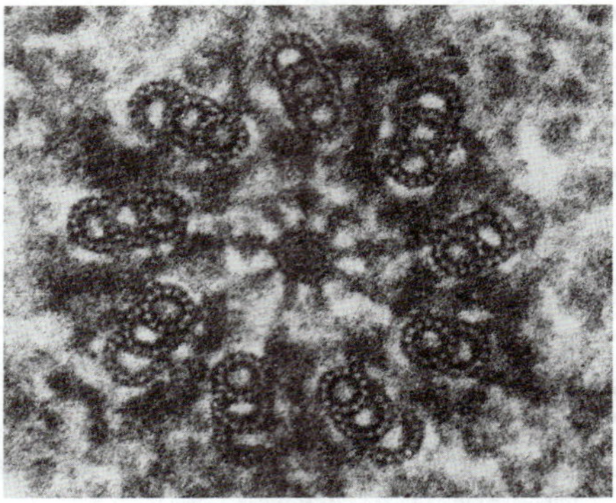

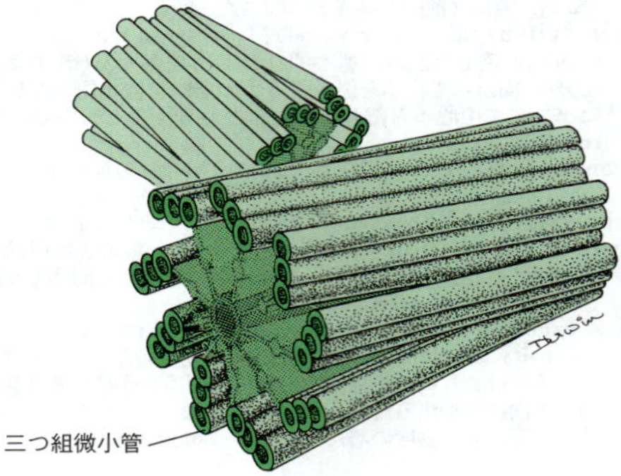

centriole

上：横断面での中心小体の電子顕微鏡写真（ひよこの気管の上皮細胞，×330,000）．下：中心小体ペアの説明図．9つの三つ組微小管が，切断面の軸の周辺に車輪のように配列される．

cen·tro·cyte (sen′trō-sīt) [centro- + G. *kytos*, cell]. ***1*** 中心細胞（原形質中にヘマトキシリンに染まる種々の大きさの単一および二連の顆粒をいくつか有する細胞．扁平苔癬の病巣にみられる）．＝Lipschütz cell. ***2*** 切れ込みのある核をもったリンパ球．***3*** 中心細胞（細胞膜上に免疫グロブリンを表出した非分裂性活性化B細胞）．

cen·tro·ki·ne·si·a (sen′trō-ki-nē′sē-ă) [centro- + G. *kinēsis*, movement]. 中枢性運動（中心からの刺激によって起こる運動）．

cen·tro·ki·net·ic (sen′trō-ki-net′ik). ***1*** 中枢性運動の．***2*** 運動促進性の．＝excitomotor.

cen·tro·lec·i·thal (sen′trō-les′i-thăl) [centro- + G. *lekithos*, yolk]. 心黄卵の，中黄卵の（卵黄質が中央に集まる卵母細胞についていう）．

cen·tro·mere (sen′trō-mēr) [centro- + G. *meros*, part]. 動原体（紡錘糸付着点であり，細胞分裂中の染色体運動に関与する染色体の非染色性一次狭窄．動原体が染色体を2本の腕に分け，その位置は特定の染色体について変わらない．染色体の一端に近い（末端動原体の）場合，中心に近い（中部動原体の）場合，および両者の中間にある（次中部動原体の）場合がある）．

cen·tro·plasm (sen′trō-plazm) [centro- + G. *plasma*, thing formed]. 中心質（中心体の細胞質）．

cen·tro·some (sen′trō-sōm) [centro- + G. *sōma*, body]. 中心体．＝cytocentrum.

cen·tro·sphere (sen′trō-sfēr) [centro- + G. *sphaira*, a ball, sphere]. 中心球（有糸分裂時にそこから紡錘線維（微小管）がのびる中心体の特殊化（しばしばゲル化）した細胞質で中心小体を含む）．＝astrocele; statosphere.

cen·tro·stal·tic (sen′trō-stal′tik) [centro- + G. *stallein*, set forth, fetch]. 運動中枢の．

cen·trum, pl. **cen·tra** (sen′trŭm, sen′tră) [L. < G. *kentron*][TA]. 中心．＝center.

c. medianum ＝centromedian *nucleus*.

c. medullare ＝c. semiovale.

c. ossificationis [TA]. 骨化の中心．＝ossification *center*.

c. ossificationis primarium [TA]. 第一次骨化の中心．＝primary ossification *center*.

c. ossificationis secundarium [TA]. 第二次骨化の中心．＝secondary ossification *center*.

c. ovale ＝c. semiovale.

c. semiovale 半卵円中心（大脳半球の内部を構成する白質の大きな塊．この名称は大脳半球の軸位（水平）断面にみられる白い芯をなす部分の形に由来する）．＝c. medullare; c. ovale; medullary center; semioval center; Vicq d'Azyr c. semiovale; Vieussens c.

c. tendineum diaphragmatis [TA]. 横隔膜の腱中心．＝central *tendon* of diaphragm.

c. tendineum perinei [TA]. 会陰腱中心．＝central *tendon* of perineum.

c. of a vertebra 椎心，脊椎中心（椎体中央部の骨化中心．［本語はしばしば body of a vertebra と同義に用いられるが，中央部はより限定された領域をさしており，椎体の一部である椎弓根や椎弓・椎体連結部（融合）は含めない］）．

Vicq d'Azyr c. semiovale (vēk dah-zēr′). ヴィック・ダジール半卵円中心．＝c. semiovale.

Vieussens c. (vyū-sŏn[h]′). ビューサン中心．＝c. semiovale.

Willis c. nervosum (wil′is). ウィリス神経中枢．＝celiac *ganglia*（⇒ganglion）．

Cen·tru·roi·des (sen′tru-roy′dēz). セントルロイデス属（北アメリカ産サソリの一属で，最も一般的な種は *C. gracilis*（margarite scorpion），*C. vittatus*（stripe-back scorpion），*C. sculpturatus*（deadly sculptured scorpion）．→Scorpionida）．

cen·tum (c) (sen′tum) [L. one hundred]. 100を意味するラテン語．

ce·nu·ris, coe·nu·ris (se-nyū′ris) [G. *konos*, empty + G. *uris*, tail]. セヌリス嚢虫，コエヌルス（何重にも反転して内部の生殖層に接着した頭節を有する条虫類の嚢虫で，テニア科（環葉条虫類）の *Multiceps* 属の条虫から生じ，通常，草食動物の脳や組織内にみられ，その成虫はオオカミやイヌなどの肉食動物にみられる．ヒトでもセヌリス嚢虫のまれな感染例が報じられている）．

cen·u·ro·sis, ce·nu·ri·a·sis (sen′yū-rō′sis, sen-yū-rī′ă-sis). 共尾虫病〔症〕（共尾虫のシストが存在するために発現した疾患で，ヒツジに，感染動物の歩行が不安定となるため，いわゆる〝よろけ病 gid〟として知られる脳感染を惹起する．ヒトの共尾虫病の報告はあるが，包虫疾患に対比してきわめてまれである）．＝coenurosis.

CEP congenital erythropoietic *porphyria* の略．

Ceph·a·e·lis (sef′ă-ē′lis) [G. *kephalē*, head + *eilō*, to roll up, pack close]. トコン属．＝*Uragoga*.

cephal- (sef′al). →cephalo-.

ceph·a·lad (sef′ă-lad). 頭方向の（→cranial (1)）．

ceph·al·al·gi·a (sef′al-al′jē-ă) [cephal- + G. *algos*, pain]. 頭痛（［口語的短縮形 cephalgia を避けること］）．＝headache.

benign coital c. 良性性交頭痛．＝coital *headache*.

histaminic c. ヒスタミン頭痛．＝cluster *headache*.

Horton c. (hōr′tŏn). ホートン頭痛．＝cluster *headache*.

ceph·al·e·de·ma (sef′al-ĕ-dē′mă). 頭部浮腫，頭部水腫．

ceph·a·le·mi·a (sef′ă-lē′mē-ă) [cephal- + G. *haima*, blood]. 脳充血（脳の能動的または受動的充血）．

ceph·al·he·ma·to·cele (sef′ăl-hē-mat′ō-sēl) [cephal- + G. *haima*, blood + *kēlē*, tumor]. 頭血瘤（（硬膜）静脈洞と交通する骨膜下の頭血腫）．＝cephalohematocele.

ceph·al·he·ma·to·ma (sef′ăl-hē′mă-tō′mă) [cephal- + G. *haima*, blood + *-ōma*, tumor]. 頭血腫（頭蓋骨膜下への頭皮下の血液貯留，しばしば分娩時外傷により新生児にみられる．滲出液が血清からなり，骨膜上にたまる産瘤 caput succedaneum とは異なる). = cephalohematoma.

ceph·al·hy·dro·cele (sef′ăl-hī′drō-sēl) [cephal- + G. *hydōr*, water + *kēlē*, tumor]. 頭水瘤(頭蓋骨膜直下の漿液性または水様性の液体貯留).

ce·phal·ic (se-fal′ik). 頭〔部〕の，頭側の. = cranial (1).

ceph·a·lin (sef′ă-lin). ケファリン，セファリン(コリンの代わりに2–エタノールアミン，または L–セリンを含む，レシチンに似たホスファチジンエステルに対して以前用いられた語．体内，特に脳と脊髄に広く分布している．現在ではホスファチジルエタノールアミンやホスファチジルセリンとして知られている．局所止血薬，肝機能検査試薬として用いる). = kephalin.

ceph·a·line (sef′ă-līn). セファリナ類(真グレガリナ目セファリナ亜目に属する原生動物をさす．体はいくつかの隔壁(前節および後節，または先節，前節および後節)によって仕切られている．すべての種が無脊椎動物に寄生する).

ceph·a·li·tis (sef′ă-lī′tis). encephalitis を表す現在では用いられない語.

ceph·a·li·za·tion (sef′ăl-ĭ-zā′shŭn). ***1*** 頭化，頭形成(①神経系の重要な機能が前端に集中して脳を形成していく進化的傾向．②胚の前端での成長がまず始まり，しかも集中的に起こる現象). ***2*** 心不全のときに肺血流が反重力的に再分配すること．肺静脈高血圧の結果，肺のその部分の血管抵抗が増大することで起こる．通常は，胸部X線写真上の相対的血管径に基づいて述べられる.

cephalo-, cephal- (sef′ă-lō, sef′al) [G. *kephalē*]. 頭を示す連結形.

ceph·a·lo·cau·dal (sef′ă-lō-kaw′dăl) [cephalo- + L. *cauda*, tail]. 頭尾〔方向〕の(頭部と尾部の両方，すなわち体の長軸に関する).

ceph·a·lo·cele (sef′ă-lō-sēl). 頭瘤(頭蓋内内容物の一部の(頭蓋骨の先天的な欠損部からの)突出，例えば髄膜瘤，脳瘤. →encephalocele).

ceph·a·lo·cen·te·sis (sef′ă-lō-sen-tē′sis) [cephalo- + G. *kentēsis*, puncture]. 頭蓋穿刺，脳穿刺(腫瘍または水頭症の液体を排出または吸引するために中空針またはトロカールとカニューレを脳へ通すこと).

ceph·a·lo·chord (sef′ă-lō-kōrd′). 頭索(胚脊索の頭蓋内部分).

ceph·a·lo·did·y·mus (sef′ă-lō-did′i-mŭs) [cephalo- + G. *didymos*, twin]. 頭部二重体(頭部以外が融合した接着双生児．後部二重体の変型. ⇀conjoined *twins*).

ceph·a·lo·di·pros·o·pus (sef′ă-lō-dī-pros′ō-pŭs) [cephalo- + G. *di-*, two + *prosōpon*, face]. 二頭結合体(多少小さくなった寄生頭を有する自生体頭をもった非対称性接着双生児. ⇀conjoined *twins*; diprosopus).

ceph·a·lo·dyn·i·a (sef′ă-lō-din′ē-ă) [cephalo- + G. *odynē*, pain]. 頭痛.

ceph·a·lo·gen·e·sis (sef′ă-lō-jen′ĕ-sis) [cephalo- + G. *genesis*, production]. 頭発生(胚期における頭部形成).

ceph·a·lo·gram (sef′ă-lō-gram). セファログラム，頭部図，頭部X線像. = cephalometric *radiograph*.

ceph·a·lo·gy·ric (sef′ă-lō-jī′rik) [cephalo- + G. *gyros*, a circle]. 頭部回転運動の(頭部の回転に関する).

ceph·a·lo·he·ma·to·cele (sef′ă-lō-hē-mat′ō-sēl). = cephalhematocele.

ceph·a·lo·he·ma·to·ma (sef′ă-lō-hē′mă-tō′mă). = cephalhematoma.

ceph·a·lo·he·mom·e·ter (sef′ă-lō-hē-mom′ĕ-ter) [cephalo- + G. *haima*, blood + *metron*, measure]. 頭蓋内圧計.

ceph·a·lo·meg·a·ly (sef′ă-lō-meg′ă-lē) [cephalo- + G. *megas*, great]. 頭部巨大〔症〕.

ceph·a·lom·e·lus (sef′ă-lom′ĕ-lŭs) [cephalo- + G. *melos*, a limb]. 頭部有肢体(頭部から手または足に似た突起物が出ている奇形体).

ceph·a·lo·men·in·gi·tis (sef′ă-lō-men′in-jī′tis) [cephalo- + G. *mēninx* (*mēning-*), membrane]. meningitis を表す現在では用いられない語.

ceph·a·lom·e·ter (sef′ă-lom′ĕ-ter) [cephalo- + G. *metron*, measure]. 頭蓋計測器(側方および前後方向の再現性のある頭部写真を撮影するために，頭部の位置決めに用いる器具). = cephalostat.

ceph·a·lo·met·rics (sef′ă-lō-met′riks) [cephalo- + G. *metron*, measure]. 頭蓋計測〔法，学〕(①口腔外科および歯列矯正学において，頭蓋および顔面骨の科学的な計測法．頭蓋骨および顔面骨を再現性のある固定位置でX線側面撮影して行う. →cephalometry. ②特定の基準点に関する頭部計測の科学的研究．軟部組織の輪郭を含む顔面の成長と発育の評価に用いる).

ceph·a·lom·e·try (sef′ă-lom′ĕ-trē) [cephalo- + G. *metron*, measure]. 頭部計測〔法〕(科学的計測法．生体や死体の軟部組織を含む頭部を基準点や再現性のある固定位置に合わせてX線撮影による画像化で行う．一般的に頭部の成長を基準として年齢を証明するためや(産科で用いる超音波検査のように)，頭部を再形成する場合に，その計画を立てたり，成長を測定するために(歯科矯正のように)用いる. →craniometry; cephalometrics).

ultrasonic c. 超音波頭部計測〔法〕(超音波による胎児頭の測定).

ceph·a·lo·mo·tor (sef′ă-lō-mō′ter). 頭部運動の.

Ceph·a·lo·my·ia (sef′ă-lō-mī′yă) [cephalo- + G. *myia*, fly]. *Oestrus* の旧名.

ceph·a·lont (sef′ă-lont) [cephalo- + G. *ōn* (*ont-*), being]. セファロント(一般に節足動物や他の無脊椎動物に見出される胞子虫である有頭類簇虫類の成虫期．虫体は通常，隔膜によって先節，前節，後節に分けられる．無頭類簇虫類には隔膜がない).

ceph·a·lop·a·gus (sef′ă-lop′ă-gŭs) [cephalo- + G. *pagos*, something fixed]. 頭結合体(頭部だけが融合し，体の他の部分は分かれている接着双生児. ⇀conjoined *twins*. →craniopagus; *duplicitas* posterior).

ceph·a·lo·pel·vic (sef′ă-lō-pel′vik). 児頭骨盤の(母体骨盤に対応する胎児頭の大きさについていう).

ceph·a·lo·pel·vim·e·try (sef′ă-lō-pel-vim′ĕ-trē) [cephalo- + pelvimetry]. 児頭骨盤計測〔法〕(骨盤と胎児頭の大きさをX線撮影により測定すること．現在ではほとんど行われない手技). = pelvicephalography; pelvocephalography.

ceph·a·lo·pha·ryn·ge·us (sef′ă-lō-fă-rin′jē-ŭs). 上咽頭収縮(⇀superior pharyngeal constrictor (*muscle*)).

ceph·a·lor·rha·chid·i·an (sef′ă-lō-ra-kid′ē-an) [cephalo- + G. *rhachis*, spine]. 頭脊柱の(頭と脊柱についていう).

ceph·a·lo·spor·an·ic ac·id (sef′ă-lō-spōr-an′ik as′id). セファロスポラニン酸(セファロスポリン抗生物質誘導体のもととなる化学的な基本の核).

ceph·a·lo·spo·rin (sef′ă-lō-spōr′in). セファロスポリン(*Cephalosporium* からつくられる抗生物質．この抗生物質の名がとられた *Cephalosporium* 属はなくなり，新しく *Acremonium* 属となった).

c. C セファロスポリンC(抗菌活性がセファロスポラン酸分子の7–アミノセファロスポラン酸部分による抗生物質．グラム陽性・陰性菌に有効であるが，セファロスポリンNほど強力ではない．側鎖を付加してセファロスポリンCより強力な抗菌活性を有する半合成広域抗菌スペクトル抗生物質がつくられている．抗生物質活性は細菌の細胞壁合成阻害による).

c. N セファロスポリンN(グラム陽性・陰性菌に対して活性のある抗生物質．ペニシリナーゼによって不活性化される．加水分解時にペニシラミンを生じる). = penicillin N; synnematin B.

c. P セファロスポリンP(*Cephalosporium* から得られるステロイド性抗生物質．フシジン酸，ヘルボリン酸と化学的相関をもつ．グラム陽性菌だけに活性がある).

ceph·a·lo·spor·i·nase (sef′ă-lō-spōr′i-nās). セファロスポリナーゼ. = β-lactamase.

Ceph·a·lo·spo·ri·um (sef′ă-lō-spō′rē-ŭm). セファロスポリウム属(*Acremonium* の旧名).

ceph·a·lo·stat (sef′ă-lō-stat) [cephalo- + G. *statos*, stationary]. = cephalometer.

ceph·a·lo·tho·rac·ic (sef′ă-lō-thō-ras′ik). 頭胸〔部〕の(頭部と胸部に関する).

ceph·a·lo·tho·ra·cop·a·gus (sef′ă-lō-thōr′ă-kop′ă-gŭs) [cephalo- + G. *thorax*, chest + *pagos*, something fixed]. 頭胸結合体，頭胸〔部〕癒着体(頭部と胸部が融合した接着双生児. ⇀conjoined *twins*).

C

c. asymmetros 非対称性頭胸結合体．＝c. monosymmetros.

c. disymmetros 二対称性頭胸結合体（頭部が融合し，等しく成長した顔が側方に向いているもの）．

c. monosymmetros 単対称性頭胸結合体（２つの顔の１つだけがよく成長したもの）．＝c. asymmetros.

ceph·a·lo·tome (sef′ă-lō-tōm) [cephalo- + G. *tomē*, a cutting]. 胎児頭蓋切開器（以前，難産の場合に胎児頭を切開して圧縮されるようにするために用いた器具）．

ceph·a·lot·o·my (sef′ă-lot′ō-mē). 胎児頭蓋切開〔術〕（以前行われていた胎児頭の切開術）．

ceph·a·lo·tox·in (sef′ă-lō-tok′sin). セファロトキシン（頭足類(例えばタコ)の唾液腺中にみられる蛋白と考えられる毒．→eledoisin)．

ceph·a·lo·tribe (sef′ă-lō-trīb′) [G. *tribō*, to rub, bruise]. 砕頭器（強い刃とねじハンドルをもつ鉗子のような器具で，以前，異常分娩時に胎児の頭を砕くのに用いた）．

ceph·a·my·cins (sef′ă-mī′sins). セファマイシン系抗生物質（種々の *Streptomyces*属によって産生される β-ラクタム系抗生物質(ペニシリンおよびセファロスポリンに類似))．

cep·tor (sep′ter, tōr) [L. *capio*, pp. *ceptus*, to take]. 受容体，受体．＝receptor (2).

chemical c. 化学受容体（適当刺激に応じて化学反応を起こす受容体）．

contact c. 接触受容体（皮膚表層または粘膜中の神経受容体で，直接の物理的衝撃による衝動を受ける）．

distance c. 遠隔受容体（特殊感覚器官の１つの神経機構．それによって遠隔環境と関係をもつことができる）．

-ceptor (sep′ter) [L. *capio*, pp. *captus*, to take]. 取り手または受け手を意味する接尾語．

ce·ra (sē′ră) [L.]. ろう(蝋)．＝wax (1).

ce·ra·ceous (se-rā′shŭs) [L. *cera*, wax]. ろう様の．

cer·a·mic (sĕr-am′ik). セラミック（主に非金属の鉱物を高温で焼成したもの）．

castable c. キャスタブルセラミック（歯科用修復物の作製に用いられるガラス－セラミック系材料．ロストワックス法で鋳造することができる）．

cer·am·i·dase (ser-am′i-dās). セラミダーゼ（セラミドを加水分解してスフィンゴシンおよび脂肪酸にする酵素，アシルスフィンゴシンデアシラーゼ．この酵素の欠損と播種性脂肪肉芽腫症とが関連している）．

cer·a·mide (ser′ă-mīd). セラミド（一般式$CH_3(CH_2)_{12}CH$=CH–CHOH–CH(CH_2OH)–NH–CO–*R* の長鎖塩基またはスフィンゴイド(例えばスフィンガニン，スフィンゴシン)の *N*-アシル(脂肪酸)誘導体，スフィンゴリピド類の属名．*R*は脂肪酸のアシル残基であり，この場合 4-スフィンゲニン(スフィンゴシン)とアミド結合している．セラミドが Farber 病患者では蓄積される）．

c. dihexoside 二ヘキソシドセラミド（糖脂質リピドーシスにみられる蓄積された糖脂質）．

c. lactosidase セラミドラクトシダーゼ，セラミド乳酸分解酵素（加水分解酵素(β-ガラクトシダーゼの一種)で，セラミドラクトシドに作用し，グルコシルセラミドとガラクトースを生成する．この酵素欠損により，セラミドラクトシド脂肪症になる．*cf.* cytolipin)．

c. lactoside セラミドラクトシド（ラクトシルセラミドともいい，セラミドラクトシド脂肪症患者では蓄積される．*cf.* cytolipin)．

c. 1-phosphorylcholine ＝sphingomyelins.

c. saccharide 糖セラミド．＝glycosphingolipid.

cer·a·sin (ser′ă-sin). ＝kerasin.

cerat- [本連結形を用いた語と cera(ろう＝wax)を用いた語を混同しないこと]. →kerat-.

ce·rate (sē′rāt) [L. *cera*, wax]. ろう膏（皮膚につけても溶けないように十分なろうを含む，軟膏より硬い塗油固形製剤．ほとんど使用されなくなっている）．

cer·a·tin (ser′a-tin). ＝keratin.

cerato- (ser′ă-tō). →kerato-.

cer·a·to·cri·coid (ser′ă-tō-krī′koyd). 下角輪状軟骨の（甲状軟骨下角と輪状軟骨，または輪状甲状関節に関する）．＝keratocricoid.

cer·a·to·hy·al (ser′ă-tō-hī′ăl). 舌骨角の．＝keratohyal.

Cer·a·to·phyl·li·dae (ser′ă-tō-fil′i-dē) [G. *keras*, horn + *phyllōdēs*, like leaves]. ナガノミ科（哺乳類および鳥類のノミの一科で，宿主の範囲が広く，野生および飼育げっ歯類に感染して，ペストの重要な媒介者の役をする．重要な属としては，ヨーロッパネズミノミ属 *Nosopsyllus*，ナガノミ属 *Ceratophyllus* を含む）．

Cer·a·toph·yl·lus (ser′ă-tof′-ă-lŭs) [cerat-(kerat-) + G. *phyllon*, leaf]. ナガノミ属（温暖区域にみられるナガノミ科に属するノミの一属．西部のニワトリノミ *C. niger* や，ヨーロッパニワトリノミ *C. gallinae* などの，家禽の重要なノミを含むが，宿主の範囲は，ヒトをも含んで幅広い）．

C. punjabensis インドネズミノミ（インドの野生および飼育げっ歯類に豊富なノミの種．野生げっ歯類とヒトとの間のペスト伝播の重要な媒介者の役をする）．

cer·car·i·a, pl. **cer·car·i·ae** (ser-kā′rē-ă, -rē-ē) [G. *kerkos*, tail]. ケルカリア，セルカリア，尾虫，有尾幼虫（淡水産巻貝より遊出して自由に泳ぐ吸虫類の幼虫で，終宿主の皮膚を貫通したり(ヒト住血吸虫 *Schistosoma*)，植物(肝蛭 *Fasciola*)や，魚(肝吸虫 *Clonorchis*)に被嚢したり，あるいは種々の節足動物に侵入，被嚢する．体と尾の形態に顕著な相違があり，その特殊化された機能が個々の種独特の生活史に適応している．→sporocyst (1); redia)．

cer·ci (ser′sī). cercus の複数形．

cer·clage (sair-klazh′) [Fr. an encircling, hooping, banding]. 締結〔法〕，セルクラージュ（①斜骨折の断端を，針金を巻き付けたり，強く牽引したり，あるいは輪をはめ込んだりして密着させる方法．②網膜剝離の手術法．眼直筋の付着部の後部の強膜を取り巻いた帯により脈絡膜および網膜色素上皮を剝離した網膜神経上皮に接触させる．③無力頸管口の周囲に非吸収性の糸をかける方法）．

cer·co·cys·tis (ser′kō-sis′tis) [G. *kerkos*, tail + *kystis*, bladder]. セルコシスチス（条虫の幼虫である擬嚢尾虫の特殊化した虫体型で，無脊椎動物よりも脊椎動物宿主の絨毛内で発育する．小型条虫 *Hymenolepis nana* のセルコシスチスがその一例で，これはヒト体内で中間宿主を必要とせず直接的にまたは卵から成虫に発育する生活史を有する．→cysticercus; cysticercoid)．

cer·co·mer (ser′kō-mer) [G. *kerkos*, tail + *meros*, part]. セルコマー（擬葉条虫類のプロセルコイド期幼虫にみられる尾方の付属器．多くの模様条虫属 *Hymenolepis* の条虫(例えば *Hymenolepis nana*)，および *Taenia*属の条虫である擬嚢尾虫にもみられる．セルコマーにはしばしば鉤がみられるが，これは元来，六鉤幼虫がプロセルコイドその他の段階に成育するのに不可欠な中間宿主への侵入時に用いられる）．

cer·co·mo·nad (ser′kō-mō′nad). セルコモナド（*Cercomonas*属に属する原生動物の一般名）．

Cer·co·mo·nas (ser′kō-mō′nas) [G. *kerkos*, tail + *monas* (*monad-*), unit, monad]. セルコモナス属（前後に１本ずつべん毛をもつ淡水性，嗜糞性鞭毛原虫類の一属．ヒトや数種の家畜の腸や糞便からこの属の種が分離されているが，一般に *Trichomonas*属やメニール鞭毛虫属 *Chilomastix* とは異なることが証明されている）．

Cer·co·pi·the·coi·de·a (ser′kō-pith′ĕ-koy′dē-ă) [G. *kerkos*, tail + *pithēkos*, monkey]. オナガザル上科（真猿亜目の３上科の１つ．猿人類，旧世界のサル類，ヒトを含む）．

Cer·co·pi·the·cus (ser′kō-pith-ē′kŭs). オナガザル属（オナガザル科の一属で，オナガザルなど普通のアフリカ産サル類によって代表される）．

cer·cus, gen. & pl. **cer·ci** (ser′kŭs, ker′kŭs) [Mod. L. < G. *kerkos*, tail]. 尾葉，尾毛（①剛毛様の構造．②大多数の昆虫の第十一腹節にある，一対の特殊な感覚器官）．

ce·re·a flex·i·bil·i·tas (sē′rē-ă flek′si-bil′i-tas) [L.]. ろう屈症，ろう様可撓性（肢が置かれたところにとどまる，いわゆる waxy flexibility(ろう様撓屈)のこと．カタトニーにしばしばみられる）．

cer·e·bel·lar (ser′e-bel′ar). 小脳〔性〕の．

cer·e·bel·lin (ser′ĕ-bel′in). セレベリン（小脳 Purkinje 細胞の核周囲と樹状突起に局在する小脳特異性ヘキサデカペプチド．神経発達の Purkinje 細胞成熟研究のマーカとして用いる）．

cer·e·bel·li·tis (ser′ĕ-bel-ī′tis). 小脳炎を表す現在では用いられない語．

cerebello- (ser′ĕ-bel′ō) [L. *cerebrum*, brain + *-ellum*, 指小接尾辞]. 小脳に関する連結形.

cer·e·bel·lo·len·tal (ser′e-bel′ō-len′tăl). 小脳水晶体の（小脳と水晶体に関する）.

cer·e·bel·lo·med·ul·lar·y (ser′e-bel′ō-med′ul-lār-ē). 小脳延髄の（小脳と延髄に関する）.

cer·e·bel·lo·ol·i·var·y (ser′e-bel′ō-ol′i-vār-ē). 小脳オリーブの（小脳と下オリーブ核の連結に関する）.

cer·e·bel·lo·pon·tine (ser′e-bel′ō-pon′tēn). 小脳橋の（小脳と橋についていう．特に小脳と橋の間の小脳橋陥凹または角をさす）.

cer·e·bel·lo·ru·bral (ser′e-bel′ō-rū′brăl) [cerebello- + L. *ruber*, red]. 小脳赤核の（小脳と赤核の連結に関する）.

cer·e·bel·lum, pl. **ce·re·bel·la** (ser′e-bel′ŭm, -bel′ă) [L. *cerebrum*(brain) の指小辞][TA]. 小脳（橋・延髄の背側，小脳テント・大脳後部の腹側にある大きな後部の脳塊．狭い中間部である虫部によって結ばれた２つの外側半球からなる）.

cerebr- ⇀cerebro-.

ce·re·bral (ser′ĕ-brăl, se-rē′brăl). 大脳の（【伝統的に正しい発音は第１音節にアクセントを置くが，米国ではしばしば第２音節にアクセントを置く】）.

cer·e·bra·tion (ser′ĕ-brā′shŭn). 脳作用（精神的な働き．考えること.→mentation; cognition）.

cerebri- (se-rē′bri, ser-ĕ-brī′). ⇀cerebro-.

cer·e·bri·form (se-rē′bri-fōrm) [cerebri- + L. *forma*, shape, appearance, nature]. 大脳様の（脳の外裂および脳回に類似した）.

cer·e·bri·tis (ser′ĕ-brī′tis). 脳炎（脳実質の限局性炎症性浸潤）.

suppurative c. 化膿性脳炎（化膿を伴う脳の炎症(フレグモーネ)）.

cerebro-, cerebr-, cerebri- (ser′ĕ-brō; se-rē′bri, ser-ĕ-brī′) [L. *cerebrum*, brain]. 大脳に関する連結形.→encephalo-.

cer·e·bro·cu·pre·in (ser′ĕ-brō-kyū′prē-in). セレブロクプレイン．＝cytocuprein.

cer·e·bro·ma (ser-ĕ-brō′mă). 脳腫〔瘤〕．＝encephaloma.

cer·e·bro·ma·la·ci·a (ser′ĕ-brō-mă-lā′shē-ă). 脳軟化〔症〕．＝encephalomalacia.

cer·e·bro·men·in·gi·tis (ser′ĕ-brō-men′in-jī′tis). 脳髄膜炎．＝meningoencephalitis.

cer·e·bron (ser′ĕ-bron). セレブロン．＝phrenosin.

cer·e·bron·ic ac·id (ser′ĕ-bron′ik as′id). セレブロン酸（脳セレブロシドや他のグリコリピドの成分）.＝phrenosinic acid.

cer·e·bro·path·i·a (ser′ĕ-brō-path′ē-ă). 脳障害，脳症．＝encephalopathy.

cer·e·brop·a·thy (ser′ĕ-brop′ă-thē). 脳障害，脳症．⇀cerebropathia.

cer·e·bro·phys·i·ol·o·gy (ser′ĕ-brō-fiz′ē-ol′ō-jē). 〔大〕脳生理学.

cer·e·bro·scle·ro·sis (ser′ĕ-brō-sklēr-ō′sis) [cerebro- + G. *sklērōsis*, hardening]. 脳硬化〔症〕（大脳半球の硬化）.＝encephalosclerosis.

cer·e·bro·side (ser′ĕ-brō-sīd′). セレブロシド（スフィンゴ糖脂質の類で，特にモノグリコシルセラミド(セラミド単糖類)すなわちスフィンゴイドの –CHOH– 部位に結合した糖．神経組織の髄鞘内にみられる．含有する脂肪酸に応じてケラシン，フレノシン，ネルボン，オキシネルボンなどとよばれる．しばしば正確な glucosylceramide などの代わりに，glucocerebroside, galactocerebroside などとよばれる．セレブロシドの硫酸エステルはスルファチドである）.

c.-sulfatase, c. sulfatidase セレブロシドスルファターゼ，セレブロシドスルファチダーゼ（硫酸化グリコスフィンゴ脂質(例えば，セレブロシド 3–硫酸)から硫酸を脱離させる酵素）.

cer·e·bro·si·do·sis (ser′ĕ-brō-sī-dō′sis). セレブロシドーシス（Gaucher 病(⇀disease)などの脂質蓄積症）.

cer·e·bro·spi·nal (ser′ĕ-brō-spīnăl). 脳脊髄の（【誤った語句 cerebral spinal を避けること】．脳と脊髄に関する）.＝encephalorrhachidian; encephalospinal.

cer·e·bro·ste·rol (ser′ē-brō-stēr′ol). セレブロステロール（脳や脊髄中にみられる水酸化コレステロール）.

cer·e·brot·o·my (ser′ĕ-brot′ō-mē) [cerebro- + G. *tomē*, incision]. 大脳切開〔術〕.

cer·e·bro·vas·cu·lar (ser′ĕ-brō-vas′kyū-lăr). 脳血管性の（脳への血液供給，特にその病変に関していう）.

cer·e·brum, pl. **ce·re·bra, cer·e·brums** (ser′ĕ-brŭm, sĕ-rē′brŭm; -bră, -brŭmz) [L. brain][TA]. 大脳（【伝統的に正しい発音は第１音節にアクセントを置くが，米国ではしばしば第２音節にアクセントを置く】．本来は脳の最も大きな部分をさし，延髄，橋，小脳を除く頭蓋内のほとんどすべての部分が含まれたが，現在では終脳由来の部分だけをさし，主に大脳半球(大脳皮質，基底核)をいう）.

C

cere·cloth (sēr′kloth) [L. *cera*, wax]. ろう布（消毒薬を含んだろうをしみこませたガーゼまたはチーズクロス．手術衣に用いる）.

Ce·ren·kov (ka′ren-kŏv), (Cherenkov) Pavel A. 20世紀のロシア人物理学者・ノーベル賞受賞者.⇀C. *radiation.*

cer·e·sin (ser′ĕ-sin). セレシン，土ろう，地ろう（高分子量炭化水素の天然混合物．ビーズワックスの代用品．印象用に歯科でも用いる）.＝cerin; cerosin; earth wax; mineral wax (2); purified ozokerite.

ce·rin (se′rin). セリン．＝ceresin.

Cer·i·thid·e·a (ser′i-thid′ē-ă). オニツノガイ属（海産および塩水産の巻貝(前鰓類)の一属で，多種の吸虫の第一中間宿主となる．日本や東南アジアにおいては，ヘタナリ *C. cingulata* が異形吸虫 *Heterophyes heterophyes* の宿主となり，フロリダからテキサスに至る米国東南部においては，*C. scalariformis* が，水泳者かゆみ症 swimmer's itch を引き起こす）.

ce·ri·um (Ce) (sēr′ē-ŭm) [< *Ceres*, the planetoid]. セリウム（金属元素．原子番号 58，原子量 140.115）.

c. oxalate シュウ酸セリウム（セリウム，ランタン，および他の希土類のシュウ酸塩の混合物．嘔吐の治療に用いられてきた）.

cero- (sē′rō) [L. *cera*, wax]. ろうに関する連結形.

ce·roid (sē′royd) [L. *cera*, wax + G. *eidos*, appearance]. セロイド（コリン欠乏ラットの線維症肝から発見された，ろうに似た金色または黄茶色の色素で，ヒトの硬変した肝臓やその他いくつかの組織中に存在することも知られている．抗酸性で，脂肪溶剤中で溶けず，リポフスチンの一型といわれる．Schmorl の第二鉄フェリシアニド還元染色法に陰性であるので真のリポフスチンとは異なる．また自己蛍光である．Hermansky–Pudlak 症候群で蓄積される）.

ce·ro·plas·ty (sē′rō-plas′tē) [G. *kēros*, wax + *plassō*, to mold]. ろう製模型製作〔法〕（解剖学・生理学標本，または皮膚病変の標本のろう模型の作製）.

cer·o·sin (ser′ō-sin). ＝ceresin.

ce·ro·tin·ic ac·id (ser′ō-tin′ik as′id). セロチン酸（長鎖脂肪酸で，天然ワックス中や羊毛脂，ある種の脂質に存在する）.

cer·ti·fi·a·ble (ser′ti-fī′ă-bĕl). 精神異常と証明されるべき（強制的に精神病院に入院させるほど重症の行動障害症状を呈している人についていう）.

cer·ti·fi·ca·tion (ser′ti-fi-kā′shŭn). ***1*** 証明，認可，検定（医学専門委員会による専門医としての認定に必要な事項を完全に終了したという証明）. ***2*** 精神異常証明（患者を精神病院に入れる法的手続き）. ***3*** 精神病院収容（精神異常者を強制入院させること）.

cer·ti·fied nurse-mid·wife (CNM) (ser′ti-fīd nĕrs′-mid′wīf). 公認〔正〕看護助産師（少なくとも看護学や母性管理の高等教育を受け，学士(マスター)の学位をもつ登録看護師．米国看護助産師大学の教育を受け国家試験に合格している）.

cer·ti·fy (ser′ti-fī) [L. *certus*, certain + *facio*, to make]. 精神異常と証明する（国(州)の法律に従って患者を精神病院に入院させる）.

ce·ru·le·an (se-rū′lē-ăn) [L. *caeruleus*, blue < *caelum*, sky]. 青色の．＝blue.

ce·ru·le·in (se-rū′lē-in) [< *Cephalosporium caerulea*, from which isolated]. セルレイン（降圧作用のあるデカペプチド．平滑筋を刺激し，消化管分泌を上昇させる．構造がコレシストキニンおよびガストリン類と似ているが，胆嚢収縮促進薬としての作用がより強い．インスリンの遊離も促進す

る．脂肪酸の生合成を阻害する）．

cerulocortical (sĕ-rū-lō-kōr′ti-kăl). 青斑皮質の（青斑核から始まり大脳皮質に終わるノルエピネフリン作動性経路に関する）．

ce·ru·lo·plas·min (sĕ-rū′lō-plaz′min) ［L. *caeruleus*, dark blue］［MIM*117700］. セルロプラスミン（銅を含有する青色のα-グロブリンである．分子量122,000，1分子当たり銅を6または7原子有し，銅の輸送と調節に関係しており，既知の中間代謝産物を介さず直接O_2を還元できる．また意義は不明であるが，鉄酸化酵素とポリアミン酸化酵素活性をもつ．セルロプラスミンは先天性のWilson病で欠損している）．

ce·ru·men (sĕ-rū′men) ［L. *cera*, wax］. 耳垢，みみあか（外耳道の耳垢腺の軟らかい茶色がかった黄色のろう様分泌物．皮脂の変化したもの）．＝ear wax; earwax.

c. inspissatum, inspissated c. 乾性耳垢（外耳道をふさぐ乾いた耳垢）．

ce·ru·mi·nal (se-rū′mi-năl). 耳垢の．

ce·ru·mi·no·lyt·ic (sĕ-rū′mi-nō-lit′ik) ［cerumen＋G. *lysis*, a loosening］. 耳垢溶解薬（耳垢を軟らかくするために外耳道にしみこませる数種の物質の1つ）．

ce·ru·mi·no·ma (sĕ-rū′mi-nō′mă). 耳垢腺腫瘍（外耳道の耳垢腺の腫瘍．通常は良性）．

ce·ru·mi·no·sis (se-rū′mi-nō′sis). 耳垢分泌過剰，耳垢症．

ce·ru·mi·nous (sĕ-rū′mi-nŭs). 耳垢の．

ce·ruse (sē′rūs) ［L. *cerussa*］. 鉛白．＝*lead* carbonate.

cer·veau i·so·lé (ser-vō′ ē-sō-lā′) ［Fr. detached brain］. 上位離断脳（動物の脳で，中脳が離断している．動物は自発的に呼吸するが，非反応性で，瞳孔は異常（通常は散大している）で，脳波は持続性睡眠型を呈する．*cf.* encéphale isolé）．

cer·vi·cal (ser′vĭ-kăl) ［L. *cervix*(*cervic*-), neck］. 頸〔部〕の，くびの（［もう1つの発音 ser-vī′kal はもっぱら英国式である］）．＝cervicalis.

cer·vi·ca·lis (ser′vi-kā′lis). ＝cervical.

c. ascendens *1* ＝iliocostalis cervicis (*muscle*). *2* ＝ascending cervical *artery*.

cer·vi·cec·to·my (ser′vi-sek′tō-mē) ［cervix＋G. *ektomē*, excision］. 子宮頸〔管〕切除〔術〕．＝trachelectomy.

cer·vi·ces (ser′vi-sēz). cervix の複数形．

cer·vi·ci·tis (ser′vi-sī′tis). 子宮頸〔管〕炎（しばしば深部構造をも含む子宮頸管粘膜の炎症）．＝trachelitis.

cervico- (ser′vi-kō) ［L. *cervix*, neck］. あらゆる意味で，頸部，くびに関する連結形．

cer·vi·co·brach·i·al (ser′vi-kō-brā′kē-ăl). 頸腕の（頸部と腕についていう）．

cer·vi·co·buc·cal (ser′vi-kō-bŭk′ăl). 歯頸部頬面の（小臼歯あるいは大臼歯の歯頸部の頬面に関する）．

cer·vi·co·dyn·i·a (ser′vi-kō-din′ē-ă) ［cervico-＋G. *odynē*, pain］. 頸部痛．

cer·vi·co·fa·cial (ser′vi-kō-fā′shăl). 頸顔面の（頸部と顔面に関する）．

cer·vi·cog·ra·phy (ser′vi-kog′ră-fē) ［cervix＋G. *graphō*, to write］. 頸管造影法（子宮頸管の一部または全体像を見るための手技で，コルポスコピーと同様の手技）．

cer·vi·co·la·bi·al (ser′vi-kō-lā′bē-ăl). 歯頸部唇面の（切歯あるいは犬歯の歯頸部の唇面に関する）．

cer·vi·co·lin·gual (ser′vi-kō-lin′gwăl). 歯頸部舌面の（歯頸の舌面に関する）．

cer·vi·co·lin·guo·ax·i·al (ser′vi-kō-lin′gwō-ak′sē-ăl). 歯頸面舌面軸面の（窩洞の歯頸(歯肉)壁，舌側壁，軸壁の接合部が形成する尖角についていう）．

cer·vi·co·oc·cip·i·tal (ser′vi-kō-ok-sip′i-tăl). 頸後頭〔部〕の（頸部と後頭部に関する）．

cer·vi·co·plas·ty (ser′vi-kō-plas′tē). 頸〔管〕形成〔術〕（子宮頸管あるいは頸部の組織修復）．

cer·vi·cos·co·py (ser′vi-kos′kō-pē). ＝visual inspection with acetic acid; colposcopy.

cer·vi·co·tho·rac·ic (ser′vi-kō-thōr-as′ik). 頸胸の（①頸部と胸部に関する．②頸部と胸部の間の移行に関する．③これらの椎骨の融合に関する）．

cer·vi·cot·o·my (ser′vi-kot′ō-mē) ［cervico-＋G. *tomē*, incision］. 子宮頸〔管〕切開〔術〕．＝trachelotomy.

cer·vi·co·ves·i·cal (ser′vi-kō-ves′i-kăl). 〔子宮〕頸膀胱の（子宮頸と膀胱に関する）．

cer·vi·lax·in (ser′vi-laks′in). 頸管開大因子．＝relaxin.

cer·vix, gen. **cer·vi·cis,** pl. **cer·vi·ces** (ser′viks, ser′vi-sis, -sēz) ［L. neck］［TA］. 頸，くび（①＝neck. ②あらゆる頸部様構造．③＝c. of uterus）．

c. of the axon 軸索頸（ミエリン鞘が始まる直前の軸索狭窄部）．

c. columnae posterioris 後柱頸（脊髄横断面で中心灰白質のやや後方にみられる後柱の軽度なくびれ）．

c. dentis ［TA］. 歯頸．＝*neck* of tooth.

strawberry c. イチゴ状頸管（子宮頸管の斑状紅斑．トリコモナス腟炎に特徴的な所見）．

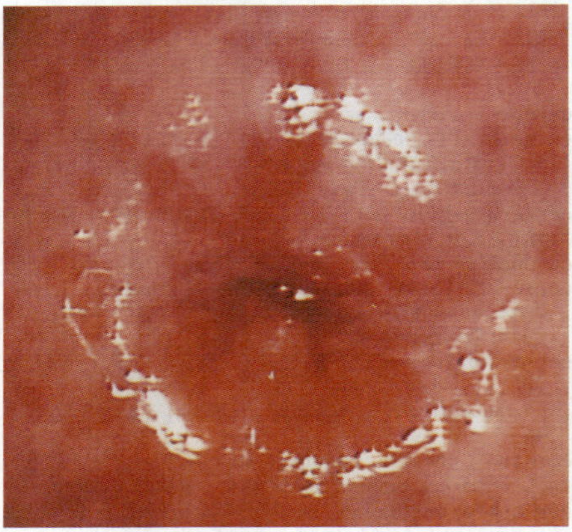

strawberry cervix
トリコモナス症に合併する．

c. of tooth* *neck* of tooth の公式の別名．

c. uteri ［TA］. ＝c. of uterus.

c. of uterus ［TA］. 子宮頸（子宮峡部から腟へとのびる子宮の下部．腟壁を貫いたところを境に腟上部と腟部に分ける）．＝c. uteri ［TA］; cervix (3) ［TA］; neck of uterus; neck of womb.

c. vesicae urinariae ［TA］. 膀胱頸．＝*neck* of (urinary) bladder.

ce·ryl (sēr′il). セリル（セリルアルコール(ヘキサコサノール)を構成する炭化水素基$C_{26}H_{53}$–）．＝hexacosyl.

ce·sar·e·an (se-zā′rē-ăn). 帝王切開の（［ここに示したつづりは，caesarean, cesarian, Caesarean, および他の形より好まれる］．ローマ法(715 B.C.) *lex cesarea* に記載されていた帝王切開を意味する．Julius Caesar(100 B.C.)の分娩に関連したものではない）．

ce·si·um (Cs) (sē′zē-ŭm) ［L. *caesius*, bluish gray］. セシウム（金属元素．原子番号55，原子量132.90543．アルカリ金属群に属する．^{137}Cs（半減期は30.1年)は，ある種の悪性疾患の治療に用いられる）．

Ces·tan (ses-tahn[h]′), Raymond. フランス人神経科医，1872—1934. →C.-Chenais *syndrome*.

Ces·to·da (ses-tō′dă) ［G. *kestos*, girdle］. 多節条虫亜綱（条虫綱の条虫類の一亜綱．ヒトや家畜に寄生する体節条虫類を含め，典型的な条虫が含まれる）．＝Eucestoda.

Ces·to·dar·i·a (ses′tō-dā′rē-ă). 単節条虫亜綱（条虫綱の中の一亜綱．典型的な条虫である多節条虫亜綱と異なり，頭節を欠き，無片節(単節)の体をもつ．本亜綱の幼虫(十鉤幼虫とよばれる)は通常みられる六鉤幼虫と異なり，10個の鉤をもつのが特徴である．原始的な条虫であると考えられており，一部の魚類と数種のは虫類の腸管および体腔に寄生する）．

ces·tode, ces·toid (ses′tōd, -toyd). 条虫（条虫綱またはその亜綱である多節条虫亜綱と単節条虫亜綱の条虫の一般名）．

ces·to·di·a·sis (ses′tō-dī′ă-sis). 条虫症（条虫感染によって起こる疾患）.

Ces·toi·de·a (ses-toy′dē-ă) [G. *kestos*, girdle + *eidos*, form]. 条虫綱（扁形動物の一綱. 消化管がなく典型的な種類(多節条虫亜綱)では，一端に頭節あるいは付着器官をもつ横分体あるいは分節した体が特徴. 成虫は脊椎動物の寄生虫で，通常，小腸内に寄生する）. ＝tapeworm.

ce·ta·ce·um (sĕ-tā′shē-ŭm) [G. *kētos*, a whale]. 鯨ろう，鯨脳. ＝spermaceti.

ce·to·ste·a·ryl al·co·hol (se-tō-stē′ă-ril al′kŏ-hol). セトステアリルアルコール（乳化ろうとして知られる親水軟骨の成分. 主にステアリルアルコールとセチルアルコールからなる固形脂肪族アルコールの混合物）.

ce·tra·ri·a (sē-trā′rē-ă) [L. *caetra*, a short Spanish shield (from shape of the apothercia)]. セトラリア（ウメノキゴケ科 *Cetraria islandica* の乾燥植物. コケではなく地衣植物である. 粘滑薬として，また気管支炎の民間治療薬として用いる）. ＝Iceland moss.

ce·tyl al·co·hol (sē′tăl al′kŏ-hol). セチルアルコール，セタノール（パルミチン酸に相当する炭素 16 からなるアルコール. 鯨ろうの加水分解物中から分離されるので，こうよばれる. 乳化剤として用いられるほか，水中油型(w/o)親水性軟膏の基剤として用いられる）. ＝1-hexadecanol; palmityl alcohol.

ce·tyl pal·mi·tate (sē′tăl pal′mi-tāt). パルミチン酸セチル（ワックス，ろう. 鯨ろうの主成分）.

ce·tyl·pyr·i·din·i·um chlor·ide (sē′til-pī′ri-din′ē-ŭm klōr′īd). 塩化セチルピリジニウム（ピリジンの第四級塩と塩化セチルの一水化物. 胞子形成性のない細菌に対する殺菌作用をもつ陽イオン洗浄薬）.

ce·tyl·tri·meth·yl·am·mo·ni·um bro·mide (sē′til-trī-me′thil-ă-mō′nē-ŭm brō′mīd). 臭化セチルトリメチルアミン（臭化ドデシルトリメチルアンモニウム，臭化テトラデシルトリメチルアンモニウム，臭化ヘキサデシルトリメチルアンモニウムの混合物. 水に易溶，無臭の表面活性剤. 強力な殺菌作用をもつ消毒薬で，機器類の滅菌に用いる）.

CEU continuing education unit(継続教育単位)の略.

cev·a·dil·la (se′vă-dil′ă) [Sp. *cebada*(barley) の指小辞]. セバジラ. ＝sabadilla.

cev·a·dine (sev′ă-dēn). セバジン（ユリ科 *Schoenocaulon officinale*(*Sabadilla officinarum*) の種子中に存在するアルカロイド. 皮膚や粘膜を強く刺激する. →veratrine）.

ce·vi·tam·ic ac·id (sev-i-tam′ik as′id). セビタミン酸. ＝ascorbic acid.

CF citrovorum *factor*; coupling factor の略.

Cf カリホルニウムの元素記号.

CFF critical fusion frequency の略. ⇀critical flicker fusion *frequency*.

CFS chronic fatigue *syndrome* の略.

CG chorionic *gonadotropin*; phosgene の略.

CGA catabolite gene *activator* の略.

cGMP cyclic *guanosine* 3′,5′-monophosphate の略.

CGP chorionic "growth *hormone*-prolactin" の略.

CGRP calcitonin gene-related *peptide* の略.

CGS, cgs centimeter-gram-second の略. ⇀centimeter-gram-second *system*; centimeter-gram-second *unit*.

CH crown-heel (*length*) of fetus の略.

Chad·dock (chad′ok), Charles G. 米国人神経科医，1861—1936. ⇀C. *reflex*, *sign*.

Chad·wick (chad′wik), James R. 米国人婦人科医，1844—1905. ⇀C. *sign*.

chae·ta (kē′tă) [Mod. L. < G. *chaitē*, stiff hair]. 剛毛，刺毛. ＝seta.

chafe (chāf) [Fr. *chauffer*, to heat < L. *calefacio*, to make warm]. 摩擦する（摩擦により皮膚を刺激する）.

Cha·gas (shah′găs), Carlos. [誤った形 Chaga および Chaga's を避けること]. ブラジル人医師，1879—1934. ⇀C. *disease*; C.-Cruz *disease*.

cha·go·ma (sha-gō′mă). シャゴーマ（クルーズトリパノソーマ *Trypanosama cruzi* の増殖の初期に生じる皮膚の小肉芽腫(Chagas 病)）.

Chai·koff (shī′kof), Israel Lyon. ポーランド系カナダ人医師，1902 — 1966. ⇀Wolff-Chaikoff *block*, *effect*.

chain (chān) [L. *catena*]. ***1*** 鎖（化学において，1つ以上の共有結合によって結ばれる一連の原子）. ***2*** 連鎖（細菌学において，1平面上に分裂し，互いに結合したまま生きた細胞が直線状に並ぶこと）. ***3*** 連鎖〔反応〕（反応の一種）. ***4*** 連鎖（数珠状に連なった鎖状構造. 例えば耳小骨の連鎖，神経節の連鎖など. →sympathetic *trunk*）.

A c. A 鎖（①グルシル残基(NH_2末端)で始まるアミノアシル残基 21 個からなるインスリンの短鎖ポリペプチド成分. インスリンはA鎖とB鎖が2つのジスルフィド結合で形成される. A鎖のアミノ酸組成は種によって異なる. ②一般的には，多重蛋白複合体でのポリペプチドの1つ）.

B c. B 鎖（①フェニルアラニル残基(NH_2 末端)で始まる 30 個のアミノアシル残基をもつインスリンのポリペプチド成分. インスリンはA鎖とB鎖が2つのジスルフィド結合で形成される(B鎖のほうが長い). B鎖のアミノ酸組成は種によって異なる. ②免疫グロブリンの軽鎖）.

behavior c. 行動連鎖（各反応が次の反応の刺激になる一連の関連行動）.

C c. ＝C-peptide.

cold c. コールドチェーン（血清，ワクチンなど高温環境下で劣化しやすい生物製剤を保護するシステム. 熱帯地域でのワクチン接種計画に欠かせない）.

electron-transport c. 電子伝達鎖. ＝respiratory c.

ganglionic c. 神経節鎖. ＝sympathetic *trunk*.

heavy c. H 鎖，重鎖（免疫グロブリンサブユニットで，γ，α，μ，δ，ε 鎖という高分子ポリペプチド鎖のこと. 免疫グロブリンのクラスとサブクラスを規定している. これはまた，補体結合性や胎盤通過性をも規定している. 各免疫グロブリンには2つの同一鎖が存在する）. ＝H chain.

J c. [*j*oining chain]. J 鎖（IgA, IgM が重合体を形成する際に架橋するシステインリッチな糖ポリペプチド. IgA, IgM のモノマーを確実に正しく重合させる機能と細胞外に分泌させる機能を有する）.

kappa (κ) light c. カッパ(κ)型軽鎖（一対の免疫グロブリン軽鎖で，一対の重鎖と共有結合して抗体分子を形成している. ラムダ型軽鎖とは重鎖サブユニットとのジスルフィド結合様式において異なっている. →lambda(λ) light c.）.

L c. L 鎖. ＝light c.

lambda (λ) light c. ラムダ(λ)型軽鎖（一対の免疫グロブリン軽鎖で，一対の重鎖と共有結合して抗体分子を形成している. カッパ型軽鎖とは重鎖サブユニットとのジスルフィド結合様式において異なる. →kappa(κ) light c.）.

light c. L 鎖，軽鎖（免疫グロブリン構成成分中，κ，λ 鎖という低分子ポリペプチド鎖. 各免疫グロブリンモノマーには2つの同一軽鎖が存在する）. ＝L c.

long c. 長連鎖（細菌学において，8 個以上の細胞の連鎖）.

ossicular c. 耳小骨連鎖. ＝auditory *ossicles*.

respiratory c. 呼吸鎖（一連のエネルギーを発生する酸化還元反応で，電子を還元物質から受け取り最終的に酸素へ移して水を生成させる）. ＝cytochrome system; electron-transport c.; electron-transport system.

short c. 短連鎖（細菌学において，2—8 個の細胞による連鎖）.

side c. 側鎖（①ベンゼン環または環式化合物に結合した非環状の原子の鎖. ②α-アミノ酸において，α-カルボキシル基，α-アミノ基，α-炭素，α-炭素に結合した水素以外の原子団）.

chain·ing (chān′ing). 連鎖形成（各反応が次の反応の刺激になるような一連の関連行動を学習すること）.

cha·la·si·a, cha·la·sis (kă-lā′zē-ă, -lā′sis) [G. *chalaō*, to loosen]. 弛緩（収縮し続けていた筋肉の抑制と弛緩. 一般に協力筋に発生する）.

cha·la·za (kă-lā′ză) [G. hail; a small tubercle, a sty(Galen 説)]. ***1*** 霰粒腫. ＝chalazion. ***2*** カラザ（鳥の卵黄の提靭帯）.

cha·la·zi·on, pl. cha·la·zia (ka-lā′zē-on, -zē-ă) [G. *chalaza*(a sty) の指小辞]. 霰粒腫（[誤った発音 sha-lā′zē-ŏn を避けること]. Meibom 腺の慢性炎症性肉芽腫）. ＝chalaza (1); meibomian cyst; tarsal cyst.

acute c. 急性霰粒腫. ＝*hordeolum* internum.

collar-stud c. 襟ボタン様霰粒腫（瞼板の前方(外側霰粒腫)を通って結膜へとのびる霰粒腫）.

chal·cone (kal′kōn). カルコン（一連の植物色素の核化合物. すべてフラボノイドで，普通，黄色からオレンジ色である）. ＝benzalacetophenone.

chal·co·sis (kal-kō′sis) [G. *chalkos*, copper, brass]. 慢性銅中毒〔症〕，銅症. ＝chalkitis.

c. lentis 水晶体銅症（眼内の過度の銅による白内障）. ＝copper cataract; sunflower cataract.

chal·i·co·sis (kal′i-kō′sis) [G. *chalix*, gravel]. 石〔粉〕症（ほこりの吸入によって生じるじん肺症. 石切り従業者や石工術者に生じやすい）. ＝flint disease.

chalk (chawk) [L. *calx*]. 白亜，白墨，チョーク，胡粉，石粉. ＝*calcium* carbonate.

French c. ＝talc.

prepared c. 沈降石灰，精製白亜（精製された天然炭酸カルシウムで，通常は円錐に塑造する. 弱い収れん薬，制酸薬として用いる）.

chal·ki·tis (kal-kī′tis) [G. *chalkos*, copper, brass]. ＝chalcosis.

cha·lone (kā′lōn) [G. *chalaō*, to relax + -one]. カローン（本来は，刺激するよりむしろ抑制するホルモン(例えばエンテロガストロン)をさした. 現在では，組織で産生され，種差にかかわらず，その組織の細胞増殖を抑制する因子(通常，糖蛋白). 可逆性の組織特異的細胞増殖抑制因子）.

cha·lyb·e·ate (ka-lib′ē-āt) [G. *chalyps*(*chalyb*-), steel]. ***1*** 〚adj.〛鉄含有の（鉄の塩で飽和した，鉄の塩を含んだ，を表す現在では用いられない語）. ***2***〚n.〛鉄剤（鉄を含む治療薬を表す現在では用いられない語）.

cham·ber (chām′ber) [L. *camera*][TA]. 室，房，箱（区画，または囲まれた空間. →camera）.

altitude c. 高度室（高度環境，特に低気圧に似せるための減圧室）. ＝high altitude c.

anechoic c. 無響室（反響をすべて取り除くため，すべての音を吸収するように設計された部屋. 聴覚や感覚喪失の研究に用いられる）.

anterior c. of eyeball [TA]. 前眼房（前の角膜と後ろの虹彩との間の水様液(眼房水)の充満した部分で，瞳孔を通じて後眼房に交通する）. ＝camera anterior bulbi [TA]; camera (1) [TA]; camera oculi anterior; camera oculi major.

aqueous c.'s 眼房（房水を有する前・後眼房を併せた名称. ⇀anterior c. of eyeball; posterior c. of eyeball. →anterior *segment*）.

counting c. 計算盤（希釈した全血中の細胞や血小板または液体培地中の細菌など液体中に浮遊したきわめて小さな物体を数えるための道具. 一様な深さの浅いくぼみ(計算室)の底に格子状に線を引いた顕微鏡用のスライドガラスで，カバーガラスをかけるとある一定量の液体が正確に入るようになっている. 格子の内側の物体の数，検体希釈倍数，計算室の容量から希釈する前の検体中の物体の概数を計算できる. →hemocytometer）.

decompression c. 減圧室（生体を大気圧以下の気圧にさらす部屋）.

c.'s of eyeball [TA]. 眼球の腔所（眼球の中にある部屋で，眼房水を入れる前眼房と後眼房，硝子体を入れる硝子体腔がある. →anterior c. of eyeball; posterior c. of eyeball; postremal c. of eyeball）. ＝camerae bulbi [TA].

high altitude c. ＝altitude c.

holding c. ホールディングチャンバー，保持チャンバー. ＝spacer.

hyperbaric c. 高圧室（大気圧よりもかなり高圧にできる部屋で，主として潜函病の治療や高圧酸素療法に用いる）.

ionization c. 電離箱（囲われた気体中の電離を検知する小型容器. 電離放射線の強さを測定するのに用いる. →Geiger-Müller *counter*）.

posterior c. of eyeball 後眼房（前方は虹彩，水晶体，後方は毛様体に囲まれた環状隙. 眼房で満たされている）. ＝camera posterior bulbi [TA]; camera oculi minor; camera oculi posterior.

postremal c. of eyeball [TA]. 後眼腔，硝子体眼房（レンズと網膜間の大きな房. 硝子体で満たされている）. ＝camera postrema [TA]; camera vitrea bulbi*; camera vitrea*; vitreous c.*; posterior segment of eyeball; vitreous camera; vitreous c. of eye.

pulp c. 髄腔（歯冠や歯体にある髄腔部分）.

relief c. 緩衝腔（義歯の印象面の陥凹で，口腔のその部分の圧迫を減少または除去する）.

Sandison-Clark c. (san′di-sŏn klahrk). サンディソン－クラーク箱（穴を開けたウサギの耳に装着する２枚の透明板からなる箱で，２枚の透明板の間隔を小さくして，再生してくる組織を顕微鏡で観察することにより生活組織の研究が可能となる）.

sinuatrial c. 洞房室（単一心房および左右の静脈洞角によって形成される腔所）.

vitreous c.* postremal c. of eyeball の公式の別名.

vitreous c. of eye 眼の硝子体腔. ＝postremal c. of eyeball.

Zappert counting c. (zahp′ĕrt). ツァッペルト血球計算板，ツァッペルト血算板（計量した液体中の細胞(特に赤血球と白血球)および他の微粒子物を数えるのに用いる標準スライドガラス. 中央部は正確にみがいてあり，２本の平行な隆起上に一様に平らな特別のカバーガラスを置いた場合，一様に平坦な底面はそれより正確に 0.1 mm 低くなる. 平坦な中央部に既知面積の一群の正方形の境界を形成するように線が正確に食刻されており，これらが細胞算定する液体の量を測定するための基準となる. この種のスライドガラスは血球計 hemocytometer としてよく知られている）.

Cham·ber·lain (chām′bĕr-lin), J. Maxwell. 米国人胸部外科医，1908 — 1968. ⇀Chamberlain *procedure*.

Cham·ber·lain (chām′bĕr-lin), W. Edward. 米国人放射線専門医，1891—1947. ⇀C. *line*.

Cham·ber·len (chām′bĕr-lĕn), Peter. イングランド人産科医，1560—1631. ⇀C. *forceps*.

cham·e·ce·phal·ic (kam′ĕ-se-fal′ik) [G. *chamai*, on the ground (low, stunted) + *kephalē*, head]. 低頭高の（長高指数が 70 以下の頭蓋を表す. tapinocephalic(扁平頭蓋の)に類似）. ＝chamecephalous.

cham·e·ceph·a·lous (kam′ĕ-sef′ă-lus). ＝chamecephalic.

chameleon (kă-mēl′yon). カメレオン（生体反応解析用の特定の細胞内部位と結合するように改変された蛍光指示物質）.

cham·e·pro·sop·ic (kam′ĕ-prō-sop′ik) [G. *chamai*(adv.), on the ground(low, spread out) + *prosōpikos*, facial]. 低顔の.

cham·fer (sham′fer) [< O. Fr. *chanfrein*(*t*), beveled edge]. シャンファー（歯の支台歯形成における辺縁形態の一型で，支台歯の軸側壁より窩縁に向けて曲線を描く）.

cham·o·mile (kam′ō-mīl) [G. *chamaimēlon*, chamomile < *chamai*, on the ground + *mēlon*, apple]. カモミレ（キク科 *Anthemis nobilis* の花頭. 健胃薬）. ＝camomile.

Cham·py (sham′pē), Christian. 20 世紀のフランス人医師. ⇀C. *fixative*.

Cham·py (chahm-pē′), M.F. 現代のフランス人口腔外科医. ⇀Champy *miniplate*.

Chan·a·rin (chan′ă-rin), I. 20 世紀の英国人血液学者. ⇀Dorfman-C. *syndrome*.

Chance (chants), G.Q. 20 世紀の英国人放射線専門医. ⇀C. *fracture*.

chan·cre (shan′ker) [Fr.：L. *cancer* から間接的に派生]. 下疳（梅毒の初期感染巣. 感染部位の皮膚または粘膜に 10—30 日の間欠期の後に，暗赤色の硬い無感覚の丘疹，浸潤部として始まる. 中心部は通常，腐食するかつぶれて潰瘍になるが，4—6週間で徐々に治癒する. 暗視野顕微鏡で梅毒トレポネーマ *Treponema pallidum* を検出すれば診断が確定するが，口腔内潰瘍では小歯牙トレポネーマ *T. microdentium* が常在するので，そのかぎりではない）. ＝hard c.; hard sore; hard ulcer; hunterian chancre; syphilitic ulcer (1).

hard c. 硬性下疳. ＝chancre.

hunterian c. [John Hunter. スコットランド人外科医，1728—1793]. ハンター下疳. ＝chancre.

mixed c. 混合下疳（梅毒と軟性下疳を同時接種した部位に生じるびらん）.

monorecidive c. 単発再発下疳（下疳が治癒した後に同じ個所に再発する下疳）.

c. redux 回帰下疳（梅毒患者に発生する二次下疳で，特に異性スピロヘータは存在しないと思われるアレルギー反応).

soft c. 軟性下疳. =chancroid.

sporotrichositic c. スポロトリクス症性下疳（スポロトリクス症の皮膚感染部位における初期病変).

tularemic c. 野兎病菌性下疳（通常は野兎病における指(母指)，手の初感染巣).

chan·cri·form (shang′kri-fōrm). 下疳様の.

chan·croid (shang′kroyd) [chancre＋G. *eidos*, resemblance]. 軟性下疳（軟性下疳菌 *Haemophilus ducreyi* の感染部位に生じる感染性，有痛性，粗ぞうな性病性潰瘍. 3—7日の潜伏期の後に始まる. 通常，男性に多くみられる). = soft chancre; soft sore; soft ulcer; venereal sore; venereal ulcer.

chan·croi·dal (shang-kroy′dăl). 軟性下疳の.

chan·crous (shang′krŭs). 下疳の.

Chan·dler (chand′lĕr), Paul A. 米国人眼科医，1896—1987. →C. *syndrome*.

change (chānj). 変化（病理学において，原因や意義が明確でない構造変化). =shift.

Armanni-Ebstein c. (ahr-mah′nē eb′stīn). アルマニ－エブスタイン変化. = Armanni-Ebstein *kidney*.

Baggenstoss c. (bag′en-stos). バッゲンストス変化（脱水症にみられる，蛋白様分泌による膵腺房の膨満).

Crooke hyaline c. (kruk). クルックヒアリン変化（下垂体前葉の好塩基細胞の細胞質顆粒の均質ヒアリン物質による置換. Cushing 症候群に特徴的な所見であるが，通常は好塩基性細胞腺腫の細胞中にはない). =Crooke hyaline degeneration.

fatty c. 脂肪変化. =fatty *metamorphosis*.

Keith-Wagener retinal c.'s (KW) (kēth wag′ĕ-ner). キース－ワゲナー網膜変化（高血圧の増加に関連する様々な眼科的変化. 視力低下，頭痛，および眼の圧迫感症状が報告されている).

c. of life *1* menopause(閉経)を表す口語. *2* climacteric(更年期)を表す口語.

reactive c.'s 反応性(炎症性)変化（頸部・腟細胞診のベセスダ分類で用いられる用語. 良性で(修復過程を含む)炎症像. 炎症，放射療法，避妊リング(IUD)あるいはその他の原因による萎縮性変化を含む. →Bethesda *system*; AGUS; LSIL; HSIL).

trophic c.'s 栄養変化（神経支配が途切れることにより生じる変化. →neurotrophic *atrophy*).

Chan·geux (shahn-zhew′), Jean-Pierre. 20世紀のフランス人生化学者. →Monod-Wyman-Changeux *model*.

chan·nel (chan′ĕl) [L. *canalis*]. 通路，チャネル（溝. 溝のような通路. →canal).

ion c. イオンチャネル（細胞形質膜の脂質二重層を貫通する水性の〝孔〟をもつ特異的巨大蛋白分子であり，Na^+，K^+，Cl^-，Ca^{2+} のような小さい無機イオンの流入，流出を制御することにより，膜間の電位を保持あるいは調節する. 神経細胞では活動電位の発生にとって重要な働きをし，また筋肉細胞においては，細胞外信号の変換を調整する. 一般に，イオンチャネルはそのイオン選択性，これらのイオンの特異的な調節，関門の開閉，さらに毒素に対する特異的選択性によって特色付けられる).

ligand-gated c. リガンド型チャネル（そのイオン透過性が特異的な細胞外化学信号に反応して細胞膜受容体によって，調整されるイオンチャネルの一種).

transnexus c. 心筋細胞間の小イオンの輸送を行う六角形の 15—20 Å の親水性チャネル.

voltage-gated c. 電位型チャネル（細胞の原形質膜を横切る電位の変化に反応して，開閉するイオンチャネルの種類. 電位型 Na^+ チャネルは神経細胞作用の活動電位の伝導に重要である).

chan·nel·op·a·thies (chan′el-op′ath-ēz) [channel＋G. *pathos*, disease]. =ion channel *disorders*.

Chante·messe (shawn-tĕ-mes′), André. フランス人細菌学者，1851—1919. →C. *reaction*.

cha·os (kā-os) [G. primeval formless void]. カオス（①体系的な予測が不可能であるような，全体として秩序を失った状態. ②因果関係のコントロールがきかない状態).

mathematical c. 数学におけるカオス（(実際には決して 100 パーセント正確に把握することはできない)初期状態に対してきわめて敏感なため，ある規則に基づいているにもかかわらず，ランダムであることと見分けがつかないような動的なプロセス).

cha·o·tro·pic (kā′ō-trōp′ik). カオトロピズムの.

cha·o·tro·pism (kā′ō-trōp′izm) [G. *chaos*, disorder, confusion＋*tropē*, a turning]. カオトロピズム（水の構造の秩序を破壊する物質(通常は SCN^-，ClO_4^-，グラニジニウムといったイオン)の性質で，それによって極性溶媒(例えば水)での非極性物質の溶解度を高めたり，蛋白の構造を明らかにしたり，あるいはその他の方法で強固に結合している物質のクロマトグラフ溶媒からの溶出または通過を促進させたりする).

C

CHAP (chăp). cyclophosphamide, hexamethylmelamine, doxorubicin(Adriamycin)および cisplatin の頭字語. 化学療法のレジメン.

chap·e·rone (shap-ĕ-rōn) [Eng. escort, protector ＜ Fr. *chaperon*, hood ＜ *chape*, cape ＜ L.L. *cappa* ＜ L. *caput*, head]. シャペロン（①他の蛋白や蛋白複合体の適正な折りたたみや構築を行う蛋白. ②医師と異なる性の患者を診察するときに，医師に付き添う人).

chaperonin (shap-ĕr-ō′nin) [chaperon＋-in]. シャペロニン（複数の熱ショック蛋白からなる分子複合体で，二重リング構造を形成している. シャペロニンは細胞質内で損傷蛋白をリフォールディングする機能をもつ. →heat shock *proteins*).

chap·pa (chap′pă) [W.Af.]. チャッパ（皮下結節(卵形で長さ約 1 cm)がつぶれて脂肪様物質が排出し，潰瘍を形成する原因不明の疾患. 発疹の前に筋肉と関節の激痛がある).

chapped (chapt) [M.E. *chap*, to chop, split]. あかぎれの，ひび割れた（寒冷作用により，または皮膚表面からの水分の過剰な蒸発により乾燥し，鱗屑と皸裂を伴うようになった皮膚，とりわけ，手についていう. →hand *eczema*).

char·ac·ter (kar′ak-ter) [G. *Charakter*, stamp, mark ＜ *charassō*, to engrave]. 形質，性格，特徴，特性，性質（形式的，論理的分析に用いられうる個人の特色群や他の個人集団の一般化の基礎として用いられることがある). =characteristic (1).

acquired c. 獲得形質（個体の生存中に環境の影響を受けて，植物や動物が身につける形質).

classifiable c. 分類特性，分類尺度（対象の１つ１つを異なった区分に分類することはできるものの，量的な議論はできない特性. 例えば血液型).

compound c. 複合形質（２つ以上の異なる遺伝子による遺伝形質).

denumerable c. 計数特性，計数尺度（計数可能かつそれに基づく対象の分類が可能な特性. 例えば子孫の数や歯の数). =discrete c.

discrete c. 離散特性. =denumerable c.

dominant c. 優性形質（１種類の対立遺伝子によって決定される遺伝形質. →phenotype).

inherited c. 遺伝形質（メンデルの法則によって世代から世代へと一遺伝子座で伝えられる動植物の独立した属性. →gene). =unit c.

mendelian c. メンデル形質（(恐らく他の座にある遺伝子によって修飾を受けるが)単一座のコントロール下にある遺伝形質).

primary sex c. 一次性徴（性腺，精巣，卵巣，副性器). =primary sex characteristic.

recessive c. 劣性形質（同型接合状態の対立遺伝子のみによって決定される遺伝形質. →*dominance* of traits).

secondary sex c. 二次性徴（男性または女性に特有の形質. 例えば，思春期に発達する男性のひげ，女性の乳房など). =secondary sex characteristic.

sex-linked c. 伴性形質（性染色体上の遺伝子によって決定される遺伝形質. →gene).

unit c. 単位形質. =inherited c.

char·ac·ter ar·mor (kar′ak-ter ar′mor). 性格の鎧（不安に対して構成された防衛の習慣的な型).

char·ac·ter·is·tic (kar′ak-ter-is′tik). *1* 〘n.〙=character. *2* 〘adj.〙固有の，特徴的な（ある疾患に典型的で，区別しう

る).

primary sex c. 第一次性徵. ＝primary sex *character*.

receiver operating c. (**ROC**) 受信者動作特性 (診断の感度を偽陽性割合(1－特異度)の関数としてプロットしたもの. ROC 曲線はあるテストの診断能力の本質的な性質を示しており, 複数の方法の特長を相対的に比較するのに用いられる).

secondary sex c. 第二次性徵. ＝secondary sex *character*.

char·ac·ter·i·za·tion (kar′ak-ter-i-zā′shŭn). 特性指摘, 特性付け (特色のある素質を識別, 描写または指摘すること).

denture c. 義歯の特性付け (義歯床や人工歯の型や色を変えて, より自然な外観にすること).

cha·ras (char′as). チャラス (インドアサ *Cannabis sativa* から精選した変種の成熟葉から採れる樹脂. 煙草として用いる).

char·bon (shar-bōn[h]′) [Fr. coal]. 炭疽. ＝anthrax.

char·coal (char′kōl). 炭, 木炭 (空気を制限しながら木を燃やして得られる物質). ＝carbo.

activated c. 活性炭 (種々の有機物を乾留して吸着力を増加させた残渣. 下痢の治療に, あるいは種々の中毒の解毒薬として, あるいは工業や研究での精製工程で用いる). ＝medicinal c.

animal c. 獣炭, 骨炭 (動物組織(特に骨)を不完全燃焼させてつくる). ＝animal black; bone black; bone c.

bone c. 骨炭, 獣炭. ＝animal c.

medicinal c. ＝activated c.

vegetable c. 木炭 (植物組織(特にヤナギ, ブナ, カバノキ, カシ)を焼けこがしてつくる炭). ＝wood c.

wood c. ＝vegetable c.

Char·cot (shahr′ko), Jean M. フランス人神経科医, 1825—1893. ⇀C. *arteries*, *disease*, intermittent *fever*, *gait*, *joint*, *syndrome*, *triad*, *vertigo*; C.-Leyden *crystals*; C.-Neumann *crystals*; C.-Robin *crystals*; C.-Böttcher *crystalloids*; C.-Marie-Tooth *disease*; C.-Weiss-Baker *syndrome*; Erb-C. disease.

Char·gaff (shar-gahf′), Erwin. オーストリア系米国人生化学者, 1905—2002. ⇀C. *rule*.

charge trans·fer (charj trans′fer). 電荷 (⇀charge transfer *complex*).

char·la·tan (shar′lă-tan) [Fr. < It. *ciarlare*, to prattle]. いんちき医者 (無益な方法, 神秘的な治療薬, 価値のない診断機械や治療機械によって病気を治すと主張するいかさま医師). ＝quack.

char·la·tan·ism (shar′lă-tan-izm). いんちき医術 (医学知識に対する詐欺的主張. 医学知識または医療の権限をもたずに病人を治療すること). ＝quackery.

Charles (shahrl), Jacques. フランス人物理学者, 1746—1823. ⇀C. *law*.

char·ley horse (char′lē hōrs) [slang]. 筋肉硬直 (筋肉の挫傷後に発生する限局痛あるいは筋肉硬直).

Charl·ton (kahrl′ton), Willy. 20世紀のドイツ人医師. ⇀Schultz-C. *phenomenon*, *reaction*.

Charn·ley (charn′lē), Sir John. イングランド人整形外科医, 1911—1988. ⇀C. hip *arthroplasty*.

Char·ri·ère (shahr-ē-ār′), Joseph F.B. フランス人医療器具製作者, 1803—1876. ⇀C. *scale*.

chart (chart) [L. *charta*, sheet of papyrus]. ***1*** 病歴, カルテ (患者の症例に関する様々な臨床上のデータの記録). ***2*** 図表. ＝curve (2). ***3*** 視力検査表 (眼科において, 遠方・近方視力を測定するための, 各種の大きさの視標が書かれている表. ⇀Snellen *test types*).

Amsler c. (ahm′slĕr). アムスラー図表 (中心視野における欠損を, その上に投影して示すことのできる 5 mm の方眼に分割された 10 cm 四方の表). ＝Amsler grid.

isometric c. 平面に三次元を描いた図やグラフ.

Levey-Jennings c. (lev′ē jen′ings). リーヴェイ－ジェニングス図表. ＝quality control c.

Pickles c. (pik′ĕlz). ピックルズ(ピックレス)図 (感染症の新たな症例を日々図上に表記することで, 小さくて比較的隔離された集団における流行の進展を示す).

quality control c. 〔精度〕管理図 (検査室で検査を実施するうえで, 許容される誤差の範囲を描いた図表. その範囲はコントロール血清の値の平均から一定の偏差内で, 通常 ±2SD 以内である. ⇀quality *control*). ＝Levey-Jennings c.

Tanner growth c. (tan′ĕr). タナーの成長判定図表 (性, 年齢, 成熟段階別に小児の身長, 成長曲線, 皮下脂肪厚など身体発達の基準分布を示す判定図表).

Walker c. (wah′kĕr). ウォーカー図表 (胎児と胎盤との相対寸法を図に表したもの).

Char·ters (char′tĕrz), W.J. [誤った形 Charter および Charter's を避けること]. 米国人歯科医. ⇀C. *method*.

chart·ing (chart′ing). 病歴記録 (臨床記録. 患者の状態の経過を表やグラフ形式で記録すること). ＝clinical recording.

Chas·sai·gnac (shahs-in-yahk′), Edouard P.M. フランス人外科医, 1804—1879. ⇀C. *space*, *tubercle*.

Chau·dhry (chaw′dre), Anand P. 20世紀の米国人医師. ⇀Gorlin-C.-Moss *syndrome*.

Chauf·fard (shō-fahr′), Anatole M.E. フランス人医師, 1855—1932. ⇀C. *syndrome*; Still-C. *syndrome*.

chaul·moo·gra oil (chawl-mū′gră oyl). カウルムグラ油, 大風子油 (*Taraktogenos kurzii* およびイイギリ科 *Hydnocarpus wightiana* の種子を圧搾して得られる不揮発油. 以前は, らい病の治療に用いられた). ＝gynocardia oil; hydnocarpus oil.

Chaus·si·er (shō-sē-ā′), François. フランス人医師, 1746—1828. ⇀C. *line*, *sign*.

Chayes (shāyz), Herman E.S. [誤った形 Chaye および Chaye's を避けること]. 米国人補てつ専門歯科医, 1880—1933. ⇀C. *method*.

Ch.B. 英国において, *Chirurgiae Baccalaureus*(外科学学士)の略.

Ch.D., Chir Doct 英国において, *Chirurgiae Doctor*(外科学博士)の略.

Chea·dle (chē′dĕl), Walter B. イングランド人小児科医, 1835—1910. ⇀C. *disease*.

Chea·tle (chē′tĕl), Sir George L. 英国人外科医, 1865—1951. ⇀C. *slit*.

Δ check (chek). デルタチェック. ＝*delta* check.

check·bite (chek′bīt). 調節咬合, 加減咬合, チェックバイト, 咬合紙. ＝interocclusal *record*.

check·er·ber·ry oil (chek′er-bār′ē oyl). ＝methyl salicylate.

Ché·di·ak (che′dē-ak), Moisés. 20 世紀のキューバ人医師. ⇀C.-Higashi *disease*; C.-Steinbrinck-Higashi *anomaly*, *syndrome*.

cheek (chēk) [A.S. *ceáce*]. 頰, ほほ (顔の側面で口腔の側壁を形成する部分). ＝bucca; gena; mala (1).

cheil- (kīl) ⇀cheilo-.

chei·lal·gi·a, chi·lal·gia (kī-lal′jē-ă) [cheil- + G. *algos*, pain]. 〔口〕唇痛.

chei·lec·to·my, chi·lec·to·my (kī-lek′tō-mē) [cheil- + G. *ektomē*, excision]. ***1*** 唇切除〔術〕(口唇部の部分切除). ***2*** 関節唇切除〔術〕(関節運動を妨げる関節の骨軟骨縁の骨性不整を切削すること).

cheil·ec·tro·pi·on, chil·ec·tro·pi·on (kī-lek-trō′pē-on) [cheil- + G. *ektropos*, a turning out]. 口唇外反.

chei·li·on (kī′lē-on) [G. *cheilos*, lips]. ケイリオン (頭部生体計測上の点. 両側の口角をさす).

chei·li·tis, chi·li·tis (kī-lī′tis) [cheil- + G. *-itis*, inflammation]. 口唇炎 (⇀cheilosis).

actinic c. 光線口唇炎. ＝solar c.

angular c. 口角炎 (口角部に広がる炎症, 亀裂. 義歯装置者で歯が欠損している場合や栄養障害, アトピー性皮膚炎などの基礎疾患がある場合の他, カンジダの感染が関係する). ＝angular stomatitis; commissural c.; perlèche.

commissural c. 交連部口唇炎. ＝angular c.

contact c. 接触〔性〕口唇炎 (口紅の成分に含有されている一次刺激物質や特定のアレルゲンとの接触によって生じる口唇の炎症). ＝c. venenata.

c. exfoliativa 剝脱性口唇炎 (一種の剝脱性皮膚炎. アトピー性皮膚炎または接触過敏症と関係する).

c. glandularis [MIM*118330]. 腺性口唇炎 (下口唇の腫脹, 潰瘍, 痂皮, 粘液腺の増生, 膿瘍および瘻孔を特徴とする．後天性で，原因不明の疾患)．＝Baelz disease; myxadenitis labialis; Volkmann c.

c. granulomatosa 肉芽腫性口唇炎（慢性，びまん性の口唇の軟らかい腫脹．原因不明で組織学的には非乾酪性肉芽腫性の炎症を特徴とする．→Melkersson-Rosenthal *syndrome*)．＝Meischer syndrome.

impetiginous c. 膿痂疹性口唇炎（口唇の膿皮症で，黄色ブドウ球菌 *Staphylococcus aureus* や連鎖球菌の感染によって黄色の痂皮が付着する)．

solar c. 日光口唇炎（色白の中高年の下口唇の粘膜皮膚境界縁にみられる粘膜の乾燥，萎縮，痂皮，亀裂で，長期間の日光照射による．組織学的には日光角化症と同様の異型性(前癌性)変化が認められる)．＝actinic c.

c. venenata 毒物性口唇炎．＝contact c.

Volkmann c. (folk′mahn)．フォルクマン口唇炎．＝c. glandularis.

cheilo-, cheil- (kī′lō, kīl) [G. *cheilos*, lip]．唇との関係を示す連結形．→chilo-; labio-.

chei·lo·gnath·o·glos·sos·chi·sis (kī′lōg-nath′ō-glos-os′-ki-sis) [cheilo- ＋ G. *gnathos*, jaw ＋ *glōssa*, tongue ＋ *schisis*, cleft]．口唇顎舌裂（[二重字 gn において，g は語頭にあるときのみ無音である]．下顎と下口唇の裂溝と，二裂舌が合併した状態)．

chei·lo·gnath·o·pal·a·tos·chi·sis (kī′lōg-nath′ō-pal′ă-tos′ki-sis)．〔口〕唇〔上〕顎口蓋〔披〕裂（[二重字 gn において，g は語頭にあるときのみ無音である])．＝cheilognathouranoschisis.

chei·lo·gnath·o·u·ra·nos·chi·sis (kī′lōg-nath′ō-yū-ră-nos′ki-sis) [cheilo- ＋ G. *gnathos*, jaw ＋ *ouranos*, sky (roof of mouth) ＋ *schisis*, cleft]．口唇顎口蓋裂（[二重字 gn において，g は語頭にあるときのみ無音である]．口唇，上顎，口蓋の披裂)．＝cheilognathopalatoschisis.

chei·lo·pha·gi·a, chi·lo·pha·gia (kī′lō-fā′jē-ă) [cheilo- ＋ G. *phagō*, to eat]．咬唇（唇をかむこと)．

chei·lo·plas·ty (kī′lō-plas′tē) [cheilo- ＋ G. *plastos*, formed]．口唇形成術（片側，両側あるいは正中の口唇披裂の形成再建術)．

chei·lor·rha·phy (kī-lōr′ă-fē) [cheilo- ＋ G. *rhaphē*, suture]．口唇縫合術（片側，両側あるいは正中の口唇披裂の形成再建術)．

chei·lo·sis, chi·lo·sis (kī-lō′sis) [cheil- ＋ G. *-osis*, condition]．口角症，口唇症（乾燥落屑と唇の裂溝を特徴とする状態．一部の臨床医はリボフラビン欠乏およびその他の栄養要求のためと考えている．→cheilitis)．

chei·lot·o·my (kī-lot′ō-mē) [cheilo- ＋ G. *tomē*, incision]．〔口〕唇切開〔術〕．

cheir- (kīr)．→cheiro-.

cheir·al·gi·a (kīr-al′jē-ă, -jya)．手痛（手の痛みや異常感覚を表す現在では用いられない語)．

c. paresthetica 感覚異常性手痛（橈骨神経の表在枝の圧迫性ニューロパシーで，その領域に痛みと異常感覚がみられる)．

chei·rar·thri·tis (kī′rar-thrī′tis) [cheir- ＋ arthritis]．手関節の炎症を表す現在では用いられない語．＝chirarthritis.

cheiro-, cheir- (kī′rō, kīr) [G. *cheir*, a hand]．手を意味する連結形．→chiro-.

chei·rog·nos·tic (kī′rog-nos′tik) [cheiro- ＋ G. *gnostikos*, perceptive]．手認知可能の，左右弁別の（手の左右の違い，あるいは身体のいずれの側が触られているかを弁別できる)．＝chirognostic.

chei·ro·kin·es·the·si·a (kī′rō-kin′es-thē′zē-ă) [cheiro- ＋ G. *kinēsis*, movement ＋ *aisthēsis*, sensation]．手運動〔感〕覚（手の運動の主観的知覚)．＝chirokinesthesia.

chei·ro·kin·es·thet·ic (kī′rō-kin′es-thet′ik)．手運動〔感〕覚の．

chei·rol·o·gy, chi·rol·o·gy (kī-rol′ō-jē) [cheiro- ＋ G. *logos*, word]．＝dactylology.

chei·ro·meg·a·ly, chi·ro·meg·a·ly (kī′rō-meg′ă-lē) [cheiro- ＋ G. *megas*, large]．巨手〔症〕，巨指〔症〕．＝macrocheiria.

chei·ro·po·dal·gi·a (kī′rō-pō-dal′jē-ă) [cheiro- ＋ G. *pous*, foot ＋ *algos*, pain]．手足痛を表すまれに用いる語．＝chiropodalgia.

chei·ro·pom·pho·lyx (kī′rō-pom′fō-liks) [cheiro- ＋ G. *pompholyx*, a bubble ＜ *pomphos*, a blister]．手汗疱．＝dyshidrosis.

chei·ro·spasm (kī′rō-spazm) [cheiro- ＋ G. *spasmos*, spasm]．手痙攣（書痙のような手の筋肉の痙攣を表すまれに用いる語)．＝chirospasm.

che·late (kē′lāt)．***1***〚v.〛キレート化する．***2***〚adj.〛キレート化の．***3***〚n.〛キレート（キレート化を通じて生成される複合体)．

che·la·tion (kē-lā′shŭn) [G. *chēlē*, claw]．キレート化（金属イオンと単一分子の 2 個以上の極性群を含む複合体．ヘムにおいては，Fe^{2+} イオンはポルフィリン環によってキレート化される．EDTA (抗凝血薬として働く)による血液の Ca^{2+} のキレート化におけるように，キレート化はイオンが生体反応に関与するのを除去するために利用される)．

C

che·lic·er·a, pl. **che·lic·er·ae** (ke-lis′ĭ-ră, -ĭ-rē) [G. *chēlē*, claw ＋ *keras*, horn]．鋏角（クモ類の 2 対の頭部付属肢のうちの 1 対．マダニや寄生性のダニでは，鋏角は突き刺したり切り傷をつくる構造をもち，重要な摂食器官となっている)．

chel·i·don (kel′ĕ-don) [G. *chelidōn*, a swallow(ツバメの尾の形に想像上似ているため)]．肘窩．＝cubital *fossa.*

che·loid (kē′loyd)．＝keloid.

chem- (kem)．→chemo-.

chem·ex·fo·li·a·tion (kem′eks-fō′lē-ā′shŭn)．化学的表皮剝離〔法〕（痤瘡の瘢痕を除去したり，日焼けによる慢性的な皮膚の変化を治療する薬剤を用いて行う外科的治療法)．＝chemical peeling.

chem·i·a·try (kem′ē-ă-trē)．医化学（iatrochemistry を表す現在では用いられない語)．

chem·i·cal (kem′i-kăl)．化学の．

chem·i·co·cau·ter·y (kem′i-kō-kaw′ter-ē)．＝chemocautery.

chem·i·lu·mi·nes·cence (kem′ē-lū′min-es′ens)．化学発光（化学反応によって発生する光．普通，室温または室温以下の条件で反応する)．＝chemoluminescence.

chem·i·o·tax·is (kem′ē-ō-taks′is)．＝chemotaxis.

che·mise (shem-ēz′) [Fr. shirt]．シュミーズ（真ん中にカテーテルを通して固定する四角い布．会陰切開のような創の中にカテーテルを挿入してその周りに詰め込んだタンポンを押さえておくのに用いる)．

chem·ist (kem′ist)．***1*** 化学者（化学の専門家)．***2*** 薬剤師（英国およびカナダでいう)．

chem·is·try (kem′is-trē) [G. *chēmeia*, alchemy]．***1*** 化学（物質の原子組成，元素と元素の相互反応，分子の生成と分解，性質に関する科学)．***2*** 化学的性質（物質の化学的性質)．***3*** 化学的作用．

analytic c. 分析化学（組成の決定や検出，さらに特定物質の同定に化学を応用すること)．

applied c. 応用化学（化学理論，原理を実際的な目的に応用すること)．

biologic c. 生〔物〕化学．＝biochemistry.

clinical c. 臨床化学（①ヒトの健康や病気の化学．②病院の検査室のように，患者の管理に関する化学)．

combinational c. いくつかの基本分子が，様々な方法で結合して異なる多くの物質が生成する，しばしば創薬とバイオメディカル研究を担う化学部門．

combinatorial c. いくつかの基本分子が様々な方法で結合して異なる多くの物質が生成する，しばしば創薬研究を担う化学部門．

ecologic c. 生態化学（①環境に無害の物質の開発および，環境に与える人工化学物質の影響について研究する化学の一分野．②生物種間や生物種－環境間の分子相互作用を研究する分野)．

epithermal c. エピサーマル化学（いわゆる〝ホットアトム〟化学．低エネルギー核反応で生成される反跳原子と遊離基の化学反応に関する科学)．

inorganic c. 無機化学（炭素含有分子をもたない化合物に関する科学)．

macromolecular c. 高分子化学（自然の高分子物質(蛋白や核酸など)およびポリマー(ナイロンやポリエチレンなど)の化学)．

medicinal c. 医薬品化学．＝pharmaceutical c.

nuclear c. 核化学（核反応，核過程の化学に関する科学）.

organic c. 有機化学（共有結合原子，特にこの型の炭素化合物を中心として取り扱う化学の分科．元来，そして現在も天然物化学を包含する）.

pharmaceutical c. 薬化学，製薬化学（薬の分析，開発，合成と製造に応用する医薬品化学）. ＝medicinal c.; pharmacochemistry.

physiologic c. 生〔理〕化学. ＝biochemistry.

radiopharmaceutical c. 放射性薬剤化学（放射性核種をもつ薬剤の標識化に関する科学）.

synthetic c. 合成化学（単純な化合物を結合させて複雑な化合物をつくりだすこと）.

chemo-, chem- ［G. *chēmeia*, alchemy］. ［本連結形を cheno- または kino- と混同しないこと］. 化学に関する連結形.

che·mo·at·tract·ants (ke′mō-a-trak′tints)［chem- ＋ attract ＋ -i］. 化学誘引物質（細胞の動員や遊走に影響を及ぼす化学物質）.

che·mo·au·to·troph (kē′mō-aw′tō-trōf)［chemo- ＋ G. *autos*, self ＋ *trophikos*, nourishing］. 化学的独立栄養体，化学的自己栄養体，無機栄養微生物（エネルギーは化学物質に，炭素源は主として二酸化炭素に依存している細菌）. ＝chemolithotroph.

che·mo·au·to·tro·phic (kē′mō-aw-tō-trof′ik). 化学的独立栄養の，化学的自己栄養の，無機栄養性の. ＝chemolithotrophic.

che·mo·bi·o·dy·nam·ics (kē′mō-bī′ō-dī-nam′iks)［chemo- ＋ G. *bios*, life ＋ *dynamis*, power］. 化学的生物機能学（種々の物質の化学的組成と，それらの物質が生物系の機能と形態を変更しうる能力との間の，相関関係の解明を追求する学問）.

che·mo·cau·ter·y (kē′mō-kaw′ter-ē). 化学的腐食薬，化学的焼灼薬（適用すると組織を破壊する物質）. ＝chemical cautery; chemicocautery.

che·mo·cep·tor (kē′mō-sep-tŏr). ＝chemoreceptor.

che·mo·dec·to·ma (kē′mō-dek-tō′mă)［chemo- ＋ G. *dektēs*, receiver < *dechomai*, to receive ＋ *-oma*, tumor］. 非クロム親和性傍神経節腫（比較的まれな，通常は良性の腫瘍で，頸動脈球，頸静脈糸球，大動脈体の化学受容体組織より発生する．組織学的には，少量から中程度量の線維性間質内で，肺胞様の形で群をつくる傾向がある円形または卵形の多染色体細胞と，いくつかの大型の薄壁の血管路から構成されている．*cf.* paraganglioma）. ＝aortic body tumor; carotid body tumor; nonchromaffin paraganglioma.

che·mo·dec·to·ma·to·sis (kē′mō-dek′tō-mă-to′sis). 非クロム親和性傍神経節腫症（頸動脈体または血管周囲組織の化学受容体型と推定される多発性腫瘍．肺の小腫瘍として報告されている）.

che·mo·dif·fer·en·ti·a·tion (kē′mō-dif′er-en-shē-ā′-shŭn). 化学分化（細胞分化に先立つ胚内の細胞の化学的成分の分化．組織化学的に認められる）. ＝invisible differentiation.

chemoembolization (kē′mō-em′bō-li-zā′shŭn). 化学塞栓療法（化学療法剤ないしは塞栓物質を腫瘍血管内に注入すること）.

chemogenomics (kē-mō′je-nom′iks). ケモゲノミクス. ＝chemical *genomics*.

che·mo·het·er·o·troph (kē′mō-het′er-ō-trōf)［chem- ＋ G. *heteros*, other ＋ *trophē*, nourishment］. ＝chemoorganotroph.

che·mo·het·er·o·troph·ic (kē′mō-het′er-ō-trof′ik). ＝chemoorganotrophic.

che·mo·im·mu·nol·o·gy (ke′mō-im-yū-nol′ō-jē). immunochemistry を表す現在では用いられない語.

che·mo·kines (CC) (kē′mō-kinz)［chemo- ＋ G. *kineō*, to set in motion］. ケモカイン（普通 8—10kD ポリペプチドケモカインからなる数種の群．ケモキネシスや化学走性があり，白血球運動や誘引を刺激する）. ＝intercrines.

che·mo·ki·ne·sis (kē′mō-ki-nē′sis)［chemo- ＋ G. *kinēsis*, movement］. ケモキネシス（化学物質によって生体が刺激を受けること）.

che·mo·ki·net·ic (kē′mō-ki-net′ik). ケモキネシスの.

che·mo·lith·o·troph (kē′mō-lith′ō-trōf). ＝chemoautotroph.

che·mo·lith·o·tro·phic (kē′mō-lith′ō-trof′ik). ＝chemoautotrophic.

che·mo·lith·o·tro·phy (kē′mō-lith′ō-trōf-ē)［chemo- ＋ G. *lithos*, stone, mineral ＋ *trophe*, nourishment］. 化学合成無機栄養（無機化合物またはイオンを用いて還元当量やエネルギーを得ること）.

che·mo·lu·mi·nes·cence (kē′mō-lū′min-es′ents). 化学発光. ＝chemiluminescence.

chem·ol·y·sis (kē′mol′i-sis)［chemo- ＋ G. *lysis*, dissolution］. 化学分解.

che·mo·nu·cle·ol·y·sis (kē′mō-nū′klē-ol′i-sis). 化学的髄核融解〔術〕（椎間板髄核キモパパインを注射する，まれに用いられる技法．椎間板ヘルニアの治療法の一方法）.

che·mo·or·ga·no·troph (kē′mō-ōr′gă-nō-trōf′)［chemo- ＋ G. *organon*, organ ＋ *trophē*, nourishment］. 有機栄養体（エネルギーと炭素を有機物質に依存する細菌）. ＝ chemoheterotroph.

che·mo·or·ga·no·tro·phic (kē′mō-ōr′gă-nō-trof′ik). 有機栄養体の. ＝chemoheterotrophic.

che·mo·pal·li·dec·to·my (kē′mō-pal′i-dek′tō-mē)［chemo- ＋ globus pallidus ＋ G. *ektomē*, excision］. 化学的淡蒼球切除〔術〕（化学物質の注射により淡蒼球を破壊すること）. ＝chemopallidotomy.

che·mo·pal·li·do·thal·a·mec·to·my (kē′mō-pal′i-dō-thal′ă-mek′tō-mē)［chemo- ＋ globus pallidus ＋ thalamus ＋ G. *ektomē*, excision］. 化学的淡蒼球視床切除〔術〕（化学物質の注射により，淡蒼球と視床の一部を破壊すること）.

che·mo·pal·li·dot·o·my (kē′mō-pal′i-dot′ō-mē)［chemo- ＋ globus pallidus ＋ G. *tomē*, incision］. 化学的淡蒼球切断〔術〕. ＝chemopallidectomy.

chem·o·pre·ven·tion (kē′mō-prē-ven′shŭn). 化学〔的〕予防〔法〕，予防的化学療法（細胞の悪性化の進展，進行を阻害する薬剤や物質を使用すること）.

che·mo·pro·phy·lax·is (kē′mō-pro′fi-lak′sis). 化学〔的〕予防〔法〕（化学薬品または薬を用いた疾患の予防. →chemoprevention）.

primary c. 予防的薬剤投与（疾患が発症する以前に予防目的で薬剤を投与すること）.

secondary c. 疾患が明らかになる前に感染した後の治療薬を予防的に使用する.

che·mo·re·cep·tion (kē′mō-rē-sep′shun). 化学受容（環境中の臭気物質や味覚物質などの化学物質を感知する能力）. ＝chemosensation.

che·mo·re·cep·tive (kē′mō-rē-sep′tiv). 化学受容の（化学受容に関する）.

che·mo·re·cep·tor (kē′mō-rē-sep′tŏr). 化学受容器，化学受容体（化学的環境内の変化によって活性化されるとき神経インパルスを生じさせる細胞．このような細胞は，ⓘ感覚神経線維に支配される変換器細胞(例えば，味蕾の味覚受容体細胞．血液中の酸素と炭酸ガス含量の変化に敏感な頸動脈球の細胞)，またはⓘⓘ嗅覚粘膜の嗅覚受容体細胞，血液や脳脊髄液の成分の変化に敏感な脳幹の特定の細胞のような固有神経細胞である）. ＝chemoceptor.

medullary c. 延髄化学受容器(受容体)（延髄の腹側外側面の中またはその近くにある化学受容器で，局所酸性度に刺激される）.

peripheral c. 末梢化学受容器(受容体)（頸動脈球や大動脈体にある化学受容器．低酸素症などの血液成分の化学的変化により刺激される）.

che·mo·re·flex (kē′mō-rē′fleks). 化学反射（化学受容器，例えば頸動脈球化学受容器の刺激によって生じる反射）.

che·mo·re·sis·tance (kē′mō-rē-zis′tans). 化学療法抵抗性（治療に用いるある種の化学物質の抑制作用に対する細菌または悪性細胞の抵抗）.

che·mo·re·sponse (kē′mō-rē-spontz′). 化学反応（化学刺激に対する反応）.

che·mo·sen·sa·tion (kē′mō-sen-sā′shun). ＝chemoreception.

che·mo·sen·si·tive (kē′mō-sen′si-tiv). 化学的感受性の（環境の化学的組成の変化，例えば，血液中の酸素と炭酸ガス含有量の変化を感知する能力についていう）.

chemosensitize (kē-mō-sen′si-tīz). 化学感作する（治療薬が

無効になったり，再び効果的になったりするように，標的細胞や微生物に対する感受性が変化すること．抗癌剤と抗寄生虫薬でみられる).

che·mo·se·ro·ther·a·py (kē′mō-sē′rō-thār′ă-pē). 化学血清療法（薬と血清の併用で疾病を治療する，現在では用いられない療法).

che·mo·sis (kē-mō′sis) [G. *chēmē*, a yawning, the cockle（口の開いた貝殻から)]. 結膜水腫(浮腫)（眼球結膜の水腫・浮腫で，角膜周囲に生じる腫脹).

chem·os·mo·sis (kē′mos-mō′sis) [chem- + G. *ōsmos*, a thrusting, an impulsion]. 化学的浸透圧作用，化学的浸透圧現象（最初に膜によって分離された物質間の化学反応).

che·mo·stat (kē′mō-stat). ケモスタット（微生物培養槽の1つで，二次産物合成速度に対する増殖速変比を新鮮培地を供給する速度によって制御している).

che·mo·sur·gery (kē′mō-ser′jer-ē). 化学的外科〔治療〕（化学薬品による固定後，病変組織を除去すること).

Mohs c. (mōz). モーズ手術（皮膚腫瘍の摘出において塩化亜鉛を用いてあらかじめ壊死させた後，摘出組織の凍結標本を水平断面によって顕微鏡的に検査することで完全切除を行い，正常組織の切除を最小限にする方法．最近では最初の段階である化学的壊死は省略される). ＝microscopically controlled surgery; Mohs micrographic surgery; Mohs surgery.

che·mo·syn·the·sis (kē′mō-sin′thĕ-sis). 化学合成（①化学的な合成．②化学合成無機栄養).

che·mo·tac·tic (kē′mō-tak′tik). 化学走性の，走化性の.

che·mo·tax·is, pos·i·tive c., neg·a·tive c. (kē′mō-tak′sis) [chemo- + G. *taxis*, orderly arrangement]. 化学走性，走化性（①化学薬品に反応した細胞や生物の運動．そのため細胞は，化学的性状を示す物質によってその方向に引き付けられたり(正の走化性 **positive c.**)，逆方向へ動く(負の走化性 **negative c.**)．②多形核白血球とマクロファージの高濃度の特定の補体成分への遊走). ＝chemiotaxis; chemotropism.

che·mo·thal·a·mec·to·my (kē′mō-thal-ă-mek′tō-mē) [chemo- + thalamus + G. *ektomē*, excision]. 化学的視床切除〔術〕（視床の一部を化学的に破壊すること．通常，疼痛や運動異常の軽減のために行う). ＝chemothalamotomy.

che·mo·thal·a·mot·o·my (kē′mō-thal-ă-mot′ō-mē). ＝chemothalamectomy.

che·mo·ther·a·peu·tic (kē′mō-thār-ă-pyū′tik). 化学療法の.

che·mo·ther·a·peu·tics (kē′mō-thār-ă-pyū′tiks). 化学療法学（化学療法を取り扱う治療学の一分野).

che·mo·ther·a·py (kē′mō-thār′ă-pē). 化学療法（化学物質または薬剤を用いる疾病の治療．通常，腫瘍性疾患に対して用いる.→pharmacotherapy).

adjuvant c. 補助〔的〕化学療法（局所あるいは全身性の再発の危険を減少させるのを目的とした手術に追加して行う化学療法).

combination c. 多剤併用化学療法（患者に合わせ，毒性レベルの異なる複数の薬剤を投与する化学療法).

consolidation c. 地固め療法（寛解直後の期間に反復して行われる治療のサイクルで，特に白血病に関して行われる). ＝intensification c.

cytostatic c. 増殖抑制性化学療法（腫瘍細胞を死滅させることはできないが，その増殖を抑制する化学療法).

cytotoxic c. 細胞障害性化学療法（腫瘍細胞を死滅させることを意図した化学療法).

induction c. 導入化学療法（悪性腫瘍の外科切除，あるいは放射線照射に先立つ初期治療としての化学療法).

intensification c. 強化療法. ＝consolidation c.

salvage c. 救助療法，〔超〕大量化学療法（再発性の悪性腫瘍をもつ患者に対し，初期治療に引き続き，治癒または延命の目的で行う化学療法). ＝salvage therapy (1).

che·mot·ic (kē-mot′ic). 結膜水腫(浮腫)性の.

che·mo·trans·mit·ter (kē′mō-trans′mit-er). 化学〔的〕伝達物質（ニューロンや神経効果細胞の反応を細胞間隙(シナプス)を拡散および惹起するために産生される化学物質).

che·mo·troph (ke′mō-trōf). 化学合成生物（無機性および有機性栄養素(すなわち外部の化学的供給源)を酸化することによってエネルギーを獲得している生物).

che·mot·ro·pism (kĕ-mot′rŏ-pi-zŭm) [chemo- + G. *tropos*, direction, turn]. ＝chemotaxis.

Che·nais (shĕ-nā′), Louis J. フランス人医師，1872—1950. ⇀Cestan-C. *syndrome*.

Che·ney (chā′ne), William D. 20世紀の米国人放射線専門医. ⇀C. *syndrome*.

che·no·de·ox·y·cho·lic ac·id (kē′nō-dē-oks′ē-kō′lik as′id). ケノデオキシコール酸（多くの脊椎動物における主要な胆汁酸で，通常グリシンあるいはタウリンと抱合しており，コレステロールの排泄と脂肪の吸収を促進する．コレステロール胆石を分解させるために投与される). ＝chenodiol.

che·no·di·ol (kē′nō-dī′ol). ケノジオール. ＝chenodeoxycholic acid.

che·no·po·di·um (kē′nō-pō′dē-ŭm) [G. *chēn*, goose + *pous* (*pod-*), foot]. ケノポジ（アカザ科アメリカアリタソウ *Chenopodium ambrosoides* の乾燥熟果．アメリカニガヨモギの全草を水蒸気蒸留して得た精油で，以前は駆虫薬として用いられた). ＝Jesuits' tea; Mexican tea; wormseed (2).

CHEP cricohyoidoepiglottopexy の略.

cher·ry juice (cher′ē jūs). チェリージュース，サクランボジュース（果桜 *Prunus cerasus* の新鮮な熟した果実から絞ったジュース．1.0%以上のリンゴ酸を含む．芳香剤として，また鎮咳用シロップや他の内服用製剤の賦形剤として用いる).

che·rub·ism (cher′ŭb-izm) [Hebr. *kerubh*, cherub] [MIM*118400]. ケルビム症（小児期早期に発症する顎骨の遺伝性巨細胞性病変．顎骨はX線上，多胞性，透過性の像を呈し，進行性の対称性無痛性の腫脹がみられる両側性である．他に身体所見を伴わない). ＝fibrous dysplasia of jaws.

chest (chest) [A.S. *cest*, a box]. 胸〔部〕（①頸部と腹部の間にあり，肋骨および胸骨で囲まれる部分.→thorax. ②日常語では，胸部の前壁). ＝pectus.

alar c. ＝flat c.

barrel c. 樽状胸（常に樽の形に似た胸郭で前後径は増して横径におよそ等しく，通常ある程度の円背を伴う．肺気腫の症例にみられるであろう). ＝barrel-shaped thorax.

buffalo c. [バッファローすなわちアメリカバイソンが単一胸腔であるので，こうよばれる]. バッファロー胸（胸腔が単一であるような胸).

flail c. 動揺胸郭（胸骨または肋骨，あるいはその両方の骨折後に生じる胸郭の安定性が失われた状態．呼吸不全の原因となる).

flat c. 扁平胸（前後の直径が平均より短い胸). ＝alar c.; pterygoid c.

foveated c., funnel c. 陥凹胸. ＝*pectus* excavatum.

keeled c. 竜骨胸. ＝*pectus* carinatum.

phthinoid c. 衰弱胸，結核胸（細長い胸．下部肋骨は通常より斜めで，ときにはほとんど腸骨稜に達する．肩甲骨は後方に突出し，胸骨柄は陥凹している．胸骨角は正常より鋭い．かつてこのような胸は肺結核の徴候とみなされていた).

pigeon c. ＝*pectus* carinatum.

pterygoid c. ＝flat c.

Cheyne (chān), John. スコットランド人医師，1777—1836. ⇀C.-Stokes *psychosis*, *respiration*.

CHF congestive heart *failure* の略.

chi (kī). カイ（①ギリシア語アルファベットの 22 番目の文字 χ．②化学では系列における 22 番目を示す．③ペプチドや蛋白のアミノ酸の α-炭素と側鎖との二面角の記号).

Chi·a·ri (kē-ah′rē), Hans. ドイツ人病理学者，1851—1916. ⇀Arnold-C. *deformity*, *malformation*, *syndrome*; C. *disease*, *net*, *syndrome*, II *syndrome*; C.-Budd *syndrome*; Budd-C. *syndrome*.

Chi·a·ri (kē-ah′rē), Johann B. ドイツ人産科医，1817—1854. ⇀C.-Frommel *syndrome*.

chi·asm (kī′azm) [G. *chiasma*]. ＝chiasma [TA]. ***1*** 交叉，交差（2本の線の交わり). ***2*** [TA]. 交叉（解剖学で線維束の交叉，例えば腱の交叉・神経の交叉). ***3*** キアスマ（細胞遺伝学では，2つの相同染色体が接触する(交差しているように見える)部位で，減数分裂前期に遺伝物質が交換される).

Camper c. (kahm′pĕr). カンペル交叉(交差). ＝tendinous c. of the digital tendons.

C

optic c. [TA]．視〔神経〕交叉(交差)（脳の灰白隆起や下垂体漏斗の前方にある平たい四角形の構造で視神経線維が交叉しているところ．眼球網膜の鼻側半からの線維は交叉して対側へ行き，側頭半からの線維は同側を交叉せずに後方へ進む．視索後面を横切る線維や視神経前面を横切る線維もある)．= chiasma opticum [TA]; optic decussation.

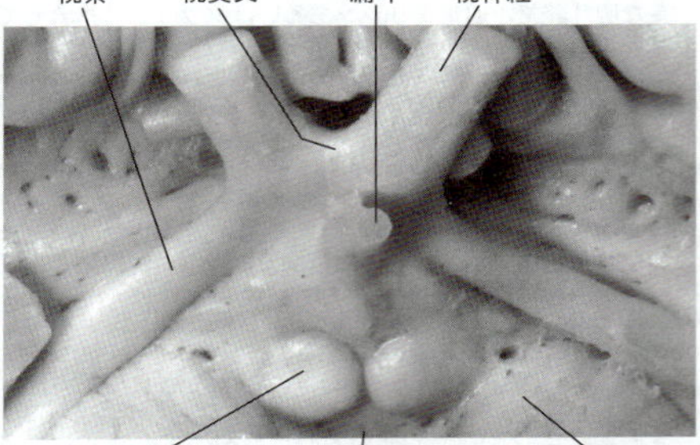

optic chiasm and adjacent structures on the inferior surface of the diencephalon

tendinous c. of the digital tendons [TA]．腱交叉(交差)（浅指屈筋(足では短指屈筋)の腱が2分してできた間隙を深指屈筋(足では長指屈筋)の腱が通る交叉部)．= chiasma tendinum [TA]; Camper c.

chi·as·ma, pl. **chi·as·ma·ta** (kī-az′mă, kī-az′mă-tă) [G. *chiasma*, two crossing lines＜ギリシア文字 *chi*, 3] [TA]. = chiasm.

c. opticum [TA]．視〔神経〕交叉(交差)．= optic *chiasm*.

c. tendinum [TA]. = tendinous *chiasm* of the digital tendons.

chi·as·ma·pex·y (kī-as′mă-pek′sē) [G. *chiasma*, decussation + *pēxis*, fixation]．視交叉固定術（視交叉の外科的固定)．

chi·as·mat·ic (kī-az-mat′ik)．交叉(交差)の，キアスマの．

chick·en·pox (chik′en-poks)．水痘．= varicella.

chi·cle (chik′el) [Sp.＜Nahuatl *chictli*]．チクル（アカテツ科の一種 *Manilkara zapotilla* の一部揮発した粘性をもつ乳濁液．これには，西インド諸島，メキシコ，中央アメリカ産の天然のものや，グッタとトリテルペンアルコールの混合物がある．チューインガムの製造に用いられる)．

Chie·vitz (kē′vitz), Johan H. デンマーク人解剖学者，1850—1901. ⇀C. *layer*, *organ*.

chig·ger (chig′er)．ツツガムシ（ツツガムシ属 *Trombicula* すべて，およびツツガムシ科の他のある種の六脚幼虫．吸血期のもので，一部はツツガムシ病の媒介動物となる)．

chig·oe (chig′ō)．スナノミ *Tunga penetrans* の一般名．

chil- (chĭl). ⇀chilo-.

Chi·lai·di·ti (kē-lĭ-dē′te), Demetrius. 20世紀のオーストリア人放射線科医. ⇀C. *syndrome*.

chil·blain (chil′blān) [chill + A.S. *blegen*, a blain]．凍瘡，しもやけ（[誤ったつづり chillblain を避けること]．極度の寒冷(通常，湿度の高い状態を伴う)にさらされ血管の収縮により生じる指趾背部・かかと・鼻・耳の紅斑，そう痒，灼熱感．病巣は単発の場合と多発の場合とがあり，水疱形成や潰瘍形成に至ることもある)．= erythema pernio; perniosis.

CHILD *c*ongenital *h*emidysplasia(先天性片側性形成異常)，*i*chthyosiform erythroderma(魚鱗様紅皮症)，*l*imb *d*efects(肢欠損)の頭字語．= CHILD syndrome.

child·bear·ing (chīld′bār′ing)．妊娠－分娩．

child·birth (chīld′berth)．出産，分娩，出生（胎児の出産における分娩，娩出の過程. →birth; accouchement)．= parturition.

child·hood (chīld′hud)．小児期（乳児から思春期の期間．註 日本では，児童福祉法で乳児，幼児，少年(6—18歳未満)に分けられており，各々の期に分けられる．本辞典では，0—1歳未満は新生児期，1歳からは小児期としている)．

chill (chĭl) [A.S. *cele*, cold]．悪寒，寒気（[重複的な表現 cold chill(s) を避けること]．①寒いという感覚．②身震い，あるいは振せんと蒼白を呈する体温上昇を伴う悪寒．通常，毒素の体内侵入による感染症の症状である．= rigor (2))．

smelter's c.'s 製錬工悪寒．= smelter's *fever*.

chilo-, chil- (kī′lo, chĭl) [G. *cheilos*, lip]．唇との関係を示す連結形. →cheilo-.

chi·lo·mas·ti·gi·a·sis (kī′lō-mas′ti-gī′ă-sis)．メニール鞭毛虫症（ヒトの盲腸の *C. mesnili* のようなメニール鞭毛虫属 *Chilomastix* の鞭毛虫による感染症)．= chilomastosis.

Chi·lo·mas·tix (kī′lō-mas′tiks) [chilo- + G. *mastix*, whip]．メニール鞭毛虫属（べん毛のある原生動物の一属．ヒトや霊長類の大腸，その他多くの哺乳類，鳥類，両生類，は虫類に寄生する．通常は非病原性であるが，*C. mesnili* はときとして小児に下痢を起こすこともある)．

chi·lo·mas·to·sis (kī′lō-mas-tō′sis)．= chilomastigiasis.

Chi·lop·o·da (kī-lop′ŏ-dă) [chilo- + G. *pous*, foot]．唇脚綱（唇脚類(節足動物門)，すなわちムカデやゲジからなる一綱)．

chi·lo·po·di·a·sis (kī′lō-pō-dī′ă-sis)．ムカデ類寄生症（竇洞，特に鼻腔内へ唇脚類の一種が侵入すること)．

chi·me·ra (kī-mēr′ă, ki-) [L. *Chimaera*＜G. *Chimaira*, 神話の怪物(lit. a she-goat)]．キメラ（①実験発生学では，ある動物の胚部分を別の同種または異種の胚に移植することによってつくられた個体．②骨髄移植などで，遺伝的および免疫学的に異なる組織の移植を受けた生体．③免疫学的に異なった赤血球型を交換した二卵性双生児．④2つの異なる蛋白をペプチド結合により結合させたもの．一般には，遺伝子工学技術で作製される．キメラ抗体とはFabフラグメントとFcフラグメントとが相互に異なる種類の生物からなる抗体．⑤異なる種属や遺伝子に起源を有する2種類またはそれ以上の巨大分子の結合物)．

radiation c. 放射線キメラ（異種ドナー細胞への免疫学的反応を弱めるために放射線全身照射を被った患者のこと．結果，抗原的に異種のドナーからの骨髄移植の後は，宿主とドナーの両方の免疫学的特徴を有する)．

chi·mer·ic (kī-mēr′ik). ***1*** キメラの．*cf.* mosaicism. ***2*** 一見組織不親和性と考えられるような異なった起源をもつ，別々の部分から成り立っていることについていう．

chi·me·rism (kī-mēr′izm)．キメラ現象．

chim·pan·zee (chim-pan′zē, chim′pan-zē′) [コンゴ語，アフリカの方言]．チンパンジー（猿類 *Pan panisus* と *P. troglodytes* の総称)．

chin (chin) [A.S. *cin*][TA]．おとがい(頤)（下顎の前方突出により生じた隆起)．= mentum [TA].

double c. 二重顎．= buccula.

chi·ni·o·fon (kin′ē-ō-fon)．キニオホン（7-iodo-8-hydroxyquinoline-5-sulfonic acid と sodium bicarbonate の混合物．以前はアメーバ赤痢の治療に用いられた)．

chin·o·le·ine (chin′ō-lē-in)．シノレイン．= quinoline (1).

chip (chip)．破片（破壊，切断，あるいは捻除により生じる小断片)．

bone c.'s 骨細片，骨破片（海綿骨の小片．一般的に骨欠損を埋め，骨の再形成を促進するために用いる)．

chip blow·er (chip blō′wĕr)．削片吹除器（充塡のために削掘した歯腔から残屑を吹き飛ばしたり，乾燥する器械．金属ノズルの付いたゴムのバルブからなる)．

chi·ral (kī′răl)．キラル（キラリティをもつ，ある立体配置または立体配座(コンフォメーション)の分子のような物質を表す．キラル分子は対称面や軸，中心をもたない)．

chi·ral·i·ty (kī-ral′i-tē) [G. *cheir*, hand]．キラリティ（鏡像をもつ物質の不同一性のこと．化学において，立体異性体について用いる)．

chi·rar·thri·tis (kī′rar-thrī′tis)．= cheirarthritis.

chiro-, chir- (kī′rō) [G. *cheir*, hand]．手を示す連結形. → cheiro-.

chi·rog·nos·tic (kī′rog-nos′tik)．= cheirognostic.

chi·ro·kin·es·the·si·a (kī′rō-kin-es-thē′zē-ă)．= cheirokinesthesia.

chi·ro·po·dal·gi·a (kī′rō-pō-dal′jē-ă)．= cheiropodalgia.

chi·rop·o·dist (kī-rop′ō-dist) [chiro- + G. *pous*, foot]．手足治療医（[誤った発音 shĭ-rop′ō-dist を避けること]）．＝podiatrist.

chi·rop·o·dy (kī-rop′ō-dē)．手足治療〔術〕，手足あんま〔術〕（[誤った発音 shĭ-rop′ōdē を避けること]）．＝podiatry.

chi·ro·pom·pho·lyx (kī′rō-pom′fō-liks)．手足汗疱〔症〕．＝dyshidrosis.

chi·ro·prac·tic (kī-rō-prak′tik) [chiro- + G. *praktikos*, efficient]．〔脊柱〕指圧療法，カイロプラクティック（理論的には，健康の回復と維持を目的とし，人体の回復力および筋骨格構造と人体の機能の関連，とりわけ脊柱と神経系の関連を利用して行われる療法）．

chi·ro·prac·tor (kī′rō-prak′tŏr)．脊柱指圧療法士（脊柱指圧療法を行うことを認可された人）．

Chi·rop·sal·mus (kī′rop-sal′mŭs)．キロプサルムス属（猛毒のクラゲを含む有刺胞動物門に属する無脊椎動物の一属）．

C. quadrumanus 米国近海に生息する最も毒性の強いクラゲ．→jellyfish. ＝box jelly; sea wasp.

Chi·rop·te·ra (kī-rop′ter-ă) [chiro- + G. *pteron*, wing]．翼手目（コウモリ．世界的に分布している有胎盤哺乳類の一目で，特徴として前肢が飛翔できるように変化している．飛んでいるえさの昆虫を探し，暗やみで物体を避けるために，反響する超音波を出すことができる．ほとんどは昆虫を摂取するが，花蜜，果実，魚，血液を摂取する種もある．吸血性や食虫性の種は恐水病の重要な保有宿主である）．

chi·ro·scope (kī′rō-skōp) [chiro- + G. *skopeō*, to view]．カイロスコープ（患者がのぞき見ながら描くことで手と目の協調を図るハプロスコープ様の装置）．

chi·ro·spasm (kī′rō-spazm)．＝cheirospasm.

chirurg. ラテン語 *chirurgicalis*(外科の)の略.

chi·rur·geon (kī-rer′jŏn) [G. *cheirourgos* < *cheir*, hand + *ergon*, work]．surgeon を表す現在では用いられない語．

chi·rur·ger·y (kī-rer′jer-ē) [G. *cheirourgia*]．surgery を表す現在では用いられない語．

chi·rur·gi·cal (kī-rer′ji-kăl) [L. surgical < *chirurgia*, surgery < G. *cheirourgia*, handicraft < *cheir*, hand + *ergon*, work]．surgical を表す現在では用いられない語．

chis·el (chiz′ĕl)．チゼル，のみ（まっすぐかまたは角度の付いた柄をもつ1枚の傾斜した末端切断刃．ぞうげ質やエナメル質を切ったり裂いたりするために，ハンドルの軸に沿った推力を用いる）．

binangle c. 二角のみ（角度のある柄をもつのみ．のみの刃を柄の軸線上に置くためにさらに2つ目の角度を柄に加え，バランスをよくして軸の周りで向きが変わらないようにしたもの．のみを対象に接近させるのに角度が必要なときに用いる）．

chi-square (χ^2) (kī′ skwār)．カイ2乗，カイ平方（統計方法で，評点の分布が偶然によるものか，実験的要因によるものかを決定するため変数を分類する）．

chi·tin (kī′tin)．キチン〔質〕，甲角素（*N*-acetyl-D-glucosamine の線状ポリマーで，β(1→4)結合をもち，セルロースの構造と似ている．自然界で2番目に豊富な多糖類．いくつかの植物や真菌はもちろん，甲虫，カニ，ある種の微生物などの外骨格に存在する角質物質を含む）．

chi·ti·nase (kī′ti-nās)．キチナーゼ（キチンのβ(1→4)結合のランダムな加水分解を触媒する酵素(最終的に *N*–D–アセチルグルコサミンを放出する)．この種の酵素のあるものはリソチーム作用を示す）．＝poly-β-glucosaminidase.

chi·tin·ous (kī′tin-ŭs)．キチン性の．

chi·to·bi·ose (kī′tō-bī′ōs)．キトビオース（キチンの最小構成単位である二糖類．セロビオースと異なるのはヒドロキシルの代わりにC–2に *N*–アセチルアミノ基が存在することだけである．しかし，非アセチル化体もしばしばキトビオースとよばれる）．

chi·to·sa·mine (kī-tō′să-mēn)．キトサミン；D-glucosamine（→glucosamine）．

chi·u·fa (chē-yū′fă)．チウーファ（南アフリカと南アメリカの高地にみられる疾患．急性壊疽性直腸肛門炎と大腸炎で高熱を伴う．外陰と腟が罹患する）．＝kanyemba.

CHL crown-heel (*length*) of fetus の略．

Chla·myd·i·a (kla-mid′ē-ă) [G. *chlamys*, cloak]．クラミジア属（クラミジア科に属する3属のうちの一属で，肺炎の原因となる *C. muridarum*, *C. suis*, *C. trachomatis* がある．クラミジアは偏性細胞内寄生性の球状ないし卵形の細菌で，複雑な細胞内生活環をもつ．感染型は基本小体で，宿主細胞に侵入すると二分裂により網様体として増殖する．複製は封入体 inclusion body とよばれる液胞内で起こる．細胞壁にペプチドグリカンを欠いている．標準種は *C. trachomatis*．以前は *Bedsonia* とよばれていた）．＝*Chlamydozoon*.

C. pneumoniae クラミジア肺炎病原体（1986年に初めて分離され，現在は成人，小児の双方における肺炎，気管支炎，副鼻腔炎，および咽頭炎の一般的な病原体として認知されている種）．＝TWAR.

C. pneumoniae は急性気管支炎の約25%，地域－後天性肺炎の10%の原因となっている．心血管疾患の発生や遅発性 Alzheimer 認知症にも何らかの役割を果たしていることもある．*C. trachomatis* や *C. psittaci* と同様，本種はときとして心筋症および心内膜炎の原因となる．急性心筋梗塞(MI)の患者や，剖検で顕著なアテローム形成を示した患者では，対照群に比べて *C. pneumoniae* に対する抗体の有意な上昇がみられている．菌体は免疫細胞化学，PCR，および電子顕微鏡により，マクロファージおよび大動脈，冠動脈，頸動脈のじゅく状斑の平滑筋細胞(外科的および剖検材料)で検出されているが，正常な動脈からは検出されていない．咽喉培養による検出では，心筋梗塞患者における急性感染率は一般人に比べて高い．急性心筋梗塞をもつヒトのカルテの既往の再検討では，*C. pneumoniae* に対して効力のあるテトラサイクリン系あるいはキノロン系抗生物質で過去3年間治療を受けていても，より効果が少なかったことが示された．しかしながら現在のところ，その後の研究でも *C. pneumoniae* に対する IgG 抗体の存在とアテローム血栓症の危険性の増加との間の関係については示されていない．現在得られている証拠からは，*C. pneumoniae* 感染はアテローム硬化症を悪化させる変化の引き金になりうるいくつかの要因のうちの1つとなることが支持されている．限られた研究では，抗生物質治療は頻発性の冠動脈疾病が起こる危険性を減少させることが示唆されているが，持続性の冠動脈疾患における有効性は示されていない．*C. pneumoniae* に対する抗体は重度の高血圧症をもつヒトでも一般人と比べて約2倍の率で認められており，ぜん息の患者では肺機能低下の助長に統計学的に有意に関連している．さらに，本菌は遅発性 Alzheimer 病をもつ患者の海馬および側頭皮質の小グリア細胞ならびに大グリア細胞において，正常の脳よりもはるかに頻繁に検出されている．

C. psittaci オウム病クラミジア（*C. trachomatis* に似た細菌性生物であるが，直径12 μm 以内の，緩く結合した細胞質内ミクロコロニーを形成し，ヨード染色で発見できるほど十分なグリコゲンを産生せず，スルファジアジンにも感受性がない．この種のいろいろな菌株は，ヒトのオウム病，非オウム属の鳥類のオルニトーシス，ウシ・ヒツジ・ブタ・ネコ・ヤギ・ウマの肺炎，雌ヒツジの風土病的流産，ウシの散発性脳脊髄炎をもたらす．子ウシの腸炎，ジャコウネズミやウサギの流行性クラミジア症，フクロネズミの脳炎，ウシ・ヒツジ・モルモットの結腸炎を起こす）．

C. trachomatis トラコーマクラミジア（球形の非運動性細菌で，偏性細胞内寄生である．直径10 μm 以内のぎっしり詰まった細胞質内ミクロコロニーを形成する．このミクロコロニーは直径0.3 μm 以上の感染性球状体を(分裂により)生じ，ヨード染色で発見できるほど十分な量のグリコゲンを限られた期間蓄積する．一般にスルファジアジン，テトラサイクリン，およびキノロン類に感受性である．この種の多くの株はトラコーマ，封入体結膜炎，新生児結膜炎，性病性リンパ肉芽腫，マウスの肺炎，非特異(非淋菌)性尿道炎，精巣上体炎，頸管炎，直腸肛門炎，肺炎を起こす．米国における細菌性性病の代表的な病原体．*Chlamydia*属の標準種）．

chla·myd·i·a, pl. **chla·myd·i·ae** (kla-mid′ē-ă, -mid′ē-ē)．*Chlamydia*属の種を表すのに用いる通称．

Chla·myd·i·a·ce·ae (kla-mid′ē-ā′sē-ē)．クラミジア科（クラミジア目の一科(以前はリケッチア目に含まれていた)．オウム病－リンパ肉芽腫－トラコーマ群の病原体を含む．本科は，リケッチアに似ているが，独特の偏性細胞内発育周期を有する点で非常に異なる小型の球状グラム陰性菌を含む．細胞質内ミクロコロニーは，分裂により感染型を発生させる．これらの細菌の分類は，以前は流動的であったが，現在は単一属，すなわち本科の標準属 *Chlamydia* に置かれている）．

chla·myd·i·al (kla-mid′ē-ăl). クラミジア属の（*Chlamydia* 属に関する，または *Chlamydia* 属の細菌が原因となる）．

chla·myd·i·o·sis (klă-mid′ē-ō′sis). クラミジア症（*Chlamydia* 属および *Chlamydophila* 属の種による疾患の一般名．→ ornithosis; psittacosis; *Chlamydia*）．

chlam·y·do·co·nid·i·um (klam′i-dō-kŏ-nid′ē-um) [G. *chlamys*, cloak + conidium]. 厚膜分生子，厚膜胞子（壁の厚い葉状性の分生子で，末端または中間に形成されることがある．無性生殖の一型としてみられる．㊟現在，chlamydoconidium は〝厚膜分生子〟．しかしながら，まだ〝厚膜胞子〟と言っている人もいる．chlamydospore は〝厚膜胞子〟）．

Chla·myd·o·phil·a (kla-mid-ō-fil′ă). クラミドフィラ属（複雑な偏性細胞内生活環をもつ細菌の一属．感染型は elementary body(基本小体)とよばれるもので，細胞に侵入し，２分裂により reticulate body として増殖する．増殖はインクルージョンボディとよばれる液胞内で起こる．細胞壁にはペプチドグリカンを欠く．本属に関連した疾病として，ウシ・ヒツジ・ブタ・ネコ・ヤギ・ウマの肺炎，ウシの散在性脳脊髄炎，仔ウシの腸炎(*C. pneumoniae*, *C. pecorum* サブタイプによる)，雌ヒツジの地方病的流産(*C. abortus* による)がある．ネコ(*C. felis*)，モルモット(*C. caviae*)にも影響を及ぼし，*C. psittaci* はオウムおよびそれ以外の鳥におけるオウム病/鳥類病の原因となる）．

Chla·myd·o·phrys (kla-mid′ō-fris) [G. *chlamys*, cloak + *ophrys*, brow]. 殻をもったアメーバで，糞便からよく見出される原生動物の一属．

Chlam·y·do·zo·on (klam′i-dō-zō′on). クラミドゾア属．= *Chlamydia*.

chlo·as·ma (klō-az′mă) [G. *chloazō*, to become green]. 肝斑，褐色斑（[誤ったつづりまたは発音 chlorasma を避けること]．顔面や他の皮膚に不規則な形と大きさの広範な褐色斑が出現するのが特徴の黒皮症．この色素沈着斑の拡大は妊娠性肝斑ともよばれ，通常は妊娠，経口避妊薬の使用と関連がある．→melasma）．

c. bronzinum 青銅色肝斑（熱帯の太陽に絶えずさらされているヒトの顔面，頸部，胸部に徐々に広がる青銅色の色素沈着．ホルモンにより生じると思われる．温帯の肝斑と似ているが，太陽光線が強いため，より色素沈着が強い）．= tropic mask.

chlor-, chloro- (klōr, klōr′ō) [G. *chloros*, green]. ***1*** 緑を表す接頭語．***2*** 塩素に関する連結形．

chlor·a·ce·tic ac·id (klōr′ă-sē′tik as′id). = chloroacetic acid.

chlor·ac·ne (klōr-ak′nē). 塩素ざ瘡（ある種の塩素化合物(ナフタリンとジフェニル)との経気道的，経口的，経皮的な接触による職業性のざ瘡様発疹．これらの化合物は断熱材，防虫剤，防カビ剤，除草剤などとして用いられているもので，エージェントオレンジを含む．角質性の栓子(面ぽう)が毛包脂腺開口部に生じる．種々の大きさの小丘疹(2—4 mm)が発生する）．= tar acne.

chlo·ral (klōr′ăl). クロラール（刺激臭のある希薄の油性液体で，アルコールに対する塩素ガスの作用により生じる）．= anhydrous c.

anhydrous c. 無水クロラール．= chloral.

c. betaine クロラールベタイン（抱水クロラールとベタインとの付加物．消化器内で徐々に加水分解され抱水クロラールになる．催眠・鎮静薬として用いる）．

c. hydrate 抱水クロラール（催眠薬，鎮静薬．外用として引赤薬，麻酔薬，殺菌薬として用いる）．

***m*-chlo·ral** (klōr′ăl). *m*-クロラール（硫酸との長期間接触により得られるクロラールの重合体で，抱水クロラール様の性状を有する）．= metachloral; *p*-chloral; trichloral.

***p*-chlo·ral** (klōr′ăl). *p*-クロラール．= *m*-chloral.

chlo·ral al·co·hol·ate (klōr′ăl al′kŏ-hōl′āt). クロラールアルコレート（クロラールとエタノールの複合体．"Mickey Finn" の活性成分といわれている）．

chlo·ral·ism (klōr′ăl-izm). クロラール中毒（中毒物であるクロラール化合物の習慣的使用およびそれによって引き起こされた症状）．

chlor·am·phen·i·col (klōr′am-fen′i-kol). クロラムフェニコール（最初は *Streptomyces venezuelae* から得られた抗生物質．いくつかの病原微生物に対して経口で有効である．重篤な副作用として無顆粒球症を伴う骨髄障害，または再生不良性貧血が起こることもある．本薬剤の代謝酵素であるグルクロニルトランスフェラーゼを欠損しているため新生児ではグレイ症候群がみられることもある）．

c. acetyl transferase (CAT) クロラムフェニコールアセチルトランスフェラーゼ（細菌性酵素で，真核生物の遺伝子発現制御実験でのマーカとして用いられる）．

c. palmitate パルミチン酸クロラムフェニコール（懸濁液として小児用経口剤に広く用いられる）．

c. sodium succinate コハク酸クロラムフェニコールナトリウム（クロラムフェニコールの水溶性ナトリウムコハク酸誘導体で，経口投与は不適当である．抗菌作用，用途，副作用は基本の化合物と同じ）．

chlo·rate (klōr′āt). 塩素酸塩．

chlo·ra·zol black E (klor′ă-zol blak) [C.I. 30235]. クロラゾールブラックE（酸性色素．脂肪および一般組織の染色，および糞スミアや組織内の原生動物を染めるのに用いる）．

chlor·ben·zox·a·mine, chlor·ben·zox·y·eth·a·mine (klōr′ben-zok′să-mēn, klōr′ben-zok-sē-eth′ă-mēn). クロルベンゾキサミン（抗コリン作用薬）．

chlor·dane (klōr′dān). クロルダン（殺虫薬として用いる塩素化炭化水素．皮膚から吸収されると激しい毒性を発揮する．中枢神経の過興奮，振せん，筋肉協調の欠如，痙攣を引き起こし，死に至る．また，肝臓，腎臓，脾臓の障害を生じる．動物に対する毒性は軽度である）．

chlor·e·mi·a (klōr-ē′mē-ă). ***1*** = chlorosis. ***2*** 高塩素血症．= hyperchloremia.

chlor·eth·ene ho·mo·pol·y·mer (klōr′eth-ēn hō′mō-pol′i-mĕr). クロレセンホモポリマー．= polyvinyl chloride.

chlor·gua·nide hy·dro·chlor·ide (klōr-gwah′nīd hī′drō-klōr′īd). 塩酸クロルグアニド．

chlor·hy·dri·a (klōr-hī′drē-ă). 胃酸過多〔症〕．= hyperchlorhydria.

chlo·ric ac·id (klōr′ik as′id). 塩素酸（5価塩素の酸 $HClO_3$ で，水溶液でのみ塩素酸塩として存在する）．

chlo·ride (klōr′īd). 塩化物（塩酸塩のような，−1の原子価をもつ塩素を含有する化合物）．

carbamylcholine c. 塩化カルバミルコリン（ムスカリン受容体およびニコチン受容体のいずれとも反応して活性化するコリン作用薬．加水分解速度が緩徐であるため，アセチルコリンよりもはるかに長時間作用が持続する．術後のイレウスなどにおける平滑筋刺激に用いる）．

chlor·i·dim·e·try (klōr′ĭ-dim′ĕ-trē). 塩化物定量〔法〕（血中，尿中，あるいは他の液体中の塩化物の量を測定する方法）．

chlor·i·dom·e·ter (klōr′i-dom′ĕ-ter). 塩化物定量器（血中，尿中，あるいは他の液体中の塩化物の量を測定する装置）．

chlor·i·dor·rhea (klō-rid-ō-rē′ă) [chloride + -rrhea]. クロール下痢症（腸管のクロールイオンの吸収不全(不良)を起こす常染色体劣性遺伝疾患［MIM#214700］．子宮内(胎児期)から始まり，生涯にわたる下痢をきたす．遺伝子座は第7染色体長腕(7q 22—31)）．= congenital chloride diarrhea; congenital chloridorrhea.

congenital c. 先天性クロール下痢．= chloridorrhea.

chlor·i·du·ri·a (klōr-i-dyū′rē-ă). = chloruresis.

chlo·rin (klōr′in). クロリン（[chlorine と混同しないこと]．クロロフィルの基本構造(→*porphyrin*)の１つ．クロロフィルに２つの炭素橋が付加されるとホルビンになり(→*chlorophyll*)，側鎖が付加されるとホルビドになる．多くの任意の接頭語により区別する(クロロフィルでは pheo- または bacteriopheophorbide がある)．プロピオン酸基をフィチル基でエステル化すると，それぞれのフィチンを生成する．またマグネシウムの付加によりクロロフィル(magnesium phytinates)になる．→porphyrins）．

chlo·ri·nat·ed (klōr′in-āt-ĕd). 塩素化された，塩素処理の．

chlo·rine (Cl) (klōr′ēn) [G. *chloros*, greenish yellow]. 塩素（[chlorin と混同しないこと]. ①緑色の有毒な気体元素. 原子番号 17, 原子量 35.4527. ハロゲン元素の 1 つ. 酸化力があるので, 次亜塩素酸塩または塩素水の形で消毒薬や漂白剤として用いられる. ②①の分子型, Cl_2(二塩化物)).

chlo·rine group (klōr′ēn grūp). 塩素族.

chlor·i·o·dized (klōr-ī′ō-dīzd). 塩化ヨウ素の（塩素とヨウ素を含有する).

chlor·i·o·dized oil (klor-ī′ō-dīzd oyl). 塩化ヨウ化油（一塩化ヨウ素を化学的に加えて生成する塩素化・ヨウ素化落花生油. 以前は洞や気管の X 線撮影に用いられた). = iodochlorol.

chlo·rite (klōr′īt). 亜塩素酸塩（ClO_2^- 基を有する).

chloro- (klōr′ō). ⇀chlor-.

chlor·o·a·ce·tic ac·id (klōr′ō-ă-sē′tik as′id). クロロ酢酸（1 つまたは複数の水素原子が, 塩素によって置き換えられた酢酸. このように置換された原子の数に従って, 酸はモノクロロ酢酸(クロロ酢酸), ジクロロ酢酸, トリクロロ酢酸とよばれる). = chloracetic acid.

chlor·o·a·ne·mi·a (klōr′ō-ă-nē′mē-ă). = chlorosis.

***o*-chlor·o·benz·al·mal·o·no·ni·trile** (klōr′ō-ben′zal-ma-lon′ō-nī-trīl). *o*–クロロベンザルマロノニトリル（化学兵器用の化学物質で, 暴動の鎮圧に用いられる強力な催涙物質).

chlor·o·cru·o·rin (klōr′ō-krū′ōr-in). クロロクルオリン（ある種の虫にみられる緑色のヘモグロビン様色素. プロトポルフィリンと 2 位の炭素上のビニル基の代わりにホルミル基を有する点で異なるポルフィリンを含有する).

chlor·o·eth·ane (klōr′ō-eth′ān). クロロエタン. = *ethyl* chloride.

chlor·o·eth·yl·ene (klōr′ō-eth′i-lēn). クロロエチレン. = *vinyl* chloride.

chlor·o·form (klōr′ō-fōrm) [chlor(ine) + form(yl)]. クロロホルム（以前は吸入により全身麻酔に用いた. また溶媒としても用いる). = trichloromethane.

chlor·o·form·ism (klōr′ō-fōrm-izm). クロロホルム中毒（クロロホルム吸入の習慣, あるいはそのために生じる中毒症状).

chlo·ro·he·min (klōr′ō-hē′min). クロロヘミン. = hemin.

chlo·ro·ma (klō-rō′mă) [chloro- + G. *-ōma*, tumor]. 緑色腫（特に, 頭蓋, 脊椎, 肋骨の骨膜に接して多発性または限局性に異常細胞が緑色塊をつくって増殖している状態が特徴. 多くの場合, 異常細胞は骨髄芽球である. 臨床経過は急性骨髄性白血病に類似しているが, 腫瘍は血液や骨髄所見より先行することが多い. 小児や青年に多くみられる. →granulocytic *sarcoma*).

***p*-chlor·o·mer·cu·ri·ben·zo·ate (PCMB, *p*CMB, *p*-CMB)** (klōr′ō-mer′cyūr-ē-ben′zō-āt). *p*–クロロ第二水銀安息香酸塩（有機水銀化合物. 蛋白類の –SH 基と反応する. –SH 反応性に依存する蛋白(酵素)作用の阻害薬).

chlor·o·meth·ane (klōr′ō-meth′ān). クロロメタン（寒剤. 吸入麻酔薬としても用いる. 加水分解してメタノールになる). = methyl chloride.

chlo·rom·e·try (klō-rom′ĕ-trē). 塩素定量法（塩素含量の測定, または塩素の放出あるいは滴定を含む分析技術).

chlor·o·pe·ni·a (klōr′ō-pē′nē-ă) [chloro- + G. *penia*, poverty]. 低塩素血〔症〕, 塩素低下症（血液中の塩化物含有量が異常に低いこと).

chlor·o·per·cha (klōr′ō-per′chă). クロロパーチャ（ガッタパーチャのクロロホルム溶液. 歯科において, 形成された根管壁をガッタパーチャ充填材で封鎖する薬剤として用いる).

chlor·o·phe·nol (klōr′ō-fē′nol). クロロフェノール（フェノールに対する塩素作用で得られる数個の置換生成物の 1 つ. 防腐薬として用いる).

chlor·o·phyll (klōr′ō-fil). クロロフィル, 葉緑素（光合成有機体にみられるホルビン誘導体のマグネシウム複合体. 生きている植物で光エネルギーを酸化還元力に転換し, 二酸化炭素を固定し, 酸素を発生させる光吸収性緑色植物色素. 天然にみられるクロロフィルには*a*, *b*, *c*, *d*がある. →phorbin).

c. *a* クロロフィル *a* ; magnesium(II) pheophytinate *a* [(pheophytinato *a*)magnesium(II)]（酸素を発生する光合成有機体(高等植物, 紅藻類, 緑藻類)のすべてにみられる主な色素).

c. *b* クロロフィル *b* ; magnesium(II) pheophytinate *b* [(pheophytinato *b*)magnesium(II)]（クロロフィルの構造で 7 位の CH_3 基が CHO 基で置換されたもの. クロロフィルは一般に緑色植物, ミドリムシ藻類, 緑藻類を含む高等植物に特徴的. 他の種の藻類には含まない).

c. *c* クロロフィル *c*（褐藻類, 珪藻類, 渦鞭毛藻類にみられるクロロフィル).

c. *d* クロロフィル *d*（紅藻類(*Rhodophyceae*)にクロロフィル *a* とともにみられるクロロフィル).

c. esterase クロロフィルエステラーゼ. = chlorophyllase.

water-soluble c. derivatives 水溶性クロロフィル誘導体（銅とけん化クロロフィルのナトリウム塩, カリウム塩の単独または両方の錯体. 局所的に慢性病巣の脱臭に, また創傷修復を促進するために用いる).

chlor·o·phyl·lase (klōr′ō-fil′ās). クロロフィラーゼ（可逆的加水分解酵素. クロロフィルからのフィチル基除去を触媒してクロロフィリドを残す). = chlorophyll esterase.

chlor·o·phyl·lide, chlo·ro·phyl·lid (klōr′ō-fil-id, lid). クロロフィリド（フィチル基を除去した後にクロロフィル分子に残ったもの).

chlor·o·pic·rin (klōr′ō-pik′rin). クロロピクリン（毒性の肺刺激薬, 催涙ガス. 嘔吐, 仙痛, 下痢などを起こすことから, 催吐ガスともよばれる). = nitrochloroform.

chlor·o·plast (klōr′ō-plast) [chloro- + G. *plastos*, formed]. 葉緑体（クロロフィルを含有する植物細胞封入体. 葉や若い茎の細胞に発生する. 高等植物の光合成部位).

chlo·rop·si·a (klō-rop′sē-ă) [chloro- + G. *opsis*, eyesight]. 緑〔色〕視〔症〕（ジギタリス中毒のようにすべての物体が緑色に見える状態). = green vision.

chlor·o·quine (klōr′ō-kwīn). クロロキン（抗マラリア薬で, 三日熱マラリア原虫 *Plasmodium vivax*, 四日熱マラリア原虫 *P. malariae*, 熱帯熱マラリア原虫 *P. falciparum* の治療と抑制に使われる. リン酸塩, 硫酸塩と同様に利用できる. 赤血球外の時期には効果がないため根治は得られない. 熱帯熱マラリア原虫のクロロキン耐性株が東南アジア, アフリカ, 南アメリカで発生している. 肝アメーバ症, およびある種の皮膚疾患, 例えば紅斑性狼瘡や扁平苔癬にも用いられる).

chlor·o·sis (klōr-ō′sis) [chloro- + G. *-osis*, condition]. 萎黄病（赤血球数の減少よりも血色素の顕著な減少を特徴とする慢性低色素性小球性(鉄欠乏性)貧血の一型を表す, まれに用いる語. 主に思春期から 20 代までの女性にみられ, 通常, 鉄と蛋白が欠乏している食事に伴う). = asiderotic anemia; chloremia (1); chloroanemia; chlorotic anemia; green sickness.

chlor·o·thi·a·zide (klōr′ō-thī′ă-zīd). クロロチアジド, クロロサイアザイド（尿細管からのナトリウムの再吸収を抑制する, 経口で有効な利尿薬. うっ血性心不全, 肝疾患, 妊娠, 月経前緊張, 薬物などによる浮腫の治療に用いる. また, 高血圧治療の補助薬としても用いる).

c. sodium クロロチアジドナトリウム, クロロサイアザイドナトリウム（非経口投与に適している).

chlo·rot·ic (klō-rot′ik). 萎黄病の.

chlor·ous (klōr′ŭs). 亜塩素の（①塩素に関する. ② + 3 の原子価をもつ塩素を含む化合物を示す. 例えば亜塩素酸).

chlor·ous ac·id (klōr′ŭs as′id). 亜塩素酸 ; $HClO_2$（塩基と亜塩素酸塩を生成する酸).

chlor·phe·nol red (klōr-fē′nol). クロルフェノールレッド（分子量 423, pK 値 6.0 の酸 - 塩基指示薬. pH 5.1 以下で黄色, 6.7 以上で赤色を呈する).

chlor·u·re·sis (klōr′yū-rē′sis). 塩化物尿〔症〕（尿中に塩化物が排泄されること). = chloriduria; chloruria.

chlor·u·ret·ic (klōr′yū-ret′ik). 塩類尿排泄亢進の（尿中への塩化物排泄を促進する薬物, またはそのような作用に関する).

chlo·rur·i·a (klōr-yū′rē-ă). = chloruresis.

ChM Master of Surgery(Chirurgiae Magister)（外科学修士)の略.

CHO carbohydrates の略.

cho·a·na, pl. cho·a·nae (kō′an-ă, kō-ā′nē) [Mod.L. < G. *choanē*, a funnel]. 後鼻孔（[誤った発音 choa′na を避ける

C

こと．重複的な表現 posterior choana(e) を避けること]．鼻腔から咽頭鼻部への左右の開口部)．＝posterior nasal aperture*; apertura nasalis posterior; isthmus pharyngonasalis; posterior naris; postnaris.

primary c., primordial c. 原始後鼻孔（二次口蓋が形成される以前に，原始口鼻腔の吻側部に通じる胚子の鼻窩と嗅嚢の原始開口部)．

secondary c. 二次後鼻孔（二次口蓋の形成により鼻腔が後方へのびた後，鼻咽頭へ開口する最終的な後鼻孔)．＝internal nostril.

cho·a·nae (kō′an-ē)［TA］．choana の複数形．

cho·a·nal (kō′a-năl)．後鼻孔の．

cho·a·nate (kō′an-āt)．漏斗のある．

cho·a·no·flag·el·late (kō′an-ō-flaj′ĕ-lāt)．襟鞭毛虫．＝choanomastigote.

cho·a·noid (kō′a-noyd)［G. *choanē*, funnel + *eidos*, resemblance］．漏斗状の．＝infundibuliform.

cho·a·no·mas·ti·gote (kō′an-ō-mas′tī-gōt)［G. *choanē*, a funnel + *mastix*, whip］．コアノマスティゴート（寄生性鞭毛虫の発育段階を示すために用いられる一連の用語の1つ．*Crithidia*属鞭毛虫の "barleycorn" 型虫体と同じもので，体前部を囲む襟状の伸長部とその中から発する単一のべん毛によって特徴付けられる．→amastigote; epimastigote; promastigote; trypomastigote)．＝choanoflagellate; collared flagellate.

Cho·a·no·tae·ni·a in·fun·dib·u·lum (kō-ā′nō-tē′nē-ă in′fŭn-dib′yū-lŭm)［G. *choanē*, a funnel + L. < G. *tainia*, tapeworm］．世界中に分布している鳥類の小腸に寄生する重要な条虫．イエバエ，サシバエが媒介する．1対の生殖孔をもつイヌ条虫 *Dipylidium* に似ている．

choke (chōk)［M. E. *choken* < O. E. *āceōcian*］．***1***〚v.〛窒息させる（喉頭または気管を圧迫，閉塞することにより，呼吸を止める．例えば，水による窒息は喉頭痙攣を誘導しうる)．***2***〚n.〛閉鎖（草食動物において部分的に飲み込んだ異物によって食道が閉塞すること)．

chokes (chōks)．息づまり，空気塞栓症（呼吸困難，咳，窒息を特徴とする潜函病や高山病の症状発現)．

chol- (kōl)．→chole-.

cho·la·gog·ic (kō-lă-goj′ik)．＝cholagogue (2).

cho·la·gogue (kō′lă-gog)［chol- + G. *agōgos*, drawing forth］．［誤ったつづり chologogue および chologogue を避けること］．***1***〚n.〛胆汁排出物質，利胆薬，胆汁分泌〔促進〕薬（胆嚢収縮の結果，胆汁の小腸への流出を促進する薬物)．***2***〚adj.〛胆汁分泌促進性の（***1*** のような薬物またはその作用についていう)．＝cholagogic.

cho·la·ic ac·id (kō-lā′ik as′id)．＝taurocholic acid.

cho·lal·ic ac·id (kō-lal′ik as′id)．＝cholic acid.

cho·lane, 5β-cho·lane (kō′lān)．コラン，5β−コラン（コラン酸類の基本炭化水素(コール酸にみられる)．17 位に $-CH(CH_3)CH_2CH_2CH_3$ 基をもつアンドロスタンで，5α−コランは，ときにアロコランともよばれる．構造については steroids 参照)．

chol·a·ner·e·sis (kō′lă-ner′ĕ-sis)［cholane + G. *hairesis*, a taking］．胆汁酸排泄促進（コール酸またはその共役体の排泄量の増加)．

cho·lan·ge·i·tis (kō′lan-jē-ī′tis)．＝cholangitis.

chol·an·gi·ec·ta·sis (kō-lan′jē-ek′tă-sis)［chol- + G. *angeion*, vessel + *ektasis*, a stretching］．胆管拡張〔症〕（胆管の拡張，通常は閉塞の続発症として，あるいは胆管壁の一部の先天的欠損により生じる)．

chol·an·gi·o·car·ci·no·ma (kō-lan′jē-ō-kar′si-nō′mă)．胆管癌（肝内胆管に原発する腺癌．線維性支質に富み，胆汁を含まない立方上皮または円柱上皮に裏打ちされた管よりなる．肝硬変は通常みられない)．

cho·lan·gi·o·cyte (kō-lan′jē-ō-sīt)．胆管細胞（胆管の内腔をおおう上皮細胞)．

chol·an·gi·o·en·ter·os·to·my (kō-lan′jē-ō-en′ter-os′tō-mē)．胆管腸管吻合〔術〕（胆管と腸を吻合すること)．

chol·an·gi·o·fi·bro·sis (kō-lan′jē-ō-fī-brō′sis)［chol- + G. *angeion*, vessel + fibrosis］．胆管線維症．

chol·an·gi·o·gas·tros·to·my (kō-lan′jē-ō-gas-tros′tō-mē)［chol- + G. *angeion*, vessel + *gastēr*, belly + *stoma*, mouth］．胆管胃吻合〔術〕（胆管と胃を吻合すること)．

chol·an·gi·o·gram (kō-lan′jē-ō-gram)．胆管造影(撮影)像（胆管造影法による胆管のX線記録)．

chol·an·gi·og·ra·phy (kō-lan′jē-og′ră-fē)［chol- + G. *angeion*, vessel + *graphō*, to write］．胆管造影(撮影)〔法〕（造影剤を用いた胆管のX線撮影検査)．

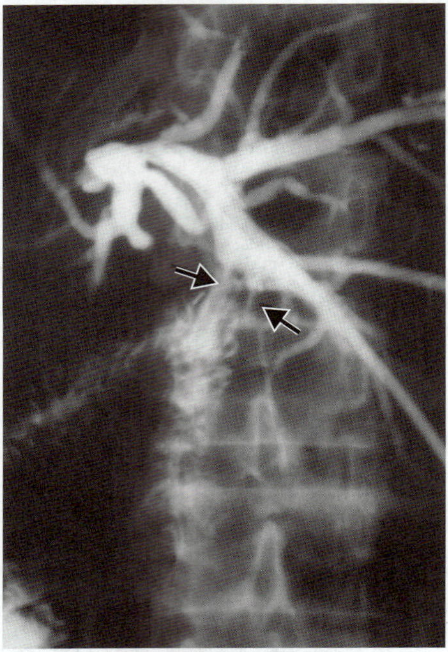

transhepatic cholangiogram

外科的肝管空腸フィステル形成（矢印）を通って胆管道から空腸までの造影剤の通過．

cystic duct c. 胆嚢胆管造影(撮影)〔法〕（胆嚢管に造影剤を導入する胆管系のX線撮影法)．

intravenous c. 経静脈性胆管造影(撮影)〔法〕（経静脈性造影剤の経肝的排泄による胆道造影)．

percutaneous c. 経皮胆管造影(撮影)〔法〕（針を右肋骨縁下の皮膚より肝実質または胆嚢に挿入して造影剤を導入した後の，胆管系のX線撮影法)．

percutaneous transhepatic c.（**PCT, PTHC**）経皮経肝胆管造影(撮影)〔法〕（経皮的に肝内胆管に挿入した穿刺針から造影剤を注入して行う胆管系の造影X線検査)．

t-tube c. Tチューブ胆管造影（胆管処置を伴う胆嚢摘出手術時に総胆管に留置された胆汁ドレナージ用のT字形チューブを抜去する前にチューブから造影剤を注入し，遺残胆管結石の有無を調べるX線造影検査)．

chol·an·gi·ole (kō-lan′jē-ōl)［chol- + G. *angeion*, vessel + *-ole*, small］．細胆管（毛細胆管と小葉間胆管の間にある細胆管)．＝canal of Hering.

chol·an·gi·o·li·tis (kō-lan′jē-ō-lī′tis)．胆細管炎，細胆管炎（胆小根，細胆管の炎症)．

chol·an·gi·o·ma (kō-lan′jē-ō′mă)［chol- + G. *angeion*, vessel + *-oma*, tumor］．胆管腫（特に肝臓内に発生する胆管由来の新生物．良性と悪性(胆管癌)の場合がある)．

chol·an·gi·o·pan·cre·a·tog·ra·phy (kō-lan′jē-ō-pan′-krē-ă-tog′ră-fē)．胆道膵管造影(撮影)〔法〕（造影剤注入後の胆管と膵管の造影X線検査)．

endoscopic retrograde c.（**ERCP**）内視鏡的逆行性胆道膵管造影(撮影)〔法〕（内視鏡で Vater 乳頭を観察したのち，

カニューレを挿入し造影剤を注入し，膵管，肝管，および総胆管を造影する）.

chol·an·gi·os·co·py (kō-lan′jē-os′kŏ-pē) [chol- + G. *angeion*, vessel + *skopeō*, to examine]. 胆道鏡検査法（ファイバースコープを用いて胆管を肉眼的に検査すること）.

chol·an·gi·os·to·my (kō-lan′jē-os′tō-mē) [chol- + G. *angeion*, vessel + *stoma*, mouth]. 胆管造瘻〔術〕，胆管フィステル形成〔術〕（胆管にフィステルを形成すること）.

chol·an·gi·ot·o·my (ko-lan′jē-ot′o-mē) [chol- + G. *angeion*, vessel + *tomē*, incision]. 胆管切開〔術〕.

chol·an·gi·tis (kō′lan-jī′tis) [chol- + G. *angeion*, vessel + *-itis*, inflammation]. 胆管炎（胆管または全胆道系の炎症）. =angiocholitis; cholangeitis.

ascending c. =c. lenta.

c. lenta 遷延性胆管炎（胆道の軽度の細菌感染症．ときに原因不明の発熱の原因となる）. =ascending c.

primary sclerosing c. 原発性硬化性胆管炎（特発性の慢性肝胆道疾患．肝外胆管の広範な炎症，線維化により，胆管の所々に不規則な狭窄が生じる(註同様な変化は肝内胆管にも起こりうる)．半数の患者は進行性の胆管閉塞で，肝硬変，肝不全に至り，胆管癌が合併することもある．しばしば，炎症性腸疾患を合併する）.

recurrent pyogenic c. 再発性化膿性胆管炎（アジアに住むアジア人に最もよくみられる胆管炎の発作の繰返しで，肝内および肝外胆管の多発性狭窄と結石に伴う）.

cho·lan·ic ac·id (kō-lan′ik as′id). コラン酸. =cholic acid.

cho·lan·o·poi·e·sis (kō′lan-ō-poy-ē′sis) [chol- + G. *anō*, upward + *poiēsis*, making]. 胆汁生成（肝臓によるコール酸またはその共役体，あるいは天然胆汁酸塩の合成）.

cho·lan·o·poi·et·ic (kō′lan-ō-poy-et′ik). 胆汁生成の.

chol·an·threne (kō-lan′thrēn). コラントレン（多環式の，やや発癌性のみられる炭化水素．強力な発癌性のみられる3（または20）-methylcholanthreneの構造基本を有する）.

cho·las·cos (kō-las′kos) [chol- + G. *askos*, bag]. 胆汁の腹腔貯留（遊離腹腔内へ胆汁が流出することを表す，まれに用いる語）.

cho·late (kō′lāt). コール酸塩またはエステル.

c. ligase コール酸リガーゼ（コール酸とCoA，ATPからコロイルCoA，AMP，ピロリン酸に転換する酵素）. =cholyl-coenzyme A synthetase.

c. synthetase, c. thiokinase コール酸シンテターゼ，コール酸チオキナーゼ. =cholate-CoA ligase.

chole-, chol-, cholo- [G. *cholē*]. **[本連結形を coleo- または colo- と混同しないこと]**. 胆汁に関する連結形. *cf.* bili-.

cho·le·cal·cif·er·ol (kō′lē-kal-sif′er-ol). コレカルシフェロール（動物から生じると考えられるビタミンDであり，太陽光線にさらされた動物や鳥の皮膚・毛・羽に存在し，またバター，脳，魚油，卵黄にもみられる）. =vitamin D_3; calciol.

cho·le·chro·mo·poi·e·sis (kō′lē-krō′mō-poy-ē′sis) [chole- + G. *chrōma*, color + *poiesis*, making]. 胆汁色素形成（肝臓による胆汁色素の合成）.

cho·le·cyst (kō′le-sist). 胆嚢. =gallbladder.

cho·le·cys·ta·gog·ic (kō′lē-sis′tă-goj′ik). 胆嚢機能促進性の.

cho·le·cys·ta·gogue (kō′lē-sis′tă-gog) [chole- + G. *kystis*, bladder + *agōgos*, leader]. 胆嚢の働きを刺激する物質.

cho·le·cys·tat·o·ny (kō′lē-sis-tat′ō-nē) [chole- + G. *kystis*, bladder + *atonia*, atony]. 胆嚢弛緩（胆嚢の弛緩，衰弱，または機能不全）.

cho·le·cys·tec·ta·si·a (kō′lē-sis′tek-tā′zē-ă) [chole- + G. *kystis*, bladder + *ektasis*, extension]. 胆嚢拡張〔症〕（まれに用いる語）.

cho·le·cys·tec·to·my (kō′lē-sis-tek′tō-mē) [chole- + G. *kystis*, bladder + *ektomē*, excision]. 胆嚢切除〔術〕，胆嚢摘出〔術〕（胆嚢を外科的に取り除くこと）.

cho·le·cyst·en·ter·os·to·my (kō′lē-sist-en′ter-os′tō-mē) [chole- + G. *kystis*, bladder + *enteron*, intestine + *stoma*, mouth]. 胆嚢腸管吻合〔術〕（胆嚢と腸の直接の交通をつくること）. =enterocholecystostomy.

cho·le·cyst·en·ter·ot·o·my (kō′lē-sist-en′ter-ot′ō-mē) [chole- + G. *kystis*, bladder + *enteron*, intestine + *tomē*, a cutting]. 胆嚢腸管切開〔術〕（腸管および胆嚢の切開術）. =enterocholecystotomy.

cho·le·cys·tic (kō′lē-sis′tik). 胆嚢の.

cho·le·cys·tis (kō′lē-sis′tis) [chole- + G. *kystis*, bladder]. 胆嚢. =gallbladder.

cho·le·cys·ti·tis (kō′lē-sis-tī′tis) [chole- + G. *kystis*, bladder + *-itis*, inflammation]. 胆嚢炎.

acute c. 急性胆嚢炎（胆嚢壁の多様な感染，潰瘍，好中球浸潤を伴う，炎症，出血性壊死．通常，胆管に結石が詰まって起こる）.

chronic c. 慢性胆嚢炎（胆嚢の慢性炎症で，通常，結石症に続発する．リンパ球の浸潤および胆嚢壁が著しく厚くなる線維症を伴う）.

emphysematous c. 気腫性胆嚢炎（ガス発生細菌の感染による胆嚢炎で，胆嚢内にガスを生じる）.

xanthogranulomatous c. 黄色肉芽腫性胆嚢炎（脂質マクロファージによる，著明な小結節浸潤を伴う慢性胆嚢炎．結石による胆管閉鎖に併発する場合もある）.

cho·le·cys·to·du·o·de·nos·to·my (kō′lē-sis′tō-dū′ō-dē-nos′tō-mē) [chole- + G. *kystis*, bladder + L. *duodenum* + G. *stoma*, mouth]. 胆嚢十二指腸吻合〔術〕（胆嚢と十二指腸間の直接の交通を形成すること）. =duodenocholecystostomy; duodenocystostomy (1).

cho·le·cys·to·gas·tros·to·my (kō′lē-sis′tō-gas-tros′tō-mē) [chole- + G. *kystis*, bladder + *gastēr*, stomach + *stoma*, mouth]. 胆嚢胃吻合〔術〕（胆嚢と胃の間の交通を形成すること）.

cho·le·cys·to·gram (kō′lē-sis′tō-gram). 胆嚢造影（撮影）図（胆嚢造影法による胆嚢構造や機能のX線記録）.

cho·le·cys·tog·ra·phy (kō′lē-sis-tog′ră-fē) [chole- + G. *kystis*, bladder + *grapho*, to write]. 胆嚢造影（撮影）〔法〕，胆嚢写（①胆嚢造影剤を経口的に投与したのち，胆嚢をX線撮影する．②肝臓から排泄される放射性医薬品を投与し，胆嚢および胆道系のシンチグラフィを撮像する）. =Graham-Cole test.

cho·le·cys·to·il·e·os·to·my (kō′lē-sis′tō-il-ē-os′tō-mē) [chole- + G. *kystis*, bladder + ileum + G. *stoma*, mouth]. 胆嚢回腸吻合〔術〕（胆嚢と回腸間の交通を形成すること）.

cho·le·cys·to·je·ju·nos·to·my (kō′lē-sis′tō-jē-jū-nos′-tō-mē) [chole- + G. *kystis*, bladder + jejunum + G. *stoma*, mouth]. 胆嚢空腸吻合〔術〕（胆嚢と空腸間の交通を形成すること）.

cho·le·cys·to·ki·nase (kō′lē-sis-tō-kī′nās). コレシストキナーゼ（コレシストキニンの加水分解を触媒する酵素）.

cho·le·cys·to·ki·net·ic (kō′lē-sis′tō-ki-nit′ik). 胆嚢運動促進の（胆嚢の排泄作用を促進する）.

cho·le·cys·to·ki·nin (CCK) (kō′lē-sis-tō-kī′nin) [MIM *118440]. コレシストキニン（胃内容物と接触して上部腸粘膜が遊離するポリペプチドホルモン（そのヒトペプチドは33アミノ酸残基からなる)．胆嚢収縮や膵液分泌を刺激する）. =pancreozymin; CCK- pancreozymin.

cho·le·cys·to·li·thi·a·sis (kō′lē-sis′tō-li-thī′ă-sis) [chole- + G. *kystis*, bladder + *lithos*, stone]. 胆石症（胆嚢に胆石が存在すること）.

cho·le·cys·to·lith·o·trip·sy (kō′lē-sis′tō-lith′ō-trip-sē) [chole- + G. *kystis*, bladder + *lithos*, stone + *tripsis*, a rubbing]. 胆石破砕〔術〕（石に焦点を当てた経皮的音波エネルギーの照射によって胆石を粉砕すること）.

cho·le·cys·to·my (kō′lē-sis′tō-mē). =cholecystotomy.

cho·le·cys·to·paque (kō′lē-sis′tō-pāk). コレシストパーク（経口的に投与された造影剤が経肝的に排泄され，胆嚢で濃縮されることによる胆嚢造影剤）.

cho·le·cys·top·a·thy (kō′lē-sis-top′ă-thē). 胆嚢疾患.

cho·le·cys·to·pex·y (kō′lē-sis′tō-pek′sē) [chole- + G. *kystis*, bladder + *pēxis*, fixation]. 胆嚢固定〔術〕（胆嚢を腹壁に縫合すること）.

cho·le·cys·tor·rha·phy (kō′lē-sis-tōr′ă-fē) [chole- + G. *kystis*, bladder + *rhaphē*, sewing]. 胆嚢縫合〔術〕（切開した，または破裂した胆嚢を縫合すること）.

cho·le·cys·to·so·nog·ra·phy (kō′lē-sis′tō-sō-nog′ră-fē) [cholecysto- + sonography]. 胆嚢超音波検査〔法〕.

cho·le·cys·tos·to·my (kō′lē-sis-tos′tō-mē) [chole- + G.

C

kystis, bladder + *stoma*, mouth]. 胆嚢造瘻〔術〕, 胆嚢フィステル形成〔術〕(胆嚢にフィステルを形成すること).

cho·le·cys·tot·o·my (kō′lē-sis-tot′ō-mē) [chole- + G. *kystis*, bladder + *tomē*, incision]. 胆嚢切開〔術〕. =cholecystomy.

laparoscopic c. 腹腔鏡下胆嚢摘出術 (胆嚢摘除のための低侵襲手術手技. 4ないし5か所(すなわち10 mm 以下)の切開が腹腔鏡と様々な器具の腹腔内挿入のために用いられ, その結果古典的な切開は行われないですむ).

cho·le·doch (kō′lē-dok) [G. *cholēdochos*, containg bile < *cholē*, bile + *dechomai*, to receive]. 総胆管. =common bile *duct*.

choledoch- (kō′lē-dok). →choledocho-.

cho·le·doch·al (kō′lē-dok-ăl). 総胆管の.

cho·led·o·chec·to·my (kō′led-ō-kek′tō-mē) [choledoch- + G. *ektomē*, excision]. 総胆管切除〔術〕(総胆管の一部を外科的に切除すること).

cho·led·o·chen·dy·sis (kō′led-ō-ken′dī-sis) [choledoch- + G. *endysis*, an entering in]. =choledochotomy.

cho·led·o·chi·arc·ti·a (kō′led-ō-ki-ark′tē-ă) [choledoch- + L. *artus*(*arctus* は不正確), narrow]. 胆管狭窄を表す現在では用いられない語.

cho·led·o·chi·tis (kō′led-ō-kī′tis) [choledoch- + G. *-itis*, inflammation]. 胆管炎 (総胆管の炎症).

choledocho-, choledoch- (kō-led′ō-kō, kō′lē-dok) [G. *cholēdochos*, containing bile < *cholē*, bile + *dechomai*, to receive]. 総胆管に関する連結形.

cho·led·o·cho·cho·led·o·chos·to·my (kō-led′ō-kō-kō-led′ō-kos′tō-mē) [choledocho- + choledocho- + G. *stoma*, mouth]. 胆管胆管吻合〔術〕(総胆管の分かれた部分を手術的につなぐこと).

cho·led·o·cho·du·o·de·nos·to·my (kō-led′ō-kō-dū′ō-dē-nos′tō-mē) [choledocho- + duodenum + G. *stoma*, mouth]. 総胆管十二指腸吻合〔術〕(自然にあるもの以外に, 総胆管と十二指腸間に交通を形成すること).

cho·led·o·cho·en·ter·os·tomy (kō-led′ō-kō-en′ter-os′tō-mē) [choledocho- + G. *enteron*, intestine + *stoma*, mouth]. 総胆管腸管吻合〔術〕(自然にあるもの以外に, 総胆管と腸のどこかに交通を形成すること).

cho·led·o·cho·je·ju·nos·to·my (kō-led′ō-kō-jĕ-jū-nos′-tō-mē) [choledocho- + jejuno- + G. *stoma*, mouth]. 総胆管空腸吻合〔術〕(総胆管と空腸を吻合すること).

cho·led·o·cho·lith (kō-led′ō-kō-lith) [choledocho- + G. *lithos*, stone]. 総胆管結石.

cho·led·o·cho·li·thi·a·sis (kō-led′ō-kō-lith-ī′ă-sis). 総胆管結石症 (総胆管に胆石が存在すること).

cho·led·o·cho·li·thot·o·my (kō-led′ō-kō-li-thot′ō-mē) [choledocho- + G. *lithos*, stone + *tomē*, incision]. 総胆管結石切開〔術〕, 総胆管切石〔術〕(胆石を除去するため総胆管を切開すること).

cho·led·o·cho·lith·o·trip·sy (kō-led′ō-kō-lith′ō-trip-sē) [choledocho- + G. *lithos*, stone + *tripsis*, rubbing]. 総胆管結石破砕〔術〕(経皮的音波エネルギーあるいは内視鏡的に誘導したレーザーを用いて総胆管内結石を粉砕すること). =choledocholithotrity.

cho·led·o·cho·li·thot·ri·ty (kō-led′ō-kō-li-thot′ri-tē). =choledocholithotripsy.

cho·led·o·cho·plas·ty (kō-led′ō-kō-plas′tē) [choledocho- + G. *plastos*, formed]. 総胆管形成〔術〕(総胆管組織の再形成).

cho·led·o·chor·rha·phy (kō-led′ō-kōr′ră-fē) [choledocho- + G. *rhaphē*, suture]. 総胆管縫合〔術〕(総胆管の分離端を縫合すること).

cho·led·o·chos·to·my (kō-led′ō-kos′tō-mē) [choledocho- + G. *stoma*, mouth]. 総胆管造瘻〔術〕, 総胆管フィステル形成〔術〕(総胆管にフィステルを形成すること).

cho·led·o·chot·o·my (kō-led′ō-kot′ō-mē) [choledocho- + G. *tomē*, incision]. 総胆管切開〔術〕. =choledochendysis.

cho·led·o·chous (kō-led′ō-kŭs). 総胆管〔性〕の.

cho·led·o·chus (kō-led′ō-kŭs). 総胆管 ([誤った発音 choledo′chus を避けること]). =common bile *duct*.

cho·le·glo·bin (kō′lē-glō′bin). コレグロビン (グロビンと鉄ポルフィリンの有色複合体(α-メチルオキシゲナーゼによるα-メテン橋の開裂から生じ開放環を有する)で, ヘモグロビンの分解における最初の中間体. さらに, ベルドヘモクロム, ビリベルジン, ビリルビンに分解される). =bile pigment hemoglobin; green hemoglobin; verdohemoglobin.

cho·le·he·ma·tin (kō′lē-hē′mă-tin). コレヘマチン (草食動物の胆汁中に存在する赤色色素で, クロロフィルに由来する. ヘマチンの酸化生成物).

cho·le·he·mi·a (kō′lē-hē′mē-ă) [chole- + G. *haima*, blood]. =cholemia.

cho·le·ic (kō-lē′ik). =cholic.

cho·le·ic ac·ids (kō-lē′ik as′idz). コレイン酸 (胆汁酸とステロールの複合体).

cho·le·lith (kō′lē-lith) [chole- + G. *lithos*, stone]. 胆石. =gallstone.

cho·le·li·thi·a·sis (kō′lē-li-thī′ă-sis) [MIM*600803]. 胆石症 (胆嚢または胆管に結石が存在すること). =chololithiasis.

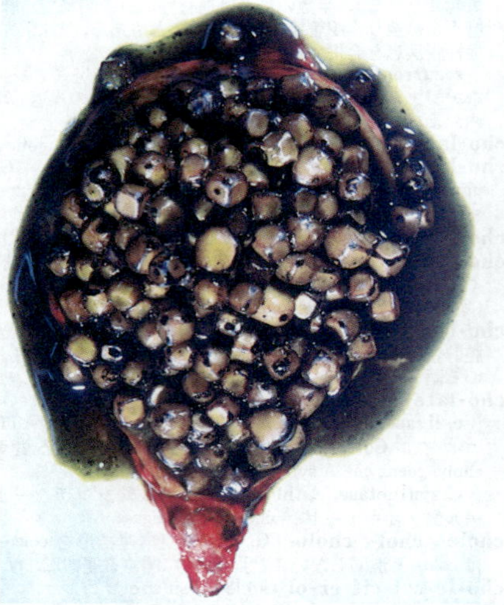

cholelithiasis

多数の黄色のコレステロール結石を明らかにするために開かれた胆嚢.

cho·le·li·thot·o·my (kō′lē-li-thot′ō-mē) [chole- + G. *lithos*, stone + *tomē*, incision]. 胆石摘除〔術〕.

cho·le·lith·o·trip·sy, cho·le·li·thot·ri·ty (kō′lē-lith′ō-trip-sē, kō-lē-li-thot′ri-tē) [chole- + G. *lithos*, stone + *tripsis*, a rubbing]. 胆石の破砕を表す, まれに用いる語.

cho·lem·e·sis (kō-lem′ĕ-sis) [chole- + G. *emesis*, vomiting]. 胆汁嘔吐〔症〕, 吐胆〔症〕.

cho·le·mia (kō-lē′mē-ă) [chole- + G. *haima*, blood]. 胆血〔症〕, 胆汁血〔症〕(循環血液中に胆汁塩が存在すること). =cholehemia.

cho·lem·ic (kō-lē′mik). 胆血〔症〕の, 胆汁血〔症〕の.

cho·le·path·i·a (kō′lē-path′ē-ă). 胆管疾病 (①胆管の疾患. ②不規則な胆管収縮).

c. spastica 胆管痙攣.

cho·le·per·i·to·ni·tis (kō′le-per′i-tō-nī′tis). 胆汁性腹膜炎. =bile *peritonitis*.

cho·le·poi·e·sis (kō′lē-poy-ē′sis) [chole- + G. *poiēsis*, making]. 胆汁生成. =cholopoiesis.

cho·le·poi·et·ic (kō′lē-poy-et′ik). 胆汁生成の.

chol·era (kol′er-ă) [L. a bilious disease < G. *cholē*, bile]. コレラ (コレラ菌 *Vibrio cholerae* により引き起こされる, 急性流行性伝染性疾患. 腸管内でバクテリアがつくる可溶性

毒素が粘膜のアデニル酸シクラーゼを活性化し，等張液の活発な分泌を起こすため，大量の水溶性下痢，水分と電解質の極度の消失，脱水，虚脱状態を引き起こすが，腸粘膜の形態学変化は起こさない)．=Asiatic c.

Asiatic c. アジア型コレラ．=cholera.

c. infantum 小児コレラ（嘔吐，大量の漿液性下痢，発熱，疲はいと虚脱が特徴の小児疾患に対する古語）．

c. morbus コレラ病（原因不明の急性重症胃腸炎に対する古語．激しい仙痛，嘔吐，水様便が著しい．以前は暑い気候時によくみられた）．

pancreatic c. =*diarrhea* pancreatica.

c. sicca 乾性コレラ（アジア型コレラの流行期間中にみられた悪性型のコレラに対する古語．患者は下痢を起こさず，死亡する）．

typhoid c. チフス様コレラ（主に錯乱や認知症のような脳の症状発現を伴うコレラ．cholera (2) の古語）．

chol·er·a·gen (kol′er-ă-jen) [cholera + G. *-gen*, producing]．コレラゲン（コレラ菌の培養液中に産生される外毒素で，コレラによる下痢の原因物質）．

chol·er·a·ic (kol′er-ā′ik)．コレラの．

chol·er·a·phage (kol′er-ă-fāj) [cholera + G. *phagō*, to eat]．コレラ菌ファージ（コレラ菌 *Vibrio cholerae* のバクテリオファージ）．

cho·le·re·sis (kō-ler′e-sis) [chole- + G. *hairesis*, a taking]．胆汁分泌（胆嚢による胆汁の排出とは異った胆汁の分泌）．

cho·le·ret·ic (ko′le-ret′ik)．*1*〚adj.〛胆汁分泌促進の，催胆の．*2*〚n.〛胆汁分泌〔促進〕薬．

chol·e·rhe·ic (kol-ĕ-rē′ik) [chole- + G. *hairesis*, a taking]．胆汁性下痢の（非吸収胆汁酸塩によって起こる下痢を意味する）．

chol·er·ic (kol′er-ik)．おこりっぽい．=bilious (3).

chol·er·i·form (kol′er-i-fōrm)．コレラ様の．=choleroid.

chol·er·i·gen·ic, chol·er·ig·en·ous (kol′er-i-jen′ik, -ij′en-ŭs)．コレラの原因となる，コレラを引き起こす．

chol·er·ine (kol′er-ēn)．軽症コレラ，コレラ初期（アジア型コレラの流行期にみられる軽症下痢）．

chol·er·oid (kol′er-oyd)．=choleriform.

cho·ler·rha·gi·a (kō′lē-rā′jē-ă) [chole- + G. *rhegnymi*, to burst forth]．胆汁漏出，胆汁流出（胆汁の広範囲にわたる流出）．

cho·ler·rha·gic (kō′lē-raj′ik)．胆汁漏出の．

chol·e·scin·tig·ra·phy (kō′lē-sin-tig′ră-fē) [chole- + scintigraphy]．胆道シンチグラフィ（胆嚢および胆道の RI シンチグラフィによる検査）．

cho·les·tane (kō′les-tān)．コレスタン（コレステロールの母体炭化水素．構造については steroids 参照）．

cho·les·ta·nol (kō-les′tan-ol)．コレスタノール（二重結合がない点でコレステロールと異なる）．

cho·les·tan·one (kō-les′tan-ōn)．コレスタノン（コレスタノールの酸化生成物で，3-ヒドロキシル基の代わりにケトン酸素が存在する点で，前者と異なる．コプロスタノンの異性体）．

cho·le·sta·si·a (kō′les-tā′sē-ă) [chole- + G. *stasis*, a standing still]．胆汁うっ滞（胆汁の流れの停止．胆管の閉塞によって起こる胆汁うっ滞では，肝臓の小胆管や毛細胆管に濃縮した胆汁による胆栓の形成をみ，また血清の直接ビリルビンおよびいくつかの酵素が上昇する）．=cholestasis.

cho·le·sta·sis (kō-les′tă-sis)．=cholestasia.

intrahepatic c. of pregnancy 妊娠性肝内胆汁うっ滞（炎症細胞や間葉系細胞の増殖を伴わない小葉中心部に胆汁が染まる肝内胆汁うっ滞．臨床的にはそう痒，黄疸がみられる．原因は不明であるがエストロゲン濃度の上昇を伴う）．=c. of pregnancy; cholestatic hepatosis icterus gravidarum; recurrent jaundice of pregnancy.

c. of pregnancy 妊娠性胆汁うっ滞．=intrahepatic cholestasis of pregnancy.

cho·le·stat·ic (kō′les-tat′ik)．胆汁うっ滞の，胆汁分泌停止の．

cho·les·te·a·to·ma (kō′les-tē′ă-tō′mă) [cholesterol + G. *stear* (*steat-*), tallow + *-ōma*, tumor]．コレステリン腫，真珠腫（①膨張する嚢胞腔を内側で縁どる扁平上皮化生あるいは扁平上皮．中耳または乳突蜂巣を含む周囲の骨を溶解し，ケラチン化した扁平上皮デブリス塊で埋め尽くされ，通常は慢性中耳炎から生じている．その領域はしばしばコレステロール cleft を含有するが，それは炎症と異物巨細胞によって囲まれている．それゆえ cholesteatoma と名づけられている．②ヒトまたは動物の中枢神経系に生じる類表皮嚢胞）．

congenital c. 先天性真珠腫（中耳または側頭骨のあらゆる部位に生じうる真珠腫．中耳炎とは関連なく生じるが，慢性中耳炎の原因になる）．

cho·les·te·at·om·a·tous (kō′les-tē′ă-tō′mă-tŭs)．真珠腫性の．

cho·les·ten·one (kō-les′ten-ōn)．コレステノン（デヒドロコレスタノンで，C-4 と C-5 の間に二重結合が存在する点で，コレスタノンと異なる）．

cho·les·ter·e·mi·a (kō-les′ter-ē′mē-ă) [cholesterol + G. *haima*, blood]．コレステリン血〔症〕，コレステロール血〔症〕（血中コレステロールの量が増加すること）．=cholesterinemia; cholesterolemia.

cho·les·ter·in·e·mi·a (kō-les′ter-in-ē′mē-ă)．=cholesteremia.

cho·les·ter·in·o·sis (kō-les′ter-in-ō′sis)．コレステリン沈着〔症〕．=cholesterolosis.

cho·les·ter·i·nu·ri·a (kō-les′ter-i-nyū′rē-ă) [cholesterin + G. *ouron*, urine]．コレステリン尿〔症〕．=cholesteroluria.

cho·les·ter·ol (kō-les′ter-ol)．コレステロール；5-cholesten-3β-ol（5,6 二重結合と 3β ヒドロキシル基を有するコレスタン．動物組織内，特に胆汁や胆石，および食物，特に動物脂肪に富んだ食物に多く存在するステロイド．種々の比重の蛋白と複合体をつくり，血漿中を循環し，動脈でアテローム性動脈硬化生成の病原において重要な役割を果たす．ステロイドホルモンの前駆体の 1 つ）．=lipoprotein.

cho·les·ter·ol·e·mia (kō-les′ter-ol-ē′mē-ă) [cholesterol + G. *haima*, blood]．=cholesteremia.

cho·les·ter·ol·o·gen·e·sis (kō-les′ter-ol-ō-jen′ĕ-sis)．コレステロール生成．

cho·les·ter·ol·o·sis (kō-les′ter-ol-ō′sis)．コレステロール沈着〔症〕（①脂質の代謝障害に由来する疾患で，Tangier 病のように，組織内のコレステロール沈着を特徴とする．②網膜剝離を伴った無水晶体眼のように眼の前房にコレステロール結晶が存在すること）．=cholesterinosis.

cho·les·ter·ol·u·ria (kō-les′ter-ol-yū′rē-ă)．コレステロール尿〔症〕（尿中にコレステロールが排泄される）．=cholesterinuria.

cho·le·styr·a·mine (kō-les′tēr-ă-mēn)．コレスチラミン．=cholestyramine *resin*.

cho·le·u·ri·a (kō-lē-yū′rē-ă)．胆尿〔症〕．=biliuria.

cho·lic (kō′lik)．胆汁の．=choleic.

cho·lic ac·id (kō′lik as′id)．コール酸（胆汁酸(塩)を含むステロイドの一群で，一般に共役型(例えば，グリココール酸またはタウロコール酸)である．化学的に，コール酸は cholan-24-oic (cholanic) acids(コランの末端の C_{24} は -COOH 基になる群)．生物学的に，コール酸はコレステロール(コレスタン誘導体)に由来し，種々の程度の酸化(OH 基)と，3,7,12 位の配向を示す．数種のコール酸を区別するのはこれらの酸化や配向である．したがって，コール酸は，3α,7α,12α-trihydroxy-5β-cholan-24-oic acid である．deoxycholic acid は 3α,12α-dihydroxy-5β-cholanic acid である．コール酸は哺乳類において天然界面活性剤であり，脂肪の消化を助ける）．=cholalic acid; cholanic acid.

cho·li·cele (kō′li-sēl) [G. *cholē*, bile + *kēlē*, tumor]．胆嚢水腫（液体の貯留による胆嚢の腫脹）．

cho·line (kō′lēn)．コリン（ほとんどの動物組織中にみられる物質で，遊離型として，またはレシチン(ホスファチジルコリン)，アセテート(アセチルコリン)，シチジン二リン酸(シチジンジホスホコリン)と結合して存在する．ビタミン B 複合体の中に含まれる．数種のコリン塩が医学で用いられている）．=lipotropic factor; transmethylation factor.

c. acetylase コリンアセチラーゼ．=c. acetyltransferase.

c. acetyltransferase [MIM*118490]．コリンアセチルトランスフェラーゼ（コリンとアセチル CoA との縮合を触媒し，*O*-アセチルコリンと CoA を生成する酵素）．=c. acetylase.

c. chloride 塩化コリン（親脂性薬）.

c. dihydrogen citrate 二水素性クエン酸コリン（親脂性薬）.

c. esterase I コリンエステラーゼ I. ＝acetylcholinesterase.

c. esterase II コリンエステラーゼ II. ＝cholinesterase.

c. kinase［MIM*118491］. コリンキナーゼ（コリンとATPから*O*-ホスホコリンとADPを生成するのを触媒する酵素）. ＝c. phosphokinase.

c. phosphatase コリンホスファターゼ. ＝*phospholipase* D.

c. phosphate cytidylyltransferase コリンリン酸シチジリルトランスフェラーゼ（レシチン生合成の重要段階を触媒する酵素. CTP＋ホスホコリン⇌ピロリン酸＋CDPコリン）.

c. phosphokinase コリンホスホキナーゼ. ＝c. kinase.

c. salicylate サリチル酸コリン（サリチル酸塩の1つ. 鎮痛・解熱薬(サリチル酸塩成分による)）.

cho·line·phos·pho·trans·fer·ase (kō′lēn-fos′fō-trans′-fer-ās). コリンホスホトランスフェラーゼ（CDP-コリンと1,2-ジアシルグリセロール間の反応を触媒してホスファチジルコリンとCMPを生成する酵素. レシチンの生合成の最終段階）.

cho·lin·er·gic (kōl′in-er′jik)［choline＋G. *ergon*, work］. コリン作用(作動)〔性〕の（神経伝達物質としてアセチルコリンを用いる神経線維についていう. *cf.* adrenergic）.

cho·lin·es·ter (kō′lin-es′ter). コリンエステル（例えばアセチルコリン）.

cho·lin·es·ter·ase (kō′lin-es′ter-ās). コリンエステラーゼ（アシルコリンや他のいくつかの化合物の加水分解を触媒できる酵素の一群. 哺乳類では脳の白質, 肝臓, 心臓, 膵臓, 血清に存在する. またコブラ毒にも存在する. →acetylcholinesterase）. ＝choline esterase II; nonspecific c.

"e"-type c.［erythrocyte の"e"］. e型コリンエステラーゼ. ＝acetylcholinesterase.

nonspecific c. 非特異性コリンエステラーゼ. ＝cholinesterase.

specific c. 特異的コリンエステラーゼ. ＝acetylcholinesterase.

true c. 真性コリンエステラーゼ. ＝acetylcholinesterase.

cho·lin·es·ter·ase re·ac·ti·va·tor (kō′lin-es′ter-ās rē-ak′ti-vā′tor). コリンエステラーゼ再活性化薬（アルキルリン酸化酵素に直接反応して, 活性体を遊離させる薬物. 治療上アセチルコリンエステラーゼのリン酸化体を再活性化するために用いる薬物で, オキシム類である. 例えば, ジアセチルモノキシム, モノイソニトロソアセトン, 2-プラリドキシム）.

cho·lin·o·cep·tive (kō′lin-ō-sep′tiv)［acetylcholine＋L. *capio*, to take］. コリン受容〔体〕の（化学伝達物質の一種であるアセチルコリンが結合する効果器の部位についていう. *cf.* adrenoceptive）.

cho·li·no·lyt·ic (kō′lin-ō-lit′ik)［acetylcholine＋G. *lysis*, loosening］. 抗コリン性の（アセチルコリンの作用を妨げる）.

chol·i·no·mi·met·ic (kol′i-nō-mi-met′ik)［acetylcholine＋G. *mimētikos*, imitating］. コリン〔様〕作用(作動)の（アセチルコリンに類似した作用をもつことについていう. 不正確なparasympathomimeticに代わってつくり出された用語. *cf.* adrenomimetic）.

cho·lin·o·re·ac·tive (kōl′in-ō-rē-ak′tiv). コリン反応性の（アセチルコリンおよび関連化合物に反応する）.

chol·i·no·re·cep·tors (kōl′i-nō-rē-sep′terz, -tōrz). →cholinergic *receptors*.

cho·lis·tine sul·pho·meth·ate so·di·um (kō-lis′tēn sŭl′fō-meth′āt sō′dē-ŭm). コリスチンメタンスルホン酸ナトリウム. ＝colistimethate sodium.

cholo- (kōl′ō). →chole-.

chol·o·li·thi·a·sis (kol′ō-li-thī′ă-sis). ＝cholelithiasis.

chol·o·pla·ni·a (kol′ō-plā′nē-ă)［cholo-＋G. *planē*, a wandering］. 黄疸（血中または組織中に胆汁酸塩が存在すること）.

chol·o·poi·e·sis (kōl′ō-poy-ē′sis). ＝cholepoiesis.

chol·or·rhe·a (kol-ō-rē′ă)［cholo-＋G. *rhoia*, a flow］. 胆汁分泌過剰を表す現在では用いられない語.

cho·los·co·py (kō-los′kŏ-pē)［cholo-＋G. *skopeō*, to view］. 胆道〔機能〕検査法（cholangioscopyを表す, まれに用いる語）.

chol·o·tho·rax (kōl′ō-thōr′aks). 胆胸〔症〕（胸膜腔に胆汁がたまること）.

cho·lo·yl (kō′lō-il). コロイル（コール酸(胆汁酸塩)の基）.

chol·ur·i·a (kō-lyū′rē-ă)［G. *cholē*, bile＋*ouron*, urine］. 胆汁尿〔症〕. ＝biliuria.

cho·lyl-co·en·zyme A (kō′lil-kō-en′zīm). コール酸とCoAの縮合物. コール酸からタウロコール酸を生成するように, 胆汁酸から胆汁塩を生成するときの中間産物.

c.-c. A synthetase ＝*cholate* ligase.

chon·dral (kon′drăl)［G. *chondros*, cartilage］. 軟骨の. ＝cartilaginous.

chon·dral·lo·pla·si·a (kon′dral-ō-plā′zē-ă)［G. *chondros*, cartilage＋*allos*, other＋*plasia*, formed］. 軟骨発育不全〔症〕, 軟骨異栄養症（体幹骨の異常状態により起こる軟骨の疾患）.

chon·drec·to·my (kon-drek′tō-mē)［G. *chondros*, cartilage＋*ektomē*, excision］. 軟骨切除〔術〕.

chon·dri·fi·ca·tion (kon′dri-fi-kā′shŭn)［G. *chondros*, cartilage＋L. *facio*, to make］. 軟骨化.

chon·dri·fy (kon′dri-fī). 軟骨化する.

chondrio- (kon′drē-ō). →chondro-.

chon·dri·tis (kon-drī′tis)［G. *chondros*, cartilage＋-*itis*, inflammation］. 軟骨炎.

costal c. 肋軟骨炎. ＝costochondritis.

chondro-, chondrio- (kon′drō, kon′drē-ō)［G. *chondrion*: *chondros*(groats (coarsely ground grain), grit, gristle, cartilage)の指小辞］. ***1*** 軟骨または軟骨性を意味する連結形. ***2*** 粒体または顆粒を意味する連結形.

chon·dro·blast (kon′drō-blast)［chondro-＋G. *blastos*, germ］. 軟骨芽細胞（成長過程にある軟骨組織の分裂能力をもつ細胞）. ＝chondroplast.

chon·dro·blas·to·ma (kon′drō-blas-tō′mă). 軟骨芽細胞腫（長骨の骨端に生じる良性腫瘍. 胎児軟骨に似た組織からなっている）.

chon·dro·cal·cin (kon′drō-kal-sin). コンドロカルシン（134-kDの蛋白で, 硬組織の鉱物化に働くと考えられており, プロコラーゲンα_1から生成する）.

chon·dro·cal·ci·no·sis (kon′drō-kal′si-nō′sis)［chondro-＋calcium＋G. -*osis*, condition］. 軟骨石灰化〔症〕.

articular c.［MIM*118600］. 関節軟骨石灰化〔症〕（関節液, 関節軟骨や関節周囲軟部組織に, 尿酸塩でなく, ピロリン酸カルシウム結晶が沈着することを特徴とする疾患. 通常関節の痛風様疼痛発作, 腫脹とX線像上関節軟骨に石灰化がみられる(偽痛風)のを特徴とする, 種々の型の関節炎を生じる. 常染色体優性遺伝性と考えられる場合もあるし, ある疾患に伴って起こる場合もある. 前者はヒト強直遺伝子(*ANKH*)の突然変異により生じる）.

chon·dro·clast (kon′drō-klast)［chondro-＋G. *klastos*, broken in pieces］. 軟骨吸収細胞（軟骨再吸収に関係する多核巨大細胞. 形態的には破骨細胞に類似するか同じである）.

chon·dro·cos·tal (kon′drō-kos′tăl)［chondro-＋L. *costa*, rib］. 肋軟骨の. ＝costochondral.

chon·dro·cra·ni·um (kon′drō-krā′nē-ŭm)［chondro-＋G. *kranion*, skull］. 軟骨頭蓋（胎児の成育過程の頭蓋の軟骨性部分）.

chon·dro·cyte (kon′drō-sīt)［chondro-＋G. *kytos*, a hollow(cell)］. 軟骨細胞（軟骨基質内の小窩(軟骨小腔)に納まっている細胞）. ＝cartilage cell.

isogenous c.'s 同原軟骨細胞（1細胞の分裂により生じた軟骨細胞のクローンで, 同原巣とよばれるクラスターをなす）.

chon·dro·der·ma·ti·tis no·du·la·ris chron·i·ca he·li·cis (kon′drō-der-ma-tī′tis nod-yū-lar′is kron′i-kă hel′i-sis). 慢性結節性耳輪軟骨皮膚炎（初老期の人の耳輪に生じる良性, 慢性, 有痛性の小結節. ときに潰瘍化することがある. 常に同じ側を下にして横向きに寝る習慣が原因となる）.

chon·dro·dys·pla·si·a (kon′drō-dis-plā′zē-ă) [chondro- + G. *dys*, bad + *plasis*, a molding][MIM*118650]. 軟骨形成不全〔症〕，軟骨異形成〔症〕. = chondrodystrophy.

c. calcificans congenita [MIM*118650]. 先天性石灰化軟骨異形成〔症〕（常染色体優性遺伝．不均一な骨の石灰化および異形成を特徴とする疾患．他の軟骨異形成症に比べ，先天性白内障，魚鱗癬を伴うことが少なく予後良好な疾患である）. = Conradi disease; Conradi-Hünermann disease.

Nance-Sweeney c. (nants swē′nē). = *chondrodystrophy* with sensorineural deafness.

c. punctata [MIM*215105]. 点状軟骨異形成〔症〕（点状骨端，脊椎の冠状裂，近位節(上腕，大腿)短縮型の小人症，関節拘縮，先天性白内障，魚鱗癬，および精神遅滞を特徴とする発達障害．遺伝型式には常染色体優性・劣性遺伝とX連鎖遺伝とがある）. = dysplasia epiphysialis punctata; hypoplastic fetal chondrodystrophy; stippled epiphysis.

rhizomelic c. punctata [MIM*215100]. 近節(近位四節)短縮性点状軟骨形成異常〔症〕（形成不全症）（常染色体劣性遺伝の致死的な疾患であり，第6染色体長腕の *PTS 2* 受容体をコードしている *PEX 7* 遺伝子の異常による疾患である）.

chon·dro·dys·tro·phy (kon′drō-dis′trō-fē) [chondro- + G. *dys*, bad + *trophē*, nourishment]. 軟骨形成異常〔症〕，軟骨異栄養症（長骨の軟骨原基の発育障害で，特に骨端線に生じ，長骨の発育停止をもたらし，ずんぐりした小人症となる．四肢は異常に短いが，頭部と体幹はまったく正常である．常染色体劣性遺伝）. = chondrodysplasia.

asphyxiating thoracic c. = asphyxiating thoracic *dystrophy*.

asymmetric c. 非対称性軟骨形成異常〔症〕. = enchondromatosis.

hereditary deforming c. 遺伝性変形性軟骨形成異常〔症〕（① = hereditary multiple *exostoses* (⇀exostosis). ② = enchondromatosis）.

hypoplastic fetal c. = *chondrodysplasia* punctata.

myotonic c. 筋緊張性軟骨形成異常〔症〕（まれな先天性疾患であり，筋緊張，筋肥大，関節や長管骨の奇形，幼若化を呈する疾患）. = Schwartz-Jampel disease.

c. with sensorineural deafness [MIM*215150]. 感音難聴を伴う軟骨形成異常〔症〕（小人症，扁平な鼻梁，口蓋裂，感音性難聴，肥大した骨端と扁平化した椎骨で特徴付けられる骨形成異常症．常染色体劣性遺伝であり，第6染色体短腕のコラーゲンタイプ XI 遺伝子(*COL11 A 2*)の突然変異により生じる．優性遺伝型も存在する）. = Nance-Insley syndrome; Nance-Sweeney chondrodysplasia; OSMED.

chon·dro·ec·to·der·mal (kon′drō-ek-tō-der′măl). 軟骨外胚葉の（例えば，神経堤から発達したものとみなされる鰓弓軟骨のような外胚葉性軟骨についていう）.

chon·dro·fi·bro·ma (kon′drō-fī-brō′mă). 軟骨線維腫. = chondromyxoid *fibroma*.

chon·dro·gen·e·sis (kon′drō-jen′ĕ-sis) [chondro- + G. *genesis*, origin]. 軟骨形成.

chon·dro·glos·sus (kon′drō-glos′ŭs) [chondro- + G. *glossa*, tongue]. 小角舌の (⇀chondroglossus *muscle*).

chon·droid (kon′droyd) [chondro- + G. *eidos*, resemblance]. *1*〘adj.〙軟骨様の. = cartilaginoid. *2*〘n.〙類軟骨（本来の軟骨の特質をもたず発達した軟骨で，本来は薄い被膜あるいは無被膜の好塩基性の基質をもつ細胞性のものである）.

chon·dro·i·tin (kon-drō′i-tin). コンドロイチン（β-D-グルクロン酸と *N*-アセチル-D-ガラクトサミンがβ(1-3)およびβ(1-4)結合で交互に現れる残基からなる(ムコ)多糖類．結合組織の細胞外マトリックスにおける基底物質間に存在する）.

c. sulfate A コンドロイチン硫酸A（コンドロイチンのガラクトサミン残基の4-ヒドロキシル基が硫酸基でエステル化されている．結合組織に存在する）.

c. sulfate B コンドロイチン硫酸B. = dermatan *sulfate*.

c. sulfate C コンドロイチン硫酸C（コンドロイチンのガラクトサミン残基の6-ヒドロキシル基が硫酸基でエステル化されている）.

chon·drol·o·gy (kon-drol′ō-jē) [chondro- + G. *logos*, treatise]. 軟骨学（軟骨に関する科学）.

chon·drol·y·sis (kon-drol′ī-sis). 軟骨融解（軟骨基質と軟骨細胞の崩壊または分解の結果として関節軟骨が消退すること）.

chon·dro·ma (kon-drō′mă) [chondro- + G. *-ōma*, tumor]. 軟骨腫（軟骨に分化する中胚葉細胞から生じる良性腫瘍）.

extraskeletal c. 骨外性軟骨腫（軟部組織内に発生し，その下の骨あるいは骨膜とは連絡をもたない軟骨腫で，通常，指，手，足にみられる）.

juxtacortical c. 傍骨性軟骨腫. = periosteal c.

periosteal c. 骨膜性軟骨腫（骨膜あるいは骨膜の結合組織から発生する軟骨腫）. = juxtacortical c.

chon·dro·ma·la·ci·a (kon′drō-mă-lā′shē-ă) [chondro- + G. *malakia*, softness]. 軟骨軟化〔症〕.

c. fetalis 胎児軟骨軟化〔症〕（胎内で軟骨化が生じ，胎児は軟らかく，曲がりやすい四肢をもち，死産する）.

generalized c. びまん性軟骨軟化〔症〕. = relapsing *polychondritis*.

c. of larynx 喉頭軟骨軟化〔症〕. = laryngomalacia.

c. patellae 膝蓋軟骨軟化〔症〕（**[**誤ったつづりまたは発音 chondromalacia patella を避けること**]**．膝蓋骨の関節軟骨の軟化を生じる疾患で，膝蓋骨痛を生じることがある）.

systemic c. 全身性軟骨軟化〔症〕. = relapsing *polychondritis*.

chon·dro·ma·to·sis (kon′drō-mă-tō′sis). 軟骨腫〔症〕（軟骨に多くの腫瘍状病巣が存在すること）.

synovial c. 滑液膜軟骨腫〔症〕（関節の滑液膜内に生じる軟骨腫または骨軟骨小結節）. = synovial osteochondromatosis.

chon·dro·ma·tous (kon-drō′mă-tŭs). 軟骨腫様の.

chon·drome (kon′drōm) [mitochondria + -ome]. コンドローム（1個の細胞内のミトコンドリアすべてに含まれている遺伝情報）.

chon·dro·mere (kon′drō-mēr) [chondro- + G. *meros*, part]. 軟骨椎体（胎生期において単一中胚葉節内に分化する中軸骨格の軟骨単位．肋骨成分を併せもつ軟骨性一次椎体）.

chon·dro·myx·o·ma (kon′drō-mik-sō′mă). 軟骨粘液腫. = chondromyxoid *fibroma*.

chon·dro·nec·tin (kon′drō-nek′tin) [chondro- + L. *necto*, to bind + -in][MIM*118670]. コンドロネクチン（軟骨基質の糖蛋白で，軟骨細胞の II 型コラーゲンへの付着に介在する）.

chon·dro·os·se·ous (kon′drō-os′ē-ŭs). 骨軟骨性の（軟骨と骨のような2つの組織の混合物としての関係，あるいは肋骨と肋軟骨の癒合のような2つの組織間の接合関係のいずれかについていう）.

chon·dro·os·te·o·dys·tro·phy (kon′drō-os′tē-ō-dis′trō-fē). 骨軟骨ジストロフィ（Morquio 症候群および類縁疾患を含み，骨と軟骨に栄養失調性変形を有する一連の疾患）. = osteochondrodystrophia deformans; osteochondrodystrophy.

chon·drop·a·thy (kon-drop′ă-thē) [chondro- + G. *pathos*, suffering]. 軟骨疾患.

chon·dro·pha·ryn·ge·us (kon′drō-făr-in-jē′ŭs). 小角咽頭の (⇀middle constrictor (*muscle*) of pharynx).

chon·dro·phyte (kon′drō-fīt) [chondro- + G. *phytos*, a growth]. 軟骨瘤（骨の関節面に発生する異常な軟骨性腫瘤）.

chon·dro·plast (kon′drō-plast) [chondro- + G. *plastos*, formed]. = chondroblast.

chon·dro·plas·ty (kon′drō-plas′tē) [chondro- + G. *plastos*, formed]. 軟骨整復術（軟骨の整復手術）.

chon·dro·po·ro·sis (kon′drō-pōr-ō′sis) [chondro- + L. *porosus*, porous]. 軟骨粗化，軟骨粗しょう(鬆)症（軟骨に間隙ができる状態で，正常な(骨化過程)あるいは病的な軟骨でみられる）.

chondroprotecive 軟骨保護剤（関節炎に特徴的な進行性の関節腔狭小化を遅らせ軟骨細胞を保護することによって関節の運動能を改善させる特異的合成物または化学物質）.

chon·dro·sar·co·ma (kon′drō-sar-kō′mă) [MIM*215300]. 軟骨肉腫（軟骨細胞に由来する悪性腫瘍で，骨盤や長骨の骨端近傍に最も多く発生し，中年期以降に多い．多くは原発であるが，既存の良性軟骨性病変から変化してくるものの場合

C

もある).

chon·dro·sin, chon·dro·sine (kon′drō-sin). コンドロシン (D-グルクロン酸1分子とD-ガラクトサミン(コンドロサミン)1分子からなる二糖類．コンドロイチンの構成要素).

chon·dro·skel·e·ton (kon′drō-skel′ĕ-tŏn). 軟骨格 (硝子軟骨からなる骨格．例えば，ヒト胎児，サメやエイのようなある種の成魚にある).

chon·dro·ster·nal (kon′drō-ster′năl). 胸骨軟骨の (①胸骨軟骨に関する．②肋軟骨および胸骨に関する).

chon·dro·ster·no·plas·ty (kon′drō-ster′nō-plas′tē). 胸骨軟骨整復〔術〕(胸骨奇形の外科的整復).

chon·dro·tome (kon′drō-tōm) [chondro- + G. *tomē*, cutting]. 軟骨刀 (非常に硬いメス形のナイフで，軟骨を切るのに用いる). = cartilage knife.

chon·drot·o·my (kon-drot′ō-mē) [chondro- + G. *tomē*, a cutting]. 軟骨切開〔術〕.

chon·dro·tro·phic (kon′drō-trof′ik) [chondro- + G. *trophē*, nourishment]. 軟骨栄養の (軟骨の栄養に影響し，それによる軟骨の発達成長に影響を与える).

chon·dro·xi·phoid (kon′drō-zī′foyd) [chondro- + G. *xiphos*, sword + *eidos*, appearance]. 剣状軟骨の.

chon·drus (kon′drŭs) [G. *chondros*, gristle]. ***1*** = cartilage. ***2*** ツノマタ (スギノリ科の海藻ヤハズツノマタ *Chondrus crispus*, *Fucus crispus*，イカノアシ *Gigartina mamillosa* のことをいう．慢性腸障害の緩和薬). = carrageen (1); carragheen; Irish moss; pearl moss.

CHOP cyclophosphamide, doxorubicin, Oncovin (vincristine)，および prednisone の頭字語．化学療法のレジメン.

Cho·part (shō-pahr′), François. フランス人外科医，1743—1795. →C. *amputation*, *joint*.

chord- (kōrd) [G. *chordē*]. 索に関する連結形. →cord-.

chor·da, pl. chor·dae (kōr′dă, -dē) [L. cord] [TA]. 索 (腱状，索状構造. →cord).

c. arteriae umbilicalis [TA]. = *cord* of umbilical artery.

c. chirurgicalis [L.]. 手術用索 (手術用カットグット(腸線)).

c. dorsalis 脊索. = notochord (2).

false chordae tendineae [TA]. 偽腱索 (心臓内の真の腱索と異なり，房室弁尖に付着せず，乳頭筋相互または心室壁(中隔を含む)に付着あるいは心室壁の2点間を結ぶもの). = chordae tendineae falsae [TA]; chordae tendineae spuriae*; false tendinous cords*.

c. magna = calcaneal *tendon*.

c. obliqua membranae interosseae antebrachii [TA]. = oblique *cord* of interosseous membrane of forearm.

c. spermatica = spermatic *cord*.

c. spinalis = spinal *cord*.

chordae tendineae (cordis) [TA]. = chordae tendineae (of heart).

chordae tendineae falsae [TA]. = false chordae tendineae.

chordae tendineae (of heart) [TA]. 心内腱索 (乳頭筋から房室弁(僧帽弁および三尖弁)に向かう腱状の構造物．その形状，位置，弁への結合部位から，扇状，粗領域，辺縁部，深部，および心基部腱索に分類される). = chordae tendineae (cordis) [TA]; tendinous cords*.

chordae tendineae spuriae* false chordae tendineae の公式の別名.

c. tympani [TA]. 鼓索神経 (鼓室にみられる索状の神経線維であるが，実際は顔面神経管内の顔面神経から分枝した神経である．この神経は鼓索の後細管を通り鼓室内にはいり，鼓膜の辺りでつち骨柄を通り越し錐体鼓室裂内の鼓索の前細管を通り，側頭下窩で下顎神経の舌神経に合す．この神経は舌の前2/3から味覚情報を伝え，また顎下腺と舌下腺を支配している顎下神経節への副交感性神経節前線維を含む). = cord of tympanum; parasympathetic root of submandibular ganglion; radix parasympathica ganglii submandibularis [TA]; tympanichord; tympanichord.

c. umbilicalis = umbilical *cord*.

c. vertebralis notochord (2) を表す現在では用いられない語.

c. vocalis, pl. **chordae vocales** = vocal *fold*.

chordae willisii (wil-is′ē-ī). ウィリス索. = Willis *cords*.

chord·al (kōr′dăl). 索の (特に脊索についていう).

chor·da·me·so·derm (kōr′dă-mes′ō-derm). 脊索中胚葉 (幼若胚の胚葉板上層の部分で，脊索と中胚葉に分化する可能性を有する).

Chor·da·ta (kor-dā′tă) [L. *chorda* < G. *chordē*, a string]. 脊索動物門 (脊椎動物を包含する門で，ⓘ単一の背部神経索(哺乳類では脳および脊髄)をもつこと，ⓘⓘ初期胚において原腸背側に形成される軟骨性の杆状体である脊索(脊椎動物亜門では脊柱によって囲まれ，後にそれに置き換えられる)をもつこと，およびⓘⓘⓘ咽喉頭部における鰓裂の発達がある時期に存在すること，によって定義付けられる).

chor·date (kōr′dāt). 脊索動物 ([cordate と混同しないこと]. 脊索動物門に属する動物).

chor·dee (kōr′dē) [Fr. corded]. 尿道索 (勃起時のペニスを腹側へ彎曲させる索状組織．尿道下裂に伴う先天性のものと Peyronie 病に伴う後天性のものがある). = gryposis penis.

chor·di·tis (kōr-dī′tis) [G. *chordē*, cord + *-itis*, inflammation]. 声帯炎 (索の炎症だが，通常は声帯炎を意味する).

c. vocalis inferior 慢性声門下咽頭炎. = chronic subglottic *laryngitis*.

chor·do·ma (kōr-dō′mă) [(noto)chord + G. *-oma*, tumor] [MIM*215400]. 脊索腫 (成人の骨格組織にまれに起こる腫瘍で，脊索の遺存部分から発生すると考えられている．この腫瘍は小葉に配列した細胞からなっており，大量の類粘液基質を有している．石けんの泡状の空胞を含んでいる細胞(担空胞細胞)もある．斜台，腰仙骨部に最もしばしばみられる).

chor·do·skel·e·ton (kōr′dō-skel′ĕ-tŏn). 脊索骨格 (脊索と関連して発生する胚内の骨格部分).

cho·re·a (kōr-ē′ă) [L. < G. *choreia*, a choral dance < *choros*, a dance]. 舞踏病，ヒョレア (四肢や顔面筋の不規則な痙攣様の不随意運動．しばしば筋緊張低下を伴う．原因となる大脳病変部位は知られていない).

c.-acanthocytosis 舞踏病有棘赤血球増加〔症〕(精神機能低下，深部腱反射低下，被殻と尾状核の両側萎縮，有棘赤血球(とげのような外観をもつ赤血球)増加を伴う緩徐進行性家族性舞踏病．青年期後期くらいに発症するのが典型的である．遺伝は通常，常染色体劣性である). = acanthocytosis with c.

acanthocytosis with c. 舞踏病を伴う有棘赤血球増加〔症〕. = c.-acanthocytosis.

acute c. 急性舞踏病. = Sydenham c.

benign familial c. 良性家族性舞踏病，良性家族性ヒョレア (小児期初期に出現する舞踏病とアテトーゼを特徴とするまれな非進行性の運動疾患．歩行運動失調，上肢協調運動障害を呈することが多い．知能は障害されない．不完全な表現率をもつ常染色体優性遺伝と思われる).

chronic progressive c. 慢性進行性舞踏病. = Huntington c.

conversion c. 転換舞踏病 (不随意的で速い，目的のない(舞踏様)運動が主な特徴の転換疾患). = hysteric c.

dancing c. = procursive c.

degenerative c. 変性舞踏病. = Huntington c.

electric c. 感電様舞踏病 (①次第に病状が進み死に至る痙攣性の疾患．マラリアに起因すると考えられ，イタリアで多くみられる．② Sydenham 舞踏病の重症型．痙攣が速く，特に攣縮性の特徴を呈す).

fibrillary c. 細動性舞踏病. = myokymia.

c. gravidarum 妊娠舞踏病 (妊娠中に起こる Sydenham 舞踊病).

habit c. = tic.

hemilateral c. 片側(半側)舞踏病. = hemichorea.

Henoch c. (he′nok). ヘーノホ(ヘノッホ)舞踏病. = spasmodic *tic*.

hereditary c. 遺伝性舞踏病. = Huntington c.

Huntington c. (hunt′ing-ton) [MIM*143100]. ハンティングトン舞踏病 (通常30—40歳で発症する神経変性疾患で，舞踏病と認知症を特徴とする．病理学的には，両側の被殻と尾状核頭の高度の萎縮がみられる．完全な表現率をもつ常染色体優性遺伝．第4染色体短腕の Huntington 遺伝子(*HD*)のトリヌクレオチド反復の伸張を伴う変異が原因である). =

chronic progressive c.; degenerative c.; hereditary c.; Huntington disease.

hysteric c. ヒステリー性舞踏病．＝conversion c.

juvenile c. 若年性舞踏病．＝Sydenham c.

laryngeal c. 喉頭舞踏病（筋肉に関する痙攣性チック症で，痙攣性発声障害のように流暢さを欠く話し方になる）．

c. minor 小舞踏病．＝Sydenham c.

Morvan c. (mōr-von[h]′). モルヴァン舞踏病．＝myokymia.

posthemiplegic c. 片麻痺後舞踏病，半側麻痺後舞踏病．＝posthemiplegic *athetosis*.

procursive c. 急速舞踏病（患者は，ぐるぐる回ったり，前方へ走ったり，いわゆるリズムダンス運動を行う）．＝dancing c.

rheumatic c. リウマチ性舞踏病．＝Sydenham c.

rhythmic c. 律動性舞踏病（転換ヒステリーにみられる一定の運動）．

saltatory c. 跳躍性舞踏病（急速舞踏病にみられるようなリズムダンス運動をする舞踏病）．

senile c. 老年(老人)舞踏病（Sydenham 舞踏病と似た疾患であるが，心疾患や認知症を伴わず，老年者に起こる）．

Sydenham c. (sid′ĕn-ham). シドナム舞踏病（連鎖球菌感染後数か月して出現する感染後舞踏病で，その後のリウマチ熱を伴う．舞踏病は四肢遠位筋を侵すのが典型的で，筋緊張低下と感情不安定を伴う．数週間から数か月して回復するが，感染の再発なしに増悪が起こる）．＝acute c.; c. minor; juvenile c.; rheumatic c.; Sydenham disease.

cho·re·al (kōr-ē′ăl). 舞踏病の．

cho·re·ic (kōr-ē′ik). 舞踏病性の．

cho·re·i·form (kōr-ē′i-fōrm). 舞踏病状の．＝choreoid.

choreo- (kōr′ē-ō). 舞踏病に関する連結形．

cho·re·o·ath·e·toid (kōr′ē-ō-ath′ĕ-toyd). 舞踏病アテトーシス状の．

cho·re·o·ath·e·to·sis (kōr′ē-ō-ath′ĕ-tō′sis) [choreo- + G. *athētos*, unfixed + *-ōsis*, condition]. 舞踏病アテトーシス（舞踏病とアテトーシスの両方の要素をもつ身体の異常な動作）．

congenital c. 先天性舞踏病様運動失調，先天性ヒョレアアテトーシス．＝double *athetosis*.

cho·re·oid (kōr′ē-oyd). 舞踏病様の．＝choreiform.

chorio- (kōr′ē-ō) [G. *chorion*, membrane]. [本連結形を core(o) と混同しないこと]．膜，特に胎児を囲む絨毛膜に関する連結形．

cho·ri·o·ad·e·no·ma (kō′rē-ō-ad′ĕ-nō′mă). 絨毛腺腫（絨毛膜に発生する良性腫瘍で，特に胞状奇胎の形成を伴ったもの）．

c. destruens 破壊性絨毛腺腫（子宮筋層またはその血管の中への異常な程度の浸潤を示す胞状奇胎．子宮の出血，壊死，またときには裂傷，あるいは絨毛組織の肺塞栓を引き起こす．著明な栄養膜の増殖があり，ときに無血管絨毛もみられることがある）．＝invasive mole.

cho·ri·o·al·lan·to·ic (kō′rē-ō-al′an-tō′ik). 漿尿膜の．

cho·ri·o·al·lan·to·is (kō′rē-ō-ă-lan′tō-is). 漿尿膜（漿膜または偽絨毛膜と尿膜の融合により形成された胚体外膜．哺乳類の胚では胎盤の胎子部分を形成する．鳥類の胚では殻と融合する）．

cho·ri·o·am·ni·o·ni·tis (kō′rē-ō-am′nē-ō-nī′tis). 絨毛羊膜炎（絨毛膜，羊膜，羊水に波及した感染．通常，胎盤絨毛脱落膜にも波及する）．

cho·ri·o·an·gi·o·ma (kō′rē-ō-an′jē-ō′mă) [chorion + angioma]. 絨毛血管腫，脈絡血管腫（胎盤血管の良性腫瘍(血管腫)で，通常，臨床上危険はない．大きい腫瘍は胎盤機能不全または胎児水腫の原因をなすという．ある症例では，間質は浮腫状で，粘液腫組織に似ている．→chorioangiosis）．

cho·ri·o·an·gi·o·ma·to·sis (kō′rē-ō-an′jē-ō-mă-tō′sis). 絨毛血管腫．＝chorioangiosis.

cho·ri·o·an·gi·o·sis (kō′rē-ō-an′jē-ō′sis) [chorio- + G. *angeion*, vessel + *-osis*, condition]. 絨毛血管腫（胎盤絨毛内の血管の異常増加．重症形は新生児死亡および先天性の大奇形に高頻度に合併する）．＝chorioangiomatosis.

cho·ri·o·cap·il·la·ris (kō′rē-ō-kap′i-lā′ris). 脈絡毛細管板．＝capillary *lamina* of choroid.

cho·ri·o·car·ci·no·ma (kō′rē-ō-kar′si-nō′mă). 絨毛癌，絨毛上皮腫（きわめて悪性の腫瘍で，不規則な板状体と索状体を構成する合胞体栄養層および細胞栄養層から発生する．不規則な血液の〝溜 lakes〟に囲まれている．絨毛は形成されない．腫瘍細胞は血管に浸潤する．出血性の転移は疾患の比較的早期に起こり，しばしば，肺，肝，脳，膣，その他種々の骨盤内臓器にみられ，絨毛癌は，あらゆるタイプの妊娠，特に胞状奇胎に続いて発生し，ときには卵巣または精巣の奇形腫から発生することがある）．＝chorioepithelioma.

cho·ri·o·cele (kō′rē-ō-sēl) [chorio- + G. *kēlē*, hernia]. 脈絡膜ヘルニア（強膜欠損部を通る眼の脈絡膜のヘルニア）．

cho·ri·o·ep·i·the·li·o·ma (kō′rē-ō-ep′i-thē-lē-ō′mă). 絨毛上皮腫．＝choriocarcinoma.

cho·ri·o·go·nad·o·tro·pin (kō′rē-ō-go-nad′ō-trō′pin). ＝chorionic *gonadotropin*.

chorioid-, chorioido- (kōr′rē-oyd). この形で始まる語は choroid-, choroido- の項参照．

cho·ri·o·mam·mo·tro·pin (kō′rē-ō-mam′ō-trō′pin). ＝human placental *lactogen*.

cho·ri·o·men·in·gi·tis (kō′rē-ō-men′in-jī′tis). 脈絡髄膜炎（脳脊髄に多少の細胞浸潤がみられる脳脊髄膜炎で，特に第3·第4脳室の脈絡膜叢のリンパ球浸潤をしばしば伴う）．

lymphocytic c. (LCM) リンパ球性脈絡髄膜炎（秋から冬にかけて主として青年にみられるウイルス性髄膜炎の一種．イエネズミが媒介する．→lymphocytic choriomeningitis *virus*）．

cho·ri·on (kō′rē-on) [G. *chorion*, membrane enclosing the fetus]. 絨毛膜（ヒト胚の最外層をおおう胎児由来の膜であり，この膜の絨毛部分が胎盤の胎児側を構成するようになる）．＝membrana serosa (1).

bushy c. 絨毛性絨毛膜．＝villous c.

c. frondosum 繁生絨毛膜．＝villous c.

c. laeve 平滑絨毛膜．＝smooth c.

previllous c. ＝primordial c.

primordial c. 原始絨毛（絨毛が発達する前の絨毛膜の原基）．＝previllous c.

shaggy c. ＝villous c.

smooth c. 滑面絨毛膜（絨毛膜のうち絨毛の生育していない膜様の部分であり，絨毛の変性により形成される）．＝c. laeve.

villous c. 絨毛膜有毛部（絨毛膜の一部で，絨毛が残存し，胎児側胎盤を形成する）．＝bushy c.; c. frondosum; shaggy c.

cho·ri·on·ic (kō′rē-on′ik). 絨毛膜の．

cho·ri·o·ret·i·nal (kō′rē-ō-ret′i-năl). 脈絡網膜の（眼の脈絡膜と網膜に関する）．＝retinochoroid.

cho·ri·o·ret·i·ni·tis (kō′rē-ō-ret′i-nī′tis). 脈絡網膜炎．＝retinochoroiditis.

c. sclopetaria [L. *sclopetum*, 14 世紀のイタリアの手持ち銃器]. 高速の飛来物による強膜の損傷に引き続き起こる脈絡膜および網膜での線維性組織の増殖．

cho·ri·o·ret·i·nop·a·thy (kō′rē-ō-ret′i-nop′ă-thē). 網脈絡膜症（網膜に及ぶ原発性脈絡膜異常．→choroidopathy）．

cho·ris·ta (kō-ris′tă) [G. *chōristos*, separated]. 分離体，分離組織（組織学的にはそれ自体正常であるが，実際には存在する臓器あるいは組織の中では本来あるべき部位にないための異常．正常でない組織の病巣で，胎生期の発達段階で本来あるべき位置から誤入されたもの．*cf.* choristoma）．

cho·ris·to·blas·to·ma (kō-ris′tō-blas-tō′mă) [choristoma + blastoma]. 分離芽腫（未分化細胞からなる分離腫で，自律性腫瘍）．

cho·ris·to·ma (kō′ris-tō′mă) [G. *chōristos*, separated + *-ōma*]. 分離腫（ある部位に通常みられない型の組織が異常発生して形成される腫瘤）．

cho·roid (kōr′oyd) [G. *choroeidēs*: *chorioeidēs*(like a membrane)の誤った読み][TA]. 脈絡膜（色素上皮と強膜の間にある眼球中膜あるいは眼球血管膜の後方部．眼球血管膜の前方部は毛様体および虹彩をなす）．＝choroidea [TA].

cho·roi·dal (kō-roy′dăl). 脈絡膜の．

cho·roi·de·a (kō-royd′ē-ă) [→choroid][TA]. 脈絡膜．＝choroid.

cho·roi·der·e·mi·a (kō-roy-der-ē′mē-ă) [choroid + G. *er-*

C

ēmia, absence][MIM*303100]. コロイデレミア（男性，まれに女性にみられる脈絡膜の進行性変性で，網膜周辺部の色素変性症から始まり，網膜色素上皮の萎縮と脈絡毛細血管板の硬化症が起こる．夜盲症，進行性視野狭窄，最後には全盲となる．X染色体長腕のRab escort protein 1遺伝子(*REP1*)の変異によるX連鎖遺伝．異型接合性の女性は，異型網膜色素変性症を示すが視野の欠損や進行はみられない)．＝progressive choroidal atrophy; progressive tapetochoroidal dystrophy.

cho·roid·i·tis (kō′roy-dī′tis). 脈絡膜炎（脈絡膜の炎症．*cf.* choroidopathy; chorioretinopathy)．＝posterior uveitis.

anterior c. 前部脈絡膜炎（末梢部脈絡膜に限局した播種性脈絡膜炎)．

areolar c. 輪紋状脈絡膜炎（隆起性色素増殖を伴って黄斑部に始まり周囲に広がる脈絡膜の炎症)．

diffuse c. びまん性脈絡膜炎（広範な滲出性の脈絡膜炎で，新しい病巣と古い病巣が混在する)．

disseminated c. 播種性脈絡膜炎（慢性の脈絡膜炎で多数の病巣が散在する)．

exudative c. 滲出性脈絡膜炎（脈絡膜の限局性炎症．多発性病巣のあることが多い)．

juxtapupillary c. 傍瞳孔脈絡膜炎（視神経円板近傍の脈絡膜炎)．

metastatic c. 転移性脈絡膜炎（微生物塞栓のために起こる脈絡膜の炎症)．

multifocal c. 多病巣性脈絡膜炎（黄斑部，乳頭周囲，および周辺部の脈絡膜炎で，眼のヒストプラズマ症と考えられるものを，しばしばこのようによぶ)．

posterior c. 後部脈絡膜炎（後極部脈絡膜に限局した散束状脈絡膜炎)．

proliferative c. 増殖性脈絡膜炎（重症の脈絡膜炎のために生じる緻密瘢痕組織)．

suppurative c. 化膿性脈絡膜炎（膿性の脈絡膜炎)．

vitiliginous c. ＝bird shot *retinochoroiditis.*

choroido- (kō-roy′dō). 脈絡膜に関する連結形.

cho·roid·o·cy·cli·tis (kō-roy′dō-si-klī′tis) [choroido- ＋ G. *kyklos*, circle]. 脈絡膜毛様体炎（脈絡膜と毛様体の炎症)．

cho·roi·dop·a·thy (kō′roy-dop′ă-thē). 脈絡膜症（脈絡膜の非炎症性変性)．

areolar c. 輪紋状脈絡膜症（20および30歳代に発症する漸進性色素変性．いくつかの黒い病巣が隣接してあり，後極部と黄斑部で融合しているのが特徴)．＝central areolar choroidal atrophy; central areolar choroidal sclerosis.

central serous c. 中心性漿液性脈絡膜症（網膜黄斑部の特発性網膜神経上皮剝離．男性に多い)．＝central angiospastic retinopathy; central serous retinopathy.

Doyne honeycomb c. (doyn). ドイン蜂巣状脈絡膜症 (macular *drusen* を表す現在では用いられない語)．

geographic c. 地図状脈絡膜症．＝serpiginous c.

helicoid c. らせん状脈絡膜症．＝serpiginous c.

myopic c. 近視性脈絡膜症（後極部ブドウ腫を伴った強膜と脈絡膜の慢性変性で，強度近視を伴う)．

serpiginous c. ほ行性脈絡膜症（不規則な多発性，進行性の腫脹がやがて線状配列をなす萎縮性瘢痕となる網膜色素上皮や脈絡膜の両側性・後天性異常)．＝geographic c.; helicoid c.

cho·roi·do·sis (ko′roy-dō′sis). choroidopathy を表す現在では用いられない語.

Chot·zen (kot′zĕn), F. 20世紀のドイツ人医師．→C. *syndrome.*

CHP cricohyoidopexy の略.

Christ·en·sen (kris′tĕn-sen), Erna. デンマーク人神経病理学者，1906—1967．→C.-Krabbe *disease.*

Chris·tian (kris′chĕn), Henry A. 米国人内科医，1876—1951．→C. *disease*, *syndrome*; Hand-Schüller-C. *disease*; Weber-C. *disease.*

Chris·ti·son (kris′tĕ-sŏn), Robert. スコットランド人医師，1797—1882．→C. *formula.*

Christ·mas (kris′măs). Christmas *disease* とよばれるようになった疾患の第1例目の男児(Stephen Christmas)の姓．→C. *disease*, *factor*. →Christmas *factor*; *hemophilia* B.

chrom-, chromat-, chromato-, chromo- (krōm, krō-mat′, krō-mat′ō, krō′mō) [G. *chromā*]. 色を意味する連結形.

chro·maf·fin (krō′maf-in) [chrom- ＋ L. *affinis*, affinity]. クロム親和〔性〕の（[誤った発音 chromaf′fin を避けること]．クロム塩に反応して黄褐色を呈する．副腎髄質および傍神経節の特定の細胞についていう．→chromaffin *reaction*)．＝chromaphil; chromatophil (3); chromophil (3); chromophile; pheochrome(1).

chro·maf·fin·o·ma (krō′maf-in-ō′mă). クロム親和性細胞腫（クロム親和性細胞からなる腫瘍で，副腎髄質，Zuckerkandl 器官，胸腰部交感神経幹傍神経節に生じる．カテコールアミンを分泌するものもある．→pheochromocytoma)．＝chromaffin tumor.

chro·maf·fin·op·a·thy (krō′maf-in-op′ă-thē) [chromaffin ＋ G. *pathos*, suffering]. クロム親和〔性〕組織の疾患（現在では用いられない語．副腎髄質，大動脈傍体などのクロム親和性組織の病変状態を表す)．

chro·man, chro·mane (krō′man, -mān). クロマン（トコフェロール(ビタミンE)の基本単位．→chromanol; chromene; chromenol)．

chro·man·ol (krō′man-ol). クロマノール (6-hydroxychroman (6-chromanol)は，トコフェロール(ビタミンE)，トコル，トコトリエノールおよびユビクロマノール，トコクロマノール，フィロクロマノールの基本単位．→chroman; chromene; chromenol)．＝hydroxychroman.

chro·ma·phil (krō′mă-fil). ＝chromaffin.

chromat- (krō-mat′). →chrom-.

chro·mate (krō′māt). クロム酸塩.

sodium c. Cr 51 クロム酸ナトリウム Cr51（陰イオン性六価放射性クロムで，クロム酸ナトリウム $Na_2{}^{51}CrO_4$ の形で存在し，半減期が27.8日である．循環血液量と赤血球寿命の同定に用いられる)．

chro·mat·ic (krō-mat′ik). 色の，染色質の，染色の.

chro·ma·tid (krō′mă-tid) [G. *chrōma*, color ＋ *-id* (2)]. 染色分体（染色体の縦方向の二重化により形成された2本の各糸状体で，有糸分裂または減数分裂の前期中にみえるようになる．2つの染色分体は，まだ分裂していない動原体により結合されている．動原体が中期に分裂し，2つの染色分体が分離した後，各染色分体は染色体になる)．

chro·ma·tin (krō′ma-tin) [G. *chrōma*, color]. 染色質，クロマチン（細胞核中の遺伝の担い手は，デオキシリボ核蛋白からなる．細胞の分裂周期によって2つの構造をとる．異質染色質は，凝縮して染色しやすい塊としてみられる．真正染色質は，分散し，染色しにくいかまったく染色されない状態になる．M期(有糸分裂期)では，染色質は凝集し，染色体となる)．

heteropyknotic c. 異常凝縮染色質．＝heterochromatin.

oxyphil c. ＝oxychromatin.

sex c. 性染色質（通常，分裂間期の核膜のすぐ内側に存在する不活性化X染色体の小さい凝縮された染色質塊．1つの核当たりの性染色質体の数はX染色体の数より1つ少ないので，正常男性と Turner 症候群(XO)の女性はこれをもっておらず(性染色質マイナス)，正常の女性と Klinefelter 症候群(XXY)の男性はそれぞれ1個，また(XXX)の女性は2個もっている．技術的な理由から，標本細胞の約半分が典型的な染色質塊を示すにすぎない．→Lyon *hypothesis*)．＝Barr chromatin body.

chro·ma·ti·nol·y·sis (krō′mă-ti-nol′i-sis). ＝chromatolysis.

chro·mat·i·nor·rhex·is (krō-mat′i-nō-rek′sis) [chromatin ＋ G. *rhēxis*, rupture]. 染色質分解.

chro·ma·tism (krō′mă-tizm) [G. *chrōma*, color]. ***1*** 異常色素沈着．***2*** 色収差．＝chromatic *aberration.*

chromato- (krō-mat′ō). →chrom-.

chro·ma·tog·e·nous (krō′mă-toj′ĕ-nŭs) [chromato- ＋ *-gen*, producing]. 色素形成の（色素沈着を起こす)．

chro·mat·o·gram (krō-mat′ō-gram). クロマトグラム（クロマトグラフィによってつくられた記録図)．

chro·mat·o·graph (krō-mat′ō-graf). クロマトグラフ（クロマトグラフィを行う)．

chro·mat·o·graph·ic (krō′mat-ō-graf′ik). クロマトグラ

フィの．

chro・ma・tog・ra・phy (krō′mă-tog′ră-fē) [chromato- + G. *graphō*, to write]．クロマトグラフィ（2 相間の移動の差による化学物質や粒子(本来，色素やその他の着色化合物)の分離方法．適当な吸着剤(例えばイオン交換物質)を柱状あるいは板状にし，分離すべき混合物を含浸させる．最も吸着されにくい物質は，最も速く展開し現れる．強く吸着されたものほど遅く現れる)．＝absorption c.

absorption c. 吸収クロマトグラフィ．＝chromatography.

adsorption c. 吸着クロマトグラフィ（クロマトグラフィの一種で，物質の分離を固定相への各物質の吸着性の差により行うもの）．

affinity c. アフィニティクロマトグラフィ（溶質液の特定の成分に対して固有の化学親和力を有している，特異的な吸着体(リガンド)をもつカラム）．＝affinity column.

column c. カラムクロマトグラフィ（一相すなわち液体(液相)が二相すなわち固定相を充填したカラムを流下していく分配または吸着，イオン交換，アフィニティクロマトグラフィの形式の一種．溶質は各相の化学的および物理的な状態によって固定相と液相との間に分配を形成する．より強く吸着した溶質はより弱く吸着した溶質よりも遅くカラムの下方へ流出してくる）．

gas c. ガスクロマトグラフィ（移動相はガスあるいは蒸気との混合物であり，それらの固定相への吸着の差により，分離するクロマトグラフ法）．

gas-liquid c. (**GLC**) 気－液クロマトグラフィ（ガスクロマトグラフィと同じであるが固定相が固体でなく液体であるクロマトグラフィ）．

gel filtration c. ゲル沪過クロマトグラフィ（→gel *filtration*）．

high-performance liquid c. (**HPLC**) 高性能液体クロマトグラフィ（クロマトグラフィ技術の1つで，溶液中の物質の混合物の分離定量に用いる．サンプルをカラムおよび検出器と移動する溶媒移動相に注入する．分離はカラム通過時に吸着，分配，イオン交換，サイズ排除によって起こる．この技術は通常，実験室において，ステロイドホルモン，殺虫剤，毒素，毒性や発癌性物質や薬剤などの有機化合物を測定するのに用いられる）．＝high-pressure liquid c.

high-pressure liquid c. (**HPLC**) 高圧液体クロマトグラフィ．＝high-performance liquid c.

ion exchange c. イオン交換クロマトグラフィ（クロマトグラフィの一種で，移動相に存在するカチオンやアニオン類を固定相との静電的相互作用によって分離するもの．→anion exchange; cation exchange）．

liquid-liquid c. 液－液クロマトグラフィ（移動相と固定相(逆流相)がともに液体であるクロマトグラフィ．向流分配に類似している）．

paper c. 沪紙クロマトグラフィ（移動相は液体で，固定相は紙を用いる方法の分配クロマトグラフィ）．

partition c. 分配クロマトグラフィ（2種類の不混和性液体への分配を何回も繰り返すことによって類似物質を分離する方法．その結果，実際，類似物質は2液相にそれぞれ分配される．片方の液体を沪紙の上にフイルム状に固定した場合，その方法を paper partition c.(沪紙分配クロマトグラフィ)または paper c.(沪紙クロマトグラフィ)とよぶ）．

reversed phase c. 逆相クロマトグラフィ（分配クロマトグラフィの一種で，固定相が移動相よりも極性の低い物質を用いたもの）．

thin-layer c. (**TLC**) 薄層クロマトグラフィ（ガラスまたはプラスチック板上のセルロースあるいは同様の不活性物質の薄膜を用いるクロマトグラフィ）．

two-dimensional c. 二次元クロマトグラフィ（本来は沪紙の一角にある一点を一方向に展開させ，その後，その沪紙を 90度回転して他の溶媒で新しい方向へ展開させていく沪紙クロマトグラフィ．その結果，点は沪紙全体に広がり地図状または指紋状を呈する．この方法は一般化され，後で電気泳動を行うクロマトグラフィ(その逆もある)，後に沪紙クロマトグラフィを行うカラムクロマトグラフィなども含む）．

chro・ma・toid (krō′mă-toyd) [chromato- + G. *eidos*, form]．類染色質（染色質よりなる屈折率の高い物質で，ある種の原生動物の細胞質内にある非グリコゲン性の食餌貯蔵物と考えられている．大腸アメーバ *Entamoeba coli* のシスト中では類染色質小体は副木状をしているのに対し，赤痢アメーバ *Entamoeba histolytica* のシスト中では丸みを帯びた棒状をしている）．

chro・mat・o・ki・ne・sis (krō′mă-tō-ki-nē′sis) [chromato- + G. *kinēsis*, movement]．染色質移動（染色質の種々の形態への再配列）．

chro・ma・tol・y・sis (krō′mă-tol′i-sis) [chromato- + G. *lysis*, dissolution]．染色質溶解（神経細胞体内の好色素性物質(Nissl 小体)の顆粒の溶解で，細胞の極度の疲労またはその周縁突起の損傷の後にみられる．染色質溶解の一部と考えられる他の変化には神経細胞形質の腫脹および中央部から辺縁部への核の移動がある）．＝chromatinolysis; chromolysis; tigrolysis.

central c. 中心性染色質溶解（軸索の有意の損傷に伴って起こる染色質溶解）．＝retrograde c.

retrograde c. 逆行性染色質溶解．＝central c.

transsynaptic c. 経シナプス染色質溶解．＝transsynaptic *degeneration*.

chro・mat・o・lyt・ic (krō′mă-tō-lit′ik)．染色質溶解〔性〕の．

chro・ma・tom・e・ter (krō′mă-tom′ĕ-ter) [chromato- + G. *metron*, measure]．色覚測定器，比色計，測色計．＝colorimeter.

chro・mat・o・pec・tic (krō′mă-tō-pek′tik)．色素固定の．＝chromopectic.

chro・mat・o・pex・is (krō′mă-tō-pek′sis) [chromato- + G. *pēxis*, fixation]．色素固定（色または染色液の固定．すなわち肝臓がビリルビンを生成する働きをもつとき起こる）．＝chromopexis.

chro・mat・o・phil (krō-mat′ō-fil)．*1* ＝chromophilic. *2* ＝chromophil (2). *3* ＝chromaffin.

chro・mat・o・phil・i・a (krō′mă-tō-fil′ē-ă)．＝chromophilia.

chro・mat・o・phil・ic, chro・ma・toph・i・lous (krō-mă-tō-fil′ik, -tof′i-lŭs)．＝chromophilic.

chro・mat・o・pho・bi・a (krō′mă-tō-fō′bē-ă)．＝chromophobia.

chro・mat・o・phore (krō-mat′ō-fōr) [chromato- + G. *phoros*, bearing]．*1* 色素体（葉緑素，その他の色素の存在による有色体．ある種の原生動物にみられる）．*2* 色素細胞，色素胞（主として皮膚，粘膜，および眼の脈絡膜に，また黒色腫にもみられる色素含有食細胞）．*3* ＝chromophore. *4* 植物の有色体．クロロプラスト，リューコプラストなど．

chro・mat・o・pho・ro・tro・pic (krō-mă-tō-fōr′ō-trop′ik) [chromatophore + G. *tropos*, a turning]．色素細胞刺激性の（色素細胞の，皮膚やその他の器官への誘引についていう）．

chro・mat・o・plasm (krō′mă-tō-plazm)．色素〔保有〕形質（色素を含んでいる細胞質の部分）．

chro・ma・top・si・a (krō′mă-top′sē-ă) [chromato- + G. *opsis*, vision]．〔着〕色視〔症〕，彩視症（物体がすべて異常に着色されて見える状態．色により xanthopsia(黄視)，erythropsia(赤視)，chloropsia(緑視)，cyanopsia(青視)とよばれる．*cf.* dyschromatopsia）．＝chromatic vision; colored vision; tinted vision.

chro・mat・o・some (krō-ma′tō-sōm)．クロマトソーム（ヒストン-1-蛋白と結合したものを含有するヌクレオソーム）．

chro・ma・to・tro・pism (krō′mă-tot′rŏ-pĭzm) [chromato- + G. *tropē*, turn]．*1* 変色．*2* 向色性（色に応じる趨性現象）．

chro・ma・tu・ri・a (krō-mă-tyū′rē-ă) [chromato- + G. *ouron*, urine]．着色尿〔症〕（尿の異常着色）．

chrome (krōm) [G. *chrōma*, color]．クロム（特に色素源としてのクロムをいう）．

-chrome (krōm) [G. *chrŏma* color]．色との関連を示す接尾語．

chro・mene (krō′mēn)．クロメン；2*H*-1-benzopyran（トコフェロールキノンの基本単位．→chroman; chromanol; chromenol）．

chro・men・ol (krō′men-ol)．クロメノール（6-hydroxychromene (6-chromenol)はトコフェロールキノン(酸化状態のトコフェロール)，プラストクロメノール-8 の基本単位．→chroman; chromanol; chromene）．＝hydroxychromene.

chrome red (krōm red)．クロムレッド（塩基性クロム酸鉛）．

chro・mes・the・si・a (krō′mes-thē′zē-ă) [G. *chrōma*, color +

aisthēsis, sensation］．色感覚（①色覚．②味覚や嗅覚のような非視覚刺激が色の知覚を引き起こしている状態）．
chrome yel·low (krōm yel′ō)［C.I. 77600］．クロムイエロー（塩基性鉛．ペンキや染料に用いる鮮やかな黄色粉末）．＝lead chromate; Leipzig yellow; lemon yellow; Paris yellow.
chrom·hi·dro·sis (krōm′hī-drō′sis)［chrom- ＋ G. *hidros*, sweat］．色汗症（色素を含んだ汗の分泌を特徴とするまれな状態．薬物や色素の摂取によっても起こる）．＝chromidrosis.
　apocrine c. アポクリン色汗症（アポクリン腺からの色のついた汗の分泌．通常は黒色）．
chro·mic ac·id (krō′mik as′id)．クロム酸（水中で溶解した三酸化クロム(CrO_3)によって生成される強力な酸化物質．局所防腐薬として溶液で用いられている）．
chro·mid·i·a (krō-mid′ē-ă)．chromidium の複数形．
chro·mid·i·a·tion (krō′mid-ē-ā′shŭn)．＝chromidiosis.
chro·mid·i·o·sis (krō-mid-ē-ō′sis)．クロミディウム流出（細胞原形質内へ核物質と染色質が流出すること）．＝chromidiation.
chro·mid·i·um, pl. chro·mid·i·a (krō-mid′ē-ŭm, -ē-ă)［G. *chrōma*, color ＋ *-idion* 指小接尾辞］．クロミディウム，クロミジア（細胞質中の好塩基性粒子または構造．RNA が豊富で，しばしば特殊化された細胞中にみられる）．
chro·mi·dro·sis (krō′mi-drō′sis)．色汗〔症〕．＝chromhidrosis.
chro·mi·um (Cr) (krō′mē-ŭm)［G. *chroma*, color］．クロム（金属元素，原子番号 24，原子量 51.9961．食物必須生元素．^{51}Cr(半減期 27.70 日)は多くの疾患(例えば胃腸蛋白欠乏)の診断補助剤として用いられる）．
　c. trioxide 三酸化クロム；CrO_3（クロム酸．皮膚や生殖器に生じるいぼ，その他の小さい増殖物の除去に腐食薬として用いる強力な酸化剤である）．
chromo- (krō′mō)．→chrom-．
Chro·mo·bac·te·ri·um (krō′mō-bak-tēr′ē-ŭm)．クロモバクテリウム属（細菌の一属で，グラム陰性，運動性杆菌を含む．これらの微生物は紫色素(バイオラセイン)を生じ，ヒトや動物の病原体となることもある．標準種は *C. violaceum*）．
　C. violaceum *Chromobacterium*属の標準種．土壌や水中にみられる．
chro·mo·blast (krō′mō-blast)［chromo- ＋ G. *blastos*, germ］．クロモブラスト，色素芽細胞（色素細胞に発達する可能性をもつ胚細胞）．
chro·mo·blas·to·my·co·sis (krō′mō-blas′tō-mī-kō′sis)［chromo- ＋ G. *blastos*, germ ＋ *mykē*, fungus ＋ *-osis*, condition］．クロモブラストミコーシス（皮膚および皮下組織の限局性の慢性真菌症で，皮膚の病巣が粗く不規則でカリフラワー状外観を呈することを特徴とする．種々のデマチア科の真菌，例えば，*Phialophora verrucosa*, *Exophiala*(*Wangiella*) *dermatitidis*, *Fonsecaea pedrosoi*, *F. compacta*, *Cladosporium carrionii* などによって発症する．銅硬化に類似する真菌細胞は，表皮の増生および真皮の微小膿瘍を伴う組織内で円形の硬壁小体を形成する）．＝chromomycosis.
chro·mo·cen·ter (krō′mō-sen′ter)．染色〔体〕中心〔粒〕，染色中央粒．＝karyosome.
chro·mo·cyte (krō′mō-sīt)［chromo- ＋ G. *kytos*, cell］．有色細胞（赤血球のような着色細胞）．
chro·mo·gen (krō′mō-jen)．***1*** 色原体，色素原（一定の色をもたず，色素に変性される物質で，特にベンゼン，その同類体のトルエン，キシレン，キノン，ナフタリン，アントラセンなど，アニリン染料がつくられる物質についていう）．***2*** 色素形成細菌（色素を産生する微生物）．***3*** 色素原（発色団を含有する化合物で，発色団を除去すると無色になる）．
　Porter-Silber c.'s (pōr′tĕr sil′bĕr)．ポーター－シルバー色素原（17,21–ジヒドロキシ–20–オキソステロイドとフェニルヒドラジンエタノール硫酸試薬の反応により生じる黄色フェニルヒドラゾン．主に血漿コルチゾール濃度，17–ヒドロキシコルチコイドの尿中排出量の測定に用いる）．
chro·mo·gen·e·sis (krō′mō-jen′ĕ-sis)［chromo- ＋ G. *genesis*, production］．色素形成（しばしば酵素触媒反応による）．
chro·mo·gen·ic (krō′mō-jen′ik)．***1*** 色素の．***2*** 色素形成の．
chro·mo·gran·in (krō′mō-gran′in)．クロモグラニン（クロマフィン顆粒中にある可溶性の分泌型ホルモン蛋白．クロモグラニン A は酸性糖蛋白で，顆粒基質の総蛋白量の約 50% を占める．その他にはクロモグラニン 13 とセクレトグラニン II がある）．
chro·mo·i·som·er·ism (krō′mō-ī-som′er-izm)．呈色異性（各々の異性体が異なった色を呈すること）．
chro·mo·lip·id (krō′mō-lip′id)．色素類脂肪．＝lipochrome (1).
chro·mol·y·sis (krō-mol′i-sis)．＝chromatolysis.
chro·mo·mere (krō′mō-mēr)［chromo- ＋ G. *meros*, a part］．***1*** 染色小粒（染色糸の濃縮された部分．ある条件で，染色体中に見える濃く染まったバンド）．***2*** ＝granulomere.
chro·mom·e·ter (krō-mom′ĕ-ter)．＝colorimeter.
chro·mo·my·co·sis (krō′mō-mī-kō′sis)［chromo- ＋ G. *mykēs*, fungus ＋ *-osis*, condition］．クロモミコーシス，クロモマイコーシス．＝chromoblastomycosis.
chro·mone (krō′mōn)．クロモン(種々の植物の色素や他の物質の基本単位．→flavone; chromene; chroman)．
chro·mo·ne·ma, pl. chro·mo·ne·ma·ta (krō′mō-nē′mă, -ma-tă)［chromo- ＋ G. *nēma*, thread］．染色糸（染色質の線維．染色体の全長にのびていて，DNA に対する Feulgen 試験に顕著な陽性を呈するらせん糸．遺伝子は染色糸上に存在する）．＝chromatic fiber.
chro·mo·nych·i·a (krō′mō-nik′ē-ă)［chromo- ＋ G. *onyx* (*onych-*), nail］．爪甲色素沈着症（爪甲の色調異常）．
chro·mo·pec·tic (krō′mō-pek′tik)．＝chromatopectic.
chro·mo·pex·is (krō′mō-pek′sis)．＝chromatopexis.
chro·mo·phil, chro·mo·phile (krō′mō-fil, krō′mō-fīl)［chromo- ＋ G. *phileō*, to love］．***1***〚adj.〛＝chromophilic．***2***〚n.〛色素親和性，好色素性，好染性（易染性の細胞または組織）．＝chromatophil (2)．***3***〚adj.〛＝chromaffin.
chro·mo·phil·i·a (krō′mō-fil′ē-ă)［chromo- ＋ G. *phileō*, to love］．好色素性（ほとんどの細胞がもっている特定の染料に染まりやすい性質）．＝chromatophilia.
chro·mo·phil·ic, chro·moph·i·lous (krō′mō-fil′ik, -mof′i-lŭs)．色素親和〔性〕の，好色素性の，好染性の（易染性の細胞および組織についていう）．＝chromatophil (1); chromatophilic; chromatophilous; chromophil (1); chromophile.
chro·mo·phobe (krō′mō-fōb)［chromo- ＋ G. *phobos*, fear］．色素嫌性の，嫌色素〔性〕の（染色が困難であるか，あるいはまったく染色されない．下垂体前葉の特定の脱顆粒細胞についていう）．＝chromophobic.
chro·mo·pho·bi·a (krō′mō-fō′bē-ă)［chromo- ＋ G. *phobos*, fear］．＝chromatophobia．***1*** 色素嫌性（細胞および組織の染料に対する抵抗性）．***2*** 色彩恐怖〔症〕，色素嫌悪（色彩に対する病的な恐れ）．
chro·mo·pho·bic (krō′mō-fō′bik)［chromo- ＋ *phobos*, fear］．＝chromophobe.
chro·mo·phore (krō′mō-fōr)［chromo- ＋ G. *phoros*, bearing］．***1*** 発色団，色基（物質の発色の原因となる原子団）．***2*** 発色団（レーザー療法での標的組織．組織の吸収波長により用いるレーザーの波長が決定される．一般的な皮膚での発色団はヘモグロビンやオキシヘモグロビン，ベータカロチン，メラニンがある）．＝chromatophore(3); color radical.
chro·mo·phor·ic, chro·moph·o·rous (krō′mō-fōr′ik, -mof′ŏr-ŭs)．色素体の，色素産生の，担色の（①色素体に関する．②色素を産生する，もっていることを示す．ある種の細菌についていう）．
chro·mo·pho·to·ther·a·py (krō′mō-phō′tō-thār′ă-pē)［chromo- ＋ photo- ＋ G. *therapeia*, medical treatment］．＝chromotherapy.
chro·mo·plast (krō′mō-plast)．クロモプラスト（カロチノイド色素含有発色団）．
chro·mo·plas·tid (krō′mō-plas′tid)［chromo- ＋ G. *plastos*, formed ＋ *-id* (2)］．有色体（特定の原生動物体内でつくられる葉緑素をもつ有色性色素体）．
chro·mo·pro·tein (krō′mō-prō′tēn)．色素蛋白（色素(すなわち，着色した補欠分子族)と蛋白の結合からなる複合蛋白の 1 つ．例えばヘモグロビン）．
chro·mo·som·al (krō′mō-sō′măl)．染色体の．
chro·mo·some (krō′mō-sōm)［chromo- ＋ G. *sōma*, body］．染色体（細胞核内にある構造体(ヒトの体細胞では通常 46)の 1 つで，遺伝子の担体である．細胞分裂の間期には繊細なクロマチン糸状体の形態をとる．細胞分裂中期，後期では，セントロメアでつながった２本の腕に分割された緻密な円柱を形成し，連続した細胞分裂の過程で，その物理的・化学的構造を再生しうる能力をもつ．細菌やその他の原核生物の場合，染色体は核膜内に封入されておらず，有糸分裂機構をもたない．原核生物が２つ以上の染色体をもつことがある）．

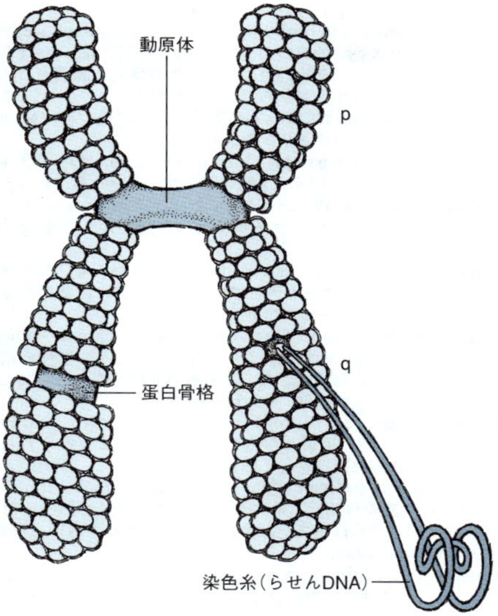

chromosome
短腕はp（小柄），長腕はq（pの次）を示す．

accessory c. 副染色体，過剰染色体（正常細胞中で，鋳型染色体の厳密なレプリカではない過剰な染色体のこと）．＝monosome(1); odd c.; unpaired allosome; unpaired c.

acentric c. 無動原体染色体（動原体を欠く染色体の一断片で，紡錘体に結合できないため核分裂に関与できず，娘細胞に任意に分布する）．＝acentric fragment.

acrocentric c. 末端動原体型染色体（動原体が，一方の端に非常に近づいて存在するため短腕が非常に小さく，しばしば付随体を伴っている染色体）．

bivalent c. 二価染色体（一時的に対合している１対の染色体）．

Christchurch c. クリストチャーチ染色体（異常な小型の末端動原体の染色体(21, 22 番)を表す，現在では用いられない語．短腕の完全な，またはほとんど完全な欠失を伴う．慢性リンパ性白血病患者および患者の血縁者の培養白血球中にみられる場合がある）．

derivative c. 誘導染色体（転座によって生じる変異染色体）．＝translocation c.

dicentric c. 二動原体染色体（２個の動原体をもつ染色体．相互転座の結果起こりうる）．

double minute c.'s 二重微小染色体（対をなす染色体外要素で動原体を欠くもの．しばしば薬剤耐性遺伝子と関係がある）．

fragile X c. ぜい弱Ｘ染色体（長腕の先端近くに壊れやすい部位をもつＸ染色体で，断片がほとんど分離したような形状を呈する．特殊な培養条件下にのみ証明することができ，しばしばＸ連鎖の知能低下症に伴ってみられる．→Renpenning *syndrome*）．

giant c. 巨大染色体（①＝polytene c.　②＝lampbrush c.）．

heterotypical c. 異型染色体（不ぞろいのパートナーとペアを形成した染色体．例えば，Ｘ染色体とＹ染色体）．

homologous c.'s 相同染色体（１対の染色体）．

lampbrush c., lamp-brush c. ランプブラシ染色体（①試験管ブラシまたはランプブラシの外観を呈する多数の細かい側方突起を特徴とする，ある種の動物の卵母細胞にみられる大型染色体．②ある種のクロマチンの増殖したループ状の染色体領域）．＝giant c. (2).

late replicating c. 複製遅延染色体（有糸分裂に先立つ複製が遅延する染色体で，標識したヌクレオチドの取り込みなどで証明される．以前，染色体の分類の方法として用いられた語）．

marker c. マーカ染色体（細胞学的に明確な特徴をもった染色体）．

metacentric c. 中部動原体染色体（動原体が中央に位置する染色体．染色体はほぼ均等の長さの２本の腕に分けられる）．

mitochondrial c. ミトコンドリア染色体（主な機能はアデノシン三リン酸の合成と細胞エネルギーの統御であるミトコンドリアの DNA 成分．染色体は環状の約 16,000 塩基対からなっている．遺伝形式は母性であり，突然変異率は異常に高い．各細胞は数千のコピーを含むので，変異型は Galton が記した過程のようにほとんど連続的な変化をとるであろう．既知の突然変異は大部分が呼吸鎖への影響をもつ）．

nonhomologous c.'s 非相同染色体（同じ対に属さない染色体）．

nucleolar c. 核小体染色体（いつも核小体と関連している染色体）．

odd c. ＝accessory c.

Philadelphia c. (**Ph1**) フィラデルフィア染色体（第 22 染色体長腕の一部が第９染色体に転座した結果形成される異常な短小第 22 染色体．多くの慢性骨髄性白血病患者の培養白血球中に見出される）．

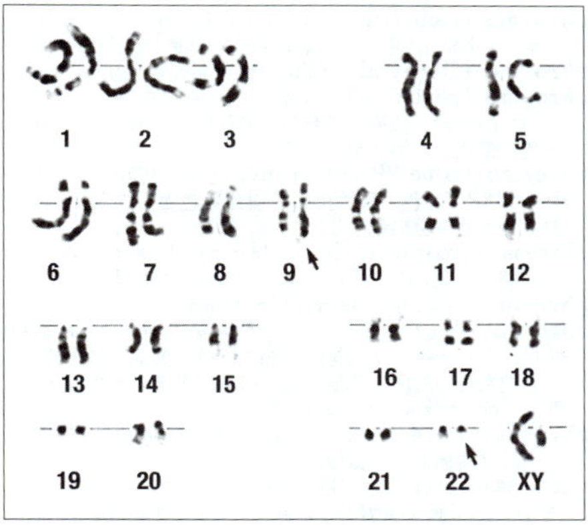

Philadelphia chromosome
慢性骨髄性白血病患者の核型で，(9q34；22q11）と記号化される，第9染色体と第22染色体の間の相互転座が認められる．第22ハイブリッド染色体は顆粒球の無規則な増殖を促進する．

polytene c. 多糸染色体（双翅目の昆虫の唾液腺でみられる巨大染色体を形成する染色体分裂の時期．幅広いものは，糸状体が縦に分離しないで，染色糸が何度も分裂を繰り返した結果である）．＝giant c. (1).

c. puffs 染色体パフ（特定の染色体領域の膨脹，RNA 合成の部位）．

ring c. 環状染色体（両端が結合して輪状構造をなす染色体．輪状型はヒトでは異常であるが，ほとんどのバクテリアでは染色体の正常型である）．

sex c.'s 性染色体（性決定の原因となる染色体の対．ヒトおよびほとんどの動物の性染色体はＸ，Ｙとよばれ，雌は２本のＸ染色体をもち，雄は１本のＸ染色体と１本のＹ染色体をもつ．ある種の鳥，昆虫，魚の性染色体はＺ，Ｗとよばれる．雄は２本のＺ染色体をもち，雌は１本のＺ染色体と１本のW染色体をもつか，あるいは1本のZ染色体をもち，W染色体はもたない）．＝gonosome.

submetacentric c. 次中部動原体染色体（染色体を，不均等な長さの2本の腕に分けるような位置に動原体がある染色体）．

telocentric c. 末端動原体染色体（末端に動原体を有する染色体．ヒトのこのような染色体は不安定で，動原体付近で誤分裂や切断によって発生する．通常，数回細胞分裂するうちに除去される）．

translocation c. 転座染色体．＝derivative c.

unpaired c. 異型染色体．＝accessory c.

W c., X c., Y c., Z c. W染色体，X染色体，Y染色体，Z染色体（→sex c.'s）．

c. walking 染色体ウォーキング（DNA(つまりクローン)の重複する配列を連続的に分離すること．この方法で染色体の大きな領域を解析することができる）．＝overlap hybridization.

yeast artificial c.'s (YAC) 酵母人工染色体（大きな外来DNA断片を取り込んだ酵母DNA配列．組換えDNAは形質転換によって酵母に導入される．酵母人工染色体の使用により隣接の調節配列をもった大きな遺伝子のクローニングが可能である）．

chro·mo·some pair·ing (krō′mō-sōm par′ing). 染色体対合（減数分裂接合期の過程で，第一分裂の前に相同染色体同士が互いに平行に並び対合すること．姉妹染色分体の間で遺伝物質の組換えが起こる）．

chro·mo·ther·a·py (krō′mō-thār′ă-pē). 色彩療法，色光線療法（色光線による疾患の治療）．＝chromophototherapy.

chro·mo·tox·ic (krō′mō-tok′sik). 血色素毒の（血色素毒性高色素性貧血のように，血色素に対する毒性作用によって起こされるか，血色素の破壊の結果生じる）．

chro·mo·trich·i·a (krō′mō-trik′ē-ă) ［chromo- ＋ G. *thrix* (*trich*-), hair］．色毛症（着色あるいは色素沈着した毛）．

chro·mo·trich·i·al (krō′mō-trik′ē-ăl). 色毛症の．

chro·mo·trope (krō′mō-trōp). クロモトロープ（クロモトロープ酸を含む数種の染料のいずれかで，染色後，赤色から青色に変化する性質を有する）．

chro·mo·trope 2R (krō′mō-trōp) ［C.I. 16570］．クロモトロープ2R（赤色の酸性染料．対比染色として用い，切片における赤血球を染色する）．

chro·mo·tro·pic ac·id (krō′mō-trop′ik as′id). クロモトロープ酸（試薬として用い，クロモトロープに含まれる）．

chro·nax·i·a (krō-nak′sē-ă). ＝chronaxie.

chro·nax·ie (krō′nak-sē) ［G. *chronos*, time ＋ *axia*, value］．時値，クロナキシー（神経や筋肉組織の興奮性の指標．興奮に必要な最小強度の2倍の強さの有効電気刺激の最小持続時間）．＝chronaxia; chronaxis; chronaxy.

chro·nax·im·e·ter (krō′nak-sim′ĕ-ter). 時値計，クロナキシー計（時値を測る器械）．

chro·nax·im·e·try (krō′nak-sim′ĕ-trē) ［G. *chronos*, time ＋ *axia*, value ＋ *metrein*, to measure］．時値測定〔法〕，クロナキシー法．

chro·nax·is (krō-nak′sis). 時値，クロナキシー．＝chronaxie.

chro·nax·y (krō′nak-sē). 時値，クロナキシー．＝chronaxie.

chron·ic (kron′ik) ［G. *chronos*, time］．慢性の（［chronic estrogen replacement のように，長期治療を示すために本語を隠語的に使うのを避けること］．①健康関連状態に関して，長期間持続する，の意味．②暴露に関して，長い，長期の，を意味する．ときに〝弱い〟の意味でも用いられる．③米国連邦健康統計センターは慢性状態を3か月以上の状態と定義している）．

chro·nic·i·ty (krō-nis′i-tē). 慢性．

chrono- (kron′ō) ［G. *chronos*］．時に関する連結形．

chron·o·bi·ol·o·gy (kron′ō-bī-ol′ō-jē) ［chrono- ＋ G. *bios*, life ＋ *logos*, study］．時間生物学，時計生物学（生物学的出来事の時間的調節，特に個々の生体の反復性あるいは同期的現象を取り扱う生物学の分野）．

chron·og·no·sis (kron′og-nō′sis) ［chrono- ＋ G. *gnōsis*, knowledge］．時間知覚．

chro·no·graph (kron′ō-graf) ［chrono- ＋ G. *graphō*, to record］．クロノグラフ（短時間の測定と記録のための器械）．

chro·nom·e·try (krō-nom′ĕ-trē) ［chrono- ＋ G. *metron*, measure］．時間測定〔法〕．

mental c. 精神時間測定〔法〕（精神および行動過程の持続の研究）．

chron·o·on·col·o·gy (kron′ō-on-kol′ō-jē) ［G. *chronos*, time ＋ oncology］．経時腫瘍学（新生物成長の際の生物学的リズムに及ぼす影響をみる研究．また，薬物投与の時期を基にして抗癌治療を行うために用いる）．

chron·o·phar·ma·col·o·gy (kron′ō-far′mă-kol′ō-jē). 時間薬理学（生物学的事象およびリズムの時間調節における薬物効果，あるいは薬物効果に対する生物学的時間調節の関係に関連した時間生物学から派生した学問）．

chro·no·pho·bi·a (kron′ō-fō′bē-ă). 時間恐怖〔症〕（時間の持続や無限性に対する病的な恐れ）．

chron·o·pho·to·graph (kron′ō-fō′tō-graf). 測時写真（運動の連続した位相を示す目的で撮られた一連の写真）．

chron·o·ta·rax·is (kron′ō-tă-rak′sis) ［chrono- ＋ G. *tarax-is*, confusion］．クロノタラキシス（時間に対する感覚が混乱すること）．

chronotherapeutics (kron′ō-ther-ă-pyū′tiks). 時間治療学（ある疾患に伴うサーカディアンリズムに従った薬剤投与のタイミング．→chronotherapy）．

chro·no·ther·ap·y (kron′ō-thār′ă-pē) ［chrono- ＋ therapy］．適時選択型化学療法（一日のうちでもその活性が増強されたりあるいは毒性が低くなる最適と考えられる時間に薬剤を投与する化学療法．→chronooncology）．

chronotrope (krō′nō-trōp) ［chrono- ＋ G. *tropē*, a turning, change］．変時作用薬（心拍のような定期的に反復される生体現象の周期に影響を与える薬物）．

positive/negative c. (poz′i-tiv-neg′ă-tiv kroō′nō-trōp). 陽性／陰性変時作用薬（心拍数などを増加(陽性)あるいは減少(陰性)させる作用または副作用をもつ物質あるいは薬剤．→chronotropism）．

chron·o·tro·pic (kron′ō-trop′ik). 変時性の（調律運動(例えば心拍)の速度に影響を及ぼす）．

chro·not·ro·pism (kro-not′rō-pizm) ［chrono- ＋ G. *tropē*, turn, change］．変時性，周期変動（周期運動，例えば心拍の速度を外部の影響によって変えること）．

negative c. 陰性周期変動（運動の減速，特に心拍数の減少）．

positive c. 陽性周期変動（運動の加速，特に心拍数の増加）．

chronotype (krōn-ō-tīp′) ［chrono- ＋ type］．時間型，昼型・夜型（昼間の活動を好むか，夜間の活動を好むかの人の型）．

chro·o·coc·cales (krō′ō-kok′al-ēz) ［*Chroococcus* ＜ G. *chrōs*, *chroos*, color ＋ coccus］［genus］．クロオコッカス綱（藍藻類の一綱で，細胞は単独で存在するか集団をつくる）．

chrys-, chryso- (kris) ［G. *chrysos*］．金を意味する連結形．ラテン語の *auro-* に相当する．

chry·san·the·mum-car·box·yl·ic ac·ids (kri-san′thĕ-mŭm-kar-bok′si-lik as′idz). キクカルボン酸（シクロプロパンカルボン酸の一方を2個のメチル基で，もう一方を2–メチル–1–プロペニル基(キクモノカルボン酸)，または3–メトキシ–2–メチル–3–オキソ–1–プロペニル基(キクジカルボン酸メチルエステル)で置換されている．これらの酸がアレトロロンまたはピレトロロンでエステル化されたものを，それぞれアレトリンおよびピレトリンという）．

Chrys·a·or·a (kris′ă-ōr′a). ヤナギクラゲ属（ヒトを刺すクラゲを含む有刺胞動物門に属する無脊椎動物の一属）．

C. quinquecirrha 中等度ないし重度の刺痛を負わせることがあるクラゲ．→jellyfish. ＝sea nettle.

chrys·a·ro·bin (kris′ă-rō′bin) ［G. *chrysos*, gold ＋ ブラジル土語 *araroba*, bark］．クリサロビン（ゴア末 Goa *powder* のエキス．クリソファン酸，エモジン，エモジンモノメチルエーテルの還元生成物の複合混合物．局所的に皮膚病に用いる）．

chry·si·a·sis (kri-sī′ă-sis) ［G. *chrysos*, gold］．金皮症（大食細胞に貪食された金の沈着の結果でみられる，皮膚および強膜の永続的な灰白色調の変色．→chrysocyanosis）．＝auriasis; aurochromoderma.

chrys·o·cy·a·no·sis (kris′ō-sī′ă-nō′sis). 金チアノーゼ（金

塩を治療に用いた結果皮膚に生じる色素沈着.→chrysiasis).

chrys·oi·din (kris′oy-din) [C.I. 11270]. クリソイジン (アニリンからつくられる染料(分子量 249). 組織学において, あるいは指示薬として(pH 4－7 で橙色から黄色に変化)用いる. また Bismarck ブラウンの代わりに使用される. クエン酸クリソイジンや硫シアン酸クリソイジンは防腐薬として用いる).

Chrys·o·my·i·a (kris′ō-mī′yă) [G. *chrysos*, gold + *myia*, fly]. オビキンバエ属 (ハエウジ病を起こすキンバエの一属(クロバエ科)で, 成虫は中型の金属色. これに含まれるものとしては, 旧世界のスクリューワーム *C. bezziana* (*Cochliomyia bezziana* ともよばれる)がある. これは皮膚への直接侵入者であって, 新世界のスクリューワーム *Cochliomyia hominivorax* に相当する. 一方, 旧世界の *C. megacephala* は, *Cochliomyia macellaria* と同等であって, この両者は, 皮膚への間接侵入者あるいは非病原性侵入者である).

Chrys·ops (kris′ops) [G. *chrysos*, gold + *ōps*, eye]. メクラアブ属 (北アメリカ産の約 80 種を含む刺咬性のアブの一属で, 斑点模様の翅を特徴とする. *C. discalis* は, 米国の野兎病菌 *Francisella tularensis* の媒介動物であり, *C. dimidiatus*, および *C. silaceus* は西アフリカのロア糸状虫 *Loa loa* の主要媒介動物である).

Chrys·o·spo·ri·um par·vum (kris′ō-spōr′ē-ŭm par′-vŭm). *Emmonsia parva* の旧名.

chrys·o·ther·a·py (kris′ō-thār′ă-pē) [G. *chrysos*, gold]. 金療法 (金塩を用いて行う治療). ＝aurotherapy.

chunk·ing (chŭnk′ing). チャンキング (短期記憶の中で情報項目を限られたスペースの中でできるだけ少ないスペースにするために, 異なった情報項目を結合する短期記憶内の過程. 例えば, 3 つの別々の文字を “cat” という語にまとめることにより, 1 つの知覚表現として結合する).

Churg (chŭrg), Jacob. 20 世紀の米国人病理学者. ⇀C.-Strauss *syndrome*.

chut·ta (chŭt′ă). 上口蓋癌 (葉巻の火のついた先端を口に入れて吸うアジア人に発生する口蓋の癌. 類似の疾患が南アメリカやサルジニアでも報告されている).

Chvos·tek (kvos′tek), Franz. ハプスブルク帝国の外科医, 1834—1884. ⇀C. *sign*.

chy·lan·gi·o·ma (kī-lan′jē-ō′mă) [chyl- + G. *angeion*, vessel + *-oma*, tumor]. 乳び管腫 (拡張した乳び管とそれより大きい腸リンパ管の著明な塊).

chy·la·que·ous (kī-lā′kwē-ŭs) [chyl- + L. *aqua*, water]. 含水乳び性の.

chyle (kīl) [G. *chylos*, juice]. 乳び ([chyme と混同しないこと]. 消化過程で, 腸の乳び管から取り込まれる混濁した白色または薄黄色の液体で, リンパ系によって胸管を経て循環中へ運ばれる. リンパ液中のカイロミクロンにより牛乳状の外観を呈する).

chy·le·mi·a (kī-lē′mē-ă) [chyl- + G. *haima*, blood]. 乳び血〔症〕(循環血液中に乳びが存在すること).

chy·li·dro·sis (kī′li-drō′sis) [chyl- + G. *hidrōs*, sweat]. 乳び汗症 (乳び様の乳汁を混じる汗).

chy·li·fac·tion (kī′li-fak′shŭn) [G.chyl-, pulp, chyl- + L. *facio*, to make]. ＝chylopoiesis.

chy·li·fac·tive (kī′li-fak′tiv). ＝chylopoietic.

chy·lif·er·ous (kī-lif′er-ŭs) [chyl- + L. *fero*, to carry]. 乳びを運ぶ. ＝chylophoric.

chy·li·fi·ca·tion (kī′li-fi-kā′shŭn). ＝chylopoiesis.

chy·li·form (kī′-li-fōrm). 乳び状の.

chylo-, chyl- (ki′lō, kīl) [G. *chylos*, juice]. 乳びに関する連結形.

chy·lo·cele (kī′lō-sēl) [chylo- + G. *kēlē*, tumor]. 乳び性陰嚢水瘤 (固有鞘膜および精巣鞘膜腔への乳びの滲出).

parasitic c. ＝*elephantiasis* scroti.

chy·lo·cyst (kī′lō-sist) [chylo- + G. *kystis*, bladder]. 乳び嚢. ＝*cisterna* chyli.

chy·lo·me·di·as·ti·num (kī′lō-mē′dē-as-tī′nŭm). 乳び縦隔症 (縦隔における乳びの異常な存在).

chy·lo·mi·cron, pl. chy·lo·mi·cra, chy·lo·mi·crons (kī′lō-mī′kron, -mī′kră, -mi′kronz) [chylo- + G. *micros*, small]. カイロミクロン (直径約 100 nm 以上の巨大な脂肪滴. 小腸上皮細胞で合成, 再構成される脂肪からなり, 一部 β リポ蛋白でおおわれ, トリアシルグリセロール(中性脂肪)とコレステロールエステル, いくつかのアポリポ蛋白(例えば, A–I, B–48, C–I, C–II, C–III, E)を含む. 血漿脂質で最も低密度(1.006 g/mL 以下)で, 輸送体としての機能を有する).

chy·lo·mi·cro·ne·mi·a (kī′lō′mī′krō-nē′mē-ă). 乳び血〔症〕, カイロミクロン血〔症〕(I 型家族性高リポ蛋白血症でみられるように, 循環血液中にカイロミクロンが特に増加している状態.→familial chylomicronemia *syndrome*).

chy·lo·per·i·car·di·um (kī′lō-per′i-kar′dē-ŭm). 乳び心膜〔症〕(胸管の閉塞, 外傷または不明の原因により, 心外膜腔に乳汁様の滲出液がたまる状態).

chy·lo·per·i·to·ne·um (kī′lō-per′i-tō-nē′ŭm). 乳び腹膜〔症〕. ＝chylous *ascites*.

chy·lo·phor·ic (kī′lō-fōr′ik) [chylo- + G. *phoros*, bearing]. ＝chyliferous.

chy·lo·pleu·ra (kī′lō-plūr′ă). 乳び胸膜〔症〕. ＝chylothorax.

chy·lo·pneu·mo·tho·rax (kī′lō-nū′mō-thōr′aks). 乳び気胸〔症〕(胸膜腔に遊離乳びと空気が存在すること).

chy·lo·poi·e·sis (kī′lō-poy-ē′sis) [chylo- + G. *poiesis*, a making]. 乳び生成, 乳び化 (腸内で乳びが生成されること). ＝chylifaction; chylification.

chy·lo·poi·et·ic (kī′lō-poy-et′ik). 乳び生成の. ＝chylifactive.

chy·lor·rhe·a (kī-lō-rē′ă) [chylo- + G. *rhoia*, flow]. 乳び漏 (乳びの流出または分泌).

chy·lo·sis (kī-lō′sis). 乳び生成機能 (腸で食物を乳び化し, 腸粘膜によって消化・吸収し, 血液と混合して組織へ運搬すること).

chy·lo·tho·rax (kī′lō-thōr′aks). 乳び胸〔症〕(胸腔に乳びが蓄積されること). ＝chylopleura; chylous hydrothorax.

chy·lous (kī′lŭs). 乳びの.

chy·lu·ri·a (kī-lyū′rē-ă) [chyl- + G. *ouron*, urine]. 乳び尿〔症〕(乳びの尿中への排泄. 白尿症の一種).

chy·mase (kī′mās). カイメース. ＝chymosin.

chyme (kīm) [G. *chymos*, juice]. キームス, びじゅく ([chyle と混同しないこと]. 胃から十二指腸へ通過し, 部分的に消化された食物の半流動体の塊). ＝chymus; pulp (3).

chy·mi·fi·ca·tion (kī′mi-fi-kā′shŭn) [G. *chymos*, juice + L. *facio*, to make]. ＝chymopoiesis.

chy·mo·pa·pa·in (kī′mō-pap-ā′in). キモパパイン (パパインに類似した特異的なシステインプロテイナーゼ. まれに外科手術の代わりとして椎間板ヘルニアの収縮のために用いられたり, 肉の柔化剤として用いる. パパイヤに含まれる主なエンドペプチダーゼ).

chy·mo·poi·e·sis (kī′mō-poy-ē′sis) [G. *chymos*, juice, chyme + *poiesis*, a making]. びじゅく形成, キームス化, びじゅく化 (胃消化による食物の半流動体の状態). ＝chymification.

chy·mor·rhe·a (kī′mō-rē′ă) [G. *chymos*, juice + *rhoia*, flow]. び汁漏 (びじゅくの流出).

chy·mo·sin (kī′mō-sin). キモシン (プロキモシンからつくられるペプシンと構造が相同のアスパラギン酸プロテイナーゼ. 牛乳を凝固させる酵素で, 子ウシの胃腺層から得られる. κ–カゼインの単一ペプチド結合(–Phe–Met–)に作用する). ＝chymase; pexin; rennase; rennet; rennin.

chy·mo·sin·o·gen (kī′mō-sin′ō-jen). キモシノゲン. ＝prochymosin.

chy·mo·sta·tin (kī′mō-sta′tin). キモスタチン (オリゴペプチドで, キモトリプシン様プロテアーゼ阻害活性をもつ(例えば, カテプシン A, B, および D や, パパイン)).

chy·mo·tryp·sin (kī′mō-trip′sin). キモトリプシン; chymotrypsin A; chymotrypsin B; chymotrypsin C (胃腸管のセリン蛋白分解酵素. 疎水性アミノ酸, 特にチロシル, トリプトファニル, フェニルアラニル, ロイシル残基のカルボキシル基結合を優先的に分解する. 膵臓でキモトリプシノゲンとして合成され, 次に連続的トリプシン依存性分解により, π–キモトリプシン, δ–キモトリプシン, 最後に α–キモトリプシンに変換される. 外傷に合併した炎症および浮腫の治療に, また嚢内白内障除去の促進に使用するよう提唱されてきた. キモトリプシン A は上述の基質特異性をもち, キモトリプシン B はキモトリプシン A に類似しており, キモトリプシ

C

ンCはより広い特異性をもつ(さらにメチオニル，グルタミニル，アスパラギニル残基のカルボキシル基結合に作用する)).

chy·mo·tryp·sin·o·gen (kī′mō-trip-sin′ō-jen). キモトリプシノ〔ー〕ゲン（キモトリプシンの前駆物質．トリプシンの作用により，π–キモトリプシンへ変換される).

chy·mous (kī′mŭs). キームス様の，びじゅく様の．

chy·mus (kī′mŭs). び汁．＝chyme.

chytide (kī′tīd). 皮膚のシワ．

CI color index; Colour Index; confidence *interval* の略．

Ci curie の略．

Ciac·cio (chah′chō), Carmelo. イタリア人病理学者，1877—1956. ⇀C. *stain*.

Ciac·cio (chah′chō), Giuseppe V. イタリア人解剖学者，1824—1901. ⇀C. *glands*.

cib. ラテン語 *cibus*(食物)の略．

ci·bo·pho·bi·a (sī′bō-fō′bē-ă)［L. *cibus*, food＋G. *phobos*, fear］. 食物恐怖〔症〕，嫌食症，拒食症（物を食べることを恐れる，あるいはひどく嫌悪すること).

CIC clean intermittent bladder *catheterization*; completely in the canal *hearing aid* の略．

cic·a·trec·to·my (sik′ă-trek′tō-mē)［L. *cicatrix*, scar＋G. *ektomē*, excision］. 瘢痕切除〔術〕.

cic·a·tri·ces (si-k′ă-trī′sēz). cicatrix の複数形．

cic·a·tri·cial (sik′ă-trish′ăl). 瘢痕の．

cic·a·tri·cot·o·my, cic·a·tri·sot·o·my (sik′ă-trī-kot′ō-mē, -sot′ō-mē)［L. *cicatrix*, scar＋G. *tomē*, cutting］. 瘢痕切開〔術〕（まれに用いられる).

cic·a·trix, pl. **cic·a·tri·ces** (sik′ă-triks, si-kā′triks; sik′ă-trī′sēz)［L.］. 瘢痕（[伝統的に正しい発音は cica′trix であるが，ここに示す発音は米国語法ではより一般的である]).

brain c. 脳瘢痕（損傷の結果生じる脳の瘢痕(反応性神経膠症)で，中胚葉性の成分(血管)と外胚葉性の成分(神経膠)の増殖が特徴．→isomorphous *gliosis*).

filtering c. 沪過性瘢痕．＝filtering *bleb*.

meningocerebral c. 大脳髄膜瘢痕（隣接した脳と髄膜の瘢痕と癒着．典型的なものは頭部外傷により生じる).

vicious c. 悪性瘢痕（収縮により変形を生じる).

cic·a·tri·zant (sik-at′ri-zant). ***1***〘adj.〙瘢痕形成性の，瘢痕化促進の．***2***〘n.〙瘢痕形成薬（***1*** の作用をもつ薬剤).

cic·a·tri·za·tion (sik′ă-tri-zā′shŭn). 瘢痕化，瘢痕形成（①瘢痕形成の過程．②一次癒合とは異なった形の創傷治癒).

ciclophilins (sik-lō-fil′inz)［*ciclosporin*＋G. *philia*, affinity, attaction＋*-in*］. シクロフィリン（細胞内蛋白で，熱ショック蛋白および他の分子(グルココルチコイド受容体など)に関係している．シクロフィリンは拒絶反応抑制剤(シクロスポリン，FK–506 など)の免疫抑制作用を調節する).

cic·u·tox·in (sik′yū-tok′sin). シクトキシン（セリ科ドクゼリ *Cicuta virosa* の有毒成分．薬理作用はピクロトキシンに類似している).

-cide (sīd)［L. *-cida, -cidium*＜*caedo*, to kill］. 殺す物質(例えば insecticide)または殺す行為(例えば suicide)を示す接尾語．

CIDP chronic inflammatory demyelinating *polyneuropathy* の略．

CIE counterimmunoelectrophoresis の略．

ci·gua·te·ra (sē′gwă-tār′ă)［Sp.＜*cigua*, sea snail］. シグアテラ（シグアトキシンを含有するカリブ海や熱帯太平洋のサンゴ礁の種々の魚類の生食や内臓を食べて発症する急性中毒症候群で，主として，消化管症状や神経筋症状がみられる．赤色藻や褐色藻に着生している渦鞭毛藻類 *Gambierdiscus toxicus* は，脂溶性で耐熱性の毒素を産生する．サンゴ礁の藻類を食している草食魚は渦鞭毛藻類も摂取し，次に肉食魚がこの魚を食べ，毒素は，これらの食物連鎖を通して徐々に濃縮される．400 種に及ぶ魚がヒトの中毒を起こすとされている．症状は摂取後 3 —12 時間で出現し，嘔吐，下痢，筋肉痛，四肢と口周囲の知覚不全と知覚異常，かゆみ，頭痛，脱力，および発汗がみられる．中毒症はおよそ 1 週間で自然に消退する).

ci·gua·tox·in (sēg′wă-tok′sin). シグアトキシン（構造不明の海産サポニンで，実験式は $C_{35}H_{65}NO_8$．シグアテラを起こす有毒物質).

ci·la·stat·in so·di·um (sī′lă-stat′in sō′dē-ŭm). シラスタチンナトリウム（腎臓で代謝を余儀なくされる抗生物質イミペネムに対する治療効果を増すために用いる，腎性ジペプチダーゼ，デヒドロペプチダーゼ 1 の阻害薬).

cili- (sil′ē). ⇀cilio-.

cil·i·a (sil′ē-ă). cilium の複数形．

cil·i·ar·y (sil′ē-ar′ē)［Mod. L *ciliaris*, relating to or resembling an eyelid, or eyelash＜L. *cilium*, eyelid (together with the eyelashes)］.→cilium. ***1*** 線毛の（単細胞生物から複雑な多細胞生物まで動物界に広くみられ，種々の運動や感覚機能に働く細毛). ***2*** 毛様の，睫毛の（特に睫毛をさすが，内耳平衡斑のⅠ型およびⅡ型有毛細胞の平衡毛や，Corti 器の有毛細胞，気道の円柱線毛上皮などの細毛あるいは毛様突起をさす). ***3*** 眼の毛様体の（眼球にみられる構造(毛様体，毛様体筋，毛様体突起，前毛様体静脈など)をさす). ***4*** 線毛(多列上皮)の（鼻腔から肺胞に至る気道の多列線毛円柱上皮にみられる線毛．規則的な同調運動により，呼吸上皮表面の粘液層を移動させる．⇀mucociliary *clearance*. ウイルスおよび細菌感染あるいは環境汚染により線毛機能が損なわれたり，線毛のダイニンからなる腕に異常を起こす遺伝疾患で線毛運動障害を生じる). ***5*** 線毛(卵管上皮)の（卵管上皮の線毛についていう). ***6*** 嗅毛の（嗅覚受容体を有する嗅細胞の嗅毛をさす．無形成(Kallmann 症候群)では無嗅覚症となる). ***7*** 毛様突起の（ある種の細胞にみられる運動性の原形質突起をさす).

cil·i·a·stat·ic (sil′ē-ă-stat′ik). 毛様体静止の（毛様体の運動を遅くしたり止めたりする薬または状態についていう．一般に，呼吸器の粘膜毛様体に関して用いる).

Ci·li·a·ta (sil′ē-ā′tă)［L. *cilium*, eyelid］. 繊毛虫類（以前は，繊毛とそれから派生した構造，例えば棘毛や膜板をもつ原生動物の一綱と考えられていたが，現在では有毛虫門に分類されている．ゾウリムシ *Paramecium* または大腸バランチジウム *Balantidium coli*(ヒト，ブタ，サル類，ラットまれにイヌの寄生虫)のような代表的なものは，2 個の異なった核，大核と小核を有する．後者だけが接合(繊毛虫にだけみられる有性生殖の一種)時に交換される遺伝材料を有する). ＝Ciliophora.

cil·i·at·ed (sil′ē-ā′ted). 睫毛のある，線毛をもつ．

cil·i·ates (sil′ē-ātz). 繊毛虫綱に属する原生動物の一般名．＝Ciliophora.

cil·i·ec·to·my (sil′ē-ek′tō-mē). ＝cyclectomy.

cilio-, cili- (sil′ē-ō, sil′ē)［L. *cilium*, eyelid(eyelash)］. 睫毛，線毛に関する，あるいはあらゆる意味で線毛の，毛様体の，を意味する連結形．

cil·i·o·cy·toph·thor·i·a (sil′ē-ō-sī′tōf-thōr′ē-a)［Pl. of ciliocytophthorium＜cilio-＋cyto-＋G. *phthora*, corruption, decay＋*-ium*, noun suffix］. 剝脱繊毛細胞（繊毛上皮からはがれた繊毛細胞で，様々な体液，特に腹水，羊水，呼吸器の検体中に見られる．動くため繊毛あるいはべん毛をもった原虫と間違われることがある).

cil·i·o·gen·e·sis (sil′ē-ō-jen′ĕ-sis). 毛様体形成．

Ci·li·oph·o·ra (sil′ē-of′ō-ră)［cilio-＋G. *phoros*, bearing］. 有毛虫門（多くの自由生活性繊毛虫や固着性の吸管虫を含む原生動物の一門．以前は原生動物門の中の一亜門として分類されていた). ＝ciliates; Ciliata.

cil·i·o·ret·i·nal (sil′ē-ō-ret′i-năl). 毛様体網膜の（毛様体と網膜に関する).

cil·i·o·scle·ral (sil′ē-ō-sklē′răl). 毛様体強膜の（毛様体と強膜に関する).

cil·i·o·spi·nal (sil′ē-ō-spī′nal). 毛様体脊髄の（毛様体と脊髄に関して，特に毛様体脊髄反射についていう).

cil·i·o·tox·ic·i·ty (sil′ē-ō-tok-sis′i-tē). 毛様体毒性（毛様体の活動を障害する薬または他の物質の特徴(例えばタバコの煙)．一般に呼吸器粘膜毛様体についていう).

cil·i·um, pl. **cil·i·a** (sil′ē-ŭm, -ă)［L. an eyelid］. [psyllium と混同しないこと]. ***1***［TA］. 睫毛，まつげ．＝eyelash. ***2*** 線毛（上皮細胞表面の運動性延長部．例えば，中心の 1 対とともに，周囲を輪に配列した 9 組の長円形管よりなる微細管を有する可動性の付属器).

Cil·lo·bac·te·ri·um (sil′ō-bak-tēr′ē-ŭm). グラム陽性の直

線状または弯曲杆菌で，運動性，嫌気性細菌の一属を示した，現在では用いられない属名.
ci·met·i·dine (si-met′i-dēn). シメチジン（ヒスタミン類似化合物でヒスタミンの拮抗物質. ヒスタミン H_2 レセプタをブロックし，胃酸分泌を阻害することで，消化性潰瘍および分泌過多の状態を治療するのに用いる).
Ci·mex (sī′meks) [L. *cimex*, bug, L. *lectulus*, a bed]. トコジラミ属（半翅目トコジラミ科に属するナンキンムシ類の一属. 体は扁平で赤褐色を呈し，翅はなく，側方に明瞭な眼をもつ. 3節のくちばし状突起をもち，胸部の臭腺から特徴的な臭いを放つ. ヒトの住居における多大な有害虫となる. 刺咬跡は中央に出血点を伴った特徴的な線状の瘙痒性丘疹をつくるが，トコジラミはB型肝炎媒介の可能性の他にはヒトの疾病の媒介者であることは証明されていない).
  C. hemipterus 熱帯地域にしばしばみられるトコジラミ.
  C. lectularius トコジラミ，ナンキンムシ.
Ci·mi·no (sĭ-mē′nō), James E. 20世紀の米国人腎臓病学者. →Brescia-C. *fistula*.
cIMP cyclic inosine 3′,5′-monophosphate の略.
CIN cervical intraepithelial *neoplasia* の略.
cin- (sin). →cine-.
cin·an·es·the·si·a (sin′an-es-thē′zē-ă). ＝kinanesthesia.
cin·cho·na (sin-kō′nă) [*Cinchona* < Countess of *Chinch′on*]. キナ皮（キナ属 *Cinchona* の様々な種の根や茎の乾燥樹皮. キナ属はアカネ科の常緑樹で，南アメリカ原産であるが，他の熱帯地方でも栽培されている. 栽培されたキナ皮は，総アルカロイドの7—10%を含み，約70%がキニーネである. キナ皮は20種以上のアルカロイドを含み，2対の異性体であるキニーネとキニジン，シンコニジンとシンコニンが最も重要). ＝bark (2); Jesuits' bark; Peruvian bark; quina; quinaquina; quinquina.
cin·chon·ic (sin-kon′ik). キナ皮の.
cin·cho·nine (sin′kō-nēn). シンコニン（キナ属 *Cinchona* の数種の樹皮から採られるキノリンアルカロイド. 強壮薬，抗マラリア薬. 数種のシンコニン塩がある).
cin·cho·nism (sin′kō-nizm). キニーネ中毒（キナ皮，キニーネ，キニジンによる中毒症. 耳鳴，頭痛，難聴，ときにはアナフィラキシーショックを特徴とする). ＝quininism.
cin·cho·phen (sin′kō-fen). シンコフェン，キノフェン（鎮痛・解熱薬，尿酸排泄促進薬. 肝障害や胃病変を生じる場合がある. 実験動物に胃潰瘍を生じさせるのに用いる).
cin·cli·sis (sing′kli-sis) [G. *kingklizō*, to wag the tail, change constantly]. 運動の急速な反復. 例えば急速に反復するまばたきをいう.
cine-, cin- (sin′ĕ, sin) [G. *kineō*, to move]. 運動(通常，シネに関係がある)を意味する連結形. →kin-.
cin·e·an·gi·o·car·di·og·ra·phy (sin′ē-an′jē-ō-kar′dē-og′ră-fē). 血管心〔臓〕シネ撮影〔法〕（心臓の各室および大血管を通過する造影剤の動きをとらえるシネ).
cin·e·flu·or·og·ra·phy (sin′ĕ-flūr′og′ră-fē). 透視シネ撮影〔法〕. ＝cineradiography.
cin·e·flu·o·ros·co·py (sin′ĕ-flōr-os′kŏ-pē). 透視シネ検査〔法〕. ＝cineradiography.
cin·e·gas·tros·co·py (sin′ĕ-gas-tros′kō-pē). シネ胃鏡検査〔法〕（胃鏡による観察のシネ).
cin·e·mat·ics (sin′ĕ-mat′iks). ＝kinematics.
cin·e·ole, cin·e·ol (sin′ē-ōl, -ol). シネオール（ユーカリノキ *Eucalyptus globulus* や他のユーカリ属 *Eucalyptus* の数種の揮発性油から得られる刺激性去痰薬). ＝cajeputol; cajuputol; eucalyptol.
cin·e·pho·to·mi·crog·ra·phy (sin′ĕ-fō′tō-mī-krog′ră-fē). 顕微鏡シネ（顕微鏡対象物のシネ撮影. しばしば微速度撮影が用いられる).
cin·e·plas·tics (sin′ĕ-plas′tiks). 動形成切断術. ＝cineplastic *amputation*.
cin·e·ra·di·og·ra·phy (sin′ĕ-rā′dē-og′ră-fē). シネラジオグラフィ（臓器の動態，例えば心臓や胃腸管の動きなどを撮影するX線撮影法). ＝cinefluorography; cinefluoroscopy; cineroentgenography.
ci·ne·re·a (si-nē′rē-ă) [L. *cinereus*(ashy)の女性形 < *cinis*, ashes]. *1* 灰白質（脳その他の神経系の灰白質). *2* mantle *layer* を表す現在では用いられない語.
ci·ne·re·al (si-nē′rē-ăl). 灰白質の（神経系における灰白質に関する).
ci·ner·i·tious (si′ner-ish′ŭs). 灰白色の（脳，脊髄，神経節の灰白質についていう).
cin·e·roent·gen·og·ra·phy (sin′ĕ-rent-gen-og′ră-fē). X線シネ撮影〔法〕. ＝cineradiography.
cin·e·seis·mog·ra·phy (sin′ĕ-sīz-mog′ră-fē). 振動シネ撮影〔法〕（振とうまたは振動を連続写真記録することにより，身体の運動を測定する技術).
ci·ne·to·plasm, ci·ne·to·plas·ma (sin-et′ō-plazm, sin-et-ō-plaz′mă). ＝kinetoplasm.
cin·gu·late (sin′gyū-lāt). *1* 帯の. *2* 帯状束の.
cin·gu·lec·to·my (sin′gyū-lek′tō-mē) [cingulum + G. *ektomē*, excision]. ＝cingulotomy.
cin·gu·lot·o·my (sin′gyū-lot′ō-mē) [cingulum + G. *tomē*, a cutting]. 帯状回切開〔術〕（以前は片側または両側帯状回前半部の外科的切除が施行された. しかし現在では，帯状回と脳梁の前半部の電解破壊による). ＝cingulectomy.
cin·gu·lum, gen. cin·gu·li, pl. cin·gu·la (sin′gyū-lŭm, -lē, -lă) [L. girdle < *cingo*, to surround][TA]. *1* 帯. ＝girdle. *2* 帯状束（帯状回の白質内に縦に通っているよく目立つ線維束. この束は前有孔質から後脳梁の上部にのびている. 脳梁膨大の後方で弯曲・下降し，前進して海馬傍回の白質内にはいる. 主として前視床核から帯状回と海馬傍回に至る線維からなっている. しかし，これらの回と前頭皮質を結んだり，また回の部分間を結ぶ連合線維も含む).
  c. dentis [TA]. 歯帯. ＝c. of tooth.
  c. membri inferioris* 下肢帯（pelvic *girdle* の公式の別名).
  c. membri superioris* 上肢帯（pectoral *girdle* の公式の別名).
  c. pectorale [TA]. ＝ pectoral *girdle*.
  c. pelvici [TA]. ＝ pelvic *girdle*.
  c. of tooth [TA]. 歯帯（上顎前歯および犬歯歯冠の舌面基底部にみられるU型またはW型の隆線で，外側方は舌面隣接面線角に沿ってのび，中央部では歯肉の直上にある). ＝c. dentis [TA]; basal ridge (2); lingual lobe.
cin·na·mal·de·hyde (sin′ă-mal′de-hīd). 桂皮アルデヒド，シンナムアルデヒド（桂皮油の主成分). ＝cinnamic aldehyde.
cin·na·mate (sin′ă-māt). 桂皮酸塩またはエステル.
cin·na·me·in (sin′am-ē′in). シンナメイン. ＝*benzyl* cinnamate.
cin·na·mene (sin′ă-mēn). シンナメン. ＝styrene.
cin·nam·ic (si-nam′ik). 桂皮の.
cin·nam·ic ac·id (si-nam′ik as′id). 桂皮酸（桂皮油，ペルーバルサム，トルーバルサム，蘇合香から得られる. 以前は狼瘡に塗布剤として，また感染症で白血球増加を促進する目的で用いられた). ＝cinnamylic acid; phenylacrylic acid.
cin·nam·ic al·co·hol (si-nam′ik al′ko-hol). 桂皮アルコール. ＝styrone.
cin·nam·ic al·de·hyde (si-nam′ik al′de-hīd). ＝cinnamaldehyde.
cin·na·mon (sin′ă-mon) [L. < G. *kinnamōmon*, cinnamon]. 桂皮，ニッケイ(肉桂)（①クスノキ科 *Cinnamomum loureirii* Nees の乾燥樹皮. この芳香性樹皮は香辛料として，また医学的には佐剤，駆風薬，芳香性健胃薬として用いる. ＝Saigon c. ②*Cinnamomum zeylanicum* の若枝の乾燥内樹皮. ＝Ceylon c.; Sri Lanka c.). ＝cassia bark.
  cassia c. シナニッケイ（クスノキ科 *Cinnamomum cassia* Nees. 市場にみられるほとんどの桂皮の非公認の原料. 桂皮油の原料). ＝Chinese c.
  Ceylon c. セイロン桂皮. ＝cinnamon (2).
  Chinese c. ＝cassia c.
  Saigon c. ＝cinnamon (1).
  Sri Lanka c. スリランカ桂皮. ＝cinnamon (2).
cin·na·mon oil (sin′ă-mon oyl). 桂皮油（*Cinnamomum cassia* の葉や小枝を蒸留して得られる揮発油. 桂皮油の総アルデヒド量の80%以上を含む). ＝cassia oil.
cin·na·myl·ic ac·id (sin′ă-mil′ik as′id). ＝cinnamic acid.
cin·o·cen·trum (sin′ō-sen′trŭm). 中心体. ＝cytocentrum.
ci·on (sī′on) [G. *kiōn*, pillar, the uvula]. ＝kion.

C

cir·an·tin (sir-an′tin). ＝hesperidin.

cir·ca·di·an (ser-kā′dē-ăn) [L. *circa*, about + *dies*, day]. 概日の，日周期の（約24時間の周期をもつ生物学的変化またはリズムに関する．*cf.* infradian; ultradian）.

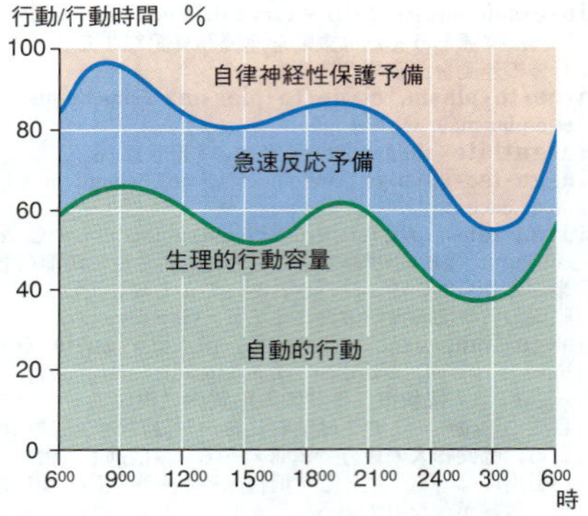

circadian rhythm and performance capacity

circaseptan (sir-kă-sep′tan) [L. *circa*, about + *septem* (dies), seven (days)]. 毎週の，週一回の.

cir·cel·lus (sir-sel′ŭs) [L.]. 小環，小円，小輪，小円周，小圏.

c. venosus hypoglossi ＝venous *plexus* of hypoglossal canal.

cir·cho·ral (ser-kō′răl). 周時性の（約1時間ごとに周期的に起こる）.

cir·ci·nate (ser′si-nāt) [L. *circinatus*, made round: *circino* (to make round)の完了分詞 ＜*circinus*, a pair of compasses]. 環状の，輪状の.

cir·cle (ser′kĕl) [L. *circulus*]. 円，環，輪，円周，圏（①[TA]. 解剖学で輪状・環状の構造物．ものの輪状・環状の配列．例えば動脈・静脈の吻合や，神経線維の交通・結合による構造配列．②中心からどの点へも等距離の線または突起）. ＝circulus [TA].

arterial c. [TA]. 動脈輪（吻合する動脈からなる輪状部）. ＝circulus arteriosus [TA].

arterial c. of cerebrum 大脳動脈輪. ＝cerebral arterial c.

articular vascular c. 関節血管輪（→articular vascular *network*）. ＝articular vascular *plexus*.

Carus c. (kah′rŭs). カールス輪. ＝Carus *curve*.

cerebral arterial c. [TA]. 大脳動脈輪（脳底の視交叉，視床下部，脚間窩のあたりに位置し，五角形に近い形状を示す動脈の輪．構成する動脈は，前方から後方へ，前交通動脈，2本の前大脳動脈，2本の内頸動脈，2本の後交通動脈の近位部である）. ＝circulus arteriosus cerebri [TA]; arterial c. of cerebrum; c. of Willis.

closed c. 閉鎖式循環〔回路〕（炭酸ガス吸収を伴う完全再呼吸を行う吸入麻酔投与回路）.

defensive c. 一次疾患の進行を制限または停止させる二次疾患の追加を表す現在では用いられない語．例えば，気胸が肺結核に併発するとき，前者が後者に治療効果をもつと考えられていた.

greater arterial c. of iris 大虹彩動脈輪. ＝major arterial c. of iris.

Haller c. (hah′lĕr). ハラー輪（①＝vascular c. of optic nerve. ②＝areolar venous *plexus*）.

Huguier c. (yū-gē-ā′). ユギエ輪（左右子宮動脈間の子宮峡部(体と頸の接合部)の周囲が吻合していること）.

least confusion c. 最小錯乱円（非点収差レンズ系から出る光線束の結像面のうち，焦点をつくろうとするレンズの発散性が，第2のレンズの光線束収束作用によって抑制される範囲）.

lesser arterial c. of iris 小虹彩動脈輪. ＝minor arterial c. of iris.

major arterial c. of iris 大虹彩動脈輪（虹彩の毛様体縁にある動脈輪）. ＝circulus arteriosus iridis major [TA]; major circulus arteriosus of iris [TA]; greater arterial c. of iris.

minor arterial c. of iris 小虹彩動脈輪（虹彩の瞳孔縁の近くにある動脈輪）. ＝circulus arteriosus iridis minor [TA]; minor circulus arteriosus of iris [TA]; lesser arterial c. of iris.

Pagenstecher c. (pah′gĕn-stek-ĕr). パーゲンシュテッヒャー(パーゲンステッケル)輪（自由に移動できる腹部腫瘍の場合，腫瘍を全範囲に移動させその位置を腹壁に記す．その点をつなぎ合わせたとき環になり，その中心が腫瘍の付着点となる）.

Ridley c. (rid′lē). リドリー輪. ＝circular *sinus* (1).

rolling c. ローリングサークル（環状DNAの複製機構）.

semiclosed c. 半閉鎖式循環〔回路〕（吸入麻酔投与回路で，炭酸ガス吸収を行った部分的再呼吸と，弁を通じて再呼吸したガスの一部の回路からの消失との組合せ）.

vascular c. ＝circulus vasculosus [TA]. ***1*** 血管輪（[TA]. 動脈や静脈がつくる輪状構造）. ***2*** 血管輪(口周囲の)（上・下口唇動脈がつくる口の周囲の動脈輪）. ***3*** 乳輪静脈叢. ＝areolar venous *plexus*.

vascular c. of optic nerve [TA]. 視神経血管輪（視神経入口部の周囲にある強膜上の短毛様体動脈の分枝の網）. ＝circulus vasculosus nervi optici [TA]; circulus arteriosus halleri; circulus zinnii; Haller c. (1); Zinn corona; Zinn vascular c.

venous c. of mammary gland 乳輪静脈叢. ＝areolar venous *plexus*.

vicious c. 悪循環（2つの異なった疾患や徴候，または一次および二次疾患の相互増強作用）.

Vieth-Müller c. (vēth mū′lĕr). ヴィース－ミュラー円（両眼の視中心を通る幾何円で，同一円周上に存在し，固視点に隣接する．理論的には対応する網膜上に結ぶ）.

c. of Willis (wil′ĭs). ウィリス輪. ＝cerebral arterial c.

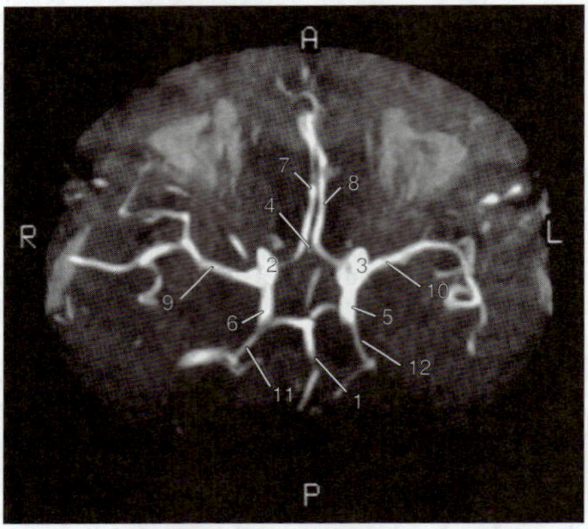

Circle of Willis (shown in cerebral arteriogram)

1：脳底動脈．2：右内頸動脈．3：左内頸動脈，交通動脈．4：前交通動脈．5：左後交通動脈．6：右後交通動脈．7：右前大脳動脈．8：左前大脳動脈．9：右中大脳動脈．10：左中大脳動脈．11：右後大脳動脈．12：左後大脳動脈.

Zinn vascular c. (zin). ツィン血管輪. ＝vascular c. of optic nerve.

circovirus (ser′kō-vī-rŭs). サーコウイルス（一本鎖DNAウイルス(サーコウイルス科)で，ブタ，家禽，ハト，オウム科の鳥に致死的感染症を引き起こす可能性がある各種のウイルスが存在する）.

porcine c. (**PCV**) ブタサーコウイルス（1974年に初めて分離されたブタに病原性を有するウイルス．1型と2型は，死産も含め生殖機能不全を引き起こす．PCVはまた，授乳

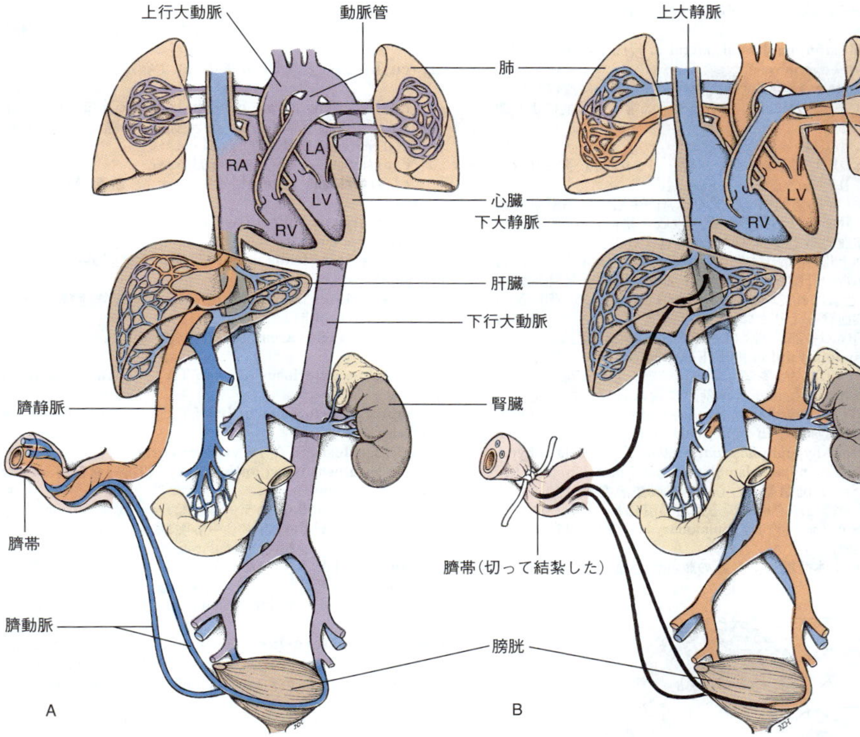

fetal circulation vs. postnatal circulation

A：妊娠中，胎盤で酸素が母体循環から胎児循環へ拡散する．酸素化血(赤)は臍静脈を通って胎児へ戻る．
B：出生後，臍帯は切られ，酸素血は肺を通る．RA：右心房，LA：左心房，LV：左心室，RV：右心室．

後全身性消耗症候群とも関連があり，ブタパルボウイルスとの同時感染によって症状の重篤度が増加する．慢性疲労，リンパ節腫脹，ときには呼吸困難，黄疸，下痢もみられる．PCV–2 は，ブタ呼吸器複合病，皮膚炎，腎症に関与する．PCV 1型と 2 型の無症候キャリアが存在する．PCV–2 の病原性のほうが弱い）．

cir·cuit (ser′kit)［L. *circuitus*, a going round ＜ *circum*, around ＋ *eo*, pp, *itus*, to go］．回路（事件や状況の経過，または電流など，ものが流れる経路や通路）．

anesthetic c. 麻酔回路（吸入麻酔中に，吸入ガスの濃度を調節するために使用する機器．呼吸バッグを含み，一方通行弁，呼吸管，炭酸ガス吸収装置を含むこともある）．

Papez c. (pah-pez′)．ペーペズ回路（哺乳類の前脳にある長い伝導回路で，海馬から脳弓を経て乳頭体に至り，そこから視床前核，帯状回，海馬傍回を経て海馬に戻る）．

reverberating c. 反響回路（ニューロンの回路を通る連発インパルスが，大脳皮質を経て周期的に伝導されるという理論）．

signal-processing c.'s 信号処理回路（音響信号の様々な帯域の増幅度を変化させることができる，補聴器内の電気的ハードウェア）．

cir·cu·la·tion (ser-kyū-lā′shŭn)［L. *circulatio*］．循環，血行（円中の，または円形路を通る，あるいは同じ点に戻る道順を通っている運動．通常は血液の循環をさすが，胆汁塩など他のものにも使われることがある）．

assisted c. 補助循環（外部装置を用いて血圧あるいは血流または両者を心臓または動脈において改善すること）．

blood c. 血液循環（心臓から出た血液が，動脈，毛細血管，静脈を経て，再び心臓に戻る走路）．

capillary c. 毛細〔血〕管循環（毛細血管を通る血液の走路）．

collateral c. 副行循環，側副循環，副行血行，側副血行（主動脈が閉鎖された場合，吻合小血管により維持される循環）．

compensatory c. 代償〔性〕循環（ある部位の主血管が閉鎖されたとき，拡張した側副血管により確立される循環）．

cross c. 交差循環〔実験〕（1匹の動物から，もう1匹の動物への全循環または部分循環）．

embryonic c. 胚循環（哺乳類の幼若胚の循環の基礎的方式は，最初は水生動物のものに似ており，鰓部または咽頭部に仕切りのない心臓と顕著な大動脈弓をもっている．妊娠が進むにつれて主要血管の配列は徐々に成人のものに似てくるが，成人の特徴である心臓を経る血液の道程は，出生時に肺呼吸が始まるまで達成されない）．

enterohepatic c. 腸肝循環（胆汁塩のように，腸から吸収されて肝臓に運ばれ，そこで胆汁に分泌され，再び腸にはいる物質の循環）．

extracorporeal c. 体外循環（機械を通じて体外に血液循環をつくることで，一時的に，その臓器の機能を担当する．人工心肺や人工腎臓などがある）．

fetal c. 胎児循環（子宮内胎児の循環．酸素や栄養物の供給，炭酸ガス窒素代謝物の除去を行う胎盤回路を通じて循環する．→embryonic c.）．

greater c. 大循環．＝systemic c.

hypophysial portal c. 下垂体・門脈循環．＝portal hypophysial c.

hypothalamohypophysial portal c. 視床下部下垂体門脈循環．＝portal hypophysial c.

intervillous c. 絨毛間循環（胎盤の絨毛間腔に流れている母体血をさし，これにより絨毛膜絨毛は常に母体血により還流されている）．

lesser c. 小循環．＝pulmonary c.

lymph c. リンパ循環（リンパ管・リンパ節を通るリンパ液のゆっくりとした流れ）．

placental c. 胎盤循環（胎児の子宮内生活中に胎盤を経る血液循環．胚または胎児の呼吸・吸収・排泄に必要である．さらに母体血の絨毛間腔への循環も含まれる）．

portal c. 門脈循環（①門脈を経る小腸，大腸右半分，および脾臓からの肝臓への血液循環．ときに肝門脈循環 hepatic portal c. とよばれている．②一般的には血液が心臓に還る以前に毛細血管→より太い血管→毛細血管といったように流れる全身循環の一部．例えば視床下部下垂体門脈系）．

portal hypophysial c. 門脈下垂体循環（視床下部より下垂体刺激性のホルモンを運ぶ毛細血管網．視床下部で血中に分解されたホルモンは下垂体前葉に運ばれて作用を発揮する．→portal c.; pituitary *gland*; hypothalamus）．＝hypophyseoportal system; hypophysial portal c.; hypophysial portal system; hypophysioportal system; hypothalamohypophysial portal c.; hypothalamohypophysial portal system (1).

pulmonary c. 肺循環（右心室から肺動脈を経て肺にはいり，肺静脈を経て左心房に戻る血液の流れ）．＝lesser c.

Servetus c. (ser-veʹtŭs). pulmonary c. を表す現在では用いられない語．

systemic c. 体循環（全身系の動脈，毛細血管，静脈を経る左心室から右心房までの血液循環）．＝greater c.

thebesian c. テベージウス循環（心筋を灌流する細静脈系）．

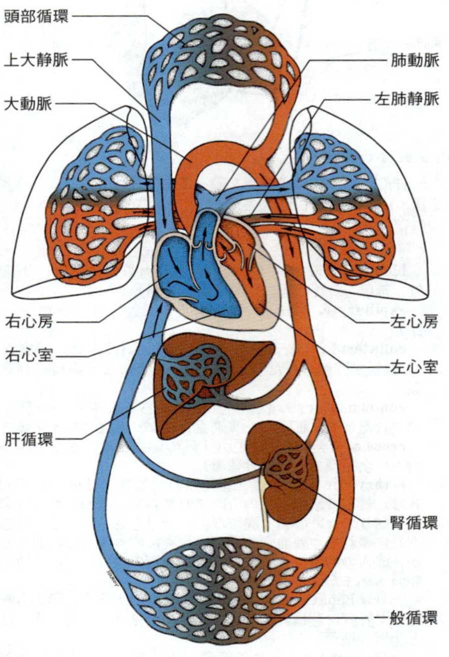

circulation

肺循環：右心室から肺を通って左心房に戻る血液循環．
体循環：全身系の左心室から右心房までの血液循環．
赤：酸素を含む血液．青：二酸化炭素を含む血液．

cir·cu·la·to·ry (serʹkyŭ-lă-tōʹrē). ***1*** 循環の．***2*** ＝sanguiferous.

cir·cu·lus, gen. & pl. **cir·cu·li** (serʹkyŭ-lŭs, lī) [L. *circus*(circle)の指小辞][TA]. 輪（動脈，静脈，神経などが連結して形づくる環状構造）．＝circle.

c. arteriosus [TA]. ＝arterial *circle*.

c. arteriosus cerebri [TA]. 大脳動脈輪．＝cerebral arterial *circle*.

c. arteriosus halleri (halʹĕr-ē). ハラー動脈輪．＝vascular *circle* of optic nerve.

c. arteriosus iridis major [TA]. 大虹彩動脈輪．＝major arterial *circle* of iris.

c. arteriosus iridis minor [TA]. 小虹彩動脈輪．＝minor arterial *circle* of iris.

c. articularis vasculosus 関節血管輪．＝articular vascular *plexus*.

major c. arteriosus of iris [TA]. ＝ major arterial *circle* of iris.

minor c. arteriosus of iris [TA]. ＝ minor arterial *circle* of iris.

c. vasculosus [TA]. ＝vascular *circle*.

c. vasculosus nervi optici [TA]. 視神経血管輪．＝vascular *circle* of optic nerve.

c. venosus halleri ハラー静脈輪．＝areolar venous *plexus*.

c. venosus ridleyi リドリー静脈輪．＝circular *sinus* (1).

c. zinnii ツィン輪．＝vascular *circle* of optic nerve.

circum- (serʹkŭm) [L. around]. 円運動，または接続語が示す構造を取り囲む部分，を示す接頭語．→peri-.

cir·cum·a·nal (serʹkŭm-āʹnăl). 肛門周囲の．＝perianal; periproctic.

cir·cum·ar·tic·u·lar (serʹkŭm-ar-tikʹyŭ-lăr) [circum- + L. *articulus*, joint]. 関節周囲の．＝periarthric; periarticular.

cir·cum·ax·il·lar·y (serʹkŭm-akʹsi-lār-ē). 腋窩周囲の．＝periaxillary.

cir·cum·bul·bar (serʹkŭm-bŭlʹbar). 眼球周囲の．＝peribulbar.

cir·cum·cise (serʹkŭm-sīz). 環状切除する（余剰包皮またはその他の組織を環状切開によって取り除く）．

cir·cum·ci·sion (serʹkŭm-sizhʹŭn) [L. *circumcido*, to cut around < *circum*, around + *caedo*, to cut]. 環状切除〔術〕，環切〔術〕（①包皮の一部または全部を除去する手術．②解剖的部位の周囲(例えば乳房の乳輪)を切開すること．＝peritectomy(2)）．

female c. 女児割礼（広義の女性性器の切除．陰核表皮の除去から陰核・小陰唇の切除，大陰唇の部分切除まで含まれる．医学的理由ではなく文化的理由で行われる）．

cir·cum·cor·ne·al (serʹkŭm-kōrʹnē-ăl). 角膜周囲の．＝pericorneal.

cir·cum·duc·ti·o (serʹkŭm-dŭkʹshē-ō) [TA]. ＝ circumduction.

cir·cum·duc·tion (serʹkŭm-dŭkʹshŭn) [circum- + L. *duco*, pp. *ductus*, to draw][TA]. ＝circumductio [TA]. ***1*** 循環運動（四肢のような部位の回旋運動）．***2*** ＝cycloduction.

cir·cum·fer·ence (c) (ser-kŭmʹfer-ens) [L. *circumferentia*, a bearing around][TA]. 周，周縁，環状面（特に円形領域の境界線）．＝circumferentia [TA].

articular c. of head of radius [TA]. 〔橈骨頭の〕関節環状面（尺骨の橈骨切痕と関節する橈骨頭の部分）．＝circumferentia articularis capitis radii [TA].

articular c. of head of ulna [TA]. 〔尺骨頭の〕関節環状面（橈骨の尺骨切痕と関節する尺骨頭の部分）．＝circumferentia articularis capitis ulnae [TA].

cir·cum·fer·en·ti·a (serʹkŭm-fer-enʹshē-ă) [L. a bearing around][TA]. 環状面．＝circumference.

c. articularis capitis radii [TA]. 〔橈骨頭の〕関節環状面．＝articular *circumference* of head of radius.

c. articularis capitis ulnae [TA]. 〔尺骨頭の〕関節環状面．＝articular *circumference* of head of ulna.

cir·cum·flex (serʹkŭm-fleks) [circum- + L. *flexus*, to bend].

回旋した，回旋の（半円を描いている，あるいは何かを取り巻いている．動静脈，神経，筋肉などの解剖学的構造についていう）．

cir·cum·gem·mal (ser′kŭm-jem′ăl) [circum- + L. *gemma*, a bud]．〔神経〕終末球周囲の（つぼみ状または球状の終末部を取り囲んでいる．終末球を取り囲む原線維による神経終末の様式を示す）．= perigemmal.

cir·cum·in·tes·ti·nal (ser′kŭm-in-tes′ti-năl)．腸管周囲の．= perienteric.

cir·cum·len·tal (ser′kŭm-len′tăl)．水晶体周囲の．= perilenticular.

cir·cum·man·dib·u·lar (ser′kŭm-man-dib′yū-lăr)．下顎骨周辺の．

cir·cum·nu·cle·ar (ser′kŭm-nū′klē-ăr)．核周辺の．= perinuclear.

cir·cum·oc·u·lar (ser′kŭm-ok′yū-lăr) [circum- + L. *oculus*, eye]．眼周囲の．= periocular; periophthalmic.

cir·cum·o·ral (ser′kŭm-ōr′ăl) [circum- + L. *os* (*oris*), mouth]．口周辺の．= perioral.

cir·cum·or·bit·al (ser′kŭm-ōr′bi-tăl)．眼窩周囲の．= periorbital (2).

cir·cum·re·nal (ser′kŭm-rē′năl) [circum- + L. *ren*, kidney]．腎周囲の．= perinephric.

cir·cum·scribed (ser′kŭm-skrībd) [circum- + L. *scribo*, to write]．限局〔性〕の．= circumscriptus.

cir·cum·scrip·tus (ser′kŭm-skrip′tŭs) [L.]．限局〔性〕の．= circumscribed.

cir·cum·stan·ti·al·i·ty (ser′kŭm-stan′shē-al′i-tē) [L. *circum-sto*, pr. p. *-stans*, to stand around]．う(迂)遠（意識的または無意識的な思考過程の障害で，患者は質問に対し直接的な意見や返答を避け，しばしば横道にそれた，念入りであるが不適切な細かい事柄をくどくどと述べる．統合失調症や強迫観念の患者にみられる．*cf.* tangentiality）．

cir·cum·val·late (ser′kŭm-val′āt) [circum- + L. *vallum*, wall]．有郭の（舌の有郭乳頭のように，壁に囲まれた構造についていう）．

cir·cum·vas·cu·lar (ser′kŭm-vas′kŭ-lăr) [circum- + L. *vasculum*, vessel]．血管周囲〔性〕の，脈管周囲の．= perivascular.

cir·cum·ven·tric·u·lar (ser′kŭm-ven-trik′yū-lăr)．胃周囲の（胃の位置する辺りの，胃の周りの，例えば c. organs(胃周囲器官)のように用いる）．

cir·cum·vo·lute (ser′kŭm-vol′ūt) [L. *circum-volvo*, pp. *-volutus*, to roll around]．よじれた，巻いた．

cir·rhog·e·nous, cir·rho·gen·ic (sir-roj′ĕ-nŭs, -rō-jen′ik) [G. *kirrhos*, yellow (liver) + *-gen*, producing]．硬変発生の（まれに用いる語）．

cir·rhon·o·sus (sir-ron′ō-sŭs) [G. *kirrhos*, yellow (liver) + *nosos*, disease]．漿膜黄変〔症〕（胎児の疾病．解剖学的には，腹膜と胸膜が著しく黄変するもの）．

cir·rho·sis (sir-rō′sis) [G. *kirrhos*, yellow (liver) + *-osis*, condition]．肝硬変〔症〕（[sclerosis または serosa と混同しないこと．重複的な表現 hepatic cirrhosis および cirrhosis of the liver を避けること]．様々な病因によって生じる慢性肝疾患で，種々の程度の炎症，変性，再生を特徴とする．病理学的特徴は線維で隔壁された顕微鏡的あるいは肉眼的結節である．肝細胞の機能不全，門脈の血流障害により，しばしば黄疸，腹水，肝不全を生じる）．

alcoholic c. アルコール性肝硬変（慢性アルコール中毒でしばしばみられる肝硬変．初期には軽い線維症を伴った脂肪化による肝肥大，後期には肝収縮を伴った Laënnec 肝硬変を特徴とする）．

biliary c. 胆汁性肝硬変（胆管閉鎖によって起こる肝硬変で，原発性の肝臓内疾患または肝臓外の胆管閉鎖の二次的疾患と思われる．後者は胆汁うっ滞と線維化を伴う小胆管の増殖をもたらすこともあるが，肝小葉の著しい障害はまれである．→primary biliary c.）．

capsular c. of liver 被膜性肝硬変．= Glisson c.

cardiac c. 心臓性肝硬変（慢性収縮性心膜炎や持続性うっ血性心不全の結果，肝臓内に生じる広範囲の線維形成反応．小葉間が線維で結ばれるような真の肝硬変がみられることはあまりない）．= cardiac liver; congestive c.; pseudocirrhosis; stasis c.

congestive c. うっ血性肝硬変．= cardiac c.

cryptogenic c. 特発性肝硬変（アルコール中毒や急性肝炎の既往歴もなく，原因不明で起こる肝硬変）．

fatty c. 脂肪性肝硬変（特にアルコール中毒患者にみられる早期栄養性肝硬変．肝臓の軽度の線維化を伴った脂肪性変化による肥大がみられる）．

Glisson c. (glis′ŏn)．グリソン肝硬変（肝臓の肥厚およびそれに後続の収縮を伴う慢性肝周囲炎．肝臓の萎縮と変形を起こす）．= capsular c. of liver.

Hanot c. (ahn-ō′)．アノー肝硬変．= primary biliary c.

juvenile c. 若年性肝硬変．= chronic active *hepatitis*.

Laënnec c. (lah-ĕ-nek′)．ラエネック肝硬変（線維組織の細かな索状構造でかなり規則正しく仕切られた小さな再生結節(ときに脂肪を含む)によって，肝小葉が置き換えられた肝硬変(鋲釘肝)．通常，慢性アルコール中毒によって起こる．重篤な肝機能障害，腹水や食道静脈瘤を伴う門脈圧亢進，あるいは致死的な合併症の原因となる可能性がある）．= portal c.

necrotic c. = postnecrotic c.

nutritional c. 栄養性肝硬変（全般的な，または特定の栄養素の不足があるヒトや動物に起こる肝硬変．メチオニンとシスチンの欠乏は動物の肝硬変を起こすことがあるが，ヒトの栄養失調が肝硬変を引き起こすか，単に肝臓の可逆性脂肪浸潤を引き起こすのみかは明らかではない）．

periportal c. 門脈周囲性肝硬変（再生結節を伴い，肝の大きな区域の周囲を厚い線維組織が取り囲む肝硬変）．

pigment c. 色素肝硬変（ヘモクロマトーシスにみられる暗褐色の色調を伴った肝硬変）．

pigmentary c. 色素沈着性肝硬変（肝臓における過剰の鉄沈着に起因する肝硬変で，通常ヘモクロマトーシスでみられる）．

pipe stem c. パイプ軸肝硬変（住血吸虫症にみられる門脈域周囲を主とした指状の線維化を伴った肝硬変．門脈圧亢進症を生じるが，肝不全を生じることはまれである）．

portal c. 門脈性肝硬変．= Laënnec c.

posthepatitic c. 肝炎後性肝硬変．= chronic active *hepatitis*.

postnecrotic c. 壊死後性肝硬変（全小葉に及ぶ壊死を特徴とする肝硬変．大きい瘢痕を形成する網状構造の虚脱を伴う．再生結節も同様に大きい．本疾患はウイルス性または毒性壊死に引き続いて起こるか，虚血性壊死の結果起こる）．= necrotic c.

primary biliary c. [MIM*109720]．原発性胆汁性肝硬変（主に中年女性に起こる状態．高脂血症，そう痒，皮膚の色素過剰を伴う胆汁うっ滞を特徴とし，大胆管の閉塞や小胆管増殖は認められない．肝臓は，リンパ球，形質細胞，しばしば類上皮細胞肉芽腫による顕著な門脈浸潤を伴った硬変を呈する．血清抗ミトコンドリア抗体が患者の 85—95%にみられる）．= Hanot c.

pulmonary c. 肺硬変〔症〕（肺の線維症．通常は間質性肺線維症）．

stasis c. = cardiac c.

syphilitic c. 梅毒性肝硬変（梅毒の第 III 期あるいは先天梅毒により生じる肝硬変）．

toxic c. 中毒性肝硬変（鉛や四塩化炭素などの慢性中毒から起こる肝硬変）．

cir·rhot·ic (sir-rot′ik)．硬変の（硬変や進行した線維化に関連あるいは罹患した）．

cir·ri (sir′ī)．cirrus の複数形．

cir·rose, cir·rous (sir′ōs, sir′ŭs)．棘毛の．

cir·rus, pl. **cir·ri** (sir′rŭs, -rī) [L. a curl]．棘毛，毛状突起（融合した線毛の集り，または小房からなる構造物．ある種の繊毛虫類の感覚・運動器官の 1 つを構成する）．

cir·soid (ser′soyd) [G. *kirsos*, varix + *eidos*, appearance]．静脈瘤状の．= variciform.

cir·som·pha·los (ser-som′fă-los) [G. *kirsos*, varix + *omphalos*, umbilicus]．*caput* medusae に対してまれに用いる語．

cir·soph·thal·mi·a (ser′sof-thal′mē-ă) [G. *kirsos*, varix + *ophthalmos*, eye]．結膜静脈瘤（結膜血管の静脈瘤様拡張）．

CIS *carcinoma* in situ の略．

cis- [L.]. ***1*** こちら側，同側，を意味する接頭語(イタリックで). trans- の対語. ***2*** 遺伝学では，相同対の同一染色体に2つ以上の遺伝子が連鎖していることを示す接頭語. ***3*** 有機化学において(イタリックで)，炭素－炭素二重結合に関する幾何異性体. 二重結合の同側面にある同一の官能基は cis－である. 二重結合の炭素に結合した4つの置換基がすべて異なるときは *E/Z* 命名法が適用されなければならない. →entgegen; zusammen. ＝zusammen (1).

CISH (sish). colorimetric in situ *hybridization* の頭字語.

cis·tern (sis′tern) [L. *cisterna*][TA]. ＝cisterna [TA]. ***1*** [TA]. 槽 (特に，乳び，リンパ，脳脊髄液を貯留する空洞). ***2*** 嚢，槽 (小胞体や Golgi 体の扁平嚢，あるいは核膜の外膜，内膜間のような膜に囲まれた内部空間. 電子顕微鏡レベルで観察される).

ambient c. [TA]. 迂回槽 (中脳の外側面にあるクモ膜下腔の拡張部で，後方で四丘体槽に連続する. ときには四丘体槽も迂回槽に含めることもある). ＝cisterna ambiens [TA].

anterior medullary c. ＝premedullary c.

basal c. ＝interpeduncular c.

cerebellomedullary c. [TA]. 小脳延髄槽 (小脳と延髄との間にある最大のクモ膜下腔で，小脳と延髄背面との間にある後小脳延髄槽(大槽 cisterna magna ともいう)と小脳と延髄外側面との間にある外側小脳延髄槽).

c. of chiasm 交叉槽. ＝chiasmatic c.

chiasmatic c. [TA]. 交叉槽 (視交叉の下方および吻側にクモ膜下腔が拡張したもの). ＝cisterna chiasmatica [TA]; cisterna chiasmatis [NA]; c. of chiasm.

chyle c.* 乳び槽 (*cisterna* chyli の公式の別名).

c. of cytoplasmic reticulum 小胞体の嚢 (→cisterna).

c. of great cerebral vein* 大脳大静脈槽 (quadrigeminal c. の公式の別名).

interpeduncular c. [TA]. 脚間槽 (橋底の吻側で乳頭体の腹尾側にあるクモ膜下腔の拡張部で，クモ膜が両側頭葉間に張って間脳底をおおう形になり，クモ膜と間脳底の間に槽を形成する. →interpeduncular *fossa*). ＝cisterna interpeduncularis [TA]; basal c.; cisterna basalis; cisterna cruralis; Tarin space.

c. of lamina terminalis [TA]. 終板槽 (大脳終板の前端にある腔所). ＝cisterna laminae terminalis [TA].

lateral cerebellomedullary c. [TA]. 外側小脳延髄槽 (→ cerebellomedullary c.). ＝ cisterna cerebellomedullaris lateralis [TA].

c. of lateral cerebral fossa 大脳外側窩槽 (クモ膜が Sylvius 溝開口部にまたがって張っているため，クモ膜下腔が拡大されてできる槽). ＝cisterna fossae lateralis cerebri [TA].

lumbar c. [TA]. 腰槽 (脊髄円錐(第二腰椎レベル)とクモ膜下腔と硬膜下端(第二仙椎レベル)の間の脊髄腔膨大部. 馬尾を構成する前根と後根，終糸および脳脊髄液で満たされている. 腰椎穿刺および脊椎麻酔を実施する部位). ＝cisterna lumbalis [TA].

c. of nuclear envelope 核膜槽. ＝*cisterna* caryothecae.

Pecquet c. (pĕ-kā′). ペケー槽. ＝*cisterna* chyli.

pericallosal c. [TA]. 脳梁周囲槽 (脳梁の全長に渡って周囲にある腔所で，脳梁周囲動脈や前大脳動脈の分枝を入れる). ＝cisterna pericallosa [TA].

pontine c. 橋槽. ＝pontocerebellar c.

pontocerebellar c. [TA]. 橋小脳槽 (橋が小脳と連結するところの両側にある腔所で，上下に分けることもできる). ＝cisterna pontocerebellaris [TA]; cisterna pontis; pontine c.; prepontine c.

posterior cerebellomedullary c. [TA]. 後小脳延髄槽 (→ cerebellomedullary c). ＝ cisterna cerebellomedullaris posterior [TA]; cisterna magna*.

premedullary c. 脊髄前槽 (脊髄の前面にある槽. 中に前脊髄動脈を含む). ＝anterior medullary c.

prepontine c. 橋前槽. ＝pontocerebellar c.

quadrigeminal c. [TA]. 四丘体槽 (脳梁と視床の間で中脳被蓋のすぐ上方に位置する第三脳室脈絡組織表層のクモ膜下腔が拡張したもの. 大大脳静脈(Galen 静脈)に集まる脳内静脈の後部や，四丘体に向かう動脈の遠位部，後大脳動脈のP4区画のほか，滑車神経が通る). ＝cisterna quadrigeminalis [TA]; c. of great cerebral vein*; cisterna venae magnae cerebri*; Bichat canal; cisternal quadrigeminalis; superior c.

subarachnoid c.'s [TA]. クモ膜下槽 (頭蓋内のクモ膜下腔の拡大部分. クモ膜が脳表面の陥凹部をまたいで張るために生じる. 脊髄のクモ膜下槽としては腰槽がある). ＝cisternae subarachnoideae [TA].

superior c. ＝quadrigeminal c.

sylvian c. シルヴィウス槽 (大脳外側溝と関連するクモ膜下腔で，中大脳動脈の M1 区域，レンズ線条体動脈の起始部，中大脳動脈の近位部を含む).

cis·ter·na, gen. & pl. **cis·ter·nae** (sis-ter′nă, -ter′nē) [L. an underground cistern for water ＜ *cista*, a box][TA]. ＝cistern.

c. ambiens [TA]. 迂回槽. ＝ambient *cistern.*

c. basalis ＝interpeduncular *cistern.*

c. caryothecae 核膜槽 (核内膜と核外膜との間の空間. 小胞体槽と連続していることがある). ＝cistern of nuclear envelope; perinuclear space.

c. cerebellomedullaris lateralis [TA]. 外側小脳延髄槽. ＝ lateral cerebellomedullary *cistern.*

c. cerebellomedullaris posterior [TA]. 後小脳延髄槽 (→ cerebellomedullary *cistern*). ＝ posterior cerebellomedullary *cistern.*

c. chiasmatica [TA]. 交叉槽. ＝chiasmatic *cistern.*

c. chiasmatis [NA]. 交叉槽. ＝chiasmatic *cistern.*

c. chyli [TA]. 乳び槽 (胸管の下端の膨大した嚢で，腸リンパ本管と2本の腰リンパ本管が開く. 第一・第二腰椎の前面，大動脈の後方に位置するが，見出せないこともある). ＝chyle cistern*; ampulla chyli; chylocyst; Pecquet cistern; Pecquet reservoir; receptaculum chyli; receptaculum pecqueti.

c. cruralis ＝interpeduncular *cistern.*

c. fossae lateralis cerebri [TA]. 大脳外側窩槽. ＝*cistern* of lateral cerebral fossa.

c. interpeduncularis [TA]. 脚間槽. ＝interpeduncular *cistern.*

c. laminae terminalis [TA]. ＝ *cistern* of lamina terminalis.

c. lumbalis [TA]. 腰槽. ＝ lumbar *cistern.*

c. magna* 大槽 (posterior cerebellomedullary *cistern* の公式の別名).

c. pericallosa [TA]. ＝ pericallosal *cistern.*

c. perilymphatica 外リンパ槽. ＝perilymphatic *space.*

c. pontis 橋槽. ＝pontocerebellar *cistern.*

c. pontocerebellaris [TA]. ＝ pontocerebellar *cistern.*

c. quadrigeminalis [TA]. →*cistern* of great cerebral vein. ＝ quadrigeminal *cistern.*

cisternae subarachnoideae [TA]. クモ膜下槽. ＝subarachnoid *cisterns.*

subsurface c. 表面下槽 (細胞質膜にごく近い小胞体槽. このような槽は特に神経細胞体に生じる).

terminal cisternae 終末槽 (骨格筋線維内に規則正しい間隔で生じる，対になった筋小胞体の横走細管. その中間のT細管とともに三連構造をなす).

c. venae magnae cerebri* 大脳大静脈槽 (quadrigeminal *cistern* の公式の別名).

cis·ter·nal (sis-ter′năl). 槽の.

cisternal quadrigeminalis 四丘体槽. ＝quadrigeminal *cistern.*

cis·tern·og·ra·phy (sis′tern-og′ră-fē) [cisterna ＋ G. *graphō*, to write]. 大槽造影(撮影)〔法〕(造影剤あるいは放射性薬品をクモ膜下に注入し，適切な検出器を用いて行う脳の大槽のX線撮影).

cerebellopontine c. 小脳橋脳槽造影 (クモ膜下腔へ造影剤を注入し，小脳橋角およびその付近の構造を描出するX線造影法).

radionuclide c. 放射性核種槽造影(撮影)〔法〕(クモ膜下腔に放射性薬品を注入し，頭蓋底の脳槽のシンチグラフィを撮像).

cis·tron (sis′tron) [*cis tr*-ans ＋ -on]. シストロン (①遺伝に関与する最小の機能単位. 一定の長さの染色体デオキシリボ核酸(DNA)で単一の生化学的機能を伴っている. 古典的概念では，遺伝子は1つ以上のシストロンから構成されている．近代分子生物学において，シストロンは本質的には構造遺伝子に等しい．②シス－トランス検定により定義される遺伝単位）．

cis·ves·tism, cis·ves·ti·tism (sis-ves′tizm, -ves′ti-tizm) [L. *cis*, on the near side of + *vestio*, to dress]．同性変装〔症〕（地位や身分に不適当な服装をすること．*cf.* transvestism）．

Ci·tel·lus (si-tel′ŭs) [Mod. L.]．ハタリス属（*Spermophilus* 属の旧名）．

cito disp. ラテン語 *cito dispensetur*（至急調剤せよ）の略．

cit·ral (sit′răl)．シトラール（モノテルペンアルデヒドで，両方の幾何異性体をもち，レモン，オレンジ，バーベナ，レモングラスの油に存在する．シトラールAはトランス異性体で，シトラールBはシス異性体（ネラール）である）．

cit·rase, cit·ra·tase (sit′rās, -ră-tās)．シトラーゼ．＝*citrate* lyase.

cit·rate (sit′rāt, sī′trāt)．クエン酸塩（[先例または似た単語からの類推に基づく，非公式の発音 sī′trāt を避けること]．カルシウムイオンと結合するため抗凝固薬として用いる）．

c. aldolase シトレートアルドラーゼ．＝c. lyase.

ATP: c. (*pro*-3*S*)-lyase ATP クエン酸(*pro*-3*S*)－リアーゼ（ATP，クエン酸と CoA から ADP，正リン酸，オキサロ酢酸とアセチルCoA を生成する反応を触媒する酵素．脂肪酸の生合成の重要な段階の1つ）．＝citrate-cleavage enzyme.

c. lyase シトレートリアーゼ；c. (*pro*-3*S*)-lyase（コエンチームAのない状態で，クエン酸のオキサロ酢酸と酢酸への開裂を触媒する酵素）．＝citrase; citratase; c. aldolase.

c. synthase シトレートシンターゼ；c. (*si*)-synthase（オキサロ酢酸と水とアセチル CoA との縮合を触媒し，クエン酸とコエンチームAを生成する酵素．トリカルボン酸回路の重要段階）．＝condensing enzyme; oxaloacetate transacetase.

cit·rat·ed (sit′rā-ted)．クエン酸塩加の（クエン酸塩を含む．特にクエン酸カリウム溶液またはクエン酸ナトリウム溶液，あるいはその両方の溶液が添加された血清または乳について いう）．

cit·ric ac·id (sit′rik as′id)．クエン酸（自然界に広く分布する柑橘類の果実に含まれる酸．中間代謝の重要な中間体）．

cit·rin (sit′rin)．シトリン．＝*vitamin* P.

Cit·ro·bac·ter (sit′rō-bak′ter)．シトロバクター属（腸内細菌科に属する運動性細菌の一属．クエン酸を炭素源として利用できるグラム陰性杆菌である．運動性細胞は周毛性．これらの菌によるラクトースの発酵は遅延性かまたは存在しない．グリセロールからトリメチレングリコールを生成する．標準種は *C. freundii*）．

C. amalonaticus 糞便，土壌，水および汚物に認められる細菌種．日和見感染菌として臨床材料から分離される．＝*Levinea amalonatica*.

C. braakii 以前は *C. genomospecies* 6 型とよばれていた菌種で，ヒトの尿や傷，他の動物，および食品でみられる．

C. diversus 糞便，土壌，水，汚物および食物に認められる細菌種で，尿，咽喉，鼻，喀痰および外傷から分離される．新生児髄膜炎の症例で報告されている．しばしば重症となり脳膿瘍を形成する．＝*C. koseri*; *Levinea diversus*; *Levinea malonatica*.

C. farmeri 以前は *C.amalonaticus* biogroup とよばれていた菌種で，ヒトの糞便で最初に認められた．

C. freundii 水，糞尿中にみられる細菌種．正常の腸内に寄生し，消化器感染症や，泌尿器，胆嚢，中耳，髄膜などの感染症に生じることがある．*Citrobacter* 属の標準種．

C. gillenii 以前は *C. genomospecies* 10 型とよばれていた菌種で，ヒトの便や食品でみられる．

C. koseri ＝*C. diversus*.

C. murliniae 以前は *C. genomospecies* 11 型とよばれていた菌種で，ヒトの便や血液でみられる．

C. rodentium 以前は *C. genomospecies* 9 型とよばれていた菌種で，げっ歯類のみから分離される．

C. sedlakii 以前は *C. genomospecies* 8 型とよばれていた菌種で，ヒトの便，血液，および傷でみられる．

C. workmanii 以前は *C. genomospecies* 7 型とよばれていた菌種で，ヒトの尿や便，および食品でみられる．

C. youngae 以前は *C. genomospecies* 5 とよばれていた種．ヒトの糞便および血中にみられ，食物および動物にも認められる．

cit·ro·nel·la (sit′rō-nel′ă)．シトロネラソウ（イネ科 ***Cymbopogon* (*Andropogon*) *nardus***．スリランカ産の芳香性の草で，蒸留して得られる揮発油は香水や駆虫薬として用いる）．

cit·ro·nel·lal (sit′-rō-nel′ăl)．シトロネラル（レモングラスやシトロネラル油の主な揮発性成分．石けんの香料や防虫剤に用いる）．

ci·trul·line (sit′rul-ēn)．シトルリン（[誤った発音 citrul′line を避けること]．一酸化窒素(NO)の生合成の生成物であるとともに尿素サイクルの過程において L-オルニチンから生成されるアミノ酸．スイカ *Citrullus vulgaris* やカゼインの中にみられる．アルギニノコハク酸シンターゼやアルギニノコハク酸リアーゼの欠損がある患者では上昇する）．

cit·rul·li·ne·mi·a (sit′rul-i-nē′mē-ă) [MIM*215700]．シトルリン血〔症〕（尿素サイクル異常症．アルギノコハク酸合成酵素(ASS)の欠損のため，血液，尿，髄液中のシトルリン濃度が上昇する．傾眠，嘔吐，アンモニア中毒症，通常，乳児期から始まる知能低下などの臨床徴候を示す．常染色体劣性遺伝である．第9染色体にある *ASS* 遺伝子の突然変異により生じるものがある）．

cit·rul·li·nu·ri·a (sit′rul-i-nyū′rē-ă)．シトルリン尿〔症〕（シトルリンの尿中排泄の増加．シトルリン血症の一徴候）．

CIU chronic idiopathic *urticaria* の略．

Ci·vat·te (sē-vaht′), Achille．フランス人皮膚科医，1877—1956．→C. *bodies*; *poikiloderma* of C.

Ci·vi·ni·ni (chē-vē′nē-nē), Filippo．イタリア人解剖学者，1805—1844．→C. *canal*, *ligament*, *process*.

CJD Creutzfeldt-Jakob *disease* の略．

CK *creatine* kinase の略．

c kit c キット．＝ CD 117.

CL cardiolipin の略．

Cl 塩素の元素記号．

CLA(ASCP) Clinical Laboratory Assistant (American Society of Clinical Pathologists)（臨床検査助手（米国臨床病理学会））の略．

clad·i·o·sis (klad′ē-ō′sis) [G. *klados*, branch or root + *-osis*, condition]．蕈（しん）状菌症（いぼ症状および上行リンパ管炎を特徴とするスポロトリクム症に類似の皮膚真菌症．蕈状菌 *Scopulariopsis blochii* によって起こる．→*Scopulariopsis*）．

Cla·do (klah-dō′), Spiro．フランス人婦人科医，1856—1905．→C. *anastomosis*, *band*, *ligament*, *point*.

Cla·do·phi·a·loph·o·ra (klad′ō-fī′al-of′ōr-ă)．クラドフィアロフォラ属（デマチウム科の線菌類に属する真菌の一属で，以前は *Cladosporium* 属あるいは *Zylohypha* 属とされていた．本属は *Cladosporium* 属とは顕微鏡的に分生子柄と明瞭な門を欠いていること，および長い，どちらかといえば壊れにくい鎖状の分生子を産生することで異なっている．生理学的には，シクロヘキサミドに対する抵抗性で区別される．本属には数種が含まれ，恐らくそのすべてがヒトに対して病原性がある）．

C. bantiana *cladophialophora* 属の神経好性種で，脳黒色菌糸症を引き起こす．以前は *Xylohypha bantiana*, *Cladosporium bantianum* とよばれていた．

C. carrionii *Cladophialophora* 属の一種で，ほとんど独占的にクロモブラストミコーシスにかかわっている．

Cla·dor·chis wat·soni (kla-dōr′kis wat-sō′nī)．*Watsonius watsoni* の不適切な語．

clad·o·spo·ri·o·sis (klad′ō-spō′rē-ō′sis)．クラドスポリウム症（*Cladosporium* 属の真菌類による感染症）．

Clad·o·spo·ri·um (klad′ō-spōr′i-ŭm) [G. *klados*, a branch + *sporos*, seed]．クラドスポリウム属（卵円形あるいは球形の胞子をつける，暗灰色または黒色の分生胞子柄をもつ真菌の一属．通常，土壌や腐植物中から分離される）．

C. carrionii ヒトでクロモブラストミコーシスの原因となる真菌種．

C. cladosporioides HIV 感染患者において皮膚試験部位に局所性感染を起こすことが報告された菌種．

C. werneckii ＝*Exophiala werneckii*.

C.* (*Xylohypha*) *bantianum 脳クラドスポリウム症を引き起こす真菌の種．恐らく *C. trichoides* と同種．

Clagett (klag′it), G. Patrick．20 世紀の米国人血管外科医．→Clagett *procedure* for empyema.

clair・voy・ance (klār-voy′ants) [Fr.]. 千里眼（感覚では通常は認識できない外界の出来事(過去，現在，未来)の知覚．超感覚的知覚の一型）.

Claisen (klī′sen), Ludwig. ドイツ人化学者，1851 — 1930. →Claisen *condensation*.

clamp (klamp) [M.E. < Middle D. *klampe*]. ***1*** 鉗子，クランプ（身体の構造物を把持する器具．*cf.* forceps）. ***2*** DNAの周囲に接近して構造変化を誘導する酵素，抗原もしくは他の蛋白.

Cope c. (kōp). コープ鉗子（結腸や直腸の切除に用いる）.

Crafoord c. (krahf′ūrd). クラフォード鉗子（心臓や肺や血管の手術に用いる）.

Crile c. (krīl). クライル鉗子（血流を一時止めるための鉗子）.

Fogarty c. (fō′găr-tē). フォガーティ鉗子（組織を傷つけないで把持するために表面にギザギザのあるゴムのプレートをはめて使う鉗子）.

Gant c. (gant). ギャント鉗子（痔核切除に用いる直角に曲がった鉗子）.

Gaskell c. (gas′kĕl). ギャスケル鉗子（実験動物の房室伝導路を挫滅して心ブロックを起こさせるための鉗子）.

gingival c. 歯肉クランプ（歯頸部を取り巻くかあるいは把握し，歯肉組織を圧排するようにつくられたバネ状の金属片）.

Kelly c. (kel′ē). ケリー鉗子（婦人科手術に用いる弯曲した無鉤の止血鉗子）.

Kocher c. (kō′ker). コッヒャー(コッヘル)鉗子（先端に互いにかみ合う歯がついた重く，まっすぐにとがった止血鉗子）.

liver-shod c. リバーショッド鉗子（歯の部分を布でおおった鉗子で，鉗子をかけたとき，腸などの損傷を最小限にするもの）.

Mikulicz c. (mē′kū-lich). ミクリッチ鉗子（2段階の結腸切除術において，近位および遠位の結腸壁を狭窄するための鉗子）.

Mixter c. (miks′ter). ミクスター鉗子（直角鉗子）.

Mogen c. (mō′gen) [ヘブライ語 star]. モーゲン鉗子（割礼に用いる）.

mosquito c. モスキート鉗子（直または曲で有鉤または無鉤の小さな止血鉗子．ぜい弱な組織の把持や止血に用いる）. ＝mosquito forceps.

Ochsner c. (oks′nĕr). オックスナー鉗子（歯のついたまっすぐな止血鉗子）.

patch c. パッチクランプ. ＝*patch* clamping.

Payr c. (pīr). パイル鉗子（胃切除または腸切除に用いる大きくて少し曲がった鉗子）.

Potts c. (pots). ポッツ鉗子（細かい歯が数列並んでついている血管固定用の鉗子．血管をしっかりと把持することができ，しかも血管に対する損傷は少ない）.

Rankin c. (ran′kĭn). ランキン鉗子（結腸切除に用いる3枚刃の鉗子）.

right angle c. 直角鉗子（先端が鋭く90°曲がっている鉗子で，血管の剝離や結紮のときに結紮糸を通すのにしばしば用いられる）.

rubber dam c. ラバーダムクランプ（歯頸部を環状に締めるかあるいははさみ，ラバーダムが歯にかぶさるのを防ぐようにつくったバネ状の金属片）.

rubber-shod c. ラバーショッド鉗子（先端の部分にゴムをかぶせた鉗子．手術中，縫合糸をきちんと把持する）.

sliding c. スライディングクランプ（二本鎖DNAを取り囲み，それを自発的に横切って滑る環状の蛋白であり，DNAポリメラーゼに高度な処理能力を与えている）.

clamp con・nec・tion (klamp kŏ-nek′shŭn). かすがい連結（真菌類において，菌糸隔膜をう回して隔膜の両隣りの2細胞間をつなぐ小菌糸．担子菌門の大部分に特徴的である）.

clamp-loader (klamp lōd′ĕr). クランプローダー（DNA複製の進行を可能にするためにDNA上で環状滑りかすがいの組み立て過程を触媒する多蛋白複合体である．複合体はプライマー鋳型DNAに結合し，二者間の形態的な連結を形成するためにかすがいの中心にそれを位置させる）.

cla・po・tage, cla・pote・ment (kla-pō-tahzh′, kla-pōt-mon[h]′) [Fr.]. 振水音（胃拡張の患者で，振とう法で聞かれる水がはねるような音）.

Clap・ton (klap′tŏn), Edward. イングランド人医師，1830—1909. →C. *line*.

Cla・ra (kla′ră), Max. オーストリア人解剖学者，1899—1966. →C. *cell*.

cla・rif・i・cant (kla-rif′i-kant) [L. *clarus*, clear + *facio*, to make]. 清澄薬（濁った液体を清澄にする薬剤）.

clar・i・fi・ca・tion (klar′i-fi-kā′shŭn). 清澄化，浄化（混濁液を清澄にする操作）. ＝lucidification.

Clark (klahrk), Alonzo. 米国人薬理学者，1807—1887. →C. weight *rule*.

Clark (klahrk), Eliot R. 米国人解剖学者，1881—1963. →Sandison-C. *chamber*.

Clark (klahrk), Wallace H., Jr. 20世紀の米国人皮膚病理学者. →C. *level*.

Clark (klahrk), Leland, Jr. 20世紀の米国人生化学者. →C. *electrode*.

Clarke (klahrk), Jacob A.L. イングランド人解剖学者，1817—1880. →C. *column, nucleus*.

Clarke (klahrk), Cecil. →C.-Hadfield *syndrome*.

clas・mat・o・cyte (klaz-mat′ō-sīt) [G. *klasma*, a fragment + *kytos*, a hollow (cell)]. 崩壊細胞，断裂細胞（macrophageを表す現在では用いられない語）.

clas・ma・to・sis (klaz′mă-tō′sis) [G. *klasma*, a fragment + *-osis*, condition]. 細胞断裂〔現象〕（真の偽足形成よりもむしろ原形質分離により，単細胞生物や血球に偽足様突起が出る現象）.

clasp (klasp). 鉤，クラスプ（①可撤性部分床義歯の一部分で，支台歯を部分的に囲むが，それに接触することによって，義歯を直接維持または固定するもの．②可撤性部分床義歯の直接維持装置．通常，2本の鉤腕からなり，咬合面レストと接続する体部によって連結している．少なくとも鉤の1腕は歯の膨隆下で終わっている）.

bar c. バークラスプ（①鉤腕が大連結子または義歯床内から，バータイプで延長している鉤．鉤腕は軟組織に接近して通り，歯肉－咬合面方向で歯の接触点に達する．②2つ以上の別々の異なる鉤腕からなり，鉤腕は歯の相互で反対に位置する．鉤腕はフレームまたは連結子から出て，軟組織を横切る．1つの維持鉤腕は通常，歯の豊隆下域(歯肉側添窩域)で終わり，もう一方のレシプロカルアームは通常，豊隆上域(咬合面側非添窩域)で終わる）. ＝Roach c.

circumferential c. サーカムフェレンシャルクラスプ（①反対側の角も含む歯の180度以上を取り囲み，通常，クラスプの全範囲が歯面に接触し，少なくとも1つの鉤尖は歯冠の最大豊隆線下域に位置するクラスプ．②2つのサーカムフェレンシャルクラスプ腕からなり，両者とも同じ小連結子から出ており，支台歯の反対面に位置する）.

continuous c. ＝continuous bar *retainer*.

extended c. 延長腕鉤（2歯以上の歯の舌面あるいは唇面に沿って小連結子からのびるクラスプ）.

Roach c. (rōch). ローチクラスプ. ＝bar c.

class (klas) [L. *classis*, a class, division]. 綱（生物学上の分類において，門あるいは亜門の下にあり目(もく)の上に位する区分）.

clas・si・fi・ca・tion (klas′i-fi-kā′shŭn). 分類〔法〕，類別（認知された共通の特徴に基づいて無関係な事実の一群に対し配列する方法．系統的に種類やグループに配列すること）.

adansonian c. [M. *Adanson*]. アダンソン分類〔法〕（生物のすべての形質に，等しい重み付けを行うことを基礎とする生物分類法．この原理は，数量分類学に最大に応用されている）.

Angle c. of malocclusion アングル不正咬合分類〔法〕（[Angleは固有名詞なので，大文字のAを用いてつづる]．永久大臼歯の萌出と咬合に関する近遠心関係に基づく異なったタイプの分類法で，3つの級に分けられている．I級は顎の正常関係のもので，上顎第一大臼歯の近心頬側咬頭は下顎第一大臼歯の咬面溝に咬合している．II級は下顎が遠心位にあり，上顎第一大臼歯の遠心頬側咬頭は下顎第一大臼歯の頬面溝に咬合し，さらに第一類は上顎切歯の唇側転位を，第二類は上顎中切歯の舌側転位を伴うものと分類され，ともに片側性の条件である．III級は下顎の近心関係であり，上顎第一大臼歯の近心頬側咬頭は下顎の第一および第二大臼歯の間の歯間空隙に咬合し，さらに片側性の条件で分類される).

Angleの不正咬合の分類

級	異常
I	上下顎の位置は正常．正常咬合
II	下顎が遠心位にある．遠心咬合
II 1類	上顎切歯が唇側転位しているもの
2類	上顎切歯が舌側転位しているもの ―〝真のII級〟：歯列に異常がない遠心咬合 ―II級〝右側〟あるいは〝左側〟： 右側あるいは左側の歯列に異常がある近心咬合
III	下顎が近心位にある．近心咬合

Arneth c. (ahr-net′). アルネート分類〔法〕(核の分葉数による多形核好中球の分類. → Arneth *stages*).

Astler-Coller c. (ast′lĕr kolĕr). アストラ－コラー分類(大腸癌の Dukes 分類の変法のステージ分類).

Bethesda c. ベセズダ分類. = Bethesda *system.*

Black c. (blak). ブラック分類〔法〕(う食のある歯面に基づいた歯の窩洞の分類).

Caldwell-Moloy c. (kawld′wĕl mŏl-oy′). コールドウェル－モロイ分類〔法〕(女子の骨盤型の分類法. すなわち骨盤入口の前後の断面の型に基づき，女性型，男性型，細長型，扁平型と分ける).

CEAP c. CEAP 分類 (*c*linical, *e*tiologic, *a*natomic, *p*athophysiologic data を基に足の静脈疾患を評価する方法).

Cummer c. (kŭm′ĕr). カマー分類〔法〕(可撤性部分床義歯のいくつかの型のリストで，直接維持装置の分布に基づいて分類されている).

DeBakey c. (dĕ-bā′kē). ディベーキー(ドベーキー)分類(動脈解離の分類で次の 3 型よりなる. I 型：動脈瘤が大動脈の基部から大動脈弓および末梢大動脈に及ぶ. II 型：上行大動脈に限局. III 型：下行大動脈に限局. さらに III 型は横隔膜の手前で終わる IIIa と，さらに先まで延長する IIIb とに細分される).

Denver c. [*Denver*, 同意が行われたコロラド州の都市]. デンヴァー分類〔法〕(ヒトの有糸分裂染色体の命名法式で，長さと動原体の位置を基準にする).

Dukes c. (dūks). デュークス分類〔法〕(切除された結腸・直腸癌の浸潤度による分類. 以下のように分類されている. A：粘膜に限局，B_1：固有筋層に及ぶ，B_2：固有筋層を貫いている，C_1：リンパ節転移(+)，C_2：固有筋層を貫いている+リンパ節転移(+)，D：遠隔転移のあるもの).

FAB c. FAB分類 (仏－米－英急性白血病の分類. 芽球の顕微鏡所見と細胞化学検査をもとにしている. 急性骨髄性白血病は8グループ(M_0—M_7)，急性リンパ性白血病は3グループ(L_1—L_3)に細分化される. 臨床の場で広く使われている). = French-American-British c.

French-American-British c. = FAB c.

Gell and Coombs C. (gel kūmz). ゲル－クームズ分類(過敏反応(アレルギー)の 4 型の分類法. I 型：アナフィラキシー反応，II 型：細胞傷害反応，III 型：免疫複合反応，IV 型：細胞性免疫反応，遅延型過敏症反応).

International C. of Radiographs of the Pneumoconioses じん肺X線写真国際分類 (疫学的調査用にまとめられたじん肺の胸部X線写真の所見に関する質的あるいは半定量的評価の分類方法. 分類は 1950, 1958, 1968, および 1971 年に改訂されている).

Jansky c. (yahn′skē). ヤンスキー分類〔法〕(現在，O・A・B・AB 型と称されているヒトの血液型の現在では用いられない分類. 付録 Blood Groups 参照).

Kennedy c. (ken′ĕ-dē). ケネディ分類〔法〕(欠損歯の分布に基づき部分的無歯顎をいくつかの型に分類している).

Kiel c. (kēl). キール分類 (非 Hodgkin 病の分類法で，ⓘ低度悪性群：リンパ球性，リンパ形質細胞様，胚中心球性，胚中心芽球－胚中心球性，ⓘⓘ高度悪性群：胚中心芽球性，リンパ芽球性(Burkitt 型またはクルミ状核型)，免疫芽球性，のように分類される). = Lennert c.

Lancefield c. (lants′fēld). ランスフィールド分類〔法〕(溶血性連鎖球菌を A 群から O 群までに血清学的に分類する方法. 炭水化物からなる群特異物質に対する抗体を用いた沈降反応によって決定する. 各群は分離源と密接な関係をもつ. 例えば A 群にはヒトに最も病原性の強い菌株が含まれ，B 群にはウシ乳房炎や正常牛乳のほか，ヒトの咽頭や腟からの分離株が，C 群には家畜を含む様々な下等動物やヒトの咽頭からの分離株が，D 群にはチーズやヒトからの分離株が，E 群には保証牛乳からの分離株が，F 群には主に扁桃炎にかかったヒトの咽頭からの分離株が，G群には主にヒト，まれにサルやイヌからの分離株が，H群・K群・O群には健康な人の気道から時々分離されることのある非病原性の菌株が含まれる).

C

Lennert c. (len′ĕrt). レナート分類. = Kiel c.

Lukes-Collins c. (lūks kol′ĭnz). ルークス－コリンズ分類〔法〕(起源細胞の免疫学的性質によるリンパ腫の分類で，組織学的データおよび臨床データに基づく).

multiaxial c. 多軸分類 (DSM で述べられている方法で，患者を 5 つの軸をもとに診断する. ⓘ現在認められる精神医学的症候群，ⓘⓘ人格障害と発達障害の病歴，ⓘⓘⓘ可能性のある身体疾患，ⓘⓥ心理社会的ストレスの重症度，ⓥ過去 1 年間の最高の適応レベル).

New York Heart Association c. ニューヨーク心臓協会(NYHA)の心機能分類 (心機能の分類で，次の 4 型に分けられる. I 度：患者は何ら障害なく活動できる心臓の状態で，通常，症状を呈さない. II 度：患者は軽度の活動制限を有し，安静時では症状を呈さないが，通常の身体活動で疲労，動悸，息切れまたは狭心症症状を呈する. III 度：身体活動を著しく制限される. 安静状態では症状は軽微であるが，通常の身体活動以下でも症状を呈する. IV 度：患者は非常に軽微な身体的活動でも心不全症状を呈し，その症状を安静時でも示す).

Rappaport c. (rap′ă-pōrt). ラパポート分類〔法〕(リンパ腫の組織学的分類で，B および T リンパ球を同定する現在の方法が利用可能となる以前に用いられていた).

REAL c. [*R*evised *E*uropean-*A*merican *l*ymphoma classification]. リアル分類 (1994年に公表されたリンパ腫の分類で，リンパ腫の臨床的特徴と，腫瘍細胞の組織病理所見，免疫形質，遺伝子型などの相関をもとにしている. リンパ増殖性疾患を，慢性白血病/リンパ腫，節性または節外性リンパ腫，急性白血病リンパ腫，形質細胞の異常，そして Hodgkin 病に分けている).

restage c. of recurrent cancer 再発癌の再ステージ分類(→ TNM staging).

Runyon c. (run′yŏn). ルニョン分類 (結核菌 *Mycobacterium tuberculosis* 以外のマイコバクテリウムの分類法で 4 群に分ける. 光を当てながら培養すると黄色から茶色のカロチン色素を産生する光発色菌. 光があってもなくても色素を産生する暗発色菌. 色素を産生しない光不発色菌. 他のマイコバクテリウムが発育に 4—8 週間かかるところ，5—10日で固形培地上に発育する迅速発育菌. この分類は臨床的，遺伝学的には意味がないが，臨床分離株の同定にある程度の意義を依然有している).

Rye c. [*Rye*, NY, 1965]. ライ分類 (Hodgkin 病の分類で，リンパ球優性型，結節硬化型，混合細胞型，リンパ球脱落型に分類する).

Salter-Harris c. of epiphysial plate injuries (salt′er har′is). 骨端線損傷に対するソルター－ハリスの分類 (骨端線損傷の分類で，骨端，骨端線と骨幹端のいずれが損傷されているかにより I 型から V 型の 5 型に分けられる. この分類はその後の骨成長障害と骨端変形により生じるそれぞれの予後と相関する).

Tessier c. (tes′yā). テッシアー分類 (第一構造として眼窩を使用している顔面，頭蓋顔面，外側顔面裂の解剖学的分類. 裂の 15 の位置が区別されている).

class switch, class switch·ing (klas switch). クラススイッチ (B 細胞は，活性化前は抗原特異的 IgM しか産生できないが，適当な免疫調節シグナルにより，B 細胞はクラススイッチし，IgA や IgG のような他のアイソタイプの抗体を産生できるようになる. 同一のクローンから産生された抗体はすべて，たとえアイソタイプが異なったとしても，同じ抗原特異性を有する）．

clas·tic (klas′tik) [G. *klastos*, broken]. 破砕の，分裂の，分解できる．

clas·to·gen (klas′to-jen) [G. *klastos*, broken + *genos*, birth]. クラストーゲン（染色体の破損を生じさせるもの（例えば，ある種の化学物質，X線，紫外線））．

clas·to·gen·ic (klas′tō-jen′ik). 染色体異常誘発〔性〕の（染色体異常誘発作用に関する）．

clath·rate (klath′rāt) [L. *clathrare*, pp. *-atus*, to furnish with a lattice]. 包接体（化合物の封入体の一型で，高分子の立体網状構造中に他の低分子化合物をとらえているもの）．

clath·rin (klath′rin) [L. *clathri*, lattice]. クラスリン（真核細胞の膜(小胞)や被覆小胞を構成する多面体の蛋白格子状の主要成分であり，蛋白分泌物中および膜輸送中に包含されて現れる．クラスリンはシナプス小胞にも存在する）．

Clau·berg (klō-bārg′), Karl W. ドイツ人細菌学者，1893—1956. →C. *test*, *unit*.

Claude (klōd), Henri. フランス人精神科医，1869—1945. →C. *syndrome*.

clau·di·ca·tion (klaw′di-kā′shŭn) [L. *claudicatio* < *claudico*, to limp]. 跛行(はこう)（[本語は「跛行」または「歩行困難」を意味する．jaw claudication および claudication at rest のような無意味な表現を避けること]．足を引きずることで，通常は間欠性跛行をいう）．

intermittent c. 間欠〔性〕跛行（足の筋肉の虚血によって起こる状態．歩行の際の突然の跛行と疼痛が特徴で，主に腓筋に起こるが，他の筋肉群にも起こることがある）．＝Charcot syndrome; myasthenia angiosclerotica.

neurogenic c. 神経原性跛行（神経損傷による跛行．腰部脊柱管狭窄に伴うことが多い）．

clau·di·ca·tor·y (klaw′di-kă-tōr′ē). 跛行(はこう)性の（特に間欠性跛行についていう）．

claudin (klaw′din) [L. *claudo*, to close up + -in]. クローディン（上皮細胞間のタイトジャンクションを形成する近接した鎖のような膜蛋白.→tight *junction*; *zonula* occludens）．

Clau·di·us (klow′dē-ŭs), Friedrich M. ドイツ人解剖学者，1822—1869. →C. *cells*, *fossa*.

Clau·sen (klaw′sĕn), J. 20 世紀のデンマーク人生化学者．→Dyggve-Melchior-C. *syndrome*.

claus·tra (klaws′tră). claustrum の複数形．

claus·tral (klaws′trăl). 障壁の，前障の．

claus·tro·pho·bi·a (klaws′trō-fō′bē-ă) [L. *claustrum*, an enclosed space + G. *phobos*, fear]. 閉所恐怖〔症〕（閉ざされた場所に対する病的な恐れ）．

claus·tro·pho·bic (klaws′trō-fō′bik). 閉所恐怖〔症〕の（閉所恐怖に関する，または罹患している）．

claus·trum, pl. **claus·tra** (klaws′trŭm, klaws′tră) [L. barrier]. ***1*** 障壁（barrier(防壁)を連想させるような解剖学的構造物）．***2*** [TA]. 前障（被殻の近傍に垂直に位置する薄い灰白層．被殻との間は外包によって分けられる．ⓘ島部とⓘⓘ被殻と側頭葉の間の側頭部からなる．前障の細胞は大脳皮質の知覚領と相互連絡がある）．

clau·su·ra (klaw-sū′ră) [L. a lock, bolt < *claudo*, to close]. 閉鎖〔症〕. ＝atresia.

cla·va (klā′vă) [L. a club]. ＝gracile *tubercle*.

cla·val (klā′văl). こん棒の．

cla·vate (klā′vāt) [L. *clava*, a club]. こん棒状の，バット形の．

Clav·i·ceps pur·pu·re·a (klav′i-seps pūr-pū′rē-ă) [L. *clava*, club + *caput*, head]. 麦角菌（→ergot）．

clav·i·cle (klav′i-kĕl) [TA]. 鎖骨（[誤ったつづり clavical を避けること]．上肢帯の一部をなし，S 字状に曲がった長骨．その内側端は胸骨柄と胸鎖関節をなし，外側端は肩甲骨の肩峰と肩鎖関節をなす）．＝clavicula [TA]; collar bone.

cla·vic·u·la, pl. **cla·vic·u·lae** (klă-vik′ū-la′,-lē) [L. *clavicula*, a small key < *clavis*, key][TA]. 鎖骨（[claviculus と混同しないこと]）．＝clavicle.

cla·vic·u·lar (kla-vik′yū-lăr). 鎖骨の．

cla·vic·u·lus, pl. **cla·vic·u·li** (kla-vik′yū-lŭs, -lī) [Mod. L.: L. *clavus*(a nail)の指小辞]. [clavicula と混同しないこと]．骨の貫通コラーゲン線維の 1 つ．

clav·u·lan·ic ac·id (klav′yū-lan′ik as′id). クラブラン酸（ペニシリン類と構造的に関連のある β-ラクタムで，ペニシリン耐性の生体において β-ラクタマーゼ酵素を不活性化させる．通常，ペニシリン類のスペクトルを増強し，拡大するためにペニシリン類と組み合わせて用いる）．

cla·vus, pl. **cla·vi** (klā′vŭs, -vi) [L. a nail, wart, corn]. 鶏眼，うおのめ（骨隆起の上に圧力が加わることによって生じる小さい円錐形のたこ．主に足の指に生じる）．＝corn (4).

claw (klaw) [L. *clavus*, a nail]. かぎ(鉤)爪（鋭く細く通常，鉤状に弯曲している動物の爪）．

claw·foot (klaw′fut). かぎ(鉤)爪足（中足趾節関節の過伸展と指節間関節の屈曲の固定性拘縮を特徴とする足の状態）．

claw·hand (klaw′hand). 鷲(ワシ)手（手の骨間筋の萎縮に中手指関節の過伸展および指節間関節の屈曲を伴う手．脊髄または末梢神経損傷で生じる）．

Clay·brook (klā′bruk), Edwin B. 米国人外科医，1871—1931. →C. *sign*.

CLB *Cyanobacteria*-like シアノ細菌様，*Coccidia*-like コクシジウム様，あるいは *Cryptosporidium*-like クリプトスポリジウム様の生物の略称．これらの生物は，現在では *Cyclospora* 属のコクシジウム（*C. cayetanensis*）として同定されている．

clean·ing (klēn′ing). 清浄，清掃．＝dental *prophylaxis*.

ultrasonic c. 超音波清浄（歯科において，高周波振動子を用いて歯から歯石を除去すること．高周波振動を与え，特殊な液を入れた容器に義歯を浸して清浄する操作）．

clear·ance (klēr′ants). ***1*** クリアランス，清掃率，浄化値（血液中から腎臓などによって物質が除かれる速度．単位時間に除去された物質量を含む動脈血または血漿の量で表す．*C* と略し，除いた物質を下付き文字とする．尿素，自由水以外のあらゆる物質の腎クリアランスは 1 分間の尿流量に物質の尿中濃度を乗じ，動脈血漿濃度で除して求める．正常値は通常，標準体表面積(1.73 m^2)に換算して表す）．***2*** クリアランス，すきま（物体が互いに妨げることなく通過できる状態または物体間の距離）．***3*** 浄化力（ある部位からある物質を除去する能力．例えば，食道酸クリアランスとは胃から逆流してきた酸を食道から除く能力で，食道内の pH を正常に戻すのにかかる時間で表す）．

***p*-aminohippurate c.** *p*-アミノ馬尿酸クリアランス（腎血漿流量の良い測定法であるが，やや低めにでる．静注によりPAH の血漿中濃度が低く維持されているときは，腎静脈に到達する前に腎臓は血漿中からほぼすべての PAH を排泄しうる）．

creatinine c. クレアチニンクリアランス（内因性クレアチニンのクリアランスの測定で，糸球体沪過率の評価に使われる）．

endogenous creatinine c. 内因性クレアチニンクリアランス（正常の血漿中に存在するクレアチニンに基づいて算出されるクリアランス．このため注射は必要ではなく，通常は長い間(例えば 24 時間)蓄尿することにより値を算出する）．

exogenous creatinine c. 外因性クレアチニンクリアランス（経静脈的にクレアチニンを注射することによりクレアチニンの血漿濃度を上げ，より正確な測定に基づいて算出されるクリアランス）．

free water c. 自由水クリアランス（尿に排泄される水分のうち，等張尿と仮定した場合に，排泄された溶質に伴って出てくる分を差し引いた水分量．溶質以上に失われた体内水分量を表し，その結果体液浸透圧は上昇し，尿は低張となる．他のクリアランスとは異なり，1 分間に排泄された実際の尿量から浸透圧クリアランスを引いて求める．負の自由水クリアランスは，尿を高張にして体液浸透圧を下げるために，身体が等張な尿細管液から再吸収した水分量を表す）．

interocclusal c. 安静〔位〕空隙．＝freeway *space*.

inulin c. イヌリンクリアランス（糸球体沪過率の正確な尺度．イヌリンは(糸球体から)完全に沪過され尿細管より排泄，再吸収されないという理由による．イヌリンは血漿の正常成分ではないので，測定中血漿中の濃度と尿中排泄率を一定に保つため持続的に点滴静注しなければならない．成人の正常値は標準体表面積(1.73 m^2)当たり 120 mL/分(範囲 100—150)）．

isotope c. アイソトープクリアランス（アイソトープが脳などの組織や器官から，通常，血流によって除去される割合）．

maximum urea c. 最大尿素クリアランス（尿量が2 mL/分以上のときに用いる尿素クリアランス．正常値は身体の表面積 1.73 m² に対して 75 mL/分である）．

mucociliary c. 粘膜線毛清浄能（線毛のむち打ちによる気道上皮をおおう粘液の移動．速い前方(効果的)むち打ちとゆっくりした返りの(もとへ戻す)むち打ち．鼻では粘液は咽頭に向かって移動する．気管・気管支部では粘液は喉頭に向かって動き，そこを通ってえん下される）．＝mucociliary transport.

occlusal c. 咬合間隙（対合する咬合面が何ら障害なく容易に動ける状態）．

osmolal c. 浸透圧クリアランス（尿中の溶質が，等張尿となるのにちょうど必要な分だけ水を伴っていると仮定したときの1分間当たりの尿量．この際溶質の排泄は体液浸透圧に影響を及ぼさない．浸透圧クリアランスを求めるには，1分間の尿量に尿浸透圧(通常は氷点降下法で測定)を乗じ，血漿浸透圧で除す．低張尿のときは実際の尿流量よりも少なく，高張尿のときは多くなる）．

standard urea c. 標準尿素クリアランス（尿量2 mL/分以下のときに用い，尿量の平方根に尿中尿素濃度を乗じ，全血尿素濃度で除して求める．低尿流量の尿素排泄に及ぼす影響を補正するため昔から経験的に用いられている方法．体重や体表面積の適当な関数で除して身体の大きさに対して補正することもある．後に全血の代わりに血漿濃度が用いられるようになった．成人正常値 54 mL/分/1.73 m²）．＝Van Slyke formula.

urea c. 尿素クリアランス（尿排泄によってその中から尿素が1分間に完全に清浄される血漿量あるいは血液量．元来は，血漿尿素クリアランスでなく，血液尿素クリアランスを表すものとして，尿量に尿中尿素濃度を乗じたものを血漿ではなく，全血中の尿素濃度で除して求めた）．

clear·er (klēr′er). 清澄剤（組織プレパラート作成時に用いられ，固定液，脱水剤，包埋材のいずれにも混和性を有する薬剤）．

cleav·age (klēv′ij). ***1*** 乳洞．＝intermammary *cleft*. ***2*** 分割，卵割（受精直後，卵内で始まる一連の細胞分裂.→cleavage *division*）．＝segmentation (2). ***3*** 開裂（複合分子が2個以上のより単純な分子に分裂されること）．＝scission (2). ***4*** 割線（当該部位にかかった外力を示す皮膚の線状の裂溝.→Langer *lines*; tension *lines*）. ***5*** 劈開(へきかい)（特定の向きや面に沿って結晶が割れる性質）．

abnormal c. of cardiac valve 心臓弁の異常分割（自由縁から欠損部が広がっている弁小葉の先天性形成異常）．

adequal c. 準等割（ほぼ等しい大きさの割球を生じる卵割）．

complete c. ＝holoblastic c.

determinate c. 決定性卵割（割球の各々が胚のみの定まった部域となるようにすでに運命付けられている卵割）．

discoidal c. 盤割（鳥の端黄卵のように，大きい多黄卵の原形質の小帽(動物極)に限られている部分割）．

enamel c. エナメル質分割（エナメル柱の方向と平行な面でのエナメル質の分割）．

equal c. 等割（等しい大きさの割球を生じる卵割）．

equatorial c. 赤道卵割（細胞質分裂面が卵母細胞の軸と直角をなす卵割）．

holoblastic c. 全割（割球が完全に分離している卵割．卵全体が分割に関与する）．＝complete c.; total c.

hydrolytic c. 加水分解．＝hydrolysis.

incomplete c. ＝meroblastic c.

indeterminate c. 非決定性卵割（分離した際に各々が完全な胚体を形成することができる，互いに似た発生能をもつ割球を生じる卵割）．

meridional c. 経割（接合体の軸を通る面での卵割）．

meroblastic c. 部分割（割球の不完全な分離で，分裂が卵の非卵黄部分に限られている）．＝incomplete c.

phosphoroclastic c. 加リン〔酸〕分解．＝phosphorolysis.

progressive c. 進行性分割（真菌類における胞子形成の一型で，細胞質の分割面がまず原生胞子を生じ，次いで胞子嚢中の胞子嚢胞子を生じる）．

pudendal c. 陰裂．＝pudendal *cleft*.

subdural c. ＝subdural *space*.

superficial c. 表割（中心黄卵の周辺(表面)の細胞質のみが分裂する部分割）．

thioclastic c. チオール基開裂分解（分解点に置換硫化水素化合物(通常コエンチームA)の成分を付加する点以外は，加水分解や加リン酸分解と相同の形式の化学結合の分解）．

total c. ＝holoblastic c.

unequal c. 不等割（2極期で異なった大きさの割球を生じる卵割）．

yolk c. 卵黄卵割（卵黄の分割）．

cleav·er (klē′ver). 大包丁（切ったり刻んだりするための重い包丁）．

enamel c. エナメルクリーバー（重い柄と柄の長軸に対して約90°の短い刃の付いた器具．歯冠形成中に歯軸表面からエナメル質をはがすために，くわを入れるような操作で用いる）．

cleft (kleft) [TA]. 裂，裂溝．＝fissure; groove.

anal c. 殿裂．＝intergluteal c.

branchial c.'s 鰓溝，鰓裂（水生動物の咽頭部の両側にみられる一連の細隙で，咽頭内に開口し，水が吸い込まれる．鰓裂の壁内には血管からなる鰓糸状体があり，鰓裂を通過する水から酸素を吸収する．無孔の完全な鰓裂溝痕跡的相同物である哺乳類の胚の外胚葉にみられる咽頭溝をときに誤っていう場合もある）．＝gill c.'s.

cholesterol c. コレステロール〔性〕裂（パラフィン包埋組織の切片中でコレステロール結晶の溶解によって生じる間隙）．

complete posterior laryngeal c. →laryngotracheoesophageal c.

facial c. 顔面裂（兎唇や口蓋裂のように，胚期において顔の形成過程が正常に進行せず，融合が不完全なまま残ったために生じる裂）．＝prosopoanoschisis.

first visceral c. 第一内臓裂．＝hyomandibular c.

gill c.'s ＝branchial c.'s.

gingival c. 歯肉裂（盲嚢形成を伴い，歯肉および盲嚢上皮の混合が縁取っている裂）．

gluteal c. ＝intergluteal c.

hyobranchial c. 舌骨鰓裂（胚において舌骨弓(第二鰓弓)の尾側にみられる裂）．

hyomandibular c. 舌骨顎骨裂（胚の舌骨弓(第二鰓弓)と顎骨弓(第一鰓弓)との間にみられる裂．この裂の背側部分より外耳道が発生する）．＝first pharyngeal groove; first visceral c.

intergluteal c. [TA]. 殿裂（殿部の間の溝）．＝crena analis [TA]; crena ani☆; crena interglutealis☆; natal c.☆; anal c.; crena clunium; gluteal c.

intermammary c. [TA]. 乳房間溝（成人女性の乳房の間の溝）．＝sulcus intermammarius [TA]; cleavage (1).

interneuromeric c.'s 神経分節間裂（原始菱脳内にある神経分節隆起間にある裂）．

Larrey c. (lah-rā′). ラレー裂．＝*trigonum* sternocostale.

laryngotracheoesophageal c. 喉頭気管食道裂（披裂間筋または輪状軟骨板の癒合が不完全な状態．様々な程度のものがある．タイプ1：披裂筋の粘膜下裂(潜在性後喉頭裂または粘膜下喉頭裂として知られている)．タイプ2：部分的輪状軟骨裂(部分的後喉頭裂としても知られている)．タイプ3：完全輪状軟骨裂(喉頭気管食道裂としても知られている)．タイプ4：気管裂溝に達しているもの．この奇形の症状は気管食道裂と同様である）．

Maurer c.'s (mowr′ĕr). マウラー裂．＝Maurer *dots*.

median maxillary anterior alveolar c. 正中上顎前方歯槽突起裂(顎裂)（上顎前方中央部の欠損で，無症候性である．左右の口蓋突起の癒合や発達不全のため生じる）．

natal c.☆ 殿裂（intergluteal c. の公式の別名）．

oblique facial c. 斜顔面裂．＝prosoposchisis.

occult posterior laryngeal c. 潜在性後部喉頭裂（→laryngotracheoesophageal c.）．

partial cricoid c. 部分的輪状軟骨裂（→laryngotracheoesophageal c.）．

partial posterior laryngeal c. 部分的後部喉頭裂（→laryngotracheoesophageal c.）．

posterior laryngeal c. 後部喉頭裂．

pudendal c. [TA]. 陰裂(大陰唇間の裂溝)．＝rima pudendi [TA]; fissura pudendi; pudendal cleavage; pudendal slit;

C

rima vulvae; urogenital c.; vulvar slit.

residual c. 下垂体腔遺残（下垂体前葉と中間部の間にみられる下垂体憩室の遺残．ある種の動物では管腔が明瞭にみられるが，ヒトでは，管腔は出生前発育期にみられるか，ときに年少小児期にみられるだけである）．＝residual lumen.

Schmidt-Lanterman c.'s (shmit lahn′tĕr-mahn)．シュミット－ランテルマン裂．＝Schmidt-Lanterman *incisures.*

subdural c. ＝subdural *space.*

submucous laryngeal c. 粘膜下喉頭裂（→laryngotracheoesophageal c.）．

synaptic c. シナプス間隙（軸索鞘とシナプス後面の幅約10—20 nm の間隙．→synapse）．

total cricoid c. 全輪状軟骨裂（→laryngotracheoesophageal c.）．

urogenital c. ＝pudendal c.

visceral c. 内臓裂，〔広義の〕鰓裂（胚における 2 つの鰓（内臓）弓間の裂）．

cleid- (klīd)．→cleido-.

clei·dal (klī′dal)．鎖骨の．＝clidal.

cleido-, cleid- (klī′dō, klīd)［G. *kleis*, bar, bolt］．鎖骨に関する連結形．→clido-; clid-.

clei·do·cos·tal (klī′dō-kos′tăl)［cleido- + L. *costa*, rib］．鎖骨肋骨の（鎖骨と肋骨に関する）．＝clidocostal.

clei·do·cra·ni·al (klī′dō-krā′nē-ăl)［G. *kleis*, clavicle + *kranion*, cranium］．鎖骨頭蓋の（鎖骨と頭蓋に関する）．＝clidocranial.

clei·do·ic (kli-do′ik)［G. *kleidoun*, to lock up］．子宮内胎児のように，外界から遮断された．＝clidoic.

clei·dot·o·my (klī-dot′ō-mē)［cleido- + -tomy］．鎖骨切断術（経腟分娩を容易にするための死亡胎児の鎖骨切断法．切胎術の一種）．

-cleisis (klī′sis)［G. *kleisis*, a closing］．**［**本表記と -clysis を混同しないこと**］**．閉鎖を意味する接尾語．

cleis·to·the·ci·um (klīs′tō-thē′sē-ŭm)［G. *kleistos*, enclosed + *thēkē*, box］．閉鎖子嚢果（真菌にみられる閉じた子嚢果で，子嚢は無秩序に散在している）．

Cle·land (klel′ănd), W. Wallace. 20 世紀の米国人生化学者．→C. *reagent*, *nomenclature*.

cle·oid (klē′oyd)［A.S. *cle*, claw + G. *eidos*, resemblance］．クレオイド（鋭い楕円形の切端をもつ歯科用器具．窩洞を削ったり，充填ワックスを彫刻するのに用いる）．

clep·to·par·a·site (klep′tō-par′ă-sīt)［G. *kleptō*, to steal + parasite］．盗寄生性生物（宿主の食物によって発育する寄生生物）．

Clé·ret (klār′ă), M. Francois. フランス人医師，1876—1968. →Launois-C. *syndrome*.

Cle·ven·ger (klev′ĕn-jĕr), Shobal V. 米国人神経科医，1843—1920. →C. *fissure*.

CLIA Clinical Laboratory Improvement Amendments の略．米国におけるすべての臨床検査行為の調査と規制のための米国の法律．医療財政局(HCFA)の後援で人的事項および手法を定めたもの．

> 1988年の臨床検査改善修正案(CLIA'88)は臨床検査，特に診療所での検査や Papanicoloau 塗抹検査の判定の内容に対する一般の人々の関心に対応して議会を通過した．この法律によって，診療所の検査室を含めた15万の米国の臨床検査所がすべて同じ規制を受けることになった．臨床検査とは，疾病の診断・予防・治療あるいは健康診断のための情報を得るために人体由来の材料を検査する業務をいう．臨床検査担当者や方法の基準は検査の複雑性と患者に対する危険性によっている．法規には，CLIA登録や施行および調査の方法や費用，さらには検査所が基準に合わなくなったときの罰則も定められている．CLIAの規則では，検査の内容を，きわめて容易，中等度，高度の 3 つに分類している．中等度ないし高度の検査では，別の検査所が定期的に既知の構成分のテスト用試料を送って行う能力試験プログラムに参加しなければならない．

---

click (klik)．クリック（かすかな鋭い音）．

ejection c. 駆出性クリック（カチッという駆出音のこと．→sound）．

mitral c. 僧帽弁クリック（僧帽弁の開放音）．

systolic c. 収縮期クリック（心臓収縮時に聞かれる鋭いクリック音．収縮早期に聞かれる場合は，通常，駆出音．収縮後期の場合は，通常，僧帽弁閉鎖不全を示す．この僧帽弁閉鎖不全は収縮期に僧帽弁尖が左房内に逸脱するために生じた僧帽弁の機能異常である(→Barlow *syndrome*)．まれに胸膜心臓癒着または他の心臓外の機序によることもある）．

click·ing (klik′ing)．クリッキング（顎関節の運動時に聞かれるパチッという捻髪音．関節円板と顆の非同時性の運動による）．

clid- (klīd)．→clido-.

cli·dal (klī′dăl)．＝cleidal.

clido-, clid- (klī′dō, klīd)［G. *kleis*, bar, bolt］．鎖骨に関する連結形．→cleido-.

cli·do·cos·tal (klī′dō-kos′tăl)．＝cleidocostal.

cli·do·cra·ni·al (klī′dō-krā′nē-ăl)．＝cleidocranial.

cli·ma·co·pho·bi·a (klī′mă-kō-fō′bē-ă)［G. *klimax*, ladder + *phobos*, fear］．階段恐怖〔症〕（階段や登ることを病的に怖れること）．

cli·mac·ter·ic (klī-mak′ter-ik, klī-mak-ter′ik)［G. *klimaktēr*, the rung of a ladder］．＝climacterium．***1*** 更年期（内分泌・身体的・一時の精神的変化を特徴とし，閉経への過渡期に生じる）．***2*** 人生の危険期．

cli·mac·ter·i·um (klī′mak-tĕr′ē-ŭm)．＝climacteric.

cli·ma·tol·o·gy (klī′mă-tol′ō-jē)．気候学（気候の研究）．

cli·ma·to·ther·a·py (klī-mă-tō-thār′ă-pē)．気候療法（回復のためにより適した気候の土地へ移って疾患を治療すること）．

cli·max (klī′maks)［G. *klimax*, staircase］．***1*** 極期（病気の頂．最も重症な時期）．***2*** ＝orgasm.

cli·mo·graph (klī′mō-graf)［G. *klima*, climate + *graphō*, to record］．気候図，クライモグラフ（気候の健康に対する影響を示す図表）．

cline (klīn)［G. *klinō*, to slope］．クライン，〔地理的な〕勾配（集団の分布域と対立遺伝子の変化の頻度の関係についての概念．頻度の等しい点を結んだ線をアイソクラインとよび，いかなる点においてもクラインの傾斜はアイソクラインに対して直角である）．

clin·ic (klin′ik)［G. *klinē*, bed］．***1*** 診療所，診療室（外来患者が治療を受ける施設，建物または建物の一部）．***2*** 臨床講義室（患者のいる前で教授が実例を示しながら学生に医学教育を行う施設，建物または建物の一部）．***3*** 臨床教育（疾患に関する主題についての講義あるいはシンポジウム）．

clin·i·cal (klin′i-kăl)［G. *klinē*, bed + -al］．臨床的な，臨床上の（①患者の状態または疾患の経過に関する．②解剖学的変化の検査所見とは区別して疾患の症状や経過を意味する．③診療所についていう）．

Clin·i·cal Lab·o·ra·to·ry Im·prove·ment A·mend·ments (CLIA) (klin′i-kăl la′bōr-ă-tōr′ē im-prūv′ment ă-mend′ments)．臨床検査改善修正法案（→CLIA）．

cli·ni·cian (klin-ish′ŭn)．臨床家（他の実践分野で働く人と区別して，実際に患者の世話をする健康の専門家をいう）．

clin·i·co·path·o·log·ic (klin′i-kō-path′ō-loj′ik)．臨床病理の（患者が示す徴候や症状，および生検や解剖，あるいは両方による組織の肉眼的・組織学的検査の所見と関連する検査結果についていう）．

clinimetrics (klin-i-met′riks)［G. *klinō*, to slope + metrics］．臨床計測（測定尺度，評価尺度および他の定量手段を用いて症状や徴候，検査結果を評価，記述すること）．

clino- (klī′nō)［G. *klinō*, to slope, incline, or bend］．勾配(上傾 inclination，下傾 declination)または屈曲を示す連結形．

cli·no·ce·phal·ic, cli·no·ceph·a·lous (klī′nō-se-fal′ik, -sef′ă-lŭs)．鞍状頭の，扁平頭の．

cli·no·ceph·a·ly (klī′nō-sef′ă-lē)［clino- + G. *kephalē*, head］．鞍状頭，扁平頭（頭蓋の上面が多少陥凹して，鞍様の輪郭を呈している状態）．＝saddle head.

cli·no·dac·ty·ly (klī′nō-dak′ti-lē)［clino- + G. *daktylos*, finger］．弯指〔症〕（指の永久反屈）．

cli·nog·ra·phy (klin-og′ră-fē)［G. *klinē*, bed + *graphō*, to write］．臨床経過記録〔法〕（患者が示す徴候や症状をグラフに表すこと）．

cli·noid (klī′noyd) [G. *klinē*, bed + *eidos*, resemblance]. ***1*** 〚adj.〛床状の（4本柱をもつベッドに似た）. ***2***〚n.〛床突起. ＝clinoid *process.*

clip (klip). クリップ（①ある物に，他の物またはその一部を留めるのに用いる留め金具. ②小さな血管を止めるために用いる金具）.

wound c. 創クリップ（皮膚切開を外科的に接合するための金属製の留め金または器具）.

clith·ro·pho·bi·a (klĭth′rō-fō′bē-ă) [G. *kleithron*, a bolt + *phobos*, fear]. 密閉恐怖〔症〕（閉じ込められることに対する病的な恐れ）.

clit·i·on (klit′ē-on) [G. *klitos*, a declivity]. クリチオン（蝶形骨の斜台の最高部中央にある頭蓋測定点）.

clit·o·rid·e·an (klit′ō-ri-dē′an). 陰核の.

clit·o·ri·dec·to·my (klit′ō-ri-dek′tō-mē) [clitoris + G. *ektomē*, excision]. 陰核切除〔術〕.

clit·o·ri·di·tis (klit′ō-ri-dī′tis) [clitoris + G. *-itis*, inflammation]. 陰核炎. ＝clitoritis.

clit·o·ris, pl. **cli·to·ri·des** (klit′ō-ris, -tōr′i-dēz, klī′tō-ris) [G. *kleitoris*][TA]. 陰核（円柱状の勃起性性器，長さが2 cm 以上になることはまれで，外陰の最前部に位置し，小陰唇が分岐して陰核包皮と陰核小帯を形成する小陰唇の分岐部に突出している．陰核亀頭，陰核体，2つの陰核脚からなり，尿道および尿道海綿体をもたない点以外は男性の陰茎に相当する）.

clit·o·rism (klit′ō-rizm).〔有痛性〕陰核持続勃起〔症〕（通常，疼痛性の陰核の持続性勃起．女性の priapism に相当する）.

clit·o·ri·tis (klit′ō-rī′tis). ＝clitoriditis.

clit·or·o·meg·a·ly (klit′ōr-ō-meg′ă-lē) [clitoris + G. *megas*, great]. 陰核巨大〔症〕（腫脹した陰核）.

clit·or·o·plas·ty (klit′ō-rō-plas′tē) [clitoris + G. *plastos*, formed]. 陰核形成術（陰核形成のための各種術式）.

cli·val (klī′văl). 斜台の.

cli·vus, pl. **cli·vi** (klī′vŭs, -vē) [L. slope][TA]. 斜台（①傾斜面. ②[TA]．トルコ鞍背から大後頭孔への傾斜面で，蝶形骨体の一部と後頭骨底部の一部からなる. ＝Blumenbach c.）.

Blumenbach c. (blu′mĕn-bahk). ブルーメンバッハ斜台. ＝clivus (2).

c. ocularis 眼斜台（中心窩より中心小窩へ至るなだらかな壁）.

CLL chronic lymphocytic *leukemia* の略.

clo·a·ca (klō-ā′kă) [L. sewer]. 汚溝，〔総〕排泄腔，〔総〕排出腔（①早期胚において，後腸と尿嚢から液が流れ込む内胚葉性の細胞の並んだ腔所. ②鳥類や単孔類において，後腸，膀胱，生殖管が共通に開口する腔所）.

ectodermal c. 外胚葉〔総〕排泄(排出)腔（胚の肛門管）.

endodermal c. 内胚葉〔総〕排泄(排出)腔（胚の総排出腔膜の内側にある後腸の終末部分）.

persistent c. 総排出腔遺残（総排出腔が尿直腸ひだによって直腸部と尿性器部に分けられなかった状態）. ＝sinus urogenitalis; urogenital sinus (2).

clo·a·cal (klō-ā′kăl). 汚溝の，〔総〕排泄腔の，〔総〕排出腔の.

Clock-Drawing 時計描画（直径約 15 cm(6インチ)の円を表示した紙1枚とペンを患者に渡し，数字と時計の針を書いてもらい，時刻(例えば10時11分)を示してもらう検査．ある特定の次元(例えば記憶)を評価するばかりではなく，幅広いスクリーニング試験として多次元の認識および運動機能に及ぶ評価法）.

clo·nal (klō′năl). クローンの，純株の，純系の.

clone (klōn) [G. *klōn*, slip, cutting used for propagation]. ***1***〚n.〛クローン（単一細胞あるいは個体から無性的増殖により生じた遺伝的に同一な構造をもった細胞群または個体群(あるいはそれを構成する個々の生物個体)をいう）. ***2***〚v.〛クローン化する（クローンとしての性質をもつコロニーや生物個体を産する）. ***3***〚n.〛クローン（遺伝子クローニングの結果，複製された一定部位の遺伝子 DNA 断片. →cloning）. ***4***〚n.〛DNA 分子の均一な集団.

cDNA c. 相補〔的〕DNA クローン（メッセンジャー RNA を代表する二本鎖 DNA で，クローニングベクターにある）.

genomic c. ゲノムクローン（異なった生物に由来するDNA断片を含むベクターをもつ細胞）.

clo·nic (klon′ik). クローヌスの，間代〔性〕の（クローヌスに関する，または特徴付けられる）.

clon·ic·i·ty (klon-is′i-tē). 間代性.

clon·i·co·ton·ic (klon′i-kō-ton′ik). 間代強直〔性〕の（間代性と強直性の両方，ある種の筋肉痙攣についていう）.

clon·ing (klōn′ing). クローニング，クローン生物形成（①遺伝学上同一の細胞や有機体のコロニーを，*in vitro* で成長させること. ②体細胞の核を卵子に移植し，それから胚をつくること．この方法で，無性生殖により多くの同一胚を複製することができる. ③胚盤胞をマイクロサージェリーでバラバラにし，できあがった細胞を動物の子宮に移植することにより，遺伝的に同一な胚を複製すること. ④治療的クローニング. *in vitro* での受精によって作製され，欠陥のある，もしくは疾病に罹患した組織(例えば，心，肝，膵)をもつ生体から取り出したDNAを含む核物質との置換によって変性させた胚における体幹細胞の増殖．生体への移植のためのその後の幹細胞の回収により胚は破壊される. ⑤ DNA フラグメントの複製を大量に産出するために用いられる組換え DNA 技術．フラグメントはクローニングベクターとよばれるベクター(すなわちプラスミド，バクテリオファージ，または動物ウイルス)に接合される．クローニングベクターは細菌性細胞や酵母(宿主)に侵入し，次いで *in vitro* または動物の宿主中で培養される．遺伝子工学的に操作された薬品の生産におけるように挿入されたDNA が活性化したり，宿主の細胞の化学的作用が変化したりすることが数例でみられる）.

A/T c. A/Tクローニング（突出(あるいは相補的でない)末端がAあるいはT塩基のみである断片のクローニング．DNA断片を切ったりつくったりするのに特定の酵素を使用した場合にしばしば起こる）.

positional c. ポジショナルクローニング. ＝reverse *genetics.*

clo·nism (klo′nizm). 間代〔性〕痙攣〔症〕（間代痙攣が長く続く状態）.

clo·no·gen·ic (klō′nō-jen′ik). クローン原性の.

clon·o·graph (klon′ō-graf) [G. *klonos*, tumult + *graphō*, to write]. クロノグラフ（間代性痙攣の動きを記録する器械）.

clo·nor·chi·a·sis (klō′nōr-kī′ă-sis). 肝吸虫症，肝ジストマ症（ヒトと，魚を食する動物の末梢胆管に肝吸虫 *Clonorchis sinensis* が寄生することにより生じる疾病．感染は生魚，くん製魚，調理不十分の魚，生のザリガニの摂取によって起こる．初感染は良性であるが，慢性または反復感染すると激しい増殖性・肉芽腫性の組織病変を起こす）. ＝clonorchiosis.

clo·nor·chi·o·sis (klō-nōr-kē-ō′sis). ＝clonorchiasis.

Clo·nor·chis si·nen·sis (klō-nōr′kis sī-nen′sis). 肝吸虫，肝ジストマ（オピストルキス科の吸虫の一種．極東では，ヒトや魚を食す他の動物の胆道に寄生する．コイ科の魚が主な第2中間宿主であり，へたをもつ種々の淡水産巻貝が第1中間宿主である．英名 Asiatic liver fluke）. ＝*Opisthorchis sinensis.*

clo·nus (klō′nŭs) [G. *klonos*, a tumult]. クローヌス，間代（急速に連続して発生する筋肉の収縮と弛緩を特徴とする動きの一型．痙性のある疾患と一部の痙攣性疾患でみられる. →contraction）.

ankle c. 足クローヌス（足の突然の被動性背屈の後に起こる腓筋のリズミカルな収縮．脚は半背屈状態にある）.

toe c. 趾クローヌス（中足指節関節の強制的な伸展の後に起こる母趾の屈曲と伸展の交互運動）.

wrist c. 手首クローヌス（前腕筋肉のリズミカルな収縮と弛緩．手を無理に伸展させることにより起こる）.

Clo·quet (klō-kā′), Hippolyte. フランス人解剖学者，1787—1840. →C. *space.*

Clo·quet (klō-kā′), Jules G. フランス人解剖学者，1790—1883. →C. *canal*, *hernia*, *septum*; proximal deep inguinal *lymph node.*

clos·trid·ia (klos-trid′ē-ă). clostridium の複数形.

clos·trid·i·al (klos-trid′ē-ăl). クロストリジウム属の（*Clostridium*属の菌種に関していう）.

clos·trid·i·o·pep·ti·dase A (klos-trid′ē-ō-pep′ti-dās). ＝*Clostridium histolyticum* collagenase.

clos·trid·i·o·pep·ti·dase B (klos-trid′ē-ō-pep′ti-dās). ＝clostripain.

C

CLOSTRIDIUM

Clos·trid·i·um (klos-trid′e-ŭm) [G. *klōstēr*, a spindle]. クロストリジウム属（グラム陽性杆菌で嫌気性（または嫌気性で空気耐性），芽胞形成性，運動性（ときに非運動性）のバチルス科細菌．運動細胞は周毛性．多くの種はショ糖分解性，発酵性であり，種々の酸，ガス，不定量の中性生成物を生じる．他の種は蛋白分解性で，あるものは腐敗性またはより完全に蛋白を分解する．遊離窒素を固定する種もある．ときに菌体外毒素を生じる．一般に，土壌や哺乳類の腸管内にみられ，病気を引き起こすことがある．標準種は *C. butyricum*）.

C. bifermentans 腐敗肉，ガス壊疽にみられる細菌種．土壌，糞便，汚水中にもよくみられる．病原性（主として浮腫形成トキシンによる）は菌株により異なる．

C. botulinum ボツリヌス菌（自然界に広く存在する細菌種．缶詰にする前に適切に滅菌されなかった保存肉，果物，野菜によって食中毒（ボツリヌス中毒）の原因になることが多い．AからFの主要型があり，抗原性は異なるが薬理的には類似し，非常に強力な神経毒を特徴とする．神経毒は特異抗毒素によってのみ中和されうる．C群毒素は少なくとも2成分を含む．ヒトのボツリヌス中毒の記録例は，主にA·B·E·F型により発生している．本菌が消化管に定着してしまうと，消化管壁を通して毒素が吸収され，乳児ボツリヌス中毒が起こる．Cα 型は家畜や野生の水鳥にボツリヌス中毒を起こす．Cβ とDはウシの食中毒に関与する．E型は通常，魚類の不適切な養殖過程と関係がある）.

C. butyricum 酪酸菌（自然酸敗した乳汁，自然発酵したデンプン性植物性物質，および土壌中に存在する細菌種．以前は非病原性と考えられていたが，現在は神経毒を産生する株が存在することが知られている．*Clostridium*属の標準種）.

C. cadaveris 死体菌（ヒトの糞便やヒツジの胸膜液にみられる細菌種．モルモットやウサギに対して病原性はないが，まれにヒトのガス壊疽の原因となる）.

C. carnis 土壌を接種された家兎に見出される種．実験動物に病原性がある．その外毒素は浮腫と壊死を起こし，死に至らせる．

C. chauvoei ショウベイ菌（ウシやヒツジの黒脚症および巨大頭を起こす種．菌体外毒素を産生する）.

C. cochlearium 渦巻き状クロストリジウム（ヒトの戦争外傷や敗血症性感染にみられる種．テンジクネズミに対する病原性はない）.

C. difficile [L. difficult]. [本ラテン語の誤った発音 dĭf-ĭ-sēl′ を避けること．正しくは dĭ-fĭs′ĭ-lē と発音される]．ヒトや動物の糞便中にみられる細菌種．毒素誘導性の下痢症から免れた新生児に定着する．ヒト，モルモットやウサギに対して病原性があり，しばしば抗生物質投与後の大腸炎や下痢の原因となる．偽膜性大腸炎の原因としても認められており，抗生物質治療に関連した多くの消化管疾患にも関与している．院内下痢症の主要な病因でもある．

C. fallax 戦争外傷，虫垂炎，ヒツジの黒脚病にみられる種．弱い菌体外毒素を産生する．

C. haemolyticum 溶血クロストリジウム（黄疸血色素尿症で死んだウシにみられる種．テンジクネズミやウサギに対し病原性で毒性があり，不安定な溶血性毒素を産生する）.

C. histolyticum ヒストリチクス菌（戦争外傷にみられる種で組織に壊死を生じる．局所壊死や注射による腐肉形成を起こす細胞崩壊性菌体外毒素を生じる．経口侵入では毒性はない．小実験動物に対し病原性がある）.

C. innominatum 敗血性，壊疽性戦争外傷にみられる種．

C. nigrificans *Desulfotomaculum nigrificans* の旧名．

C. novyi ノーヴィ菌（A, B, Cの3型からなる種．A型はガス壊疽やヒトの壊死性肝炎から発見され，γ-毒素（溶血性レシチナーゼ）を産生する．B型はヒツジの黒脚病（感染性壊死性肝炎）から発見され，β-毒素（溶血性レシチナーゼ）を産生する．C型は水牛の細菌性骨髄炎にみられ，毒素は産生しない）．＝*C. oedematiens*.

C. oedematiens ＝*C. novyi*.

C. parabotulinum 以前，*C. botulinum* A型およびB型とよばれた細菌を含む種．それらの型は既知の型の抗毒素を用いる防御テストによって証明される．強力な菌体外毒素を産生し，ヒトおよび動物に対し病原性がある．

C. paraputrificum 糞便（特に乳児の糞便），ガス壊疽，死後体液および組織培養にみられる細菌種．ウサギやモルモットには病原性がない．

C. perfringens ウェルチ（ウェルシュ）菌（ヒトのガス壊疽の主な原因菌である種．他の動物，特にヒツジにガス壊疽を起こす．腸炎，虫垂炎，産褥熱に関与することもある．米国における食中毒の原因菌として最も普通にみられるものの1つである．この細菌は，土壌，水，乳汁，ほこり，汚水，ヒトや他の動物の腸管内にみられる）．＝*C. welchii*; gas bacillus; Welch bacillus.

C. ramosum ヒトや動物の天然腔，海水および糞便中にみられる細菌種で，乳突炎，耳炎，肺壊疽，腐敗性胸膜炎，虫垂炎，腸感染，亀頭炎，肝膿瘍，骨髄炎，敗血症，尿路感染症でもみられる．以前は，現在用いられていない *Ramibacterium* 属の標準種とされていた．

C. septicum 悪性水腫菌（動物の悪性水腫，ヒトの戦争外傷，虫垂炎の症例にみられる種．テンジクネズミ，ウサギ，ハツカネズミ，ハトに対し病原性があり，致死性，溶血性の菌体外毒素を産生する）．＝*Vibrion septique*.

C. sordellii レシチナーゼ，溶血素，フィブリノリジンを含む複合的な毒素を産生する細菌種で，ヒトに浮腫ならびに死亡の危険性のある低血圧症，および壊死性感染を起こす．特に，腹部ならびに産科学的外傷後および手術後創傷での感染と関連している．子ヒツジの big head の原因にもなる．

C. sphenoides 壊疽性戦争外傷にみられる種．テンジクネズミやウサギに対する病原性はない．

C. sporogenes スポロゲネス菌（腸内容物，ガス壊疽，土壌にみられる種．テンジクネズミやウサギに対する病原性はないが，軽度の一次的局所腫脹を生じる）.

C. tertium 外傷にみられる種で，実験動物に対する病原性はない．

C. tetani 破傷風菌（破傷風を起こす種．強力な菌体外毒素（神経毒）を産生する．毒素は組織内で形成されたり，注入された場合は，ヒトやウマ，その他の動物に対し，激しい毒性を呈するが，経口摂取した場合はそうでない．ヒトやウマの健康管理のための予防プログラムには，破傷風ワクチンが最も重要な要素となる）.

C. thermosaccharolyticum 缶詰の内容物が固く膨張したときにみられる高温性の種．実験動物に対し病原性はない．

C. welchii ウェルチ（ウェルシュ）菌．＝*C. perfringens*.

---

clos·trid·i·um, pl. clos·trid·i·a (klos-trid′ē-ŭm, -ă). クロストリジウム属（*Clostridium*属の種を表すのに用いる通称）.

Clos·trid·i·um his·to·lyt·i·cum **col·la·gen·ase** (klos-trid′ē-ŭm his′tō-lit′i-kŭm kō-lah′jen-ās). コラーゲンの加水分解を触媒する酵素．特にグリシルプロリル配列のアミノ基側のペプチド結合で起こる．＝clostridiopeptidase A; collagenase A; collagenase I; microbial collagenase.

Clos·trid·i·um his·to·lyt·i·cum **pro·tein·ase B** (klos-trid′ē-ŭm his′tō-lit′i-kŭm prō′tē-in-ās′). ＝clostripain.

clos·tri·pain (klos′tri-pān). アルギニル残基やリシル残基のカルボキシル基側を優先的に開裂する蛋白分解酵素．＝clostridiopeptidase B; *Clostridium histolyticum* proteinase B.

clo·sure (klō′zhŭr). 閉鎖（①反射路の完成．②条件学習の成立において，刺激が結び付く位置．③精神的作業において，成就感を得ることまたは経験すること．④創傷の縁を合わせること）.

flask c. フラスコ圧接（歯科において，フラスコの2盆または2つの部分を一緒にする操作．試験的なフラスコ圧接は，余分な義歯床材料を取り除き，モールドが完全に満たされていることを確かめるためにあらかじめ行われる圧接であり，最終的なフラスコ圧接は，義歯床材料をモールドに試験的に詰めた後，重合前に行われるフラスコの最後の圧接である）.

velopharyngeal c. 口蓋帆咽頭閉鎖（えん下や話す声で口蓋帆咽頭括約筋と上咽頭壁が付着すること）.

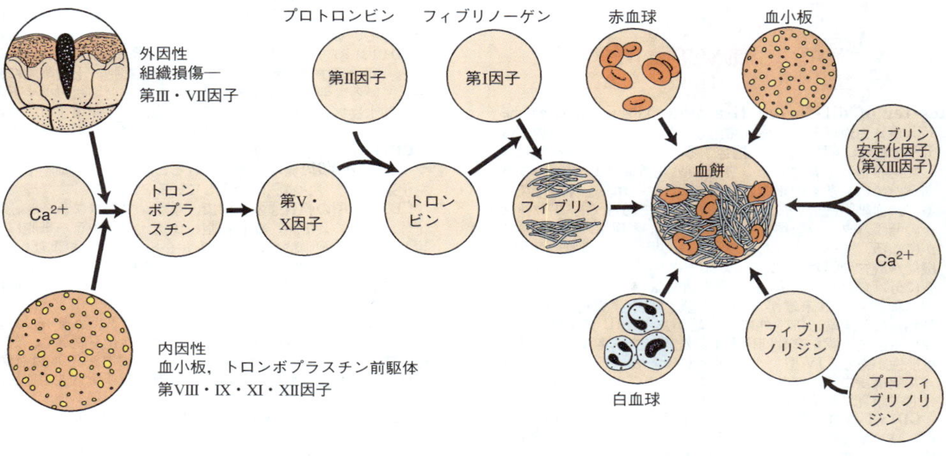

blood clotting

clo·sy·late (klō′si-lāt). *p*-chlorobenzenesulfonate の USAN 承認の短縮名.

clot (klot) [O. E. *klott*, lump]. ***1***〖v.〗凝固する（特に血液についていう）. ***2***〖n.〗凝塊，クロット，〔凝〕血塊，血餅（血液やリンパ液などの液体がゲル化するとき形成される軟らかく不溶性の凝塊）.

agonal c. 死戦期の血栓形成（瀕死状態に形成される血管内血栓）.

antemortem c. 生前血餅（解剖の際にみられる凝血．生前に心臓腔または大血管内に形成されたもの）.

blood c. 血餅（血液の凝固相．軟らかい粘着性，ゼリー様の赤い塊で，フィブリノーゲンがフィブリンに転換する結果，赤血球細胞(および他の形成要素)を凝固した血漿内に取り込んでできる）.

chicken fat c. 鶏脂様血餅（*in vitro* または死後，全血あるいは沈降血液中の白血球と血漿から形成される凝血）.

currant jelly c. 乾ブドウゼリー様血餅（*in vitro* または死後，全血あるいは沈降血の死後凝固により形成されるゼリー様の赤血球とフィブリンの塊）.

laminated c. 層状血餅（動脈瘤の自然経過に起こるような，層が連続してできた血塊）.

passive c. 受動〔性〕血餅（動脈瘤の循環が停止または停滞した結果形成される動脈瘤嚢内の血塊）.

postmortem c. 死後血餅（死後に心臓や大血管内に生じる血塊）.

clot·tage (klot′ij). 血餅閉塞（凝血による管の閉塞を表す現在では用いられない語）.

cloud (klowd). クロウド（ウイルス性上気道感染によって生じる大量の鼻汁で周囲にメチシリン耐性黄色ブドウ球菌をまき散らす成人または乳児の患者を形容する語）.

Cloud·man (klowd′măn), Arthur M. 20 世紀の米国人動物・病理学者. →C. *melanoma*.

clove oil (klōv oyl). チョウジ油. =*oil* of clove.

CLQ cognitive laterality *quotient* の略.

club·bing (klŭb′ing).〔太鼓〕ばち(撥)指形成（手足指にみられる状態で，手足指の遠位の組織，特に爪床の増殖により指の末端が厚く，幅広くなる．爪はその爪床が高度に圧縮されるほど異常に弯曲し，その上の皮膚は赤く光沢がある. → hippocratic *nails*).

hereditary c. [MIM*119900]. 遺伝性ばち指〔形成〕（肺性疾患やその他の進行性疾患を伴わない手足の単純遺伝性ばち指．男性の方がより重症なことが多く，黒人に最もよくみられる．常染色体優性遺伝）. =acropachy.

club·foot (klŭb′fut) [MIM*119800]. 内反足. =*talipes* equinovarus.

club·hand (klŭb′hand). 弯手，内反手（橈骨や尺骨の部分または完全欠損に伴う手の先天性または後天性の角状変形．通常，先天性の手の内在筋性変形を伴う）.

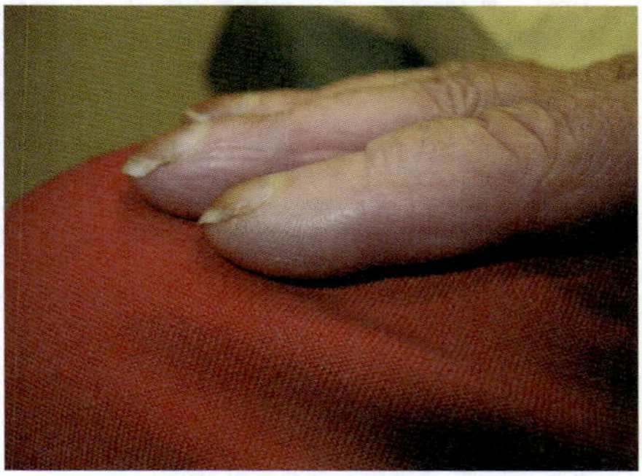

clubbing
指.

radial c. 橈側内反手（橈骨の部分または完全欠損に伴う上肢橈側に角状偏位する弯手）.

ulnar c. 尺側内反手（尺骨の部分または完全欠損に伴う上肢尺側に角状偏位する弯手）.

clump (klŭmp) [A.S. *clympre*, a lump]. 凝集する，集塊をなす（群れ，小集塊，集団を形成する）.

clump·ing (klŭmp-ing). 集塊，クランピング，凝集（液体中に懸濁している細菌やその他の細胞が集塊をなすこと）.

clu·ne·al (klū′nē-ăl). 殿部の.

clu·nes* (klū′nēz) [L. *clunis*(buttock) の複数形]. 殿部，しり（[本語は文法的に複数形である]. buttocks の公式の別名）.

clu·pan·o·don·ic ac·id (klū-pan′ō-don′ik as′id). クルパノドン酸（炭素数 22 個と 5 個の二重結合を含む ω-3 脂肪酸．動物性油や脳のリン脂質中に存在する）.

clus·ter (klŭs′ter) [O.E. *clyster*]. クラスター集団（ブドウの房やビーズを集めたように自然界でみられる同種または同一の集団）.

angioblastic cell c.'s 造血管細胞集団. =angioblastic *cords*.

CLUSTER OF DIFFERENTIATION

clus·ter of dif·fer·en·ti·a·tion (klŭs′ter dif′er-en′shē-ā′shŭn). 白血球分化抗体（白血球分類に用いられる細胞表面分子の総称．CD分子は，結合するモノクローナル抗体によって定義され分類される．多種の分化抗原(CD)グループがあるために，多くの細胞は複数のCDマーカーを発現している．造血細胞については，どんな時点であってもCDマーカーの発現パターンを調べることによって表現型の特徴が明らかになる．すべてではないが多くについては，細胞の生理的機能が既知のCDマーカーに対応している．一般的に４つの型に分けられる．I 型：細胞膜貫通型蛋白で，細胞質にC末端，細胞外にN末端がある．II 型：細胞膜貫通型蛋白で，細胞質にN末端，細胞外にC末端がある．III 型：細胞膜貫通型蛋白で，膜を複数回通過するためにチャネルを形成する可能性がある．IV 型：グリコシルホスファチジルイノシトール架橋蛋白で，グリコシルホスファチジルイノシトールを介して脂質二重膜に固定される）．

CD1a I 型の膜貫通型蛋白で，胸腺細胞，Langerhans 細胞，脳星状細胞，皮膚細胞に発現が認められる．非典型的な抗原提示に関わり，または未知のリガンドあるいはホルモンのレセプタである．T細胞急性リンパ芽球性白血病，ヒスチオサイトーシスX，胸腺腫に発現している．

CD1b I 型の膜貫通型蛋白で，胸腺皮質細胞，皮膚細胞，脳星状細胞に発現が認められる．非典型的な抗原提示に関わり，または未知のリガンドあるいはホルモンのレセプタである．T細胞急性リンパ芽球性白血病，T細胞リンパ腫，胸腺腫に発現している．

CD1c I 型の膜貫通型蛋白で，胸腺皮質，皮膚細胞，脳星状細胞に発現が認められる．非典型的な抗原提示に関わり，またはリガンドまたはホルモンのレセプタである．T細胞性急性リンパ芽球性白血病，B細胞慢性リンパ球白血病，重篤複合免疫不全症のB細胞に発現している．

CD2 I 型の膜貫通型蛋白で，胸腺細胞，T細胞，一部のナチュラルキラー細胞に発現が認められる．CD58 とCD 59 のリガンドとして働き，シグナル伝達と細胞接着に関わる．T細胞急性リンパ芽球性白血病，T細胞リンパ腫に発現している．

CD2r I 型の膜貫通型蛋白で，T細胞，一部のナチュラルキラー細胞に発現が認められる．CD58 と CD59 の結合部位とは無関係である．自己免疫疾患の活性化T細胞に発現している．

CD3 I 型の膜貫通型蛋白で，T細胞に発現が認められ，T細胞のシグナル伝達の一部を担う．T細胞リンパ腫に発現している．

CD4 I 型の膜貫通型蛋白で，ヘルパー－インデューサT細胞，単球，マクロファージ，樹状細胞に発現が認められ，T細胞の抗原認識に関与する．菌状息肉腫，Sézary 症候群，T細胞リンパ腫に発現している．

CD5 I 型の膜貫通型蛋白で，T細胞，胸腺細胞，一部のB細胞に発現が認められる．CD72 のリガンドで細胞活性化や接着に関与している．B細胞慢性リンパ球性白血病，T細胞リンパ腫に発現している．

CD6 I 型の膜貫通型蛋白で，T細胞，髄様胸腺細胞，一部の胸腺皮質細胞，ごく一部のB細胞，脳に発現が認められる．CD 6 は細胞活性化時にリン酸化され，恐らくシグナル伝達に関与していると考えられる．一部のB細胞慢性リンパ球白血病に発現している．

CD7 I 型の膜貫通型蛋白で，胸腺細胞，一部のT細胞，単球，ナチュラルキラー細胞，造血幹細胞に発現している．菌状息肉腫，T細胞急性リンパ芽球性白血病の一部，急性非リンパ性白血病のごく一部に発現している．

CD8 I 型の膜貫通型蛋白で，サプレッサ(細胞傷害性)T細胞，一部のナチュラルキラー細胞，大多数の胸腺細胞に発現し，T細胞の抗原認識に関与している．一部のT細胞リンパ腫と大型顆粒リンパ性白血病に発現している．

CD9 III 型の膜貫通型蛋白で，血小板，巨核球，単球，前駆B細胞，好酸球，抗塩基球，活性化T細胞に発現している．血小板活性と凝集のシグナル伝達に働いている．一部のT細胞急性リンパ性白血病と一部の急性非リンパ性白血病に発現している．

CD10 II 型の膜貫通型蛋白で，前駆B細胞，胚中心B細胞，一部の好中球，腎細胞，T細胞前駆細胞，上皮細胞に発現している．亜鉛結合性メタロプロテアーゼ切断ペプチドとして疎水性アミノ酸のアミノ基側に結合して作用する．急性リンパ性白血病と沪胞中心性リンパ腫に発現している．

CD11a I 型の膜貫通型蛋白で，リンパ球，好中球，単球，マクロファージに発現が認められる．細胞接着と細胞活性化を促進する．リンパ腫に発現している．

CD11b I 型の膜貫通型蛋白で，単球，マクロファージ，顆粒球，一部のB細胞，樹状細胞，ナチュラルキラー細胞に発現している．細胞粘着，ファゴサイトーシス，および(または)化学走性を促進する．一部のB細胞慢性リンパ性白血病，多くの急性非リンパ性白血病，一部のヘアリーセル白血病に発現している．

CD11c I 型の膜貫通型蛋白で，単球，マクロファージ，好中球，一部のB細胞に発現する．細胞活性化を誘導し，好中球の呼吸バーストの誘因を介助する．ヘアリーセル白血病，急性非リンパ性白血病，一部のB細胞慢性リンパ性白血病に発現している．

CDw12 膜蛋白で，単球，好中球，血小板に発現が認められる．機能は不明である．

CD13 II 型の膜貫通型蛋白で，骨髄細胞に発現し，ペプチドから NH_2 末端のアミノ酸を触媒し移動する亜鉛結合性メタロプロテアーゼとして作用する．急性非リンパ性白血病の数種類に発現する．

CD14 膜貫通型蛋白で，単球，マクロファージ，好中球，一部のB細胞，樹状細胞に発現し，酸化バーストおよび(または)腫瘍壊死因子 α の合成を誘導するシグナル伝達に関与している．急性非リンパ性白血病，B細胞慢性リンパ性白血病に発現している．

CD15 ホスファチジルイノシトール固定の膜貫通型蛋白で，好中球に発現し，恐らく，ファゴサイトーシスに関与している．Hodgkin 病，一部のB細胞慢性リンパ性白血病，急性リンパ性白血病，多くの急性非リンパ性白血病に発現している．

CD15s 膜貫通型蛋白で，好中球，単球，骨髄性細胞，一部のT細胞に発現する．CD62E の主要なリガンドである．扁平上皮癌に発現している．

CD16 I 型の膜貫通型蛋白で，ナチュラルキラー細胞，マクロファージに発現する．ナチュラルキラー細胞活性を指示する．

CD16b グリコシルホスファチジルイノシトール固定蛋白で，好中球に発現する．発作性夜間血色素尿症の患者で欠如している．大型顆粒リンパ性白血病とナチュラルキラー細胞白血病に発現する．

CDw17 I 型の膜貫通型蛋白で，単球，好中球，血小板に発現している．顆粒内容物のパッキングやエキソサイトーシスに関与している．

CD18 I 型の膜貫通型蛋白で，リンパ球，好中球，単球，マクロファージ，一部のB細胞，樹状細胞，ナチュラルキラー細胞に発現が認められる．シグナル伝達の際に活性化される．B細胞慢性リンパ性白血病，多くの急性非リンパ性白血病，一部のヘアリーセル白血病の患者に発現している．

CD19 I 型の膜貫通型蛋白で，すべてのB細胞とB細胞前駆細胞，一部の沪胞性樹状細胞に発現している．B細胞シグナル伝達の補助分子として働いている．すべてのB細胞性腫瘍に発現している．

CD20 III 型の膜貫通型蛋白で，B細胞に認められ，細胞壁のカルシウムチャネルを形成し，細胞活性化に必要とされるカルシウムの流入を制御している．B細胞リンパ腫，ヘアリーセル白血病，B細胞慢性リンパ性白血病に発現している．

CD21 I 型の膜貫通型蛋白で，B細胞，沪胞性樹状細胞，喉頭・頸部上皮細胞，一部の胸腺細胞，一部のT細胞に発現し，シグナル伝達に関与している．ヘアリーセル白血病，B細胞リンパ腫，一部のTリンパ球急性リンパ性白血病に発現する．

CD22 I 型の膜貫通型蛋白で，前駆B細胞の細胞質，成熟B細胞の細胞表面に発現する．シグナル伝達を促進する．へアリーセル白血病と一部のB細胞リンパ腫の細胞に発現する．

CD22α I型の膜貫通型蛋白で，成熟B細胞に発現が認められる．B細胞の単球や赤血球への接着を促進する．

CD22β I型の膜貫通型蛋白で，成熟B細胞に発現が認められる．B細胞のCD4陽性T細胞への接着を促進する．

CD23 II型の膜貫通型蛋白で，成熟B細胞，単球，活性化マクロファージ，好酸球，血小板，樹状細胞に発現する．IgEと複合体を形成した抗原の補捉およびプロセシングを増強する．

CD24 グリコシルホスファチジルイノシトール固定蛋白で，B細胞，プレB細胞，好中球，ごく一部の胸腺細胞に発現し，B細胞の増殖と分化の誘導に関与する．B細胞リンパ腫，一部のB細胞慢性リンパ性白血病に発現している．

CD25 I型の膜貫通型蛋白で，活性化T細胞，活性化B細胞，一部の胸腺細胞，骨髄球系前駆細胞，希突起神経膠細胞に発現する．CD122とヘテロダイマーを形成し，IL-2に対する高親和性受容体として働く．多くのB細胞性腫瘍，一部の急性非リンパ性白血病，神経芽細胞腫に発現する．

CD26 II型の膜貫通型蛋白で，成熟T細胞，一部のB細胞，上皮および内皮細胞の膜の尖端，腎臓，腸内刷子縁や肝内の胆細管に発現する．コラーゲンと結合し，アデノシンデアミナーゼと協調する．

CD27 I型の膜貫通型蛋白で，成熟T細胞，胸腺髄様細胞，一部のB細胞に発現し，CD70のリガンドで神経成長因子ファミリーのメンバーとして関与する．慢性リンパ球性白血病に発現する．

CD28 I型の膜貫通型蛋白で，ほとんどのCD4陽性T細胞，多くのCD8T細胞，多くの形質細胞に発現する．IL-2メッセンジャーRNAの転写と安定を促進する．

CD29 I型の膜貫通型蛋白で，一部のCD4ヘルパーT細胞，血小板，樹状細胞に発現し，細胞－細胞，または細胞－マトリックスの接着に関与している．

CD30 I型の膜貫通型蛋白で，活性化T細胞，B細胞に発現する．細胞活性化および(または)分化に関与すると考えられている．Hodgkin病，一部のT細胞リンパ腫，未分化大細胞リンパ腫に発現している．

CD30l III型の膜貫通型蛋白で，活性化T細胞，単球に発現し，CD30発現細胞に対して増殖から細胞死までの多様な反応を誘導する．

CD31 I型の膜貫通型蛋白で，骨髄細胞，血小板，内皮細胞，ナチュラルキラー細胞，単球，CD4陽性T細胞のサブセットに発現し，呼吸バーストを含む，マクロファージのシグナルトランスデューサに協力する．白血球の血管内皮の細胞間結合を通しての遊走とカルシウム依存性の異染性凝集を媒介する．腫瘍性の血管内皮細胞に発現している．

CD32 I型の膜貫通型蛋白で，単球，B細胞，好中球，胎盤トロホブラスト，内皮細胞に発現する．IgG媒介のファゴサイトーシスと好中球，単球の酸化バーストのシグナルトランスデューサとして働く．B細胞の抑制シグナルとして伝達する．胎盤IgGトランスポートに関与すると考えられている．

CD33 I型の膜貫通型蛋白で，骨髄細胞および骨髄球系前駆細胞に発現している．多くの急性非リンパ芽球性白血病と一部のB細胞慢性リンパ性白血病に発現している．

CD34 I型の膜貫通型蛋白で，骨髄細胞，骨髄球系前駆細胞に発現している．シグナル伝達に関与している．一部の急性非リンパ性白血病と一部の急性リンパ性白血病に発現している．

CD35 I型の膜貫通型蛋白で，単球，顆粒球，樹状細胞，赤血球，一部のT細胞，腎有足突起細胞に発現し，ファゴサイトーシスおよび(または)免疫複合体の結合を促進する．Wilms腫瘍に発現する．

CD36 膜貫通型蛋白で，単球，血小板，巨核球，臍静脈内皮，網状赤血球，乳腺上皮に発現している．シグナル伝達に関与している．骨髄増殖性疾患に発現している．

CD37 III型の膜貫通型蛋白で，成熟B細胞，一部のT細胞，単球に発現している．イオンの運搬に関与している．B細胞リンパ腫，B細胞慢性リンパ性白血病，ヘアリーセル白血病に発現している．

CD38 膜貫通型蛋白で，マクロファージ，樹状細胞，活性化ナチュラルキラー細胞，BおよびT細胞系の細胞株に発現している．B細胞の接着を促進することができる．

CD39 膜貫通型蛋白で，マクロファージ，樹状細胞，活性化リンパ球に存在する．B細胞の接着を促進する．

CD40 I型の膜貫通型蛋白で，成熟B細胞，単球，樹状細胞，上皮細胞に発現している．細胞活性化，増殖，接着，および(または)分化へのシグナル伝達に関与している．B細胞慢性リンパ性白血病，リンパ腫，一部の癌に発現する．

CD40l II型の膜貫通型蛋白で，活性化CD4陽性T細胞，ごく一部の活性化CD8陽性T細胞，末梢血好塩基球に発現する．CD40のリガンドとしてCD40を発現している細胞の活性化，増殖，および(または)分化を誘導する．

CD41 I型の膜貫通型蛋白で，血小板，巨核球に存在し，フィブリノーゲン，フィブロネクチン，ビトロネクチン，von Willebrand因子や他の因子のレセプタとして働く．血小板の粘着と凝集を促進する．

C

CD42 I型の膜貫通型蛋白で，血小板，巨核球に発現し，血小板の損傷血管への結合を媒介する．

CD43 I型の膜貫通型蛋白で，胸腺細胞，T細胞，顆粒球，単球，ナチュラルキラー細胞，血小板，脳，活性化B細胞，形質細胞，造血幹細胞に発現している．CD54のリガンドとして関与し，細胞－細胞間の接着を促進する．一部の骨髄腫とリンパ腫に発現している．

CD44 I型の膜貫通型蛋白で，T細胞，前駆B細胞，単球，好中球，中枢神経系白質，線維芽細胞，骨格筋，髄様胸腺細胞に発現する．リンパ球の血管内皮への結合を促進し，接着を介助する．

CD45 I型の膜貫通型蛋白で，赤血球以外のすべての造血細胞に発現し，細胞活性化を介助する．リンパ腫，B細胞慢性リンパ性白血病，ヘアリーセル白血病，急性非リンパ性白血病に発現している．

CD46 I型の膜貫通型蛋白で，胸腺細胞，T細胞，B細胞，ナチュラルキラー細胞，単球，好中球，血小板，内皮細胞，上皮細胞，線維芽細胞，胎盤，精子に発現している．補体媒介の細胞傷害を防御する．

CD47 膜貫通型蛋白で，組織特異性がない膜の陽イオン流出入に関与する．

CD48 グリコシルホスファチジルイノシトール固定膜蛋白で，T細胞，B細胞，胸腺細胞，好酸球，好中球，気管支上皮，唾液腺に発現する．T細胞のシグナル伝達に関与していると考えられている．発作性夜間血色素尿症の患者において欠損または減少している．

CD49a I型の膜貫通型蛋白で，活性化TおよびB細胞，単球，神経血管内皮，平滑筋に発現し，コラーゲンおよびラミニンへのレセプタを形成する．メラノーマに発現する．

CD49b I型の膜貫通型蛋白で，血小板，T細胞，B細胞，線維芽細胞，内皮細胞に発現し，血小板のコラーゲンへの粘着に関与している．メラノーマにも発現することがある．

CD49c I型の膜貫通型蛋白で，B細胞，腎糸球体，甲状腺，一部の基底膜に発現している．細胞－細胞間の接着に関与すると考えられている．多くの培養細胞株に発現している．

CD49d I型の膜貫通型蛋白で，B細胞，T細胞，ナチュラルキラー細胞，好酸球，単球，赤芽球，胸腺細胞，筋原細胞に発現する．細胞－細胞間の接着と白血球遊走を促進し，リンパ球活性化において補助する．黒色腫に発現している．

CD49e I型の膜貫通型蛋白で，単球，好中球，白血球，線維芽細胞，血小板，筋原細胞に発現している．フィブロネクチンに対するレセプタ形成を補助し，ナトリウム－水素ポータへの拮抗を活性化する．T細胞活性化への補助的な役割を担うと考えられる．

CD49f I型の膜貫通型蛋白で，血小板，マクロファージ，単球，胸腺細胞，T細胞，接着性細胞株に発現し，浸潤およびラミニンへのレセプタを形成する．一部の急性リンパ性白血病に発現している．

CD50 I型の膜貫通型蛋白で，胸腺細胞，B細胞，単球，好中球に発現している．細胞間の接着に関与している．

CD51 I型の膜貫通型蛋白で，内皮細胞，単球，マクロファージ，血小板，一部のB細胞，破骨細胞，子宮細胞に発現している，血小板凝集および(または)内皮細胞の接着と単球の遊走に関与している．

CD52 グリコシルホスファチジルイノシトール固定膜蛋白で，胸腺細胞，T細胞，B細胞，一部の顆粒球，精嚢，精巣上体，精子に発現する．シグナル伝達に関与している．

CD53 III 型の膜貫通型蛋白で，白血球，血小板，骨芽細胞，破骨細胞に発現する．CD2 誘導のＴ細胞とナチュラルキラー細胞のシグナル伝達に関与する．Ｂ細胞，単球，顆粒球における細胞質へのカルシウム流入を促進する．単球の酸化バーストの活性化を担う．造血系悪性腫瘍と骨髄腫に発現している．

CD54 I 型の膜貫通型蛋白で，白血球，内皮細胞に発現している．また，リンパ球，樹状細胞，ケラチノサイト，軟骨細胞，線維芽細胞，上皮細胞にも発現の誘導が可能である．CD11と18のリガンドとして働き，細胞間の接着を促進する．

CD55 グリコシルホスファチジルイノシトール固定膜蛋白で，すべての造血細胞と精子に発現し，補体の活性化を中和する．発作性夜間血色素尿症で欠損または減少している．

CD57 膜蛋白で，ナチュラルキラー細胞，一部のＴ細胞，ごく一部のＢ細胞，機能不詳の単球に発現している．大型顆粒リンパ性白血病に発現する．

CD58 膜蛋白で，多くの造血細胞，線維芽細胞に発現している．CD2 のリガンドとして働き，Ｔ細胞の機能に関与していると考えられる．

CD59 グルコシルホスファチジルイノシトール固定膜蛋白で，多くの造血細胞，血管内皮，上皮細胞，胎盤に発現する．補体による細胞膜障害を抑制し，そして恐らくＴ細胞のシグナル伝達に関与すると考えられている．発作性夜間血色素尿症の患者において欠損または減少している．

CDw60 膜蛋白で，Ｔ細胞サブセット，一部の単球，血小板に発現している．細胞活性化へのシグナル伝達に関与していると考えられている．皮膚Ｔ細胞リンパ腫に発現している．

CD61 膜蛋白で，血小板，巨核球，内皮細胞，破骨細胞，子宮細胞に発現を認める．血小板の凝集と粘着を促す．

CD62e I 型の膜貫通型蛋白で，内皮に発現し，好中球，単球，一部のＴ細胞の血管内皮への粘着を促進する．慢性炎症部位で発現が強まる．

CD62l I 型の膜貫通型蛋白で，Ｂ細胞，Ｔ細胞，好中球，胸腺細胞，単球，好酸球，赤血球，骨髄球系前駆細胞，ナチュラルキラー細胞に発現する．末梢リンパ節へのホーミングレセプタとして機能し，炎症部位の内皮への結合を促進する．多くの悪性の白血球に認められる．

CD62p I 型の膜貫通型蛋白で，活性化血小板，内皮細胞，巨核球に発現する．単球，好中球の活性化血小板，内皮細胞への粘着を促進する．

CD63 III 型の膜貫通型蛋白で，活性化血小板，単球，マクロファージ，血管内皮細胞の分泌顆粒，血小板の濃染顆粒に発現する．活性化内皮細胞への粘着を促進する．

CD64 I 型の膜貫通型蛋白で，単球，巨核球，活性化好中球に発現する．IgG の高親和性レセプタとして機能する．急性非リンパ性白血病の一部の症例に発現が認められる．

CDw65 膜蛋白で，骨髄細胞，一部の単球系細胞に発現し，呼吸バーストの形成を誘導するシグナル伝達に関与している．急性非リンパ性白血病の一部に発現が認められる．

CD66a I 型の膜貫通型蛋白で，好中球，組織球，一部の骨髄球系前駆細胞，大腸上皮細胞の刷子縁に発現している．粘着と好中球活性化を促進する．慢性骨髄性白血病，一部の急性リンパ性白血病に発現する．

CD66b グリコシルホスファチジルイノシトール固定膜蛋白で，好中球に発現し，凝集と活性化を誘導する．慢性骨髄性白血病細胞に発現している．

CD66c グリコシルホスファチジルイノシトール固定膜蛋白で，好中球に発現し，凝集と活性化を誘導する．慢性骨髄性白血病に発現している．

CD66d I 型の膜貫通型蛋白で，好中球に発現し，粘着や好中球の活性化を促進する．慢性骨髄性白血病に発現している．

CD66e グリコシルホスファチジルイノシトール固定膜蛋白で，胚形成間に３胚葉すべてより発生した組織と成人大腸上皮細胞に発現する．胚形成間のカルシウム非依存性の接着を促進する．大部分の大腸癌をはじめ他の癌にも発現する．

CD68 I 型の膜貫通型蛋白で，単球，マクロファージ，破骨細胞，肥満細胞，細胞質顆粒，活性化血小板，大リンパ球に発現している．神経 Schwann 細胞，Waller 変性を起こす神経，骨髄性腫瘍，未分化大細胞リンパ腫および上皮癌に発現している．

CD69 II 型の膜貫通型蛋白で，血小板，CD4 陽性または CD8 陽性胸腺細胞，活性化リンパ球，活性化Ｔ細胞またはナチュラルキラー細胞に発現している．シグナルトランスデューサとして機能する．細胞活性化および(または)血小板凝集を増強する．

CD70 II 型の膜貫通型蛋白で，活性化Ｂ細胞，一部の活性化Ｔ細胞に発現し，Ｔ細胞の活性化を促進する．Reed-Sternberg 細胞，一部のリンパ腫，単球系由来の腫瘍に発現している．

CD71 II 型の膜貫通型蛋白で，活性化した，または増殖中の細胞に発現し，細胞の鉄取込みを促進する．種々の急性白血病，一部のリンパ腫に発現している．

CD72 II 型の膜貫通型蛋白で，すべてのＢ細胞，マクロファージに発現し，シグナル伝達や粘着に関与している．Ｂ細胞急性リンパ芽球性白血病，Ｂ細胞リンパ腫，Ｂ細胞慢性リンパ性白血病に発現している．

CD73 グリコシルホスファチジルイノシトール固定膜蛋白で，一部のＢ細胞，一部のＴ細胞，胸腺細胞，一部の上皮と内皮細胞，樹状細胞に発現している．多くのＢ細胞急性リンパ性白血病，乳癌，大型顆粒リンパ性白血病に発現している．

CD74 II 型の膜貫通型蛋白で，Ｂ細胞，単球，樹状細胞，活性化Ｔ細胞に発現し，内因性のペプチドの結合を防ぐ．Ｂ細胞性慢性リンパ性白血病，ヘアリーセル白血病，大顆粒性白血球白血病に発現している．

CDw75 II 型の膜貫通型蛋白で，成熟Ｂリンパ球，一部のＴ細胞に発現し，Ｂ細胞の粘着を促進している可能性がある．沪胞細胞起源のＢ細胞リンパ腫に発現している．

CDw76 膜蛋白で，成熟Ｂ細胞，一部のＴ細胞，メラノサイト，内皮細胞，肝細胞，腎尿細管細胞に発現している．成熟Ｂ細胞リンパ腫，Ｂ細胞慢性リンパ性白血病に発現している．

CD77 膜蛋白で，胚中心Ｂ細胞，沪胞性樹状細胞，内皮細胞，一部の上皮細胞に発現している．大腸菌 *Escherichia coli* または志賀赤痢菌 *Shigella dysenteriae* の毒素のレセプタとして機能すると考えられている．Burkitt リンパ腫，沪胞中心細胞起源のＢ細胞リンパ腫に発現している．

CDw78 膜蛋白で，Ｂ細胞，組織マクロファージに発現し，シグナル伝達に関与していると考えられている．一部の急性リンパ性白血病，Ｂ細胞リンパ腫，一部の急性非リンパ性白血病に発現している．

CD79a I 型の膜貫通型蛋白で，Ｂ細胞に発現し，シグナル伝達を媒介している．成熟Ｂ細胞性腫瘍に発現している．

CD79b I 型の膜貫通型蛋白で，Ｂ細胞に発現し，シグナル伝達を媒介している．Ｂ細胞性の腫瘍，Ｂ細胞急性リンパ性白血病に発現している．

CD80 I 型の膜貫通型蛋白で，活性化Ｂ細胞，活性化単球，活性化沪胞性樹状細胞，一部の活性化Ｔ細胞に発現し，抗原提示の際，共起刺激シグナルをＴ細胞に促進する．Ｂリンパ芽球細胞に発現している．

CD81 III 型の膜貫通型蛋白で，リンパ球を含む種々の細胞に発現し，シグナル伝達を促進している．リンパ腫，白血病，メラノーマ，神経芽細胞腫に発現している．

CD82 III 型の膜貫通型蛋白で，上皮細胞，内皮細胞，活性化リンパ球に発現している．カルシウム流出入に関与していると考えられている．

CD83 I 型の膜貫通型蛋白で，樹状細胞，Langerhans 細胞，Ｂ細胞，嵌合細網細胞に発現する．抗原提示やそれに続くリンパ球活性化に働くと考えられている．

CDw84 膜蛋白で，単球，前駆Ｂ細胞，血小板，胚中心Ｂ細胞，マントルゾーンＢ細胞，末梢血リンパ球に発現している．

CD85 膜蛋白で，形質細胞，Ｂ細胞，単球に発現する．

CD86 膜蛋白で，一部の胚中心Ｂ細胞，マイトジェン活性化Ｂ細胞，単球に発現している．Ｂ細胞活性化作用をもつ．未分化大細胞リンパ腫，Reed-Sternberg 細胞 Epstein Barr ウイルスによりトランフォームしたＢ細胞に発現している．

CD87 グリコシルホスファチジルイノシトール固定膜蛋白で，活性化Ｔ細胞，単球，活性化好中球に発現し，細胞表面のプラスミノゲン活性化に関与している．炎症部のマクロファージに発現している．

CD88 III 型の膜貫通型蛋白で，好中球，マクロファージ，好酸球，肥満細胞，平滑筋細胞に発現している．化学走性の誘因を助け，細胞活性化，呼吸バースト，脱顆粒を補助する．単球性腫瘍に発現する．

CD89 I 型の膜貫通型蛋白で，好中球，単球，マクロファージ，一部のTおよびB細胞に発現している．顆粒球の呼吸バーストへの誘因を補助する．単球性腫瘍に発現している．

CDw90 グリコシルホスファチジルイノシトール固定膜蛋白で，機能は不明である．胸腺前駆細胞，脳内，他の非リンパ性組織に発現している．

CD91 膜蛋白で，単球，マクロファージに発現し，エンドサイトーシスを促進する．

CDw92 膜蛋白で，好中球，血小板，単球に発現する．機能は不明である．

CD93 膜蛋白で，好中球，単球，内皮細胞に発現する．機能は不明である．

CD94 膜蛋白で，ナチュラルキラー細胞，ごく一部のT細胞に発現し，ナチュラルキラー細胞の細胞融解を促進し，また腫瘍壊死因子を放出する．

CD95 I 型の膜貫通型蛋白で，T細胞，骨髄細胞に発現する．恐らくアポトーシスを誘導する．

CD96 I 型の膜貫通型蛋白で，T細胞，ナチュラルキラー細胞，活性化B細胞に発現している．細胞活性化の際にまず発現することから，リガンド結合活性をもつと考えられる．

CD97 膜蛋白で，単球，成熟顆粒球に発現する．機能は不明である．

CD98 II 型の膜貫通型蛋白で，単球，心筋細胞，内皮細胞，T細胞，B細胞，ナチュラルキラー細胞に発現している．恐らくカルシウム流出入制御に関与している．一部の自己免疫疾患や慢性肝炎のTリンパ球に発現が増強している．

CD99 I 型の膜貫通型蛋白で，胸腺細胞，リンパ球，骨髄細胞に発現し，ヒツジの赤血球に対するロゼット形成に関わる．

CD99r I 型の膜貫通型蛋白で，CD99 に類似するが，骨髄系細胞に発現する．

CD100 膜蛋白で，造血細胞に発現する．増殖反応を誘導可能である．

CDw101 膜蛋白で，機能は不明である．好中球，単球，一部のT細胞に発現する．

CD102 I 型の膜貫通型蛋白で，内皮細胞，血小板，単球，樹状細胞，リンパ球のサブセット，脾類洞に発現し，記憶T細胞の再循環を促進すると考えられている．

CD103 I 型の膜貫通型蛋白で，腸上皮内のリンパ球，一部の循環白血球，一部のT細胞に発現し，上皮への粘着を促進する．ヘアリーセル白血病と一部のBリンパ球慢性リンパ性白血病に発現している．

CD104 I 型の膜貫通型蛋白で，上皮細胞，胸腺細胞に発現し，細胞の細胞外マトリックスへの粘着を促進する．扁平上皮癌に発現している．

CD105 II 型の膜貫通型蛋白で，内皮細胞，前赤芽球，活性化単球，活性化マクロファージ，沪胞性樹状細胞に発現している．粘着に関与していると考えられている．B細胞性と骨髄性の起源の白血病細胞に発現している．

CD106 I 型の膜貫通型蛋白で，活性化内皮細胞，マクロファージ，樹状細胞，骨髄間質細胞，筋原細胞，筋管に発現する．炎症部位での白血球の補充を促進する．

CD107a I 型の膜貫通型蛋白で，活性化血小板に発現している．転移可能な状態に形質転換した細胞や胚細胞に発現する．

CD107b I 型の膜貫通型蛋白で，活性化血小板に発見している．転移可能な状態に形質転換した細胞や胚細胞に発現する．

CDw108 グリコシルホスファチジルイノシトール固定蛋白で，機能は不明である．活性化T細胞に発現が認められる．

CDw109 グリコシルホスファチジルイノシトール固定膜蛋白で，機能は不明である．活性化Tリンパ球，活性化血小板，内皮細胞に発現が認められる．

CD115 I 型の膜貫通型蛋白で，胎盤，マクロファージ，単球，単球前駆細胞に発現する．単球とその前駆細胞の増殖と分化に関与し，絨毛癌に発現する．

CDw116 I 型の膜貫通型蛋白で，単球，顆粒球，内皮細胞，樹状細胞，線維芽細胞に発現し，細胞の増殖と分化を刺激する．骨肉腫，乳癌，肺癌に発現する．

CD117 I 型の膜貫通型蛋白で，造血前駆細胞，肥満細胞，メラノサイト，精原細胞，卵母細胞，一部のナチュラルキラー細胞に発現し，感染細胞株へのシグナル伝達を補助する．大腸癌に発現している．

CD120a I 型の膜貫通型蛋白で，多くの細胞に発現し，腫瘍壊死因子への高い親和性をもつ．

CD120b I 型の膜貫通型蛋白で，多くの細胞に発現し，腫瘍壊死因子への高い親和性をもつ．

CDw121a I 型の膜貫通型蛋白で，T細胞，胸腺細胞，軟骨細胞，滑膜細胞，内皮細胞，線維芽細胞，ケラチノサイト，肝細胞に発現している．細胞の増殖および(または)活性化の刺激を介助する．

CDw121b I 型の膜貫通型蛋白で，B細胞，単球，マクロファージに発現する．インターロイキンの作用に関与する．

CDw122 I 型の膜貫通型蛋白で，活性化T細胞，B細胞，単球，ナチュラルキラー細胞に発現し，恐らくCD25と複合体を形成する．

CD123 I 型の膜貫通型蛋白で，多能性幹細胞，単能性幹細胞に発現し，細胞の増殖と分化に関与する．

CDw124 I 型の膜貫通型蛋白で，成熟B細胞，T細胞，上皮細胞，造血前駆細胞，線維芽細胞に発現している．細胞の増殖および(または)活性化を誘導する．リンパ腫および(または)膵・肝・膀胱腫瘍に発現する．

CD125 I 型の膜貫通型蛋白で，好酸球，好塩基球に発現し，細胞の増殖および(または)分化を刺激する．

CD126 I 型の膜貫通型蛋白で，形質細胞，白血球，上皮細胞，線維芽細胞，神経細胞，肝細胞に発現する．細胞の成長および(または)分化を刺激する．骨髄腫の成長因子の可能性がある．

CDw127 I 型の膜貫通型蛋白で，B細胞前駆細胞，胸腺細胞，成熟T細胞，単球に発現し，細胞の増殖および(または)分化を誘導する．

CDw128 III 型の膜貫通型蛋白で，好中球，好塩基球，単球，ケラチノサイト，一部のT細胞に発現している．化学走性および(または)細胞活性化を誘導する．メラノーマ細胞に発現する．

CD129 I 型の膜貫通型蛋白で，一部のT細胞，骨髄球系・赤血球系前駆細胞，肥満細胞に発現している．細胞の増殖および(または)分化を誘導する．Hodgkin 病，大細胞リンパ腫，巨核芽球性白血病に発現している．

CDw130 I 型の膜貫通型蛋白で，大部分の白血球，上皮細胞，線維芽細胞，肝細胞，神経系細胞に発現する．白血病阻止因子，インターロイキン，その他の細胞増殖因子と相関する．

---

clusterin (klŭs′tĕr-in). クラステリン（ヘテロ二量体の高度に保存された分泌型糖蛋白で，様々な組織で発現されており，すべてのヒトの体液中に見出される．例えば，精子成熟，脂質輸送，補体阻害，組織の再構築，膜の再生，細胞間や細胞–基質相互作用，折りたたみ受容状態でのストレスにさらされている蛋白の安定化，さらにアポトーシスの促進または抑制などの生理的過程に関わっている)．＝apolipoprotein J.

clut·ter·ing (klŭt′er-ing). 早口症，速話症（聞き取りを困難にするような異常な速さ，滑らかさの欠如，高揚したリズム，不明瞭な構音により特徴付けられる発語の障害で，通常は小児期に起こる)．

Clut·ton (klut′ŏn), Henry H. 英国人外科医，1850—1909. → C. *joints*.

cly·sis (klī′sis) [G. *klysis*, a drenching by a clyster]. 注入（①治療のための輸液で，通常は皮下投与．②以前は enema（浣腸）を意味したが，最近は液体により体腔から物質を洗い流すことを意味する)．

-clysis (klī′sis) [G. *klysis*, a drenching by a clyster]. [本表記を -cleisis と混同しないこと]．注入，浣腸に関する連結形．

clys·ter (klis′ter) [G. *klystēr* < *klyzō*, *klysō*(to wash out) の未来形]．浣腸，浣腸剤（enema の古語)．

C.M. 英国において，*Chirurgiae Magister*(外科学修士)の略．

CM- カルボキシメチル基の記号．

Cm キュリウムの元素記号．

C

cM centimorgan の略.
cm centimeter の略. cm^2 は square centimeter, cm^3 は cubic *centimeter* の略.
CMA Certified Medical Assistant(認定医学助手)の略.
***p*-CMB** *p*-chloromercuribenzoate の略.
cmc critical micelle *concentration* の略.
CM-cel·lu·lose (sel′yū-lōs). CM セルロース. = carboxymethyl *cellulose*.
CMG cystometrogram の略.
CMHC community mental health center の略.
CMhm *Candidata Mycoplasma haemominutum*(⇌*Mycoplasma*)の略.
CMI cell-mediated *immunity* の略.
CML ***1*** cell-mediated lymphocytotoxicity(細胞媒介性リンパ球傷害反応)の略. ***2*** chronic myelogenous *leukemia* の頭字語.
CMO calculated mean *organism*; chief medical officer(主席医務官)の略.
CMP cytidine 5′-monophosphate またはすべての cytidine monophosphate を表す記号.
c-mpl 巨核球, 血小板, CD34 陽性造血前駆細胞の細胞表面受容体で, 巨核球産生や血小板産生の調節の受容体として発現している.
CMT Certified Medical Transcriptionist(認定医学記録転写士)の略. →medical transcriptionist.
CMV ***1*** controlled mechanical *ventilation*; Cytomegalovirus の略. ***2*** cisplatin シスプラチン, methotrexate メトトレキセート, vinblastine ビンブラスチンからなる癌併用療法.
cne·mi·al (ne′mē-ăl) [G. *knēmē*, leg]. 下腿の, 脛の, すねの.
Cnemidocoptes (nē′mi-dō-kop′tēz). トリヒゼンダニ属 (顕微鏡的な大きさの穿孔性ヒゼンダニ類の一属で, 家禽や飼い鳥に寄生する. 小型のインコ(セキセイインコ)に寄生する *C. pilae*, カナリアに寄生する *C. jamaicensi*, ニワトリ, 七面鳥, クジャクやその他のキジ科鳥類に寄生する *C. mutans*, ニワトリ, ガチョウ, クジャク, ハトに寄生するニワトリヒゼンダニ *C. gallinae*(*Knemidocoptes laevis* var. *gallinae* と同義)などの種がある. 節足動物門蛛形綱ダニ目無気門亜目に属する).
cne·mis (nē′mis) [G. *knēmis*(*knēmid-*), a legging]. 脛, すね.
cni·da, pl. **cni·dae** (nī′dă, nī′dē) [G. *knidē*, nettle]. 刺胞, 刺糸胞. = nematocyst.
cni·do·cyst (nī′dō-sist). 刺胞, 刺糸胞. = nematocyst.
Cnid·o·spor·a (nī′dō-spōr′ă) [G. *knidē*, nettle, sea nettle + *sporos*, seed]. = Microspora.
Cni·do·spo·rid·i·a (nī′dō-spō-rid′ē-ă) [G. *knidē*, nettle, sea nettle + Mod. L. < G. *sporos*, seed]. 有刺糸胞子虫亜門. = Microsporida.
CNM certified nurse-midwife(認定看護師助産師)の略.
CNP Community Nurse Practitioner(地域ナースプラクティショナー)の略.
CNS ***1*** central nervous *system* の略. ***2*** チオシアネート基 CNS⁻ または ⁻CNS の記号.
CO 一酸化炭素の記号.
Co コバルトの元素記号. 尾骨, 補酵素の記号.
^{57}Co コバルト57の記号.
^{58}Co コバルト58の記号.
^{60}Co コバルト60の記号.
c/o complains of(愁訴)の略.
co- →con-.
CoA coenzyme A の略.
co·ac·er·vate (kō-as′er-vāt) [L. *coacervare*, pp. *-atus*, to collect in a mass]. コアセルベート (乳濁液から, 第3成分(コアセルベート化物質)を加えることにより分離されるコロイド粒子の集合体).
co·ac·ti·va·tor (kō-ak′ti-vā-tŏr) [*co-* + *activator*]. コアクチベータ, 転写共役活性化因子 (遺伝子の転写増強に関与する核蛋白の一種. リガンド結合依存的転写因子と反応する. p160 コアクチベータおよび CBP/p300 分子をはじめとした数種のファミリーからなる).
  transcriptional c. 転写活性化補助因子 (DNA の特定領域に結合することによって, 転写を活性化する共役因子.→coactivator).
co·ad·ap·ta·tion (kō′ad-ap-tā′shŭn). 共同順応 (2か所以上の部位に対して, 関連して行う手技).
co·ag·glu·ti·nation (kō′ă-glū′tin-a′shun). 共同凝集 (特異性のある凝集素と結合した粒状抗原が凝集すること).
co·ag·u·la (kō-ag′yū-lă). coagulum の複数形.
co·ag·u·la·ble (kō-ag′yū-lă-bil). 凝固性を有する, 凝固性の.
co·ag·u·lant (kō-ag′yū-lant). ***1*** 〖n.〗〔血液〕凝固薬(剤), 凝血薬, 凝集薬. ***2*** 〖adj.〗 凝固性の. = coagulative.
co·ag·u·late (kō-ag′yū-lāt) [L. *coagulo*, pp. *-atus*, to curdle]. ***1*** 〖v.〗 凝結する (液体, または溶液中の物質が固形やゲルに変化する). ***2*** 〖v.〗 凝固する (液体状から固形またはゲルに変化する). = clot; curdle. ***3*** 〖n.〗 凝固して生成する固体または凝集体.
co·ag·u·la·tion (kō′ag-yū-lā′shŭn). ***1*** 凝固 (液体から固体に変化する過程. 特に血液について血液凝固などという. 脊椎動物の血液凝固はフィブリン形成に至るカスケード反応の結果である). ***2*** 凝塊, クロット, 〔凝〕血塊, 血餅. ***3*** 凝結 (ゾルがゲルまたは半固形体に変化すること. 例えば, 卵の白身が煮沸により固くなる現象. どんなコロイド懸濁液においても凝結によって分散相は非常に減少し, そのため, 凝固剤の完全または部分的な分離を起こす. 物質の基本的性質が化学変化を起こさないかぎり, 通常, 不可逆性現象である).
  disseminated intravascular c. (**DIC**) 播種性血管内凝固症候群 (小血管において凝固因子と線溶酵素の調整しがたい活性化に引き続いて起こる出血徴候をいう. フィブリンが沈着し, 血小板と凝固因子は消費され, フィブリン分解産物はフィブリンの重合を抑制し, その結果, 組織の壊死と出血をきたす.→consumption *coagulopathy*; fibrinogen-fibrin conversion *syndrome*).
co·ag·u·la·tive (kō-ag′yū-lă-tiv). 凝固性の (凝固を起こす). = coagulant (2).
co·ag·u·lop·a·thy (kō′ag-yū-lop′ă-thē). 凝固障害, 凝血異常 (血液の凝固能力に影響を及ぼす疾患).

凝固障害

消費性凝固障害(しばしば播種性血管内凝固症候群の同義語として用いられる)の最も重要な原因の一部分

急性	亜急性/慢性
胎盤剥離	敗血症性中絶
羊水塞栓	妊娠中毒症
溶血性輸血反応	癌 (肺, 前立腺)
Waterhouse-Friderichsen 症候群	Kasabach-Merritt症候群
グラム陰性菌敗血症	死亡胎児症候群
熱射病	急性出血性膵炎
蛇毒	急性白血病
急性前骨髄性白血病	非代償性肝硬変
ショック	
電撃性紫斑病	

  consumption c. 消費性凝固障害 (末梢血液中での凝固因子の消費とともに血小板の著明な減少をきたす疾患. しばしば播種性血管内凝固 disseminated intravascular *coagulation* の同義語として使われる.→fibrinogen-fibrin conversion *syndrome*).
co·ag·u·lum, pl. **co·ag·u·la** (kō-ag′yū-lŭm, -lă) [L. a means of coagulating, rennet]. 凝塊 (溶液が凝固してできる軟らかで, 硬化していない不溶性の塊).
co·al·co·hol·ic (kō′al-kŏ-hol′ik). →splinting. ***1*** 〖n.〗 共アルコール症〔者〕(飲酒の問題を過小評価したり, 否定したり, またはアルコールに伴う問題行動を埋め合わせするといったアルコール症患者に都合のよい行動をとることでアルコール症患者に飲酒の契機を与える人). *2*〖adj.〗共アルコール症の（共アルコール症または共アルコール中毒に関連した).

co·al·co·hol·ism (kō-al′kŏ-hol-izm′). 共アルコール中毒(アルコール症患者を容認する人の一連の態度，特質，または行動. アルコール症患者と共アルコール症者間の共生バランスに必要. →symbiosis).

co·a·les·cence (kō′ă-les′ents). 癒着，融合（本来は別々の独立した部分の融合). = concrescence (1).

coal oil (kōl oyl). = petroleum.

coal tar (kōl tar). コールタール（歴青炭の乾留中に得られる副産物. 黒い半固体で，ナフタリン様の臭気と強い刺激性の味を特徴とする. 皮膚疾患の治療に用いる).

co-amoxiclav (kō-ă-moks′i-klav). コ－アモキシクラブ（抗生物質であるアモキシシリンとクラブラン酸の合剤. 主に英国で使用されている).

co·apt (kō′apt). 接合する，癒合する.

co·ap·ta·tion (kō′ap-tā′shŭn) [L. *co-apto*, pp. *-aptatus*, to fit together]. 接合，癒合（2つの表面が結合または一致すること. 例えば創傷の唇縁あるいは骨折骨端).

co·arct (kō-arkt′) [L. *co-arcto*, pp. *-arctatus*, to press together]. 拘束された，縮窄する. = coarctate (1).

co·arc·tate (kō-ark′tāt). *1*〖v.〗= coarct. *2*〖adj.〗押し縮めた.

co·arc·ta·tion (kō′ark-tā′shŭn). 縮窄〔症〕（狭窄または縮窄状態).

aortic c. 大動脈縮窄症（大動脈，通常は左鎖骨下動脈 subclavian *artery* の分岐直後の部位の先天的狭窄. 上肢の高血圧，左室負荷，および下肢と腹部臓器の血流減少を起こす).

reversed c. 逆縮窄〔症〕（腕における血圧が足の血圧よりも低い大動脈弓症候群).

co·arc·tec·to·my (kō′ark-tek′tō-mē). 大動脈縮窄切除術((大動脈の)縮窄を解除すること).

co·arc·tot·o·my (kō′ark-tot′ō-mē) [coarct + G. *tomē*, cutting]. 縮窄部切開〔術〕.

CoAS-, CoASH コエンチームA，還元型コエンチームAを表す記号.

coat (kōt). *1* 被膜（器官あるいはその一部分の外包またはおおい). *2* 層，膜（管の壁を形成している膜性その他の層状構造. →tunic).

buffy c. 軟膜，バフィコート（血餅上層の低比重部分(すなわち凝固血漿と白血球)で，凝固の進行が緩徐で赤血球が沈降するのに十分な時間があるときに生じる. この部分は抗凝固処理血液を遠心分離した際に得られ，白血球と血小板を含む). = crusta inflammatoria; crusta phlogistica; leukocyte cream.

muscular c.☆ 筋層（muscular *layer* の公式の別名).

muscular c. of bronchi☆〔気管支〕筋層（muscular *layer* of bronchi の公式の別名).

muscular c. of colon☆ 結腸筋層（muscular *layer* of colon の公式の別名).

muscular c. of ductus deferens☆〔精管〕筋層（muscular *layer* of ductus deferens の公式の別名).

muscular c. of esophagus☆〔食道〕筋層（muscular *layer* of esophagus の公式の別名).

muscular c. of female urethra☆ 女の尿道の筋層（muscular *layer* of female urethra の公式の別名).

muscular c. of gallbladder☆〔胆嚢〕筋層（muscular *layer* of gallbladder の公式の別名).

muscular c. of intermediate part of male urethra☆ muscular *layer* of prostatic urethra の公式の別名.

muscular c. of large intestine☆ muscular *layer* of large intestine の公式の別名.

muscular c. of male urethra = muscular *layer* of male urethra.

muscular c. of pharynx☆ 咽頭筋層（pharyngeal *muscles* の公式の別名).

muscular c. of prostatic urethra = muscular *layer* of prostatic urethra.

muscular c. of rectum☆ 直腸筋層（muscular *layer* of rectum の公式の別名).

muscular c. of small intestine☆〔小腸〕筋層（muscular *layer* of small intestine の公式の別名).

muscular c. of spongy part of male urethra☆ muscular *layer* of spongy (male) urethra の公式の別名.

muscular c. of stomach☆ 胃の筋層（muscular *layer* of stomach の公式の別名. →oblique *fibers* of muscular layer of stomach).

muscular c. of trachea☆ 気管筋層（muscular *layer* of trachea の公式の別名).

muscular c. of ureter☆〔尿管〕筋層（muscular *layer* of ureter の公式の別名).

muscular c. of urinary bladder☆〔膀胱〕筋層（muscular *layer* of urinary bladder の公式の別名).

muscular c. of uterine tube☆〔卵管〕筋層（muscular *layer* of uterine tube の公式の別名).

muscular c. of uterus = myometrium.

muscular c. of vagina☆〔膣〕筋層（muscular *layer* of vagina の公式の別名.)

sclerotic c. 強膜. = sclera.

serous c.☆ 漿膜（serosa の公式の別名).

serous c. of peritoneum☆ *serosa* of peritoneum の公式の別名.

coat·ing (kōt′ing). コーティング，剤皮，被覆物.

antireflection c. 反射防止膜（反射を最小限にするため，レンズに塗られたフッ化マグネシウムの薄膜).

CoA trans·fer·as·es (trans′fer-ās′ēz). CoA トランスフェラーゼ（CoA をアセチル CoA やサクシニル CoA から他のアシル基へ転移させる酵素).

Coats (kōts), George. [誤った形 Coat および Coat's を避けること]. 英国人眼科医，1876—1915. →C. *disease*.

co·bal·a·min (Cbl) (kō-bal′ă-min). コバラミン（ビタミン B_{12} のジメチルベンズイミダゾリルコバミド核を含む化合物の一般名).

ATP: c. adenosyltransferase ATP コバラミンアデノキシトランスフェラーゼ（ATP，H_2O とコバラミンから正リン酸，ピロリン酸とアデノキシコバラミンの生成反応を触媒する酵素. アデノシルコバラミンはメチルマロニル CoA ムターゼの酵素反応に必須である. ATP コバラミンアデノキシトランスフェラーゼの欠損によりメチルマロン酸血症になる).

c. concentrate 濃縮コバラミン（選択した *Streptomyces*属やその他のコバラミン産生性微生物の培養産物を乾燥・半精製したもの. 1 g 当たり少なくとも 500 μg のコバラミンを含む).

co·balt (Co) (kō′bawlt) [Ger. *kobalt*, goblin or evil spirit]. コバルト（鉄に似た灰白色の光沢をもつ金属元素. 原子番号27，原子量58.93320. 生元素の1つ. ビタミン B_{12} の成分. 化合物はコバルトブルーのような顔料として用いる).

co·balt 57 (^{57}Co) (kō′bawlt). コバルト 57（半減期 271.8 日. 電子捕獲によって壊変し，中程度のエネルギー(122.06keV)のガンマ線を放出する. ある種の代謝疾患の診断目的に使用される).

co·balt 58 (^{58}Co) (kō′bawlt). コバルト 58（半減期 70.88 日の β^+ 放出体).

co·balt 60 (^{60}Co) (kō′bawlt). コバルト 60（半減期 5.271 年の β^- 放出体. ベータ粒子および高エネルギーのガンマ線を放出するので，ラジウム，ラドン，X線の代わりに遠隔放射線治療や診断目的に用いる. またビタミン B_{12} 吸収の評価における診断目的でも使用される).

co·bal·tous chlo·ride (kō-bawl′tŭs klōr′id). 塩化コバルト（種々の不応性貧血の治療に用い，ヘマトクリット，ヘモグロビン，赤血球数を改善する).

Cobb (kob), Stanley. 米国人神経病理学者，1887—1968 →C. *syndrome*.

co·bra (kō′bră) [Port. snake < L. *coluber*, snake]. コブラ(一般的に，猛毒ヘビである *Naja*属(メガネヘビ科)のヘビ. 6種が知られ，アジアコブラ以外はすべてアフリカ産である. 典型的な行動様式としては，頸部(hood)を膨らませること，体の1/3を地上から起こすこと，ある種のコブラは毒液をつばのように飛ばすことなどがある. その毒液は主に神経毒性である. *Pseudohaje*属，*Hemachatus*属，*Ophiophagus*

属に属するコブラもある).

co・bro・tox・in (kō′brō-tok′sin). コブロトキシン，コブラ毒素（62アミノアシル残基のポリペプチド．細胞に対する作用は，蜜バチ毒素メリチンの作用に類似し，膜の崩壊を促進する．研究用抗リウマチ薬として用いる）. = cobra toxin; direct lytic factor of cobra venom.

co・byr・ic ac・id (kō-bir′ik as′id). コビリン酸（コビリニン酸のヘキサアミド．ビタミン B_{12} 構造の一部）. = cobyrinamide; factor V_{1a}.

co・byr・in・a・mide (kō′bir-in′ă-mīd). コビリナミド. = cobyric acid.

co・byr・in・ic ac・id (kō′bir-in′ik as′id). コビリニン酸（8個のメチル基が1，2，5，7，12(2)，15，17の位置に，$-CH_2COOH$ 基が2，7，18に，$-CH_2CH_2COOH$ 基が3，8，13，17にあるコリンで，2価のコバルトが4つの窒素の中心に位置している．酸の側鎖は，数字の順に，*a*, *b*, *c*, *d*, *e*, *f*, *g* と命名される．ビタミン B_{12} 構造の一部である）.

co・ca (kō′kă) [S. Am.]. コカ（コカノキ *Erythroxylon coca* の乾燥葉でエーテル可溶性アルカロイドを0.5%以上含む．コカインその他多くのアルカロイドの原料）.

---

co・caine (kō-kān′). コカイン；$C_{17}H_{21}NO_4$；benzoylmethylecgonine（コカノキ科コカノキ *Erythroxylon coca* および *Erythroxylon* 属の他の種の葉から得られるクリスタリンアルカロイド，またエクゴニンやその誘導体から合成される．中枢神経刺激作用，血管収縮作用を有する薬物であり，代表的な麻酔薬である．多幸感を得られるものとして広く乱用され，また，投与により重篤な身体的・精神的影響を生じる危険性がある）.

コカ属植物はボリビアやペルーに生育しており，現地の人々は何世紀にも渡り，空腹感，口渇感や疲労感を改善する目的で，少量の石灰岩や植物の灰とともにその葉をかんでいた．19世紀には，興奮剤，抗うつ薬や代表的な麻酔薬として広く用いられるようになったが，依存性が強いことから現在では全身投与は行われなくなっている．1920年代にアンフェタミンが登場したことによりコカインの使用は少なくなったものの，1960年代には再び使用されるようになった．現在ではコカインは，塩酸塩として主に路上で取り引きされている．白色の粉末であり，“coke” “snow” “flake” “blow” などとよばれている．路上では，コーンスターチ，タルカムパウダー，砂糖，procaineやベンゾカインなどの他の薬物に混入して売られている．粉末は，通常鼻孔から吸引されるが，経口，経腟，直腸内投与や静脈内投与される場合もある．“freebasing” といわれる方法により，塩酸塩から煙状コカインを遊離することができるが，得られる遊離型コカインは易燃性であり危険である．一般にcrack（クラック）とよばれるものは，コカイン塩酸塩からアンモニアや炭酸ナトリウムと水を用いて得られる天然型コカインのことである．これにより得られた固形物を砕いたものは，“rock” “ready rock” “french fries” “teeth” などとよばれる．路上でクラックが売られるようになった1980年代から，コカインの過量投与による救急搬送，コカイン関連の死亡事故，乳幼児のコカイン依存症などが増加している．コカインの投与により，速やかに強い多幸感が生じ，活力，警戒心，自尊心が生じ，食欲や睡眠に対する欲求が減退する．心拍，血圧，呼吸数は増加する．高投与量では，奇行，攻撃性行動，被害妄想，胸痛，身震い，痙攣，昏睡が生じ，冠疾患発作や呼吸停止により死に至ることもある．煙状コカインは，吸引によるものよりも速やかに脳内へ到達する．効果はどちらも30分以内に消失し，その後，“coke crash” とよばれる強いうつ状態，焦燥感や疲労感が生じる．コカインの連用により，慢性的な不安感，焦燥感，うつ状態，不眠や，偏執，錯乱や妄想による可逆性精神病状態が生じる．度重なるコカインの吸引により鼻炎が生じ，さらに悪化すると鼻腔内隔壁に穿孔が生じる場合もある．コカインは本来は耐性が生じないことから習慣化しにくいとされるが，実際は，常用している場合には身体的・精神的影響の増強がみられることもある．精神的依存は2週間以内には形成される．投与の中止により，強い使用への渇望がみられ，さらに投与中止を継続すると，不安感，うつ状態，食欲や睡眠欲求の減退などの症状がみられる．

---

crack c. クラックコカイン（コカインの誘導体．通常，吸入して用いられ，短時間の強力な高揚をもたらす．比較的安価で，きわめて嗜癖性が強い．→street *drug*）.

c. hydrochloride 塩酸コカイン（目や粘膜の局所麻酔に用いる水溶性塩類）.

co・cain・i・za・tion (kō′kān-i-zā′shŭn). コカイン麻酔〔法〕（コカインを粘膜に塗って表面麻酔をすること）.

co・car・box・yl・ase (kō′kar-boks′i-lās). コカルボキシラーゼ. = *thiamin* pyrophosphate.

co・car・cin・o・gen (kō-kar-sin′ō-jen′). 発癌補助物質（癌の発生において，発癌性物質と共同作用する物質）.

Coc・ca・ce・ae (kok-kā′sē-ē) [G. *kokkos*, a berry]. 真正細菌目の一科を表す現在では用いられない語．分裂平面が1つの連鎖球菌属 *Streptococcus*，2つの球菌属 *Micrococcus*，または3つの八連球菌属 *Sarcina* のものに分かれ，そして細胞の対，四分裂体，立方体，あるいはより大きい束，あるいは鎖を形成するすべての球形細菌を含む．

coc・cal (kok′ăl). 球菌の．

coc・ci (kok′sī). [誤った発音 kok′ī を避けること]. coccus の複数形．

Coc・cid・i・a (kok-sid′ē-ă) [Mod. L. < G. *kokkos*, berry]. 球虫類亜綱（重要な原生動物(Apicomplexa 門胞子虫綱)の一亜綱で，成熟した栄養型は小さく，典型的な細胞内性であり，増員生殖と胞子形成とが同一宿主内で生じうる．この点が，種々の無脊椎動物内で，大きな細胞外性の栄養型をつくり，増員生殖では増殖しない胞子虫綱グレガリナ類と対照的である）. = Coccidiasina.

coc・cid・i・a (kok-sid′ē-ă). coccidium の複数形．

coc・cid・i・al (kok-sid′ē-ăl). コクシジウムの．

Coc・ci・di・as・i・na (kok-sid′ē-ā-sī′nă). = Coccidia.

coc・cid・i・oi・dal (kok-sid′ē-oy′dăl). コクシジオイデス真菌症の（コクシジオイデス真菌症，またはその感染生体についていう）.

Coc・cid・i・oi・des (kok-sid′ē-oy′dēz) [coccidium + G. *eidos*, resemblance]. コクシジオイデス属（米国南西部や，それより狭いが，中央アメリカや南アメリカ全域の半乾燥地域の土壌中に生息する真菌の一属で，その他の地域では見出されない．唯一の病原性の菌種である *C. immitis* がコクシジオイデス真菌症の原因となる）.

coc・cid・i・oi・din (kok-sid′ē-oy′din). コクシジオイジン（*Coccidioides immitis* の成長過程における副産物を含む滅菌液．皮膚テストに用い，診断上は風土病のない地域でより有効である）.

coc・cid・i・oi・do・ma (kok-sid′ē-oy-dō′mă). コクシジオイドーム，コクシジオイデス腫（一次コクシジオイデス真菌症に引き続いて肺に起こる良性の局所的な残留性腫状病変または瘢痕）.

coc・cid・i・oi・do・my・co・sis (kok-sid′ē-oy′dō-mī-kō′sis) [coccidioides + G. *mykēs*, fungus + *-osis*, condition]. コクシジオイデス真菌症（*Coccidioides immitis* の分節分生子の吸入による変動性，良性，重症，あるいはときに致死的な全身性真菌感染症．感染の良性型では，病巣は上気道，肺，リンパ節の近くに限られる．発生率は低いが，他の内臓器官，骨，髄膜，関節，皮膚および皮下組織に播種されることもある）. = Posadas disease.

disseminated c. 播種性コクシジオイデス真菌症（コクシジオイデス症の重症，慢性，進行性病型で，肺から他臓器へ広がる．この病気の患者は通常，重い免疫不全である）.

primary c. 一次コクシジオイデス真菌症，初期コクシジオイデス真菌症（カリフォルニアのサン・ホアキン渓谷，米国南西部のある地域，アルゼンチンのチャコ(Chaco)地方の普遍的な疾患で，*Coccidioides immitis* の分節分生子の吸入によって起こる．急性の呼吸器症状で始まり，発熱，痛み，倦怠感，関節痛，頭痛，ときに初期に紅斑性あるいは丘疹性の発疹を伴う．多形性紅斑，結節性紅斑が後から現れることもある）. = desert fever; San Joaquin fever; San Joaquin Valley disease; San Joaquin Valley fever; valley fever.

primary extrapulmonary c. 原発性肺外コクシジオイデス真菌症（局所的外傷部の近くに無痛性で硬い結節が1—2

週間で発生し，所属リンパ節腫大を伴い，数週間のうちに自然に治癒するまれな病型）.

secondary c. 二次コクシジオイデス真菌症（一次コクシジオイデス真菌症に続発する進行性あるいは播種性肉芽腫状病変）. ＝coccidioidal granuloma.

subclinical c. 無症状コクシジオイデス真菌症（呼吸器症状が軽微で限定的なので医学的注意が向けられないコクシジオイデス真菌症の一型）.

coc·cid·i·o·sis (kok-sid′ē-ō′sis). コクシジウム症（コクシジアのすべての種により起こされる疾病群に対する名称．多くの家畜や家禽，飼育された多くの野生動物によくみられる重症の原虫性疾患．エイズ患者で腸と肺の両臓器のコクシジウム症の合併例が報告されている）.

coc·cid·i·o·stat (kok-sid′e-ō-stat′). コクシジウム抑制薬（一般に動物の飼料に加えて，コクシジウム症の発生を部分的に抑制あるいは遅延させる化学物質）.

coc·cid·i·um, pl. **coc·cid·i·a** (kok-sid′ē-ŭm, -ē-ă) [Mod. L.: G. *kokkos*(berry)の指小辞]. コクシジウム（Eucoccidiida 目に属する寄生性原生動物の一般名で，一般に腸の上皮細胞内で増員生殖をするが，胆管や腎臓の上皮細胞内で増員生殖をする種もある．宿主内での有性融合と分化の最終産物(すなわち卵母細胞)は，一般に糞便から土壌に移り，胞子形成を経て他の宿主に対して感染力のある型になる．ほとんどの家畜，野生の鳥類，哺乳類，ときにはヒトに寄生し，これらは非常に宿主特異性がある．大多数は非病原性であるが，鳥類や哺乳類におけるコクシジウム症のような，重症度からも経済的にも重要な疾病の病原体となる種もある．⇀*Isospora*; *Cryptosporidium*）.

coc·ci·nel·la (kok′sin-el′ă). ＝cochineal.

coc·ci·nel·lin (kok′si-nel′in). コクシネリン（コチニールから得られる染料）.

coc·co·bac·il·lar·y (kok′ō-bas′i-lār′ē). ***1*** 球杆菌〔性〕の．***2*** 球菌状，杆菌状，およびその中間型を示す生物の.

coc·co·ba·cil·lus (kok′ō-bă-sil′ŭs) [G. *kokkos*, berry]. 球杆菌（卵円形あるいはやや細長い球菌様の短く太い杆菌）.

coc·coid (kok′oyd) [G. *kokkos*, berry ＋ *eidos*, resemblance]. 球菌様の.

coc·cu·lin (kok′yū-lin). ＝picrotoxin.

coc·cus, pl. **coc·ci** (kok′ŭs, kok′sī) [G. *kokkos*, berry]. [本語の複数形を kok′ī と誤って発音するのを避けること]. ***1*** 球菌（円形，球形，または卵円形の細菌）．***2*** ＝cochineal.

Neisser c. (nī′sĕr). ナイサー(ナイセル)球菌．＝*Neisseria gonorrhoeae.*

Weichselbaum c. (vīk′sĕl-bowm). ヴァイクセルバウム球菌．＝*Neisseria meningitidis.*

coc·cy·ceph·a·ly (kok′si-sef′ă-lē) [G. *kokkyx*, cuckoo ＋ *kephalē*, head]. くちばし状頭，尾骨状頭（頭部のプロフィールがくちばしに似ている奇形）.

coc·cy·dyn·i·a (kok′sē-din′ē-ă) [coccyx ＋ G. *ōdyne*, pain]. 尾骨痛．＝coccygodynia; coccyodynia.

coc·cyg·e·al (Co) (kok-sij′ē-ăl). 尾骨の（[誤った発音 kok-si-jē′al を避けること]）.

coc·cy·gec·to·my (kok′sē-jek′tō-mē) [coccyx ＋ G. *ektomē*, excision]. 尾骨切除〔術〕.

coc·cyg·e·us (kok-sij′ē-ŭs). 尾骨の（⇀coccygeus *muscle*）.

coc·cy·go·dyn·i·a (kok′si-gō-din′ē-ă) [coccyx ＋ G. *odynē*, pain]. ＝coccydynia.

coc·cy·got·o·my (kok-sē-got′ō-mē) [coccyx ＋ G. *tomē*, a cutting]. 尾骨切開〔術〕（尾骨をその付着物から切り離す手術）.

coc·cy·o·dyn·i·a (kok′sē-ō-din′ē-ă). ＝coccydynia.

coc·cyx, gen. **coc·cy·gis,** pl. **coc·cy·ges** (kok′siks, -si-jis, -si-jēs) [G. *kokkyx*, a cuckoo, the coccyx][TA]. 尾骨（[誤った発音 kok′iks および kos′iks を避けること]．ヒトの脊柱の末端にある小骨．4個の痕跡椎骨の癒合により形成される．上方で仙骨と連続する）. ＝os coccygis [TA]; coccygeal bone; tail bone.

COCH DFNA9 遺伝子の遺伝子シンボル.

coch·i·neal (kotch′i-nēl′) [O. Sp. *cochinilla*, wood louse ＜ G. *kokkinos*, berry][C.I. 75470]. コチニール（幼虫をはらんだエンジムシ *Coccus cacti*(卵と幼虫をはらんだ *Dactylopius coccus*)の雌を乾燥させたもの．コクシネリンが得られる．赤色着色剤，染料として用いる．⇀carmine）. ＝coccinella; coccus (2).

coch·le·a, pl. **co·chle·ae** (kok′lē-ă, lē-ē) [L. snail shell] [TA]. 蝸牛（側頭骨錐体内にあるカタツムリの殻に似た骨性器官で，内耳すなわち骨迷路の前部をなす．本体は蝸牛軸を中心とする2回転半のラセン管で，内部には前庭階，蝸牛迷路とラセン器(Corti 器)からなる蝸牛管，および鼓室階が納まっている．蝸牛管は前庭階とはライスナー膜で，鼓室階とは基底板で隔てられる）.

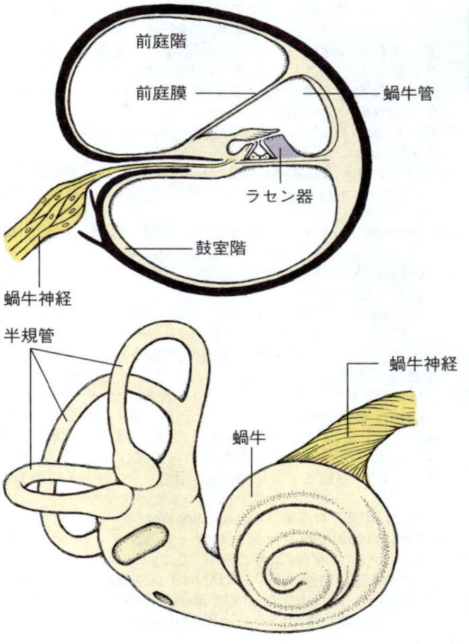

cochlea

membranous c. ＝cochlear *duct.*

co·chle·ar (kok′lē-ăr). 蝸牛の.

c. microphonic (kok′lē-ar mī-krō-fon′ik). 蝸牛マイクロフォン電位（音に反応して Corti 器の有毛細胞が生み出す生体内電位．音刺激の周波数と大きさを忠実に表す）. ＝cochlear potential; Wever-Bray phenomenon.

co·chle·a·re (kō′klē-a′rē) [L.]. 匙(さじ)（⇀spoon）.

c. amplum [L.]. テーブルスプーン1杯の（大匙1杯分．註約 15 cc）.

c. magnum [L.]. テーブルスプーン1杯の（大匙1杯分．註約 15 cc）.

c. medium [L.]. デザートスプーン1杯の（中匙1杯分．註約 8 cc）.

c. modicum [L.]. デザートスプーン1杯の（中匙1杯分．註約 8 cc）.

c. parvum [L.]. ティースプーン1杯の（茶匙1杯分．註約 5 cc）.

co·chle·ar·i·form (kok′lē-ar′i-fōrm) [L. *cochleare*, spoon ＋ *forma*, form]. 匙(さじ)状の.

co·chle·ate (kok′lē-āt) [L. *cochlea*, a snail shell]. 蝸牛殻状の（①蝸牛殻に似ている．②平板培養におけるコロニーの形状を示す）.

coch·le·i·tis (kok′lē-ī′tis) [cochlea ＋ G. *-itis*, inflammation]. 蝸牛炎（蝸牛の炎症）.

coch·le·o·sac·cu·lot·o·my (kok′lē-ō-sak′yū-lot′ō-mē). 蝸牛球形嚢シャント術（正円窓経由で蝸牛と球形嚢間にシャントを造設する Ménière 病に対する手術）.

coch·le·o·top·ic (kok′lē-ō-top′ik) [cochlea ＋ G. *topos*, place＋-ic]. 蝸牛向性（脳(脳幹)の聴覚上向経路において周波数に対応した伝導路の局在があることをさす．㊟厳密な蝸牛内局在パターンが脳幹の聴覚上向経路にも存在する）.

co·chle·o·ves·tib·u·lar (kok′lē-ō-ves-tib′yū-lăr). 蝸牛前庭の（内耳の蝸牛と前庭に関する）.

Co·chli·o·my·ia (kok′lē-ō-mī′yă). コクリオミイヤ属（ニクバエ類(クロバエ科)の一属で，幼虫は，創や潰瘍における腐肉あるいは死肉中で発生する）.

C. americana *C. hominivorax* の誤称.

C. hominivorax メキシコからアルゼンチンに至る家畜の重要な害虫で，西半球でのハエウジ症の一次原因生物である．新鮮血にひかれて，傷口，刺咬部，あるいは健常な体湿部に卵を産み付ける．幼虫は生組織中に侵入し，重篤なハエウジ症を引き起こし，しばしば死に至らしめる．ヒトでは，創口，眼，その他の体の開口部も攻撃するが，特に鼻を襲う．＝screw-worm fly.

Coch·rane (kok′răn), A.L. 英国人疫学者，1909—1988. ⇀C. *collaboration*.

co·cil·la·na (ko′sē-yah′nă). コシラナ（ボリビア産のコシラナ *Guarea rusbyi* の乾燥樹皮．気管支炎の去痰薬として用いる）.

Cock·ayne (kok′ān), Edward A. 英国人医師，1880—1956. ⇀C. *disease, syndrome*; Weber-C. *syndrome*.

cock·tail (kok′tāl). カクテル（いくつかの成分あるいは薬物を含有する混合物）.

Brompton c. [*Brompton* Chest Hospital, 開発したロンドンの病院]. ブロンプトンカクテル（モルヒネおよびコカインの混合物で，主に末期癌患者の鎮痛薬として用いる．種々の処方があるが，典型的なものはカクテル 10 mL 中に 15 mg の塩酸モルヒネおよび 10 mg の塩酸コカインを含む）.

gastrointestinal c. 胃腸カクテル（胃に由来すると考えられる症状を取るため用いられる複数の薬の懸濁液．ときには，症状が胃腸由来かどうかを明らかにするため，診断的治療にも用いられる．㊟日本には相当するものはない）. ＝GI c.

GI c. 胃腸カクテル. ＝gastrointestinal c.

Philadelphia c. フィラデルフィアカクテル. ＝Rivers c.

Rivers c. (riv′ĕrz). リヴァーズカクテル（10% ブドウ糖を含む生理食塩水 1,000—2,000 mL に塩酸チアミンおよび 25 単位のインスリンを加えた静脈注射用薬剤．急性アルコール中毒に対して用いる）. ＝Philadelphia c.

co·coa (kō′kō). ココア（アオギリ科 *Theobroma cacao* の成熟した種子を乾燥し，粉末としたもの．香料としてココアシロップの調製に用いる. →cacao).

co·con·scious·ness (kō-kon′shŭs-nes). 共意識（①意識が 2 つの流れに分かれること．②解離性障害において，一方の人格が他の人格の思考に気づいていること）.

co·con·ver·sion (kō′kon-ver′zhŭn). 同時遺伝子変換（遺伝子変換中 DNA 上の 2 つの部位で同時に起こる修正）.

cocto- (kok′tō) [L. *coctus*, cooked]. 煮沸または熱変性によることを意味する接頭語.

coc·to·la·bile (kok′tō-lā′bil). 煮沸に不安定な（水の沸点にさらすと変質または分解するもの）.

coc·to·sta·bile, coc·to·sta·ble (kok′tō-stā′bil, -bīl; -stā′bĕl). 煮沸に耐える（変質または破壊することなく水の沸点に耐える）.

code (kōd) [L. *codex*, book]. ***1*** コード，規約（法律上，思想上，倫理上のものについていう）. ***2*** コード（情報の搬送・伝達の手段としての体系）. ***3*** コード，シグナル（心肺蘇生チームなどの訓練スタッフを必要とする緊急事態を表すのに病院で用いるコード，またはそのようなチームを招集するシグナル）. ***4*** コード，記号番号（情報を順番に並べたり分類するのに用いる数字の番号系）.

genetic c. 遺伝暗号（染色体上の特定のDNA分子の伝える遺伝情報．特にDNA分子上の 3 個の連続するヌクレオチド配列が対応する 1 個のアミノ酸を蛋白分子上の対応する位置へ取り込むのを支配する系．遺伝暗号は原核生物，植物および動物界を通じてほとんど普遍的である．2 つの例外が知られている．繊毛原生動物では，トリプレット AGA および AGG はL-アルギニンではなく終結シグナルとして読まれる．これはまた，ミトコンドリアの暗号についても真実である．そこではさらに AUA をL-メチオニン(L-イソロイシンの代わりに)の暗号として，また UGA をL-トリプトファン(終結シグナルの代わりに)の暗号として使用する）.

soundex c. 特に様々なタイプの記録の連結(linkage of record)において，音声的な名前の記録に用いられる連続した文字.

co·deine (kō′dēn) [G. *kōdeia*, head, poppy head]. コデイン（アヘン(含有率 0.7—2.5%)から得られるが，通常は，モルヒネからつくられるアルカロイド．鎮痛薬，鎮咳薬に用いる．肉体的精神的薬物依存性を生じるが，嗜癖形成度はモルヒネよりも低い．生体内でモルヒネへと変換され，大部分の薬効を発揮する）. ＝methylmorphine.

Co·dex med·i·ca·men·tar·i·us (kō′deks med′i-kă-men-tār′ē-ŭs) [L. a book pertaining to drugs]. French Pharmacopeia(フランス薬局方)の公式名.

cod·ing (kōd′ing). 符号化，コード化（情報(例えば診断名，質問に対する回答)を，データ処理システムに入力するために数値カテゴリーに変換すること）.

place coding 場所符号化（Corti 器の働きでなされる，周波数に応じた符号化．蝸牛の基底部が高い周波数，そして徐々に先端に行くにしたがって低い周波数に対応している）.

cod liv·er oil (kod liv′ĕr oyl). タラ肝油（タラ(*Gadus morrhuae*)などタラ科魚類の新鮮な肝臓から抽出され，部分的に脱ステアリン化した不揮発油．ビタミンAとビタミンDを含む．ビタミンAとDの補充源）.

Cod·man (kod′măn), Ernest Amory. 米国人外科医，1869—1940. ⇀C. *triangle, tumor*.

co·do·gen·ic (kō′dō-jen′ik). 暗号の（暗号によって形成される．特に遺伝暗号についていう）.

co·dom·i·nant (kō-dom′i-nant). 共優性の（遺伝学において，2 つの遺伝子の優性度が等しいことを示し，ともに個体の表現型に表れる．例えば，ABO血液型のAとBの遺伝子は相互優性であり，両方をもつ個体はAB型である）.

co·don (kō′don) [code＋-on]. コドン（DNA または RNA 鎖上の 3 個連続した 1 組のヌクレオチドで，蛋白鎖に取り込まれるアミノ酸をコードしたり，終結シグナルとして役立つ遺伝情報を備えている. →genetic *code*). ＝triplet (3).

amber c. アンバーコドン（終止コドン，UAG）.

initiating c. 開始コドン（トリヌクレオチドAUG(ときにGUG)であり，蛋白配列の最初のアミノ酸，ホルミルメチオニンに対する遺伝暗号である．ホルミルメチオニンは，しばしば転写後に脱離される）. ＝start c.

initiation c. 開始コドン（特別のメッセンジャー RNA 配列(通常 AUG，しかしときに GUG)でホルミルメチオニル-トランスファー RNA 付加と翻訳開始のシグナルである）.

nonsense c. ナンセンスコドン. ＝termination c.

ochre c. オーカーコドン（終止コドン，UAA）.

opal c. オパールコドン. ＝umber c.

punctuation c. ＝termination c.

start c. ＝initiating c.

stop c. ＝termination c.

termination c. 終止コドン（トリヌクレオチド配列(UAA，UGAまたはUAG)のことで，翻訳または転写の終止点を規定する．*cf.* amber c.; ochre c.; umber c.）. ＝nonsense c.; punctuation c.; stop c.; termination sequence; termination signal.

umber c. アンバーコドン（終止コドン，UGA．㊟日本では，amber c. と区別するため〝オパールコドン opal c.〟と称することが多い）. ＝opal c.

coe- (kō). この形で始まり以下に記載のない語については ce- のつづりを参照.

co·ef·fi·cient (kō′ĕ-fish′ĕnt) [L. *co-*＋*effico*(*exfacio*), to accomplish]. 係数，率（①物体のもつ性質の規模あるいは程度を表したもの．またある条件下で，その物体が通常起こす物理的・化学的な変化または変量の度合い．②ある条件の下で観測された量の標準状態のそれに対する比あるいは割合）.

absorption c. 吸収係数（①液体 100 mL を飽和する分圧 1 気圧の気体の mL 数の，0°C 1 気圧における換算値．②物質の 1 モル溶液の厚さ 1 cm の層を通して吸収される光量で，Beer-Lambert 法則の定数．この場合は吸光係数ともいう．*cf.* specific absorption c. ③物質内を通過する際の散乱および他種のエネルギーへの変換の両者によるX線強度の減衰率をいう）.

activity c. (γ) 活性度係数（→activity (2)).
biologic c. 生物学的係数（安静時の身体が消費するエネルギーを表す，まれに用いる語).
Bunsen solubility c. (α) (bŭn′sĕn). ブンゼン溶解度係数（一定温度で1気圧の気体が1mLの液体に溶けるmL数を標準状態に換算したもの).
c. of consanguinity 近交係数. =c. of inbreeding.
correlation c. 相関係数（2変数間の直線的な関係の程度を示す関連の尺度．rで表され，+1から−1までの値をとる．r=1のとき，1つの変数の変化がもう一方の変化にそのまま直結するという完全に正の直線的な関係がある．r=−1のときは変数間には完全に負の直線的な関係が存在する).
creatinine c. クレアチニン係数（体重(kg)当たり1日に排出されるクレアチニン量(mg)).
diffusion c. 拡散係数（1.0の濃度勾配での単位時間に，単位面積を通って拡散する物質の量). =diffusion constant.
distribution c. 分配係数（平衡状態において2つの不混和相中における物質の濃縮比．分配クロマトグラフィによる分離原理の基礎をなす). =partition c.
economic c. 利用係数（微生物の増殖や培養において，消費した基質に対する産生した量の比).
extinction c. (ε) 消衰係数. =specific absorption c.
extraction c. 除去率（ある組織を1回通過した際に，血液あるいは血漿から除去される物質の百分率．例えば，パラアミノ馬尿酸(PAH)の腎臓における除去率とは，動脈と腎静脈の血漿中のPAH濃度差を動脈血漿中のPAH濃度で除したものである).
filtration c. 沪過係数（膜の水に対する透過性の測定値．特に，単位時間に単位面積の膜を通して単位圧差当たりに沪過される液量で，この場合，水圧と浸透圧両方を含む).
Hill c. (*h*) (hil). ヒル係数（Hillプロットにおける勾配．協同性の強さを表す値). =Hill constant.
hygienic laboratory c. 衛生試験所係数. =Rideal-Walker c.
c. of inbreeding 近交係数（血族結婚の子孫が，共通の祖先由来のある特定な常染色体対立遺伝子についてホモ接合体となる確率). =c. of consanguinity.
isotonic c. 等張係数（血漿中の塩の量または等張液をつくるために蒸留水中に加える塩の量).
c. of kinship 親縁係数（独立の2個体から同じ遺伝子座上で，無作為に遺伝子を選んだときに，遺伝的に等しい確率).
lethal c. 致死係数（最も短い時間内に，20—25°Cのもとで細菌を殺す殺菌薬の濃度).
linear absorption c. 線吸収係数（単位厚さの物質または組織によって吸収される電離放射線の量.→absorption c. (3). *cf.* attenuation).
Long c. (long). ロング係数. =Long *formula*.
molar absorption c. (ε) モル吸光係数，分子吸光係数（単位濃度(モル/L)の溶液の厚さ1cmの層を通した際の吸光度.分光分析の基本単位). =absorbancy index (2); absorptivity (2); molar absorbancy index; molar absorptivity; molar extinction c.
molar extinction c. =molar absorption c.
Ostwald solubility c. (*Λ*) (ost′valt) [Friedrich Wilhelm *Ostwald*]. オストヴァルト(オストワルド)溶解度係数（一定温度で1気圧(760 mmHg)の気体が1mLの液体に溶けるmL数．Bunsen溶解度係数αがSTPD(標準状態)換算であるのに対し，実験時温度である点が異なる．したがって$\lambda=\alpha(1+0.00367t)$となる．$t$はセ氏温度).
oxygen utilization c. 酸素利用係数（組織での酸素の除去率).
partition c. 分配係数. =distribution c.
permeability c. 透過係数（単純拡散による膜透過に関する係数．分配係数拡散係数に比例し，膜の厚さに反比例する).
phenol c. フェノール係数. =Rideal-Walker c.
Poiseuille viscosity c. (pwah-swē′). ポワズーユ(ポワセイユ)の粘性率（毛細管中の流体の示す粘性の度合い．時間tの間に半径r，長さlの細管内を体積νの液体が流れ，流入口と流出口における圧力差がPのとき，粘性率ηは$\eta=\pi Pr^4t/8\nu l$で表される．体積をcm^3，時間を秒，長さと半径をcmで表したとき，粘性率ηの単位はポアズとなる).
reflection c. (σ) 反射係数（溶液中の膜の溶質に対する相対的透過性の測定値．実測の浸透圧の，van't Hoffの浸透圧の法則より算出した圧に対する比．1よりこの比を減じた値は，その膜の溶質および溶媒に対する面有効透過率に等しい).
c. of relationship 近縁係数（配偶者の一方に存在する遺伝子が他方にも存在し，それが共通の祖先からもたらされた確率).
reliability c. 信頼度係数（測定値の一致性の指数．同一の対象に対する1回目の試験値と再試験における値との間の相関性(再テスト信頼性)，あるいは同じ調査・試験を別の形式で行ったときの相関性(代替形式性)).
respiratory c. 呼吸係数. =respiratory *quotient*.
Rideal-Walker c. (rid′ē-ăl wah′kĕr). ライディール－ウォーカー係数（薬物の殺菌力を示す値．一定時間内に微生物を殺す殺菌薬の希釈度を，同じ時間内に同じ条件下で細菌を殺す石炭酸の希釈度で除したもの). =hygienic laboratory c.; phenol c.
sedimentation c. (*s*) 沈降係数. =sedimentation *constant*.
selection c. (*s*) 選択係数（性的成熟年齢まで生き延びない子孫あるいはその可能性を有する子孫の割合．通常は人為的に以下のように定義されている．すなわちある特定の表現型の適応度を表すのに平均または最適適応型との比較により適応度を算出する．この場合この割合(s)を1より減じたものとする．もし集団における家族の平均的大きさが3.2であり，ある特定の遺伝型に対するそれが2.4であるならば，表現型の適応度は2.4/3.2=0.75であり，選択係数は1−0.75=0.25である).
specific absorption c. (*a*) 比吸光係数（単位質量濃度(CGS系)の溶液の厚さ1cmの層を通した際の吸光度．*cf.* molar absorption c.). =absorbancy index (1); absorptivity (1); extinction c.; specific extinction.
temperature c. 温度係数（温度が1°C上昇するごとの物理的性質の変化率).
ultrafiltration c. 限外沪過係数（半透膜の沪過係数).
c. of variation (CV) 変動係数（標準偏差と平均値の比).
velocity c. 速度係数（化学反応における単位重量の反応物の反応速度).
c. of viscosity 粘性率（1単位離れた2つの平行面間の，1単位相対速度を維持するために必要な単位面積当たりの力価).

Coe·len·ter·a·ta (sē-len′tĕ-rā′tă). 腔腸動物門（クラゲなどの属する無脊椎動物の一門).
coe·len·ter·ate (sē-len′ter-at). 腔腸動物（腔腸動物門に属する生物を表す一般名).
coe·lom (sē′lom). =body *cavity*.
coelomycete (sē-lō-mī′sēt). コエロミセス菌（コエロミセス綱の真菌類).
Coelomycetes (sē′lō-mī-sē′tēs). コエロミセス綱（分生子果として知られている無性的な子実体構造内に分生子をもつ栄養胞子性真菌).
coelomycetous (sē-lō-mī′se-tŭs). コエロミセスの（コエロミセス綱の真菌に関する).
co·en·es·the·si·a (kō′en-es-thē′zē-ă). =cenesthesia.
coeno- (sē′nō) [G. *koinos*, common]. =ceno-(1).
coe·no·cyte (sē′nō-sīt). =cenocyte.
coe·no·cyt·ic (sē′nō-sit′ik). =cenocytic.
coe·nu·ro·sis (sē′nū-rō′sis). コエヌローシス，共尾虫症. =cenurosis.
Coe·nu·rus (sē-nū′rŭs) [G. *koinos*, common + *oura*, tail]. コエヌルス，共尾虫（以前は属名として用いられたが，現在は環葉条虫様条虫の幼生形を表すのに用いる．1つの尾胞内に陥入した形で発達する多数の頭節がみられる．尾胞内で出芽して自由に浮遊する娘子嚢虫を欠くことで包虫と区別される．コエヌルスは*Multiceps*属でみられる).
C. cerebralis 脳共尾虫（ヒツジ，ヤギなどの反すう類(まれにヒト)の脳，脊髄に見出される多頭条虫*Multiceps multiceps*のコエヌルス．成虫はイヌ，キツネ，コヨーテ，ジャッカルの腸にみられる).
C. serialis ウサギなど(まれにヒト)の皮下，筋肉組織中に

見出される *Multiceps serialis* のコエヌルス．成虫はイヌ，キツネ，ジャッカルの腸内にみられる．

co·en·zyme (Co) (kō-en′zīm). 補酵素，コエンザイム，助酵素（酵素の作用を補強する(または酵素の作用に不可欠の)物質(単独の金属イオンは除外)．酵素より分子量が小さく，透析可能，比較的熱に安定で，通常，酵素の蛋白部分と容易に解離される．ある種のビタミンは補酵素の前駆物質である）．＝cofactor (1).

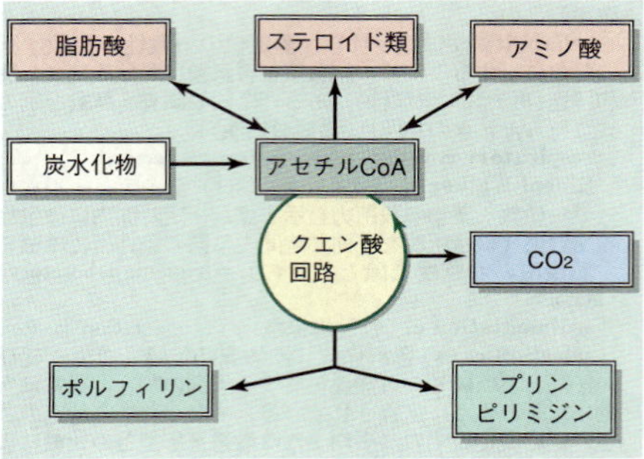

coenzyme

代謝中間体相互変換におけるアセチルCoAの中心的位置．

co·en·zyme A (CoA) (kō-en′zīm). 補酵素A（パントテン酸，アデノシン 3′-リン酸，5′-ピロリン酸，システアミンからなる補酵素．アシル基の転移，特にアセチル基の転移に関する）．

co·en·zyme C (kō-en′zīm). 補酵素C．＝tetrahydrofolic acid.

co·en·zyme F (kō-en′zīm). 補酵素F．＝tetrahydrofolic acid.

co·en·zyme Q (CoQ, Q) (kō-en′zīm). 補酵素Q，コエンザイムQ（異なった数のイソプレン単位からなるイソプレノイド側鎖をもつユビキノン類に用いられる呼称．CoQ はミトクロム *b* とミトクロム *c* 間の電子伝達を媒介し，化学的にはビタミンEやK，その他のトコフェロール，キノン，トコールと類似している．イソプレノイド側鎖の長さによってCoQを分類する．例えば，ユビキノン-10は典型的な哺乳動物のユビキノンで10個のイソプレン単位を側鎖にもつ）．

co·en·zyme R (kō-en′zīm). 補酵素R．＝biotin.

coeur (kur) [Fr.]. 心臓．＝heart.

c. en sabot (awn sah-bo′). 木靴心（Fallot 四徴症の胸部X線写真上の心陰影を示す．心尖部が挙上し，木靴の形になる）．＝sabot heart; wooden-shoe heart.

co·ev·o·lu·tion (kō′ev-ō-lū′shŭn). 共進化（遺伝子または遺伝子断片がお互いに変化するが，分岐しない過程）．

co·fac·tor (kō′fak′ter, tōr). 補因子，補助因子，共同因子（①＝coenzyme. ②巨大分子の作用にとって必須な原子あるいは分子．例えば，ヘモグロビン中のヘム，クロロフィル中のマグネシウム．単独の金属イオンは蛋白の補因子であり，補酵素とみなさない）．

cobra venom c. コブラ蛇毒補因子（C3B と同じ活性をもつ．すなわち，補体第二経路を活性化できる）．

molybdenum c. (mō-lib′dĕ-nŭm). モリブデン補因子（多くの酵素反応に必要なモリブデンとモリブドプテリンの複合体．補因子の欠損により亜硫酸塩，チオ亜硫酸塩やキサンチンなどを合成する亜硫酸酸化酵素，キサンチン脱水素酵素やアルデヒド酸化酵素の活性が低下する）．

platelet c. I 血小板補因子Ⅰ．＝*factor* VIII.

platelet c. II 血小板補因子II．＝*factor* IX.

Cof·fey (kof′ē), Robert. 米国人外科医，1869—1933. ⇀C. *suspension.*

Cof·fin (kof′ĭn), Grange S. 20 世紀の米国人小児科医. ⇀C.-Lowry *syndrome*; C.-Siris *syndrome.*

Co·gan (kō′găn), David G. 米国人眼科医，1908—1993. ⇀C. *syndrome*; C.-Reese *syndrome.*

cog·ni·tion (kog-ni′shŭn) [L. *cognitio*]. 認識，認知（①思考，学習，および記憶と関連した精神活動を包含する一般用語．②人が知識を獲得する過程）．

cog·ni·tive (kog′ni-tiv). 認識の，認知の．

coherence (kō-hēr′ĕns) [L. *cohaerentia*, a sticking together < *co-* (*for cum*), with, together + *haereo*, to stick]. コヒーレンス，可干渉（すべての光波が同じ位相にそろって進行するというレーザー光線の性質．平行性や単色性とともに，レーザー光線の特有の性質）．

cohesin (kō-hez′in) [MIM* 606462]. コヘシン（細胞分裂の間，姉妹染色分体の結合に重大な役割を担う蛋白複合体）．

co·he·sion (kō-hē′zhŭn) [L. *co-haereo*, pp. *-haesus*, to stick together]. 凝集力（分子あるいは集塊相互間の牽引力）．

Cohn·heim (kōn′hīm), Julius F. ドイツ人組織・病理・物理学者，1839—1884. ⇀C. *area*, *field.*

co·ho·ba (kō-hō′bă). コホバ（精神異常発現性幻覚誘発性物質で，中央アメリカ原産の *Acacia niopo*(マメ科)，*Piptadenia peregrina* などの植物から得られ，有効成分は，ブホテニンとジメチルトリプタミンである．原産地では嗅薬あるいは浣腸に用いる）．

co·hort (kō′hōrt) [L. *cohors*, retinue, military unit]. コホート（①ある特定期間内に出生し，出生時期により特徴付けられる部分集団．死亡数や生存数などの性質はその集団の成員が年を経るに応じて把握されることになる．②疫学におけるコホート研究において，ある期間にわたって観察あるいは追跡される特定の集団）．

cohorting コホーティング（ある特定の指定の疾患リスクに潜在的に暴露している人々，例えば医療従事者を強制的にグループ化すること）．

coil (koyl). コイル（①らせん，または輪をいくつも連ねたもの．②電子応用技術で用いられるらせん状に針金を巻いたもの，あるいはアンテナとして使われる針金の輪．③動脈を閉塞するために，血栓を形成するらせん状の輪）．

detector c. 検出コイル（MRI において，励起された核から放出される高周波電波の受信アンテナとして使用されるコイル．すなわち body c. および head c.）．

phased-array c. 位相結合アレイ型コイル（信号・雑音比を上げるための特殊なソフトを使った前置増幅器付き検出用MRI コイル群）．

random c. ランダムコイル（経時変化する高分子(主として生体高分子)の構造の1つ）．

surface c. 表面コイル（高分解磁気共鳴画像を得るために人体局部に直接接触させる検出コイル．金属の単ループ型が一般的）．

coin-count·ing (koyn′kownt′ing). 硬貨勘定〔運動〕（振せん麻痺に起こる母指と示指の先端をこする運動）．

coining (koyn′ing). 硬貨療法（東南アジアでの伝統的治療法の1つで，硬貨の縁を皮膚にこすりつけて治療する）．

co·in·te·grate (kō′in-te-grāt). 共挿入（トランスポゾンを複製するような複製転位で生じた構造）．

co-intervention (kō-in-tĕr-ven′shun). 付加的な介入（ランダム化比較試験において，試験群，あるいは対照群の対象者に対し，診断ないしは治療の手順を追加で施すこと．研究に正式に組み込まれている介入とは別の付加的な介入により，交絡が引き起こされ，試験結果の妥当性がくずれる可能性がある）．

co·i·tal (ko′i-tăl). 性交の，交尾の．

Coi·ter (koy′tĕr), Volcher. オランダ人外科医・解剖学者，1534—1576. ⇀C. *muscle.*

co·i·tion (kō-ish′ŭn) [L. *co-eo*, pp. *-itus*, to come together]. ＝coitus.

co·i·to·pho·bi·a (kō′i-tō-fō′bē-ă) [L. *coitus*, sexual intercourse ＋G. *phobos*, fear]. 性交恐怖〔症〕（性交に対する病的な恐れ）．

co·i·tus (kō′i-tŭs) [L.]. 性交，交尾（[誤った発音 kō-ē′tus, kō-ī′tus, および koy′tus を避けること]）．＝coition; copulation (1); pareunia; sexual intercourse.

c. interruptus 中絶性交（射精前の性交の中断）．

c. reservatus 保留性交（射精を遅らせたり，我慢する性交）．

Co·ker·o·my·ces (kō′ker-ō-mī′sēz). コケロミセス属（ケカビ目真菌の一属．まれにヒトの疾病の原因となる）．

col (kol). 鞍（舌側および頬側の歯間乳頭が接する隣接面口腔粘膜の噴火口様部分）．

col- (kol). → con-.
COL2A1 collagen type II α-1 *gene* の遺伝子シンボル．
COL4A3 collagen type IV α-3 *gene* の遺伝子シンボル．
COL4A4 collagen type IV α-4 *gene* の遺伝子シンボル．
COL4A5 collagen type IV α-5 *gene* の遺伝子シンボル．
COL11A1 collagen type XI α-1 *gene* の遺伝子シンボル．
COL11A2 collagen type XI α-2 *gene* の遺伝子シンボル．
co·la (kō′lă). ***1*** = kola. ***2*** [L.]. 引っ張れ（命令形）．
col·chi·cine (kol′chi-sin) [USP]. コルヒチン（ユリ科イヌサフラン *Colchicum autumnale* から得られたアルカロイド．痛風の慢性治療に用いる．微小管形成を阻害する）．
Col·chi·cum corm (kōl′chĭ-kum kōrm). コルチカム球茎（イヌサフラン *Colchicum autumnale* の乾燥球茎．コルヒチンの植物性原料．コルヒチンはアルカロイド薬剤で，痛風の治療薬である）．
cold (kōld). = frigid (1). ***1*** 低温度（慣れている基準や快適な水準よりも著しく低い温度によってつくりだされる感覚）．***2*** 感冒，かぜ〔ひき〕（上気道を侵すウイルス感染を表す俗語．鼻粘膜の充血，水様鼻汁鼻漏，全身倦怠が 3—5 日続くのが特徴．→ acute *rhinitis*; coryza）．***3*** 欠損（放射性核種がまったくない，またはほんのわずかしか存在しない状態）．

head c. = acute *rhinitis.*

rose c. バラかぜ（春や初夏に起こるアレルギー性鼻炎）．

cold-blood·ed (kōld-blŭd′ed). 冷血の．= poikilothermic.
Cold·man (cōld′măn), Andrew James. 20 世紀のカナダ人疫学者．→ Goldie-C. *hypothesis*.
Cole (kōl), Laurent. 20 世紀のフランス人病理学者．→ Benedict-Hopkins-C. *reagent*.
Cole (kōl), Warren Henry. 外科医，1898—1990. E.A. Graham とともに胆嚢造影法を開発し，1924年に初めて報告した．→Graham-C. *test*.
co·lec·ta·si·a (kō′lek-tā′zē-ă) [G. *kolon*, colon + *ektasis*, a stretching]. 結腸拡張〔症〕．
col·ec·to·my (kō-lek′tō-mē) [G. *kolon*, colon + *ektomē*, excision]. 結腸切除〔術〕（結腸の部分的または全体の切除）．
coleo- (kōl′ē-ō) [G. *koleos*, sheath]. 【本連結形を choel- または colo- と混同しないこと】．鞘あるいは特に腟を意味する連結形．
Co·le·op·te·ra (kō′lē-op′ter-ă) [G. *koleos*, sheath + *pteron*, wing]. 甲虫目，鞘翅目（昆虫の一目．前翅が硬い角質の翅鞘となり薄い膜質の後翅をおおう．動物目，植物目中最も多くの種を有する昆虫目で最大のもの）．
co·le·op·to·sis (kō′lē-op-tō′sis) [coleo- + ptosis]. 腟脱〔出症〕（【coloptosis と混同しないこと】）．
co·le·ot·o·my (kō′lē-ot′ō-mē) [G. *koleos*, sheath + *tomē*, incision]. 腟切開〔術〕. = colpotomy.
colet. ラテン語 *coletur*(漉せ)の略．
co·li·bac·il·lo·sis (kō′li-bas′i-lō′sis). 大腸菌症（大腸菌によって生じる下痢疾患．腸大腸菌症 enteric c. ともよばれる）．
co·li·ba·cil·lus, pl. **co·li·ba·cil·li** (kō′li-bă-sil′ŭs). 大腸菌．= *Escherichia coli.*
col·ic (kol′ik) [G. *kōlikos*, relating to the colon]. ***1*** 〘adj.〙 大腸の，結腸の．***2*** 〘n.〙 仙(疝)痛（腹部の痙攣痛）．***3*** 〘n.〙 幼若乳児における，啼泣や易刺激性を伴う発作性腹痛．典型的には午後遅くか夕方に生じる．原因は不明．生後 3 週から 3 か月の乳児にみられる．

appendicular c. 虫垂仙痛（急性虫垂炎の初期に起こる仙痛）．= vermicular c.

biliary c. 胆石仙痛（胆嚢管に胆石が詰まり，右上腹部に感じる激しい痙攣性の疼痛）．= gallstone c.; hepatic c.

copper c. 銅仙痛（慢性の銅中毒に起こる鉛仙痛様の症状）．

Devonshire c. テヴォンシャー仙痛．= lead c.

gallstone c. = biliary c.

gastric c. 胃仙痛（胃炎または消化性潰瘍に伴って起こる仙痛）．

hepatic c. 肝仙痛．= biliary c.

infantile c. 乳児仙痛（乳児における腸管の異常な筋収縮によって生じる腹痛）．

lead c. 鉛仙痛（便秘，鉛中毒症状を伴う激しい仙痛）．= Devonshire c.; painter's c.; Poitou c.; saturnine c.

meconial c. 胎便〔性〕仙痛（新生児の腹痛）．

menstrual c. 月経〔仙〕痛（月経時の下腹部の間欠性痙攣痛）．

ovarian c. 卵巣仙痛（卵巣嚢腫に起こるのと同様に卵巣の捻転によって生じる下腹部の仙痛）．

painter's c. 塗装工仙痛．= lead c.

pancreatic c. 膵〔臓〕仙痛（膵石の通過によって起こる，肝仙痛に似た激しい仙痛）．

Poitou c. (pwah-tū′). ポワツー仙痛．= lead c.

renal c. 腎仙痛（尿管あるいは腎盂に結石がたまったり，通過することにより起こる激しい仙痛）．

salivary c. 唾液腺結石仙痛（唾液管または唾液腺部分の周期的な疼痛発作で唾液腺の急性腫脹を伴う．唾液腺結石の場合に起こる）．

saturnine c. = lead c.

tubal c. 卵管仙痛（血栓，刺激物，あるいはガスや油の注入により刺激された卵管の痙攣性収縮による下腹部の仙痛）．

ureteral c. 尿管仙痛（結石や凝血塊が原因で起こる突然の尿管の閉塞による激痛）．

uterine c. 子宮仙痛（月経時，または子宮の疾病に合併してときに起こる子宮筋の疼痛性痙攣）．

vermicular c. = appendicular c.

zinc c. 亜鉛仙痛（慢性亜鉛中毒に起因する仙痛）．

col·i·ca (kol′i-kă). 結腸動脈（→ artery）．
col·i·cin (kol′i-sin) [(*Escherichia*) *coli* + bacteriocin]. コリシン（大腸菌 *Escherichia coli* の菌株，および赤痢菌属 *Shigella* や *Salmonella*属など，必須プラスミドを運ぶ腸内細菌の産生するバクテリオシン．多くは関連する菌株に対し毒性があり，特異的な細胞内レセプタに結合し，正常な機能を妨害する）．
col·i·ci·nog·e·ny (kol′i-si-noj′ĕ-nē). コリシン生産性（細菌がコリシンを産生する性質）．
col·icky (kol′i-kē). 仙(疝)痛〔様〕の（仙痛，あるいは仙痛に似た痛みをいう）．
col·i·co·ple·gia (kol′i-kō-plē′jē-ă) [G. *kolikos*, suffering from colic + *plēgē*, stroke]. 仙(疝)痛麻痺（仙痛と麻痺が著しい鉛中毒）．
co·li·my·cin (kō′li-mī′sin). コリマイシン．= colistin.
col·in·e·ar·i·ty (kol′in-ē-ar′i-tē) [L. *collineo*, to direct in a straight line]. 共直線性，コリニアリティー（①直線にあること．②DNAの対応する要素，それから転写されたRNA，およびそのRNAから翻訳されたアミノ酸配列の順序が一致している現象）．
co·lip·ase (kō′lip-ās) [co- + lipase]. 補リパーゼ（膵液中にある小さな蛋白で，膵リパーゼの効果的な作用に大切である．この補因子は，そのリパーゼの表面変性を阻害する）．
co·li·phage (kō′li-fāj, kol′i-) [(*Escherichia*) *coli* + bacteriophage]. 大腸菌ファージ（【誤った発音 ko′li-fahzh を避けること】．大腸菌 *Escherichia coli* のある菌株に親和性を有するバクテリオファージ．他のファージ同様，実験室での同定の手段としてのみ意味のある記号をつけるが，形質の変異性を同定するための記号を特に付記することもある．例えば，λdgal は大腸菌の *gal*(ガラクトース)遺伝子をもつ欠損プロファージ λ を意味する）．
co·li·pli·ca·tion (kō′li-pli-kā′shŭn). 結腸造襞〔術〕. = coloplication.
co·li·punc·ture (kō′li-pŭnk-chūr). 結腸穿刺．= colocentesis.
co·lis·ti·meth·ate so·di·um (kō-lis′ti-meth′āte sō′dē-ŭm). コリスチンメタナトリウム（主成分としては，コリスチンAの penta（メタンスルホン酸）誘導体の pentasodium 塩を含み，コリスチンBの同じ誘導体の pentasodium 塩を少量含んでいる．ほとんどのグラム陰性菌(*Proteus*属を除く)に対し有効な抗生物質．筋肉内投与する．→polymyxin）．= cholistine sulphomethate sodium.
co·lis·tin (kō-lis′tin). コリスチン（*Bacillus polymyxa* 株からの環状ポリペプチド抗生物質の混合物．ポリミキシン類に分類できる）．= colimycin.
co·li·tis (kō-lī′tis) [G. *kōlon*, colon + *-itis*, inflammation]. 大腸炎，結腸炎．

amebic c. アメーバ性大腸(結腸)炎．

collagenous c. コラーゲン蓄積大腸炎（中年女性の発症が多く，持続性水様下痢を生じる．大腸上皮の基底膜下にコラーゲンの蓄積が認められる).

Crohn c. (krōn). クローン大腸炎（大腸の限局性腸炎. 粘膜のスキップ潰瘍と腸管壁全層性の炎症が特徴).

c. cystica profunda 深在性嚢胞性大腸(結腸)炎（大腸筋層内の粘液含有嚢胞. これは粘液癌と誤られることがあるが腫瘍性ではない).

c. cystica superficialis 表在性嚢胞性大腸(結腸)炎（結腸の表層性嚢胞形成がみられる大腸炎の一型).

granulomatous c. 肉芽腫性大腸(結腸)炎（限局性腸炎と同じ変化が結腸に起こったもの).

hemorrhagic c. 出血性大腸炎（痙攣性腹痛. 血便を生じる. 発熱は伴わない. 大腸菌O157株による自然治癒する感染による. 溶血性尿毒症症候群を合併する).

mucous c. 粘液性大腸(結腸)炎（結腸粘膜の疾患で, 仙痛, 便秘または下痢, ときにはこれが交互に起こる. さらに粘性, 泥状の偽粘膜性の小片や破片の排出がみられるのが特徴). ＝mucocolitis; myxomembranous c.

myxomembranous c. ＝mucous c.

pseudomembranous c. ＝pseudomembranous *enterocolitis.*

ulcerative c. 潰瘍性大腸(結腸)炎（原因不明の慢性疾患で, 直腸出血, 粘液性陰窩膿瘍, 炎症性偽ポリープ, 腹痛, 下痢を伴った結腸と直腸の潰瘍が特徴. しばしば貧血, 低蛋白血症, 電解質異常を起こすが, 腹膜炎, 中毒性巨大結腸, 癌の合併は比較的少ない).

uremic c. 尿毒症性大腸(結腸)炎（粘膜の出血が特徴の大腸炎で, 腎不全に際して起こり, 腸内分泌物中に増加した尿素の分解により形成されるアンモニアの刺激効果によるものと考えられる).

col·i·tose (kol′ĭ-tōs). コリトース（*Salmonella*属の多糖類性体細胞性抗原).

col·la (kol′ă). collum の複数形.

col·la·bor·a·tion (kō′lab′ōr-ā′shŭn)［L.L. *collaboro*, to work together＜*col-*(for *com-*＜*cum*, with)＋*laboro*, to work］. ***1*** 共同（2人以上の人または機能的な実体を調和・調整させること). ***2*** 共同研究（様々な参加者(例えば, 臨床医, 研究者)によって共通の目的に向かってともに調査すること).

Cochrane c. (kok′răn). コクラン共同計画（ランダム化臨床試験をレビューし, その結果を報告しようという臨床疫学者の国際ネットワーク. EBM(証拠に基づいた医療)における活用あるいは臨床ガイドラインの策定への利用のため, より練られたデータを提供することを目的としている.→evidence-based *medicine*; clinical practice *guidelines*).

col·la·cin (kol′ă-sin). コラシン（変性したコラーゲン). ＝collastin.

col·la·gen (kol′lă-jen)［G. *koila*, glue＋*-gen*, producing］. 膠原, コラーゲン（結合組織軟骨および骨の白色線維にある主要な蛋白(哺乳類の蛋白の半分以上を占める)で, 水に不溶性であるが, 水・希酸・希アルカリで沸騰させることにより, 容易に消化される可溶性のゼラチンに変わる. グリシル, L-アラニル, L-プロリル, L-4-ヒドロキシプロリル残基に富み, 硫黄に乏しく, L-トリプトファニル残基は含まれない. コラーゲンはα鎖として知られる3本のポリペプチドのサブユニットからなる特徴的な三重らせんの立体配置をもち, それらのすべてのものが発生的に性質の異った分子の一群のものからなっている. それぞれ異なったポリペプチド鎖をもつ少なくとも18種のコラーゲンが現在までに同定されている.→collagen *fiber*). ＝ossein; osseine; ostein; osteine.

type I c. I型コラーゲン（最も多量に存在するコラーゲンで, 大きくてよく組織化された高い引っ張り強度をもつ原線維を形成する).

type II c. II型コラーゲン（軟骨, 髄核, 脊索, ならびに硝子体に特有のコラーゲン. 薄く高度にグリコシル化された原線維を形成する).

type III c. III型コラーゲン（網状線維に特徴的なコラーゲン).

type IV c. IV型コラーゲン（基底板の基底膜緻密層に特有の明瞭な線維性の少ないコラーゲン).

col·la·gen·ase (kol-ăj′ĕ-nās). コラーゲナーゼ（多数のコラーゲンとでも作用できる蛋白分解酵素).

microbial c. 細菌性コラーゲナーゼ. ＝*Clostridium histolyticum* collagenase.

コラーゲン

型	組織分布
原線維型	
Ⅰ	皮膚, 骨, 腱, 血管, 角膜
Ⅱ	軟骨, 椎間円板, 硝子体
Ⅲ	血管, 胎児皮膚
網状型	
Ⅳ	基底膜
Ⅶ	重層扁平上皮
原線維関連型	
Ⅸ	軟骨
Ⅻ	腱, 靱帯, 他のいくつかの組織

col·la·gen·ase A, col·la·gen·ase I (kol-ăj′ĕ-nās, kol-ăj′ĕ-nās). コラーゲナーゼA, コラーゲナーゼ I. ＝*Clostridium histolyticum* collagenase.

col·la·ge·na·tion (kol′ă-jĕ-nā′shŭn). ＝collagenization.

col·la·gen·ic (kol-ă-jen′ik). ＝collagenous.

col·lag·e·ni·za·tion (ko-laj′ĕ-ni-zā′shŭn). 膠原化（①組織または線維素を膠原で置き換えること. ②線維芽細胞による膠原の合成). ＝collagenation.

col·lag·e·no·lyt·ic (ko-laj′ĕ-nō-lit′ik)［collagen＋G. *lysis*, dissolving］. 膠原溶解性の（プロリンを含む膠原, ゼラチン, および他の蛋白の溶解を起こす).

col·lag·e·no·sis (ko-laj′i-nō′sis). 膠原病（→collagen *disease*).

reactive perforating c. 反応性穿孔性膠原線維症（膠原線維が表皮を穿孔し排出される特徴をもつまれな皮膚病. 一般に幼少時に始まり, 臨床的には臍窩を有する再発性丘疹で自然消退する. 遺伝性あるいは後天性であるが, 後者は糖尿病や腎不全を合併し, 毛嚢の侵襲がないという理由が Kyrle 病とは異なる).

col·lag·e·nous (ko-laj′ĕ-nŭs). 膠原〔性〕の, 膠原質形成の. ＝collagenic.

collamer (kol′o-mĕr). カラマー（屈折矯正手術としての後房挿入用有水晶体眼内レンズ製造に用いられるガスおよび代謝物に対する高生体親和性と透過性を有する親水性物質).

col·lapse (kō-laps′)［L. *col-labor*, pp. *-lapsus*, to fall together］. ***1***〖n.〗虚脱（極度の衰弱状態で, 血液量減少性ショックに似ており, 原因も同じ). ***2***〖v.〗虚脱する（深い肉体的(活動性)低下状態). ***3***〖n.〗崩壊（構造物の壁がともに倒れること). ***4***〖n.〗失調（生理学上の組織や仕組みの失調). ***5***〖n.〗虚脱（周辺構造からある臓器がやせ細ること. 例えば肺虚脱).

absorption c. 吸収虚脱（大きな気管が急に完全閉塞するために生じる肺虚脱).

circulatory c. 循環虚脱（心臓または末梢の循環不全).

c. of dental arch 歯列弓虚脱（通常は, その部位に存在する歯が欠損していることにより, この空隙を埋めるように隣接歯および対合歯が移動し, 位置異常を生じること).

massive c. 大虚脱（全(片)肺や肺葉の完全虚脱に近い状態をさす. 急性, 慢性のものがある).

pressure c. 圧迫虚脱（胸水や気胸によるように肺が外部から圧迫を受けて起こる肺虚脱).

pulmonary c. 肺虚脱（気管支閉塞, 胸水または気胸, 心臓肥大あるいは肺に接する他の構造の肥大などによる続発性無気肺. しばしば大虚脱の意味で使用されている).

collapsin (kō-laps′in). コラプシン（脊髄神経節から伸びる軸索の成長錐体を虚脱させる分泌蛋白で, トリとラットの胚で発見された. 別の方向に伸びた軸索を選択的に壊すことにより, 軸索が背部に終わるように神経節からの感覚投射を制御すると考えられる). ＝semaphorin III.

col·lar (kol′ăr). 環（［ほとんどの文脈において, 語句 cervical collar は重複表現である］. 通常, 頸部を取り囲んでいる構造をいう).

pericervical c. of lymph nodes 頸周囲リンパ節環（頭蓋

底を取り巻くリンパ節で，頭部のリンパを最初に受け，おとがい下リンパ節，顎下リンパ節，耳下腺リンパ節，乳突リンパ節，後頭リンパ節からなる）．

renal c. 腎臓環（胚期にみられる静脈環で，上腸間膜動脈の原基の下で大動脈を囲む）．

col·lar·ette (kol′er-et′)．＝iris frill. ***1*** 捲縮輪（虹彩上で弯曲したスカラップ状の曲線で，中心部虹彩と周辺部虹彩を分ける．また，萎縮した虹彩の小虹輪の胎生期の位置を示す）．***2*** 睫毛襟状付着物（睫毛に襟(カラー)のように巻き付いている，もろい痂皮様分泌物．ブドウ球菌性眼瞼炎でみられる）．

col·las·tin (kol-as′tin)．コラスチン．＝collacin.

col·lat·er·al (ko-lat′er-ăl)．***1***〖adj.〗副行の，側副の．***2***〖n.〗側副枝（神経軸索または血管の副枝または網様構造）．

col·lec·tins (ko-lek′tinz)．コレクチン（宿主の免疫反応が起こる以前に，微生物を認識してオプソナイズし補体経路を活性化するであろう分子群）．

Col·les (kol′ēz), Abraham. ［誤った形 Colle および Colle's を避けること］．アイルランド人外科医，1773—1843．→C. *fascia*, *fracture*, *ligament*, *space*.

Col·let (kō-lā′), Frédŕic-Justin. フランス人耳鼻咽喉科医，1870—1965.

col·lic·u·lec·to·my (ko-lik′yū-lek′tō-mē)．精丘切除〔術〕．

col·lic·u·lus, pl. **col·lic·u·li** (ko-lik′yū-lŭs, -lī)［L. mound, *collis*(hill)の指小辞］［TA］．丘，小丘（周囲部分よりも盛り上がった小さな隆起）．

c. of arytenoid cartilage［TA］．披裂軟骨丘（三角窩上部にある披裂軟骨前外側面の隆起）．＝c. cartilaginis arytenoideae［TA］．

c. cartilaginis arytenoideae［TA］．披裂軟骨丘．＝c. of arytenoid cartilage.

facial c.［TA］．顔面神経丘（菱形窩の髄条のすぐ吻側の円側隆起の突出部分．外転神経核があって顔面神経が屈曲する顔面神経膝によって形成される）．＝c. facialis［TA］; abducens eminence; eminentia abducentis; eminentia facialis; facial eminence; facial hillock.

c. facialis［TA］．顔面神経丘．＝facial c.

c. inferior［TA］．下丘．＝inferior c.

inferior c.［TA］．下丘（中脳蓋で対をなして存在する卵形の隆起のうち下方の一対．外側毛帯からの神経を受け，下丘腕を経て視床の内側膝状体に至る神経を出す．聴覚神経路の中枢での主要な中継点）．＝c. inferior［TA］; corpus quadrigeminum posterius; inferior nasal c.; posterior quadrigeminal body.

inferior nasal c. ＝inferior c.

seminal c.［TA］．精丘（2つの射精管と前立腺小室が開いている尿道稜の隆起部分）．＝c. seminalis［TA］; c. urethralis; seminal hillock; verumontanum.

c. seminalis［TA］．精丘．＝seminal c.

superior c.［TA］．上丘（中脳蓋の前寄りに対をなしてみられる円形の大きいほうの隆起．浅層の主な求心性連絡は，網膜および視覚皮質で深層へ行くものは様々である．脳幹下部(視蓋延髄路)，脊髄(視蓋脊髄路)，視床尾部にある視床枕やその他の細胞群に遠心性線維を出す．膝状体を通らない視覚路に関係する．上丘の細胞層は表面から次のようである．帯状層，浅灰白層，視神経層，中間灰白層，中間白質層，深灰白層，深白質層）．＝c. superior［TA］; anterior quadrigeminal body; corpus quadrigeminum anterius.

c. superior［TA］．上丘．＝superior c.

c. urethralis ＝seminal c.

Col·lier (kol′yĕr), James S. イングランド人医師，1870—1935．→C. *tract*, *sign*, tucked lid *sign*.

col·li·ga·tion (kol′i-gā′shŭn)［L. *cum*, together＋*ligo*, to bind］．***1*** 結合（互いに区分できる成分同士の結び付き）．***2*** 総括，結合（孤立した複数の出来事を1つの統一された経験とすること）．***3*** 結合（2つの結合する基による共有結合の生成）．

col·li·ga·tive (ko-lig′ă-tiv)．束一性の（①粒子の数に依存する．②その物質の本性ではなく，溶解された物質の濃度によってのみ決まる溶液の性質，例えば浸透圧，沸点の上昇，蒸気圧降下，凝固点降下に関していう）．

col·li·ma·tion (kol′i-mā′shŭn)［L. *collineo*, to direct in a straight line］．***1*** 視準，照準（放射線〔医〕学で一定の領域へのX線量を制限，限定し，核医学で一定の関心領域からの放射線の検出を制限する方法）．***2*** 絞り（すべての放射線が散開しないレーザー光線の特性．絞りと緊密性と単色性の組み合わせにより，長い距離を到達する，明るく細かい，正確に焦点を合わせた光線が発生する．→laser; coherence）．

col·li·ma·tor (kol′i-mā′ter)．コリメータ，照準器，絞り（視準において用いる，吸収係数の大きい材料でつくられた装置）．

col·li·ot·o·my (kol′ē-ot′ō-mē)［G. *kolla*, glue＋G. *tomē*, incision］．癒着切開〔術〕（adhesiotomy を表す現在では用いられない語）．

Col·lip (kol′ĭp), James B. カナダ人内分泌学者，1892—1965．→Noble-C. *procedure*; Anderson-C. *test*.

col·li·qua·tion (kol′i-kwā′shŭn)［L. *col-*, together＋*liquo*, pp. *liquatus*, to cause to melt］．***1*** 液体排泄過多．***2*** 融解（壊死過程における液化）．

col·liq·ua·tive (ko-lik′wă-tiv)．液体排泄過多の（液体を過剰に排泄することを示す）．

Col·lis (kol′is), John Leighton. 20世紀の英国人胸部外科医．→C. *gastroplasty*; C.-Nissen *fundoplication*; C.-Belsey *fundoplication*, *procedure*.

col·lo·di·on (ko-lō′dē-on)［Mod. L. *collodium* ＜ G. *kalla*, glue］．コロジオン（ピロキシリンまたは綿火薬を，エーテルあるいはアルコールに溶かした液体．蒸発した後に，光沢があり収縮性のある被膜が残る．切傷の予防薬として，または局所用薬剤の賦形剤として用いる）．＝collodium.

blistering c. ＝cantharidal c.

cantharidal c. カンタリスコロジオン，ゲンセイ(芫菁)コロジオン（弾性コロジオンに，カンタリスの粉末のクロロホルム抽出物が含まれたもの．発疱薬）．＝blistering c.; c. vesicans.

flexible c. 弾性コロジオン（ショウノウ，ヒマシ油，コロジオンの混合物，またはヒマシ油，カナダバルサム，コロジオンの混合物．コロジオンと同様の目的で用いられるが，ある条件下では収縮しないという利点を有する）．

hemostatic c. 止血性コロジオン．＝styptic c.

iodized c. ヨード化コロジオン（弾性コロジオン中に5%のヨード溶液がはいったもの．誘導刺激薬）．

salicylic acid c. サリチル酸コロジオン（鶏眼やゆうぜいの治療に用いる角質溶解薬）．

styptic c. 収れん性コロジオン（弾性コロジオン中のタンニン酸．収れん薬および局所止血薬として用いる）．＝hemostatic c.; styptic colloid; xylostyptic ether.

c. vesicans 発疱コロジオン．＝cantharidal c.

col·lo·di·um (ko-lō′dē-ŭm)［G. *kolla*, glue＋*eidos*, appearance］．＝collodion.

col·loid (kol′oyd)［G. *kolla*, glue＋*eidos*, appearance］．***1***〖n.〗コロイド，膠質（細かく分離された状態(限外顕微鏡的)にある原子や分子の集合体で，気体，液体，あるいは固体状の媒質中に分散している．沈降，拡散，浸透に抵抗し，沈殿物とは異なる．→hydrocolloid）．***2***〖adj.〗にかわ状の．***3***〖n.〗半透明で黄色がかった均質で，にかわの密度をもち，流動性は粘液や粘液素よりも少ない．コロイジン変性状態にある細胞や組織中にみられる．＝colloidin. ***4***〖n.〗甲状腺膠質，甲状腺コロイド（甲状腺小胞内に貯蔵された分泌物．以下に記載のないコロイドについてはそれぞれの項を参照）．

bovine c. 牛コロイド．＝conglutinin.

dispersion c. 分散コロイド．＝dispersoid.

emulsion c. 乳濁コロイド．＝emulsoid.

hydrophil c., hydrophilic c. 親水コロイド．＝emulsoid.

hydrophobic c. 疎水コロイド．＝suspensoid.

irreversible c. 不可逆コロイド（分散や再溶解(または両方)が不可能なコロイド）．＝unstable c.

lyophilic c. 親液コロイド．＝emulsoid.

lyophobic c. 疎液コロイド．＝suspensoid.

protective c. 保護コロイド（電解質の影響下での懸濁コロイドの沈殿を予防する力をもつ膠質）．

c. pseudomilium ＝colloid milium.

reversible c. 可逆コロイド（常温で乾燥された後，再び水に溶ける膠質）．＝stable c.

stable c. 安定コロイド．＝reversible c.

styptic c. ＝styptic *collodion*.

suspension c. 懸濁コロイド．＝suspensoid.
thyroid c. 甲状腺膠質，甲状腺コロイド（甲状腺沪胞の腔を占めている半液体状物質．主にサイログロブリンを含んでいる）．
unstable c. 不安定コロイド．＝irreversible c.

col·loi·dal (ko-loyd′ăl). コロイド状の，膠状の.

col·loi·din (ko-loy′din). コロイジン．＝colloid (3).

col·loid mil·i·um (kol′loyd mil′ē-ŭm)［L. *milium*, millet］. 膠様稗粒腫（頭や手背の日光で障害された皮膚に生じる黄色の丘疹で，真皮内は膠様物質からなる．この膠様物質はアミロイドに似ているが，超微細構造的にはアミロイドと異なっている．直径2.0 nm以下の微細線維がみられ，これは日光により障害された線維芽細胞が産生する弾力組織かもしれないと考えられている)．＝colloid pseudomilium; elastosis colloidalis conglomerata.

col·loi·do·cla·si·a, col·loi·do·cla·sis (ko-loy′dō-klā′-sē-ă, -sis)［colloid＋G. *klasis*, fracture］. 体内のコロイド平衡が崩れることを表す現在では用いられない語.

col·loi·do·clas·tic (ko-loy′dō-klas′tik). colloidoclasia を表す現在では用いられない語.

col·loi·do·gen (ko-loy′dō-jen). 膠質原（コロイド溶液または懸濁液を生じさせることのできる物質）.

col·lox·y·lin (ko-lok′si-lin)［G. *kolla*, glue＋*xylinos*, woody ＜ *xylon*, wood］. 綿火薬，火綿．＝pyroxylin.

col·lum, pl. **col·la*** (kol′ŭm, kol′ă)［L.］. 頸，くび（**[**columnと混同しないこと**]**．neck の公式の別名）.
c. anatomicum humeri［TA］.〔上腕骨の〕解剖頸．＝anatomical *neck* of humerus.
c. chirurgicum humeri［TA］.〔上腕骨の〕外科頸．＝surgical *neck* of humerus.
c. costae［TA］. 肋骨頸．＝*neck* of rib.
c. dentis 歯頸．＝*neck* of tooth.
c. femoris［TA］. 大腿骨頸．＝*neck* of femur.
c. fibulae［TA］. 腓骨頸．＝*neck* of fibula.
c. folliculi pili 毛包頸．＝*neck* of hair follicle.
c. glandis penis［TA］.〔陰茎の〕亀頭頸．＝*neck* of glans of penis.
c. humeri 上腕骨頸（→anatomical *neck* of humerus; surgical *neck* of humerus）.
c. mallei［TA］. つち骨頸．＝*neck* of malleus.
c. mandibulae［TA］. 下顎頸．＝*neck* of mandible.
c. ossis femoris 大腿骨頸．＝*neck* of femur.
c. pancreaticus［TA］. ＝*neck* of pancreas.
c. radii［TA］. 橈骨頸．＝*neck* of radius.
c. scapulae［TA］. 肩甲頸．＝*neck* of scapula.
c. tali［TA］. 距骨頸．＝*neck* of talus.
c. vesicae* *neck* of (urinary) bladder の公式の別名.
c. vesicae biliaris［TA］.〔胆嚢の〕頸．＝*neck* of gallbladder.
c. vesicae felleae*〔胆嚢の〕頸（*neck* of gallbladder の公式の別名）.

col·lu·to·ri·um (kol′ū-tō′rē-ŭm)［Mod. L.＜*col-luo*, pp. *-lutus*, to wash thoroughly］. うがい薬，含嗽薬．＝mouthwash.

col·lu·tory (kol′ū-tōr′ē)［＜*collutorium*］. ＝mouthwash.

col·lyr·i·um (ko-lir′ē-ŭm)［G. *kollyrion*, poultice, eye salve］. 洗眼薬（本来は眼に対する調剤の総称）.

colo- (kol′ō, kō′lō)［G. *kolon*］. **[**本連結形を cholo- または coleo- と混同しないこと**]**．結腸に関する連結形.

col·o·bo·ma (kol-ō-bō′mă)［G. *kolobōma*, lit., the part taken away in mutilation＜*koloboō*, to dock, mutilate］. 欠損〔症〕，コロボーマ，欠裂（先天的，病的，または人為的欠損の総称．特に眼の網膜裂の閉鎖不全によるもの）.
c. of choroid 脈絡膜欠損〔症〕（脈絡膜と強膜に露出した網膜色素上皮の先天的な欠損で，通常，胚裂部(脈絡膜)の視神経円板(乳頭)下にみられる）.
Fuchs c. (fūks). フックス欠損〔症〕（視神経乳頭縁での脈絡膜の先天性の下方三日月状欠損）．＝congenital conus.
c. iridis 虹彩欠損〔症〕（①虹彩の先天的な欠裂を起こす網膜裂の遺残で，しばしば脈絡膜欠損に関連する．②大きな手術的虹彩切開による虹彩欠損を表す，現在では用いられない語）.
c. lentis 水晶体欠損〔症〕（小帯線維を欠いた水晶体赤道の断片で，切痕様を呈する）.
c. lobuli 耳垂欠損〔症〕，耳垂破裂〔症〕，耳介欠損〔症〕（耳垂の先天的な裂溝）.
macular c. 黄斑部欠損〔症〕（発達停止あるいは子宮内網膜炎症の結果起こる中央部網膜の欠如）.
c. of optic nerve［MIM*120430］. 視神経欠損〔症〕（視神経形成における先天性切痕．乳頭に噴火口様腔窩のように現れる．→optic *pit*）.
c. palpebrale 眼瞼欠損〔症〕（眼瞼縁の先天性切痕）.
c. of vitreous 硝子体欠損〔症〕（間葉の硝子体の先天性陥凹．強度近視にもなる）.

co·lo·cen·te·sis (kō′lō-sen-tē′sis)［colo-＋G. *kentēsis*, a puncture］. 結腸穿刺（膨満を軽減するために，套管針や小刀で結腸を穿刺すること）．＝colipuncture; colopuncture.

co·lo·col·ic (kō′lō-kol′ik). 結腸から結腸へ（結腸の2部分間の自然的または人工的吻合についていう）.

co·lo·co·los·to·my (kō′lō-kō-los′tō-mē)［colo-＋colo-＋G. *stoma*, mouth］. 結腸〔間〕吻合〔術〕，結腸結腸吻合〔術〕（結腸の結合していない2部分の間に連絡路をつくること）.

col·o·cynth (kol′ō-sinth)［G. *kolokynthē*, the round gourd or pumpkin］. コロシント（地中海地方の砂浜に生育するスイカに似たウリ科薬用植物 *Citrullus colocynthis* の果実の皮をむいて乾燥させたもの．以前はしゃ下薬および緩下薬として広く用いられた）．＝bitter apple.

co·lo·cys·to·plas·ty (kō′lō-sis′tō-plas′tē). 結腸膀胱形成術（結腸の一部を付着させて膀胱を拡大させること）.

co·lo·en·ter·i·tis (kō′lō-en′ter-ī′tis). 全腸炎．＝enterocolitis.

co·lo·hep·a·to·pex·y (kō′lō-hep′ă-tō-pek′sē)［colo-＋G. *hēpar* (*hēpat-*), liver＋*pēxis*, fixation］. 結腸肝臓固定〔術〕（癒着によって結腸を肝臓に付着させること）.

co·lol·y·sis (kō-lol′i-sis)［colo-＋G. *lysis*, loosening］. 結腸剝離〔術〕（**[**誤った発音 cololy′sis を避けること**]**．結腸を癒着からはがすこと）.

col·o·min·ic ac·id (kol′ō-min′ik as′id). コロミン酸（*N*–アセチルノイラミン酸の(α2→8)重合体．大腸菌 *Escherichia coli* に見出される）.

co·lon (kō′lon)［G. *kolon*］［TA］. 結腸（**[**医学の口述においては，この解剖学的用語と混同される可能性がある場合，句読点のコロン(：)を明示するために colon mark という語句が慣習的に用いられる**]**．大腸のうち盲腸から直腸の手前までの部分）.
c. ascendens［TA］. 上行結腸．＝ascending c.
ascending c.［TA］. 上行結腸（回盲口と右結腸曲の間の部分）．＝c. ascendens［TA］.
c. descendens［TA］. 下行結腸．＝descending c.
descending c.［TA］. 下行結腸（左結腸曲から骨盤上口へのびる部分）．＝c. descendens［TA］.
giant c. 巨大結腸．＝megacolon.
iliac c. 腸骨部結腸（左腸骨窩を占める下行結腸の左腸骨稜から骨盤上口までの部分）.
irritable c. 過敏〔性〕結腸（結腸がぜん動亢進傾向にあることで，ときに仙痛や下痢を伴う）.
lead-pipe c. 鉛管状結腸（進行した潰瘍性結腸炎の瘢痕化した硬い結腸）．＝stove-pipe c.
c. pelvinum ＝sigmoid c.
sigmoid c.［TA］. S状結腸（骨盤上口と第三仙骨との間で，S状の曲線を描いて下行する部分．直腸に連絡する）．＝c. sigmoideum［TA］; c. pelvinum; flexura sigmoidea; sigmoid flexure.
c. sigmoideum［TA］. S状結腸．＝sigmoid c.
spastic c. 痙攣性結腸（結腸の筋肉機能の亢進によると考えられる腹痛，放屁，交互に起こる下痢，便秘のような症状をさす用語）.
stove-pipe c. ＝lead-pipe c.
transverse c.［TA］. 横行結腸（左右の結腸曲間の部分．腹部を右から左へ横切っているが多かれ少なかれ中央部が垂れ下がっており，しばしば臍の下方にまで達している）．＝c. transversum［TA］.
c. transversum［TA］. 横行結腸．＝transverse c.

co·lon·al·gi·a (kō′lon-al′jē-ă)［colon＋G. *algos*, pain］.

結腸痛（まれに用いる語）.
co・lon・ic (ko-lon′ik). 結腸の.
col・o・ni・za・tion (kol′on-i-zā′shŭn). ***1*** 転移増殖. = innidiation. ***2*** 集落形成（細菌細胞が増殖を始めると生じる集落のように，同種類の微生物が緻密な集合体を形成すること）. ***3*** 集落化（らい病や精神病の患者など特定の人を，共同社会の中で看護すること）.
genetic c. 遺伝学的開拓（遺伝子を宿主を介して，自然にあるいは人工的に導入することによって伝播させること）.
co・lon・o・gram (ko-lon′ō-gram). 結腸運動曲線（結腸運動の描画記録）.
colonography (kō-lon-og′a-fē). 大腸撮影（主に CT や MRI の画像データを用いて，コンピュータ画像再構成により仮想注腸像や仮想大腸内視鏡像を作成する大腸画像検査法. →barium *enema*).
co・lo・nom・e・ter (kō′lō-nom′ĕ-ter). 集落計（細菌集落を数える器具）.
co・lon・op・a・thy (kō′lŏ-nop′ă-thē). 結腸疾患（まれに用いる語）. = colopathy.
fibrosing c. 線維性大腸症（囊胞性線維症患者にみられる大腸の線維化で，パンクレアチンによって生じると考えられている）.
co・lon・or・rha・gi・a (kō′lon-ō-rā′jē-ă). colorrhagia を表す，まれに用いる語.
co・lon・or・rhe・a (kō′lon-ō-rē′ă). = colorrhea.
co・lon・o・scope (kō-lon′ō-skōp). 結腸鏡（長く自由に曲がるファイバースコープ）.
co・lon・os・co・py (kō′lon-os′kŏ-pē) [colon + G. *skopeō*, to view]. 結腸鏡検査〔法〕（結腸鏡による結腸内表面の視覚による検査）. = coloscopy.
col・o・ny (kol′ŏ-nē) [L. *colonia*, a colony]. コロニー，集落（①固形栄養物の表面で成長している細胞群. 各々は個々の細胞の増殖によりできる栄養系，分枝系. = clone. ②共通の利害関係をもって，特定の場所または地域に住む人々のグループ）.
daughter c. 娘コロニー，娘集落（古い集落の表面に成長している二次性集落. 母コロニーより小さく，母コロニーとは異なる性状をもつことがある）.
filamentous c. 糸状コロニー，糸状集落（細菌学において，長く組み合わされ，不規則に並ぶ糸状の集落）.
H c. [Ger. *Hauch*, breath]. H コロニー，H 集落（薄い膜状に広がった増殖をする運動性細菌の集落. *cf.* O c.).
lenticular c. レンズ状コロニー，レンズ状集落（両凸レンズの形をした細菌集落）.
mother c. 母コロニー，母集落（二次性集落（娘コロニー）を生じる集落で，娘コロニーは母コロニーの表面で成長する. 母コロニーは娘コロニーよりも大きく，性状も異なることがある）.
mucoid c. ムコイドコロニー，ムコイド集落（大量の炭水化物性莢膜を生じる細菌に典型的な粘着性の増殖を示す集落）.
O c. [Ger. *ohne Hauch*, without breath]. O コロニー，O 集落（運動性細菌が増殖して培地表面に形成する薄層に対して，非運動性細菌がつくる境界の鮮明な集落. *cf.* H c.).
rough c. ラフコロニー，ラフ集落（顆粒状の扁平表面をもつ細菌集落. スムーズコロニーが毒力を示すのに対して，この種のものは通常，毒力をもたない）.
smooth c. スムーズコロニー，スムーズ集落（光る丸い表面をもつ細菌集落. ラフコロニーの毒力に比して，この種のものは通常，毒力が強い）.
spheroid c. 球状コロニー，球状集落（原生動物のコロニー. 個々の細胞がゼラチン様物質により相互に結合してつくられた密集性の球状塊）.
co・lop・a・thy (kō-lop′ă-thē). = colonopathy.
co・lo・pex・os・to・my (kō′lō-peks-os′tō-mē) [colo- + G. *pēxis*, fixation + *stoma*, mouth]. 結腸固定造瘻〔術〕（腹壁への結腸固定後，結腸腔と皮膚の連絡をつくることを表す，まれに用いる語）.
co・lo・pex・ot・o・my (kō′lō-pek-sot′ō-mē) [colo- + G. *pēxis*, fixation + *tomē*, incision]. 結腸固定切開〔術〕（腹壁への結腸固定後，結腸を切開することを表す，まれに用いる語）.
col・o・pex・y (kol′ō-pek′sē) [colo- + G. *pēxis*, fixation]. 結腸固定術（結腸の一部を腹壁へ固定すること）.
co・lo・pho・ny (kō-lof′ō-nē) [*Colophōn*, イオニアの町 Summit]. 松やに. = rosin.
co・lo・pli・ca・tion (kō′lō-pli-kā′shŭn) [colo- + Mod. L. *plica*, fold]. 結腸造襞〔術〕（ひだをつくったり腸壁にたくし込んだりすることによって，拡張した結腸の管腔を減少させること）. = coliplication.
co・lo・proc・ti・tis (kō′lō-prok-tī′tis) [colo- + G. *prōktos*, anus (rectum) + *-itis*, inflammation]. 結腸直腸炎. = colorectitis; proctocolitis; rectocolitis.
co・lo・proc・tos・to・my (kō′lō-prok-tos′tō-mē) [colo- + G. *prōktos*, anus (rectum) + *stoma*, mouth]. 結腸直腸吻合〔術〕（直腸とそれに接続していない結腸部分間に連絡路をつくること）. = colorectostomy.
co・lop・to・sis, co・lop・to・sia (kō′lop-tō′sis, -tō′sē-ă) [colo- + G. *ptōsis*, a falling]. 結腸下垂〔症〕（[二重字 pt において，p は語頭にあるときのみ無音である]. 結腸，特に横行部分の下方への転移または脱出）.
co・lo・punc・ture (kō′lō-pŭnk′chūr). 結腸穿刺. = colocentesis.
col・or (kŭl′ŏr) [L.]. 色，色彩（①色相 hue，明度 brightness，および彩度 saturation によって特徴付けできる物体の外観および光源の視覚上の表現. ②可視領域の電磁波スペクトル（370—760 nm）の視覚上の表現で，波長，光度，純度によって特徴付けられる）.
complementary c.'s 補色，余色（混合すると白色光になる 2 つの異なる色）.
confusion c.'s 錯色（クリーム色，黄褐色，薄青色，灰色，茶色，緑色，紫色などの色が組になったもので，通常，染色された羊毛. 色覚異常の検査に使用される）.
extrinsic c. 外色素（歯科補てつ物の外面に用いる色素）.
intrinsic c. 内色素（義歯の材料への付加色素，顔料）.
opponent c. 反対色（網膜内の経路を分け合う色の対. 例えば，赤－緑，青－黄，黒－白）.
primary c. 原色（網膜錐体細胞色素の 3 色（赤，緑，青）. これらの混合によって，すべての色相をつくり得る）. = simple c.
pure c. 純〔粋〕色（特定の波長の光により生じる視覚）.
reflected c.'s 反射色（色素を有する表面に当たった光にみられる色）.
saturated c. 飽和色（白色を最も少なく含有する色）.
simple c. 単色. = primary c.
structural c. 構造色（光学的効果（干渉，反射，拡散など）によってつくられた色. 多くの自然に生じる青色はこれに分類される. *cf.* natural *pigment*). = schemochromes.
tone c. 音色. = timbre.
co・lo・rec・tal (kō′lō-rek′tăl). 結腸直腸の（結腸および直腸あるいは全大腸についていう）.
co・lo・rec・ti・tis (kō′lō-rek-tī′tis). = coloproctitis.
co・lo・rec・tos・to・my (kō′lō-rek-tos′tō-mē). = coloproctostomy.
col・or・im・e・ter (kŭl′ŏr-im′ĕ-ter). 比色計（色および（または）液体の色の濃さを決めるのに用いる光学装置）. = chromatometer; chromometer.
Duboscq c. (dū-bosk′) [Jules *Duboscq*]. デュボスク比色計（標準溶液と比較することにより，液体の色調度を測る初期の器械. ガラスの円柱を，1 つは標準溶液が，他方は試料溶液がはいった 2 つのコップの各々の中に浸す. コップの中の円柱を上下することにより，円柱を通して見る色調が等しくなり，その上下の程度が目盛りに示され，正確な色調差が得られる）.
col・or・i・met・ric (kŭl′ŏr-i-met′rik). 比色定量の，比色法の（比色定量法に関する）.
col・or・im・e・try (kŭl′ŏr-im′ĕ-trē). 比色定量（定量化学分析法の 1 つで，試料溶液に生じる色と，標準溶液の色との比較に基づく. 2 つの溶液は比色計の中で同時に観察され，光の吸収量に基づいて定量される）.
col・or match (kŭl′ŏr match). 色整合（視覚的にはっきりした差が最小限度になるまで色を混ぜ合わせた調整結果）.
co・lor・rha・gi・a (kō′lōr-ā′jē-ă) [colo- + G. *rhēgnymi*, to burst forth]. 結腸漏（結腸からの異常な分泌）.
co・lor・rha・phy (kō-lōr′ă-fē) [colo- + G. *rhaphē*, suture].

C

結腸縫合〔術〕(結腸の縫合).

co·lor·rhe·a (kō-lōr-ē′ă) [colo- + G. *rhoia*, a flow]. 結腸性下痢 (主に結腸に限局するか，または結腸が侵される過程から生じると考えられる下痢を表す．まれに用いる語). = colonorrhea.

col·or sol·id (kŭl′ŏr sol′ĭd). 色立体 (色彩を，その構成要素によって空間的に表現したもの．すなわち色相，彩度，明度の程度が円柱座標によって示される).

col·or tri·an·gle (kŭl′ŏr trī′ang-gĕl). 色三角 (色度座標を図示する図).

co·los·co·py (kō-los′kŏ-pē) [colo- + G. *skopeō*, to view]. 結腸鏡検査. = colonoscopy.

co·lo·sig·moi·dos·to·my (kō′lō-sig′moy-dos′tŏ-mē). 結腸S状結腸吻合〔術〕(結腸部分とS状結腸との間を吻合すること).

co·los·to·my (kō-los′tō-mē) [colo- + G. *stoma*, mouth]. 人工肛門形成〔術〕，結腸造瘻〔術〕，結腸フィステル形成〔術〕(結腸腔と皮膚の間に造設された人工的な連絡).

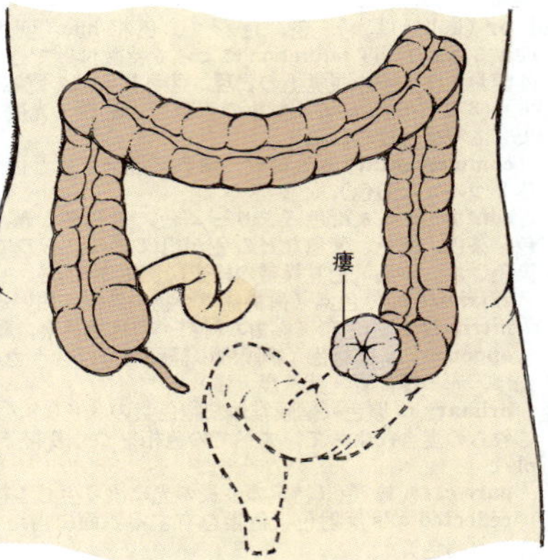

colostomy

S状結腸と直腸の切除後の便の流れの永久的う回路の作製.

co·los·tror·rhe·a (kō-los′trōr-rē′ă) [colostrum + G. *rhoia*, flow]. 初乳漏出〔症〕(初乳の分泌が異常に多いこと).

co·los·trous (kō-los′trŭs). 初乳の.

co·los·trum (kō-los′trŭm) [L.]. 初乳 (分娩後に最初に分泌される乳汁で，希薄な乳白色の液体．ラクトアルブミンと乳蛋白を多く含むという点で，後に分泌される乳汁とは異なる．また，初乳は，新生児に受動免疫を与える抗体に富む). = foremilk.

co·lot·o·my (kō-lot′ō-mē) [colo- + G. *tomē*, incision]. 結腸切開〔術〕.

Col·our In·dex (CI) (kŭl′ŏr in′deks). 染料索引 (染料化学に関する出版物で，そこに記載された各々は5桁のC.I.番号で同定される．例えば，メチレンブルーはC.I. 52015である).

colp- (kolp). →colpo-.

col·pa·tre·si·a (kol′pa-trē′zē-ă) [colp- + G. *atrētos*, imperforate]. 腟閉鎖〔症〕. = vaginal *atresia*.

col·pec·ta·sis, col·pec·ta·sia (kol-pek′tă-sis, -pek-tā′sē-ă) [colp- + G. *aktasis*, stretching]. 腟拡張〔症〕.

col·pec·to·my (kol-pek′tō-mē) [colp- + G. *ektomē*, excision]. 腟切除〔術〕. = vaginectomy.

colpo-, colp- (kol′pō, kolp) [G. *kolpos*, fold or hollow]. 腟を示す連結形. →vagino-.

col·po·cele (kol′pō-sēl) [colpo- + G. *kēlē*, hernia]. ***1*** 腟ヘルニア (腟に突出しているヘルニア). = vaginocele. ***2*** 腟脱〔症〕. = colpoptosis.

col·po·clei·sis (kol′pō-klī′sis) [colpo- + G. *kleisis*, closure]. 腟閉鎖〔術〕(腟腔をなくす手術).

col·po·cys·to·plas·ty (kol′pō-sis′tō-plas′tē) [colpo- + G. *kystis*, bladder + *plastos*, formed]. 腟膀胱形成〔術〕(膀胱腟壁修復のための形成外科手術).

col·po·cys·tot·o·my (kol′pō-sis-tot′ō-mē) [colpo- + G. *kystis*, bladder + *tomē*, incision]. 経腟〔的〕膀胱切開〔術〕.

col·po·cys·to·u·re·ter·ot·o·my (kol′pō-sis′tō-yū-rē′ter-ot′ō-mē) [colpo- + G. *kystis*, bladder + *ourēter*, ureter + *tomē*, incision]. 経腟膀胱式尿管切開〔術〕.

col·po·dyn·i·a (kol′pō-din′ē-ă) [colpo- + G. *odynē*, pain]. 腟痛. = vaginodynia.

col·po·hys·ter·ec·to·my (kol′pō-his′ter-ek′tō-mē) [colpo- + G. *hystera*, uterus + *ektomē*, excision]. 腟式子宮摘出〔術〕. = vaginal *hysterectomy*.

col·po·hys·ter·o·pex·y (kol′pō-his′ter-ō-pek′sē) [colpo- + G. *hystera*, uterus + *pēxis*, fixation]. 腟式子宮固定〔術〕.

col·po·hys·ter·ot·o·my (kol′pō-his′ter-ot′ō-mē) [colpo- + G. *hystera*, uterus + *tomē*, incision]. 腟式子宮切開〔術〕. = vaginal *hysterotomy*.

col·po·mi·cro·scope (kol′pō-mī′krō-skōp). コルポマイクロスコープ (頸部組織の直視検査のための特殊な顕微鏡).

col·po·mi·cros·co·py (kol′pō-mī-kros′kŏ-pē). 腟顕微鏡診 (コルポマイクロスコープを用いて，腟および頸管の細胞を*in vivo*(すなわち損傷を受けていない組織状態下)で拡大し，直視的に診察・研究すること).

col·po·my·co·sis (kol′pō-mī-kō′sis). 腟真菌症，腟糸状菌症. = vaginomycosis.

col·po·my·o·mec·to·my (kol′pō-mī′ō-mek′tō-mē) [colpo- + myoma + G. *ektomē*, excision]. 腟式筋腫摘出〔術〕. = vaginal *myomectomy*.

col·po·per·i·ne·o·plas·ty (kol′pō-pār-i-nē′ō-plas′tē) [colpo- + perineum + G. *plastos*, formed]. 腟会陰形成〔術〕. = vaginoperineoplasty.

col·po·per·i·ne·or·rha·phy (kol′pō-pār′i-nē-ōr′ă-fē) [colpo- + perineum + G. *rhaphē*, sewing]. 腟会陰縫合〔術〕. = vaginoperineorrhaphy.

col·po·pex·y (kol′pō-pek′sē) [colpo- + G. *pēxis*, fixation]. 腟〔壁〕固定〔術〕. = vaginofixation.

col·po·plas·ty (kol′pō-plas′tē) [colpo- + G. *plastos*, formed]. 腟形成〔術〕. = vaginoplasty.

col·po·poi·e·sis (kol′pō-poy-ē′sis) [colpo- + G. *poiēsis*, a making]. 腟形成，造腟術 (腟を外科的につくることに対してまれに用いる語).

col·po·pto·sis, col·po·pto·sia (kol-pop-tō′sis, -tō′sē-ă) [colpo- + G. *ptōsis*, a falling]. 腟脱〔症〕(**[**二重字 pt において，pは語頭にあるときのみ無音である**]**．腟壁の脱出). = colpocele (2).

col·po·rec·to·pex·y (kol′pō-rek′tō-pek′sē) [colpo- + rectum + G. *pēxis*, fixation]. 腟直腸固定〔術〕(脱出した直腸を腟壁に縫い付ける修復術).

col·por·rha·phy (kol-pōr′ă-fē) [colpo- + G. *rhaphē*, suture]. 腟壁縫合〔術〕，腟壁縫縮〔術〕(裂傷の断端を新しく縫合する腟の裂傷の修復術).

col·por·rhex·is (kol′pō-rek′sis) [colpo- + G. *rhēxis*, rupture]. 腟断裂. = vaginal *laceration*.

col·po·scope (kol′pō-skōp). コルポスコープ，腟拡大鏡 (腟および頸管の組織を直視的に観察・研究するために，その表面を *in vivo* で拡大する内視鏡器械).

---

col·pos·co·py (kol-pos′kŏ-pē) [colpo- + G. *skopeō*, to view]. コルポスコピー，腟拡大鏡診 (内視鏡による腟および頸管の検査).

細胞診異常例に対する頸部異型上皮の範囲の判定に用いられる他，ねらい打ち組織診，焼灼，冷凍，レーザー蒸散，ループによる電気的切除を行う際にも使用される．照明を内蔵し2—20倍あるいはそれ以上の拡大視診ができる．標準的な腟鏡を用いて頸部，特に変換帯および腟粘膜を観察する．緑色フィルタで血管走行を強調でき，点状血管，モザイク，異型血管などの異常を判定できる．5％酢酸液の前処理で，扁平化生を示す，増加した細胞蛋白，核濃度の部位を鮮明化できる．Lugol液(ヨードカリ)は正常扁平上皮に含まれるグリコゲンを染色するので異常扁平上皮との判別に用いられる．細胞診が，高度の扁平上皮内病変，コイロサイトーシス，上皮内癌または進行癌の所見を示すときはコルポスコピー下に子宮頸部組織診を行うことが選択される．細胞診の結果が不明瞭な場合は，現在ではコルポスコピーよりもHPVのDNA検査が推奨されている．

col·po·spasm (kol′pō-spazm). 膣痙（膣の痙攣性収縮）.

col·po·stat (kol′pō-stat) [colpo- + G. *statos*, standing]. 膣内留置器（頸癌の治療のためのラジウム装着器具のように，膣内で用いる器具）.

col·po·ste·no·sis (kol′pō-sten-ō′sis) [colpo- + G. *stenōsis*, narrowing]. 膣狭窄（膣の内腔が狭くなっていること）.

col·po·ste·not·o·my (kol′pō-sten-ot′ō-mē) [colpo- + G. *stenōsis*, narrowing + *tomē*, incision]. 膣狭窄切開〔術〕.

col·po·sus·pen·sion (kol′pō-sus-pen′shun) [colpo- + suspension]. 子宮体部吊上術（膣円蓋部の側面とCooper靱帯を両側で縫合固定する．膀胱瘤による腹圧性尿失禁に対する標準的なMarshall-Marchetti-Kranz尿道膀胱吊上術の変法で，より有効な術式）.

col·pot·o·my (kol-pot′ō-mē) [colpo- + G. *tomē*, incision]. 膣切開〔術〕. = coleotomy; vaginotomy.

col·po·u·re·ter·ot·o·my (kol′pō-yū-rē′ter-ot′ō-mē) [colpo- + G. *tomē*, incision]. 膣式尿管切開（膣を通して行う尿管の切開）.

col·po·xe·ro·sis (kol′pō-zē-rō′sis) [colpo- + G. *xērōsis*, dryness]. 膣陰門乾燥症（膣粘膜の異常な乾燥）.

Col·ti·vi·rus (kol′tē-vī′rus) [*Colorado tick* fever + virus]. コルチウイルス属（コロラドダニ熱を引き起こすレオウイルス科の一属）.

Col·u·bri·dae (kol-yū′bri-dē) [L. *coluber*, serpent]. ヤマカガシ科（ほとんど非毒性か，弱い毒を有するヘビの一科．1,000種以上からなり，北・南アメリカ，アジア，アフリカに生息する）.

col·um·bi·um (Cb) (kolŭm′bē-ŭm) [*Columbia*, name for America]. コロンビウム（niobiumの旧名）.

col·u·mel·la, pl. **col·u·mel·lae** (kol′ū-mel′ă, -mel′ē) [L. *columna*(column)の指小辞]. コルメラ，支柱，軸柱（①柱，小柱. = columnella. ②接合菌綱にみられるような真菌における胞子嚢の無胞子性の陥入）.

c. cochleae = modiolus (1).

hanging c. 吊り下がったコルメラ（異常に低いコルメラ，先天的か後天的(例えば術後の)を説明するための用語）.

c. nasi 鼻柱（下方外側軟骨と外鼻孔の内脚をおおう．膜性中隔の頭側に接続し，軟骨中隔の下端部をおおう）.

col·umn (kol′ŭm) [L. *columna*][TA]. **[**collumと混同しないこと．誤った発音kol′yumを避けること**]**. = columna [TA]. ***1*** 柱，列（柱形または円柱索状をした解剖学的部分または構造. →fascicle）. ***2*** 柱，列，カラム（通常，円筒状の垂直の物体，塊または構造）.

affinity c. アフィニティカラム. = affinity *chromatography*.

anal c.'s [TA]. 肛門柱（肛門管の上半分の多数の粘膜性の縦隆線で，その発達のゆえに管径が膨大部から急に減少している）. = columnae anales [TA]; Morgagni c.'s; rectal c.'s.

anterior c. [TA]. 前柱（脊髄の灰白質の腹側へ突出した左右の柱状構造．これは脊髄の横断面に現れる前角に相当しており，体幹，頸部，四肢の骨格筋を神経支配している運動性の神経ニューロンよりなる. →gray c.'s）. = columna anterior [TA].

anterior gray c. 〔脊髄〕前〔灰白〕柱. = central and lateral intermediate *substances*.

anterior c. of medulla oblongata 〔延髄の〕前柱. = *pyramid* of medulla oblongata.

anterolateral c. of spinal cord 〔脊髄の〕側柱. = lateral *funiculus*.

Bertin c.'s (bĕr-tan[h]′). ベルタン柱. = renal c.'s.

branchial efferent c. 鰓弓性遠心性細胞柱. = special visceral efferent c.

Burdach c. (bŭr′dok). ブルダッハ柱. = cuneate *fasciculus*.

Clarke c. (klahrk). クラーク柱. = posterior thoracic *nucleus*.

dorsal c. of spinal cord 〔脊髄の〕後柱. = posterior c.

c. of fornix [TA]. 脳弓柱（脳弓のうち視床前結節(視床前核)の吻側で室間孔(Monro孔)の近くを回り，視床下部を経て乳頭体に続く部分．主に海馬と海馬台(海馬支脚，鉤状回)から出る線維からなり，脳弓体から直接続いている）. = columna fornicis [TA]; anterior pillar of fornix.

general somatic afferent c. 一般体性求心性細胞柱（胎児の後脳および脊髄上端にみられる柱状の灰白質で，成人では三叉神経感覚核および脊髄後角の中継細胞に相当する）.

general somatic efferent c. 一般体性遠心性細胞柱（胎児にみられる灰白質の柱で，成人では動眼神経核，滑車神経核，外転神経核，舌下神経核および前根の運動神経となる）.

general visceral afferent c. 一般内臓求心性細胞柱（胚子の後脳と脊髄における灰白質の柱で，発生が進むと孤束路の核を生じ脊髄の細胞と連絡する）.

general visceral efferent c., splanchnic efferent c. 一般内臓遠心性細胞柱（胚子の後脳と脊髄にある灰白質の柱で，成人では迷走神経背側核，上下唾液核，Edinger-Westphal核，脊髄の内臓運動神経に相当する）.

Goll c. (gol). ゴル柱. = gracile *fasciculus*.

Gowers c. (gow′ĕrz). ガウアーズ柱. = anterior spinocerebellar *tract*.

gray c.'s 灰白柱（いくらか隆線様をした，脊髄の灰白質の3つの棚状の張出し(前柱，側柱，後柱)で，脊髄の両外側半分の中心部を縦にのびている．これらの柱の横断面では灰白角として現れ，したがって，一般に前角，側角，後角とそれぞれよばれる）. = columnae griseae [TA].

intermediate c. [TA]. 中間柱（脊髄灰白質の前柱と後柱の間にある部分で，Rexedの層区分でVIIIとされている多数の核を含む部分．そこには側角の中間外側核，中心中間質，後(背)胸核(Clarkeの核)，外側中間質，中間内側核，仙骨副交感神経核，陰部神経核，脊髄網様体の一部，前内側核などがある）. = columna intermedia [TA]; intermediate region [TA]; intermediate zone [TA].

intermediolateral cell c. of spinal cord 〔脊髄の〕中間外側細胞柱. = intermediolateral *nucleus*.

lateral c. 側柱（左右の側索の中にわずかに突出する脊髄の灰白質．特に，自律神経系の交感神経の節前神経ニューロンが含まれる胸部で著しい．脊髄の横断面に現れる側角に相当する. →gray c.'s）. = columna lateralis; lateral c. of spinal cord.

lateral c. of spinal cord 〔脊髄の〕側柱. = lateral c.

Lissauer c. (lis′ow-ĕr). = dorsolateral *fasciculus*.

Morgagni c.'s (mōr-gah′nyē). モルガニー柱. = anal c.'s.

posterior c. [TA]. 後柱（脊髄の各々の外側半分にある灰白質の外後方への著しい膨隆で，脊髄の横断面に現れる後角に相当する）. = columna posterior [TA]; dorsal c. of spinal cord; posterior c. of spinal cord (1).

posterior c. of spinal cord 〔脊髄の〕後柱（① = posterior c. ②臨床用語で，しばしば脊髄の後索をさす）.

rectal c.'s 肛門柱. = anal c.'s.

renal c.'s [TA]. 腎柱（腎皮質の延長したもので，腎錐体を仕切っている）. = columnae renales [TA]; Bertin c.'s.

Rolando c. (rō-lan′dō). ロランド柱（下行三叉神経路および核に関連した延髄の両側にあるわずかな隆起）.

rugal c.'s of vagina 膣皺柱. = vaginal c.'s.

Sertoli c.'s (sĕr-tō′lē). セルトーリ(セルトリ)柱（→Sertoli *cells*）.

special somatic afferent c. 特殊体性求心性細胞柱（胎児の後脳にある灰白質の柱で，成人では脳幹の聴神経核や前庭神経核，および眼の網膜に相当する）.

special visceral afferent c. 特殊内臓求心性柱（胚の後脳の灰白質柱で，成人の孤束核に発達する．嗅覚にも関係する）.

special visceral efferent c., splanchnic efferent c. 特殊内臓遠心性細胞柱，内臓遠心性細胞柱（胚子の後脳の灰白柱で，成人では三叉神経核，顔面神経核，疑核に相当する．[人体解剖における鰓の使用は誤った名称である]）. = branchial efferent c.

spinal c. 脊柱. = vertebral c.

c. of Spitzka-Lissauer (spits′kă lis′ow-ĕr). →dorsolateral *fasciculus*.

Stilling c. (stil′ing). シュティリング柱. = posterior thoracic *nucleus.*

Türck c. (tērk). チュルク柱. = anterior corticospinal *tract.*

vaginal c.'s 腟皺柱（腟の粘膜の前壁および後壁をわずかに縦走する2本の粘膜隆起. どちらも横走する多くの粘膜ひだがあるのが特徴である）. = columnae rugarum; rugal c.'s of vagina.

ventral white c. [TA]. = white *commissure.*

vertebral c. [TA]. 脊柱（頭蓋骨から尾骨まで延長している脊椎の連続で，脊髄を支え，可動性のある骨の枠を形成している）. = columna vertebralis [TA]; spine (2) [TA]; backbone; dorsal spine; rachis; spina dorsalis; spinal c.; vertebrarium.

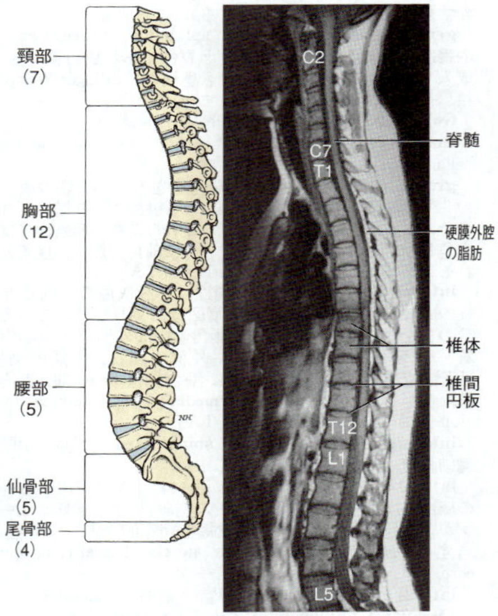

vertebral column

左：全脊柱の側面図.
右：環椎から第五腰椎のMRI矢状断像.

co·lum·na, gen. & pl. **co·lum·nae** (ko-lŭm′nă, -nē) [L.] [TA]. 柱. = column.

columnae anales [TA]. 肛門柱. = anal *columns.*

c. anterior [TA]. = anterior *column.*

columnae carneae = *trabeculae* carneae of (right and left) ventricles (⇀*trabecula*).

c. fornicis [TA]. 脳弓柱. = *column* of fornix.

columnae griseae [TA]. 灰白柱. = gray *columns.*

c. intermedia [TA]. = intermediate *column.*

c. lateralis = lateral *column.*

c. posterior [TA]. = posterior *column.*

columnae renales [TA]. 腎柱. = renal *columns.*

columnae rugarum = vaginal *columns.*

c. vertebralis [TA]. 脊柱. = vertebral *column.*

co·lum·nel·la, pl. **col·um·nel·lae** (ko′lŭm-nel′ă, -nel′ē) [L. *columna* (a column)の指小辞；*columella* の別形]. 柱，小柱. = columella (1).

co·ly·pep·tic (kō′lē-pep′tik) [G. *kōlyō*, to hinder + *pepsis*, digestion]. 消化抑制の，を表すまれに用いる語.

com- ⇀con-.

co·ma (kō′mă). ***1*** [G. *kōma*, deep sleep, trance]. 昏睡（覚ますことのできない深い無意識の状態. 毒物の摂取や体内で形成される毒素の作用，外傷，あるいは疾病などによって起こる）. ***2*** [G. *kome*, hair]. 球レンズ収差（斜めに入射した場合に起こる球レンズの収差. 例えば，点の像がほうき星の形になる）. ***3*** = coma *aberration.*

delayed c. after hypoxia 低酸素症後の遅発性昏睡（急性低酸素症の2－3日から3週間後に起こる昏睡. 低酸素症は通常最初の昏睡を起こすくらい強く，それが消失してから一過性に正常にみえる時期がある）. = severe postanoxic encephalopathy.

diabetic c. 糖尿病〔性〕昏睡（重症および不適切に治療された糖尿病に起こる昏睡. 適切な治療が速やかに行われないかぎり，一般に致命的である. これは中枢神経系の酸化的代謝の低下から起こり，この低下は重症のケトアシドーシスおよび，恐らくはケトン体の組織毒性作用，水と電解質平衡の障害から生じると思われる）. = Kussmaul c.

hepatic c. 肝性昏睡（進行した肝機能不全や門脈大循環シャントで生じる昏睡. 血中アンモニア値の増加により生じる. 特異的な所見としては自睡前期での羽ばたき振せんや，脳検査で両側性の同期性の三層波を伴う痙攣がある）.

hyperosmolar (hyperglycemic) nonketotic c. 高浸透圧性(高血糖性)非ケトン性昏睡（著しい高血糖(800 mg/dL 以上)により，脳細胞内の水分が高浸透圧のため移動し昏睡に陥る，糖尿病 *diabetes* mellitus にみられる合併症. 死亡することもあり，神経障害が永久に残ることもある. ケトアシドーシスは生じない）.

hypoglycemic c. 低血糖性昏睡（低血糖によって起こる代謝性脳症. 通常糖尿病患者にみられ，体外からのインスリンの過剰による）.

hypoventilation c. 低換気性昏睡（高度の肺不全にみられる昏睡とその結果の低換気）. = CO_2 narcosis; hypoxic-hypercarbic encephalopathy; pulmonary encephalopathy.

Kussmaul c. (kūs′mowl). クスマウル昏睡. = diabetic c.

metabolic c. 代謝性昏睡（神経細胞や膠細胞の代謝障害により生じた，神経代謝の広範な障害による昏睡. 中毒や，電解質のアンバランスなど，脳以外の病変により生じる場合もある）.

thyrotoxic c. 甲状腺中毒〔性〕昏睡（甲状腺中毒急性発作や甲状腺クリーゼのような重篤な甲状腺機能亢進症時に死に先行して起こる昏睡）.

trance c. = lethargic *hypnosis.*

uremic c. 尿毒症性昏睡（腎不全によって起こる代謝性脳症）.

co·ma·tose (kō′mă-tōs). 昏睡の（[誤った表記 comatosed を避けること]）.

com·bi·na·tion (kom′bi-nā′shŭn). 組合せ，併用，結合（①分離した単位を組み合わせる(すなわち接合，結合，密接な連合をもたらす)行為. ②結合している状態）.

binary c. 二語組合せ（属名と種小名との2語の組合せからなる細菌の種の名称）.

new c. 新組合せ〔命名法〕（微生物をある属から他の属へと移すことによって生じる新しい名称. 属名は変わるが，多くの場合，種小名はそのまま残る）.

com·bi·na·to·ri·al (kom′bin-ă-tor′ē-ăl). 無作為配列（原子の直線的配置においてどんな位置でも構成成分の無作為組合せを使用する系. 例えば突然変異の組換えライブラリーでは4種の塩基すべてが無作為に挿入されるような位置がある）.

combitube (kom′bi-tūb). コンビチューブ（2つの内腔と2か所に密閉用カフが付いた気道機器. 盲目的に挿入し，機器が気管に入っているか食道に入っているかにかかわらず，気管換気が行える）.

com·bus·ti·ble (kom-bus′ti-bĕl). 可燃性の.

com·bus·tion (kom-bŭs′chŭn) [L. *comburo*, pp. *-bustus*, to burn up]. 燃焼（熱および光の発生を伴った，物質の急速な酸化）.

slow c. 緩慢燃焼（⇀decay）.

spontaneous c. 自発燃焼，自然燃焼（外部からの点火なしに，含まれる物質の酸化によりその内部に生じた熱で物体が発火すること）.

Com·by (kom′bē), Jules. フランス人小児科医，1853－1947. ⇀C. *sign.*

com·e·do, pl. **com·e·dos, com·e·do·nes** (kom′ē-dō, kō-mē′dō; kom′ē-dōz; kom-ē-dō′nēz) [L. a glutton < *comedo*, to eat up]. コメド，面ぽう(皰)（[正しい単数形は comedo であり，comedone ではない]. 拡大した毛包漏斗部

であり，ケラチン，鱗屑，バクテリア，特に痤瘡プロピオンバクテリウム *Propionibacterium acnes*，皮脂が充満している．尋常性痤瘡の初期病変）．

closed c. 閉鎖面ぽう（皮表に小さな開口をもつかあるいはこれが閉塞された面ぽう．破裂し，軽度の真皮炎症反応を起こすこともある）．＝whitehead (2).

open c. 開放面ぽう（表皮壊死によるメラニンを含んだ黒色物質で皮表をおおわれた開口部をもつ面ぽう）．

solar c. ＝Favre-Racouchot *disease.*

com·e·do·car·ci·no·ma (kō-mē′dō-kar′si-nō′mă). コメド癌，面ぽう(皰)癌（壊死に陥った悪性細胞の栓子が腺管から排出される癌の一形態で，乳房その他の器官にみられる）．

com·e·do·gen·ic (kom′ē-dō-jen′ik) [comedo + G. *genesis*, production]. 面ぽう(皰)形成性の（面ぽうの形成を促進する傾向のある）．

com·e·do·ne·cro·sis (kom′ē-dō-nek-rō′sis) [comedo + necrosis]. 面ぽう(皰)壊死（腺組織にみられる壊死の一種で，管腔内に炎症と死んだ細胞がみられる．乳腺の管内癌でみられることが多い）．

co·mes, pl. **com·i·tes** (kō′mēz, kom′i-tēz) [L. a companion < *com-*, together + *eo*, pp.-*itus*, to go]. 伴行，側副（他の血管，神経に伴行する血管．動脈に伴行する静脈(しばしば2本)を venae comitantes, venae comites という）．

com·i·tance (kom′ē-tants). 随伴，伴行，共助（両眼の視線がすべての注視方向で合わない斜視の特徴）．

com·i·tant (kom′i-tant). 共同〔性〕，共動〔性〕（→comitant *strabismus*）. ＝concomitant.

com·men·sal (kŏ-men′săl). ***1***〚adj.〛片利共生の（片利共生に関する，によって特徴付けられる）. ***2***〚n.〛共生している生物.

com·men·sal·ism (kŏ-men′săl-izm) [L. *con-*, with, together + *mensa*, table]. 片利共生（一方の種は利益を受け，他方は害を受けないような共生関係．ヒト大腸内の大腸アメーバ *Entamoeba coli* などがその例である．*cf.* metabiosis; mutualism; parasitism）．

epizoic c. 外寄生性共生．＝phoresis (2).

com·mi·nut·ed (kom′i-nū′ted) [L. *com-minuo*, pp. *-minutus*, to make smaller, break into pieces < *minor*, less]. 粉砕された（破片に砕かれた．特に骨折を示す）．

com·mi·nu·tion (kom-i-noo′shŭn). 粉砕（数個の破片に砕かれること．特に骨折の状態を表現するときに用いる）．

com·mis·sura, gen. & pl. **com·mis·sur·ae** (kom′i-sūr′ă, -sūr′ē) [L. a joining together, seam < *com-mitto*, to send together, combine] [TA]. 交連．＝commissure.

c. alba anterior [TA]. 前白交連．＝white *commissure.*

c. alba posterior [TA]. 後白交連．＝white *commissure.*

c. anterior [TA]. 前交連．＝anterior *commissure.*

c. anterior grisea 灰白前交連（→*substantia* intermedia centralis）．

c. bulborum (vestibuli) [TA]. 会陰交連．＝*commissure* of bulbs(of vestibule).

c. cinerea ＝interthalamic *adhesion.*

c. colliculorum inferiorum [TA]. →*commissure* of inferior colliculus.

c. colliculorum superiorum [TA]. →*commissure* of superior colliculus.

c. epithalamica 視床上交連．＝c. posterior.

c. fornicis [TA]. 脳弓交連（左右の脳弓脚線維束が集まってできた三角形の脳梁下交連線維束で，多数の線維が反対側の脳弓脚へ行き海馬に終わっている）．＝commissure of fornix [TA]; c. hippocampi; delta fornicis; hippocampal commissure; psalterium; transverse fornix.

c. grisea 灰白交連（①＝interthalamic *adhesion*．②→*substantia* intermedia centralis）．

c. grisea anterior →gray *commissure.*

c. grisea posterior [TA].→ gray *commissure.*

c. habenularum [TA]. 手綱交連（左右の手綱核間の連結．左右の視床髄条線維の交叉で，松果体脚の後部を形成している）．＝habenular commissure [TA]; commissure of habenulae.

c. hippocampi 海馬交連．＝c. fornicis.

c. labiorum (oris) [TA]. 唇交連．＝*commissure* of lips (of mouth).

c. labiorum anterior [TA]. 前陰唇交連．＝anterior labial *commissure.*

c. labiorum posterior [TA]. 後陰唇交連．＝posterior labial *commissure.*

c. lateralis palpebrum [TA].＝lateral palpebral *commissure.*

c. medialis palpebrum [TA].＝medial palpebral *commissure.*

c. palpebrarum lateralis 外側眼瞼交連．＝lateral palpebral *commissure.*

c. palpebrarum medialis 内側眼瞼交連．＝medial palpebral *commissure.*

c. posterior [TA]. 〔大脳の〕後交連（視床上部で松果体手綱と中脳水道上口との間を，端から端まで横切っている白質の薄い帯．主に左右の視蓋前部を連結している線維と中脳の関連細胞群からなる．間脳と中脳の接合部となる）．＝c. epithalamica; posterior commissure.

c. supraoptica dorsalis [TA]. 背側視交叉上交連（視交叉の後上方にある交連線維）．＝dorsal supraoptic commissure; Ganser commissure; Gudden commissure; Meynert commissure.

c. ventralis alba 白前交連．＝white *commissure.*

com·mis·sur·al (kom′i-syūr′ăl). 交連の．

com·mis·sure (kom′i-shūr) [TA]. 交連，連合，横連合（①眼，口唇，陰唇の角．②脳または脊髄の一側から他側へ通る神経線維束）．＝commissura [TA].

anterior c. [TA]. 前交連（第3脳室前壁付近で脳の正中線を横切る神経線維の丸い束．小さくて左右嗅球を連結する前部と，左右側頭葉を連結する大きな後部からなる）．＝commissura anterior [TA].

anterior gray c. [TA]. 前灰白交連（→gray c.）．

anterior labial c. [TA]. 前陰唇交連（恥丘の前方にある左右大陰唇の接合部）．＝commissura labiorum anterior [TA].

anterior c. of the larynx 喉頭前交連（喉頭における声帯前方の接合部）．

anterior white c. [TA].＝white c.

c. of bulbs (of vestibule) [TA]. 会陰交連（腟口の両側にある勃起性組織の塊(前庭球)をつなぐ狭い正中部）．＝commissura bulborum (vestibuli) [TA]; c. of vestibular bulb; intermediate part of vestibular bulb; pars intermedia commissurae bulborum.

c. of cerebral hemispheres ＝*corpus* callosum.

dorsal supraoptic c. ＝*commissura* supraoptica dorsalis.

c. of fornix [TA]. 脳弓交連．＝*commissura* fornicis.

Ganser c. (gahn′sĕr). ガンザー交連．＝*commissura* supraoptica dorsalis.

gray c. [TA]. 灰白交連（中間管をまたいで走る灰白質の細い帯で，中心管の背側のものを後灰白交連，腹側のものを前灰白交連という）．

Gudden c. (gūd′en). グッデン交連．＝*commissura* supra optica dorsalis.

c. of habenulae 手綱交連．＝*commissura* habenularum.

habenular c. [TA]. 手綱交連．＝*commissura* habenularum.

hippocampal c. 海馬交連．＝*commissura* fornicis.

c. of inferior colliculus [TA]. 下丘交連（左右2個の下丘の間にある神経線維で，左右の下丘を連絡するとともに被蓋外部からの線維をも含む）．

labial c. (of mouth) [TA]. 唇交連（上唇と下唇の接合部で，口角の外側にある．→*angle* of mouth）．＝c. of lips (of mouth).

lateral palpebral c. [TA]. 外側眼瞼交連（外眼角部での上・下眼瞼の結合部）．＝commissura lateralis palpebrum [TA]; commissura palpebrarum lateralis.

c. of lips (of mouth) 唇交連．＝labial c. (of mouth); commissura labiorum (oris) [TA]; junction of lips.

medial palpebral c. [TA]. 内側眼瞼交連（内眼角部で上・下眼瞼の結合部）．＝commissura medialis palpebrum [TA]; commissura palpebrarum medialis.

Meynert c. (mī′nĕrt). マイネルト交連．＝*commissura*

supraoptica dorsalis.

posterior c.〔大脳の〕後交連. =*commissura* posterior.

posterior gray c. [TA]. → gray c.

posterior labial c. [TA]. 後陰唇交連（肛門の前で左右の大陰唇の後方をつなぐわずかなひだ）. =commissura labiorum posterior [TA].

posterior c. of the larynx 喉頭後交連. =interarytenoid *fold.*

c. of superior colliculus [TA]. 上丘交連（左右の上丘の間にある神経線維で対称部位や非対称部位を連絡する. 被蓋外部からの線維をも含む）.

ventral white c. [TA]. 腹側白交連. =white c.

c. of vestibular bulb 会陰交連. =c. of bulbs (of vestibule).

Wernekinck c. (vār′ne-kink). ヴェルネキンク交連（被蓋の赤核へはいる前の結合腕の交叉）.

white c. 白交連（脊髄中央で正中線をまたいで走る帯状の白質で, 中心管と後灰白交連の背側にある後白交連と, 中心管と前灰白交連の腹側にある前白交連とがある）. =anterior white c. [TA]; commissura alba anterior [TA]; commissura alba posterior [TA]; ventral white column [TA]; ventral white c. [TA]; commissura ventralis alba.

com·mis·sur·ot·o·my (kom′i-shūr-ot′ō-mē). *1* 交連切開〔術〕（切開またはバルーン拡張などによる破壊によって交連, 線維帯, または輪を外科的に分離する方法）. *2* 正中線脊髄切開〔術〕. =midline *myelotomy.*

mitral c. 僧帽弁交連切開〔術〕（僧帽弁狭窄を軽減するために狭窄した僧帽弁口を開くこと）.

com·mit·ment (kŏ-mit′ment) [L. *com-mitto*, to deliver, consign]. 証明に基づき, 任意で患者を法的に精神病院へ入院させたり, 施設へ入所させること.

com·mon ve·hi·cle spread (kom′on vē′hik-il spred). 共通経路伝播（ある疾病にかかった人に, ある共通の源から病因が伝播していったこと. 例えば感染性・有害性をもつ病因に汚染された水, ミルク, 大気, 注射器などによる）.

com·mo·ti·o (kō-mō′shē-ō) [L. a moving, commotion < *commoveo*, pp. *-motus*, to set in motion, agitate]. 振とう〔症〕. =concussion (2).

c. cerebri 脳振とう〔症〕, 脳振. =brain *concussion.*

c. retinae 網膜振とう症（網膜光受容体の外傷性傷害と後極部の乳白色浮腫. 通常は数日後に消失する）.

com·mu·ni·ca·ble (kŏ-myūn′i-kă-bil). 伝染性の, 伝染力のある（特に病気についていう）.

com·mu·ni·cans, pl. **com·mu·ni·can·tes** (kŏ-myū′ni-kans, kŏ-mū-ni-kan′tēz) [L. *communico* の現在分詞, pp. *-atus*, to share with someone, make common]. 交通（接続, あるいは結ぶこと）.

com·mu·ni·ca·tion (kŏ-mū-ni-ka′shŭn) [L. *communicatio*]. 交通, 連絡（①２つの構造の間の開いた通路または連絡路. ②解剖学において, 腱や神経のような線維性で固形の構造物の接合あるいは接続をいう. [anastomosis が誤って同義として用いられている]. ③１つの団体から他の団体へ伝達される情報や考え）.

human c. ヒューマン・コミュニケーション（人間の間で, 話や書き物, サイン, ジェスチャーなどで情報を発したり受けたりすること. 聴覚, 触覚, 固有知覚, 視覚系を介して受け取り, 声や話, 書き物, 手まね, ジェスチャーなどの伝えるための言語として知られているシンボルを使用する. 人間の間ではときに前庭覚, 嗅覚, 味覚などを利用する場合もある）.

simultaneous c. =total c.

total c. トータル・コミュニケーション（手話, 指文字, オーラル・コミュニケーションを組み合わせて行う, ろう(聾)の子供の教育のためのアプローチ. →oral auditory *method*; manual visual *method*; combined *methods*）. =simultaneous c.

com·mu·ni·ty (kŏ-myū′ni-tē). 地区, 地域社会（社会または人口の一区分）.

biotic c. 生物群集. =biocenosis.

therapeutic c. 治療的コミュニティ（再社会化や機能訓練を通じて, 患者の行動変化に効果的な環境を提供する, 特別につくられた精神病院や地域の保健所）.

community facilities (kŏ-myūn′i-tē fă-sil′i-tē). 地域福祉施設（看護施設やナーシングホームよりもサービスが限られた健康管理機関. 例えば, ６人以内が住む成人の家族形式のグループホームなど）.

com·mu·ni·ty men·tal health cen·ter (CMHC) (kŏ-myū′ni-tē men′tăl helth sen′tĕr). 地域精神保健センター, コミュニティ精神保健センター（患者の家に近い近隣の管轄の地域にある精神保健治療センター. 1960年代に新しい連邦法で定められたもので, 遠方の郊外地区にあることが多い大きな州立病院に代わるものである. 特徴は, ４種の精神保健専門職の一連の包括的なサービスが受けられること, 連続したケアが受けられること, センターでの利用者の参加, 立ち寄りやすいコミュニティ内への設置, 間接的または予防的サービスと直接的サービスの同時供与, 症例ごとあるいは計画的な相談が受けられること, 計画評価の残務, および種々の保健および人的サービスとの連携などである）.

co·mor·bid·i·ty (kō′mōr-bid′i-tē) [co- + L. *morbidus*, diseased]. 共存症（同時に存在するが互いに無関係な疾病. 通常, 疫学で, ２つ以上の疾病の共存をさすのに用いる）.

COMP cartilage oligomeric matrix *protein* の頭字語.

com·pac·ta (kom-pak′tă). =*stratum* compactum.

com·pac·tion (kom-pak′shŭn) [L. *compactio* < *com-pingo*, pp. *com-pactus*, to press together]. 緻密化（初期胚が３回目の細胞分裂をとげた後に, 各割球が分極化するとともに接着結合(tight junction)で接着し, その結果強固に結合し合っている状態をさす. この時期に将来胎児になる内細胞と胎盤になる外細胞とが分離する）.

com·pa·ges tho·ra·cis (kom-pā′jēz thō-rā′sis). 胸郭籠. =thoracic *cage.*

com·par·a·scope (kom-par′ă-skōp) [L. *comparo*, to compare + G. *skopeō*, to view]. 比較検鏡装置（観察者が２枚の標本の所見を, 直接, 同時に比較できるように顕微鏡の視野を分割する付属装置）.

com·par·ti·men·tum (kom-par′ti-men′tŭm) [TA]. [誤ったつづりまたは発音 compartmentum を避けること]. =compartment.

c. antebrachii anterius [TA]. = anterior *compartment* of forearm.

c. antebrachii extensorum* posterior *compartment* of forearm の公式の別名.

c. antebrachii flexorum* anterior *compartment* of forearm の公式の別名.

c. antebrachii posterius [TA]. = posterior *compartment* of forearm.

c. brachii anterius [TA]. = anterior *compartment* of arm.

c. brachii extensorum* posterior *compartment* of arm の公式の別名.

c. brachii flexorum [TA]. 上腕屈筋区画. =anterior *compartment* of arm.

c. brachii posterius [TA]. = posterior *compartment* of arm.

c. cruris =lateral *compartment* of leg.

c. cruris anterius [TA]. = anterior *compartment* of leg.

c. cruris extensorum* anterior *compartment* of leg の公式の別名.

c. cruris fibularium* lateral *compartment* of leg の公式の別名.

c. cruris flexorum* posterior *compartment* of leg の公式の別名.

c. cruris laterale peroneorum [TA]. = lateral *compartment* of leg.

c. cruris posterius [TA]. = posterior *compartment* of leg.

c. femoris adductorum* medial *compartment* of thigh の公式の別名.

c. femoris anterius [TA]. = anterior *compartment* of thigh.

c. femoris extensorum [TA]. 大腿の伸展区画. =anterior *compartment* of thigh.

c. femoris flexorum* posterior *compartment* of thigh の公式の別名.

c. femoris mediale [TA]. = medial *compartment* of

thigh.

c. femoris posterius [TA]. = posterior *compartment* of thigh.

com·part·ment (kom-part′ment). =compartimentum [TA]. ***1*** [TA]. 区分，区画（大きな部屋がさらにいくつかに仕切られている場合の個々の部屋をいう．例えば，上肢の区分は深いところで骨と筋間中隔，浅いところでは筋膜で区切られていて隣接する区分とは遮断されており感染や病状の進行がその区分に限定されるようになっている．区分の中の筋は同じような機能をもち同じような神経支配を受けている）．***2*** 画分（分画された部分．特に細胞の構造的または生化学的一部分．細胞の他の部分と分離されている）．***3*** コンパートメント（あるシステムにおける化学的または物理的に同一な空間(区画)，その中では標識成分と非標識成分との濃度比は一定時間内では一定である）．

adductor c. of thigh* medial c. of thigh の公式の別名．

anterior c. of arm [TA]. 上腕の前方区画（上腕筋膜で包まれた前方の区画で，後方区画とは橈骨・尺骨と前腕骨間膜で境され，表面では尺骨縁と橈骨動脈で区分される．区画内には前腕の回内筋，手根屈筋群，長い指屈筋があり，正中神経と尺骨神経に支配される．この区画は手関節部(手根管)で中手区画と交通しており，体肢の筋区画でも特異である）．=compartimentum brachii anterius [TA]; compartimentum brachii flexorum [TA]; flexor c. of arm*.

anterior c. of forearm [TA]. 前腕の前区画（前腕筋膜で包まれた前方の区画で，後区画とは橈骨・尺骨と骨間膜で境され，表面的には尺骨皮下縁と橈骨動脈で区切られる．中に前腕を回内する筋，手首を屈曲する筋，指を曲げる長い筋を含み，正中神経と尺骨神経で支配される．この区画は手根管で中手区画と通じている点で体肢の区画中で特異である）．=compartimentum antebrachii anterius [TA]; compartimentum antebrachii flexorum*; flexor c. of forearm*.

anterior c. of leg [TA]. 下腿の前区画（深筋膜で包まれた前方の区画で，後区画とは脛骨・腓骨と骨間膜で境される．中に足を背屈する筋と趾を反らす長い筋を含む）．=compartimentum cruris anterius [TA]; compartimentum cruris extensorum*; extensor c. of leg*; dorsiflexor c. of leg.

anterior c. of thigh [TA]. 大腿の前区画（大腿広筋膜で包まれた前方の区画で，内側・外側区画とは内側外側筋間中隔で境される．中に大腿骨幹と股関節を曲げ膝関節を伸展する筋を含み大腿神経に支配される）．=compartimentum femoris anterius [TA]; compartimentum femoris extensorum [TA]; extensor c. of thigh*; c. of thigh for extensors of knee; c. of thigh for flexors of hip.

dorsiflexor c. of leg 下腿の背屈区画．=anterior c. of leg.

endoplasmic reticulum Golgi intermediate c. (ERGIC) 小胞体ゴルジ中間区画（移行小胞体からの輸送小胞の融合によって形成される．これは粗面小胞体と Golgi 装置の間の中継点で，紛れ込んだ蛋白を粗面小胞体へ送り返し，また生成中の蛋白を Golgi 装置のシス面へ順行性に輸送する）．=tubulovesicular complex.

extensor c. of arm* posterior c. of arm の公式の別名．

extensor c. of forearm* posterior c. of forearm の公式の別名．

extensor c. of leg* anterior c. of leg の公式の別名．

extensor c. of thigh* anterior c. of thigh の公式の別名．

fibular c. of leg* lateral c. of leg の公式の別名．

flexor c. of arm* anterior c. of arm の公式の別名．

flexor c. of forearm* anterior c. of forearm の公式の別名．

flexor c. of leg* posterior c. of leg の公式の別名．

flexor c. of thigh* posterior c. of thigh の公式の別名．

lateral c. of leg [TA]. 下腿の外側区画（深筋膜で包まれた外側の区画で，前後区画とは前後筋間中隔で境される．それぞれ腓骨に付着し，中に足を反転する筋を含み浅腓骨神経に支配される）．=compartimentum cruris laterale peroneorum [TA]; compartimentum cruris fibularium*; fibular c. of leg*; peroneal c. of leg*; compartimentum cruris.

medial c. of thigh [TA]. 大腿の内側区画（大腿広筋膜で包まれた内側の区画で，前後区画とは内側および後筋間中隔で境される．中に大腿を内転する筋を含み閉鎖神経に支配される）．=compartimentum femoris mediale [TA]; adductor c. of thigh*; compartimentum femoris adductorum*.

nonplasmatic c. 非細胞質画分（単一生体膜によって包囲された画分(例えば，液胞，リソソーム)）．

peroneal c. of leg* lateral c. of leg の公式の別名．

plantar flexor c. of leg =posterior c. of leg.

plasmatic c. 細胞質画分（二重生体膜で囲まれた画分で，ポリヌクレオチドを含有する(例えばミトコンドリア)）．

posterior c. of arm [TA]. 上腕の後区画（上腕筋膜で包まれた後方の区画で，前区画とは上腕骨と筋間中隔で境される．中に肘関節を越えて前腕に付着する上腕三頭筋を容し橈骨神経に支配される）．=compartimentum brachii posterius [TA]; compartimentum brachii extensorum*; extensor c. of arm*.

posterior c. of forearm [TA]. 前腕の後区画（前腕筋膜で包まれた後方の区画で，前区画とは橈骨・尺骨と骨間膜で境され，表面的には尺骨皮下縁と橈骨動脈で区切られる．中に前腕を回外する筋，手首で手を反らす筋，指を反らす長い筋を含み，橈骨神経に支配される）．=compartimentum antebrachii posterius [TA]; compartimentum antebrachii extensorum*; extensor c. of forearm*.

posterior c. of leg [TA]. 下腿の後区画（深筋膜で包まれた後方の区画で，前区画とは脛骨・腓骨と骨間膜で境される．中に足を底屈する筋と趾を曲げる長い筋を含み，脛骨神経に支配される）．=compartimentum cruris posterius [TA]; compartimentum cruris flexorum*; flexor c. of leg*; plantar flexor c. of leg.

posterior c. of thigh [TA]. 大腿の後区画（大腿広筋膜で包まれた後方の区画で，前・内側区画とは後・外側筋間中隔で境される．中にハムストリング筋群(股関節を曲げ膝関節を伸展する)と大腿二頭筋の短頭を含み，前者は脛骨神経，後者は腓骨神経に支配される）．=compartimentum femoris posterius [TA]; compartimentum femoris flexorum*; flexor c. of thigh*; c. of thigh for extensors of hip joint; c. of thigh for flexors of knee.

c. of thigh for extensors of hip joint =posterior c. of thigh.

c. of thigh for extensors of knee 大腿の伸展区画．=anterior c. of thigh.

c. of thigh for flexors of hip =anterior c. of thigh.

c. of thigh for flexors of knee 大腿の膝関節屈曲区画．=posterior c. of thigh.

c. for uncoupling receptors and ligands (CURL) 解離する受容体とリガンドのための区画（初期エンドソームの特殊な形態．これらの小胞の内部の比較的低い pH(6.0)によってリガンドが受容体から解離する．通常，受容体は細胞膜へ戻り，リガンドは最終的に分解されるために後期エンドソームへ輸送される）．

com·part·men·ta·tion (kom-part′ment-ā′shŭn). 分画（細胞内を構造的または生化学的に異なった部分に分割すること）．

com·pat·i·bil·i·ty (kom-pat′ĭ-bil′i-tē). 適合〔性〕，融和性．

com·pat·i·ble (kom-pat′ĭ-bĕl) [L. *con-*, with + *patior*, to suffer]. 適合〔性〕の（①不都合な化学変化を起こしたり，相互拮抗作用を示したりすることなく，混合できる，の意で，適切に配合された薬剤混合物の成分についていう．②2つの生物学的実体が，互いに相手の機能を無効にしたり有害な影響を及ぼしたりすることなく，共存できる能力についていう．例えば，血液，組織，器官が，輸血しても反応を生じず，移植しても拒絶されないときなどである．③職場，結婚，または性行動における，2人以上の人間の満足すべき関係についていう）．

com·pen·sa·tion (kom′pen-sā′shŭn) [L. *com-penso*, pp. *-atus*, to weigh together, counterbalance]. 代償，補償〔作用〕（①一定方向への変化傾向が，他の変化により妨害され，元の変化がわからなくなる過程．②個人が，架空のあるいは現実の欠損を補おうと試みる無意識の機制）．

attenuation c. 減衰補正．=time-gain c.

depth c. 深度調整．=time-gain c.

gene dosage c. 遺伝子量補償（男性の一倍体状態と女性の二倍体状態とが補正されて，男女間でX連鎖表現型が差のないように調節されているという推定上の機構．現在では，変異量ではなく発現量の補償であるというライオニゼーションと一般にみなされており，女性のほうが量的に多い.→lyonization).

time-gain c. (TGC) 減衰補正（超音波(検査)において，通常は減衰によって生じる深さ方向のエコー信号の損失を補うために行う，時間に依存する受信利得の増強). ＝attenuation c.; depth c.; time compensation gain; time-compensated gain; time-varied gain control; time-varied gain.

com·pen·sa·to·ry (kom-pen′să-tōr′ē). 代償〔性〕の（欠損を補う).

com·pe·tence (kom′pĕ-tents) [Fr. *competence* < L. L. *competentia*, congruity]. ***1***〔受容〕能力（適応性のある，または割り当てられた機能を果たしうる性状). ***2*** コンピタンス（精神医学において，ある種の不安に対する対抗手段). ***3*** 完全性（心臓弁が正常にぴったりと閉じること). ***4*** 反応能（形成体に反応する，胚細胞群の能力). ***5*** 受容能力，反応能（形質転換をもたらす遊離 DNA を摂取する(細菌の)細胞の能力). ***6*** 適性〔性〕（精神医学において，善悪を弁別する，自分自身のことを管理する，または訴訟手続きで弁護士を手助けする精神能力). ***7*** 反応〔性〕（ある刺激に反応する能力をもつ細胞，組織，または生物の反応の状態).

cardiac c. 心臓〔受容〕能力（心房に戻ってくる血液を送り出し，心房圧が異常に高くならないようにする心室の拍出能力).

immunologic c. 免疫能力（免疫学的応答を組織する能力).

com·pe·ti·tion (kom′pĕ-tish′ŭn). 競合（１つの物質の活動または存在が，同様の親和性を有する他の物質の活動を干渉・抑制する過程).

antigenic c. 抗原競合（単独で接種されると各々が免疫反応を誘発できる２種の異なった抗原を，混合し，ともに接種した際に起こる競合現象で，反応は一方の物質に対してのみ起こり，他方は大幅にまたは完全に抑制される).

com·plaint (kom-plānt′) [O. Fr. *complainte* < L. *complango*, to lament]. 病訴，愁訴（疾患，症状，またはそれらの説明).

chief c. (cc, c.c., C.C.) 主訴（患者が医療を求める理由にあげる主な症状).

com·ple·ment (kom′plĕ-ment) [L. *complementum*, that which completes < *com-pleo*, to fill up]. 補体（[誤ったつづり compliment を避けること]. Ehrlich の定義によると，通常血清中に存在し，特異的な補体結合性抗体で感作された細胞やある種の細菌に対して破壊的作用力を有する，熱に不安定な物質であるとされている．補体は，20 種類にも及ぶ個別の血清蛋白に対する総称で，その活性は一連の相互作用によってもたらされる酵素的切断反応である．少なくとも２つの経路からなり，反応は次から次へ連続して起こる．免疫性溶血反応の場合には，複合体は９種の構成成分(補体 C1 から C9 とよばれている)からなり，通例，これらが抗原-抗体複合体によって活性化され，各成分が一定の順序で反応する(古典的経路)．化学走性には補体 C1 から C7 のみが関与している．免疫性吸着，細胞の食作用またはコングルチンによる固定作用の場合には補体 C1 から C4 までが関与している．代替経路は(→properdin *system*)，抗原-抗体複合体以外，多糖類や細菌細胞壁の繰り返しパターンなどの因子によって，活性化される．この場合には，C3 を活性化させる過程で，C1，C4，C2以外の成分が関与する．最終的に補体成分は膜傷害複合体を形成して標的細胞を溶解する.→*component* of complement).

heparin c. ヘパリン補体（血液中に存在するヘパリンの蛋白成分).

c. pathways 補体経路（①古典的補体経路(普通 C1の IgG へ，または IgM 抗体の C1 への結合により開始)は３つのサブユニットから構成される．C1q が結合した後，$\overline{\mathrm{C1r}}$(上付線は酵素活性をもつこと示す)は C1s を切断して $\overline{\mathrm{C1s}}$ にする．$\overline{\mathrm{C1s}}$ は C2 を C2a と C2b および C4を C4a と C4b に分解する．C2b は C4b と結合して $\overline{\mathrm{C4b2b}}$(C3コンバターゼ)を生成する．C3コンバターゼは C3 を分解して C3a と C3b を与える．C3b は C4bC2b と結合して C5 コンバターゼ($\overline{\mathrm{C4b2b3b}}$) になる．C5変換酵素は C5 を分解して C5a と C5b を与える．C5b が細胞表面に結合すると C5b と同様，他の補体成分(C6—C9)が膜攻撃複合体(MAC)を形成する．MAC は細胞膜に穴を開ける．②補体副経路では，表面に結合した C3b が因子 B と結合し，これが因子 D によって分解され Ba と Bb を与える．$\overline{\mathrm{C3bBb}}$ はプロペルジン(P)が結合して $\overline{\mathrm{C3bBbP}}$ を形成しなければ不安定な C3変換酵素である．安定な C3コンバターゼはもっと多くの C3b を生成させる．$\overline{\mathrm{C3bBbC3b}}$ 複合体が生成する場合は，これは副経路 C5 変換酵素である．C5b から C9までは古典的経路と副経路は同じである．③レクチン結合経路においては，マンノース結合蛋白が経路を開始する．ここでは，古典的補体経路の成分を用いる．両経路の "a" 成分の中には種々の生物活性をもつもの，すなわち C3a はアナフィラトキシンである).

com·ple·men·tar·i·ty (kom′plĕ-men-tār′i-tē). 相補性（① DNA と RNA あるいは DNA・RNA 同士の２分子の塩基配列間で対(A と U または T，G と C)をなす程度．②抗原と抗体結合部位の親和性または適合性の程度．③酵素と基質間の親和性または適合性の程度).

com·ple·men·ta·tion (kom′plĕ-men-tā′shŭn). 相補〔性〕（①それぞれ単独ウイルスでは増殖不可能な条件下で増殖を可能にするような２つの欠陥ウイルス間の機能的相補作用．②２組の遺伝単位間の相補作用．いずれか一方，または両方に欠陥がある２組の遺伝単位を１つの生物に共存させると正常な機能を呈すること．ただし，一方でも欠損していたら正常の機能を営むことができない).

intergenic c. 遺伝子間相補性（多酵素触媒経路のように同じ機能を個々の遺伝物質で調整する場合，異なった遺伝的支配領域に欠損をもつ遺伝子間の相補性により正常な最終産物が合成される).

intragenic c. 遺伝子内相補性（同一の遺伝子座内で，それぞれが異なった欠損をもつために，各々の終局産物が欠損をもち非機能的となるが，この欠損産物が互いに一緒になると，何らかの活性をもつ産物を生成するような遺伝物質間の相補性).

com·plex (kom′pleks) [L. *complexus*, woven together]. ***1*** 観念複合体，コンプレックス（いくらか無意識で，連想や態度に強く影響を及ぼす感情，思考，知覚，および記憶の組織化された複合体). ***2*** Jung 派の心理学において，集合的無意識をつくりあげている心像の基本的な型(アーキタイプ)の具現化したもので，個人の無意識の中にある. ***3*** 錯体（化学において，２つ以上の化合物が比較的安定した結合を行い，共有結合をもたないより大きな分子になること). ***4*** 複合体（化学的または免疫的構造の複合物). ***5*** 複合〔体〕（３つ以上の関連部分からなる解剖学的構造単位). ***6*** 複合（脳波で，典型的には繰り返す特徴のある波の結合). ***7*** 複合〔体〕（解剖学的，発生学的，または生理学的に関連があるとされる，あるいは信じられている個々の構造の一群を示す非公式の用語). ***8*** ＝sequence.

aberrant c. 変行伝導による QRS 群（特に上室性刺激の異常な心室内伝導によって起こる心電図上の異常心室波形).

AIDS dementia c. (ADC) エイズ認知症複合症（亜急性または慢性の HIV-1 脳炎で，HIV 感染症後期の神経系症状としては最も一般的な症状である．臨床所見としては運動障害を伴う進行性認知症である). ＝AIDS dementia; HIV encephalopathy.

AIDS-related c. (ARC) エイズ関連複合体（エイズ発症に至る状態で，まだ免疫不全にはなっていない．発熱とリンパ腺症，下痢，体重減少，軽度の日和見感染，血球減少などの症状を呈している状態).

amniotic band disruption c. 羊膜帯による胎児異常. ＝amniotic band *sequence*.

amygdaloid c. [TA]. 扁桃体. ＝amygdaloid *body*.

anomalous c. 異常 QRS 群（心電図で，同一誘導上の生理的な型と非常に異なる QRS 群).

antigen-antibody c. →immune c.

antigenic c. 抗原複合体（細胞または細菌表面の蛋白のような，多様な抗原構造の複合物．広義では，異なった抗原特異性をもつ２つ以上の抗原決定基を含む分子).

apical c. 先端構造物群（原生動物 Apicomplexa 門に属する生物種の発達の一段階または数段階を特徴付ける前端構造物群．電子顕微鏡で観察される構造物として，極環，円錐小体，杆小体，ミクロネーム(短系)，薄皮下細管系を含む).

atrial c. 心房波形（心電図上の P 波). ＝auricular c.

auricular c. ＝atrial c.

binary c. 二元複合体（２分子の非共有結合性複合体．酵

素触媒反応での酵素－基質複合体が例としてしばしばあげられる．*cf.* central c.; Michaelis c.）．＝enzyme-substrate c.

brain wave c. 脳波複合（別個の現象として認められるほど何回も反復する速波と徐波の特殊結合）．

brother c. ＝Cain c.

Cain c. (kān)［*Cain*．聖書中の人物］．カインコンプレックス（憎悪にまで至る兄・弟に対する極度のねたみや嫉妬に対して，まれに用いる語）．＝brother c.

Carney c. (kahr′nē)［J.A. *Carney*．20世紀の米国人医師］．カーニー複合疾患（皮膚および粘膜の黒子症，心臓の粘液腫，原発性 Cushing 症候群，末端肥大症を特徴とする常染色体優性に遺伝する多発性内分泌疾患．一部の患者ではアデニルシクラーゼAサブユニットの異常がある）．＝Carney syndrome.

castration c. 去勢コンプレックス（①エディプス感情を越えた無意識の犯罪行為に対する罰として，同性の親によって性器を傷つけられるという子供の恐怖．②女性が体験する空想上のペニスの喪失．または男性が体験する現実にペニスを喪失することに対する恐れ．③権威者に傷つけられるという無意識の恐怖）．＝castration anxiety.

caudal pharyngeal c. 尾方咽頭複合体（胎生期の第四鰓嚢と，一時期のみ現れる第五鰓嚢に関連する咽頭後体）．

central c. 中心複合体（酵素触媒反応において，単基質酵素に対する二元性複合体と同等な酵素および酵素基質全部（または酵素と全酵素反応生成物）との構造的複合体のこと．*cf.* binary c.; Michaelis c.）．

charge transfer c. 電荷移動錯体（①供与体の電子が受容体へ移動する2個の有機分子間の錯体．後に起こる水素原子の移動の結果，受容体の還元が完成する．これらの錯体は一般に強く着色され，観察される．②あるプロテアーゼの触媒中心での水素架橋ネットワーク）．＝charge transfer system.

cytoplasmic fibrils of nuclear pore c. 核膜孔複合体の細胞質側の微細線維（核膜孔複合体の細胞質リングに付着した線維状の蛋白．これは，核局在化シグナルの識別と細胞質から核内への蛋白輸送の開始にかかわる）．

cytoplasmic ring of nuclear pore c. 核膜孔複合体の細胞質リング（核膜孔複合体の中間リングの細胞質面への接続部．細胞質側の微細線維を支持する）．

Diana c. (dī-an′ă)［*Diana*．ローマ神話上の人物］．ダイアナコンプレックス（女性が，男性的特質や行動をとるようになる考えに対して，まれに用いる語）．

diphasic c. 二相性波形（陽性動揺と陰性動揺の両方からなる波形）．

EAHF c. EAHF 複合症（湿疹 *e*czema，喘息 *a*sthma，花粉症 *h*ay *f*ever からなるアレルギー合併症）．

Eisenmenger c. (ī′zĕn-men′gĕr)．アイゼンメンガー複合体（肺高血圧を伴う心室中隔欠損と，その結果，欠損部を通る左右短絡の併発．大動脈騎乗を伴う場合と，伴わない場合がある）．＝Eisenmenger defect; Eisenmenger disease; Eisenmenger tetralogy.

Electra c.［*Electra*．Agamemnon の娘］．エレクトラコンプレックス（男性のエディプスコンプレックス Oedipus c. に対応する女性のコンプレックス．小児期の発達過程における未解決の葛藤で，成長した女性の女性との関係に影響を与えるものを表現するために使う語）．＝father c.

electrocardiographic c. 心電図波形（心電図上の1つまたは一群の波形）．

enzyme-substrate c. 酵素－基質複合体．＝binary c.

equiphasic c. ＝isodiphasic c.

father c. ＝Electra c.

femininity c. 女性コンプレックス（精神分析において，少年と男性が抱く，母親の手による去勢に対する無意識の恐れ．その結果，自己を攻撃者と同一化し，乳房と膣に対して羨望的欲求をもつこと）．

gamma-tubulin ring c. γ-チューブリン環複合体（γ-チューブリンで構成される輪状構造の集合体で中心体周辺物質内に位置する．これらは，それぞれ単一の微小管の重合の開始に関与する．→tubulin）．

Ghon c. (gon)．ゴーンのコンプレックス(初期変化群)．＝Ghon *tubercle*.

Golgi c. (gol′jē)．ゴルジ体．＝Golgi *apparatus*.

Guam parkinsonian dimension c. グアムパーキンソニズム認知症複合（西太平洋諸島，特にグアムに地方病性にみられる疾患で，パーキンソニズム，認知症，筋萎縮性側索硬化症を呈する）．

H-2 c. H-2 複合体（マウスにおける主要組織適合遺伝子複合体の遺伝子をさす用語）．

---

histocompatibility c. 組織適合複合体（ヒト第6染色体に存在する50個以上の遺伝子からなる一群．細胞表面蛋白をコードし免疫応答に役割を果たす）．

組織適合遺伝子は，組織や血液細胞，特にリンパ球の外膜にある蛋白生成を制御し，細胞間認識や相互作用に際しての重要な要素である．また，その表面蛋白は免疫応答のレベルや様式を決定し，免疫系への抗原提示に関与し，他の生化学・免疫学的機能をも果たす．ヒトでは，第6染色体上の主要組織適合抗原複合体(MHC)の多対立遺伝子でコードされている蛋白は，ヒト白血球抗原(HLA)として知られている．MHC分子は，特徴的なポリペプチドサブユニットと生物学的機能とを基にして2つに分類される．MHCクラスⅠは，すべての有核細胞上に存在し，α鎖(45kD)とβ_2-ミクログロブリンとよばれる小さなペプチド(12kD)とで構成されている．クラスⅠ分子は，細胞傷害性リンパ球(CD8)への抗原提示に関わっている．MHCクラスⅡは，α鎖(30—34kD)とβ鎖(26—29kD)とからなる．クラスⅡ分子は，すべてのBリンパ球，樹状細胞胸腺上皮細胞で発現している．その他Tリンパ球，マクロファージ，上皮細胞などでは，サイトカインで誘導されて発現するようになる．クラスⅡ分子は，抗原をCD4ヘルパーTリンパ球へ提示する際に機能する．MHCクラスⅠ分子は，HLA-A，HLA-B，HLA-C遺伝子で規定され，MHCクラスⅡ分子はHLA-D(DP，DQ，DR)遺伝子でコードされている．同種移植の場合，組織適合性が高いほど(すなわちドナーとレシピエントの細胞表面抗原が近縁であるほど)，拒絶が起こる可能性は低くなる．移植しようとする骨髄ドナーとレシピエントとのHLAを調べることにより，移植片拒絶と移植片対宿主病の可能性を予測できる．ある種のHLA遺伝子をもっていると，特定の病気にかかりやすい．例えば，強直性脊椎炎患者の90%がHLA-B27を対立遺伝子としてもっており，関節リウマチはHLA-DR4，Goodpasture 症候群と多発性硬化症はHLA-DR2と関与している．HLAと特定の疾患とが関連するということから，以下の様な推測が喚起される．感染性病原体の中には，宿主細胞へ侵入するためにHLA分子を利用するものがあるかもしれないし，T細胞に自己と認識させるためにHLA分子を模倣するかもしれない．あるいは，ある種のHLA分子と結合することによって，T細胞に全く認識されない複合体を形成するかもしれない．

HLA c. HLA 複合体（ヒトにおいて主要組織適合抗原を支配する遺伝子複合体．ヒト第6染色体短腕上に1.5—2cMの距離で存在し，組織適合抗原 class I(HLA-A, B, C, E), class II, HLA-D, class III(C2, C4, Factor B, P-450 cytochrome) などの遺伝子領域を含む．→human leukocyte *antigens*）．

immune c. 免疫複合体（抗原物質が特異抗体と結合した状態で，さらに補体が結合している場合もある．溶液中に沈殿あるいは結合体として浮遊している．多くの場合，自己免疫疾患と関連している）．＝immunocomplex.

inferiority c. 劣等感（極度のはにかみ，自信のなさ，臆病あるいは露出症や攻撃性の中に代償反応として表される不全感）．

inferior olivary c.［TA］．下オリーブ核複合体（3核の総称で，通常は単に下オリーブ核とよばれている．主オリーブ核(背側層，腹側層，外側層)，内側副オリーブ核，後(背側)副オリーブ核からなる．→principal olivary *nucleus*）．＝complexus olivaris inferior［TA］.

iron-dextran c. デキストラン鉄錯塩（部分的に水解したデキストランと水酸化鉄の錯塩のコロイド溶液．鉄欠乏性貧血の治療に筋肉注射として用いる）．

isodiphasic c. 等相性波形（陽性動揺と陰性動揺がほぼ等しい二相性波形）．＝equiphasic c.

j-g c. ＝juxtaglomerular c.

C

Jocasta c. (jō-kas′tă) [*Jocasta*. Oedipus の母であり妻]. ヨカスタコンプレックス（母親の息子に対する肉欲的執着に対して，まれに用いる語）.

junctional c. 接合部複合体（上皮細胞間の接合部分．典型的には閉鎖帯，接着小帯，接着斑(デスモソーム)からなる）.

juxtaglomerular c. 傍糸球体複合体（腎小体血管極で糸球体に出入りする細動脈に接してみられる以下のような細胞群の総称で，レニン－アンギオテンシン系を活性化させることによって細胞外液量および糸球体沪過率のフィードバックコントロールをしていると考えられている．ⓘ輸入細動脈壁(ときには輸出細動脈壁)の平滑筋細胞を修正する傍糸球体細胞．ⓘⓘ輸入・輸出細動脈の間にはさまれた糸球体外メサンギウム(網細胞)．ⓘⓘⓘ遠位尿細管の緻密斑．ⓘⓥ腎小体被膜が折れ返って糸球体上皮に移行する角にみられる顆粒をもった上皮性極周囲細胞）. ＝j-g c.; juxtaglomerular apparatus.

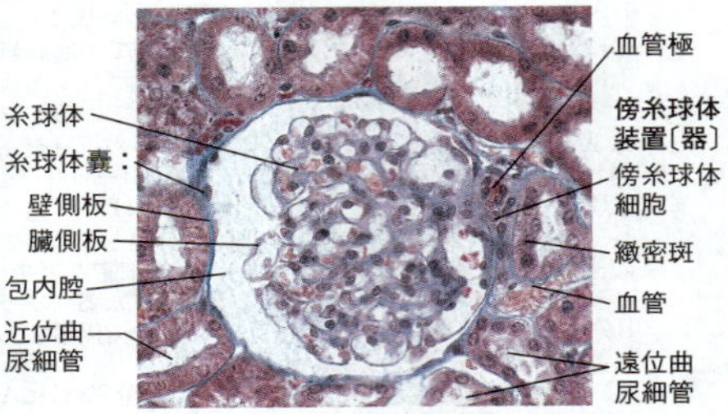

juxtaglomerular complex and glomerulus

Mallory三色染色，×130.

K c. K 複合〔波〕（脳波図での高振幅で二相性の前頭中心部の徐波で，音により睡眠から覚醒するのと関連している．睡眠段階 2, 3, 4 の特徴）.

α-keto acid dehydrogenase c. ⇀*α-keto acid* dehydrogenase.

α-ketoglutarate dehydrogenase c. α-ケトグルタール酸デヒドロゲナーゼ. ＝*α-ketoglutarate* dehydrogenase.

kissing-loop c. キス輪複合体（⇀RNA tectonics）.

Lear c. (lēr) [*Lear*. シェークスピア作中人物]. リア〔ー〕コンプレックス（父親の娘に対する肉欲的執着に対して，まれに用いる語）.

MAC c. MAC 複合体. ＝membrane attack c.

major histocompatibility c. (**MHC**) 主要組織適合遺伝子複合体（免疫担当細胞間の認識機構(組織特異抗原や移植適合性)をつかさどる細胞表面糖蛋白をコードする遺伝子領域で，密に連鎖して一定の染色体領域に存在する．マウスではH-2，ヒトでは HLA 複合体よりなる．→human leukocyte *antigens*）.

mediator c. メディエーター複合体（DNAセグメントのRNAポリメラーゼ転写に関与する補助活性化蛋白群）.

membrane attack c. (**MAC**) 細胞膜傷害複合体（補体成分(C5—C9)の複合体で，標的細胞の細胞膜に結合し，疎水基を細胞外側に，親水基を細胞内側にして細胞膜を貫通する．この結果，水分やイオンの通過を促し，細胞を膨潤させ，続いて溶解する）. ＝MAC c.

Meyenburg c. (mī′ĕn-bŭrg). マイエンブルク複合体（門脈域から離れて，嚢胞肝に生じる小胆管の集合）.

Michaelis c. (mi-kā′lis) [*Leonor Michaelis*]. ミヒャエーリス(ミカエリス)複合体（酵素の二元複合体）.

minor histocompatibility c. (**MHC**) 副組織適合性複合体（MHC の外側の遺伝子で，種々の染色体に存在して，移植片拒絶に関与する抗原をコードする）.

monophasic c. 単相性波形（心電図において，すべてが陰性または陽性の波形）.

multienzyme c. 多酵素複合体（酵素の構造的に異なった秩序正しい集合体．しばしば，代謝経路の一連の反応段階を触媒する(例えば，ピルビン酸デヒドロゲナーゼ複合体)）.

nuclear pore c. 核膜孔複合体（1つの核膜孔および核と細胞質の間の物質輸送に関わるおよそ50の関連蛋白で構成される．細胞質側の微細線維，細胞質リング，中心フレームワーク(中間リング)，核リング，核バスケット，遠位リングからなる．分子量はおよそ 125,000 mD である．八角形で核ラミナによって核膜につながれている）.

Oedipus c. (e′di-pŭs, ē′) [*Oedipus*. ギリシア神話上の人物]. エディプスコンプレックス（一般に 3—6 歳の男児にみられる，発達過程における明確な一群の連想観念，目的，本能的衝動，恐怖など．この期間は精神・性的発達の男根期の頂点と一致し，子供の性的興味は主として異性の親に向けられ，同性の親に対し攻撃的感情をもつ．精神分析理論において，去勢コンプレックスがこれに代わって出現する）.

ostiomeatal c. 小孔道複合体（前頭洞と上顎洞が鼻腔に開放する中鼻道の部位．この部位の閉塞は副鼻腔に感染しやすくなる）. ＝ostiomeatal unit.

OXA c. of protein translocators 蛋白転送装置の OXA 複合体（ミトコンドリア内膜に位置する複数のサブユニットからなる蛋白．この蛋白はミトコンドリアのマトリックスで合成された蛋白をミトコンドリア内膜へ挿入するのに関与する．そして，TIM 複合体がミトコンドリア内膜へある種の蛋白を挿入するのを助ける．→TIM c.'s of protein translocators）.

persecution c. 迫害コンプレックス（自分の幸福に対し，他人が悪だくみをしていると感じること）.

primary c. 初期変化群. ＝Ranke c.

pyruvate dehydrogenase c. ⇀*pyruvate* dehydrogenase.

QRS c. QRS 群（心(室)筋細胞の脱分極に伴う心電図記録の一部）.

Ranke c. (ran′kĕ). ランケ変化群（結核やヒストプラズマの既感染による石灰化リンパ節を含む，治癒や石灰化による末梢肺変化群）. ＝primary c.

ribosome-lamella c. リボソーム－ラメラ複合体（リボソームの縦列したものと，細胞膜が層状に濃縮したものとが交互に構成する細胞質内の円柱状封入体．ヘアリー細胞白血病の細網内皮症でみられる）.

Shone c. (shōn). ショーン複合体（左室流出路障害と大動脈縮搾を伴う僧帽弁の閉塞性病変）.

sicca c. 複合乾燥症（目や口などの粘膜の乾燥症で，関節リウマチなどの膠原病を伴わないもの）.

spike and wave c. スパイク複合波，棘徐波複合（脳波図でみられる全般性同期性パターンで，鋭い形の速波とそれに続く徐波からなる．全般性てんかんの患者で特にみられる．棘徐波複合は，しばしばその周波数で特徴付けられる．例えば，徐棘徐波，速棘徐波）.

superiority c. 優越感（代償行為．例えば，劣等感 inferiority c. に付随する攻撃性，自己主張などに対してときに用いる語）.

superior olivary c.* superior olivary *nucleus* の公式の別名.

symptom c. *1* ⇀syndrome. *2* ⇀complex (1).

synaptinemal c. 対合期複合体. ＝synaptonemal c.

synaptonemal c. 対合期複合体（減数分裂の対合の期間，相同染色体の間に存在する微小構造）. ＝synaptinemal c.

Tacaribe c. of viruses タカリベウイルス群（抗原的に関連のあるアルボウイルス Amapari, Junin, Latino, Machupo, Parana, Pichinde, Tacaribe, Tamiami を含むアレナウイルスの一群(南北アメリカ大陸)）.

ternary c. 三重複合系（酵素反応における酵素－補因子－基質や多基質酵素の酵素－基質$_1$－基質$_2$のような，3 部分の連合からなる活性複合体に対して用いる語）.

TIM c.'s of protein translocators 蛋白転送装置の TIM 複合体（2つの TIM 複合体，TIM22 と TIM23，はミトコンドリア内膜に位置する複数のサブユニットからなる蛋白複合体である．これらは，TOM 複合体によって膜間部分へ輸送された蛋白をマトリックスへ輸送し，またミトコンドリア内膜へ蛋白を挿入する．→OXA c. of protein translocators）. ＝translocase of inner mitochondrial membrane.

TOM c. of protein translocators (tom kom′pleks prō′tēn trans′lō-kā-tŏrz). 蛋白転送装置の TOM 複合体（ミトコンドリア外膜にある複数のサブユニットからなる蛋白複合体．この蛋白は核でエンコードされ，細胞質ゾルで合成されたミトコンドリア蛋白を膜間部分へ輸送し，ミトコンドリア外膜へ固有の蛋白を挿入するのに関与する．→OXA c. of protein translocators)．＝translocase of outer mitochondrial membrane.

triple symptom c. ＝Behçet *syndrome*.

tubulovesicular c. 管状小胞複合体．＝endoplasmic reticulum Golgi intermediate *compartment*.

VATER c. (vā′tĕr). VATER コンプレックス (*v*ertebral defects(椎骨欠損)，*a*nal atresia(肛門閉鎖)，*t*racheoesophageal fistula with *e*sophageal atresia(食道閉鎖を伴う気管食道瘻)，*r*enal anomalies(腎臓奇形)，および *r*adial anomalies (橈骨形成異常)の集合名で，Fanconi 貧血に伴う)．

ventricular c. 心室波形 (心電図上各心拍の連続した QRS–T 波形)．

ventrobasal c. [TA]．腹底側核群，後腹側核群 (視床の腹側核の大きな後方部分で，体性感覚毛帯(内側毛帯，脊髄視床路および三叉神経毛帯)と上行性の味覚毛帯を受け，内包を通じて中心後回の皮質に線維を送っている．この核群は体部位局在的に次の4群に分けられている．下肢域は後外側腹側核，上肢域は後中間腹側核，顔面域は後内側腹側核，味覚毛帯を受ける弓状核)．＝nuclei ventrobasales [TA]; ventrobasal nuclei (complex) [TA]; nucleus ventralis posterior thalami.

com·plex·ion (kom-plek′shŭn) [L. *complexio*, a combination, (later) physical condition]．顔貌 (顔の皮膚の色，肌合いおよび一般状態)．

com·plex·i·ty (kom-pleks′i-tē). 複雑性 (多くの相互に関係ある部分からなる状態)．

chemical c. 化学的複雑性 (DNA において異なる配列の数で，ハイブリッド形成速度論により規定される)．

com·plex·us (kom-plek′sŭs) [L. an embracing, encircling]．【誤った発音 com′plexus を避けること．複数形は complexi ではなく complexus である】．semispinalis capitis (*muscle*) を表す現在では用いられない語．

c. olivaris inferior [TA]．＝ inferior olivary *complex*.

c. stimulans cordis [TA]．＝ conducting *system* of heart.

com·pli·ance (kom-plī′ants) [M.E. < O.Fr. < L. *compleo*, to fulfill]．***1*** コンプライアンス，伸展性 (容器の拡張性の測定方法で，圧の変化に対する容積の変化で表される)．***2*** コンプライアンス (医師等により処方された治療法に患者が従う確かさ．*cf.* adherence (2); maintenance)．***3*** コンプライアンス，伸展性 (構造物あるいは物体の変形されやすさの指標．内科学および生理学では通常，肺，膀胱，胆嚢などの空洞臓器の膨張しやすさの指標をいう．これらの臓器の内壁と外壁の単位面積当たりの圧力差によって生じる容積の変化率を表す．エラスタンスの逆数)．

bladder c. 膀胱コンプライアンス (一定の内圧の変化による膀胱容量の変化．膀胱内圧測定における内圧容量曲線により計算できる)．＝c. of bladder; detrusor c.

c. of bladder ＝bladder c.

detrusor c. 排尿筋コンプライアンス．＝bladder c.

dynamic c. of lung 肺の動的コンプライアンス (呼吸運動の前後の気道内気流が停止する時点における気道内圧の瞬時値で，一回換気量を除して得られる肺コンプライアンス．肺の全表面で，抵抗値とコンプライアンス値とが必ずしも一様でない(時間定数にバラツキのある)患者では，動的と静的のコンプライアンスの差が大きい)．

c. of heart 心臓の伸展性，心臓のコンプライアンス (心室の受動的または拡張期の硬さの逆数で，普通は左心室について用いる．心筋そのものの伸展性と支持組織の伸展性とを区別して考えることもあるが，通常両者を一緒に心室腔コンプライアンスとして考える．肥大心や瘢痕のある心臓は壁が硬く，伸展性は低下している)．

c. of the middle ear 中耳コンプライアンス (中耳を通過する音など，ある構造を通過する機械的エネルギーの伝達性)．＝admittance.

specific c. 比コンプライアンス (①臓器のコンプライアンスを膨張前の容積で除したもの．②特に肺について，コンプライアンスを機能的残気量で除したもの)．

static c. 静的コンプライアンス (膨張や収縮のない平衡状態において測定したコンプライアンス)．

thoracic c. 胸郭コンプライアンス (全換気コンプライアンスのうち，胸郭のコンプライアンスに基づくとされる部分)．

ventilatory c. 換気コンプライアンス (肺および胸郭の動的コンプライアンスの総和)．

com·pli·cat·ed (kom′pli-kā′ted) [L. *com-plico*, pp. *-atus*, to fold together]．合併した，併発した (疾病で，病的過程または事象の付加により，症状が変化し，経過が悪化することをいう)．

com·pli·ca·tion (kom′pli-kā′shŭn). 合併症 (ある疾病そのものに起因するか，これと無関係な原因によるかを問わず，経過中に生じる，その疾病の本質部分ではない病的過程または事象)．

com·po·nent (kom-pō′nent) [L. *com-pono*, pp. *-positus*, to place together]．成分 (全体の一部を構成する要素)．

anterior c. of force 前方分力 (歯を前方に動かす力の成分)．

Bcl2-binding c. 3 Bcl2 結合成分 3．＝Puma.

c. of complement (C) 補体成分 (C1 から C9 まで命名された9個の異なった蛋白単位の1つ．次頁の表参照．→complement. →*complement* pathways)．

c. of force 分力 (①合力を構成する力の成分あるいは合力を分割したときの個々の要素．②力のベクトル和の構成要素)．

c.'s of mastication そしゃく要素 (神経筋系，側頭下顎関節，歯，そしゃく物によって決定されるそしゃく行為中の顎の運動成分．これらは分析と記述のために開閉運動，左右運動，前後運動の3要素に分けられる)．

c.'s of occlusion 咬合の構成要素 (顎関節，これに関連する神経筋系，歯あるいは義歯の支持構造など咬合に関与する種々の要素)．

plasma thromboplastin c. (PTC) ＝*factor* IX.

secretory c. 分泌成分 (免疫グロブリンAおよびMと会合した体外分泌物(涙，唾液，初乳など)に存在するポリペプチド．また，それらは遊離型で見出される．しかし二量体 IgA に付着すると粘膜上皮表面を横切って輸送を容易にする．分泌片は上皮細胞での免疫グロブリンレセプタの蛋白加水分解的切断によって生じる)．

com·pos·ite (kom-poz′-it) [L. *compositus*, put together-< *compono*, to put together]．コンポジット (歯科修復学の領域において用いられるレジン材料をさす口語)．

com·po·si·tion (kom′pō-zish′ŭn) [L. *compono*, to arrange]．組成 (化学分子を構成する原子の種類と数)．

base c. 塩基組成 (DNA または RNA に存在する4塩基，すなわちアデニン，シトシン，グアニン，チミン(またはウラシル)の割合．通常，G+C の百分率(mol%)で表される)．

modeling c. ＝modeling *plastic*.

com·pos men·tis (kom′pos men′tis) [L. possessed of one's mind; *compos*, having control + *mens*(*ment-*), mind]．正気の，健全な精神の (通常，逆の形で用いる．→non compos mentis)．

com·pound (kom′pownd) [< O.Fr. < L. *compono*]．化合物 (①化学において，2個以上の原子の共有結合，あるいは静電結合によって形成される物質で，一般に物理的性質がその成分とまったく異なるもの．②薬学において，種々の成分を含む製剤をいう．以下に記載のない化合物は，個々の化学名，薬物名参照)．

acetone c. アセトン化合物．＝ketone *body*.

acyclic c. 非環式化合物 (鎖が環を形成していない有機化合物)．＝aliphatic c.; open chain c.

addition c. 付加化合物 (①厳密には2個以上の完全な分子が各々基本構造を保ちながら，共有結合が新たに形成されたり切断されることのないような分子間反応の複合体(塩の含水化合物，付加物)．②広義には塩基性有機化合物と酸との結合(例えばアミンの塩酸塩)．③さらに広義には，原子を失うことなく新たな共有結合を形成する，2個の分子間付加反応生成物(例えば，$CH_2{=}CH_2 + Br_2 \rightarrow Br\,CH_2{-}CH_2Br$))．

alicyclic c.'s →cyclic c.

aliphatic c. ＝acyclic c.

APC c. APC 製剤 (アスピリン，フェナセチン，カフェインを含む解熱鎮痛錠剤．1940—1960 年代に広く用いられた．一般医薬品の鎮痛薬の主要な構成成分．フェナセチンによる腎障害の危険性のため現在ではほとんど用いられない)．

aromatic c. →cyclic c.

古典経路の構成要素

ネイティブ・コンポーネント	作動部品	機能
C1（q，r，s）	C1q	抗原を結合した抗体に結合する．C1rを活性化する
	C1r	プロテアーゼ機能を起動させるために，C1sを切断する
	C1s	C2とC4を切断する
C2	C2a	未知
	C2b	古典経路の活性酵素．C3とC5を切断する
C3	C3a	炎症を媒介する．アナフィラトキシン
	C3b	C5に結合し，C2bに裂開させる．細胞表面に結合し，食菌作用と副経路を活性化
C4	C4a	炎症を媒介する
	C4b	C2に結合し，C1sに裂開させる．細胞表面に結合し，食菌作用と副経路を活性化

副経路の構成要素

ネイティブ・コンポーネント	作動部品	機能
C3	C3a	炎症を媒介する．アナフィラトキシン
	C3b	細胞表面に結合し，食菌作用と副経路を活性化
B因子	B	C3bが結合した膜に結合．D因子によって切断される
	Ba	未知
	Bb	Pによって安定する分割形状は，C3コンバターゼを発生する
D因子	D	C3bに結合し，B因子を切断する
プロパージン	P	C3bBbが結合した膜に結合し安定化させる

膜侵襲複合体の構成要素

ネイティブ・コンポーネント	作動部品	機能
C5	C5a	炎症を媒介する．アナフィラトキシン，ケモタキシン
	C5b	膜侵襲複合体（MAC）の組み立てを始める
C6	C6	C5bに結合しC7の受容体を形成
C7	C7	C5b6に結合して膜内に入り，C8の受容体を形成
C8	C8	C5b67を結合して，C9の重合を開始
C9	C9n	C5b678の周囲に重合化し，細胞溶融を引き起こすチャネルを形成

carbamino c. カルバミノ化合物（ヘモグロビンがカルバミノヘモグロビンを形成するように，炭酸ガスと遊離アミノ基の結合によって，*N*–カルボキシル基 –NH–COOH を形成し，生成されるカルバミン酸誘導体）．

closed chain c. ＝cyclic c.

condensation c. 縮合化合物（アルコール，水のようなその他の分子がはずれた後，2個以上の単純な分子が結合して生じる錯化合物．例えば，ペプチド．*cf.* conjugated c.）．

conjugated c. 共役化合物（アルコールと有機酸から水が失われてエステルが生成されるように，2種の化合物の結合によって生じる化合物で，加水分解などにより容易に元の化合物に戻りうるもの．*cf.* condensation c. →conjugation (4)）．

cyclic c. 環式化合物（構成原子の全部あるいは一部が環を形成する化合物．主として有機化学で用いる語．ⓘ環が炭素原子のみからなるもの(炭素環式)，炭素原子および窒素，酸素，硫黄など，異種の原子からなるもの(ヘテロ環式または複素環式)とに分けられる．ⓘⓘ環の元素が同じ原子からなるもの(単素環式化合物または同素環式化合物)．ⓘⓘⓘ環が飽和非共役二重結合のみの場合(脂環式)，その化合物の性質は対応する非環式化合物の性質に似る(例えばヘキサンに対するシクロヘキサン)．ⓘⓥ $4n+2$（nは整数)個の非局在化したπ電子をもつ(Hückel 則)閉じた環で，環が共役二重結合を含む場合(芳香族化合物：ベンゼン，ピリジン)に，対応する飽和環よりも安定で，他の型の環や鎖式化合物にない特異な性質を表す．これらの芳香族化合物は誘導環電流をもつ)．＝closed chain c.; ring c.

genetic c. 遺伝的複合体．＝compound *heterozygote*.

glycosyl c. グリコシル化合物（糖と他の有機物質からなる化合物で，糖の還元性(ヘミアセタール)基のOHが取れたものである．例えば，天然ヌクレオシドがあり，複素環Nがリボース(またはデオキシリボース)のC–1と直接結合してリボシル化合物をつくる．*cf.* glycoside）．

heterocyclic c. →cyclic c.

high-energy c.'s 高エネルギー化合物（正規には，加水分解により −5 から −15 kcal/mol(−20 から −63 kJ/mol)の標準自由エネルギー変化をするリン酸エステル類(これに比べてグルコース 6–リン酸，α–グリセロリン酸などの単純なリン酸エステルでは −1 から −4 kcal/mol(−4 から −17 kJ/mol))．生細胞あるいはそれを再構成した無細胞系におけるエネルギー消費過程の原動力となりうる．アデノシン 5′–三リン酸のβおよびγリン酸が最もよく知られ，ほとんどすべての代謝系における直接のエネルギー源と考えられている．他の例として，酸無水物，エノール型のリン酸エステル，ホスファミン酸($R–NH–PO_3H_2$)誘導体，アシルチオエステル類(コエンチームAなどの)，スルホニウム化合物($R_3–S^+$)，リボシル残基のアミノアシルエステルなどがある．→high-energy *phosphates*）．

homocyclic c. →cyclic c.

impression c. 可塑性化合物．＝modeling *plastic*.

inclusion c. 包合化合物（分子間の間隙に他の小分子が力学的に補促されているもの．例えばヨウ素分子はデンプン分子に封入されて，よく知られている赤黒色の〝付加化合物〟を形成する）．

inorganic c. 無機化合物（原子や基が炭素以外の元素からなり，多くは共有結合でなく静電力で結合している化合物．極性溶媒(例えば水)中でイオンに分離することが多い．*cf.* organic c.）．

intermetallic c. (in′tĕr-me-tal′ik kom′pownd)．金属間化合物（液体状態から冷却した際に定まった化学組成，または変動の少ない化学組成を有する混合金属．それぞれの金属原子は三次元格子中の各点の決まった位置を占める）．

isocyclic c. →cyclic c.

Kendall c. (ken′dăl)．ケンダル(ケンドル)化合物（コルチコステロイドの一群．Kendall 化合物A(11–デヒドロコルチコステロン)，Kendall 化合物B(コルチコステロン)，Kendall 化合物E(コルチゾン)，Kendall 化合物F(コルチゾール))．＝Kendall substance.

***meso* c.'s** メソ化合物（2個以上の不斉炭素原子をもち，その配位の均衡により分子全体として1つの対称面をもつ化合物．そのため不斉炭素原子があっても光学的に不活性．例えば，リビトール，粘液酸，メソイノシトール，メソシスチン）．

methonium c.'s メトニウム化合物（神経節の刺激伝導を阻害する薬剤．例えばヘキサメトニウム．動脈性高血圧症に用いる．また神経筋接合部を阻害し，手術時の神経筋麻痺に対しても用いられる．例えば，デカメトニウム）．

modeling c. モデリングコンパウンド．＝modeling *plastic*.

nonpolar c. 非極性化合物（分子内の電荷分布の対称性により電気双極子をもたない化合物．したがって溶液中でイオン化しない．炭化水素がその例である．→organic c.）．

open chain c. 非環式化合物，鎖式化合物．＝acyclic c.

organic c. 有機化合物（原子（そのいくつかは炭素原子）が共有（電子を分かち合う）結合によって結ばれている化合物．*cf.* inorganic c.）．

polar c. 極性化合物（電荷分布が非対称のため，分子内電荷および部分電荷の分離，すなわち陽陰の極が現れる化合物．例えば水．→inorganic c.）．

Reichstein c. (rīk′stīn)．ライヒシュタイン化合物．＝Reichstein *substance*.

ring c. ＝cyclic c.

volatile sulfur c. (**VSC**) 揮発性硫化化合物（口腔内細菌に起因する悪臭ある揮発性ガスにより産生された物質）．

Wintersteiner c. E (vin-tĕr′stī-nĕr)．ヴンターシュタイナー化合物Ｅ．＝cortisone.

Wintersteiner c. F (vin-tĕr′stī-nĕr)．ヴィンテルシュタイナー化合物Ｆ．＝hydrocortisone.

com·pre·hen·sion (kom′prē-hen′shŭn)．理解力（対象，状況，または言語表現についての知識または理解）．

Comprehensive Crime Control Act of 1984 (kom-prē-hen′siv krīm kon-trōl′ akt)．1984年包括的犯罪規制法（合衆国連邦裁判所において被告に適用される基準で，被告が犯行時，重度の精神疾患，欠陥により事理弁識能力を欠いていた場合，肯定的弁護が認められる．→American Law Institute *rule*; Durham *rule*; M′Naghten *rule*; criminal *insanity*）．

com·press (kom′pres) [L. *com-primo*, pp. *-pressus*, to press together]．圧迫ガーゼ（局所を圧迫するために用いるガーゼ，パッドまたは他の材質のもの）．

graduated c. 段階状圧迫ガーゼ，段階状圧迫包帯（中心が厚く外端へいくほど薄くなるように重ねてつくった布）．

wet c. 湿布（生理食塩水または殺菌溶液で接する組織が乾かないように湿らせたガーゼ）．

com·pres·sion (kom-presh′ŭn)．圧縮，圧搾（物体をその密度が増すように加圧すること．同一直線上で互いに向かい合う方向に２つの外力を加えて物体の大きさを減少させること）．

c. of brain ＝cerebral c.

cerebral c. 脳圧迫〔症〕（血液または脳脊髄液の滲出，膿瘍，腫瘍，頭蓋骨の陥凹骨折，脳浮腫などによる頭蓋内組織の圧迫）．＝c. of brain.

c. limiting 圧縮制限（入力レベルが高い部分の増幅を下げる補聴器回路）．

c. of tissue ＝tissue *displaceability*.

wide dynamic range c. 広域ダイナミックレンジ圧縮（入力レベルが低い周波数領域の増幅を上げる補聴器回路）．

com·pres·sor (kom-pres′er, -ōr)．***1*** 圧縮筋（収縮するとある構造物の圧縮を起こすような筋肉）．***2*** 圧迫器（特に失血を防ぐために動脈の一部に圧力を加える器具）．＝compressorium.

c. urethrae [TA]．＝compressor urethra(*muscle*).

c. venae dorsalis penis 陰茎背静脈圧縮筋（球海綿体筋の一部で，線維の何本かが陰茎背静脈の背側を通過する．一時期は勃起の機能の重大な要素と考えられた）．＝Houston muscle.

com·pres·sor·i·um (kom′pres-ōr′ē-ŭm)．＝compressor (2).

Comp·ton (komp′tŏn), Arthur H. 米国人物理学者・ノーベル賞受賞者，1892—1962．⇀C. *effect*, scattering.

Comp·ton scat·ter·ing (kom′tŏn skat′ĕr-ing)．コンプトン散乱．＝Compton *effect*.

com·pul·sion (kom-pŭl′shŭn) [L. *com-pello*, pp. *-pulsus*, to drive together, compel]．強迫〔行為〕，強制（ある行為を，しばしば反復的に遂行しようとする抑制しがたい衝動．これは受け入れられない考えや欲望（それ自身で不安をかき立てる）を避けるための無意識の機制として起こる．強迫行為の遂行を妨げると不安が顕現する．強迫観念と関連していることがある）．

com·pul·sive (kom-pŭl′siv)．強迫の（強迫により影響された．やむにやまれない，抵抗できない性質）．

com·put·er (kom-pyū′tĕr)．コンピュータ（指定された機能を実行するためにデータを記録し処理できる，プログラム可能な電子機器．実際の電子機器であるハードウエアと，機能を実行するために使用される命令セットまたはプログラムであるソフトウエアの２つの基本要素から成り立つ）．

comutagenic (ko-myū-ta-jen′ik)．共変異原性（他物質と組み合わせて投与することによって突然変異を誘発するような物質のこと）．

con- (kon) [L. *cum*, with, together]．…とともに，…に関連して，を意味する接頭語．p, b, m の前では com-，l の前では col-，母音の前では co- となる．ギリシア語の syn- に相当する．

conA, con A (kon)．concanavalin A の略．

con·al·bu·min (kon′al-byū′min)．コナルブミン，コンアルブミン（ᴅ–マンノースとᴅ–ガラクトースを含む糖蛋白（約78 kDa）で，卵白の約12％を占める．鉄イオンと結合するといわれている）．＝ovotransferrin.

con·a·nine (kon′ă-nēn)．コナニン（ステロイド性アルカロイド．C–18, C–20 がメチルイミノ基で結ばれた（α配置）プレグナン．→conessine）．

co·nar·i·um (kō-nā′rē-ŭm) [G. *kōnarion* (*kōnos*(cone)の指小辞), the pineal body]．＝pineal *body*.

co·na·tion (kō-nā′shŭn) [L. *conātio*, an undertaking, effort]．動態，試行（行為を推進する意識的傾向．通常は，心的過程の一様相についていい，古くは認識や感情と同列に扱われていたが，最近ではより広義に衝動，欲求，目的ある努力の意味に用いる）．

co·na·tive (kon′ă-tiv)．動態の，試行の．

co·na·tus (kō-nah′tŭs, -nā′tŭs) [L. attempt]．試み，努力（**[複数形は** conati ではなく conatus である**]**．自己保存や自己肯定に向けて努力すること）．

con·cam·er·a·tion (kon′kam-er-ā′shŭn) [L. *concameratio*, a vault ＜ *concamero*, pp. *-atus*, to vault over ＜ *camera*, a vault]．空洞連形（相互に連通する空洞系）．

con·ca·nav·a·lin A (conA, con A) (kon′kă-nav′ă-lin)．コンカナバリンA（ナタマメ *Canavalia ensiformis* から抽出され，哺乳類の血球を凝集させグルコサンと反応する植物性マイトゲン．PHA（植物性血球凝集素）のように，コンカナバリンAはBリンパ球よりTリンパ球を強く刺激する）．

con·ca·ta·mer (kon-kat′ă-mer) [*concat*enate＋-mer]．コンカテマー（制限酵素 DNA 断片の直線状繰返し）．

concatemer (kon-kat′ah-mĕr)．コンカテマー（互いに末端部で同一方向に共有結合した２つ以上の DNA もしくは RNA 分子の１つ）．

con·cat·e·nate (kon-kat′ĕ-nāt) [L. *con-cateno*, pp. *-atus*, to link together ＜ *catena*, a chain]．連鎖状の（多くの構造，例えば，肥大リンパ節などにおける連鎖状の配列についていう）．

Con·ca·to (kon-kah′tō), Luigi M. イタリア人医師，1825—1882．⇀C. *disease*.

con·cave (kon-kāv′) [L. *concavus*, arched or vaulted]．凹の，陥凹の．

con·cav·i·ty (kon-kav′i-tē)．陥凹（どの部分をとってもほぼ等しい曲率をもつへこみ）．

con·ca·vo·con·cave (kon-kā′vō-kon′kāv)．両凹の．＝biconcave.

con·ca·vo·con·vex (kon-kā′vō-kon′veks)．凹凸の（表面が凹で裏面が凸のものについていう）．

conceive (kon-sēv)．妊娠する（妊娠成立すなわち胎芽の着床が成立することであり，それが子宮内膜に起これば理想的である）．

con·cen·tra·tion (**c**) (kon′sen-trā′shŭn) [L. *con-*, together＋*centrum*, center]．***1*** 生薬を抽出し，その溶液より沈殿，乾燥させてつくった製剤．***2*** 濃縮（溶媒を蒸発させて溶質の濃度を増すこと）．***3*** 濃度（単位容積または重量当たりの物質の量．腎生理学では尿濃度をＵ，血漿濃度をＰと記す．呼吸生理学では血液中の単位容積当たりの量をＣ，乾燥気体中の分圧濃度（モル分率または容積分率）をＦと記し，下付き文字は存在部位および化合物の種類を示す）．

Baermann c. (bār′măn)．ベールマン濃縮法（線虫検査のための検体調製法．新鮮便の検体中の生きた線虫の幼虫が，数枚重ねたガーゼを通過して水道水中に移動する性質を利用し，その水道水を遠沈して幼虫を集める）．

buffy coat c. バッフィーコート凝集（全血に抗凝固剤を加え遠心すると白血球を含むバッフィーコート層が得られる．この層の細胞から血液塗抹標本を調製し，寄生虫（トリパノソーマ，細胞内のリーシュマニア)の存在を検査する).

critical micelle c. (**cmc**) 臨界ミセル濃度（両親媒性分子(例えばリン脂質)が，ミセルを形成する濃度).

fecal c. 糞便濃縮法（糞便を遠沈した後の浮遊物または沈渣から寄生虫要素を分離する方法).

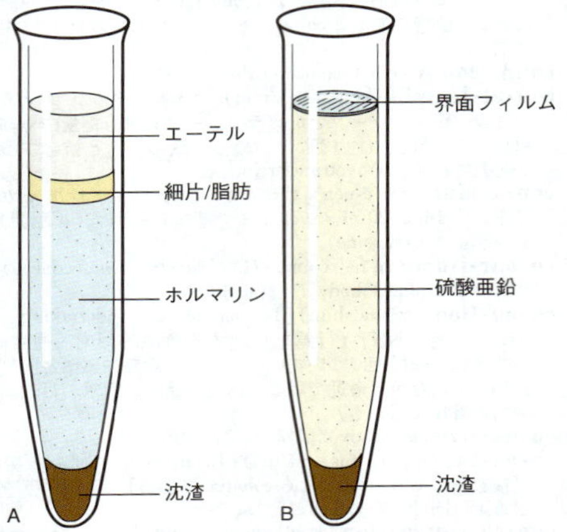

fecal concentration procedures

遠沈の後，試験管で見られる様々な層．A：ホルマリン-エーテル(または酢酸エチル)．B：硫酸亜鉛(界面フィルムは管端の2—3mmの中になければならない).

formalin-ether sedimentation c. フォルマリン－エーテル沈殿濃縮法（遠沈操作により糞便から寄生虫要素を分離する方法．エーテルは糞便残渣を取り込んで寄生虫と分離するのに用いる).

formalin-ethyl acetate sedimentation c. フォルマリン－エチル酢酸沈殿濃縮法（遠沈操作により糞便から寄生虫要素を分離する方法．エーテルの代わりにエチル酢酸を使って糞便残渣を取り込み，寄生虫を分離する).

gravity c. 比重濃縮法（糞便の懸濁液を比重の違いを利用して沈殿させ，寄生虫を分離する方法).

M c. M濃度（培養液の単位容積当たり生じうる細菌の最大細胞数).

mean corpuscular hemoglobin c. (**MCHC**) 平均赤血球ヘモグロビン濃度（Hgb/HcT．一定容積の濃縮赤血球における平均ヘモグロビン濃度で，ヘモグロビンとヘマトクリットから計算される赤血球恒数).

microhematocrit c. ミクロヘマトクリット濃縮（抗凝固剤を添加した全血をミクロヘマトクリット管に入れて遠心し，白血球を含むバッフィーコート層を得る．この層の細胞を使って血液塗抹標本を作製して染色し，寄生生物(トリパノソーマや細胞内リーシュマニア)の存在を調べる).

minimal alveolar c. 最小肺胞内濃度（50％の患者で疼痛刺激に対する身体反応を抑えるのに必要な，吸入麻酔薬の末端肺胞内濃度．吸入麻酔薬の相対的効力を示す指標). ＝minimal anesthetic c.

minimal anesthetic c. (**MAC**) 最小麻酔濃度．＝minimal alveolar c.

minimal inhibitory c. (**MIC**) 最小〔発育〕阻止濃度（*in vitro* で，細菌の成長を阻止するのに必要な抗生物質の最低濃度).

molar c. モル濃度（→molar (4)).

normal c.(N) 規定濃度（→normal (3)).

zinc sulfate flotation c. 硫酸亜鉛浮遊濃縮法（飽和硫酸亜鉛を用い，比重の違いを利用して寄生虫要素を糞便より分離する方法．ほとんどの寄生虫嚢胞，接合子嚢，芽胞，卵，幼虫が遠沈後の表面の薄層中にみられる).

con·cen·tric (kon-sen′trik). 同心性の（2つ以上の球，円，円弧が中心を共有する).

con·cept (kon′sept)［L. *conceptum*, something understood,

純酸素および笑気吸入時における吸入麻酔薬の最小肺胞内濃度(MAC)

	MAC値（% atm）	
	純酸素下	70%笑気吸入下
ハロタン	0.76	0.29
イソフルラン	1.15	0.50
セボフルラン	2	0.7—2
デスフルラン	6	3
笑気（N_2O）	105	—

concipio(to receive, apprehend)の完了分詞の中性形]．概念（①抽象的な認識あるいは観念．②科学体系における解釈上の変量あるいは原理). ＝conception (1).

no-threshold c. 無閾値概念（放射線の生物学的作用が，微小量でも，線量に比例しているという認識).

self-c. 自己概念（個人の自己感覚で，自分が行動する様々な社会的役割に関する自己定義を含み，社会的あるいは個人的規範を基準にして，自分自身の単一の特徴または多くの人間的側面を基に自分の状態を評価したものを含む).

con·cep·tion (kon-sep′shŭn)［L. *conceptio*. →concept］. ***1*** 概念．＝concept. ***2*** 概念作用（一般概念を形成する行為). ***3*** 受胎（卵子への精子の受精).

imperative c. 命令概念（連想により生じるのではなく，ひとりでに現れてどうしても追い払うことのできない概念).

retained products of c. 妊娠の遺残分（胎児部分，胎盤，または卵膜の，分娩あるいは流産後の遺残．出血あるいは感染のリスクが高い).

con·cep·tu·al (kon-sep′chū-ăl). 概念の（通常は高次の抽象化である観念の形成を精神的概念に結び付けること).

con·cep·tus (kon-sep′tŭs). ［誤った複数形 concepti を避けること］. 受胎または受精による産物，すなわち胚または胎児と，胎盤，卵膜という接合子から発達するすべての構造物をさす.

con·cha, pl. **con·chae** (kon′kă, kon′kē)［L. a shell］［TA］. 甲介（［誤った発音 kon′chă を避けること］．解剖学上，貝殻に似た構造で，耳甲介，鼻甲介などがある).

c. of auricle［TA］. 耳甲介（耳輪の前部と対輪の間にある大きなくぼみ，すなわち耳介の床．耳輪脚により上部は耳甲介舟，下部は耳甲介腔に分けられる). ＝c. auriculae［TA］; c. of ear.

c. auriculae［TA］. 耳甲介．＝c. of auricle.

c. bullosa 水疱性甲介（中鼻甲介の異常な含気．副鼻腔の換気を妨げ慢性副鼻腔炎の原因となりうる).

c. of ear 耳甲介．＝c. of auricle.

highest c. ＝supreme nasal c.

inferior nasal c.［TA］. 下鼻甲介（①縁が弯曲した薄い海綿状骨板で，鼻腔の側壁にあり，中鼻道と下鼻道を分ける．篩骨，涙骨，上顎骨，口蓋骨とで関節をなす．②上記骨板とその肥厚した粘膜骨膜で，熱交換のための広範な海綿状の血管床を含む). ＝c. nasalis inferior［TA］; inferior turbinated bone; turbinated body (2).

middle nasal c.［TA］. 中鼻甲介（①中間の薄い，海綿状の，曲がった縁をもつ骨板で，篩管迷路の部分．鼻腔の側壁から突出し，上鼻道と中鼻道を分ける．②上記の骨板とその肥厚した粘膜骨膜で，熱交換のための海綿状の血管床を有する). ＝c. nasalis media［TA］; middle turbinated bone; turbinated body (2).

Morgagni c. (mōr-gah′nyē). モルガニー甲介．＝superior nasal c.

c. nasalis inferior［TA］. ＝inferior nasal c.

c. nasalis media［TA］. ＝middle nasal c.

c. nasalis superior［TA］. ＝superior nasal c.

c. nasalis suprema［TA］. ＝supreme nasal c.

Santorini c., c. santorini (san-to-rē′nē). サントリーニ甲介．＝supreme nasal c.

sphenoidal c. [TA]．蝶形骨甲介（円錐形の対になった小骨の１つ．棘は翼状突起内側板に接し，基底は鼻腔の蓋を形成する）．＝c. sphenoidalis [TA]; Bertin bones; Bertin ossicles; sphenoidal turbinated bones.

c. sphenoidalis [TA]．蝶形骨甲介．＝sphenoidal c.

superior nasal c. [TA]．上鼻甲介（①上方の薄い，海綿状の，曲がった縁をもつ骨板で，篩管迷路の部分．鼻腔の側壁から突出し，上鼻道と蝶篩骨陥凹を分ける．②上記骨板とその肥厚した粘膜骨膜で，中・下鼻甲介よりも血管が少ない）．＝c. nasalis superior [TA]; Morgagni c.; superior turbinated bone; turbinated body (2).

supreme c. ＝supreme nasal c.

supreme nasal c. [TA]．最上鼻甲介（鼻側壁の後上部にしばしば存在する小甲介で，最上鼻道をおおう）．＝c. nasalis suprema [TA]; fourth turbinated bone; highest c.; highest turbinated bone; Santorini c.; c. santorini; supraturbinal; supreme c.; supreme turbinated bone; turbinated body (2).

con·choi·dal (kon-koy′dăl) [concha + G. *eidos*, appearance]．甲介状の，貝殻様の（表面が交互に凹凸している）.

con·com·i·tance (kon-kom′i-tănts) [con- + L. *comito-*, pp. *-atus*, to accompany]．共動（内斜視では，共動性斜視におけると同様，片眼は他眼のすべての運動に随伴する）.

con·com·i·tant (kon-kom′i-tant)．共同〔性〕，共動〔性〕．＝comitant.

con·cor·dance (kon-kōr′dants) [L. *concordia*, agreeing, harmony]．一致（①自然の対に生じる種類のデータの一致．例えば統合失調症に関して，一卵性双生児の両者が発症している場合，または両者とも発症していない場合は一致となる．１人だけが発症している場合は不一致である．この対は二卵性双生児，同胞，夫婦などのこともある．②治療法，予後，行動に関し，臨床医と患者の間で交渉し共有された同意．応諾と非応諾の事項に基づくものよりも，より協力的な関係）.

con·cor·dant (kon-kōr′dant)．一致の，一致している.

con·cre·ment (kon′krē-ment) [L. *con-cresco*, to grow together]．石，結石（一部位における石灰物質の沈着）.

con·cres·cence (kon-kres′ens) [→concrement]．***1*** 融合，癒着．＝coalescence．***2*** 癒着（歯科において，歯根または隣接する２歯の結合で，セメント質によって生じる）.

con·cre·ti·o cor·dis (kon-krē′shē-ō kōr′dis)．心膜癒着（心膜腔の部分的または完全閉鎖を伴う，壁側心膜と臓側心膜の広範な癒着）．＝internal adhesive pericarditis.

con·cre·tion (kon-krē′shŭn) [L. *cum*, together + *crescere*, to grow]．凝固物，石，結石（ばらばらの小粒子が集まってできた固体）.

con·cret·i·za·tion (kon′krēt-i-zā′shŭn) [L. *con-cresco*, pp. *-cretus*, to grow together, harden]．具象化（抽象化が困難で，特有の細かいところにかかわる．認知症や統合失調症などの精神障害でみられるが，正常の小児でもみられる）.

con·cus·sion (kon-kŭ′shŭn) [L. *concussio* < *con-cutio*, pp. *-cussus*, to shake violently]．***1*** 振とう，震動（激しく振ること，揺すること）．***2*** 振とう〔症〕（脳のような軟構造組織の外傷で，強打や激しい振動により生じる）．＝commotio.

brain c. 脳振とう〔症〕（通常頭部外傷により，即時に起こるが一過性である脳機能障害を特徴とする臨床症候群で，意識障害が主であるが視覚障害，平衡障害を呈する．検出可能な構造的脳損傷はない）．＝commotio cerebri.

spinal c. 脊髄振とう〔症〕．＝spinal cord c.

spinal cord c. 脊髄振とう〔症〕（脊柱への外傷によって起こる脊髄の損傷で，病変レベル以下の一過性または持続性機能障害を呈する）．＝spinal c.

con·den·sa·tion (kon′den-sā′shŭn) [L. *con-denso*, pp. *-atus*, to make thick, condense]．***1*** 圧縮（稠密に，あるいはより固くすること）．***2*** 凝結，縮合（気体が液体に，または液体が固体になる変化）．***3*** 圧縮（精神分析において，１つの記号が他の多くを表すような無意識の心的過程）．***4*** 填塞（歯科において，内部気泡を残さないような力と方向で，窩洞に充填物を充填する操作）．***5*** ２つ以上の分子が結合する化学反応で，同時に１分子の水，アンモニア，アルコールまたは他の単純物質の放出を伴う.

aldol c. アルドール縮合（２分子のカルボニル化合物からアルドール(β-ヒドロキシカルボニル化合物)を生成する反応．逆反応により，アルドールが開裂する．フルクトース 1,6-二リン酸アルドラーゼはこのアルドール縮合反応を触媒する）.

Claisen c. (klā′sĕn) [Ludwig *Claisen*]．クライゼン縮合（２分子のエステルからβ-ケトエステルが生成する反応．そのエステルのどちらかはα-水素原子をもつ．リンゴ酸シンターゼ，クエン酸シンターゼ，または，ATP クエン酸リアーゼはすべてこの Claisen 縮合反応を触媒する）.

con·dense (kon-dens′)．填塞する（特に，形成された窩洞への金箔または銀アマルガムの挿入に用いる語）.

con·dens·er (kon-den′ser)．***1*** 冷却機（気体を液体に，または液体を固体に冷却する装置）．***2*** コンデンサ（歯科において，プラスチック，または未硬化な物質を歯の窩洞に填塞するために用いる手動または動力器具．大きさと形が多種で，塊を窩洞の外形に適合させる）．***3*** 集光鏡，集光レンズ（研究試料をよく見るために必要な光を供給するのに用いる顕微鏡の単一または複合レンズ）．***4*** 蓄電器，コンデンサ．＝capacitor.

Abbé c. (ah-bā′)．アベー集光器（広角，色消しの凸レンズおよび平凸レンズ２，３枚からなる．顕微鏡の載物台の下で上下に動かすことができ，それにより，電球から直接あるいは鏡で反射した被検物からの光を調節することができる）.

automatic c. 自動コンデンサ．＝automatic *plugger*.

cardioid c. カージオイド集光器（暗視野集光器の一種）.

dark-field c. 暗視野集光器（顕微鏡の視野に反射光を集める装置．被検試料だけを照らし出し，視野自体は暗い）.

paraboloid c. パラボロイド集光器（暗視野集光器の一種）.

con·di·tion (kon-dish′ŭn) [L. *conditio* < *condico*, to agree]．***1***〖v.〗条件付ける．***2***〖n.〗条件反射（特定の刺激によって誘発されるある種の反応，あるいは以前反応に報酬を与えられた刺激が存在する際に出現するある種の反応）．***3***〖n.〗状況（行動心理学において，いくつかの学習の種類についていう）.

fibrocystic c. of the breast 乳腺の線維嚢胞状変化（良性で，30 歳，40 歳，50 歳代に通常発現する変化．片側あるいは両側性の液体を含む小嚢胞で青色に着色する．間質の線維化，種々の程度の乳腺上皮の増殖および硬化性乳腺症を伴う）．＝cystic hyperplasia of the breast.

con·di·tion·ing (kon-di′shŭn-ing)．条件付け（①動物やヒトにおける新しい反応の獲得，発展，教育，確立，学習，訓練の過程．この言葉はレスポンデント行動，オペラント行動の両者をいい，両者とも環境に影響された結果起こる行為の頻度または形式の変化についていう．②人間や犬や馬などが，競技会や激しい運動に際し，心血管や筋肉，心の準備などを整えるために組織化されたトレーニングプログラムに臨むこと）.

assertive c. ＝assertive *training*.

aversive c. ＝aversive *training*.

avoidance c. 回避条件付け（生体が不快な，懲罰的刺激を避けるために，適当な予知反応を学習し，再度このような刺激から身を守る方法を習得すること．*cf.* escape c.）．＝avoidance training.

classical c. 古典的条件付け（Pavlov の実験のように，以前は中性であった刺激が，無条件刺激とともに与えられると，条件刺激になる学習の一型．新しい刺激が当該の応答を呼び起こすので，刺激置換とよばれる．→respondent c.）．＝stimulus substitution.

escape c. 逃避条件付け（生体が不快な，懲罰的刺激を避けるために，そのような刺激を防ぐような新しい反応を学習する方法．*cf.* avoidance c.）．＝escape training.

higher order c. 高次条件付け（さらに反応を条件付けるために，無条件刺激を用いたのとほとんど同じ方法で，以前の条件刺激を用いること）.

instrumental c. 道具的条件付け（反応がある目的を達するために必要条件である条件付け．しばしば operant c. の類義語として用いるが，これらの用語の使用を区別している心理学者もある）.

operant c. オペラント条件付け（Skinner が展開した条件付けの一型．実験者は目標とする反応(頭を掻く)が自然に起こる(発現する)よう条件付けられるのを待ち，反応の直後に生体に強化物(報酬)を与える．この方法を何度も反復すると，目標反応の起こる頻度は実験前の基本頻度よりも有意に増加する．→*schedules* of reinforcement)．＝skinnerian c.

pavlovian c. パヴロフの条件付け．＝respondent c.

respondent c. レスポンデント条件付け（Pavlov が最初に研究した条件付けの一型．中性刺激(ベルの音)を何回も，無条件反射刺激(空腹のイヌに餌を見せる)に結び付ける(間隔を短くして与える)と，中性刺激が反応(唾液分泌)を誘発する)．＝pavlovian c.

second-order c. 二次条件付け（以前に用いて成功した刺激を，後の条件付けのために無条件刺激として用いること）．

skinnerian c. スキナーの条件付け．＝operant c.

trace c. 痕跡条件付け（条件刺激と無条件刺激の間に時間的な重複がない条件付け）．

con·dom (kon′dŏm)．コンドーム，サック（性交時に妊娠または感染を防ぐために用いる陰茎あるいは腟のおおい）．

con·duc·tance (*G*) (kon-dŭk′tants)．コンダクタンス（①伝導率の尺度．導体を流れる電流と，導体の両端間の電位差の比．回路のコンダクタンスは，抵抗の逆数．②導管，空気の通路，あるいは気道への液体や気体のはいりやすさ，流れやすさ．単位圧力差当たりの流量）．

con·duc·tion (kon-dŭk′shŭn)［L. *con-duco*, pp. *ductus*, to lead, conduct］．伝導（①熱，音，電気などのある種のエネルギーを導体の1点から他へ，それとわかる動きもなしに伝達または運搬する働き．②生きている原形質による種々の刺激の伝達）．

aberrant ventricular c. 心室内変行伝導（上室拍動の異常心室内伝導．特に，周囲の拍動が正常に伝導されている場合にいう）．＝ventricular aberration.

accelerated c. 伝導促進（伝導速度が病的に亢進した状態．通常 Wolff-Parkinson-White 症候群と Lown-Ganong-Levine 症候群のように心房・心室間に起こる．この促進した回路は，リエントリー性頻拍の基礎を担っている）．

air c. 気導，空気伝導（聴覚において，外耳道および中耳構造を経て内耳へはいる音の伝導）．

anomalous c. 異常刺激伝導（心臓の電気刺激が正常以外の経路を通り，伝播される現象）．

antegrade c. 順行性刺激伝導．＝anterograde c.

anterograde c. 順行〔性〕伝導（心構造の中で通常起こる順方向性の伝導）．＝antegrade c.; forward c.; orthograde c.

atrioventricular c. (AVC), AV c. 房室伝導（心臓の刺激が房室結節またはバイパス系路を経由して，心房から心室へ順行性に伝導することで，心電図上，PR 間隔として表される．PH conduction time(PH 伝導時間)とは，P 波の開始より His 束心電図の最初の高周波成分までで，正常では 119 ± 38 msec. AH conduction time(AH 伝導時間)は，心房電位の最初の高周波成分より，His 束心電図の最初の高周波成分までで，正常では 92 ± 38 msec. PA conduction time(PA 伝導時間)は，P 波の開始より，心房電位の開始までで，正常では 27 ± 18 msec)．

avalanche c. 雪崩伝導（1つのニューロンから同じ生理学系の多数のニューロンへのインパルスの放出で，一定の刺激によって，非常に多量の神経エネルギーを放出する）．

bone c. 骨伝導，骨導（聴覚において，頭蓋骨に与えられた振動を経る内耳への音の伝達）．＝osteophony.

concealed c. 不顕伝導（心臓の一部を通る刺激の伝導で，心電図上その存在の直接的証拠はない．伝導は後続の心臓周期に及ぼす影響によってのみ推察される）．

decremental c. 減衰伝導（近づいてくる活動電位に対し，興奮していない神経線維の一部の反応が漸減するために起こる伝導障害．伝導速度，活動電位の振幅，刺激の拡散範囲の減少により示される）．

delayed c. 伝導遅延（→atrioventricular *block*; intraventricular *block;* bundle-branch *block*）．＝first-degree AV block.

forward c. ＝anterograde c.

intraatrial c. 心房内伝導（心房心筋を通る刺激の伝導で，心電図上 P 波によって表される）．

intraventricular c. 心室内伝導（心臓の刺激が心室筋を伝導することで，心電図上 QRS 群によって表される．HR conduction time(HR 伝導時間)とは，His 束心電図上の最初の高周波成分より，体表面心電図の QRS 群の開始までで，正常では 43 ± 12 msec. HV conduction time(HV 伝導時間)とは，His 束心電図上の最初の高周波成分より，心室電位の開始までで正常では HR 時間にほぼ等しいが，少し短いことがある)．＝ventricular c.

nerve c. 神経伝導（神経線維に沿ったインパルスの伝導）．

orthograde c. 逆行性刺激伝導．＝anterograde c.

Purkinje c. (pŭr-kin′jē)．プルキンエ伝導（Purkinje 索を通る心拍の伝導）．

retrograde VA c. 逆行〔性〕室房伝導（心室または房室結節から心房にはいり，通過する逆方向の伝導）．＝retroconduction; ventriculoatrial c.; VA c.

saltatory c. 跳躍〔性〕伝導，跳び跳び伝導（神経インパルスが，Ranvier 絞輪を次から次へ〝跳ぶ〟伝導）．

sinoventricular c. 洞室〔間〕伝導（高カリウム血症に伴う心房筋麻痺による洞刺激の異常伝導．この刺激は洞房結節を出て結節間の経路を通過するが，心房筋の不活化のために P 波を残さない）．

supernormal c. ＝supranormal c.

supranormal c. 過剰伝導（本来なら刺激伝導が起こらないことが予測される心周期内のある短い期間においてみられる刺激の伝導．正常以上というより予想以上の場合に用いられる．*cf.* supranormal *excitability*）．＝supernormal c.

synaptic c. シナプス伝導（シナプスを横切る神経インパルスの伝導）．

ventricular c. 心室伝導．＝intraventricular c.

ventriculoatrial c. (VAC), VA c. 室房伝導．＝retrograde VA c.

con·duc·tiv·i·ty (kon′dŭk-tiv′i-tē)．***1*** 伝導（熱，音，電気のような，ある種のエネルギーを伝達または運搬する力で，導体内には知覚しうる動きがない）．***2*** 伝導性（例えば筋肉や神経におけるような，生きている原形質に固有の興奮状態を伝達する性質）．

hydraulic c. 水硬伝導率（膜を通して液体が加圧沪過される容易さ．特に $Kf=\eta(\dot{Q}/A)(\delta x/\delta P)$. Kf は水硬伝導率，η は沪過される液体の粘度，$\dot{Q}/A$ は単位時間，単位面積当たりの沪過液体の容量，$\delta x/\delta P$ は膜を通しての勾配圧力の逆数．溶質濃度は膜の両側で同一でなければならない．また未測定の液体粘度の未知の面積と厚さをもつ全膜に対し大まかに測定される($K=\dot{Q}/\delta P$)）．

con·duc·tor (kon-dŭk′ter, -tōr)．***1*** 導手，有溝ゾンデ（ナイフを通して洞または瘻孔を細長く切り開くことのできる溝のついたゾンデ）．***2*** 導体（伝導性をもつ物質）．

con·duit (kon′dū-it)．導管．

apical-aortic c. 左室心尖－大動脈導管（左室心尖と大動脈間の弁付き導管で，重症で他の方法では治せない左室流出路狭窄を治療する）．

ileal c. 回腸導管（回腸の遊離切片を膀胱から皮膚へ直結の機能として働かせること．導管内には両側尿管が接続され，導管の他端の内腔は皮膚に移植される．膀胱全摘の後または膀胱の正常の機能が失われたとき，膀胱より上部で尿路変更が必要となるため行われる）．

con·du·pli·cate (kon-dū′pli-kāt)［L. *con-*, with + *duplico*, pp. *-atus*］．重折の（縦に重ねて折った）．

con·du·pli·ca·to cor·pore (kon-dū′pli-kā′tō kōr′pōr-ē)．重折分娩（肩甲位分娩で胎児が重折された状態）．

con·du·ran·go (kon-dū-rang′gō)［Peruv.］．コンズランゴ（エクアドルやペルーのガガイモ科低木 *Gonolobus condurango* と *Marsdenia condurango* の樹皮．芳香性苦味薬，収れん薬）．

con·dy·lar (kon′di-lăr)．顆〔状〕の．

con·dy·lar·thro·sis (kon′di-lar-thrō′sis)［G. *kondylos*, condyle + *arthrōsis*, a jointing］．顆〔状〕関節（膝関節のような，顆表面によって形成される関節）．

con·dyle (kon′dīl)［TA］．顆（骨端の丸い関節表面）．＝condylus［TA］.

balancing side c. 平衡側顆頭（歯科において，下顎の側方運動時に動く側と反対側の下顎頭）．

c. of humerus［TA］．上腕骨顆（上腕骨の遠位端で，上腕骨滑車，上腕骨小頭，肘頭窩，鈎突窩，橈骨窩がある）．＝condylus humeri［TA］.

lateral c.［TA］．外側顆（正中線から遠いほうの骨顆）．＝condylus lateralis［TA］.

lateral c. of femur［TA］．大腿骨外側顆（大腿骨遠位端で関節頭をなす一対の骨顆のうち，外側のもの．前方では膝蓋面で他側に連なるが，後下方は顆間窩で隔てられている．外側顆は内側顆より長い）．＝condylus lateralis femoris [TA]．

lateral c. of tibia [TA]．脛骨外側顆（大腿骨下端を受ける脛骨上端の骨顆のうち，外側のもの．外側顆は内側顆より長い）．＝condylus lateralis tibiae [TA]．

mandibular c. 関節突起．＝condylar *process* of mandible.

medial c. [TA]．内側顆（正中線に近いほうの骨顆）．＝condylus medialis [TA]．

medial c. of femur [TA]．大腿骨内側顆（大腿骨遠位端で関節頭をなす一対の骨顆のうち，内側のもの．前方では膝蓋面で他側につづくが，後下方は顆間窩で隔てられている．内側顆は外側顆より短い）．＝condylus medialis femoris [TA]．

medial c. of tibia [TA]．脛骨内側顆（大腿骨下端を受ける脛骨上端の骨顆のうち，内側のもの．内側顆は外側顆に比べて正中に近く短い）．＝condylus medialis tibiae [TA]．

occipital c. [TA]．後頭顆（後頭骨下面にある２つの細長い卵形をした関節面で，大後頭孔の両側に１つずつあり，環椎と関節をなす）．＝condylus occipitalis [TA]．

working side c. 作業側顆頭（歯科において，下顎を側方に動かしたとき，偏位した側の下顎骨顆頭をいう）．

con·dy·lec·to·my (kon′di-lek′tō-mē) [G. *kondylos*, condyle + *ektomē*, excision]．顆切除〔術〕．

con·dyl·i·on (kon-dil′ē-on) [G. *kondylion*, *kondylos*(condyle)の指小辞]．コンジリオン（下顎骨関節突起の外側または内側面上の点）．

con·dy·loid (kon′di-loyd) [G. *kondylōdēs*, like a knuckle < *kondylos*, condyle + *eidos*, resemblance]．顆〔状〕の．

con·dy·lo·ma, pl. **con·dy·lo·ma·ta** (kon′di-lō′mă, -mah′tă) [G. *kondylōma*, a knob]．コンジローム（肛門や陰門，または陰茎亀頭に生じる，いぼ状の突出物）．

c. acuminatum 尖形(圭)コンジローム（外性器や肛門に生じる伝染性で突出性のいぼ状増殖．koilocytosis を示す肥厚した上皮におおわれた線維性増殖物からなり，ヒト乳頭腫ウイルスが性交渉によって感染することによる．特定のタイプのヒト乳頭腫ウイルスで悪性化することが報告されているが，一般的には良性である）．＝genital wart; venereal wart.

flat c. 扁平コンジローム（①＝c. latum. ②ヒト乳頭腫ウイルス感染で生じる子宮頸部または他の部位の扁平コンジローム．尖型化を伴わないコイロサイトが組織学的特徴である）．

giant c. 巨大コンジローム（肛門や外陰部，あるいは割礼を行っていない中年男性の陰茎皮嚢にみられる大型の尖圭コンジローム．深部に広がり，再発する傾向がある．→ verrucous *carcinoma*）．

c. latum 扁平コンジローム（扁平丘疹からなる二期梅毒疹．丘疹は集簇性に生じ，上皮頽廃物からなる壊死層におおわれ，漿液性膿性の液体を分泌する．肛門にみられるが，また皮膚のひだで熱と湿気を生じる場所ならどこにでもみられる）．＝flat c. (1); moist papule; mucous papule.

con·dy·lom·a·tous (kon′di-lō′mă-tŭs)．コンジロームの．

con·dy·lot·o·my (kon′di-lot′ō-mē) [G. *kondylos*, condyle + *tomē*, incision]．顆〔状〕突起切開〔術〕（除去しないで顆分割すること）．

con·dy·lus (kon′di-lŭs) [L. < G. *kondylos*, knuckle, the knuckle of any joint][TA]．顆．＝condyle.

c. humeri [TA]．上腕骨顆．＝*condyle* of humerus.

c. lateralis [TA]．外側顆．＝lateral *condyle*.

c. lateralis femoris [TA]．＝lateral *condyle* of femur.

c. lateralis tibiae [TA]．＝lateral *condyle* of tibia.

c. medialis [TA]．内側顆．＝medial *condyle*.

c. medialis femoris [TA]．＝medial *condyle* of femur.

c. medialis tibiae [TA]．＝medial *condyle* of tibia.

c. occipitalis [TA]．後頭顆．＝occipital *condyle*.

cone (kōn) [G. *kōnos*, cone]．＝conus (1). ***1*** 円錐〔体〕，錐状体，丘（底が円形で，両側が傾いて上方の１点で接合している形）．***2*** 網膜錐体（鮮明視および色視のために必須な光感受性を有する外方に向かって錐体形の錐体細胞の突起．中心窩においては錐体が唯一の光感受体であり，網膜の末梢に行くに従い杆体の増加に伴い錐体はまばらになる）．＝cone cell of retina. ***3*** コーン（X線束を絞るために用いられる金属製の円筒あるいは断面が円形あるいは正方形の先端が切除された円錐）．

antipodal c. 反足円錐（分裂細胞において中心体から出て赤道板と反対方向にのびる１組の星状体系）．

arterial c. 動脈円錐．＝*conus* arteriosus.

c. down コーンダウン（コリメータまたはコーンにより照射野を狭くすること）．

elastic c. 弾性円錐．＝*conus* elasticus.

gutta-percha c. ガッタパーチャコーン（ガッタパーチャと酸化亜鉛とからなる半剛体の根管充塡材で，コーン状をなしている）．

Haller c.'s (hah′lĕr)．ハラー錐状体．＝*lobules* of epididymis.

implantation c. ＝axon *hillock*.

c. of light 光錐．＝light *reflex* (3).

medullary c. [TA]．脊髄円錐．＝conus medullaris.

nerve growth c. 神経〔細胞の〕成長円錐（延伸しつつある軸索の先端にみられる高度な運動性を備えた構造）．

ocular c. 眼円錐（眼球内部の光の円錐で，瞳孔からはいった光線によって形成された基底と網膜に集束された先端からなる）．

Politzer luminous c. (pol′it-zĕr)．ポーリツァー光錐．＝light *reflex* (3).

pulmonary c. 肺動脈円錐．＝*conus* arteriosus.

retinal c.'s 網膜錐体（→cone (2)）．

silver c. (sil′vĕr)．シルバーコーン（規格に合った円錐形の純銀で，根管を閉塞するのにセメントとともに用いる）．

theca interna c. 卵胞内膜丘（先端が卵巣表面に向いている卵胞膜細胞の円錐形の肥厚）．

twin c. 双錐体（融合した２つの網膜錐体）．

vascular c.'s ＝*lobules* of epididymis.

-cone (kōn)．上顎の歯の咬頭を示す接尾語．

co·nes·si (ko-nes′ē) [E. Ind.]．コネッシ（インド産の高木キョウチクトウ科 *Holarrhena antidysenterica* の樹皮．収れん薬として，また赤痢とアメーバ症の治療に用いる．→conessine）．＝kurchi bark.

co·nes·sine (kon′ĕ-sēn)．コネッシン（インド産の高木 *Holarrhena antidysenterica*(コネッシ)から抽出されるステロイドアルカロイド．黄色収れん薬で，アメーバ赤痢や腟トリコモナス症の治療に用いる．→conessi）．＝neriine; wrightine.

con·fab·u·la·tion (kon′fab-yū-lā′shŭn) [L. *con-fabulor*, pp. *-fabulatus*, to talk together < *fabula*, narrative]．作話〔症〕（物語や歌をつくり聞かせどんな質問にでも事実とはまったく無関係に，流暢だが的のはずれた答えをする．健忘症，Wernicke-Korsakoff 症候群の症状）．

con·fec·tio, gen. **con·fec·ti·o·nis,** pl. **con·fec·ti·o·nes** (kon-fek′shē-ō, -ō′nis, -ō′nēz) [L. < *conficio*, pp. *-fectus*, to make ready, prepare]．＝confection.

con·fec·tion (kon-fek′shŭn) [L. *confectio*]．糖剤（蜂蜜やシロップと混ぜた薬からなる薬品．軟らかい固形で，ときに錠剤の賦形剤として用いる）．＝confectio; conserve; electuary.

con·fer·tus (kon-fer′tŭs) [L. *confercio*, pp. *-fertus*, to cram together < *farcio*, to fill full, cram]．融合性の，密集性の（密に配列された）．

con·fi·den·ti·al·i·ty (kon′fi-den-shē-al′i-tē) [L. *con-fido*, to trust, be assured]．守秘義務，守秘権（患者の秘密漏洩を拒む権利．患者の診療時に得られた情報の非漏洩に関して特定の医療保健専門職に与えられた法的な権利と義務）．

con·fig·u·ra·tion (kon-fig′yū-rā′shŭn). ***1*** 構造（体およびその部分の全体の形）．***2*** 立体配置（化学において，分子中の原子の空間配列．化合物(例えば糖)の配置は原子の独特な空間配列をとるので，どのようにコンフォメーションを変化させてもそれらの原子の他のどんな配列も，完全に一致するように重ね合わせられることはない(すなわち，単結合を軸とするねじれや回転)．配置の変化は糖のDからLへの配置変化のように結合の破壊および再結合が必要である．*cf.* conformation）．

***cis* c.** シス配置（①→cis- (3). ②DNA の同じ分子上で２か所以上の部位に関する性質）．

con·fine·ment (kon-fīn′ment) [L. *confine*(中性形), a boundary, confine < *con-* + *finis*, boundary]．分娩，出産．

con·flict (kon′flikt). 葛藤（要求，衝動，動機の充足が，他の魅力ある，または興味のない要求，衝動，動機または願望の存在によって妨げられるときに，生体が経験する緊張またはストレス）.

approach-approach c. 接近－接近型葛藤（個人が，等しく魅力的な二者の選択に直面し，決断できずに動揺する状況）.

approach-avoidance c. 接近－回避型葛藤（個人が，魅力のある性質とない性質の両方をもつ１つの物体またはできごとに直面し，決断できずに動揺する状況．→ambivalence）.

avoidance-avoidance c. 回避－回避型葛藤（個人が，等しく魅力のない二者の選択に直面し，決断できずに動揺する状況）.

c. of interest 興味の葛藤（専門家としての興味または個人的な興味と，保健の提供者としての欲求および患者またはその他の消費者に対する責任(例えば個々の成果に基づいた金銭的な利益と他の薬よりもある薬を用いること)との間の葛藤）.

interpersonal c. 対人間葛藤（人間間の関係および社会的交流に関する葛藤．*cf.* intrapersonal c.）.

intrapersonal c. 人間内葛藤（ただ１人の個人の心の中の心理的力動によってのみ生じる葛藤．→intrapsychic）.

role c. 役割葛藤（簡単には調和させることのできない２つの異なった役割(例えば，配偶者と攻撃的なビジネスの競争者)を演じなければならないときに個人が体験するジレンマ）.

con·flu·ence (kon′flū-ĕns)［L. *confluens*］［TA］．合流，交会（ともに流れること．２本以上の流れの結合）．＝confluens［TA］.

c. of sinuses［TA］．静脈洞交会（硬膜の上矢状静脈洞，直静脈洞，後頭静脈洞，左右の横静脈洞の内後頭隆起上での合流）．＝confluens sinuum［TA］.

con·flu·ens (kon-flū′enz)［L.］［TA］．交会．＝confluence.

c. sinuum［TA］．静脈洞交会．＝*confluence* of sinuses.

con·flu·ent (kon′flū′-ent)［L. *con-fluo*, to flow together］．融合性の（①融合して斑を形成する皮膚病変をさす．発疹が孤立性でなく，１つ１つがそれと区別できないことを特徴とする疾患をさす．②元来は別個であった２個の骨が混合して形成された骨を示す）.

con·fo·cal (kon-fō′kal). →confocal *microscope*.

con·for·ma·tion (kon′fōr-mā′shŭn). 立体配座，コンフォメーション（共有結合を破壊することなく，基を単一の共有結合の周りで回転させて空間に分子を配列すること．コンフォメーションは，共有結合を破壊しないという点で，単数または複数の結合を形(立体配置)が変わるたびに破壊しなければならない(アノマーおよび関連立体異性体の)立体配置(configuration)と異なる．コンフォメーションは糖化学の最も重要な局面の１つで，糖の化学的性状を理解するための基礎である．*cf.* configuration）.

boat c. →Haworth conformational formulas of cyclic *sugars*.

envelope c. エンベロープコンフォメーション（→Haworth conformational formulas of cyclic *sugars*）.

con·form·er (kon-fōr′mer)［L. *conformo*, to fashion］．***1*** 型（通常，プラスチック材料の型．形成外科修復において，空洞の容積を維持するために，あるいは再建された人工的または自然の空間が治癒により閉じるのを防ぐために用いる）．***2*** コンフォーマー（プリオン蛋白の構造．異常プリオン蛋白の異常形状(すなわち配座異性体)は正常プリオン蛋白の二次並びに三次構造の変化を誘導することができ異常蛋白をさらに追加する）.

con·found·ing (kon-fownd′ing). 交絡（①２つまたはそれ以上のプロセスの影響が区別できない状態．結果に影響を与える他の因子との関連によって，暴露の見かけの影響がゆがめられてしまうこと．②一組のデータにみられる２つまたはそれ以上の原因因子間の効果の関連によって，観測された結果に対するどの１つの因子の寄与も分離することが論理的にはできない状態）.

con·fron·ta·tion (kon′frŏn-tā′shŭn). 直面化（治療者，患者グループ，あるいはその構成員に対する抵抗・態度・感情・影響について，治療者やグループの構成員が明白な解釈を行う行為）.

con·fu·sion (kon-fyū′zhŭn)［L. *confusio*, a confounding］．錯乱〔状態〕（環境に対する不適応な精神状態．途方にくれて適応できない状態）.

con·fu·sion·al (kon-fyū′zhŭn-ăl). 錯乱〔状態〕の.

con·ge·ner (kon′jē-ner)［L. *con-*, with＋*genus*, race］．［誤った発音 conge′ner を避けること］．***1*** 同種，同類（同じ分類上の動植物のように，同種類の２つ以上のものの１つ）．***2*** 協力筋，協働筋（同じ機能をもつ２つ以上の筋）．***3*** 指定された属のすべての種.

c. of alcohol アルコール同族体（アルコール飲料に残留している特定の化合物または代謝産物で，その飲料の特性に大きく寄与する）.

con·ge·ner·ous (kon-jen′er-ŭs)［→congener］．***1*** 同作用の（同じ機能を有する．協力筋である筋肉をさす）．***2*** 同種の，同類の（同じ源から出た，または似た性質の）．***3*** 指定された属のすべての種.

con·gen·ic (kon-jen′ik)［con-＋G. *genos*, birth＋-ic］．類遺伝子性の，遺伝子導入の（ある遺伝子系のものを他の近交系の(同種同系の)ものと交配を繰り返して作成した近交系の動物に関していう）.

con·gen·i·tal (kon-jen′i-tăl)［L. *congenitus*, born with］．先天〔性〕の，先天的な（［hereditary, heredofamilial, familial, または genetic と混同しないこと］．遺伝性あるいは妊娠から出生の瞬間までの間に生じた影響により，精神的あるいは肉体的特徴，異常，奇形，疾患，所見などが出生時に存在すること）．＝congenitus.

con·gen·i·tus (kon-jen′i-tŭs)［L.］．先天〔性〕の，先天的な．＝congenital.

con·gest·ed (kon-jes′ted). うっ血した，充血した（異常な血液量を含む）.

con·ges·tion (kon-jes′chŭn)［L. *congestio*, a bringing together, a heap ＜ *con-gero*, pp. *-gestus*, to bring together］．うっ血，充血（［本語は呼吸器系通路に過剰の粘液性分泌物が存在することを意味するものではない．鼻や気管，気管支のうっ血は血管怒張で起こるものであり，通常は炎症によって引き起こされる］．ある部分またはある器官の管または流路に異常な量の液体が存在すること．特に，還流量の増加または流出量の閉塞のいずれかによる血液の存在をさす．→hyperemia）.

active c. 能動性うっ血（一部分への動脈血流量の増加によるうっ血）.

brain c. 脳うっ血（脳の血管内容量の増加．しばしば，脳腫脹を併発する）．＝encephalemia.

functional c. 機能性うっ血（臓器の機能活動中に起こる充血）．＝physiologic c.

hypostatic c. 沈下〔性〕うっ血（垂れ下がった部分に静脈血が貯留して起こるうっ血）．＝hypostasis (2).

passive c. 受動性うっ血（静脈還流の閉塞または遅延の結果，毛細管静脈に血液が部分的に停滞するために起こる充血）.

physiologic c. 生理的うっ血．＝functional c.

venous c. 静脈〔性〕うっ血（機械的閉塞，または右心室不全の結果，静脈に血液があふれ，拡張すること）.

con·ges·tive (kon-jes′tiv). うっ血性の，充血性の.

con·glo·bate (kon-glō′bāt)［L. *con-globo*, pp. *-atus*, to gather into a *globus*, ball］．凝塊形成の，円塊形成の（１つの丸い塊になった状態についていう）.

con·glo·ba·tion (kon′glō-bā′shŭn). 凝塊，円塊形成（多数の分子が１つの丸い塊に凝集すること）.

con·glom·er·ate (kon-glom′ĕ-rāt)［L. *con-glomero*, pp. *-atus*, to roll together ＜ *glomus*, a ball］．集合，集塊，凝塊（１つの塊に凝集した数個の部分からなっている）.

con·glu·ti·nant (kon-glū′ti-nant)［L. *con-glutino*, pp. *-atus*, to glue together ＜ *gluten*, glue］．癒着の（傷口の癒合を促進する）.

con·glu·ti·na·tion (kon-glū′ti-nā′shŭn). ***1*** 癒着，コングルチネーション．＝adhesion (1)．***2*** 膠着〔反応〕，コングルチネーション（正常ウシ血清(およびある種の他のコロイド物質)による，抗原－(赤血球)－抗体－補体複合体の凝集．この方法は非凝集性抗体の存在を検出する手段となる）.

con·glu·ti·nin (kon-glū′ti-nin). コングルチニン（ウシ血清蛋白で，赤血球－抗体－補体複合体に吸収されるとそれらを凝集させる．比較的耐熱性である．生理的食塩水で希釈すると明らかに解離する）．＝bovine colloid.

con·go·phil·ic (kon′gō-fil′ik). コンゴーレッド色素で染まる物質についていう．

Con·go red (kong′gō red) [C.I. 22120]. コンゴーレッド（酸性直接木綿染料．この染料はアミロイドに吸収され，偏光を当ててアミロイドに緑色の蛍光を生じさせる．アミロイドーシスの診断検査薬として用いる．組織学ではアミロイド染色に用いる．胃内容物中の遊離塩酸の検査に用いる指示薬（pH 3 で青紫色から pH 5 で赤色）として使われる．→Bennhold Congo red *stain*）．

co·ni (kō′nī). conus の複数形．

con·ic, con·i·cal (kon′ik, kon′i-kăl). 円錐形の．

-conid (kō′nid). 下顎の歯の尖頭を示す接尾語．

co·nid·i·a (ko-nid′ē-ă). conidium の複数形．

co·nid·i·al (ko-nid′ē-ăl). 分生〔胞〕子の．

Co·nid·i·o·bo·lus (ko-nid′ē-ō-bō′lŭs). コニディオボルス属（接合真菌症（ハエカビ症）の原因菌 2 種，*C. coronatus* と *C. incongruus* とを含む真菌の一属）．

co·nid·i·og·e·nous (ko-nid′ē-oj′ĕ-nŭs). 分生子産生（形成）性（分生子を産生する細胞を示す，例えばフィアリッド）．

co·nid·i·o·phore (ko-nid′ē-ō-fōr) [conidium + G. *phoros*, bearing]. 分生子柄（真菌類において，分生子を生じる特別の菌糸）．

Phialophore-type c. 鉢状分生子柄（*Phialophora*属に特徴的な胞子形成のタイプで，鉢状体 phialid とよばれるフラスコ状の分生子柄中に，分生子が内生する）．

co·nid·i·um, pl. co·nid·i·a (ko-nid′ē-ŭm, -ē-ă) [Mod. L. 指小辞 ＜ G. *konis*, dust]. 分生〔胞〕子（種々の方法で菌体外部に生じる真菌類の無性胞子）．

co·ni·o·fi·bro·sis (kō′nē-ō-fī-brō′sis) [G. *konis*, dust + fibrosis]. じん埃線維症（ほこりによって生じた線維症．ほこりを吸入することにより，特に肺に発生する）．

co·ni·o·lymph·sta·sis (kō′nē-ō-limf′stă-sis) [G. *konis*, dust + lymph + G. *stasis*, a standing]. じん埃性リンパうっ滞（ほこりによるリンパのうっ滞．線維症の介在によると推測される）．

co·ni·om·e·ter (kō′nē-om′ĕ-ter) [G. *konis*, dust + *metron*, measure]. 空中じん埃数計算器（空気中のほこりの量を計算するための装置）．

co·ni·o·phage (kō′nē-ō-fāj) [G. *konis*, dust + *phagein*, to eat]. じん埃細胞．＝alveolar *macrophage*.

co·ni·o·sis (kō′nē-ō′sis) [G. *konis*, dust]. じん肺〔症〕（ほこりが起こす疾患，病的状態）．

co·ni·ot·o·my (kō′nē-ot′ō-mē). コニオトミー（喉頭の弾性円錐の切開．→cricothyrotomy）．

co·ni·um (kō-nē′ŭm) [L. ＜ G. *kōneion*, hemlock]. ドクニンジン果（セリ科ドクニンジン *Conium maculatum* の乾燥未熟果実．斑点ドクゼリ，斑点パセリとして知られている．鎮静薬，抗痙攣薬，鎮痛薬として用いられてきた）．＝hemlock.

con·i·za·tion (kon′ĭ-zā′shŭn). 円錐切除〔術〕（組織を円錐形に切除すること．例えば子宮頸管の粘膜の切除）．

cautery c. 焼灼円錐切除〔術〕（子宮頸管の電気焼灼による円錐切除）．

cold knife c. 寒冷式円錐切除〔術〕（組織学的特徴を保ち，組織の乾燥を避けるために，焼灼術ではなくメスで子宮頸管を円錐状に採取すること）．

con·ju·gant (kon′jū-gant) [L. *con-jugo*, to join]. 接合個体，接合体（接合を行っている生物，または配偶子の交配対の一員．→exconjugant）．

con·ju·ga·ta (kon′jū-gā′tă) [L. *conjugatus* の女性形，*conjugo*(to join together)の完了分詞][TA]. 結合径（骨盤の矢状径の諸径．→conjugate）．

c. anatomica [TA]. 解剖学的真結合線．＝anatomic *conjugate*.

c. diagonalis [TA]. 対角結合線．＝diagonal *conjugate*.

c. externa [TA]．＝ external *conjugate*.

c. recta [TA]. 骨盤出口前後径．＝straight *conjugate*.

c. vera [TA]. 真結合線．＝true *conjugate*.

con·ju·gate (kon′jŭ-gāt) [L. *conjugatus*, joined together. → conjugata][TA]. ***1*** 〘adj.〙 共役の，共同の．＝conjugated. ***2*** 〘n.〙 骨盤の径線（骨盤腔を形成する各種の 2 点間の距離）．

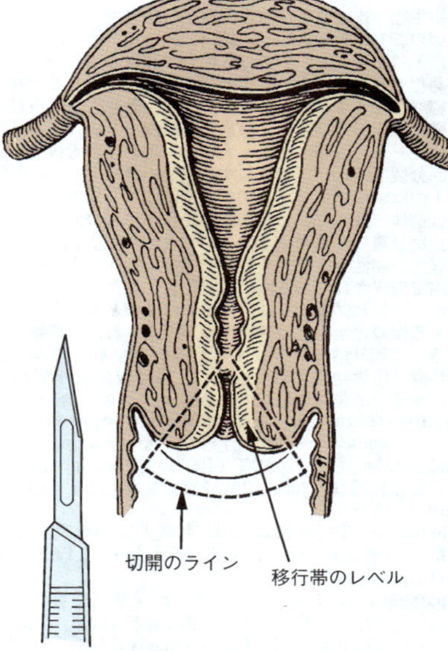

conization of the cervix
寒冷式切除術．

anatomic c. [TA]. 解剖学的結合線（骨盤平面で仙骨岬角と恥骨結合上縁を結ぶ径線）．＝conjugata anatomica [TA].

diagonal c. [TA]. 対角結合線（仙骨岬角から恥骨結合の下縁を結ぶ線で，臨床的な骨盤入口の前後径．内診または超音波断層法によって計測され，真結合線の推定に用いられる）．＝conjugata diagonalis [TA]; diagonal conjugate diameter; false c. (1).

effective c. 有効結合線（脊椎すべり症における，最も近い腰椎から恥骨結合までの内径）．＝false c. (2).

external c. [TA]. 外結合線（最終腰椎の棘突起下の陥凹と恥骨結合の上縁を結ぶ線）．＝conjugata externa [TA]; external conjugate diameter.

false c. 偽性結合線（①＝diagonal c. ②＝effective c.）．

folic acid c. 葉酸抱合体（1 分子の代わりに 3 分子以上のグルタミン酸（プテロプテリン，プテロイルヘプタグルタミン酸またはビタミン B_{12} 複合体）を有する葉酸塩）．

internal c. ＝median c.

median c. [TA]. 真結合線（仙骨岬角から恥骨結合上縁を結ぶ線）．＝anteroposterior diameter of the pelvic inlet; conjugate axis; conjugate diameter of pelvic inlet; c. of pelvic inlet; internal c.

obstetric c. 産科〔学〕的真結合線．＝true c.

obstetric c. of pelvic outlet 骨盤出口部の産科〔学〕的前後径（尾骨の後方変位によってのびた，骨盤出口の前後径）．

c. of pelvic inlet 骨盤入口部．＝median c.

c. of pelvic outlet 骨盤出口部の前後径（→obstetric c. of pelvic outlet）．＝straight c.

straight c. [TA]. 骨盤出口部の前後径（尾骨先端から恥骨結合の下縁までを結ぶ線）．＝conjugata recta [TA]; conjugate diameter of pelvic outlet; c. of pelvic outlet.

true c. [TA]. 真結合線（骨盤入口部で児頭が下行し通過する最短径を表す直径で，その測定はX線により，仙骨岬角から，恥骨結合の上縁より数ミリメートル下の恥骨結合内面までの距離となる）．＝conjugata vera [TA]; obstetric conjugate diameter; obstetric c.

con·ju·gat·ed (kon′jŭ-gāt′ed). ＝conjugate (1).

con·ju·ga·tion (kon′jŭ-gā′shŭn) [L. *con-jugo*, pp. *-jugatus*, to join together]. ***1*** 接合（① 2 個の単細胞生物，または多細胞生物の雄性および雌性配偶子の結合で，染色質の分割と 2 個の新しい細胞の発生が続いて起こる．②細菌の単純な接触によって生じるバクテリア接合．通常，遺伝子を運搬する特殊化した線毛によって行われる．他のプラスミド遺伝子は受容バクテリアに移入される．③原生動物の繊毛虫類の有性生殖では，その期間中に適当な交配型の 2 個体が寄り添う形で体の一部を接着させる．大核が退化し，各大核内の小核は数回分裂(減数分裂を含む)する．その結果生じた一部体前核の 1 つは，移動核となって各接合個体から他方にはいり，各接合個体に残っている一倍体の静止核と融合する．そこで繊毛虫は分離して接合完了体 exconjugant となり，核の再構成を経て，無性有糸分裂する）．***2*** 抱合（①特に肝臓において，腸内で形成されたある種の有毒物質，薬剤，またはステロイドホルモンとグルクロン酸あるいは硫酸との抱合．これによりある種の化学物質の生物活性が阻止され，生成物は排泄される．②胆汁酸のグリシルまたはタウリル誘導体の形成）．***3*** 共役（化学物質での多重結合と単結合の交互配列のことで，π 電子が非局在化している）．***4*** 2 つの化合物の連結．

con·junc·ti·va, pl. **con·junc·ti·vae** (kon′jŭnk-tī′vă, -vē) [L. *conjunctivus* の女性形 < *conjungo*, pp. *-junctus*, to bind together][TA]．結膜（**[誤った発音** conjunct′iva を避けること**]**．眼球前面と眼瞼後面を包む粘膜）．＝tunica conjunctiva [TA].

bulbar c. [TA]．眼球結膜（強膜前面と角膜上皮をおおう結膜の部分）．＝tunica conjunctiva bulbi [TA]; conjunctival layer of bulb.

palpebral c. [TA]．眼瞼結膜（眼瞼後面を裏打ちする結膜の部分．結膜円蓋で，眼球結膜に移行する）．＝tunica conjunctiva palpebrarum [TA]; conjunctival layer of eyelids.

con·junc·ti·val (kon′jŭnk-tī′văl)．結膜の．

con·junc·tive (kon-jŭnk′tiv)．結合する，連結的な．

con·junc·ti·vi·plas·ty (kon-jŭnk′ti-vi-plas′tē)．＝conjunctivoplasty.

con·junc·ti·vi·tis (kon-jŭnk′ti-vī′tis)．結膜炎．＝blennophthalmia (1).

actinic c. 照射性結膜炎．＝ultraviolet *keratoconjunctivitis.*

acute contagious c. 急性伝染性結膜炎（強度の充血と大量の粘液膿の排出を特徴とする急性結膜炎を表す，現在では用いられない語）．＝acute epidemic c.; pinkeye.

acute epidemic c. 急性流行性結膜炎．＝acute contagious c.

acute hemorrhagic c. 急性出血性結膜炎（眼瞼腫脹，流涙，結膜出血，沪胞を伴い，ほとんど Enterovirus 70 型が原因となる，特異的な急性流行性結膜炎）．

acute viral c. 急性ウイルス結膜炎（特に下円蓋部の沪胞を特徴とする結膜の流行性炎症．アデノウイルス，ヘルペスウイルス，ニューカッスル病ウイルスによって引き起こされる）．

allergic c. アレルギー〔性〕結膜炎（免疫グロブリン E を介する結膜の免疫反応で掻痒，充血および流涙を伴う．典型例は季節性タイプであり(感染ではなく)アレルギーにより生じ，アレルギー反応の他の徴候も合併することがある．人口の10% 程度が罹患している）．

angular c. 眼角結膜炎（ときに Moraxella 杆菌によって起こる亜急性両側結膜炎で外眼角部の発赤と，睫毛に付着するわずかな，糸を引くような目やにを特徴とする）．＝*Moraxella* c.

arc-flash c. ＝ultraviolet *keratoconjunctivitis.*

c. arida 乾性結膜炎．＝xerophthalmia.

chemical c. 化学性結膜炎（化学的刺激物による結膜炎）．

chronic c. 慢性結膜炎（わずかな分泌物を伴う両眼性のなかなか治らない結膜充血．増悪と再燃を繰り返す傾向がある）．

chronic follicular c. 慢性沪胞性結膜炎（感染性，中毒性，刺激性の円蓋部沪胞形成を伴う結膜の遷延する炎症）．

cicatricial c. 瘢痕性結膜炎（慢性，進行性の眼の疾患で，最初に結膜の瘢痕を生じ，その結果として角膜の瘢痕が生じる）．

diphtheritic c. ジフテリア性結膜炎（ジフテリア菌 *Corynebacterium diphtheriae* によって起こる激しい結膜炎．特徴的な膜を形成し，それを剝離すると結膜組織が露出する）．＝membranous c.

follicular c. 沪胞〔性〕結膜炎（結膜円蓋の肥大したリンパ組織が存在する結膜炎）．

giant papillary c. 巨大乳頭性結膜炎（大きな乳頭を特徴とし，コンタクトレンズ表面の抗原性物質に対する感作と関連する結膜の炎症）．

gonococcal c. 淋菌性結膜炎（非常に急性な化膿性結膜炎の一型）．

gonorrheal c. 淋菌性結膜炎．＝gonorrheal *ophthalmia.*

granular c. 顆粒〔性〕結膜炎．＝trachomatous c.

hyperacute purulent c. 膿漏眼（淋菌 *Neisseria gonorrhoeae* によって生じる急性の化膿性結膜炎．結膜に著明な浮腫，充血を認め，眼瞼浮腫，多量の膿性眼脂を認める）．

inclusion c. 封入体〔性〕結膜炎（トラコーマクラミジア *Chlamydia trachomatis* によって起こる沪胞性結膜炎）．

infantile purulent c. 乳児化膿性結膜炎．＝*ophthalmia* neonatorum.

larval c. 幼虫性結膜炎（眼の中へ幼虫が食い込んで起こる結膜炎．→ophthalmomyiasis）．

ligneous c. 木質〔性〕結膜炎（上瞼板結膜の木質性硬化，白色偽膜，重症例では角膜混濁が典型的な特徴である結膜炎．通常，両側性である）．

c. medicamentosa 薬物〔性〕結膜炎（結膜嚢にしみ込んだ薬物またはトキシンによって生じる結膜炎）．＝toxicogenic c.

membranous c. 膜性結膜炎．＝diphtheritic c.

molluscum c. 軟ゆう性結膜炎，軟瘤性結膜炎（眼瞼の伝染性軟ゆうの病変に合併する結膜炎）．

***Moraxella* c.** モラクセラ結膜炎．＝angular c.

necrotic infectious c. 伝染性壊死性結膜炎（片側性の化膿性，壊死性結膜炎．円蓋および眼瞼結膜が分散して，隆起した白斑と同側の耳前，耳下，および下顎のリンパ節腫脹を特徴とする）．＝Pascheff c.

neonatal c. 新生児結膜炎．＝*ophthalmia* neonatorum.

Parinaud c. (pah-ri-nō′)．パリノー結膜炎（大型の，不整で，赤みがかった小胞と局所のリンパ節疾患を特徴とする結膜の慢性壊死性炎症）．

Pascheff c. (pah′shef)．パシェッフ結膜炎．＝necrotic infectious c.

phlyctenular c. フリクテン性結膜炎（結膜上に，小型で赤いリンパ組織の結節(小フリクテン)の形成を伴う限局性の結膜炎）．＝phlyctenular ophthalmia.

pseudomembranous c. 偽膜性結膜炎（結膜の表面に正常上皮からはがすことのできる凝固線維素斑が出現するのを特徴とする非特異性炎症反応）．

purulent c. 化膿性結膜炎（多量の膿を伴い，角膜を障害する傾向の強い激烈な結膜の急性炎症）．

simple c. 急性ウイルス性結膜炎（限局性で短期間持続）．

snow c. 雪性結膜炎．＝ultraviolet *keratoconjunctivitis.*

spring c. ＝vernal c.

squirrel plague c. Parinaud 結膜炎の原因の 1 つ．＝tularemic c.; c. tularensis.

swimming pool c. プール結膜炎（プール殺菌塩素，アデノウイルス，まれにクラミジアによる非特異的充血眼）．

toxicogenic c. 中毒性結膜炎．＝c. medicamentosa.

trachomatous c. トラコーマ性結膜炎（結膜沪胞とそれに続く瘢痕形成を特徴とする，トラコーマクラミジア *Chlamydia trachomatis* による結膜の慢性感染症．→trachoma）．＝granular c.

tularemic c., c. tularensis 野兎病性結膜炎．＝squirrel plague c.

vernal c. 春季結膜炎，春季カタル（羞明と激しいそう痒感を伴う慢性の両側性結膜炎．季節的に温暖気候時に再発する．特徴は，眼瞼型では上眼瞼結膜の丸石様乳頭，眼球型では角膜縁に隣接したゼラチン様結節）．＝spring c.; spring ophthalmia; vernal catarrh; vernal keratoconjunctivitis.

welder's c. 溶接工結膜炎．＝ultraviolet *keratoconjunctivitis.*

con·junc·ti·vo·chal·a·sis (kon-junk′ti-vō-kal′ă-sis) [conjunctiva + G. *chalasis*, a loosening]．結膜弛緩症（過剰な眼球結膜 bulbar *conjunctiva* が眼瞼縁上に渦巻状にかぶさったり下涙点をおおう状態）．

con·junc·ti·vo·dac·ry·o·cys·to·rhi·nos·to·my (kon-jŭnk′ti-vō-dak′rē-ō-sis′tō-rī-nos′tō-mē) [conjunctiva + G. *dakryon*, tear + *kystis*, cyst + *ris*(*rhin*-), nose + *stoma*, mouth]. 結膜涙嚢鼻腔吻合術（①涙小管が閉塞したときに涙液の排液をもたらす手術術式または手術方法．プラスチックチューブは涙嚢を介して結膜嚢から鼻腔へ通じるステント導路として用いられる．②結膜嚢に涙液排出口を造設すること）．

con·junc·ti·vo·dac·ry·o·cys·tos·to·my (kon-jŭnk′ti-vō-dak′rē-ō-sis-tos′tō-mē) [conjunctiva + G. *dakryon*, tear + *kystis*, sac + *stoma*, mouth]. ***1*** 結膜涙嚢造瘻術（涙液排出路再建のために結膜を介して涙嚢への道管の手術的作製）．***2*** 結膜涙嚢造瘻口（***1***によってつくられた開口部）．

con·junc·ti·vo·plas·ty (kon′jŭnk-tī′vō-plas′tē, kon′jŭnk′-ti-vō-). 結膜形成〔術〕．＝conjunctiviplasty.

con·junc·ti·vo·rhi·nos·to·my (kon′jŭnk-tī′vō-rī-nos′-tō-mē) [conjunctiva + G. *ris*(*rhin*), nose + *stoma*, mouth]. ***1*** 結膜鼻造瘻術（結膜を通って鼻腔内へ通路をつくる手術方法）．***2*** 結膜鼻造瘻口（***1***によってつくられた開口部）．

Conn (kon), Harold J. 米国人微生物学者，1886—1975. ⇀Hucker-C. *stain*.

Conn (kon), Jerome. 米国人内分泌学者，1907—1981. ⇀C. *syndrome*.

con·nec·tins (kŏ-nek′tinz). 細胞骨格(結合組織)の蛋白成分の集合名．元来は筋肉中で記述されたが，後に赤血球やその他の細胞の細胞膜においても観察された．

con·nec·tion (kŏ-nek′shŭn). 連結，結合，接続（成分あるいは事物の結合，結合構造）．＝connexus.

ambiguous atrioventricular c.'s 非定位な房室結合（半分の房室結合は一致しており他の半分は不一致に結合していること）．

anomalous pulmonary venous c.'s, total or partial〔総または部分〕肺静脈結合異常症（肺静脈の一部あるいはすべてが右房または右房に流入する静脈の1つに還流する異常）．

atrioventricular c.'s 房室結合（5種の明瞭に異なる形式に分けられる．すなわち，心房が心室に結合するにあたって，ⓘ一致 concordant，ⓘⓘ不一致 discordant，ⓘⓘⓘ非定位な ambiguous，ⓘⓥ両室挿入 double inlet，そしてⓥ単心室 univentricular である）．

concordant atrioventricular c.'s 房室結合一致（心房が形態学的に適正な心室に結合していること）．

discordant atrioventricular c.'s 房室結合不一致（個々の心房が形態学的に不適切な心室に結合していること）．

double inlet atrioventricular c.'s 両房室弁両室挿入結合（両方の心房が同じ心室に結合していること）．

intertendinous c.'s of extensor digitorum [TA]. 指伸筋の腱間結合（手背の指伸筋の枝分かれしている腱相互間にみられる斜行する腱性連絡）．＝connexus intertendinei musculi extensoris digitorum [TA]; juncturae tendinum.

marrow-mesenchyme c.'s 骨髄－間葉性結合（胎児あるいは新生児の中耳の骨盤間葉性結織の連続した結合）．

partial anomalous pulmonary venous c.'s 部分肺静脈還流異常症（⇀anomalous pulmonary venous c.'s, total or partial）．

total anomalous pulmonary venous c. 総(全)肺静脈還流異常〔症〕（肺からのすべての静脈が右心系へ戻るような左右シャントの状態．㊟心房中隔欠損のような右左シャントがないと致命的．→figure-of-8 *abnormality*）．

univentricular c.'s 単心室結合（心房の1つは心室に結合しているがもう1つは心室には全く結合していないこと）．

con·nec·tor (kŏ-nek′tŏr, -tōr). 連結子（歯科において，部分床義歯の構成要素を連結する部分床義歯の一部）．

major c. 大連結子（部分床義歯を連結する目的で用いられる床またはバー(舌側バー，パラタルバー，パラタルプレート)）．

minor c. 小連結子（大連結子または部分床義歯床，鉤，間接維持装置，および咬合面レストのような補てつ物間にある連結器(延長部)）．

nonrigid c. 緩圧型連結装置（固定性でない連結装置あるいは関節型連結装置）．＝stress-broken c.; stress-broken joint.

rigid c. 非緩圧型連結装置（ろう着により結合された関節の例のような，非緩圧型連結装置）．

stress-broken c. ＝nonrigid c.

Con·nell (kon′ĕl), F. Gregory. 米国人外科医，1875—1968. ⇀C. *suture*.

con·nex·in 26 (kŏ-neks′in). コネキシン26（ギャップ結合蛋白で，その遺伝子(Cx26)の変異が劣性無症候性聴覚障害の主因となる）．

con·nex·ins (kŏ-neks′inz). コネキシン（複合蛋白アセンブリー．6つのコネキシンが集合してコネクソンをつくる．→connexons）．

con·nex·ons (kŏ-neks′ŏnz). コネクソン（細胞膜の脂質二重層を貫通し約1.5 nmの孔径をもつ連続的チャネルを形成する複合蛋白構造体．2つの隣接した細胞による1対のコネクソンは結合し，ギャップ結合を形成する．この結合は細胞間の2—4 nm間隙をつなぎ，電気的，代謝的共役関係をつくる．ある種のコネクソンは心臓でギャップ結合をつくり，心臓の1か所の部分で全部の筋細胞の収縮を調整できる．→connexins）．

C

con·nex·us (kŏ-nek′sŭs) [L.]. 結合（[誤ったつづり conexus を避けること．複数形は connexi ではなく connexus である]）．＝connection.

c. intertendinei musculi extensoris digitorum [TA]. ＝intertendinous *connections* of extensor digitorum.

co·noid (kō′noyd) [G. *kōnoeidēs*, cone-shaped]. ***1*** 円錐〔状〕体（円錐状をした構造）．***2*** 円錐状体，円錐小体（原生動物 Apicomplexa 門に特徴的な先端構造物群の一部．胞子虫類のスポロゾイトやメロゾイトやその他の発生段階でみられるが，バベシア科およびタイレリア科のピロプラスマ属では，それほど発達しない．この円錐小体の機能は不明だが，恐らく，その突起可能な形状によって，宿主細胞に侵入するための小器官と考えられている）．

Sturm c. (shtūrm). シュツルム円錐体（光学において，球面円柱レンズ結合系を通った後につくられる光線のパターン）．

co·no·my·oi·din (kō′nō-mi-oy′din) [G. *kōnos*, cone + *mys*, muscle + *eidos*, resemblance]. コノミオイジン（網膜錐体内節の下半部にある収縮性原形質．魚類および両生類において最も活動的で，哺乳類では活動はわずかか，まったくない）．

conotoxin (kon-ō′toks′in). コノトキシン（魚を食べる巻き貝に見出される毒素の大分類の1つ(イモガイ科)）．

con·qui·nine (kon′kwi-nēn). ＝quinidine.

Con·ra·di (kon-rah′dē), Andrew. ノルウェー人医師，1809—1869. ⇀C. *line*.

Con·ra·di (kon-rah′dē), Erich. 20世紀のドイツ人医師．⇀C. *disease*; Conradi-Hünermann *disease*.

con·san·guin·e·ous (kon′sang-gwin′ē-ŭs) [L. *cum*, with + *sanguis*, blood: *consanguineus*]. 血族の．

con·san·guin·i·ty (kon′sang-gwin′i-tē) [L. *consanguinitas*, blood relationship]. 血族，同族（共通の祖先をもつ血縁関係．→relationship）．

con·scious (con′shŭs) [L. *conscius*, knowing]. ***1*** 意識のある（気づいている．現在の自分自身，自分の行為，周囲の状況を理解あるいは認識している）．***2*** 意識的な（意識的な行為または思考のように，個人の知覚的な注意を伴った何かを示し，自動的，本能的とは区別される）．

con·scious·ness (con′shŭs-nes) [L. *conscio*, to know, to be aware of]. 意識（自然科学的事実または精神的概念に対する意識または認識．全般的覚醒状態および環境に反応しうる状態．機能する感覚中枢）．

clouding of c. 意識混濁（患者の精神状態が混濁して，そのために周囲の環境と接触できていない状態）．

double c. 二重意識．＝dual *personality*.

field of c. 意識野（一定の瞬間に感知されるもの）．

con·sen·su·al (kon-sen′shŭ-ăl) [L. *con*-, with + *sensus*, sensation]. ***1*** 同意された（すべての当事者からお互いに認められていることを示す）．***2*** 共感性（一方の眼が光により刺激されたときに他方の瞳孔が収縮するように，間接的な受容体刺激により惹起される反射についていう）．

con·ser·va·tion (kon′ser-vā′shŭn) [L. *conservatio*, a preserving, keeping]. 保存（①損失，傷害，腐敗から保護すること．②感覚運動理論では，時間的，空間的に物体を除去した後も個人が物体の観念を失わないでいる知的操作．③ある遺伝子が異なった2つの生物に存在すること．④環境，遺伝，または他の状況において，構造が変化して存続すること）.

c. of energy エネルギーの保存（どのような化学過程または物理過程であろうとも，あるいはエネルギーの形態がどう変わろうとも，その間にエネルギーの総量は増えも減りもしないという原理）.

con·ser·va·tive (kon-serʹvă-tiv). 保存的（“根治的”とは対照的に，段階的・制限的な処置または十分に確立された療法についていう）.

con·serve (konʹserv). 糖剤. ＝confection.

con·sol·i·dant (kon-solʹi-dant). 癒合薬（治癒または結合を促進する物質）.

con·sol·i·da·tion (kon-solʹi-dāʹshŭn) ［L. *consolido*, to make thick, condense ＜ *solidus*, solid］. 硬化（硬い，濃厚な塊への固化．特に肺胞内に細胞性滲出物が存在することにより正常では空気を含む肺が炎症性に硬化する場合に用いる．一般に肺炎でみられる）.

con·spe·cif·ic (konʹspe-sifʹik)［L. *con-*, with + specific］. 同種の.

con·spi·cu·i·ty (konʹspi-kyūʹi-tē). 鮮鋭度（X線画像における観察対象の構造の可視性．その構造固有のコントラストとその周囲画像の複雑さ（またはノイズ）の関数）.

con·stan·cy (konʹstan-sē)［L. *constantia* ＜ *consto*, to stand still］. 定常性，安定度（一定である性状）.

color c. 周囲の明るさや景色の変化にかかわらず，変化しない色知覚.

object c. ***1*** 物体恒常性（物体が観察された位置および状態の変化にもかかわらず，不変に見える傾向．例えば，見る視点に関係なく，本の形が長方形であると常に知覚すること）．***2*** 対象恒常性（精神分析において，ある人物に対する情緒的な繋がりが比較的安定していること）.

con·stant (konʹstănt). 定数，常数（一定の条件下で，環境が変化しても変わらない量）.

association c. 結合定数（①実験免疫学においてハプテン－抗体相互作用の数学的表現．平均結合定数は，K＝［ハプテン結合抗体］/［遊離抗体］×［遊離ハプテン］で表される．②(K_a)．平衡定数は２つまたはそれ以上の化合物またはイオンが結合して新しい物質を形成する状態に関するもので，解離定数と逆相関の関係にある）. ＝binding c.

Avogadro c. (ah-vō-gahdʹrō). アヴォガドロ（アボガドロ）定数. ＝Avogadro *number*.

binding c. 結合定数. ＝association c.

Boltzmann c. (boltsʹmahn). ボルツマン定数（気体定数をAvogadro数で除される．k ＝ 1.380658 × 10^{-23}J・K^{-1}）.

decay c. 崩壊定数（放射性核種が単位時間に崩壊する数の，当該放射性核種全体に対する割合．式 $dN/N=-\lambda dt$ の定数 λ のこと．Nは放射性核種全体の原子数，dN は dt時間に壊変した原子数）. ＝disintegration c.; radioactive c.; transformation c.

diffusion c. ＝diffusion *coefficient*.

disintegration c. 壊変定数. ＝decay c.

dissociation c. (K_d, K) 解離定数（１つの化合物が２つ以上の化合物やイオンに解離するときの平衡定数．結合定数の逆）.

dissociation c. of an acid (K_d, K_a) 酸の解離定数（一般式 $[H^+][A^-]/[HA]=K_a$(HAは酸)，で表される）.

dissociation c. of a base (K_b) 塩基の解離定数（一般式 $[B^+][OH^-]/[BOH]=K_b$(BOHは塩基)，で表される）.

dissociation c. of water 水の解離定数（式 $[H^+][OH^-]=K_w=10^{-14}$（25°Cで），で表される自動プロトン分解定数の誤称）.

equilibrium c. (K_{eq}) 平衡定数（平衡時の反応 A＋B⇌C＋Dにおいて（すなわちA, B, C, またはDの正味量の変化はない），４成分の濃度は方程式 $K_{eq}=[C][D]/[A][B]$（K_{eq}は平衡定数）によって関係付けられている．もし反応中のいずれかの成分が係数（例えば $H_2⇌2H$）を有するならば，その係数 K は（例えば $K_{eq}=[H]^2/[H_2]$）の計算における指数として表される．もしこの方程式を溶液中の物質のイオン化に適用すると，K_{eq}は解離定数(K_d)とよばれ，その負対数（底は10）は pK_d である．→Henderson-Hasselbalch *equation*; mass:action *ratio*）.

Faraday c. (***F***) (farʹă-dā). ファラデー定数（→faraday）.

flotation c. (S_f) 浮上定数（血漿に食塩または酸化ジューテリウムを加えて適当な密度とした溶液中の血漿リポ蛋白分画が遠心力の場で示す特徴的な沈降）. ＝negative S; Svedberg of flotation.

gas c. (***R***) 気体定数（R ＝ 8.314×10^7erg$K^{-1}mol^{-1}$ ＝ 8.314J$K^{-1}mol^{-1}$．理想気体の圧力にその体積をかけ，絶体温度とモル数の積で除したものに相当する）.

Hill c. (hil). ヒル定数. ＝Hill *coefficient*.

Michaelis c. (mi-kāʹlis)［Leonor *Michaelis*］. ミヒャエーリス（ミカエリス）定数（①単一基質の急速な平衡系の酵素触媒反応での酵素－基質二元複合体の真の解離定数（通常，K_s の記号で表す）．②酵素触媒反応の真の最大速度の1/2に達したときの基質の濃度（速度は初速度であり，しかも定常状態下で測定される）．単一基質酵素触媒反応での速度定数比 $(k_2+k_3)/k_1$のこと．単一基質酵素反応とはE＋S⇌ES⇌E＋生成物の式で表され，Eは遊離した酵素，Sは基質，ESは主要な酵素－基質二元複合体である．Michaelis定数は多基質反応では，より複雑になる．みかけのMichaelis定数は厳密な定常状態や初速度を与えない場合，またはいくつかの補基質の濃度によって変化する場合で測定される．→Michaelis-Menten *equation*）. ＝Michaelis-Menten c.

Michaelis-Menten c. (K_m) (mi-kāʹlis men′tĕn). ミヒャエーリス（ミカエリス）－メンテン定数. ＝Michaelis c.

newtonian c. of gravitation (***G***)［Sir Isaac *Newton*］. ニュートン重力定数，ニュートン万有引力定数（普遍的定数の１つ．重力Fと距離 r を隔てて互いに引き付け合う２つの質量 m_1, m_2 を，式 $F=G(m_1m_2/r^2)$によって関連付ける定数．その値は 6.67259×10^{-8}dyne cm^2g^{-2}＝6.67259×$10^{-11}m^3kg^{-1}s^{-2}$（SI単位））.

permeability c. 透過定数（イオンが濃度差1.0 mol/Lで駆動された膜の単位面積当たりの通過しやすさの度合．普通，cm/sec単位で表される．*cf*. permeability *coefficient*）.

Planck c. (***h***) (plahnk)［Max *Planck*］. プランク定数（定数，6.6260755×10^{-34}Js または 6.6260755×10^{-27}erg-seconds＝6.6260755×10^{-34}JHz^{-1}）.

radioactive c. (Λ)〔放射性〕崩壊定数. ＝decay c.

rate c.'s (***k***) 速度定数（反応の初速度を反応物の濃度で割った値に等しい比例定数．例えば，反応A→B＋Cでの反応速度は，$-d[A]/dt=k_1[A]$．その速度定数 k_1 は反応に関与する反応種が単分子であるので，単分子反応速度定数であり，逆時間単位(sec^{-1})で表す．逆反応B＋C→Aでは，速度は $-d[B]/dt=d[A]/dt=k_2[B][C]$になる．その速度定数 k_2 は二分子反応速度定数であり，逆濃度－時間単位($M^{-1}sec^{-1}$)で表す）. ＝velocity c.'s.

sedimentation c. 沈降係数（定数）（遠心力場内での運動速度から蛋白の分子量を推定するSvedbergの式：

$$M=s\frac{RT}{D(1-\bar{V}\rho)}$$

における比例定数 s をいう．ここでMは分子量，Rはガス定数，Tは絶対温度，Dは拡散係数(cm^2/sec)，Vは蛋白の部分比体積，ρは溶媒の密度をさし，定数 s は遠心力場の単位当たりの時間の次元をもち（$s=\frac{dr_b/dt}{\omega^2 r_o}$；$r_b$ は時間 t で位置，r_oは時間０での位置，ωは角速度を表す），通常は 1×10^{-13} から 200×10^{-13} secの間の値をとる．1×10^{-13} secを1 Svedberg単位（S）と任意に定め，高分子の沈降速度を記述するのにしばしば用いる．例えば4S RNA）. ＝sedimentation coefficient.

specificity c. 特異性定数（酵素触媒反応での特異基質における真の K_m 値に対する最大速度(V_{max})またはk_{cat}の比）.

time c. 時定数（電気事象の率を平均化する時間幅を決定する回路の部分．呼吸生理学では気道の流量を決定する因子）.

transformation c. 壊変定数. ＝decay c.

velocity c.'s (***k***) 速度定数. ＝rate c.'s.

con·stel·la·tion (konʹstel-āʹshŭn)［L. L. *constellatio* ＜ *cum*, together + *stella*, star］. 布置（精神医学において，特定の行為を決定するすべての要因）.

con·sti·pate (konʹsti-pāt). 便秘する.

con·sti·pat·ed (konʹsti-pātʹed). 便秘の.

con·sti·pa·tion (konʹsti-pāʹshŭn)［L. *con-stipo*, pp. *-atus*, to press together］. 便秘〔症〕（排便の頻度の低下，あるいは

不完全な状態). =costiveness.

con·sti·tu·tion (kon′sti-tū′shŭn) [L. *constitutio*, constitution, disposition < *constituo*, pp. *-stitutus*, to establish < *statuo*, to set up]. ***1*** 体質，素質（身体の肉体的成立ちで，その機能が発揮される様式，代謝過程の活動，刺激に対する反応方法およびその程度，病原体の攻撃や他の病状に対する抵抗力が含まれる). ***2*** 構造，組成（化学において，分子の数と種類，および原子の数および種類，そして原子の相互関係).

con·sti·tu·tion·al (kon′sti-tū′shŭn-ăl). ***1*** 体質〔性〕の，素質〔性〕の，構造の，組成の. ***2*** 全身の，一般の（全体としての体系に関する．局所的でない).

con·sti·tu·tive (kon-sti′tū-tiv). 構成的な（①→constitutive *enzyme*. ②遺伝学において，常に活性のあるプロモータによって調節される遺伝子についていう).

con·stric·ti·o (kon-strik′shē-ō) [TA]. = constriction (1).

c. bronchoaortica esophagea☆ thoracic *constriction* of esophagus の公式の別名.

c. diaphragmatica esophagea☆ diaphragmatic *constriction* of esophagus の公式の別名.

c. partis thoracicae esophagea [TA]. = thoracic *constriction* of esophagus.

c. pharyngoesophagealis [TA]. = pharyngoesophageal *constriction*.

c. phrenica esophagea [TA]. = diaphragmatic *constriction* of esophagus.

con·stric·tion (kon-strik′shŭn) [L. *con-stringo*, pp. *-strictus*, to draw together]. ***1*** [TA]. 絞窄，狭窄，収縮（正常あるいは病的な構造の部分的な絞め付けあるいは狭窄.→stricture; stenosis). =constrictio [TA]. ***2*** 緊縛（狭窄をきたすように縛ったりあるいは絞め付けたりすること．絞め付けられたり圧迫されたりしている状態). ***3*** 絞窄感，狭窄感（あたかも身体または身体の部分が，きつく縛られる，または絞め付けられるような主観的な感覚).

broncho-aortic c.☆ thoracic c. of esophagus の公式の別名.

diaphragmatic c. of esophagus [TA]. 食道の横隔狭窄（食道の正常にみられる狭窄の1つでバリウムX線像で見ることができる．食道が横隔膜の食道裂孔を通過する部分にあたる). =constrictio phrenica esophagea [TA]; constrictio diaphragmatica esophagea☆; inferior esophageal c.

esophageal c.'s 食道狭窄部（バリウム造影で証明される3か所の正常食道の狭窄部.→pharyngoesophageal c.; thoracic c. of esophagus; diaphragmatic c. of esophagus). =impressions of esophagus.

inferior esophageal c. 下食道狭窄部. =diaphragmatic c. of esophagus.

middle esophageal c. 中食道狭窄. =thoracic c. of esophagus.

pharyngoesophageal c. [TA]. 咽頭食道狭窄（食道の正常にみられる狭窄の1つでバリウムX線像で見ることができる．咽頭から食道に移るところにあり上咽頭収縮筋の輪状咽頭部の収縮によって形成されるので，上食道括約筋とよばれることもある.→cricopharyngeal *part* of inferior constrictor (muscle) of pharynx). =constrictio pharyngoesophagealis [TA]; upper esophageal c.

primary c. 動原体とよばれる染色体の2本の腕の間が狭まった部分.

pyloric c. 幽門狭窄（消化管の表面で胃から十二指腸への移行部にみられる輪状の溝で，その内部に幽門括約筋があり幽門口の位置を示している).

secondary c. ときとして付随体と結合した染色体の副次的なくびれ．例えば末端動原体型の常染色体の短腕.

thoracic c. of esophagus [TA]. 食道の胸狭窄（食道の左側 T4—T5 胸椎位置に正常にみられる狭窄の1つでバリウムX線像で見ることができる．左主気管支と大動脈弓に圧迫されて生じる). =constrictio partis thoracicae esophagea [TA]; broncho-aortic c.☆; constrictio bronchoaortica esophagea☆; middle esophageal c.

upper esophageal c. 上食道狭窄. =pharyngoesophageal c.

c.'s of ureter 尿管生理学的狭窄（腎盂造影により観察される尿管の正常な狭窄．腎盂尿管移行部，腸骨動静脈との交叉部，膀胱壁移行部に存在する).

con·stric·tor (kon-strik′tor, -tōr) [L. < *constringo*, to draw together]. ***1*** 緊縮または圧搾するものの総称.→inferior constrictor (*muscle*) of pharynx; middle constrictor (*muscle*) of pharynx; superior pharyngeal constrictor (*muscle*). ***2*** 収縮筋，括約筋（管腔を狭める筋肉．括約筋の一種).

con·struct (kon′strukt). ***1*** 構築再建（再建手術や骨折手術において骨格の特定の部位に用いられるもので，骨移植，インストルメンテーション，人工物や骨セメントを組み合わせて再建する方法). ***2*** 構成概念（精神医学や心理学において，与えられた現象を定義し，理解し，評価するために使われる関連した考えのセットである.→construct *validity*).

con·sul·tand (kon-sŭl′tand) [consult (for counsel) + L. *-andus*, 動詞状形容詞をつくる接尾語]. コンサルタンド（カウンセラーからその未来の子孫について予想を受ける人のこと．発端者(proband)と混同しないこと).

dummy c. ダミーコンサルタンド（最も近い先祖からコンサルタンド本人に至る子孫のうちの1人をいい，論理的に単純にするために，あたかもコンサルタンド本人として検査される).

con·sul·tant (kon-sŭl′tant) [L. *consulto*, pp. *-atus*, to deliberate, ask advice]. 立会い医，相談役，コンサルタント（①患者を実際には受け持たないが，相談役的立場で，担当医とともに考え，相談に応じる医師．②病院の職員であるが，実際の仕事はせず，担当医の要求に応じて，いつでも助言を与える立場にある人).

con·sul·ta·tion (kon′sŭl-tā′shŭn). 立会い診察，対診（特定の患者の病気の性質および進行を評価して，診断，予後，および治療を決めるために2人以上の医師が会合すること).

con·sump·tion (kon-sŭmp′shŭn) [L. *con-sumo*, pp. *-sumptus*, to take up wholly, use up, waste]. ***1*** 消費，消耗（何かを使い果たすこと，特に，使われる割合). ***2*** 身体の組織の消耗を表す現在では用いられない語で，通常，肺結核を意味した.

oxygen c. ($\dot{V}O_2$) 酸素消費量（①記号は Qo または Qo_2. 組織によって用いられる酸素の割合．単位は，時間当たりの組織1mg 当たりで用いられる STPD(標準状態)酸素の μL. ②記号 $\dot{V}o_2$. 酸素が肺胞から血液中にはいる割合．定常状態における全身の組織代謝による酸素消費量に等しい．単位 mLSTPD/min; mmol/min).

con·sump·tive (kon-sŭmp′tiv). 消耗〔性〕の（自然の物質の過剰な消費による).

con·tact (kon′takt) [L. *con-tingo*, pp. *-tactus*, to touch, seize < *tango*, to touch]. ***1*** 接触（2つの体の接触または並置). ***2*** 接触者（接触伝染病にさらされた人).

balancing c. 平衡側接触（①義歯を安定させるための平衡側における上下の義歯の接触．②義歯を安定させるための，作業側の(前後方または側方)，反対側における上下の義歯の接触．③作業側の反対側における，上下の自然歯または人工歯の接触). =balancing occlusal surface.

centric c. =centric *occlusion*.

deflective occlusal c. 偏位性咬合接触（下顎を正常な閉口路から，中心位に転換する歯の接触状態). =cuspal interference; interceptive occlusal c.; premature c.

initial c. 初期接触（①上顎に向かって下顎を上昇させることにより，対合歯に最初に接触すること．②顎を閉じたときの対合歯との最初の咬合接触).

interceptive occlusal c. 障害性咬合接触. =deflective occlusal c.

premature c. 早期接触. =deflective occlusal c.

proximal c., proximate c. 隣接面接触（同じ歯列弓上の隣接する2歯の表面が触れる部分).

c. with reality 社会的または文化的環境の基準に関連して，外的現象を正しく判断すること.

working c.'s 作業側接触（下顎を移動させた側における，人工歯または天然歯の接触). =working bite; working occlusion.

con·tac·tant (kon-tak′tănt). 接触物，接触原（皮膚や粘膜との直接接触により遅延型過敏症すなわち，アレルギー性接触皮膚炎を引き起こす異種アレルゲンの総称).

con·ta·gion (kon-tā′jŭn) [L. *contagio* < *contingo*, to touch closely]. *1* 感染病原体，伝染病原体．＝contagium. *2*〔接触〕感染，〔接触〕伝染（直接接触，飛沫感染または混入物による感染症の伝染．この言葉は感染症の近代的概念の発生のはるか以前に起こったもので，より包括的な用語 “communicable disease” に含まれてしまうため，その意味のほとんどは失われている）．*3* 感染，伝染（グループの何人かのメンバーが暗示または模倣を通じて神経症あるいは精神病をつくり出すこと）．

psychic c. 精神的感染(伝染)（集団ヒステリーでみられるような，模倣による神経障害または心理的色彩の弱い症状の伝達）．

con·ta·gious (kon-tā′jŭs).〔接触〕感染(伝染)性の（患者あるいは患者から排出されたばかりの分泌物や排泄物との接触により感染することについていう）．

con·ta·gious·ness (kon-tā′jŭs-nes).〔接触〕感染(伝染)性（伝染する性質）．

con·ta·gi·um (kon-tā′jē-ŭm) [L. a touching]. 感染病原体，伝染病原体（感染性疾患を起こす物質）．＝contagion (1).

con·tain·ment (kon-tān′ment). 封じ込め（伝染病の地域的・世界的な根絶の概念．痘瘡の根絶のため 1949 年に Fred Lowe Soper(1893—1977)によって提唱された）．

con·tam·i·nant (kon-tam′i-nant). 夾雑物，不純物（化学的製品，薬剤(薬物学的製剤)，生理学的成分，または感染物質に随伴する異質な物質）．

con·tam·i·nate (kon-tam′i-nāt) [L. *con-tamino*, to mingle corrupt]. 汚染する，汚濁する（汚染の原因となったり結果として汚染となること）．

con·tam·i·na·tion (kon-tam′i-nā′shŭn) [L. *contamino*, pp. *-atus*, to stain, defile]. *1* 汚染（伝染性の病原体が体表，あるいは衣服の内外，寝具，玩具，手術器具や包帯，または水，牛乳，食物などの非生物性の物質や品物，あるいは伝染性病原体自体に存在すること）．*2* 汚染（疫学においては，ある状態または因子について研究されている集団が研究結果を修飾させるような他の状態または因子を併せもつ状況をさす）．*3* 混淆（言葉の意味の融合または凝縮を表す Freud 派の用語）．*4* 混入（その成分の品質を下げるような，材料に混入または不純にさせる外因物質の存在）．

con·tent (kon′tent) [L. *contentus* < *con-tineo*, pp. *-tentus*, to hold together, contain]. [本語を concentration(濃度)の意味で使うのを避けること．absolute content(絶対値である含量)の意味に誤解されるおそれがある]．*1* 内容〔物〕（他の何かの中に含まれているもので，通常この意味では複数形 contents を用いる）．*2* 内容（心理学において，意識の中に現れる夢の形）．

carbon dioxide c. 二酸化炭素含量（酸を加えて血清または血漿から利用できる全二酸化炭素容量．電解質プロフィールの一部として病院検査室で日常的に測定される）．

GC c. GC 含量（ポリ核酸中のグアニンとシトシンの量．通常，全塩基のモル分率(百分率)で表す．そのような生体高分子の融解温度は GC 含量によって変化する）．

latent c. 潜在内容（考えや行為の隠れた無意識の意味．特に夢や空想の中のものをいう）．

manifest c. 顕在内容（意識的に用いられ，報告できる空想や夢の内容）．

con·tig (kon-tig′). →contig *map*.

con·ti·gu·i·ty (kon′ti-gyū′i-tē) [L. *contiguus*, touching < *contingo*, to touch]. *1* 近接，隣接，接触（真の連続(連結)ではない接触．例えば頭蓋骨の縫合形成に参与する諸骨の隣接．*cf.* continuity）．*2* 接近（2つ以上の事物，出来事，あるいは精神印象が，同じ場所で発生(空間的接近 **spatial c.**)すること，あるいは同時に発生(時間的接近 **temporal c.**)することをいう）．

con·tig·u·ous (kon-tig′yū-ŭs). 近接の，隣接の，接触の．

con·ti·nence (kon′ti-nents) [L. *continentia* < *con-tineo*, to hold back]. 節制，自制（①排泄するのに適した時間まで尿や便をとどめておく能力．②欲求に関する節制，中庸，自制．特に性行為に関するもの）．

con·ti·nent (kon′ti-nent). 節制の，自制の．

con·tin·ued (kon-tin′yūd) [L. *continuo*, to join together, make continuous]. 稽留の，連続した（特にマラリアの熱発作と比較して，腸チフスのように無熱期間のない長期に及ぶ熱に関していわれる）．＝continuous.

con·ti·nu·i·ty (kon′ti-nū′i-tē) [L. *continuus*, continued]. 連続〔性〕（中断のないこと，密に結合した部分の継続，例えば細胞の途切れのない連続や頭骨の個々の骨の連続したつくりなど．*cf.* contiguity）．

contortrostatin (kon-tōr′trō-stat′in) [< *Agkistrodon contortrix*, species of source viper + G. *istēmi*, to check, arrest + -in]. コントートロスタチン（ガラガラヘビ(crotalid)の毒液から単離された単量体のディスインテグリン）．

con·tour (kon′tūr) [L. *con-*(強意) + *torno*, to turn (in a lathe) < *tornus*, a lathe]. 輪郭，外形（①部分の輪郭，外形．②歯科において，歯の正常な輪郭や形を復元すること，または義歯の外形をつくること）．

flange c. 床縁輪郭（義歯の床縁の型）．

gingival c. 歯肉輪郭（自然または人工の歯頸周囲の歯肉の形）．＝gum c.

gum c. ＝gingival c.

height of c. →*height* of contour.

contra- (kon′tră) [L.]. 反対の，…に対して，を意味する接頭語．→counter-. *cf.* anti-.

con·tra·an·gle (kon′tră-ang′gl). コントラアングル（①切端または点と把柄の軸との関係における，器具の軸部のバイアングルまたはトリプルアングルの1つ．②歯科のハンドピースの末端につけられる延長部分で，かさ歯車により，ハンドピースの軸に対するバーの回転軸の角度を変える）．

con·tra·ap·er·ture (kon′tră-ap′er-chūr). 対照孔，対口．＝counteropening.

con·tra·bev·el (kon′tră-bev′ĕl). 対側刃（普通に刃のついている側と反対の側についている刃）．

con·tra·cep·tion (kon′tră-sep′shŭn). 避妊，産児制限（受胎または妊娠の予防）．

emergency hormonal c. 緊急避難ピル．＝morning-after *pill*.

postcoital c. 性交後避妊．＝morning-after *pill*.

con·tra·cep·tive (kon′tră-sep′tiv) [L. *contra*, against + conceptive]. *1*〖n.〗避妊薬（妊娠を予防する薬物）．*2*〖adj.〗避妊〔具，薬〕の（妊娠を予防するために考えられた方法あるいは薬物についていう）．

barrier c. 精子の通過阻止による避妊法（精子の頸管通過を防止するための物理的手段．通常，殺精子剤(ペッサリー)と併用する）．

combination oral c. 混合型経口避妊薬（プロゲステロン作用をもつステロイドとエストロゲンの混合剤）．

intrauterine c. device (IUCD) ＝intrauterine *device*.

oral c. (OC) 経口避妊薬（妊娠を予防するためにつくられた，経口的に有効な薬物の総称）．

triphasic oral c. 三相性経口避妊薬（ホルモン，すなわちエストロゲンとプロゲステロンを含有する経口避妊薬のうち，時期によって3種類の薬を飲み分けるもの）．

con·tract (kon-trakt′) [L. *con-traho*, pp. *-tractus*, to draw together]. *1* (kon-trakt′).〖v.〗収縮する（短縮する．小さくなる．筋肉の場合は短縮するまたは張力が増加する）．*2* (kon-trakt′).〖v.〗〔病気に〕かかる（接触伝染または感染によって獲得する）．*3* (kon′trakt).〖n.〗契約（心理療法の目的達成のために，意味のはっきりした行動を心理療法者と患者の両方が明白に実行すること）．

con·trac·tile (kon-trak′tĭl). 収縮性の．

con·trac·til·i·ty (kon′trak-til′i-tē). 収縮性（物質，特に筋肉の能力や性質のことで，短縮する，大きさが減少する，あるいは緊張が増加すること）．

cardiac c. 心筋収縮能（心臓のポンプ機能の計測の1つ．心筋細胞が強心薬などの刺激を加えない状態で，前負荷および後負荷から独立して心臓が収縮する程度）．

con·trac·tion (C) (kon-trak′shŭn) [L. *contractus*, drawn together]. 収縮，攣縮（[contracture と混同しないこと]．①短縮または張力増加．筋肉組織の正常な機能を示す．②縮まること．③期外収縮のような心拍動．beat の項参照）．

after-c. →aftercontraction.

anodal closure c. (ACC, AnCC) 電気回路が閉じられたときの，陽極の感応による筋肉の瞬間的な収縮を表す，現在では用いられない語．

anodal opening c. (AnOC, AOC) 回路が開かれたときの，陽極の感応による筋肉の瞬間的な収縮を表す，現在では用いられない語．

automatic c. 自動収縮．＝automatic *beat.*

Braxton Hicks c. (braks′tŏn hiks). ブラクストン・ヒックス収縮（[Braxton と Hicks をハイフンで結ばないこと]．妊娠後期に生じる通常はほとんど無痛性の子宮の不規則収縮．*cf.* false *pains*; false *labor*）．

cathodal closure c. (**CCC**) 電気回路が閉じられたときの，陰極の感応による筋肉の瞬間的収縮を表す，現在では用いられない語．

cathodal opening c. (**CaOC**) 回路が開かれたときの，陰極の感応による筋肉の瞬間的収縮を表す，現在では用いられない語．

closing c. 閉鎖収縮（筋肉を刺激するために直流を用いたとき，回路の閉鎖時に生じる収縮）．

concentric c. 求心性収縮（筋の長さが短縮することにより運動を生じる筋収縮）．

eccentric c. 伸張性収縮，遠心性収縮（筋肉を伸張させることによる筋収縮の抑制された弛緩．筋が伸張し，起始と停止が遠のく等張性筋収縮）．

escape c. 逸脱収縮，補足収縮．＝escape *beat.*

escape ventricular c. 心室補充収縮（心室に生じる補充拍動）．

fibrillary c.'s 線維性収縮（個々の筋線維に，自然に生じる収縮．筋肉に分布している運動神経の損傷後，一般に 2，3 日後にみられ，運動単位の賦活に関連した，筋線維束攣縮とは異なる）．

front-tap c. フロントタップ収縮＝front-tap *reflex.*

Gowers c. (gow′ĕrz). ガウアーズ収縮．＝front-tap *reflex.*

hourglass c. 砂時計〔状〕収縮（胃や妊娠子宮のような空洞臓器の中間部分の狭窄）．

hunger c.'s 飢餓収縮（空腹痛に関連した胃の強い収縮）．

idiomuscular c. 特発〔性〕筋収縮．＝myoedema.

isometric c. 等尺性収縮（長さを一定に保った状態で発生する力．*cf.* isotonic c.）．

isotonic c. 等張性収縮（力が一定に保たれている状態での短縮．*cf.* isometric c.）．＝isotonic exercise.

myotatic c. 筋伸展収縮（筋肉の伸長受容器を刺激した結果起こる骨格筋の反射収縮．すなわち筋伸展反射の一部である）．

opening c. 開放収縮（筋肉または運動神経を刺激するために直流を使ったとき，回路の開放時に生じる収縮．現在では用いられない語）．

paradoxical c. 奇異性収縮（足が突然受動的に背屈させられたときの，前脛骨筋の緊張性収縮）．

postural c. 姿勢収縮（姿勢を保つのに十分な，筋肉の緊張（通常は等長性）の維持）．

premature c. 期外収縮，早期収縮（→extrasystole）．

premature ventricular c. (**PVC**) 心室期外収縮（心室内での収縮．このような収縮は，患者が動悸と感じることがある）．

reflex detrusor c. 反射性排尿筋収縮（排尿機能において膀胱の収縮と尿道括約筋の弛緩が協調して行われることをいう）．

tetanic c. テタヌス性攣縮（→tetanus (2)）．

tonic c. 緊張性収縮（姿勢の維持に要する筋肉の持続性収縮）．

uterine c. 子宮収縮（月経，妊娠，分娩に付随する律動性の子宮収縮）．

con·trac·ture (kon-trak′chū)　［L. *contractura* < *con-traho*, to draw together］．拘縮，拘攣，痙縮（[contraction と混同しないこと]．緊張性攣縮，線維化，拮抗筋の麻痺による筋バランスの喪失，または近隣関節の運動喪失により筋が静的に短縮していること）．

capsular c. 被膜拘縮（充填用埋入物（インプラント）の表面を取りまく被膜（カプセル）の引きつれ．筋線維芽細胞により生じ，インプラントの変形や軟らかい組織による被覆，あるいはその両者と様々な症状を引き起こす．特記すべき頻繁に生じるのは乳房のシリコンインプラントによるものである）．

Dupuytren c. (dū-pwē-tren[h]′)[MIM*126900]. デュピュイトラン拘縮（手と指の手掌面にある手掌腱膜の肥厚と短縮を生じる疾患で，環・小指の特徴的屈曲変形を呈する）．

fixed c. 固定した拘縮．＝organic c.

functional c. 機能性拘縮（睡眠中，または全身麻酔中に生じる筋肉の短縮で，遅延性能動的筋収縮による）．

ischemic c. of the left ventricle 左心室の虚血性拘縮（心肺補助循環早期の合併症の 1 つで，左心室が収縮したまま元に戻らなくなること．現在適切な心筋保護液を用いて予防できる）．＝myocardial rigor mortis; stone heart.

organic c. 器質性拘縮（本人の意識・無意識にかかわらず持続する，筋肉内の線維形成による拘縮）．＝fixed c.

Volkmann c. (volk′mahn). フォルクマン拘縮（コンパートメント症候群で起こる不可逆的な筋組織壊死に帰因する虚血性の拘縮で，典型的には前腕屈筋を含む）．

con·tra·fis·sura (kon′tră-fi-shūr′ă)　［L. *contra*, against, counter + *fissura*, fissure］．対側骨折（頭蓋骨におけるように，打撃を受けた反対側の骨折）．

con·tra·in·di·cant (kon′tră-in′di-kant). 禁忌の（逆が良い．一般的には適切と考えられる治療方法が，個々の特別な病状によって不適切とされる場合に用いる語）．

con·tra·in·di·ca·tion (kon′tră-in′di-kā′shŭn). 禁忌（通常，危険性が予測されるため，薬物の使用や治療の遂行を勧められない特定の症状または状況）．

con·tra·lat·er·al (kon′tră-lat′er-ăl)［L. *contra*, opposite + *latus*, side］．〔反〕対側性の（病巣とは反対側に，疼痛を感じたり，麻痺が生じるような場合についていう）．＝heterolateral.

c. partner〔対称性〕対側構造（反対側に存在する対応する構造）．

con·trast (kon′trast)［L. *contra*, against + *sto*, pp. *status*, to stand］．***1*** 対比（2 つの対象物間の差の論証，明確化による比較）．***2*** コントラスト（放射線医学においては，異なった 2 つの組織の像の濃度の差が，組織間のコントラストである．これは透過したX線の光子数，あるいは異なった部位から発せられる信号の強度，および記録系の反応により左右される）．***3***〚n.〛造影剤．***4***〚v.〛造影剤を使う．

simultaneous c. 同時〔性〕対比（白い物体を黒い物体のそばに置いたときに，白に対する視覚が増すこと．黒い物体も，白と隣接させるとより黒く見える．隣接した補色もより鮮明に見える．すなわち，緑と赤を並べて置くと，緑はより鮮明な緑に，赤もより鮮明な赤に見える）．

successive c. 継時対比（鮮明な色の物体を見つめ，その後灰色の平面を見つめることにより起こる視覚作用．後者は物体の補色に染まって見える．物体の補色をなす表面を見た場合には，灰色の表面を見た場合よりも表面の色の強さが強調される）．

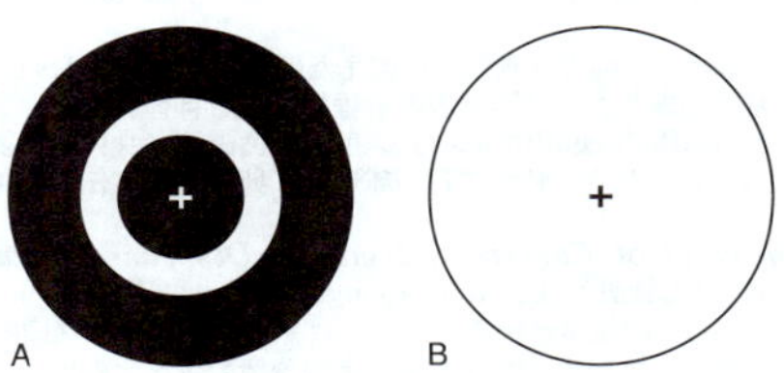

successive contrast

Aの白い十字を約30秒注視し，次にBの黒い十字を見ると，Bの白い部分にAの像が再現される．これが継時対比である．

con·tre·coup (kawn-trah-kū′)［Fr. counter-blow］．対側衝撃の（頭蓋などで，打撲を受けた部位の対側骨折についていう．→contrecoup *injury* of brain）．

cont. rem. ラテン語 *continuenter remedia*（薬を継続せよ）の略．

con·trol (kon-trōl′)［Mediev. L. *contrarotulum*, a counterroll for checking accounts < L. *rotula*, *rota*(a wheel)の指小辞］．***1***〚v.〛調節する，管理する，制御する，規制する（正常の方向へ制御し，抑制し，修正し，修復させること）．***2***〚n.〛防除，調節，管理，制御，規制（病気の低減を目的とした実施計画やプログラムの遂行）．***3***〚n.〛対照（疾病の罹患状態が対象者と異なるか，あるいは研究対象となるレジメンに割り付けられていない〝比較群〟に属する人々）．***4***〚v.〛統計

的には，強い外的影響(を及ぼす因子)を調整あるいは考慮にいれる．*5*〖n.〗対照（比較の標準として用いる実験での群．実験の他の群とは1つの変数のみが異なる）．*6* 調節（生化学的な反応過程，システム経路または反応の制御）．

autogenous c. 自己制御（ある遺伝子産物がその産物をコードする遺伝子へ作用することによる調節）．

automatic gain c. (**AGC**) 自動利得調節（入力強度レベルが高い場合に増幅を低下させる，一部の補聴器が備える機能）．

aversive c. 嫌悪コントロール（心理的に嫌悪感を生じさせるような方法を用いて他の人の行動をコントロールする．子供に小遣いをなかなか渡さないようにしてよい勉強の習慣をつけようとする，パートナーが要求に従わなければ性的接触をしない，など）．

biologic c. 生物学的制御（疾病の媒介生物や保有宿主などの生物を，それらの天敵(捕食者，寄生生物，競争者)を用いて制御すること）．

birth c. 産児制限，産児調節（①避妊方法を用いて子孫の数を制限すること．②妊娠率を増進または減少させて生殖を調節しようとする計画や方法）．

idiodynamic c. 特異力学的調節（筋肉の正常な栄養状態を維持させようとする延髄からの神経刺激）．

negative c. 負の制御（その酵素阻害剤による酵素活性制御．または，蛋白の転写抑制による制御）．

own c.'s 同一対照〔法〕（同じものを実験および対照の双方の条件の下で用いる対照実験の1つの方法）．

positive c. 正の制御（その酵素活性化因子による酵素活性の制御．または，特定の蛋白の生合成の誘導，または蛋白プロセシングの活性化による制御）．

quality c. 精度管理（コントロール血清を用いて検査技術をモニターし，誤差がコントロール(血清)値の平均から一定の幅，多くの場合±2SD以内に収まるように保つことにより検査上の誤差を調整すること）．

reflex c. 反射調節（正常な反射作用を維持させるため筋肉に伝えられる神経刺激）．

social c. 社会的規制（全体として，他人または社会が人間の行動に及ぼす影響．例えば，社会的規範，追放，または刑法を通して与えられる影響）．

stimulus c. 刺激制御（環境調整のもとで，個人に目的のある行動をもたらすために，条件付けの反射をもたらす方法を用いること．→classical *conditioning*）．

synergic c. 共同(協同)運動性制御（身体の共同運動単位の筋肉活動を調整する，小脳から伝えられる刺激）．

time-varied gain c. (**TGC**) TGC. ＝time-gain *compensation.*

tonic c. 強直性制御（筋肉または他の効果器において，正常な筋緊張または活動程度を維持させる神経刺激）．

vestibuloequilibratory c. 前庭平衡調節（身体の平衡を維持させるための骨半規管，球形嚢，卵形嚢から伝わる神経刺激）．

Con·trol of Com·mun·i·ca·ble Dis·eas·es Man·u·al (**CCDM**) (kon-trōl′ kŏ-myū′ni-kă-bĕl dis-ēz′ez man′yū-al). ヒトの伝染性疾患のコントロールマニュアル（国際的に認められているマニュアル．米国公衆衛生協会の出版で，5年ごとに改訂されている）．

con·tu·sion (kon-tū′zhŭn) [L. *contusio*, a bruising]. 挫傷，打撲傷（通常，打撃によって生じる機械的な損傷で，皮膚に断裂はないが皮下出血をきたす．→bruise）．

brain c. 脳挫傷（通常，脳表面の打撲傷をいう．脳実質の梗塞や出血(血液の血管外溢出)を伴うが，軟膜クモ膜の破損は伴わない．治癒すると，髄膜と一体化しうる表面が陥凹した硬心巣になる．→brain *cicatrix*）．

scalp c. 頭皮挫傷（皮膚の肉眼的損傷を伴わない，皮内または皮下溢血）．

con·u·lar (kon′yū-lăr). 円錐状の，円錐形の．

Co·nus (kō′nŭs). イモガイ属（南太平洋諸島沿岸に生息する貝類の一属．そのうちの数種，アンボイナガイ *C. geographus*，タガヤサンミナシガイ *C. textilis*，ツボイモガイ *C. aulicus*，シロアンボイナガイ *C. tulipa*，クロミナシガイ *C. marmoreus* などは有毒で，これらの針やとげで刺されると急性疼痛，浮腫，しびれ，拡散性麻痺を引き起こし，ときには昏睡および死に至る）．

co·nus, pl. **co·ni** (kō′nŭs, -nī) [L. < G. *kōnos*, cone]. *1* [TA]. 円錐．＝cone. *2* コーヌス（近視性脈絡膜炎における後極ブドウ腫）．

c. arteriosus [TA]. 動脈円錐（右心室内腔の左または前上部の壁の平滑な部位で，室上稜から始まり肺動脈幹に終わる部分）．＝infundibulum of right ventricle* [TA]; arterial cone; infundibulum (4); pulmonary cone; pulmonary c.

congenital c. 先天性コーヌス．＝Fuchs *coloboma.*

distraction c. 伸延コーヌス（視神経が強膜管を経て，著しく斜めの方向にのびるコーヌス）．

c. elasticus [TA]. 弾性円錐（喉頭の弾性膜の厚い下方部分で輪状軟骨と声帯靱帯の間にある．声帯靱帯はこの円錐の自由上縁が肥厚した部分である）．＝cricovocal membrane*; elastic cone.

coni epididymidis* 精巣上体円錐（*lobules* of epididymis の公式の別名）．

c. medullaris [TA]. 脊髄円錐（脊髄の先が下に行くにつれて次第に細くなっていること）．＝medullary cone [TA].

myopic c. 近視性コーヌス．＝myopic *crescent.*

pulmonary c. ＝c. arteriosus.

supertraction c. 被覆コーヌス（視神経乳頭の鼻側縁にある赤黄色の円錐または環で，色素層と脈絡膜の硝子板の変位により生じる．強度の近視に起こる）．

coni vasculosi 輸出管円錐．＝*lobules* of epididymis.

con·va·les·cence (kon′vă-les′ens) [L. *convalesco*, to grow strong < *valeo*, to be strong]. 回復期（疾病終期から，患者が完全な健康を取り戻すまでの期間）．

con·va·les·cent (kon′vă-les′ent). *1*〖adj.〗回復しつつある．*2*〖n.〗回復期患者．*3*〖adj.〗回復期の．

con·val·lar·i·a (kon′va-lār′ē-ă) [L. *convallis*, an enclosed valley]. コンバラリア（谷間のユリといわれるユリ科スズラン *Convallaria majalis* の花，根茎，および根をいう．ジギタリス様作用(例えばコンバラトキシン)をもつ配糖体を含む）．

con·val·la·tox·in (kon′val-ă-toks′in). コンバラトキシン（スズラン(セイヨウスズラン *Convallaria majalis*)から単離された有毒な配糖体．強壮剤としてやジギタリス様作用薬として用いられる）．

con·vec·tion (kon-vek′shŭn) [L. *con-veho*, pp. *-vectus*, to carry or bring together]. 対流（加熱された容器の底にある水層が上昇したり，室内の暖かい空気が天井に昇るときのように，加熱された粒子の動きによって液体や気体中の熱が運ばれること）．

con·ver·gence (kon-ver′jens) [L. *con-vergere*, to incline together]. *1* 集合（2つ以上の物体が，1つの共通点に向かっていくこと）．*2* 輻輳(ふくそう)，収束（近点に向かって両眼の視線が内方に向くこと）．

accommodative c. 調節性輻輳（ジオプトリで表された輻輳のメートル角．輻輳のメートル角とセンチメートル単位で測られた瞳孔間距離との積に等しい）．

amplitude of c. 輻輳幅（輻輳近点と輻輳遠点との間の距離）．＝range of c.

angle of c. 輻輳角（近くの物体を注視する際に，視線と正中線とのなす角）．

far point of c. 輻輳遠点（輻輳をしていないとき，視線が向けられている点）．

near point of c. 輻輳近点（輻輳が最大のときに，視線が向けられている点）．

negative c. 虚性輻輳（遠点を見ているとき，または睡眠時のように，輻輳していないときの，視軸のわずかな開散）．

positive c. 実性輻輳（輻輳性斜視の場合のように，輻輳していないときでも，視軸が内転していること）．

range of c. ＝amplitude of c.

unit of c. 輻輳単位（→meter *angle*）．

con·ver·gent (kon-ver′jent). 輻輳の（共通点に向かう傾向のある）．

con·ver·sion (kon-ver′zhŭn) [L. *con-verto*, pp. *-versus*, to turn around, to change]. *1* 変換．＝transmutation. *2* 転換（Briquet と Charcot の業績の上に，Freud により概念化された防衛機制の1つで，無意識の葛藤や抑圧された考えが象徴的，身体的に表される．→somatoform *disorder*; conversion *disorder*; hysteria）．*3* 変換（ウイルス学において，バクテリ

アがプロファージにより新しい特性をもつこと．→lysogeny）．

con·ver·tase (kon′ver-tāz)．転換酵素（補体に対する蛋白分解酵素で，酵素的開裂によって1補体成分が他の成分に変換する．→*component* of complement）．

con·ver·tin (kon-ver′tin)．コンバルチン（第VII因子の活性型で，VIIaと表記される）．

con·vex (kon′veks, kŏn-veks′)［L. *convexus* vaulted, arched, convex < *con-veho*, to bring together］．凸〔形〕の，凸面の（外側に膨隆した表面，球体の一部に対して用いる語）．

high c. 高凸（半径が短い球面の一部）．

low c. 低凸（半径が長い球面の一部）．

con·vex·i·ty (kon-veks′i-tē)．凸（①凸状態．②凸構造）．

cortical c. 皮質性凸．＝superolateral *surface* of cerebrum.

con·vex·o·ba·si·a (kon-vek′sō-bā′sē-ă)［L. *convexus*, outwardly curved + *basis*, foundation］．後頭骨前方弯曲．

con·vex·o·con·cave (kon-vek′sō-kon′kāv)．凹凸の（半面が凸状で，他の面が凹状）．

con·vex·o·con·vex (kon-vek′sō-kon′veks)．両面凸の．＝biconvex.

con·vo·lute (kon′vō-lūt)［L. *con-volvo*, pp. *-volutus*, to roll together］．曲がった，回旋〔状〕の，渦巻き〔状〕の．＝convoluted.

con·vo·lut·ed (kon′vō-lūt′ed)．＝convolute.

con·vo·lu·tion (kon′vō-lū′shŭn)［L. *convolutio*］．回，脳回（①臓器の屈曲部．②特に大脳皮質または小脳皮質の脳回（小脳回））．

angular c. 角回．＝angular *gyrus*.

anterior central c. 中心前回．＝precentral *gyrus*.

ascending frontal c. ＝precentral *gyrus*.

ascending parietal c. ＝postcentral *gyrus*.

Broca c. (brō′kă)．ブロカ(ブローカ)回．＝inferior frontal *gyrus*.

callosal c. ＝cingulate *gyrus*.

cingulate c. 帯状回．＝cingulate *gyrus*.

first temporal c. ＝superior temporal *gyrus*.

hippocampal c. ＝parahippocampal *gyrus*.

inferior frontal c. 下前頭回．＝inferior frontal *gyrus*.

inferior temporal c. 下側頭回．＝inferior temporal *gyrus*.

middle frontal c. 中前頭回．＝middle frontal *gyrus*.

middle temporal c. 中側頭回．＝middle temporal *gyrus*.

posterior central c. 中心後回．＝postcentral *gyrus*.

second temporal c. ＝middle temporal *gyrus*.

superior frontal c. 上前頭回．＝superior frontal *gyrus*.

superior temporal c. 上側頭回．＝superior temporal *gyrus*.

supramarginal c. 縁上回．＝supramarginal *gyrus*.

third temporal c. ＝inferior temporal *gyrus*.

transitional c. 移行回．＝transitional *gyrus*.

transverse temporal c.'s 横側頭回．＝transverse temporal *gyri*（⇒gyrus）．

Zuckerkandl c. (tsuk′ĕr-kahn-dĕl)．ツッカーカンドル脳回．＝subcallosal *gyrus*.

con·vul·sant (kon-vŭl′sant)．痙攣薬（痙攣を起こす物質．→eclamptogenic; epileptogenic）．

con·vul·sion (kon-vŭl′shŭn)［L. *convulsio* < *con-vello*, pp. *-vulsus*, to tear up］．痙攣（①顔，体幹，四肢の激しい痙縮または連続的痙動．②＝seizure (2)）．

benign neonatal c.'s 良性新生児痙攣（生後2－3日，あるいは6日目に始まる家族性のてんかん．生後6か月までに自然に治癒する．常染色体優性遺伝）．

clonic c. 間代性痙攣（収縮が間欠性で，筋肉が収縮と弛緩を交互に繰り返すもの）．

complex febrile c. 複雑熱性痙攣（持続が15分以上に長びくか，局所神経症候を伴う熱性痙攣）．

febrile c. 〔有〕熱性痙攣（神経学的に正常な乳児および若年小児に生じる，熱に伴う15分以内の短い痙攣）．＝febrile seizure.

hysteric c., hysteroid c. ヒステリー性痙攣，ヒステリー様痙攣（転換疾患(以前はヒステリー)による痙攣．→psychogenic *seizure*. *cf.* somatoform *disorder*）．＝pseudoseizure; psychogenic c.

immediate posttraumatic c. 外傷直後性痙攣（外傷後，すぐに始まる痙攣）．

infantile c. 乳児痙攣（乳児期(誕生－2歳)に起こる痙攣）．

psychogenic c. ヒステリー性痙攣．＝hysteric c.

salaam c.'s 点頭痙攣．＝infantile *spasm*.

tetanic c. テタニー様痙攣．＝tonic c.

tonic c. 強直〔性〕痙攣（持続性筋肉収縮を呈する痙攣）．＝tetanic c.

con·vul·sive (kon-vŭl′siv)．痙攣〔性〕の．

Cooke (kuk), A. Bennett．19世紀の米国人医師．→C. *speculum*.

Coo·ley (kū′lē), Denton．多くの外科器具を発明したことで有名な20世紀の米国人心臓胸部外科医．

Coo·lidge (kū′lij), William D．米国人物理学者，1873－1975．→C. *tube*.

Coo·mas·sie bril·liant blue R-250 (kū′ma-sī′ bril′i-yant blū)［初め，インペリアルケミカルの商標名；Coomassie (Kumasi), Ghana］［C.I. 42660］．クマシーブリリアントブルーR-250（きわめて感受性が高いため電気泳動で用いる一般的な蛋白染料）．

Coombs (kūmz), Carey F．［誤った形Coomb およびCoomb's を避けること］．イングランド人医師，1879－1932．→Carey C. *murmur*; C. *murmur*.

Coombs (kūmz), Robin R.A．［誤った表記Coomb および Coomb's を避けること］．20世紀のイングランド人獣医・免疫学者．→Gell and C. *reactions*; C. *serum*, *test*; direct C. *test*; indirect C. *test*.

Coo·per (kū′pĕr), Astley Paston．イングランド人解剖学者・外科医，1768－1841．→C. *fascia*, *hernia*, *herniotome*, *ligaments*; suspensory *ligaments* of C.

co·op·er·a·tiv·i·ty (kō-op′er-ă-tiv′i-tē)．協同性（ある蛋白(多くは酵素)の性質で，結合曲線や飽和曲線，または，酵素の場合では，初速度と基質の初濃度との相関図は双曲線になる．このことから，リガンドの結合はリガンド濃度によりその親和性が異なると考えられる．アロステリズムやヒステリシスは協同性を示す．*cf.* allosterism; hysteresis）．

negative c. 負の協同性（連続的にリガンド分子が結合するのに伴いその親和性が低下する傾向があること）．

positive c. 正の協同性（連続的にリガンド分子が結合するのに伴いその親和性が増大すること）．

Coo·pe·ri·a (koo-pē′rē-ă)．クーペリア属（小さく，細長い線虫(毛様線虫科)の一属．反すう類の小腸，まれに第四胃に寄生する．生鮮虫は明るいピンク．多数寄生になるとかなりの影響をもたらす．ある程度免疫のある動物では，これらの線虫は腸壁の結節に囲まれる．ヒツジ，ヤギへの病原性は毛様線虫類の *Haemonchus*属，*Ostertagia*属，および *Trichostrongylus*属より少ない．分類の概略：線形動物門，クロマドラ綱，杆線虫上目，円虫目，毛様線虫上科，クーペリア科）．

C. bisonis ウシ，ヒツジ，野牛，エダカモシカにみられる種．

C. curticei 世界中に分布するが，ヨーロッパではヒツジ，ヤギ，野生のシカにみられる種．

C. fieldingi ＝*C. punctata*.

C. oncophora ウシ，家畜および野生のヒツジ，まれにウマにみられる種．全世界に分布するが，米国北部とカナダに多い種．＝*Strongylus radiatus*; *Strongylus ventricosus*.

C. pectinata ウシ，ヒツジ，水牛，ヒトコブラクダ，その他種々の野生反すう類にみられる種．米国南部でよくみられる．

C. punctata 主にウシにみられ，ヒツジ，水牛，いくつかの野生反すう類にもみられる種．世界中に分布しているが，特に，北アメリカ広域にみられ，ハワイでもよくみられる．＝*C. fieldingi*.

C. spatulata 米国南部，ケニア，オーストラリア，マレーシアのウシとヒツジにみられる種．

co·or·di·nate［→coordination］．***1***〚n.〛(kō-ōr′di-nit)．座標（1点の位置を決定するための目盛りまたは尺度）．***2***〚v.〛(kō-ōr′di-nāt)．対等にする，整合する（協調行為をする）．

co·or·di·na·tion (kō-ōr′di-nā′shun)［L. *co-*, together + *or-*

dino, pp. *-atus*, to arrange < *ordo*(*ordin-*), arrangement, order]. 共調，協調（調和運動．特に，複雑な運動をする場合のいくつかの筋肉または筋群の協調）．

c. of benefits 利益調整（2つ以上の保険会社あるいは保険団体が，被保険者に提供されたヘルスケアサービスに対する請求への支払い責任を応分に分けること）．

co·os·si·fi·ca·tion (kō-os′i-fi-kā′shŭn). 共同骨化（骨形成によって結合した状態）．

co·os·si·fy (kō-os′i-fī) [L. *co-*, together + *os*, bone + *facio*, to make]. 共同骨化する（1つの骨になる）．

COP coatomer *protein* の略．

co·pai·ba (kō-pī′bă) [Sp.]. コパイバ（南アメリカ産植物の *Copaifera officinalis* やその他のマメ科 *Copaifera* の精油樹脂．コパイバ油は，去痰薬，利尿薬，刺激薬として用いられる）．＝balsam of copaiba.

COPD chronic obstructive pulmonary *disease* の略．

Cope (kōp), Vincent Z. イングランド人外科医，1881—1974. →C. *clamp*.

cope (kōp). ***1***〘n.〙上がん（鋳造作業におけるフラスクの上半分．義歯フラスクの上側または窩洞側に適用しうる）．***2***〘v.〙対処する（個人が状況に適応できるようにする行為）．

co·pe·pod (kō′pē-pod). 橈脚類，カイアシ類（橈脚目に属する甲殻類の総称）．

Co·pep·o·da (kō-pep′ō-dă) [G. *kōpē*, an oar + *pous*(*pod-*), a foot]. 橈脚目，カイアシ目（豊富で自由生息性の淡水または海水甲殻類の一目で，海水と淡水の両方の環境内における，水中食物連鎖の重要な基礎をなしている．いくつかの種類は通常，ミジンコとよばれる．あるものは，冷血および温血水中脊椎動物の両者に外部寄生する．魚類やクジラに寄生する橈脚類は，皮膚深部へ侵入したり，吸盤，鉤状突起(例えば，ウオジラミ類，チョウ *Argulus*)によって付着するために，しばしば極度に変わった形となっている．ある種の橈脚類(*Cyclops*, *Diaptomus*)は条虫の広節裂頭条虫 *Diphyllobothrium latum* や線虫であるメジナ虫 *Dracunculus medinensis* の中間宿主として重要である）．

cop·ing (kōp′ing). ***1*** コーピング，根面板（薄い金属のおおいまたはふた）．***2*** コーピング，対処（心理的あるいは身体的ストレスや脅威をもたらすような個人的あるいは環境の情況に対処する適応的あるいは首尾よい方法）．

transfer c. トランスファーコーピング（歯科において，金属，アクリル樹脂，または他のおおい，あるいはキャップで，歯型を印象の適当な位置に置くために用いる）．

co·pol·y·mer (kō′pol-i-mer). 共重合体（2つ以上の単量体，または基本単位が結合した重合体）．

c. -1 コポリマー1（4種のアミノ酸から構成される合成ポリペプチドの混合物の酢酸塩）．

cop·per (Cu) (kop′er) [L. *cuprum*. 起源は *Cyprium*, *Cyprus* 銅が採鉱された場所]. 銅（金属元素，原子番号 29．原子量 63.546．この塩のいくつかは薬剤に用いられる．多くの蛋白に見出される元素）．

c. arsenite ＝cupric arsenite.

c. citrate ＝cupric citrate.

c. sulfate, c. sulphate ＝cupric sulfate.

cop·per 64 (^{64}**Cu**) (kop′er). 銅 64（ベータおよび陽電子放射体で半減期 12.82 時間．Wilson 病の検査，また頭部腫瘍の PET 検査で使用される）．

cop·per 67 (^{67}**Cu**) (kop′er). 銅 67（ベータおよびガンマ放射体で，半減期 2.580 日）．

cop·per·as (kop′er-as). 緑バン（硫酸第一鉄の不純な商業用種）．

cop·per·head (kop′er-hed). カッパーヘッド（米国の *Agkistrodon*属の毒ヘビ）．

cop·per pen·nies (kop′er pen′ēz). 1セント銅貨小体．＝sclerotic *bodies*.

Cop·pet (kop′āt), Louis de. フランス人物理学者，1841—1911. →C. *law*.

co·pre·cip·i·ta·tion (kō′prē-sip-i-tā′shŭn). 共沈（抗原－抗体複合体に伴う非結合抗原の沈殿．特によくみられるのは，複合体中の免疫グロブリン Fc フラグメントに特異的な二次抗体によって，可溶性の複合体が沈殿する例である）．

cop·rem·e·sis (kop-rem′ĕ-sis) [G. *kopros*, dung + emesis]. 吐糞〔症〕．＝fecal *vomiting*.

coprimary (kō′prī-mār-ē). 共一次性（濃密な接触をもった集団中に 24 時間以内に感染症の複数症例が発生した状況のこと）．

coprine (kop′rēn) [*Coprinus*, genus of mushroom source]. コプリン（キノコのいくつかの種類に見出される物質．エタノールと一緒に，あるいは直前に摂取するとアルデヒド脱水素酵素を阻害して，ジスルフィラム様反応を引き起こす）．

coprius artemetaris (kō-prē-yus ahr-te-mĕ-tahr′is). コプリウスアルテメタリス（キノコに見出される毒素で，一過性の疾患の原因となる）．

copro- (kop′rō) [G. *kopros*, dung]. 汚物または糞を意味する連結形で，通常，糞便に対して用いる．→scato-; sterco-.

cop·ro·an·ti·bod·ies (kop′rō-an′ti-bod-ēz). 糞便抗体（糞便中と腸内に見出される抗体．これらは腸粘膜内の形質細胞により形成され，主に，IgA からなっていると考えられる）．

cop·ro·la·li·a (kop′rō-lā′lē-ă) [copro- + G. *lalia*, talk]. 汚言，醜語症（低俗またはみだらな言葉を無意識に発すること．Gilles de la Tourette 症候群にみられる）．＝coprophrasia.

cop·ro·lith (kop′rō-lith) [copro- + G. *lithos*, stone]. 腸〔結〕石，糞石．＝fecalith.

co·prol·o·gy (kop-rol′ō-jē) [copro- + G. *logos*, study]. 糞便学．＝scatology (1).

cop·ro·ma (kop-rō′mă) [copro- + G. *-ōma*, tumor]. 糞腫．＝fecaloma.

cop·ro·pha·gia (kop′rō-fāj′ya). 汚食症（排出物を食べること）．＝coprophagy; scatophagy.

co·proph·a·gous (kō-porf′ă-gŭs). 食糞の（大便を食べることについていう）．

co·proph·a·gy (kŏ-prof′ă-jē) [copro- + G. *phagō*, to eat]. 食糞．＝coprophagia.

cop·ro·phil, cop·ro·phil·ic, cop·ro·phile (kop′rō-fil, -fil′ik, kop′rō-fil) [→coprophilia]. ***1*** 糞〔便〕性の（糞便内にみられる微生物についていう）．***2*** 好糞〔性〕の．

cop·ro·phil·i·a (kop′rō-fil′ē-ă) [copro- + G. *philos*, fond]. ***1*** 好糞〔性〕（糞便に対する微生物の嗜好性）．***2*** 好糞〔症〕（精神医学において，性的要素を伴った，糞便に対する病的な嗜好）．＝mysophilia.

cop·ro·pho·bi·a (kop′rō-fō′bē-ă) [copro- + G. *phobos*, fear]. 恐糞〔症〕（排便や糞便に対する病的な恐れ）．

cop·ro·phra·si·a (kop′rō-frā′zē-ă). ＝coprolalia.

cop·ro·plan·e·si·a (kop′rō-plan-ē′zē-ă) [copro- + G. *planēsis*, a wandering]. 糞便漏出（瘻孔または人工肛門を通り，糞便が出ることを表す，まれに用いる語）．

cop·ro·por·phyr·i·a (kop′rō-pōr-fir′ē-ă) [MIM*121300]. コプロポルフィリン症（ポルフィリアの混入として，コプロポルフィリンが尿中に存在すること）．

hereditary c. 遺伝性コプロポルフィリン症（遺伝性(常染色体性優性)の疾患でコプロポルフィリン酸化酵素の欠損症．ポルフィリン前駆物質が大量に産生されるため，神経障害や日光過敏症が生じる）．

cop·ro·por·phy·rin (kop′rō-pōr′fi-rin). コプロポルフィリン（ビリルビン(ヘモグロビンから)の分解産物として，通常，糞便中にみられる2つのポルフィリンのうちの1つ．あるコプロポルフィリンはある種のポルフィリン症で上昇する．→porphyrinogens）．

cop·ro·por·phy·rin·o·gen (kop′rō-pōr′fi-rin′ō-jen). コプロポルフィリノーゲン（→porphyrinogens）．

c. oxidase コプロポルフィリノーゲンオキシダーゼ（ポルフィリン生合成の1段階を触媒する酵素．コプロポルフィリノーゲン III と O_2 と反応し，プロトポルフィリノーゲン IX と $2CO_2$ を生成する．この酵素の欠損により遺伝性コプロポルフィリン症になる）．

copropraxia (kō-praks′ē-ah) [copro- + G. *praxis*, action, behavior]. コプロプラキシア（Tourette 症候群にみられる，ひわいなジェスチャーをすること）．

cop·ro·stane (kop-ros′tān). コプロスタン（コプロステロールの親炭化水素）．

3β-co·pros·ta·nol (kop-ros′tan-ol). 3β-コプロスタノール．＝coprosterol.

***epi*-cop·ros·ta·nol** (kop-ros′tan-ol). *epi*-コプロスタノール；5β-cholestan-3α-ol (cholestane の構造については steroids

参照). =*epi*-coprosterol.

cop·ros·tan·one (kop-ros′tan-ōn). コプロスタノン (コプロステロールの酸化物).

cop·ros·ta·sis (kop-ros′tă-sis) [copro- + G. *stasis*, a standing]. 宿便, 便秘 (まれに用いる語).

cop·ros·ten·ol (kop-ros′ten-ol). コプロステノール. =allo-cholesterol.

co·pros·ter·ol (kop-ros′ter-ol). コプロステロール (腸内細菌によりコレステロールの還元によって生じる, 糞便中の主なステロール. cholestane の構造については steroids 参照). =3β-coprostanol; stercorin.

epi-**cop·ros·ter·ol** (kop-ros′ter-ol). *epi*-コプロステロール. =*epi*-coprostanol.

cop·ro·stig·mas·tane (kop′rō-stig-mas′tān). コプロスチグマスタン (スチグマスタンの5β異性体).

coproxamol (kō-proks′ă-mol). コプロキサモール (パラセタモール(アセトアミノフェン)とデキストロプロポキシフェンの合剤, 主に英国で使用されている).

cop·ro·zo·a (kop′rō-zō′ă) [copro- + G. *zōon*, animal]. 糞便原生動物 (糞便中で培養することができる原生動物で, 必ずしも腸内の糞便中にいるとは限らない).

cop·ro·zo·ic (kop′rō-zō′ik). 糞便原生動物の.

cop·to·sis (kop-tō′sis) [G. *kopto*, to tire + *-osis*, condition]. 疲労症 (永続的疲労状態).

cop·u·la (kop′yū-lă) [L. a bond, tie]. ***1*** 結合節 (解剖学上, 2つの構造が結合した狭い部分. 例えば, 舌骨体). ***2*** コプーラ (胎生初期の舌発生において第二鰓弓の内側部によってつくられる膨隆). ***3*** zygote を表す現在では用いられない語.

His c. (hiz). ヒス鰓下節. =hypopharyngeal *eminence*.

c. linguae =hypopharyngeal *eminence*.

cop·u·la·tion (kop′yu-ū-lā′shŭn) [L. *copulatio*, a joining]. ***1*** 交接, 性交, 融合. =coitus. ***2*** 接合 (原生動物学上, 2つの細胞間の結合で, 融合はせず, むしろ相互の受精後に離れる. ゾウリムシ属 *Paramecium* のような有毛虫類にみられる).

cop·u·lines (kop′yū-līnz). 性交因子 (膣分泌液に生じる物質. 性交中の男性が女性を, 特に水を対照としてのテストで, 魅惑的でないと考えられる女性に対してもっと魅惑的だと思わせるもの. 排卵期の女性の性交因子は男性の唾液中のテストステロンを増加させる(月経時あるいは月経前期にはその作用はない)).

CoQ coenzyme Q の略.

co·quille (kō-kēl′) [Fr.]. コキール〔レンズ〕(均一の厚さの球状に弯曲したレンズ).

cor (kōr) [L.][TA]. 心臓. =heart.

c. adiposum 脂肪心. =fatty *heart* (2).

c. biloculare 二腔心 (心房間および心室間の中隔が欠損しているか不全である心臓. 心臓は心房と心室の2つの空間だけがある).

c. bovinum 牛心. =ox *heart*.

c. mobile 遊走心 (体位を変えることにより, 過度に動く心臓. 心膜の大きい欠損または欠如(先天的あるいは外科的)と関連する). =movable heart.

c. pendulum 振子〔様〕心 (心臓が大血管にぶら下がっているようにみえる, 遊走心の極端な型). =pendulous heart.

c. pulmonale 肺性心 (慢性肺性心は, 肺疾患により生じる右心室肥大を特徴とし, 主として左心および肺動脈に影響を及ぼす肺疾患による肺の変化や, 先天性疾患によるものは除く. 急性肺性心は, 肺塞栓症による右心の拡大および不全を特徴とする. 両方に共通して, 独特の心電図上の変化が起こり, 後期には通常, 右心不全が起こる).

c. triatriatum 三房心 (3つの心房をもつ心臓. 左心房は, 肺静脈の開口部を三尖弁から離している1つの小さい開口部をもつ横中隔によって分けられている). =accessory atrium.

c. triloculare 三腔心 (心房または心室中隔の欠損による3腔の心臓).

c. triloculare biatriatum 三心腔二心房〔症〕(心室中隔の欠損).

c. triloculare biventriculare 三心腔二心室〔症〕(心房中隔の欠損).

cor·a·cid·i·um (kor′ă-sid′ē-ŭm). コラシジウム (擬葉条虫および水生生活史をもつ条虫の, 線毛をもつ最初の段階の水生幼虫. コラシジウム内には, 六鉤幼虫が存在し, これは中間宿主(通常は水中甲殻類)の中で発育し, 次の幼虫段階のプロセルコイドとなる).

cor·a·co·a·cro·mi·al (kōr′ă-kō-ă-krō′mē-ăl). 烏口肩峰の (烏口突起と肩峰に関する). =acromiocoracoid.

cor·a·co·bra·chi·a·lis (kōr′ă-kō-brā-kē-ā′lis). 烏口腕の (肩甲骨の烏口突起と上腕に関する. →coracobrachialis *muscle*; coracobrachial *bursa*).

cor·a·co·cla·vic·u·lar (kōr′ă-kō-kla-vik′yū-lăr). 烏口鎖骨の (烏口突起と鎖骨に関する). =scapuloclavicular (2).

cor·a·co·hu·mer·al (kōr′ă-kō-hyū′mer-ăl). 烏口上腕〔骨〕の (烏口突起と上腕骨に関する).

cor·a·coid (kōr′ă-koyd) [G. *korakōdēs*, like a crow's beak < *korax*, raren + *eidos*, appearance]. 烏口状の (カラスのくちばし様の形をした. 肩甲骨上縁の突起を示す).

cor·al·lin (kōr′ă-lin). コラリン. =aurin.

yellow c. イエローコラリン (オーリンのナトリウム塩).

cord (kōrd) [L. *chorda*, a string][TA]. [誤ったつづり chord を避けること]. ***1*** 索, 帯, 腱 (解剖学において, 長いひも状の構造物をいう. 長くそろえて束ねられた数本から多数の線維・脈管・導管あるいはそれらの混成のひも状構造. →chorda). ***2*** 索状配列 (1個の細胞幅で1列に並んだ腫瘍細胞を表す組織病理学用語). =fasciculus (2) [TA]; funiculus [TA]; funicle.

angioblastic c.'s 造血管索 (原始心膜腔の腹側に位置する臓側間葉細胞の索状集団. それらは平行する心内膜筒の原基を形成する). =angioblastic cell clusters.

Bergmann c.'s (berg′mahn). ベルクマン索. =medullary *striae* of fourth ventricle (⇒stria).

Billroth c.'s (bĭl′rōt). ビルロート索. =splenic c.'s.

condyle c. =condylar *axis*.

cortical c.'s 皮質索 (発生中の卵巣の表皮上皮から発生する細胞索. 皮質索内の原始生殖細胞は分化して卵祖細胞となる).

dental c. 歯索 (エナメル原基を形成する, 上皮細胞の集合).

false tendinous c.'s* false *chordae* tendineae の公式の別名.

false vocal c. =vestibular *fold*.

Ferrein c.'s (fer-ān′). フェラン帯. =vocal *fold*.

gangliated c. =sympathetic *trunk*.

genital c. 生殖索. =gonadal *ridge*.

germinal c.'s 性索. =primordial sex c.'s.

gonadal c.'s 生殖索, 皮質索. =primordial sex c.'s.

gubernacular c. 導帯索 (導帯管の内容物. 通常, 歯堤の残遺物と結合組織からなっている).

hepatic c.'s 肝細胞索 (切片にみられる肝細胞層).

lateral c. of brachial plexus [TA]. 腕神経叢の外側神経束 (腕神経叢で, 上神経幹および中神経幹の前枝よりなる神経線維束で腋窩動脈の外側に位置する. 外側胸筋神経を出した後, 筋皮神経および正中神経に分かれて終わる). =fasciculus lateralis plexus brachialis [TA].

lymph c.'s リンパ節索. =medullary c.'s (1).

medial c. of brachial plexus [TA]. 腕神経叢の内側神経束 (腕神経叢で, 下神経幹の前枝よりなる神経線維束で腋窩動脈の内側に位置する. 内側胸筋神経, 内側上腕皮神経, 内側前腕皮神経, 尺骨神経, および正中神経の内側根および尺骨神経に分枝を与える). =fasciculus medialis plexus brachialis [TA].

medullary c.'s 髄〔質〕索 (①リンパ節髄質洞間の密集したリンパ組織の索. =lymph c.'s. ②=rete c.'s).

nephrogenic c. 腎形成索 (体軸方向に側背部に配列する中間中胚葉. 中腎管や後腎管の原基).

nuchal c. 臍帯巻絡 (胎児の頸部に臍帯がループ状に巻絡すること. 胎児低酸素症, 胎児仮死, あるいは胎児死亡のリスクが増大する).

oblique c. of interosseous membrane of forearm [TA]. 斜索 (前腕で, 尺骨鉤状突起外側部より斜め遠位に走って, 橈骨粗面のすぐ遠位に至る細い靱帯). =chorda obliqua membranae interosseae antebrachii [TA]; oblique ligament of elbow joint; round ligament of elbow joint; Weitbrecht c.; Weitbrecht ligament.

omphalomesenteric c. 臍腸間膜線．＝vitelline c.

posterior c. of brachial plexus [TA]．腕神経叢の後神経束（腕神経叢で，上・中・下神経幹の後枝よりなる神経線維束腋窩動脈の後方に位置する．上下の肩甲下神経，胸背神経を出し，腋窩神経，および橈骨神経に終わる）．＝fasciculus posterior plexus brachialis [TA].

primordial sex c.'s 原始生殖索（未分化生殖腺の状態のとき，生殖提の上皮から起こる細胞索．胚子(男)では輸精索を，胚子(女)では皮質索を形成する）．＝germinal c.'s; gonadal c.'s; sex c.'s.

psalterial c. ＝*stria* vascularis of cochlear duct.

red pulp c.'s 赤〔色〕脾髄索．＝splenic c.'s.

rete c.'s 網索（胚子の原始生殖巣内の始原性索(髄索と精巣索)で，中腎管の一部と結合し，男性では精巣網，女性では卵巣網になる）．＝medullary c.'s (2).

seminiferous c.'s 輸精索（思春期の精細管に分化する原始輸精索から由来する生殖索）．＝testis c.'s.

sex c.'s ＝primordial sex c.'s.

spermatic c. [TA]．精索（精管と，深鼡径輪からのびて鼡径管を通り陰囊にはいる諸構造とにより形成されている索．→*coverings* of spermatic cord）．＝funiculus spermaticus [TA]; chorda spermatica; testicular c.

spinal c. [TA]．脊髄（脳脊髄神経系のうち細長い円柱状の部分，または脊柱管内に含まれる部分）．＝medulla spinalis [TA]; chorda spinalis; spinal marrow.

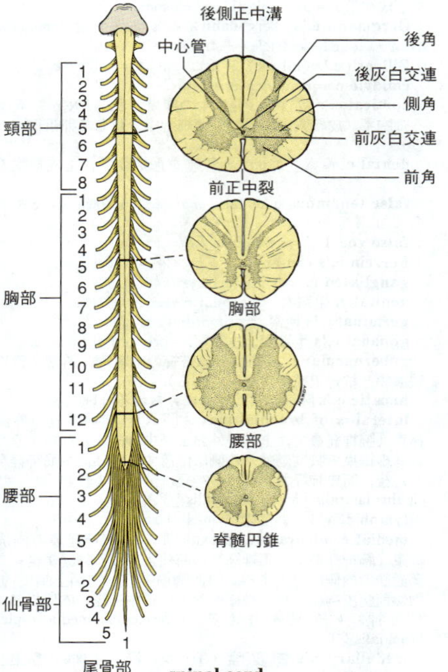

spinal cord

灰白質の部位での相違を示す断面図を含む．

splenic c.'s 脾索（脾臓の赤色脾髄の静脈洞間に生じる組織）．＝Billroth c.'s; red pulp c.'s.

tendinous c.'s☆ 腱索 （*chordae* tendineae (of heart) の公式の別名）．

testicular c. ＝spermatic c.

testis c.'s 精巣索．＝seminiferous c.'s.

true vocal c. 〔真〕声帯．＝vocal *fold*.

c. of tympanum ＝*chorda* tympani.

umbilical c. 臍帯（胚子または胎児と胎盤を結ぶ特有の帯．出生時には主として膠様結合組織(Wharton ゼリー)からなり，その中を臍帯血管が通っている）．＝chorda umbilicalis; funiculus umbilicalis; funis (1).

c. of umbilical artery [TA]．臍動脈索（膀胱に沿って臍まで上行する線維索として存続する，閉塞した臍動脈）．＝chorda arteriae umbilicalis [TA]; ligamentum umbilicale mediale; medial umbilical ligament.

vitelline c. 卵黄索（臍と空腸を結ぶ卵黄嚢の索状遺残物）．＝omphalomesenteric c.

vocal c. 声帯．＝vocal *fold*.

Weitbrecht c. (vit′brekt)．ヴァイトブレヒト索．＝oblique c. of interosseous membrane of forearm.

Wilde c.'s (wīld′)．ワイルド帯（脳梁の横線条）．

Willis c.'s (wil′is)．ウィリス帯（上矢状静脈洞を横切るいくつかの線維帯）．＝chordae willisii.

cord- (kōrd)．→chord-.

cor·date (kōr′dāt)．心臓形の（[chordate と混同しないこと]）．

cor·dec·to·my (kōr-dek′tō-mē) [G. *chordē*, cord + *ektomē*, excision]．声帯切除〔術〕（声帯の一部，または全部を切除すること）．

cor·dial (kōr′jŭl) [Mediev. L. *cordialis* < *cor* (*cord-*), heart]．コーディアル（甘い芳香性アルコール飲料）．

cor·di·a·nine (kor-dī′ă-nēn)．コージアニン．＝allantoin.

cor·di·form (kōr′di-fōrm) [L. *cor*(*cord-*), heart + *forma*, shape]．心臓形の．

cor·dis (kōr′dis) [L. *cor*(heart)の属格]．心臓の．

diastasis c. 心拍静止期（心臓(特に心室)の機械的な不活状態の時期で，通常，心拍が遅く心室充満早期にまったく不活化しているようにみえる時期）．

cor·do·cen·te·sis (kōr′dō-sen-tē′sis) [cord + G. *kentēsis*, puncture]．臍帯穿刺（超音波ガイドによる経腹的臍帯穿刺）．＝funipuncture.

cor·don san·i·taire (kōr-don′ san-i-tār′) [Fr. sanitary barrier]．防疫線（感染局地の周りにつくられた防壁）．

cor·do·pex·y (kōr′dō-pek′sē) [G. *chordē*, cord + *pēxis*, fixation]．声帯固定〔術〕（①位置の変わった解剖学上の声帯の手術的固定．②声門狭窄を軽減するために一方または両方の声帯を側方に固定すること）．

cor·dot·o·my (kōr-dot′ō-mē) [G. *chordē*, cord + *tomē*, a cutting]．脊髄切断〔術〕，コルドトミー（①脊髄の手術．②脊髄神経路の切断．切開や高周波凝固術のような種々の技法を用いて，経皮的に(定位脊髄切断術)またはラミネクトミー(観血的脊髄切断術)を行って施行される．③両側声帯麻痺において声門後方を広げるために声帯粘膜の一部を切除すること）．

anterolateral c. 前側方脊髄切断〔術〕（脊髄視床路切断のため脊髄の前側方 1/4 を切離すること）．＝anterolateral tractotomy; spinal tractotomy; spinothalamic c.

open c. 観血的脊髄切断〔術〕（→cordotomy (2)）．

posterior column c. 脊髄後柱切断〔術〕（脊髄の後柱の切断術）．

spinothalamic c. ＝anterolateral c.

stereotactic c. 定位脊髄切断〔術〕（→cordotomy (2)）．

Cor·dy·lo·bi·a (kōr′di-lō′bē-ă) [G. *kordylē*, a cudgel, swelling, or tumor]．クロバエ科ニクバエの一属．

C. anthropophaga 食人バエ（サハラ砂漠南部のアフリカのツンブバエ．腫脹のような癤状ハエウジ病を起こす種．ヒト以外にも多くの動物，特に飼いイヌを攻撃するが，ヒト感染の主な媒介動物はラットと思われる）．

C. rodhaini ＝Lunds *fly*.

cor·dy·lo·bi·a·sis (kōr′di-lō-bī′ă-sis)．コルディロビア症（*Cordylobia*属のハエの幼虫のヒトおよび動物への感染症）．＝African furuncular myiasis; tumbu dermal myiasis.

core (kōr) [L. *cor*, heart]．*1* 芯（癤の中心にある壊死組織の塊）．*2* コア（人工歯冠を保持するためにつくられた金属性または樹脂性の鋳型で，通常は歯根管内にはいる合釘が付いている）．*3* コア（歯，金属修復物，根面板など各部分の相互関係を示す部分模型で，通常，焼石膏またはその類似物でつくられる）．*4* コア（構造物の中心部分，例えば，グリコーゲン粒の核，ウイルスのコア）．

atomic c. 原子芯（原子核と無価の電子）.
central transactional c. 脳の網様体賦活系.
core-, coreo-, coro- (kōr, kōr′ē-ō, kōr′ō) [G. *korē*, pupil]. [本連結形を chorio- と混同しないこと]. 瞳孔に関する連結形.
co•re•cep•tor (kō′rē-sep′tōr). 補助受容体，コレセプター（細胞表面受容体で，個別のリガンドが結合すると抗原受容体結合を調節したり，抗原受容体相互作用を経て生じる細胞の活性化に影響を与える）.
B-cell c. B細胞共受容体（B細胞レセプタ(CR2, CD19, TAPA-1)と会合する3種の蛋白からなる複合体）.
cor•ec•to•pi•a (kōr′ek-tō′pē-ă) [G. *korē*, pupil + *ektopos*, out of place]. 瞳孔変位（瞳孔が虹彩の中央になく，偏っていること）.
co•reg•u•la•tors (kō′reg′yū-lā-tŏrz) [*co-* + *regulator*]. コレギュレータ，共調節因子（核内蛋白で，リガンド依存性転写因子に応答する遺伝子の転写調節に関与する．共調節の方向によって補助活性化因子(コアクチベータ)と補抑制物質(コリプレッサ)とにおおまかに分けられる．コレギュレータの欠損がヒトの病気と関係がある.→coactivator; corepressors）.
co•rel•y•sis (kō-rel′ĭ′sis) [G. *korē*, pupil + *lysis*, a loosening]. 瞳孔剝離〔術〕（水晶体嚢と虹彩間の癒着を剝離することを表すまれに用いる語）.
co•re•mi•um (kō-rē′mē-ŭm) [G. *korēma*, filth, refuse]. 分生子柄束（分生子柄の束状のふさ）.
coreo- (kōr′ē-ō). ⇀core-.
cor•e•o•plas•ty (kōr′ē-ō-plas′tē) [G. *korē*, pupil + *plassō*, to form]. 虹彩(瞳孔)形成〔術〕（変形瞳孔，縮瞳または閉塞した瞳孔を修復する手法）.
cor•e•pex•y (kōr′ē-pek′sē) 瞳孔の形または大きさを変更するために虹彩を縫合すること.
purse-string c. 巾着虹彩縫合術（虹彩辺縁に沿って通糸縫合する．散大した瞳孔を小さくする）.
cor•e•prax•y (kōr-e-prak′sē) [G. *korē*, pupil + *praxis*, action]. 瞳孔整復〔術〕（小瞳孔を拡大する方法）.
laser c. レーザー虹彩形成術（レーザー光で虹彩実質を熱凝固して，虹彩組織を収縮させて瞳孔を開大形成する）.
mechanical c. 機械的瞳孔形成術（瞳孔縁を細い針状の器具で保持して，瞳孔縁を牽引して瞳孔を開大する手段）.
co•re•pres•sor (kō′rē-pres′ŏr). コリプレッサー，補抑制物質（特定の代謝経路(例えば核蛋白)における産物で，調節遺伝子によりつくられるリプレッサーと結合し，活性化する．活性化したリプレッサーはその後，オペレータ遺伝子部位について，構造遺伝子の活性を抑制する．このホメオスタシス機構は抑制酵素系での酵素生成を負に調節する．㊟制御蛋白(リプレッサー)に結合することで，あるオペロン中の遺伝子を阻害するもの）.
co•re•pres•sors (kō′rē-pres′ŏrz) [*co-* + *repressor*]. コリプレッサー，補抑制物質（核内蛋白で，リガンド依存性転写因子に応答する遺伝子の転写抑制に関与する）.
Cor•ey (kōr′ē), R.B. 米国人化学者，1897—1971. ⇀Pauling-C. *helix*.
Co•ri (kō′rē), Carl F. チェコ系米国人生化学者・ノーベル賞受賞者，1896—1984. ⇀C. *cycle, ester*.
Co•ri (kō′rē), Gerty Theresa. チェコ系米国人生化学者・ノーベル賞受賞者，1896—1957. ⇀C. *disease*.
co•ri•a (kō′rē-ă). corium の複数形.
co•ri•an•der (kō′rē-an′der). コエンドロ，コリアンダー（カラカサバナ科コエンドロ *Coriandrum sativum* の乾燥成熟果実．芳香性の弱刺激薬で，香料として用いる）.
co•ri•um, pl. **co•ri•a*** (kō′rē-ŭm, -rē-ă) [L. skin, hide, leather]. 真皮　(dermis の公式の別名).
cork (kork) [L. *quercus*, oak]. コルク（①コルク樫の外皮．ある程度高級なワイン瓶の栓に用いられる．②コルクまたはそれに近い物質でつくられた栓）.
thyroid c. (thī′royd kōrk). 甲状腺栓，甲状腺コルク. = Pemberton *sign*.
corn (kōrn) [L. *cornu*, horn, hoof]. ***1*** トウモロコシ. ***2*** イヌやネコの足蹠にみられる固いケラチン増殖. ***3*** ウマでは，蹄底への衝撃によってできた挫傷のことで，踵の壁面と線状部との間にみられる. ***4*** 鶏眼，うおのめ（摩擦や圧迫により二次的にヒトの足に生じる硬いあるいは軟かい過角化）. = clavus.
asbestos c. 石綿鶏眼（アスベスト粒子が沈着した部位の皮膚に生じる，肉芽腫性または角化性の病変）. = asbestos wart.
hard c. 硬鶏眼（趾関節の上に形成される通常の鶏眼）.
soft c. 軟鶏眼（2趾の間に生じる圧迫により形成される鶏眼で，表面は浸軟し黄色を呈する）.
cor•ne•a (kōr′nē-ă) [L. *corneus*(horny)の女性形][TA]. 角膜（眼球外壁の前部1/6を形成する透明な組織．曲率半径は強膜が13.5 mmであるのに対し7.7 mmである．結膜に連続した重層扁平上皮，ムコ多糖の中に埋没し大体直角に配列したコラーゲン組織である固有層，内皮細胞の内層から構成される．眼の主たる屈折構造である）.
conic c. 円錐角膜. = keratoconus.
c. farinata 粉状角膜（角膜基質の後部の両側性細胞）. = floury c.
floury c. 粉状角膜. = c. farinata.
c. plana 扁平角膜（角膜曲率が正常より平坦である先天異常．遠視を生じる）.
c. urica 尿酸角膜変性（尿素や尿酸ナトリウム結晶の角膜実質への両眼性沈着）.
c. verticillata 渦巻き状角膜（角膜における渦巻き状の不透明で，先天性のもの）. = Fleischer vortex.
cor•ne•al (kōr′nē-ăl). 角膜の.
cor•ne•o•bleph•a•ron (kōr′nē-ō-blef′ă-ron) [cornea + G. *blepharon*, eyelid]. 角膜眼瞼癒着（眼瞼縁の角膜への癒着）.
cor•ne•o•cyte (kōr′nē-ō-sīt′) [L. *cornea*, *corneus*(horny)の女性形 + G. *kytos*, cell]. 角質細胞（ケラチンで満たされた角質層の死んだ角化細胞）. = horny cell; keratinized cell.
cor•ne•o•scler•a (kōr′nē-ō-sklēr′ă). 角強膜（双方が眼球の外包を形成すると考えた場合の，cornea と sclera を結合した用語）.
cor•ne•o•scler•al (kōr′nē-ō-sklēr′ăl). 角強膜の（角膜と強膜に関する）.
Cor•ner (kōr′nĕr), Edred M. イングランド人外科医，1873—1950. ⇀C. *tampon*.
Cor•ner (kōr′nĕr), George W. 米国人解剖・歴史学者，1889—1981. ⇀C.-Allen *test, unit*.
cor•ne•um (kōr′nē-ŭm) [L. *corneus*(horny)の中性形 < *cornu*, horn]. 角質〔層〕（⇀*stratum* corneum epidermidis; *stratum* corneum unguis）.
cor•nic•u•late (kōr-nik′yū-lāt) [L. *corniculatus*, horned]. ***1*** 角状の. ***2*** 角のある（角または角状の付属器を有することについていう）.
cor•nic•u•lum (kōr-nik′yū-lŭm) [L. *cornu*(horn)の指小辞]. 小角.
c. laryngis = corniculate *cartilage*.
cor•ni•fi•ca•tion (kōr′ni-fi-kā′shŭn) [L. *cornu*, horn + *facio*, to make]. 角化，角質化. = keratinization.
cor•ni•fied (kōr′ni-fīd). 角化した. = keratinized.
corn oil (kōrn oyl). トウモロコシ油（ホモノ科トウモロコシ *Zea mays* の胚芽から抽出された精製固定油，溶剤）. = maize oil.
corn•silk (kōrn′silk). = zea.
corn smut (kōrn smŭt). トウモロコシ黒穂病. = *Ustilago maydis*.
cor•nu, gen. **cor•nus,** pl. **cor•nu•a** (kōr′noo, -nŭs, -noo-ă) [L. horn]. 角（①[TA]. = horn. ②角質からなる構造の総称. ③咬頭または葉の下に横たわる歯髄の歯冠延長. ④大脳半球側脳室の部分である前角・後角・側角.→lateral *ventricle*. ⑤脊髄灰白柱のおおまかな区分である前角，側角，後角）.
c. ammonis アンモン角. = Ammon's *horn*.
c. anterius [TA]. 前角. = anterior *horn*.
coccygeal c. [TA]. 尾骨角（尾骨底の背側から上方に突出している左右1対の突起で仙骨角と関節している）. = c. coccygeum [TA]; coccygeal horn; cornua coccygealia.
cornua coccygealia = coccygeal c.
c. coccygeum [TA]. = coccygeal c.
c. cutaneum 皮角. = cutaneous *horn*.
cornua of falciform margin of saphenous opening ⇀

inferior *horn* of falciform margin of saphenous opening; superior *horn* of falciform margin of saphenous opening.

c. frontale ventriculi lateralis [TA]. 〔側脳室の〕前角. ＝cornua of lateral ventricle.

cornua of hyoid bone 舌骨の角 (→greater *horn* of hyoid bone; lesser *horn* of hyoid).

c. inferius [TA]. 下角. ＝inferior *horn.*

c. inferius cartilaginis thyroideae [TA]. ＝inferior *horn* of thyroid cartilage.

c. inferius marginis falciformis hiatus sapheni [TA]. ＝inferior *horn* of falciform margin of saphenous opening.

c. inferius ventriculi lateralis [TA]. 〔側脳室の〕下角. ＝inferior *horn* of lateral ventricle.

c. laterale [TA]. 側角. ＝lateral *horn.*

cornua of lateral ventricle 側脳室の角. ＝c. frontale ventriculi lateralis [TA]; *horns* of lateral ventricle.

c. majus ossis hyoidei [TA]. 舌骨の大角. ＝greater *horn* of hyoid bone.

c. minus ossis hyoidei [TA]. 舌骨の小角. ＝lesser *horn* of hyoid.

c. occipitale ventriculi lateralis [TA]. 〔側脳室の〕後角. ＝*horns* of lateral ventricle.

c. posterius [TA]. 後角. ＝posterior *horn.*

c. posterius ventriculi lateralis [TA]. 側脳室の後角. ＝posterior *horn.*

sacral c. [TA]. 仙骨角（中間仙骨稜の最も尾方の部分. それぞれの側で，仙骨裂孔の側縁を形成し尾骨角と関節をなしている). ＝c. sacrale [TA]; sacral horn*.

c. sacrale [TA]. 仙骨角. ＝sacral c.

c. of spinal cord 脊髄の角 (→anterior *horn* (2); lateral *horn*). ＝posterior *horn.*

styloid c. ＝lesser *horn* of hyoid.

c. superius cartilaginis thyroideae [TA]. 甲状軟骨の上角. ＝superior *horn* of thyroid cartilage.

c. superius marginalis falciformis [TA]. ＝superior *horn* of falciform margin of saphenous opening.

c. temporale ventriculi lateralis [TA].〔側脳室の〕下角. ＝inferior *horn* of lateral ventricle.

cornua of thyroid cartilage 甲状軟骨の角 (→inferior *horn* of thyroid cartilage; superior *horn* of thyroid cartilage).

c. uteri [TA]. 子宮角. ＝uterine *horn.*

cor·nu·a (kŏr'nū-ă). cornu の複数形.

cor·nu·al (kŏr'nū-ăl). 角の.

coro- (kŏr'ō). →core-.

co·ro·na, pl. **co·ro·nae** (kō-rō'nă, -nē) [L. garland, crown ＜ G. *korōnē*][TA]. 冠. ＝crown (2).

c. capitis 頭冠（頭の最頂上部). ＝crown of head.

c. ciliaris [TA]. 毛様体冠（毛様体の冠または輪. 毛様体の内面にある円形で，突起とひだが一緒になり形成される). ＝ciliary crown; ciliary wreath.

c. clinica 臨床歯冠. ＝clinical *crown.*

c. dentis 歯冠. ＝anatomic *crown.*

c. glandis penis [TA]. 亀頭冠. ＝c. of glans penis.

c. of glans penis [TA]. 亀頭冠（亀頭の隆起した後縁). ＝c. glandis penis [TA].

c. radiata 放線冠（① [TA]. 白質内で大脳皮質に向かって扇状に広がる内包線維の放射. ②卵丘に由来する単層円柱上皮細胞で，成熟卵胞内の卵母細胞の透明帯に付着している. ③放射線像において，孤立肺リンパ小節周囲の低透過性領域で，放射状にみられる繊細な線状陰影). ＝radiate crown.

c. seborrheica 脂漏冠（前額またはこめかみ上部の生え際にある帯状の発赤で，ときに頭皮の脂漏性皮膚炎にみられる).

c. veneris 性病冠（頭皮前縁に沿って，または頸部に生じる丘疹性の梅毒疹(二期疹). →*crown* of Venus).

Zinn c. (zin). ツィン冠. ＝vascular *circle* of optic nerve.

cor·o·nad (kŏr'ŏ-nad). 冠方へ.

cor·o·nal (kŏr'ŏ-năl) [TA]. 冠の，冠状〔面〕の ([coronary または coronoid と混同しないこと]). ＝coronalis [TA].

cor·o·na·le (kŏr'ō-nā'lē) [L. *coronalis* の中性形 : *corona* (crown)に関連した]. [最後の e は発音される]. ***1*** 前頭骨. ＝frontal *bone.* ***2*** 冠状縫合点（最大前頭直径部頂点にある冠状縫合の，最も広く離れた 2 点の 1 つ).

cor·o·na·lis (kōr'ō-nā'lis) [TA]. 冠の，冠状の. ＝coronal.

cor·o·nar·ism (kōr'ō-nār-izm) [coronary (artery) + *-ism*]. ***1*** 冠〔状〕〔動脈〕不全. ＝coronary *insufficiency.* ***2*** ＝*angina pectoris.*

cor·o·na·ri·tis (kōr'ō-nă-rī'tis). 冠状動脈炎.

cor·o·nar·y (kōr'o-nār-ē) [L. *coronarius* ＜ *corona,* a crown]. 冠状の ([coronal または coronoid と混同しないこと]. ①冠に似た形をした，冠の. ②神経・血管・靱帯など種々の解剖学的構造が輪状に取り囲んでいることについていう. ③特に心臓の冠状動静脈をさすことや，医師の会話の中で冠状動脈血栓症をさすこともある).

cafe c. コーヒー冠動脈（食物が密着し，声門が閉じた結果起こる食事中の急激な虚脱. 誤って冠状動脈疾患によって起こると考えられることが多い).

Co·ro·na·vir·i·dae (kō-rō'nă-vir'i-dē) [L. *corona,* garland, crown]. コロナウイルス科（一本鎖 RNA からなるウイルスの一科で，それぞれの主要ウイルス蛋白に一致する 3 または 4 種の主要抗原をもつ. いくつかの種は"普通の風邪"に似たヒトの上部気道感染を引き起こす. 他の種は動物の感染症(鳥類の伝染性気管支炎，ブタの脳炎，マウスの肝炎，新生子ウシの下痢症など)を引き起こす. このウイルスはミクソウイルスに似ているが，太陽のコロナのような印象を与える花弁状の突起をもつ点が違う. ウイルス粒子は直径 120—160 nm で，エンベロープをもち，エーテル感受性である. ヌクレオカプシドは，らせん相称であると考えられる. 細胞質中で発達し，細胞質性小胞中への出芽によってエンベロープをかぶる. *Coronavirus*属，*Torovirus*属のみが属している).

Co·ro·na·vi·rus (kō-rō'nă-vī'rŭs). コロナウイルス属（コロナウイルス科の一属で，ヒトの上部気道感染症，また恐らく胃腸炎とも関連している).

co·ro·na·vi·rus (kō-rō'nă-vī'rŭs). コロナウイルス（コロナウイルス科のウイルス).

cor·o·ner (kōr'o-ner) [L. *corona,* a crown]. 検察医，検死医（突然死，不審死，または変死の原因を調査して判定する役人. 米国のある地域では，医術開業試験委員により代行されている).

co·ro·ni·on (kŏ-rō'nē-on) [G. *korōnē,* crow]. コロニオン（下顎骨筋突起の先端. 頭蓋計測点). ＝koronion.

cor·o·noid (kōr'ŏ-noyd) [G. *korōnē,* a crow + *eidos,* resembling]. 烏口の ([coronal または coronary と混同しないこと]. 烏のくちばしに似た形の. 骨のある種の突起と他の部分を示す).

cor·o·noi·dec·to·my (kōr'ŏ-noy-dek'tŏ-mē) [coronoid + G. *ektomē,* excision]. 烏口突起切除〔術〕（下顎骨烏口突起の外科的除去).

corpectomy (kōr-pek'tŏ-mē) [L. *corpus,* body + -ectomy]. 椎体切除〔術〕（脊椎手術時に椎体を切除する術式).

cor·po·ra (kōr'pōr-ă). corpus の複数形.

cor·po·re·al (kōr-pō'rē-ăl). 体の ([corporal と区別すること. 誤った発音 corpore'al を避けること]).

cor·po·rin (kōr'pŏ-rin). corpus luteum *hormone* を表す現在では用いられない語.

corpse (kōrps) [L. *corpus,* body]. 死体. ＝cadaver.

corps ronds (kōr ron') [Fr. round bodies]. 円〔形〕体（表皮に生じる円形の異常角化細胞で，中心部は円形で好塩基性の塊状物をなし，周りを明調な領域で囲まれるもの. 毛包性角化症に特徴的にみられる).

cor·pu·lence, cor·pu·len·cy (kōr'pyū-lents, -lent-sē) [L. *corpulentia*: *corpus*(body)の拡大]. 肥満〔症〕. ＝obesity.

cor·pu·lent (kōr'pyū-lent). 肥満した. ＝obese.

CORPUS

cor·pus, gen. **cor·po·ris,** pl. **cor·po·ra** (kōr'pŭs, -pōr-is, -pōr-ă) [L. body][TA]. 体 ([複数形は corpi ではなく corpora である]. ①＝body (1). ②集合体または塊. ③器官

の主要部分すなわち頭や尾とは区別される解剖学上の構造．→body; diaphysis; soma)．

c. adiposum [TA]．＝fat-pad.

c. adiposum buccae [TA]．頰脂肪体．＝buccal *fat-pad.*

c. adiposum fossae ischioanalis [TA]．＝fat *body* of ischioanal fossa.

c. adiposum fossae ischiorectalis [NA]．坐骨直腸窩脂肪体．＝fat *body* of ischioanal fossa.

c. adiposum infrapatellare [TA]．膝蓋下脂肪体．＝infrapatellar *fat-pad.*

c. adiposum orbitae [TA]．眼窩脂肪体．＝retrobulbar *fat.*

c. albicans 白体（退化した黄体．瘢痕組織でできた中心の塞栓を囲み，無定形で，う曲し，完全にヒアリン化した黄体部分を伴って，次第に進行する瘢痕核の瘢痕形成と萎縮を特徴とする)．＝albicans (2); atretic c. luteum; c. candicans.

c. amygdaloideum [TA]．扁桃体．＝amygdaloid *body.*

c. amylaceum, pl. **corpora amylacea** アミロイド〔小〕体，デンプン様〔小〕体（デンプン顆粒に類似した卵円形または円形の小体で，ときに層状をなす．主に神経組織，前立腺，肺胞中にみられる．病理学的意義はほとんどなく，変性細胞あるいは蛋白様分泌物からなると考えられる)．＝amnionic corpuscle; amylaceous corpuscle; amyloid corpuscle; colloid corpuscle.

c. anococcygeum* anococcygeal *body* の公式の別名．

c. aorticum 大動脈小体．＝para-aortic *bodies.*

c. arantii (ă-ran′shē-ē)．＝*nodules* of semilunar cusps.

corpora arenacea 脳砂，砂腫状体（松果体や他の中枢神経系組織支質にある小さな石灰質の結石)．＝acervulus; brain sand; psammoma bodies (2).

atretic c. luteum ＝c. albicans.

c. atreticum 閉鎖体．＝atretic ovarian *follicle.*

corpora bigemina 二丘体．＝bigeminal *bodies.*

c. callosum [TA]．脳梁（左右の大脳半球を相互に連絡させている神経線維の大交連板(前交連によって相互連絡している側頭葉のほとんどの連絡を除く)．大脳縦裂の底部にあり，両側は帯状回でおおわれている．後方から前方へアーチ形をなし，両端部(脳梁膨大と脳梁膝)は厚いが，長い中央部(脳梁幹)は薄い．先端部は脳梁膝から後下方へ彎曲して脳梁吻を形成する)．＝commissure of cerebral hemispheres.

c. candicans ＝c. albicans.

corpora cavernosa recti 直腸海綿〔状〕体．＝anal *cushions.*

c. cavernosum clitoridis [TA]．陰核海綿体．＝c. cavernosum of clitoris.

c. cavernosum of clitoris [TA]．陰核海綿体（陰核体を形成している左右1対の勃起性組織で，その基部で左右に分かれ，陰核脚を形成する)．＝c. cavernosum clitoridis [TA]; cavernous body of clitoris.

c. cavernosum conchae ＝cavernous (vascular) *plexus* of conchae.

c. cavernosum penis [TA]．陰茎海綿体（陰茎体の背部を形成している左右１対の勃起に関した組織で，その基部で左右に分かれ，陰茎脚を形成する)．＝cavernous body of penis.

c. cavernosum urethrae 尿道海綿体．＝c. spongiosum penis.

c. ciliare [TA]．毛様体．＝ciliary *body.*

c. claviculae [TA]．鎖骨体．＝*shaft* of clavicle.

c. clitoridis [TA]．陰核体．＝*body* of clitoris.

c. coccygeum [TA]．尾骨小体．＝coccygeal *body.*

c. costae [TA]．肋骨体．＝*body* of rib.

c. dentatum 小脳歯状核．＝dentate *nucleus* of cerebellum.

c. epididymidis [TA]．精巣上体体．＝*body* of epididymis.

c. femoris 大腿骨体．＝*shaft* of femur.

c. fibrosum 線維体（卵胞閉鎖により卵胞が退化消失する過程で形成される卵巣内の線維性の瘢痕小塊．白体に類似するがさらに小さい)．

c. fibulae [TA]．腓骨体．＝*shaft* of fibula.

c. fimbriatum *1* ＝*fimbria* hippocampi. *2* 卵管外側端にみられる卵管采．

c. fornicis [TA]．脳弓体．＝*body* of fornix.

c. gastricum [TA]．＝*body* of stomach.

c. geniculatum externum ＝lateral geniculate *body.*

c. geniculatum internum ＝medial geniculate *body.*

c. geniculatum laterale [TA]．外側膝状体 ＝lateral geniculate *body.*

c. geniculatum mediale [TA]．内側膝状体．＝medial geniculate *body.*

c. glandulae sudoriferae 汗腺体．＝*body* of sweat gland.

c. hemorrhagicum 血体，出血黄体（内壁が薄くなった淡黄色の黄体細胞層で形成されている血腫．血液成分の再吸収は緩徐で，透明液で満たされた空洞すなわち黄体囊胞ができる)．＝corpus luteum hematoma.

c. highmori, c. highmorianum ハイモー体．＝*mediastinum* of testis.

c. humeri [TA]．上腕骨体．＝*shaft* of humerus.

c. incudis [TA]．きぬた骨体．＝*body* of incus.

c. juxtarestiforme [TA]．＝ juxtarestiform *body.*

c. linguae [TA]．舌体．＝*body* of tongue.

c. luteum 黄体（排卵直後の，卵巣内の卵胞破裂部位に形成される 1—1.5 cm 以上の直径を有する黄色の内分泌組織．増殖期および血管新生期を経て成熟期に至る．成熟期黄体には，花綵状の淡黄色の黄体細胞層がみられ，多数の血管を含む内莢膜の小柱が横走している．卵胞と同様にエストロゲンを分泌するが，プロゲステロンも産生し，こちらのほうがより特徴的である．妊娠が起こらない場合は **c. luteum spurium**(偽黄体，月経黄体)とよばれ，進行性に退縮して白体になる．妊娠した場合の **c. luteum verum**(真黄体，妊娠黄体)は，より大きくなり，妊娠5，6か月まで存続し，その後退縮する)．＝yellow body.

c. luysi ＝subthalamic *nucleus.*

c. mammae [TA]．乳房体．＝*body* of breast.

c. mammillare [TA]．乳頭体．＝mammillary *body.*

c. mandibulae [TA]．下顎体．＝*body* of mandible.

c. maxillae [TA]．上顎体．＝*body* of maxilla.

c. medullare cerebelli [TA]．〔小脳の〕髄体（小脳内部の白質塊)．

c. metacarpale ＝ *shaft* of metacarpals (bones).

c. metatarsale ＝ *shaft* of metatarsals (bones).

c. nuclei caudati [TA]．尾状核体．＝*body* of caudate nucleus.

c. olivare ＝oliva.

c. ossis femoris [TA]．大腿骨体．＝*shaft* of femur.

c. ossis hyoidei [TA]．舌骨体．＝*body* of hyoid bone.

c. ossis ilii [TA]．腸骨体．＝*body* of ilium.

c. ossis ischii [TA]．坐骨体．＝*body* of ischium.

c. ossis metacarpi [TA]．＝*shaft* of metacarpals (bones).

c. ossis metatarsi [TA]．＝*shaft* of metatarsals (bones).

c. ossis pubis [TA]．恥骨体．＝*body* of pubis.

c. ossis sphenoidalis 蝶形骨体．＝*body* of sphenoid.

c. pampiniforme ＝epoophoron.

c. pancreatis [TA]．膵体．＝*body* of pancreas.

c. papillare ＝*stratum* papillare corii.

corpora paraaortica [TA]．大動脈傍体．＝para-aortic *bodies.*

c. paraterminale ＝subcallosal *gyrus.*

c. penis [TA]．陰茎体．＝*body* of penis.

c. phalangis (manus et pedis) [TA]．指節骨体．＝*shaft* of phalanx (of hand or foot).

c. pineale [TA]．松果体．＝pineal *body.*

c. pontobulbare 橋延髄体．＝pontobulbar *body.*

corpora quadrigemina 四丘体（→inferior *colliculus*; superior *colliculus*)．＝quadrigeminal *bodies.*

c. quadrigeminum anterius ＝superior *colliculus.*

c. quadrigeminum posterius ＝inferior *colliculus.*

c. radii [TA]．橈骨体．＝*shaft* of radius.

c. restiforme [TA]．索状体．＝restiform *body.*

c. spongiosum penis [TA]．尿道海綿体（左右の陰茎海綿体間の腹側にある勃起に関係する円柱状の組織で，尿道を包む．後端は尿道球に至り，前端部は膨大して陰茎亀頭となる)．＝c. cavernosum urethrae; spongy body of penis.

c. spongiosum urethrae muliebris 女性尿道海綿体（女性の尿生殖隔膜の下で，膣前庭の左右に位置する．勃起性をもつ静脈叢よりなる).

c. sterni [TA]. 胸骨体. = *body* of sternum.

c. striatum [TA]. 線条体. = striate *body*.

c. tali [TA]. 距骨体. = *body* of talus.

c. tibiae [TA]. 脛骨体. = *shaft* of tibia.

c. trapezoideum [TA]. 台形体. = trapezoid *body*.

c. triticeum = triticeal *cartilage*.

c. ulnae [TA]. 尺骨体. = *shaft* of ulna.

c. unguis [TA]. 爪体. = *body* of nail.

c. uteri [TA]. 子宮体. = *body* of uterus.

c. vertebrae [TA]. 椎体. = vertebral *body*.

c. vesicae [TA]. = *body* of bladder.

c. vesicae biliaris [TA]. 胆嚢体. = *body* of gallbladder.

c. vesicae felleae* 胆嚢体 (*body* of gallbladder の公式の別名).

c. vitreum [TA]. 硝子体 (→vitreous). = vitreous *body*.

---

cor·pus·cle (kōr′pŭs-ĕl) [L. *corpusculum*: *corpus*(body)の指小辞]. = corpusculum. ***1*** 小体. ***2*** 〔血〕球.

amnionic c. = *corpus* amylaceum.

amylaceous c., amyloid c. アミロイド体. = *corpus* amylaceum.

articular c.'s 関節神経小体 (関節包内にみられる神経終末). = corpuscula articularia.

axis c., axile c. 軸小体 (触覚小体の中心部分).

basal c. 基底小体. = basal *body*.

Bizzozero c. (bit-zō-zār′ō). ビツォーツェロ小体. = platelet.

blood c. 血球. = blood *cell*.

bone c. 骨小体. = osteocyte.

bridge c. 橋小体. = desmosome.

bulboid c.'s 球状小体. = Krause end *bulbs*.

calcareous c.'s 石灰小体 (炭酸カルシウムの同心円状の層からなる球形の塊体. 条虫の組織に特徴的にみられる).

cement c. セメント小体 (歯のセメント質の小窩または陰窩の中のセメント細胞. 閉じ込められているセメント芽細胞).

chyle c. 乳び球 (乳び内に存在する白血球様の細胞).

colloid c. コロイド小体. = *corpus* amylaceum.

colostrum c. 初乳球 (初乳中に多数存在する小体. 脂肪小滴を含む変性白血球と考えられる). = Donné c.; galactoblast.

concentrated human red blood c. 濃縮ヒト赤血球 (採血 14 日以内で, 受血予定者の血液と直接適合検査を済ませたヒト全血から調製される).

corneal c.'s 角膜小体 (角膜の線維組織板野にみられる結合組織細胞). = Toynbee c.'s; Virchow cells (3); Virchow c.'s.

Dogiel c. (dō′gē-el). ドギエル小体 (被嚢をもつ感覚神経終末).

Donné c. (dō-nā′). ドネー小体. = colostrum c.

dust c.'s = hemoconia.

Eichhorst c.'s (īk′hōrst). アイヒホルスト小体 (悪性貧血の変形赤血球血症にときにみられる赤血球の形).

exudation c. 滲出球 (新組織の器質化を助ける滲出液中に存在する細胞). = exudation cell; inflammatory c.; plastic c.

genital c.'s 陰部神経小体 (陰核, 亀頭, 乳頭の皮膚にみられる被包性神経終末小体). = corpuscula genitalia.

ghost c. 血球影. = achromocyte.

Gluge c.'s (glū′gĕ). グルーゲ小体 (脂肪小滴を含む大型膿細胞).

Golgi c. (gol′jē). →Golgi-Mazzoni c.

Golgi-Mazzoni c. (gol′jē mahts-zō′nē). ゴルジ-マツォーニ(ゴルジ-マツゾーニ)小体 (層板小体に類似するが, さらに簡単な構造をもつ被嚢感覚神経終末).

Hassall concentric c.'s (has′ăl). ハッサル同心性小体. = thymic c.

inflammatory c. 炎症球. = exudation c.

lamellated c.'s 層板小体 (指の皮膚, 腸間膜, 腱, その他の部位にみられる円形の神経終末装置. 同心円状に重なる結合組織の層からなり, その軟らかい中心部を神経線維の軸索が通る. 軸索は分かれて膨大部をつくり終わる. 圧を感受する器官). = corpuscula lamellosa; pacinian c.'s; Vater c.'s; Vater-Pacini c.'s.

lymph c., lymphatic c., lymphoid c. リンパ球, 類リンパ球 (リンパ節その他のリンパ組織および血液中でも形成される単核白血球).

malpighian c.'s マルピーギ小体 (① = renal c. ② = splenic lymph *follicles*).

Mazzoni c. (mahts-zō′nē). マツォーニ(マツゾーニ)小体 (球状小体と同一のものと思われる触覚小体. →Golgi-Mazzoni c.).

Meissner c. (mīs′nĕr). マイスナー小体. = tactile c.

Merkel c. (mĕr′kĕl). メルケル小体. = tactile *meniscus*.

Mexican hat c. メキシコ帽型細胞 (→target cell *anemia*).

milk c. 乳小体 (乳汁中の脂肪小滴).

molluscum c. 軟ゆう小体. = molluscum *body*.

Negri c.'s (nā′grē). ネグリ小体 (Negri *bodies* を表す現在では用いられない語).

Norris c.'s (nōr′is). ノリス小体 (脱色赤血球で, うまく染色しないと, 血漿中ではまったく, あるいはほとんど見えない).

oval c. = tactile c.

pacchionian c.'s パッキオーニ顆粒. = arachnoid *granulations*.

pacinian c.'s パチーニ小体. = lamellated c.'s.

pessary c. ペッサリー球 (血色素が末梢部で濃縮されている, 細長くのびた赤血球).

phantom c. 血球影. = achromocyte.

plastic c. 形成球. = exudation c.

Purkinje c.'s (pŭr-kin′jē). プルキンエ小体. = Purkinje cell *layer*.

pus c. 膿球 (膿中の主要な有形成分である多核白血球). = pus cell; pyocyte.

Rainey c.'s (rā′nē). レーニー小体 (原生動物肉胞子虫属 *Sarcocystis* の細長いシスト(Miescher 管)内に存在する, 12—16×4—9μm 大の丸い卵形または鎌状の胞子すなわちブラディゾイト).

red c. 赤血球. = erythrocyte.

renal c. 腎小体 (腎毛細血管糸球(糸球体)とそれを包む糸球体嚢(Browman 嚢)からなる構造). = corpusculum renis; malpighian c.'s (1).

reticulated c. 網〔状〕赤血球. = reticulocyte.

Ruffini c.'s (rū-fē′nē). ルフィーニ小体 (指の皮下結合組織内の感覚神経終末構造で, 感覚線維が多数の側副球形突起で終わる卵形の嚢に包まれる).

salivary c. 唾液球 (唾液中に存在する白血球).

Schwalbe c. (shvahl′bĕ). シュヴァルベ小体. = taste *bud*.

shadow c. 血球影. = achromocyte.

splenic c.'s = splenic lymph *follicles*.

tactile c. 触覚小体 (多数の卵形の小体で手指・足指の厚い皮膚の真皮乳頭の中にみられるもの. 結合組織性の袋の中に楔形の上皮様細胞が積み重なったものの周囲や内部に神経細胞の細い突起が終わっている. 接触感覚の機械的受容器と考えられている). = corpusculum tactus; Meissner c.; oval c.; touch c.

taste c. = taste *bud*.

terminal nerve c.'s 神経終末小体 (特別に被包された神経終末構造の包括的呼称. 例えば, 関節小体, 球状小体, 陰部小体, 層板小体, 触角小体, 触覚円板など). = corpuscula nervosa terminalia.

third c. 第三小体. = platelet.

thymic c. 胸腺小体 (退行変性したリンパ球・好酸球・マクロファージの集塊を同心円状に取り囲むケラチン化し鱗状になった上皮細網細胞でできた球状小体. 胸腺小葉の髄質にみられる). = Hassall bodies; Hassall concentric c.'s; Virchow-Hassall bodies.

touch c. = tactile c.

Toynbee c.'s (toyn′bē). トインビー小体. = corneal c.'s.

Traube c. (trow′bĕ). トラウベ小体. = achromocyte.

Tröltsch c.'s (trŏrlch). トレルチュ小体 (耳の鼓膜の放線線維の間にある, 小体に似た小腔).

Valentin c.'s (val'ĕn-tēn). ヴァーレンティーン小体（神経組織にときにみられるもので，アミロイドの小体と思われる）.

Vater c.'s (vah'tĕr). ファーター小体. = lamellated c.'s.

Vater-Pacini c.'s (vah'tĕr pā-chē'nē). ファーター－パチーニ小体. = lamellated c.'s.

Virchow c.'s (fēr'kow). フィルヒョー小体. = corneal c.'s.

white c. 白血球.

Zimmermann c. (zim'er-mahn). ツィンメルマン小体. = platelet.

cor·pus·cu·la (kōr-pŭs'kyū-lă). corpusculum の複数形.

cor·pus·cu·lar (kōr-pŭs'kyū-lăr). 小体の，血球の.

cor·pus·cu·lum, pl. cor·pus·cu·la (kōr-pŭs'kyū-lŭm, -kyū-lă). 小体. = corpuscle (1).

corpuscula articularia 関節神経小体. = articular *corpuscles.*

corpuscula bulboidea 球状小体. = Krause end *bulbs.*

corpuscula genitalia 陰部神経小体. = genital *corpuscles.*

corpuscula lamellosa 層板小体. = lamellated *corpuscles.*

corpuscula nervosa terminalia 神経終末小体. = terminal nerve *corpuscles.*

c. renis, pl. **corpuscula renis** 腎小体. = renal *corpuscle.*

c. tactus, pl. **corpuscula tactus** 触覚小体. = tactile *corpuscle.*

cor·rec·tion (kō-rek'shŭn). 矯正〔術〕，補正（誤りを正す行為．好ましくない性状の除去）.

occlusal c. 咬合修正（①不正咬合を修正することで，方法は問わない．②咬合接触の不調和の除去）.

spontaneous c. of placenta previa 前置胎盤の自然治癒（妊娠中に子宮体部と下節の増大する速度が異なるために前置していた胎盤が内子宮口から離れて上方に移動すること）.

cor·rec·tive (kō-rek'tiv) [L. *corrigo(conr-),* pp. *-rectus,* to set right < *rego,* to keep straight]. = corrigent. ***1*** 〖adj.〗 矯正の（有害なものを阻害，修正，変換させる）. ***2*** 〖n.〗 矯味矯臭薬（薬物の好ましくない，または有害な作用を修正または矯正する薬）.

cor·re·la·tion (kōr'ĕ-lā'shŭn). ***1*** 相関（2つ以上の物，部分相互の関係）. ***2*** 相関作用（***1*** の関係をもたらす行為）. ***3*** 相関（複数の変数が互いに変化しあう程度）.

product-moment c. 〔積率〕相関（相関係数は r（−1.00—+1.00)で表され，測定値の順位ではなく実測値そのものを用いる統計上の手法）.

rank-difference c. 順位〔差〕相関（大きさにより順位化された一連の対の測定値間の関連性をいう．相関係数は ρ で表され，0（関連性なし）から +1.00（完全関連）までの値をとる）.

cor·re·spon·dence (kōr'ĕ-spon'dents). 対応（光学において，網膜上の同一視覚方向を有する点）.

abnormal c. 異常対応. = anomalous retinal c.

anomalous retinal c. 網膜異常対応（斜視によくみられる状態で，対応する網膜点が同一視方向をとらない．一眼の中心窩と他眼の中心窩外とが対応する）. = abnormal c.

dysharmonious retinal c. 不調和性網膜異常対応（網膜異常対応の1つで，異常角が他覚的斜視角よりも小さいもの）.

harmonious retinal c. 調和性異常対応（斜視における異常対応の1つで，両眼網膜の視方向角と他覚的斜視角が等しいもの）.

Cor·ri·gan (kōr'i-găn), Dominic J. アイルランド人病理学者・臨床医，1802—1880. → C. *disease, pulse, sign.*

cor·ri·gent (kōr'i-jent). = corrective.

cor·rin (kōr'in) [< *core* (of vitamin B_{12} molecule)]. コリン（ビタミン B_{12} およびその関連化合物の中心構造であるコリノイドを形成する4個のピロール環からなる環式構造，2個のピロール環の C-19 と C-1 が直接連結する点がポルフィリンとは異なる）.

cor·rin·oid (kōr'rin-oid). コリノイド（コリン環をもつ化合物）.

cor·rode (kŏ-rōd'). 腐食させる，腐食する.

cor·ro·sion (kŏ-rō'zhŭn) [L. *cor-rodo(conr-),* pp. *-rosus,* to gnaw]. ***1*** 腐食（物質が他の物質によって，特に生化学や化学反応によって，徐々に変質していく，またはその変質が完成すること．*cf.* erosion）. ***2*** 腐食物（さびのような腐食産物）.

cor·ro·sive (kŏ-rō'siv). ***1*** 〖adj.〗 腐食性の. ***2*** 〖n.〗 腐食剤（酸や強アルカリのように腐食を生じさせるもの．強酸または強アルカリ）.

cor·ru·ga·tor (kōr'ŭ-gā-ter, -tōr) [L. *cor-rugo(conr-),* pp. *-atus,* to wrinkle < *ruga,* a wrinkle]. 皺筋（皮膚を引き寄せ，しわを寄せる筋肉）.

CORTEX

C

cor·tex, gen. **cor·ti·cis,** pl. **cor·ti·ces** (kōr'teks, -ti-sis, -ti-sēz) [L. bark][TA]. 皮質（腎臓のような器官の表層部で，内部の髄質部分と区別される）.

adrenal c. 副腎皮質. = c. of suprarenal gland.

agranular c. 無顆粒皮質（→ cerebral c.）.

association c. 連合皮質（通常の意味での感覚または運動の領域ではなく，高次の感覚情報処理，異なる種類の感覚情報統合，感覚運動統合に関与すると考えられる大脳皮質の広い領域を示す包括名称. → cerebral c.）. = association areas.

auditory c. 聴覚皮質（菱脳の蝸牛神経核から上行する聴覚神経投射を受けている視床の細胞群すなわち内側膝状体から聴放線を受ける大脳皮質の部分．ほぼ Brodmann の第41・第42野に相当し，その局在は音に対応している）. = auditory area.

cerebellar c. 小脳皮質（小脳の表面をおおう薄い灰色質の層で，表層から分子層，Purkinje 細胞層，および顆粒層からなる）. = c. cerebelli [TA].

c. cerebelli [TA]. 小脳皮質. = cerebellar c.

cerebral c. [TA]. 大脳皮質（哺乳類の大脳半球の全表面をおおっている灰白質細胞層(厚さ 1—4 mm)．細胞と線維成分の層構成が特徴で，神経細胞は海馬の古皮質では1層，より大きな領域を占める新皮質では5，6層の，境界明確な層で積み重ねられている．最表層(分子層または表在状層)は細胞が非常に少なく，主として，深層の錐体あるいは紡錘状細胞から表面に向かって垂直に出ている長い樹状突起で構成されている．K. Brodmann の分類による層は表層から，ⓘ分子層，ⓘⓘ外顆粒層，ⓘⓘⓘ外錐体細胞層，ⓘⓥ内顆粒層，ⓥ内錐体細胞層(神経節細胞層)，ⓥⓘ(多くは紡錘状細胞からなる)多形細胞層，である．この多層構造は新皮質である等皮質 homotypic c.(Vogt の用語では isocortex)の典型であり，ヒトでは大脳半球の大部分をおおっている．原始的な不等皮質 heterotypic c.(Vogt の用語では allocortex)は，細胞層がもっと少ない．isocortex と allocortex の中間の皮質型は，中間皮質 juxtallocortex(O. Vogt の用語)とよばれ，帯状回の腹側部分，海馬傍回の内鼻部分をおおっている．Brodmann は，神経細胞の配列(細胞構築)における局所差に基づいて，大脳皮質を47野に分割した．機能的な面からこれらは3つのカテゴリーに分類できる．ⓘ運動野(第4・第6野)は，発育不十分な内顆粒層(無顆粒皮質)と著明な錐体細胞層を有する．ⓘⓘ感覚野は，著明な内顆粒層(顆粒皮質または塵皮質)が特徴で，体性感覚野(第1—第3野)，聴覚野(第41・第42野)，視覚野(第17—第19野)を含む．ⓘⓘⓘ連合野は，大脳皮質の残りの大部分．次頁の図参照）. = c. cerebri [TA]; pallium [TA]; brain mantle; mantle (2).

c. cerebri [TA]. 大脳皮質. = cerebral c.

deep c. = paracortex.

dysgranular c. 異顆粒皮質（中心前回の無顆粒皮質と顆粒前頭皮質の大脳皮質との移行部．Brodmann 第8野）.

fetal suprarenal c. 胎児の副腎皮質（霊長類は胎児と生後短期間は副腎は大きい．永久皮質と髄質の間に位置し，網状体内にステロイド分泌細胞を含む．ヒトのこの部分の萎縮は生後3か月で完全なものとなる）. = androgenic zone (2); fetal reticularis (1); fetal zone; provisional c.

frontal c. 前頭皮質（大脳半球の前頭葉皮質．ⓘ元来は中心溝の前の全皮質域で，無顆粒運動皮質(Brodmann 第4・第6野)，異顆粒皮質(Brodmann 第8野)，および第8野の前方にある顆粒前頭皮質(前前頭皮質)を含む．ⓘⓘ現在は顆粒前頭皮質(前前頭皮質)をさすことが多い）. = frontal area.

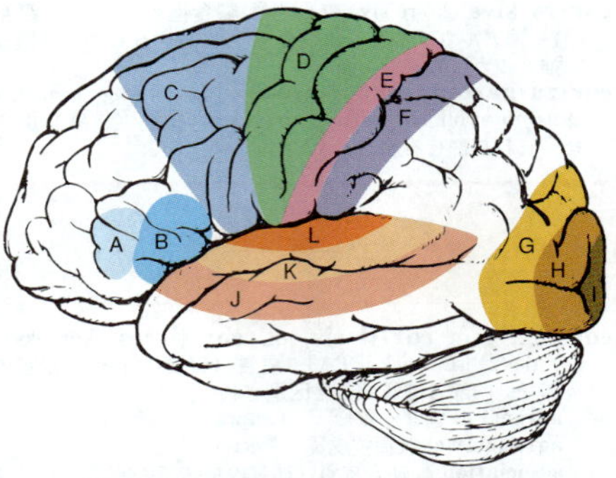

cerebral cortex and its major functional areas

A, B：Broca中枢．C：二次運動野．D：一次運動野．E：一次体性感覚．F：二次体性感覚．G, H：二次視覚野．I：一次視覚野．J, K：二次聴覚野．L：一次聴覚野．

c. glandulae suprarenalis［TA］．副腎皮質，腎上体皮質．＝c. of suprarenal gland.
granular c. 顆粒皮質（→cerebral c.）.
c. of hair shaft 毛皮質（毛幹の主要な構成要素であり，密に充塡・融合した角化細胞および周囲の毛小体よりなる）.
heterotypic c. ＝allocortex.
homotypic c. ＝isocortex.
insular c. 島皮質．＝insula (1).
laminated c. 層状皮質（新皮質と異種皮質）.
c. of lens［TA］．水晶体皮質（中心部の核を包んでいる水晶体の軟らかい外層部．屈折力が核よりも小さい）．＝c. lentis［TA］.
c. lentis［TA］．水晶体皮質．＝c. of lens.
c. of lymph node［TA］．リンパ節皮質（リンパ節を包む被膜に近い外側部で，梁柱の枠組みの中にリンパ性組織が密に詰まったリンパ小節よりなる．リンパ小節と，被膜および梁柱間にはリンパ洞が介在する）．＝c. nodi lymphoidei［TA］.
mastoid c. 乳突板（側頭骨の乳様突起の外側面の骨板）.
motor c. 運動皮質（顔面，頸部，体幹，上下肢の運動に最も直接に影響を及ぼす大脳皮質の部分．中心前回と前傍中心回の Brodmann 第4・第6野と上前頭回・中前頭回の隣接部にほぼ相当する．骨格筋を支配する運動ニューロンに対する作用は皮質脊髄線維(錐体路)と皮質延髄線維により伝達され，特にヒトの場合，四肢，特に上肢の細かい運動に必須である）．＝excitable area; motor area; Rolando area.
c. nodi lymphoidei［TA］．リンパ節皮質．＝c. of lymph node.
olfactory c. 嗅覚皮質．＝piriform c.
orbitofrontal c. 眼窩前頭皮質（前頭葉の基底面をおおう大脳皮質）．＝frontoorbital area.
ovarian c.［TA］．卵巣皮質（白膜直下にある卵巣皮質．結合組織細胞からなり，その間に一次卵胞から二次卵胞(卵胞洞)までの，種々の発育段階の卵胞が分散する．皮質は個体の年齢により厚さが異なり，年を経るほど薄くなる）．＝c. ovarii［TA］; c. of ovary.
c. ovarii［TA］．卵巣皮質．＝ovarian c.
c. of ovary 卵巣皮質．＝ovarian c.
parastriate c. 有線傍皮質（→visual c.）.
peristriate c. 有線周〔囲〕皮質（→visual c.）.
piriform c. 梨状皮質（鉤の吻側半分に相当する嗅覚皮質．嗅球から主な求心性線維を受ける梨状皮質は，allocortex として分類される．→cerebral c.）．＝olfactory c.; piriform area.
prefrontal c. 前前頭皮質（→frontal c.）.
premotor c. 前運動皮質（定義がはっきりしない用語．通常，Brodmann 第6野の無顆粒皮質についていう）．＝premotor area.
primary visual c. 一次視覚皮質（→visual c.）.
provisional c. ＝fetal suprarenal c.
renal c.［TA］．腎皮質（被膜下の外側帯にある腎小葉，錐体間を内方にのびる腎柱の小葉からなる腎臓の部分．腎小体，髄放線，および近位・遠位尿細管を含む）．＝c. renalis［TA］.
c. renalis［TA］．腎皮質．＝renal c.
secondary sensory c. 二次〔体性〕感覚皮質（中心後回のすぐ後の頭頂弁蓋(外側溝の上縁)を占有している皮質部分．中心後回の一次体性感覚皮質のように，この部分も，顔面，体幹，四肢から発する感覚性インパルスを受ける．腹側後内側視床核，後外側視床核などの腹側基底核群や一次体性感覚皮質からの投射が存在する）.
secondary visual c. 二次視覚皮質（→visual c.）.
sensory c. 感覚皮質（以前は特に体性感覚皮質を示したが，現在は大脳皮質の体性感覚，聴覚，視覚，嗅覚部分を総合的に示す）.
somatic sensory c., somatosensory c. 体性感覚皮質（視床の腹側基底核からの体性感覚放線を受けている大脳皮質の部分．体表面(触角)，および筋肉，腱，関節嚢のような深部組織(位置感覚)から発する感覚情報の一次皮質処理を行っている．中心後回および後中心傍回上の，Brodmann 第１，第２，第３野にほぼ相当する）．＝somesthetic area.
striate c. →visual c.
supplementary motor c. 補充運動皮質（中心前回の運動野と同様，電気刺激により体部位のすべての筋組織を活動させる脳の部分．この部分は，大脳半球の放線面上の Brodmann 第6野の広がりにほぼ相当する．この部位は身体の両側と関係していることが多く，主に筋緊張や姿勢運動に関与している）.
suprarenal c. 副腎皮質．＝c. of suprarenal gland.
c. of suprarenal gland［TA］．副腎皮質（副腎の表層部．外側から球状帯，束状帯，網状帯の３層からなる．副腎皮質の細胞からは糖質コルチコイド，電解質コルチコイド，エストロンなど数種類のステロイドホルモンが分泌される）．＝c. glandulae suprarenalis［TA］; adrenal c.; suprarenal c.
temporal c. 側頭皮質．＝temporal *lobe*.
tertiary c. ＝paracortex.
c. thymi［TA］．＝ c. of thymus.
c. of thymus［TA］．胸腺皮質（胸腺小葉の外側部分．髄質を囲み，密なリンパ球塊からなる）．＝c. thymi［TA］.
visual c. 視覚皮質（後頭葉の全表面を占有している大脳皮質の部分で，Brodmann 第17－第19野にあたる．Brodmann 第17野(Gennari 線条のために有線皮質 striate c. ともよばれる)は，一次視覚皮質で，視床の外側膝状体から視放線を受けている．この周囲の Brodmann 第18野(有線傍皮質または有線傍野)および第19野(有線周皮質または有線周野)は，その後の視覚情報処理の段階に関与すると思われ，ともに二次視覚皮質ともいわれる）．＝visual area.

---

cor·tex·o·lone (kōr-teks′ō-lōn)．コルテキソロン（副腎皮質由来の鉱質コルチコイド）.
cor·tex·one (kōr-teks′ōn)．コルテクソン．＝deoxycorticosterone.
Cor·ti (kōr′tē), Alfonso．イタリア人解剖学者，1822－1876．→C. *arch*, *canal*, *cells*, *ganglion*, *membrane*, *organ*, *pillars*, *rods*, auditory *teeth*(⇒tooth), *tunnel*; pillar *cells* of C.
cor·ti·cal (kōr′ti-kăl)．皮質〔性〕の.
cor·ti·cal·i·za·tion (kōr′ti-kăl-i-zā′shŭn)．皮質化（系統発生学において，皮質下中枢から皮質への機能の移動）．＝encephalization; telencephalization.
cor·ti·cal·os·te·ot·o·my (kōr′ti-kăl-os′tē-ot′ō-mē)．経皮質骨切術（歯槽基底部で皮質を通る骨切術．矯正力に対する骨の抵抗を減弱させる）.
cor·ti·cec·to·my (kōr′ti-sek′tō-mē)［cortic- ＋ G. *ektomē*, excision］．皮質切除術（大脳皮質の特定部位の切除）.
cor·ti·ces (kōr′ti-sēz)．cortex の複数形.
cor·ti·cif·u·gal (kōr′ti-sif′ū-găl) ＝corticofugal.
cor·ti·cip·e·tal (kōr′ti-sip′e-tăl)［L. *cortex*, rind, bark ＋ *peto*, to seek］．皮質求心性の（脳の外表面に向かうこと．特

に大脳皮質にインパルスを伝える神経線維をさす). =corticoafferent.

cor·ti·co·af·fer·ent (kōr′ti-kō-af′er-ent). =corticipetal.

cor·ti·co·bul·bar (kōr′ti-kō-bŭl′bar). 皮質延髄の (→corticobulbar *fibers*; corticonuclear *fibers*).

cor·ti·co·cer·e·bel·lum (kor′ti-kō-ser′ĕ-bel′ŭm). =neocerebellum.

cor·ti·co·ef·fer·ent (kōr′ti-kō-ef′er-ent). =corticofugal.

cor·ti·cof·u·gal (kōr′ti-kō-fyū′găl) [L. *cortex*, rind, bark + *fugio*, to flee]. 皮質遠心性の (脳の外表面から離れた方向に向かうこと. 特に大脳皮質からのインパルスを伝える神経線維をさす). =corticifugal; corticoefferent.

cor·ti·coid (kōr′ti-koyd). ***1*** 〚adj.〛 コルチコイド様の (副腎皮質のステロイドホルモンに類似した作用を有する). ***2*** 〚n.〛 コルチコイド (***1*** の作用を示す物質). ***3*** 〚n.〛 副腎皮質ステロイド. =corticosteroid; glucocorticoid (3).

cor·ti·co·me·di·al (kōr′ti-kō-mē′dē-ăl). 皮質内側の (扁桃核の主要な2つの細胞群のうちの1つをさす場合にだけ用いる語. →*corpus* amygdaloideum).

cor·ti·co·ste·roid (kōr′ti-kō-stĕr′oyd). コルチコステロイド (副腎皮質で生成されるステロイド(副腎性コルチコイド). ステロイドを含むコルチコイド). =adrenocorticoid; corticoid (3); cortin.

cor·ti·cos·ter·one (kōr′ti-kos′ter-ōn). コルチコステロン (いくらかの肝臓のグリコゲン蓄積, ナトリウム貯留, およびカリウム排泄を誘発するコルチコステロイド. ラットの主グルココルチコイド).

cor·ti·co·tha·lam·ic (kōr′ti-kō-thal′ă-mik). 皮質視床の (皮質と視床についていう. 大脳皮質から視床に至る線維に対して用いる. 皮質視床線維).

cor·ti·co·troph (kōr′ti-kō-trof). コルチコトロフ (副腎皮質刺激ホルモン(ACTH)を産生する脳下垂体の細胞).

cor·ti·co·tro·pin (kōr′ti-kō-trō′pin) [G. *tropē*, a turning]. コルチコトロピン (①=adrenocorticotropic *hormone*. ②=β-corticotropin. ③=ACTH).

c.-zinc hydroxide 水酸化亜鉛に吸収された精製コルチコトロピン. コルチコトロピンと用途は同じだが, 作用期間は長い.

β-cor·ti·co·tro·pin (kōr′ti-kō-trō′pin). β-コルチコトロピン (酸あるいはペプシン分解β-コルチコトロピン). =corticotropin (2).

Cor·ti·co·vir·i·dae (kōr′ti-kō-vir′i-dē). コルチコウイルス科 (エンベロープをもたない, エーテル感受性の, 中型の大きさの細菌性ウイルスの一科に対する名称. 脂質含有性のカプシドと, 環状の二本鎖DNA(分子量は 5×10^6 で, ウイルス粒子の約12%を占める)をもつ).

Cor·ti·co·vi·rus (kōr′ti-kō-vī′rŭs). コルチコウイルス (コルチコウイルス科の中の唯一の属).

cor·ti·lymph (kōr′tē-limf). コルチリンパ液 (クチクラ板と基底板の間に存在する Corti 器の細胞外液. 基底板を経由し, 比較的大きなチャネルを経由して外リンパ液と交通している).

cor·tin (kōr′tin). コルチン. =corticosteroid.

cor·ti·sol (kōr′ti-sol). コルチゾール, コルチソル (副腎皮質の束状帯から分泌される主要グルココルチコイド. 糖新生や脂肪分解を促進し, 蛋白合成を抑制し, 炎症反応や免疫応答を抑制する. さらに緩和な鉱質コルチコイド作用(例えば, 高ナトリウム血性, カリウム尿性, 抗利尿性). 大部分の血漿コルチゾールはトランスコルチンやアルブミンと結合している. 薬剤として投与される合成コルチゾールは普通, 別名ヒドロコルチゾンとして知られている).

cortisone (kōr′ti-sōn). コルチゾン ([副腎皮質ステロイド adrenocortical steroid の同義語としての使用を避けること]. 17-ヒドロキシー-11-デヒドロコルチコステロンのことで, コルチゾール(17-ヒドロキシコルチコステロン)の可逆的11-ヒドロキシル化反応により生成される生物活性のない副腎皮質ホルモン. 治療に用いられた最初のグルココルチコイドであった(1949年). 内因性物質のように薬として投与した天然および合成コルチゾンはコルチゾールへ変換されるまでは効果を示さない). =Wintersteiner compound E.

α-cor·tol (kōr′tol). α-コルトール (アロコルトールの5β鏡像異性体(エナンチオマー)コルチゾンの還元生成物で, 尿中に存在する. ケト基3個が水酸基に還元されている点が, コルチゾンと異なる).

β-cor·tol (kōr′tol). β-コルトール (β-アロコルトールの5β鏡像異性体. 20βにOH基を有するα-コルトール. 尿中にみられる).

α-cor·to·lone (kōr′tŏ-lōn). α-コルトロン (α-アロコルトロンの5β鏡像異性体. コルチゾンの還元生成物で, 尿中に存在する. ケト基2個(3位と20位)が水酸基に還元されている点が, コルチゾンと異なる).

β-cor·to·lone (kōr′tŏ-lōn). β-コルトロン (20βにOH基を有するα-コルトロン. β-アロコルトロンの5β鏡像異性体. 尿中にみられる).

co·run·dum (ko-rŭn′dŭm) [Hind. *kurand*]. 鋼玉 (天然の結晶性酸化アルミニウム).

Cor·vi·sart des Mar·ets (kōr′vē-sahr dā mă-rā′), Jean N. フランス人臨床医, 1755—1821. →Corvisart *facies*.

co·rym·bi·form (kŏ-rim′bi-fōrm) [L. *corymbus*, cluster, garland]. 花環状の (肉芽腫性疾患, 例えば梅毒や結核などにおける皮膚病巣の花弁状配列構造を示す).

cor·y·ne·bac·te·ri·a (kŏ-rī′nē-bak-tēr′ē-ă). corynebacterium の複数形.

cor·y·ne·bac·te·ri·o·phage (kŏ-rī′nē-bak-tēr′ē-ō-fāj). コリネバクテリオファージ ([誤った発音 ko-rī-nē-bak-ter′ē-ō-fahzh を避けること]. コリネバクテリアに特異的バクテリオファージの総称).

β c. βコリネバクテリオファージ (プロファージに対し溶原性のジフテリア菌 *Corynebacterium diphtheriae* の菌株に毒素発生力を生じる. DNA 含有バクテリオファージ). =β phage.

Cor·y·ne·bac·te·ri·um (kŏ-rī′nē-bak-tēr′ē-ŭm) [G. *coryne*, a club + *bacterium*, a small rod]. コリネバクテリウム属 (コリネバクテリウム科の非運動性(ある植物の病原菌を除く)の, 好気性から嫌気性の細菌の一属. 不規則に染まるグラム陽性の, 直状から少し彎曲したものまでを含む杆菌で, ぷっつり切れる分裂のため杭柵並列を示す. 自然界に広く分布し, 最も知られている種は, ヒトや家畜の寄生体, 病原体である. 標準種は *C. diphtheriae*).

C. acnes 痤瘡菌 (*Propionibacterium acnes* の旧名).

C. amycolatum 皮膚常在菌. 静脈カテーテルを介してしばしば敗血症を起こす. 尿路感染症, 混合感染膿瘍からも分離されている.

C. diphtheriae ジフテリア菌 (ジフテリアを起こす菌種である. 特に強力な菌体外毒素を産生し, 種々の組織, 特にヒトや実験動物の心筋の変性を引き起こす強力な菌体外毒素を生じ, 毒性は延長因子 II の ADP-リボシル化を触媒することで起こる. この細菌の毒性菌株は溶原性である. この細菌はジフテリアの際, 咽頭, 喉頭, 気管, 鼻粘膜に通常みられるが, 保菌者の外見上健康な咽頭や鼻にもみられ, ときに結膜や表在性の創傷中にも見出される. しばしばウマの鼻道や創傷にも感染する. *Corynebacterium*属の標準種). =Klebs-Loeffler bacillus; Loeffler bacillus.

C. equi =*Rhodococcus equi.*

C. glucuronolyticum 尿路感染症例から分離された菌種.

C. haemolyticum *Arcanobacterium haemolyticum* の旧名.

C. hofmannii *C. pseudodiphtheriticum* の旧名.

C. jeikeium 免疫不全患者の敗血症や皮膚病変の起炎菌. 特に静脈カテーテルに関連して起きやすい.

C. matruchotii ヒトの眼の混合感染から分離された菌種.

C. minutissimum ヒトの正常皮膚細菌叢の構成員で, 紅色陰癬の原因となる細菌種.

C. parvum *Propionibacterium acnes* の旧名.

C. pseudodiphtheriticum 偽ジフテリア菌 (正常の咽頭にまれにみられる非病原性細菌種). =Hofmann bacillus.

C. striatum 鼻粘膜や咽頭にみられる細菌種. 乳腺炎のウシの乳房にも見出され, 実験動物に病原性がある. まれに免疫低下患者への感染の原因となる.

C. xerosis 正常および病変のある粘膜にみられる菌種. この細菌が病原性である事実はない.

cor·y·ne·bac·te·ri·um, pl. **cor·y·ne·bac·te·ri·a** (kŏ-rī′nē-bak-tēr′ē-ŭm, -ă). *Corynebacterium*属の一種をさして用いる通称.

co·ry·za (kŏ-rī′ză) [G.]. コリーザ, 鼻感冒. =acute *rhini-*

C

tis.

allergic c. アレルギー性コリーザ．＝hay *fever.*

Co·ry·za·vi·rus (kŏ-rī′ză-vī′rŭs). *Rhinovirus* を表す現在では用いられない語．

COS Chief of Staff(スタッフ長)の略．

cosegregation (kō-sĕg-grē-gā-shun). 共分離（〝跡を追う〟という意味で使われる概念的な用語(例えば，ある病気と共分離する対立遺伝子すなわちその病気の〝跡を追う〟対立遺伝子))．

cosleeping (kō-slēp′ing). 添い寝（親子で 1 つのベッドをともにすること）．

cos·me·ceu·ti·cal (koz-mĕ-sū′ti-kil) [*cosme*tic + pharma*ceutical*]．薬用化粧品の．

cosmeceuticals (kos-mĕ-sū′ti-kils) [*cos*metic + pharma*ceutical*]．機能性化粧品，薬用化粧品（美容および薬剤的な性質をもつ物質で，皮膚を滑らかにするために注射するボツリヌス毒素のような薬品と同様の局所製剤を含む）．

cos·me·sis (koz-mē′sis) [G. *kosmēsis*, an adorning < *kosmeō*, to order, arrange, adorn < *kosmos*, order]．美容術（患者の外観に対して配慮すること．すなわち外観をよくする手術をすること）．

cos·met·ic (koz-met′ik). ***1*** 美容的，美容の（外観を美しくする外科手技に関する．特に，遺伝，加齢によるものを対象とし，先天異常，病気や外傷によるものは除く）．***2*** 化粧品の使用に関する．

cos·met·ics (koz-met′iks). 化粧品（文化的要請に従って，美しくする目的で皮膚，唇，毛，爪に付ける種々の偽装に対する合成語）．

cos·mid (koz′mid). コスミド（組換え技術によりつくられたプラスミドのことで以下の要素を適格に含んだ環状 DNA である．すなわち，プラスミド複製開始点，薬剤耐性マーカ，バクテリオファージ λ の cos(付着端)部位，クローニングされるべき真核細胞の DNA 断片，である．コスミドは長さで 40,000 塩基対までの DNA 断片をクローニングできるようにつくられており，クローニングを容易にするために必要な制限酵素認識部位を 1 つ以上有する）．

cos·mo·pol·i·tan (koz′mō-pol′i-tan) [G. *kosmos*, universe + *polis*, city-state]．汎存種，普遍種（生物科学において，世界的に分布するものをいう用語）．

cos·ta, gen. & pl. **cos·tae** (kos′tă, -tē) [L.]. ***1*** [TA]．肋骨 [I–XII]．＝rib [I–XII]．***2*** 基条（*Trichomonas*属のようなある種のべん毛寄生虫の波形粘膜の基底に沿って走る，杆状の内部支持小器官）．＝basal rod.

c. cervicalis [TA]．頸肋．＝cervical *rib.*

c. colli [TA]．＝cervical *rib.*

costae fluctuantes [XI–XII] [TA]．浮遊肋．＝floating *ribs* [XI–XII]．

costae fluitantes 浮遊肋．＝floating *ribs* [XI–XII]．

c. prima [I] [TA]．＝ first *rib* [I]．

costae spuriae [VIII–XII] [TA]．仮肋．＝false *ribs.*

costae verae [I–VII] [TA]．真肋．＝true *ribs* [I–VII]．

cos·tal (kos′tăl). 肋骨の．

cos·tal·gi·a (kos-tal′jē-ă) [L. *costa*, rib + G. *algos*, pain]．肋骨痛．＝pleurodynia.

cos·tec·to·my (kos-tek′tō-mē) [L. *costa*, rib + G. *ektomē*, excision]．肋骨切除〔術〕．

Cos·ten (kos′tĕn), James B. 米国人耳鼻咽喉科医，1895—1962. →C. *syndrome.*

cos·ti·car·ti·lage (kos′ti-kar′ti-lij). 肋軟骨．＝costal *cartilage.*

cos·ti·form (kos′ti-fōrm) [L. *costa*, rib + *forma*, form]．肋骨状の．

cos·tive (kos′tiv) [L. *constipo*(to press together)の短縮形]．便秘の．

cos·tive·ness (kos′tiv-ness). 便秘〔症〕．＝constipation.

costo- (kos′tō) [L. *costa*, rib]．肋骨に関する連結形．

cos·to·cen·tral (kos′tō-sen′trăl). ＝costovertebral.

cos·to·chon·dral (kos′tō-kon′drăl). 肋軟骨の．＝chondrocostal.

cos·to·chon·dri·tis (kos′tō-kon-drī′tis) [costo- + G. *chondros*, cartilage + *-itis*, inflammation]．肋軟骨炎（1 本以上の肋軟骨の炎症．局所の圧痛と前胸壁の疼痛が特徴的で放散痛のこともあるが，Tietze 症候群に特徴的な局所の腫脹の所見は欠く）．＝costal chondritis.

cos·to·cla·vic·u·lar (kos-tō-klă-vik′yū-lăr). 肋鎖の（肋骨と鎖骨に関する）．

cos·to·cor·a·coid (kos′tō-kōr′ă-koyd). 肋烏口の（肋骨と肩甲骨の烏口突起に関する）．

cos·to·gen·ic (kos′tō-jen′ik). 肋骨由来の．

cos·to·in·fe·ri·or (kos′tō-in-fēr′ē-ōr). 下位肋骨の．

costophrenic (CP) 肋骨横隔膜の（肋骨と横隔膜を含む，または意味する）．

cos·to·scap·u·lar (kos′tō-skap′yū-lăr). 肋肩甲の（肋骨と肩甲骨に関する）．

cos·to·sca·pu·la·ris (kos′tō-skap′yū-lā′ris). ＝serratus anterior (*muscle*).

cos·to·ster·nal (kos′tō-ster′năl). 肋胸骨の（肋骨と胸骨に関する）．

cos·to·ster·no·plas·ty (kos′tō-ster′nō-plas′tē) [costo- + G. *sternon*, chest + *plastos*, formed]．肋胸骨形成〔術〕（前胸壁の奇形を矯正する手術）．

cos·to·su·pe·ri·or (kos′tō-sū-pēr′ē-ōr). 上位肋骨の．

cos·to·tome (kos′tō-tōm). 肋骨切り，肋骨刀，肋骨鋏（肋骨を切るための道具，ナイフ，大鋏など）．

cos·tot·o·my (kos-tot′ō-mē) [costo- + G. *tomē*, a cutting]．肋骨切開〔術〕．

cos·to·trans·verse (kos′tō-trans-verz′). 肋横突の（肋骨およびそれと関節している脊椎の横突起に関する）．＝transversocostal.

cos·to·trans·ver·sec·to·my (kos′tō-tranz-ver-sek′tō-mē). 肋骨横突起切除〔術〕（肋骨およびそれと関節している横突起の近接部分の切除）．

cos·to·ver·te·bral (kos′tō-ver′tĕ-brăl). 肋椎の（肋骨およびそれと関節している胸椎に関する）．＝costocentral; vertebrocostal (1).

cos·to·xi·phoid (kos′tō-zī′foyd). 肋剣の（肋骨および胸骨の剣状突起に関する）．

co·sub·strate (kō-sŭb′strāt). 補基質（多基質酵素の主基質以外の基質．しばしば，特異的に補酵素と関係がある）．

co·syn·tro·pin (kō-sin-trō′pin). コシントロピン；α^{1-24}-corticotropin; β^{1-24}-corticotropin (副腎皮質刺激薬．ヒト ACTH の最初の 24 個のアミノ酸残基を含む．その順序はいくつかの他の種にもみられ，完全な ACTH の生物活性を十分に保持している．残りの 15 残基は種によって違い，特異的な免疫学的性質を与えている)．＝tetracosactide; tetracosactin.

Co·tard (kō-tahr′), Jules. フランス人神経科医，1840—1887. →C. *syndrome.*

co·tar·nine (kō-tar′nēn) [*narcotine* のつづり換え]．コタルニン（[cotinine と混同しないこと]．アルカロイド成分．ナルコチンの酸化により得られる．収れん薬）．

co·ti·nine (kō′ti-nēn) [*nicotine* のつづり換え]．コチニン（[cotarnine と混同しないこと]．ニコチンの主要無毒化産物の 1 つ．腎臓から迅速，完全に排泄される）．

co·trans·la·tion·al (kō′tranz-lā′shun-ăl). 共翻訳の（翻訳過程で起こる蛋白の成熟または輸送経路についていう）．

co·trans·port (kō-trans′pōrt). 共輸送（ある物質が膜を横切って通過するのに同行して，同時に他の物質が同じ膜を横切って同方向に通過する輸送）．

Cotte (kot), Gaston. フランス人外科医，1879—1951. →C. *operation.*

Cot·ton (kot′ŏn), Frank A. 20世紀の米国人化学者． →C. *effect.*

cot·ton (kot′ŏn) [Ar. *qúțun*]．綿，草綿（アオイ科ワタ属 *Gossypium* の植物の種子をおおう白いふんわりした繊維性のもの．外科用の手当に広く用いる）．

absorbent c. 脱脂綿（すべての脂肪分を除いた綿．液体を速やかに吸い上げる）．

purified c. 精製綿（粘着性不純物を遊離し，脂肪分を除き，漂白して滅菌した種々のワタ属 *Gossypium* その他の同類種の種子の毛からなる脱脂綿．タンポンやその他の目的で用いる）．

soluble gun c. 可溶性綿火薬．＝pyroxylin.

styptic c. 止血綿（塩化鉄希釈溶液で湿らせた後，乾燥させた脱脂綿．止血薬として局所的に用いる）．

cot·ton·pox (kot′ŏn-poks). *variola* minor を表す現在では用いられない語.

cot·ton·seed oil (kot′ŏn-sēd oyl). 綿実油（アオイ科ワタ属 *Gossypium* の種々のワタ *Gossypium hirsutum* をはじめ，その他の栽培植物の種子から得られる精製不揮発性油．溶剤）.

Co·tun·ni·us (Cotugno) (kō-tun′nē-ŭs), Domenico. イタリア人解剖学者，1736—1822. →C. *aqueduct*, *canal*, *liquid*, *space*; *aqueductus* cotunnii; *liquor* cotunnii.

cot·y·le (kot′i-lē) [G. *kotylē*, anything hollow, the cup or socket of a joint]. ***1*** 鉢，壺（杯状のもの）. ***2*** 寛骨臼. ＝acetabulum.

cot·y·le·don (kot′i-lē′don) [G. *kotylēdon*, any cup-shaped hollow]. ***1*** →maternal c.; fetal c. ***2*** 子葉（植物で，種子から最初に成長する葉）. ***3*** 胎盤分葉（胎盤構造の単位. →maternal c.）.

fetal c. 胎児側胎盤分葉（絨毛幹の血管を伴った胎児側胎盤の胎盤分葉，しばしば胎盤縦隔間に認められる）.

maternal c. 母体胎盤分葉（絨毛細胞，結合織で区分された無血管性の胎盤分画．胎盤母体側で深い切れ込みで境され，不規則な形状をしている．遊離絨毛および保留絨毛をもつ絨毛幹で構成される．絨毛膜板からの絨毛血管が絨毛幹および絨毛内を走行し，絨毛間腔の母体血からのガス交換や物質交換を行う）.

Cot·y·lo·gon·i·mus (kot′i-lō-gon′i-mŭs) [G. *kotylē*, cup + *gonimos*, productive]. 異形吸虫類の一群で，現在は異形吸虫属 *Heterophyes* に含めるのが適切.

cot·y·loid (kot′i-loyd) [G. *kotylē*, a small cup + *eidos*, appearance]. ***1*** 杯状の. ***2*** 寛骨臼の.

cough (kawf) [echoic]. ***1*** 〖n.〗 咳（声門を通る空気の急激な駆出で，閉ざされていた声門が開くと直ちに起こる．また，気管または気管支の機械的または化学的刺激によって，あるいは隣接した構造物からの圧によって起こりやすくなる）. ***2*** 〖v.〗 咳をする（一連の呼出作業により空気を声門から駆出させる）.

aneurysmal c. 動脈瘤性咳嗽（大動脈瘤が拡大して反回神経またはその近傍を圧迫するために生じる咳）.

brassy c. 金属音咳（声門下浮腫に伴う，大きく金属性の，イヌが吠えるような咳）.

habit c. 習慣性咳（チックあるいは心理的原因に基づく執拗な咳）.

privet c. イボタノキ性咳（5, 6 月に中国に起こるアレルギー性咳．垣根用のイボタノキの種(*Lingustrum*属)の花粉を吸引して起こると思われる．ニューイングランドにみられるゲッケイジュ熱と類似している）.

reflex c. 反射性咳（耳や胃のような遠隔部位における刺激により反射的に起こる咳）.

weaver's c. 織工咳（カビのはえた紡ぎ糸によって，咳，息切れ，胸部狭窄感を表す語）.

whooping c. 百日咳. ＝pertussis.

Coulomb (kū-lohm), Charles A. de. フランス人物理学者，1736 — 1806. →coulomb.

cou·lomb (C, Q) (kū-lom′) [C.A. de *Coulomb*. フランス人物理学者，1736—1806]. クーロン（電荷単位で，3×10^9 静電単位系に等しい．1 秒間に1Aの電流により運ばれる電気量．1/96,485 ファラデーに相当）.

cou·mar·a·none (kū-mar′ă-nōn). クマラノン；3(2*H*)-benzofuranone（多くの植物生成物の基礎となるもの．例えば，オーロン）.

cou·ma·ric an·hy·dride (kū-mā′rik an-hī′drīd). ＝coumarin.

cou·ma·rin (kū′mă-rin) [*coumarou*, Tonka bean の土語]. クマリン（①抗血液凝固剤およびトンカマメの成分であるジクマロール誘導体の総称．②トンカマメ *Dypterix odorata* から得られる芳香性の中性成分．サリチルアルデヒドから合成される．悪臭を消すために用いる）. ＝coumaric anhydride; cumarin.

Coun·cil·man (kown′sil-măn), William T. 米国人病理学者，1854—1933. →C. *body*.

Coun·cil·ma·ni·a (kown′sil-man′ē-ă) [W. *Councilman*]. 体内寄生性アメーバ属 *Entamoeba* として現在知られているアメーバ類を表す現在では用いられない属名.

coun·sel·ing (kown′sel-ing) [L. *consilium*, deliberation]. カウンセリング，相談，助言（他の人が自分自身の適応障害を理解し解決するように，ある人が努力する専門的な関係あるいは活動で，他人の判断や行為を方向付けるため，忠告，意見，指示を与えること. →psychotherapy）.

genetic c. 遺伝学カウンセリング（遺伝性疾患の専門家が，遺伝性疾患患者あるいはその家系が結婚，出産，早期診断，および病気の予後について十分情報を与えられかつ責任のある決断をするのを助ける目的で，その遺伝性疾患のリスクや臨床的な症状についての情報を与える過程）.

marital c. 結婚カウンセリング（正規の教育を受けたカウンセラーが，夫婦間に起こった問題を解決するために援助する方法．身近な家庭問題を中心に，夫婦が同じカウンセラーに別々に，または一緒に相談する）.

pastoral c. 牧師カウンセリング（教区民が個人的な問題で助言を求めるのに対し，牧師，宗教団体のメンバー，および(または)一般信徒のセラピストが行う心理療法）.

C

count (kownt). ***1*** 〖n.〗 計算，計数，勘定. ***2*** 〖v.〗 数える，採点する.

Addis c. (ad′is). アディス〔尿沈渣定量的検査〕法（12 時間の排尿中の赤血球，白血球，円柱の定量的計数．既知の腎疾患の進行度をみるのに用いる）.

Arneth c. (ahr-net′). アルネート計算（多形核好中球の百分率分布．核内の分葉数(1 — 5)に基づく. →Arneth *index*）.

CD4:CD8 c. CD4/CD8比（ヘルパー－インデューサＴリンパ球とサイトトキシック－サプレッサーＴリンパ球の末梢血における比．Ｔ細胞の分画はヘルパー－インデューサＴ細胞の表面抗原である CD4 と，サイトトキシック－サプレッサーＴ細胞の表面抗原である CD8 に対する蛍光標識されたモノクローナル抗体とリンパ球をインキュベーションした後，フローサイトメトリーで測定される．健常人ではCD4:CD8比は 1.6—2.2 である）.

epidermal ridge c. 皮膚隆線数（指尖上の，ある一定の約束された線に沿って数えた隆線の出現頻度の指数．典型的な Galton 形質の一例で，ほぼ遺伝因子のみによって決定される）.

fetal kick c.'s (fē′tăl kik cowntz). 胎動回数（妊娠第三期において，1 日のうち決まった時間帯に母体が感じた，あるいは触知した胎動数を列挙すること．胎動数の減少は胎児ジストレスを示唆する）.

filament-nonfilament c. 分葉核－非分葉核計算（核分裂している好中球と，核分裂していない好中球の数の百分率）.

total cell c. 総細胞数（ある一定の面積または容積中の細胞数）.

viable cell c. 生存細胞数（ある一定の面積または容積中に生存している細胞の数）.

count·er (kown′ter). 計数管，計数器（通常シンチレーション計数器）.

automated differential leukocyte c. 自動白血球分類器，自動白血球百分率計数器，自動鑑別白血球計数器（白血球を鑑別するためディジタル画像または細胞化学技術を用いる器械）.

electronic cell c. 〔電子〕自動血球計数器，電子細胞計数器（自動血球計数器の一種．細胞が小さい穴を通過するときの抵抗の変化を利用して電圧信号として計数するものや，細胞が流体系を通過するときの光の方向を変えることを利用したものがある．一部の型の計数器は，各々の検体について同時に多項目(例えば，白血球数，赤血球数，ヘモグロビン，ヘマトクリット，赤血球恒数)を測定することができる）.

Geiger-Müller c. (gī′gĕr mūl′ĕr). ガイガー－ミュラー計数管(器)（放射線粒子を計数することにより，放射能を測定する器械．負に帯電する金属円筒と，その中心軸に沿って張られた正荷電の細い針金を封入した管状の測定器．入射した放射線はそのエネルギーの大小に関係なく，シリンダーと針金の間の気体分子をイオン化し，放電を引き起こす）.

proportional c. 比例計数管（Geiger-Müller 計数管と近縁の気体検出器で，気体のイオン化によってつくられる出力電気信号のパルスの高さが計測する粒子線や光線のエネルギーに比例するような印加電圧範囲と条件の下で作動する計数管．エネルギーの異なる粒子線や光線を区別することができる）.

scintillation c. シンチレーション計数器，シンチレーションカウンター（電離放射線を検出するのに用いられる機器．シンチレータ(ある種の結晶，またはPOPOPのような，溶液中の化合物)によって吸収された放射線は，弱いせん光を発し，その結果生じた放出電子は光電増倍管，増幅器によって増幅される)．＝scintillometer; spinthariscope.

well c. ウェルカウンター（小さい試料を対象とする中央に穴をもつシンチレーション結晶と，付属の検出器と電子機器からなる)．

whole-body c. 全身カウンター（遮へいと計測とからなり，通常，1個以上の検出器をもち，種々のγ線放射核種の全身負荷を評価するために設計されたもの)．

counter- (kown′ter) [L. *contra*, against]. …と反対の，…に対して，を意味する連結形.→contra-.

count·er·bal·anc·ing (kown′ter-bal′ăntz-ing). 反対平衡（好ましくない影響を取り除けない場合，異なる実験条件の間や，実験対象の間で，それを均等に分散するための行動研究の一手法)．

count·er·con·di·tion·ing (kown′ter-kon-di′shŭn-ing). 反対条件付け（前置条件反射あるいは学習による反応(例えば，ヘビに対する恐怖と回避)を消去するために特に第2の条件反応(例えば，ヘビに近づき，触れることさえする)を設定する特殊な反応療法技術の総称)．

count·er·cur·rent (kown′ter-ker′ent). ***1*** 反流，向流（反対の向きをもつ流れ)．***2*** 逆流（他の電流に対し反対の向きに流れる電流)．

count·er·cur·rent ex·chang·er (kown′ter-ker′ent eks-chānj′er). 対向流交換系（熱や化学薬品が2つの対向流交換系を分離している膜を受動的に横切って拡散していく系で，その結果，膜の片側に沿って離散する流体は膜の他方に流入する流体と温度，組成が両側においてほぼ同様になる．例えば，腕の伴行静脈は対向流熱交換系の役を果たし，動脈血はより温度の低い静脈血の温度を上昇させる)．

count·er·cur·rent mul·ti·pli·er (kown′ter-ker′ent mul′ti-plī′er). 対向流増幅系（エネルギーを使い，一端で結合したヘアピン状の2本の対向流管を分離している膜を通して物質を運搬する系．この方法によれば，ヘアピン状屈曲部で流入液と流出液が濃縮され，その濃縮力はいずれの場所の膜の両側間の運搬機序よりもはるかに大きい．例えば腎髄質内のネフロンループ)．

count·er·die (kown′ter-dī). 陰型（歯型の陰型で，通常，歯型より軟らかく熔融性の低い金属でできている)．

count·er·ex·ten·sion (kown′ter-eks-ten′shŭn). ＝counter-traction.

count·er·im·mu·no·e·lec·tro·pho·re·sis (CIE) (kown′ter-im′yū-nō-ĕ-lek′trō-fōr-ē′sis). 対向免疫電気泳動〔法〕（免疫電気泳動の改良法の1つで，薄く切った寒天ゲルの陰極方向の凹部に抗原(例えばB型肝炎ウイルスを含む血清)を置き，陽極方向の凹部に抗血清を置いて泳動する．抗原と抗体は互いに反対の方向に動き，両者の至適濃度部位に沈殿帯を形成する)．

count·er·in·ci·sion (kown′ter-in-sizh′ŭn). 副切開，対(つい)切開（一次縫合の緊張を緩めるための初めの切開創の部位に行う2番目の切開)．

count·er·in·vest·ment (kown′ter-in-vest′ment). 反対表出．＝anticathexis.

count·er·ir·ri·tant (kown′ter-ir′i-tant). ***1*** 〖n.〗 反対刺激薬，誘導刺激薬（皮膚に貼用して刺激したり軽度の炎症を起こし，深部の炎症過程の症状を消失させるために使用される薬剤)．***2*** 〖adj.〗 反対刺激の，誘導刺激の（患部への血流量を増加させる)．

count·er·ir·ri·ta·tion (kown′ter-ir′i-tā′shŭn). 反対刺激，誘導刺激（深部組織の炎症症状を軽減する目的で，皮膚を刺激したり軽度の炎症(発赤，水疱形成，膿疱形成)を起こさせること)．

count·er·o·pen·ing (kown′ter-ō′pen-ing). 対向切開，対向穿刺（先の開口部から十分に排液されない，膿瘍あるいは貯留液を含んだ空洞の一部に第2の開口をつくること)．＝con-traaperture; counterpuncture.

count·er·pho·bic (kown′ter-fō′bik). ***1*** 逆恐怖の（恐怖症患者が，恐れている状況自体を実際には選択する状態を示す)．***2*** 恐怖対抗の（恐怖行為を反復することによって，その行為を逆に制御する場合のような，恐怖衝動に対抗する状態)．

count·er·pul·sa·tion (kown′ter-pŭl-sā′shŭn). カウンターパルセイション（心不全治療における機械的補助手段のことで，自動的に行われる．大動脈に挿入されたバルーン付きカテーテルが用いられ，心電図に対応して自動的に，左心室駆出直前から駆出期にバルーンを虚脱させ，血液駆出後負荷を軽減し，また拡張期にバルーンを充満させ，拡張期血圧を上げることで，冠灌流等の増加を得る)．

intraaortic balloon c. 大動脈内バルーンカウンターパルセイション（中枢大動脈内に外科的に留置したバルーンを膨らませたり縮めたりして心臓を機械的に補助する機械的心臓補助法．本法は拡張期に大動脈内圧を高めて冠環流を改善し，収縮期に大動脈内圧を低めて心臓の後負荷(ストレス)を低下させるのが目的である．重症心不全患者が冠動脈バイパス術や心臓移植などのより決定的治療が行なわれるまでのつなぎ的治療法と考えられている．心原性ショックや難治性狭心症の緊急治療法としても使われる)．

count·er·punc·ture (kown′ter-pŭnk-chūr). 対向穿刺．＝counteropening.

count·er·shock (kown′ter-shok). カウンターショック（不整脈を止めるために心臓に与える電気衝撃)．

count·er·stain (kown′ter-stān). 対比染色，後染色（最初の染色に使用した染料よりも，他の組織，細胞，細胞部分に親和性をもち，一次染色部分をより鮮明にする，別の染料を使用する二次染色)．

count·er·trac·tion (kown′ter-trak′shŭn). 反対牽引〔法〕（肢の牽引に対する抵抗または反対方向への牽引．例えば，下腿を牽引する場合は，ベッドの脚部を高くすれば，体重が下腿の牽引に対して反対牽引として働く)．＝counterexten-sion.

count·er·trans·fer·ence (kown′ter-trans-fer′ents). 対抗転移，逆転移（精神分析において，分析者が過去の経験からあるいは患者の転移の表れに対する現在の感情的反応から患者に対して(しばしば無意識に)情動的欲求や葛藤を患者に向けること)．

count·er·trans·port (kown′ter-tranz′pōrt). 対向輸送（膜を通しての物質輸送で，同時にその膜を通して反対方向に他の物質が輸送されること)．

coup de sa·bre (kū dĕ sahb′) [Fr. stroke of a sword]. サーベル状切痕（瘢痕性の脱毛を伴う頭皮，顔面，あるいは額部にみられる線状の強皮症)．

cou·ple (kŭ′pl). 交接する（特に下等動物の交接を意味する)．

cou·pling (kŭp′ling). ***1*** 連結（通常，正常な洞性拍動と心室性期外収縮の1対の組合せの反復の結果をいう)．***2*** 相引(→coupling *phase*)．***3*** 共役（1つの反応の反応生成物が，続いて起きる反応での反応物(基質)である状態)．***4*** 結合(分子同士での共有結合)．***5*** 1つのシステム内での異なった部分間，例えば分子内での置換基同士，での相互作用．***6*** 共役（電子伝達系と酸化的リン酸化との連結)．

constant c. ＝fixed c.

fixed c. 固定連結（何回かの期外収縮がみられる場合，各期外収縮間および先行する正常な洞性拍動との間隔が一定している)．＝constant c.

variable c. 不定連結（何回かの期外収縮がみられる場合，各期外収縮間および先行する洞性拍動との間隔が変化する)．

courier〔麻薬〕運搬者．＝body *packer*.

Cour·voi·si·er (kūr-vwah-sē-ā′), Ludwig G. フランス人外科医，1843—1918. →C. *law*, *sign*, *gallbladder*.

cou·vade (kū-vahd′) [Fr. *couver*, to hatch]. 擬娩，クーバード（文明の風習で，妻が陣痛中に夫も陣痛をきたし，また出産後の清めの儀式やタブーにも従うもの)．

Cou·ve·laire (kūr-vĕ-lār′), Alexandre. フランス人産科医，1873—1948. →C. *uterus*.

cou·ver·cle (kū-ver′kel) [Fr. cover, lid]. 血管外〔側〕血餅（外部凝血，特に血管外で形成された血餅に対してまれに用いる語)．

co·va·lent (kō-vāl′ent). 共有結合〔形〕の（2，4，6個の電子の共有を特徴とする原子間結合の)．

cov·er·age (kŭv′er-ij). 達成範囲，サービス達成区域（現在のサービスが，ある地域社会で必要なサービスのどれくらいを達成しているかを示す値．特に発展途上国でのワクチン接種などに用いる)．

cov·er·ing (kov′er-ing). 被膜，被層（取り囲んでいる層，おおっているもの，包みこんでいるもの，最外側の層．→tunica).

c.'s of spermatic cord 精索被膜（精索を包む鞘で，外精筋膜，内精筋膜，精巣挙筋，および精巣挙筋膜を含む).＝tunicae funiculi spermatici.

cov·er·slip (kŭv′er-slip). カバーガラス，かぶせガラス．＝cover *glass*.

cow (kow). ***1*** カウ（長寿命親核種からの短寿命放射性娘核種の連続的な溶出または分離(ミルキング)に基づく短寿命同位元素の発生器．例えば，^{99}Mo から ^{99m}Tc，^{113}Sn から ^{113m}In. 註ミルキングを行うことからジェネレータのことを雌ウシという一種のジョーク）．***2*** 雌ウシ，雌（家畜牛の成熟した雌（*Bos*属)．または特定の動物(野牛，ゾウ，クジラなど)の成熟した雌).

Cow·den (kow′dĕn). Cowden 病として初めて報告された患者の家族の姓．

Cow·dry (kow′drē), Edmund Vincent. 米国人細胞学者，1888—1975．⇀C. type A inclusion *bodies*, type B inclusion *bodies*.

cowl (kowl). ⇀caul.

Cow·per (kow′pĕr), William. イングランド人解剖学者，1666—1709．⇀C. *cyst*, *gland*, *ligament*.

cow·per·i·an (kow-pēr′ē-an). Cowper に関する，または彼の記した．

COX (koks). コックス（cyclooxygenase の略).

Cox (koks), H.R. 20世紀の米国人細菌学者．

cox·a, gen. & pl. **cox·ae** (kok′să, -sē) [L.]. 股関節（①[TA]．＝hip (1)．②＝hip *joint*).

c. adducta ＝c. vara.

false c. vara 偽内反股（大腿骨頸の変形によらず，大腿骨幹の彎曲を原因とする大腿骨頭の幹への接近).

c. magna 過大〔大腿〕骨頭（大腿骨頭の肥大および，しばしば変形がみられるもので，通常，Legg-Calvé-Perthes 病または変形性関節症の続発症に関係するものが多い).

c. plana 扁平股．＝Legg-Calvé-Perthes *disease*.

c. valga 外反股（大腿骨頸部の軸と大腿骨骨幹軸がなす角度が変化し，135° を超えるもの．大腿骨頸部は大腿骨骨幹に対し正常よりも直線化する).

c. vara [MIM*122750]．内反股（大腿骨頸部の軸と大腿骨骨幹軸とがなす角が変化し，135° 以下のもの．大腿骨頸部は正常よりも水平となる)．＝c. adducta.

c. vara luxans 脱臼性内反股（大腿骨頭の脱臼を伴う内反股).

cox·al·gi·a (koks-al′jē-ă) [L. *coxa*, hip＋G. *algos*, pain]. 股関節痛．＝coxodynia.

coxib (kok′ib). コキシブ（シクロオキシゲナーゼ-2阻害薬の略語．この薬物群のすべてに接尾語として "coxib" がついている).

Cox·i·el·la (kok-sē-el′ă). コクシエラ属（リケッチア目の沪過性細菌の一属で，多形性杆状，球状グラム陰性の小細胞．細胞内では感染細胞の細胞質内に，細胞外では感染ダニの体内に生息する．無細胞培養基では培養されたことがない．ヒトおよび動物に寄生する．標準種は *C. burnetii*．⇀Q fever).

C. burnetii ヒトのQ熱を引き起こす菌種．他のリケッチアより抵抗性が強く，媒介動物とともに空気伝播も起こりうる．急性肺炎および慢性心内膜炎も本種と関係している．*Coxiella*属の標準種．

cox·i·tis (koks-ī′tis). 股関節炎（股関節の炎症).

cox·o·dyn·i·a (koks′ō-din′ē-ă) [L. *coxa*, hip＋G. *odynē*, pain]. 股関節痛（股関節の痛み)．＝coxalgia.

cox·o·fem·o·ral (koks′ō-fem′ŏ-răl). 寛骨大腿の（寛骨および大腿骨に関連した).

cox·o·tu·ber·cu·lo·sis (koks′ō-tū-ber′kyū-lō′sis). 股関節結核（結核性の股関節疾患).

Cox·sack·ie·vi·rus (kok-sak′ē-vī′rŭs) [*Coxsackie*, N.Y. 最初に発見された町の名]．コクサッキーウイルス（Enterovirus属に含まれるピコルナウイルス類の一グループで，直径は約 28 nm，二十面体を呈し，酸性で安定．幼若マウスに，筋炎，麻痺，死を引き起こし，ヒトでも多様な疾病の原因となる．ただし，不顕在性の感染も普通にみられる．抗原性から，2つのグループ(AとB)に分けられ，それぞれが多数の血清型よりなる．例えば，Enterovirus coxsackie A1—A24 および Enterovirus coxsackie B1—B6．A型ウイルスはヒトのヘルパンギナおよび手足口病，B型ウイルスは流行性胸膜痛の原因となる．両型とも無菌性髄膜炎，心筋炎・心膜炎，および1型糖尿病の原因となる).

CP cerebral *palsy*; costophrenic の略．

c.p. chemically pure の略．

CPAP continuous positive airway *pressure* の略．

CPD cephalopelvic *disproportion* の略．

CPEO chronic progressive external *ophthalmoplegia* の頭字語．

C-pep·tide (pep′tīd). C-ペプチド（プロインスリン中において，インスリンのA鎖とB鎖をつなぐ，30残基のアミノ酸からなるペプチド鎖．プロインスリンからインスリンへの変換の際除かれる)．＝C chain.

CpG メチル化されていない CpG ジヌクレオチド配列を含む細菌DNA と合成DNA のこと．自然免疫系を賦活化する．

CPK *creatine* phosphokinase の略．

CPM continuous passive *motion* の略．

cpm counts per minute(カウント毎分)の略．

CPP community psychiatry program(地域精神科医療プログラム)の略．⇀community mental health center.

CPPB continuous positive-pressure breathing(持続〔的〕陽圧呼吸法)の略．

CPPD calcium pyrophosphate deposition *disease* の略．

CPPV continuous positive pressure *ventilation* の略．

CPR cardiopulmonary *resuscitation* の略．

cps cycles per second の略．

cPSA complexed prostate-specific antigen(結合型前立腺特異抗原)の略．

CPT *Current Procedural Terminology* の略．

CPT-11 抗腫瘍性の化学療法物質．

CR Chief Resident; conditioned *reflex*; crown-rump (*length*); computed *radiography* の略．

Cr ***1*** クロムの元素記号．***2*** creatinine の略．

crab (krab). ***1*** カニ（甲殻類の一群．この群に属する種には食用となるものが多い)．***2*** ケジラミ（昆虫ケジラミ *Pthirus pubis* のこと).

Crab·tree (krab′trē), Herbert G. 20世紀のイングランド人医師・生化学者．⇀C. *effect*.

crack (krăk) [slang]. ***1*** 裂（裂け目)．***2*** クラック（⇀crack *cocaine*).

lacquer c.'s ラカークラック（病的近視にみられる Bruch 膜(⇀membrane)の断裂).

crac·kle (krak′il) [echoic]. パチパチ音．＝rale.

cra·dle (krā′dĕl) [M. E. *cradel*]. 離被架（寝具が患者に接触しないようにするために用いる枠).

Cra·foord (krahf′ōrd), Clarence. スウェーデン人胸部外科医，1899—1984．⇀C. *clamp*.

Crai·gi·a (krā′gē-ă) [C. *Craig*]. 体内寄生性アメーバ属 *Entamoeba* として現在知られるアメーバ類を表す現在では用いられない属名．

Cra·mer (krā′mĕr), Friedrich. ドイツ人外科医，1847—1903．⇀C. wire *splint*.

cramp (kramp) [M.E. *crampe* < O.Fr. < Germanic]. ***1*** 痙攣（遅延性テタニー収縮による疼痛性筋痙攣)．***2*** 職業性神経症（職業的使用と関係した局所性筋痙攣．患者の職業により名前がついている．例えば，裁縫婦神経症，書痙など).

heat c.'s 熱痙攣（高温下の重労働により誘発される筋肉痙攣で，かなりの疼痛を伴う．ときに塩分欠乏，換気亢進，過度のアルコール飲料消費に関連する)．＝myalgia thermica.

miner's c.'s 鉱夫痙攣（発汗による過度の塩分消失に起因する痙攣)．＝stoker's c.'s.

musician's c. 音楽家痙攣（楽器演奏者の職業性ジストニアで，通常，演奏楽器名を付す).

pianist's c., piano-player's c. ピアニスト痙攣（ピアニストの指や前腕の筋肉に起こる職業性ジストニア).

seamstress's c. 裁縫婦痙攣（裁縫人の指に起こる職業性ジストニア).

shaving c. 理容師痙攣（理容師の手と指に起こる職業性ジストニア).

stoker's c.'s 火夫痙攣．＝miner's c.'s.

tailor's c. 裁縫師痙攣（裁縫師の前腕と手に起こる職業性

C

ジストニア).

typist's c. タイピスト痙攣（コンピュータキーボード使用者の手の長屈筋に主に障害を起こす職業性ジストニア).

violinist's c. バイオリン奏者痙攣（バイオリン奏者の弦を押さえる側の手の指，ときに弓を引く側の腕に起こる職業性ジストニア).

waiter's c. 給仕人痙攣（給仕人の背中および利き腕の筋肉の痙攣を特徴とする職業性ジストニア).

watchmaker's c. 時計工痙攣（レンズを眼の位置に保持することによる眼輪筋の痙攣，および時計修理の細かい動作に起因する手の筋肉の痙攣を特徴とする職業性ジストニア).

writer's c. 書痙（主として利き手の母指と次の２本の指の筋肉に起こる職業性ジストニアで，過度のペンや鉛筆の使用により誘発される). =dysgraphia (2); graphospasm; scrivener's palsy.

Cramp·ton (kramp′tŏn), Philip. アイルランド人外科医, 1777—1858. ⇀C. *line*, *muscle*.

Cramp·ton (kramp′tŏn), Charles Ward. 米国人医師, 1877—1964. ⇀C. *test*.

Cran·dall (kran′dăl), Barbara F. 20世紀の米国人医師. ⇀C. *syndrome*.

crani- (krā′nē). ⇀cranio-.

cra·ni·a (krā′nē-ă). cranium の複数形.

cra·ni·ad (krā′nē-ad). 頭側の（ある特定点からみて頭側寄りにある. caudad の対語. →superior).

cra·ni·al (krā′nē-ăl). ***1*** [TA]. 頭側の，頭の (→cephalad). =cranialis [TA]; cephalic. ***2*** 上方の，頭側の. =superior (1).

cra·ni·a·lis (krā′nē-ā′lis) [TA]. 頭側の. =cranial (1).

cra·ni·am·phit·o·my (krā′nē-am-fit′ō-mē) [G. *kranion*, skull + *amphi*, around + *tomē*, cutting]. 頭蓋周囲切開〔術〕（頭蓋冠の全周囲を切開する減圧術).

Cra·ni·a·ta (krā′nē-ā′tă) [Mediev. L. *cranium* < G. *kranion*, skull]. 有頭〔骨〕類. =Vertebrata.

cra·ni·ec·to·my (krā′nē-ek′tō-mē) [G. *kranion*, skull + *ektomē*, excision]. 頭蓋〔骨〕局部切除〔術〕，骨切除開頭〔術〕，頭蓋〔骨〕切除術（頭蓋骨の部分的な切除. 切除した骨片は返還しない. 例えば，側頭下および後頭下頭蓋骨の切除).

linear c. 線状開頭術（頭蓋骨縫合の早期癒合に対する線状の頭蓋骨切除術).

cranio-, crani- (krā′nē-ō, krā′nē) [G. *kranion*, skull]. 頭蓋との関係を示す連結形. *cf.* cerebro-.

cra·ni·o·au·ral (krā′nē-ō-aw′răl). 頭蓋耳の（頭蓋と耳に関する).

cra·ni·o·cele (krā′nē-ō-sēl′) [cranio + G. *kēlē*, hernia]. 頭蓋瘤，頭蓋ヘルニア. =encephalocele.

cra·ni·o·ce·re·bral (krā′nē-ō-ser′ĕ-brăl). 頭蓋脳の（頭蓋と脳に関する).

cra·ni·o·cla·si·a, cra·ni·o·cla·sis (krā′nē-ō-klā′sē-ă, krā-nē-ok′lă-sis) [cranio- + G. *klasis*, a breaking]. 〔胎児〕砕頭〔術〕（難産の場合に胎児の頭蓋破砕をする，以前行われた手術).

cra·ni·o·clast (krā′nē-ō-klast) [cranio- + G. *klaō*, to break in pieces]. 砕頭器（強力な鉗子様器具で，以前，胎児の頭を穿頭後，破砕および摘出するのに用いられた).

cra·ni·o·clei·do·dys·os·to·sis (krā′nē-ō-klī′dō-dis′os-tō′sis) [cranio- + G. *kleis*, clavicle + dysostosis]. 鎖骨頭蓋骨形成不全〔症〕，鎖骨頭蓋異骨〔症〕. =cleidocranial *dysostosis*.

cra·ni·o·did·y·mus (krā′nē-ō-did′i-mŭs) [cranio- + G. *didymos*, twin]. 二頭奇形（体幹は融合しているが，頭が２つある接着双生児. ⇀conjoined *twins*).

cra·ni·o·fa·cial (krā′nē-ō-fā′shăl). 脳顔面頭蓋の（顔面と頭蓋の両方に関する).

cra·ni·o·fe·nes·tri·a (krā′nē-ō-fe-nes′trē-ă) [cranio- + L. *fenestra*, window]. 頭蓋有窓症. =craniolacunia.

cra·ni·og·no·my (krā′nē-og′nō-mē) [cranio- + G. *gnōme*, judgement]. 頭蓋骨相学. =phrenology.

cra·ni·o·graph (krā′nē-ō-graf). 頭蓋描画器（頭蓋の諸径，全般的形状測定用の作図機器).

cra·ni·og·ra·phy (krā′nē-og′ră-fē) [cranio- + G. *graphō*, to write]. 頭蓋描画法（実測に基づく作図による，頭蓋形状・頭蓋角度と頭蓋計測点との関係の表示技術).

cra·ni·o·la·cu·ni·a (krā′nē-ō-lă-kū′nē-ă) [cranio- + L. *lacuna*, cleft]. 頭蓋裂孔症（胎児の頭蓋冠に非骨化部分がある頭蓋骨発育不全症). =craniofenestria.

cra·ni·ol·o·gy (krā′nē-ol′ō-jē) [cranio- + G. *logos*, study]. 頭蓋学（頭蓋の大きさ・形状・比率の差異，特に人種の違いによる差異を研究する科学).

cra·ni·o·ma·la·ci·a (krā′nē-ō-mă-lā′shē-ă) [cranio- + G. *malakia*, softness]. 頭蓋骨軟化〔症〕.

circumscribed c. 限局性頭蓋骨軟化〔症〕. =craniotabes.

cra·ni·o·me·nin·go·cele (krā′nē-ō-mĕ-ning′gō-sēl) [cranio- + G. *mēninx*, membrane + *kēlē*, hernia]. 頭蓋髄膜瘤，頭蓋髄膜ヘルニア（頭蓋骨の欠損部よりの髄膜の膨隆脱出).

cra·ni·om·e·ter (krā′nē-om′ĕ-ter). 頭骨計測器（頭骨の諸径を測る機器).

cra·ni·o·met·ric (krā′nē-ō-met′rik). 頭骨計測の.

cra·ni·om·e·try (krā′nē-om′ĕ-trē) [cranio- + G. *metron*, measure]. 頭骨計測法（軟組織除去後の乾燥頭蓋の測定およびその局所的研究).

cra·ni·op·a·gus (krā-nē-op′ă-gus) [cranio- + G. *pagos*, something fixed]. 頭蓋結合体（大後頭孔や頭蓋底，顔面，椎骨を含まない，頭蓋円蓋部や頭蓋冠で結合した結合双胎（接着双生児）の１つ. 結合は対称であることはまれで，頭蓋全体から一部，髄膜，静脈洞，大脳皮質を共有する場合もある. 頭蓋結合はその結合状況によって軸位，回転方向で無限の組み合わせがあるが，垂直型頭蓋結合は，互いの顔の向いている方向から，タイプ１は同じ方向を向いている，タイプ２は反対の方向を向いている，タイプ３は90°違う方向を向いている，に分類する).

c. occipitalis 後頭頭蓋結合体（頭蓋の後頭部が結合している接着双生児). =iniopagus.

c. parasiticus 寄生頭蓋結合体（一方の胎児が形成不全で，他方の寄生体となっている頭蓋結合体の一種. →epicomus).

cra·ni·op·a·thy (krā′nē-op′ă-thē) [cranio- + G. *pathos*, suffering]. 頭蓋骨障害，頭蓋骨症（頭蓋骨の病的状態の総称).

metabolic c. 代謝性頭蓋骨障害. =Morgagni *syndrome*.

cra·ni·o·pha·ryn·ge·al (krā′nē-ō-fă-rin′jē-ăl). 頭蓋咽頭の（頭蓋と咽頭に関する).

cra·ni·o·pha·ryn·gi·o·ma (krā′nē-ō-fă-rin′jē-ō′mă) [cranio- + pharyngio- + -oma]. 頭蓋咽頭腫，クラニオファリンジオーム（嚢胞性のことがある鞍上部新生物で，下垂体憩室由来の上皮巣から発生する. 組織学的には，エナメル上皮腫と似ており，放射状に配列した細胞に縁どられた扁平上皮細胞の集簇よりなる. しばしば石灰化を伴い，鏡検上，ときに乳頭状構造をしている). =Erdheim tumor; pituitary adamantinoma; pituitary ameloblastoma; Rathke pouch tumor; suprasellar cyst.

ameloblastomatous c. エナメル芽細胞腫様頭蓋咽頭腫（エナメル芽細胞腫に類似した頭蓋咽頭腫).

cystic papillomatous c. 嚢胞性乳頭腫様頭蓋咽頭腫（大きな嚢胞の中に層状扁平上皮が菌上に発生し不規則に増殖するのを特徴とする).

cra·ni·o·phore (krā′nē-ō-fōr) [cranio- + G. *phoros*, bearing]. 頭蓋支持器（頭蓋の諸径および角度を測定する際の頭蓋支持器).

cra·ni·o·plas·ty (krā′nē-ō-plas′tē) [cranio- + G. *plastos*, formed]. 頭蓋形成術（先天的または後天的な頭蓋骨欠損を補正する手術で，骨切術や骨切除術が含まれる骨（移植）片やアロプラスト（人工的な材料）を用いる).

cra·ni·o·punc·ture (krā′nē-ō-pŭnk′chūr). 頭蓋穿刺（探査的な目的で脳を穿刺すること).

cra·ni·or·rha·chid·i·an (krā′nē-ōr-ră-kid′ē-an) [cranio- + G. *rhachis*, spine]. =craniospinal.

cra·ni·or·rha·chis·chi·sis (krā′nē-ō-ră-kis′ki-sis) [cranio- + G. *rhachis*, spine + *schisis*, a cleaving]. 頭蓋脊椎披裂（高度の先天性奇形で，頭蓋骨と脊柱の閉鎖不全が認められる).

cra·ni·o·sa·cral (krā′nē-ō-sā′krăl). 脳仙髄の（自律神経系の中の副交感神経系の出発点を脳および仙髄とするという意味についていう).

cra・ni・os・chi・sis (krā′nē-os′ki-sis) [cranio- + G. *schisis*, a cleavage]. 頭蓋〔披〕裂，二分頭蓋（頭蓋骨閉鎖が不完全な先天奇形．通常，脳の全面的発育不全を伴う）．

cra・ni・o・scle・ro・sis (krā′nē-ō-sklĕr-ō′sis) [cranio- + G. *sklēros*, hard + *-osis*, condition]. 頭蓋骨硬化〔症〕（頭蓋の肥厚）．

cra・ni・os・co・py (krā′nē-os′kŏ-pē) [cranio- + G. *skopeō*, to view]. 頭蓋診察，頭蓋観察（頭蓋計測あるいは診断を目的として生体に行う頭蓋の検診）．

cra・ni・o・spi・nal (krā′nē-ō-spī′năl). 頭蓋脊椎の（頭蓋骨と脊柱に関する）．＝craniorrhachidian.

cra・ni・o・ste・no・sis (krā′nē-ō-sten-ō′sis) [cranio- + G. *stenōsis*, a narrowing]. 狭〔小〕頭〔蓋〕症，狭頭〔症〕（頭蓋の早期縫合で，頭蓋の奇形を生じる）．

cra・ni・os・to・sis (krā′nē-os-tō′sis) [cranio- + G. *osteon*, a bone + *-osis*, condition]. 頭蓋縫合早期骨化．＝craniosynostosis.

cra・ni・o・syn・os・to・sis (krā′nē-ō-sin′os-tō′sis) [MIM *218500]. 頭蓋骨癒合〔症〕（通常より早期に頭蓋骨化し縫合が癒合すること．特定の縫合が癒合すると，それに伴い特有な頭蓋の変形をきたす）．＝craniostosis.

cra・ni・o・ta・bes (krā′nē-ō-tā′bēz) [cranio- + L. *tabes*, a wasting]. 頭蓋ろう（頭蓋骨の部分的な菲薄化および軟化，また縫合や泉門の開大の存在を特徴とする疾患で，通常，梅毒あるいはくる病に起因する）．＝circumscribed craniomalacia.

cra・ni・o・tome (krā′nē-ō-tōm′). 開頭器（以前，胎児の頭骨を穿孔，粉砕するのに用いられた器具）．

cra・ni・ot・o・my (krā′nē-ot′ō-mē) [cranio- + G. *tomē*, incision]. 開頭〔術〕（①結合開頭術．②自然分娩が不可能な際，胎児の頭を穿頭し，内容物を除いて空の頭蓋を押しつぶす，以前行われた手術）．

attached c. 結合開頭〔術〕（頭蓋冠とそれに付着している軟部組織により頭蓋骨片をつくり，頭蓋腔を露出する開頭術）．＝attached cranial section; osteoplastic c.

detached c. 分離開頭〔術〕（軟部組織を剝離して頭蓋骨を切開する手術(開頭術)）．＝detached cranial section.

osteoplastic c. 骨形成開頭〔術〕．＝attached c.

cra・ni・o・to・nos・co・py (krā′nē-ō′tō-nos′kŏ-pē) [cranio- + G. *tonos*, tone + *skopeō*, to examine]. 頭蓋トノスコープ法（頭蓋の聴診による打診法）．

cra・ni・o・try・pe・sis (krā′nē-ō-tri-pē′sis) [cranio- + G. *trypēsis*, a boring]. 開頭〔術〕，頭蓋冠状鋸術（冠状鋸を用いて行う開頭術）．

cra・ni・o・tym・pan・ic (krā′nē-ō-tim-pan′ik). 頭蓋鼓室の（頭蓋と中耳に関する）．

cra・ni・um, pl. cra・ni・a (krā′nē-ŭm, -ă) [Mediev. L. < G. *kranion*][TA]. 頭蓋（頭部の骨格．特に脳を収容する容器をなす部分を神経頭蓋といい，顔面の骨格(内臓頭蓋)とは区別される）．＝skull.

c. bifidum, bifid c. 頭蓋〔披〕裂，二分頭蓋．＝encephalocele.

c. cerebrale, cerebral c. ＝neurocranium.

c. viscerale, visceral c. 顔面頭蓋．＝viscerocranium.

crap・u・lent, crap・u・lous (krap′yū-lent, -lŭs) [L. *crapula*, drunkenness]. 酩酊の（アルコール中毒による酩酊に対してまれに用いる語）．

crash cart (krash kart). 緊急〔蘇生〕用〔器材〕カート（蘇生術が容易に行えるように緊急用の器具や材料を取り揃えて移動できるようにしたもの．除細動，挿管，静脈注射，中心静脈経路のための器具だけでなく，薬剤も含まれる）．

cras・sa・men・tum (kras′ă-men′tŭm) [L. thickness < *crassus*, thick]. ***1*** 血餅（blood *clot* の古語）．***2*** 〔凝〕血塊（coagulum の古語）．

cra・ter (krā′ter). 噴火口，弾孔，クレーター（潰瘍の，通常は中心部にある最もくぼんだ部分）．

cra・ter・i・form (krā-ter′i-fōrm) [L. *crater*, bowl + *forma*, shape]. 噴火口状の（椀あるいは受け皿のようにえぐられた）．

cra・ter・i・za・tion (krā′tĕr-ī-zā′shŭn). ＝saucerization.

craving (krāv′ing). 渇望（物質や行動(例えば，ドラッグ，セックス)をもっともっとと望むこと．多幸的な(あるいはそれ以外の)効果を経験したいという欲望と同様，節制することで起こる離脱の側面を避けたいという欲望からなる）．

craw-craw (kraw′kraw). クロークロー（そう痒性丘疹性の皮疹に対して，アフリカ西部で用いられる語．潰瘍化することもある．糸状虫属 *Onchocerca* が原因となることもある）．

Craw・ford (kraw′fŏrd), Brian H. 20世紀の英国人物理学者．→Stiles-C. *effect*.

craz・ing (krā′zing). ひび，小割れ（歯科において，充塡物，人工歯，義歯床などのプラスチック修復物の表面に現れる小さな割れ目）．

CRD chronic respiratory disease(慢性呼吸器疾患)の略．

cream (krēm) [L. *cremor*, thick juice, broth]. ***1*** クリーム，乳脂，乳皮（牛乳を放置したり遠心分離にかけたりして，牛乳の上層に形成または分離される脂肪層．牛乳とほぼ同量の糖および蛋白を含むが，脂肪は 12—40％多い）．***2*** クリーム（乳脂に似た白っぽい粘稠性の液体）．***3*** クリーム，乳剤（水中油型または油中水型の半固形乳剤．通常，局所的使用に供される）．

cleansing c. クレンジングクリーム（皮膚から汚れや化粧品を落とすのに用いるコールドクリームの一種）．

cold c. コールドクリーム（種々の油およびろう，水を成分とする油中水型乳剤．標準処方のばら香水軟膏は，圧出アーモンド油，ばら香水，鯨ろう，白石ろうおよびホウ酸ナトリウムを成分とする．クレンジングクリームあるいは潤滑クリームとして用いる）．

greaseless c. 非油性クリーム．＝vanishing c.

leukocyte c. 白血球クリーム．＝buffy *coat*.

lubricating c. 潤滑クリーム（コールドクリームの一種．マッサージクリーム，ナイトクリームとして用いる．ラノリンまたはその誘導体を含む）．

vanishing c. バニシングクリーム（カリウム，アンモニウム，ステアリン酸ナトリウムと水からなる水中油型乳剤で，その乳化液中に多少の遊離ステアリン酸を含有する．また，グリセリンのような吸湿成分および少量の脂肪分をも含有する．皮膚をステアリン酸の不可視膜で保護する）．＝greaseless c.

crease (krēs). ひだ，しわ，線（ひだにより形成されるような線または線状のくぼみ．→fold; groove; line）．

digital c. 指の〔屈曲〕ひだ（指の掌側面の指節間関節部位にみられるひだ）．＝digital flexion c.; digital furrow.

digital flexion c. ＝digital c.

ear lobe c. 耳朶ひだ（片側あるいは両側の耳朶に発生する深いひだで，冠動脈心疾患を有する男性に好発する点から注目されている）．

flexion c. 屈曲ひだ（可動関節屈側の皮膚にみられる永続的線条）．

palmar c. 手掌線（およそ中手指節関節より近位に屈曲の結果として手掌にみられる数条のしわ）．

simian c. 猿線（近位と遠位の手掌線が癒合してできた 1 本の横に走る手掌線のこと．ある種のサルにみられる横に走る癒合した手掌線に似ていることからこのようによばれる．Down 症候群によくみられるが，疾病特有の特徴ではなく，正常人の 1％にもみられる）．

Sydney c. (sid′nē). シドニー線（手掌の尺骨側に達する近位横断手掌屈曲線の一変異型で，小児期早期の急性リンパ球性白血病，風疹性胎児障害，および Down 症候群にみられる）．＝Sydney line.

cre・a・ti・nase (krē′ă-tĭ-nās). クレアチナーゼ（クレアチンをサルコシンと尿素に加水分解する際に，触媒として働く酵素）．

cre・a・tine (krē′ă-tēn, -tin). クレアチン；*N*-(aminoiminomethyl)-*N*-methylglycine（尿中ではクレアチンとして存在することもあるが，通常はクレアチニンとして存在する．筋肉中ではクレアチンリン酸として存在する．筋ジストロフィ患者の尿で上昇する）．

c. kinase (**CK**) クレアチンキナーゼ（クレアチンリン酸から ADP へリン酸を転移し，クレアチンと ATP が生成する．可逆的反応を触媒する酵素．筋収縮において重要である．あるアイソザイムが心筋梗塞患者の血漿中で上昇する）．＝c. phosphokinase.

c. phosphate クレアチンリン酸．＝phosphocreatine.

c. phosphokinase (**CPK**) クレアチンホスホキナーゼ．＝

c. kinase.

cre·a·ti·ne·mi·a (krē′ă-ti-nē′mē-ă) [creatine + G. *haima*, blood]. クレアチン血〔症〕(末梢血液中に異常濃度のクレアチンが存在する状態).

cre·at·i·nin·ase (krē-at′i-nin-āz). クレアチニナーゼ (クレアチンからクレアチニンへの転換を触媒するアミドヒドロラーゼ).

cre·at·i·nine (Cr) (krē-at′i-nēn, -nin). クレアチニン ([creatine と混同しないこと]. 尿に含まれ, クレアチン異化の最終生成物. クレアチンの分子内酸無水物を生成するために, クレアチナーゼによるクレアチンリン酸の非酵素的脱リン酸的環化反応により生成される).

cre·at·i·nu·ri·a (krē-at′i-nyū′rē-ă) [creatine + G. *ouron*, urine]. クレアチン尿〔症〕(尿中に排出されるクレアチン量の増加).

Cre·dé (krĕ-dā′), Karl S.F. ドイツ人産科婦人科医, 1819―1892. →C. *methods*.

cre·den·tial·ing (krĭ-den′shal-ing) [*credential*, proof of authenticity < Med. L. *credentialis* < *credo*, to believe, + -ing]. 信頼調査, 資格調査 (制度や計画に参加申し込みをした保険医療提供者の資格の公的な調査).

creep (krēp). クリープ (加えられる力または圧に応じて, 時間とともに増大していく物質や物体のひずみ).

cre·mas·ter (krē-mas′ter) [G. *kremastēr*, a suspender, 複数形は精巣挙筋 < *kremannymi*, to hang]. 精巣挙筋の ([誤った発音 cre′master を避けること]. →cremasteric *fascia*; cremaster *muscle*).

crem·as·ter·ic (krēm′as-ter′ik). 精巣挙筋の, 挙睾筋の.

crem·no·cele (krem′nō-sēl) [G. *krēmnos*, overhanging cliff, labium pudendi + *kēlē*, hernia]. 陰唇ヘルニア (腸管が大陰唇中に突出している疾患).

crem·no·pho·bi·a (krem′nō-fō′bē-ă) [G. *krēmnos*, precipice + *phobos*, fear]. 絶壁恐怖〔症〕(がけや険しい場所に対する病的な恐れ).

cre·na, pl. **cre·nae** (krē′nă, krē′nē) [L. a notch]. 切痕, 裂, 溝 (V字型切開またはそのような切開によってできた空間. 頭蓋縫合において, 反対側の突出部が嵌入するくぼみ).

c. analis [TA]. = intergluteal *cleft*.

c. ani* 殿裂 (intergluteal *cleft* の公式の別名).

c. clunium = intergluteal *cleft*.

c. cordis 室間溝 (①= anterior interventricular *sulcus*. ② = posterior interventricular *sulcus*).

c. interglutealis* intergluteal *cleft* の公式の別名.

cre·nate, cre·nat·ed (krē′nāt, -nā-ted) [L. *crena*, a notch]. 円鋸歯状の, ぎざぎざの (高張溶液中でみられるような萎縮赤血球の外郭線についていう. →crenocyte).

cre·na·tion (krē-nā′shŭn). 円鋸歯形成, 円鋸歯状 (円鋸歯状になる過程あるいは円鋸歯状である状態).

cre·no·cyte (krē′nō-sīt) [L. *crena*, a notch + G. *kytos*, a hollow (cell)]. 金米糖状赤血球, 円鋸歯状赤血球 (辺縁部が鋸歯状, 金米糖状の赤血球).

cre·no·cy·to·sis (krē′nō-sī-tō′sis) [crenocyte + G. *-osis*, condition]. 金米糖状赤血球症, 円鋸歯状赤血球症 (血液中に金米糖状赤血球の存在する疾患).

Cren·o·so·ma vul·pis (krē′nō-sō′mă vŭl′pis) [G. *krēnē*, a (mineral) spring + *sōma*, body; L. *vulpes*, fox]. メタストロンギルス属の肺虫の一種. ヨーロッパ, アジア, 北アメリカのキツネ, オオカミ, イヌ, アライグマ, その他の肉食小動物の気管支に寄生し, 気管支炎を起こす.

cre·oph·a·gy, cre·oph·a·gism (krē-of′ă-jē, krē-of′ă-jizm) [G. *kreas*, flesh + *phagō*, to eat]. 肉食〔主義〕.

cre·o·sol (krē′ō-sol). クレオソール (グアヤクやブナの木タールを蒸留して得られる, やや黄色みを帯びた芳香性液体. クレオソートの成分. *cf.* cresol).

cre·o·sote (krē′ō-sōt) [G. *kreas*, flesh + *sōtēr*, preserver]. クレオソート (木タールの蒸留過程で得られるフェノール類 (主としてグアヤコール, メチルグアヤコール, クレオソール)の混合物. 原料としてブナの木由来のフェノール類が適している. 殺菌, 材木防腐剤として用いる).

crep·i·tant (krep′i-tant). ***1*** 〖adj.〗 捻髪音の, 軋音の, 関節摩擦音の (捻髪音に関わる, あるいは特徴づけられる). ***2*** 〖adj.〗 捻髪音の (肺組織内の液体に空気がはいることで生じる細かな水泡音(ラ音)をさす. 肺炎その他の特定の状態下で聞こえる). ***3*** 〖n.〗 皮下組織中のガスまたは空気が触診する指に伝える感覚.

crep·i·ta·tion (krep′i-tā′shŭn) [→crepitus]. = crepitus (1). ***1*** 捻髪音 (ぱちぱち音. 指の間で毛髪をこする際に聞かれる音に似た細かい水泡音(ラ音)). ***2*** 軋音 (骨折端が動く際の部位, あるいはガス壊疽が存在する組織の上に手を置いたときの感覚). = bony crepitus. ***3*** 関節摩擦音 (関節炎やその他の状態で, 骨あるいは不整変性軟骨面がこすれることで生じる音または振動).

crep·i·tus (krep′i-tŭs) [L. < *crepo*, to rattle]. [誤ったつづりまたは発音 crepitance を避けること]. ***1*** = crepitation. ***2*** 腸内ガスの有音性放出を表す現在では用いられない語.

articular c. 関節摩擦音 (しばしば変形関節症に伴う).

bony c. 骨性軋音. = crepitation (2).

cres·cent (kres′ent) [L. *cresco*, pp. *cretus*, to grow]. ***1*** 半月形. ***2*** 脊髄半月 (脊髄の横断面上の灰白色円柱あるいは灰白角により形づくられる像). ***3*** 半月体. = malarial c.

articular c. 関節半月. = meniscus *lens*.

Giannuzzi c.'s (jah-nūt′zē). ジャンヌッチ半月. = serous *demilunes*.

glomerular c. 糸球体半月 (腎糸球体の周囲に部分的に増殖した上皮細胞. 糸球体腎炎にみられる).

Heidenhain c.'s (hī′dĕn-hān). ハイデンハイン半月. = serous *demilunes*.

malarial c. 半月体 (熱帯熱マラリア原虫 *Plasmodium falciparum* の雌雄の生殖母体細胞. ヒトの赤血球中の半月体は熱帯マラリアの診断材料となる). = crescent (3); sickle form.

myopic c. 近視性半月 (強膜がみえるほど脈絡膜が萎縮し, そのため視神経乳頭の側頭側に位置する眼底に現れる白色または灰白色の半月形斑). = myopic conus.

sublingual c. 舌下半月 (下顎骨の頬側と, これに隣接する口腔底の一部により形成される, 口腔底の半月状の領域).

cres·cen·tic (kres-sen′tik). 半月形の, 三日月形の.

cres·co·graph (kres′kō-graf) [L. *cresco*, to grow + G. *graphō*, to draw or write]. 発育描画器 (生長度や生長率の記録用装置).

cre·sol (krē′sol). クレゾール (コールタールから得られる *o*-, *m*-, *p*-クレゾールの3異性体のメチルフェノールの混合物. 特性はフェノールのそれに似ているが, 毒性は弱い. 防腐薬, 殺菌薬として用いる). = tricresol.

***m*-cre·sol** (krē′sol). *m*-クレゾール (フェノールよりも殺菌力は強く, 組織への毒性は弱い局所消毒薬. 殺菌薬, 燻蒸剤として用いる. アセテート誘導体は典型的な防腐薬, 殺真菌薬として用いられる). = metacresol.

cre·so·lase (krē′sō-lās). クレゾラーゼ. = monophenol monooxygenase (1).

cre·sol red (krē′sol red). クレゾール赤 (p*K* 値 8.3 における酸－塩基指示薬. pH7.4 以下では黄色, 9 以上で赤色を呈する).

CREST (krest) [TA]. クレスト (*c*alcinosis(石灰沈着症), *R*eynaud phenomenon(レイノー現象), *e*sophageal motility disorders(食道運動低下), *s*clerodactyly(強指症), および *t*elangiectasia(毛細血管拡張症)を表す頭字語. →CREST *syndrome*).

CREST

crest (krest) [L. *crista*][TA]. = crista [TA]. ***1*** 稜 (特に骨の稜. →crista). ***2*** 首筋 (雄の動物, 特に種ウマや種ウシの頸部の隆線). ***3*** 冠毛, 鰭条(ひれすじ) (鳥の頭頂の羽. 魚の頭部上の鰭条).

acoustic c. = ampullary c.

alveolar c. 歯槽頂 (①歯槽窩周囲における, 隣接面間に広がる歯槽骨の部分. ②残存の歯槽骨の頂上).

c. of alveolar ridge 歯槽堤稜 (歯槽堤の最も高くなったところ. その連続した表面だが, 必ずしも歯槽堤の中央とは限らない).

ampullary c. [TA]. 膨大部稜 (各半規管の膨大部の内表

面の隆起．前庭神経の細線維がこの膨大部稜を通って表面の毛細胞に達する．毛細胞は，ゼラチン状の蛋白－多糖体物質のクプラを頂部にもっている．→*neuroepithelium* of ampullary crest)．＝crista ampullaris [TA]; acoustic c.; transverse septum (1).

ampullary c. (**of semicircular ducts**) [TA]．膨大部稜（耳の半規管膨大部の中にある半月形の堤防状の高まりで，感覚上皮と神経線維・結合組織からなる)．＝crista ampullaris (ductuum semicircularium) [TA].

anterior lacrimal c. [TA]．前涙嚢稜（眼窩の内側縁の一部を形成している上顎骨の前頭突起の側面にある垂直な隆起)．＝crista lacrimalis anterior [TA].

arched c. 弓状稜．＝arcuate c. of arytenoid cartilage.

arcuate c. 弓状稜．＝arcuate c. of arytenoid cartilage.

arcuate c. of arytenoid cartilage [TA]．披裂軟骨の弓状稜（三角窩と楕円窩を隔てる披裂軟骨の前面上の稜)．＝crista arcuata cartilaginis arytenoideae [TA]; arched c.; arcuate c.

articular c. ＝intermediate sacral c.

basal c. of cochlear duct [TA]．〔蝸牛管の〕基底稜（ラセン靱帯の中央部からの鋭い延長で，そこから基底板が続いて出る)．＝crista basalaris ductus cochlearis [TA]; crista spiralis ductus cochlearis*; spiral c. of cochlear duct*.

basilar c. of cochlear duct〔蝸牛管の〕基底稜（蝸牛管のラセン靱帯の内側に向かう突起で，蝸牛管底を形成する基底板に接している)．＝crista basilaris ductus cochlearis [TA].

c. of body of rib [TA]．肋骨体稜（肋骨体の鋭い下縁)．＝crista corporis costae [TA].

buccinator c. 頬筋稜（下顎の筋突起基部から第三大臼歯の辺りに走る隆線で，頬筋の下顎骨起始部が付着する)．＝crista buccinatoria.

c. of cochlear opening 蝸牛窓稜．＝c. of round window.

conchal c. [TA]．鼻甲介稜（下鼻甲介と関節し，その支えとなっている骨稜．→conchal c. of body of maxilla; conchal c. of palatine bone)．＝crista conchalis [TA]; turbinated c.

conchal c. of body of maxilla [TA]．上顎骨鼻甲介稜（下鼻甲介と関節結合をなす上顎骨の鼻腔面の隆起)．＝crista conchalis corporis maxillae [TA].

conchal c. of palatine bone [TA]．口蓋骨鼻甲介稜（下鼻甲介が結合する口蓋骨の鉛直板の鼻腔面の隆起)．＝crista conchalis ossis palatini [TA].

deltoid c. 三角筋粗面．＝deltoid *tuberosity* (of humerus).

dental c. 歯稜（胎児の上顎骨の歯槽突起上の隆線)．＝crista dentalis.

ethmoidal c. [TA]．篩骨稜（篩骨，特に中鼻甲介と関節し，その支えとなっている骨稜．→ethmoidal c. of maxilla; ethmoidal c. of palatine bone)．＝crista ethmoidalis [TA].

ethmoidal c. of maxilla [TA]．上顎骨篩骨稜（中鼻甲介の前部が結合する上顎骨の前頭突起の鼻腔面上方の稜)．＝crista ethmoidalis maxillae [TA].

ethmoidal c. of palatine bone [TA]．口蓋骨篩骨稜（中鼻甲介が後方より結合する口蓋骨の鉛直板の内側面高位にある稜)．＝crista ethmoidalis ossis palatini [TA].

external occipital c. [TA]．外後頭稜（外後頭隆起から大後頭孔の境界に至る隆起)．＝crista occipitalis externa [TA]; linea nuchae mediana.

falciform c. 鎌状稜．＝transverse c. of internal acoustic meatus.

c. of fenestrae cochleae ＝c. of round window.

frontal c. [TA]．前頭稜（盲孔に始まり，前頭骨内面を上行して上矢状洞溝の起始部に至る稜)．＝crista frontalis [TA].

ganglionic c. ＝neural c.

gingival c. 歯肉縁．＝gingival *margin*.

gluteal c. ＝gluteal *tuberosity*.

c. of greater tubercle [TA]．大結節稜（大胸筋が停止する上腕骨大結節の下方にある稜)．＝crista tuberculi majoris [TA]; bicipital ridges; pectoral ridge.

c. of head of rib [TA]．肋骨頭稜（肋骨頭の上下の関節面を隔てる隆起)．＝crista capitis costae [TA].

iliac c. [TA]．腸骨稜（腸骨翼の長い，彎曲した上縁)．＝crista iliaca [TA].

incisor c. 切歯稜（上顎骨口蓋突起の鼻稜の前部).

infratemporal c. of greater wing of sphenoid [TA]．蝶形骨大翼の側頭下稜（蝶形骨大翼の側頭面と側頭下面を結ぶ角をなすしばしば粗い隆起)．＝crista infratemporalis alaris majoris ossis sphenoidalis [TA]; pterygoid ridge of sphenoid bone.

inguinal c. 鼡径稜（鼡径管の内口における胚の体壁の隆起．ここで精巣導体の一部が発達する).

intermediate sacral c. [TA]．中間仙骨稜（全仙椎の関節突起の癒合により形成される稜)．＝crista sacralis medialis [TA]; articular c.; crista sacralis intermedia.

internal occipital c. [TA]．内後頭稜（内後頭隆起から大後頭孔の後縁に至る，小脳鎌の付着する隆起)．＝crista occipitalis interna [TA].

interosseous c. 骨間稜．＝interosseous *border*.

intertrochanteric c. [TA]．転子間稜（大腿骨の大転子から小転子まで続いている丸い隆起．大腿骨の頸部と骨幹の連結部を示す)．＝crista intertrochanterica [TA]; trochanteric c.

interureteric c. [TA]．尿管間ひだ（一側の尿管開口部から他側の尿管開口部にのびる膀胱の粘膜ひだ)．＝plica interureterica [TA]; bar of bladder; interureteric fold; Mercier bar; plica ureterica; torus uretericus; ureteric fold.

lateral epicondylar c. 外側上顆稜．＝lateral supraepicondylar *ridge*.

lateral sacral c. [TA]．外側仙骨稜（仙骨孔の外側にある粗な隆起で，全仙椎の癒合した横突起を示す稜)．＝crista sacralis lateralis [TA].

lateral supracondylar c. 外側上顆稜．＝lateral supraepicondylar *ridge*.

c. of lesser tubercle [TA]．小結節稜（大円筋が停止する上腕骨小結節の下方にある稜)．＝crista tuberculi minoris [TA]; bicipital ridges.

mammary c.'s 乳腺提（肢芽の基部で両側性の外胚葉の肥厚した帯．乳腺原基を形成する胸部で最も明瞭で，通常，他は消失する)．＝mammary fold; mammary ridge; milk line; milk ridge.

marginal c. of tooth [TA]．〔歯の〕辺縁隆線．＝marginal *ridge*.

medial epicondylar c. ＝medial supraepicondylar *ridge*.

medial c. of fibula [TA]．内側稜（腓骨の後面の骨の隆起で，後脛骨筋を長母趾屈筋，ヒラメ筋より分ける)．＝crista medialis fibulae [TA].

medial supracondylar c. 内側上顆稜．＝medial supraepicondylar *ridge*.

median sacral c. [TA]．正中仙骨稜（上位4つの仙椎の癒合した棘突起により形成される，対になっていない稜)．＝crista sacralis mediana [TA].

c.'s of nail bed ＝c.'s of nail matrix.

c.'s of nail matrix 爪床小稜（爪半月の遠位にある爪床の無数の縦の隆起)．＝crests of nail bed; cristae matricis unguis.

nasal c. [TA]．鼻稜（鼻腔の床の中央にある隆起．1対の上顎骨と口蓋骨の結合により形成される．鋤骨がこの稜に接する)．＝crista nasalis [TA]; semicrista incisiva.

nasal c. of horizontal plate of palatine bone [TA]．口蓋骨水平板の鼻稜（左右の口蓋骨水平板が正中で結合するところで，上方へ隆起する部分で鼻中隔が付着する)．＝crista nasalis laminae horizontalis ossis palatini [TA].

nasal c. of palatine process of maxilla [TA]．上顎骨口蓋突起の鼻稜（左右の上顎骨口蓋突起が正中で結合するところで，上方へ隆起する部分で鼻中隔が付着する)．＝crista nasalis processus palatini maxillae [TA].

c. of neck of rib [TA]．肋骨頸稜（肋骨頸の鋭い上縁)．＝crista colli costae [TA].

neural c. 神経堤（神経ひだまたは神経管の背面から発生する神経外胚葉細胞．これらの細胞は神経管や神経ひだを離れて，後根神経節細胞，自律神経節細胞，副腎髄質クロム親和性細胞，神経鞘細胞(Schwann 細胞)，第五・第九・第十知覚神経節細胞，外皮色素細胞など種々の細胞型に分化する)．＝ganglion ridge; ganglionic c.

C

obturator c. [TA]. 閉鎖稜（恥骨結節から寛骨臼切痕に至る隆起. 股関節の恥骨大腿靱帯が付着する）. ＝crista obturatoria [TA].

c. of palatine bone, palatine c. 口蓋稜. ＝palatine c. of horizontal process of palatine bone.

palatine c. of horizontal process of palatine bone [TA]. 口蓋稜（口蓋骨の後縁の近くの横走隆起. 口蓋骨水平板の下面に位置する）. ＝crista palatina laminae horizontalis ossis palatini [TA]; c. of palatine bone; palatine c.; crista palatina.

c. of petrous part of temporal bone ＝superior *border* of petrous part of temporal bone.

c. of petrous temporal bone ＝superior *border* of petrous part of temporal bone.

posterior lacrimal c. [TA]. 後涙嚢稜（前涙嚢稜とともに，涙嚢窩をなす涙骨の眼窩面上の垂直な隆起）. ＝crista lacrimalis posterior [TA].

pubic c. [TA]. 恥骨稜（恥骨体の粗な前縁. 外側は恥骨結節に連続する）. ＝crista pubica [TA].

c. of round window [TA]. 蝸牛窓稜（第二鼓膜が付着する蝸牛窓の開口部の縁）. ＝crista fenestrae cochleae [TA]; c. of cochlear opening; c. of fenestrae cochleae.

sacral c. [TA]. 仙骨稜（仙骨の後面にある，粗な不定形の３つの隆起. 正中仙骨稜，外側仙骨稜）. ＝crista sacralis [TA].

sagittal c. 矢状稜（ある種の動物の側頭筋が発達した結果，頭蓋の矢状縫合に沿って生じた顕著な骨の隆起）.

c. of scapular spine 肩甲棘稜（皮下に触れる肩甲棘の後縁で，その内側部は平坦な三角面となる）.

sphenoidal c. [TA]. 蝶形骨稜（蝶形骨の前面中央にある垂直線. 篩骨の垂直板と関節をなす）. ＝crista sphenoidalis [TA].

spiral c. ＝spiral *ligament* of cochlear duct.

spiral c. of cochlear duct* basal c. of cochlear duct の公式の別名.

c. of supinator muscle〔尺骨の〕回外筋稜. ＝supinator c. (of ulna).

supinator c. (of ulna) [TA]. 〔尺骨の〕回外筋稜（尺骨骨間縁の近位部で，そこから回外筋の一部が起始している）. ＝crista musculi supinatoris ulnae [TA]; c. of supinator muscle.

supramastoid c. [TA]. 乳突上稜（側頭骨頬骨突起の後方基部にみられる稜）. ＝crista supramastoidea [TA].

suprastyloid c. of radius [TA]. 橈骨の茎状突起上稜（橈骨の遠位で，外側縁が茎状突起にまで続く部分で腕橈骨筋が付着する）. ＝crista suprastyloidea radii [TA].

supraventricular c. [TA]. 室上稜（動脈円錐を心臓の右心室の他の部分と分けている内面にある筋層の隆起）. ＝crista supraventricularis [TA].

temporal c. of mandible [TA]. 下顎骨の側頭筋稜（下顎骨の筋突起と下顎枝上部の前内側面にみられる稜状の高まりで，側頭筋が停止する部分）. ＝crista temporalis mandibulae [TA].

terminal c. 分界稜. ＝*crista* terminalis of right atrium.

tibial c. ＝anterior *border* of tibia.

tracheoesophageal c. 気管食道稜. ＝tracheoesophageal *fold*.

transverse c. *1* ＝transverse c. of internal acoustic meatus. *2* ＝*crista* transversalis.

transverse c. of internal acoustic meatus [TA]. 内耳道横稜（内耳道底を上部と下部に分けている水平隆起. 上部には顔面神経管の内方開口部および卵形嚢，前・外側半規管膨大部に達する前庭神経分枝の開口部とがある. 下部には蝸牛神経の開口部および球形嚢，後半規管膨大部に達する前庭神経分枝の開口部とがある）. ＝crista transversa meatus acustici interni [TA]; falciform c.; transverse c. (1).

triangular c. 三角隆線. ＝*crista* triangularis.

trigeminal c. 三叉神経稜（神経堤の一部で，三叉神経の神経節部分がそこから発達する）.

trochanteric c. ＝intertrochanteric c.

turbinated c. ＝conchal c.

urethral c. [TA]. 尿道稜（尿道の背側壁に縦走する粘膜のひだ. →urethral c. of female; urethral c. of male）. ＝crista urethralis [TA].

urethral c. of female [TA]. 女の尿道稜（女性の尿道後壁にある粘膜の縦のひだ）. ＝crista urethralis femininae [TA].

urethral c. of male [TA]. 男の尿道稜（男性で膀胱垂から尿道前立腺部に至る尿道後壁を縦走するひだ. 中央に精丘がある）. ＝crista urethralis masculinae [TA]; crista phallica.

vertical c. of internal acoustic meatus [TA]. 内耳道の垂直稜（内耳道の床にある低い稜状隆起で，横稜より上方では上前庭野と顔面神経野を境し，横稜より下方では下前庭野と蝸牛神経野とを境する）. ＝crista verticalis meatus acustici interni [TA].

vestibular c. [TA]. 前庭稜（迷路前庭の内壁上の斜走する稜. 上後方にて球形嚢陥凹と境界する）. ＝crista vestibuli [TA]; c. of vestibule.

c. of vestibule ＝vestibular c.

vomerine c. of choana [TA]. 後鼻孔の鋤骨稜（鋤骨の陥凹した後縁で，呼吸上皮とともに内側縁を形成し左右後鼻孔を分けている）. ＝crista choanalis vomeris [TA].

---

cres·ta (kres′tă) [L. *crispus*, trembling]. ある種の鞭毛原虫類に特有の小さな膜性細胞器官. ペルタ pelta の付近に位置し，生きている虫体内では独立の運動性構造としてみえる.

cres·yl blue, cres·yl blue bril·liant (kres′il brĭl-yent) [C.I. 51010]. クレシルブルー，ブリリアントクレシルブルー（幼若赤血球の細網(網状赤血球)を染色する塩基性オキサジン染料. 生体染色に用いる. 胃表面の上皮ムチンおよび他の酸性ムコ多糖類の選択染色にも用いる）.

cres·yl echt, cres·yl fast vi·o·let (kres′il ekt, fast vī′ō-let). クレシルバイオレット（異染性塩基性オキサジン染料. 酢酸クレシルバイオレットとよく類似しており，同じ目的に用いる. →cresyl violet acetate）.

cres·yl vi·o·let ac·e·tate (kres′il vī′ō-let as′e-tāt). 酢酸クレシルバイオレット（異染性塩基性オキサジン染料. 核，Nissl 物質の染色に用いる. cresyl echt violet, cresyl fast violet としても知られるドイツ系染料. →cresyl echt violet *stain*）.

cre·ta (krē′tă) [L. orig. adj. < *Creta*, Crete, i.e. Cretan earth, chalk]. 白亜. ＝*calcium* carbonate.

cre·tin (kreh′tin, krē′tin) [Fr. *crétin*]. *1* クレチン病の症状を示す患者を表す現在では用いられない語. *2* 先天性甲状腺機能低下症の人を表す現在では用いられない語.

cre·tin·ism (kreh′tin-izm). クレチン病（congenital *hypothyroidism* を表す現在では用いられない語. →infantile *hypothyroidism*）.

cre·tin·is·tic (kreh′tin-is′tik). ＝cretinous.

cre·tin·oid (kreh′tin-oyd). クレチン病患者様の.

cre·tin·ous (kreh′tin-ŭs). クレチン病の，クレチン病患者の，クレチン病にかかっている. ＝cretinistic.

Creutz·feldt (kroytz′fĕlt), Hans Gerhard. ドイツ人神経精神科医，1885—1964. →C.-Jakob *disease*.

crev·ice (krev′is) [Fr. *crevasse*]. 間隙，凹部（特に個体におけるひび割れ，あるいは小さな裂溝）.

gingival c. 歯肉溝. ＝gingival *sulcus*.

cre·vic·u·lar (krĕ-vik′yū-lăr). 間隙の，凹部の（①間隙あるいは凹部に関する. ②歯科において，特に歯肉溝に関する）.

CRF corticotropin-releasing *factor* の略.

CRH corticotropin-releasing *hormone* の略.

crib·ra (krib′ră). cribrum の複数形.

crib·rate (krib′rāt). ＝cribriform.

cri·bra·tion (kri-brā′shŭn). *1* 篩(ふるい)分け. *2* 篩状（無数の孔が開いた状態）.

crib·ri·form (krib′ri-fōrm) [L. *cribrum*, a sieve＋*forma*, form][TA]. 篩状の，有孔の（多数の穿孔のある）. ＝cribrate; polyporous.

cri·brum, pl. crib·ra (krī′brŭm, krib′rŭm; krib′ră) [L. a sieve]. 篩骨篩板. ＝cribriform *plate* of ethmoid bone.

Cri·cet·i·nae (krī-sē′ti-nē). キヌゲネズミ亜科（ネズミ科げ

っ歯類の一亜科で，ハムスター，アメリカ原産のネズミ類を含む）.

Cri·ce·tu·lus (kri-sē′tyū-lŭs). ハムスターの 4 つの属の 1 つ．ヨーロッパおよびアジア原産のチャイニーズハムスター *C. griseus* は，内臓リーシュマニア症の保有宿主である．

Cri·ce·tus (kri-sē′tŭs). ハムスターの 4 つの属の 1 つ．ヨーロッパハムスター *C. cricetus* は広く実験動物として用いる．

Crick (krik), Francis H.C. 英国人生化学者・ノーベル賞受賞者，1916—2004. ⇀Watson-C. *helix*.

cri·co·ar·y·te·noid (krī′kō-ar′i-tē′noyd). 輪状披裂の（輪状軟骨および披裂軟骨に関する）.

cri·co·ar·y·te·noi·de·us (krī′kō-ar′i-te-noy′dē-ŭs). 輪状披裂筋（⇀lateral cricoarytenoid (*muscle*); posterior cricoarytenoid (*muscle*)）.

cricohyoidoepiglottopexy (**CHEP**) (krī′kō-hī-oyd′ō-ep-i-glot′ō-pek-sē). 輪状舌骨喉頭蓋固定術（癌の外科的摘出後に喉頭機能を修復し回復するための手術．喉頭蓋と舌骨を輪状軟骨に固定する）.

cricohyoidopexy (**CHP**) (krī′kō-hī-oyd′ō-pek′sē). 輪状舌骨固定術（癌の外科的摘出後に喉頭機能を修復し回復するための手術．舌骨を輪状軟骨に固定する）.

cri·coid (krī′koyd) [L. *cricoideus* < G. *krikos*, a ring + *eidos*, form]. 輪状の，環状の（輪状軟骨についていう）.

cri·coi·dyn·i·a (krī′koy-din′ē-ă) [cricoid + G. *odynē*, pain]. 輪状軟骨痛.

cri·co·pha·ryn·ge·al (krī′kō-fă-rin′jē-ăl). 輪状咽頭の（輪状軟骨と咽頭に関する．下咽頭収縮筋の一部. ⇀inferior constrictor (*muscle*) of pharynx）.

cri·co·thy·roid (krī′kō-thī′royd). 輪状甲状の（輪状軟骨および甲状軟骨に関する）.

cri·co·thy·roi·de·us (krī-kō-thī-roy′dē-ŭs). 輪状甲状筋（⇀cricothyroid *muscle*）.

cri·co·thy·roi·dot·o·my (krī′kō-thī′roy-dot′ō-mē). 輪状甲状軟骨切開〔術〕. = cricothyrotomy.

cri·co·thy·rot·o·my (krī′kō-thī-rot′ō-mē) [cricoid + thyroid + G. *tomē*, incision]. 輪状甲状膜切開〔術〕（呼吸障害緩和のために行う皮膚および輪状甲状膜の切開．緊急呼吸障害においては，気管切開に先行する処置あるいは気管切開の代用として行われる. →coniotomy）. = cricothyroidotomy; inferior laryngotomy; intercricothyrotomy.

cri·cot·o·my (krī-kot′ō-mē) [cricoid + G. *tomē*, incision]. 輪状軟骨切開〔術〕（声門下気道を拡大するために輪状軟骨を切開し，分割させる手術）.

Crig·ler (krig′lĕr), John F. 20世紀の米国人医師. ⇀C.-Najjar *disease*, *syndrome*.

Crile (krīl), George W. 米国人外科医，1864—1943. ⇀C. *clamp*.

crim·i·nol·o·gy (krim-i-nol′ō-jē) [L. *crimen*, crime + G. *logos*, study]. 犯罪学（犯罪者の心身の特徴や行動を対象とする科学の分野）.

crin·in (krin′in) [G. *krinō*, to secrete + -in]. クリニン（腺分泌促進物の古語）.

crin·o·gen·ic (krin′ō-jen′ik) [G. *krinō*, to separate + *-gen*, to produce]. 分泌促進性の（腺を刺激してその機能を亢進させる）.

crin·oph·a·gy (krin-of′ă-jē). クリノファージ（リソソームによる過剰分泌顆粒の排出）.

crip·pled (krip′ild) [A.S. *creopan*, to creep]. 肢体不自由〔の〕（身体的欠損または身体の傷害により部分的または完全に不具になった人を示す）.

cri·sis, pl. **cri·ses** (krī′sis, -sēz) [G. *krisis*, a separation, crisis]. 発症，分利，クリーゼ（①急性疾患の経過において，その症状が徐々に減退する渙散 lysis とは対照的に，急激に変化すること．通常は快方への変化．②脊髄ろう性神経梅毒において，器官あるいは体の限局部分に発作的に起こる疼痛. = tabetic c. ③痙攣性発作）.

addisonian c. アディソン（アジソン）〔病〕発症，アディソン（アジソン）〔病〕クリーゼ. = acute adrenocortical *insufficiency*.

adolescent c. 青年期危機（青年期によく起こる情緒的な混乱）.

adrenal c. 副腎発症，副腎クリーゼ. = acute adrenocortical *insufficiency*.

anaphylactoid c. アナフィラキシー様発症，アナフィラキシー様クリーゼ（① = anaphylactoid *shock*. ② = pseudoanaphylaxis）.

blast c. 急性転化（白血病患者の病態が急激に変化し，末梢血液細胞はほとんど白血病に特有の芽球で占められ，また多くの場合，血液の他の細胞成分の減少，発熱，そして急速な臨床症状の悪化を伴う）.

blood c. 血液分利（①悪性貧血時の "exhausted(低形成)" 骨髄や溶血性黄疸時に，網赤血球増加症を伴って末梢血液中に有核赤血球(赤芽球)が多数出現すること．②白血球増加症が突然現れることで，重症血液疾患が快方へ向かっていることを意味する）.

Dietl c. (dē′til). ディエトル発症，ディエトルクリーゼ（近位部尿管の間欠的閉塞により起こる．ときに悪心，嘔吐を伴う間欠的疼痛．本来は遊走腎が体位の変化により，捻転することによって生じると考えられる）. = incarceration symptom.

febrile c. 熱分利（熱性疾患で，自然に急速な解熱が起こる時期）.

gastric c. 胃発症，胃クリーゼ（腹や腰の周りに激痛が，通常，数日間持続して起こること．悪心，嘔吐，ときに下痢を伴う．脊髄ろう性神経梅毒に起こる）.

glaucomatocyclitic c. 緑内障毛様体炎発症（単眼の二次性開放隅角緑内障の一型で，再発性の軽い毛様体炎に起因する）.

hemolytic c. 溶血発作（大量の溶血で鎌状赤血球症のような溶血性疾患に伴う重篤な貧血）.

identity c. 同一性危機（自意識，価値，および社会における自分の役割に関する見当識障害．しばしば急性発症し，生活に特殊な，重大な出来事が起こったときに現れる）.

laryngeal c. 喉頭発症，喉頭クリーゼ（呼吸困難や騒々しい呼吸を伴う喉頭の外転筋の麻痺あるいは痙攣の発作が起こること．脊髄ろう性神経梅毒のときにみられる）.

midlife c. 中年の危機（一連の出来事が重なって生じる中年の一時期であり，この時期の前後に生じた出来事のもつ特定の傾向が思案されるようになる．一般的にはこの時期に個人的，仕事上，性生活上の不満が集積する）.

myasthenic c. 筋無力症クリーゼ（緊急治療を必要とする，重症筋無力症 *myasthenia* gravis の症状の重篤な，命にかかわる増悪）.

myelocytic c. 骨髄球分利（循環血液中の骨髄球が突然増加すること．一時的であるが，顕著に現れる）.

ocular c. 眼発症，視覚発作（眼に突然激しい痛みが起こること）.

oculogyric crises 注視発症，注視クリーゼ（嗜眠性脳炎とフェニチアジン治療にみられる眼球の上方回転発作）.

otolithic c. 耳石クリーゼ，耳石発症（意識消失，めまい，聴力障害，自律神経症候を伴わない突然の失立発作）.

salt-depletion c. 食塩欠乏性クリーゼ（尿中(食塩喪失性腎炎)や汗(炎天下で激しい運動をしたとき)または消化液中(コレラなど)に大量の食塩が失われたときに生じる重篤な病態．Addison 病や Addison 病クリーゼのときにも生じる．循環体液量の減少と低血圧を特徴とする）.

sickle cell c. 鎌状赤血球発症（⇀sickle cell *anemia*）.

tabetic c. 脊髄ろう発症，脊髄ろうクリーゼ. = crisis (2).

therapeutic c. 治療的転機（精神医学の治療における，快方あるいは悪化への転機）.

thyrotoxic c., thyroid c. 甲状腺クリーゼ，甲状腺急性発症（ショック，傷害，甲状腺切除術後に生じる重篤な甲状腺機能亢進症，甲状腺中毒症の急性増悪．頻脈(140—170/分)，嘔気，下痢，発熱，体重減少，激しい精神不穏状態，基礎代謝率の急激な上昇などを呈する．昏睡になり，死亡することもある．ときに筋肉の過度の活動や頻脈症状がなく，極度の全身倦怠感，衰弱，虚脱の臨床状態を示すこともある）. = thyroid storm.

transient aplastic c. (**TAC**) 一過性骨髄無形成発作（通常はウイルス感染(例えば，パルボウイルス B19)による赤血球造血の一時的な抑制．溶血性貧血(例えば，鎌状赤血球症，サラセミア，遺伝性球状赤血球症など)の患者では特に重症となる）.

vasoocclusive c. 血流閉塞発作（鎌状赤白球貧血の患者に

みられる激痛を伴う発作．→sickle cell *anemia*）．

visceral crises 内臓発症，内臓クリーゼ（脊髄ろう神経梅毒患者に起こる強度の，広がる上腹部痛の発作）．

cris·pa·tion (kris-pā′shŭn) [L. *crispo*, pp. *-atus*, to curl]. ***1*** 攣縮性蟻走感（細い筋肉の線維性収縮によるむずむずする感覚）．***2*** 分割した動脈とか，切断された筋肉線維，その他の組織でみられる退縮．

CRISTA

cris·ta, pl. **cris·tae** (kris′tă, -tē) [L. crest][TA]. 稜．＝crest.

c. ampullaris [TA]. 膨大部稜．＝ampullary *crest*.

c. ampullaris (ductuum semicircularium) [TA]. ＝ampullary *crest* (of semicircular ducts).

c. arcuata cartilaginis arytenoideae [TA]. 弓状稜．＝arcuate *crest* of arytenoid cartilage.

c. basalaris ductus cochlearis [TA]. ＝basal *crest* of cochlear duct.

c. basilaris ductus cochlearis [TA]. 〔蝸牛管の〕基底稜．＝basilar *crest* of cochlear duct.

c. buccinatoria 頬筋稜．＝buccinator *crest*.

c. capitis costae [TA]. 肋骨頭稜．＝*crest* of head of rib.

c. choanalis vomeris [TA]. ＝vomerine *crest* of choana.

c. colli costae [TA]. 肋骨頸稜．＝*crest* of neck of rib.

c. conchalis [TA]. 鼻甲介稜．＝conchal *crest*.

c. conchalis corporis maxillae [TA]. ＝conchal *crest* of body of maxilla.

c. conchalis ossis palatini [TA]. ＝conchal *crest* of palatine bone.

c. corporis costae [TA]. ＝*crest* of body of rib.

cristae cutis [TA]. 皮膚小稜．＝dermal *ridges*.

c. dentalis 歯稜．＝dental *crest*.

c. dividens 分界稜（二次心房中隔の下方遊離縁．胎児の卵円孔の上縁を形成する）．

c. ethmoidalis [TA]. 篩骨稜．＝ethmoidal *crest*.

c. ethmoidalis maxillae [TA]. ＝ethmoidal *crest* of maxilla.

c. ethmoidalis ossis palatini [TA]. ＝ethmoidal *crest* of palatine bone.

c. fenestrae cochleae [TA]. 蝸牛窓稜．＝*crest* of round window.

c. frontalis [TA]. 前頭稜．＝frontal *crest*.

c. galli [L. cockscomb][TA]. 鶏冠（篩骨篩板の正中部から上方にのびる三角形の突起．大脳鎌が付着する）．

c. glutea ＝gluteal *tuberosity*.

c. helicis ＝*crus* of helix.

c. iliaca [TA]. 腸骨稜．＝iliac *crest*.

c. infratemporalis alaris majoris ossis sphenoidalis [TA]. 蝶形骨大翼の側頭下稜．＝infratemporal *crest* of greater wing of sphenoid.

c. intertrochanterica [TA]. 転子間稜．＝intertrochanteric *crest*.

c. lacrimalis anterior [TA]. 前涙嚢稜．＝anterior lacrimal *crest*.

c. lacrimalis posterior [TA]. 後涙嚢稜．＝posterior lacrimal *crest*.

c. marginalis dentis [TA]. 〔歯の〕辺縁隆線．＝marginal *ridge*.

cristae matricis unguis 爪床小稜．＝*crests* of nail matrix.

c. medialis fibulae [TA]. ＝medial *crest* of fibula.

cristae of mitochondria, cristae mitochondriales クリスタ，内板（糸粒体の内膜の棚状ひだ）．

c. musculi supinatoris ulnae [TA]. 〔尺骨の〕回外筋稜．＝supinator *crest* (of ulna).

c. nasalis [TA]. 鼻稜．＝nasal *crest*.

c. nasalis laminae horizontalis ossis palatini [TA]. ＝nasal *crest* of horizontal plate of palatine bone.

c. nasalis processus palatini maxillae [TA]. ＝nasal *crest* of palatine process of maxilla.

c. obliqua coronae dentis [TA]. 斜走隆線．＝oblique *ridge* of crown.

c. obturatoria [TA]. 閉鎖稜．＝obturator *crest*.

c. occipitalis externa [TA]. 外後頭稜．＝external occipital *crest*.

c. occipitalis interna [TA]. 内後頭稜．＝internal occipital *crest*.

c. palatina 口蓋稜．＝palatine *crest* of horizontal process of palatine bone.

c. palatina laminae horizontalis ossis palatini [TA]. ＝palatine *crest* of horizontal process of palatine bone.

c. palatopharyngea [TA]. 口蓋咽頭稜．＝palatopharyngeal *ridge*.

c. phallica ＝urethral *crest* of male.

c. pubica [TA]. 恥骨稜．＝pubic *crest*.

c. quarta 第四稜（迷路の外側半規管の後端に突出する隆起）．

c. sacralis [TA]. 仙骨稜．＝sacral *crest*.

c. sacralis intermedia ＝intermediate sacral *crest*.

c. sacralis lateralis [TA]. ＝lateral sacral *crest*.

c. sacralis medialis [TA]. ＝intermediate sacral *crest*.

c. sacralis mediana [TA]. ＝median sacral *crest*.

c. sphenoidalis [TA]. 蝶形骨稜．＝sphenoidal *crest*.

c. spiralis ラセン稜．＝spiral *ligament* of cochlear duct.

c. spiralis ductus cochlearis* basal *crest* of cochlear duct の公式の別名．

c. supracondylaris lateralis* 外側上顆稜（lateral supraepicondylar *ridge* の公式の別名）．

c. supracondylaris medialis* 内側上顆稜（medial supraepicondylar *ridge* の公式の別名）．

c. supraepicondylaris lateralis [TA]. ＝lateral supraepicondylar *ridge*.

c. supraepicondylaris medialis [TA]. ＝medial supraepicondylar *ridge*.

c. supramastoidea [TA]. 乳突上稜．＝supramastoid *crest*.

c. suprastyloidea radii [TA]. ＝suprastyloid *crest* of radius.

c. supravalvularis aortae [TA]. ＝supravalvular *ridge* of aorta.

c. supravalvularis trunci pulmonalis [TA]. ＝supravalvular *ridge* of pulmonary trunk.

c. supraventricularis [TA]. 室上稜．＝supraventricular *crest*.

c. temporalis mandibulae [TA]. ＝temporal *crest* of mandible.

c. terminalis 分界稜．＝c. terminalis of right atrium.

c. terminalis atrii dextri [TA]. ＝c. terminalis of right atrium.

c. terminalis of right atrium [TA]. 分界稜（右心房内壁の垂直稜．大動脈洞の右にあり右心房の他の部分と分ける）．＝c. terminalis atrii dextri [TA]; c. terminalis; tenia terminalis; terminal crest.

c. transversalis [TA]. 横稜（2個の中心隆線の結合によってできる歯の咬合面の稜または隆起）．＝transverse ridge [TA]; transverse crest (2).

c. transversalis coronae dentis [TA]. 縦走隆線．＝transverse *ridge* of crown.

c. transversa meatus acustici interni [TA]. ＝transverse *crest* of internal acoustic meatus.

c. triangularis [TA]. 三角稜（大臼歯または小臼歯の咬頭の頂から咬合面の中心部へと続く隆起）．＝triangular ridge [TA]; triangular crest.

c. tuberculi majoris [TA]. 大結節稜．＝*crest* of greater tubercle.

c. tuberculi minoris [TA]. 小結節稜．＝*crest* of lesser tubercle.

c. urethralis [TA]. 尿道稜．＝urethral *crest*.

c. urethralis femininae [TA]. ＝urethral *crest* of female.

c. urethralis masculinae [TA]. ＝urethral *crest* of male.

c. verticalis meatus acustici interni [TA]. = vertical *crest* of internal acoustic meatus.

c. vestibuli [TA]. 前庭稜. = vestibular *crest.*

---

cri·te·ri·on, pl. **cri·te·ri·a** (krī-tēr′ē-on, crī-tēr-ē-ă) [G. *kritērion*, a standard]. 診断基準，判定基準（[複数形 criteria を単数名詞として，単数形 criterion を複数名詞として用いないこと]．①一組の基準とか，規則については複数形 criteria を用いる．②心理学において，知能測定や他の行動測定の検査値を評価するときの学校の成績のような基準をいう．③ある患者に診断をくだす際に存在を必要とするある一定数の疾病または障害の発現リスト）．

Amsel criteria (am′sĕl). アムセルの診断基準（細菌性腟症の臨床的診断に用いられる．均質な分泌液，pH 4.8 以上，クルー細胞の存在，分泌液への KOH 滴下でアミン臭を発生する，の 4 項のうち 3 項が認められるときに診断の根拠とする）．

Beers criteria (bērz) [Mark H. *Beers*. 現代の米国人老人病専門医]. ビアズ(ベールズ)基準（65歳以上の患者で服用後に特に有害である薬物の薬理作用群．このような薬物のリストは，最初は1991年に出版され，定期的に老人科の専門家によって修正されている）．

Bird criteria (berd). バード基準（1979 年 Bird らにより定義された原因不明の炎症疾患である多発筋痛リウマチ(PMR)の診断基準．その症状としては，両側肩関節の疼痛や拘縮，2 週間以内の発症，初期赤沈値は 40 mm/ 時以上，1 時間以上の朝のこわばり，65 歳以上，うつ病や体重減少，両側上腕痛がある．これらの所見が 3 つ(またはそれ以上)あれば PMR の疑いがあり，その場合は，PMR としての感度は 92 %，特異性は 80 %である）．

Healy criteria (hē′lē). ヒーリー基準（肩関節，骨盤周囲と頸部の疼痛とこわばりを特徴とする原因不明の炎症性疾患である多発筋痛リウマチの診断確定のために1984 年 Mason クリニックの Healy により定義された臨床診断基準．基準には，頸部，肩関節部，骨盤周囲のうちの 2 か所以上に少なくとも 1 か月以上の持続性疼痛がある，プレドニゾン投与が速効性に有効，骨関節症状を生じうる他の疾患がないこと，年齢は 50 歳以上，赤沈値は 40 mm/ 時以上，よりなる．診断確定にはすべての基準が満たされなければならない）．

Hill c. of evidence (hil). ヒルの基準（疫学研究あるいは他の研究によって導かれた統計的に有意な関連が，因果関係か否かを判定するための一連の疫学的規準．Sir Bradford Hill によって提唱された．一致性，特異性，関連の強固性，用量反応関係，時間性，生物学的妥当性，整合性，実験による検証の可能性からなる．時間性，すなわち推定された原因が結果に先立って起きていることのみが唯一の必要条件である）．

Hunder criteria (hŭn′dĕr). ハンダー基準（原因不明の炎症性疾患である多発筋痛リウマチの診断のために 2000 年 Mayo クリニックの Hunder により定義された基準．基準は，頸部，肩関節部，骨盤周囲のうち 2 か所以上に少なくとも 1 時間以上の持続性疼痛，1 時間以上続く朝のこわばり，プレドニゾンが速効性に有効，筋骨格症状を生じうる他の疾患がないこと，50 歳以上，赤沈値が 40 mm/ 時以上，である．診断確定には上記基準すべてが満たされなければならない）．

Jones criteria (jōnz). ジョーンズ分類（T. D. Jones により1944年に提案され，1965年に修正されたリウマチ熱診断のための分類．心臓炎，多発性関節炎，ヒョレア，有縁性紅斑，および皮下結節の 5 大症状と，熱，関節痛，血沈または CRPの亢進，および心電図上 PR 間隔の延長の小症状を示す．診断にはβ-溶血連鎖状球菌の感染と大症状の 2 項目と小症状の 1 項目，または大症状の 1 項目と小症状の 2 項目を証明する必要がある．改正後の分類には他の理由のない無痛性心臓炎またはヒョレアがある場合，リウマチ熱の既応があり，最近の連鎖状球菌の感染に伴う上記の大症状の 1 つまたは小症状の 2 つがあれば診断が許される）．

Spiegelberg criteria (shpē′gĕl-bĕrg). シュピーゲルベルク判定基準（卵巣妊娠の診断基準．ⓘ罹患側の卵管が無傷である．ⓘⓘ羊膜が卵巣にある．ⓘⓘⓘ羊膜が，卵巣靱帯によって子宮とつながっている．ⓘⓥ卵巣組織が羊膜壁に存在する）．

Cri·thid·i·a (kri-thid′ē-ă) [Mod. L. < G. *krithidion*: *krithē* (barley)の指小辞]. クリチジア属（トリパノソーマ科の無性，単性生殖を行う昆虫寄生の鞭毛虫の一属）．

cri·thid·i·a (kri-thid′ē-ă) [Mod.L. < G. *krithidion*: *krithē* (barley)の指小辞]. クリチジア（epimastigote の旧名）．

crit·i·cal (krit′ĭ-kăl). ***1*** 分利の，発症の．***2*** 臨界の，危険〔的〕な（死の可能性のある危険な状態を示す）．***3*** 予後を左右する不全状態の．

CRL crown-rump (*length*) の略.

CRM certified reference *material*; cross-reacting *material* の略.

CRNA certified registered *nurse* anesthetist の略.

cRNA complementary ribonucleic acid(相補的リボ核酸)の略.

CRNP Certified Registered Nurse Practitioner(公認登録看護師)の略.

CRO cathode ray *oscilloscope* の略.

Crocq (krok), Jean. ベルギー人医師，1868—1925. ⇀C. *disease*.

cro·cus (krō′kŭs) [L. < G. *krokos*, the crocus, saffron (made from its stigmas)]. クロッカス（アヤメ科サフラン *Crocus sativus*(*C. officinalis*) の花柱を乾燥させたもの．ときに鼓脹性消化不良症に用いられていた．ぜん息や月経困難症の鎮痙薬として，また着色，矯味矯臭薬としても用いた）. = saffron.

Crohn (krōn), Burrill B. [誤ったつづり Chron を避けること]. 米国人胃腸病専門医，1884—1983. ⇀C. *disease*.

Cronk·hite (kron′kīt), Leonard W., Jr. 20世紀の米国人内科医. ⇀C.-Canada *syndrome*.

Crooke (kruk), Arthur. イングランド人病理学者，1905—1990. ⇀C. *granules*, hyaline *change*, hyaline *degeneration*.

Crookes (kruks), William. 英国人物理・化学者，1832—1919. 1907年，ノーベル化学賞受賞. ⇀C. *glass*; C.-Hittorf *tube*.

CROS (kros). contralateral routing of signal(対側装用補聴器)の略および頭字語.

Cros·by (kroz′bē), William Holmes, Jr. 20世紀の米国人医師. ⇀C. *capsule*.

cross (kros) [Fr. *croix*, L. *crux*]. ***1*** 十字，かみ合わせ（2 本の交差する線で形づくられるあらゆる十字形）. = crux. ***2*** 心臓十字. = *crux* of heart. ***3*** 交配，交雑，交差(交叉)（雑種形成または雑種産生の方法）．

double back c. 二重戻し交配（問題の 2 つの座のそれぞれで戻し交配となる交雑．連鎖分析においては特別な価値があり，重要である）．

hair c.'s [TA]. 毛十字（二方向から生えた毛が一点に会し，次に始めの方向とは垂直に分かれてのびることによってつくられる十字形）. = cruces pilorum [TA].

maltese c. マルタ十字（バベシア症において赤血球内にみられる早期の環状の寄生虫の 4 つの形）．

Ranvier c.'s (rahn-vē-ā′). ランヴィエ十字（硝酸銀で染色した神経の縦断面中の Ranvier 絞輪にみられる暗褐色の十字形）．

test c. 検定交雑（実験遺伝学において，遺伝形質のパターンについての仮説を実証するために意図的に考えられた交配．㊟検定された親の遺伝子型が明らかになる）．

cross·bite (kros′bīt). 交差(交叉)咬合（ある歯列の 1 歯またはそれ以上の歯の対合歯列の対合歯に対する異常関係であり，歯の位置の唇側・頰側・舌側偏位，または顎の位置異常によるものである）．

cross·breed (kros′brēd). ***1***〚n.〛雑種. = hybrid. ***2***〚v.〛雑種をつくる．

cross·breed·ing (kros′brēd-ing). = hybridization.

cross-dress·ing (kros′dres′ing). 異性の服装をすること. ⇀ transvestism.

cross-eye (kros′ī). crossed *eyes*(斜視)の別のつづり．

cross·ing-o·ver (kros′ing-ō′ver). 〔遺伝子〕交差(交叉)，乗換え（減数分裂中の 2 対の染色体間の物質相互交換のこと．各染色体から，その相同染色体へと，遺伝情報の 1 区画の転移をもたらす．表現型現象である遺伝的組換えとは違って，交差は遺伝子型現象である．2 つの遺伝子座間の交差が偶数回起こると，表現型上では相殺され，遺伝的組換えは起こらない）．

C

somatic c.-o. 体細胞交差（体細胞の有糸分裂の際に起こる交差で，減数分裂中の交差と対比される）.

uneven c.-o., unequal c.-o. 不等交差，不等乗換え（切断が2本の染色分体の正確な相同部位に起こらないときに起こる交差．したがって，1本の染色分体中に遺伝物質の局在性の重複が存在し，他方では相補的な欠失がみられる）.

cross-link (kros′lingk). 架橋（2つのポリマー間や同じポリマーでの2つの異なった部分間における共有結合性連鎖）.

pyridinoline c.-l. ピリジノリン交差架橋成分（コラーゲンが分解していることを示すマーカで，Raynaud 現象および全身性強皮症に際して尿中に増える物質．コラーゲン代謝の変化を反映する．全身性強皮症における線維化の経過観察に役立つ可能性がある）.

cross-match·ing (kros′match′ing). 交差〔適合〕試験〔法〕，クロスマッチ試験（①供血者の赤血球と受血者の血漿中の抗体，あるいは逆の組合せによる致命的な溶血反応の可能性を回避するために，輸血の前に供血者と受血者間の不適合性を検査する方法．供血者の赤血球と受血者の血漿を混ぜる方法(主試験 major crossmatch)と受血者の赤血球と供血者の血漿を混ぜる方法(副試験 minor crossmatch)がある．赤血球が凝集すれば不適合であることを示し，その供血者の血液は使用禁忌である．②固形臓器(例えば腎臓)の同種移植を行う場合，移植を受ける患者の血清中に，臓器提供を予定者のリンパ球やその他の細胞と直接反応する抗体があるかどうか調べる検査．これらの抗体が存在する場合は，常にではなくとも通常は移植は禁忌である．なぜなら事実上そのような移植片のほとんどすべては超急性の拒絶を起こすからである）.

cross·over (kros′ō′ver). 交叉，クロスオーバー（一方の耳に加えられた音が頭のまわりの空気を介して，または頭蓋骨を介して反対側の耳で感知されることをさす.→crossing-over）.

cross-sec·tion (kros′sek′shŭn). 断面，断面積（①構造物の切断面．②平面構造の平面部．解剖学的構造物の二次元的断面．③原子炉内での放射性核種の生成のような，中性子が物質に衝突する際の核反応によって放射化 activation (5) が起こる確率．単位はバーン(10^{-24}cm^2/atom)．[註]バーン(b)はSI 単位ではない）.

cross-sec·tion·al (kros′sek′shŭn-ăl). →synchronic. ***1*** 横断切片の（組織学で，組織あるいは器官を長軸に対して垂直に薄切すること）. ***2*** 断面的な（解剖学的あるいは他の構造の平面的断面への関連付け）.

cross-taper (kros′tā′per). クロステーパー（薬物療法において，1つの薬物の投与量を漸減するのと同時に別の薬物の投与量を漸増していく方法）.

cross·way (kros′wā). 交叉路，岐道（2つの神経路の交叉）.

sensory c. 知覚性交叉路（大脳内包後縁部のレンズ後方の部分）.

Cros·ti (kros′tē), A. 20世紀のイタリア人皮膚科医.→Gianotti-C. *syndrome*.

cro·ta·lid (krō′tă-lid). ガラガラヘビ（ガラガラヘビ科のヘビの総称）.

Cro·tal·i·dae (krō-tal′i-dē). ガラガラヘビ科（アメリカ大陸にみられるクサリヘビの一科．それぞれの目と鼻の間に熱感受性の小窩があり，包み込まれた犬歯様の長い，前方に位置する牙をもっているのが特徴である.→*Crotalus*）.

cro·ta·lin (krot′ă-lin) [*Crotalus*, a genus of rattlesnake]. クロタリン（ガラガラヘビの蛇毒の蛋白）.

cro·tal·ism (krō′tal-izm). タヌキマメ中毒. =crotalaria *poisoning*.

Crot·a·lus (krot′ă-lŭs) [G. *krotalon*, a rattle < *krotos*, a rattling noise]. ガラガラヘビ属（北アメリカ原産の，ガラガラヘビ科ガラガラヘビ属．大きな牙は周期的に生え変わり，毒性は，神経毒性かつ溶血性である．最大の種はヒガシダイヤガラガラヘビ *C. adamanteus*(米国南部)とニシダイヤガラガラヘビ *C. atrox*(米国西部)で背中にダイヤモンド形の紋がある．最小の種はヒメガラガラヘビ *Sistrurus miliarius barbouri*, *S. miliarius streckeri*, *S. miliarius miliarius*）.

cro·taph·i·on (krō-taf′ē-on) [G. *krotaphos*, the temple of the head]. クロタフィオン（蝶形骨大翼の先端．頭蓋計測点の1つ）.

cro·ton·ase (krō′ton-ās). クロトナーゼ. =enoyl-CoA hydratase.

cro·ton oil (krō′ton oyl). ハズ油，クロトン油（東インド地方の低木，トウダイグサ科ハズ *Croton tiglium* の種子から抽出される不揮発性油．刺激性下剤として，また外用で反対刺激薬，発疱薬として用いる）.

cro·to·nyl-ACP re·duc·tase (krō′ton-il rē-dŭk′tās). クロトニル－ACP レダクターゼ. =enoyl-ACP reductase.

cro·tox·in (krō-tok′sin) [*Crotalus* + toxin]. クロトキシン（北アメリカ産のガラガラヘビの毒液から得られた毒素.→*Crotalus toxin*）.

crot·tle (krot′el). クドベール染料. =cudbear.

croup (krūp) [Scots. < probably A.S. *kropan*, to cry aloud]. クループ（①呼吸困難とぜん鳴を伴う犬吠様咳嗽を特徴とする乳幼児の急性上気道狭窄．②I型，II型パラインフルエンザウイルスにより起こる乳児，年少小児の喉頭気管気管支炎．③獣医学における解剖学用語で，イヌとウマにおける腸骨翼の前方端でその基部と尾部の間にある最上部のこと）.

croup·ous (krūp′ŭs). クループ性の（クループに関する．線維素性の滲出を特徴とする）.

croup·y (krū′pē). クループ様の（c. cough のように，クループの特徴があることについていう）.

Crou·zon (krŭ-zōn [h]′), Octave. フランス人医師，1874—1938.→C. *disease*, *syndrome*.

Crow (krō), R.S. 20世紀の英国人医師.→C.-Fukase *syndrome*.

crowd·ing (krowd′ing). 叢生（歯が集まったり，重なり合ったり，様々な方向へ移動したり，転位したりなど，異なった位置を占め群がっている状態）.

Crowe (krō), Samuel J. 米国人医師，1883—1955.→C.-Davis mouth *gag*.

crown (krown) [L. *corona*][TA]. ***1*** 冠，頂，樹冠（正常，病的を問わず，王冠または花冠に似ている．あるいはそれらを連想させるような構造物の総称）. ***2*** [TA]. 歯冠，クラウン（歯科において，エナメル質におおわれた部分）. =corona [TA]. ***3*** 通常エナメル質におおわれている部分を代替する人工物.

anatomic c. 歯冠（エナメル質でおおわれた歯の部分）. =corona dentis; c. of tooth.

artificial c. 人工歯冠（自然歯冠のほとんどの部分の人工修復物．通常，金，陶材，アクリル樹脂を用いる）.

bell-shaped c. ベル形歯冠（咬合面から歯肉側に向かって過大な輪郭をもつ歯冠．ヒトの乳臼歯がベル形歯冠の典型的な特徴を示す）.

ceramic c. 陶材冠，セラミッククラウン（セラミック製の歯科修復物で，金属の支持がない．臨床歯冠の修復に用いられる）.

ciliary c. 毛様体冠. =*corona* ciliaris.

clinical c. 臨床歯冠（口腔内にみえる歯冠の部分）. =corona clinica.

c. of head 頭冠. =*corona* capitis.

jacket c. ジャケットクラウン（アクリル樹脂，焼成陶材，鋳造金，金とアクリル樹脂，金と陶材の組合せなどでできた中空の冠．天然歯の形成面に適合するようにつくる）.

c. lengthening (krown lenth′en-ing). 歯冠長延長術（歯の周囲から軟組織および情況によっては歯槽骨を一部切除し，臨床的歯冠長を外科的に増加させる外科手技の1つ）.

radiate c. 放線冠. =*corona* radiata.

c. of tooth 歯冠. =anatomic c.

c. of Venus 花柳冠（髪の生え際近くの前額部に生じる二期梅毒の丘疹性病変）.

crown·ing (krown′ing). [子宮収縮中に児頭の一部が見えることを示すために本語を隠語的に使うのを避けること]. ***1*** 歯冠補てつ（天然歯の構造の一部，あるいは全部を除去した後，歯冠形成を行い，適当な歯科材料(金または卑金属の鋳造体，陶材，プラスチック，またはそれらの合材)で，除去した部分を置き替えること）. =tooth capping. ***2*** 排臨（娩出期に胎児の頭が骨盤出口に現れ，頭囲の最も大きいところが陰裂の中にある状態）.

CRP cyclic adenosine monophosphate receptor *protein*; C-reactive *protein*; cross-reacting *protein* の略.

CRT cathode ray *tube*; Certified Respiratory Therapist(認定呼吸療法士) の略.

cru·ces (krū′sēz). crux の複数形.

cru·ci·ate (krū′shē-āt, krū′shet) [L. *cruciatus*]. 十字形の.

cru·ci·ble (krūʹsi-bil) [Mediev. L. *crucibulum*, a night lamp, later, a melting pot]. るつぼ（高温での反応や実験に用いる容器）.

crunch (krunch) [擬声音]. バリバリ音（心収縮に同調して胸部の聴診で聴取される音で，縦隔内に空気のあることを示す）.

cru·or (krūʹōr) [L. blood (that flows from a wound)]. 血餅，〔凝〕血塊.

cru·ra (krūʹră). crus の複数形.

cru·ral (krūʹrăl). 脚の，下腿の，すねの.

cru·re·us (krū-rēʹŭs) [Mod. L.]. ＝vastus intermedius *(muscle)*.

crus, gen. **cru·ris,** pl. **cru·ra** (krūs, krooʹris, -ră) [L.] [TA]. **[crux と混同しないこと]**. ***1*** 下腿，すね. ＝leg. ***2*** 脚（脚に似た解剖学上の構造．通常は複数形で，対をなす放散性の小帯，長くのびた構造体に用いる．→limb）.

ampullary crura of semicircular ducts 膜半規管膨大部脚. ＝ampullary membranous *limbs* of semicircular ducts.

anterior c. of stapes あぶみ骨〔の〕前脚. ＝anterior *limb* of stapes.

c. anterius capsulae internae [TA]. 内包前脚. ＝anterior *limb* of internal capsule.

c. anterius stapedis [TA]. ＝anterior *limb* of stapes.

crura anthelicis ＝crura of antihelix.

crura antihelicis [TA].＝ crura of antihelix.

crura of antihelix [TA]. 対輪脚（耳介三角窩を境界付ける上下２つの稜．これより，対輪が耳介の上部から始まる）. ＝crura antihelicis [TA]; crura anthelicis; leg of antihelix.

crura of bony semicircular canals ＝bony *limbs* of semicircular canals.

c. breve incudis [TA]. きぬた骨〔の〕短脚. ＝short *limb* of incus.

c. cerebri [TA]. 大脳脚（厳密にいうと，正中線の両側で，中脳の腹面を縦走する皮質遠心性神経線維の太い束．皮質から脳幹被蓋，橋灰白質，脊髄に下行する神経からなる．→cerebral *peduncle*; *basis* pedunculi）.

c. clitoridis [TA]. 陰核脚. ＝c. of clitoris.

c. of clitoris [TA]. 陰核脚（陰核海綿体の続きで後方に向かって左右に開き，恥骨弓に付着する）. ＝c. clitoridis [TA].

common c. of semicircular ducts 膜半規管総脚. ＝common membranous *limb* of semicircular ducts.

c. corporis cavernosi penis 陰茎海綿体脚. ＝c. of penis.

c. dextrum diaphragmatis [TA]. 横隔膜〔の〕右脚. ＝right c. of diaphragm.

c. dextrum fasciculi atrioventricularis [TA]. →atrioventricular *bundle*. ＝right *bundle* of atrioventricular bundle.

c. fornicis [TA]. 脳弓脚（視床の後方で前方に弯曲して起こる脳弓の部分で，脳梁の下方を脳弓体となって前方にのびる）. ＝c. of fornix [TA]; posterior pillar of fornix.

c. of fornix [TA]. 脳弓脚. ＝c. fornicis.

c. helicis [TA]. ＝c. of helix.

c. of helix [TA]. 耳輪脚（耳介の耳輪に続く横走隆起．耳介を上部と下部，すなわち耳介艇と耳介腔に分ける）. ＝c. helicis [TA]; crista helicis; limb of helix.

c. inferius marginis falciformis hiatus sapheni☆ inferior *horn* of falciform margin of saphenous opening の公式の別名.

lateral c. 外側脚（腕状または脚状の構造で正中線から遠い位置にあるもの）. ＝c. laterale; lateral limb.

c. laterale 外側脚. ＝lateral c.

c. laterale anuli inguinalis superficialis [TA]. ＝lateral c. of the superficial inguinal ring.

c. laterale cartilaginis alaris majoris [TA]. ＝lateral c. of the major alar cartilage of the nose.

lateral c. of facial canal 顔面神経管の外側脚（顔面神経管の水平部のうち，外側にあって後方を向いた第二部位．→horizontal *part* of facial canal）. ＝lateral c. of horizontal part of the facial canal.

lateral c. of horizontal part of the facial canal →horizontal *part* of facial canal. ＝lateral c. of facial canal.

lateral c. of the major alar cartilage of the nose [TA]. 大鼻翼軟骨の外側脚（鼻翼や鼻孔を形づくる軟骨のうち外側方と後方に翼状に広がる部分）. ＝c. laterale cartilaginis alaris majoris [TA].

lateral c. of the superficial inguinal ring [TA]. 浅鼡径輪の外側脚（外腹斜筋腱膜のうちで浅鼡径輪の外側を通り，輪の外側の境界となっている部分）. ＝c. laterale anuli inguinalis superficialis [TA].

left c. of atrioventricular bundle 房室束の左脚. ＝left *bundle* of atrioventricular bundle.

left c. of diaphragm [TA]. 横隔膜〔の〕左脚（上位２，３個の腰椎椎体から起こる横隔膜の筋性起始．腹大動脈の左側を上行して腱中心に至る）. ＝c. sinistrum diaphragmatis [TA].

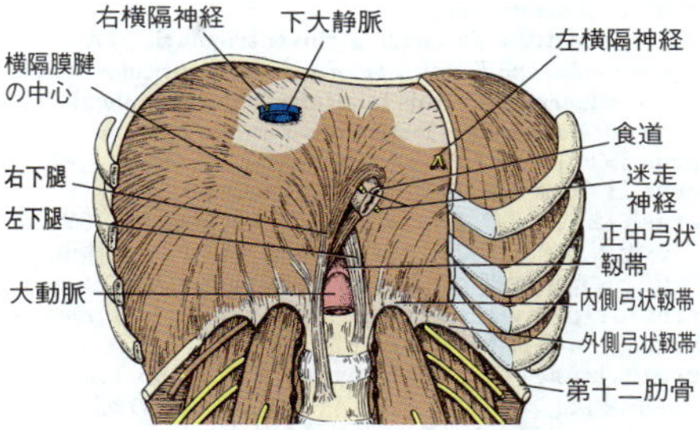

crura of diaphragm

線維性筋束帯は腰椎から発生し，横隔膜腱の中心を形づくる．

long c. of incus きぬた骨〔の〕長脚. ＝long *limb* of incus.

c. longum incudis [TA]. きぬた骨〔の〕長脚. ＝long *limb* of incus.

medial c. [TA]. 内側脚（腕状または脚状の構造で正中線に近い位置にあるもの）. ＝c. mediale [TA]; medial limb.

c. mediale [TA]. 内側脚. ＝medial c.

c. mediale anuli inguinalis superficialis [TA]. ＝medial c. of the superficial inguinal ring.

c. mediale cartilaginis alaris majoris [TA]. ＝medial c. of major alar cartilage of nose.

medial c. of facial canal 顔面神経管の内側脚（顔面神経管の水平部のうち，内側にあって前方を向いた第一部位．→horizontal *part* of facial canal）. ＝medial c. of the horizontal part of the facial canal.

medial c. of the horizontal part of the facial canal →horizontal *part* of facial canal. ＝medial c. of facial canal.

medial c. of major alar cartilage of nose [TA]. 大鼻翼軟骨の内側脚（左右鼻孔の間にある鼻中隔軟骨の前下方部をなす軟骨）. ＝c. mediale cartilaginis alaris majoris [TA].

medial c. of the superficial inguinal ring [TA]. 浅鼡径輪の内側脚（外腹斜筋腱膜のうちで，浅鼡径輪の内側を通り，輪の内側の境界となっている部分）. ＝c. mediale anuli inguinalis superficialis [TA].

crura membranacea ampullaria ductuum semicircularium [TA]. 膜半規管膨大部脚. ＝ampullary membranous *limbs* of semicircular ducts.

c. membranaceum commune ductuum semicircularium [TA]. 膜半規管総脚. ＝common membranous *limb* of semicircular ducts.

c. membranaceum simplex ductus semicircularis [TA]. 膜半規管単脚. ＝simple membranous *limb* of semicircular duct.

crura ossea canalium semicircularium ＝bony *limbs* of semicircular canals.

c. penis [TA]. 陰茎脚. ＝c. of penis.

c. of penis [TA]. 陰茎脚（左右に分かれて坐骨恥骨枝に付着する陰茎海綿体の先細りの後部）. ＝c. penis [TA]; c. corporis cavernosi penis.

posterior c. of stapes あぶみ骨〔の〕後脚. ＝posterior *limb*

of stapes.

c. posterius capsulae internae [TA]．内包後脚．＝posterior *limb* of internal capsule.

c. posterius stapedis [TA]．＝posterior *limb* of stapes.

right c. of atrioventricular bundle 房室束の右脚．＝right *bundle* of atrioventricular bundle.

right c. of diaphragm [TA]．横隔膜〔の〕右脚（上位3，4個の腰椎椎体から起こる横隔膜の筋性起始．腹大動脈の右側を上行して中心腱に至る．食道裂孔は右脚線維を分け開くようにして食道を通過させている）．＝c. dextrum diaphragmatis [TA].

short c. of incus きぬた骨〔の〕短脚．＝short *limb* of incus.

simple c. of semicircular duct 半規管の単脚．＝simple membranous *limb* of semicircular duct.

c. sinistrum diaphragmatis [TA]．横隔膜〔の〕左脚．＝left c. of diaphragm.

c. sinistrum fasciculi atrioventricularis [TA]．→atrioventricular *bundle*．＝left *bundle* of atrioventricular bundle.

c. superius marginis falciformis hiatus sapheni ＝superior *horn* of falciform margin of saphenous opening.

crus I (krūs)．第Ⅰ脚．＝superior semilunar *lobule*.

crus II (krūs)．第Ⅱ脚．＝inferior semilunar *lobule*.

crush (krŭsh) [O. Fr. *cruisir*]．*1*〘v.〙挫滅する（2つの硬い物体の間で圧搾して傷害を与える）．*2*〘n.〙挫傷，圧挫（2つの固体の間で加えられた圧力による打撲傷）．

crus·ot·o·my (krūs-ot′ō-mē) [L. *crus*, leg＋G. *tomē*, incision]．中脳錐体路切断術．

crust (krŭst) [L. *crusta*]．＝crusta. *1* 痂皮，かさぶた（皮膚の痂皮はしばしば破れた小疱や膿疱の表面上の乾燥した血清や膿により形成される）．*2* 外層，外皮．

milk c. 乳痂．＝*crusta* lactea.

crus·ta, pl. **crus·tae** (krŭs′tă, -tē) [L.]．痂皮，殻皮．＝crust.

c. inflammatoria 炎症性痂皮．＝buffy *coat*.

c. lactea 乳痂（乳児の頭皮の脂漏）．＝milk crust.

c. phlogistica 炎症性痂皮．＝buffy *coat*.

Crus·ta·ce·a (krŭs-tā′shē-ă) [L. *crusta*, a crust]．甲殻類（水生の節足動物門の巨大な一綱で，キチン性の外骨格と関節のある付属肢を有する．例えば，カニ，エビ，ザリガニ，小エビ，等脚類，貝虫類，端脚類などが含まれる．ある種の橈脚類は寄生性であるが，その他にもヒトおよび他の脊椎動物の病気の原因となる寄生虫の中間宿主となるものがある．→Copepoda）．

crutch (krŭtch) [A.S. *cryce*]．松葉づえ（一方の下肢（または体幹）の欠陥のため歩行が損なわれるとき，補助するために1本または2本対で用いる道具．体重を支える力の全部あるいは一部を上肢に移す）．

Cru·veil·hier (krū-vā-yā′), Jean．フランス人病理・解剖学者，1791－1874．→C. *fascia*, *fossa*; *fossa* navicularis C.; C. *joint*, *ligaments*, *plexus*; C.-Baumgarten *disease*, *murmur*, *sign*, *syndrome*.

crux, pl. **cru·ces** (krŭks, krū′sēz) [L.]．十字，交叉（[crus と混同しないこと]）．＝cross (1).

c. of heart 心臓核心部，心室中隔房室弁輪接合部（正常心などの4腔心で心房中隔と心室中隔が後部房室弁輪に接合する領域．心臓超音波検査でみることができる）．＝cross (2).

cruces pilorum [TA]．毛十字．＝hair *crosses*.

Cruz (krūz), Oswaldo．ブラジル人医師，1872－1917．→Chagas-C. *disease*; C. *trypanosomiasis*.

cry- (krī)．→cryo-.

cry·al·ge·si·a (krī′al-jē′zē-ă) [G. *kryos*, cold＋*algos*, pain]．寒冷痛（寒冷により引き起こされる痛み）．

cry·an·es·the·si·a (krī′an-es-thē′zē-ă) [G. *kryos*, cold＋*an*- 欠性辞＋*aisthēsis*, sensation]．冷〔感〕覚脱失（消失）〔症〕（寒冷の感覚を失うこと）．

cry·es·the·si·a (krī′es-thē′zē-ă) [G. *kryos*, cold＋*aisthēsis*, sensation]．*1* 冷〔感〕覚．*2* 寒冷過敏症．

cry for help (krī help)．助けを求める叫び（非常に強い苦悩や自殺の可能性を伝える電話，目立つところに残したメモなどの行動）．

crymo- (krī′mo-) [G. *krymos*, cold]．寒冷に関する連結形．→cryo-; psychro-.

cry·mo·phil·ic (krī′mō-fil′ik) [crymo-＋G. *philos*, fond]．寒冷親和性の，好寒冷性の（低温で最もよく発育する微生物についていう）．＝cryophilic.

cry·mo·phy·lac·tic (krī′mō-fi-lak′tik) [crymo-＋G. *phylaxis*, a guarding against]．寒冷抵抗性の，耐寒冷性の（氷結温度でも死滅しないある種の微生物についていう）．＝cryophylactic.

cryo-, cry- (krī′ō, krī) [G. *kryos*, cold]．寒冷に関する連結形．→crymo-; psychro-.

cry·o·an·es·the·si·a (krī′ō-an-es-thē′zē-ă)．寒冷麻酔，冷凍麻酔（局所麻酔を行う方法として，寒冷を局所的に使用すること）．＝refrigeration anesthesia.

cry·o·bi·ol·o·gy (krī′ō-bī-ol′ō-jē)．低温生物学（低温が生体に及ぼす影響についての学問）．

cry·o·cau·ter·y (krī′ō-kaw′ter-ē)．寒冷腐食剤(器)，冷凍腐食剤(器)（凍結作用で組織の破壊を起こす液体窒素やドライアイスのような物質または低温発生装置）．＝cold cautery.

cry·o·con·i·za·tion (krī′ō-kon-ī-zā′shŭn)．凍結円錐切除〔術〕（凍結探針を用いて，*in vivo* の子宮頸部内膜組織を円錐状に凍結させる方法）．

cry·o·ex·trac·tion (krī′ō-ek-strak′shŭn)．凍結抽出（冷凍探子を用いてレンズに氷球をつくり，白内障を除くこと．現在ではほとんど行われない）．

cry·o·ex·trac·tor (krī′ō-ek-strak′tŏr, -tōr)．凍結娩出器（接触凍結により水晶体を抽出するために，人工的に冷却した器具）．

cry·o·fi·brin·o·gen (krī′ō-fī-brin′ō-jen)．寒冷線維素原，クリオフィブリノ〔ー〕ゲン（ヒトの血漿内で，非常にまれにみられるフィブリノーゲンの異常な型．低温で沈殿し，室温に温めると液状に溶解する）．

cry·o·fi·brin·o·gen·e·mi·a (krī′ō-fī-brin′ō-je-nē′mē-ă)．寒冷線維素原血症，寒冷フィブリノ〔ー〕ゲン血症（血液中に寒冷線維素原が存在する状態）．

cry·o·frac·ture (krī′ō-frak′chūr) [cryo-＋fracture]．クリオフラクチャー法．＝freeze *fracture*.

cry·o·gen (krī′ō-jen)．凍結剤（非常な低温をつくるために用いる凍結物質または混合物）．

cry·o·gen·ic (krī′ō-jen′ik)．*1* 凍結剤の．*2* 低温学の，冷凍学の．

cry·o·gen·ics (krī′ō-jen′iks) [cryo-＋G. *-gen*, producing]．低温学，冷凍学（非常な低温，特にヘリウムが液化するあたりの温度(＜4.25K)を実現したり，その温度の効果を研究する科学）．

cry·o·glob·u·lin·e·mi·a (krī′ō-glob′yū-li-nē′mē-ă)．クリオグロブリン血〔症〕，寒冷グロブリン血〔症〕（血漿中で，クリオグロブリンの量が異常に増加すること）．

cry·o·glob·u·lins (krī′ō-glob′yū-linz)．クリオグロブリン，寒冷グロブリン（①異常血漿蛋白(パラプロテイン)．血清あるいはこの溶液を冷却したとき，沈殿，ゲル化，結晶化などの変化を示す特徴がある．Bence Jones 蛋白とは，分子量が大きい点(Bence Jones 蛋白の 35,000 から 50,000 に対して約 200,000)で異なる．多発性骨髄腫の患者にみられることがある．②冷却するとゲル化または綿状の沈降物を形成するグロブリン）．

cry·o·hy·drate (krī′ō-hī′drāt)．含氷晶，氷晶（水と塩の共融混合物）．

cry·o·hy·po·phys·ec·to·my (krī′ō-hī-pof′i-sek′tō-mē) [cryo-＋hypophysis＋G. *ektomē*, excision]．凍結下垂体切除〔術〕（極度の低温状態にすることにより(定位的に)下垂体を破壊する手術(下垂体の凍結破壊法)）．

cry·ol·y·sis (krī-ol′i-sis) [cryo-＋G. *lysis*, dissolution]．冷凍融解（寒冷による破壊）．

cry·om·e·ter (krī-om′ĕ-ter) [cryo-＋G. *metron*, measure]．低温用温度計，低温計（低い温度を計る温度計）．

cry·o·pal·li·dec·to·my (krī′ō-pal-i-dek′tō-mē) [cryo-＋globus pallidus＋G. *ektomē*, excision]．凍結淡蒼球切除〔術〕（ごく低温の作用により淡蒼球を破壊する方法）．

cry·op·a·thy (krī-op′ă-thē) [cryo-＋G. *pathos*, suffering]．寒冷症（寒冷にさらされたことが，重要な因子となる疾患あるいは損傷）．＝frigorism.

cry·o·pex·y (krī′ō-pek′sē) [cryo-＋G. *pēxis*, a fixing in place]．冷凍固定〔法〕（網膜剝離の手術で，冷凍探子を強膜

に当てて，網膜を色素上皮と脈絡膜に癒着させること）．

cry·o·phil·ic (krī′ō-fil′ik) [cryo- + G. *philos*, fond]. ＝crymophilic.

cry·o·phy·lac·tic (krī′ō-fī-lak′tik). ＝crymophylactic.

cry·o·pre·cip·i·tate (krī′ō-prē-sip′i-tāt). 寒冷沈降物（可溶性物質を冷却したときに生じる沈殿物．特に寒冷沈殿反応を受けた正常血漿に生じる沈殿物のことを意味し，これは第VIII 因子を多く含有する）．

cry·o·pre·cip·i·ta·tion (krī′ō-prē-sip′i-tā′shŭn). 寒冷沈降反応（溶液から寒冷沈降物を生じさせる方法）．

cry·o·pres·er·va·tion (krī′ō-pres′er-vā′shŭn). 低温保存法（切除した組織，器官を生かしたまま極低温で保存すること）．

cry·o·probe (krī′ō-prōb) [cryo- + L. *probo*, to test]. 凍結探針（選定した領域を極度に冷やすための凍結外科で用いる器具）．

cry·o·pros·ta·tec·to·my (krī′ō-pros′tă-tek′tō-mē) [cryo- + L. *prostata*, prostate + G. *ektomē*, excision]. 凍結前立腺切除〔術〕（凍結，または特別に考案された凍結探針を用いることにより，前立腺を破壊する方法）．

cry·o·pro·tein (krī′ō-prō′tēn). クリオ蛋白〔質〕，寒冷蛋白〔質〕（冷却すると溶液から沈殿し，温めると再び溶ける蛋白）．

cry·o·pul·vi·nec·to·my (krī′ō-pŭl′vi-nek′tō-mē) [cryo- + pulvinar + G. *ektomē*, excision]. 凍結視床枕切除〔術〕（極度の低温状態にすることにより(定位的に)視床枕を破壊する手術(視床枕の凍結破壊法)）．

cry·o·scope (krī′ō-skōp). 氷点計（凝固点測定用機器）．

cry·os·co·py (krī-os′kŏ-pē) [cryo- + G. *skopeō*, to examine]. 液体凝固点測定，〔結〕氷点測定（液体(通常，血液や尿)の氷点を，蒸留水と対比して測定する）．＝algoscopy.

cry·o·spasm (krī′ō-spazm) [cryo- + G. *spasmos*, convulsion]. 寒冷痙縮（寒冷によって起こる痙縮）．

cry·o·stat (krī′ō-stat) [cryo- + G. *statos*, standing]. 低温槽．

cry·o·sur·ger·y (krī′ō-ser′jer-ē). 冷凍外科〔学〕，凍結外科〔学〕（凍結温度(液体窒素または二酸化炭素で得られる)を利用する手術．凍結温度はそれ自体であるいは器具内をその温度にすることで組織を破壊する）．

cry·o·thal·a·mec·to·my (krī′ō-thal′ă-mek′tō-mē) [cryo- + thalamus + G. *ektomē*, excision]. 凍結視床切除〔術〕（極度の低温状態にすることにより，(定位的に)視床を破壊する手術(視床の凍結破壊法)）．

cry·o·ther·a·py (krī′ō-thār′ă-pē). 寒冷療法（疾病治療に寒冷を用いること）．

cry·o·tol·er·ant (krī′ō-tol′er-ant). 低温許容性の，耐寒性の．

crypt (kript) [TA]. 陰窩（小さなくぼみ，管状陥凹）．＝crypta [TA].

anal c.'s ＝anal *sinuses*.

dental c. 歯胚〔芽〕洞（歯小嚢がはいる空間）．

enamel c. エナメル陥凹（歯堤とエナメル器との間の狭い外胚葉性間充織で満たされた陥凹部）．＝enamel niche.

c.'s of Henle (hen′lē). ヘンレ窩（結膜のひだ）．

c.'s of iris 虹彩窩（①虹彩の前面の瞳孔辺縁部付近の窩．②虹彩前面にある凹スペース．これを通して房水が瞳孔運動ごとに流れる）．

c.'s of Lieberkühn (lē′ber-kēn). リーベルキューン陰窩．＝intestinal *glands*.

c.'s of Lieberkühn of large intestine (lē′ber-kēn). 大腸のリーベルキューン陰窩．＝*glands* of large intestine.

c.'s of Lieberkühn of small intestine (lē′ber-kēn). 小腸のリーベルキューン陰窩．＝*glands* of small intestine.

lingual c. 舌扁桃陰窩（舌扁桃にある上皮で内張りされたくぼみ）．

Morgagni c.'s (mōr-gah′nyē). モルガニー陰窩．＝anal *sinuses*.

synovial c. 滑膜陰窩（関節の滑膜憩室）．

tonsillar c. [TA]. 扁桃陰窩（不定数の，深い陥凹で，扁桃小窩で開口する自由面から舌扁桃，口蓋扁桃，耳管扁桃と咽頭扁桃の中にのびている）．＝crypta tonsillaris [TA].

crypt- (kript). →crypto-.

cryp·ta, pl. **cryp·tae** (krip′tă, -tē) [L. < G. *kryptos*, hidden] [TA]. 陰窩．＝crypt.

c. tonsillaris, pl. **cryptae tonsillares** [TA]. 扁桃陰窩．＝tonsillar *crypt*.

cryp·tec·to·my (krip-tek′tō-mē) [crypt + G. *ektomē*, excision]. 陰窩切除〔術〕（扁桃陰窩その他の陰窩の切除）．

cryp·ten·a·mine ac·e·tates, cryp·ten·a·mine tan·nates (krip-ten′ă-mēn as′ĕ-tātz, tan′ātz). 酢酸クリプテナミン，タンニン酸クリプテナミン（*Veratrum viride* の非水抽出で得られるアルカロイドの酢酸塩またはタンニン酸塩．降圧性アルカロイドのプロトベラトリンAとB，ゲルミトリン，ネオゲルミトリン，ゲルメリン，ゲルミジン，ジェルビン，ルビジェルビン，イソルビジェルビン，ゲルムバイドなどを含有する．降圧薬として用いる．→protoveratrine A and B）．

C

cryp·tic (krip′tik) [G. *kryptikos*]. 隠れた，潜在の．

cryp·ti·tis (krip-tī′tis). 陰窩炎，腺窩炎（特に結腸における沪胞，腺細管の炎症）．

crypto-, crypt- (krip′tō, kript) [G. *kryptos*, hidden, concealed]. 隠れた，目立たない，明らかな原因なしに，を意味する連結形．

cryp·to·chrome (krip′tō-krōm). クリプトクローム（植物，昆虫，哺乳類における概日リズムの同調化に関与するフラビン蛋白紫外線-A 受容体）．

cryp·to·coc·co·ma (krip′tō-kok-ō′mă) [*Cryptococcus* (genus name) + -oma]. 酵母菌腫（*Cryptococcus neoformans* に起因する伝染性肉芽腫．特に脳に多いが，肺その他の部位にも見出される）．

cryp·to·coc·co·sis (krip′tō-kok-ō′sis). クリプトコックス症（*Cryptococcus neoformans* の感染による急性・亜急性・慢性感染症で，肺，全身，脳脊髄膜の真菌症を起こす．肺型は正常人では自然寛解するが，他の器官への播種では治療しないと致命的になる．最も普遍的な臨床症状は髄膜炎である）．

Cryp·to·coc·cus (krip′tō-kok′ŭs) [crypto- + G. *kokkos*, berry]. クリプトコックス属（酵母様菌類の一属で，出芽で増殖する）．

C. neoformans クリプトコックス・ネオフォルマンス（ヒトおよびその他の哺乳類，特にネコ族にクリプトコックス症を引き起こす種．細胞は球形で，出芽によって増殖する．多糖類の被膜をもつことが顕著な特徴である．*C. neoformans* var. *neoformans* は世界的な分布をもち，しばしば野生のハトの糞から分離される．*C. neoformans* var. *gattii* は亜熱帯および熱帯地域でクリプトコックス症の原因となる．この変種はユーカリの茎葉や落葉から分離されている）．

cryp·to·crys·tal·line (krip′tō-kris′tă-lēn). 潜晶質（非常に微細な結晶を有するもの）．

Cryp·to·cys·tis tri·cho·dec·tis (krip′tō-sis′tis trī′kō-dek′tis) [crypto- + G. *kystis*, bladder; tricho- + G. *dektēs*, a beggar]. イヌのシラミ，*Trichodectes* にみられる擬嚢尾虫にちなんで名付けられたウリザネ条虫 *Dipylidium caninum* の幼虫に対して以前用いられた名称．

cryp·to·did·y·mus (krip′tō-did′i-mŭs) [crypto- + G. *didymos*, twin]. 封入奇形体（発育の悪い寄生体が，大きな自生体に封入されている接着双生児．→conjoined *twins*）．

cryp·to·gam·i·a (krip′tō-gam′ē-ă) [crypto- + G. *gamos*, marriage]. 隠花植物（種子によって増殖しない植物すべてを含む植物界の非分類学的な一群．藻類，細菌類，菌類，地衣類，蘚類，苔類，シダ類，トクサ類，ヒカゲノカズラ類が含まれる）．

cryp·to·gen·ic (krip′tō-jen′ik) [crypto- + G. *genesis*, origin]. 原因不明の（隠れた，不確かな病因または原因を意味する．*cf.* phanerogenic）．

cryp·to·lith (krip′tō-lith) [crypto- + G. *lithos*, stone]. 腺窩結石（腺沪胞の結石）．

cryp·to·men·or·rhe·a (krip′tō-men′ō-rē′ă) [crypto- + G. *mēn*, month + *rhoia*, flow]. 偽性無月経（出血がないのに，毎月，月経の諸症状が起こること．無孔処女膜などの場合に起こる）．

cryp·toph·thal·mos, cryp·toph·thal·mia (krip′tof-thal′mŭs, -thal′mē-ă) [crypto- + G. *ophthalmos*, eye]. 潜在眼球〔症〕（先天的に眼瞼が欠如し，前頭から頬にかけて痕跡

眼の上をおおう連続した皮膚を有する).

cryp・to・po・di・a (krip′tō-pō′dē-ă) [crypto- + G. *pous*, foot]. 隠足症（下腿と足が腫脹し，形が大きくゆがみ，足底は平らな当て物のようになる).

cryp・to・pyr・role (krip′tō-pir′ōl). クリプトピロール（ヘムの急激な還元によって得られるピロール誘導体の1つ).

cryp・tor・chid (krip-tōr′kid) [crypto- + G. *orchis*, testis]. 潜在精巣〔症〕の，停留精巣〔症〕の.

cryp・tor・chi・dism (krip-tōr′ki-dizm). 停留精巣（片側あるいは両側の精巣の下降不全). = cryptorchism.

cryp・tor・chism (krip-tōr′kizm). 潜伏(潜在)精巣(睾丸)〔症〕，停留精巣(睾丸). = cryptorchidism.

cryp・to・scope (krip′tō-skōp) [G. *kryptos*, something hidden- + *skopeō*, to examine]. クリプトスコープ，秘密鏡（単純なX線透視装置を表す現在では用いられない語).

cryp・to・spo・rid・i・o・sis (krip′tō-spō-rid′ē-ō′sis). クリプトスポリジウム症（水系あるいは糞口感染により伝搬される腸疾患で，*Cryptosporidium*属の感染性の原生動物によって生じる．病理学的には絨毛の萎縮，融合が特徴で，臨床的にはヒト，ウシ，ヒツジなどの動物に下痢を生じる．通常は，下痢は自然治癒するが，免疫不全の患者では激しい下痢が遷延し，致死的になることもある).

Cryp・to・spo・rid・i・um (krip′tō-spō-rid′ē-ŭm). クリプトスポリジウム属（コクシジウム類に属する胞子虫の一属(アイメリア亜目クリプトスポリジウム科)．本属は子ウシやその他の家畜の重要な病原体であるが，免疫機能低下時に増殖する，ヒトの日和見感染的寄生動物としても知られる．免疫不全のヒトでは自己限局性の下痢を起こすことがある).

C. parvum 子ウシや子ヤギで新生子下痢の重要な原因である胞子虫の一種．ヒトでは軽度の下痢が認められるが，自然に治癒する場合からより重篤で慢性化する場合まである.

Cryp・to・stro・ma cor・ti・ca・le (krip′tō-strō′mă kōr-ti-kā′lē) [crypto- + G. *stroma*, bed]. 製材所に積み重ねたカエデ材の樹皮下で盛んに生育する真菌の一種で，普通にみられるアレルギー誘発物．多量の胞子を吸い込んだ作業者は，楓皮病などの，肺炎性・アレルギー性症状を呈する.

cryp・to・ti・a (krip-tō′shē-ă) [crypto- + G. *ōtos*, ear]. 隠耳症（耳介上部が頭皮下に隠れる状態のまれな奇形).

cryp・to・xan・thin (krip′tō-zan′thin). クリプトキサンチン（クリプトキサンチン1モルにつきビタミンA 1モルを生成するカロチノイド(特にキサントフィル)．多くの果実中に見出される).

cryp・to・zo・ite (krip′tō-zō′īt) [crypto- + G. *zōē*, life]. クリプトゾイト（感染したカによって接種された胞子小体から直接発生したマラリア原虫の赤血球外発育期．脊椎動物の宿主の組織，肝実質中でのメロゾイトの第1世代の発育).

cryp・to・zy・gous (krip-toz′i-gŭs, -tō-zī′gŭs) [crypto- + G. *zygon*, yoke]. 脳頭蓋の幅に比較して顔幅が狭いために，頭頂方向から見下すと頬骨弓が見えない.

crys・tal (kris′tăl) [G. *krystallos*, clear ice, crystal]. 結晶（規則的な形と化合物特有の稜角を有する固体．元素あるいは化合物を，液状のものを冷却したり，溶液から沈殿させることによってゆっくり固化させると，各分子は互いに正しい位置に並び結晶を形成する).

asthma c.'s ぜん息結晶. = Charcot-Leyden c.'s.

blood c.'s 血液結晶. = hematoidin.

Böttcher c.'s (bĕt′shĕr). ベットヒャー結晶（前立腺液に1%リン酸アンモニウム溶液を1，2滴加えると，顕微鏡で観察されるような小さな結晶が生成される).

Charcot-Leyden c.'s (shahr′kō lī′dĕn). シャルコー－ライデン結晶（好酸球から形成される六方稜形結晶．気管支ぜん息，および好酸球を含む滲出液や漏出液中にみられる). = asthma c.'s; Charcot-Neumann c.'s; Charcot-Robin c.'s; Leyden c.'s.

Charcot-Neumann c.'s (shahr′kō nū′mahn). シャルコー－ノイマン結晶. = Charcot-Leyden c.'s.

Charcot-Robin c.'s (shahr′kō rō-băn[h]′). シャルコー－ロバン結晶. = Charcot-Leyden c.'s.

chiral c. キラール結晶（反対対称の左右像をつくる旋光性結晶).

chlorohemin c.'s クロロヘミン結晶. = Teichmann c.'s.

clathrate c. 包接結晶（1つの物質の分子が，もう1つの物質の分子を取り巻くように格子状に配置されているもの).

ear c.'s 平衡砂. = otoliths.

Florence c.'s (flōr′ĕns). フロラーンス結晶（Lugol 溶液1滴と精液を含む液1滴との間の境界面に形成される褐色斜方晶．ただし，これは精液に特異な試験ではない).

hematoidin c.'s = hematoidin.

hydrate c. 水和結晶（水分子が分子間力によって，いくつかの可能な分子配列をとったとき，形成される微細構造を有するもの．吸入麻酔の際の作用機序に関連するものと考えられる).

knife-rest c. ナイフ台結晶（アルカリ尿中にみられるリン酸アンモニオマグネシウム結晶).

Leyden c.'s (lī′dĕn). ライデン結晶. = Charcot-Leyden c.'s.

Lubarsch c.'s (lū′bahrsh). ルーバルシュ結晶（精液結晶に類似した，精巣の細胞内結晶).

sperm c., spermin c. 精液結晶，スペルミン結晶（精液中で見出されたスペルミンリン酸塩の結晶．Böttcher 結晶と同一のものと考えられる).

Teichmann c.'s (tīk′mahn)[Ludwig *Teichmann*]. タイヒマン結晶（ヘミンの斜方晶系結晶．血液の顕微鏡的検出に用いられる. →hemin). = chlorohemin c.'s.

thorn apple c.'s サンザシ状結晶（多数の突起をもつ球形の尿酸アンモニウム塩の結晶).

twin c. 双晶（共有面に沿って成長した2つの結晶).

Virchow c.'s (vēr′kow). フィルヒョー結晶（黄褐色，こはく色のヘマトイジン結晶．組織内への溢出血液にみられることが多い).

whetstone c.'s 砥石形結晶（尿中によくみられるキサンチン結晶).

crys・tal・lin (kris′tă-lin). クリスタリン（水晶体中にみられる水溶性蛋白の一種．α(胎児性単一蛋白)，β，γ の変種(易沈殿性に基づく)が知られている．は虫類や鳥類はさらにδ-クリスタリンを含有する．ε-クリスタリンは乳酸デヒドロゲナーゼに一致する).

gamma c. ガンマクリスタリン（電気泳動移動速度が最も小さいクリスタリン).

crys・tal・line (kris′tă-lēn). ***1*** 透明な. ***2*** 結晶性の.

crys・tal・li・za・tion (kris′tăl-i-zā′shŭn). 晶化，結晶化（蒸気あるいは液体が固化したり，溶液から溶質が沈殿する際の結晶形成).

crys・tal・lo・gram (kris′tă-lō-gram) [G. *krystallos*, crystal + *gramma*, something written]. 結晶図（結晶によるX線回析図).

crys・tal・log・ra・phy (kris′tăl-log′ră-fē). 結晶学（結晶の形態および原子構造を研究する学問).

crys・tal・loid (kris′tăl-oyd). ***1*** 晶質，類晶質. ***2*** 仮晶（溶液中で半透膜を透過できるもの．透過できないコロイドとは異なる). ***3*** 電解質のみからなる水和溶液.

Charcot-Böttcher c.'s (shahr′kō bĕrt′shĕr). シャルコー－ベットヒャー晶質（長さ 10—25 μm の針状晶．ヒトのSertoli 細胞(栄養細胞)中にみられる).

Reinke c.'s (rīn′kĕ). ラインケ晶質（とがった先端や丸くなった先端を有する棒状晶質．精巣の間質細胞(Leydig 細胞)と卵巣中に存在する).

crys・tal・lo・pho・bi・a (kris′tăl-ō-fō′bē-ă) [G. *krystallon*, crystal + *phobos*, fear]. ガラス恐怖〔症〕. = hyalophobia.

crys・tal・lu・ri・a (kris-tă-lyū′rē-ă). 結晶尿（尿中への結晶性物質の排泄).

crys・tal vi・o・let (kris′tăl vī′ō-let) [C.I. 42555]. クリスタルバイオレット（熱傷，創傷，皮膚および粘膜のポリープ状の感染症の治療に，また内服によって，ぎょう虫，ある種の吸虫による感染に用いられてきた化合物．染色質，アミロイド，血液中の血小板，フィブリン，および神経膠の染色剤として用いられる．また細菌の区別のためにも用いる). = methylrosaniline chloride.

CS cesarean *section*; Chief of Staff(スタッフ長)の略.

CS_2 *carbon* disulfide の化学式.

Cs セシウムの元素記号.

CSD catscratch *disease*の略.

C-sec・tion (sek′shŭn). →cesarean *section*.

CSF cerebrospinal *fluid*; colony-stimulating *factors* の略.

CSI Calculus Surface Index の略.
CT computed *tomography* の略.
dynamic CT ＝dynamic computed *tomography.*
helical CT ＝spiral computed *tomography.*
spiral CT ＝spiral computed *tomography.*
ultrafast CT (ŭl′tră-fast). 超高速 CT. ＝electron beam *tomography.*
CTA computed tomography *angiography* の略.
CTD cumulative trauma *disorders* の略.
Cte·no·ce·phal·i·des (tē′nō-se-fal′i-dēz) [G. *ktenōdēs*, like a cockle + *kephalē*, head]. イヌノミ属（ノミの一属. イヌノミ *C. canis*, ネコノミ *C. felis* は屋内の愛玩動物に普遍的にみられる外部寄生虫. それらの動物がいなくて飢餓状態の場合はヒトも刺す).
CTL cytotoxic T lymphocytes(細胞傷害性Ｔリンパ球)の略.
CTLA-4 cytotoxic T-lymphocyte *antigen*-4 の略.
CTP cytidine 5′-triphosphate の略.
CTX cyclophosphamide の略.
Cu 銅の元素記号.
^{64}Cu 銅64の記号.
^{67}Cu 銅67の記号.
cu·beb (kyū′beb) [アラビア語, ヒンズー語 *kababa*]. クベバ（西インド諸島のはん緩植物, コショウ科 *Piper cubeba* の未熟乾燥果実. 興奮薬, 駆風薬, 局部刺激薬として, またクベバ油は緩和な尿路消毒薬として用いる).
cubilin (kyūb′i-lin) [CUB (*c*omplement components C1r/C1s, *u*rinary epidermal growth factor, *b*one morphogenetic protein-1) + -ilin]. キュブリン（近位尿細管上皮細胞の先端部のエンドサイトーシス装置と消化管上皮に存在する受容体. 消化管では腸内因子－コバラミン受容体ともよばれる. キュブリンは尿細管上皮ではメガリンと一緒に存在し, 結合している). ＝intestinal intrinsic factor-cobalamin receptor.
cu·bi·tal (kyū′bi-tăl). 肘の.
cu·bi·tus, gen. & pl. **cu·bi·ti** (kyū′bi-tŭs, -tī) [L. elbow]. ***1*** [TA]. 肘, ひじ. ＝elbow (2). ***2*** 尺骨. ＝ulna.
c. valgus 外反肘（伸ばした前腕が上肢軸の外側(橈骨側)に傾いていること).
c. varus 内反肘（伸ばした前腕が上肢軸の内側(尺骨側)に傾いていること).
cu·boid, cu·boi·dal (kyū′boyd, kū-boy′dăl) [G. *kybos*, cube + *eidos*, resemblance][TA]. ***1*** 立方体様の（形が立方体に似ている). ***2*** 立方骨の.
cud·bear (kŭd′bār). クドベール染料（地衣類 *Ochrolechia tartarea*(Lecanoraceae 科)由来の赤紫色の着色剤で, 薬学において用いられる). ＝crottle.
cue (kyū). キュー, 手掛り（条件付けおよび学習理論が反応するように学習したあるいは学習している刺激の型).
response-produced c.'s 反応によって生じたキュー（連鎖行動における連続的刺激のキュー. 各反応は前の反応に対する増強物として, また次の反応の刺激すなわちキューとして作用する. ⇀higher order *conditioning*; behavior *chain*).
cuff (kŭf). カフ（各部の周囲をゆるく包み, これを袖口状に囲む構造).
musculotendinous c. ＝rotator c. of shoulder.
perivascular c.'s 血管周囲カフ（⇀cuffing).
rotator c. of shoulder 回旋筋腱板, ローテーターカフ（肩関節包を前面, 上面, 後面から補強している板状の腱で, 棘上筋, 棘下筋, 小円筋, 肩甲下筋の腱が密着癒合してできたもの). ＝musculotendinous c.
vaginal c. 腟円蓋（子宮摘出の際, 腹膜切開が行われる腟膨隆部).
cuff·ing (kŭf′ing) [M. E. *cuffe*, mitten]. ***1*** 〖n.〗 カフィング, 袖口様白血球集合（血管の周囲への様々な白血球の集簇で, 感染, 炎症, 自己免疫疾患で認められる). ***2*** 〖v.〗 液体または細胞がある構造物を袖口のように取り囲む. 胸部Ｘ線では気管支壁の肥厚として写る.
cui·rass (kwē-ras′) [Fr. *cuirasse*, a breastplate]. 胴甲, 胸鎧（症状や病状の変化に関連した胸郭前面).
analgesic c. 痛覚脱失胸鎧. ＝tabetic c.
tabetic c. 脊髄ろう性胸鎧（脊髄ろう性神経梅毒でみられる上部胸神経領域の痛覚脱失または痛覚鈍麻の帯). ＝analgesic c.; Hitzig girdle.
cul-de-sac, pl. **culs-de-sac** (kūl-de-sak′) [Fr. bottom of a sack]. 盲嚢, 盲管（[本語は2つのハイフンを用いてつづるのが正しい]. ①盲嚢すなわち一端が閉じられた管腔. 例えば, 憩室, 盲腸. ②＝rectouterine *pouch*).
conjunctival c. 結膜円蓋. ＝conjunctival *fornix.*
Douglas c. (dŭg′lăs). ダグラス窩. ＝rectouterine *pouch.*
greater c. 胃底. ＝*fundus* of stomach.
Gruber c. (grū′bĕr). グルーベル盲嚢（鎖骨内端の近くにある胸骨上部の側方憩室. 胸鎖乳突筋の胸骨束後部にある).
lesser c. 幽門洞. ＝pyloric *antrum.*
cul·do·cen·te·sis (kŭl′dō-sen-tē′sis) [cul-de-sac + G. *kentēsis*, puncture]. ダグラス窩穿刺〔術〕（子宮仙骨靱帯間の中心線近くの腟円蓋を穿刺し, 直腸子宮窩より液を吸引すること).
cul·do·plas·ty (kŭl′dō-plas′tē) [cul-de-sac + G. *plastos*, formed]. ダグラス窩形成〔術〕（後腟円蓋の弛緩を治療するための形成外科手術).
cul·do·scope (kŭl′dō-skōp). クルドスコープ, ダグラス窩鏡（骨盤腔鏡検査に用いる内視鏡).
cul·dos·co·py (kŭl-dos′kŏ-pē) [cul-de-sac + G. *skopeō*, to view]. クルドスコピー, 骨盤腔鏡〔検査〕法, ダグラス窩検鏡法（後腟円蓋を通して内視鏡を挿入し, 直腸腟窩および骨盤内臓器を視診すること).
cul·dot·o·my (kŭl-dot′ō-mē) [cul-de-sac + G. *tomē*, incision]. ダグラス窩切開〔術〕（①後腟円蓋から Douglas 窩への切開. ②＝vaginal *celiotomy*).
Cu·lex (kū′leks) [L. gnat]. イエカ属（2,000 種以上を含むカの一属(カ科). 主に熱帯であるが, 世界中に分布しており, ヒト, 家畜, 野生動物, 鳥に多くの疾病を媒介する).
C. nigripalpus カの一種で, 米国ではセントルイス脳炎の媒介体である.
C. pipiens アカイエカ（大量に存在する多型種の一亜種群で, 温帯の褐色イエカや rainbarrel mosquito のこと. 通常, 特に人工容器内の, よどんだ水の中で繁殖し, 至適条件下では 5—6 日の生活環を示す. 類縁型が熱帯地方にみられる).
C. quinquefasciatus カの一種で, 米国にバンクロフト糸状虫 *Wuchereria bancrofti* フィラリア感染が導入されると, その媒介体となる.
C. restuans カの一種で, 米国では東部ウマ脳炎と西部ウマ脳炎の二次ないし容疑媒介体となる.
C. salinarius カの一種で, 米国では東部ウマ脳炎の二次ないし容疑媒介体である.
C. tarsalis コガタアカイエカ近似種（セントルイス脳炎ウイルス, 西部ウマ脳脊髄炎ウイルス, およびウマや鳥やヒトにおける他のウイルスの重要な媒介種).
Cu·lic·i·dae (kyū-lis′i-dē). カ(蚊)科（双翅目昆虫の一科で, イエカ亜科に属する真正のカを含む).
cu·li·ci·dal (kyū-li-sī′dăl) [L. *culex*, gnat + *caedo*, to kill]. カを殺すような.
cu·li·cide (kū′li-sīd). 殺蚊薬.
cu·lic·i·fuge (kū-lis′i-fūj) [L. *culex*, gnat + *fugo*, to drive away]. ***1*** ブヨ, カを駆逐すること. ***2*** 防蚊薬（カに刺されないための薬品).
Cu·li·coi·des (kū-li-koy′dēz) [L. *culex*, gnat]. 微小な吸血性双翅目昆虫の一属. ヒトの非病原性糸状虫(フィラリア) *Mansonella*, *Dipetalonema*, ウマやウシの *Onchocerca*, ヒツジや家禽のウイルスを媒介する.
C. austeni 常在糸状虫 *Mansonella perstans* の中間宿主. 主にアフリカの赤道直下に生息する.
C. furens 西インド諸島における *Mansonella ozzardi* の媒介種.
C. milnei 西アフリカにおけるヒトの非病原性常在糸状虫 *Mansonella perstans* の媒介種.
Cu·lis·e·ta (kū-lis′ē-ta). カの一属(カ科). ヒトおよび家畜と野生動物や鳥類にみられる多数の疾患における媒介体である.
C. inornata カの一種で, 米国では西部ウマ脳炎とカリフォルニアグループ脳炎の二次ないし容疑媒介体である.
C. melanura ハボシカ属カの一種で, 東部ウマ脳脊髄炎ウイルスの主要な地方病性媒介動物である. 本種が主として鳥類を刺すことを考えると, 他のカ(ヤブカ属 *Aedes* spp.)が鳥類からヒトおよびウマへウイルスを媒介する.

Cul·len (kŭl′ĕn), Thomas S. 米国人婦人科医，1868—1953. →C. *sign*.

cul·men, pl. **cul·mi·na** (kul′men, -mē′na) [L. summit] [TA]. 山頂（小脳虫部前部の突起部分で，第１裂の上方の虫部葉．前部すなわちラルセルのIV葉と後部すなわちラルセルのV葉に分かれる）．＝lobulus culminis.

Culp (kŭlp), Ormond S. 米国人泌尿器科医，1910—1977. →C. *pyeloplasty*.

cult (kŭlt) [L. *cultus*, an honoring, adoration]. 祭儀，礼拝形式，祈禱療法（教義または宗教的な教えに基づく体系化された信仰および儀式．従順な献身的な信者，指導者の非現実的な理想化，個人的な欲望や目的の放棄および伝統的な社会価値観の排除などの特徴がある）．

cul·ti·va·tion (kŭl′ti-vā′shŭn) [Mediev. L. *cultivo*, pp. *-atus* < L. *colo*, pp. *cultus*, to till]. 培養〔法〕．＝culture.

cul·tur·al di·ver·si·ty (kŭl′chūr-ăl dī-ver′si-tē). 文化的多様性（異なる民族，人種，国家的背景の人間が出会い，構成した集団の中に存在する，慣習や考え方，日常生活，行動などにおける避けがたい多様性）．

cul·ture (kŭl′chŭr) [L. *cultura*, tillage < *colo*, pp. *cultus*, to till]. ＝cultivation. ***1*** 培養（種々の培地上，培地中で微生物を増殖させること）．***2*** 培養菌（培地上，培地中の微生物集団）．***3*** 培養（動物細胞を増殖させること．細胞培養）．***4*** 文化（ある共同体や国に共通の，信念，価値感，芸術的・歴史的・宗教的特徴，習慣などの集合）．

axenic c. 無菌培養（寄生虫の純培養）．

batch c. バッチカルチャー，大量培養（微生物またはその産物を大規模に生産する技術．ある特定の時点で発酵槽を止め，培養産物を回収する）．

cell c. 細胞培養（身体から分離し，ばらばらにした細胞を生き続けさせる，あるいは増殖させること．一般には培養液(栄養液)に浸したガラス表面上で行う）．

continuous c. 連続培養（栄養素を連続的に発酵槽に補給しながら微生物またはその産物を生産する技術）．

discontinuous c. 非連続培養（微生物またはその産物の生産技術の１つで，閉鎖系の中で栄養素の１つが不足し，微生物の増殖速度が落ちるまで培養する方法）．

elective c. 選択培養（特別な基質を含む培地に接種してインキュベートすることにより，その基質を使用する能力のある微生物を単離する手法．培地中には，通常，望まない微生物の生育を抑えるため，抑制物質を加えたり，あるいは特別な処方にしたりする）．＝enrichment c.

enrichment c. 特殊添加培養．＝elective c.

hanging-block c. ハンギングブロック培養，懸塊培養（カバーガラスに接種・付着した立方体の寒天培地上の微生物培養．湿った箱やくぼんだ載せガラス上に逆さに置く）．

Harada-Mori filter paper strip c. (hah-rah′dă mōr′ē). 原田－森沪紙培養法（沪紙片，糞便検体，水道水を遠沈管に入れて線虫卵が孵化し幼虫となる環境を与える方法）．

mixed lymphocyte c. 混合リンパ球培養（→mixed lymphocyte culture *test*）．

monoxenic c. 単一宿主性培養（一種類の既知の細菌と一緒に培養された寄生性微生物）．

needle c. 針培養．＝stab c.

neotype c. 新標準培養．＝neotype *strain*.

organ c. 器官培養，臓器培養（*in vitro* において，分化あるいは構造や機能の保持が可能な方法を用いて組織や器官原基や器官の一部あるいは全部の成長を維持すること）．

Petri dish c. (pē′trē). ペートリー(ペトリ)皿培養（沪紙片，糞便検体，水道水を Petri 皿に入れ，線虫卵がふ化し幼虫となる環境を与える方法）．

plastic envelope c. ビニール封筒培養（膣トリコモナス *Trichomonas vaginalis* 感染症の診断のための検体を運搬したり培養したりするための簡便法．封筒の上から液体培地を鏡検するので培地をピペットで取り出す必要がない）．

pouch c. ビニール袋培養（膣トリコモナス *Trichomonas vaginalis* を分離，培養，検出するための検体を輸送，培養，検査するための方法）．

pure c. 純培養（通常の細菌学的意味としては，単一の細菌種の単一株からなる培養）．

roll-tube c. 試験管回転培養（試験管内の培地を溶融し，試験管を回転させながら，その培地を固体化させて行う培養．したがって，試験管内部は固体化した培地の薄い膜でおおわれている）．

sensitized c. 感作培養（特異抗血清を添加した生物体の生培養．その混合物を数分間温置した後(その間に血清中の抗体はその生物体と結合する)，余分の血清は遠心分離，生理食塩水による洗浄，再度の遠心分離を行うことにより除去される．感作生物体を生理食塩水で再懸濁することもある）．

shake c. 振とう培養（液体状のゼラチン・寒天培地に接種し，その接種物を振とうにより完全に分散させた後，垂直に立てた試験管内で固体化する培養法）．

slant c. 斜面培養（垂直より斜めに傾けた試験管内で固体化した培地表面での培養．試験管の口径以上の比較的大きい面が得られる）．＝slope c.

slope c. ＝slant c.

smear c. 塗抹培養（感染していると思われるものを固体培地上に塗り広げることにより行う培養）．

stab c. 穿刺培養（試験管中の固体培地に接種物のついた接種針を突き刺すことによりつくられる培養）．＝needle c.

stock c. (stok). 保存培養（微生物を生きた状態で保存することだけを目的として，植え継ぎ(必要ならば新鮮な培地に植え継ぐこと)により保持する微生物の培養）．

streak c. 画線培養（接種物の付着した接種針や接種耳で固体培地表面を軽く掻くことにより行う培養）．

tissue c. 組織培養（身体から切除後の生きている組織を，滅菌栄養培地を入れた容器中で培養すること）．

type c. 基準培養株（標準として保存収集されている微生物の基準株）．

xenic c. [G. *xenikos*, alien foreign < *xenos*, guest, stranger]. 宿主性培養，混合培養（未知の微生物と一緒に培養された寄生性微生物）．

cum (kum) [L.]. 〜とともに．

cu·ma·rin (kū′mă-rin). クマリン．＝coumarin.

Cum·mer (kŭm′ĕr), William E. カナダ人歯科医，1879—1942. →C. *classification*, *guideline*.

cUMP cyclic *uridine* 3′,5′-monophosphate の略．

cu·mu·la·tive (kyū′myū-lă-tiv). 蓄積の，累積の（蓄積，累積する傾向のある．ある種の薬物は蓄積効果 cumulative effect がある，というように用いる）．

cu·mu·lus, pl. **cu·mu·li** (kyū′myū-lŭs, -lī) [L. a heap]. 丘（細胞の集合または塊）．

c. oophorus 卵丘（成熟する卵胞の液腔内で卵母細胞を囲む卵胞上皮顆粒細胞の塊）．＝ovigerus; proligerous disc; proligerous membrane.

c. ovaricus c. oophorus を表す，まれに用いる語．

cu·ne·ate (kū′nē-āt) [L. *cuneus*, wedge]. 楔状の．

cu·ne·i·form (kū′ne-i-fōrm). 楔状の（［誤った発音 cune′iform を避けること］. →intermediate cuneiform (*bone*); lateral cuneiform (*bone*); medial cuneiform (*bone*)）．

cu·ne·o·cu·boid (kyū′nē-ō-kyū′boyd). 楔状骨立方骨の（外側楔状骨と立方骨に関する）．

cu·ne·o·na·vic·u·lar (kyū′nē-ō-na-vik′yū-lăr). 楔状骨舟状骨の（楔状骨と舟状骨に関する）．＝cuneoscaphoid.

cu·ne·o·scaph·oid (kyū′nē-ō-skaf′oyd). ＝cuneonavicular.

cu·ne·us, pl. **cu·nei** (kyū′nē-ŭs, koo′nē-ī) [L. wedge] [TA]. 楔，楔部（左右の大脳半球の後頭葉内側面にあり，鳥距溝と頭頂後頭溝で境界付けられている部分）．

cu·nic·u·lus, pl. **cu·nic·u·li** (kyū-nik′yū-lŭs, -lī) [L. a rabbit; an underground passage]. 疥癬トンネル（疥癬虫による表皮内の孔道）．

cun·ni·lin·gus (kŭn′i-ling′gŭs) [L. *cunnus*, pudendum + *lingo*, to lick]. クニリングス，舐陰（外陰や陰核に口で刺激を与えること．口による性器に対する性的行動の１つ．ペニスに対する口による刺激であるフェラチオと対照的）．

Cun·ning·ham·el·la el·e·gans (kŭn′ing-ha-mel′ă el′ĕ-ganz). ヒトにムコール菌症を引き起こす数種の真菌類の中の一種．

cun·nus (kŭn′ŭs) [L.]. 陰門，陰裂，外陰，女陰．＝vulva.

cup (kŭp) [A.S. *cuppe*]. ***1*** 杯，コップ（解剖学・病理学上の，くぼんだ杯状構造）．＝poculum. ***2*** 吸角，吸い玉．＝cupping *glass*.

Diogenes c. (di-oj′ĕ-nēz). ＝c. of palm.

dry c. 乾性吸角（無傷の皮膚に血液を吸い寄せる目的で

以前用いられた吸角).

eye c. アイカップ（眼の前面への液体の適用を容易にするために用いる小楕円形の受器).

glaucomatous c. 緑内障性陥凹（緑内障による，フラスコ(底のほうが広い)形の視神経乳頭の陥凹). = glaucomatous excavation.

ocular c. =optic c.

optic c. 眼杯（胚眼胞の陥入によって生じる二重壁の杯．内部成分は網膜の神経層になり外層は色素上皮層になる). = caliculus ophthalmicus; ocular c.

c. of palm 手掌杯（手掌の両側の筋により，縮みくぼんだ手のひら). =Diogenes c.; poculum diogenis.

perilimbal suction c. 強膜吸引キャップ（眼からの循環と房水の流れを妨げることにより眼内圧を上昇させる装置).

physiologic c. 生理的乳頭陥凹. =*depression* of optic disc.

suction c. 吸盤（Bier 法に従って局部的充血を起こすために以前用いられた種々の形をした吸角).

wet c. 観血的吸角（血液を吸い出す目的で，あらかじめ乱切または切開した部分に用いる吸角).

cu·po·la (kū′pŏ-lă, kū′). クプラ，杯，頂. =cupula.

cup·ped (kŭpt). 杯状の，くぼんだ.

cup·ping (kŭp′ing). ***1*** 杯形成（くぼみ，杯状陥凹の形成). ***2*** 吸角法（吸角ガラスを用いる方法.→cup).

cu·pric (kū′prik). 第二銅の（特に2価の陽イオンの形をした銅についていう).

cu·pric ac·e·tate, cu·pric ac·e·tate nor·mal (kū′prik as′ĕ-tāt nōrm′ăl). 酢酸銅(II)，酢酸第二銅（以前は潰瘍の治療に用いられていた刺激性の局所腐食薬).

cu·pric ar·se·nite (kū′prik ar′se-nīt). 亜ヒ酸第二銅（有毒性の緑色結晶粉末．薬剤としては現在は用いず，殺虫薬，色素として用いる). =copper arsenite; Scheele green.

cu·pric cit·rate (kū′prik sit′rāt). クエン酸銅(II)，クエン酸第二銅（収れん薬，消毒薬として用いる銅塩). =copper citrate.

cu·pric sul·fate (kū′prik sŭl′fāt). 硫酸銅（藻類に対して強い毒性を有する青色塩．速効性催吐薬であり，刺激薬，収れん薬，殺菌薬として用いる). =copper sulfate; copper sulphate.

cu·pri·u·re·sis (kū′pri-yū-rē′sis) [L. *cuprum*, copper + G. *ourēsis*, a urinating]. 銅尿〔症〕(銅の尿中排泄).

cu·pu·la, pl. **cu·pu·lae** (kū′pū-lă, kū′pū-lă) [L. *cupa*(a tub)の指小辞][TA]. 頂（カップ形，円蓋状の構造物). = cupola.

ampullary c. =c. ampullaris.

c. ampullaris [TA]. 〔膨大部〕頂，小帽（半規管膨大部稜の有毛細胞をおおうゼラチン様の塊で，内リンパが流れると，これが有毛細胞を動かすことになる). =ampullary c.

c. of cochlea 蝸牛頂. =cochlear c.

c. cochleae [TA]. =cochlear c.

cochlear c. [TA]. 蝸牛頂（蝸牛の円蓋状の頂部). =c. cochleae [TA]; c. of cochlea.

c. pleurae [TA]. =cervical *pleura*.

pleural c.* 胸膜頂（cervical *pleura* の公式の別名).

cu·pu·lar (kū′pū-lăr). ***1*** クプラの，頂の，杯の. ***2*** 円蓋状の. =cupulate; cupuliform.

cu·pu·late (kū′pū-lāt). =cupular (2).

cu·pu·li·form (kū′pŭ-lĭ-fōrm). =cupular (2).

cu·pu·lo·gram (kū′pū-lō-gram′). クプログラム（正常動作に関する前庭機能の図式表示).

cu·pu·lo·lith·i·a·sis (kū′pū-lō-li-thī′a-sis). =benign paroxysmal positional *vertigo*.

cu·rage (kyū′rij) [Fr. a cleansing]. 掻爬（掻爬器よりむしろ指による掻爬).

cu·ra·re (kū-rah′rē) [< *urarr*, Tupí(an indigenous S. Am.language)]. クラーレ（数種の植物，特に *Strychnos toxifera, S. castelnaei, S. crevauxii, Chondodendron tomentosum* からの抽出物．静脈内投与で神経筋接合部における伝達を遮断することにより骨格筋の非脱分極麻痺を生じる．アマゾンやオリノコの南米原住民の狩人はクラーレに浸した矢じりを用いている．クラーレは臨床的には D-塩化ツボクラリン，ヨウ化メトクリンのように外科手術中に筋弛緩を起こすために用いる．しばしば狩人が貯蔵する容器のタイプによって分類される(例えば，pot curare)). =arrow poison (1).

calabash c. [土着民が中空のヒョウタンの中に詰めたことに由来]. ヒョウタンクラーレ（フジウツギ科 *Strychnos* 属から産出されたクラーレ．ヨヒンビン，インドールまたはストリキニーネ型アルカロイドを含有する).

pot c. [粘土のつぼで保存されたクラーレ]. ポットクラーレ（*Chondodendron*属植物から産出されたクラーレ).

tube c. [竹筒で保存したクラーレ]. チューブクラーレ（*Chondodendron*属植物から産出されたクラーレ．アルカロイドであるツボクラリンを含有する).

cu·ra·ri·form (kū-rar′i-fōrm). クラーレ様〔作用〕の（クラーレのような作用をもつ薬物についていう).

cu·rar·i·mi·met·ic (kū-rar′i-mī-met′ik). クラーレ様作用を有する.

cu·ra·rine (kū′ră-rēn). クラーリン（カラバシュクラーレのアルカロイド主成分).

cu·ra·ri·za·tion (kyū-rah′ri-zā′shŭn). クラーレ麻痺（神経筋接合部における神経インパルスの伝達をブロックする作用のあるクラーレまたはその関連化合物を投与して，筋肉の弛緩または麻痺状態を起こすこと).

cur·a·tive (kyūr′ă-tiv). ***1*** 治療の，治効ある（治癒，癒合する). ***2*** 治癒的な.

cur·cum·in (ker′kū-min). クルクミン（*Curcuma longa* の根およびさや由来の黄色色素．肝臓および胆汁の疾患の治療に用いる．カレー粉に含まれる．指示薬として用いる．また，5-リポキシゲナーゼを阻害する). =turmeric yellow.

curd (kerd). 凝乳，カード（牛乳の凝塊).

cure (kyūr) [L. *curo*, to care for]. ***1*** 《v.》治癒する，治療する. ***2*** 《n.》治癒. ***3*** 《n.》療法，治療. ***4*** 《n.》硬化（→dental *curing*).

cu·ret (kyū-ret′). →curette.

cu·ret·tage (kū′rĕ-tahzh′). 掻爬〔術〕(新生物やその他の異常組織の除去，あるいは組織診断用試料採取のために，通常，窩洞または路の内部をこすりはがすこと). =curettement.

periapical c. 根尖周囲掻爬〔術〕(①病理的骨欠損部からキューレットを用いて歯根周囲の嚢胞や肉芽腫を除去すること．②抜歯またはそれに引き続いて行われる腐骨分離後に，歯槽より歯の破片および残屑を除去すること).

subgingival c. 歯肉縁下掻爬〔術〕(歯根膜嚢に生じる歯肉縁下歯石，潰瘍性上皮，および肉芽腫状組織の除去). = apoxesis.

suction c. 吸引掻爬術（流産法の一形式．必要に応じ子宮口を開大し吸引装置に接続したカニューレで妊娠の内容物を吸引除去する．不全流産での内容除去あるいは妊娠中絶に用いられる). =dilation and suction.

cu·rette, cu·ret (kū-ret′, kyū-ret′) [Fr.]. 有窓鋭匙，キューレット，掻爬器（棒状の把手のついた鋭い縁の，環状または杓子形の器具．掻爬に用いる).

Hartmann c. (hahrt′mahn). ハルトマン〔有窓〕鋭匙（アデノイド除去のために側部を切るキューレット).

cu·rette·ment (kyū-ret′ment). =curettage.

Curie, Marie(1867—1934)と Pierre(1859—1906). フランス人化学・物理学者・ノーベル賞受賞者(夫婦). →curium.

cu·rie (C, c, Ci) (kyū′rē) [Marie (1867—1934)と Pierre (1859—1906) *Curie*. フランス人化学・物理学者・ノーベル賞受賞者]. キュリー（放射能の測定単位で，毎秒 3.70×10^{10} 個の壊変に等しい．以前は1gのラジウムと放射平衡状態にある全ラドンの放射能で定義したが，SI 単位のベクレル(単位時間に1つの壊変)に置き換えられた).

cur·ing (kyūr′ing). ***1*** 治癒，治療. ***2*** 加熱したり，成熟させたりして，何かを利用できるようにする過程.

dental c. 温成（義歯床，充塡，印象用トレーなどにおいて，その材料である塑性物質が固体になる過程).

cu·ri·um (Cm) (kyū′rē-ŭm) [Marie and Pierre *Curie*]. キュリウム（原子番号96，原子量 247.07 の元素．地球上で自然には生じないので，1944 年，プルトニウム 239 をアルファ粒子で衝撃し，初めて人工的につくられた．最も安定した形のキュリウム同位元素はキュリウム 247 で，半減期は約 1560 万年. →curie).

CURL (kŭrl). カール（*c*ompartment of *u*ncoupling of *r*eceptor and *l*igand(受容体とリガンドが解離している区画)の頭字

語. *cf.* recycling *endosome*).

cur·rent (ker′rĕnt) [L. *currens*: *curro* (to run) の現在分詞形]. 電流, 流動（液体, 空気, 電気の流れ).

action c. 活動電流（効果的に刺激されている筋線維内に発生する電流. 通常, 収縮後に生じる).

after-c. →aftercurrent.

alternating c. (**AC**) 交流（一定周期内で交互に方向を変える電流. 例えば, 60 サイクル(Hz)の電流).

ascending c. 上行電流（陰極に対し陽極を末梢に置いた際, 神経内を流れる電流の方向. 下行電流とは反対に, 通例, 電流は正から負の方向に流れる). = centripetal c.

axial c. 軸流（動脈内血流において, 血管の中央で急速に動いている部分).

centrifugal c. 遠心電流. = descending c.

centripetal c. 求心電流. = ascending c.

d'Arsonval c. (dahr′sahn-vahl′). ダルソンヴァル電流. = high-frequency c.

demarcation c. 分画電流. = c. of injury.

descending c. 下行電流（陽極に対し陰極を末梢に置いた際, 神経内を流れる電流の方向. 上行電流とは反対に流れる). = centrifugal c.

direct c. (**DC**) 直流（一方向にだけ流れる電流, 例えば, 電池から得られる電流. ガルヴァーニ電流をさすこともある. →galvanism).

electrotonic c. 電気緊張電流（→electrotonus).

galvanic c. ガルヴァーニ電流（→direct c.; galvanism (1)).

high-frequency c. 高周波電流（10,000/sec 以上の周波数をもつ交流. 筋収縮を起こすこともなく, 知覚神経にも影響がない). = d'Arsonval c.; Tesla c.

c. of injury 負傷電流, 損傷電流（神経, 筋, その他の興奮性組織の損傷部と非損傷部を伝導体で結合した際に発生する電流. 非損傷部に対して損傷部が陰性となる). = demarcation c.

labile c. 不安定電流（絶えず電極を動かして身体に適用する電流).

Tesla c. (tes′lă). テスラ電流. = high-frequency c.

Current Procedural Terminology (**CPT**) (kur′ent prō-sē′dzhūr-al ter-mi-nol′ŏjē). 最新医療診療行為用語（医師やその他の医療従事者により作成される診断や治療の手順に関する公式分類で, 米国医師会(AMA)によって 1966 年から毎年改訂版が出版されている. すべての手順には 5 桁のコード番号が割り振られている. これは保険会社が医療機関に支払う金額を決定する手助けとするために, 米国保健省医療保険財政管理局(HCFA)によって開発されたものである. 多くの健康管理においても, その他の保険業務においても, HCFA が確立した値に基づいて, 支払い金額を決定している).

Cursch·mann (kūrsh′mahn), Heinrich. ドイツ人医師, 1846—1910. →C. *spirals*.

curse (kers). たたり, のろい（悪霊がもたらすと考えられている災い).

Ondine c. (on-dēn′) [*Ondine*, ギリシア神話の登場人物 Undine を基にした J. Giraudoux の戯曲の登場人物]. オンディーヌ(オンディネ)ののろい（特発性中心性肺胞低換気で, 呼吸の不随意コントロールが抑制されるが, 随意コントロールは障害されていない状態).

Cur·tis (kŭr′tĭs), Arthur H. 米国人婦人科医, 1881—1955. →Fitz-Hugh and C. *syndrome*.

cur·va·tu·ra, pl. **cur·va·tu·rae** (ker′vă-chūr′ră, -chūr′ē) [L.]. 弯曲. = curvature.

c. primaria columnae vertebralis [TA]. = primary *curvature* of vertebral column.

curvaturae secondariae columnae vertebralis [TA]. = secondary *curvatures* of vertebral column.

c. ventriculi major [TA]. 大弯. = greater *curvature* of stomach.

c. ventriculi minor [TA]. 小弯. = lesser *curvature* of stomach.

cur·va·ture (ker′vă-chūr) [L. *curvatura* < *curvo*, pp. -*atus*, to bend, curve]. 弯曲（→angulation). = curvatura.

angular c. 角状弯曲（Pott 病における脊椎の鋭い弯曲のような突背奇形). = Pott c.

anterior c. 〔脊柱〕前弯〔症〕（遠位部または尾部が解剖学的冠状面より前方に偏位する弯曲).

backward c. 〔脊柱〕後弯〔症〕（遠位部または尾部が解剖学的冠状面より後方に偏位する弯曲). = posterior c.

gingival c. 歯肉弯曲部（歯頸部の付着縁に沿った歯肉の弯曲部分).

greater c. of stomach [TA]. 大弯（大網が付着する胃の辺縁). = curvatura ventriculi major [TA].

lateral c. 側方弯曲, 〔脊柱〕側弯〔症〕（遠位部が近位部に対し, 解剖学的矢状面より偏位する弯曲で, 外反位をとる).

lesser c. of stomach [TA]. 小弯（小網が付着する胃の右縁). = curvatura ventriculi minor [TA].

occlusal c. 咬合弯曲. = *curve* of occlusion.

posterior c. = backward c.

Pott c. (pot). ポット弯曲. = angular c.

primary c. of vertebral column [TA]. 脊柱の一次弯曲（胎児脊柱にみる腹側に凹の弯曲のことで, 成人では胸部後弯, 仙骨部後弯として残る. →kyphosis). = curvatura primaria columnae vertebralis [TA].

secondary c.'s of vertebral column [TA]. 脊柱の二次弯曲（生後発達する腹側に凸の弯曲のことで, 頸部前弯, 腰部前弯という. →lordosis). = curvaturae secondariae columnae vertebralis [TA].

spinal c. 脊柱弯曲（→kyphosis; lordosis; scoliosis).

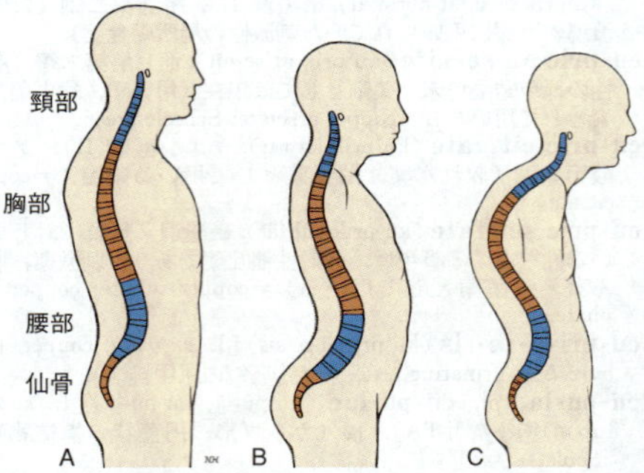

normal and abnormal curves of the vertebral column

A：正常. 一次弯曲（橙色), 二次弯曲（青色). B：脊柱前弯症. C：若年性後弯症.

curve (kerv) [L. *curvo*, to bend]. *1* 弯曲, 屈曲（角のない連続した屈曲). *2* 曲線（連続線により個々の観測値を結び, 生理活動の経過, 一定期間内の疾病件数, その他, 数値表でも表しうるようなデータを図示したもの). = chart (2).

active length-tension c. 自動長さ-張力曲線（筋収縮における自動等尺性張力と負荷前長(静止長)との間の関係を示す曲線).

alignment c. 配列曲線（歯の中心を通り近遠心的に歯列弓曲線の方向に向かう線).

anti-Monson c. (mon′sŏn). 逆モンソンカーブ. = reverse c.

Barnes c. (barnz). バーンズ曲線（通常, Carus 曲線に相当する曲線. 仙骨岬骨を中心とする円の一部をなす).

buccal c. 頰側歯牙弯曲（犬歯から第三臼歯に及ぶ歯列弓線).

calibration c. 較正曲線, 検量線（分析によって得られた目盛りと対象物質量との間の関係を示すグラフあるいは数式. 曲線ではなく直線で与えられることが多い).

Carus c. (kah′rŭs). カールス曲線（数式により得られる想像上の曲線. 骨盤出口を示すと思われる). = Carus circle.

cephalic c. 児頭弯曲（児頭の弯曲に一致するカーブ. 産科鉗子の形状を表現する).

characteristic c. 特性曲線（X 線フイルムの感度曲線. フイルム濃度に対する相対露光量の対数をプロットしたも

の). = H and D c.; Hunter and Driffield c.

compensating c. 調節弯曲（人工歯の咬合面および切端の線列における前後側方の弯曲．平衡咬合にするために用いる）．

distribution c. 分布曲線（連続する値，または値の範囲の生起する頻度に基づいて，データをカテゴリーに系統的に分類し，この度数分布をグラフに表したもの）. = frequency c.

dose-response c. 用量－反応曲線（薬物や感染物質などの用量と生物学的反応との関係を表したグラフ）．

dye-dilution c. 色素希釈曲線（Evans ブルーなどの色素の血管内・心臓内注射後における連続的濃度(希釈)変化を示すグラフ．先天性心臓内短絡の診断，心拍出量の測定，心臓弁膜症の発見に有用）. = indicator-dilution c.

epidemic c. 流行曲線（特定の流行や発症を記述するために，ある疾患の新しい症例数と時間の間隔を対比させて描いたグラフ）．

flow-volume c. 流量－容量曲線（通常，最大深呼吸時に，呼吸ガスの瞬間流量をその時の肺容量に対してプロットして作成したグラフ）．

force-velocity c. 力－速度曲線（筋収縮における収縮の等張性速度と負荷後張力との間の関係を示す曲線）．

Frank-Starling c. (frank star′ling). フランク－スターリング曲線. = Starling c.

frequency c. 度数〔分布〕曲線. = distribution c.

Friedman c. (frēd′măn). フリードマン曲線. = partogram.

gaussian c. ガウス曲線. = normal *distribution*.

growth c. 成長曲線（一定の期間にわたる個人の成長や人口の増加をグラフ化したもの）．

H and D c. H–D 曲線. = characteristic c.

Heidelberger c. (hī-dĕl-ber′gĕr). ハイデルバーガー曲線. = precipitation c.

Hunter and Driffield c. (hŭn′tĕr drif′fēld). = characteristic c.

indicator-dilution c. 指示薬希釈曲線. = dye-dilution c.

intracardiac pressure c. 心〔臓〕内圧曲線（心房・心室内で記録した圧力の曲線(心房・心室内圧曲線)）．

isovolume pressure-flow c. 等容量圧流量曲線（肺内外圧差と呼吸気流量との関係を示す曲線．肺容量の関数として表される）．

labor c. = partogram.

logistic c. ロジスティック曲線（S 字状曲線．一定区域内における人口増加を表現するなどのために使われる）．

milled-in c.'s ミルドインカーブ. = milled-in *paths*.

Monson c. (mon′sŏn). モンソンカーブ（各咬頭および切端が，眉間部に中心のある直径約 20 cm の球表面の一部分に接触，適合している咬合弯曲）．

muscle c. 筋運動曲線. = myogram.

c. of occlusion 咬合弯曲（①残存歯の切端および咬合面突起の主要部分に同時に接触する弯曲面．②自然歯の咬合面の弯曲）. = occlusal curvature.

passive length-tension c. 他動長さ–張力曲線（安静時の筋における他動張力と負荷前長(静止長)との間の関係を示す曲線）．

Pleasure c. (ple′zhūr). プレジャーカーブ（矢状断面でみたとき，最後臼歯を除き上方に凸面をなすような咬合弯曲）．

precipitation c. 沈降曲線（抗原を用いて抗体の定量をする際に，加えた抗原量に応じて形成される沈降物の量を表したグラフ）. = Heidelberger c.

Price-Jones c. (prīs jōnz). プライス–ジョーンズ曲線（赤血球の直径の分布曲線．悪性貧血その他大赤血球が出現する場合には分布曲線右方に，鉄欠乏，その他小赤血球貧血などの際には左方に偏位する）．

probability c. 〔正規〕確率プロット（Gauss (正規)分布を対照として確率分布の相対的な違いを表すグラフ）．

progress c. プログレス曲線（化学的または酵素触媒反応を図示したもの．生成物濃度や基質濃度，ES 二元複合体を経時的にプロットする）．

pulse c. 脈波曲線. = sphygmogram.

receiver operating characteristic c. 受信者動作特性曲線，ROC 曲線（①感度を偽陽性割合に対してプロットしたもの．通常，診断に関する試験で用いられる．②健常者と疾病をもった人を区別するため行われるスクリーニングの能力を評価するためのグラフィカルな手法）. = ROC c.

reverse c. リバースカーブ（歯科において，上方が凸である咬合弯曲）. = anti-Monson c.

ROC c. ROC曲線. = receiver operating characteristic c.

c. of Spee (schpā). シュペー弯曲（下顎咬合面の解剖学的弯曲．下顎犬歯の尖端から始まり臼歯の頬側咬頭に続き，最後の大臼歯まで続いている）. = von Spee c.

Starling c. (star′ling). スターリング曲線（心拍出量または 1 回拍出量を平均心房圧または心室拡張末期圧に対して示したグラフ．静脈還流と心房圧の増大に伴い，拍出量はさらに増大して心臓に負荷をかけるに至り，その後拍出量が減少するがそれまでは比例的に増加する）. = Frank-Starling c.

strength-duration c. 強さ－時間曲線（電気による刺激の強さと刺激が有効に作用している時間との相関グラフ．→ chronaxie; rheobase）．

stress-strain c. 応力－ひずみ曲線（材料の引っ張り試験において，荷重に対する変形の割合を示す曲線）．

tension c. 圧力曲線（骨に加わったストレスに適応してつくられる海綿骨の骨梁の方向）．

Traube-Hering c.'s (trow′bē her′ing). トラウベ－ヘーリング曲線（血圧の緩徐な変動．通常，呼吸周期の数回にわたって起こる．血管運動神経性緊張の変動に関係する．血圧の律動的変動）. = Traube-Hering waves.

tuning c. チューニング曲線（1 つの神経細胞における，種々の周波数に対する聴力閾値強度のグラフ）．

volume-time c. 容量－時間曲線（時間に対する呼出量．これは単純肺活量測定とよばれる方法でつくられる基本的曲線である）．

von Spee c. (fahn schpā). フォン・シュペー弯曲. = c. of Spee.

whole-body titration c. 全身滴定曲線（一次的な酸－塩基平衡の動揺に反応して起こる動脈血中の水素イオン，P_{ACO_2}，重炭酸の *in vivo* の変化をグラフ化したもの）．

Cur·vu·la·ri·a (kŭr′vū-lā′rē-ă). 培地上で急速に生育する暗色の真菌の一属．一般に，夾雑菌とみなされるが，*C. lunata* と *C. geniculata* の 2 種は，ヒトの菌腫，角膜真菌症，副鼻腔炎，および黒色真菌症を生じうる病原真菌の仲間である．

Cush·ing (kush′ing), Hayward W. 米国人外科医，1854—1934. → C. *suture*.

Cush·ing (kush′ing), Harvey W. 米国人脳神経外科医，1869—1939. → C. *basophilism*, *disease*, *syndrome*, *syndrome* medicamentosus, *effect*, *phenomenon*, *response*, pituitary *basophilism*.

cush·ing·oid (kush′ing-oyd). クッシング様の（Cushing 病または Cushing 症候群の徴候や症状に似た．満月状顔貌，野牛稜背部，皮膚線条，肥満，高血圧，糖尿病，骨粗しょう症，一般には外因性の長期間にわたるステロイド剤投与によるものが多い）．

cush·ion (kush′ŭn). 座褥，クッション（解剖学において，ざぶとんや枕に似た構造をいう）．

anal c.'s 肛門クッション（上直腸静脈叢の嚢状静脈の集まりで形成された血管性隆起．動静脈吻合のために充血を生じ，通常，肛門管の左側方，右前側方，右後側方に存在する）. = cavernous bodies of anal canal; corpora cavernosa recti; hemorrhoidal c.'s; threshold pads of anal canal.

atrioventricular canal c.'s 房室管隆起（胚期の心臓で心内膜におおわれた結合組織の 1 対の隆起で，房室管内へ肥厚している．一方は背側壁に，他方は腹側壁に位置し，成長に伴って両者が融合し，一次中隔の下縁とも融合し，最初は単一の管を分割して左右の房室口になる）. = endocardial c.'s.

endocardial c.'s 心臓内隆起. = atrioventricular canal c.'s.

c. of epiglottis = epiglottic *tubercle*.

eustachian c. (yū-stā′shăn). エウスターキオ隆起. = *torus* tubarius.

hemorrhoidal c.'s 痔核クッション. = anal c.'s.

levator c. 挙筋隆起. = *torus* levatorius.

Passavant c. (pahs′ă-van[h]). パッサファント隆起. = palatopharyngeal *ridge*.

pharyngoesophageal c.'s 咽頭食道静脈叢（咽頭食道接合部の前・後壁にある静脈叢）. = pharyngoesophageal pads.

C

sucking c. ＝buccal *fat-pad.*

cusp (kŭsp)［L. *cuspis*, point］［TA］. ＝cuspis［TA］. ***1*** 咬頭，尖頭，尖（歯科において，歯の表面上の独立した石灰化の中央から始まる円錐形の隆起．→dental *tubercle*）．***2*** 心臓弁膜尖（心臓弁膜の一小葉）．

anterior c. of left atrioventricular valve* anterior c. of mitral valve の公式の別名．

anterior c. of mitral valve［TA］．僧帽弁の前尖（2つの弁尖のうち腹側にある大きいほうで中隔壁に付く．2つの弁尖が合わさって心室収縮期に左房室口を閉じる）．＝cuspis anterior valvae atrioventricularis sinistrae［TA］; anterior c. of left atrioventricular valve*; cuspis anterior valvae mitralis*.

anterior c. of right atrioventricular valve* anterior c. of tricuspid valve の公式の別名．

anterior c. of tricuspid valve［TA］．三尖弁の前尖（3つの弁尖のうち最大で最も腹側にあるもので，3弁尖が合わさって心室収縮期に右房室口を閉じる）．＝cuspis anterior valvae atrioventricularis dextrae［TA］; anterior c. of right atrioventricular valve*; cuspis anterior valvae tricuspidalis*.

c. of Carabelli (kah-ră-bel′ē). カラベリ結節（上顎第一大臼歯にみられる第五咬頭で，通常，近心側咬頭の舌側に存在する）．

distal c. ＝hypoconulid.

left semilunar c. of aortic valve〔大動脈弁の〕左半月弁尖（大動脈弁の3つの半月弁尖の1つ．胎児の心臓では左，成体の心臓では左後方に位置し，左冠状動脈の起始と位置が重なる）．＝valvula coronaria sinistra (valvae aortae)*.

posterior c. of left atrioventricular valve* posterior c. of mitral valve の公式の別名．

posterior c. of mitral valve［TA］．僧帽弁の後尖（2つの弁尖のうち背側にある小さいほうで房室口壁に付く．2つの弁尖が合わさって心室収縮期に左房室口を閉じる）．＝cuspis posterior valvae atrioventricularis sinistrae［TA］; cuspis posterior valvae mitralis*; posterior c. of left atrioventricular valve*.

posterior c. of right atrioventricular valve* posterior c. of tricuspid valve の公式の別名．

posterior semilunar c. of aortic valve〔大動脈弁の〕後半月弁尖（大動脈弁の3つの半月弁尖の1つ．胎児の心臓では後方，成体の心臓では右後方に位置し，冠状動脈の起始と位置が重ならない）．＝valvula noncoronaria (valvae aortae)*.

posterior c. of tricuspid valve［TA］．三尖弁の後尖（3つの弁尖のうち中サイズで最も背側にあるもので，3弁尖が合わさって心室収縮期に右房室口を閉じる）．＝cuspis posterior valvae atrioventricularis dextrae［TA］; cuspis posterior valvae tricuspidalis*; posterior c. of right atrioventricular valve*.

right semilunar c. of aortic valve〔大動脈弁の〕右半月弁尖（大動脈弁の3つの半月弁尖の1つ．胎児の心臓では右，成体の心臓では前方に位置し，右冠状動脈の起始と位置が重なる）．＝valvula coronaria dextra (valvae aortae)*.

semilunar c. 半月弁尖（大動脈起始部で逆流を防ぐための弁を構成する3枚の半月形の弁葉．肺動脈幹の入口にも同様のものがある．三弁葉は，肺動脈弁では前尖・右尖・左尖と，大動脈弁では後尖・右尖・左尖とよばれる）．

septal c. of right atrioventricular valve* septal c. of tricuspid valve の公式の別名．

septal c. of tricuspid valve［TA］．三尖弁の中隔尖（心室中隔に隣接して存在する三尖弁の弁葉）．＝cuspis septalis valvae atrioventricularis dextrae［TA］; cuspis septalis valvae tricuspidalis*; septal c. of right atrioventricular valve*.

talon c.［Eng. claw, heel ＜ O. Fr. ＜ L. *talus*, ankle］．距錐咬頭（永久切歯の基底結節より舌側に突出した異常な咬頭）．

c. of tooth［TA］．咬頭（咬合面の一部を形成する歯冠上の隆起）．＝cuspis dentis［TA］; cuspis coronae.

tuberculated c. (tū-bĕr′kyū-lāt-ed kŭsp). ＝*dens* evaginatus.

cus·pad (kŭs′păd)［L. *ad*, to］．咬頭の方へ（歯の咬頭の方向へ）．

cus·pal (kŭs′păl). 尖の．

cus·pid (kŭs′pid)［L. *cuspis*, point］．***1***〚adj.〛尖頭の，凸形の（ただ1つの尖をもつ）．＝cuspidate. ***2***〚n.〛犬歯．＝canine *tooth.*

cus·pi·date (kŭs′pi-dāt). ＝cuspid (1).

cus·pis, pl. cus·pi·des (kŭs′pis, kŭs′pi-dēz)［L. a point］［TA］．尖．＝cusp.

c. anterior valvae atrioventricularis dextrae［TA］. ＝anterior *cusp* of tricuspid valve.

c. anterior valvae atrioventricularis sinistrae［TA］. ＝ anterior *cusp* of mitral valve.

c. anterior valvae mitralis* anterior *cusp* of mitral valve の公式の別名．

c. anterior valvae tricuspidalis* anterior *cusp* of tricuspid valve の公式の別名．

c. coronae 咬頭．＝*cusp* of tooth.

c. dentis［TA］．咬頭．＝*cusp* of tooth.

c. posterior valvae atrioventricularis dextrae［TA］. ＝posterior *cusp* of tricuspid valve.

c. posterior valvae atrioventricularis sinistrae［TA］. ＝ posterior *cusp* of mitral valve.

c. posterior valvae mitralis* posterior *cusp* of mitral valve の公式の別名．

c. posterior valvae tricuspidalis* posterior *cusp* of tricuspid valve の公式の別名．

c. septalis valvae atrioventricularis dextrae［TA］. ＝septal *cusp* of tricuspid valve.

c. septalis valvae tricuspidalis* septal *cusp* of tricuspid valve の公式の別名．

cu·sum (kyū′sum). 累積和（一連の計測値の累積合計 cumulative sum の頭字語．品質管理の手法として，英国で初めに用いられた）．

cut (kŭt). ***1***〚n.〛切断（分子生物学において，二本鎖核酸の対向する2個のリン酸ジエステル結合を加水分解的に開裂すること．*cf.* nick）．***2***〚v.〛切断する，分割する．***3***〚v.〛分画する．***4***〚n.〛カット（画分，フラクション，断片を表すくだけた用語）．

cu·ta·ne·o·mu·co·sal (kyū-tā′nē-ō-myū-kō′săl). ＝mucocutaneous.

cu·ta·ne·ous (kyū-tā′nē-ŭs)［L. *cutis*, skin］．皮膚の．

cutch (kŭtch). ＝catechu nigrum.

cut·down (kŭt′down). 血管切開（輸液や薬剤の静脈内投与あるいは圧の測定の目的で，カニューレまたは針を挿入するために，皮膚切開を加えて静脈あるいは動脈を露出すること）．＝venostomy.

Cu·te·reb·ra (kū-te-rē′bră)［L. *cutis*, skin + *terebro*, to bore ＜ *terebra*, an auger］．ウサギヒフバエ属（大きな青色または黒色のマルハナバチ様の成虫となるタケノコムシバエの一属で，その幼虫はきわめて一般的にはげっ歯類やウサギ（家兎および野兎）に感染する．幼虫は通常，頸部の皮下結合組織内で成長して大きな棘毛のあるウジになる．恐らく別種と思われる同様のウジが，ネコにもまれでなく，ときにはイヌやヒトにも見出される）．

cu·ti·cle (kyū′ti-kil)［L. *cuticula*: *cutis*(skin)の指小辞］．***1*** 小皮，クチクラ（通常，皮膚の表皮の角質性の表側の薄い層）．＝cuticula (1). ***2*** 表皮，角質（上皮細胞の表面にある層で，無脊椎動物ではときにキチン性である）．***3*** 表皮．＝epidermis.

acquired c., acquired enamel c. ＝acquired *pellicle.*

dental c. 歯小皮．＝enamel c.

enamel c. エナメル小皮（歯の皮膜で，2層のきわめて薄い層（内層は透明で無構造，外層は細胞層）からなる原始エナメル小皮で，新生歯の冠全体をおおい，そしゃくによってすり減る．顕微鏡的には，明らかに，付着上皮と歯との間にある無定型の物質である）．＝adamantine membrane; cuticula dentis; dental c.; membrana adamantina; Nasmyth c.; Nasmyth membrane; skin of teeth.

c. of hair 毛小皮．＝*cuticula* pili.

c. of nail 爪小皮，キューティクル（爪床縁深面の角質層が遠位（爪先）方向に伸びて見えているもので，近位部分では爪の本体に重なるように付着して皮膚のようにみえる．胎性爪皮の遺残物で，通常は妊娠8か月頃に退化してしまう）．

Nasmyth c. (nās′mith). ネースミス(ナスミス)小皮. =enamel c.

posteruption c. =acquired *pellicle*.

c. of root sheath 毛〔根鞘〕小皮. =*cuticula* vaginae folliculi pili.

cu·tic·u·la, pl. **cu·tic·u·lae** (kyū-tik′yū-lă, -lī) [L. cuticle]. ***1*** [NA]. 小皮. =cuticle (1). ***2*** 表皮. =epidermis.

c. dentis 歯小皮. =enamel *cuticle*.

c. pili 毛小皮（毛皮質を取り囲む，重なり合う丸石様細胞よりなる層であり，毛皮質細胞を包み込み，毛包に毛幹を固定する）. =cuticle of hair.

c. vaginae folliculi pili 毛根鞘小皮（毛包に重なって小石のように並ぶ細胞の小皮で，毛上皮の対側に向いて，毛を毛包に固定する）. =cuticle of root sheath.

cu·tin (kyū′tin) [L. *cutis*, skin]. クチン（特製の薄い動物性の膜で，創傷面の保護膜として用いる）.

cu·tis (kyū′tis) [L.][TA]. 皮膚. =skin.

c. anserina 鳥肌（寒さ，恐怖，その他の刺激によって立毛筋が収縮して毛包口が隆起したもの）. =goose flesh; gooseflesh.

c. laxa [MIM*123700]. 弛緩性皮膚. =dermatochalasis.

c. marmorata 大理石様皮膚（正常の，生理学的な，ピンクの大理石様斑紋で，寒さにさらされた子供に持続性にみられる異常）.

c. marmorata telangiectatica congenita [MIM*219250]. 先天性血管拡張性大理石様皮斑（皮膚毛細血管皮静脈の奇形で生じ，大理石模様の外観を呈する）. =Van Lohuizen syndrome.

c. rhomboidalis nuchae 項部菱形皮膚（老化または日光に長時間さらされた結果生じる弾性線維の日光変性を伴った項部皮膚のしわのよった幾何学的形状）.

c. vera =dermis.

c. verticis gyrata 脳回〔転〕状頭皮（頭皮が肥大し，前後に溝をつくってひだ状になる先天性変化. 強皮骨膜症の一症状）.

cu·ti·za·tion (kyū-ti-zā′shŭn). 皮膚化，表皮化（粘膜皮膚境界部において，粘膜が皮膚に変化すること）.

cutpoint (kut′poynt). カットポイント，切点（血圧のように臨床的に異常とみなされる基準となる値）.

cu·vet, cu·vette (kū-vet′). キュベット（光学分析のための溶液を入れる小容器）.

Cu·vi·er (kū-vē-ā′), Georges L.C.F.D. de la. フランス人科学者，1769—1832. ⇀C. *ducts*, *veins*.

CV *coefficient* of variation; cardiovascular; closing *volume* の略.

CVA cerebrovascular *accident*; costovertebral *angle* の略.

CVI common variable *immunodeficiency* の略.

CVP central venous *pressure* の略.

CVS cardiovascular *system*; chorionic villus *sampling* の略.

CWD chronic wasting *disease* の略.

CX *phosgene* oxime の略.

CXC 任意のアミノ酸（X)を挟んで良く保存された4つのシステイン（C)残基が形成するケモカインスーパーファミリー.

CXR chest x-ray(胸部X線)の略.

CxT concentration×time(濃度×時間)の略. ⇀AUC.

cyan- (sī-an′). ⇀cyano-.

cy·an·al·co·hols (sī′an-al′kō-holz). シアンアルコール. =cyanohydrins.

cy·an·a·mide (sī-an′i-mīd). シアナミド；H_2NCN; HN=C=NH（刺激性・腐食性の水溶性物質. しばしばカルシウムシアナミドをさす）.

cy·a·nate (sī′a-nāt). シアン酸塩（–O–C≡N 基またはイオン $(CNO)^-$）.

cy·a·ne·mi·a (sī′a-ne′mē-ă) [cyan- + G. *haima*, blood]. cyanosis を表す現在では用いられない語.

cy·a·nide (sī′an-īd). ***1*** シアン化物（–CN 基，$(CN)^-$ イオンを含む化合物. そのイオンはきわめて有毒であり，水中でシアン化水素酸を生成する. 扁桃油臭がする. 細胞レベルにおいて呼吸系蛋白(シトクロム)を阻害することにより酸素の正常な代謝を妨害する）. ***2*** シアン化物（HCN 塩またはシアン基を含有する分子類）. ***3*** しばしばシアン化物ガスを略記するのに使われる.

c. methemoglobin =cyanmethemoglobin.

cy·a·nid·e·non (sī′ă-nid′ĕ-non). =luteolin.

cy·an·i·dol (sī-an′i-dol). =catechin.

cy·an·met·he·mo·glo·bin (sī′an-met-hē′mō-glō′bin). シアンメトヘモグロビン（シアン化物とメトヘモグロビンの化合物. シアン化物中毒の症例においてメチレンブルー投与時に生成される. 比較的無毒性）. =cyanide methemoglobin.

cyano-, cyan- (sī-an′ō, sī-an′) [G. *kyanos*, a dark blue substance]. ***1*** 青を意味する連結形. ***2*** 化学上の接頭語. しばしばシアン化物(CN を含む化合物)の命名に用いる.

Cy·a·no·bac·te·ri·a (sī′ă-nō-bak-tēr′ē-ă). 藍〔色〕細菌門，シアノバクテリア門，青緑色細菌門（原核植物類の一門. これらの細菌は単細胞あるいは糸状で，非運動性かまたは滑走運動性がある. 二分裂で増え，光合成を行って酸素を発生する. 以前，これらの青緑色細菌は藍藻類をさした）. =Cyanophyceae.

cy·a·no·chro·ic, cy·an·och·rous (sī-an′ō-krō′ik, sī-an-ok′rŭs) [cyano- + G. *chroia*, color]. =cyanotic.

cy·a·no·co·bal·a·min (sī′an-ō-kō-bal′ă-min). シアノコバラミン（ビタミン B_{12} のようなシアン化物とコバラミンの複合体. シアニド基は，コバルト原子の第六配位座を占める）.

radioactive c. 放射性シアノコバラミン（特定の微生物がコバルト57，58，または60を含有する培地上で増殖することにより産生されるシアノ[^{57}Co]コバラミン，シアノ[^{58}Co]コバラミン，またはシアノ[^{60}Co]コバラミン. シアノコバラミン(ビタミン B_{12})の吸収・代謝の研究に用いる）.

cy·an·o·gen (sī-an′ō-jen). シアン；NC–CN（① 2個のシアン基よりなる化合物. ②化学合成の試薬や組織の防腐薬に用いられるきわめて毒性が強い化合物(一般的な構造式は X–CN，ただしXはハロゲン)の原料，例えば臭化シアン）.

c. chloride 塩化シアン；CNCl（揮発性の高い液体. シアン化水素による燻蒸において警戒剤として用いる全身性毒物）.

cy·a·no·gen·ic (sī′an-ō-jen′ik). シアン発生の（シアン化水素酸を発生しうる. モロコシ，Johnson 草，ホロムイソウ類，野生のウメ属のように，草食動物にシアン中毒を起こしうる植物についていう）.

cy·a·no·hy·drins (sī′an-ō-hī′drinz). シアノヒドリン；R–CHOH–CN（シアン酸 HCN とアルデヒドの付加化合物）. =cyanalcohols.

cy·an·o·phil, cy·an·o·phile (sī-an′ō-fil, -fīl) [cyano- + G. *philos*, fond]. 好青細胞，好青成分（染色過程で特異的に青色に染まる細胞あるいは成分）.

cy·a·noph·i·lous (sī′ă-nof′i-lŭs). 好青性の（青色染色で染まりやすいことについていう）.

Cy·a·no·phy·ce·ae (sī′ă-nō-fī′sē-ē) [cyano- + G. *phykos*, seaweed]. =Cyanobacteria.

cy·a·no·pi·a (sī′ă-nō′pē-ă). =cyanopsia.

cy·a·nop·si·a (sī′ă-nop′sē-ă) [cyano- + G. *opsis*, vision]. 青〔色〕視〔症〕（物がすべて青く見える症状. 白内障摘出後一時的に起こることがある）. =blue vision; cyanopia.

cy·a·nosed (sī′ă-nōsd). =cyanotic.

cy·a·no·sis (sī′ă-nō′sis) [G. dark blue color < *kyanos*, blue substance]. チアノーゼ（血液の酸素化の不足によって皮膚と粘膜が濃い青紫色になること. 血液の還元型ヘモグロビンが5g/mL を超えると出現する）.

compression c. 圧迫性チアノーゼ（頭部，頸部，胸郭上部の浮腫，点状出血を伴うチアノーゼで胸郭や腹部の強い圧迫による静脈反射で生じる. 結膜や網膜も同様に侵される）.

enterogenous c. 腸性チアノーゼ（亜硝酸塩その他の毒物が腸管より吸収されることにより，メトヘモグロビンまたはスルフヘモグロビンが生成されて起こる外見的なチアノーゼ. 皮膚の色の変化はメトヘモグロビンのチョコレート色のためである）.

false c. 偽〔性〕チアノーゼ（血液中にメトヘモグロビンのような異常色素が存在することにより生じるチアノーゼで，酸素欠乏の結果ではない）.

hereditary methemoglobinemic c. 遺伝性メトヘモグロビン血性チアノーゼ. =congenital *methemoglobinemia*.

late c. 遅発性チアノーゼ(先天性心疾患で心不全症状が現れた後，右心系から左心系へ短絡部を酸素化していない血液

C

が通り，チアノーゼ症状が現れること）．＝cyanose tardive; tardive c.

c. retinae 網膜チアノーゼ（網膜の静脈うっ血）．

shunt c. 短絡性チアノーゼ（心腔内で酸素化されていない血液が右心系から左心系に短絡して流れる結果，皮膚の一部や粘膜が青色に見えること）．

tardive c. ＝late c.

toxic c. 中毒性チアノーゼ（亜硝酸塩のようなある種の薬物作用によるメトヘモグロビン生成により起こるチアノーゼ）．

cy・a・not・ic (sī′ǎ-not′ik)．チアノーゼの（[非標準の cyanosed の代わりに本語を使わないこと]）．＝cyanochroic; cyanochrous; cyanosed.

cy・a・nu・ri・a (sī′ǎ-nyū′rē-ǎ) [cyano- + G. *ouron*, urine]．青色尿〔症〕．

cy・a・nu・ric ac・id (sī′ǎ-nyūr′ik as′id)．シアヌル酸（尿素の加熱により生成される環状化合物．工業用および除草剤として用いる）．

Cy・a・thos・to・ma (sī′ǎ-thos′tō-mǎ) [G. *kyathos*, cup, cup-shaped + *stoma*, mouth]．シアトストーマ属（Syngamidae 科線虫類で，家禽やその他の鳥の気管虫の３属のうちの一属．上気道に寄生された家禽が口を大きく開く習慣から，アクビムシという意味のこの名前でよばれる）．

C. bronchialis ガン，家禽のアヒル，ガチョウ，ハクチョウにみられる種で，喉頭，気管，気管支に寄生し，ニワトリの気管虫 *Syngamus trachea* と同様な呼吸困難その他の症状を起こす．その生活史は *Syngamus trachea* と同一と考えられる．*cf.* *Syngamus*.

Cy・a・thos・to・mum (sī′ǎ-thos′tō-mŭm) [→*Cyathostoma*]．シアトストムム属（多数の属および亜属に様々に分類されている小円虫類線虫の一属．およそ40種がウマやゾウに被害を及ぼし，盲腸や結腸に寄生して体重減少，低アルブミン血症，下痢を引き起こす）．

cy・ber・chon・dri・a (sī′bĕr-kon′drē-ǎ) [*cybernetics* < G. *kybernētikos*, skilled in governing or piloting + [*hypo*]*chondria*]．サイバーコンドリア（インターネットや特定のウェブサイトにおいて学習した病気に罹患してしまったと誤って信じること）．

cy・ber・net・ics (sī′ber-net′iks) [G. *kybernētica*, things pertaining to control or piloting]．サイバネティックス，自動制御学（①脳の機能を説明するための，コンピュータと人間の神経系との比較研究．②生物と無生物の両方における制御と伝達に関する科学．制御がフィードバックにより支配されるのを特徴とする．すなわち実際の結果と期待した結果との相違に関して，系内での伝達により，行動がその相違を最小限にするように修正される．→feedback）．

cybersex (sī′bĕr-seks) [*cyber-*, pertaining to electronic computing < G. *kybernaō*, to pilot, steer + sex]．サイバーセックス（コンピュータを使った性的な画像あるいは性的なやりとりからもたらされる性的刺激）．

cy・brid (sī′brid) [cell + hybrid]．サイブリッド，細胞質雑種（細胞交雑(雑種繁殖)の結果としてできる２つの異種細胞からの細胞質をもつ細胞の１つ）．

cycl- (sī′kl)．→cyclo-.

cy・cla・mate (sī′klǎ-māt)．シクラミン酸塩またはエステル．シクラミン酸のカルシウム塩およびナトリウム塩は非カロリー人工甘味剤．

cy・clam・ic ac・id (sī-klam′ik as′id)．シクラミン酸（甘味剤．通常はナトリウム塩(シクラミン酸ナトリウム)またはカルシウム塩(シクラミン酸カルシウム)の形で用いる）．＝cyclohexanesulfamic acid; cyclohexylsulfamic acid.

cy・clar・thro・di・al (sī′klar-thrō′dē-ǎl)．環状関節の．

cyc・lar・thro・sis (sik′lar-thrō′sis) [cyclo- + G. *arthrōsis*, articulation]．環状関節（回旋運動を行う関節）．

cy・clase (sī′klās)．シクラーゼ（例えば adenylate cyclase のように，環状化合物を形成する酵素に用いる説明的名称）．

CYCLE

cy・cle (sī′kl) [G. *kyklos*, circle]．サイクル，回路，周期（①繰り返して起こる一連の事象．②繰返しの時間間隔．③音波におけるような，一連の波の高まりと低まり）．

anovulatory c. (an-ov′yū-lā-tōr-ē sī′kĕl)．無排卵性周期（卵胞より卵細胞の放出がない卵巣周期）．

brain wave c. 脳波サイクル（脳波における１つの波，複合波，衝撃波の次の位相までの一波長）．

carbon dioxide c., carbon c. 炭酸ガスサイクル，炭素サイクル（炭素が動物の呼気および腐敗有機物に由来する炭酸ガスとして植物に取り込まれ，そこで光合成により炭水化物に合成されて，そこから全生活過程での異化作用の結果として再び最後に炭酸ガスとして大気中に放出される炭素の循環）．

cardiac c. 心〔臓〕周期（心臓の収縮・拡張期およびその間隔を含む完全な１周期．または心臓の活動のある事象から始まり，次の同じ事象の起こる瞬間までの周期）．

cell c. 細胞周期（組織培養での細胞の増殖中に起こる周期性の生化学的構造的事象．周期は，G_0，第１ギャップ期(G_1)，合成期(S_1)，第２ギャップ期(G_2)，および分裂期(M)に区分される．周期を経ることにより細胞分裂が進行する）．＝mitotic c.

chewing c. そしゃくサイクル（１回のそしゃくストロークにおける下顎運動の全サイクル）．

citric acid c. クエン酸サイクル．＝tricarboxylic acid c.

Cori c. (kō′rē) [Carl F. *Cori*]．コーリサイクル(炭水化物代謝過程のことで，ⓘ肝臓におけるグリコゲン分解，ⓘⓘ血流中へのグルコースの輸送，ⓘⓘⓘグルコースの筋肉中でのグリコゲンとしての貯蔵，ⓘⓥ筋肉運動中のグリコゲン分解および乳酸への変換をいい，この乳酸は肝臓において再びグリコゲンに変換される．乳酸サイクルともよばれる）．＝lactic acid c.

dicarboxylic acid c. ジカルボン酸サイクル（①トリカルボン酸サイクルのジカルボン酸(コハク酸，フマル酸，リンゴ酸，オキサロ酢酸)を含む部分．②トリカルボン酸サイクルの一部分とグリオキシル酸サイクルとからなる回路．微生物でのグリオキシル酸の使用に重要である）．

endogenous c. 体内生活環（寄生生物の宿主体内における生活史）．

endometrial menstrual c. 子宮内膜周期（卵母細胞が成熟，排卵し，卵管を経由して子宮腔内に入り，子宮内に存在しているまでの期間で，卵巣からのホルモン分泌により影響を受ける子宮内膜の変化の周期．子宮内膜周期は，増殖期，分泌期，虚血期，月経期の４つに分かれる．月経開始日を第１日目とした周期は平均 28 日である．*cf.* menstrual c.）．

erythrocytic c. 赤内サイクル（マラリア原虫の生活史において脊椎動物内で病原性を発生する期間で，赤血球内に存在している）．

estrous c. 発情周期（高等動物の子宮や卵巣などの一連の生理的変化で，発情前期，発情期，発情後期，および発情間期または静止期からなる）．

exoerythrocytic c. 外赤血球期（マラリア原虫がそのライフサイクルにおいて脊椎動物の赤血球外で肝細胞内にいる非病原期）．

exogenous c. 体外生活環（寄生生物の宿主体外における生活史）．

fatty acid oxidation c. 脂肪酸酸化サイクル（アシル CoA 化合物を含む一連の反応．この反応で，アシル CoA 化合物はベータ酸化およびチオ開裂を受けてアセチル CoA を生成する．生物組織における脂肪酸異化の主要経路である）．

forced c. 強制周期（強制拍動による(心房あるいは心室の)短縮周期）．

futile c. 無益回路（通常は，それぞれ別の代謝経路に関与する２つの酵素により触媒される，リン酸化－脱リン酸化回路．正味の効果は ATP の加水分解と熱生成．例として筋肉中での 6–ホスホフルクトキナーゼとフルクトース–1,6–ビスホスファターゼの非制御作用による無益回路がある．そのような回路は熱生成，また，ある代謝経路の制御微調整に重要であり，悪性過温症の要因の可能性がある）．＝substrate c.

γ-glutamyl c. γ–グルタミル回路（ある種のアミノ酸(特に L–シスチン，L–メチオニン，L–グルタミン)やジペプチドのグルタチオン依存性細胞内輸送の経路．この回路には，これらのジペプチドやトリイソペプチドの細胞内輸送の際，蛋白および γ–グルタミルアミノ酸や γ–グルタミルジペプチドの生成が必要である).

glycine-succinate c. グリシンコハク酸サイクル（グリシンがスクシニル CoA と縮合し，二酸化炭素と水に酸化されてスクシニル CoA を再生する一連の代謝過程．δ-アミノレブリン酸の合成や赤血球の代謝に重要である). ＝Shemin c.

glyoxylic acid c. グリオキシル酸サイクル（動物のトリカルボン酸サイクルに代わる，植物と微生物の異化サイクル．その主反応はアセチル CoA とグリオキシル酸のリンゴ酸への縮合である．トリカルボン酸サイクルにおけるアセチル CoA とオキサロ酢酸とのクエン酸を生成する縮合と同様である). ＝Krebs-Kornberg c.

gonadotrophic c. ゴナドトロピン周期（媒介昆虫における卵巣発育の全周期で，血液を摂取したときから十分発達した卵を産卵するまでの期間).

hair c. 毛周期（毛の生活史における成長(発育相)，退行(中間期)，および休止(休止期)の段階).

heterogonic life c. ヘテロゴニー生活環（寄生世代ももつある生物(例えば糞線虫 *Strongyloides stercoralis*)の自由生活世代の生活環).

homogonic life c. ホモゴニー生活環（自由生活世代ももつある生物(例えば糞線虫 *Strongyloides stercoralis*)の寄生生活世代の生活環).

Krebs c. (krebz). クレープス(クレブス)サイクル. ＝tricarboxylic acid c.

Krebs-Henseleit c., Krebs ornithine c., Krebs urea c. (krebz hen′sĕ-līt). クレープス(クレブス)-ヘンゼライトサイクル，クレープス(クレブス)オルニチンサイクル，クレープス(クレブス)尿素サイクル. ＝urea c.

Krebs-Kornberg c. (krebz korn′berg). クレープス(クレブス)-コーンバーグサイクル(回路). ＝glyoxylic acid c.

lactic acid c. 乳酸経路. ＝Cori c.

life c. ライフサイクル，生活環，生活周期（生物の全生活史).

masticating c.'s そしゃくサイクル（食物そしゃく中に行われる下顎運動のパターン).

menstrual c. 月経周期（卵細胞が成熟・排卵し，卵管を通って子宮腔にはいるまでの期間．卵巣ホルモン分泌は受精した場合に卵着床が可能になるように子宮内膜を変化させる．受精しなかった場合には，卵巣ホルモン分泌は衰え，子宮内膜は剝脱して月経が始まる．この周期は平均して 28 日間であり，通常，月経の始まる日を周期の第 1 日目とする．*cf.* endometrial menstrual c.).

mitotic c. 分裂周期. ＝cell c.

nitrogen c. 窒素サイクル（大気中の窒素が固定され動植物の生活に利用された後，大気中に戻る一連の事象．硝化細菌が N_2 と O_2 を亜硝酸イオン NO_2^- と硝酸イオン NO_3^- に変える．後者は植物に吸収され，蛋白に変わる．植物が朽ちるとその窒素の一部は大気中に放たれ，残りは微生物によりアンモニア，亜硝酸塩，硝酸塩に変えられる．植物が動物に摂取されると，その排泄物や細菌による腐敗により窒素は土壌および空気中に戻る).

ornithine c. オルニチンサイクル. ＝urea c.

ovarian c. 卵巣周期（正常な性周期で，卵胞の発育，卵胞破裂と排卵，黄体の形成と衰退を含む).

pentose phosphate c. ペントースリン酸回路. ＝pentose phosphate *pathway*.

reproductive c. 生殖周期（受胎から妊娠および分娩に至る周期).

restored c. 復旧周期（回帰周期に続き正常律動を起こす心房・心室性心臓周期).

returning c. 回帰周期（期外収縮あるいは強制拍動によって始まる心房・心室性心臓周期).

Ross c. (ros) [Ronald *Ross*]. ロスサイクル（マラリア原虫の生活環).

Shemin c. (shem′in) [David *Shemin*]. シェミンサイクル. ＝glycine-succinate c.

substrate c. 基質回路. ＝futile c.

succinic acid c. コハク酸サイクル（コハク酸および他の炭素原子 4 個からなる酸(フマル酸，リンゴ酸，オキサロ酢酸)がトリカルボン酸サイクルの一部分として，ピルビン酸酸化に関与する一連の酸化還元反応. →dicarboxylic acid c.).

tricarboxylic acid c. トリカルボン酸サイクル（酸化的リ

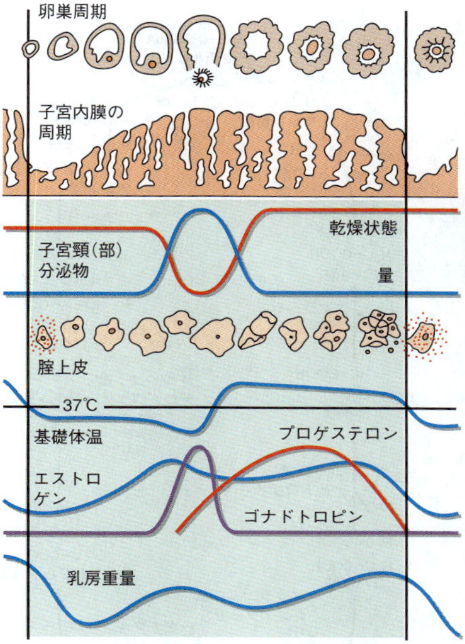

menstrual cycle

ン酸化と関連して哺乳類の主なエネルギー源であり，糖質・脂肪・蛋白代謝すべての最終過程．オキサロ酢酸に始まりそれに終わる一連の反応で，その間に 2 個の炭素原子からなる断片が完全に酸化されて二酸化炭素と水になり，12 の高エネルギーリン酸結合を生成する．初めに関係する 4 つの物質，クエン酸，シスアコニット酸，イソクエン酸，オキサロコハク酸がすべてトリカルボン酸であるためこの名がある．オキサロコハク酸の後は，順に α-ケトグルタル酸，コハク酸，フマル酸，L-リンゴ酸，オキサロ酢酸で，次いでアセチル CoA(脂肪酸分解により生じる)と縮合してクエン酸を再生する．次頁の図参照). ＝citric acid c.; Krebs c.

urea c. 尿素回路（主として肝臓内で行われ，最終的に尿素を生成する一連の化学反応．主反応はアルギナーゼによる L-アルギニンの L-オルニチンと尿素への加水分解である．L-オルニチンはさらにカルバモイル化反応により L-シトルリンに変化し，さらに L-アスパラギン酸の関与するアミノ化反応により再び L-アルギノコハク酸に変えられ，最終的にリアーゼ依存性反応によりアルギニンとフマル酸を生成する). ＝Krebs-Henseleit c.; Krebs ornithine c.; Krebs urea c.; ornithine c.

visual c. 視サイクル（視覚色素の退色と再生に関係するカロチノイド色素の変化).

---

cy·clec·to·my (sī-klek′tō-mē, sik-lek′tō-mē) [cyclo- ＋ G. *ektomē*, excision]. 毛様体切除〔術〕（毛様体の一部を切除すること). ＝ciliectomy.

cy·clen·ceph·a·ly, cy·clen·ce·pha·lia (sī′klen-sef′ă-lē, -se-fā′lē-ă) [cyclo- ＋ G. *enkephalos*, brain]. 輪状脳半球癒着奇形，馬蹄形脳半球癒着（奇形胎児の一型で，大脳両半球の発育不良と程度の異なる融合が特徴). ＝cyclocephaly; cyclocephalia.

cy·cles per sec·ond (cps) (sī′kilz sek′ŭnd). サイクル毎秒（音波を構成する圧縮と弛緩の 1 秒当たりの繰返し数．音の高さあるいは振動数の尺度．この周波数の単位の名称としては，むしろヘルツ(Hz)のほうがよく使われる).

cy·clic (sī′klik, sik′lik). ***1*** 周期〔性〕の，循環の（ある種の疾

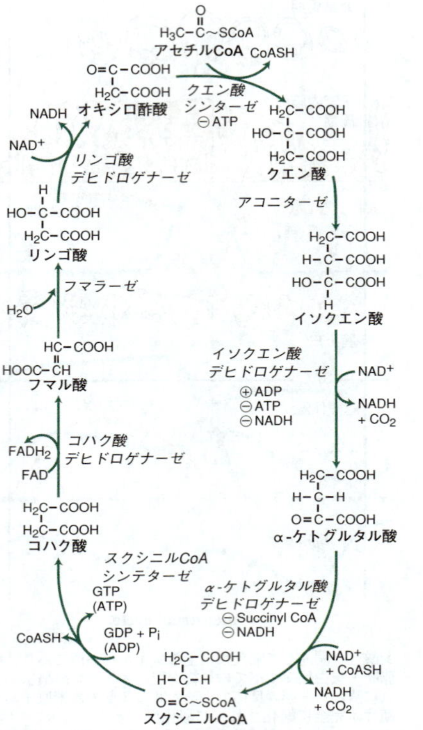

tricarboxylic acid cycle (citric acid cycle, Krebs cycle)
⊕：活性化因子，⊖：阻害因子，イタリック体：酵素名，～：高エネルギー結合．

患や障害の症状経過についていう)．*2* 環式の（化学構造における環状の．環式化合物についていう)．

cy·clic AMP (sī′klik)．サイクリック AMP．＝adenosine 3′,5′-cyclic monophosphate.

3′,5′-cy·clic AMP syn·the·tase (sī′klik sin′the-tās)．3′,5′-サイクリック AMP シンテターゼ．＝*adenylate* cyclase.

cy·clic GMP (sī′klik)．サイクリック GMP．＝cyclic *guanosine* 3′,5′-monophosphate.

cy·clin (sī′klin)．サイクリン（細胞周期の制御に関与する蛋白群)．

cy·clin D (sī′klin)．サイクリンD（細胞周期の調節に関与する蛋白)．

cy·cli·tis (sī-klī′tis) [G. *kyklos*, circle(ciliary body) + *-itis*, inflammation]．毛様体炎．

Fuchs heterochromic c. (fūks)．フックス虹彩異色性虹彩毛様体炎．＝Fuchs *syndrome.*

heterochromic c. 異虹彩色性毛様体炎（障害のある眼の虹彩の萎縮を伴う毛様体の慢性炎症)．

plastic c. 線維素性毛様体炎（前眼房および硝子体腔への線維性滲出を伴う毛様体の炎症．通常は全眼球血管膜の炎症)．

purulent c. 化膿性毛様体炎（毛様体の化膿性炎症)．

cyclo-, cycl- (sī′klō, sī′kl) [G. *kyklos*, circle]．*1* 円，周期，または毛様体を意味する連結形．*2* 化学において，端のない連続する分子，あるいは1つの分子の2部分間でのそのような構造の生成を意味する接頭語．

cy·clo·ceph·a·ly, cy·clo·ce·pha·lia (sī′klō-sef′ă-lē, -sĕ-fā′lē-ă) [cyclo- + G. *kephalē*, head]．＝cyclencephaly.

cy·clo·cho·roid·i·tis (sī′klō-kō′roy-dī′tis)．毛様体脈絡膜炎（毛様体および脈絡膜の炎症)．

cy·clo·cry·o·ther·a·py (sī′klō-krī′ō-thār′ă-pē)．毛様体冷凍療法（緑内障の治療における経強膜的毛様体冷凍術)．

cy·clo·des·truc·tive (sī′klō-dis-trŭk′tiv)．毛様体破壊〔性〕の（緑内障患者で，房水産生を減少させるために毛様体を障害するように予定された．→cyclocryotherapy; cyclodiathermy; cyclophotocoagulation)．

cy·clo·di·al·y·sis (sī′klō-dī-al′i-sis) [cyclo- + G. *dialysis*, separation]．毛様体解離(剝離)〔術〕（前房と脈絡膜上腔を交通させて，緑内障における眼圧を軽減する方法)．

cy·clo·di·a·ther·my (sī′klō-dī′ă-ther′mē)．毛様体ジアテルミー（緑内障治療のため毛様体部の強膜に施す電気透熱法)．

cy·clo·duc·tion (sī′klō-dŭk′shŭn) [cyclo- + L. *duco*, pp. *ductus*, to draw]．眼球回旋（眼球の視軸を中心にしての眼球の回転)．＝circumduction (2) [TA]; cyclotorsion.

cy·clo·hex·ane·sul·fam·ic ac·id (sī′klō-heks′ān-sŭl-fam′ik as′id)．シクロヘキサンスルファミン酸．＝cyclamic acid.

cy·clo·hex·yl·sul·fam·ic ac·id (sī′klō-hek′sil-sŭl-fam′-ik as′id)．シクロヘキシルスルファミン酸．＝cyclamic acid.

cy·cloid (sī′kloyd) [cyclo- + G. *eidos*, resembling]．循環病質(気質)（循環気質，気分循環症を示す．気分循環症に関連したパーソナリティ特性に適用される用語)．

cy·clol (sī′klol)．シクロール（蛋白に存在すると考えられた環状ジペプチド．ある種の麦角アルカロイドに存在する)．

cy·clo·ox·y·gen·ase (COX) (sī′klō-oks′ē-jen-ās)．シクロオキシゲナーゼ．＝*prostaglandin* endoperoxide synthase.

cy·clo·pe·a (sī-klō′pē-ă)．＝cyclopia.

cy·clo·pe·an (sī-klō′pē-an)．＝cyclopian.

cy·clo·pent·a·mine hy·dro·chlor·ide (sī′klō-pent′ă-mēn hī′drō-klōr′īd)．塩酸シクロペンタミン（交感神経興奮性アミン．エフェドリンと同様の作用をもつ)．

cy·clo·pen·tane (sī′klō-pen′tān)．シクロペンタン（炭素原子5個よりなる閉鎖炭化水素環．ペンテンの異性体)．

cy·clo·pen·ta[*a*]phen·an·threne (sī′klō-pen′ta〔ā〕fen′ă-thrēn)．シクロペンタ[*a*]フェナントレン（フェナントレンの *a* 側に3炭素部分が縮合したもの．ペルヒドロ(飽和)誘導体のように，ステロイドの基本構造である)．

cy·clo·pep·tide (sī′klō-pep′tīd)．シクロペプチド（環状ペプチド群の1つで，RNA ポリメラーゼを阻害して蛋白合成を阻止する．局所抗菌薬として使用するが摂取すると毒性がある．有毒キノコの成分(アマトキシン)．→polymyxin; amatoxin)．

cy·clo·phil·ins (sī′klō-fil′inz) [*cyclo-* + G. *philia*, love, attraction + *-in*]．サイクロフィリン（熱ショック蛋白や他の分子(例えばグルココルチコイド受容体)と結合する細胞内蛋白．サイクロフィリンは移植拒絶反応抑制薬(例えば，サイクロスポリン，FK-506 など)の免疫抑制作用を伝達している)．

cy·clo·pho·ras·es (sī′klō-fōr′ās-ez)．シクロホラーゼ（ミトコンドリア中の酵素群．ピルビン酸の二酸化炭素と水への完全酸化を触媒する．これらの酵素および補酵素は，基本的にはトリカルボン酸サイクルに含まれる)．

cy·clo·pho·ri·a (sī′klō-fō′rē-ă) [cyclo- + G. *phora*, movement]．回転斜位，回旋斜位（いずれかの眼を前後軸を中心にして内側または外側へ回旋しやすい異常な性質．運動は融像刺激により妨げられる)．

cy·clo·phos·pha·mide (CTX) (sī′klō-fos′fă-mīd)．シクロホスファミド（抗癌作用を有するアルキル化薬．親化合物ナイトロジェンマスタード(塩酸メクロルエタミン)と同様に用いる．また，B細胞の活動と抗体の形成を抑制する)．

cy·clo·pho·to·co·ag·u·la·tion (sī′klō-fō′tō-kō-ag′yū-lā′shŭn) [cyclo- + photocoagulation]．毛様体光凝固〔術〕（緑内障において，房水産生を抑制する目的で行う．毛様体突起の光凝固)．

Cy·clo·phyl·li·dae (sī′klō-fil′i-dē) [cyclo- + G. *phyllon*, leaf]．円葉目（条虫類の一目．ヒトや家畜に共通の寄生虫の大部分を含む)．

cy·clo·pi·a (sī-klō′pē-ă) [G. *Kyklōps* < *kyklos*, circle + *ōps*, eye]．単眼症，キクロプス症，一つ目奇形（先天性奇形で，両眼窩が合併して1つとなったもの．これは一般的に左右

の視神経原基の癒合により生じ，全前脳胞症や輪状脳半球癒着奇形を合併する）．＝cyclopea; synophthalmia; synophthalmus.

cy·clo·pi·an (sī-klō′pē-an). 単眼症の，キクロプス症の．＝cyclopean.

cy·clo·ple·gi·a (sī′klō-plē′jē-ă) [cyclo- + G. *plēgē*, stroke]. 毛様体筋麻痺，調節麻痺（眼の毛様体筋力の喪失．脱神経または薬理作用による）．

cy·clo·ple·gic (sī′klō-plē′jik). ***1***〘adj.〙毛様体筋麻痺の，調節麻痺の．***2***〘n.〙毛様体筋麻痺薬（毛様体筋の調節力を麻痺させる薬剤）．

cy·clo·pro·pane (sī′klō-prō′pān). シクロプロパン（特有の臭気をもつ爆発性の気体．以前は全身麻酔に広く用いられた）．＝trimethylene.

cy·clops (sī′klops) [→cyclopia]. 単眼体（単眼症の人）．＝monoculus (1); monophthalmus; monops.

cy·clo·ser·ine (sī′klō-ser′ēn). シクロセリン（セリンアミドの環状無水物．*Streptomyces orchidaceus*, *S. garyphalus* により産生される広域抗菌スペクトル抗生物質）．＝orientomycin.

cy·clo·sis (sī-klō′sis) [G. < *kykloō*, to move around]. 細胞内環流（原生動物細胞内での原形質およびその中の色素体の運動）．

Cy·clo·spo·ra (sı′klō-spōr′ă). シクロスポラ属（ヤスデ，は虫類，食虫類，げっ歯類から報告されている，クリプトスポリジウム類似のコクシジウムの一属．2つのスポロシスト内にそれぞれ2個ずつのスポロゾイトをもつ抗酸性のオーシストをつくるのが特徴である．米国，カリブ海沿岸諸国，東南アジア，東ヨーロッパで以前藍藻様小体 *Cyanobacterium*-like bodies が原因とされていた，広域に分布する長期間ではあるが自己限定性のヒトの下痢の原因となる．標準種は *C. cayetanensis*）．＝*Cyanobacterium-like* bodies.

C. cayetanensis 持続性下痢を伴う腸炎を生じる種．通常，汚染された水あるいは食物で感染する．

cyclosporiasis (sī′klō-spō-rī′ă-sis). シクロスポラ症（*Cyclospora*属による感染症）．

cy·clo·spor·ine (sī′klō-spōr′ēn). シクロスポリン（真菌 *Tolypocladium inflatum Gams* により産生される環式オリゴペプチド免疫抑制薬．臓器移植拒否反応を防ぐために用いる）．

cy·clo·thy·mi·a (sī′klō-thī′mē-ă) [cyclo- + G. *thymos*, rage]. 循環気質（①＝cyclothymic *disorder*. ②気分循環症と気分循環性格を含んだ ICD–10分類）．

cy·clo·thy·mi·ac, cy·clo·thy·mic (sī′klō-thī′mē-ăk, -thī′mik). 循環気質の．

cy·clot·o·my (sī-klot′ō-mē) [cyclo- + G. *tomē*, incision]. 毛様体切開〔術〕．

cy·clo·tor·sion (sī′klō-tōr′shun). 眼球回旋．＝cycloduction.

cy·clo·tron (sī′klō-tron) [cyclo- + G. *-tron*, instrumental]. サイクロトロン（粒子加速器の一種．原子核を衝撃・分裂させるため，固定磁場と高周波電場を組み合わせ，高速のイオン(例えば，陽子や重陽子)をつくり出す加速器．臨床的に有用な陽電子放出核種を生産するために使用される）．

cy·clo·tro·pi·a (sī′klō-trō′pē-ă) [cyclo- + G. *tropē*, a turn, turning]. 回転斜視（他眼に対する視軸に沿って一眼が回転する際の眼位の偏位）．

cy·clo·zo·o·no·sis (sī′klō-zō′ō-nō′sis) [cyclo- + G. *zōon*, animal + *nosos*, disease]. 脊椎動物間人獣共通感染症（生活史上，2種以上の脊椎動物(非脊椎動物は除く)宿主を要する寄生虫病．例えば，無鉤条虫 *Taenia saginata* や有鉤条虫 *Taenia solium* などのタニア属条虫類では，ヒトが必須宿主となる．包虫症ではヒトは必須宿主でない）．

Cyd シチジンの記号．

cyema (sī-ē′mă). 〔初期胚細胞の〕割球（受胎産物の胎児性細胞）．

cy·e·sis (sī-ē′sis) [G. *kyēsis*]. pregnancy を表す現在では用いられない語．

cyl. cylinder; cylindric *lens* の略．

cyl·in·der (cyl., C) (sil′in-der) [G. *kylindros*, a roll]. ***1*** 円柱レンズ．→cylindric *lens*. ***2*** 円柱（円柱または杆状の尿円柱）．***3*** ボンベ（気体を加圧下貯蔵する円筒状の金属性耐圧容器）．

Bence Jones c.'s (bents jōnz) [Henry *Bence Jones*]. ベンス・ジョーンズ円柱（[Bence と Jones をハイフンで結ばないこと]．精嚢の液体中にあるゼラチン様蛋白性物質で，やや不規則な形の，比較的滑らかな，かなり粘着性のある杆状または円柱形の物質）．

crossed c.'s 交差円柱（乱視を矯正する際に，円柱レンズの強さと軸を決定するための屈折矯正用レンズ．強さの等しい凹と凸の円柱レンズが，軸が互いに直交するように組み合わさったもの）．

Külz c. (kēltz). キュルツ円柱．＝coma *cast*.

cyl·in·drax·is (sil′in-drak′sis). axon の古語．軸索が軸を形成する円柱として有髄神経線維を表現した用語．

cy·lin·dric (si-lin′drik). 円柱〔状〕の．

cyl·in·dro·ad·e·no·ma (sil′in-drō-ad′ĕ-nō′mă). ＝cylindroma.

cyl·in·droid (sil′in-droyd) [G. *kylindrōdēs* < *kylindros*, roll, cylinder + *eidos*, appearance]. 類円柱〔体〕．＝false *cast*.

cyl·in·dro·ma (sil′in-drō′mă) [G. *kylindros*, cylinder + *-oma*, tumor]. 円柱腫（上皮性新生物の組織学的形態の1つ．しばしば悪性．肥厚した基膜であるヒアリン様間質中に封埋された新生物細胞の島を特徴とする．腺管(特に唾液腺，皮膚，および気管支の)より生じることがある．唾液腺の円柱腫は腺様嚢胞癌 adenoid cystic carcinomas ともよばれる）．＝cylindroadenoma.

cylindromatosis (sil-in-drō′mă-tō′sis). 円柱腫症（皮膚付属器から発生したおびただしい数の良性の丘疹や結節が主として顔面や頭皮にみられるまれな遺伝性疾患[MIM# 132700]．病変部が融合した状態をターバン腫瘍という）．＝Brooke-Spiegler syndrome; familial cylindromatosis; turban tumor syndrome.

familial c. 家族性円柱腫症．＝cylindromatosis.

cyl·in·dru·ri·a (sil′in-drū′rē-ă). 円柱尿〔症〕（尿円柱がある状態）．

cyl·lo·so·ma (sil′ō-sō′mă) [G. *kyllos*, deformed, esp. club-footed or bandy-legged + *sōma*, body]. 彎脚腹壁奇形（同側の下肢の発育欠損を伴う下部腹壁の先天的欠損(内臓脱出症)）．

cy·ma·rin (sī′mă-rin). シマリン（*Strophanthus kombe* の種子中にあるシマロースの配糖体．アグリコンはストロファンチン．強心剤）．

cym·ba con·chae (sim′bă kong′kē) [G. *kymbē*, the hollow of a vessel, a cup, bowl, a boat][TA]. 耳甲介舟（耳輪脚上にある耳甲介の小さな溝の部分）．

cym·bo·ce·phal·ic, cym·bo·ceph·a·lous (sim′bō-se-fal′ik, -sef′ă-lŭs). 舟状頭〔蓋〕症の．

cym·bo·ceph·a·ly (sim′bō-sef′ă-lē) [G. *kymbē*, the hollow of a vessel, a boat-shaped structure + *kephalē*, head]. 舟状頭〔蓋〕症．＝scaphocephaly.

cy·nan·thro·py (sī-nan′thrō-pē) [G. *kyōn*, dog + *anthrōpos*, man]. イヌ憑(つ)き，犬身妄想（患者自身がイヌであると思い込み，吠えたり，うなったりする妄想の一種）．

cy·no·ceph·a·ly (sī′nō-sef′ă-lē) [G. *kyōn*, dog + *kephalē*, head]. イヌ様頭〔蓋〕（頭蓋が眼窩部から後方に傾斜をなす狭頭症．イヌの頭に類似する）．

cyn·o·dont (sī′nō-dont) [G. *kyōn*, dog + *odous* (*odont-*), tooth]. 犬歯（①＝canine tooth. ②1咬頭または1突端をもつ歯）．

cy·no·pho·bi·a (sī′nō-fō′bē-ă) [G. *kyōn*, dog + *phobos*, fear]. イヌ恐怖〔症〕，恐犬症（病的にイヌを恐れること）．

Cy·on (sē′on), Elie de. ロシア人生理学者，1843—1912. →C. *nerve*.

CYP cytochrome P450 enzymes（シトクロム P 450 酵素）の略．普通，その後にアラビア数字，文字，さらに別のアラビア数字が付く(例えば CYP2D6)．これらの酵素は肝臓や，他の細胞の滑面小胞体の内部や表面に存在し，多くの薬物生体変換反応に関与する．

CYP 1A2 ミクロソーム酵素で，その基質には，テオフィリン，抗うつ剤，タクリンがある．この酵素はグレープフルーツジュースやキノロンによって阻害され，喫煙，フェノバルビタール，リファムピン，オメプラゾールにより誘導される．

CYP 2C9 ミクロソーム酵素で S–ワルファリン，フェニトインや，種々の NSAID の酸化に関与する．この酵素阻害剤としてはアゾール系抗菌剤(ケトコナゾール，イトラコナゾール，メトロニダゾール)がある．リファンピンにより誘導される．

CYP 2C19 ミクロソーム酵素で，クロミプラミン，ジアゼパム，プロプラノロール，イミプラミン，オメプラゾールの酸化に部分的に関与する．フルオキセチン，セルトラリン，オメプラゾール，リチノビルにより阻害される．

CYP 2D6 イソ酵素で，多くの抗うつ剤，向精神薬，ベータアドレナリン作用性レセプタ，コデインを代謝する．この酵素はシメチジン，数種の抗うつ剤，向精神薬により阻害される．

CYP 2E1 ミクロソーム酵素で，エタノール，アセトアミノフェンの酸化に関与する．ジスルフィラムで阻害され，エタノールやイソニアジト(INH)で誘導される．アセトアミノフェンの肝毒性代謝物の生成に関与すると信じられている．

CYP 3A 肝細胞などとともに消化管細胞にも存在するチトクロームP450の亜型である．ベンゾジアゼピン，カルシウムチャネル阻害薬，抗ヒスタミン薬，ステロイドホルモン，蛋白分解酵素阻害物質が基質になる．抗うつ薬，アゾール系抗真菌薬，シメチジン，グレープフルーツジュース，エリスロマイシンは阻害する．フェノバルビタール，フェニトイン，リファンピン，カルバマゼピンにより誘導される．

cy·pri·do·pho·bi·a (sī′pri-dō-fō′bē-ă) [G. *Kypris*, Aphrodite + *phobos*, fear]. 性病恐怖〔症〕，性交恐怖〔症〕(病的に性病または性交を恐れること)．

cyprinol (si′pri-nol). シプリノール (コイ科の魚の胆汁中に発見された炭素数27のアルコール．調理していないコイの胆嚢を食べた人にみられる肝毒性，腎毒性の原因の可能性がある．コイの胆嚢は東南アジアの民間医療で使用される)．

Cys システイン(シスチンの半分)，あるいはその一置換基または二置換基を示す記号．

CYST

cyst (sist) [G. *kystis*, bladder]. ***1*** 嚢，嚢胞．***2*** 嚢腫 (気体，液体，または半固体物質を含んだ内膜をもつ異常嚢．→pseudocyst)．

adventitious c. 外因性嚢胞．＝pseudocyst (1).

allantoic c. 尿膜管嚢胞 (児の臍帯近位部内に存在する嚢胞で，胎生期の尿膜管の体外部分の遺残である．多くは自然治癒するが，腹壁破裂を合併することもある)．

alveolar hydatid c. 多包虫嚢胞 (通常，肝臓にみられる多房性の包虫嚢胞．多包条虫 *Echinococcus multilocularis* により生じ，成虫はキツネに，幼虫(alveolar hydatid)は主として野ネズミやレミング，まれにヒト(通常，猟師または感染したキツネ，その他の肉食動物の毛皮を取り扱う人々)に寄生する．発育は外生出芽により行われ，単包条虫 *E. granulosus* の包虫嚢胞のように外側の薄膜によって限局化されず，壊死，空洞化，連続的拡散，そして死に至る)．＝multilocular hydatid c.; multiloculate hydatid c.

aneurysmal bone c. [MIM*606179]. 動脈瘤性骨嚢胞 (長骨に沿ってまたは脊椎中に広がる，血液で満たされた間隙よりなる孤立性の良性溶骨性病巣．多核巨細胞を含む線維組織により隔てられている．腫脹，疼痛，圧痛を生じ，罹患骨の構造を破壊する)．

angioblastic c. 血管芽細胞嚢 (胚子において血液形成能を有する間葉組織)．

apical periodontal c. 歯根嚢胞 (炎症性の歯原性嚢胞で，組織学的には失活歯の根尖周囲に存在するMalassezの上皮遺残に由来する)．＝periapical c.; radicular c.; root end c.

apoplectic c. 卒中性嚢胞 (卒中発作などの場合に血管外に出た血液によって形成される偽嚢胞)．

arachnoid c. クモ膜嚢胞 (クモ膜に包まれ液体で満たされた，通常，先天性の嚢胞．大脳半球の外側溝の外側近くにしばしばみられる)．＝leptomeningeal c.

Baker c. (bā′kĕr). ベーカー嚢胞 (膝関節または滑液嚢から飛び出し，膝窩腔に新たな嚢状体を形成した滑液の集まったもの．変性あるいはその他滑液を大量に産生する関節疾患でみられる)．

Bartholin c. (bahr′tō-lĭn). バルトリン〔腺〕嚢胞 (大前庭腺またはそのリンパ管から生じる嚢胞)．

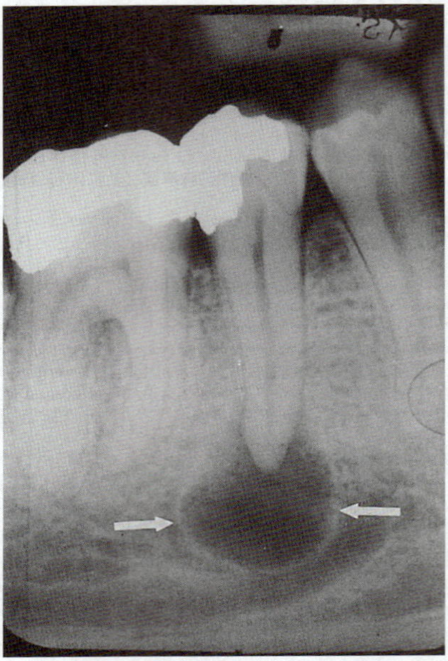

apical periodontal cyst
矢印：下顎の第2小臼歯根．

bile c. ＝gallbladder.

blood c. 血液嚢胞．＝hemorrhagic c.

blue dome c. ***1*** 青色円蓋嚢胞 (腟円蓋部の子宮内膜症組織に出血した月経血が貯留してできた暗青色の小さな結節または嚢胞で，数個できる)．***2*** 青窿嚢胞 (線維嚢胞性疾患で，乳腺にみられる良性停滞嚢胞．周りの線維組織を通してみると，嚢胞が青色に見えるやや黄色を帯びた液を内部に含んでいる)．

bone c. 骨嚢胞 (→solitary bone c.)．

botryoid odontogenic c. 多胞性歯原性嚢胞 (多胞性の成長を示す，側方性歯周嚢胞の一種)．

Boyer c. (bwah′yā). ボワイエ嚢胞 (舌骨下の嚢胞)．

branchial c. 鰓溝性嚢胞 (外胚葉性の鰓溝(鰓裂)の発生学的遺残に由来する頸部嚢胞．通常，第二鰓溝に由来し，しばしば胸鎖乳突筋の下1/3部前面に生じる)．＝branchial cleft c.

branchial cleft c. ＝branchial c.

bronchogenic c. 気管支性嚢胞 (気管支への分化を意味する線毛円柱上皮に被包された嚢胞．平滑筋や粘膜腺も認めることがある)．

bursal c. 包性嚢胞 (嚢における停滞嚢胞)．

calcifying and keratinizing odontogenic c. ＝calcifying odontogenic c.

calcifying odontogenic c. 石灰化歯原性嚢胞 (顎骨に生じるX線透過像と不透過像が入り混じった病変で，嚢胞ならびに充実性新生物の双方の特徴を示す．組織学的に上皮層は円柱状基底細胞が柵状に配列し，角化したghost cell(幻影細胞)，ぞうげ質様構造物，あるいは石灰沈着などを認める)．＝calcifying and keratinizing odontogenic c.; Gorlin c.

cerebellar c. 小脳嚢腫 (通常，側方小脳白質に起こる嚢腫．しばしば小脳の星状細胞腫の一部をなす)．

chocolate c. チョコレート嚢胞 (嚢胞内出血または古い茶色の血液を含む血腫形成を伴う卵巣嚢胞．子宮内膜症でみられることが多いが，他の嚢腫とともにみられることもある)．

choledochal c. 総胆管嚢胞 (総胆管にできる嚢胞．通常，年少期に黄疸を伴う右側上腹部の腫瘤として現れる)．

chyle c. 乳び嚢胞（腸間膜のリンパ管系路の限局性拡張．乳びを含む）．
colloid c. コロイド嚢胞（ゼラチン様内容物を含む嚢胞）．
compound c. 複合嚢胞．＝multilocular c.
corpora lutea c. 黄体嚢胞（嚢胞形成を伴う遺残黄体）．
Cowper c. (kow′pĕr). カウパー(クーパー)〔腺〕嚢胞（尿道球腺の停滞嚢胞）．
daughter c. 娘〔嚢〕胞（通常，多発性で，母嚢胞から派生した二次嚢胞）．
dentigerous c. 含歯性嚢胞（未萌出歯または埋伏歯の歯冠周囲の退縮エナメル上皮に由来する歯原性嚢胞）．＝follicular c. (2).
dermoid c. 類皮嚢腫，皮様嚢腫（胚融合層に沿った変位外胚葉構造物により形成された腫瘍．皮膚付属器を含む上皮でおおわれた結合組織からなり，ケラチン，皮脂，毛髪などを中に含む）．＝dermoid tumor; dermoid (2).
dermoid c. of ovary 卵巣類皮嚢腫，卵巣皮様嚢腫（卵巣の良性嚢胞状奇形腫．嚢胞内は大部分が皮膚組織でおおわれ，毛髪，皮脂，その他通常は明確に識別できる組織構造を，内部に突出した固形組織塊中に包含している）．
distention c. ＝retention c.
duplication c. 重複嚢胞（先天性の嚢胞状奇形．舌根から肛門にわたり消化管のどの部分にも発生し，隣接した消化管の構造物を再生する）．
echinococcus c. ＝hydatid c.
endodermal c. 内胚葉嚢腫（内面が円柱上皮でおおわれた嚢腫．皮膚由来と考えられる）．
endometrial c. 子宮内膜嚢胞（外性子宮内膜症で，子宮外に子宮内膜組織が移植されたためにできる嚢胞）．
endothelial c. 内皮嚢胞（嚢が内皮で囲まれている漿膜嚢胞）．
enterogenous c. 腸性嚢胞（原腸から取り残された細胞に由来する縦隔の嚢胞．組織学的に気管支性，食道性，胃性に分類される）．
ependymal c. 〔脳室腔〕上衣嚢胞（脊髄の中心管または大脳室腔の一部の限局性拡張）．＝neural c.
epidermal c. 表皮嚢胞(嚢腫)（外傷のため表皮下に圧入された表皮細胞の塊によって形成された嚢胞．重層扁平上皮によって包まれ，同心円状の角質層を含む）．＝implantation c.; inclusion c. (1); inclusion dermoid.
epidermoid c. 類表皮嚢胞(嚢腫)（球状で単房性の真皮内嚢胞．内容物は角質や皮脂からなる．嚢胞は表皮に似た角化した上皮で包まれ，毛漏斗に由来すると思われる）．
epithelial c. 上皮嚢胞(嚢腫)（上皮を内面表層にもつ嚢胞）．
eruption c. 萌出性嚢胞（含歯性嚢胞の一種．萌出中の歯に関連して軟組織中に発生する．小児の顎堤にみられる）．
extravasation c. hemorrhagic c. を表す現在では用いられない語．
exudation c. 滲出性嚢胞（粘液嚢などのように密閉された腔の拡張による嚢胞．正常内容液の過剰な分泌によって生じる）．
false c. 偽〔性〕嚢胞．＝pseudocyst (1).
fissural c. 顔裂性嚢胞（胎児の突起の癒合線に沿って，取り込まれた上皮性の残存組織に由来する嚢胞）．＝inclusion c. (2).
follicular c. *1* 沪胞性嚢胞（嚢胞様胞状卵胞）．*2* 沪胞性歯嚢胞．＝dentigerous c.
Gartner c. (gart′nĕr). ガートナー〔管〕嚢胞．＝Gartner duct c.
Gartner duct c. ガートナー管嚢胞（女性にみられる中腎管の発生学的な遺残組織であり，子宮側方にある子宮広靱帯内や腟の側壁に存在する嚢胞）．＝Gartner c.
gas c. ガス嚢胞（通常の液体または軟質内容物の代わりにガスを含んだ嚢胞）．
gingival c. 歯肉嚢胞（付着歯肉に存在する歯堤遺残由来の嚢胞．骨皮質表層まで侵食が及ぶこともある．多くは犬歯，小臼歯部に生じる）．
globulomaxillary c. (glō′boo-lō-maks′il-lar-ē). 球状上顎嚢胞（上顎側切歯と犬歯の歯根の間に認められる歯原性の嚢胞）．
glomerular c. 糸球体嚢胞（糸球体嚢の拡張によって形成された嚢胞．先天性多嚢胞腎にまれにみられる）．
Gorlin c. (gōr′lin). ゴーリン嚢胞．＝calcifying odontogenic c.
granddaughter c. 孫娘〔嚢〕胞，孫〔嚢〕胞（*Echinococcus* 属の包虫のように娘嚢胞内で発育する第三嚢胞）．
hemorrhagic c. 出血性嚢胞（血液を含む嚢胞．血腫が被膜に包まれてできる）．＝blood c.; hematocele (1); hematocyst; sanguineous c.
hepatic c. 肝嚢胞（先天性嚢胞．肝小管の閉鎖により生じると考えられる．単純で，小さなものから巨大な大きさのものまである．多嚢胞病も起こりうる）．
heterotrophic oral gastrointestinal c. 異所性口腔性胃小腸嚢胞（迷走した胚性遺残の胃粘膜または小腸粘膜によって形成された口腔内嚢胞）．
hydatid c. 包虫嚢胞（通常，肝臓に生じ，ときには他の部位にも生じる嚢胞．*Echinococcus*属の幼虫により主として反すう類に生じる．単包条虫 *Echinococcus granulosus* により，２種の嚢胞，すなわち単房性包虫嚢胞および骨包虫性嚢胞がヒトに見出される．ヒトに見出される第三の型は多包条虫 *Echinococcus multilocularis* による肺包虫嚢胞である）．＝echinococcus c.; hydatid (1).

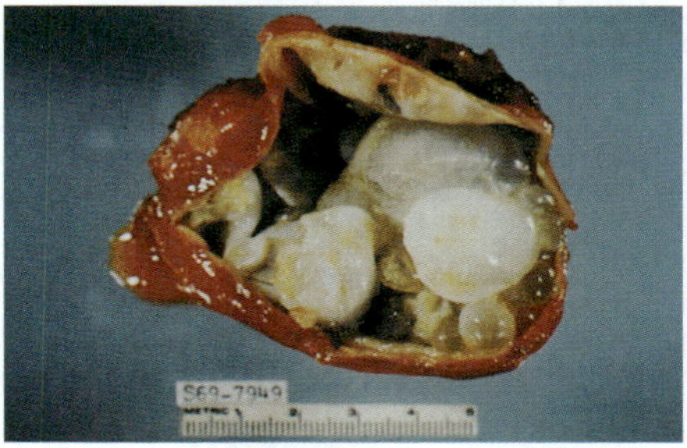

hydatid cyst of liver
育嚢および娘胞を示すために開かれた病変．

implantation c. 内植性嚢胞(嚢腫)．＝epidermal c.
incisive canal c. 切歯管嚢胞（切歯管の中もしくは近くにみられる嚢胞で鼻口蓋管の遺残上皮の増殖によって形成されるもの．よくみられる上顎の発生上の嚢胞）．＝median anterior maxillary c.; nasopalatine duct c.
inclusion c. 封入体嚢胞(嚢腫)（①＝epidermal c. ②＝fissural c.）．
junctional c. 接合部嚢胞（精巣の嚢胞．精巣網と精巣上体(副睾丸)とが結合した組織構造から生じる）．
keratinous c. 角質嚢腫（ケラチンを内容とする上皮性嚢腫）．
Klestadt c. (klā-shot). ＝nasoalveolar c.
lacteal c. 乳汁嚢胞（乳管の閉鎖による乳腺の停滞嚢胞）．＝milk c.
lateral periodontal c. 側方性歯周嚢胞（骨内に生じる嚢胞で，下顎の犬歯－小臼歯部に認められる．歯堤遺残由来で，歯肉嚢胞が骨内に生じたものに相当する）．
leptomeningeal c. クモ膜嚢胞．＝arachnoid c.
lymphoepithelial c. リンパ上皮嚢胞(嚢腫)（胚形成過程でリンパ節中に取り込まれた唾液腺上皮組織により生じた頸部の嚢胞．口腔内にみられることもある）．
median anterior maxillary c. ＝incisive canal c.
median palatal c. 正中口蓋嚢（硬口蓋の正中線上にみられる発生上の嚢胞）．
median raphe c. of the penis 陰茎縫線正中嚢胞（尿道溝の不完全な閉鎖によって起こり，幼少期以後に臨床的に顕在化する）．
meibomian c. マイボーム〔腺〕嚢胞(嚢腫)．＝chalazion.
milk c. ＝lacteal c.
morgagnian c. モルガニー嚢胞．＝vesicular *appendages* of epoophoron.

C

mother c. 母〔嚢〕胞（その嚢胞壁内層または胚芽層から頭節を含む二次嚢胞(娘嚢胞)が発育する包虫嚢胞．三次嚢胞(孫嚢胞)が娘嚢胞中に発育することもある．肝臓に最も頻繁にみられるが，他の臓器，組織にも見出される．症状はその部位の腫瘍の症状と同じ)．＝parent c.

mucous c. 粘液嚢胞(嚢腫)（粘液腺管の閉塞によって起こる停滞嚢胞)．＝mucocele (1).

multilocular c. 多房〔性〕嚢胞（隔膜によって分けられたいくつかの区分を含む複合嚢胞)．＝compound c.

multilocular hydatid c., multiloculate hydatid c. 多包包虫嚢胞，多房性包虫嚢胞．＝alveolar hydatid c.

myxoid c. 粘液様嚢胞．＝ganglion (2).

nabothian c. ナーボト(ナボット)嚢胞（子宮頸管の粘液腺の閉鎖による停滞嚢胞．しばしば頸管の慢性的炎症により起こる．病的定義はない)．＝nabothian follicle.

nasoalveolar c. 鼻前庭嚢胞（鼻翼外側の皮下で上顎骨上にできる嚢胞．恐らく鼻涙溝の一部に由来する)．＝Klestadt c.; nasolabial c.

nasolabial c. 鼻前庭嚢胞．＝nasoalveolar c.

nasopalatine duct c. 鼻口蓋管嚢胞．＝incisive canal c.

necrotic c. 壊死性嚢胞（壊死部が周囲を被膜でおおわれ，次いで壊死組織が液化して生じた嚢胞)．

neural c. 神経嚢胞．＝ependymal c.

neurenteric c.'s 神経腸管嚢胞（傍骨髄嚢胞．通常，骨髄膜に連絡するかあるいは胎生早期に脊索の内皮の不全分離から発生する．しばしば症候性)．

odontogenic c. [odont- + G. *genos*, birth, origin + *-ic*, pertaining to]．歯原性嚢胞（歯原性上皮に由来する嚢胞)．

oil c. 油性嚢胞(嚢腫)（皮脂嚢胞，類皮嚢胞，乳汁嚢胞の上皮性被膜の喪失，あるいは油や脂肪物質などの皮下注入により生じる嚢胞)．

omphalomesenteric c. 臍腸間膜嚢胞（臍帯内の嚢腫．胎生初期の臍腸間膜の遺残より発生すると考えられる．出生前の超音波でみつけられる)．＝omphalomesenteric duct c.

omphalomesenteric duct c. 臍腸間膜管嚢胞．＝omphalomesenteric c.

oophoritic c. 卵巣嚢胞．＝ovarian c.

osseous hydatid c. 骨包虫性嚢胞（単包条虫 *Echinococcus granulosus* によって起こる包虫嚢胞の形態．条虫胚が骨組織へ侵入すると，ヒトの長骨および骨盤弓に生じる．この部位には境界膜が存在しないため，嚢胞は無制限に発育して腐食性の網状構造をつくり，骨折を誘発し，さらに他の部位へ広がる)．

ovarian c. 卵巣嚢胞(嚢腫)（卵巣の嚢胞性腫瘍．非腫瘍性(卵胞嚢胞，ルテイン嚢胞，胚封入嚢胞，子宮内膜嚢胞)および腫瘍性のいずれについてもいう．通常，ムチン嚢腫，漿液性嚢腫，類皮腫などのような良性に限定される)．＝oophoritic c.

paraphysial c.'s パラフィシス〔性〕嚢胞（パラフィシスの痕跡残遺部から生じる嚢胞．第3脳室コロイド嚢胞の原因と考えられる)．

parasitic c. 寄生虫性嚢胞（包虫や旋毛虫のような後生動物寄生虫の幼虫により形成される嚢胞)．

parent c. 親嚢胞．＝mother c.

paroophoritic c. 傍卵巣嚢胞(嚢腫)（卵巣傍体から生じる嚢胞)．

parvilocular c. 小房〔性〕嚢胞(嚢腫)（複数の小さな嚢胞からなる腫瘍)．

pearl c. 真珠嚢胞(嚢腫)（貫通性の損傷により眼の内部に導入された上皮細胞の塊)．

periapical c. ＝apical periodontal c.

phaeomycotic c. 色素産生真菌により引き起こされる皮下の嚢腫状肉芽腫．通常，単発性，限局性で，四肢に起こる．

pilar c. 皮脂嚢胞(嚢腫)（皮膚や特に頭皮によくみられる嚢腫で，皮脂とケラチンを含み，毛包の外毛根鞘由来の淡染する重層上皮細胞でおおわれる)．＝sebaceous c.; trichilemmal c.

piliferous c. 含毛嚢胞(嚢腫)（毛髪を含む類皮嚢胞)．

pilonidal c. 毛巣嚢胞(嚢腫)（→pilonidal *sinus*)．

pineal c. 松果体嚢胞(嚢腫)（松果腺の嚢胞．臨床上の重要性はほとんどない)．

posttraumatic leptomeningeal c. 外傷性軟膜嚢胞（骨および硬膜の進行性欠損を伴う脳脊髄液の遺残蓄積嚢胞．骨折したことのある部位に生じる)．

primordial c. 原始性嚢胞（歯の代わりに発育した嚢胞で，エナメル器が石灰化歯牙組織を形成する前に嚢胞様変性に陥ることによる)．

proliferating tricholemmal c. 増殖性〔外〕毛根鞘嚢腫．＝pilar *tumor* of scalp.

proliferation c., proliferative c., proliferous c. 増殖性嚢胞（複数の娘嚢胞を有する母嚢胞．壁の一部に腫瘍形成のみられる嚢胞)．

protozoan c. 原生動物嚢子，原虫嚢子（多くの原生動物寄生虫(例えば，赤痢アメーバ *Entamoeba histolytica*，ランブル鞭毛虫 *Giardia lamblia*，大腸バランチジウム *Balantidium coli*)の感染形態．通常，糞中に排泄され，きわめて稠密な細胞質と抵抗性の細胞膜で保護されている)．

pseudomucinous c. プソイドムチン嚢腫，偽粘液性嚢腫（ゼラチン様流体を含む嚢腫．以前，特に卵巣ではムチンとは著しく異なるとされていた)．

radicular c. 歯根嚢胞．＝apical periodontal c.

Rathke cleft c. (raht′kĕ)．ラトケ裂溝嚢胞（Rathke 嚢の遺残物由来の立方細胞上皮で包まれた鞍内または鞍外嚢胞)．

residual c. 残留嚢胞（歯根嚢胞が抜歯後に残存したもの)．

retention c. 貯留性嚢胞（腺の分泌機構が閉塞したために生じた嚢胞)．＝distention c.; secretory c.

rete c. of ovary 卵巣網嚢胞（卵巣門の胚索由来の嚢胞)．

root end c. 根端嚢胞．＝apical periodontal c.

sanguineous c. 血液〔性〕嚢胞．＝hemorrhagic c.

sebaceous c. 皮脂嚢胞(嚢腫)．＝pilar c.

secretory c. 分泌貯留性嚢胞．＝retention c.

seminal vesical c. 精嚢腺嚢胞（多くは先天性の精嚢腺に発生する嚢胞)．

sequestration c. 分画嚢胞（組織あるいは器官の発生期に細胞集塊から分画(分離)された細胞に由来する嚢胞)．

serous c. 漿液性嚢胞(嚢腫)（ヒグローマのように透明な漿液を含んだ嚢腫)．

simple bone c. ＝solitary bone c.

solitary bone c. 孤立性骨嚢胞(嚢腫)（漿液を含み，結合組織の薄層で包まれた単房性嚢胞．通常，5－25歳の若年者の長骨の幹中に生じる)．＝idiopathic bone cavity; osteocystoma; simple bone c.; traumatic bone c.; unicameral bone c.

Stafne bone c. (staf′nē)．スタフネ骨嚢胞．＝lingual salivary gland *depression*.

static bone c. 静止性骨嚢胞，静止性骨空洞．＝lingual salivary gland *depression*.

sterile c. 停止性嚢胞（育嚢胞または生活可能な頭節を含まない包虫嚢胞)．

sublingual c. 舌下嚢胞(嚢腫)．＝ranula (2).

sudoriferous c. 発汗性嚢胞（下方にある Moll 腺(⇀gland)の排出管が閉塞して生じた嚢胞)．＝apocrine hidrocystoma.

suprasellar c. 鞍上嚢腫．＝craniopharyngioma.

surgical ciliated c. 術後性上顎(頬部)嚢胞（手術の切開線よりはいり込んだ，上顎洞上皮に起因する嚢胞)．

synovial c. 滑膜嚢胞．＝ganglion (2).

Tarlov c. (tar′lŏv)．ターロヴ嚢胞（脊髄下部の基部小根にみられる神経周囲の嚢胞．通常，種々の症状を呈する)．

tarry c. タール嚢胞（タール状または黒色の粘着性状の古い血液の塊または嚢胞．通常は子宮内膜症により生じる)．

tarsal c. 眼板嚢胞(嚢腫)．＝chalazion.

teratomatous c. 奇形腫嚢胞(嚢腫)（胚の外，内，中の3種の初期胚葉のすべてから派生する構造物を含む嚢胞)．

thyroglossal duct c., thyrolingual c. 甲状舌管嚢胞（甲状舌管の一部の開存によって起こる頸中央部に生じる嚢胞)．

Tornwaldt c. (torn′vahlt)．トルンヴァルト嚢胞（膿瘍が形成される鼻咽喉嚢の炎症や閉塞)．＝Tornwaldt disease.

traumatic bone c. ＝solitary bone c.

trichilemmal c. 毛鞘嚢胞(嚢腫)．＝pilar c.

tubular c. ＝tubulocyst.

umbilical c. 臍管嚢胞(嚢腫)．＝vitellointestinal c.

unicameral c. ＝unilocular c.

unicameral bone c. 単房性骨嚢胞(嚢腫)．＝solitary bone

c.

unilocular c. 単房性嚢胞(嚢腫)(単一の嚢をもつ嚢胞).＝unicameral c.

unilocular hydatid c. 包虫嚢胞(ヒトにおいて頻繁にみられ，単包条虫 *Echinococcus granulosus* により，肝臓，肺，その他の部位で肝毛細血管または肺毛細血管を通って条虫の六鉤幼虫が定着した部位に生じる嚢胞．内部は発芽性膜の層からなり，外部は宿主寄生虫嚢内の層状膜で包まれる大きな風船状の形態を特徴とする．液(包虫液)および感染症のある幼虫の頭節(包虫砂)を含む).

urachal c. 尿膜管嚢胞(尿膜管の胎児側の嚢胞性遺残).

urinary c. 尿性嚢腫．＝urinoma.

utricular c. 卵形嚢胞(卵形嚢管の肥大．一般に単房性).

vitellointestinal c. 卵黄嚢性嚢胞(嚢腫)(乳児の臍管に生じる小さな赤色の無柄定着または有柄の腫瘍．卵黄管の一部片の遺存により起こる).＝umbilical c.

wolffian c. ヴォルフ〔管〕嚢胞(嚢腫)(中腎管のレムナントより生じ，子宮の広靱帯の中にみられる嚢腫).

---

cyst- (sist). →cysto-.

cys•ta•canth (sis′tă-kanth)［cyst- + G. *akantha*, thorn or spine］. シストアカント幼生(鉤頭虫類の完全成熟幼生で，最終宿主に感染し，成虫の特徴である反転した完成形の吻をもつ).

cyst•ad•e•no•car•ci•no•ma (sist-ad′en-ō-kar′si-nō′mă). 嚢胞腺癌(腺上皮から生じる悪性新生物で，停留した分泌物が蓄積して嚢胞状になる．腫瘍細胞は種々の程度の退形成および浸潤性の度合いを示し，局所的増殖および転移を起こす．卵巣によくみられ，偽粘液性と漿液性がある).

cyst•ad•e•no•ma (sist′ad-ĕ-nō′mă). 嚢胞腺腫(腺上皮から生じる組織学的に良性の新生物で，停留した分泌物が蓄積して嚢胞状になる．新生物の大部分，ときには全体が嚢胞状になる例もある).＝cystoadenoma.

papillary c. lymphomatosum 乳頭状リンパ腫〔性〕嚢腺腫．＝Warthin *tumor*.

cyst•al•gi•a (sist-al′jē-ă)［cyst- + G. *algos*, pain］. 膀胱痛(嚢の痛み，特に膀胱の痛み).

cys•ta•mine (sis′tă-mēn). シスタミン；decarboxycystine(シスチンの加熱により生じる．システアミンのジスルフィド).

cys•ta•thi•o•nase (sis′tă-thī′ō-nās). シスタチオナーゼ．＝cystathionine γ-lyase.

β-cys•ta•thi•o•nase (sis′tă-thī′ō-nās). β-シスタチオナーゼ．＝cystathionine β-lyase.

γ-cys•ta•thi•o•nase (sis′tă-thī′ō-nās). γ-シスタチオナーゼ．＝cystathionine γ-lyase.

cys•ta•thi•o•nine (sis′tă-thī′ō-nēn). シスタチオニン(そのL-異性体はL-メチオニンからL-システインへの反応中間体．シスタチオナーゼにより分解される).

cys•ta•thi•o•nine β-ly•ase (sis′tă-thī′ō-nēn lī′ās). シスタチオニンβ-リアーゼ(L-シスタチオニンのピルビン酸，L-ホモシステイン，およびアンモニアへの加水分解を触媒する酵素.→cystathionine γ-lyase).＝β-cystathionase; cystine lyase.

cys•ta•thi•o•nine γ-ly•ase (sis′tă-thī′ō-nēn lī′ās). シスタチオニンγ-リアーゼ(L-シスタチオニンをL-システインと2-ケト酪酸に加水分解してアンモニアを発生させる肝酵素で，ピリドキサルリン酸を補酵素とする．L-ホモセリンからの2-ケト酪酸，L-システインからのピルビン酸(およびNH_3とH_2S)，シスチンからのチオシステイン，ピルビン酸，NH_3の生成も触媒する．この酵素の欠損によりシスタチオニン尿症になる．メチオニン異化やシステインの生合成を触媒する段階.→ cystathionine β-lyase).＝cystathionase; cysteine desulfhydrase; cystine desulfhydrase; γ-cystathionase; homoserine deaminase; homoserine dehydratase.

cys•ta•thi•o•nine β-syn•thase (sis′tă-thī′ō-nēn sin′thās). シスタチオニンβ-シンターゼ(L-シスタチオニンのL-セリン，L-ホモシステインへの可逆的加水分解を触媒する酵素．システイン生合成やメチオニン異化の段階の1つ．この酵素の欠損により血管血栓症，水晶体の転位や異常発育になる.→cystathionine γ-synthase).＝β-thionase; cysteine synthase; serine sulfhydrase.

cys•ta•thi•o•nine γ-syn•thase (sis′tă-thī′ō-nēn sin′thās). シスタチオニンγ-シンターゼ．＝*O*-succinylhomoserine (thiol)-lyase.

cys•ta•thi•o•nin•u•ri•a (sis′tă-thī′ō-nin-yū′rē-ă)［MIM *219500］. シスタチオニン尿〔症〕(シスタチオナーゼの欠乏による，シスタチオニンの正常な代謝能の欠如を特徴とする疾患．血中，組織中および尿中のシスタチオニン濃度が著しく上昇し，精神遅滞が現れる．常染色体劣性遺伝).

cys•te•a•mine (sis-tā′a-mēn). システアミン；2-aminoethanethiol(SH化合物で，実験的にラットに潰瘍を発症させたり，また放射線防護剤として用いられる).

cys•tec•to•my (sis-tek′tō-mē)［cyst- + G. *ektomē*, excision］. *1* 膀胱切開〔術〕. *2* 胆嚢切除〔術〕. *3* 嚢胞切除〔術〕.

Bartholin c. (bahr′tō-lĭn). バルトリン〔腺〕嚢胞切除〔術〕(大前庭腺嚢腫の切除).＝vulvovaginal c.

partial c. 膀胱部分切除〔術〕.

radical c. 根治的膀胱切除〔術〕(膀胱全体と周囲の脂肪組織，局所リンパ節の切除術).

salvage c. サルベージ膀胱摘出術(悪性腫瘍に対する化学療法や放射線治療の効果が十分でないとき膀胱を後から摘出すること).

total c. 全膀胱切除〔術〕(膀胱の完全切除).

vulvovaginal c. ＝Bartholin c.

cys•te•ic ac•id (sis-tā′ik as′id). システイン酸(システインの酸化生成物．タウリンおよびイセチオン酸の前駆物質).＝3-sulfoalanine.

cys•te•ine (C, Cys) (sis-tē′in). システイン(**[**cystine と混同しないこと**]**．そのL-異性体はほとんどの蛋白中に見出される．特にケラチン中に豊富である).

c. desulfhydrase システインデスルフヒドラーゼ．＝cystathionine γ-lyase.

c. synthase システインシンターゼ．＝cystathionine β-synthase.

cys•te•ine sul•fin•ic ac•id (sis-tē′ēn sul-fin′ik as′id). システインスルフィン酸(システインの天然酸化生成物．システイン酸を用いるタウリン生成反応における中間体).

cys•tein•yl (sis′tēn-il). システイニル(**[**cystinyl と混同しないこと**]**．システインのアミノアシル基).

cysti- (sis′ti). →cysto-.

cys•tic (sis′tik). 嚢胞性の(①膀胱または胆嚢に関する．②嚢胞に関する．③嚢胞を有する).

cys•ti•cer•coid (sis′ti-ser′koyd)［cysti- + G. *kerkos*, tail + *eidos*, resemblance］. 擬嚢尾虫(条虫の幼虫で嚢虫に似ているが，その嚢胞は小さく，中には少量(ないこともある)の液と将来成虫になる頭節がみられる．通常，この幼虫は中間宿主の昆虫内にみられる).

cys•ti•cer•co•sis (sis′ti-ser-kō′sis). 嚢虫症，胞虫症(①ある種条虫の嚢尾幼虫(例えば有鉤条虫 *Taenia solium* または無鉤条虫 *T. saginata*)が，皮下，筋肉内，または中枢神経系組織中で被嚢することによって起こる疾病．本症は，本来ブタやウシにみられ，そのため汚染豚肉および牛肉となる．ヒトでは，腸内で有鉤条虫 *T. solium* の卵がふ化するか，または人糞中の虫卵を偶発的に摂取することによって起こる．脳内に寄生し重症の神経障害を，また眼内に寄生し(通常は後室)眼の障害を引き起こすことがある．②他のテニア科条虫類の幼虫による，動物にみられる幼虫感染症).＝cysticercus disease.

Cys•ti•cer•cus (sis′ti-ser′kŭs)［G. *kystis*, bladder + *kerkos*, tail］. 嚢〔尾〕虫〔属〕(最初は条虫の一属として記載されたが，現在では種々の環葉類条虫の被嚢幼虫であることが知られている．しかし，この属名はこれらの被嚢幼虫形を表現するのに便利であることから引き続き用いられている.→cysticercus).＝bladderworm.

C. cellulosae 有鉤嚢〔尾〕虫(ブタにおける有鉤条虫 *Taenia solium* の嚢虫期幼虫を表す非公式名称．ヒトの嚢虫症も引き起こす).

cys•ti•cer•cus, pl. **cys•ti•cer•ci** (sis′ti-ser′kŭs, -ser′sī)［G. *kystis*, bladder + *kerkos*, tail］. 嚢〔尾〕虫(ある種の *Taenia*属条虫の幼虫で，典型的なものは哺乳類中間宿主の筋肉に存在し，この哺乳類が，様々な肉食動物のえさとなる．嚢虫は，液で充満した嚢よりなり，これから陥入して条虫頭節が発達する.→*Taenia saginata*; *Taenia solium*).

cys·ti·form (sis′ti-fōrm). 嚢胞状の．＝cystoid (1).

cys·tine (sis′tēn, sis′tin). シスチン；3,3′-dithiobis(2-aminopropionic acid)（[cysteine と混同しないこと]．2 個のシステインのジスルフィド生成物で，2 個の –SH 基が 1 つの –S–S– 基となる．もしポリペプチド鎖に 2 個のシステイニル基がジスルフィド結合を形成すれば，その 2 つの高分子は架橋される．ときに尿中で沈積物としてみられ，膀胱結石となる．*cf. meso*-cystine)．＝dicysteine.

c. desulfhydrase シスチンデスルフヒドラーゼ．＝cystathionine γ-lyase.

half c. ハーフシスチン（シスチン分子，または蛋白やペプチドでのシスチン残基の半分のこと）．

c. lyase シスチンリアーゼ．＝cystathionine β-lyase.

***meso*-cys·tine** (sis′tēn, sis′tin). メソシスチン（シスチンの異性体．1 個の α–炭素が D 型，他の 1 個は L 型のため分子全体としては対称面をもち，光学不活性である．メソシスチンは DL–シスチンではないことに注意．DL–シスチンは DD–シスチンと LL–シスチンのラセミ混合物である）．

cys·ti·ne·mi·a (sis′ti-nē′mē-ă) [cystine + G. *haima*, blood]. シスチン血〔症〕（血液中にシスチンが存在すること）．

cys·ti·no·sis (sis′ti-nō′sis) [cystine + G. *-osis*, condition] [MIM*219800]. シスチン〔蓄積〕症（いろいろな病型をもつリソソーム蓄積異常症の 1 つで，すべてが常染色体劣性遺伝を示す．小児期早期にみられる腎症病型は骨髄，角膜をはじめとして体中の組織へのシスチン結晶の沈着，血漿シスチンの軽度上昇，シスチン尿を特徴とし，著明な汎アミノ酸尿，糖尿，多尿，慢性アシドーシス，ビタミン D 抵抗性くる病を伴う低リン酸血症，しばしば低カリウム血症と関係する．他の腎外症状としては羞明，甲状腺機能低下がある．第 17 染色体短腕上の *CTNS* 遺伝子の突然変異によって引き起こされるリソソーム膜のシスチン輸送の欠損による．青年期に発症する軽症病型 [MIM*219900]や成人で発症する腎障害を伴わない病型 [MIM*219750]があり，これらの 2 病型は小児期早期の腎症病型の対立形質であると考えられている)．＝cystine storage disease.

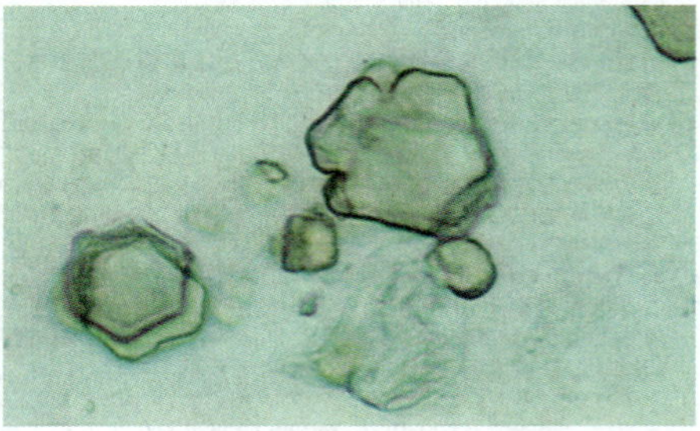

cystinosis
尿中のシスチン結晶の顕微鏡所見．

cys·ti·nu·ri·a (sis′ti-nyū′rē-ă) [cystine + G. *ouron*, urine] [MIM*220100, *104614, *600918]. シスチン尿〔症〕（シスチンの過度の尿中排泄で，リシン，アルギニン，およびオルニチンの尿中への排泄を伴う．腎臓や腸におけるこれらのアミノ酸の輸送系の障害により起こる．腎機能はときにシスチン結晶尿症や腎結石症により障害される．シスチンの尿中排泄の重症度により，少なくとも 3 つの型に分けられ，すべて常染色体劣性遺伝である．I 型および II 型は対立形質で，第 2 染色体長腕上のアミノ酸トランスポーター遺伝子である溶質担体系 3 遺伝子(*SLC3A1*)の突然変異によって引き起こされる．III 型は他の遺伝子座の突然変異によって引き起こされる）．

cys·tin·yl (sis′tin-il). シスチニル（[cysteinyl と混同しないこと]．シスチンのアミノアシル基）．

cys·tis, pl. **cys·ti·des** (sis′tis, sis′ti-dēz) [G. *kystis*]. 嚢（→cyst; pouch; sac）．

c. fellea ＝gallbladder.

c. urinaria ＝urinary *bladder*.

cys·ti·stax·is (sis′ti-stak′sis) [cysti- + G. *staxis*, trickling]. 膀胱上皮の表面からの滲出性出血を表す現在では用いられない語．

cys·ti·tis (sis-tī′tis) [cyst- + G. *-itis*, inflammation]. 膀胱炎（膀胱の炎症）．

bacterial c. 細菌性膀胱炎（細菌の感染による膀胱の炎症）．

c. colli 膀胱頸部炎．

c. cystica 嚢胞性膀胱炎（嚢胞形成を伴う腺性膀胱炎）．

emphysematous c. 気腫性膀胱炎（ガス産生菌の感染による膀胱壁の炎症．通常糖尿病患者に二次性に発生する）．

eosinophilic c. 好酸球性膀胱炎（大量の好酸球が，膀胱壁，尿沈査に観察される膀胱の炎症）．

follicular c. 沪胞状膀胱炎（リンパ球浸潤による小型の小節を特徴とする慢性膀胱炎）．

c. glandularis 腺性膀胱炎（尿路上皮の腺様陥入を伴う慢性膀胱炎）．

hemorrhagic c. 出血性膀胱炎（肉眼的血尿を伴う膀胱の炎症．一般的には薬剤あるいは他の膀胱障害性の治療（化学療法，放射線療法）の結果として発生する）．

incrusted c. 痂皮性膀胱炎（膀胱内壁に無機塩類が沈着して起こる炎症で，一般的には慢性炎症を示唆する）．

interstitial c. 間質性膀胱炎（膀胱の上皮および筋にも及ぶ病因不明の慢性炎症の状態で，膀胱容量の減少をもたらす．膀胱に激しい刺激症状があるが，痛みは排尿によって和らぐ．→Hunner *ulcer*）．

viral c. ウイルス性膀胱炎（ウイルス感染による膀胱の炎症）．

cysto-, cysti-, cyst- (sis′tō, sis′ti, sist) [G. *kystis*, bladder, pouch]. ***1*** 膀胱に関する連結形．***2*** 胆嚢管に関する連結形．***3*** 嚢胞に関する連結形．*cf.* vesico-.

cys·to·ad·e·no·ma (sis′tō-ad′ĕ-nō′mă). ＝cystadenoma.

cys·to·car·ci·no·ma (sis′tō-kar′si-nō′mă). 嚢胞癌（嚢胞性変性が起こった癌腫．ときに誤って cystadenocarcinoma（嚢胞腺腫）として用いられる）．

cys·to·cele (sis′tō-sēl) [cysto- + G. *kēlē*, hernia]. 膀胱ヘルニア，膀胱瘤，膀胱脱（通常，腟あるいは会陰口に脱出する）．＝vesicocele.

cys·to·chro·mos·co·py (sis′tō-krō-mos′kŏ-pē) [cysto- + G. *chrōma*, color + *skopeō*, to view]. 色素膀胱鏡検査〔法〕（尿管口の機能の調査と確認のために，色素の投与後，膀胱の内部を検査すること）．

cys·to·du·o·de·nos·to·my (sis′tō-dū′ō-dē-nos′tō-mē) [cysto- + duodenum + G. *stoma*, mouth]. 嚢胞十二指腸吻合術（嚢胞(通常は膵の仮性嚢胞)の十二指腸内に排液する術）．＝duodenocystostomy (2).

pancreatic c. 膵嚢胞十二指腸瘻造設術（膵嚢胞を十二指腸に手術的に，もしくは内視鏡的に誘導する術式）．＝duodenocystostomy (3).

cys·to·en·ter·o·cele (sis′tō-en′ter-ō-sēl) [cysto- + G. *enteron*, intestine + *kēlē*, hernia]. 膀胱腸瘤（膀胱と腸のヘルニア状突出．通常は腟または腟入口への突出）．

cys·to·en·ter·os·to·my (sis′tō-en-ter-os′tō-mē) [cysto- + G. *enteron*, intestine + *stoma*, mouth]. 嚢胞腸吻合術（膵臓の偽嚢胞を腸管のある部分，できるだけ胃，十二指腸，小腸に内部排液する術）．

cys·to·e·pip·lo·cele (sis′tō-e-pip′lō-sēl) [cysto- + G. *epiploon*, omentum + *kēlē*, tumor]. 膀胱大網瘤（膀胱と大網のヘルニア状突出）．

cys·to·fi·bro·ma (sis′tō-fī-brō′mă). 嚢胞線維腫（嚢胞あるいは嚢胞様の病巣が形成されている線維腫）．

cys·to·gas·tros·to·my (sis′tō-gas-tros′tō-mē) [cysto- + G. *gastēr*, stomach + *stoma*, mouth]. 嚢胞胃吻合術（膵の仮性嚢胞を胃の中へ排液する術）．

cys·to·gram (sis′tō-gram). 膀胱造影像（膀胱の造影剤による造影）．

voiding c. 排尿時膀胱尿道造影図．＝voiding *cystourethrogram*.

cys·tog·ra·phy (sis-tog′ră-fē) [cysto- + G. *graphō*, to write]. 膀胱〔X 線〕造影(撮影)〔法〕（造影剤を注入した膀胱

のX線撮影法).

antegrade c. 順行性膀胱造影〔法〕(尿管あるいは膀胱造瘻からの経由で膀胱へ造影剤を注入して行う膀胱造影法).

cys・toid (sis′toyd) [cysto- + G. *eidos*, appearance]. ***1*** 〖adj.〗嚢形の, 膀胱様の, 嚢様の. = cystiform; cystomorphous. ***2*** 〖n.〗類嚢胞(液体, 粒状で軟らかい内容物を含み, 被膜のない嚢胞に似た腫瘍).

cys・to・je・ju・nos・to・my (sis′tō-je-jū-nos′tō-mē) [cysto- + jejunum + G. *stoma*, mouth]. 嚢胞空腸吻合術(膵の仮性嚢胞を空腸内へ排液する術).

cys・to・lith (sis′tō-lith) [cysto- + G. *lithos*, stone]. 膀胱結石. = vesical *calculus*.

cys・to・li・thi・a・sis (sis′tō-li-thī′ă-sis) [cysto- + G. *lithos*, stone + *-iasis*, condition]. 膀胱結石症(膀胱に結石が存在すること). = vesicolithiasis.

cys・to・lith・ic (sis′tō-lith′ik). 膀胱結石の(膀胱結石に関する).

cys・to・lith・o・la・pax・y (sis′tō-lith′ō-lā-paks′ē) [cysto- + G. *lithos*, stone + *lapaxis*, and emptying out]. 膀胱砕石術(膀胱内で結石を砕石し, 破片を灌流により除去する膀胱結石の治療法).

cys・to・li・thot・o・my (sis′tō-li-thot′ō-mē) [cysto- + G. *lithos*, stone + *tomē*, incision]. 膀胱結石切除〔術〕(膀胱壁を切開または内視鏡的穿刺し, 膀胱から結石を取り除く術). = vesical lithotomy.

cys・to・ma (sis-tō′mă) [cyst- + G. *-oma*, tumor]. 嚢腫(嚢胞性腫瘍. 嚢胞を含む新生物).

cys・tom・e・ter (sis-tom′ĕ-ter) [cysto- + G. *metron*, measure]. 膀胱計(容量, 感覚, 膀胱内圧, 残尿を測定して膀胱の機能を調べるのに用いる器具).

cys・to・met・ro・gram (CMG) (sis′tō-met′rō-gram) [cysto- + G. *metron*, measure + *gramma*, a writing]. 膀胱内圧測定図(様々な容量での膀胱の内圧の記録図).

cys・to・me・trog・ra・phy (sis′tō-mĕ-trog′ră-fē). 膀胱内圧測定〔法〕. = cystometry.

cys・tom・e・try (sis-tom′ĕ-trē) [→cystometer]. 膀胱の圧と容量の関係を測定. = cystometrography.

cys・to・mor・phous (sis′tō-mōr′fŭs) [cysto- + G. *morphē*, form]. 嚢胞様の, 膀胱様の. = cystoid (1).

cys・to・my・o・ma (sis′tō-mī-ō′mă). 嚢腫様筋腫(内部に嚢または嚢胞様病巣が発育している筋腫).

cys・to・myx・o・ad・e・no・ma (sis′tō-mik′sō-ad′ĕ-nō′mă). 嚢胞粘液腺腫(間質の粘液腫状変化を伴った嚢胞または嚢胞様病巣のある腺腫).

cys・to・myx・o・ma (sis′tō-mik-sō′mă). 粘液嚢腫(嚢胞または嚢胞様病巣のある粘液腫).

cys・to・pan・en・dos・co・py (sis′tō-pan′en-dos′kŏ-pē) [cysto- + panendoscope]. 膀胱尿道鏡(内視鏡を逆行性に尿道から膀胱へ挿入して行う膀胱および尿道内腔の検査).

cys・to・pa・ral・y・sis (sis′tō-pă-ral′i-sis). = cystoplegia.

cys・to・pex・y (sis′tō-pek′sē) [cysto- + G. *pēxis*, fixation]. 膀胱固定〔術〕, 胆嚢固定〔術〕(胆嚢や膀胱を腹壁または他の支持構造物に固定する外科手術). = ventrocystorrhaphy.

cys・to・pho・tog・ra・phy (sis′tō-fō-tog′ră-fē). 膀胱内部写真術.

cys・to・plas・ty (sis′tō-plas′tē) [cysto- + G. *plastos*, formed]. 膀胱形成〔術〕(膀胱の形成手術. *cf.* ileocystoplasty; colocystoplasty).

cys・to・ple・gi・a (sis′tō-plē′jē-ă) [cysto- + G. *plēgē*, a stroke]. 膀胱麻痺. = cystoparalysis.

cys・to・pros・ta・tec・to・my (sis′tō-pros′tă-tek′tō-mē). 膀胱前立腺全摘術(膀胱, 前立腺および精嚢腺を同時に摘出する手術方法).

cys・to・py・e・li・tis (sis′tō-pī-el-ī′tis) [cysto- + G. *pyelos*, trough (pelvis) + *-itis*, inflammation]. 膀胱腎盂炎.

cys・to・py・e・lo・ne・phri・tis (sis′tō-pī′el-ō-nef-rī′tis) [cysto- + G. *pyelos*, trough (pelvis) + *nephros*, kidney + *-itis*, inflammation]. 膀胱腎盂腎炎(膀胱, 腎盂, および腎実質の炎症).

cys・tor・rha・phy (sis-tōr′ă-fē) [cysto- + G. *raphē*, a sewing]. 膀胱縫合〔術〕(膀胱の損傷または欠損の縫合).

cys・tor・rhe・a (sis′tō-rē′ă) [cysto- + G. *rhoia*, a flow]. 膀胱膿漏(膀胱からの粘液漏出).

cys・to・sar・co・ma (sis′tō-sar-kō′mă). 嚢腫〔状〕肉腫(嚢腫または嚢腫様病巣をもつ肉腫).

c. phyllodes 葉状嚢肉腫(乳房, 前立腺, その他の器官の限局性または浸潤性の線維腺腫様腫瘍で, 部分的に嚢腫状となることがある. 間質は細胞成分に富み, 線維肉腫に類似している. 良性のことも悪性のこともある).

cys・to・scope (sis′tō-skōp) [cysto- + G. *skopeō*, to examine]. 膀胱鏡(膀胱内部を検査するための照明付管状内視鏡).

cys・tos・co・py (sis-tos′kŏ-pē). 膀胱鏡検査〔法〕(膀胱鏡を用いて膀胱内部を検査する法).

cys・to・spasm (sis′tō-spazm). 膀胱痙攣(意図せずに膀胱が収縮し, 痛みを伴う. 排尿が起こらないこともある).

cys・tos・to・my (sis-tos′tō-mē) [cysto- + G. *stoma*, mouth]. 膀胱瘻設置術(膀胱に開孔を作成する術). = vesicostomy.

cys・to・tome (sis′tō-tōm). ***1*** 膀胱切開刀, 胆嚢切開刀(膀胱あるいは胆嚢の切開に用いる器具). ***2*** 水晶体包〔被膜〕切開刀(水晶体の被膜の切開に用いる外科用器具). = capsulotome.

cys・tot・o・my (sis-tot′ō-mē) [cysto- + G. *tomē*, incision]. 膀胱切開〔術〕, 胆嚢切開〔術〕(膀胱あるいは胆嚢の切開または穿刺術). = vesicotomy.

suprapubic c. 恥骨上膀胱切開〔術〕(恥骨結合上部の切開または穿刺により膀胱を開放する手技).

cys・to・u・re・ter・i・tis (sis′tō-yū-rē′ter-ī′tis). 膀胱尿管炎(膀胱および一方あるいは両方の尿管の炎症).

cys・to・u・re・ter・o・gram (sis′tō-yū-rē′ter-ō-gram). 膀胱尿管造影図(膀胱と尿管のX線図).

cys・to・u・re・ter・og・ra・phy (sis′tō-yū-rē′ter-og′ră-fē). 膀胱尿管造影〔法〕(膀胱と尿管のX線撮影法).

cys・to・u・re・thri・tis (sis′tō-yū′rē-thrī′tis). 膀胱尿道炎(膀胱と尿道の炎症).

cys・to・u・re・thro・cele (sis′tō-yū-rē′thrō-sēl) [cysto- + urethra + G. *kēlē*, hernia]. 膀胱尿道脱(膀胱と尿道の脱出).

cys・to・u・re・thro・gram (sis′tō-yū-rēth′rō-gram). 膀胱尿道造影図. = voiding c.

micturating c. 排泄性膀胱尿道造影像. = voiding c.

retrograde c. 逆行性膀胱尿道造影像(尿道口あるいは遠位尿道経由で造影剤注入により行う膀胱尿道造影像).

voiding c. (**VCUG**) 排泄性膀胱尿道造影像(膀胱と尿道を造影剤で満たし排尿中を描出するX線像). = cystourethrogram; micturating c.; voiding cystogram.

cys・to・u・re・throg・ra・phy (sis′tō-ū′rē-throg′ră-fē). 膀胱尿道造影〔法〕(経静脈的あるいは逆行性にカテーテルを挿入し造影剤を投与し, 膀胱を充満した後, 排尿時に行う膀胱および尿道のX線撮影).

cys・to・u・re・thro・scope (sis′tō-yū-rē′thrō-skōp). 膀胱尿道鏡(膀胱鏡と尿道鏡の両方の用途をもつ器具. 膀胱と尿道の両方の視覚検査が可能である).

Cys・to・vir・i・dae (sis′tō-vir′i-dē) [G. *kystis*, bladder]. シストウイルス科(単一的な細菌ウイルスの一科に対する暫定的名称. 標準種はファージ $\phi 6$ である. ウイルス粒子は, 直径 86 nm, 等長性で, 脂質エンベロープをもち, *Pseudomonas*属細菌のピリ線毛側に吸着する. カプシドは立体相称で, ゲノムは3種とも二本鎖 RNA(全分子量 13×10^6)である).

cys・tyl-a・mi・no・pep・ti・dase (sis′til-a-mi′nō-pep′ti-dās). シスチル-アミノペプチダーゼ(オキシトシンのようなシスチン含有ペプチドを分解する酵素. 別名 oxytocinase).

Cyt シトシンの記号.

cyt- (sīt). →cyto-.

cy・ta・pher・e・sis (sī′tă-fĕ-rē′sis) [cyt- + G. *aphairesis*, a withdrawal]. 血球アフェレーシス(供血者よりまず, 採血し, ある細胞成分を分離採取して, 血漿および残りの他の成分は供血者に返血する手法).

cy・tase (sī′tās). チターゼ(アレキシンまたは補体を白血球の分泌する消化酵素と考え, Metchnikoff がつくった語で, 現在では用いられない).

-cyte (sīt). [G. *kyton*, a hollow(cell)]. 細胞に関する接尾語.

cyt・i・dine (C, Cyd) (sī′ti-dēn). シチジン(リボ核酸の主成分). = 1-*β*-D-ribofuranosylcytosine; cytosine ribonucleoside.

activation-induced c. deaminase (**AID**) 活性化誘導性シ

チジンデアミナーゼ（高親和性抗体産生における体細胞超変異や抗体のクラススイッチの過程にかかわる酵素）.

c. diphosphate choline シチジン二リン酸. ＝cytidine diphosphocholine.

c. phosphate シチジンリン酸（→cytidylic acid）.

cyt·i·dine 5′-di·phos·phate (CDP) (sī′ti-dēn dī-fos′fāt). シチジン 5′-二リン酸（シチジンと二リン酸との 5′ 位でのエステル体）.

cyt·i·dine di·phos·pho·cho·line (CDP-cho·line) (sī′ti-dēn-dī-fos′fō-kō′lēn). シチジンジホスホコリン（ホスファチジルコリン(レシチン)生成とスフィンゴミエリンの中間体．ホスホコリンに対してシチジン 5′-三リン酸の作用で生成する．コリンリン酸基がシチジン 5′-三リン酸の α-リン酸基に結合してピロリン酸になる）. ＝activated choline; cytidine diphosphate choline.

cyt·i·dine di·phos·pho·glyc·er·ide (CDP-glyc·er·ide) (sī′ti-dēn dī-fos′fō-gli′cer-īd). シチジン二リン酸グルセリド，CDP-グリセリド（リン脂質の生合成中間体の１つで(例えば，カルジオリピン)，シチジルトランスフェラーゼの作用により CTP と 1,2-ジアシルグリセロールから，CDP-グリセリドとピロリン酸を遊離しながら生成される）.

cyt·i·dine di·phos·pho·sug·ar (CDP-sug·ar) (sī′ti-dēn dī-fos′fō-shug′ĕr). シチジン二リン酸糖（糖の活性型誘導体）.

cyt·i·dine 5′-tri·phos·phate (CTP) (sī′ti-den trī-fos′fat). シチジン 5′-三リン酸（シチジンと三リン酸との 5′位でのエステル体）.

cyt·i·dyl·ic ac·id (sī-ti-dil′ik as′id). シチジル酸（リボ核酸の成分でシチジン一リン酸に同じ．リボースの OH 基につくリン酸基の位置によって３種の異性体が可能）.

cy·ti·sine (sit′ĭ-sin). シチシン（*Laburnum anagyroides* や他のマメ科の種子から得られる選択的ニコチン様コリン作動薬．毒性を有する．脳のニコチン様コリン作動性受容体に関する薬理学的研究に用いられる）. ＝baptitoxine.

cyto-, cyt- (sī′tō, sīt) [G. *kytos*, a hollow(cell)]. 【本連結形を sito- と混同しないこと】. 細胞に関する連結形.

cy·to·an·a·lyz·er (sī′tō-an′ă-lī-zer) [cyto- ＋ analyzer]. 細胞分析器（悪性の疑いのある細胞を含む塗沫標本を検査する電子光学機器）.

cy·to·ar·chi·tec·ton·ics (sī′tō-ar′ki-tek-ton′iks) [cyto- ＋ G. *architektonikē*, architectural]. ＝cytoarchitecture.

cy·to·ar·chi·tec·tur·al (sī′tō-ar′ki-tek′chŭr-ăl). 細胞構築〔学〕の.

cy·to·ar·chi·tec·ture (sī′tō-ar′ki-tek′chŭr). 細胞構築（組織中での細胞の配置．脳，特に大脳皮質内の神経細胞体の配置）. ＝architectonics; cytoarchitectonics.

cy·to·bi·ol·o·gy (sī′tō-bī-ol′ō-jē). 細胞生物学. ＝cytology.

cy·to·bi·o·tax·is (sī′tō-bī′ō-tak′sis) [cyto- ＋ G. *bios*, life ＋ *taxis*, arrangement]. 細胞相互作用性. ＝cytoclesis.

cy·to·cen·trum (sī′tō-sen′trŭm) [cyto- ＋ G. *kentron*, center]. 細胞中心体（1, 2 個の中心粒を含み他の細胞小器官は含まない細胞原形質の部域．通常，細胞の核の近辺にある）. ＝cell center; central body; centrosome; cinocentrum; kinocentrum; microcentrum.

cy·to·chal·a·sins (sī′tō-kal′ă-zinz) [cyto- ＋ G. *chalasis*, a relaxing]. サイトカラシン類（カビに由来する一群の物質で，細胞の細糸を分散して細胞質分裂を妨害し，細胞運動を抑制し，核の排出をもたらす．細菌生物学の研究に用いる）.

cy·to·chem·is·try (sī′tō-kem′is-trē). 細胞化学〔反応〕（化学物質，反応部位，酵素などの細胞内分布を研究する学問．染色反応，放射性同位元素の取り込み，電子顕微鏡検査の選択的金属分布，あるいは他の手法をしばしば用いる）. ＝histochemistry.

cy·to·chrome (sī′tō-krōm) [cyto- ＋ G. *chrōma*, color]. シトクロム（ヘム鉄の原子価の可逆的変化によって電子および(または)水素の伝達を行うことをその主要な生物学的機能とする，ヘム蛋白の一群．シトクロムは分光化学的特徴に従って *a,b,c,d* の４群に分類される．特に細菌，緑色植物，藻類には多くの変種があり，その１つとしてはシトクロム *c* の一型 *f* がある．ミトコンドリアのシトクロム系はシトクロム *c* オキシダーゼによって分子状酸素を最終電子受容体とする電子伝達系(呼吸系)を構成する）.

cy·to·chrome *aa*$_3$ (sī′tō-krōm). ＝cytochrome *c* oxidase.

cy·to·chrome *b* (sī′tō-krōm). シトクロム *b*（呼吸鎖にあるシトクロムの１つ．このシトクロムの欠損により慢性肉芽腫症になる）.

cy·to·chrome *b*$_5$ (sī′tō-krōm). シトクロム b_5（小胞体にあるシトクロム．多くのオキシゲナーゼとともに働く．このシトクロム欠損により遺伝性メトヘモグロビン血症を起こす）.

cy·to·chrome *b*$_5$ re·duc·tase (sī′tō-krōm rē-dŭk′tās). シトクロム b_5 レダクターゼ，シトクロム b_5 還元酵素（２分子のフェリシトクロム b_5 の２分子のフェロシトクロム b_5 への還元を触媒するフラボ酵素．NADH が消費される．脂肪酸不飽和化に作用する．この酵素の欠損により遺伝性メトヘモグロビン血症(I 型は赤血球のサイトゾルにのみ見出される．II 型はすべての組織で欠損している．III 型はすべての造血性細胞で欠損している)になる）.

cy·to·chrome *c* (sī′tō-krōm) [MIM*123970]. シトクロム *c*（呼吸鎖の複合体 III から複合体 IV への電子を伝達させる可動性シトクロム）.

cy·to·chrome *cd* (sī′tō-krōm). ＝cytochrome oxidase (*Pseudomonas*).

cy·to·chrome *c*$_3$ hy·dro·gen·ase (sī′tō-krōm hī-drō′jen-ās). シトクロム c_3 ヒドロゲナーゼ（２分子のフェリシトクロム c_3 の H_2 による２分子のフェロシトクロム c_3 と $2H^+$ への還元を触媒する酵素）.

cy·to·chrome *c* ox·i·dase (sī′tō-krōm oks′i-dās). シトクロム *c* オキシダーゼ，シトクロム *c* 酸化酵素（分子状酸素による４分子のフェロシトクロム *c* の４分子のフェリシトクロム *c* と $2H_2O$ への酸化を触媒する，銅を含む *a* 型シトクロム．呼吸鎖の複合体 IV の構成成分．この複合体のいくつかのポリペプチドの欠損により脳のニューロンの欠損を生じ，精神運動制止や神経変性疾患が生じる）. ＝cytochrome aa_3; indophenol oxidase; indophenolase.

cy·to·chrome *c* re·duc·tase (sī′tō-krōm rē-dŭk′tās). シトクロム *c* レダクターゼ，シトクロム *c* 還元酵素. ＝*NADH* dehydrogenase.

cy·to·chrome *c*$_2$ re·duc·tase (sī′tō-krōm rē-dŭk′tas). シトクロム c_2 レダクターゼ，シトクロム c_2 還元酵素. ＝*NADPH*-cytochrome c_2 reductase.

cy·to·chrome ox·i·dase (*Pseu·do·mo·nas*) (sī′tō-krōm oks′i-dās sū′dō-mō′nas). シトクロムオキシダーゼ(シュードモナス属)，シトクロム酸化酵素(シュードモナス属)（シトクロム *c* オキシダーゼと同一の作用をもつ酵素であるが，フェロシトクロム c_2 に作用する）. ＝cytochrome *cd*.

cy·to·chrome P-450$_{scc}$ (sī′tō-krōm) [*450 nm* は還元型シトクロムの一酸化炭素付加体の吸収極大値]. シトクロム P-450scc（コレステロールモノオキシゲナーゼ(側鎖切断)）.

cy·to·chrome re·duc·tase (sī′tō-krōm rē-dŭk′tās). シトクロムレダクターゼ，シトクロム還元酵素. ＝*NADPH*-ferrihemoprotein reductase.

cy·to·chy·le·ma (sī′tō-kī-lē′mă) [cyto- ＋ G. *chylos*, juice]. 細胞透明質（細胞質中の液体性の部分）.

cy·toc·i·dal (sī′tō-sī′dăl) [cyto- ＋ L. *caedo*, to kill]. 細胞を殺す.

cy·to·cide (sī′tō-sīd) [cyto- ＋ L. *caedo*, to kill]. 細胞破壊薬.

cy·toc·la·sis (sī-tok′lă-sis) [cyto- ＋ G. *klasia*, a breaking]. 細胞破壊.

cy·to·clas·tic (sī′tō-klas′tik). 細胞破壊〔性〕の.

cy·to·cle·sis (sī′tō-klē′sis) [cyto- ＋ G. *klēsis*, a call]. 細胞喚起（１細胞が他の細胞に影響を与えること）. ＝biotaxis (2); cytobiotaxis.

cy·to·cu·pre·in (sī′tō-kū′prē-in). シトクプレイン（ヒト赤血球や他の組織中に見出される銅含有蛋白の古語. →*superoxide* dismutase; ceruloplasmin）. ＝cerebrocuprein; erythrocuprein; hemocuprein; hepatocuprein.

cy·to·cyst (sī′tō-sist) [cyto- ＋ G. *kystis*, bladder]. 細胞囊胞（成熟シゾントを封入した赤血球または組織細胞の囊様残渣を表す，まれに用いる語）.

cy·to·di·ag·no·sis (sī′tō-dī′ag-nō′sis). 細胞診〔断学〕（滲出液または他の体液中の細胞の鏡検によって病理過程の型や，また可能な場合その原因を診断する学問）.

cy·to·di·er·e·sis (sī′tō-dī-er′ē-sis) [cyto- ＋ G. *diairesis*, division]. 細胞〔質〕分裂. =cytokinesis.

cy·to·gene (sī′tō-jēn). 細胞質遺伝子. =plasmagene.

cy·to·gen·e·sis (sī′tō-jen′ĕ-sis) [cyto- + G. *genesis*, origin]. 細胞発生(細胞の起源および発達の過程).

cy·to·ge·net·i·cist (sī′tō-jĕ-net′i-sist). 細胞遺伝学者.

---

cy·to·ge·net·ics (sī′tō-jĕ-net′iks). 細胞遺伝学(細胞, 特に染色体の構造と機能を対象とする遺伝学の一分野).

細胞遺伝学は, 19 世紀の細胞学と 20 世紀の遺伝学との融合の結果, 1903 年の遺伝の染色体説の発表とともに生まれた. この発展しつつある分野は, 生殖時における染色体とその機能的サブユニットである遺伝子の性状について詳細に述べ, 結果として生じる細胞や動物の特徴を統計学的にその性状と関連付けることに携わってきた. 現代分子細胞遺伝学は, 染色体を減数分裂時に固定して, 特徴的なバンドを描写するために種々の試薬で染色するといった顕微鏡的研究が多く行われてきた. DNA プローブは特定の遺伝子配列を突き止めるために用いられる. 核型分析は標準的形式で染められた染色体の写真を比較し再編成する. 細胞遺伝学の手法は, 先天性代謝異常, Down 症候群のような遺伝的異常を調べるため, また, 解剖学的に決定不能な際の性決定に用いられる.

---

cy·to·gen·ic (sī′tō-jen′ik). 細胞発生の.

cy·tog·e·nous (sī-toj′ĕ-nŭs). 細胞形成〔性〕の.

cy·to·glu·co·pe·ni·a (sī′tō-glū′kō-pē′nē-ă) [cyto- + glucose + G. *penia*, poverty]. 細胞内糖減少〔症〕(細胞内のブドウ糖の欠乏).

cy·toid (sī′toyd) [cyto- + G. *eidos*, resemblance]. 細胞様の.

cy·to·ker·a·tin (sī′to-ker′a-tin). サイトケラチン. =keratin.

---

cy·to·kine (sī′tō-kīn) [cyto- + G. *kinēsis*, movement]. サイトカイン(種々の細胞から分泌されるおびただしい数のホルモン様低分子蛋白の総称で, 免疫反応の強さと持続期間を調節し細胞同士の情報交換を媒介する. 次頁の表参照. →interferon; interleukin; lymphokine; chemokines. 種々の growth factor の項を参照).

サイトカインの大多数は, 小さな(30kD以下)可溶性の蛋白あるいは糖蛋白である. マクロファージ, Bリンパ球, Tリンパ球, 肥満細胞, 内皮細胞, 線維芽細胞, 脾臓と胸腺および骨髄の間質細胞で産生され, 非酵素的に特異的な受容体を介して, とりわけ液体免疫と細胞性免疫との間のバランスを調整して免疫反応を制御する. サイトカインは, 特定の細胞集団, ときにはそれ自身を分泌する細胞をも含めて(オートクライン活性), それらの成熟, 成長, 反応性を制御することによって免疫反応やアレルギー反応の進行に関与している. 1つのサイトカインが複数の細胞種から産生される場合もある. 他のサイトカインの活性を増強したり逆に抑制したりするサイトカインもある. それらの複雑な相乗的かつ拮抗的な相互作用の全体が, サイトカインネットワーク *cytokine network* という表現になる. 初めて同定されたサイトカインは, その機能(例えばT細胞成長因子)から命名されたが, この術語は問題となった. なぜなら同じ機能をもつ数種のサイトカインが存在するし, 1つのサイトカインでも産生された環境によってその機能を変化させることができるからである. 後に各サイトカインの化学構造が決定し, インターロイキンと命名され番号割りされた(例えばインターロイキン-2 [IL-2] は, 以前はT細胞成長因子であった). サイトカインは長期記憶の生成呼び出し, さらに集中力に深くかかわっている. 老化の退行性変性効果の一部は, 進行性にサイトカインの調節力が欠如していくことに起因するかもしれない. 免疫系由来のサイトカイン(イムノカイン)は細胞傷害性を有するため, ある種の癌に対して用いられてきた. 半減期が短いこと, 広範で予想不能な副作用があることから臨床的な有用性は限られている.

---

macrophage inhibitory c. 1 マクロファージ抑制性サイトカイン 1 (形質転換成長因子 β スーパーファミリーに属し, Th2 型サイトカイン作用を有する. 母子の接合部に強く集積しており, 生存率を高める働きをしているといわれている).

c. network サイトカインネットワーク(重要な細胞機能の調節を協調して司るサイトカインの一群).

cy·to·ki·ne·sis (sī′tō-ki-nē′sis) [cyto- + G. *kinēsis*, movement]. 細胞質分裂(細胞分裂中に, 核以外の細胞質中に起こる変化). =cytodieresis.

cy·to·lem·ma (sī′tō-lem′mă) [cyto- + G. *lemma*, husk]. 原形質膜. =cell *membrane*.

cy·to·lip·in, cy·to·lip·in H, cy·to·lip·in K (sī′tō-lip′in). シトリピン, シトリピンH, シトリピンK(グリコスフィンゴリピド, 特にセラミドオリゴサッカライド. シトリピンHはラクトシルセラミドで, ある条件下では免疫学的性質を示しうる. シトリピンKは globoside と同一と思われる. *cf. ceramide* lactosidase).

C

cy·to·log·ic (sī′tō-loj′ik). 細胞学の.

cy·tol·o·gist (sī-tol′ō-jist). 細胞学者.

cy·tol·o·gy (sī-tol′ō-jē) [cyto- + G. *logos*, study]. 細胞学(細胞の解剖・生理・病理・化学の研究). =cellular biology; cytobiology.

exfoliative c. 脱落細胞診断法, 剥離細胞診(新生物(または他の型の病変)から脱落した細胞や, 組織からの滲出物, 分泌物, 流出液(例えば, 喀痰, 膣分泌物, 胃流出液, 尿など)の沈渣中から回収される細胞の検査による診断法). =cytopathology (2).

cy·tol·y·sin (sī-tol′i-sin). 細胞溶解素(動物細胞を部分的あるいは完全に破壊する抗体のような物質. このとき補体を必要とする場合もある. →perforin).

cy·tol·y·sis (sī-tol′i-sis) [cyto- + G. *lysis*, loosening]. 細胞溶解〔反応〕, 細胞崩壊.

cy·to·ly·so·some (sī′tō-lī′sō-sōm). サイトリソソーム, 自食作用胞(ミトコンドリア, リボソーム, その他の細胞小器官の遺残を含んだ種々の二次リソソーム). =autophagic vacuole.

cy·to·lyt·ic (sī′tō-lit′ik). 細胞溶解の.

cy·to·ma·trix (sī′tō-mā′triks). 細胞質基質. =cytoplasmic *matrix*.

cy·to·meg·a·lic (sī′tō-meg′ă-lik) [cyto- + G. *megas*, big]. 巨細胞〔性〕の.

Cy·to·meg·a·lo·vi·rus (CMV) (sī′tō-meg′ă-lō-vī′rŭs) [cyto- + G. *megas*, big]. サイトメガロウイルス(ヒトや他の動物に感染するヘルペスウイルス科のウイルスの一群で, その多くが, 唾液腺に特別な親和性をもち, 多くの器官の細胞を巨大化させ, 細胞質や核内に特徴的な封入体(owl eye)を発達させる. 子宮内感染により胎児に奇形を起こしたり, ときに胎児死を起こす. これらのウイルスはすべて種特異的であり, 唾液腺ウイルス, ブタの封入体鼻炎ウイルスなどが含まれる. 468頁の表参照). =visceral disease virus.

cy·to·mem·brane (sī′tō-mem′brān). 形質膜. =cell *membrane*.

cy·to·mere (sī′tō′mēr) [cyto- + G. *meros*, part]. 胞子虫生殖体(赤血球外での無性分裂をする胞子虫にみられるシゾゴニー中の大型シゾントを分離する構造. シゾント体表への複雑な陥入により生じ, 内容を分離する. 最終的には, 多数のメロゾイトの形成における発芽過程を完了させる).

cy·tom·e·ter (sī-tom′ĕ-ter) [cyto- + G. *metron*, measure]. 血球計算器(細胞, 特に血球の計数測定に用いる, 規線を刻んだガラススライド, または規格化された一定容量のガラス容器).

image c. 画像細胞解析器(抗体密度など, 細胞の様々な定性試験に使う装置).

cy·tom·e·try (sī-tom′ĕ-trē). 血球計算〔法〕(血球計算器や血球計算板を用いて, 細胞, 特に血球を数えること).

Feulgen c. (foyl′gen). フォイルゲン細胞解析法(フォイルゲン染色で核を染め, 細胞のクロマチンパターンと核内の DNA 分布の特徴から細胞を調べる方法).

flow c. フローサイトメトリ, 流動細胞光度測定法, 流動細胞測光法(通常は 1 本または 2 本のレーザー光線で色素分子を励起することによって浮遊状態で狭い通路を通過する染色した細胞から発する蛍光を測定する方法. 細胞の大きさ, 数, 生存率, 核酸含有量を測定するために用いる. この目的

サイトカイン，ケモカイン：分子量，所在，機能

ヒトサイトカイン	分子量（kDa）	細胞内所在	主な機能
IL-1α	17.5	単球，Mφ，B細胞，T細胞，NK細胞，樹状細胞	↑発熱と急性蛋白合成．↑胸腺細胞およびT細胞の活性化，B細胞の増殖・分化，免疫グロブリン分泌
IL-1β	17.5	単球，Mφ，B細胞，T細胞，NK細胞，樹状細胞	↑発熱と急性蛋白合成．↑胸腺細胞およびT細胞の活性化，B細胞の増殖・分化，免疫グロブリン分泌
IL-2	15—20	T細胞	↑T細胞，B細胞，NK細胞の増殖・分化
IL-3	14—30	T細胞，肥満細胞，好酸球	↑造血系幹細胞および肥満細胞の増殖
IL-4	15—19	T細胞，肥満細胞，好塩基球	↑B細胞およびTh2細胞の分化．↑IgG_4，およびIgEの合成．↓炎症誘発性Th1細胞やMφの機能
IL-5	45ホモダイマー	T細胞，肥満細胞，好酸球	↑好酸球およびB細胞(IgA合成)の増殖・分化
IL-6	26	単球，Mφ，B細胞，T細胞，血管内皮細胞	↑急性蛋白合成．↑胸腺細胞およびT細胞の活性化．B細胞の増殖・分化，Ig産生
IL-7	20—28	線維芽細胞，内皮細胞，T細胞，BMC，胸腺ストローマ細胞	プレB細胞の増殖．↑プレT細胞および成熟T細胞の増殖・分化
IL-9	32—39	T細胞	↑T細胞および肥満細胞の活性化．↑IL-4誘導性IgEおよびIgC発現
IL-10	35—40	T細胞，B1B細胞，Mφ	↓Th1，NK細胞，Mφのサイトカイン合成・遊離などの機能．↑B細胞および肥満細胞の増殖
IL-11	23	線維芽細胞，BMCストローマ細胞	↑巨核球（血小板前駆細胞）の増殖
IL-12	35，40サブユニットヘテロダイマー	B細胞，Mφ	↑NK細胞，CTL，Th1の産生，↑NK細胞およびT細胞のIFN-γ産生．↑NK活性とADCC活性．T細胞増殖の同時刺激
IL-13	9—17	T細胞	B細胞増殖因子．↑IgM，IgE，IgG4の合成．↑B細胞膜CD23およびMHCクラスⅡ抗原の発現．↓炎症誘発性サイトカイン合成などの単球/Mφ機能
IL-14	60	沪胞樹状細胞，T細胞	↑B細胞増殖および記憶B細胞産生．↓免疫グロブリン合成
IL-15	14—15	単球，上皮細胞，筋肉	↑T細胞の増殖，分化
IL-16	17	T細胞，脳，胸腺，脾臓，膵臓	CD4細胞を走化性にしT細胞の増殖群を誘導させる
IL-17	30—38ホモダイマー	CD4T細胞	↑上皮細胞，内皮細胞，線維芽細胞のIL-6，IL-8，GM-CSF分泌
IL-18	18	単球/Mφ	↑T細胞のIFN-γ産生．↑NK活性
G-CSF	18—22	BMCストローマ細胞，単球/Mφ	↑顆粒球前駆細胞または成熟顆粒球の増殖，分化，活性化
M-CSF	45—90	T細胞，単球/Mφ	↑Mφ前駆細胞または成熟Mφの増殖，分化，活性化
GM-CSF	22	T細胞，単球/Mφ	↑顆粒球またはMφ前駆細胞および成熟顆粒球または成熟Mφの増殖，分化，活性化
TGF-β	25ホモダイマー	T細胞，単球/Mφなど多くの細胞系	↑ナイーブT細胞のIgA産生および活性化．↓単球または記憶T細胞の活性化．線維芽細胞増殖/創傷治癒において活性である
IFN-γ	40—70ホモダイマー	T細胞，NK細胞	抗ウイルス活性．↑MφおよびNK細胞の機能．↑MHCクラスⅠおよびⅡの細胞表面抗原の発現
TNF-α	17ホモトリマー	単球/Mφ，B細胞，T細胞など多くの細胞系	細胞表面ホモトリマーとして発現するか酵素切断により可溶化．↑発熱や敗血症性ショック．多くの癌細胞系に対して細胞毒性がある
LT-α（TNF-β）	20—25サブユニットホモトリマーまたはヘテロトリマー	T細胞	（*aka*リンホトキシン）ホモトリマーまたはLT-βとの複合体として分泌されるか細胞表面ヘテロトリマーとして発現される．二次リンパ器官形成に関与

（次頁へ続く）

サイトカイン，ケモカイン：分子量，所在，機能（続き）

ヒトサイトカイン	分子量（kDa）	細胞内所在	主な機能
LIF	46	T細胞，骨髄単球系	↑急性蛋白合成；↑Mφの分化または造血系幹細胞の増殖
IL-8	6—8	単球，リンパ球，顆粒球など多くの細胞系	好中球に対し走化性および活性化し血管新生を促進させる
GROα	7—11	単球，上皮細胞，内皮細胞，癌細胞（例えばメラノーマ）	好中球に対し走化性および活性化し血管新生を促進させたり，ある種の癌細胞の増殖を促進させる
IP-10	10—11	内皮細胞，単球，線維芽細胞，胸腺および脾臓のストローマ細胞	活性化T細胞に対し走化性をもち，内皮細胞増殖を抑制
SDF-1	10	ストローマ細胞，肝臓，筋肉	プレB細胞の増殖を促進．単球およびT細胞に対し走化性をもつ
MIG	14—15	IFN-γ処理した単球およびマクロファージ	癌浸潤リンパ球に対し走化性をもつ
MCP-1	11—17	単球/マクロファージ，線維芽細胞，ある種の癌など多くの細胞系	T細胞に対し走化性をもち，走化性誘導や単球を活性化する
MCP-2	7.5—11	単球/マクロファージ，線維芽細胞，ある種の癌など多くの細胞系	T細胞に対し走化性をもち，走化性誘導や単球を活性化する
MCP-3	11	単球/マクロファージ，線維芽細胞，ある種の癌など多くの細胞系	好酸球やT細胞に対し走化性をもち，走化性誘導や単球を活性化する
MIP-1α	10	単球，リンパ球，ストローマ細胞など多くの細胞系	単球やT細胞に対し走化性をもち，造血系幹細胞の増殖を抑制する
MIP-1β	10	単球，リンパ球，癌細胞など多くの細胞系	単球やT細胞に対し走化性をもち，造血系幹細胞の増殖を抑制する
T細胞	10	T細胞，単球，線維芽細胞，ある種の癌細胞株など多くの細胞系	T細胞，単球，好酸球の走化性
エオタキシン	8—9	内皮細胞，肺胞マクロファージ，肺，腸管，心臓，胸腺，脾臓，肝臓，腎臓	好酸球の走化性
リンホタクチン	10	胸腺細胞，活性化T細胞	T細胞の走化性
I-309	10—16	T細胞，肥満細胞	好中球の走化性

↑：増加（促進）
↓：減少（抑制）
BMC：骨髄細胞
CTL：細胞傷害性Tリンパ球
GM-CSF：顆粒球マクロファージコロニー刺激因子
IFN：インターフェロン
IL：インターロイキン
LIF：白血球阻害因子
LT：長い末端
Mφ：マクロファージ
MHC：主要組織適合遺伝子複合体
MIP：マクロファージ阻害蛋白
NK cells：ナチュラルキラー細胞
Th1：1型ヘルパーT細胞
Th2：2型ヘルパーT細胞
TNF：腫瘍壊死因子

で，アクリジンオレンジ，Kasten 蛍光性 Feulgen 染色，エチジウムブロミド，トリパンブルー，その他の適当な染色剤が用いられる）．＝flow cytophotometry.

laser-scanning c. レーザースキャンサイトメトリ（レーザー技術を用いた血液有形成分の解析法）．

cy·to·mi·cro·some (sī′tō-mī′krō-sōm) [cyto- + G. *mikros*, small + *sōma*, body]. →microsome.

cy·to·mor·phol·o·gy (sī′tō-mōr-fol′o-jē). 細胞形態学（細胞の構造の研究）．

cy·to·mor·pho·sis (sī′tō-mōr-fō′sis) [cyto- + G. *morphōsis*, a shaping]. 細胞変態（細胞がその生涯に示す種々の変化．→prosoplasia）．

cy·to·path·ic (sī′tō-path′ik). 細胞障害の．

cy·to·path·o·gen·ic (sī′tō-path′ō-jen′ik). 細胞変性〔性〕の（組織学的変化とは対照的に，細胞に病的状態を起こす因子や物質についていう．特に組織培養細胞における効果に関して用いる）．

cy·to·path·o·log·ic, cy·to·path·o·log·i·cal (sī′tō-path′ō-loj′ik, -loj′i-kăl). ***1*** 細胞病理学的（病気の際にみられる細胞レベルの変化に関した）．***2*** 細胞病理学の．

cy·to·pa·thol·o·gist (sī′tō-pa-thol′o-jist). 細胞病理学者（通常，解剖学的病理学に通じ，特に細胞病理学の訓練と経験を有する医師）．

cy·to·pa·thol·o·gy (sī′tō-pa-thol′ō-jē). 細胞病理学（①個々の細胞内の病的変化を研究する学問．②剥離細胞診．＝exfoliative *cytology*）．

cy·top·a·thy (sī-top′ă-thē) [cyto- + G. *pathos*, disease]. 細胞障害（細胞またはその構成成分のあらゆる異常）．

cy·to·pemp·sis (sī′tō-pemp′sis) [cyto- + G. *pempsis*, sending through]. 細胞内輸送．＝transcytosis.

cy·to·pe·ni·a (sī′tō-pē′nē-ă) [cyto- + G. *penia*, poverty]. 血球減少〔症〕（循環血液中の構成細胞の減少あるいは欠如）．

cy·toph·a·gy (sī-tof′ă-jē) [cyto- + G. *phagō*, to devour]. 細胞食作用（食細胞による他細胞の貪食）．

サイトメガロウイルス(CMV)感染の検査室診断

検査の型	検体	診断所見
組織病理診	肝，腎，肺，唾液腺，食道，結腸，脳，その他の生検	核・細胞質内封入体（フクロウの目）
細胞診	尿，唾液，BAL，脳脊髄液	封入体
蛍光抗体法	血液（リンパ球），組織（肺，肝），BAL，脳脊髄液	抗原の検出（pp65）
培養	尿，咽頭，子宮頸部分泌，リンパ球，生検・剖検材料	ヒト胚の肺線維芽細胞中の典型的な細胞変性効果
血清：受身赤血球凝集，中和，RIA，ELISA，ラテックス凝集試験，補体結合	血液，臍帯血	CMVへのIgM，IgG抗体
PCRおよびDNAプローブ	血液，脳脊髄液	ウイルス性DNAの検出，プラスマ負荷（量的）

BAL：気管支肺胞洗浄．CSF：脳脊髄液．ELISA：酵素結合イムノソルベント検定法．PCR：ポリメラーゼ連鎖反応．RIS：放射性同位元素標識免疫測定．

cy·to·phan·ere (sī′tō-fă-nēr) [cyto- + G. *phaneros*, visible, evident, open]. サイトファーネレ（ウサギとヒツジの組織内シストにみられるように肉胞子虫属 *Sarcocystis* のある種のシスト内にみられる放射状のとげ）.

cy·to·phar·ynx (sī′tō-far′inks). 細胞咽頭（ある種の鞭毛虫および繊毛虫の小器官で，食物が細胞口から細胞内部に通過する食道として働く．通過した食物は食物空胞内に集められ，消化酵素がそこへ分泌される）.

cy·to·phil·ic (sī′tō-fil′ik) [cyto- + G. *philos*, fond]. = cytotropic.

cy·to·pho·tom·e·try (sī′tō-fō-tom′ĕ-trē) [cyto- + G. *phōs*, light + *metron*, measure]. 細胞光度測定法，細胞測光法，サイト〔フォト〕メトリ（染色された顕微鏡的構造体(例えば，染色体，核，全細胞)による単色光の吸光度を光電管によって測定する方法．また，適当な蛍光色素を用いて上記の構造体より発する蛍光を測定する目的でも用いる）.

flow c. 流動細胞光度測定法，流動細胞測光法，フローサイト〔フォト〕メトリ．= flow *cytometry*.

cy·to·phy·lac·tic (sī′tō-fī-lak′tik). 細胞防御の.

cy·to·phy·lax·is (sī′tō-fī-lak′sis) [cyto- + G. *phylaxis*, a guarding]. 細胞防御（細胞融解物質に対する細胞の防御）.

cy·to·phy·let·ic (sī′tō-fī-let′ik) [cyto- + G. *phylē*, a tribe]. 細胞系統発生〔学〕の.

cy·to·pi·pette (sī′tō-pi-pet′). サイトピペット，細胞ピペット（わずかに曲がった，鈍な先端をもつピペット．通常はガラス製で，細胞学的検査用の腟分泌物を採取するために，弱い陰圧を与えるようゴム球に接合して用いる）.

cy·to·plasm (sī′tō-plazm) [cyto- + G. *plasma*, thing formed]. 細胞質，細胞形質（核以外の細胞の原形質物質．種々の細胞小器官や封入体を含む．→protoplasm; hyaloplasm; cytosol）.

ground-glass c. スリガラス様細胞質（均一繊細な顆粒状の好酸性細胞質でB型肝炎ウイルスキャリアの肝細胞や角化棘細胞腫の上皮細胞にみられる）.

cy·to·plas·mic (sī′tō-plaz′mik). 細胞質の，細胞形質の.

cy·to·plas·mon (sī′tō-plaz′mon). サイトプラスモン（真核細胞中で，ミトコンドリアや色素体以外の全核外遺伝情報）.

cy·to·plast (sī′tō-plast) [cyto- + G. *plastos*, formed]. 細胞質体，細胞原形質（細胞核の除去で残る生きた無傷の細胞質）.

cy·to·poi·e·sis (sī′tō-poy-ē′sis) [cyto- + G. *poiēsis*, a making]. 細胞形成.

cy·to·prep·a·ra·tion (sī′tō-prep′ă-rā′shŭn). 細胞標本〔作製〕（検査室での細胞学的検査用の細胞標本作成）.

cytoprotective (sī′tō-prō-tek′tiv). 細胞保護的な（予想される障害から細胞を防止する薬物または薬剤の記述）.

cy·to·py·ge (sī′tō-pī′jē) [cyto- + G. *pygē*, buttocks]. 細胞肛門（草食動物の第一胃に生息する繊毛虫などの複雑な構造をもった原生動物にみられる肛門外口．ここから老廃物が放出される）.

cytoreduction (sī-tō′rĕ-dŭk′shŭn). サイトリダクション，腫瘍細胞摘除．= cytoreductive *therapy*.

cy·to·ryc·tes, cy·tor·rhyc·tes (sī′tō-rik′tēz) [cyto- + G. *oryktēs*, a digger]. 細胞封入体（inclusion *bodies* を表す現在では用いられない語）.

cy·to·screen·er (sī′tō-skrēn′er). = cytotechnologist.

cy·to·sides (sī′tō-sīdz). シトシド；ceramide disaccharides (→glycosphingolipid).

cy·to·sine (Cyt) (sī′tō-sēn). シトシン（核酸中に見出されるピリミジンの1つ）.

c. arabinoside (CA, AraC) *1* 腫瘍治療で，代謝拮抗物質として用いられる合成ヌクレオシド．*2* arabinosylcytosine の不適切な語.

c. ribonucleoside シトシンリボヌクレオシド．= cytidine.

cy·to·sis (sī-tō′sis) [cyto- + G. *-osis*, condition]. *1* 細胞増加〔症〕（急性軟膜炎における脊髄液の細胞増加のように，正常以上の細胞数が存在する状態）．*2* 細胞に関したある種の状態を記述するために接頭語結合形でしばしば用いる．例えば，isocytosis(大きさが等しい)，polycytosis(数の異常な増加).

cy·to·skel·e·ton (sī′tō-skel′ĕ-ton). 細胞骨格（微小管および各種フィラメント(マイクロフィラメント，中間径フィラメント，太いフィラメント)からなる細胞質の支持構造で，細胞質の保持や細胞内小器官の支持・移動に関与する）.

cy·to·smear (sī′tō-smēr). = cytologic *smear*.

cy·to·sol (sī′tō-sol) [cyto- + "sol", soluble の略]. 細胞質ゾル，サイトゾル（ミトコンドリア，小胞体その他の膜状および粒状構造物を除いた細胞質の液状部分）.

cy·to·sol·ic (sī′tō-sol′ik). 細胞質ゾルの，サイトゾルの（細胞質ゾルに関する，または含まれる）.

cy·to·some (sī′tō-sōm) [cyto- + G. *sōma*, body]. 細胞質体，シトソーム，サイトソーム（①核を除いた細胞体．②肺胞表面に界面活性剤を放出するII型肺胞上皮細胞中にみられる明瞭な顆粒．= multilamellar body）.

cy·tos·ta·sis (sī-tos′tă-sis) [cyto- + G. *stasis*, standing]. 細胞性塞栓（炎症部位でみられるように，毛細血管内での血液細胞(特に多形核白血球)の緩慢化した動きおよび蓄積．白血球の蓄積による毛細血管の塞栓）.

cy·to·stat·ic (sī′tō-stat′ik). 細胞増殖抑制性の，細胞性塞栓の.

cy·to·stome (sī′tō-stōm) [cyto- + G. *stoma*, mouth]. 細胞口，口裂（ある種の分化した原生動物の細胞の口器．通常，食物を組織体内へ送り込む短い食道と細胞咽頭につながり，食物はそこを通って食物空胞中に集められ体内に環流される．最終的には，細胞肛門から放出される）.

cy·to·tac·tic (sī′tō-tak′tik). 細胞走性の.

cy·to·tax·is, cy·to·tax·ia (sī′tō-tak′sis, -tak′sē-ă) [cyto- + G. *taxis*, arrangement]. 細胞走性（細胞が互いに誘引(正細胞走性 **positive c.**)，または反発(負細胞走性 **negative c.**)すること）.

cy·to·tech·nol·o·gist (sī′tō-tek-nol′ŏ-jist). 細胞検査士（細胞病理学を特別に修めた人で，Papanicolaou 塗抹染色標本をスクリーニングして陰性のものと病理医の再検査が必要なものとに分ける．→Pap *smear*; Pap *test*）. = cytoscreener.

cy·toth·e·sis (sī-toth′ĕ-sis) [cyto- + G. *thesis*, a placing]. 細胞整復，細胞復位（細胞の損傷の修復．細胞の回復）.

cy·to·tox·ic (sī′tō-tok′sik). 細胞毒〔性〕の，細胞傷害性の（細胞に有害な，または細胞を破壊する）.

cy·to·tox·ic·i·ty (sī′tō-tok-sis′i-tē). 細胞毒性，細胞傷害性（細胞毒作用をもたらす性質または状態）.

antibody-dependent cell-mediated c. (ADCC) 抗体依存性細胞媒介性細胞傷害（細胞膜上に Fc レセプターを有するナチュラルキラー細胞が誘導する細胞媒介性細胞傷害の一型．NK 細胞は抗体に被覆された微生物に結合し，パーフォリン，活性酸素中間体，サイトカインなど種々の様式によって標的細胞を殺傷する).

lymphocyte-mediated c. リンパ球媒介細胞傷害（リンパ球による傷害作用または細胞の溶解作用．細胞傷害性Tリンパ球は細胞溶解作用のあるパーフォリンのような蛋白を産生して細胞を破壊する．ナチュラルキラー細胞は前もっての感作なしに細胞傷害性に働く.→antibody-dependent cell-mediated c.).

cy·to·tox·in (sī′tō-tok′sin) [cyto- + G. *toxikon*, poison]. 細胞毒（特殊な物質で，抗体である場合とそうではない場合がある．細胞機能の抑制や妨害，または細胞の破壊，あるいはその両方を起こすもの.→perforin).

vero c. ベロ毒素（出血性大腸炎や溶血性尿毒性症候群を引き起こすと考えられている腸出血性大腸菌 *Escherichia coli* の細胞毒素). = Shigalike toxin.

cy·to·tro·pho·blast (sī′tō-trof′ō-blast). 栄養膜細胞層（未分化胚芽細胞の栄養膜の深部細胞層). = Langhans layer.

cy·to·tro·pic (sī′tō-trop′ik). 細胞向性の，細胞親和性の. = cytophilic.

cy·tot·ro·pism (sī-tot′rō-pizm) [cyto- + G. *tropos*, a turning]. 細胞向性（①細胞親和性．②特異細胞親和性，特にウイルスが特異細胞内に局在したり，その細胞を損傷したりする能力).

cy·to·zo·ic (sī′tō-zō′ik). 細胞内寄生の（ある種の寄生性原生動物についていう).

cy·to·zo·on (sī′tō-zō′on) [cyto- + G. *zōon*, animal]. 単細胞動物（原生動物の細胞体すなわち個体).

cy·tu·ri·a (sī-tyū′rē-ă) [G. *kytos*, cell + *ouron*, urine]. 細胞尿〔症〕（異常な数の細胞の尿中への排泄).

Cza·pek (shō′pak), Friedrich J.F. チェコスロバキア人植物学者，1868—1921. →C. solution *agar*; C.-Dox *medium*.

CZE capillary zone *electrophoresis* の略.

Czer·ny (sher′ne), Vincenz. ドイツ人外科医，1842—1916. →C. *suture*; C.-Lembert *suture*.

C

D

Δ, δ デルタ（①ギリシア語アルファベットの第4字 delta．②化学において，二重結合を示す．通常，上付き数字で鎖上の二重結合の位置を示す(Δ^5)．反応における熱の適用は AΔB，熱処理のない場合は$\not\Delta$で示す．また，分子中の2原子間の距離や，有機化合物ではカルボキシル基などの主要な官能基から4番目に位置する置換基を δ で示すほか，変化の差（Δ），厚み（δ），NMRにおける化学シフト（δ）を表す．③解剖学では三角形の領域をさす）．

D ***1*** タラの肝油のビタミンD活性の記号．この倍数(例えば，5D，100 D)は，照射されたエルゴステロール(ビオステロール)，その他の物質のビタミンD活性を表示するのに用いる．また，ジューテリウム，核酸のジヒドロウリジン，拡散力，アスパラギン酸，ジヒドロウリジン，拡散係数 diffusion *coefficient* を表す記号．***2*** 光学において，diopter; dexter(右)の略．***3*** 電気診断法において，回路が閉じられ電流が流れる期間 duration の略．***4*** 歯科用語における deciduous (2) の略．***5*** 下付き文字で死腔 dead *space* を示す．→physiologic dead *space*. ***6*** Na の発光スペクトルのD線．

2,4-D (2,4-dichlorophenoxy) acetic acid の略．

d day(日)；deci-; deuteron; diameter の記号．ラテン語 *dexter*（右，直径，日)の略．

d- 右旋性化合物を示す接頭語．(＋)または(－)が用いられる場合は使用を避ける．*cf. l-*.

ᴅ- ある化合物が立体構造的に，立体化学的命名法の基準である ᴅ-グリセルアルデヒドに関連していることを示す接頭語．*cf.* ʟ-.

-*d* 化合物中に正常濃度以上に重水素が存在する，すなわちその化合物を標識していることを示す接尾語．下付き文字(d_2, d_3 など)はジューテリウムの数を示す．

DA developmental *age* (2); direct agglutination(直接凝集反応)の略．

Da ダルトンの記号．

dA, dAdo deoxyadenosine の略．

da deca- の記号．

Da·ae (dah′ĕ), Anders. ノルウェー人医師，1838—1910.→D. *disease*.

DAB 3′3-diaminobenzidine HCl の略．酵素免疫化学法において，ペルオキシダーゼの基質として不溶性の反応生成物を形成し，酵素標識抗体の存在部位を示す．発癌性．

dacry- (dak′rē). →dacryo-.

dac·ry·ad·e·ni·tis (dak′rē-ad-ĕ-nī′tis). ＝dacryoadenitis.

dacryo-, dacry- (dak′rē-ō, dak′rē)［G. *dakryon*, tear］．涙，涙嚢，涙管に関する連結形．

dac·ry·o·ad·e·ni·tis (dak′rē-ō-ad′ĕ-nī′tis)［dacryo- ＋ G. *adēn*, gland ＋ *-itis*, inflammation］．涙腺炎．＝dacryadenitis.

dac·ry·o·blen·nor·rhe·a (dak′rē-ō-blen′ō-rē′ă)［dacryo- ＋ G. *blenna*, mucus ＋ *rhoia*, flow］．涙嚢漏，慢性涙嚢炎（涙嚢からの慢性的粘液流出）．

dac·ry·o·cele (dak′rē-ō-sēl′). ＝dacryocystocele.

dac·ry·o·cyst (dak′rē-ō-sist′)［dacryo- ＋ G. *kystis*, sac］．涙嚢．＝lacrimal *sac*.

dac·ry·o·cys·tal·gi·a (dak′rē-ō-sis-tal′jē-ă)［dacryocyst ＋ G. *algos*, pain］．涙嚢痛．

dac·ry·o·cys·tec·to·my (dak′rē-ō-sis-tek′tŏ-mē)［dacryocyst ＋ G. *ektomē*, excision］．涙嚢切除〔術〕．

dac·ry·o·cys·ti·tis (dak′rē-ō-sis-tī′tis)［dacryocyst ＋ G. *-itis*, inflammation］．涙嚢炎．

dac·ry·o·cys·to·cele (dak′rē-ō-sis′tō-sēl)［dacryocyst ＋ G. *kēlē*, hernia］．涙嚢ヘルニア（涙嚢の前方突出）．＝dacryocele.

dac·ry·o·cys·to·gram (dak′rē-ō-sis′tō-gram)［dacryocyst ＋ G. *gramma*, a writing］．涙嚢造影〔法〕（狭窄部位を知るため，造影剤注入後に撮る涙器のX線図．本法はほとんどCT および MRI にとって代わられている）．

dac·ry·o·cys·to·rhi·nos·to·my (dak′rē-ō-sis′tō-rī-nos′tō-mē)［dacryocyst ＋ G. *rhis*(*rhin-*), nose ＋ *stoma*, mouth］．涙嚢鼻腔吻合〔術〕（涙骨の開口部を通して涙嚢と鼻粘膜との間に吻合をつくる手術）．

dac·ry·o·cys·tot·o·my (dak′rē-ō-sis-tot′ŏ-mē)［dacryocyst ＋ G. *tomē*, incision］．涙嚢切開〔術〕．

dac·ry·o·hem·or·rhe·a (dak′rē-ō-hem′ō-rē′ă)［dacryo- ＋ G. *haima*, blood ＋ *rhoia*, flow］．血性流涙．

dac·ry·o·lith (dak′rē-ō-lith′)［dacryo- ＋ G. *lithos*, stone］．涙〔結〕石（涙器内の結石）．＝lacrimal calculus; ophthalmolith; tear stone.

Desmarres d.'s (dā′mahr). デマール涙〔結〕石．＝*Nocardia* d.'s.

***Nocardia* d.'s** ノカルジア涙嚢結石（白色の偽結石．涙小管にみられる *Nocardia* 属の菌塊からなる）．＝Desmarres d.'s.

dac·ry·o·li·thi·a·sis (dak′rē-ō-li-thī′ă-sis). 涙〔結〕石症（涙結石が形成され，存在すること）．

dac·ry·on (dak′rē-on)［G. a tear］．ダクリオン（眼窩内側壁上で，前頭上顎骨縫合と涙上顎骨縫合が出合う点）．

dac·ry·ops (dak′rē-ops)［dacryo- ＋ G. *ōps*, eye］．***1*** 眼内に過量の涙液が貯留すること．***2*** 涙腺嚢腫（涙腺の涙管の嚢腫）．

dac·ry·o·py·or·rhe·a (dak′rē-ō-pī′ō-rē′ă)［dacryo- ＋ G. *pyon*, pus ＋ *rhoia*, flow］．膿様流涙（白血球を含んだ涙液の流出）．

dac·ry·or·rhe·a (dak′rē-ō-rē′ă)［dacryo- ＋ G. *rhoia*, flow］．涙流過多，多涙〔症〕．

dac·ry·o·ste·no·sis (dak′rē-ō-ste-nō′sis)［dacryo- ＋ G. *stenōsis*, narrowing］．涙管閉鎖〔症〕（涙管の狭窄）．

dac·ti·no·my·cin (dak′ti-nō-mī′sin). ダクチノマイシン（数種の *Streptomyces* 属(例えば *S. parvulus*)によって産生される抗生物質．→actinomycins）．＝actinomycin D.

dac·tyl (dak′til)［G. *daktylos*］．指．＝digit.

dactyl- (dak′til). →dactylo-.

dac·ty·lal·gi·a (dak′ti-lal′jē-ă)［dactyl- ＋ G. *algos*, pain］．指痛．＝dactylodynia.

Dac·ty·la·ri·a (dak′ti-lā′rē-ă)［G. *daktylos*, finger］．ダクチラリア属（黒色土壌真菌の一属．*D. gallopava* はひな鳥やシチメンチョウのフェオフィホ真菌症(黒色菌糸症)の原因菌である）．

dac·ty·li·tis (dak′ti-lī′tis). 指炎．

blistering distal d. A群 β 溶血連鎖球菌により生じるもので，指の末節骨部位の指腹の脂肪褥への感染．

sickle cell d. 鎌状赤血球指炎．＝hand-and-foot *syndrome*.

dactylo-, dactyl- (dak′ti-lō, dak′til)［G. *daktylos*, finger］．手指，ときに足指に関する連結形．digit の項を参照．

dac·ty·lo·camp·sis (dak′ti-lō-kamp′sis)［dactylo- ＋ G. *kampsis*, bending］．指の永久屈曲．

dac·ty·lo·camp·so·dyn·i·a (dak′ti-lō-kamp′sō-din′ē-ă)［dactylo- ＋ G. *kampsis*, a bending ＋ *odynē*, pain］．有痛性指〔端〕屈曲．

dac·ty·lo·dyn·i·a (dak′tĭ-lō-din′ē-ă). ＝dactylalgia.

dac·ty·lo·gry·po·sis (dak′ti-lō-gri-pō′sis)［dactylo- ＋ G. *grypōsis*, a crooking］．指彎曲〔症〕，鉤状指．

dac·ty·lol·o·gy (dak′ti-lol′ŏ-jē)［dactylo- ＋ G. *logos*, word］．指話〔法〕（意志の伝達をするのに指を使う方法）．＝cheirology; chirology.

dac·tyl·o·meg·a·ly (dak′til-ō-meg′ă-lē)［dactylo- ＋ G. *megas*, large］．巨指〔症〕（手足の巨指）．＝megadactyly.

dac·ty·los·co·py (dak′ti-los′kŏ-pē)［dactylo- ＋ G. *skopeō*, to examine］．指紋〔検査〕法（個人の識別に用いる．→Galton system of classification of *fingerprints*）．

dac·ty·lo·spasm (dak′ti-lō-spazm). 指痙攣（手，足の指の痙攣性筋収縮）．

dac·ty·lus, pl. **dac·ty·li** (dak′ti-lŭs, -lī)［G. *daktylos*］．指．＝digit.

Da Fano (dă′fah′nō), Corrado D. イタリア系米国人解剖学者，1879—1927.→Da F. *stain*.

DAG diacylglycerol の略．

dag·ga (dag′ă)［土語］．ダガ（南アフリカの植物 *Leonotis leonurus* の葉．南アフリカではタバコのように喫煙され，緩和な鎮静作用がある．ダガという名称は，誤って，インド大

麻草 *Cannabis sativa* に対して用いられることがある).
Dag·ni·ni (dag-nē′nē), Giuseppe. イタリア人医師, 1866—1928. →Aschner-D. *reflex*.
DAH disordered action of heart(心臓活動障害)の略.
dah·lia (dal′yă). ダリア ; methyl-triethyl-amino-triphenyl-carbinol chloride (紫色素. Hoffmann バイオレットともよばれる).
dah·lin (dah′lin) [< *dahlia*: *A. Dahl*(スウェーデンの植物学者, 1751—1789)にちなむ]. ダーリン. = inulin.
dahll·ite (dah′līt). ダーライト (天然に生じるリン酸カルシウム. 骨や歯の鉱質部分と類似の構造をもつ). = podolite.
dai·sy (dā′zē). デージー (四日熱マラリア原虫 *Plasmodium malariae* の成熟シゾントの分裂虫体(メロゾイト)を表す俗語).
Da·kin (dā′kin), Henry. 米国人化学者, 1880—1952. →D. *fluid, solution*; D.-Carrel *treatment*.
Dale (dāl), Sir Henry Hallett. イングランド人生理学者・ノーベル賞受賞者, 1875—1968. →D. *reaction*; D.-Feldberg *law*; Schultz-D. *reaction*.
Da·len (dahl′en), Johan A. スウェーデン人眼科医, 1866—1940. →D.-Fuchs *nodules*.
Dal·gar·no (dal-gar′nō), Lynn. オーストラリア人分子生物学者, 1935—? →Shine-D. *sequence*.
Dal·rym·ple (dal′rim-pĕl), John. イングランド人眼科医, 1803—1852. →D. *sign*.
Dal·ton (dawl′tŏn) John. イングランド人化学・数学・自然哲学者, 1766—1844. →D. *law*; D.-Henry *law*; daltonian; daltonism.
dal·ton (Da) (dawl′tŏn) [John *Dalton*]. ダルトン (炭素12原子の質量の1/12相当の質量の単位. 原子量基準では1.0000に相当. 単位は異なるが, 数のうえでは分子量すなわち粒子量(原子質量単位)に等しい).
dal·to·ni·an (dawl-tōn′ē-ăn). ***1*** John Dalton に関する, または彼の発表した. ***2*** 先天[性]の色覚異常の.
dal·ton·ism (dawl′tŏn-izm) [J. *Dalton*]. 先天[性]の色覚異常(特に2型2色覚).
DALYs disability-adjusted life *years* の略.
DAM diacetylmonoxime の略.
Dam (dahm), C.P. Henrik. デンマーク人生化学者・ノーベル賞受賞者, 1895—1976. →D. *unit*.
dam (dam) [A.S. *fordemman*, to stop up]. ダム (①液体の流れに対する障壁の総称. ②特に外科と歯科において, 手術野への液体の流れを止めるための薄いゴム).
  post d. 後堤. = posterior palatal *seal*.
  rubber d. ラバーダム (①外科用ドレーンあるいはバリアとして用いられる細長いゴム片. ②口腔から歯を孤立させるため, 歯に装着される小孔のある薄いラバーシート).
dam·age (dam′ij) [M.E. < O.Fr. < L. *damnum*, loss, harm]. 損傷 (臓器, 身体の一部, 系統, または機能の傷害, 減損, または破壊).
  diffuse alveolar d. びまん性肺胞損傷. = adult respiratory distress *syndrome*.
Dam·a·lin·i·a (dam′ă-lin′ē-ă). ダマリニア属 (家畜および野生動物にみられる数種を含むハジラミの一属. これらのハジラミはすべて, 高度の宿主特異性をもち, 1種のハジラミは1種の哺乳類に限って寄生する. →*Bovicola*; *Trichodectes*).
dam·mar (dam′ăr) [ヒンズー語 *dāmar*, resin]. ダンマル脂 (コーパルに似た樹脂. 東インド諸島のフタバガキ科サラソウジュ *Shorea* の様々な種から得られる. クロロホルムに溶かして, 顕微鏡標本の装着に用いる).
***dam* meth·yl·ase** (dam meth′il-ās). *dam* メチラーゼ (特定のDNA配列のアデニン残基をメチル化する酵素). = deoxyadenosine methylase.
dAMP deoxyadenylic acid の略.
damp ***1*** 〚adj.〛 湿気のある, 湿らす, 湿った. ***2*** 〚n.〛 湿気, 水気, 水蒸気. ***3*** 〚n.〛 有毒ガス, 悪気 (鉱山の悪気, 酸化炭素(炭坑ガス, コークスガス)や種々の爆発性炭化水素(爆発ガス)の蒸気で満たされた空気).
damp·ing (damp′ing) [M.E. *damp*, poisonous vapor]. ダンピング, 制動 ([dampening と混同しないこと]. 最小の振動で止まるような機序をもち出すこと. 例えば, 心エコーでは電気的または機械的な負荷を与えて, エコー, 送信波, および送信器群の持続を減じる).
Da·na (dā′nă), Charles L. 米国人精神科医, 1852—1935. →D. *operation*; Putnam-D. *syndrome*.
da·na·zol (dā′nă-zol). ダナゾール (子宮内膜症, 乳腺症, および血管性浮腫の治療に用いられる合成ステロイド. 卵胞刺激ホルモンと黄体ホルモンのレベルを低下させることによって間接的にエストロゲンの産生を減少させる).
Dance (dants), Jean B.H. フランス人医師, 1797—1832. →D. *sign*.
dance (dants). 舞踏 (脳の損傷による, 不随意運動).
  hilar d. 肺門舞踏, 肺門跳動 (血流量増大による肺動脈の激しい拍動. 先天性左右短絡, 特に中隔欠損の患者で, 透視法によりしばしばみられる).
  Saint Anthony d., Saint Vitus d., Saint John d. (sānt anth′ŏ-nē, vī-tŭs, jŏn). Sydenham *chorea* の冠名. 現在では用いられない語.
dan·der (dan′dĕr). ***1*** ふけ (皮膚および頭皮の細かい鱗屑. → dandruff). ***2*** アトピー性の人にアレルギー反応を起こしうる動物の毛または毛皮からの正常の産物.
dan·druff (dan′drŭf). ふけ (頭髪中に存在する白色または灰色の鱗屑. 表皮の過度あるいは正常なぬか状剝脱により生じる. →seborrheic *dermatitis*). = pityriasis capitis; scurf; seborrhea sicca (2).
Dan·dy (dan′dē), Walter E. 米国人神経外科医, 1886—1946. →D. *operation*; D.-Walker *syndrome*.
Dane (dān), D.S. 20世紀の英国人ウイルス学者. →D. *particles*.
Dan·forth (dan′fōrth), William Clark. 米国人産科婦人科医, 1878—1949. →D. *sign*.
Dan·iels·sen (dahn′yĕl-sĕn), Daniel C. ノルウェー人医師, 1815—1894. →D. *disease*; D.-Boeck *disease*.
Dan·los (dahn′los), Henri A. フランス人皮膚科医, 1844—1912. →Ehlers-D. *syndrome*.
DANS 1-dimethylaminonaphthalene-5-sulfonic acid の略.
dan·syl (Dns, DNS) (dan′sil). ダンシル ; 5-dimethylamino-naphthalene-1-sulfonyl radical (NH_2 基の保護基. ペプチド合成に用いる).
Da·nysz (dah′nish), Jan. フランスに在住したポーランド人病理学者, 1860—1928. →D. *phenomenon*.
DAPI 4′6-diamidino-2-phenylindole•2HCl の略. →DAPI *stain*.
dap·sone (dap′sōn). ダプソン (らい, 疱疹状皮膚炎などのある種の皮膚病の治療に用いられる. 結核菌に対して活性があり, ウシのコクシジウム症の治療に用いられる. また *Pneumocystis jiroveci* 肺炎の治療に第2選択薬として用いられる).
d′Ar·cet (dahr-sā′), Jean. フランス人化学者, 1725—1801. →d′A. *metal*.
Da·ri·er (dah′rē-ā), Jean F. フランス人皮膚科医, 1856—1938. →D. *disease, sign*.
Dark·sche·witsch (Darkshevich) (dahrk-shā′vich), Liverij O. ロシア人神経科医, 1858—1925. →*nucleus* of D.
Dar·ling (dar′ling), Samuel Taylor. パナマに在住した米国人医師, 1872—1925. →D. *disease*.
Darrow red (da′rō red) [Mary A. *Darrow*, 米国の染色技術者, 1894—1973]. ダローレッド (塩基性オキサジン染料. Nissl 物質を染色する際に酢酸クレシルバイオレットの代用として用いる).
d′Ar·son·val (dahr-sahn-vahl′), Jacques Arsène. フランス人生体物理学者, 1851—1940. →d′A. *current, galvanometer*.
dar·to·ic, dar·toid (dar-tō′ik, dar′toyd) [G. *dartos*, flayed]. 肉様膜様の (緩慢な不随意の収縮の様子が陰嚢表層部の平滑筋層に似ている).
dar·tos (dar′tōs) [G. skinned or flayed < *derō*, to skin]. 肉様膜 (→dartos *fascia*; dartos muscle).
  d. muliebris 大陰唇肉様膜 (大陰唇皮下の平滑筋のきわめて薄い層. 陰嚢表層部の平滑筋層ほど発達していない).
dar·win·i·an (dar-win′ē-ăn). Charles Darwin に関する, または彼の記した.
Das·y·proc·ta (das′ē-prok′tă) [G. *dasyprōktos*, having hairy buttocks]. パカ, アグーチ (テンジクネズミ科のげっ歯類の一属で, 南アメリカトリパノソーマ症の病原虫

Trypanosoma cruzi の保有宿主).

DAT dopamine *transporter* の略.

da·ta (dā′tă). データ (［しばしば事象の集合を表す不加算名詞として用いられ，したがって単数形として扱われるが(例えば〝あのデータは決定的でない〟のように)，この単語は文法的には複数形である(〝あれらのデータは決定的でない〟のように)］. datum の複数形).

objective assessment d. 客観的評価データ (看護師または臨床医によって観察および測定できる事実).

subjective assessment d. 主観的評価データ (何が起きたのかをクライアント(患者)自身が認知，理解，解釈し，示した事実).

da·ta pro·cess·ing (dā′tă prō′ses-ing). データ処理 (生の情報を利用可能あるいは記憶可能な形に変換すること. コンピュータプログラムによるデータの統計解析).

da·tum, pl. **da·ta** (dā′tŭm, dā′tă) [L. *given* < *do*, pp. *datum*, to give]. データ，資料 (計算や推測をするための基礎として用いられる，観察，測定，そして実験によって得られる情報の要素).

Da·tu·ra (da-tū′ră) [ヒンズー語]. チョウセンアサガオ属 (ナス科植物の一属. 数種(*D. arborea*, *D. fastuosa*, *D. ferox*, および *D. sanguinea*)は，ブラジル，インドおよびペルーで，意識消失を起こすために用いられる. 種子は，アトロピンと同様な抗コリン作用性をもったアルカロイドの一種，ヒヨスチン(スコポラミン)を含有する).

D. metel ケチョウセンアサガオ (主要なアルカロイドとして，スコポラミンを含み，他に微量のヒヨスチアミンとアトロピンとを含む種. 別名 *D. fastuosa* L. var. *alba*).

D. stramonium シロバナヨウシュチョウセンアサガオ (ダツラ葉，マンダラ葉の主原料). =Jamestown weed; jimson weed; stink weed; thorn apple.

da·tu·rine (da-tū′rin, -rēn). ダツーリン. =duboisine.

Dau·ben·ton **(D'Aubenton)** (dō-ban-ton[h]′), Louis J.M. フランス人医師，1716—1799. →D. *angle*, *line*, *plane*.

daugh·ter (daw′ter) [O.E. *dohtor*]. 娘〔核種〕(核医学において，放射線核種の壊変(崩壊)で生じる核種. 註性差別語あるいは性を連想させる単語を避ける傾向の表れとして，最近は daughter に代わり progeny (子孫)が用いられる. →daughter *isotope*; radionuclide *generator*).

DES (diethylstilbestrol) d. DES 被災女児 (妊娠中に DES を投与された母体からの出生女児. 変形，腺腫，および明細胞癌を含む腟頸管の上皮性変化を生じるリスクが高い).

dau·no·ru·bi·cin (daw′nō-rū′bi-sin). ダウノルビシン (*Streptomyces peucetius* から得られるロドマイシン系の抗腫瘍性抗生物質).

Da·vid·off (dah′vid-of), M. von. 19世紀のドイツ人組織学者. →D. *cells*.

Da·vid·son (dā′vid-sŏn), Edward C. 米国人外科医，1894—1933. →D. *syringe*.

Da·vi·el (dah-vē-el′), Jacques. フランス人眼科医，1693—1762. →D. *operation*, *spoon*.

Da·vies (dā′vēz), J.N.P. 20世紀の米国人病理学者. →D. *disease*.

Da·vis (dā′vis), Hallowell. 米国人生理学者，1896—1992. →D. battery model of *transduction*.

Da·vis (dā′vis), John Staige. 米国人外科医，1872—1946. →D. *graft*; Crowe-D. mouth *gag*.

Da·vis (dā′vis), David M. 20世紀の米国人泌尿器科医.

Davis in·ter·lock·ing sound (dā′vĭs). ⇒sound.

Daw·son (daw′sŏn), James R. 20世紀の米国人病理学者. →D. *encephalitis*.

DAX-1 副腎および下垂体ができる時に働くみなしご核内受容体. この受容体の欠陥がX染色体性副腎機能不全および低ゴナドトロピン性性腺機能低下症でみつかっている.

Day (dā), Richard H. 米国人医師，1813—1892. →D. *test*.

Day (dā), Richard L. 米国人小児科医，1905—1989. →Riley-D. *syndrome*.

dazz·ling (daz′ling). 眩惑，まぶしさ (照明が眼の適応以上に強烈な場合に起こる感覚. 眩輝とは対照的に，眩惑は適切な色眼鏡により軽減される).

Db dubnium の略.

dB, db decibel の略.

DBP vitamin D-binding *protein* の略.

DC [JCAHO は，誤解を避けるために discontinue または discharge は完全表記するように指導している]. diphenylcyanoarsine; direct *current*; discharge(退院，発射，分泌，放電); discontinue(中止する); Dental Corps(歯科軍医団); Doctor of Chiropractic(カイロプラクティック博士)の略.

D&C dilatation and curettage の略.

D.C. Doctor of Chiropractic の略.

DCh Doctor of Surgery(Doctor Chirurgiae)(外科学博士)の略.

dCMP deoxycytidylic acid の略.

DDP DFN1 遺伝子の遺伝子シンボル.

DDS Doctor of Dental Surgery(口腔外科医) の略.

DDT dichlorodiphenyltrichloroethane の略.

D&E dilatation and evacuation; *dilation* and extraction の略.

de- (dē) [L. *de*, from, away]. ***1*** しばしば〝引っ込んでいる〟，あるいは否定的意味をもつ接頭語. …から離れて，休止，を意味する. 強意を表す場合もある. ***2*** この接頭語で始まり以下に記載のない語については，各々の語幹部分の項参照.

de·a·cid·i·fi·ca·tion (dē′a-sid′i-fi-kā′shŭn). 脱酸，中和.

de·ac·ti·va·tion (dē′ak-ti-vā′shŭn). 非活性化.

de·ac·yl·ase (dē-as′il-ās). デアシラーゼ (①加水分解酵素(EC class 3)の subclass の一員，特にエステラーゼ，リパーゼ，ラクトナーゼ，ヒドロラーゼ(EC subclass 3.1)の subclass の一員. ②エステル結合中にアシル基(R–CO–)の加水分解的開裂を触媒する酵素. アミド結合(EC subclass 3.5)および同類のアシル化合物を開裂する酵素も含む).

dead (ded). ***1*** 死んだ (→death). ***2*** 無感覚の.

DEAE-cel·lu·lose (sel′yū-lōs). =*O*-diethylaminoethyl *cellulose*.

deaf (def) [A.S. *deáf*]. ろう(聾)の.

de·af·fer·en·ta·tion (dē-af′ĕr-en-tā′shŭn) [L. *de*, from + afferent]. 求心路遮断 (身体の一部からの感覚の入力の喪失. 通常，末梢感覚線維の障害による).

deaf·ness (def′nes). 難聴，聴覚消失〔症〕，ろう(聾) (聴覚障害を意味する一般用語).

蝸牛の形成異常による難聴

内耳奇形の型	主な特徴	形態学的変化
Michel型*	完全な無形成	側頭骨錐体部あるいは骨迷路の無形成
Mondini型†	骨迷路および膜迷路の重度の形成不全	蝸牛の基部のらせん板の欠如. 内リンパ嚢および内リンパ管の拡大. Corti器の欠如
Scheibe型‡	膜迷路(蝸牛と球形嚢)の無形成	球形嚢は拡大しているか虚脱の状態. 蝸牛管は拡大している. Corti器は無形成か低形成で，支持細胞や有毛細胞は欠如している

*Michel：→M. malformation
†Mondini：→M. dysplasia, M. hearing impairment
‡Scheibe：→S. hearing impairment

central d. 中枢〔性〕聴覚障害 (脳幹または大脳皮質の聴覚系の疾病による聴覚障害).

cortical d. 皮質性難聴，皮質ろう (両側の側頭葉聴覚中枢の病変による難聴).

hereditary d. 遺伝性難聴 (→hereditary *hearing impairment*).

nerve d., neural d. sensorineural hearing loss の古語.

postlingual d. 言語修得後難聴 (言語修得後に生じる聴覚障害).

prelingual d. 言語修得前難聴 (言語修得前に生じる聴覚障害).

sudden d. 突発性難聴 (24 時間以内に発症する高度の感覚性難聴. 通常，内耳のウイルス感染によると考えられている．→idiopathic sudden sensorineural *hearing impairment*）．
word d. 言語ろう．＝auditory *aphasia.*

de·al·ba·tion (dē′al-bā′shŭn) ［L. *de-albo*, pp. *-atus*, to whiten］．漂白．

de·al·co·hol·i·za·tion (dē-al′kŏ-hol-i-zā′shŭn)．脱アルコール（液体からアルコールを除くこと．組織学的方法では，アルコールづけの標本からアルコールを除去すること）．

de·al·ler·gize (dē-al′ĕr-jīz)．脱アレルギーする．desensitize を表す現在では用いられない語．

de·am·i·das·es (dē-am′i-dā-sēz)．デアミダーゼ，脱アミド酵素．＝amidohydrolases.

de·am·i·da·tion, de·am·i·di·za·tion (dē-am′i-dā′-shŭn, dē-am′i-di-zā′shŭn)．アミド分解，脱アミド（アミド基を加水分解的に除くこと）．

de·am·i·dize (dē-am′i-dīz)．アミド分解する（化合物からアミド基を除くこと）．＝desamidize.

de·am·i·nase (dē-ami′ĭ-nās) ［de- ＋ amino ＋ -ase］．デアミナーゼ（ある化合物からアミノ基を脱離させる酵素）．
activation-induced cytidine d.（**AID**）活性化誘導性シチジンデアミナーゼ（高親和性抗体産生における体細胞超変異や抗体のクラススイッチの過程にかかわる酵素）．

de·am·i·nas·es (dē-am′i-nā-sēz)．デアミナーゼ，脱アミノ酵素（プリン，ピリミジン，およびプテリンの C–NH_2 結合の単純加水分解を触媒する酵素．通常，基質の名称でよばれる．アンモニアを生成する．例えば，グアニンデアミナーゼ，アデノシンデアミナーゼ，AMP デアミナーゼ，プテリンデアミナーゼ．一般に非環状アミドの脱アミノには用いられない．アンモニアリアーゼは NH_3 除去の時点で不飽和を生じるということから，デアミナーゼと区別される）．＝deaminating *enzymes.*

de·am·i·na·tion, de·am·i·ni·za·tion (dē-am′i-nā′shŭn, dē-am′i-ni-zā′shŭn)．脱アミノ〔作用〕（通常，加水分解により，アミノ化合物から NH_2 基を除去すること）．
oxidative d. 酸化的脱アミノ反応（フラビンまたはピリジンヌクレオチド(FAD または NAD^+ など)を用いる酵素による脱アミノ化）．

de·am·in·ize (dē-am′i-nīz)．脱アミノする（アミノ化合物よりアミノ基を除くこと）．

Dean (dēn), Henry Trendley．米国人歯科医・疫学者，1893—1962．→D. fluorosis *index.*

death (deth) ［A.S. *dēath*］．死，死亡（生命の停止．多細胞生物における，細胞レベルの死は緩慢に進行する過程にあって，酸素消失に耐える能力は組織によって違っている．高等生物では，死は組織と器官の統制のとれた機能の停止である．ヒトにおいては，死は心臓鼓動の停止，自然呼吸の停止，脳死によって示される）．＝mors.
black d. 黒死病（14 世紀の世界的伝染病をさす．およそ 6,000 万人が死亡したといわれ，文献では腺ペスト，敗血症ペストおよび肺ペストとされている）．
brain d. ＝cerebral d.
cell d. 細胞死（細胞内呼吸が停止し，エネルギー，栄養，分子輸送などが行われなくなること）．
cerebral d. 脳死（永続的な大脳と脳幹機能の喪失を特徴とする臨床的な症候群で，外的刺激に対する反応性の欠如，脳幹反射消失と自発呼吸停止が認められる．低体温と中枢神経抑制薬による中毒を除外し，30 分以上の平坦脳波が診断の確認となる）．＝brain d.
d. certificate 死亡診断書（医師あるいはその他の特定の者の署名のある公的で法的な死亡に関する書類．死因，死亡者名，性，住所，死亡日時が記入され，さらに生年月日，出生地，職業なども記載されることがある．直接の死因が最上段に記入され，次いでその原因が下に書かれ，最下段には原死因が記入される．原死因は公的な死亡統計に記入され，統計が出される）．
cot d. コット死．＝sudden infant death *syndrome.*
crib d. 寝台死．＝sudden infant death *syndrome.*
crude d. rate ＝death *rate.*
fetal d. 胎児死亡（妊娠期間に関係なく母体から排出あるいは摘出する前の胎児の死亡．胎児死亡は 20 週以前では早期死亡，21—28 週では中期死亡，28 週以降では後期死亡として取り扱われる）．
genetic d. 遺伝死（子孫をつくる前に遺伝子(の保有者)が死を迎えること．保有者が健康および長寿であることとは無関係．→genetic *lethal*）．
infant d. 乳児死亡（生産児の 1 年以内の死亡）．
local d. 局所〔壊〕死（壊死による身体または組織の一部の死）．
maternal d. 母体死亡，妊産婦死亡（妊娠の部位，期間，死因にかかわりなく，妊娠中か，妊娠終了後 42 日以内の女性の死亡．その 42 日間は，I 期(妊娠終了後 1—7 日)と II 期(同 8—42 日)に分けられる．母体死亡はさらに直接と間接に分けられる．**direct maternal d.**(直接母体死亡)は，分娩または産褥の産科的合併症や中絶，流産，不適切な治療，あるいは以上のいずれかによる一連の原因によるもの．**indirect maternal d.**(間接母体死亡)は，以前から存在していた疾病あるいは妊娠・分娩・産褥中の疾病によるもので，直接には産科的原因によるのではなく，妊娠の生理的影響による悪化が原因である）．
neonatal d. 新生児死亡（生産新生児の死亡で，早期と晩期に分類される．**early neonatal d.**(早期新生児死亡)は，出生後 7 日(168 時間)未満における死亡．**late neonatal d.**(晩期新生児死亡)は，出生後 7 日以降 28 日未満における死亡）．
perinatal d. 周生期死亡，周産期死亡（胎児および新生児の死亡をさして用いる包括的な語）．
programmed cell d. 枯死，細胞自己死，細胞消滅．＝apoptosis.
somatic d., systemic d. 身体死（全身の死．局所死と区別される）．
sudden d. 突然死（［無意味な語句 recurrent sudden death を避けること］．通常，予期せぬ突然の死で，多くの場合，不整脈や心筋梗塞で起こるが他に肺塞栓，脳出血，大動脈瘤の破裂，大動脈解離などのあらゆる原因でも突然死を起こす）．

D

death-rat·tle (deth′rat′ĕl)．臨終〔の〕喉声（死に面した人の咽頭あるいは気管から出る呼吸雑音．咳反射と粘液貯留の喪失によって起こる）．

Dea·ver (dē′vĕr), John Blair．米国人外科医，1855—1931．→D. *incision.*

Dea·ver (dē′vĕr), George G. 米国人理学療法医，1890—1973．→D. *method.*

De·Ba·key, (dĕ-bā′kē), Michael Ellis．20世紀の米国人心臓外科医．→DeB. *classification, forceps.*

de·band·ing (dē-band′ing)．バンド撤去（固定性矯正装置の撤去）．

de·bil·i·tant (dĕ-bil′i-tant) ［L. *debilito*, to weaken < *de-* 否定辞 ＋ *habilis*, able］．***1***〘adj.〙弱める，衰弱させる．***2***〘n.〙鎮静薬を表す現在では用いられない語．

de·bil·i·tat·ing (dĕ-bil′i-tāt′ing)．消耗性の（衰弱させるような病気の，またはそれに特徴的な）．

de·bil·i·ty (dĕ-bil′i-tē) ［L. *debilitas* < *debilis*, weak < *de-* 欠性辞 ＋ *habilis*, able］．弱質，衰弱．

de·bond (dē-bond′) ［de- ＋ bond］．ディボンド（レジンセメントにより歯面に接着された矯正用バンドのような歯科用装置を撤去すること）．

de·bouch (dā-būsh′) ［Fr. *bouche*, mouth］．開く，流出させる．

dé·bouche·ment (dā-būsh-mawn[h]′) ［Fr.］．開口，流出（開口すること，または他の部分に注入すること）．

De·bré (dĕ-brā′), Robert．フランス人小児科医・伝染病専門医，1882—1978．→D. *phenomenon*; D.-Sémélaigne *syndrome*; Kocher-D.-Sémélaigne *syndrome.*

dé·bride·ment (dā-brēd-mawn[h]′) ［Fr. unbridle］．挫滅組織切除〔法〕，壊死組織切除〔法〕，デブリドマン（創から壊死組織や異物を切除すること）．

de·bris (dĕ-drē′) ［Fr. *débris* < O. Fr. *desbrisier*, to break apart (*des-* down, away ＋ *brisier* to break) rubble, rubbish］．残屑，破片（種々雑多な小片が無用に集まったもの．破片の形のくず）．
particulate wear d. 粒子状磨耗破片（人工関節全置換術における関節面間での摩擦によりつくられた微小粒子．これは，金属，ポリエチレン，ポリメチルメタクリレイトセメントの粒子からなり，骨溶解の原因となる）．

debt (det) ［L. *debitum*, debt］．負荷，負債．

alactic oxygen d. 非乳酸酸素負債（乳酸酸素負債でない酸素負債の部分．筋作業回復期には，ATPとクレアチンリン酸の蓄積は酸化的代謝によって酸素償還されねばならない．循環血全体にわたって正常な酸素ヘモグロビンレベルを回復するためにはまた，少量の酸素も必要とされる）．

lactacid oxygen d. 乳酸酸素負債（運動中，非酸素性解糖により乳酸を生じる酸素負債．この結果，回復期には酸化的代謝により酸素量を増す必要がある）．

oxygen d. 酸素負債（運動の回復期に，身体の回復の必要以上に体内に取り入れられる余分の酸素．ときに酸素欠乏 oxygen deficit と同義に用いる）．

deca-（da）（dek′ă）［G. *deka*, ten］．10を意味するのに国際単位系(SI)およびメートル法で用いる接頭語．deka- ともつづる．

dec·a·gram（dek′ă-gram）．デカグラム（10グラム）．

de·cal·ci·fi·ca·tion（dē′kal-si-fi-kā′shŭn）［L. *de-*, away + *calx*(*calc-*), lime + *facio*, to make］．***1*** 脱灰（*in vitro* または病的過程の結果として *in vivo* において，骨や歯から石灰すなわちカルシウム塩を，主にリン酸カルシウムの形で除去すること）．***2*** カルシウム除去（シュウ酸塩，フッ素酸塩などにより血液からカルシウムが沈殿すること，血中のカルシウムがクエン酸などにより非イオン化されること．これにより凝血が阻止または遅延される）．

de·cal·ci·fy（de-kal′si-fī）．脱〔石〕灰する（特に骨や歯から石灰，カルシウム塩を除去する）．

de·cal·ci·fy·ing（dē-kal′si-fī′ing）．脱灰の（脱灰を起こす薬品，方法，または過程についていう）．

dec·a·li·ter（dek′ă-lē′tĕr）．デカリットル（10リットル）．

de·cal·vant（dē-kal′vant）［L. *decalvare*, to make bald］．脱毛性の．

dec·a·me·ter（dek′ă-mē′tĕr）．デカメートル（10メートル）．

***n*-dec·ane**（dek′ān）．*n*-デカン；CH_3–$(CH_2)_8$–CH_3（パラフィン系炭化水素の1つ）．

de·can·nul·a·tion（dē-kan′yū-lā′shun）．カニューレ抜去（計画的なまたは偶然の気管内チューブの抜去）．

***n*-dec·a·no·ic ac·id**（dek′ă-nō′ik as′id）．*n*-デカン酸．＝*n*-capric acid.

dec·a·no·in（dek′ă-nō′in）．デカノイン．＝caprin.

dec·a·nor·mal（dek′ă-nōr′măl）．10規定（規定溶液の10倍の濃度溶液を示す，まれに用いる語）．

de·cant（dē-kant′）［Mediev.L. *decantho* ＜ *de-* + *canthus*, the beak of a jug ＜ G. *kanthos*, corner of the eye］．傾しゃ(瀉)する，デカントする（液体の上澄みを静かに流し去る．沈殿物は容器に残す）．

de·can·ta·tion（dē′kan-tā′shŭn）．傾しゃ(瀉)，デカンテーション（液体の上澄みを流し去り，沈降物や沈殿物を残すこと）．

de·ca·pac·i·ta·tion（dē′kă-pas′i-tā′shŭn）．受精能獲得抑制（精子が卵子と受精する能力すなわち受精能獲得を妨げること．→decapacitation *factor*）．

decapascal（dek′ă-pas-kăl）．デカパスカル（10パスカル．→pascal）．

dec·a·pep·tide（dek′ă-pep′tīd）．デカペプチド（アミノ酸10個からなるオリゴペプチド）．

de·cap·i·tate（dē-kap′i-tāt）［L. *de-*, away + *caput*, head］．***1***〚v.〛断頭する（特に処置不能な難産の場合，娩出を容易にするために胎児の頭部を切断する，現在では用いられない手法．あるいはある種の生理学的実験に備えて動物の頭部を切断する）．***2***〚adj.〛断頭された実験動物についていう．

de·cap·i·ta·tion（dē-kap′i-tā′shŭn）．断頭〔術〕（→decapitate）．

de·cap·su·la·tion（dē-kap′sū-lā′shŭn）．被膜剝離〔術〕（被膜または外膜の切開および除去）．

d. of kidney 腎臓被膜剝離〔術〕（腎臓の被膜の除去あるいは剝離）．

de·car·bo·ni·za·tion（dē-kar′bŏn-i-zā′shŭn）．脱炭（酸素飽和および肺の二酸化炭素の除去による動脈血化の過程を表す，まれに用いる語）．

de·car·box·yl·ase（dē′kar-bok′sil-ās）．脱炭酸酵素，デカルボキシラーゼ，カルボキシル基分解酵素（カルボキシル基から1分子の二酸化炭素を除く酵素(例えば α–アミノ酸をアミンに変える)）．

de·car·box·yl·a·tion（dē′kar-bok′si-lā′shŭn）．脱炭酸，脱カルボキシル（カルボキシル酸から1分子の二酸化炭素を除去する反応）．

oxidative d. 酸化的脱炭酸反応（NAD^+, $NADP^+$, FAD または FMN などの補酵素存在下での脱炭酸反応）．

de·cay（dĕ-kā′）［L. *de*, down + *cado*, to fall］．***1***〚n.〛崩壊（緩慢な燃焼または酸化による有機物質の破壊）．***2***〚n.〛腐敗．＝putrefaction. ***3***〚v.〛荒廃する，衰退する，腐敗する．***4***〚n.〛う食(蝕)（→caries）．***5***〚n.〛崩壊（心理学においては，感覚によって銘記され，短期記憶系の中に貯蔵された情報を喪失すること．→memory）．***6***〚n.〛崩壊（時間とともに放射能が弱くなること．不安定な原子核からの放射線あるいは荷電粒子(または両方)の自然放射）．

free induction d.（FID）自由誘導減衰（MRIにおいて，励起パルスの照射後に，付加的パルスがない状態で受信コイルで検出される減衰曲線）．

de·cel·er·a·tion（dē-sel′ĕr-ā′shŭn）．***1*** 減速〔度〕．***2*** 減速率（単位時間当たりの速度減少率）．

early d. 早発一過性徐脈（子宮収縮の早期に起きる胎児心拍数の徐脈．児頭の圧迫を意味する）．

late d. 遅発一過性徐脈（胎児心拍数の一過性徐脈で，周期的に起こる子宮収縮の頂期に徐脈が始まり，徐脈の最下点の時期が子宮収縮の終わりに一致するもの．この波形は子宮胎盤循環不全を意味する）．

variable d. 変動一過性徐脈（一過性の胎児徐脈．通常，臍帯圧迫による子宮収縮(陣痛)との関連は一定でない）．

de·cen·tra·tion（dē′sen-trā′shŭn）．分散（中心をはずれること）．

de·cer·e·brate（dē-ser′ĕ-brāt）．***1***〚v.〛除脳する，去脳する（大脳を除去する）．***2***〚adj.〛除脳の，去脳の（実験用に除脳された動物，または神経学的に行動が除脳動物と類似した脳障害の患者についていう）．

de·cer·e·bra·tion（dē-ser′ĕ-brā′shŭn）．除脳〔術〕，大脳除去（四丘体下縁より上位での大脳の除去，またはこの部位か，そのやや下位での切断）．

bloodless d. 虚血大脳除去（脳橋のほぼ中央で総頸動脈と脳底動脈を結紮し，大脳の機能を破壊すること）．

de·cer·e·brize（dē-ser′ĕ-brīz）．除脳する（大脳を除去する）．

de·chlo·ri·da·tion（dē-klō′ri-dā′shŭn）．脱塩素〔作用〕，無食塩〔療法〕（塩化ナトリウムの摂取減少または排出増大により，身体の組織および体液の塩化ナトリウムを減少すること）．＝dechlorination; dechloruration.

de·chlo·ri·na·tion（dē-klō′ri-nā′shŭn）．＝dechloridation.

de·chlo·ru·ra·tion（dē′klō′ryū-rā′shŭn）．＝dechloridation.

de·cho·les·ter·ol·i·za·tion（dē′kō-les′tĕr-ol-i-zā′shŭn）．脱コレステロール〔療法〕（血中コレステロール濃度の減少療法）．

deci-（d）（des′i）［L. *decimus*, tenth］．国際単位系(SI)およびメートル法で $1/10(10^{-1})$ を示す接頭語．

dec·i·bel（dB, db）（des′i-bel）［L. *decimus*, tenth + bel］．デシベル（［誤った発音 des′i-b′l を避けること］．1ベルの1/10．対数法で相対的な音の大きさを示す単位）．

de·cid·ua（dē-sid′yū-ă）［L. *deciduus*, falling off］．脱落膜（妊娠した女性の子宮内膜が変化したもの）．

d. basalis 基底脱落膜（着床絨毛膜嚢と子宮筋層の間の子宮内膜層で，胎盤の母胎部となる）．＝d. serotina.

d. capsularis 被包脱落膜（着床絨毛小胞の上にある子宮内膜層．絨毛小胞が大きくなるにつれて次第に薄くなる．妊娠4か月目ごろに，壁側脱落膜に圧縮され，その後急速に退化，消失する）．＝d. reflexa; membrana adventitia (2).

ectopic d. 異所性脱落膜（子宮内膜以外の頸部，虫垂部，その他の部位で見出される脱落膜細胞）．

d. menstrualis 月経脱落膜（月経期における非妊娠子宮で海綿状を呈する粘膜機能層）．

d. parietalis 壁側脱落膜（絨毛膜嚢付着部以外の妊娠主子宮腔とつながっている変化した子宮内膜部分）．＝d. vera.

d. polyposa ポリープ様脱落膜（子宮内膜面にポリープ様の突起を示す壁側脱落膜）．

d. reflexa ＝d. capsularis.

d. serotina ＝d. basalis.

d. spongiosa 海綿質脱落膜（子宮筋層に付着した基底脱

落膜の部分).

d. vera 真脱落膜. ＝d. parietalis.

de·cid·u·al (dē-sid′yū-ăl).〔子宮〕脱落膜の.

de·cid·u·ate (dē-sid′yū-āt) [⇀deciduation]. 脱落の（分娩時に胎盤を排泄するとき，母体の子宮組織を排出する哺乳類（例えば，ヒト，イヌ，げっ歯類)に関連し，非脱落性の動物（ウマ，ブタ)とは対照をなす).

de·cid·u·a·tion (dē-sid′yū-ā′shŭn) [L. *deciduus*, falling off]. 脱落（月経期の子宮内膜組織の脱落).

de·cid·u·i·tis (dē-sid′yū-ī′tis). 脱落膜炎.

de·cid·u·o·ma (dē-sid′yū-ō′mă). 脱落膜腫（脱落膜組織の子宮内腫脹．子宮内に残った脱落膜細胞の過形成の結果と思われる). ＝placentoma.

Loeb d. (lōb). レーブ脱落膜腫（脱落膜組織の腫脹．機械的なまたはホルモンの刺激により，受精卵のない子宮で形成される).

de·cid·u·ous (dē-sid′yū-ŭs) [L. *deciduus*, falling off]. *1* 脱落〔性〕の，落葉の（永久的でない，最終的には落ちてしまうことを示す). *2* (**D**)脱落〔性〕の（歯式ではDと略す．歯科において，第一生歯を示すのにしばしば用いる. ⇀deciduous *tooth*).

dec·i·gram (des′i-gram). デシグラム（0.1 グラム).

dec·i·li·ter (dL) (des′i-lē′tĕr). デシリットル（0.1 リットル).

dec·i·me·ter (des′i-mē′tĕr). デシメートル（0.1 メートル).

dec·i·mor·gan (dM) (des′i-mōr′găn). デシモーガン（⇀morgan).

dec·i·nor·mal (des′i-nōr′măl). デシノルマル（1 規定の 1/10．溶液の濃度についていう).

de·cis·ion (dē-sizh′ŭn) [M.E. < O.Fr. < L.*decisio*, a cutting off < *de*, off, away + *caedo*, to cut]. 決定，決断，判定（熟考の末たどりついた，判断，決断，決定．不確実性を終わりにする，もしくは取り除くために選択をするという行動).

limiting d. 限定決断（重大な出来事や外傷体験的な出来事の反応の結果獲得された自我の理解. →Time-Line *therapy*).

d. tree (dē-sizh′ŭn trē). 意志決定樹図，デシジョントゥリー（臨床的問題に対処する各決断点での可能な選択を示す構成図で，患者の治癒率，寿命，死亡率なども可能なら記入してある).

de Cle·ram·bault (dĕ-klā-rahm-bō′), G. フランス人精神科医，1872—1934. ⇀de C. *syndrome*.

dec·lin·a·tor (dek′lin-ā′tŏr). 開離器，デクリネータ（手術野を広く見やすくするために用いる牽引子).

de·clive (dē-klīv′) [L. *declivis*, sloping downward < *clivus*, a slope][TA]. 山腹（小脳虫部で山頂より背側へ下る部分で，第一裂の下方の虫部葉，VI 葉). ＝declivis; lobulus clivi.

de·cli·vis (dē-klī′vis). 山腹. ＝declive.

de·coc·tion (dē-kok′shŭn) [L. *decoctio* < *de-coquo*, pp. *-coctus*, to boil down]. ＝apozem; apozema. *1* 煎出（煮沸の過程). *2* 煎剤（薬局方用語．植物性生薬を煮沸し，その後 50 g の薬に対し水 1,000 mL の割合で煎出する方法).

dé·colle·ment (dā-kol-mawn[h]′) [Fr. ungluing].〔皮膚〕剝離〔術〕，離解（正常にまたは病理学的に癒着している組織や器官を分離する手術).

de·com·pen·sa·tion (dē′kom-pen-sā′shŭn). 代償不全，代償障害（[先行する代償がなかった場合には，本語を deterioration または failure の代わりに使うのを避けること]. ①心臓病の代償障害．②防衛機制の障害による精神異常の発現あるいは病勢悪化).

corneal d. 角膜〔代償〕機能不全（角膜内皮が角膜の含水率を維持する機能を失う結果起こる角膜浮腫).

de·com·pose (dē′kŏm-pōz′) [L. *de*, from, down + *com-pono*, pp. *-positus*, to put together]. *1* 分解する（ある化合物をその組成物へと分解する). *2* 消耗する（衰える，衰退する).

de·com·po·si·tion (dē′kom-pō-zish′ŭn). 分解，溶解，腐敗. ＝putrefaction.

de·com·pres·sion (dē′kom-prĕ′shŭn) [L. *de-*, from, down + *com-primo*, pp. *-pressus*, to press together]. 減圧〔術〕，除圧〔術〕.

cardiac d. 心臓減圧〔術〕（心臓嚢に血液または他の体液があるために生じる圧迫を緩和するために心膜を切開したり，心嚢貯留液を吸引すること). ＝pericardial d.

cerebral d. 減圧開頭〔術〕，脳減圧法（頭蓋内圧を減じるため，硬膜切開して行う頭蓋の一部除去).

explosive d. 爆発的減圧. ＝rapid d.

internal d. 内減圧〔術〕（頭蓋内圧を減じるための頭蓋内組織，通常は腫瘍や血腫および脳組織の切除).

nerve d. 神経減圧〔術〕（絞扼している帯状物を切除したり骨腔を広げて神経幹の圧力を減じる方法).

optic nerve sheath d. 視神経鞘減圧術（球後を通って視神経鞘に切開を加えたり穴を開けたりして，脳脊髄液を漏出させる術式. ⇀optic nerve sheath *fenestration*).

orbital d. 眼窩減圧〔術〕（眼窩骨の一部，通常，頭側部(Naffziger 手術)，外側部(Krönlein 手術)，または下側部(小倉手術)の除去).

pericardial d. ＝cardiac d.

rapid d. 急速減圧（周囲の圧力減少による，突然の激しい気体膨張). ＝explosive d.

spinal d. 脊髄除圧〔術〕（腫瘍，嚢腫，血腫，脱出髄核，膿瘍，または骨により生じた脊髄への圧迫を取り除くこと).

suboccipital d. 後頭下減圧〔術〕（後頭の頭蓋局部切開術および硬膜の切開による後頭窩の減圧術).

subtemporal d. 側頭下減圧〔術〕（側頭葉の下外側面にわたる側頭頭蓋局部切開術および硬膜の切開による大脳の減圧術).

trigeminal d. 三叉神経減圧〔術〕.

de·con·ges·tant (dē′kon-jes′tant). *1*〘adj.〙うっ血除去の. ＝decongestive. *2*〘n.〙うっ血除去薬.

de·con·ges·tive (dē′kon-jes′tiv). 組織腫脹除去の. ＝decongestant (1).

de·con·tam·i·na·tion (dē′kon-tam′i-nā′shŭn). 除染（地面，建物，衣類などから毒性ガスまたは有害な物質を除去あるいは中和すること).

de·con·vo·lu·tion (dē-con-vō-lū′shŭn) [de- + L. *convulutio*, a rolling up < *convolvo*, to roll up]. *1* 逆重畳（関数の入力にそれ自身の出力を含んでいる形式の関数の解を求める数学的手法で，CT や MRI で画素を得るのに用いる). *2* デコンボリューション（顕微鏡で得られる画像の尖鋭度を増すためのコンピュータ処理過程).

de·cor·ti·ca·tion (dē′kōr-ti-kā′shŭn) [L. *decortico*, pp. *-atus*, to deprive of bark < *de*, from + *cortex*, rind, bark]. *1* 皮質除去，剝皮（器官や構造から被膜下の皮質または外層を除去すること). *2* 被膜剝離〔術〕（血胸または放置された膿胸の後に生じる新生瘢痕組織，残留血餅を除去するための手術).

cerebral d. 大脳皮質除去（大脳皮質の破壊．通常，酸素欠乏による).

reversible d. 可逆性皮質除去（大脳皮質の一時的機能障害).

dec·re·ment (dek′rĕ-ment) [L. *decrementum* < *decresco*, to decrease]. *1* 減少，減退. *2* 減衰（ある特定の点での伝導速度の減少．そのような点での性質の変化の結果をいう. → decremental *conduction*).

de·crep·i·ta·tion (dē′krep-i-tā′shŭn) [L. *de*, from + *crepo*, pp. *crepitus*, to crackle]. パチパチ音，捻髪音（ある種の塩が熱せられるときの音).

de·cru·des·cence (dē′krū-des′ens) [L. *de*, from + *crudesco*, to become worse < *crudus*, crude]. 症状軽減（病状の軽減).

de·cu·bi·tal (dē-kyū′bi-tăl). 褥瘡潰瘍の，圧迫潰瘍の.

de·cu·bi·tus (dē-kyū′bi-tŭs) [L. *decumbo*, to lie down]. [本語の正しい複数形は decubiti ではなく decubitus である]. *1* 臥位（背面位 dorsal d.，側面位 lateral d. のように，ベッドでの患者の体位. ⇀decubitus *film*). *2* 褥瘡，とこずれ（ときに，褥瘡性潰瘍の意で用いる).

andral d. アンドラル臥位（胸膜炎初期に，患者が健側を下にして横たわる体位).

ventral d. 腹側褥瘡（腹壁や四肢の前面のような腹側の部位に起こる圧迫性潰瘍(褥瘡性潰瘍)).

de·cur·rent (dē-kŭr′ĕnt) [L. *de-curro*, pp. *-cursus*, to run down]. 下方へのびる.

de·cus·sate (dē-kŭs′āt) [L. *decusso*, pp. *-atus*, to make in the form of an X < *decussis*, 大型で青銅製の，ローマの 10 単位貨幣(BCE 2 世紀). X を刻印して額面金額を示す]. ***1*** 〘v.〙 交叉する. ***2*** 〘adj.〙 X字形の（交叉した).

de・cus・sa・ti・o, pl. **de・cus・sa・ti・o・nes** (dē′kŭ-sā′shē-ō, -ō′nēz) [L. (→decussate)] [TA]. 交叉（①一般的に交叉している部位. ②2本の同名の線維束の交叉. 脊髄または脳幹を，上昇または下降するときに大脳と反対側に交叉していくこと). ＝decussation.

d. brachii conjunctivi 結合腕交叉. ＝*decussation* of superior cerebellar peduncles.

d. fibrarum nervorum trochlearium [TA]. ＝*decussation* of trochlear nerve fibers.

d. fontinalis 泉門交叉（→decussationes tegmentales).

d. lemnisci mediales [TA]. 毛帯交叉. ＝*decussation* of medial lemniscus.

d. motoria ＝*decussation* of pyramids.

d. pedunculorum cerebellarium superiorum [TA]. 上小脳脚交叉. ＝*decussation* of superior cerebellar peduncles.

d. pyramidum [TA]. 錐体交叉. ＝*decussation* of pyramids.

d. sensoria 毛帯交叉. ＝*decussation* of medial lemniscus.

decussationes tegmentales [TA]. 被蓋交叉. ＝tegmental *decussations*.

d. tegmentalis anterior [TA]. →tegmental *decussations*.

d. tegmentalis posterior [TA]. →tegmental *decussations*.

de・cus・sa・tion (dē-kŭ-sā′shŭn) [L. *decussatio*]. 交叉. ＝decussatio.

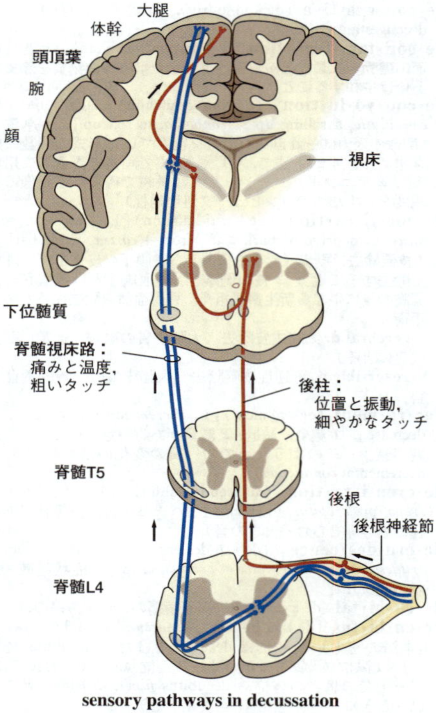

sensory pathways in decussation
脊髄視床路および後柱.

anterior tegmental d. [TA]. →tegmental d.'s (2).

d. of brachia conjunctiva 結合腕. ＝d. of superior cerebellar peduncles.

dorsal tegmental d. [TA]. 背側被蓋交叉（→tegmental d.'s).

d. of the fillet 毛帯交叉. ＝d. of medial lemniscus.

Forel d. (fō-rel′). フォレル交叉（→tegmental d.'s (2)).

fountain d. 泉門交叉（→tegmental d.'s (1)).

Held d. (held). ヘルト交叉（蝸牛神経核から出ている神経線維の一部分の交叉. 外側絨帯を形成する).

d. of medial lemniscus 毛帯交叉（左右の薄束核および楔状束核から出る線維が示す交叉で，延髄の錐体交叉の直上に位置する. 交叉した線維は束をなして内側毛帯を形成する). ＝decussatio lemnisci mediales [TA]; decussatio sensoria; d. of the fillet; sensory d. of medulla oblongata.

Meynert d. (mī′nĕrt). マイネルト交叉（→tegmental d.'s (1)).

motor d. ＝d. of pyramids.

optic d. 視〔神経〕交叉(交差). ＝optic *chiasm*.

posterior tegmental d. [TA]. →tegmental d.'s (1).

d. of pyramids [TA]. 錐体交叉（延髄端部での皮質脊髄路の神経線維束の交叉). ＝decussatio pyramidum [TA]; decussatio motoria; motor d.

rubrospinal d. 赤核脊髄路交叉（→tegmental d.'s (2)).

sensory d. of medulla oblongata 〔延髄の〕毛帯交叉. ＝d. of medial lemniscus.

d. of superior cerebellar peduncles [TA]. 上小脳脚交叉（中脳尾側の被蓋における，左右の上小脳脚線維の交叉). ＝decussatio pedunculorum cerebellarium superiorum [TA]; decussatio brachii conjunctivi; d. of brachia conjunctiva; Wernekinck d.

tectospinal d. 視蓋脊髄路交叉（→tegmental d.'s (1)).

tegmental d.'s 被蓋交叉（ⓘ左右の視蓋脊髄路，視蓋延髄路の背側被蓋交叉(Meynert 交叉または泉門交叉)，およびⓘⓘ左右の赤核脊髄路の腹側被蓋交叉(赤核脊髄路交叉またはForel 交叉)，の総称で，ⓘⓘⓘともに中脳に位置する). ＝decussationes tegmentales [TA].

d. of trochlear nerve fibers [TA]. 滑車神経交叉（前髄帆の内部における，左右の滑車神経の交叉). ＝decussatio fibrarum nervorum trochlearium [TA].

ventral tegmental d. 腹側被蓋交叉（→tegmental d.'s (2)).

Wernekinck d. ヴェルネキンク交叉. ＝d. of superior cerebellar peduncles.

de・cus・sa・ti・o・nes (dē′kŭs-ā′shē-ō′nēz). decussatio の複数形.

de・den・ti・tion (dē′den-tish′ŭn). 歯の脱落を示す，現在では用いられない語.

de・dif・fer・en・ti・a・tion (dē-dif′ĕr-en′shē-ā′shŭn). 脱分化，逆分化（①ある部分がより均質の状態に戻ること. ②＝anaplasia).

ded・o・la・tion (dĕd′ō-lā′shŭn) [L. *de-dolo*, pp. *-atus*, to hew away]. 鋭利な器具で皮膚表面をこすってできる浅い傷.

de・duc・tion (dē-dŭk′shŭn). 演繹法（ある前提から結論を論理的に引き出すこと. 前提が正しく，演繹的な議論が妥当であれば結論は正しくなる. *cf.* induction (9)).

de・ef・fer・en・ta・tion (dē-ef′ĕr-en-tā′shŭn) [L. *de*, from ＋efferent]. 遠心路遮断（身体のある部位に対する運動神経線維の喪失).

deep (dēp) [TA]. 深い，深層の（特定の基準点との関係で，より深いレベルに位置する. superficialis の対語). ＝profundus [TA].

de-ep・i・car・di・al・i・za・tion (dē′ep-i-kar′dē-ăl-i-zā′shŭn). 心外膜除去〔術〕（現在では用いられていない心外膜の外科的破壊. 通常，フェノールを用いる. 心筋層への側副血行促進を目的とした).

deer ked シカシラミバエ. ＝Lipoptena cervi.

Deet・jen (dāt′yĕn), Hermann. ドイツ人医師，1867—1915. →D. *bodies*.

DEF decayed(う食)，extracted(う食のため指示された抜歯)，filled(充填された永久歯)の略.

def (def). decayed(う食)，extracted(う食のため指示された抜歯)，あるいは filled(充填)された乳歯の略. →def caries *index*.

de・fat・i・ga・tion (dĕ-fat′i-gā′shŭn) [L. *de-fatigo*, pp. *-atus*, to tire out]. 疲労，疲はい（極度の疲れ).

def・e・cate (def′ĕ-kāt). 排便する.

def・e・ca・tion (def′ĕ-kā′shŭn) [L. *defaeco*, pp. *-atus*, to remove the dregs, purify]. 排便（直腸からの便の排泄）. =motion (2); movement (3).

def·e·cog·ra·phy (defĕ-kog′ră-fē) [defecation + G. *graphō*, to write]. 排便造影（大便を不透過性にして行う排便時の撮影）.

de·fect (dē′fekt) [L. *deficio*, pp. *-fectus*, to fail, to lack]. 欠損〔症〕, 欠陥（[本語のもつ否定的または軽蔑的な響きは, 文脈によっては不快な表現になるかもしれない]. 機能異常, あるいは欠損. 量の異常を示す欠乏に対し, 質の異常を示す）.

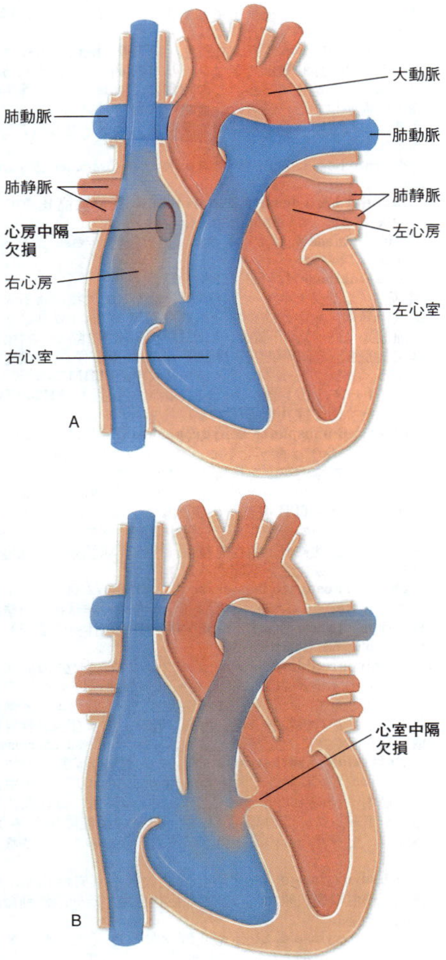

septal defects
A：心房. B：心室.

aortic septal d., aorticopulmonary septal d. 大動脈中隔欠損〔症〕, 大動脈肺動脈中隔欠損（大動脈と肺動脈の間, 半月弁上部約 1 cm の部位にある小さな先天的開口. 例えば大動脈肺動脈中隔欠窓）. =aorticopulmonary window.

atrial septal d. [MIM*108800]. 心房中隔欠損〔症〕（心房間の中隔欠損. 正常では閉じるが, 一次的または二次的に閉鎖不全を起こしたために生じる先天的な欠損症. 房室管の心臓内隆起を含むこともある. まれに常染色体優性遺伝[MIM*108800]のことがある. 種々の程度に常染色体劣性遺伝の Ellis-van Creveld 症候群(⇒syndrome) [MIM *225500]と常染色体優性の Holt- Oram 症候群(⇒syndrome) [MIM*142900]に合併する）.

atrial ventricular canal d. 共通房室弁口欠損（房室弁の通常の高さの直上あるいは直下の中隔組織の不足または欠損による欠陥で, 房室中隔および 2 つの心室により通常は占められる部分を含む. 房室弁は種々の程度に異常である）.

birth d. 出生時欠損（出生時に存在する先天性欠損. 先天性欠損 congenital d. とか先天性奇形 congenital anomaly ともいわれる）.

congenital ectodermal d. 先天性外胚葉欠陥. =congenital ectodermal *dysplasia*.

coupling d. 縮合障害（→familial *goiter*）.

Eisenmenger d. (ī′zĕn-men-gĕr). アイゼンメンガーの欠損. =Eisenmenger *complex*.

endocardial cushion d. 心内膜床欠損〔症〕. =persistent atrioventricular *canal*.

fibrous cortical d. 線維性皮質〔骨〕欠損〔症〕（小児の大腿骨下部に最もよくみられる, 通常 1—3cm の骨皮質の欠損であり, 線維組織で満たされている. 非骨原性あるいは非骨形成性線維腫では, 通常, 直径が 3cm 以上の病変をもつ. →nonossifying *fibroma*）. =nonosteogenic fibroma.

filling d. 陰影欠損（放射線検査で注腸におけるポリープのような, 造影剤の満たされた中空の内臓における占拠性病変による造影剤の置換. 硫酸 ^{99m}Tc コロイドスキャンによる肝転移のように, 他の均一の核物質の臓器内分布の欠損にも用いられる）.

Gerbode d. (gār-bōd). ジャーボード欠損（膜性中隔の心室中隔部分の欠損で, 三尖弁の異常を介して右室と右房間が交通している. 註左房右房交通症のこと）.

Hill-Sachs d. ヒル‐サックス損傷(肩関節の前方脱臼後の上腕骨頭にみられる骨頭面の不整をいう. 関節窩前縁に上腕骨頭の後外側部分が衝突して生じる）. =Hill-Sachs lesion.

iodide transport d. ヨード転送障害（→familial *goiter*）.

iodotyrosine deiodinase d. ヨードチロシン脱ヨード酵素障害（→familial *goiter*）.

luteal phase d. 黄体期欠損（月経周期中黄体期の黄体ホルモンの分泌不全を特徴とする状態で, 不妊になる. 通例, 異常な下垂体ゴナドトロピン分泌および卵胞機能不全による正常以下の黄体機能）. =luteal phase deficiency.

metaphyseal fibrous cortical d. 骨幹端線維性皮質欠損〔症〕（長骨の骨幹端に生じた小さな線維性皮質欠損）.

organification d. ヨード有機化障害（→familial *goiter*）.

osteoporotic marrow d. 下顎の骨髄の部分的骨粗しょう症. 正常の骨髄の存在による部分的な骨透亮像.

postinfarction ventricular septal d. 心筋梗塞後心室中隔欠損（急性心筋梗塞が破裂した結果起こる心室中隔の欠損）.

salt-losing d. 尿中へのナトリウム喪失による腎尿細管異常.

ventricular septal d. 心室中隔欠損〔症〕（[誤った形 ventriculoseptal を避けること]. 心室間の(膜性部あるいは筋性部)中隔の先天的欠損. 通常, 室間孔を閉じるらせん状(大動脈肺動脈)中隔の閉鎖不全に由来する）.

de·fec·tive (dĕ-fek′tiv). 欠損の, 欠陥の, 不完全な（[本語のもつ否定的または軽蔑的な響きは, 文脈によっては不快な表現になるかもしれない]）.

de·fem·i·na·tion (dĕ-fem′i-nā′shŭn) [L. *de-*, away + *femina*, woman]. 男性化, 女性(女子)性徴消失（女性的特徴が弱まるか, または欠如すること）.

de·fense (dē-fents′) [L. *defendo*, to ward off]. 防衛, 防御（不安をコントロールするために用いる心理的機制. 例えば合理化や投影）.

screen d. 隠ぺい防衛（抑圧されてはいるがそれと連合した記憶と感情を隠すために, 偽りで不完全な記憶と感情を用いること）.

de·fen·sins (dē-fen-sinz) [L. *de-fendo*, pp. *de-fensum*, to repel, avert + -in]. ディフェンシン（好中球に存在する抗菌作用を呈すポリペプチドの一種で, 細胞壁を傷害して殺菌する. 29—38 のアミノ酸残基からなる細胞傷害性ペプチドである）.

def·er·ent (def′ĕr-ent)［L. *deferens*: *defero*(to carry away)の現在分詞］. 下方へ導く，輸出の，排泄の（[誤ったつづり defferent を避けること．different と混同しないこと]).

def·er·en·tec·to·my (def′ĕr-en-tek′tŏ-mē)［*ductus deferens* + *-ectomy*］. 精管切除〔術〕. ＝vasectomy.

def·er·en·tial (def′ĕr-en′shăl). 精管の.

def·er·en·ti·tis (def′ĕr-en-tī′tis). 精管炎. ＝vasitis.

de·fer·ox·a·mine mes·y·late (de′fĕr-ok′să-mēn mes′i-lāt). デフェロキサミンメシレート（鉄中毒の治療に用いるキレート．その他アルミニウム中毒にも). ＝desferrioxamine mesylate.

def·er·ves·cence (def′ĕr-ves′ents)［L. *de-fervesco*, to cease boiling < *de-* 否定辞 + *fervesco*, to begin to boil］. 解熱期.

de·fib·ril·la·tion (dē-fib′ri-lā′shŭn). 除細動（心筋(心房あるいは心室)の細動を停止させ，成功した場合正常な調律に回復させること).

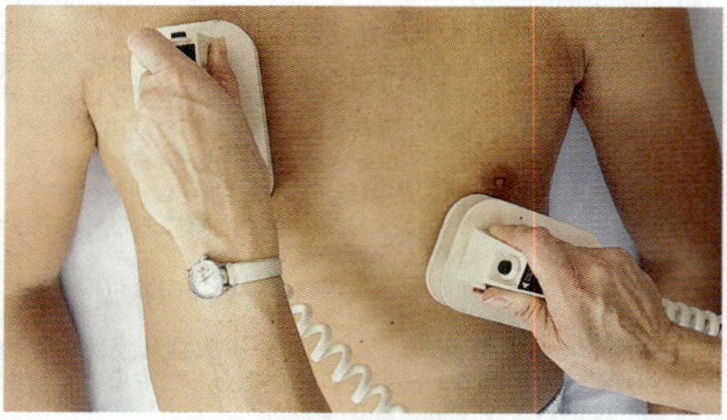

defibrillation
標準のパドルの配置.

de·fib·ril·la·tor (dē-fib′ri-lā-tŏr). ***1*** 除細動法，除細動薬（心室筋の細動を停止させ正常な拍動を回復するための薬剤や方法，例えば電気ショックなど). ***2*** 除細動器（電気ショックを与えて心室・心房細動を除去する器械).

automated external d. (**AED**) 自動体外式除細動器（致死性不整脈を起こした傷病者に対し，救急隊員あるいは非医療従事者が除細動を行うための機器．機器が自動的に心電図を解析し，除細動の適応となる場合には通電するようにメッセージを出す).

automated implantable cardioverter d. 自動埋め込み型除細動器（手術により胸部の皮下に埋め込まれる小型の除細動器．常時心電図を監視し，致死性不整脈を検知すると自動的に通電する).

external d. 体外除細動器（胸壁を通して除細動ショックを伝える器械).

de·fi·bri·na·tion (dē-fī′bri-nā′shŭn). 脱線維素，線維素除去（血液から線維素を除去すること．通常，血液をガラス玉やガラス片を入れた容器に入れて一定のかくはんを行う).

de·fi·cien·cy (dĕ-fish′en-sē)［L. *deficio*, to fail < *facio*, to do］. 欠損〔症〕，欠乏〔症〕（ある物質の不十分な状態(栄養欠乏，骨髄無形成によるヘモグロビン欠乏など)，組織全体の欠乏状態(精神知能低下)，活動性の欠乏状態(酵素欠損症，血液の酸素運搬能の減少)など．不足または欠損している物質の性状は正常のものである．→deficiency *disease*).

adult lactase d. 成人性乳糖分解酵素欠損症（成人における牛乳不耐症で，吸収不全を伴う．遺伝性のものは成人になるまで発症しないこともある．小腸の上皮細胞が障害された場合には乳糖分解酵素欠損症を常に成人で生じうる).

antitrypsin d. アンチトリプシン欠損〔症〕，抗トリプシン欠乏〔症〕(α_1-アンチトリプシンは，血清プロテアーゼ阻害物質で肺気腫および(または)肝硬変に関連する．等電位電気泳動法では，多くの活性化レベルの異なるバリアント(変種)が認められている．常染色体劣性の遺伝形式をもち，第14染色体長腕の *P1* 遺伝子の突然変異による).

α_1-antitrypsin d. α_1-アンチトリプシン欠損症（血清蛋白分解阻害酵素の１つが欠損したもので，結節性非化膿性脂肪織炎が繰り返し起こる).

arch length d. 歯列弓長欠乏（歯列弓の本当の長さと後継歯を本来の歯列に収容するのに必要な長さとの差).

arginosuccinate lyase d. アルギニノコハク酸分解酵素欠損症. ＝argininosuccinic *aciduria.*

arylsulfatase A d. アリルスルファターゼＡ欠損〔症〕. ＝metachromatic *leukodystrophy.*

arylsulfatase B d. ＝Maroteaux-Lamy *syndrome.*

biotinidase d. ビオチニダーゼ欠損症（ビオチンの著しい不足によるまれな常染色体劣性疾患．臨床症状はまったく認められないこともあるが，重篤な場合には，痙攣発作，脱毛，皮膚炎，緊張低下，視神経萎縮，運動失調，成長障害，聴力障害，ときには免疫不全を呈する．有病率は６万人に１人).

carnitine d. カルニチン欠損症（脂肪酸の酸化異常による一連の病態．脂肪酸はミトコンドリア内膜内へ輸送されるとカルニチンと結合するが，この障害によりエネルギー産生機構に障害が生じる．患者は低血糖や代謝性アシドーシスを呈する．また脳障害，心筋障害や骨格筋力低下を生じることもある).

debrancher d. 脱分枝酵素欠損症. ＝brancher glycogen storage *disease.*

familial high-density lipoprotein d. 家族性高比重リポ蛋白欠損〔症〕. ＝analphalipoproteinemia.

fructokinase d. フルクトキナーゼ欠損症. ＝essential *fructosuria.*

galactokinase d.［MIM*230200］. ガラクトキナーゼ欠損〔症〕（ガラクトキナーゼ(GALK)の先天的欠損による先天的代謝異常．血中ガラクトース濃度が増加して(ガラクトース血症)，白内障，肝腫大，および精神遅滞に陥る．常染色体劣性遺伝．第 17 染色体長腕の *GALK* 遺伝子の突然変異による．ガラクトースエピメラーゼ欠損症［MIM*230350］とガラクトース-1-リン酸ウリジル転移酵素欠損症［MIM*230400］はまったく同じ症状を惹起する).

glucose-6-phosphate dehydrogenase d.［MIM*305900］. グルコース-6-リン酸デヒドロゲナーゼ欠損症（還元型ヌクレオチドの細胞内濃度を維持するのに重要なグルコース-6-リン酸デヒドロゲナーゼの欠損により生じる酵素欠損症．X 染色体にある G6PD 遺伝子の突然変異によるＸ連鎖病である．様々な表現型を呈し，そら豆中毒症，プリマキンやその他の薬剤過敏性貧血，新生児貧血，慢性非球状赤血球性溶血性貧血などの貧血症を惹起する).

glucosephosphate isomerase d.［MIM*172400］. グルコース-リン酸イソメラーゼ欠損〔症〕（慢性の非球状赤血球症性溶血性貧血を特徴とする酵素欠損．常染色体劣性遺伝). ＝phosphohexose isomerase d.

***β-d*-glucuronidase d.** *β-d-*グルクロニダーゼ欠損症（まれにみられる*β-d-*グルクロニダーゼ欠損症．いくつかの対立遺伝子型をもった常染色体劣性疾患で，異常なムコ多糖類代謝のため進行性精神遅延，脾腫，肝腫，および多発性骨形成不全を起こすことを特徴とする). ＝mucopolysaccharidase.

glutathione synthetase d. グルタチオン合成酵素欠損症（先天性の代謝障害で，大量の 5-オキシプロリンの尿中排泄，血中や髄液中の 5-オキシプロリンの高値，重篤な代謝性アシドーシス，溶血傾向，中枢神経系の機能障害を伴う．本症は，全身性のものや赤血球に限局したものも報告されている).

11-hydroxylase d. 11-水酸化酵素欠損症（男性化型，高血圧型や塩類喪失型などの多彩な症状を呈する先天性副腎過形成の一型).

21-hydroxylase d. 21-水酸化酵素欠損症（先天性副腎過形成の一型．重篤または単純男性化型，塩類喪失型，非古典型などの多彩な臨床症状を呈する).

hypoxanthine:guanine phosphoribosyltransferase d. ヒポキサンチン:グアニンホスホリボシルトランスフェラーゼ欠損症（伴性遺伝の代謝性疾患．完全欠損型は Lesch-Nyhan 症候群(⇒syndrome)となる．不完全型は急性の痛風性関節炎や腎結石を伴う).

immune d.［MIM*242850］. 免疫不全. ＝immunodeficiency.

immunity d. 免疫不全. ＝immunodeficiency.

immunologic d. 免疫〔学的〕不全. ＝immunodeficiency.

isolated vitamin E d. 単独ビタミンＥ欠乏〔症〕，選択的

ビタミンE欠乏〔症〕(Friedreich 運動失調症に似ているが，ビタミンEの肝内処理に関係する蛋白であるα-トコフェロール転移蛋白(α-TTP)をコードする遺伝子の突然変異による常染色体劣性運動失調症).

LCAT d. LCAT 欠損〔症〕(角膜混濁，溶血性貧血，蛋白尿，腎不全，早期のアテローム性動脈硬化症および lecithin cholesterol acyltransferase(LCAT) 活性の低下を特徴とするまれな状態．血漿や組織の非エステル化コレステロールが著しく増加する).

leukocyte adhesion d. (**LAD**) 白血球接着不全 (遺伝性疾患(常染色体劣性)で，CD18 接着複合体の欠陥により白血球走化能が阻害される．たび重なる細菌感染，傷の回復の遅れなどの特徴がある).

long-chain 3-hydroxyacyl-CoA dehydrogenase d. 長鎖 3-ヒドロキシアシル CoA 脱水素酵素欠損症 (脂肪酸酸化異常症．患者は急性低ケトン性低血糖症(MCDA 欠損症と同様)，心筋症，筋力低下，肝障害を呈する).

long-chain/very long-chain acyl-CoA dehydrogenase d. 長鎖/大長鎖アシル CoA 脱水素酵素欠損症 (大長鎖アシル CoA 脱水素酵素欠損による脂肪酸酸化異常症．ときに全身衰弱，筋力低下，心筋障害，横紋筋融解，空腹時低血糖発作を呈する).

luteal phase d. ＝luteal phase *defect.*

medium-chain acyl-CoA dehydrogenase d. 中鎖アシル CoA 脱水素酵素欠損症 (最も多くみられる脂肪酸酸化障害．12—16 時間以上の絶食により誘発され，低血糖，嘔吐，嗜眠などの急性症状を呈する．ときには痙攣，昏睡，あるいは心肺虚脱に至る．通常 3 歳以前に発症する).

mental d. 精神遅滞．＝mental *retardation.*

muscle phosphorylase d. 筋ホスホリラーゼ欠損症 (V型のグリコゲン蓄積症．筋肉のホスホリラーゼ欠損により筋力が障害される).

phosphohexose isomerase d. ＝glucosephosphate isomerase d.

placental sulfatase d. 胎盤スルファターゼ欠損〔症〕(胎盤含有酵素スルファターゼの欠損．その結果 16α-ヒドロキシデヒドロエピアンドロステロンのエストリオールへの変換が起こらない．この状態で自然分娩に移行することはまれである).

primary carnitine d. 原発性カルニチン欠損症 (カルニチン輸送障害によるまれなカルニチン代謝異常症．患者は低ケトン性低血糖症を呈し，心筋障害や骨格筋萎縮を生じる).

proximal femoral focal d. (**PFFD**) 近位大腿骨欠損〔症〕(大腿骨上端の種々の部位に生じた形成不全または欠損を有する先天的不全).

pseudocholinesterase d. [MIM*177400]. 偽コリンエステラーゼ欠損〔症〕(普通，血清偽コリンエステラーゼによって加水分解される薬物(例えばスクシニルコリン)に対して過剰な反応を示す常染色体優性遺伝疾患．基質を加水分解する際に正常な酵素より活性の低い変種酵素が産生されるためと考えられている．しかし，抗コリンエステラーゼの作用に対し異常な抵抗を示す．第 3 染色体長腕の偽コリンエステラーゼ *E1* 遺伝子(*CHE1*)の突然変異により生じる).

pyruvate kinase d. [MIM*266200]. ピルビン酸キナーゼ欠損〔症〕(赤血球中のピルビン酸キナーゼの欠損症による病気．患者によって程度が異なる溶血性貧血を特徴とする．常染色体劣性遺伝．第 1 染色体長腕にある肝・赤血球型ピルビン酸キナーゼ(*PKLR*)の突然変異により生じる).

riboflavin d. →ariboflavinosis.

secondary antibody d. 続発性抗体欠損〔症〕. (蛋白喪失性腸症，ネフローゼ症候群，尿毒症，栄養失調，あるいは免疫抑制の薬物治療が原因であろう).

short-chain acyl-CoA dehydrogenase d. 短鎖アシル CoA 脱水素酵素欠損症 (脂肪酸酸化異常症．患者は慢性アシドーシス，発育障害，筋力低下，発育遅延を生じる).

taste d. [MIM*171200]. 味覚欠損〔症〕(フェニルチオカルバミドを基本とする一群の化合物の苦味を知覚する能力の減少または欠如．共通の対立遺伝子の同型接合状態が原因となる．→phenylthiourea).

def·i·cit (def′i-sit) [L. *deficio*, to fail]. 欠乏，不足，欠損 (補充されないうちに，一時的に使い果たしてしまった結果をいう).

base d. 塩基欠乏 (血液中の緩衝塩基総濃度の減少で，代謝性アシドーシスあるいは代償された呼吸性アルカローシスを意味する).

oxygen d. 酸素欠乏 (運動の初期と運動の一定状態の継続との間の身体の酸素摂取量の差．酸素負債の形成とみなされることがある).

pulse d. ***1*** 脈〔拍〕欠損 (またはそれ以上の心拍に対する末梢動脈の脈波が触診されないこと．心房細動にしばしばみられる). ***2*** 脈拍結代 (***1*** の触診不可の脈拍の数．通常，分当たりの心拍数－脈拍数で表す).

sleep d. 睡眠欠落，睡眠不足 (睡眠時間の欠乏または睡眠検査で睡眠段階の 1 つが比較的欠乏していること).

def·i·ni·tion (def′i-nish′ŭn) [L. *de-finio*, pp. *-finitus*, to bound < *finis*, limit]. 解像力 (光学において，鮮明な像を与えるレンズの力.→resolving *power*).

de·flec·tion (dĕ-flek′shŭn) [L. *de-flecto*, pp. *-flexus*, to bend aside]. [deflexion と混同しないこと]. ***1*** 反屈，反屈位 (一方へ動くこと). ***2*** 動揺 (心電図で，等電性基線から曲線の偏位．心電図の波または群).

intrinsic d. 近接効果 (電極が筋線維と直接接触すると，最大陽電位のピークから急速な下方偏向を示すこと．これは活動面が下の筋肉に達したことを意味する).

intrinsicoid d. 近接効果様振れ (心電図の単極胸部誘導におけるように，筋肉に直接ではなく，少し離れて電極を置いたときの以前の最も近い陽電位からの突然の下降).

de·flex·ion (dĕ-fleks′shŭn) [de- + L. *flexio*, a bending < *flecto*, pp. *flexum*, to bend]. 反屈位 ([deflection と混同しないこと]. 児頭と骨盤軸との関係を表現する用語．児頭の下降娩出期に屈曲しないか反屈する胎勢(児頭第 1 回旋の異常)).

def·lo·res·cence (dē′flō-res′ents) [L. *de-floresco*, to fade, wither < *flos*(*flor-*), flower]. 発疹消退 ([efflorescence と混同しないこと．誤ったつづりまたは発音 defluorescence を避けること]. 猩紅熱またはその他の発疹の消滅).

de·flu·o·ri·da·tion (dē′flōr-i-dā′shŭn). 脱フッ素化 (公共給水から過剰のフッ素を除去すること).

de·flu·vi·um (dē-flū′vē-ŭm) [L. < *de-fluo*, pp. *-fluxus*, to flow down]. 脱落，流出，漏出 ([effluvium と混同しないこと]). ＝defluxion.

de·flux·ion (dē-flŭk′shŭn) [L. *defluxio*, *de-flou*, pp. *-fluxus*, to flow down]. ＝defluvium. ***1*** 脱落 (毛髪などが落ちたり，なくなること.→effluvium). ***2*** 流出，漏出 (体液の流出または分泌).

de·for·ma·bi·li·ty (dē-fōrm′ă-bil′i-tē). 変形能 (赤血球のような細胞が微小血管系のような狭い空間を通過する際に形を変える能力).

de·for·ma·tion (dē′fōr-mā′shŭn) [L. *de-formo*, pp. *-atus*, to deform < *forma*, form]. 変形〔化〕(①正常から形が変わること，特にある器官や身体の一部の形と構造のいずれかまたは両者が変わること．病因としては，発育性，外傷後，遺伝性，手術後と隣接組織の病変によるもの(例えば腫瘍塊による圧迫)とがある．②レオロジーにおいて，塊の物理的形状が応力により変わること).

de·form·ing (dĕ-fōrm′ing). 変形の (正常な形状からの偏位を起こす).

de·for·mi·ty (dĕ-fōr′mi-tē). 変形，奇形 (構造が正常な形や大きさから恒久性に逸脱し，醜状を呈すること．先天性あるいは後天性の場合がある.→deformation (1)).

Åkerlund d. (ek′er-lūnd). オーケールンド変形 (十二指腸球部のニッシェのある陥凹または切痕．X線で見られる).

Arnold-Chiari d. (ar′nŏld kē-ah′rē) [MIM*207950]. アルノルト－キアーリ奇形．＝Arnold-Chiari *malformation.*

bell clapper d. ベルクラッパー(鐘の舌)変形 (通常と異なり精巣および精巣上体の後面が精巣鞘膜に付着していないために，精巣をおおう膜が精索内にのび，その結果精巣が捻転を起こしやすくなっている奇形．この変形のため，たびたび精巣は水平の位置をとりやすい).

boutonnière d. ボタン穴変形 (指の近位指節間関節が屈曲位，遠位指節間関節が過伸展位となった変形．エクステンサーフードの断裂により生じ，それによって生じたボタン穴様の部位に近位指節骨頭が飛び出すことに起因する．変性疾患(関節リウマチ)や外傷により起こる．次頁の図参照).

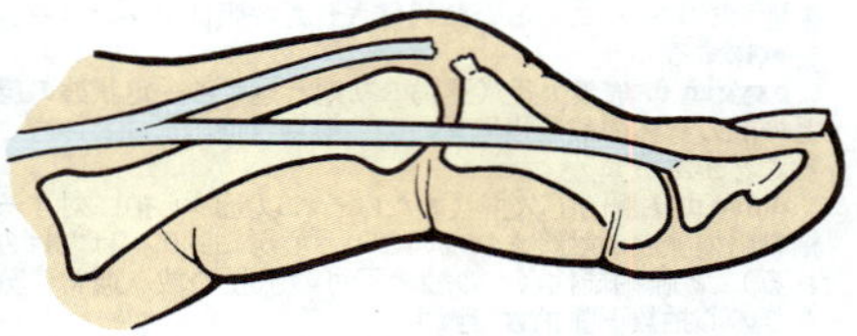

boutonnière deformity
側索間で近位指節間関節の背側屈曲奇形を起こす指伸筋腱の正中索の中指節骨付着部からの断裂.

contracture d. 拘縮変形（骨には明瞭な一義的な変化を認めない四肢の変形）.
Erlenmeyer flask d. (er′lĕn-mī-ĕr) [resemblance to an E. flask]. エルレンマイアーフラスコ奇形（骨幹が正常な管状の形に発達しないことによって生じる大腿骨遠位骨端の奇形. 骨幹に対して正常以上に広く開いてしまう. Gaucher 病に合併することがある）.
gunstock d. 銃床変形（上腕骨顆上部あるいは顆部骨折の結果起こる内反肘変形. 肘を伸展した際, 前腕の長軸が上腕の長軸と連続せず, 正中線(体幹寄り)方向に変位しているもの）.
Haglund d. (hahg′lūnd). ハグルンド奇形. ＝Haglund *disease.*
hallux abducto valgus d. 母趾外転外反変形（母趾の外側偏位を伴う第一中足趾節関節の破壊変形. しばしばバニオンを伴う）.
inverted V d. 陥凹V変形（鼻骨部尾端において鼻外壁と橋を横断し, 上外側軟骨が中隔側に内側虚脱することを示す直線状の影として命名された異常外鼻の輪郭. 通常, 鼻形成後にみられるが, 鼻背軟骨が切除されて上外側軟骨が不安定になり, この変形が外側変形し, 結果として内鼻弁で狭小となって気流が減少する. →nasal *valve*）.
J-sella d. J形トルコ鞍変形（梨形あるいはJ形の, トルコ鞍の変形. 成長期の蝶形骨に過度の圧力がかけられたため起こり, ムコ多糖類貯留疾患にみられる）.
keyhole d. 鍵穴変形（括約筋切開術後にできる肛門後縁の粘膜外反）.
kleeblattschädel d. ＝cloverleaf skull *syndrome.*
lobster-claw d. エビはさみ奇形(変形)（→ectrodactyly）.
Madelung d. (mah′dĕ-lūng). マーデルング変形（橈骨遠位部尺側の縦方向の成長が橈側に比べ障害され遠位橈尺関節が亜脱臼する変形. その結果橈骨遠位は異常に掌側, 尺側に傾斜する）. ＝carpus curvus.
mermaid d. 人魚形奇形. ＝sirenomelia.
parachute d. パラシュート奇形. ＝parachute mitral *valve.*
reduction d. 縮小奇形（身体の一部分またはそれ以上の先天的な欠損または形成不全で, 多くは四肢を構成する部位に生じる）.
silver-fork d. 銀フォーク奇形(変形)（フォークの背面の曲線に似ている変形. Colles(遠位橈骨)骨折にみられる）.
Sprengel d. (sphreng′gĕl) [MIM*184400]. シュプレンゲル変形（先天性の肩甲骨高位）. ＝scapula elevata.
swan-neck d. スワン－ネック変形（手指の遠位指節間関節の屈曲を伴う近位指節間関節の過伸展を呈する変形）.
torsional d. 捻転変形（整形外科学用語. 四肢の長軸面で肢の一部が異常に軸転することにより起こる変形）.
whistle d. 口笛変形（治療された口唇裂において垂直方向の長さが欠損していると, 上下口唇の自由縁が正常に満たず, 口笛の動きができない. 赤唇が小さい場合の両側口唇裂の治療後に特によくみられる）.
Whitehead d. ホワイトヘッド変形（Whitehead 術後にできる全周性肛門粘膜外反）.

de·fur·fur·a·tion (dē-fŭr′fŭr-ā′shŭn) [L. *de,* away from + *furfur,* bran]. 糠状落屑（細かい鱗屑となって表皮がはがれ落ちること）. ＝branny desquamation.

de·gan·gli·on·ate (dē-gang′glē-on-āt). 神経節を除去する.

de·gen·er·a·cy (dĕ-jen′ĕr-ă-sē) [L. *de,* from + *genus* (*gener-*), race]. ***1*** 縮退（同じひとつの固有値に対応する2つ以上の固有関数が存在する状態）. ***2*** 変質（精神的, 身体的, または道徳的過程の低格化を特徴とする状態）. ***3*** 縮重（数種の違ったトリプレットコドンが同じアミノ酸をコード化すること）.

de·gen·er·ate (dē-jen′ĕr-āt). [本語のもつ否定的または軽蔑的な響きは, 文脈によっては不快な表現になるかもしれない]. ***1*** (dē′jen′er-āt). 〖v.〗 変質する, 退化する（精神的, 身体的, または道徳的に低い状態になる. 正常または受け入れられる型や状態以下になる）. ***2*** (dē′jen′ĕ-răt). 〖adj.〗 変質した, 退化した（正常以下の, より低い水準に落ちた）.

de·gen·er·a·tio (dē-jen′ĕr-ā′shē-ō) [L. *degenero,* pp. *-atus* < de, from + *genus,* race]. 変性, 変質, 退化. ＝degeneration.

DEGENERATION

de·gen·er·a·tion (dē-jen′ĕr-ā′shŭn) [L. *degeneratio*]. [本語のもつ否定的または軽蔑的な響きは, 文脈によっては不快な表現になるかもしれない]. →anterograde; tetrograde. ＝degeneratio. ***1*** 退化（高水準から低水準へと落ちること）. ***2*** 変質（身体的, 精神的あるいは道徳的資質の悪化）. ***3*** 変性（細胞や組織における病理的退行変化. しばしば機能が阻害あるいは破壊される. 初期にはときに可逆的であるが, 通常, 壊死に至る）. ＝retrograde metamorphosis.
adipose d. ＝fatty d.
adiposogenital d. 脂肪性性器性変性. ＝adiposogenital *dystrophy.*
age-related macular d. 加齢性黄斑変性（黄斑にドルーゼンや色素の破壊を伴う通常の良性の黄斑変性. ときに重度な中心視力の低下をまねくことがある）.
amyloid d. アミロイド変性, デンプン様変性（組織や器官の細胞と線維の間のアミロイド浸潤）. ＝waxy d. (1).
angiolithic d. 血管結石変性（血管壁の石灰性変性）.
ascending d. 上行変性（①損傷を受けた神経線維の逆行性変性. すなわち変性はその線維の神経細胞へ向かう. ②脊髄病変に向かって頭方向への変性）.
atheromatous d. アテローム変性（動脈の内膜および内膜下の脂質の巣状滞留(アテローム). 線維の肥厚や石灰化をもたらす）.
axon d. ＝axonal d.
axonal d. 軸索変性（損傷に対する末梢神経線維の反応の一型. 軸索の死亡と崩壊が起こり, 二次的にミエリン鞘の崩壊も伴う. 末梢神経線維に対する局所損傷により, Waller 変性としばしばよばれる）. ＝axon d.
ballooning d. 気球状変性（ある種のウイルスに感染した細胞を表す現在では用いられない語. 細胞は著明に混濁腫脹し, 細胞質は空胞化する）.
basophilic d. 好塩基性変性（ヘマトキシリン－エオシン染料使用による結合組織のブルー染色. エリテマトーデス, および日光性弾力線維症に認められる）.
calcareous d. 石灰変性（厳密には変性ではないが, 異栄養性石灰化のように, 変性し壊死に陥った組織に不溶性の石灰塩が沈着することをいう）.
carneous d. 肉様変性. ＝red d.
caseous d. 乾酪変性. ＝caseous *necrosis.*
colloid d. コロイド変性, 膠様変性（ムコイド変性に類似した変性. この変性においては物質が硬くなる）.
cone d. [MIM*180020]. 錐体変性症. ＝cone *dystrophy.*
corticobasal d. 〔大脳〕皮質基底核変性〔症〕（大脳皮質と錐体外路の両方を侵すまれな進行性疾患(パーキンソン病の亜型と考える人もいる). 臨床的に随意運動障害と筋硬直を呈する. バルーンニューロンを伴う大脳皮質変性と黒質変性が病理学的な特徴である. 失行, 皮質性感覚障害, ミオクローヌス, 幻肢症候群の報告もある）.
Crooke hyaline d. (kruk). クルックヒアリン変性. ＝Crooke hyaline *change.*
descending d. 下行変性（①損傷を受けた神経線維の順行性(Waller)変性. すなわち変性は切断部位から遠心性に向か

う．②脊髄の切断，損傷部位から尾方向へ向かう変性）．

disciform d. 円板状変性（中心窩や傍中心窩の網膜下血管新生で，網膜分層と出血を伴う．最後には，円形塊が生じ，その部分の視力は欠損する）．＝disciform macular d.

disciform macular d. 円板状黄斑変性．＝disciform d.

ectatic marginal d. of cornea ＝pellucid marginal corneal d.

elastoid d. エラストイド変性（①＝elastosis (2)．②動脈壁の弾力性組織のヒアリン変性．子宮の退縮の間にみられる）．

elastotic d. 弾性症変性．＝elastosis (2).

familial pseudoinflammatory macular d. ［MIM *136900］．家族性偽炎症性黄斑変性（50 代に起こる黄斑変性．一眼に中心暗点が突然現れ急速に他眼にも同様の病変が現れる．常染色体優性遺伝）．＝Sorsby macular d.

fascicular d. 線維束変性（神経または筋肉の，ある線維束に限局した変性）．

fatty d. 脂肪変性（負傷の結果細胞質中にできる，顕微鏡で見える脂肪の小滴の異常形成）．＝adipose d.; steatosis (2).

fibrinoid d., fibrinous d. フィブリノイド変性，線維素様変性（成立過程はなお不明な点が多いが，強好酸性，均質，屈折性の沈着物で，ある種の染色ではフィブリン様反応を示し，結合組織，血管壁，その他にみられる）．

fibrous d. 線維様変性，線維性変性（それ自体の変性というよりは，一種の修復過程．変性し壊死した細胞や組織の病巣は，後に線維性細胞組織に置き換わる）．

granular d. 顆粒状変性．＝cloudy *swelling.*

granulovacuolar d. 顆粒空胞変性（老年者の海馬大脳細胞の変性．海馬ニューロン中の透明帯で囲まれた好塩基顆粒が特徴．Alzheimer 病でしばしばみられる）．

gray d. 灰白色変性（脊髄の白質の変性．その線維がミエリン鞘を失い，色が黒っぽくなる）．

hepatolenticular d. 肝レンズ核変性〔症〕．＝Wilson *disease* (1).

hyaline d. ヒアリン変性（種々の細胞および組織を侵す変性過程の一群．均質，半透明，屈折性で，中程度から強度の好酸性の物質の丸い塊（小滴），または比較的幅の広い帯の形成が起こる．古い線維性組織，細動脈の平滑筋，子宮の膠原に起こることもあり，実質細胞中では小滴としてみられる）．

hyaloideoretinal d. ［MIM*143200］．硝子体網膜変性（進行性の硝子体の液化と変性で，灰白色の網膜前膜，近視，白内障網膜剝離，高色素と低色素沈着を伴う．常染色体優性遺伝）．＝Wagner disease; Wagner syndrome.

hydropic d. 水症変性．＝cloudy *swelling.*

infantile neuronal d. 乳児神経細胞変性〔症〕（視床，小脳，橋，脊髄の広範な神経細胞脱落を伴う乳児の変性疾患で，乳児筋萎縮症に似る）．

liquefaction d. 液化変性，液状変性（①虚血状態の脳組織における軟化を伴う壊死．②細胞が散発的に浮腫を伴う壊死に陥ることによって起こる表皮基底層の溶解．扁平苔癬，紅斑性狼瘡および他の皮膚病変にみられる）．

macular d. 黄斑変性（後極部を主に侵す眼の変性．最も多い加齢性黄斑変性）．

Mönckeberg d. (mĕrn′kĕ-bĕrg)．メンケベルク変性．＝Mönckeberg *arteriosclerosis.*

mucinoid d. ムチノイド変性（ムコイド変性，コロイド変性の両者を含む用語．細胞の基本的変性は両者とも同じであるが，コロイド変性では細胞がより硬化，稠厚化し，ムコイド変性では濃密でなくゼリー様である点が異なる）．

mucoid medial d.mucoid d. ムコイド変性，類粘液変性（結合組織がゲル状または粘液様物質に変わること）．＝myxoid d.; myxomatous d.; myxomatosis (1).

mucoid medial d. ムコイド中膜変性，類粘液中膜変性．＝cystic medial *necrosis.*

myelinic d. ミエリン変性（細胞質内にミエリンが形成されること．自己消化された細胞内小器官のリポ蛋白の分解や水和によると思われる）．

myopic d. 近視性変性（病的近視において，視神経乳頭コーヌス，脈絡膜萎縮，黄斑部色素形成，網膜下血管新生，出血，色素増殖を起こすこと）．

myxoid d., myxomatous d. ミクソイド変性，粘液腫変性．＝mucoid d.

neurofibrillary d. 神経原線維変性（粗い好銀性の細胞質内線維の形成．頭蓋内神経細胞内の複合線維濃縮体にしばしば起こる．→Alzheimer *disease*）．

Nissl d. (nis′ĕl)．ニッスル変性（軸索切断後に起こる神経細胞体の変性．顆粒小胞体の拡散，細胞体の腫脹，核が細胞の周辺部に移動するのが特徴）．

olivopontocerebellar d. オリーブ橋小脳変性．＝olivopontocerebellar *atrophy.*

parenchymatous d. 実質変性．＝cloudy *swelling.*

pellucid marginal corneal d. ペルーシド辺縁角膜変性（角膜周辺部の両眼性混濁で，血管新生を伴う．進行すると溝や拡張形成をきたす）．＝ectatic marginal d. of cornea.

primary pigmentary d. of retina ＝tapetoretinal d.

primary progressive cerebellar d. 一次〔性〕進行性小脳変性（小脳変性による家族性運動失調状態）．

pseudotubular d. 偽管状変性（副腎，特に熱性感染症患者の副腎にみられる変性を表す現在では用いられない語．束状帯（および球状帯）の脂質を失った萎縮した細胞が，空白化した，または部分的にフィブリン，壊死細胞，あるいは無形物質を含む空隙の周囲に円を描いて配列する）．

red d. 赤色変性（特に妊娠中の子宮筋腫に起こることのある，ヘモグロビンに着色された壊死を表す現在では用いられない語．軟化と，生焼けの肉に似た赤色を呈する）．＝carneous d.

reticular d. 網状変性（重症の表皮浮腫．多房性水疱をもたらす）．

retrograde d. 逆行〔性〕変性（神経線維が損傷されたか，切断された神経細胞の Nissl 小体の，染色質溶解と核の周辺への偏位を伴う逆行性細胞変性）．

Salzmann nodular corneal d. (sahlts′mahn)．ザルツマン結節状角膜変性（角膜の表面から突出する孤立性混濁物質の大きな明瞭な結節で，以前にフリクテン性角膜炎に罹患した人にしばしば起こる）．

senile d. 老年（老人）〔性〕変性（老年期に起こる衰退の過程）．

snail track d. スネイルトラック（蝸牛跡）変性（萎縮性網膜裂孔と関連する周辺部網膜の細かい白点状の弧状線．㊟カタツムリがはいまわった跡のような）．

Sorsby macular d. (sōrz′bē)．ソーズビー黄斑変性．＝familial pseudoinflammatory macular d.

spheroidal d. ＝climatic *keratopathy.*

spongy d. of infancy 幼児の海綿状変性．＝Canavan *disease.*

subacute combined d. of the spinal cord 脊髄亜急性連合変性（脊髄の亜急性または慢性障害．ある種のビタミン B_{12} 欠乏患者に起こり，後柱・側柱の海綿状変性による軽度から中等度の神経膠症を特徴とする）．＝combined sclerosis; combined system disease; funicular myelitis (2); Putnam-Dana syndrome; vitamin B_{12} neuropathy.

tapetoretinal d. ［MIM*272600］．壁板網膜変性（主に光受容器と網膜色素上皮が障害される網膜の遺伝性疾患．Friedreich 失調症（⇀ataxia），Refsum 病（⇀disease），β-リポ蛋白欠損症を発現することがある）．＝primary pigmentary d. of retina.

Terrien marginal d. (ter-ē-en′)．テリエン辺縁変性（ペルーシド辺縁角膜変性の一型）．

transsynaptic d. 経シナプス変性（神経細胞とシナプス結合する軸索の損傷後に起こる神経細胞の萎縮．特に外側膝状体で報告されている）．＝transneuronal atrophy; transsynaptic chromatolysis.

Türck d. (tĕrk)．チュルク変性（軸索の損傷部または切断部より遠位の神経線維とその鞘の変性．通常，中枢神経系内の変性をいう）．

vacuolar d. 空胞変性（細胞質中の非脂質性液胞の形成．混濁腫脹による水分の蓄積が原因であることが多い）．

vitelliform d. ［MIM*153700］．卵黄様変性．＝Best *disease.*

vitelliruptive d. 卵黄破裂様黄斑変性．＝Best *disease.*

wallerian d. ウォーラー変性（末梢神経線維と細胞体の連絡が局所病変により遮断されたときに，末梢神経線維（軸索と髄鞘）の遠位部に起こる変性変化）．

waxy d. ろう様変性（①＝amyloid d．②＝Zenker d.）．

xerotic d. 乾燥変性（ケラチン化した上皮を伴う結膜の瘢

痕).

Zenker d. (zen′kĕr). ツェンカー変性（重篤な感染において起こる，骨格筋の重篤なヒアリン変性または壊死の一形態を表す現在では用いられない語）. ＝waxy d. (2).

---

de·gen·er·a·tive (dĕ′jen′ĕr-ă-tiv). 変性の（[本語のもつ否定的または軽蔑的な響きは，文脈によっては不快な表現になるかもしれない]）.

de·glov·ing (dĕ′glŭv′ing). デグロービング（①おとがい形成術や下顎歯槽手術などの顎顔異常矯正手術の際に行われる，口内下顎骨前部の外科的露出．②中顔面骨格の口内露出．特に新生物切除のための鼻，副鼻腔の様々な手術で行われる．③→degloving *injury*）.

deglut. (dē-glūt′). ラテン語 *deglutiatur*（えん下せよ）の略.

de·glu·ti·tion (dĕ′glū-tish′ŭn) [L. *de-glutio*, to swallow]. えん(嚥)下，飲み込み.

de·glu·ti·tive (dĕ′glū′ti-tiv). えん(嚥)下の，飲み込み.

De·gos (dĕ-gō′), Robert. フランス人皮膚科医，1904—1987. →D. *disease*, *syndrome*; Kohlmeier-D. *syndrome*.

deg·ra·da·tion (deg′ră-dā′shŭn) [L. *degradatus*, degrade]. 分解（化学物質の単純な物質への変化）.

de·gran·u·la·tion (dē-gran′yū-lā′shŭn). 脱顆粒（細胞から細胞質顆粒が消失すること，あるいは顆粒球(例えば好中球，肥満細胞，好塩基球，好酸球)の活性化）.

de·gree (dĕ-grē′) [Fr. *degré*; L. *gradus*, a step]. 度（①寒暖計，気圧計などの測定機器の 1 目盛り．付録 Comparative Temperature Scales 参照．→scale. ②円周の 1/360. ③段階づけしたものの中での位置または等級．④組織損傷の程度）.

d.'s of freedom (d.f.) 自由度（統計学において，標本(例えば対象，テスト項目や得点，試行，条件)の間でなされる独立な比較の数．分割表においては(列のカテゴリー数 −1)×(行のカテゴリー数 −1)となる）.

de·gus·ta·tion (dĕ′gŭs-tā′shŭn) [L. *degustatio* < *de-gusto*, pp. *-atus*, to taste]. ***1*** 賞味，試味. ***2*** 味覚.

de·hal·o·gen·ase (dē-hal′ō-jen-ās) [EC subclass 3.8]. デハロゲナーゼ（有機ハロゲン化合物からハロゲン原子を取り除く酵素の総称）.

De·hi·o (de-hī′ō), Karl K. ロシア人医師，1851—1927. →D. *test*.

dehisce (dĕ′his). 破裂.

de·his·cence (dē-his′ents) [L. *dehisco*, to split apart or open]. 披裂，裂開，離開（自然の，または縫合した線に沿って裂けたり切れたりして開くこと）.

iris d. 虹彩裂開（虹彩の多発性の孔を特徴とする眼の欠損様状態）.

root d. 歯根裂開（歯根部の上にある頬側または舌の骨の喪失．したがって，その部位は軟組織のみにおおわれる）.

wound d. 創傷離開（傷口が開くこと）.

de·hu·man·i·za·tion (dē-hyū′măn-i-zā′shŭn) [*de-* + *humanus*, human < *homo*, man]. 人間性喪失（精神的または身体的手段による野獣化．自尊心を捨てさせること）.

de·hy·drase (dē-hī′drās). dehydratase の旧名.

de·hy·dra·tase (dē-hī′dră-tās). デヒドラターゼ（基質から H_2O としてHと OH を除去して，二重結合を残す，また，2 つの物質から水を除去してできた二重結合へある基を付加して，第 3 の物質を形成するリアーゼ(ヒドロリアーゼ)の 1 つ．その反応の合成的な面を強調するときは，synthase という語が用いられることもある．この分類にはいる酵素のいくつかは逆反応を強調して hydratase という総称名をもつ）.

de·hy·drate (dē-hī′drāt) [L. *de*, from + G. *hydōr*(*hydr-*), water]. ***1*** 脱水する. ***2*** 水を失う.

de·hy·dra·tion (dēhī-drā′shŭn). [thirst の同義語としての隠語的使用を避けること]. ***1*** 脱水（水分を奪うこと）. ＝anhydration. ***2*** 脱水〔症〕（水分含量の減少）. ***3*** ＝exsiccation (2). ***4*** ＝desiccation. ***5*** 脱水（起立性低血圧を起こすほど血管内容量が減少した水分喪失状態．救急部で頻繁に使用される言葉）.

absolute d. 絶対脱水〔症〕（正常の，または既定の水分含量との差から測定された実際の水分欠乏）.

relative d. 相対脱水〔症〕（有効な浸透圧に寄与する，溶質量に比較して相対的に水分が喪失する状態．体液の有効浸透圧増大の状態）.

voluntary d. 随意脱水〔症〕（生理的なもので，急速な発汗にみられるように，水分喪失を完全に補うほど口渇感が強くないときに起こる）.

dehydro- (de-hī′drō). ある化合物から 2 つの水素原子を取り去った化合物を示す接頭語．例えば酸化アスコルビン酸は，すべての構造的特徴はアスコルビン酸に似ているが，アスコルビン酸分子にある 2 つの水素原子が欠ける．系統的な命名法では，didehydro- がより正確であり推奨される.

de·hy·dro·a·ce·tic ac·id (dē-hī′drō-ă-sē′tik as′id). デヒドロ酢酸（防腐剤として化粧品に用いる抗菌薬）.

L-de·hy·dro·a·scor·bic ac·id (dē-hī′drō-as-kōr′bik as′-id). L-デヒドロアスコルビン酸（アスコルビン酸の可逆的酸化型．抗壊血病性であるが，体内でビタミンC活性のない 2,3-ジケト-L-グロン酸に変えられる）.

de·hy·dro·bil·i·ru·bin (dē-hī′drō-bil-i-rū′bin). デヒドロビリルビン. ＝biliverdin.

de·hy·dro·cho·late (dē-hī′drō-kō′lāt). デヒドロコール酸塩またはエステル.

7-de·hy·dro·cho·les·ter·ol (dē-hī′drō-kō-les′tĕr-ol). 7-デヒドロコレステロール（皮膚および他の動物組織の動物ステロール．紫外線により活性化されると，抗くる病性となり，コレカルシフェロールビタミン D_3 とよばれる）. ＝provitamin D_3.

24-de·hy·dro·cho·les·ter·ol (dē-hī′drō-kō-les′tĕr-ol). 24-デヒドロコレステロール. ＝desmosterol.

de·hy·dro·cho·lic ac·id (dē-hī′drō-kol′ik as′id). デヒドロコール酸（肝臓による胆汁の分泌を促進する働き(催胆性)がある物質．胆汁欠乏のときに必須食物の吸収をよくする）.

11-de·hy·dro·cor·ti·co·ster·one (dē′hī′drō-kōr-ti-kō-stĕr′ōn). 11-デヒドロコルチコステロン（コルチコステロンの代謝産物）.

de·hy·dro·em·e·tine (dē-hī′drō-em′ĕ-tēn). デヒドロエメチン（エメチンの合成誘導体．腸アメーバ症の治療に用いる）.

d. resinate デヒドロエメチン樹脂酸塩（エメチンの誘導体）.

---

de·hy·dro·ep·i·an·dros·ter·one (DHEA) (dē-hī′drō-ep′ē-an-dros′ter-ōn). デヒドロエピアンドロステロン（主として副腎皮質から分泌されるステロイド．また精巣からも分泌される．尿中に見出される 17-ケトステロイド類の主要前駆物質である．それ自体弱いアンドロゲンで，代謝されて δ-5-アンドロステンジオル(アンドロゲンとエストロゲンの両方の効果をもつホルモン)になる．テストステロンの前駆物質の 1 つである．血清濃度の増加が副腎多毛症で上昇する．神経伝達物質として働くかもしれない）. ＝androstenolone; dehydroisoandrosterone.

DHEA 分泌は胎児期に始まり，30 歳でピークになり，その後一定の速度で減退する．80 歳での濃度はピーク時の単に 10—20% である．この減退は加齢変化と関連があると推定されている．市販の DHEA 製剤は栄養素でもヒト食物連鎖の成分でもないのに栄養補助食品として市場で売られている．DHEA は動脈硬化，Alzheimer 認知症，パーキンソン病などの退行性疾患の予防や老化に関する他の効果に推奨されている．その強調されている利益のどれも，大規模な無作為臨床試験で証明されていない．動物実験やヒトでの限られた研究ではあるが，DHEA が体脂肪率を低下させる(恐らく脂肪としてエネルギー蓄積を阻害することによるだろう)ということが示唆されている．閉経後の女性への長期投与によりインスリン抵抗性，高血圧，LDL コレステロール値の減少がみられた．16 種類の DHEA 製剤を高性能液体クロマトグラフィで分析した結果，表示量の 0 —150% の内容量の偏差があった．単に 7 品だけ，予想通り表示量の 90—110% 内にはいった.

---

de·hy·dro·gen·ase (dē-hī′drō-jen-ās). デヒドロゲナーゼ（ある種の代謝産物(水素供給体)からの水素除去を触媒し，水素を他の物質(水素受容体)に移す酵素の総称名．これにより代謝産物は還元される．大部分の酸化酵素(oxidoreductase, EC class 1)はこの方式で酸化を行う）.

aerobic d. 好気性デヒドロゲナーゼ（ある代謝産物から水素を酸素へ転移する反応を触媒する酵素．この過程で，過酸化水素を形成する．例えば，いくつかのサブクラスに含まれるキサンチンオキシダーゼなどの酵素がある(例えば，EC1.1.3, 1.2.3, 1.7.3, 1.8.3, 1.10.3))．

anaerobic d. 嫌気性デヒドロゲナーゼ（ある代謝産物から酸素分子以外の受容体分子(例えば，NAD^+，シトクロム)への水素の移動を触媒する酵素．通常，ピリジン酵素である．例えば，lactate dehydrogenase, isocitrate dehydrogenase，および aerobic dehydrogenase に記載されているもの以外の EC class 1 の酵素)．

11-β-hydroxysteroid d. 11-β-水酸化ステロイド脱水素酵素（コルチゾールとコルチゾンの代謝に関与している2つの酵素．腎臓や胎盤では，2型酵素が強く発現しており，糖質コルチコイド作用や鉱質コルチコイド作用の乏しいコルチゾンが産生されやすい．この機序により，胎児は塩類貯留や母親のコルチゾールから保護されている．先天的にこの酵素が欠損していたり，薬理学的に欠乏状態にすると高血圧や電解質異常が生じる．肝臓や脂肪組織では，1型酵素が強く発現しており，糖質コルチコイドや鉱質コルチコイド作用の強いコルチゾールが産生されやすい．実験動物でこの2型酵素をノックアウトすると肥満になりにくくなる)．

Robison ester d. (rō′bi-sŏn)．ロビソンエステルデヒドロゲナーゼ．＝glucose-6-phosphate dehydrogenase.

de·hy·dro·gen·ate (dē-hī′dro′jen-āt)．脱水素する．

de·hy·dro·gen·a·tion (dē-hī′dro′jen-ā′shŭn)．脱水素（酵素(デヒドロゲナーゼ)または他の触媒の作用により，ある化合物から1対の水素原子を除くこと）．

de·hy·dro·i·so·an·dros·ter·one (dē′hī′drō-ī′sō-an-dros′tĕr-ōn)．デヒドロイソアンドロステロン．＝dehydroepiandrosterone.

de·hy·dro·ret·i·nal·de·hyde (dē-hī′drō-ret′i-nal′dĕ-hīd)．デヒドロレチナールデヒド（側鎖の末端の炭素に $-CH_2OH$ でなく -CHO があるデヒドロレチノール)．＝retinene-2; vitamin A_2 aldehyde.

de·hy·dro·sug·ars (dē′hī′drō-shug′ĕrz)．無水糖．＝anhydrosugars.

de·hyp·no·tize (dē′hip′nō-tīz)．催眠状態から覚醒する．

de·im·i·nas·es (dē′im′i-nās-ĕz)．デイミナーゼ．＝iminohydrolases.

de·in·sti·tu·tion·al·i·za·tion (dē′in-sti-tū′shŭn-ăl-i-zā′-shŭn)．脱施設化（精神病院の入院患者が退院して，ハーフウェイハウスや地域医療の治療プログラムに参加すること)．

de·i·on·i·za·tion (de-ī′on-ī-zā′shŭn)．脱イオン化（溶存イオン類を除去し無機物質なしの状態にすること)．

Dei·ters (dī′tĕrz), Otto F.K. ドイツ人解剖学者，1834—1863. →D. *cells*, terminal *frames*, *nucleus*; deiterospinal *tract*.

dé·jà vou·lu (dā-zhah′ vū-lū′)．既望感（自分の現在抱いている願望が，以前抱いていたものとまったく同一であると信じてしまう記憶の障害の一型を表す用語)．

dé·jà vu (dā-zhah′ vū′) [Fr. already seen]．以前同じ場所にいたことがあると感じること．→déjà vu *phenomenon*; phenomenon.

de·jec·ta (dē-jek′tă) [L. *de-jectus* の中性・複数形 < *de-jicio*, to cast down]．＝dejection (3).

de·jec·tion (dĕ-jek′shŭn) [L. *dejectio* < *de-jicio*, pp. *-jectus*, to cast down]．***1*** 抑うつ〔症〕．＝depression (4). ***2*** 排便，脱糞，便通．***3*** 糞便，排泄物．＝dejecta.

De·je·rine (dĕ-zhē-rēn′), Joseph J. フランス人神経科医，1849—1917. →D. *disease*, hand *phenomenon*, *reflex*, *sign*; D.-Roussy *syndrome*; D.-Sottas *disease*; Landouzy-D. *dystrophy*.

De·je·rine-Klump·ke (dĕ-zhē-rēn′ klump′kĕ), Augusta. フランス人泌尿器科医(米国で生まれた)，1859—1927. →Klumpke *palsy*, *paralysis*; Dejerine-Klumpke *palsy*, *syndrome*.

deka- (dek′ă). →deca-.

Del·a·field (del′ă-fēld), Francis. 米国人医師・病理学者，1841—1915. →D. *hematoxylin*.

de·lam·i·na·tion (dē′lam-i-nā′shŭn) [L. *de*, from + *lamina*, a thin plate]．離層（層が分離すること)．

Delaney clause (dĕ-lān′ē) [米国の下院議員 James F. Delaney の提案による]．デラニー条項（どんな動物においても癌を発生させることが発見された物質は食物中に混入させてはならないことを明細に記した米国法の Food Additive Amendment の条項)．

de Lang·e (dĕ-lahng′ĕ), Cornelia. オランダ人小児科医，1871—1950. →de L. *syndrome*.

delay (dĕ-lā′). ***1*** 〖v.〗 遅延する（医学において，臨床的理由または生理学的機能障害により，時間的に遅れる)．***2*** 〖n.〗 遅延（*1* の理由で時間的に遅れること，または遅れた時間)．

constitutional growth d. 体質性成長遅延．＝constitutional d. of stature.

constitutional d. of stature 体質性成長遅延（最初の2—3年の成長がゆっくりで，その後ほぼ正常の身長増加を認める．家族歴にも同様の成長パターンがみられ，骨年齢は暦年齢より遅れ，予測身長は家族歴(目標身長)の範囲内である)．＝constitutional growth d.

Del·bet (del-bā′), Pierre L.E. フランス人外科医，1861—1925. →D. *sign*.

del Cas·till·o (del kahs-tē′yō), E.B. 20世紀のアルゼンチン人医師，1897—1969. →del C. *syndrome*.

de-lead (dē-led′)．脱鉛する（キレート薬の投与によって骨および他の組織の蓄積鉛を結集して排泄する)．

del·e·te·ri·ous (del′ĕ-tēr′ē-ŭs) [G. *dēlētērios* < *dēleomai*, to injure]．有害〔性〕の，有毒〔性〕の．

de·le·tion (dĕ-lē′shŭn) [L. *deletio*, destruction]．〔染色体〕欠失（遺伝学においては，正常な遺伝物質の任意の一部分が欠如することで，それが細胞遺伝学上認識できる場合(染色体欠失)も，分子生物学的に発見される場合も含む)．

chromosomal d. 染色体欠失（染色体の一部の欠失が顕微鏡下で確認できるもの．→monosomy)．

gene d. 遺伝子欠失（染色体の分節の欠失があるが，細胞遺伝学上検出できないほどの小さい欠失．1つの特定の遺伝子座の表現型から推測される)．

interstitial d. 間質性欠失（染色体の末端には関与しない欠失)．

nucleotide d. ヌクレオチド欠失（1つのヌクレオチドの欠失で，その遺伝情報が翻訳されるとき，フレームシフト突然変異を起こす)．＝point d. (2).

point d. 点欠失（①顕微鏡では観察できないくらいの小さな遺伝子欠失で，連鎖分析も困難である．②＝nucleotide d.)．

terminal d. 末端欠失（染色体の末端の欠失で凝集性末端を形成する)．

del·i·cate (del′i-kăt) [L. *delicatus*, soft, luxurious < *de*, from + *lacio*, to entice]．繊細な，虚弱な，抵抗力の弱い．

de·lim·i·ta·tion (dĕ-lim′i-tā′shŭn) [L. *de-limito*, pp. *-atus*, to bound < *limes*, boundary]．***1*** 分界，方割．***2*** 限界決定（身体の病的過程や地域内の疾病の拡大を防ぐ)．

del·i·quesce (del-i-kwes′)．潮解する．

del·i·ques·cence (del′i-kwes′ents) [L. *de-liquesco*, to melt or become liquid]．潮解（大気から水分を吸収して，湿気を帯びたり液体になり，その吸収した水で溶解する，ある種の塩の性質についていう．例えば $CaCl_2$ など)．

del·i·ques·cent (del′i-kwes′ent)．潮解の（潮解する固体についていう)．

de·lir·i·a (dĕ-lir′ē-ă)．delirium の複数形．→delirium.

de·lir·i·ous (dĕ-lir′ē-ŭs)．せん妄状態の．

de·lir·i·um, pl. **de·lir·i·a** (dĕ-lir′ē-ŭm, dĕ-lir′ē-ă) [L. < *deliro*, to be crazy < *de-* + *lira*, a furrow(i.e. go out of the furrow)]．せん妄（意識の変容した状態で，意識不鮮明，転導性，失見当，思考と記憶の障害，知覚障害(錯覚や幻覚)，著しい過活動，不穏，自律神経系の活動亢進，などを特徴とし，疾病，投薬，あるいは中毒，および代謝疾患で生じる．次頁の表参照)．

acute d. 急性せん妄（急速に発症するせん妄)．

alcohol withdrawal d. アルコール離脱〔性〕せん妄（アルコール摂取の突然の中止により，習慣性のアルコール摂取者に生じるせん妄)．

anxious d. 不安せん妄（主症状は，滅裂な心配あるいは不安)．

d. cordis 心〔臓〕乱動（atrial *fibrillation* を表す現在では用いられない語)．

D

妄想，幻覚と幻覚の目立った特徴		
基礎原因	付随的な徴候	特徴
せん妄	注意の減弱，意識の混濁と他の典型的徴候．代謝障害，薬物に関連した副作用または他の基礎原因	妄想：十分に組織化されていない，被害
		幻覚：アルコール退薬によって誘発される鮮明な，視覚の，多彩な，脅すような，非難の，聴覚器官幻覚
		錯覚：要約（十分に系統化されない）
認知症	認知障害（特に記憶の欠落）．意識は清明．動揺，不安，徘徊は現実との接触の消失と関係している可能性がある．特に基礎原因が脈管性のとき，神経症状は幻覚を伴う可能性がある	妄想：治療されないか，ゆるく系統化されないか，直ちに変わらないか，忘れられない．テーマは，窃盗，恐れ，場所または人々の人物誤認と結婚の不義を含む可能性がある
		錯覚：幻覚より一般に，起こる．環境要因に部分的に起因している可能性がある
		幻覚：しばしば，聴覚器官であるより多くであるもの視覚的で，環境要因に部分的に起因している可能性がある
うつ病	摂食障害（エネルギー，睡眠障害と体重減少の不足）を含む典型的抑うつ症状	妄想：テーマは死亡，罪の意識，金，疾患，後悔，暗がりの不吉な予感，減弱する自尊心と自己否定気分を含む可能性がある．若干の基礎が実際は存在する可能性がある，しかし，認知はオーム，減弱する自尊心と自己否定気分である．若干の基礎が実際は存在する可能性がある，しかし，認知は誇張される
		幻覚：典型的に聴覚器官および軽蔑的な
妄想性障害	認識欠損または情動障害の欠如．長期の社会的隔離または疑い深い人格．長期間にわたって認識されない可能性がある	妄想：固定，そして，よく組織化された，異なる環境で一時的に鎮静する可能性がある．テーマは通常図面，音，脅威，卑猥なことばまたは性的暴行を含む
		幻覚：存在する場合，これらは妄想のテーマに関連がある

posttraumatic d. 外傷後せん妄（頭部外傷により生じるせん妄）.

toxic d. 中毒性せん妄（毒物の作用により引き起こされたせん妄）.

d. tremens (DTs, DT)［L. *tremo*(to tremble)の現在分詞］. 振せんせん妄（アルコール離脱による重症の，しばしば致命的なせん妄の型で，中毒時期が長引いた後に生じる）.

del·i·tes·cence (del′i-tes′ens)［L. *delitesco*, to lie hidden away］. ***1***〔症状〕突然消失（腫瘍または皮膚病変の消失を表す，まれに用いる語）. ***2*** 潜伏期（伝染病の潜伏期に対してまれに用いる語）.

de·liv·er (dĕ-liv′ĕr)［< O. Fr. < L. *de-* + *liber*, free］. ***1*** 分娩を助ける，分娩させる，助産する. ***2*** 導出する，摘出する（子宮から胎児を，被膜または周囲から腫瘍を，白内障で水晶体を取り出すなど閉鎖されたところから抽出することをいう）.

de·liv·ery (dĕ-liv′ĕr-ē). 分娩，出産，産（生殖管から外界へ胎児と胎盤が出ること）.

assisted cephalic d. 頭位娩出術（頭位分娩で胎児を牽出すること）.

breech d. 骨盤位分娩（胎児が殿位または足位で娩出されること）.

forceps d. 鉗子分娩（胎児の頭部を鉗子で把持して娩出させること）.

high forceps d. 高位鉗子分娩（進入機序が起こる前に，胎児の頭部に鉗子を掛けて出産させること）.

low forceps d. 低位鉗子分娩（児頭がステーション 2 cm を越えて下降し，骨盤底に達するまでに適用される鉗子分娩．鉗子手術のこの分類に属する場合，児頭の鉗子による回旋は必要な場合と不要な場合がある）.

midforceps d. 中位鉗子分娩（児頭がステーション＋2 より高位で行う鉗子分娩）.

outlet forceps d. 出口鉗子分娩（児頭が骨盤床に達し陣痛間欠時にも視診できる状態で鉗子分娩を行うこと）.

perimortem d. 死産. = postmortem d.

postmortem d. 死後分娩（母親の死後，胎児を娩出すること）. = perimortem d.

premature d. 未熟産（妊娠22—37週未満の分娩．注日本では出生後の生存可能限界を 22 週以降と規定している.→premature *birth*）.

spontaneous cephalic d. 頭位自然分娩（頭位胎児の自然娩出）.

vacuum d. 吸引分娩（吸引カップを胎児先進部(通常は頭部)に接着し，努責にあわせて牽引し，経腟分娩の補助を行うこと．カップはプラスチック，ゴム(ソフトカップ)，金属(メタルカップ)よりできている）.

del·le (del′eh)［D. *delle*, low ground, pit］. 凹窩（[本語のドイツ語のつづり Grenz はすべての名詞同様に大文字で始まるが，英語の派生語は小文字の d でつづられる]．淡色の赤血球中央部．血液の染色塗抹標本にみられる）.

del·len (dĕl′en)［D. *delle*(low ground, pit)の複数形］. 凹窩（[本語のドイツ語のつづり Dellen はすべての名詞同様に大文字で始まるが，英語の派生語は小文字の d でつづられる]．角膜縁にある輪郭の明瞭な，浅い，皿状の陥凹(約 1.5×2 mm)．局所的脱水が原因．Fuchs dellen ともよばれる）.

del·o·mor·phous (del′ō-mōr′fŭs)［G. *dēlos*, manifest + *morphē*, form］. 定形の，形態の判然とした（以前，胃腺の壁細胞に用いられた語）.

de·louse (dē-lows′). シラミを駆除する（シラミの寄生をなくすること．特にシラミによる疾病の予防に用いる語）.

del·phi·nine (del′fin-ēn). デルフィニン（*Delphinium staphisagria* から得られる毒性アルカロイド，またはアコニン誘導体．アコニチンに作用および化学構造が類似する）.

Del·phin·i·um a·ja·cis (del-fin′ē-ŭm ă-jā′sis)［G.

delphinion, larkspur]. デルフィニウム（アジャシン，アヤコニン等のアルカロイドを含有するキンポウゲ科植物の一種．熟した種子を乾燥したものはシラミ症における寄生虫撲滅薬として外用に用いる．その毒性のため，現在ではほとんど用いられない）．＝larkspur.

del·ta (Δ) (del′tă). ギリシア語アルファベットの第4字．大文字はΔ，小文字はδ．

d. check デルタチェック（患者の検査記録の中のある検査項目について，急激な変化をみつけるために行われる連続して計測された値の比較．通常，コンピュータによる品質管理の一部として行われる）．＝Δ check.

d. fornicis ＝*commissura* fornicis.

Galton d. (gahl′tŏn). ガルトン三角（①指紋で，程度の差こそあれ明瞭に認められる三角形．末節骨関節近くのまっすぐな隆線が弓状紋，蹄状紋，あるいは渦状紋へと移行していく部位のどちらかの側にみられる．→Galton system of classification of *fingerprints*．②＝triradius）．

d. mesoscapulae 中肩甲骨三角（肩甲骨棘の椎骨端の平らな三角形の面．僧帽筋の下方線維の腱がこの上を滑走する）．

del·toid (del′toyd) [G. *deltoeidēs*, shaped like the letter *delta*]. デルタ形の，三角形の（→deltoid (*muscle*)）．

de·lu·sion (dĕ-lū′zhŭn) [L. *de-ludo*, pp. *-lusus*, to play false, deceive < *ludo*, to play]. 妄想（[hallucination または illusion と混同しないこと]．誤った信念あるいは間違った判断であり，ときには幻覚と関連しており，それが不合理であるという証拠があるにもかかわらず確信されているもの）．

d. of control, d. of being controlled 影響妄想，させられ体験，させられ妄想（患者が自分の感情，衝動，思考，あるいは行為などについて，自分自身のものではなく，何か外部の力によって押し付けられていると体験すること）．＝d. of passivity.

encapsulated d. 被殻化妄想（通常ある特定の主題や信念の範囲にとどまり，人の生活全般や職務のレベルまでには及んでいない妄想）．

expansive d. ＝d. of grandeur.

d. of grandeur 誇大妄想（自分が偉大な富，知性，社会的地位，権力などを所有すると信じ込む妄想）．＝expansive d.; grandiose d.

grandiose d. 誇大妄想．＝d. of grandeur.

d. of negation 否定妄想（世界およびそれに関するすべてのものが存在しなくなったと想像する妄想）．＝nihilistic d.

nihilistic d. 虚無妄想．＝d. of negation.

organic d.'s 器質〔性〕妄想（頭部外傷や Alzheimer 症候群，コカインもしくは他の薬物中毒などの脳器質性変化から生じる認知症を伴うせん妄でみられる誤った確信）．

d. of passivity ＝d. of control.

d. of persecution, persecutory d. 被害妄想（自分がしいたげられているという妄想．妄想統合失調症の特徴的な症状である）．

d. of reference 関係妄想（実際にはそうでないのに，外部のできごとなどが自分に関係しているという間違った考え）．

somatic d. 身体妄想（実際に存在しない病巣や臓器その他の身体部分が変化したと考えてこだわる妄想．ときに心気症と区別できないことがある）．

systematized d. 体系妄想（誤った根拠のうえに論理的につくり上げられた妄想．患者の生活において特異な基準となる）．

unsystematized d. 非体系妄想（明らかに非連続的で関係のない事柄からなる一群の妄想）．

de·lu·sion·al (dē-lū′zhŭn-ăl). 妄想〔性〕の，妄想的な．

de·mand (dē-mand′). 要求量（要求される物質，有用品，サービスの量や数）．

biochemical oxygen d. (**BOD**) 生化学的酸素要求量（溶存酸素が有機物（しばしば微生物）や細胞培養物によって消費される速度）．

de·mar·ca·tion (dē′mar-kā′shŭn) [Fr. < L. *de*, from + Med. L. *marco*, to mark]. 分画，分界．

De·mar·quay (dĕ-mahr-kā′), Jean N. フランス人外科医，1814—1875. →D. *sign*.

de·mas·cu·lin·iz·ing (dē-mas′kyū-lin-īz′ing). 脱男性の，男性（男子）性徴消失の（男性特徴を奪うこと，あるいは男性特徴の発達を抑制することについていう）．

De·mat·i·a·ce·ae (dē-mat′i-ā′sē-ē). デマチウム科（[誤ったつづりまたは発音 Dermatiaceae を避けること]．腐敗野菜，腐朽樹木，森林堆積物などに見出される，土壌生息性のメラニンをつくる褐色ないし黒色の真菌類の一科．*Exophiala*属，*Phialophora*属や *Fonsecaea*属，*Cladosporium*属などの，ヒトにクロモブラストミコーシスを引き起こす暗色の数属を含んでいる）．

de·mat·i·a·ceous (dē-mat′i-ā′shŭs). デマチウム科の（[誤ったつづりまたは発音 dermatiaceous を避けること]．暗色の分生胞子および（または）通常，褐色または黒色の菌糸についての．しばしば黒ずんだ色の菌類をさすのに用いる）．＝phaeoid.

deme (dēm) [G. *dēmos*, people]. デーム（地域的，少数，高度に近親交配を行う血縁集団．*cf.* isolate）．

dem·e·col·cine (dem′ĕ-kol′sēn). デメコルチン（ユリ科イヌサフラン *Colchicum autumnale* から得られるアルカロイド．アセチル基がメチル基により置換されていることを除けば，コルヒチンと化学的に同じものである．痛風および白血病に用いる．コルヒチンより毒性が弱いとされ，有糸分裂に対しコルヒチンと同様の作用をもつ）．

de·ment·ed (dĕ-ment′ĕd). 認知症の．

de·men·ti·a (dĕ-men′shē-ă) [L. < *de-* 欠性辞 + *mens*, mind]. 認知症，痴呆（通常は進行性の，認知・知的機能の喪失で，知覚や意識の障害を伴わない．様々な（構造的，変性的）疾患によって引き起こされるが，脳の構造病変によることが最も多い．見当識障害，記憶力・判断力・知的能力の障害および浅薄で変化しやすい感情が特徴的である）．＝amentia (2).

AIDS d. エイズ認知症．＝AIDS dementia *complex*.

Alzheimer d. (awltz′hī-mĕr). アルツハイマー認知症．＝Alzheimer *disease*.

boxer's d. ボクサー認知症（ボクシングを数年以上続けて蓄積した損傷による認知症で，思考遅滞，記憶喪失，構音障害，他の運動障害を呈する）．＝d. pugilistica.

catatonic d. 緊張病性認知症．

dialysis d. ＝dialysis encephalopathy *syndrome*.

epileptic d. てんかん性認知症（てんかん患者に生じる認知症で，長期間のてんかん発作，てんかん源性脳病巣，抗てんかん薬などによるとみられる）．

hebephrenic d. 破瓜病性認知症．

Lewy body d. (lā′vē). レヴィー小体認知症．＝diffuse Lewy body *disease*.

multi-infarct d. 多発脳梗塞性認知症．＝vascular d.

paralytic d. 麻痺〔性〕認知症（梅毒性の慢性髄膜脳炎により生じる認知症と運動麻痺）．＝d. paralytica.

d. paralytica 麻痺性認知症．＝paralytic d.

posttraumatic d. 外傷後認知症（頭部外傷により生じる認知症）．

d. praecox [L. precocious]. 早発〔性〕認知症（統合失調症として知られている一群の精神障害の1つ．以前は単一の疾患単位として統合失調症そのものを意味した）．

presenile d., d. presenilis 初老期認知症（①65歳以前に発病する Alzheimer 病．②＝Alzheimer *disease*）．

primary d. 一次性認知症（精神障害として独立して出現するもの）．

primary senile d. 一次性老年（老人）認知症，原発性老年（老人）認知症．＝Alzheimer *disease*.

d. pugilistica (dē-men′shē-ă). ボクサー認知症．＝boxer's d.

secondary d. 二次性認知症（精神病あるいはそれ以外の何らかの基底にある疾患過程に続いて，またそれによって発症する慢性認知症）．

senile d. 老年（老人）認知症（65歳以後に発病する Alzheimer 病）．

toxic d. 中毒性認知症（外部要因により生じる認知症）．

vascular d. 血管性認知症（大脳半球の多発性脳梗塞の結果，神経学的局在徴候を伴って知的機能の段階的な低下をきたす）．＝multi-infarct d.

de·meth·yl·ase (dē-meth′i-lās). デメチラーゼ，メチル基分解酵素．＝methyltransferase.

de·meth·yl·a·tion (dē-meth′i-lā′shŭn). 脱メチル化反応

D

(酵素的メチル基脱離反応).

demi- (dem′ē) [Fr. < L. *dimidius*, half]. 半分，あるいはそれ以下を意味する接頭語. →hemi-; semi-.

dem·i·lune (dem′ē-lūn) [Fr. half-moon]. 半月〔体〕. ＝demilune *body.*

Giannuzzi d.'s (jah-nūt′zē). ジャンヌッチ半月〔体〕. ＝serous d.'s.

Heidenhain d.'s (hī′děn-han). ハイデンハイン半月〔体〕. ＝serous d.'s.

serous d.'s 漿液性半月〔体〕(唾液腺において，粘液を分泌する管状胞状終末部に混在する漿液細胞群). ＝Giannuzzi crescents; Giannuzzi d.'s; Heidenhain crescents; Heidenhain d.'s.

de·min·er·al·i·za·tion (dē-min′ěr-ăl-ī-zā′shŭn). 鉱物質除去，無機質脱落 (身体または個々の組織，特に骨の無機成分の消失または減少).

dem·i·pen·ni·form (dem′ē-pen′i-fōrm). 半翼状の. ＝semipennate.

Dem·o·dex (dem′ō-deks) [G. *dēmos*, tallow + *dēx*, a woodworm]. ニキビダニ属 (小型(0.1—0.4 mm)の毛包虫の一属(ニキビダニ科)で，通常，ヒトを含む哺乳類の皮膚に侵入し，皮脂腺や毛包に見出される. ヒトにおける眼瞼炎のうちのいくつかの症例はニキビダニ感染によるものである. 化粧クリームは高齢の婦人にニキビダニ感染を助長し，毛包の痂皮を伴った顔面の紅斑を引き起こす).

D. canis 毛包に生息するダニの一種. 皮膚の正常動物相の一部として少数存在する. ダニの数が免疫系の許容量を超えたときにイヌにも毛包虫症を引き起こす. 遺伝的素因が病変の程度に影響するともいわれ，局所性の寄生から全身性の寄生に拡がる症例もある. 鱗屑，そう痒，紅斑を伴う皮膚病変が散在し，口や眼の周囲が好発部位である. 病変が眼周囲に発生した場合には，部分的あるいは完全な脱毛によって，眼鏡をかけたような顔貌になることがある. 体長の短い型(122 μm)の *D. canis* が同定されている.

D. cati 毛包に生息するダニ. ネコにおいて耳垢の増加を伴う外耳炎や散在性で鱗屑，紅斑を伴うそう痒性皮膚病変の原因となる.

D. folliculorum ニキビダニ，毛包虫，毛嚢虫 (一般的で全世界に分布している種で，通常は非病原性のダニである. ヒトの，普通は鼻や頭皮の周囲の毛包や皮脂腺に生息する). ＝*Acarus folliculorum.*

D. gatoi ダニ目，ニキビダニ科のダニの一種であり，ネコに認められる. 毛包内よりも表皮の毛包表面に生息する.

de·mog·ra·phy (dě-mog′ră-fē) [G. *demos*, people + *graphō*, to write]. 人口統計学 (人の集団の，大きさ，密度，妊孕力，死亡率，成長率，年齢分布，移住，生命表などに関する研究).

dynamic d. 動態人口統計学 (統計記録を含めて，社会の機能を研究する学問).

De·moiv·re (dě-mwah′vrě), Abraham. イングランド人数学者，1667—1754. →D. *formula.*

de·mo·ni·ac (dě-mō′nē-ak) [G. *daimōn*, a spirit]. 悪魔的な，悪魔のような，悪霊にとりつかれているような ([本語のもつ否定的または軽蔑的な響きは，文脈によっては不快な表現になるかもしれない]).

dem·on·stra·tor (dem′on-strā′tŏr, -tōr) [L. *de-monstro*, pp. *-atus*, to point out]. 示説教員 (解剖学，外科学，あるいは他の学問分野の教授の助手. 解剖を行ったり，患者を集めたりして講義の用意をし，正規の講義の補助として小さなクラスを指導する. おおむねドイツの大学の Dozent にあたる).

De Mor·gan (dě-mōr′găn), Campbell. イングランド人医師，1811—1876. →De M. *spots.*

de·mor·phin·i·za·tion (dē-mōr′fin-i-zā′shŭn). ***1*** 脱モルヒネ〔法〕(アヘンからモルヒネを除くこと). ***2*** モルヒネ漸減療法 (モルヒネ依存を克服する方法の1つで，患者に与えるモルヒネの量を徐々に減らしていく).

de Mor·si·er (dě′mōr-sē-ā′), Georges. 20 世紀のスイス人神経科医. →de M. *syndrome.*

de·mu·co·sa·tion (dē′myū-kō-sā′shŭn). 粘膜切除〔術〕(ある部分の粘膜を切り取る，またははぎ取ることを表す，まれに用いる語).

de·mul·cent (dě-mŭl′sent) [L. *de-mulceo*, pp. *-mulctus*, to stroke lightly, to soften]. ***1*** 〘adj.〙和らげる，刺激を軽減する. ***2*** 〘n.〙粘滑薬 (粘質物や油のような薬剤で，特に粘膜表面の刺激を和らげ軽減する).

de Mus·set (dě-mū-sā′), Alfred. →Musset.

de·my·e·li·na·tion, de·my·e·lin·i·za·tion (dē-mī′e-lin-ā′shŭn, dē-mī′ě-lin-i-za′shŭn). 脱髄，髄鞘脱落 (軸索または線維路は保たれていて髄鞘が喪失すること. 中枢性脱髄は中枢神経系(例えば多発性硬化症にみられる脱髄)に起こり，末梢性脱髄は末梢神経系(例えば Guillain-Barré 症候群にみられる脱髄)に起こる).

de·nar·co·tize (dē-nar′kō-tīz). 麻薬性を除去する (麻薬的特性を(特にアヘンから)除去する).

de·na·tur·a·tion (dē-na′tyū-rā′shŭn). 変性 (変性していく過程).

de·na·tured (dē-nā′tyūrd). 変性した (①その特徴のいくつかにおいて，異常になったり，正常から変化したことについていう. しばしば蛋白や核酸を加熱または他の方法で処理して，その三次構造の特徴が変化した状況に対して用いる. ②エタノールにメタノールを添加して不純にする).

den·dri·form (den′dri-fōrm) [G. *dendron*, tree + L. *forma*, form]. 樹状の，枝状の. ＝arborescent; dendritic (1); dendroid.

den·drite (den′drīt) [G. *dendritēs*, relating to a tree]. ***1*** 樹状突起 (神経細胞が分枝した2種の原形質突起の1つ(他方は軸索突起)). ＝dendritic process; dendron; neurodendrite; neurodendron. ***2*** 樹枝状結晶 (合金を凍らすときにできる樹枝構造をした結晶).

apical d. ＝apical *process.*

den·drit·ic (den-drit′ik). ***1*** ＝dendriform. ***2*** 樹状突起の.

den·dro·gram (den′drō-gram) [*dendron*, tree + *gramma*, a drawing]. デンドログラム，樹状図 (階層を図式化するのに用いる樹状の表象).

den·droid (den′droyd) [G. *dendron*, tree + *eidos*, appearance]. ＝dendriform.

den·dron (den′dron) [G. a tree]. ＝dendrite (1).

de·ner·vate (dē-něr′vāt). 脱神経させる.

de·ner·va·tion (dē-něr-vā′shŭn). 脱神経 (神経支配の喪失).

den·gue (den′gā) [Sp. "dandy" fever の訛語]. デング熱 (多くの熱帯・亜熱帯の流行病で，フラビウイルス科の一種であるデング熱ウイルスによって引き起こされる. 4つの抗原型があり，ヤブカ属 *Aedes* のカ(通常，ネッタイシマカ *A. aegypti* であるが，ヒトスジシマカ *A. albopictus* の場合もある)によって媒介される. 重症度は4段階が認められる. I 度では発熱と全身症状，II 度では I 度の症状と同時に突発性出血(皮膚，歯肉，あるいは胃腸)，III 度では II 度の症状に加えて，興奮および循環不全，IV 度は重篤なショックである). ＝Aden fever; bouquet fever; breakbone fever; dandy fever; date fever; dengue fever; dengue hemorrhagic fever; exanthesis arthrosia; polka fever; scarlatina rheumatica; solar fever (1).

hemorrhagic d. 出血性デング熱 (デング熱の重症流行型で，出血性の皮膚病変を特徴とする).

de·ni·al (dě-nī′ăl) [M.E. < O.Fr. < L. *denegare*, to say no]. 否認 (重大な葛藤や，都合の悪い衝動や出来事，行動，病気の存在を否認することによって不安を和らげようとする無意識の防衛機制). ＝negation.

den·i·da·tion (den′i-dā′shŭn) [L. *de*, from + *nidus*, nest]. 着床剝離 (月経時に子宮粘膜表層を剝離すること).

de·ni·tra·tion (dē′nī-trā′shŭn). ＝denitrification.

de·ni·tri·fi·ca·tion (dē-nī′tri-fi-kā′shŭn). 脱窒素，脱窒 (①物質または化合物から窒素を除去することで，特に酸素供給が不十分なときに，脱窒素細菌によって土壌から窒素を除去し，その結果，窒素が植物の生長に利用されないようにする. ②植物の生長により土壌から窒素が回収されることをいう). ＝denitration.

de·ni·tri·fy (dē-nī′tri-fī). 脱窒素する (物質あるいは化合物から窒素を除く).

de·ni·tro·gen·a·tion (dē-nī-trō′jě-nā′shŭn). 脱窒素〔法〕(窒素を含まない気体を呼吸することにより，肺および体組織から窒素を除くこと).

Den·nie (den′ē), Charles Clayton. 米国人皮膚科医，1883—1971. →D.-Morgan *fold*; D. *line*.

de·nom·in·a·tor (dĕ-nŏm′i-nā′tŏr). 分母（率や比の計算に用いられる分数の下の部分．率や比の計算における暴露人口 population at risk）.

De·non·vil·li·ers (dĕ-non[h]-vē-yā′), Charles P. ［誤った形 Denonvillier および Denonvillier's を避けること］. フランス人外科医，1808—1872. →D. *aponeurosis, ligament*.

de no·vo (di nō′vō) [L.]. デノボ（新規の．代謝物が新規に生合成される特別の生合成経路をいう（例えばデノボプリン生合成））.

dens, pl. **den·tes** (denz, den′tēz) [L.] [TA]. ***1*** 歯. = tooth. ***2*** 歯突起（軸椎（第二頸椎）の椎体から上方へ突き出ている歯状の突起で，この突起を軸として環軸が回旋する）. = d. axis [TA]; odontoid process of epistropheus; odontoid process.

dentes acustici [TA]. 聴歯. = acoustic *teeth*.

d. angularis = canine *tooth*.

d. axis [TA]. = dens (2).

d. bicuspidus, pl. **dentes bicuspidi** = premolar *tooth*.

d. caninus, pl. **dentes canini** [TA]. 犬歯. = canine *tooth*.

d. cuspidatus, pl. **dentes cuspidati** = canine *tooth*.

d. deciduus, pl. **dentes decidui** [TA]. 乳歯. = deciduous *tooth*.

d. in dente 歯内歯，内反歯（歯牙形成期における歯の発育障害で，歯髄腔となるべき部位に歯冠が発育するのに伴い，上皮が重積して起こる．石灰化した後，エナメル質，ぞうげ質が歯髄腔へ陥入し，X線写真上では歯の内部に歯があるような像を呈する）. = d. invaginatus.

d. evaginatus まれな歯の形態異常の一種．咬合面から突出した過剰咬頭あるいは結節．ぞうげ質および歯髄を有する. = accessory tubercle (2); occlusal pearl; tuberculated cusp.

d. incisivus, pl. **dentes incisivi** [TA]. = incisor *tooth*.

d. invaginatus [Mediev. L. folded inward < L. *vagina*, sheath]. 重積歯. = d. in dente.

d. lacteus = deciduous *tooth*.

d. molaris, pl. **dentes molares** [TA]. 大臼歯（→molar）. = molar *tooth*.

d. molaris tertius [TA]. = third molar *tooth*.

d. permanens, pl. **dentes permanentes** [TA]. 永久歯. = permanent *tooth*.

d. premolaris, pl. **dentes premolares** [TA]. 小臼歯. = premolar *tooth*.

d. sapientiae [L. *sapientia*, wisdom]. 智歯. = third molar *tooth*.

d. serotinus* 智歯（third molar *tooth* の公式の別名）.

d. succedaneus = permanent *tooth*.

den·sim·e·ter (den-sim′ĕ-tĕr) [L. *densitas*, density + G. *metron*, measure]. 密度計，比重計. = densitometer (1).

den·si·tom·e·ter (den′si-tom′ĕ-tĕr) [L. *densitas*, density + G. *metron*, measure]. ***1*** 密度計（液体の密度を測るための機器）. = densimeter. ***2*** 濃度計（相対的混濁度によって，肉汁中の細菌の繁殖を測定するための器械．栄養素や抗生物質の生物検定，ファージの研究に有用である）. ***3*** 濃度計（電気泳動やクロマトグラフィによって分離した成分（例えば蛋白分画）の濃度を測るための器械．光の吸収と反射を利用している）. ***4*** フイルム濃度計，デンシトメータ（露光されたX線フイルムの黒化度を測定する電子機器．フイルムの感度測定，骨密度測定，線分散関数の測定に用いられる（微小領域フイルム濃度計））. ***5*** 光濃度計（材料が光をどの程度吸収したり，反射したりするかを測定する計器）.

den·si·tom·e·try (den′si-tom′ĕ-trē). デンシトメトリー（濃度計を使って濃度を測定すること）.

dual-photon bone d. 二重光子骨密度測定法（2種類の異なるエネルギーを有する光子の吸収から骨密度を計算し評価する方法．二重エネルギーX線吸収測定法にとって代わられ，用いられなくなってきている）.

single-photon bone d. 単一光子骨密度測定法（放射性核種線源から得られる単一エネルギーの光子を用いて骨密度を測定する方法．この方法は二重光子骨密度測定法および二重エネルギーX線吸収測定法に取って代わられ，あまり使用されなくなっている）.

den·si·ty (ρ) (den′si-tē) [L. *densitas* < *densus*, thick]. ***1*** 密度（物質の稠密度．または容積に対する質量の比．通常 g/cm^3（国際単位系（SI）では kg/m^3）で表される）. ***2*** 〔電荷〕密度（一定の時間内または一定の平面上における単位容積当たりの電気量）. ***3*** 濃度（放射線物理学においては，照射されたX線写真あるいは通常の感光フイルムの光に対する透過性を意味し，フイルムの黒化度が強いほど，濃度は高いことになる）. ***4*** 濃度（放射線の臨床においては，フイルム上の，より照射されていない部分を意味し，物質のX線不透過性がより強い部分，つまり光がフイルムをより多く透過すると，物質の濃度が高いということになる．このことは，実際には ***3*** の density の定義の反対のようにも思われるが，***3*** ではフイルムの濃度を意味し，***4*** では物質の濃度を意味しており矛盾しない）.

bone d. 骨密度（骨の中のミネラル量を測定した値で，骨の構造学的強度の指標として，および骨粗しょう症の検査に用いられる）.

bone mineral d. (**BMD**) 骨〔塩量〕密度（骨内のカルシウム量を測定したもの．BMD 測定法（骨密度計測法 bone densitometry ともよばれる）のほとんどは迅速かつ非侵襲的，無痛で，外来で行うことができる．この方法は患者の骨折危険性を予測するのにも用いられる．BMD 測定は脊柱，手関節，上腕，下腿の骨を二重エネルギーX線（DEXA）や CT を用いて測定する．これらの方法は，骨の密度数値（画像から計算する）と骨密度の経験的（症例からの）データベースとを比較することにより患者が骨粗しょう症であるか，そしてその程度を決定する）.

buoyant d. 浮遊密度（物質をある標準液に浮遊させられる密度）.

count d. 計数密度. = photon d.

flux d. 束密度（① = flux (5). ②粒子フルエンス率を表す粒子束密度，または強度についてのエネルギーフルエンス率を表すエネルギー束密度をさす．*cf.* fluence）.

incidence d. 罹患密度（人年法で計算された罹患率）.

linear d. 線密度（単位長さ当たりの物質の質量）.

optic d. (**OD**) 光学密度. = absorbance.

photon d. 光子密度（シンチグラフィで記録された画像の，単位平方センチまたは単位平方インチ当たりにカウントされた事象の数）. = count d.

PSA d. 前立腺特異抗原密度（前立腺単位容積当たりの前立腺特異抗原の量）.

spin d. スピン密度（単位体積当たりの核双極子数）.

vapor d. 蒸気密度（蒸気の単位体積当たりの質量のことであるが，蒸気密度は温度や圧力によって変化するため，普通，比重，つまり蒸気の重量を，それと同じ体積をもつ基準気体（酸素あるいは水素）の重量で除した値を用いる）.

dent-, denti-, dento- (dent, den′ti, den′tō) [L. *dens*, tooth]. 歯，歯科，歯音に関する連結形（→odonto-）.

den·tal (den′tăl) [L. *dens*, tooth]. 歯〔性〕の，歯科の，歯〔裏〕音の.

den·tal en·gine (den′tăl en′jin). 歯科用エンジン（歯科用ハンドピースにおいて，器具を回転させる動力）.

den·tal·gi·a (den-tal′jē-ă) [L. *dens*, tooth + G. *algos*, pain]. 歯痛. = toothache.

den·tate (den′tāt) [L. *dentatus*, toothed]. 歯状の，鋸歯状の.

den·ta·tec·to·my (den′tă-tek′tŏ-mē) [dentate(nucleus) + G. *ectomē*, excision]. 歯状核切除〔術〕（小脳の歯状核の外科的破壊）.

den·ta·tum (den-tā′tŭm, den-tah′tŭm) [L. *dentatus*(toothed)の中性形]. 小脳歯状核. = dentate *nucleus* of cerebellum.

den·tes (den′tēz) [L.]. dens の複数形.

denti- (den′ti). →dent-.

den·ti·a (den′shē-ă) [dent- + *-ia*, condition, process]. 歯の成長，萌出の過程．また，歯との関係を示す語としても用いられる.

d. praecox [L. premature]. 早期生歯（平均より著しく早く歯が萌出すること）.

d. tarda [L. delayed]. 萌出遅延（歯の萌出遅延）.

den·ti·cle (den′ti-kĕl) [L. *denticulus*, a small tooth]. ***1*** ぞうげ〔質〕粒，歯髄結石. = endolith. ***2*** 小歯状突起（硬い面から出ている歯状の突起）.

D

den·tic·u·late, den·tic·u·lat·ed (den-tik′yū-lāt, -lāt-ed). *1* 小歯状の，鋸歯状の．*2* 小歯のある．

den·ti·form (den′ti-fōrm) [denti- + L. *forma*, form]. 歯状の (→odontoid (1)).

den·ti·frice (den′ti-fris) [L. *dentifricium* < *dens*, tooth + *frico*, pp. *frictus*, to rub]. 歯みがき剤（粉歯みがき，練歯みがき，洗口剤といった歯の清掃時に用いるもの）.

den·tig·er·ous (den-tij′ĕr-ŭs) [denti- + L. *gero*, to bear]. 含歯性の（歯をもつ，または含む．歯嚢胞のように歯から発生する，または歯と関連のあるものについていう）.

den·ti·la·bi·al (den′ti-lā′bē-ăl) [denti- + L. *labium*, lip]. 歯唇の（歯と唇に関する）.

den·ti·lin·gual (den′ti-ling′gwăl) [denti- + L. *lingua*, tongue]. 歯舌の（歯と舌に関する）.

den·tin (den′tin) [L. *dens*, tooth]. そうげ質([dentine と混同しないこと]．歯を形成する硬組織．そのうち約 20 %は，少量のエラスチンおよびムコ多糖類を含み，タイプⅠコラーゲンが大部分を占める有機物質である．無機質部分(70 %)は主に水酸化リン灰石(ヒドロキシアパタイト)で，少量の炭酸塩，マグネシウム，フッ化物を含む．そうげ質においては，象牙細管とよばれる多数の微細なトンネル状構造が歯髄腔から外側へ走行しており，それらの細管内にはそうげ芽細胞からの突起が認められる). ＝dentinum [TA]; ebur dentis; substantia eburnea.

hereditary opalescent d. 遺伝性乳白色そうげ質（①＝*dentinogenesis* imperfecta. ②＝opalescent d.).

hypersensitive d. そうげ質知覚過敏〔症〕（歯頸部の露出したそうげ質のことで，触れたり，甘いもの，あるいは温度変化に対して痛む).

interglobular d. 球間そうげ質．＝interglobular *space*.

irregular d., irritation d. 不規則そうげ質．＝tertiary d.

opalescent d. オパール様(乳白色)そうげ質（通常，そうげ質形成不全症に付随するそうげ質異常．歯は，オパール様色調，あるいは透過性の亢進といった異常を呈する). ＝hereditary opalescent d. (2).

peritubular d. 管周そうげ質（そうげ芽細胞突起に接してみられる電子密度の高いそうげ質層).

primary d. 原生そうげ質（歯根が完成する前に正常な歯の発生過程で形成されるそうげ質).

reparative d. 修復そうげ質．＝tertiary d.

sclerotic d. 硬化そうげ質（傷害または加齢に伴って生じるそうげ質で，そうげ細管の石灰化を特徴とする). ＝transparent d.

secondary d. 第二そうげ質（根尖の形成の完了後，正常な歯髄の機能によって形成されるそうげ質).

tertiary d. 第三そうげ質（刺激に反応して形成されるそうげ質で，形態学的に不規則である). ＝irregular d.; irritation d.; reparative d.

transparent d. 透明そうげ質．＝sclerotic d.

vascular d. 脈管そうげ質，血管そうげ質．＝vasodentin.

den·ti·nal (den′ti-năl). そうげ質の.

den·ti·nal·gi·a (den′ti-nal′jē-ă) [dentin + G. *algos*, pain]. そうげ質痛（そうげ質の知覚過敏または疼痛).

den·tin·o·ce·ment·al (den′ti-nō-se-men′tăl). そうげ質セメント質の（歯のそうげ質とセメント質に関する). ＝cementodentinal.

den·tin·o·e·nam·el (den′ti-nō-ē-nam′ĕl). そうげ質エナメル質の（歯のそうげ質とエナメル質に関する). ＝amelodentinal.

den·tin·o·gen·e·sis (den′ti-nō-jen′ĕ-sis) [dentin + G. *genesis*, production]. そうげ質形成（歯の発育におけるそうげ質形成の過程).

d. imperfecta [MIM*125490, *125500]. そうげ質形成不全〔症〕（常染色体優性遺伝の歯の形成異常で，臨床的には透明度の高い灰色から黄褐色の色調を呈し，乳歯，永久歯がいずれも侵される．エナメル質破折を起こしやすく，露出したそうげ質をそのまま放置すると，急速に咬耗が進む．X線的には，歯髄腔および根管の閉塞像を呈し，歯根は短く丸みを帯びている．しばしば骨形成不全症と関連する). ＝hereditary opalescent dentin (1).

den·ti·noid (den′ti-noyd) [dentin + G. *eidos*, resembling]. *1*〖adj.〗そうげ質様の，類そうげ質の．*2*〖n.〗＝dentinoma.

den·ti·no·ma (den′ti-nō-mă) [dentin + G. *-oma*, tumor]. そうげ〔質〕腫（まれな良性の歯原性腫瘍で，組織学的には，線維性間質内に形成異常のそうげ質と上皮索が認められる). ＝dentinoid (2).

den·ti·num (den-ti′nŭm) [L. *dens*, tooth] [TA]. そうげ質（[誤った発音 den′tinum を避けること]). ＝dentin.

den·tip·a·rous (den-tip′ă-rŭs) [denti- + L. *pario*, to bear]. 歯牙形成の.

den·tist (den′tist). 歯科医（法的に歯科医療を行う資格をもつ者).

den·tis·try (den′tis-trē). 歯〔科〕学（口腔－顔面複合体の構造と機能に関する，また，その奇形，疾患，外傷の予防，診断，治療に関する治療の科学および技術). ＝odontology; odontonosology.

adhesive d. 接着歯学（接着レジンを使用して，歯の欠損部を修復する，あるいは歯科修復物を固定すること).

community d. 社会歯学（学術的基盤に基づき，公衆に対する予防，教育，治療の普及を促進するための専門的な義務を重視する歯科公衆衛生).

esthetic d. 審美歯科学（特に歯列の外観について形態と色彩の面から研究する歯科学の一分野).

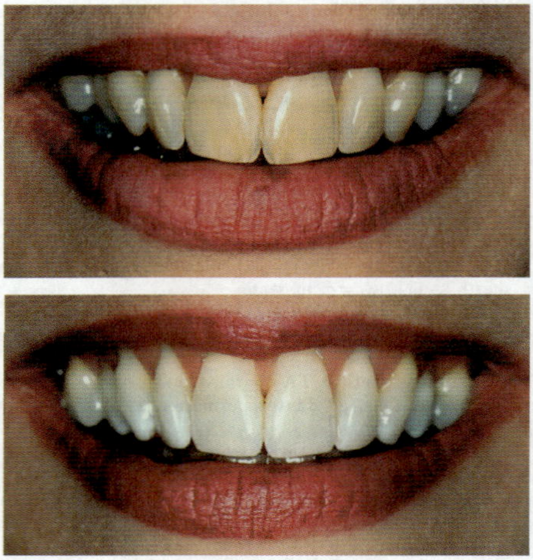

esthetic dentistry (vital bleaching)
美容目的による．上：漂白前．下：漂白後.

forensic d. ＝dental jurisprudence; forensic odontology; legal d. *1* 歯科法医学，法歯学（歯学に関連する諸事実を法律上の問題に適用すること．例えば，歯によって死体の身元確認をするなど). *2* 歯科医療に関する法律.

legal d. ＝forensic d.

operative d. 保存修復学（金属，非金属による歯の修復). ＝restorative d.

pediatric d. ＝pedodontics.

preventive d. 予防歯〔科〕学（う食の発生，進行，再発の予防を目的とした，歯科的な実践法および実践哲学).

prosthetic d. 〔歯科〕補てつ学．＝prosthodontics.

public health d. 歯科公衆衛生（地域社会の教育を通じて，歯科疾患の予防と抑制および口腔保健の促進を行う歯学の専門分野).

restorative d. ＝operative d.

den·ti·tion (den-tish′ŭn) [L. *dentitio*, to teething]. 歯列，生歯（歯列弓(乳歯列，永久歯列，混合歯列)内にある天然歯の総称).

artificial d. 義歯．＝denture (1).

deciduous d. 乳歯．＝deciduous *tooth*.

delayed d. 晩期生歯，萌出遅延（歯の萌出が遅延すること).

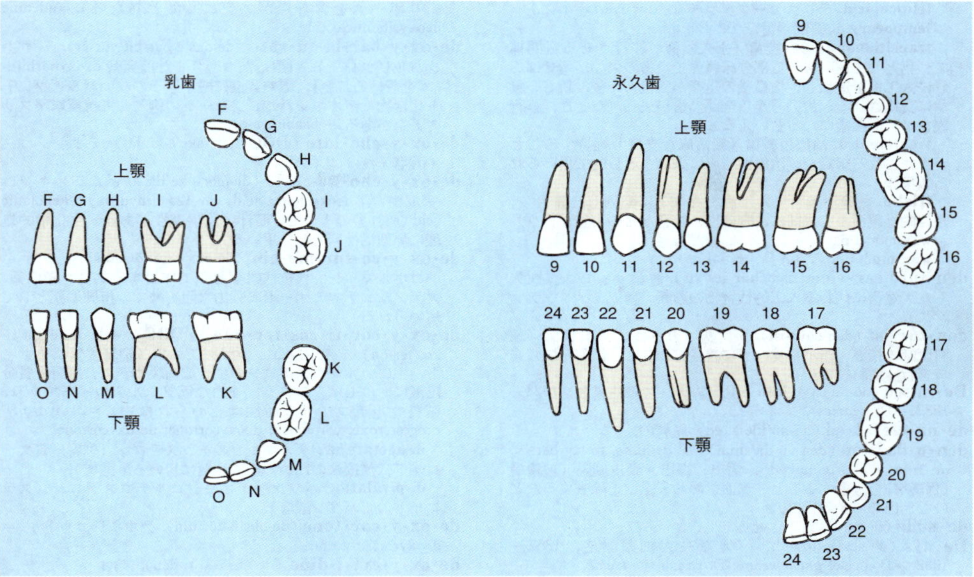

deciduous dentition(左半分)/ **permanent dentition**(右半分)

[左] (アルファベットコードは乳歯の万国共通システム) F, O：中切歯, G, N：側切歯, H, M：犬歯, J, K：第一大臼歯.
[右] (数字コードは永久歯の万国共通システム) 9, 24：中切歯, 10, 23：側切歯, 11, 22：犬歯, 12, 21：第一双頭歯, 13, 20：第二双頭歯, 14, 19：第一大臼歯, 15, 18：第二大臼歯, 16, 17：第三大臼歯.

first d. 第一生歯. ＝deciduous *tooth.*
mandibular d. ＝mandibular dental *arcade.*
maxillary d. ＝maxillary dental *arcade.*
natural d. 生歯 (→dentition).
primary d. 第一生歯. ＝deciduous *tooth.*
retarded d. 萌出遅延, 晩期生歯 (石灰化, 伸長, 萌出などのような歯の成育現象が, 何らかの全身的代謝機能不全(例えば甲状腺機能低下)のため, 正常の場合の萌出時期より遅く現れること).
secondary d. 第二生歯. ＝permanent *tooth.*
succedaneous d. ＝permanent *tooth.*

dento- (den′to). →dent-.

den·to·al·ve·o·lar (den′tō-al-vē′ō-lăr). 歯槽の (通常, 歯の周りの歯槽骨の部分, また歯と歯槽骨からなる機能上の区域についてもいう).

den·tode (den′tōd). デントード (そしゃく器官の運動機能を記録することによって, 口腔内の歯の位置関係を精確に再現した模型).

den·toid (den′toyd) [dent- ＋ G. *eidos*, resemblance]. 歯状の, 歯様の (→dentiform). ＝odontoid (1).

den·to·le·gal (den′tō-lē′găl). 歯科法医学の, 歯科法制の (歯科医学とその法律に関する. →forensic *dentistry*).

den·to·li·va (den′tō-lī′vă) [L. *dens*, tooth ＋ *oliva*, olive]. オリーブ〔核〕(oliva に対してまれに用いる語).

den·tu·lous (den′tyū-lŭs). 有歯の, 天然歯をもつ.

den·ture (dent′chūr). ***1*** 義歯 (欠損した天然歯とその隣接組織の代わりに入れる人工的代替物). ＝artificial dentition. ***2*** ときに動物の生歯をさすこともある.
bar joint d. バージョイントデンチャー. ＝overlay d.
complete d. 総義歯, 全部床義歯 (欠損した天然歯とそれに付随する上下顎の構造の代わりに用いられる義歯). ＝full d.
design d. 義歯設計 (すべての要素を診査した上で, 義歯の形態や適用範囲を設計すること).
fixed partial d. 固定性橋義歯 (患者あるいは歯科医によって容易にはずすことのできない1歯または数歯欠損の修復物. 装置に主な維持を与える天然歯や根に永久的に装着される). ＝bridge (3); fixed bridge.
full d. ＝complete d.
immediate d. 即時義歯 (天然歯の抜去後, 直ちに装着されるためにつくられた総義歯または部分床義歯). ＝immediate insertion d.
immediate insertion d. ＝immediate d.
implant d. 嵌植義歯, インプラントデンチャー (義歯床の軟組織の下に, 部分的または全体的に植えられた支台装置によって安定, 維持される義歯. →implant denture *substructure*; implant denture *superstructure*; subperiosteal *implant*).
interim d. 暫間義歯, 仮義歯 (より確かな補てつ治療ができるまで短期間使用される有床義歯. 審美性, そしゃく, 咬合支持, 便宜上などの理由で, あるいは患者が喪失した天然歯の代わりに入れる人工的代替物に慣れるのに使用される). ＝provisional d.; temporary d.
overlay d. オーバー〔レイ〕デンチャー (総義歯が適合するように変えられた軟組織と天然歯によって支持される総義歯. その変えられた天然歯は長短のコーピング, 固定装置あるいはコネクティングバーによって固定される). ＝bar joint d.; hybrid prosthesis; overdenture; telescopic d.
partial d. 部分〔床〕義歯, 局部〔床〕義歯 (全部ではないが1本以上の天然歯および(または)関連部分を修復する有床義歯. 歯, 粘膜によって支持される. 可撤性と固定性がある). ＝bridgework.
partial d., distal extension 遠心端部分〔床〕義歯, 遠心端局部〔床〕義歯 (可撤性部分床義歯の一種. 義歯床の一端にある天然歯に維持されて機能する. 負荷部分は残存顎堤によって支えられる).
provisional d. ＝interim d.
removable partial d. 可撤性部分床義歯 (部分的に歯のない顎に歯とその周囲組織を補う局部義歯で, 口からの取りはずしが可能である). ＝removable bridge.

telescopic d. テレスコープデンチャー．＝overlay d.

temporary d. 暫間義歯．＝interim d.

transitional d. 移行義歯（永久義歯へ移行させる暫間補てつ物として用いられる部分床義歯で，歯の欠如が増せばこれに人工歯を追加し，抜歯後の組織が回復した後，新しい義歯に交換される．歯列弓から全部の歯が失われたとき，移行義歯は暫間義歯になるといえる）．

treatment d. 治療用義歯（義歯床を支持し維持することが求められる組織を，治療あるいは調節する目的で用いられる義歯）．

trial d. 試適用義歯（人工歯をろう上に配列した義歯で，最終的な義歯の完成前に，審美性，咬合などの審査を行う）．＝wax model d.

wax model d. ろう義歯．＝trial d.

den·ture ser·vice (den′chūr ser′vis). 義歯サービス（喪失した天然歯に代わる人工的代替物の診断，構成，メインテナンス）．

den·tur·ist (den′chūr-ist). デンチュリスト，入れ歯師（歯科医師の指導・指示を受けずに義歯を作製し，調整・装着までを行う歯科技工士）．

De·nu·cé (dě-nū-sā′), Jean L.P. フランス人外科医，1824—1889. →D. *ligament*.

de·nu·cle·at·ed (dē-nū′klē-āt′ĕd). 脱核の．

den·u·da·tion (den′yū-dā′shŭn) [L. *de-nudo*, to lay bare < *de*, from + *nudus*, naked]. 露出，裸出，表皮剝脱（被覆層(保護層)を除去すること．表面をおおう上皮を除去するなどのむき出しにする行為）．

de·nude (dē′nūd). 露出させる．

De·nys (de-nēs′), Joseph. ベルギー人細菌学者，1857—1932. →D.-Leclef *phenomenon*; D.-Drash *syndrome*.

de·o·dor·ant (dē-ō′dĕr-ant) [L. *de-* 欠性辞 + *odoro*, pp. *-atus*, to give an odor to < *odor*, a smell]. ***1***〘adj.〙脱臭の，消臭の（特に不快な臭いを除くことについていう）．***2***〘n.〙脱臭剤（***1*** の作用を有する薬剤．特に発汗抑制薬を配合した化粧品についていう）．＝deodorizer.

de·o·dor·ize (dē-ō′dĕr-īz). 脱臭する（特に不快な臭いを除去する）．

de·o·dor·iz·er (dē-ō′dĕr-īz-ĕr). 脱臭薬．＝deodorant (2).

de·on·tol·o·gy (dē′on-tol′ŏ-jē) [G. *deon*(*deont-*), that which is binding; 非人称動詞 *dei*(it behooves)の現在分詞中性形 < *deō*, to bind + *logos*, study]. 義務論（職業上の道徳と義務の研究）．

de·or·sum·duc·tion (dē-ōr′sŭm-dŭk′shŭn) [L. *deorsum*, downward + *duco*, to lead]. 下ひき，下転（[誤ったつづりまたは発音 dorsumduction を避けること]．単眼の下転運動）．＝infraduction.

de·os·si·fi·ca·tion (dē-os′i-fi-kā′shŭn) [L. *de*, from + *os*, bone + *facio*, to make]. 骨質吸収，骨石灰質脱失（骨の無機成分の除去．→demineralization）．

de·ox·i·da·tion (dē′oks-i-dā′shŭn). 脱酸〔素〕（化合物から酸素を除去する過程）．

de·ox·i·dize (dē-oks′i-dīz). 脱酸〔素〕する，酸素除去する．

deoxy- (dē-oks′ē). -OH の H による置換を示す化学物質につけられる接頭語．化学物質によっては現在でも古い desoxy- が用いられる．

de·ox·y·a·den·o·sine (dA, dAdo) (dē-oks′ē-ă-den′ō-sēn). デオキシアデノシン；2′-deoxyribosyladenine (DNA の4つの主要ヌクレオシドの1つ．他の3つは，デオキシシチジン，デオキシグアノシン，チミジン．その5′誘導体はビタミン B_{12} のある型の重要な構成成分でもある．デオキシアデノシンは重篤な複合免疫不全症の患者で畜積する）．

de·ox·y·a·den·o·sine meth·yl·ase (dē-oks′ē-ă-den′ō-sēn meth′il-ās). デオキシアデノシンメチラーゼ．＝*dam* methylase.

5′-de·ox·y·a·den·o·syl·co·bal·a·min (dē-oks′ē-ă-den′ō-sil-kō-bal′ă-min). 5′-デオキシアデノシルコバラミン（ビタミン B_{12} の活性補酵素型誘導体．メチルマロニルCoA がサクシニルCoA への変換に必要．5′-デオキシアデノシルコバラミンの欠損によりメチルマロン酸血症になる）．

de·ox·y·a·den·yl·ic ac·id (dAMP) (dē-oks′ē-ad′en-il′ik as′id). デオキシアデニル酸（デオキシアデノシン一リン酸で，DNA の加水分解産物．リボースの代わりにデオキシリボースを含む点がアデニル酸と異なる）．＝adenine deoxyribonucleotide.

de·ox·y·bar·bi·tu·rate (dē-oks′ē-bar-bit′yūr-āt). デオキシバルビツレート（[誤ったつづりまたは発音 deoxybarbitu-ate を避けること]．環の2位に酸素原子のないバルビツレート化合物．デオキシバルビツレートの例として抗痙攣薬プリミドンがある．→barbiturate）．

de·ox·y·cho·late (DOC) (dē-oks′ē-kō′lāt). デオキシコール酸塩またはエステル．

de·ox·y·cho·lic ac·id (dē-oks′ē-kō′lik as′id). デオキシコール酸；7-deoxycholic acid; $3\alpha,12\alpha$-dihydroxy-5β-cholanic acid (胆汁酸の1つで，胆汁分泌促進性がある．生化学的処理に界面活性剤として用いる）．

de·ox·y·co·for·my·cin (dē-oks′ē-kō-fōr-mī′sin). デオキシコホルマイシン（抗代謝薬として作用するプリン類似薬．アデノシンデアミナーゼの強力な阻害薬で，抗腫瘍薬として用いられる）．

de·ox·y·cor·ti·cos·ter·one (DOC) (dē-oks′ē-kōr′ti-kos′tĕr-ōn). デオキシコルチコステロン（副腎皮質ステロイド．主にコルチコステロンの生合成前駆物質で，副腎皮質分泌液にしばしばみられる．強力な鉱質コルチコイドであり，糖質コルチコイドの活性は認められない）．＝21-hydroxy-progesterone; cortexone; deoxycortone; desoxycortone.

d. acetate 酢酸デオキシコルチコステロン（副腎皮質ステロイド代償療法のための筋肉注射に用いる酢酸塩）．

d. pivalate ピバリン酸デオキシコルチコステロン（ステロイドのピバリン酸塩）．

de·ox·y·cor·tone (dē-oks′ē-kōr′tōn). デオキシコルトン．＝deoxycorticosterone.

de·ox·y·cyt·i·dine (dē-oks′ē-sī′ti-dēn). デオキシシチジン；2′-deoxyribosylcytosine (DNA の4つの主要ヌクレオシドの1つ．他の3つはデオキシアデノシン，デオキシグアノシン，チミジン）．

de·ox·y·cyt·i·dyl·ic ac·id (dCMP) (dē-oks′ē-sī′ti-dil′ik as′id). デオキシシチジール酸（デオキシシチジン一リン酸塩で，DNA の加水分解産物）．

de·ox·y·gua·no·sine (dē-oks′ē-gwahn′ō-sēn). デオキシグアノシン；2′-deoxyribosylguanine (DNA の4つの主要ヌクレオシドの1つ．他の3つはデオキシアデノシン，デオキシシチジン，チミジン．プリンヌクレオシドホスホリラーゼ欠損症の患者で畜積する）．

de·ox·y·gua·nyl·ic ac·id (dGMP) (dē-oks′ē-gwahn-il′ik as′id). デオキシグアニル酸（デオキシグアノシン一リン酸塩．DNA の加水分解産物）．＝guanine deoxyribonucleotide.

de·ox·y·hex·ose (dē-oks′ē-heks′ōs). デオキシヘキソース（1個の OH が H で置換された六炭デオキシ糖）．

deoxynivalenol デオキシニバレノール．＝vomitoxin.

de·ox·y·nu·cle·o·side (dē-oks′ē-nū′klē-ō-sīd). →deoxyribonucleoside.

de·ox·y·nu·cle·o·tide (dē-oks′ē-nū′klē-ō-tīd). →deoxyribonucleoside.

de·ox·y·pen·tose (dē-oks′ē-pen′tōs). デオキシペントース（1個の OH が H で置換された五炭デオキシ糖）．

de·ox·y·ri·bo·al·dol·ase (dē-oks′ē-rī′bō-al′dō-lās). デオキシリボアルドラーゼ．＝deoxyribosephosphate aldolase.

de·ox·y·ri·bo·di·py·rim·i·dine pho·to·ly·ase (dē-oks′ē-rī′bō-dī-pī-rim′i-dēn fō′tō-lī′ās). デオキシリボジピリミジンフォトリアーゼ，光回復酵素（光で活性化される酵母に含まれる酵素．チミンダイマーのシクロブタン環を開裂して，以前の光化学反応を逆行させる能力がある）．＝dipyrimidine photolyase; photoreactivating enzyme.

de·ox·y·ri·bo·nu·cle·ase (DNAse, DNAase, DNase) (de-oks′ē-rī′bō-nū′klē-ās). デオキシリボヌクレアーゼ（DNA におけるホスホジエステル結合を加水分解する酵素(ホスホジエステラーゼ)．→endonuclease; nuclease）．

acid d. 酸性デオキシリボヌクレアーゼ．＝d. II.

d. I, DNase I [MIM*125505]. デオキシリボヌクレアーゼ I（主として二重鎖 DNA を開裂してそれぞれを 5-リン酸で終わるオリゴデオキシリボヌクレオチドの混合物とするエンドヌクレアーゼ．ストレプトドルナーゼは同種の酵素である．適当な条件下，この酵素により DNA に一重鎖ニック

(切れ目)が生じる．ニックトランスレーションや高感受性部位のマッピングで用いられる)．＝pancreatic d.; thymonuclease.

d. II, DNase II デオキシリボヌクレアーゼ II ((一本鎖DNA と同様)天然 DNA の２つの線維を開裂して，3–リン酸でそれぞれが終わるオリゴデオキシリボヌクレオチドの混合物をつくるエンドヌクレアーゼ)．＝acid d.

pancreatic d. 膵〔臓〕デオキシリボヌクレアーゼ．＝d. I.

d. S_1 デオキシリボヌクレアーゼ S_1．＝endonuclease S_1 *Aspergillus*.

spleen d. micrococcal *endonuclease* の旧名.

de·ox·y·ri·bo·nu·cle·ic ac·id (DNA) (dē-oks′ē-rī′bō-nū′klē′ik as′id). デオキシリボ核酸（核酸の一型で，糖成分としてデオキシリボースを含有し，主として動植物細胞の核(染色質，染色体)およびミトコンドリア内に見出され，通常，蛋白と緩く結合(このためデオキシリボ核蛋白とよばれる)している染色体や多くのウイルスの自己増殖成分であり，遺伝形質の貯蔵物質であると考えられる．その直鎖高分子鎖は 3′–と 5′–ヒドロキシル基間のリン酸基でエステル化されたデオキシリボース分子を含有する．この構造にプリンのアデニン(A)とグアニン(G)およびピリミジンのシトシン(C)とチミン(T)が結合している．DNA は開鎖状または環状，一重鎖または二重鎖，さらに多くの型があり，最も一般的なものは二重鎖で，ピリミジンとプリンとが A–T および C–G の様式で水素結合をつくって架橋し，２本の逆平行鎖になり二重らせんをつくっている．染色体は二重鎖 DNA からなる．ミトコンドリア DNA は環状である)．

A-DNA A 型 DNA（DNA の一型で，らせんは右巻きで全体の外観は短く広い）．

antisense DNA アンチセンス DNA（遺伝子の遺伝暗号として働いている鎖に対して相補的な DNA 鎖で，それから再構築される．メッセンジャー RNA の部分に相補的な DNA 配列．病原体あるいは不適切なところで発現した宿主遺伝子の転写あるいは翻訳を阻止することが可能な治療物質として用いられる）．

B-DNA B 型 DNA（DNA の一型で，らせんは右巻きで全体の外観は長く薄い）．

blunt-ended DNA 平滑末端 DNA（少なくとも末端の１つが不対塩基をもたない二本鎖 DNA）．

competitor DNA 競争的 DNA（試験生物からの DNA で，変性され，*in vitro* 雑種形成実験に用いる．そこでは参照生物からの DNA(同一性)と競争する．検査生物と参照生物との関係を決定するのに用いる）．

complementary DNA (cDNA) 相補 DNA（①メッセンジャー RNA に相補的な一本鎖 DNA．②逆転写酵素の作用によりメッセンジャー RNA から合成された DNA）．

double-stranded DNA (dsDNA) 二本鎖デオキシリボ核酸（相補的なプリンならびにピリミジン間の水素結合によって結合した２本の平行した鎖からなるデオキシリボ核酸の分子であり，二重螺旋は染色体中において DNA が存在する形態である）．

extrachromosomal DNA 染色体外 DNA（核以外で自然界に存在する DNA(例えばミトコンドリア DNA)）．

DNA fingerprinting DNA フィンガープリンティング(分子生物学的遺伝子型決定法によって個人間の比較をする技術．生物試料から分離された DNA を切断して分画する．放射線ラベルされた反復 DNA 配列を用いたサザンハイブリダイゼーションにより，個人特有のオートラジオグラフィのパターンが得られる)．＝DNA profiling; DNA typing.

DNA フィンガープリティングは，ヒトの細胞(皮膚，毛髪，血液，精液)中の特徴的な DNA 配列を検出するという手法原理からなる．この技術が主として応用されるのは，親子鑑定，遺体の同定，犯罪現場に残された生物試料と容疑者の物との照合，であるが，すべては誰一人として同じ遺伝子構造を決してもたない，という前提から成り立っている．個人のゲノム中で他人との違いが最も目立つのは，遺伝子自体ではなく，遺伝子の間に存在する非コード配列の長さや分布の変動なのである．これらの遺伝情報を伝達することはないが，各個人の細胞中では高度に保たれており，かつ，各人一人一人で非常に変化に富んでいる．DNA フィンガープリンティングで最も有用とされる特徴的なヌクレオチド配列は，縦列反復配列数多型(VNTRs)と短鎖縦列反復配列(STRs)である．DNA フィンガープリンティングは，検体を制限酵素処理してヌクレオチド断片に切断し，ゲル電気泳動することによって，特徴的なバンドのパターンを得る．短いヌクレオチド配列(VNTRs では 10—15 塩基対，STRs では 3—4 塩基対)からなる放射性プローブは，反復配列部位を認識してハイブリダイズする．複数の DNA について結果を比較すると，それらの関連度がわかる．1994 年のアメリカ合衆国犯罪法や他国の同様な法律では，ある種の犯罪者について DNA フィンガープリントの記録を保存するよう定められている．

---

genomic DNA ゲノム DNA（イントロンおよびエクソン両方を含む DNA）．

junk DNA ジャンク DNA，がらくた DNA（転写も発現もされない DNA の部分で，ヒトゲノムの塩基対のほとんどの分画を占めている．この DNA の多くが繰り返し配列であり，その機能はまだ不明である．重要な機能をもっている残りの DNA とともに繰り返されている，機能をもっていないと考えられる DNA の断片．その例としては偽遺伝子ならびに直列に繰り返されている DNA 配列で，これらは機能がなさそうであるが不均等交差によって保存されている）．＝selfish DNA.

D

DNA ligase DNA リガーゼ（二重鎖 DNA の一本鎖の切れ目を，ホスホジエステル結合で結合させる酵素．DNA 修復系に関与する）．

linker DNA リンカー DNA（クロマチン上でヌクレオソーム間にみられる DNA．他の DNA ほど強く蛋白と複合体を形成していないので，エキソヌクレアーゼ水解を受けやすい）．

mitochondrial DNA (mtDNA) ミトコンドリアデオキシリボ核酸（ミトコンドリアに存在する DNA 種であり，核内よりもむしろミトコンドリア内においてエネルギー代謝に関与している）．

DNA nucleotidylexotransferase DNA ヌクレオチジルエキソトランスフェラーゼ（DNA あるいは類似のポリデオキシヌクレオチドにおいてヌクレオシド三リン酸であるヌクレオチドの付加を触媒する酵素．ヌクレオチドを加えてホモポリマー末端をつくる．DNA 組換え実験に用いられている）．＝terminal addition enzyme; terminal deoxynucleotidyltransferase.

palindromic DNA パリンドロームDNA，回帰性DNA（DNA 中その配列が真ん中を中心に対称性を有する DNA 断片）．

DNA polymerase DNA ポリメラーゼ（→nucleotidyltransferases.→polymerase）．

DNA profiling ＝DNA fingerprinting.

recombinant DNA 組換え DNA（化学的，酵素学的または生物学的手法によって，１つの DNA 鎖中に従来自然界には存在していなかった別の DNA の遺伝子配列の全体あるいは一部を挿入することにより得られた改変 DNA）．

repetitive DNA 反復 DNA（同じ塩基配列の重複コピーが並んで構成されている DNA 断片）．

ribosomal DNA (rDNA) リボソームデオキシリボ核酸（リボソーム中に存在する DNA 種であり，核内よりむしろリボソーム中で蛋白合成に関与している）．

satellite DNA サテライト DNA（末端動原体型染色体の付随部にある DNA）．

selfish DNA 利己的DNA．＝junk DNA.

sticky-ended DNA 粘着末端 DNA（１つの鎖が末端の１つか両端で他の鎖から突出している(つまり多数の不対塩基をもつ)二本鎖 DNA）．

DNA typing ＝DNA fingerprinting.

Z-DNA Z 型 DNA（DNA の一型で，らせんが左巻きで全体の外観は長く伸びて細い）．

zero time-binding DNA ゼロ時二重鎖 DNA（再結合過程の開始点で二重型になった DNA）．

de·ox·y·ri·bo·nu·cle·o·pro·tein (DNP, Dnp) (dē-oks′ē-rī′bō-nū′klē-ō-prō′tēn). デオキシリボ核蛋白〔質〕（DNA と蛋白の複合体．DNA は通常，細胞の破壊と分離の際に見出される）．

de·ox·y·ri·bo·nu·cle·o·side (dē-oks′ē-rī′bō-nū′klē-ō-sīd). デオキシリボヌクレオシド（2-デオキシ-D-リボースを含有するDNAのヌクレオシド成分．デオキシ-D-リボースとプリンまたはピリミジンとの縮合物）．

de·ox·y·ri·bo·nu·cle·o·tide (dē-oks′ē-rī′bō-nū′klē-ō-tīd). デオキシリボヌクレオチド（2-デオキシ-D-リボースを含有するDNAのヌクレオチド成分．デオキシリボヌクレオシドのリン酸エステル．ヌクレオチドの生合成で生成される）．

de·ox·y·ri·bose (dē-oks′ē-rī′bōs). デオキシリボース（デオキシペントースの1つで，2-デオキシ-D-リボースが最も一般的である．DNAに含まれ，その名の由来となっている）．

d. phosphate デオキシリボース核酸（→deoxyribonucleotide）．

de·ox·y·ri·bose·phos·phate al·dol·ase (dē-oks′ē-rī′-bōs-fos′fāt al′dōl-ās). デオキシリボースホスフェートアルドラーゼ（2-デオキシ-D-リボース5-リン酸をD-グリセルアルデヒド3-リン酸とアセトアルデヒドに開裂するのを触媒する酵素）．＝deoxyriboaldolase.

de·ox·y·ri·bo·side (dē-oks′ē-rī′bō-sīd). デオキシリボシド（1-O原子の位置でアルコールに由来する基と結合したデオキシリボース．デオキシリボヌクレオシドのようなデオキシリボシル化合物と混同しないこと．*cf.* deoxyribosyl）．

de·ox·y·ri·bo·syl (dē-oks′ē-rī′bō-sil). デオキシリボシル（デオキシリボースのC1炭素のOH基を除去して生成された置換基．例えばデオキシアデノシン．*cf.* deoxyriboside）．

de·ox·y·ri·bo·syl·trans·fer·as·es (dē-oks′ē-rī′bō-sil-trans′fĕr-ās-ĕz). デオキシリボシルトランスフェラーゼ（2-デオキシ-D-リボースのデオキシリボシドから遊離塩基への転移反応を触媒する酵素）．

de·ox·y·ri·bo·tide (dē-oks′ē-rī′bō-tīd). デオキシリボチド（deoxyribonucleotide または deoxynucleotide の誤称．nucleoside と nucleotide が似ていることから，また deoxyriboside の誤用からこの名が付いた）．

de·ox·y·ri·bo·vi·rus (dē-ok′sē-rī′bō-vī′rŭs). ＝DNA *virus.*

de·ox·y·thy·mi·dine (dT) (dē-oks′ē-thī′mi-dēn). デオキシチミジン．＝thymidine.

de·ox·y·thy·mi·dyl·ic ac·id (dTMP) (dē-oks′ē-thī′-mi-dil′ik as′id). デオキシチミジル酸（DNAの成分．初めは thymidylic acid とよばれたが，現在 ribothymidylic acid も存在することが知られたので，意味をより明確にするため deoxy- の接頭語を用いるようになった）．＝thymine deoxyribonucleotide.

de·ox·y·ur·i·dine (dē-oks′ē-yūr′i-dēn). デオキシウリジン（ウリジンの誘導体で，リボース部分の1つ以上のヒドロキシル基が水素原子で置換されたもの．例えば，2′-デオキシウリジンはまれな天然由来のデオキシヌクレオシドである）．

de·o·zon·ize (dē-ō′zō-nīz). 脱オゾンする．

de·pen·dence (dē-pen′dents)［L. *dependeo*, to hang from］．依存〔症〕，従属，依存性（［誤ったつづり dependance を避けること］．特別な必要から人または事物に頼ったり，その影響を受けたり，それに追従したりする性質または状態）．

anchorage d. 足場依存性（正常細胞が，培地で増殖するために適当な接触表面をもつ必要があること）．

substance d. 物質依存（物質使用あるいは乱用により形成される行動学的，生理学的，認知的症状のパターン．通常，物質の効果への耐性と物質使用を中断したときに現れる離脱症状により示される）．

de·pen·den·cy (dē-pen′dents-ē). 依存（①依存している状態．②精神医学においてその患者の個人的な幸せに対して自分以外の人が責任をもつような決定を自分でした時に患者の問題としてみられる，当然そうしてくれるとみなしていた自分以外の人が，期待どおりのやり方でその人の面倒をみられなかった時は，そのように権限や責任を自分で引き継ぐことが，しばしばフラストレーションや不安，怒り，気分の落ち込みを引き起こしうる．→dependent personality *disorder*）．

pyridoxine d. with seizure 発作を伴うピリドキシン依存〔症〕（脳のI型グルタミン酸脱炭酸酵素欠乏を明らかに伴う常染色体劣性遺伝疾患．発作はビタミンB_6で制御できる）．

De·pen·do·vi·rus (dē-pen′dō-vī′rŭs)［L. *dependeo*, to be dependent upon + virus］．デペンドウイルス，依存ウイルス（小型の欠損ウイルスで，一本鎖のDNAウイルス．パルボウイルス科のウイルス属であり，このウイルスの増殖にはアデノウイルスの存在を必要とする）．＝adeno-associated virus; adenosatellite virus.

de·per·son·al·i·za·tion (dē-pĕr′sŏn-ăl-i-zā′shŭn). 離人症（家族や同僚など他者との関係で，自己同一の感情を失っている状態．または自己の実在感を失っている状態）．＝depersonalization syndrome.

de Pez·zer (dĕ-pĕ-zā′), O. 19世紀のフランス人医師．→de P. *catheter*.

de·phas·ing (dē-fāz′ing). 位相の散逸（核磁気共鳴において，高周波パルスによる位相の整列に引き続いて起こる現象で，分子エネルギーのランダムな移行や緩和によって原子核の磁気的方向が徐々に乱れていく現象）．

de·phos·pho·ryl·a·tion (dē-fos′fōr-i-lā′shŭn). 脱リン〔酸基〕（通常，加水分解作用や酵素作用により化合物からリン酸基を除去すること）．

de·pig·men·ta·tion (dē′pig-men-tā′shŭn). 色素脱失，脱色（部分的脱色と完全脱色がある．→achromia (1)）．

dep·i·late (dep′i-lāt)［L. *de-pilo*, pp. *-atus*, to deprive of hair ＜ *de-* 否定辞 + *pilo*, to grow hair］．脱毛する（*cf.* epilate）．

dep·i·la·tion (dep′i-lā′shŭn). ＝epilation.

de·pil·a·to·ry (dĕ-pil′ă-tō-rē). ***1*** 〚adj.〛 脱毛〔性〕の．＝epilatory (1). ***2*** 〚n.〛 脱毛薬．＝epilatory (2).

chemical d. 化学的脱毛剤（局所的に用いる除毛物質）．

de·ple·tion (dĕ-plē′shŭn). ***1*** 除去（滞留した液体または固体を除去すること）．***2*** 消耗（過多の排出によって体力の衰えた状態）．***3*** 枯渇，しゃ(瀉)出（塩，水などの体内の必須成分の排出過多）．

salt d. 塩枯渇（尿や汗などとして，体内から塩分が過剰に失われること．二次的脱水症を起こす）．

water d. 水分枯渇（体内の水分の全体量が減少すること）．＝dehydration.

de·po·lar·i·za·tion (dē-pō′lăr-i-zā′shŭn). ***1*** 脱分極（分極の程度が比較的減少すること．神経細胞では，ナトリウムイオンに対する細胞膜の透過性が増加することにより，脱分極が起こる）．***2*** 脱分極，復極，消極（極性を破壊，中性化，またはその方向を変化させること）．

dendritic d. 樹状突起脱分極（神経細胞樹状突起の陰電荷の消失）．

de·po·lar·ize (dē-pō′lăr-īz). 脱分極する，復極する，消極する．

de·pol·y·mer·ase (dē-pol′i-mĕr-ās). デポリメラーゼ，解重合酵素（加水分解作用が理解される以前に，高分子からより単純な化合物への加水分解を触媒する酵素に対して用いられた名称．→nuclease）．

de·pos·it (dĕ-poz′it)［L. *de-pono*, pp. *-positus*, to lay down］．***1*** 沈積物，沈降物，沈着物，底質，沈渣．***2*** 沈着物（組織における無機質の病的集積）．

brickdust d. れんが粉状沈渣（尿中の尿酸塩の沈着）．＝sedimentum lateritium.

dep·ra·va·tion (dep′ră-vā′shŭn)［L. *depravatio* ＜ *depravo*, pp. *-atus*, to corrupt］．＝depravity.

de·praved (dĕ-prāvd′)［L. *depravo*, to corrupt］．堕落した，荒廃した，変質した．＝degenerate.

de·prav·i·ty (dĕ-prav′i-tē). 堕落，荒廃，変質，倒錯．＝depravation.

de·pre·nil (dē′pren-il). ＝deprenyl.

de·pre·nyl (dē′pren-il). デプレニール（脳内のドパミンの酸化的脱アミノ反応に関与しているタイプBアイソザイムに対して選択的なモノアミンオキシダーゼの非競合的阻害薬で，抗パーキンソン病薬として用いられる．非選択的モノアミンオキシダーゼ阻害薬の場合は食事由来のチラミンの存在下で服薬したときに高血圧クリーゼを生じることがあるが，本剤はそのようなことは起きない）．＝selegiline.

de·pres·sant (dĕ-pres′ănt)［L. *de-primo*, pp. *-pressus*, to press down］．***1*** 〚adj.〛 抑制の（機能的活動を減じることについていう）．***2*** 〚n.〛 抑制薬（鎮静薬や麻酔薬のように，神経の活動または機能的活動を低める薬剤）．

de·pressed (dĕ-prest′). ***1*** 平らにされた．***2*** 低下した，陥凹した，沈下した，減圧した．***3*** 機能が低下した．***4*** うつ病の，

抑うつ〔症〕の，抑圧された，抑制された．

de・pres・sion (dĕ-presh′ŭn) [L. *depressio* < *deprimo*, to press down]. ***1*** 低下，沈下，減圧（機能のレベルを落とすこと）．***2*** ＝excavation (1). ***3*** 部分的に下方や内方に置換すること．***4*** うつ病，抑うつ〔症〕（悲しみ，孤独，絶望，低い自己評価，自責感を特徴とする精神状態ないし慢性的な精神障害で，精神運動制止(頻回ではない焦躁)，社会からの引きこもり，植物神経症状(食欲低下，不眠など)などの徴候を伴う）．＝dejection (1); depressive reaction; depressive syndrome.

うつ病を起こす医学的状態

中枢神経系障害	パーキンソン病 認知症 脳卒中 出血または血腫 腫瘍 神経梅毒 正常圧水頭症
栄養欠損	葉酸塩またはビタミンB_{12}欠乏 悪性貧血 鉄欠乏
心臓血管障害	心筋梗塞 うっ血性心不全 亜急性細菌性心内膜炎
様々	慢性関節リウマチ 癌，特に膵または腸 結核 三期梅毒
内分泌代謝障害	糖尿病 甲状腺機能低下/甲状腺機能亢進 低血糖/高血糖 副甲状腺障害 副腎障害 肝または腎障害
液体および電解質障害	高カルシウム血症 低カリウム血症 低ナトリウム血症
感染症	髄膜炎 ウイルス性肺炎 肝炎 尿路感染症

agitated d. 激越性うつ病（興奮と情動不安のみられるうつ病）．

anaclitic d. 依存的抑うつ〔症〕（乳児が母親または母親の代理となる者から離された結果，身体的・社会的・知的発達が障害されること．特徴はぼんやりしていること，引きこもり，食欲不振などである）．

clinical d. 臨床的うつ病．＝major d.

endogenomorphic d. 内因型うつ病．＝endogenous d.

endogenous d. 内因性うつ病（外因的誘因によらない抑うつ障害．生物学的原因があると信じられている）．＝nonreactive d.

exogenous d. 外因性うつ病（内因性うつ病と類似の症候と症状．しかし誘因が社会的または環境的なもので，個人の外部のものである）．

involutional d. 退行期うつ病（退行期(女性では 40—55 歳，男性では 50—65 歳)に初発するうつ病または精神病）．

lingual salivary gland d. 舌側唾液腺窩，静止性骨空洞（下顎骨舌側面のへこみで，その内に顎下腺の一部が位置している．X線写真上では下顎管と下顎骨下縁後方との間の境界明瞭な卵円形の透過像として認められる）．＝Stafne bone cyst; static bone cyst.

---

major d. 大うつ病（持続する気分の抑うつ，快楽の喪失，睡眠や食欲の障害，無価値感，罪責感，絶望感によって特徴付けられる精神障害．DSM-IV における大うつ病エピソードの診断基準には，抑うつ気分またはほとんどすべての活動における興味または喜びの著明な減少，またはこれらの両者が最低 2 週間続くことが含まれる．さらに，以下のうち 3 つ以上が存在しなければならない：体重の増加または減少，睡眠の増加または減少，精神運動性活動の増加または減少，疲労，罪責感あるいは無価値感，集中力の低下，繰り返す死や自殺の念慮．⇀endogenous d.; exogenous d.; bipolar *disorder*）．＝clinical d.; major depressive disorder (1).

大うつ病は，最も一般的な精神疾患である．世界保健機関によれば，5 歳以上の年代で世界的に障害の主要な原因になっている．米国では一年に約 2,000 万人の人がうつ病性の疾患に罹患している．おおよそ男性の 10%，女性の 25% が人生のどこかで大うつ病を経験する．この疾患による米国の経済的損失は年間 160 億ドルになると見積もられている．うつ病の危険因子は，薬物やアルコールの濫用，慢性身体疾患，人生におけるストレスに満ちた出来事，社会的孤立，身体的あるいは性的な虐待の経験，うつ病性疾患の家族歴である．うつは薬物の濫用に隠れていることがある．高齢者では，老人性認知症と相互に取り違えられることもあるし，両者が合併することもある．うつ病は，神経伝達物質であるドパミンとセロトニンの代謝の障害を含め，辺縁系の電気化学的な機能不全に由来すると考えられている．家族性うつ病の人では，精神的に健康な人に比較して，前頭前部の膝下部の皮質のグリア細胞の数が著明に少ない．三環系抗うつ薬，選択的セロトニン再取り込み阻害薬(SSRI)，モノアミンオキシダーゼ(MAO)阻害薬などの向精神薬を用いた治療により臨床的なうつの大部分の症例は効果的にコントロールされる．認知行動療法もうつの治療にある程度の成果を示している．改良された電気痙攣療法(ECT)は，他の治療法に反応しない例に行われる．重度のうつにおいても，ECTに対する反応率は 80% かそれ以上である．この治療法は効果の発現が速く，薬物療法より副作用が少なく，また特に高齢者において有用である．

---

nonreactive d. ＝endogenous d.

d. of optic disc [TA]. 視神経円板陥凹（視神経円板(視神経乳頭)の中心にみられる陥凹またはへこみ）．＝excavatio disci [TA]; excavatio papillae; excavation of optic disc physiologic cup; physiologic excavation.

pacchionian d.'s パッキオーニ窩．＝granular *foveolae*(⇀foveola).

postdrive d. ポストドライブ抑制（高頻度心房刺激後に，しばしば頻度依存性の房室および(あるいは)室房伝導ブロックを伴ってみられる心拍の徐拍化）．

pterygoid d. 翼突筋窩．＝pterygoid *fovea*.

reactive d. 反応性抑うつ（愛する人を失うことなど，しばしば非常に悲しい外的状況が直接のきっかけとなって起こる心理状態．この外的状況が取り除かれる，あるいは変わること(例えば，愛する人との再会など)により軽減する）．

spreading d. 拡延性抑制（大脳皮質の局所的刺激により引き起こされる活動の減退で，徐々に全皮質に広がる）．

D

de·pres·sive (dĕ-pres′iv). *1* 押し下げるような. *2* 抑うつ性の（抑うつを起こさせるものについていう）.

de·pres·sor (dĕ-pres′ŏr)［L. *de-primo*, pp. *-pressus*, to press down］. *1* 下制筋（ある部分を平らにしたり，また低くする筋肉）. *2* 抑制薬（機能活動を抑えたり，遅延させるもの）. *3* 圧抵器（手術または検査中に，ある構造を押し出すために用いる器具あるいは装置）. *4* 降圧薬（血圧を下げる薬物）. ＝hypotensor; vasodepressor (2).

tongue d. 舌圧子（広い平らな手のついた器具で，口腔，咽頭部の検査をするとき，舌を押し下げるために用いる）.

dep·ri·va·tion (dep′ri-vā′shŭn). 剝奪，奪取（必要なものが欠如，喪失していること，または与えないこと）.

emotional d. 情動剝奪（通常，成長過程の初期で，必要に十分な対人的あるいは環境的体験のいずれか（または両者）が欠けること）.

sensory d. 感覚遮断（通常の外的刺激ないし知覚体験のいずれかが減少あるいは欠如していること．その状態が長引くと心理的苦痛や機能異常が現れやすい）.

sleep d. 断眠（身体的または精神的症状を引き起こしたり，日常的な仕事の遂行に影響を与えるほどの長時間にわたる回復のための十分な睡眠の欠如のこと）.

dep·si·pep·tide (dep′sē-pep′tīd)［G. *deseō*, to knead, blend ＋ peptide］. デプシペプチド（ペプチド結合以外に１つ以上のエステル結合をもつオリゴペプチドやポリペプチド．→peptolide）.

depth (depth). *1* 深部，深度，深さ，奥行. *2* 程度（概念の理解または理解する能力の程度）.

anesthetic d. 麻酔深度（全身麻酔薬によりもたらされる中枢神経系の抑制の度合い．麻酔薬の効力とその適用濃度による）.

focal d., d. of focus 焦点深度（物点が最大限に場所を変えても，その結像がぼやけないような範囲）. ＝penetration (3).

de·pu·li·za·tion (dē-pyū′li-zā′shŭn)［L. *de*, from ＋ *pulex* (*pulic-*), flea］. 殺蚤，ノミ駆除（動物からヒトにペスト菌を媒介するノミを殺すこと）.

dep·u·rant (dep′yū-rănt)［L. *de-* 強意語 ＋ *puro*, pp. *-atus*, to make pure］. 浄化薬（①浄化するために用いる薬物または手段．②老廃物の排泄と除去を促進する薬物）.

dep·u·ra·tion (dep′yū-rā′shŭn). 浄化，清掃（老廃物，不潔な排泄物を除去すること）.

dep·u·ra·tive (dep′yū-rā′tiv). *1*〘adj.〙浄化の，清掃の. *2*〘n〙＝depurant.

de·pur·i·na·tion (dē-pyūr-i-nā′shŭn). 脱プリン反応（DNA の主要な分解反応の１つ）.

de Quer·vain (dĕ-kār-van[h]′), Friedrich Joseph. スイス人外科医，1868—1940. →de Q. *disease*, *tenosynovitis*, *thyroiditis*.

der·a·del·phus (dār′ă-del′fŭs)［G. *derē*, neck ＋ *adelphos*, brother］. 頭頸結合体（頭と頸部が１つで，胸から下が分離している接着双生児．→conjoined *twins*）.

de·rail·ment (dē-rāl′ment). 脱線（思考障害の１つで，思考や会話において常に筋道をはずれること．思路弛緩と類似している）.

der·an·en·ceph·a·ly, der·an·en·ce·pha·lia (der-an′en-sef′ă-lē, -se-fā′lē-ă)［G. *derē*, neck ＋ *an-* 欠性辞 ＋ *kephalē*, head］. 頭部欠損頸部不全，頭頸不全（①先天性奇形で，頭がなく頸部は痕跡がある．②脳と脊髄上部の欠損）.

de·range·ment (dĕ-rānj′ment)［Fr.］. *1* 障害，混乱（正常な秩序または配置を乱すこと）. *2* 精神錯乱，精神障害を表す，まれに用いる語.

Der·cum (der′kŭm), Francis X. 米国人精神科医，1856—1931. →D. *disease*.

de·re·al·i·za·tion (dē-rē′ă-li-zā′shŭn). 現実感消失（外界についての知覚の変化であり，日常的によく知っている事物が見慣れない奇妙なものに見えたり，非現実的または平面的で深みに欠けるものに見えたりする）.

de·re·ism (dē′rē-izm)［L. *de*, away ＋ *res*, thing］. 非現実性，内閉性（現実から離れた幻想の世界における精神活動）.

de·re·is·tic (dē′rē-is′tik). 非現実性の，内閉性の（論理や体験にそぐわない観念を抱いて，想像，幻想の世界に住むことについていう）.

der·en·ce·pha·li·a (der′en-se-fā′lē-ă). ＝derencephaly.

der·en·ceph·a·lo·cele (der′en-sef′ă-lō-sēl)［G. *derē*, neck ＋ *enkephalos*, brain ＋ *kēlē*, hernia］. 頸椎部脳脱出奇形（derencephaly(頸部二分脊椎と無脳症)において，上頸部脊椎管の欠損部から未発達な脳が突出した奇形）.

der·en·ceph·a·ly (der′en-sef′ă-lē)［G. *derē*, neck ＋ *enkephalos*, brain］. 頭頸不全（二列頸椎のほうへ詰まっている著しく不全な脳を有し，頭蓋が開いている奇形）. ＝derencephalia.

de·re·pres·sion (dē′rē-presh′ŭn). 抑制解除（誘導酵素系における酵素生産調節の恒常性機構．一般に特異的な酵素系の基質である誘発因子が活性抑制因子(調節遺伝子により生産される)と結合して抑制因子を不活性化する．その結果，抑制されていた作動遺伝子が放出され，酵素が産出される）.

der·i·va·tion (der′i-vā′shŭn)［L. *derivatio* ＜ *derivo*, pp. *-atus*, to draw off ＜ *rivus*, a stream］. *1* 誘導（娩出の源または過程）. ＝revulsion. *2* 吸引，誘導（ある部分の血液，体液のうっ滞留を軽減するために，これを他部に引き寄せること）.

de·riv·a·tive (dĕ-riv′ă-tiv). *1*〘adj.〙吸引の，誘導の. *2*〘n.〙派生物（先に存在するものを修正，変更してつくり出されるもの）. *3*〘n.〙誘導体（特に，他の類似構造の化合物から１つ以上の段階で(Hをアルキル基，アシル基，あるいはアミノ基で置換して)つくられる化学物質）.

derm-, derma- (derm)［G. *derma*］. 皮膚に関する連結形．ラテン語 *cut-* に相当．cut- で始まるエントリー参照.

der·ma·brad·er (der′mă-brād′ĕr). モーターで駆動する皮膚剝削器.

der·ma·bra·sion (der′mă-brā′zhŭn). 皮膚擦傷法（痤瘡瘢痕や陥凹をやすり，回転性の研磨用ドラム，ワイヤブラシ，その他の研摩材を用いて除去する手術方法）.

Der·ma·cen·tor (der′mă-sen′tŏr)［derm- ＋ G. *kentōr*, a goader］. カクマダニ属（眼と 11 の花采をもつ華麗で特色のあるマダニ科の一属．約 20 種からなり，一般にイヌ，ヒト，その他の哺乳類につく）.

D. albopictus カナダや米国北部および西部で，主にウマ，ウシ，エルク，ムース，およびシカに認められる種．一宿主性寄生マダニであるが，シカの皮膚を剝いだり毛皮を作製するときにヒトも侵襲されることがある．英名 winter tick (tick 参照).

D. andersoni アンダーソンカクマダニ（ロッキー山脈地方の紅斑熱の媒介動物．また野兎病を伝播し，ダニ麻痺症を起こす．雄の大盾板上に特徴のある黒白の斑点がある．英名 wood tick（tick 参照））.

D. marginatus ヨーロッパ各地にみられるマダニの一種で，*Rickettsia slovaca* によって引き起こされるヒトリケッチア症の媒介者となる.

D. occidentalis セイブカクマダニ（草食家畜のすべて，シカ，イヌ，ヒト，その他カリフォルニア州，オレゴン州西部の動物にみられるダニの一種．英名 Pacific Coast tick (tick 参照)）.

D. reticulatus アミメカクマダニ（ヒツジ，ウシ，ヤギ，シカにつくダニの一般的な種．ヒトにつくこともある．ヨーロッパ，アジア，アメリカでみられる）.

D. variabilis アメリカイヌカクマダニ（米国の東部海岸地帯ではイヌに普通にみられるダニ．野兎病の主要な媒介動物であり，また米国中央部・東部においてはロッキー山紅斑熱の原因となる斑点熱リケッチア *Rickettsia rickettsii* の主要な媒介体となっている．ダニ麻痺を引き起こす可能性もある．英名 American dog tick（tick 参照））.

Der·ma·coc·cus (der′mă-kok′us). 皮膚球菌属（ヒトの皮膚にみられるグラム陽性好気性球菌の一属）.

der·mad (der′mad)［derm- ＋ L. *ad*, to］. 皮膚方向の.

der·mal (der′măl). 皮膚の. ＝dermatoid (2).

Der·ma·nys·sus gal·li·nae (der′mă-nis′ŭs ga-lē′nē)［derm- ＋ G. *nyssō*, to prick; L. *gallina*, hen］. ワクモ，ニワトリダニ（ニワトリ，ハト，その他の鳥類に寄生する赤色ニワトリダニ．ヒト(特に敏感なヒト)に対してそう痒性発疹を起こすことがある）.

dermat- (der-mat′)［G. *derma*］. 皮膚に関する連結形. →derm-; dermato-; dermo-.

der·ma·tal·gi·a (der′mă-tăl′jē-ă)［dermat- ＋ G. *algos*,

pain]．皮膚痛（通常，皮膚に限局した局所的疼痛）．＝dermatodynia.

der·ma·ti·tis, pl. **der·ma·tit·i·des** (der′mă-tī′tis, -tit′i-dēz) [derm- + G. *-itis*, inflammation]．皮膚炎．

actinic d. 光線性皮膚炎．＝photodermatitis.

d. aestivalis 夏季皮膚炎（夏季になると現れる湿疹）.

allergic contact d. アレルギー性接触皮膚炎（様々な程度の紅斑，浮腫，水疱を伴った遅延型 IV 型アレルギー反応で，特異抗原の皮膚への接触により生じる）．＝contact allergy.

ancylostoma d. 鉤虫皮膚炎．＝cutaneous *larva migrans.*

d. artefacta 人工皮膚炎（習慣性の掻破，掻傷あるいは抜毛，詐病，精神障害の結果，自らによって引き起こされる皮膚病変）．＝factitial d.; feigned eruption.

atopic d. アトピー〔性〕皮膚炎（乳児湿疹，屈曲性湿疹を含む，アトピーに特有な症状を呈する皮膚炎）．＝atopic eczema.

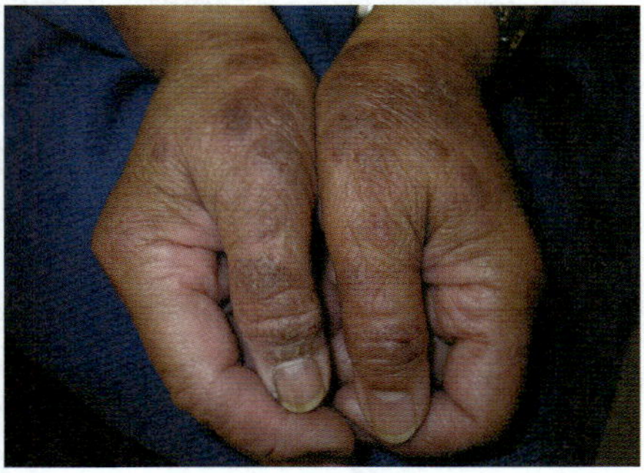

atopic dermatitis
成人．手．

berloque d., berlock d. ベルロック皮膚炎（[どちらの形も固有名詞ではないので b は小文字でつづる]．光感作の一型．香水やオーデコロン中のベルガモット油や他の精油を皮膚につけた後日光に当たると，暗褐色の色素沈着をきたす）.

blastomycetic d., d. blastomycotica ブラストミセス性皮膚炎.

bubble gum d. 風船ガム皮膚炎（風船ガムをかむ小児の口周囲に生じるアレルギー性接触皮膚炎．ガムに含まれる合成樹脂によって起こる）.

d. calorica ＝*erythema* ab igne.

caterpillar d. 毛虫皮膚炎（毒ガ，マイマイガの幼虫，その他の毛虫の毛の中にある毒によって起こるアレルギー性接触皮膚炎）．＝caterpillar rash.

chemical d. 化学〔性〕皮膚炎（化学物質の外用によるアレルギー性接触皮膚炎または一次刺激性皮膚炎．通常，暴露部分または接触部分の紅斑，浮腫，小水疱形成を特徴とし，またある場合は痤瘡あるいは色素異常を特徴とする）.

d. combustionis 熱傷性皮膚炎，火傷性皮膚炎.

contact d. 接触皮膚炎（皮膚と特殊なアレルゲン(アレルギー性接触皮膚炎)または刺激物(非アレルギー性接触皮膚炎)との接触により起こるTリンパ球介在性(IV 型過敏性)皮膚炎）．＝contact hypersensitivity (1).

contagious pustular d. 感染性膿疱性皮膚炎，伝染性膿疱性皮膚炎．＝orf *virus.*

cosmetic d. 化粧品〔性〕皮膚炎（化粧品によって起こる皮膚の発疹で，アレルギー性感作または一次刺激による）.

diaper d. おむつ皮膚炎（口語で，diaper rash, d. of thighs and buttocks とよばれる．乳児のおしめの中で尿や便にさらされた結果生じる大腿や殿部の皮膚炎．以前はアンモニア形成によるとされていたが，湿度，細菌の生育，アルカリ性が恐らくすべての誘因となっている．→intertrigo）．＝diaper rash; nappy rash.

d. exfoliativa infantum, d. exfoliativa neonatorum 乳児剝脱性皮膚炎，新生児剝脱性皮膚炎（汎発性膿皮症で剝脱性皮膚炎を伴い，全身症状を有する．乳児がかかる．恐らくアトピー性皮膚炎，Leiner 病，ブドウ球菌性熱傷様皮膚症候群の結果生じる）．＝impetigo neonatorum (1).

exfoliative d. 剝脱性皮膚炎（紅斑が急速に拡大し，2－3日のうちに落屑を伴う全身性の皮膚剝脱を生じる．ときに，リンパ節腫脹や，水分および電解質の喪失を伴う．薬物反応として生じ，あるいは種々の良性皮膚病，紅斑性狼瘡，リンパ腫に併発または原因不明に生じることがある）．＝Wilson disease (2).

exudative discoid and lichenoid d. 滲出性円板状苔癬様皮膚炎（ユダヤ人男性で報告された，ペニス，体幹，顔に卵円形病変を呈する，貨幣状湿疹の浸出型に似ている疾患）．＝Sulzberger-Garbe disease; Sulzberger-Garbe syndrome.

factitial d. ＝d. artefacta.

d. gangrenosa infantum 乳児壊疽性皮膚炎（2歳未満の小児に生じる原因不明の水疱性または膿疱性の発疹で，壊死性潰瘍あるいは広範な壊疽に変化する．治療しない場合，肝膿瘍のような血行性感染をきたして死亡することがある）．＝disseminated cutaneous gangrene; ecthyma gangrenosum; pemphigus gangrenosus (1).

d. herpetiformis 疱疹状皮膚炎（そう痒性の小水疱と丘疹が集合して現れるのを特徴とする慢性の皮膚病．一般に再発する．グルテン過敏性腸疾患の合併があり，病変部とその周辺部の表皮直下に好中球を伴う IgA の沈着がある）．＝Duhring disease.

d. hiemalis 冬季皮膚炎．＝winter *itch.*

infectious eczematoid d. 湿疹様感染性皮膚炎（化膿性感染症の部位に隣接する皮膚の炎症．例えば，化膿性耳炎，結腸造瘻術を施された部位の周囲，鼻内感染など．自家接種により拡大すると考えられている）.

irritant contact d. 刺激性接触皮膚炎（非免疫学的障害により生じる皮膚の反応で，その程度は紅斑と鱗屑から壊死性熱傷にまで及ぶ．皮膚に接触した化学薬品により直ちにまたは繰り返し生じる）.

mango d. マンゴー皮膚炎（マンゴーの皮の樹脂性被覆物に対する一種の感作によって起こる口周囲の皮膚炎）.

meadow d., meadow grass d. イチゴツナギ皮膚炎（フロクマリン(ソラーレン)を含む植物との接触により起こる光アレルギー反応．発疹の特異な形状は接触した植物の紋様と同じである．日光浴の後によく起こる）.

d. medicamentosa 薬物〔性〕皮膚炎．＝drug *eruption.*

nickel d. ニッケル皮膚炎（ニッケルまたはニッケルを含む他の金属(例えばステンレススチール)に接触，あるいは場合によっては摂取することにより生じるアレルギー性皮膚炎）.

d. nodosa 結節性皮膚炎（下腿に現れる丘疹状発疹．オンコセルカ症(onchocerciasis 参照)に関係がある）.

d. nodularis necrotica 壊死性結節性皮膚炎（小水疱，丘疹，丘疹状壊疽病変からなる再発性発疹で，殿部や四肢伸側に現れ，発熱，咽頭炎，下痢，好酸球増多を伴う．恐らく血管炎のバリアント．本疾患の重症度や罹患期間は様々で，次第に増悪することもあり，またときに心臓，腎臓，消化管を侵すこともある）．＝Werther disease.

nummular d. 貨幣状皮膚炎．＝nummular *eczema.*

papular d. of pregnancy 妊娠性丘疹性皮膚炎（きわめてかゆみの強い丘疹性の発疹が体幹および四肢に生じるもので，妊娠中を通じてみられる．全身的な中毒症状はない．恐らく pruritic urticarial papules and plaques of pregnancy (PUPPP) と同じ）.

d. pediculoides ventricosus 巨大ダニ皮膚炎．＝straw *itch.*

primary irritant d. 一次刺激性皮膚炎（表皮細胞または結合組織細胞に対し毒性のある物質が皮膚に累積的に暴露されることで起こる刺激性の反応．発疹は通常，紅斑性，丘疹状であるが，この毒性物質の性質によっては化膿性または壊死性発疹ともなりうる）.

proliferative d. 増殖性皮膚炎．＝dermatophilosis.

rat mite d. ネズミダニ皮膚炎（ネズミダニによって起こる膨疹，丘疹あるいは小水疱からなる発疹）.

d. repens [L. creeping]．ほ行性皮膚炎．＝acrodermatitis continua; acrodermatitis perstans.

D

rhus d. ウルシ皮膚炎（毒ヅタ，毒ガシ，あるいはウルシのような *Toxicodendron*属(*Rhus*属)の植物に含まれるウルシオールへ皮膚を暴露することにより生じる接触皮膚炎）．

sandal strap d. サンダルひも皮膚炎（足の背側面に現れるアレルギー性接触皮膚炎．合成ゴムあるいは天然ゴムに添加剤を加えたものからつくられたサンダルひもにより起こる）．

schistosomal d. 住血吸虫性皮膚炎（鳥類，哺乳類，あるいはヒトにつく住血吸虫のセルカリアが繰り返し皮膚に侵入することに対して起こる感作反応）．＝swimmer's itch; water itch (2)．

seborrheic d., d. seborrheica 脂漏性皮膚炎（主に顔，頭皮(ふけ)，その他脂腺分泌の多い部分に初発する．通常，落屑を伴う斑状発疹．新生児および思春期後に好発する．発疹は軽度に固着性の油性落屑によりおおわれる．ベタコナゾールが有効であるという事実は *Pityrosporum ovale* 感染が原因であるという説を支持するものである）．＝seborrheic eczema; Unna disease.

solar d. 日光皮膚炎（ひどい日光過敏の人が太陽光線に当たることにより起こる皮膚炎）．

stasis d. うっ血(滞)性皮膚炎（静脈の循環障害によって起こる下肢の紅斑と落屑．通常，高齢女性や深部静脈血栓に続発してみられる．後者は急性発症し，腫脹を伴う）．

subcorneal pustular d. 角層下膿疱性皮膚炎．＝subcorneal pustular *dermatosis*.

traumatic d. 外傷性皮膚炎（刺激物質または物理的因子によって起こる皮膚炎）．

d. vegetans 増殖性皮膚炎（慢性化膿性感染により起こる良性の菌状肉芽腫性の塊）．＝pyoderma vegetans.

dermato- (der-mat'ō)［G. *derma*, skin］．→derm-.

der·mat·o·ar·thri·tis (der'mă-tō-ar-thrī'tis)．皮膚関節炎（皮膚疾患と関節炎が合併した疾患）．

lipoid d. リポイド皮膚関節炎，類脂〔質〕皮膚関節炎．＝multicentric *reticulohistiocytosis*.

Der·ma·to·bi·a (der'mă-tō'bē-ă)［dermato- ＋ G. *bios*, way of living］．ヒフバエ属（アメリカの熱帯地域のヒフバエ科のハエの一属）．

D. cyaniventris ＝*D. hominis*.

D. hominis ヒトヒフバエ（大型で，体は青く，褐色の翅をもつ種．その幼虫はヒト，多くの家畜，家禽類などの皮膚に開口部をもつ瘤様の病変嚢胞をつくる．中米，南米ではウシに重大な損害を与える寄生虫で，幼児につくことも多い．このハエの卵は他の昆虫(カなど)の脚や腹に産みつけられ，温度，その他の因子の刺激によりふ化し，幼虫は，カの吸血対象宿主の皮膚に移行すると，速やかに皮膚に侵入してハエ幼虫症を起こす）．＝*D. cyaniventris*; human botfly; skin botflies; warble botfly.

der·ma·to·bi·a·sis (der'mă-tō-bī'ă-sis)．デルマトビア症（ヒトヒフバエ *Dermatobia hominis* の幼虫のヒトおよび動物への感染症）．＝human botfly myiasis.

der·ma·to·cel·lu·li·tis (der'mă-tō-sel'yū-lī'tis)．皮膚蜂巣炎（皮膚および皮下結合組織の炎症）．

der·ma·to·cha·la·sis (der'mă-tō-kă-lā'sis)［dermato- ＋ G. *chalasis*, a loosening］．皮膚弛緩〔症〕（弾性線維の欠如を特徴とし，しわになり垂れ下がってみえる先天性あるいは後天性変化．血管異常が現れることもある．優性遺伝または劣性遺伝のいずれかに起こり，劣性の場合は肺気腫および消化管や膀胱の憩室を伴う．優性型は第7染色体長腕のエラスチン遺伝子(*ELN*)の変異による．X連鎖遺伝を示す型も存在し，これはX染色体長腕の銅輸送性 ATPase をコードする Menkes 遺伝子(*MNK*)の変異による）．＝cutis laxa; generalized elastolysis; loose skin.

der·mat·o·co·ni·o·sis (der'mă-tō-kō'nī-o'sis)［dermato- ＋ G. *konis*, dust ＋ *-osis*, condition］．皮膚じん埃症（じん埃の局所刺激により起こる職業性皮膚炎）．

der·mat·o·cyst (der'mă-tō-sist)．皮膚嚢腫．

der·mat·o·dyn·i·a (der'mă-tō-din'ē-ă)［dermato- ＋ G. *odynē*, pain］．＝dermatalgia.

der·ma·to·fi·bro·ma (der'mă'tō-fī-brō'mă)．皮膚線維腫（徐々に発育する良性の皮膚小結節．虚脱毛細血管を囲む境界の不明瞭な細胞性線維性組織からなり，ヘモジデリンと，脂質を貪食したマクロファージが散在する．sclerosing hemangioma(2)，fibrous histiocytoma，nodular subepidermal fibrosis は，皮膚線維腫と同じ意味に考えられているがまたその亜型とも考えられている）．＝fibrous histiocytoma; sclerosing hemangioma (2)．

der·mat·o·fi·bro·sar·co·ma pro·tu·ber·ans (der'mă-tō-fī'brō-sar-kō'mă prō-tū'bĕr-anz)．隆起性皮膚線維肉腫（比較的徐々に発育する皮膚新生物．通常，暗赤青色皮膚におおわれた1個または数個の硬い結節からなり，触知しうる塊となる傾向がある．組織学的に，この新生物は細胞性皮膚線維腫に似ている．著明な花むしろ様パターンを呈する．通常，転移はまれだが，再発率はかなり高い）．

pigmented d. p. 色素性隆起性皮膚線維肉腫（紡錘状腫瘍細胞間に散在する，多量の色素を含む樹枝状細胞を混じる隆起性皮膚線維肉腫の特殊型）．＝Bednar tumor; storiform neurofibroma.

der·ma·to·fi·bro·sis len·tic·u·lar·is dis·sem·i·na·ta (der'mă-tō-fī-brō'sis len-tik'yū-lā'ris di-sem'i-nā'tă)［MIM*166700］．播種状レンズ状皮膚線維腫（真皮弾性線維の増加した小丘疹もしくは円板状皮疹で幼少時に発症する．骨斑紋症を合併した場合は，骨皮膚斑紋症もしくは Buschke-Ollendorf 症候群といい，常染色体優性遺伝する）．

der·mat·o·glyph·ics (der'mă-tō-glif'iks)［dermato- ＋ *glyphē*, carved work］．***1*** 皮膚紋理（手掌または足蹠の皮膚にみられる特徴的な隆線模様の形状．ヒトの手の場合，指の末節には渦状紋，蹄状紋，弓状紋の3種の指紋がある．→fingerprint）．***2*** 皮膚紋理学（皮膚紋の形状や模様を扱う研究または学問）．

der·mat·o·graph (der-mat'ō-graf)．皮膚描記，皮膚紋画（皮膚描記症において，皮膚にできる線状の膨疹）．

der·ma·tog·ra·phism (der'mă-tog'ră-fizm)［dermato- ＋ G. *graphō*, to write］．皮膚描記症，皮膚紋画症（じんま疹の一種．皮膚を圧迫・摩擦すると，その形に膨疹ができる．アトピー性皮膚炎の早期においては白色の線条を形成する）．＝autographism; factitious urticaria; skin writing.

der·ma·toid (der'mă-toyd)．***1*** 皮膚様の，類皮の．＝dermoid (1)．***2*** ＝dermal.

der·ma·tol·o·gist (der-mă-tol'ŏ-jist)．皮膚科医，皮膚病学者（皮膚病およびそれに関係ある全身疾患の診断と治療を専門とする医師）．

der·ma·tol·o·gy (der'mă-tol'ŏ-jē)［dermato- ＋ G. *logos*, study］．皮膚科学（皮膚および皮膚病と全身疾患との関係などについての研究に関する医学の分野）．

der·ma·tol·y·sis (der'mă-tol'i-sis)［dermato- ＋ G. *lysis*, a loosening］．皮膚弛緩〔症〕（皮膚の弛緩あるいは疾病による皮膚の萎縮．誤って cutis laxa(弛緩性皮膚)と同義に用いられている）．＝dermolysis.

der·ma·to·ma (der'mă-tō'mă)［dermato- ＋ G. *-oma*, tumor］．皮膚腫（皮膚の限局性の肥厚または肥大）．

der·ma·tome (der'mă-tōm)［dermato- ＋ G. *tomē*, a cutting］．***1*** 皮膚採取器，デルマトーム，採皮刀（植皮用の表皮，真皮の薄片を切り採るため，または小さな病巣を摘除するための動力または機械器具）．***2*** 真皮節（胚葉体節の背外側の部分）．＝cutis plate. ***3*** 皮膚節，皮膚知覚帯（単一の脳神経または脊髄神経から出る皮膚の神経分枝により支配される皮膚領域．しばしば隣接の皮膚節と重なり合っている）．＝dermatomal distribution; dermatomic area.

der·mat·o·meg·a·ly (der'mă-tō-meg'ă-lē)［dermato- ＋ G. *megas*, large］．皮膚巨大〔症〕（先天性または後天性欠陥で皮膚がしわのように垂れ下がっているもの．恐らくある症候群の一症候として，あるいは弛緩性皮膚・皮膚弛緩症が孤立性に生じたもの）．

der·ma·to·mere (der'mă-tō-mēr')［dermato- ＋ G. *meros*, part］．〔胎性〕皮節（胚の外皮の分節区域）．

der·mat·o·my·co·sis (der'mă-tō-mī-kō'sis)．皮膚真菌症（皮膚糸状菌，酵母あるいは他の真菌による皮膚の真菌感染．*cf.* dermatophytosis)．

d. pedis 足皮膚真菌症．＝*tinea* pedis.

der·mat·o·my·o·ma (der'mă-tō-mī-ō'mă)［dermato- ＋ G. *mys*, muscle ＋ *-oma*, tumor］．皮膚筋腫．＝*leiomyoma* cutis.

der·ma·to·my·o·si·tis (der'mă-tō-mī'ō-sī'tis)［dermato- ＋ G. *mys*, muscle ＋ *-itis*, inflammation］．皮膚筋炎（顔面の紫紅色の紅斑および眼瞼や眼窩周囲組織の浮腫を典型とする

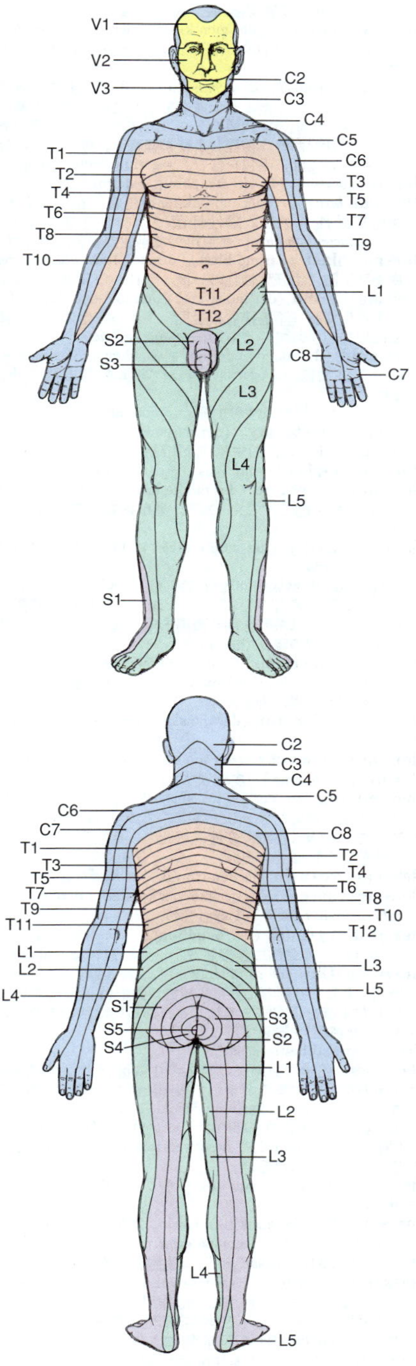

dermatomes

皮疹と，血清筋原性酵素値上昇を伴う対称性近位筋の筋力低下を特徴とする進行性疾患．病変部の筋肉組織には慢性炎症反応を有する筋線維の変性が認められる．皮膚筋炎は小児および成人に起こり，成人では内臓癌を伴ったり，他の結合組織疾患を合併したりする）．

der·ma·to·neu·ro·sis (der′mă-tō-nū-ro′sis). 皮膚神経症（感情刺激による皮疹の総称）.

der·ma·to·no·sol·o·gy (der′mă-tō-nō-sol′ŏ-jē) [dermato- + G. *nosos*, disease + *logos*, treatise]. 皮膚疾病分類学（皮膚病の命名および分類を扱う科学）.

der·mat·o·path·i·a (der′mă-tō-path′ē-ă). 皮膚症. = dermatopathy.

d. pigmentosa reticularis [MIM*125595]. 網状色素性皮膚症. = *livedo* reticularis.

der·ma·to·pa·thol·o·gy (der′mă-tō-pa-thol′ŏ-jē). 皮膚病理学（皮膚，皮下病変の病理組織学で，皮膚病の原因を研究する）.

der·ma·top·a·thy (der′mă-top′ă-thē) [dermato- + G. *pathos*, suffering]. 皮膚障害，皮膚症（皮膚疾患の総称）. = dermatopathia.

Der·ma·toph·a·goi·des pter·o·nys·si·nus (der′mă-tof-ă-goy′dēz těr-ō-ni-sī′nŭs) [dermato- + G. *phagō*, to eat; ptero- + G. *nyssō*, to prick, stab]. 世界的に分布している皮癬蜱亜目のダニ．屋内に積もったじん埃中によくみられ，普通はアトピー性ぜん息を引き起こす．

der·ma·to·phi·lo·sis (der′mă-tō-fi-lō′sis). デルマトフィルス症（*Dermatophilus congolensis* 菌に起因するウシ，ヒツジ，ヤギ，ウマ，および他の動物(ときにヒト)の感染性浸出性皮膚炎．重篤な(ときに致命的)疾患でアフリカやカリブ地域のウシでみられ，*Amblyomma variegatum* ダニ寄生との関連は明確ではない）. = proliferative dermatitis; streptothrichosis; streptotrichiasis; streptotrichosis.

Der·ma·toph·i·lus con·go·len·sis (dĕr-mă-tof′i-lŭs kon-gō-len′sis) [dermato- + G. *philos*, fond]. 運動性，非抗酸性，好気性から通性嫌気性のグラム陽性細菌の一種．デルマトフィルス症の原因菌である．増殖性の皮膚炎の原因ともなる．

der·mat·o·pho·bi·a (der′mă-tō-fō′bē-ă) [dermatosis + G. *phobos*, fear]. 皮膚病恐怖〔症〕（皮膚病になるのではないかという病的な恐れ）.

der·mat·o·phy·lax·is (der′mă-tō-fī-lak′sis) [dermato- + G. *phylaxis*, protection]. 皮膚防御（害を及ぼす可能性のある因子から皮膚を守ること．例えば，感染，過度に日光に当たること，有害物質など）.

der·mat·o·phyte (der′mă-tō-fīt) [dermato- + G. *phyton*, plant]. 皮膚糸状菌（皮膚，毛髪，爪などの角化組織の表面の感染を引き起こす真菌．*Epidermophyton*属，*Microsporum*属，*Trichophyton*属の種は，皮膚糸状菌とみなされるが，癜風，黒(色輪)癬，および皮膚カンジダ症の病原菌は，この中に分類されない）.

der·ma·toph·y·tid (der-mă-tof′i-tid). 皮膚糸状菌疹（皮膚糸状菌症の際にみられるアレルギー性の発疹で，真菌感染の原発巣から隔たった部位に生じる．通常，手や腕の小水疱からなり，そこには真菌は存在しない．ときに発疹は広範に生じて身体の大部分をおおい，患者に強い不快をもたらす.→ id *reaction*）.

der·mat·o·phy·to·sis (der′mă-tō-fī-tō′sis). 皮膚糸状菌症（皮膚糸状菌によって起こる毛髪，皮膚，または爪の感染症．病変は身体のどの部位にも発生し，紅斑，小水疱，皸裂，落屑を特徴とする．好発部位は足(足白癬)，爪(爪白癬)，および頭皮(頭部白癬)である．*cf.* dermatomycosis）.

der·ma·to·pol·y·neu·ri·tis (der′mă-tō-pol′ē-nū-rī′tis). 皮膚多発〔性〕神経炎. = acrodynia (2).

der·ma·tor·rha·gi·a (der′mă-tō-rā′jē-ă) [dermato- + G. *rhēgnymi*, to break forth]. 皮膚出血（皮膚からの，または皮膚内への出血）.

der·ma·tor·rhea (dĕr′mă-tō-rē′ă) [dermato- + G. *rhoia*, flow]. 皮膚漏（皮膚脂腺あるいは汗腺からの分泌過多）.

der·ma·tor·rhex·is (der′mă-tō-rek′sis) [dermato- + G. *rhēxis*, rupture]. 皮膚破裂（皮膚裂線あるいは Ehlers-Danlos 症候群にみられるような皮膚の破裂）.

der·ma·tos·co·py (der-mă-tos′kŏ-pē) [dermato- + G. *sko-*

D

peō, to view]. 皮膚鏡検査[法] (皮膚の視診で，通常，レンズまたはエピルミネセンスマイクロスコープ epiluminescence *microscopy* を使用して行う).

der·ma·to·sis, pl. **der·ma·to·ses** (der-mă-tō′sis, -sēz) [dermato- + G. *-osis*, condition]. 皮膚病，皮膚症 (個々の皮膚異常あるいは発疹を表す一般用語).

acute febrile neutrophilic d. 急性熱性好中球性皮膚症 (まれな疾患で女性に好発する．急激に発症し，通常は顔面，頸部，上肢に多発性の局面様皮疹を呈し，結膜，粘膜所見，熱発，倦怠感，関節痛を伴う．また多くの症例で末梢血中の好中球増多がある．組織所見では真皮に多核白血球の浸潤がある．ステロイドの全身投与で急速に寛解する). ＝Sweet disease.

ashy d. ＝*erythema* dyschromicum perstans.

Bowen precancerous d. (bō′wĕn). 前癌性ボーエン病. ＝Bowen *disease*.

chronic bullous d. of childhood 小児慢性水疱症 (まれな自己限定性水疱性疾患で，主に体幹，口周囲，外陰部に生じる．10 歳までに発症し，軽症の再発を繰り返し，青年期までに完全寛解する．病変部および正常皮膚の表皮基底膜に線状の IgA の沈着を認める). ＝linear IgA bullous disease in children.

dermolytic bullous d. 皮膚融解性水疱病(症). ＝*epidermolysis* bullosa dystrophica.

digitate d. 指状皮膚症 (→*parapsoriasis* en plaque). ＝small plaque parapsoriasis.

juvenile plantar d. 若年性足底皮膚症 (小児に初発する有痛性の皮膚炎で，足底の皮膚に光択と亀裂が生じる．恐らく多汗症が関与している).

lichenoid d. 苔癬様皮膚病(症) (臨床的に皮膚が硬化かつ肥厚して皮膚紋理の増強をきたし，顕微鏡で真皮乳頭層に帯状のリンパ球浸潤がみられる慢性の皮疹一般).

d. medicamentosa 薬物性皮膚病(症). ＝drug *eruption*.

d. papulosa nigra [MIM*125600]. 黒色丘疹性皮膚病(症) (暗褐色の丘疹性発疹．黒人の顔面，体幹上半部にみられる．組織学的および臨床的に脂漏性角化症と類似する).

pigmented purpuric lichenoid d. 色素性紫斑性苔癬状皮膚病(症) (合併する紫斑のヘモジデリンにより種々の程度に色素沈着を伴った苔癬様丘疹からなる発疹．脚(下腿)に現れ，通常，40 歳以上の男性に起こる). ＝Gougerot and Blum disease.

progressive pigmentary d. 進行性色素性皮膚病(症) (特に男性の下肢に起こる慢性の紫斑病．広がって赤褐色の斑およびカイエンペッパー斑と形容される点状病変を形成する．顕微鏡的に毛細血管の拡張，漏出，ヘモジデリン沈着症がみられる). ＝Schamberg fever.

radiation d. 放射線皮膚病(症) (電離放射線を照射した部位に起こる皮膚変化で，特に急性期には紅斑がみられ，また一時的あるいは永久脱毛，そして慢性期の表皮と真皮には光線性角化症に似た変化がみられ，有棘細胞癌の発生母地となる).

subcorneal pustular d. 角層下膿疱病(症) (無菌性の角層下小水疱および膿疱からなるそう痒性慢性の環状皮疹). ＝Sneddon-Wilkinson disease; subcorneal pustular dermatitis.

transient acantholytic d. 一過性棘融解性皮膚症 (前胸部に生じるそう痒性丘疹の発疹で，組織学的に基底層直上の棘融解を示す．発疹は背部および四肢外側にも散在性に生じ，2—3 週から数か月の間持続する．主に 40 歳以上の男性にみられる). ＝Grover disease.

der·mat·o·ther·a·py (der′mă-tō-thār′ă-pē). 皮膚病治療.

der·mat·o·thla·si·a (der′mă-tō-thlā′zē-ă) [dermato- + G. *thlasis*, a bruising]. 皮膚破損狂，皮膚挫傷狂 (通常は自身の，皮膚をつまんであざをつけたいという抑えがたい衝動をもつこと).

der·mat·o·tro·pic (der′mă-tō-trop′ik) [dermato- + G. *trōpe*, a turning]. 皮膚向性の. ＝dermotropic.

der·mat·o·zo·on (der′mă-tō-zō′on) [dermato- + G. *zōon*, animal]. 皮膚寄生動物 (動物の皮膚に寄生する寄生生物).

der·ma·to·zo·o·no·sis (der′mă-tō-zō′ō-no′sis) [dermato- + G. *zōon*, animal + *nosos*, disease]. 動物原性皮膚症，皮膚寄生動物症 (寄生動物による皮膚への侵入).

der·ma·tro·phi·a, **der·mat·ro·phy** (der′mă-trō′fē-ă, der-mat′rō-fē). 皮膚萎縮[症] (皮膚の萎縮または菲薄化).

der·men·chy·sis (der-men′ki-sis) [derm- + G. *enchysis*, a pouring in]. 皮下注射 (医薬品の皮下投与に対してまれに用いる語).

der·mis (der′mis) [G. *derma*, skin] [TA]. 真皮 (表皮と波状に組み合わさったような構造をなしている表層の薄い乳頭層と，深くて粗い網状層の 2 つの区域からなる皮膚の層．血管およびリンパ管，神経および神経終末，腺，それに無毛の部位を除いては，毛包を含む). ＝corium*; cutis vera.

dermo- (der′mo) [G. *derma*, skin]. →derm-.

Der·mo·bac·ter (dĕr-mō-bak′tĕr). 皮膚杆菌 (不動性・非芽胞形成性・グラム陽性杆菌で，ヒト皮膚に表在する．*Dermobacter hominis* は血液培養で陽性の場合にみられる).

der·mo·blast (der′mō-blast) [dermo- + G. *blastos*, germ]. 皮膚芽細胞 (中胚葉細胞の一種．これから真皮が発達する).

der·mo·cy·ma (der′mō-sī′mă) [dermo- + G. *kyma*, fetus]. 皮下寄生双胎 (不等接着双生児．小さい寄生体が自生体の外皮に埋め込まれているもの. →conjoined *twins*).

der·moid (der′moyd) [dermo- + G. *eidos*, resemblance]. ***1*** 〚adj.〛 皮膚様の. ＝dermatoid (1). ***2*** 〚n.〛 類皮腫. ＝dermoid *cyst*.

inclusion d. 封入性類皮腫. ＝epidermal *cyst*.

der·moi·dec·to·my (der′moy-dek′tŏ-mē) [dermoid + G. *ektomē*, excision]. 類皮腫切除術に対してまれに用いる語.

der·mol·y·sis (der-mol′i-sis). ＝dermatolysis.

der·mo·ne·crot·ic (der′mō-nĕ-krot′ik). 皮膚壊死[性]の (皮膚壊死を起こすことのある塗布物質や疾病に関していう).

der·mop·a·thy (der-mop′ă-thē). 皮膚障害，皮膚症. ＝dermatopathy.

diabetic d. 糖尿病性皮膚障害(症) (四肢伸側(最も一般的なのは糖尿病患者の脛)の小さな斑および丘疹，萎縮，色素沈着．ときには瘢痕を伴う潰瘍形成を起こす．恐らく微小血管障害の症状の現れである).

der·mo·phle·bi·tis (der′mō-flĕ-bī′tis) [dermo- + G. *phleps*, vein + *-itis*, inflammation]. 皮膚静脈炎 (皮静脈とその周囲の皮膚の炎症).

der·mo·skel·e·ton (der′mō-skel′ĕ-tŏn). 外骨格. ＝exoskeleton (1).

der·mo·ste·no·sis (der′mō-stĕ-nō′sis) [dermo- + G. *stenōsis*, a narrowing]. 皮膚狭窄[症].

der·mo·tox·in (der′mō-tok′sin). デルモトキシン，皮膚毒素 (生物，特にバクテリアによってつくられる菌体外毒素のことで，皮膚に紅斑，変性，壊死のような病理学的変化を起こす能力を特徴とする).

der·mo·tro·p·ic (der′mō-trop′ik). ＝dermatotropic.

der·mo·vas·cu·lar (der′mō-vas′kyū-lăr) [dermo- + L. *vasculus*, small vessel]. 皮膚血管の.

der·o·did·y·mus (der′ō-did′i-mŭs) [G. *derē*, neck + *didymos*, twin]. 二頭二頸接着双胎. ＝*dicephalus* diauchenos.

de·ro·ta·tion (dē-rō-tā′shŭn) [L. *de*, away + *rotatio*, turning]. ***1*** ねじり戻ること. ***2*** 減捻 (整形外科学において，変形した組織を正常位までねじる，あるいは回転することによって回旋変形を矯正すること).

DES diethylstilbestrol の略.

des- (des). 化学において物質名の主要部分のうち構成部分の一部を欠いていることを示す接頭語．たいていは de- で置き換える(例えば deoxyribonucleic acid, dehydro- など)．ただし，de が desmo の一部のように D や *d* と解釈されうる場合(例えば desmosterol)や desoxycortone のような用語では省略されずに用いられる.

de·sam·i·dize (dē-sam′i-dīz). 脱アミド[化]する. ＝deamidize.

De Sanc·tis (de sahnk′tis), Carlo. 20世紀初頭のイタリア人精神科医. →De S.-Cacchione *syndrome*.

de·sat·u·rate (dē-sat′yū-rāt). 脱飽和する.

de·sat·u·ra·tion (dē′sat-yū-rā′shŭn). ***1*** 脱飽和 (あるものを不完全に飽和する作用または作用の結果，より特定的に満たされないで残っている全結合部位の百分率．例えば，ヘモグロビンが酸素だけで 70% 飽和されているとき，その脱飽和は 30% である. *cf.* saturation (5)). ***2*** 不飽和化 (1 分子から 2 個の水素原子が脱離する反応過程で，その結果，二重結合が生成する).

De·sault (dĕ-sō′), Pierre-Joseph. フランス人外科医，1744—1795. ⇀D. *bandage*.

Des·cartes (Cartesius) (dā-kahrt′), René. フランス人哲学・数学・生理学者，1596—1650. 近代哲学の創設者であり，機械論 mechanistic *school* または数理医学 iatromathematical *school* の提唱者. ⇀D. *law*.

Des·ce·met (des-ĕ-mā′), Jean. フランス人医師，1732—1810. ⇀D. *membrane*.

des·ce·me·ti·tis (des′ĕ-mĕ-tī′tis). デスメ〔一〕膜炎.

des·ce·met·o·cele (des′ĕ-met′ō-sēl). デスメ〔一〕瘤 (Descemet 膜の前方への突出で，感染により角膜の物質が破壊されて起こる).

de·scen·dens (dē-sen′denz) [L.]. 下行〔性〕の ([ラテン語の分詞形である本語は 3 つの性すべての名詞とともに用いられる. 例えば，男性(ramus descendens)，女性(pars descendens)，中性(colon descendens)]). = descending.

d. cervicalis = inferior *root* of ansa cervicalis.

d. hypoglossi = superior *root* of ansa cervicalis.

de·scend·ing (dē-send′ing) [L. *de-scendo*, pp. *-scensus*, to come down < *scando*, to climb]. 下行〔性〕の (下方またはその周辺部へ走行する). = descendens.

de·scen·sus (dē-sen′sŭs) [L.]. 下降，下垂，降下 ([複数形は descensi ではなく descensus である]. 高位から降下すること. →ptosis; procidentia). = descent (1).

d. testis 精巣下降 (精巣が腹部から陰嚢内へと下降すること. 胎生期 7—8 か月に起こる現象).

d. uteri 子宮下垂〔症〕. = *prolapse* of the uterus.

d. ventriculi 胃下垂. = gastroptosis.

de·scent (dē-sent′) [L. descensus]. ***1*** 下降，下垂，降下. = descensus. ***2*** 産科において，胎児の先進部が産道に進入し，これを通過すること.

Des·champs (dā-shahm′), Joseph F.L. フランス人外科医，1740—1824. ⇀D. *needle*.

de·sen·si·tiz·a·tion (dē-sen′si-ti-zā′shŭn). 脱感作，除感作，脱感受性 (①特異抗原(アレルゲン)に対するアレルギー性感受性，また，アレルギー反応を減弱あるいは除去すること. = antianaphylaxis. ②情動性観念複合体を取り除くための行為). = hyposensitization.

heterologous d. 異種脱感作 (1 つの作用物質の刺激により他の多くの作用物質の刺激に反応しなくなるような広範な脱感作).

homologous d. 同種脱感作 (組織を脱感作するのに用いた作用物質の群だけに対して感受性を失う).

systematic d. 系統的脱感作 (恐怖や不安を取り除くための行動療法の一技法. 患者と治療者は，恐怖を生じる場面を想像させるようなリストを作成し，それらを不安産生度の最も少ないものから最も高いものへと順に並べる. 次に患者は，筋肉を高度に弛緩させる訓練を受け，完全に弛緩していると自分で感じるまで，当該リスト上の最低位の不安産生場面に自分がいると想像することを繰り返し求められる. この手順は，当該リスト上の各場面のいずれのものに対しても弛緩していられると感じられるようになるまで，それぞれの場面について繰り返し続けられる. その後にこれらの想像上の場面を現実の生活場面で置き換えていく). = reciprocal inhibition (2).

de·sen·si·tize (dē-sen′si-tīz). ***1*** 除感作する (敏感性を軽減または除去する). ***2*** 脱感作する. ***3*** 知覚鈍麻する (歯科において，露出した有髄歯の刺激物質または温度変化に対する疼痛反応を除去または抑制する).

de·ser·pi·dine (dē-sĕr′pi-dēn). デセルピジン (キョウチクトウ科 *Rauwolfia canescens* から分離されたエステルアルカロイド. レセルピンと同様の作用と用途をもつ).

de·se·tope (dē′se-tōp) [*de*terminant *se*lection + -tope]. ディセトープ (主要組織適合遺伝子複合体クラス II 中で，抗原と作用する部位. determinant selection に由来する語).

des·fer·ri·ox·a·mine mes·y·late (des′fer-ē-ok′să-mēn mes′i-lāt). = deferoxamine mesylate.

des·flu·rane (des-flūr′ān). デスフルラン (麻酔の導入，覚醒の迅速な吸入麻酔薬).

des·hy·dre·mi·a (des′hī-drē′mē-ă) [L. *de-*, away from + G. *hydor*, water + *haima*, blood + -ia]. 脱水血症 (血漿からの水分喪失が原因の血液濃縮).

des·ic·cant (des′i-kant) [L. *de-sicco*, pp. *-siccatus*, to dry up]. = exsiccant. ***1*** 〖adj.〗 乾燥させる，乾燥的な. = desiccative. ***2*** 〖n.〗 乾燥剤 (水分を吸収する物質). = desiccator (1).

des·ic·cate (des′i-kāt). 乾燥する ([誤ったつづり dessicate を避けること]. 十分に乾かす. 湿気をなくす). = exsiccate.

des·ic·ca·tion (des′i-kā′shŭn). 乾燥 (乾燥させる過程). = dehydration (4); exsiccation (1).

des·ic·ca·tive (des′i-kā′tiv). 乾燥させる. = desiccant (1).

des·ic·ca·tor (des′i-kā′tŏr, tōr). ***1*** 乾燥剤. = desiccant (2). ***2*** 乾燥器 (塩化カルシウム，硫酸，その他の乾燥剤を入れたガラス製容器のような装置. この中に物質を置いて乾燥させる).

vacuum d. 真空乾燥機 (空気を抜くことが可能な乾燥器).

des·lan·o·side (des-lan′ō-sīd). デスラノシド (速効性のステロイドグリコシド. ラナトシド C (*Digitalis lanata*) からアルカリ加水分解によって得られる. 強心薬).

desm- ⇀desmo-.

Des·marres (dā-mahr′), Louis A. [誤った形 Desmarre および Desmarre's を避けること]. フランス人眼科医，1810—1882. ⇀D. *dacryoliths*, *retractor*.

des·mins (dez′min) [MIM*125660]. デスミン (中間フィラメント中に存在する蛋白で，ビメンチンと共重合して結合組織，細胞壁，フィラメントのような構造的要素の成分を形成する，骨格筋や心筋の細胞の Z 線(帯)にみられる).

des·mi·tis (dez-mī′tis) [desm- + G. *-itis*, inflammation]. 靱帯炎.

desmo-, desm- (des′mō) [G. *desmos*, a band]. 線維結合または靱帯を意味する連結形.

des·mo·cra·ni·um (des′mō-krā′nē-ŭm) [TA]. 膜性頭蓋 (頭蓋の間葉性原基).

des·mo·den·ti·um (des′mō-den′tē-ŭm) [TA]. 歯根膜線維 (セメント質から歯槽骨へ走行するコラーゲン線維で，歯を歯槽窩内に固定する. 歯根膜線維の走行は部位により異なり，根尖線維，斜線維，水平線維，歯槽頂線維の各群に分けられる). = desmodontium [TA]; periodontal fiber☆; periodontal ligament fibers.

des·mo·don·ti·um (des′mō-don′tē-ŭm) [TA]. = desmodentium.

Des·mo·dus (dez′mō′dŭs) [desmo- + G. *odous*, tooth]. チスイコウモリ属 (翼手目の一属. 一般に吸血コウモリとして知られる. 血を食物とする一属で，トリニダード，メキシコ，中・南アメリカに生息する. トリニダードおよび南アメリカに分布する *D. artibaeus*, *D. rotundus*, *D. rufus* の 3 種は，狂犬病ウイルスの保有宿主である).

des·mog·e·nous (des-moj′ĕ-nŭs) [desmo- + G. *-gen*, producing]. 靱帯〔原〕性の (結合組織または靱帯に起因し，あるいはこれらによって惹起される事柄を表す. 例えば，靱帯，筋膜，または瘢痕の収縮による変形などを示す場合に用いる).

des·mog·ra·phy (des-mog′ră-fē) [desmo- + G. *graphō*, to describe]. 靱帯学 (靱帯に関する記述，またはこれに関する学術論文).

des·moid (dez′moyd) [desmo- + G. *eidos*, appearance, form]. ***1*** 〖adj.〗 線維様の，靱帯様の. = fibrous; ligamentous. ***2*** 〖n.〗 デスモイド，類腱腫 (小結節または比較的大きい塊で，異常軟化した瘢痕様の結合組織からなり，線維芽細胞の活発な増殖に起因するもの. 経産婦の腹筋内に最も頻繁にみられる. 線維芽細胞は周囲の筋肉および筋膜に浸潤する). = abdominal fibromatosis; desmoid tumor.

extraabdominal d. 腹壁外類腱腫 (青年男女の肩，胸部，背部に最もよくみられ，周囲の筋に浸潤する結合組織性線維組織よりなる深在性の硬い腫瘍. しばしば再発するが，転移は起こらない).

des·mo·las·es (dez-mō-lā′sez). デスモラーゼ (加水分解を伴わない反応(例えば，酸化還元，異性化，炭素 - 炭素結合の開裂を含む反応)を触媒する酵素を表す，以前用いられた一般用語).

des·mol·o·gy (des-mol′ŏ-jē) [desmo- + G. *logos*, study]. 靱帯学 (靱帯を扱う解剖学の一分野).

des·mop·a·thy (des-mop′ă-thē) [desmo- + G. *pathos*, suffer-

D

ing〕．靱帯病．

des·mo·pla·si·a (des-mō-plā′zē-ă) ［desmo- ＋G. *plasis*, a molding］．線維形成（線維芽細胞の増殖および線維性結合組織の不均衡な形成で，特に癌の基質中にみられる）．

des·mo·plas·tic (des′mō-plas′tik). ***1*** 癒着〔性〕の（癒着を引き起こす，または形成する）．***2*** 線維形成〔性〕の（新生物の血管支質に線維形成を引き起こす）．

des·mo·pres·sin (des′mō-pres′in). デスモプレシン（バソプレッシン(抗利尿ホルモン，ADH)の類似体で，強力な抗利尿活性をもつ）．

d. acetate 酢酸デスモプレシン（バソプレッシンの合成同族体で抗利尿ホルモン）．

des·mo·sine (des′mō-sēn)［G. *desmos*, bond＜*deō*, to bind＋-ine］．デスモシン（エラスチンに含まれるリジン残基によって生成された架橋したアミノ酸）．

des·mo·some (dez′mō-sōm)［desmo-＋G. *sōma*, body］．デスモゾーム，接着斑，細胞間橋（2つの上皮細胞間の接着装置．緻密な接着板とここに集まる中間径フィラメント，および膜貫通蛋白質であるカドヘリンから構成される）．＝bridge corpuscle; macula adherens.

des·mos·te·rol (des-mos′tĕr-ol). デスモステロール（ラノステロールからチモステロールを経由するコレステロール生合成の中間物と考えられるもの．コレステロール生合成を阻害する物質を長期にわたって投与した場合，蓄積される）．＝24-dehydrocholesterol.

desoxy- (des-oks′ē). →deoxy-.

des·ox·y·cor·ti·cos·ter·one (des-oks′ē-kōr′ti-kōs′tĕr-ōn). デオキシコルチコステロン（強い鉱質コルチコイド作用を有する副腎皮質由来のステロイド）．

des·ox·y·cor·tone (des-oks-ē-kōr′tōn). デスオキシコルトン．＝deoxycorticosterone.

de·spe·ci·a·tion (dē-spē′shē-ā′shŭn). 非種特異化（①種の特性の変化または喪失．②異種蛋白から種に固有の抗原特性を除去すること）．

d'Es·pine (dā-pēn′), Jean H.A. フランス人医師，1846—1930. →d'E. *sign*.

des·pu·ma·tion (des′pyū-mā′shŭn)［L. *de-spumo*, pp. *-atus*, to skim＜*spumo*, to foam＜*spuma*, foam］．***1*** 浮滓（液体の表面に不純物が浮上してくること）．***2*** 浮滓除去（液体の表面の不純物をすくい取り，除去すること）．

des·qua·mate (des′kwă-māt)［L. *desquamo*, pp. *-atus*, to scale off＜*squama*, a scale］．落屑する，剝離する（皮をむく，うろこ状に落とす．表皮の鱗屑や小片を剝落したり，表面の外層を削り取ったりする）．

des·qua·ma·tion (des′kwă-mā′shŭn). 落屑，剝離（クチクラ(小皮)の鱗屑状剝離，または上皮外層の剝離）．

branny d. ぬか状落屑，ぬか状剝離．＝defurfuration.

des·qua·ma·tive (des-kwam′ă-tiv). 落屑性の．

des·thi·o·bi·o·tin (des′thī-ō-bī′ō-tin). デスチオビオチン，脱硫ビオチン（ビオチンの脱硫により誘導される化合物．細菌や糸状菌におけるビオチンの前駆体で，ある種の微生物ではビオチンの代用となりうるが，その他の微生物では成長に対して効果的でない，または抑制的となる）．

de·stru·do (dē-strū′dō)［*libido* から類推してつくられた用語＜L. *destruo*, to destroy］．デストルド，破壊欲（死滅または破壊本能に関連するエネルギー）．

de·sulf·hy·dras·es (dē′sŭlf-hī′dră-sez). デスルフヒドラーゼ，脱硫化水素酵素（H_2S分子または置換 H_2S の化合物からの分解を触媒する酵素または酵素群．システインデスルフヒドラーゼ(cystathionine γ-lyase)によるシステインのピルビン酸への変換はこの一例）．＝desulfurases.

de·sul·fi·nase (dē-sŭl′fi-nās). デスルフィナーゼ（亜硫酸塩を①システインの分解における中間体であるシステインスルフィン酸から除去し，アラニンを生成する酵素，または②システインスルフィン酸の脱アミノにより生成されると以前考えられていたスルフィニルピルビン酸からピルビン酸を生成する酵素(aspartate-4-decarboxylase)に対して，ときに用いる語．スルフィニルピルビン酸の分解は，現在では自然に起こり，酵素を必要としないと考えられている）．

De·sul·fo·to·ma·cu·lum (dē-sŭl′fō-tō-mak′yū-lŭm). デスルフォトマクルム属（嫌気性，有機栄養性で運動性をもつ棒状もしくは弯曲した桿菌の一属で，グラム陰性であるが細胞壁はグラム陽性である．土壌中，ルーメン内などにみられる．標準種は *D. nigrificans*）．

D. nigrificans 硫化水素産生の結果，硫黄臭がする廃棄食物ゴミに認められる種．非病原性である．

de·sul·fu·ras·es (dē-sŭl′fyūr-ās′ez). 脱硫酵素．＝desulfhydrases.

de·syn·chro·nous (dē-sin′kron-ŭs)［de-＋G. *syn*, with＋*chronos*, time］．脱同期〔性〕の（脳波などにおいて，同期性がないこと）．

DET diethyltryptamine の略．

det.［let it be given］．ラテン語 *detur*(与えよ)の略．

de·tach·ment (dē-tach′ment). 剝離，解離，分離（①自然な，または抗いがたく生じる感情ないし情動で，正常な関係や環境からの分離感を伴うもの．②ある構造がその支持物から離れること）．

exudative retinal d. 滲出性網膜剝離（網膜破壊を伴わない網膜剝離．脈絡膜の炎症性疾患，網膜腫瘍および網膜血管腫症から生じる）．

retinal d., d. of retina［MIM*312530, MIM*180050］．網膜剝離（神経網膜と色素上皮の相互位置関係が消失すること）．＝detached retina; separation of retina.

rhegmatogenous retinal d. 裂孔原性網膜剝離（網膜神経上皮の裂孔，円孔などによって起こる網膜剝離）．

vitreous d. 硝子体剝離（末梢部硝子体と網膜との間の剝離）．

de·tec·tion (dē-tek′shŭn). 探知，検出（①発見的行動．②クロマトグラフィにおいて，分離した物質の視覚化）．

de·tec·tor (dē-tek′tŏr, -tōr). 検出器（興味のある物質の存在または量を示す化学的あるいは物理的信号を検出する検査機器の部分）．

solid-state d. 固体検出器（放射線の検出や測定のために電離箱ではなく結晶のシンチレータを用いた検出器）．

de·ter·gent (dē-tĕr′jent)［L. *de-tergeo*, pp. *-tersus*, to wipe off］．＝detersive. ***1***〖adj.〗洗浄性の，洗浄力のある．***2***〖n.〗洗〔浄〕剤（洗浄・しゃ下薬．通常，四級アンモニウム，スルホン酸化合物のような長鎖脂肪塩基または脂肪酸の塩．これらの物質は，親水性と疎水性の両方の特質をもつという界面活性作用によって，洗浄効果(油分分解)および抗菌効果をもたらす．同じ理由から，アクリフラビンとプロフラビンのようなアクリジン誘導体には，ブリリアントグリーンやクリスタルバイオレットのような他の染料と同様，洗浄性がある）．

anionic d.'s 陰イオン洗〔浄〕剤（石けん(長鎖脂肪酸のアルカリ金属塩)のような洗浄剤．脂質様の分子が負電荷を帯び，限局性抗菌作用を有するもの）．

cationic d.'s 陽性洗〔浄〕剤，逆性洗〔浄〕剤（アミン塩または長鎖脂肪酸の四級アンモニウムまたはピリジニウム化合物のような洗浄剤．その疎水性グループに正電荷を帯びた原子団が結合している）．

zwitterionic d. ＝zwittergents.

de·te·ri·o·ra·tion (dē-tēr′i-ō-rā′shŭn)［L. *deterior*, worse］．変敗，変質，劣化，悪化，荒廃，衰退（悪くなっていく状態または過程）．

alcoholic d. アルコール性認知症（長い間，アルコールを常用している者に生じる認知症．→chronic *alcoholism*）．

de·ter·mi·nant (dē-ter′mi-nănt)［L. *determans*, determining, limiting］．決定基，決定群，決定〔因〕子，デターミナント（特性を決定するのに重要な因子）．

allotypic d.'s アロタイプ決定基（アロタイプ(同種抗原性)の抗原決定基）．

antigenic d. 抗原決定基(群)（免疫学的特異性を決定する特定の化学的な分子群）．＝determinant group.

disease d.'s 疾患の決定要因（直接あるいは間接に，ある疾患の発生頻度および(または)分布に影響を与える変数．疾患ごとに固有の病因物質(生物)，宿主側の特質，環境要因が含まれる）．

genetic d. 遺伝的決定基（抗原決定基あるいは自己認識特性についていうが，特にアロタイプ(同種抗原性)のそれをさす）．＝genetic marker.

idiotypic antigenic d. イディオタイプ抗原決定基．＝idiotope.

isoallotypic d.'s 同系同種決定基（免疫グロブリンの少なくとも1つのサブクラスについてすべてのH鎖に出現する

が，同一種の他のサブクラスのメンバー中には，部分的にしか出現しないような同系かつ同種の遺伝的決定基）．

mathematical d. 行列式（正方行列に関する代数計算の1つ．連立方程式の解法の基礎となり，回帰分析において広く用いられ，疫学や計量遺伝学において重要である．行列式が0である場合，解は一意に定まらない）．

de·ter·mi·na·tion (dē-ter′mi-nā′shŭn) [L. *de-termino*, pp. *-atus*, to limit, determine < *terminus*, a boundary]. ***1*** 傾向（疾病の経過における良い方向または悪い方向への変化）．***2*** 決定（ある一定の点に向かう動き一般）．***3*** 測定，定量（科学的検査において，量・質の測定または推定）．***4*** 決定（状態やカテゴリー（例えば診断）の識別）．***5*** 測定，決定（効果がもたらされる必要で十分な過程）．

cell d. 細胞の運命決定（それまで未分化であった胚細胞が特定の発達特性を示すようになること．⇀morphogenesis; induction; evocator）．

sex d. 性の決定〔法〕（胎児染色体検査による子宮内での胎児性別決定法）．

de·ter·mi·nism (dē-ter′mi-nizm). 決定論，定命説（あらゆる行動はもっぱら遺伝および環境の影響下に生じ，無作為の要素がはいることはなく，自由意志には無関係であるという考え）．

psychic d. 心的決定論（精神分析学において，すべての心理的・行動的現象は，先行し，無意識的に作用する原因によって起こるという説）．

de·ter·sive (dē-tĕr′siv). ＝detergent.

de·tox·i·cate (dē-tok′si-kāt) [L. *de*, from + *toxicum*, poison]. 解毒する，無毒化する（ある物質が有する毒性を弱める，または除去する．ある種の病原体が有する毒性を減弱する）．＝detoxify.

de·tox·i·ca·tion (dē-tok′si-kā′shŭn). ＝detoxification.

ammonia d. アンモニア解毒（アンモニアやアンモニウムイオンをアンモニウム塩，特定の窒素排泄物または L-グルタミンの生成により解毒すること）．

de·tox·i·fi·ca·tion (dē-tok′si-fi-kā′shŭn). ＝detoxication. ***1*** 解毒（薬物の有毒作用からの回復）．***2*** 無毒化（毒物から毒性を除去すること）．***3*** 薬理学的に，活性成分を代謝によって，より活性の低い成分に転化すること．

de·tox·i·fy (dē-tok′si-fī). ＝detoxicate.

de·tri·tion (dē-trish′ŭn) [L. *de-tero*, pp. *-tritus*, to rub off]. 磨耗，減損，挫滅（使用または摩擦によってすり減ること）．

de·tri·tus (dē-trī′tŭs) [L. (⇀detrition)]. デトリタス（[誤った発音 det′ritus を避けること]．生物体から壊されて取れてくるもの．例えば，う食，壊疽，結石など）．

de·tru·sor (dē-trū′sŏr) [L. *detrudo*, to drive away]. ***1*** 排尿筋（内容物質を排出する働きをする筋肉）．***2*** ⇀detrusor (*muscle*).

de·tru·sor·rha·phy (dē-trū-sōr′ă-fē) [detrusor + G. *rhephē*, a seam]. 利尿筋修正術（膀胱の利尿筋を尿管膀胱接合部で一方通行を保つ能力のある弁を形成し再建する．→ureteroneocystostomy）．＝extravesical reimplantation.

de·tu·mes·cence (dē′tū-mes′ents) [L. *de*, from + *tumesco*, to swell up < *tumeo*, to swell]. 腫脹減退．

de·tur·ges·cence (dē′tūr-ges′ents) [L. *de*, from + *turgesco*, to begin to swell]. 角膜の実質がある程度の脱水状態に保たれる機構のこと．

deut- (dūt). ⇀deutero-.

deu·ten·ceph·a·lon (dū′ten-sef′ă-lon) [G. *deuteros*, second + *enkephalos*, brain]. 第二脳（diencephalon に対してまれに用いる語）．

deu·ter·a·nom·a·ly (dū′tĕr-ă-nom′ă-lē) [G. *deuteros*, second + *anōmalia*, anomaly]. 2型3色覚（緑色に反応する錐体の異常に起因する異常3色覚）．

deu·ter·an·ope (dū′tĕr-ă-nōp′). 2型2色覚者．

deu·ter·an·o·pi·a (dū′tĕr-ă-nō′pē-ă) [G. *deuteros*, second + anopia]. 2型2色覚（3種類の網膜錐体色素のうち2種類が存在し（2色覚），中波長（緑）に対する完全な感受性の欠如を示す網膜の先天性異常）．

deuterio- (dū-tē′rē-ō). 重水素を含むことを表す接頭語．

deu·te·ri·um (D) (dū-tē′rē-ŭm) [G. *deuteros*, second]. ジュウテリウム，重水素．＝hydrogen-2.

d. oxide 酸化ジュウテリウム．＝heavy *water*.

deutero-, deut-, deuto- (dū′tĕr-ō, dūt, dū′tō) [G. *deuteros*, second]. 2または（系列中で）2番目，2次的な，を意味する接頭語．

deu·ter·o·my·ce·tes (dū′tĕr-ō-mī-sē′tēz). 不完全菌（Deuteromycetes 綱または不完全菌門の一種）．

Deu·ter·o·my·cot·a (dū′tĕr-ō-mī-kō′tă). 不完全菌門（生活環において，有性世代（性世代または完全世代）の発見されていない門．生活環において無性世代（無性世代または不完全世代）のみが認められている．→Fungi Imperfecti）．

deu·ter·on (d) (dū′tĕr-on). 重陽子（重水素 ^{2}H の原子核．中性子と陽子各々1個からなり，したがって水素原子核に特徴的な1個の正電荷をもつ）．＝deuton; diplon.

deu·ter·o·path·ic (dū′tĕr-ō-path′ik). 続発症の，二次〔性〕障害の（一般的でない用語）．

deu·ter·op·a·thy (dū′tĕr-op′ă-thē) [deutero- + G. *pathos*, suffering]. 続発症，二次〔性〕障害（一般的でない用語）．

deu·ter·o·plasm (dū′tĕr-ō-plazm′) [deutero- + G. *plasma*, thing formed]. ＝deutoplasm.

deu·ter·o·por·phy·rin (dū′tĕr-ō-pōr′fi-rin). ジュウテロポルフィリン，重〔水素化〕ポルフィリン（ポルフィリン誘導体．プロトポルフィリンに似ているが，2個のビニル側鎖が水素に置換されている点において異なる）．

deu·ter·o·some (dū′tĕr-ō-sōm′). ジュウテロソーム（中心球内に出現する高密度の球状の線維性顆粒で，中心小体や基底小体の発生に役割をもつ）．＝procentriole organizer.

deu·ter·o·to·ci·a (dū′tĕr-ō-tō′sē-ă) [deutero- + G. *tokos*, childbirth]. 両性産生単為生殖，デュテロトキア（単為生殖の一型で，雌が両性の子を産むこと）．＝deuterotoky.

deu·ter·ot·o·ky (dū′tĕr-ot′ō-kē). ＝deuterotocia.

deuto- (dū′to). ⇀deutero-.

deu·to·gen·ic (dū′tō-jen′ik) [deuto- + G. *-gen*, production]. 二次的発生の（影響を受けて誘導され，二次的に発生する）．

deu·tom·er·ite (dū-tom′ĕr-īt) [deuto- + L. *meros*, part]. 後房，後節（簇虫類原生動物の付着したセファロント期の後部の有核部分で，前方部分すなわち前房とは外形質性隔板で仕切られる）．

deu·ton (dū′ton). ＝deuteron.

deu·to·nymph (dū′to-nimf). 第二若虫（ダニの3番目のステージ）．

deu·to·plasm (dū′tō-plazm) [deuto- + G. *plasma*, thing formed]. 卵黄質（部分割卵の卵黄．細胞質中の生命をもたない物質で，特に，発生中の胚の食物として卵子中に蓄えられている物質をさす．最も一般的な形態は，リポイドの小滴や卵黄顆粒である）．＝deuteroplasm.

deu·to·plas·mic (dū′tō-plaz′mik). 卵黄質の．

deu·to·plas·mi·gen·on (dū′tō-plaz′mi-jen′on) [deutoplasm + G. *genos*, birth]. 卵黄質原（卵黄質を産生する，または生じるもの）．

deu·to·plas·mol·y·sis (dū′tō-plaz-mol′i-sis) [deutoplasm + G. *lysis*, dissolution]. 卵黄質溶解（卵黄が分解すること）．

Deutsch·län·der (doytch′len-dĕr), Carl E.W. ドイツ人外科医，1872—1942. ⇀D. *disease*.

DEV duck embryo origin *vaccine*; duck embryo *virus* の略．

de·vas·cu·lar·i·za·tion (dē-vas′kyū-lăr-i-ză′shŭn) [L. *de*, away + *vasculus*, small vessel + G. *izo*, to cause]. 脈管遮断（身体の一部や器官へ向かう血管のすべてあるいは大部分を閉塞すること）．

de·vel·op (dē-vel′op) [O.Fr. *desveloper*, to unwrap < *voloper*, to wrap]. 現像する（露光された写真フイルムやX線フイルムに対して行う，潜像を可視像に変える操作）．

de·vel·op·er (dē-vel′ŏp-ĕr). ***1*** 展開剤，展開溶媒．＝eluent. ***2*** 現像剤（感光されたハロゲン化銀分子を還元して原子状銀にすることによりフイルムを現像するのに用いられる化学薬品）．***3*** 発達因子（細胞，器官，生物個体が一連の段階的変化を起こすための因子）．***4*** 無色の物質を呈色させる染料．

de·vel·op·ment (dē-vel′ŏp-ment). ***1*** 発生，発育，発達（物理的および精神的過程において，先行するより低次の胚期の段階から，後続のより複雑な成体の段階へと自然に進行していく行為や過程．次頁の図参照．⇀adaptation (6); equilibra-

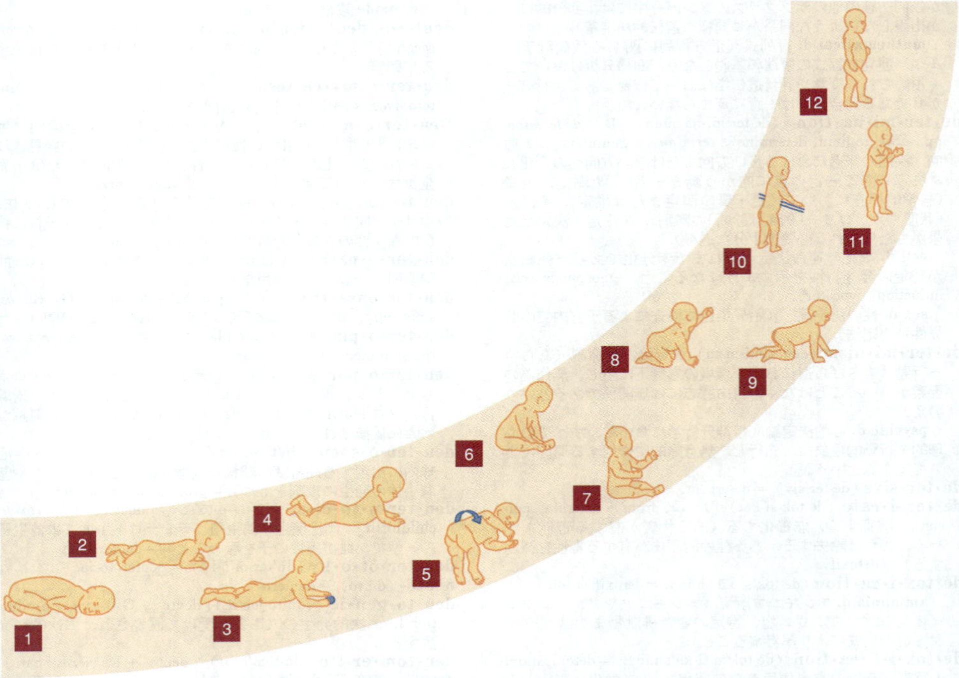

milestones in normal child development (shown by month)

1：大部分は反射による動き．2：腹ばいで頭を上げる．3：物をつかむ．4：腹ばいで胸と頭を上げる．5：前後に回転する．6：座る，しかし何らかの支えでのみ．7：支えなしで安全に座る．8：取られることを期待して手を差し伸べる．9：腹部を床から離してはう．10：つかまり立ち．11：一人で立つ．12：第一歩を歩む．

tion (5))．*2* 展開（クロマトグラフィの過程）．

cognitive d. 認知発達（乳児および小児の知的機能の発達）．

life-span d. 生涯発達（周産期から老年期に至る全生涯の異なる時期において，それぞれ異なる生物学的，知的，行動的，および社会的技能の発達と獲得(あるいは喪失)）．

psychosexual d. 精神・性的発達（性欲の精神面と行動面での成熟と発達．誕生から成年に達する間に，口唇期，肛門期，男根期，潜伏期，および性器期を経過する）．

De・ven・ter (dĕ-ven′tĕr), Hendrik van. オランダ人産科医，1651—1724．→D. *pelvis*.

de・vi・ance (dē′vē-ants). 逸脱．＝deviation (3).

de・vi・ant (dē′vē-ant). *1*〚adj.〛異常であることをさす，または意味する．*cf.* normal. ＝aberrant (3); abnormal (2). *2*〚n.〛異常者（異常性(特に性的)を現す個人）．

de・vi・a・tion (dē′vē-ā′shŭn)［L. *devio*, to turn from the straight path＜*de*, from＋*via*, way］. *1* 偏位，偏視，偏移（正常な点または過程からの離反あるいは逸脱）．*2* 異常〔性〕．*3* 逸脱（精神医学や行動科学において，基準，役割，および規則からの逸脱）．＝deviance. *4* 偏差（統計的尺度の１つで，一群の数値の集合における個々の値と平均値との差を表すもの）．

axis d. 電気軸偏位（心臓の電気軸が正常な位置から右または左へそれること．→left axis d.; right axis d.; axis)．＝axis shift.

conjugate d. of the eyes *1* 共役(共同)眼球運動（両眼の同一方向への等しくかつ同時に起こる眼球の回転運動で，正常なもの）．*2* 共役(共同)偏視（筋肉の麻痺または痙攣により両眼が同一側へ偏位した共役）．

dissociated horizontal d. 解離性水平偏位（眼遮へい，Herring 法則 *law* の侵犯時，眼が外転するもので，術後先天内斜視と関連することが多い）．

dissociated vertical d. 解離性垂直偏位（眼遮へい，Herring 法則 *law* の侵犯時，眼が上方，外転，外方回旋するもので，先天内斜視と関連することが多い）．

immune d. 免疫偏向（①＝split *tolerance*. ②免疫系が Th 2 細胞優位から Th 1 優位状態へと徐々に移行すること．典型的には子宮内で非アトピー児が成長する過程）．

d. to the left 左方偏移．＝*shift* to the left (1).

left axis d. 左軸偏位（心臓の平均電気軸が −30 度またはさらに左軸方向をさすこと．→hexaxial reference *system*)．

primary d. 一次偏位，一次ずれ（外眼筋麻痺があり，麻痺眼でない眼で固視した場合の両眼の視線のずれ）．

d. to the right 右方偏移．＝*shift* to the right (1).

right axis d. 右軸偏位（心臓の平均電気軸が＋90 度より右方をさすこと．→hexaxial reference *system*)．

secondary d. 二次偏位，二次ずれ（外眼筋麻痺があり，麻痺眼で固視した場合の両眼の視線のずれ）．

sexual d. 性〔的〕倒錯〔症〕（生物学的典型でなく，道徳的に誤りとみなされ，あるいは法律で禁止されている性的行為．→bestiality; pedophilia)．＝sexual perversion.

skew d. スキューデビエイション，中枢性上下斜視，斜偏視（両眼が相反する方向に等しく動く上斜視．後天性の上斜視で，しばしばほぼ共同性で，滑車神経または外眼筋異常の特徴的パターンに一致しない．しばしば脳幹または小脳病変による）．

standard d. (**SD, σ**) 標準偏差（①中心的傾向からのばらつきの程度を表す統計的指標．分布の平均値と個々の値の偏差の自乗を平均したものの平方根．②頻度分布の性質の記述に用いられる散らばり，またはばらつきの尺度）．

正常小児における運動性，社会性，言語性および認識性の発達（技術領域）

年齢	運動	社会	言語と認識
2―3か月	腹臥位で頭部挙上	人の顔を見て笑う（社会的微笑）	睦言．のどを鳴らす
5―6か月	寝返り．補助なしで座る	初期養育者への愛着形成．両親を認知する	片言を言う（単音を何度も繰り返す）
7―11か月	立位で静止する	家族以外の人への恐怖反応（見知らぬ人への不安）	音の模倣．身振りを使う
12―15か月	補助なしで歩く	初期養育者から離れることに対する不安（分離不安）	有意語を発する
16か月―2歳半	階段を上る．クレヨンで紙に描く	独自に遊ぶ．否定的なことを示す（例：“いや”をよく言う）	二語文を話す(例：“ぼくやる”)．体の一部や物の名前が言える
2歳半―4歳	三輪車に乗る．補助なしで衣類の着脱ができる．丸，線，十字をまねて描く．色を区別する	他児と並んで遊ぶが一緒には遊ばない（“平行遊戯”）．両親以外の大人と1日の大半は過ごせる(例：保育園)．3歳までに性の区別がはっきりする	文として完全に話せる（例：“それはぼくがやるよ”）
4―6歳	細部にわたり人を描ける(例：腕，足，体幹，目，髪)．独りで服を着る．交互に足を出してスキップする．6歳までに靴ひもが結べる．丸や四角をまねて描く	他児と協力して遊ぶ．想像上の仲間をもつ．身体に興味をもつ．“お医者さんごっこ”で遊ぶ．女児は父親に，男児は母親に対してロマンチックな気持ちを抱く（エディプス・コンプレックス；親母複合）	口頭で自己表現できる（例：詳細に物語を話せる）
6―11歳	複合的な運動をする（例：ボール遊び，自転車乗り，縄跳び）	同性と遊ぶ傾向．勤勉，善悪に対する道徳観念の発達．規則を守ることを学ぶ．同性の親を同一視する．両親以外の大人との関係（例：教師，指導者）	論理的な思考の発展．ものには複数の性質があると理解する(例：木と青からなる)．読み書きや計算を学ぶ（Piagetの“具体的な作業”の段階）
11―14歳	身長が伸びる．個人とチームのスポーツに参加する	性，身体，流向に対して夢中になる．家族から離れる．仲間との絆が深まる	抽象的理論（Piagetの“形式的作業”の段階）と創造性の発展
14―17歳	大人に近い運動技能を示す	危険を冒す行動に通じる無限力の気持ちを抱く(例：避妊をし損なう，車をとばす)	知識容量がピーク近くまで発達する
17―20歳	運動技能が大人のレベルに達する	人道主義論，道徳学，自制に対し関心を示す．主体性の危機が役割の混乱を引き起こすかもしれない（犯罪的行動や信仰への参加により明らかとなる）	難解な数学の論理にさらなる発展を示す（例：微積分学）

De・vic (dĕ-vēk′), Eugène．フランス人医師，1869―1930．→ D. *disease*.

de・vice (dē-vīs′)［M.E. ＜ O.Fr. *devis* ＜ L. *divisum*, divided］．装置（通常は機械類で，特定の機能を遂行するように設計，考案されているもの．例えば，プロテーゼや矯正器）．

central-bearing d. セントラルベアリング装置（歯科において，上下のレコードベースの中間に位置し，ベアリングの中心点を規定し，支持する装置．一方のベースに連結された接触点と他方のベースに連結された板とからなる．その板上を，ベアリングポイントが静止したり動いたりする）．

central-bearing tracing d. セントラルベアリングトレーシング装置（歯科において，セントラルベアリングの一種．描記と上下ベースを支持するために用いる）．

contraceptive d. 避妊器具（妊娠を避けるために用いる器具．例えば，避妊ペッサリー，コンドーム，子宮内避妊器具）．

Ilizarov d. イリザロフ装置（骨延長と変形矯正のために骨に通した細いワイヤで力を保持する環状の創外固定器）．

intrauterine d. (**IUD**) 子宮内〔避妊〕器具（避妊目的で子宮内に挿入されるプラスチックまたは金属の器具．コイル状，ループ状，T型弧状のような様々な形態のものがある）．＝intrauterine contraceptive d.

left-ventricular assist d. 左心補助装置（機械的なポンプで，左室の活動と並行に循環に組み込まれ，その結果負荷を軽減する）．

mandibular advancement d. 下顎前方移動装置（睡眠時の呼吸障害の治療に用いられる口腔内装置で，歯の固定源として中心位より前方で下顎を固定するもの）．

ventricular assist d. 心室補助装置（左心室(LVAD)あるいは右心室(RVAD)のポンプ機能を援助，置換するための様々な力学的な装置．ポンプの流入端は心室に，流出端は大動脈(LVAD)または肺動脈(RVAD)に接続する．心筋梗塞または心臓手術の後，患者の損害を受けた心臓の筋肉の回復のための時間を与えるために，心拍出量の大部分またはすべては装置を通り導かれる．また，提供された心臓が手にはいるまで，心臓が回復しない患者を支えるための〝移植へのブリッジ〟として使われる）．

de・vi・om・e・ter (dē′vē-om′ĕ-tĕr)．斜視偏位測定計（斜視度測定計の一種）．

de・vi・tal・i・za・tion (dē-vi′tăl-i-zā′shŭn)．失活〔法〕，除活

〔法〕(①生活力または生命の特性を奪うこと．②歯科において，歯髄が破壊される過程．例えば，化学的方法，感染または摘出などによる)．

de·vi·tal·ize (dē-vī′tăl-īz). 失活させる（生活力または生命の特性を奪う）．

de·vi·tal·ized (dē-vī′tăl-īzd). 失活した（生命の欠けた）．

dev·o·lu·tion (dev′ō-lū′shŭn) [L. *de-volvo*, pp. *-volutus*, to roll down]．退化（進化とは対照的に，異化，退縮，変性が経時的に進行していくこと．→involution; catabolism)．

De·war (dū′wăr), James. イングランド人化学者，1842—1923. ⇀D. *flask*.

de Weck·er (dĕ wek′ĕr), Louis H. フランス人医師，1832—1906. ⇀de W. *scissors*.

DEXA dual-energy x-ray *absorptiometry* の略．

dex·a·meth·a·sone (dek′să-meth′ă-sōn). デキサメタゾン（コルチゾールの合成同族体の1つ．類似の生物学的作用を有する．抗炎症薬や副腎皮質機能検査薬として用いる)．

dex·i·o·car·di·a (deks′ē-ō-kar′dē-ă). ＝dextrocardia.

dex·pan·the·nol (deks-pan′thĕ-nol). デクスパンテノール（末端の–COOHを–CH_2OHで置換したパントテン酸．コリン作用性の薬剤で，食事性のパントテン酸源)．＝panthenol; pantothenyl alcohol.

dex·ter (D) (deks′ter) [L. ＜ *dextra*, *dextrum* の中性形]．右〔側〕の（[本形容詞は男性名詞(pulmo dexter，複数形 pulmones dextri)でのみ用いられる．女性名詞では dextra の形(auricular dextra，複数形 auriculae dextrae)で，中性名詞では dextrum の形(atrium dextrum，複数形 atria dextra)で用いられる．誤ったつづりおよび発音 dextera，dexterae，dexteri，dexterum を避けること])．

dextr- ⇀dextro-.

dex·trad (deks′trad) [L. *dexter*, right ＋ *ad*, to]．右方へ．

dex·tral (deks′trăl). 右利きの．＝right-handed.

dex·tral·i·ty (deks-tral′i-tē). 右利き（手の仕事を行うのに右手を好むこと)．

dex·tran (deks′tran). デキストラン（①水溶性高分子のブドウ糖ポリマー．ショ糖に *Leuconostoc mesenteroides* などの微生物が作用することにより(分子量1,000—40,000,000 の範囲で)生成される．生理食塩水に溶解させ，ショックの治療に用いたり，蒸留水に溶かして，ネフローゼの浮腫の軽減に用いる．さらに分子量の低いデキストラン(例えば，分子量40,000はデキストラン40として医薬品に指定)は細胞集合を減少させることにより，うっ血部の血流を改善する．②ポリ(α–1,6–グルコース)．分枝点(1.2;1.3;1.4)をもつ α– 1,6–グルカンで，これらの分枝点は各々の種類に特徴的な形で空間的に配置されている．代用血漿または血漿増量薬として用いる．→dextransucrase)．

acid d. 酸性デキストラン（デキストランの酸および熱により生成する物質)．

animal d. 動物デキストラン．＝glycogen.

blue d. ブルーデキストラン（青色のクロロトリアゾリン色素シバクロンブルーを含有した高分子量デキストラン．ゲル沪過カラムのボイドボリュームを測定したり，カラムパッキングをチェックするのに用いられる)．

d. sulfate 硫酸デキストラン（多糖類デキストランの硫酸エステルのナトリウム塩．1 mg 当たり少なくとも 10 単位を含み，硫酸塩も最低 14% を有する．抗凝固薬)．

dex·tran·ase (deks′tran-ās). デキストラナーゼ（デキストラン中の 1,6–α–D–グルコシド(配糖体)連鎖を加水分解する酵素．カリエスの予防に用いられる)．

dex·tran·su·crase (deks′tran-su′krās). デキストラン分解酵素（グルコシル転移酵素．D–フルクトース残留物を放出して，ショ糖から poly(1,6–α–D–グルコシル)すなわち，多ブドウ糖類，デキストラン類または α–グルカン類をつくり出すもの)．

dex·trase (deks′trās). デキストラーゼ（デキストロース(D–グルコース)を乳酸に転化する酵素の複合体に対する総称)．

dex·tri·fer·ron (deks′tri-fer′on). デキストリフェロン（一部加水分解されたデキストリンと複合した水酸化鉄のコロイド溶液．鉄欠乏性貧血の治療に用いる．静脈内投与に適し，1 mL 当たり 20 mg の鉄を含む)．

dex·trin (deks′trin). デキストリン，糊精，糊糖（オリゴ(α–1,4–グルコース)分子の混合体．デンプン，アミロペクチン，グリコゲンを酵素または酸により加水分解する過程で形成される．これはさらに加水分解が進むと，D–グルコースに転化される．デキストランに比べて分子量がはるかに小さいため，血漿増量薬には適さない．デキストリン(通常は白色デキストリン)は薬剤調合に用いる)．＝starch gum.

acid d. 酸性デキストリン（デキストリンの酸および熱により生成する物質)．

limit d. リミットデキストリン，終極糊精（多糖類の断片で，アミロペクチンやグリコゲンの α–1,4–グルカンマルトヒドロラーゼまたは β アミラーゼによる完全加水分解の最終段階(終極)において残存するもの．α–1,4–グルカンマルトヒドロラーゼは，分枝点における α–1,6結合を加水分解できない．糖原病 3 型患者において蓄積する)．＝dextrin limit.

Schardinger d.'s (shar′ding-ĕr) [Franz *Schardinger*]．シャルディンガーデキストリン（グルコースモノマー(通常6—8個)が α–1,4 結合した環状化合物．デンプンにバチルス属の *Bacillus macerans* が作用して生成する)．

dex·tri·nase (deks′tri-nās). デキストリナーゼ（デキストリンの加水分解を触媒する酵素の総称．例えば amylo-1,6-glucosidase, dextrin dextranase)．

limit d. 終極デキストリナーゼ（①＝α-dextrin endo-1,6-α-glucosidase. ②＝oligo-α-1,6-glucosidase)．

dex·trin dex·tran·ase (deks′trin deks′tran-ās). デキストリンデキストラナーゼ（グルコシル転移酵素 1,4–α–D–グルコシル残留物を転移させて，デキストラン(単糖の単位間に1,6 連鎖を有する)をデキストリン(1,4 連鎖を有する)からブドウ糖の転移により合成する反応を触媒する)．＝dextrin→dextran transglucosidase; dextrin 6-glucosyltransferase.

dex·trin → dex·tran trans·glu·co·si·dase (deks′trin deks′tran trans′glū-kō′si-dās). デキストリン→デキストラントランスグルコシダーゼ．＝dextrin dextranase.

***α*-dex·trin en·do-1,6-*α*-glu·co·si·dase** (deks′trin en′do glū-kō′si-dās). α–デキストリンエンド–1,6–α–グルコシダーゼ（イソアミラーゼと類似作用をもつ酵素．プララン，アミロペクチン，グリコゲン，およびアミロペクチンやグリコゲンの α–, β–アミラーゼ限界 - デキストリンにおける 1,6–α–グリコシド結合を切る．*cf.* isoamylase)．＝limit dextrinase (1); pullulanase; R enzyme.

dex·trin 6-*α*-D-glu·co·si·dase (deks′trin glū-kō′si-dās). デキストリン 6–α–D–グルコシダーゼ．＝amylo-1,6-glucosidase.

dex·trin 6-glu·co·syl·trans·fer·ase (deks′trin glū-kō′sĭl-trans′fĕr-ās). デキストリン 6–グルコシルトランスフェラーゼ．＝dextrin dextranase.

dex·trin gly·co·syl·trans·fer·ase (deks′trin glī-kō′sĭl-trans′fĕr-ās). デキストリングリコシルトランスフェラーゼ．＝4-α-D-glucanotransferase.

dex·trin lim·it (deks′trin lim′it). ＝limit *dextrin*.

dex·trin·o·gen·ic (deks′trin-ō-jen′ik). デキストリン形成の（デキストリンを生成する)．

dex·tri·no·sis (deks′trin-ō′sis). デキストリン形成．＝glycogenosis.

debranching deficiency limit d., limit d. デブランチング酵素欠乏終極デキストリン形成，終極デキストリン形成．＝*glycogenosis* type 3.

dex·trin trans·gly·co·syl·ase (deks′trin trans′glī-kō′sĭl-ās). デキストリントランスグリコシラーゼ．＝4-α-D-glucanotransferase.

dex·tri·nu·ri·a (deks′tri-nyū′rē-ă). デキストリン尿〔症〕（尿中にデキストリンが出ること)．

dextro-, dextr- (deks′trō) [L. *dexter*, on the right-hand side]．***1*** 右，右側に向かって，右側に，を意味する接頭語．***2*** 化学において，dextrorotatory(右旋の)を意味する接頭語．

dex·tro·car·di·a (deks′trō-kar′dē-ă) [dextro- ＋ G. *kardia*, heart]．右胸心（心臓が右に偏位することで，通常，次の 2 種類のうちのどちらかとしてみられる．ⓘ心臓が単に右に偏位しているだけの右位(右偏)，ⓘⓘ右心と左心が完全に転位している心臓逆位症．したがって正常の鏡像を呈している)．＝dexiocardia.

corrected d. 矯正右胸心（心臓が胸の右側へ偏位および回転しているが，心房心室の鏡像様の転位を伴わないもの)．＝dextroversion of the heart; false d.; type 3 d.

false d. 偽性右胸心. ＝corrected d.
isolated d. 孤立性右胸心（心房心室の鏡像様の転位を有するが，腹部内臓の偏位を伴わないもの）. ＝type 2 d.
mirror image d. 鏡像右胸心（先天的な心臓の完全な左右の反転で，時に他の先天的異常を伴う．位置以外は正常のこともある）.
secondary d. 二次性右胸心（肺，胸膜，または横隔膜の疾病による心臓の右偏位）. ＝type 4 d.
type 1 d. 1 型右胸心. ＝d. with situs inversus.
type 2 d. 2 型右胸心. ＝isolated d.
type 3 d. 3 型右胸心. ＝corrected d.
type 4 d. 4 型右胸心. ＝secondary d.
d. with situs inversus 内臓逆位随伴〔性〕右胸心（心臓が胸の右側に偏位し，心房心室が鏡像様に転位し，かつ腹部内臓の逆位を伴うもの）. ＝type 1 d.

dex·tro·car·di·o·gram (deks′trō-kar′dē-ō-gram). 右心電図（心電図において右心室から出てくる部分）.

dex·tro·ce·re·bral (deks′trō-ser′ĕ-brăl). 右大脳半球優位の.

dex·troc·u·lar (deks-trok′yū-lăr)［dextro- ＋ L. *oculus*, eye］. 右眼利きの（単眼の作業，例えば顕微鏡検査などにおいて，好んで右眼を使う人をさす．まれに用いる語）. ＝right-eyed.

dex·tro·cy·clo·duc·tion (deks′trō-sī-klō-dŭk′shŭn)［dextro- ＋ cyclo- ＋ L. *duco*, pp. *ductus*, to lead］. 単眼右回旋運動，右回しひき（単眼の角膜上方が右回りする運動. ⇀excycloduction）.

dex·tro·duc·tion (deks′trō-dŭk′shŭn)［dextro- ＋ L. *duco*, pp. *ductus*, to lead］. 右ひき運動（一方の眼の右方への回転に対してまれに用いる語）.

dex·tro·gas·tri·a (deks′trō-gas′trē-ă)［dextro- ＋ G. *gastēr*, stomach］. 右胃症（胃が右側に偏位した状態．単独の位置異常の場合と内臓逆位症の場合がある．通常，右胸心を伴う）.

dex·tro·glu·cose (deks′trō-glū′kōs). 右旋性ブドウ糖（⇀D-glucose）.

dex·tro·gram (deks′trō-gram). 右心〔電〕図（実験動物における心電図の記録で，右心室のみを通る刺激を伝播して表す）.

dex·tro·gy·ra·tion (deks′trō-jī-rā′shŭn)［dextro- ＋ L. *gyro*, pp. *-atus*, to turn in a circle ＜ *gyrus*, circle］. 右旋.

dex·tro·man·u·al (deks′trō-man′yū-ăl)［dextro- ＋ L. *manus*, hand］. 右利きの. ＝right-handed.

dex·tro·meth·or·phan hy·dro·bro·mide (deks′trō-meth-ōr′fan hī′drō-brō′mīd). 臭化水素酸デキストロメトルファン（合成モルヒネ誘導体の一種で，鎮咳薬として用いる．肉体的依存を生じるがコディンより劣る．中枢抑制作用は弱い）.

dex·trop·e·dal (deks-trop′ĕ-dăl)［dextro- ＋ L. *pes*(*ped-*), foot］. 右足(右脚)利きの（好んで右脚を使う人をさす）. ＝right-footed.

dex·tro·po·si·tion (deks′trō-pō-zi′shŭn). 右偏，右位（正常には左側にあるべき構造が，その部位または始点においてかなり右側に存在すること．例えば，右心室からの大動脈の起始部など）.
d. of the heart 心臓右偏(右位)（⇀dextrocardia）.

dex·tro·ro·ta·tion (deks′trō-rō-tā′shŭn). 右旋（右へ旋回または捻転すること．特に，何らかの光学的活性物質溶液によってつくられた平面偏光の平面が時計方向に捻転すること．*cf.* levorotation）.

dex·tro·ro·ta·to·ry (deks′trō-rō′tă-tōr-ē). 右旋性の（右旋またはそのような性質をもつある種の結晶または溶液を表す．化学接頭語として通常 *d*-と略す．*cf.* levorotatory）.

dextrorphan (dĕks-trōr′fan). デキストロファン（デキストロメトルファンの代謝物の1つ）.

dex·trose (deks′trōs).〔右旋性〕ブドウ糖（⇀D-glucose）.

dex·tro·si·nis·tral (deks′trō-si-nis′trăl)［dextro- ＋ L. *sinister*, left］. 右から左へ.

dex·tro·tor·sion (deks′trō-tōr′shŭn)［dextro- ＋ L. *torsio*, a twisting］. ***1*** 右方捻転. ***2*** 右旋斜位，右方回旋（眼科において，両眼の角膜の上極の右への共同性(回旋)を表す，まれに用いる語）.

dex·tro·trop·ic (deks′trō-trop′ik)［dextro- ＋ G. *tropos*, a turn］. 右旋の（右方向に回転する）.

dex·tro·ver·sion (deks′trō-ver′zhŭn)［dextro- ＋ L. *verto*, pp. *versus*, to turn］. ***1*** 右傾（右方向へ回転して傾いていること）. ***2*** 右向き運動（眼科において，右への両眼の共同運動）.
d. of the heart 右位心. ＝corrected *dextrocardia.*

d.f. *degrees* of freedom の略.

df, DF う食(decayed)，充塡(filled)のある歯の略. ＝df caries *index.*

DFNA5 DFNA5 遺伝子の遺伝子シンボル.

DFP diisopropyl fluorophosphate の略.

dGlc 2-deoxyglucose の略.

dGMP deoxyguanylic acid の略.

DH dental *hygienist* の略.

DHAP *dihydroxyacetone* phosphate の略.

Dharmendra an·ti·gen (dar-men′dră). ⇀antigen.

DHEA dehydroepiandrosterone の略.

DHEAS the sulfate salt of dehydroepiandrosterone(デヒドロエピアンドロステロン硫酸塩)の略.

d'Herelle (dĕ-rel′), Felix H. カナダ人医師・細菌学者，1873—1949. ⇀d'H. *phenomenon*; Twort-d'H. *phenomenon*.

DHF dihydrofolic acid(ジヒドロ葉酸)の略.

DHFR dihydrofolate reductase の略.

D. Hy. dental *hygienist* の略.

DI dental *index* の略.

di- (dī)［G. *dis*, two］. 2 あるいは 2 回を意味する接頭語．化学において，混同の恐れがないと思われる場合に，しばしば bis- の代わりに用いられる．例えばジクロロ化合物 dichloro-compounds. *cf.* bi-; bis-.

dia- (dī′ă)［G. *dia*, through］. …を通って，…中を通じて，完全に，を意味する接頭語.

di·a·be·tes (dī′ă-bē′tēz)［G. *diabētēs*, a compass, a siphon, diabetes］. ダイアベテス，糖尿病（［文脈から意味が明確でないかぎり，diabetes mellitus の代わりに，単純な語 diabetes を用いるのを避けること］．尿崩症(diabetes insipidus)または糖尿病(diabetes mellitus)を意味する．後者では，多尿，体重減少，糖尿の 3 徴候を呈する．特に限定していない場合には，糖尿病を意味している）.
adult-onset d. 成人発症糖尿病（2 型糖尿病に対する古い診断名）.
alimentary d. 食事性糖尿病. ＝alimentary *glycosuria.*
alloxan d. アロキサン糖尿病（アロキサン投与により動物に起こる実験的糖尿病．アロキサンはインスリンを生成する膵島細胞に傷害を与える）.
borderline d. 境界型糖尿病（以前には，2 型糖尿病(⇀Type 2 d.)または耐糖能障害と称されていた）.
brittle d. 不安定型糖尿病（血液中のグルコース濃度が著明な変動を示す糖尿病）.
bronze d. 青銅色糖尿病（ヘモクロマトーシスを伴う糖尿病で，皮膚，肝臓，膵臓その他内臓における鉄分の沈着を伴い，しばしば重度の肝臓障害および糖尿を合併する. ⇀hemochromatosis）. ＝bronzed d.; bronzed disease.
bronzed d. 青銅糖尿病. ＝bronze d.
calcinuric d. ＝hypercalciuria.
chemical d. 化学的糖尿病. ＝latent d.
galactose d. ガラクトース尿〔症〕. ＝galactosemia.

---

gestational d. mellitus (GDM) 妊娠糖尿病（妊娠とともにまたは妊娠中に初めて見出された軽症から重症の糖質不応症）.

妊娠糖尿病は全妊娠の10—15％ に認められる．通常，出産後には改善するが，50％ の者では耐糖能障害や糖尿病となる．妊娠糖尿病を惹起する因子としては，肥満，25歳以上の年齢，糖尿病の家族歴，本症の既往歴などがあげられる．妊娠中に生じた糖尿病は，母体の腎盂腎炎や先天的異常を惹起しやすく，また羊水過多も多くなり，胎児も巨大となり難産になりやすい．妊娠糖尿病の母親から生まれた子供は，肥満，耐糖能障害や糖尿病になりやすい．妊娠糖尿病の恐れのある妊婦は，妊娠24週と28週目に検診を受けることが望ましい．妊娠糖尿病では通常，炭水化物の食事制限をすればよいが，ときに

D

真性糖尿病の病因の分類

型	サブタイプ	耐糖能低下の原因
1型*	β細胞破壊（通常絶対のインスリン欠乏に至る）	
	A．免疫媒介性	β細胞の自己免疫破壊
	B．特発性	未知数
2型*	インスリン抵抗性が主で相対的にインスリン欠乏を伴うタイプから，分泌不全が主でインスリン抵抗性を伴うタイプまで多岐にわたる	
他の特異的な型	A．β細胞機能（例えばグルコキナーゼ）の遺伝子の欠陥	グルコキナーゼ生成の欠陥のため，インスリン分泌を調整する
	B．インスリン作用（例えば妖精症）の遺伝子の欠陥	インスリン生成で突然変異がある小児症候群
	C．外分泌膵臓（例えば膵臓炎，腫瘍，嚢胞性線維症）の病気	インスリン産生β細胞の喪失または破壊
	D．内分泌障害(例えば先端巨大症，クッシング症候群)	過剰なホルモン濃度による糖尿病誘発効果
	E．薬剤ないし化学物質誘発性（例えば殺鼠剤PNU［Vacor］，副腎皮質ステロイド，チアジド系利尿薬，インターフェロン-α）	β細胞の中毒性破壊．インスリン抵抗性．障害のあるインスリン分泌．膵島細胞抗体の産生
	F．感染症（例えば先天性風疹，サイトメガロウイルス）	自己免疫反応に続発するβ細胞損傷
	G．特異性の免疫媒介性糖尿病（例えば全身硬直症候群）を形成する	免疫媒介性β細胞破壊による中枢神経系の自己免疫疾患
	H．他の遺伝性症候群もときに糖尿病を伴う（例えばダウン，クラインフェルター，ターナー）	染色体異常を伴う障害に関連する耐糖能の障害
妊娠糖尿病（GDM）	妊娠中に発症した耐糖能低下	インスリン抵抗性とインスリン分泌障害の組み合せ

＊：糖尿病のどんな型を有する患者でも進行の過程でインスリン治療が必要となる可能性がある．このようなインスリンの使用は，それ自体で疾患の分類に影響するものではない．

はインスリンを必要とする場合もある．

---

d. innocens 無害性糖尿病（renal *glycosuria* を表す現在では用いられない語）．

d. insipidus 尿崩症（淡色で低比重の尿を大量に慢性的に排出し，脱水と極度の口渇を伴う．通常は下垂体抗利尿ホルモンの分泌が不十分なために生じる．多尿は，心因性多飲症のような水分の過剰摂取による病態と間違われることもある．中枢性と腎性の２つのタイプがある．常染色体優性［MIM*125700, *125800, *192340］，X 連鎖［MIM*304800, *304900］，および常染色体劣性［MIM *222000］のものも報告されている．→nephrogenic d. insipidus）．

insulin-dependent d. mellitus (IDDM) インスリン依存性糖尿病（１型糖尿病に対する古い名称．米国糖尿病学会によってこの名称は廃止されている）．

insulinopenic d. インスリン不足〔性〕糖尿病（真性糖尿病のうち，インスリンの不十分な分泌に起因する病型をいう）．

d. intermittens 間欠性糖尿病（真性糖尿病で，比較的正常な炭水化物代謝を行う期間に続いて，以前の糖尿病の状態が再発するもの）．

juvenile d. 若年性糖尿病（インスリン依存性糖尿病(現在では１型糖尿病)に対して用いられた言葉．現在では廃語となっている．）．

juvenile-onset d. 若年発症(若年型)糖尿病．＝Type 1 d.

ketosis-prone d. ケトーシスに傾きやすい糖尿病（ケトアシドーシスになりやすい危険がある１型糖尿病．→d. mellitus）．

ketosis-resistant d. ケトーシス抵抗性糖尿病（ケトアシドーシスはまれにしか起こらない２型糖尿病．→d. mellitus）．

latent d. 潜在〔性〕糖尿病（前糖尿病または軽症の糖尿病で，患者は明白な症状を表さないが，診断的検査を行うと，空腹時の血中ブドウ糖濃度の上昇やブドウ糖耐性の低下など何らかの異常反応を示す．この語は米国糖尿病学会によって現在では用いられない語とされた）．＝chemical d.

lipoatrophic d. 脂肪〔組織〕萎縮性糖尿病．＝lipoatrophy.

lipogenous d. 脂肪性糖尿病（糖尿病と肥満が合併したもの）．

maturity onset d. 成人発症型糖尿病．→Type 2 d.

maturity onset d. of youth 若年者の成人発症型糖尿病（通常よりも若年で発症し，インスリンを必要としない比較的軽症な糖尿病）．

---

d. mellitus (DM)［L. sweetened with honey］．〔真性〕糖尿病（慢性代謝性疾患の一種で，炭水化物利用が低下し，脂肪および蛋白の利用が亢進するもの．インスリンの相対的あるいは絶対的な欠乏によって生じる．重篤な場合には，慢性の高血糖症，糖尿，水および電解質の喪失，ケトアシドーシス，および昏睡などが生じる．長期間の合併症には神経障害，網膜症，腎障害，および全身性の大小血管の退行性変化などがあり，感染症にかかりやすくなる）．

糖尿病は少なくとも 1,600 万人の米国人が罹患しており，米国民の死因の第７位を占め，国家経済に毎年 1,000 億ドル以上の損失を与えている．最近の米国における糖尿病患者の急激な増加は，肥満の増加に関連がある．95% 以上の糖尿病患者は２型糖尿病であり，膵ベータ細胞はインスリン分泌能がまだ少々保持されている．残りの５% の糖尿病患者は１型糖尿病であり，インスリン分泌能は完全に消失しているので，長期生存のためには外因性のインスリンが必須である．25歳以前に発症する1型糖尿病では，膵ベータ細胞の破壊に自己免疫的機序が関与しているらしい．2型糖尿病では，末梢組織のインスリン抵抗性や膵ベータ細胞のインスリン分泌不足が関与している．インスリンは，循環血中にあるグルコースやアミノ酸を筋肉やその他の組織へ迅速に輸送してグルコースを貯蔵し，肝細胞ではグリコゲンの蓄積を促進するとともにブドウ糖新合成を抑制することにより糖代謝を制御している．通常，膵ベータ細胞よりのインスリン分泌を促進するのは，食後数分で上昇してくる循環血中のブドウ糖濃度である．この血糖上昇に相応するインスリンの分泌があり，ブドウ糖の末梢組織への取り込みが促進されて血糖が正常レベルまで低下すれば，グルコース耐糖性は良好であると判断される．糖尿病での最も重要な問題は，耐糖能が不良となると生命の危険があり，健康を損ねるからである．糖尿病は長年，心血管系の独立した危険因子とされてきたが，さらに脂質代謝(LDL コレステロールや中性脂肪の高値，HDL コレステロールの低値)，肥満，高血圧，腎機能障害などの危険因子としても関与している．血清中の濃グルコースや中性脂肪が常に高値であると，糖尿病に特徴的な生化学的障害(インスリン分泌不全，インスリンによって刺激される細胞内へのブドウ糖の取り込み，肝臓からのブドウ糖放出)が増悪する．長期間にわたり糖尿病が続くと大血管系の合併症(冠動脈，大脳，末梢血管の早期または加速された動脈硬化)や微小血管の合併症(網膜症，腎症，神経症)が生じてくる．診断がついた時点で糖尿病患者の半数はいくつかの合併症を伴っているとされている．アメリカ糖尿病協会(ADA)では，肥満，45歳以上，糖尿病の家族歴や妊娠糖尿病の既往歴のあるものに糖尿病のスクリーニングをすすめている．その結果が正常でも3年ごとに検査を繰り返す必要がある．糖尿病の診断は血漿中のブドウ糖を測定することにより決定される．違った日に2回以上血糖を測定して，次の閾値を超えれば糖尿病である．空腹時，≧126 mg/dL(7 mmol/L)，食後2時間(75 g ブドウ糖負荷試験)または任意の時点で≧200 mg/dL(11.1 mmol/L)．空腹時血糖が 100—125 mg/dL(5.5—6.9 mmol/L)または食後2時間後の血糖値が 140—199 mg/dL(7.8—11 mmol/L)の場合には，耐糖能障害と診断される．耐糖能障害のあるものでは10年以内に糖尿病となる危険性が大きい．このようなものでは体重を減少したり運動するなど生活習慣を変えたりすることにより糖尿病になるのを予防したり発症を遅らせることができる．ADA では糖尿病食として，精米しない穀物，果実，野菜，低脂肪牛乳などの健康的な炭水化物を含んだ食物を推奨している．食物中の脂肪を全カロリーの10%以下にすることは，糖尿病患者のみならず一般人にも推奨されている．心疾患のある者やコレステロールや中性脂肪の高いものでは脂肪をさらに制限する必要がある．ADA では，高蛋白＋低炭水化物食は長期間にわたり体重をコントロールしたり，血糖値を正常に維持するのに特に有効ではないと警告している．リコンビナント DNA 技術により作製されたインスリン・アナログ(例えばリスプロインスリン，aspart インスリン，glargin インスリンなど)はインスリン治療の薬理学的特性や治療法の選択を大幅に拡張した．このようなインスリンを使用することにより，血糖コントロールは短期的および長期的に改善されるようになり，低血糖発作も減少している．→insulin *resistance*.

---

metahypophysial d. 下垂体性糖尿病（①内因性または外因性に下垂体成長ホルモンが過量となったために生じる糖尿病を表す現在では用いられない語．②先端巨大症で起こる糖尿病の不可逆的段階をさす現在では用いられない語）．

Mosler d. (mōz′lĕr)．モスラー糖尿病（イノシトール尿症で，大量の水の排泄を伴う）．

nephrogenic d. insipidus ［MIM*304800］．腎〔原〕性尿崩症（尿崩症の一種で，抗利尿ホルモンに対し腎尿細管が反応しないために起こる．X連鎖遺伝で，X染色体長腕のバソプレッシン V2 受容体(*AVPR2*)遺伝子の突然変異により生じる．常染色体優性型［MIM*125800］もあり，第12染色体長腕のアクアポリン2遺伝子(*AQP2*)の突然変異で生じる)．＝vasopressin-resistant d.

non-insulin-dependent d. mellitus (NIDDM) インスリン非依存性糖尿病（2型糖尿病 Type 2 *diabetes* を表す旧名)．

pancreatic d. 膵性糖尿病（①膵臓の病変に起因することが明らかな糖尿病．②動物の膵臓を除去すると起こる)．

phlorizin d. フロリジン糖尿病．＝phlorizin *glycosuria.*

phosphate d. リン酸ダイヤベーテス（腎尿細管でのリン再吸収障害により大量のリンが尿中に排泄される病態．Fanconi 症候群のような全身性疾患に伴うことが多い)．

piqûre d. [Fr.]．糖〔穿〕刺．＝puncture d.

pregnancy d. 妊娠糖尿病（→subclinical d.)．

puncture d. 糖〔穿〕刺，穿刺性糖尿病（実験的に動物に発生させる糖尿病．第4脳室の底部を穿刺すると起こる)．＝piqûre d.

renal d. 腎性糖尿病．＝renal *glycosuria.*

starvation d. 飢餓糖尿病（長期の飢餓状態の後に炭水化物やブドウ糖を摂取したときにみられる糖尿．インスリン分泌の低下および(または)糖原生成能力の低下を伴い糖代謝の低下のために起こる)．

steroidogenic d. ステロイド誘発性糖尿病（コルチゾンや治療用の合成ステロイド(プレドニゾンなど)の代謝作用により誘発された糖代謝異常．真性糖尿病 *diabetes* mellitus と変わらない．ステロイドの作用は一時的なもので，ステロイド剤が中止されれば回復するが，そのまま持続する場合もある)．

subclinical d. 無症状糖尿病（糖尿病の一型で，妊娠，極度のストレスなど，特定の情況下においてのみ臨床的に明らかになる．患者の中には，やがて，重篤な糖尿病へと発展するものもある．この語は米国糖尿病学会によって現在では用いられない語とされた)．

thiazide d. サイアザイド糖尿病（サイアザイド利尿薬の使用に伴って起こる炭水化物代謝の障害．真性糖尿病患者では最もひどい症状を呈し，糖尿病でない患者においては，炭水化物代謝障害は軽度であるかまたは，まったくみられない)．

Type 1 d. 1型糖尿病（インスリンが完全に欠乏しているため惹起される高血糖を特徴とする病態．生体の免疫機構が膵臓のインスリン産生β細胞を攻撃して破壊することにより生じる．膵臓はインスリンをほとんど，あるいはまったく産生できなくなる．1型糖尿病は若年者に起こりやすいが，成人にも生じうる)．＝juvenile-onset d.

Type 2 d. 2型糖尿病（インスリン欠乏か，または生体がインスリンを効率的に使用できないために生じる高血糖を特徴とする病態．2型糖尿病は，中年や成人に多く生じるが，若年者にも発症しうる)．

Type 1 d. mellitus 1型糖尿病（→Type 1 d.)．

vasopressin-resistant d. バソプレッシン抵抗〔性〕尿崩症．＝nephrogenic d. insipidus.

di·a·bet·ic (dī′ă-bet′ik)．*1*〘adj.〙糖尿病〔性〕の（糖尿病に関する，に苦しむ)．*2*〘n.〙糖尿病患者．

di·a·be·to·gen·ic (dī′ă-bet′ō-jen′ik, -bē-tō-jen′ik)．糖尿病誘発〔性〕の．

di·a·be·tog·en·ous (dī′ă-be-toj′en-ŭs)．糖尿病性の（糖尿病によって引き起こされる)．

di·a·be·tol·o·gy (dī′ă-be-tol′ō-jē)．糖尿病学（糖尿病に関連した内科学部門)．

di·a·cele (dī′ă-sēl) [G. *dia-*, through＋*koilia*, a hollow]．第3脳室を表すまれに用いられる語．

di·ac·e·tal (dī-as′ĕ-tăl)．→diacetyl.

di·ac·e·tate (dī-as′ĕ-tāt)．ジアセテート（①＝acetoacetate. ②2つの酢酸残基を含有する化合物)．

di·ac·e·te·mi·a (dī′as-ĕ-tē′mē-ă)．二酢酸血〔症〕（アシドーシスの一形態で，血液中にアセト酢酸(二酢酸)が存在することにより引き起こされる)．

di·ac·e·ton·u·ri·a (dī-as′ĕ-tō-nyū′rē-ă)．＝diaceturia.

di·ac·e·tu·ri·a (dī′as-ĕ-tyū′rē-ă)．二酢酸尿〔症〕（アセト酢酸(二酢酸)が尿中に排泄されること)．＝diacetonuria.

di·a·ce·tyl, di·ac·e·tal (dī-as′ĕ-til, dī-as′ĕ-tăl)．ジアセチル（黄色の液体 $(CH_3CO)_2$ で，キノンの強い臭気を有する．また，コーヒー，酢，バター，およびその他の食物の香気を

D

帯びる．糖質分解の副生成物）．

di·a·ce·tyl·cho·line (dī-as′ĕ-til-kō′lēn). ジアセチルコリン．＝succinylcholine.

di·ac·e·tyl·mon·ox·ime (DAM) (dī-as′ĕ-til-mon-ok′-sēm). ジアセチルモノキシム（2–オキソオキシムの一種で，リン酸化されたアセチルコリンエステラーゼを *in vitro* および *in vivo* で再活性化することができるもの．血液脳関門を通過する．2-PAM と同種）．

di·a·ce·tyl·mor·phine (dī-as′ĕ-til-mōr′fēn). ジアセチルモルフィン．＝heroin.

di·a·chron·ic (dī′ă-kron′ik) [dia- + G. *chronos*, time]. 通時的（同一対象を最初から最後まで，時間の経過を追って，系統的に観察した．同時的，断面的の反対．すべての要素が厳密に不変の場合のみ両者の結論が等しい）．

di·ac·id (dī-as′id). 二〔価〕酸（電離可能な水素原子を1分子当たり2個もっている物質をさす．さらに一般的には1分子当たり2個の水素イオンと結合可能な塩基のことをいう）．

di·ac·la·sis, di·a·cla·sia (dī-ak′lă-sis, dī-ă-klā′zē-ă) [G. *diaklasis*, a breaking up < *dia*, through + *klasis*, a breaking]. 再骨折．＝osteoclasis.

di·ac·ri·nous (dī-ak′ri-nŭs) [G. *diakrinō*, to separate one from another]. 沪出分泌の（腺細胞の単純な通過によって排泄されることについていう）．

di·ac·ri·sis (dī-ak′ri-sis) [G. *dia-*, through + *krisis*, a judgment]. 診断，鑑別．＝diagnosis.

di·a·crit·ic, di·a·crit·i·cal (dī′ă-krit′ik, -krit′i-kăl) [G. *diakritikos*, able to distinguish]. 診断の，鑑別の，区別可能な．

di·ac·tin·ic (dī′ak-tin′ik) [G. *dia*, through + *aktis*, ray]. 化学線透徹性の（化学反応を起こす光を伝導する性質をもった）．

di·ac·yl·glyc·er·ol (DAG) (dī′as-il′glis′ĕr-ōl). ジアシルグリセロール；diglyceride（2つのアシル基がエステル結合したグリセロール．1,3–ジアシルグリセロールまたは1,2–ジアシルグリセロールがある．もし，2つのアシル基が同一でない場合は，4つの1,2–ジアシルグリセロールの立体異性体ができる．1,2–ジアシルグリセロールはトリアシルグリセロールやレクチンの生合成中間体である．また，プロテインキナーゼCの活性賦活においてセカンドメッセンジャーとして作用する）．

d. acyltransferase ジアシルグリセロールアシルトランスフェラーゼ（脂肪の生合成において，アシルCoAのアシル基を1,2–ジアシルグリセロールへ転移させ，遊離型CoAとトリアシルグリセロールを生成させる反応を触媒する酵素）．

d. lipase ジアシルグリセロールリパーゼ．＝lipoprotein lipase.

di·ad (dī′ad) [dyad のつづり，発音の異形]. ***1*** 心筋線維中の横小管および終末槽．***2*** 二価元素，二分染色体．＝dyad (1).

di·ad·o·cho·ci·ne·si·a (dī-ad′ō-kō-si-nē′zē-ă). ＝diadochokinesia.

di·ad·o·cho·ki·ne·si·a, di·ad·o·cho·ki·ne·sis (dī-ad′ō-kō-ki-nē′zē-ă, -ki-nē′sis) [G. *diadochos*, working in turn + *kinēsis*, movement]. 拮抗〔運動〕反復，変換運動（肢を交互に反対の位置にもっていく正常な力のことで，屈曲伸展や回内回外をさしていう）．＝diadochocinesia.

di·ad·o·cho·ki·net·ic (dī-ad′ō-kō-ki-net′ik). 拮抗反復の．

di·ag·nose (dī-ag-nōs′). 診断する．

di·ag·no·sis (Dx) (dī′ag-nō′sis) [G. *diagnōsis*, a deciding]. 診断（疾病傷害，先天性欠損の性質を決定すること）．＝diacrisis.

antenatal d. 出生前〔胎児〕診断．＝prenatal d.

clinical d. 臨床診断（疾病の徴候および症状の研究による診断）．

differential d. 鑑別診断（類似の症状を呈する2つ以上の疾病のうち，どれが患者の罹患しているものかを臨床所見の系統的な比較や対比により決定すること）．＝differentiation (2).

d. by exclusion 除外〔的〕診断（当該症状を呈する疾患を次々に除外していき，診断を決める確定的な検査や所見はないが，最も考えられる診断として1つのものに絞ることによって下される診断）．

laboratory d. 検査室診断（分泌物，排泄物，血液，あるいは組織の化学的，顕微鏡的，微生物学的，免疫学的，病理学的検討または生検による検討によって下される診断）．

neonatal d. 新生児診断（疾病や奇形の有無を調べるために行う新生児の系統的な診察および診断）．

pathologic d. 病理学的診断（存在する病巣の解剖学的または組織学的検討によって下される診断．ときとして死後診断）．

physical d. 理学的診断（①患者の身体的検査の手段を通じて下される診断．②身体的検査の過程）．

prenatal d. 出生前〔胎児〕診断（子宮内の胎児疾患，胎児奇形などの診断法）．＝antenatal d.

radiographic d. 放射線学的診断（画像診断のうち，放射線を用いた検査（X線，CT スキャン，核医学画像など）の所見により確定した診断）．

di·ag·nos·tic (dī′ag-nos′tik). ***1*** 診断〔上〕の．***2*** 診断確定の．

deoxyribonucleic acid d.'s DNA 診断（→DNA markers; familial *screening*; prenatal *screening*）．＝genetic *testing*.

di·ag·nos·ti·cian (dī′ag-nos-tish′ăn). 診断医（診断の技術に精通している人．以前は内科専門医の名称として用いられた）．

Di·ag·nos·tic and Sta·tis·ti·cal Man·u·al of Men·tal Dis·or·ders (DSM) (dī′ag-nos′tic stă-tis′ti-kăl man′yū-ăl men′tăl dis-or′dĕrz). 精神障害の診断と統計の手引き（認知された精神障害を客観的基準に基づいて明確に定義された種類に分類する体系で，米国精神医学会により出版された．多数の寄稿者や顧問の（合意というよりはむしろ）多数派の見解を示しており，DSM は診断の標準として広く認知され，症例報告やコード化，統計目的に用いられている）．

疾患の国際分類の第6版(ICD–6)を基本とした1952年の初版は，精神障害の命名や報告においての統一性を促進する目的でつくられた．これは名前の付いたあらゆる障害の定義を含んでいたが，診断基準ははいっていなかった．この精神障害の分類はフロイト派の精神分析の影響を呈し，術語(例えば抑うつ反応，不安反応，分裂性反応)は Adolf Meyer(1866—1950)の理論を反映していた．1968年の第2版(DSM–II)はこれらの精神分析学的方向性を保持したが，〝反応〟という用語ははずされた．1980年の第3版(DSM–III)はそれまでの版での強固な精神力動的思考の多くを放棄した．そして初めて明確な診断基準を示し，ある患者の状態の異なる側面を個別に評価できる多軸診断体系を導入した．簡単に述べると，第I軸：臨床的疾患，第II軸：人格障害および精神遅滞，第III軸：一般身体疾患，第IV軸：心理社会的および環境的ストレス，第V軸：全体的機能レベルである．第3版の改訂版(DSM–III R，1987)は多くの改善と説明が組み込まれた．第4版(DSM–IV)は1994年5月に発表された．これはDSM–III，III Rをおおむね踏襲し，これら2つの版がそうであったようにICD–9と調和しており，部分的にはICD–9に由来するところがある．多くの者にとってDSM–IVでの最も重要な変更点は，以前〝器質性精神症候群および器質性精神障害〟とよばれていた範疇を〝せん妄，認知症，健忘と他の認知障害〟と改名したことである．この術語の変更は，これら以外の範疇の精神障害は器質的疾患ではないという含意を避けるためのものである．

---

di·a·gram (dī′ă-gram). ダイアグラム（考え方や対象物に対する単純で図的な表現）．

Dieuaide d. (dyū-ād′). デューエードの図表．＝triaxial reference *system*.

flow d. フローダイアグラム（決定分析など1つのプロセスの段階を表した矢印でつながれたブロックからなるダイアグラム）．

Venn d. (ven). ヴェン図（2つあるいはそれ以上の量(集合)や概念が互いに含まれ，除外される範囲を図で表現したもの）．

di·a·ki·ne·sis (dī′ă-ki-nē′sis) [G. *dia*, through + *kinēsis*, movement]. 移動期，肥厚期（一次減数分裂における前期の最終段階で，複糸期に存在した交差が消失し染色体は短縮を続ける．核小体や核膜が消失する）．

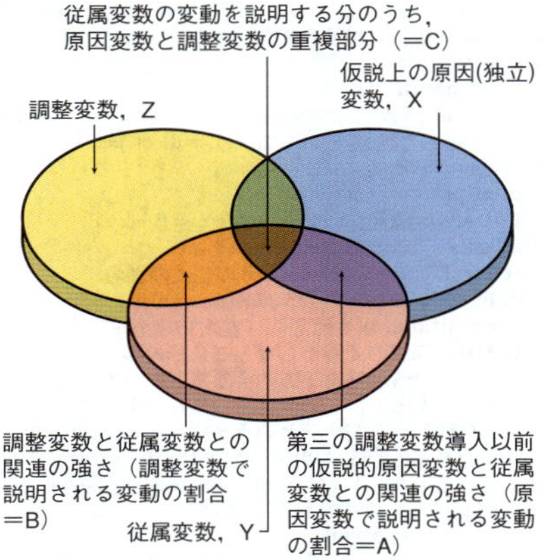

Venn diagram

di·al (dī′ăl) [L. *dies*, day]. ダイヤル（時計の文字盤またはこれに似た装置）．

astigmatic d. 乱視表，乱視数字盤（放射状に線のはいった図表で，乱視の検査に用いる）．

Di·a·lis·ter (dī′ă-lis′tĕr). ジアリスタ属（以前用いられた細菌の属名で，その標準種 *D. pneumosintes* は，現在では *Bacteroides*属におかれている）．

di·al·lyl (dī-al′il). ジアリル（アリル群を２つ含む化合物）．

di·al·y·sance (dī-al′i-sans) [＜ dialysis]. ダイアリサンス（人工腎臓または腹膜透析によって，何らかの物質を完全に除去した血液の，単位時間当たりの mL 数．慣行的なクリアランス式においては，mm/分 で表される）．

di·al·y·sate (dī-al′i-sāt). 透析物（透析膜を通過する混合物の部分．通過しない物質は retentate とよぶ）．＝diffusate.

di·al·y·sis (dī-al′i-sis) [G. a separation ＜ *dia-lyo*, to separate]. ***1*** 透析，分離（ある溶液中の晶質をコロイド物質から(または小さい分子を大きい分子から)分離すること．当該溶液と透析された液体との間に半透膜を置くことによって行われる．晶質(小さな分子)は，膜を通って反対側の透析された液体の方へいき，コロイドは通らない）．***2*** 物質の粒子サイズや濃度勾配に基づく半透過膜による分離．***3*** 人工腎臓の１つの方法．

continuous ambulatory peritoneal d. (**CAPD**) 連続携行式腹膜灌流（歩行可能な患者に行われる腹膜透析の方法で，平常の活動中に透析液の流入と回収をする）．

equilibrium d. 平衡透析〔法〕（免疫学において，透析性のハプテン溶液と非透析性の抗体溶液とを半透膜により分離された系で，ハプテン-抗体反応の会合定数を決定する方法．平衡状態においては，遊離ハプテンの量は膜の両側で等しいことから，ハプテンの結合した抗体，遊離抗体，遊離ハプテンの量をそれぞれ決定できる）．

extracorporeal d. 体外透析（体外の装置を通して行う血液透析）．

peritoneal d. 腹膜透析（腹膜を通して水溶性の物質および水を人体より取り除くこと．間欠的に腹腔へ透析液を注入し除去する．血液と腹腔の間で拡散可能な溶質および水は２つの液相間の濃度勾配に従って移動する）．

d. retinae 網膜離断（鋸状縁における周辺部感覚網膜と網膜色素上皮との先天性，または外傷性の分離．しばしば網膜剝離を引き起こす）．＝retinodialysis.

di·a·lyze (dī′ă-līz). 透析する．

di·a·lyz·er (dī′ă-lī′zĕr). 透析膜（透析に使用する膜）．

di·a·mag·net·ic (dī′ă-mag-net′ik). 反磁性の．

di·a·mag·net·ism (dī′ă-mag′nĕ-tizm). 反磁性（わずかな陰性磁化率を有する物質によって示される性質．分子では，磁場と電子との相互作用により，電子の運動が変化し，磁場と反対方向の磁気モーメントを生じるため，この性質が現れる）．

di·a·me·li·a (dī-ă-mē′lē-ă). 二肢の欠損を先天的に有すること．

di·am·e·ter (dī-am′ĕ-tĕr) [G. *diametros* ＜ *dia*, through ＋ *metron*, measure]. ***1*** 径線（球形または円筒形の物体の表面に対置する２点，または何らかの開口部や孔の周上に対置する２点を，その物体または開口部の中心を通って結んだ直線）．***2***〔直〕径（***1*** の線分に沿って測った距離）．

anteroposterior d. of the pelvic inlet ＝median *conjugate*.

biparietal d. 大横径（両側の頂頭骨隆起間の距離）．

bisacromial d. 両肩甲間径（胎児の両肩甲の最外側間の距離）．

bisiliac d. 両腸骨稜間径（胎児の両腸骨稜間の最大距離）．

bitemporal d. 両側頭骨間径（胎児の両側頭骨間の最大距離）．

bitrochanteric d. 両大転子間径（胎児の両大転子間の距離）．

buccolingual d. 頰舌径（頰側の面から舌側の面までの歯冠径）．

conjugate d. of pelvic inlet 結合径，結合（骨盤入口の前後径）．＝median *conjugate*.

conjugate d. of pelvic outlet 骨盤出口径線．＝straight *conjugate*.

diagonal conjugate d. ＝diagonal *conjugate*.

external conjugate d. ＝external *conjugate*.

d. obliqua [TA]. 斜径．＝oblique d.

oblique d. [TA]. 斜径（骨盤の斜径．片側の仙腸骨関節から他の側の腸恥隆起に至る骨盤入口面における距離）．＝d. obliqua [TA].

obstetric conjugate d. 産科的真結合線．＝true *conjugate*.

occipitofrontal d. 前後径（胎児頭蓋の後頭結節と前頭骨の中央線上の最も突出した点とを結ぶ径線）．

occipitomental d. 大斜径（胎児頭蓋の後頭結節とおとがいの中点を結ぶ径線）．

posterior sagittal d. 後矢状径（仙骨と尾骨の連結部から，左右の坐骨結節を結ぶ仮想の線の中点までの距離）．

suboccipitobregmatic d. 小斜径（胎児頭蓋の後頭骨の最後下端と大泉門の中心とを結ぶ径線．典型的には胎児頭蓋径線のうち最小のもので，分娩時にこの径が見えてくるのが最善の経過である）．

total end-diastolic d. (**TEDD**) 全拡張終期径（心室中隔と後壁径を含む，左室拡張終期径）．

total end-systolic d. (**TESD**) 全収縮末期径（心室中隔および左室後壁厚を含む左室収縮末期径）．

trachelobregmatic d. 頸大泉門径（大泉門中央部から頸部までの，胎児の頭部の直径）．

d. transversa [TA]. 横径．＝transverse d.

transverse d. [TA]. 横径（骨盤入口の横径で，分界線間の距離）．＝d. transversa [TA].

verticomental d. 頭頂顎間径（胎児頭頂より顎突起までの最大距離）．

zygomatic d. 頰骨弓幅（頰骨弓における頭蓋の最大幅）．

di·am·ide (dī′am-id, -īd). ジアミド（２個のアミド基を含む化合物）．

di·am·i·dines (dī-am′i-dēnz). ジアミジン（２個のアミジン基を含む化合物の一群．例えば，スチルバミジン，プロパミジン）．

di·a·mine (dī′ă-mēn, -min). ジアミン（１分子当たりアミノ基２個を含む有機化合物．例えば，エチレンジアミン $NH_2CH_2CH_2NH_2$）．

d. oxidase ジアミンオキシダーゼ．＝*amine* oxidase (1).

di·am·ni·ot·ic (dī′am-nē-ot′ik). 二羊膜性の（２個の胎嚢を表す）．

Dia·mond (dī′mŏnd), Louis K. 米国人医師，1902—1995．→D.-Blackfan *anemia*, *syndrome*; Gardner-D. *syndrome*; Shwachman-Diamond *syndrome*.

Dia·mond (dī′mŏnd), L.S. 米国人研究者，1920 年生まれ．→Diamond TYM *medium*.

diamorphine (dī-a-mōr′fēn). ヘロイン．＝heroin.

di·am·tha·zole di·hy·dro·chlor·ide (dī-am′thă-zōl dī-hī′drō-klōr′īd). ジアムタゾールジヒドロクロライド（局所

D

用抗真菌薬). =dimazole dihydrochloride.

di·an·dry, di·an·dria (dī′an-drē, dī-an′drē-ă) [di- + G. *andros*, male]. 2倍体精子が1個の卵母細胞に受精したときに生じる現象. したがって3倍体の胎児となる. *cf.* digyny.

di·a·no·et·ic (dī′ă-nō-et′ik) [G. *dia*, through + *noeō*, to think]. 推理的な, 推論的な.

di·a·pause (dī′ă-pawz) [dia + G. *pausis*, pause]. 休眠 (代謝の減少を伴う生物学的な静止期または休止期. 発育が停止または大幅に遅滞する期間).

embryonic d. 胚休眠 (胚の形成過程における休眠. 二分割, または着床遅延の場合に起こると考えられる).

di·a·pe·de·sis (dī′ă-pĕ-dē′sis) [G. *dia*, through + *pēdēsis*, a leaping]. 漏出, 血管外遊出 (血液またはその構成要素が無傷の血管壁を通り抜ける現象). =migration (2).

di·a·phan·og·ra·phy (dī-ă-fă-nog′ră-fē) [G. *diaphanēs*, transparent + *graphō*, to write]. 透光法, 透光造影 (身体の一部分に光を透過させる検査で, 特に乳癌の検索に用いる).

di·aph·a·nos·cope (dī-af′ă-nō-skōp) [G. *diaphanēs*, transparent + *skopeō*, to examine]. 徹照器 (窩洞の内部を照らす装置. 窩洞壁の半透明の程度を測定するためのもの). =polyscope.

di·aph·a·nos·co·py (dī′af-ă-nos′kŏ-pē). 徹照〔法〕, 徹照〔診断〕法, 透視〔法〕(徹照器を用いて行う窩洞の検査).

di·a·phe·met·ric (dī′ă-fĕ-met′rik) [G. *dia*, through + *haphē*, touch + *metron*, measure]. 触覚測定の.

di·a·phen hy·dro·chlor·ide (dī′ă-fen hī′drō-klō′rīd). 塩酸ジアフェン (抗ヒスタミン薬. 抗コリン作用性を示す).

di·aph·o·rase (dī-af′ō-rās). ジアホラーゼ (本来は, フラビン蛋白. ミトコンドリア中で還元酵素活性をもつ. 現在はジヒドロリポアミドデヒドロゲナーゼをさす).

di·a·pho·re·sis (dī′ă-fō-rē′sis) [G. *diaphorēsis* < *dia*, through + *phoreō*, to carry]. 発汗療法, 発汗. =perspiration (1).

di·a·pho·ret·ic (dī′ă-fō-ret′ik). ***1***〚adj.〛発汗〔性〕の. ***2***〚n.〛発汗薬 (発汗を促す薬剤).

di·a·phragm (dī′ă-fram) [G. *diaphragma*]. ***1*** [TA]. 横隔膜 (腹腔と胸腔の間にある筋性膜様構造の仕切り). =diaphragma (2); interseptum; midriff; phren (1). ***2*** 絞り, 隔板 (穴が開いている薄い円板. 周縁光線を遮るために顕微鏡, カメラ, その他の光学機器に用い, それによって直接照明がより多く得られる). ***3*** 避妊ペッサリー (柔軟な薄膜で半球状におおったもので, 腟内に挿入して避妊に用いる). ***4*** 絞り (X線検査においては, グリッドあるいは小孔のある鉛板. →collimator). =grid (2).

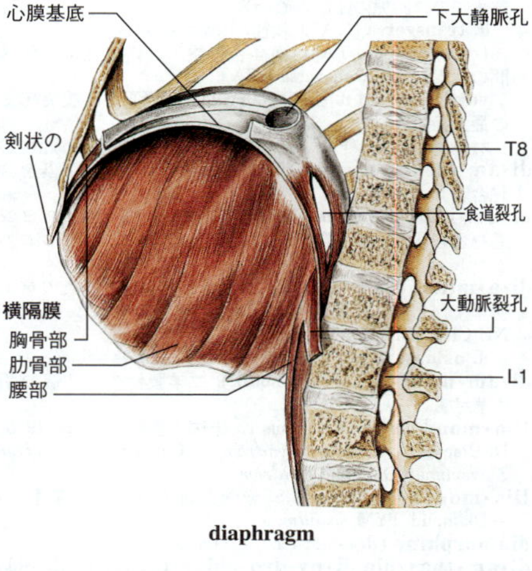

diaphragm

aperture d. 開口絞り (X線管から発生したビームの領域を制限する金属製の装置).

Bucky d. (bŭ′kē). バッキー絞り (可動格子のついた絞りの一種. X線像に格子の影が映らないようにできている). =Potter-Bucky d.

d. of mouth =mylohyoid (*muscle*).

pelvic d. [TA]. 骨盤隔膜 (一対の肛門挙筋と尾骨筋およびその上下の筋膜とからなる). =d. of pelvis [TA]; diaphragma pelvis.

d. of pelvis =pelvic d.

Potter-Bucky d. (pot′er bŭk′ē). =Bucky d.

d. sellae =*diaphragma* sellae.

sellar d.* *diaphragma* sellae の公式の別名.

d. of sella turcica =*diaphragma* sellae.

urogenital d. 尿生殖隔膜 (左右の坐骨恥骨枝の間に張っている筋と筋膜の3層からなる三角形の膜をさす言葉で尿道括約筋と深会陰横筋を下方の会陰膜と上方の筋膜とが挟んでいるものであるが, この考え方は現在廃棄されている. 最後のもの(筋膜)が存在するという証拠はない. 筋膜に包まれて筋肉が存在する空間は以前に深会陰隙 deep perineal *space* ともよばれていた. TAは尿生殖隔膜も深会陰隙も採用せず尿道括約筋についてより精確な理解をしようとしている). =diaphragma urogenitale.

di·a·phrag·ma, pl. **di·a·phrag·ma·ta** (dī′ă-frag′mă, -frag′mă-tă) [G. *diaphragma*, a partition wall, midriff]. [diaphragm ではgは無音であるが, 本語では発音される]. ***1*** 隔膜 (薄い仕切りで, 隣接域を分けるもの). ***2*** [TA]. 横隔膜. =diaphragm (1).

d. oris =mylohyoid (*muscle*).

d. pelvis [TA]. 骨盤隔膜. =pelvic *diaphragm*.

d. sellae [TA]. 鞍隔膜 (トルコ鞍を横切り, 下垂体窩をおおうようにのびる硬膜のひだ. 中心部に孔があり, 漏斗状部への通路となる). =sellar diaphragm*; diaphragm of sella turcica; diaphragm sellae; tentorium of hypophysis.

d. urogenitale 尿生殖隔膜. =urogenital *diaphragm*.

di·a·phrag·mal·gia (dī′ă-frag-mal′jē-ă) [diaphragm + G. *algos*, pain]. 横隔膜痛に対してまれに用いる語. =diaphragmodynia.

di·a·phrag·mat·ic (dī′ă-frag-mat′ik). 横隔膜の ([diaphragm ではgは無音であるが, 本語では発音される]). =phrenic (1).

di·a·phrag·mat·o·cele (dī′ă-frag-mat′ō-sēl) [diaphragm + G. *kēlē*, hernia]. 横隔膜ヘルニア (diaphragmatic *hernia* に対してまれに用いる語).

di·a·phrag·mo·dyn·i·a (dī′ă-frag′mō-din′ē-ă) [diaphragm + G. *odynē*, pain]. =diaphragmalgia.

di·a·phys·e·al (dī-ă-fiz′ē-ăl). [誤った発音 diaphyse′al を避けること]. =diaphysial.

di·a·phy·sec·to·my (dī′ă-fi-sek′tŏ-mē) [diaphysis + G. *ektomē*, excision]. 骨幹部切除〔術〕(長骨の骨幹部を部分的にまたは完全に除去すること).

di·a·phys·i·al (dī′ă-fiz′ē-ăl). 骨幹の, 骨体部の. =diaphyseal.

di·aph·y·sis, pl. **di·aph·y·ses** (dī-af′i-sis, -sēz) [G. a growing between][TA]. 骨幹 (長骨の骨端間の長い棒状部分, 両骨端や骨増生とは区別される). =shaft [TA].

di·aph·y·si·tis (dī′af-i-sī′tis). 骨幹炎 (骨幹の炎症).

di·a·pi·re·sis (dī′ă-pī-rē′sis) [G. *diapeirō*, to drive through < *peirō*, to pierce]. 漏出 (コロイド粒子, その他の微小粒子の懸濁物質が未損傷の血管壁を通り抜ける現象. →diapedesis).

di·a·pla·cen·tal (dī′ă-plă-sen′tăl). 胎盤を通過する, 胎盤を横切って通り抜ける.

di·a·plex·us (dī′ă-plek′sŭs) [G. *dia*, through + L. *plexus*, a plaiting]. choroide *plexus* of third ventricle に対してまれに用いる語.

di·ap·no·ic, di·ap·not·ic (dī′ap-nō′ik, -not′ik). ***1***〚adj.〛軽度発汗の, 無覚発汗の (特に不感蒸泄に関する発汗を起こす). ***2***〚n.〛軽度発汗薬 (効果の緩和な発汗薬).

di·a·poph·y·sis (dī′ă-pof′i-sis). =superior articular *process* of vertebra.

Di·ap·to·mus (dī-ap′tō-mŭs). ジアプトムス属 (北アメリカにおける広節裂頭条虫 *Diphyllobothrium latum* の主要中間

宿主である甲殻類橈脚亜綱の一属).

di·ar·rhe·a (dī′ă-rē′ă) [G. *diarrhoia* < *dia*, through + *rhoia*, a flow, a flux]. 下痢 ([便が単に異常に軟らかいだけでなく, 便意が切迫し排便回数も増した状態をさす語]. 液状または半固体の便が腸から異常に反復排泄されること).

Brainerd d. [Brainerd, Minnesota, 1983 年に最初の発生が報告された場所]. ブレイナード下痢 (激しい, 切迫した水溶性下痢で, 便失禁を伴い, しばしば数か月続く. 集団発生することもある. 原因は不明である).

cachectic d. 悪液質下痢 (非常に消耗した患者に生じる下痢. 通常, 消化器疾患により生じる).

choleraic d. コレラ性下痢. = summer d.

chronic bacillary d. 慢性細菌性下痢 (細菌感染に伴い生じる長期間続く下痢. 通常, 消化管の通過停滞のある患者にみられ, 腸内で細菌が増殖し, 吸収障害を生じる. 腸手術の後の盲管係蹄症候群, 迷走神経遮断で生じる. ときに強皮症, 糖尿病でも生じる).

Cochin China d. コーチシナ下痢 (tropical *sprue* を表す現在では用いられない語).

colliquative d. 液化下痢 (体液の過度の排泄を伴う下痢).

congenital chloride d. 先天性クロール下痢. = chloridorrhea.

dysenteric d. 赤痢性下痢 (細菌性またはアメーバ性赤痢における下痢).

fatty d. 脂肪性下痢 (慢性膵疾患を含む吸収不良にみられる下痢. 便は悪臭を放ち, 脂肪分に富み, 通常, 水に浮かぶ). = pimelorrhea.

flagellate d. 鞭毛虫下痢 (ランブリア鞭毛虫 *Giardia lamblia* 感染による下痢).

gastrogenous d. 胃性下痢 (胃液分泌欠乏症で起こることのある下痢で, 胃液, その他腸液の過度の分泌により起こるものもある).

lienteric d. 消化不良性下痢 (未消化の食物が便に出てしまう下痢).

morning d. 早朝下痢 (軟便が早朝および遅い午前に数回出る下痢の一種. 腸はその後, 日中から夜にかけて穏やかである).

mucous d. 粘液性下痢 (便中に相当量の粘液がみられる下痢).

nocturnal d. 夜間下痢 (主として夜間に起こり, 通常, 糖尿病性自律神経系のニューロパシーに関連する下痢).

osmotic d. 浸透圧下痢 (非吸収性の浸透圧付加によって生じる下痢).

pancreatic d. 膵臓性下痢. = d. pancreatica.

d. pancreatica 膵臓性下痢 (激しい水溶性, 分泌性下痢と低カリウム血症が特徴. 患者の多くは高カルシウム血症, 高血糖を有する. 膵臓の島細胞腫瘍による血管作動性腸管ポリペプチドの過剰分泌により生じる. WDHA 症候群ともよばれる. ⇀Verner-Morrison *syndrome*; WDHA *syndrome*). = pancreatic cholera; pancreatic d.

pancreatogenous d. 膵性下痢 (膨張し, 淡色で, 悪臭のする強い脂肪性の便が出る下痢. 慢性膵炎で膵酵素の分泌低下による脂肪吸収不全の結果生じる).

secretory d. 分泌性下痢 (コレラで生じるような大量の下痢. 毒素が腸の分泌を刺激して生じる).

serous d. 漿液性下痢 (水様便を特徴とする下痢).

summer d. 夏季下痢 (暑い気候下, 乳児にみられる下痢. 通常, 赤痢菌属 *Shigella* または *Salmonella*属の微生物に起因する急性胃腸炎). = choleraic d.

toddler's d. トドラーの下痢 (通常, 他の点では健康で, 正常な成長をしている 1—3 歳の幼児にみられる頻回の軟便. 日中に生じる. しばしば水分の過剰摂取が原因となる).

traveler's d. 旅行者下痢 (突発性の下痢で, 腹部痙攣, 嘔吐および熱を伴う. 旅行者に散発的に起こる. 通常, その旅程の第 1 週目に起こり, 一般に腸管毒性の大腸菌 *Escherichia coli* の珍しい型に起因する).

tropic d. 熱帯下痢. = tropic *sprue*.

di·ar·rhe·al, di·ar·rhe·ic (dī′ă-rē′ăl, -rē′ik). 下痢の. = diarrhetic.

di·ar·rhe·tic (dī′ă-ret′ik). [dieretic または diuretic と混同しないこと]. = diarrheal.

di·ar·thric (dī-ar′thrik) [G. *di-*, two + *arthron*, joint]. 二関節の. = biarticular; diarticular.

di·ar·thro·sis, pl. di·ar·thro·ses* (dī′ar-thrō′sis, -sēz) [G. articulation]. 可動結合 (synovial *joint* の公式の別名)

di·ar·tic·u·lar (dī′ar-tik′yū-lăr). = diarthric.

di·as·chi·sis (dī-as′ki-sis) [G. a splitting]. 機能解離, ディアシーシス (神経系における突然の機能障害. 本来の損傷部位から離れてはいるが, 解剖学的には神経線維によりつながっている脳のある部位が, 急激に限局性障害を起こすことによる).

di·a·scope (dī′ă-skōp) [G. *dia*, through + *skopeō, to view*]. ガラス圧診器 (平らなガラス板で, 圧縮により, 表層病変を調べるためのもの).

di·as·co·py (dī-as′kŏ-pē) [G. *dia*, through + *skopeō*, to see]. ガラス圧診〔法〕(ガラス圧診器(圧視鏡)を用いた表層病変の検査).

di·a·stal·sis (dī′ă-stal′sis) [G. an arrangement]. 波状ぜん動 (腸管にみられるように, 抑制部が筋肉の収縮波に先行するぜん動).

di·a·stal·tic (dī′ă-stal′tik). 波状ぜん動の.

di·a·stase (dī′a-stās) [Fr. < G. *diastasis*, separation < *dia*, apart + *histēmi*, to make to stand]. ジアスターゼ, デンプン酵素 (麦芽から得る混合物. デンプン分解酵素, 主にα-およびβ-アミラーゼが含まれ, デンプンをデキストリンおよびマルトースに転化する. 可溶性デンプンの精製およびある種の消化不良でデンプンの消化を助けるのに用い, 組織部のグリコゲンを消化するのに用いる).

di·as·ta·sis (dī-as′tă-sis) [G. a separation]. [誤った発音 diasta′sis を避けること]. ***1***〔縫合〕離開 (正常に結合している部分が分離していること). = divarication. ***2*** 心拍静止期 (拡張期中期または心房収縮期の前に, 血流が心室にゆっくりはいる, またはほとんど停止する状態で, その時間は心拍数と逆比例し, 心拍数が多いとほとんどこの状態はなくなる).

d. recti 腹直筋〔正中〕離開 (腹直筋の正中での左右への離開. 妊娠中あるいは分娩後に散見される).

di·a·stas·u·ri·a (dī′ă-stās-yū′rē-ă). ジアスターゼ酵素尿〔症〕. = amylasuria.

di·a·stat·ic (dī′ă-stat′ik). 離開の.

di·a·ste·ma, pl. di·a·ste·ma·ta (dī′ă-stē′mă, -stē′mă-tă) [G. *diastēma*, an interval]. ***1*** [TA]. 歯隙 (同一歯列弓上の, 隣接歯間の空隙). ***2*** 間隙 (特に先天性の場合をさす裂溝または異常な開口のことで, 部位は問わない). ***3*** 歯隙 (上顎の側切歯と犬歯間の裂溝あるいは隙間のことで, 顎を閉じたとき下顎の犬歯が納まるもの. ヒトでは異常であるが, イヌをはじめ多くの動物では正常である).

di·a·ste·ma·to·cra·ni·a (dī′ă-stē′mă-tō-krā′nē-ă) [G. *diastēma*, an interval + *kranion*, skull]. 頭蓋正中離開 (頭蓋にある先天性の矢状裂溝).

di·a·ste·ma·to·my·e·li·a (dī′ă-stē′mă-tō-mī-ē′lē-ă) [G. *diastēma*, interval + *myelon*, marrow] [MIM*222500]. 脊髄正中離開〔症〕(脊髄が骨性中隔か線維軟骨性中隔により, 完全または不完全に正中分離していること).

di·as·ter (dī′as-tĕr) [G. *di-*, two + *astēr*, star]. 双星, 両星. = amphiaster.

di·a·ster·e·o·i·so·mers (dī′ă-ster′ē-ō-ī′sō-merz). ジアステレオマー (対掌体の関係にはない, すなわち左右像ではない光学活性異性体. 例えば, D-グルコースとD-ガラクトース).

di·as·to·le (dī-as′tō-lē) [G. *diastolē*, dilation]. 拡張期, 弛緩期 (心腔の通常の収縮後の拡張で, その間に各腔は血液で満たされる. 心室の拡張の前に心房が拡張する. 心腔の拡張は, 収縮期 systole すなわち心腔の収縮と交互にリズミカルに行われる).

atrial d. 心房性拡張期 (心房筋の弛緩あるいは再分極の時期).

electrical d. 電気的拡張期 (心電図の T 波の終わりから次の Q 波の始まりまでの時期).

gastric d. 胃弛緩〔期〕(X 線透視や胃鏡でみられる胃ぜん動の弛緩相).

late d. 後期拡張期. = presystole.

ventricular d. 心室性拡張期 (心室筋の弛緩期あるいは再

分極の時期).

di·a·stol·ic (dī-ă-stol′ik). 拡張期の，弛緩期の.

di·as·tol·ogy (dī′as-ttol′ō-jē). 拡張期学（心臓拡張期およびそれを構成する事象の研究領域).

di·as·troph·ism (dī-as′trof-izm) ［G. *diastrophē* < *diastrephein*, distortion］. 変形（曲げられたことによって物体に生じたゆがみ).

di·a·tax·i·a (dī′ă-tak′sē-ă). 両側運動失調〔症〕（身体の両側における運動失調症).

cerebral d. 脳性両側運動失調〔症〕（脳性分娩麻痺の運動失調).

di·a·te·la (dī-ă-tē′lă) ［G. *dia*, through, between + L. *tela*, web］. 第3脳室膜様被蓋，第3脳室天蓋（第3脳室脈絡組織 choroid *tela* of third ventricle に対してまれに用いる語).

di·a·ther·mal (dī′ă-thĕr′măl) ［G. *dia*, through + *thermē*, heat］. = diathermic.

di·a·ther·man·cy (dī′ă-thĕr′man-sē). 透熱性（ジアテルミーの状態).

di·a·ther·ma·nous (dī′ă-thĕr′man-ŭs) ［G. *dia-thermaino*, to heat through < *thermos*, hot］. 透熱性の（熱線が透過できる). = transcalent.

di·a·ther·mic (dī′ă-thĕr′mik). ジアテルミーの，透熱性の. = diathermal.

di·a·ther·mo·co·ag·u·la·tion (dī′ă-ther′mō-kō-ag′yū-lā′shŭn). 外科的電気透熱療法，電気凝固法，凝固切除法. = surgical *diathermy*.

di·a·ther·my (dī′ă-ther-mē) ［G. *dia*, through + *thermē*, heat］. ジアテルミー（高周波電流，超音波，またはマイクロ波によって生じた組織内の局所的温度上昇). = transthermia.

medical d. 内科的ジアテルミー（軽度のジアテルミーで，組織破壊を起こさないもの). = thermopenetration.

short wave d. 短波ジアテルミー（治療のため，非常に周波数が高く(10—100 MHz)，波長が 3—30 m と短い振動電流を用いて組織の温度を上昇させること).

surgical d. 外科的ジアテルミー（高周波の電気焼灼器を用いて局所の組織を破壊して行う電気凝固法．通常，血管を閉塞し止血する目的で用いる). = diathermocoagulation.

ultrashortwave d. 超短波ジアテルミー（波長が 10 m 以下の短波ジアテルミー).

di·ath·e·sis (dī-ath′ĕ-sis) ［G. arrangement, condition］. 素質，体質，素因（何らかの疾病，疾病群，または代謝性や構造性の異常になりやすい，体質性あるいは先天性の状態).

contractural d. 拘縮素質(体質，素因)（ヒステリーにおいて拘縮を起こしやすい傾向があることを示す古語).

cystic d. 嚢胞素質(体質，素因)（肝臓，腎臓，その他の器官に多発性嚢胞を形成しやすい傾向があること).

gouty d. 痛風素質(体質，素因)（痛風発作や痛風結節を生じやすい病態．一般に高尿酸血症や尿酸の尿中への排泄増加を伴っている).

spasmophilic d. 痙攣素質(体質，素因)（運動神経の興奮性が異常に高い状態で，テタニー，喉頭痙攣，全身痙攣となって現れる).

di·a·thet·ic (dī′ă-thet′ik). 素質の，体質の，素因の.

di·a·tom (dī′ă-tom) ［G. *diatomos*, cut in two］. 珪藻類（微細な単細胞藻類の各個体のことで，被殻は沈降して珪藻土をなす).

di·a·to·ma·ceous (dī′ă-tō-mā′shŭs). 珪藻の（珪藻やその化石残留物に関する).

di·a·tom·ic (dī′ă-tom′ik). 2原子の（①分子が2個の原子から成り立つ化合物についていう．②イオン団または原子団で，2個の原子によってのみ成り立っているもの).

di·a·tor·ic (dī′ă-tōr′ik) ［G. *diatoros*, pierced］. ***1***〖n.〗人工陶歯の基底部に形成された垂直な円筒形の孔で，陶歯の体部にまでのびている．義歯床に人工陶歯を付着する際の機械的手段に用いる．***2***〖adj.〗有孔歯の（孔を有する人工歯についていう).

di·a·tri·zo·ate (dī′ă-trī-zō′āt). ジアトリゾアート；salt of 3,5-diacetamido-2,4,6-triiodobenzoic acid (→*sodium* diatrizoate).

di·az·e·pam (dī-az′ĕ-pam). ジアゼパム（ベンゾジアゼピン系の骨格筋弛緩薬，鎮静薬，抗不安薬．てんかん重積持続状態の治療に非経口で用いる).

di·a·zines (dī′ă-zēnz). ジアジン（合成抗結核薬の一群．例えばピラジンカルボキシアミド，ピラジン-3-カルボキシアミドなどが含まれる).

di·az·in·on (dī-az′in-on). ジアジノン（殺虫薬およびコリンエステラーゼ阻害薬として用いられる硫黄含有有機リン酸化合物).

diazo- (dī-az′ō) ［G. *di-*, two + Fr. *azote*, nitrogen］. R–N=N–X 基または R=N_2 基(CNを除き X は炭素ではない)を有する化合物．例えばジアゾメタンCH_2N_2を示す接頭語. *cf.* azo-.

di·az·o·tize (dī-az′ō-tīz). ジアゾ化する（化合物にジアゾ基を導入する．通常，亜硝酸でアミンを処理することによって行う).

di·ba·sic (dī-bā′sik). 二塩基の（置換可能な水素原子を2個もつ．イオン化可能な2個の水素原子を有する酸についていう).

di·ben·zo·pyr·i·dine (dī-ben′zō-pir′i-dēn). ジベンゾピリジン. = acridine.

Di·both·ri·o·ceph·a·lus (dī-both′rē-ō-sef′ă-lŭs) ［G. *di-*, two + *bothrion*: *bothros*(a pit)の指小辞 + *kephalē*, head］. 裂頭条虫属（*Diphyllobothrium* の旧名).

D. latus 広節裂頭条虫. = *Diphyllobothrium latum*.

di·both·ri·o·ceph·a·li·as·is (dī-both′rē-ō-sef′ă-lē-ās′is). = diphyllobothriasis.

di·bu·caine (dīb′yū-kān). ジブカイン（注入または皮膚，粘膜表面に用いられる強力な長時間作用性の局所麻酔薬). = dibucaine hydrochloride.

di·bu·caine hy·dro·chlor·ide (dib′yū-kān hī′drō-klōr′īd). 塩酸ジブカイン. = dibucaine.

di·bu·caine num·ber (DN) (dib′yu-kan nŭm′bĕr). ジブカイン数（正常速度でスクシニルコリンを不活性化できない非定型の擬コリンエステラーゼのいくつかの型の1つを区別する試験．ジブカインによる酵素の阻害百分率に基づいて正常酵素は少なくとも75以上のDNで，ヘテロ接合の非定型酵素は40—70のDN，ホモ接合の非定型酵素は20以下のDNである.→fluoride number).

DIC disseminated intravascular *coagulation* の略.

di·cac·o·dyl (dī-kak′ō-dil). = cacodyl.

di·ce·lous (dī-sē′lŭs) ［G. *di-*, two + *koilos*, hollow］. 二空洞性の（両側に窩または陥凹をもつ).

di·cen·tric (dī-sen′trik). 二動原体の（異常な状態である二動原体をもつ構造染色体についていう).

di·ceph·a·lous (dī-sef′ă-lŭs). 二頭体の.

di·ceph·a·lus (dī-sef′ă-lŭs) ［G. *di-*, two + *kephalē*, head］. 二頭体（対称性の接着双生児で，独立した2個の頭を有するもの.→conjoined *twins*). = bicephalus; diplocephalus.

d. diauchenos 二頸二頭体（二頭体で，個別の頸部を有するもの). = derodidymus.

d. dipus dibrachius 二腕二脚二頭体（二頭体で，胴体に上肢と下肢が2本ずつしかないもの).

d. dipus tetrabrachius 四腕二脚二頭体（二頭体で，下肢は2本しかないが上肢は4本個別に有するもの).

d. dipus tribrachius 三腕二脚二頭体（二頭体で，下肢は2本しかないが上肢は3本あるもの).

d. dipygus 二殿二頭体（→conjoined *twins*). = anakatadidymus.

d. monauchenos 一頸二頭体（二頭体で，融合が頸部にまで及び，その結果，1つの頸に2つの頭が載っているもの).

di·chei·li·a, di·chi·lia (dī-kī′lē-ă) ［G. *di-*, two + *cheilos*, lip］. 重複唇（粘膜に異常なひだがあるため，外見上2つあるように見える唇).

di·chei·ri·a, di·chi·ria (dī-kī′rē-ă) ［G. *di-*, two + *cheir*, hand］. 重複指〔症〕（手が完全にまたは不完全に重複しているもの.→polydactyly). = diplocheiria; diplochiria.

Di·chel·o·bac·ter no·do·sus (dī-kel′ō-bak-tĕr nō-dō′-sŭs). = *Bacteroides nodosus*.

di·chlor·ide (dī-klōr′īd). 二塩化物（1つの分子内に2つの塩素原子を有する化合物).

di·chlor·o·ben·zene (dī-klōr′ō-ben′zēn). ジクロロベンゼン（殺虫薬，主としてガの忌避薬として用いる).

di·chlor·o·di·phen·yl·tri·chlo·ro·eth·ane (DDT)

(dī-klōr′ō-di-fen′il-trī′klōr-ō-eth′ān). ジクロロジフェニルトリクロロエタン（殺虫薬．第二次世界大戦中および戦後に著名なものとなった．しばらくは有効であったが，昆虫類が急速に耐性を発達させるに及んで，本来の効力が大きく失われている．この薬剤は環境的蓄積による毒性があるため，現在，通常の使用は広く禁止されている）．＝dicophane.

di(2-chlor·o·eth·yl)sul·fide (dī-klōr′ō-eth′ĭl-sŭl′fīd). ジ(2-クロロエチル)スルフィド．＝mustard *gas*.

di·chlor·o·for·mox·ime (dī-klōr′ō-fōr-moks′ēm). ＝*phosgene* oxime.

di·chlor·o·hy·drin (dī-klōr′ō-hī′drin). ジクロロヒドリン（無色無臭の液体で，無水グリセリンを一塩化硫黄とともに加熱することにより生成される．樹脂の溶剤）．＝dichloroisopropyl alcohol.

2,6-**di·chlor·o·in·do·phe·nol** (di-klōr′ō-in-dō-fē′nol). 2,6-ジクロロインドフェノール（アスコルビン酸の還元性を利用して化学定量に用いる試薬．酸性溶液中で赤色を呈す．ビタミンCが存在すると還元されて無色となり，ビタミンは酸化されて酸化型アスコルビン酸になる．しばしば dichlorophenol-indophenol と誤称される）．

di·chlor·o·i·so·pro·pyl al·co·hol (dī-klōr′ō-is-ō-prō′pil al′kŏ-hol). ジクロロイソプロピルアルコール．＝dichlorohydrin.

di·chlor·o·phen·ar·sine hy·dro·chlor·ide (dī-klōr′ō-fen-ar′sēn hī′drō-klōr′īd). 塩酸ジクロロフェナルシン；(3-amino-4-hydroxyphenyl)dichloroarisine hydrochloride（以前，ヒ素駆梅薬として用いた）．

2,6-**di·chlo·ro·phe·nol-in·do·phe·nol** (dī-klōr′ō-fē′-nol-in-dō-fē′nol). 2,6-ジクロロフェノール－インドフェノール（2,6-dichloroindophenol の誤称）．

(2,4-**di·chlor·o·phen·ox·y**) **a·ce·tic ac·id** (2,4-D) (dē-klōr′ō-fe-nok′sē a-sē′tik as′id). 2,4-ジクロロフェノキシ酢酸（単子葉植物(穀物および牧草)に対してよりも広葉双子葉植物(雑草)に対して毒性が強い除草剤．2,4,5-トリクロロフェノキシ酢酸とともにエージェントオレンジの成分として用いられる）．

di·chlor·o·vos (dī-klōr′ō-vos). ジクロロボス．＝dichlorvos.

di·chlor·vos (dī-klōr′vos). ジクロルボス（医学および獣医学の分野で駆虫薬として用いる）．＝dichlorovos.

di·cho·ri·al, di·cho·ri·on·ic (dī-kō′rē-ăl, dī-kō-rē-on′ik) [G. *di*-, two + chorion]. 二絨毛膜の，重複絨毛膜の（絨毛膜が2つあることで，二卵双生児に生じる）．

di·chot·ic (dī-kot′ik). ***1*** ＝dichotomous. ***2*** 二分された（それぞれの耳に異なる音を同時に提示する）．

di·chot·o·mous (dī-kot′ō-mŭs). 二分の．＝dichotic (1).

di·chot·o·my (dī-kot′ō-mē) [G. *dichotomia*, a cutting in two < *dicha*, in two + *tomē*, a cutting]. 2分，二また（2つの部分に分割すること）．

di·chro·ic (dī-krō′ik). 光二色性の．

di·chro·ism (dī′krō-izm) [G. *di*-, two + *chrōa*, color]. 光二色性（反射光および透過光では異なった色がみられる性質）．

circular d. (**CD**) 円偏光二色性（単色の円偏光が通過する物質の吸収帯のごく近くで，円偏光から楕円偏光に変化すること．→Cotton *effect*）．

di·chro·mat (dī′krō-mat). 2色覚者，二色型色覚者（2色覚を有する人）．

di·chro·mate (dī-krō′māt). 重クロム酸塩（$Cr_2O_7^{2-}$ 基を有する化合物）．

di·chro·mat·ic (dī′krō-mat′ik). ***1*** 二色[性]の．***2*** 2色覚の，二色性色覚の．

di·chro·ma·tism (dī-krō′mă-tizm) [G. *di*, two + *chrōma*, color]. ***1*** 二色性（2つの色を呈する状態）．***2*** 2色覚（1型2色覚，2型2色覚，3型2色覚など，3種類の網膜錐体色素のうち2種類だけが存在する色覚の異常）．＝dichromatopsia.

di·chro·ma·top·si·a (dī′krō-mă-top′sē-ă) [G. *di*-, two + *chrōma*, color + *opsis*, vision]. ＝dichromatism (2).

di·chro·mic (dī-krō′mik). 二色の．

di·chro·mo·phil, di·chro·mo·phile (dī-krō′mō-fil, dī-krō′mō-fīl) [G. *di*-, two + *chrōma*, color + *philos*, fond]. 二染色性の，二色素親和[性]の（二重染色に染まる．1つの組織または細胞で，酸性および塩基性の両色素に別々の部分が染まるものについていう）．

Dick (dik), George Frederick. 米国人内科医，1881—1967. → D. *method*, *test*, test *toxin*.

Dick (dik), Gladys R.H. 米国人内科医，1881—1963. → D. *method*, *test*, test *toxin*.

Dick·ens (dik′ĕnz), Frank. 20世紀の英国人生化学者．→ D. *shunt*; Warburg-Lipmann-D.-Horecker *shunt*.

DICOM Digital Imaging and Communications in Medicine の略．米国放射線科専門医会と北米電子機器工業会の協同標準規格．種々の画像と異なるコンピュータデバイス(例えば，記憶装置あるいはワークステーション)間における相互伝達の実現のため，実体(あるいは物体)や機能(あるいはサービス)が定義されている．

di·co·phane (dī′kō-fān). ジコファン．＝dichlorodiphenyltrichloroethane.

di·co·ri·a (dī-kō′rē-ă) [G. *di*-, two + *korē*, pupil]. ＝diplocoria.

D

di·cot·yl·ed·on (dī-kot′il-ē′don). 双子葉類（その種子の子葉数が2枚の植物(低木，草本，高木)．なお子葉とは，種子植物の胚の最初に形成される葉のこと）．

dic·ro·coe·li·o·sis (dik′rō-sē-lē-ō′sis). デクロコエリウム症（動物とまれにヒトにみられる *Dicrocoelium*属吸虫の感染）．

Dic·ro·coe·li·um (dik′rō-sē′lē-ŭm) [G. *dikroos*, forked + *koilia*, belly]. 槍形吸虫属（二生類吸虫類の一属で，草食動物の胆管あるいは胆嚢に住む．槍形吸虫 *D. dendriticum* は，ヒトにはまれにしかみられないが，ある区域ではヒツジの重要な寄生生物である）．

di·crot·ic (dī-krot′ik) [G. *dikrotos*, double-beating]. 重拍の．

di·cro·tism (dī′krŏ-tizm) [G. *di*-, two + *krotos*, a beat]. 重拍脈，重拍性（脈拍の形状で，心臓の1拍ごとにあらゆる動脈拍動として2重の拍動が感じられるもの．重拍波の亢進によって起こる）．

dicta- (dik′tă) [G.]. 200を意味する接頭語．

dic·ty·o·ma (dik′tē-ō′mă) [G. *dikyton*, net(retina) + *-oma*, tumor]. ディクチオーマ（胎生期網膜に類似する網目状構造を有する，色様体上皮の良性腫瘍）．

dic·ty·o·some (dik′tē-ō-sōm) [G. *diktyon*, net + -some]. ジクチオソーム．＝Golgi *apparatus*.

dic·ty·o·tene (dik′tē-ō-tēn) [G. *diktyon*, net + *taenia*, band]. ディクティオテーン期（胎児期後半から初潮発来までの数年間で，卵母細胞が留まっている減数分裂の途中の状態）．

di·cu·ma·rol (dī-kū′mă-rol). ジクマロール（肝臓においてビタミンKおよびビタミンK依存性凝固因子の生合成の阻害作用をもつ抗凝血薬．ウシに出血を起こす(スイートクローバー病)原因物質として，腐敗した干し草中から発見された．→warfarin）．

di·cy·clo·mine hy·dro·chlo·ride (dī-sī′klō-mēn hī′drō-klōr′īd). 塩酸ジシクロミン（抗コリン作用薬）．

di·cys·te·ine (dī-sis′tē′in). [誤った発音 dī-sis′tēn を避けること]. ＝cystine.

di·dac·tic (dī-dak′tik) [G. *didaktikos* < *didaskō*, to teach]. 教説的な（講義または教科書による医学的教授法を意味する．患者との臨床的実物教授法または研究室での実験とは区別される）．

di·dac·ty·lism (dī-dak′ti-lizm) [G. *di*-, two + *daktylos*, finger or toe]. 二指奇形（2本だけの指の手あるいは足をもつ先天的な奇形）．

di·del·phic (dī-del′fik) [G. *di*-, two + *delphys*, womb]. 二子宮の，重複子宮の．

Di·del·phis (dī-del′fis) [G. *di*-, two + *delphys*, womb]. オポッサム属（オポッサムまたはコモリネズミとよばれる有袋類の一属．通常，キタオポッサム *D. marsupialis* は北アメリカに，ミナミオポッサム *D. paraguayensis* は南アメリカに産する．これらは南アメリカの *Trypanosoma cruzi* の保有宿主となることがある）．

DIDMOAD Wolfram *syndrome* をなしている *d*iabetes *i*nsipidus, *d*iabetes *m*ellitus, *o*ptic *a*trophy, *d*eafness の頭字語．

didym-, didymo- [G. *didymos*, twin]. 精巣を表す連結形．

did·y·mus (did′i-mŭs) [G. *didymos*, a twin, pl. *didymoi*, testes]. 精巣，睾丸．＝testis.

-didymus (did′i-mŭs) [G. *didymos*, twin]. 癒合している部分を示す語の後について，接着双生児を示す接尾語．→-dymus; -pagus; conjoined *twins*.

die (dī). *1* 死亡する，消滅する，死ぬ． *2* 金属陽型，鋳型，ダイス型（歯科において適当な硬さの物質で支台形成した歯の形態の陽型複製．通常，金属または特別に加工した硬石膏を用いる．→counterdie).

dieb. alt. ラテン語 *diebus alternis*（隔日に)の略．

di·e·cious (dī-ē′shŭs) [G. *di-*, two + *oikia*, house]. 雌雄異体の（性的にはっきり区別できる動植物に用いる．個体はどちらか一方の性をもつ).

Dief·fen·bach (dēf′en-bahk), Johann F. ドイツ人外科医，1792—1847.

Di·e·go blood group, Di blood group (dē-ā′gō blŭd grūp). ディエゴ血液型（付録 Blood Groups 参照).

di·el (dī′el) [irreg. < L. *dies*, day]. diurnal(毎日の)または circadian(日周期の)としばしば同義に用いられる語．

di·el·drin (dī-el′drin). ジエルドリン（塩素化炭化水素．殺虫薬として用いる．皮膚接触，吸入あるいは食物汚染によってその作用にさらされたヒトおよび動物に毒性作用を起こしうる).

di·e·lec·trog·ra·phy (dī′ē-lek-trog′ră-fē). 誘電図記録〔法〕，誘電図検査〔法〕．＝impedance *plethysmography*.

di·e·lec·trol·y·sis (dī′e-lek-trol′i-sis).〔薬物〕電解療法．＝electrophoresis.

Diels (dēls), Otto. ドイツ人化学者・ノーベル賞受賞者，1876—1954. →D. *hydrocarbon*.

di·en·ceph·a·lo·hy·po·phys·i·al (dī′en-sef′ă-lō-hī-pō-fiz′ē-ăl). 間脳下垂体の（間脳と下垂体に関する).

di·en·ceph·a·lon, pl. **di·en·ceph·a·la** (dī′en-sef′ă-lon, -sef′ă-lă) [G. *dia*, through + *enkephalos*, brain] [TA]. 間脳（前脳胞の尾側部に由来する部分で，背側視床(狭義の視床)，視床上部，腹側視床，視床下部からなる．ときに，視床の一部である内側・外側膝状体を視床後部とすることもある).

die·ner (dē′nĕr) [Ger. *Diener*, servant]. 小使，雑役者（研究室の清掃を行う労働者．一般的には，死体解剖の手伝いや死体置場の維持をする雑役者に対して用いることが多い).

Di·ent·a·moe·ba frag·i·lis (dī′ent-ă-mē′bă fraj′i-lis). 二核アメーバ（ヒトおよびある種のサルの大腸に寄生する小型でアメーバ状の鞭毛虫．かつては真のアメーバと考えられていたが，現在は *Trichomonas* 属に近縁のアメーバ型鞭毛虫として認識されている．恐らく非病原性であるが，ヒトに粘液性下痢や胃腸障害を伴う軽度の炎症を起こすことがあると考えられている).

di·er·e·sis (dī-er′ĕ-sis) [G. *diairesis*, a division]. 分離，分割（[誤った発音 diere′sis を避けること．diuresis と混同しないこと]).＝*solution* of continuity.

di·e·ret·ic (dī′ĕr-et′ik). *1* 分離の，分割の． *2* 分裂〔性〕の，潰瘍〔性〕の，侵食〔性〕の．

di·es·ter·ase (dī-es′tĕr-ās). ジエステラーゼ（→phosphodiesterases).

di·es·trous (dī-es′trŭs). 発情間期の．

di·es·trus (dī-es′trŭs) [G. *dia*, between + *oistros*, desire]. 発情間期，発情静止期，発情中間期（２つの発情期の間に起こる性的静止期).

di·et (dī′et) [G. *diaita*, a way of life; a diet]. *1*〖n.〗食〔物〕，食事（通常の飲食物). *2*〖n.〗治療食（規定された飲食物．治療の目的で食物の量や種類，食事の回数を医師によって規定される). *3*〖n.〗節食（体重を減らすためにカロリー摂取を控えること). *4*〖v.〗治療食を摂る（規定された，または特殊な食事を摂る).

acid-ash d. 酸性食（主として肉か魚，卵，および穀類よりなり，牛乳，果物，野菜は少ししか含まない食事．異化により酸性残渣を尿中に排泄する).

alkaline-ash d. アルカリ食（主として果物，野菜，牛乳を含み，肉，魚，卵，チーズ，および穀類はごく少量しか含まない食事．異化されるとアルカリ残渣を尿中に排泄する).＝basic d.

balanced d. バランス〔のとれた〕食〔事〕（必須栄養素を適切な割合で含んでいる食事).

basal d. 基礎食（①基礎熱産生量に等しいカロリー値をもち，必須栄養素を十分に含んでいる食事．②栄養の実験において，研究対象となっている１つの栄養価(例えば，ビタミン，鉱質，アミノ酸など)を一定期間除き，その栄養効果を観察するために作成された完璧にして十分な食事．被検者は次の期間では，研究対象となった成分を加えられた食事を与えられて観察される).

basic d. 塩基食．＝alkaline-ash d.

bland d. 無刺激食（機械的または化学的に消化管に刺激を与える食物を除いた通常の食事).

BRAT d. ブラット食（急性胃腸炎にしばしば処方される制限食で，*b*ananas, *r*ice, *a*pples(ジュースあるいはソース), *t*oast の頭字語).

challenge d. 負荷試験食（１つ以上の特定の物質を加えた食事で，それらの物質に対する異常反応が起こるかどうかをみるもの).

clear liquid d. 清澄流動食（手術後しばしば出される食事．通常，水，紅茶，コーヒー，ゼラチン料理，および澄んだスープ).

diabetic d. 糖尿病食（カロリーや炭水化物の摂取量を制限して体重をコントロールし，インスリンの必要量や経口糖尿病剤を減量できるように趣向をこらした糖尿病患者用の食事).

elimination d. 除外食（食物のどの成分が患者のアレルギー発現の原因となるかをみつけるよう工夫された食事．患者に敏感な食品目を食事から除外し，症状の原因品目がみつかるまで続けられる).

full liquid d. 全流動食（流動物のみからなる食事．クリームスープ，アイスクリーム，牛乳も含まれる).

Giordano-Giovannetti d. (jōr-dan′ō-jō′va-net′ē). ジョルダノ-ジョヴァネッティ食（腎不全患者のために考えられた食事．少量の蛋白を与えるものであり，主として必須アミノ酸としてアミノ酸のα-ケト誘導体を含んでいる．骨格筋における蛋白の崩壊を防ぎ，トランスアミナーゼの反応は可逆的であるので，尿素分解により出てくる少量のアンモニアは非必須アミノ酸の合成に用いられる).＝Giovannetti d.

Giovannetti d. (jē-ō-vah-net′ē). ジョヴァネッティ食．＝Giordano-Giovannetti d.

gluten-free d. 無グルテン食（小麦，ライ麦，大麦，えん麦のグルテンをすべて除去した食事．グルテン過敏性腸炎(セリアック病)の治療食．→celiac *disease*).

gout d. 痛風食（プリン塩基(肉類)を少量しか含まない食事．レバー，腎臓，膵臓は特に除かれ，乳製品，果物，穀類が代用される．アルコール飲料も除外される).＝purine-free d.

high-calorie d. 高カロリー食（１日につき 4,000 cal 以上を含む食事).

high-fat d. 高脂肪食（大量の脂肪を含む食事).

high-fiber d. 高繊維〔性成分〕食〔事〕（消化されない植物の繊維を多く含んだ食事．繊維成分は果物，野菜，穀物や豆類に多い．不溶性の繊維は便の量を増やし，便の大腸通過時間を短縮し，便秘を減らし，大腸癌の発生を減少させる．可溶性の繊維成分はグルコースの摂取を遅延させることにより糖尿病患者における血糖のコントロールを良好にする．また脂肪の吸収をも遅延し，高脂血症を改善する．また大腸憩室の治療にも勧められる).

Kempner d. (kemp′ner). ケンプナー食．＝rice d.

ketogenic d. ケトン誘発食，ケトン産生食（高脂肪，低炭水化物糖類，正常蛋白からなる食事で，ケトーシスを起こす).

low-calorie d. 低カロリー食（１日に 1,200 cal 以下の食事).

low-fat d. 低脂肪食（脂肪成分を少ししか含まない食事．脂肪やコレステロールを少量のみ含む食事は，特に動脈硬化や心血管系疾患の危険性を減少するために企画された．低脂肪食は 10% 弱のカロリーを飽和脂肪酸(肉，乳製品)より摂取しており，コレステロール(< 300 mg/日)やトランス型脂肪酸(例えばマーガリンやバター，ラードなど)の含量は少なく，穀物や新鮮な果物や野菜や豆類は多くなければならない．→atherosclerosis; free *radical*).

low purine d. 低プリン食（プリン前駆物質(肝臓や肉な

どの核の多い細胞に多い)の少ない食事．尿酸の産生を減少させることにより，痛風や尿酸素の尿路結石症の患者の治療食として用いられる)．

low residue d. 低残渣食（大腸への機能的ストレスが最小になるような腸内での非吸収成分が非常に少ない食事)．

low salt d. 低塩食（食塩を制限した食事．高血圧，心不全，体液貯留や浮腫などのある患者の治療食)．

macrobiotic d. 長寿食（長生きするとされる食事で，(コムギ・トウモロコシなどの)全粒や野菜に重きが置かれる)．

Mediterranean d. 地中海食（地中海地域のある種の文化(例えば，ギリシア，イタリア，南フランス)にみられる伝統的食事習慣に基づいた料理の総称．自然食，特に果物および野菜，魚，オリーブ油，ナッツ，およびワインなどが強調され，肉や酪農製品からの飽和脂肪酸を避ける特徴がある)．

地中海地方の国々に住む人々は，米国に住む人々に比べて寿命が長く，冠動脈疾患の発症頻度も低いことから，地中海食が心血管系疾患や死亡のリスクを減じる方策の1つとして提唱されてきた．地中海食の本質的な成分は，新鮮な果物，野菜，ハーブ，およびベリー／ナッツと穀物からだけで作られるパン，シリアル，およびパスタ／新鮮な魚／オリーブ油／適度なワイン(女性は150 mL/日，男性は300 mL/日)である．オメガ-3系脂質(野菜，ナッツ，および魚，特にサケ，イワシ，マグロ，アミキリ，メカジキなど脂肪の多い魚から得られる)および一価不飽和脂肪酸(オリーブ油，カノーラ油，アボカド，そしてナッツから得られる)は血漿中性脂肪や低比重リポ蛋白コレステロール(LDL コレステロール)を低下させて，健常人や心筋梗塞後の患者において心血管系事故死および全死亡を減少させることが示されている．地中海食はフラボノイド類が豊富である(ペッパー，トマト，タマネギ，ベリー，茶，および赤ワインから得られる)．フラボノイドはLDL コレステロールに対して抗酸化作用を示し，研究は多くはないが，これが心血管系事故死を減少させると信じられている．地中海食は，赤身の肉やラード，ミルク，バター，およびチーズに含まれる飽和(動物性)脂肪の含量が低く，また，マーガリン，ショートニング，および調理や揚げ物で使用される動物性脂肪の代わりとなるものなどを製造する工程で，植物性脂肪が水素添加してできるトランス脂肪酸が除かれている．飽和脂肪とトランス脂肪酸はいずれも血漿コレステロールと中性脂肪を上昇させ，心臓血管系疾患と死亡を増加させる．イタリア人は米国人よりもコレステロール値が高いのにもかかわらず，心血管系死亡のリスクの低いことが知られている．これは地中海食でみられる心血管系疾患および死亡の改善が，単に脂質レベルの変化だけに起因するのではないことを示唆している．高血圧治療中の患者では，オリーブ油が血圧に有益な効果をもたらすとの研究がある．地中海食の明らかな利点は，地中海文化と米国文化の生活習慣の違いに原因するのかもしれない．地中海食の価値ある特徴には，カロリー許容量を劇的に変える必要がないこと，多くの人々の口に合うこと，通常の食事と比較してそれほど高価ではないことなどがあげられる．地中海食の潜在的有用性は，好ましくない効果を生じる可能性とのバランスで考える必要がある．常日頃から活発な運動で相殺しない限り，どのような材料からでも大量に脂質を消費することは肥満の原因となる．アルコールの消費は乳癌やその他の癌の危険因子であり，アルコール依存になりやすい人にはその危険性を増加させる．

Meulengracht d. (moyl′en-grakt) [historic]．モイレングラハト食（消化性潰瘍患者に対する現在では用いられない食事法で，酸度の強い食物や強い調味料を使った食物は避けた比較的十分な食事を含む)．

Minot-Murphy d. (mī′not mŭr′fē)．ミノー－マーフィー食（悪性貧血の治療に大量の生の肝臓を使用するという現在では用いられない方法．治療の初めての成功がこの食事で認められたため，治療に肝抽出物を用いることに発展した)．

Ornish prevention d.'s (ōr′nish)．オーニッシュ予防食事(冠動脈疾患の予防に工夫したOrnish の逆治療療法の改訂版で，血中のコレステロール値に比例して食事中の脂肪分を減らす)．

Ornish reversal d. (ōr′nish)．オーニッシュの逆食事療法(Dean Ornish によって考案された食事療法で，冠動脈疾患を減少させるといわれている．これは総カロリーの10%を脂肪(その大部分は多数の不飽和あるいは1個の不飽和脂肪酸と1日につき5mg のコレステロールを含む)と70—75%を炭水化物，残りの15—20%を蛋白から補給する)．

purine-free d. 無プリン食．＝gout d.

purine-restricted d. 無プリン食（→gout d.)．

rachitic d. くる病食（実験動物にくる病を惹起させるために用いられる飼料)．

reducing d. 体重減量食（熱量消費が熱量摂取より大きい食事)．

rice d. 米飯食（米，果物，砂糖にビタミン，鉄を補充した食事．Kempner により高血圧の治療食として考案された．2,000 カロリー中，5 g 以下の脂肪，蛋白 20 g，150 mg 以下のナトリウムを含む)．＝Kempner d.

Schmidt d. (shmĭt)．シュミット食．＝Schmidt-Strassburger d.

Schmidt-Strassburger d. (shmit-strahs′berg-er)．シュミット－ストラスブルガー食（下痢患者の便検査用の食事で，現在では用いない．ミルク，ツィーバック，オートミールがゆ，少量の牛肉，ポテトからなる)．＝Schmidt d.

Sippy d. (sip′ē)．シッピー食（以前，消化性潰瘍の治療の初期段階に用いられた食事で，現在は用いられない．胃酸の中和を保つため1，2時間ごとのミルクとクリームより始め，徐々に増量し，3日後には穀類，卵，クラッカーを含み，後に裏ごしした野菜を加える)．

smooth d. 無刺激食（不消化物をほとんど含まない食事．大腸疾患で主に用いられる)．

soft d. 軟らかな食事（普通食で，そしゃくが困難な人のための軟らかな食事．調味料や調理方式に制限はない)．

subsistence d. 生存食（生命を維持するのに必要なだけの粗末な食事)．

Wilder d. (wīld′er)．ウィルダー食（低カリウム食．古くは，Addison 病の治療食として用いられた)．

di·e·tar·y (dī′ĕ-tār′ē)．食事の．

di·e·tet·ic (dī′ĕ-tet′ik)．*1* 食事〔性〕の．*2* 低カロリー食の（自然あるいは加工品を問わず，低カロリー含量をもつ食物についていう)．

di·e·tet·ics (dī′ĕ-tet′iks)．食事療法学（病気の予防，治療への，食事療法の応用)．

di·eth·yl (dī-eth′il)．ジエチル（2つのエチル基をもつ化合物)．

5,5-**di·eth·yl·bar·bi·tu·ric ac·id** (dī-eth′il-bar-bi-tyū′rik as′id)．5,5-ジエチルバルビツール酸．＝barbital.

di·eth·yl·ene·di·a·mine (dī-eth′il-ēn-dī′ă-mēn)．ジエチレンジアミン．＝piperazine.

1,4-**di·eth·yl·ene di·ox·ide** (dī-eth′il-ēn dī-oks′īd)．二酸化1,4-ジエチレン．＝dioxane.

di·eth·yl·ene gly·col (dī-eth′il-ēn glī′kōl)．ジエチレングリコール（エチレングリコールと化学的に類似した有機溶媒．代謝的変換によりシュウ酸になり，これは腎臓に対し毒性をもつ．甘味で粘性をもつ液体で，1937 年に100 人以上の子供を死亡させたスルファニルアミドによる不名誉な万能薬をつくるのに用いられ，この事故により薬の安全性を監視する法律がFDA により制定された)．

di·eth·yl·ene·tri·a·mine pen·ta·a·ce·tic ac·id (DTPA) (dī-eth′il-ēn-trī′ă-mēn pen′tă-ă-sē′tik as′id)．ジエチレントリアミンペンタ酢酸（治療時(例えば解毒)の重要なキレート剤，磁気共鳴画像法(MRI)による検査や核スキャン時に用いられる金属含有の診断薬)．

di·eth·yl·stil·bes·trol (DES) (dī-eth′il-stil-bes′trol)．ジエチルスチルベストロール（［誤ったつづりまたは発音 diethylstilbesterol を避けること］．エステロゲン活性を有する非ステロイド性の合成化合物．受精卵の着床を避ける作用があり，性交後の避妊薬として使用されたことがある．この化合物が流産を防ぐと誤認されていた頃に服薬した妊婦より生まれた女児において，遅発性の腟明細胞癌の発現があったことから，初めて胎盤通過性の発癌性物質が見出された)．＝stilbestrol.

di·eth·yl·tryp·ta·mine (DET) (dī-eth′il-trip′tă-mēn).

D

ジエチルトリプタミン（ジメチルトリプタミン類似の幻覚誘発薬）.

di·e·ti·tian (dī-ĕ-tish′ŭn). 栄養士（[誤ったつづり dietician を避けること]. 食事療法学の専門家）.

Die·tl (dē′tĕl), Józef. ポーランド人医師, 1804—1878. →D. *crisis*.

Dieu·la·foy (dyū-lah-fwah′), Georges. フランス人医師, 1839—1911. →D. *erosion*.

DIF direct *immunofluorescence* の略.

di·far·ne·syl group (di-far′nĕ-sil grūp). ジファルネシル基（30炭素開鎖ヘキサイソプレノイド炭化水素基. ビタミン K_2 の側鎖として存在する）.

dif·fer·ence (dif′ĕr-ens). 差, 較差（ある質や量が同じ種類のもう1つの量とは異なる, その大きさあるいは程度）.

alveolar-arterial oxygen d. 細胞－動脈血酸素較差（肺胞腔と動脈血液との間の酸素分圧の差あるいは勾配, すなわち $P_{(A-a)}O_2$. 若年成人におけるこの値は, 通常 20 mmHg 以下である. →alveolar gas *equation*）.

arteriovenous carbon dioxide d. 動静脈血炭酸ガス較差（動・静脈血液間の二酸化炭素含量(血液 100 mL 当たりの mL)の差）.

arteriovenous oxygen d. 動静脈血酸素較差（動・静脈血液間の酸素含量(血液 100 mL 当たりの mL)の差）.

AV d. 房室差（物質の心房と心室の間の含有量の差）.

cation-anion d. ＝anion *gap*.

individual d.'s 個人差, 個体差（臨床心理学において, グループ平均あるいは相互間の個体の偏差）.

light d. *1* 光差（両眼の光覚差）. *2* 明度差閾値. ＝brightness difference *threshold*.

masking level d. マスキング・レベル差（両耳に同時にマスキング・ノイズと逆位相の検査音を聴取させたときの聴力閾値とマスキング・ノイズと正位相の検査音を同時に聴取させたときの聴力閾値の差. この値が大きい(註 1 kHz で 5 dB 以上)場合, 脳幹交差部の聴覚伝導路は正常と診断する）.

standard error of d. 差の標準誤差（2つの標本平均の差が0より大きい差をとる確率の統計的指標の1つ）.

dif·fer·en·tial (dif′ĕr-en′shăl) [L. *differo*, to carry apart, differ < *dis*, apart]. 鑑別の, 較差の, 区別の.

threshold d. ＝differential *threshold*.

dif·fer·en·ti·at·ed (dif′ĕr-en′shē-ā-tĕd). 分化した（周囲の構造あるいは原型とは異なる性質または機能をもつ. 組織, 細胞, あるいは細胞質の部分についていう）.

dif·fer·en·ti·a·tion (dif′ĕr-en′shē-ā′shŭn). *1* 分化（原型のそれとは異なった性質または機能の獲得あるいは所有）. ＝specialization (2). *2* 鑑別, 区別. ＝differential *diagnosis*. *3* 分染（組織成分の染色差異を強調するために組織学的切片から一部の染色を除去すること）.

correlative d. 相関性分化（生体の異なった部分の相互作用による分化）.

echocardiographic d. 心エコーの分解能（入力の変化の速さに応じて出力を変えるように信号を処理すること. 例えば, これによって振幅の変化を表示するが, 波形の持続は短縮させることになる）.

invisible d. 非可視分化. ＝chemodifferentiation.

pressure pulse d. 圧脈拍微分（入力の変化分で, 血圧の場合は dP/dt, 非侵襲的な記録の場合は変移の割合 dD/dt で示される出力計算法）.

dif·flu·ence (dif′lū-ents) [L. *dif-fluo*, to flow in different directions, dissolve]. 潮解, 溶化（流体になる過程）.

dif·frac·tion (di-frak′shŭn) [L. *dif-fringo*, pp. *-fractus*, to break in pieces]. 回折（不透明体の縁を通るあるいはほぼ光の波長の大きさの物体を通過する際に, 光線の経路が直線からずれること）.

dif·frac·tion grat·ing (di-frak′shŭn grāt′ing). 回折格子（ガラス表面上のアルミニウム-銅合金の薄層に刻まれた直線状の溝からなる種々のフィルタ. 光をスペクトルに分離するために分光光度計に用いられる. →monochromator）.

dif·fu·sate (di-fyū′zāt) [L. *dif-fundo*, pp. *-fusus*, to pour in different directions]. ＝dialysate.

dif·fuse [L. *dif-fundo*, pp. *-fusus*, to pour in different directions]. *1* (di-fūz′). 〚v.〛 散在する, 拡散する. *2* (di-fūs′). 〚adj.〛 広範性の, 散漫な, 散在性の, びまん性の, 拡散の.

dif·fus·i·ble (di-fyūz′i-bel). 拡散しうる, 広がりうる.

dif·fu·sion (di-fyū′zhŭn). *1* 拡散〔性〕（有効な体積中への均一な分散を目指した Brown 運動の影響下にある溶液あるいは懸濁液中の分子, イオン, 小粒子の行う不規則な運動. 拡散の速度は液体と気体中ではかなり速いが, 固体中ではきわめて緩慢に起こる）. *2* 光散乱.

facilitated d. 促進拡散（→facilitated *transport*）.

gel d. ゲル〔内〕拡散〔法〕（免疫反応物質を寒天内で拡散させるゲル拡散沈降試験などにおけるゲル内での拡散. →immunodiffusion）.

passive d. 受動拡散（→facilitated *transport*）.

di·ga·met·ic (dī′gă-met′ik). 両性配偶子の, 異型配偶子の. ＝heterogametic.

di·gas·tric (dī-gas′trik) [G. *di-*, two + *gastēr*, belly]. ＝digastricus (1). *1* 二腹の（特に, 介在する腱部分によって2部分に分けられた筋肉についていう. →digastric (*muscle*)）. ＝biventral. *2* 顎二腹筋の（顎二腹筋と関係する窩あるいは溝, およびその後腹を支配する神経をさす）.

di·gas·tri·cus (dī-gas′tri-kŭs) [L.]. 二腹の（① ＝digastric. ②顎二腹筋 *musculus* digastricus についていう）.

Di·ge·ne·a (dī-jē′nē-ă) [G. *di-*, two + *genesis*, generation]. 二生亜綱（寄生性の扁形動物類の亜綱(吸虫綱)で, 軟体動物中間宿主中での発育・増殖, 脊椎動物中での成虫期, そしてしばしば他の伝播宿主や, さらに別の中間宿主を含むこともある, 複雑な生活環が特徴である. ヒトや他の哺乳類にみられる吸虫類をすべて含む）.

di·gen·e·sis (dī-jen′ĕ-sis) [G. *di-*, two + *genesis*, generation]. 世代交代（二生類吸虫の無性(無脊椎動物内)および有性(脊椎動物内)のサイクルにみられるように, 特有な型による世代が交互に生じる生殖）.

di·ge·net·ic (dī′jĕ-net′ik). *1* 二宿主性の. ＝heteroxenous. *2* 二生類吸虫の.

Di·Geor·ge (dĕ-jōr′jĕ), Angelo M. 20世紀中期の米国人小児科医. →DiG. *syndrome*.

di·gest [L. *digero*, pp. *-gestus*, to force apart, divide, dissolve]. *1* (di-jest′, dī-). 〚v.〛 蒸解する, 蒸して軟らかくする（湿気と熱とで軟化させる）. *2* (di-jest′, dī-). 〚v.〛 消化する（加水分解酵素または化学的作用により, 一層単純な化学的化合物へ加水分解または解体する. 食物に対する消化管の分泌作用を意味する）. *3* (dī′jest). 〚n.〛 消化物（消化あるいは加水分解によって生じた物質）.

di·ges·tant (di-jes′tănt, dī-). *1* 〚adj.〛 消化促進の. *2* 〚n.〛 消化薬（消化の過程を補助する薬剤）. ＝digestive (2).

di·ges·tion (di-jes′chŭn, dī-) [L. *digestio*. →digest]. *1* 蒸解（蒸解を行う過程）. *2* 消化（摂取された食物が, 組織の合成またはエネルギー放出のための同化作用に適する物質に転換させられる機械的, 化学的, 酵素的過程）.

buccal d. 口腔消化（口腔内での消化. 唾液腺のアミラーゼによる消化である）.

duodenal d. 十二指腸消化（十二指腸での消化）.

gastric d. 胃内消化（胃液の酵素によって胃の中で行われる, 主として蛋白の消化の一部）. ＝peptic d.

intercellular d. 細胞間消化（周囲の細胞からの分泌によって腔所中で行われる消化. 後生動物中にみられる）.

intestinal d. 腸内消化（腸内で行われる消化の一部. デンプン, 脂肪, 蛋白などあらゆる食物に作用を及ぼす）.

intracellular d. 細胞内消化（原生動物や食細胞中にみられるような, 細胞の境界内で行われる消化）.

pancreatic d. 膵液消化（膵液の酵素による腸内消化）.

peptic d. ＝gastric d.

primary d. 一次性消化（消化管内の消化）.

salivary d. 唾液消化（唾液アミラーゼの作用によるデンプンの糖への転換）.

secondary d. 二次性消化（体細胞の作用によって行われる乳び内の変化. この変化によって消化の最終生成物が代謝の過程内で同化される）.

di·ges·tive (di-jes′tiv, dī-). *1* 〚adj.〛 消化〔性〕の. *2* 〚n.〛＝digestant (2).

dig·it (dij′it) [L. *digitus*] [TA]. 指, 趾（→finger; toe）. ＝digitus [TA]; dactyl; dactylus.

binary d. ＝bit.

clubbed d. 〔太鼓〕ばち指（→clubbing）.

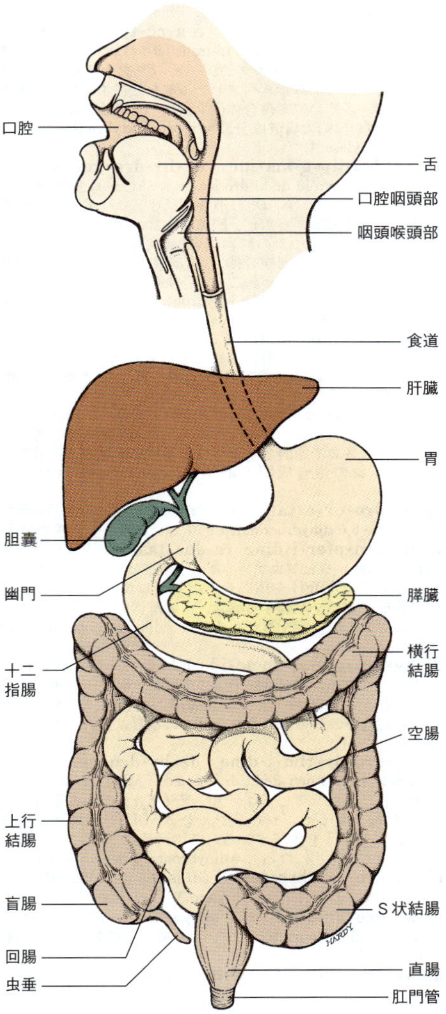

digestive system and associated structures

d.'s of foot* toe の公式の別名.

primary d. of foot ＝great *toe* [I].

dig·i·tal (dij′i-tăl). *1* 指の，指状の，指圧痕の，数字で計算する．*2* ディジタル（特にコンピュータで情報を数値で表現する場合に用いる）.

dig·i·tal·in (dij′i-tal′in). ジギタリン（ジギタリスから得られるグリコシドの規格混合物．うっ血性心不全の治療に強心薬として用いる）.

crystalline d. ＝digitoxin.

Dig·i·tal·is (dij′i-tal′is, -ta′lis) [L. *digitalis*, relating to the fingers; in allusion to the finger-like flowers]. ジギタリス（ゴマノハグサ科多年顕花植物の一属．*D. lanata* ヨーロッパ種および *D. purpurea* はある種の心臓病，特に心不全の治療に用いる強心作用のあるステロイド配糖体の主要原料となる．心房性頻拍型不整脈の治療にも用いられる）. ＝foxglove.

dig·i·tal·ism (dij′i-tal-izm). ジギタリス効果，ジギタリス

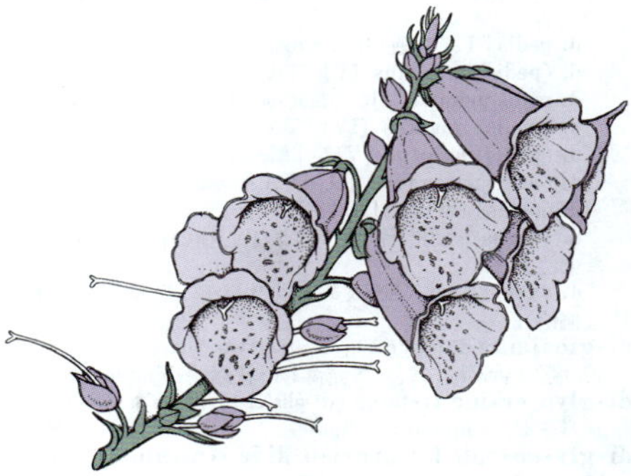

Digitalis

治療に用いられる有毒植物.

中毒（ジギタリス中毒または過投与により起こる症状群）.

dig·i·tal·i·za·tion (dij′i-tal-i-zā′shŭn). ジギタリス飽和，ジギタリス化（ジギタリス投与を数ある予定表の 1 つに従って行い，望む治療効果を生み出すのに十分な量が体内で存在するようになるまで続けること）.

dig·i·tate (dij′i-tāt) [L. *digitatus*, having fingers < *digitus*, finger]. 指状突起のある，指痕のある.

dig·i·ta·tion (dij′i-tā′shŭn) [Mod. L. *digitatio*]. 指状突起.

dig·i·ta·ti·o·nes hip·po·cam·pi (dij′i-tā′shē-ō′nēz hip-ō-kam′pī) [Mod. L. *digitatio* の複数形]. 海馬指. ＝*foot* of hippocampus.

di·gi·ti (dij′i-tī) [L.]. digitus の複数形.

dig·i·tin (dij′i-tin). ジギチン. ＝digitonin.

dig·i·to·nin (dij′i-tō′nin). ジギトニン（① *Digitalis purpurea* から得られるステロイド配糖体．強心作用はない．β 配位の 3–CH 基をもつコレステロールおよびステロイドの定量用試薬として用いる．② *Digitalis purpurea* の種子から見出された 4 種類のステロイドの混合物．強い溶血性の毒性がある．膜蛋白の可溶化に，非イオン性界面活性剤として作用しうる）. ＝digitin.

dig·i·tox·i·gen·in (dij′i-toks′ĭ-jen′in). ジギトキシゲニン（ジギトキシン由来のアグリコンで，水，アルコールおよび塩酸中でジギトキシンを還流することによって合成できる）.

dig·i·tox·in (dij′i-tok′sin). ジギトキシン（強心性の高い配糖体．*Digitalis purpurea* の葉から得られる．ジギタリスよりも完全に消化管から吸収されるが，大部分が肝代謝によって消失する）. ＝crystalline digitalin.

dig·i·tox·ose (dij′i-toks′ōs). ジギトキソース（配糖体であるジギトキシン，ギトキシン，ジゴキシンの弱酸加水分解によって得られた糖．加水分解により，相当するアグリコン各 1 モルからジギトキソース 3 モルが生成する）.

D-dig·i·tox·ose (dij′i-toks′ōs). D–ジギトキソース；2,6-dideoxy-D-*ribo*-hexose（ジギタリス配糖体に含まれる糖質）.

dig·i·tus, pl. **di·gi·ti** (dij′i-tŭs, -tī) [L.][TA]. 指. ＝digit.

d. anularis [TA]. 薬指，環指. ＝ring *finger*.

d. auricularis 小指. ＝little *finger*.

digiti hippocratici ヒポクラテス指（clubbed digits または clubbed fingers を表す現在では用いられない語. ⇀clubbing）.

d. manus [TA]. 指. ＝finger.

d. (manus) medius [TA]. 中指. ＝middle *finger*.

d. (manus) minimus [TA]. 小指. ＝little *finger*.

d. (manus) primus [I]* 第一指（thumb の公式の別名）.

d. (manus) quartus [IV]* ring *finger* の公式の別名.

d. (manus) quintus [V] 第五指. ＝little *finger*.

d. (manus) secundus [II]* 第二指（index *finger* の公式の別名）.

d. (**manus**) **tertius** [**III**]* 第三指（middle *finger* の公式の別名）.

d. pedis [TA]. 趾(指). ＝toe.

d. (**pedis**) **minimus** [**V**] [TA]. ＝little *toe* [V].

d. pedis primus [**I**]* great *toe* [I] の公式の別名.

d. (**pedis**) **quartus** [**IV**] [TA]. ＝fourth *toe* [IV].

d. (**pedis**) **quintus** [**V**]* little *toe* [V] の公式の別名.

d. (**pedis**) **secundus** [**II**] [TA]. ＝second *toe* [II].

d. (**pedis**) **tertius** [**III**] [TA]. ＝third *toe* [III].

d. valgus 外反指(趾)（1本以上の指の橈骨側への永久的な偏位）.

d. varus 内反指(趾)（1本以上の指の尺骨側への永久的な偏位）.

di・glos・sia (dī-glos′ē-ă) [G. *di-*, two ＋ *glōssa*, tongue]. 複舌〔症〕（舌が縦に裂けて発育した状態. →bifid *tongue*）.

di・glyc・er・ide li・pase (dī-glis′er-īd lī′pās). ジグリセリドリパーゼ. ＝ lipoprotein lipase.

di・gly・co・coll hy・dro・i・o・dide-i・o・dine (dī′glī-kō-kol hī-drō-ī′ō-dīd-ī′ō-dīn). ヨウ素酸ジグリココルヨード（2モルのジグリココルヨウ素酸塩がヨード2原子量と結合したもの. 飲料水を消毒するために錠剤として用いる抗菌薬）.

di・gna・thus (dīg-nā-thŭs) [G. *di-*, two ＋ *gnathos*, jaw]. 複顎〔奇形〕体（2重の下顎骨をもつ奇形胎児）. ＝augnathus.

di・gox・i・gen・in (dī-joks′ĭ-jen-in). ジゴキシゲニン（ジゴキシンのアグリコンで3モルのジギトキソースと結合すると配糖体ジゴキシンになる）.

di・gox・in (di-jok′sin). ジゴキシン（*Digitalis lanata* より得られる強心性ステロイド配糖体. 大部分が腎臓を介して消失する）.

Di Gu・gli・el・mo (dē gū-lyē-el′mō), Giovanni. イタリア人医師，1886—1961. →Di G. *disease*, *syndrome*.

di・gy・ny, di・gyn・ia (dī′ji-nē, dī-jin′ē-ă) [di- ＋ G. *gynē*, woman]. 2倍体卵母細胞が受精した状態. 3倍体の配偶子となる. *cf.* diandry.

di・het・er・o・zy・gote (dī-het′ĕr-ō-zī′gōt). 二重異型接合体（特に遺伝的連鎖分析において，問題の2つの遺伝子座に関して異型接合の個体）.

di・hy・brid (dī-hī′brid) [G. *di-*, two ＋ L. *hybrida*, offspring of a tame sow and a wild boar]. 二遺伝子雑種，二因子雑種，二形質雑種（2つの形質について異なっている両親の間にできた子供）.

di・hy・drate (dī-hī′drāt). 二水和物（2分子の結晶水をもつ化合物）.

di・hy・dra・zone (dī-hī′dră-zōn). ジヒドラゾン. ＝osazone.

dihydro- (dī-hī′drō) [G. *di*, two ＋ *hydor*, water]. 2つの水素原子が付加していることを示す接頭語.

dihydroartemisinin (dī-hī-drō′ahr-te-mis′i-nin). ジハイドロアルテミシニン（抗マラリア薬のアルテミシニンの活性代謝物の1つ）.

di・hy・dro・a・scor・bic ac・id (di-hī′drō-as-kōr′bik as′id). ジヒドロアスコルビン酸. ＝L-gulonolactone.

di・hy・dro・bi・op・ter・in (dī-hī′drō-bī-op′tĕr-in). ジヒドロビオプテリン（テトラヒドロビオプテリンの前駆体でL-チロシンの生合成を含む多種の酵素の補因子として必要とする. この合成が不能となると，悪性高フェニルアラニン血症を生じることがある）.

d. reductase ＝dihydropteridine reductase.

4,5α-**di・hy・dro・cor・ti・sol** (dī-hī′drō-kōr′ti-sol). 4,5α-ジヒドロコルチゾール. ＝hydrallostane.

di・hy・dro・cor・ti・sone (dī-hī′drō-kōr′ti-sōn). ジヒドロコルチゾン（コルチゾンの4位と5位の二重結合が還元された代謝産物）.

7,8-**di・hy・dro・fo・late** (dī-hī-drō-fō′lāt). 7, 8-ジヒドロ葉酸（葉酸と5, 6, 7, 8-テトラヒドロ葉酸との間にある中間体で，後者の酸化は NADP⁺ とデヒドロ葉酸還元酵素により起こる）.

di・hy・dro・fo・late re・duc・tase (**DHFR**) (dī-hī′drō-fō′lāt rē-dŭk′tas) [MIM*126060]. ジヒドロ葉酸還元酵素（NADP⁺を利用しテトラヒドロ葉酸を酸化し，7,8-ジヒドロ葉酸を生成する反応を可逆的に触媒する酵素. 一炭素原子代謝の重要な酵素. メトトレキセートに対する薬剤耐性のマーカとして用いられる）. ＝5,6,7,8-tetrahydrofolate dehydrogenase.

di・hy・dro・gen (dī-hī′drō-jen). ＝hydrogen (2).

di・hy・dro・lip・o・am・ide ***S*-a・ce・tyl・trans・fer・ase** (dī-hī′drō-lip-ō-am′id a-sē′til-trans′fĕr-āz). ジヒドロリポアミド *S*-アセチルトランスフェラーゼ（S^6-アセチルジヒドロリポアミドから補酵素Aへアセチル基を転移する反応を触媒する酵素. 多くの酵素複合体(例えば，ピルビン酸デヒドロゲナーゼ複合体)の構成成分）. ＝lipoate acetyltransferase; thioltransacetylase A.

di・hy・dro・lip・o・am・ide de・hy・dro・gen・ase (dī-hī′drō-lip-ō-am′id dē-hī′drō jen-ās′). ジヒドロリポアミドデヒドロゲナーゼ（NAD⁺ の消費でジヒドロリポアミドを酸化するフラボ酵素. ピルビン酸塩またはエステルの完全な酸化的脱炭酸. いくつかの酵素複合体(例えば α- ケトグルタル酸デヒドロゲナーゼ複合体)の構成成分. 活性低下により脳内のニューロン損失が起こり，精神運動制止をきたす）. ＝coenzyme factor; lipoamide dehydrogenase; lipoamide reductase (NADH); lipoyl dehydrogenase.

di・hy・dro・li・po・ic ac・id (dī-hī′drō-lip-ō′ik as′id). ジヒドロリポ酸（リポ酸の還元されたもので，-S-S-結合が2つの水素を受け入れることにより開裂されてできる. *cf.* lipoic acid）.

di・hy・dro・or・o・tase (dī-hī′drō-ōr-ō′tās). ジヒドロオロターゼ（*N*-カルバモイル-L-アスパラギン酸を閉環して L-5,6-ジヒドロオロチン酸と水を生成する反応を触媒する酵素. ピリミジンの生合成関連酵素）. ＝carbamoylaspartate dehydrase.

di・hy・dro・or・o・tate (dī-hī′drō-ōr-ō′tāt). ジヒドロオロテート；L-5,6-dihydroorotate（ピリミジン類の生合成中間体）.

di・hy・dro・pter・i・dine re・duc・tase (dī-hī-drō-ter′i-dēn rē-dŭk′tās). ジヒドロプテリジン還元酵素（ジヒドロプテリジンから NADPH を用いテトラヒドロプテリジンを可逆的に形成するのを触媒する酵素. この酵素の欠乏は悪性高フェニルアラニン血症をきたしうる）. ＝dihydrobiopterin reductase.

di・hy・dro・pte・ro・ic ac・id (dī-hī′drō-te-rō′ik as′id). ジヒドロプテロイン酸（葉酸形成の中間体. 6-ヒドロキシメチルプテリンおよび *p*-アミノ安息香酸の化合物. スルホンアミドに阻害されるのは，これら2つの物質の結合したものである）.

di・hy・dro・py・rim・i・dine de・hy・dro・gen・ase (dī-hī′drō-pī-rim′ĭ-dēn dē-hī′dro-jen-ās′) [MIM*274270]. ジヒドロピリミジンデヒドロゲナーゼ（ピリミジンの生合成での酵素で，5,6-ジヒドロウラシルを NADP⁺ と反応させウラシルと NADPH を生成させる. この酵素の欠損により高ウラシルチミン尿症になる）. ＝dihydrouracil dehydrogenase.

di・hy・dro・ta・chys・ter・ol (dī-hī′drō-tă-kis′tĕr-ōl). ジヒドロタキステロール（→tachysterol）.

di・hy・dro・ur・a・cil (dī-hī′drō-yūr′ă-sil). ジヒドロウラシル；5,6-dihydrouracil（ウラシルの還元生成物. ウラシル異化の中間体の1つ）.

di・hy・dro・ur・a・cil de・hy・dro・gen・ase (dī-hī′drō-yūr′sil dē-hī′drō-jen-ās′). ジヒドロウラシルデヒドロゲナーゼ. ＝dihydropyrimidine dehydrogenase.

di・hy・dro・ur・i・dine (**hU, hu, D**) (dī-hī′drō-yūr′i-dēn). ジヒドロウリジン（5,6-位の二重結合が，水素原子2個の付加で飽和されたウリジン. 転移リボ核酸にまれにみられる成分）.

dihydroxy- (dī′hī-drok′sē). 2つの水素基が付加または存在していることを表す接頭語. 接尾語にすると -diol となる.

di・hy・drox・y・ac・e・tone (dī′hī-drok′sē-as′e-tōn). ジヒドロキシアセトン；$HOCH_2COCH_2OH$; 1,3-dihydroxy-2-propanone（最も簡単なケトース）. ＝glycerulose.

d. phosphate (**DHAP**) ジヒドロキシアセトンリン酸（解糖系および脂肪の生合成の中間体の1つ. グリセロンリン酸）.

d. phosphate acyltransferase ジヒドロキシアセトンリン酸アシルトランスフェラーゼ（プラスマローゲンの生合成の重要段階を触媒する酵素. アシルCoA からアシル基をジヒドロキシアセトンリン酸へ転移させ遊離 CoA と 1-アシルジヒドロキシアセトンリン酸を生成させる）.

2,8-**di・hy・drox・y・ad・en・ine** (dī′hī-drok′sē-ad′ĕ-nēn). 2,

8–ジヒドロキシアデニン（アデニン異化の不溶性副生成物で，アデニンホスホリボシルトランスフェラーゼ欠損症患者で上昇している）.

di・hy・drox・y・a・lu・mi・num am・i・no・ac・e・tate (dī′hī-drok′sē-ă-lū′mi-nŭm am′i-nō-as′ĕ-tāt). アミノ酢酸ジヒドロキシアルミニウム（少量の水酸化アルミニウムおよびアミノ酢酸を含むアミノ酢酸の塩基性アルミニウム塩．制酸薬として用いる）.

1*α*,25-**di・hy・drox・y・cho・le・cal・cif・er・ol** (dī′hī-drok′-sē-ko′lē-kal-sif′ĕr-ol). 1*α*,25–ジヒドロキシコレカルシフェロール（活性型ビタミンDで，腎臓の近位曲細管で生成される．1*α*,25–ジヒドロキシコレカルシフェロールレセプタの欠損によりビタミンD_3欠乏症のすべての症状が現れる）.

1,25-**di・hy・drox・y・er・go・cal・cif・er・ol** (dī′hī-drok′sē-ĕr′gō-kal-sif′ĕr-ol). 1,25–ジヒドロキシエルゴカルシフェロール（ビタミンD_2の生物活性代謝物）. ＝ercalcitriol.

3,4-**di・hy・drox・y・phen・yl・al・a・nine** (dī′hī-droks′ē-fen′il-al′ă-nēn). 3,4–ジヒドロキシフェニルアラニン. ＝dopa.

2,3-**di・hy・drox・y・pro・pra・nal** (dī′hī-droks′ē-prō′prăn-ol). 2, 3–ジヒドロキシプロプラナール. ＝glyceraldehyde.

2,3-**di・hy・drox・y・pro・pa・no・ic ac・id** (dī′hī-droks′ē-prō-pă-nō′ik as′id). 2, 3–ジヒドロキシプロパン酸. ＝glyceric acid.

Dii 神経路をみつけるために用いられる，高度に脂質親和性がある蛍光染料.

di・i・o・dide (dī-ī′ō-dīd). 二ヨウ化塩（分子中に2原子のヨウ素を含む化合物）.

diiodo- (dī-ī′ō-dō) [G.*di* + *ioeidēs*, violet flower color]. 2原子のヨウ素の存在を示す接頭語.

di・i・o・do・ty・ro・sine (DIT) (dī-ī′ō-dō-tī′rō-sēn). ジヨードチロシン（甲状腺ホルモンの生合成の中間体）.

di・i・so・pro・pyl flu・o・ro・phos・phate (DFP) (dī′ī-sō-prō′pil flōr′ō-fos′fāt). フルオロリン酸ジイソプロピル. ＝isofluorphate.

di・i・so・pro・pyl im・in・o・di・ace・tic ac・id (DISIDA) (dī′ī-sō-prō′pil im′i-nō-dī′ă-sē-tik as′id). ジイソプロピルイミノジアセチックアシッド（胆道シンチグラフィに用いられる，^{99m}Tcで標識された放射性薬品）. ＝disofenin.

2,6-**di・i・so・pro・pyl phe・nol** (dī-ī′sō-prō′pil fē′nol). 2,6–ジイソプロピルフェノール. ＝propofol.

2,3-**di・ke・to-**L**-gul・on・ate** (dī-kē′tō gŭl′ō-nāt). 2,3–ジケト–L–グロン酸（ビタミンCの異化生成物．L–デヒドロアスコルビン酸から生成する．ビタミンCの活性をもたない）.

di・ke・to・hy・drin・dyl・i・dene-di・ke・to・hy・drin・da・mine (dī-kē′tō-hī′drin-dil′i-dēn dī-kē′tō-hī-drin′dă-mēn). ジケトヒドリンジリデン–ジケトヒドリンダミン（*α*–アミノ酸とニンヒドリン(トリケトヒドリンデンヒドラート)との反応によって生成される着色産物．この反応は*α*–アミノ酸の定量法に用いる）.

di・ke・tone (dī-kē′tōn). ジケトン（カルボニル基を2個含む分子．例えばアセチルアセトン$CH_3COCH_2COCH_3$）.

di・ke・to・pi・per・a・zines (dī-kē′tō-pī-per′ă-zēnz). ジケトピペラジン（閉環構造をもつ有機化合物の一種．2個の*α*–アミノ酸から，各*α*–アミノ基が他のカルボキシル基に結合し，2分子の水を失って生成される）.

Dil 1,1′-dioctadecyl-3,3,3,3-tetramethylindocarbocyanine perchlorateの略.

dil. ラテン語*dilue*(希釈する); *dilutus*(希釈された)の略.

di・lac・er・a・tion (dī-las′er-ā′shŭn) [L. *di-lacero*, pp. *laceratus*, to tear in pieces < *lacer*, mangled]. 彎曲歯（成長する歯のある部分の転位．これによって歯はさらにその新しい関係のもとで成長し，強く彎曲した歯根を有する歯になる）.

di・la・tan・cy (dī-lā′tants-ē) [L. *dilato*, to dilate]. ダイラタンシー（容量の拡大に伴って起こるずれの割合の増加による粘性率の増大）.

dil・a・ta・tion (dil′ă-tā′shŭn). ＝dilation.

digital d. 用指的拡大（指または指先を使って口や開口部を拡大すること．例えば，硬化した僧帽弁口の手術的な拡大）.

gastric d. and volvulus (GDV) 胃拡張捻転（イヌにおいて胃の鼓脹とそれに引き続く軸の回転(捻転)によって起きた状態のことをいい，命にかかわる併発症を引き起こしうる．治療されないままで胃の血流やときに脾臓の循環が障害を受けるほどのねじれが生じた場合には特に危険である．危険因子としては，中型—超大型の犬種，胸の深い骨格，高い位置からの食物給与，多量のドライフードを食べてその後に運動すること，および遺伝的に脆弱であったり拡張によって伸びてしまった胃の靱帯が報告されている．現在，その病因は多くの要因からなるものと考えられており，十分に明らかにされていない．かなり多い病態である．嘔吐，衰弱，ショック，胃穿孔，および不整脈などの臨床徴候が認められ，適切な内科療法や外科療法を行っても死に至ることがある）.

di・la・ta・tion and cu・ret・tage (D&C) (dī′lă-tā-shŭn kyū-re-tahzh). 〔頸管拡張〕子宮内膜掻爬術（頸管を拡張し，子宮内膜を掻爬すること）.

di・la・ta・tion and evac・u・a・tion (D&E) (dī′lă-tā′shŭn ē-vak′yū-ā′shŭn). 子宮内容除去術（頸管を拡張し妊娠期の子宮内容物を除去すること）.

dil・a・ta・tor (dil′ă-tā′tŏr, -tōr). 【短縮形dilatorは英語では受け入れられているが，TAで認められているのは正しいラテン語dilatatorのみである】. ＝dilator.

di・late (dī′lāt). 拡張する，拡張術を施行する（【誤った発音dī′ă-lātを避けること】）.

di・la・tion (dī-lā′shŭn) [L. *dilato*, pp. *dilatatus*, to spread out, dilate]. ＝dilatation. ***1*** 拡張，拡延，拡大，伸展（管腔構造または開口部の拡大．生理学的，あるいは人工的につくられる）. ***2*** 拡張法，拡大法（陥凹器官の内腔を拡張したり拡大したりすること）.

d. and extraction (D&E) 初期妊娠中絶（流産の一形式．頸管を拡大し外科鉗子で胎児を破細しながら牽引娩出させる．妊娠初期の自然流産あるいは人工流産に用いられる）.

post-stenotic d. 狭窄後の拡大（動脈の拡大で通常，狭窄部より末梢部分に，肺動脈や大動脈に起こる）.

d. and suction ＝suction *curettage*.

urethral d. 尿道拡張（拡張器を用いて尿道径を拡大すること）.

di・la・tor (dī′lā-tŏr). [dilatatorの短縮形である本語は，正しいラテン語ではなくTAでは認められていない]. ＝dilatator. ***1*** 拡張器（陥凹構造あるいは開口部を拡張するための器具.→bougie）. ***2*** 拡大筋，散大筋（開口部を開いたままにする筋肉）. ***3*** 拡張薬（開口部または陥凹構造の管腔の拡張(あるいは拡大)をもたらす物質）.

Chevalier-Jackson d. (shev-ă-lyā′ jak′son). シュヴァリエ–ジャクソン拡張器（硬性内視鏡を通して使う食道拡張器）.

Hanks d.'s (hanks) [John H. *Hanks*]. ハンクス拡張器（硬い金属製の子宮拡張器）.

Hegar d.'s (hā′gahr). ヘーガル拡張器（子宮頸管を拡張するために段階的に大きさがそろっている一連の円筒状ブジー）.

hydrostatic d. 水圧式拡張器（食道狭窄を拡張する器具．狭窄部に位置する器具の伸展部に液圧が伝えられ，一様の拡張圧を与えることができる）.

d. iridis ＝dilator pupillae *muscle*.

Kollmann d. (kahl′mahn). コルマン拡張器（尿道狭窄を開くために用いる金属製の拡大器）.

pneumatic d. 気圧拡張器（遠位端にバルーンの付いた種々のカテーテルで，バルーンは中空臓器の閉塞を広げるため希望の圧に膨らませることができる．アカラシアを治療する目的で下部食道括約筋をこわすために最もよく使用される）.

Pratt d.'s (prat). プラット拡張器（子宮口開大に用いる段階的なサイズの金属棒）.

d. of pupil ＝dilator pupillae *muscle*.

Walther d. (vahl′tĕr). ヴァルター拡張器（女性の尿道拡張に用いられる軽く彎曲し先端の細くなった中空金属製の拡張器）.

dil・do, dil・doe (dil′dō). 人工陰茎，張形（人工的陰茎．勃起した陰茎とよく似た形と大きさの物体で，通常，木，プラスチック，またはゴムでできている．性的快楽のために用いる）.

di・lem・ma (di-lem′ă) [G. conflict of choices < *di-*, two, dual + *lēmma*, proposition]. ジレンマ（葛藤や困難もしくは不満足な選択によって引き起こされる窮地）.

D

masking d. マスキング・ジレンマ（高度の両側性伝音難聴において骨導閾値を決定する際に生じる問題．非検査耳のマスキング量が両耳間減衰量を上回るため，十分なマスキングを行おうとすると非常に大きなマスキング音を加えなくてはならなくなること）．

dill oil (dil′ oyl). ディル油（セリ科イノンド *Anethum graveolens* の果実から蒸留して得た揮発性油．駆風薬）．

dil·u·ent (dil′yū′ent). ［誤った形 dilutent および dilutant を避けること］. ***1*** 賦形薬（薬理活性はないが製剤上必要な医薬品中の成分．錠剤やカプセル剤の剤型に含まれる乳糖やデンプン．原薬だけでは製剤や投与時にかさが少なすぎる薬物の全量を増やす際に，特に有用である．液体で，注射剤，内服剤または吸入剤として薬物を溶解させる）．***2*** 薄めることについていう．希釈剤．

di·lute (dil.) (dī-lūt′) ［L. *di-luo*, to wash away, dilute］. ***1*** 〚v.〛 希釈する（溶液または混合液の濃度，強度，質，純度を減じる）．***2*** 〚adj.〛 希釈された（溶液または混合液が希釈された）．

di·lu·tion (dī-lū′shŭn). ***1*** 希釈，薄めること，希薄．***2*** 希釈溶液．***3*** 微生物学的技術において，懸濁液中の生菌細胞数を数える方法．試料は，その一部分をプレート上で培養したとき，数えられる独立コロニーをつくる点まで希釈される．

dim. ラテン語 *dimidus*(半分)の略．

di·ma·zole di·hy·dro·chlor·ide (dī′mā-zōl dī-hī′drō-klōr′īd). ジマゾールジヒドロクロライド．＝diamthazole dihydrochloride.

di·ma·zon (dī-mā′zon). ジマゾン（赤色結晶のアゾ色素．上皮細胞増殖を刺激し，外傷の治癒を促進させる軟膏としてワセリンとともに用いる）．

di·me·li·a (dī-mē′lē-ă) ［G. *di-*, two + *melos*, limb］. 重複肢〔症〕（１肢の全部あるいは一部分が先天的に重複していること）．

di·men·sion (di-men′shŭn). 長さ，寸法，大きさ（複数形で長さ，幅，高さの直線的測定(容積)を表す）．

buccolingual d. 頬舌径（頬面から舌面までの小臼歯あるいは大臼歯の径または長さ）．

occlusal vertical d. 咬合高径（歯あるいは咬合堤が中心咬合で接しているときの顔の垂直の長さ．咬合高径の減少は歯の磨耗，磨砕，移動による形態変形によって生じ，無歯顎患者では残在顎堤の吸収によって生じる．増加は，歯の形態，歯の位置，咬合堤の高さ，改床または裏装，あるいは咬合副木の変形による）．

rest vertical d. 安静高径（顎の安静位における顔の垂直の長さ．安静高径の減少は咬合高径の減少を伴うときと伴わないときがある．咬合高径の減少を伴わないのは，筋肉性過緊張症あるいは慢性的にガムをかんでいる患者にみられるような閉口筋組織の優位活性をもつ患者にみられる．安静高径の増加も咬合高径の増加を伴ったり伴わなかったりする．ときに存続する咬合接触を除いた後に増加が起こることがあり，恐らく有害な反射刺激除去によるためと思われる）．

vertical d. 咬合高径（１つは口の上，他は口の下で，通常，正中線に都合のよい位置を占めている，任意に選んだ２点間における顔の垂直測定）．＝vertical opening.

di·mer (dī′mĕr) ［G. *di-*, two + -mer］. 二量体，ダイマー（２個の類似分子の結合によってできる化合物あるいは原子団．最も厳密な場合は，その間原子を失うことがない(四酸化窒素 N_2O_4 は二酸化窒素 NO_2 の二量体である)が，通常は２個の分子間の H_2O または類似の小分子の脱離(例えば二糖類のできるとき)が起こる．あるいは単純な非共有会合(２個の同一の蛋白分子のように)による．複雑になるに従って，三量体，四量体，多量体，重合体とよばれる）．

D-d. D-ダイマー（フィブリンが分解してできる二量体の副産物．フィブリン安定化因子である第 XIII 因子の活性型によってD領域がクロスリンクした安定化フィブリンが分解されてできる．正常でもわずかに存在するが，血栓性および血流停滞性の疾患で特に増加する．悪性腫瘍，感染症，免疫性溶血性貧血や血小板減少症，副腎皮質機能亢進症，肺血栓塞栓症，播種性血管内凝固症候群(DIC)などの補助診断に使われる．D-ダイマーの産生にはプラスミンとトロンビンの働きが必要である．一方，フィブリンまたはフィブリノーゲン分解産物(FDPs)の産生にはプラスミンの働きしか必要ない．D-ダイマーは尿中に排泄されるため腎障害があると見かけ上高値となる．ELISA で測定することで線溶の診断ができる）．

pyrimidine d. ピリミジンダイマー（核酸のピリミジンに紫外線照射することにより生成する物質．多くはチミジンダイマーである）．

thymine d. チミンダイマー（チミン(氷中の遊離型または核酸中の結合型)の紫外線照射生成物．２つのチミン残基が２つの二重結合を使い，両方の C-5 および C-6 位からなるシクロブタン環の形成により結合したもの．いくつかの立体異性体が考えられる）．

di·mer·cap·rol (dī′mĕr-kap′rol). ジメルカプロール（キレート試薬．ヒ素剤ルイサイトおよび他のヒ素毒のための解毒薬として発達した．細胞中の焦性ブドウ酸酸化酵素系の主要な –SH 基をもつ金属との競合によって作用する．ヒ素剤とともに安定した，比較的毒性のない環状化合物をつくる．この金属は細胞蛋白の –SH 基よりもこの化合物に強い親和性をもつ．アンチモン，ビスマス，クロム，水銀，金，およびニッケルの解毒薬としても用いる）．＝antilewisite; British anti-Lewisite.

di·mer·cur·i·on (dī′mer-kyūr-ī′on). 第二水銀イオン（２価水銀イオン Hg^{2+}）．

di·mer·ic (dī-mĕr′ik). ダイマーの（［誤った発音 di′meric を避けること］．二量体の特徴をもつ）．

dim·er·ous (dim′ĕr-ŭs) ［G. *di-*, two + *meros*, part］. 二部分の．

di·meth·a·di·one (dī-meth′ă-dī′ōn). ジメタジオン（オキサゾリジンジオン系抗てんかん薬であるトリメタジオンの *N*-脱メチル化反応による活性生成物．細胞内 pH の *in vivo* 測定用試薬でもある）．

di·meth·i·cone (dī-meth′i-kōn). ジメチコーン（ジメチルシロキサン重合体からなるシリコン油．ワセリン基剤あるいは非グリース剤に混ぜ，種々の，主として工業用の皮膚刺激薬に対する皮膚の保護に用いる．おむつ皮膚炎を防ぐためにも使用される）．

2,5-di·me·thox·y-4-meth·yl·am·phet·a·mine (DOM) (dī′me-thoks′ē-meth′il-am-fet′a-mēn). 2,5-ジメトキシ-4-メチルアンフェタミン（アンフェタミンやメスカリンと化学的に関連のある幻覚薬で，しばしば乱用される）．

di·meth·yl·al·lyl·py·ro·phos·phate (di-meth′il-al′il-pī′rō-fos′fāt). ジメチルアリールピロリン酸（ステロイドやテルペンの生合成における中間体）．

di·meth·yl·a·mi·no·az·o·ben·zene (dī-meth′il-ă-mē′-nō-āz-ō-ben′zēn) ［C.I. 11160］. ジメチルアミノアゾベンゼン．＝butter yellow.

di·meth·yl·ar·sin·ic ac·id (dī-meth′il-ar-sin′ik as′id). ジメチルアルシニン酸．＝cacodylic acid.

di·meth·yl·ben·zene (dī-meth′il-ben′zēn). ジメチルベンゼン．＝xylol.

5,6-di·meth·yl·benz·i·mid·a·zole (dī-meth′il-benz′ē-mid′ă-zōl). 5,6-ジメチルベンズイミダゾール（コバラミンの１種類に見出された構造的部分）．

di·meth·yl·car·bi·nol (dī-meth′il-kar′bi-nol). ジメチルカルビノール．＝isopropyl alcohol.

di·meth·yl-1-car·bo·me·thox·y-1-pro·pen-2-yl phos·phate (dī-meth′il-kar′bō-me-thoks′ē prō-pen′il fos′fāt). ジメチル-1-カルボメトキシ-1-プロペン-2-イルリン酸（有機リン化合物．ダニ，アリマキ，ハエなどの害虫根絶のための全身性毒物）．

β,β-di·meth·yl·cys·teine (dī-meth′il-sis′tē-ēn). β,β-ジメチルシステイン．＝penicillamine.

di·meth·yl im·in·o·di·ace·tic ac·id (HIDA) (dī-meth′il im′i-nō-dī′ă-sē′tik as′id). ジメチールイミノジアセチックアシッド（胆道シンチグラフィにかつて用いられていた，^{99m}Tc で標識された放射性薬品）．

di·meth·yl ke·tone (dī-meth′il kē′tōn). ジメチルケトン．＝acetone.

di·meth·yl·mer·cu·ry (dī-meth′il-mĕr′kyū-rē). ジメチル水銀（海洋の生命を維持する水に投げ捨てられた水銀や水銀含有化学薬品から堆積物中で合成された海産物中の汚染物質．メチル水銀は水中生命体中で濃縮され，したがってヒトの消費の対象である魚類中に蓄積されうる．水俣病(日本で多発性出産欠陥により特徴付けられる催奇形状態)の原因と考えられている．無機試薬．→Minamata *disease*)．= methylmercury.

di·meth·yl·phe·nol (dī-meth′il-fē′nol). ジメチルフェノール．= xylenol.

di·meth·yl·phen·yl·pi·per·a·zin·i·um (DMPP) (dī-meth′il-fen′il-pi-per-ă-zin′ē-ŭm). ジメチルフェニルピペラジニウム（自律神経節細胞にきわめて選択性のある興奮薬．実験に用いる）．

di·meth·yl sul·fate (dī-meth′il sŭl′fāt). 硫酸ジメチル（工業化学品(硫酸ジメチルエステル$(CH_3)_2SO_4$)で，アルキル化試薬として合成に用いられる．これは，眼振や痙攣，さらに肺合併症により死をもたらす）．

di·meth·yl sulf·ox·ide (DMSO) (dī-meth′il sŭl-foks′īd). ジメチルスルホキシド（治療薬の皮膚からの吸収を強める浸透溶媒．工業用溶媒は関節炎および滑液包炎に効力のある鎮痛薬および抗炎症薬とされてきた）．

N,N-**di·meth·yl·tryp·ta·mine (DMT)** (dī-meth′il-trip′tă-mēn). *N,N*–ジメチルトリプタミン（数種の南アメリカ産嗅ぎたばこ(例えばコホバ)およびキョウチクトウ科*Prestonia amazonica*の葉に存在する精神異常発現物質．LSDと同様の効果を生み出すが，開始期はかなり急速で，恐慌反応も起こりやすく，短時間作用持続(効果は1—2時間)傾向を示す．血圧の著しい上昇を含む顕著な自律効果をもたらす）．

di·me·tri·a (dī-mē′trē-ă) [G. *di-*, two + *mētra*, womb]. *uterus* didelphysの現在では用いられない語．

Dim·mer (dim′ĕr), Friedrich. オーストリア人眼科医，1855—1926. →D. *keratitis*.

di·mor·phic (dī-mōr′fik). ***1*** 二相性の（真菌類において，成長および生殖に関し，糸状菌，酵母の両方の形状をとることについていう）．= dimorphous (2). ***2*** 二形(型)性の．= dimorphous (1).

di·mor·phism (dī-mōr′fizm) [G. *di-*, two + *morphē*, shape]. 二形(型)性，同質二像（① 2つの形態が存在すること．同一物質で，異なった2つの結晶形があること，または同一種の個体間で，形態や外観に相違があること(例えば性的二型性)．②植物で起こり，同一個体の植物において葉やそれ以外の部分に2つの異なった形態がみられること）．

sexual d. 性的二形，雌雄二形（種内における雄と雌の個体間の身体の相違．性的成熟の結果として起こる．二次性徴を含むがそれに限定はされない）．

di·mor·phous (dī-mōr′fŭs). ***1*** 二形(型)性の，同質二像の（二形性の特質を有する）．= dimorphic (2). ***2*** = dimorphic (1).

dim·ple (dim′pĕl). ***1*** 〖n.〗 えくぼ（おとがい，頬，仙骨部の小さな範囲にできる通常は丸い生来の陥凹）．***2*** 〖n.〗 小凹点（えくぼに類似の外観をもつ陥凹部．外傷あるいは瘢痕組織の収縮による）．***3*** 〖v.〗 えくぼができる．

coccygeal d. = coccygeal *foveola*.

postanal d. = coccygeal *foveola*.

dimp·ling (dimp′ling). ***1*** えくぼ形成，陥凹形成．***2*** えくぼ症状（自然または人工的なえくぼ形成を特徴とする状態）．

di·ner·ic (dī-ner′ik) [di- + G. *nerōn*, water]. 2種類の互いに混合しにくい液体(例えば油と水)を同じ容器に入れたときにできる境界面を表す．

di·ni·tro·cel·lu·lose (dī-nī′trō-sel′yū-lōs). ジニトロセルロース．= pyroxylin.

4,6-**di·ni·tro-*o*-cre·sol** (dī-nī′trō-krē′sol). 4,6–ジニトロ-*o*-クレゾール（噴霧または粉末状で用いるダニ殺虫薬．除草薬としても用いる）．

di·ni·tro·gen mon·ox·ide (dī-nī′trō-jen mon-oks′īd). = nitrous oxide.

2,4-**di·ni·tro·phe·nol (DNP, Dnp)** (dī-nī′trō-fē′nol). 2,4–ジニトロフェノール；$N_2pH–OH$（トリニトロフェノール(ピクリン酸)に化学的に関連をもつ毒性が強い色素．生化学的研究において，酸化過程における酸化的リン酸化反応の阻害に用いる．また代謝刺激薬でもある）．

di·no·flag·el·late (dī′nō-flaj′ĕ-lāt) [G. *dinos*, whirling + L. *flagellum*, a whip]. 渦鞭毛藻類（植物性鞭毛虫亜綱の植物様鞭毛類．その中の数種(例えば*Karenia brevis*)は強力な神経毒を産生し，この寄生生物に感染した貝を摂取すると重篤な食中毒を起こす）．

Di·no·fla·gell·i·da (dī′nō-flă-jel′i-dă). 渦鞭毛虫目（肉質鞭毛虫門の一目．特徴として2本の鞭毛を有しているので旋回運動を行う．外表はセルロースを含む殻からなり，その大きさや数は属や種によって異なる．ヒトやその他の脊椎動物に有害な毒素を産生しうる多くの渦鞭毛虫類を含む）．

di·no·prost (dī′nō-prost). ジノプロスト（分娩促進薬）．= prostaglandin $F_{2α}$.

d. tromethamine ジノプロストトロメタミン（分娩促進薬）．= prostaglandin $F_{2α}$ tromethamine.

di·nu·cle·o·tide (dī-nū′klē-ō-tīd). ジヌクレオチド（2個のヌクレオチドを含有する化合物．例えば，NAD^+，ApGp）．

1,1′-**dioctadecyl-3,3,3,3-tetramethylindocarbocyanine perchlorate (DiI)** 1,1′–ジオクタデシル–3,3,3,3–テトラメチルインドカルボシアニン過塩素酸塩（カルボシアニン色素）．

Di·oc·to·phy·ma (dī-ok′tō-fī′mă) [L. < G. *dionkoō*, to distend + *phyma*, growth]. ジオクトフィーマ属（腎臓に寄生する非常に大きな線虫の一属）．

D. renale 腎虫（血のように赤い巨大な線虫で，イヌの腎盂および腹腔に寄生し，またミンクのような野生の肉食獣によく見出される．ヒトにもまれにみられる．生活環はザリガニの外部寄生虫であるヒルを経て種々の魚に食べられ，最終的には魚を食するヒトその他の多くの宿主に摂取される）．

di·oc·to·phy·mi·a·sis (dī-ok′tō-fi-mī′ă-sis). ジオクトフィーマ症（動物とまれにヒトにみられる大型の腎虫*Dioctophyma renale*の感染）．

Di·o·don (dī′ō-don) [G. *di-*, two + *odous* (*odont-*), tooth]. ハリセンボン属（フグに近縁のハリセンボンの一属．普通のフグは米国でも"sea squab(海のひな鳥)"として広く食されるが，特に太平洋でとれる多くのフグは，肝臓および卵巣に神経毒すなわちテトロドトキシンが存在するので有毒である）．

di·o·done (dī′ō-dōn). ジオドン．= iodopyracet.

Di·og·e·nes (di-oj′ĕ-nēz), of Sinope. ギリシア人哲学者，413—323 B.C. →D. *cup*; *poculum* diogenis.

-diol 接頭語dihydroxy-(ジヒドロキシル基の)の接尾語形．

diol ジオール（2個のヒドロキシル基を含有する化合物の一群）．

gym-diol, *gym*-diol (jim-dī′ol). ジェミ－ジオール（2個のヒドロキシル基が同一の炭素原子に結合した化合物．多くの反応の中間体である）．

di·ol·a·mine (dī-ōl′ă-mēn). diethanolamineのUSAN承認の短縮名．

di·op·ter (D) (dī-op′tĕr) [G. *dioptra*, a leveling instrument]. ジオプトリ（レンズの屈折力の単位．メートル単位で表した焦点距離の逆数に等しい）．

prism d. (p.d.) プリズムジオプトリ（光がプリズムを通過する際のふれの大きさを表す単位で，1プリズムジオプトリは1 mの距離で1 cmのふれになる）．

di·op·trics (dī-op′triks). 光屈折学（光の屈折を扱う光学の分野）．

di·os·cin (dī-ōs′kin). ジオスシン（ヤムイモ(Dioscorea)やエンレイソウ属植物に見出されるステロイドサポニン．→diosgenin）．

di·ose (dī′ōs). ジオース，二炭糖．= glycolaldehyde.

di·os·gen·in (dī-os′jen-in). ジオスゲニン（ヤマノイモやサツマイモなどの植物の根に存在するステロイドサポゲニン．そのステロイド部分は，プレグネノロンおよびプロゲステロンの製造の原料となる）．= nitogenin.

di·ot·ic (dī-ot′ik) [di- + otic]. 両耳同時刺激（同じ音を両方の耳に同時に加えること．*cf.* dichotic）．

di·ov·u·lar (dī′ov′yū-lăr) [di- + Mod.L. *ovulum*: *ovum* (egg)の指小辞]. 二卵性の．= biovular.

di·ov·u·la·to·ry (dī-ōv′yū-lă-tō-rē). 二排卵性の（1回の卵巣周期に2個の卵母細胞を放出する）．

di·ox·ane (dī-oks′ān). ジオキサン；1,4-Dioxane(無色の液体．セルロースエステルの溶剤として用いる．組織学では乾燥剤として用いる)．= 1,4-diethylene dioxide.

di·ox·ide (dī-oks′īd). 二酸化物（酸素2原子を含む分子．例えば二酸化炭素CO_2）．

di·ox·in (dī-oks′in). ダイオキシン（① 2個の酸素原子，4個のCH基，2個の二重結合をもつ環．酸素原子の位置は1,4–ダイオキシンのように接頭語によって明記される．② dibenzo[*b,e*][1,4]dioxinの略語．1,2ベンゼンジオール(ピ

D

ロカテコール)の2分子の無水物として表される．すなわち，2つのベンゼン部分間に2個の酸素橋を形成している．または2個のCH=CH基の各々と縮合したベンゼン環をもつ1,4–ダイオキシンとして表される．③除草剤2,4,5–Tの不純物．潜在的に毒性であり，催奇形性や発癌性がある)．

di·ox·y·gen·ase (dī-ok′sĕ-jen-ās). ジオキシゲナーゼ（2個の酸素原子(1分子の酸素から)を(還元)基質へ取り込ませる酸化還元酵素)．

DIP desquamative interstitial *pneumonia*; distal interphalangeal *joints* の略．

dip (dip) [M.E. *dippen*]. ***1*** ディップ（谷状の曲線のこと)．***2*** 浸液（表面を浸すための水性の製剤で，皮膚寄生虫を殺すためなどに用いる)．

Cournand d. (kūr-nahn[h]′). クルナン(クーナンド)ディップ（収縮性心膜炎にみられる，心室内圧曲線の拡張早期の急激な低下とより高いレベルへの再上昇．平方根√形状を示す)．

di·pep·ti·dase (dī-pep′ti-dās). ジペプチダーゼ（ジペプチドを加水分解してその成分であるアミノ酸にするのを触媒する加水分解酵素)．

methionyl d. メチオニルジペプチダーゼ（L–メチオニルアミノ酸の加水分解によりL–メチオニンとアミノ酸を与える反応を触媒する加水分解酵素)．

di·pep·tide (dī-pep′tīd). ジペプチド（ペプチド結合(–CO–NH–)による2つのアミノ酸からなる化合物)．

di·pep·ti·dyl car·box·y·pep·ti·dase (dī-pep′ti-dil kar-boks′ē-pep′ti-dās). ジペプチジルカルボキシペプチダーゼ．= peptidyl dipeptidase A.

di·pep·ti·dyl pep·ti·dase (dī-pep′ti-dil pep′ti-dās). ジペプチジルペプチダーゼ（かなり多くのタイプがある加水分解酵素．① **dipeptidyl peptidase I** ジペプチジルペプチダーゼI；dipeptidyl transferase（ポリペプチドからのアミノ末端ジペプチドを切り離す加水分解酵素)．② **dipeptidyl peptidase II** ジペプチジルペプチダーゼII（Iに類似する加水分解酵素．異なった基質特異性をもち，トリペプチドに優先的に作用する)．③ **dipeptidyl peptidase III** ジペプチジルペプチダーゼIII（より長鎖のペプチドに作用する))．

di·pep·ti·dyl trans·fer·ase (dī-pep′ti-dil trans′fĕr-ās). ジペプチジルトランスフェラーゼ（ポリペプチドのアミノ末端からジペプチドを切り出す．→dipeptidyl peptidase)．

Di·pet·a·lo·ne·ma (dī-pet′ă-lō-nē′mă) [G. *di-*, two + *petalon*, leaf + *nēma*, thread]. ジペタロネーマ属（糸状虫の一属で，ヒトや他の多くの哺乳類に見出される種を含む．他の糸状虫と同様，ミクロフィラリアは血液または組織液中に生み出され，成虫は深部結合組織，膜，または内臓表面に見出される)．

D. reconditum ノミやシラミにより伝播されるイヌの糸状虫で，カによって伝播される心臓寄生のイヌ糸状虫 *Dirofilaria immitis* とは対比される．

D. streptocerca *Mansonella streptocerca* の旧名．

di·phal·lus (dī-fal′ŭs) [G. *di-*, two + *phallos*, penis]. 二陰茎体（陰茎の一部分または完全に重複しているまれな先天性奇形．側面の左右対称または一方が他方の上にあり，尿生殖器その他の奇形を伴うことが多い．2つの性器結節が発生する時点で生じ，膀胱外反と尿道上裂や下裂を伴うこともある)．= bifid penis.

di·pha·sic (dī-fā′zik). 二相性の．

di·phen·hy·dra·mine hy·dro·chlor·ide (dī′fen-hī′dră-mēn hī′drō-klor′īd). 塩酸ジフェンヒドラミン（抗コリン作用と鎮静作用を有するヒスタミン H_2 受容体遮断薬または拮抗薬)．

***o*-di·phe·no·lase** (dī-fen′ō-lās). *o*–ジフェノラーゼ．= *catechol* oxidase.

di·phe·nol ox·i·dase (dī-fen′ol oks′i-dās). ジフェノールオキシダーゼ．= *catechol* oxidase.

di·phen·yl (dī-fen′il). ジフェニル（無色の液体で熱伝導剤，しばしばポリ塩化ビフェニル類(PCBs)として用いられる．その他オレンジ類に対する静菌剤(搬送容器あるいは包装紙の中に挿入される)として用いられる．また有機合成試薬として用いられる．痙攣や中枢神経系抑制作用がある)．= biphenyl; phenylbenzene.

diphenyl- (dī-fen′il). ジフェニル（3番目の原子または基に2個の独立したフェニル基がそれぞれ結合していることを示す接頭語．ジフェニルアミンにみられる)．

di·phen·yl·chlor·ar·sine (dī-fen′il-klōr-ar′sēn). ジフェニルクロルアルシン（激しい催てい剤．吸入により，咳，よだれ，頭痛，および胸骨後方痛が起こる．暴動鎮圧時に使用される通常の催吐剤)．

di·phen·yl·cy·an·o·ar·sine (DC) (dī-fen′il-sī′an-ō-ar′sēn). ジフェニルシアノアルシン（化学戦や暴動鎮圧のために用いられる一般的な嘔吐薬)．

di·phen·yl·en·i·mine (dī′fen-il-ēn′i-mēn). = carbazole.

di·phen·yl·hy·dan·to·in (dī′fen-il-hī-dan′tō-in). →phenytoin.

5, 5-di·phen·yl·hy·dan·to·in (dī′fen-il-hī-dan′tō-in). 5,5–ジフェニルヒダントイン．= phenytoin.

2, 5-di·phen·yl·ox·a·zole (PPO) (dī′fen-il-oks′ă-zōl). 2,5–ジフェニルオキサゾール（液体シンチレーションカウンターによる放射能測定で用いるシンチレータ)．

di·phos·gene (dī-fos′jēn). ジホスゲン（第一次世界大戦中に用いられた毒ガス．弱いながら催涙作用も有する)．

di·phos·pha·tase (dī-fos′fă-tāz). = pyrophosphatase.

inorganic d. = inorganic *pyrophosphatase*.

di·phos·phate (dī-fos′fāt). 二リン酸．= pyrophosphate.

diphosphofructose aldolase ジホスホフルクトースアルドラーゼ．= fructose-bisphosphate aldolase.

1,6-diphosphofructose aldolase 1, 6–ジホスホフルクトースアルドラーゼ．= fructose-bisphosphate aldolase.

di·phos·pho·thi·a·min (dī′fos-fō-thī′ă-min). ジホスホチアミン．= *thiamin* pyrophosphate.

diph·the·ri·a (dif-thēr′ē-ă) [G. *diphthera*, leather]. ジフテリア（[誤ったつづりまたは発音 dipheria を避けること]．*Bacterium*属のジフテリア菌 *Corynebacterium diphtheriae* およびそのきわめて強力な毒素によって起こる特異な感染症．咽頭，鼻，ときには気管気管支粘膜の厚い線維性滲出物の形成を伴い，膜状の被膜を生じる重篤な炎症を特徴とする．この毒素は末梢神経，心筋，および他の組織中に変性をもたらす．以前は，特に小児に高い死亡率を示したが，今では有効なワクチンによりまれになっている)．

cutaneous d. 皮膚ジフテリア（打ち抜き型の浅い潰瘍で，ときに辺縁などに水疱を伴う．ジフテリア菌 *Corynebacterium diphtheriae* の皮膚感染による．全身症状は咽頭ジフテリアのそれと同じ)．

false d. 偽[性]ジフテリア．= diphtheroid (1).

faucial d. 口峡ジフテリア（*Corynebacterium diphtheriae* の感染により侵される一般的な部位である口峡を侵す重症咽頭炎)．

laryngeal d. 喉頭ジフテリア（喉頭を侵すジフテリア．一般に吸入により感染し，ジフテリアの形成する膜により気道の閉鎖を起こし致命的となりうる)．= laryngotracheal d.

laryngotracheal d. 喉頭気管ジフテリア．= laryngeal d.

diph·the·ri·al, diph·the·rit·ic (dif-thēr′ē-ăl, dif-thĕ-rit′ik). ジフテリアの（ジフテリアに関する，またはこの疾病に特徴的な膜性滲出物についていう)．= diphtheric.

diph·ther·ic (dif-thēr′ik). ジフテリアの，ジフテリア性．= diphtherial.

diph·the·roid (dif′thĕ-royd) [diphtheria + G. *eidos*, resemblance]. ***1*** 類ジフテリア（ジフテリア菌 *Corynebacterium diphtheriae* 以外の微生物によって起こる，ジフテリア様の局所感染グループの1つ)．= Epstein disease; false diphtheria; pseudodiphtheria. ***2*** 類ジフテリア菌（*Corynebacterium diphtheriae* 類似の微生物)．

diph·the·ro·tox·in (dif′thēr-ō-tok′sin). ジフテリア毒素．

di·phyl·lo·both·ri·a·sis (dī-fil′ō-both-rī′ă-sis). 裂頭条虫症（広節裂頭条虫 *Diphyllobothrium latum* の感染症．ヒトの感染はプレロセルコイドをもつ，生の，または調理の不十分な魚の摂取による．白血球増加症および好酸球増加症を起こす．消化管に多数寄生した場合，ビタミン B_{12} を先取りするか，あるいはその吸収を変化させ，悪性貧血に似た高色素性大赤血球貧血を起こさせる．発症頻度の高い地域でもまれにしか起こらない)．= dibothriocephaliasis.

Di·phyl·lo·both·ri·um (dī′fil-lō-both′rē-ŭm) [G. *di-*, two + *phyllon*, leaf + *bothrion*, little ditch]. ディフィロボツリウム属（条虫類の大きな属で，背側と腹側に吸溝をもつへら

状の頭節が特徴．数種がヒトに見出されるが，そのうちの１種，*D. latum* だけが広く分布して重要である．分類の概略：扁形動物門条虫綱，真正条虫亜綱，擬葉目，裂頭条虫科，ディフィロボツリウム属）．

D. cordatum イヌ，海生哺乳類，およびときにグリーンランドの住民に見出される．

D. dendriticum 魚類捕食性の鳥類の小腸にみられる条虫の成虫型．ヒトにも感染する．

D. hians アザラシ裂頭条虫（日本においてヒトにみられる条虫の種）．

D. houghtoni イヌとネコの条虫．中国ではヒトにもみられる．

D. latum 広節裂頭条虫，ミゾサナダ（裂頭条虫症を起こす種．北欧および日本の各地，アジア全域の住民，米国北部中央部の州に住むスカンジナビア系住民，北米イヌイット住民および魚を食する哺乳類に見出される．3,000—4,000 もの片節をもち，幅広で，頭に本属に特有な吸溝がある）．= *Dibothriocephalus latus*.

D. linguloides = *Spirometra mansoni.*

D. mansoni = *Spirometra mansoni.*

D. mansonoides = *Spirometra mansonoides.*

D. nihonkaiense 日本海裂頭条虫（広節裂頭条虫 *Diphyllobothrium latum* に近縁の条虫種．日本でみられ，ヒトでの感染者数は増加している）．

D. orcini 日本においてヒトでみられる条虫の種．

D. pacificum 太平洋裂頭条虫（トドにみられる条虫の種．海産魚を摂食することによるヒトの条虫として記載されている．日本，ペルー，エクアドルでみられる）．

D. scoticum スコットランド裂頭条虫（日本においてヒトにみられる条虫の種）．

di·phy·o·dont (dif′i-ō-dont′) [G. *di-*, two + *phyō*, to produce + *odous*(*odont-*), tooth]．二生歯〔性〕の（ヒトや他のほとんどの哺乳類のように２組の歯を有することについていう）．

dip·la·cu·sis (dip′lă-kū′sis) [G. *diplous*, double + *akousis*, a hearing]．複聴，二重聴（時間または音調の高さの異常な認知．１つの音が２つのように聞こえる）．

d. binauralis 両耳複聴（同一の音が両耳に異なって聞こえる状態）．

d. dysharmonica 不調和複聴（同一の音色がそれぞれの耳にも異なった音の高低で聞こえる状態）．

d. echoica 反響性複聴（罹患した耳に音が繰り返し聞こえる状態）．

d. monauralis 単耳複聴（１つの音が同じ耳に２つの音として聞こえる状態）．

di·ple·gi·a (dī-plē′jē-ă) [G. *di-*, two + *plēgē*, a stroke]．両〔側〕麻痺（身体の両側の対応する部分の麻痺）．= double hemiplegia.

congenital facial d. 先天性両側顔面神経麻痺，先天性顔面両〔側〕麻痺．= Möbius *syndrome.*

facial d. 両側顔面神経麻痺，顔面両〔側〕麻痺．

infantile d. 乳児両〔側〕麻痺，小児両〔側〕麻痺．= spastic d.

masticatory d. 両側咬筋麻痺，咬筋両〔側〕麻痺（あらゆるそしゃく筋の麻痺）．

spastic d. 痙攣性両〔側〕麻痺（下肢がより強く障害された両側性痙縮がある，脳性麻痺の一型．*cf.* flaccid *paralysis*）．= Erb-Charcot disease (1); infantile d.; spastic spinal paralysis.

diplo- (dip′lō) [G. *diploos*, double]．２重，２倍に関する連結形．⇀haplo-.

dip·lo·al·bu·mi·nu·ri·a (dip′lō-al-byū′mi-nyū′rē-ă)．二重蛋白尿〔症〕（腎炎あるいは病理的な蛋白尿と，非腎炎あるいは生理的な蛋白尿が共存すること）．

dip·lo·ba·cil·lus (dip′lō-bă-sil′ŭs) [diplo- + bacillus]．双杆菌（末端が結合している２つの杆状体の細菌）．

dip·lo·blas·tic (dip′lō-blas′tik) [diplo- + G. *blastos*, germ]．二胚葉性の．

dip·lo·car·di·a (dip′lō-kar′dē-ă) [diplo- + G. *kardia*, heart]．二心臓体（心臓の左右半分が中心溝により様々な割合で分離している心奇形）．

dip·lo·ceph·a·lus (dip′lō-sef′ă-lŭs)．= dicephalus.

dip·lo·chei·ri·a, dip·lo·chi·ria (dip′lō-kī′rē-ă) [diplo- + G. *cheir*, hand]．= dicheiria.

dip·lo·coc·ce·mi·a (dip′lō-kok-sē′mē-ă)．双球菌血〔症〕（血液中に双球菌が存在すること．特に循環血液中の髄膜炎菌 *Neisseria meningitidis* に関して用いる）．

dip·lo·coc·ci (dip′lō-kok′sī)．diplococcus の複数形．

dip·lo·coc·cin (dip′lō-kok′sin)．ジプロコクシン（牛乳中に存在する乳酸産生球菌の培養によって単離される抗生物質性の結晶体．乳酸杆菌類およびグラム陽性球菌の微生物に対して活性があり，グラム陰性菌には不活性）．

Dip·lo·coc·cus (dip′lō-kok′ŭs) [diplo- + G. *kokkos*, berry]．双球菌属（この旧属の細菌種は現在は他の属に編入されている．肺炎双球菌 *D. pneumoniae* は本属の標準種で，連鎖球菌属 *Streptococcus* の一員．⇀*Neisseria*; *Peptococcus*; *Streptococcus*）．

dip·lo·coc·cus, pl. **dip·lo·coc·ci** (dip′lō-kok′ŭs, dip′lō-kok′sī) [diplo- + G. *kokkos*, berry]．双球菌（①対になって接合している球形または卵形の細菌．②以前は双球菌属 *Diplococcus* に属していた細菌の一般名）．

D

dip·lo·co·ri·a (dip′lō-kō′rē-ă) [diplo- + G. *korē*, pupil]．重複瞳孔〔症〕（眼に２重の瞳孔が存在すること）．= dicoria.

dip·lo·ë (dip′lō-ē) [G. *diploē*, *diplous*(double)の女性形] [TA]．板間層（扁平な頭蓋骨の２層の緻密質よりなる外板と内板の間にある海綿質よりなる層）．

dip·lo·gen·e·sis (dip′lō-jen′ĕ-sis) [diplo- + G. *genesis*, production]．重複奇形〔形成〕（重複胎児あるいはいくつかの部分が重複している胎児の形成）．

Dip·lo·go·nop·o·rus (dip′lō-gō-nop′ŏ-rŭs) [diplo- + G. *gonos*, seed + *poros*, pore]．大複殖門条虫属（日本(大複殖門条虫 *D. grandis*)に見出され，またルーマニア(*D. brauni*)にも見出されると思われる条虫の一属）．

di·plo·ic (dip-lō′ik)．板間層の．

dip·loid (dip′loyd) [diplo- + G. *eidos*, resemblance]．***1*** 〚adj.〛二倍体の，複相〔体〕の（正常な配偶子の染色体数の２倍を含む細胞の状態をさし，２個の半数体の一組はそれぞれ父親と母親に由来する）．***2*** 〚n.〛二倍体，複相〔体〕（体細胞の正常な染色体全数(ヒトでは 46 染色体)）．

dip·lo·kar·y·on (dip′lō-kar′ē-on) [diplo- + G. *karyon*, nut (nucleus)]．二重核，複核（４個の半数体のセットを含む細胞核．すなわち四倍体核．→polyploidy）．

dip·lo·my·e·li·a (dip′lō-mī-ē′lē-ă) [diplo- + G. *myelon*, marrow]．二重脊髄〔症〕（脊髄が完全または不完全に二重になっている状態．椎管の骨中隔を伴うこともある）．

dip·lon (dip′lon)．重水素核，ディプロン，二重子．= deuteron.

dip·lo·ne·ma (dip′lō-nē′mă) [diplo- + G. *nēma*, thread]．複糸，ディプロネマ（減数分裂の複糸期にみられる染色糸の二重形）．

dip·lo·neu·ral (dip′lō-nū′răl) [diplo- + G. *neuron*, nerve]．二重神経支配〔性〕の（異なった源からの２本の神経によって支配される筋についていう）．

dip·lop·a·gus (dip-lop′ă-gŭs) [diplo- + G. *pagos*, something fixed]．重複体（接着双生児の通称．１つ以上の内部器官が共通であるが，各々はかなり完全な身体をもつ．⇀conjoined *twins*）．

di·plo·pi·a (di-plō′pē-ă) [diplo- + G. *ōps*, eye]．複視，二重視（単一の物体が２個の物体に見える状態）．= double vision.

crossed d. 交差複視（右眼での像が左眼の像の左側に存在する複視）．= heteronymous d.

heteronymous d. 異名複視．= crossed d.

homonymous d. 同名複視．= homonymous *images.*

monocular d. 単眼複視（１眼の中に生じる複視または極端なゴースト像で，多くは角膜や水晶体の不整，未矯正乱視，硝子体または網膜の不整など眼の透光体の異常による．もし同様のことが両眼に生じた場合(両眼性単眼複視)，すなわち片眼をカバーしてもまだ複視がある場合は，患者はまだ２つの像を見る．多重複視はまれである）．

simple d. 単純複視．= homonymous *images.*

uncrossed d. 非交叉性複視．= homonymous *images.*

dip·lo·po·di·a (dip′lō-pō′dē-ă) [diplo- + G. *pous*, foot]．重複趾〔症〕（足の指の重複）．

dip·lo·some (dip′lō-sōm) [diplo- + G. *sōma*, body]. 双心子，複中心子（哺乳類の細胞の中心子の対）．＝paired allosome.

dip·lo·so·mi·a (dip′lō-sō′mē-ă) [diplo- + G. *sōma*, body]. 複体奇形（機能的に独立しているようにみえる双生児が１点以上で結合している状態．→conjoined *twins*）．

dip·lo·tene (dip′lō-tēn) [diplo- + G. *tainia*, band]. 複糸期，ディプロテン期，二重期，双糸期（減数分裂前期の末期．対になった相同染色体が互いに反発し始め，離れて動き出すが，通常，キアズマによって結合されている．このキアズマは，２本の染色分体の対応点での切断とそれに続く染色分体間の部分的交換を伴う切断端の再融合に関連している．このことが遺伝子の交差に対する細胞学的基礎であると考えられている）．

di·po·di·a (dī-pō′dē-ă) [G. *di-*, two + *pous(pod-)*, foot]. 重複足，二足（①足が完全にまたは不完全に重複している発育異常．②接着双生児と人魚体奇形において，２本の足をはっきり残している癒着の程度）．

di·pole (dī′pōl). 双極子（分離した１対の電荷で，一方はやや正電荷，他方はやや負電荷である．または分離した一対の部分的電荷）．＝doublet (2).

di·po·tas·si·um phos·phate (dī-pō-tas′ē-ŭm fos′fāt). ＝*potassium* phosphate.

di·pren·or·phine (dī-pren′ōr-fēn). ジプレノルフィン（ナロキソン類似の麻薬拮抗薬で，より強力である）．

di·pro·so·pus (dī-prō′sō-pŭs) [G. *di-*, two + *prosōpon*, face]. 二顔体（身体はほとんど完全に融合しているが，四肢は正常で，顔面の一部または全部が二重になっている接着双生児．→conjoined *twins*）．

d. dirrhinus 双鼻顔面重複奇形（鼻が完全な形で２つ存在する顔面重複奇形）．

dip·se·sis (dip-sē′sis) [G. *dipseō*, to thirst]. 高度口渇（異常または過度の口渇．特殊な飲み物に対する欲求）．＝dipsosis; morbid thirst.

dip·so·ma·ni·a (dip′sō-mā′nē-ă) [G. *dipsa*, thirst + *mania*, madness]. 飲酒癖，渇酒癖（アルコール飲料を過度に飲むことへの反復的強迫．→alcoholism）．

dip·so·sis (dip-sō′sis) [G. *dipsa*, thirst + *-osis*, condition]. ＝dipsesis.

dip·so·ther·a·py (dip′sō-thār′ă-pē). 口渇療法．

Dip·ter·a (dip′tĕr-ă) [G. *di-*, two + *pteron*, wing]. 双翅目（昆虫の重要な一目（２枚翅のハエおよびブユ）で，カ，ツェツェバエ，サシチョウバエ，ヌカカなど，重大な疾病の媒介昆虫を多く含む）．

dip·ter·an (dip′tĕr-an). 双翅類の（双翅目昆虫の一般的表現）．

dip·ter·ous (dip′tĕr-ŭs). 双翅目の（双翅目に関する，または特徴付けられる）．

Di·pus sa·git·ta (dī′pŭs saj′i-tă) [G. *dipous*, jerboa, two-footed; L. *sagitta*, arrow]. ミユビトビネズミ（南ロシアの小さいげっ歯類（トビネズミ科）．ノミによるペスト菌 *Yersinia pestis* の媒介動物）．

di·py·gus (dī-pī′gŭs, dip′ē-gŭs) [G. *di-*, two + *pyge*, buttocks]. 二殿体（頭部，胸部，骨盤および下肢が重複している接着双生児．下半身の重複が対称であるとき，通常，後部二重体とよばれる．→conjoined *twins*）．

dip·y·li·di·a·sis (dip′i-li-dī′ă-sis). ディピリディウム症，イヌ条虫症，ウリザネ条虫症（肉食動物およびヒトにみられる条虫であるイヌ条虫 *Dipylidium caninum* の感染）．

Dip·y·lid·i·um ca·ni·num (dīp′ī-lid′ē-ŭm kā-nī′nŭm) [G. *dipylos*, with two entrances; L. *caninus*(pertaining to *canis*, dog)の中性形]. イヌ条虫，ウリザネ条虫（イヌの条虫類で最も一般的な種類．１対の産卵孔をもつ．幼虫はイヌのノミ，シラミに寄生している．ヒトに寄生することがあり，特に感染しているノミを食べた直後のイヌになめられた小児にみられる）．

di·py·rim·i·dine pho·to·ly·ase (dī-pi-rim′i-dēn fō-to-lī′ās). ジピリミジンホトリアーゼ．＝deoxyribodipyrimidine photolyase.

di·py·rine (dī-pī′rēn). ＝aminopyrine.

di·rec·tion (di-rek′shŭn). 指導，方向（①指導者の命令または他の公的命令に基づく医療における実施命令．②頭方向，尾方向など，身体の一部から他の部位への運動の向き）．

EMS medical d. 救急隊指導医制度（病院外での救急隊の活動に対し，医師が医学的観点から指示・監督を行う制度．→EMS medical *director*）．

medical d. 指導医制度（職場，病院や救急現場において医療サービスを提供する保健医療関連職種に対し，医師が医学的観点から指示・監督を行う制度）．

directive (di-rek′tiv) [Med. L. *directivum*, < *di-rigo*, *di-rectum*, to make straight, set in order, guide direct, instruct]. 指示〔書〕（権威のある命令，指示，または指導で，通常特定的な文書形式である）．

---

advance d. 事前指示〔書〕（署名した患者が末期疾患療養中に知的不能となったり永久に昏睡状態(すなわち持続性植物状態)となったとき，どのような種類および程度の医療ケアを行って欲しいかについて指示を与える法的な書類．→living *will*）．

国はいわゆる〝尊厳死法〞を制定し，末期疾病での生命延長療法や姑息的治療などの医療を拒否する患者の権利を守り，また，医師の役割を明確にし，医師が患者の安楽死や医師による自殺幇助を望んだときに，それを拒否することに対する告訴から守るようにした．これらの法律には，事前指示書には副署名が中立であることなどの厳密な手続きの必要性が明確に書いてあり，また事前指示書をつくることより，破棄することのほうがやさしくしてある．もし，事前指示書に患者が望むまたは望まない医療の種類が書かれている場合，それは生きている意志(リビングウイル)とみなされる．それらの決定に他人を指名しているときは，医療内容に対する有効な委任状とみなされる．事前指示書の内容はこれらの両方のものを入れることができる．患者に代わって終末医療の決定をする代理人は患者の指示に従い，必要に応じ患者の哲学・宗教的信条・倫理観に照らして患者の指示を解釈し，また患者が能力を再び得たり，回復する可能性も十分考慮しなければならない．

---

di·rec·tor (di-rek′tŏr) [irreg. < L. *dirigo*, to direct, control]. ***1*** 有溝，導子（組織の切開を正確にするためにナイフとともに用いる緩やかな溝の付いた器具）．＝staff (2). ***2*** ディレクター（役務または専門部門の長）．

EMS medical d. 救急隊指導医（病院外での救急隊の活動に対し，医学的観点から指示・監督を行う医師．→EMS medical *direction*）．

Di·ro·fi·la·ri·a (dī′rō-fi-lā′rē-ă) [L. *dirus*, dread + *filum*, thread]. イヌ糸状虫属（オンコセルカ科，ヒト糸状虫上科糸条虫の一属．通常，ヒト以外の哺乳類に見出されるが，人体寄生例も知られている．例えば，*D. immitis*）．

D. conjunctivae ヒトの症例で各部位の腫瘤や膿瘍から採取した糸状虫に付けられた名称で，特に眼結膜と他の眼組織から採取されるが，他の部位の皮下組織からも採取される．恐らく，動物由来の多くの種が原因となるものと思われる．

D. immitis イヌ糸状虫（元来は熱帯，亜熱帯および温帯地域のイヌおよびイヌ科動物にみられる糸状虫の種で，成虫は主にイヌの右心室と肺動脈に認められる．レース用やショー用のイヌでは，特に媒介するカがきわめて普通にみられる米国南部で，ときに重大な病原となる．イヌ糸状虫とその宿主であるイヌは化学療法剤の試験に供試されており，またイヌ糸状虫の抽出物は，ヒトの糸状虫症の診断における非特異的皮内抗原として，あるいは補体結合試験に用いられることがある．→*Dipetalonema reconditum*）．＝heartworm.

di·ro·fil·a·ri·a·sis (dī′rō-fil-ă-rī′ă-sis). 糸状虫症（ネコは非定型的な宿主であり，寄生する虫体数は非常に少ないが，少数の虫の寄生でも突然死することがある．最終宿主であるイヌにおいて認められる臨床徴候としては，呼吸困難，発咳，運動不耐性，および体重減少などがある．ネコでは，突然死や嘔吐がみられ，それよりも少ないがぜん息に似た徴候が起きることもある．ミクロフィラリアは血流中を循環し，そこでベクターであるカに吸飲される．治療によって成虫が死ぬことによりその抗原が血流中に放出され，特にネコにおいてアナフィラキシーを含む重篤な副作用が発生することがある．ヒトでの感染は通常無症候性であり，肺における小結節がX線検査においてしばしば検出されて小さな腫瘍に間違われることがある).

dirrhinia (dī-rin′ē-ă). 二鼻体.

dirt-eat·ing (dirt′ēt′ing). ＝geophagia.

dis- (dis) [L. separation]. [このラテン語の接頭語は分離(disjunction), 反対(discord), あるいは否定(disability)を表す. 現在, 本接頭語の意味の範囲を広げてギリシア語 dys- の意味を含めよう(またはギリシア語の接頭語 dys- のつづりを dis- につづり替えよう)とする傾向がある]. 2 つに分かれる, 欠, 無, 非常にを表す接頭語.

dis·a·bil·i·ty (dis′ă-bil′i-tē). 障害 (①WHOの Impairments, Disabilities and Handicaps の国際分類によれば, 人として正常と考えられる範囲での活動を行うことが制限されている, またはできないこと. この言葉は各個人の機能的行動や活動の障害の結果を表す. したがって disability は個人のレベルでの障害を意味する. ②1つ以上の器官あるいは組織体の一部分の障害あるいは欠損).

developmental d. 発育障害 (出生前または出生後の障害により生じた機能消失のために認識, 言語, 運動および社会性の獲得が主に障害され, 精神発達遅滞, 自閉症, 学習障害や注意力障害を伴う多動症を生じる).

learning d. 学習障害 (書き言葉または話し言葉を理解すること, あるいは使用することに関係する1つまたはそれ以上の基本的な認知過程および心理過程に生じる障害. 読む能力, 単語や文章を書く能力, 話す能力, または算数計算をする能力に関して年齢に応じた障害として顕在化することがある).

di·sac·cha·rid·as·es (dī-sak′ă-rid-ās′ĕz). ダイサッカリダーゼ (二糖類の加水分解を触媒する酵素で, その結果, 2個の二糖類を生成する).

di·sac·cha·ride (dī-sak′ă-rīd). 二糖類 (水の脱離(通常, アルコール性 OH とヘミアセタール OH との間)による2つの単糖類の縮合物. 例えば, ショ糖, 乳糖, 麦芽糖).

dis·ag·gre·ga·tion (dis′ag-rĕ-gā′shŭn) [L. *dis-*, separating + *aggrego*(*adg-*), pp. *-gregatus*, to add to something]. 分離, 離解 (①成分部分への解体. ②種々の感覚の結合不能およびそれらの相互関係の感知不能).

dis·ar·tic·u·la·tion (dis′ar-tik′yū-lā′shŭn) [L. *dis-*, apart + *articulus*, joint]. 関節離断〔術〕, 関節離開 (骨を切らない, 関節による四肢の切断).

dis·as·sim·i·la·tion (dis′ă-sim′i-lā′shŭn). 分解, 異化, 退行性代謝. ＝dissimilation (1).

dis·as·so·ci·a·tion (dis′ă-sō′sē-ā′shŭn). [dissociation 参照]. ＝dissociation (1).

disc (disk) [TA]. ＝disk [TA]. ***1*** 円板 (何らかの円板に似た構造のもの). ***2*** ＝lamella (2). ***3*** ディスク (表面に研磨材が付与された薄い紙あるいはその他の素材からなる円形の器具. 歯科において, 歯および充填物の切削, 研磨に用いられる).

A d.'s ＝A *bands.*

acromioclavicular d. (ă-krō′mē-ō-kla-vik′yū-lăr). 肩鎖関節の関節円板. ＝articular d. of acromioclavicular joint.

Airy d. (ār′ē). エアリーディスク (絞りが増加すると像の径が減少するように, 瞳孔絞りのエッジによる回折のために, 網膜上への遠方にある光源により生じる円形の不鮮明像).

anisotropic d.'s ＝A *bands.*

articular d. [TA]. 関節円板 (関節包に付着している線維軟骨の板または環. 関節面をいろいろな程度に, ときには完全に分離し, 完全には適合しない2つの関節面を適合させる働きをする). ＝discus articularis [TA]; fibrocartilago interarticularis; fibroplate; interarticular fibrocartilage; intraarticular cartilage (1).

articular d. of acromioclavicular joint [TA]. 肩鎖関節の関節円板 (通常, 鎖骨の肩峰端と肩峰内側縁との間にある線維軟骨の関節円板). ＝discus articularis acromioclavicularis [TA]; acromioclavicular d.; Weitbrecht cartilage.

articular d. of distal radioulnar joint [TA]. 〔下橈尺関節の〕関節円板 (橈骨および尺骨の末端を結ぶ円板. 先端で尺骨の茎状突起と小頭末端面との間の陥凹部に, 底部で, 橈骨の手根骨面から尺骨切痕を分離する隆線にそれぞれ付着している). ＝discus articularis radioulnaris distalis [TA]; radioulnar d.; radioulnar articular d.; triangular cartilage; triangular d. of wrist; triquetrous cartilage (1).

articular d. of sternoclavicular joint [TA]. 〔胸鎖関節の〕関節円板 (胸鎖関節を2つの腔に分ける線維軟骨円板). ＝discus articularis sternoclavicularis [TA]; sternoclavicular d.; sternoclavicular articular d.

articular d. of temporomandibular joint [TA]. 顎関節の関節円板 (顎関節を上下の2腔に分ける線維軟骨板). ＝discus articularis temporomandibularis [TA]; mandibular d.; temporomandibular articular d.

blastodermic d. 胚盤葉板 (卵割が始まった後の端黄卵の割球の集合体).

blood d. 血小板. ＝platelet.

Bowman d.'s (bō′măn). ボーマン円板 (横紋筋線維を弱酸, 一定のアルカリ液, あるいは凍結で処理して横断分節した板).

Burlew d. (bŭr′lū). ＝Burlew *wheel.*

choked d. うっ血乳頭. ＝papilledema.

ciliary d. ＝orbiculus ciliaris.

cone d.'s 錐体円板 (網膜錐体外節に見出される厚さ約 14 nm の扁平嚢状の膜性円板).

cuttlefish d. カトルフィッシュディスク (イカの骨の粉末を塗った円形の紙あるいは薄いプラスチック. マンドレールに付け歯科ハンドピースで回転し, 歯科材料と歯の仕上げに用いる).

diamond d. ダイヤモンドディスク (微細なダイヤモンド破片でおおわれた切断面のある鋼鉄製のディスク. 歯科ハンドピースで用いる).

embryonic d. 胚盤 (ヒト発生の第2週の内細胞塊から由来する扁平ほぼ円形で2葉の細胞群).

emery d.'s エメリーディスク (エメリー粉末でおおわれた紙, あるいはその他の材料によるディスク. 歯や充填物を研磨し, 滑らかにするのに用いる).

germinal d., germ d. 胚盤 (胚が形成され始める端黄卵の部分). ＝germinal area; area germinativa.

H d. ＝H *band.*

hair d. 毛包円板 (毛包周囲の神経の豊富な領域. 肥厚した上皮細胞よりなり, その中で1つの無髄神経が多数に分枝している).

Hensen d. (hen′sĕn). ヘンゼン板. ＝H *band.*

herniated d. 脱出椎間板 (線維輪の断裂により椎間孔・脊柱管に突出した変性あるいは細片化した椎間板のことで, 椎間孔に突出すると神経根を, 脊柱管に突出すると腰部では馬尾を, それより上部では脊髄を圧迫する可能性がある. 次頁の図参照). ＝protruded d.; ruptured d.

I d. ＝I *band.*

intercalated d. 介在板, 〔光〕輝線 (心筋細胞にみられる特殊な細胞間接着装置でギャップ結合, 接着線維膜, ときにはデスモソームがみられる).

intermediate d. ＝Z *line.*

interpubic d. [TA]. 恥骨間円板 (恥骨結合部で左右の恥骨を結ぶ線維軟骨円板). ＝discus interpubicus [TA]; interpubic fibrocartilage*; fibrocartilago interpubica*; lamina fibrocartilaginea interpubica.

intervertebral d. 椎間円板 (隣接する2個の椎体間にある円板. 中心部の膠様核(髄核)とそれを取り囲む外側の結合線維部分(線維輪)からなる). ＝discus intervertebralis [TA]; fibrocartilago intervertebralis; intervertebral cartilage.

isotropic d. ＝I *band.*

mandibular d. ＝articular d. of temporomandibular joint.

Merkel tactile d. (mĕr′kĕl). メルケル触覚盤. ＝tactile *meniscus.*

Newton d. (nū′tŏn). ニュートン円板 (7色に塗り分けた厚紙製の円板. 各色はスペクトルの原色に対応し面積が等しい. 円板を急速に回転させると白く見える).

optic d. [TA]. 視神経円板, 視神経乳頭 (眼球底にある卵円形の部分で, 光受容器を欠如し, 網膜の神経節細胞が視神経となって出ていくところ). ＝discus nervi optici [TA]; blind spot (3); Mariotte blind spot; optic nerve head; optic papilla; papilla nervi optici; porus opticus.

Placido da Costa d. (plah′sē-dŏ dah kos′tah). プラチドー・ダ・コスタ円板. ＝keratoscope.

proligerous d. ＝*cumulus* oophorus.

D

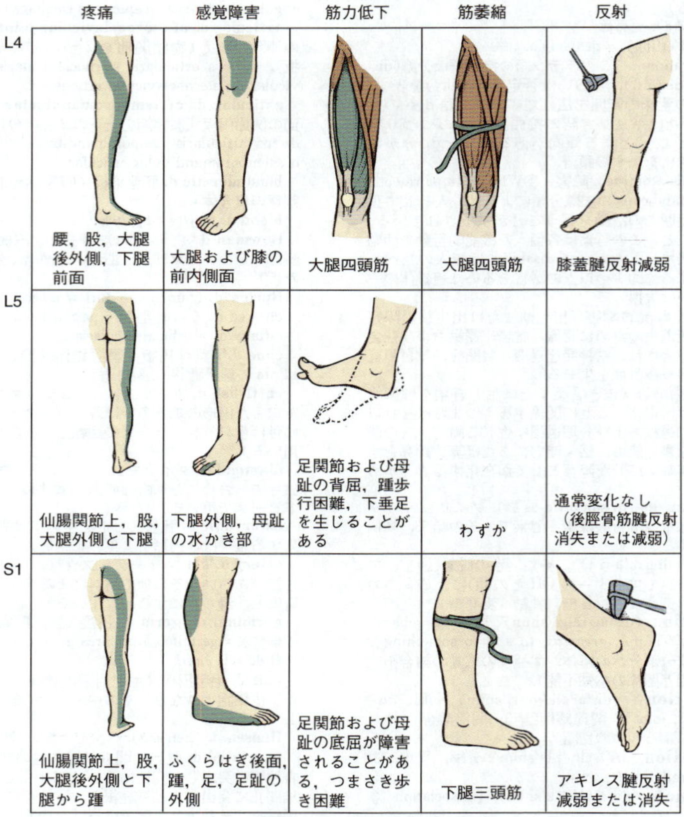

intervertebral disc herniation

protruded d. ＝herniated d.

Q d.'s ＝A *bands.*

radioulnar d., radioulnar articular d.〔下橈尺関節の〕関節円板．＝articular d. of distal radioulnar joint.

Ranvier d.'s (rahn-vē-ā′). ランヴィエ円板（皮膚内部における触覚神経線維の杯状円板様終末）.

rod d.'s 杆体円板（網膜杆体外節に見出される厚さ約14nm の扁平囊状の膜性円板）.

ruptured d. ＝herniated d.

sacrococcygeal d. 仙尾骨円板（仙骨と尾骨の間にある線維軟骨性の薄い円板）.

sandpaper d.'s サンドペーパーディスク（各種シリカ砂を塗った紙製のディスク．歯あるいは歯科材料を研磨し，滑らかにするのに用いる）.

stenopeic d., stenopaic d. 狭孔板（金属性あるいはその他，不透明性の板で細い裂け目から見える仕組みになっている．乱視の検査に用いる）.

sternoclavicular d., sternoclavicular articular d.〔胸鎖関節の〕関節円板．＝articular d. of sternoclavicular joint.

stroboscopic d. ストロボスコープ円板（運動物体を間欠的に観察できる回転円板）.

tactile d. 触覚盤．＝tactile *meniscus.*

temporomandibular articular d.〔側頭下顎の〕関節円板．＝articular d. of temporomandibular joint.

transverse d. 横盤（顕微鏡で観察される横紋筋の暗い横帯）.

triangular d. of wrist〔下橈尺関節の〕三角軟骨板．＝articular d. of distal radioulnar joint.

Z d. ＝Z *line.*

disc- (disk). →disco-.

disc·ec·to·my (disk-ek′tŏ-mē) ［disco- + G. *ektomē*, excision］. 椎間板切除〔術〕（椎間板の部分あるいは全体の切除）. ＝discotomy.

dis·charge (DC) (dis′charj). *1* 放出〔物〕，排泄〔物〕，分泌〔物〕. *2* 発射，放電（ニューロンの活性化あるいは発射）.

after-d. →afterdischarge.

early d. 早期退院（経膣分娩後 24 時間以内にまたは帝王切開後48時間以内に母児を退院させること）.

Dische (dish), Zacharias. 20 世紀のオーストリア系米国人生化学者，1895—1988. →D. *reaction, reagent*; D.-Schwarz *reagent*.

dis·chro·na·tion (dis′krō-nā′shŭn)［L. *dis-*, apart + G. *chronos*, time］. 時識障害，時間失見当〔識〕（時の意識の障害）.

dis·ci (dis′ī). discus の複数形.

dis·ci·form (disk′i-fōrm). 円板状の.

dis·cis·sion (di-sish′ŭn)［L. *di-scindo*, pp. *-scissus*, to tear asunder］. 切開〔術〕，切割〔術〕，切囊〔術〕（①一部分の切開または切割．②眼科学において，針尖刀またはレーザーにより，被膜を切開し，かつ水晶体皮質を破砕すること）.

dis·ci·tis (dis-kī′tis). 椎間板炎（椎間円板または椎間板腔の炎症で，感染によるものが多い）. ＝diskitis.

disco-, disc- (dis′kō, disk)［G. *diskos*］. 円板，円板状の，を表す連結形.

dis·co·blas·tic (dis′kō-blas′tik). 盤状胞胚の.

dis·co·blas·tu·la (dis′kō-blas′tyū-lă). 盤状胞胚，狭腔胞胚（大きな卵黄に富んだ卵の盤状部分割によってできる型の胞胚）.

dis·co·gas·tru·la (dis′kō-gas′trū-lă). 盤状嚢胚，盤状〔原〕腸胚（大きな卵黄に富んだ卵の盤割後にできる型の嚢胚）.

dis·co·gen·ic (dis′kō-gen′ik) [disco- + G. *genesis*, origin]. 椎間板起因の（椎間円板に原因する疾病をさす）.

dis·co·gram (dis′kō-gram). 椎間板像（椎間板造影法で得られる椎間板X線写真）.

dis·cog·ra·phy (dis-kog′ră-fē) [disco- + G. *graphō*, to write]. 椎間板造影法（髄核に造影剤を注入し椎間板を描出する．従来行われていたX線造影検査法）.

dis·coid (dis′koyd) [disco- + G. *eidos*, appearance]. ***1*** 〖adj.〗円板状の．***2***〖n.〗ジスコイド（歯科で用いられる切削用または彫刻用の器具．先端に丸い刃を有する）.

dis·con·ju·gate (dis-kon′jū-gāt) [L. *dis-*, apart + *jugatus*, yoked]. 非共同性の（両眼の眼球運動が相伴って動かない場合をいう．conjugate の対語．⇀disconjugate *movement* of eyes）.

dis·cop·a·thy (dis-kop′ă-thē) [disco- + G. *pathos*, disease]. 椎間板症，椎間板疾患（円板，特に椎間板の疾病）.

traumatic cervical d. 外傷性頸椎椎間板症（円板や周囲の靱帯の亀裂，裂傷，断裂などを特徴とする障害．脊髄，神経根，靱帯などへの小片の変位を伴うことも伴わないこともある）.

dis·co·pla·cen·ta (dis′kō-plă-sen′tă). 円板状胎盤.

dis·cor·dance (dis-kōr′dăns). 不一致（①対象群から得た標本における２つの特性の解離．従属関係の尺度として用いる．②遺伝学において，双子のうち１名のみにある体質が存在すること．*cf.* concordance）.

dis·cot·o·my (dis-kot′ŏ-mē) [disco- + G. *tomē*, incision]. 椎間板切開〔術〕. =discectomy.

dis·crete (dis-krēt′) [L. *dis-cerno*, pp. *-cretus*, to separate]. 離散〔性〕の，孤立〔性〕の（**[**discreet と混同しないこと**]**．他と結合しない，融合しない．特に皮膚の特定病変についていう）.

dis·crim·i·na·tion (dis′krim-i-nā′shŭn) [L. *discrimino*, pp. *-atus*, to separate]. 識別，弁別（生物は強い刺激に対してある反応を示し，強くない刺激に対しては別の反応を示す．このように，生物が状況によって違った反応をすること）.

dis·cus, pl. dis·ci (dis′kŭs, -kī) [L. < G. *diskos*, a quoit, disc][TA]. 円板（**[**本語の複数形の誤った発音 disk′ī を避けること**]**）. =lamella (2).

d. articularis [TA]. 関節円板. =articular *disc.*

d. articularis acromioclavicularis [TA]. 肩鎖関節の関節円板. =articular *disc* of acromioclavicular joint.

d. articularis radioulnaris distalis [TA]. 〔下橈尺関節の〕関節円板. =articular *disc* of distal radioulnar joint.

d. articularis sternoclavicularis [TA]. 〔胸鎖関節の〕関節円板. =articular *disc* of sternoclavicular joint.

d. articularis temporomandibularis [TA]. 顎関節の関節円板. =articular *disc* of temporomandibular joint.

d. interpubicus [TA]. 恥骨間円板. =interpubic *disc.*

d. intervertebralis [TA]. 椎間円板. =intervertebral *disc.*

d. lentiformis subthalamic *nucleus* を表すまれに用いる語.

d. nervi optici [TA]. 視神経円板，視神経乳頭. =optic *disc.*

d. proligerus 卵丘板（液胞をもつ卵胞の最末梢部顆粒細胞層に卵細胞を包む細胞塊すなわち卵丘が付着するところ）.

dis·di·a·clast (dis-dī′ă-klast) [G. *dis*, twice + *dia*, through + *klastos*, broken]. 複屈折性要素（横紋筋組織中の複屈折をするもの）.

DISEASE

dis·ease (di-zēz′) [Eng. *dis-* 欠性辞 + ease]. ***1*** 病気（身体，構造，器官などの断絶，停止，または障害）. =illness; morbus; sickness. ***2*** 疾患，疾病（次の基準のうち２つを満たす病変．病因物質をもつこと．はっきりと指摘できる徴候や症候群があること．一致した解剖学的変化があること．→syndrome）.

aaa d. aaa病（古代エジプトの風土病性貧血．パピルス古文書中に鉤虫による腸管感染についての記述がある．現在は ancylostomiasis（鉤虫症）とよばれる）.

ABO hemolytic d. of the newborn ABO型新生児溶血性疾患（ABO型血液型抗原に関しての母体と胎児の不適合による胎児赤芽球症．胎児が母体にはないAまたはB抗原（あるいは両方）をもち，これが母体にはいると母体は胎児の赤血球溶血の原因になる免疫抗体を産出する）.

accumulation d. 蓄積病（ある細胞や組織中に代謝産物が異常に沈着することにより生じる病気．例えば，ムコ多糖症やリピドーシス）.

Acosta d. (ah-kos′tă). アコスタ病. =altitude *sickness.*

Adams-Stokes d. (a′dămz-stōks). アダムズ(アダムス)-ストークス病. =Adams-Stokes *syndrome.*

adaptation d.'s〔環境〕適応症候群（理論的に Selye の概念の汎適応症候群 general-adaptation syndrome に当てはまる疾患群．これらの疾患は生命体がストレスに対し，過度で長時間もしくは不十分(不適応の状態で)に反応している時に起こる．→adaptation *syndrome* of Selye）.

Addison d. (ad′i-sŏn). アディソン(アジソン)病. =chronic adrenocortical *insufficiency.*

Addison-Biermer d. (ad′i-sŏn bēr′mĕr). アディソン(アジソン)-ビールメル病. =pernicious *anemia.*

akamushi d. =tsutsugamushi d.

Albers-Schönberg d. (ahl′berz shĕrn′bĕrg). アルベルス-シェーンベルク病. =osteopetrosis.

Albright d. (al′brīt). オールブライト病. =McCune-Albright *syndrome.*

Alexander d. (al-ek-zan′dĕr) [MIM*203450]. アレキサンダー病（精神運動発達遅滞，痙攣および麻痺を特徴とする，乳児期に発症するまれな致死的な中枢神経系の変性疾患．前頭葉に著しい広範な白質萎縮性変化を伴う巨脳症を認める）.

Almeida d. (ahl-mā′dă). アルメーダ病. =paracoccidioidomycosis.

Alpers d. (al′pĕrz). アルパーズ病. =*poliodystrophia* cerebri progressiva infantilis.

alpha chain d. アルファ鎖病（血清中や尿中に単クローン性の免疫グロブリン成分(α鎖の一部分だけで軽鎖を含まない)を有する重鎖病．形質細胞過形成から形質細胞性骨髄腫までの一連の範囲の形質細胞増加症として発症する）.

altitude d. 高地(高山)病. =altitude *sickness.*

Alzheimer d. (**AD**) (awlts′hī-mĕr) [MIM*104300]. アルツハイマー病（記憶障害と認知症を起こす進行性変性性疾患．錯乱，視覚空間失見当識，名称失語から感覚性失語へ進行する言語機能障害，計算不能，判断能力減退を呈する．妄想，幻覚が起こることもある．最も頻度の高い脳変性疾患である Alzheimer 病は，すべての認知症症例の 70% を占める．中年後期に発症することが多く，典型的には 5 —10 年で死亡する．次頁の写真参照）. =Alzheimer dementia; presenile dementia (2); dementia presenilis; primary senile dementia.

1906年にドイツの神経内科医である Alois Alzheimer が剖検ではっきりした脳変化がみられた51歳の初老期認知症の一女性例を報告した．この疾患の頻度が高いことは，20世紀後半まで認識されなかった．Alzheimer 病は現在では米国で死亡原因の第４位である．米国での推定有病者は250—400万人で，毎年36万人発症し，毎年750—1,000億ドルの負担が米国経済にかかる．一生の間に発症する確率は９%で，女性は男性の1.5倍罹患しやすい．発症は緩徐で，学習能力や情報保持能力の進行性減退がみられる．新しいことを想起したり繰り返したりするときに，患者は挿入間違い(間違った言葉や思考を挿入する)や作話をする．見当識や判断能力は低下し，患者の 50% はうつ病を経験し，20% は妄想を呈する．70%は興奮を起こす．精神作用がないと考えられる薬を含め，多くの薬が AD の症状を悪化させる．臨床的にうつ病が認知症を隠ぺいしたり認知症に似た症候を呈したり，認知症がうつ病を隠ぺいしたりうつ病に似た症状を呈したりする．行動の障害が向精神病薬や身体拘束の主な理由で，認知症高齢患者の生活の質にかなり影響する．神経学的所見は正常のことが多いが，ミオクローヌス，動作緩慢，硬直，痙攣が末期にみられることがある．尿路感染症や肺感染症に伴う敗血症で死亡することが多い．大脳皮質の萎縮と，それによる脳溝と脳室の拡大が画像検査で顕著にみられることがある．組織学的には，大脳皮質，海馬，扁桃体に神経細胞の萎縮，神経細胞の細胞質の空胞と銀親和性顆粒，βアミロイドの42アミノ酸型(Aβ42)のコアをもち，星状膠細胞と小膠細胞に囲まれた顆粒状または線維状の銀親和性の塊よりなる神経炎性プラーク，微小管のタウ蛋白の過剰リン酸化による細胞内神経原線維の変形(神経原線維変化)がみられる．髄液中のタウ蛋白濃度は増加しており，Aβ42 の濃度は低下している．Down 症候群で 40 歳以降まで生存したほとんどすべての人に，AD に特徴的な組織学的所見がみられる．加齢，うつ病，低学歴，喫煙，重度の頭部外傷の既往も，AD の危険因子である．大部分の症例は散発性であるが，約 10% の患者は AD の家族歴をもつ．家族性の AD は発症が早期で経過が速いことがしばしばあり，いくつかの遺伝子の突然変異が原因と考えられている．早期発症の家族性 AD の大部分の患者は，第 14 染色体のプレセニリン-1 遺伝子の突然変異をもつ．第 1 染色体のプレセニリン-2 遺伝子または第 21 染色体のアミロイド前駆物質蛋白遺伝子の突然変異も，家族性 AD の家族のより少数例にみられる．晩期発症の家族性 AD は，第 19 染色体のアポリポ蛋白 E(APOE)部位の突然変異によると考えられている．アポリポ蛋白Eη4対立遺伝子の存在は最も強い遺伝的危険因子で，AD の生涯危険率が29%に増加する．この対立遺伝子の存在はニコチン結合部位の減少を伴い，いくつかの薬剤(抗コリン薬，ベンゾジアゼピン，ある種の抗うつ薬)の副作用が脳に出やすくなる．これらの AD の危険を増やす突然変異のすべては，Aβ42 の産生増加と関係する．神経細胞へのプレセニリン蛋白の取り込みは，アポプトーシスにより神経細胞を死亡させると考えられている．AD の診断は臨床的にミニメンタルステート検査などの評価と認知症の他の原因の除外でつけられる．認知や日常生活動作の障害の程度と，興奮，うつ状態，他の併発症により，治療が異なる．有効な非薬剤療法には，日常生活活動のスケジュールを一定に保つ，慣れている環境に患者をおき，服装や持ち物も自分の物を使わせる，時間的空間的見当識を改善するため，ジェスチャー，表示，時計，カレンダーを使う，夜間の不穏と混乱を減らすために明かりを調整する，外傷，転落，逃走を減らすために安全な環境を維持する，がある．AD における認知機能低下には神経伝達物質であるアセチルコリンの欠乏が一部関与しており，可逆性コリンエステラーゼ阻害薬(ドネゼピル，ガランタミン，リバスチグミン)が一部の患者において認知を改善し，認知症の進行を遅らせた．しかし，内因性アセチルコリンが減少するにつれて，効果も徐々になくなった．これらの薬剤は一般的に精神機能を改善するよりも，行動障害を制御するのに有効である．N メチル D アスパルテート受容体拮抗薬であるメマンチンは，プラセボ対照研究で有効性が示された．多くの他の薬剤(ニコチン，イチョウ抽出物，セレジリン，メシル酸エルゴロイド，イブプロフェンなど)も，一部の患者で多少の効力を示した．前向き研究でビタミン E の摂取を増やすと AD の危険が減ると示唆されたが，APOEη4 対立遺伝子がある患者だけであった．他の研究ではアルコールを週に 1 — 6 杯飲むと Alzheimer 病と血管性認知性の両方の危険が減るとの報告がある．

---

anarthritic rheumatoid d. 無関節炎性リウマチ様疾患(関節炎を伴わないリウマチ様疾患).

Anders d. (an′děrz). アンダーズ病. ＝*adiposis* dolorosa.

Andersen d. (an′děr-sěn). アンダーセン病. ＝*glycogenosis* type 4.

antibody deficiency d. 抗体欠損(欠乏)〔性〕疾患. ＝antibody deficiency *syndrome.*

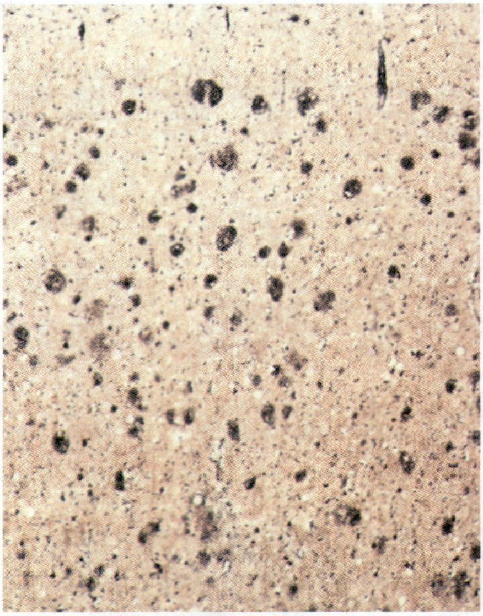

Alzheimer disease

鍍銀で染色された大脳皮質の切片は，神経炎性プラークの存在を明らかにする.

aortoiliac occlusive d. 大動脈腸骨動脈閉塞性疾患（腹部大動脈とアテローム性動脈硬化症による腹部大動脈主要分枝の閉塞症).

Aran-Duchenne d. (ah-rahn′ dū-shen′). アラン－デュシェーヌ病. ＝amyotrophic lateral *sclerosis.*

arteriosclerotic heart d. (ASHD) 動脈硬化性心〔臓〕疾患. ＝arteriosclerosis.

Australian X d. オーストラリア X 病. ＝Murray Valley *encephalitis.*

autoimmune d. 自己免疫疾患（自己の体構成成分に対して，液性または細胞性免疫反応が惹起された結果，正常組織の機能喪失や破壊を呈した疾患の総称．全身性エリテマトーデスのように全身性のもの，甲状腺炎のように器官特異的なものがある).

autoimmune inner ear d. 自己免疫性内耳疾患（難聴，耳鳴，めまいを呈する内耳の免疫性疾患). ＝immune-mediated inner ear d.

aviator's d. 航空病，航空酔い（適切な室内加圧をせずに高空飛行中の航空機の乗員に起こる障害で，潜函病に似た症状を起こす. →decompression *sickness*).

Ayerza d. (ah-yār′sah). アイエルサ(アイエルザ)病. ＝Ayerza *syndrome.*

Azorean d. アゾレア病. ＝Machado-Joseph d.

Baelz d. (bālz). ベルツ病. ＝*cheilitis* glandularis.

Baló d. (bah-lō′). バロー病. ＝*encephalitis* periaxialis concentrica.

Baltic myoclonus d. バルティックミオクローヌス病（家族性光感受性ミオクローヌスてんかんの 1 つ．封入体が脳細胞にみられる Lafora 小体多発ミオクローヌスと異なり，予後はしばしばよい．恐らく，常染色体劣性疾患).

Bamberger d. (bahm′běr-gěr). バンベルガー病（①＝saltatory *spasm.* ②＝polyserositis).

Bamberger-Marie d. (bahm′běr-gěr mah-rē′). バンベルガー－マリー病. ＝hypertrophic pulmonary *osteoarthropathy.*

Bang d. (bang). バン〔グ〕病. ＝bovine *brucellosis.*

Banti d. (bahn′tē). バンティ病. ＝Banti *syndrome.*

Barclay-Baron d. (bar′klā ba′rŏn). バークレー－バロン病. =vallecular *dysphagia.*

Barlow d. (bar′lō). バーロー病. =infantile *scurvy.*

Barraquer d. (bah-rah-kār′). バラケル病. =progressive *lipodystrophy.*

Basedow d. (bahz′e-dō). バーゼドー(バセドウ)病. =Graves d.

Batten d. (bat′ĕn). バッテン病（脳スフィンゴリピドーシス cerebral *sphingolipidosis*，後期若年型）. =ceroid lipofuscinosis.

Batten-Mayou d. (bat′ĕn mā-ū′). バッテン－メーオー病（後期乳児型と若年型の脳スフィンゴリピドーシス cerebral *sphingolipidosis*）.

Bazin d. (ba-zĭn′). バザン病. =*erythema* induratum.

Bechterew d. (bek-tĕr′yev). ベヒテレフ病. =*spondylitis* deformans.

Becker d. (bek′ĕr). ベッカー病（南アフリカにおける心筋症で，急速に進む致命的なうっ血性心臓障害や特発性壁在性心筋内膜炎を起こす）.

Béguez César d. (bē′gās sā′sahr). ベゲス・セサル病. =Chédiak-Higashi *syndrome.*

Behçet d. (be-shet′). ベーチェット病. =Behçet *syndrome.*

Behr d. (bār). ベール病. =Behr *syndrome.*

Berger d. (ber′gĕr). ベルジェ病（[本語と Buerger disease を混同しないこと]．㊟ IgA 腎症の同義語）. =focal *glomerulonephritis.*

Bernard-Soulier d. (bār-nahr′ sūl-yā′). ベルナール－スーリエ病. =Bernard-Soulier *syndrome.*

Bernhardt d. (bern′hahrt). ベルンハルト病. =*meralgia* paresthetica.

Besnier-Boeck-Schaumann d. (bā-nyā′ bek show′mahn). ベスニエー－ベック－シャウマン病. =sarcoidosis.

Best d. (best) [MIM*153700]. ベスト病（生後数年間に起こる常染色体優性黄斑変性）. =vitelliform degeneration; vitelliform retinal dystrophy.

Bielschowsky d. (by′els-chov′skē). ビールショースキー病（リポフスチン症の早期小児型）.

Biermer d. (bēr′mĕr). ビールマー病. =pernicious *anemia.*

Binswanger d. (bin′zwang-ĕr). ビンスヴァンガー病（血管性認知症の原因の1つ．白質に多くの梗塞とラクナがあり，皮質と基底核は比較的保たれている）. =Binswanger encephalopathy; encephalitis subcorticalis chronica; subcortical arteriosclerotic encephalopathy.

bird-breeder's d. 鳥飼育者病. =bird-breeder's *lung.*

blinding d. 失明病. =onchocerciasis.

Bloch-Sulzberger d. (blok sulz′berg-ĕr). ブロッホ－サルズバーガー病. =*incontinentia* pigmenti.

Blocq d. (blok). ブロック病. =astasia-abasia.

Blount d. (blunt). ブラウント病（内反脛骨．小児のO脚症）. =Blount-Barber d.

Blount-Barber d. (blunt bar′bĕr). ブラウント－バーバー病. =Blount d.

blue d. 青色病. =Rocky Mountain spotted *fever.*

Boeck d. (bek). ベック病. =sarcoidosis.

Bornholm d. [*Bornholm*，病気が初めて報告されたバルト海にあるデンマーク領の島]．ボーンホールム病. =epidemic *pleurodynia.*

Bosin d. (bō′sin). =subacute sclerosing *panencephalitis.*

Bouchard d. (bū-shahr). ブシャール病（胃筋弛緩による胃拡張症）.

Bourneville d. (būrn-vēl′). ブルヌヴィーユ病. =tuberous *sclerosis.*

Bourneville-Pringle d. (būrn-vēl′ pring′gĕl). ブルヌヴィーユ－プリングル病（結節性硬化症の顔面病変で，最初は皮脂腺腫として報告されたが，現在は血管線維腫として認識されている）.

Bowen d. (bō′wĕn). ボーエン病（肥厚した角質層でおおわれた，徐々に大きくなる淡紅色，褐色の丘疹またはびらん局面を特徴とする表皮内癌の一型．顕微鏡的には異常角化がみられ，そこに大きな核や淡染する細胞質を有する大形で円形の表皮細胞が散在する）. =Bowen precancerous dermatosis.

Brailsford-Morquio d. (brāls′fŏrd mōr′kē-ō). ブレールスフォード－モルキオ病. =Morquio *syndrome.*

brancher glycogen storage d. 分枝グリコゲン蓄積症（糖尿病の一型．アミロ-1,4-1,6-トランスグルコシダーゼ(分枝酵素)の欠損症）. =brancher deficiency glycogenosis; debrancher deficiency; glycogenosis type 4.

Breda d. (brē′dă). ブレーダ病. =espundia.

Bright d. (brīt). ブライト病（蛋白尿，浮腫を伴う非化膿性腎炎で，致死例では，腎炎の病期に応じて大白腎，血尿を伴う赤色腎，萎縮し顆粒状を示す腎があるが，これらは現在ではそれぞれ亜急性または膜性，急性，慢性の糸球体腎炎と名付けられている）.

Brill d. (bril). ブリル病. =Brill-Zinsser d.

Brill-Zinsser d. (bril zinz′sĕr). ブリル－ジンサー病（以前に流行性発疹チフスにかかった患者の "carrier state" に関連した内因性再感染症．軽度の疾病で，発疹熱と間違われる．最初，ニューヨークで Brill によって説明されたが，その後，Zinsser が解明するまで再発性流行性発疹チフスであることはわからなかった）. =Brill d.; recrudescent typhus fever; recrudescent typhus.

D

Briquet d. (brē-kā′). ブリケー(ブリケ)病（①古典的ヒステリー．女性に多く，10 代または 20 代早期から発症する．すべての臓器系に関連して様々な症状を呈することに特徴づけられる，慢性疾患．現在では転換性障害または身体化障害とに分類される．②皮膚の機能的麻痺(ヒステリー)で，行動の障害を起こす(〝失調〟とよばれる)．③機能的呼吸困難および失声）. =Briquet syndrome.

Brissaud d. (brē-sō′). ブリソー病（⇀Tourette *syndrome*）. = tic.

broad beta d. =type III familial hyperlipoproteinemia.

Brodie d. (brō′dē). ブローディー病（①=Brodie *knee.* ②Pott 病に似た外傷後のヒステリー性脊髄神経痛）.

bronzed d. 青銅色病（⇀hemochromatosis）. =bronze *diabetes.*

Bruck d. (bruk) [MIM*259450]. ブルック病（骨形成不全症，関節強直，筋萎縮を伴う病気）.

Brushfield-Wyatt d. (brŭsh′fēld wī′ăt). ブラッシュフィールド－ワイアット病（一側性の母斑，対側の片麻痺，半盲，脳血管腫，精神遅滞を特徴とする家族性の疾患．恐らくは Sturge-Weber 症候群の異型）. =nevoid amentia.

Buerger d. バーガー(ビュルガー)病（[本語と Berger disease を混同しないこと]）. =*thromboangiitis* obliterans.

bulging eye d. 腫脹眼疾患. =gedoelstiosis.

bulky d. 大きな腫瘍あるいはリンパ節に用いられる語．通常は従来の治療法に耐性がより強い. =bulky lymphadenopathy.

Bürger-Grütz d. (bēr′ger grētz). idiopathic *hyperlipemia* を表す現在では用いられない語.

Buschke d. (būsh′kĕ). ブシュケ病. =*scleredema* adultorum.

Busquet d. (boos-kā′). ビュスケー病（足の甲の外骨腫を起こす中足骨骨膜炎）.

Byler d. (bī′lĕr) [*Byler*, an Amish kindred]. バイラー病（進行性の家族性肝内胆汁うっ滞．軟らかい悪臭のある便，黄疸，肝脾腫大，および小人症が早期に発症し，死亡しやすい．抱合胆汁塩代謝の異常による．常染色体劣性遺伝．第 18 染色体長腕にある家族性肝内胆汁うっ滞症 1 型遺伝子(*FIC1*)の突然変異により生じる）.

Caffey d. (kaf′ē) [MIM*114000]. キャフィー病. =infantile cortical *hyperostosis.*

caisson d. (kā′son). 潜函病. =decompression *sickness.*

calcium pyrophosphate deposition d. (**CPPD**) カルシウムピロリン酸沈着症（痛風に類似する結晶沈着性関節炎）.

Calvé-Perthes d. (kahl-vē′ per′tĕz). カルヴェ－ペルテス病. =Legg-Calvé-Perthes d.

Camurati-Engelmann d. (kah-mū-rah′tē-en′gĕl-mahn). カムラーティ(カムラチ)－エンゲルマン病. =diaphysial *dysplasia.*

Canavan d. (kan′ă-van) [MIM*271900]. キャナヴァン病（乳児の進行性変性疾患．ドイツ，ポーランド，ロシア系のユダヤ人の乳児に多く，典型例は 3 — 4 か月時に発症する．巨脳症，視神経萎縮，盲，精神運動発達退行，筋緊張低下，攣縮，尿中 *N*-アセチルアスパラギン酸の増加で特徴付けられる．MRI では脳拡大，大脳および小脳白質の信号強度の減弱と正常な脳室を認め，病理学的には脳重量の増加および皮質下白質における海綿状変性を特徴とする．常染色体劣性遺伝．ユダヤ人では第 17 染色体短腕のアスパラトアシクラーゼ A 遺伝子(*ASPA*)の突然変異が原因であり，ユダヤ人以外は孤発例である．→leukodystrophy)．＝Canavan sclerosis; Canavan-van Bogaert-Bertrand d.; spongy degeneration of infancy.

Canavan-van Bogaert-Bertrand d. (kan′ă-van vŏn bō′-gĕrt bār-trahn′)．キャナヴァン－ヴァン・ボガエール－ベルトラン病．＝Canavan d.

Caroli d. (kah-rō′lē)［MIM*263200］．カロリ病（肝内胆管の先天性囊胞性拡張．ときに肝内結石や胆管閉塞を伴う．幼児多囊胞性腎症の表現型の一部のことがある）．

Carrington d. (kăr′ing-ton)．キャリントン病．＝chronic eosinophilic *pneumonia*.

Carrión d. (kah-rē-on′)．カリオン病．＝Oroya *fever*.

Castleman d. (kas′ĕl-măn)．キャッスルマン病．＝benign giant lymph node *hyperplasia*.

cat-bite d. 猫咬病（鼡咬熱と同じ．ネズミからネコへ，ネコからヒトに伝染すると思われる病気）．＝cat-bite fever.

catscratch d. (**CSD**) ネコ引っ掻き病（*Bartonella henselae* によって起きる良性で悪急性の病気．ネコに引っかかれた(咬傷による場合もある)あとに起きる局所のリンパ節炎を特徴とする）．＝benign inoculation lymphoreticulosis; benign inoculation reticulosis; catscratch fever; regional granulomatous lymphadenitis.

celiac d.［MIM*212750］．スプルー，シェリアキー，セリアック病（グルテン過敏性と上部小腸粘膜萎縮を特徴とする小児および成人に起こる病気．下痢，吸収不良，脂肪便，栄養およびビタミン欠乏，成長障害，短躯などの症状を呈する）．＝celiac sprue; celiac syndrome; gluten enteropathy.

cement d. セメント病（セメントを使用した股関節全置換の緩みに伴ってしばしば起こる骨溶解．ポリメチルメタクリレイトセメントの微小粒子が破骨細胞の生物学的反応を引き起こし，骨吸収と進行性骨喪失をきたす）．

central core d.［MIM*117000］．中心コア病（緊張低下，乳児期の運動発達遅延，非進行性またはゆっくりと進行する筋脱力を特徴とする先天性筋障害．生検では筋線維の中心コアは異常に染色され，筋原線維は異常に緻密で，ミトコンドリアおよび筋小胞体は実質的に欠如している．組織化学的に，コアには酸化酵素，ホスホリラーゼ，ATPase 活性がない．常染色体優性遺伝だが，しばしば臨床症状を呈さない．第 19 染色体長腕のリアノジン受容体–1 遺伝子(*RYR1*)の変異による）．

cerebrovascular d. 脳血管疾患(障害)（脳血流の供給不全による脳障害の総称）．

Chagas d. シャーガス病（［誤った形 Chaga および Chaga's を避けること］）．＝South American *trypanosomiasis*.

Chagas-Cruz d. (shah′găs krūz)．シャーガス－クルース病．＝South American *trypanosomiasis*.

α-chain d. α 鎖病（あいまいな不明確な用語．以下の疾患の意味で用いられることがある．α 重鎖病(通常は地中海系の男性にみられるリンパ形質細胞性増殖性疾患で，下痢を伴う腸の病変が特徴的で，しばしば進行性で死亡に至る)またはαサラセミア(ヘモグロビンのαグロビン鎖の遺伝的異常)）．

Charcot d. (shahr′kō)．シャルコー病．＝amyotrophic lateral *sclerosis*.

Charcot-Marie-Tooth d. (shahr′kō mah-rē′ tūth)．シャルコー－マリー－ツース病．＝peroneal muscular *atrophy*.

Cheadle d. (chē′dĕl)．チードル病．＝infantile *scurvy*.

Chédiak-Higashi d. (chē′dē-ak hē-gah′shē)．チェディアック－東病．＝Chédiak-Higashi *syndrome*.

Chiari d. (kē-ah′rē)．キアーリ病．＝Chiari *syndrome*.

cholesterol ester storage d.［MIM*278000］．コレステロールエステル貯蔵病（リソソームの酸性リパーゼ欠損によるリピドーシス．コレステロールエステルやトリグリセリドがキサントマトーシスとして内臓に広範に沈着し，副腎の硬化や肝脾腫大を呈し，骨髄や他の組織には泡沫細胞，末梢血中には空胞化したリンパ球が認められる．常染色体劣性遺伝．第 10 染色体長腕にあるリソソーム酸性リパーゼ遺伝子(*LIPA*)の突然変異により生じる）．＝cholesteryl ester storage d.; Wolman d.; Wolman xanthomatosis.

cholesteryl ester storage d. ＝cholesterol ester storage d.

Christensen-Krabbe d. (kris′tĕn-sen krah′bĕ)．クリステンセン－クラッベ病．＝*poliodystrophia* cerebri progressiva infantilis.

Christian d. (kris′chĕn)．クリスチャン病（①＝Hand-Schüller-Christian d. ②＝relapsing febrile nodular nonsuppurative *panniculitis*）．

Christmas d. (krist′măs)．クリスマス病．＝*hemophilia* B.

chronic active liver d. 慢性活動性肝疾患．＝chronic *hepatitis*.

chronic granulomatous d. 慢性肉芽腫症（多核白血球による細菌食作用の先天性欠損症．多核白血球はシトクロムの欠損［MIM*233710，*233690］あるいは他の特別な因子の欠損［MIM*233700，*306400］のために NADPH オキシダーゼの機能異常があり，酸素代謝を亢進することができない．その結果，カタラーゼ陽性の微生物による重症感染症に対する感受性が増す．遺伝は通常，常染色体劣性またはX連鎖による）．＝congenital dysphagocytosis; granulomatous d.

chronic hypertensive d. 慢性高血圧疾患（高血圧が長時間持続したために，心臓，腎臓，脳などの重要臓器にその影響が慢性的に蓄積した結果起こる疾患）．

chronic myeloproliferative d. 慢性骨髄増殖性疾患（造血系細胞の異常自立性増殖をきたす疾患で，通常，赤血球が増えるが，白血球や血小板も増える）．

chronic obstructive pulmonary d. (**COPD**) 慢性閉塞性肺疾患（小気管支の永続的あるいは一時的狭窄を示す病気の総称で，努力呼気流が低下し，特に病因や他のより特異的病名が付けられないものをいう）．

chronic wasting d. 慢性消耗病（シカおよびアメリカアカシカ(北米名 elk)の慢性消耗病が北米で流行している．プリオンによって起き，消耗と神経変性性疾患をきたす伝達性海綿状脳症の 1 つの型．ウシの狂牛病あるいは BSE，ヒツジのスクレイピー，ヒトの変異型 Creutzfeldt-Jacob 病(vCJD)と類似．例外なく致死的であり，潜伏期が何年にもわたることが特徴である．家畜化された，または野生のこれら動物の肉を摂取したヒトにこの病原体が感染するかどうかは不明のままであるが，ウィスコンシン州において 1 人のハンターおよび神経疾患によって死亡した 2 人の友人においてそのような例が報告されている）．

chylomicron retention d. カイロミクロン蓄積症（遺伝性の疾患で，アポリポ蛋白 B–48 が小腸には存在するが血漿中に存在しないために，脂肪の吸収障害を生じる）．

Coats d. (kōts)［MIM*300216］．コーツ病（［誤った形 Coat および Coat's を避けること］）．＝exudative *retinitis*.

Cockayne d. (kok′ān)．コケーン病．＝Cockayne *syndrome*.

cold hemagglutinin d. 寒冷〔赤〕血球凝集素病（寒冷下で特別に，あるいは単独で活性化され，*in vitro* でなく *in vivo* で作用する自己抗体を伴う病態．IgM 抗体の濃度が増加しているときは血清粘度の増加をみることもあるが，血球凝集に基づく臨床症状は通常，寒冷にさらされた後にみられる．溶血は通常，軽度であるが，著明のこともあり，その結果，自己免疫性溶血性貧血，寒冷抗体型となる）．＝cold agglutinin syndrome.

collagen d., collagen-vascular d. 膠原病，膠原血管病（結合組織の破壊としばしばフィブリノイド変性と血管炎を特徴とする一連の疾患．いくつかの膠原病では自己免疫，特に抗核抗体が検出され，血中に免疫複合体も見出される．コラーゲンが一次的に関与しているという証拠がないため，この用語は必ずしも受け入れられていない．〝コラーゲン〟はかつては結合組織中の特異的な線維素源蛋白を表現するというよりは，〝結合組織〟そのものの同義語として用いられていた．→connective-tissue d.）．

combined system d. 脊髄索状変性．＝subacute combined *degeneration* of the spinal cord.

communicable d. 伝染病．

Concato d. (kon-kah′tō)．コンカート病．＝polyserositis.

connective-tissue d. 結合組織病（結合組織が障害される全身性疾患．特にメンデルの法則に従って遺伝しないものをさす．リウマチ熱や関節リウマチが当初この疾患であると考えられたが，後に他のあらゆる膠原病も加えられた）．

Conradi d. (kon-rah′dē) [MIM*215100, *302950]．コンラーディ病．＝*chondrodysplasia* calcificans congenita.

Conradi-Hünermann d. (kon-rah′dē hŭn′ĕr-mahn)．＝*chondrodysplasia* calcificans congenita.

contagious d. 接触伝染病（直接または間接の接触によって伝達される感染症．現在では communicable d. とほぼ同じ意味で用いられる）．

Cori d. (kō′rē)．コーリ病．＝*glycogenosis* type 3.

coronary artery d. (**CAD**) 冠〔状〕動脈疾患（1つ以上の冠状動脈管腔の狭小化．通常は動脈硬化による．心筋虚血，うっ血性心不全，狭心症，または心筋梗塞の原因となる）．

Corrigan d. (kōr′i-găn)．コリガン病．＝aortic *regurgitation.*

Cowden d. (kow′dĕn) [MIM*158350]．カウデン病（乳児期から多毛と歯肉線維腫症が現れ，思春期後に線維腺腫様乳房腫脹が出現する．顔面の丘疹は多発性毛鞘腫の特徴である）．＝multiple hamartoma syndrome.

Creutzfeldt-Jakob d. (**CJD**) (kroytz′fĕlt yah′kŏb) [MIM *123400]．クロイツフェルト－ヤーコプ病（進行性神経疾患で，プリオンによる亜急性海綿状脳症の1つ．CJD の臨床的特徴は，運動失調，歩行と発語の異常を含む進行性小脳症候と認知症である．大部分の患者では，その後に不随意運動（ミオクローヌス）と典型的脳波パターン（平坦な背景活動に間欠的鋭徐波複合がみられるバーストサプレッション）がみられる．平均生存期間は，症状が出現してから1年未満である．髄液は異常がないか，非特異的である．軽度の皮質萎縮と脳室拡大がみられることがある．顕微鏡的検査での特徴的な所見は，脳と脊髄の灰白質の海綿状脳症である．神経細胞の高度の脱落とグリオーシスもみられ，軽度の脱髄もみられることがある．微細構造的変化には細胞質中の空胞の形成があり，それと海綿状の外観が関係する．CJD は世界中で1年に人口100万人当たり約1－2例の率で発生する．大部分の症例は散発性であるが，10—12％ は遺伝性である．発症年齢は55—65歳がピークで，30歳未満はまれである．医原性 CJD は，角膜移植，電極埋め込み，硬膜移植，ヒト成長ホルモン投与に関連した症例報告がある．CJD はプリオン蛋白（アミロイド蛋白の異常な型）が原因で，それが核をつくる因子として働き，他の蛋白の異常を引き起こす．この蛋白は臨床症状が出て間もない時期でも，ウエスタンブロット法で検出できる．CJD 以外のプリオン病は，ヒトでは Gerstmann-Sträussler-Scheinker (GSS) 症候群，致死性家族性不眠症，クールー，ヒツジとヤギではスクラピー，ウシではウシ海綿状脳症（BSE，狂牛病），他の種では同様の脳症や消耗性症候群がみつかっている．これらの疾患のすべては，実験動物で伝播することが証明されている．→bovine spongiform *encephalopathy*）．

1990年代に英国で若年者に異常に多くの CJD が報告された．これらの症例は，運動失調，記憶障害，認知症，ミオクローヌスを呈した．CJD の特徴的な海綿状変化に加えて，剖検所見では，大脳と小脳に広く分布した濃い好酸性の中心をもつ非通常アミロイド斑がみられた．通常の染色法でみられるこれらの斑は，以前の CJD ではみられず，クールーでみられる斑に似ていた．それに加えて，これらの患者は古典的 CJD に特徴的な脳波変化を示さなかった．ヒトでのこの亜型 CJD の発生は，BSE に感染したウシの中枢神経系組織が入った牛肉食品を食べて起きた．BSE の流行により，1986—1996年の間に15万頭以上のウシが英国で死亡した．2003年後半に米国西部ワシントン州で1頭の乳牛が BSE に感染していることが発見され，スクリーニング方法が改定され，ヒトの食品中に牛肉を用いる制限が強化された．

Crigler-Najjar d. (krig′lĕr nah′jahr)．クリグラー－ナジャー病．＝Crigler-Najjar *syndrome.*

Crocq d. (krok)．クロック病．＝acrocyanosis.

Crohn d. (krōn)．クローン病．＝regional *enteritis.*

Crouzon d. (krū-zōn[h]′)．クルゾン病．＝Crouzon *syndrome.*

Cruveilhier-Baumgarten d. (krū-vāl-ya′ bowm′gar-tĕn)．クリュヴェーリエ－バウムガルテン病．＝Cruveilhier-Baumgarten *syndrome.*

Cushing d. (kush′ing) [MIM*219090]．クッシング病（ACTH産生性の下垂体の好塩基性腺腫による副腎過形成（Cushing 症候群））．＝Cushing pituitary basophilism.

Cushing d. of the omentum (kush′ing)．大網性クッシング病（糖質コルチコイド過剰による中心性肥満症．大網の脂肪組織中の脂肪間質細胞が非活性のコルチゾンより活性のあるコルチゾールを合成する（皮下脂肪では合成しない）ために生じる．患者は過剰のコルチゾールを産生し，尿中コルチゾール排泄量も増加しているが，視床下部–下垂体–副腎等の異常は認められない）．

cystic d. of the breast 乳房嚢胞病（乳腺の線維性嚢胞変化）．

cysticercus d. 嚢虫症．＝cysticercosis.

cystic d. of renal medulla [MIM*256100]．腎髄質嚢胞病（腎髄質中に小嚢胞のできる病気で，貧血，ナトリウム欠乏，慢性腎不全などをきたす．次の2つの型がある．ⓘ常染色体劣性または若年型は10歳前後で始まり，平均6—8年間の経過をとる．familial juvenile nephrophthisis（家族性若年性腎ろう）ともよばれ致死的である．ⓘⓘ常染色体優性または成人型）．＝microcystic d. of renal medulla.

cystine storage d. シスチン蓄積症．＝cystinosis.

cytomegalic inclusion d. 巨細胞性封入体病（ヘルペスウイルス科のサイトメガロウイルスにより起こる．新生児の諸器官の巨細胞の核や細胞質内に封入体がみられ，黄疸，肝腫，脾腫，紫斑病，血小板減少症，熱などの症状を示し死亡する．このような状態は，どの年齢層でも免疫機能が著しく低下するような他の疾患の合併症としてみられ，また明らかに局所の軽い感染症によると思われる唾液腺ウイルス病の際，唾液腺上皮などにみられることがある）．＝cytomegalovirus d.; inclusion body d.

cytomegalovirus d. サイトメガロウイルス症．＝cytomegalic inclusion d.

Daae d. (dah′ĕ)．ダーエ病．＝epidemic *pleurodynia.*

Danielssen d. (dan′yĕl-sĕn)．ダニエルセン病．＝anesthetic *leprosy.*

Danielssen-Boeck d. (dan′yel-sen bĕrk)．ダニエルセン－ベック病．＝anesthetic *leprosy.*

Darier d. (dah-rē-ā′)．ダリエ病．＝*keratosis* follicularis.

Darling d. (dar′ling)．ダーリング病．＝histoplasmosis.

Davies d. (dā′vēz)．デーヴィス病．＝endomyocardial *fibrosis.*

decompression d. 減圧病．＝decompression *sickness.*

deer-fly d. アブ病．＝tularemia.

deficiency d. 欠乏〔性〕疾患（栄養不足，またはカロリー，蛋白，必須アミノ酸または脂肪酸，ビタミン，微量金属などの不足により起こる疾病）．

degenerative joint d. (**DJD**) 変形性関節症．＝osteoarthritis.

Degos d. (dĕ-gō′)．ドゴー病．＝malignant atrophic *papulosis.*

Dejerine d. (dĕ-zhĕ-rēn′)．ドゥジュリーヌ病．＝Dejerine-Sottas d.

Dejerine-Sottas d. (dĕ-zhĕ-rēn′ sō-tahz′)．ドゥジュリーヌ－ソッタ病（小児期初期に始まり緩徐に進行する脱髄性感覚運動多発ニューロパシーの家族型．臨床的には足の痛みと感覚異常を特徴とし，次いで四肢遠位筋の脱力と萎縮が起こる．コウノトリの足 stork legs の原因の1つ．患者は若年時から車いすを使用．末梢神経は肥厚して触診できるが圧痛はない．病理的にはタマネギ球形成がみられ，裸の軸索をからみ合った Schwann 細胞の突起が包むように巻いたうずがみられる．通常，常染色体劣性遺伝だが，常染色体優性遺伝もみられる．両者とも，第17染色体長腕の末梢ミエリン蛋白遺伝子22(*PMP22*)または第1染色体長腕のミエリン蛋白ゼロ遺伝子(*MPZ*)の変異によって起こりうる）．＝Dejerine d.; hereditary hypertrophic neuropathy; progressive hypertrophic polyneuropathy.

demyelinating d. 脱髄疾患（多発性硬化症や Schilder 病のように中枢神経系の神経線維髄鞘が広範囲に失われる原因不明の病気の総称）．

dense-deposit d. →membranoproliferative *glomerulo-*

nephritis.

Dent d. (dent) [MIM* 300009]. デント病（腎近位尿細管の Cl チャネルの異常をきたす X 染色体連鎖疾患. カルシウム，リン酸，低分子蛋白の喪失が起こり，しばしば尿路結石を生じる).

de Quervain d. (dĕ-kār-van[h]′). ド・ケルヴァン病（母指外転筋および短母指伸筋の腱鞘炎). =radial styloid tendovaginitis.

Dercum d. (der′kŭm). ダーカム病. =*adiposis* dolorosa.

Deutschländer d. (doytch′lăn-der). ドイチュレンダー病（中足骨腫).

Devic d. (dĕ-vēk′). ドヴィック病. =*neuromyelitis* optica.

diffuse Lewy body d. (lā′vē). びまん性レヴィー小体病（初期には進行性認知症または精神病を呈し，その後パーキンソン症候群も呈する高齢者の脳変性疾患. 高度の筋硬直，不随意運動，ミオクローヌス，えん下障害，起立性低血圧も呈することが多い. 病理学的には視床下部の核，前頭葉基底部，脳幹にびまん性に Lewy 小体がみられる). =Lewy body dementia.

Di Guglielmo d. (dē-gū-lyē-el′mō). ディ・グリエルモ病（急性の赤血症性骨髄症). =Di Guglielmo syndrome; erythremic myelosis.

disappearing bone d. 消失骨病（1 本の骨の広範な脱灰. 原因不明だが，ときに血管腫により起こる). =Gorham d.; Gorham syndrome.

diverticular d. 憩室性疾患（消化管の先天性あるいは後天性の症状を呈する憩室. 憩室そのものは人口の約 15% に生じるが，症状を呈するものはまれである).

dog d. =phlebotomus *fever*.

dominantly inherited Lévi d. (lā-vē′). =snub-nose *dwarfism*.

Donohue d. (don′ŏ-hyū). ドーノヒュー病. =leprechaunism.

drug-induced d. 薬物性疾患（薬の服用から生じる中毒反応または病状).

Dubois d. (dū-bwah′). デュボワ病. =Dubois *abscesses*.

Duchenne d. (dū-shen′). デュシェーヌ病. =Duchenne *dystrophy*.

Duchenne-Aran d. (dū-shen′ ah-rahn′). デュシェーヌ-アラン病. =amyotrophic lateral *sclerosis*.

Duhring d. (dū′ring). デューリング病. =*dermatitis* herpetiformis.

Dukes d. (dūks). デュークス病（[誤った形 Duke および Duke's を避けること]). =*exanthema* subitum.

Duncan d. (dŭn′kăn) [MIM* 308240]. ダンカン病. =X-linked lymphoproliferative *syndrome*.

Dupuytren d. of the foot (dū-pwē-tren[h]′). 足デュピュイトラン病. =plantar *fibromatosis*.

Duroziez d. (dū-rō-zē-ā′). デュロジェ病（先天性の僧帽弁狭窄症).

Dutton d. (dŭt′ŏn). ダットン症（ダットン回帰熱ボレリア *Borrelia duttonii* によって発熱し，ヒメダニ科の *Ornithodoros moubata* によって媒介されるアフリカのマダニ群による疾病). =Dutton relapsing fever.

Eales d. (ēlz). イールズ病（若年性の再発性網膜出血または硝子体出血を引き起こす周辺部網膜静脈周囲炎).

early-onset Alzheimer d. (altz′hī-mĕr). 早発性アルツハイマー病（65歳未満に発症する Alzheimer 病. →Alzheimer d.; late-onset Alzheimer d.).

Ebstein d. (eb′stēn). エブスタイン病. =Ebstein *anomaly*.

echinococcus d. エキノコックス病. =echinococcosis.

Economo von San Serff d. (ē-kon-ō′mō von sahn serf). エコーノモ・フォン・サンセルフ(サン・サーフ)病（恐らくウイルス性の珍しい脳炎で，1914—1918 年のインフルエンザ流行の後に起きた. 症状は眼球運動障害，高度の嗜眠で，生存者の多くはパーキンソン病が遅れて発症する. 脳炎後パーキンソン症候群の基礎である). =encephalitis lethargica; polioencephalitis infectiva.

Eisenmenger d. (īzĕn-men-gĕr). アイゼンメンガー病. =Eisenmenger *complex*.

elephant man's d. 象人間病（① =Proteus *syndrome*. ② neurofibromatosis を表す口語).

elevator d. エレベータ病（穀物運搬エレベータ内で働く人々が塵埃や昆虫を吸入して起こる呼吸窮迫症).

emotional d. 情動障害，感情障害（→mental *illness*).

endemic d. 風土病（ある集団や地域において，ある疾病が一定の有病割合で存在すること. →endemic; enzootic).

end-stage renal d. (**ESRD**) 末期腎疾患. =renal failure.

Engelmann d. (en′gĕl-mahn). エンゲルマン病. =diaphysial *dysplasia*.

English sweating d. 1485, 1508, 1528—30 年に英国，ヨーロッパに広まった不明な点の多い病気で，重度の発汗と衰弱，高い致命率を特徴とする. =sudor anglicus.

eosinophilic endomyocardial d. 好酸球性心内膜疾患（好酸球の過剰生産に伴い，心筋内に浸潤して拘束性の心筋症を呈する. 臨床的には拡張期および後には収縮期の心室障害を特徴とする. ときには Churg-Strauss 症候群あるいは，好酸球増加性心膜炎を伴う).

epidemic d. 流行病，伝染病（特定の集団や地域において著しい有病割合の増加をみる疾病. 通常，感染性や毒性をもつ病因などの環境的な原因をもつ).

Epstein d. (ep′stīn). エプスタイン病. =diphtheroid (1).

Erb d. (erb). エルブ病. =progressive bulbar *palsy*.

Erb-Charcot d. (erb shahr′kō). エルプ-シャルコー病（① =spastic *diplegia*. ② =spastic *paraplegia*).

Erdheim d. (erd′hīm). エールトハイム病. =cystic medial *necrosis*.

Erdheim-Chester d. (erd′hīm-ches′tĕr). エールトハイム(エルドハイム)-チェスター病（まれな全身性疾患で，組織球の増殖，下肢の骨幹から骨幹端にかけての対称性硬化，骨外病変を特徴とする. 顕微鏡下に罹患器官の脂肪貪食細胞と Touton 巨細胞による浸潤が明らかにみられる).

ergot alkaloid-associated heart d. 麦角アルカロイド性心疾患（弁構造に及ぶ心内膜の線維化を伴う心疾患で，弁の狭窄あるいは逆流をきたす. アルカロイドを大量使用したときに発症する).

Eulenburg d. (oy′lĕn-bŭrg). オイレンブルク病. =congenital *paramyotonia*.

exanthematous d. 発疹性疾患（→exanthema).

extramammary Paget d. (pa′gĕt). 乳房外パジェット病（表皮内にみられる粘液腺癌であり，多くは肛門部や外陰部に生じる. 高齢者に紅斑性病変として現れ，ときに汗腺癌や近傍の内臓の癌に続発する). =Paget d. (3).

extrapyramidal d. 錐体外路系疾患（大脳基底核，一部の脳幹または視床の核の異常による多くの疾患の総称. 運動障害，姿勢反射喪失，動作緩慢，振せん，筋硬直，種々の不随意運動を特徴とする). =extrapyramidal motor system d.

extrapyramidal motor system d. 錐体外路運動系疾患. =extrapyramidal d.

Fabry d. [MIM* 301500]. ファブリー病（酵素 α-ガラクトシダーゼ欠乏による欠損症. 血管壁の血管内皮細胞における中性糖脂質(例えばグロボトリアオシルセラミド)の異常蓄積を特徴とする. 臨床症状は大腿部・殿部・性器などの紫色皮膚症，発汗減少症，手足の知覚異常，渦巻き状角膜症，後部被膜下白内障を呈する. 腎臓，心臓，または脳血管の合併症によって死亡する. X 連鎖劣性遺伝であり，X 染色体長腕にある α-ガラクトシダーゼ遺伝子(*GLA*)の突然変異により生じる). =angiokeratoma corporis diffusum; diffuse angiokeratoma; glycolipid lipidosis.

Fahr d. (fahr) [MIM*213600]. ファール病（若年または中年に発生する大脳基底核血管の進行性石灰症で，ときに遅鈍や錐体外路系疾患と合併する).

Farber d. (far′bĕr). ファーバー病. =disseminated *lipogranulomatosis*.

Favre-Durand-Nicolas d. (fahv-dū-ron[h]′nē′kō-lă). ファーヴル-デュラン-ニコラ病. =venereal *lymphogranuloma*.

Favre-Racouchot d. (fahv-răkū-shō). ファーヴル-ラクショ病（日光弾性線維症により毛嚢脂腺の閉塞のため日光に障害された皮膚に生じる巨大面ぽう). =Favre-Racouchot syndrome; solar comedo.

Fazio-Londe d. (fahz′ē-ō luhnd[h]) [MIM*211500]. ファチオ-ロンデ病（脳幹を侵す進行性球麻痺. 運動ニューロンの変性による. 脊髄性筋萎縮症 spinal muscular atrophy

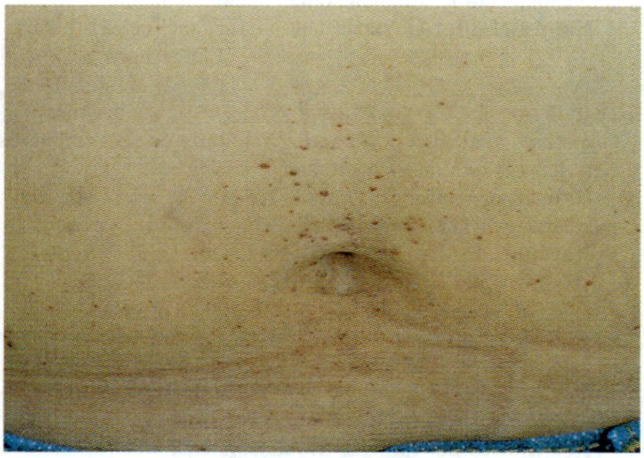

Fabry disease
びまん性被角血管腫.

の亜型である).

Feer d. (fār). フェール病. =acrodynia (2).

femoropopliteal occlusive d. 大腿膝窩動脈閉塞性疾患(アテローム性動脈硬化症による大腿・膝窩動脈の障害).

fibrocystic d. of the pancreas 膵線維嚢胞症. =cystic *fibrosis*.

fifth d. [麻疹, 猩紅熱, 風疹, フィラートフ-デュークス病に続いて]. 第五病 ([誤ったつづりまたは発音 Fifth's disease を避けること]). =*erythema* infectiosum.

Filatov d. (fē′lah-tof). フィラートフ病. =Filatov-Dukes d.

Filatov-Dukes d. (fē′lah-tof dūks). フィラートフ-デュークス病 (原因不明の小児期の発疹を有する感染性疾患). =Filatov d.; fourth d.; parascarlatina; scarlatinella; scarlatinoid (2).

first d. =measles.

fish eye d. [MIM*136120]. 低 HDL コレステロール血症を生じ, 角膜混濁を生じる遺伝性の異常. LCAT 活性も低下している.

flax-dresser's d. 亜麻仕上げ工病 (加工されていない亜麻の粒子の吸入による慢性閉塞性肺疾患. 綿糸肺症の一種.→byssinosis).

Flegel d. (fleg′ĕl). フレーゲル病. =*hyperkeratosis* lenticularis perstans.

flint d. 石〔粉〕症. =chalicosis.

focal metastatic d. 局所性転移病変 (原発病変から離れて, 1つだけ存在する悪性腫瘍または感染の転移巣).

Folling d. (fol′ing). フォリング病. =phenylketonuria.

foot-and-mouth d. (**FMD**) 口蹄疫 (*Aphthovirus*属ピコルナウイルスによって起こる, ウシ, ブタ, ヒツジ, ヤギおよび野生と家畜化された偶蹄動物に広く世界中に発生する経済的にも重大な伝染病で, 口, 舌, ひづめ, 乳房に小胞発疹ができるのが特徴である. ヒトにはほとんど感染しない). =aftosa.

Forbes d. (fōrbz). フォーブズ病. =*glycogenosis* type 3.

Fordyce d. (fōr′dīs). フォーダイス病. =Fordyce *spots*.

Forestier d. (fō-res-tē-ā′). フォレスティール病. =diffuse idiopathic skeletal *hyperostosis*.

Fothergill d. (foth′ĕr-gil). フォザーギル病 (①=trigeminal *neuralgia*. ②=anginose *scarlatina*).

Fournier d. (foor-nē-ā′). フルニエ病 (陰嚢を含む感染性壊疽). =Fournier gangrene; syphiloma of Fournier.

fourth d. 第四病. =Filatov-Dukes d.

Fox-Fordyce d. (foks fōr′dīs). フォックス-フォーダイス病 (乾性丘疹と拡張し破裂したアポクリン腺からなる, 多くは女性にみられる慢性のそう痒のある発疹で, 乳頭, 腋窩, 恥骨部, 胸骨部の毛孔性角化症を伴う). =apocrine miliaria.

Franklin d. (frank′lin). フランクリン病. =γ-heavy-chain d.

Freiberg d. (frē′bĕrg). フライバーグ病 (第二中足骨頭部の骨端壊死). =Freiberg infarction.

Friend d. (frend). フレンド病 (レトロウイルス科の Friend 白血病ウイルスによって生じるマウスの白血病).

functional d. 機能性疾患. =functional *disorder*.

functional cardiovascular d. 機能性心血管疾患 (心因性とみなされる心血管徴候の婉曲的表現. 一般的には心機能の異常を示す).

fusospirochetal d. 紡錘菌スピロヘータ病 (口腔, 咽頭の感染で, 通常の口腔内のフローラの一部である紡錘菌とスピロヘータとの共生による.→necrotizing ulcerative *gingivitis*).

Gairdner d. (gārd′nĕr). ゲールドナー病 (精神的不安を伴う狭心症). =angina pectoris sine dolore; angor pectoris (1).

Gamna d. (gahm′nă). ガムナ病 (鉄分を含んだ, 多くの, 小さな, 鉄さび様の褐色結節(Gamna-Gandy 体)と著明な被膜肥厚を特徴とする慢性脾腫. この状態は線維性うっ血性脾腫, 鎌状赤血球症, 血色素症などにみられる).

Gandy-Nanta d. (gan′dē nan′tă). ガンディ-ナンタ病 (鉄症脾腫. Gamna 病と同じと思われる).

garapata d. ガラパタ病 (スペインで起こるマダニ熱).

Garré d. (gah-rā′). ガレー病. =sclerosing *osteitis*.

---

gastroesophageal reflux d. (**GERD**) 胃食道逆流性疾患, ガード (下部食道括約筋の構造的あるいは機能的不全により生じる症候群で酸性の胃液が食道に逆流する).

GERD の根本の異常は生来のもので, 不可逆的とみえるが, 有症状の GERD の頻度は年齢とともに上昇する. 逆流に加えて大部分の症例で胃の運動異常と胃排出の遅延がみられる. 症状は繰り返し生じる, 通常, 胸焼けと表現される心窩部および胸骨後ろの不快感で, 種々の程度のおくび, 嘔気, 嘔吐運動, 咳, あるいは嗄声などを伴う. 米国成人のほぼ 50% が少なくとも 1 か月に 1 回, 20% 近くが少なくとも 1 週間に 1 回これらの症状を経験すると報告されている. のどの刺激, 慢性咳嗽の原因が GERD である例が増えている. ぜん息の成人では GERD の頻度は 80% にものぼる. この疾患は男性に多い. 症状を伴う逆流の可能性は肥満, 妊娠, 喫煙, 糖尿病, 皮膚硬化症, その他の結合組織疾患で増加する. 症状は横臥, 激しい運動, 重いものを持ち上げること, 喫煙, 暴食, 飲酒, チョコレート, 脂肪の多い食事, テオフィリン, カルシウムチャネル阻害薬, 抗コリン作動薬などの薬物で誘導されうる. 酸の逆流は消化性食道炎, 潰瘍形成, あるいは食道狭窄を生じうる. Barrett 食道とよばれる食道扁平上皮の異型性変化は癌に進行しうる. GERD の診断は病歴, 食道 pH モニター, 飲んだバリウムの逆流を示す X 線検査, 内視鏡検査による潰瘍あるいは狭窄の証明と生検による癌の否定による. 治療は知られている増悪因子を避け, 制酸薬, H_2 受容体阻害薬, 腸管運動薬, プロトンポンプ阻害薬の投与により行う. 逆流を機械的に抑制する手術, 特に Nissen 胃底ひだ形成術は重症例での症状を改善することはできるが, GERD や Barrett 食道の患者の癌発生を予防することは明らかになっていない. 酸分泌抑制薬なしで無症状が続く手術患者は半数以下である. 食物の逆流を伴う胃食道逆流は健康な新生児の約 50% にみられるが, 1 歳以上まで続くことはまれである.

Gaucher d. (gō-shā′). ゴーシェ病 (グルコセレブロシダーゼ欠損のためグルコセレブロシド蓄積により生じるリソソーム蓄積病. アシュケナージ系のユダヤ人に多発する. 幼児期に発症したものは最も重篤である. 肝脾腫大, 血液疾患, 骨疾患, 運動失調・痙性対麻痺・痙攣・知能低下などの精神神経症状を呈し, 内臓には特徴的な組織球(Gaucher 細胞)が存在する. 常染色体劣性遺伝であり, 第 1 染色体長腕のグルコセレブロシダーゼ A 遺伝子(*GBA*)の突然変異により生じる. 主として 3 型がある. I 型は非脳性若年型 [MIM*230800], II 型は脳性若年型 [MIM*230900], III 型は成人性脳型 [MIM*231000] であり, 若年型はかなり重篤である). =cerebroside lipidosis.

Gerhardt-Mitchell d. (zher-hahrt′ mitch′ĕl). ゲールハル

D

トーミッチェル病. = erythromelalgia.

Gerlier d. (zher-le-ā′). ジェルリエ病. = vestibular *neuronitis.*

gestational trophoblastic d. 妊娠性絨毛疾患. = hydatidiform *mole.*

Gierke d. (gēr′kĕ). ギールケ病. = *glycogenosis* type 1.

Gilchrist d. (gil′krist). ギルクリスト病. = blastomycosis.

Gilles de la Tourette d. (zhēl dĕ lah tū-ret′). ジル・ド・ラ・ツレット病. = Tourette *syndrome.*

Glanzmann d. (glahns′mahn). グランツマン病. = Glanzmann *thrombasthenia.*

glycogen-storage d. 糖原病, 糖原〔貯蔵〕症. = glycogenosis.

Goldflam d. (gōldt′flahm). ゴルドフラム病. = *myasthenia* gravis.

Gorham d. (gōr′am̆). ゴーラム病. = disappearing bone d.; Gorham-Stout d.

Gorham-Stout d. (gōr′ăm-stout). ゴーラム-スタウト病. = Gorham d.

Gougerot and Blum d. (gū′zher-ō′ blūm). グジュロー-ブラン(グジュロー-ブラム)病. = pigmented purpuric lichenoid *dermatosis.*

Gougerot-Sjögren d. (gū′zher-ō′ shōr′gren) [Sjögren, Henrik S.C.]. グジュロー-シェーグレン病. = Sjögren *syndrome.*

Gowers d. (gow′ĕrz). ガウアーズ病 (① = saltatory *spasm.* ②遠位性進行性筋ジストロフィ).

G protein d.'s G蛋白病 (GTP結合蛋白(G蛋白)の異常・変異により引き起こされる様々な疾患群. 夜盲, 舞踏病, 内分泌腺腫などの様々な疾患が含まれている).

graft versus host d. (**GVHD**) 移植片対宿主病 (免疫能の低い被移植者(宿主)が, 免疫的に異なる型(MHCの異なる)のドナーから免疫反応性を有するリンパ組織を移植された際に起こる不適合反応(致死的でありうる)のこと. その反応すなわち疾患は, 移植された細胞が, 宿主組織中の細胞に自身が有しない抗原を認識してそれを攻撃した結果である. 骨髄移植の後に最もよくみられるもので, 急性のものは移植後7—30日後, 慢性のものは数週間から数か月後にみられる. 主に, 胃腸管, 肝臓および皮膚に影響がでる). = GVH d.

granulomatous d. = chronic granulomatous d.

Graves d. (grāvz) [MIM*275000]. グレーヴズ病 ([誤った形 Grave および Grave's を避けること]. ①甲状腺のびまん性腫大による中毒性甲状腺腫. 甲状腺機能亢進症の一型. 一般に眼球突出を伴うが, 必発するとは限らない. ②甲状腺機能異常症とそのすべての合併症. ③甲状腺の臓器特異的な自己免疫疾患. → thyrotoxicosis; Hashimoto *thyroiditis;* goiter; myxedema). = Basedow d.; ophthalmic hyperthyroidism; Parry d.

Griesinger d. (grē′sing-ĕr). グリージンガー病 (*Borrelia recurrentis* により起こるシラミを媒介とする回帰熱の重症型で, 高熱, 鼻出血, 呼吸困難, 強度黄疸, 紫斑病, 巨脾腫などを伴う).

Grover d. (grō′vĕr). グロヴァー病. = transient acantholytic *dermatosis.*

GVH d. = graft versus host d.

Haff d. (hŏf) [*Haff*, ドイツのバルト海の入江]. ハフ病 (ヒラメの一種などの魚に含まれる, 特定されていない毒素によって起こる横紋筋融解症).

Haglund d. (hahg′lūnd). ハグルンド病 (踵骨後上側方の異常突出). = Haglund deformity.

Hailey-Hailey d. (hā′lē). ヘーリー-ヘーリー病. = benign familial chronic *pemphigus.*

Hallervorden-Spatz d. (hah′lĕr-fōr-dĕn shpahts). = Hallervorden-Spatz *syndrome.*

Hallopeau d. (ah-lō-pō′). アロポー病. = *pemphigus* vegetans (2).

Hamman d. (ham′ăn). ハマン病. = Hamman *syndrome.*

Hammond d. (ham′ond). ハモンド病. = athetosis.

hand-foot-and-mouth d. 手足口病 (指趾, 掌蹠に生じる灰白色の小さな水疱からなる発疹. 幼小児にみられる. 微熱, 頬粘膜や舌の有痛性小水疱, 潰瘍形成などを伴う. この病気は4—7日続く. 通常, コクサッキーウイルスのA–16型によって引き起こされるが, 他の型も同定されている). = hand-foot-and-mouth syndrome.

Hand-Schüller-Christian d. (hand shēl′ĕr kris′chĕn). ハンド-シュラー-クリスチャン病 (Langerhans細胞性組織球増殖症のうちの慢性びまん性型. 尿崩症, 眼球突出, 組織球よりなる骨病変が典型的3徴である). = Christian d. (1); Christian syndrome; normal cholesteremic xanthomatosis; Schüller d.; Schüller syndrome.

Hansen d. (hahn′sĕn). ハ〔ー〕ンセン病. = leprosy.

Harada d. (hah-rah′dă). 原田病. = Harada *syndrome.*

Hartnup d. (hart′nŭp) [MIM*234500]. ハートナップ病 (常染色体劣性遺伝性の先天性代謝障害. 腎尿細管における中性α-アミノ酸の吸収欠損によるアミノ酸尿症を特徴とする. 小腸で吸収されないトリプトファンが細菌によって分解されるため, トリプトファン代謝産物の尿中排泄が増加している. 臨床症状としてはペラグラ様の光過敏性の皮疹と一過性の小脳失調がある). = Hartnup syndrome.

Hashimoto d. (hah-shē-mō′tō). 橋本病. = Hashimoto *thyroiditis.*

heavy chain d. H鎖病 (単一の免疫グロブリンや, その断片の産生が特徴であるパラプロテイン血症. 形質細胞およびリンパ球様細胞の悪性腫瘍を伴う. 以下の3種類が認められている. γH鎖病, αH鎖病, μH鎖病で, 血清や尿から, または両方から各々のH鎖の断片から診断される).

α-heavy-chain d. αH鎖病 (H鎖病のなかで最も頻度が高く, 血清中に, α鎖に対する抗体に反応し, L鎖に対する抗体には反応しない異常蛋白が増加していることから, この名がある. 臨床症状は, 下痢, 脂肪便, 重篤な吸収不全である).

γ-heavy-chain d. γH鎖病 (H鎖病の一種であり, 異常のあるγ鎖を血中, 尿中に検出することが診断の決め手になる. L鎖の異常は伴わない. 臨床症状としては, 貧血, リンパ球増加, 好酸球増多, 血小板減少, 高尿酸血症, リンパ節腫脹, 肝脾腫大などがみられる). = Franklin d.

μ-heavy-chain d. μH鎖病 (H鎖病の一型であるが非常にまれである. 慢性リンパ球性白血病の長期例にみられた. 抗μ鎖抗体に反応性の蛋白が免疫電気泳動で証明されることで診断される).

Heck d. (hek). ヘック病. = focal epithelial *hyperplasia.*

Heerfordt d. (hār′fōrt). ヘールフォルト病. = uveoparotid *fever.*

Heidenhain variant, Creutzfeldt-Jacob d. ハイデンハイン亜型, クロイツフェルト-ヤーコプ病 (Creutzfeldt-Jakob病の亜型で, 視覚中枢の病変により急速に視覚障害または皮質盲を呈する. → Creutzfeldt-Jakob *disease*).

hemoglobin C d. ヘモグロビンC症(病) (ヘモグロビンCの同型接合状態).

hemoglobin H d. ヘモグロビンH症(病) (→ *hemoglobin* H).

hemolytic d. of newborn 新生児溶血性疾患. = *erythroblastosis* fetalis.

hemorrhagic d. of the newborn 新生児出血〔性〕疾患 (低プロトロンビン血症, 軽度の血小板減少, 出血・凝固時間の著明な延長を伴い, 非外因性の体内・体外への出血を特徴とする症候群. 通常, 生後3—6日目に起こり, ビタミンKが有効である).

herring-worm d. = anisakiasis.

Hers d. (ārz). エール病. = *glycogenosis* type 6.

Hippel d. (hip′el). ヒッペル病. = von Hippel-Lindau *syndrome.*

Hirschsprung d. (hĭrsh′sprūng) [MIM*142623, MIM*235730]. ヒルシュスプルング病. = congenital *megacolon.*

Hodgkin d. (hoj′kin). ホジキン病 (初期にはしばしば頸部リンパ節の慢性的腫脹, そして全身のリンパ節に広がり脾臓腫大, しばしば肝臓腫大を伴うことを特徴とする疾患. 明確な白血球増加はないが, 貧血および弛張熱または持続熱(Pel-Ebstein熱)がある. 本疾患は幼若化したリンパ球の悪性新生物と考えられ, その奇妙な特異的形態(Reed-Sternberg細胞)がリンパ球・好酸球の炎症性浸潤と線維化とともにみられる. リンパ球優勢型, 小結節硬化型(この2つの型は予後が良い), 混合細胞性型, リンパ球枯渇型(この型は最も予後が悪い)に分類される. 同様の疾患は飼いならされたネコにもみられる). =Hodgkin lymphoma; lymphadenoma (2).

Hodgson d. (hoj′sŏn). ボジュソン病（大動脈弁閉鎖不全症に合併する大動脈弓の拡張).

holoendemic d. 全面地方流行病（生後まもなくに高い有病割合で感染が起こり，ほとんどすべての小児を侵し，成人では小児よりはるかに少なくなり平衡を示す疾病).

hookworm d. 鉤虫病（→ancylostomiasis; necatoriasis).

Huntington d. (hŭn′ting-tŏn)［MIM*143100］. ハンティングトン病. =Huntington *chorea*.

Hurler d. (hŭr′ler). フルラー病. =Hurler *syndrome*.

Hurst d. (hŭrst). ハースト病. =acute necrotizing hemorrhagic *encephalomyelitis*.

Hutchinson-Gilford d. (hŭch′ĭn-sŏn gil′fŏrd). ハッチンソン-ギルフォード病. =progeria.

hyaline membrane d. of the newborn 新生児肺硝子膜症（特に未熟児にみられる呼吸窮迫を伴った疾患で，無気肺および肺胞管内部をおおう好酸球膜が児の死後に特徴的にみられる．肺の界面活性物質減少に由来する). =hyaline membrane syndrome; respiratory distress syndrome of the newborn.

hydatid d. 包虫症（ヒト，ヒツジ，その他多くの草食動物，雑食動物にみられる包虫とよばれる条虫 *Echinococcus* 属の幼虫の感染．肝臓によくみられる).

hyperendemic d. 高度地方流行病（高い罹患率または有病割合が常に持続し，すべての年齢集団が同様に侵されている疾病).

Iceland d. アイスランド病. =epidemic *neuromyasthenia*.

I-cell d. I 細胞病. =*mucolipidosis* II.

idiopathic d. 特発性疾病（原因や機序が不明な疾病).

immune complex d. 免疫複合体病（毛細血管中に抗原抗体複合体が沈着することによって発生する免疫学的疾患．しばしば補体が関与し，補体の分解産物が多核白血球を沈着部位へと遊走させる．組織への損傷はしばしば多形核細胞による〝失敗〟食作用の過程で起こる．血管炎や腎炎が一般的である．発熱，関節痛，皮疹もみられる．Arthus 現象や血清病は古典的な例であるが，大部分の結合組織病を始めとして多くの疾患がこの免疫学的疾患群に属すると考えられる．免疫複合体病はさらに，亜急性細菌性心内膜炎のように原因が明らかな種々の疾患の経過中にも生じる．→autoimmune d.; immune *complex*). =immune complex disorder; type III hypersensitivity reaction.

immune-mediated inner ear d. 免疫異常内耳疾患. =autoimmune inner ear d.

immunoproliferative small intestinal d. 免疫増殖性小腸疾患（近位小腸粘膜および腸間膜リンパ節のびまん性のリンパ形質細胞の浸潤により下痢，体重減少，腹痛，指趾の太鼓ばち様変化を生じる．開発途上国の貧しい人々にみられる). =Mediterranean lymphoma.

inborn lysosomal d. 先天性リソソーム病（リソソームに存在する1種類あるいはそれ以上の分解酵素に関する遺伝疾患で，Hurler 症候群のグリコサミノグリカン，あるいは Gaucher 病のリポ多糖類のような物質が異常量蓄積するようになる).

inclusion body d. 封入体病. =cytomegalic inclusion d.

inclusion cell d. 封入体細胞病. =*mucolipidosis* II.

industrial d. =occupational d.

infantile celiac d. 乳児セリアック病（グルテン過敏性の腸疾患で，しばしば9か月以前の乳児期に発症する．急性発症の下痢，腹痛，および体重増加不良(やせ)を特徴とする).

infectious d., infective d. 感染症（微生物の存在や活動によって起こる病気).

inflammatory bowel d. (**IBD**) 炎症性腸疾患（Crohn 病と潰瘍性大腸炎の総称．小腸および大腸の慢性疾患で，原因不明，著明な炎症を伴い，個々の疾患に特徴的ではあるが，オーバーラップする症候がみられる).

intercurrent d. ある別の疾患の経過中に，原疾患の経過とは関係なく新たに生起した疾患．→intercurrent.

interstitial d. 間質性疾患（器官の結合組織構造に主に起こる疾患で，二次的に実質に影響を与える).

iron-storage d. 鉄蓄積(沈着)病（特発性ヘモクロマトーシスや輸血後ヘモジデリン沈着症のように多くの器官の実質に過剰鉄分が蓄積される).

island d. =tsutsugamushi d.

itai-itai d. イタイイタイ病（日本で報告されたカドミウム中毒の一型．尿細管機能障害，骨軟化症，偽骨折，および貧血を特徴とする．汚染された貝や他のカドミウムを含む物を摂取して起こる).

Jaffe-Lichtenstein d. (yah′fē lik′tĕn-stīn). ヤッフェ-リヒテンシュタイン病（fibrous *dysplasia* of bone を表す現在では用いられない語).

Jansky-Bielschowsky d. (yahn′skē by′els-chov′skē). ヤンスキー-ビールショースキー病（早期若年型の脳スフィンゴリピドーシス cerebral *sphingolipidosis*).

Jensen d. (yen′sĕn). イエンセン病. =*retinochoroiditis* juxtapapillaris.

jumping d., jumper d. 跳躍者病（世界の孤立した地域にみられる病的驚愕症候群の1つ．跳躍，上肢の飛ぶような動作，叫びのような非常に誇張した反応が，わずかな刺激で起こるのが特徴). =jumping Frenchmen of Maine d.; jumper d. of Maine.

jumping Frenchmen of Maine d., jumper d. of Maine メーヌ跳躍フランス人病，メーヌ跳躍者病. =jumping d.

Jüngling d. (yūng′ling). ユングリング病. =*osteitis* tuberculosa multiplex cystica.

Kashin-Bek d. (kah′shin bek). カシン-ベック病（Urov 川を含むアジア地域に限られた，真菌 *Fusarium sporotrichiella* に感染したコムギ粉を摂取することによって起こるといわれている全身性骨関節症の一型).

Katayama d. (kat′a-yă-mă)［この病気のみられる日本の町］. 片山病（住血吸虫症の急性期の産卵時に起こる毒血症による症候群で，濃厚な初回感染でみられ，慢性例ではまれである．これは一種の免疫複合体病または血清病様の状態と考えられている．日本住血病で記載されたが，他の住血吸虫症でもみられる). =Katayama fever; Katayama syndrome.

Kawasaki d. (kă′wă-sah′kē). 川崎病．次頁の図参照. =mucocutaneous lymph node *syndrome*.

Kennedy d. (ken′ĕ-dē). ケネディ病（進行性脊髄性および延髄性筋萎縮を特徴とするX連鎖劣性疾患．随伴症状は感覚軸索遠位部変性および，糖尿病，女性化乳房，精巣萎縮など内分泌機能異常徴候を含む). =spinal and bulbar muscular atrophy; X-linked recessive bulbospinal neuronopathy.

Kienböck d. (kēn′buk). キーンベック病（月状骨の骨壊死．外傷後にも起こるが，原因は不明である). =lunatomalacia.

Kikuchi d. (kē-kū′chē). 菊地病（自然に軽快する発熱を伴うリンパ節腫脹を特徴とする病因不明の壊死性リンパ節炎．多くは若年日本人女性に起こるが他の国でもみられる).

Kimmelstiel-Wilson d. (**KW**) (kim′ĕl-stēl wil′sŏn). キンメルスティール-ウィルソン病（糖尿病性糸球体硬化症に関連して起こる，糖尿病患者におけるネフローゼ症候群および高血圧症).

Kimura d. (kē-mū′rah). 木村病. =angiolymphoid *hyperplasia* with eosinophilia.

kinky-hair d., kinky hair d.［MIM*309400］. 縮れ毛病（生後2－3週目に発症する先天性銅代謝異常症．短く薄くて，色素の足りない縮れ毛や発育障害がある．痙攣を生じ，筋強直，進行性の知能発育不全を生じ，死亡する．X染色体劣性遺伝で，銅輸送の障害により生じる．X染色体長腕の銅輸送性 ATPase をコードしている Menkes 遺伝子(*MNK*)の突然変異により生じる). =Menkes syndrome; trichopoliodystrophy.

Köhler d. (ku′ler). ケーラー病（足の舟状骨または第二中足骨の骨端壊死).

kok d.［MIM*149400］. =hyperekplexia.

Krabbe d. (krah′bĕ)［MIM*245200］. クラッベ病. =globoid cell *leukodystrophy*.

Kufs d. (kūfs). クッフス病（成人型の脳スフィンゴリピドーシス cerebral *sphingolipidosis*).

Kugelberg-Welander d. (kū′gĕl-berg vel′ăn-dĕr). クーゲルベルク-ヴェランデル病. =spinal muscular *atrophy* type III.

Kussmaul d. (kūs′mowl). クスマウル病. =*polyarteritis* nodosa.

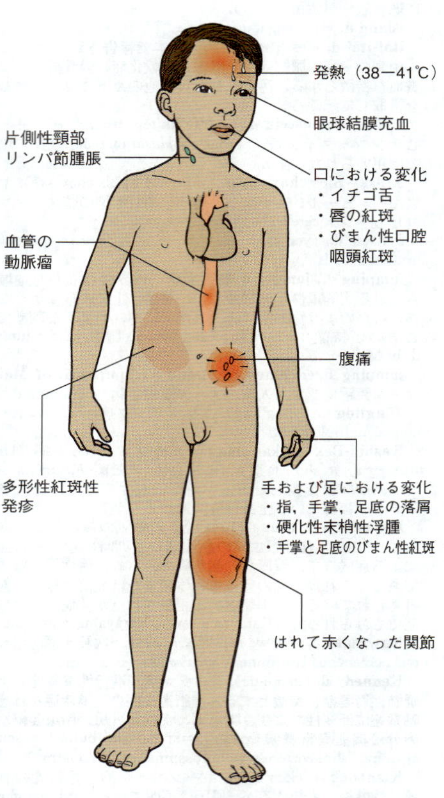

Kawasaki disease (mucocutaneous lymph node syndrome)
一般的な徴候と症状.

Kyasanur Forest d. キャサヌール森林病（インドの Kyasanur 森林および Mysore の森林労働者に起こる節足動物媒介性疾患である．他のマダニも関与するが，フラビウイルス科のフラビウイルスが原因となり，主にチマダニが媒介するが他のマダニも媒介する．症状は発熱，頭痛，背部痛，四肢痛，下痢および消化管出血であるが中枢神経症状はない）.

Kyrle d. (kir′lĕ) [MIM*149500]. キュルレ病. ＝*hyperkeratosis* follicularis et parafollicularis.

Lafora d. (lah-fō′rah). ラフォラ病. ＝Lafora body d.

Lafora body d. (lah-fō′rah) [MIM*254780]. ラフォラ病（6—19歳に発症する進行性のミオクローヌスてんかんを呈す疾患の1つで，全身性強直間代性痙攣，安静時および動作時のミオクローヌス，運動失調，認知症，多発棘徐波を含む古典的な脳波異常所見，脳，肝臓，皮膚および汗腺の導管細胞に見出される好塩基性細胞質封入体を特徴とする．発症後10年以内に，通常は死亡する．常染色体劣性遺伝．第6染色体長腕の進行性ミオクローヌスてんかん2鎖(*EPM2A*)の突然変異による）. ＝Lafora d.

Lane d. (lān). レーン病. ＝*erythema* palmare hereditarium.

late-onset Alzheimer d. (awlts′hī-mer). 晩発性アルツハイマー病（65歳以後に発症する Alzheimer 病. →Alzheimer d.; early-onset Alzheimer d.）.

L-chain d. ＝Bence Jones *myeloma.*

Legg-Calvé-Perthes d., Legg-Perthes d., Legg d. (leg kahl-vā′ per′tĕz). レッグ－カルヴェ－ペルテス病，レッグ－ペルテス病，レッグ病（[誤ったつづり Perth および Perthe's を避けること．誤った形 leg of Perthes を避けること]．大腿骨上端の骨端骨壊死症）. ＝Calvé-Perthes d.; coxa plana; osteochondritis deformans juvenilis; Perthes d.; pseudocoxalgia; quiet hip d.

Legionnaires' d. [1976年フィラデルフィアの American *Legion* convention で多数の代表者が感染したことに由来する]．レジオネラ症（*Legionella pneumophila* による急性感染症．インフルエンザ様の症状と急激に上昇する高熱を前駆症状とし，次いで重篤な肺炎，通常は非膿性の喀痰，ときには精神錯乱，肝脂肪変化，尿細管変性などを呈し，高い死亡率を示す．ヒトからヒトよりもむしろエアゾール化した汚染水から感染するのが通例である）. ＝legionellosis.

Leigh d. (lē) [MIM*256000]. リー病（乳児と幼児を主に侵すまれな致死性ミトコンドリア疾患で，痙攣，精神運動遅滞，ミオクローヌス，視神経萎縮，脳神経麻痺，運動失調を呈する．チトクローム C 酸化還元酵素，NADH ユビキノン酸化還元酵素，またはエネルギー代謝に関係する他の酵素の欠乏による．病理学的には広範な対称性壊死がみられる．常染色体劣性遺伝が多いが，X 連鎖劣性遺伝，ミトコンドリア遺伝の報告もある）. ＝Leigh syndrome; necrotizing encephalomyelopathy; necrotizing encephalopathy; subacute necrotizing encephalomyelopathy.

Leiner d. (lī′nĕr). ライナー病. ＝*erythroderma* desquamativum.

Lenègre d. (lĕ-neg′rĕ). ＝Lenègre *syndrome.*

lenticular progressive d. ＝Wilson d. (1).

Leri-Weill d. ルリー－ヴェル(レリー－ワイル)病. ＝dyschondrosteosis.

Letterer-Siwe d. (let′ĕr-ĕr sē′vĕ). レテラー－ジーヴェ病（Langerhans 細胞性組織球症の急性播種型）. ＝nonlipid histiocytosis.

Lev d. (lev). ＝Lev *syndrome.*

Lindau d. (lin′dow). リンダウ病. ＝von Hippel-Lindau *syndrome.*

linear IgA bullous d. in children [小児期の]線状 IgA 水疱疾患. ＝chronic bullous *dermatosis* of childhood.

Little d. (lit′ĕl). リトル病. ＝congenital spastic *paraplegia.*

Lobo d. (lō′bō). ローボ病. ＝lobomycosis.

Löffler d. (lŏrf′lĕr). レフラー病. ＝Löffler *endocarditis.*

Lorain d. (lō-rān[h]′). ロラン病. ＝idiopathic *infantilism.*

Lou Gehrig d. (lū ger′ig). ルー・ゲーリグ病. ＝amyotrophic lateral *sclerosis.*

Luft d. (lūft) [MIM*238800]. ルフト病（骨格筋のリン酸化反応の相対的脱共役による代謝疾患．筋障害と全身性代謝亢進を伴う．ミトコンドリア・ミオパシー）.

lung fluke d. 肺吸虫症（肺吸虫属 *Paragonimus* 感染症）.

Lutz-Splendore-Almeida d. (lūtz splen-dō′rē ahl-mā′dah). ルッツ－スプレンドレ－アウメーダ病. ＝paracoccidioidomycosis.

Lyell d. (lī-yel′). ライエル病. ＝staphylococcal scalded skin *syndrome.*

Lyme d. [Lyme, 最初に報告された Connecticut 州の地名]．ライム病（[誤った語句 Lyme's disease を避けること]．非化膿性のスピロヘータ *Borrelia burgdorferi* の感染によって起こる亜急性の炎症性疾患で，米国東部ではシカマダニ *Ixodes scapularis*，米国西部ではクロアシマダニ *I. pacificus* によって媒介される．特徴的な皮膚病変の遊走性慢性紅斑は，通常，発熱，倦怠感，疲労感，頭痛，および頸部硬直に先行するかあるいは同時に起こる．神経，心臓，または関節症状は数週から数か月後に起こることがある．マダニの若虫はヒトへの感染の約90% に関与すると考えられている．若虫と幼虫は特にシロアシハツカネズミ *Peromyscus leucopus* に吸着しているが，成虫の好適宿主はオジロジカ *Odocoileus virginianus* である．感染している保菌動物とマダニは発症しない．後遺症としての関節・神経症状は初感染から数か月あるいは数年にわたって持続するが，これは恐らくこの病原体に対する免疫応答を反映しているためと思われる．臨床像の違いや重症度の個人差は，ヒトリンパ球抗原(HLA)系と関連していると思われる免疫応答の先天的な個体差によるものと

考えられる）．＝Lyme borreliosis.

米国では年間1万8,000例ほどのライム病患者が報告されている．そのほとんどは5－9歳と50—59歳のグループである．コネチカット州，ロードアイランド州，ニュージャージー州で多くみられる．ライム病は通常治療しなくても自然治癒している．流行地での抗体検査の結果から感染がみられた人の50%ほどは何ら症状を示していない．死亡率はほとんど0である．基本的には臨床的な診断が行われる．*Borrelia burgdorferi* に対する血清抗体検査は感度と特異性に乏しいことが知られている．非流行地では偽陽性が真の陽性を上回る．IgM抗体は比較的遅く出現しピークとなるので，患者の半数は発疹がみられる最初の1か月の間は血清反応が陰性である．抗生剤投与が早期に実施されると，予期される急性の免疫反応が変化したり妨げられたりする．IgG抗体は感染後数か月から数年にわたって持続するので，急性期の診断の助けにはならない．非特異的かつ多彩な臨床像と臨床検査による診断の信頼性の低さからライム病の多くが見逃されることが避けられないし，逆に誤診されることも少なくない．第一選択薬はドキシサイクリンで，数週間経口投与する．アモキシリンは小児や妊婦の患者に対する標準的な代替薬である．回復しても再感染に対する免疫は賦与されない．実際，高度流行地における再感染率は20%程度である．感染症対策局は流行地においてさえ，マダニ刺咬後の抗生剤の予防内服を推奨していないし，過去の感染が血清学的に明らかである無症状のヒトへの支持療法も推奨していない．遺伝子組換え大腸菌の非病原株を用いて作製した *B. burgdorferi* の脂質付加外表面蛋白A(OspA)からなるワクチン投与によって誘導された抗体は吸血中のマダニに取り込まれ，ダニ体内のスピロヘータと結合してその運動能を阻害する．しかし，需要が低かったため，2002年にこのワクチンは市場から姿を消した．

lysosomal d. リソソーム(ライソソーム)病（リソソーム酵素の機能不全による疾患で，多くの場合，蓄積症に合併する）．

Machado-Joseph d. (mă-sha′dō jō′seph)［この疾患について研究された主な2家族の姓］［MIM*109150］．マチャド－ジョセフ病（遺伝性運動失調のまれな型で，成人期初期に発症する．外眼筋麻痺，筋硬直，ジストニー症状，しばしば末梢筋萎縮を伴う進行性脊髄小脳徴候と錐体外路徴候を特徴とする．アゾレア人の家系に主にみられる．常染色体優性遺伝．第14染色体長腕のMachado-Joseph遺伝子(*MJD1*)の，トリヌクレオチドリピート伸長変異が原因である）．＝Azorean d.; Portuguese-Azorean d.

mad cow d. ＝bovine spongiform *encephalopathy.*

Madelung d. (mah′dĕ-lūng)．マーデルング病．＝multiple symmetric *lipomatosis.*

Manson d. (man′sŏn)．マンソン病．＝*schistosomiasis* mansoni.

maple bark d. カエデ樹皮病（積み重なったカエデの樹皮の下に生じる *Cryptostroma corticale* の胞子によって起こる過敏性肺炎）．

maple syrup urine d.［MIM*248600］．カエデシロップ病，カエデシロップ尿病（ロイシン，イソロイシン，バリンなどのα-ケト酸代謝産物の酸化脱カルボキシル化不全によって生じる先天性代謝異常．これらの分枝アミノ酸は血中や尿中に高濃度で存在している．臨床症状は，摂食障害，身体的・精神的発育遅延，カエデシロップに似たにおいのする尿などである．新生児死亡が多い．常染色体劣性遺伝で，第19染色体長腕にある分枝α-ケト酸デヒドロゲナーゼ(*BCKDH*)のサブユニット(E1，E2，またはE3)の突然変異により生じる．突然変異したサブユニットにより様々な臨床症状を呈する）．＝branched chain ketoaciduria; branched chain ketonuria; ketoacidemia.

marble bone d. 大理石病．＝osteopetrosis.

Marburg d. マールブルグ病（フィロウイルス科に暫定的に編入されている，RNAと脂質からなるまれなラブドウイルスによる感染症．汎向性でほとんどの臓器を侵す．著明な発疹，多臓器の出血を特徴とし，しばしば致死性である．ドイツのMarburgの実験室で，アフリカミドリザルを扱った研究者の間で初めてみられた．ヒトからヒトへの感染も数例みられている．このウイルスの分離を試みるときは高度な安全対策の施された実験室でのみ行うべきである）．＝Marburg virus d.

Marburg virus d. マールブルグウイルス病．＝Marburg d.

Marchiafava-Bignami d. (mahr-kē-ă-fah′vah bēn-yah′-mē)．マルキアファーヴァ－ビニャーミ病（主に慢性アルコール中毒者，特にワインを飲む人に起こる脳梁の脱髄と前頭葉と側頭葉の皮質層状壊死からなる病的状態を主に認める疾患）．

Marfan d. (mahr-fahn′)．マルファン病．＝Marfan *syndrome.*

margarine d. マーガリン病（マーガリン製造に用いる乳化剤によって起こる中毒性の多形紅斑）．

Marie-Strümpell d. (mah-rē′ shtrēm′pĕl)．＝ankylosing *spondylitis.*

Marion d. (mah-rē-awn[h]′)．マリョン病（先天性の後尿道閉鎖症）．

Martin d. (mar′tin)．マーティン病（過度の歩行による足の骨膜関節炎）．

Master d. (mas′ter)［E.J. Master．21世紀の米国人医師］．マスター病．＝southern-tick-associated rash *illness.*

McArdle d. (măk-kar′dĕl)．マッカードル病．＝*glycogenosis* type 5.

McArdle-Schmid-Pearson d. (măk-kar′dĕl shmit pēr′-sŏn)．マッカードル－シュミット－ピアーソン病．＝*glycogenosis* type 5.

mechanobullous d.［G. *mechanē*, machine＋bullous］．機械的水疱症．＝*epidermolysis* bullosa.

Meige d. (mezh′ĕ)［MIM*153200］．メージュ病（常染色体優性遺伝性リンパ水腫．ほぼ思春期の年齢に発症する）．

Ménétrier d. (mā-nā-trē-ā′)．メネトリエ病（胃粘膜の粘液様あるいは腺性の過形成．腺性の過形成はZollinger-Ellison症候群に伴うことがある）．＝giant hypertrophy of gastric mucosa; hypertrophic gastritis; Ménétrier syndrome.

Ménière d. (men-ē-ār′)．メニエール病（めまい，吐気，嘔吐，耳鳴り，変動しながら進行する内リンパ水腫を伴う感音難聴などの臨床的特徴をもつ疾患．→endolymphatic *hydrops*）．＝Ménière syndrome.

mental d. 精神病（→mental *illness*）．

Merzbacher-Pelizaeus d. (mertz′bahk-ĕr pā-lē-tzā′yūs)．メルツバッヒャー－ペリツェーウス病．＝Pelizaeus-Merzbacher d.

metabolic d. 代謝病（代謝異常により生じる疾患の総称．遺伝的な酵素異常による先天性のものや，内分泌腺や肝臓機能障害が後天性に生じて起こるものもある）．

Meyenburg d. (mī′ĕn-bŭrg)．マイエンブルク病．＝relapsing *polychondritis.*

Meyer-Betz d. (mī′ĕr bets)．マイアー－ベッツ病．＝myoglobinuria.

Mibelli d. (mē-bel′ē)．ミベリ病．＝porokeratosis.

microcystic d. of renal medulla 腎髄質微小嚢胞症．＝cystic d. of renal medulla.

micrometastatic d. 微小転移性病態（臨床的に明らかな悪性腫瘍は全部除去されたが，目に見えないほど小さい転移により再発する可能性がある患者の状態）．

microvillus inclusion d. 微絨毛封入体病（生下時から持続性の水様性下痢が始まり，小腸の微絨毛の萎縮と，陰窩の形成不全に基づく生命にかかわる吸収不良状態．電子顕微鏡では，腸細胞内に微絨毛封入体が観察される）．＝congenital microvillus atrophy.

Mikulicz d. (mē′kū-lich)．ミクリッチ病（涙腺の良性肥大．またはリンパ組織の浸潤による唾液腺の良性肥大．→Mikulicz *syndrome*; Sjögren *syndrome*）．

Milroy d. (mil′roy)［MIM*153100］．ミルロイ病（先天性常染色体優性リンパ水腫）．

Minamata d. 水俣病（水銀工業廃物に汚染された魚を摂取して起こるメチル水銀中毒による神経疾患で，最初，日本の水俣湾住民に発生した．末梢感覚喪失，振せん，構語障害，運動失調，聴覚および視覚喪失などを特徴とする）．

miner's d. 坑夫病．＝ancylostomiasis; miner's *nystagmus.*

minimal-change d. 微小変化群．＝lipoid *nephrosis.*

mixed connective-tissue d. 混合結合組織病（様々な全身性の結合組織病の特徴が重複して発病した状態．核のリボ核蛋白に対する血中抗体が検出される）．

molecular d. 分子病（分子の構造や機能の変化による疾患）．

Mondor d. (mon′dōr). モンドール病（乳房および胸壁の胸腹静脈の血栓性静脈炎）．

Monge d. (mōn′hā). モンヘ病. ＝chronic mountain *sickness.*

Morgagni d. (mōr-gah′nyē). モルガニー病. ＝Adams-Stokes *syndrome.*

Morquio d. (mōr′kyō). モルキオ病. ＝Morquio *syndrome.*

Morquio-Ullrich d. (mōr′kyō ŭl′rik). モルキオ－ウルリッヒ病. ＝Morquio *syndrome.*

Morvan d. (mōr-von[h]′). モルヴァン病. ＝syringomyelia.

motor neuron d. (**MND**) 運動ニューロン疾患（①＝amyotrophic lateral *sclerosis.* ②複数形では，脳，脊髄，または両者の運動ニューロンを侵す異なる疾患の総称で，脊髄性筋萎縮症，筋萎縮性側索硬化症，進行性球麻痺，および原発性側索硬化症を含む）. ＝motor system d.

motor system d. ＝motor neuron d.

mountain d. 山岳病（急性の高山病 altitude *sickness* と同義語．あるいはヘモグロビンの酸素飽和度の低下を特徴とする慢性疾患にも用いられる．吸気中の酸素分圧の低下と肺胞の低換気状態によることが多く，特に老人に起きやすい．多血症のために赤ら顔を呈するが，軽度の運動によりチアノーゼに変わる．このとき息切れ，疲労感，頭痛や精神的もうろう状態を呈するが，低地に戻れば正常化する）．

moyamoya d. [Jap. addlebrained] [MIM*252350]. モヤモヤ病（[モヤモヤは固有の名称ではないため小文字でつづる]．主に日本人に起こる脳血管疾患で，脳底部の血管が閉塞し，血管の細かい網目により血管再生が起こる．年少小児によく起こり，痙攣，片麻痺，精神遅滞，およびクモ膜下出血を呈する．血管造影により診断がなされる）．

Mucha-Habermann d. (mū′kah hah′bĕr-mahn). ムッハ－ハーベルマン病. ＝*pityriasis* lichenoides et varioliformis acuta.

multicore d. 多コア病（非進行性先天性筋障害．近位筋の脱力，筋線維の多巣変性，筋線維周辺部の酸化酵素活性の低下あるいは欠損を特徴とする）．

Neumann d. (noy′mahn). ノイマン病. ＝*pemphigus* vegetans (1).

neutral lipid storage d. 神経脂質蓄積症. ＝Dorfman-Chanarin *syndrome.*

Newcastle d. [*Newcastle*, 病気が最初に報告された英国の Tyne 川沿いの市]. ニューカッスル病（家禽ペストに似た急性・熱性・接触伝染性の家禽病で，パラミクソウイルス（ニューカッスル病ウイルス）によって起こる．高い感染性と呼吸器，神経系の症状が特徴である．ヒトにも感染し，一時的に重い結膜炎を起こす）. ＝Ranikhet d.

Nicolas-Favre d. (nē-kō-lah′ fahv). ニコラ－ファーヴル病. ＝venereal *lymphogranuloma.*

Niemann d. (nē′mahn). ニーマン病. ＝Niemann-Pick d.

Niemann-Pick d. (nē′mahn pik) [MIM*257200]. ニーマン－ピック病（肝臓，脾臓，リンパ節，骨髄などの組織球内にスフィンゴミエリナーゼ欠損のためスフィンゴミエリンが蓄積するリピドーシス．肝脾腫大，身体的・精神的発育遅延，神経症状を呈する．網膜のサクランボ赤色斑が後年生じることがある．アシュケナージ系のユダヤ人の幼児に多発し，夭折する．成人では軽症型を発症することもある．いくつかのタイプがあり，A型は古典的な幼児発症型，B型は内臓型，C型は青少年型，D型は Nova Scotia 型，E型は成人型である．すべて常染色体劣性遺伝であり，A型とB型は第11 染色体短腕にある酸性スフィンゴミエリナーゼ遺伝子（*SMPD*）の突然変異により生じる）. ＝Niemann d.; sphingomyelin lipidosis.

Niemann-Pick C1 d. (nē′mahn pik) [MIM*257220]. ニーマン－ピック病（まれな遺伝性の脂肪蓄積症で，内臓と中枢神経系を侵す．常染色体劣性遺伝．2型あるが，臨床所見と生化学的異常は同じで，2つの別個の遺伝子，主遺伝子座の NPC-1 と副遺伝子座の NPC-2 の異常により生じる．同じ臨床的・生化学的表現型を有する．本病の患者の細胞はコレステロールのエステル化とリソソームからの放出に欠陥がある．LDL 由来のコレステロールがリソソームに囲い込まれることにより，LDL の取り込みの抑制が遅れ，LDL の新たな合成が生じる）．

nil d. ＝lipoid *nephrosis.*

nodular d. 小結節病（草食動物，霊長類の疾病で，大腸，盲腸，ときに回腸の壁内に小結節を生じる．小結節内には乾酪性物質が充満し，腸結節虫属 *Oesophagostomum* の幼虫によるシスト形成に対する宿主の反応により生じる．別名 oesophagostomiasis）．

Norrie d. (nōr′ē) [MIM*310600]. ノリエ病（先天性両眼性の網膜または硝子体に生じる組織塊で，神経膠腫に類似（偽神経膠腫）する．通常，虹彩萎縮や白内障を伴う．精神遅滞とろう（聾）を伴う．X連鎖劣性遺伝を示し，X染色体短腕の Norrie 病原因遺伝子（*NDP*）の変異による）．

notifiable d. 届出疾患（ヒトや動物の健康への影響が大きいため，発見された場合に公衆衛生，衛生当局へ届け出ることが法令で定められている疾病）. ＝reportable d.

oasthouse urine d. [*oast*, kiln for drying hops, malt, or tobacco]. オーストハウス尿症（病）（メチオニン吸収に関する常染色体劣性遺伝の代謝異常の1つ．メチオニンは腸内細菌によって α-ヒドロキシン酪酸に変換される．下痢，多呼吸，および α-ヒドロキシン酪酸の大量の尿中排泄（オーストハウス（ホップ乾燥所）の匂いに似た匂いの原因になる）を特徴とする）．

occupational d. 職業病（職業上の日常作業環境で，病因物質に暴露した結果起こる疾病）. ＝industrial d.

Ofuji d. オフジ病. ＝eosinophilic pustular *folliculitis.*

Oguchi d. (ō-gū′chē) [MIM*258100]. 小口病（まれな先天性非進行性夜盲症で，眼底の色調がびまん性に黄色や灰色を呈する．2，3 時間の完全暗順応で眼底の色調は正常になる．常染色体劣性遺伝を示し，第2染色体長腕にあるアレスチン遺伝子（*SAG*）の変異，あるいは第13染色体長腕のロドプシンキナーゼ遺伝子（*RHOK*）の変異による）．

Ohara d. 大原病（㊟日本にはこの呼称はない）. ＝Yatobyo.

Ollier d. (ō-lē-ā′). オリエ病. ＝enchondromatosis.

Oppenheim d. (op′en-hīm). オッペンハイム病. ＝*amyotonia* congenita.

organic d. 器質性疾患（機能障害，特に心因性のものとは対照的に，身体の組織または器官に解剖学的または病態生理学的な変化が起こる疾病）．

Ormond d. (ōr′mŏnd). オーモンド病. ＝retroperitoneal *fibrosis.*

orphan d. 希少疾患（まれである（米国内で 20 万人以下）がゆえに，いかなる治療法も開発されていない疾病. →orphan *products*）．

Osgood-Schlatter d. (oz′gud shlaht′ĕr). オズグッド－シュラッター病（脛骨結節を形成する成長核（骨端）の炎症）. ＝apophysitis tibialis adolescentium; Schlatter d.; Schlatter-Osgood d.

Osler d. (ōs′lĕr). オースラー（オスラー）病. ＝*polycythemia* vera.

Osler-Vaquez d. (ōs′lĕr vah-kā′). オースラー（オスラー）－ヴァケー病. ＝*polycythemia* vera.

Otto d. (ot′ō). オット病（寛骨臼が骨盤腔に向け内側に膨隆することを特徴とする疾患で，結果として大腿骨頭が骨盤腔に突出する．股関節の炎症を原因とし，通常，関節リウマチにみられる）. ＝Otto pelvis; protrusio acetabuli.

Owren d. (ō-ren) [MIM*227400]. オーレン病（先天性第Ⅴ因子欠乏による疾患で，その結果プロトロンビン時間が延長する．出血時間，凝固時間もともに延長している．第1染色体長腕の *F5* 遺伝子における突然変異による常染体劣性遺伝である）．

Paas d. (pahz) [H.R.Paas. 20 世紀のドイツ人医師]. パース病（家族性（恐らく遺伝性）の骨格奇形で，外反肢，二重膝蓋骨，手足指の中節骨・末節骨の短小，肘変形，側弯，腰椎の変形性脊椎炎などを特徴とする．一側または両側に起こる．現在では用いられない冠名語）．

Paget d. (paj′ĕt) [MIM*602080, MIM*167300]. パジェット病（①老年者のしばしば家族性の全骨格病で，骨吸収と骨形成の両方が進み，例えば，頭蓋骨のように骨の肥厚と軟化をきたし，体重支持骨の弯曲を起こす．=osteitis deformans. ②老年女性の疾病で，乳房や乳輪付近の浸潤やある程度の湿疹症状があり，悪性細胞による表皮浸潤や下側腺管内乳癌と関連する．③=extramammary Paget d.).

Panner d. (pahn′ĕr). パナー病（上腕骨小頭の骨端骨壊死．少年野球肘の所見の1つ).

paper mill worker's d. 製紙工場作業者病（*Alternaria*属の真菌胞子を含む，カビの生えた木パルプによる外因性アレルギー性肺胞炎).

parasitic d. 寄生虫病（寄生生物の存在や活動による疾病).

Parkinson d. (par′kin-sŏn) [MIM*168600, *556500]. パーキンソン病．=parkinsonism (1).

Parrot d. (pah-rō′). パロー病（①梅毒性骨軟骨炎による小児の偽性麻痺．②=marasmus. ③=psittacosis).

Parry d. (par′ē). パリー病．=Graves d.

Pavy d. (pah′vē). ペーヴィ病（周期性または反復性の生理的蛋白尿症).

pearl-worker's d. 真珠工病（真珠の母核を削る作業をする人がかかる炎症性骨肥大).

Pel-Ebstein d. (pel eb′stīn). ペル－エブスタイン病．=Pel-Ebstein *fever*.

Pelizaeus-Merzbacher d. (pā-lē-tsā′ūs merts′bah-kĕr) [MIM*311601, *312080, *260600]. ペリツェーウス－メルツバッヒャー病（斑状脱髄によりミエリンが虎斑状を呈するズダン親和性白質ジストロフィ．1型は古典型で，生後2－3か月で眼振と振せんが出現し，運動発達が遅く，ときに舞踏病アテトーシス，痙縮，視神経萎縮，痙攣を呈し，成人期初期に死亡するX連鎖劣性遺伝疾患．X染色体長腕にある蛋白脂質蛋白遺伝子(*PLP*)の変異が原因である．常染色体劣性遺伝の型もある．2型は反対側型で，生後数か月から数年で死亡するX連鎖劣性遺伝疾患．3型は移行型で，生後10年以内に死亡する．4型は成人型で，不随意運動，運動失調，反射亢進を伴うが，眼振は伴わない．常染色体優性遺伝．5型は変異型である．Cockayne症候群はときに6型として含まれる)．=Merzbacher-Pelizaeus d.

Pellegrini d. (pel-ĕ-grē′nē). ペレグリーニ病（膝内側側副靱帯の石灰化ないしは大腿骨内顆内側部での骨形成を示す疾患)．=Pellegrini-Stieda d.

Pellegrini-Stieda d. (pel-ĕ-grē′nē shtē′dăh). ペレグリーニ－シュティーダ病．=Pellegrini d.

pelvic inflammatory d. (PID) 骨盤腹膜炎（女性生殖器官(子宮内膜，卵管，骨盤腹膜)の急性あるいは慢性の化膿性疾患．淋菌 *Neisseria gonorrhoeae*，クラミジア *Chlamydia trachomatis*，およびその他の起因菌で発症する典型的性行為感染症の合併症である．月経，分娩，流産を含む外科的操作でも誘発される．卵管卵巣膿腫，不妊症の原因となる卵管狭窄，子宮外妊娠の強いリスク要因となり腹膜癒着の合併をきたす).

periodic d. 周期性疾患（一定の期間をおいて反復して起こる疾患．家族性地中海熱であることが多い．周期性の原因は通常不明).

Perthes d. (pĕr′tĕz). ペルテス病（［誤った形 Perthe および Perthe's を避けること］)．=Legg-Calvé-Perthes d.

Pette-Döring d. (pet′ĕ dār′ing). ペッテ－デーリング病．=nodular *panencephalitis*.

Peyronie d. (pā-rō-nē′) [MIM*171000]. ペーロニー病（陰茎海綿体の周囲に稠密な線維組織の塊状または柵状物のできる疾患で，陰茎弯局や勃起痛を起こす．しばしば Dupuytren 拘縮と関連する)．=penile fibromatosis; van Buren d.

Pick d. (pik) [F. Pick]. ピック病（進行性限局性脳萎縮．大脳変性疾患のまれな型で，一次的に認知症を呈する．前頭葉と側頭葉の部分に顕著な萎縮がみられる)．=Pick syndrome.

pink d. 桃色病．=acrodynia (2).

Plummer d. (plŭm′ĕr). プラマー病（結節性中毒性甲状腺腫から起こる甲状腺機能亢進症．通常は眼球突出を伴わない).

polycystic d. of kidneys 腎多嚢胞病．=polycystic *kidney*.

polycystic liver d. [MIM*174050]. 多嚢胞性肝疾患．=polycystic *liver*.

Pompe d. (pom′pĕ). ポーンプ病．=*glycogenosis* type 2.

Portuguese-Azorean d. ポルトガル－アゾレア病．=Machado-Joseph d.

Posadas d. (pō-sah′dah). ポサダス病（［誤った形 Posada および Posada's を避けること］)．=coccidioidomycosis.

posttransplant lymphoproliferative d. 移植後リンパ球増殖症（小児における臓器移植後の合併症．単核球症様症状，扁桃腺肥大，Epstein-Barr ウイルスセロコンバージョンが特徴的).

Pott d. (pot). ポット病．=tuberculous *spondylitis*.

Potter d. (pot′ĕr). ポッター病．=Potter *facies*.

poultry handler's d. 鳥飼育者病（ニワトリやシチメンチョウのような家禽の粒子状排泄物の吸入によって起こる，鳥飼育者肺 bird-breeder's lung と同じ外因性アレルギー性肺胞炎).

primary d. 原疾患，一次疾患（原発的な疾病で，既往疾患・傷害・事故を原因としたり，またこれらと関係したりしていないものの，二次疾患につながることもある).

Pringle d. (pring′gĕl). プリングル病．=*adenoma sebaceum*.

pseudo-Hurler d. (hŭrl′er). 偽性フルラー病．=infantile, generalized G_{M1} *gangliosidosis*.

pulseless d. 脈なし病．=Takayasu *arteritis*.

Purtscher d. (pūrt′shĕr). プルチャー病．=Purtscher *retinopathy*.

quiet hip d. =Legg-Calvé-Perthes d.

ragpicker's d. くず拾い病．=pulmonary *anthrax*.

ragsorter's d. ぼろ選別者病．=pulmonary *anthrax*.

Ranikhet d. [Ranikhet, インド北部の町]. ラニケット病．=Newcastle d.

rat-bite d. 鼡咬症．=rat-bite *fever*.

Rayer d. (ră-yā′). レーエ病．=biliary *xanthomatosis*.

Raynaud d. (rā-nō′) [MIM*179600]. レーノー(レイノー)病．=Raynaud *syndrome*.

reactive airway d.(RAD) 反応性気道疾患．=bronchial *asthma*.

Recklinghausen d. of bone (rek′ling-how-zen). 骨レックリングハウゼン病．=*osteitis* fibrosa cystica.

Refsum d. (ref′sūm) [MIM*266500]. レフスム(レフサム)病（フィタン酸α-ヒドロキシラーゼ欠損により生じる，まれな変性疾患．臨床的には色素性網膜炎，魚鱗癬，脱髄性多発ニューロパシー，難聴，小脳症状を呈する．第10染色体短腕にあるフィタノイル CoA ヒドロキシラーゼ遺伝子(*PAHX* または *PAYH*)の突然変異によって生じる常染色体劣性遺伝疾患．幼児型 Refsum 病 [MIM*266510]はフィタン酸やピペコリン酸の蓄積を伴う．ペルオキシソームの障害された病態であり，第7染色体長腕にある *PEX 1* 遺伝子の突然変異により生じる常染色体劣性遺伝疾患)．=heredopathia atactica polyneuritiformis; Refsum syndrome.

Reiter d. (rī′tĕr). ライター病．=Reiter *syndrome*.

reportable d. 報告すべき疾病．=notifiable d.

RhD hemolytic d. RhD 溶血性疾患（新生児の溶血性疾患で，胎児赤血球上の RhD 抗原に対する母体の抗体が胎盤を通過することにより生ずる).

rhesus d. 妊娠中に母体が胎児血液中の Rh 因子に対し感作されること．胎児赤芽球症を起こす．

rheumatic d. リウマチ病（→rheumatism).

rheumatic heart d. リウマチ〔性〕心疾患（リウマチ熱によって起こる心臓病で，主に心臓弁膜に異常が現れる).

rheumatoid d. リウマチ様疾患（特に皮下結節のような関節以外の病巣に関する，関節リウマチ rheumatoid *arthritis*).

Ribas-Torres d. (rē-bahs tōr′rās). ライバス－トレス病（痘瘡の軽症型．→*variola* minor).

rice d. 米食病（脚気．以前は脱穀した米(精米)を食べている地域に多発した．白米にするとビタミン B_1 含量は減少してしまう).

Riedel d. (rē′del). リーデル病．=Riedel *thyroiditis*.

Riga-Fede d. (rē′gah fā′dā). リーガ－フェーデ病（歯の萌出中の新生児あるいは乳児に起こる舌小帯の潰瘍．先天歯または萌出中の中切歯による組織の擦過に起因する).

Roger d. (rō′zhā′). ロジェ病（小さな孤立性で無症候性の心室中隔欠損からなる先天性心臓奇形．しばしば大きい雑音およびはっきりした振せんを伴う). =maladie de Roger.

Rokitansky d. (rō-ki-tahn′skē). ロキタンスキー病 (①=acute massive liver *necrosis*. ②=Chiari *syndrome*).

Rokitansky-Küster-Hauser d. (rō-ki-tahn′skē-kēs′ter-hōyz′er). ロキタンスキー－キュスター－ホイザー(ハウザー)病. = Mayer-Rokitansky-Küster-Hauser *syndrome*.

Romberg d. (rom′bĕrg). ロンベルク病. =facial *hemiatrophy*.

Rosai-Dorfman d. (rō′zī dōrf′măn). ローサイ－ドーフマン病. =sinus *histiocytosis* with massive lymphadenopathy.

Rougnon-Heberden d. (rū-nyawn[h]′ hē′bĕr-dĕn). ルニョン－ヘーバーデン病. =*angina* pectoris.

Roussy-Lévy d. (rū-sē′ lā-vē′) [MIM*180800]. ルシー－レヴィ病 (運動感覚脱髄性多発ニューロパシーと本態性振せんを呈する優性遺伝疾患). =Roussy-Lévy syndrome.

runt d. ラント病 (マウスの対宿主性移植片反応. 最初, 新生マウスに同種脾細胞を静脈注射した後で見出された). =wasting d.

salivary gland d. 唾液腺病 (唾液腺の病気. 例えば Sjögren 症候群(⇒syndrome)).

salivary gland virus d. →cytomegalic inclusion d.

Salla d. (sal′ya) [最初の症例が報告されたフィンランドの地域]. サラ病 (常染色体劣性遺伝病. シアル酸がリソソーム膜を通過するところに障害がある).

Sandhoff d. (sahnd′hof) [MIM*268800]. ザントホフ(サンドホッフ)病 (ヘキソサミニダーゼAとBの産生欠損を特徴とする G_{M2}ガングリオシドーシスの乳児型. これは Tay-Sachs 病に似ているが, ユダヤ系でない小児に際立って(すべてではないが)生じる. グルコシドと G_{M2} ガングリオシドの蓄積がみられる. 第5染色体長腕のヘキソサミニダーゼB鎖(*HEX B*)の突然変異による).

sandworm d. 砂虫病 (オーストラリアの特定の地域でみられる足底内側の炎症性発疹. らせん状に広がる紅斑およびそれが自然消失するのが特徴である. 幼虫迷入症に似た, 皮膚爬行症の一型と考えられる).

San Joaquin Valley d. サン・ホアキン渓谷病. =primary *coccidioidomycosis*.

Schenck d. (shenk). シェンク病. =sporotrichosis.

Scheuermann d. (shoy′ĕr-mahn) [MIM*181440]. ショイエルマン病 (胸椎椎体の骨端骨壊死症). =adolescent round back; juvenile kyphosis; osteochondritis deformans juvenilis dorsi.

Schilder d. (shil′der). シルダー病 (Schilder によって記載された少なくとも2つの異なる疾患を記述するのに用いられる用語. ⓘ広汎性硬化症または広汎性軸周囲脳炎. 主に小児と若年成人に起こる非家族性疾患で, 進行性認知症, 視覚障害, 難聴, 仮性球麻痺, 片麻痺または四肢麻痺を特徴とする. 大部分の患者は発症後2—3年以内に死亡する. 病理的にはミエリン崩壊の大きな非対称的部位がみられ, ときには全大脳半球を侵す. 典型的には脳梁を通って反対側も侵す. ⓘⓘ白質ジストロフィ). =encephalitis periaxialis diffusa.

Schindler d. (shind′ler). シンドラー病 (α-*N*-アセチルガラクトサミニダーゼの活性欠損をもつ常染色体劣性疾患で, 糖蛋白や他の物質の蓄積が軸索終末, 主に灰白質に起こる).

Schlatter d., Schlatter-Osgood d. (shlaht′ĕr, oz′gud). シュラッター病, シュラッター－オズグッド病. =Osgood-Schlatter d.

Scholz d. (shōlts). ショルツ病 (異染性白質萎縮の若年型の旧冠名).

Schüller d. (shēl′ĕr). シュラー病. =Hand-Schüller-Christian d.

Schwartz-Jampel d. (shwōrts jam′pĕl). =myotonic *chondrodystrophy*.

sclerocystic d. of the ovary 卵巣硬化嚢胞病. =polycystic ovary *syndrome*.

sea-blue histiocyte d. [MIM*269600]. 海青組織球病 (脾腫と軽度の血小板減少を認め, 骨髄中に明るい青色に染まる顆粒を有する網内系細胞の増殖がみられる. ときに家族性である. 恐らくリピドーシスである. 常染色体劣性遺伝).

second d. =scarlet fever.

secondary d. *1* 続発疾患, 二次疾患 (最初の病気, 損傷, 事象に続いて, またはその結果起こる病気). *2* 致死的な放射線を浴びた宿主へ骨髄移植をしたときに起こる消耗病. しばしば重篤な症状が起こり, 発熱, 食欲不振, 下痢, 皮膚炎, 落屑などを伴うのが普通である. →graft versus host d.

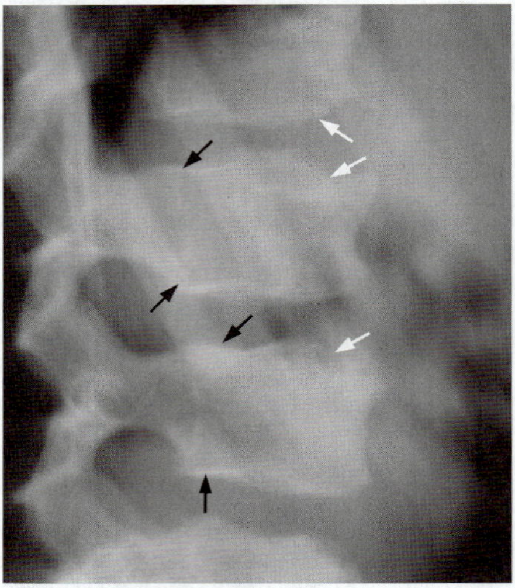

Scheuermann disease

脊柱後部の側面X線写真. 椎骨の終板の不規則さと分断 (白矢印) および硬化 (黒矢印) を示す.

self-limited d. 自己制限(限定性)疾患 (特異的治療で, または治療なしでも自然に寛解する疾病過程).

Senear-Usher d. (sē-nēr′ ŭsh′ĕr). セニアー－アッシャー病. =*pemphigus* erythematosus.

serum d. 血清病. =serum *sickness*.

Sever d. (sē′ver). シーバー病 (踵骨の骨端症. 踵骨後方のアキレス腱付着部の微小骨折が原因と考えられている. 使いすぎ障害で, 高学年の小児の踵部痛の原因として最も多い). =calcaneal apophysitis.

sexually transmitted d. (**STD**) 性感染病 (性的交渉の間にうつるすべての感染症(梅毒, 淋病, 軟性下疳など)). =venereal d.

Shaver d. (shā′vĕr). =bauxite *pneumoconiosis*.

shimamushi d. =tsutsugamushi d.

sickle cell d. 鎌状赤血球症. =sickle cell *anemia*.

sickle cell C d. [MIM*141900]. 鎌状赤血球C症 (酸素分圧の低下に反応して形成される鎌状の異常な赤血球(ヘモグロビンCとSを含む)によって起こる病気. 貧血, 溶血および血管閉塞の発症, 慢性下腿潰瘍, 骨変形, 骨梗塞, 脾梗塞などを起こす).

sickle cell-thalassemia d. 鎌状赤血球－サラセミア病 (臨床的に鎌状赤血球症と類似の疾患. 患者は鎌状赤血球およびサラセミア遺伝子の複合したヘテロ接合体である. ヘモグロビンの 60—80% は HbS, 20% までは HbF, 残りが HbA である). =microdrepanocytic anemia.

silo-filler's d. サイロ充填者病 (サイロに充填した新しい家畜用のまぐさに存在する窒素酸化物によって引き起こされる肺病変. 急性型では肺水腫による死に至ることもあり, 亜急性あるいは慢性の増殖性肺疾患を起こし, ときに慢性肺性就労不能に至る).

Simmonds d. (sim′ŏndz). ジンモンツ(シモンズ)病 ([誤った形 Simmond および Simmond's を避けること]). =Sheehan *syndrome*.

Simons d. (sī′mŏnz). ジーモンス病 ([誤った形 Simon および Simon's を避けること]). =progressive *lipodystrophy*.

the six erythematous d.'s (siks er-i-them′ă-tŭs di-zēz′).

6つの紅斑疾患（これら小児の紅斑を呈する疾患は歴史的に次のように整理されている．第一病：麻疹．第二病：猩紅熱．第三病：風疹(ドイツ麻疹)．第四病：Filatov Duke 症(現在は突発性発疹と同じと考えられている)．第五病：伝染性紅斑．第六病：突発性発疹(バラ疹))．

sixth d. 第六病．＝*exanthema* subitum.

Sjögren d. (shŏr′gren)．シェーグレン病．＝Sjögren *syndrome.*

skinbound d. 強皮症（通常，広範な病変を有するものに用いる)．＝scleroderma.

slim d. やせ病．＝wasting *syndrome.*

slow virus d. 遅発〔型〕ウイルス病（数か月から数年に及ぶ遅発性で進行性の経過をとり，中枢神経系を障害することが多く，最終的には死に至る疾患．ヒツジのビスナやマエディのようにレンチウイルス亜科(レトロウイルス科)のウイルスによるものや，麻疹ウイルスによるとみられる亜急性硬化性全脳炎など．ヒトのクールー，ヒツジのスクラピー，ミンクの伝染性脳症を含む海綿状の脳症もスローウイルス病に分類される可能性があるが，現在ではプリオン病とみなされている)．

Sneddon-Wilkinson d. (sned′on wil-kin′son)．スネッドン－ウィルキンソン病．＝subcorneal pustular *dermatosis.*

specific d. 特異〔的〕疾患（特定の細菌の活動により発生する病気)．

Spielmeyer-Sjögren d. (shpēl′mī-ĕr shŏr′gren)．シュピールマイアー－シェーグレン病（後期若年型の脳スフィンゴリピドーシス cerebral *sphingolipidosis*)．

Spielmeyer-Stock d. (shpēl′mī-ĕr stok)．シュピールマイアー-シュトック病（脳スフィンゴリピドーシスにおける網膜萎縮)．

Spielmeyer-Vogt d. (shpēl′mī-ĕr vōkt)．シュピールマイアー-フォークト病（後期若年型の脳スフィンゴリピドーシス cerebral *sphingolipidosis*)．

stable d. 安定病態（腫瘍学において，すべての腫瘍の大きさの 25% 未満の増大あるいは 50% 未満の縮小)．

Stargardt d. (shtahr′gahrt)［MIM*248200］．シュタルガルト病（萎縮性の斑状病変を伴う黄色斑眼底．第1染色体短腕の網膜特異的 ATP-binding cassette transporter 遺伝子(*ABCR*)の変異による)．

startle d. 驚愕病．＝hyperekplexia.

Steele-Richardson-Olszewski d. (stēl rich′ărd-sŏn ol-shev′skē)．＝progressive supranuclear *palsy.*

Steinert d. (shtīn′ĕrt)．シュタイネルト病．＝myotonic *dystrophy.*

Still d. (stil)．スティル病（若年性慢性関節炎(以前は若年性関節リウマチとよばれていた)の一型で，関節炎発症の数週または数か月前より高熱，全身症状があることが特徴である)．

Stokes-Adams d. (stōks a′dămz)．ストークス－アダムズ(アダムス)病．＝Adams-Stokes *syndrome.*

stone-mason's d. 石工病．＝silicosis.

storage d. 蓄積症，沈着症，貯蔵症（組織中に特定物質が蓄積される疾病を表す一般名で，普通は物質の代謝に必要な酵素の先天的欠損によって起こる．例えば糖原貯蔵症)．

Strümpell d. (shtrēm′pĕl)．シュトリュンペル病（①＝*spondylitis* deformans. ②＝acute epidemic *leukoencephalitis*)．

Strümpell-Marie d. (shtrēm′pĕl mah-rē′)．シュトリュンペル－マリー病．＝ankylosing *spondylitis.*

Sturge-Weber d. (stŭrj vā′bĕr)．スタージ-ウェーバー病．＝Sturge-Weber *syndrome.*

Sulzberger-Garbe d. (sŭlz′bĕr-gĕr gar′bē)．サルズバーガー－ガーブ病．＝exudative discoid and lichenoid *dermatitis.*

Sutton d. (sŭt′ŏn)［R.L. Sutton, Jr.］．サットン病．＝*aphthae* major(⇒aphtha)．

Sweet d. (swēt)．スウィート病．＝acute febrile neutrophilic *dermatosis.*

swineherd's d. 養豚業者病（ブタの屠殺業者，養豚業者らに起こるレプトスピラ症で，身体の痛み，発熱，頭痛，めまい，嘔気などを特徴とする)．

swine vesicular d. ブタの水疱性疾患（ブタの伝染性疾患で，ヒトのエンテロウイルスコクサッキー B-5 に関係の深いピコルナビリダエ科のブタエンテロウイルスに起因し，その特徴は口腔，鼻腔，鼻口部，および四肢の上皮にみられる水疱性病巣とびらんである．研究室勤務者でのヒトへの感染が報告されている)．

swollen belly d. 腹部腫脹症（乳幼児が線虫属 *Strongyloides fuelleborni* subsp. *kellyi* に感染することによる致死的な疾患．ニューギニアの一部地域でみられる)．＝swollen belly syndrome.

Sydenham d. (sid′ĕn-ham)．シドナム病．＝Sydenham *chorea.*

Sylvest d. (sĭl-vest′)．シルヴェスト病．＝epidemic *pleurodynia.*

systemic autoimmune d.'s 全身性自己免疫疾患（抗体あるいは免疫担当細胞が自己の体構成成分に対して，作用した結果，結合組織系の障害が生じた疾患をいう．代表例は全身性赤斑性狼瘡)．

systemic febrile d.'s 全身性熱性疾患（発熱によって特徴付けられる疾患に対する一般名)．

systemic mast cell d. 全身性肥満細胞病（4種類の病像を呈する疾患群．ⓘ不活動型肥満細胞症，最も多いタイプで，皮膚(例えば色素性蕁麻疹)，骨髄，消化管に浸潤する．ⓘⓘ血液疾患を伴う肥満細胞症(例えば，肥満細胞が骨髄・脾・肝・リンパ節に浸潤)．ⓘⓘⓘ肥満細胞性白血病(例えば，未分化な肥満細胞が骨髄・末梢血・髄外性組織に浸潤)．ⓘⓥ侵襲性肥満細胞症(例えば，肥満細胞が種々の臓器に浸潤，肥満細胞の化学伝達因子の放出により臨床症状が出現))．

Takahara d. (tah-kah-hah′rah)．高原病．＝acatalasia.

Takayasu d. (tah-kah-yah′sū)．高安病．＝Takayasu *arteritis.*

Tangier d.［最初の患者症例が現れた場所である Chesapeake 湾にある島にちなんで名付けられた］［MIM*205400］．タンジアー病．＝analphalipoproteinemia.

Tarui d. (tă-rū-ē′)．垂井病．＝*glycogenosis* type 7.

Taussig-Bing d. (taw′sig bing)．タウシグ－ビング病．＝Taussig-Bing *syndrome.*

Taylor d. (tā′lŏr)．テーラー病（原因不明の広汎性皮膚萎縮)．

Tay-Sachs d. (tā saks)．テイ－サックス病（ヘキソサミニダーゼA欠乏によるリソソーム蓄積病．中枢神経細胞と末梢神経細胞にモノシアロガングリオシドが蓄積する．乳児は聴覚過敏，被刺激性亢進，筋緊張低下，運動技能発達障害を呈する．黄斑チェリー赤斑を伴う失明と痙攣が1年目にみられる．2－3年以内に死亡する．常染色体劣性遺伝．ユダヤ人に主にみられる)．＝infantile G_{M2} gangliosidosis.

Teschen d. (tesh′en)．テッシェン病．＝infectious porcine *encephalomyelitis.*

Thiemann d. (tē′mahn)．チーマン病．＝Thiemann *syndrome.*

third d. 第三病．＝rubella.

Thomsen d. (tom′sen)．トムセン病．＝*myotonia* congenita.

Thygeson d. サイジェソン病．＝superficial punctate *keratitis.*

thyrocardiac d. 甲状腺性心臓病（甲状腺機能亢進症の結果起こる心臓病)．

thyrotoxic heart d. 甲状腺中毒性心疾患（通常，甲状腺ホルモンの過剰生産による過剰の交感神経刺激の結果出現する心症状および生理的障害)．

Tommaselli d. (tom-ă-sel′ē)．トマセリ病（キニーネ中毒によって起こると考えられる血色素尿症)．

Tornwaldt d. (torn′vahlt)．トルンヴァルト病．＝Tornwaldt *cyst.*

torsion d. of childhood 捻転ジストニア(小児期)．＝*dystonia* musculorum deformans.

Tourette d. (tū-ret′)．ツレット病．＝Tourette *syndrome.*

Trevor d. (trev′ŏr)．トレヴォール病（原因不明のまれな小児の発育障害で，骨端軟骨の異常増殖により特に下肢の関節近傍に1から数個の無痛性腫瘤を形成する疾患．下肢の角状変形と関節運動障害を生じることがある)．＝dysplasia epiphysialis hemimelia; tarsoepiphysial aclasis; tarsomegaly.

tropic d.'s 熱帯病（Chagas 病，リーシュマニア症，らい病，マラリア，オンコセルカ症，住血吸虫症，睡眠病，黄熱病およびその他の熱帯および亜熱帯に存在する感染症と寄生虫症で，しばしば水や媒介動物により伝播される．→emerging *viruses*）．

tsutsugamushi d. ツツガムシ病（*Rickettsia tsutsugamushi* によって起こりダニの *Trombicula akamushi*, *Trombicula deliensis* によって伝播される急性伝染性病．日本を含む東南アジアの麻収穫地域に起こる疾病で，発熱，リンパ腺肥大痛，生殖器・頸部・腋窩の小さな黒痂皮，大きな赤黒い丘疹などの特徴がある）．＝akamushi d.; flood fever; inundation fever; island d.; island fever; Japanese river fever; kedani fever; mite typhus; scrub typhus; shimamushi d.; tropic typhus; tsutsugamushi fever.

tunnel d. トンネル病．＝ancylostomiasis.

Unna d. (ūn′ah). ウンナ病．＝seborrheic *dermatitis*.

Unverricht d. (ūn′fĕr-ikt). ウンフェルリヒト病（進行性ミオクローヌスてんかん．変性性灰白質疾患の１つで，ミオクローヌス，全身痙攣，進行性の神経減少・知能低下を特徴とする．発症年齢は8—13 歳．第 21 染色体長腕22領域のシスタチンＢ遺伝子(*CSTB*)の変異が原因である）．

Urbach-Wiethe d. (ŭr′bak vē′tĕ). ウルバッハ－ヴィーテ病．＝lipoid *proteinosis*.

vagabond's d. 浮浪者病．＝parasitic *melanoderma*.

van Buren d. (van byūr′ĕn). ヴァン・ビューレン病．＝Peyronie d.

Vaquez d. (vah-kā′). ヴァケー病．＝*polycythemia* vera.

venereal d. 性病．＝sexually transmitted d.

venoocclusive d. of the liver 肝静脈閉塞病（ジャマイカの小児に発見された肝静脈小根の閉塞性静脈内膜炎で，茶低木林の毒性植物を摂取して起こる．腹水症を起こして硬変症になることもある．骨髄移植した患者で導入化学療法の際にみられることがある）．

Vincent d. ヴァンサン病．＝necrotizing ulcerative *gingivitis*.

Virchow d. (fēr′kow). フィルヒョー病．＝megacephaly.

virus X d. ウイルスＸ病（病因が不明のウイルス性疾患に用いる古語．例えばオーストラリアＸ病(マリーバレー脳炎)）．

Vogt-Spielmeyer d. (vōkt spēl′mā-yer). フォークト－シュピールマイアー病（後期若年型の脳スフィンゴリピドーシス cerebral *sphingolipidosis*）．

Voltolini d. (vōl-tō-lē′ne). ヴォルトリーニ病（耳の迷路の感染性疾患．幼児の場合には髄膜炎になる）．

von Gierke d. (von gēr′kĕ). フォン・ギールケ病．＝*glycogenosis* type 1.

von Hippel d. (fŏn hĭp′l). フォン・ヒッペル病．＝von Hippel-Lindau *syndrome*.

von Recklinghausen d. (von rek′ling-howz-ĕn). フォン・レックリングハウゼン病（神経線維腫の一型．→neurofibromatosis）．

von Willebrand d. (von vil′ĕn-brahnd)［MIM*193400］. ヴォン・ヴィレブランド(フォン・ヴィレブランド)病（出血性素因．特徴は，主に粘膜からの出血傾向，出血時間延長，正常血小板数，正常血餅退縮，第 VIIIR 因子の不完全な種々の程度の欠損であり，血小板の形態的異常を伴うこともある．常染色体優性遺伝で，遺伝子の表現率は低く，表現度も様々である．第12 染色体短腕の von Willebrand 遺伝子(*VWF*)の突然変異による．タイプ III の von Willebrand 病は第 VIIIR 因子の量の著明な減少を伴う重症な疾患である．この疾患の劣性遺伝形式のものがあり［MIM*277480］，優性遺伝形式としての同一遺伝子座上の変異を示す注目すべき特性を有している）．

Voorhoeve d. (vūr-huv′). フォールフッフェ病．＝*osteopathia* striata.

Wagner d. (vahg′nĕr). ヴァーグナー病．＝hyaloideoretinal *degeneration*.

wasting d. 消耗病．＝runt d.

Weber-Christian d. (vā′bĕr kris′chĕn). ウェーバー－クリスチャン病（発熱を伴う再発性の結節性非化膿性脂肪織炎で，原因不明のもの）．＝relapsing febrile nodular nonsuppurative *panniculitis*.

Wegner d. (veg′nĕr). ヴェグナー病．＝syphilitic *osteochondritis*.

Weil d. (vīl). ヴァイル(ワイル)病（一般に *Leptospira interrogans* の血清グループである *L. icterohaemorrhagiae* によって起こるレプトスピラ症(→leptospirosis)の一型．感染ラットの尿に接触して感染する．臨床的には，発熱，黄疸，筋肉痛，結膜充血，蛋白尿を特徴とし，血清中に凝集素が現れる）．＝infectious icterus; infectious jaundice.

Werdnig-Hoffmann d. (verd′nig hawf′mahn). ヴェルドニッヒ－ホフマン病．＝spinal muscular *atrophy* type I.

Werlhof d. (vārl′fawf). ヴェルルホフ病（idiopathic thrombocytopenic *purpura* を表す現在では用いられない語）．

Wernicke d. (vern′ik-ĕ). ヴェルニッケ病．＝Wernicke *syndrome*.

Werther d. (ver′tĕr). ヴェルター病．＝*dermatitis* nodularis necrotica.

Wesselsbron d. (ves′selz-bron). ヴェッセルスブロン病．＝Wesselsbron *fever*.

Whipple d. (wip′ĕl). ウィップル病（脂肪便を特徴とするまれな病気．しばしばリンパ節腫脹，関節炎，発熱，咳を伴う．空腸粘膜固有層に多数の〝泡沫状〟マクロファージがみられる．*Tropheryma whippleii* により惹起される．進行性の栄養不良，認知症に至ることもあり，治療しなければ死ぬこともある）．

white spot d. 白斑〔点〕病．＝small lymphocytic *lymphoma*.

Whitmore d. (wit′mōr)［Alfred *Whitmore*］. ＝melioidosis.

Wilkie d. (wil′kē). ウィルキー病．＝superior mesenteric artery *syndrome*.

Wilson d. (wil′sŏn)［MIM*277900］. ウィルソン病（①［S.A.K. Wilson］. 銅の代謝性疾患で，肝硬変，大脳基底核変性，神経症状，角膜辺縁の緑色ないし黄褐色の色素沈着を特徴とする．血漿セルロプラスミンおよび銅の濃度が減少し，銅の尿中排泄は増加する．肝・脳・腎・レンズ核の銅含量が異常に高いがシトクロム酸化酵素は減少している．常染色体劣性遺伝．第 13 染色体長腕の銅輸送 ATPase 遺伝子(*ATP7B*)の変異による．→Kayser-Fleischer *ring*. ＝hepatolenticular degeneration; lenticular progressive d. ②＝exfoliative *dermatitis*）．

Winiwarter-Buerger d. (vin′i-vahr-tĕr-ber′gĕr). ヴィーニヴァルター－バーガー(ビュルガー)病．＝*thromboangiitis* obliterans.

Wohlfart-Kugelberg-Welander d. (vōl′fārt kū′gel-berg vē′lahn-dĕr). ヴォールファルト－クーゲルベルク－ヴェランデル病．＝spinal muscular *atrophy* type III.

Wolman d. (vol′mahn)［MIM*278000］. ウォルマン病．＝cholesterol ester storage d.

woolsorter's d. 羊毛選別者病．＝pulmonary *anthrax*.

Woringer-Kolopp d. (vor′ing-ĕr kō′lop). ウォランジェ－コロップ病．＝pagetoid *reticulosis*.

X d. Ｘ病（病因不明のウイルス疾患の１つ）．

X-linked lymphoproliferative d. (**XLP**) ＝X-linked lymphoproliferative *syndrome*.

yellow d. 黄色病．＝xanthochromia.

Zamboni d. (zam-bō′nē). ザンボニ病（閉空間であるアイススケート場での競技で，Zamboni とよばれるアイスリンクの製氷車(氷面整備車両)の排気ガス中，各種窒素酸化物の吸入によって惹起される，急性肺水腫などの一連の健康障害の呼称）．

Ziehen-Oppenheim d. (tsē-en op′ĕn-hīm). ツィーエン－オッペンハイム病．＝*dystonia* musculorum deformans.

---

dis·en·gage·ment (dis′en-gāj′ment) [Fr.]. 〔胎児〕排出機序，娩産，遊離（①自由にする，あるいは救い出す行為．出産のとき外陰から頭部を出させること．②先進部が入口を通過した後に，骨盤内で母体前方に進むこと）．

dis·e·qui·lib·ri·um (dis-ē′kwi-lib′rē-ŭm). 不均衡，不平衡，平衡異常（平衡の欠如）．

genetic d. 遺伝的不均衡（ある集団の遺伝的構成物が自然淘汰などの圧力のもとに平衡または吸収状態を逸脱すると考えられる状態）．

linkage d. 連鎖不平衡（２つの遺伝子座の接合配偶子の可能性が，構成遺伝子の産物の可能性と等しくない状態．これらの量的違いは不平衡を増加させる．不平衡の原因はたくさんある).

dis·flu·en·cy (dis-flū′en-sē) [dis- + fluency]. 非流暢 (連続してよどみなく話すことができないこと. 言葉の流れがしばしば途切れたり, 同じ言葉が繰り返されること. →stuttering).

dis·flu·ent (dis-flū′ent). 非流暢な (連続してよどみなく話すことができないことをさす).

dis·ger·mi·no·ma (dis-jer′mi-nō′mă). =dysgerminoma.

DISH (dish). diffuse idiopathic skeletal *hyperostosis* の略.

dish (dish). 皿 (通常, 凹形で, 浅い容器).

Petri d. (pē′trē). ペートリー(ペトリ)皿 (小型の浅い皿. 薄いガラスあるいは透明なプラスチック製で, 緩いふたが付いている. 微生物学において, 固体培地で微生物を培養するのに用いる. しばしばプレートといわれる).

Stender d. (sten′dĕr). シュテンダー皿 (切片の染色に用いる平らな浅い容器).

dis·har·mo·ny (dis-har′mŏ-nē). ***1*** 不調和 (混乱している状態あるいは秩序だっていない状態). ***2*** 不協和 (混ざった音で, その基本音の周波数とその倍音の間に数学的な関係がないこと. 倍音の周波数は基本音の整数倍でもなく, 分数倍でもない. 聴覚効果として音楽とは逆に, 雑音であり, 不愉快な音質である).

occlusal d. 咬合不調和 (①歯の反対咬合表面の接触が, 他の歯の接触, また下顎の解剖学的・生理学的コントロールと調和しないこと. ②上下顎の咬合が一致しないこと. →deflective occlusal *contact*).

DISIDA diisopropyl iminodiacetic acid; disofenin の略.

dis·im·pac·tion (dis′im-pak′shŭn). ***1*** 埋伏骨片除去 (骨折骨における埋伏骨の除去). ***2*** 摘便 (宿便の際, 大便を通常手で取り除くこと).

dis·in·fect (dis′in-fekt′). 消毒する, 殺菌する (物質中の病原菌を死滅させる, あるいはその発育や生命活動を抑制する).

dis·in·fec·tant (dis′in-fek′tănt). ***1*** 〚adj.〛 殺菌性の (病原菌を死滅させる, その増殖活動を抑制する). ***2*** 〚n.〛 消毒薬 (殺菌性のある薬剤).

complete d. 完全消毒薬 (菌体および芽胞を撲滅する消毒薬).

incomplete d. 不完全消毒薬 (菌体のみを撲滅し, 芽胞に障害を与えない消毒薬).

dis·in·fec·tion (dis′in-fek′shŭn). 消毒〔法〕, 殺菌 (化学物質の直接的な暴露による, 病原菌, その毒素あるいは媒介動物の破壊).

concurrent d. 即時消毒〔法〕(感染者の身体からの感染性物質の排泄直後またはそれらの感染性排泄物による物質の汚染直後, できるだけ早く消毒を行うこと).

terminal d. 終末消毒〔法〕(患者が死亡するとか感染源でなくなったときなどに感染源を徹底的になくすために行う消毒).

dis·in·fes·ta·tion (dis′in-fes-tā′shŭn). 駆除 (身体, 衣類, あるいはヒトや家畜の環境に存在する節足動物, げっ歯動物など小型の好ましくない動物を駆除あるいは取り除くための物理的または化学的過程).

dis·in·hi·bi·tion (dis′in-hi-bish′ŭn). ***1*** 抑制解除 (毒性または器質性の過程などによる抑制の解除). ***2*** 脱抑制, 抑制消失 (刺激による制止効果の除去で, 条件反射が消去されたときに外からの何らかの刺激により回復されるような例をいう).

dis·in·sec·tion, dis·in·sec·ti·za·tion (dis′in-sek′shŭn, dis′in-sek-ti-zā′shŭn) [L. *dis-*, apart + insect]. 無昆虫化 (ある区域を, 昆虫がいない状態にすること).

dis·in·te·gra·tion (dis′in-tĕ-grā′shŭn) [dis- + L. *integer*, whole, intact]. 崩壊 (①物質構成部分の損失あるいは分離. 異化や腐敗で起こる. ②精神・行動過程の解体).

dis·in·vag·i·na·tion (dis′in-vaj′i-nā′shŭn). 腸重積解離.

dis·junc·tion (dis-jŭnk′shŭn) [dis- + L. *junctio*, a joining < *jungo*, pp. *junctum*, to join]. 分離, 染色体分離 (細胞分裂後期の染色体対の正常な分離).

disk (disk) [L. *discus*; G. *diskos*, a quoit, disk] [TA]. =disc.

dis·ki·tis (dis-kī′tis). 円板炎. =discitis.

disko- (dis′kō). →disco-.

dis·lo·cate (dis′lō-kāt). 脱臼させる, 関節をはずす.

dis·lo·ca·ti·o (dis′lō-kā′shē-ō) [L.]. 脱臼, 転位. =dislocation.

d. erecta 直立脱臼 (肩関節の肩甲関節窩下脱臼. 上腕骨頭は下方に転位して上腕骨が外転位をとる).

dis·lo·ca·tion (dis′lō-kā′shŭn) [L. *dislocatio* < *dis-*, apart + *locatio*, a placing]. 脱臼, 転位 (ある器官またはある部分が転位すること. 特に関節を構成する両関節面の接触が完全に失われて骨同士の正常な位置関係が障害される, または乱れることをいう. 脱臼の方向は関節を形成する遠位の骨の位置によって決められる. 次頁の写真参照). =dislocatio; luxation (1).

d. of articular processes 関節突起脱臼 (関節突起の1つあるいは両方の完全脱臼. 一般に, 上位椎骨の下関節突起が下位椎骨の上関節突起の前方へずれている). =locked facets.

arytenoid d. 披裂関節脱臼 (披裂軟骨の亜脱臼を伴った輪状披裂関節の離解). =arytenoid subluxation.

closed d. 閉鎖脱臼 (皮膚, 血管, 神経, 骨の損傷を伴わない脱臼). =simple d.

compound d. 複雑脱臼. =open d.

fracture d. 脱臼骨折 (関節を形成する骨の骨折を伴う脱臼).

open d. 開放性脱臼 (皮膚表面から患部関節へと開放した創を合併する脱臼). =compound d.

perilunar d. 月状骨周囲脱臼 (月状骨以外の手根骨が月状骨から脱臼したもので, 月状骨は橈骨と正常の位置関係にある. 月状骨脱臼との鑑別を要する).

simple d. 単純脱臼. =closed d.

dis·mem·ber (dis-mem′bĕr). 切断する, 分割する (①上肢または下肢を切断すること. ②軀幹を部分に分けること).

dis·mu·tase (dis-myū′tās). ジスムターゼ (同一2分子の反応の触媒として酸化状態(スーパーオキシドジスムターゼ), またはリン酸化状態(グルコース-1-リン酸ホスホジスムターゼ)の異なる2分子を生成する酵素の総称).

dis·mu·ta·tion (dis′myū-tā′shŭn). 不同変化, 不均〔等〕化, 相互変換 (単一物質が関与するが, 2つの生成物を与える反応. 例えば, アセトアルデヒド2分子が反応して, 酸化生成物(酢酸)と還元生成物(エチルアルコール)を生じる).

dis·ob·li·ter·a·tion (dis′ob-lit′ĕr-ā′shŭn). 再開通 (病気により閉鎖されていた通路を開放すること).

di·so·fen·in (dī′sō-fen-in). =diisopropyl iminodiacetic acid.

di·so·mic (dī-sō′mik). 二染色体の.

di·so·my (dī′sō-mē) [G. *dis-*, two + *sōma*, body]. 二染色体 (①個体あるいは細胞が1対の相同染色体の両方を有する状態. 一染色体, 三染色体に対比してヒトの正常状態. ②単一細胞に2度現れる異常染色体).

dis·or·der (dis-ōr′dĕr). 障害, 疾患 (機能, 構造, あるいは両方の障害で, 発育における遺伝, 発生上の欠陥, または毒素・外傷・疾病など外因性要因に起因する).

acute stress d. 急性ストレス障害 (①普通の人の経験の範囲を超えた心理的に外傷的な出来事の後, 最初の4週間の間に特徴的な症状が進展すること. これらには解離現象(無感覚あるいは無関心), 周囲に対する気付きの低下, 現実感喪失, 離人症, 選択的健忘があり, 出来事を再体験し, 外傷的出来事を連想させるものを避けようとする, 著しい不安, 自律神経系の覚醒状態に関するさまざまな症状を示す. ②明記された診断基準を満たすときに用いられるDSMによる診断名の1つ).

adjustment d.'s 適応障害 (①精神障害の1つで, 症状の発展が環境的ストレスと関係しているもの, およびライフイベントと関係し, ストレスの解消とともに軽快することが予期されるもの. ②特定の心理ストレスまたはストレッサーに対する不適応反応を本質とする障害で, ストレッサーの出現から数週間以内に生じ, 6か月もの間継続する. 反応の不適当性は職務(学校を含む)能力や通常の社会活動, 対人関係における困難に現れ, ストレッサーに対して正常な予期できる反応の範囲を超える症状がみられる).

affective d.'s 情動障害 (気分の不安定を特徴とする一種の精神病).

affective personality d. 感情性人格(パーソナリティ)障害 (①=affective *personality*. ②慢性軽躁人格, 慢性抑うつ人格, 循環気質性人格を含むICD診断).

antisocial personality d. 反社会的人格異常 (①他者の権

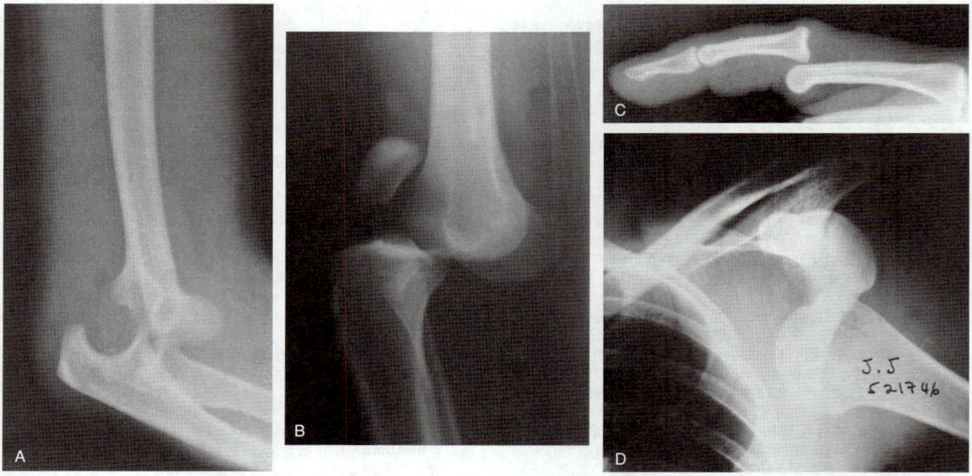

dislocations

A：肘の橈骨と尺骨両方の後部脱臼．B：近位脛骨の前部脱臼で，後十字靱帯は無傷．C：遠位域の背方変位を伴う近位指節間関節での指の脱臼．D：上腕頭の関節窩下の脱臼．

利や安全をを無視したり侵害する反社会的行動が持続的および慢性的にみられることによって特徴付けられる永続的かつ広範なパターンで，15 歳以前に始まる．小児期早期の徴候には慢性的虚言，盗み，けんか，ずる休みがある．思春期には通常，早期または攻撃的性行動，過度の飲酒，違法な薬物使用がみられ，そのような行動は成人になっても持続する．②DSM 診断の 1 つで特定の診断基準を満たせば確定する)．

anxiety d.'s 不安障害（様々な不安を呈する疾患の一群で，DSM 診断の一分類．これにはパニック障害(→panic *attack*)，特定の恐怖症，単純恐怖症(→phobia)，社会不安性障害もしくはかつての社会恐怖，強迫性障害(OCD)(→obsession; compulsion; obsessive-compulsive)，外傷後ストレス障害(PTSD)，急性ストレス障害，全般性不安障害(GAD)，身体疾患または物質誘発性の不安障害，特定不能の不安障害がある．→neurosis.→anxiety)．

articulation d.'s 構音障害（音素の脱落，代用，ゆがみ，追加などの発音の誤り）．

Asperger d. (ahs'pĕr-gĕr). アスペルガー障害（①広汎性発達障害の 1 つで，言語発達に明らかな遅れはないが，重度で持続的な社交技能の障害と，行動や興味の幅が狭く，それが反復されるということによって特徴づけられる．結果的には社会参加や就労能力が障害されてしまう．②DSM 診断の 1 つで特定の診断基準を満たせば確定する)．

asthenic personality d. 無力性人格障害．＝asthenic *personality.*

ataxia telangiectasialike d. 毛細血管拡張運動失調症様疾患（毛細血管拡張運動失調症に非常に似た常染色体劣性多系統疾患で，MRE-11 という DNA 修復遺伝子の突然変異による)．

attention deficit d. (**ADD**) 注意欠陥障害（注意と組織化，衝動コントロールの障害で，小児に生じ，しばしば成人まで持続する．過活動を特徴とするが診断に必須ではない)．

---

attention deficit hyperactivity d. (**ADHD**) [MIM *143465]．注意欠陥多動性障害（発達的に不適切な程度の注意欠陥(短期記憶の幅，注意の転導のしやすさ，仕事の完遂の難しさ，指示に従うことの困難さ)，衝動性(検討せずにすぐ行動する)，多動性(落ちつかなさ，手指を動かす，もじもじすること，過度のやかましさ)を呈する行動障害．*DSM-IV* 診断基準に合致するには，注意欠陥に関する症候を 6 つ以上，または過活動，衝動性に関する症候を 6 つ以上を最低でも 6 か月間認め，これらが一般の発達段階に比して，不適切で合わない程度のものである．さらに，症状は 7 歳より前に発症し 2 つの領域で(例えば，家庭，社会，学校，仕事)明白な機能障害を認める)．＝hyperactive child syndrome.

多動性を伴う，伴わない注意欠陥性障害は，よく認められる慢性の行動障害で，これは子供に多く認められるが，思春期から成人期まで続くことが多い．就学期の子供の有病率は 3—15% で，これはどの程度診断基準を厳格にとるかで左右される．2/3以上の人は，成人期においても診断基準を満たし続け，アメリカの成人人口の 4 %が罹患していると推定されている．遺伝的要素が強いと研究で示され，患者の 25% は親のどちらかがこの疾患をもっている．さらに男性のほうが女性よりも 8 倍罹患しているといわれている．この疾患をもつ子供は，不安障害，うつ病，反抗挑戦性障害，成績不良，反社会的行動や物質乱用を合併する率が高い．この疾患をもつ大人は，社会と職業的不適応を呈して，慢性不安，物質乱用，双極性障害を呈することがある．診断は，きわめて臨床的である．中枢刺激薬(デキストロアンフェタミン，メチルフェニデート，ペモリン)および選択的ノルエピネフリン再取り込み阻害剤(アトモキセチン)の投与は患者の 80% において症状を改善させるが，これが奏功したからといって ADHD の診断を確定するものではない．

---

autistic d. 自閉〔症〕，内閉症（①広範な発達障害の深刻なもの．②精神障害の診断と統計の手引きに基づく診断の 1 つで，特定の診断基準を満たせば確定する．→autism; infantile *autism*)．

avoidant d. of adolescence 思春期の回避障害（→avoidant d. of childhood)．

avoidant d. of childhood 小児期の回避性障害（見知らぬ人との接触に対して過度に萎縮し回避することを特徴とする小児・思春期に生じる精神疾患)．

avoidant personality d. 回避性人格障害（①拒絶されたり，辱められたり，恥ずかしい思いをしたり，結果的に社会的な抑圧を受けるような感情に対する過敏性，批判されずに受け入れられることについて異常に強い保証を求めること，を特徴とする成人における人格．②DSM 診断の 1 つで特定の診断基準を満たせば確定する)．＝avoidant personality.

behavior d. 行動障害（精神疾患，心理的機能障害をさすのに用いる総称．特に知的，感情的，行動的，各側面の精神障害で，器質因と相関がないもの．→antisocial personality d.)．

bipolar d. 双極性障害（躁病あるいは軽躁病エピソード，混合性エピソードと大うつ病エピソードが交互に出現する感情障害．DSM では一般的に，双極 I 型および II 型障害と気分循環症に特定される．→manic *episode*; cyclothymia)．= manic-depressive psychosis.

bipolar I d. 双極 I 型障害（①エピソード(例えば，混合性，躁病性，大うつ病性)が交代して起こることで特徴付けられる気分障害の１つ．②明記された診断基準を満たすときに用いられる DSM による診断名の１つ)．

bipolar II d. 双極 II 型障害（①軽躁病エピソードと大うつ病エピソードが交代に起こることで特徴付けられる気分障害の１つ．②明記された診断基準を満たすときに用いられる DSM による診断名の１つ．→hypomanic *episode*; cyclothymia)．

body dysmorphic d. 身体醜形障害（①正常な外見の人が想像上の外見の欠陥に気持ちを奪われることを特徴とする精神身体(身体表現性)障害．② DSM 診断の１つで特定の診断基準を満たせば確定する)．= dysmorphophobia.

borderline personality d. 境界〔性〕人格障害（①成人早期に始まり，長期に及ぶ全般的な行動様式で，衝動性，予測不能性，不安定な対人関係，不適切なあるいはコントロールできない行動，ことに怒り，同一性障害，気分の急速な移り変わり，自殺，自傷行為，仕事や結婚が長続きしない，慢性の空虚感あるいは退屈感，１人でいることができない，などの症状を特徴とする．② DSM 診断の１つで特定の診断基準を満たせば確定する)．

character d. 性格異常（一群の行動異常をいう古語．より包括的な用語である personality d.(人格異常)が取って代わった)．

childhood disintegrative d. 小児〔期〕崩壊性障害（それまでまったく正常であった小児が，２—10 歳で排便や排尿の機能喪失を含む重篤な退行を示す状態)．

conduct d. 行為障害（①社会規範や他者の権利を侵害する一貫したパターンを特徴とする．小児・青年期の精神障害．この障害の子供は，暴行，動物に対する残虐行為，破壊，盗み，ずる休み，カンニング，うそをつくといったことを示すことがある．② DSM 診断の１つで特定の診断基準を満たせば確定する．→antisocial personality d.)．

conversion d. 転換性障害（①無意識的な情緒葛藤が，随意運動または感覚によって調節されている身体機能の変化または喪失として表現される精神障害．② DSM 診断の１つで特定の診断基準を満たせば確定する．→conversion; somatoform d.; hysteria)．

cumulative trauma d.'s (CTD) 蓄積外傷疾患（しばしば仕事関連の肉体活動による，結合織(筋肉，腱)と神経を障害する慢性疾患)．= repetitive strain d.'s; repetitive stress d.'s.

cyclothymic d. 気分循環障害（①精神疾患の１つで，ライフイベントに大概は無関係に顕著で臨床的に明らかな気分の変動によって特徴づけられる．気分の変動はうつから軽躁までで双極性障害ほどには振れ幅が大きくない．②特定の診断基準を満たした時につけられる DSM 診断の１つ．→cyclothymia (2); bipolar d.)．= cyclothymia (1).

cyclothymic personality d. 循環性人格障害．= cyclothymic *personality*.

delusional d. 妄想〔性〕障害（妄想を特徴とする重篤な精神障害．妄想はパラノイア様，誇大，身体，性的な主題をとる)．

dependent personality d. 依存性人格障害（①成人期にみられ，長期に及ぶ全般的な行動様式で，服従的かつ依存的な行動と，自分の感情，立場，経済的な要求を満たすための他人に対する過度な依存を特徴とする．② DSM 診断の１つで特定の診断基準を満たせば確定する)．= dependent personality.

depersonalization d. 離人症性障害（①自分の精神や身体から分離するような経験が永続的にあるいは繰り返して存在することで特徴付けられる障害．まるで自分があやつり人形のように感じたり，自分のことを外から傍観しているように感じたり，夢の中にいるように感じたりする．現実検討ははっきりしており，治療において重要なつらい障害となる．② DSM 診断の１つで特定の診断基準を満たせば確定する)．

dissociative d.'s 解離性障害（同一性，記憶，意識，あるいは環境の知覚の機能の障害を特徴とする一群の精神疾患．この診断群には解離性健忘(古語で心因性健忘)，解離性遁走，解離性同一性障害(古語で多重人格障害)，および離人症が含まれる)．

dissociative identity d. 解離性同一性障害（① 2 つまたはそれ以上の独立した意識をもつ人格が，同一人物内で代わる代わる出現する障害で，ときにはその各々の人格がその他をまったく気づかないこともある．→multiple personality d.; dissociation(3)．② DSM 診断の１つで特定の診断基準を満たせば確定する)．= multiple personality.

dysthymic d. 気分変調性障害（①慢性の気分障害であり，軽い抑うつや日常活動における興味の喪失を特徴とする．→depression．② DSM 診断の１つで特定の診断基準を満たせば確定する)．

eating d.'s (ED) 摂食障害（神経性食欲不振症，神経性大食症，異食症，および反すう障害を含む一群の精神疾患)．

emotional d. 情動障害，感情障害（→mental *illness*; behavior d.)．

erotomanic d. 恋愛妄想性障害（映画スターや偶然知りあった人などの他人から愛されているという誤った確信)．

factitious d. 虚偽性障害（患者が意図的に病気の症状をつくり出す，または環境的な目的ではなくむしろ心理的理由のために病気を装う精神疾患)．

familial bipolar mood d. 家族性双極性気分障害（通常は常染色体優性［MIM*125480］傾向およびときとしてＸ連鎖［MIM*309200］傾向をもって遺伝する双極性気分障害)．

fetal alcohol spectrum d.'s (FASD) 胎児性アルコールスペクトラム障害．= fetal alcohol *syndrome*.

functional d. 機能障害（器質的基盤が未知か見出せない身体症状を特徴とする障害．→behavior d.; neurosis)．= functional disease; functional illness.

gender identity d.'s 性同一性障害（①小児期，青年期，成人期にみられる，強力で全般的な性同一性の交錯で，自分が他の性である，あるいは他の性でありたいという執拗な意識をもつ．その性であることに，あるいはその性の役割を果たすことに持続する不快感をもち，臨床的に重大な不快感，機能不全を生じるためにしばしば様々な程度でもう一方の性の役割を果たすことがある．② DSM 診断の１つで特定の診断基準を満たせば確定する．→transsexualism)．

generalized anxiety d. (GAD) 全般性不安障害（①慢性的に不安反応のエピソードが繰り返される．不安ないし病的な恐れと心配が前景に立ち，自律神経系の変化を伴う心理障害．② DSM 診断の１つで特定の診断基準を満たせば確定する．→anxiety)．

grandiose type of paranoid d. 誇大型妄想〔性〕障害（自分は偉大な才能や洞察力をもっているが評価されていない，または重大な発見をしたと確信する妄想で，正式に公認してほしいと働きかける)．

histrionic personality d. 演技性人格障害（①成人期にみられる，過度で演技的で浅薄な情緒性，注意を引こうとすること，是認と再保証を要求することなど，長期間にわたる全般的な行動様式であり，小児期早期に始まり様々な場面でみられる．② DSM 診断の１つで特定の診断基準を満たせば確定する)．= hysteric personality d.

hysteric personality d. ヒステリー性人格障害．= histrionic personality d.

identity d. 同一性障害（自ら受け入れることができる一貫性のある自己感覚に，自己の各側面をまとめあげていく能力に関して著しく苦悩する精神障害)．

immune complex d. = immune complex *disease*.

immunoproliferative d.'s 免疫増殖疾患（免疫細胞の持続的増殖による障害．慢性リンパ球性白血病，マクログロブリン血症，多発性骨髄腫などでみられる γ-グロブリン異常に帰す)．

impulse control d. 衝動調節障害（自分自身もしくは他者に害を与えるように行動したいという衝動に抗しきれないことを特徴とする一群の精神障害．これには，病的賭博，盗癖，放火癖，抜毛癖，間欠性および単一性爆発性障害が含まれる)．

induced psychotic d. 〔物質〕誘発性精神病〔性〕障害（薬物や幻覚剤などの中毒物質によりもたらされる重篤な精神障害．→psychosis)．

intermittent explosive d. 間欠性爆発性障害（①幼児期

に始まるか，または頭部外傷後ではどの年代にも続発しうる，暴力的，攻撃的行為の反復を特徴とする障害で，行動を誘発する出来事へのバランスは著しく失っているが，他の点は正常である．② DSM 診断の１つで特定の診断基準を満たせば確定する）．＝dyscontrol; episodic dyscontrol syndrome.

internet addiction d. インターネット中毒障害（莫大な時間を〝ネットサーフィン〟に費やすことに伴って生じる臨床症候群．まだ明確な診断基準や病因は確立されていない）．

ion channel d.'s イオンチャネル疾患（神経または筋肉のカルシウム，塩素イオン，カリウムまたはナトリウムチャネルの機能障害が原因で，遺伝性のことが多く，挿間性の症候を呈することの多い疾患の総称．遺伝性ミオクローヌスや周期性四肢麻痺は，本疾患に含まれる．第７染色体長腕 32 領域，第 17 染色体長腕または第１染色体長腕 31—32 領域の部位の突然変異が原因で，優性遺伝のことが多い）．＝channelopathies.

isolated explosive d. 単一性爆発性障害（衝動調節障害の１つで，他者に著しい影響を及ぼすような外に向けられた抑えきれない暴力的行為の単一エピソードを特徴とする）．

jealous type of paranoid d. 嫉妬型妄想〔性〕障害（自分の配偶者や恋人が浮気をしているとの誤った確信で，対決を繰り返したり，想像上の不貞に異常な形で介入するに至る）．

late luteal phase dysphoric d. 黄体期後期精神症状．＝premenstrual *syndrome.*

LDL receptor d. LDL 受容体病（LDL 受容体活性に異常があるために血漿からの LDL がすみやかに排泄されない病態．高コレステロール血症が生じる）．＝familial hyperlipidemia.

lymphoplasmacellular d.'s リンパ形質細胞疾患（形質細胞腫，多発性骨髄腫，リンパ形質細胞性リンパ腫，MALT リンパ腫，アミロイドーシスなどを含む疾患のグループをさし示すために用いる語）．

major depressive d. 大うつ病性障害．（①＝major *depression.* ② DSM 診断の１つで特定の診断基準を満たせば確定する）．

major mood d. ⇀bipolar d.; affective *psychosis*; endogenous *depression*; dysthymia; manic-depressive d.

manic-depressive d. 双極性障害を表す古語．

mental d. 精神障害（自覚的な苦悩，ないしは他覚的な異常を伴う心理学的症候群または行動パターン．→mental *illness*; behavior d.）．

mitochondrial d.'s ミトコンドリア病（ミトコンドリア DNA の遺伝的変異に由来する種々の先天性疾患の総称．濃赤染線維ミオパシー，進行性外眼筋麻痺，Leigh 症候群，濃赤染線維ミオパシーを伴ったミオクローヌスてんかん（MERRF），ミトコンドリアミオパシー，脳症，乳酸アシドーシス，発作（MELAS），Lieber 眼性ニューロパシーが含まれる）．

mitochondrial DNA deletion d. ミトコンドリア DNA 欠失病（ミトコンドリアの欠失変異により起こる病気（例えば，Kearns Sayre 症候群（⇀syndrome），Pearson 症候群，慢性進行性外眼筋麻痺 chronic progressive external *ophthalmoplegia*））．

mood d.'s 気分の障害をもつ精神障害の一群で，完全あるいは部分的躁病またはうつ病症候群を伴い，しかも他のいかなる精神疾患によらないもの．気分は精神生活の全体を彩る情動の長く続くものをさし，うつや躁を一般的には有する．例えば，躁病エピソード，大うつ病エピソード，双極性障害，うつ病性障害．

multiple personality d. 多重人格障害（解離性同一性障害の古語）．

narcissistic personality d. 自己愛性人格障害（①成人期において様々な場面でみられる，自己中心的で，尊大，他人への共感の欠如，権利意識，および主に自分の要求を満たすための対象として他者をみることが全般的に認められる行動様式．② DSM 診断の１つで特定の診断基準を満たせば確定する．*cf.* autosynnoia）．

neuropsychological d. 神経心理学的障害（生理学的なあらゆる原因による大脳の機能障害で，気分，行動，知覚，記憶，認知あるいは判断，そして精神生理の変化により明らかにされる）．

neurotic d. 神経症性障害．＝neurosis.

obsessive-compulsive d.（OCD） 強迫性障害（①反復する強迫観念，持続的に侵入し続ける観念，思考，衝動またはイメージ，または強迫行為（強迫観念に反応して不安を軽減するために目的をもって意図的に行われる反復性の行動）を基本的な特徴とする不安障害の一種であり，これらの症状は著しい苦悩を引き起こしたり，時間を使ったり，日常の活動，職業上の機能，または社会的活動や対人関係に著しい障害を引き起こしたりするほどに重篤である．② DSM 診断の１つで特定の診断基準を満たせば確定する．→obsessive-compulsive personality d.）．

obsessive-compulsive personality d. 強迫性人格障害（①達成不能の完全主義を特徴とする成人期における全般的な行動様式．規則，細部，秩序へのとらわれ，他を支配するための理由のない試み，仕事への過剰な没頭，いろいろ考えて決定できなくなりすべてにおいて柔軟性，寛大さ，効率を欠いてしまう，などを特徴とする．② DSM 診断の１つで特定の診断基準を満たせば確定する）．＝compulsive personality; obsessive personality; obsessive-compulsive personality.

oppositional d. 反抗性障害．＝oppositional defiant d.

oppositional defiant d. 反抗挑戦性障害（①権威者への頻発する拒絶・敵対・反抗的態度に特徴付けられる児童期や思春期の障害．② DSM 診断の１つで特定の診断基準を満たせば確定する）．＝oppositional d.

organic mental d. 器質性精神障害（一過性または持続性の脳機能障害に伴う心理面，認知面ないし行動面の異常であり，通常，脳器質性精神症候群 organic brain syndrome がみられるのが特徴）．

overanxious d. 過剰不安障害（分離や最近のストレスとは特異的な関係がない過度の心配および恐怖行動を特徴とする小児期または青年期の精神障害で，現在は全般性不安障害に含まれる）．

pain d. 疼痛性障害（①主体となる症状が疼痛である身体表現性障害．⇀conversion. ② DSM の診断基準に合致した際に付けられる診断）．

panic d.［MIM*167870］．恐慌性障害（予期せず起こる再発性の恐怖発作（パニック発作）．⇀generalized anxiety d.）．

paranoid d. 妄想〔性〕障害．＝persecutory type of paranoid d.

paranoid personality d. 妄想性人格障害（①パラノイド障害または妄想性パラノイド障害よりも障害の程度が少ない人格障害．その基本的な特徴は，成人期早期に始まり様々な場面でみられる，意図的に利用している，害を与えようとしている，おとしめようとしている，または脅威を与えようとしているなどと，他人の行動を根拠のないまま誤って解釈する全般的な傾向である．② DSM 診断の１つで特定の診断基準を満たせば確定する）．＝paranoid personality.

persecutory type of paranoid d. 被害型妄想〔性〕障害（妄想性障害の中で最も一般的な型の１つで，グルになっている，だまされている，見張られている，追跡されている，毒をもられる，薬を混入される，悪口を言われる，苦しめられる，長期目標の達成を妨害されているなどの，１つないし一連の関係する主題からなる．とるに足らない冷遇が誇張され，妄想体系の核をつくり上げる．⇀paranoia. *cf.* paranoid personality d.）．＝paranoid d.

personality d. 人格障害（一群の行動障害をさす包括的用語．通常は生涯続く，主観的内的体験と逸脱した行動，生活様式，社会適応の根深い不適応パターンに特徴付けられる．このパターンは障害された判断力，感情，衝動コントロール，人間関係の機能に表れる）．

pervasive developmental d. 広汎発達障害（社会技能，言語の発達，想像力の完成に必要で多様な基本的心理機能の習得の障害を特徴とする，乳幼児期，小児期，または青年期の一群の精神障害．活動と興味が限局または固定しているという特徴もみられる．→Rett *syndrome*; Asperger d.）．

plasma iodoprotein d. 血漿ヨード蛋白障害（⇀familial *goiter*）．

posttraumatic stress d.（PTSD） 心的外傷後ストレス障害（①通常，ふつうに人間が人生を送る上では経験しないような心的外傷体験の後に生じる特徴的な症状であり，このなかには原因となった外傷体験の反復する再体験や外傷を思い起こさせるような刺激の回避，外的刺激に対する無感覚，様々な自律神経機能障害および認知障害，不快気分が含まれる．② DSM 診断の 1 つで特定の診断基準を満たせば確定する）．

premenstrual dysphoric d. (**PMDD**) 月経前不快気分障害（①月経周期の黄体期の最終週に始まり，卵胞期の開始とともに数日で軽快する広範なパターンをもつ障害で，抑うつ気分，気分の不安定さ，著しい不安，易刺激性などの組み合わせと様々な身体症状や著しい機能障害を伴う．症状は重症度において大うつ病に相当するもので，この点がより一般的な月経前症候群と区別される．→premenstrual *syndrome*. ②今後のさらなる研究が提唱されることを目的につくられた特定の DSM 診断基準）．

psychogenic pain d. 心因性疼痛障害（客観的所見に不釣合いで，また心理的要素と関係しているような痛みが主訴となっている障害）．

psychosomatic d., psychophysiologic d. 心身障害，精神生理的障害（精神的起源の身体症候が特徴である障害．自律神経系に神経支配される単一器官系の障害を含む．障害が持続すると生理学的および器質的変化が生じる）．

psychotic d. 精神病性障害．＝psychosis.

reactive attachment d. 反応性愛着障害（①社会的な関係性の障害を特徴とする幼児期または小児期早期の精神疾患．著しく病的なケアによって引き起こされると考えられている．② DSM 診断の 1 つで特定の診断基準を満たせば確定する）．

REM behavior d. レム行動疾患（レム睡眠時に正常では起こる随意筋の緊張消失が，起こらないことを特徴とする疾患）．

repetitive strain d.'s 反復性ひずみ疾患．＝ cumulative trauma d.'s.

repetitive stress d.'s 反復性ストレス疾患．＝ cumulative trauma d.'s.

rumination d. 反すう性障害（①食物の反復的な吐出を特徴とする幼児期に生じる精神疾患．通常は体重が減少したり体重増加が認められなかったりする．② DSM 診断の 1 つで特定の診断基準を満たせば確定する）．

schizoaffective d. 統合失調感情障害（①統合失調症の妄想，幻覚，解体した行動や話し方，陰性症状と同時に，大うつ病エピソード，躁病エピソード，混合性エピソードのいずれかが持続して現れる疾患．大うつ病エピソード，躁病エピソード，混合エピソードのいずれかがないときには，妄想または幻覚が数週間存在しなければならない．②明記された診断基準を満たすときに用いられる DSM による診断名の 1 つ．→negative *symptom*; schizophrenia; major depressive d.(2); mixed *episode*; manic *episode*; affective *psychosis*. *cf.* mood-congruent *psychosis*; mood-incongruent *psychosis*）．

schizoid personality d. 統合失調質人格障害（①持続的，広範的な成人期における社会からの引きこもり，感情的冷淡さや打ち解けなさ，制限，他人への無関心に特徴付けられる行動パターン．② DSM 診断の 1 つで特定の診断基準を満たせば確定する）．＝schizoid personality.

schizophreniform d. 統合失調症様障害（①前駆期，活動期，残遺期を一括した経過が 6 か月未満である以外は，本質的な症状が統合失調症に等しい疾患．② DSM 診断の 1 つで特定の診断基準を満たせば確定する）．

schizotypal personality d. 統合失調型人格障害（①持続的，広範的な成人期における親密な関係への不快感や能力の低下，認知または知覚のゆがみ，風変わりな行動に特徴付けられる行動パターン．② DSM 診断の 1 つで特定の診断基準を満たせば確定する）．＝schizotypal personality.

seasonal affective d. (**SAD**) 季節性感情障害（毎年ほぼ同じ時期に起こり，同じ時期に自然寛解するうつ病性気分障害．最もよくみられる型は冬期うつ病で，午前中の過眠，意欲低下，食欲亢進，体重増加，炭水化物の嗜好を特徴とし，春期にすべての症状が寛解する）．

separation anxiety d. 分離不安障害（①小児期に生じる精神疾患で，小児が愛着を示している人物(通常は両親)から分離するときに極度の不安を感じることを特徴とする．② DSM 診断の 1 つで特定の診断基準を満たせば確定する）．

sexual d.'s 性障害（性活動の亢進を伴う異常性欲行動(パラフィリア)や性欲，性刺激，オルガズムの障害を含む多様な症状をもつ一連の行動的，心理生理的な性的な機能の障害）．

shared psychotic d. 共有精神病障害．＝*folie* à deux.

sleep terror d. ⇀night terrors.

somatization d. 身体化障害（①様々な器官に関係する複雑な身体疾患の病歴や身体症状を認めるにもかかわらず，器質的な背景は見出せないことを主な特徴とする精神障害．⇀conversion; hysteria; Briquet *syndrome*. ② DSM 診断の 1 つで特定の診断基準を満たせば確定する）．

somatoform d. 身体表現性障害（身体疾患を示唆する身体症状があるものの，明らかな器質所見や既知の生理学機序を欠き，心理要因と関連している有力な根拠があるか，それを強く疑わせる一群の障害．例えばヒステリー，転換性障害，心気症，疼痛性障害，身体化障害，身体醜形障害，Briquet 症候群）．

spectrum d. スペクトラム障害（広範な症状および徴候が種々の組み合わせでみられるような状態または症候群を表す用語(例えば Tourette 症候群)）．

substance abuse d.'s 物質乱用障害（中枢神経系機能を損ない，個人ないし社会的機能において重大な責務に直面するような失敗につながる，アルコール，薬物および関連物質の常用と関連する不適応な行動的ないし生物学的変化を認める一群の精神障害）．

substance dependence d. 物質依存障害（アルコール，薬物，その他の物質使用による耐薬性または離脱症状や薬物を手に入れようとする行動，使用することをやめるのに失敗などの社会的，対人的，職業活動の損失という不適応パターン）．

substance-induced organic mental d.'s 物質誘発性器質〔性〕精神障害（コカイン，アルコールなどの薬物の使用により生じる精神障害）．

thought d. 思考障害．＝thought process d.

thought process d. 思考過程障害（統合失調症の知的機能についての症状．言語表現が関連を失い支離滅裂である．単純な途絶や軽度の迂遠から完全な連合弛緩に及ぶ）．＝thought d.

triplet repeat d.'s トリプレットリピート病（特定の染色体上の遺伝子変異によりグルタミン酸の長いリピートを末端に有する異常蛋白を産生する先天性疾患の一群．Huntington 舞踏病，Kennedy 病，Machado-Joseph 病，筋緊張性ジストロフィ，脆弱性 X 症候群，ある種の脊髄小脳疾患が含まれる）．

dis·or·ga·ni·za·tion (dis-ōr′găn-i-zā′shŭn). 解体，分裂，組織崩壊（器官あるいは組織の破壊．その結果機能が失われる）．

dis·o·ri·en·ta·tion (dis-ōr′ē-en-tā′shŭn). 失見当〔識〕，見当識障害，指南力障害（周囲の環境(時，場所，人)についての熟知感の喪失．方向感覚の喪失）．

dis·par·ate (dis′pa-răt) [L. *disparo*, pp. *-atus*, to separate < *paro*, to prepare]. 非対応の，不同の．

dis·par·i·ty (dis-par′i-tē) [L. *dispar*, dissimilar]. 不等，不同，不一致（非対応性である状態）．

fixation d. 固視ずれ（正常の融像を維持しうる範囲での対応点のずれ）．

retinal d. 網膜歪覚（立体視を刺激する両眼の側方分離が原因となって起こる網膜像のわずかな差異）．

dis·pen·sa·ry (dis-pen′săr-ē) [L. *dis-penso*, pp. *-atus*, to distribute by weight < *penso*, to weigh]. ***1*** 健康相談所，診療所（医師のオフィス．特に薬剤を調剤する医師のオフィス）．***2*** 病院調剤室（医師の指示どおりに薬剤が出される病院の調剤室）．***3*** 外来診療室（病院の外来診療部門）．

Dis·pen·sa·to·ry (dis-pen′să-tō-rē) [L. *dispensator*, a manager, steward; ⇀dispensary]. 〔薬〕局方注解，医薬品注解（当初は薬局方の注解を意図したもの．現在はその補足に近い．公式・非公式に治療に用いられている薬剤の起源，調剤方法，生理作用，使用法を述べている）．

dis·pense (dis-pens′). ***1*** 投薬する（患者に薬剤その他の必要品を与える）．***2*** 調剤する（処方を調合する）．

di·sper·my, di·sperm·ia (dī′spĕr-mē, dī-sperm′ē-ă). 二精子受精（1 個の卵母細胞に 2 個の精子がはいること）．

dis·per·sal (dis-pĕr′săl). 分散，散布．＝dispersion (1).

flash d. 急速崩壊性（錠剤を舌の上に載せるとすぐ崩れる性質）．

dis·perse (dis-pĕrs′). 分散させる，散布する．

dis·per·sion (dis-pĕr′zhŭn) [L. *dispersio*]. ***1*** 分散，散布

（分散するあるいは分散される行為）．＝dispersal. *2* 分散〔度〕（ある物質の粒子が別の物体に組み入れられること．溶液，懸濁液，コロイド分散(溶液)など）．*3* コロイド分散（特にコロイド状溶液）．*4* 分散度（観測値の頻度が平均あるいは中央値(メディアン)を中心として分散している程度の大きさ）．

coarse d. 粗雑分散．＝suspension (4).

colloidal d. コロイド分散，膠質分散．＝colloidal *solution.*

molecular d. 分子分散（分散相が個々の分子で構成されるもの．分子がコロイドより小さいと真の溶液になる）．

optic rotatory d. (**ORD**) 旋光分散（入射単色偏光の波長による旋光度の変化．吸収帯において，旋光度が0から変化することはCotton効果(⇀effect)という）．

temporal d. 時間的分散（心筋線維の非同期再分極で，特に徐脈性不整脈または心室頻拍性不整脈のとき，異常電流や期外収縮が出やすくなる）．

dis·per·si·ty (dis-pĕr′si-tē). 分散度（粒子の次元がコロイド形成の次元まで下がる度合い）．

dis·per·soid (dis-pĕr′soyd). 分散体，分散質（分散相が遠心沈殿法で濃縮できるコロイド溶液）．＝dispersion colloid; molecular dispersed solution.

di·spi·reme (dī-spī′rēm) [G. *di-*, twice + *speirēma*, coil, convolution]. 二重らせん糸（有糸分裂終期の染色質二重糸状体）．

dis·place·a·bil·i·ty (dis-plās′ă-bil′i-tē). 置換能力，偏位性（置換の可能性，あるいは置換されやすさ）．

tissue d. 組織偏位性（元の，あるいは弛緩した位置あるいは形態から，組織が動かされうる性質）．＝compression of tissue.

dis·place·ment (dis-plās′ment). *1* 置き換え（正常位置からの移動）．*2* 置換（開放容器中の流体(特に気体)に，より高密度の流体を加えること．最初のものは追い出される）．*3* 置換（化学において，ある元素，基，分子が別のものに置き換えられること．あるいはある元素が酸化あるいは還元により他の元素と電荷を交換すること）．*4* 置き換え（精神分析において，強い感情エネルギーや情動を重要な対象から中立的な対象へ，無意識的に置き換えること）．

affect d. 情動置き換え，情動転換（初めにある感情を起こさせた対象から，何らかの関連ある対象への感情の移動）．

mesial d. 近心転位．＝mesioversion.

tissue d. 組織変位（圧力の結果，組織の形態や位置が変わること）．

dis·play (dis-plā′). ディスプレイ，発表，提示．

differential d. ディファレンシャルディスプレイ（特定の細胞あるいは組織に由来するmRNAをRT-PCRに基づいた技術を用いて増幅し，他の細胞あるいは組織に由来するmRNAを増幅したのと直接比較すること）．

dis·pro·por·tion (dis′prō-pōr′shŭn). 不均衡（適合性または対称性の欠如）．

cephalopelvic d. (**CPD**) 児頭骨盤不均衡（児頭が骨盤横径よりも大きすぎる状態）．

Dis·se (dis′ĕ), Josef. ドイツ人解剖学者，1852−1912. ⇀D. *space.*

dis·sect (di-sekt′) [L. *dis-seco*, pp. *-sectus*, to cut asunder]. 解剖する，分裂する，切り裂く，切開する（[誤った発音dī′sektを避けること]．①研究のために身体の組織を切り離す．②手術で，広く切開する代わりに結合組織外郭構造を切り裂いて，自然な線に沿って異なる構造を分離する）．

dis·sec·tion (di-sek′shŭn, dī-). 解剖，切開，解体（[誤った発音dī′sek-shŭnを避けること]）．＝anatomy (3) [TA]; necrotomy (1).

aortic d. 動脈解離（大動脈中膜の解離を特徴とする病理変化で，大動脈瘤を起こす．その部位により以下の3型に分類する．I型：上行大動脈，大動脈弓部および末梢大動脈に及ぶ．II型：上行性大動脈に限局．III型：下行大動脈に限局．多くの場合，左鎖骨下動脈の末梢部を起点とする）．

functional neck d. 保存的頸部郭清術（頸部のリンパ節転移郭清術．根治的頸部郭清術とは次のものを温存する点で異なる．胸鎖乳突筋，脊髄副神経，内頸静脈）．＝limited neck d.

limited neck d. ＝functional neck d.

radical neck d. 根治的頸部郭清術（下顎骨から鎖骨までの浅頸筋膜と深頸筋膜の間のすべての組織を切除して頸部リンパ節転移を郭清する手術．→functional neck d.）

dis·sec·tor (dis-ek′tŏr). [誤った発音dī′sek-tĕrを避けること]．*1* 解剖する人，切開する人．*2* 解剖のための手引書．*3* 解剖器具．

dis·sem·i·nat·ed (di-sem′i-nā-tĕd) [L. *dissemino*, pp. *-atus*, to scatter seed < *semen*(*-min-*), seed]. 播種性の，散在〔性〕の（器官，組織，あるいは身体中に広くまき散らされた）．

dis·sep·i·ment (di-sep′i-ment) [L. *dis-sepio*, pp. *-septus*, to divide by a fence]. 隔壁，隔膜．

dis·sim·i·la·tion (di-sim-i-lā′shŭn). *1* ＝disassimilation. *2* ＝catabolism.

dis·sim·u·la·tion (dis′sim-yū-lā′shŭn) [L. *dissimulatio* < *dissimulo*, to feign < *dis*, apart + *simillis*, same]. 疾患隠ぺい（詐病者や虚偽性障害者のように，情況，特に健康状態や精神状態について，診断時に真実を隠すこと）．

dis·so·ci·a·tion (dis-sō′sē-ā′shŭn, -shē-ā′shŭn) [L. *dissocio*, pp. *-atus*, to disjoin, separate < *socius*, partner, ally]. *1* 分離（分裂または関係の解体．[下記の化学，生化学および精神医学に関する意味で用いる場合，本語の代わりに誤ったつづりまたは発音desociationを使うのを避けること]）．＝disassociation. *2* 解離（溶解反応あるいはイオン化，ヘテロリシス，ホモリシスにより，化合物がより単純な化合物に変化する）．*3* 解離（一群の精神過程が，残りの精神過程から無意識に切り離されること．その結果，それらの過程は独立して機能し，通常の連合が失われる．例えば，感情と認知の切り離し．⇀dissociative identity *disorder*）．*4* 解離（心理学における癒し，および精神療法において，その手法の本質的部分として用いられる状態のこと．例えば，催眠療法や時間軸療法の神経言語学的プログラミング術において用いられる．→Time-Line *therapy*）．*5* 解離（大型の染色体と小型の余剰染色体間の転置）．*6* 解離（異形2核の核成分の離脱）．*7* 解離（より大きい高分子複合体や多量体(ポリマー)からのプロトマーへの分解）．

albuminocytologic d. 蛋白細胞解離（細胞数は増加しないで脳脊髄液中の蛋白が増加する．Guillain-Barré症候群の特徴．脊髄腔のブロックや頭蓋内の新生物とも関連し，ポリオの末期にみられる）．

atrial d. 心房解離（2個の心房あるいは心房の各部が互いに独立に拍動する）．

atrioventricular d. (**AVD**), **AV d.** [MIM*209600]. 房室解離（①完全房室ブロックにみられるような心房と心室が独立に興奮し，収縮する状態．②特に心房と心室の間の解離．心房ペースメーカの頻度減少，あるいは心室ペースメーカの頻度増加が原因となり，ほぼ(まれには完全に同じではあるが)等頻度の心拍数で心房または心室を脱分極させ，さらに脱分極が干渉する(干渉性解離)ことがある）．

complete atrioventricular d., complete AV d. 完全房室解離（心室捕捉によって妨害されない房室解離）．＝complete AV block (2); third degree AV block.

electromechanical d. 電気機械解離（機械的収縮を伴わない心臓の電気活動の持続．しばしば心破裂の徴候を示す）．＝pulseless electrical activity.

incomplete atrioventricular d., incomplete AV d. 不完全房室解離（心室捕捉によって妨害される房室解離）．

interference d. 干渉解離（干渉のために(これは正常の現象であるが)関連のない2つの心内ペースメーカ部位が，互いに各々の支配領域に不応性にするために同時に作動すること．通常，房室解離を意味し，心房の心拍数がほんの少し心室の心拍数より遅いときに起こる．捕捉現象は両方向性に起こるが，通常は不完全解離の際は心房刺激で心室が捕捉する）．＝d. by interference.

d. by interference 干渉性解離．＝interference d.

isorhythmic d. 等頻度解離（心房と心室の拍動数が等しいかあるいは非常に近い房室解離）．

light-near d. ＝*pupillary* light-near dissociation.

longitudinal d. 縦解離（心房と心室間の解離と違い，1つの心房と別の心房，あるいは1つの心室と別の心室というような並列の解離）．

sleep d. 睡眠解離．＝sleep *paralysis.*

syringomyelic d. 脊髄空洞症性〔感覚〕解離（触覚は比較

的保存されたままで，痛覚と温覚が脱失すること．神経線維の交差を妨害する脊髄中心部分の腔が関係する)．

tabetic d. 脊髄ろう性〔感覚〕解離（脊髄後柱の障害による固有感覚脱失で，温痛覚は保たれる)．

visual-kinetic d. 視覚運動解離（個人の内的体験から共感覚を取り除く神経言語学的プログラムの過程.→neurolinguistic *programming*)．

dis·solve (di-zolv′) [L. *dis-solvo*, pp. *-solutus*, to loose asunder, to dissolve]. 溶解する（適当な性質の流体の中に浸すことにより，固体から分散形態に変わるか，変えること)．

dis·so·nance (di′sō-nans) [L. *dissonus*, discordant, confused]. 不調和，不協和（社会心理学や態度理論において，個人が自己の内に矛盾や葛藤をわずかに自覚したときに起こる自己嫌悪状態.→cognitive dissonance *theory*)．

cognitive d. 認知の不協和. =cognitive dissonance *theory*.

dis·sym·me·try (dis-sim′ĕ-trē) [dis- + symmetry]. 非対称，無対称. =asymmetry.

dis·tad (dis′tad). 遠位に，周辺に向かって，末端方向に.

dis·tal (dis′tăl) [L. *distalis*]. ***1*** [TA]. 遠位の（身体の中心，あるいは起始点から遠くにある．特に四肢や器官の末端や遠い部分をいう). =distalis [TA]. ***2*** 遠心の（歯科において，歯列弓の弯曲に従って，顔の正中矢状面から離れる)．

dis·ta·lis (dis-tā′lis) [TA]. 遠位の. =distal(1).

dis·tance (dis′tăns) [L. *distantia* < *di-sto*, to stand apart, be distant]. 距離（2つの物体の間隔の大きさを表す量)．

focal d. 焦点距離（レンズの中心から焦点までの距離)．

focus-film d. (FFD) 焦点－フイルム間距離（X線撮影におけるX線の線源とフイルム間の距離)．

infinite d. 無限遠点（遠方視の限界．無限遠点での物体から目にはいる光線は事実上平行である). =infinity.

interarch d. 顎間距離（①特定の高径の状態で，上顎弓と下顎弓間の垂直距離．②上顎堤と下顎堤の間の垂直距離). =interalveolar space; interridge d.

interatomic d. 原子間距離（原子間(特に分子内の)距離)．

interocclusal d. 安静〔位〕空隙（①相対する咬合面間の垂直距離．特に指定がなければ安静位が考えられる. =interocclusal rest space (1). ②=freeway *space*)．

interridge d. =interarch d.

large interarch d. 最大顎間距離（上顎弓と下顎弓間の最大距離．最大垂直距離も含む). =open bite (1).

pupillary d. 瞳孔〔間〕距離（左右の瞳孔の中心間の距離．眼鏡枠とレンズの調整のための測定における重要な参照点)．

reduced interarch d. 減少顎間距離（下顎が安静位にあるとき最高の安静空隙に，また，歯が接触しているとき減少顎間距離にある咬合高径)．

small interarch d. 最小顎間距離（上顎弓と下顎弓間の最小距離). =close bite.

sociometric d. 社会測定距離，ソシオメトリ距離（相互認識，社会的認識，受容と理解について何らかの計測可能な程度．仮説では，ソシオメトリ距離が大きいと関連性の評価がいっそう不正確になる(例えば，外国人よりも母国人のほうが理解しやすくつきあいやすい))．

dis·ten·si·bil·i·ty (dis-ten′si-bil′i-tē) [L. *dis-tendo*, to stretch apart]. 伸展性，膨張性，拡延性（広げられる，または引きのばされる可能性)．

dis·ten·tion, dis·ten·sion (dis-ten′shŭn) [L. *dis-tendo*, to stretch apart]. 拡張，拡延，膨満（[distension が歴史的には正しいつづりであるが，米国では通常 distention とつづられる]．広げられ，または引きのばされている作用あるいは状態.→dilation)．

dis·ti·chi·a·sis (dis′ti-kī′ă-sis) [G. *di-*, double + *stichos*, row][MIM*126300]. 睫毛重生（先天性の異常な付属的睫毛列)．

dis·till (dis-til′). 蒸留する（蒸留により物質を取り出す)．

dis·til·late (dis′ti-lāt). 留出液，留出物（蒸留による産生物)．

dis·til·la·tion (dis′ti-lā′shŭn) [L. *de-*(*di-*)*stillo*, pp. *-atus*, to drop down]. 蒸留（加熱による液体の蒸発とその後の蒸気の凝縮．液体混合物中の揮発性物質を不揮発性物質から，あるいは，揮発性の大きな物質をより揮発性の小さな物質から分離する方法)．

destructive d. =dry d.

dry d. 乾留（燃焼が起こらないように，無酸素状態の密閉容器中で有機物を加熱すること．揮発性構成要素は蒸発除去されて分解を起こし，新しい物質が生成される). =destructive d.

fractional d. 分〔別蒸〕留（加熱温度を変えて混合液を蒸留し，沸点の異なる構成成分を別々に採取すること)．

molecular d. 分子蒸留（高真空中での蒸留．高温度で煮沸すると分解するような，熱に不安定な分子を損なわないため低温での蒸留を可能にする)．

dis·to·buc·cal (dis′tō-bŭk′kăl). 遠心面頬面の（歯の遠心面と頬面についていう．それらの連結が形成する角をさす)．

dis·to·buc·co·oc·clu·sal (dis′tō-bŭk′ō-ŏ-klū′săl). 遠心面頬面咬合面の（小臼歯あるいは大臼歯の遠心面，頬面，咬合面についていう．特にそれらの面の連結で形成される角をさす)．

dis·to·buc·co·pul·pal (dis′tō-bŭk′ō-pŭl′păl). 遠心面頬面髄面の（窩洞の遠心壁，頬側壁，髄壁の接合により形成される点角についていう)．

D

dis·to·cer·vi·cal (dis′tō-sĕr′vi-kăl). 遠心面歯頸面の（五級窩洞の遠心壁と歯頸(歯肉)側壁の接合により形成される線角についていう)．

dis·to·clu·sal (dis′tō-klū′săl). =distoocclusal. ***1*** 〔下顎〕遠心咬合の. ***2*** 遠心面咬合面の（歯の遠心面と咬合面を含む複合窩洞あるいは修復についていう). ***3*** 遠心面咬合面の（五級窩洞の遠心壁と咬合壁により形成される線角についていう)．

dis·to·clu·sion (dis′tō-klū′zhŭn). 〔下顎〕遠心咬合（下顎弓が正常位置から遠心位に上顎弓と咬合している不正咬合．Angle 分類法における不正咬合 II 級). =distal occlusion (2).

dis·to·gin·gi·val (dis′tō-jin′ji-văl). 遠心面歯肉面の（遠心面と歯肉面の接合についていう)．

dis·to·in·ci·sal (dis′tō-in-sī′zăl). 遠心面切端面の（前歯にある五級窩洞の遠心壁と切端壁の接合により形成される線角についていう)．

dis·to·la·bi·al (dis′tō-lā′bē-ăl). 遠心面唇面の（歯の遠心面，唇面，およびそれらの接合で形成される角についていう)．

dis·to·la·bi·o·pul·pal (dis′tō-lā′bē-ō-pŭl′păl). 遠心面唇面髄面の（近心切端の四級窩洞の切端部の遠心壁，唇側壁，髄壁の接合により形成される点角についていう)．

dis·to·lin·gual (dis′tō-ling′gwăl). 遠心面舌面の（歯の遠心面，舌面，およびそれらの接合により形成される角についていう)．

dis·to·lin·guo·oc·clu·sal (dis′tō-ling′gwō-ŏ-klū′zăl). 遠心舌側咬合面の（小臼歯あるいは大臼歯の遠心・舌側・咬合面，およびそれらの面の接合により形成される角についていう)．

Dis·to·ma (dis′tō-mă) [G. *di-*, two + *stoma*, mouth]. 種々の二生類の吸虫類を表す現在では用いられない語．現在では，*Fasciola*属，*Fasciolopsis*属，*Paragonimus*属，*Opisthorchis*属，*Clonorchis*属，*Dicrocoelium*属，*Heterophyes*属，*Schistosoma*属などに属するものとされる. =*Distomum*.

distomer (dis′tō-mĕr). ディストマー（あるレセプタに対して活性や親和性が低いエナンチオマーや立体異性体で，あるレセプタのディストマーは他のレセプタのユートマーである.→enantiomer)．

dis·to·mi·a·sis, dis·to·ma·to·sis (dis′tō-mī′ă-sis, -mă-tō′sis). ジストマ症（以前 *Distoma* または *Distomum* として分類された二生類の吸虫類が器官や組織に寄生している状態．一般に吸虫類の感染症をさす)．

hemic d. =schistosomiasis.

pulmonary d. =paragonimiasis.

dis·to·mo·lar (dis′tō-mō′lăr). 臼後歯（第三大臼歯の後方にある過剰歯)．

Dis·to·mum (dis′tō-mŭm). =*Distoma*.

dis·to·oc·clu·sal (dis′tō-ŏ-klū′săl). =distoclusal.

dis·to·oc·clu·sion (dis′tō-ŏ-klū′zhŭn). =distal *occlusion* (1).

dis·to·place·ment (dis′tō-plās′ment). 遠心変位. =distoversion.

dis·to·pul·pal (dis′tō-pŭl′păl). 遠心髄面の（窩洞の遠心壁

と髄壁の接合により形成される線角についていう).

dis·tor·tion (dis-tōr′shŭn) [L. *distortio* < *dis-torqueo*, to wrench apart]. ***1*** 歪曲，ゆがみ（精神医学において，受け入れがたい考えを抑圧したり，隠したりするのを助ける防御機制）. ***2*** 変形，ひずみ（歯科印象において，型の採得後の印象材の永久的変形）. ***3*** 捻挫（正常な形からねじれた状態）. ***4*** 歪曲収差（眼科学においては物体の像の拡大率が不均等になっていることを示す）.

barrel d. 樽形(バレル)ひずみ(歪)〔像〕（周辺の倍率が光軸(中心)の倍率より大きい場合に生じる不整な像. →Petzval *surface*）.

parataxic d. パラタクシス的歪曲(ゆがみ)（他人に対してゆがんだ評価に基づく態度をとること．通常よくみられるのは，患者の発達の早期段階における，感情的に重要な人物とのあまりに緊密な同一化による）.

pincushion d. 糸巻き形ひずみ(歪)〔像〕（光軸(中心)の倍率が周辺の倍率より大きい場合に生じる不整な像. →Petzval *surface*）.

dis·to·ver·sion (dis′tō-ver′zhŭn). 遠心転位（正常より遠心，歯列弓の彎曲に従って後方にある歯の位置不正）. =distoplacement.

dis·tract·i·bil·i·ty (dis-trak′ti-bil′i-tē). 転導性，それやすさ（注意の障害．ささいな出来事で心が容易にそれる．躁病，注意欠陥障害にみられる）.

dis·trac·tion (dis-trak′shŭn) [L. *dis-traho*, pp. *-tractus*, to pull in different directions]. ***1*** 散乱（精神の集中や固定ができないこと）. ***2*** 伸延（骨片間または関節面を引き離すために四肢を引っ張ること）.

dis·tress (dis-tres′) [L. *distringo*, to draw asunder]. 窮迫，困難（精神的または身体的な苦痛や苦悩）.

fetal d. 胎児仮死. =nonreassuring fetal *status*.

dis·tri·bu·tion (dis′tri-byū′shŭn) [L. *distribuo*, pp. *-tributus*, to distribute < *tribus*, a tribe]. 分布（①動脈や神経の組織や器官への到達．②動脈や神経が終わる区域，あるいはそれらにより供給を受ける区域．③異なる年齢，性，職業など，様々な分類カテゴリーや部分集団に属する人数の相対頻度. →frequency d. ④区分，類別．⑤ある物質の，細胞小器官，細胞，組織，器官，生物分類単位内あるいはそれらの間の出現パターン）.

Bernoulli d. (bĕr-nū′lē). ベルヌーイ分布（２つの互いに排他的ですべての場合をつくす結果に関する(例えば死と生存)に関する確率分布）.

binomial d. 二項分布（①例えば，臨床的徴候が存在する，しないなどの，互いに排反な結果に関連する確率分布．②ある定数 *n* 回の独立な Bernoulli 試行から得られた成功の数の起こりうる並びの分布）.

chi-square d. カイ２乗分布（ある変数が，平均０，分散１の正規(Gauss)分布に従う *K* 個の独立な確率変数の２乗和のように分布するとき，その変数は自由度 *K* のカイ２乗分布に従うという．カイ２乗分布は，生物学，医学の分野で恐らく最も広く用いられているだろう有意性検定であるカイ２乗検定の多くのバリエーションのもとになっている）.

countercurrent d. 向流分配（２種以上の物質の分離方法．相互に逆方向に移動する２種の不混和性液相の間で繰り返し分配する．液体－液体クロマトグラフィの１つ）.

dermatomal d. 皮節分布. =dermatome (3).

epidemiological d. →histogram.

exponential d. 指数分布（瞬間死亡率が時間によらず一定の場合，死亡が起きるまでの時間が従う確率分布）.

f d. F 分布（正規分布からの標本分散と同じ分布をもつ独立な２つの量の比の分布．イングランドの統計家で遺伝学者でもある R. A. Fisher にちなんで名付けられた）.

frequency d. 度数分布（生データの統計的記述．連続変数を一定の区間に区切り，そこに落ちる頻度で表現したもの）.

gaussian d. (gaw′sē-ăn). ガウス分布. =normal d.

lognormal d. 対数正規分布（$x=\log y$ が正規分布に従うとき，y は対数正規分布をするという．これは歪んだ分布である）.

multinomial d. 多項分布（標本中の対象のそれぞれを，互いに排反かつすべての場合をつくすカテゴリーの１つに分類するときの確率分布）.

normal d. 正規分布（釣鐘形を示す度数分布．統計的推測に際しては，標本が抽出された無限母集団の分布型として想定されることが多い．２つのパラメータ，平均値(x)と標準偏差(σ)により特徴付けられ，次式で表される）. =gaussian curve; gaussian d.

$$y=\frac{1}{\sigma\sqrt{2\pi}}e^{-\frac{(x-\bar{x})^2}{2\sigma^2}}$$

Poisson d. (pwah-son[h]′). ポワソン(ポアソン)分布（①統計で重要な離散分布．式 $p(x)=e^{-\mu}\mu^x/x!$ で定義される．ただし e は自然対数，x は整数，μ は平均値，$x!$ は x の階乗．②まれな事象の生起や連続的な時間，空間の中で重なって起こらないような事象の生起回数の標本分布を記述するために用いられる確率関数）.

skew d. 歪んだ分布（非対称な頻度分布．生物学・医学分野では，通常，対数正規分布をさす）.

***t* d.** t 分布（分子は標準正規分布に従う確率変数，それと独立な分母はカイ２乗(x^2)分布に従う確率変数をその自由度で除し平方根をとったもので表わされる比の分布）.

dis·tri·chi·a·sis (dis′tri-kī′ă-sis) [G. *dis*, double + *thrix* (*trich-*), hair]. 睫毛重生〔症〕，二重睫毛（１個の毛嚢に２本の毛が生えるもの）.

dis·trix (dis′triks) [G. *dis*, twice + *thrix*, hair]. 毛端分裂（毛が先端で２つに裂けているもの）.

dis·tro·pin (dis′trō-pin). =dystrophin.

dis·tur·bance (dis-tŭr′băns). 障害（正常な状態を逸脱，妨害，あるいは干渉していること）.

emotional d., mental d. →mental *illness*; behavior *disorder*.

di·sul·fate (dī-sŭl′fāt). 二硫酸塩（２つの硫酸塩を含む分子）.

di·sul·fide (dī-sŭl′fīd). ジスルフィド（①他種の１元素に対して硫黄２原子を含むこと．例えば 二硫化炭素 CS_2. ② –S–S– 基を含む化合物．例えばシスチン）.

asymmetric d. 非対称ジスルフィド. =mixed d.

mixed d. 混合ジスルフィド（S–S 結合の両側において対称でないジスルフィド．例えば，CoA とグルタチオンとでのジスルフィド，または，システインと CoA またはグルタチオンとのジスルフィド）. =asymmetric d.

symmetric d. 対称ジスルフィド（S–S 結合の両側が対称であるジスルフィド．すなわち，同一のチオール含有化合物から生成されたジスルフィド．例えば，シスチン，グルタチオンジスルフィド）.

di·sul·fi·ram (dī-sŭl′fi-ram). ジスルフィラム（体内でアルコールの正常な解毒代謝を妨げる酸化防止薬．血液および組織中のアセトアルデヒド濃度を増大させる．慢性アルコール中毒の治療に用いる．慢性アルコール中毒患者が常用すると，アルコール摂取時に強い不快感および悪心を引き起こすことにより中毒症状の再燃のリスクを低減させることができる．銅やニッケル中毒時のキレート薬としても用いる）. =tetraethylthiuram disulfide.

DIT diiodotyrosine の略.

di·ter·penes (dī-tĕr′pēnz). ジテルペン（イソプレン４個から構成される炭化水素あるいはその誘導体．したがって 20 個の炭素原子とそこから枝分かれしたメチル基４個を有する．例えば，ビタミンA，レチネン，アコニチン）.

di·thi·o·thre·i·tol (dī-thī′ō-thrē-tol). ジチオトレイトール（生化学や薬理学的研究で用いられるチオール基の供与体）. =Cleland reagent.

Ditt·rich (dit′rik), Franz. ドイツ人病理学者，1815―1859. →D. *plugs*, *stenosis*.

di·u·re·sis (dī′yū-rē′sis) [G. *dia*, throughout, completely + *ourēsis*, urination]. 利尿（[dieresis と混同しないこと]．尿の排泄．通例，異常に大量の尿の生成をさす）.

alcohol d. アルコール利尿（アルコール飲料摂取後の利尿．下垂体後葉の抗利尿ホルモン生産が停止することによる）.

osmotic d. 浸透圧利尿（浸透圧の高い物質が尿細管中で高濃度になることにより起こる利尿．それらの物質は尿素，ナトリウムなどで，水の再吸収を抑制する）.

water d. 水利尿（飲料水摂取後に起こる排尿．血液の低浸透圧に反応して下垂体後葉の抗利尿ホルモンの分泌が低下することによる）.

di・u・ret・ic (dī′yū-ret′ik). [dieretic と混同しないこと]. ***1*** 〚adj.〛利尿の（尿の排泄を促進する）. ***2*** 〚n.〛利尿薬（排泄尿量を増加させる薬剤）.

cardiac d. 強心利尿薬，心臓性利尿薬（心機能を増大させ，腎灌流を向上させる利尿薬）.

direct d. 直接利尿薬（主に尿細管機能に作用する利尿薬）.

indirect d. 間接利尿薬（心臓の強化あるいは水分補給により作用する利尿薬）.

loop d. ループ利尿薬（ナトリウムと塩素の再吸収を抑制する作用をもつ利尿薬の1つ．例えば，フロセミド，エタクリン酸．再吸収は近位尿細管と遠位尿細管のみならず，Henle わなでも作用する）.

osmotic d.'s 浸透圧性利尿薬（マンニトールのように，その浸透圧効果により尿生成中に水分を保持し，尿中の電解質を希釈し，再吸収を抑える．また尿中の水分や電解質の消失を促進する）.

potassium sparing d.'s カリウム保持性利尿薬（たいていの利尿薬と異なりカリウムを保持する薬で，例としてトリアムテレンやアミロライドがある．ナトリウムとカリウムの両方を排出させる利尿薬としばしば併用される．高血圧やうっ血性心不全の治療に用いられる）.

di・ur・nal (dī-ŭr′năl) [L. *diurnus*, of the day]. ***1*** 昼行性の（nocturnal の対語）. ***2*** 日ごとの，日周期性の（24時間ごとに繰り返すことについていう．例えば，日内変動，ダイアーナルリズム．*cf.* circadian）.

di・va・lence, di・va・len・cy (dī-vā′lens, dī-vā′len-sē). ＝bivalence.

di・va・lent (dī-vā′lent, div′ă-). ＝bivalent (1).

di・var・i・ca・tion (dī′var-i-kā′shŭn) [L. *divaricare*, to spread asunder]. 分離，離開. ＝diastasis (1).

di・ver・gence (dī-vĕr′jens) [L. *di-*, apart＋*vergo*, to incline]. 発散，開散（①いろいろな方向に動くあるいは広がる．②あるニューロンの枝が分岐して他の多数のニューロンとシナプスを形成すること）.

di・ver・gent (dī-vĕr′jent). 発散した，開散した（様々な方向へ進む．中心から四方へ出ていく）.

di・ver・tic・u・la (dī′vĕr-tik′yū-lă). diverticulum の複数形.

di・ver・tic・u・lar (dī′vĕr-tik′yū-lăr). 憩室の.

di・ver・tic・u・lec・to・my (dī′vĕr-tik′yū-lek′tŏ-mē). 憩室切除〔術〕.

di・ver・tic・u・li・tis (dī′vĕr-tik′yū-lī′tis). 憩室炎（憩室の炎症．特に結腸壁にある小さな嚢状空洞の炎症．うっ滞した糞が詰まるので炎症を起こす．まれに閉鎖，穿孔，あるいは出血を起こす）.

di・ver・tic・u・lo・ma (dī′vĕr-tik′yū-lō′mă) [diverticulum＋G. *-oma*, tumor]. 憩室腫瘍（結腸壁における肉芽腫の発育）.

di・ver・tic・u・lo・pexy (dī′vĕr-tik′yū-lō-pek′sē) [diverticulum＋G. *pēxis*, fixation]. 憩室固定〔術〕（切除することなく，通常は憩室が満たされることがないように近くの組織へその先端を固定することによって憩室を閉塞するための手術）.

di・ver・tic・u・lo・sis (dī′vĕr-tik′yū-lō′sis). 憩室症，多発性憩室症（腸に多数の憩室が存在するもの．中年ではよくある．病変は圧出性憩室）.

di・ver・tic・u・lum, pl. **di・ver・tic・u・la** (dī′vĕr-tik′yū-lŭm, dī′vĕr-tik′yū-lă) [L. *deverticulum*(or *di-*), a by-road < *de-verto*, to turn aside][TA]. 憩室（[誤った複数形 diverticulae および diverticuli を避けること]．消化管あるいは膀胱などの，管状あるいは嚢状の器官から突出した小袋あるいは嚢）.

adenohypophysial d. 腺性下垂体憩室. ＝pituitary d.; adenohypophysial pouch; Rathke d.; Rathke pocket; Rathke pouch.

allantoenteric d. ＝allantoic d.

allantoic d. 卵黄嚢憩室，尿膜憩室（後腸の内胚葉の内壁をもつ小袋．尿膜の原基を代表しており，大部分の有羊膜類では，胚体外体腔になる．ヒトでは卵黄嚢の後壁の突出部，尿膜管腔の遠位部分が原基痕跡であり，腹茎より伸びてはい

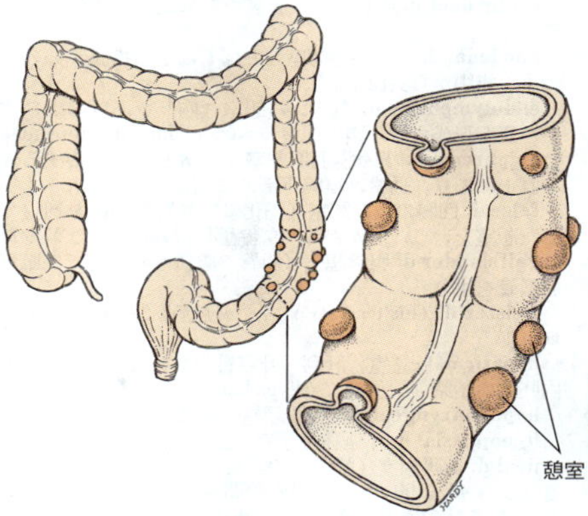

diverticulosis
S状結腸を含む.

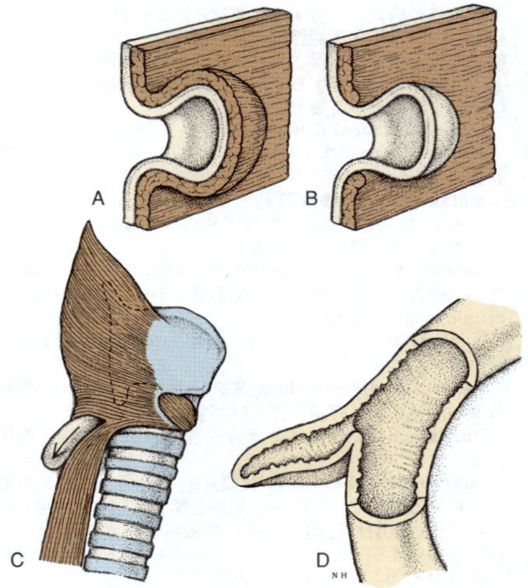

diverticulum
A：真性憩室(壁の全層を含む)．B：回腸の偽性憩室(粘膜のみ含む)．C：咽頭食道憩室．D：回腸のMeckel憩室.

ない．尿膜管となり，正中臍索として残る）. ＝allantoenteric d.

diverticula of ampulla of ductus deferens [TA]. 精管膨大部憩室（射精管への精管の末端近くの膨大部にできた不規則な小嚢）. ＝diverticula ampullae ductus deferentis [TA].

diverticula ampullae ductus deferentis [TA]. 精管膨大部憩室. ＝diverticula of ampulla of ductus deferens.

caliceal d. 腎杯憩室（先天性または後天性の腎杯拡張で，これにより結石が形成しやすくなる.→Fraley *syndrome*）.

cervical d. 頸部憩室（頸部にある憩室．鰓嚢(内胚葉)あるいは咽頭溝(外胚葉)の一部が保持されて生じる）.

diverticula of colon 大腸憩室（大腸の固有筋層の筋線維の間からの粘膜および粘膜下層の脱出．通常多発性で，70歳以上の西洋人では50% に生じるが，その他の人種ではそれほどは多くない．出血，激しい炎症を生じうる）. ＝colonic diverticula.

colonic diverticula 大腸憩室. ＝diverticula of colon.

cystic duct d. 胆管憩室（胆嚢管を形成する胆嚢憩室の茎部）.

duodenal d. 十二指腸憩室（しばしば十二指腸乳頭の近くで十二指腸から突出する）.

endolymphatic d. 内リンパ憩室（内リンパ管および内リンパ嚢を形成する耳胞の憩室）. =endolymphatic appendage.

epiphrenic d. 横隔膜上部憩室（心臓と食道の接する部分の真上にあり，通常，縦隔下部の右側に突出する）.

false d. 回腸の偽性憩室（消化管の筋層欠損部を通って生じた憩室をいう．したがって憩室壁には筋層は含まれない）.

gallbladder d. 胆嚢憩室（胆管の腹側への突出で，胆嚢と胆嚢管を生じる）.

Heister d. (hīs′tĕr). ハイスター憩室（→*bulb* of jugular vein）.

hepatic d. 肝憩室，肝窩（肝実質のもととなる，胚の前腸内胚葉の始原細胞憩室）. =liver bud.

hypopharyngeal d. 下咽頭憩室. =pharyngoesophageal d.

hypophysial d. 下垂体性憩室. =pituitary d.

ileal d. 回腸憩室（胎児期の卵黄茎の近位部の残遺で，回盲部から 40 — 50 cm の回腸の腸間膜と反対側に生じる 3 — 6 cmの指状の憩室．臍にくっついていることもある．粘膜に胃組織が含まれている場合は，消化性潰瘍，出血が生じることもある）. =Meckel d.

Kommerell d. (kom′ĕr-el). コマレル憩室（第四大動脈弓の遺残により，左鎖骨下動脈の起始部が球状に拡大して起こる憩室様の病変．合併する血管輪圧迫症候群は右大動脈弓遺残を含む．左鎖骨下動脈は食道背部を通ることがある．血管輪が分岐しても憩室がさらに大きくなれば気管と食道を圧迫し，外科的切除を要するが，その際に胸壁や椎骨表面の筋膜に縫合することが必要となる）.

laryngotracheal d. 喉頭気管憩室. =respiratory d.

Meckel d. (mek′ĕl) [MIM*155140]. メッケル憩室，臍腸間膜憩室. =ileal d.

metanephric d. 後腎憩室（中腎管尾方部分から両側に生じるもので，頭背側方へ伸びて後腎発生組織と接触し，尿管，腎盂，集合管の上皮を生じさせる）.

neurohypophysial d. 神経性下垂体憩室（間脳の神経外胚葉から発育し，神経性下垂体を形成する(下垂体神経部)）. =neurohypophysial bud.

Nuck d. (nuk). ヌック憩室. =*processus* vaginalis of peritoneum.

pancreatic diverticula 膵臓憩室（胚前腸からの，腹側・背側の内胚葉芽．膵臓実質の原基を構成する）.

Pertik d. (pĕr′tik). ペルティク憩室（異常に深い咽頭陥凹）.

pharyngoesophageal d. 咽頭食道憩室（食道に最も普通にみられる憩室で，下咽頭収縮筋と輪状咽頭筋との間に生じる内圧性(圧出性)憩室である．高齢者では消化不良や口臭(腐敗臭)を伴うこともある）. =hypopharyngeal d.; Zenker d.

pituitary d. 下垂体憩室（胚子口陥からの管状外胚葉生成物．間脳漏斗突起の方向，背方に成長し，周囲に杯状集塊を形成する．下垂体主部と中間部になる）. =adenohypophysial d.; craniopharyngeal canal; hypophysial d.; hypophysial pouch.

pulsion d. 内圧性憩室，圧出〔性〕憩室（内部からの圧力で形成される憩室．しばしば筋層を貫いて粘膜のヘルニア形成を起こす）.

Rathke d. (raht′kĕ). ラトケ憩室. =adenohypophysial d.

respiratory d. 呼吸憩室（原始咽頭の尾側端からの内胚葉性の憩室で，気管支の上皮と腺を形成する．その後，憩室は前腸から分離し，管となる）. =laryngotracheal d.; respiratory primordium.

thyroid d., thyroglossal d. 甲状腺憩室（胚咽頭床からの内胚葉芽．甲状腺実質の原基）.

tracheobronchial d. 気管気管支憩室（気道の上皮内面の隆起をきたす内皮肺原始細胞）. =primary bronchial buds.

traction d. 牽引性憩室（癒着した部分の収縮による牽引力によりできる憩室で，結核性肺門部リンパ節炎あるいは縦隔リンパ節炎により，主に食道遠位部に生じる）.

true d. 真性憩室（突出する壁層をすべて含む憩室）.

urethral d. 尿道憩室（尿道壁にできる袋状の小嚢．先天性欠損による場合もあるが，一般的には慢性の炎症に起因する）.

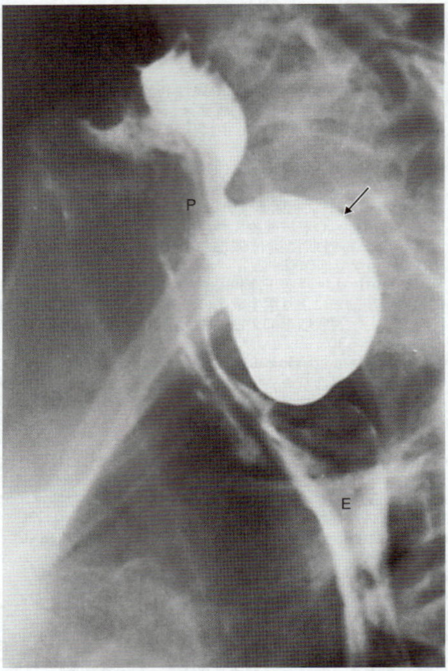

pharyngoesophageal diverticulum(矢印)
造影X線検査の左側面像．造影剤の誤えんに注目．
P：咽頭．E：食道．

ventricular d. 心室憩室（右心室あるいは左心室の先天性の嚢）.

vesical d. 膀胱憩室（膀胱壁の憩室．真性と偽性がある）.

Zenker d. (zen′kĕr). ツェンカー憩室. =pharyngoesophageal d.

di·vic·ine (dī′vis-ēn). ジビシン（アルカロイドの性質を有する塩基で，イタチササゲ *Lathyrus sativus* に存在する．毒作用がある. →lathyrism）.

di·vi·si·o, pl. **di·vi·si·o·nes** (di-vī′sē-ō, -sē-ō′nēs) [TA]. =division.

divisiones anteriores plexus brachialis [TA]. =anterior *divisions* of (trunks of) brachial plexus.

d. autonomica systematis nervosi peripherici [TA]. =autonomic (visceral motor) *division* of nervous system.

d. lateralis dextra hepatis [TA]. =right lateral *division* of liver.

d. lateralis sinistra☆ left *lobe* of liver の公式の別名.

d. lateralis sinistra hepatis [TA]. =left lateral *division* of liver.

d. medialis dextra hepatis [TA]. =right medial *division* of liver.

d. medialis sinistra hepatis [TA]. =left medial *division* of liver.

divisiones posteriores plexus brachialis [TA]. =posterior *divisions* of (trunks of) brachial plexus.

di·vi·sion (di-vizh′ŭn). 分裂（→ramus）. =divisio [TA].

anterior primary d. =anterior *ramus* of spinal nerve.

anterior d.'s of (trunks of) brachial plexus [TA]. 腕神経叢の〔神経幹〕前部（腕神経叢の上・中・下神経幹の構成成分のうち，上肢の屈側に分布する神経線維からなる部分）. =divisiones anteriores plexus brachialis [TA].

autonomic (visceral motor) d. of nervous system [TA]. 自律神経系，内臓運動性神経系（平滑筋，心筋，腺細胞などの運動性神経支配を行う神経系．生理学的，解剖学的に相対立する2つの部分，すなわち，交感神経系と，副交感神経系からなる．両者とも神経支配の経路は2つの運動ニューロンのシナプスによる連結からなっており，その1つは脊髄または脳幹内に節前ニューロン(節前線維またはB線維ともよばれる)は，脊髄として存在し，その薄い脊髄の軸索神経または脳神経とともに末梢に出て，自律神経節を構成する節後ニューロン(厳密には神経節細胞)の1つ以上とシナプス結合する．ついで，これらの神経節から出る無髄の節後線維が平滑筋・心筋や腺細胞に分布する．交感神経の節前ニューロンは胸髄と第一・第二腰髄の脊髄灰白質の中間外側柱に存在する．副交感神経の節前ニューロンは，脳幹の内臓運動核(迷走神経の背側運動核，唾液核，および Edinger-Westphal 核)と，脊髄の第二―第四仙髄の側柱とからなる．交感神経の神経節は交感神経幹の脊椎傍神経節と椎前または側副神経節(腹腔神経節)であり，副交感神経の神経節は神経支配を受ける器官の近くか，器官自体の中にある壁内神経節のいずれかにある．節前ニューロンから節後ニューロンへのインパルスの伝達は交感神経系と副交感神経系の両方ともアセチルコリンによって伝えられる．節後線維から内臓効果器組織への伝達は，副交感神経系はアセチルコリンにより，交感神経系はノルアドレナリンによって伝えられると昔から考えられている．しかしながら，コリン作用性でもアドレナリン作用性でもない節後線維も存在することが最近の研究から示唆されている)．＝divisio autonomica systematis nervosi peripherici [TA]; pars autonomica systematis nervosi peripherici [TA]; autonomic part of peripheral nervous system☆; autonomic nervous system; involuntary nervous system; systema nervosum autonomicum; vegetative nervous system; visceral motor system; visceral nervous system.

cleavage d. 卵割（接合子の迅速な有糸分裂．個々の割球は小さくなり，桑実胚が形成される．→cleavage (2)）．

conjugate d. 共役核分裂（担子菌類におけるような，一倍性核同士の同時分裂）．

craniosacral d. of autonomic nervous system ＝parasympathetic *part* of autonomic (visceral motor) division of peripheral nervous system.

direct nuclear d. 直接[核]分裂．＝amitosis.

equatorial d. 均等的分裂（各染色体が均等に分裂する核分裂）．

indirect nuclear d. 間接核分裂．＝mitosis.

lateral d. of left liver ＝left lateral d. of liver.

left lateral d. of liver [TA]. 肝臓の左外側部（外科手術のための肝臓の区分で，左肝静脈のほぼ垂直な面の左側で左後・前外側区(IIとIII)を含む部分．ほぼ解剖学でいう左葉に相当し，外的には1つは横隔面の肝鎌状間膜で境され，もう1つは臓側面の肝静脈索と肝円索のつくる溝で境される)．＝divisio lateralis sinistra hepatis [TA]; lateral d. of left liver.

left medial d. of liver [TA]. 肝臓の左内側部（外科手術のための肝臓の区分で，左肝静脈を通るほぼ垂直な面と中肝静脈を通るほぼ垂直な面との間の部分で左側で，左内側区(IV)を含む部分．ほぼ解剖学でいう右葉の左1/3に相当し臓側面ではその下方は方形葉に相当する)．＝divisio medialis sinistra hepatis [TA].

meiotic d. 減数分裂，還元分裂．＝meiosis.

mitotic d. 有糸分裂．＝mitosis.

multiplicative d. 増殖性分裂（母細胞が多数の娘細胞になる同時分裂による生殖．この過程が母細胞の受精あるいはシスト形成なしに起きる場合，その娘細胞は娘虫(メロゾイト)とよばれる．シスト内で成長する場合，通常は受精後であって，種虫(スポロゾイト)とよばれる)．

posterior primary d. ＝posterior *ramus* of spinal nerve.

posterior d.'s of (trunks of) brachial plexus [TA]. 腕神経叢神経幹の後(伸側)部分（腕神経叢の上・中・下神経幹のうち上肢の伸側へゆくことになる2つの分枝)．＝divisiones posteriores plexus brachialis [TA].

reduction d. 減数分裂，還元分裂（→*reduction* of chromosomes)．

Remak nuclear d. (rā′mahk). レーマック(レマーク)核分裂．＝amitosis.

right lateral d. of liver [TA]. 肝臓の右外側部（外科手術のための肝臓の区分で，右肝静脈のほぼ垂直な面の右側で右後・前内側区(VIとVII)を含む部分．ほぼ解剖学でいう右葉の右1/3に相当する)．＝divisio lateralis dextra hepatis [TA].

right medial d. of liver [TA]. 肝臓の右内側部（外科手術のための肝臓の区分で，右肝静脈を通るほぼ垂直な面と中肝静脈を通るほぼ垂直な面との間の部分で，右後・前内側区(VとVIII)を含む．ほぼ解剖学でいう右葉の中1/3に相当する)．＝divisio medialis dextra hepatis [TA].

div. in p. aeg. ラテン語 *divide in partes aequales*(平等に分ける)の略．

di·vulse (di-vŭls′) [L. *divello*, pp. *di-vulsus*, to pull apart]. 裂開する．

di·vul·sion (di-vŭl′shŭn). ***1*** 裂開（ある部分を裂いて除去する)．***2*** 強制拡張（腔壁あるいは管壁を強制的に広げること)．

D

di·vul·sor (di-vŭl′sŏr). 尿道拡張器（尿道その他の管あるいは腔を強制拡張する器具)．

Dix (diks), M.R. 20世紀の英国人耳科医．→D.-Hallpike *maneuver*.

di·zy·got·ic, di·zy·gous (dī′zī-got′ik, dī-zī′gŭs) [G. *di-*, two + *zygotos*, yoked together]. 二卵性の（2個の別々の接合子から生じた双生児についていう．すなわち完全な同胞として同じ遺伝的相関をもつが，共通の子宮内環境を共有する)．

diz·zi·ness (diz′i-nes) [A.S. *dyzig*, foolish]. めまい感，眩暈感（失神，めまい，平衡障害，もうろう状態，不安定，眩暈などの種々の症状を示す，よく用いられるあいまいな語．→vertigo)．

DJD degenerative joint *disease* の略．

djen·kol·ic ac·id (jeng-kol′ik as′id) [*djenkol*, bean, bean in which first isolated]. ジエンコル酸；*S,S′*-methylenebiscysteine (硫黄を含むアミノ酸．シスチンに似ているが，2個の硫黄原子の間にメチレン橋がある．難溶性)．

DKA diabetic *ketoacidosis* の略．

dL deciliter の略．

DL- 化学の接頭語．スモールキャピタルで書いてある場合は，ある物質が2種の光学対掌体(エナンチオマー)のD型とL型の2種の等量混合物(ラセミ体)を示す接頭語．構造をより正確に定義するため，旧来の *dl-* に代わって使われる．

DLEK deep lamellar endothelial *keratoplasty* の略．

DL-**hy·o·scy·a·mine** (hī′ō-sī′a-min). DL-ヒヨスチアミン．＝atropine.

DLK diffuse lamellar *keratitis* の略．

***dl*-nar·co·tine** (nar′kō-tēn). ＝gnoscopine.

DLS dispatch life *support* の頭字語．

DM adamsite; *diabetes* mellitus; diastolic *murmur*; dopamine の略．

dM decimorgan の略．

DMARD disease modifying antirheumatic *drugs* の頭文字．

DMC *p,p′*-dichlorodiphenyl methyl carbinol(p,p′-ジクロロジフェニルメチルカルビノール)の略．

DMD Doctor of Dental Medicine(歯科医学博士); Duchenne muscular *dystrophy* の略．

DME Director of Medical Education(医学教育長)の略．

dmf, DMF う食のある歯(decayed)，欠損歯(missing)，および充填された歯(filled)の略．→dmfs caries *index*.

dmfs, DMFS う食のある歯(decayed)，欠損歯(missing)，充填された表面(filled)の略．→dmfs caries *index*.

DMPP dimethylphenylpiperazinium の略．

DMSA →^{99m}Tc-dimercaptosuccinic acid.

DMSO dimethyl sulfoxide の略．

DMT *N,N*-dimethyltryptamine の略．

DMV Doctor of Veterinary Medicine(獣医学博士)の略．

DN dibucaine number の略．

DNA deoxyribonucleic acid の略．この略語を有する語は deoxyribonucleic acid の項参照．次頁の図参照．

dnaG ＝primase.

DNA markers (mar′kĕrz). DNAマーカ（遺伝形質あるいは疾患と連鎖しているとみられる染色体DNAの断片．マーカ

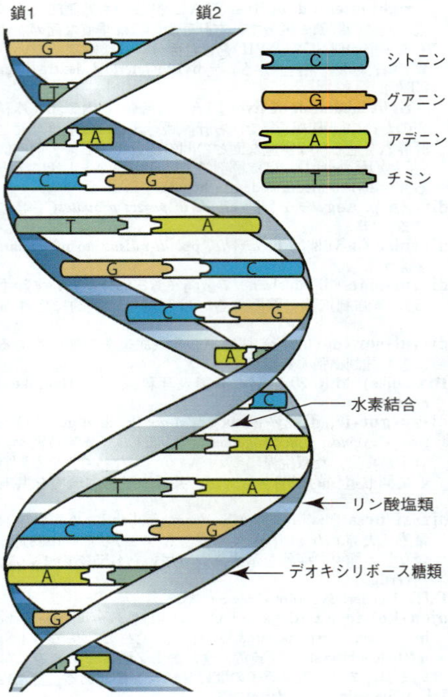

DNA
構造.

それ自身では形質や疾患を生み出さないが，原因遺伝子とともに存在し，伝えられる．ある種のマーカ，制限酵素断片長多型(*RFLPs*)は，オートラジオグラフィで同定することができる(DNA を制限酵素で消化し，その結果生じる断片をゲル電気泳動により分離した後に生じる))．

DNAse, DNAase, DNase deoxyribonuclease の略．

DNase IIβ DLAD デオキシリボヌクレアーゼ IIβ DLAD．＝DNase II-like acid DNase.

DNase II-like acid DNase DNase II 類似酸デオキシリボヌクレアーゼ（レンズ細胞の分化中に DNA を分解する酵素．本酵素を欠損したマウスは核性白内障になる)．＝DNase IIβ DLAD.

DNB Diplomate of the National Board(of Medical Examiners)(医師国家試験機関が出した免許をもった医師(医師国家試験合格者))の略．

DNE Director of Nursing Education(看護教育長(看護教育責任者))；Doctor of Nursing Education(看護教育学博士)の略．

DNP, Dnp *1* 2,4-dinitrophenol の略．*2* deoxyribonucleoprotein の略．

DNR do not resuscitate(蘇生すべからず)の略．

DNS Director of Nursing Service(s)(看護部長)の略．

Dns, DNS dansyl の略．

DO, D.O. Doctor of Osteopathy(整骨治療学博士)の略．

DOA dead on arrival(病院に到着した時には死亡している)の略．

DOB date of birth(生年月日)の略．

DOC deoxycorticosterone; deoxycholate の略．

d'Ocagne (dō-kāyn′), Philbert M. フランス人数学者，1862—1938．→ d'O. *nomogram.*

***N*-doc·o·sa·no·ic ac·id** (dō′kō-san-ō′ik as′id)．ドコサン酸．＝behenic acid.

doc·tor (dok′tŏr) [L. a teacher < *doceo*, pp. *doctus*, to teach]．*1* 博士（一定の課程を終了した者に対して，大学から与えられる称号．医学博士，法学博士，哲学博士など)．*2* 医師（特に大学から医学博士号を授与された医師)．

doc·trine (dok′trin) [L. *doceo*, to teach]．教義，学説，主義．

Arrhenius d. (ă-rē′nē-ŭs)．アレーニウス学説（近代の電解質の考え方の基礎となった電離説 theory of electrolytic dissociation(1887)．電導性の溶液(例えば，酸，塩基，塩)の中では，電解を受ける前に自由イオンが存在し，イオンに解離した分子の割合は，電導度および浸透圧から計算できる)．＝Arrhenius law.

humoral d. 体液学説（古代ギリシアの四体液(血液，黄胆汁，黒胆汁，粘液)説．健康や病気といった身体の状態を決定する．体液は 4 要素(空気，火，土，水)と関連があり，各要素は熱・冷・乾・湿の組合せに対応する．体液が適正かつ公平に均衡がとれて混合されると，健全な身体と精神になる．バランスが不完全だと病気になる．例えば，快活(血液)，怒りっぽい(黄胆汁)，憂うつ(黒胆汁)，粘液質(粘液))．＝fluidism; humoralism; humorism.

Monro d. (mŏn-rō′)．モンロー法則（頭蓋腔は堅くて変形しない閉鎖腔であるため，頭蓋内の血液量の変化は脳脊髄液の偏位または置換により代償されること)．＝Monro-Kellie d.

Monro-Kellie d. (mŏn-rō′ kel′ē)．モンロー－ケリー法則．＝Monro d.

dodecamer (dō-dek′ă-mĕr) [G.*dōdeka*, twelve + -mer]．十二量体（12 単位の多量体)．

do·de·cane (dō′dĕ-kān)．ドデカン；n-$C_{12}H_{26}$（直鎖状の分枝していない 12 個の炭素原子からなる飽和炭化水素．メタンより始まるアルカンの 12 番目のもの)．

***N*-do·dec·a·no·ic ac·id** (dō-dek′ă-nō-ik as′id)．*N*-ドデカン酸．＝lauric acid.

do·dec·an·o·yl-CoA syn·the·tase (dō-dek′ăn-ō-il sin′the-tās)．ドデカノイルCoA シンテターゼ．＝long-chain fatty acid: CoA ligase.

do·de·cyl (dō′dĕ-sil)．ドデシル基（ドデカンの基)．

d. sulfate 硫酸ドデシル（→*sodium* dodecyl sulfate)．

Dö·der·lein (dō′dĕr-līn), Albert, S.G. ドイツ人産科医，1860—1941．→D. *bacillus*.

DOE dyspnea on exertion(労作性呼吸困難)の略．

Doerf·ler (dōr′flĕr), Leo G. 米国人聴覚機能訓練士，1919—2004．→D.-Stewart *test*.

Do·gi·el (dō′gē-el), Alexander S. ロシア人組織学者，1852—1922．→D. *corpuscle*.

Do·gi·el (dō′gē-el), Jan von. ロシア人解剖・生理学者，1830—1905．→D. *cells*.

dog·ma (dog′mă)．ドグマ，定説（公式に述べられ，定義され，そして真実と思われる理論あるいは信条)．

central d. セントラルドグマ（遺伝情報は親から子孫へ DNA 複製により伝えられるが，細胞内では遺伝情報は DNA からメッセンジャー RNA(転写)，それから蛋白(翻訳)に伝えられるという主張．Francis Crick によって提案された)．

dog·mat·ic (dog-mat′ik) [G. *dogmatikos*, concerning opinions; *d. iatroi*, physicians who go by general principles < *dogma*, an opinion]．教義上の，独断的な（→dogmatic *school*)．

dog·ma·tist (dog′mă-tist)．独断医学主義者（独断医学派の人)．

Döh·le (dō′lĕh), Karl G.P. ドイツ人組織・病理学者，1855—1928．→D. *bodies, inclusions*.

Doi·sy (dwah′sē), Edward A. 米国人生化学者・ノーベル賞受賞者，1893—1986．→Allen-D. *test, unit*.

dol (dōl) [L. *dolor*, pain]．ドル（痛覚強度の単位)．

dolicho- (dōl′i-kō) [G. *dolichos*]．長い，に関する連結形．

dol·i·cho·ce·phal·ic, dol·i·cho·ceph·a·lous (dol′i-kō-sĕ-fal′ik, -sef′ă-lŭs) [dolicho- + G. *kephalē*, head]．長頭〔蓋〕体の（不釣合いに長い頭を有する．頭長幅指数 75 以下の頭蓋)．＝dolichocranial.

dol·i·cho·ceph·a·ly, dol·i·cho·ceph·a·lism (dol′i-kō-sef′ă-lē, sef′ă-lizm)．長頭〔症〕．

dol·i·cho·co·lon (dol′i-kō-kō′lŏn) [dolicho- + G. *kōlon*, colon]．長結腸〔症〕，結腸過長（異常に長い結腸)．

dol·i·cho·cra·ni·al (dol′i-kō-krā′nē-ăl). ＝dolichocephalic.

dol·i·cho·fa·cial (dol′i-kō-fā′shăl). ＝dolichoprosopic.

dol·i·chol (dol′i-kol). ドリコール（ヒドロキシル基をもつ末端部分のプレニル基のみが飽和構造で，アルコールへ酸化されているポリイソプレン．通常はリン酸化されているが，しばしば糖のリン酸エステルの形でも存在する．核膜に見出されるがミトコンドリアあるいは原形質膜にはない．生体組織検査(生検)の電子顕微鏡下で異常な皮膚，直腸，あるいは脳所見を示すような病態では尿レベルが高くなる．イソプレン単位が4個以上結合した構造をもつ).

d. phosphate ドリコールリン酸（蛋白や脂質のグリコシル化の中間体．11—24個のイソプレン単位を含む．イソプレニル化経路の生成物．生体膜中の蛋白のグリコシルホスファチジルイノシトールアンカーの生成に関与する).

dol·i·cho·pel·lic, dol·i·cho·pel·vic (dol′i-kō-pel′ik, -pel′vik) [dolicho- ＋G. *pellis*, bowl(pelvis)]. 長径骨盤の（不釣合いに長い骨盤を有することについていう．骨盤指数95以上の骨盤をさす).

dol·i·cho·pro·sop·ic, dol·i·cho·pro·so·pous (dol′i-kō-pro-so′pik, -kō-pros′ō-pŭs) [dolicho- ＋G. *prosōpikos*, facial]. 長顔の（不釣合いに長い顔を有することについていう). ＝dolichofacial.

dol·i·cho·sten·o·me·li·a (dol′i-kō-sten′ō-mē′lē-ă) [dolicho- ＋G. *stenos*, narrow ＋*melos*, limb]. クモ肢（クモ指と同様，各種の遺伝性結合組織疾患に共通してみられる細い体型).

dol·i·cho·u·ran·ic, dol·i·chu·ran·ic (dol′i-kō-yū-ran′ik, dol-ik-ū-) [dolicho- ＋G. *ouranos*, vault of the palate]. 歯槽長型の（上顎歯槽指数110以下の).

Doll (dawl), Richard. 20世紀の英国人疫学者. ⇀Armitage-D. *model*.

do·lor (dō′lōr) [L.]. 疼痛（Celsusが発表した炎症の四徴候(疼痛，発赤，腫脹，発熱)の1つ).

d. capitis 頭痛（頭蓋内構造の変化というより，むしろ頭皮あるいは頭骨の変化による痛み).

do·lor·if·ic (dō′lōr-if′ik). 疼痛〔性〕の.

do·lor·im·e·try (dō′lōr-im′ĕ-trē) [L. *dolor*, pain ＋G. *metron*, measure]. 疼痛測定〔法〕.

do·lor·ol·o·gy (dō′lōr-ol′ŏ-jē) [L. *dolor*, pain ＋G. *logos*, study]. 疼痛学（疼痛の研究と治療).

DOM 2,5-dimethoxy-4-methylamphetamineの略.

do·main (dō-mān′) [Fr. *domaine* ＜L. *dominium*, property, dominion]. ドメイン，領域（①約110—120個のアミノ酸からなる，機能や構造上，1つのまとまりをもつ領域．例えば免疫グロブリンのH鎖，L鎖はいくつかのドメインをもつ．L鎖は可変領域と定常領域に1つずつ，2つのドメインを有する．H鎖はクラスによって異なるが，4から5個のドメインをもつ．そのうち1つは可変領域に，残りは定常領域に存在する．②かなり特徴的な物性や作用をもつ蛋白の領域．③ポリペプチド鎖の1つの領域を構成する，独立に折りたたまれた球状構造．ドメインは他のドメインと相互作用し合い，特異な機能をもつ．ドメインのサイズには幅がある).

dinucleotide d. ジヌクレオチドドメイン. ＝dinucleotide *fold*.

Dom·brock blood group ドンブロック血液型（付録Blood Groups参照).

dome (dōm) [Fr. ＜L. *domus*, house]. 丘（半球状に盛り上がった構造).

d. of pleura* 胸膜頂（cervical *pleura*の公式の別名).

do·mes·tic vi·o·lence (dō-mes′tik vī′ō-lens). 家庭内暴力（家族によって他の家族に意図的に加えられた傷害．これには様々なものがあり，配偶者の虐待，小児虐待，および近親相姦を含む性的虐待が含まれる．性的虐待のような種々の虐待は家族以外で起こることもある．米国医学会は，米国以外の類似の組織と同じように，家庭内暴力の発見と治療を促す文書を医師に向けて出している).

dom·i·cil·i·at·ed (dom′i-sil′ē-āt-ĕd) [L. *domicilium*, a dwelling]. 寄留性（ある生物が，ときとして人間に飼い慣らされた結果，人間環境と常に関わりをもって依存するようになるというように，人間の居住域あるいは活動域と生物が密接な関係を有した状態．この現象の結果，しばしば，その定住生物が害虫，媒介体，ヒトの病気の中間宿主になりうる).

dom·i·nance (dom′i-nănts). 優位，優性.

cerebral d. 大脳優位（1つの半球が他の半球より優位で，それゆえある機能により大きな影響を与える事実．左大脳半球は発語，言語，分析過程，計算の制御には通常優位で，右大脳半球は通常非優位半球で，空間認識やある種の視覚情報と関係した言語を司る．利き手(右利きの人は左大脳半球優位)は大脳優位の一般的な例と考えられる).

false d. 偽優性. ＝quasidominance.

genetic d. 遺伝的優位（常染色体メンデル形質の遺伝パターンで，常に表現型が判然とする遺伝子によるものを表す．一般的に，同型接合体の表現型は，異型接合体のそれよりも厳密であるが，詳細には使用した表現型判定基準による).

d. of traits 優性形質（同じ染色体座(対立遺伝子)に占める2個あるいはそれ以上の遺伝子間に存在する明白な生理的関係についての表現．ある特定の遺伝子座では，2個の対立遺伝子*A*と*a*について3つの組合せが可能である．2つのホモ接合性(*AA*と*aa*)および1つのヘテロ接合性(*Aa*)である．もしヘテロ接合性の人が遺伝子*a*でなく，*A*で決定される遺伝的特徴のみを表すならば，*A*は優性で*a*は劣性であるといわれる．この場合*AA*と*Aa*は遺伝子型では区別されるが表現型では区別されない．もし*AA*，*Aa*および*aa*が互いにそれぞれを区別できるなら，*A*と*a*は共優性である).

D

dom·i·nant (dom′i-nănt) [L. *dominans*, *dominor*(to rule)の現在分詞＜*dominus*, lord, master＜*domus*, house]. 優性の（①支配的の，常道の，を意味する．②遺伝学において，雑種の両親の一方が有する対立形質で，他方の親からの対立形質(劣性)を排して出現する形質を意味する).

do·mi·o·dol (do-mē′ō-dol). ドミオドル（グリセロールとヨウ素の有機複合体で，粘液溶解薬あるいは去痰薬として用いられる).

DON ＝vomitoxin.

DON Director of Nursing(看護部長)の略.

Do·nath (dō′naht), Julius. ドイツ人医師，1870—1950. ⇀D.-Landsteiner *phenomenon*, cold *autoantibody*; Landsteiner-D. *test*.

Don·ders (don′dĕrz), Franz C. オランダ人眼科医，1818—1889. ⇀D. *law*, *pressure*; *space* of D.

Don Juan (don-hwahn′) [伝説的なスペインの貴族]. ドン・ファン（精神医学において，性的ないし恋愛的活動が強迫的に過剰で，通常，次々と女性の相手を変える男性についていう).

Don Juan·ism (don wahn′izm). ⇀Don Juan.

Don·nan (don′ăn), Frederick G. イングランド人物理化学者，1870—1956. ⇀D. *equilibrium*; Gibbs-D. *equilibrium*.

Don·né (dō-nā′), Alfred. フランス人医師，1801—1878. ⇀D. *corpuscle*.

Don·o·hue (don′ŏ-hyū), William L. カナダ人小児病理学者，1906—1984. ⇀D. *disease*.

do·nor (dō′nŏr) [L. *dono*, pp. *donatus*, to donate, to give]. ***1*** 提供者，供血者，給血者，ドナー（移植のために血液，組織，または器官を提供する人). ***2*** 供与体，寄与体，給体（原子や基を受容体に運ぶ化合物．例えばメチオニンはメチル供与体であり，グルタチオンはグルタミル供与体である). ***3*** ドナー（受容体に容易に電子を与える原子．例えば，窒素は配位結合の形成で共有プールに両電子を与える).

hydrogen d. 水素供与体（水素が脱離し(ジヒドロゲナーゼ系により)水素担体より他の代謝物へ転移される(すなわち還元される)代謝物).

universal d. 万能給血者（血液型分類でO型の人．すなわち血球に凝集原A，Bのどちらもない人は，普通の同種凝集素のいずれを含む血漿でも凝集しない).

Don·o·van (don′ŏ-văn), Charles. アイルランド人外科医，1863—1951. ⇀D. *bodies*; Leishman-D. *body*.

Doose (dūs), H. 20世紀のドイツ人小児科医・てんかん学者. ⇀D. *syndrome*.

do·pa, DO·PA, Do·pa (dō′pă). ドパ（L-フェニルアラニンとL-チロシンの異化の際の中間物質．ノルエピネフリン，エピネフリン，メラニンの生合成の中間物質．L型のlevodopaは生物活性である. ⇀dopa *reaction*). ＝3,4-dihydroxyphenylalanine.

d. decarboxylase ドパデカルボキシラーゼ．＝aromatic D-amino acid decarboxylase.

decarboxylated d. 脱カルボキシル化ドパ．＝dopamine.

d. oxidase ドパオキシダーゼ（ドパからのメラニン生成を触媒する酵素に与えられた暫定的な名称．現在，L-チロシンをドパとドパキノンに酸化する酵素は，銅を含むモノフェノールモノオキシゲナーゼおよび(または)カテコールオキシダーゼであるとされている）．

d. quinone ドパキノン（ドパの酸化物，およびチロシンからメラニンが生成される際の中間物質）．

L-dopa (dō′pă)．L-ドパ．＝levodopa.

do·pa·mine (DM) (dō′pă-mēn)．ドパミン（チロシン代謝における中間物質で，ノルエピネフリンとエピネフリンの前駆物質．神経伝達物質は末梢および中枢神経系である．ドパミンの欠乏により，パーキンソン病を起こす）．＝3-hydroxytyramine; decarboxylated dopa.

d. hydrochloride 塩酸ドパミン（生物由来のアミンおよび神経伝達物質．ショックの治療に昇圧薬として用いる）．

do·pa·mine β-hy·drox·y·lase (dō′pămēn hī-droks′i-lās)．ドパミン β-ヒドロキシラーゼ．＝dopamine β-monooxygenase.

do·pa·mine β-mon·o·ox·y·gen·ase (dō′pă-mēn mon′ō-oks′i-jen-ās)．ドパミン β-モノオキシゲナーゼ（酸素によりアスコルビン酸と3,4-ジヒドロキシフェニルエチルアミンが同時に酸化され，ノルエピネフリンとデヒドロアスコルビン酸と水を生じる反応を触媒する銅を含有する酵素．カテコールアミン代謝の重要なステップ．この酵素はフマル酸により刺激される）．＝dopamine β-hydroxylase.

do·pa·min·er·gic (dō′pă-min-ĕr′jik)［dopamine + G. *ergon*, work］．ドパミン作用(作動)〔性〕の（ドパミン作用またはドパミンが神経伝達物質として機能する神経・代謝経路についていう）．

dope (dōp)［D. *doop*, sauce］．***1***〘n.〙ドープ（刺激あるいは抑制の作用がある薬剤．一時的効果のために与えられる，または常習的に服用する）．***2***〘v.〙***1*** のような薬剤を投与する，または服用する．

dop·ing (dōp′ing)．ドーピング（体内に異物を投与すること．しばしば運動選手が身体的および精神的な能力を向上させることをいう）．

blood d. 血液ドーピング（運動能力を高めるために輸血したり，造血を亢進させる薬物を用いること）．

Dopp·ler (dop′lĕr), Johann Christian．オーストリア人数学・物理学者，1803―1853．→D. *echocardiography*, *effect*, *phenomenon*, *shift*, *ultrasonography*.

Dop·pler (dop′lĕr)．ドップラー(ドプラ)〔装置〕（人体に超音波ビームを照射する診断装置．動いている臓器から反射される超音波は，その周波数が変化する(Doppler 効果)．末梢血管疾患や心臓疾患において診断価値がある）．

do·ra·pho·bi·a (dō-ră-fō′bē-ă)［G. *dora*, hide, skin + *phobos*, fear］．獣皮恐怖〔症〕（動物の皮膚あるいは毛皮に触れることに対する病的な恐れ）．

Do·rel·lo (dō-rel′ō), P．19 世紀のイタリア人解剖学者．→D. *canal*.

Do·ren·dorf (dōr′ĕn-dōrf), H．19 世紀のドイツ人医師．→D. *sign*.

Dorf·man (dōrf′măn), Maurice L．20 世紀のイスラエル人皮膚科医．→D.-Chanarin *syndrome*.

Dö·ring (dĕr′ing), G．20 世紀のドイツ人神経科医．→Pette-D. *disease*.

dor·nase (dōr′nās)．deoxyribonuclease の短縮形で現在では用いられない語．→streptodornase.

pancreatic d. 膵臓ドルナーゼ（ウシの膵臓から得られる安定化デオキシリボヌクレアーゼ製剤．一定の気管支肺感染で，粘液膿性分泌を低下させるため，エーロゾルの形で吸入する）．

Dor·no (dor′nō), Carl．スイス人気候学者，1865―1942.

do·ro·ma·ni·a (dō′rō-mā′nē-ă)［G. *dōron*, gift + *mania*, insanity］．贈与癖（贈り物を異常にしたがること）．

dor·sa (dōr′să)．dorsum の複数形．

dors·ab·dom·i·nal (dōrs′ab-dom′i-năl)．背腹の（背部と腹部に関する）．

dor·sad (dor′sad)［L. *dorsum*, back + *ad*, to］．背方へ，後方へ．

dor·sal (dōr′săl)［Mediev. L. *dorsalis* < *dorsum*, back］．背側の，背面の（①脊柱あるいは脊椎に関した．＝tergal．②［TA］．＝posterior (1)．③獣医解剖学において，動物の背部または上方表面に関すること．ある構造物の位置を他に対して示すのに多く使用される，すなわち身体の背部表面に近い方．④限定された意味で，胸部の，を示す旧名，例えば d. vertebrae(胸椎)）．

dor·sa·lis (dōr-sā′lis)［L.］［TA］．背側の．＝posterior (1).

Dor·set (dōr′set), Marion．米国人細菌学者，1872―1935．→D. culture egg *medium*.

dor·si·duct (dōr′si-dŭkt)［L. *dorsum*, back + *duco*, pp. *ductus*, to draw］．背転，背反（背の方，または後方に引く）．

dor·si·flex·ion (dōr′si-flek′shŭn)．背屈（関節可動域を表現する語句で，足，足の指，あるいは手，手の指が上方に曲がる(伸展)こと）．

dor·si·scap·u·lar (dōr′si-skap′yū-lăr)．肩甲背の（肩甲骨の背側表面に関する）．

dor·si·spi·nal (dōr′si-spī′năl)．脊髄背の（脊髄，特にその背側面に関する）．

dor·so·ceph·a·lad (dōr′sō-sef′ă-lad)［L. *dorsum*, back + G. *kephalē*, head + L. *ad*, to］．後頭方向へ．

dor·so·lat·er·al (dōr′sō-lat′ĕr-ăl)．側背の（背部と側面に関する）．

dor·so·lum·bar (dōr′sō-lŭm′bar)．腰背の（胸椎下部と腰椎上部の区域の背中についていう）．

dor·so·ven·trad (dōr′sō-ven′trad)．背腹方向に（背中から腹側の方向に）．

dor·sum, gen. **dor·si,** pl. **dor·sa** (dōr′sŭm, -sī, -să)［L. back］［TA］．＝tergum．***1*** せなか．***2*** 背（いずれの部位でもその上面または後面あるいは背部．特に四足動物の位置において）．

d. ephippii ＝d. sellae.

d. of foot［TA］．足背，あしのこう．＝d. pedis［TA］.

d. of hand［TA］．手背（手の背側部すなわち手の甲）．＝d. manus［TA］.

d. linguae［TA］．舌背．＝d. of tongue.

d. manus［TA］．手背，てのこう．＝d. of hand.

d. nasi［TA］．鼻背，はなすじ．＝d. of nose.

d. of nose［TA］．鼻背，はなすじ（前上方を向いた鼻の外隆起部）．＝d. nasi［TA］.

d. pedis［TA］．足背，あしのこう．＝d. of foot.

d. of penis［TA］．陰茎背（陰茎の尿道と反対側の面）．＝d. penis［TA］.

d. penis［TA］．陰茎背．＝d. of penis.

d. scapulae 肩甲骨背（肩甲骨の後方の面）．

d. sellae［TA］．鞍背（蝶形骨体の上の四角い骨の部分．トルコ鞍あるいは下垂体窩の後部にあたる）．＝d. ephippii.

d. of tongue［TA］．舌背（舌の上表面で分界溝によって前方 2/3 の溝前部と後方 1/3 の溝後部に分かれる）．＝d. linguae［TA］.

dos·age (dōs′ij)．［dose と混同しないこと］．***1*** 投薬（薬剤その他の治療薬を処方された量だけ与えること）．***2*** 用量決定，計量，投薬量判定（治療薬の適正量の決定．*cf.* dose）．***3*** 用量，投与量（核医学においては，投与する放射性薬剤の量）．

dose (dōs)［G. *dosis*, a giving］．［dosage と混同しないこと］．***1***〔適〕用量，〔服〕用量，投与量（一定期間内に，一度あるいは分割して服用または適用されるべき薬剤その他の治療薬の量．*cf.* dosage (2)）．***2*** 線量（核医学においては，照射される単位質量に吸収されるエネルギー量．→dosage (3)）．

absorbed d. 吸収線量（照射を受けた物質の単位質量当たりに吸収されるエネルギー量．放射線治療において，旧単位はラド(rad，100 ergs/g)であったが，現在のSI単位系ではグレイ(Gy，100 J/kg または 100 rad)である）．

air d. 空中線量．＝exposure d.

bone marrow d. 骨髄線量（治療や死の灰の被曝による造血臓器への集積線量．白血病誘発の推定線量）．

booster d. ブースター〔投与〕量，追加抗原〔投与〕量（初回投与後，その効果を高めるために適当な時期に与えられる投与量．通常，抗体生成のための抗原についていわれる）．

breakthrough d. 痛みの散発的な悪化に対し，必要に応じた薬物の服用．突発痛を和らげるために与えられる．

cumulative d. 蓄積線量（身体の一部あるいは全身への繰り返す放射線照射または化学療法による被曝線量の総量）.

curative d.（**CD**）治癒量，治効量，治療線量（①疾患の治癒に必要な投与量．あるいは，食事中の特定要素の欠乏のため現れる症状を治す投与量．②治療目的に適用される物質の有効用量.→CD50）.＝therapeutic d.

daily d. 1日量，日用量（24時間以内に取り入れられる治療薬の総量）.

depth d. 深部線量（表面下のある位置における放射線量のことで，二次放射線や散乱線を含む．表面線量に比例する）.

divided d. 分割量（全体投与量の一定分量．1日の服用量を短く区切って与えること）.＝fractional d.

effective d.（**ED**）①有効量（特異的な効果を現す用量．下に数字が記された場合(一般にED_{50})，そのパーセンテージ(例えば50%)の実験動物に効果を現す用量であることを示す．ED_{50}は中央有効量である）．②実効線量（放射線防護において，人体のすべての組織と臓器の等価線量を，組織に対する放射線の効果で重みづけして合計した線量．SI単位系では，シーベルト(Sv)であり，100レム(rem)に等しい）．③実効線量（放射線診断学においては，体重Wの患者がA(ジュール)のエネルギーを吸収したとき，質量Mの人体ファントムで実験的に得られた実効線量のエネルギー吸収に対する比がRであるとき，実効線量は，A•R•M：Wとなる．この式の結果は放射線の吸収が少ない小児に対しては大きな値を与える）.

epilation d. 脱毛〔線〕量（脱毛を生じさせるのに十分な放射線の最小量．10日から14日で生じる）.

equianalgesic d. 等鎮痛薬用量（同等の治療効果を得るために必要な比較鎮痛薬の真のミリグラム活性における用量比）.

equivalent d. 等価線量（放射線防護における組織や臓器の平均吸収線量であり，放射線の線質によって重みづけされる．等価線量の単位はシーベルト sievert）.

erythema d.〔皮膚〕紅斑〔線〕量（X線あるいはその他の放射線照射後，紅斑を生じさせるのに十分な放射線の最小量．この量は，かつてSabouraudメータでB色，Holzknechtで5(5H)，Hampsonで4，Kienböckで10と示されていた）.

exit d. 対側線量（照射部の反対側まで到達した照射線量）.

exposure d. 照射線量（空気中のある点に加えられる，レントゲン単位で表される放射線量．[註]「照射線量」は光子に対してのみ用いられる．また，レントゲン(R)はSI暫定併用単位である．SI単位系ではC/kgを用いる）.＝air d.

fractional d. ＝divided d.

gonad d. 生殖腺線量（診断または治療による付随的二次的な照射を受けたか，あるいは全身照射の際に照射された，男女生殖腺への照射線量．[註]「照射線量」は光子と空気の組合せに対してのみ定義されるので，この場合は「吸収線量」，「線量当量」または「等価線量」が正しい）.＝gonadal d.

gonadal d. ＝gonad d.

incident d. 偶発投与（偶発的な原因による痛みのために患者が，追加の治療を必要とするときに与えられる投与）.

infective d.（**ID**）感染量（感受性のある宿主に感染を起こすのに必要な病原菌量(個数で表す)）.

initial d. 初回量.＝loading d.

integral d. 積分線量（人体に吸収された全エネルギーで，照射された組織の質量と吸収線量の積．単位はグラムラド gram rad．[註]ラド(rad)はSI単位ではない．SI単位系での積分線量の単位はジュール(J)である）.

L d.'s［ラテン語の *limes* (limit, boundary) を表す“L”］．毒素量（ジフテリア毒素の相対的活動度あるいは効力を示す一群の語．これは最小致死量MLD，最小反応量MRDとは無関係で，MLD，MRDは毒素の直接効果を表し，L d.'sは特定の抗毒素との毒素の結合力に関係する）.

L^+ d., L_+ d. ジフテリア毒素のL†(the limes tod d.)に代わる記号．例えば，抗毒素1単位と混じて，250gのモルモットに皮下注射し，96時間以内に死に至らしめる毒素の最小量(一連の平均に基づく)．理論的には，L_+ d.とL_0 d.の差は，1MLDと同じと考えられるかもしれないが，実際にはそうではない．各種の毒素沪過液において，その差は5，6から100以上のMLDまでの範囲にある．すなわち，毒素-抗毒素結合は，一定の割合で起こる強い化学結合ではない.

lethal d.（**LD**）致死量（死に至らしめる化学的あるいは生物学的製剤(例えば，細菌外毒素や細菌の懸濁液)の用量．動物の種類や投与経路によって変化する．下に数字が記された場合(一般にLD_{50}あるいは半数致死量)，そのパーセンテージ(例えば50%)の実験動物を死に至らしめる用量であることを示す．中央致死量はLD_{50}，絶対致死量はLD_{100}，最小致死量はLD_{05}である）.

Lf d., L_f d. ジフテリア毒素の凝集限界量，すなわち抗毒素1単位と混合した場合，Ramon反応(*in vitro*)で最も急速に凝集する，毒素の最小量の記号．一般にL_f d.はL_r d.よりわずかに少ない.

Lo d., L_0 d. ジフテリア毒素の無効限界量，すなわち抗毒素1単位と混合して体重250gのモルモットに皮下注射した場合，シリーズの平均で，識別できる反応をまったく起こさない，毒素の最大量の記号．実際には，L_0 d.は，通常，接種の場所に局地的浮腫がやっと認められる量として記録される.

loading d. 負荷投与量（薬剤の効果を得るために，治療の初めに与える比較的多めの用量．特にクリアランスが小さい薬物では，初回投与量を多くしないと血中濃度が定常状態に到達するのに長時間を要する）.＝initial d.

Lr d., L_r d. ジフテリア毒素と反応する閾値，限界を表す記号．すなわち，抗毒素1単位と混合し，感受性の強いモルモットの剃毛部の皮膚に皮内注射をすると，最小の陽性反応と注射部分に限局した炎症を起こす最小毒素量．中和されない少量の余分の毒素が反応を生じるので，L_r d.は期待されるようにL_0 d.に非常に近似する.

maintenance d. 維持量（→maintenance drug *therapy*）.

maximal d. 極量，最大量（成人が安全に服用できる薬や，身体的処置の最大量）.

maximal permissible d. 最大許容量（→maximum permissible d.）.

maximum permissible d.（**MPD**）最大許容線量（国際放射線防護委員会(ICRP)で定められた，現在の知識に照らし合わせて，人の一生を通して検出可能な障害の原因とはならないとされる最大放射線量．この線量は委員会の報告のたびに小さい値に変更されてきている．MPDは全身，臓器，系，または人体の部位ごとに，また急性または慢性の被曝ごとに定められている．職業被曝のMPDは公衆被曝のMPDより大きい．[註]これはICRPの1950年勧告で初めて提唱された線量で，1977年勧告以降は用いられていない）.

maximum tolerated d. 最大許容投与量（検討した患者のうち30%余りがグレードIII(重篤)あるいはグレードIV(生命の危険あり)の副作用を示す投与量）.

median effective dose（**ED_{50}**）→effective d.

minimal d. 最小量，最小有効量（成人に対して，生理学的効果を及ぼす最小の薬量や，身体的処置）.

minimal infecting d.（**MID**）最小感染量（感染を起こさせる最小の感染物質量．通常は，動物または細胞(細胞培養)の適当な系の50%に感染を起こさせる量を$I.D._{50}$というように表す）.

minimal lethal d.（**MLD, mld**）最小致死量（①毒物あるいは感染源を種々の動物に試用し，死に至らしめる最小用量．例えば，平均して，250gのモルモットを皮下注射後96時間以内に殺すジフテリア毒素の最小量．下に数字が記された場合に(一般にMLD_{50})，試用された動物のそのパーセンテージ(例えば50%)を死に至らしめる最小用量であることを示す．②LD_{05}.→lethal d.）.

minimal reacting d.（**MRD, mrd**）最小反応量（感受性の強い実験動物の皮膚に現れるような反応を生じる毒物の最小量．この検査は，特有，最小ではあるが一定の，〝基準〟病巣炎症(充血および浮腫，硬化，退行性変化，表皮細胞の落屑)の出現に基づいている）.

optimum d. 適量（副作用をもたらさないで，所望の効果を得られる薬量または放射線量）.

preventive d. 予防用量（特定の食品要素の欠乏による病気や症状を防ぐと思われる物質の最小量のこと）.

sensitizing d. 感作量（実験的アナフィラキシーにおいて，同一抗原(アナフィラクトゲン)を後から接種(ショック量)して，動物がアナフィラキシーショックを起こしやすくする抗原接種量).

shocking d. ショック量（実験的アナフィラキシーにおいては，前もって抗原の接種(感作量)により感作された動物にアナフィラキシーショックを起こすような抗原接種量).

skin d. 皮膚線量（皮膚表面が受ける放射線の吸収線量).

therapeutic d. 治療用量. ＝curative d.

tissue culture infectious d. (**TCID$_{50}$**, **TCD$_{50}$**) 50%培養細胞感染量（培養細胞の50% に細胞変性効果をもたらすような，ウイルスその他の細胞病原菌の量).

tolerance d. 耐量，耐容線量（有害な症状なしで摂取，服用できる薬剤の最大量または受けられる最大の放射線量).

do·sim·e·ter (dō-sim′ĕ-tĕr) [G. *dosis*, dose + *metron*, measure]. 線量計，線量測定用具（放射線，特にX線を測定する機器または用具. 注 dosemeter もまったく同じ意味で用いられる).

do·sim·e·try (dō-sim′ĕ-trē). 線量測定(計測)〔法〕，線量算定〔法〕（放射線量，特にX線やγ線の線量の測定. 体内投与される放射性核種からもたらされる放射線量の計算).

thermoluminescence d. 熱発光線量測定法（放射線照射を受けた特殊な吸収物質(例えばフッ化リチウム)を加熱した後に生じる光の量を測定して，線量を求める方法. 発光量は照射線量に比例する).

x-ray d. ＝roentgenometry.

DOT directly observed *therapy* の略.

dot (dot). 点，斑点.

Gunn d.'s (gŭn). ガン斑点（通常は眼底後極部にみられる，小さく，光輝のある白色または黄色がかった点. 非病理性のもの).

Horner-Trantas d.'s (hōr′nĕr). ホルナー(ホルネル)－トランタス斑（春季カタルの球粘膜に生じる，一過性白色の細胞浸潤).

Maurer d.'s (mowr′ĕr). マウラー斑点（熱帯熱マラリア原虫 *Plasmodium falciparum* の栄養型，ときには四日熱マラリア原虫 *P. malariae* の栄養型が感染した赤血球内に，通常，びまん性に出現する細かい顆粒状の沈殿物または不規則な細胞質粒子. 熱帯熱マラリア原虫 *P. falciparum* の栄養型は末梢血にはほとんどみられないので，血液スミアではまれにしか観察されない). ＝Maurer clefts.

Mittendorf d. (mit′ĕn-dōrf). ミッテンドルフ点（眼科の検査で水晶体嚢の後面にみられる小さな点で，未熟硝子体血管系の遺残).

quantum d. 量子ドット（染色および生体内生物指標の研究に使用される，大きさが 10 nm 以下の半導体材料の粒子). ＝nanocrystal.

Schüffner d.'s (shēf′nĕr). シュフナー斑点（細かい，円形の，一様に赤色か赤黄色の斑点(Romanowsky 染色で着色). 三日熱マラリア原虫 *Plasmodium vivax* や卵形マラリア原虫 *P. ovale* が感染した赤血球内に特徴的にみられるが，四日熱マラリア原虫 *P. malariae*，熱帯熱マラリア原虫 *P. falciparum* の感染では通常みられない). ＝Schüffner granules.

Trantas d.'s トランタス斑点（春季カタルの際に輪部結膜にみられるゼラチン質の灰白赤色，凸凹を有する結節).

Ziemann d.'s ツィーマン斑点（四日熱マラリアで赤血球内にみられる細かい斑点). ＝Ziemann stippling.

do·tage (dō′tăj). もうろく（以前は正常であった精神力が低下していくことで，主に老年者にみられる).

doub·let (dŭb′let). ***1*** 接合レンズ，二重レンズ（色収差や球面収差を是正するために2個のレンズを組み合わせたもの). ***2*** 双極. ＝dipole. ***3*** 二重鎖（ポリヌクレオチド鎖の2つのヌクレオチド配列の総称). ***4*** 二重項（スペクトルの中で近接して存在する一対のピークまたはスペクトル線).

Wollaston d. (wul′as-ton) [William H. *Wollaston*]. ウラストン接合(二重)レンズ（色収差を是正するために顕微鏡の接眼部に用いる2個の平凹レンズを組み合わせたもの).

douche (dūsh) [Fr. < *doucher*, to pour]. ***1***《n.》灌注，圧注，洗浄（表面に対して，あるいは空洞に向かって水，気体，蒸気を放出すること). ***2***《n.》圧注器，灌注器（圧注，灌注を行う器械). ***3***《v.》圧注する，洗浄する，灌注する.

Doug·las (dŭg′lăs), Claude G. イングランド人生理学者，1882—1963. →D. *bag*.

Doug·las (dŭg′lăs), John C. アイルランド人産科医，1777—1850. →D. *mechanism*.

Doug·las (dŭg′lăs), James. ロンドンに在住したスコットランド人解剖学者，1675—1742. →D. *abscess*, *cul-de-sac*, *fold*, *line*, *pouch*; *cavum* douglasi.

Doug·las (dŭg′lăs), Beverly. 米国人外科医，1891—1975. →Beverly Douglas *procedure*.

dou·la (dū′lah) [G. *doulē*, female slave]. ドゥーラ（陣痛，分娩，産後にわたって母体および児のケアをする女性であり，自治体による様々な要件に従って訓練され，認定を受ける. ドゥーラは，出産だけでなく，新しい家族を教育し，親としての自信を築く手助けをする. 注ドゥーラは日本ではいまだ職種として認知されていない).

dove·tail (dŭv′tāl). 鳩尾形（保持および抵抗形態を増強するために通常つくられる窩洞の広がった部分).

dow·el (dow′l). 合釘（①歯冠を保持するための，根管に挿入する鋳造合金または既製金属ピン. ②陽型の歯型をつくるために，銅板の歯型に挿入する既製金属ピン. ③2つの構造物の位置を定めたり結合させたりするための，ピンあるいは棒. 様々な材料からなり，整形外科と歯科で使用される. ④＝dowel *graft*).

Down (down), John Langdon H. イングランド人医師，1828—1896. →D. *syndrome*.

Dow·ney (dow′nē), Hal. 米国人血液学者，1877—1959. →D. *cell*.

down·growth (down-grōth). 下方増殖，ダウングロース（下方に増殖するもの. 下方に向かう増殖過程).

epithelial d. 上皮下方増殖，眼内上皮増殖（穿孔性眼創傷の結果，眼内への上皮の侵入).

down-reg·u·la·tion (down-reg′yū-la′shŭn). ダウンレギュレーション（薬理学的あるいは生理学的活性物質の繰返し投与の結果として生じる早期の無反応性または耐性状態の発生. しばしば，初期にレセプタの薬物への親和性の減少，およびそれに続くレセプタ数の減少を伴う).

Downs (downz), William B. 米国人矯正歯科医，1899—1966. →D. *analysis*.

Dox (doks), Arthur W. 20世紀の米国人化学者. →Czapek-D. *medium*.

dox·o·ru·bi·cin (doks′ō-rū′bi-sin). ドキソルビシン（*Streptomyces peucetius* から単離された抗腫瘍性抗生物質. 細胞遺伝学でQ型染色体バンドの誘発にも用いる). ＝adriamycin.

dox·y·cy·cline (doks′ē-sī′klēn). ドキシサイクリン（広域抗生物質).

dox·yl·a·mine suc·ci·nate (dok-sil′ă-mēn sŭk′si-nāt). コハク酸ドキシラミン（抗ヒスタミン薬). ＝mereprine.

Doy·ère (doy-ōr′), Louis. フランス人生理学者，1811—1863. →D. *eminence*.

Doyle (doyl), J.B. 20世紀の米国人婦人科医. →D. *operation*.

Doyne (doyn), Robert Walter. イングランド人眼科医，1857—1916. →D. honeycomb *choroidopathy*.

DP Doctor of Pharmacy(薬学博士); Doctor of Podiatry(足病学博士)の略.

Dp duplication of a gene or chromosomal segment(遺伝子または染色体断片の重複)の略.

DPH Doctor of Public Health(公衆衛生学博士); Doctor of Public Hygiene(公衆衛生学博士); Diploma of Public Health (公衆衛生資格)の略.

DPharm Doctor of Pharmacy(薬学博士)の略.

DPI dry powder *inhaler* の略.

DPM Doctor of Physical Medicine(物理療法医学博士); Doctor of Podiatric Medicine(足病学博士)の略.

DPN diphosphopyridine *nucleotide* の略.

DPOAE distortion-product otoacoustic *emission* の略.

DPT diphtheria-pertussis-tetanus (vaccine) の略. →diphtheria toxoid, tetanus toxoid, pertussis *vaccine*.

DR digital *radiography*; degeneration reaction(変性反応); reaction of degeneration(変性反応)の略.

Dr. doctor の略.

dr dram の略.

drachm (dram) [G. *drachmē*, 古代ギリシアの重量単位，約 60 g]. ＝dram.

dra·cun·cu·li·a·sis, dra·cun·cu·lo·sis (dra′kŭngkyū-lī′ă-sis, -kyū-lō′sis). メジナ虫症（メジナ虫 *Dracunculus medinensis* による感染症）.

Dra·cun·cu·lus (dra-kŭng′kyū-lŭs)［L. *draco*(serpent)の指小辞］. ドラクンクルス属（Dracunculoidea 上科線虫類の一属で，真の糸状虫といくつかの類似点をもつが，成虫は糸状虫よりも大きく（雌は約 1 m），しかも中間宿主は昆虫ではなく淡水性甲殻類である）.

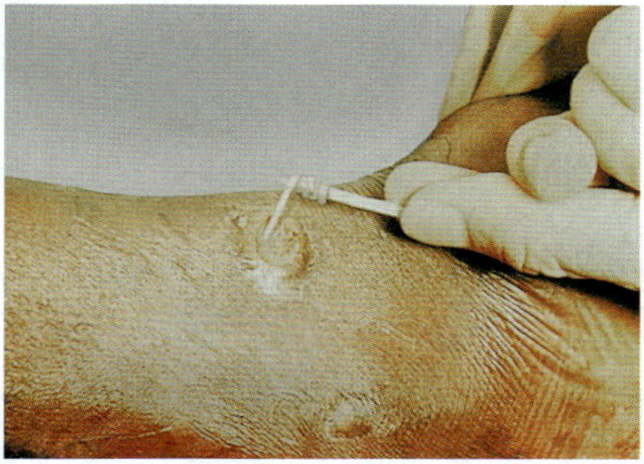

Dracunculus medinensis
成虫の虫体を棒で引きずり出しているところ.

D. lova ロア糸状虫 *Loa loa* の古い不適格名.

D. medinensis［L. of Medina］. メジナ虫（皮膚感染性の長さ 90 cm 位の線虫で，以前は誤って糸状虫属 *Filaria* に分類されていた．成虫はヒトや多くの水陸性哺乳類の体内いたるところに生息する．雌は筋膜面に沿って皮下組織に移行し，皮膚にやっかいな慢性潰瘍を形成する．宿主が水中にはいると，その潰瘍から雌虫の頭部が突き出て，幼虫を放出する．この幼虫が，*Cyclops*属のケンミジンコに摂取されると，この中間宿主内で感染性の段階に発達する．ヒトや多くの動物が，この感染したケンミジンコを誤って飲用水とともに摂取すると感染することになる．一般には，guinea worm, Medina worm, serpent worm, dragon worm として知られ，イスラエル人を悩ませた〝火のヘビ fiery serpent〟は本虫と考えられることが多い）.

D. oculi *Loa loa* に対する古い誤称.

D. persarum［L. of the Persians］. *D. medinensis* の旧名.

draft (draft). ＝draught. ***1*** 通風，通気（閉鎖空間内の空気の流れ）. ***2*** ひと飲み，１回分（１回量として指示される液剤の容量）.

drag (drag). ***1*** フラスコ下部，フラスコ下盆（義歯用フラスコ下部または模型側）. ***2*** 運動妨害，抗力（運動している物体が，同時に別の物体を引っ張っているような傾向を示すこと．あるいはそのための力）.

solvent d. 溶媒抵抗（膜を通る溶媒の流れが，同時に膜を通る溶質の運動に及ぼす影響）.

dra·gée (dra-zhā′)［Fr.］. 糖剤，糖衣丸（糖で包まれた丸剤，またはカプセル）.

Dra·gen·dorff (drag′ĕn-dōrf), Georg J.N. ドイツ人医師・薬化学者，1836—1898. ⇀D. *test*, *reagent*.

Dra·ger (drā′gĕr), Glenn A. 米国人神経科医，1917—1967. ⇀Shy-D. *syndrome*.

Drä·ger (drā′gĕr), Heinrich. ドイツ人工具，潜水用呼吸器具および麻酔装置の製造業者，1847—1917. ⇀D. *respirometer*.

drain (drān)［A.S. *drehnian*, to draw off］. ***1***〚v.〛排出する（液体がたまると腔から液体を出すこと．例えば，膿瘍から排膿すること）. ***2***〚n.〛ドレーン，排液管，除液管，流出管，排水管（腔内，特に創腔内に貯留した液を取り除くための通常，管状または灯心状の装置）.

cigarette d. 巻きたばこ式ドレーン（毛細管排液用のガーゼ芯を薄いゴム様物質で包んだドレーン）.

Mikulicz d. (mē′kū-lich). ミクリッチドレーン，ガーゼタンポン（１枚のガーゼによって包まれた，数枚のガーゼからなるタンポン）.

Penrose d. (pen′rōz). ペンローズドレーン（軟らかい管状のドレーン）.

stab d. 刺傷ドレーン（傷の感染を防ぐために，手術部分から離れた部分に穿刺して腔内に挿入したドレーン）.

sump d. 吸引ドレーン，サンプドレーン（外筒の中に吸引ポンプに連結した，より細いチューブがはいっているもので，両チューブには多数の孔が空いていて，吸引チューブを通して液体と空気が排出される）.

drain·age (drān′ăj). ドレナージ，排液〔法〕，排膿〔法〕（液体を創部や他の腔から除去すること）.

capillary d. 毛細管ドレナージ（ガーゼやその他の素材の芯を用いたドレナージ）.

closed d. 閉鎖ドレナージ（水または空気で管を真空密閉した体腔のドレナージ．*cf.* sump *drain*）.

dependent d. 重力ドレナージ〔法〕（ドレナージする部分の最も低い部位からさらに低い位置へ置いた容器に行う）. ＝downward d.

downward d. ＝dependent d.

infusion-aspiration d. 注入－吸引ドレナージ（抗生物質を持続的に腔内に注入し，同時に腔より吸引するドレナージ）.

open d. 開放ドレナージ（空気を遮断しないドレナージ）.

postural d. 体位ドレナージ（気管支拡張症および肺膿瘍で，患者の頭を後方に下げて気管を患部より低い位置にして行うドレナージ．次頁の図参照）.

suction d. 吸引ドレナージ（排管に取り付けられた吸引装置による空洞の閉鎖ドレナージ）.

through d. 貫流ドレナージ（両端が開き，穴の開いた管が腔内を通る排液法．さらに，管を通して溶液を流して腔内を洗浄することもできる）.

tidal d. 還流ドレナージ（膀胱のドレナージで，間欠的に注入，排液を繰り返す装置）.

Wangensteen d. (wang′ĕn-stēn). ワンゲンスティーンドレナージ（挿入した胃または十二指腸管を通しての吸引による持続的ドレナージ）.

dram (dr) (dram)［⇀drachm］. ドラム（重さの単位．薬局衡では 1/8 オンス(60 g)．常用法では 1/16 オンス(30 g)）. ＝drachm.

drape (drāp)［M.E. ＜L.L. *drappus*, cloth］. ***1***〚v.〛滅菌した布でおおう（診察または手術部位を除いて布で身体をおおう）. ***2***〚n.〛***1*** の目的で用いる布または物質.

Dra·per (drā′pĕr), John William. イングランド人化学者，1811—1882. ⇀D. *law*.

draught (draft). ＝draft.

draw-sheet (draw′shēt). 引抜き敷布（患者の下に，横に敷く細いシーツで，患者を動かしたり，汚れたベッドカバーを取り替えるのに用いる）.

DRE digital rectal *examination* の略.

dream (drēm). 夢（睡眠中の精神活動で，出来事，思考，情動，心像などが現実のように体験されること）.

anxiety d. 不安夢（病的な恐怖や不安が夢の大部分を占める夢(悪夢)）.

wet d. 淫夢，夢精（眠っている間のまったく生理的なオルガスムで，男性の場合は通常は性的満足がある夢に伴って射精をすることもある）.

dream-work (drēm′werk). 夢の仕事，夢の作業（精神分析において，夢の潜在的内容を顕在的内容にさせるような過程）.

Drechs·ler·a (dresh′lĕr-ă). ドレクスレラ属（腐生性真菌の一属で，臨床検査室で分離されることが多い．分生子が屈曲した分生子柄に付着しているのが特徴である．ヒト，ネコ，およびウマにフェオフィホ真菌症を起こす本属のほとんどの種は *Bipolaris*属あるいは *Exserohilum*属に移されている）.

Drei·fuss (drī′fus), Fritz E. ドイツ生まれで，米国でも働いた，ニュージーランド人神経科医．1926—1997. ⇀Emery-D. muscular *dystrophy*.

drep·a·nid·i·um (drep′ă-nid′ē-ŭm)［G. *drepanē*, a sickle］. ドレパニジウム（簇虫類の鎌形または三日月形の若虫）.

drep·a·no·cyte (drep′ă-nō-sīt)［G. *drepanē*, sickle＋*kytos*, a hollow(cell)］. 鎌状〔赤〕血球，鎌状細胞. ＝sickle *cell*.

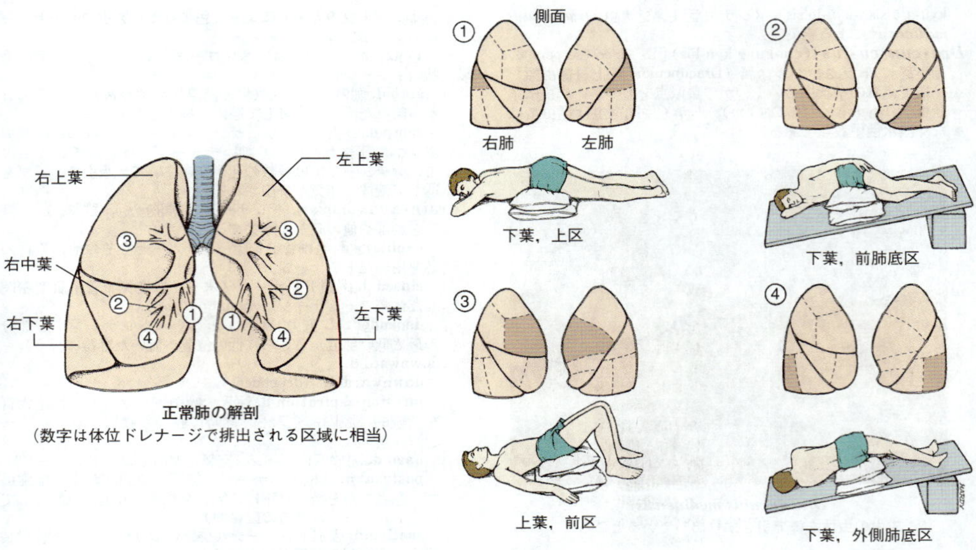

postural drainage

通常，頭が下のとき，下葉と中葉の気管支は最も効果的に空になる．重力は，より小さな気管支から主気管支および気管へ分泌物を排出するのを助け，患者は咳でそこから分泌物を吐き出すことができる．本処置は早朝にとても有効である．

drep·a·no·cyt·ic (drep′ă-nō-sit′ik). 鎌状〔赤〕血球〔様〕の，鎌状細胞〔様〕の．

dress·er (dres′ĕr). 包帯係（英国では，包帯を巻いたり傷の手当てをする義務を主に負っている外科の助手をいう）．

dress·ing (dres′ing). 包帯，包帯剤（防護，吸収，排液などの目的で，傷に用いるもの，またはその適用）．

adhesive absorbent d. 接着吸収包帯（接着剤をコーティングしたフイルムに，吸収性のガーゼを張った滅菌の絆創膏）．

antiseptic d. 滅菌包帯（殺菌剤をしみ込ませた滅菌ガーゼの包帯）．

bolus d. ＝tie-over d.

dry d. 乾燥包帯（傷に当てる乾いたガーゼまたはその他の物質）．

fixed d. 固定包帯（乾いたときに固定の役目を果たす物質をしみ込ませて固めた包帯）．

Lister d. (lis′tĕr). リスター包帯（防腐包帯の最初の型で，石炭酸をしみ込ませたガーゼでできている）．

occlusive d. 閉鎖包帯（創を密閉する包帯）．

pressure d. 圧迫包帯（組織への体液の貯留を予防する目的で，患部に圧力をかけて行う包帯法．皮膚移植術や熱傷の治療で最も頻用される）．

tie-over d. タイオーバー包帯（皮膚移植部や縫合創の上にガーゼを載せ，結紮のために十分な長さを残した糸でこれを結紮して行う包帯）．＝bolus d.

water d. 湿性包帯（消毒水または食塩水につけて湿らせてあるガーゼなどを当てること）．

wet-to-dry d. 湿－乾包帯（生理食塩水で湿らせて用い，乾いてから除去する包帯）．

Dress·ler (dres′lĕr), William. 米国人医師，1890—1969. →D. *beat*, *syndrome*.

Drey·er (drī′ĕr), Georges. イングランド人病理学者，1873—1934. →D. *formula*.

DRG diagnosis-related *group* の略．

drib·ble (dri′bĕl). *1* 滴らす，垂らす（よだれを流す，はなを垂らす）．*2* 滴下する（緊満膀胱から尿が滴下する）．

drift (drift). *1* 変動，流動（本来の位置よりの緩徐な動き）．*2* 変動，トレンド（不定な変量が，時間経過に伴って緩徐な変化を生じること．何らかの傾向や操作等による，あるランダムまたは系統的な効果が原因となる）．

antigenic d. 抗原連続変異（ある宿主が他の宿主に推移する間に微生物の DNA/RNA の分子構造が〝進化的〟変化をとげること．この過程は遺伝子の組み換え，欠失，挿入，点突然変異およびこれらの組み合わせによる．それにより，(通常，緩徐で進行性の)抗原構造の変化をもたらし，さらにその微生物と接した個人や集団の免疫応答に変化をきたす．インフルエンザウイルスで普遍的）．

genetic d. 遺伝的浮動（世代にわたっての遺伝形質の頻度あるいは対立遺伝子の頻度の変異）．

pure random d. 純粋不規則運動（規則正しい効果のまったくない平均値だけの不規則性成分をもつ運動．蒸留器中の Brown 運動は純粋不規則運動を示すが，ミシシッピー川では一定した下流方向性を示す）．

drift·ing (drift′ing). 変動，流動（より安定な位置に向かっての，歯の無作為運動）．

drifts (drifts). ドリフト（固視中に起こる，ゆっくりとした眼球運動で，フリックより大きい）．＝drift movements.

drill (dril) [Middle Dutch *drillen*, to bore]. *1*〖v.〗穴を開ける（骨や他の硬組織に穴を開ける）．*2*〖n.〗ドリル，きり（骨または歯に穴を開けたり，大きくする器具）．

bur d. ドリルバー（→bur）．

dental d. 歯科用ドリル（回転式で動力による器具．カッティングポイントを付けることができる．→handpiece）．

drill-out (dril′owt). 削開（ドリルで削ること．鋭匙などで削ること）．

cochlear d.-o. 蝸牛削開（内耳の炎症のため新生骨によって鼓室階が閉塞されている蝸牛に電極を挿入する手技．蝸牛壁や新生骨は削開し，第八脳神経の聴覚枝の残存ニューロンの近くに電極が設置されるようにする）．

Drin·ker (drink′ĕr), Philip. 米国人労働環境衛生管理者，1893—1972. →D. *respirator*.

drip (drip). *1*〖v.〗しずくが落ちる．*2*〖n.〗点滴〔注入〕〔法〕．

alkaline milk d. アルカリ性ミルク点滴注入（定常的な無酸症状態をもたらすため，全乳に種々の量の重炭酸ソーダを混合して，細径の経口胃管あるいは経鼻胃管を通じて胃内に点滴注入する現在では用いられないある種の潰瘍の治療法．現在では時代遅れと考えられている）．

intravenous d. 点滴静注，静脈内滴注〔法〕（溶液を 1 滴

ずつ，徐々に，連続的に静脈内に注入すること）.

Murphy d. (mŭr′fē). マーフィ点滴注入〔法〕. ＝proctoclysis.

postnasal d. (**PND**) 後鼻漏（鼻から咽頭に粘液または粘液膿汁が排出されるときの感覚を表すのに，ときに用いる語）.

drive (drīv). *1* 衝動（精神分析において，基本的な強い衝動）. *2* 欲求，動因，欲動（心理学においては，先天的(例えば飢え)と後天的(例えば貯蔵)，あるいは希求的(例えば，飢え，渇き，性欲)と嫌忌的(例えば，恐怖，苦痛，悲しみ)に分類される．→motive; motivation）.

acquired d.'s 獲得性衝動，後天的欲求．＝secondary d.'s.

exploratory d. 探究欲求（珍しいものまたは未知なるものを探究する欲求で，幼児やある種の動物に典型的にみられる）.

learned d. 習得性欲求．＝motive (1).

meiotic d. 減数分裂動因，減数分裂分離ひずみ（男性と女性で異なった適応度）.

physiologic d.'s 生理的欲求（生体の生物学的必要性から生じる飢えや渇きのような欲求）．＝primary d.'s.

primary d.'s 一次性欲求．＝physiologic d.'s.

secondary d.'s 二次性欲求（生物学的必要性とは直接関係のない欲求．一次性欲求の派生物として得られ，その場合にはしばしば動機 motive として言及される）．＝acquired d.'s.

driv·ing (drīv′ing). 駆動（ある周波数の感覚刺激により，脳波にその周波数を誘発すること）.

photic d. 光〔性〕駆動（頭頂後頭部で記録される活動の周波数が，光刺激の間，フラッシュの周波数に時間固定する正常脳波現象）.

Dr Med Doctor of Medicine(医学博士)の略.

drom·o·ma·ni·a (drom′ō-mā′nē-ă) [G. *dromos*, a running + *mania*, insanity]. 徘徊癖，放浪癖（放浪したり，旅行をしたいという抑制できない衝動）.

dro·nab·i·nol (drō-nab′i-nol). ドロナビノール（アサ *Cannabis sativa* に存在する主要な精神活性剤で，癌の化学療法に関連した悪心・嘔吐の抑制のために制吐薬として用いる．→tetrahydrocannabinols）.

drop (drop) [A.S. *droppan*]. *1*〘v.〙垂下する（顆粒，しずくが落ちる．調合される．注がれる）. *2*〘n.〙しずく（液体の小滴）. *3*〘n.〙滴(てき)（薬用量の単位とみなされる液体の体積．水の場合は約 1 minim に等しい．→drops）. *4*〘n.〙ドロップ（球形の硬い糖果剤．通常，口内で溶かすように指示される）.

enamel d. エナメル滴．＝enameloma.

hanging d. 懸滴（顕微鏡検査に用いる対物レンズの下部表面上に付着した液体のしずく）.

drop·foot (drop′fut). ⇀footdrop.

drop·let (drop′let) [drop + *-let*, 指小接尾語]. 小滴（咳，くしゃみ，会話の際に口から呼出される水分の粒子のような小滴．これらは空気で運ばれる経路によって感染症を他人にうつす）.

drop·per (drop′ĕr). 点滴注入器．＝instillator.

drops (drops). 点滴剤（滴数で服用量を測定する薬に対して用いる一般的な名称で，通常はチンキ剤，または洗眼薬のような滴剤に対して用いる）.

eye d. 点眼剤(液)（⇀eyewash; ophthalmic *solutions*）.

knock-out d. 掠奪用麻酔薬（クロラールアルコラートに対する一般的な名称で，犯罪目的に用いられ，急速に無意識状態に陥る．ビールまたはその他の強いアルコール飲料に抱水クロラールを添加してつくる）.

nose d. 点鼻薬（点鼻用器にて鼻内に注入する液体製剤．鼻粘膜のうっ血をとり通気を改善するために最もよく使われるが，その他種々の適応がある）.

stomach d. 健胃チンキ〔滴〕剤（胃痛に用いる薬で，通常はゲンチアナのチンキ剤，またはそれに健胃薬を加えたもの）.

drop·si·cal (drop′si-kăl). 水症の．＝hydropic.

drop·sy (drop′sē) [G. *hydrōps*]. 水腫，浮腫（generalized edema の古語．しばしば心不全に合併する）.

abdominal d. 腹水．＝ascites.

cardiac d. 心臓性浮腫（心不全による浮腫）.

epidemic d. 流行性水腫（インドおよびモーリシャスでときに流行する病気．浮腫，水症，貧血，発疹性血管腫症，微熱が特徴で，栄養欠乏にも関連しているらしい）.

famine d. 飢饉浮腫（飢餓時に蛋白の摂取が少なくなり低蛋白血症となり生じた浮腫）.

nutritional d. 栄養性浮腫（栄養不良のために低蛋白血症となり生じた浮腫）.

d. of pericardium 心嚢腔の浸出．＝pericardial *effusion*.

drown·ing (drown′ing). 溺死（[誤ったつづりまたは発音 drownding を避けること]．液体の中に浸り，24 時間以内の死亡．突然の急激な温度の低下によって起こる酸素欠乏，あるいは心停止のいずれかによる(浸漬症候群 immersion syndrome)．→near d.）.

dry d. 喉頭反射の強い人にみられる窒息によるもので，水の吸入を防ごうとしての痙攣によって起こり，回復率は最も高い.

near d. 液体に浸った後の初期蘇生で，罹患者は 24 時間を経過して，例えば成人呼吸促進症候群によって，死亡することがある.

secondary d. 二次性溺水（水につかって水を吸引した患者に起こる低酸素血症と肺毛細血管の透過性亢進に基づく肺水腫とその結果の窒息）.

drows·i·ness (drow′zē-nes). 嗜眠状態，うとうと状態（睡眠欲求や睡眠傾向を伴った，意識の障害された状態）.

DrPH Doctor of Public Health(公衆衛生学博士); Doctor of Public Hygiene(公衆衛生学博士)の略.

drug (drŭg) [M.E. *drogge*]. *1*〘n.〙薬，治療薬，薬物，薬剤，医薬品（食料以外の物質で，病気の予防，診断，症状緩和，あるいは治療の目的で用いる．薬の型，分類に関しては，各々の項参照．→agent）. *2*〘v.〙薬を投与する，薬を服用する（通常は過剰量または麻薬を飲むことをいう）. *3*〘n.〙薬物（特に麻薬のように，習慣になる，あるいは常用するようになるすべての物質に対する一般的用語）.

addictive d. 依存性薬（ある程度の多幸感を生じ，依存性が強い薬物）.

crude d. 生薬(しょうやく)（精製されていない薬．通常は植物から採取される薬）.

disease modifying antirheumatic d.'s (**DMARD**) 疾患修飾抗リウマチ薬（関節リウマチに対し，炎症の抑制と疼痛の減少をより急性にもたらす薬ではなく，その経過と進行を明らかに変える薬．しかし軟骨・骨の侵食，機能障害の進行は防止できない）.

nonsteroidal antiinflammatory d.'s (**NSAIDs**) 非ステロイド性抗炎症薬（抗炎症作用(通常，鎮痛薬および解熱薬として用いられる)を有する薬の総称．アスピリン，アセトアミノフェン，ジクロフェナク，インドメタシン，ケトロラク，イブプロフェンおよびナプロキセンなど．抗炎症作用を有するステロイド性化合物(例えばヒドロコルチゾン，プレドニゾロン)と区別されている）.

orphan d.'s 稀用薬．＝orphan *products*.

prokinetic d. [pro- + kinetic]. 消化管運動賦活調整剤（腸のぜん動を促進する薬剤）.

psychedelic d. 催幻覚剤．＝hallucinogen.

psychodysleptic d. 精神異常発作発現薬．＝hallucinogen.

psycholytic d. 精神異常発現薬．＝hallucinogen.

psychotomimetic d. 精神異常作用剤．＝hallucinogen.

psychotropic d. 向精神薬（精神に影響を及ぼす薬物）.

recreational d. 娯楽薬．＝street d.

scheduled d. 指定薬物（物質規制法 Controlled Substances Act(1970)の 5 種類の条目のいずれかに指定された薬物．→controlled *substance*）.

street d. ストリートドラッグ（非医療目的に用いられる物質．アンフェタミン類，麻酔薬，バルビツレート類，アヘン類，および精神刺激薬で，多くは植物由来である(例えば，*Papaver somniferum*, *Cannibis sativa*, *Amanita pantherina*, *Lophophora williamsii*)．俗語で，アシッド acid(リセルグ酸ジエチルアミド)，エンジェルダスト angel dust(フェンシクリジン)，コーク coke(コカイン)，ドナー downers(バルビツレート)，グラス grass(マリファナ)，ハッシュ hash(濃縮テトラヒドロカナビノール)，マジックマッシュルーム magic mushrooms(プシロシビン)，スピード speed(アンフェタミン)とよばれている．1980 年代，新しいクラスのドラッグが

D

開発され，そのほとんどは法的規制を逃れることを意図してつくられた精神刺激薬である．加えて，結晶コカイン，コカインの喫煙可能な型は大きな公衆衛生上の問題となっている．米国ではドラッグ(例えば，コカイン，マリファナ，およびヘロイン)の不正使用があるサイクルで生じている)．＝recreational d.

drug-fast (drŭg′fast)．薬物耐性の（抗菌薬に対して抵抗性または耐性をもつ微生物に関していう）．

drug·gist (drŭg′ist)．pharmacist の古語であるがいまだに一般用語．

drug hol·i·day (drŭg hol′i-dā)．休薬期間（継続的に服薬していた患者が一時的に服薬を中止する期間．機能を正常に回復させたり，薬物への感受性を維持するために行われる．また副作用発現の可能性を減らす）．

drug in·ter·ac·tions (drŭg in′tĕr-ak′shŭnz)．薬物間相互作用（ある薬物が他の薬物，内因性の生理学的化学物質（例えば MAOI とエピネフリン），食物成分，診断薬またはその反応生成物との相互作用で起こす好ましいあるいは好ましくない薬理学的および動態学的現象）．

drum, drum·head (drŭm, drŭm′hed)．鼓 膜．＝tympanic *membrane.*

Drum·mond (drŭm′ŏnd), David． イングランド人医師，1852—1932．→*artery* of D.; D. *sign.*

drunk·en·ness (drŭnk′en-nes)．酩酊（中毒，通常はアルコール中毒．→acute *alcoholism*）．

sleep d. 睡眠酩酊，半覚醒（見当識が停止して半分目覚めている状態で，悪夢のような感じの影響下で，興奮し狂暴になる）．＝somnolentia (2).

dru·sen (drū′sen) [Ger. *Druse* (stony nodule, geode) の複数形]．結晶腔，晶洞，ドルーゼン（網膜および乳頭部にみられる小さな明るい構造物）．

basal laminar d. 基底層ドルーゼン（直径 25—75 µm の小，円形，透明病巣で，網膜色素上皮 pigment *epithelium* の基底膜の瘤状肥厚．しばしば Bruch 膜 *membrane* からの網膜色素上皮の局所的剝離を伴う）．＝cuticular d.

basal linear d. 基底線状ドルーゼン（網膜色素上皮 pigment *epithelium* の細胞質膜 plasma *membrane* と基底膜 basement *membrane* との間の長幅コラーゲン long-spaced collagen の沈着）．

cuticular d. ＝basal laminar d.

exudative d. 浸出性ドルーゼン（網膜色素上皮 pigment *epithelium* の基底膜と Bruch 膜の内コラーゲン層との間の無定型，顆粒状物質，細胞突起，および彎曲した線維の集まったもの．浸出性タイプは硬性および軟性ドルーゼンを含む）．＝typical d.

hard d. 硬性ドルーゼン（組織学的には Bruch 膜 *membrane* の内および外膠原層内の境界明瞭な硝子様物質の沈着を特徴とし，孤立性に黄色結節として検眼鏡的に認められる浸出性または典型的ドルーゼンのタイプ）．

intrapapillary d. 乳頭内ドルーゼン．＝d. of the optic nerve head.

d. of the macula 黄斑ドルーゼン（Bruch 膜に生じる疣状物．網膜色素上皮に穴をあけ，加齢性黄斑変性の特徴的な所見）．＝macular d.

macular d. 黄斑ドルーゼン．＝d. of the macula.

d. of the optic nerve head 乳頭ドルーゼン（乳頭内，篩状板より前部に生じる好塩基性，層状，石灰状の無細胞質の塊状物で水晶に似て，乳頭浮腫に類似している．視野欠損の原因になることがある）．＝intrapapillary d.

soft d. 軟性ドルーゼン（組織学的には Bruch 膜 *membrane* から網膜色素上皮の pigment *epithelium* の局所的漿液性剝離を特徴とし，板金状に黄色病巣として検眼鏡的にみられる浸出性ドルーゼンのタイプ）．

typical d. ＝exudative d.

DRVVT dilute Russell viper venom *test* の略．

dry ice (drī īs)．ドライアイス．＝*carbon* dioxide snow.

dry-pilling (drī-pil′ing)．水なし服薬（錠剤，カプセル薬などの固形の薬を，食道を通過させるような水などの液体なしで飲む，不適当な服薬．特に繰り返すと食道を傷害することがある．→esophagitis）．

D-S Doerfler-Stewart *test* の略．

ds double-stranded の略．

DSA digital subtraction *angiography* の略．

DSc Doctor of Science(科学博士)の略．

DSD dry sterile dressing(乾燥無菌包帯)の略．

dsDNA double-stranded DNA(⇀deoxyribonucleic acid)の略．

DSM 米国精神医学会の *Diagnostic and Statistical Manual of Mental Disorders* の略．

DT *delirium* tremens; duration of tetany の略．

dT deoxythymidine の略．

DTaP diphtheria(ジフテリア)，tetanus(破傷風)，and acellular pertussis vaccine(無細胞百日咳)の三種混合ワクチンの略．

DT-di·aph·o·rase (dī-af′ō-rās)． DT-ジアホラーゼ．＝*NADPH* dehydro-genase (quinone).

dTDP thymidine 5′-diphosphate の略．

dTDP-sug·ars (shu′gărz)．dTDP糖（dTDP と結合した糖および糖誘導体）．

DTH delayed-type hypersensitivity(遅延型過敏症)の略．

dThd thymidine の略．

DTIC 5-(3,3 dimethyl-l-triazeno)-imidazole-4-carboxamide. dacarbazine の略．

dTMP deoxythymidylic acid; thymidylic acid; thymidine 5′-monophosphate の略．

DTP *1* distal *tingling* on percussion(打診で遠位に刺痛)の略．*2* diphtheria toxoid, tetanus toxoid, pertussis *vaccine*(ジフテリア・破傷風トキソイド・百日咳ワクチン)の略．ときには鎮静薬の*Demerol* (meparidine)，*Thorazine*(chlorpromazine)，*Phenergan*(promathazine)の略として使われる．

DTPA diethylenetriamine pentaacetic acid の略．

DTR deep tendon *reflex*(深部腱反射)の略．

DTs *delirium* tremens の略．

dTTP thymidine 5′-triphosphate の略．

dual-energy x-ray absorptiometry (DEXA) 二重エネルギーX線吸収測定法（２つの異なるエネルギーの低線量X線を用いて骨密度を測定する方法．異なる解剖学的部位(腰椎，大腿骨など)で測定を行う）．

du·al·ism (dū′ăl-izm) [L. *dualis*, relating to two < *duo*, two]．二元説（①化学において，すべての化合物は構成している元素の数にかかわらず，電気的に陰性部分と陽性部分との２部分からなるという Berzelius の唱えた説．現在では，多少の変更を加えて極性化合物には当てはまるが，非極性化合物には適用されない．②血液学において，血液細胞は２つの起源，すなわちリンパ性起源と骨髄性起源であるという説．③精神と肉体とはその本質において互いに独立し異なった２つの別々の系であるという説）．

Duane (dwān), Alexander. 米国人眼科医，1858—1926. →D. *syndrome.*

Du·bin (dū′bin), I.Nathan. 米国人病理学者，1913—1980. →D.-Johnson *syndrome.*

dubnium (dūb′nē-ŭm) [Dubna, Russia]．ドブニウム（合成超プルトニウム元素．原子番号 105．原子量 262．【以前はウンニルペンチウム Unp，およびフランスの物理学者 F. Joliot-Curie にちなんでジオリオチウムとよばれていた】）．

Du·Bois (dū-bwah′), Eugene F. 米国人生理学者，1882—1959. →DuB. *formula*; Aub-DuB. *table.*

Du·bois (dū-bwah′), Paul A. フランス人産科医，1795—1871. →D. *abscesses, disease.*

du·boi·sine (dū-boy′sēn)．デュボイシン（ナス科 *Duboisia myoporoides* の葉から得られるアルカロイド．→hyoscyamine）．＝daturine.

Du Bois-Rey·mond (dū-bwah′ rā-mohn′), Emil H. ドイツ人生理学者，1818—1896. →Du Bois-Reymond *law.*

Du·boscq (dū-bosk′), Jules. フランス人光学器製作者，1817—1886. →D. *colorimeter.*

Du·bo·witz (dū′bō-wits), Victor. 20世紀の南アフリカ系イングランド人小児科医．→D. *score.*

Du·breu·il-Cham·bar·del (dū-broy′ shahm-bahr-del′), Louis. フランス人歯科医，1879—1927. →Dubreuil-Chambardel *syndrome.*

Du·chenne (dū-shen′), Guillaume B.A. フランス人神経科医，1806—1875. →D. *disease, sign*; D.-Aran *disease*; Aran-D. *disease*; D.-Erb *paralysis*; D. *dystrophy.*

Duck·worth (duk′wŏrth), Sir Dyce. イングランド人医師，

1840—1928. ⇀D. *phenomenon*.

Duc·rey (dū-krā'), Augusto. イタリア人皮膚科医，1860—1940. ⇀D. *bacillus*, *test*.

DUCT

duct (dŭkt)［L. *duco*, pp. *ductus*, to lead］［TA］. 管，管路（腺もしくは器官の分泌出口をつくったり，液体を伝達する管状構造.→canal）. ＝ductus［TA］.

aberrant d.'s 迷管. ＝aberrant *ductules*.

aberrant bile d.'s 肝迷管（肝臓の靱帯にときに存在する小管または肝表面から発生する小管）.

accessory pancreatic d.［TA］. 副膵管（膵頭部にみられる外分泌導管のうち，胎生期における背側膵臓芽の膵管の近位部から形成される部分．他の1本は膵管とは独立して小十二指腸乳頭に開口する）. ＝ductus pancreaticus accessorius［TA］; Bernard canal; Bernard d.; ductus dorsopancreaticus; Santorini canal; Santorini d.

alveolar d. ＝ductulus alveolaris. ***1*** 肺胞管（呼吸細気管支より遠位の気道部分．ここから肺胞嚢および肺胞が始まる）. ***2*** 腺胞管（乳腺の中で最小の小葉内導管．これに向かって分泌胞が開いている）.

amnionic d. 羊膜管（鳥類の漿膜羊膜絨毛膜ひだの間にみられる一過性の開口）.

anal d.'s 肛門管（単層円柱上皮または重層円柱上皮の並んだ短い管で，肛門弁から肛門洞にのびている）.

arterial d. 動脈管. ＝*ductus* arteriosus.

Bartholin d. (bahr'tō-lĭn). バルトリン管（①大唾液腺の1つである舌下腺の導管．［しばしば女性の大前庭腺(バルトリン腺)の導管と誤用される］．②女性の大前庭腺(男性の尿道球腺)の導管．㊟本来は誤用）.

Bellini d.'s (bĕ-lē'nē). ベリーニ管. ＝papillary d.'s.

Bernard d. (bār-nahr'). ベルナール管. ＝accessory pancreatic d.

bile d.［MIM*603003］. ***1***［TA］. 総胆管. ＝common bile d. ***2*** 胆管（胆汁を肝臓から十二指腸まで運ぶ種々の管の総称で肝管，胆嚢管，総胆管などをすべて含む）. ＝ductus biliaris*［TA］; biliary d.'s.

biliary d.'s ＝bile d. (2).

Blasius d. (blah'sē-ūs). ブラーシウス管. ＝parotid d.

Botallo d. (bō-tah'lō). ボタロ管. ＝*ductus* arteriosus.

bucconeural d. ＝craniopharyngeal d.

d. of bulbourethral gland［TA］. 尿道球腺管（左右の尿道球腺の側面にある細長い管で，会陰膜の下筋膜を貫いて尿道球にはいり，そこから尿道まで2，3 cm の長さをもつ）. ＝ductus glandulae bulbourethralis［TA］.

canalicular d.'s ***1*** ＝lactiferous d.'s. ***2*** ＝biliary *ductules*.

carotid d. 頸動脈管. ＝*ductus* caroticus.

cervical d. 頸管（⇀cervical *diverticulum*）.

choledoch d. 総胆管. ＝common bile d.

cochlear d.［TA］. 蝸牛管（蝸牛内にあるらせん状の膜でできた管で，前庭階と鼓室階の間にあって両者を隔てている．前庭の蝸牛陥凹内の盲端，すなわち前庭盲端に始まり，蝸牛頂にある頂盲端に終わる．内リンパを含んでおり，結合管により球形嚢に通じる．Corti のラセン器，すなわち聴覚の神経受容器は蝸牛管底部にみられる．蝸牛管外壁は血管条でおおわれる）. ＝ductus cochlearis［TA］; scala media［TA］; Löwenberg canal; Löwenberg scala; membranous cochlea.

common bile d. 総胆管（総肝管と胆嚢管とが合流してできた管で胆汁を十二指腸へ注ぐ）. ＝ductus choledochus［TA］; bile d. (1); choledoch d.; choledoch; choledochus.

common hepatic d.［TA］. 総肝管（胆管系の一部で，右・左肝管の合流によってつくられる．肝門で，胆嚢管と連結し，総胆管となる）. ＝ductus hepaticus communis［TA］; hepatocystic d.

craniopharyngeal d. 頭蓋咽頭管（下垂体憩室の細い管状部）. ＝bucconeural d.; hypophysial d.

Cuvier d.'s (kū-vē-ā'). common cardinal veins を表す現在

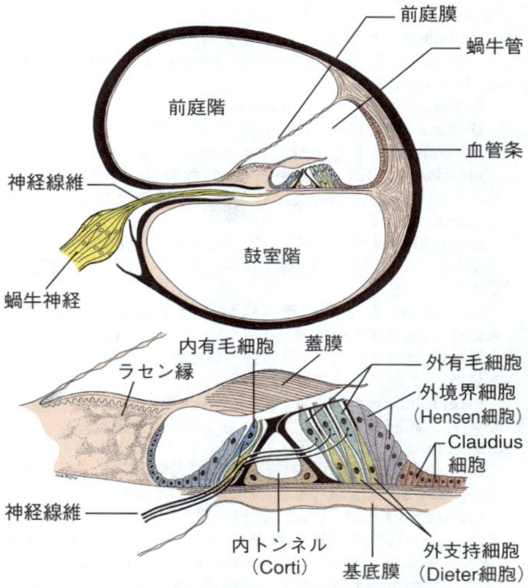

cochlear duct and spiral organ

Hensen細胞（紫色），上図の血管条（赤色），下図のClaudius細胞（赤色），外有毛細胞（緑色），内有毛細胞（紺色），柱細胞（ピンクの基底部分をもつ黒色）.

では用いられない語.

cystic d.［TA］. 胆嚢管（胆嚢から導かれる管．総肝管と結合して総胆管を形成する）. ＝ductus cysticus［TA］; cystic gall d.

cystic gall d. 胆嚢管. ＝cystic d.

deferent d. 精管. ＝*ductus* deferens.

efferent d. 精巣輸出管. ＝efferent *ductules* of testis.

ejaculatory d.［TA］. 射精管（精管と精嚢の導管が合流してできる管で，前立腺を貫いて尿道前立腺部の精丘に開口する）. ＝ductus ejaculatorius［TA］; spermiduct (2).

endolymphatic d.［TA］. 内リンパ管（膜迷路の球形嚢，卵形嚢の双方に結合し，側頭骨岩様部の前庭水管を通り，岩様部の後面で拡大した盲端(内リンパ嚢)に終わる膜性の小管で，脳硬膜におおわれている）. ＝ductus endolymphaticus［TA］.

d. of epididymis［TA］. 精巣上体管（精巣輸出管が開口する曲がりくねった管で，最後は精管に続くもの）. ＝ductus epididymidis［TA］.

excretory d. 導管，排出管（腺からの分泌物または貯蔵器からの液体を搬出する管）. ＝ductus excretorius.

excretory d.'s of lacrimal gland［TA］. 涙腺の排出管（上結膜円蓋に通じる涙腺の6—10本の排出管）. ＝ductuli excretorii glandulae lacrimalis［TA］; excretory ductules of lacrimal gland; ductus excretorius glandulae vesiculosae［TA］.

excretory d. of seminal gland［TA］.〔精嚢の〕排出管（精嚢から射精管に通じる管）. ＝ductus excretorius glandulae vesiculosae［TA］; ductus excretorius vesiculae seminalis*; excretory d. of seminal vesicle*; ductus excretorius glandulae vesiculosae［TA］.

excretory d. of seminal vesicle*〔精嚢の〕排出管（excretory d. of seminal gland の公式の別名）.

frontonasal d. 鼻前頭管（前頭洞から下方の篩骨漏斗に開く通路）.

galactophorous d.'s ＝lactiferous d.'s.

gall d. bile d. を表す現在では用いられない語.

Gartner d. (gart'nĕr). ガートナー管. ＝longitudinal d. of epoophoron.

genital d. 生殖管. ＝genital *tract*.

guttural d. ＝pharyngotympanic (auditory) *tube*.

hemithoracic d. 半胸管（副胸管で，通常は胸管に注いでいるが，右鎖骨下静脈に独自に放出することもある）．＝ductus hemithoracicus.

Hensen d. (hen′sěn). ヘンゼン管．＝*ductus* reuniens.

hepatic d. 肝管（→common hepatic d.; right hepatic d.; left hepatic d.）.

hepatocystic d. ＝common hepatic d.

Hoffmann d. (hof′mahn). ホフマン管．＝pancreatic d.

hypophysial d. 下垂体管．＝craniopharyngeal d.

incisive d. [TA]．切歯管（まれな鼻稜の前端部の両側にある切歯管への粘膜の突出または原基痕跡管のこと）．＝ductus incisivus [TA].

intercalated d.'s 介在導管，挿入導管（腺房から出ている微細な管で，唾液腺や膵臓にみられる．低い立方細胞で形成されている）.

interlobar d. 葉間導管（腺葉の分泌物を排出する管で，多数の小葉間導管の吻合からなる）.

interlobular d. 小葉間導管（腺小葉を起始点とし，小葉内細管の吻合によりできる管）.

interlobular bile d.'s [TA]．小葉間胆管（左右の肝葉内にあって総肝管の始まりよりも上流の肝内胆管）．＝ductus biliferi interlobulares [TA].

intralobular d. 小葉内管（腺小葉の内部に位置する管）.

jugular d. 頸リンパ本幹．＝jugular lymphatic *trunk*.

lactiferous d.'s [TA]．乳管（乳腺葉の乳分泌を行う 15 本または 20 本の導管．乳頭へ開口する）．＝ductus lactiferi [TA]; canalicular d.'s (1); galactophore; galactophorous canals; galactophorous d.'s; mamillary d.'s; mammary d.'s; milk d.'s; tubuli galactophori; tubuli lactiferi.

left d. of caudate lobe of liver [TA]．〔肝臓の〕左尾状葉胆管（尾状葉の左半部からの胆管で，左肝管へ注ぐ枝）．＝ductus lobi caudati sinister hepatis [TA].

left hepatic d. [TA]．左肝管（方形葉，尾状葉の左側を含む肝臓の左半分から胆汁を総肝管に送る管）．＝ductus hepaticus sinister [TA].

longitudinal d. of epoophoron [TA]．卵巣上体縦管（女性の中腎管原基の遺残で，卵巣上体細管が通じている．子宮広靱帯に位置し，卵管の外側部と平行に走り，子宮頸および腟の外壁にのびている）．＝ductus longitudinalis epoophori [TA]; Gartner canal; Gartner d.

Luschka d.'s (lūsh′kah). ルシュカ管（膀胱壁，特に腹膜によって包まれた部分にみられる腺様の管構造）.

lymphatic d. リンパ本幹（左右のリンパ本幹のいずれかをさす．すなわち右リンパ本幹 right lymphatic d. と胸管 thoracic d. のこと）.

major sublingual d. [TA]．大舌下腺管（舌下腺前部の排出を行う管．舌下小丘に開口する）．＝ductus sublingualis major [TA].

mamillary d.'s ＝lactiferous d.'s.

mammary d.'s ＝lactiferous d.'s.

mesonephric d. 中腎管（胚の中腎小管からの排出を行う管．男性の場合は精管になり，女性の場合は痕跡的遺残となる．→longitudinal d. of epoophoron）．＝ductus mesonephricus; wolffian d.

metanephric d. 後腎管（後腎憩室の細い管状部．尿管を形成する上皮の原基．→epoophoron; longitudinal d. of epoophoron）.

milk d.'s ＝lactiferous d.'s.

minor sublingual d.'s [TA]．小舌下腺管（8—20 本の舌下腺の小導管からなり，口腔の舌下ひだ表面上に開口する．数本は，顎下腺管と結合する）．＝ductus sublinguales minores [TA]; Rivinus d.'s; Walther canals; Walther d.'s.

Müller d., müllerian d. (mūl′ěr). ミュラー管．＝paramesonephric d.

nasal d. ＝nasolacrimal d.

nasolacrimal d. [TA]．鼻涙管（涙嚢から下鼻道前上部に通じる通路で涙を鼻腔に運ぶ管）．＝ductus nasolacrimalis [TA]; nasal d.

nephric d. ＝pronephric d.

omphaloenteric d. (om′fă-lō-en′trik dŭkt). ＝yolk *stalk*.

omphalomesenteric d. yolk *stalk* を表す現在では用いられない語.

pancreatic d. [TA]．膵管（膵臓の導管で，膵尾から膵頭まで貫通し，大十二指腸乳頭で十二指腸に開口している）．＝ductus pancreaticus [TA]; Hoffmann d.; Wirsung canal; Wirsung d.

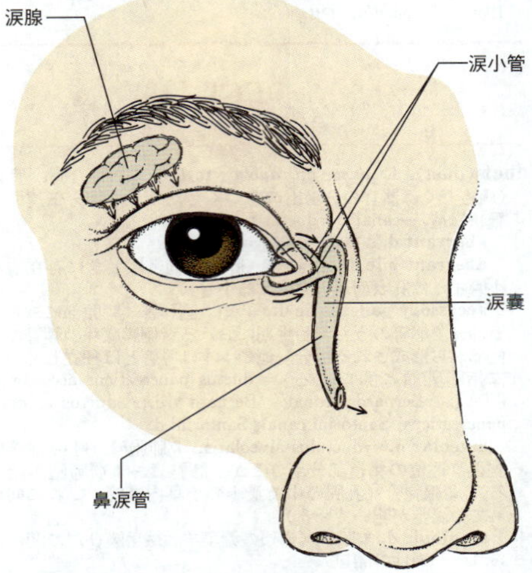

nasolacrimal duct
涙嚢から下鼻道へ涙を運ぶ.

papillary d.'s 乳頭管（腎錐体から乳頭に至るまっすぐで太い排出管で，開口部は篩状野を形成し小腎杯に開口する．この管は集合管からの続きである）．＝Bellini d.'s.

paramesonephric d. 中腎傍管（中腎管にほぼ平行して，中腎に沿ってのびる 1 対の管で，総排泄孔に開いている．女性の場合は，管の上部は卵管，下部は融合して子宮と腟の一部を形成する．男性の場合は管の遺残が前立腺小室および精巣垂として残る）．＝ductus paramesonephricus; Müller d.; müllerian d.

paraurethral d.'s [TA]．尿道傍管（女性の尿道側壁にみられる不定の管．尿道線の粘液分泌物を前庭まで運ぶ）．＝ductus paraurethrales [TA]; Schüller d.'s.; Skene d.'s.

parotid d. [TA]．耳下腺管（頬から，上顎第二大臼歯頸部の高さでその対側の口腔前庭に開く耳下腺の導管）．＝ductus parotideus [TA]; Blasius d.; Stensen d.; Steno d.

Pecquet d. (pě-kā′). ペケー管．＝thoracic d.

perilymphatic d. 外リンパ管．＝cochlear *aqueduct*.

pharyngobranchial d.'s 咽頭鰓管（→*ductus* pharyngobranchialis III; *ductus* pharyngobranchialis IV）.

pronephric d. 原腎管，前腎管（原腎に所属する）．＝nephric d.

prostatic d.'s 前立腺管．＝prostatic *ductules*.

right d. of caudate lobe of liver [TA]．〔肝臓の〕右尾状葉胆管（尾状葉の右半部からの胆管で，右肝管へ注ぐ枝）．＝ductus lobi caudati dexter hepatis [TA].

right hepatic d. [TA]．右肝管（肝臓の右半分と尾状葉の右側から，胆汁を総肝管に送る管）．＝ductus hepaticus dexter [TA].

right lymphatic d. [TA]．右リンパ本幹（長さが約 2 cm の短い幹の，左右の終末リンパ管の右方のもので，右頸リンパ本幹と，右上肢のリンパ管，胸壁，両肺からの管とが結合してつくられるもの．右胸鎖関節の後に位置し，右腕頭静脈に注ぐ．右リンパ本幹はしばしば欠如する．そのときは，これがある場合はここに合流していたリンパ管は個々に静脈系に流入する）．＝ductus lymphaticus dexter [TA]; ductus thoracicus dexter*.

Rivinus d.'s (ri-vē′nŭs). リヴィヌス管．＝minor sublingual d.'s.

saccular d. [TA]. 球形嚢管（連嚢管のうち球形嚢に連なる部分で，内リンパ管と球形嚢の間の部分.→utriculosaccular d.）. =ductus saccularis [TA].

salivary d. 唾液腺管. =striated d.

Santorini d. (sahn-tō-rē′nē). サントリーニ管. =accessory pancreatic d.

Schüller d.'s (shēl′ĕr). シュラー管. =paraurethral d.'s.

secretory d. =striated d.

semicircular d.'s [TA]. 半規管（骨迷路の骨半規管内で前庭迷路を構成する3つの小さな膜性管．各管は円周の 2/3 の形をしたループをつくる．3つの管(前半規管 anterior semicircular d. [TA] (ductus semicircular anterior [TA]), 外側半規管 lateral semicircular d. [TA] (ductus semicircular lateralis [TA]), 後半規管 posterior semicircular d. [TA] (ductus semicircular posterior [TA]))は，互いに直角な三平面上に位置し，前卵形嚢に通じる．5つの開口のうち1つは，前および外側の管に共通である．各管は一方の端に膨大部をもち，そこに前庭神経線維が分布している）. =ductus semicirculares [TA].

seminal d. 精管（精液を精巣上体から尿道，前立腺部まで運ぶ管）. =gonaduct (1).

Skene d.'s スキーン管. =paraurethral d.'s.

spermatic d. 精管. =*ductus* deferens.

Stensen d., Steno d. (sten′sĕn). ステンセン管，ステノ管. =parotid d.

striated d. 線条導管，線条部（唾液腺の小葉内導管の一部．分泌物の成分調整に働いて一次唾液を二次唾液にする．名称は基底面の細胞膜が陥入することで形成される線条による）. =salivary d.; secretory d.

subclavian d. =subclavian lymphatic *trunk*.

submandibular d. [TA]. 顎下腺管（顎下腺の導管．舌小帯の下部に隣接する舌下小丘に開口する）. =ductus submandibularis [TA]; ductus submaxillaris; submaxillary d.; Wharton d.

submaxillary d. =submandibular d.

sudoriferous d. 汗腺管. =d. of sweat glands.

sweat d. =d. of sweat glands.

d. of sweat glands 汗腺管（汗腺の表在部分で，真皮，表皮を貫いて，汗孔により表面に開口する）. =ductus sudoriferus; sudoriferous d.; sweat d.

testicular d. =*ductus* deferens.

thoracic d. [TA]. 胸管（体内の最も太いリンパ管で，第二腰椎とほぼ同じ高さにある乳び槽から始まり，腹部は上行して横隔膜の大動脈裂孔を通り抜けて，そこで胸部に移行し，後縦隔を横切って，胸管弓を形成し，左腕頭静脈の起始部の静脈角に注ぐ）. =ductus thoracicus [TA]; Pecquet d.; van Horne canal.

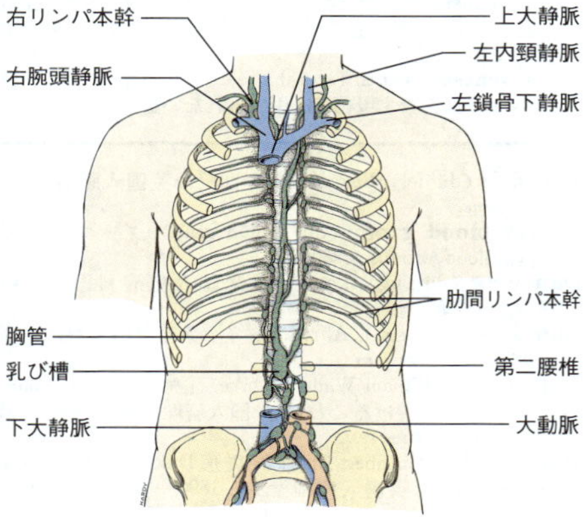

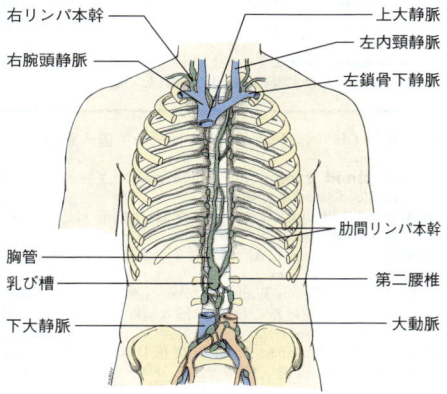

thoracic and right lymphatic ducts
深リンパ管およびリンパ節も示した.

thyroglossal d. [TA]. 甲状舌管（胚の一過性の内胚葉性の管で，その尾方で，甲状腺形成組織を運ぶもの．通常は，甲状腺が頸部にある定位に移動した後に管は消滅する．起始点は成人の舌根上に舌盲孔として遺残する．まれに運行が不完全な場合には，胚期のコースに沿って嚢がつくられる.→pyramidal *lobe* of thyroid gland）. =ductus thyroglossus [TA]; thyrolingual d.

thyrolingual d. 甲状舌管. =thyroglossal d.

umbilical d. =yolk *stalk*.

uniting d. 結合管. =ductus reuniens.

utricular d. [TA]. 卵形嚢管（連嚢管のうち卵形嚢に連なる部分で，内リンパ管と卵形嚢の間の部分.→utriculosaccular d.）. =ductus utricularis [TA].

utriculosaccular d. [TA]. 連嚢管（前庭迷路において，球形嚢から起こる内リンパ管の始部と卵形嚢とを連絡する管）. =ductus utriculosaccularis [TA]; Böttcher canal.

vitelline d., vitellointestinal d. 卵黄管. =yolk *stalk*.

Walther d.'s (vahl′tĕr). ヴァルター管. =minor sublingual d.'s.

Wharton d. ホウォートン管. =submandibular d.

Wirsung d. (vēr′sung). ヴィルズンク管. =pancreatic d.

wolffian d. ヴォルフ管. =mesonephric d.

---

duc·tal (dŭk′tăl). 管の（[ductule と混同しないこと]）.

duc·tile (dŭk′tĭl) [L. *ductilis*, capable of being led or drawn]. 延性の（針金のように曲げのばし，または切断せずに変形することが可能な物質の性質についていう）.

duc·tion (dŭk′shŭn) [L. *duco*, to lead]. ***1*** 伝導（導く，運ぶなどの行為）. ***2*** ひき運動（眼科学においては，一眼の回転についていう．通常は，それに加えて眼の運動方向も表す．例えば，鼻に向かう回旋は内ひき adduction，側頭への回旋は外ひき abduction，上への回旋は上ひき supra-, sursumduction，下への回旋は下ひき deorsumduction．一方の角膜の上極の回転は回旋 cycloduction，一方の角膜の上方の外側への回旋は外回旋 excycloduction，一方の角膜の上方の内側への回旋は内回旋 incycloduction）.

forced d. 強制ひき運動（眼球運動に機械的な障害があるかどうかを調べる手段．鉗子で眼筋をつかみ，眼球を一定の回転方向に受動的に動かすこと）. =passive d.

passive d. 受動的ひき運動試験. =forced d.

duct·less (dŭkt′les). 無管（管がないこと．内分泌機能だけがある内分泌腺についていう）.

ductography 乳管造影法. =galactography.

ductopenia (duk-tō-pē′nē-ă) [duct + -penia]. 管減少（臓器の管の数が減少すること）.

duc·tu·lar (dŭk′tū-lăr). 小管の.

duc·tule (dŭk′tūl). 小管. =ductulus [TA].

aberrant d.'s [TA]. 迷管（精巣上体の上・下憩室）. =ductuli aberrantes [TA]; aberrant ducts; ductus aberrantes; vasa aberrantia.

biliary d.'s 集合胆管（肝臓の導出管で，小葉間胆管と右肝管(または左肝管)を連結する）. =canalicular ducts (2); ductuli biliferi; tubuli biliferi.

efferent d.'s of testis [TA]. 精巣輸出管（精巣から精巣上体頭部に通じる 12―14 本の小精管）. =ductuli efferentes testis [TA]; efferent duct; vas efferens (3).

excretory d.'s of lacrimal gland〔涙腺の〕排出管. =excretory *ducts* of lacrimal gland.

inferior aberrant d. [TA]. 下迷管（多くは精管の最初の部分，ときには精巣上体管の最下部にみられる細いコイルに巻いた細盲管）. =ductulus aberrans inferior [TA]; Haller vas aberrans.

interlobular d.'s 小葉間胆管（肝小葉間の門脈路にある胆管で，集合胆管に通じる）. =ductuli interlobulares.

prostatic d.'s [TA]. 前立腺管（約 20 本の細管で，腺房からの前立腺分泌物を受け取り，尿道背面にある尿道稜の両側にある前立腺洞から排出する）. =ductuli prostatici [TA]; ductus prostatici; prostatic ducts.

superior aberrant d. [TA]. 上迷管（精巣上体の頭部にみられる憩室(細盲管)）. =ductulus aberrans superior [TA].

D

transverse d.'s of epoophoron [TA]．卵巣上体横小管（卵巣上体縦管に開く，横走する 10—15 本の短い小管で中腎管の遺残）．＝ductuli transversi epoophori [TA]; tubuli epoophori.

duc・tu・lus, pl. **duc・tu・li** (dŭk′tū-lŭs, -too-lī) [Mod.L.: L. *ductus*(duct)の指小辞][TA]．小管．＝ductule.

d. aberrans inferior [TA]．＝inferior aberrant *ductule*.

d. aberrans superior [TA]．＝superior aberrant *ductule*.

ductuli aberrantes [TA]．迷管．＝aberrant *ductules*.

d. alveolaris, pl. **ductuli alveolares** 肺胞管．＝alveolar *duct*.

ductuli biliferi 集合胆管．＝biliary *ductules*.

ductuli efferentes testis [TA]．精巣輸出管．＝efferent *ductules* of testis.

ductuli excretorii glandulae lacrimalis [TA]．〔涙腺の〕排出管．＝excretory *ducts* of lacrimal gland.

ductuli interlobulares 小葉間胆管．＝interlobular *ductules*.

ductuli paroophori 卵巣傍体小管（胚中腎の管状の遺残物で，卵巣傍体をつくる）．＝tubuli paroophori.

ductuli prostatici [TA]．前立腺管．＝prostatic *ductules*.

ductuli transversi epoophori [TA]．卵巣上体細管（→epoophoron)．＝transverse *ductules* of epoophoron.

DUCTUS

duc・tus, gen. & pl. **duc・tus** (dŭk′tŭs) [L. a leading < *duco*, pp. *ductus*, to lead][TA]．管（[複数形は ducti ではなく ductus である]）．＝duct.

d. aberrantes ＝aberrant *ductules*.

d. arteriosus 動脈管（左肺動脈と下行大動脈を連結する胎児の血管．正常では生後 2 か月以内に，線維性の索(動脈管索)に変化する．生後に閉鎖しない場合には，血流の障害を生じ，手術を必要とする）．＝arterial canal; arterial duct; Botallo duct.

d. biliaris* [TA]．bile *duct* (2) の公式の別名．

d. biliferi interlobulares [TA]．＝interlobular bile *ducts*.

d. caroticus 頸動脈管（胚期において背側大動脈が，第三・第四大動脈弓動脈と結合している位置の間にある大動脈の部分．発生の初期段階で消失する）．＝carotid duct.

d. choledochus [TA]．総胆管．＝common bile *duct*.

d. cochlearis [TA]．蝸牛管．＝cochlear *duct*.

d. cysticus [TA]．胆嚢管．＝cystic *duct*.

d. deferens [TA]．精管（精巣の導管のうち精巣上体より末梢側をさし，精嚢の分泌導管と合して射精管を形成する）．＝deferent canal; deferent duct; spermatic duct; spermiduct (1); testicular duct; vas deferens.

d. deferens vestigialis [TA]．痕跡精管．＝*vestige* of ductus deferens.

d. diverticulum 動脈管憩室．＝ductal *aneurysm*.

d. dorsopancreaticus ＝accessory pancreatic *duct*.

d. ejaculatorius [TA]．射精管．＝ejaculatory *duct*.

d. endolymphaticus [TA]．内リンパ管．＝endolymphatic *duct*.

d. epididymidis [TA]．精巣上体管．＝*duct* of epididymis.

d. excretorius 導管，排出管．＝excretory *duct*.

d. excretorius glandulae vesiculosae [TA]．＝excretory *duct* of seminal gland.

d. excretorius vesiculae seminalis* 〔精嚢の〕排出管（excretory *duct* of seminal gland の公式の別名）．

d. glandulae bulbourethralis [TA]．尿道球腺管．＝*duct* of bulbourethral gland.

d. hemithoracicus 半胸管．＝hemithoracic *duct*.

d. hepaticus communis [TA]．総肝管．＝common hepatic *duct*.

d. hepaticus dexter [TA]．右肝管．＝right hepatic *duct*.

d. hepaticus sinister [TA]．左肝管．＝left hepatic *duct*.

d. incisivus [TA]．切歯管．＝incisive *duct*.

d. lactiferi [TA]．乳管．＝lactiferous *ducts*.

d. lingualis 舌管．＝*foramen* cecum of tongue.

d. lobi caudati dexter hepatis [TA]．〔肝臓の〕右尾状葉胆管．＝right *duct* of caudate lobe of liver.

d. lobi caudati sinister hepatis [TA]．〔肝臓の〕左尾状葉胆管．＝left *duct* of caudate lobe of liver.

d. longitudinalis epoophori [TA]．→epoophoron．＝longitudinal *duct* of epoophoron.

d. lymphaticus dexter [TA]．右リンパ本幹．＝right lymphatic *duct*.

d. mesonephricus 中腎管（→longitudinal *duct* of epoophoron)．＝mesonephric *duct*.

d. nasolacrimalis [TA]．鼻涙管．＝nasolacrimal *duct*.

d. pancreaticus [TA]．膵管．＝pancreatic *duct*.

d. pancreaticus accessorius [TA]．副膵管．＝accessory pancreatic *duct*.

d. paramesonephricus 中腎傍管．＝paramesonephric *duct*.

d. paraurethrales [TA]．尿道傍管．＝paraurethral *ducts*.

d. parotideus [TA]．耳下腺管．＝parotid *duct*.

patent d. arteriosus (PDA) →d. arteriosus.

d. perilymphaticus 外リンパ管．＝cochlear *aqueduct*.

d. pharyngobranchialis III 第三咽頭鰓管（胚子にみられる第三咽頭嚢と咽頭の間にある細い連結管）．

d. pharyngobranchialis IV 第四咽頭鰓管（胚子にみられる第四咽頭嚢と咽頭の間にある細い連結管）．

d. prostatici ＝prostatic *ductules*.

d. reuniens [TA]．結合管（球形嚢の下端から前庭迷路の蝸牛管に通じる短い膜性の管）．＝canaliculus reuniens; canalis reuniens; Hensen canal; Hensen duct; uniting canal; uniting duct.

d. saccularis [TA]．＝saccular *duct*.

d. semicirculares [TA]．半規管．＝semicircular *ducts*.

d. sublinguales minores [TA]．小舌下腺管．＝minor sublingual *ducts*.

d. sublingualis major [TA]．大舌下腺管．＝major sublingual *duct*.

d. submandibularis [TA]．顎下腺管．＝submandibular *duct*.

d. submaxillaris ＝submandibular *duct*.

d. sudoriferus 汗腺管．＝*duct* of sweat glands.

d. thoracicus [TA]．胸管．＝thoracic *duct*.

d. thoracicus dexter* 右胸管（right lymphatic *duct* の公式の別名）．

d. thyroglossus [TA]．甲状舌管．＝thyroglossal *duct*.

d. utricularis [TA]．＝utricular *duct*.

d. utriculosaccularis [TA]．連嚢管．＝utriculosaccular *duct*.

d. venosus 静脈管（胎児の場合には，臍静脈から肝臓をう回して下大静脈に達する管．出生後は，管腔は閉鎖して静脈管索をつくる）．

d. venosus arantii (ah-rahn′tē-ē)．アランティウス静脈管（d. venosus を表す現在では用いられない語）．

Dud・dell (dŭ′dĕl), Benedict．18 世紀の英国人眼科医．→D. *membrane*.

Duf・fy blood group (dŭf′ē blŭd grūp)．ダッフィ血液型（付録 Blood Groups 参照）．

Duh・ring (dū′ring), Louis A．米国人皮膚科医，1845—1913．→D. *disease*.

Dührs・sen (dēr′sĕn), Alfred．ドイツ人産科婦人科医，1862—1933．→D. *incisions*.

Duke (dūk), William Waddell Duke．[誤った表記 Dukes および Dukes' を避けること]．米国人病理学者，1883—1945．→D. bleeding time *test*.

Dukes (dūks), Cuthbert E．[誤った形 Duke および Duke's を避けること]．英国人病理学者，1890—1977．→D. *classification*.

Dukes (dūks), Clement．[誤った形 Duke および Duke's を避けること]．イングランド人医師，1845—1925．→D. *disease*; Filatov-D. *disease*.

dul・cin (dŭl′sin)．ズルチン（ショ糖の 200 倍の甘さをもつ砂糖の代用品．アミノフェノールに加水分解するので長期使用により障害を生じる可能性がある）．

dull (dŭl) [M.E. *dul*]．鈍な（様々な意味で，鋭くない，あるいは急激でないこと．外科器具や頭の回転，痛み，音(特に打楽器の音)などの状態についていう）．

dull·ness, dul·ness (dŭl′nes)．濁音〔界〕（共鳴不可能な固体の上を打診することによって得られる音質のこと．通常は共鳴可能なだけの空気を含まない部分の打診音についていう）．

shifting d. 濁音〔界〕移動（腹腔内液体貯留の徴候．打診上の濁音界が，患者を左右に回転させるにつれて一般に反対側へ移動する）．

Du·long (dū-lon′), Pierre L. フランス人化学者，1785—1838. →D.-Petit *law*.

dum·my (dŭm′ē) [substitute, imitation *dumb*, lacking the power of speech < O.E.]．ダミー（①＝pontic. ②おしゃぶりのイギリス英語表記）．

Du·mont·pal·li·er (dū-mohn-pal-yā′), Alphonse. フランス人医師，1827—1899. →D. *pessary*.

dump·ing (dŭmp′ing). →dumping *syndrome*.

Dun·can (dŭn′kăn), James M. スコットランド人婦人科医，1826—1890. →D. *folds*, *mechanism*, *placenta*, *ventricle*.

Dun·can (dŭn′kăn)．ダンカン（現在 Duncan 病として知られている疾患に最初に苦しんだ少年の姓）．

Dunn (dŭn), Richard L. 20世紀の英国人化学者．→Lison-D. *stain*.

du·o·crin·in (dū′ō-krin′in) [duodenum + G. *krinō*, to secrete + -in]．ズオクリニン（胃内容が腸に接触すると放出され，十二指腸腺(Brunner 腺)の分泌作用を刺激する仮定胃腸ホルモン）．

du·o·de·nal (dū′ō-dē′năl)．十二指腸の．

du·o·de·nec·to·my (dū′ō-dĕ-nek′tō-mē) [duodenum + G. *ektomē*, excision]．十二指腸切除〔術〕．

du·od·e·ni·tis (dū′od-ĕ-nī′tis)．十二指腸炎．

duodeno- (dū′ō-dē′nō) [L. *duodenum*, *digitorum* (breadth of 12 fingers) の言い換え]．十二指腸を表す連結形．

du·o·de·no·cho·lan·gi·tis (dū′ō-dē′nō-kō′lan-jī′tis) [duodeno- + G. *cholē*, bile + *angeion*, vessel + *-itis*, inflammation]．十二指腸総胆管炎．

du·o·de·no·cho·le·cys·tos·to·my (dū′ō-dē′nō-kō′lē-sis-tos′ŏ-mē) [duodeno- + G. *cholē*, bile + *kystis*, bladder + *stoma*, mouth]．十二指腸胆嚢吻合〔術〕．＝cholecystoduodenostomy.

du·o·de·no·cho·led·o·chot·o·my (dū′ō-dē′nō-kō′led-ō-kot′ŏ-mē) [duodeno- + G. *cholèdochus*, bile duct + *tomē*, incision]．十二指腸総胆管切開〔術〕（総胆管と十二指腸の隣接部分を切開すること）．

du·o·de·no·cys·tos·to·my (dū′ō-dē′nō-sis-tos′tŏ-mē). ***1*** 胆嚢十二指腸吻合術．＝cholecystoduodenostomy. ***2*** 嚢胞十二指腸吻合術．＝cystoduodenostomy. ***3*** 膵嚢胞十二指腸吻合術．＝pancreatic *cystoduodenostomy*.

du·o·de·no·en·ter·os·to·my (dū′ō-dē′nō-en′tĕr-os′tŏ-mē) [duodeno- + G. *enteron*, intestine + *stoma*, mouth]．十二指腸小腸吻合〔術〕（十二指腸と小腸を連結させること）．

du·o·de·no·je·ju·nos·to·my (dū′ō-dē′nō-jĕ′jū-nos′tŏ-mē) [duodeno- + jejunum + G. *stoma*, mouth]．十二指腸空腸吻合〔術〕（十二指腸と空腸の間に人工の連結を手術でつくること）．

du·o·de·nol·y·sis (dū′ō-dĕ-nol′i-sis) [duodeno- + G. *lysis*, a freeing]．十二指腸〔癒着〕剝離〔術〕（十二指腸の癒着の切離術）．

du·o·de·nor·rha·phy (dū′ō-dĕ-nōr′ă-fē) [duodeno- + G. *rhaphē*, a seam]．十二指腸縫合〔術〕（十二指腸の破裂，切開部を縫合すること）．

du·o·de·nos·co·py (dū′ō-dĕ-nos′kŏ-pē) [duodeno- + G. *skopeō*, to examine]．十二指腸鏡検査〔法〕（内視鏡を用いて十二指腸内部を視診すること）．

du·o·de·nos·to·my (dū′ō-dĕ-nos′tŏ-mē) [duodeno- + G. *stoma*, mouth]．十二指腸造瘻〔術〕，十二指腸開口〔術〕（十二指腸に開口をつくること）．

du·o·de·not·o·my (dū′ō-dĕ-not′ŏ-mē) [duodeno- + G. *tomē*, incision]．十二指腸切開〔術〕．

du·o·de·num, gen. **du·o·de·ni,** pl. **du·o·de·na** (dū′ō-dē′nŭm, dū-od′ĕ-nŭm; -od′ĕ-nă, -dē′nă) [Mediev. L. < L. *duodeni*, twelve] [TA]．十二指腸（[伝統的に正しい発音は最後から 2 番目の音節にアクセントを置くが(duode′num)，米国ではしばしば最後から 3 番目の音節にアクセントを置く(duod′enum)]．小腸の最初の部分で，約 25 cm，約 12 横指(名前の由来)の長さをもち，左側の第一・第二腰椎の高さにおいて，幽門からのび，空腸に連結する．上部(この最初の部分は十二指腸キャップ)，下行部(ここに胆管と膵管が開口)，水平部(下部)と上行部に分かれ，十二指腸空腸連結部まで続く）．

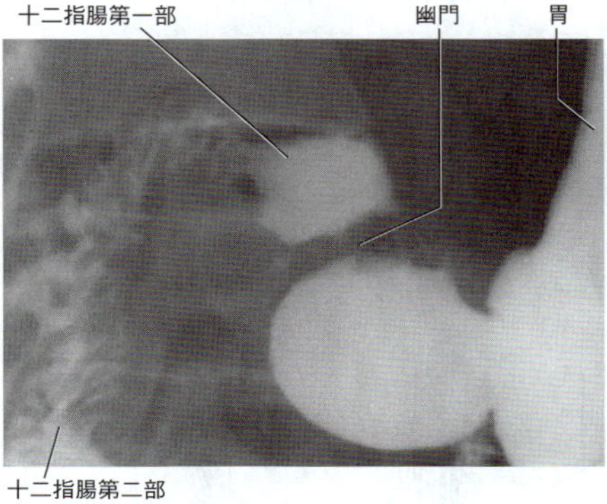

duodenum

バリウム食摂取後のX線写真A-P像．

du·o·vi·rus (dū′ō-vī′rŭs)．＝rotavirus.

du·plex (dū′pleks)．2 つの機能を提供すること．→duplex *ultrasonography*.

du·pli·ca·tion (dū′pli-kā′shŭn) [L. *duplicatio*, a doubling < *duplico*, to double]. ***1*** 重複，二重（→reduplication）． ***2*** 1 つのゲノム内に同じ遺伝子が 2 個存在すること．（非対立性)ヘモグロビン鎖が共通の祖先から進化した過程のように，ゲノムが多様性を増していく重要な方法である．＝gene d.

d. of chromosomes 染色体重複（2 本の相同染色体間の不等交差，または分節の交換の結果起こる染色体異常．1 対の染色体の一方が小分節を失い，もう一方がその分節を得る．分節を得た染色体は重複となり，一方，相手の相同染色体は欠失となる．→*hemoglobin* Lepore）．

gene d. ＝duplication (2).

du·plic·i·tas (dū-plis′i-tăs) [L. a doubling < *duplex*(*duplic*-), two-fold]．二重体．

d. anterior 前部二重体（胸部と頭部が 2 組で，1 組の下肢が骨盤から発生している接着双生児．→conjoined *twins*. →cephalodidymus; ileadelphus; iliadelphus）．＝catadidymus.

d. posterior 後部二重体（1 つの頭部および上半身をもち，2 つの殿部および下肢をもつ接着双生児．→conjoined *twins*. →dipygus）．＝anadidymus; ileadelphus; iliadelphus.

Du·pré (dū-prā′), 17 世紀のパリの外科医・解剖学者．→D. *muscle*.

Du·puy·tren (dū-pwē-tren[h]′), Guillaume. フランス人外科医・外科病理学者，1777—1835. →D. *amputation*, *canal*, *contracture*, *disease* of the foot, *fascia*, *fracture*, *hydrocele*, *sign*, *suture*, *tourniquet*.

du·ra (dū′ră) [L. *durus*(hard)の女性形]. [TA]．硬膜．＝dura mater.

d. mater cranialis [TA]．＝cranial *dura mater*.

durable power of attorney (dūr′ă-bĕl pow′ĕr ă-tŏr-nē)．持続委任状（事前指示書に署名した人が意思表示ができなくなり医療が必要になった場合に，医学的決定をする権限を他の人や代理人に与える法的に有効な事前指示書）．

durable proof of attorney (dūr′ă-băl prōf ă-tŏr′nē)．持続委任状．＝durable power of attorney.

dur·a·en·ceph·a·lo·syn·an·gi·o·sis (dūr′a-en-sef′ălōsin-an′jē-ō′sis). 脳硬膜動脈血管癒合〔術〕(脳の血管再生による側副血行路形成を期待して硬膜下に浅側頭動脈と付着した帽状腱膜を外科的に転置する術式). =encephaloduroarteriosynangiosis.

du·ral (dū′răl). 硬膜の. =duramatral.

du·ra mat·er (dū′ră mā′tĕr) [L. hard mother, mistransl. of Ar. *umm al-jāfiyah*, tough protector or covering] [TA]. 硬膜 (中枢神経系をおおう髄膜の最外層をなす硬い線維性の膜 (軟膜とクモ膜を総称する leptomeninx と区別して pachymeninx ともいう). 骨膜層と髄膜層からなるが, さらにその内面はクモ膜関門細胞層につづく境界細胞層でおおわれる). =dura [TA]; pachymeninx [TA].

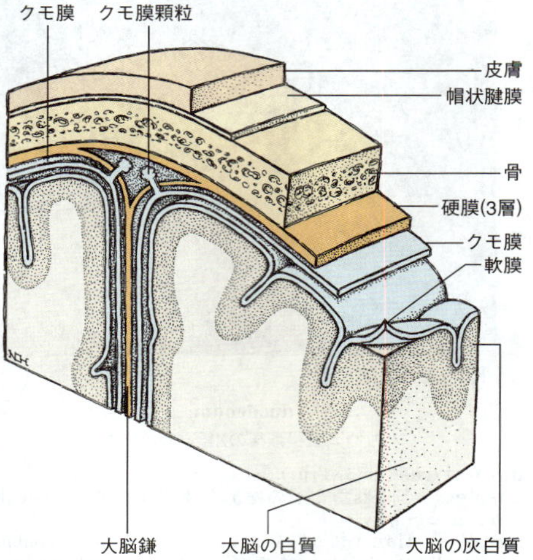

dura mater
硬膜と頭皮, 頭蓋, 髄膜の関連構造(前頭断面図).

d. m. of brain 脳硬膜. =cranial d. m.

cranial d. m. [TA]. 脳硬膜 (頭蓋内の膜で2層に区別される. 外層は骨膜層で通常は頭蓋骨の骨膜と癒着しており, 内層は脳膜層ではほとんどの部位で外層と癒着している. この2層が分かれるのは脳膜血管や大静脈洞を通すときだけである. 脳膜層は大脳鎌や小脳テントのような硬膜ひだの形成に関係しており, 脊髄硬膜と同質でこれに連続する. 頭蓋内での硬膜上腔というものは骨と骨膜層の間に不自然に出現するもので病的にしか実現することはなく, したがって脊髄での硬膜上腔とは連続しないし同質でもない). =dura mater cranialis [TA]; d. m. encephali*; cerebral part of dura mater; d. m. of brain.

d. m. encephali* 脳硬膜 (cranial d. m. の公式の別名).

spinal d. m. [TA]. 脊髄硬膜 (単層の強力な膜で, 脳硬膜の脳膜層と同質でこれに連続する. すなわち脳硬膜のように椎骨やその骨膜に癒着することがないので骨膜との間に広い硬膜上腔が常在し, 脊柱内静脈叢が脂肪層に埋まっている). =d. m. spinalis [TA]; d. m. of spinal cord; endorrhachis; theca vertebralis.

d. m. of spinal cord 脊髄硬膜. =spinal d. m.

d. m. spinalis [TA]. 脊髄硬膜. =spinal d. m.

du·ra·ma·tral (dū-ră-mā′trăl). =dural.

Du·ran-Reyn·als (dū-ran[h]′ rā-nal), Francisco. 米国人細菌学者, 1899—1958. →D.-R. permeability *factor*.

du·ra·plas·ty (dū′ră-plas-tē) [dura (mater) + G. *plastos*, formed]. 硬膜形成〔術〕(硬膜の再建手術で, 硬膜だけで一次的に閉創する場合と二次的に他の軟部組織を材料(例えば筋肉, 筋膜, 人工硬膜)として閉創する場合がある).

du·ra·tion (D) (dū-rā′shŭn). 持続, 〔持続〕期間 (連続した期間).

half amplitude pulse d. 脈波の半尖頭値到達時間 (波が最大強度の半分に達するのに必要な時間をミリセカンドで表したもの).

pulse wave d. 脈波持続時間 (1脈波の開始から終了の間の時間間隔).

Dürck (dŭrk), Hermann. ドイツ人病理学者, 1869—1941. →D. *nodes*.

dur. dolor. ラテン語 *durante dolore*(痛みが続く間)の略.

Du·ret (dū-rā′), Henri. フランス人神経外科医, 1849—1921. →D. *lesion*, *hemorrhage*.

Dur·ham (dūr′ăm), Arthur E. イングランド人外科医, 1834—1895. →D. *tube*.

Du·ro·zi·ez (dū-rō-zē-ā′), Paul L. フランス人医師, 1826—1897. →D. *disease*, *murmur*, *sign*.

DUSN diffuse unilateral subacute *neuroretinitis* の頭字語.

dUTP deoxyuridine 5-triphosphate(デオキシウリジン 5-三リン酸)の略.

Dut·ton (dŭt′ŏn), Joseph Everett. イングランド人医師, 1877—1905. →D. *disease*, relapsing *fever*.

Du·ver·ney (dū-vĕr-nā′), Guichaud Joseph. フランス人解剖学者, 1648—1730. →D. *fissures*, *gland*, *muscle*.

DVA dilated vestibular *aqueduct* の略.

DVM Doctor of Veterinary Medicine(獣医学博士)の略.

DVT deep vein *thrombosis* の略.

dwarf (dwōrf) [A.S. *dweorh*]. 小人 ([本語のもつ否定的または軽蔑的な響きは, 文脈によっては不快な表現になるかもしれない]. 身体各部の発育が不均衡で, 病的なほど小さい人. →dwarfism).

hypophysial d. 下垂体性小人症 (視床下部あるいは下垂体の障害により成長ホルモンの分泌が不良となったために生じる低身長症). =pituitary d.

hypothyroid d. 甲状腺機能低下性小人症 (甲状腺機能が不良なために生じる低身長症).

pituitary d. 下垂体性小人症. =hypophysial d.

dwarf·ism (dwōrf′izm). 小人症 ([本語のもつ否定的または軽蔑的な響きは, 文脈によっては不快な表現になるかもしれない]. 立位で身長が3パーセンタイル以下である状態の一群を表す言葉. 現在は廃語となっており, 通常は低身長と称する).

achondroplastic d. →achondroplasia.

acromelic d. 肢端矮小性(短肢性)小人症. =acromesomelic d.

acromesomelic d. 遠位中間肢短縮性小人症 (獅子鼻と上肢・下肢の短縮, 特に遠位部(前腕や指, 下腿やつま先)の短縮を特徴とする四肢短縮型小人症. 常染色体劣性遺伝). =acromelia; acromelic d.; acromesomelia.

aortic d. 大動脈小人症 (高度の大動脈弁狭窄を伴う成長不全).

asexual d. 無性性小人症 (性器発育不全を伴う小人症).

ateliotic d. 発育不全性小人症. =panhypopituitarism.

camptomelic d. 大腿骨と脛骨の前屈による下肢の短縮のある小人症.

chondrodystrophic d. 軟骨形成異常性小人症 (→chondrodystrophy).

deprivation d. 愛情剝脱(愛情遮断)による小人症 (感情の欠如による低身長). =psychosocial d.

diastrophic d. [MIM*222600]. 変形性小人症. =diastrophic *dysplasia*.

disproportionate d. 不均衡性小人症 (四肢または体幹が特に短いことによる小人症. 四肢が極端に短い場合, 近位骨格が短い病態(rhizomelia), 四肢の中間が短い病態(mesomelia), 四肢の末端が短い病態(acromelia)となる. 通常, 骨格の遺伝的疾病による).

Fröhlich d. (froy′lik). フレーリッヒ小人症 (Fröhlich 症候群(→syndrome)を伴う小人症).

Hunter-Thompson d. (hŭn′tĕr tomp′sŏn) [MIM*201250]. ハンター - トンプソン小人症 (四肢遠位の短縮を特徴とする重篤な末端小人症. 上肢に比べて下肢の短縮が著しく, しばしば肘, 膝, 殿部の脱臼と関係する. 第20染色体長腕の軟骨誘導形態発生蛋白1(*CDMP1*)の突然変異による, 常染色体劣性遺伝).

hypothyroid d. 甲状腺〔機能〕低下(不全)性小人症. =infantile *hypothyroidism*.

infantile d. ＝infantilism (1).

Laron type d. (lah-ron′). ラロン型小人症（ソマトメジンC（インスリン様成長因子Ⅰ）が欠損あるいは非常に低レベルであるか，またはその受容体異常による小人症）.

lethal d. 致死性小人症（子宮内死亡または新生児死亡を起こす小人症）.

Lorain-Lévi d. (lō-ran[h]′lā-vē′). ロラン－レヴィ小人症. ＝pituitary d.

mesomelic d. 中割球小人症（前腕と脚が短い小人症）.

metatropic d. [MIM*250600]. 遡及性小人症（生下時，四肢に比べて体幹が長く，身体の発育が不均衡な先天性の小人症. 成長するにつれてこの不均衡な発育は改善してくるが，進行性の脊柱後側弯症を生じる. 長骨の骨幹端は肥大し，骨盤はほこやり(戟槍)のような形をしている. 尾骨は長く，尾骨付属物を形成している. 常染色体劣性遺伝）.

micromelic d. 四肢短小型小人症（四肢が異常に短いか，または小さい型の小人症）.

panhypopituitary d. 汎下垂体性小人症（Ⅰ型は，常染色体劣性遺伝であり，ヒト成長ホルモン(例えば，ACTH，FSH)の分泌障害がある. 性成熟は遅延し，甲状腺機能低下症や副腎機能低下症を伴う. Ⅱ型はⅠ型と同じであるが，X連鎖遺伝形式をとる）.

phocomelic d. 短肢性小人症（長骨の骨幹が異常に短いか，あるいは四肢の中間部がない小人症）.

physiologic d. 生理的小人症（同家族，同人種，または他の人種と比べると発育の程度は劣るが，通常の発育をする）. ＝primordial d.; true d.

pituitary d. 下垂体[性]小人症（小人症の中でもまれな型で，脳下垂体前葉の機能不全によって起こる. 出生時から存在することも，小児期早期に出現することもある）. ＝Lorain-Lévi d.; Lorain-Lévi infantilism; Lorain-Lévi syndrome; pituitary infantilism.

primordial d. 初期小人症. ＝physiologic d.

proportionate d. 均整のとれた小人症（左右対称で，四肢・体幹ともに短縮. 通常は，化学的，内分泌的，栄養的，九炭糖系の異常による）.

psychosocial d. ＝deprivation d.

rhizomelic d. 四肢近位短縮性小人症（点状軟骨異形成 *chondrodysplasia* punctata 症候群の一種. 常染色体劣性遺伝で，皮膚の角質化，顔貌，心疾患，眼症状，中枢神経の異常など様々な症状を呈する. 松果体の斑状変化も報告されている. ペルオキシソーム型のものを含む様々な酵素の欠損を認め，罹患した乳児は成長障害を呈し，たいてい乳児期に死亡する）.

Robinow d. (rob′i-now). ロビノー小人症. ＝Robinow *syndrome*.

Seckel d. (sek′ĕl). ゼッケル小人症. ＝Seckel *syndrome*.

senile d. 老年(老人)性小人症（頭蓋顔面の奇形をもつ小人症. 外見は早老症に類似する）.

sexual d. 性器発育正常性小人症（性的発育が正常な小人症）.

Silver-Russell d. (sil′vĕr rŭs′ĕl). シルヴァー－ラッセル小人症. ＝Silver-Russell *syndrome*.

snub-nose d. 獅子鼻型小人症（この型の小人症は，生下時低体重，獅子鼻，およびずんぐり体型を特徴とする. 常染色体優性遺伝. 常染色体劣性遺伝形式をとるものもある[MIM*223600]）. ＝dominantly inherited Lévi disease.

thanatophoric d. 致死性小人症（小肢症，長骨の弯曲，大きな頭部，椎体の扁平，筋緊張低下を特徴とする致死病. 肺換気ができないので，チアノーゼを伴う呼吸困難を起こし，生後数時間または数日以内に死亡する. 常染色体優性遺伝，*FGFR3* 遺伝子の突然変異により生じる）.

true d. 真性小人症. ＝physiologic d.

DWT *d*ime *w*eigh*t*(10セント硬貨の重さ)の頭字語. ペニーウェイトともよばれる. トロイ単位において，24グレーン，0.05オンスまたは1.55グラムと同じ重さに相当する. ＝pennyweight.

Dwy·er (dwī′ĕr), Frederick. イングランド人整形外科医，1920—1975. →D. *osteotomy*.

Dx diagnosis の略.

DXA dual energy x-ray *absorptiometry* の略.

Dy ジスプロシウムの元素記号.

dy·ad (dī′ad) [G. *dyas*, the number two, duality]. ***1*** 対. ＝diad (2). ***2*** 二価元素，二分子，二イオン（化学の用語）. ***3*** 一組の人間（相互作用状態にある2人，例えば，患者と医者，夫と妻など）. ***4*** 二分染色体（減数分裂において分裂の結果つくられる二重染色体）. ***5*** 一対（1つとして扱われる2つの単位）. ***6*** 二細胞（最初の有糸分裂の結果できた一対の細胞）. ***7*** ダイアド（心筋細胞における横走細管と終末槽）.

dye (dī) [A.S. *deah, deag*]. 色素，染料（1個以上のベンゼン環に付いている発色団，助色団からなる化合物で，色は発色団，染着性は助色団による. 色素は細胞の生体内着色，組織および微生物の染色や，防腐薬，細菌薬として用い，また上皮増殖の刺激薬として用いるものもある. 個々の染料は，特定名で記載されている. しばしば放射線造影剤に使用されるが，適切ではない）.

acidic d.'s 酸性染料（溶液中で電離し負に荷電したイオンすなわちアニオンを生じる染料. これらはフェノールのナトリウム塩およびカルボン酸染料からなる. 溶液は中性，あるいはわずかにアルカリ性傾向を示す. 例えば，エオシン，アニリンブルーなど）.

acridine d.'s (ak′ri-dēn dīz). アクリジン染料（キサンチンと密接に関連のあるアクリジン誘導体. 組織学，細胞化学および化学療法で蛍光色素として重要. 例えば，アクリフラビン，アクリジンオレンジ，キナクリンマスタードなど）.

azin d.'s アジン染料（中性赤，アゾカルミンG，サフラニンOなど，重要な組織染料を含むフェナジンの染料誘導体）.

azo d.'s アゾ染料（アゾ基が発色団であり，ベンゼン環またはナフタレン環を結合させている色素. コンゴーレッド，オイルレッドOなど多くの生物学的染色に用い，臨床的には潰瘍，熱傷，その他の創傷の治療において上皮増殖を促進させるのに用いる. 多くは抗凝固作用を有する）.

azocarmine d.'s アゾカルミン色素（組織染色に用いる暗赤紫色を呈する色素）.

basic d.'s 塩基性染料（陽性に荷電するイオンすなわちカチオンを与えるために溶液でイオン化する染料. 助色団は塩酸 HCl のような酸と塩を形成することのできるアミンである. 溶液は通常わずかに酸性である. 例えば塩基性フクシンおよびトルイジン青Oを含める）.

chlorotriazine d.'s クロロトリアジン色素（2個以上のクロロトリアジン構造部分をもつ色素で，多糖類と反応する）.

diphenylmethane d.'s ジフェニルメタン染料（2つのフェニル基を結び付けている中央の炭素がアミノ基またはイミノ基をもたない染料. 発色団はキノイド環である. 別名はケトンイミン. 最も一般的なものはオーラミンOである）.

ketonimine d.'s ケトンイミン染料（2つのベンゼン環と結合した＝C=NH が発色団の染料. 両方の環のメタン炭素に対してパラ位にアルキルアミノ基が付加されている. 生物学的用途で最も重要なものはオーラミンOである. 別名，ジフェニルメタン染料ともいう）.

natural d.'s 天然染料（染料は動物あるいは植物より得られる. 例えばカルミンは中央アメリカの臙脂虫(コチニール) *Dactylopius coccus* の雄虫を乾燥して得る. またヘマトキシリンはカリブ地域の蘇方樹，カンペシア木 *Haematoxylon campechianum* の樹皮から抽出する）.

nitro d.'s ニトロ染料（$-NO_2$(ニトロ基)を発色団にもつ染料. ニトロ基はきわめて酸性が強いので，このグループに属する染料はすべて酸性タイプである. 細胞質染色で重要な例にピクリン酸とナフトールイエローSがある）.

oxazin d.'s オキサジン染料（結合しているN(窒素)原子の1個がO(酸素)原子と置き換わっている点を除きアジン染料に類似. 最も重要な代表例としては，ブリリアントクレシルブルー，オルセイン，リトマスおよびクレシルバイオレットなどがある）.

rosanilin d.'s ローザニリン染料（数種のトリアミノトリフェニルメタン染料あるいはそれらの混合物で，塩基性フクシンの名称で販売されている. ローザニリン染料はアミノ基が置換されない点で他のトリフェニルメタン染料と異なっており，ベンゼン環に直接メチル基が導入されている. この種の染料として，パラローザニリン，ローザニリン，新フクシ

D

ン，マゼンタIIの4つがある).

salt d. 塩染料. ＝neutral *stain.*

synthetic d.'s 合成染料（元来はコールタール誘導体からつくられた有機染料化合物．現在はベンゼンおよびその誘導体から合成によりつくられている．例えば，エオシン，メチレンブルー，フルオレセインなど).

thiazin d.'s チアジン染料（結合しているN原子の1つがS原子に置換している点を除きアジン染料に類似，例えば，多くの生物学上重要な染料，特に血液学の分野で用いるアズールA，アズールB，およびメチレンブルーなどを含む).

triphenylmethane d.'s トリフェニルメタン染料（パラローザニリンを含む染料の一群．多くの他の染料と同様，組織学や細胞学で用いる．また，核染色，細胞質染色，結合組織染色に用いる．Schiff 試薬の調製など組織化学分野で重要である).

xanthene d.'s キサンチン染料（キサンチン誘導体．ピロニン，ローダミン，フルオレセインなど).

Dyg·gv·e (di-giv′ĕ), Holger. デンマーク人小児科医，1913—1984. →D.-Melchior-Clausen *syndrome*.

-dymus (dī′mŭs)［G. *-dymos*, fold］. ***1*** 数を表す接頭語と連結する接尾語．例えば，didymus, tridymus, tetradymus. ***2*** didymus の短縮形としても用いる.

dy·nam·ics (dī-nam′iks)［G. *dynamis*, force］. ***1*** 力学，動力学（力に応答する運動を取り扱う科学). ***2*** 力動［論］（精神医学において精神力動論の短縮用語). ***3*** 力動［論］（行動科学において，人格の発達および対人的プロセスに伴う種々の内的および対人的な影響や現象のすべてをいう).

group d. グループダイナミックス，集団力学，集団力動（集団行動の基礎にある特徴，例えば動機や態度を研究する学問を表す語．静的な特徴を用いるよりはむしろ集団変化に関するものである).

dy·na·min (dī′nă-min)［G. *dynamis*, power ＋ *-in*］. ダイナミン（グアノシン5′-トリホスファターゼ(GTP アーゼ)のことで，成形飲小胞の頸部を取り囲み，それを細胞膜から摘み取ったり遊離させることにより細胞質へ放出させる).

dynamo- (dī′nă-mō)［G. *dynamis*, power］. 力，エネルギーに関する連結形.

dy·na·mo·gen·e·sis (dī′nă-mō-jen′ĕ-sis)［dynamo- ＋ G. *genesis*, production］. 動力発生（力，特に筋や神経のエネルギーが発生すること). ＝dynamogeny.

dy·na·mo·gen·ic (dī′nă-mō-jen′ik). 筋力発生の，動力発生の（力，動力，特に神経または筋肉の力や作用が発生することについていう).

dy·na·mog·e·ny (dī′nă-moj′ĕ-nē). ＝dynamogenesis.

dy·nam·o·graph (dī-nam′ō-graf)［dynamo- ＋ G. *graphō*, to write］. 力量記録器（筋力の強さを記録する器械).

dy·na·mom·e·ter (dī′nă-mom′ĕ-tĕr)［dynamo- ＋ G. *metron*, measure］. 力量計，握力計，筋力計（筋力の強さを測定する器械). ＝ergometer.

dy·nam·o·scope (dī-nam′ō-skōp)［dynamo- ＋ G. *skopeō*, to examine］. 筋聴診器（筋肉の聴診を行うための改良聴診器).

dy·na·mos·co·py (dī′nă-mos′kŏ-pē).〔収縮〕筋聴診.

dy·na·therm (dī′nă-thĕrm)［G. *dynamis*, force ＋ *thermē*, heat］. ジナテルム（ジアテルミーを誘引する装置).

dyne (dīn)［G. *dynamis*, force］. ダイン（CGS 単位系における力の単位．国際単位系(SI)ではこれに代わってニュートンが用いられる($1\,N=10^5$ dynes). 1ダインは1gの質量の物体に $1\,cm/sec^2$ の加速度を与える力. $F(dyn)=m(g)\times a(cm/sec^2)$ で表される).

dyn·ein (dīn′ēn)［dyne ＋ protein］. ダイニン（運動構造に関係する蛋白．アデノシントリホスファターゼ活性をもつ．この蛋白は線毛やべん毛などの外部微小管上の腕 arm を構成している．分子モーターとして機能する. →tubulin; dynein *arm*).

dy·nor·phin (dī′nōr-fin). ジノルフィン（オピオイド受容体においてアゴニストとして作用する内因性オピオイドリガンド．17個のアミノ酸残基および NH_2 末端残基として leu^5-enkephalin をもつ神経ペプチドで，非常に強力な作用をもち，広く流通している).

dys- (dis)［G.］.［本ギリシア語の接頭語は困難(dyspnea)，苦痛(dysmenorrhea)，あるいは障害(dyskinesia)を表す．現在，ラテン語の接頭語 dis- にこれらの意味を含めよう，(あるいは dys- を dis- につづり替えよう)とする傾向がある］. 変質，異常，悪い，困難の意を表す接頭語．un-, mis- も同様．eu- の対語.

dys·a·cou·si·a, dys·a·cu·sia (dis′ă-kyū′sē-ă). ＝dysacusis.

dys·a·cu·sis (dis′ă-kyū′sis)［dys- ＋ G. *akousis*, hearing］. 聴覚不全，聴力不全，聴覚異常（①音に対する感覚欠如とは反対に，音の細部の表現の困難も含まれる聴覚不全．②音が聞こえると耳に痛みを感じたり，不快感が生じること). ＝dysacousia; dysacusia.

dys·ad·ap·ta·tion (dis′ad-ap-tā′shŭn). 順応不全（光の強度変化に対応して網膜と虹彩が調節できないこと).

dys·an·ti·graph·i·a (dis′an-ti-graf′ē-ă)［dys- ＋ G. *antigraphō*, to write back］. 写字困難症，誤写字症（写字ができない一種の失書症).

dys·a·phi·a (dis-ā′fē-ă, dis-af′ē-ă)［dys- ＋ G. *haphē*, touch］. 触覚不全，異触覚［症］.

dys·a·phic (dis-ā′fik). 触覚不全の.

dys·ar·te·ri·ot·o·ny (dis′ar-tēr′ē-ot′ŏ-nē)［dys- ＋ G. *artēria*, artery ＋ *tonos*, tention］. 異血圧［症］（血圧が異常に高いか，低いこと).

dys·ar·thri·a (dis-ar′thrē-ă)［dys- ＋ G. *arthroō*, to articulate］. 構語障害，構音障害（精神の緊張，脳損傷，または会話に用いる筋肉の麻痺・失調・痙攣による発音障害). ＝dysarthrosis (1).

ataxic d. 失調性構語障害［症］（小脳病変によって起こる構語障害).

hyperkinetic d. 運動過多性構語障害［症］（舞踏病やミオクローヌスによって起こる構語障害).

hypokinetic d. 低運動性構語障害（錐体外路疾患 extrapyramidal *disease* の硬直型による構語障害).

lower motor neuron d. 下位運動ニューロン性構語障害［症］（構語筋と関係する運動神経核，橋下部，延髄，その他の神経連絡の機能障害による構語障害).

rigid d. ＝spastic d.

spastic d. 痙性構語障害［症］（皮質延髄路の病変による構語障害). ＝rigid d.

dys·ar·thric (dis-ar′thrik). 構語障害の，構音障害の.

dys·ar·thro·sis (dis′ar-thrō′sis)［dys- ＋ G. *arthrōsis*, joint］. ***1*** 構語障害，構音障害. ＝dysarthria. ***2*** 関節異常，関節奇形. ***3*** 偽関節.

dys·au·to·no·mi·a (dis′aw-tō-nō′mē-ă)［dys- ＋ G. *autonomia*, self-government］. 自律神経障害，自律神経不全.

familial d.［MIM*223900］. 家族性自律神経障害，家族性自律神経不全（痛みに対する無感覚，流涙低下，血管運動恒常性不全，共調運動不能，心臓血管反応不安定，反射低下，気管支肺炎の頻発性発作，流ぜん過多とえん下困難，悪阻，感情不安定，麻酔薬に対する不耐性などの神経系の特殊な障害や自律神経系機能の異常を伴う先天性症候群．常染色体劣性遺伝．ヒトの第9染色体長腕31—33領域の遺伝子が関与する). ＝Riley-Day syndrome.

dys·ba·rism (dis′bar-izm)［dys- ＋ G. *baros*, weight］. 潜函病（低い大気圧，変化する大気圧を受けることによって生じる症候群の一般名で，低酸素症は除く．このような変化によって生じる生理的影響と急速な減圧効果を含む).

dys·ba·si·a (dis-bā′zē-ă)［dys- ＋ G. *basis*, a step］. 歩行不全，歩行障害（①歩行が困難なこと．②ある種の精神疾患患者にみられる歩行困難または歩行不全).

d. angiosclerotica, d. angiospastica 末端血管障害による間欠的歩行困難を表す現在では用いられない語.

d. lordotica progressiva 進行性脊柱前弯性歩行不全(歩行障害)（下部脊柱前側弯症を特徴とする疾患で，患者の起立，歩行時に現れるが，横になっているときには通常は消える). ＝torsion neurosis.

dys·be·ta·lip·o·pro·tei·ne·mi·a (dis-bā′tă-lip′ō-prō′-tēn-ē′mē-ă). 異βリポ蛋白血症. ＝familial *hyperlipoproteinemia* type III.

dys·bo·lism (dis′bō-lizm)［dys- ＋ G. *bolē*(*metabolē*) ＋ *-ismos*, metabolism］. 代謝異常（異常ではあるが，必ずしも病的ではない代謝で，アルカプトン尿症にみられるようなもの).

dys·bu·li·a (dis-bū′lē-ă) [dys- + G. *boulē*, will]. 意志障害, 意志薄弱（意志が弱くはっきりしないこと）.

dys·bu·lic (dis-bū′lik). 意志障害の, 意志薄弱の.

dys·cal·cu·li·a (dis′kal-kyū′lē-ă) [dys- + L. *calculo*, to compute < *calculus*, pebble, counter]. 計算不全, 失算〔症〕（簡単な計算を行うのも困難な状態で, 頭頂葉病変でよくみられる）.

dys·ce·pha·li·a (dis′sĕ-fā′lē-ă) [dys- + G. *kephalē*, head]. 頭蓋顔面奇形. = dyscephaly.

d. mandibulooculofacialis [MIM*234100]. 下顎・眼・顔面・頭部異形症（頭蓋冠, 顔面, 下顎の骨異常症候群で, 下顎短小, 彎曲した狭鼻, 小眼球症・小角膜症・白内障などの多発性の眼の異常を伴い, しばしば頭蓋縫合線上の脱毛症や円形性脱毛症, 眉毛の欠損などがみられる. 遺伝型式は確定していない）. = Hallermann-Streiff syndrome; Hallermann-Streiff-François syndrome; mandibulooculofacial syndrome; oculomandibulodyscephaly; oculomandibulofacial syndrome; progeria with cataract; progeria with microphthalmia.

dys·ceph·a·ly (dis-sef′ă-lē). = dyscephalia.

dys·chei·ral, dys·chi·ral (dis-kī′răl). 体側知覚不全の, 体側知覚困難〔症〕の.

dys·chei·ri·a, dys·chi·ria (dis-kī′rē-ă) [dys- + G. *cheir*, hand]. 体側知覚不全, 体側知覚困難〔症〕（感受性障害で, 見かけは感覚欠如はないが, いずれの側の体側に接触したかわからなかったり（体側感覚消失), 異なった側に感覚があったり（感覚体側逆転), 両側に感覚があること（両体側知覚症））.

dys·che·zi·a (dis-kē′zē-ă) [dys- + G. *chezō*, to defecate]. 排便障害, 排便困難.

dys·chon·dro·gen·e·sis (dis′kon-drō-jen′ĕ-sis) [dys- + G. *chondros*, cartilage + *genesis*, production]. 軟骨発育不全〔症〕（軟骨の発育異常）.

dys·chon·dro·pla·si·a (dis′kon-drō-plā′zē-ă) [dys- + G. *chondros*, cartilage + *plasis*, a forming]. 軟骨形成不全〔症〕. = enchondromatosis.

d. with hemangiomas 血管腫を伴う軟骨形成不全〔症〕. = Maffucci *syndrome*.

dys·chon·dros·te·o·sis (dis′kon-dros′tē-ō′sis) [dys- + G. *chondros*, cartilage + *osteon*, bone + *-osis*, condition] [MIM *127300]. 異軟骨骨症, 軟骨骨形成異常〔症〕（骨異形成症の1つで女性に多く, また女性でより重症である. 橈骨の彎曲, 肘および手関節の運動制限を伴う尺骨遠位部での背側脱臼(手関節部の変形は Madelung 変形とよばれる)と肢中央部の短縮による小人症を特徴とする. 優性遺伝で, X染色体短腕の偽常染色体部分の短肢ホメオボックス遺伝子(*SHOX*)の変異により生じる. Langer 中間肢異形成症はこの疾患のホモ接合型で, *SHOX* 遺伝子のホモ接合変異により生じる）. = Leri pleonosteosis; Leri-Weill disease; Leri-Weill syndrome.

dys·chroi·a, dys·chroa (dis-kroy′ă, -krō′ă) [dys- + G. *chroia*, *chroa*, color]. 黒色症（顔色が悪いこと. 皮膚の変色）.

dys·chro·ma·top·si·a (dis′krō-mă-top′sē-ă) [dys- + G. *chrōma*, color + *opsis*, vision]. 色覚異常（色を完全に正常には認識できない状態. *cf.* anomalous *trichromatism*; dichromatism; monochromatism; chromatopsia）.

dys·chro·ma·to·sis (dis′krō-mă-tō′sis) [dys- + G. *chrōma*, color + *-osis*, condition]. 〔皮膚〕色素異常〔症〕（日本人にみられる無症候性色素異常. 限局性の場合と, びまん性の場合がある）.

dys·chro·mi·a (dis-krō′mē-ă). 〔皮膚〕異常変色, 皮膚色異常.

dys·ci·ne·sia (dis′si-nē′zē-ă). = dyskinesia.

dys·con·trol (dis′kon-trōl′). 制御困難. = intermittent explosive *disorder*.

dys·co·ri·a (dis-kō′rē-ă) [dys- + G. *korē*, pupil of eye]. 瞳孔異常（瞳孔の形状の異常）.

dys·cra·si·a (dis-krā′zē-ă) [G. bad temperament < dys- + *krasis*, a mixing]. ***1*** 悪液質, 異混和症（血液内の異常物質の存在による病気の一般的症状. 通常, 血球または血小板の疾患についていう）. ***2*** disease を表す現在では用いられない語.

blood d. 血液疾患（血液の病的状態. 通常は, 持続性の細胞要素の異常についていう）.

plasma cell d. 形質細胞異常症（モノクローナルな免疫グロブリンまたはその一部(血清M成分)を産生する単一クローンの細胞の増殖を特徴とする一群の疾患. 細胞は通常, 形質細胞の形態をしているが, リンパ球あるいはリンパ形質細胞の形をとることもある. 骨髄腫, Waldenström マクログロブリン血症, 重鎖症, 良性単クローン性免疫グロブリン異常症, 免疫細胞性アミロイドーシスが含まれる）.

dys·cra·sic, dys·crat·ic (dis-krā′sik, krat′ik). 悪液質の.

dys·di·ad·o·cho·ki·ne·si·a, dys·di·ad·o·cho·ci·ne·sia (dis′dī-ad′ō-kō-ki-nē′zē-ă, dis-dī-ad′ō-kō-ki-nē′zē-ă) [dys- + G. *diadochos*, working in turn + *kinēsis*, movement]. 拮抗運動反復不全（すばやく肢を交互に動かすことが上手にできないこと）.

dys·di·a·do·cho·ki·ne·sis (dis′dī-ad′ō-kō-ki-nē′sis). 拮抗運動反復不全, 変換運動〔反復〕障害. = adiadochokinesis.

dys·e·mi·a (dis-ē′mē-ă) [dys- + G. *haima*, blood]. 血液異常.

dys·en·ce·pha·li·a splanch·no·cys·ti·ca (dis′en-se-fā′lē-ă splangk′nō-sis′ti-kă) 内臓嚢胞脳奇形（周産期に死亡する奇形症候群で, 子宮内成長遅滞, 傾斜した額, 後頭部の脳ヘルニア, 眼球異常, 口蓋裂, 多指, 多嚢胞腎, 他の奇形を特徴とする. 常染色体劣性遺伝. 第17染色体長腕21—24領域に位置している）. = Meckel syndrome; Meckel-Gruber syndrome.

dys·en·ter·ic (dis′en-ter′ik). 赤痢の.

dys·en·ter·y (dis′en-ter-ē) [G. *dysenteria* < *dys*-, bad + *entera*, bowels]. 赤痢（しばしば血液や粘液の混じる水様便が頻繁に生じる病気で, 痛み, しぶり, 熱, 脱水症状の特徴をもつ）.

amebic d. アメーバ赤痢（主に赤痢アメーバ *Entamoeba histolytica* の感染によって生じる結腸潰瘍性炎症から起こる下痢. 軽症のことも重症のこともあり, また他器官へのアメーバ感染を伴うこともある）.

bacillary d. 細菌〔性〕赤痢（志賀赤痢菌 *Shigella dysenteriae*, フレクスナー赤痢菌 *S. flexneri*, その他の微生物による感染症）.

balantidial d. バランチジウム腸炎. = balantidiasis.

bilharzial d. ビルハルツ〔住血吸虫〕性赤痢（日本住血吸虫 *Schistosoma japonicum*, マンソン住血吸虫 *S. mansoni*, ビルハルツ住血吸虫 *S. haematobium* の感染による赤痢）.

fulminating d. 電撃性赤痢. = malignant d.

helminthic d. 寄生虫性赤痢（寄生虫感染により発現する赤痢）.

malignant d. 悪性赤痢（症状は急性で, 疲はい, 虚脱, そしてしばしば死に至る赤痢）. = fulminating d.

viral d. ウイルス性赤痢（ウイルス感染(例えば, ノーウォークウイルス, ロタウイルス)により発現する激しい水性下痢）.

dys·er·e·thism (dis-er′ĕ-thizm) [dys- + G. *erethismos*, irritation]. 〔刺激〕感受性鈍麻（刺激に対する反応が遅い状態）.

dys·er·gi·a (dis-ĕr′jē-ă) [dys- + G. *ergon*, work]. ジスエルギー, 作動不全, 異作動（明確な自由意思による動作を行うときに, 筋肉が協調して動かなくなること）.

dys·es·the·si·a (dis′es-thē′zē-ă) [G. *dysaisthēsia* < *dys*-, hard, difficult + *aisthēsis*, sensation]. 知覚不全, 異感覚〔症〕, 異常感覚（①感覚脱失より軽度の知覚の損傷. ②刺激に対して正常な知覚とは異なった知覚を生じる状態. 感覚経路, 末梢または中枢の病変で起こる. ③刺激がないのに経験する異常な感覚）.

dysferlin (dis-fĕr′lin). ディスフェルリン（骨格筋膜蛋白であるカベオリンと相互に作用する骨格筋筋形質蛋白で, 損傷された細胞膜を修復する作用をもつ. ディスフェルリンの欠損はいくつかの筋ジストロフィを生じると考えられている）.

dys·fi·brin·o·ge·ne·mi·a (dis′fī-brin′ō-jĕ-nē′mē-ă) [MIM*134820]. 異常フィブリノ〔ー〕ゲン血〔症〕（種々の型のフィブリノーゲンの質的異常(常染色体優性遺伝)で, 各々の型には異常ヘモグロビンが発見された都市の名前がつけられている. 例えば, ①アムステルダム, ベセスダ II, クリーブランド, ロサンゼルス, セントルイス, チューリッヒ I

D

型およびII型は，フィブリノーゲンモノマーの凝集に欠損があり，トロンビン時間の延長，正常凝血に対し阻害作用があり，無症候性である．ⓘベセスダIおよびデトロイト型は，フィブリノーゲンペプチドの放出に欠損があり，トロンビン時間の延長，正常な凝血に対する阻害があり，異常出血がある．ⓘⓘⓘボルチモア型は，フィブリノーゲンペプチドの放出に欠損があり，トロンビン時間の延長があるが，正常な凝血に対する阻害効果はない．出血と血栓症がみられる．ⓘⓥリューベン型は，フィブリノーゲンモノマーの凝集にやや欠損があり，トロンビン時間の延長，軽度の正常凝血に対する阻害効果があり，異常出血がある．ⓥメッツ型は，欠損は不明であるが，トロンビン時間は顕著に延長し，正常な凝血への阻害効果も報告されていないが，異常出血がみられる．ⓥⓘナンシー型は，フィブリノーゲンモノマーの凝集に欠損があり，トロンビン時間は延長し，正常な凝血にやや阻害効果があり，無症候性である．ⓥⓘⓘオクラホマ型は，欠損については不明で，トロンビン時間は正常であり，正常な凝血に阻害効果もないが，異常出血がみられる．ⓥⓘⓘⓘオスロ型は，欠損の報告はなく，トロンビン時間は短縮し，正常な凝血への効果の報告もないが，異常な血栓症がある．ⓘⓧパルマ型は，欠損は不明であるが，トロンビン時間は顕著に延長し，正常凝血の阻害作用はないが，異常出血を伴う．ⓧパリI型は，欠損の報告はないが，トロンビン時間は顕著に延長し，正常な凝血に阻害効果があり，無症候性である．ⓧⓘパリII型は，欠損の報告はないが，トロンビン時間は延長し，正常な凝血に阻害効果があり，無症候性である．ⓧⓘⓘトロイ型は，欠損の報告はなく，トロンビン時間は延長し，正常な凝血への効果も報告はなく，無症候性である．ⓧⓘⓘⓘバンクーバー型は，欠損の報告はないが，トロンビン時間は延長し，正常凝血への効果はなく，異常出血を認める．ⓧⓘⓥヴィースバーデン型は，フィブリノーゲンモノマーの凝集に欠損があり，トロンビン時間は延長し，正常な凝血に阻害効果があり，出血と血栓症がみられる）．

dys·func·tion (dis-fŭnk′shŭn). 機能不全，機能障害（機能が異常であること，または機能が困難であること）．

constitutional hepatic d. 体質性肝性機能不全．＝familial nonhemolytic *jaundice*.

dental d. 歯系機能不全（歯系組織が異常に機能すること）．

erectile d. 勃起障害（膣内に挿入するのに十分な陰茎硬度が得られないこと，あるいは絶頂感を得るのに十分な陰茎硬度が得られないこと）．

minimal brain d. 微小脳機能不全．⇀attention deficit *disorder*.

papillary muscle d. 乳頭筋機能不全（乳頭筋の機能障害．通常は虚血や梗塞によって生じ，僧帽弁(まれに三尖弁)閉鎖不全を引き起こす）．＝papillary muscle syndrome.

phagocyte d. 食細胞機能不全（食細胞の機能が損われた状態）．

placental d. 胎盤機能不全．＝dysmature (3).

psychosexual d., sexual d. 精神性機能障害，性機能障害（性機能の障害をいう．例えば，インポテンツ，早漏，性感欠如などをさし，身体的な原因よりも心理的な原因によると考えられている）．

sphincter of Oddi d. オッディ括約筋機能不全（胆管あるいは膵管からの排泄を妨げるOddi括約筋の構造的あるいは機能的異常）．＝biliary dyskinesia.

temporomandibular joint d. (**TMD, TMJ**) 顎関節機能不全（顎関節機能の慢性的な障害．⇀temporomandibular *arthrosis*; myofascial pain-dysfunction *syndrome*）．

vocal cord d. 声帯機能障害（吸気時にパラドキシカルな声帯外転が特徴的な精神障害．症候は吸気時喘鳴，咽頭緊張，労作時呼吸困難である）．

dys·gam·ma·glob·u·lin·e·mi·a (dis-gam′ă-glob′yū-li-nē′mē-ă). 低ガンマグロブリン血〔症〕，異常ガンマグロブリン血〔症〕（免疫グロブリンの異常，特にγ-グロブリンの百分率分布異常あるいは1種以上の免疫グロブリンの選択的欠乏）．

dys·gen·e·sis (dis-jen′ĕ-sis) [dys- + G. *genesis*, generation]. 発育不全（発育が損なわれること）．

cortical d. ＝cortical *dysplasia*.

gonadal d. 性器発育異常，生殖器発育不全（性器発育異常の種々の型や程度が認められ，生殖器無形成または無発生，痕跡化した生殖器，先天性生殖器欠損や真半陰陽などがある．ときにある種の生殖器発育不全に関連して，外生殖器，生殖器管，二次性徴の独特の特徴がみられることがある．**XO gonadal d.**：正常卵巣ではなく痕跡性腺を伴うXモノソミーよりなる性腺発育異常で，特にTurner症候群にみられる．**XX gonadal d.**：性染色体は女性型で，痕跡性腺，原発性無月経を主徴とするが，体型はTurner症候群と異なる常染色体劣性遺伝．**XY gonadal d.**：X染色体異常で性染色体は男性型をもつが，女性の体型で痕跡性腺，第二次性徴の欠如を主徴とする）．＝ovarian d.

iridocorneal mesenchymal d. 虹彩角膜中胚葉発育不全（角膜と虹彩の発育不全．瞳孔異常，後部胎生環，および続発緑内障を引き起こす．眼球中胚葉組織の形成異常が一因）．

ovarian d. 卵巣発生障害．＝gonadal d.

seminiferous tubule d. 精細管発育不全（精細管が異常な細胞構築を示し，著明にヒアリン化する障害を表す，まれに用いる語．精巣は小さく，精子をほとんど形成しない．体型は類宦官となり，女性化乳房もみられることがあり，尿ゴナドトロピン排泄量は通常高い．精神遅滞や疾患の出現率は増加する．性染色質は男性型か女性型である．アンドロゲン分泌量は正常値以下から正常値を示す．精細管発育不全の特徴はKlinefelter *syndrome*(類義語的に用いられてきた)に常にみられる）．＝germinal aplasia.

testicular d. [MIM*305700]．精巣(睾丸)性発育不全（男性不妊症の原因となる精細管の構造および機能の先天性障害．造精機能障害は精子熟成停滞あるいは精子早期泥化現象の場合のような不全型の場合もあり，Sertoli細胞単独症候群のように造精機能がまったく欠如する場合もある）．

dys·gen·ic (dis-jen′ik). 非優性学的な（肉体的または精神的遺伝形質に悪影響を与える諸因子についていう）．

dys·ger·mi·no·ma (dis′jĕr-mi-nō′mă) [dys- + L. *germen*, a bud or sprout + G. *-ōma*, tumor]．未分化胚細胞腫（卵巣にできる悪性新生物．精巣におけるセミノームに対応するもの．未分化生殖器胚細胞からなり，20歳以下の患者に出現率が高い．新生物は灰黄色で硬く，壊死や出血の病巣を示し，被包化される傾向がある．特徴として，リンパ行性に進展するにもかかわらず，広範な転移も起こす）．＝disgerminoma.

dys·geu·si·a (dis-gū′sē-ă) [dys- + G. *geusis*, taste]．味覚不全，味覚異常（味覚物質の感知におけるひずみまたは倒錯．正常では快感を起こす味覚に対して不快な感覚を生じたり，味覚物質がないのに味覚を感じたり(味覚幻覚)する）．＝parageusia.

dysglycemia (dis-glī-sē′mē-ă) [dys- + glycemia]．異常血糖（病気になるような異常な血糖値，原因は問わない）．

dys·gnath·i·a (dis-nath′ē-ă) [dys- + G. *gnathos*, jaw]．顎骨発育不全（歯牙以上に広がり，上顎骨や下顎骨またはその両方を含む奇形）．

dys·gnath·ic (dis-gnath′ik). 顎骨異常の（[二重字gnにおいて，gは語頭にあるときのみ無音である]．上顎骨および下顎骨異常の，あるいはそれを特徴とする）．

dys·gno·si·a (dis-gnō′sē-ă) [G. *dysgnōsia*, difficulty of knowing]．認識〔力〕障害（[二重字gnにおいて，gは語頭にあるときのみ無音である]．何らかの認識力障害．すなわち何らかの精神の疾病）．

dys·gon·ic (dis-gon′ik) [dys- + G. *gonikos*, relating to the seed or offspring]．発育不良の（細菌培養において，その成長速度が遅いときに用いる語．特にウシ結核菌 *Mycobacterium bovis* の培養に関して用いる．→eugonic）．

dys·graph·i·a (dis-graf′ē-ă) [dys- + G. *graphē*, writing]．***1*** 書字困難，書字障害（書字の困難）．***2*** 書痙．＝writer's *cramp*.

dys·hem·a·to·poi·e·sis (dis-hē′mă-tō-poy-ē′sis) [dys- + G. *haima* (*haimat-*), blood + *poiēsis*, making]．造血異常（血液形成の欠損）．＝dyshemopoiesis.

dys·hem·a·to·poi·et·ic (dis-hē′mă-tō-poy-et′ik). 造血異常〔性〕の．＝dyshemopoietic.

dys·he·mo·poi·e·sis (dis-hē′mō-poy-ē′sis). 造血異常．＝dyshematopoiesis.

dys·he·mo·poi·et·ic (dis-hē′mō-poy-et′ik). 造血異常〔性〕の．＝dyshematopoietic.

dys·hid·ri·a (dis-hid′rē-ă). ＝dyshidrosis.

dys·hi·dro·sis (dis-i-drō′sis) [dys- ＋G. *hidrōs*, sweat]. 発汗障害，発汗異常〔症〕，異汗症，汗疱（不明の原因で起こる小水疱性または膿疱性小水疱性発疹．主に手掌足底に現れ，病変は限定的であるが再発することもある）．＝cheiropompholyx; chiropompholyx; dyshidria; dyshidrotic eczema; pompholyx.

lamellar d. (lam′ĕ-lar dis-hi-drō′sis). 層板状異汗症．＝*keratolysis* exfoliativa congenita.

dys·junc·tion (dis-jŭnk′shŭn). 接合異常（正常では接合している部分または構造が離解していること，分割）.

Le Fort III craniofacial d. (lĕ fōrt′). ＝craniofacial dysjunction *fracture.*

dys·kar·y·o·sis (dis′kar-ē-ō′sis) [dys- ＋G. *karyon*, nucleus ＋ *-ōsis*, condition]. 不良核形成，核異常（剝脱した細胞にみられる異常な成熟．細胞質は正常であるが，過色素性の核や不規則な染色質の分布がみられる．これに引き続いて悪性新生物が発生することがある）.

dys·kar·y·ot·ic (dis′kar-ē-ot′ik). 不良核形成の，核異常の.

dys·ker·a·to·ma (dis′ker-ă-tō′mă) [dys- ＋G. *keras*, horn ＋ *-oma*, tumor]. ジスケラトーマ（角化不全を示す皮膚腫瘍）.

warty d. いぼ状ジスケラトーマ（皮膚にできる良性の単発性腫瘍．通常，頭皮，顔面，頸部に生じ，中心に角栓をもつ．毛包から盛り上がったように見え，顕微鏡で見ると，Darier 病の病変に似ているがやや大きく，より深い，下方に向かう上皮性増殖を示す）．＝isolated dyskeratosis follicularis.

dys·ker·a·to·sis (dis′ker-ă-tō′sis) [dys- ＋G. *keras*, horn ＋ *-osis*, condition]. 異常角化〔症〕（①まだ角質層に達していない単一の表皮細胞が早期に角化をきたすこと．異常角化細胞は一般的に円形となり，周囲の細胞から離れて落ちることもある．②結膜および角膜の上皮が表皮化すること．③角化の異常）.

benign d. 良性異常角化症（皮膚の先天性または水疱性疾患に発生する角化異常症）.

d. congenita [MIM*305000]. 先天性角化不全症（爪形成異常，口腔白斑症，皮膚の網様色素沈着，睾丸萎縮を特徴とし，貧血から全血球減少症に進行する．X染色体長腕の角化に携わる *DKC1* 鎖の突然変異によるX連鎖劣性遺伝）.

intraepithelial d. [MIM*127600]. 表皮内異常角化〔症〕（常染色体優性遺伝を呈する頰粘膜，口腔底，舌前側方，歯肉，口蓋の白色海綿状病変．角膜上の一過性のゼラチン様斑点は，一時的な盲目を引き起こすことがある）.

isolated d. follicularis ＝warty *dyskeratoma.*

dys·ker·a·tot·ic (dis′ker-a-tot′ik). 異角化性の（異角化症に関連したまたはそれに特徴付けられる）.

dys·ki·ne·si·a (dis′ki-nē′zē-ă) [dys- ＋G. *kinēsis*, movement][MIM*242650]. ジスキネジア，ジスキネジー，運動異常〔症〕，運動障害（自由意思による運動が困難なこと．種々の錐体外路疾患に関して通常用いられる用語）．＝dyscinesia; dyskinesis.

biliary d. 胆道ジスキネジア．＝sphincter of Oddi *dysfunction.*

extrapyramidal d.'s 錐体外路性ジスキネジア（線条体の一部が病理学的に障害を受けると生じる不随意運動の異常．抑制できない常同の自動運動が特徴で，睡眠中だけ停止する．パーキンソン病，舞踏病，アテトーシスや片側バリスムなどがあげられる）.

lingual-facial-buccal d. 舌・顔面・頰ジスキネジア．＝tardive d.

primary ciliary d. 原発性線毛ジスキネジア（粘液の排出が遅く，気管支拡張症が高頻度で高度な常染色体劣性遺伝と考えられる疾患．線毛の蛋白であるダイニンに障害があると考えられる）．＝d. syndrome.

tardive d. [MIM*272620]. 遅発性ジスキネジア（ある種の神経遮断薬療法．多くは典型的な抗精神病薬療法の遅発性合併症として起こる．しばしば持続性の顔面筋や舌の不随意運動）．＝lingual-facial-buccal d; tardive syndrome.

tracheobronchial d. 気管気管支運動不全（気管支や気管の弾性および結合組織が変性すること）.

dys·ki·ne·sis ＝dyskinesia.

ciliary d. 線毛運動不全（①原発性あるいは続発性で起こる線毛運動の欠損あるいは遅延．→Kartagener *syndrome*; mucociliary *clearance.* ②気道の繰り返す感染を伴う）.

dys·ki·net·ic (dis′ki-net′ik). ジスキネジーの，運動異常〔症〕の（ジスキネジーに関連した，またはそれに特徴付けられる）.

dys·lex·i·a (dis-lek′sē-ă) [dys- ＋G. *lexis*, word, phrase]. 失読症，読語障害，読字障害（読字能力の障害で，正常な視覚と文字認知をもち，絵や物体の意味も正しく把握できる人の知的レベルから期待される読字能力を下回るもの）.

dys·lex·ic (dis-lek′sik). 失読〔症〕の，読語障害の，読字障害の.

dys·lo·gia (dis-lō′jē-ă) [dys- ＋G. *logos*, speaking, reason]. 談話困難，思考障害（精神疾患が原因で起こる発語と理由付けの障害）.

dys·ma·se·sis (dis′mă-sē′sis) [dys- ＋G. *masēsis*, chewing]. そしゃく障害（そしゃくが困難であること）.

dys·ma·ture (dis′mă-chūr). 成熟異常の（①不完全な発育や成熟をさす．しばしば構造的および，または機能的奇形を表す．②産科学において，在胎月齢に比して出生時体重が異常に低い乳児を表す．③胎盤の成長異常．したがって正常機能が動作しない．*cf.* placental *dysmature.*＝placental dysfunction）.

dys·ma·tu·ri·ty (dis′mă-chūr′i-tē). 異〔常〕成熟（しばしば過熟あるいは胎盤機能不全に伴ってみられる胎児の特徴．皮下脂肪が少なく，皮膚にしわがより，手足の爪がのびており，皮膚や胎盤の表面が胎便で黄染しているなどの特徴がある）.

dys·me·li·a (dis-mē′lē-ă) [dys- ＋G. *melos*, limb]. 肢異常（四肢が短いかまたはない先天性奇形．→amelia; phocomelia）.

dys·men·or·rhe·a (dis′men-ō-rē′ă) [dys- ＋G. *mēn*, month ＋ *rhoia*, a flow]. 月経困難〔症〕（困難または疼痛を伴う月経）．＝menorrhalgia.

functional d. 機能性月経困難〔症〕．＝primary d.

mechanical d. 機械性月経困難〔症〕（子宮頸部閉塞などによる月経血の流出障害によって起こる月経困難症）．＝obstructive d.

membranous d. 膜様月経困難〔症〕（月経時子宮内膜の膜様剝脱を伴う月経困難症）.

obstructive d. 閉鎖性月経困難〔症〕．＝mechanical d.

ovarian d. 卵巣性月経困難〔症〕（卵巣の疾病によって起こる二次性月経困難症）.

primary d. 一次性月経困難〔症〕（機能障害により起こる月経困難症で，炎症，新生物，解剖学的要因によるものではない）．＝functional d.

secondary d. 二次性月経困難〔症〕（炎症，感染，腫瘍，解剖学的要因による月経困難症）.

spasmodic d. 痙〔攣〕性月経困難〔症〕（子宮の有痛性痙攣による月経困難症）.

tubal d. 卵管性月経困難〔症〕（卵管の狭窄やその他の異常な状態による二次性月経困難症）.

ureteric d. 尿管性月経困難〔症〕（月経時に生じる尿管の痙縮による痛みを特徴とする二次性月経困難症）.

uterine d. 子宮病性月経困難〔症〕（子宮の疾病による二次性月経困難症）.

vaginal d. 膣性月経困難〔症〕（膣の閉塞またはその他の異常な状態による二次性月経困難症）.

dys·met·ri·a (dis-mē′trē-ă, -met′rē-ă) [dys- ＋G. *metron*, measure]. 測定障害，ディスメトリア（ある行為の距離，力，速度の制御能力が障害される運動失調の側面．通常，小脳疾患による運動異常を記述するのに用いる．→hypermetria; hypometria）.

ocular d. 眼ディスメトリア（目標物注視の際に行き過ぎてしまう眼球異常運動）.

dys·mor·phi·a (dis-mōr′fē-ă). ＝dysmorphism.

dys·mor·phism (dis-mōr′fizm) [G. *dysmorphia*, badness of form]. 異形症，不具（形の異常）．＝dysmorphia.

muscle d. 筋肉異形症（自分の筋肉が発育不十分で，筋肉の発達が適当または肥大しているという事実を受け入れがたいという自己認識をもつ，ボディーイメージの障害）.

D

dys·mor·pho·gen·e·sis (dis′mōr-fō-jen′ĕ-sis) [dys- + G. *morphē*, form + *genesis*, production]. 異常形態発生（異常組織形成の過程）.

dys·mor·phol·o·gy (dis′mōr-fol′ŏ-jē) [dys- + G. *morphē*, form + *logos*, study]. 異〔常〕形〔態〕学（組織形状の異常な発育の研究全般をさす用語，またはこの現象をもさす．臨床遺伝学の一分野）.

dys·mor·pho·pho·bi·a (dis′mōr-fō-fō′bē-ă) [dys- + G. *morphē*, form + *phobos*, fear]. 醜形恐怖〔症〕. ＝body dysmorphic *disorder*.

dys·my·e·li·na·tion (dis′mī-ĕ-li-nā′shŭn). 髄鞘発育不全（ミエリンの異常代謝により，神経線維のミエリン鞘が不適切につくられるか崩壊すること）.

dys·my·o·to·ni·a (dis′mī-ō-tō′nē-ă) [dys- + G. *mys*, muscle + *tonos*, tension, tone]. 筋緊張異常（高筋緊張性であれ低筋緊張性であれ，異常な筋緊張．→dystonia）.

dys·nys·tax·is (dis′nis-tak′sis) [dys- + G. *nystaxis*, drowsiness]. 半睡状態（軽い眠り，半眠状態）. ＝light sleep.

dys·o·don·ti·a·sis (dis′ō-don-tī′ă-sis) [dys- + G. *odous*, tooth + *-iasis*, condition]. 生歯困難，生歯異常（歯の萌出における困難性と不規則性）.

dys·on·to·gen·e·sis (dis′on-tō-jen′ĕ-sis) [dys- + G. *ōn*, being + *genesis*, origin]. 個体発生異常（欠損を伴う胚発生）.

dys·on·to·ge·net·ic (dis′on-tō-jĕ-net′ik). 個体発生異常〔性〕の.

dysopia (dis-op′ē-ă) [dys- + G. *ōpē*, vision + -ia]. 視力喪失（視力の欠損）. ＝dysopsia.

dysopsia (dis-op′sē-ă) [dys- + G. *ōpsis*, sight + -ia]. 視力喪失. ＝dysopia.

dys·o·rex·i·a (dis′ō-rek′sē-ă) [dys- + G. *orexis*, appetite]. 食欲不振，食欲欠乏.

dys·os·mi·a (dis-oz′mē-ă) [dys- + G. *osmē*, smell]. 嗅覚不全〔症〕，嗅覚異常（嗅覚の歪曲，倒錯．通常は心地よく感じるにおいを不快なにおいに感じたり，何もにおいがしないのににおいを感じたりするもの(幻嗅)）. ＝parosmia; parosphresia.

dys·os·te·o·gen·e·sis (dis′os-tē-ō-jen′ĕ-sis) [dys- + G. *osteon*, bone + *genesis*, production]. 骨形成不全〔症〕（異常な骨形成）. ＝dysostosis.

dys·os·to·sis (dis′os-tō′sis) [dys- + G. *osteon*, bone + *-osis*, conditon]. 骨形成不全〔症〕. ＝dysosteogenesis.

acrofacial d. 四肢顔面骨形成不全〔症〕（四肢の奇形(例えば，橈骨欠損，母指欠損)および橈骨尺骨癒合症を伴った下顎顔面骨形成不全症．橈骨，母指，橈骨尺骨の骨結合など．→Treacher Collins *syndrome*）. ＝acrofacial syndrome.

cleidocranial d., clidocranial d. [MIM*119600]. 鎖骨頭蓋骨形成不全〔症〕（鎖骨の欠損または低形成，縫合解離を伴う四角い頭蓋，前頭部隆起，縫合骨，肩を近接させる能力，歯の欠損を特徴とする発生性奇形．第6染色体短腕上の転写遺伝子である *CBFA1* (core-binding factor, runt domain, alpha-subunit) の突然変異に起因し，常染色体優性遺伝形式をとる．常染色体劣性遺伝形式 [MIM*216330]をとるものも存在する）. ＝cleidocranial dysplasia; clidocranial dysplasia; craniocleidodysostosis.

craniofacial d. [MIM*123500]. 頭蓋顔面骨形成不全〔症〕. ＝Crouzon *syndrome*.

mandibuloacral d. [MIM* 248370]. 下顎骨肢端骨形成不全〔症〕（第1染色体長腕上にある *lamin* A/C をコードする *LMNA* 遺伝子の変異による常染色体劣性遺伝の疾患で，下顎骨の形成不全，歯の密生，骨端溶解，関節硬直，手足の皮膚の萎縮を特徴とする．鎖骨は発育不全，頭蓋縫合は幅広で，多発性の縫合骨が存在する）.

mandibulofacial d. 〔下〕顎顔面骨形成不全〔症〕（第一鰓弓から一次的にできる部分の奇形による種々の症候群．眼裂が外方や下方に向かって走る．下眼瞼の外1/3が切痕したりする．頬骨の形成不全や欠損もみられ，下顎骨の形成不全もある．歯の変位，不正咬合，高口蓋や口蓋裂を伴う巨口症，低部につく外耳の奇形，毛髪の不定形な発育，ときに，口から耳に裂がみられる．→Treacher Collins *syndrome*）. ＝mandibulofacial dysostosis syndrome; mandibulofacial dysplasia.

metaphysial d. 骨幹端性骨形成不全〔症〕（まれな骨の発生性奇形．軟骨の蓄積によって管状骨の骨幹端が拡張したもの）.

d. multiplex 多発性骨形成不全〔症〕（多くのライソソームの貯蔵疾患の1つで，X線写真上の変化が特異的）.

orodigitofacial d. 口指顔面骨形成不全〔症〕. ＝orofaciodigital *syndrome*.

otomandibular d. 耳下顎骨形成不全〔症〕（耳の奇形を伴う下顎骨の形成不全．しばしば側頭下顎関節の奇形を伴うが，眼球の奇形や頬骨の欠損は伴わない）. ＝otomandibular syndrome.

peripheral d. [MIM*170700]. 末梢性骨形成不全〔症〕（中手骨，中足骨の骨形成不全で，種々の顔貌を呈す．恐らく常染色体優性遺伝）.

dys·pal·li·a (dis-pal′ē-ă) [dys- + L. *pallium*, cloak]. 〔脳〕外套不全，〔脳〕外套異常〔症〕（脳外套の発達異常）.

dys·pa·reu·ni·a (dis′pa-rū′nē-ă) [dys- + G. *pareunos*, lying beside < *para*, beside + *eunē*, a bed]. 性交疼痛〔症〕，性交不快〔症〕，異常性感〔症〕（性交中に疼痛を感じること）.

dys·pep·si·a (dis-pep′sē-ă) [dys- + G. *pepsis*, digestion]. 消化不良（胃弱，胃疾患によって起こる胃の機能障害あるいは胃の不調．心窩部の痛み，ときに胃やけ，吐気，ガス性おくびを特徴とする）. ＝gastric indigestion.

acid d. 高酸性消化不良（高い胃酸度による消化不良）.

adhesion d. 癒着性消化不良（痛み，消化不良，その他の特徴を示す．胃周囲の癒着が原因）.

atonic d. 無緊張性消化不良（胃壁筋層の緊張力の低下による消化不良）. ＝functional d. (1).

fermentative d. 発酵性消化不良（胃の内容物の発酵に伴う消化不良．胃拡張に多い）.

flatulent d. 鼓腸性消化不良（空気を飲み込むことによる頻繁なおくびを伴う消化不良．器質性疾患の基盤なしにみられることもある）.

functional d. 機能性消化不良（①＝atonic d. ②＝nervous d.）.

nervous d. 神経性消化不良（緊張や不安による消化不良）. ＝functional d. (2).

reflex d. 反射性消化不良（機能性消化不良の一種で胃腸以外の部分の疾病からの反射的刺激による）.

dys·pep·tic (dis-pep′tik). 消化不良の，不消化の.

dys·pha·gi·a, dys·pha·gy (dis-fā′jē-ă, dis′fă-jē) [dys- + G. *phagō*, to eat]. えん(嚥)下困難，えん(嚥)下障害（→agglutition）.

d. lusoria [L. *lusus naturae* (a sport of nature)からの造語]. 奇形性えん下困難（下行大動脈より起始し，食道の後部を通る異常な走行の右鎖骨下動脈の圧迫によるといわれる）.

d. nervosa, nervous d. ＝esophagism.

sideropenic d. 鉄欠乏性えん下困難. ＝Plummer-Vinson *syndrome*.

vallecular d. 小窩性えん下困難（喉頭蓋の上方のくぼみに食物が詰まることによるえん下障害）. ＝Barclay-Baron disease.

dys·pha·go·cy·to·sis (dis-fag′ō-sī-tō′sis). 食〔菌〕作用不全，捕食不全（食菌作用の障害，特に細胞が細菌を取り込み，かつ消化できないこと）.

congenital d. 先天性食〔菌〕作用不全. ＝chronic granulomatous *disease*.

dys·pha·sia (dis-fā′zē-ă) [dys- + G. *phasis*, speaking]. 失語〔症〕（発語がうまくできず，言葉を理解できるように配列できない．脳の後天性病変が原因）. ＝dysphrasia.

dys·phe·mi·a (dis-fē′mē-ă) [dys- + G. *phēmē*, speech]. どもり，吃(きつ)，構音障害（感情や知能の欠損による発声や構音や聞き取りの障害）.

dys·pho·ni·a (dis-fō′nē-ă) [dys- + G. *phōnē*, voice]. 発声障害，発声困難（発音の変質）.

abductor spasmodic d. 外転型痙攣性発声障害（痙攣性発声障害の気息型．声門が過度にかつ長時間開いているために母音の中に無声の音索がはいり込む）.

adductor spasmodic d. 内転型痙攣性発声障害（痙攣性発声障害の1つのタイプ．正門が過度に閉塞するために発声の開始と持続が影響を受ける）.

d. plicae ventricularis 仮声帯発音（声帯でなく仮声帯での発声）.

spasmodic d. 痙攣性発声障害（発声しようとした際に口喉頭内筋の痙攣性収縮が生じるもの．中枢神経系の障害で生じ，内転型と外転型がある．運動性疾患の局所障害の１つである）．＝d. spastica; spastic d.

spastic d. 痙攣性発声困難．＝spasmodic d.

d. spastica 痙攣性発声困難．＝spasmodic d.

dys·pho·ri·a (dis-fōr′ē-ă)［dys- ＋ G. *phora*, a bearing］．不快気分（全般的な不満，落ち着きのなさ，抑うつ，不安の気分）．

late luteal phase d. ＝premenstrual *syndrome.*

dys·phra·si·a (dis-frā′zē-ă)［dys- ＋ G. *phrasis*, speaking］．＝dysphasia.

dys·pig·men·ta·tion (dis′pig-men-tā′shŭn). 色素沈着異常（特に皮膚における色素形成や分布異常．一般には色素沈着の異常な減少(色素脱失)に用いる．→albinism)．

dys·pin·e·al·ism (dis-pin′ē-ăl-izm). 松果体分泌の欠乏によるものと考えられる症候群を表す現在では用いられない語．

dys·pi·tu·i·tar·ism (dis′pi-tū′i-těr-izm)．下垂体［機能］不全（下垂体分泌の過剰または欠乏による種々の現象）．

dys·pla·si·a (dis-plā′zē-ă)［dys- ＋ G. *plasis*, a molding］．形成異常［症］，異形成［症］（組織の異常な発育．→heteroplasia)．

anhidrotic ectodermal d.［MIM*305100］．無［発］汗性外胚葉性形成異常(異形成)（汗腺の欠陥または欠失，鞍鼻，目の周囲の色素沈着，歯の変形や欠損，薄い毛髪，爪の変形，滑らかだが細かくしわのよった皮膚，合指症，乳腺組織の欠損，精神遅滞を特徴とする疾患．Ｘ染色体長腕上にある *ED1* 遺伝子の突然変異によるＸ連鎖劣性遺伝．常染色体優性［MIM*129490］および常染色体劣性遺伝によるものもある［MIM*224900］)．＝hypohidrotic ectodermal d.

anterofacial d., anteroposterior facial d., anteroposterior d. 前後形成異常(異形成)（顔や頭蓋における前後方向の形成異常．頭部描写図で測定される)．

asphyxiating thoracic d.［MIM*208500］．窒息性胸郭形成異常(異形成)．＝asphyxiating thoracic *dystrophy.*

autoimmune polyendocrinopathy and ectodermal d. 自己免疫性多発性内分泌［腺］症と外胚葉性形成異常（→APECED)．

branchio-oto-renal d.［MIM*113650］．鰓耳腎形成異常(異形成)．＝branchio-oto-renal *syndrome.*

bronchopulmonary d. 気管支肺形成異常(異形成)（未熟児に主としてみられる慢性肺不全．生後１か月で持続的酸素供給が臨床的に必要と定義され，典型例は陽圧換気を必要とする幼児にみられる)．

cerebral d. 終脳形成異常(異形成)．

cervical d. 子宮頸部形成異常(異形成)（子宮頸部の扁平上皮の一部または全体を含む上皮性形成異常．しばしば若い女性にみられる．たいていは退化するが，長期間を経て癌になることもある．高度異形成は組織学的に上皮内癌との鑑別が困難である)．

chondroectodermal d.［MIM*225500］．軟骨外胚葉性形成異常(異形成)（軟骨異形成，外胚葉性異形成，および指趾過多の３主徴による．患者の過半数は先天性心臓奇形をもつ．第４染色体短腕上にある *EU* 遺伝子の変異による常染色体劣性遺伝．ヒト第４染色体短腕16領域に存在)．＝Ellis-van Creveld syndrome.

cleidocranial d., clidocranial d.［MIM*119600］．鎖骨頭蓋骨形成不全［症］．＝cleidocranial *dysostosis.*

cochlear d. 蝸牛異形成（骨蝸牛が完全に発達しないこと)．

congenital ectodermal d. 先天性外胚葉性形成異常(異形成)（表皮および皮膚付属器の不完全な発育．皮膚は滑らかで，毛はなく，顔貌は異常．歯および爪も影響を受けることがあり，発汗も不十分なことがある)．＝congenital ectodermal *defect.*

congenital hip d. ＝developmental hip d.

cortical d. 皮質形成異常(異形成)（ニューロンに関する皮質の細胞構成が発生の途中で異常になったもの)．＝cortical dysgenesis; neuronal migration abnormality.

craniocarpotarsal d. 頭蓋骨手根骨足根骨形成不全［症］．＝craniocarpotarsal *dystrophy.*

craniodiaphysial d.［MIM*218300］．頭蓋骨幹形成異常(異形成)（低身長，頭蓋骨硬化や肥厚，管状骨幹の肥厚を示す．常染色体劣性遺伝．常染色体優性遺伝もある［MIM 122860］)．

craniometaphysial d. 頭蓋骨幹端形成異常(異形成)（骨幹端異形成の症候群．頭蓋骨の極端な硬化症と発育過度(骨性獅子面病)および両眼隔離を伴う)．

dentin d. ぞうげ質形成異常(異形成)（歯の遺伝性の疾患で，乳歯および永久歯双方にわたって罹患する．臨床的には形態，色調は正常であるが，Ｘ線写真上で，短根［MIM 125400］，歯髄腔および根管の閉塞像を示し，歯の動揺や早期脱落を認める．常染色体優性遺伝．異形成症にはもう１種類，歯がオパール様乳白色を呈するものがある［MIM 125420］)．

developmental hip d. 発育的股関節形成異常(異形成)，発達性股関節脱臼（新生児の股関節が容易に脱臼する発生学的異常．病因は出生胎位，機械的，家族性，ホルモン因子などが複合的に関与．6：1で女児に多い)．＝congenital hip d.

diaphysial d. 骨幹形成異常(異形成)（長骨軸の進行性・対称性紡錘状拡大．新しい骨膜および骨内膜の過度の形成と皮質性骨の網状骨への不規則な転化を特徴とする．大理石骨病に起きるような貧血は一般にはみられない)．＝Camurati-Engelmann disease; Engelmann disease.

diastrophic d.［MIM*222600］．捻曲性骨形成症異常(異形成)（背柱側弯，中手骨短縮によるヒッチハイカー母指，口蓋裂，耳介石灰化，軟骨炎，踵骨腱短縮，弯曲足を伴う．常染色体劣性遺伝形式をとり，第５染色体長腕の *DTDST* (diastrophic dysplasia sulfate transporter gene) の突然変異に起因する)．＝diastrophic dwarfism.

ectodermal d. 外胚葉性形成異常(異形成)（皮膚およびその付属器を含む外胚葉性組織の先天性欠損．歯牙形成異常，高体温を伴うこともある．→anhidrotic ectodermal d.; hidrotic ectodermal d.)．

enamel d. エナメル質形成異常(異形成)．＝*amelogenesis* imperfecta.

d. epiphysialis hemimelia ＝Trevor *disease.*

d. epiphysialis multiplex 多発性骨端形成異常(異形成)．＝multiple epiphysial d.

d. epiphysialis punctata 点状骨端形成異常(異形成)．＝*chondrodysplasia* punctata.

epithelial d. 上皮［性］形成異常(異形成)（上皮細胞の分化障害で，消退することもあるし，そのまま残ることもあるし，浸潤性の癌に移行することもある)．

faciodigitogenital d. 顔面指趾生殖器形成異常(異形成)（両眼隔離，外反鼻孔，上口唇肥厚，鞍袋状陰嚢，臍ヘルニア，前反膝を生じる靱帯の弛緩，扁平足，指の過伸展を示す症候群．Ｘ染色体短腕での *FGD1* の突然変異によるＸ連鎖遺伝［MIM*305400］．常染色体優性遺伝［MIM*100050］や劣性遺伝［MIM*227330］も存在する)．＝Aarskog-Scott syndrome.

familial white folded d. 家族性白色襞(ひだ)性形成異常(異形成)．＝white sponge *nevus.*

fibromuscular d. 線維筋性形成異常(異形成)（動脈の狭窄に至る自然発生的な非アテローム性動脈硬化．一般には腎動脈および高血圧症にみられる．２つの異型は線維筋過形成および動脈の中膜外層に起こる線維症である)．

fibrous d. of bone 線維性骨形成異常(異形成)（髄質骨保持障害．骨が生物的溶解を受けて異常な増殖性線維組織に置換される．そのため骨の非対称性歪曲や伸長が生じる．１つの骨についてのもの(単発性線維性異形成)や複数の骨についてのもの(多発性線維性骨異形成)がある)．

fibrous d. of jaws 顎骨の線維性形成障害．＝cherubism.

florid osseous d., cemental d. 開花性骨異形成症，セメント質異形成症．＝sclerotic cemental *mass.*

hidrotic ectodermal d.［MIM*129500］．発汗性外胚葉性形成異常(異形成)（厚くなった爪とまばらあるいは欠失した頭髪を有する，爪と毛の先天的形成異常で，しばしば手掌や足底の角皮症を伴う．歯と汗腺の機能は正常．常染色体優性遺伝)．

hip d. 股関節異形成（動物において跛行を引き起こす慢性変性性疾患であり，特定の犬種において最も頻度が高い．股関節周囲の靱帯の弛緩により体重の負荷がかかる関節面のびらんが起き，急速に成長する犬ではそれが強い運動によって悪化する．病因には多くの要因が関与する．X線検査所見と臨床徴候との相関は低い).

hypohidrotic ectodermal d. 無汗性外胚葉形成異常症．＝anhidrotic ectodermal d.

mandibulofacial d.〔下〕顎顔面形成異常(異形成)．＝mandibulofacial *dysostosis.*

McKusick metaphysial d. (măk-kū′sĭk)．＝cartilage-hair *hypoplasia.*

metaphysial d. 骨幹端形成異常(異形成)（長管骨の骨幹端での新生骨が正常の管状構造へと再構築されないために生じる異常．長管骨の両端は膨大・萎縮し，骨皮質は菲薄化する．頭蓋骨の過成長を伴うことがある(頭蓋骨幹端異形成症)).

Mondini d. (mōn-dē′nē). モンディーニ型内耳形成異常(異形成)（蝸牛発育不全，前庭半規管の形成不全があり，聴覚，前庭機能の部分的あるいは完全喪失を特徴とする先天性骨性，膜性迷路奇形．前庭水管拡大症および髄膜炎を生じる自発的髄液漏を伴っているかもしれない．→Mondini *hearing impairment*).

monostotic fibrous d. 単発性線維性形成異常(異形成)．＝localized osteitis fibrosa; osteitis fibrosa circumscripta.

mucoepithelial d.［MIM*158310］．粘膜上皮形成異常(異形成)（口腔，鼻腔，膣，尿道，肛門，膀胱，結膜などの開口部周囲の赤色の粘膜病変を特徴とする上皮細胞の剝離性疾患．白内障，毛嚢角化症，非瘢痕性脱毛症，頻回の肺感染症，気胸，ときには肺性心を伴う．常染色体優性遺伝).

multiple epiphysial d. (**EDM**) 多発性骨端骨異形成〔症〕（歩行困難，関節の疼痛と拘縮，ずんぐりした指を特徴とし，ほとんどの場合小人症を呈する骨端異常症．X線でみると骨端は不規則，斑状で，骨化核はその出現が遅れ，分節化していることがあるが，脊椎は正常である．常染色体優性遺伝で，少なくとも3型ある．EDM1［MIM*132400］は第19染色体短腕の軟骨乏基質蛋白遺伝子(*COMP*)の変異，EDM2［MIM*600204］は第1染色体短腕のIX型コラーゲン遺伝子(*COL9A2*)の変異により生じるが，EDM3［MIM*600969］はどの座に関係しているかは不明である．常染色体劣性型［MIM*226900］もある)．＝d. epiphysialis multiplex.

neuronal intestinal d. 神経性小腸性形成異常症．＝neuronal *hyperplasia.*

oculoauriculovertebral d. (**OAC**), **OAV d.**［MIM*257700］．眼耳脊椎形成異常(異形成)（眼球上の類皮腫，耳介前方の付属物，小下顎症，脊椎その他の異常を特徴とする症候群)．＝Goldenhar syndrome; OAV syndrome.

oculodentodigital d. (**ODD**)［MIM*164200］．眼歯指形成異常(異形成)（小眼球症，歯の奇形および位置異常を伴った虹彩の欠損または異常，合指症，屈指症，または指節の欠損からなる指の異常を伴う．常染色体優性遺伝．眼症状がさらに強い劣性形式［MIM*257850］もある).

oculovertebral d. 眼脊椎形成異常(異形成)（小眼球症，小さな眼窩を伴う眼球欠損，上顎骨の一側性形成異常による歪曲顔，歯の奇形や不正咬合を伴う巨口症，脊椎の奇形，肋骨の枝分かれや形成不全)．＝oculovertebral syndrome; Weyers-Thier syndrome.

odontogenic d. ＝odontodysplasia.

ophthalmomandibulomelic d. (**OMM**)［MIM*164900］．眼下顎四肢形成不全（常染色体優性の異常で，角膜混濁，下顎と四肢の多所性異常を伴う).

osteofibrous d. (os′tē-ō-fī′brŭs dis-plā′zē-ă)．骨線維性異形成（小児の脛骨と腓骨にほぼ限局して起こる，皮質内の線維性骨病変).

otospondylomegaepiphysial d.［MIM*215150］．耳・脊椎・巨大骨端異形成症（*COL11A2*遺伝子の変異により，常染色体劣性遺伝を示す骨格異形成症．低身長，巨大骨端，椎骨異常，感音性難聴を特徴とする．㊟優性遺伝型も存在する．→*chondrodystrophy* with sensorineural deafness).

periapical cemental d. 根尖性セメント質異形成症，根尖性線維性〔骨〕異形成症（良性で，無症状の顎骨の非腫瘍性病変．もっぱら中年の黒人女性にみられる．病変は通常，多発性で，生活歯である下顎の前歯の根尖周囲に認められることが多く，初期にはX線透過性であるが，成熟するに従って不透過性が増す)．＝periapical osteofibrosis.

polyostotic fibrous d. 多発性線維性骨形成異常(異形成)（いくつかの骨に線維性骨形成異常の病変が現れること．一般に身体の片側だけにみられる．色素沈着と内分泌機能障害(McCune-Albright 症候群)を伴うこともある)．＝multifocal osteitis fibrosa; osteitis fibrosa disseminata.

pseudoachondroplastic spondyloepiphysial d. 偽軟骨発育不全脊椎骨端形成異常(異形成)．＝pseudoachondroplasia.

retinal d. 網膜形成異常(異形成)（感覚要素の発育不全を代償するための神経膠組織の発育過度).

septooptic d.［MIM*182230］．中隔視覚異形成症（先天性の視神経形成不全．正中部脳異常に関連する)．＝de Morsier syndrome.

skeletal d.'s 骨格異形成〔症〕（多数の骨格異常を有し，ほとんどが小人症を呈する種々の症候群(120型以上ある)の総称．→chondrodystrophy).

spondyloepiphysial d. 脊柱・骨端異形成〔症〕（脊柱の発育不良を特徴とする．扁平椎体，骨幹端の化骨遅延，短肢，低身長を呈し，ときには他の奇形を伴う．常染色体優性［MIM*183900，*184100］・常染色体劣性［MIM *208230，*271600］・X連鎖劣性［MIM*313400］遺伝などが報告されている).

spondyloepiphysial d. congenita (**SEDC**)［MIM *183900］．先天性脊椎・骨端異形成症（短肢を伴う低身長，恥骨，大腿，脛骨近位端の化骨遅延，扁平椎体，近視，網膜剝離，口蓋裂を呈する骨異形成．第12染色体長腕のコラーゲンタイプII遺伝子(*COL2A1*)の突然変異による常染色体優性遺伝である).

spondyloepiphysial d. tarda［MIM*271600，MIM *184100］．遅発性脊椎骨端異形成〔症〕（遅発性，通常10歳代発症の骨格異形成症で，小人症，扁平椎，股関節の骨端異常，早期発症変形性関節症，および独特のX線像を特徴とする．常染色体優性遺伝[MIM*184100]とX連鎖劣性遺伝［MIM*313400]の2型があり，後者はX連鎖上の*SEDL*遺伝子の突然変異により生じる).

ventriculoradial d. 心室橈骨形成異常(異形成)（心室中隔欠損からなる先天性症候群．母指または橈骨の欠損を伴う).

dys·plas·tic (dis-plas′tik). 形成異常の，異形成の．

dysp·ne·a (disp-nē′ă)　[G. *dyspnoia* < *dys-*, bad＋*pnoē*, breathing]．呼吸困難（**[**二重字pnにおいて，pは語頭にあるときのみ無音である．正しい発音はdyspne′aであるが，米国では広くdysp′neaと発音される**]**．主観的な呼吸困難または窮迫．通常，心臓や肺の疾病に併発する．肉体の非常に激しい活動中や高地では通常でも起こる).

cardiac d. 心臓性呼吸困難（心臓が原因の息切れ).

exertional d. 労作性呼吸困難（労作後の過剰な息切れ).

expiratory d. 呼気性呼吸困難（呼吸の呼気相の困難で，しばしば例えば異物によって引き起こされるような喉頭あるいは大気管支の閉塞に基づく).

functional d. 機能的呼吸困難（明らかな基礎疾患のない呼吸困難).

nocturnal d. 夜間性呼吸困難（横臥位に就寝し数時間後に発症する夜間性呼吸困難で心不全に合併する．これは横臥位で重力が低下し下肢の水分が再吸収され，中枢の血液量が増加し，心不全を引き起こすと考えられる).

paroxysmal nocturnal d. (**PND**) 発作性夜間呼吸困難（夜間突然出現する急性呼吸困難で，通常，患者を睡眠から覚醒させる．臥床後の対側からの液体の固定によって左室不全に基づく浮腫の有無を問わない肺うっ血による).

Traube d. (trow′bĕ). 胸郭の最大拡張や遅い呼吸リズムを伴う吸気性呼吸困難を表す現在では用いられない語．

dysp·ne·ic (disp-nē′ik). 呼吸困難の．

dys·prax·i·a (dis-prak′sē-ă) [dys-＋G. *praxis*, a doing]．結合運動障害（ある器官が機能するときに一部障害されているか疼痛を伴うこと).

dys·pro·si·um (Dy) (dis-prō′sē-ŭm) [G. *dysprositos*, hard to get at]．ジスプロシウム（ランタニド系(希土類)の金属元素．原子番号66，原子量162.50).

dys·pro·tein·e·mi·a (dis-prō′tēn-ē′mē-ă). 異常蛋白血〔症〕（血清蛋白の異常．通常，免疫グロブリンの異常).

dys·pro·tein·e·mic (dis-prō′tēn-ē′mik). 異常蛋白血〔症〕の．

dys·ra·phism, dys·raph·i·a (dis′ră-fizm, dis-raf′ē-ă)

[dys- + G. *rhaphē*, suture]．癒合不全（特に神経ひだの癒合欠損．縫合障害状態あるいは神経管の欠陥の結果生じる）．

spinal d. 脊椎癒合不全（脊椎骨および脊髄および神経根の欠如を伴う先天異常の総称）．

dys·rhyth·mi·a (dis-ridh′mē-ă) [dys- + G. *rhythmos*, rhythm]．律動異常（rhythm の項参照．*cf.* arrhythmia）．

cardiac d. 心律動異常，不整脈（心臓の活動の速度，規則性，または順序の異常のすべてを表す語）．

electroencephalographic d. 脳波律動異常（全体的に不規則な脳波）．

esophageal d. 食道不整律（食道攣縮で生じるような食道壁筋層の異常運動性）．

paroxysmal cerebral d. 発作性脳律動異常（てんかんでしばしばみられる散在性の異常な脳波所見）．

dys·som·ni·a (dis-som′nē-ă)．睡眠不全，睡眠異常〔症〕（正常の睡眠パターンの障害）．

dys·spon·dy·lism (dis-spon′di-lizm) [dys- + G. *spondylos*, vertebra]．脊椎異常（脊柱の発育異常）．

dys·sta·si·a (dis-stā′sē-ă) [dys- + G. *stasis*, standing]．起立困難，定位異常（立っていることが困難なこと）．= dystasia.

dys·stat·ic (dis-tat′ik)．起立困難の．

dys·syl·la·bi·a (dis′il-lā′bē-ă) [dys- + G. *syllabē*, syllable]．綴字(ていじ)錯誤．= syllable-stumbling.

dys·syn·er·gi·a (dis′in-ĕr′jē-ă) [dys- + G. *syn*, with + *ergon*, work]．共同運動障害（種々の成分をうまく関連付けられないために，行為が滑らかにまたは正確にできない運動失調の側面．小脳疾患が原因で起こる運動異常を記述するのに通常用いられる）．

d. cerebellaris myoclonica ミオクローヌス性小脳性共同運動障害（小児期後期に起こる家族性疾患．進行性小脳失調，動作時ミオクローヌス，知能正常を特徴とする．恐らく多くの原因があり，ミトコンドリア異常がその１つである）．= dentatorubral cerebellar atrophy with polymyoclonus.

detrusor sphincter d. 排尿筋・括約筋筋失調（随意あるいは不随意に排尿努力がなされる際の正常な膀胱(排尿筋)の収縮と括約筋の弛緩の関係が障害される）．

dys·tas·i·a (dis-tā′sē-ă)．= dysstasia.

dys·tel·e·pha·lan·gy (dis-tel′ē-fă-lan′jē) [dys- + G. *telos*, end + phalanx] [MIM*128000]．末節骨異常〔症〕（小指末節骨の弯曲）．

dys·thy·mi·a (dis-thī′mē-ă) [dys- + G. *thymos*, mind, emotion]．気分変調（慢性の気分障害で，うつ状態が１日の大部分に生じ，出現する日のほうがしない日よりも多い．次の症状のいくつかを伴う．食欲低下または過食，不眠または過眠，エネルギー減退または疲労，自己評価の低下，集中不良，決断困難，絶望感．→mood *disorders*; endogenous *depression*; exogenous *depression*）．

dys·thy·mic (dis-thī′mik)．気分変調の（気分変調に関連する）．

dys·to·ci·a (dis-tō′sē-ă) [G. *dystokia* < *dys*-, difficult + *tokos*, childbirth]．難産，異常分娩．

arrest of active phase d. 開口期の分娩停止（有効陣痛により子宮口 4 cm 以上開大した以後の開口期(分娩第１期)に２時間以上子宮口開大が停止した状態．原因には不十分な子宮収縮および児頭骨盤不均衡が含まれる）．

arrest of descent d. 下降娩出期の分娩停止（分娩第２期での母体の努責にもかかわらず１時間以上児頭の下降が停止した状態．不十分な母体の努責，胎勢の異常，胎児の大きさなどが典型的要件である）．

fetal d. 胎児性難産（胎児の異常による難産）．

maternal d. 母体性難産（母親の異常または身体の問題のためにみられる難産）．

placental d. 胎盤娩出異常（胎盤の遺残または娩出困難）．

shoulder d. 肩甲難産（児頭娩出後恥骨結合への前左肩甲の嵌入により正常分娩が停止した状態）．

dys·to·ni·a (dis-tō′nē-ă) [dys- + G. *tonos*, tension]．ジストニー（首，体幹，顔面，四肢をくねらせる反復性不随意運動や異常姿勢を起こす異常筋収縮症候群）．

dopa-responsive d. ドパ反応性ジストニー（小児期早期に発症する常染色体優性ジストニーで，四肢と首のジストニー姿勢を呈する．小量のカルビドパ-レボドパに著明に反応する）．= early childhood onset autosomal dominant d.

early childhood onset autosomal dominant d. 小児期早期発症常染色体優性ジストニー．= dopa-responsive d.

focal d. 局所性ジストニー（酷使や反復性ストレスによる種々の筋骨格障害の総称．プロの音楽家でみられる細かい筋肉の障害に用いられることが多い）．

idiopathic torsion d. 特発性捻転ジストニー．= primary generalized d.

d. lenticularis レンズ核性ジストニー（レンズ核の病変によるジストニー）．

d. musculorum deformans 変形性筋失調〔症〕（遺伝的，環境的，あるいは特発的な疾患で，通常，小児期あるいは思春期に発症する．脊柱，四肢，殿部の捻転を生じる筋収縮を特徴とし，ときには頭部の神経支配のある筋にも生じる．これらの異常運動は興奮により増加し，また少なくとも初期には睡眠時に消失する．筋は動作時に緊張亢進を，静止時には緊張低下を呈す．遺伝型は通常，足あるいは手の不随意な姿勢(常染色体劣性遺伝型[MIM*224500])で，あるいは頸や体幹の不随意な姿勢(常染色体優性遺伝型[MIM*128100])で始まる．両型とも進行して全身のねじれを生じるようになることがある）．= torsion disease of childhood; torsion d.; Ziehen-Oppenheim disease.

myoclonic d. ミオクローヌス性ジストニー（常染色体優性運動疾患で，ジストニーとミオクローヌスを呈し，それはエタノールで抑制される）．

primary focal d. 原発性局所性ジストニー（身体の一部を侵す，通常成人発症のジストニーで，原因不明のもの）．

primary generalized d. 原発性全身性ジストニー（脊柱，四肢，殿部，ときに脳神経支配筋の筋収縮により異常姿勢が起こる疾患で，家族性のものも後天性のものもあり，通常は小児期または青年期に発症する．異常運動は少なくとも初期は興奮で増加し，睡眠で消失する．筋肉は活動時には緊張亢進しており，安静時には緊張低下している．遺伝型は通常足または手(常染色体劣性型 [MIM*224500])または首または体幹(常染色体優性型 [MIM*128100])の不随意肢位で始まり，両型とも全身の捻転を起こすまで進行することがある）．= idiopathic torsion d.

secondary focal d. 続発性局所性ジストニー（身体の一部(頭部，首，肢など)を侵すジストニーで，原因(遺伝疾患，器質性脳疾患，代謝性疾患，薬物中毒など)がはっきりしているもの）．

torsion d. ねじれ失調症．= d. musculorum deformans.

dys·ton·ic (dis-ton′ik)．失調〔症〕の，ジストニーの．

dys·to·pi·a (dis-tō′pē-ă) [dys- + G. *topos*, place]．異所〔症〕（部分または器官が不完全または異常な位置にあること）．= allotopia; malposition.

pituitary d. 下垂体異所症（神経下垂体と腺下垂体の結合不全）．

dys·top·ic (dis-top′ik)．異所〔症〕の（異所症に関する，異所症を特徴とする．→ectopic）．

dys·tro·phi·a (dis-trō′fē-ă) [L. < G. *dys*-, bad + *trophē*, nourishment]．ジストロフィ，異栄養〔症〕，栄養失調〔症〕，形成異常〔症〕．= dystrophy.

d. adiposogenitalis 脂肪性器性ジストロフィ(異栄養〔症〕)．= adiposogenital *dystrophy*.

d. brevicollis 短頸性ジストロフィ（頸部の短縮変形を伴う脂肪性器性異栄養症の徴候を特徴とする状態．Klippel-Feil 症候群にみられる頸椎骨癒合症は伴わない）．

d. myotonica 筋緊張性ジストロフィ．= myotonic *dystrophy*.

d. unguium 爪ジストロフィ．

dys·tro·phic (dis-trof′ik)．ジストロフィの，異栄養〔症〕の．

dys·tro·phin (dis-trō′fin) [MIM*300377]．ジストロフィン（正常筋肉の筋細胞膜中に存在する蛋白．偽肥大性筋ジストロフィや他の筋ジストロフィ患者で欠損している．これは筋細胞骨格と細胞外蛋白とを結合させるのに働く）．= distropin; dystropin.

dys·tro·phy (dis′trō-fē) [dys- + G. *trophē*, nourishment]．ジストロフィ，異栄養〔症〕，栄養失調〔症〕，形成異常〔症〕（組織または器官の栄養欠乏からくる進行性の変化）．= dystrophia.

adiposogenital d. 脂肪性器性ジストロフィ（特に思春期

の男子における肥満症と低ゴナドトロピン性性腺機能低下を特徴とする疾患．小人症はまれで，もしあれば甲状腺機能低下の反映と考えられる．視力損失，行動異常，および尿崩症が起こるかもしれない Fröhlich 症候群がしばしばこの疾患に対し同義的に用いられるが，最初の報告例では脳下垂体腫瘍があった例も含まれている．大部分の症例は食欲と性器の発育を制御する視床下部の機能不全から生じると考えられる．下垂体や視床下部の腫瘍によるものが最も多い）．＝adiposis orchica; adiposogenital degeneration; adiposogenital syndrome; dystrophia adiposogenitalis; Fröhlich syndrome; hypophysial syndrome; hypothalamic obesity with hypogonadism; Launois-Cléret syndrome.

adult foveomacular retinal d. 成人型黄斑窩網膜ジストロフィ（軽度の視力低下を伴い 50 歳代に発症する常染色体優性異常で，中央に過色素斑を伴う黄斑下，円形の黄色病巣を有する）．

adult pseudohypertrophic muscular d. ［MIM*310200.0002］．成人偽肥大性筋ジストロフィ．＝Becker muscular d.

anterior corneal d. 前部角膜ジストロフィ（角膜の上皮，基底膜 basement *membrane*，または Bowman 膜(⇀membrane)を含む角膜混濁）．

asphyxiating thoracic d. ［MIM*208500］．窒息性胸郭形成異常（異形成）（胸郭の遺伝性形成不全．骨盤の奇形を伴う）．＝asphyxiating thoracic chondrodystrophy; asphyxiating thoracic dysplasia; Jeune syndrome; thoracic-pelvic-phalangeal d.

autoimmune polyendocrinopathy-candidiasis-ectodermal d. (**APECED**)［MIM*240300］．自己免疫性多発性内分泌〔腺〕症－カンジダ症－外胚葉性ジストロフィ，アペセド症候群（小児期や若年者に発症する自己免疫疾患と胸腺の疾患．副甲状腺機能低下症，甲状腺機能低下症，Adison 病，1 型糖尿病，早期卵巣機能不全などの多数の自己免疫性内分泌疾患，さらに白斑症，脱毛症，悪性貧血，非感染性慢性活動性肝炎などの自己免疫疾患を伴う．また，しばしば慢性皮膚粘膜カンジダ症および歯や爪などの外胚葉性形成異常を生じる．常染色体劣性遺伝疾患であるが，HLA とは関連性は深くない．欠陥のある遺伝子は，*AIRE*(自己免疫制御因子 autoimmune regulator gene)であり，胸腺で発現している DNA 結合活性を有する核内蛋白をコードしている）．＝autoimmune polyendocrine syndrome, type I; autoimmune polyendocrinopathy syndrome, type I, autosomal dominant, included; autoimmune polyendocrinopathy syndrome, type I; autoimmune polyglandular syndrome, type I; hypoadrenocorticism with hypoparathyroidism and superficial moniliasis; polyglandular autoimmune syndrome, type I; polyglandular deficiency syndrome, Persian- Jewish type, included.

Barnes d. (bahrnz). バーンズジストロフィ（かつては非常に強力であった筋が筋力低下し萎縮する筋萎縮症のまれな型）．

Becker muscular d., Becker-type tardive muscular d. (bek′ĕr). ベッカー筋ジストロフィ（発症が遅い遺伝性筋疾患で，通常は 10—30 歳で発症する．近位筋を障害し，下腿の特徴的な仮性肥大を起こす．Duchenne 筋ジストロフィと臨床的特徴は似ているが，ずっと軽症で遺伝的に致死性ではない．X 連鎖劣性遺伝．Becker ジストロフィも Duchenne ジストロフィも，X 染色体短腕のジストロフィン遺伝子の変異による．*cf.* Duchenne d.）．＝adult pseudohypertrophic muscular d.

central areolar choroidal d. 中心性輪紋状脈絡膜ジストロフィ（常染色体優性の進行性視力障害で境界明瞭な網膜色素上皮 pigment *epithelium* と脈絡膜血管板の萎縮巣を有する）．

central cloudy corneal d. of François (frŏn(h)-swah′). フランソワの中心性混濁性角膜ジストロフィ（常染色体優性遺伝で，多角形に混濁した領域を有する中央角膜実質の混濁）．

central crystalline corneal d. of Snyder (snī′dĕr). スナイダーの中心性クリスタリン(結晶状)角膜ジストロフィ（常染色体優性遺伝で，針状の多色系結晶による中央角膜実質の混濁）．

childhood muscular d. 小児期筋ジストロフィ（異栄養〔症〕）．＝Duchenne d.

Cogan d. (kō′găn). ＝map-dot-fingerprint d.

cone d. 錐体ジストロフィ（色覚が重度に障害され，網膜電図で典型的な変化が認められる網膜の異常．→achromatopsia）．＝cone degeneration.

cone-rod retinal d. 錐体－杆体網膜ジストロフィ（網膜視細胞杆体よりも錐体を障害する異常で，中心視力と色覚障害を特徴とする）．

congenital hereditary endothelial d. 先天性遺伝性内皮ジストロフィ（出生時または新生児期に，混濁，肥厚角膜を特徴とする優性または劣性遺伝疾患）．

corneal d. ［MIM*217600］．角膜ジストロフィ，角膜変性（通常，両側性で対称性，典型例では上皮，実質，または内皮を侵す角膜中央の混濁化．常染色体劣性遺伝）．

craniocarpotarsal d. ［MIM*193700］．頭蓋・手根骨・足根骨ジストロフィ（くぼんだ眼，眼隔離症，長い人中，小さな鼻，口笛を吹くように突き出た唇をした小さな口をもった特異な顔貌と，手の尺骨偏位，屈指症，内反尖足，前頭骨欠損などの骨格異常を特徴とする症候群．常染色体優性遺伝）．＝craniocarpotarsal dysplasia; Freeman-Sheldon syndrome; whistling face syndrome.

Duchenne d. (dū-shen′). デュシェーヌジストロフィ（最も多くみられる小児の筋ジストロフィで，通常 6 歳以前に発症する．対称性の筋萎縮と衰弱が最初に骨盤と大腿の筋群に生じ，次第に胸筋や上肢の近位筋に及ぶ．腓腹筋などの偽性肥大や心筋障害を呈する．軽度の知能発育不全を呈することもある．病状は常に進行性であり，通常思春期に死亡する．X 連鎖遺伝(男性のみ罹患し，女性によって伝播される)）．＝childhood muscular d.; Duchenne disease; Duchenne muscular d.; pseudohypertrophic muscular d.

Duchenne muscular d. (**DMD**) (dū-shen′). デュシェーヌ筋ジストロフィ．＝Duchenne d.

Emery-Dreifuss muscular d. (em′ĕr-ē drī′fŭs)［Alan E. H. *Emery*, Fritz *Dreifuss*］［MIM*310300］．エメリー－ドライフス筋ジストロフィ（小児期または成人期初期に発症する一般的に良性な型の筋ジストロフィ．胸帯と上肢近位筋から脱力が始まり，腰帯と下肢遠位筋に広がる．肘，屈筋，首屈筋，腓腹筋の拘縮がしばしば起こる．筋の仮性肥大と精神薄弱は起こらない．心筋症はよく起こる．X 連鎖遺伝疾患．Duchenne 型筋ジストロフィと対立しない）．

facioscapulohumeral muscular d. ［MIM*158900］．顔面肩甲上腕筋ジストロフィ（小児期および青年期に発症する高度な多種の遺伝子異常．主として顔，肩帯，腕，後に腰帯・下肢の筋のるいそうや筋力低下を特徴とし，ときに左右非対称である．常染色体優性遺伝）．＝facioscapulohumeral atrophy; Landouzy-Dejerine d.

Favre d. (fahv). ファーヴルジストロフィ．＝vitreotapetoretinal d.

fingerprint d. 指紋萎縮症（指紋領域の表皮基底層および基底板に微細な平行線がみられる状態．→map-dot-fingerprint d.）．

fleck d. of cornea ［MIM*121850］．角膜斑状ジストロフィ（角膜支質に微小な斑点が左右両側にできること．斑点の大きさや形は様々で鋭い縁と明瞭な中心がある．羞明が起こることもある．常染色体優性遺伝）．

Fuchs endothelial d. (fūks). フックス内皮ジストロフィ（出現頻度の高い角膜ジストロフィ，常染色体優性遺伝を示す．滴状角膜が特徴的で内皮細胞の消失と進行性角膜浮腫を伴う）．

gelatinous droplike corneal d. 膠様滴状角膜ジストロフィ（角膜上皮および実質浅層を障害する桑の実状の隆起性アミロイド沈着を特徴とする両眼性，常染色体劣性疾患）．

granular corneal d. 顆粒状角膜ジストロフィ（角膜実質へのヒアリン沈着を特徴とする常染色体優性疾患）．

Groenouw corneal d. (grŏ′nō). グレーノー角膜ジストロフィ（①顆粒状角膜ジストロフィ．常染色体優性遺伝［MIM*121900］．第 5 染色体長腕にある keratoepithelin をコードしている形質転換増殖因子 β 遺伝子(*TGFβI*)の変異による．②斑状角膜ジストロフィ．進行性で角膜実質の小斑状混濁，羞明感，角膜上皮びらん，および異物感を訴えることが特徴的．常染色体劣性遺伝）．

gutter d. of cornea 角膜溝状ジストロフィ（通常，縁から約1mm下方にできる辺縁の溝．ときには両側性)．＝keratoleptynsis (1).

hereditary epithelial d. 遺伝性上皮ジストロフィ．＝Meesmann d.

hypertrophic d. 過形成性ジストロフィ．＝squamous cell *hyperplasia.*

infantile neuroaxonal d. [MIM*256600]．乳児型神経軸索ジストロフィ(小児期早期にみられるまれな家族性の疾患で，進行性の精神運動退行，腱反射亢進，Babinski徴候，筋緊張低下，および進行性視覚喪失を呈する．病理学的には種々の神経核に腫大した軸索原形質中に好酸性の球状体を認める)．

Landouzy-Dejerine d. (lahn-dū′zē dĕ-jĕ-rēn′)．ランドゥジー－ドゥジュリーヌジストロフィ．＝facioscapulohumeral muscular d.

lattice corneal d. [MIM*122200]．格子状角膜ジストロフィ(格子状の局所性アミロイド沈着による角膜ジストロフィ．思春期に現れ，進行は遅い．最後には視力が失われる．常染色体優性遺伝．第5染色体長腕のkeratoepithelinをコードする形質転換増殖因子β遺伝子(*TGFβI*)の変異による)．

Leyden-Möbius muscular d. (lī′dĕn mŭr′bē-ŭs)．ライデン－メービウス筋ジストロフィ．＝limb-girdle muscular d.

limb-girdle muscular d. [MIM*253600]．肢帯筋ジストロフィ(筋ジストロフィの1つで，恐らく異質な疾患である．小児期あるいは成人早期に両性に発症する．骨盤帯，肩帯あるいは両方の，通常は左右対称的な筋力低下あるいは筋のるいそうを特徴とするが，顔面筋は侵されない．筋の仮性肥大，心合併および知能障害は伴わない．常染色体優性や常染色体劣性遺伝と報告されている)．＝Leyden-Möbius muscular d.; pelvofemoral muscular d.; scapulohumeral muscular d.

macular corneal d. 斑状角膜ジストロフィ(角膜実質へのグリコサミノグリカン沈着を特徴とする常染色体劣性疾患)．

macular retinal d. 網膜黄斑ジストロフィ(感覚網膜，網膜色素上皮，Bruch膜，脈絡膜，またはそれらのいくつかの組織の変性による主に眼底後極に異常を生じる疾患群．→Stargardt *disease*; Best *disease*)．

map-dot-fingerprint d. 地図状斑点状指紋萎縮症(地図状を呈し，微小表皮嚢腫性陥入を伴う指紋の萎縮症)．＝Cogan d.

Meesmann d. (mēs′măn) [MIM*122100]．メースマンジストロフィ，若年性角膜上皮ジストロフィ(幼児期に発症する，進行性嚢胞と角膜上皮の混濁を特徴とする上皮性ジストロフィ．不完全な浸透度をもった常染色体優性遺伝疾患)．＝hereditary epithelial d.

microcystic epithelial d. 小嚢胞性角膜上皮ジストロフィ(遺伝的素因なしに健康な婦人の角膜中央部上皮内に両眼対称的に生じる嚢胞)．

mucopolysaccharide keratin d. ムコ多糖類ジストロフィ(組織学的所見で，口腔内上皮棘層内に単一な好酸性物質の貯留からなる炎症性線維性過形成がみられる)．

muscular d. 筋ジストロフィ(骨格筋やしばしば他器官の筋を侵す一連の遺伝性，進行性の変性疾患に対する一般用語)．＝myodystrophy; myodystrophia.

myotonic d. [MIM*160900]．筋緊張性ジストロフィ(成人期に発症する最も普通の筋ジストロフィ．進行性の筋萎縮，脳神経で支配されている筋肉や四肢の筋萎縮を特徴とする．その他，ミオトニー，白内障，性腺機能低下症，心疾患や前頭部の禿頭症を呈する．通常，20代で発症する．常染色体優性遺伝．第19染色体長腕にある筋緊張性ジストロフィ蛋白キナーゼ遺伝子(*DMPK*)のトリヌクレオチドの反復回数の異常により生じる．本疾患は後世代になるとともにトリヌクレオチドの反復回数が増加するにつれて重篤化するという予期現象(anticipation)を呈する．重症の先天型は女性患者の子供に限定している)．＝dystrophia myotonica; myotonia atrophica; myotonia dystrophica; Steinert disease.

neuroaxonal d. 神経軸索ジストロフィ(生後2年目に始まり，どんどん進行するまれな疾患．臨床的には歩行困難，脱力，反射消失がまず起こり，次いで皮質脊髄路障害，仮性球麻痺，失明，痛覚消失，精神薄弱が起こる．病理的には種々の中枢神経の核に，腫脹した軸索形質の好酸性の球状物質がみられる)．

oculopharyngeal d. 眼咽頭筋ジストロフィ(優性遺伝を呈し，慢性進行性の外眼筋麻痺．通常は中年から老年になって発症する．慢性の眼瞼下垂に，えん下困難を合併することがある．多くの発病者はケベック人の家系である)．

pattern retinal d. パターン網膜ジストロフィ(軽度から中等度の視力障害を生じる網膜色素上皮pigment *epithelium*を障害する常染色体優性疾患群)．

pelvofemoral muscular d. 骨盤大腿筋ジストロフィ(異栄養〔症〕)．＝limb-girdle muscular d.

posterior corneal d. 後部角膜ジストロフィ(原発性角膜内皮障害を伴う混濁)．

posterior polymorphous corneal d. 後部多形性角膜ジストロフィ(角膜内皮の嚢胞および線状異常を特徴とする常染色体優性異常．しばしば角膜浮腫を生じる)．

pre-Descemet corneal d. デスメ〔ー〕膜前角膜ジストロフィ(原発性角膜後部(深層)実質の障害を伴う混濁)．

progressive tapetochoroidal d. 進行性壁板脈絡膜ジストロフィ．＝choroideremia.

pseudohypertrophic muscular d. 偽肥大性筋ジストロフィ．＝Duchenne d.

reflex sympathetic d. (**RSD**) [MIM*604335]．反射性交感神経性ジストロフィ．＝complex regional pain *syndrome* type I.

Reis-Bücklers corneal d. (rīs buk′lĕrz)．ライス－ビュックラース角膜ジストロフィ(角膜のBowman膜(⇒membrane)の常染色体優性異常．網目称混濁を特徴とし再発性角膜びらんを合併する)．

ringlike corneal d. [MIM*121900]．輪状角膜ジストロフィ(前部角膜実質の糸状混濁で，視力低下に引き続き急激な疼痛で始まる．常染色体優性遺伝．第5染色体長腕のkeratoepitheliumをコードする形質転換増殖因子β遺伝子(*TGFβI*)の変異による)．

scapulohumeral muscular d. 肩甲上腕骨の筋ジストロフィ．＝limb-girdle muscular d.

stromal corneal d. 角膜実質ジストロフィ(角膜の中層の障害を伴う混濁)．

sympathetic reflex d. 交感神経反射性ジストロフィ．＝complex regional pain *syndrome* type I.

thoracic-pelvic-phalangeal d. ＝asphyxiating thoracic d.

twenty-nail d. 全爪甲の縦の隆起線．円形脱毛症や扁平苔癬でみられる．

vitelliform retinal d. 卵黄様網膜変性．＝Best *disease.*

vitreotapetoretinal d. 硝子体壁板網膜ジストロフィ(網膜の色素性変性，脈絡膜萎縮，硝子体変性，夜盲を伴う常染色体劣性遺伝の両眼性の周辺部や中心部の網膜分離症)．＝Favre d.

vortex corneal d. 渦状角膜ジストロフィ(角膜上皮細胞への異常な色素沈着の渦巻き状パターン，Fabry病(⇒disease)でみられ，ある種の薬剤(クロロキン，クロルプロマジン，およびアミオダロン)への反応としてみられる)．

vulvar d. 外陰ジストロフィ(萎縮性苔癬，扁平上皮性増殖あるいはその両者を合併する白色萎縮性丘疹よりなる外陰の発疹．→*lichen* sclerosus et atrophicus)．

dys·tro·pin ＝dystrophin.

dys·tro·py (dis′trō-pē) [dys- + G. *tropos*, a turning]．異常行動(異常なまたは常軌を逸した行動)．

dys·u·ri·a (dis-yū′rē-ă) [dys- + G. *ouron*, urine]．排尿障害，排尿困難(放尿時に疼痛や困難を感じること)．＝dysury.

dys·u·ric (dis-yū′rik)．排尿障害の．

dys·u·ry (dis′yū-rē)．＝dysuria.

dys·ver·sion (dis-vĕr′zhŭn) [dys- + L. *verto*, to turn]．回転異常(反転までいかず，ある方向に回転すること．特に視神経頭回転異常(視神経円板の逆位)をいう)．

D

E

ε ***1*** イプシロン（ギリシア語アルファベットの第5字 epsilon）．***2*** モル吸収係数または吸光係数に対する記号．***3*** イプシロン（化学ではカルボキシルまたは他の主官能基から数えて5番目の原子にある置換基の位置を表現する記号．この接頭語で始まる語は特定名参照）．

E ***1*** exa-，除去率 extraction *ratio*，グルタミン酸，エネルギー，起電力 electromotive *force*，グルタミル，内部エネルギー internal *energy* の記号．***2*** 下付き文字として呼気 expired *gas* を示す．einsteinium の現在では用いられない元素記号．

$\boldsymbol{E_0{}^+}$**,** $\boldsymbol{E^0}$**,** $\boldsymbol{E_h}$ oxidation-reduction *potential* の記号．

$\mathbf{E_1}$ エストロンの記号．

$\mathbf{E_2}$ エストラジオールの記号．

E entgegen(反対側の)の記号．

$\boldsymbol{E_a}$ *energy* of activation の略．

e ***1*** 単位電荷の記号．***2*** 自然対数または Napier 対数の底．1＋(1/n!)に等しい．

EAE experimental allergic *encephalitis*; experimental allergic *encephalomyelitis* の略．

Ea·gle (ē′gĕl), Harry．米国人医師・細胞生物学者，1905—1992．⇀E. basal *medium*, minimum essential *medium*.

Ea·gle (ē′gĕl), Watt W．20世紀の米国人耳鼻咽喉科医．⇀E. *syndrome*.

Eales (ēlz), Henry．イングランド人眼科医，1852—1913．⇀E. *disease*.

ear (ēr)［A.S. *eáre*］［TA］．耳（聴覚と平衡覚の器官で，以下のものからなる．耳介，外耳道，鼓膜からなる外耳 **external e.**，鼓室と耳小骨，随伴する筋肉を含む中耳 **middle e.**，骨迷路(半規管，前庭，蝸牛)と前庭蝸牛管を含む内耳 **internal e.**，および前庭，蝸牛器官．→auricle）．＝auris［TA］．

Aztec e. アズテック耳（耳垂が欠損した耳介）．

bat e. こうもり耳．＝lop-ear.

bladder e. 膀胱耳（膀胱の一部が鼡径管の近位端に突出すること．小児の排尿時，膀胱尿道造影でしばしばみられるが，臨床的にはまれな現象）．

Blainville e.'s (blăn-vēl′)．ブランヴィル耳（左右で耳介の形や大きさが非対称のもの）．

boxer's e. 拳闘家耳．＝cauliflower e.

Cagot e. (kah′zho)［耳垂の欠如が共通してみられるという，ピレネー地方に住む民族］．カゴー耳（耳垂が欠如した耳介）．

cauliflower e. カリフラワー耳（軟骨膜深部にうっ血が引き続き，変形してゆがんだ耳介の肥厚化および硬化）．＝boxer's e.

darwinian e. ダーウィン耳（耳輪をつくるように上端が巻き込んでいない耳介．平らでとがった端が上方に突出している）．

dog e. イヌの耳（創縫合の端の余剰部分のことで，長さの不一致な皮膚縁を修復する結果，あるいは，円形やレンズ形の欠損を直線状に縫合する結果生じる）．

external e. 外耳（→auricle; external acoustic *meatus*; pinna）．＝auris externa［TA］．

glue e. 膠耳（長期間の耳管閉塞による粘稠液貯留を伴う中耳の炎症）．

internal e. 内耳（→labyrinth）．＝auris interna［TA］．

lop e. (⇀lop-ear)．＝outstanding e.

middle e. 中耳（→tympanic *cavity*）．＝auris media［TA］．

Morel e. (mō-rel′)．モレル耳（大きな奇形の突出した耳介．耳介溝は閉塞し，耳輪は薄くなっている）．

Mozart e. (mōt′sahrt)［作曲家 Wolfgang Amadeus Mozart (1756—1791)の耳はこの奇形であったといわれる］．モーツァルト耳（2つの対耳輪脚と耳輪脚が融合された耳翼の奇形．そのため耳翼の上方が膨隆したようにみえる）．

outstanding e. 突出耳（頭部から過度に突出している耳．通常，対耳輪ひだの発達障害による）．＝lop e.; protruding e.

protruding e. たち耳．＝outstanding e.

scroll e. 巻耳（耳翼が内側に丸まっている奇形）．

Stahl e. (stahl)．シュタール耳（卵円窩や上部舟状窩が耳輪でおおわれた外耳の奇形．変質した組織の徴候とみなされている）．

swimmer's e. ＝*otitis* externa.

telephone e. 電話耳（静電気による音に電話中，さらされることによって生じる騒音性難聴）．

Wildermuth e. ヴィルデルムート耳（耳輪が後反し，対耳輪が異常に大きい耳）．

ear·ache (ēr′āk)．耳痛．＝otalgia; otodynia.

ear·drum (ēr′drŭm)．鼓膜（［tympanic membrane の同義語としての隠語的使用を避けること］）．＝tympanic *membrane*; tympanum.

Earle (ĕrl), Wilton R．米国人病理学者，1902—1962．⇀E. L *fibrosarcoma*, *solution*.

ear·piece (ēr′pēs)．耳栓（音を耳へ加えるために外耳道に挿入する器具の一部分）．

ear·plug (ēr′plug)．イヤープラグ（騒音により難聴が生じたり，耳に水が入らないよう保護目的で外耳道を閉塞する器具の総称．→hearing *protectors*）．

earth (ĕrth)［A.S. *eorthe*］．***1*** 土，土壌（岩や砂ではない地上の軟らかい物質）．***2*** 粉状になりやすい物質．***3*** 土類（アルミニウム酸化物やその他の元素の酸化物で水に溶けないもの．高融点を特徴とする）．

alkaline e.'s アルカリ土類（⇀alkaline earth *elements*）．

diatomaceous e. 珪藻土（乾燥珪藻類よりつくった粉末．多くの化学操作での沪過剤，吸着剤，研磨材として用いる）．

fuller's e.［＜*fulling*，土や粘土で毛織物を清浄する昔の方法］．フラー土（①多様な構成成分をもつ，非晶質種のカオリン．ケイ酸マグネシウムアルミニウムを含有する．この名称は土や粘土の含水ステリーで羊毛から油や泥細片を除去させて浄化，または〝洗い張りする〟古代の方法に由来する．②精粘土．撒粉として用いたり，水で湿らせ，湿布のように用いる．現在では油精製での脱色目的で用いられる粘土全般をいう．油や他の液体の脱色剤，沪過媒体，ゴムの充塡剤，農学的処方で用いられる）．

rare e.'s 希土類（⇀lanthanides）．

ear·wax (ēr′waks)．耳垢．＝cerumen.

eat (ēt)［A.S. *etan*］．***1*** 食べる（固形の食物をとる）．***2*** 食べる（食物として物質をかみ，飲み込む一連の動作）．***3*** 侵食する．

Ea·ton (ē′tŏn), Lee M．米国人神経科医，1905—1958．⇀E.-Lambert *syndrome*.

Ea·ton (ē′tŏn), Monroe D．20世紀の米国人微生物学者．⇀E. *agent*.

EB elementary *bodies* (1) の略．

Eb·bing·haus (eb′ing-hows), Hermann．ドイツ人，1850—1909．⇀E. *test*.

E·berth (ā′berth), Karl J．ドイツ人医師，1835—1926．⇀E. *bacillus*, *lines*, *perithelium*.

Eb·ner (eb′nĕr), Victor von．⇀von Ebner.

e·bo·na·tion (ē′bō-nā′shŭn)［L.］．骨片除去（創から砕けた骨片を除去すること）．

é·bran·le·ment (ā-brahn-la-mon′)［Fr.］．捻転（ポリープの茎部を萎縮するようにねじること）．

Eb·stein (eb′stēn), Wilhelm．ドイツ人医師，1836—1912．⇀E. *anomaly*, *disease*, *sign*; Armanni-E. *change*, *kidney*; Pel-E. *disease*, *fever*.

EBT electron beam *tomography* の略．

eb·ul·lism (eb′yū-lizm)［L. *ebullire*, to boil out］．沸騰，体液沸騰（大気圧が極度に低下することによって，組織中に水蒸気の泡が形成されること．例えば，身体が高度 19,000 m 以上の大気圧にさらされるか，あるいはダイバーが深海から急激に海面に浮上したときに起こる）．

e·bur (ē′bŭr)［L. ivory］．ぞうげ（外観や構造がぞうげに類似している組織）．

e. dentis 歯質，ぞうげ質．＝dentin.

eb·ur·na·tion (ē′bŭr-nā′shŭn)［L. *eburneus*, of ivory］．ぞうげ質化，ぞうげ質形成（関節の変性する疾病で，むき出しの軟骨下の骨の変化．骨はぞうげのような滑らかな表面の密度の大きい物質に変わる）．＝bone sclerosis.

e. of dentin〔ぞうげ質の〕ぞうげ化（歯科において，進行の止まったう食に認められる状態で，脱灰されたぞうげ質が滑らかになり，あたかも研磨されたような様相を呈する．褐色の着色を認めることが多い）．

e·bur·ne·ous (ē-bŭr′nē-ŭs). ぞうげのような（特に色がぞうげに似ている）．

e·bur·ni·tis (ē-bŭr-nī′tis) [L. *eburneus*, of ivory + G. *-itis*, inflammation]. ぞうげ質炎（ぞうげ質の密度および硬さが増した状態で，露出したぞうげ質に認められやすい）．

EBV Epstein-Barr *virus* の略．

EC Enzyme Commission of the International Union of Biochemistry の略．この略号は酵素委員会のリスト［*Enzyme Nomenclature* (1984)］にある特定の酵素番号に伴って用いる．例えば，EC 1.1.1.1 はアルコールデヒドロゲナーゼを表し，EC 2.6.1.1 はアスパラギン酸アミノトランスフェラーゼ（一般にグルタミン酸-オキサロ酢酸トランスアミナーゼ（GOT）として知られている）を表す．

ec- [G.]. 外へ，遠く離れて，の意を表す接頭語．

E-cad·her·in (ē-căd-hĕr′in). E-カドヘリン．＝uvomorulin.

é·car·teur (ā-kar-ter′) [Fr. *écarter*, to separate]. 拡張器，開創鉤，開創器．

e·cau·date (ē-kaw′dāt) [L. *e-* 欠性辞 + *cauda*, tail]. 無尾の．

ec·bo·line (ek′bŏ-lēn). エクボリン．＝ergotoxine.

ec·cen·tric (ek-sen′trik) [G. *ek*, out + *kentron*, center]. [acentric と混同しないこと]. *1* 偏奇性の（思考あるいは行動が奇異な）．＝erratic (1). *2* 離心性の（中心から離れた．*cf.* centrifugal (2)）．*3* 末梢の．＝peripheral.

ec·cen·tro·chon·dro·pla·si·a (ek-sen′trō-kon′drō-plā′zē-ă) [G. *ek*, out + *kentron*, center + *chondros*, cartilage + *plasis*, a molding]. 外軟骨形成（正常の骨化中心外からの異常な骨端性成長）．

ec·cen·tro·pi·e·sis (ek-sen′trō-pī-ē′sis) [G. *ek*, out + *kentron*, center + *piesis*, pressure]. 外向圧力（内から外へ働く圧力）．

ec·chon·dro·ma (ek′kon-drō′mă) [G. *ek*, from + *chondros*, cartilage + *-oma*, tumor]. ＝ecchondrosis. *1* 外軟骨腫（正常位の軟骨が発育過度になる新生物．内軟骨腫に対して，骨の関節表面から塊状に突出する）．*2* 骨軸を突き破って茎のようになった内軟骨腫．

ec·chon·dro·sis (ek′kon-drō′sis). 外軟骨症．＝ecchondroma.

ec·chor·do·sis phy·sa·li·phor·a (ek′kor-dō′sis fiz′a-li′fōr-ă) 胞状脊索腫（小さな腫瘍を形成した頭蓋斜台の脊索残部（胎芽組織の断片））．

ec·chy·mo·ma (ek′i-mō′mă) [G. *ek*, out + *chymos*, juice + *-oma*, tumor]. 〔皮下〕血腫（挫傷に伴う軽い血腫）．

ec·chy·mo·sis (ek′i-mō′sis) [G. *ekchymōsis*, ecchymosis < *ek*, out + *chymos*, juice]. 斑状出血（皮下溢血による紫斑．点状出血とは大きさが違う（すなわち直径 3 mm 以上）だけである．複数形は ecchymoses）．

bilateral medial orbital ecchymoses 両側内側眼窩斑状出血．＝raccoon *eyes*.

Tardieu ecchymoses (tar-dyu′). タルデュ斑状出血（胸膜下，心膜下の点状または斑状の出血．絞殺その他の方法で窒息させられたヒトの組織にみられる）．＝Tardieu petechiae; Tardieu spots.

ec·chy·mot·ic (ek′i-mot′ik). 斑状出血の．

Ec·cles·ton (ek′les-tŏn). →Paget-E. *stain*.

ec·crine (ek′rin) [G. *ek-krino*, to secrete]. *1* 外分泌の，エクリンの．＝exocrine (1). *2* 毛包とは関連のない皮膚腺より流れ出てくる汗を示す．

ec·cri·nol·o·gy (ek′ri-nol′ŏ-jē) [G. *ek-krino*, to secrete + *logos*, study]. 分泌学（分泌や分泌腺（外分泌の）を扱う生理学および解剖学の一分野）．

ec·cri·sis (ek′ri-sis) [G. separation]. *1* 排出（廃棄物の除去）．*2* 廃棄物，排泄物．＝excrement.

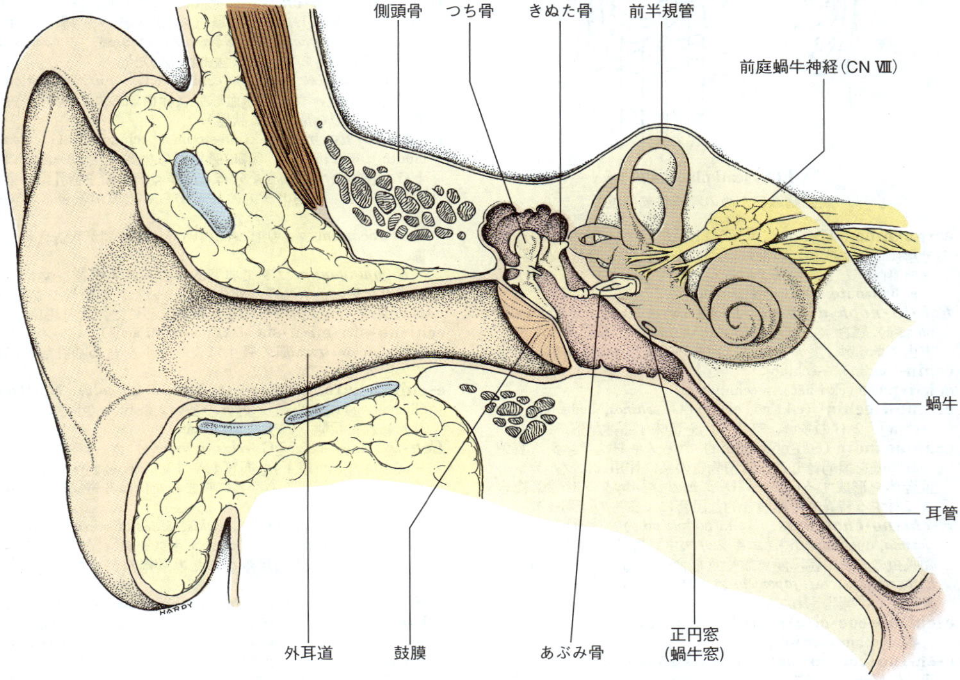

ear
外耳（肌色），中耳（ピンク色），内耳（薄茶色）．

E

ec·crit·ic (e-krit′ik). *1*〘adj.〙排泄の（廃棄物の排泄を促進する）. *2*〘n.〙排泄薬，催泌薬（排泄を促進する薬剤）.

ec·cy·e·sis (ek′sī-ē′sis) [G. *ek*, out + *kyēsis*, pregnancy]. 子宮外妊娠. = ectopic *pregnancy*.

ec·dem·ic (ek-dem′ik) [G. *ekdēmos*, foreign, from home < *dēmos*, people]. 外来〔性〕の（ある領域に外からもたらされる疾病についていう）.

ec·dys·i·asm (ek-diz′ē-azm) [< G. *ekdyō*, to remove one's clothes]. 脱衣狂（他人に性的欲求を起こさせるために脱衣する傾向）.

ec·dy·sis (ek′di-sis) [G. *ekdysis*, shedding]. 脱皮（脱ぎ落とす，抜け変わること．節足動物が成長するのに必要な現象．両生類およびは虫類の皮膚の再生）.

ec·dys·ist (ek-dis-ist). エクディシスト（脱衣嗜好症の人）.

ECF extracellular *fluid* の略.

ECF-A eosinophil chemotactic *factor* of anaphylaxis の略.

ECFV extracellular fluid *volume* の略.

ECG electrocardiogram の略.

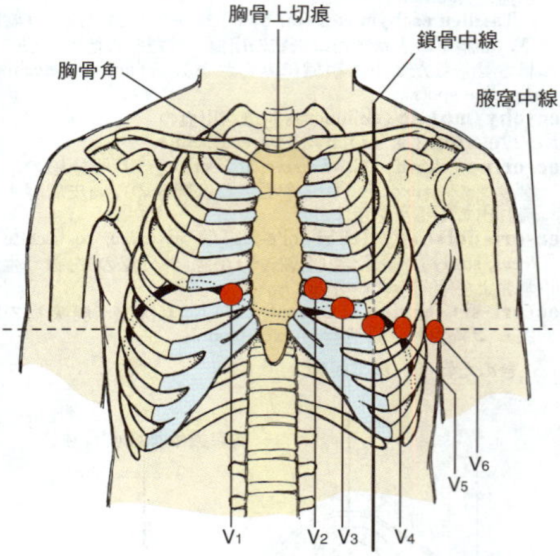

ECG lead placement
胸部誘導のための電極付着部位.

ec·go·nine (ek′gō-nēn, -nin). エクゴニン（コカインの加水分解による生成物．多種のコカアルカロイドの基本骨格で，局所麻酔薬として使用される）.

e. benzoate = benzoylecgonine.

Ech·id·noph·a·ga gal·li·na·ce·a (ek′id-nof′ă-gă gal′i-nā′sē-ă). 鶏砂ノミ（亜熱帯アメリカにおける家禽の主要な害虫である砂ノミ．しばしば家畜の哺乳類やヒトも襲う）.

echin- (ek′in). → echino-.

ech·i·nate (ek′i-nāt). = echinulate.

echino-, echin- (e-kī′nō, ek′in) [G. *echinos*, hedgehog, sea urchin]. とげの多い，棘状の，を意味する連結形.

echinocandin (ē-kī-nō-kan′din). エキノキャンディン（真菌の細胞壁を標的とした抗真菌物質の系．作用は，グルカンの重合体を形成する(1,3)-β-D-グルカンシンターゼ酵素複合体に対する特異的で非競合的な阻害によるものである）.

E·chi·no·chas·mus (e-kī′nō-kaz′mŭs) [echino- + G. *chasma*, open mouth]. エキノカスマス属（棘口吸虫科二生類吸虫の一属．特に渉禽類や魚を食べる鳥によくみられる．*E. perfoliatus* var. *japonicus* はまれに日本人の腸に寄生する吸虫として報告されている）.

e·chi·no·coc·ci·a·sis (e-kī′nō-kok-sē′ā-sis). エキノコックス病. = echinococcosis.

e·chi·no·coc·co·sis (e-kī′nō-kok-kō′sis). エキノコックス症（*Echinococcus*属による感染．幼虫による感染は包虫症 hydatid *disease* とよばれる）. = echinococciasis; echinococcus disease.

E·chi·no·coc·cus (e-kī′nō-kok′ŭs) [echino- + G. *kokkos*, a berry]. エキノコックス属（小さいテニア類条虫の一属．成虫は2—5個の体節をもち，食肉類にみられるがヒトにはみられない．包虫嚢胞の形をした幼虫は，反すう類，ブタ，ウマ，げっ歯類，およびヒト(例えば，感染したイヌと身近に暮らしているヒツジ飼い，感染した糞便との接触)の肝臓その他の臓器内にみられる）.

E. granulosus 単包条虫，猬粒条虫（条虫の一種で，成虫はイヌに，幼虫(骨包虫性包虫と単房性包虫)はヒツジや他の反すう類，ブタ，ウマに感染する．またヒトにもみられ，肝臓その他の器官や組織に大きな嚢胞を生じる）.

***E. granulosus* cervid bioform** 単包条虫シカ生物型（単包条虫の亜北極および北極地方の生物型で，北方に棲むシカ類(エルク，ヘラジカ，シカなど)とイヌ科動物の間で生活環が回っている）.

E. multilocularis 多包条虫（北部温帯地域や北極地方にみられる種で，成虫はキツネにみられる種類．幼虫(多包虫)はネズミなどのげっ歯類やヒトの肝臓にみられる．肝臓に増殖性(ときには成長の遅い)の嚢胞を生じるが，これは通常，ヒトでは致命的である）.

E. vogeli パナマおよび南米北部の熱帯雨林で報告されている種で，ヒトに単包虫症と多包虫症の中間の多包型の包虫症を引き起こす．典型的な生活環では，成虫の宿主としてイヌおよび野生イヌ科動物を，包虫を形成する中間宿主にはパカ *Cuniculus paca* などのげっ歯類をとる.

e·chi·no·cyte (e-kī′-nō-sīt) [echino- + G. *kytos*, cell]. エキノサイト（棘状の赤血球）.

e·chi·no·derm (e-kī′nō-derm). 棘皮動物門に属する動物種.

E·chi·no·der·ma·ta (e-kī′nō-der′mă-tă) [echino- + G. *derma*, skin]. 棘皮動物門（ヒトデ，ウニ，ウミユリ，その他の類を含む後生動物の一門．ナマコ類ナマコを除いたすべての動物は，基本的に放射対称性で，大部分は外部にとげの付いた石灰性内骨格を有している．海底に生息し，あるものは海岸近くに，またあるものは深海に生息する）.

E·chi·no·rhyn·chus (e-kī′nō-ring′kŭs) [echino- + G. *rhynchos*, snout]. 鉤頭虫属（鉤頭虫類の一属．現在は *Macracanthorhynchus*属，*Gigantorhynchus*属，その他の属に属しているものも以前は含まれていた）.

ech·i·no·sis (ek′i-nō′sis) [echino- + G. *-osis*, condition]. 棘状赤血球症，ウニ状赤血球症（赤血球の丸い輪郭が失われ，ウニに似た形になる状態）.

E·chi·no·sto·ma (e-kī-nō-stō′mă) [echino- + G. *stoma*, mouth]. 棘口吸虫属（棘口吸虫科二生類吸虫の一属で口のとげを特徴とする．広く分布し，多くの鳥類や哺乳類の宿主に寄生する．東南アジアのヒトからも数種が報告されている）.

E. ilocanum フィリピンにおいてヒトの例が報告された一種.

E. malayanum ブタで典型的にみられる一種．マレーシアではヒトの例もときに報告されている．感染性シスト(被嚢幼虫)をもったカタツムリを摂取することにより感染する.

echi·no·sto·mi·a·sis (ĕ-kī′nō-stō-mī′ă-sis). エキノストーマ症（*Echinostoma*属の吸虫によるヒトを含め哺乳類や鳥類での感染症）.

e·chin·u·late (e-kin′yū-lāt) [Mod.L. *echinulus*: L. *echinus* (hedgehog) の指小辞]. とげの多い，棘状の（小さいとげにおおわれた状態をいう）. = echinate.

Ech·is (ek′is, ē′kis) [G. *echis*, a viper]. カーペットバイパー（小さな(1m以下)，興奮しやすい，敏しょうな，猛毒をもつヘビの一属．このヘビに咬まれた例は非常に多く，致死率も高い）.

echistatin (ek-i-stat′in) [< *Echis*, genus of source viper + G. *istēmi*, to check, arrest + -in]. エキスタチン（ガラガラヘビ (crotalid) の毒液から単離された単量体のディスインテグリン）.

ECHO enteric cytopathic human orphan の略. → ECHO *virus*.

ech·o (ek′ō) [G.]. *1* 反響（ときに胸部の聴診時に聞かれる反響音）. *2* エコー（超音波検査において，散乱や反射を生じる構造物から受信する音響信号，またはCRTモニター上や超音波画像上で，それに対応する光点のパターン）. *3* エコー信号（MR画像法において，反転パルスの印加後に検出される信号）.

atrial e. 心房エコー（順行性刺激が心室へ向かって伝導

を続ける間に房室結節から回帰した逆行性刺激によって生じる心房の電気的再興奮．心電図上の特徴はQRS波をはさんで2つのP波がみられ，第2のP波は第1のP波の経路(順行伝導路)を逆行する(逆伝導路)ことを示して(通常，第二誘導が逆転するため)，極性が逆になる).

fast spin e. 高速スピンエコー法（一度の励起で4—16のエコーが収集され，それに比例して撮像時間の短縮が可能なスピンエコー法．どのエコーも別々の位相情報に符合化される).

navigator e. ナビゲーターエコー（電磁反響像で用いられる呼吸運動の人工的影響を少なくする呼吸測定法．シグナルは横隔膜の頂点からとられ，影像は一定の範囲にあるときにのみ得られる).

nodus sinuatrialis e., NS e. 洞房結節性回帰収縮（先行する洞性収縮の間隔から予想される時期より早期に出現した期外収縮後の洞性収縮．すなわち，上室性期外収縮後の間隔が洞性収縮の周期より短い場合で，通常，その間隔は洞性収縮の周期を超えるはずである).

e. planar エコープラナー〔法〕(自由誘導減衰の間に高速な画像収集を行うMR撮像法．技術的に難しい高速振動高周波傾斜磁場を用いる).

spin e. スピンエコー〔法〕(T1およびT2緩和信号の回復に対して通常用いられるMR撮像法で，磁場の不均一が原因で生じる横方向の磁化の損失を補償するために，パルス系列中に180度反転パルスを使用する).

ech·o·a·cou·si·a (ek′ō-ă-kū′zē-ă) [echo + G. *akouō*, to hear]. 反響様複聴（音が反復して聞こえるように感じる自覚性聴覚障害).

ech·o·a·or·tog·ra·phy (ek′ō-ā′ōr-tog′ră-fē) [echo + aortography]. 大動脈エコー検査〔法〕，超音波大動脈検査〔法〕(大動脈の診断や研究に超音波技術を応用したもの).

ech·o·car·di·o·gram (ek′ō-kar′dē-ō-gram′). 心エコー図（心エコー図法より得られる記録図．→ultrasonography).

ech·o·car·di·og·ra·phy (ek′ō-kar′dē-og′ră-fē) [echo + cardiography]. 心エコー検査〔法〕，超音波心臓検査〔法〕(心臓や大きな血管の精査や心臓脈管病変の診断に超音波を用いること). = ultrasonic cardiography; ultrasound cardiography.

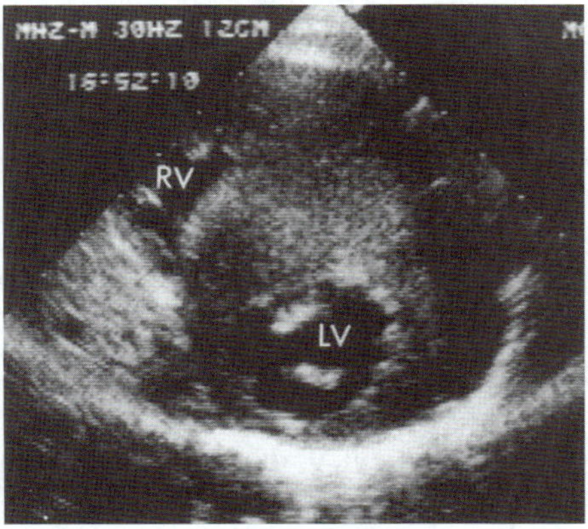

echocardiography

明らかな非対称性心室肥大を例証する，僧帽弁レベルでの短軸の心エコー図．非常に顕著な心室中隔に気づく．LV：左心室．RV：右心室．

contrast e. 超音波造影心エコー検査（心腔間の短絡路を描出するために高反射性物質(例えば気泡など)の造影剤を末梢静脈から注入し，施行する心臓図検査).

cross-sectional e. 断層心エコー図法．= two-dimensional e.

Doppler e. (dop′lĕr). 超音波ドップラー(ドプラ)法（断層心エコー図法に加えて，Doppler超音波を利用してその画像内への速度記録を可能とした検査法．→duplex *ultrasonography; Doppler ultrasonography*).

M-mode e. →M-mode.

real-time e. 即時式心エコー図法．= two-dimensional e.

sector e. 扇形心エコー図法（固定探触子による二次元(平面)像).

stress e. 負荷心エコー検査（運動負荷状態で施行する心臓図検査).

transesophageal e. 経食道超音波心エコー検査（患者の食道内定位置までえん下させたトランスデューサを用いて施行する心臓図検査).

transthoracic e. 経胸壁超音波心エコー検査（胸壁，頸静脈切痕部あるいは上腹部の〝窓 windows〞とよばれる部位から行う通常の超音波心臓図検査).

two-dimensional e. 断層心エコー図法（多数の超音波ビームを直線配列させ，またはトランスデューサを回転させて再構成する). = cross-sectional e; real-time e.

ech·o·en·ceph·a·log·ra·phy (ek′ō-en-sef′ă-log′ră-fē) [echo + encephalography]. 脳エコー検査〔法〕，超音波脳検査〔法〕(超音波検査で頭蓋骨内の変化を診断するために，反復する超音波を用いること).

echo-free (ek′ō-frē). 内部エコーがないこと．= anechoic.

ech·o·gen·ic (ek′ō-jen′ik). エコー源性（内部エコー信号をもつ構造物や媒体(例えば生体組織)に関すること．構造物の画像に現れるエコー信号が弱い，強い，まったくない場合にそれぞれ対応して，hypoechoic, hyperechoic, anechoic と表現する).

ech·o·gram (ek′o-gram) [echo + G. *gramma*, a diagram]. エコーグラム，超音波像（音響反応技術を利用し，幾種類かの表示モードのなかから記録するもので，特に心エコーに利用されている．→ultrasonogram).

e·chog·ra·pher (e-kog′ră-fĕr). = ultrasonographer.

ech·o·graph·i·a (ek′ō-graf′ē-ă) [echo + G. *graphō*, to write]. 反響書字〔症〕(自発的に書くことはできないが，書き取りや写すことはできる失書症の一種).

echog·ra·phy (e-kog′ră-fē) [echo + G. *graphō*, to write]. 超音波検査〔法〕. = ultrasonography.

ech·o·la·li·a (ek′ō-lā′lē-ă) [echo + G. *lalia*, a form of speech]. 反響〔言〕語，反響音声（他人の言葉や文章を不随意的にオウムのように反復すること．通常，統合失調症にみられる). = echo reaction; echo speech; echophrasia.

ech·o·lo·ca·tion (ek′ō-lō-kā′shŭn). 反響定位，こだま定位（コウモリが飛ぶ方向を決め，堅い物を避ける方法について用いる語．ヒトの耳には聞こえないような高音の叫びを発し，途中にある物体からの反射音(反響)を聞き取る).

ech·o·mo·tism (ek′ō-mō-tizm) [echo + L. *motio*, motion]. = echopraxia.

e·chop·a·thy (e-kop′ă-thē) [echo + G. *pathos*, suffering]. 反響症（通常，統合失調症にみられる精神症状で，他人の言葉(反響言語)や動作(反響動作)を模倣し，繰り返す).

e·choph·o·ny, ech·o·pho·nia (e-kof′ō-nē, ek-ō-fō′nē-ă) [echo + G. *phōnē*, voice]. 反響音声（胸部の聴診時に聞かれることのある音声の重複).

ech·o·phra·si·a (ek′ō-frā′zē-ă) [echo + *phrasis*, speech]. 反響〔言〕語．= echolalia.

ech·o·prax·i·a (ek′ō-prak′sē-ă) [echo + G. *praxis*, action]. 反響動作〔症〕(他人の動作を不随意的に模倣すること．→echopathy). = echomotism.

ech·o·scope (ek′ō-skōp) [echo + G. *skopeō*, to view]. エコースコープ（超音波パルス法によってオシロスコープ上にエコーを表示する器械で，体内の様々な深さに存在する構造物を見せるのが目的).

Ec·ho·vi·rus 28 (ek′ō-vī′rŭs). エコーウイルス28（ライノウイルス1型として再分類された).

ech·o·vi·rus (ek′ō-vī′rŭs). = ECHO *virus*.

Eck (ek), Nikolai V. ロシア人生理学者，1849—1917. →E. *fistula*; reverse E. *fistula*.

Eck·er (ek′ĕr), Enrique Eduardo. 米国人細菌学者，1887—1966. →Rees-E. *fluid*.

Eck·er (ek′ĕr), Alexander. ドイツ人解剖学者，1816—1887. →E. *fissure*.

ec·la·bi·um (ek-lā′bē-ŭm) [G. *ek*, out + L. *labium*, lip].

唇外反.

ec·lamp·si·a (ek-lamp′sē-ă) [G. *eklampsis*, a shining forth]. 子かん(癇)(妊娠中毒症の患者で，てんかんや脳出血のような他の脳疾患に起因しない，1度または数度の痙攣発作).

puerperal e. 産褥子かん，産床子かん（出産後の婦人に起こる，高血圧，浮腫，または蛋白尿を伴う痙攣や昏睡).

superimposed e. 間投〔型〕子かん（間投型の子かん前症での痙攣発作).

ec·lamp·tic (ek-lamp′tik). 子かん(癇)〔性〕の.

ec·lamp·to·gen·ic, ec·lamp·tog·e·nous (ek-lamp′tō-jen′ik, ek-lamp-toj′ĕ-nŭs). 子かん(癇)誘発の.

ec·lec·tic (ek-lek′tik) [G. *eklektikos*, selecting < *ek*, out + *lego*, to select]. 取捨選択の，折衷の（種々の資料から最良または最も望ましいと思われるものを選ぶ).

ec·lec·ti·cism (ek-lek′ti-sizm). ***1*** エクレクティシズム，祈禱療法（特定の症状や徴候の特殊療法として土着の植物製剤の使用を唱えた医学で，現在は存在しない). ***2*** 折衷主義，折衷医学（古代ギリシア，ローマの医者により実践された医学で，どの学派にも属さず，最良と彼らが考えた医療と学説を採用した).

ECM *erythema* chronicum migrans の略.

ECMO extracorporeal membrane oxygenation(体外式膜型人工肺); enteric cytopathogenic monkey orphan (*virus*) の略. →ECMO *virus*.

eco- (ē′kō) [G. *oikos*, house, household, habitation]. [本連結形を exo- と混同しないこと]. 環境に関連することを表す連結形.

e·co·en·do·cri·nol·o·gy (ē′kō-en′dō-kri-nol′ŏ-jē). 環境内分泌学（環境が内分泌系に及ぼす影響を研究する学問分野).

ecoepidemiology (ē′kō-ep′i-dē-mē-ol′ŏ-jē) [eco- + epidemiology]. 生態疫学（①人間の健康に対する生態学的な影響の研究. ②健康関連問題を研究するのに，分子生物学的，社会科学的，および集団ベースの側面を複合させる概念的アプローチ).

ECoG electrocorticography の略.

ecogenetic (ē-kō-jĕ-net′ik) [eco- + genetic]. 生態遺伝学の（生態学および遺伝学上の因子の結びつきから起因することについて).

e·co·log·i·c fal·la·cy (ē′kō-loj′ik fal′ă-sē). 生態学的錯誤（集団のレベルにおいて観察された変数間の関連が，必ずしも個体レベルで存在している関連を表しているとは限らないことに起因するバイアス. 構造の中の異なったレベルを見分けることに失敗したための推論の誤り).

e·col·o·gy (ē-kol′ŏ-jē) [eco- + G. *logos*, study]. 生態学（生物学の一分野. 生物同士の相互関係や生物と環境および生物とある特定の生態系における，全体的なエネルギーバランスとの相互関係など，生物の複雑な相互関係のすべてを扱う). ＝bioecology; bionomics (2).

human e. 人類生態学（ヒトとその全体的な(生物学的および社会的)環境との関係).

landscape e. 景観生態学（生態学的過程に対する空間パターンの相互的効果についての学問).

E·co·no·mo von San Serff (ā-kō′nō-mō von sahn serf), Constantin A. オーストリア人神経科医, 1876 — 1931. →Economo von San Serff *disease*.

e·con·o·my (ē-kon′ŏ-mē) [G. *oikonomia*, management of the house < *oikos*, house + *nomos*, usage, law]. 系（機能する諸器官の集合体). ＝system.

e·co·spe·cies (ē′kō-spē′shēz). 生態種（同一種で生態学的障害により分離されている2つ以上の集団. 理論的には遺伝子交換や雑種をつくることができるが，生息地や行動の違いによって互いに部分的に分離される).

e·co·sys·tem (ē′kō-sis-tem). 生態系（①特定の地域内で互いに影響し合う生物と非生物要素を包含する生態学上の基本的単位. ②生物群集とその小生活圏). ＝ecologic system.

parasite-host e. 寄生生物－宿主生態系. ＝parasitocenose.

e·co·tax·is (ē′kō-tak′sis) [eco- + G. *taxis*, order, arrangement]. エコタクシス，環境走性（リンパ球が胸腺と骨髄からある適切な微小環境をもつ組織内へ移行定住すること).

ecotone (ek′tōn) [eco- + -tone]. 移行帯，エコトーン（異なった植物群落の間の境界領域. 例えば，森林と草原の間の縁など).

é·cou·vil·lon (ā-kū-vē-yōhn′) [Fr. cleaning brush]. エクビヨン（潰瘍や窩洞の内部をきれいにする剛毛のついたブラシ).

ECP eosinophil cationic *protein* の略.

ec·phy·ma (ek-fī′mă) [G. a pimply eruption]. 皮膚腫瘍（いぼ状の隆起).

ECS electrocerebral silence の略.

ECSO enteric cytopathogenic swine orphan (*virus*) の略. → ECSO *virus*.

ecstasy (eks′tă-sē). [誤ったつづり ecstacy および exstasy を避けること]. ***1*** エクスタシー（3,4-メチレンジオキシメタンフェタミンの俗称). ***2*** エクスタシー（クラブパーティー，レイブパーティーおよびロックコンサートで用いられる薬物. この薬物は，1900 年代の初頭にドイツで初めて合成され第一次世界大戦中に，兵士を塹壕から砲火の中へ突撃する気にさせるために用いられた. 活力を増し，友情と愛情の気持ちをもたらし，性欲を増し，多幸感を誘導するように強く作用する. 性的副作用に加えて，心拍数の増加，悪寒，異常な体温上昇，脱水および種々の厳密には精神的症状が生じる. 娯楽で使用する量よりもそんなに多くない投与量でセロトニン系や他の神経に対して毒性を示す. 長期使用でセロトニン系神経が変化して，乱用者に長期の精神的症状が発現しやすくなる). ***3*** 恍惚（精神的高揚，およびまたは狂喜の経験).

ec·stat·ic (ek-stat′ik). 恍惚(こうこつ)の，エクスタシーの.

ec·stro·phe (ek′strō-fē). ＝exstrophy.

ECT electroconvulsive *therapy*; electroshock *therapy* の略.

ect- →ecto-.

ec·tad (ek′tad) [G. *ektos*, outside + L. *ad*, to]. 外面へ.

ec·tal (ek′tăl) [G. *ektos*, outside]. 表面の，外面の.

ec·ta·si·a, ec·ta·sis (ek-tā′zē-ă, ek′tă-sis) [G. *ektasis*, a stretching]. 拡張〔症〕（管状構造が膨張すること).

annuloaortic e. 大動脈弁輪部拡張症（大動脈壁と弁輪を含む大動脈の弁上部の拡張で，弁輪部は大動脈末梢の拡張した壁の部分よりも通常小さい. 多くの症例は Marfan 症候群と関連する). ＝aortoannular e.

aortoannular e. 大動脈弁輪部拡張症. ＝annuloaortic e.

e. cordis 心臓拡張〔症〕.

corneal e. 角膜拡張〔症〕. ＝keratoectasia.

diffuse arterial e. 広汎性動脈拡張〔症〕（特発性の血管拡張と肥大).

familial aortic e. 家族性大動脈拡張症. ＝familial aortic ectasia *syndrome*.

hypostatic e. 就下性拡張〔症〕（脚の静脈瘤におけるように，身体下部における血管(通常は静脈)の拡張).

mammary duct e. 乳管拡張〔症〕（比較的高齢の女性にみられる，脂肪や細胞の破片による乳管の膨張. 管の破裂は肉芽腫様炎症や形質細胞による浸潤を引き起こす. →plasma cell *mastitis*).

scleral e. ＝sclerectasia.

e. ventriculi paradoxa 奇異胃拡張. ＝hourglass *stomach*.

-ectasia, -ectasis (ek-tā′zē-ă) [G. *ektasis*, a stretching]. 膨張，拡張を意味する連結形で接尾語.

ec·tat·ic (ek-tat′ik). 拡張〔症〕の.

ec·ten·tal (ek-ten′tăl) [G. *ektos*, outside + *entos*, within]. 内外胚葉の（内胚葉と外胚葉の両方に関する. 2つの層が結合する線についていう). ＝ectoental.

ect·eth·moid (ekt-eth′moyd) [G. *ektos*, outside + ethmoid]. 外篩骨. ＝ethmoidal *labyrinth*.

ec·thy·ma (ek-thī′mă) [G. a pustule]. 膿瘡（β溶血性連鎖球菌による皮膚の化膿性感染. 潰瘍の上に固着した痂皮ができるのが特徴. 潰瘍は1つまたは複数で，瘢痕形成をもって治癒する).

contagious e. ＝orf.

e. gangrenosum 壊疽性膿瘡. ＝*dermatitis* gangrenosa infantum.

ec·ti·ris (ek-tī′ris) [G. *ektos*, outside + iris]. 虹彩表層.

ecto-, ect- (ek′tō) [G. *ektos*, outside]. 表面の，外側の，を表す連結形. →exo-.

ec·to·an·ti·gen (ek′tō-an′ti-jen). 外抗原（毒素あるいは抗

体産生を促す物質のうち，本来の起源から分離しているかあるいは分離できるもの）．＝exoantigen.

ec·to·blast (ek′tō-blast)［ecto- ＋ G. *blastos*, germ］．***1*** 外胚葉細胞．＝ectoderm．***2*** 原外胚葉（実験発生学者が用いる語で，一次胚葉が形成される原外表面細胞層を意味する．この意味では epiblast と同義．→epiblast）．***3*** 細胞壁．

ec·to·car·di·a (ek′tō-kar′dē-ă)［ecto- ＋ G. *kardia*, heart］．心臓転位，心臓偏位（先天性の心臓偏位）．＝exocardia.

ec·to·cer·vi·cal (ek′tō-ser′vi-kăl)．子宮腟部の（重層扁平上皮細胞でおおわれた子宮頸の腟部についていう）．

ec·to·chor·oi·de·a (ek′tō-kōr-roy′dē-ă)．脈絡上板層．＝suprachoroid *lamina* of sclera.

ec·to·cor·ne·a (ek′tō-kōr′nē-ă)．角膜上皮（角膜の表層）．

ec·to·crine (ek′tō-krin)［ecto- ＋ G. *krinō*, to separate］．***1***〚adj.〛植物の生活に影響を与える物質についていう．その物質は合成されるか，生物の分解により生じる．***2***〚n.〛エクトクリン（***1*** の性質をもつ化合物）．***3***〚n.〛エクロホルモンの１つ．*cf.* endocrine; exocrine.

ecological e. 生態学的エクトクリン（ある種族において生合成される化学物質で，外部環境の機構を通じて他の種族の機能に影響を与える．例えば，反すう類が生合成するビタミンを他の動物が摂取すること．→ectohormone）．

ec·to·cyst (ek′tō-sist)［ecto- ＋ G. *kystis*, bladder］．包虫嚢腫外層．

ec·to·derm (ek′tō-dĕrm)［ecto- ＋ G. *derma*, skin］．外胚葉（３つの一次胚葉(外胚葉，中胚葉，内胚葉)形成後の胚における外側の細胞層で羊膜腔に接する胚葉）．＝ectoblast (1).

amnionic e. 羊膜外胚葉（胚性外胚葉と連続する羊膜内層）．

chorionic e. ＝trophoblast.

epithelial e. 上皮性外胚葉（胚期の第４週ぐらいに神経外胚葉から分離した外胚葉の部分．表皮とそれに特有な誘導体がそこから発生する）．＝superficial e.

extraembryonic e. 胚外外胚葉（外胚葉原基から胚子の周囲に形成される外胚葉組織）．

superficial e. ＝epithelial e.

ec·to·der·mal (ek′tō-dĕr′măl)．外胚葉の，外胚葉由来の．＝ectodermic.

ec·to·der·ma·to·sis (ek′tō-dĕr-mă-tō′sis)．＝ectodermosis.

ec·to·der·mic (ek′tō-dĕr′mik)．＝ectodermal.

ec·to·der·mo·sis (ek′tō-dĕr-mō′sis)．外胚葉症（外胚葉から分化した器官や組織の障害）．＝ectodermatosis.

ec·to·en·tad (ek′tō-en′tad)．外より内へ．

ec·to·en·tal (ek′tō-en′tăl)．＝ectental.

ec·to·en·zyme (ek′tō-en′zīm)．***1*** 細胞外酵素（細胞から外部に分泌される酵素で，有機体の外部で作用する）．***2*** エクト酵素（細胞の原形質膜の外表に結合した酵素）．

ec·to·eth·moid (ek′tō-eth′moyd)．＝ethmoidal *labyrinth*.

ec·tog·e·nous (ek-toj′e-nŭs)［ecto- ＋ G. *-gen*, producing］．外因〔性〕の，外原〔性〕の．＝exogenous.

ec·to·hor·mone (ek′tō-hōr′mōn)．エクトホルモン（生態学的に意義をもつパラホルモン様化学伝達物質．生物(通常，無脊椎動物)によって，その環境(空気や水)中に直接分泌される．しばしば，エクトホルモンを分泌する同種の生物の行動や機能性を二次的に変化させることができる．→ecological *ectocrine*）．

ec·to·mere (ek′tō-mēr)［ecto- ＋ G. *meros*, part］．外胚葉割球（外胚葉形成にかかわる割球）．

ec·to·me·rog·o·ny (ek′tō-mĕ-rog′ŏ-nē)［ecto- ＋ G. *meros*, part ＋ *gonē*, generation］．エクトメロゴニー（エンドメロゴニーと対照的に，胞子寄生虫がシゾントや胞子の表面においてまたはシゾントの中に包み込まれて，無性生殖的にメロゾイトを産生すること．*Eimeria*属の多くの種においてみられる）．

ec·to·mes·en·chyme (ek′tō-mes′en-kīm)［ecto- ＋ G. *mesos*, middle ＋ *enkyma*, infusion］．外胚葉性間充織．＝mesectoderm (2).

ec·to·morph (ek′tō-mōrf)［ecto- ＋ G. *morphē*, form］．外胚葉型，細長型（外胚葉由来の組織が優勢である体型(biotype または somatotype)．形態学的観点から，手足が体幹に対して長い）．＝longitype.

ec·to·mor·phic (ek′tō-mōrf′ik)．外胚葉型の，細長型の（ヒトの体型が外胚葉型の特徴を示していることについていう）．

-ectomy (ek′tō-mē)［G. *ektomē*, a cutting out］．解剖学的構造物を除去することを表す連結形で接尾語．→ -tomy.

ec·top·a·gus (ek-top′ă-gŭs)［ecto- ＋ G. *pagos*, something fixed］．胸壁結合奇形体（身体の外側部が結合した接着双生児．→conjoined *twins*）．

ec·to·par·a·site (ek′tō-par′ă-sīt)．外〔部〕寄生生物（体表面に生息する寄生生物）．

ec·to·par·a·sit·i·cide (ek′tō-par′ă-sit′i-sīd)［ectoparasite ＋ L. *caedo*, to kill］．外〔部〕寄生生物撲滅薬（外部寄生生物を殺すために宿主に直接適用する薬剤）．

ec·to·par·a·sit·ism (ek′tō-par′ă-sī-tizm)．外〔部〕寄生．＝infestation.

ec·to·per·i·to·ni·tis (ek′tō-per′i-tō-nī′tis)．外腹膜炎（内臓または腹壁に隣接する腹膜の深層から生じる炎症）．

ec·to·phyte (ek′tō-fīt)［ecto- ＋ G. *phyton*, plant］．外〔部〕寄生植物（皮膚の植物性寄生生物）．

ec·to·pi·a (ek-tō′pē-ă)［G. *ektopos*, out of place＜*ektos*, outside ＋ *topos*, place］．転位〔症〕，変位，脱出（器官や身体の一部の先天性変位や位置異常）．＝ectopy; heterotopia (1).

e. cloacae 総排出腔外反〔症〕．＝cloacal *exstrophy*.

e. cordis 心臓転位〔症〕（先天的に心臓が胸壁に露出した状態．胸骨と心膜の発育異常による）．

crossed renal e. 尿管が膀胱へはいる側と正中線をはさんで反対側に位置する転位腎で，多くの例では２つの腎臓は融合している（crossed fused ectopia）．

crossed testicular e. 交差性異所性精巣（精巣が正中線を越え他側の鼡径管や陰嚢にはいり込んだ異常）．

e. lentis［MIM*225100］．水晶体転位〔症〕，水晶体偏位（眼の水晶体の変位）．＝dislocation of lens.

e. lentis et pupillae 水晶体および瞳孔偏位（瞳孔偏位と水晶体脱臼または脱臼を特徴とする異常）．

e. maculae 黄斑偏位（一方の網膜黄斑部の偏位があり，両眼の黄斑が対応する網膜部にない状態）．＝heterotopia maculae.

e. pupillae congenita 先天性瞳孔転位〔症〕，先天性瞳孔偏位（瞳孔の先天性変位）．

e. renis 腎転位〔症〕．

e. testis 精巣(睾丸)変位〔症〕，異所性精巣(睾丸)．＝testis e.

testis e. 精巣(睾丸)変位〔症〕，異所性精巣(睾丸)（正常の下降経路に沿わない位置異常を伴う精巣）．＝e. testis; parorchidium.

thoracoabdominal e. cordis ＝*pentalogy* of Cantrell.

ureteral e. 尿管位置異常（尿管が膀胱内，尿道内，または尿路外の異常な場所に開口する異常）．

e. vesicae 膀胱外反〔症〕．＝*exstrophy* of the bladder.

ec·top·ic (ek-top′ik)［→ectopia］．異所性の（①本来あるべき位置にない器官や，子宮腔以外での妊娠についていう．＝heterotopic (1)．②カルジオグラフィにおいて，異常な部位に起源を発する心拍を表す．洞房結節以外の部位から起こる）．

ec·to·pla·cen·tal (ek′tō-plă-sen′tăl)．栄養膜の，胎盤外膜の（①胎盤の外側の，または胎盤を囲む．霊長類では特に胎盤形成に直接関与しない栄養芽層の部分についていう．②げっ歯類では胎盤形成に関与する栄養芽層の活発に発育する部分についていう）．

ec·to·plasm (ek′tō-plazm)［ecto- ＋ G. *plasma*, something formed］．外質，外形質，皮質原形質（細胞の周辺部にある粘稠な細胞質．他の小器官にはみられない微小線維が含まれている）．＝exoplasm.

ec·to·plas·mat·ic, ek·to·plas·mic, ek·to·plas·tic (ek′tō-plas-mat′ik, -plas′mik, -plas′tik)．皮質原形質の，外質の，外形質の．

ec·to·py (ek′tō-pē)．［ventricular ectopic beats の意味であいまいな隠語的語句 ventricular ectopy の使用を避けること］．＝ectopia.

ec·to·ret·i·na (ek′tō-ret′i-nă)．網膜色素上皮層．＝pigmented *layer* of retina.

ec·to·sarc (ek′tō-sark)［ecto- ＋ G. *sarx*, flesh］．外肉（原生動物の外膜または外形質）．

ec·tos·co·py (ek-tos′kŏ-pē)［ecto- ＋ G. *skopeō*, to exam-

E

ine]. 外診法（発声により生じる腹壁あるいは胸郭の運動をみることによる内臓疾患の診断法. 一般には使われていない).

ec·tos·te·al (ek-tos′tē-ăl) [ecto- + G. *osteon*, bone]. 骨外表の.

ec·tos·to·sis (ek′tos-tō′sis) [ecto- + G. *osteon*, bone + *-osis*, condition]. 骨外生, 軟骨外生（軟骨膜のすぐ下の軟骨の骨化, または骨膜のすぐ下の骨の形成).

ec·to·thrix (ek′tō-thriks) [ecto- + G. *thrix*, hair]. 毛外菌（毛の外側に胞子(分生子)が鞘状を形成したもの).

ec·to·tox·in (ek′tō-tok′sin). 〔細菌〕外毒素. = exotoxin.

ec·to·zo·on (ek′tō-zō′on) [ecto- + G. *zōon*, animal]. 外〔部〕寄生動物（体表面に生息する寄生動物).

ectro- (ek′trō) [G. *ektrōsis*, miscarriage]. ある部分の先天的欠損を示す連結形.

ec·tro·chei·ry, ec·tro·chi·ry (ek′trō-kī′rē) [ectro- + G. *cheir*, hand]. 欠手〔症〕（手の全体あるいは部分的欠損).

ec·tro·dac·ty·ly, ec·tro·dac·tyl·ia, ec·tro·dac·tyl·ism (ek′trō-dak′ti-lē, -dak-til′i-ă, -dak′ti-lizm) [ectro- + G. *daktylos*, finger] [MIM*225300]. 欠指〔症〕（手あるいは足の１本以上の指の先天的欠損. いくつかの種類があり, 遺伝パターンは, 浸透度の低い優性遺伝 [MIM*183600, *183802] および劣性遺伝 [MIM*225290, *225300] または X連鎖 [MIM*313350] であろう).

ec·tro·gen·ic (ek′trō-jen′ik). 先天性形成欠損の.

ec·trog·e·ny (ek-troj′ĕ-nē) [ectro- + G. *-gen*, producing]. 先天性形成欠損（身体の部分の先天性の完全欠損または部分欠損).

ec·tro·me·li·a (ek′trō-mē′lē-ă) [ectro- + G. *melos*, limb]. ***1*** 欠肢〔症〕, 奇肢〔症〕（１本以上の肢の先天性の低形成または無形成). ***2*** エクトロメリア（ポックスウイルス科のエクトロメリアウイルスによって起こるハツカネズミの疾患で, 壊疽性の足の欠損, および内臓の壊死を特徴とする. 実験マウスでは通常, 高死亡率の原因となる).

ec·tro·mel·ic (ek′trō-mel′ik). 欠肢〔症〕の, 奇肢〔症〕の.

ec·tro·pi·on, ec·tro·pi·um (ek-trō′pē-on, -pē-ŭm) [G. *ek*, out + *tropē*, a turning]. 外反（自由縁の外側への反転. 通常眼瞼に使用される).

atonic e. 弛緩性外反〔症〕（眼輪筋の麻痺に続いて起こる下眼瞼の外反). = flaccid e.; paralytic e.

cicatricial e. 瘢痕性〔眼瞼〕外反（熱傷, 裂傷, あるいは皮膚感染症後に起こる眼瞼の外反. 眼瞼の前部または中層組織の短縮または拘縮による).

flaccid e. 弛緩性外反〔症〕. = atonic e.

involutional e. 退行的眼瞼外反（加齢による, 瞼板靱帯結合部の強度減少による下眼瞼の緩み. 早期には下眼瞼中央部に限定されるが, やがて下眼瞼全体に及ぶ).

paralytic e. 麻痺性外反〔症〕. = atonic e.

spastic e. 痙〔攣〕性外反〔症〕（眼の刺激または眼輪筋収縮のために下眼瞼に起こる外反).

e. uveae ブドウ膜外反〔症〕（瞳孔縁の虹彩の色素性後面上皮が外反すること).

ec·trop·o·dy (ek-trop′ŏ-dē) [ectro- + G. *pous*, foot]. 欠足〔症〕（足の全体あるいは部分的欠損).

ec·tro·syn·dac·ty·ly (ek′trō-sin-dak′ti-lē) [ectro- + G. *syn*, together + *daktylos*, finger]. 無指合指症（１本以上の指の欠損と残る指の融合とを特徴とする先天的奇形).

ec·type (ek′tīp) [G. *ek*, out + *typos*, stamp, model]. エクタイプ（外胚葉型(細長型)あるいは内胚葉型(短型)のように極端な体型).

ec·u·re·sis (ek′yū-rē′sis) [G. *ek*, out + *ourēsis*, urination]. エクレーシス（尿の排泄と水分摂取の状況が, 生体の絶対的な脱水状態を引き起こしている状態. →emuresis).

ec·ze·ma (ek′zĕ-mă, eg′zĕ-mă, eg-zē′mă) [G. < *ekzeō*, to boil over]. 湿疹（[誤った発音 ecze′ma, 誤ったつづり exzema, ecxema, および他の別形を避けること. exemia と混同しないこと]. 皮膚の炎症状態の一般名. 特に急性期では小水疱を伴う. 典型的には紅斑性, 浮腫性, 丘疹状, 痂皮性である. しばしば苔癬化, 落屑, ときには薄黒い紅斑, まれに色素沈着がその後に生じる. しばしばかゆみと熱感を伴う. これらの小水疱は表皮内の海綿状浮腫によって形成される. しばしば遺伝性を示し, アレルギー性鼻炎やぜん息を合併する).

allergic e. アレルギー性湿疹（アレルギー性反応による斑状, 丘疹状あるいは小水疱性の発疹. 例えば IgE による食物過敏症誘発性のアトピー性皮膚炎).

atopic e. アトピー〔性〕湿疹. = atopic *dermatitis.*

baker's e. パン職人湿疹（パン職人が扱う小麦粉, 酵母, その他の成分, あるいは穀物ダニとの反応により手や腕に生じるアレルギー性の発疹). = baker's itch.

chronic e. 慢性湿疹. = lichenoid e.

dyshidrotic e. 異汗性湿疹. = dyshidrosis.

e. erythematosum 紅斑性湿疹（湿疹の乾燥型の１つで, 落屑を伴い, 広範囲にわたる発赤を示すもの).

flexural e. 屈面性湿疹（肘, 膝, 手首などの屈側部皮膚の湿疹で, 小児より持続するアトピーに併発する).

hand e. 手湿疹（持続的に, 主として手を侵す湿疹. アレルギー性, 刺激性, 産業性, 発汗異常性, 細菌性, アトピー性などの機序を含む多原因性の湿疹. 水疱や海綿状態の存在からいわゆるあかぎれと区別される).

e. herpeticum ヘルペス性湿疹, 疱疹性湿疹（小児に最も好発する, ヘルペス１型の皮膚播種による熱性疾患で, 広範囲に小水疱を生じ, それが急速に臍窩を有する膿疱となる. 臨床上, 種痘性湿疹と区別がつかないが, 電子顕微鏡あるいはスミアで, ヘルペス性湿疹では核内の, 種痘性湿疹では細胞質内の封入体を明らかにすることによって区別がつく場合もある). = pustulosis vacciniformis acuta.

infantile e. 乳児湿疹（乳児における湿疹. 中心的な原因機構, 例えば, 接触型過敏症, カンジダ症, アトピー, 脂漏症, 間擦疹とおむつ皮膚炎を含めてこれらの原因の組合せによって臨床像が異なる).

e. intertrigo 間擦性湿疹（→intertrigo).

lichenoid e. 苔癬様湿疹（慢性湿疹. 湿疹において皮丘の隆起を伴う皮膚の肥厚したもの). = chronic e.

nummular e. 貨幣状湿疹（とびとびにでるコイン型の斑状湿疹). = nummular dermatitis.

e. papulosum 丘疹性湿疹（孤立性あるいは集簇性の赤色びらん性丘疹を特徴とする皮膚炎).

e. parasiticum 寄生虫性湿疹（寄生虫侵入による湿疹性発疹).

e. pustulosum 膿疱性湿疹（小水疱性湿疹の後期で, 小水疱は二次的に感染している. 患部は膿痂皮でおおわれてくる).

seborrheic e. 脂漏性湿疹. = seborrheic *dermatitis.*

stasis e. うっ血性湿疹（うっ血が原因または悪化の原因で, 下腿に生じる湿疹性発疹).

tropic e. 熱帯性湿疹（四肢の伸側に局面として生じる湿疹. 普通にみられるが, 病因は不明である).

e. tyloticum べんち性湿疹（角質増殖性の汗疱状湿疹).

varicose e. 静脈瘤性湿疹（静脈瘤様腫脹のみられる皮膚領域に発生する湿疹).

e. verrucosum いぼ状湿疹（角質増殖を伴う湿疹. 慢性苔癬化湿疹).

e. vesiculosum 小水疱性湿疹（紅斑性局面上に生じ, 破れて血清の滲出をきたした小水疱を特徴とする皮膚炎).

weeping e. 湿潤性湿疹皮膚炎.

winter e. 冬季湿疹（皮表からの水分蒸発(不感蒸泄を含む)の亢進の結果として生じる湿疹. 乾いてひび割れた斑で通常, 四肢にみられるが, 皮膚が過度に急激に乾燥した場合(作業あるいは環境から起こる)には, 季節を問わず体幹にも発生することが少なくない).

ec·zem·a·ti·za·tion (ek-zem′ă-ti-zā′shŭn). 湿疹化（①湿疹に類似した発疹の形成. ②先行している皮膚病に二次的に湿疹が発生すること).

ec·ze·ma·toid (ek-zem′ă-toyd). 類湿疹の, 湿疹様の.

ec·ze·ma·tous (ek-zem′ă-tŭs). 湿疹〔性〕の, 湿疹様の.

ED effective *dose*; ethyldichloroarsine; eating *disorders*; emergency department(救急治療部); erectile *dysfunction* の略.

ED_{50} median effective dose の略.

e·dath·a·mil (ĕ-dath′ă-mil). エダサミル. = ethylenediaminetetraacetic acid.

EDC expected date of confinement(出産予定日)の略. →Nägele *rule.*

e·de·a (e-dē′ă) [G. *aidoia*, genitals]. 外性器.

e・de・ma (e-dē′mă) [G. *oidēma*, a swelling]. 水腫，浮腫（①細胞内，細胞間の水分の過剰な貯留．②肉眼的には，一般的にむくみあるいは腹囲の増大といわれる身体所見を表すのに使われる．しばしば身体各所，特に手足の水分貯留を伴う）.
ambulant e. 歩行性浮腫（歩行により生じる浮腫）.
angioneurotic e. 血管〔運動〕神経性水腫(浮腫)．＝angioedema.
Berlin e. (bĕr-lin′). ベルリン水腫(浮腫)（眼球への鈍的外傷後の網膜浮腫）.
blue e. 青色水腫(浮腫)（転換ヒステリー性麻痺における四肢腫脹とチアノーゼ）.
brain e. 脳水腫(浮腫)．＝cerebral e.
brawny e. 硬性浮腫．＝nonpitting e.
brown e. 褐色水腫(浮腫)（慢性受動性うっ血により起こる肺水腫）.
bullous e. 水疱性水腫(浮腫)（膀胱壁中の尿管口の発赤し膨化した外観で，下部尿管結石または尿管結核においてしばしば観察される）.
bullous e. vesicae 水疱状水腫(浮腫)膀胱（巣状の浮腫のため隆起している部位で膀胱の上皮に起こる．内容物は浮腫組織の累々とした隆起あるいは透明な液が充満した水疱の塊である．多くは慢性炎症，またカテーテル，異物，あるいは膀胱周囲の炎症に伴う刺激による）.
cachectic e. 悪液質性水腫(浮腫)（消耗と低蛋白を特徴とする疾患に生じる．低蛋白のため血清の低浸透圧となり，浮腫を生じる）．＝marantic e.
cardiac e. 心臓〔性〕水腫(浮腫)（うっ血性心不全に起因するもの）.
cerebral e. 脳水腫(浮腫)（神経網と白質での水分の吸収から血管外水分量の増加によって起こる脳の腫脹．→brain *swelling*）．＝brain e.
cystoid macular e. [MIM*153880]．類嚢胞黄斑水腫(浮腫)（中心部感覚網膜の毛細血管の異常な透過性によって生じる眼球後極部の浮腫）.
dependent e. 就下性水腫(浮腫)（臨床的に認められる細胞外液量の増加で，手足などの下になった部分に限局した腫脹としてみられ，圧するとへこむ）.
gestational e. 妊娠水腫(浮腫)（妊娠の影響により 12 時間の横臥後に，1＋圧痕以上の浮腫となるか，あるいは 1 週間で 2 kg 以上体重が増加するような全身的な過剰の組織内水分貯留）.
e. glottidis 声門水腫(浮腫)（喉頭の水腫・浮腫）.
heat e. 熱性水腫(浮腫)（極度に高い外部温度によって生じるもの）.
hereditary angioneurotic e. (**HANE**) [MIM*106100]．遺伝性血管神経症性水腫(浮腫)（比較的まれな浮腫で一般に小児期に紅斑として発症し，続いて上気道と消化管の浮腫を生じる．C1 エステラーゼ抑制物質が欠損しているかあるいは存在していても機能的に不活性型である．思春期の間に悪化することがある．臨床的には判別不能な 2 型がある．I 型は血清C1エステラーゼ抑制物質のレベルが低く(正常の 30%以下)，II 型はそのレベルが正常か上昇している．補体の初期構成成分が制御を逸脱して活性化され，キニン様因子が産生されて血管浮腫を形成する．上気道の浮腫または窒息により死の転帰をとることがある．常染色体優性遺伝で第11 染色体長腕の C1 エステラーゼ抑制物質遺伝子(*C1NH*)の変異による）.
hydremic e. 著明な水血症を特徴とする状態に生じるものを表す現在では用いられない語.
infantile acute hemorrhagic e. of the skin 小児急性出血性皮膚浮腫（良性の皮膚血管炎で，点状出血がしばしば花形を示す小児期の炎症性内出血）.
infective e. 感染性浮腫．＝septic e.
inflammatory e. 炎症性水腫(浮腫)（炎症中心周囲の軟部における滲出液による腫脹）.
lymphatic e. リンパ水腫(浮腫)（リンパ管内のうっ滞によるもの）.
marantic e. 衰弱性水腫(浮腫)．＝cachectic e.
menstrual e. 月経性水腫(浮腫)（月経中あるいは月経前に生じる水分貯留および体重増加）.
e. neonatorum 新生児水腫(浮腫)（新生児に生じる広範な硬い致命的浮腫．通常，脚に始まり上方に広がる）.
nephrotic e. ネフローゼ性浮腫（腎機能障害からくる浮腫．註通常は腎機能障害からくる浮腫ではなく，ネフローゼ症候群に伴う浮腫を意味する）.
noninflammatory e. 非炎症性水腫(浮腫)（炎症あるいはうっ血を示さない，機械的その他の原因による水腫・浮腫）.
nonpitting e. 非陥凹性浮腫（押しても容易に圧痕を残さない皮下組織の腫大．通常，グリコースアミノグリカンの蓄積により生じる．Graves 病(前脛骨浮腫)や皮膚硬化症の初期に生じる）．＝brawny e.
nutritional e. 栄養性水腫(浮腫)（蛋白摂取不足の結果，低蛋白血症と血漿浸透圧の低下に帰因する腫脹の一種）.
periodic e. 周期性水腫(浮腫)．＝angioedema.
pitting e. 圧痕水腫(浮腫)（圧迫により生じる圧痕が一時的に続くような浮腫）.
premenstrual e. 月経前水腫(浮腫)（⇀menstrual e.）.
pulmonary e. 肺水腫(浮腫)（通常，僧帽弁狭窄症あるいは左室不全に起因する肺の水腫）.
pyemic e. 膿性浮腫．＝septic e.
Reinke e. (rīn′kĕ). ラインケ浮腫（声帯下の液体形成を伴うポリープ様変性であり，嗄声を生じる）.
salt e. 食塩性水腫(浮腫)（食塩の過剰摂取あるいは貯留に基づく水腫・浮腫）.
septic e. 敗血症性浮腫（感染性内容物，特に細菌で構成される浮腫）．＝infective e.; pyemic e.
solid e. 充実性水腫(浮腫)（粘液水腫にみられるように，粘液様物質の皮下組織への浸潤）.
Yangtze e. 揚子江水腫(浮腫)．＝gnathostomiasis.

e・dem・a・ti・za・tion (e-dem′ă-ti-zā′shŭn). 水腫化，浮腫化.

e・dem・a・tous (e-dem′ă-tŭs). 水腫状(性)の，浮腫状(性)の.

e・den・tate (ē-den′tāt) [L. *edentatus*]. 無歯の．＝edentulous.

e・den・tu・lous (ē-den′tyū-lŭs) [L. *edentulus*, toothless]. 無歯の（自然歯を失った）．＝agomphious; edentate.

e・des・tin (ĕ-des′tin). エデスチン（トウゴマの種子，大麻種子，その他の種子から得た六量体グロブリン．食物性蛋白が欠乏しているとき，動物の成長を助ける）.

ed・e・tate (ed′ĕ-tāt). エデト酸塩（ethylenediaminetetraacetate の USAN 承認の短縮名．エチレンジアミン四酢酸 ethylenediaminetetraacetic acid のアニオンである．種々のエデト酸塩は，カチオンを導入(例えば，鉄の担体としては，鉄－ナトリウムエデト酸塩)あるいは導出(例えば，カルシウムあるいは重金属イオンの排出にはナトリウムエデト酸塩)するためのキレート剤として用いられる）.

ed・e・tate cal・ci・um di・so・di・um (ed′ă-tāt kal′sē-ŭm dī-sō′dē-ŭm). エデテートカルシウム二ナトリウム（エチレンジアミン四酢酸の塩の略称．鉛やその他の重金属のキレート剤として用いる薬剤．数種のタイプが市販されている．二ナトリウム塩，ナトリウム塩，三ナトリウム塩）.

e・det・ic ac・id (ĕ-det′ik as′id). エデト酸．＝ethylenediaminetetraacetic acid.

edge (ej). 縁（1 つの面が終結する線．→border; margin）.
cutting e. カッティングエッジ（①歯科用ハンドインスツルメントの斜角をつけた小刀様の鋭利な切削角．②＝incisal *margin*）.
denture e. 義歯床縁．＝denture *border*.
incisal e. 切縁．＝incisal *margin*.
leading e. リーディングエッジ（波形の始めの部分）.
shearing e. ＝incisal *margin*.

Ed・in・ger (ed′ing-er), Ludwig. ドイツ人解剖学者，1855―1918．⇀E.-Westphal *nucleus*.

e・dis・y・late (e-dis′i-lāt). 1,2-ethanedisulfonate ($^-O_3S(CH_2)_2SO_3^-$) の USAN 承認の短縮名.

Ed・lef・sen (ed′ĕl-fsĕn), Gustav J.F. ドイツ人医師，1842―1910．⇀E. *reagent*.

EDM multiple epiphysial *dysplasia* の略.

Ed・man (ed′măn), Pehr. オーストラリア人科学者，1916―1977．⇀E. *method*, *reagent*.

EDN3 Waardenburg type 4 syndrome gene の遺伝子シンボル.

EDRF endothelium-derived relaxing *factor* の頭字語．現在では一酸化窒素として知られている.

Ed・ridge-Green (ed′rij grēn), Frederick W. イングランド

人眼科医，1863—1953．→E.-G. *lamp*.

ed·ro·pho·ni·um chlor·ide (ed′rō-fō′nē-ŭm klōr′id). 塩化エドロホニウム（作用発現時間が速く，持続時間が短いコリンエステラーゼ阻害薬の1つ．クラーレ様薬物の解毒薬として，また重症筋無力症および筋無力性クリーゼの診断薬として用いる）．

EDS Ehlers-Danlos *syndrome* の略．

EDSS expanded disability status *scale* の略．

EDTA ethylenediaminetetraacetic acid の略．

e·duct (ē′dŭkt). 抽出物，遊離体．

e·dul·co·rant (e-dŭl′kō-rant). 甘味剤，甘味料．

e·dul·co·rate (e-dŭl′kō-rāt) [L. *e-* 強意語 + *dulcoro*, to sweeten < *dulcor*, sweetness < *dulcis*, sweet]. 甘くする，辛さをなくす．

Ed·wards (ed′wărdz), James Hilton. 20世紀のイングランド人医師・遺伝医学者．→E. *syndrome*.

Ed·wards (ed′wărdz), M.L. 20世紀の米国人医師．→Carpentier-E. *valve*; Starr-E. *valve*.

Ed·ward·si·el·la (ed′ward-sē-el′lă). エドワードシエラ属（グラム陰性菌の一属で，腸内細菌科の条件的嫌気性菌．運動性・周毛性・非被包性杆菌を含む．標準種は *E. tarda* で，健康人や下痢患者の大便，ヒトや他の動物の血液，およびヒトの尿から分離されることがある．*E. tarda* はヒトにおける胃腸炎の病原因子である．本属にはその他に *E. hoshinae* と *E. ictaluri* の2種がある）．

EEE eastern equine *encephalomyelitis* の略．

EEG electroencephalogram; electroencephalography の略．

eel (ēl) [M.E. *ele* < O.E. *ael*]. ウナギ（鱗をもたない，ヘビ状の魚類の一般名称）．

vinegar e. ＝*Turbatrix aceti*.

EENT eye, ear, nose, throat の略．→ENT.

ef·face·ment (ē-fās′ment). 頸管成熟度（分娩直前あるいは分娩中にみられる頸管の退縮）．

ef·fect (e-fekt′) [L. *efficio*, pp. *effectus*, to accomplish < *facio*, to do]. 効果，作用（[affect と混同しないこと]．治療または他の作用の成果あるいは結果）．

abscopal e. アブスコパル効果（放射線照射後にみられる一種の反応で，放射線を実際に吸収した部分以外の場所に生じる）．

additive e. 相加効果（2つ以上の物質あるいは作用を併用した結果生じる総合効果が，個々の効果の算術的な和と等しくなるような場合に，その総合効果のことを示す）．

adverse e. (ad′vers e-fekt′). 副作用（薬剤その他の治療で望ましい治療効果の他に出る作用．副作用とは，学術的には治療限界を超えた効果(例えば，抗凝固薬による出血)をいうが，治療とは対象外の薬剤効果(例えば，ステロイド治療による Cushing 症候群の進展)をいう場合が多い）．＝side effect.

after-e. →aftereffect.

Anrep e. (ahn′rep). アンレップ効果（一過性の心内膜下の虚血から回復する際に，大動脈と左心室の圧力が一瞬陽性の変力作用を呈する効果）．

Arias-Stella e. (ahr′yahs stel′ă). アリアス-ステヤ効果．＝Arias-Stella *phenomenon*.

autokinetic e. 自動運動効果（心理学において，暗室で小さな固定した光点を凝視していると動いているようにみえる現象をいう）．

Bernoulli e. (bĕr-nū′lē). ベルヌーイ効果（流体の運動が加速されると，Bernoulli の法則によって，流体のポテンシャルエネルギーが運動エネルギーに転換し，流体の圧力が減少すること．水流ポンプ(アスピレータ)，噴霧器，給湿器はこの効果を応用するもので，この場合には気体が狭い絞り口を通して加速される）．

Bohr e. (bōr). ボーア効果（血液酸素解離曲線上の二酸化炭素による影響．すなわち，酸素に対するヘモグロビンの親和性において還元を意味する右方移動した曲線．*cf.* Haldane e.）．

Bowditch e. (bō′dich). バウディッチ(ボーディッチ)効果（心拍数の変化に伴って変化する心機能）．

Circe e. (sir′sē) キルケー効果（[ギリシア神話の魔女]．酵素触媒反応においてみられる効果．基質の拡散の増大が，酵素活性部位の吸引力によって生じる）．

clasp-knife e. 折りたたみナイフ〔様〕作用．＝clasp-knife *spasticity*.

Compton e. (komp′tŏn). コンプトン効果（中程度のエネルギーをもつ電磁波の吸収において軌道電子(通常は外殻)を反跳し，散乱した光子のエネルギーが減少する現象）．＝Compton scattering.

Cotton e. (kot′ŏn) [Frank A. *Cotton*]. コットン効果（単色光が物質を通過する場合，その波長が物質の吸収帯にきわめて近いとき，平面偏光では旋光度が0から正または負へ移り，円偏光では楕円偏光へ変わること．→optic rotatory *dispersion*; circular *dichroism*）．

Crabtree e. (krab′trē). クラブトリー効果（高濃度グルコースによる分離した系の細胞呼吸抑制効果．Pasteur 効果と裏返しの関係にある．一部は上昇したグルコース-6-リン酸によるヘキソキナーゼの抑制による．*cf.* Pasteur e.）．

cumulative e. 蓄積効果（薬剤の反復投与による効果が，初回投与の効果よりも著しい状態）．＝cumulative action.

Cushing e. ＝Cushing *phenomenon*.

cytopathic e. 細胞変性効果（ある種のウイルスの増殖に伴う細胞(特に組織培養での)変性．組織培養では，ウイルスの拡散が寒天(あるいは他の適当な物質)の添加によって限定されると，細胞変性の効果として，プラーク(細胞溶解斑)が形成される）．

Doppler e. (dop′lĕr). ドップラー(ドプラ)効果（音源とその聴取者が遠ざかったりあるいは近づいたりするような相対的な運動をするとき観測される周波数の変化．→Doppler *shift*）．＝Doppler phenomenon.

electrophonic e. 電気聴覚効果（適当な頻度と大きさの電流を外からヒトの頭部に通じるとき生じる聴覚）．

experimenter e.'s 実験者効果（実験者の行動，人格素質，あるいは期待が実験者自身の研究成果に与える影響．→double-blind *study*）．

Fahraeus-Lindqvist e. (fah-rā′us lind′kvist). ファーレウス-リンドクヴィスト効果（血液のように，懸濁液が小直径管を流れるときに生じる見かけの粘性の減少．直径約0.3 mm 以下の管で観察される）．＝sigma e.

Fenn e. (fen). フェン効果（機械的仕事をさせるとき，刺激を受けた筋肉の熱発生が増大する．遊離される熱量は筋肉が短縮できる距離に比例し，短縮中に筋肉が生じる張力(例えば筋肉が持ち上げる重量)に比例して増大する．このようにして増大した化学エネルギーは，熱発生の増大と機械的仕事を増大させるための両方に消費される）．

first-pass e. 初回通過効果．＝first-pass *metabolism*.

flash-lag e. フラッシュ(閃光)する部位の移動物の背後の見かけ状の遅れ．

founder e. 始祖効果（少人数の偏りのある祖先をもつ特定の集団では，ある遺伝子の頻度が異常に高いこと）．

gene dosage e. 遺伝子量効果（共優性の対立遺伝子では，表現値と1つの型から他の型へと置換した遺伝子数との間で直線関係が大きいか小さいかということ）．

generation e. 世代効果（各々の出生コホートが生存期間中に異なる原因因子の暴露を受けることにより生起する健康状態の変動）．

Haldane e. (hawl′dān). ホールデーン効果（ヘモグロビンの酸素飽和による血中炭酸ガス解離の促進）．

halo e. 後光効果（①医療行為やサービスが何であるかにかかわらず，医療従事者の態度，配慮，ケアが医療行為を受けている間の患者にもたらす(通常は有益な)影響．②観察者が，対象者の(研究対象としているもの以外の)特徴について感じたことが観察結果にもたらす影響，あるいは観察者の過去事実に関する回想や知識がもたらす影響）．

Hawthorne e. (haw′thōrn) [city in Illinois; site of the Western Electric plant]. ホーソーン効果（研究中であることが，その対象者に対して及ぼす(通常は，正もしくは有益な)効果．研究に対する知識は，しばしば対象者の行動に影響を与える）．

healthy worker e. 職業病の研究のなかで初めて観察された現象．重度の疾病や障害をもつ人は雇用されないため，通常，労働者の全体的な死亡率は一般人口より低い．

hook e. かぎ(鉤)効果（免疫測定法において過剰量の抗原が添加した抗体の結合能を防げ，見かけ上測定値が低くなること．特に甲状腺癌の診療に際し，サイログロブリンの測定をする時にみられる).

hyperchromic e. 濃色効果（分子の構造的変化により溶液または物質による光の特定の波長での吸収量(または吸光度)の増加).

hypochromic e. 淡色効果（数種の発色団をもつ1つの分子がその個々の発色団の光学濃度の合計(同じ波長での)より少ない所定の波長での吸収量をもつ現象).

Mach e. (mahk). マッハ効果（凹面または凸面の境界が存在するX線写真において，明線または暗線が見えること．輪郭強調に関する生理学的視覚現象の一形態.→Mach *band*).

e. modifier 効果修飾因子（研究対象の原因因子の効果を修飾する因子．例えば，年齢は多くの状況で効果修飾因子となる).

nuclear Overhauser e. (**NOE**)［Albert W. *Overhauser*］. 核オーバーハウザー効果（核磁気共鳴において，最近接相互作用が存在する時にみられる効果).

Orbeli e. (ōr-bā′lē). オルベーリ効果（神経の刺激によるすなわち間接的な筋肉疲労は，筋肉への交感神経線維の同時刺激によって軽減される．筋肉内血管神経を支配するアドレナリン性線維から拡散するノルエピネフリンによって生じるものと思われる).

oxygen e. 酸素効果（酸素濃度が高い場合に細胞の放射線感受性が高まることや，反対に，低酸素環境では放射線感受性が低下すること).

Pasteur e. (pahs-tūr′). パスツール効果（Pasteur が最初に観察した，酸素による発酵抑制．悪性腫瘍においては観察されないか，またはわずかしか観察されない．*cf.* Crabtree e.).

photechic e. 光線の代わりに写真フイルム感光乳剤で隠れた像を現像させる薬品の能力．＝Russell e.

photoelectric e. 光電効果（①露光により金属表面から電子が放出される現象．②物質と電磁波の相互作用の一形態であって，入射光子の全エネルギーは吸収され，光電子の放出と，他の殻から空孔への電子の遷移による特性X線の発生が伴う．組織1g当たりの吸収エネルギーが原子番号の3乗に比例するので，光電効果はX線診断では重要である).

piezoelectric e. 圧電効果，ピエゾ効果（ある種の結晶やセラミック材料がもつ，歪みを加えられると起電力を生じ，電流を流すと歪むという性質．電気エネルギーと音響(学的)エネルギーとが相互に変換する機構．超音波探触子はこの効果を用いて音響エネルギーの送受信を行う).

position e. 位置効果（他遺伝子との物理的位置変化により，1つ以上の遺伝子の表現型発現が変化すること．染色体構造の変化，あるいは交差に起因することもありうる).

Purkinje e. (pŭr-kin′je). プルキンエ効果．＝Purkinje *phenomenon.*

quantal e. クオンタルエフェクト（発生するか，あるいは発生しないかの二者択一の語だけで表現される効果).

Raman e. (rah′mahn)［Chandraswkhara W. *Raman*］. ラーマン(ラマン)効果（単色光が透明な物質を通る際，散乱光が受ける波長の変化．得られる散乱光のスペクトルは，入射光の波長帯により，小さい波長のものや大きい波長のものが伴性帯として加わったものとなる．この変化の大きさは，物質の特性によって決まる).

Rivero-Carvallo e. (ri-ver′ō kar-vahl′ō). リヴェロ－カルヴァロ効果（三尖弁閉鎖不全による収縮期雑音が吸気時に増大すること．三尖弁閉鎖不全症と僧帽弁閉鎖不全症の重要な鑑別点).

Russell e. (rŭs′ĕl). ラッセル効果．＝photechic e.

second gas e. ハロタンのような麻酔薬を一定濃度で吸入するとき，その肺胞内濃度は笑気の同時併用によって上昇する．後者が肺胞に取り込まれると，実際の肺胞内空気圧が下がり気管流入を増大させるためである．

sigma e. シグマ効果．＝Fahraeus-Lindqvist e.

Somogyi e. (sō-mō′jē). ソモギー効果（糖尿病患者において相対的な低血糖状態が生じると，高血糖惹起因子(例えば，エピネフリン，ノルエピネフリン，グルカゴン，コルチゾール，成長ホルモン)の分泌が亢進するため，高血糖が生じてしまう反跳現象．インスリン投与量が多いと，夜間に気づかないうちに低血糖を生じるので，翌朝高血糖を生じやすくなる).

Staub-Traugott e. (shtowb trow′got). シュタウブ－トローゴット効果（正常人で，初回の約30分後に与えられた2度目のグルコース経口投与により血糖が低下すること).

Stiles-Crawford e. (stīlz krahw′fŏrd). スタイルズ－クロフォード効果（瞳孔の中心を通ってはいる光が網膜錐体に垂直に反射するとき，斜めにはいる光よりも大きな視覚効果を生じる現象).

synergistic e. 相乗効果．＝synergism.

telomere position e. テロメア位置効果（テロメア近傍遺伝子の可逆的サイレンシング).

Tyndall e. (tin′dĕl). ティンダル効果．＝Tyndall *phenomenon.*

Venturi e. (ven-tū′rē). ヴェンツーリ効果（Venturi 管および同様な方式の操作に用いる語).

Wedensky e. ヴェデンスキー効果（①神経筋標本に最大ショックや刺激を与えた後の比較的長く続く増強効果で，その間，通常は反応を起こさないほど小さい閾値以下の刺激でも反応を起こす．②最大ショックを与えた後の比較的遅延した興奮閾値の低下).

Wolff-Chaikoff e. (vulf chī′kof). ウルフ(ヴォルフ)－チャイコフ効果．＝Wolff-Chaikoff *block.*

Zeeman e. ゼーマン効果（光源が磁場に置かれたとき，分光線が3本以上の対称に配列した線に分岐すること).

ef・fec・tive・ness (e-fek′tiv-nes). 効果，精度，有効度（①標準的な医療環境で行われた診断方法や治療方法の正確さや成功度の尺度，基準．*cf.* efficacy. ②施された処置が意図通りの目的を達成した程度).

relative biologic e. (**RBE**) 生物学的効果比（異なる線質やエネルギーの電離放射線による吸収線量の生物学的効果を比較する係数．特定の生物，臓器あるいは組織に対して同一の生物学的効果をもたらすような，当該放射線と基準放射線の吸収線量の比である．註一般に RBE と略される).

ef・fec・tor (ē-fek′tŏr, -tōr)［L. producer］. ***1*** 効果器（C. Sherrington の定義によると，神経インパルスを受けて，筋収縮，腺分泌あるいは電気放電(電気ウナギのようなある種の硬骨魚の発電器)などの反応をする末梢組織を意味する). ***2*** リプレッサー遺伝子と結合することによって，オペロンの活性を抑制する低分子代謝物質．***3*** エフェクター（蛋白と結合する小分子，または他の巨大分子で，その結果，その巨大分子の活性を変化させる). ***4*** エフェクター（効果を生じさせる個体，物質，技術，手技，またはヒト).

ef・fem・i・na・tion (e-fem′i-nā′shŭn)［L. *ef-femino*, pp. *-atus*, to make feminine < *ex*, out ＋ *femina*, woman］. 女性化（［feminization と混同しないこと］．女性が生理的に成熟した女性として，あるいは男性または女性が病的に，女性的特徴を得ること).

ef・fer・ent (ef′ĕr-ent)［L. *efferens* < *effero*, to bring out］. 遠心〔性〕の，輸出の（［afferent と混同しないこと．afferent との違いを強調するため時々使われる，誤った発音 ē′fe-rent を避けること］．特定の器官または部分から液体あるいは神経インパルスを外側へ導出または伝導する．例えば，神経細胞群の遠心性結合，輸出血管あるいは器官の排出管).

gamma e. ガンマ遠心性神経（筋紡錘の錘内筋線維を神経支配するガンマ運動ニューロンの細い軸索).

ef・fer・vesce (ef-ĕr-ves′)［L. *ef-fervesco*, to boil up < *ferveo*, to boil］. 沸騰する，泡立つ（沸騰する，あるいは圧力が軽減されたとき水溶液から炭酸ガスが発生するように大量の流体表面に上昇する泡を起こす).

ef・fer・ves・cent (ef′ĕr-ves′ent). 発泡性の，沸騰性の（①沸きたつ，泡だつ．②沸騰散のように，沸騰させる．③沸騰溶液のように，圧力を除いたとき沸騰する).

ef・fi・ca・cy (ef′ĭ-kă-sē)［L. *efficacia* < *ef-ficio*, to perform, accomplish］. 効能（特定の介入，手技，処方またはサービスが理想的な条件下でもたらす有用な結果の程度．*cf.* effectiveness).

ef・fi・cien・cy (e-fish′en-sē). 効率（①最小の時間，金銭，努力，技能の浪費によって期待する効果や結果を生むこと．②有効性の尺度，特に有効仕事量をエネルギー導入量で割ったもの).

quantum e. 量子効率．＝quantum *yield.*

visual e. 視力効率（中枢明瞭度，視野，眼球運動の測定をあわせて労働者の眼球傷害の代償を計算するのに用いる比率).

ef·fleu·rage (e-fler-ahzh′) [Fr. *effleurer*, to touch lightly]. 軽擦[法], 按撫[法] (マッサージにおける軽擦運動).

ef·flor·esce (e-flōr-es′) [L. *ef-floresco*(*exf-*), to blossom < *flos*(*flor-*), flower]. 風解する (乾燥大気に暴露されることにより結晶水を失って粉末状になること).

ef·flor·es·cent (e-flōr-es′ent). 風解[性]の (乾燥大気にさらしたとき, その結晶水を失うことによって徐々に粉末に変化する結晶体についていう).

ef·flu·vi·um, pl. **ef·flu·via** (e-flū′vē-ŭm, -ē-ă) [L. a flowing out < *ef-fluo*, to flow out]. 剝離 ([defluvium と混同しないこと]. 脱毛をいう. →defluxion (1)).

anagen e. 成長期脱毛状態 (癌の化学療法や放射線治療に伴い突然びまん性に毛が脱ける状態. たいていは治療が終了すると元にもどる).

telogen e. 休止期脱毛. =postpartum *alopecia*.

ef·fort (ef′ŏrt). 努力 (身体的な力または精神的な力を尽くすこと).

distributed e. 分散努力 (個人が, ある技術を習得するまで持続的に学習を続けるという集中学習に対して, 小単位の学習とその間に休息期間をもつ学習のことをいう).

ef·fuse (e-fyūz′) [L. *ef-fundo*, pp. *-fusus*, to pour out]. まばらに広がった (細菌培養表面の性状についていう).

ef·fu·sion (e-fyū′zhŭn) [L. *effusio*, a pouring out]. ***1*** 滲出 (血管あるいはリンパ管から, 組織あるいは窩への液体の逸脱). ***2*** 滲出液 (流れ出た流体の貯留).

complex pleural e. 複雑性胸水 (強い炎症反応(例えば低 pH, 低グルコース, 高乳酸脱水素酵素, 白血球多数)にもかかわらず実際の感染がない胸水).

joint e. 関節滲出液 (滑膜性関節で関節液が増加した状態).

loculated pleural e. 多胞性胸水 (胸膜腔の 1 つあるいはそれ以上の固定されたポケットに限界される胸水).

middle-ear e. 中耳貯留液 (中耳炎のため中耳内の空気が漿液性または粘液性の液体で置き換わっている状態). =secretory otitis media; serous otitis media.

parapneumonic e. 肺炎随伴性胸水 (肺炎に合併する胸水).

pericardial e. 心内膜液滲出 (心嚢膜内の過剰の液貯留. 心臓を圧迫して循環虚脱状態になりうる. 通常は炎症, 感染, 悪性新生物や尿毒症による). =dropsy of pericardium.

pleural e. 胸水 (胸腔内に増加した液体. 肺の圧迫および(または)胸腔内圧の上昇により縦隔変位と呼吸運動量増加をきたして息苦しさを引き起こす. 漏出液は蛋白濃度が低く, 通常は心不全, 尿毒症, 低蛋白血症による. 滲出液は蛋白濃度が高く, 細胞数が多く, 最も多いのは炎症, 悪性腫瘍, 感染による. 感染性胸水は膿胸である. 肺炎に合併する胸水は肺炎合併胸水である. 実際の感染はないが, 高度な炎症の症候(低 pH, 低グルコース, LDH 高値, 白血球多数)の胸水は複雑性胸水でしばしば肺炎に合併する. 多室性胸水は胸膜腔内での流動性がなく, 1 つまたはそれ以上の固定されたポケットに固定される). =hydrothorax.

subpulmonic e. 肺下胸水 (横隔膜と肺の尾側面の間に原則としてかくれている胸膜腔内の蓄水).

sympathetic e. 誘因性胸水 (隣接する組織の病態(例えば, 横隔膜下膿瘍, 心外膜炎, 肺炎, 膵臓炎など)で誘発される滲出性胸水).

EGD esophagogastroduodenoscopy の略.

e·ges·ta (ē-jes′tă) [L. *e-gero*, pp. *-gestus*, to carry out, discharge]. 排出物 (消化管から排出される未吸収の食物残渣).

EGF epidermal growth *factor* の略.

EGFR epidermal growth factor *receptor* の略.

egg (eg) [A.S. *aeg*]. 卵, 卵子 (雌性生殖細胞. 受精後および前核融合後は, 接合子であって, もはや卵ではなく, ヒトでは卵子という語は用いられない. は虫類および鳥類において, 卵は, 保護卵殻, 卵膜, 卵白, 胚栄養のための卵黄を有する. →oocyte; ovum).

centrolecithal e. 心[卵]黄卵 (多くの昆虫の例にみられるように, 卵細胞中心付近に卵黄が集中している卵).

homolecithal e. 等黄卵 (総卵黄量が少なく, かつ細胞質中にかなり均等に分布する卵).

microlecithal e. 僅黄卵, 少黄卵 (卵黄量の少ない卵).

telolecithal e. 端[卵]黄卵, 偏黄卵 (比較的多量の卵黄質を反頂極側に高濃度に含む卵, 例えば, は虫類や鳥類の卵).

egg clus·ter (eg klŭs′tĕr). エッグクラスター (卵巣皮質内で生殖索が解体して生じる細胞塊の一部. この細胞塊は後に一次卵胞に発育する).

Eg·ger (eg′ĕr), Fritz. スイス人内科医, 1863－1938. ⇀E. *line*.

Eg·gle·ston (eg′gĕl-stŏn), Cary. 米国人医師, 1884―1966. ⇀E. *method*; Bradbury-E. *syndrome*.

egg·shell (eg′shel). 卵殻 (鳥類の卵の石灰質外被).

e·glan·du·lous (ē-glan′dyū-lŭs) [L. *e*, without + gland or glandula]. 無腺性の.

Eg·lis glands (eg′lis). ⇒gland.

e·go (ē′gō) [L. I]. 自我 (フロイト派精神分析において, イドや超自我とともに自我は心的装置の 3 要素の 1 つである. 自我は意識, 前意識, 無意識に及ぶ. すなわち, イドと外界の摩擦を介在するための管理能力における人格機能内の構造であり, 快感原則の支配から現実原則の支配への前進の一環として, その後にイドと超自我と自我自身の摩擦を介在している. 刻一刻と外的現実を理解し, 自己(精神的にも心理学的にも)を必要とし, 知覚を統合し, 論理的に, 抽象的に, 二次的な過程の思考や反応を明確に説明するために有効な防衛機制を利用している).

e·go-al·ien (ē′gō-ā′lē-en). 自我異質的. =ego-dystonic.

e·go·bron·choph·o·ny (ē′gō-brong-kof′ŏ-nē) [G. *aix* (*aig-*), goat + *bronchos*, bronchus + *phōnē*, voice]. ヤギ気管支声 (気管支声を伴うヤギ声).

e·go·cen·tric (ē′gō-sen′trik) [ego + G. *kentron*, center]. 自己中心[性]の (自分自身に極端に関心が集中することについていう. *cf.* allocentric). =egotropic.

e·go·cen·tric·i·ty (ē′gō-sen-tris′i-tē). 自我中心, 自己中心性.

e·go-dys·ton·ic (ē′gō-dis-ton′ik) [ego + G. *dys*, bad + *tonos*, tension]. 自我異和的な (自我の目的や, それに関連した個人の心理的要求と一致しない, あるいは矛盾した(例えば強迫思考あるいは強迫行為). ego-syntonic の対語). =ego-alien.

e·go-i·deal (ē′gō-ī-dēl′). 自我理想 (精神分析において, 人はどうあるべきかの内部表現の超自我における融合であり, 立派だと思われている親や英雄といった側面から生じている. これは貴重な権威者からの最大限の承認を得る自己の概念であり, 重要な他者との貴重な関係を実現するために必要なこれらの作用の概念である).

e·go·ma·ni·a (ē′gō-mā′nē-ă) [ego + G. *mania*, frenzy]. 独善性, 自己優越性 (極端な自己本位, 自己賞賛あるいは自己満足).

e·go·phon·ic (ē′gō-fon′ik). ヤギ声[性]の.

e·goph·o·ny (ē-gof′ŏ-nē) [G. *aix*(*aig-*), goat + *phōnē*, voice]. ヤギ声 (滲出液を伴う胸膜炎の症例の液体の高部位で聞かれる, ヤギの鳴き声のような音声の特異変則質音響). =capriloquism; tragophonia; tragophony.

e·go-syn·ton·ic (ē′gō-sin-ton′ik) [ego + G. *syn*, together + *tonos*, tension]. 自我親和的な (自我の目的や, それに関連した個人の心理的欲求に合致した(例えば妄想). ego-dystonic の対語).

e·go·trop·ic (ē-gō-trop′ik) [ego + G. *tropē*, a turning]. 自己向性の. =egocentric.

EGTA ethyleneglycotetraacetic acid(エチレングリコ四酢酸)の略.

EHEC enterohemorrhagic *Escherichia coli* の略.

Ehl·ers (ā′lĕrz), Edward L. デンマーク人皮膚科医, 1863―1937. ⇀E.-Danlos *syndrome*.

Eh·ren·rit·ter (ār′ĕn-rit′ĕr), Johann. 18 世紀のハプスブルク帝国の解剖学者. ⇀E. *ganglion*.

Eh·ret (e-rā), Heinrich. 20 世紀初頭のドイツ人医師. ⇀E. *phenomenon*.

Ehr·lich (ār′lik), Paul. ドイツ人細菌・免疫学者・ノーベル賞受賞者, 1854―1915. ⇀*Ehrlichia*; E. *anemia*, inner *body*, *phenomenon*, *postulate*, diazo *reagent*, *theory*; E.-Türk *line*. stain; reaction の項を参照.

Ehr·lich·i·a (er-lik′ē-ă) [P. *Ehrlich*]. エールリヒア属,

エルキア属（小さな，しばしば多形性の球状から楕円状の非運動性，グラム陰性細菌の一属(リケッチア目)で，哺乳類の循環白血球中に単在または密な封入体として認められる．エールリヒア症の原因となる細菌種であり，ダニによって媒介される．標準種は*E. canis*).

E. canis イヌにみられるマダニ媒介疾病であるイヌエールリヒア症の原因となる菌種（クリイロコイタマダニ *Rhipicephalus sanguineus* によって媒介される). *Ehrlichia*属の標準種．ときにヒトにマダニ媒介性感染症を引き起こす．

E. chaffeensis ヒトエールリヒア症関連の細菌種で，キララマダニの一種アメリカキララマダニ *Amblyomma americanum* によって媒介され，ヒトの単球に寄生する．

E. equi ヒトの顆粒球性エールリヒア症の病原菌．大西洋岸地域，ニューイングランド南部，中西部地域の南部などにみられ，*Ixodes*属のダニによって広まる．

E. phagocytophila ヒトの顆粒球性エールリヒア症の原因菌であり，ウシのダニ媒介熱の原因にもなる．大西洋岸，ニューイングランド南部，中西部地域の南部などにみられ，*Ixodes*属のダニによって広まる．

E. risticii ウマの単球性エールリヒア症の原因となる細菌種．

E. sennetsu 腺熱エールリヒア（ヒトの腺熱の原因となる細菌種). ＝*Rickettsia sennetsu*.

Ehr·lic·hi·eae (er-lik′ē-ē). エールリヒア族（リケッチア科に属する一群．末梢血白血球の偏性細胞内寄生体である).

ehr·lich·i·o·sis (er-lik′ē-ō′sis). エールリヒア症（白血球寄生性リケッチアである*Ehrlichia*属による感染症．ヒトでは特に*E. sennetsu* による感染で，ロッキー山斑点熱に似た症状を呈する).

human e. ヒトエールリヒア症（臨床的に急性未分化型の熱性疾患としてみられるエールリヒア症の１型．発熱，悪寒，下痢，頭痛が特徴で，恐らくアメリカキララマダニ *Amblyomma americanum* 咬傷後に起こる．通常，原因は *Ehrlichia chaffeensis*. 1987年に第１例が記載された(主にエールリヒア症の単球型と考えられる).→human granulocytotropic e.; human monocytotropic e.).

human granulocytotropic e. (HGE) ヒト顆粒球性エールリヒア症（発熱，悪寒，頭痛，関節・筋痛を特徴とする急性感染症で，ときに呼吸器，消化器，肝臓，または全身症状を起こす．1994年に米国の北東部，中西部，カリフォルニアで初めて報告された．病原体である *Anaplasma phagocytophilum* はグラム陰性の偏性細胞内寄生リケッチアである．シカに寄生するダニの *Ixodes scapularis* が媒介者で７月が発生のピークとなる．血液学的検査では赤血球，白血球，血小板の減少がみられる．桑実様体(morulae)と称する増殖状態にある病原体の集塊が血液塗抹標本の好中球中にみられることがあるが，血清学的検査の感受性がより高い．→human e.; human monocytotropic e.).

human monocytotropic e. (HME) ヒト単球性エールリヒア症（発熱，悪寒，頭痛，筋肉・関節痛，呼吸器・消化器または全身症状等を示す急性感染症で，血液学的には赤血球，白血球，および血小板の減少が起こる．末梢血の塗抹標本で単球の細胞質内に桑実様体 morulae とよばれる増殖状態にある病原体の集塊を観察して診断が確定するが，その検出は通常は困難である．血清学的検査では *Ehrlichia chaffeensis* に対する抗体が検出されるが，それはイヌのエールリッヒ症の病原体である *E.canis* とよく似ている．この病気は米国東南部から中南部に多くみられ，アメリカキララマダニ *Amblyomma americanum* とイヌカクマダニ *Dermacentor variabilis* が主要な媒介動物である．発生はダニの活動が最も活発な４月から９月にかけて最も多い).

EIA exercise-induced *asthma* の略．

EIB exercise-induced *bronchospasm* の略．

Eich·horst (īk′hōrts), Hermann L. スイス人医師，1849—1921. →E. *corpuscles*, *neuritis*.

Eick·en (ī′kĕn), Karl von. ドイツ人喉頭科医，1873—1960. →E. *method*.

***N*-ei·co·sa·no·ic ac·id** (ī′kō-să-nō′ik as′id). *N*–エイコサン酸．＝arachidic acid.

ei·co·sa·noids (ī′kō-să-noydz) [G. *eicosa-*, twenty + *eidos*, form]. エイコサノイド（アラキドン酸由来の生理活性物質，すなわちプロスタグランジン類，ロイコトリエン類とトロンボキサン類をいう．カスケード経路により合成される).

9-ei·co·se·no·ic ac·id (ī′kō-sĕ-nō′ik as′id). 9–エイコセン酸．＝gadoleic acid.

ei·det·ic (ī-det′ik) [G. *eidon*, saw(動詞の不定過去形)]. ***1*** 〖adj.〗直観像の，視活性の（以前見たものを視覚化する能力や記憶している能力についていう．8—10歳に頂点に達する). ***2*** 〖n.〗直観像者（***1***の能力を高度にもつ人).

EIEC enteroinvasive *Escherichia coli* の略．

ei·gen·func·tion (ī′gĕn-fŭngk-chŏn) [Ger. *eigen*, particular, peculiar to]. 固有関数（ある変数の特定値に対してだけ解をもつ微分方程式の解(例えば固有値). *cf.* eigenvalue).

ei·gen·val·ue (ī′gĕn-val-yū) [Ger. *eigen*, particular, peculiar to]. 固有値（その解が境界条件を満足する方程式の変数に対して与えられるすべての可能な値．*cf.* eigenfunction).

Ei·ken·el·la cor·ro·dens (ī′kĕ-nel′ă kōr-rō′denz) [M. *Eiken*, 1958]. 非運動性，杆状，グラム陰性，通性嫌気性細菌の一種で，コロニーの下の寒天にくぼみをつくることが特徴である．成人の口腔の正常菌叢の１つであるが，純培養的あるいは混合培養的な日和見病原体となることがあり，特に免疫不全の宿主において感染がある．

ei·ko·nom·e·ter (ī′kō-nom′ĕ-tĕr) [G. *eikon*, image + *metron*, measure]. エイコノメータ，不等像計（①顕微鏡の拡大率，あるいはその像の大きさを測定する器具．②不等像視の程度を測定する器具).

ei·loid (ī′loyd) [G. *eilō*, to roll up + *eidos*, appearance]. コイル様の．

Ei·mer (ī′mĕr), Gustav Heinrich Theodor. ドイツ人動物学者，1843—1898.

Ei·me·ri·a (ī-mēr′ē-ă) [Gustave H.T. Eimer. ドイツ人，1843—1898]. アイメリア属（哺乳類，魚類，鳥類に寄生するコクシジム類の寄生虫で，分類学的には真核生物界，アルベオラータ亜界，アピコンプレックス門，コクシジウム綱，アイメリア目，アイメリア科に位置する．スポロゾイトが腸管粘膜に侵入することにより，下痢，出血，テネスムス，脱水，体重減少を引き起こし，症状が進むと，るいそうがみられる．ヒツジ，ヤギ，ニワトリ，ウシ，ウサギが臨床的に最も影響を受ける．成熟オーシスト内には４個のスポロシストが，各スポロシストには２個のスポロゾイトが存在する．病原性の高い種類には，ウシの *E. bovis*, *E. zuernii*, ヒツジの *E. ovina*, ニワトリの *E. tenella*, *E. necatrix*, *E. acervulina*, *E. brunetti* がある．本属の種はイヌやネコには寄生しない．ニシンやマグロの *E. sardinae* は以前はヒトの寄生虫と考えられていたが，感染魚を食べたことにより，ヒトの糞便中に見出されたものにすぎない．本属のすべての種が病原性をもっているわけではない．病原性をもつ株の病原性の程度は様々である).

E. sardinae イワシやニシンに認められる種でこれらの魚を食べたヒトの便で見出された．ヒトのコクシジウムの一種であるとかつて誤っていたことがある．

Ei·me·ri·i·dae (ī-mēr-ī′i-dē). アイメリア科（胞子虫類の科．重要な属は*Eimeria*属および*Isospora*属である．*Eimeria*属による感染は，家畜において最も一般的かつ重篤である).

EIN endometrial intraepithelial *neoplasia* の略．

Einstein (īn′stīn), Albert. ドイツ生まれの米国人理論物理学者・ノーベル賞受賞者，1879—1955. →einstein, einsteinium.

ein·stein (īn′stīn) [Albert *Einstein*]. アインシュタイン（1モル量子に等しいエネルギー単位．6.0221367×10^{23} 量子．アインシュタイン値(単位 kJ)は波長に従属した値である).

ein·stein·i·um (Es) (īn-stīn′ē-ŭm) [Albert *Einstein*]. アインスタイニウム（人工の超ウラン元素．原子番号 99，原子量 252.0. 多くの同位体があり，そのすべてが放射性である．^{252}Es はその中で最長の半減期，1.29年をもつことが知られている).

Ein·tho·ven (īn′tō-vĕn), Willem. オランダ人生理学者・ノーベル賞受賞者，1860—1927. →E. *equation*, *law*, string *galvanometer*, *triangle*.

Ei·sen·men·ger (ī′zĕn-men′gĕr), Victor. ドイツ人医師，1864—1932. →E. *complex*, *defect*, *disease*, *syndrome*, *tetralogy*.

ei·sod·ic (ī-sod′ik) [G. *eis*, into + *hodos*, a way]. 求心〔性〕

の，輸入の，を表す，まれに用いる語．

e·jac·u·late (ē-jak′yū-lāt). *1*〘v.〙射精する（精液を射出すること）．*2*〘n.〙射精によって排出された精液．→ejaculation.

e·jac·u·la·tion (ē-jak′yū-lā′shŭn) [L. *e-jaculo*, pp. *-atus*, to shoot out]．射精（性路と尿道の外部に向けて精液が噴出する過程で，内性器と坐骨海綿体と球部海綿体筋肉のリズミカルな収縮による．結果として性路内と尿道内の精液の圧力が上昇してなる．*cf.* emission).

premature e.〔精液〕早漏，早発射精（性交中に男子が自ら，あるいは相手の欲求を満たさないうちに絶頂感に達し射精すること）．

retrograde e. 逆行性射精（射精された精液が膀胱内に達してしまう現象．神経疾患，糖尿病でみられ，ときには前立腺の手術後に認められる）．

e·jac·u·la·tor·y (ē-jak′yū-lă-tōr-ē). 射精の．

e·jec·ta (ē-jek′tă) [L. *ejicio*(to throw out) の完了分詞 *ejectus* の中性・複数形]．＝ejection (2).

e·jec·tion (ē-jek′shŭn) [L. *ejectio* < *ejicio*, to cast out]．*1* 駆出，拍出（内部から物理的に排出または放出する作用）．*2* 駆出物，放出物．＝ejecta.

e·jec·tor (ē-jek′tŏr, -tōr). 排出器（物質を強制的に射出するために用いる装置）．

saliva e. 唾液排出器（口腔からの唾液あるいは液体老廃物のしゃ出に用いる中空多孔の吸引管）．＝dental pump; saliva pump.

EJP excitatory junction *potential* の略．

Ej·rup (ej′rŭp), Erick. 20 世紀のスウェーデン人内科医．→E. *maneuver*.

eka- (ek′ă) [Sanskrit *eka*, one]．エカ（適当な公式名称が専門家によって与えられる以前，周期表の中の未発見または発見されたばかりの元素に付けられる接頭語．例えば，エカオスミウム(現在のプルトニウム))．

Ek·bom (ek′bŏm), Karl A. 20 世紀のスウェーデン人神経科医．→E. *syndrome*.

EKG electrocardiogram の略．

e·ki·ri (ē-kī′rī) [Jap.]．疫痢（日本でみられる，ソネ赤痢菌 *Shigella sonnei* による乳児赤痢の急性症状）．

EKY electrokymogram の略．

e·lab·o·ra·tion (ē-lab′ōr-ā′shŭn) [L. *e-laborō*, pp. *-atus*, to labor, endeavor < *labor*, toil, to work out]．綿密な仕上げ，加工（労働や研究によって念入りに仕上げること）．

secondary e. 二次〔的〕加工（夢をみているうちに，またその夢を思い出したり内容を語っているうちに，夢の中に潜むもの(比較的無秩序で，心理的に苦痛を伴う)が次第に理路整然と論理的に秩序立てられてきて，その夢が明示する内容がはっきりしてくる心的過程．夢の作業の一面）．

E·lae·oph·o·ra schnei·der·i (ē′lē-of′ō-ră schnī′dĕr-ī) [Mod. L. *elaea* < G. *elaia*, olive + *agnos*, sheep + *phoros*, to bear]．ヒツジの住血性糸状虫の一種．フィラリア性皮膚病を引き起こす線虫類．

el·a·id·ic ac·id (el′ā-id′ik as′id). エライジン酸（オレイン酸の不飽和一塩基性トランス異性体．反すう動物脂肪中に存在する．*cf.* oleic acid).

e·lai·o·path·i·a (el′ā-ō-path′ē-ă) [G. *elaion*, oil + *pathos*, suffering]．脂肪浮腫．＝eleopathy.

E-LAM endothelial-leukocyte adhesion *molecule* の略．

el·a·pid (el′ă-pid). コブラ（コブラ科のヘビの総称）．

E·lap·i·dae (ē-lap′i-dē) [G. *elops*, a serpent]．コブラ科（口の前部に深く陥凹した，いつも隆起している，比較的短い 1 対の牙をもつのが特徴的な猛毒のヘビの一科．150 種以上あって，コブラ，クレイト，マンバ，ウミヘビなどを含む）．

e·las·tance (ē-las′tănts). エラスタンス（変形を起こす力を除いたとき，構造物が原形に戻ろうとする傾向の程度を示す指標．医学や生理学においては通常，膨張力または圧縮力を除いたとき，肺，膀胱，胆嚢などの空洞臓器が元に戻ろうとする傾向の程度を表す指標をいう．この復元力はこれら臓器の単位膨張力または単位圧縮力の結果で，コンプライアンスの逆数である．弾性 elasticity とエラスタンスとの関係は，絶縁体の比誘導容量とその絶縁体でつくったコンデンサのキャパシタンスとの関係と本質的に同じである）．

e·las·tase (ē-las′tās). エラスターゼ（エラスチンを加水分解するセリンプロテイナーゼ．他のエステラーゼ様酵素が同定されている．例えば，膵エラスターゼ(膵ペプチダーゼE)と白血球エラスターゼ(リソソーマルエラスターゼまたは好中球エラスターゼ)で，配列および反応速度論的パラメータが異なっている．すべての酵素はかなり広域の基質特異性をもつ）．

e·las·tic (ē-las′tik) [G. *elastreō*: *elaunō*(drive, push)の叙事詩体]．*1*〘adj.〙弾性の（圧縮，曲げ，あるいはねじれを与えたとき，初めの状態に戻ろうとする性質をいう）．*2*〘n.〙弾性材料（矯正治療で，歯を動かす主要なあるいは補助的な矯正力として用いられるゴムまたはプラスチックバンド．この語は，力の方向の記録あるいは終末連結点の位置により，通常，形容詞によって修飾される）．

intermaxillary e. 顎間弾性材料（上顎の歯と下顎の歯との間の弾性牽引を行うために用いる材料）．

vertical e. 垂直弾性材料（咬合平面に直角方向に用いる弾性材料で，1 つのアーチワイヤを他のアーチワイヤにつなぎ，通常，咬頭嵌合を改善するために用いる）．

e·las·ti·ca (ē-las′ti-kă). *1* 弾性線維（動脈壁の）．*2* 弾性組織．＝elastic *tissue*.

e·las·ti·cin (ē-las′ti-sin). エラスチシン，弾力素．＝elastin.

e·las·tic·i·ty (ē-las-tis′i-tē). 弾性．

physical e. of muscle 筋の物理的弾性（筋が受動的に物理的伸展を行うことができる性質）．

physiologic e. of muscle 筋の生理的弾性（神経支配下で大きさを変化させたり復元させたりできる，筋独特の生物学的性質）．

total e. of muscle 筋の全弾性（筋の物理的弾性と生理的弾性との総合作用）．

e·las·tin (ē-las′tin) [MIM*130160]．エラスチン，弾力素（黄色で，弾性のある，線維性のムコ蛋白．大血管や腱，靱帯などの弾性構造の主な結合組織蛋白．エラスチン前駆物質はプロエラスチンである）．＝elasticin.

e·las·to·fi·bro·ma (ē-las′tō-fi-brō′mă) [G. *elastos*, beaten + L. *fibra*, *-oma* tumor]．弾性線維腫（細胞数の少ない膠原性線維組織および弾性組織の成長の遅い非被包塊．通常，老年者の肩甲下脂肪組織に生じる）．

e·las·toi·din (ē-las′toy-din). エラストイジン（複合コラーゲンの一種）．

e·las·tol·y·sis (ē-las-tol′i-sis) [elasto- + G. *lysis*, loosening < *luō*, to loosen]．エラストリシス（弾性線維の溶解）．

generalized e. 全身性弾性線維症．＝dermatochalasis.

e·las·to·ma (ē-las-tō′mă). 弾力線維腫（弾力線維の腫瘍様の沈着）．

juvenile e. 若年性弾力線維腫（弾力線維の数と大きさの増加を特徴とする結合組織母斑．→osteodermatopoikilosis).

Miescher e. (mē′shĕr). ミーシャーの弾力線維腫（環状の角化性丘疹の消失後に弾力線維性仮性黄色腫に関連する小陥没が残存する）．

e·las·tom·e·ter (ē-las-tom′ĕ-tĕr). 弾性率計，弾力計（物体，動物性組織などの弾性を測定する器械）．

e·las·to·mu·cin (ē-las-tō-myū′kin). エラストムチン（結合組織のムコ蛋白，例えばエラスチン）．

e·las·tor·rhex·is (ē-las′tō-rek′sis) [G. *rhēxis*, rupture]．弾性線維破裂（正常の波状線維が無数に分断され群生しているようにみえる弾性組織の分裂）．

e·las·to·sis (ē′las-tō′sis). 弾力線維症（①弾性組織の変性．②膠原線維が変性して弾性線維に似た染色性を示すようになること）．＝elastoid degeneration (1); elastotic degeneration.

e. colloidalis conglomerata 集簇性膠様弾力線維症．＝colloid milium.

e. dystrophica 異栄養性弾力線維症．＝angioid *streaks*.

middermal e. 真皮中層弾力線維症（主に若い女性にみられる原因不明の後天性症状．体幹，特に腹部の皮膚において広範囲で萎縮性のしわを呈する．組織学的には弾性線維組織が真皮中層でのみ欠損している）．

e. perforans serpiginosa [MIM*130100]．蛇行状穿孔性弾力線維症（無症候性角化性丘疹の連圏状集合．表皮を押し上げている皮膚の弾性組織の角栓を中心としてその周囲の表皮が肥厚する）．

solar e. 日光弾力線維症（弾力線維症は，組織学的に老年

者の日光照射部の皮膚や慢性化学放射線障害を受けた皮膚でみられる).

e·las·tot·ic (ē′las-tot′ik). 弾力線維症の(弾力線維症についていう).

e·la·tion (ē-lā′shŭn) [L. *elatio* < *ef-fero*, pp. *e-latus*, to lift up]. 発揚状態,病的爽快(興奮あるいは陽気さの感情または表現.その状態が長引いたり度が過ぎていれば躁病の特徴とみられる).

e·laun·in (ē-law′nin) [G. *elaunō*, to drive]. エラウニン(オキシタラン線維間のエラスチン沈着物からできた弾性線維構成成分の1つ.歯周靱帯に,また真皮,特に汗腺付近の結合織にみられる).

E·laut (e-lōw′), Leon J.S. 20世紀のベルギー人病理学者.→E. *triangle*.

el·bow (el′bō) [A.S. *elnboga*][TA]. ***1*** 肘,ひじ(肘関節をつくる上腕と前腕との間の上肢の部分で,特に後方をさす). ***2*** 肘関節.=cubitus (1); ancon; elbow *joint*. ***3*** 屈曲位の肘関節に似ているL字形の物体.

little league e. 少年野球肘,リトルリーグ肘.=Little Leaguer's e.

Little Leaguer's e. 少年野球肘(骨格未成熟な投球動作をする学童(例えば少年野球の投手)にみられるパナー病や前腕屈筋起始部である内側上顆の炎症(内側上顆炎)などによる肘痛をいう).=little league e.

miner's e. 肘頭滑液嚢炎(肘頭粘膜嚢の滑液膨満を伴う炎症).

nursemaid's e. 子守女肘(輪状靱帯が橈骨頭近位に亜脱臼すること).=Malgaigne luxation.

tennis e. テニス肘(異常挫傷(必ずしもテニスとは限らない)による上腕骨の側方上顆から前腕の伸筋に起こる慢性の炎症).=epicondylalgia externa; lateral humeral epicondylitis.

el·bowed (el′bōd). 角をなす,肘状の.

el·der, el·der flow·ers (el′dĕr, flau′werz). ニワトコ.=sambucus.

electro- (ē-lek′trō) [G. *ēlektron*, amber(摩擦によってその表面に静電気が起こる)]. 電気の,電気を意味する接頭語.

e·lec·tro·an·al·ge·si·a (ē-lek′trō-an′ăl-jē′zē-ă). 電気無痛〔法〕(電流を通すことによって引き起こされる無痛. *cf.* transcutaneous electrical nerve *stimulation*).

e·lec·tro·a·nal·y·sis (ē-lek′trō-ă-nal′i-sis). 電気分析(電気分解による金属定量分析).

e·lec·tro·an·es·the·si·a (ē-lek′trō-an′es-thē′zē-ă). 電気麻酔〔法〕.

e·lec·tro·ax·on·og·ra·phy (ē-lek′trō-ak′son-og′ră-fē). =axonography.

e·lec·tro·bi·os·co·py (ē-lek′trō-bī-os′kŏ-pē) [electro- + G. *bios*, life + *skopeō*, to examine]. 電気生存探知法(生命の存在を電気的に測定する方法を表す,まれに用いる語).

e·lec·tro·car·di·o·gram (ECG, EKG) (ē-lek′trō-kar′dē-ō-gram) [electro- + G. *kardia*, heart + *gramma*, a drawing]. 心電図([electrocardiograph と混同しないこと].心電計によって得られる心臓全体を総合した活動電流の図形記録で,電位差の時間経過で示される).

concordant changes e. 心電図上の協調変化(同方向(極性)の1つ以上の波形が存在すること).

discordant changes e. 心電図上の非協調性変化(反対方向(極性)の1つ以上の波形が共存すること).

scalar e. スカラー心電図(心臓の1つの軸に投影する心電図記録で,2つ以上の平面に投影するベクトル心電図と対比される).

unipolar e. 単極心電図(基準電極を心臓の起電力の影響の少ない点(これを0電位とする)に置き,探査電極を心臓に近い胸壁上または1肢上に置いてとる心電図).

e·lec·tro·car·di·o·graph (ē-lek′trō-kar′dē-ō-graf). 心電計([electrocardiogram と混同しないこと].心臓を通過する電流の電位を記録する器械).

e·lec·tro·car·di·og·ra·phy (ē-lek′trō-kar′dē-og′ră-fē). ***1*** 心電図記録〔法〕(心臓の拍動直前に心筋を通る電流を記録する方法). ***2*** 心電図検査〔法〕(心電図を研究,解読すること.次頁の写真と図参照).

fetal e. 胎児心電図検査〔法〕(子宮内での胎児の心電図を記録すること).

precordial e. 前胸部心電図(左前胸壁からの心電図信号の記録.通常V1からV6までの6か所から記録するが,それ以上記録することもある).

e·lec·tro·car·di·o·pho·no·gram (ē-lek′trō-kar′dē-ō-fōn′ō-gram). 電気心音図(電気心音図検査によって得た記録).

e·lec·tro·car·di·o·pho·nog·ra·phy (ē-lek′trō-kar′dē-ō-fō-nog′ră-fē) [electro- + G. *kardia*, heart + *phōnē*, sound + *graphō*, to write]. 電気心音図検査〔法〕(心音を電気的に記録する方法).

e·lec·tro·cau·ter·i·za·tion (ē-lek′trō-kaw′tĕr-i-zā′shŭn). 電気焼灼(高周波電流による組織焼灼または電気的に加熱された金属による焼灼).

e·lec·tro·cau·ter·y (ē-lek′trō-kaw′tĕr-ē). =electric cautery. ***1*** 電気メス(組織の局所領域に高周波電流を伝える器械). ***2*** 電気焼灼器(電流で加熱する金属製の焼灼器械).

e·lec·tro·ce·re·bral in·ac·tiv·i·ty (ē-lek′trō-sĕ-rē′brăl in′ak-tiv′i-tē). 電気大脳不活性.=electrocerebral silence.

e·lec·tro·ce·re·bral si·lence (ECS) (ē-lek′trō-sĕ-rē′brăl sī′lens). 電気脳沈黙(10 cm以上離して対称的に置かれ,電極間抵抗が100—10,000オームである電極対から,2 μV以上の脳活動がない脳波.そのような記録が臨床的に脳死である成人で30分以上とれ,薬物中毒,低体温,最近の低血圧が除外されれば,脳死の診断が支持される).=electrocerebral inactivity; flat electroencephalogram; isoelectric electroencephalogram.

E

e·lec·tro·chem·i·cal (ē-lek′trō-kem′i-kăl). 電気化学の(電気およびその作用が関与する化学的反応についていう).

e·lec·tro·co·ag·u·la·tion (ē-lek′trō-kō-ag-yū-lā′shŭn). 電気凝固〔法〕(電気焼灼による凝固).

e·lec·tro·co·chle·o·gram (ē-lek′trō-kok′lē-ō-gram). 蝸電図(蝸電図検査によって得られた反応記録).

e·lec·tro·co·chle·og·ra·phy (ē-lek′trō-kok′lē-og′ră-fē) [electro- + L. *cochlea*, snail shell + G. *graphō*, to write]. 蝸電図法(音刺激の結果として内耳および蝸牛神経に発生する電位の測定).

e·lec·tro·con·trac·til·i·ty (ē-lek′trō-kon′trak-til′i-tē). 電気収縮性(電気刺激に対して反応する筋組織の収縮力).

e·lec·tro·con·vul·sive (ē-lek′trō-kon-vŭl′siv). 電気痙攣の(電気刺激に対する痙攣反応についていう.→electroshock *therapy*).

e·lec·tro·cor·ti·co·gram (ē-lek′trō-kōr′ti-kō-gram). 皮質脳波,皮質電図(大脳皮質から直接誘導された電気活動の記録).

e·lec·tro·cor·ti·cog·ra·phy (ECoG) (ē-lek′trō-kōr′ti-kog′ră-fē). 皮質脳波記録〔法〕,皮質脳波検査〔法〕(大脳皮質の上に直接置かれた電極により,大脳皮質の電気活動を記録する方法).

e·lec·tro·cute (ē-lek′trō-kyūt) [electro- + execute]. 感電死させる,電気死刑にする(体内に電気を通じ死に至らしめる).

e·lec·tro·cu·tion (ē-lek′trō-kyū′shŭn). 感電死,電気死刑(→electrocute).=electrothanasia.

e·lec·tro·cys·tog·ra·phy (ē-lek′trō-sis-tog′ră-fē). 膀胱から電流または電位の変化を記録すること.

e·lec·trode (ē-lek′trōd) [electro- + G. *hodos*, way]. 電極,〔電〕導子(①電気回路の2つの末端を表示する装置.電池の2つの極,あるいはそこへ連結された導体の末端.②特別の電気化学反応のために案出された電気の端子).

active e. 活性電極(小型の電極で,その電気的働きは局所の電位を模擬したり,記録するのに用いる).=exciting e.; localizing e.; therapeutic e.

calomel e. 甘汞電極(電極の一種.導線が水銀のたまりを通して,塩化カリ溶液中ののり状塩化第一水銀(Hg_2Cl_2,甘汞)と接続し,さらに全体が塩化カリ溶液に浸っているもの.通常,基準電極として用いる).

carbon dioxide e. 二酸化炭素電極(水および電解質不透過性で,二酸化炭素透過性の薄いプラスチックの膜で被覆された,重炭酸塩溶液の薄層内のガラス電極.ガスあるいは液体試料中の二酸化炭素分圧はその膜を通って速やかに均衡を保ち,ガラス電極によって感知され,重炭酸塩溶液のpHで

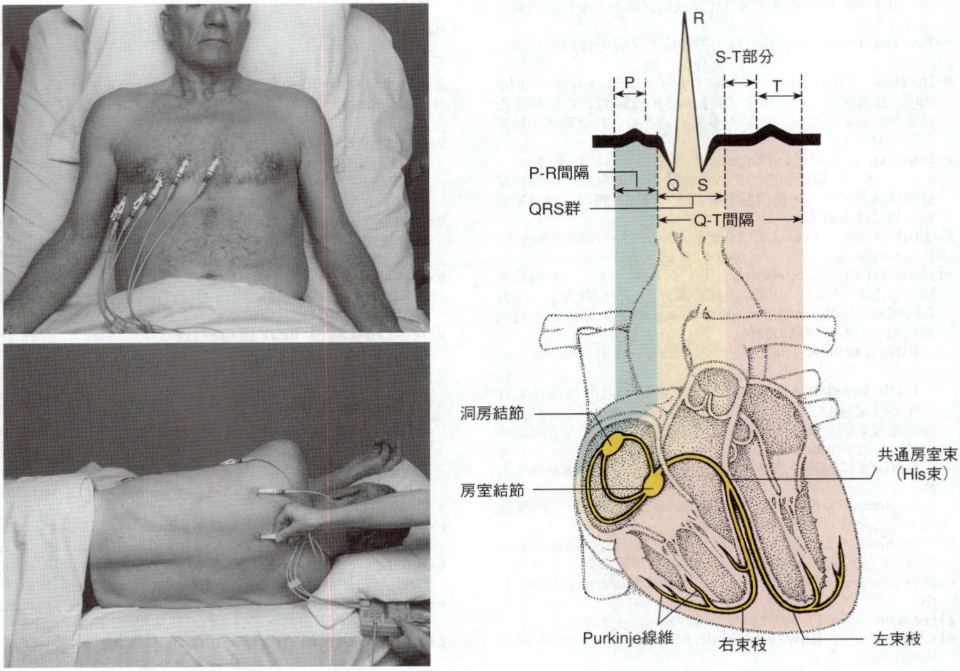

electrocardiography (ECG)

左：右胸部と後胸部の電極配置．右：心臓の電気図は，心周期の各時点に一致するP，Q，R，S，Tの文字で示したグラフ上の陽性と陰性の振れによって表示される．P波は心房の脱分極．QRS群は（主に左）心室の脱分極．T波は心室の再分極．

測定される．通常，動脈血試料の分析に用いる)．＝Severinghaus e.

central terminal e. 中心電極（心電図記録で，3本の体肢(右腕，左腕，左脚)からの結線を心電計に誘導し，理論的には，測定系の0電位となり，基準電極を形成する)．

Clark e. (klahrk)［Leland *Clark*, Jr.］．クラーク電極(水あるいは電解質ではなく酸素を透過するプラスチック膜で被覆された，電解質薄層に接した白金線の先端からなる酸素電極．電圧がかけられると酸素分子は白金表面で分解(電解還元)される．そのときの電流は膜外のガスや液体試料から白金表面への酸素拡散速度に比例するため，その試料における酸素分圧が測定できる．通常，動脈血試料における酸素分圧を測定するのに用いる)．

dispersing e. 散開電極．＝indifferent e.

exciting e. 刺激電極．＝active e.

exploring e. 探査電極（興奮性組織の上あるいは付近に置く電極．単極心電図記録法で，心臓部の胸の上に置かれ基準電極と組み合わされる)．

glass e. ガラス電極（標準緩衝液，キンヒドロン，白金線を含む薄いガラス球．未知の溶液中に浸すと，電位差はその溶液の pH に従って変化する．この差から pH がわかる．pH メータに用いられる)．

hydrogen e. 水素電極（全 pH 決定における最終基準であるが，限定されており技術的には使用がむずかしい．小さなガラス管の溶液に一部浸された海綿状白金黒の小片からなる．溶液から出ている管には水素ガスがあり，それが溶液を通る際に泡立ち，白金に吸収される．こうして電極は，H_2 と H^+ との間の電位を測定するが，1気圧1モルの〝標準〟電位は0となる．したがって水素電極電位は[H^+]あるいは pH を測定する)．

indifferent e. 基準電極（単極心電図記録法で，1体肢上に置かれるか，中心電極と連結し探査電極と組み合わせて置かれる遠隔電極．基準電極は記録にはあまり影響しないと考えられる)．＝dispersing e.; silent e.

ion-selective e.'s イオン選択性電極（ガラス，液体イオン交換体，または固体電極で，生体液中の電解質やカルシウムイオン活性を測定するのに用いる)．

localizing e. 限局電極．＝active e.

negative e. 陰極．＝cathode.

oxidation-reduction e. 酸化還元電極（酸化還元電位を測定できる電極．→quinhydrone e.)．＝redox e.

oxygen e. 酸素電極（通常，白金線あるいは滴下水銀でできている電極．溶液中の酸素濃度を測定するのに用いる)．

positive e. 陽極．＝anode.

quinhydrone e. キンヒドロン電極（いくつかの酸化還元電極の1つ．水素イオン濃度により決定されるキノンとキンヒドロンの割合が電位を示し，この測定値から pH がわかる（pH8 以上では適用不能))．

redox e. ＝oxidation-reduction e.

reference e. 基準電極（甘汞電極のように不変電位をもつと考えられ，溶液を介した電気回路を閉じるため，他の電極と併用される電極．例えば pH 測定のためガラス電極と併用すると，2極間の電圧変化はガラス電極の pH のみに現れる)．

resectoscope e. 子宮内切除鏡電極（組織の切除，上皮欠損部位の焼灼に用いられるループ状のワイヤ電極．子宮内膜除去に用いられる)．

rollerball e. 回転球状電極（塗装用の回転ローラーのような回転球状の電極．焼灼に用いられる．子宮内膜除去に用いられる)．

Severinghaus e. (se′vĕr-ing-hows)．セヴェリングハウス電極．＝carbon dioxide e.

silent e. 不用電極，無刺激電極．＝indifferent e.

therapeutic e. 治療電極．＝active e.

e·lec·tro·der·mal (ē-lek′trō-dĕr′măl) [electro- + G. *derma*, skin]. 皮膚の電気的性質についていう．通常，抵抗の変化をいう．

e·lec·tro·des·ic·ca·tion (ē-lek′trō-des′i-kā′shŭn) [electro- + L. *desicco*, to dry up]. 電気乾燥〔法〕，電気乾固〔法〕（単極性高周波電流によって病変を破壊したり，血管を閉鎖したりすること．通常，皮膚に用いるが，粘膜に対しても用いられる）．

e·lec·tro·di·ag·no·sis (ē-lek′trō-dī′ag-nō′sis). 電気診断〔法〕（①診断目的に電気装置を用いること．②協定では，筋電図検査室で行われる検査．すなわち神経伝導速度検査と針筋電図検査(EMG proper)）．=electroneurography.

e·lec·tro·di·al·y·sis (ē-lek′trō-dī-al′i-sis). 電気透析（電場でイオンが半透膜を通って高分子および粒子から離れること．*cf.* electroosmosis）．

e·lec·tro·en·ceph·a·lo·gram (EEG) (ē-lek′trō-en-sef′-ă-lō-gram). 脳波（脳波計による記録）．

flat e. 平坦脳波．=electrocerebral silence.

isoelectric e. 等電性脳波．=electrocerebral silence.

e·lec·tro·en·ceph·a·lo·graph (ē-lek′trō-en-sef′ă-lō-graf) [electro- + G. *encephalon*, brain + *graphō*, to write]. 脳波計（頭皮に付着した電極から導出した脳の電位に記録する記録器）．

e·lec·tro·en·ceph·a·log·ra·phy (EEG) (ē-lek′trō-en-sef′ă-log′ră-fē). 脳波記録〔法〕，脳波検査〔法〕（脳波計による脳電位の記録法．次頁の図参照）．

e·lec·tro·en·dos·mo·sis (ē-lek′trō-en′dos-mō′sis). 電気浸透の旧名．

e·lec·tro·focus·ing (ē-lek′trō-fo′kŭs-ing). 焦点電気泳動（pH 勾配電気泳動による高分子や低分子を分離する方法）．

e·lec·tro·gas·tro·gram (ē-lek′trō-gas′trō-gram). 胃筋電図（胃筋電計により記録されたもの）．

e·lec·tro·gas·tro·graph (ē-lek′trō-gas′trō-graf) [electro- + G. *gastēr*, stomach + *graphō*, to write]. 胃筋電計（胃筋電図記録に用いる器械）．

e·lec·tro·gas·trog·ra·phy (ē-lek′trō-gas-trog′ră-fē). 胃筋電図記録〔法〕，胃筋電図検査〔法〕（胃液分泌，胃の運動性に付随する電気現象を記録すること）．

e·lec·tro·gram (ē-lek′trō-gram). 電位図（①電気事象によってつくられた，紙あるいはフイルム上の記録．②電気生理学において，単極あるいは双極誘導により表面から直接にとられた記録）．

His bundle e. (HBE) (hiz). ヒス束心電図（電気生理学的心カテーテル法中に実験動物あるいはヒトの His 束から記録される電位図）．

e·lec·tro·he·mo·sta·sis (ē-lek′trō-hē-mos′tă-sis, -hē-mō-stā′sis) [electro- + G. *haima*, blood + *stasis*, halt]. 電気止血〔法〕（電気焼灼による止血）．

e·lec·tro·hys·ter·o·graph (ē-lek′trō-his′tĕr-ō-graf) [electro- + G. *hystera*, womb + *graphō*, to write]. 子宮筋電計，エレクトロヒステログラフ（子宮筋の電気活動を記録する器械）．

e·lec·tro·im·mu·no·dif·fu·sion (ē-lek′trō-im-yū′nō-di-fyū′zhŭn). 電気免疫拡散法，免疫電気泳動法（免疫化学的方法で，電気泳動的分離方法と支持体中への抗体分子拡散という免疫拡散法とを組み合わせたもの）．

e·lec·tro·ky·mo·gram (EKY) (ē-lek′trō-kī′mō-gram). 電気キモグラム（電気キモグラフにより描かれた心臓の運動の描画記録をとるための手段で，現在では用いられない）．

e·lec·tro·ky·mo·graph (ē-lek′trō-kī′mō-graf). 電気キモグラフ（X線像の変化から心臓と大脈管の運動を記録するための装置．心電計，蛍光鏡，X線管，光電子倍増管からなる．現在では用いられていない）．

e·lec·trol·y·sis (ē′lek-trol′i-sis) [electro- + G. *lysis*, dissolution]. 電〔気分〕解〔法〕（①電流を用いた塩，その他の化学成分の分解．② Galvani 電流によるある種の毛包の破壊．③直流によって起こる化学的変化）．

e·lec·tro·lyte (ē-lek′trō-līt) [electro- + G. *lytos*, soluble]. 電解質（①溶液や溶融状態で電導性を与え，それにより分解(電解)する化合物の総称．②溶液中でイオン化する物質）．

amphoteric e. 両性電解質（水素イオンを放棄する，あるいは帯びることができ，したがって酸，塩基のいずれとも反応できる電解質）．=ampholyte.

e·lec·tro·lyt·ic (ē-lek′trō-lit′ik). ***1*** 電〔気分〕解の，電解質の．***2*** 電解質に関する．

e·lec·tro·lyze (ē-lek′trō-līz). 電〔気分〕解する（電流を用いて化学的に分解する）．

e·lec·tro·lyz·er (ē-lek′trō-līz′ĕr). 電〔気分〕解装置（電気分解による狭窄，線維腫などの治療のための装置．現在は用いられていない）．

e·lec·tro·mag·net (ē-lek′trō-mag′net). 電磁石（周囲の電流により磁化された軟鉄棒）．

e·lec·tro·mas·sage (ē-lek′trō-mas-sazh′). 電気マッサージ．

e·lec·tro·mic·tu·ra·tion (ē-lek′trō-mik′tū-rā′shŭn) [electro- + L. *micturio*, to desire to make water]. 電気排尿（脊髄円錐を電気刺激し対麻痺患者の膀胱を空にすること）．

e·lec·tro·morph (ē-lek′trō-mōrf) [electro- + G. *morphē*, form, shape]. 泳動型（蛋白の電気泳動の移動度により表現型として区別された蛋白の突然変異体(対立遺伝子)）．

e·lec·tro·mo·til·ity (ē-lek′trō-mō-til′i-tē). 電気的運動性（電気刺激によって蝸牛の外有毛細胞が動くこと）．

e·lec·tro·my·o·gram (EMG) (ē-lek′trō-mī′ō-gram). 筋電図（筋作用に付随する体電流の描画図）．

e·lec·tro·my·o·graph (ē-lek′trō-mī′ō-graf). 筋電計（活動筋に発生した電流を記録する器械）．

e·lec·tro·my·og·ra·phy (ē-lek′trō-mī-og′ră-fē) [electro- + G. *mys*, muscle + *graphō*, to write]. 筋電図記録〔法〕，筋電図検査〔法〕（①診断を目的として筋から発生する電気的活動を記録すること．記録電極には表面電極と針電極とがある

脳波

波の型	波形	周波数(/秒)	振幅(μV)	電位の生理的変動		
				覚醒時脳波		睡眠時脳波
				成人	小児	全年齢
ベータ		14—30	5—50	前頭部と中心前部に優位，一団になる	優位なことはほとんどない	ベータ活動（紡錘波），軽睡眠の徴候
アルファ	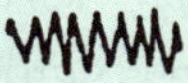	8—13	20—120	優位な活動	5歳以上では優位な活動	睡眠の徴候ではない
シータ	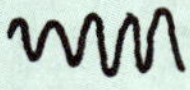	4—7	20—100	常にあるが，優位ではない	18か月から5歳では優位な活動	睡眠の正常な徴候
デルタ	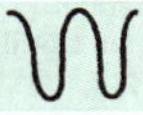	0.5—3	5—250	優位ではない	18か月までは優位な活動	深睡眠の付随徴候
ガンマ	——	31—60	—10	優位や局在を決める法則はよくわかっていない		

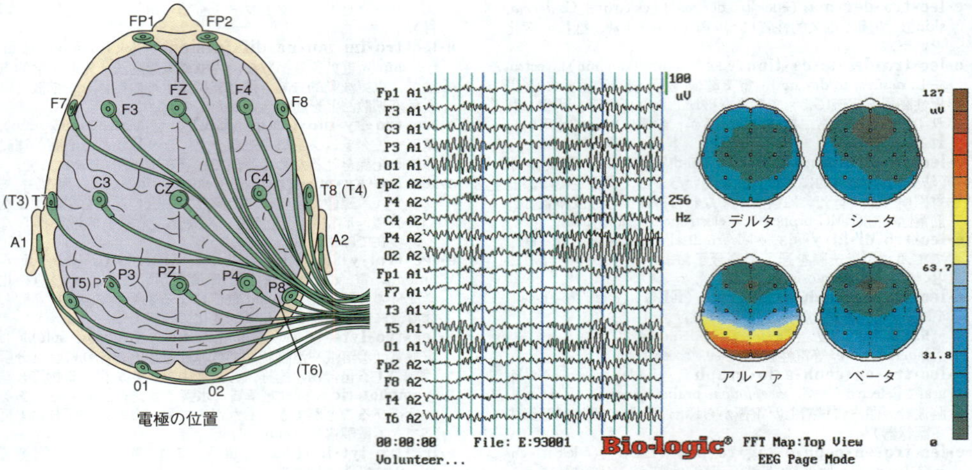

正常のEEG波形は左に，周波数帯のコンピュータ編集（デルタ，シータ，アルファ，ベータ）は右に示す.

electroencephalography

が，通常は後者が用いられ，そのため針筋電図検査ともよばれる．②筋電図検査室で行われる全電気診断法の総括的用語で，針筋電図検査のみでなく神経伝導速度検査も含む).

e·lec·tron (β^-) (ē-lek′tron) [electro- + -on]. 電子，β^-線（負の電荷をもつ原子を構成する粒子で，正の電荷をもつ核の周りの殻とよばれるいくつかのエネルギーレベルの軌道上の1つを旋回する．質量は，陽子の 1/1836.15 と推定される．放射線物質の原子核内から放出される電子は，β粒子とよばれる．核と電子で原子を構成する．→shell).

Auger e. (awg′ĕr) [Pierre-Victor *Auger*]. オージェ電子（より高いエネルギーレベルの軌道にある電子が，高いエネルギーレベルから低い方へ移動するときに放射された光子との光電子相互作用により，ある軌道から放出される電子．そのAuger電子は殻結合エネルギー的同等の特性放射線に匹敵するエネルギー反跳する．→photoelectric *effect*; transition e.).

conversion e. 転換電子（内部転換電子).

emission e. 放出電子（放射性崩壊から生じたベータ粒子).

internal conversion e. 内部転換電子（Auger電子とほぼ同じ．γ線により活性化され，軌道より放出される原子核の軌道電子．電子の運動エネルギーは崩壊による遷移の正味のエネルギー変化に等しい).

positive e. ＝positron.

transition e. 遷移電子（殻内の空孔を埋めるためにあるエネルギー準位から他のエネルギー準位に移動する電子．特性X線の放出を伴う).

valence e. 原子価電子（原子の化学反応に関与する電子の1つ).

e·lec·tro·nar·co·sis (ē-lek′trō-nar-kō-sis). 電気麻酔〔法〕（電流の使用によって痛覚を消失させること).

e·lec·tro·neg·a·tive (ē-lek′trō-neg′ă-tiv). 電気陰性〔の〕（①陰電気に関する，あるいは陰電気を帯びた．②非荷電原子が電子付加により陰イオン化する傾向をもつ元素，例えば，酸素，フッ素，塩素などについていう).

e·lec·tro·neu·rog·ra·phy (ē-lek′trō-nū-rog′ră-fē). 神経電気記録〔法〕，神経電気検査〔法〕．＝electrodiagnosis (2).

e·lec·tro·neu·rol·y·sis (ē-lek′trō-nū-rol′i-sis). 電気神経破壊.

e·lec·tro·neu·ro·my·og·ra·phy (ē-lek′trō-nūr′ō-mī-og′ră-fē). 神経筋電図記録〔法〕，神経筋電図検査〔法〕（→electrodiagnosis (2)).

electroneuronography (**ENoG**) 神経電図検査(記録)〔法〕（顔面神経の伝導および機能の検査で，茎乳突孔付近で顔面神経を経皮的に超最大電気刺激し，口周囲の筋肉の上に置いた表面電極から複合筋活動電位を記録する).

e·lec·tron·ic (ē′lek-tron′ik). *1* 電子の．*2* 真空内，気体内または半導体内において，電子の流れを利用する装置あるいはシステムを意味する.

e·lec·tron-volt (**eV, ev**) (ē-lek′tron-vōlt). 電子ボルト，エレクトロンボルト（1Vの電位差によって1個の電子に加えられるエネルギー．CGS単位系では 1.60218×10^{-12} エルグ，国際単位系(SI)では 1.60218×10^{-19} ジュール).

e·lec·tro·nys·tag·mog·ra·phy (**ENG**) (ē-lek′trō-nis′-tag-mog′ră-fē) [electro- + nystagmus + G. *graphō*, to write]. 電気眼振記録〔法〕（電気眼球図記録に基づく眼振記録法．皮膚電極は水平位眼振を記録する際は外眼角に，垂直眼振の際は眼の上下に置かれる).

e·lec·tro·oc·u·lo·gram (ē-lek′trō-ok′yū-lō-gram). 電気眼球図，眼電図，眼球電位図（電気眼球図記録における電流の記録).

e·lec·tro·oc·u·log·ra·phy (**EOG**) (ē-lek′trō-ok′ū-log′ră-fē). 電気眼球図記録〔法〕，眼電図記録〔法〕（眼の動きに伴う眼球前後の起立電位の変化を測定するために，眼に隣接した皮膚に置かれた電極を用いる眼球図記録．網膜色素上皮機能不全検出のための感性電気テスト).

e·lec·tro·ol·fac·to·gram (**EOG**) (ē-lek′trō-ol-fak′tō-gram). 嗅電図（嗅上皮で記録される匂刺激により発生する陰性電位変動)．＝osmogram; Ottoson potential.

e·lec·tro·os·mo·sis (ē-lek′trō-oz-mō′sis). 電気浸透（電場における膜を通しての物質の拡散．以前は electroendosmosis とよばれた．*cf.* electrodialysis).

e·lec·tro·para·cen·te·sis (ē-lek′tro-par′ă-sen-tē′sis). 電気穿刺器（電気的に作動する，眼内から液体を排液する器具).

e·lec·tro·pher·o·gram (ē-lek′trō-fer′ō-gram). 電気泳動図，エレクトロフェログラム（電気泳動によって分離された物質を沪紙または類似の多孔性の紙によって得られた濃度または比色の図．その紙自体についていうこともある)．＝electrophoretogram; ionogram; ionopherogram.

e·lec·tro·phil, elec·tro·phile (ē-lek′trō-fil, -fīl) [electro- + G. *philos*, fond]. *1*〖n.〗求電子〔体〕，親電子〔体〕（有機反応における電子誘導原子あるいは作用因子．*cf.* nucleophil). *2*〖adj.〗求電子〔性〕の，親電子〔性〕の．＝electrophil-

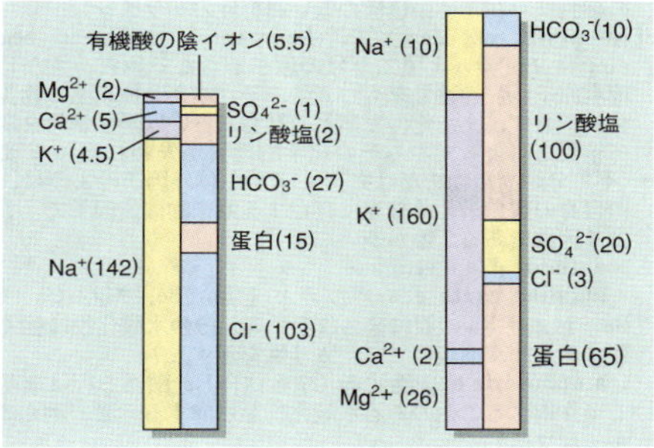

electropherogram

血漿について(左)および細胞内液について(右)．イオン濃度は，mmol/Lの単位でカッコ内に示されている．

ic.

e·lec·tro·phil·ic (ē-lek′trō-fil′ik). ＝electrophil (2).

e·lec·tro·pho·bi·a (ē-lek′trō-fō′bē-ă) [electro- ＋ G. *phobos*, fear]. 電気恐怖〔症〕(電気に対する病的な恐れ).

e·lec·tro·pho·re·sis (ē-lek′trō-fōr′ē-sis) [electro- ＋ G. *phorēsis*, a carrying]. 電気泳動 (電場で，陽極あるいは陰極へ向かう粒子の運動．生体成分の分離や精製に用いられる．→electropherogram). ＝dielectrolysis; ionophoresis; phoresis (1).

capillary zone e. (**CZE**) キャピラリーゾーン電気泳動 (電気泳動移動度に基づく高速度に分子を分離する方法).

carrier e. キャリア電気泳動 (キャリア(例えば，ペーパー(沪紙)，ポリアクリルアミドゲル)中で行われる電気泳動).

disc e. ディスク電気泳動 (ゲル電気泳動の一変法．分離しようとする物質のディスク円盤状の薄層をつくるために原点付近の性状を不均一(pH，ゲル孔の大きさ)にする．分離帯はゲルを通って移動するからそれぞれ円盤形を保っている).

free e. 自由電気泳動 (U型管中で溶液性配置させる物質の電気泳動).

gel e. ゲル電気泳動 (ゲルによる電気泳動．通常，単一組成のゲルを含む円柱管中やスラブ(平板)ゲル上で行う).

isoenzyme e. アイソ〔エン〕ザイム電気泳動，イソ酵素電気泳動 (血清酵素の電気泳動による分離．乳酸デヒドロゲナーゼ(LDH)やクレアチンホスホキナーゼ(CPK)の分離は，一般に急性心筋梗塞の診断に用いる).

lipoprotein e. リポ蛋白電気泳動 (血漿リポ蛋白の電気泳動分離).

polyacrylamide gel e. (**PAGE**) ポリアクリルアミドゲル電気泳動 (蛋白や核酸の分離に用いられたアクリルアミドの架橋によって生成されたゲル．これら蛋白や核酸などの物質はサイズと荷電の両方に基づいて分離される).

pulsed-field gel e. パルスフィールドゲル電気泳動．＝pulse-field gel e.

pulse-field gel e. パルスフィールドゲル電気泳動 (電気泳動の移動が始まった後，電流を短時間止め，異なった方向から再び流すようなゲル電気泳動．長いDNA分子の精製を可能とする). ＝pulsed-field gel e.

thin-layer e. (**TLE**) 薄層電気泳動 (ガラスまたはプラスチックの平板上につくられた，セルロースのような不活性物質の薄層を通る電気泳動遊走(または分離)).

two-dimensional e. 二次元電気泳動 (電気泳動法の１つで，一次元目のグラジエントは蛋白の電気化学的荷電で，二次元目の垂直方向のグラジエントは分子量である).

e·lec·tro·pho·ret·ic (ē-lek′trō-fōr-et′ik). 電気泳動の．＝ionophoretic.

e·lec·tro·pho·ret·o·gram (ē-lek′trō-fōr-et′ō-gram). ＝electropherogram.

リポ蛋白電気泳動

Sf	D	超遠心(Sf) 比重(D)	電気泳動
4×10⁴	0.94		
		① カイロミクロン	
400	0.98	VLDL (超低比重リポ蛋白)	② プレベータリポ蛋白
20	1.006	LDL (低比重リポ蛋白)	③ ベータリポ蛋白
0	1.063	HDL (高比重リポ蛋白)	④ アルファリポ蛋白
	1.210		

正常血液中のリポ蛋白群：電気泳動上，ベータとプレベータリポ蛋白の移動度は逆転している
Sf：Svedberg単位

e·lec·tro·phren·ic (ē-lek′trō-fren′ik). 横隔神経電気刺激の (通常，頸部の運動点の横隔神経電気刺激についていう．→electrophrenic *respiration*).

e·lec·tro·phys·i·ol·o·gy (ē-lek′trō-fiz′ē-ol′ŏ-jē). 電気生理学 (生理的変化に関連のある電気現象を取り扱う科学の一分野．電気現象は神経および効果器において顕著である).

e·lec·tro·por·a·tion (ē-lek′trō-pōr-ā′shŭn). 電気穿孔法，エレクトロポレーション (短時間電気ショックを細胞にかける手法で，瞬間的な穴が形質膜に開き，高分子がはいること(例えば新しいDNAを細胞に導入する手段として)を可能にする).

e·lec·tro·pos·i·tive (ē-lek′trō-pos′i-tiv). 電気陽性〔の〕，陽電性〔の〕，陽性〔の〕 (①陽電気に関する，陽電気を充電された．②電子を失いやすい原子をもつ元素，例えば，ナトリウム，カリウム，カルシウムなどについていう).

e·lec·tro·punc·ture (ē-lek′trō-pŭnk′chūr). 電気穿刺〔法〕，電針法 (針電極を通じて組織に電流を流すこと).

e·lec·tro·ra·di·ol·o·gy (ē-lek′trō-rā′dē-ol′ŏ-jē). 電気放射線〔医〕学 (治療に電気とX線を用いることを表す現在では用いられない語).

e·lec·tro·ra·di·om·e·ter (ē-lek′trō-rā′dē-om′ĕ-tĕr) [electro- ＋ L. *radius*, ray ＋ G. *metron*, measure]. 放射線検電器 (放射エネルギーを識別するため，特に工夫された検電器).

e·lec·tro·ret·i·no·gram (**ERG**) (ē-lek′trō-ret′i-nō-gram) [electro- ＋ retina ＋ G. *gramma*, something written]. 網膜電位図，網電図，エレクトロレチノグラム (適正な光の刺激により網膜に生じる活動電流を記録すること．次頁の図参照).

e·lec·tro·ret·i·nog·ra·phy (ē-lek′trō-ret′i-nog′ră-fē). 網膜電図記録〔法〕，網膜電図検査〔法〕(網膜活動電流を記録または解読すること).

e·lec·tro·scis·sion (ē-lek′trō-si′shŭn) [electro- ＋ L. *scissio*, a splitting ＜ *scindo*, to split]. 電気切断 (電気メスを用いた組織の切断．→electrosurgery).

e·lec·tro·scope (ē-lek′trō-skōp) [electro- ＋ G. *skopeō*, to examine]. 検電器 (電荷やβ線やX線によるガスのイオン化の検出に用いる機器．２枚の金箔を絶縁した導体の先につるし，密閉容器に入れてある．低倍率の顕微鏡で観察する).

e·lec·tro·sec·tion (ē-lek′trō-sĕk-shŭn). 電気切開 (外科手術で組織を切開するために，電流を用いること).

e·lec·tro·shock (ē-lek′trō-shok). 電気ショック (→electroshock *therapy*).

electrosleep (ē-lek′trō-slēp). 電気睡眠 (脳に調節した低電圧の電流を通して誘発した睡眠．治療，診断，研究目的で用い

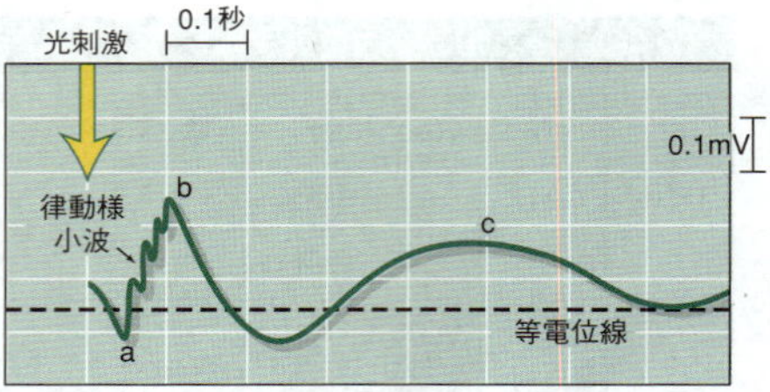

electroretinogram (normal tracing)

光刺激は，静止電位の最初の逆転を引き起こす（a波）．その後，神経節細胞層が活性化され，電圧は一連の繰返し振動で上昇する．杆体と錐体が刺激に反応してピーク（b波）に達する．後半の電圧のリバウンド（c波）は，色素上皮のレスポンスを表す．

られることがある．*cf.* electroshock *therapy*）．

e·lec·tro·sol (ē-lek′trō-sol). 電気性ゾル，エレクトロゾル．＝colloidal *metal*.

e·lec·tro·spec·trog·ra·phy (ē-lek′trō-spek-trog′ră-fē). 電気スペクトル記録〔法〕（脳波の波動パターンを記録し，それを研究して解読すること）．

e·lec·tro·spi·no·gram (ē-lek′trō-spī′nō-gram). 脊髄電図．

e·lec·tro·spi·nog·ra·phy (ē-lek′trō-spī-nog′ră-fē). 脊髄電図記録〔法〕（脊髄の電位活動の記録）．

e·lec·tro·ste·nol·y·sis (ē-lek′trō-stĕ-nol′i-sis). 細隙電解（電気分解中に起こる膜孔内での金属沈殿）．

e·lec·tro·steth·o·graph (ē-lek′trō-steth′ō-graf) [electro- + G. *stēthos*, chest + *graphō*, to record]. 電気聴診器（胸部の呼吸と心音を拡大，記録する電気器具）．

e·lec·tro·stric·tion (ē-lek′trō-strik′shŭn). ***1*** 圧縮，電気収縮（蛋白分解時に，新しい荷電群の生成により起こる蛋白溶液の体積収縮）．***2*** 電気圧縮（電場をかけたときに生じる物質や材料の可逆的体積変化）．

e·lec·tro·sur·ger·y (ē-lek′trō-sŭr′jĕr-ē). 電気外科（金属器械または針を用い，高周波電流を局所的に使用して行う組織の切断．→electrocautery）．＝electrotomy.

e·lec·tro·tax·is (ē-lek′trō-tak′sis) [electro- + G. *taxis*, orderly arrangement]. 電気走性，走電性（陽極あるいは陰極に対する動植物の原形質の反応．→tropism）．＝electrotropism; galvanotaxis; galvanotropism.

negative e. 陰性走電性（有機体が陽極へ誘引される，あるいは陰極からはね返される走電性）．

positive e. 陽性走電性（有機体が陰極へ誘引される，あるいは陽極からはね返される走電性）．

e·lec·tro·tha·na·si·a (ē-lek′trō-thă-nā′zē-ă) [electro- + G. *thanatos*, death]. ＝electrocution.

e·lec·tro·ther·a·peu·tics, e·lec·tro·ther·a·py (ē-lek′-trō-thār′ă-pyū′tiks, -thār′ă-pē). 電気治療学，電気療法（病気治療に電気を使用すること）．

e·lec·tro·therm (ē-lek′trō-thĕrm) [electro- + G. *thermē*, heat]. 電熱器（体表面に熱を加えるために用いる，抵抗線輪からなる可曲性の掛け布）．

e·lec·tro·tome (ē-lek′trō-tōm). 電気メス．

e·lec·trot·o·my (ē-lek-trot′ŏ-mē) [electro- + G. *tomē*, incision]. ＝electrosurgery.

e·lec·tro·ton·ic (ē-lek′trō-ton′ik). 電気緊張〔性〕の．

e·lec·trot·o·nus (ē-lek-trot′ŏ-nŭs) [electro- + G. *tonos*, tension]. 電気緊張（**[**誤った発音 electroto′nus を避けること**]**．定電流の通過によって，神経細胞あるいは筋細胞の興奮・伝導性が変化すること．→catelectrotonus; anelectrotonus）．＝galvanotonus (1).

e·lec·trot·ro·pism (ē′lek-trot′rō-pizm) [electro- + G. *tropē*, a turning]. ＝electrotaxis.

e·lec·tu·ar·y (ē-lek′tū-ā-rē) [G. *eleikton* 口内に溶ける薬 ＜ *ekleichō*, to lick up]. 舐剤．＝confection.

el·e·doi·sin (el-ĕ-doy′sin). エレドイシン（*Eledone*属の頭足類の毒牙腺で形成されるアミノ酸 11 個からなるペプチド毒素．血管拡張および血管外平滑筋収縮を引き起こす）．

e·le·i·din (el-ē′ī-din). エライジン（手掌足底の表皮の透明層の細胞に存在する染色性の低い屈折性のケラチン）．

el·e·ment (el′ĕ-ment) [L. *elementum*, a rudiment, beginning]. ***1*** 元素（1 種類だけの原子からなる物質，すなわち固有原子(陽子)番号をもつもの．それゆえ 2 種以上の物質に分解できず，また他の元素との結合あるいは陽子番号を変える核反応によってのみその化学的性質が失われる）．***2*** 要素（不可分の構造物または実在）．***3*** 染色体外因子のように，細菌自身の遺伝子とは独立に存在する遺伝的機能因子で，これは外因性であることが多い．

actinide e.'s ＝actinides.

alkaline earth e.'s アルカリ土類（Be, Mg, Ca, Sr, Ba，および Ra の族に含まれる元素．その水酸化物は強く電離するため水溶液中でアルカリ性を示す）．

amphoteric e. 両性元素（水と結合し，酸あるいは塩基として作用することのある水酸化物を形成する元素．例えばアルミニウム）．

anatomic e. 解剖学的単位（細胞のようなあらゆる解剖学的単位をさす）．＝morphologic e.

copia e. コピア因子（レトロウイルス様配列形式をもった可動遺伝因子）．

electronegative e. 陰性元素（→electronegative (2)）．

electropositive e. 陽性元素（原子が電子を失う傾向をもち，陽イオンを形成する元素．例えばナトリウム）．

extrachromosomal e., extrachromosomal genetic e. 染色体外因子．＝plasmid.

fold-back e. ホールドバック因子，折返し因子（トランスポゾン因子の一型で，変性するときループを形成するような長い逆方向反復をもつ）．

labile e.'s 変動性成分（上皮組織細胞や結合組織細胞などのような，個体が生きている間，有糸分裂によって増殖を続ける組織細胞）．

long interspersed e.'s (LINES) ロングインタースパーストエレメント（末端部反復をもつ DNA の長い反復配列で，ヒトおよびマウス DNA にみられる）．

morphologic e. ＝anatomic e.

neutral e.'s 中性元素．＝noble *gases*.

noble e. ＝noble *metal*.

P e.'s P 因子（ショウジョウバエ *Drosophila* において雑種発育不全の原因となる一種の転移因子．ゲノムの新しい位置に遺伝子を導入する道具として利用される）．

picture e. 画素（→pixel）．

rare earth e.'s 希土類元素．＝lanthanides.

short interspersed e.'s (SINES) ショートインタースパーストエレメント（約 300 塩基対の長さの DNA 高頻度反復配列で，ゲノムでは 3,000—5,000 bp に 1 度くらい存在する）．

trace e.'s 痕跡元素（体内に微量に存在する元素．その多くは物質代謝において必須であり，必須化合物の生成に必須である．例えば，亜鉛，セレン，バナジウム，ニッケル，マグネシウム，マンガンなど）．＝microelements; microminerals.

transposable e. 転移因子（ゲノムのある位置から他の位置へと移動し得る DNA 配列．転移という出来事には組換えと複製の両方が関与し，2 コピーの移動 DNA 断片を生みだす．これらの DNA 断片の挿入により標的遺伝子を破壊し，恐らく休止中の遺伝子の活性化，欠失，逆位および様々な染色体異常がもたらされる．→transposon）．

volume e. →voxel.

eleo- (el′ē-o) [G. *elaion*, olive oil]. 油脂に関する連結形．→oleo-.

el·e·o·ma (el′ē-ō′mă) [G. *elaion*, oil + *-oma*, tumor]. 脂肪腫．＝lipogranuloma.

el·e·om·e·ter (el′ē-om′ĕ-ter) [G. *elaion*, oil + *metron*, measure]. 油比重計．＝oleometer.

el·e·op·a·thy (el′ē-op′ă-thē). 油性障害（挫傷後の脂肪沈着によるといわれる関節の腫脹がみられる状態をさすが，まれにしか生じない．また，パラフィン油の注入により生じる一種の仮病のような状態をさす場合もある）．＝elaiopathia.

el·e·o·stear·ic ac·id (el′ē-ō-stē′ă-rik as′id). エレオステアリン酸（3 つの二重結合(C-9, C-11, C-13)をもつ，18 個

の炭素からなる脂肪酸でリノレン酸の異性体，植物脂肪に認められる）.

el·e·o·ther·a·py (el′ē-ō-thār′ă-pē) [G. *elaion*, oil]. 油療法. =oleotherapy.

el·e·phan·ti·a·sis (el′ĕ-fan-tī′ă-sis) [G. < *elephas*, elephant]. 象皮病（皮膚および皮下組織の肥厚，浮腫，線維化といった病変が下肢および外陰部に生じ，陰嚢水腫や患肢の肥大をきたす．通常は，長年にわたるリンパ管の閉塞が原因であり，バンクロフト糸状虫 *Wuchereria bancrofti*, マレー糸状虫 *Brugia malayi* といったフィラリア虫の感染後，年余を経て発症する例が最多である．→filariasis）. =elephant leg.

congenital e. 先天性象皮病（リンパ管拡張による，1肢または多肢，あるいはその他の部分の先天性肥大）.

gingival e. 歯肉象皮病（歯肉の線維性過形成）.

e. neuromatosa 神経腫性象皮病（皮膚および皮下組織のびまん性神経線維腫症による四肢の肥大）.

e. scroti 陰嚢象皮病（慢性のリンパ管閉塞の結果として陰嚢が茶色っぽくはれる）. =lymph scrotum; parasitic chylocele.

e. telangiectodes 毛細〔血〕管拡張性象皮病（血管拡張を伴う，あるいはそれに起因する皮膚および皮下組織の肥大）.

e. vulvae 外陰象皮病，陰門象皮病. =chronic hypertrophic *vulvitis.*

el·e·va·tion (el′ĕ-vā′shŭn) [TA]. *1* 隆起. =torus (1). *2* 挙上（上昇した位置に上げようとする，または上げられる動作(上方視による瞳孔の挙上など). 挙上筋による運動).

e. of levator palati [TA]. =*torus* levatorius.

tactile e.'s [TA]. 触覚小球（知覚神経終末に富む，手掌，足底の皮膚の小部分）. =toruli tactiles [TA].

el·e·va·tor (el′ĕ-vā′tŏ) [L. < *e-levo*, pp. *-atus*, to lift up]. エレベータ，梃子（①頭蓋骨折における陥没骨片のような陥没部分をてこの作用を用いて整復するための器具．または骨に付着する組織を骨から持ち上げる器具．②鉗子の使用が困難な歯や歯根を，脱臼させて抜歯したり，鉗子使用の準備として歯や歯根を脱臼させる，てこを応用した外科用器具. =dental lever).

periosteal e. 骨膜起子（骨から骨膜を剝離するために用いる器具）. =rugine (1).

screw e. らせん状抜歯梃子，スクリューエレベータ（破折した歯の歯根を抜去するために用いる先端がらせん状の歯科器具）.

elim·i·nant (ē-lim′i-nant). *1*〖adj.〗排泄促進の（廃棄物の排出あるいは除去を促進する）. *2*〖n.〗排泄促進薬.

e·lim·i·na·tion (ē-lim′i-nā′shŭn) [L. *elimino*, pp. *-atus*, to turn out of doors < *limen*, threshold]. 排泄，解毒，除去，排除，放出（身体から廃棄物を除去すること．物を取り除くこと）.

carbon dioxide e. ($\dot{V}_{CO_2}$) 炭酸ガス放出（血液から肺胞気にはいる二酸化炭素の割合で，定常状態では体内の組織代謝による二酸化炭素の産生に等しい．単位は mL/min STPD または mmol/min）.

synapse e. (sin′aps e-lim-inā′chon). シナプスエレミネーション，シナプスの削除（胎生期に単一筋線維を同時に支配していた軸索群のうち，1つを残して取り除かれてしまう過程）.

el·i·nin (el′i-nin). エリニン（Rh，A，Bの各血液型物質を含む赤血球のリポ蛋白分画）.

ELISA (ĕ-le′să). エリサ（enzyme-linked immunosorbent *assay* の頭字語）.

e·lix·ir (ē-lik′sĭr) [Mediev. L. < Ar. *al-iksir*, the philosopher's stone]. エリキシル〔剤〕（経口用の透明で甘味のヒドロアルコール性液体．香味物質を含み，賦形剤としてあるいは有効薬剤の治療効果のために用いる）.

El·lik (el′ik), Milo. 20世紀の米国人泌尿器科医. →E. *evacuator.*

El·li·ot (el′ē-ŏt), John W. 米国人外科医，1852—1925. →E. *position.*

El·li·ot (el′ē-ŏt), Robert Henry. 英国人眼科医，1864—1936. →E. *operation.*

El·li·ott (el′ē-ŏt), Thomas R. 英国人医師，1877—1961. →E. *law.*

el·lip·sis (ē-lip′sis) [G. *ek-*, out + *leipsis*, leaving]. 省略（読者あるいは聞き手が全体を把握できるように言葉あるいは観念を除去すること）.

el·lip·soid (ē-lip′soyd) [G. *ellips*, oval + *eidos*, form]. *1*〖n.〗莢（脾臓の毛細動脈壁を網状の間質内の貪食マクロファージの球状あるいは紡錘状の凝縮で赤色髄索の血流を放出する前に生じる）. =sheath of Schweigger-Seidel. *2*〖n.〗楕円体（網膜杆状体および網膜錐状体の内節の遠位部）. *3*〖adj.〗楕円の（楕円形あるいは卵円形のものについていう）.

el·lip·to·cy·to·sis (ē-lip′tō-sī-tō′sis). 楕円赤血球症（遺伝性の造血異常で，赤血球の50—90%は杆状および楕円球状である．しばしば溶血性貧血を伴う．数種類の常染色体優性遺伝型式のもの[MIM*130500, *130600, *179650]と1種類のRh血液型に関連する型として，赤血球膜蛋白バンド4.1 (*EPB41*)をコードする第1染色体短腕に位置する遺伝子の異常によるもの，あるいはRh血液型非関連型として第1染色体長腕に位置するアルファスペクトリン遺伝子の異常によるもの，または第14染色体長腕に位置するベータスペクトリン遺伝子や，第17染色体長腕に位置するバンド3の遺伝子異常による．これらは常染色体劣性遺伝 [MIM*225450]である）. =ovalocytosis.

El·lis (el′is), Richard W.B. イングランド人医師，1902—1966. →E.-van Creveld *syndrome.*

El·li·son (el′i-sŏn), Edwin H. 米国人医師，1918—1970. →Zollinger-E. *syndrome,tumor.*

Ells·worth (elz′wŏrth), Read McLane. 米国人医師，1899—1970. →E.-Howard *test.*

El·oes·ser (el-es′ĕr), Leo. 米国の胸部外科医，1881—1976. →E. *flap, procedure.*

e·lon·ga·tion (e′lon-gā′shŭn). *1* 伸び率（破断するまで引っ張り力を加えた後に測定される標点間の長さの増し分．原標点距離との百分率で表す）. *2* 延長（高分子の長さが増すこと．例えば，長鎖脂肪酸の合成や蛋白の合成過程でみられる）.

Elsch·nig (elsh′nĭg), Anton. ドイツ人眼科医，1863—1939. →E. *pearls, spots*; Koerber-Salus-E. *syndrome.*

ELSI (el′sī). エルシー（*e*thical(倫理的)，*l*egal(法的)，*s*ocial（社会的），*i*mplications(連係)の頭字語）.

el·u·ant (el′yū-ant). 溶出された物質（[eluent と混同しないこと]）.

el·u·ate (el′yū-āt). 溶離液，溶出液（クロマトグラフィにおいてカラムまたは沪紙から出てくる溶液. →elution）.

el·u·ent (el′yū-ent). 溶離液，溶出剤（[eluant と混同しないこと]．クロマトグラフィの移動相. →elution）. =developer (1); elutant.

e·lu·tant (ē-lū′tant). 溶出物. =eluent.

e·lute (ē-lūt′). 溶離する，溶出する. =elutriate.

e·lu·tion (ē-lū′shŭn) [L. *e-luo*, pp. *lutus*, to wash out]. =elutriation. *1* 溶離，溶出（洗浄により，ある固体を他の固体から分離すること）. *2* 溶離，溶出（クロマトグラフィのカラムのように，適当な溶剤を用いて，その溶剤に不溶の物質から溶解する物質を除去すること）. *3* 溶離（赤血球表面に吸収された抗体の除去）.

gradient e. 勾配溶離（pHやイオン強度を変えることにより物質を分離するといわれているカラムクロマトグラフィでの溶離）.

e·lu·tri·ate (ē-lū′trē-āt). =elute.

e·lu·tri·a·tion (ē-lū-trē-ā′shŭn) [L. *elutrio*, pp. *-atus*, to wash out, decant < *e-luo*, to wash out]. =elution.

elytro- (el′i-trō) [G. *elytron*, sheath (vagina)]. 腟を意味する語. →colpo-; vagino-.

em- →en-.

EMA epithelial membrane *antigen* の略.

e·ma·ci·a·tion (ē-mā′sē-ā′shŭn) [L. *e-macio*, pp. *-atus*, to make thin]. るいそう，やせ（極端に肉がなくなり，異常にやせ細ること）. =wasting (1).

e·mac·u·la·tion (ē-mak′yū-lā′shŭn) [L. *emaculo*, pp. *-atus*, to clear from spots < *e-*, out + *macula*, spot]. 斑点除去（[emasculation と混同しないこと]．皮膚の斑点または他の傷の除去）.

em·a·na·tion (em′ă-nā′shŭn) [L. *e-mano*, pp. *-atus*, to flow out]. 発散，エマナチオン，エマネーション（①あるものから流出，または放射される物質．②ある種の放射性元素から発散する放射性気体）．

actinium e. アクチニウムエマナチオン（radon–219 のこと．→emanon）．

radium e. ラジウムエマナチオン（radon–222 のこと．→emanon）．

thorium e. トリウムエマナチオン（radon–220 のこと．→emanon）．

em·a·na·tor·i·um (em′ă-nā-tōr′ē-ŭm). ラドン吸入室（現在は危険だと考えられている，放射性の水およびラジウムエマナチオンの吸入を用いる放射線療法を，以前行っていた施設）．

e·man·ci·pa·tion (ē-man′si-pā′shŭn). 境界決定（発生学において，器官形成領域内に特定の区域の境界が定まり，器官原基に一定の形状と範囲とが定まること）．

em·a·non (em′ă-non) [L. *emano*, to flow out + -on]. エマノン（以前，ラドンという語がウラン 238 放射性系列の天然に存在する中間生成物ラドン 222 同位体に限って使われていたときに，すべてのラドンの同位体を総称するのに用いた旧名．ちなみにラドン 219, 220, 222 は，初めそれぞれアクチニウムエマナチオン，トリウムエマナチオン，ラジウムエマナチオンとよばれていた）．

em·a·no·ther·a·py (em′ă-nō-thār′ă-pē). エマナチオン療法（ラジウムエマナチオン，その他のエマナチオンにより種々の疾病を治療すること．現在では行われていない）．

e·mar·gi·nate (ē-mar′ji-nāt) [L. *emargino*, to deprive of its edge < *e-* 欠性辞 + *margo*(*margin-*), edge]. へりに切れ目のある，凹形の，切痕のある．＝notched.

e·mar·gi·na·tion (ē-mar′ji-nā′shŭn). ＝notch.

e·mas·cu·la·tion (ē-mas′kyū-lā′shŭn) [L. *emasculo*, pp. *-atus*, to castrate < *e-* 欠性辞 + *masculus*, masculine]. 完全去勢〔術〕，除勢，全去〔勢〕術（[emaculation と混同しないこと]．精巣または陰茎の除去による男性の去勢）．＝eviration (1).

EMB eosin-methylene blue の略．→eosin-methylene blue *agar*.

Em·ba·dom·o·nas (em′bă-dom′ō-nas) [G. *embadon*, surface + *monas*, unit, monad]. *Retortamonas*属の旧名．

em·balm (em-bahlm′) [L. *in*, in + *balsamum*, balsam]. 防腐処置を施す（死体を腐敗させないために，バルサムまたは他の化学薬品で処理する）．

Emb·den (em′dĕn), Gustav G. ドイツ人生化学者，1874—1933. →E. *ester*; Robison-E. *ester*; E.-Meyerhof *pathway*; E.-Meyerhof-Parnas *pathway*.

em·bed (em-bed′). 包埋する（顕微鏡検査用の薄片をつくりやすくするために，病理学的あるいは組織学的標本をパラフィン，ワックス，セロイジン，樹脂のような堅い媒質でおおう）．＝imbed.

em·be·lin (em′bĕ-lin). エンベリン（ヤブコウジ科ヤブコウジ *Embelia ribes* および *E. robusta* の乾燥果実からの活性成分．殺虫剤，駆虫薬として用いられてきた）．

em·boite·ment (awm-bwaht-mawn[h]) [Fr. encasement]. いれこ．＝preformation *theory*.

em·bo·le (em′bō-lē) [G. *embolē*, insertion]. ***1*** 脱臼整復．＝embolia. ***2*** エンボリ（陥入して原腸胚が形成されること）．＝emboly.

em·bo·lec·to·my (em′bō-lek′tŏ-mē) [G. *embolos*, a plug (embolus) + *ektomē*, excision]. 塞栓切除〔術〕，塞栓摘出〔術〕．

em·bo·le·mia (em-bō-lē′mē-ă) [G. *embolos*, a plug(embolus) + *haima*, blood]. 塞栓血症（循環血液中に塞栓が存在するもの）．

em·bo·li (em′bō-lī). embolus の複数形．

em·bo·li·a (em-bō′lē-ă). ＝embole (1).

em·bol·ic (em-bol′ik). 塞栓〔症〕の．

em·bol·i·form (em-bol′i-fōrm) [G. *embolos*, plug(embolus) + L. *forma*, form]. 塞栓状の，栓子状の．

em·bo·lism (em′bō-lizm) [G. *embolisma*, a piece or patch; literally something thrust in]. ＝anaphylactoid syndrome of pregnancy. ***1*** 塞栓症（塞栓によって血管が閉鎖あるいは閉塞されること）．***2*** ほぼ普通の使われ方としては，血管にはいり込み，血流により血管の中を運び去られる外因性物質のすべて．

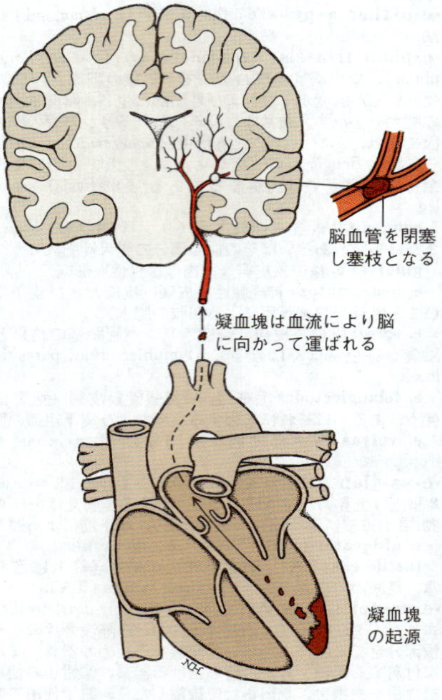

embolism
左心室の壁性血栓から生じる塞栓．

air e. 空気塞栓症（血管系内の気泡による塞栓症．静脈空気塞栓は静脈ライン，特に中心静脈路に空気がはいり，実質的に肺血流を遮断して症状を示すほど多量の場合をいう．動脈空気塞栓は通常は医原性で心肺バイパス cardiopulmonary *bypass* や他の血管内操作によって起こるが，まれに貫通性肺外傷でも起こる．動脈内の少量の空気でも冠動脈や脳動脈で塞栓を起こせば死に至る．また心房や心室中隔欠損などがある場合，静脈系から動脈系に達すれば同様の症状を呈する．*cf.* paradoxical e.）．＝gas e.

amnionic fluid e. 羊水塞栓症（羊水の母体循環系への流入による肺血管の閉塞または狭窄．産科ショックを起こす．→amnionic fluid *syndrome*）．

atheromatous e. じゅく腫性塞栓症．＝cholesterol e.

bland e. 非伝染性塞栓症（単純な非腐敗性物質による塞栓症）．

bone marrow e. 骨髄栓塞（骨髄内の血管の閉塞による．通常，骨折後に起こる．→fat e.）．

cellular e. 細胞性塞栓症（崩壊組織から輸送された細胞塊による塞栓）．

cholesterol e. コレステロール塞栓症（潰瘍性じゅく腫沈着物から出た脂質残屑の塞栓で，一般的に大動脈から小動脈枝に局在する．通常は小さいもので，梗塞を起こすことはまれである）．＝atheromatous e.

cotton-fiber e. 綿繊維塞栓症（静脈内投薬または輸血の際使用された滅菌ガーゼに由来する綿繊維による塞栓．肺小動脈内に異性体肉芽腫を形成することがある）．

crossed e. 交差(交叉)性塞栓症．＝paradoxical e.

direct e. 直接塞栓症（血液循環の方向にできる塞栓症）．

fat e. 脂肪塞栓症（長管骨の骨折時に起こる呼吸促迫症候群．循環血中に放出された骨髄成分が肺に集積し，肺でのガス交換を障害することで起こる．→bone marrow e.）．＝oil e.

gas e. ガス塞栓症．＝air e.

hematogenous e. 血行性塞栓症（血管内に生じる塞栓）．

infective e. 感染性塞栓症．＝pyemic e.

lymph e., lymphogenous e. リンパ塞栓症，リンパ行性塞栓症（リンパ管内に生じる塞栓症）.

miliary e. 粟粒〔性〕塞栓症（多数の毛細管で同時に起こる塞栓症）. =multiple e. (1).

multiple e. 多発〔性〕塞栓症（①=miliary e. ②多数の小塞栓の集合により起こる塞栓症）.

obturating e. 閉塞性塞栓症（塞栓による血管内腔の完全閉塞）.

oil e. =fat e.

paradoxical e. 奇異〔性〕塞栓症（①静脈系にできた血栓が心房中隔欠損か開存した卵円孔または他の短絡路を通って動脈系に入り，生じた動脈の閉塞. ②静脈系より動脈系へ肺毛細管を通過した小さい血栓による閉塞）. =crossed e.

pulmonary e. 肺〔動脈〕塞栓症（肺動脈の塞栓で，脚または骨盤の静脈からの血栓の分離した断片によることが最も多い. 多くは術後または病臥後に血栓症を起こした場合にみられる）.

pyemic e. 膿血症〔性〕塞栓症（化膿血栓から分離した塞栓による動脈の塞栓）. =infective e.

retinal e. 網膜〔中心〕動脈塞栓症.

retrograde e. 逆行〔性〕塞栓症（正常な血流と逆の方向に運ばれた塊が，小静脈にはいった後に生じた静脈の塞栓）. =venous e.

riding e. 騎乗塞栓症. =straddling e.

saddle e. 鞍状塞栓症（血管分岐部，例えば両総腸骨動脈を閉塞する大動脈分岐部の股状塞栓）.

straddling e. 股状塞栓症（動脈の分岐部に発生し，両方の動脈枝を多少とも閉塞する塞栓）. =riding e.

tumor e. 腫瘍塞栓症（腫瘍部位から移動した新生組織による塞栓で，転移として成長しうる）.

venous e. 静脈塞栓症. =retrograde e.

em·bo·li·za·tion (em′bol-i-zā′shŭn). 塞栓形成（①循環血流中の塞栓形成および放出. ②治療上，出血を止めたりあるいは血液の供給を遮断して構造物，腫瘍，あるいは器官を失活させるために，あるいは動静脈奇形に対して血流量を減少させるために種々の物質を循環血液中に入れて血管を閉鎖すること）.

em·bo·lo·my·cot·ic (em′bō-lō-mī-kot′ik) [G. *embolos*, a plug (embolus) + *mykēs*, fungus]. 塞栓菌性の.

em·bo·lo·ther·a·py (em′bō-lō-thār′ă-pē) [G. *embolos*, plug + *therapeia*, medical treatment]. 塞栓術（血管造影カテーテルを用いて，凝血，ゼルフォーム，コイル，バルーンなどを挿入して動脈を閉塞すること. 手術のできない出血，血管の多い悪性新生物の術前管理に用いられる）.

em·bo·lus, pl. em·bo·li (em′bō-lŭs, -lī) [G. *embolos*, a plug, wedge or stopper]. ***1*** 塞栓，栓子（血管を閉鎖する栓で，分離した血栓，ゆう(疣)腫，細菌塊，その他の異物からなる）. ***2*** 栓状核. =emboliform *nucleus*.

catheter e. カテーテル塞栓（血管内カテーテル挿入中にできる渦巻状の虫の形をした血小板とフィブリンの集合体で，最初はカテーテルまたはその導線の表面に生じる）.

em·bo·ly (em′bō-lē). =embole (2).

em·bouche·ment (ahm-būsh-mawn[h]′) [Fr.]. 血管開口（1つの血管が別の血管に開口すること）.

em·bra·sure (em-brā′shūr) [Fr. an opening in a wall for cannon]. 鼓形空隙（歯科において，外側または内側へ広がる空隙をいう. 特に，隣接面接触点領域に接して頬側，歯肉側，舌側，あるいは切縁側へ広がる空隙）.

buccal e. 頬側鼓形空隙（隣接する後方歯との間の隣接面接触領域で頬側に存在する空隙）.

gingival e. 歯肉側鼓形空隙（隣接歯間の歯頸部から接触点領域までの空隙）.

incisal e. 切縁側鼓形空隙（隣接する前歯の間で接触点領域の切縁方向にある空隙）.

labial e. 唇側鼓形空隙（隣接する前歯の間で接触点領域の唇側にある空隙）.

lingual e. 舌側鼓形空隙（隣接歯の間で接触点領域の舌側方向に存在する空隙）.

occlusal e. 咬合面鼓形空隙（隣接する臼歯の間で接触点領域の咬合面側にある空隙）.

em·bro·ca·tion (em′brō-kā′shŭn) [G. *embrochē*, a fomentation]. 塗布剤あるいは塗布を意味してまれに用いる語.

embry- →embryo-.

em·bry·o (em′brē-ō) [G. *embryon* < *en*, in + *bryō*, to be full, swell]. ***1*** 胚，胚子（発育初期の生物）. ***2*** 胎芽（ヒトでは，受胎から2か月の終わりまでにあたる発育中の胎児をいう. この段階から出生までは一般に fetus(胎児)とよばれる）. ***3*** 胚，胚芽（種子の中にある植物原基）.

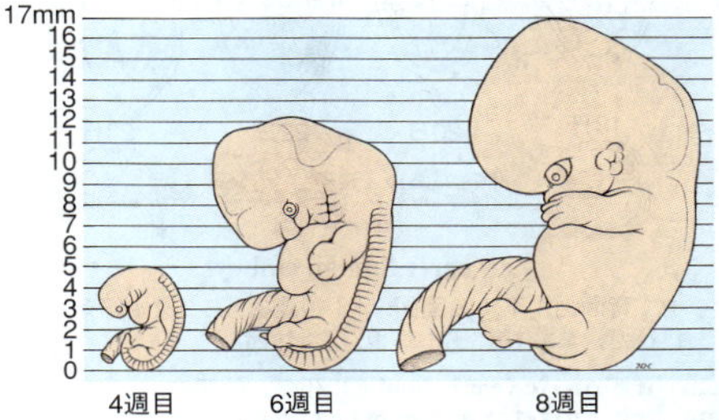

human embryos

heterogametic e. 異型配偶子の胚（核型が XY である男性胚）.

hexacanth e. 六鉤幼虫（無鉤条虫 *Taenia saginata* などの多節条虫亜綱の条虫の幼虫で，中間宿主の腸を貫通するのに用いる3対の鉤が特徴）. =oncosphere e.

homogametic e. 同型配偶子の胚（核型が XX である女性胚）.

oncosphere e. オンコスフェラ幼虫，六鉤幼虫. =hexacanth e.

presomite e. 体節前期胚（最初の体節が顕著に現れる以前の胚で，ヒトにおいては受精後20—21日目くらいまでである. 次頁の図参照）.

previllous e. 絨毛前期胚（絨毛膜形成前の有胎盤哺乳類の胚）.

embryo-, embry- (em′brē-ō) [G. *embryon*, a young one]. 胚，胎芽に関する連結形.

em·bry·o·blast (em′brē-ō-blast′) [embryo- + G. *blastos*, germ]. 胚結節（胚盤胞の胚極に存在する細胞の集塊であり，胚および胚外付属物を形成する）. =inner cell mass.

em·bry·o·car·di·a (em′brē-ō-kar′dē-ă) [embryo- + G. *kardia*, heart]. 胎児心音，胎児リズム，胎児調律（心音の調子が胎児のものと類似し，I音，II音が同質で等間隔なもの. 重篤な心筋障害の徴候である）. =pendulum rhythm; tic-tac rhythm; tic-tac sounds.

em·bry·o·gen·e·sis (em′brē-ō-jen′ĕ-sis) [embryo- + G. *genesis*, origin]. 胚形成（出生前の発育期で，胎児の体の特徴ができ上がる時期. ヒトでは，胚形成は第2週の終わり，つまり胚盤ができる時期から第8週の終わりまでをいう. その後は胎児として扱われる）.

em·bry·o·gen·ic, em·bry·o·ge·ne·tic (em′brē-ō-jen′ik, -jĕ-net′ik). 胚形成の.

em·bry·og·e·ny (em′brē-oj′ĕ-nē). 胚形成，受胎.

em·bry·oid (em′brē-oyd). =embryonoid.

em·bry·ol·o·gist (em′brē-ol′ŏ-jist). 胎生学者，発生学者.

em·bry·ol·o·gy (em′brē-ol′ŏ-jē) [embryo- + G. *logos*, study]. 胎生学，発生学（卵母細胞の受精から8週末までの生物の発生および発育に関する科学. 通常は出生前の全段階を含んで使われる）. =developmental biology.

em·bry·o·ma (em′brē-ō′mă). 胚芽腫. =embryonal *tumor*.

em·bry·o·mor·phous (em′brē-ō-mōr′fŭs) [embryo- + G. *morphē*, shape]. ***1*** 胚形成の. ***2*** 胎生時組織遺残の（体内にある構造または組織で，胚あるいは胚細胞遺残物と類似するものをさすときに用いる）.

em·bry·o·nal (em′brē-ō-năl). 胚の，胎芽の. =embryonate (1).

em·bry·o·nate (em′brē-ō-nāt). ***1*** =embryonal. ***2*** 胚含有の，胎芽含有の. ***3*** 妊孕の.

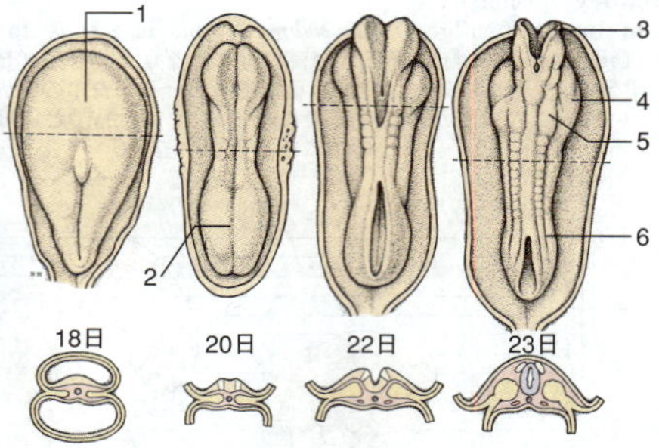

early human embryos

上：背面図．下：断面図．1：神経板．2：原始線条．3：神経ひだ．4：心臓．5：耳板．6：体節．

em・bry・on・ic (em′brē-on′ik). 胚の，胎芽の.

em・bry・on・i・form (em′brē-on′i-fōrm). ＝embryonoid.

em・bry・on・i・za・tion (em′brē-on-i-zā′shŭn). 胚組織化，胎芽組織化（細胞または組織が胚(胎芽)様の細胞または組織に戻ること）.

em・bry・o・noid (em′brē-ō-noyd′) [embryo- ＋G. *eidos*, appearance]. 胚様の，胎芽様の，胎児様の. ＝embryoid; embryoniform.

em・bry・o・ny (em′brē-ō-nē). 胚子形成（胚子の形がつくられること）.

em・bry・op・a・thy (em′brē-op′ă-thē) [embryo- ＋G. *pathos*, disease]. 胚障害，胎児障害（胚または胎児に起こる病的な状態）. ＝fetopathy.

retinoic acid e. レチノイン酸胎芽症（妊産婦の合成ビタミンAの派生品であるレチノイドの服用によって起こる児の身体的・精神的障害を特徴とする症候．最もよく知られたレチノイドは，重症の嚢腫性ざ瘡に対し用いられるイソトレチノインである．症状は発育不全，骨格および顔貌の異常，中枢神経および循環器の奇形である）.

em・bry・o・phore (em′brē-ō-fōr) [embryo- ＋G. *phoros*, bearing]. 胚中層（条虫類の六鉤幼虫を包み，卵殻内部を形成する膜すなわち壁．*Taenia*属ではこれが特別に厚く，放射状の線条と一緒になって，非常に強固な防御構造をつくっている．*Diphyllobothrium*(広節裂頭条虫属)などの擬葉目条虫では，胚中層に線毛が生えていて水中生活期を可能にしている．→coracidium）.

em・bry・o・plas・tic (em′brē-ō-plas′tik) [embryo- ＋G. *plassō*, to form]. 胚形成の（①胚を形成する要素となる．②胚の形成に関する）.

em・bry・ot・o・my (em′brē-ot′ŏ-mē) [embryo- ＋G. *tomē*, cutting]. 切胎〔術〕，胎児切断〔術〕（娩出が自然の方法では不可能な場合，胎児を除去するための切断手術）.

em・bry・o・tox・ic・i・ty (em′brē-ō-tok-sis′i-tē). 胎芽毒性（胎芽死亡，発育遅延，あるいは機能的・器質的発達障害を生じる胎芽への傷害）.

em・bry・o・tox・on (em′brē-ō-tok′sŏn) [embryo- ＋G. *toxon*, bow]. 胎生環（角膜辺縁にできる先天性の混濁部分）.

anterior e. ＝*arcus* senilis.

posterior e. 後部胎生環（突出したSchwalbeの白色輪を示す共通の発生学的な異常）.

em・bry・o・troph (em′brē-ō-trōf′) [embryo- ＋G. *trophē*, nourishment]. ***1*** 胚栄養（発育中に胚に与えられる栄養物質．*cf.* hemotroph; histotroph）. ***2*** ヒトのような有胎盤哺乳類の着床期において胚盤胞に隣接する液体．この液体は子宮腺の分泌物，子宮内膜への栄養芽層の侵入による細胞残屑および滲出血漿の混合物である.

em・bry・o・tro・phic (em′brē-ō-trof′ik). 胚栄養の.

em・bry・ot・ro・phy (em′brē-ot′rŏ-fē) [embryo- ＋G. *trophē*, nourishment]. 胚栄養.

EMD emergency medical *dispatcher* の頭字語.

e・med・ul・late (ē-med′yū-lāt) [L. *e*-, from ＋*medulla*, marrow]. 骨髄を摘出する.

e・mei・o・cy・to・sis (ē′mē-ō-sī-tō′sis) [L. *emitto*, to send forth ＋G. *kytos*, cell ＋*-osis*, condition]. エメイオサイトー

ウイルス性胎児病

妊娠中のウイルス感染と胎児に及ぼしうる影響（胚障害，胎児病，周産期感染）

ウイルス	妊娠1―14週の結果	15週―出産の結果	出産直前―周産期の結果
サイトメガロウイルス	流産，小頭症	脳炎，肝脾腫大，脈絡網膜炎，早産，血小板減少症，大脳障害（軽微）	巨細胞
風疹	流産，心奇形，白内障，小眼球症，難聴，など	脳炎，肝脾腫大，血小板減少症，早産	―
麻疹	小頭症，心奇形，鎖肛，など	胎児死亡，早産	麻疹
単純ヘルペスⅠ型およびⅡ型	単離例：小眼球症，脈絡網膜炎	―	広汎性ヘルペス感染，致死的脳炎
水痘―帯状疱疹	単離例：眼球変形，大脳障害	脳炎，発疹，早産	広汎性水痘
コクサッキーB	―	―	脳炎，心内膜炎，肝炎
パルボウイルスB19	―	形成不全発症，うっ血性心不全，胎児水腫，10%の胎児損失	―
おたふくかぜ	単離例：流産	―	―
リンパ球性脈絡膜炎	流産（？）	単離例：脳炎，脈絡網膜炎	―
B型肝炎	―	―	肝炎（一部慢性）
C型肝炎	―	―	肝炎
ポリオ（灰白髄炎）	流産	胎児死亡，早産	灰白髄炎

シス．＝exocytosis (2).

e·mer·gence (ē-mĕr′jens). *1* 覚醒（特に，全身麻酔薬による意識喪失期の後に正常機能が回復すること）．*2* ⇀property e.

property e. 創発特性（個々のものにはなく，複合したときに出現する特性．例えば対称性．生態学的階層制という背景において集団が示す特性で，個体やその集合体によっては表せないもの）．

e·mer·gen·cy (ē-mĕr′jen-sē) [L. *e-mergo*, pp. *-mersus*, to rise up, emerge < *mergo*, to plunge into, dip]. 救急，緊急，応急（直ちに処置(治療)をすることが必要な患者の状態）．

emergency medical dispatcher (EMD) 救急指令員（救急要請の電話に対応し，定められた手順に従い，救急隊などに救急現場への出場を指令するための医学的なトレーニングを受けた人員．救急隊が到着するまでの間，傷病者やその場に居合わせた人に応急処置の口頭指導も行う．→dispatch life *support*）．

Emergency Medical Treatment and Labor Act (EMTALA) (ē-mĕr′jen-sē med′i-kăl trēt′ment lā′bŏr akt). 緊急医療処置と分娩に関する法律（何人も，支払い能力にかかわらず，救急部門を受診し，本人および胎児が検査並びに応急的な処置を，可能な範囲で受ける権利を定めた合衆国の法律）．

e·mer·gent (ē-mĕr′jent). *1* 救急の，緊急の（突然に，予期せず起こり，早急な判断と敏速な行動を必要とする）．*2* 出現する（空洞またはその他の部位から出てくる）．

Em·er·y (em′ĕr-ē), Alan E. H. 20世紀の英国人医師．⇀E.-Dreifuss muscular *dystrophy*.

em·er·y (em′ĕr-ē) [O. Fr. *emeri* < L. L. *smericulum* < G. *smiris*]. 金剛砂，エメリー（酸化アルミニウムと鉄を含む研磨材）．

em·e·sis (em′ĕ-sis) [G. < *emeō*, to vomit]. *1* 嘔吐．＝vomiting. *2* 接尾語の位置で用い，嘔吐を表す連結形．

e·met·ic (ĕ-met′ik) [G. *emetikos*, producing vomiting < *emeō*, to vomit]. *1*〘adj.〙催吐性の．*2*〘n.〙〔催〕吐薬（嘔吐を引き起こす薬．例えばトコンシロップ）．

em·e·tine (em′ĕ-tēn). エメチン（トコンの主要アルカロイド．吐薬．エメチン塩はアメーバ症に用いる．塩酸エメチンとして用いる）．

em·e·to·ca·thar·tic (em′ĕ-tō-kă-thar′tik). *1*〘adj.〙吐しゃ(瀉)性の（嘔吐としゃ下を起こす）．*2*〘n.〙吐しゃ(瀉)薬（下部の腸管の嘔吐としゃ下を引き起こす薬剤）．

em·e·to·gen·ic (em′ĕ-tō-jen′ik). 催吐薬の，催嘔吐性の（嘔吐を誘発する作用をもつことをいう．抗癌薬，麻薬，アポモルフィンの一般的特徴である）．

e·me·to·ge·nic·i·ty (em′ĕ-tō-jĕ-nis′i-tē). 催嘔吐性（嘔吐を生じる性質）．

EMF electromotive *force* の略．

EMG electromyogram; exomphalos, macroglossia, and gigantism *syndrome* の略．

-emia (ē′mē-ă) [G. *haima*]. 血液を意味する接尾語．

e·mic·tion (ē-mik′shŭn). 放尿を意味してまれに用いる語．

em·i·gra·tion (em′i-grā′shŭn) [L. *e-migro*, pp. *-atus*, to emigrate]. 遊出（白血球が内皮や小血管壁を通過すること）．

EMINENCE

em·i·nence (em′i-nens) [L. *eminentia*][TA]. 隆起（周囲の表面，特に骨表面と比べて盛り上がった輪郭の明瞭な区域）．＝eminentia [TA].

abducens e. ＝facial *colliculus*.

arcuate e. [TA]. 弓状隆起（側頭骨の錐体前面にある隆起で，前骨半規管の位置を示す）．＝eminentia arcuata [TA].

articular e. of temporal bone 側頭骨関節隆起．＝articular *tubercle* of temporal bone.

canine e. 犬歯根隆起（犬歯の歯根および歯槽に相当する上顎骨顎堤上の隆起）．＝canine prominence.

caudal e. 尾突起（胚の尾方肢にあり，尾のように突出しながら急速に増殖する細胞の塊．原始結節のなごり）．＝end bud; tail bud; tailbud.

collateral e. [TA]. 側副隆起（側脳室側副三角の床の縦走する隆起．海馬と鳥距の間にあり，側副溝底の接近によって生じる）．＝eminentia collateralis [TA].

e. of concha [TA]. 耳甲介隆起（耳甲介腔に対応して耳介軟骨の後表面上にある隆起）．＝eminentia conchae [TA]; apophysis conchae.

cruciate e. ＝cruciform e.

cruciform e. [TA]. 十字隆起（後頭骨内面で内後頭隆起から前後に走る隆起と左右に走る横洞溝の縁によってつくられる十字形の高まり．したがって後頭骨内面は4つの窩，すなわち左右の大脳後頭窩と小脳後頭窩に分けられる）．＝eminentia cruciformis [TA]; cruciate e.

deltoid e. 三角筋粗面．＝deltoid *tuberosity* (of humerus).

Doyère e. (doy-ār′). ドワイエール隆起（骨格筋線維表面が運動終板 motor *endplate* の位置でわずかに隆起している部分）．

facial e. ＝facial *colliculus*.

forebrain e. ＝frontonasal *prominence*.

frontal e.* 前頭結節（frontal *tuber* の公式の別名）．

genital e. 性器隆起（きわめて若い胚子における，頭部から肛門管に至る輪郭の不鮮明な正中の隆起で，その中央部分が発達して性器結節となる）．

hypoglossal e. 舌下隆起．＝hypoglossal *trigone*.

hypopharyngeal e. 下咽頭隆起（不対結節の尾方にある胚咽頭の床の中央の隆起．後に第二・第三鰓弓の腹側と合体し，その後の発育により舌根部で一体となる）．＝copula linguae; His copula.

hypothenar e. [TA]. 小指球（手掌内側の肉塊）．＝hypothenar(1) [TA]; eminentia hypothenaris*; hypothenar prominence.

ileocecal e. ＝ileal *papilla*.

iliopectineal e. 腸恥隆起．＝iliopubic e.

iliopubic e. [TA]. 腸恥隆起（腸骨と恥骨上枝の連結部の寛骨上面にある低い隆起）．＝eminentia iliopubica [TA]; iliopectineal e.

intercondylar e. [TA]. 顆間隆起（脛骨の棘状の突起．脛骨の上端，すなわち近位端にある両側関節面間にある骨隆起）．＝eminentia intercondylaris [TA]; eminentia intercondyloidea; intercondyloid e.; spinous process of tibia.

intercondyloid e. ＝intercondylar e.

maxillary e. 上顎隆起．＝maxillary *tuberosity*.

medial e. 内側隆起（以前は菱形窩を全長にわたって走る隆起で，顔面神経小丘，舌下神経三角，迷走神経三角を含めてよんでいたが，現在は第4脳室底で顔面神経小丘より吻側の隆起だけをさし，その他の隆起は別の名でよんでいる）．＝eminentia medialis; eminentia teres; funiculus teres; round e.

median e. [TA]. 正中隆起（下垂体茎に隣接する視床下部漏斗のわずかに突出した下方の結節．この部分は漏斗動脈の毛細血管網を特徴とし，ここから出る静脈は視床下部下垂体門脈系を形成する）．＝eminentia mediana.

olivary e. ＝oliva.

omental e. of pancreas [TA]. 小網隆起（上腸間膜動脈および静脈の左側に位置する膵体の腹側表面にみられる隆起）．＝tuber omentale pancreatis [TA]; omental tuber.

orbital e. of zygomatic bone 頬骨の眼窩隆起．＝orbital *tubercle* (of zygomatic bone).

parietal e.* 頭頂結節（parietal *tuber* の公式の別名）．

pyramidal e. 錐体隆起．＝*eminentia* pyramidalis.

radial e. of wrist 橈側手根隆起（手根の手掌面の橈骨側にある比較的大きく平らな隆起で，舟状骨の粗面と菱形骨の隆線によってできる）．＝eminentia carpi radialis.

restiform e. 索状隆起．＝restiform *body*.

round e. ＝medial e.

e. of scapha [TA]. 舟状窩隆起（前表面の舟状窩に対応する後表面の耳介軟骨の隆起）．＝eminentia scaphae [TA].

thenar e. [TA]. 母指球（手掌の外側部の肉塊．橈骨側手掌．母指の球）．＝eminentia thenaris*; thenar prominence.

thyroid e. ＝laryngeal *prominence*.

e. of triangular fossa of auricle [TA]. 耳介三角窩隆起（三角窩に対応する耳介軟骨後表面の隆起）．＝eminentia fossae triangularis auricularis [TA]; agger perpendicularis;

E

eminentia triangularis.

ulnar e. of wrist 尺側手根隆起（橈側手根隆起より小さい隆起で，手根の手掌面の尺骨側にあり，豆状骨の存在による）．＝eminentia carpi ulnaris.

---

eminenectomy (em-i-nek′tō-mē). 関節隆起除去術（下顎骨関節窩の前関節面の外科的切除）.

em·i·nen·ti·a, pl. **em·i·nen·ti·ae** (em′i-nen′shē-ă, -shē-ē)［L. prominence＜*e-mineo*, to stand out, project］［TA］. 隆起. ＝eminence.

e. abducentis ＝facial *colliculus*.

e. arcuata［TA］. 弓状隆起. ＝arcuate *eminence*.

e. articularis ossis temporalis 側頭骨関節結節. ＝articular *tubercle* of temporal bone.

e. carpi radialis 橈側手根隆起. ＝radial *eminence* of wrist.

e. carpi ulnaris 尺側手根隆起. ＝ulnar *eminence* of wrist.

e. collateralis［TA］. 側副隆起. ＝collateral *eminence*.

e. conchae［TA］. 甲介隆起. ＝*eminence* of concha.

e. cruciformis［TA］. 十字隆起. ＝cruciform *eminence*.

e. facialis ＝facial *colliculus*.

e. fossae triangularis auricularis［TA］. 耳介三角窩隆起. ＝*eminence* of triangular fossa of auricle.

e. frontalis* 前頭結節（frontal *tuber* の公式の別名）.

e. hypoglossi ＝hypoglossal *trigone*.

e. hypothenaris* 小指球（hypothenar *eminence* の公式の別名）.

e. iliopubica［TA］. 腸恥隆起. ＝iliopubic *eminence*.

e. intercondylaris［TA］. ＝intercondylar *eminence*.

e. intercondyloidea ＝intercondylar *eminence*.

e. maxillae* 上顎結節（maxillary *tuberosity* の公式の別名）.

e. medialis 内側隆起. ＝medial *eminence*.

e. mediana 正中隆起. ＝median *eminence*.

e. orbitalis (ossis zygomatici) 頬骨の眼窩隆起. ＝orbital *tubercle* (of zygomatic bone).

e. parietalis* parietal *tuber* の公式の別名.

e. pyramidalis［TA］. 錐体隆起（中耳の前庭窓の後方にある円錐形の隆起．凹窩になっており，あぶみ骨筋が付着する）．＝pyramid of tympanum; pyramidal eminence; pyramis tympani.

e. restiformis 索状隆起. ＝restiform *body*.

e. scaphae［TA］. 舟状窩隆起. ＝*eminence* of scapha.

e. symphysis おとがい結節. ＝mental *tubercle* (of mandible).

e. teres ＝medial *eminence*.

e. thenaris* 母指球（thenar *eminence* の公式の別名）.

e. triangularis 三角窩隆起. ＝*eminence* of triangular fossa of auricle.

vagi e. ＝vagal (nerve) *trigone*.

em·i·o·cy·to·sis (ē′mē-ō-sī-tō′sis)［L. *emitto*, to send forth ＋ G. *kytos*, cell ＋ *-osis*, condition］. ＝exocytosis (2).

em·is·sar·i·um (em′i-sā′rē-ŭm)［L. an outlet＜*e-mitto*, pp. *-missus*, to send out］. 導出静脈. ＝emissary *vein*.

e. condyloideum 顆導出静脈. ＝condylar emissary *vein*.

e. mastoideum 乳突導出静脈. ＝mastoid emissary *vein*.

e. occipitale 後頭導出静脈. ＝occipital emissary *vein*.

e. parietale 頭頂導出静脈. ＝parietal emissary *vein*.

em·is·sar·y (em′i-sār-ē)［→emissarium］. ***1***〚adj.〛導出の，排出部の. ***2***〚n.〛導出静脈. ＝emissary *vein*.

e·mis·sion (ē-mish′ŭn)［L. *emissio*＜*e-mitto*, to send out］. 流出，射出（一般的には男性の内性器の内容が内尿道に流出することをさし，その内容とは精子を含む前立腺液と精囊腺液が内尿道の中で尿道球部腺からの粘液と混ざり合って精液を形成する．*cf.* ejaculation).

characteristic e. 特性X線. ＝characteristic *radiation*.

continuous otoacoustic e. 持続耳音響放射（誘発耳音響放射の1つ．刺激音と同じ周波数であり，刺激音が続く限り持続する）.

distortion-product otoacoustic e. (DPOAE) 歪成分耳音響放射（誘発耳音響放射の1つ．2つの純音で同時刺激した際にこれらと異なる周波数の音響放射が出現する）.

evoked otoacoustic e. 誘発耳音響放射（音響刺激によって出現する耳音響放射の1つ．自発耳音響放射の対語）.

nocturnal e. 夢精（睡眠中の射精）.

otoacoustic e. (OAE) 耳音響放射（外耳道に設置した小さなマイクロフォンで記録でき，蝸牛の外有毛細胞から発せられていると考えられている耳から放射される音．耳音響放射は自発的にも生じるし，音響刺激によって誘発することもできる．男性よりも女性で顕著に出現し，小児では特に明瞭に認められる．耳音響放射の存在は蝸牛の有毛細胞が正常であることを示すため，新生児の聴覚障害のスクリーニング目的で測定される）.

transient evoked otoacoustic e. (TEOAE)〔一過性〕誘発耳音響放射（短時間で消失する耳音響放射）.

e·mis·siv·i·ty (ē′mi-siv′i-tē). 放射率（熱線を出すこと．完全な〝黒体〟は放射率が1で，よく磨かれた金属面は0.02ほどである）.

EMIT enzyme-multiplied *immunoassay* technique の略.

Em·met (em′ĕt), Thomas A. 米国人婦人科医，1828—1919. →E. *needle*, *operation*.

em·me·tro·pi·a (em′ĕ-trō′pē-ă)［G. *emmetros*, according to measure ＋ *ōps*, eye］. 正〔常〕視，正視眼（［ametropia と混同しないこと］．前眼部屈折と眼軸長が正視となるように互いに平衡しあうこと）.

em·me·tro·pic (em′ĕ-trop′ik). 正〔常〕視の，正視眼の.

em·me·trop·i·za·tion (em′ĕ-trōp′i-zā′shŭn). 正視化（前眼部，眼軸で正視となる方向へ向くこと）.

Em·mon·si·a (e-mon′sē-ă). エモンシア属（ホネタケ科 Onygenaceae に属する糸状の土壌性真菌で，そのうちの1種(*E. parva*)はときにげっ歯類およびヒトに肺炎を起こす．感染は特に免疫抑制のある宿主で重篤になることがある．→adiaspiromycosis).

E. parva* var. *crescens 動物のアジアスピロミコーシスの原因となる主要な真菌種で，ヒトのアジアスピロミコーシスの原因としては唯一のもの．土壌中で増殖したカビの分生子を吸入することで感染する.

E. parva* var. *parva 動物のアジアスピロミコーシスの原因となる真菌の一種.

Em·mon·si·el·la cap·su·la·ta (e-mon′sē-el′ă kap′sū-lā′tă). ＝Ajellomyces capsulatum.

em·o·din (em′ō-din). エモジン（ダイオウ，センナ，カスカラサグラダ，その他のしゃ下薬において結晶形でみられる下剤）．＝1, 3, 8-trihydroxy-6-methylanthraquinone; archin; frangulic acid.

e·mol·li·ent (ē-mol′ē-ent)［L. *emolliens*: *e-mollio*, *emollire* (to soften) の現在分詞］. ＝malactic. ***1***〚adj.〛緩和性の，軟らかにする，軟化性の（皮膚または粘膜を軟らかにする）. ***2***〚n.〛緩和薬，皮膚軟化薬（皮膚を軟化する，あるいは皮膚や粘膜の刺激を和らげる薬剤）.

e·mo·tion (ē-mō′shŭn)［L. *e-moveo*, pp. *-motus*, to move out, agitate］. 情動，情緒，感情（強い感情，興奮した精神状態，または明確な対象に向けられた衝動あるいは不安の強い状態．自律神経系の疾病徴候の発現を伴って，行動と心理的変化の両方により証明される）.

e·mo·tion·al (ē-mō′shŭn-ăl). 情動の，情緒の.

e·mo·ti·o·vas·cu·lar (ē-mō′shē-ō-vas′kyū-lăr). 情動血管の（種々の感情によって引き起こされる顔面蒼白や潮紅のような血管変化についていう）.

em·pasm, em·pas·ma (em′pazm, em-paz′mă)［G. *empasma*＜*em-passo*, to sprinkle out］. 芳香散粉剤，化粧粉.

em·path·ic (em-path′ik). 感情移入の，感入の，エンパシーの（［誤った形 empathetic を避けること］).

em·pa·thize (em′pă-thīz). 感情移入する，感入する（他人の感情にはいり込む，他人の立場に自分を置いてみる）.

em·pa·thy (em′pă-thē)［G. *en*(*em*), in ＋ *pathos*, feeling］. 感情移入，感入，エンパシー（① ［sympathy と混同しないこと．本語の適切な形容詞は empathetic ではなく empathic である］．他人が経験している情動，感覚，反応を知的かつ情緒的に感じとったり，その人にそのように感じているとうまく伝えることができること．*cf.* sympathy(3). ②対象を人格化，人間化し，自分をその一部と考えること）.

generative e. 他人の瞬時の心理状態に参加し，それを理解する内的経験.

em·per·i·po·le·sis (em-per′i-pō-lē′sis) [G. *en*(*em*), inside + *peri*, around + *poleomai*, to wander about]. エンペリポレシス（1つの細胞に他の細胞が無傷のまま貫入する現象．これは組織培養において白血球がマクロファージにはいり，後に出ていく現象で観察される）．

em·phrax·is (em-frak′sis) [G. a stoppage]. ***1*** 閉塞（汗孔の閉塞）．***2*** 歯牙埋伏〔症〕．

em·phy·se·ma (em′fi-sē′mă) [G. inflation of stomach, etc. ＜ *en*, in + *physēma*, a blowing ＜ *physa*, bellows]. 気腫（[文脈から正確な意味が明らかでないかぎり，pulmonary emphysema, mediastinal emphysema, subcutaneou emphysema，などのように明記せよ]．①ある部位の結合組織の間質に空気が存在すること．②終末細気管支(肺胞を含む)より末梢の気腔の大きさが正常より大きくなっていることが特徴の肺の状態で，終末細気管支壁の破壊的変化やその数の減少がみられる．臨床症状は労作時にみられる息切れで，その原因はガス交換を行う肺胞面積の減少，呼気にみられる肺胞気ガスの捕獲に伴う小気道の虚脱などが(種々の程度に)組み合わさって起こるとされている．このために，胸郭が吸気の位置にとどまることになり(洋樽形胸郭)，呼気が延長して残気量が増加する．慢性気管支炎の症状は，必ずしもそうではないがしばしば合併する．形態学的に汎小葉性(汎細葉性)肺気腫と小葉中心性(中心細葉性)肺気腫の２種類がある．瘢痕周辺性気腫，傍隔壁性肺気腫，および嚢胞性肺気腫も多い．＝pulmonary e.）．

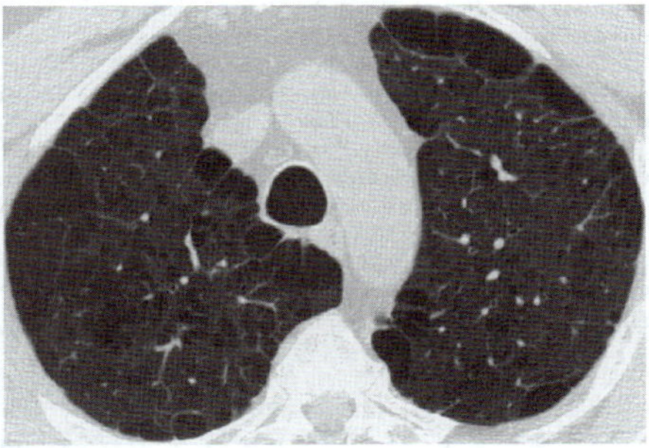

emphysema

小葉中心付近の広範囲を示す高解像度CT像．肺内の小さな穴は，可視壁の欠如によって嚢胞と識別される．より大きな下胸膜領域は減衰が低く，遠位の腺房気腫の領域を表している．

alveolar duct e. 肺胞道気腫（汎肺胞性気腫に対するもので，肺胞道と呼吸細気管支を主病巣とする気腫）．

bullous e. 嚢胞性肺気腫（直径が１ないし数 cm の拡大した気腔をもつ気腫で，しばしば胸部Ｘ線写真でみられる．張力がかかった肺組織下の薄壁含気嚢胞で，単発あるいは多発性．ときとして外科的切除で肺機能が改善する）．

centriacinar e. ＝centrilobular e.

centrilobular e. 小葉中心性肺気腫（中心細気管支の周囲で，二次肺葉の中心部を侵す肺気腫で，典型的なものは肺上部あるいは上葉に起こる．細気管支の炎症や呼吸細気管支手前で蓄積する吸収された粉塵の影響にかかわっている．炭鉱夫の塵肺や軽度型は無症状で都市居住者にみられる）．＝centriacinar e; proximal acinar e.

compensating e., compensatory e. 代償性〔肺〕気腫（肺の一部の空気容量が増加していることで肺の一部が固質化したり，縮んだり，呼吸機能が遂行できない際にみられる．肺胞は拡張しているが，肺胞壁の破壊はみられない．したがって，この名称の定義からわかるように真の肺気腫ではない）．

congenital lobar e. [MIM*130710]. 先天性大葉性〔肺〕気腫（新生児呼吸窮迫の一般的原因で，通常，左上葉に起こる）．

cutaneous e. 皮膚気腫．＝subcutaneous e.

diffuse obstructive e. びまん性閉塞性〔肺〕気腫（慢性閉塞性肺疾患の主要な原因）．

distal acinar e. 遠位細葉性肺気腫．＝paraseptal e.

ectatic e. 拡張性〔肺〕気腫（肺胞(細葉)の拡張部位による閉塞性気道疾患．原則としてα_1-アンチトリプシンの遺伝性欠損に伴ってみられる．→panlobular e.）．

familial e. 家族性気腫（高度のα_1-アンチトリプシン欠損に伴って遺伝する肺気腫）．

gangrenous e. ＝gas *gangrene*.

generalized e. 汎発性気腫．＝panlobular e.

increased markings e. 肺紋理増強を伴う肺気腫（気管支の炎症によると思われる非血管性陰影を伴う肺気腫のＸ線像をもつ混合性閉塞性肺疾患に対する用語）．

interlobular e. 小葉間気腫（肺小葉間の結合組織中隔における間質性気腫）．

interstitial e. 間質性気腫（①肺胞破裂の結果として肺組織に空気が存在するもの．②結合組織に空気または気体が存在するもの）．

intestinal e. 腸気腫．＝*pneumatosis* cystoides intestinalis.

irregular e. 不規則〔肺〕気腫（肺細葉部分と一定の関係を示さない肺気腫．常に線維化と関連する）．

mediastinal e. 縦隔気腫．＝pneumomediastinum.

panacinar e. ＝panlobular e.

panlobular e. 汎小葉性肺気腫（二次肺小葉の全体を侵す肺気腫で，典型的には肺下野に起こり，しばしば α_1-アンチトリプシン欠損症に起こる）．＝generalized e.; panacinar e.

paracicatricial e. 瘢痕周辺性気腫（肺内の瘢痕に隣接する拡張した終末気腔．→paraseptal e.）．

paraseptal e. 傍隔壁性肺気腫（肺小葉の末梢を含む気腫）．＝scar e.; distal acinar e.

proximal acinar e. 近位細葉性肺気腫．＝centrilobular e.

pulmonary e. 肺気腫．＝emphysema (2).

scar e. 瘢痕性気腫．＝paraseptal e.

senile e. 老年(老人)性気腫（高年層の生理的萎縮の結果として生じる気腫）．

subcutaneous e. 皮下気腫（皮下組織に空気または気体があるもの）．＝aerodermectasia; cutaneous e.; pneumoderma; pneumohypoderma.

subgaleal e. 帽状腱膜下気腫（帽状腱膜と頭蓋骨膜の間に空気またはガスが集積すること）．

surgical e. 外科的気腫（手術または外傷によって組織中に取り込まれたガスによって起こる皮下気腫．腹腔鏡手術で二酸化炭素を注入した後にしばしばみられる）．

unilateral lobar e. 片側性肺葉性気腫（閉塞性細気管支炎のため，胸部Ｘ線写真上，透過性が亢進した肺葉(または肺全体)．エアトラッピングを伴う）．＝Macleod syndrome; Swyer-James syndrome (1); Swyer-James-MacLeod syndrome.

em·phy·sem·a·tous (em′fi-sem′ă-tŭs). 気腫の．

em·pir·ic (em-pir′ik) [→empirical]. ***1*** 〖n.〗経験主義者（紀元前末期から紀元初期のギリシア・ローマ医師学派の一派．経験だけを信じ，これに基づいた診療を行い，すべての思索，理論，あるいは抽象的な推論を避けた．病気を真に理解するために，原因や関連症状にはほとんど注意を払わなかった．さらに医学の基礎的知識，生理・病理・解剖学なども あまり評価せず，診療上これらは価値がないと考えた）．***2*** 〖adj.〗現代では注意深い観察，すなわち理論的には経験に基づいて仮説を検証することに用いる．***3*** 〖adj.〗経験主義的な（理論だけというよりも実際の経験に基づいたもの．しかし，合理的であることとは対照的に科学的に確立されたものではない）．***4*** 〖adj.〗経験主義者の．

em·pir·i·cism (em-pir′i-sizm). 経験診療法（診療または治療薬を使用する際に経験を指針とする方法）．

em·por·i·at·rics (em-pōr′ē-at′riks) [G. *emporion*, market ＜ *emporos*, traveler, merchant + (*technē*) *iatrikē*, medical art]. 旅行医療専門家（旅行医療の専門家で，旅行者が罹患する疾病，特に熱帯地域での疾病を扱う）．

em·pros·thot·o·nos (em′pros-thot′ŏ-nŭs) [G. *emprosthen*, forward + *tonos*, tension]. 前弓緊張，前弯痙攣，前方反張（弯曲して前方に陥凹ができる屈筋のテタヌス性攣縮）．

em·py·ec·to·my (em′pī-ek′tŏ-mē). 膿胸切除術（胸腔内蓄膿とその被膜の切除）．

em·py·e·ma (em′pī-ē′mă, -pi-ē′mă) [G. *empyēma*, suppuration ＜ *en*, in + *pyon*, pus]. 蓄膿〔症〕，膿胸（体腔にある

膿．限定されない場合は膿胸を意味する）．

e. benignum 良性蓄膿〔症〕．＝latent e.

e. of gallbladder 胆嚢蓄膿症（胆嚢の化膿性炎症を伴う重症急性胆嚢炎）．

latent e. 潜在性蓄膿〔症〕（体腔，特に副鼻腔に膿汁が存在すること．自覚症状はない）．＝e. benignum.

loculated e.〔小〕房性蓄膿〔症〕（胸膜癒着により膿のはいった嚢状空洞が1個以上形成されている膿胸）．

mastoid e. ＝mastoiditis.

e. necessitatis〔胸壁〕穿孔性膿胸（膿胸の一種．膿が外側へ穿孔して皮下膿瘍をつくり，ついには体表外に破裂する．手術を要さず自然に治癒する）．＝e. necessitans.

e. of the pericardium 心膜蓄膿〔症〕．＝purulent *pericarditis.*

pneumococcal e. 肺炎球菌性膿胸（肺炎球菌 *Streptococcus pneumoniae* による化膿性胸腔内感染）．

pulsating e. 拍動性膿胸（胸膜腔に膿による巨大な膨隆があり，これにより心拍が胸壁に伝えられる）．

streptococcal e. 溶連菌性膿胸（*Streptococcus hemolyticus* 感染による化膿性胸腔内浸出液）．

subdural e. 硬膜下膿瘍（乳突洞あるいは副鼻腔あるいは外傷における感染から二次的に発生する硬膜下に存在する膿）．

em·py·e·mic (em′pī-ē′mik). 蓄膿〔症〕の，膿胸の．

em·py·e·sis (em′pī-ē′sis) [G. suppuration]. 膿疱疹，膿疹．

em·py·o·cele (em′pī-ō-sēl) [G. *en*, in + *pyon*, pus + *kēlē*, tumor]. 陰嚢膿腫（化膿性陰嚢水腫．陰嚢に膿が集積すること）．

em·py·reu·ma (em′pī-rū′mă) [G. a banked fire]. 焦臭（密閉した容器で有機物を焦がしたり破壊蒸留したりする際に出る特有のにおい）．

EMS eosinophilia-myalgia *syndrome*; emergency medical services *system* の略．

EMT Emergency Medical Technician（救急医療士）の略．

EMTALA (em-tal′ă). エムタラ（Emergency Medical Treatment and Labor Act の略）．

emu (ē′mū). electromagnetic *unit* の略．

e·mul·gent (ē-mŭl′jent) [L. *e-mulgeo*, pp. *-mulsus*, to milk out, drain out]. 沪過の，搾出性の，精製の．

e·mul·si·fi·er (ē-mŭl′si-fī-ĕr). 乳化剤（不揮発性油を乳化するために用いる物質（例えば，アラビアゴム，卵黄）．石けんや界面活性剤，ステロイド，蛋白は乳化剤として作用する．油相と水相との二相系を安定化する）．

e·mul·si·fy (ē-mŭl′si-fī). 乳化する，乳剤にする．

emul·sin (ē-mŭl′sin). エムルシン（①アーモンドから分離された物質または発酵物で，β-グルコシダーゼを含有する．②ときにはβ-グルコシダーゼと同じ意味で使われる）．

emul·sion (ē-mŭl′shŭn) [Mod. L. < *e-mulgeo*, pp. *-mulsus*, to milk or drain out]. エマルジョン，乳剤，乳濁液（2つの不混和性の液体を含む物質で，一方が他の液体（外相）中に微細球（内相）の形で分散している．例えば水中油滴型（ミルク）または油中水滴型（マヨネーズ））．

e·mul·sive (ē-mŭl′siv). ***1*** 乳剤質の（乳濁液にすることのできる物質についていう）．***2*** 乳状化性のある，乳剤化できる（漿剤のように脂肪または樹脂を乳化できる物質についていう）．***3*** 柔軟にする．***4*** 圧力をかけて不揮発性油を産する．

e·mul·soid (ē-mŭl′soyd). 乳濁質（コロイド分散相．分散した粒子は多少液体になっていて分散媒にある程度親和性を示し，これをいくぶん吸収する）．＝emulsion colloid; hydrophil colloid; hydrophilic colloid; lyophilic colloid.

em·u·re·sis (em′yū-rē′sis) [G. *en(em)*, in + *ourēsis*, urination]. エムレーシス（[enuresis と混同しないこと]．尿の排泄と水分摂取が生体の絶対的な水分過剰状態を引き起こしている状態．→ecuresis）．

en- (en) [G.]. 中に，を意味する接頭語．b，p，mの前では em- となる．

e·nam·el (ē-nam′ĕl) [M. E. < Fr. *enamailer*, to apply enamel < *en*, on + *amail*, enamel < Germanic][TA]. エナメル質（歯の冠状ぞうげ質をおおう，硬くて光沢のある物質．成熟したエナメル質はヒドロキシアパタイト90％，炭酸カルシウム，フッ化カルシウム，炭酸マグネシウム6％からなる無機質と，残り4％の蛋白および糖蛋白からなる有機質で構成される）．＝enamelum [TA]; substantia adamantina; substantia vitrea.

dwarfed e. ＝nanoid e.

interrod e. 小柱間エナメル質（エナメル小柱間の空間をうめるエナメル質）．

mottled e. 虫食いエナメル質，斑状歯（しばしば歯の形成中にフッ化物を過剰に摂取したために起こるエナメル質形成不全．その外観は小さい白色不透明から黄色と黒の斑点まで様々である）．

nanoid e. 矮小エナメル（エナメルが異常に薄い状態）．＝dwarfed e.

whorled e. らせん形エナメル（エナメル柱が，らせん形またはねじれた方向をとるもの）．

e·nam·el·ins (ē-nam′ĕ-linz) [enamel + -in]. エナメリン（成熟エナメル質の有機基質を構成している一群の蛋白）．

e·nam·el·o·blast (e-nam′el-ō-blast). エナメル芽細胞．＝ameloblast.

e·nam·el·o·gen·e·sis (ē-nam′ĕl-ō-jen′ĕ-sis). エナメル質形成．＝amelogenesis.

e. imperfecta エナメル質形成不全〔症〕．＝*amelogenesis imperfecta.*

e·nam·el·o·ma (ē-nam-ĕl-ō′mă). エナメル腫（発育異常で，セメント質エナメル質境界線より下，通常は大臼歯の歯根分岐部にあるエナメル質の小結節）．＝enamel drop; enamel nodule; enamel pearl.

e·nam·e·lum (ē-nam′ĕ-lŭm) [TA]. エナメル質．＝enamel.

e·nan·thal (ē-nan′thăl). エナンタール．＝heptanal.

en·an·them, en·an·the·ma (en-an′them, en-an-thē′mă) [G. *en*, in + *anthēma*, bloom, eruption < *antheō*, to bloom]. 粘膜疹，内疹（粘膜発疹，特に皮疹に関連してできるもの）．

enantio- (en-an′tē-ō) [G. *enantios*, opposite]. 反対の位置にある，向かい合わせの，逆の，を意味する接頭語．

en·an·ti·o·mer (en-an′tē-ō-mĕr) [enantio- + G. *meros*, part]. エナンチオマー，鏡像〔異性〕体（相互に重ね合わすことができない鏡像の関係にある1対の分子の1つ．どちらの分子も分子内に対称面をもたない）．＝optic antipode.

en·an·ti·o·mer·ic (en-an′tē-ō-mer′ik). 鏡像異性の．

en·an·ti·om·er·ism (en-an′tē-om′ĕr-izm). 鏡像異性（化学において，分子がその構造上互いに物体とその鏡像のような関係にあり，したがって重ね合わすことができない異性体（鏡像異性体）をいう．鏡像異性体は光学活性を有し，両方の鏡像異性体（等量で）は偏光面を等しく，相対する方向に回転する）．

en·an·ti·o·morph (en-an′tē-ō-mōrf′). 左右像，左右晶（結晶の形をなす鏡像異性体）．

en·an·ti·o·mor·phic (en-an′tē-ō-mōr′fik) [enantio- + G. *morphē*, form]. ＝enantiomorphous. ***1*** 鏡像関係の（2個の物体が相互に鏡像である）．***2*** 左右像の，左右晶の（化学において，異性体の光学活性が大きさにおいて等しく，符号が反対である）．

en·an·ti·o·mor·phism (en-an′tē-ō-mōr′fizm) [enantio- + G. *morphē*, form]. 鏡像〔体〕（形は類似しているが重ね合わすことができない2個の物体の関係．すなわち両手や，物体とその鏡像のような関係にあること）．

en·an·ti·o·mor·phous (en-an′tē-ō-mōr′fŭs). ＝enantiomorphic.

enantioselectivity (ē-nan′tē-ō-sē-lek-tiv′i-tē). 鏡像異性選択性，光学選択性（エナンチオーマ間における薬理学的，薬動学的，薬物動態学的，治療学的，副作用上，または毒性学的な相違）．

en·ar·thro·di·al (en′ar-thrō′dē-ăl). 球関節の．

en·ar·thro·sis* (en′ar-thrō′sis) [G. *en-arthrōsis*, a jointing where the ball is deep set in the socket]. 球関節（ball and socket *joint* の公式の別名）．

en bloc (un[h] blok) [Fr. in a lump]. ひとかたまりに，一塊として（一塊に，まるごと．剖検の際に各臓器の連続性を保ったまま検査できるように，いくつかの臓器をひとまとめにして取り出す方法を示すのに用いられる）．

en·cai·nide hy·dro·chlor·ide (en-kā′nīd hī-drō-klōr′īd). 塩酸エンカイニド（抗不整脈薬）．

en·cap·su·lat·ed (en-kap′sū-lā-ted). 被包性の（被膜または鞘に囲まれた）．＝encapsuled.

en·cap·su·la·tion (en-kap′sū-lā′shŭn) [L. *in* + capsula: *capsa* (box) の指小辞]. 被包（被膜または鞘で囲むこと）.
en·cap·suled (en-kap′sūld). ＝encapsulated.
en·car·di·tis (en′kar-dī′tis). 心内膜炎. ＝endocarditis.
en·ce·li·tis, en·ce·li·i·tis (en′sē-lī′tis, -lē-ī′tis) [G. *en*, in + *koilia*, belly + *-itis*, inflammation]. 腹部内臓炎を表す，現在では用いられない語.
encephal- (en-sef′ăl). →encephalo-.
en·ceph·a·lal·gi·a (en-sef′ă-lal′jē-ă) [encephalo- + G. *algos*, pain]. 頭痛. ＝headache.
en·céph·ale i·so·lé (ahn-sā-fal′ ē-sō-lā′) [Fr. isolated brain]. 下位離断脳（中脳尾側を離断した動物の脳で，呼吸は人工的に維持されている．動物は敏感で，睡眠－覚醒のサイクルを示し，瞳孔反射は正常で脳波も正常である．*cf.* cerveau isolé）.
en·ceph·a·le·mi·a (en-sef′ă-lē′mē-ă) [encephalo- + G. *haima*, blood]. 脳うっ血. ＝brain *congestion.*
en·ce·phal·ic (en′se-fal′ik). 脳の，頭蓋内構造の.
en·ceph·a·lit·ic (en-sef′ă-lit′ik). 脳炎の.
en·ceph·a·li·tis, pl. **en·ceph·a·lit·i·des** (en-sef′ă-lī′tis, en-sef-ă-lit′i-dēz) [G. *enkephalos*, brain + *-itis*, inflammation]. 脳炎（[複数形からの不適切に逆成された無意味語の発音 en-sef-a-lit′i-dē を避けること]）.

acute hemorrhagic e. 急性出血性脳炎（溢血による卒中型の脳炎）. ＝e. hemorrhagica.

acute inclusion body e. 急性封入体脳炎. ＝herpes simplex e.

acute necrotizing e. 急性壊死性脳炎（脳実質の破壊を特徴とする脳炎の急性型で単純ヘルペスと他のウイルスに起因する）.

Australian X e. オーストラリアX脳炎. ＝Murray Valley e.

bacterial e. 細菌性脳炎（細菌が原因である脳炎）. ＝e. pyogenica; purulent e.; suppurative e.

bunyavirus e. ブンヤウイルス脳炎（急激に発症する脳炎で，強い前頭部頭痛と軽度から中等度の発熱を伴う．ブンヤウイルス科 *Bunyavirus*属のウイルスによって引き起こされる．げっ歯類，ウサギ目，および家畜にも感染する）. ＝California e.

California e. カリフォルニア脳炎. ＝bunyavirus e.

coxsackie e. コクサッキー脳炎（ウイルス性脳炎で主に幼児にみられ，主として延髄と脊髄の灰白質を侵襲する．*Enterovirus*属のヒトコクサッキーウイルスBにより起こる）.

Dawson e. (daw′sŏn). ドーソン脳炎. ＝subacute sclerosing *panencephalitis.*

epidemic e. 流行性脳炎（日本脳炎，セントルイス脳炎，嗜眠性脳炎のように，流行性に起こるウイルス性脳炎）.

equine e. ＝equine *encephalomyelitis.*

experimental allergic e. (EAE) ＝experimental allergic *encephalomyelitis.*

Far East Russian e. 極東ロシア脳炎. ＝tick-borne e. (Eastern subtype).

e. hemorrhagica 出血性脳炎. ＝acute hemorrhagic e.

herpes e. ヘルペス脳炎. ＝herpes simplex e.

herpes simplex e. 単純ヘルペス脳炎（HSV–1によって起こる，最も頻度の高い急性脳炎．どの年齢の人も侵す．側頭葉の下内側部と前頭葉の眼窩部が障害されやすい．病理的には重篤な出血性壊死があり，急性期には神経細胞とグリア細胞に核内好酸性封入体がみられる）. ＝acute inclusion body e.; herpes e.

hyperergic e. ヒペレルギー性脳炎（抗原刺激に対する神経系の免疫アレルギー反応の結果起こるもの）.

Ilhéus e. イルヘウス脳炎（*Flavivirus*属イルヘウスウイルスにより起こる脳炎．ブラジル東部その他中央・南アメリカの地域に流行．カが媒介する）.

inclusion body e. 封入体脳炎. ＝subacute sclerosing *panencephalitis.*

Japanese B e. 日本脳炎（日本，ロシアのシベリア地方，その他のアジア地域における流行性脳炎または脳脊髄炎で，日本脳炎ウイルス(*Flavivirus*属)によって起こり，カが媒介する．無症状，不顕性感染しているが，急性髄膜脳脊髄炎を起こすことがある）. ＝e. japonica; Russian autumn e.

e. japonica 日本脳炎. ＝Japanese B e.

lead e. 鉛脳炎. ＝lead *encephalopathy.*

e. lethargica 嗜眠性脳炎. ＝Economo von San Serff *disease.*

Mengo e. メンゴ脳炎（アフリカに発生する脳炎で，ピコルナウイルス科の一種である脳心筋炎ウイルスのメンゴウイルスによる）.

Murray Valley e. マレー渓谷脳炎（死亡率の高い重篤な脳炎で，オーストラリアのマリーバレーに発生するといわれる．この疾患は小児において最も重篤で，頭痛，発熱，倦怠感，嗜眠状態または痙攣，および頸部硬直に始まり，広範な脳損傷を起こす．*Flavivirus*属のマレー渓谷脳炎ウイルスにより起こる）. ＝Australian X disease; Australian X e.

necrotizing e. 壊死性脳炎（広範な大脳壊死を生じる脳炎．急性壊死性出血性脳脊髄炎など）.

e. neonatorum 新生児脳炎（新生児の脳炎．R. Virchowによると，脳中に多数の脂肪蓄積細胞の存在を特徴とする）.

e. periaxialis concentrica 同心円性軸索周囲性脳炎（臨床的には副腎白質ジストロフィに類似するが，病理学的には，正常組織により分けられる大脳白質の同心性の球または円をなす脱髄を特徴とする）. ＝Baló disease.

e. periaxialis diffusa びまん性軸周囲性脳炎. ＝Schilder *disease.*

postvaccinal e. 種痘後脳炎，ワクチン後脳炎. ＝postvaccinal *encephalomyelitis.*

Powassan e. ポーワッサン脳炎（他の疾患と区別のつかない発熱から脳炎までの臨床的に多彩な小児の急性疾患で，Flaviviridae 科の Powassan ウイルスによって生じ，マダニによって媒介される．カナダにおいて最も頻繁にみられる）.

purulent e. ＝bacterial e.; e. pyogenica.

e. pyogenica 化膿性脳炎. ＝bacterial e.; purulent e.

Rasmussen e. (ras′mŭs-ĕn). ラスムッセン脳炎（刺激性グルタメート受容体に対する抗体がみられる脳炎で，自己免疫性と考えられている）. ＝Rasmussen syndrome.

Russian autumn e. ロシア秋季脳炎. ＝Japanese B e.

Russian spring-summer e. (Eastern subtype) ロシア春夏脳炎(東洋亜型)（フラビウイルス科に属するウイルスによるダニ媒介性脳炎）.

Russian spring-summer e. (Western subtype) ロシア春夏脳炎(西洋亜型). ＝tick-borne e. (Central European subtype).

Russian tick-borne e. ロシアダニ媒介脳炎. ＝tick-borne e. (Eastern subtype).

secondary e. 続発性脳炎（感染症脳炎，発疹後脳炎，予防接種後脳炎に対する総称名）.

subacute inclusion body e. 亜急性封入体脳炎. ＝subacute sclerosing *panencephalitis.*

e. subcorticalis chronica 慢性皮質下脳炎. ＝Binswanger *disease.*

suppurative e. 化膿性脳炎. ＝bacterial e.

tick-borne e. (Central European subtype) ダニ媒介脳炎(中央ヨーロッパ亜型)（極東型を起こすウイルスに近縁のフラビウイルスによって起こるダニ媒介性髄膜脳炎．イヌダニ *Ixodes ricinus* により，また感染した生乳，特にヤギ乳により媒介される）. ＝biundulant meningoencephalitis; Central European tick-borne fever; diphasic milk fever; Russian spring-summer e. (Western subtype).

tick-borne e. (Eastern subtype) ダニ媒介脳炎(東洋亜型)（脳炎の重篤な型で，フラビウイルス(フラビウイルス科)により起こり，ダニ(*Ixodes pertulcatus* と *I. ricinus*)により媒介される）. ＝Russian tick-borne e.

van Bogaert e. (vŏn bō′gĕrt). ヴァン・ボガエール脳炎. ＝subacute sclerosing *panencephalitis.*

varicella e. 水痘脳炎（水痘の合併症として起こる脳炎）.

vernal e. 春季脳炎. ＝tick-borne e. (Eastern subtype).

West Nile e. ウエスト(西)ナイル脳炎. ＝West Nile *virus.*

woodcutter′s e. 木こり脳炎. ＝tick-borne e. (Eastern subtype).

en·ceph·a·li·to·gen (en-sef′ă-lī′tō-jen) [encephalitis + G. *-gen*, producing]. 脳炎誘発物質（脳炎を惹起する物質．特に実験的アレルギー性脳脊髄炎を起こす抗原をいう）.

E

en·ceph·a·li·to·gen·ic (en-sef′ă-li-tō-jen′ik). 脳炎誘発〔性〕の（典型的には，過敏症の機序によって脳炎が引き起こされるようなものについていう．→encephalitogen).

En·ceph·a·li·to·zo·on (en-sef′ă-li-tō-zō′on) [encephalitis + G. *zōon*, animal]. エンセファリトゾーン属（寄生性原生動物の一属．以前は胞子虫綱トキソプラスマ科に属するとみなされていたが，現在では微胞子虫門のノセマ科に属するものと認められている．*E. cuniculi* は哺乳類寄生の主要な微胞子虫と考えられており，げっ歯類や肉食動物の脳や腎小管から普通に見出され，ウサギにノセマ症を引き起こす).

E. cuniculi 多くの哺乳類やいくつかの鳥類に通常的に潜在感染しており，尿で汚染された食物や胎盤感染で伝播される．免疫抑制を受けているヒトで散在性の感染が報告されている．血清学的診断でみられる潜在性感染は，熱帯地域における広範な不顕性感染の存在を示している．

E. hellem ヒト眼感染症を起こす *Encephalitozoon* の一種で，エイズ患者の点状角膜症や角膜潰瘍を引き起こす．

E. intestinale HIV 感染患者で記載された下痢を起こす微胞子虫．この疾患は消化管に現局し，血行性に播種されるらしい．

en·ceph·a·li·za·tion (en-sef′ă-li-zā′shŭn). 大脳化．＝corticalization.

encephalo-, encephal- (en-sef′ă-lō, en-sef′ăl) [G. *enkephalos*, brain]. 脳に関する連結形．*cf.* cerebro-.

en·ceph·a·lo·cele (en-sef′ă-lō-sēl′) [encephalo- + G. *kēlē*, hernia]. 脳ヘルニア（頭蓋にある先天性の裂溝で，脳組織のヘルニアを伴う)．＝craniocele; cranium bifidum; bifid cranium.

basal e. 頭蓋底部脳瘤（頭蓋底の骨欠損部より脳組織が外部に脱出(ヘルニア)したもので，ときに視神経欠損 *coloboma* of optic nerve を伴う).

en·ceph·a·lo·cys·to·cele (en-sef′ă-lō-sis′tō-sēl). 脳嚢胞瘤．＝hydrencephalocele.

en·ceph·a·lo·dur·o·ar·te·ri·o·syn·an·gi·o·sis (en-sef′a-lō-dūr′ō-ar-tēr′ē-ō-sin′an-jē-ō′sis). 脳硬膜動脈血管癒合〔術〕．＝duraencephalosynangiosis.

en·ceph·a·lo·dyn·i·a (en-sef′ă-lō-din′ē-ă) [encephalo- + G. *odynē*, pain]. 頭痛．＝headache.

en·ceph·a·lo·dys·pla·si·a (en-sef′ă-lō-dis-plā′zē-ă) [encephalo- + G. *dys*, bad + *plastos*, formed]. 脳異形成〔症〕，脳形成不全．

en·ceph·a·lo·gram (en-sef′ă-lō-gram) [encephalo- + G. *gramma*, a drawing]. 脳造影(撮影)図（脳造影の結果得た写真像).

en·ceph·a·log·ra·phy (en-sef-ă-log′ră-fē) [encephalo- + G. *graphō*, to write]. 脳造影(撮影)〔法〕，脳写（現在では用いられない脳のX線撮影法による描画的表現．→pneumoencephalography).

gamma e. ガンマ線脳写（少量のガンマ線放射性医薬品投与による脳の画像．使用される放射性医薬品に応じた，多くの特定の検査(例えば，脳の灌流シンチグラフィ，脳の神経受容体イメージング)に対して使われる用語).

en·ceph·a·loid (en-sef′ă-loyd) [encephalo- + G. *eidos*, resemblance]. 脳様の（脳組織に似ている，あるいは肉眼的に脳のような軟らかさの癌腫についていう).

en·ceph·a·lo·lith (en-sef′ă-lō-lith′) [encephalo- + G. *lithos*, stone]. 脳石（脳または脳室にある結石)．＝cerebral calculus.

en·ceph·a·lol·o·gy (en-sef′ă-lol′ŏ-jē) [encephalo- + G. *logos*, study]. 〔大〕脳学（脳に関するすべてを扱う医学の一分野).

en·ceph·a·lo·ma (en-sef′ă-lō′mă). 脳腫瘤，脳髄様腫瘍（脳組織のヘルニア形成)．＝cerebroma.

en·ceph·a·lo·ma·la·ci·a (en-sef′ă-lō-mă-lā′shē-ă) [encephalo- + G. *malakia*, softness]. 脳軟化〔症〕（脳実質の異常な軟化，しばしば脳虚血や脳梗塞の結果生じる)．＝cerebromalacia.

en·ceph·a·lo·men·in·gi·tis (en-sef′ă-lō-men′in-jī′tis) [encephalo- + G. *mēninx*, membrane + *-itis*, inflammation]. 脳髄膜炎．＝meningoencephalitis.

en·ceph·a·lo·me·nin·go·cele (en-sef′ă-lō-me-nin′gō-sēl) [encephalo- + G. *mēninx*, membrane + *kēlē*, hernia]. 脳髄膜瘤．＝meningoencephalocele.

en·ceph·a·lo·men·in·gop·a·thy (en-sef′ă-lō-men′in-gop′ă-thē). 脳髄膜障害．＝meningoencephalopathy.

en·ceph·a·lo·mere (en-sef′ă-lō-mēr′) [encephalo- + G. *meros*, a part]. 神経分節．＝neuromere.

en·ceph·a·lom·e·ter (en-sef′ă-lom′ĕ-tĕr) [encephalo- + G. *metron*, measure]. 脳計測器（頭蓋表面に皮質中枢の位置を示す装置).

en·ceph·a·lo·my·e·li·tis (en-sef′ă-lō-mī′ĕ-lī′tis) [encephalo- + G. *myelon*, marrow + *-itis*, inflammation]. 脳脊髄炎（脳と脊髄の炎症).

acute disseminated e. 急性播種性脳脊髄炎（脳と脊髄の全体に局所脱髄がみられる中枢神経系の急性脱髄疾患．この過程は，感染後，発疹後，および種痘後の脳脊髄炎に共通である).

acute necrotizing hemorrhagic e. 急性壊死性出血性脳脊髄炎（主に小児と若年成人を侵す中枢神経系の劇症の脱髄性疾患．ほとんど常に呼吸器感染が先行し，発熱，頭痛，錯乱，項部硬直が突発し，まもなく局所痙攣，片麻痺，四肢麻痺，脳幹症候，昏睡が起こる．髄液は炎症所見を示す．片側または両側大脳半球の白質の広範な破壊，しばしば脳幹と小脳脚の白質の破壊がみられる．原因は不明)．＝acute hemorrhagic leukoencephalitis; acute necrotizing hemorrhagic leukoencephalitis; Hurst disease.

e. associated with carcinoma 癌に伴う脳脊髄炎．＝paraneoplastic *encephalomyelopathy.*

benign myalgic e. 良性筋痛性脳脊髄炎．＝epidemic *neuromyasthenia.*

eastern equine e. (EEE) 東部ウマ脳脊髄炎（米国東部においてみられるカ媒介性ウマ脳脊髄炎の一種で，トガウイルス科に属する *Alphavirus*属の一種である東部ウマ脳脊髄炎ウイルスに起因する．発熱，ウイルス血症に始まり，続いて中枢神経系の障害徴候(興奮，傾眠，麻痺，死)が現れる．ヒトの臨床的感染率は低いが，発症例での死亡率は高いものと思われる).

epidemic myalgic e. 流行性筋痛性脳脊髄炎．＝epidemic *neuromyasthenia.*

equine e. ウマの脳脊髄炎（ウマやラバにみられるカが媒介する急性の，しばしば致命的なウイルス疾患．中枢神経系障害を特徴とする．米国では，この疾患は一般には3種類の *Alphavirus*属のいずれかによって起こり，その結果現れる疾患は西部ウマ脳脊髄炎，東部ウマ脳脊髄炎，ベネズエラウマ脳脊髄炎と命名されている．これらのウイルスはトガウイルス科に属し，ヒトにおいても神経疾患を起こす)．＝equine encephalitis.

experimental allergic e. (EAE) 実験的アレルギー性脳脊髄炎（脱髄性アレルギー性脳脊髄炎で，脳組織を通常，補助液とともに注入することによりつくられる)．＝experimental allergic encephalitis.

granulomatous e. 肉芽腫性脳脊髄炎（肉芽腫を生じる脳脊髄炎).

herpes B e. ヘルペスB脳脊髄炎（正常では潜在性のサルヘルペスウイルスの感染による，ヒトのしばしば致命的な疾患).

infectious porcine e. 感染性ブタ脳脊髄炎（Teschen 病ウイルスによる疾患)．＝Teschen disease.

mouse e. マウスの脳脊髄炎（*Enterovirus*属マウス脳脊髄炎ウイルスによって起こる．このウイルスはサルやヒトには病原性がないが，マウスの群に蔓延し弛緩性麻痺を(通常は後脚に)起こす).

postvaccinal e. ワクチン後脳脊髄炎（狂犬病ワクチン後に起こる重症の脳脊髄炎)．＝postvaccinal encephalitis.

Venezuelan equine e. (VEE) ベネズエラウマ脳脊髄炎（南アメリカ，パナマ，トリニダードの一部にみられるカ媒介性ウマ脳脊髄炎の一種で，トガウイルス科の *Alphavirus* 属の一種であるベネズエラウマ脳脊髄炎ウイルスにより起こる．東部型や西部型よりも中枢神経系の障害が少ないのが特徴である．発熱，下痢，抑うつ症は共通してみられる．ヒトでは，2—5日の潜伏期の後，発熱と激しい頭痛が起こり中枢神経系が侵される場合もある).

viral e., virus e. ウイルス〔性〕脳脊髄炎（向神経性ウイルスによる脳脊髄炎).

western equine e. (**WEE**) 西部ウマ脳脊髄炎（米国西部，南アメリカの一部でみられるウマの脳脊髄炎で，カによって伝播され西部ウマ脳脊髄炎ウイルス(トガウイルス科の *Alphavirus*属の一種)によって起こる．感染は東部ウマ脳脊髄炎と類似しているが，より軽症である．ヒトにおける感染は概して不顕性であるが，中枢神経系が侵されて死亡した例もある．→western equine encephalomyelitis *virus*）．

zoster e. 帯状疱疹性脳脊髄炎，帯状ヘルペス性脳脊髄炎（ヘルペスウイルス科の水痘－帯状疱疹ウイルスにより起こる脳と脊髄の炎症）．

en·ceph·a·lo·my·el·o·cele (en-sef′ă-lō-mī-ĕl′ō-sēl) [G. *enkephalos*, brain + *myelon*, marrow + *kēlē*, hernia]. 脳脊髄瘤（頭蓋骨の先天的な欠損で，通常は後頭部や頸椎にみられ，髄膜や神経組織の脱出(ヘルニア)を伴う）．

en·ceph·a·lo·my·e·lo·neu·rop·a·thy (en-sef′ă-lō-mī′ĕ-lō-nū-rop′ă- thē). 脳脊髄神経障害（脳，脊髄，末梢神経が侵される疾患）．

en·ceph·a·lo·my·e·lop·a·thy (en-sef′ă-lō-mī′ă-lop′ă-thē) [G. *enkephalos*, brain + *myelon*, marrow + *pathos*, suffering]. 脳脊髄障害，エンセファロミエロパシー（脳と脊髄の両者の疾病の総称）．

carcinomatous e. 癌性脳脊髄障害．＝paraneoplastic e.

epidemic myalgic e. 流行性筋痛性脳脊髄障害（表面的には灰白髄炎に類似した疾患で，筋痛を伴い，びまん性に神経系を侵すのが特徴）．

necrotizing e. 壊死性脳脊髄障害．＝Leigh *disease*.

paracarcinomatous e. ＝paraneoplastic e.

paraneoplastic e. 新生物傍脳脊髄症，パラネオプラスティック脳脊髄症（癌の遠隔効果として起こる脳脊髄症で，肺のえん麦細胞癌が最も多い．かなりの神経細胞の喪失を特徴とし，広範性のこともあるが，大脳辺縁系，延髄，小脳，脊髄灰白質など特定の部位をしばしば強く侵す)．＝carcinomatous e.; encephalomyelitis associated with carcinoma; paracarcinomatous e.

subacute necrotizing e. (**SNE**) 亜急性壊死性脳脊髄症．＝Leigh *disease*.

en·ceph·a·lo·my·e·lo·ra·dic·u·li·tis (en-sef′ă-lō-mī′ĕ-lō-ră-dik′yū-lī-tis). 脳脊髄神経根炎．＝encephalomyeloradiculopathy.

en·ceph·a·lo·my·e·lo·ra·dic·u·lop·a·thy (en-sef′ă-lō-mī′ĕ-lō-ră-dik′yū-lop′ă-thē). 脳脊髄神経根障害（脳，脊髄，脊髄神経根が侵される疾患)．＝encephalomyeloradiculitis.

en·ceph·a·lo·my·o·car·di·tis (en-sef′ă-lō-mī′ō-kar-dī′tis). 脳心筋炎（脳炎と心筋炎を合併したもの．灰白脊髄炎のようなウイルス感染でしばしば起こる）．

en·ceph·a·lon, pl. **en·ceph·a·la** (en-sef′ă-lon, -lă) [G. *enkephalos*, brain < *en*, in + *kephalē*, head][TA]. 脳（脳脊髄のうち頭蓋の中にある部分で，前脳，中脳，菱脳からなる）．

en·ceph·a·lo·path·i·a (en-sef′ă-lō-path′ē-ă). 脳障害，脳症．＝encephalopathy.

en·ceph·a·lop·a·thy (en-sef′ă-lop′ă-thē) [encephalo- + G. *pathos*, suffering]. 脳障害，脳症，エンセファロパシー（脳疾患の総称)．＝cerebropathia; cerebropathy; encephalopathia; encephalosis.

bilirubin e. ビリルビン脳障害(脳症)，ビリルビンエンセファロパシー．＝kernicterus.

Binswanger e. (bin′zwang-ĕr). ビンスヴァンガー脳障害(脳症)，ビンスヴァンガーエンセファロパシー．＝Binswanger *disease*.

---

bovine spongiform e. (**BSE**) ウシの海綿状脳症，狂牛病（1986 年に英国で最初に報告されたウシの疾患で，臨床的にはおどおどした行動，知覚過敏，および運動失調を特徴とし，病理組織学的には脳幹の灰白質における海綿状変化を特徴とする．他の動物の海綿状脳症(例えばスクラピー)やヒトの変異型 Creutzfeldt-Jakob 病(vCJD)と同様にプリオンに起因する．→Creutzfeldt-Jakob *disease*)．＝mad cow disease.

1990 年代の中途，Creutzfeld-Jakob 病(CJD)の異常な数の症例が英国で 30 歳以下のヒトで報告された．これらの患者は典型的な臨床所見を示したが，EEG は CJD の特徴とは異なり，また剖検材料はクールーに類似の異常なアミロイド斑を呈し，それは以前 CJD で認められていないものであった．このいわゆる変異型 Creutzfeld-Jakob 病(vCJD)患者の追跡の結果，牛海綿状脳症(狂牛病)に感染した牛の中枢神経組織に汚染された牛肉製品を摂取していたことが明らかとなった．この病気の流行で 1986—1996 年の間に英国で 15 万頭以上のウシが死亡した．1989 年 7 月以降，ウシおよび牛製品の英国からの輸入は米国農務省によって差し止められている．2003 年末にワシントン州において BSE に感染した 1 頭の乳牛が見出されたことにより，米国におけるスクリーニング検査の変更が進められ，ヒトの食品としての肉製品の使用に関する制限強化が推進された．WHO の相談員は反すう獣由来の肉および骨の飼料をウシに給餌する方法をとがめ，また海綿状脳症の徴候を示す動物のどの部分もヒトと動物の食物連鎖の中に入れないことを確実にする方法をとるように勧告した．牛乳，乳製品，ゼラチン，ラードは安全と考えられている．

---

demyelinating e. 脱髄性脳障害(脳症)，脱髄性エンセファロパシー（脳のミエリン鞘の拡大性特発性喪失で，白質萎縮症の経過中に起こる）．

Hashimoto e. 橋本脳症（橋本甲状腺炎に関連した脳症）．

hepatic e. 肝性脳障害(脳症)，肝性エンセファロパシー．＝portal-systemic e.

HIV e. HIV 脳症，ヒト免疫不全ウイルス脳症．＝AIDS dementia *complex*.

hypernatremic e. 高ナトリウム血性脳障害(脳症)，高ナトリウム血性エンセファロパシー（高ナトリウム血性脱水を起こした乳児において，クモ膜下および硬膜下に滲出をみる）．

hypertensive e. 高血圧性脳障害(脳症)，高血圧性エンセファロパシー（広範な脳浮腫によって起こる代謝性の脳症，長期間高血圧の持続した患者で急速に血圧上昇したときに続発する）．

hypoxic-hypercarbic e. 低酸素性高炭酸ガス性脳症．＝hypoventilation *coma*.

hypoxic ischemic e. 低酸素性虚血性脳障害(脳症)（脳への酸素や血流が不十分となったために起こる一般に永続的な脳障害．乳児は後遺症なしに回復することがある）．

lead e. 鉛脳障害(脳症)，鉛エンセファロパシー（鉛化合物の摂取によって引き起こされる代謝性脳症で，特に小児期早期にみられる．病理学的特徴としては，広範な脳浮腫，海綿状態，神経細胞溶解，および何らかの反応性炎症があげられる．臨床症状は痙攣，せん妄，幻覚がある．→lead *poisoning*)．＝lead encephalitis; saturnine e.

metabolic e. 代謝性脳障害(脳症)（大脳のニューロンや神経膠細胞の代謝の広範性異常による昏睡またはその前駆段階．一次性代謝性脳症は昏睡を起こす変性性脳疾患により，二次性代謝性脳症は中毒，電解質異常，栄養欠乏を起こす脳以外の病変により脳の代謝が障害されて起こる．例えば肝疾患，腎疾患，外部からの毒物）．

necrotizing e. 壊死性脳障害(脳症)．＝Leigh *disease*.

palindromic e. 反復性脳障害(脳症)，反復性エンセファロパシー（再発の傾向がある比較的軽い脳疾患）．

pancreatic e. 膵性脳障害(脳症)，膵性エンセファロパシー（広範な膵壊死に伴う代謝性脳症）．

portal-systemic e. 門脈体循環性脳障害(脳症)，門脈体循環性エンセファロパシー（肝硬変に伴い，毒性の窒素物質が門脈循環から出て体循環を通過することによって起こる脳疾患．脳の症状として昏睡が起こることもある)．＝hepatic e.

progressive subcortical e. 進行性皮質下脳障害(脳症)，進行性皮質下エンセファロパシー．＝progressive multifocal *leukoencephalopathy*.

pulmonary e. 肺性脳症．＝hypoventilation *coma*.

recurrent e. [MIM*130950]. 再発性脳障害(脳症)，再発性エンセファロパシー（同じ家族の若年者に起こる進行型の脳症．頭痛，めまい，体幹失調，傾眠，昏迷，発語障害，舞踏病様アテトーシス様運動，ときに痙攣を特徴とする．恐らく常染色体優性遺伝である）．

saturnine e. ＝lead e.

severe postanoxic e. 重症低酸素症後脳症．＝delayed

coma after hypoxia.

spongiform e. 海綿状脳障害(脳症)(神経細胞内と神経膠細胞内に空胞形成を特徴とする脳症).

subacute spongiform e. 亜急性海綿状脳障害(脳症)(現在まで適切には記述されていない〝スローウイルス〟に伴い，伝播可能で，急速に進行し死亡する海綿状脳症の一型で，Creutzfeldt-Jakob 病，クールー，Gerstmann-Sträussler 症候群，スクラピーを含む．→prion).

subcortical arteriosclerotic e. 皮質下〔性〕動脈硬化性脳障害(脳症)．＝Binswanger *disease.*

thyrotoxic e. 甲状腺中毒性脳障害(脳症)，甲状腺中毒性エンセファロパシー(重篤な甲状腺機能亢進症の患者に生じる代謝性脳障害).

traumatic e. 外傷性脳障害(脳症)，外傷性エンセファロパシー(器質的脳損傷に起因する脳障害).

traumatic progressive e. 外傷性進行性脳障害(脳症)，外傷性進行性エンセファロパシー(多発性の脳損傷により生じた慢性的な進行性の脳障害，例えばボクサー認知症).

Wernicke e. (vern′ik-ĕ). ヴェルニッケ脳障害(脳症)，ヴェルニッケエンセファロパシー．＝Wernicke *syndrome.*

Wernicke-Korsakoff e. (vĕr-nik′ĕ kōr′să-kof). ヴェルニッケ－コルサコフ脳障害(脳症)，ヴェルニッケ－コルサコフエンセファロパシー(→Wernicke *syndrome*; Korsakoff *syndrome*).

en·ceph·a·lo·py·o·sis (en-sef′ă-lō-pī-ō′sis) [encephalo- ＋G. *pyōsis*, suppuration]. 脳化膿症(脳の化膿性炎症を表す古語).

en·ceph·a·lor·rha·chid·i·an (en-sef′ă-lō-ră-kid′ē-ăn) [encephalo- ＋G. *rhachis*, spine]. 脳脊髄の．＝cerebrospinal.

en·ceph·a·los·chi·sis (en-sef′ă-los′ki-sis) [encephalo- ＋G. *schisis*, fissure]. 脳裂(神経管の吻側閉鎖不全).

en·ceph·a·lo·scle·ro·sis (en-sef′ă-lō-sklĕ-ro′sis) [encephalo- ＋G. *sklērōsis*, hardening]. 脳硬化〔症〕(→cerebrosclerosis).

en·ceph·a·lo·scope (en-sef′ă-lō-skōp) [encephalo- ＋G. *skopeō*, to view]. 脳鏡(脳膿瘍その他の脳の空洞の内部を，頭蓋の孔を通して見るのに用いる器械の総称).

en·ceph·a·los·co·py (en-sef′ă-los′kŏ-pē). 脳鏡検査〔法〕(脳または脳膿瘍の窩洞を直接視診により検査すること).

en·ceph·a·lo·sis (en-sef′ă-lō′sis). 脳症．＝encephalopathy.

en·ceph·a·lo·spi·nal (en-sef′ă-lō-spī′năl). 脳脊髄の．＝cerebrospinal.

en·ceph·a·lo·tome (en-sef′ă-lō-tōm). 脳切開器，脳切断器.

en·ceph·a·lot·o·my (en-sef′ă-lot′ŏ-mē) [encephalo- ＋G. *tomē*, incision]. 脳切開〔術〕，脳切断〔術〕.

en·chon·dral (en-kon′drăl). 軟骨内の．＝intracartilaginous.

en·chon·dro·ma (en′kon-drō′mă) [Mod. L. ＜G. *en*, in ＋*chondros*, cartilage ＋*-oma*, tumor]. 内軟骨腫，〔真性〕軟骨腫(最初は軟骨から形成され，骨の髄腔から発生する良性の軟骨性増殖．特に小さい骨の皮質を膨張させることがあり，単独で，または多発性(内軟骨腫症)で起こることがある).

en·chon·dro·ma·to·sis (en-kon′drō-ma-tō′sis) [MIM *166000, *225795]. 内軟骨腫症，〔真性〕軟骨腫症(いくつかの骨の骨幹端における軟骨の過誤腫性増殖と考えられるまれな疾患．手足に最も多く，骨成長が障害されたり，病的骨折を起こす．軟骨肉腫を発生することがある．皮膚または内臓の血管腫を伴う場合には Maffucci 症候群とよばれる．ほとんどは散発性であるが，浸透度の低い常染色体優性遺伝を示す例がある)．＝asymmetric chondrodystrophy; dyschondroplasia; hereditary deforming chondrodystrophy (2); Ollier disease.

en·chon·drom·a·tous (en′kon-drō′mă-tŭs). 内軟骨腫の，〔真性〕軟骨腫の.

en·clave (en′klāv, ahn-klahv′) [Fr. ＜L. *clavis*, key]. 包入物(他の組織に包囲された組織の分離塊．特に主要腺から腺組織塊が分離したような場合にみられる).

en·cod·ing (en-kōd′ing). 記銘，コード化(記憶過程の中で，貯蔵 storage と想起 retrieval に先立つ最初の段階．1つ以上の感覚から刺激を受容したり，短時間登録したり，また，その情報を修飾したりする過程を含んでいる．この情報の解体，喪失過程(忘却の一型)は次の2つの段階，すなわち貯蔵と想起が賦活されなければ急速に生じる).

en·cop·re·sis (en-kō-prē′sis) [G. *enkopros*, full of manure]. 大便失禁(繰り返し，一般的には不随意に，不適当な場所へ大便をすること(例えば着衣のまま)).

en·cra·ni·al (en-krā′nē-ăl). 頭蓋内の．＝endocranial.

en·cra·ni·us (en-krā′nē-ŭs) [G. *en*, in ＋*kranion*, skull]. 自生体頭蓋内奇形腫性寄生体，エンクラニウス(胎児封入の奇形で，接着双生児の小さいほうの寄生体が，部分的にまたは全体的に大きいほうの自生体の頭蓋腔内にあるもの).

encu *e*quivalent(力価の)，*n*ormal(正常な)，*c*hild(子供)，*u*nit(単位)の頭字語で，コンサルタンドが常染色体優性形質の保因者であるという確率への影響が1人の通常の子孫と同じであるような情報量のこと．情報は連鎖分析，両親および傍系の表現型，保因者状態での生化学など，方法は問わない．正常な子供1人は1encu として推定される．*cf.* ensu.

en·cyst·ed (en-sis′ted) [G. *kystis*, bladder]. 被嚢した，被包した(膜の袋に包まれた).

en·cyst·ment (en-sist′ment). 被嚢，被包.

end (end) [TA]. 末端，終末.

acromial e. of clavicle [TA]. 鎖骨の肩峰端(鎖骨の扁平な外側端で，肩峰と関節でつながり，円錐靱帯および菱形靱帯により烏口突起に固定されるもの)．＝extremitas acromialis claviculae [TA]; acromial extremity of clavicle.

distal e. 遠心端(歯科装置の後端)．＝heel (3).

fixed e. [TA]. 固定端(ある運動の際，静止状態に保たれるほうの骨端．もう一方の骨端(可動端)は筋活動または重力によって動かされる)．＝punctum fixum [TA].

mobile e. [TA]. 可動端(ある運動の際，筋活動または重力によって動かされるほうの骨端．もう一方の骨端(固定端)は静止状態に保たれる)．＝punctum mobile [TA].

sternal e. of clavicle [TA]. 鎖骨の胸骨端(胸骨柄と関節でつながる鎖骨の肥厚した内側端)．＝extremitas sternalis claviculae [TA]; sternal extremity of clavicle.

end- (end). →endo-.

end·a·del·phos (end-a-del′fos) [end- ＋G. *adelphos*, brother]. 不均等接着双胎において一方の児が他方の児の体内に寄生する双胎奇形.

End·a·moe·ba (end′ă-mē′bă) [endo- ＋G. *amoibē*, change]. エンドアメーバ属(無脊椎動物に寄生するアメーバの一属．初めはアブラムシから発見された).

end·an·gi·i·tis, end·an·ge·i·tis (end′an-jē-ī′tis) [endo- ＋G. *angeion*, vessel ＋*-itis*, inflammation]. 血管内膜炎．＝endoangiitis; endovasculitis.

e. obliterans 閉塞性血管内膜炎(血管内膜の炎症で，その結果，管腔の閉鎖が起こるもの).

end·a·or·ti·tis (end′ā-ōr-tī′tis). 大動脈内膜炎．＝endoaortitis.

end·ar·ter·ec·to·my (end′ar-tĕr-ek′tŏ-mē) [endo- ＋artery ＋G. *ektomē*, excision]. 動脈〔血管〕内膜切除〔術〕(ほとんどが外膜からなる内面を滑らかにしておくように，動脈の内膜と中膜あるいは中膜のほとんどと一緒にアテローム様の沈着物を切除すること).

carotid e. (CEA) 頸動脈〔血管〕内膜切除〔術〕(内膜と中膜の大部分をも含めて，頸動脈から閉塞物を切除すること).

coronary e. 冠状動脈内膜切除〔術〕(動脈内膜と中膜の大部分をも含めて，冠状動脈から閉塞物を切除すること).

end·ar·te·ri·tis (end′ar-tĕr-ī′tis). 動脈内膜炎．＝endoarteritis.

bacterial e. 細菌性動脈内膜炎(細菌の移植や発育により動脈壁にゆうぜいを形成すること．開存する動脈管，動静脈瘻でみられることがある).

e. deformans 変形性動脈内膜炎(じゅく腫斑点と石灰沈着を伴う動脈内膜炎).

e. obliterans, obliterating e. 閉塞性動脈内膜炎(動脈管腔を閉鎖する増殖動脈内膜炎の重篤なもの)．＝arteritis obliterans; obliterating arteritis.

e. proliferans, proliferating e. 増殖性動脈内膜炎(慢性動脈内膜炎で，動脈内膜の線維組織の著しい増加を伴う).

end·au·ral (end-aw′răl) [endo- ＋L. *auris*, ear]. 耳内の.

end·brain (end′brān). 終脳．＝telencephalon.

end-brush (end′brŭsh). ＝telodendron.

end-bulb (end′bŭlb). →end *bulb*.
end-di·a·stol·ic (end′dī-ă-stol′ik). 拡張終(末)期の（①拡張終期圧のように拡張期の終わり，すなわち次の収縮の直前に起こる．②拡張終期性期外収縮のようにわずかに早期の，すなわち拡張期の最後に現れる）．
en·dec·to·cide (en-dek′tō-sīd) ［*endo*parasite + *ecto*parasite + -cide］. 内部寄生性生物と外部寄生性生物の両方に有効な薬物．例えば，マクロライド系抗生物質アベルメクチン．→ivermectin.
en·de·mi·a (en-dē′mē-ă). endemic disease を表す現在では用いられない語．
en·dem·ic (en-dem′ik) ［G. *endēmos*, native < *en*, in + *dēmos*, the people］. 地方病〔性〕の，風土病〔性〕の（病気の発生頻度が長期間ほとんど変動せず，予知できる規則性をもって発生するような動物集団における病気の一時的な発生パターンをいう．*cf.* epidemic; sporadic）. ＝enzootic.
en·dem·o·ep·i·dem·ic (en-dem′ō-ep′i-dem′ik). 地方病流行〔性〕の，風土病流行〔性〕の（地方病の症例が一時的に非常に増加する）．
end·er·gon·ic (en′dĕr-gon′ik)［endo- + G. *ergon*, work］. エネルギー吸収性の（周囲からのエネルギーの吸収を伴って起こる化学反応についていう(すなわち，Gibbs 自由エネルギーの正の変化)．*cf.* exergonic）．
en·der·mic, en·der·mat·ic (en-dĕr′mik, en-dĕr-mat′ik)［G. *en*, in + *derma* (*dermat*-), skin］. 経皮の（塗擦による治療の方法についていう．治療薬が皮膚表面から吸収されると全身的効果を現す）．
en·der·mo·sis (en′dĕr-mō′sis). 粘膜〔発疹性〕疾患．
end-feet (end′fēt). ＝axon *terminals.*
end·gut (end′gŭt). ＝hindgut.
end·ing (end′ing). ***1*** 終末，末端．***2*** 神経終末．
anulospiral e. 〔環〕ラセン〔形〕終末（筋紡錘に分布する知覚神経終末の2型のうちの1つ．筋紡錘にはいった後，線維は2本の平らなリボン状の枝に分かれ，紡錘内線維の周りを環状またはらせん状に取り巻く）．＝anulospiral organ.
calyciform e., caliciform e. 杯状終末（内耳の一定の神経上皮有毛細胞に関係のあるシナプス末端）．
epilemmal e. 細胞膜上終末（筋鞘の外表面に密着した神経終末）．
flower-spray e. 散形終末，房状神経終末（筋紡錘に分布する知覚神経終末の2型のうちの1つ(他は環らせん形終末)．この型は神経線維が筋紡錘内線維の表面上に花をまいたように広がる）．＝flower-spray organ of Ruffini.
free nerve e.'s 自由〔神経〕終末（終末の線維が組織内でどこまでもつながらずに終結している，知覚神経線維の末端の形）．＝terminationes nervorum liberae.
grape e.'s ブドウ状終末（短い茎状の神経軸索の先端にあるシナプス末端を描写的に表す用語）．
hederiform e. ツタ状終末（皮膚の自由神経終末の一型）．
nerve e. 神経終末（末梢知覚または運動神経線維の特殊終末．→motor *endplate*; corpuscle; bulb）．
sole-plate e. ＝motor *endplate.*
synaptic e.'s ＝axon *terminals.*
En·do (en′dō), Shigeru. 日本人細菌学者，1869—1937. →E. *agar, medium.*
en·do-, end- (en′dō, end)［G. *endon*, within］. 内，内の，吸収する，含有する，を意味する接頭語．→ento-.
en·do·ab·dom·i·nal (en′dō-ab-dom′i-năl). 腹内の．
en·do·am·y·lase (en′dō-am′il-ās). エンドアミラーゼ（内部グリコシド結合に作用するグルカノヒドロラーゼ(例えばα-アミラーゼ)）．
en·do·an·eu·rys·mo·plas·ty (en′dō-an′yū-riz′mō-plas′-tē). 動脈瘤整復〔術〕，動脈瘤形成〔術〕．＝aneurysmoplasty.
en·do·an·eu·rys·mor·rha·phy (en′dō-an′yū-riz-mōr′ă-fē)［endo- + G. *aneurysma*, aneurysm + *rhaphē*, suture］. 動脈瘤縫縮術，動脈瘤縫合術．＝aneurysmoplasty.
en·do·an·gi·i·tis (en′dō-an-jē-ī′tis). 血管内膜炎．＝endangiitis.
en·do·a·or·ti·tis (en′dō-ā′ōr-tī′tis). ＝endaortitis.
en·do·ap·pen·di·ci·tis (en′dō-ă-pen′di-sī′tis). 虫垂粘膜炎（単純カタル性炎症で，虫垂の粘膜面に多少限定されるもの）．
en·do·ar·ter·i·tis (en′dō-ar′ter-ī′tis). ＝endarteritis.
en·do·aus·cul·ta·tion (en′dō-aws′kŭl-tā′shŭn). 内部聴診〔法〕（胸部臓器，特に心臓の聴診で，聴診管を食道または心臓へ挿入して行う）．
en·do·bag (en′dō-bag). エンドバック．＝endosac.
en·do·ba·si·on (en′dō-bā′sē-on). エンドバジオン（頭部計測法の計測点で，大後頭孔前縁の最も後方中央にある．バジオンに対してやや後方，内側にある）．
en·do·bi·ot·ic (en′dō-bī-ot′ik). 内部寄生性の（宿主体内に寄生体として生活する）．
en·do·bron·chi·al (en′dō-brong′kē-ăl). 気管支内の．＝intrabronchial.
en·do·car·di·ac, en·do·car·di·al (en′dō-kar′dē-ak, -dē-ăl). ***1*** 心臓内の．＝intracardiac. ***2*** 心内膜の．
en·do·car·di·og·ra·phy (en′dō-kar′dē-og′ră-fē). エンドカルジオグラフィ（探査電極を心室に入れて行う心電図記録法．→intracardiac *catheter*）．
en·do·car·dit·ic (en′dō-kar-dit′ik). 心内膜炎の．
en·do·car·di·tis (en′dō-kar-dī′tis). 心内膜炎（心内膜の炎症）．＝encarditis.
abacterial thrombotic e. 無菌性血栓性心内膜炎．＝nonbacterial thrombotic e.
acute bacterial e. 急性細菌性心内膜炎（溶血性連鎖状球菌またはブドウ状球菌のような化膿性菌によって最初に起こる重篤な細菌性心内膜炎の一種）．
atypical verrucous e. 異型いぼ状心内膜炎，非定型性いぼ状心内膜炎．＝Libman-Sacks e.
bacterial e. 細菌性心内膜炎（細菌が直接侵入することにより起こる心内膜炎で，弁の奇形と破壊を起こす．急性と亜急性細菌性心内膜炎の2種がある）．

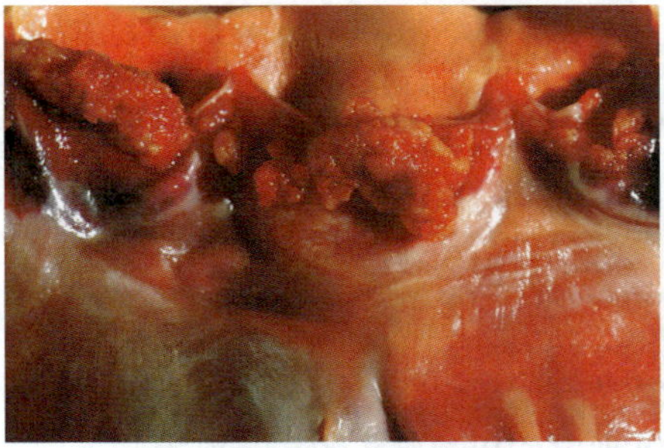

endocarditis, bacterial
注射での薬物乱用者の大動脈弁は癒着性疣贅形成を表す．

cachectic e. 悪液質性心内膜炎．＝nonbacterial thrombotic e.
e. chordalis 腱索〔性〕心内膜炎（特に腱索を侵す心内膜炎）．
constrictive e. 収縮性心内膜炎，狭窄性心内膜炎（片側または両側の心室の拡張を妨げるいかなる原因にせよ，炎症性の心内膜肥厚で，心室拡張障害をきたす．例えばレフラー線維増殖性心内膜炎）．
infectious e., infective e. 感染性心内膜炎（微生物の感染により起こる心内膜炎）．
isolated parietal e. 孤立性壁性心内膜炎（左心室心内膜の線維性肥厚．弁は含まれない）．
Libman-Sacks e. (lib′măn saks). リブマン－サックス心内膜炎（いぼ状心内膜炎で，播種性紅斑性狼瘡を合併することがある）．＝atypical verrucous e.; Libman-Sacks syndrome; nonbacterial verrucous e.
Löffler e. (lŏrf′lĕr). レフラー心内膜炎（好酸球増加症を合併する線維増殖性拘縮性壁性心内膜炎．進行性うっ血性心不全，多発性全身性塞栓，好酸球増加症を特徴とする原因不明の心内膜炎）．＝Löffler disease; Löffler syndrome (2).
Löffler parietal fibroplastic e. (lŏrf′lĕr). レフラーの壁側

の線維形成性心内膜炎（好酸球の増多により心内膜に発生する硬化状態）.

malignant e. 悪性心内膜炎（通常，他の部位にある化膿に続発する急性細菌性心内膜炎．急性に激症化する）．＝septic e.

marantic e. 衰弱性心内膜炎（非細菌性血栓性心内膜炎で，癌その他の衰弱性疾患を合併する．*cf.* terminal e.）.

mural e. 壁〔性〕心内膜炎（心臓の内腔壁を障害する心内膜の炎症）.

mycotic e. 真菌性心内膜炎（カビ感染による心内膜炎）.

nonbacterial thrombotic e. 非細菌性血栓性心内膜炎（多くの慢性感染症や消耗病の末期に起こるいぼ状心内膜病変）．＝abacterial thrombotic e.; cachectic e.; terminal e.; thromboendocarditis.

nonbacterial verrucous e. 非細菌性いぼ状心内膜炎．＝Libman-Sacks e.

polypous e. ポリープ状心内膜炎（細菌性心内膜炎で，潰瘍性弁膜に付着して有茎フィブリン塊または血栓を形成する）.

rheumatic e. リウマチ性心内膜炎（リウマチ性心疾患の一部としての心内膜障害で，臨床的には弁膜障害として認められる．急性期には弁尖の閉塞線上に沿って薄いフィブリンでできたゆうぜいがあり，その後線維性肥厚と弁尖の短縮を生じる）.

septic e. 敗血症性心内膜炎．＝malignant e.

subacute bacterial e. (SBE) 亜急性細菌性心内膜炎（急性細菌性心内膜炎よりは緩徐な心内膜炎．㊟最近は急性，亜急性の区別をせず，単に細菌性心内膜炎 bacterial e. と総称することが多い）.

terminal e. 末期性心内膜炎．＝nonbacterial thrombotic e.

valvular e. 弁膜性心内膜炎（心内膜に限局した弁の炎症）.

vegetative e., verrucous e. 増殖性心内膜炎，いぼ状心内膜炎（弁膜の潰瘍面に線維素性凝塊(増殖)形成のあるいぼ状心内膜炎）.

en·do·car·di·um, pl. **en·do·car·dia** (en′dō-kar′dē-ŭm, -ē-ă) [endo- + G. *kardia*, heart] [TA]．心内膜（心臓の最も内側の膜層で，内皮，内皮下の結合組織を含む．心房では平滑筋と多くの弾力線維が存在する）.

en·do·ce·li·ac (en′dō-sē′lē-ak) [endo- + G. *koilia*, cavity, ventricle]．腹腔内の.

en·do·cer·vi·cal (en′dō-sĕr′vi-kăl). *1* 頸管内の（頸構造物の内部の，特に子宮頸管内についていう）．＝intracervical. *2* 子宮頸管内膜の.

en·do·cer·vi·ci·tis (en′dō-sĕr′vi-sī′tis). 子宮頸内膜炎（子宮円柱上皮の炎症）.

en·do·cer·vix (en′dō-sĕr′viks). 子宮頸内膜（子宮頸管の粘膜）.

en·do·chon·dral (en′dō-kon′drăl) [endo- + G. *chondros*, cartilage]．軟骨内の．＝intracartilaginous.

en·do·co·ag·u·la·tion (en′dō-kō-ag′yū-lā′shun). ＝thermocoagulation.

en·do·co·li·tis (en′dō-kō-lī′tis). 大腸粘膜炎，結腸粘膜炎（結腸の単純カタル性炎症）.

en·do·cra·ni·al (en′dō-krā′nē-ăl). ＝encranial; entocranial. *1* 頭蓋内の．*2* 硬膜の.

en·do·cra·ni·um (en′dō-krā′nē-ŭm). 脳硬膜（頭蓋の内面をおおう膜）．＝entocranium.

en·do·crine (en′dō-krin) [endo- + G. *krinō*, to separate]. *1* 〚adj.〛内分泌の（一般的には体循環内への分泌についていう．*cf.* paracrine; autocrine）．*2* 〚n.〛内分泌物（内分泌腺からの分泌物あるいはホルモン．*cf.* endocrine *hormones*）．*3* 〚adj.〛内分泌腺の.

en·do·cri·nol·o·gist (en′dō-kri-nol′ŏ-jist). 内分泌医，内分泌学者（内分泌を専門とする臨床家または研究者）.

en·do·cri·nol·o·gy (en′dō-kri-nol′ŏ-jē) [endocrine + G. *logos*, study]．内分泌学（内分泌またはホルモン分泌，およびその生理学的・病理学的関係を扱う科学および医学の専門）.

en·do·cri·no·ma (en′dō-kri-nō′mă). 内分泌腫瘍（親器官の機能を保持している内分泌組織の腫瘍を表す，現在では用いられない語で，その機能は通常亢進する）.

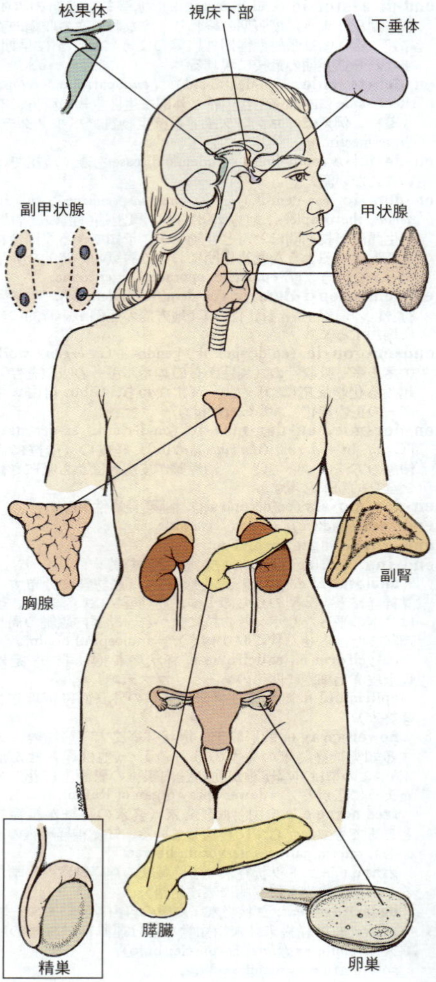

endocrine system
様々な内分泌器官を示す.

en·do·crin·o·path·ic (en′dō-krin′ō-path′ik). 内分泌障害の.

en·do·cri·nop·a·thy (en′dō-kri-nop′ă-thē) [endocrine + G. *pathos*, disease]．内分泌障害（内分泌腺機能の障害）.

multiple autoimmune e. type 1 多発性自己免疫性内分泌症1型．＝APECED.

en·do·cri·no·ther·a·py (en′dō-kri′nō-thār′ă-pē) [endocrine + G. *therapeia*, medical treatment]．内分泌療法（内分泌腺の抽出物の投与による疾病治療法）.

en·do·cy·clic (en′dō-sī′klik, -sik′lik). 環内の（例えば，トルエン中のベンゼン環の6個の炭素原子などについていう．*cf.* exocyclic）.

en·do·cyst (en′dō-sist). 嚢胞内膜（包虫嚢胞の内層）.

en·do·cys·ti·tis (en′dō-sis-tī′tis) [endo- + G. *kystis*, bladder + *-itis*, inflammation]．膀胱内膜炎（膀胱粘膜の炎症を表す，現在では用いられない語）.

en·do·cy·to·sis (en′dō-sī-tō′sis) [endo- + G. *kytos*, cell + *-osis*, condition]. エンドサイトーシス（細胞外環境から細胞膜によって形成された小胞を介する物質のインターナリゼーション．ⓘ液状の場合（ピノサイトーシス），ⓘⓘ受容体依存性，の 2 種類の型がある．→phagocytosis. *cf.* exocytosis (2)).

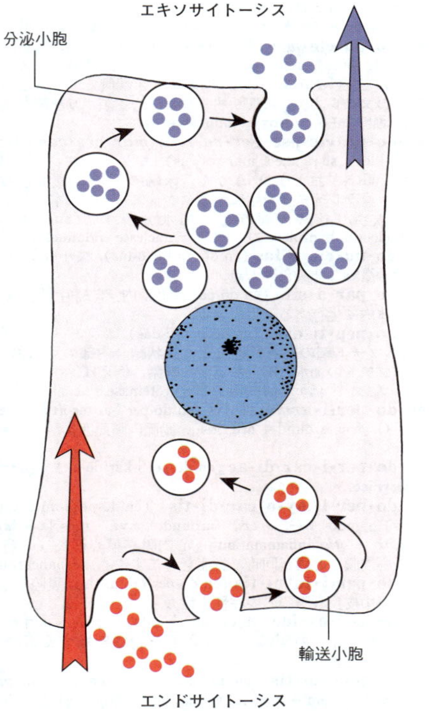

endocytosis and exocytosis

小胞輸送の2つの主な形式．エンドサイトーシスは分子および他の物質を細胞へ運び，原形質膜からの小胞の構成および出芽に関係する．エキソサイトーシスは合成された分子および他の物質が細胞を去ることを容認し，原形質膜を備えた細胞内顆粒から起きる小胞の融合に関係する主要な分泌作用である．

en·do·derm (en′dō-dĕrm) [endo- + G. *derma*, skin]. 内胚葉（胚期の 3 つの一次胚葉（外胚葉，中胚葉，内胚葉）のうち最内側に位置するもの．原腸管の上皮，および原腸から発生してくるような構造すなわち腺や気道の上皮が発生する）．＝entoderm.

en·do·di·a·scope (en′dō-dī′ă-skōp). 体腔X線管（体腔の中に入れられるX線管．現在では用いられない装置）．

en·do·di·as·co·py (en′dō-dī-as′kŏ-pē) [endo- + G. *dia*, through + *skopeō*, to view]. 体腔X線撮影〔法〕（体腔X線管を使用するX線撮影．現在では行われない）．

en·do·don·ti·a (en′dō-don′shē-ă). ＝endodontics.

en·do·don·tics (en′dō-don′tiks) [endo- + G. *odous*, tooth]. 歯内治療学，歯内療法学（歯髄および根尖周囲組織の生物学や病理学，さらにこれらの組織の疾患や外傷の予防，診断および治療に関する歯学の一分野）．＝endodontia; endodontology.

en·do·don·tist (en′dō-don′tist). 歯内療法専門医（歯内治療を専門に行う歯科医）．＝endodontologist.

en·do·don·tol·o·gist (en′dō-don-tol′ŏ-jist). ＝endodontist.

en·do·don·tol·o·gy (en′do-don-tol′ŏ-jē). ＝endodontics.

en·do·dy·o·cyte (en′dō-dī′ō-sīt) [endo- + G. *dys*, two + *kytos*, cell]. ***1*** エンドジオゲニーによって形成される栄養型．***2*** 分裂小体，マラリヤ幼虫体．＝merozoite.

en·do·dy·og·e·ny (en′dō-dī-oj′ĕ-nē) [endo- + G. *dys*, two + *genesis*, creation]. エンドジオゲニー，母細胞内二細胞発育（*Toxoplasma*属や *Frenkelia*属のようなある種の球虫類にみられる無性発生過程で，シゾゴニーのように分離性の細胞核分裂は起こらずに，2 個の娘虫体が細胞核接合をすることなく母細胞の中で発生する）．

en·do·en·ter·i·tis (en′dō-en-tĕr-ī′tis) [endo- + G. *enteron*, intestine + *-itis*, inflammation]. 腸粘膜炎を表す，現在では用いられない語．

en·do·en·zyme (en′dō-en′zīm). ***1***〔細胞〕内酵素．＝intracellular *enzyme*. ***2*** 内酵素（細胞内水和に関与する過程で触媒する酵素）．

en·do·e·soph·a·gi·tis (en′dō-ē-sof-ă-jī′tis). 食道粘膜炎（食道内膜の炎症を表す，現在では用いられない語）．

en·do·far·a·dism (en-dō-far′ă-dizm). 体内感応電流（体腔の内部に交流電流を通電すること．→fulguration).

en·do·gal·va·nism (en′dō-gal′vă-nizm). 体内直流電流（体腔の内部に直流電流を通電すること．→fulguration).

en·dog·a·my (en-dog′ă-mē) [endo- + G. *gamos*, marriage]. エンドガミー（姉妹細胞すなわち 1 つの起源細胞の子孫間の接合による生殖）．

en·do·gas·tric (en′dō-gas′trik). 胃内の．

en·do·gas·tri·tis (en′dō-gas-trī′tis) [endo- + G. *gastēr*, stomach + *-itis*, inflammation]. 胃粘膜炎を表す，現在では用いられない語．

en·do·gen·ic (en′dō-jen′ik). ＝endogenous.

en·do·ge·note (en′dō-jē′nōt) [endo- + genote]. エンドゲノート（微生物遺伝学において，受容菌のゲノムをいう）．

en·dog·e·nous (en-doj′ĕ-nŭs) [endo- + G. *-gen*, production]. 内因性の（生体内あるいは体部位内に由来する，または生成される）．＝endogenic.

en·do·glin (en′dō-glin) [MIM*131195]. エンドグリン（内皮細胞の表面に存在する蛋白で，形質変換性成長因子 β に結合する）．

en·do·gnath·i·on (en′dō-gnath′ē-on) [endo- + G. *gnathos*, jaw]. エンドナチオン（[二重字 gn において，g は語頭にあるときのみ無音である]．2 対の切歯骨のうち内側のもの．→mesognathion).

en·do·graft (en-dō′graft). 内視鏡補助組織移植（①移植片を内視鏡補助で置く方法．②内視鏡手術において導入される組織移植）．

en·do·her·ni·ot·o·my (en′dō-her′nē-ot′ŏ-mē). 現在では行われない方法で，ヘルニア嚢を切開して内面から縫合閉鎖すること．

en·do·hy·dro·ly·sis (en′dō-hī-drol′i-sis). エンド型加水分解（生体高分子の両端に位置していない 2 つの残基間の結合の加水分解（例えばエンドペプチダーゼの触媒作用））．

en·do·in·tox·i·ca·tion (en′dō-in-tok′si-kā′shŭn). 内因性中毒（内因性の毒素による中毒）．

en·do·la·ryn·ge·al (en′dō-lă-rin′jē-ăl). 喉頭内の．

En·do·li·max (en′dō-lī′maks) [endo- + G. *leimax*, a meadow or garden]. エンドリマックス属（ヒトやその他の動物の大腸内に寄生し，病原性はない．小さなアメーバの一属）．

en·do·lith (en′dō-lith) [endo- + G. *lithos*, stone][TA]. 歯髄結石（歯髄腔に認められる石灰化小体．不整形のぞうげ質よりなる場合（真性ぞうげ粒）と歯髄組織の異所性石灰化による場合（偽性ぞうげ粒）とがある）．＝denticle (1); pulp calcification; pulp calculus; pulp nodule; pulp stone.

en·do·lymph (en′dō-limf) [TA]. 内リンパ（内耳の膜迷路にある液体で，その内容は細胞内液と似ている．例えばカリウムは主として陽イオンとして存在している，など）．＝endolympha [TA]; Scarpa fluid; Scarpa liquor.

en·do·lym·pha (en′dō-lim′fă) [endo- + L. *lympha*, a clear fluid][TA]. 内リンパ．＝endolymph.

en·do·lym·phic (en′dō-lim′fik). 内リンパの．

en·do·me·rog·o·ny (en′dō-mĕ-rog′ŏ-nē) [endo- + G. *meros*, part + *gonē*, generation]. エンドメロゴニー（胞子虫類

の無性生殖で，メロゾイトを生じること．エクトメロゴニーと対照的にシゾントの内部で行われる．*Eimeria*属の各種にみられる）．

en·do·me·tri·a (en′dō-mē′trē-ă). endometrium の複数形．

en·do·me·tri·al (en′dō-mē′trē-ăl). 子宮内膜の．

en·do·me·tri·oid (en′dō-mē′trē-oyd). 類内膜（顕微鏡的に子宮内膜組織に類似するもの）．

en·do·me·tri·o·ma (en′dō-mē′trē-ō′mă) [endometrium + *-oma*, tumor]. 子宮内膜腫（子宮内膜症における異所性子宮内膜の限局性の塊）．

en·do·me·tri·o·sis (en′dō-mē′trē-ō′sis) [endometrium + *-osis*, condition][MIM*131200]. 子宮内膜症，エンドメトリオーシス（子宮内膜組織の異所性発生．しばしば変質した血液を含む嚢胞を形成する）．＝endometrial implants.

en·do·me·tri·tis (en′dō-mē-trī′tis) [endometrium + *-itis*, inflammation]. 子宮内膜炎．

decidual e. 脱落膜子宮内膜炎（妊娠子宮の脱落膜の炎症）．

e. dissecans 剝脱性子宮内膜炎，離断性子宮内膜炎（子宮粘膜の潰瘍化および剝脱を伴う子宮内膜炎）．

en·do·me·tri·um, pl. **en·do·me·tri·a** (en′dō-mē′trē-ŭm, -trē-ă) [endo- + G. *mētra*, uterus][TA]. 子宮内膜（子宮壁内層からなる粘膜．単層円柱上皮および単一管状の子宮腺をもつ固有層で構成される．内膜の構造，厚さ，状態は月経周期に伴って大きく変化する．子宮内膜への胚盤胞の着床が起これば，妊娠子宮となり，起こらなければ子宮内膜の表層部分は月経期の出血とともに剝落流出する）．＝tunica mucosa uteri [TA].

Swiss cheese e. スイスチーズ様子宮内膜．＝simple endometrial *hyperplasia*.

en·do·me·trop·ic (en′dō-mē-trop′ik) [endo- + G. *mētra*, uterus + *tropē*, a turning]. 子宮，特に子宮内膜の反応を引き起こしうる外部刺激についていう．

en·do·mi·to·sis (en′dō-mī-tō′sis). ＝endopolyploidy.

en·do·morph (en′dō-mōrf) [endo- + G. *morphē*, form]. 内胚葉型，肥満型（内胚葉に由来する組織が優勢な体質型あるいは体格．形態学的には，四肢に比較して体幹が大きい）．＝brachytype.

en·do·mor·phic (en′dō-mōr′fik). 内胚葉型の．

en·do·mo·tor·sonde (en′dō-mō-tŏr-sond′) [endo- + L. *motor*, mover + Fr. *sonde*, sounding line]. 胃腸管内部検査用の放射線遠隔測定用カプセル．

En·do·my·ce·ta·les (en′dō-mī′sĕ-tā′lēz). エンドミセス目（子嚢菌類の一目で，酵母を含むもの）．＝Saccharomycetales.

en·do·my·o·car·di·al (en′dō-mī′ō-kar′dē-ăl). 心内膜心筋の（心内膜と心筋に関する）．

en·do·my·o·car·di·tis (en′dō-mī′ō-kar-dī′tis). 心内膜心筋炎（東アフリカの風土病）．

en·do·my·o·me·tri·tis (en′dō-mī′ō-mē-trī-tis) [endo- + G. *mys*, muscle + *mētra*, uterus + *-itis*, inflammation]. 子宮内膜炎（子宮筋組織に波及した敗血症）．

en·do·mys·i·um (en′dō-miz′ē-ŭm, -mis′ē-ŭm) [endo- + G. *mys*, muscle][TA]. 筋内膜（筋線維を囲む微細な結合組織の鞘）．

en·do·neu·ri·um (en′dō-nū′rē-ŭm) [endo- + G. *neuron*, nerve][TA]. 神経内膜（神経管の最内側の結合織支持構造で，有髄および無髄神経線維を囲む．主に，基質，コラーゲン，線維芽細胞よりなる．神経上膜，神経周膜とともに末梢神経を包む間質として働いている）．＝Henle sheath; sheath of Key and Retzius.

en·do·nu·cle·ase (en′dō-nū′klē-ās). エンドヌクレアーゼ（DNA 分子の分子内ホスホジエステル結合を切断する酵素（ホスホジエステラーゼ）で，この分解によっていろいろな大きさの DNA の断片が生成される．*cf.* exonuclease）．

micrococcal e. ミクロコッカルエンドヌクレアーゼ（多くの *Micrococcus*属の産生する酵素で，核酸を分解して，末端に 3′-リン酸塩をもつオリゴヌクレオチドを生成する）．＝micrococcal nuclease; spleen e.; spleen phosphodiesterases.

nucleate e. 核エンドヌクレアーゼ．＝endonuclease *Serratia marcescens*.

restriction e. 制限エンドヌクレアーゼ（バクテリアから単離された多くの酵素の１つで，外来の二重鎖 DNA の特定の DNA 配列の認識部位で加水分解（切断）する．これらの酵素は，配列を推論する第１段階として，DNA の特異的な切断を行う基本的実験手段となっている．ときに，chemical knife（化学ナイフ）とよぶ．通常，単離された生物名を 3，4 字に略して命名される．例えば，大腸菌の B 株（*Escherichia coli*, strain B）由来には EcoB）．＝restriction enzyme.

single-stranded nucleate e. 一本鎖切断エンドヌクレアーゼ．＝endonuclease S_1 *Aspergillus*.

spleen e. 脾〔臓〕エンドヌクレアーゼ．＝micrococcal e.

en·do·nu·cle·ase S_1 *As·per·gil·lus* (en′dō-nū′klē-ās as′pĕr-jil′ŭs). エンドヌクレアーゼ S_1（アスペルギルス；コウジカビ）（RNA あるいは DNA を 5′末端側で１つあるいは多くのヌクレオチドに切断する酵素．一本鎖ポリ核酸を優先的に切断する）．＝deoxyribonuclease S_1.

en·do·nu·cle·ase *Ser·ra·ti·a mar·ces·cens* (en′dō-nū′klē-ās sĕ-rā′shē-ă mar-ses′ens). エンドヌクレアーゼ（霊菌）（RNA および DNA から，末端に 5′-リン酸塩をもつオリゴヌクレオチドを生成するヌクレアーゼ．二本鎖および一本鎖ポリ核酸の両方とも加水分解する（nucleate oligonucleotidohydrolase の一種））．＝nucleate endonuclease.

en·do·nu·cle·o·lus (en′dō-nū-klē′ō-lŭs). 核小体の中心付近の微細な非染色性の点．

en·do·par·a·site (en′dō-par′ă-sīt). 内〔部〕寄生性生物（宿主体内に生存する寄生性生物）．

en·do·pep·ti·dase (en′dō-pep′ti-dās). エンドペプチダーゼ（ペプチド鎖の終点付近でなく鎖状結合内部の点において，ペプチドの加水分解を触媒する酵素．例えば，ペプシン，トリプシン．*cf.* exopeptidase）．＝proteinase.

en·do·per·i·ar·te·ri·tis (en′dō-per′i-ar′tĕr-ī′tis) [endo- + G. *peri*, around + arteritis]. 動脈内膜周囲炎．＝panarteritis.

en·do·per·i·car·di·ac (en′dō-per′i-kar′dē-ak). ＝intrapericardiac.

en·do·per·i·my·o·car·di·tis (en′dō-per′i-mī′ō-kar-dī′-tis) [endo- + G. *peri*, around + *mys*, muscle + *kardia*, heart + *-itis*, inflammation]. 心内膜心膜心筋炎（心筋および心内膜と心膜が同時に炎症を起こすこと）．＝pancarditis.

en·do·per·i·to·ni·tis (en′dō-per′i-tō-nī′tis). 腹腔漿膜炎，腹膜中皮炎（腹膜の表在性炎症）．

en·do·per·ox·ide (en′dō-pĕr-ok′sīd). エンドペルオキシド（大きい分子の両端にある２原子間に架橋する過酸化物（-O-O-）基）．

en·do·phle·bi·tis (en′dō-fle-bī′tis) [endo- + G. *phleps* (*phleb-*), vein + *-itis*, inflammation]. 静脈内膜炎（静脈の内膜の炎症）．

en·doph·thal·mi·tis (en′dof-thal-mī′tis) [endo- + G. *ophthalmos*, eye + *-itis*, inflammation]. 眼内炎（眼球内組織の炎症）．

granulomatous e. 肉芽腫性眼内炎（眼内組織の広汎性慢性炎症）．

e. ophthalmia nodosa 結節性眼炎性眼内炎（眼にはいった毛虫の毛による眼内炎．→*ophthalmia* nodosa）．

e. phacoanaphylactica 水晶体過敏性眼内炎（水晶体皮質による感作の結果として起こるブドウ膜の炎症．交感性眼炎に似ている）．

en·doph·thal·mo·do·nes·is (en-dof′thal-mō-dō-nē′sis) [endo- + ophthalmo- + G. *doneō*, to shake]. 眼球内動揺症（眼内構造物，特に眼内に挿入された人工レンズが震え動くこと（偽水晶体動揺症））．

en·do·phyte (en′dō-fīt) [endo- + G. *phyton*, plant]. 内部寄生性植物（他の生体中で生存する植物性寄生生物）．

en·do·phyt·ic (en′dō-fit′ik). ***1*** 内部寄生性植物の．***2*** 浸潤性，進展性腫瘍に関する．

en·do·plasm (en′dō-plazm). 内質（細胞質の内部あるいは髄質部．ectoplasm の対語．細胞小器官を含む）．＝entoplasm.

en·do·plas·mic (en′dō-plas′mik). 内質の（内質に関する）．

en·do·plast (en′dō-plast) [endo- + G. *plastos*, formed]. endosome の旧名．

en·do·plas·tic (en′dō-plas′tik). 内質の．

en·do·po·lyg·e·ny (en′dō-pō-lij′ĕ-nē) [endo- + G. *polys*, many + *genesis*, creation]. エンドポリゲニー，母細胞内多細胞発育（同一の母個体内で３つ以上の子孫が形成され，ま

たメロゾイトの形成以前に2つあるいは恐らくそれ以上の細胞核分裂が起こる無性生殖. *Toxoplasma gondii* にみられる内生出芽の一型. *cf.* endodyogeny).

en·do·pol·y·ploid (en′dō-pol′ē-ployd). 内部倍数性の.

en·do·pol·y·ploi·dy (en′dō-pol′ē-ploy′dē) [endo- + polyploidy]. 内部倍数性（紡錘糸の形成あるいは細胞分裂を伴わないで核の DNA 成分が2分する過程あるいは状態. 倍数体の核を生じる). ＝endomitosis.

endoprosthesis (en-dō-pros-thē′sis). 体内プロテーゼ, 体内補綴物（ステントのような中空構造の開存性を維持するための合成線維挿入物).

en·do·re·du·pli·ca·tion (en′dō-rē-dū′pli-kā′shŭn). 核内倍加（核分裂の前期と中期に染色体が2度倍加され, 各染色体が4本となる倍数性, あるいは倍数体の一形態).

en·dor·phin·er·gic (en′dōr-fin-ĕr′jik) [endorphin + G. *ergon*, work]. エンドルフィン作用〔性〕の（神経伝達物質としてエンドルフィンを用いる神経細胞や神経線維についていう).

en·dor·phins (en′dōr′finz, en′dōr-finz) [＜ *endogenous morphine*]. エンドルフィン類（オピオイドポリペプチド類で, 初めは脳から単離されたが, 現在では身体の多くの部分から見出される. 神経系では外因性オピエート類が結合するのと同じレセプタに結合する. 種々のエンドルフィン(例えば α, β, γ)が単離されており, 物理的・化学的性質のみならず, 生理学的な作用においても多様性を有している.→enkephalins).

en·dor·rha·chis (en′dō-rā′kis) [endo- + G. *rhachis*, the spine]. 脊髄硬膜. ＝spinal *dura mater*.

en·do·sac (en′dō-sak). エンドサック（内視鏡下手術で用いられる組織を入れる袋で, これを使用すれば組織の摘除や分割切除を容易に行うことができる). ＝endobag.

en·do·sal·pin·gi·o·sis (en′dō-sal′pin-jē-ō′sis). 卵管内膜症（子宮内膜にみられるような間質をもたない線毛性卵管粘膜が卵巣その他の臓器内に迷入した状態).

en·do·sal·pin·gi·tis (en′dō-sal′pin-jī′tis) [endo- + G. *salpinx* (*salping-*), tube + *-itis*, inflammation]. 卵管内膜炎.

en·do·sal·pinx (en′dō-sal′pinks) [endo + G. *salpinx*, tube]. 卵管粘膜.

en·do·sarc (en′dō-sark) [endo- + G. *sarx*(*sark-*), flesh]. 内質, 内肉（原生動物の内部原形質). ＝entosarc.

en·do·scope (en′dō-skōp) [endo- + G. *skopeō*, to examine]. 内視鏡（管状あるいは空洞状臓器の内部を検査あるいは処置(例えば生検, 切除, 再建)する器械).

flexible e. 軟性内視鏡（自由に曲がる透明な線維(10マイクロメートル程度)を通して光を伝え, 画像を観察者に戻す光学機器. 人体内部の観察および治療に用いる. これらの機器は通常, 操作機構を備えており, 内腔の処理に応じて生検採取や手術器具の挿入を可能にする追加孔を有していることもある.→fiberoptics). ＝fiberscope.

en·dos·co·pist (en-dos′kŏ-pist). 内視鏡医（内視鏡のトレーニングを受けた専門医).

en·dos·co·py (en-dos′kŏ-pē). 内視鏡検査〔法〕, 直達検査〔法〕, 内観法（内視鏡のような特別な器械による管状あるいは空洞状臓器の内部検査法.→endoscope).

capsule e. カプセル内視鏡（飲み込んだカメラによって消化管内を観察する検査).

peroral e. 経口内視鏡検査（口を通して内視鏡を挿入し体内を見て検査すること. 食道鏡検査, 胃鏡検査, 気管支鏡検査など).

virtual e. 仮想内視鏡像（コンピュータ連動断層撮影(CT)のデータを, 内視鏡検査で得られるのと同じ情報が得られるように, 三次元再構築したもの).

en·do·skel·e·ton (en′dō-skel′ĕ-tŏn). 内骨格, 体内骨格（身体の内部骨格構造で, 通常, 外骨格と区別されるような状態の骨格).

en·do·some (en′dō-sōm) [endo- + G. *sōma*, body]. エンドソーム（ある種の Feulgen 反応陰性(DNA－)の原生動物(例えば, トリパノソーマ類, 寄生性アメーバ, 鞭毛虫類)の胞状の核小体で, 核膜との間に染色体(DNA＋)がある. *cf.* nucleolus).

early e.'s 初期エンドソーム（細胞膜付近にある膜区画で, 内部の pH は 6.0 である. 飲小胞は初期エンドソームに融合し, 多くの受容体とリガンドはここで解離する. 受容体は細胞膜へ返され, リガンドあるいは飲小胞によって取り込まれた他の物質は後期エンドソームへ輸送される.→*compartment* for uncoupling receptors and ligands).

late e.'s 後期エンドソーム（Golgi 装置付近にある膜区画で, 内部の pH は 5.5 である. 初期エンドソーム由来のリガンドや物質はリソソームへ輸送される).

recycling e. 回収エンドソーム（初期エンドソームの1つの形態で, その内部の pH はおよそ 6.0 である. これは, 受容体からのリガンドの解離とその受容体の原形質膜へのリサイクルにかかわる. *cf.* CURL).

sorting e. 選別エンドソーム（初期エンドソームの1つの形態で, 内容物を回収エンドソームや多少胞体のような様々な膜区画へ輸送する.→early e.'s).

en·do·son·og·ra·phy (en′dō-son-og′ră-fē). 内視鏡的超音波検査（内視鏡にあらかじめ装着された, あるいは経内視鏡的に送り込む超音波探触子を用いて行う超音波検査).

en·do·so·nos·co·py (en′dō-son-os′kŏ-pē). 内腔超音波検査（超音波画像診断法で, 例えば, 食道, 尿道, 膀胱, 腟, または直腸に小さなプローブを入れるような体内に挿入したトランスデューサ(変換器)によって行う).

en·do·sperm (en′dō-spĕrm). 内乳（多くの種子にみられる植物の胚嚢に滋養物を与える貯蔵組織).

en·do·spore (en′dō-spōr) [endo- + G. *sporos*, seed]. 内生胞子（①ある種の細菌, 特に *Bacillus*属や *Clostridium*属の休止期細胞内に形成される抵抗性の小体. ② *Coccidioides immitis* の球状体のような細胞内あるいは胞子柄の管状端部内に生じる真菌胞子の一種).

endostatin (en′dō-stat-in) [endo- + G. *statos*, stalled, arrested + -in]. エンドスタチン（内因性の抗血管新生蛋白で, コラーゲン XVIII の分解産物. 上皮細胞増殖, 血管新生および腫瘍の生長を阻害し, 内皮アポトーシス細胞死を刺激する. アポトーシス誘導の活性化はチロキシナーゼキナーゼシグナル伝達を介して行われ, 抗アポトーシス蛋白である Bcl–2 と Bcl–XL の働きを減弱する).

endostatins [*endo*thelium + G. *statos*, stalled, standing still + -in]. エンドスタチン類（上皮細胞増殖の阻害剤で, いくつかのニューロンおよび多くの種類の上皮腫瘍により産生されるコラーゲン XVIII のカルボキシル末端分解産物).

en·dos·te·al (en-dos′tē-ăl). 骨内膜の.

en·dos·te·i·tis, en·dos·ti·tis (en′dos′tē-ī′tis, en′dos-tī′tis) [endo- + G. *osteon*, bone + *-itis*, inflammation]. 骨内膜炎（骨内膜あるいは骨髄腔の炎症). ＝central osteitis (2); perimyelitis.

en·dos·te·o·ma (en-dos′tē-ō′mă) [endo- + G. *osteon*, bone + *-ōma*, tumor]. 骨内膜腫（骨髄腔内の骨組織の良性新生物). ＝endostoma.

en·do·steth·o·scope (en′dō-steth′ŏ-skōp) [endo- + G. *stēthos*, chest + *skopeō*, to examine]. 内聴診器（内部聴診に用いる聴診用の管).

en·dos·te·um (en-dos′tē-ŭm) [endo- + G. *osteon*, bone] [TA]. 骨内膜（中心骨髄腔の中で骨の内側面をおおう細胞の層). ＝medullary membrane; perimyelis.

en·dos·to·ma (en′dō-stō′mă). ＝endosteoma.

en·do·ten·din·e·um (en′dō-ten-din′ē-ŭm) [endo- + L. *tendon*, tendon + *-eus*, adj.(単語全体は中性形で名詞的に用いる)]. 内腱鞘（腱の二次束を取り囲む微細な結合組織).

en·do·the·li·a (en′dō-thē′lē-ă). endothelium の複数形.

en·do·the·li·al (en′dō-thē′lē-ăl). 内皮の.

en·do·the·lin (en′dō-thē′lin). エンドセリン（当初は内皮細胞由来の21個のアミノ酸からなるペプチド. 非常に強い血管収縮因子である. 3種の異なる遺伝子産物, エンドセリン–1, エンドセリン–2, およびエンドセリン–3 が同定された. 脳, 腎臓および内皮細胞(エンドセリン–1), 腸管(エンドセリン–2), 腸管および副腎(エンドセリン–3)で見出される).

en·do·the·li·o·cyte (en′dō-thē′lē-ō-sīt′). ＝endothelial *cell*.

en·do·the·li·oid (en̄′dō-thē′lē-oyd). 内皮細胞様の.

en·do·the·li·o·ma (en′dō-thē′lē-ō′mă) [endothelium + *-oma*, tumor]. 内皮腫（血管あるいはリンパ管の内皮組織から発生する新生物の一般名で, 良性と悪性があるが, 特に良

E

性腫瘍をいう).

en·do·the·li·o·sis (en′dō-thē′lē-ō′sis). 内皮症.

en·do·the·li·um, pl. **en·do·the·li·a** (en′dō-thē′lē-ŭm, -lē-ă) [endo- + G. *thēlē*, nipple] [TA]. 内皮 (特に血管，リンパ管，および心臓の内面をおおう扁平な細胞の層).

e. of anterior chamber [TA]. 角膜内皮，虹彩内皮 (前眼房の内皮で，角膜の後面をおおう，大きくて扁平な1層の細胞からなる). = e. posterius corneae [TA]; e. camerae anterioris.

e. camerae anterioris 角膜内皮，虹彩内皮. = e. of anterior chamber.

e. posterius corneae [TA]. = e. of anterior chamber.

en·do·ther·mic (en′dō-thĕr′mik) [endo- + G. *thermē*, heat]. 吸熱の (熱(エンタルピー)の吸収を伴う化学反応についていう. *cf.* exothermic (1)).

en·do·thrix (en′dō-thriks) [endo- + G. *thrix*, hair]. 毛内菌 (毛幹内部に侵入している真菌の胞子(分生子). 毛外菌の場合にみられるようなはっきりした外胞子鞘がない).

en·do·tox·e·mi·a (en′dō-tok-sē′mē-ă). 内毒〔素〕血症 (血液中に内毒素が存在すること. グラム陰性杆菌に由来する場合，ショックを伴う全身性の Shwartzman 現象の原因になることがある).

en·do·tox·ic (en′dō-tok′sik). 内毒素の.

en·do·tox·i·co·sis (en′dō-tok-si-kō′sis). 内毒素中毒〔症〕.

en·do·tox·in (en-dō-tok′sin). 内毒素 (①周囲の培地に自由に放出されない細菌毒素. *cf.* exotoxin. ②リン脂質と多糖類の高分子複合体で，グラム陰性菌の有毒性および比較的弱毒性菌株の外膜を構成する. 比較的耐熱性があり，多くの外毒素よりも毒力が弱く，また外毒素ほど特異性もない. トキソイドにならないが，注入するとショック状態を起こし，注入量が少なくても発熱および白血球減少を起こし，続いて白血球増加症を起こす. Shwartzman 現象および Sanarelli-Shwartzman 現象を誘発する力がある). = intracellular toxin.

en·do·tra·che·al (en′dō-trā′kē-ăl). 気管内の.

en·do·u·rol·o·gy (en′dō-yūr-ol′ŏ-jē). 泌尿器科内視鏡学 (泌尿生殖器にかかわる内視鏡(膀胱鏡，腎盂鏡，骨盤鏡，腹腔鏡，経皮的に，または尿管鏡)を用いた(診断および治療的)手術手段).

en·do·vac·ci·na·tion (en′dō-vak′si-nā′shŭn). 経口接種 (ワクチンの経口投与).

en·do·vas·cu·li·tis (en′dō-vas′kyū-lī′tis). = endangiitis.

hemorrhagic e. 出血性血管炎 (血栓，白色梗塞，赤血球凝集を伴う，胎盤血管の中膜および内膜肥厚，胎児死亡あるいは発育障害の原因となる).

en·do·ve·nous (en′dō-vē′nŭs). 静脈内の (現在では用いられない語). = intravenous.

endozepine (en-dōz-a-pēn). エンドゼピン (ベンゾジアゼピン受容体に対する内因性リガンド).

end-piece (end′pēs). = end *piece*.

end·plate, end-plate (end′plāt). 終板 (骨格筋線維における運動神経終末).

motor e. 運動終板 (運動ニューロンの軸索が骨格筋線維(細胞)とシナプス接合する，大きい複合的な末端構造. 運動性軸索の末端分枝のうちいくつかは筋線維表面にある溝状の陥凹の中で不整，棒状のシナプス末端構造となって終わる. シナプス後膜すなわち上述の溝の底部を形成する筋細胞膜は，その下にある細胞形質中に突出する深いひだをなすことによってその表面積は非常に大きくなる. 軸索末端の形質膜と筋細胞膜の間にあるシナプス間隙には無定形の物質が満たされている. 軸索が溝にはいるにつれて軸索から剝離していく Schwann 鞘によって溝は表面に向かって徐々に閉じ，これにより溝のふたが形成される. こうしてできたわずかな隆起が Doyère 隆起にあたる). = sole-plate ending.

end-tid·al (end-tī′dăl). 呼吸終期の (正常呼気の終わりに).

en·dy·ma (en′di-mă) [G. a garment]. 上衣. = ependyma.

-ene (ēn) [G. *ēnē*, 女性形形容詞をつくる接尾語]. 化学名に用いる接尾語で，例えば，プロペン(不飽和プロパン，CH_3–CH=CH_2)のような炭素－炭素の二重結合の存在を示す.

ene·di·ol (ēn-dī′ōl). エンジオール (プロトン転位により形成される物質. プロトンは，アルデヒドまたはケトンのα位の –CHOH 基からアルデヒドかケトンの酸素へ転位する. 通常，アルカリにより誘導され，–CHOH 基を各々有する(diol)二重結合した炭素原子(-ene 基)のもととなる. エノール化の特殊例. –CH(OH)–CO– → –C(OH)=C(OH)–).

en·e·ma (en′ĕ-mă) [G.]. 浣腸，注腸 (腸をきれいにする，または薬や食物を与える目的で直腸に注入すること).

air contrast e. 注腸二重造影 (高濃度のバリウムで大腸粘膜をコートした後，空気を送り込み二重造影する放射線検査). = air contrast barium e.; double contrast e.

air contrast barium e. = air contrast e.

analeptic e. 食塩水浣腸 (微温湯約 500 mL に食塩を茶匙1/2 杯を加え浣腸を行うこと).

barium e. (BE) バリウム注腸 (造影注腸の一型. 下部消化管の放射線透視撮影のために造影剤である硫酸バリウム溶液を使用すること).

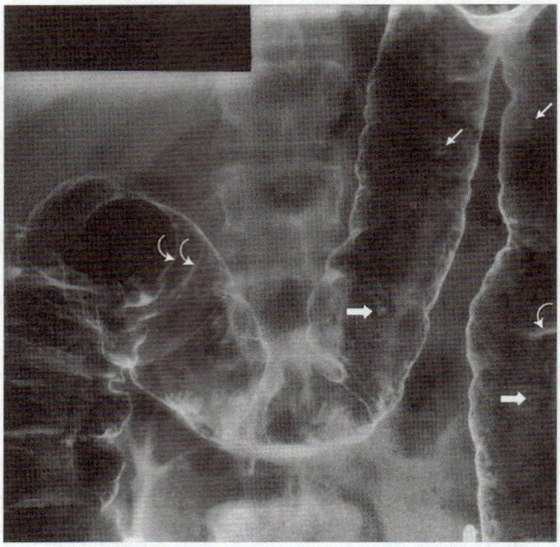

barium enema

腸炎 (真っ直ぐな矢印) および肥厚した粘膜 (曲がった矢印) の病変を示す下部消化管造影.

blind e. 盲浣腸，排気浣腸 (ガスの排出を容易にするため直腸にゴム管を導入すること).

contrast e. 造影注腸 (硫酸バリウムまたは水溶性造影剤を用いる注腸).

double contrast e. 二重造影注腸 (バリウムおよび空気を注入すると，直腸と結腸の粘膜の細部を詳しく放射線撮影できる). = air contrast e.

flatus e. 放屁浣腸，鼓腸浣腸 (グリセリンと温水中に硫酸マグネシウムを加えた混合液の浣腸).

high e. 高圧浣腸 (圧差を利用して結腸に注入する浣腸). = enteroclysis (1).

lactulose e. ラクツロース注腸 (重症肝性脳症患者の治療で行われるラクツロースの直腸内注入).

nutrient e. 滋養浣腸 (吸収性のある食物の直腸注入).

oil retention e. 油性停留浣腸 (便を軟らかくするために，排便の前数時間にわたり鉱油を低圧で注入し停留させる直腸注入).

small bowel e. 逆行性小腸造影 (大腸から逆行性に造影剤を注入し，小腸を造影する放射線検査. *cf.* enteroclysis; small-bowel *series*).

soapsuds e. 石けん水浣腸 (細かく砕いた，または粉石けんを温水に溶かした浣腸).

turpentine e. テレビン油浣腸 (石けん液にテレビン油とオリーブ油を溶かした浣腸).

en·e·ma·tor (en′ĕ-mā′tŏr). 浣腸器.

en·e·mi·a·sis (en′ĕ-mī′ă-sis). 浣腸法.

en·er·gase (en′er-gās). エネルガーゼ (ヌクレオシド 5′-三リン酸の加水分解から発生する自由エネルギー(膜電位に関係した自由エネルギー)を機械的仕事，例えば，自発運動，能動輸送，蛋白フォールディングやアンフォールディングなどのプロセスの駆動に伝達させる酵素).

en·er·get·ics (en′ĕr-jet′iks). エネルギー論，エネルギー学（物理的・化学的反応，およびすべての系に含まれるエネルギー変化を研究する学問).

en·er·gy (E) (en′ĕr-jē) [G. *energeia* < *en*, in + *ergon*, work]. エネルギー（活動力．力の発揮．動力．行いうる仕事量の大きさを表すもので，運動エネルギー，位置エネルギー，化学的エネルギー，電気エネルギーなどの形態をとる). =dynamic force.

e. of activation (E_a) 活性化エネルギー，賦活エネルギー（反応を起こすために，分子がすでに保有するエネルギーに加えられねばならないエネルギー．通常，絶対温度を速度定数で表す Arrhenius 式で表現される).

binding e. 結合エネルギー（個々の陽子と中性子が結合して特定の原子核を形成する際，放出されるエネルギー). =fusion e.

chemical e. 化学的エネルギー（化学反応によって放出または吸収されるエネルギー(例えば，炭素の酸化)あるいは化合物生成の際に吸収されるエネルギー).

free e. (F) 自由エネルギー（FあるいはG(Gibbs 自由エネルギー)$=H-TS$で表される熱力学的関数．Hは系のエンタルピー，Tは絶対温度，Sはエントロピーを表す．化学反応は系の自由エネルギーが減少する方向に自然に遂行する．例えば $\Delta G<0$).

fusion e. 核融合エネルギー．=binding e.

Gibbs e. of activation (gibz). ギブズの活性化エネルギー（反応を開始するため1つの分子，またはいくつかの分子によって既得されたエネルギーに加えられねばならない Gibbs エネルギー).

Gibbs free e. (G) (gibz). ギブズ自由エネルギー（→free e.).

Helmholtz e. (A) (helm′hōltz). ヘルムホルツエネルギー（内部エネルギーからエントロピー項(TS)を差し引いたものに相当する値).

internal e. (U) 内部エネルギー（その系の外界から吸収された熱および，外界によってその系に働いた仕事量によって測定された系のエネルギー).

kinetic e. (K) 運動エネルギー.

latent e. =potential e.

nuclear e. 核エネルギー（核反応の過程で放出され，原子核の形成の際に貯蔵されるエネルギー).

nutritional e. 栄養エネルギー．=trophodynamics.

e. of position =potential e.

potential e. ポテンシャルエネルギー，位置エネルギー（物体が位置あるいは存在の仕方で潜在的にもつエネルギー．時間に作用されない). =e. of position; latent e.

psychic e. 心的エネルギー（精神分析において，エネルギーの物理的概念に類似する仮説的な精神的力．ヒトの心理的活動を可能にし活動させるエネルギー．→libido). =psychic force.

radiant e. (Q) 放射エネルギー（光線や輻射などがもつエネルギー).

solar e. 太陽エネルギー（太陽光線のエネルギー).

total e. 総エネルギー（運動エネルギーと位置エネルギーの総量).

ENG electronystagmography の略.

en·gage·ment (en-gāj′ment). 進入機序，嵌入〔機序〕（産科において，胎児の大横径が骨盤入口平面にはいる機序).

en·gas·tri·us (en-gas′trē-ŭs) [G. *en*, in + *gastēr*, belly]. 腹内双体奇形（不等接着双生児．小さいほう(寄生体)が全体的あるいは部分的に，大きいほう(自生体)の腹部内にある).

En·gel·mann (en′gĕl-mahn), Guido. 20世紀初頭のチェコスロバキア人外科医.

En·gel·mann (en′gĕl-mahn), Theodor W. ドイツ人生理学者，1843—1909. →E. basal *knobs*.

en·gi·neer·ing (en′jin-ēr′ing). 工学（物理的・化学的・数学的原理の実用的な応用).

biomedical e. 生物医学工学（生物医学的問題を解決するために工学原理を応用する学問).

dental e. 歯科理工学（歯学に工学原理を応用する学問).

genetic e. 遺伝子工学（生物の基礎的遺伝物質を内部操作することにより，それらの遺伝的特性を修飾したり，ホルモンや抗原のような高純度のペプチドを生産すること).

En·glisch (en′glish), Josef. オーストリア人医師，1835—1915.

en·globe (en-glōb′). 貪食する（円形細胞によって取り入れる．食細胞が細菌や他の異物を取り入れることをいう).

en·globe·ment (en-glōb′ment). 貪食〔現象〕（白血球のような円形細胞による摂取過程).

en·gorged (en-gōrjd′) [O.Fr. < Mediev. L. *gorgia*, throat, narrow passage < L. *gurges*, a whirlpool]. うっ積した，充血した（体液で膨張したことについていう．→congested; hyperemic).

en·gorge·ment (en-gōrj′ment). うっ積，充血（体液その他の物質で膨張すること．→congestion; hyperemia).

en·gram (en′gram) [G. *en*, in + *gramma*, mark]. エングラム，記憶痕跡（ムネメの仮説 mnemic hypothesis における，経験や刺激の繰返しの結果として生物個体の中枢神経でつくられる肉体的習慣や記憶).

en·graph·i·a (en-graf′ē-ă). エングラム形成.

en grappe (ahn grap′) [Fr. *en*, in + *grappe*, bunch of grapes]. ブドウ房状〔の〕（ある種の皮膚糸状菌にみられるミトコンドリアのブドウ様の塊状配列をさす).

en·hance·ment (en-hans′ment). 強化，増大，増強（①増強させること．②免疫学においては，対立する過程を抑制して，反応過程あるいは出来事を延長すること).

acoustic e. 音響増強（液体が充満した嚢胞のように超音波をほとんどまたはまったく減衰させない組織の背後から反射してきたエコー信号が増強されて観測されること．*cf.* acoustic *shadow*).

contrast e. コントラスト増強〔術〕（可溶性のヨード造影剤の静脈内投与．（特に脳内の）損傷部など，間隙中への異常な漏洩があれば血管プールの CT ナンバーを増加させる．造影剤濃度に比例して放射線不透過性が高まる).

edge e. 輪郭強調（アナログまたはディジタル(デジタル)画像処理を用いて境界のコントラストを増加させること．高域フィルタを用いることと同等).

immunologic e. 免疫〔学的〕増強．=immunoenhancement.

ring e. リング状造影（CT において，造影剤投与後の画像に高輝度の輪が現れること．造影剤が膿瘍の壁に局在する状態の独特な画像である).

en·hanc·ers (en-hans′ĕrz) [M.E. *enhauncen*, raise, increase < O. Fr. *enhaucier* < L.L. *inalto* < *altus*, high + *-er*, agent]. エンハンサー（特定のプロモータの機能に重要な遺伝因子).

enkephalinase (en-kef′a-lin-āz). エンケファリナーゼ（膜貫通型メタロエンドペプチダーゼで，血中エンケファリン類および他のペプチド類を分解する酵素).

en·keph·a·lin·er·gic (en-kef′ă-lin-ĕr′jik) [enkephalin + G. *ergon*, work]. エンケファリン作用〔性〕の（神経伝達物質としてエンケファリンを用いる神経細胞や神経線維についていう).

en·keph·a·lins (en-kef′ă-linz). エンケファリン（ペンタペプチドのエンドルフィンで，脳の多くの部分から見出される．特異的なレセプタ部位と結合し，そのいくつかは痛みと関連したアヘン剤受容体と考えられている．内因性の神経伝達物質で，非嗜癖性鎮痛物質との仮説がある．メトエンケファリンは Tyr–Gly–Gly–Phe–Met の構造で，ロイエンケファリンは Met の代わりに Leu がはいり，プロエンケファリンは Met の代わりに Pro がはいる).

en·large·ment (en-larj′ment) [TA]. ***1*** 拡大（形態的に膨らんだり，広がったり，高まったりしていること). ***2*** 腫脹，膨大．=intumescentia [TA]; intumescence (1).

cervical e. [TA]. 頸膨大（脊髄頸部の膨大．第三頸椎から第二胸椎に広がる脊髄の紡錘形膨大で，その最大部は第五または第六頸椎にあたる). =intumescentia cervicalis [TA]; cervical e. of spinal cord.

cervical e. of spinal cord〔脊髄の〕頸膨大．=cervical e.

choroid e. [TA]. 脈絡叢拡大部（側脳室房の脈絡叢が拡大した部分．高齢者では部位によって石灰化を起こし，CT 像で白く見える．→choroid *glomus*). =glomus choroideum [TA]; choroid glomus; choroid skein.

gingival e. 歯肉増殖（歯肉組織の過度(局所的あるいは散

E

在的)な発育で，非特異的である.→gingival *hyperplasia*).

lumbosacral e. [TA]. 腰膨大（脊髄下方部で紡錘状に膨らんだ部分で第十胸椎のレベルで始まり脊髄円錐に向けて細くなっており最も太いのは第十二胸椎のレベルである．下肢へいく神経が出る). = intumescentia lumbosacralis [TA]; lumbosacral e. of spinal cord.

lumbosacral e. of spinal cord 脊髄の腰膨大. = lumbosacral e.

tympanic e. [TA]. 鼓室膨大（神経節ではなく，舌咽神経鼓室枝の膨大．頸動脈小体に類似とみられる.→tympanic *ganglion*). = intumescentia tympanica [TA]; tympanic intumescence.

e. of the vestibular aqueduct 前庭導水管の拡大（大きな前庭導水管がみられ，劣勢遺伝する聴覚障害).

ENoG (ē′nog). エノグ（electroneuronography の略).

-enoic (e-nō′ik) [-ene + -ic]. 不飽和酸を表す接尾語.

e·nol (ē′nol) [-ene + -ol]. エノール（二重結合した炭素原子に結合した水酸基(アルコール)をもつ化合物(–CH=CH(OH)–)．接頭語，挿入辞として，他の完全な名称に付くとき，正しくはイタリック体で表される．例えば，*enol*pyruvate, phospho*enol*pyruvate．通常，そのケト互変異性体との平衡状態で存在する).

e·no·lase (ē′nol-ās). エノラーゼ（2–ホスホ–D–グリセリン酸を加水分解してエノールピルビン酸–2–リン酸と水の生成反応を可逆的に触媒する酵素．解糖および糖新生の両方での段階．数種のアイソザイムが存在する．マグネシウムイオンを要求し，F^- で阻害される). = phosphopyruvate hydratase.

neuron-specific e. ニューロン特異性エノラーゼ（ニューロンと神経膠細胞に存在するエノラーゼのアイソザイム．ニューロンや神経内分泌の腫瘍の鑑別診断に本酵素の染色がよく用いられる).

eno·li·za·tion (ē′nol-i-zā′shŭn). エノール化（ケト型をエノール型に転換すること．例えば，CH_3–CO–COOH ⇌ CH_2=C(OH)COOH).

e·nol **py·ru·vate** (e′nol pī′rū-vāt). エノールピルビン酸塩；CH_2=C(OH)–COO^-（生物学的に重要なエノールピルビン酸–2–リン酸塩として見出されるピルビン酸塩の型．遊離型では見出されない).

en·oph·thal·mi·a (en′of-thal′mē-ă). = enophthalmos.

en·oph·thal·mos (en′of-thal′mos) [G. *en*, in + *ophthalmos*, eye]. 眼球陥入，眼球陥没（眼窩内に眼球が陥没すること). = enophthalmia.

en·or·gan·ic (en′ōr-gan′ik). 有機体固有の（生物の本来の特性として生じることを表す，まれに用いる語).

eNOS (ē′nos). エノス（endothelial nitric oxide *synthase* の略).

en·os·to·sis (en′os-tō′sis) [G. *en*, in + *osteon*, bone + *-osis*, condition]. 内骨〔腔〕症（骨内の，増殖する骨組織の塊).

enoxaparin (ē-noks′ă-par-in). エノキサパリン（低分子ヘパリン).

en·o·yl (ēn′ō-il) [-ene + -oyl]. エノイル（不飽和脂肪酸のアシル基).

en·o·yl-ACP re·duc·tase (ēn′ō-il rē-dŭk′tās). エノイルACP レダクターゼ(脂肪酸代謝に重要である，アシルACP 化合物(ACP はアシル担体蛋白)から 2,3–デヒドロアシルACP 化合物をつくっての水素受容体としての NAD^+ に水素を与える反応を触媒する酵素). = crotonyl-ACP reductase.

en·o·yl-ACP re·duc·tase (NADPH) (ēn′ō-il rē-dŭk′tās). エノイルACP レダクターゼ(NADPH)（水素受容体として $NADP^+$ を用いるエノイルACP レダクターゼ(ACP はアシル担体蛋白)). = acyl-ACP dehydrogenase; acyl-ACP reductase.

en·o·yl-CoA hy·dra·tase (ēn′ō-il hī′dră-tās). エノイルCoAヒドラターゼ；Δ^2-enoyl-CoA hydratase(脂肪酸分解での L–3–ヒドロキシアシルCoA と 2,3（または 3,4）–*trans*–エノイルCoA との可逆的反応を触媒する酵素). = crotonase; enoyl hydrase.

e·no·yl-CoA re·duc·tase (ēn′ō-il rē-dŭk′tās). エノイルCoA レダクターゼ. = *acyl-CoA* dehydrogenase (NADPH).

2-en·o·yl-CoA re·duc·tase (ēn′ō-il rē-dŭk′tās). 2–エノイルCoAレダクターゼ；acyl-CoA dehydrogenase ($NADP^+$).

en·o·yl hy·drase (ēn′ō-il hī′drās). エノイルヒドラーゼ. = enoyl-CoA hydratase.

en·si·form (en′si-fōrm) [L. *ensis*, sword + *forma*, appearance]. 剣状の. = xiphoid.

en·sis·ter·num (en′sis-tĕr′nŭm) [L. *ensis*, sword + sternum]. = xiphoid *process*.

ensu *e*quivalent(力価の), *n*ormal(正常な), *s*on(息子), *u*nit(単位)の頭字語．女性のコンサルタンドがX連鎖形質の保因者であるという条件確率への影響が1人の正常な息子と同じであるような情報量(連鎖，保因者，表現型といったところから得られる)．正常な息子1人は1 ensu となる．*cf.* encu.

ENT ears(耳), nose(鼻), throat(咽喉)の略.→otorhinolaryngology.

ent- (ent). →ento-.

en·tac·tin (en-tak′tin). エンタクチン（腎糸球体の基底板中に存在するラミニンやIV 型コラーゲンと結合した糖蛋白で，主要細胞接着因子である．硫酸化カルシウム結合蛋白). = nidogen.

en·tad (en′tad) [G. *entos*, within + L. *ad*, to]. 内方へ.

en·tal (en′tăl) [G. *entos*, within]. 内部の.

en·ta·me·bi·a·sis (en′tă-mē-bi′ă-sis).〔体内寄生性〕アメーバ症（赤痢アメーバ *Entamoeba histolytica* による感染症.→amebiasis; amebic *dysentery*).

Ent·a·moe·ba (ent-ă-mē′bă) [G. *entos*, within + *amoibē*, change]. エントアメーバ属（ヒトその他の霊長類，家畜，野生の哺乳類，鳥類の口腔，盲腸，大腸に寄生するアメーバの一属．赤痢アメーバ *E. histolytica* を除き，この属の種は宿主に対して何の害ももたらさない).

E. buccalis *E. gingivalis* の旧名.

E. chattoni 症状を起こさない種．サル類に最も頻繁にみられるが，ときとしてヒトからも検出されている．シストは単核である.

E. coli 大腸アメーバ（ヒト，その他の霊長類，イヌ，恐らくブタなどの大腸にみられる非病原性のアメーバの種で，しばしば，いわゆる赤痢アメーバ *E. histolytica* と混同されるが，細胞核の細部，核の数，被嚢の類染色質の形状によって区別される).

E. dispar ヒト大腸に感染する非病原性アメーバ．以前は赤痢アメーバと考えられたが，現在では別個のものと考えられている．ヒトに病原性はなく症候性のアメーバ症は伴わない．形態は赤痢アメーバに似るが，栄養型が赤血球を取り込んでいる像はみられない.

E. gingivalis 歯肉アメーバ（ヒト，霊長類，イヌ，ネコの口腔内にみられるアメーバの一種．ヒトの場合は，しばしば口腔衛生の悪さとそれに結果する疾患による).

E. hartmanni ハルトマンアメーバ（ヒト，霊長類，イヌの大腸にみられるアメーバの一種．非病原性で赤痢アメーバ *E. histolytica* より小さく，全く異なる種であるが，その他の点では区別できない．以前は *E. histolytica* の〝小型種〟とよばれていた).

E. histolytica 赤痢アメーバ（アメーバの一種で唯一のはっきりした病原体．いわゆる赤痢アメーバの〝大型種〟であり，ヒトの熱帯赤痢，アメーバ赤痢を起こし，イヌにも赤痢を起こす．ヒトはイヌの感染保有宿主である．ヒトでは結腸上皮組織に侵入して，潰瘍(アメーバ赤痢)を起こすこともある．この場合，割合は少ないが，門脈により肝臓に運ばれて膿瘍(肝アメーバ症)をつくるが，まれに肺，脳，腎などの器官や皮膚に広がることもある．この腸外感染はしばしば致命的である.→*E. dispar*).

E. moshkovskii エントアメーバモシュコフスキー（いわゆる赤痢アメーバ *E. histolytica* に非常に類似したアメーバの一種．ヒトには恐らく感染しないが，ヒトの排便汚物中から検出され，排便中の植物性排出物のテストで誤って陽性という結果をもたらすために診断上の困難さの原因となる).

E. polecki ポレックアメーバ（ブタの小腸から頻繁に見出されるアメーバの一種．サル類，ウシ，ヤギ，ヒツジ，イヌにも寄生する．ヒトにもみられるが症状は起こさない．臨床的意義は赤痢アメーバ *E. histolytica* との混同の可能性にある).

enter- (en′tĕr). →entero-.

en·ter·al (en′tĕr-ăl) [G. *enteron*, intestine]. 腸内の，経腸的（特に parenteral(非経口的)とは区別される).

en·ter·al·gi·a (en′tĕr-al′jē-ă) [entero- + G. *algos*, pain].

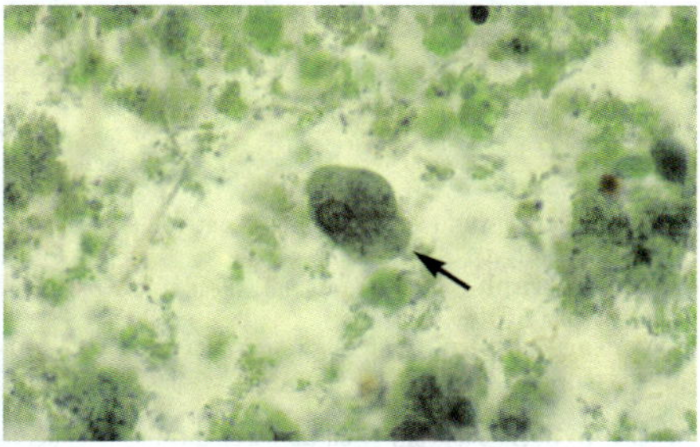

Entamoeba histolytica

糞便スミアは，偽足（矢印）をもつ*E. histolytica*の栄養型を示す．中央に位置するカリオソームおよび均等に分布した核染色質がわかる．三色染料，×400.

腸痛（激しい腹痛．腸の痙攣を伴う)．＝enterdynia; enterodynia.

en·ter·a·mine (en′tĕr-am′ēn). エンテラミン．＝serotonin.

en·ter·dy·ni·a (en′tĕr-din′ē-ă). ＝enteralgia.

en·ter·ec·ta·sis (en′itĕr-ek′tă-sis)［entero- ＋ G. *ektasis*, a stretching］. 腸拡張を表す，現在では用いられない語.

en·ter·ec·to·my (en′tĕr-ek′tō-mē)［entero- ＋ G. *ektomē*, excision］. 腸切除〔術〕(腸の一部を切り取ること).

en·ter·el·co·sis (en′tĕr-el-kō′sis)［entero- ＋ G. *helkos*, ulcer］. 腸潰瘍を表す，現在では用いられない語.

en·ter·ic (en-tĕr′ik)［G. *enterikos* < *entera*, bowels］. 腸の，内臓の.

en·ter·i·tis (en′tĕr-ī′tis)［entero- ＋ G. *-itis*, inflammation］. 腸炎（腸，特に小腸の炎症).

e. anaphylactica アナフィラキシー性腸炎（ある物質によって感作されたイヌに再びその物質を投与したとき，回腸(および結腸)に生じる出血性，壊死性の炎症)．＝chronic anaphylaxis.

chronic cicatrizing e. 慢性瘢痕性腸炎．＝regional e.

diphtheritic e. ジフテリア性腸炎（膜や偽膜の形成を伴う腸炎．→pseudomembranous *enterocolitis*).

granulomatous e. 肉芽腫性腸炎．＝regional e.

human eosinophilic e. ヒト好酸球性腸炎（ヒト腸管の区域的な好酸球性炎症．原因としてはイヌ鉤虫 *Ancylostoma caninum* を疑う必要がある．検査所見では好酸球増多と IgE 上昇がみられる).

mucomembranous e. 粘液性膜性腸炎（腸粘膜の障害により便秘あるいは下痢，ときにはそれが交互に出現し，仙痛を起こし，偽膜片や腸の鋳型状のものを排出する疾病)．＝mucoenteritis (2).

e. necroticans 壊疽性腸炎（ウェルチ菌 *Clostridium welchii* によって腸壁の壊死の起こる腸炎).

phlegmonous e. 蜂巣炎性腸炎，フレグモーネ性腸炎（重症の急性腸炎で，腸壁に浮腫が生じ，膿が浸潤する).

e. polyposa ポリープ性腸炎（ポリープ形成を伴う腸炎).

pseudomembranous e. 偽膜性腸炎．＝pseudomembranous *enterocolitis*.

regional e. 限局性腸炎（原因不明の亜急性慢性腸炎で，回腸末端に好発．低頻度で他の消化管も侵す．限局性腸炎の特徴は，瘻孔を生じる斑点状の深い潰瘍，線維化およびリンパ球浸潤による腸の狭小化と肥厚化で，所属リンパ節にもみられる非乾酪性類結核性肉芽腫を伴う．症状は熱，下痢，痙攣性の腹痛，体重減少)．＝chronic cicatrizing e.; Crohn disease; distal ileitis; regional ileitis; terminal ileitis; granulomatous e.

tuberculous e. 結核性腸炎（腸管の結核症．殺菌していない牛乳を飲んで感染したウシの結核によって生じたり，肺空洞病巣より喀出された結核菌を飲み込むことによって生じることがある．明らかな肺結核を認めずに生じることがある).

entero-, enter- (en′tĕr-ō, en′tĕr)［G. *enteron*, intestine］. 腸を意味する連結形.

en·ter·o·a·nas·to·mo·sis (en′tĕr-ō-ă-nas′tō-mō′sis). ＝enteroenterostomy.

en·ter·o·an·the·lone (en′tĕr-ō-an′thĕ-lōn). エンテロアンセロン．＝enterogastrone.

En·ter·o·bac·ter (en′tĕr-ō-bak′tĕr). エンテロバクター属（腸内細菌科グラム陰性杆菌で，好気性，通性嫌気性，非胞子形成性，運動性細菌の一属．細胞は周毛性で被膜をもつ菌株もある．酸および気体を生成しながらグルコース発酵を行う．Voges-Proskauer 試験は通常，陽性を示す．最もよくみられる型(*E. cloacae*)はゼラチンを徐々に液化する．この細菌はヒトや動物の糞便，下水，土，水，乳製品にみられる．尿路，肺，あるいは血液の一般的院内感染因子として認識されている．抗生物質に対してある程度の抵抗性を示す．本属は誘導可能な β-ラクタマーゼをもつため，一部が速やかに耐性を獲得することが特徴である．標準種は *E. cloacae*).

E. aerogenes 水，土，下水，乳製品およびヒトや動物の糞便内にみられる細菌種．以前にアエロゲネス菌 *Aerobacter aerogenes* の運動性菌株と同定されていた細菌は，現在この菌種に属するとされている．＝*Klebsiella mobilis*.

E. cloacae ヒトや動物の糞便，下水，土，水中にみられる細菌種．尿，膿，その他動物から排出される病原性物質にみられることもある．*Enterobacter* の標準種．院内感染の重要な原因菌である.

E. sakazakii 特に育児室で感染する新生児髄膜炎に関係する細菌種.

en·ter·o·bac·te·ri·a (en′tĕr-ō-bak-tēr′ē-ă). enterobacterium の複数形.

En·ter·o·bac·te·ri·a·ce·ae (en′tĕr-ō-bak-tēr′ē-ā′sē-ē). 腸内細菌科（真正細菌目の好気性，通性嫌気性，非胞子形成性細菌の一科で，グラム陰性杆菌である．非運動性の種や，運動性種の非運動性変種もある．運動細胞は周毛性である．これらの細菌は，人工培地上でよく発育する．硝酸塩を亜硝酸塩に還元し，グルコースを発酵して酸あるいは酸とガスを生成する．インドフェノールオキシダーゼは，これらの細菌によっては生成されない．アルギニン酸塩は液化しないが，ペタトース塩は，*Pectobacterium*属のみが液化させることができる．本科には多種の動物寄生体と，導管病，こぶ病，軟腐病を起こす植物寄生体が含まれる．この細菌の中には，炭化水素を含む植物を分解する腐生菌として存在するものもある．標準属は *Escherichia*).

en·ter·o·bac·te·ri·um, pl. **en·ter·o·bac·te·ri·a** (en′tĕr-ō-bak-tēr′ē-ŭm, -ă). 腸内細菌（腸内細菌科に属する菌).

en·ter·o·bi·a·sis (en′tĕr-ō-bī′ă-sis). ぎょう虫症（ヒトの *Enterobius vermicularis* による感染症).

En·te·ro·bi·us (en′tĕr-ō′bē-ŭs)［entero- ＋ G. *bios*, life］. 線虫の一属で，以前は *Oxyuris*属に含まれていた．ヒトや霊長類のぎょう虫(*E. vermicularis*)が含まれる.

en·ter·o·cele (en′tĕr-o-sēl′). ***1***［entero- ＋ G. *kēlē*, hernia］. 腸瘤（直腸膣窩または膀胱膣窩の欠損部からのヘルニア状の突出). ***2***［entero- ＋ G. *koilia*, a hollow］. 腹腔．＝abdominal *cavity*. ***3***［→***1***］. 腸ヘルニア.

partial e. 部分的腸瘤．＝parietal *hernia*.

en·ter·o·cen·te·sis (en′tĕr-ō-sen-tē′sis)［entero- ＋ G. *kentēsis*, puncture］. 腸穿刺〔術〕(物質を取り除くために中空針（カニューレまたはトロカール）で腸を穿刺すること).

en·ter·o·cho·le·cys·tos·to·my (en′tĕr-ō-kō-lē-sis-tos′tō-mē)［entero- ＋ G. *cholē*, bile ＋ *kystis*, bladder ＋ *stoma*, mouth］. 腸胆嚢吻合〔術〕，腸胆嚢造瘻術．＝cholecystenterostomy.

en·ter·o·cho·le·cys·tot·o·my (en′tĕr-ō-kō′lē-sis-tot′ō-mē)［entero- ＋ G. *cholē*, bile ＋ *kystis*, bladder ＋ *tomē*, a cutting］. 腸胆嚢切開〔術〕．＝cholecystenterotomy.

en·ter·o·ci·dal (en′tĕr-ō-sī′dal). 抗寄生虫剤（消化管の寄生虫を殺す薬物).

en·ter·o·clei·sis (en′tĕr-ō-klī′sis)［entero- ＋ G. *kleisis*, a closing］. 腸管閉鎖〔術〕([enteroclysis と混同しないこと]．腸管腔の閉鎖).

omental e. 大網性腸閉鎖〔術〕(腸の開口部を閉じるのに大網を用いて行う手技).

en·ter·o·cly·sis (en′tĕr-ō-klī′sis)［entero- ＋ G. *klysis*, a washing out]．高位浣腸法（[enterocleisis と混同しないこと]．①＝high *enema.* ②小腸Ｘ線撮影で，上方より十二指腸や空腸に進められたカテーテルを通じて造影剤を誘導し満たすこと）．

radiologic e. 小腸造影（十二指腸挿管を行い，低濃度のバリウムを注入する十二指腸および小腸の造影法）．

en·ter·o·coc·cem·i·a (en′tĕr-ō-kok-sēm′ē-ă)．腸球菌血症（Ｄ群連鎖球菌の *Enterococcus faecalis*，*Enterococcus faecium* などが血中に存在する状態．ときに敗血症に進行する）．

En·ter·o·coc·cus (en′tĕr-ō-kok′ŭs) エンテロコッカス属（通性嫌気性で通常は非運動性の無芽胞性グラム陽性菌の一属(ストレプトコッカス科)．以前は *Streptococcus* 属の一員として分類されていた．ヒトや動物の腸管にみられ，腹腔内，創傷，並びに尿路感染症の原因となる．標準種は *E. faecalis* で，*E. faecium* も抗生物質耐性を獲得する性質をもつため臨床的な意義をもつ）．

E. faecalis ヒトの糞便中と多くの温血動物の腸内に存在する細菌種．ときに尿中や亜急性心内膜炎の血流中や心臓病変にみつかる．院内感染の主要な原因であり，特にグラム陰性病原体とともに感染する．＝*Streptococcus faecalis.*

E. faecium ヒトの感染で検出されるこの属で２番目に多い種．本種はアンピシリンに弱い耐性を有する．米国やバンコマイシンが頻繁に使用されている国々では耐性株が院内感染の原因菌として急速に出現している．免疫不全患者の敗血症では，死亡率は50％以上である．

en·ter·o·coc·cus, pl. **en·ter·o·coc·ci** (en′tĕr-ō-kok′ŭs, -kok′sī) [entero- ＋ G. *kokkos*, a berry]．腸球菌（[本語の複数形の誤った発音 en-ter-ō-kok′ī を避けること]．腸管内に常在する連鎖球菌）．

en·ter·o·co·li·tis (en′tĕr-ō-kō-lī′tis) [entero- ＋ G. *kolon*, colon ＋ *-itis*, inflammation] [MIM*226150]．腸炎（小腸と大腸の両方にわたる粘膜の炎症）．＝coloenteritis.

antibiotic e. 抗生物質性腸炎（広域スペクトル抗生物質の経口投与によって正常の腸グラム陰性菌が抑制されたとき，抗生物質耐性ブドウ球菌や酵母菌や真菌類の発育過剰によって生じる腸炎．下痢や偽膜性腸炎を起こす）．

necrotizing e. 壊死性腸炎（未熟児の新生児期にみられる小腸および大腸の広範な潰瘍と壊死．周産期の虚血と細菌の侵入によるものとされる）．

pseudomembranous e. 偽膜性腸炎（偽膜物質の形成と便中への排泄を伴う腸炎．一般的には抗生物質治療の結果生じるもの．*Clostridium difficile* が産生する壊死性外毒素により起こる）．＝pseudomembranous colitis; pseudomembranous enteritis.

regional e. 限局性腸炎（限局性腸炎が変化したもので，結腸と小腸を侵す）．

en·ter·o·co·los·to·my (en′tĕr-ō-kō-los′tŏ-mē) [entero- ＋ G. *kōlon*, colon ＋ *stoma*, mouth]．小腸結腸吻合〔術〕（小腸と結腸の間に新しい連絡をつくること）．

en·ter·o·cyst (en′tĕr-ō-sist′) [entero- ＋ G. *kystis*, bladder]．腸嚢胞（腸壁の嚢胞）．＝enterocystoma.

en·ter·o·cys·to·cele (en′tĕr-ō-sis′tō-sēl) [entero- ＋ G. *kystis*, bladder ＋ *kēlē*, hernia]．腸膀胱ヘルニア（腸と膀胱壁両方のヘルニア）．

en·ter·o·cys·to·ma (en′tĕr-ō-sis-tō′mă)．腸嚢腫．＝enterocyst.

enterocyte (en′tĕr-ō-sīt) [entero- ＋ -cyte]．腸細胞（消化管をおおう上皮細胞）．

En·ter·o·cy·to·zo·on (en′tĕr-ō-sī′tō-zō′on)．エンテロシトゾーン属（微胞子虫門に属する原生動物の一属で，すべての種が胞子形成性の偏性細胞内寄生虫である）．

E. bieneusi 微胞子虫感染症の病原体で，特に免疫が欠損している患者の主に小腸に寄生する．エイズ患者から最も頻繁に報告されており，そこでは慢性の下痢と体重減少にかかわっている．治療にはオクトレオチドとアルベンダゾールの使用が示されている．→microsporidia.

en·ter·o·dyn·i·a (en′tĕr-ō-din′ē-ă) [entero- ＋ G. *odynē*, pain]．腸痛．＝enteralgia.

en·ter·o·en·ter·os·to·my (en′ter-ō-en′tĕr-os′tŏ-mē)．腸腸吻合〔術〕（腸の２つの部分を新しく連結すること）．＝enteroanastomosis; intestinal anastomosis.

en·ter·o·gas·tri·tis (en′tĕr-ō-gas-trī′tis) [entero- ＋ G. *gastēr*, belly ＋ *-itis*, inflammation]．胃腸炎．＝gastroenteritis.

en·ter·o·gas·trone (en′tĕr-ō-gas′trōn)．エンテロガストロン（腸粘膜から得られるホルモンで，胃液の分泌と活動性を抑制する．エンテロガストロンの分泌は十二指腸粘膜が食物中の脂肪に触れると刺激される．エンテロガストロンが原因である効果のいくつかは，グルコース依存性インスリン分泌性ペプチドによるものかもしれない）．＝anthelone E; enteroanthelone.

en·ter·og·e·nous (en′tĕr-oj′ĕ-nŭs) [entero- ＋ G. *-gen*, producing]．腸性の．

en·ter·o·graph (en′tĕr-ō-graf)．腸運動記録器（腸の筋運動記録に用いる器械）．

en·ter·og·ra·phy (en′tĕr-og′ră-fē) [entero- ＋ G. *graphō*, to write]．腸運動記録〔法〕（腸の筋運動を図形的に記録すること）．

en·ter·o·hep·a·ti·tis (en′tĕr-ō-hep-ă-tī′tis) [entero- ＋ G. *hēpar* (*hēpat-*), liver ＋ *-itis*, inflammation]．腸肝炎（腸と肝臓の両方の炎症）．

en·ter·o·hep·a·to·cele (en′tĕr-ō-hep′ă-tō-sēl′) [entero- ＋ G. *hēpar*(*hēpat-*), liver ＋ *kēlē*, hernia]．腸肝ヘルニア（腸と肝臓を含む先天性臍ヘルニア．→omphalocele）．

en·ter·oi·de·a (en′tĕr-oy′dē-ă) [entero- ＋ G. *eidos*, resemblance]．腸熱（腸細菌のいずれかによって生じる感染性発熱．腸熱(チフスおよびパラチフスA·B)およびパラ腸熱を含む）．

en·ter·o·ki·nase (en′tĕr-ō-kī′nās)．エンテロキナーゼ．＝enteropeptidase.

en·ter·o·ki·ne·sis (en′tĕr-ō-ki-nē′sis) [entero- ＋ G. *kinēsis*, movement]．消化管運動（胃腸管の筋運動．→peristalsis）．

en·ter·o·ki·net·ic (en′tĕr-ō-ki-net′ik)．消化管運動の．

en·ter·o·lith (en′tĕr-ō-lith′) [entero- ＋ G. *lithos*, stone]．腸〔結〕石，糞石（飲み込んだ果石または非消化性物質などの堅い物質を核として，周囲を石けんやリン酸土の層が取り囲む腸石）．

en·ter·o·li·thi·a·sis (en′tĕr-ō-li-thī′ă-sis)．腸石症（腸内に結石が存在すること）．

en·ter·ol·o·gy (en′tĕr-ol′ŏ-jē) [entero- ＋ G. *logos*, study]．腸病学（特に腸管を扱う医学の一分野）．

en·ter·ol·y·sis (en′tĕr-ol′i-sis) [entero- ＋ G. *lysis*, dissolution]．腸癒着剝離〔術〕．

en·ter·o·meg·a·ly, **en·ter·o·me·ga·lia** (en′tĕr-ō-meg′ă-lē, -ō-me-gā′lē-ă) [entero- ＋ G. *megas*, great]．巨大腸〔症〕．＝megaloenteron.

en·ter·o·me·ni·a (en′tĕr-ō-mē′nē-ă) [entero- ＋ G. *emmēnos*, monthly]．腸性月経（エストロゲンまたはプロゲステロンに感受性のある組織の迷入による腸における代償性月経）．

en·ter·o·mer·o·cele (en′tĕr-ō-mĕr′ō-sēl) [entero- ＋ G. *mēros*, thigh ＋ *kēlē*, hernia]．大腿ヘルニア（femoral *hernia* に対してまれに用いる語）．

en·ter·om·e·ter (en′tĕr-om′ĕ-tĕr) [entero- ＋ G. *metron*, measure]．腸管内孔測定器（腸の内径を測定するのに用いる器械）．

En·te·ro·mo·nas (en′tĕr-ō-mō′năs, en-ter-om′ŏ-nas) [entero- ＋ G. *monas*, monad]．エンテロモナス属（べん毛性原生動物の一属で，その一種ヒトエンテロモナス *E. hominis* はヒトの腸内に，まれに非病原性常在菌として見出される）．

en·ter·o·my·co·sis (en′tĕr-ō-mī-kō′sis) [entero- ＋ G. *mykēs*, fungus ＋ *-osis*, condition]．腸真菌症（真菌が原因である腸の疾患）．

en·ter·o·pa·re·sis (en′tĕr-ō-pă-rē′sis, -par′i-sis) [entero- ＋ G. *paresis*, slackening, relaxation]．腸不全麻痺（腸壁の筋肉の弛緩を伴うぜん動の減速あるいは停止に対して，まれに用いる語）．

en·ter·o·path·o·gen (en′tĕr-ō-path′ō-jen)．腸病原体（腸管に病気を生じうる病原体）．

en·ter·o·path·o·gen·ic (en′tĕr-ō-path-ō-jen′ik)．腸病原〔性〕の（腸管に病気を生じることについていう）．

en·ter·op·a·thy (en′tĕr-op′ă-thē) [entero- ＋ G. *pathos*, suffering]．腸症．

gluten e. グルテン性腸症．＝celiac *disease.*

protein-losing e. 蛋白喪失性腸症（血清蛋白，特にアルブミンが糞便中に多量に排出され，低蛋白血症を起こす）.

en·ter·o·pep·ti·dase (en′tĕr-ō-pep′ti-dās). エンテロペプチダーゼ（トリプシノーゲンをトリプシンに変える(トリプシノーゲンからヘキサペプチドが脱離する)，十二指腸粘膜より分泌される腸内の蛋白分解性糖質酵素）. ＝enterokinase.

en·ter·o·pex·y (en′tĕr-ō-pek′sē) [entero- ＋G. *pēxis*, fixation]. 腸固定〔術〕（腸の一部分を腹壁に固定すること）.

en·ter·o·ple·gi·a (en′tĕr-ō-plē′jē-ă) [entero- ＋G. *plēgē*, stroke]. 腸麻痺（麻痺性イレウス adynamic *ileus* を表す，まれに用いる語）.

en·ter·o·proc·ti·a (en′tĕr-ō-prok′shē-ă) [entero- ＋G. *prōktos*, anus]. 人工肛門，腸瘻孔（人工肛門形成術によって形成した人工肛門に対して，まれに用いる語）.

en·ter·op·to·sis, en·ter·op·to·sia (en′tĕr-op-tō′sis, -tō′sē-ă) [entero- ＋G. *ptōsis*, a falling]. 腸下垂〔症〕（腹腔内の腸が異常に下がることで，通常は他の内臓下垂を伴う）.

en·ter·op·tot·ic (en′tĕr-op-tot′ik). 腸下垂〔症〕の（腹部内臓の下垂症に関する）.

en·ter·o·re·nal (en′tĕr-ō-rē′năl). 腸腎の（腸と腎臓の両方に関する）.

en·ter·or·rha·gi·a (en′tĕr-ō-rā′jē-ă) [entero- ＋G. *rhēgnymi*, to burst forth]. 腸出血.

en·ter·or·rha·phy (en′tĕr-ōr′ă-fē) [entero- ＋G. *rhaphē*, suture]. 腸縫合〔術〕.

en·ter·or·rhex·is (en′tĕr-ō-rek′sis) [entero- ＋G. *rhēxis*, rupture]. 腸破裂（消化管または腸の破裂に対して，まれに用いる語）.

en·ter·o·scope (en′tĕr-ō-skōp′) [entero- ＋G. *skopeō*, to view]. 腸鏡（手術時に腸の内部の検査に用いる鏡）.

en·ter·o·sep·sis (en′tĕr-ō-sep′sis) [entero- ＋G. *sēpsis*, putrefaction]. 腸性敗血症（消化管における，またはそこから生じる敗血症）.

en·ter·o·spasm (en′tĕr-ō-spazm′) [entero- ＋G. *spasmos*, spasm]. 腸痙攣（激しく不規則で，痛みを伴うぜん動）.

en·ter·o·sta·sis (en′tĕr-ō-stā′sis) [entero- ＋G. *stasis*, a standing]. 腸内容うっ滞（［誤った発音 enterosta′sis を避けること］. 腸の内容物の通過が遅れたり停止すること）. ＝intestinal stasis.

en·ter·o·ste·no·sis (en′tĕr-ō-sten-ō′sis) [entero- ＋G. *stenōsis*, narrowing]. 腸狭窄（腸の内腔の狭窄）.

en·ter·os·to·my (en′tĕr-os′tŏ-mē) [entero- ＋G. *stoma*, mouth]. 腸瘻造設〔術〕，腸造瘻術（小腸間の連絡または腹壁を通した腸内への瘻形成(腸瘻)）.

double e. 二重管腸瘻〔術〕，二連銃腸瘻〔術〕（切離した腸管の近位および遠位開口部の両者を腹壁に縫合した腸瘻）.

enterothorax (en′tĕr-ō-thōr′aks). 消化管胸（食道裂孔などからヘルニアとして脱腸した腹部臓器が胸腔内にみられること）.

en·ter·o·tome (en′tĕr-ō-tōm′) [entero- ＋G. *tomē*, a cutting]. 腸切開器（特に人工肛門形成の際に腸を切開する器械）.

en·ter·ot·o·my (en′tĕr-ot′ŏ-mē). 腸切開〔術〕.

en·ter·o·tox·i·ca·tion (en′tĕr-ō-tok′si-kā′shŭn). 腸性中毒. ＝autointoxication.

en·ter·o·tox·i·gen·ic (en′tĕr-ō-tok′si-jen′ik). 腸毒素(エンテロトキシン)産生性（腸管粘膜細胞に特異的な毒素を含む，あるいは生じる病原体についていう）.

en·ter·o·tox·in (en′tĕr-ō-tok′sin). エンテロトキシン，腸毒素（腸の粘膜に特有な細胞毒）.

***Clostridium perfringens* e.** ウェルチ菌 *Clostridium Perfringens* が産生する毒素で膜透過性を変化させる.

cytotonic e. 細胞変性エンテロトキシン（標的細胞を殺さないで，その形態を変化させる腸毒素）.

***Escherichia coli* e.** 大腸菌エンテロトキシン，大腸菌腸毒素（大腸菌 *Escherichia coli* のある菌株(血清型)より産生される腸管毒素で，伝達性のプラスミドに支配されているものと考えられる）.

staphylococcal e. ブドウ球菌エンテロトキシン，ブドウ球菌腸毒素（黄色ブドウ球菌 *Staphylococcus aureus* のいくつかの菌株より産生される可溶性菌体外毒素で，食中毒の原因となる）.

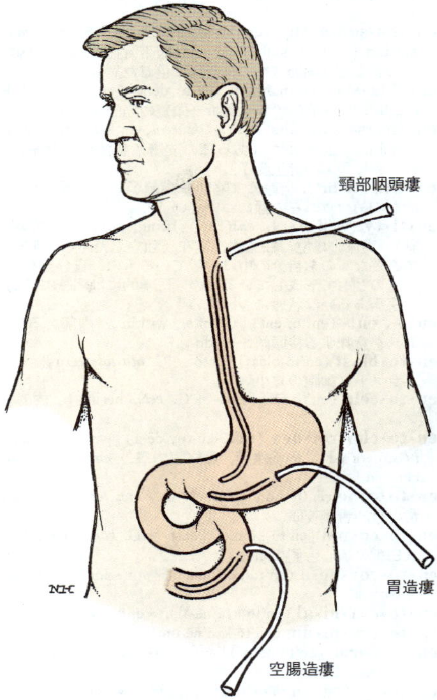

enterostomy tubes

外科的開口を通り胃腸管の選択された部分へ至る柔軟な管で，流動食のアクセスを提供する．腸瘻造設術の一時的な代用.

en·ter·o·tox·ism (en′tĕr-ō-tok′sizm). 腸性中毒. ＝autointoxication.

en·ter·o·tro·pic (en′tĕr-ō-trop′ik) [entero- ＋G. *tropikos*, turning]. 腸向性の（腸に引きつけられる，腸に作用する）.

En·te·ro·vi·rus (en′tĕr-ō-vī′rŭs). エンテロウイルス属（多種で多岐にわたるウイルスを含むウイルス属名．ピコルナウイルス科ウイルスの一属で，ポリオウイルスのタイプ1から3，コクサッキーウイルスAおよびB，エコーウイルス，1969年以来同定されて，標準種に指定されたエンテロウイルスが属する．消化管中に一時的に存在し，低pHのもとで安定である）.

en·ter·o·zo·ic (en′tĕr-ō-zō′ik). 腸内寄生性動物の.

en·ter·o·zo·on (en′tĕr-ō-zō′on) [entero- ＋G. *zōon*, animal]. 腸内寄生性動物（腸内の動物寄生体）.

ent·ge·gen (*E*) (ent′ge-gen) [Ger. opposite]. *E*（二重結合，普通は炭素－炭素二重結合，の異なった炭素原子に結合した順位則で上位2つの置換基が二重結合の反対側にそれぞれに位置するときの状態(よって，trans- と類似)．また，これらの置換基が環状構造の反対側に位置しているときにも起こる）.

en·thal·py (*H*) (en′thal-pē) [G. *enthalpein*, to warm in]. エンタルピー，熱関数量（記号*H*で表記され，$E + PV$ で定義される熱力学の関数．*E*は系の内部エネルギー，*P*は圧力，*V*は体積．定圧下で測定された反応熱はΔHである）. ＝heat (4).

en·the·si·tis (en-thĕ-sī′tis) [G. *enthetos*, implanted ＋ *-itis*, inflammation]. 筋肉が付着した部位に起こる状態．筋緊張が何回も起こることにより，強い線維化と石灰化傾向を伴う炎症を生じたもの.

en·the·so·path·ic (en-thĕ-sō-path′ik). 腱(靱帯)付着部症

の（腱(靱帯)付着部症に関する，またはそれに特徴的なこと）.

en·the·sop·a·thy (en′thĕ-sop′ă-thē)［G. *en*, in + *thesis*, a placing + *pathos*, suffering］. 腱(靱帯)付着部症（筋腱や靱帯の骨または関節包への付着部に生じた病変）.

en·thla·sis (en′thlă-sis)［G. a dent < *en*, in + *thlaō*, to crush］. 頭骨陥凹粉砕性骨折（頭蓋の陥凹骨折）.

en thyrse (ahn tirs′)［Fr. < G. *en*-, in + *thyrsos*, a stalk, wand］. アンチルス（ある種の皮膚糸状菌の，菌糸の両側に1列に並ぶ小分生胞子）.

en·tire (en-tīr′). 全縁の（陥凹や突起がなく，滑らかで連続的な細菌コロニーの縁についていう）.

en·ti·ty (en′ti-tē)［L. *ens*(*ent*-), being; *esse*(to be)の現在分詞］. 実体，単位，独立体，実在（独立したもの．個体として必要なものを自分の中にもっているもの．自分自身を完全なものとして形成しているもの．医学的には明瞭に区別できる疾病あるいは状態についていう）.

ento-, ent- (en′tō, ent)［G. *entos*, within］. 内部あるいは内側，を意味する接頭語.→endo-.

en·to·blast (en′tō-blast)［ento- + G. *blastos*, germ］. エントブラスト（細胞の核小体）.

en·to·cele (en′tō-sēl)［ento- + G. *kēlē*, hernia］. 内ヘルニア.

en·to·cho·roi·dea (en′tō-kō-roy′dē-ă)［ento- + G. *chorioeidēs*, choroid］. 内脈絡膜，脈絡膜内層. = capillary *lamina* of choroid.

en·to·cone (en′tō-kōn)［ento- + G. *kōnos*, cone］. 上顎大臼歯の近心舌側咬頭.

en·to·co·nid (en′tō-kō′nid)［ento- + G. *kōnos*, cone］. 下顎大臼歯の遠心舌側咬頭.

en·to·cor·ne·a (en′tō-kōr′nē-ă). = posterior limiting *lamina* of cornea.

en·to·cra·ni·al (en′tō-krā′nē-ăl). = endocranial.

en·to·cra·ni·um (en′tō-krā′nē-ŭm). = endocranium.

en·to·derm (en′tō-derm)［ento- + G. *derma*, skin］. 内胚葉. = endoderm.

en·to·ec·tad (en′tō-ek′tad)［G. *entos*, within + *ektos*, without + L. *ad*, to］. 内から外へ.

En·to·lo·ma si·nu·a·tum (en′tō-lō′mă sī′nū-ā′tŭm). キノコの一菌種で胃腸性キノコ中毒の原因となる.

en·to·mi·on (en-tō′mē-on)［G. *entomē*, notch］. エントミオン（頭頂骨の乳突角の先端にあたる点）.

en·to·mol·o·gy (en′tō-mol′ŏ-jē)［G. *entomon*, insect + *logos*, study］. 昆虫学（昆虫に関する科学）.

en·to·mo·pho·bia (en′tō-mō-fō′bē-ă)［G. *entomon*, insect + *phobos*, fear］. 昆虫恐怖〔症〕（昆虫に対する病的な恐れ）.

En·to·moph·thor·a (en′tō-mof′thōr-ă). エントモフソーラ属（*Conidiobolus*属に再分類されている真菌の一属）.

E. coronata *Conidiobolus coronatus* の現在では用いられない学名.

En·to·moph·thor·al·es (en′tō-mof′thōr-al′ēz). ハエカビ目（接合菌綱のカビの一目．本目には鼻や副鼻腔の慢性肉芽腫性炎症(コニディオボロミコーシス)を起こす*Conidiobolus*属や慢性皮下肉芽腫症(バシディオボロミコーシス)を起こす*Basidiobolus*属が含まれている．コニディオボルス感染症とバシディオボルス感染症を同時に考えるとき，エントモフトラ症とよぶ）.

en·to·moph·tho·ra·my·co·sis (en′tō-mof′thō-ră-mī-kō′sis)［Entomophthorales (order name) + G. *mykēs*, fungus + *-osis*, condition］. エントモフトラ症（*Basidiobolus*属または*Conidiobolus*属の真菌による疾患．皮下または副鼻腔の組織は好酸性物質で取り囲まれた幅広な，隔壁のない菌糸で浸潤される．接合真菌症の1つの型.→zygomycosis）.

e. basidiobolae 真菌 *Basidiobolus ranarum* による皮下接合真菌症で，潰瘍を形成しない平たく硬い線維性の肉芽腫ができるのを特徴とする．ときとして，病巣は筋肉やリンパ節，その他の深部組織へ進展することがある．この疾患は，インドネシア，ウガンダ，およびその他の熱帯アフリカ諸国でみつかるが，熱帯アメリカではみられていない．接合真菌症の1つの型. = subcutaneous phycomycosis.

e. conidiobolae *Conidiobolus coronatus* による接合真菌症で，大きな鼻ポリープと鼻腔の肉芽腫を特徴とする．テキサス，西インド諸島，アフリカ，南米から報告がある．接合真菌症の1つの型.

En·to·mo·pox·vi·rus (en′tō-mō-poks-vī′rŭs)［G. *entomon*, insect］. エントモポックスウイルス属（ポックスウイルス科のウイルス属で，昆虫のポックスウイルス類を包含する．脊椎動物での増殖は認められていないようである）.

en·top·ic (en-top′ik)［G. *en*, within + *topos*, place］. 正常位置の（内部に位置する．正常な場所に現れる，または位置する．ectopic の対語）.

en·to·plasm (en′tō-plasm). = endoplasm.

ent·op·tic (en-top′tik)［ento- + G. *optikos*, relating to vision］. 眼内の（網膜の機械的または電気的刺激により生じる視現象を記述するのに使用される）.

en·to·ret·i·na (en′tō-ret′i-nă). 内網膜（外網状層から神経線維層を含めた網膜の層）. = Henle nervous layer.

en·to·sarc (en′tō-sark). = endosarc.

En·to·zo·a (en′tō-zō′ă)［ento- + G. *zōon*, animal］. 有消化管類（動物界の一群に対する非分類学的名称．消化腔または消化管をもつもの．大部分の無脊椎動物，高等動物を含む）.

en·to·zo·al (en′tō-zō′ăl). 内部寄生動物の.

en·to·zo·on, pl. **en·to·zo·a** (en′tō-zō′on, -ă)［ento- + G. *zōon*, animal］. 内部寄生動物（内器官または組織に寄生する動物）.

en·trails (en′trālz). 臓腑（動物の内臓）.

en·tro·pi·on, en·tro·pi·um (en-trō′pē-on, -pē-ŭm)［G. *en*, in + *tropē*, a turning］. ***1*** 内反（一部が内方に転位または回転すること）. ***2***〔眼瞼〕内反（眼瞼の縁を反転させること）.

atonic e. 無力性眼瞼内反（眼輪筋の緊張や皮膚の弾力が消失したことによって生じる眼瞼内反）.

cicatricial e. 瘢痕眼瞼内反（眼瞼結膜の瘢痕による眼瞼内反）.

spastic e. 痙性眼瞼内反（眼輪筋の過剰収縮により起こる眼瞼内反）.

en·tro·pi·on·ize (en-trō′pē-on-īz′). 内反する.

en·tro·py (*S*) (en′trŏ-pē)［G. *entropia*, a turning toward］. エントロピー，熱力関数（仕事には用いられない熱含量の一部分で，通常は(化学反応の場合)，系の原子または分子の乱数運動の増加に使用されるからである．このようにしてエントロピーは，乱数度，不規則性の尺度になる．エントロピーは Gibbs 自由エネルギー(G)式，$\Delta G = \Delta H - T\Delta S$ で表される(ΔH はエンタルピーまたは熱含量の変化，T は絶対温度，ΔS はエントロピー変化，ΔG は Gibb 自由エネルギー変化）.→second *law* of thermodynamics）.

en·ty·py (en′ti-pē)［G. *entypē*, pattern］. 内翻位（一部の早期哺乳類胚にみられる囊胚形成の一型で，内胚葉が胚および羊膜の外胚葉を包んでいる．胎盤形成前の栄養膜をもおおうことがある）.

e·nu·cle·ate (ē-nū′klē-āt). 摘出する（木の実をくり抜くように，眼を眼窩からあるいは腫瘍をその被包された囊から取り除くように完全に除去する）.

e·nu·cle·a·tion (ē-nū′klē-ā′shŭn)［L. *enucleo*, to remove the kernel < *e*, out + *nucleus*, nut, kernel］. 摘出〔術〕（①木の実から核を全部くり抜くように，組織(眼球や腫瘍など)を破壊せず除去すること．②細胞核の除去または破壊）.

en·u·re·sis (en′yū-rē′sis)［G. *en-oureō*, to urinate in］. 遺尿〔症〕（[emuresis と混同しないこと]．不随意に尿が流出または漏れること）.

diurnal e. 昼間性遺尿症（覚醒時の不随意排尿）.

nocturnal e. 夜間遺尿症（夜尿症，睡眠中の尿失禁）. = bed-wetting.

en·ve·lope (en′vĕ-lōp). 膜，包，エンベロープ（[誤った発音 ahn′vĕ-lōp を避けること]．解剖学において，被覆したり包囲する組織）.

corneocyte e. 表皮コルネオサイトの細胞膜の細胞質面にある電子高密度で 10—15 nm の厚さの高度に架橋した蛋白の層．蛋白分解試薬に強い抵抗性を示す. = subplasmalemmal dense zone.

nuclear e. 核包膜（核質の周囲にある二重の膜．それは円筒状の核膜孔複合体によっておおわれた間隙孔を規則正しくもっている．2膜の間には幅が約 150 Å の間隙または槽が存在する．外側の膜はところどころで粗い小胞体と連続している)．＝caryotheca; karyotheca; nuclear membrane.

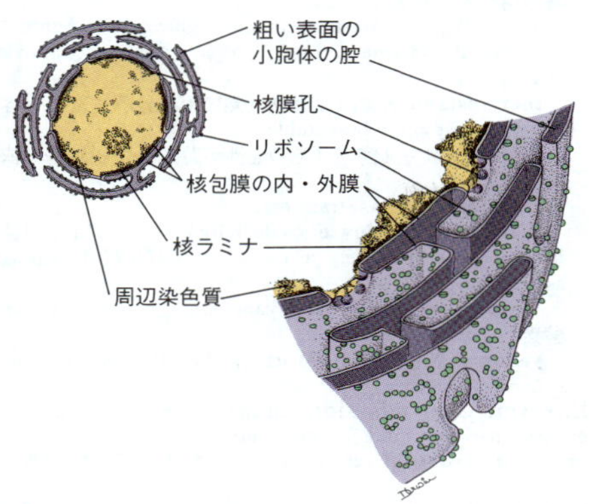

interconnections between nuclear envelope and rough-surfaced endoplasmic reticulum

核包膜の内・外膜は核膜孔周囲で互いに連続している．

viral e. ウイルスエンベロープ（ある種のウイルスでみられる，ヌクレオカプシドを取り巻く外側の殻構造．細胞膜を被覆して発芽様式で成熟するため，エンベロープはリポ蛋白を含有する)．

en·ven·om·a·tion (en-ven′ō-mā′shŭn). 毒物注入（刺す，かむ，または他の毒液装置により，毒性物質(毒液)を注入すること)．

en·vi·ron·ment (en-vī′rŏn-ment) [Fr. *environ*, around]. 環境（生態の生命および発育に影響を与える外部状況全体をいう．物理的，生物学的，社会的，文化的環境に分けられる．これらは人々の健康状態に影響を与える)．

en·vy (en′vē). 羨望（他人との比較によって生じる不満足またはねたみの感情)．

penis e. ペニス羨望（精神分析学的概念の1つで，女性が男性の特徴や能力，特に陰茎所有に対して羨望をもつこと)．

en·zo·ot·ic (en′zō-ot′ik) [G. *en*, in + *zōon*, animal]. 動物地方病の，家畜の風土病の．＝endemic.

en·zy·got·ic (en′zī-got′ik) [G. *eis(en)*, one + zygote]. 一卵〔性〕の（1個の受精卵から発生するもので，このようにして発生する双生児についていう)．

en·zy·mat·ic (en′zī-mat′ik). 酵素の．＝enzymic.

en·zyme (en′zīm) [G. + L. *en*, in + *zymē*, leaven]. 酵素，エンザイム（他の物質の化学変化を誘発する触媒として作用する高分子だが，それ自体は化学反応を通して変化しない．かなり以前に発見されたもの(例えば，ペプシン，エマルシン)を除いて，命名法は一般的には次のように名称の語尾に -ase を付ける．酵素が作用する基質(例えば glucosidase)，活性化される物質(例えば hydrogenase)，および(または)反応の型(例えば，oxidoreductase, transferase, hydrolase, lyase, isomerase, ligase または synthetase）のように名付ける．これらは，Enzyme Nomenclature Recommendations of the International Union of Biochemistry(国際生化学連合による酵素命名法)によって分類された6つの主グループである．以下に記載のない個々の酵素については各々の項参照)．＝organic catalyst (1).

acetyl-activating e. アセチル活性化酵素．＝*acetyl*: *CoA* ligase.

acyl-activating e. アシル活性化酵素（①＝long-chain fatty acid:CoA ligase. ②＝butyrate:CoA ligase)．

adaptive e. 適応酵素．＝induced e.

allosteric e. アロステリック酵素（アロステリズム性を示す酵素)．

amino acid activating e. アミノ酸活性化酵素．＝*aminoacyl-tRNA* synthetases.

angiotensin-converting e. (**ACE**) アンギオテンシン変換酵素（種々の基質からC-末端ジペプチドを切断させる亜鉛含有加水分解酵素．例えば，基質としてアンギオテンシンIがアンギオテンシンIIとヒスチジルロイシンに変換される．ある種の血圧上昇物質の代謝の重要段階である．この酵素阻害剤は高血圧やうっ血性心不全の治療に用いられる)．＝peptidyl dipeptidase A.

antitumor e. 抗腫瘍酵素（癌細胞によって生合成されえない特定代謝物の分解を促進したり，癌細胞に必要な代謝物の生合成を阻害したり，また癌特異的 DNA の利用を阻害する酵素，例えばアスパラギナーゼ)．

autolytic e. 自己融解酵素，自解酵素（酵素を生成する細胞の溶解を起こす酵素)．

branching e. ブランチングエンザイム，分枝酵素．＝1,4-α-D-glucan-branching enzyme.

branch migration e. 分岐点移動酵素（DNA 鎖に沿ってホリディジャンクション蛋白の移動を促進させて DNA のヘテロ二本鎖の鎖長を伸長させる反応(組換えに必須のステップ)を触媒する酵素)．

β-carotene-cleavage e. β-カロチン開裂酵素．＝β-carotene 15,15′-dioxygenase.

citrate-cleavage e. クエン酸開裂酵素．＝ATP:*citrate* (*pro-3S*)-lyase.

cold-sensitive e. 低温感受性酵素（温度の低下によってその安定性を失う酵素)．

condensing e. 縮合酵素．＝*citrate* synthase.

constitutive e. 構成的酵素（増殖条件によらず細胞によって恒常的に産出される酵素．*cf.* induced e.)．

cooperative e. 協同的酵素（協同性を示す酵素)．

D e. D酵素．＝4-α-D-glucanotransferase.

deamidizing e.'s ＝amidohydrolases.

deaminating e.'s ＝deaminases.

debranching e.'s デブランチングエンザイム，縮鎖酵素（グリコゲンの側鎖を切断する酵素．以前は1個の酵素と考えられていたが，現在はトランスフェラーゼ(4-α-D-グルカノトランスフェラーゼ)とヒドロラーゼ(アミロ-1,6-グルコシダーゼ)の混合物であることが知られている)．＝debranching factors.

digestive e.'s 消化酵素（①消化系で利用される酵素．次頁の表参照．②高分子のヒドラーゼである酵素(例えばアミラーゼ，プロテイナーゼ))．

disproportionating e. 不均化酵素．＝4-α-D-glucanotransferase.

extracellular e.〔細胞〕外酵素（細胞外で作用する酵素，例えば種々の消化酵素)．＝exoenzyme.

heat-stable e. 熱安定酵素．＝thermostable e.

hydrolyzing e.'s ＝hydrolases.

immobilized e. 固定化酵素（不溶性有機性または無機性マトリックスと通常，共有結合によって結合されたり，包括されたりした酵素)．

induced e., inducible e. 誘導酵素（①培地に特定の物質(誘導物質)を添加後，微生物の増殖培養で検出できる酵素．誘導物質によって活動でき，添加前では検出できない．原型としては大腸菌 *Escherichia coli* の β-ガラクトシダーゼがある．これは基質として良し悪しに関係なく，いろいろなガラクトシドを加えると合成される．*cf.* constitutive e. ②基質や，ある種の他の分子種の存在により，その生合成速度が増加する酵素)．＝adaptive e.

intracellular e.〔細胞〕内酵素（酵素を生成する細胞内で作用する酵素．ほとんどの酵素は細胞内酵素)．＝endoenzyme (1).

Kornberg e. (korn′berg) [Arthur *Kornberg*]. コーンバーク酵素（大腸菌 *Escherichia coli* から得られた DNA ポリメラーゼI)．

malate-condensing e. ＝*malate* synthase.

malic e. ＝*malate* dehydrogenase.

marker e. 指標酵素（特定の細胞タイプ，細胞オルガネラまたは細胞成分を同定するのに用いられる酵素)．

membrane e. 膜酵素（生体膜に存在する，すなわち埋め込まれた酵素)．

methionine-activating e. メチオニン活性化酵素．＝*methionine* adenosyltransferase.

new yellow e. 新黄色酵素（イースト中にあるD-アミノ酸

主要消化酵素

酵素	所在	消化作用
炭水化物を消化する酵素		
プチアリン（唾液アミラーゼ）	唾液腺	デンプン→デキストリン，マルトース，グルコース
アミラーゼ	膵臓	デンプン→デキストリン，マルトース，グルコース デキストリン→マルトース，グルコース
マルターゼ	腸粘膜	マルトース→グルコース
スクラーゼ	腸粘膜	スクロース→グルコース，フルクトース
ラクターゼ	腸粘膜	ラクトース→グルコース，ガラクトース
蛋白質を消化する酵素		
ペプシン	胃粘膜	蛋白→ポリペプチド
トリプシン	膵臓	蛋白とポリペプチド→ポリペプチド，ジペプチド，アミノ酸
アミノペプチダーゼ	腸粘膜	ポリペプチド→ジペプチド，アミノ酸
ジペプチダーゼ	腸粘膜	ジペプチド→アミノ酸
脂肪（トリグリセリド）を消化する酵素		
咽頭リパーゼ	咽頭粘膜	トリグリセリド→脂肪酸，ジグリセリド，モノグリセリド
ステアプシン	胃粘膜	トリグリセリド→脂肪酸，ジグリセリド，モノグリセリド
膵リパーゼ	膵臓	トリグリセリド→脂肪酸，ジグリセリド，モノグリセリド

酸化酵素(フラボ酵素)の旧名．Warburg の old yellow e.(旧黄色酵素)と区別するためにこの名称がある．*cf. amino acid* oxidases).

old yellow e. 旧黄色酵素．＝*NADPH* dehydrogenase.

P e. P酵素．＝phosphorylase.

pantoate-activating e. ＝*pantothenate* synthetase.

phosphorylase-rupturing e. (**PR e.**) PR 酵素．＝*phosphorylase* phosphatase.

photoreactivating e. (**PR e.**) ＝deoxyribodipyrimidine photolyase.

PR e. phosphorylase-rupturing e.; photoreactivating e. の略.

Q e. Q酵素（植物に存在する1,4–α グルカンブランチングエンザイム).

R e. R酵素．＝α-dextrin endo-1,6-α-glucosidase.

reducing e. ＝reductase.

repair e. 修復酵素（損傷された DNA の修復を触媒することができる酵素，例えば DNA リガーゼ).

repressible e. 抑制酵素（酵素過剰の阻害物質(コリプレッサー)によって抑制されない限り生成され続ける酵素.→inactive *repressor*).

respiratory e. 呼吸酵素（組織内にあって酸化還元系の一部として基質を炭酸ガスと水に変え，遊離した電子を酸素に与える作用を行う酵素).

restriction e. 制限酵素．＝restriction *endonuclease.*

RNA e. RNA 酵素．＝ribozyme.

Schardinger e. (shar′ding-ĕr). シャルディンガー酵素．＝*xanthine* oxidase.

splitting e.'s 開裂酵素（アルドラーゼのように，原子を加えたり除去したりせずに分子を 2 つの小分子に転換する触媒作用をもつ酵素).

T e. T酵素．＝1,4-α-D-glucan 6-α-D-glucosyltransferase.

terminal addition e. 末端付加酵素．＝DNA nucleotidylexotransferase.

thermostable e. 熱安定酵素（熱による分解や変化を容易に受けない酵素)．＝heat-stable e.

thiol e. チオール酵素（その活性が遊離チオール基に依存する酵素).

transferring e.'s ＝transferases.

Warburg old yellow e. (vahr′bŭrg). ヴァルブルク旧黄色酵素（→new yellow e.; yellow e.)．＝*NADPH* dehydrogenase.

Warburg respiratory e. (vahr′bŭrg). ヴァルブルク呼吸酵素．＝Atmungsferment.

yellow e. 黄色酵素（→Warburg old yellow e.; new yellow e.)．＝flavoenzyme.

En·zyme Com·mis·sion (en′zīm kŏ-mish′ŭn). ⇀EC.

en·zy·mic (en-zi′mik). ＝enzymatic.

en·zy·mol·o·gist (en′zi-mol′ŏ-jist). 酵素学者（酵素学を扱う専門家).

en·zy·mol·o·gy (en′zi-mol′ŏ-jē) [enzyme + G. *logos*, study]. 酵素〔化〕学（酵素の性質や作用を取り扱う化学の一分野).

en·zy·mol·y·sis (en′zi-mol′i-sis) [enzyme + G. *lysis*, dissolution]. ***1*** 酵素分解（酵素作用によって物質を小部分に分解または切断すること). ***2*** 酵素溶解（酵素の作用による溶解，すなわち細胞や細菌などが崩壊あるいは破壊される現象).

en·zy·mop·a·thy (en′zi-mop′ă-thē) [enzyme + G. *pathos*, disease]. 酵素病（酵素機能の障害．特定の酵素が遺伝的に不足または欠損しているもの).

EOG electrooculography ; electroolfactogram の略.

EOM extraocular *muscles* の略.

e·o·sin (ē′ō-sin) [G. *ēōs*, dawn]. エオシン（組織学や Romanowsky 型血液染色で細胞質の染色および対比染色に蛍光酸性塗料として用いるフルオレセイン誘導体).

e. B [C.I. 45400]. エオシン B (4′,5′–ジブロモ–2′,7′–ジニトロフルオレセインの二ナトリウム塩)．＝acid red 91; e. I bluish.

e. I bluish エオシン I ブルーイッシュ．＝e. B.

e. y, e. Y [C. I. 45380]. エオシン y(Y) (2′,4′,5′,7′–テトラブロモフルオレセインの二ナトリウム塩)．＝acid red 87; e. yellowish.

e. yellowish エオシンイエローイシュ．＝e. y.

e·o·sin·o·cyte (ē′ō-sin′ō-sīt). 好酸球．＝eosinophilic *leukocyte.*

eo·sin·o·pe·ni·a (ē′ō-sin-ō-pē′nē-ă) [eosino(phil) + G. *penia*, poverty]. 好酸球減少〔症〕（末梢血液中の好酸球の数が異常に少ないこと)．＝hypoeosinophilia.

e·o·sin·o·phil, eo·sin·o·phile (ē′ō-sin′ō-fil, -fil) [eosin + G. *philos*, fond]. 好酸球．＝eosinophilic *leukocyte.*

eo·sin·o·phil·ia (ē′ō-sin-ō-fil′ē-ă). 好酸球増加〔症〕．＝eosinophilic *leukocytosis.*

simple pulmonary e. 単純性肺好酸球増加症，好酸球性肺症（胸部 X 線写真上，一過性の移動性陰影と血液中に好酸球の増加症状がみられる肺浸潤．症状はないことが多いが，咳，発熱，息切れがみられることがある．大多数の原因は，寄生虫，特に *Ascaris lumbricoides* の侵入で，薬剤投与後の症例は少ない)．＝Löffler syndrome (1).

tropic e. 熱帯性好酸球増加〔症〕（咳やぜん息を伴う好酸球増加症で，ミクロフィラリア血症の症状はない．潜在性フィラリア感染により起こり，インド，東南アジアに多くみられる).

e·o·sin·o·phil·ic (ē′ō-sin-ō-fil′ik). 好酸性の，酸親和〔性〕の，エオシン好性の（エオシン染料で染色されやすい．この性質をもつ細胞または組織の要素についていう).

e·o·sin·o·phil·u·ri·a (ē′ō-sin′ō-fil-yū-rē′ă). 好酸球尿症（好酸球が尿中に存在すること).

e·o·sin·o·tac·tic (ē′ō-sin-ō-tak′tik) [eosino(phile) + G. *taktikos*, in orderly arrangement]. 走好酸球性の（好酸性細胞に対して引力または反発力を及ぼすこと).

eo·sin·o·tax·is (ē′ō-sin-ō-tak′sis). 好酸球遊走（刺激によって引き付けられたり反発したりする好酸球の運動）.
e·o·so·pho·bi·a (ē′ō-sō-fō′bē-ă) [G. *ēos*, dawn + *phobos*, fear]. 夜明け恐怖〔症〕（夜明けに対する病的な恐れ）.
eotaxin (ē′ō-tak-sin) [eosinophil + G. *taxis*, orderly arrangement + -in]. エオタキシン（好酸球に特異的な化学走化性をもつケモカイン）.
EP endogenous *pyrogen* の略.
e·pac·tal (ē-pak′tăl) [G. *epaktos*, imported < *epagō*, to bring on or in]. 過剰の. =supernumerary.
ep·am·ni·ot·ic (ep′am-nē-ot′ik) [G. *epi*, upon + amnion]. 羊膜上〔方〕の.
EPAP expiratory positive airway *pressure* の略.
ep·ar·te·ri·al (ep′ar-tēr′ē-ăl) [G. *epi*, upon + *artēia*, artery]. 動脈上〔方〕の.
ep·ax·i·al (ep-ak′sē-ăl) [G. *epi*, upon + L. *axis*, axis]. 軸上の（脊柱または体肢などの軸の上方あるいは背方の）.
EPEC enteropathogenic *Escherichia coli* の略.
e·pen·dy·ma (ĕ-pen′di-mă) [G. *ependyma*, an upper garment][TA]. 上衣（脊髄中心管と脳室の内面をおおう細胞の膜）. =endyma.
e·pen·dy·mal (ĕ-pen′di-măl). 上衣の.
e·pen·dy·mi·tis (ĕ-pen′di-mī′tis). 〔脳室〕上衣炎.
e·pen·dy·mo·blast (ĕ-pen′di-mō-blast′) [ependyma + G. *blastos*, germ]. 〔脳室〕上衣芽細胞（胚子の上衣細胞）.
e·pen·dy·mo·blas·to·ma (ĕ-pen′di-mō-blas-tō′mă) [ependymoblast + G. *-ōma*, tumor]. 〔脳室〕上衣芽〔細胞〕腫（中枢神経系の膠細胞性新生物で，多くは小児にみられる．典型的な腫瘍細胞は上衣芽細胞に類似する）.
e·pen·dy·mo·cyte (ĕ-pen′di-mō-sīt′) [ependyma + G. *kytos*, cell]. 〔脳室〕上衣細胞.
e·pen·dy·mo·ma (ĕ-pen′di-mō′mă). 〔脳室〕上衣〔細胞〕腫（比較的未分化の上衣細胞から生じる神経膠腫で全頭蓋内腫瘍の約1－3％を占める．この細胞腫はどの年齢層にもみられ，脳室壁や，より一般的には脊髄の中心管壁に生じる．組織学的には，腫瘍細胞は血管の周りに放射状に配列される傾向があり，血管とは線維性突起によって結合している）.
　myxopapillary e. 粘液乳頭型脳室上衣腫（若年成人に最も多く発生する脊髄終糸の成長の遅い脳室上衣腫．血管腔を中心に粘液産生性の立方形の細胞が乳頭状に配列する）.
e·phapse (ē-faps′) [G. *ephapsis*, contact]. エファプス（2個以上の神経細胞突起(軸索と樹状突起)が典型的なシナプスを形成せずに結合する場所．そのような非シナプス性結合部位で，何らかの形の神経伝達が起こる可能性がある）.
e·phap·tic (ē-fap′tik). エファプスの.
ephe·bi·a·trics 青年期医学. =adolescent *medicine*.
e·phe·bic (ĕ-fē′bik) [G. *ephēbikos*, relating to youth < *hēbē*, youth]. 思春期の，青年の，を意味するまれに用いる語.
eph·e·bol·o·gy (ef′ĕ-bol′ŏ-jē) [G. *ephēbos*, puberty + *logos*, study]. 思春期学（思春期に現れる形態的な変化などを扱う学問を表す，まれに用いる語）.
e·phed·ra (ē-fed′ră). マオウ(麻黄)（グネツム科の *Ephedra equisetina*(別名 *Ma huang*)で，アルカロイドのエフェドリンの植物源．中国やインドが原産で，0.7—1％ のエフェドリンを含有する．また，いくらかのプソイドエフェドリンも含有する）.
e·phed·rine (ĕ-fed′rin, ef′ĕ-drin). エフェドリン（*Ephedra equisetina*, *E. sinica*, グネツム科のその他の種の葉から分離または合成されるアルカロイド．エピネフリン類似の作用をもつアドレナリン作用薬(交感神経興奮薬)．気管支拡張薬，散瞳薬，昇圧薬，末梢血管収縮薬として用いる．一般的に用いられる塩類は塩酸エフェドリンと硫酸エフェドリンである）.
e·phe·lis, pl. **ephe·li·des** (ĕ-fē′lis, ef-ē′li-dēz) [G.]. そばかす. =freckle.
epi- (ep′i) [G.]. 上の，次の，後の，を意味する接頭語.
ep·i·an·dros·ter·one (ep′i-an-dros′tĕr-ōn). エピアンドロステロン（アンドロステロンの不活性異性体(3α に代わって 3β)．尿，精巣，卵巣組織にみられる）. =isoandrosterone.
ep·i·ba·ti·dine (ep′i-ba′ti-dēn). エピバチジン（南米産のカエル *Epipedobates tricolor* の皮膚から抽出されたアルカロイド．原住民により矢毒として使用されてきた．オピオイド受容体の活性化やシクロオキシゲナーゼ阻害以外の，他の機構により麻酔作用を現す）.
ep·i·blast (ep′i-blast) [epi- + G. *blastos*, germ]. 胚盤葉上層（外胚葉，中胚葉，内胚葉を生じる胚の前駆体）.
ep·i·blas·tic (ep′i-blas′tik). 原外胚葉の.
ep·i·bleph·a·ron (ep′i-blef′ă-ron) [epi- + G. *blepharon*, eyelid]. 眼瞼ぜい(贅)皮，副眼瞼（眼瞼辺縁付近にある先天的な水平の皮膚のひだで，筋線維の着点異常によるもの．上眼瞼にある場合は眼瞼皮膚弛緩症を起こす．下眼瞼にある場合は，睫毛の内側にはいってしまう）.
e·pib·o·ly, epib·o·le (ē-pib′ŏ-lē) [G. *epibolē*, a throwing or laying on]. 被包，被覆（①端黄卵の嚢胚形成に含まれる一過程で，成長の差により原胚葉の細胞の一部が原口の唇縁方向へと表面をおおいかぶせること．②器官培養において，上皮がその下部の間葉系の組織をおおうこと）.
ep·i·bul·bar (ep′i-bŭl′bar). 眼球上の（すべての球上にある．特に眼球の上にある）.
ep·i·can·thus (ep′i-kan′thŭs) [epi- + G. *kanthos*, canthus] [MIM*131500]. 内眼角ぜい(贅)皮，蒙古ひだ. =palpebronasal *fold*.
　e. inversus 逆内眼角ぜい皮（内眼角にある下眼瞼から上に向かう鎌状の皮膚のひだ．先天性眼瞼下垂症にしばしばみられる）.
　e. palpebralis 眼瞼性内眼角ぜい皮（瞼板部より上部の上眼瞼によって生じる内眼角ぜい皮で，眼窩の下まで達する）.
　e. supraciliaris 上毛様体性内眼角ぜい皮（眉毛部に寄って生じる内眼角ぜい皮で，涙嚢まで達する）.
　e. tarsalis 瞼板性内眼角ぜい皮（瞼板のひだから生じる内眼角ぜい皮で，内ぜいに近い皮膚のところで消失する）.
ep·i·car·di·a (ep′i-kar′dē-ă) [epi- + G. *kardia*, heart]. 噴門上部. =abdominal *part* of esophagus.
ep·i·car·di·al (ep′i-kar′dē-ăl). ***1*** 噴門上部の. ***2*** 心外膜の.
ep·i·car·di·um* (ep′i-kar′dē-ŭm) [epi- + G. *kardia*, heart]. 心外膜（visceral *layer* of serous pericardium の公式の別名）.
ep·i·chord·al (ep′i-kōr′dăl) [epi- + G. *chordē*, a chord]. 脊索背側の（特に脊索頭部の背側へ発育する脳の部分について用いる）.
ep·i·co·mus (ep′i-kō′mŭs, ē-pik′ō-mŭs) [epi- + G. *komē*, hair of the head]. 頭頂結合双胎奇形（不等接着双生児で，小さいほうの胎児(寄生体)が大きいほう(自生体)に頭頂部で結合している. →conjoined *twins*）.
ep·i·con·dy·lal·gi·a (ep′i-kon-di-lal′jē-ă) [epicondyle + G. *algos*, pain]. 外上顆痛（上腕骨の外上顆から起始する腱や筋の痛み）.
　e. externa =tennis *elbow*.
ep·i·con·dyle (ep′i-kon′dīl) [epi- + G. *kondylos*, a knuckle][TA]. 上顆（長骨の骨端で，顆の上または上方に生じる骨の突起）. =epicondylus [TA].
　lateral e. of femur [TA]. 大腿骨外側上顆（外側顆の近位にある）. =epicondylus lateralis femoris [TA]; epicondylus lateralis ossis femoris; lateral femoral tuberosity.
　lateral e. of humerus [TA]. 上腕骨外側上顆（遠位端外側にある）. =epicondylus lateralis humeri [TA].
　medial e. of femur [TA]. 大腿骨内側上顆（内側顆の近位にある）. =epicondylus medialis ossis femoris; medial femoral tuberosity; epicondylus medialis femoris [TA].
　medial e. of humerus [TA]. 上腕骨内側上顆（内側顆の近位かつ内側にある）. =epicondylus medialis humeri [TA]; epitrochlea.
ep·i·con·dy·li (ep′i-kon′di-lī). epicondylus の複数形.
ep·i·con·dyl·i·an (ep′i-kon-dil′ē-an). =epicondylic.
ep·i·con·dyl·ic (ep′i-kon-dil′ik). 外上顆の（上顆または顆の上方にある部分についていう）. =epicondylian.
ep·i·con·dy·li·tis (ep′i-kon-di-lī′tis). 外上顆炎（上顆の炎症）.
　lateral humeral e. 上腕骨外側上顆炎. =tennis *elbow*.
ep·i·con·dy·lus, pl. **ep·i·con·dy·li** (ep′i-kon′di-lŭs, -lī) [L.][TA]. 上顆（長骨の骨端で，顆の上または上方に生じる骨の突起）. =epicondyle.
　e. lateralis femoris [TA]. =lateral *epicondyle* of femur.
　e. lateralis humeri [TA]. 上腕骨外側上顆. =lateral *epi-*

E

condyle of humerus.

e. lateralis ossis femoris =lateral *epicondyle* of femur.

e. medialis femoris [TA]. =medial *epicondyle* of femur.

e. medialis humeri [TA]. 上腕骨内側上顆. = medial *epicondyle* of humerus.

e. medialis ossis femoris =medial *epicondyle* of femur.

ep·i·cor·a·coid (ep′i-kōr′ă-koyd). 烏口突起上の.

ep·i·cra·ni·al (ep′i-krā′nē-ăl). 頭外被の.

ep·i·cra·ni·um (ep′i-krā′nē-ŭm) [epi- + G. *kranion*, skull]. 頭外被（頭蓋をおおう筋肉，腱膜，および皮膚の総称）.

ep·i·cra·ni·us (ep′i-krā′nē-ŭs). →epicranius (*muscle*).

ep·i·cri·sis (ep-i-krī′sis). 二次性分利（一次性分利の後に起こり，疾病の徴候の再燃を終わらせる分利）.

ep·i·crit·ic (ep′i-krit′ik) [G. *epikritikos*, adjudicatory < *epi*, on + *krinō*, to separate, judge]. 精密弁別の，判別〔性〕の，識別〔性〕の（接触や温度刺激の細かい差の区別や位相的な分布を識別する体感覚面をいう．*cf.* protopathic）.

ep·i·cu·ta·ne·ous (ep′ē-kyū-tā′nē-us). 経皮的（文字通り皮膚の上ということ．細いゲージの針で皮膚に出血しないように浅く穴をあけ液体を数滴たらすことで生体物質や薬を導入する．アレルギー試験やツベルクリン反応，天然痘ワクチンや多くの手技に用いられる）.

ep·i·cys·ti·tis (ep′i-sis-tī′tis) [epi- + G. *kystis*, bladder + *-itis*, inflammation]. 膀胱周囲炎（膀胱周囲の細胞組織の炎症）.

ep·i·cyte (ep′i-sīt) [epi- + G. *kytos*, cell]. 細胞外被（特に原生動物の細胞膜．簇虫類の細胞質の外層）.

ep·i·dem·ic (ep′i-dem′ik) [epi- + G. *dēmos*, the people]. 流行（地域社会やある地域において，ある疾病や特定の健康に関係する行動，事象が明らかに，通常考えられる以上に起こること．動植物における疾病の多発を表すにも用いられる．*cf.* endemic; sporadic）.

behavioral e. 行動流行（行動パターンの流行(微生物の侵入によるものとは異なる)．中世の舞踊狂や集団のパニックなど）.

point e. 点流行（非常に短い期間に(2—3 日，ときには数時間以内)顕著な疾病の集積がみられる流行．ヒトや動物が食物や水などの共通感染源にさらされて起きる）.

ep·i·de·mic·i·ty (ep′i-dem-is′i-tē). 流行性（疾病が流行病の形で広がる状態）.

ep·i·de·mi·og·ra·phy (ep′i-dē′mē-og′ră-fē) [G. *epidēmios*, epidemic + *graphē*, a writing]. 疫学的記述（流行性の病気または特定の流行病に関する記述学的な論）.

ep·i·de·mi·ol·o·gist (ep′i-dē′mē-ol′ŏ-jist). 疫学者（ある特定の集団に対し，疾病の発生や他の健康に関係した状態，事象などを研究する研究者．疫学を実践している人．通常，疾病のコントロールも疫学者の仕事とされている）.

ep·i·de·mi·ol·o·gy (ep′i-dē′mē-ol′ŏ-jē) [G. *epidēmios*, epidemic + *logos*, study]. 疫学，流行病学（ある特定の集団において健康に関係する状態，あるいは事象の分布や決定因子に関する研究を行いそれを健康問題対策に応用すること）.

clinical e. 臨床疫学（疫学の原理を臨床応用しようとする学問分野）.

genetic e. 遺伝疫学（種々の集団において，遺伝的因子あるいはそれらと環境との相互作用が疾患の発生にどう影響しているかを研究する疫学の一分野）.

molecular e. 分子疫学（DNA タイピングなど，分子生物学の手法を疫学研究に利用すること）.

ep·i·derm, ep·i·der·ma (ep′i-dĕrm, ep-i-der′mă). =epidermis.

ep·i·der·mal, ep·i·der·mat·ic (ep′i-dĕr′măl, -der-mat′ik). 表皮の. =epidermic.

ep·i·der·mal·i·za·tion (ep′i-dĕr′mal-i-zā′shŭn). 表皮化生. = squamous *metaplasia*.

ep·i·der·mic (ep′i-dĕr′mik). =epidermal.

ep·i·der·mi·do·sis (ep′i-dĕr′mi-dō′sis). =epidermosis.

ep·i·der·mis, pl. **ep·i·derm·i·des** (ep′i-dĕrm′is, -derm′i-dēz) [G. *epidermis*, the outer skin < *epi*, on + *derma*, skin]. 表皮（① [TA]．皮膚の外側の上皮細胞性の部分．手掌，足底の厚い表皮には表面から次のような層がある．角質層，淡(透)明層，顆粒層，有棘細胞層，基底細胞層．身体の他の部分の皮膚には淡明層と顆粒層を欠くことがある．②植物学において，植物の葉または若い部分の細胞の外衣第一層）. =cuticle (3); cuticula (2); epiderm; epiderma.

ep·i·der·mi·tis (ep′i-der-mī′tis). 表皮炎（表皮または皮膚の上層の炎症）.

ep·i·der·mo·dys·pla·si·a (ep′i-dĕr′mō-dis-plā′zē-ă) [epidermis + G. *dys-*, bad + *plasis*, a molding]. 表皮異形成，表皮発育異常〔症〕（表皮の不完全な成長または発達）.

e. verruciformis [MIM*226400]. ゆうぜい(疣贅)状(様)表皮発育異常症（無数の扁平ないぼが手足に生じるまれな遺伝性疾患．患者は細胞性免疫能の遺伝的欠損とヒト乳頭腫ウイルスへの感受性増大を有する．ときに皮膚癌を生じる．病因での遺伝要因が疑われているが，遺伝のパターンは今のところ，はっきりわからない）.

ep·i·der·moid (ep′i-dĕr′moyd) [epidermis + G. *eidos*, appearance]. ***1***〖adj.〗類表皮の（表皮に類似する）. ***2***〖n.〗類表皮腫，エピデルモイド（迷入した表皮細胞から出たコレステリン腫または他の嚢胞性の腫瘍）.

ep·i·der·mol·y·sis (ep′i-dĕr-mol′i-sis) [epidermis + G. *lysis*, loosening]. 表皮剥離（[誤った発音 epidermoly′sis を避けること]．表皮と真皮の結合が緩く，剥脱あるいは水疱形成が起こりやすい状態）.

e. bullosa 表皮水疱症（軽い物理的な刺激によって大水疱，びらんを起こす遺伝性の慢性非炎症性皮膚疾患の一群．手足に限局性に生じる型は Weber-Cockayne 症候群とよばれ，第 12 染色体長腕のケラチン 5 をコードする遺伝子(*KRT5*)または第 17 染色体長腕のケラチン 14 をコードする遺伝子(*KRT14*)の変異による常染色体優性遺伝を示す）. =mechanobullous disease.

e. bullosa, dermal type 表皮水疱症，真皮型. =e. bullosa dystrophica.

e. bullosa dystrophica [MIM*131705]. 栄養障害型表皮水疱症（表皮水疱症の一型で，水疱を伴って表皮が完全に分離した後に瘢痕形成をきたす．優性遺伝的に生じるものは，幼小児期にみられ，劣性遺伝的に生じるものは生下時あるいは乳児期初期にみられ，後者は致死型および非致死型を含む．優性型も劣性型も，第 3 染色体短腕の 7 型コラーゲン遺伝子(*COL7A1*)の変異により生じる）. =dermolytic bullous dermatosis; e. bullosa, dermal type.

e. bullosa, epidermal type 表皮水疱症，表皮型. =e. bullosa simplex.

e. bullosa, junctional type 表皮水疱症，接合部型. =e. bullosa lethalis.

e. bullosa lethalis [MIM*226700]. 致死型表皮水疱症（表皮水疱症の一型で，口囲，鼻周囲に水疱，痂皮を生じて持続性かつ難治性であり，口腔粘膜や気道にも水疱を生じるが，手掌，足底には生じない．敗血症，蛋白および水分の漏出により死に至る．常染色体劣性遺伝を示し，その原因遺伝子はラミニン 5 の 3 つのポリペプチド，すなわちアルファ-3(*LAMA3*，第 18 染色体長腕)，ベータ-3(*LAMB3*)またはガンマ-2(*LAMC2*，ともに第 1 染色体長腕)のうちのいずれか，または第 17 染色体長腕のインテグリン，ベータ-4 (*ITGB4*)である）. =e. bullosa, junctional type; Herlitz syndrome.

e. bullosa simplex [MIM*131900]. 単純型先天性表皮水疱症（表皮水疱症の一型で，病巣が瘢痕形成せずに急速に治癒し，水疱は表皮内水疱で基底層の空胞化と張原線維の融解がみられる．長時間の歩行といった慣れない外傷の後，成人の足に最も好発する．常染色体優性遺伝で，第 12 染色体長腕のケラチン 5 遺伝子(*KRT5*)あるいは第 17 染色体長腕のケラチン 14 遺伝子(*KRT14*)の変異による）. =e. bullosa, epidermal type.

Ep·i·der·mo·phy·ton (ep′i-dĕr-mof′i-ton, -dĕr-mō-fī′ton) [epidermis + G. *phyton*, plant]. 表皮〔糸状〕菌属（真菌の一属で，Sabouraud により，毛嚢に侵入しないということで白癬菌属 *Trichophyton* と区別して分類された．その大分生子はこん棒状で，その表面は平滑である．唯一の種は有毛表皮菌 *E. floccosum* で，ヒト感染性の菌で，足白癬，股部白癬の一般的な病因である）.

ep·i·der·mo·sis (ep′i-dĕr-mō′sis). 表皮症（表皮のみを侵す皮膚病）. =epidermidosis.

ep·i·der·mot·ro·pism (ep′i-dĕr-mot′rŏ-pizm) [epidermis

+ G. *tropē*, a turning]. 表皮向性（表皮へ向かっての移動をいう．菌状息肉腫でのTリンパ球の表皮への移動など）．

ep·i·di·a·scope (ep′i-dī′ă-skōp) [epi- + G. *dia*, through + *skopeō*, to view]. エピディアスコープ（鏡に反射した像をレンズ(１枚または数枚)を通してスクリーンに映すもの．対象が不透明のときは反射光，対象が半透明または透明のときは透過光が使われる）. = overhead projector.

ep·i·did·y·mal (ep′i-did′i-măl). 精巣上体の，副睾丸の．

ep·i·did·y·mec·to·my (ep′i-did-i-mek′tŏ-mē) [epididymis + G. *ektomē*, excision]. 精巣上体切除〔術〕，副睾丸切除〔術〕（精巣上体(副睾丸)の手術的切除）．

ep·i·did·y·mis, gen. **ep·i·did·y·mi·dis,** pl. **ep·i·did·y·mi·des** (ep′i-did′i-mis, -di-dim′i-dis, -di-dim′i-dēz) [Mod. L. < G. *epididymis* < *epi*, on + *didymos*, twin, in pl. testes][TA]. 精巣上体，副睾丸（精巣の背面にある長くのびた構造で，頭，体，尾が区別される．精巣上体尾部は強く折れ返って精管につながる．主な内容は精巣上体管で，その尾部と精管の始まりの個所は精子の貯蔵所である．精巣上体は精巣と精管の間に介在して精子の輸送・貯蔵・成熟の働きをしている）. = parorchis.

caput e. = *head* of epididymis.

cauda e. = *tail* of epididymis.

corpus e. [TA]. = *body* of epididymis.

ep·i·did·y·mi·tis (ep′i-did-i-mī′tis). 精巣上体炎，副睾丸炎．

ep·i·did·y·mo·or·chi·tis (ep′i-did′i-mō-ōr-kī′tis) [epididymis + G. *orchis*, testis]. 精巣精巣上体炎（精巣と精巣上体が同時に炎症を起こす）．

ep·i·did·y·mo·plas·ty (ep′i-did′i-mō-plas′tē) [epididymis + G. *plastos*, formed]. 精巣上体形成〔術〕（精巣上体の外科的修復）．

ep·i·did·y·mot·o·my (ep′i-did-i-mot′ŏ-mē) [epididymis + G. *tomē*, a cutting]. 精巣上体切開〔術〕（精巣上体精管吻合や化膿性物質のドレナージのために行われる）．

ep·i·did·y·mo·vas·ec·to·my (ep′i-did′i-mō-va-sek′tŏ-mē) [epididymis + vasectomy]. 精巣上体精管切除〔術〕（精巣上体と輸精管の外科的切除．通常，鼡径管へはいる部の近位側で切除する）．

ep·i·did·y·mo·va·sos·to·my (ep′i-did′i-mō-va-sos′tŏ-mē) [epididymis + vasostomy]. 精巣上体精管吻合〔術〕（輸精管と精巣上体を外科的に吻合すること）．

ep·i·du·ral (ep′i-dū′răl). 硬膜外の，硬膜上の．(【epidural と extradural はほぼ同義だが，前者は硬膜との接触を，後者は硬膜と離れていることをそれぞれ示唆する】. → extradural). = peridural.

ep·i·du·rog·ra·phy (ep′i-dū-rog′ră-fē). 硬膜外造影〔法〕（放射線不透性造影剤を局部に注入した後，硬膜外隙をX線写真でみること．現在では用いられない手技）．

ep·i·es·tri·ol (ep′i-es′trē-ol). エピエストリオール（→ estriol）．

ep·i·fas·ci·al (ep′i-fash′ē-ăl). 筋膜上の（薬剤注入において筋肉内へ注射する代わりに注射液を大腿筋膜上に注入する方法についていう）．

ep·i·gas·tral·gia (ep′i-gas-tral′jē-ă) [epigastrium + G. *algos*, pain]. 上腹部痛，心窩部痛．

ep·i·gas·tric (ep′i-gas′trik). 上胃部の，上腹部の，心窩部の．

ep·i·gas·tri·um (ep′i-gas′trē-ŭm) [G. *epigastrion*][TA]. 上胃部，上腹部，心窩部. = epigastric *region*.

ep·i·gas·tri·us (ep′i-gas′trē-ŭs). 上腹体（不等接着双生児で，小さい寄生体が大きい自生体の心窩部に寄生している．→ conjoined *twins*）．

ep·i·gen·e·sis (ep′i-jen′ĕ-sis) [epi- + G. *genesis*, creation]. ***1*** 卵接合子からの胚子の発育．*cf.* preformation *theory*. ***2*** エピジェネシス（遺伝子構造を変えることなしに遺伝子機能の発現を調節すること）．

ep·i·ge·net·ic (ep′i-jĕ-net′ik). 後成〔説〕の．

epigenome (e-pij′ĕ-nōm) [epi- + genome]. エピゲノム（mRNA に転写されない核 DNA．ヒトゲノムの90％を構成する）．

ep·i·glot·tic, ep·i·glot·tid·e·an (ep′i-glot′ik, ep′i-glo-tid′ē-ăn). 喉頭蓋の．

ep·i·glot·ti·dec·to·my (ep′i-glot-i-dek′tŏ-mē) [epiglottis + G. *ektomē*, excision]. 喉頭蓋切除〔術〕．

ep·i·glot·ti·di·tis (ep′i-glot-i-dī′tis). = epiglottitis.

ep·i·glot·tis (ep′i-glot′is) [G. *epiglōttis* < *epi*, on + *glōttis*, the mouth of the windpipe][TA]. 喉頭蓋（弾性線維軟骨の葉形の板．粘膜におおわれて舌根のところにあり，えん下時，喉頭上口をおおって誘導弁の役割をする．液体がえん下されたときは直立したままでいるが，固形物がくると受動的に押し曲げられる）．

bifid e. 二分喉頭蓋（右側と左側の喉頭蓋が癒合していない先天奇形．両側の喉頭蓋が回転して声門にはいり込むため，新生児においてぜん鳴と誤えんを伴う）．

ep·i·glot·ti·tis (ep′i-glot-ī′tis). 喉頭蓋炎，会厭軟骨炎（喉頭蓋の炎症で，特に小児において呼吸困難を起こす．しばしばインフルエンザ菌 *Haemophilus influenzae* B型の感染による．→ supraglottitis）. = epiglottiditis.

e·pig·na·thus (ē-pig′nă-thŭs) [epi- + G. *gnathos*, jaw]. 上顎体（不等接着双生児で，小さい不完全な寄生体が，大きいほうの自生体の下顎に結合している．→ conjoined *twins*）．

ep·i·hy·al (ep′i-hī′ăl). 舌骨弓上方の．

ep·i·hy·oid (ep′i-hī′oyd). 舌骨上の（頤舌骨筋の上方にある副甲状腺についていう）．

ep·i·ker·a·to·phak·i·a (ep′i-ker′ă-tō-phak′ē-ă) [epi- + G. *keras*, horn + *phakos*, lens]. エピケラトファキア（患者の角膜上皮を除去し，角膜前面に提供角膜を移植することによって屈折異常を矯正する手術）. = epikeratophakic keratoplasty.

ep·i·ker·a·to·pros·the·sis (ep′i-ker′ă-tō-pros′the-sis) [epi- + G. *keras*, horn + *prosthesis*, an addition]. 上角膜固着術（上皮の代わりに角膜実質にコンタクトレンズを固着する手術）．

ep·i·la·mel·lar (ep′i-lă-mel′ăr) [epi- + L. *lamella*: *lamina* (a thin metal plate)の指小辞]. 基底膜上の，基底膜上方の．

ep·i·late (ep′i-lāt) [L. *e*, out + *pilus*, a hair]. 脱毛する（毛を抜く．強制的な抜出，電気焼却，または化学的手段で根を緩めることにより部分的に毛を除去する．*cf.* depilate）．

ep·i·la·tion (ep′i-lā′shŭn). 脱毛，抜毛（毛を除去する行為またはその結果）. = depilation.

epil·a·to·ry (e-pil′ă-tō-rē). ***1*** 〘adj.〙 脱毛〔性〕の（→ decalvant）. = depilatory (1); psilotic (2). ***2*** 〘n.〙 脱毛薬. = depilatory (2).

ep·i·lem·ma (ep′i-lem′ă) [epi- + G. *lemma*, husk]. 終末神経線維鞘（神経線維の終末近くにある結合組織鞘）．

ep·i·lep·i·do·ma (ep′i-lep-i-dō′mă) [epi- + G. *lepis*, rind + *-ōma*, tumor]. 外胚葉腫（真性原外胚葉に由来する組織の過形成による腫瘍）．

ep·i·lep·si·a (ep′i-lep′sē-ă) [G.]. てんかん(癲癇). = epilepsy.

e. partialis continua 持続性部分てんかん（①反復間代性筋収縮で，大痙攣が伴う場合と伴わない場合とがあるてんかんの一型．② Rolando 皮質の単純部分運動てんかん重積状態で，しばしばミオクローヌスの特徴を伴う．③ Rasmussen 症候群でよくみられる発作型）. = Kojewnikoff epilepsy.

ep·i·lep·sy (ep′i-lep′sē) [G. *epilēpsia*, seizure]. てんかん（癲癇）（過度のニューロンの放電による発作的な脳の機能障害を特徴とする慢性疾患で，通常，意識の変調を伴う．発作は行動の要素的または複合的障害に限られる場合と，全身的痙攣に発展する場合とがある．発作の臨床所見は，全身痙攣や局所痙攣を含む行動の複雑異常から，意識障害の瞬間的発作まで様々である．これらの臨床所見には種々の分類があり，現在までのところ統一されたものはなく，発作の型を示す用語は記述的で標準化されていない．発作の臨床所見(運動，感覚，反射，精神，自律神経)，病因(遺伝性，炎症性，変性性，腫瘍性，外傷性，特発性)，てんかん病変の部位(Rolando 部，側頭葉，間脳部)，発作が起きる時間(夜間，昼間，月経時など)に基づいた種々の用語がある）. = convulsive state; epilepsia; falling sickness.

anosognosic e. 病態失認てんかん（患者がその発作を失認することを特徴とするてんかん）. = anosognosic seizures.

automatic e. = psychomotor e.

autonomic e. 自律性てんかん（間脳の刺激によると思われる自律神経機能障害のエピソード）. = diencephalic e.; va-

E

somotor e.; vasovagal e.

benign childhood e. with rolandic or centrotemporal spikes ロランド棘波または中心側頭棘波を伴う良性小児期てんかん（小児期に始まり青年期に再発する特異的なてんかん症候群．夜間の単純部分運動発作または全身強直・間代発作を特徴とする．脳波では睡眠で活性化される中心側頭棘波がみられ，背景活動は正常である．→rolandic e.）.

centrencephalic e. 中心脳性てんかん（脳波上両側周期的放電を特徴とし，臨床的にはアプサンスまたは全身性強直・間代発作を特徴とするてんかんを意味する不正確な用語）.

childhood absence e. ［MIM*600131］．小児期欠神てんかん，小児期アプサンスてんかん（典型的には6－7歳の小児期にアプサンス発作が始まる全般てんかん症候群．遺伝要素が強く，女児のほうが男児より頻度が高い．脳波は3 Hz 棘徐波と正常の背景活動を示す．全身強直・間代発作を起こさなければ，寛解の予後はよい．→absence）．＝petit mal e.; pyknoelepsy.

childhood e. with occipital paroxysms 後頭突発波を伴う小児期てんかん（しばしば閉眼で活性化される後頭突発波の頻発を特徴とする良性てんかん症候群．視覚症状を含む発作の症候を呈する．後に必ず再発するとは限らない）.

complex precipitated e. 複雑誘発てんかん（特別な感覚刺激，例えば特定の視覚パターンで誘発される反射てんかんの一型）.

cortical e. 皮質てんかん．＝focal e.

cryptogenic e. 潜伏てんかん，原因不明性てんかん．＝generalized tonic-clonic *seizure*.

diencephalic e. 間脳性てんかん．＝autonomic e.

early posttraumatic e. 早期外傷後てんかん（頭蓋脳外傷後1週間以内に始まる発作）.

eating e. 摂食てんかん（食べることによって誘発される，しばしば全身性のてんかん発作．反射てんかんの一型）.

focal e. 焦点てんかん，運動中枢損傷性てんかん（種々の原因によるてんかんで，局所痙攣または二次性全身性強直・間代発作を特徴とする．発作時の症状は，発作が局所的に始まる脳の部位としばしば関連する）．＝cortical e.; local e.; localization-related e. (2); partial e.

frontal lobe e. 前頭葉てんかん（前頭葉から起こる発作を伴う局在関連てんかん．発作の正確な局在と発作型の臨床症候により種々の臨床症候群がある．補足運動発作，帯状発作，前頭葉前部極地発作，眼窩前頭発作，背外側発作，弁蓋発作，運動野発作などいくつかの特異的症候群に前頭葉てんかんは分けられる）.

generalized e. 全身てんかん，全般てんかん（全身痙攣の1つ以上の型を特徴とするてんかん症候群の主な部類）.

generalized tonic-clonic e. 全身(全般)てんかん．＝generalized tonic-clonic *seizure*.

grand mal e. 大発作（全身性強直・間代発作を特徴とするてんかんの古語）.

idiopathic e. 特発てんかん，真性てんかん（①明らかな原因のないてんかん．遺伝性てんかんを記述するのにしばしば用いられる語．②＝generalized tonic-clonic *seizure*）.

intractable e. 難治〔性〕てんかん（薬によって適切に制御できないてんかん）．＝pharmacoresistent e.

jacksonian e. ジャクソンてんかん．＝jacksonian *seizure*.

juvenile absence e. 若年性欠神てんかん，若年性アプサンスてんかん（思春期頃に発症する全般てんかん症候群で，欠神発作と全身強直・間代発作を特徴とする．脳波はしばしば3 Hz 以上の全般棘徐波パターンを示す）.

juvenile myoclonic e. ［MIM*606904］．若年ミオクローヌスてんかん（典型的には早期青年期に始まるてんかん症候群．早期のミオクローヌスを特徴とし，全身性強直・間代発作に進行することもある．遺伝疾患で，ある家系は第6染色体に遺伝子が関連している．脳波は4—6Hz の全身性多棘徐波発射を特徴とする）.

Kojewnikoff e. (kō-chew′nē-kov)．コジェヴニコフてんかん．＝*epilepsia* partialis continua.

laryngeal e. 喉頭〔性〕てんかん（咳によって陥る反射性てんかんの一型）.

local e. 局所てんかん．＝focal e.

localization-related e. 局在関連てんかん（①＝myoclonus e. ②＝focal e.）.

major e. 大発作．＝generalized tonic-clonic *seizure*.

masked e. 仮面〔性〕てんかん（てんかん型脳波像を示し，頭痛，嘔吐のような発作を特徴とするてんかんの一型）.

matutinal e. 払暁てんかん，早朝てんかん（目覚めに発作が起こるてんかんの一型）.

myoclonic astatic e. ミオクローヌス失立てんかん（小発作の一型で，脱力(ドロップアタック)と強直あるいは強直間代発作が神経障害(例えば，半身麻痺，失調)と精神遅滞を合併する小児に起こるのが特徴．脳波では2サイクルの棘波－徐波が特徴とされる．薬物治療にもかかわらず一般に進行性である）.

myoclonic e. with ragged red fiber myopathy 赤色ぼろ線維ミオパシーを伴うミオクローヌス性てんかん．＝MERRF.

myoclonus e. ［MIM*159800，*220300］．ミオクローヌスてんかん（てんかん症候群の臨床的に広い群で，あるものは良性で，あるものは進行性である．多くは遺伝性で，メンデル遺伝のものも非メンデルミトコンドリア性遺伝のものもある．すべてのものが，ミオクローヌスの出現を特徴とするが，ミオクローヌスは限局しているものも前景に立つものもある．特異的症候群はチェリー赤斑ミオクローヌス症候群，セロイドリポフスチン症，MERRF，バルチックミオクローヌスを含む）．＝localization-related e. (1).

nocturnal e. 夜間てんかん（夜間発作のみを特徴とするてんかん症候群）.

occipital lobe e. 後頭葉てんかん（後頭葉から痙攣が起こる局在関連てんかん．症状は通常，発作中の視覚異常を含む）.

parietal lobe e. 頭頂葉てんかん（頭頂葉内から発作が起こる局在関連てんかん．発作の症候は感覚異常を含むことがある）.

partial e. 部分てんかん．＝focal e.

pattern-sensitive e. パターン感受性てんかん（特定の模様を見ることで誘発されるてんかんの一型）.

petit mal e. 小発作．＝childhood absence e.

pharmacoresistent e. 薬物抵抗性てんかん．＝intractable e.

photogenic e. 光線性てんかん（光により急発される反射性てんかんの一型）.

posttraumatic e. 外傷後てんかん（頭部外傷後それに関連して起こる痙攣状態．臨床的に脳損傷がみられるか，コンピュータ断層撮影のような特殊検査で脳損傷がみられる．因果関係としては，以前にてんかんの既往がなく，脳疾患や他の脳外傷がないことが必要である．外傷後，重症度により3か月から2年以内に発作が出現し，外傷部位や脳波異常の部位と一致した発作型がみられる）.

primary generalized e. 原発〔性〕全身(全般)てんかん（局所性または多発局所性中枢神経系疾患の所見がないてんかん．発作は脳波でも臨床基準でも初めから全身性である．しばしばてんかんの純粋遺伝型である．→generalized tonic-clonic *seizure*）.

procursive e. 前走性てんかん（精神運動性発作で，走り回ることで始まる）.

psychomotor e. 精神運動てんかん（緻密で多くの感覚，運動，精神成分をもつ発作で，意識の混濁または消失と発作時に起きたことの健忘を呈することが多い．自動症，短気，怒り，または恐怖の感情突発，運動または精神障害，あるいは人間の活動分野に関連したことを臨床症状とすることもある．脳波的には，特に睡眠中に側頭葉に棘波発射がみられる．→procursive e.; visceral e.; uncinate e.）．＝automatic e.

reflex e. 反射〔性〕てんかん（末梢部刺激により誘発されるてんかんの一型．聴覚，喉頭，光，他の刺激で誘発される）．＝sensory precipitated e.

rolandic e. ［Luigi *Rolando*］．ロランド(ローランド)てんかん（良性で常染色体優性遺伝する小児てんかんであり，臨床的には会話中断，顔半分と腕に起こる筋収縮を特徴とし，脳波上てんかん性発射がみられる）.

secondary generalized e. 続発〔性〕全身(全般)てんかん（広範性または多発局所性脳障害を伴う種々の原因があるてんかん症候群の一群．患者は典型的には強直性，無緊張性，ミオクローヌス性，異型アプサンス，全身性強直・間代発作を含む種々の全身性発作型をもつ．部分発作も起こることがある．古典的症候群には Lennox-Gastaut 症候群がある)．＝symptomatic e.

sensory e. 感覚性てんかん（体性感覚現象によって始まる焦点てんかん)．

sensory precipitated e. 感覚誘発てんかん．＝reflex e.

sleep e. narcolepsy の不正確な用語．

somnambulic e. 夢遊症性てんかん（患者がそれについての記憶をもたない自然の行為を示しながら歩いたり，走ったりする発作後自動症)．

startle e. 驚愕てんかん（突然の騒音で誘発されるてんかんの一型)．

supplementary motor area e. 補足運動野てんかん（前頭葉内側の補足運動野から発作が起こる局在関連てんかん症候群．典型的な発作の症候は，突然の両側強直運動，発声で意識は保たれている．発作はしばしば夜間に起こる)．

symptomatic e. 症候てんかん．＝secondary generalized e.

temporal lobe e. 側頭葉てんかん（側頭葉から起こる発作をもつ局在関連てんかんで，側頭葉内側から起こることが多い．最も多い病理所見は海馬硬化症である)．＝uncinate fit.

tonic e. 強直性てんかん（身体の硬直を伴う発作)．

tornado e. トルネード型てんかん，竜巻型てんかん（前兆として，激しいめまいと空間の中に引きずり込まれるような感覚をもつ焦点てんかん，または部分てんかんの一型)．

uncinate e. 鉤状回てんかん，鉤〔状〕回発作，鉤発作（夢幻様状態と幻臭，幻味によって始まる精神運動性てんかんまたは複雑部分てんかんの一型．通常，側頭葉内側の病変による)．＝uncinate attack.

vasomotor e. 血管運動性てんかん．＝autonomic e.

vasovagal e. 血管迷走神経性てんかん．＝autonomic e.

visceral e. 内臓性てんかん（内臓症状または臓器感覚によって始まる，通常，精神運動性のてんかん．多くの場合，側頭葉に病巣をもつ)．

e. with grand mal seizures on awakening 起床時大発作を伴うてんかん（10歳代に発症するのを特徴とする全身てんかん症候群．典型的には，1日の時刻にかかわらず大部分の発作が起床後まもなく起こり，睡眠させないと悪化する全身強直・間代発作を呈する．遺伝的素因があり，脳波は発作間発射のいくつかの全般パターンの1つを示す．光過敏性がよくみられる)．

e.with myoclonic absences ミオクローヌス欠神を伴うてんかん（欠神発作，しばしば強直収縮を伴う強い両側の律動的な間代発作，3Hz 棘徐波パターンの脳波を特徴とする全般てんかんの一型．通常，7歳前後に発症し，男子がより多く罹患する)．

ep·i·lep·tic (ep′i-lep′tik). てんかん〔性〕の．

ep·i·lep·ti·form (ep′i-lep′ti-fōrm). ＝epileptoid.

ep·i·lep·to·gen·ic, ep·i·lep·tog·e·nous (ep′i-lep-tō-jen′ik, ep-i-lep-toj′ĕ-nŭs). てんかん誘発の．

ep·i·lep·toid (ep′i-lep′toyd) [G. *epilēpsia*, seizure, epilepsy + *eidos*, resemblance]. てんかん様の，類てんかんの（特に機能的な性質のある種の痙攣についていう)．＝epileptiform.

ep·i·loi·a (ep′i-loy′ă) エピロイア．＝tuberous *sclerosis*.

ep·i·man·dib·u·lar (ep′i-man-dib′yū-lăr) [epi- + L. *mandibulum*, mandible]. 下顎上の．

ep·i·mas·ti·cal (ep′i-mast′i-kăl) [G. *epakmastikos*, coming to a height]. エピマスティカル，頂上から下降する（着実に頂点に達し，下降を始める．通常は発熱の状態をいう)．

ep·i·mas·ti·gote (ep′i-mas′ti-gōt) [epi- + G. *mastix*, whip]. エピマスティゴート（トリパノソーマ科感染虫体の昆虫内発育ステージ．*Crithidia*属のべん毛をもつ寄生虫との混同を避けるために，クリシジア型 crithidial stage の代わりに用いる語．エピマスティゴート型においては，べん毛が核の横にあるキネトプラストから出て，虫体の前からのびていく．波形をした膜が存在する)．

ep·i·men·or·rha·gi·a (ep′i-men-ō-rā′jē-ă). 月経過多（長期間に及ぶ，または過量な月経．いつでも起こりうるが，有月経期間の初期と終期に最も多い)．

ep·i·men·or·rhe·a (ep′i-men-ō-rē′ă). 頻発月経（頻回に起こる月経．いつでも起こりうるが，特に有月経期間の初期と終期に多い)．

ep·i·mer (ep′i-mĕr) [epi- + G. *meros*, part]. エピマー（1個の炭素原子についての空間的配置のみが異なる2個の分子(いくつかのキラル中心をもつ)の一方をいう．例えば α-D-グルコースと α-D-ガラクトース(C-4 について)．*cf.* anomer.→sugars)．

e·pim·er·ase (ĕpim′ĕ-ās). エピメラーゼ（エピマー異性体間の転換を触媒する酵素の類)．

ep·i·mere (ep′i-mēr) [epi- + G. *meros*, part]. 筋上節，上分節（筋節の背部．→myotome (3))．

ep·im·er·ite (ep-i-mēr′īt) [epi- + G. *meros*, part]. 先房，先節（有頭簇胞子虫類の前端にある鉤状の固着器．セファロント期の虫体の他の部分が無脊椎動物宿主の腸管腔内に脱出しても，この部分のみは組織内に埋まったままでいる)．

ep·i·mi·cro·scope (ep′i-mī′krō-skōp). 対物レンズの周囲に集光鏡のある顕微鏡．不透明またはやや半透明の微細な検体を調べるために使われる．＝opaque microscope.

ep·i·mor·pho·sis (ep′i-mōr-fō′sis) [epi- + G. *morphē*, shape]. 付加形成，真再生（切断面からの組織の部分的再新生)．

ep·i·mys·i·ot·o·my (ep′i-mis-ē-ot′ŏ-mē) [epimysium + G. *tomē*, a cutting]. 筋外膜切開〔術〕，筋肉鞘切開〔術〕．

ep·i·mys·i·um (ep′i-mis′ē-ŭm) [epi- + G. *mys*, muscle] [TA]. 筋外膜，筋肉鞘（骨格筋を包囲する線維性鞘膜)．＝perimysium externum.

ep·i·neph·rine (ep′i-nef′rin) [epi- + G. *nephros*, kidney + -ine]. エピネフリン（カテコールアミンの一種．大多数の種の副腎髄質の主要な神経ホルモン．またある種のニューロンにより分泌される．L-異性体はアドレナリン作用性の α 受容体，β 受容体の最も強力な刺激薬(交感神経興奮薬)で，心拍および心収縮力の増加，血管の収縮または拡張，細気管支および腸の平滑筋の弛緩，糖原分解，脂肪分解，その他の代謝作用効果をもたらす．気管支ぜん息，急性アレルギー性障害，開放隅角緑内障，心拍停止，房室ブロックの治療に，また外用・局所用の血管収縮薬として用いる．一般的に用いられる塩類は，塩酸エピネフリンと重酒石酸エピネフリンであるが，後者は外用薬の調製で頻繁に用いられる．→emergency *theory*; fight or flight *response*)．＝adrenaline.

ep·i·neph·ros (ep′i-nef′ros) [epi- + G. *nephros*, kidney]. ＝suprarenal *gland*.

ep·i·neu·ral (ep′i-nū′răl). 脊髄の神経弓上の．

ep·i·neu·ri·al (ep′i-nū′rē-ăl). 神経上膜の．

ep·i·neu·ri·um (ep′i-nū′rē-ŭm) [epi- + G. *neuron*, nerve] [TA]. 神経上膜（末梢神経束の最外側を包む膜で細網線維の凝縮によってつくられている．神経束全体を包む束上膜と束内を細分する束間膜とに区別される．神経内膜・神経周膜とともに末梢神経を包む間質として働いている)．

epifascicular e. 束上神経上膜（神経幹を全体として包む膜．それに対して束間神経上膜は神経幹の中の神経束の間に分け入っていく)．

ep·i·o·nych·i·um (ep′i-ō-nik′ē-ŭm). ＝eponychium.

ep·i·ot·ic (ep′i-ot′ik, -ō′tik) [epi- + G. *ous*, ear]. 耳上の，上耳の，耳軟骨上の（ある種の脊椎動物における耳包の一成分．哺乳類では側頭骨錐体部が下等脊椎動物にみられる種々の耳性成分を包含する)．

ep·i·pas·tic (ep′i-pas′tik) [G. *epi-passō*, to sprinkle over]. *1*〖adj.〗散布剤に適した．*2*〖n.〗散布剤，粉末剤．

ep·i·per·i·car·di·al (ep′i-per-i-kar′dē-ăl). 心膜上の，心膜周囲の．

ep·i·phar·ynx (ep′i-far′ingks) [G. *epi*, on, over + pharynx]. 上咽頭．＝nasopharynx.

ep·i·phe·nom·e·non (ep′i-fĕ-nom′ĕ-non). 副現象，付帯徴候（常に発生するものではないが，疾病経過中に現れる徴候で，必ずしも疾病と関連があるとはいえない)．

e·piph·o·ra (ē-pif′ō-ră) [G. a sudden flow < *epi*, on + *pherō*, to bear]. 流涙〔症〕，流漏（[誤った発音 epiphor′a を避けること]．涙を導く管のドレナージが不完全なため，涙が頬にあふれ出ること)．＝tearing; watery eye (1).

atonic e. 弛緩性流涙〔症〕（眼輪筋が弱ったために起こる流涙)．

ep·i·phren·ic, ep·i·phre·nal (ep′i-fren′ik, -frē′năl) [epi- + G. *phrēn*, diaphragm]. 横隔膜上の．

ep·i·phys·i·al, epiph·y·se·al (ep′i-fiz′ē-ăl). 骨端の（[誤った発音 epiphyse′al を避けること])．

E

ep·i·phys·i·od·e·sis (ep′i-fiz-ē-od′ĕ-sis) ［epiphysis + G. *desis*, binding］. ***1*** 骨端固定（骨端と骨幹の早期癒合．その結果，成長が停止する）．***2*** 骨端固定術（骨端の一部または全部を破壊する術式で，骨端の癒合，または成長早期停止を起こすために骨移植を同時に行うこともある．通常，脚長等長化のために行う）．

ep·i·phys·i·ol·y·sis (ep′i-fiz-ē-ol′i-sis) ［epiphysis + G. *lysis*, loosening］．骨端〔線〕離開（骨端が骨幹端から一部あるいは完全に緩む，または分離すること）．

ep·i·phys·i·op·a·thy (ep′i-fiz-ē-op′ă-thē) ［epiphysis + G. *pathos*, suffering］．骨端症．

e·piph·y·sis, pl. **e·piph·y·ses** (e-pif′i-sis, -sēz)［G. an excrescence＜*epi*, upon + *physis*, growth］［TA］．骨端（骨幹の骨化中心とは区別される二次骨化中心から成長した長骨の一部で，骨幹とは軟骨層により隔てられる）．

atavistic e. 系統発生学的には独立しているが，現在は他の骨と結合している骨，例えば肩甲骨の烏口突起．

e. cerebri ＝pineal *body*.

pressure e. 長骨の関節接合端における骨化の副次的中心．

stippled e. 点状骨端症．＝*chondrodysplasia* punctata.

traction e. 腱の付着部位にある骨化の副次的中心．

e·piph·y·si·tis (e-pif′i-sī′tis)．骨端炎．

ep·i·pi·al (ep′i-pī′ăl)．軟膜上の．

epiplo- (e-pip′lō)［G. *epiploon*］．大網に関する連結形．→omento-.

e·pip·lo·cele (e-pip′lō-sēl) ［epiplo- + G. *kēlē*, hernia］．大網ヘルニアを表す，まれに用いる語．

ep·i·plo·ic (ep′i-plō′ik)．大網の．＝omental.

e·pip·lo·on (e-pip′lō-on)［G.］．大網．＝greater *omentum*.

ep·i·po·do·phyl·lo·tox·in (ep-i-pō′dō-fil-ō-toks′in)［epi- + *Podophyllum*, genus name of botanical source + toxin］．エピポドフィロトキシン（トポイソメラーゼII阻害活性をもつ天然物）．

ep·i·pter·ic (ep′i-ter′ik)．プテリオン上の．

ep·i·py·gus (ep′i-pī′gŭs)［epi- + G. *pygē*, buttocks］．殿肢体（小さく不完全なほうの寄生体が大きいほうの自生体の殿部に付着している不等接着双生児．→pygomelus; conjoined *twins*）．

D-**ep·i·rham·nose** (ep′i-ram′nōz)．D-エピラムノース；6-deoxy-D-glucose（ジアシルグリセロール（ジグリセリド）との結合様式の異なったものが植物および微生物に見出され，しばしば6位がスルホン化されてグリセロ糖脂質として含まれる）．＝quinovose.

ep·i·scle·ra (ep′i-sklēr′ă)［epi- + sclera］．上強膜（強膜と結膜との間にある結合組織）．

ep·i·scle·ral (ep′i-sklēr′ăl)．***1*** 強膜上の．***2*** 上強膜の．

ep·i·scle·ri·tis (ep′i-skle-rī′tis)．上強膜炎（上強膜結合組織の炎症．→scleritis）．

e. multinodularis 多結節性上強膜炎（角膜強膜縁近くに数多くの小結節の生じる強膜炎）．

nodular e. 結節性上強膜炎（上強膜組織内に局部病巣をもつ上強膜炎）．

e. periodica fugax 一過性周期性上強膜炎（一定の期間をおいて起こる一過性の広汎性上強膜炎）．＝subconjunctivitis.

episio- (e-piz′ē-ō)［G. *episeion*, pubic region］．外陰に関する連結形．→vulvo-.

ep·i·si·o·per·i·ne·or·rha·phy (e-piz′ē-ō-per′i-nē-ōr′ă-fē, e-pis′)［episio- + G. *perinaion*, perineum + *rhaphē*, a stitching］．外陰会陰縫合〔術〕（切開した会陰や外陰裂傷の修復，または外陰および会陰の外科的切開の修復）．

ep·i·si·o·plas·ty (e-piz′ē-ō-plas′tē, e-pis′)［episio- + G. *plastos*, formed］．外陰形成〔術〕．

ep·i·si·or·rha·phy (e-piz′i-ōr′ră-fē, e-pis-)［episio- + G. *rhaphē*, a stitching］．外陰縫合〔術〕（外陰裂傷または会陰切開術の修復）．

ep·i·si·o·ste·no·sis (e-piz′i-ō-stĕ-nō′sis, e-pis′)［episio- + G. *stenōsis*, narrowing］．外陰狭窄〔症〕（陰門の狭窄）．

ep·i·si·ot·o·my (e-piz′ē-ot′ŏ-mē)［episio- + G. *tomē*, incision］．会陰切開〔術〕（分娩時，外陰の裂傷を防ぐため，または腟式手術を行いやすくするために行われる外陰部の外科的切開）．＝vaginoperineotomy.

ep·i·sode (ep′i-sōd)．エピソード（持続するイベント（出来事）の経過中に起こる重要な単一のイベントあるいは一連のイベント．例えば，うつ病のエピソード）．

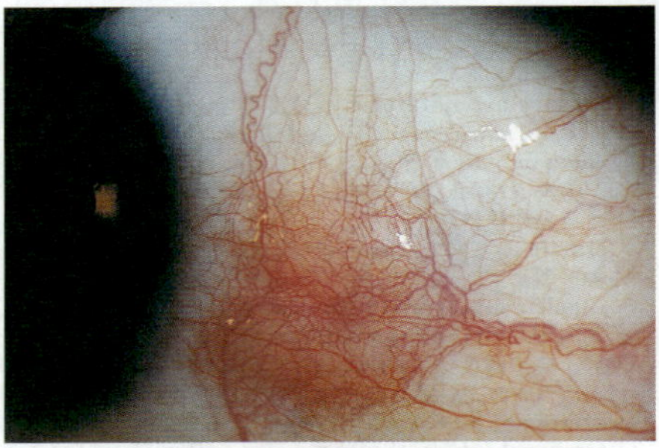

nodular episcleritis

わずかに可動性，適度に柔らかく，隆起した小結節が明白で，典型的には結膜充血に重なってみられる．

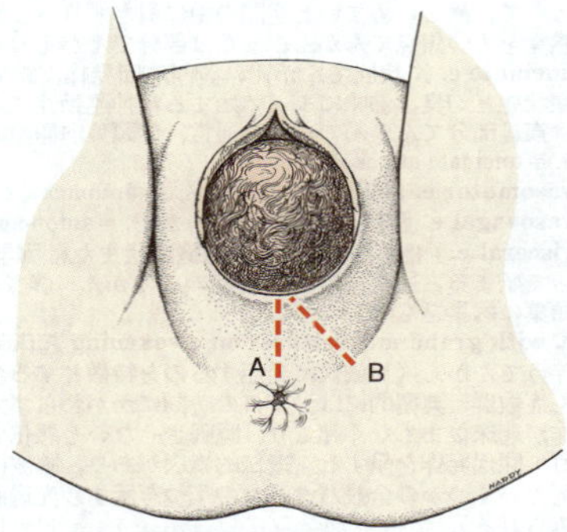

episiotomy

A：正中切開．B：正中側切開．

acute schizophrenic e. 急性統合失調症〔性〕挿話．＝acute *schizophrenia*.

e. of care 挿入医療，エピソードケア（総合的な医療を続けている間に，それ以外の医療を一定の期間，健康問題のある患者に行うもの）．

depressive e. 抑うつエピソード（①以下のいくつかまたはすべての徴候が一定期間持続する気分障害．著しい悲哀，食欲低下，体重減少，睡眠および活力の低下，精神運動性の焦燥あるいは遅滞，無価値感，罪悪感，無力感，希望のなさ，集中力低下，希死念慮．→major *depression*; bipolar *disorder*; affective *disorders*. *cf*. manic e. ②特定の基準が満たされた場合に確定するDSM診断の1つ）．

hypomanic e. 軽躁病エピソード（①躁病エピソードの特徴をいくつかまたはすべて有するが，程度がより軽い状態であり，数日間みられる高揚もしくは過敏な気分を示す．②明記された診断基準を満たすときに用いられるDSMによる診断名の1つ．→bipolar *disorder*; bipolar II *disorder*; cyclothymia）．

manic e. 躁病エピソード（①大気分障害における徴候の1つで，持続的かつ著明に調子が高くなったり，誇大的になったり，易刺激的になったりする．随作する症状として，睡眠の減少や精神運動の加速，観念の競合，観念奔逸，誇大，後々後悔するような行動に先立って判断することが難しいことなどがある．→affective *disorders*; endogenous *depression*; manic-depressive; manic *excitement*. ＝mania. ②DSMの構成概念の1つで特定の診断基準がある．→bipolar *disorder*; affective *disorders*; manic-depressive; manic *excitement*).

mixed e. 混合性エピソード（①躁病エピソードと大うつ病エピソードの症状が同時に起こる主要な気分障害の状態. →bipolar *disorder*; manic e.; major depressive *disorder*. ②明記された診断基準を満たすときに用いられるDSMによる診断名の構成部分の1つ).

ep·i·some (ep′i-sōm) [epi- + G. *sōma*, body (chromosome)]. エピソーム（宿主の細菌染色体中に組み込まれもするし，また，染色体から物理的に離れても安定して複製および機能することもできる染色体外因子(プラスミド)).

resistance-transferring e.'s 耐性伝達エピソーム. ＝resistance *plasmids*.

ep·i·spa·di·as (ep′i-spā′dē-ăs) [epi- + G. *spaō*, to tear or gouge]. 尿道上裂（陰茎背に尿道が開口している奇形. しばしば膀胱外反症を合併している).

balanitic e. 亀頭尿道上裂（亀頭背面に外尿道口が開口している奇形).

coronal e. 冠状溝尿道上裂（陰茎背面の冠状溝に外尿道口が開口している奇形).

penile e. 陰茎体尿道上裂（陰茎体背面に外尿道口が開口している奇形).

penopubic e. 恥骨部尿道上裂（陰茎と下腹壁の接合部に外尿道口が開口している奇形).

ep·i·spi·nal (ep′i-spī′năl). 脊柱上の，脊髄上の（脊柱上あるいは脊髄上，または棘に類似した構造体の上に位置するものについていう).

ep·i·sple·ni·tis (ep′i-splē-nī′tis). 脾外膜炎（脾臓の被膜の炎症).

epis·ta·sis (e-pis′tă-sis) [G. scum; epi- + G. *stasis*, a standing]. ＝epistasy. ***1*** 浮渣（液体，特に放置した尿の表面に薄膜または浮きかすができること). ***2*** エピスタシス（非対立遺伝子の表現型相互作用). ***3*** 上位〔性〕（1つの遺伝子が染色体の他の座にある1つまたは複数の遺伝子の発現を隠ぺいまたは妨げるという遺伝子相互作用の一型. 遺伝子の発現型が現れる遺伝子を“epistatic(上位の)”といい，発現型が変えられるか抑制されるものを“hypostatic(下位の)”という).

epis·ta·sy (e-pis′tă-sē). エピスタシス. ＝epistasis.

ep·i·stat·ic (ep′is-tat′ik). 浮渣の，上位〔性〕の.

ep·i·stax·is (ep′i-stak′sis) [G. < *epistazō*, to bleed at the nose < *epi*, on + *stazō*, to fall in drops]. 鼻出血，はなぢ（鼻から出血すること). ＝nasal hemorrhage; nosebleed.

renal e. 腎性血尿（特に病変がなく起こる血尿).

e·pis·te·mol·o·gy (ĕ-pis′tĕ-mol′ŏ-jē). 認識論(学)（関連している証拠の知識や法則性の研究. 伝統的には哲学の一分野であるが，各学問部分(医学，科学，歴史など)に含まれ，さらにはある意味では，その分野に特徴的な学科過程として評されている).

e·pis·te·mo·phil·i·a (ĕ-pis′tĕ-mō-fil′ē-ă) [G. *epistēmē*, knowledge + *philos*, fond]. 知識欲（好学，または学問に対する異常な興味).

ep·i·ster·nal (ep′i-stĕr′năl). ***1*** 胸骨上の. ***2*** 胸骨柄の.

ep·i·ster·num (ep′i-ster′nŭm) [epi- + L. *sternum*, chest]. 胸骨柄. ＝*manubrium* of sternum.

ep·i·stro·phe·us (ep′i-strō′fē-ŭs) [G. the pivot]. 軸椎（第二頸椎). ＝axis (4).

ep·i·tar·sus (ep′i-tar′sŭs) [epi- + G. *tarsos*, flat mat, edge of eyelid]. 結膜前垂（眼瞼の瞼板表面から内眼角近くの皮膚までの結膜のしわ).

ep·i·taxy (ep′i-tak′sē) [epi- + G. *taxis*, arrangement]. エピタクシー（1つの結晶と，接触面に幾何学的適合性を有する異なる種類の結晶とが，1つまたはいくつかの方向に成長すること. 腎臓や胆嚢の結石における相違する組成の交代層においてみられ，その形成過程において突然の構造的変化があったことを示している).

ep·i·ten·din·e·um (ep′i-ten-din′ē-ŭm) [L.]. 腱上膜（腱を取り巻く白い線維性鞘). ＝epitenon.

e·pit·e·non (e-pit′ĕ-non). ＝epitendineum.

17-ep·i·tes·tos·ter·one (ep′i-tes-tos′ter-ōn). 17-エピテストステロン（テストステロンの17α-エピマー. 生物学的に不活性のステロイドで精巣と卵巣にある. 4-アンドロステン-3,17-ジオンの代謝物質，17α-エストラジオールの前駆体と考えられる).

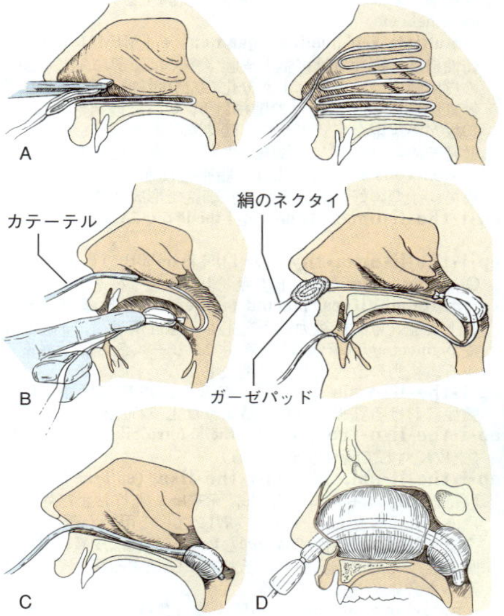

methods for controlling epistaxis

A：前鼻パック. B：鼻咽頭パック. C：バルーンを膨らませたFoleyカテーテル. D：バルーンタンポン.

ep·i·thal·a·mus (ep′i-thal′ă-mŭs) [epi- + thalamus] [TA]. 視床上部（手綱およびこれに連結する構造，視床髄条，松果体，手綱交連に該当する背内側視床の小部分).

ep·i·tha·lax·i·a (ep′i-thă-lak′sē-ă) [epithelium + G. *allaxis*, exchange]. 上皮脱落（表面にある上皮，特に腸の上皮層の脱落).

ep·i·the·li·a (ep′i-thē′lē-ă). epithelium の複数形.

ep·i·the·li·al (ep′i-thē′lē-ăl). 上皮の.

ep·i·the·li·al·i·za·tion (ep′i-thē′lē-ăl-i-zā′shŭn). 上皮形成（露出した結合織面の上皮形成). ＝epithelization.

ep·i·the·li·o·cyte (ep′i-thē′lē-ō-sīt) [epithelium + G. *kytos*, cell]. 上皮細胞（*in vitro* 組織培養の上皮細胞).

ep·i·the·li·o·fi·bril (ep′i-thē′lē-ō-fī′bril). 張原線維. ＝tonofibril.

ep·i·the·li·o·glan·du·lar (ep′i-thē′lē-ō-glan′dyū-lăr). 腺上皮の.

ep·i·the·li·oid (ep′i-thē′lē-oyd) [epithelium + G. *eidos*, resemblance]. 類上皮の，上皮様の.

ep·i·the·li·o·lyt·ic (ep′i-thē′lē-ō-lit′ik). 上皮溶解性の（上皮を破壊する).

ep·i·the·li·o·ma (ep′i-thē-lē-ō′mă) [epithelium + G. -*ōma*, tumor]. ***1*** 上皮腫（上皮新生物，または皮膚，特に皮膚付属器から出た過誤腫). ***2*** 扁平細胞，基底細胞，または付属器細胞から出た皮膚癌を表す現在では用いられない語.

e. adenoides cysticum 嚢状腺様上皮腫. ＝trichoepithelioma.

basal cell e. 基底細胞上皮腫. ＝basal cell *carcinoma*.

Borst-Jadassohn type intraepidermal e. (bōrst yah′-dah-sōn). ボルスト-ヤーダッソーン型表皮内上皮腫（表皮内に未分化または異常角化細胞巣をもち，臨床的に日光角化症あるいは脂漏性角化症を思わせる前癌病変).

e. cuniculatum 孔道上皮腫（まれに足底に発生し，徐々に発育して深部に浸潤するゆうぜい状腫瘤を形成するが，めったに転移はしないゆうぜい癌).

Malherbe calcifying e. (mahl-ārb′). マルヘルベ石灰化上皮腫. ＝pilomatrixoma.

malignant ciliary e. 悪性毛様体上皮腫（毛様体上皮の悪性増殖．しばしば色素含有層まで浸潤する）．＝adult medulloepithelioma.

multiple self-healing squamous e.［MIM*132800］．多発性自然治癒性有棘細胞上皮腫（多くは頭部に生じる多発性の皮膚腫瘍で，各々はよく分化した有棘細胞癌あるいは角化棘細胞腫に似る．個々の腫瘍は 5，6 か月後自然に消失し，辺縁が不規則なギザギザで，深く陥凹した瘢痕を残す．また通常その部位に新たな腫瘍が生じる．常染色体優性遺伝）．

sebaceous e. 脂腺上皮腫（脂腺上皮から発生する良性腫瘍で，小型の好塩基性細胞や胚細胞で形成されている）．

ep·i·the·li·om·a·tous (ep′i-thē-lē-ō′mă-tŭs)．上皮腫〔性〕の．

ep·i·the·li·op·a·thy (ep′i-thē-lē-op′ă-thē)［epithelium + G. *pathos*, suffering］．上皮症（上皮を侵す疾患）．

acute multifocal placoid pigment e. 急性多発性斑状色素上皮症（急激な視力低下を生じる急性疾患で，網膜色素上皮 pigment *epithelium* に多巣性でクリーム色の斑状病変を有する．視力の改善とともに消失する）．

ep·i·the·li·o·sis (ep′i-thē-lē-ō′sis)．上皮症（嚢様変性線維腫症における乳腺にみられるような上皮細胞の増殖）．

ep·i·the·li·o·tro·pic (ep-i-thē′lē-ō-trō′pik)．上皮親和性の（上皮に対して親和性を有する）．

ep·i·the·li·um, pl. **ep·i·the·li·a** (ep′i-thē′lē-ŭm, -ă)［G. *epi*, upon + *thēlē*, nipple, 元来は，乳首および唇の境界にある乳頭層をおおう薄い皮膚に対して用いた語］［TA］．上皮（純粋に細胞性で血管のない層．それは皮膚，粘膜，漿膜のすべての遊離表面を，それらに由来する腺とその他の構造体も含めておおっている）．

anterior e. of cornea 角膜上皮（角膜の外面をおおう重層扁平上皮．平滑で通常は 5 層の細胞からなり，無数の自由神経終末を含む）．＝e. anterius corneae.

e. anterius corneae 角膜上皮．＝anterior e. of cornea.

Barrett e. (bar′ĕt)．バレット上皮（Barrett 症候群にみられる食道の円柱上皮）．

ciliated e. 線毛上皮（自由表面に運動性線毛をもつ上皮）．

columnar e. 円柱上皮（幅よりも高さのある角柱細胞の単一層からなる上皮）．＝cylindric e.

crevicular e. 歯肉溝上皮（歯肉溝の軟組織壁の内面を被覆する重層扁平上皮）．＝sulcular e.

cuboidal e. 立方上皮（垂直断面では正方形にみえるが，表面からは多面体にみえる細胞をもつ単層の上皮）．

cylindric e. ＝columnar e.

distinctive-type e. 特有上皮（Barrett 症候群(⇒syndrome)に特有の小腸型の円柱上皮．→Barrett e.）．

dome e. 上皮組織（発生学上の 4 つの基本的組織型の 1 つ．上皮組織をつくり，体，体腔をおおう．上皮は腺もつくる）．

e. ductus semicircularis 半規管上皮．＝e. of semicircular duct.

enamel e. エナメル上皮（エナメル形成の完了後エナメル表面に残った数層のエナメル器）．＝reduced enamel e.

external dental e., external enamel e. 外エナメル上皮（歯の発生にあずかる歯胚のエナメル器の外層に位置する立方状細胞）．＝outer enamel e.

germinal e. 胚上皮（性腺を被覆するひだ様の膜．以前は，名前の由来である germ cell 性細胞原基と考えられたことがある）．

gingival e. 歯肉上皮（角化がある程度進み，自由歯肉および付着歯肉をおおう重層扁平上皮）．

glandular e. 腺上皮（分泌細胞からなる上皮）．

inner dental e., inner enamel e. 内歯上皮，内エナメル上皮（歯原性器官の最内層で，エナメル質を形成するエナメル芽細胞に分化する）．

junctional e. 接合上皮（歯の表面および結合組織に接着している上皮で，歯の周囲を襟状に取り巻く．断面は楔状を呈する．その歯冠側は，歯肉溝の底部を構成する）．＝epithelial attachment of Gottlieb; epithelial attachment.

laminated e. ＝stratified e.

e. of lens 水晶体上皮（水晶体嚢内の水晶体の前面に存在する立方細胞層．水晶体赤道部において細胞が延長し水晶体線維に移行する）．＝e. lentis.

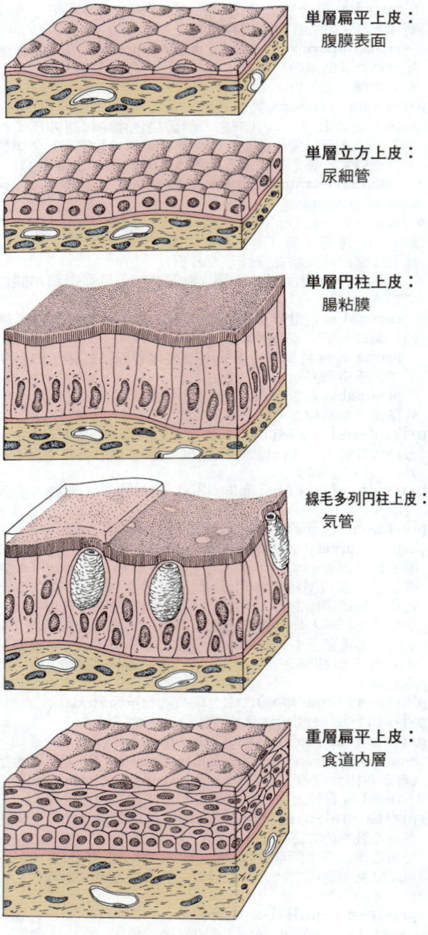

types of epithelium

e. lentis 水晶体上皮．＝e. of lens.

mesenchymal e. 間葉上皮（間葉細胞から生じた平滑な上皮で，眼の前房，耳の外リンパ腔，硬膜下およびクモ膜下腔のような結合組織腔の内膜にみられる）．

muscle e. 筋上皮．＝myoepithelium.

olfactory e. 嗅上皮（一種の多列上皮で嗅細胞，受容器細胞，軸索が脳の嗅球まで達する神経細胞を含む）．

outer enamel e. 外エナメル上皮．＝external dental e.

pavement e. ＝simple squamous e.

pigment e. 色素上皮（網膜または虹彩の色素上皮層のように，色素やメラニンの顆粒を含む細胞からなる上皮）．

pigment e. of optic retina →retina.

pseudostratified e. 多列上皮（細胞核が異なる高さにあるため一見すると重層であるようにみえるが，実際はすべての細胞が基底膜に達しているので単層上皮に分類される）．

reduced enamel e. 退化エナメル上皮．＝enamel e.

respiratory e. 気道上皮（鼻腔，喉頭，気管，気管支を含めた気道の大部分の内面をおおう多列線毛上皮）．

e. of semicircular duct 半規管上皮（半規管の単層扁平上皮）．＝e. ductus semicircularis.

seminiferous e. 精上皮（精子形成，精子成熟の行われる陰茎の屈曲した細管の内膜を形成する上皮）.

simple e. 単層上皮（1層の細胞からなる）.

simple squamous e. 単層扁平上皮（中皮，内皮，肺胞の上皮のように，扁平な鱗状の細胞の単一層からなる上皮）. =pavement e.

stratified e. 重層上皮（いくつかの層が積み重なった上皮．それぞれの層の細胞は大きさと形が異なり，一番深層の細胞だけが基底膜に接する．表面の細胞の種類によって重層扁平上皮，重層円柱上皮，重層線毛円柱上皮に分けられる）. =laminated e.

stratified ciliated columnar e. 重層線毛上皮（数層の細胞からなり，その細胞の深部のものは多面体の形で，表面のものは運動性線毛を有する円柱細胞である．胎児の食道の内膜はこの型の上皮でできている）.

stratified squamous e. 重層扁平上皮（数層のケラチン含有細胞上皮で，表面の細胞は扁平な鱗状であり，深部の細胞は多面体である．ケラチン線維は表面に向かうにつれ，次第に増え，体の乾燥した部分は死滅した角質細胞層からなる）.

sulcular e. =crevicular e.

surface e. 胚上皮（①生殖堤をおおう1層の体腔上皮．②卵巣の中皮性被膜）.

transitional e. 移行上皮（高度に発達した重層構造をもつ上皮で，表層の細胞は多核で大きく，弛緩時にはドーム状を呈し，伸展時には幅広く，扁平となる．腎杯，尿管，膀胱にみられる）.

ep·i·the·li·za·tion (ep′i-thē-li-zā′shŭn). =epithelialization.

ep·i·them (ep′i-them) [G. *epithēma*, a cover]. パップ，湿布（罨法のような外用のもの．硬膏や軟膏ではない）.

ep·i·thet (ep′i-thet) [G. *epithetos*, added < epi- + *tithēmi*, to place]. 形容語句，形容辞（特性を表す用語あるいは名称）.

specific e. 種小名（生物学名の2番目の部分であるが，これ自体は学名ではない．細菌などの生物の種の学名は,属名と種小名の2語の組合せからなる二命名法により名付けられる）.

ep·i·tope (ep′i-tōp) [epi- + -tope]. エピトープ（抗原決定基の最も基本構成単位のこと．複雑な抗原分子の中で抗体やT細胞受容体と結合する部位）.

shared e. =susceptibility *cassette*.

ep·i·tox·oid (ep′i-tok′soyd). エピトキソイド（特異的抗毒素に対して毒素よりも親和力の小さい類毒素）.

ep·i·trich·i·al (ep′i-trik′ē-ăl). 胎児表皮の.

ep·i·trich·i·um (ep′i-trik′ē-ŭm) [epi- + G. *trichion*: *thrix* (*trich*-)(hair)の指小辞]. 胎児表皮（→dome *cell*）. =periderm.

ep·i·troch·le·a (ep′i-trok′lē-ă) [epi- + L. *trochlea* (G. *trochilia* の短縮語), a pulley, block]. 〔上腕骨の〕内側上顆. =medial *epicondyle* of humerus.

ep·i·troch·le·ar (ep′i-trok′lē-ăr). 〔上腕骨の〕内側上顆の.

ep·i·tu·ber·cu·lo·sis (ep′i-tū-ber′kyū-lō′sis). エピツベルクローシス（肺結核病巣あるいは腫大した気管支腺の周辺のリンパ節腫脹あるいは肺浸潤）.

ep·i·tym·pan·ic (ep′i-tim-pan′ik). 上鼓室陥凹の.

ep·i·tym·pa·num (ep′i-tim′pă-nŭm). 上鼓室陥凹（鼓室(中耳)の鼓膜より上方に位置する部分．つち骨頭ときぬた骨体とがはまり込む）. =epitympanic recess [TA]; recessus epitympanicus[TA]; attic; epitympanic space; Hyrtl epitympanic recess; tympanic attic.

ep·i·typh·li·tis (ep′ĭ-tif-lī′tis) [epi- + G. *typhlon*, cecum + *-itis*, inflammation]. 盲腸後部結合織炎（盲腸周囲あるいは近傍の炎症．→appendicitis）.

ep·i·zo·ic (ep′i-zō′ik). 外皮寄生の，体表寄生の.

ep·i·zo·ol·o·gy (ep′i-zō-ol′ŏ-jē) [epi- + G. *zōon*, animal + *logos*, study]. =epizootiology.

ep·i·zo·on, pl. **ep·i·zoa** (ep-i-zō′on, -zō′ă) [epi- + G. *zōon*, animal]. 外皮寄生動物，体表寄生動物（体表面に寄生する動物性寄生生物）.

ep·i·zo·ot·ic (ep′i-zō-ot′ik) [epi- + G. *zōon*, animal]. ***1*** 動物間流行性の（動物集団にみられる疾病発生の一時的な型をいうが，その動物集団での疾病の発生頻度はある一定期間において予想より明らかに高いものである）. ***2*** 動物間流行病の（動物集団における疾病の発生(伝染性)）.

ep·i·zo·ot·i·ol·o·gy (ep′i-zō-ot′ē-ol′ŏ-jē) [epi- + G. *zōon*, animal + *logos*, study]. 動物伝染病学，動物流行病学（動物集団における疾患の流行を扱う学問）. =epizoology.

Epley (ep′lē), John M. 20世紀の米国人耳科医.

é·plu·chage (ā-plū-shazh′) [Fr. picking, cleaning]. エプリュシャージュ（感染創の汚染された組織をすべて除去することに対してまれに用いる語）.

EPN 駆虫薬およびダニ駆除薬として用いられる硫黄含有有機リン酸系抗コリンエステラーゼ薬.

EPO exclusive provider organization; erythropoietin の略.

e·po·e·tin al·fa (ē-pō′ĕ-tin al′fă). エポエチンアルファ（遺伝子組換えエリスロポエチンで赤血球合成の強力な刺激剤．貧血患者，移植患者並びに化学療法を受けている患者にしばしば用いられる）.

ep·o·nych·i·a (ep′ō-nik′ē-ă). 上爪皮炎（爪郭近位(基)部を侵す感染）.

ep·o·nych·i·um (ep′ō-nik′ē-ŭm) [G. *epi*, upon + *onyx*(*onych*-), nail]. =epionychium. ***1*** [TA]. 爪床縁（表皮の角質層で，近位では爪根に，外側では爪板の側部に直接してこれをおおい，爪壁または爪ひだの下面を形成する）. =hidden nail skin; perionychium. ***2***胎生爪皮（胚子において爪板をつくりだして表面をおおっている薄い密なエレイジンに富んだ表皮の層．正常ならば胎生8か月頃に退化し，爪基部に爪小皮となるものだけが残る）. ***3***上爪皮（近位部で爪に固着している薄い皮膚）.

ep·o·nym (ep′ō-nim) [G. *epōnymos*, named after]. 冠名，名祖（通常，最初に発見または記述した人の名にちなんで命名された疾患，構造，手術，または手法の名称）.

ep·o·nym·ic (ep′ō-nim′ik). ***1*** 〚adj.〛 冠名の，名祖の. ***2*** 〚n.〛 冠名，名祖.

ep·o·oph·o·ron (ep′ō-of′ŏ-ron) [epi- + G. *ōophoros*, egg-bearing][TA]. 卵巣上体（卵巣と卵管の間の卵巣間膜にみられる痕跡的細管の集合．卵巣上体縦管と卵巣上体横管とからなり，どちらも中腎の中央部の細管の遺残で男性の近位精巣上体管や迷管と相同のものである）. =corpus pampiniforme; organ of Rosenmüller; pampiniform body.

ep·o·prost·en·ol, ep·o·prost·en·ol so·di·um (ep′ō-prost′en-ol). エポプロステノール，エポプロステノールナトリウム. =prostacyclin.

ep·or·nit·ic (ep′ōr-nit′ik) [epi- + G. *ornithos*, bird + -ic]. 鳥病の（鳥類における疾病発生に関する）.

e·pox·y (ē-pok′sē). エポキシ（2個の連結した炭素原子に結合した酸素原子を示す化学用語.

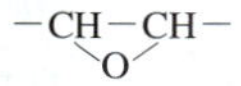

一般的には環状エーテルならなんでもよいが，通常，三員環の環状エーテルをさす．特に三員環のエーテルはオキシラン，四員環のエーテルはオキセタン，五員環のエーテルはオキソラン，六員環のエーテルはオキサンという．オキシランは通常，過酸素酸がアルケンに作用することによって生成される．エポキシ体は重要な化学中間産物で，エポキシ単量体からつくられるエポキシ樹脂(重合体)の主成分である）.

2,3-e·pox·y·squa·lene (ē-pok′sē-skwā′lēn). 2,3-エポキシスクアレン（スクアレンのオキシラン誘導体．すべてのステロイド類の前駆物質）.

Eppin (ep′in). エッピン（哺乳類の精巣と精巣上体から発見された機能未知の蛋白．可逆的男性不妊症を惹起する免疫原性物質として研究されている）.

Ep·ple (ep′ĕl), August. Leonard S. Fosdick の同僚. →Fosdick-Hansen-E. *test*.

EPR electron paramagnetic *resonance* の略.

EPS exophthalmos-producing *substance* の略.

ep·si·lon (ep′si-lon). イプシロン（ギリシア語アルファベットの第5字 ε）.

EPSP excitatory postsynaptic *potential* の略.

Ep·stein (ep′stīn), Michael Anthony. 20世紀のイングランド人ウイルス学者. →E.-Barr *virus*.

Ep·stein (ep′stīn), Alois. ドイツ人小児科医，1849—1918. →E. *disease*, *pearls*, *sign*, *symptom*.

ep·u·lis (ep-yū′lis) [G. *epoulis*, a gumboil]. エプーリス（非

特異的外方増殖性の歯肉塊).

congenital e. of newborn 新生児の先天性エプーリス(歯槽堤に生じる良性の小腫瘤で，組織由来は明らかではない．組織学的には，細顆粒で満たされた細胞質を有する巨細胞よりなっており，この細胞は顆粒細胞腫(*cf.* myoblastoma)にみられる細胞と類似している).

e. fissuratum 裂性エプーリス．＝inflammatory fibrous *hyperplasia*.

giant cell e. 巨大細胞エプーリス．＝giant cell *granuloma*.

e. gravidarum 妊娠性エプーリス（妊娠中発生する歯肉の化膿性肉芽腫).

pigmented e. 色素性エプーリス．＝melanotic neuroectodermal *tumor* of infancy.

ep·u·loid (ep′yū-loyd). 類エプーリス，類歯肉腫（エプーリスに似た歯肉塊).

Eq, eq equivalent の略.

e·qua·tion (ē-kwā′zhŭn) [L. *aequare*, to make equal]. 方程式（2つのものが等しいことを表す記述．通常，数学または化学の符号が使われる).

alveolar gas e. 肺胞ガス式（肺胞酸素圧の大気圧，吸入ガス組成，肺胞二酸化炭素圧，および呼吸交換率との定常状態での関係を示した式．この式は異なった応用に対して仮定を単純化できることにより種々の形で用いられる).

Arrhenius e. (ă-rē′nē-ŭs) [Svante *Arrhenius*]. アレーニウス式（絶対温度(T)に対する化学反応速度(k)の関係についての方程式，$d(\ln k)/dT=\Delta E_a/RT^2$. E_aは活性化エネルギーで，Rは気体定数である).

Bohr e. (bōr). ボーア式（肺から排出されるガスは死腔から出たものと肺胞から出たものとの混合であるという事実から，呼吸の死腔を計算する式．すなわち，死腔の容積を呼気量で割ったものは混合排気と肺胞ガスの組成の差を混合吸気と肺胞ガスの組成の差で割ったものに等しい．ガス組成は酸素または炭酸ガスの一定した濃度単位または分圧で表すことができる).

chemical e. 化学方程式（左辺に反応物質を，その反応によって生じたものを右辺に示した式．両者の間は等号または矢印で分けられる).

constant field e. 定常場方程式．＝Goldman e.

Einthoven e. (īn′to-vĕn). アイントホーフェン式．＝Einthoven *law*.

Gay-Lussac e. (gā lū-sahk′) [Joseph L.*Gay-Lussac*]. ゲイ-リュサックの式（アルコール発酵に対する全化学式．$C_6H_{12}O_6=2CO_2+2CH_3CH_2OH$).

Gibbs-Helmholtz e. (gibz helm′hōltz). ギブズ-ヘルムホルツ式（①電池における化学エネルギー変換とそれによって得られる最大起電力の関係を示す式．② $\Delta G=\Delta H=T[\partial\Delta G/\partial T]_p$. ΔG は Gibbs の自由エネルギーの変化量，ΔH はエンタルピーの変化量，Tは絶対温度，Pは圧力を示す).

Goldman e. (gōld′măn). ゴールドマン式（イオンの膜透過性と膜の両側のイオン濃度の点からその膜の電位を推定するための式)．＝constant field e.; Goldman-Hodgkin-Katz e., GHK e.

Goldman-Hodgkin-Katz e., GHK e. (gōld′măn hodj′kin kats). ゴールドマン-ホジキン-キャッツ式．＝Goldman e.

Henderson-Hasselbalch e. (hen′dĕr-sŏn hahs′ĕl-bawlk) [Lawrence J.*Henderson*,Karl *Hasselbalch*]. ヘンダーソン-ハッセルバルヒ式（溶液の pH 値とその溶液の酸の pK_a 値と酸とその共役塩基との濃度比との関係式．pH＝pK_a＋log([A⁻]/[HA]). [A⁻] は共役塩基の濃度で，[HA]はプロトン化した酸の濃度である．血中の重炭酸イオン緩衝液では，pH＝pK'＋log([HCO_3^-]/[CO_2]). 血漿の pK' 値は 6.10，H_2CO_3 の第一解離定数，[H_2CO_3]と[CO_2]の関係，および他の補正を含む．CO_2 の分圧にその 38°C における血漿中での溶解度(0.0301 mM/mmHg)を乗じたものが，普通[CO_2]の代わりに使われる．例えば，血漿重炭酸塩濃度が 24 mEq/L，P_{CO_2} が 40 mmHg のとき，pH＝6.10＋log(24/0.0301×40)＝7.40).

Henri-Michaelis-Menten e. (ĕn-rē′ mi-kā′lis men′tĕn). ＝Michaelis-Menten e.

Hill e. (hil) [Archibald V. *Hill*]. ヒル式 ($y(1-y)=[S]^n/K_d$. yは飽和率，[S]は結合リガンド濃度，nは Hill 係数，K_d はリガンド解離定数．Hill 係数はその蛋白の協同性の尺度である．その値が大きいほど，協同性が高い．この係数は結合部位の数より高くならない．ヘモグロビンの酸素結合曲線に対しては会合定数 K_a が用いられ，その式は $y/(1-y)=K_a[S]^n$ になる．ヒトのヘモグロビンAでは，$n=2.5$ である．*cf.* Hill *plot*).

Hüfner e. (hŭf′nĕr). フュフナー式（ミオグロビン解離と酸素分圧の関係を表す式，([MbO_2]/[Mb])＝($K\times pO_2$)).

Lineweaver-Burk e. (līn′wē-vĕr bŭrk) [Hans *Lineweaver*,Dean *Burk*]. ラインウィーヴァー-ブルク(バーク)式(Michaelis-Menten 式を再配列したもの，$1/\nu=1/V_{max}+(K_m/V_{max})(1/[S])$. νは反応速度，V_{max}は最大速度，K_mは Michaelis 定数，[S]は基質濃度．*cf.* double-reciprocal *plot*).

Michaelis-Menten e. (mi-kā′lis men′tĕn) [Leonor *michaelis*,Maud L.*Menten*]. ミヒャエーリス(ミカエリス)-メンテン式（単一基質非協同的酵素触媒反応の初速度式で，基質初濃度に対する初速度の関係式は，$\nu=V_{max}[S]/(K_m+[S])$ で，νは反応の初速度，V_{max}は最大速度，[S]は基質初濃度，K_m は Michaelis 定数．同様の関係式は生成物が存在する条件や多基質酵素に対しても与えられる)．＝Henri-Michaelis-Menten e.

Nernst e. (nārnst). ネルンスト式（電極の平衡電位とイオン濃度の関係を示す式，電位と平衡状態において透過膜を通すイオンの濃度勾配を表す式，$E=[RT/nF][\ln(C_1/C_2)]$. Eは電位，Rは絶対気体定数，Tは絶対温度，nは原子価，Fは Faraday 定数，ln は自然対数，C_1 と C_2 は両側のイオン濃度．非理想溶液では濃度を活性に置き換える．→activity (2)).

personal e. 個人差，人格方程式（個人に特有の判断，知覚反応，あるいは知覚活動におけるわずかな誤差．それは不変であるため個人の述べることや結論を受け入れる際，それを差し引くことにより，おおよその正確さを得ることができる).

rate e. 反応速度式（化学的，放射化学的または酵素触媒反応の数学的表現).

Rayleigh e. (rā′lē). レーリー均等（黄色スペクトルに対応させるための被験者の赤色と緑色の割合)．＝Rayleigh test.

Svedberg e. (sfed′bĕrg). →sedimentation *constant*.

van't Hoff e. (vahnt hof) [Jacobus H.*van't Hoff*]. ファント・ホフの式（①希薄溶液の浸透圧に対する式．→van't Hoff *law*. ②どんな反応に対しても $d(\ln K_{eq})/d(1/T)$ は $-\Delta H/R$ に等しい．K_{eq} は平衡定数，Tは絶対温度，Rは普通気体定数，ΔH はエントロピーの変化．すなわち $\ln K_{eq}$ 対 $1/T$ のプロットにより ΔH と ΔS° が決定される．ここにおいて ΔH° と ΔS° はそれぞれ標準エンタルピー変化および標準エントロピー変化である).

e·qua·tor (ē-kwā′tŏr) [Mediev. L. *aequator* < L. *aequo*, to make equal][TA]. 赤道（球状の物体の両極から等距離に取り巻く線．球をその中心点においてその軸に対して直角に切る平面の円周).

e. bulbi oculi [TA]. 眼球赤道．＝e. of eyeball.

e. of eyeball [TA]. 眼球赤道（眼球を前極と後極から等距離に取り巻く想像上の線)．＝e. bulbi oculi [TA].

e. of lens [TA]. 水晶体赤道（毛様小体の2層間にある水晶体の周辺部)．＝e. lentis [TA].

e. lentis [TA]. 水晶体赤道．＝e. of lens.

e·qua·to·ri·al (ē′kwă-tō′rē-ăl). 赤道の（地球の赤道のように，両端から等距離に位置する).

e·qui·ax·i·al (ē′kwi-ak′sē-ăl). 等軸の（等しい長さの軸をもつ).

e·qui·ca·lor·ic (ē′kwi-kă-lōr′ik) [L. *aequus*, equal＋*calor*, heat]. 等カロリーの（熱量値の等しい．→isodynamic).

eq·ui·len·in (ek′wi-len′in) [L. *equa*, mare]. エキレニン（妊馬の尿から単離された弱いエストロゲンステロイド).

e·quil·i·bra·tion (ē′kwi-li-brā′shŭn, e-kwil-ĭ-). 平衡（①平衡状態を保つ作用．②血液，血漿のような液体をある分圧の気体に，液体内外のその気体分圧が等しくなるまでさらすこと．③歯科において，咬合圧を各歯に均等化し，咬合時の早期接触をなくすとともに，調和した咬合を得る目的で削合によって歯の咬合面形態を修正すること．④クロマトグラフィで，固定相を，用いられる溶出溶媒の蒸気で飽和すること．

⑤心理学および精神医学において，認知的適応や発達が進むような，情報や経験に応じて平衡状態やバランスが回復すること．この自己調整過程は同化と適応が含まれる．→development (1); adaptation (6); accommodation (2); assimilation (2)).

e・qui・lib・ri・um (ē′kwi-lib′rē-ŭm) [L. *aequilibrium*, a horizontal position < *aequus*, equal + *libra*, a balance]. 平衡〔状態〕，釣合い（①釣合いのとれた状態．互いに正反対に行動する，相反する2つまたはそれ以上の力の休止状態．②化学において，反対方向に同速度で進行している2つの反応によりつくり出される見かけ上休止の状態．化学方程式においては，これら反対方向は＝の印の代わりに2本の反対方向の矢印(⇌)によって示すことがある．→equilibrium *constant*). ＝dynamic e.

acid-base e. 酸塩基平衡．＝acid-base *balance*.

Donnan e. (don′ăn) [Frederick G. *Donnan*]. ドナン平衡（半透膜またはそれと同等のもの(例えば固形のイオン交換器)が拡散性物質から，蛋白のような非拡散性の物質を分離する．拡散性陰イオンと陽イオンはその膜の両側に分布し，その結果，ⅰ両側のイオン濃度は等しくなり，ⅱ膜の両側にある拡散性，非拡散性陰イオンの総量は拡散性，非拡散性陽イオン濃度の総量に等しい．拡散性イオンの分散が等しくない場合は膜の両側の電位差をつくる(膜電位))．＝Gibbs-Donnan e.

dynamic e. 動的平衡．＝equilibrium (2).

genetic e. 遺伝学的平衡（あらゆる交配の可能性のもとに種々の変化が起こり，集団の構成体は常に変化するという動的遺伝機構での状態).

Gibbs-Donnan e. (gibz don′ăn). ギブズ－ドナン平衡．＝Donnan e.

Hardy-Weinberg e. (harde wīn′bĕrg). ハーディ－ヴァインベルク平衡（集団の遺伝的構造がHardy-Weinbergの法則で予想できる状態．大きな交配集団に対しては，その平衡は近似されるが，安定なものではない)．＝random mating e.

homeostatic e. 恒常状態（→homeostasis).

nitrogenous e. 窒素平衡（体内から排泄される窒素の量が食物により摂取した窒素量と等しい状態．蛋白に関する限り栄養的平衡と同じ).

nutritive e. 栄養〔的〕平衡（栄養物の摂取と排泄の完全な平衡状態．そのため体重の増減がない)．＝physiologic e.

physiologic e. 生理的平衡．＝nutritive e.

radioactive e. 放射平衡（ある原子がその先行原子の放射性崩壊により生じる一方，その原子自身も放射性崩壊するような状態(真の平衡ではない)．この2つの崩壊が釣り合うと，一定時間の間，生成物と前駆物質の放射能は一定になる).

random mating e. ＝Hardy-Weinberg e.

secular e. 永続(永年)平衡（親核種の半減期が娘核種の半減期に比して非常に長い場合の放射平衡．娘核種の放射能(壊変率)は時間とともに親核種の放射能に近づく).

stable e. 安定平衡（一過性の摂動(変化)のあとに最初の状態に復帰しうる傾向にある状態).

transient e. 過渡平衡（親核種の半減期が娘核種の半減期に比して長い場合の放射平衡．親核種と娘核種の放射能(壊変率)は時間とともに減少しつつ，その比が一定値に近づく).

unstable e. 不安定平衡（一過性の摂動(変化)に対する応答平衡がより大きな摂動(変化)をつくりうる傾向にある状態(例えば，logged feedback process of zero order)).

eq・ui・lin (ekwi-lăn) [L. *equa*, mare]. エキリン（妊馬の尿中にあるエストロゲンステロイド).

e・qui・mo・lar (ē′kwi-mō′lăr). 等モルの（同じモル数あるいは同じモル濃度を有する，2つ以上の物質についていう).

e・qui・mo・lec・u・lar (ē′kwi-mō-lek′yū-lăr). 等分子の（等しい数の分子または分子種を含む，2つ以上の溶液についていう).

e・quine (ē′kwīn) [L. *equinus* < *equus*, horse]. ウマの（ウマ，ラバ，ロバ，その他ウマ属についていう).

e・qui・no・val・gus (ē-kwī′nō-val′gŭs, ek′wi-nō-). 外転尖足．＝*talipes* equinovalgus.

e・qui・no・var・us (ē-kwī′nō-vā′rŭs, ek′wi-nō-). 内転尖足．＝*talipes* equinovarus.

e・qui・poise (e′kwi-poyz) [equi- + M. E. *poisen*, weigh < Fr. *peser* < L. L. *peso* < L. *penso*]. 均衡（①釣合い，重みの釣り合った状態．②疫学では，2つ以上の治療レジメンの結果として生じる利益と損失のバランスに関し，不確実であるような状況．均衡状態はランダム化比較試験の適用条件となる).

e・qui・tox・ic (ē′kwi-tok′sik). 等毒性の（毒性の等しい).

equiv・a・lence, equiv・a・len・cy (ē-kwiv′ă-lens, -len-sē) [L. *aequus*, equal + *valentia*, strength(valence)]. ***1*** 当量，等量，同価，等価（化合物において，一定の比率で，元の元素または基が別の元素または基と結合ないし置換する特性). ***2*** 当量域，最適比（沈降反応において抗原と抗体が至適な割合で存在する点).

e・quiv・a・lent (Eq, eq) (ē-kwiv′ă-lent) [→equivalence]. ***1***〖adj.〗当量の，等量の，同価の，等価の．***2***〖n.〗当量，等価物（大きさ，重量，力，またはその他の性状において他のものと等しいもの). ***3*** お互いに打ち消したり，中和したりする能力をもつこと．***4***〖adj.〗等原子価の（等しい原子価をもつこと). ***5*** ＝gram e. ***6***〖n.〗代理症（通常の古典的な症状や主訴よりも低頻度に，症候群に伴う症状を記載するのに用いる).

anginal e. 狭心症相当症状（胸痛以外で狭心症を示唆する一群の自覚症．例えば，呼吸困難，発汗，糖尿病患者での激しい嘔吐，または腕や顎の痛み).

asthmatic e. ぜん息同等症候，咳ぜん息（古典的なヒューヒューという呼吸音を呈さず，ほとんど咳が主体となるぜん息あるいは気道攣縮の一連の症候群).

combustion e. 燃焼当量（炭水化物または脂肪の1 gが体外で酸化された際の熱量).

gold e. 金当量（保護コロイドの力価の単位．保護コロイドのmg数で，0.0053—0.0058%の金溶液10 mLに10%の塩化ナトリウム溶液1 mLを加えても，沈殿を妨げるに十分な必要最小量を示す値)．＝gold number.

gram e. グラム当量（①水素1 gと結合または置換する元素の重量(g)．②化学反応にあずかる原子や原子集団の原子量，分子量を，化学反応の過程において原子や原子集団によって与えられ，または取られ，または分離された電子の数によって割ったもの(g)．③ある物質の1規定液の1 L中に含まれる重量で①の変化したもの)．＝combining weight; equivalent weight; equivalent (5).

Joule e. (**J**) (jūl) [James P.*Joule*]. ジュール当量（熱の仕事当量．1ポンドの水の温度を1°F上げる熱量は仕事量にして778フートポンドに相当する．メートル法の単位では，1 gの水を1°C上げる1 calの熱量は4.184×10^7dyn・cmになり，4.184ジュール(J)に相当する).

lethal e. ***1*** 致死平衡（1個体の死について，選択的効果のコンビネーションが，平均してその遺伝子プールの合計と同様の効果をもつこと．例えば，50%のリスクをもつ2キャリアの死は，100%リスクの1キャリアと致死平衡である). ***2*** 致死相当量（劣性形質に関する集団遺伝学において，致死相当量は遺伝荷重に帰せられる死の期待数の合計を2倍したものとして表される). ***3*** 致死平衡定数（異型接合での劣性遺伝子の遺伝的負荷に用いられる表現で，同型接合だった場合の致死率あるいは致死可能性をさす．そうした遺伝子のすべてについて予想される致死数が致死平衡定数として表現される).

metabolic e. (**MET**) 代謝当量（安静臥位時に消費される酸素量(1 MET = 3.5 mL(酸素)/kg(体重)/min)．ある運動の酸素消費量はMETの倍数で表される．例えば，軽作業3—5 MET，重労働9 MET以上).

nitrogen e. 窒素当量（蛋白の窒素含量で，尿中に排出される窒素から体内の蛋白分解を計算するのに用いられる．1 gの窒素は6.25 gの分解蛋白に等しい).

starch e. デンプン当量（一定重量のデンプンの燃焼に消費する酸素量と比較した等重量の脂肪の燃焼に消費する酸素量．デンプンによる消費を1とすると約2.38).

toxic e. 毒素当量（動物を殺すのに必要な，体重1 kg当たりの毒素量).

ER endoplasmic *reticulum*; estrogen *receptor*; emergency room (救急室)の略.

Er エルビウムの元素記号.

e・rad・i・ca・tion (e-rad′i-kā′shŭn). 根絶（疾病に関して，サーベイランスと封じ込めによって病原体を絶滅させ，すべての感染の伝播を終結させること．天然痘は世界的に根絶され，地域的にはマラリア，一部の地域では麻疹が根絶された）．

E·ran·ko (ĕ-ran′kō), Eino．フィンランド人解剖学者，1924—1984．→E. fluorescence *stain*.

Erb (erb), Wilhelm H．ドイツ人神経科医，1840—1921．→E. *disease, palsy, paralysis*; E.-Charcot *disease*; Duchenne-E. *paralysis*.

ERBF effective renal blood *flow* の略．

er·bi·um (Er) (er′bē-ŭm) [＜Ytterby, スウェーデンの村]．エルビウム（希土類元素．原子番号 68，原子量 167.26）．

er·cal·cid·i·ol (er′kal-sid′ē-ol)．エルカルシジオール．＝25-hydroxyergocalciferol.

er·cal·ci·ol (er-kal′sē-ol)．エルカルシオール．＝ergocalciferol.

er·cal·cit·ri·ol (er′kal-sit′rē-ol)．エルカルシトリオール．＝1,25-dihydroxyergocalciferol.

ERCP endoscopic retrograde *cholangiopancreatography* の略．

Erd·heim (erd′hīm), Jakob．オーストリア人医師，1874—1937．→E. *disease, tumor*.

Erd·mann (erd′mahn), Hugo．ドイツ人化学者，1862—1910．→E. *reagent*.

e·rec·tile (ē-rek′tīl)．勃起性の，拡張性の，直立性の．

e·rec·tion (ē-rek′shŭn) [L. *erectio* ＜ *erigo*, pp. *erectus*, to set up]．勃起（勃起性組織が血液で満たされた状態，その後硬くなり曲がらなくなる．特に陰茎の状態についていう）．

e·rec·tor (ē-rek′tŏr) [Mod.L.]．＝arrector. ***1***〘n.〙上げるまたは直立させる人や物．***2***〘adj.〙起立筋の（特に上げるまたは直立させる作用をもつ筋肉についていう）．

er·e·mo·pho·bi·a (er′ē-mō-fō′bē-ă) [G. *erēmia*, solitude + *phobos*, fear]．孤独恐怖〔症〕（寂しい場所や孤独を病的に恐れること）．

erethism (er′ē-thizm) [G. *erethismos*, irritation ＜ *erethizō*]．〔水銀〕過敏症（水銀の慢性中毒の精神神経学的症状で，興奮性，感情不安定性，うつ，および倦怠感によって特徴づけられる）．

er·eu·tho·pho·bi·a (er′ū-thō-fō′bē-ă) [G. *ereuthos*, blushing + *phobos*, fear]．赤面恐怖〔症〕（赤面することへの病的な恐れ）．

ERG electroretinogram の略．

erg (erg) [G. *ergon*, work]．エルグ（CGS 単位系における仕事の単位．1 ダインの力が 1 cm にわたって働いたときに行う仕事量，すなわち 1 g·cm²/sec² に等しく，また 1 エルグは 10^{-7} ジュール国際単位系(SI)に等しい）．

er·ga·si·a (er-gā′zē-ă) [G. work]．正働〔状態〕（① 活動，特に精神的活動の状態についていう．②個体の機能および反応の全体をいう）．

er·ga·si·o·pho·bi·a (er-gas′ē-ō-fō′bē-ă) [G. *ergasia*, work + *phobos*, fear]．作業恐怖〔症〕（仕事すべてに対する嫌忌）．

er·gas·to·plasm (er-gas′tō-plazm) [G. *ergastēr*, a workman + *plasma*, something formed]．基底系，エルガストプラスマ．＝granular endoplasmic *reticulum*.

ERGIC endoplasmic reticulum Golgi intermediate *compartment* の略．

erg·ine (erg′ēn)．エルギン．＝*lysergic acid* amide.

ergo- (er′gō) [G. *ergon*]．仕事に関する連結形．

er·go·ba·sine (er′gō-bā′sēn)．エルゴバシン．＝ergonovine.

er·go·cal·cif·er·ol (er′gō-kal-sif′ĕr-ol)．エルゴカルシフェロール（ビタミンDの製造原料である(紫外線)照射化エルゴステロール．エルゴステロールに紫外線照射することによって生じる．第 9,10 結合の位置で開裂し，C-10 と C-19 の間が二重結合になっている．ビタミンD欠乏の予防と治療に用いる）．＝calciferol; ercalciol; viosterol; vitamin D_2.

er·go·dy·nam·o·graph (er′gō-dī-nam′ō-graf) [ergo- + G. *dynamis*, force + *graphō*, to write]．筋力描記装置（筋肉の力の度合いと筋肉の収縮によってなされた仕事の量を記録する装置）．

er·go·es·the·si·o·graph (er′gō-es-thē′zē-ō-graf) [ergo- + G. *aisthēsis*, sensation + *graphō*, to record]．筋覚描記装置（変化する抵抗を平衡させる能力にみられるような筋肉の適性を図に記録する器械）．

er·go·gen·ic (er′gō-jen′ik)．仕事量増加の．

er·go·graph (er′gō-graf) [ergo- + G. *graphō*, to write]．エルゴグラフ，作業記録器（筋肉の収縮によってなされた仕事量または収縮の振幅を記録する装置）．

　Mosso e. (mos′ō)．モッソ作業記録器（滑車，おもり，記録レバーからなる装置．指，手，または腕の屈曲を図に記録するために用いる）．

er·go·graph·ic (er′gō-graf′ik)．作業記録の，仕事記録の（作業記録器およびそれにより記録された記録図についていう）．

er·go·lines (er′gō-linz)．エルゴリン類（ドパミン受容体に作用して著明な興奮あるいは拮抗作用を示す薬物群．ブロモクリプチン，ペルゴリド，およびリスリドなどの薬物がある）．

er·gom·e·ter (er-gom′ĕ-tĕr) [ergo- + G. *metron*, measure]．エルゴメータ．＝dynamometer.

er·go·met·rine (er′gō-met′rēn)．エルゴメトリン．＝ergonovine.

　e. maleate マレイン酸エルゴメトリン．＝*ergonovine* maleate.

er·go·nom·ics (er′gō-nom′iks) [ergo- + G. *nomos*, law]．人間工学（機械の設計や操作，および物理的環境におけるヒトという因子に関連のある生態学の一部門）．

er·go·no·vine (er′gō-nō′vēn)．エルゴノビン（麦角アルカロイド．加水分解によりD-リセルグ酸およびL-2-アミノプロパノールを生じる．子宮収縮を促進させる）．＝ergobasine; ergometrine; ergostetrine.

　e. maleate マレイン酸エルゴノビン（強力な分娩促進薬．他の麦角アルカロイドに比べて分娩促進作用が著しく，他の作用(例えば，血管収縮，中枢神経刺激，アドレナリン遮断)が劣る．経口的，非経口的に有効である）．＝ergometrine maleate.

er·gos·ter·in (er′gos′tĕr-in)．エルゴステリン．＝ergosterol.

er·gos·ter·ol (er-gos′tĕr-ol)．エルゴステロール（プロビタミン D_2 中で最も重要である．紫外線照射によってルミステロール，タキステロール，およびエルゴカルシフェロールに変化する．酵母，麦角，カビ(糸状菌)中の主ステロール）．＝ergosterin.

er·go·stet·rine (er′gō-stet′rēn)．エルゴステトリン．＝ergonovine.

er·got (er′got) [O. Fr. *argot*, cock's spur]．麦角（寄生性子嚢菌類の真菌である麦角菌 *Claviceps purpurea* の抵抗性を有する越冬状態のもので，ライ麦の種子を真菌偽組織(保続菌体)の緻密な針様の塊に変形させる病原となり，アルカロイドの 5 以上の光学異性体を含む．左旋性の異性体は子宮収縮，血流の調節，ある種の局所性血管障害(片頭痛)の軽減を起こす．→ergotism）．＝rye smut.

　corn e. トウモロコシ真菌毒．＝*Ustilago maydis*.

er·got·a·mine (er-got′ă-mēn)．エルゴタミン（片頭痛の治療に用いる麦角アルカロイド．強力な平滑筋刺激薬で，特に血管，子宮において有効．アドレナリン遮断(主に α 受容体において)を起こす．エルゴタミンに水素を添加したジヒドロエルゴタミンは毒性が弱く，副作用も少ない．酒石酸エルゴタミンとしても用いられる）．

er·go·thi·o·ne·ine (er′gō-thī′ō-nē′in)．エルゴチオネイン（硫黄を含んだヒスチジン誘導体ベタイン．血液，哺乳類の組織，麦角中に存在する）．＝thiolhistidylbetaine; thioneine.

er·got·ism (er′got-izm)．麦角中毒（ライ麦に生育する麦角菌 *Claviceps purpurea* の保続菌体に含まれる毒性物質による中毒．末梢血管床の収縮による四肢の壊死(壊疽)が特徴である．→ergot *poisoning*）．＝Saint Anthony fire (1).

er·go·tox·ine (er′gō-tok′sēn, -sin)．エルゴトキシン（麦角から得られたアルカロイドであるエルゴクリスチン，エルゴコルニン，エルゴクリプチンの 1:1:1 の混合物．他の天然および半合成麦角アルカロイドより毒性が強い．これは強力な平滑筋刺激薬で特に血管，子宮において有効であり，アドレナリン遮断(主に α 受容体において)を起こす）．＝ecboline.

er·go·tro·pic (er′gō-trop′ik) [ergo- + G. *tropos*, a turning]．仕事向性の（W.R. Hess により提唱された語で，エネルギーを消費する生体の能力を高める神経系の機構およびその機能の状態を意味する．休息とエネルギー貯蔵の再構成を促進する栄養向性機構と区別される．一般的に，仕事向性，栄養向性神経機構の間の釣合いはおよそ，自律神経系の細別である交感・副交感神経の間の釣合いに相応する）．

er·i·o·dic·ty·on (er′ē-ō-dik′tē-on). エリオジクチオン（ハゼリソウ科 *Eriodictyon californicum* の乾燥葉．その抽出液およびシロップは去痰薬として，また苦味物質の矯味剤として用いられてきた）．=mountain balm; yerba santa.

e·ris·o·phake (e-ris′ō-fāk) [G. *erysis*, a drawing + *phakos*, lentil]. エリシフェーク（白内障の水晶体摘出の際，吸引によって水晶体を保持する器械．現在ではほとんど用いられない）．

Er·len·mey·er (er′lĕn-mī-ĕr), Emil. ドイツ人化学者，1825—1909. → E. *flask*, flask *deformity*.

e·rode (ē-rōd′) [L. *erodo*, to gnaw away]. ***1*** 腐食する，侵食する．***2*** 潰瘍形成により除去する．

e·rog·e·nous (ĕ-roj′ĕ-nŭs) [G. *eros*, love + *genos*, birth]. 性欲刺激〔性〕の，色情〔性〕の（[aerogenous と混同しないこと]．刺激されると性的興奮を起こしうる）．

e·ros (ē′ros, ār′os) [G. love]. エロス，生の本能（精神分析において，生殖，生命に向かう本能を表す生命原理．instinct の項参照．*cf.* thanatos）．

e·rose (ē-rōs′) [L. *erodo*, pp. *erosus*, to gnaw away]. かみ切ったような，不斉歯状縁のある，凹凸のある（かみ切ったように不規則に刻まれた，またはギザギザのある縁を表す．特に，培地上の細菌集落の形状について表現する場合に用いる）．

e·ro·sion (ē-rō′zhŭn) [L. *erosio* < *erodo*, to gnaw away]. ***1*** 侵食（摩擦や圧力によってすり減ること，またはすり減った状態．*cf.* corrosion）．***2*** びらん（浅い潰瘍．胃と腸では，粘膜に限局され粘膜筋板に達していない潰瘍をさす）．***3*** 酸蝕〔症〕（化学的に誘発された歯の欠損で主に酸による溶解をさす．原因が特定できない場合には，特発性酸蝕〔症〕とよばれる）．=odontolysis.

Dieulafoy e. (dyū-lah-fwah′). デュラフォワ(デュラフォイ)びらん（肺炎を合併する潰瘍性胃腸炎．副腎のステロイドホルモンの生産過剰により起こると考えられる）．

recurrent corneal e. 再発性角膜びらん（角膜上皮の剝脱に続いてみられる反復性の小胞形成）．

e·ro·sive (ē-rō′siv). ***1***〘adj.〙びらん性の（腐食または摩滅する特性をもつ）．***2***〘n.〙腐食剤．

e·rot·ic (ĕ-rot′ik) [G. *erōtikos*, relating to love < *erōs*, love]. 色情的な，性欲の，好色の，性的衝動性の．

er·o·tism, e·rot·i·cism (er′ō-tizm, ĕ-rot′i-sizm). 好色症，色情挑発，性欲（性的興奮状態）．

anal e. 肛門愛（排便や肛門に関連する活動を中心とした快感としての経験．特に肛門愛期にある 1—3 歳の小児に現れる）．

er·o·ti·za·tion (er′ō-ti-zā′shŭn). 色情化（物や行為が性的興奮を引き起こす過程）．=libidinization.

er·o·to·gen·e·sis (er′ō-tō-jen′ĕ-sis) [G. *erōs*, love + *genesis*, origin]. 性欲発生，情欲挑発．

er·o·to·gen·ic (er′ō-tō-jen′ik) [G. *erōs*, love + *-gen*, production]. 性欲発生の，情欲挑発の（性的興奮を起こしたり，喚起させたりする能力のある）．

er·o·to·ma·ni·a (er′ō-tō-mā′nē-ă) [G. *erōs*, love + *mania*, frenzy]. ***1*** 色情狂（色情的な考えや行為に対して過度にまたは病的なまでに取りつかれること）．***2*** 自分が別の，一般的に到達しえない身分の血縁関係に属しているという妄想的な確信．

er·o·to·path·ic (er′ō-tō-path′ik). 性倒錯の，変態性欲の．

er·o·top·a·thy (er′ō-top′ă-thē) [G. *erōs*, love + *pathos*, suffering]. 性倒錯，変態性欲（性衝動の異常）．

er·o·to·pho·bi·a (er′ō-tō-fō′bē-ă) [G. *erōs*, love + *phobos*, fear]. 色情恐怖〔症〕（性愛の概念やその肉体的表現に対する病的な嫌忌）．

ERP early receptor *potential* の略．

ERPF effective renal plasma *flow* の略．

er·rat·ic (ĕ-rat′ik) [L. *erro*, pp. *erratus*, to wander]. ***1*** 偏心の．=eccentric (1). ***2*** 迷走性の，随伴性の（強さ，頻度，部位が変わる症状についていう）．

er·ror (er′ōr). 誤差，過誤（①構造あるいは機能の欠陥．②生物統計学においては，ⓘ仮説検定あるいは判別問題における決定の誤り，ⓘⓘランダムなバラツキあるいは観測誤りなどのために生じる真の値と実測値との差．ⓘの意味では〝過誤〟が，ⓘⓘの意味では〝誤差〟が訳語として用いられる．③不当あるいは誤りと考えられるもの．生物医学，他の科学においては多くの種類の誤差が存在する．例えば，バイアス，不正確な測定，欠陥機器による誤りなどである）．

alpha e. アルファ過誤．=e. of the first kind.

beta e. ベータ過誤．=e. of the second kind.

experimental e. 実験誤差（実験的観察の実施に起因する測定誤差の全体．通常，反復実験の標準偏差として表現され，サンプリングの手続き，測定，モデル選択の誤り，観察者バイアス(observer bias)などの要素を含んでいる）．

e. of the first kind 第一種の過誤（Neyman-Pearson 流の統計的仮説検定において，帰無仮説が真であるのにそれを棄却してしまう確率）．=alpha e.; type I e.

interobserver e. 観測者間誤差（2 人以上が同じ現象を観測したときに生じる解釈上の誤差）．

intraobserver e. 観測者内誤差（1 人が，同じ現象を時を異にして観測した場合に生じる解釈上の誤差）．

residual e. 残差（実際の測定値と，データに対しあてはめられたモデルに基づく推定値との間の差）．

e. of the second kind 第二種の過誤（Neyman-Pearson 流の統計的仮説検定において，帰無仮説が偽であるのに，受容してしまう確率．検出力を 1 から引いた値）．=beta e.; type II e.

technical e. 実験誤差の一部で，実験の処理によって起こり，原則として同一標本から反復してある部分を取り出し測定することによって推定される．

type I e. 第一種の過誤．=e. of the first kind.

type II e. 第二種の過誤．=e. of the second kind.

ERT estrogen replacement *therapy* の略．

er·ta·cal·ci·ol (er′tă-kal′sē-ol). エルタカルシオール（→tachysterol）．

er·u·bes·cence (er′ū-bes′ens) [L. *erubescere*, to redden]. 潮紅（皮膚が赤くなること）．

e·ru·cic ac·id (ĕ-rū′sik as′id). エルカ酸（C-22 が不飽和の脂肪酸．ノウゼンハレン(Indian cress)およびアブラナ科 *Cruciferae* のいくつかの種(セイヨウアブラナ，カラシナ，ニオイアラセイトウ)の種子中に見出される．心筋に対して毒性をもつと考えられる）．

e·ruc·ta·tion (ē-rŭk-tā′shŭn) [L. *eructo*, pp. *-atus*, to belch]. おくび（口からガスまたは少量の酸性液を出すこと）．=belching; ructus.

e·rup·tion (ē-rŭp′shŭn) [L. *e-rumpo*, pp. *-ruptus*, to break out]. ***1*** 出現（特に皮膚に病巣が現れること）．***2*** 発疹，皮疹（急速に広がる皮膚または粘膜の皮膚病，ある種の皮疹の局所症状として現れるときに使われる．発疹は，斑，丘疹，小水疱，膿疱，水疱，小結節，紅斑などのようにその病巣の性質により特徴付けられる）．***3*** 萌出，出ぎん（歯が歯槽突起を通過して歯肉を穿孔すること）．

accelerated e. 萌出促進（歯の萌出の平均型と比較して年代的に早いもの．最初の歯が平均より早い年齢で生えることと，続いて歯が生える時間的間隔が平均より短いことが特徴である）．

butterfly e. 蝶形疹．=butterfly (2).

clinical e. 臨床的萌出（臨床的に観察しうる歯冠の発育）．

continuous e. 持続的萌出（口腔中に歯が萌出し，垂直方向にのび続けること）．

creeping e. いん線発疹．=cutaneous *larva migrans*.

delayed e. 萌出遅延（歯の萌出の平均型と比較して年代的に遅い歯の萌出型．最初の歯の萌出年齢が平均より遅く，続く歯の萌出する時間的間隔が平均より長いという特徴がある）．

drug e. 薬疹（薬剤の摂取，注射，吸入によって起こるあらゆる発疹．アレルギー性感作によることが最も多い．皮膚表面に用いられた薬剤に対する反応は一般に薬疹とはよばないで接触皮膚炎とされる）．=dermatitis medicamentosa; dermatosis medicamentosa; medicinal e.

feigned e. =*dermatitis* artefacta.

fixed drug e. 固定薬疹（ある特殊な薬剤を投与すると同じ場所に繰り返して起こる型の薬疹．その病巣は通例，激しい紅斑，紫がかって境界の明瞭な斑点，ときには疱疹性の小疱からなる．患部は次第に退縮するが，原因の薬剤を再び投与すると発赤拡張，拡大を招く．そして，色素沈着をきたすことがある).

iodine e. ヨード疹（ヨードまたはヨウ化物の全身投与に対する反応によって起こる痤瘡様または小胞性発疹または肉芽腫病巣).

Kaposi varicelliform e. (kă-pō′zē). カポージ水痘様発疹症（アトピー性皮膚炎に伴って発症する単純ヘルペスまたは種痘ウイルスによる合併症の一種で，現在ではまれである．播種性水疱，丘疹性水疱，および高熱を伴う).

maculopapular e. 斑状丘疹状発疹（斑と丘疹の両方からなる発疹のこと(例えば薬疹)).

medicinal e. ＝drug e.

passive e. 受動的萌出（歯の見かけ上の持続的萌出．実際には歯肉と歯槽骨頂の根尖方向への移動の結果である).

polymorphous light e. 多形光線(日光)疹（発疹はそう痒を伴うごく普通の丘疹性皮疹で，短波長の紫外線(UVB)に照射された皮膚に数時間以内に出現し数日間持続する．組織では表皮下の浮腫と血管周囲に密なリンパ球浸潤がみられる).

seabather's e. 海水浴発疹（刺胞動物門(ヒドロ虫綱(サンゴ，カツオノエボシ)，鉢虫綱(クラゲ)，花虫綱(イソギンチャク))の毒に対する過敏性で生じると考えられるそう痒性の発疹).

e. sequestrum 歯牙萌出性腐骨（萌出中の永久臼歯の咬合面中央小窩上にみられる針状の骨).

serum e. 血清疹（血清病にみられるじんま疹).

surgical e. 外科的萌出（未萌歯を口腔内へさらに萌出させるため，外科的に歯の上にある軟組織，骨，ときには歯を除去すること).

e·rup·tive (ē-rŭp′tiv). 発疹性の.

ERV expiratory reserve *volume* の略.

er·y·sip·e·las (er′i-sip′ĕ-lăs) [G. < *erythros*, red + *pella*, skin]. 丹毒（[syphilis と混同しないこと]. β溶血性連鎖球菌によって起こる急性の特異的浅在性皮膚脂肪織炎．局所熱感，発赤，浮腫，緊張性，境界明瞭発疹を特徴とする．通例，重篤な全身的病状を伴う).

ambulant e. 遊走性丹毒.＝e. migrans.

e. internum 内部丹毒（産褥期に丹毒様の発疹が腟，子宮，腹膜に生じるもの).

e. migrans 遊走性丹毒（広範囲に拡大し，顔面全体あるいは体幹に及んだもの).＝ambulant e.; wandering e.

e. perstans faciei 顔面固定丹毒，顔面持続丹毒（顔面の丹毒による慢性の赤黒い発疹).

phlegmonous e. 蜂巣炎性丹毒（深部膿瘍形成を伴う皮下組織への浸潤が顕著な一型).

e. pustulosum 膿疱性丹毒（丹毒部位上に膿疱ができること).

surgical e. 外科性丹毒（外科的処置後の創傷感染に原因する).

swine e. 豚丹毒（ブタの破壊性疾病．慢性と急性の２つがあり，豚丹毒菌 *Erysipelothrix rhusiopathiae* に起因する).

wandering e. 遊走性丹毒.＝e. migrans.

er·y·sip·e·loid (er′i-sip′ĕ-loyd) [G. *erysipelas* + *eidos*, resemblance]. 類丹毒（豚丹毒菌 *Erysipelothrix rhusiopathiae* によって手に起こる特異的な，通常は一定の経過をとって治癒する蜂巣炎．魚や肉を扱っている際にできた傷口付近に，ダイヤモンド状の形をした赤黒い紅斑として始まるが，全身に拡大して紅斑および水疱よりなる局面を生じることもあり，また重篤な毒血症に至ることもある).＝blubber finger; crab hand; pseudoerysipelas; seal fingers; whale fingers.

Er·y·sip·e·lo·thrix (er′i-sip′ĕ-lō-thriks′, -si-pel′ō-thriks) [erysipelas + G. *thrix*, hair]. エリジペロスリックス属 (Corynebacteriaceae 科の一属．非運動性，グラム陽性の杆状の細菌で，長いフィラメントを形成する傾向がある．菌が古くなるとグラム陰性になる．ブドウ糖から酸は産生するが，ガスは発生しない．分類上は嫌気性でカタラーゼ陰性菌である．哺乳類，鳥類，魚類に感染し，標準種は *E. rhusiopathiae*).

E. insidiosa ＝*E. rhusiopathiae*.

E. rhusiopathiae 豚丹毒菌（豚丹毒，ヒト丹毒，子ヒツジの非化膿性多発性関節炎，ネズミ敗血症を起こす種．魚を扱う人によく感染する．*Erysipelothrix* の標準種).＝*E. insidiosa*.

er·y·sip·e·lo·tox·in (er-i-sip′ĕ-lō-tok′sin). 丹毒素（化膿連鎖球菌 *Streptococcus pyogenes*(溶血性連鎖球菌Ａ群)の型が産生する毒素．細菌性丹毒の病因).

er·y·the·ma (er′i-thē′mă) [G. *erythēma*, flush]. 紅斑（毛細血管の拡張による赤みで，通常は炎症や感染症などの病的な状態を意味する．*cf.*telangiectasia).

e. ab igne 熱性紅斑（網状色素性斑状発疹．むこうずねに好発し，パン屋，火夫，その他放射熱を受ける人にみられる).＝dermatitis calorica; e. caloricum; toasted shins.

acrodynic e. 先端疼痛性紅斑.＝acrodynia (2).

e. annulare 血管神経性環状紅斑（円形または環状の病変).

e. annulare centrifugum 遠心性環状紅斑（慢性拡大性の再発性紅斑．大小の環状病変からなり，辺縁はわずかに鱗屑を付着し，中心治癒傾向を示す．通常，原因不明である).＝e. figuratum perstans.

e. annulare rheumaticum リウマチ性環状紅斑（リウマチ熱に伴う多形性紅斑の異型).

e. arthriticum epidemicum 流行性関節炎症性紅斑.＝Haverhill *fever*.

e. caloricum 熱〔性〕紅斑＝e. ab igne.

e. chronicum migrans (ECM) 慢性遊走性紅斑（隆起した環状の紅斑で，硬結を伴う辺縁部は中心治癒を示しながらダニ刺部から周辺へ放射状に拡大し，２—16 週間持続する．スピロヘータ *Borrelia burgdorferi* によるライム病にみられる特徴的な皮膚病変で，皮膚組織からの PCR により病原体が検出できる).

e. circinatum〔連〕環状紅斑（病変が多少とも環状の形に集まっている多形性紅斑).

cold e. 寒冷紅斑（寒冷にさらされることにより生じ，発赤とそう痒を特徴とする皮疹).

e. dyschromicum perstans 色素異常性固定性紅斑（四肢近位側，体幹にみられ，癒合しやすく，やや隆起した斑状病変で，灰色または赤色で種々の大きさを呈する．原因不明で，色黒のラテンアメリカ人に一般に生じる).＝ashy dermatosis.

e. elevatum diutinum 持久性隆起性紅斑（ピンクまたは紫色の扁平小結節からなる発疹が，慢性，対側性に生じるまれな疾患．殿部，アキレス腱部，および手首・肘・膝の伸側に局面として現れ，線維化し，末期には瘢痕化する．初期の病変としては，血管壁に線維素様の沈着や脂質の沈着が生じ，壊死性血管炎がみられる).

e. exfoliativa 剝脱性紅斑.＝*keratolysis* exfoliativa.

e. figuratum perstans 固定性地図状紅斑.＝e. annulare centrifugum.

e. gyratum 旋回性紅斑（種々の環が互いに重なり合っている環状紅斑).

e. induratum 硬結性紅斑（再発性の硬い皮下結節で，しばしば自潰して壊死性潰瘍を形成する．通常，中年女性のふくらはぎに生じるが，ときに大腿や腕にもみられる．これらの病変は寒い季節には紅紫藍症性の色調変化を伴う．組織学的には肉芽腫性かつ壊死性であるが，局所は無菌性である．しかし，ツベルクリン反応は通常は陽性であり，PCR 法によりヒト結核菌群 *Mycobacterium tuberculosis* 複合体 DNA がしばしば検出される).＝Bazin disease; nodular tuberculid.

e. infectiosum 伝染性紅斑（紅斑性斑点状丘疹性発疹を特徴とする小児における軽い伝染性紅斑性の疾病で，それが四肢のレース状発疹または顔面の〝平手打ちされた頰〟の状態を呈する．パルボウイルスＢ19の感染で起こり，発熱と関節炎を併発することもある).＝fifth disease.

e. intertrigo 間擦性紅斑（→intertrigo).

e. keratodes 角化性紅斑（紅斑性の縁をもった角皮症).

macular e. 斑状紅斑.＝roseola.

e. marginatum 有縁性紅斑，輪郭状紅斑，辺縁紅斑（リウマチ熱にみられる多形性紅斑の異型．遊走性紅斑(地図状舌)を思わせる形態をとることもある).

e. multiforme 多形〔性〕紅斑（斑，丘疹，表皮下の小水疱など多形性を呈する急性の発疹．原因として薬剤過敏症を含むアレルギー性のものや単純ヘルペス感染により引き起こされるものがある．手および前腕の背面に生じる標的状または虹彩状病変が特徴であり，発疹は通常は自然治癒するが(多形紅斑軽症型)，再発性のことがあり，また重篤な経過を経て致命的(例えば，多形紅斑重症型または Stevens-Johnson 症候群)となることもある).

e. multiforme bullosum 多形水疱性紅斑. ＝Stevens-Johnson *syndrome*.

e. multiforme exudativum 多形滲出性紅斑. ＝Stevens-Johnson *syndrome*.

e. multiforme major [広く用いられている本語句は，文法的不一致を含んでいる．正しい用語は erythema multiforme majus である]. ＝Stevens-Johnson *syndrome*.

necrolytic migratory e. 壊死融解性移動性紅斑（紅斑と落屑，ときに水疱びらんをきたす皮膚炎で，不規則な局面の形で主に体幹下半部，殿部，会陰，大腿に生じる．体重減少，貧血，口内炎を合併し，膵臓の Langerhans 島細胞腫瘍(グルカゴン産生腫瘍)のために血中グルカゴンが高値を示す．→glucagonoma *syndrome*).

e. neonatorum 新生児中毒性紅斑. ＝e. toxicum.

e. nodosum 結節性紅斑（下肢伸側面の突然の疼痛性結節形成が顕著な脂肪織炎で，病変は一定の経過をとって治癒するが，再発しやすい．関節痛と発熱を伴う．また，薬剤過敏により生じたり，サルコイドーシスや種々の感染症に伴って生じることもある．深部までの生検組織はリンパ球細胞浸潤と散在性多核巨細胞を伴う中隔性脂肪織炎を示す). ＝nodal fever.

e. nodosum leprosum らい性結節性紅斑（全身症状を伴い，顔面，大腿，上肢に真皮深層と皮下組織の圧痛のある腫瘤を認める急性のらい反応の1つで，未診断，未治療，あるいは見過ごされているらい患者に発生するのが普通である．病変内には免疫複合体と，ごくわずかならい菌の断片がみられることがある).

e. nodosum migrans 遊走性結節性紅斑. ＝subacute migratory *panniculitis*.

e. nuchae 項部紅斑. ＝Unna *nevus*.

e. palmare hereditarium [MIM*133000]. 遺伝性手掌紅斑（遺伝性の疾患で，妊娠を機に発症することがあり，無徴候性対称性手掌紅斑を特徴とする．常染色体優性遺伝). ＝Lane disease.

e. papulatum 丘疹性紅斑（多形性紅斑の丘疹型).

e. paratrimma 褥瘡性紅斑（圧力が加わる部位のうっ滞によって生じる紅斑).

e. pernio 凍傷性紅斑. ＝chilblain.

e. perstans 固定紅斑（多形性紅斑の慢性型と思われる．持続的に再発するので発疹がほとんど恒久化する).

scarlatiniform e., e. scarlatinoides 猩紅熱様紅斑（軽度の全身性徴候を伴い，後に落屑をきたす紅斑性斑点状発疹).

e. simplex 単純性紅斑（中毒反応または神経脈管現象による皮膚の紅潮化).

e. solare 日光紅斑. ＝sunburn.

symptomatic e. 症候性紅斑（全身性疾患，発熱，およびアレルギー状態に伴った種々の紅斑に用いる一般用語).

e. toxicum 中毒性紅斑（新生児に生じる原因不明の発疹で，無害かつ自然消退する．発疹はピンク調の丘疹，小水疱，膿疱からなり体幹，顔面，四肢に生じる). ＝e. neonatorum; e. toxicum neonatorum.

e. toxicum neonatorum 新生児中毒性紅斑. ＝e. toxicum.

e. tuberculatum 結節性紅斑（大きな丘疹ができる多形性紅斑).

er·y·them·a·tous (er′i-them′ă-tŭs, -thē′mă-tŭs). 紅斑性の.

er·y·ther·mal·gi·a (er′i-ther-mal′jē-ă). 肢端紅痛症. ＝erythromelalgia.

erythr- →erythro-.

er·y·thral·gia (er-i-thral′jē-ă) [erythro- ＋ G. *algos*, pain]. 皮膚紅痛症（疼痛を伴う皮膚の発赤. →erythromelalgia).

er·y·thras·ma (er-i-thraz′mă) [G. *erythrainō*, to redden]. 紅色陰癬（*Corynebacterium minutissimum* の角層内感染に由来する．境界明瞭で紅褐色斑状の発疹で，特に腋窩や鼡径部にできる).

e·ryth·re·de·ma (ĕ-rith′rĕ-dē′mă) [erythro- ＋ G. *oidēma*, swelling]. 紅色水腫〔症〕([erythroderma と混同しないこと]). ＝acrodynia (2).

er·y·thre·mi·a (er′i-thrē′mē-ă) [erythro- ＋ G. *haima*, blood]. 赤血病，エリトレミー. ＝*polycythemia* vera.

altitude e. ＝chronic mountain *sickness*.

er·y·thris·tic (er′i-thris′tik). 赤髪症の. ＝rufous.

e·ryth·rite (ĕ-rith′rīt). エリトリット. ＝erythritol.

e·ryth·ri·tol (ĕ-rith′ri-tol). エリトリトール（エリトロースの還元によって得られる四炭糖アルコール．ショ糖の2倍の甘味をもつことで知られている．地衣類，藻類，カビ類にみられる). ＝erythrite; erythrol.

erythro-, erythr- (ĕ-rith′rō) [G. *erythros*, red]. ***1*** 赤または発赤を表す接頭語. ***2*** 多糖類で，erythrose の構造を示す. 2-deoxy-D-*erythro*-pentose のようにイタリック体で用いる.

e·ryth·ro·blast (ĕ-rith′rō-blast) [erythro- ＋ G. *blastos*, germ]. 赤芽球（ヒトの核を有する赤血球のすべての型を示す用語で，病的赤芽球(巨赤芽球)と正常な赤芽球(正赤芽球)がある．病的な赤芽球，つまり巨赤芽球は悪性貧血の増悪期にみられる．巨赤芽球 megaloblast という語は，形態学的に区別できる赤血球細胞の第1代細胞を表すのにも用いられるため，正常細胞と異常細胞の両方を表す．正赤芽球系の成熟過程に4段階が知られている．ⓘ前正赤芽球 proerythroblast，ⓘⓘ好塩基性正赤芽球 basophilic erythroblast，ⓘⓘⓘ多染性正赤芽球 polychromatic erythroblast，ⓘⓥ正染性正赤芽球 orthochromatic erythroblast．巨赤芽球系の成熟過程にも，正赤芽球系と同様の段階がみられる．すなわち，ⓘ前巨赤芽球，ⓘⓘ好塩基性巨赤芽球，ⓘⓘⓘ多染性巨赤芽球，ⓘⓥ正染性巨赤芽球．正常の成熟過程では脱核後，網赤血球 reticulocyte とよばれ，これらの細胞はブリリアントクレシルブルーのような超生体染色法によって認められる．最終的に網赤血球は成熟した赤血球になる). ＝erythrocytoblast.

e·ryth·ro·blas·te·mi·a (ĕ-rith′rō-blas-tē′mē-ă) [erythroblast ＋ G. *haima*, blood]. 赤芽球血病（末梢血液中に有核の赤血球がみられること).

e·ryth·ro·blas·to·pe·ni·a (ĕ-rith′rō-blas′tō-pē′nē-ă) [erythroblast ＋ G. *penia*, poverty]. 赤芽球減少〔症〕(再生不良性貧血にみられる原発性の骨髄における赤芽球の減少).

transient e. of childhood 小児の一過性赤芽球減少症（原因不明であるが，一過性の正球性・正色素性貧血で，生後6か月—3歳の間に起こる．ウイルス感染の後に起きやすく，1—2か月で軽快する).

e·ryth·ro·blas·to·sis (ĕ-rith′rō-blas-tō′sis) [erythroblast ＋ *-osis*, condition]. 赤芽球症（血液中にかなり多量の赤芽球が存在すること).

fetal e. 胎児赤芽球症. ＝e. fetalis.

e. fetalis 胎児赤芽球症（重篤な溶血性貧血で，多くの場合 Rh 陽性の胎児血液中の Rh 因子に対する Rh 陰性の母体中の抗 Rh 抗体の産生によって起こる．全身循環中の多くの赤芽球を特徴とし，しばしば全身性浮腫(すなわち胎児水症)や肝・脾臓の肥大を特徴とする．ときには Rh 以外の抗原に対する抗体によっても引き起こされる). ＝congenital anemia; fetal e.; hemolytic anemia of newborn; hemolytic disease of newborn; neonatal anemia; Rh antigen incompatibility.

e·ryth·ro·blas·tot·ic (ĕ-rith′rō-blas-tot′ik). 赤芽球症の（特に胎児赤芽球症についていう).

e·ryth·ro·ca·tal·y·sis (ĕ-rith′rō-kă-tal′i-sis) [erythro- ＋ G. *katalysis*, dissolution]. 赤血球貪食.

e·ryth·ro·chro·mi·a (ĕ-rith′rō-krō′mē-ă) [erythro- ＋ G. *chrōma*, color]. 赤変.

er·y·throc·la·sis (ĕr′i-throk′lă-sis) [erythro- ＋ G. *klasis*, a breaking]. 赤血球崩壊.

e·ryth·ro·clas·tic (ĕ-rith′rō-klas′tik). 赤血球崩壊の.

e·ryth·ro·cu·pre·in (ĕ-rith′rō-kū′prē-in). エリトロクプレイン. ＝cytocuprein.

e·ryth·ro·cy·a·no·sis (ĕ-rith′rō-sī′ă-nō′sis) [erythro- ＋ G. *kyanos*, blue ＋ *-osis*, condition]. 皮膚紅色チアノーゼ〔症〕(特に小児，少女，婦人にみられるもので，四肢を寒さにさらすと膨化してくすんだ赤色になる．凍結するほどでない寒さに直接さらすことにより起こる).

e·ryth·ro·cyte (ĕ-rith′rō-sīt) [erythro- ＋ G. *kytos*, cell]. 赤血球（成熟赤血球．次頁の図参照). ＝red blood cell; red corpuscle.

e·ryth·ro·cy·the·mi·a (ĕ-rith′rō-sī-thē′mē-ă) [erythro- ＋ G. *kytos*, cell ＋ *haima*, blood]. 赤血病，多赤症，赤血球増加症. ＝polycythemia.

e·ryth·ro·cyt·ic (ĕ-rith′rō-sit′ik). 赤血球の.

E

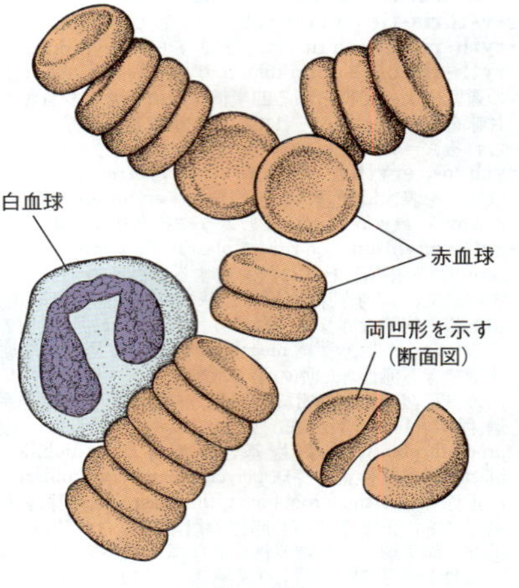

erythrocytes

赤血球はルロー形成をとる(コインの積み重ね様).

e·ryth·ro·cy·to·blast (ĕ-rith′rō-sī′tō-blast) [erythro- + G. *kytos*, cell + *blastos*, germ]. = erythroblast.

e·ryth·ro·cy·tol·y·sin (ĕ-rith′rō-sī-tol′i-sin). 溶血素. = hemolysin (1).

e·ryth·ro·cy·tol·y·sis (ĕ-rith′rō-sī-tol′i-sis) [erythrocyte- + G. *lysis*, loosening]. 溶血. = hemolysis.

e·ryth·ro·cy·tom·e·ter (ĕ-rith′rō-sī-tom′ĕ-tĕr) [erythro-cyte + G. *metron*, measure]. 〔赤〕血球計, 〔赤〕血球計算盤(赤血球を数える器具. Hayden はこの語を赤血球の直径を測定する道具を意味して用いた).

e·ryth·ro·cy·to·pe·ni·a (ĕ-rith′rō-sī′tō-pē′nē-ă). = erythropenia.

e·ryth·ro·cy·to·poi·e·sis (ĕ-rith′rō-sī′tō-poy-ē′sis). = erythropoiesis.

e·ryth·ro·cy·tor·rhex·is (ĕ-rith′rō-sī′tō-rek′sis) [erythro-cyte + G. *rhēxis*, rupture]. 赤血球崩壊（部分的な溶血で, 赤血球から原形質の粒子が脱離するために円鋸歯状になったり, 変形したりする). = erythrorrhexis.

e·ryth·ro·cy·tos·chi·sis (ĕ-rith′rō-sī-tos′ki-sis) [erythro-cyte + G. *schisis*, a splitting]. 赤血球断片化（赤血球が壊れて形態的に血小板に似た小さな粒子になること).

e·ryth·ro·cy·to·sis (ĕ-rith′rō-sī-tō′sis). 赤血球増加〔症〕(特にある知られた刺激に反応して起こる赤血球の増加).

e·ryth·ro·cy·tu·ri·a (ĕ-rith′rō-sī-tū′rē-ă). 赤血球尿〔症〕, 血尿（尿に赤血球がみられること).

e·ryth·ro·de·gen·er·a·tive (ĕ-rith′rō-dē-jen′ĕr-ă-tiv). 赤血球変性の.

e·ryth·ro·der·ma (ĕ-rith′rō-der′mă) [erythro- + G. *derma*, skin]. 紅皮症（[erythredema と混同しないこと]. 血管拡張に由来する著明かつ通常広範な皮膚の発赤に加えて, しばしば落屑の先行または合併をみる状態を示す非特異的な名称). = erythrodermatitis.

bullous congenital ichthyosiform e. 水疱型(性)先天性魚鱗癬様紅皮症（出生時にびまん性の潮紅, びらんがあり, その後鱗屑を生じる. 成長するに従い軽快する傾向がある. 全身の表皮融解性角化症(表皮解離性角質増殖症) generalized epidermolytic hyperkeratosis と常染色体優性遺伝を特徴とする. →epidermolytic *hyperkeratosis*). = generalized epidermolytic hyperkeratosis; ichthyismus hystrix; ichthyosis hystrix.

congenital ichthyosiform e. 先天性魚鱗癬様紅皮症（びまん性慢性紅斑や鱗屑形成を特徴とする遺伝性皮膚症. 水疱形成型と非水疱形成型に分かれる).

e. desquamativum 落屑性紅皮症（新生児にみられる重症の広汎性脂漏性皮膚炎. 表皮剝脱性皮膚炎, 汎白血球減少症そして下痢を伴う. しばしば栄養不良で悪液質の小児にみられる). = Leiner disease.

nonbullous congenital ichthyosiform e. 非水疱型(性)先天性魚鱗癬様紅皮症（出生時, 紅皮症あるいはコロジオン膜がみられ, 通常, 小児期には軽快することはない. 脂質の集積を伴った表皮角化細胞の増殖を特徴とする. 常染色体劣性遺伝).

e. psoriaticum 乾癬性紅皮症（乾癬に類似した広汎性剝脱性皮膚炎).

Sézary e. (sā-zah-rē′). セザール(セザリー)紅皮症. = Sézary *syndrome*.

e·ryth·ro·der·ma·ti·tis (ĕ-rith′rō-der-mă-tī′tis). 紅斑性皮膚炎. = erythroderma.

e·ryth·ro·dex·trin (ĕ-rith′rō-deks′trin). エリスロデキストリン（ヨウ素との呈色反応によって同定された部分的消化型のデキストリン(すなわちターニングレッド)).

e·ryth·ro·don·ti·a (ĕ-rith′rō-don′shē-ă) [erythro- + G. *odous*, tooth]. 赤色歯（ポルフィリン症にときとしてみられる歯の紅色の変色やしみ).

e·ryth·ro·gen·e·sis im·per·fec·ta (ĕ-rith′rō-jen′ĕ-sis im′pĕr-fek′tă). 赤血球生成不全症. = congenital hypoplastic *anemia*.

e·ryth·ro·gen·ic (ĕ-rith′rō-jen′ik) [erythro- + *-gen*, producing]. *1* 発赤の（発疹または赤色感覚を引き起こすような). *2* 赤血球産生の.

e·ryth·ro·go·ni·um, pl. **e·ryth·ro·go·ni·a** (ĕ-rith′rō-gō′nē-ŭm, -nē-ă) [erythro- + G. *gonē*, generation]. 赤芽球母細胞（赤血球の前駆体. ときに赤血球生成組織を一括していう).

er·y·throid (er′i-throyd, ĕ-rith′royd). 赤色の, 紅色の, 赤血球〔系〕の.

er·y·throid·in (er′i-thrōy′din, ĕ-rith′roy-din). エリスロイジン（ニコチン受容体遮断薬で, 三級アミンであるため中枢神経系へも作用する).

e·ryth·ro·ker·a·to·der·mi·a (ĕ-rith′rō-ker-ă-tō-der′-mē-ă) [erythro- + G. *keras*, horn + *derma*, skin + *-ia*, condition] [MIM*133190]. 紅斑角皮症（丘疹, 落屑を伴う紅斑局面が生直後より発生する神経皮膚症候群の 1 つ. 晩年には運動失調, 眼振, 構語障害, 腱伸展障害が現れる. 対側性進行性紅斑角皮症は常染色体優性遺伝し, 掌蹠は侵さない).

e. variabilis [MIM*133200]. 変異性紅斑角皮症（奇異な地図状の角質肥厚局面を特徴とする皮膚疾患. 紅皮症病変に随伴し, 大きさ, 形, 部位が日ごとに著しく変わる. 毛髪, 鼻孔, 歯牙は侵されない. 通常, 生後 1 年以内に発症する. 常染色体優性遺伝または劣性遺伝. 第 1 染色体短腕のギャップジャンクション蛋白ベーター3(*GJB3*)をコードするコネキシン遺伝子の変異により生じる).

e·ryth·ro·ki·net·ics (ĕ-rith′rō-ki-net′iks) [erythro- + G. *kinēsis*, movement]. 赤血球動態学（赤血球の動態を生成から崩壊まで考察すること. 貧血の場合, 赤血球生成と崩壊の均衡を評価するためにこの研究が行われる).

er·y·throl (er′i-throl). = erythritol.

e·ryth·ro·leu·ke·mi·a (ĕ-rith′rō-lū-kē′mē-ă). 赤白血病(赤芽球系と白血球系(骨髄系)に同時に起こる新生物増殖).

e·ryth·ro·leu·ko·sis (ĕ-rith′rō-lū-kō′sis). 赤白血症（白血病と似た病状で, 白血球生成組織に加えて赤血球生成組織も影響を受ける).

er·y·throl·y·sin (er′i-throl′i-sin). = hemolysin (1).

er·y·throl·y·sis (er′i-throl′i-sis). 溶血. = hemolysis.

e·ryth·ro·mel·al·gi·a (ĕ-rith′rō-mel-al′jē-ă) [erythro- + G. *melos*, limb + *algos*, pain]. 先端(肢端)紅痛症, 皮膚紅痛症（①中年に発症するまれな疾患. 一肢または多肢, 通常, 下肢に発生する. 灼熱痛, 発赤, 痛覚過敏, 発汗の痙攣発作を特徴とする. 温熱刺激が引き金になる. 通常, 冷却と挙上により軽快する. ②突発性拍動と皮膚の灼熱痛. 努責または温熱刺激によって頻々誘発され, 手足に発生する. 皮膚温上昇に伴い, 暗紅色斑状発赤部分を併発する. 骨髄増殖性疾患あるいは他の疾患に合併または先立ってみられる). = erythermalgia; Gerhardt-Mitchell disease.

e·ryth·ro·me·li·a (ĕ-rith′rō-mē′lē-ă) [erythro- + G. *melos*, limb]. 紅肢症（びまん性特発性紅斑と萎縮が下肢の皮膚に起こる).

e·ryth·ro·my·cin (ĕ-rith′rō-mī′sin). エリスロマイシン（[誤った発音 ĕ-rith-rō-mī′ă-sin を避けること]．土壌中の *Streptomyces erythraeus* の一株の培養によって得られるマクロライド系抗生物質．ジフテリア菌 *Corynebacterium diphtheriae*，その他 *Corynebacterium*属の数種，溶血性連鎖球菌A群，肺炎連鎖球菌 *Streptococcus pneumoniae*，*Legionella*属，肺炎マイコプラズマ *Mycoplasma pneumoniae*，百日咳菌 *Bordetella pertussis* に対して有効である．一般にグラム陰性菌よりもグラム陽性菌のほうが感受性が高い．エストレート，エチルカルボン酸塩，エチルコハク酸塩，グルセプテート，ラクトビオネート，ステアリン酸塩，および塩類として利用されている．*Legionella*属と肺炎マイコプラズマ *M. pneumoniae* に対して有効．ペニシリンアレルギーのある患者に，代替の抗生物質としてしばしば用いられる）．

er·y·thron (er′i-thron). 赤血球系（循環する赤血球と赤血球の造血組織を含む系統の総称）．

e·ryth·ro·ne·o·cy·to·sis (ĕ-rith′rō-nē′ō-sī-tō′sis) [erythrocyte + G. *neos*, new + *kytos*, cell + *-osis*, condition]. 新生赤血球増加〔症〕（末梢循環に再生型赤血球が存在すること）．

e·ryth·ro·pe·ni·a (ĕ-rith′rō-pē′nē-ă) [erythrocyte + G. *penia*, poverty]. 赤血球減少〔症〕．= erythrocytopenia.

e·ryth·ro·pha·gi·a (ĕ-rith′rō-fā′jē-ă) [erythrocyte + G. *phagō*, to eat + -ia]. 赤血球貪食（赤血球の貪食的破壊）．

e·ryth·ro·phag·o·cy·to·sis (ĕ-rith′rō-fag′ō-sī-tō′sis). 赤血球貪食．

e·ryth·ro·phil (ĕ-rith′rō-fil) [erythro- + G. *philos*, fond]. ***1***《adj.》赤染性の（赤染料に染まりやすい）．= erythrophilic. ***2***《n.》エリトロフィル（赤く染まる細胞や組織の要素）．

e·ryth·ro·phil·ic (ĕ-rith′rō-fil′ik). = erythrophil (1).

e·ryth·ro·phore (ĕ-rith′rō-fōr) [erythro- + G. *phoros*, bearing]. 赤色素〔細〕胞（赤色または褐色の色素顆粒をもつ色素細胞）．= allophore.

e·ryth·ro·pla·ki·a (ĕ-rith′rō-plā′kē-ă) [erythro- + G. *plax*, plate]. 紅板症（粘膜にみられる赤いビロード様の局面をなす病変で，しばしば悪性化を示す）．

e·ryth·ro·pla·si·a (ĕ-rith′rō-plā′zē-ă) [erythro- + G. *plassō*, to form]. 紅色肥厚〔症〕（紅斑と上皮の異形成）．

e. of Queyrat (kā-rah′). ケーラー紅色肥厚〔症〕（陰茎亀頭の上皮内癌を表す現在では用いられない語）．

e·ryth·ro·poi·e·sis (ĕ-rith′rō-poy-ē′sis) [erythrocyte + G. *poiēsis*, a making]. 赤血球生成．= erythrocytopoiesis.

e·ryth·ro·poi·et·ic (ĕ-rith′rō-poy-et′ik). 赤血球生成の．

e·ryth·ro·poi·e·tin (EPO) (ĕ-rith′rō-poy′ĕ-tin) [MIM *133170]. エリトロポイエチン，エリスロポ〔イ〕エチン（シアル酸を含んだ蛋白で，前赤芽球形成や骨髄からの網状赤血球の遊離を促進することによって赤血球生成を高める．腎臓と肝臓で産生されるが，その他の組織でつくられている可能性もある．ヒトの血漿や尿から検出できる）．= erythropoietic hormone (2); hematopoietin; hemopoietin.

e·ryth·ro·pros·o·pal·gi·a (ĕ-rith′rō-pros′ō-pal′jē-ă) [erythro- + G. *prosōpon*, face + *algos*, pain]. 顔面紅痛症（先端紅痛症と似た疾病だが，疼痛や発赤が顔に現れる）．

er·y·throp·si·a (er′i-throp′sē-ă) [erythro- + G. *ōps*, eye]. 赤〔色〕視〔症〕（あらゆるものが赤みを帯びて見える状態）．= red vision.

e·ryth·ro·pyk·no·sis (ĕ-rith′rō-pik-nō′sis) [erythro- + G. *pyknos*, dense]. 赤血球濃縮〔症〕（マラリア原虫によって，赤血球がいわゆる〝真ちゅう様体 brassy bodies〟とよばれる状態に変化すること）．

e·ryth·ror·rhex·is (ĕ-rith′rō-rek′sis) [erythrocyte + G. *rhēxis*, rupture]. 赤血球崩壊．= erythrocytorrhexis.

er·y·throse (er′i-thrōs). エリトロース（アルドテトロースの一種．トレオースの異性体．D- 異性体は中間代謝で働く）．

e. 4-phosphate エリトロース 4-リン酸（エリトロースのリン酸誘導体．ペントースリン酸経路の重要中間体として供される）．

e·ryth·ro·sin B (ĕ-rith′rō-sin) [C.I. 45430]. エリトロシンB；tetraiodofluorescein（組織学で対比染色に，また蛍光指示薬としても用いる蛍光赤色酸性染料）．

er·y·throx·y·line (er′i-throk′si-lēn). エリトロキシリン（発見者 Gaedeke の命名(1855 年)によるコカインの別名）．

e·ryth·ru·lose (ĕ-rith′rū-lōs). エリトルロース（エリトロースの2位がケト化された類似体．唯一のケトテトロース）．

er·y·thru·ri·a (er′i-thryū′rē-ă) [erythro- + G. *ouron*, urine]. 赤尿症．

Es アインスタイニウムの元素記号．

Es·bach (es′bahk), Georges H. フランス人医師，1843—1890. ⇀E. *reagent*.

es·cape (es-kāp′). 逸脱（心拍の高位歩調取りが欠失するか，房室伝導が失われるため，他の，通常はより低位歩調取りが1—数拍の拍動の歩調取り機能を果たす状態をさす用語）．

junctional e. 結節性補充収縮（房室接合部をペースメーカとする補充収縮）．

ventricular e. 心室逸脱（異所性心室病巣が歩調取りとなる逸脱）．

es·char (es′kar) [G. *eschara*, a fireplace, a scab caused by burning]. 焼痂（厚く，凝固した痂皮または腐肉．熱傷または化学的あるいは物理的に皮膚が腐食した後に形成される）．

es·char·ec·to·my (es′kar-ek′tŏ-mē). 瘢痕切除術（瘢痕のすべてあるいは一部を切除すること．通常，熱傷後に行われる）．

es·cha·rot·ic (es′kă-rot′ik) [G. *escharōtikos*]. 焼痂性の，腐食性の．

es·cha·rot·o·my (es′kă-rot′ŏ-mē) [eschar + G. *tomē*, incision]. 焼痂切開〔術〕（狭窄を少なくするために焼痂(壊死に陥った真皮)に外科的切開を加えること．特に全周にわたるIII 度の熱傷後，通常，下の組織の圧損傷を治療するか，最小限に抑えるために施行する）．

Esch·e·rich·i·a (esh-ĕ-rik′ē-ă) [T. *Escherich*, ドイツ人小児科医・細菌学者，1857—1911]. エシェリキア属（好気性であるが，随時，嫌気性にもなる細菌の一属．運動性または非運動性，グラム陰性の短い杆菌．運動性の菌はべん毛を有する．ブドウ糖や乳糖を発酵して酸とガスを産生し，糞便中にみられる．いくつかの種はヒトに対して病原性をもち，腸炎，腹膜炎，膀胱炎，その他の疾患を引き起こす．腸内細菌の代表的な属で，標準種は *E. coli*）．

E. coli 大腸菌（ヒト，その他の脊椎動物の腸内に普通にみられる種で，自然界に広く分布している．しばしば泌尿生殖器感染や新生児の髄膜炎および乳児の下痢の原因となる．この菌の腸内病原性株(血清型)はエンテロトキシンによる下痢を引き起こす．伝達性エピソームがこの毒素の産生に関与していると思われる．*Escherichia*属の標準種）．= colibacillus; colon bacillus.

enterohemorrhagic *E. coli* (EHEC) 腸管出血性大腸菌（腸管出血性大腸菌株(通常，血清型 O157 : H7)は，赤痢菌と類似の毒素を産生して，腸上皮の破壊，腸の虚血・壊死を引き起こす．汚染牛肉や家禽を一次感染源とする重篤な無発熱性出血性腸炎の原因菌であることは明らかであるが，微小血管出血性貧血，腎不全，出血性尿毒性症候群の原因菌でもある）．

enteroinvasive *E. coli* (EIEC) 腸管組織侵入性大腸菌（大腸菌腸管組織侵入性株は，腸粘膜を貫通して，腸上皮で増殖し，粘膜に赤痢症様の変化をきたす．その結果，赤痢症様の重篤な下痢が発症するが，嘔吐がないことと，病期が短い点が細菌性赤痢とは異なる）．

enteropathogenic *E. coli* (EPEC) 腸管病原性大腸菌（大腸菌腸管病原性株は，小腸粘膜に付着して，微絨毛に特徴的な変化をきたす．ときとして重篤な胃腸症状を呈し，特に新生児や幼児では危険である．典型的な2つの毒素の産生をするが，1つは易熱性で *Vibrio cholerae* 毒素類似であり，他は耐熱性である）．

enterotoxigenic *E. coli* (ETEC) 毒素原性大腸菌（大腸菌毒素原性株は，十二指腸あるいは近位小腸粘膜に付着して，易熱性と耐熱性両毒素を産生し，アデニル酸シクラーゼを活性化することにより，消耗性下痢を引き起こす．旅行者下痢の 40—70% はこれであり，主にヒトの糞便で汚染した飲料水で媒介される．熱帯地方の乳幼児下痢の原因として最も重要である）．

E. freundii *Citrobacter freundii* を表す旧名．

es·cor·cin, es·cor·cin·ol (es-kōr′sin, -sin-ol). エスコルシン，エスコルシノール（エスクリン由来のエスクレチンから得られる褐色の粉末．角膜や結膜の病変部で赤色に変化することから病変部検出に用いる)．

es·cu·la·pi·an (es′kyū-lā′pē-ăn). ＝aesculapian.

es·cu·lent (es′kyū-lent) [L. *esculentus*, edible]. 食用の．

es·cu·lin (es′kyū-lin) [L. *aesculus*, the Italian oak]. エスクリン（セイヨウトチノキの樹皮から得られる配糖体で，日焼け防止薬として用いる)．

escutcheon (es-kŭtch′ŏn) [M.E. < Norman Fr. *esochon*, < L.L. *scutio* < L. *scutum*, shield]. エスカッシャン（恥毛の生え方のパターン)．

E-selectin (ē-sē-lek′tin). E-セレクチン（白血球走性に関係する接着分子の1つ．サイトカイン刺激後に内皮細胞に出現する)．

es·er·i·dine (es-er′i-dēn). エセリジン（*Physostigma*属の種子から得られるアルカロイド．副交感神経興奮薬)．

es·er·ine (es′ĕr-ēn). エセリン．＝physostigmine.

e. salicylate ＝*physostigmine* salicylate.

-esis (ē′sis) [G. *-esis*, condition or process]. 状態，動作，過程，の意を表す接尾語．

Es·march (es′mark), Johann F.A. von. ドイツ人外科医，1823—1908. →E. *bandage*.

es·o·de·vi·a·tion (es′ō-dē-vē-ā′shŭn). ***1*** ＝esophoria. ***2*** esotropia.

e·sod·ic (e-sod′ik) [G. *esō*, inward ＋ *hodos*, way]. 求心性の，輸入の．＝afferent.

e·soph·a·gal·gi·a (ē-sof′ă-gal′jē-ă) [esophagus ＋ G. *algos*, pain]. 食道痛に対してまれに用いる語．＝esophagodynia.

e·soph·a·ge·al (ē-sof′ă-jē′ăl, ē′-sŏ-faj′ē-ăl). 食道の（[正しくは esopha′geal と発音されるが，米国ではほとんど例外なく esophage′al と発音される])．

e·soph·a·gec·to·my (ĕ-sof′ă-jek′tŏ-mē) [esophagus ＋ G. *ektomē*, excision]. 食道切除〔術〕（すべてまたは一部の食道切除)．

Ivor Lewis e. (ē′vōr lū′wis). イボール・ルイス食道切除（開腹，右開胸と胸腔内吻合で行う，よく施行される食道切除)．

three-incision e. 3切開食道切除（開腹，右胸部，頸部切開)．

transhiatal e. 経裂孔的食道切除術（上方は頸部切開からそして下方は腹部切開から経裂孔的に行う食道切除)．

transthoracic e. 経胸的食道切除術（開胸切開による食道切除)．

e·soph·a·gi (ĕ-sof′ă-jī, -gī). esophagus の複数形．

e·soph·a·gism (ĕ-sof′ă-jizm). 食道痙攣（食道の痙攣で，えん下困難を起こす)．＝dysphagia nervosa; nervous dysphagia.

e·soph·a·gi·tis (ĕ-sof-ă-jī′tis). 食道炎．

bacterial e. 細菌性食道炎（著明な白血球減少をきたした，血液悪性腫瘍の免疫不全患者にみられるまれな原因の食道炎．骨髄移植後，糖尿病性ケトアシドーシス，エイズ患者でもみられる．えん下困難が特徴で，内視鏡検査では正常粘膜から紅斑，プラーク，偽膜，あるいは出血を伴った潰瘍まで様々である．確定診断は粘膜生検と培養による)．

candidal e. カンジダ性食道炎（*Candida albicans* による食道粘膜の感染で，えん下痛，えん下困難を生じる．典型的には白色のプラークが粘膜にくっついているのがみられる．しばしば，免疫不全の患者や広域の抗菌薬の投与を受けている患者で生じる．診断は内視鏡的な擦過，粘膜生検，あるいはその両者による)．

herpes e. ヘルペス食道炎（単純ヘルペスウイルスによる食道の感染で，えん下困難，えん下痛が特徴である．典型的には食道粘膜にはっきりとした潰瘍がみられ，しばしば免疫不全の患者に生じる．確定診断は粘膜生検組織でのウイルスの証明による)．

pill e. 錠剤食道炎（飲み込んだ固形の薬が食道につっかえて生じる粘膜の傷害)．

reflux e., peptic e. 逆流性食道炎，消化性食道炎（酸性の胃内容物が逆流するために起こる食道下部の炎症．通常，食道下部括約筋の機能不全による．胸骨下の疼痛，〝胸やけ〟，胃液の逆流も起こる)．

e·soph·a·go·car·di·o·plas·ty (ĕ-sof′ă-gō-kar′dē-ō-plas′tē). 食道噴門形成〔術〕（食道と胃の噴門部の形成的処置)．

e·soph·a·go·cele (ĕ-sof′ă-gō-sēl′) [esophagus ＋ G. *kēlē*, hernia]. 食道ヘルニア（筋層の割れ目を通って食道の粘膜が突出すること)．

e·soph·a·go·dyn·i·a (ĕ-sof′ă-gō-din′ē-ă) [esophagus ＋ G. *odynē*, pain]. ＝esophagalgia.

e·soph·a·go·en·ter·os·to·my (ĕ-sof′ă-gō-en′tĕr-os′tŏ-mē) [esophagus ＋ G. *enteron*, intestine ＋ *stoma*, mouth]. 食道小腸吻合〔術〕（食道と小腸を手術によって直接吻合させること)．

e·soph·a·go·gas·trec·to·my (ĕ-sof′ă-gō-gas-trek′tŏ-mē). 食道胃切除〔術〕（食道下部とそれに隣接する胃の部分を切除すること)．

e·soph·a·go·gas·tro·a·nas·to·mo·sis (ĕ-sof′ă-gō-gas′trō-ă-nas′tō-mō′sis). 食道胃吻合〔術〕．＝esophagogastrostomy.

e·soph·a·go·gas·tro·du·o·de·nos·co·py (EGD) (ĕ-sof′ă-gō-gas′trō-dū′ō-den-os′kŏ-pē). 食道胃十二指腸鏡検査（通常，ファイバースコープで行われる食道，胃，十二指腸の内視鏡検査)．

e·soph·a·go·gas·tro·my·ot·o·my (ĕ-sof′ă-gō-gas′trō-mī-ot′ō-mē). 食道胃筋切開〔術〕．＝esophagomyotomy.

e·soph·a·go·gas·tro·plas·ty (ĕ-sof′ă-gō-gas′trō-plas′tē). 食道胃形成〔術〕．＝cardioplasty.

e·soph·a·go·gas·tros·to·my (ĕ-sof′ă-gō-gas-tros′tŏ-mē) [esophagus ＋ G. *gastēr*, stomach ＋ *stoma*, mouth]. 食道胃吻合〔術〕（食道胃切除に続いて，食道と胃を吻合すること)．＝esophagogastroanastomosis; gastroesophagostomy.

e·soph·a·go·gram (ĕ-sof′ă-gō-gram). 食道造影像．＝esophagram.

e·soph·a·gog·ra·phy (ĕ-sof-ă-gog′ră-fē) [esophagus ＋ G. *graphō*, to write]. 食道造影法（X線造影剤をえん下させ，あるいは食道内に注入し，食道をX線で撮影する．食道造影像を得るための方法)．

e·soph·a·gol·o·gy (ĕ-sof-ă-gol′ŏ-gē) [esophagus ＋ G. *logos*, study]. 食道学（食道の構造，生理，疾患の研究)．

e·soph·a·go·ma·la·ci·a (ĕ-sof′ă-gō-mă-lā′shē-ă) [esophagus ＋ G. *malakia*, softness]. 食道軟化〔症〕（食道壁が軟化すること)．

e·soph·a·go·my·ot·o·my (ĕ-sof′ă-gō-mī-ot′ŏ-mē) [esophagus ＋ G. *mys*, muscle ＋ *tomē*, incision]. 食道筋切開〔術〕（食道壁最下端の粘膜下層までに至る筋層の縦切開．噴門の筋線維の一部も切断されることがある)．＝cardiomyotomy; esophagogastromyotomy.

e·soph·a·go·plas·ty (ĕ-sof′ă-gō-plas′tē) [esophagus ＋ G. *plastos*, formed]. 食道形成〔術〕（食道壁の手術的形成処置)．

e·soph·a·go·pli·ca·tion (ĕ-sof′ă-gō-pli-kā′shŭn) [esophagus ＋ L. *plico*, to fold]. 食道ひだ形成〔術〕（食道壁をたくし上げることによって，拡張した食道や食道の嚢を小さくすること)．

e·soph·a·go·pto·sis, e·soph·a·go·pto·si·a (ĕ-sof′ă-gō-tō′sis, -tō′sē-ă) [esophagus ＋ G. *ptōsis*, a falling]. 食道下垂〔症〕（食道壁が弛緩したり，下方に変位すること)．

e·soph·a·go·scope (ĕ-sof′ă-gō-skōp) [esophagus ＋ G. *skopeō*, to examine]. 食道〔直達〕鏡（食道を検査するための内視鏡)．

e·soph·a·gos·co·py (ĕ-sof′ă-gos′kŏ-pē) [esophagus ＋ G. *skopeō*, to examine]. 食道鏡検査〔法〕（内視鏡によって食道内部を視診すること)．

e·soph·a·go·spasm (ĕ-sof′ă-gō-spazm). 食道痙攣（食道壁の痙攣)．

e·soph·a·go·ste·no·sis (ĕ-sof′ă-gō-stĕ-nō′sis) [esophagus ＋ G. *stenōsis*, a narrowing]. 食道狭窄．

e·soph·a·go·sto·mi·a·sis (ĕ-sof′ă-gō-stō-mī′ă-sis) [esophagus ＋ G. *stoma*, mouth ＋ *-iasis*, condition]. ＝oesophagostomiasis.

e·soph·a·gos·to·my (ĕ-sof′ă-gos′tŏ-mē) [esophagus ＋ G. *stoma*, mouth]. 食道造瘻術，食道フィステル形成〔術〕，食道瘻造設術（外から食道に直接開口部を形成すること)．

e·soph·a·got·o·my (ĕ-sof′ă-got′ŏ-mē) [esophagus ＋ G. *tomē*, an incision]. 食道切開〔術〕（食道壁を切開すること)．

e·soph·a·gram (ĕ-sof′ă-gram). 食道造影（造影剤による食道の放射線検査でバリウムえん下検査ともいう）. ＝esophagogram.

e·soph·a·gus, pl. **e·soph·a·gi** (ĕ-sof′ă-gŭs, -jī) [G. *oisophagos*, gullet][TA]. 食道（咽頭から胃までの消化管の部分. 約 25 cm あって次の 3 部からなる. 輪状軟骨から胸郭上口までの頸部, 胸郭上口から横隔膜までの胸部, 横隔膜から胃の噴門までの腹部）.

Barrett e. (bar′ĕt). バレット食道. ＝Barrett *syndrome*.

es·o·pho·ri·a (es′ō-fō′rē-ă) [G. *esō*, inward＋*phora*, a carrying]. 内斜位（[exophoria と混同しないこと]. 眼が内側にそれている傾向）. ＝esodeviation (1).

es·o·phor·ic (es′ō-fōr′ik). 内斜位の.

es·o·tro·pi·a (es′ō-trō′pē-ă) [G. *esō*, inward＋*tropē*, turn]. 内斜視（視軸が輻輳する斜視. 麻痺性または共動性, 一眼性または交代性, 調節性または非調節性である）. ＝convergent squint; convergent strabismus; esodeviation (2); internal squint.

A-pattern e. A 型内斜視（下方視よりも上方視で偏位が大きい内斜視）.

basic e. 基礎型内斜視. ＝nonaccommodative e.

consecutive e. 続発性内斜視（外斜視術後に起こった内斜視）.

cyclic e. 周期性内斜視（しばしば 48 時間ごとに周期的に起こる輻輳内斜視）. ＝alternate day strabismus.

mixed e. 一部調節性内斜視, 部分的調節性内斜視（調節性と非調節性の因子が混在する内斜視）.

nonaccommodative e. 非調節性内斜視（屈折矯正の影響を受けない内斜視）. ＝basic e.

nonrefractive accommodative e. 非屈折性調節性内斜視, 非定型的調節性内斜視（屈折矯正によって調節性輻輳の異常がとれない内斜視）.

refractive accommodative e. 屈折性調節性内斜視（遠視の屈折矯正により眼位が正位になる内斜視）.

V-pattern e. V 型内斜視（上方視よりも下方視で偏位が大きい内斜視）.

X-pattern e. X 型内斜視（上方視, 下方視の両方で, 正注視からの偏位が減少すること）.

es·o·tro·pic (es′ō-trop′ik). 内斜視の.

ESP extrasensory *perception* の略.

es·pun·di·a (es-pūn′dē-ă) [Sp. ＜ L. *spongia*, sponge]. 鼻咽頭リーシュマニア症（粘膜, 特に鼻や口の粘膜を侵す *Leishmania braziliensis* によって起こるアメリカリーシュマニア症の一型. 広範な破壊的壊死を引き起こす. アマゾン流域においては *L. braziliensis* に感染したかなりの人々がこの症状を呈する. 身体の他所にできた病巣が転移して発育することもある）. ＝Breda disease; bubas braziliana.

es·qui·nan·ce·a (es′kwi-nan′sē-ă) [Fr. *esquinancie*, quinsy]. 窒息感（化膿性扁桃炎, 咽頭炎など, のどの炎症的腫脹によるもの）.

ESR erythrocyte sedimentation *rate*; electron spin *resonance* の略.

ESRD end-stage renal *disease* の略.

es·sence (es′ens) [L. *essentia* ＜ *esse*, to be]. ***1*** 本体, 本質（身体の真の特徴や実体）. ***2*** 要素. ***3*** 精, 精油（液体抽出物）. ***4*** 植物性精油のアルコール溶液. ***5*** 芳香物質（生物(通常は植物)の香りや味の原因となる揮発性物質. 合成香料にも用いる）.

e. of rose ローズ油. ＝*oil* of rose.

es·sen·tial (ĕ-sen′shăl). ***1*** 必須の, 不可欠な（例えば, e. amino acids（必須アミノ酸）, e. fattyacids（必須脂肪酸））. ***2*** 本質の, 本質的な. ***3*** 決定的な. ***4*** 本態性の, 特発性の. ***5*** 精の（例えば精油）. ***6*** 固有の, 内因性の. ＝intrinsic.

Es·sick (es′ik), C. 20 世紀の米国人解剖学者. ⇀E. cell *bands*.

es·ter (es′tĕr). エステル（–X(O)–O–R(X は炭素, 硫黄, リンなど. R はアルキル基)の構造をもつ有機化合物. 酸の –OH 基とアルコールの –OH 基から H_2O が分離してできる. エステルは通常, 酸基と炭化水素基の名をつないで, 例えば酢酸エチル($CH_3CO–OC_2H_5$ または $CH_3COOC_2H_5$)のようによばれる）.

carboxylic acid e. カルボン酸エステル（特に, カルボン酸とアルコールから誘導されたエステル. R–COOR′）.

Cori e. (kō′rē). コーリエステル. ＝D-glucose 1-phosphate.

Embden e. (em′dĕn) [Gustav G. *Embden*]. エンブデンエステル；hexose phosphate (D–グルコース–6–リン酸と D–フルクトース–6–リン酸の混合物. 糖代謝を理解するのに重要).

Harden-Young e. (har′dĕn yŭng) [Sir Arthur *Harden*, William John *Young*]. ハーデン－ヤングエステル. ＝D-fructose 1,6-bisphosphate.

Neuberg e. ノイベルグエステル. ＝fructose 6-phosphate.

Robison e. (rō′bi-sŏn). ロビソンエステル. ＝D-glucose 6-phosphate.

Robison-Embden e. (rōbi-sŏn em′dĕn). ロビソン－エンブデンエステル. ＝D-glucose 6-phosphate.

sugar e. 糖エステル（糖の有機または無機酸とのエステル. 例えば, D–グルコース 6–リン酸）.

thiol e. チオールエステル（カルボン酸とチオールから生成するエステル(すなわち RCOSR′). 例えばアセチルCoA）.

es·ter·ase (es′tĕr-ās). エステラーゼ, エステル分解酵素（エステルの加水分解を触媒する加水分解酵素の総称(EC class 3.1)）.

C1 e. C1 エステラーゼ（古典補体経路の活性化に関与する補体第 1 成分(C1)のサブユニット. ⇀*component* of complement）.

es·ter·i·fi·ca·tion (es-ter′i-fi-kā′shŭn). エステル化（エステルを生成する過程. 例えば, エタノールと酢酸が反応してそのエステルである酢酸エチルを生成すること）.

Es·tes (es′tēz), William L., Jr. 米国人外科医, 1885—1940. ⇀E. *operation*.

es·them·a·tol·o·gy (es′thēm-ă-tol′ŏ-jē) [G. *aisthēma*, perception＋*logos*, study]. 感覚器学（感覚や感覚器に関する科学）.

es·the·si·a (es-thē′zē-ă) [G. *aisthēsis*, sensation]. 感覚, 知覚（①＝perception. ②＝sensitivity (2)）.

es·the·sic (es-thē′sik) [G. *aisthēsis*, sensation]. 感覚の, 知覚の.

esthesio- (es-thē′sē-ō) [G. *aesthēsis*, sense perception]. 感覚, 知覚, に関する連結形.

es·the·si·od·ic (es-thē′zē-od′ik) [esthesio-＋G. *hodos*, way]. 感覚衝動伝導の. ＝esthesodic.

es·the·si·o·gen·e·sis (es-thē′zē-ō-jen′ĕ-sis) [esthesio-＋G. *genesis*, origin]. 感覚発生（感覚, 特に神経過敏症の発生）.

es·the·si·o·gen·ic (es-thē′zē-ō-jen′ik). 感覚発生の.

es·the·si·og·ra·phy (es-thē′zē-og′ră-fē) [esthesio-＋G. *graphē*, a writing]. ***1*** 感覚論, 感覚器論（感覚器官や感覚の機構を記述すること）. ***2*** 皮膚感覚描画〔法〕（皮膚表面に触覚その他の感覚領を描画すること）.

es·the·si·ol·o·gy (es-thē′zē-ol′ŏ-jē) [esthesio-＋G. *logos*, study]. 感覚学（感覚現象に関する学問）.

es·the·si·om·e·ter (es-thē′zē-om′ĕ-tĕr) [esthesio-＋G. *metron*, measure]. 触覚計, 知覚計（触覚その他の感覚の状態を測定する器械）. ＝tactometer.

es·the·si·om·e·try (es-the′zē-om′ĕ-trē). 触空間閾値測定〔法〕, 知覚測定〔法〕（触覚その他の感覚の程度を測定すること）.

es·the·si·o·neu·ro·blas·to·ma (es-thē′zē-ō-nū′ō-blas-tō′mă) [esthesio-＋neuroblastoma]. 感覚神経芽〔細胞〕腫（未成熟, 未分化の神経細胞よりなる新生物で, 神経上皮細胞前駆体に由来するとされる）.

olfactory e. ＝olfactory *neuroblastoma*.

es·the·si·o·neu·ro·cy·to·ma (es-thē′zē-ō-nur′ō-sī-tō′-mă) [esthesio-＋neurocytoma]. 感覚神経細胞腫（脊髄神経節から発生すると考えられる, ほぼ成熟したニューロン様細胞からなる新生物）.

es·the·si·o·phys·i·ol·o·gy (es-thē′zē-ō-fiz′ē-ol′ŏ-jē). 感覚生理学, 知覚生理学（知覚や感覚器の生理学）.

es·the·si·os·co·py (es-thē′zē-os′kŏ-pē) [esthesio-＋G. *skopeō*, to view]. 皮膚感覚領検査〔法〕（触覚その他の感覚の量や程度を検査すること）.

es·the·sod·ic (es′thĕ-zod′ik). ＝esthesiodic.

es·thet·ic (es-thet′ik) [G. *aisthēsis*, sensation]. ***1*** 感覚の,

知覚の．*2* 美学の．

es·thet·ics (es-thet′iks). 美学（芸術と美にかかわる哲学の一分野．特に美を構成している要素を取り扱う）．

denture e. *1* 歯科補てつ物によってつくり出される審美的効果．*2* 装着した修復物(補てつ物)の外観にみられる特性．

es·ti·mate (es′tĭ-māt) [L. *aestimo*, pp. *aestimatum*, to appraise]. 推定値（①ある程度の誤差を伴うことが既知できる，あるいはそう考えられている，あるいはその疑いがあるような量を測定，表現した結果．②推定量に(実際に得られた)データを代入した値．これは確率変数ではなく，その実現値であり，ある定まった値である．一般に推定量の分散の推定値を伴って表記されるが，それ自体はばらつかない(推定量と混同してはならない．推定量とは推定値の計算法のことである))．

Kaplan-Meier e. (kap′lăn mī′ĕr). カプラン－マイヤー法(計算された生存率と見切り観察も考慮に入れた推計を組み合わせて生命表あるいは生存表を作成するノンパラメトリック法．主に癌や同様の長期的な疾患の生存調査に用いられる)．

es·ti·ma·tion (es-tĭ-mā-shun). 推定（無作為標本として適切に集められたデータを基にして，ある未知の量(パラメータ)にもっともらしい値を割り付ける重要な統計学的手法)．

es·ti·ma·tor (es′tĭ-mā-tor). 推定量（ランダムサンプルデータから推定値を得るための規定．推定量は結果ではなくその過程であるため，ランダム変数であり，分散をもつ．例えば成人男性の平均体重の推定量は，〝100 人の男性の体重を加算し，100 で除する〟のように規定される．実際の結果(推定値)はサンプルごとに異なるが，その結果の 1 つはランダム変数ではない)．

least squares e. 最小二乗推定量（〝未知のパラメータの値を平均値の残差平方和を最小にするように定める〟ための規定)．

maximum likelihood e. 最尤推定量（〝未知のパラメータの値を，サンプルの尤度が最大となるように定める〟ための規定．多くの問題について，最尤推定量は最適である)．

es·ti·val (es′ti-văl) [L. *aestivus*, summer(adj.)]. 夏季の．＝aestival.

es·ti·va·tion (es′tĭ-vā′shŭn). 夏眠（夏季中は静止して無活動状態で生活すること．*cf.* hibernation)．

Est·land·er (est′lahn-dĕr), Jakob A. フィンランド人外科医，1831—1881．→E. *flap*.

es·tra·di·ol (E_2) (es-tră-dī′ol, es-tra′dē-ōl). エストラジオール；β-estradiol; 17β-estradiol（哺乳類に普通みられる卵胞ホルモンのうち最も有効なもの．卵巣，胎盤，精巣，恐らく副腎皮質でも生成される．エストラジオールの治療適応は卵胞ホルモンの典型的なものである．α–エストラジオール，17α–エストラジオールは生物活性はほとんどない)．＝estrogenic hormone; oestradiol.

ethinyl e. ＝ethynyl e.

ethynyl e. エチニルエストラジオール（17β–エストラジオールの半合成誘導体．経口投与が有効で，半減期が長く，知られている卵胞ホルモンのなかでは最も強力．経口避妊薬として用いる)．＝ethinyl e.

es·tra·gon oil (es′tră-gon oyl). ＝tarragon oil.

es·trane (es′trān). エストラン（ステロイド発情物質．〝エスト〟で始まるもの(エストラジオール，エストロン，エストリオール)の母核と考えられる．系統的命名法を確立するために考え出された)．

es·tra·tri·ene (es′tră-trī′ēn). エストラトリエン（動物で最も多く見出される発情ステロイドの骨格である仮想的な 3 個の不飽和結合をもつエストラン)．

es·trin (es′trin). エストリン．＝estrogen.

es·tri·ol (es′trē-ol). エストリオール（エストラジオールの代謝産物で，通常，卵胞ホルモンの主要代謝産物として尿中にみられる(特に妊娠時に多い)．C–16，C–17 位またはその両方のエピマー類は 16–エピエストリオール，16，17–エピエストリオール，17–エピエストリオールとして知られている)．＝folliculin hydrate; oestriol; trihydroxyestrin.

es·tro·gen (es′trō-jen) [G. *oistrus*, -heat, estrus + *-gen*, producing]. エストロゲン，卵胞ホルモン（17β–エストラジオールのような発情ホルモンに特有な生物学的作用をもつ天然物質あるいは合成物質の総称．卵巣，胎盤，精巣，および恐らく副腎皮質でも生成され，ある種の植物でもつくられる．二次性徴を促進させるほかに，長管骨の発育や成熟を促進したりするなど，全身的作用もある．治療面では，エストラジオールの欠乏による障害(例えば，生理不順，閉経期の障害など)の回復に用いられる．月経周期を制御する作用がある)．＝estrin; oestrogen.

catechol e. カテコールエストロゲン（エストロゲンの 2–ヒドロキシル誘導体．メチル誘導体と合わせると全排出エストロゲン代謝物のほぼ半分を占める)．

conjugated e. 抱合卵胞ホルモン（妊馬の尿から得られる水溶性天然結合卵胞ホルモンを無結晶性に精製したもの．主成分は硫酸ナトリウムエストロンである．非経口，経口，局所性投与が可能)．

esterified e.'s エストロゲンエステル（エストロゲン性物質の硫酸エステルのナトリウム塩の混合物．経口的に用いる)．

es·tro·gen·ic (es′trō-jen′ik). 発情性〔物質〕の，エストロゲン様の（①動物に発情を引き起こす．②エストロゲンと類似した作用をもつ)．

es·trone (E_1) (es′trōn). エストロン（17β–エストラジオールの代謝産物で，尿中，卵巣および胎盤にみられる．もとのホルモンに比べて生物活性はほとんどない)．＝follicular hormone; folliculin; ketohydroxyestrin; oestrone.

es·trous (es′trŭs). 発情〔期〕の．＝estrual.

es·tru·al (es′trū-ăl). ＝estrous.

es·trus (es′trŭs) [G. *oistros*, mad desire]. 発情期，発情〔現象〕（雌の動物の性周期の一時期で，性交を好んで許すことを特徴とする．この時期の動物は，行動や徴候ですぐにそれと見分けられる)．＝heat (3).

postpartum e. 分娩後発情（ある種の動物(例えばオットセイ)で出産直後に起こる排卵および黄体形成を伴う発情)．

esu electrostatic *unit* の略．

ESWL electrohydraulic shock wave *lithotripsy*; extracorporeal shock wave *lithotripsy* の略．

Et ethyl の略．

eta (āt′a). エータ（①ギリシア語アルファベットの第 7 字 η．②化学では，カルボキシル基や他の主官能基から第 7 番目の原子を示す．③粘度の記号)．

Etanercept/enbrel (ē-tan′ĕr-sept-en′brel). エタナーセプト/エンブレル（ヒトIgG1のFc部分に連結している腫瘍壊死因子(TNF)の細胞外リガンド結合部分で構成されている二量体の融合蛋白．Crohn 病やリウマチ様関節炎のような炎症性疾患の治療に用いられる)．

é·tat (ā-tah′) [Fr. state]. 状態．

é. criblé [Fr. sieve]. 篩状態（神経病理学において，大脳の血管周囲の組織が萎縮し，凹窩をつくることを表す語)．

é. mamelonné [Fr. knobby, tubercular]. 顆粒状突出，乳頭〔様〕状態（胃の粘膜が慢性炎症にある状態で，多くの結節性突出がみられる状態を表す現在では用いられない語)．

ETEC enterotoxigenic *Escherichia coli* の略．

eth·a·cryn·ic ac·id (eth′ă-krin′ik as′id). エタクリン酸（アリールオキシ酢酸の不飽和ケトン誘導体．強力な利尿薬で，弱い降圧作用をもつ)．

eth·a·mox·y·tri·phe·tol (eth′ă-moks′ē-trī-fē′tol). エタモキシトリフェトール（特異的な細胞の受容体に対するエストロゲンの作用を阻害する抗エストロゲン薬の原型)．

eth·a·nal (eth′ă-nal). エタナール．＝acetaldehyde.

eth·ane (eth′ān). エタン；CH_3CH_3（天然ガスやびん詰ガスの構成物)．

eth·a·no·ic ac·id (eth′ă-nō′ik as′id). 酢酸．＝acetic acid.

---

eth·a·nol (eth′ă-nol). エタノール；CH_3CH_2OH（透明無色液体で，かすかなエーテル臭をもち，ピリピリする味がする．融点 −114.1 ℃，沸点 78.5 ℃，20 ℃での比重 0.789 g/mL．水や種々の有機液体に溶解する．ビール，ワイン，および蒸留酒として消費されるエタノールは，天然原料(穀物，ブドウ，ジャガイモ，サトウキビ)から得られる糖の発酵により製造される．アルコール飲料の芳香や飲酒した人の呼気に認められる悪臭は醸造や発酵中に生成するアルコール同族体の存在やまた添加した香料添加剤が原因であるかもしれない．工業用アルコールはエチレンまたはアセチレンから合成されている．発酵で得られる最高エタノール濃度は 14 %で，そ

れ以上では発酵関連酵素は阻害されたり分解，失活されたりする．それより高いアルコール濃度のアルコール飲料は，純粋なアルコールの添加(強化ワイン)または蒸留(ウイスキー，ジン，ウォッカ)によって製造される．アルコール飲料のプルーフ数はエタノール容量パーセント数の2倍で表す(例えば，120プルーフ＝60容量%エタノール)．95%までの濃度は分別蒸留で得られる．しかし95%エタノールと5%水の混合物は共沸混合物であるので，それ以上の濃縮は蒸留では不可能であるため，さらに高い濃度は脱水剤で得られる．医薬品としてエタノールは発赤薬，冷却薬，消毒薬として局所的に用いる．内服薬としては鎮痛薬および鎮静薬として，さらに他の薬剤の溶剤または賦形剤として用いられる．米国薬局方アルコールは92.3—93.8重量%エタノールを含む．非揮発性物質(例えばベンゾイン)のアルコール溶液はチンキ剤とよばれる．もし溶質が揮発性(例えばメントール)である場合は，その溶液をスピリットとよぶ．エタノールは工業用に保存剤，溶剤，不凍剤として，また塗料，ラッカー，火薬の製造に広く用いられている．また自動車用燃料のオクタン価向上剤としての用途もある．ほとんどの工業用エタノールは飲料用として用いられないように1—2%の有毒物質の添加によって変性されている)．

エタノールは低用量内服投与により弱い中枢神経系刺激薬/強壮薬として作用する．その作用はアセチルコリンレセプタの活性を高めることにより起こるといわれている．大量投与により不可逆性神経毒性を引き起こす．症状としては知覚異常，散瞳，複視，眼振，不均衡，振せん，不明瞭な発語(ろれつが回らないこと)，共調運動不能，さらに失見当識や判断力の低下から昏迷，昏睡，呼吸停止による死に至る一般的中枢神経系の抑制を呈する．咽頭反射の抑制により嘔吐の吸引を引き起こす．エタノールの非神経性作用として，頻脈，血管拡張，発汗，利尿，悪心，嘔吐，急性胃炎がある．エタノールの毒性作用は，同時摂取する他の物質(医薬品や乱用薬物)によって修飾されたり悪化したりする．飲み込んだアルコールの約25%は胃粘膜から吸収され，その他大半は十二指腸から吸収される．エタノールの消化器からの吸収率は，飲んだアルコール濃度，摂取した食物の種類および量，消化器の機能および運動に影響を及ぼす病気や薬剤のような副次的因子によって左右される．吸収されたアルコールの少なくとも90%は肝臓でアセトアルデヒドに変換され，そして酢酸に変換される．アセトアルデヒドもまた毒性があり，急性アルコール中毒および二日酔いの症状のいくつかに関係している．少量のエタノールは肺と腎臓から無変化で排泄される．医学および法医学では，血中エタノール濃度は血液の容量%に対するエタノールの重量%として測定される．すなわちエタノール濃度100 mg/dL(21.7 mmol/L)は0.1%(アルコール中毒の一般的な法定基準値)に相当する．100プルーフのウイスキー1オンス(30 mL)，ワイン4オンス(120 mL)，ビール12オンス(360 mL)では，血中アルコール濃度は約0.02%(150ポンドのヒトで)になる(〝1杯の酒〟の定義)．これは1時間で血中から排泄されうるおおよそのエタノール量であるので，1時間当たり1ドリンク量を超える速度でアルコール飲料を摂取すると血中アルコール濃度の漸増に結びつく．女性は同じエタノール量でも男性より高い血中濃度に達する．血中アルコール濃度約0.05%で測定可能な認知障害が起き，0.1%で歩行困難，0.15%で不明瞭な発語(ろれつが回らないこと)を呈する．0.3—0.4%レベルになると意識消失が起こり，0.5%付近で呼吸停止をきたす．適度なアルコールの常用(女性では1日酒1杯，男性では1日酒2杯)は冠動脈疾患のリスクおよび原因を問わない死亡率を軽度に減少させる．しかしこれらは，少しでもアルコールの量が増えるとなくなる便益である．米国ではエタノールは高頻度の乱用薬物である．米国在住者は毎年アルコール飲料に1,160億ドルを使い，米国国家経済におけるアルコール依存症にかかる費用は2,000億ドルである．米国成人の30%は少なくとも時々過度に飲酒しているし，米国高校生の30%は少なくとも月1回飲み騒いでいることを認めている．若者の間ではアルコール依存症とタバコおよび違法薬物の乱用とに強い関連が認められている．アルコールの暴飲行動に不可欠な条件としては，血中アルコール濃度の上昇に伴って飲酒をやめようとする抵抗力が低下することである．慢性アルコール依存症は，高血圧，脳卒中，肝硬変，胃炎，膵臓炎，栄養失調，ビタミン欠乏症，Wernicke脳症，Korsakoff精神病を併発する．アルコール依存症の母親から生まれた子供は胎児期アルコール症候群の徴候がみられる恐れがある．常習的大量飲酒は口腔，咽頭，喉頭，食道，肝臓，乳房の癌の原因になることが実証されている．

---

eth·a·nol·a·mine·phos·pho·trans·fer·ase (eth′ă-nol′-ă-mēn-fos′fō-trans′fĕr-ās). エタノールアミンホスホトランスフェラーゼ（CDP–エタノールアミンと1,2–ジアシルグリセリンから，CMPとホスファチジルエタノールアミンを与える反応を触媒するトランスフェラーゼ．リン脂質の生合成の重要段階）．＝phosphorylethanolamine glyceridetransferase.

eth·en·yl (eth′en-il). エテニル．＝vinyl.

eth·en·yl·ben·zene (eth′en-il-ben′zēn). エテニルベンゼン．＝styrene.

eth·en·yl·ene (eth-en′il-ēn). エテニレン．＝vinylene.

e·ther (ē′thĕr) [G. *aithēr*, the pure upper air]. エーテル（① 2つの炭素原子が，共通の酸素原子に独立に結合して–C–O–C–の構造部分をもつ有機化合物．→epoxy. ②ジエチルエーテルまたは麻酔用エーテルを表すのにあいまいに用いられている語．多くのエーテルは麻酔作用をもつ．個々のエーテルについては各々の項参照）．

anesthetic e. 麻酔用エーテル（多くのエーテルに対する一般名）．

diethyl e. ジエチルエーテル（手術手段に以前広く使われていた引火性，揮発性の有機溶剤．かつては吸入麻酔薬として用いられた．短所として，気化物質は刺激性があり，導入・覚醒が遅く，爆発の危険がある）．＝ethyl ether; ethyl oxide; sulfuric ether.

glycol e.'s グリコールエーテル（エチレングリコールモノメチルエーテルやエチレングリコールモノエチルエーテルなどの化学薬品．催奇形物質で，動物での精巣萎縮を引き起こす）．

solvent e. 溶媒用エーテル（ジエチルエーテルのかなり純粋なものであるが，麻酔用ほどではない．溶媒として用いる）．

xylostyptic e. ＝styptic *collodion*.

e·the·re·al (ē-thēr′ē-ăl) [G. *aitherios*, etherial < *aithēr*, the upper air]. *1* エーテル性の．*2* エーテルに溶解した．

e·ther·i·fi·ca·tion (ē-ther′i-fi-kā′shŭn). エーテル化（アルコールをエーテルに転換すること）．

e·ther·i·za·tion (ē′thĕr-i-zā′shŭn). エーテル麻酔〔法〕．

eth·i·cal (eth′i-kăl). 倫理的な（個人の行動および職業上の行為を支配する法則に従うことについていう）．

eth·ics (eth′iks) [G. *ethikos*, arising from custom < *ethos*, custom]. 倫理学（正義と悪の区別，人間行為の道徳的意義を扱う哲学の一部門）．

medical e. 医道（医者，患者，および他の医療従事者の権利と義務に関する適正な職業上の行為の原則．患者への振舞い，その家族との対応も含む）．

eth·i·dene (eth′i-dēn). エチデン．＝ethylidene.

e·thid·i·um (e-thid′ē-ŭm). エチジウム．＝homidium bromide.

e·thid·i·um bro·mide (ĕ-thid′ē-ŭm brō′mīd). エチジウムブロマイド（DNAに結合する鋭敏な蛍光色素．細胞化学および電気泳動で用いる）．

eth·i·o·dized oil (eth-ī′ō-dīzd oyl). 以前，リンパ管造影法や子宮卵管造影法に用いられた放射線不透物質．

e·thi·o·nine (ĕ-thī′ō-nin). エチオニン（メチオニン同族体で，S–メチル基の代わりにS–エチル基をもつ）．

ethmo- (eth′mō) [G. *ēthmos*, sieve]. 篩状，篩骨に関する連結形．

eth·mo·cra·ni·al (eth′mō-krā′nē-ăl). 篩骨頭蓋骨の（篩骨と頭蓋骨に関する）．

eth·mo·fron·tal (eth′mō-fron′tăl). 篩骨前頭骨の（篩骨と前頭骨に関する）．

eth·moid (eth′moyd) [G. *ēthmos*, sieve＋*eidos*, resemblance][TA]. 篩骨（→ethmoid *bone*）．＝os ethmoidale [TA].

eth·moi·dal (eth-moy′dăl). 篩状の．

eth·moi·da·le (eth′moy-da′lē). エトモイダーレ（前頭蓋窩内にある頭部計測法の測定点で，篩骨の篩板の最下方，矢状点にある）．

eth·moi·dec·to·my (eth′moy-dek′tŏ-mē) [ethmo- + G. *ektomē*, excision]. 篩骨蜂巣開放術，篩骨洞開放術，篩骨切除〔術〕（篩骨洞間の内膜や骨部分のすべてを，または一部を切除すること）．

eth·moid·i·tis (eth′moy-dī′tis). 篩骨蜂巣炎，篩骨洞炎，篩骨炎．

eth·mo·lac·ri·mal (eth′mō-lak′ri-măl). 篩骨涙骨の（篩骨と涙骨に関する）．

eth·mo·max·il·lar·y (eth′mō-mak′si-lā-rē). 篩骨上顎骨の（篩骨と上顎骨に関する）．

eth·mo·na·sal (eth′mō-nā′săl). 篩骨鼻骨の（篩骨と鼻骨に関する）．

eth·mo·pal·a·tal (eth′mō-pal′ă-tăl). 篩骨口蓋骨の（篩骨と口蓋骨に関する）．

eth·mo·sphe·noid (eth′mō-sfē′noyd). 篩骨蝶形骨の（篩骨と蝶形骨に関する）．

eth·mo·tur·bi·nals (eth′mō-tŭr′bi-nălz). 篩骨甲介（篩骨から伸びる鼻甲介の総称．上鼻・中鼻甲介．しばしば最上(第三)鼻甲介もある．→middle nasal *concha*; superior nasal *concha*; supreme nasal *concha*）．

eth·mo·vo·mer·ine (eth′mō-vō′mĕr-in). 篩骨鋤骨の（篩骨と鋤骨に関する）．

eth·nic group (eth′nik grūp). 人種集団（世代から世代へと維持される独特の社会的・文化的伝統や，共通の歴史と起源，帰属意識により特徴づけられる社会的集団．構成員は独特な生活様式をもち，体験を共有し，しばしば共通の遺伝的形質をもつ．この特徴が健康状態や疾病歴に反映されることもある）．

eth·no·cen·trism (eth′nō-sen′trizm) [G. *ethnos*, race, tribe + *kentron*, center of a circle]. 人種中心主義（自分たちの人種集団の価値や標準に従って他の集団を評価する傾向．特に自分たちの人種集団が他の集団より優れているという信念をもつ場合）．

ethnoepidemiology (eth′nō-ep′i-dē-mē-ol′ŏ-jē) [G. *ethnos*, race + epidemiology]. 民族疫学（ある問題が異なる民族の人々に対して与える影響の大きさを検討するための，健康問題の研究）．

eth·nol·o·gy (eth-nol′ŏ-jē). 民族学，人種学（人間の文化および(または)人種を比較する科学．文化人類学）．

eth·no·phar·ma·col·o·gy (eth′nō-farm′ă-kol′ŏ-jē). 民族薬理学（多種の民族間における薬物に対する反応性の違いに関する学問．遺伝薬理学）．

e·thol·o·gist (ē-thol′ŏ-jist). 動物習性学者．

e·thol·o·gy (ē-thol′ŏ-jē) [G. *ethos*, character, habit + *logos*, study]. 動物行動学，動物習性学．

eth·o·phar·ma·col·o·gy (eth′ō-far′mă-kol′ŏ-jē) [G. *ethos*, character, habit + pharmacology]. 行動薬理学（種特異的要素(社会集団での活動および態度)の観察と描写をもとにした，行動への薬物作用に関する研究．→pharmacogenetics）．

eth·yl (Et) (eth′il). エチル（エチルアルコールなどを構成する炭化水素基．CH_3CH_2–）．

e. alcohol (EtOH) エチルアルコール．＝alcohol (2).

e. aminobenzoate アミノ安息香酸エチル．＝benzocaine.

e. carbamate カルバミン酸エチル．＝urethan.

e. chloride 塩化エチル（加圧下で揮発性の強い液体．皮膚に噴霧して表面を凍結することにより局所麻酔薬として，また強力な吸入麻酔薬として用いる）．＝chloroethane.

e. formate ギ酸エチル（揮発性で燃える液体．燻蒸消毒薬，農業用幼虫撲滅薬，殺菌薬として，また香料としても用いる）．

e. oleate オレイン酸エチル（注射剤の賦形剤の１つ）．

e. oxide エチルオキシド．＝diethyl *ether*.

e. salicylate サリチル酸エチル（サリチル酸とエチルアルコールからできるエステルで，サリチル酸メチルと同じ作用をもつ）．

eth·yl·ate (eth′il-āt). エチレート（アルコールの水酸基の水素が金属原子に置換した化合物．通常，ナトリウムやカリウムが多い．例えば C_2H_5ONa）．

eth·yl·cel·lu·lose (eth′il-sel′yū-lōs). エチルセルロース（セルロースのエチルエステル．錠剤の結合剤として用いる）．

eth·yl·di·chlor·o·ar·sine (ED) (eth′il-dī-klōr′ō-ar′sēn). エチルジクロロアルシン（第一次世界大戦で初めて用いられたびらん性ガス．気道を刺激する）．

eth·yl·ene (eth′il-ēn). エチレン（一般のイルミネーション用ガスの構成成分で，爆発性．果物の成熟を早める）．

e. oxide エチレンオキシド（外科用器具の低温滅菌に用いる燻蒸剤）．＝oxirane.

eth·yl·ene·di·a·mine (eth′il-ēn-dī′ă-mēn). エチレンジアミン（アンモニアのようなにおいと刺激性の味をもつ揮発性で無色の液体．二塩酸塩は尿酸性化剤として用いられる．テオフィリンと結合し，静脈内や直腸内投与に適した水溶性のアミノフィリンとなる）．

eth·yl·ene·di·a·mine·tet·ra·a·ce·tic ac·id (EDTA) (eth′il-ēn-dī′ă-mēn-tet′ă-sē′tik as′id). エチレンジアミン四酢酸（溶液の中から多価陽イオンをキレートとして除去するのに用いる形成剤．生化学での研究では，Mg^{2+}，Fe^{2+}，その他の元素の間のイオンによって影響される反応から，それらのイオンを除くのに使われる．そのナトリウム塩は，水の軟化剤に，また，金属イオンの存在によって速やかに分解する薬剤の安定化，抗血液凝固薬などとして用いる．またナトリウムカルシウム塩として，硬組織からラジウム，鉛，ストロンチウム，プルトニウム，カドミウムを除去したり，腎臓から排出される安定した非イオン性化合物の形成にも利用される．*cf.* EGTA）．＝edathamil; edetic acid.

eth·yl·ene di·bro·mide (eth′il-ēn dī-brō′mīd). エチレンジブロミド（アンチノック性ガソリンで用いられる化合物．激しい皮膚刺激物質．びらんを引き起こす．吸入により遅延性肺病変を生じる．長期暴露により肝や腎損傷を起こす．ヒトでの発癌物質の疑いがある）．

eth·yl·ene gly·col (eth′il-ēn glī′col). →glycol (2).

eth·yl e·ther (eth′il ē′ther). エチルエーテル．＝diethyl *ether*.

eth·yl green (eth′il grēn). エチルグリーン．＝brilliant green.

eth·yl·i·dene (eth′il-i-dēn). エチリデン（２価の基 CH_3CH=）．＝ethidene.

eth·yl·i·dyne (eth′il-i-dīn). エチリジン（３価の基 $CH_3C\equiv$）．

eth·yl·par·a·ben (eth′il-par′ă-ben). エチルパラベン（抗カビ用防腐薬）．

etio- (ē′tē-ō). *1* C–17 の側鎖がHに置換されていることを示す接頭語．例えばコランにおいては，etiocholane はアンドロスタンの 5β 異性体となる．*2* [G. *aitia*, cause]. 原因を意味する連結形．

e·ti·o·cho·lan·o·lone (ē′tē-ō-kō-lan′ō-lōn). エチオコラノロン（副腎皮質および精巣ホルモンの代謝産物．重要な尿の17–ケトステロイド．ヒトに投与すると発熱する）．

e·ti·o·gen·ic (ē′tē-ō-jen′ik) [G. *aitia*, cause + *genesis*, production]. 原因の，原因となる．

e·ti·o·lat·ed (ē′tē-ō-lāt-ĕd). 〔暗〕黄化した．

e·ti·o·la·tion (ē′tē-ō-lā′shŭn) [Fr. *étioler*, to blanch]. 黄化（①病気や投獄により光を制限されたヒトや暗所に置かれて脱色した植物にみられるような，光の欠乏による退色．②光が当たらないことから起こる色素欠乏の過程）．

e·ti·o·log·ic (ē′tē-ō-loj′ik). 病因〔論，学〕の．

e·ti·ol·o·gy (ē′tē-ol′ŏ-jē) [G. *aitia*, cause + *logos*, treatise, discourse]. 病因〔論，学〕（[cause(of disease)の代わりに本語を隠語的に使うのを避けること]．①疾患の原因やその作用様式に関する学問および研究．*cf.* pathogenesis．②原因，因果関係の学問．一般的な用法では cause という）．

e·ti·o·path·ic (ē′tē-ō-path′ik) [G. *aitia*, cause + *pathos*, disease]. 原因病理の（疾病の原因となっている特有の病変についていう）．

e·ti·o·pa·thol·o·gy (ē′tē-ō-pa-thol′ŏ-jē) [G. *aitia*, cause + pathology]. 病因病理学（異常な状態や所見の原因を考究する学問）．

e·ti·o·por·phy·rin (ē′tē-ō-pōr′fi-rin). エチオポルフィリン（ポルフィリン誘導体で，４個のピロール核にそれぞれメチル基をもつことを特徴とする．したがって４種の異性体が可能である).

e·ti·o·tro·pic (ē′tē-ō-trop′ik) [G. *aitia*, cause + *tropē*, a turning]. 原因療法の, 抗病因の (病因となるものを減少または消失させる療法についていう).

EtOH *ethyl* alcohol の略.

e·tor·phine (et-ōr′fēn). エトルフィン (モルヒネの約 1,000 倍強力な麻薬性の鎮痛薬. 鎮静目的で用いる).

ETP electron transport *particles* の略.

Eu ユーロピウムの元素記号.

eu- [G.]. 正常, 良好, を意味する接頭語. dys-, caco- の対語.

eu·al·leles (yū′ă-lēlz). 常態対立遺伝子 (同じ位置に異なったヌクレオチドの置換を起こす遺伝子. *cf.* heteroalleles).

Eu·bac·te·ri·a·les (yū′bak-tē′rē-ā′lēz). 真正細菌目 (細菌分類のうちの現在では用いられない目の名称. これには単純な未分化の球状か棒状の剛体細胞(細菌)がはいる. また, 運動性(べん毛をもつ)・非運動性, グラム陰性・陽性, 胞子形成・非形成性の種を含む).

Eu·bac·te·ri·um (yū′bak-tēr′ē-ŭm). ユーバクテリウム属 (40 種類以上からなる, 嫌気性, 胞子非形成性, 非運動性細菌の属で, 直線または弯曲したグラム陽性杆菌からなる. 通常, 単独, 対, または短い鎖状で, 炭水化物を資化(利用)する. 病原性の場合がある. まれにヒトの腹腔内敗血症と関連している. 標準種は *E. limosum*).

E. aerofaciens ヒトの腸内にまれにみられる細菌種. マウスに対して病原性をもつ.

E. combesi 以前にフランス領西アフリカとよばれていた地域の森林の土壌中より発見された細菌種. モルモットやマウスに対して非病原性. 以前は, *Cillobacterium combesi* とよばれた.

E. contortum 腐敗性壊疽性虫垂炎の場合や腸内にみられる細菌種.

E. crispatum *Lactobacillus crispatus* の旧名.

E. filamentosum *Clostridium ramosum* の旧名.

E. lentum 正常人の糞便中に普通みられる細菌種. ときとして敗血症および院内感染の原因となる.

E. limosum ヒトの糞便中にみられる細菌種. 他の温血動物の糞便中にも存在すると考えられる. *Eubacterium*属の標準種.

E. minutum 乳幼児の腸内にまれにみられる細菌種. 初めは小児夏季下痢の患者に見出された. マウスに対して病原性をもつ.

E. moniliforme まれにヒトの呼吸器系にみられる細菌種. モルモットに対して病原性であり, 8日で死に至る. 以前は, *Cillobacterium moniliforme* とよばれた.

E. parvum ウマの大腸内や急性虫垂炎の場合にみられる細菌種. 子ウマやヒトの腸内にまれにみられる. 実験動物に対して非病原性.

E. poeciloides ヒトの腸内にまれにみられる細菌種. 最初, 腸閉塞の患者から見出された. モルモット, ウサギに対して病原性をもつ.

E. pseudotortuosum 化膿性急性虫垂炎の患者にみられる細菌種. 普通, 腸内にはみられない.

E. quartum 小児夏季下痢の患者にみられる細菌種. 小児の腸内にみられるが, 一般的ではない.

E. quintum 小児夏季下痢の患者にみられる細菌種. モルモットに対して病原性をもつ.

E. rectale 直腸潰瘍に伴って見出される細菌種. 直腸内に存在する.

E. tenue イヌの糞便から分離された細菌種. その病原性については知られていない. 以前は, *Cillobacterium tenue* とよばれた.

E. tortuosum ヒトの腸内にまれにみられる細菌種.

eu·bi·ot·ics (yu′bī-ot′iks) [eu- + G. *biotikos*, relating to life]. 健康生活学, 摂生法.

eu·ca·lyp·tol (yu′kă-lip′tol). オイカリプトール, ユーカリプトール. = cineole.

eu·ca·lyp·tus (yū′kă-lip′tŭs). ユーカリ (フトモモ科ユーカリノキ *Eucalyptus globulus*(blue gum tree, Australian fever tree)の乾燥葉).

e. oil ユーカリ油 (ユーカリノキ *Eucalyptus globulus* や他のユーカリ属植物の新鮮な葉を水蒸気蒸留した揮発性油. 70% 以上のオイカリプトールを含む. 咳止めドロップや芳香薬気化器において, 消毒薬, 去痰薬として用いる).

eu·cap·ni·a (yū-kap′nē-ă) [eu- + G. *kapnos*, vapor]. 呼吸正常 ([誤ったつづり eucapnea を避けること]. 動脈中の二酸化炭素圧が最上の状態にあること. →normocapnia).

eu·car·y·ote (yū-kar′ē-ōt) [eu- + G. *karyon*, kernel, nut]. = eukaryote.

eu·car·y·ot·ic (yū′kar-ē-ot′ik). = eukaryotic.

eu·ca·sin (yū-kā′sin). ユーカシン (乾燥させて最終的には粉末にしたカゼインにアンモニアガスを通して調製されたカゼイン酸アンモニウム. 濃縮した食品としてブイヨンやチョコレートに添加する).

Eu·ces·to·da (yū-ses-tō′dă). 真正条虫亜綱. = Cestoda.

eu·chlor·hy·dri·a (yū′klōr-hi′drē-ă) [eu- + cholohydric (acid) + -ia]. 胃酸正常 (遊離塩酸が胃液の中に正常な量だけ存在する状態).

eu·cho·li·a (yū-kō′lē-ă) [eu- + G. *cholē*, bile]. 胆汁正常.

eu·chro·mat·ic (yū-krō-mat′ik). ***1*** 正染性の. = orthochromatic. ***2*** 真正染色質の.

eu·chro·ma·tin (yū-krō′mă-tin). 真正染色質 (細胞分裂間期にほぐれて分散した染色体の領域のことで, 通常の染色液では染まらない. 代謝的に活性で, 不活性の異質染色質と対照をなす).

eu·chro·mo·some (yū-krō′mō-sōm). 常染色体. = autosome.

Eu·co·le·us (yū-kō′lē-us). ユーコレウス属 (鞭虫科に属する線虫の 3 属のうちの 1 つ. 通常は *Capillaria*属に入れられている).

eu·cor·ti·cal·ism (yū-kōr′ti-kăl-izm). 副腎皮質機能正常.

eu·cra·si·a (yū-krā′zhē-ă) [G. *eukrasia*, good temperament < *eu*, well + *krasis*, a mixing]. 健康状態 (①homeostasis を表す現在では用いられない語. ②薬剤, 食物, その他の因子に対する感受性が減少した状態を表す, 現在では用いられない語).

eu·di·a·pho·re·sis (yū-dī′ă-fō-rē′sis) [eu- + G. *diaphorēsis*, perspiration]. 発汗正常.

eu·dip·si·a (yū-dip′sē-ă) [eu- + G. *dipsa*, thirst]. 普通の軽いのどの渇き.

Eu·flag·el·la·ta (yū-flaj′ĕ-la′tă). Mastigophora(鞭毛虫上綱)の旧名.

eu·gen·ic (yū-jen′ik). 優生学の, 品種改良の.

eu·gen·ic ac·id (yū-jen′ik as′id). = eugenol.

eu·gen·ics (yū-jen′iks) [G. *eugeneia*, nobility of birth < *eu*, well + *genesis*, production]. 優生学 (①子孫や人種の先天的な素質を改良する方法(例えば, 配偶者の選択や不妊による). ②遺伝性異常あるいは疾患に直接的な遺伝相談あるいは治療). = orthogenics.

eu·gen·ism (yū′jen-izm). 優生主義, ユージェニズム (選択的な繁殖で人類は改良されるという信条).

eu·ge·nol (yū′je-nol). オイゲノール, ユージノール (チョウジ油から得られる鎮痛薬. 歯科で酸化亜鉛とともに義歯型材料の基剤として用いる. チョウジ油の置換体として香料にも用いる). = eugenic acid.

Eu·gle·na (yū-glē′nă) [eu- + G. *glēnē*, eyeball]. ユーグレナ属, ミドリムシ属 (光合成をする, 自由生活性の水生鞭毛虫(ミドリムシ科)).

E. gracilis ミドリムシ (大量に存在する種で, 種々の型の貧血における血清や尿中のビタミン B_{12} 濃度の検定にしばしば用いる).

E. viridis よどんだ水たまりで, しばしば大量にみられる種.

Eu·gle·ni·dae (yū-glē′ni-dē). ミドリムシ科 (緑色の(植物性モナス類の)鞭毛虫の一科(植物性鞭毛虫亜門または綱)).

eu·glob·u·lin (yū-glob′yū-lin). 真性グロブリン, オイグロブリン (偽グロブリン分画よりも等張食塩水に溶解しやすく硫酸アンモニウム溶液に溶解しにくい血清グロブリンの分画).

eu·gly·ce·mi·a (yū-glī-sē′mē-ă) [eu- + G. *glykys*, sweet + *haima*, blood]. 正常血糖 (正常な血液ブドウ糖濃度). = normoglycemia.

eu·gly·ce·mic (yū′glī-sē′mik). オイグリセミック (正常血糖濃度にする薬剤をいう). = normoglycemic.

eu·gna·thi·a (yūg-nā′thē-ă, -nath′ē-ă) [eu- + G. *gnathos*,

E

jaw]. 顎正常 ([二重字 gn において，g は語頭にあるときのみ無音である]．奇形が歯やすぐ近くの歯槽支持組織に限られていることを示す)．＝eugnathic anomaly.

eu·gno·si·a (yūg-nō′sē-ă) [eu- ＋ G. *gnōsis*, perception]. 認知正常，知覚正常 ([二重字 gn において，g は語頭にあるときのみ無音である]．感覚刺激を統合する正常な能力)．

eu·gon·ic (yū-gon′ik) [G. *eugonos*, productive ＜ *eu*, well ＋ *gonos*, seed, offspring]. 発育良好の (細菌培養の発育が速く，比較的繁殖していることを示す用語．特に，ヒト結核菌 *Mycobacterium tuberculosis* の培養に関して用いる．→dysgonic)．

Eu·gre·ga·rin·i·da (yū′greg-ă-rin′i-dă) [eu- ＋ L. *gregarius*, gregarious]. 真簇虫目，真グレガリナ目 (簇虫亜綱の一目．スポロゾイト形成によってのみ増殖し，増員生殖(シゾゴニー)を欠いている．環形動物や節足動物の寄生虫)．

eu·hy·dra·tion (yū-hī-drā′shŭn). 体水分正常〔状態〕(身体の水分が正常な状態．絶対的または相対的な水和あるいは脱水がないこと)．

Eu·kar·y·o·tae, Eu·car·y·o·tae (yū-kar′ē-ō′tē). 真核生物上界 (真核細胞の存在によって特徴付けられる生物の一上界．非細胞的グループ(原生生物界)は単一の真核ユニットからなり，より複雑な(多細胞の)グループは菌界，植物界，動物界に分けられる)．

eu·kar·y·ote (yū-kar′ē-ōt) [eu- ＋ G. *karyon*, kernel, nut]. ＝eucaryote. ***1*** 真核生物，真核細胞 (膜で囲まれた核，DNAと蛋白からなる一般に大型(10—100 μm)の染色体をもち，紡錘体(数本の微小管配列からなる)を形成する有糸分裂によって分裂する細胞．ミトコンドリアが存在し，光合成を行う種では有色体がみられる．波動毛(線毛またはべん毛)は微小管および種々の蛋白からなる 9+2 構造をなしている．真核型の細胞の保持は，原核細胞レベルの生物であるモネラ界の上位に 4 つの界，すなわち原生生物界，菌界，植物界，動物界を真核生物上界として位置付けている)．***2*** 真核生物上界の構成生物の一般名．

eu·kar·y·ot·ic (yū′kar-ē-ot′ik). 真核生物の，真核細胞の．＝eucaryotic.

eu·ker·a·tin (yū-ker′ă-tin). 真正角素 (毛髪，羊毛，角，爪などにある硬ケラチン)．

eu·ki·ne·si·a (yū′ki-nē′zē-ă) [eu- ＋ G. *kinēsis*, movement]. 運動正常 (動作が正常なこと)．

Eu·len·burg (oy′lĕn-bŭrg), Albert. ドイツ人神経科医，1840—1917. ⇀E. *disease*.

eu·mel·a·nin (yū-mel′ă-nin) [eu- ＋ G. *melos*(*melan*-), black]. ユーメラニン，黒色メラニン (茶色または黒色の皮膚や毛髪に最も豊富に存在するヒトメラニンのタイプ．5,6-ジヒドロキシインドールの架橋ポリマー．通常，蛋白と結合している．その濃度はある種の白皮症で減少している)．

eu·mel·a·no·some (yū-mel′ă-nō-sōm′). ＝melanosome.

eu·me·tri·a (yū-mē′trē-ă) [G. moderation, goodness of meter]. 測定正常，神経衝動状態正常 (必要性に見合った神経衝動の強さの調節)．

eu·mor·phism (yū-mōr′fizm) [eu- ＋ G. *morphē*, shape]. 正常形態 (細胞の自然形態の保持)．

eu·my·ce·tes (yū-mī-sē′tēz) [eu- ＋ G. *mykēs*, fungus]. 真菌類，真正菌類．

eu·my·ce·to·ma (yū-mī-set-ō′ma). 真菌腫 (真菌類により生じる菌腫．*cf.* actinomycetoma)．

Eu·my·ce·to·zo·ea (yū′mī-sē′tō-zō′ē-ă) [eu- ＋ G. *mykēs* (*mykēt*-), fungus ＋ *zōon*, animal]. 顕微鏡的に認められる動物で，しばしば粘性動物として知られているもので，多核性のアメーバ様原形質をもった不規則な半流動性の集塊物．肉質虫亜門根足虫上綱の一綱に分類されるが，mycetozoan のなかには pseudomycetes のある菌種に類似しているものもあり，またときには変形菌類(粘菌)のなかに分類される．→Proteomyxidia.

eu·nuch (yū′nŭk) [G. *eunouchos*, chamberlain ＜ *eunē*, bed ＋ *echo*, to have]. 宦官〔患者〕，去勢男性 (精巣が摘出されたか，あるいは未発達である成人男性)．

eu·nuch·ism (yū′nŭk-izm). ***1*** 宦官症 (精巣を欠くこと，あるいは精腺の発達，機能に欠陥があること，その結果生じる症状．宦官である状態)．***2*** ＝eunuchoidism.

eu·nuch·oid (yū′nŭ-koyd) [G. *eunouchos*, eunuch ＋ *eidos*, resembling]. 類宦官〔症〕の (宦官症に類似する，宦官症の一般的な特徴をもつ．通常，青春期前に起こる男性の性機能不全の体質をさす)．

eu·nuch·oid·ism (yū′nŭ-koyd′izm). 類宦官症 (男性の性機能不全．精巣は存在するが機能しない状態．生殖腺または下垂体に原因があると考えられる)．＝eunuchism (2); male hypogonadism.

hypergonadotropic e. ゴナドトロピン過剰性類宦官症 (生殖腺に原因がある類宦官症．一般的には尿のゴナドトロピンの過剰排出を伴う．この種の障害例は Klinefelter 症候群(⇒syndrome))．

hypogonadotropic e. 低ゴナドトロピン性類宦官症．＝hypogonadotropic *hypogonadism*.

eu·os·mi·a (yū-oz′mē-ă) [eu- ＋ G. *osmē*, smell]. ***1*** 芳香．***2*** 正常嗅覚．

eu·pan·cre·a·tism (yū-pan′krē-ă-tizm′). 膵臓機能正常 (膵臓の消化機能の正常な状態)．

eu·pa·ral (yū′pa-răl). ユーパラル (組織標本を封入する際に用いる封入剤．サンダラック，オイカリプトール，パラアルデヒド，カンフル，フェニルサリチル酸からなる)．

Eu·pa·ryph·i·um (yū′pa-rif′ē-ŭm) [eu- ＋ G. *paryphē*, a border]. ユーパリフィウム属 (棘口吸虫科に属する非病原性吸虫の一属．数種がヒトの腸内から発見されたという報告がある)．

eu·pep·si·a (yū-pep′sē-ă) [G. ＜ *eu*, well ＋ *pepsis*, digestion]. 消化良好．

eu·pep·tic (yū-pep′tik). 消化良好の，良好な消化力をもつ．

eu·pep·tide (yū-pep′tīd) [G. *eu*-, normal, usual ＋ peptide]. 真正ペプチド (正常なペプチド結合(アミノ酸のα-カルボキシル基と α-アミノ基との間の) を含むペプチド．*cf.* isopeptide; peptide)．

eu·phen·ics (yū-fē′niks) [eu- ＋ G. *phainō*, to show forth]. 真正表現型変換 (遺伝子型あるいは遺伝を変化させずに，遺伝的欠損の表現過程を防止または変化させるように，個体の内的・外的環境を変化させること)．

Eu·phor·bi·a pi·lu·lif·e·ra (ū-fōr′bē-ă pil′ŭ-lif-ĕr-ă). Euphorbiaceae 科の一種．乾燥薬草で，ぜん息，鼻感冒，その他の呼吸器系疾患，および狭心症に用い，また鎮痙薬としても用いる．＝asthma-weed (2).

eu·pho·ret·ic (yū-fō-ret′ik). ＝euphoriant.

eu·pho·ria (yū-fōr′ē-ă) [eu- ＋ G. *pherō*, to bear]. 多幸〔症〕，多幸感，上機嫌 (①一般に誇張された幸福感で，必ずしも理由がさだかではない．②薬物や物質乱用によってもたらされる快楽状態)．

eu·pho·ri·ant (yū-fōr′ē-ant). 強壮薬，陶酔薬，爽快薬 (①快適である，あるいは幸福であるという感覚をつくり出す可能性のある薬剤のこと．②通常，多幸感をもたらす可能性の薬剤のことをさす)．＝euphoretic.

eu·pla·si·a (yū-plā′zē-ă) [eu- ＋ G. *plassō*, form]. 正形成 (細胞や組織が本来の姿を正常にあるいは典型的に示している状態)．

eu·plas·tic (yū-plas′tik) [G. *euplastos*, easily molded; *eu*, well ＋ *plastos*, formed]. ***1*** 正形成の．***2*** 治癒の速い．

eu·ploid (yū′ployd). 正倍数性の．

eu·ploi·dy (yū-ploy′dē) [eu- ＋ G. *-ploos*, -fold]. 正倍数性 (一倍体の正確な倍数であるような細胞の状態)．

eup·ne·a (yūp-nē′ă) [G. *eupnoia* ＜ *eu*, well ＋ *pnoia*, breath]. 正常呼吸，安静呼吸 (容易で自然な呼吸．正常人の安静時における呼吸)．

eu·prax·i·a (yū-prak′sē-ă) [eu- ＋ G. *praxis*, a doing]. 正常行為 (協同運動のできる正常な能力)．

Eu·proc·tis (yū-prok′tis) [eu- ＋ G. *prōktos*, rump]. ドクガ属 (ガの一属．この属の一種 brown-tail moth(*E. chrysorrhoea*)のマユや毛虫の毛は，毛虫皮膚炎を引き起こす)．

eu·rhyth·mi·a (yū-rith′mē-ă) [eu- ＋ G. *rhythmos*, rhythm]. 整調リズム (各器官の調和のとれた身体関係)．

eu·ro·pi·um (Eu) (yū-rō′pē-ŭm) [L. *Europa*, Europe]. ユーロピウム (希土類元素(ランタニド)群の元素．原子番号 63，原子量 151.965)．

eury- (yū′rē) [G. *eurys*, wide]. 広い，幅広い，を意味する連結形．steno- の対語．

eu·ry·bleph·a·ron (yū'rē-blef'ă-ron) [eury- + G. *blepharon*, eyelid]. 眼瞼拡張症（眼球から離れた下眼瞼の外側部のたわみを特徴とする先天異常）.
eu·ry·ce·phal·ic, eu·ry·ceph·a·lous (yū'rē-se-fal'ik, -sef'ă-lŭs) [eury- + G. *kephalē*, head]. 広頭蓋の（異常に広い頭をもつ．ときに短頭蓋をさすこともある）.
eu·ryg·nath·ic (yū'rig-nath'ik). 巨大顎の（広い顎をもつ）. ＝eurygnathous.
eu·ryg·na·thism (yū-rig'nă-thizm) [eury- + G. *gnathos*, jaw]. 巨大顎.
eu·ryg·na·thous (yū-rig'nă-thŭs). ＝eurygnathic.
eu·ry·on (yū'rē-on) [G. *eurys*, broad]. ユーリオン（頭部の最大頭幅部の両端．頭部計測で用いる点）.
eu·ry·op·ic (yū'rē-ŏp'ik) [eury- + G. *ops*, eye]. 瞼裂離開過度(眼瞼が過度に大きく開かれている状態. ⇀blepharodiastasis).
eu·ry·so·mat·ic (yū'rē-sō-mat'ik) [eury- + G. *soma*, body]. 横幅拡大体型の（ずんぐりした身体をもつ）.
EUS endoscopic *ultrasound* の略.
eu·scope (yū'skōp) [eu- + G. *skopeō*, to view]. 顕微鏡投射器，実体投影器（顕微鏡の拡大像をスクリーンに投影する器械）.
EUS-FNA endoscopic ultrasound-guided fine-needle *aspiration* の略.
Eu·sim·u·li·um (yū-si-myū'lē-ŭm) [eu- + L. *simulo*, to simulate]. ＝*Simulium*.
eu·sta·chian (yū-stā'shăn). [ū-stā'shun という発音に歴史的あるいは音声的な根拠はない]. Eustachio によって記された，あるいは彼による.
Eu·sta·chi·o (yū-stā'shē-ō), Bartolommeo E. イタリア人解剖学者，1524—1574. ⇀eustachian *catheter*, *cushion*, *tonsil*, *tube*, *tuber*, *valve*; *tuba* eustachiana.
eu·sta·chi·tis (yū-stā-kī'tis). 耳管炎（耳管粘膜の炎症）.
eus·the·ni·a (yūs-thē'nē-ă) [eu- + G. *sthenos*, strength]. 体力正常，ユーステニア.
eu·stron·gyl·i·des (yū'stron-jil'i-dēz). 魚，両生類，は虫類に寄生する線虫．消化器症状を呈するヒト感染は，生の魚を食したときに生じるがまれである．幼虫は桃赤色.
Eu·stron·gy·lus (yū-stron'ji-lŭs) [eu- + G. *strongylos*, rounded]. オイストロンギルス属（*Dioctophyma* の旧名）.
eu·sys·to·le (yū-sis'tō-lē) [eu- + systole]. 心収縮正常（心収縮力，収縮期が正常である状態）.
eu·sys·tol·ic (yū-sis-tol'ik). 心収縮正常の.
eu·tec·tic (yū-tek'tik) [eu- + G. *tēxis*, a melting away]. ***1*** 〖adj.〗共融の，共晶の（金属の混合物で，各金属は液体状態では混合し，固体状態では２相に分離する．通常，両相間で微細層を交代させる．融点はいずれの金属よりも低い）. ***2*** 〖n.〗共融合金，易融合金（一定温度で固化する合金．そのなかで最も低いもの）.
eu·tha·na·si·a (yū-thă-nā'zē-ă) [eu- + G. *thanatos*, death]. ***1*** 大往生（静かな，苦痛を伴わない死）. ***2*** 安楽死（治療不可能または苦痛を伴う病気の患者を，慈悲の行為として人為的に死に至らしめること）.
  active e. 積極的安楽死（１つの行為により患者の死を起こす意図で生命を終えさせる方法．慈悲殺人ともよばれる）.
  passive e. 消極的安楽死（助かる見込みのない重篤な患者に延命治療の処方をしないという選択肢が医師に与えられた，生命を終えさせる方法）.
eu·then·ics (yū-then'iks) [G. *euthenēō*, to thrive]. 優境学（植物，動物，またはヒトに対して，特に適切な食料や環境などを通じて最良の生活条件を確立する学問）.
eu·ther·a·peu·tic (yū'ther-ă-pyū'tik). 適正療法の，有効の（優れた治療作用をもつ）.
Eu·the·ri·a (yū-thē'rē-ă) [eu- + G. *thērion*, animal]. 真獣亜綱（単孔類と有袋類を除く哺乳綱の亜綱で，子供に栄養を与える胎盤をもつ）.
eu·ther·mic (yū-ther'mik) [eu- + G. *thermos*, warm]. 最適温度での.
eu·thy·mi·a (yū-thī'mē-ă) [eu- + G. *thymos*, mind]. 気分正常〔状態〕（①うれしいこと．心の平静・安定状態．②躁でもなく，うつでもない，気分が穏やかな状態）.
eu·thy·mic (yū-thī'mik). 気分正常〔状態〕の（気分正常状態に関する，または特徴付けられる）.
eu·thy·roid·ism (yū-thī'royd-izm). 甲状腺機能正常，ユーサイロイド（甲状腺が正常に機能し，分泌量，分泌組成が正常である状態）.
eu·thy·scope (yū'thi-skōp) [G. *euthys*, straight + *skopeō*, to view]. オイチスコープ（偏心固視点を強い光で刺激して見えなくし，同時に中心窩には不透明板で遮光するようにつくられた特殊検眼鏡で，現在はほとんど用いられない．視力増強法で用いる）.
eu·thys·co·py (yū-this'kŏ-pē). オイチスコピー（オイチスコープを用いる検査）.
eutocia (yū'tō'sē-ă) [G. *eu*, wel + *tokos*]. 正常分娩，安産（子宮収縮により順調に頸管開大，児下降が起こり，正常に出産すること）.
eutomer (yū'tō-mĕr). ユートマー（あるレセプタに非常に強い活性または親和性を示すエナンチオマーまたは立体異性体のこと．あるレセプタのユートマーは別のレセプタのディストマーになる. ⇀enantiomer).
eu·ton·ic (yū-ton'ik) [eu- + G. *tonos*, tone]. 正常緊張状態の. ＝normotonic (1).
eutopic (yū-top'ik). 正所性の（本来あるべき位置にある）.
eu·tri·cho·sis (yū'tri-kō'sis) [eu- + G. *thrix*, hair]. 正常生毛，毛髪正常.
eu·tro·phi·a (yū-trō'fē-ă) [G. < *eu*, well + *trophē*, nourishment]. 栄養良好（栄養および成長が正常である状態）. ＝eutrophy.
eu·troph·ic (yū-trof'ik). 栄養良好の.
eu·tro·phy (yū'trō-fē). ＝eutrophia.
euvolemia (yū'vō-lē'mē-a) [eu- + L. *volumen*, volume + G. *haima*, blood]. 正常血液量（体内に適正な量の血液が存在すること）.
eu·vo·li·a (yū-vō'lē-ă). 正常水分量（一定の仕切りの中の水分または水量が正常であること．例えば extracellular e.(細胞外正常水分量)）.
eV, ev electron-volt の略.
e·vac·u·ant (ē-vak'yū-ant). ***1*** 〖adj.〗排泄促進の，しゃ(瀉)下性の（排泄，特に腸の排泄を促すこと）. ***2*** 〖n.〗排泄薬，しゃ(瀉)下薬（排泄を促す薬で，特に下剤をいう）.
e·vac·u·ate (ē-vak'yū-āt) [L. *e-vacuo*, pp. *-vacuatus*, to empty out]. 排泄する，しゃ(瀉)出する.
e·vac·u·a·tion (ē-vak'yū-ā'shŭn). ***1*** しゃ(瀉)出（特に腸から排便によって不要物を除去すること）. ***2*** 排便. ＝stool (2). ***3*** 排気（密閉容器から空気を除去すること．真空をつくること）.
e·vac·u·a·tor (ē-vak'yū-ā-tŏr). 吸引器，吸収器（機械的な排出手段．体腔から液体や小さな粒子を除去したり，直腸から埋伏糞便を除去する器械）.
  Ellik e. (el'ik). エリック吸引器（ガラス容器，ラテックスまたはプラスチックの球，軟性の管よりなる特殊な器具．膀胱から組織片，凝血，結石を除去するために用いる）.
e·vag·i·na·tion (ē-vaj'i-nā'shŭn) [L. *e*, out + *vagina*, sheath]. 膨出，外反（身体部位または器官が正常な位置より突出すること）.
e·val·u·a·tion (ē-val'yū-ā'shŭn). 評価（活動の適切さ，効果，影響を，ある特定の観点から，系統的，客観的に判断すること）.
ev·a·nes·cent (ev'ă-nes'ent) [L. *e*, out + *vanesco*, to vanish]. 一過性の，即時消退〔性〕の，消失性の，不安定の.
Ev·ans (ev'ănz), Herbert M. 米国人解剖・生理学者，1882—1971. ⇀Evans blue.
Ev·ans (ev'ănz), Robert S. 米国人医師，1912—1974. ⇀E. *syndrome*.
Ev·ans blue (ev'ănz) [C.I. 23860]. エヴァンズブルー（静脈注射した後，血漿中での染料標準溶液の希釈状態をもとにして血液量を決定するのに用いるジアゾ染料．蛋白と結合して，血管壁を通して拡散する生体染料としても用いる）. ＝azovan blue.
e·vap·o·rate (ē-vap'ŏ-rāt). 蒸発する，蒸発させる. ＝volatilize.
e·vap·o·ra·tion (ē-vap'ŏ-ra'shŭn) [L. *e*, out + *vaporo*, to emit vapor]. 蒸発，気化，蒸泄（①液体から蒸気への変化．②蒸気への変化により液体量が少なくなること）. ＝volatiliza-

E

tion.

e·va·sion (ē-vā′zhŭn). 逃避，回避，偽装.

macular e. 黄斑逃避. ＝*horror* fusionis.

e·vent (ē-vent′) [L. *eventus*, outcome < *e-*, out + *venio*, to come]. イベント（病気などある一定の出来事. 臨床試験の用語としてよく使われる）.

adverse e. 有害事象（「医薬品による治療中に生じることがある予期しない医学的事象のこと. しかし，その治療との因果関係は必ずしもあるわけではない」［人に使用する医薬品の登録のための技術的要件のハーモナイゼーションに関する国際会議より］.→adverse drug e.）.

adverse drug e. (ad-vĕrs drug ĕ-vent′). 有害薬事象（「薬物に関連する医学的介入の結果生じる障害」［Institute of Medicine より］.→adverse e.）.

apparent life-threatening e. (**ALTE**) 乳幼児突発性危急事態（無呼吸(中枢性あるいは閉塞性)，皮膚色不良(典型的にはチアノーゼまたは蒼白，場合により紅斑性あるいは多血性)，著明な筋力異常(通常は弛緩性)，窒息，沈黙などを呈する介護者を驚かせる危急状態. 一般的には乳児期に起きる）.

sentinel e. 歩哨事象（①ケアの質を監視し評価するのに用いられる臨床指標の一種で，即座に注意を要する事象も含む. ②健康介護供給または他のサービスにおける悪い出来事で，悲劇的な結末(ニアミスなど)に導くか導く可能性があるもの. それゆえ，しばしば緊急介入または予防処置を始める必要がある）.

even·tra·tion (ē-ven-trā′shŭn) [L. *e*, out + *venter*, belly]. ***1*** 内臓脱出〔症〕，内臓突出〔症〕（皮膚に異常のない腹壁の欠損あるいは脆弱部位から網と腸，またはどちらかが突出すること）. ＝evisceration (4). ***2*** 移転（腹腔内容物を他へ移動すること）.

e. of the diaphragm 横隔膜性脱出〔症〕，横隔膜弛緩〔症〕（横隔膜の半分または一部が極端に上昇することで，横隔膜は通常は萎縮性で異常に薄い）.

diaphragmatic e. 横隔膜挙上症（横隔膜が胸腔内にポケット状に突出する. この先天性の奇型は横隔膜の筋層の欠損により，腹部内臓が横隔膜の突出部に上方移動する）.

umbilical e. 臍帯の内臓脱出. ＝omphalocele.

ever·sion (ē-ver′zhŭn) [L. *e-everto*, pp. *-versus*, to overturn]. 外転〔症〕（眼瞼や足などが外に回転すること）.

e·vert (ē-vert′) [L. *e-verto*, to overturn]. 外転する.

ev·i·ra·tion (ev′i-rā′shŭn, ē-vī-rā′shŭn) [L. *e*, out + *vir*, man]. ***1*** 去勢，男勢除去. ＝emasculation. ***2*** 女性化症（女性的特徴が現れて男性らしさが消失あるいは欠如すること. 女性化 effemination の一型）. ***3*** 女性化妄想（男性が自己を女性とみなしてしまう妄想）.

e·vis·cer·a·tion (ē-vis′ĕr-ā′shŭn) [L. *eviscero*, to disembowel]. ***1*** ＝exenteration. ***2*** 除臓〔術〕，臓器摘出〔術〕（通常は体腔内にある組織または臓器の腔壁を外科的に貫いて腔外に移す処置. 例えば腸管摘出術）. ***3*** 眼球内容除去〔術〕（強膜および，ときに角膜を残して眼球の内容物を除去すること）. ***4*** ＝eventration (1).

e·vis·cer·o·neu·rot·o·my (ē-vis′ĕr-ō-nū-rot′ŏ-mē) [L. *eviscero*, to disembowel + G. *neuron*, nerve + *tomē*, a cutting]. 視神経切断的眼球除去〔術〕（視神経を切断して眼を摘出すること）.

e·vo·ca·tion (ev′ō-kā′shŭn, ē-vō-kā′shŭn) [L. *evoco*, pp. *evocatus*, to call forth, evoke]. 喚起作用（胚形成時に喚起因子の作用によりもたらされる特殊な組織の誘導作用）.

e·vo·ca·tor (ev′ō-kā′tŏr, -tōr). 喚起因子（初期胚の形態形成をコントロールする因子）.

ev·o·lu·tion (ev′ō-lū′shŭn) [L. *e-volvo*, pp. *-volutus*, to roll out]. 進化，進展（①ある状態，状況，形から連続的に変化していく過程. ②1つの系統における遺伝子型と表現型の間の進歩的隔たり. ③化学反応や酵素反応経路での気体や熱の放出）.

biologic e. 生物進化論（すべての動植物は，より単純な形のもの，根本的には単細胞生物から徐々に変化してきたという説）. ＝organic e.

chemical e. 化学進化（生命が無機物質から生じる過程に関する理論）.

coincidental e. 同時進化. ＝concerted e.

concerted e. 協調進化（関係のある2つの遺伝子が，単一の遺伝子座を構成するかのようにお互いに進化する能力）. ＝coincidental e.

convergent e. 収束進化（環境が類似であると，しばしば系統発生的にはかけ離れているような2種あるいはそれ以上の生物種に，相似的な構造が進化的に発生すること. 例として，昆虫類，鳥類，飛行性哺乳類における翼様構造がある）.

darwinian e. ダーウィン進化（方向性のない偶然が表現型をもたらす働きと，その環境において，生存に最も適した表現型が選択的に(しかし決して確かでない)生存するという働きの結果として，種の構成要素の遺伝子型に無作為変異(突然変異)の効果が組み合わされるということで，種の系統発生を包括的に説明できるという提案. 種の個体発生を強く保存している遺伝因子なので，提案のシステムでは大部分が生き残る）.

divergent e. 分岐進化（種または遺伝子産物が2種類あるいはそれ以上の違う産物を生じるに至る過程）.

emergent e. 創発性進化（例えば独立に起こる個々の遺伝子型の変化の知識や理解では予想されることが非常に困難か，あるいはまったく予想できない生物のような，複雑な系での特性の発現）.

organic e. 生物進化. ＝biologic e.

saltatory e. 跳躍進化（古い種から新種への進化は，小さな突然変異の積み重ね(ステップ)としてではなく，染色体の大規模な再構成などのような飛躍(ジャンプ)によって起こるとする説. *cf.* emergent e.）.

spontaneous e. 自己娩出（横位から胎児を介助なしに娩出すること）.

e·vul·sion (ē-vŭl′shŭn) [L. *evulsio* < *e-vello*, pp. *-vulsus*, to pluck out]. 摘出，抜去（強制的に引き抜いたり，摘出すること. *cf.* avulsion）.

Ew·art (yū′ărt), William. イングランド人医師，1848—1929. →E. *procedure, sign*.

Ew·ing (yū′ing), James. 米国人病理学者，1866—1943. →E. *sarcoma, tumor*.

Ew·ing (yū′ing), James H. 病理学者，1798—1827. →E. *sign*.

E·win·gel·la (yū′in-gel′ă). ユーインゲラ属（新しく命名された腸内細菌科の一属. 通常，運動性で，グルコースから酸を産生するがガスは産生しない. 炭素源としてクエン酸を用い，三糖類では硫化水素を産生しない. 標準種は *E. americana* で，ヒトの呼吸器に認められ，敗血症の症例，通常，多種細菌性敗血症から回収されている）.

ex- (eks) [L. & G. out of]. …の外へ，から，から離れて，を意味する接頭語.

exa- (**E**) (ek-za′). エクサ（国際単位系(SI)およびメートル法による 10^{18} の倍数の接頭語）.

ex·ac·er·ba·tion (ek-zas′ĕr-bā′shŭn, ek-sas-) [L. *ex-acerbo*, pp. *-atus*, to exasperate, increase < *acerbus*, sour]. 増悪，〔病状〕再燃.

ex·al·ta·tion (eks′awl-tā′-shŭn). 喜び，歓喜，幸福感を伝える話，会話，演説.

ex·am·i·na·tion (ek-zam′i-nā′shŭn). ***1*** 検査〔法〕，診査〔法〕，診察，検診（診断の目的で行うすべての検査. 通常，施行方法別によばれる）. ***2*** 試験（ある分野の指導を受けた後に，技術や知識を評価する方法）.

cytologic e. 細胞学的検査（特に，疾病の診断のために細胞を顕微鏡を用いて調べること）.

digital rectal e. (**DRE**) 直腸指診（手袋をはめた術者の指を肛門内に挿入し，肛門管の構造を指診することで骨盤および下腹部の検査を行う. しばしば全身所見の一環として行われる）.

direct wet mount e. 湿潤封入検査法（運動能のある栄養型の原虫やその他の寄生虫を検出するために，生食に浮遊させた新鮮な糞便材料を低倍率(100×)および高倍率(400×)で調べる方法）.

EMG e. 筋電図検査（①狭義では，電気診断検査のうち，針筋電図検査をさす. ②広義では，針筋電図検査だけでなく，神経伝導検査も含めた電気診断検査全体をさす）.

fecal e. 糞便検査（糞便材料より寄生虫を検出同定するために，湿潤封入標本，濃縮標本，永久塗抹染色標本を顕微鏡で調べること）.

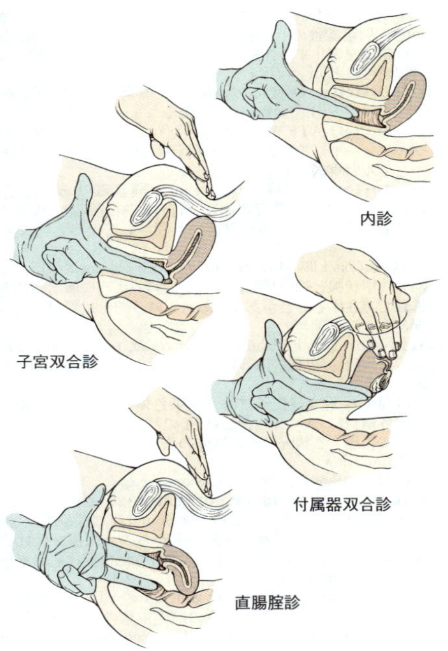

pelvic examination

mental status e. 精神状態検査（意識レベル，環境への適応能力並びに高次の認知能力を評価する一連の検査および質問項目からなる詳細な精神機能検査．器質的疾患と精神疾患との鑑別に有用である）．

Mini-Mental State E. (MMSE) 簡易知能検査（認知機能や精神障害を測定し評価するのに広く使用されている質問紙法による評価尺度であり，患者の状態に対する時間の効果を測定するために連続的に使用されることがある）．

ova and parasite e. 寄生虫および寄生虫卵検査（原虫や栄養型，嚢胞，接合子嚢，胞子，卵，幼虫といった段階の寄生虫を検出同定するために直接湿潤封入標本，濃縮湿潤封入標本および永久塗抹染色標本を使って糞便を徹底的に調べること）．

Papanicolaou e. (pa-pă-ni′kō-low). パパニコラウ検査（→Pap *test*）．

permanent stained smear e. 永久塗抹染色標本検査（トリクローム，鉄ヘマトキシリンなどの染色液で染めた糞便材料を油浸(1,000×)で鏡検すること．主に栄養型原虫，嚢胞，接合子嚢，胞子の検出に用いる）．

physical e. 理学的(身体的)検査，診察（視診，聴診，打診，触診など診断のための情報を集めるために行われる検査方法）．

postmortem e. 剖検，死体解剖，検死．＝autopsy (1).

ex·am·in·er (ek-zam′in-ĕr) [L. *examino*, to weigh, examine]．試験委員，検査員．

medical e. (ME) ***1*** 診断医（患者または保険加入の申込者を診査し，診査を希望した会社や個人に対し健康状態を報告する医師）．***2*** 検死医（検死官が廃止された州や自治体で，急死，暴力死または変死のすべての例を検査するため任命された医師）．

ex·an·them (ek-zan′them). ＝exanthema.

ex·an·the·ma (ek′zan-thē′mă) [G. efflorescence, an eruption < *anthos*, flower]．発疹，皮疹（[誤った発音 exan′thema を避けること]．急性ウイルス性，球菌性疾患，例えば，猩紅熱，麻疹などの徴候として現れる皮膚の発疹）．＝exanthem.

Boston e. [流行病が発生したボストン市の名にちなむ]．ボストン発疹（突発性発疹に類似するウイルス性疾患で，熱が下がった後に発疹が現れ，拡大する．ECHO ウイルスの第 16 菌種によって起こる）．

epidemic e. 伝染性発疹症，伝染性多発関節症．＝epidemic *polyarthritis.*

keratoid e. 類角化疹（イチゴ腫の第二期に現れる徴候．細かい淡色の小鱗状落屑が四肢や体軀に不規則に散在する）．

e. subitum 突発性発疹，突発疹，小児バラ疹（乳児および年少小児のヒト 6 型ヘルペスによるウイルス性疾患で，数日間発熱した後に突然始まり(痙攣を伴うこともある)，熱が下がって数時間後から 1 日以内に細かい斑点(斑点状丘疹の場合もある)が現れるのが特徴）．＝Dukes disease; pseudorubella; roseola infantilis; roseola infantum; sixth disease.

ex·an·them·a·tous (ek′zan-them′ă-tŭs). 発疹〔性〕の，皮疹〔性〕の．

ex·an·the·sis (ek′zan-thē′sis) [G.]．***1*** 発疹，皮疹．***2*** 発疹や皮疹の出現．

e. arthrosia 関節性発疹．＝dengue.

ex·an·thrope (ek′zan-thrōp) [G. *ex*, out of + *anthrōpos*, man]．外的病因（病気の外的原因で，体内に由来しないもの）．

ex·an·throp·ic (ek′zan-throp′ik). 外的病因の（人体の外部から発生する）．

ex·ar·te·ri·tis (eks′ar-tĕr-ī′tis). 動脈外膜炎．＝periarteritis.

ex·cal·a·tion (eks′kă-lā′shŭn) [G. *ex*, from + *chalaō*, to abate, release]．一連の構造のうちの 1 つの発育の欠損，抑圧あるいは不完全なこと．例えば指あるいは脊椎の欠損など．

ex·ca·va·ti·o (eks′kă-vā′shē-ō) [L. < *ex-cavo*, pp. *-cavatus*, to hollow out < *ex*, out + *cavus*, hollow]．窩，陥凹．＝excavation (1).

e. disci [TA]．円板陥凹．＝*depression* of optic disc.

e. papillae 乳頭陥凹．＝*depression* of optic disc.

e. rectouterina [TA]．直腸子宮窩．＝rectouterine *pouch.*

e. rectovesicalis [TA]．直腸膀胱窩．＝rectovesical *pouch.*

e. vesicouterina [TA]．膀胱子宮窩．＝vesicouterine *pouch.*

ex·ca·va·tion (eks′kă-vā′shŭn). ***1*** 窩，陥凹（自然のくぼみ，くぼんでいる領域）．＝depression (2); excavatio. ***2*** 窩，陥凹（人工的につくられたもの，または病気の結果生じたもの）．

atrophic e. 萎縮性陥凹（視神経の萎縮による視神経円板の正常または生理的な杯形成）．

glaucomatous e. 緑内障性〔乳頭〕陥凹．＝glaucomatous *cup.*

e. of optic disc 視神経円板陥凹．＝*depression* of optic disc.

physiologic e. ＝*depression* of optic disc.

ex·ca·va·tor (eks′kă-vā-tŏr). エキスカベータ（①病的な組織を摘出するのに用いる，大きく先のとがったスプーンまたはへら状の器具．②歯科において，充塡に先立ってう窩を清掃し，形成するのに用いる器具で，一般的には小さなスプーンや有窓鋭匙をいう）．

hatchet e. ハッチェットエキスカベータ（→hatchet）．

hoe e. ホウエキスカベータ（歯科で用いる器具で，刃は把手の軸に対してある角度をもち，切端はこの角度に対して直角である）．

ex·ce·men·to·sis (ek′sē-men-tō′sis). セメント質増殖〔症〕（セメント質または根表面の結節性の増殖）．

ex·cen·tric (ek-sen′trik). 離心〔性〕の，偏心〔性〕の，遠心〔性〕の，末梢の（→eccentric (2), (3)）．

ex·cess (ek′ses). 過剰（通常または指定された量以上のこと）．

antibody e. 抗体過剰（沈降反応などの血清学的反応に用いる語．存在する抗原のすべてと結合するのに必要な量以上に抗体が過剰に存在すること．→prozone）．

antigen e. 抗原過剰（①沈降反応において，一定量の抗体に対して抗原が過剰に存在する結果，可溶性の免疫複合体を生じて，沈降物の形成が阻害される現象．②*in vivo* において，抗原過剰な抗原抗体反応の結果として，抗原抗体複合物が増加して，細胞障害を起こしやすくなる可能性があるこ

E

と．寛容性でもあり得る）．

base e. 塩基過剰，ベイスエクセス，B.E.（代謝性アルカローシスの計量．通常，Siggaard-Andersen 計算図表から予想される．37°C で二酸化炭素圧 40 mmHg での pH 7.4 まで滴定するための，全血の単位体積当たり加えられるべき強酸の量）．

convergence e. 輻輳過度（内斜位または内斜視が遠方視より近方視に対しより強い状態）．

negative base e. 負の塩基過剰（代謝性アシドーシスの計量．通常，Siggaard-Andersen 計算図表から予想される．37°C で二酸化炭素圧 40 mmHg での pH 7.4 まで滴定するための，全血の単位体積当たり加えられるべき強アルカリの量）．

ex·change (eks-chānj′). 交換（1つの物を他と置き換えること，あるいはそのような行為）．

sister chromatid e. 姉妹染色分体交換（姉妹染色分体の相同部分が体細胞分裂時に交換する現象．遺伝的あるいは環境的要因による過度な染色体の脆弱性の結果増加する．→recombination）．

ex·cip·i·ent (ek-sip′ē-ent)［L. *excipiens*; *ex-cipio*(to take out)の現在分詞］．賦形剤（治療薬を丸剤にするときに，形をつくったり粘度を与えるため，あるいは希釈剤，賦形剤として処方に多少加える無効成分．単シロップ，植物性樹脂，芳香性粉末，ハチ蜜，種々のエリキシルなど）．

ex·cise (ek-sīz′). 切除する（［誤ったつづり exise を避けること］．→resect）．

ex·ci·sion (ek-sizh′ŭn)［L. *excido*, to cut out］．［誤ったつづり exision を避けること］．＝exeresis. ***1*** 切除［術］（組織や臓器の一部を除去する手術）．＝resection (3). ***2*** 除去，切除，切り出し（分子生物学において，遺伝要素が除去される組換え現象）．***3*** 生体高分子の一断片の酵素学的切除．

loop e. ループ切除（子宮頸部の異型細胞を取り除く診断および治療的な外科手技）．＝loop electrosurgical excision procedure; loop resection.

ex·cit·a·bil·i·ty (ek-sīt′ă-bil′i-tē). 興奮性（興奮する能力のあること）．

supranormal e. 過剰興奮（心筋活動電位第3相の末期には心筋の興奮を起こさせるのに必要な刺激閾値は拡張期のその他の時期に比べ低下しているため，通常の閾値以下(すなわちより陰性電圧)の刺激が有効となる．*cf.* supranormal *conduction*）．

ex·cit·a·ble (ek-sīt′ă-bĕl). 興奮性の（①刺激に対して迅速に反応できる．感情励起に対する潜在能を有すること．*cf.* irritable. ②神経生理学において，適当な刺激に反応して興奮することのできる組織，細胞，あるいは膜に対していう）．

ex·cit·ant (ek-sī′tănt)［L. *excito*, pp. *-atus*, pres. p. *-ans*, to arouse］．＝stimulant.

ex·ci·ta·tion (ek′sī-tā′shŭn). 興奮（①肉体的または精神的過程の速度や強度を増す行為．②神経生理学において，適当な刺激に対する神経や筋肉の完全な悉無的反応をいい，通常は細胞膜や細胞に沿った興奮の伝播を含んでいる．→stimulation）．

anomalous atrioventricular e. 異常房室興奮（異所性の心房興奮が心室に伝導した状態）．

ex·cit·a·to·ry (ek-sī′tă-tō′rē). 興奮性の．

ex·cite·ment (ek-sīt′ment). 興奮（時折衝動的で抑制の乏しい行動を起こす可能性があるという特徴をもつ感情の状態）．

catatonic e. 緊張病性興奮（ある種の分裂性疾患にみられる．→catatonia）．

manic e. 躁病性興奮（双極性障害の躁病エピソードと関連するより高い行動力や特有の感情的な興奮の徴候．→mania; manic-depressive）．

ex·ci·to·glan·du·lar (ek-sī′tō-glan′dyū-lăr). 腺分泌刺激性の（腺の分泌活動を増大する）．

ex·ci·to·met·a·bol·ic (ek-sī′tō-met′ă-bol′ik). 代謝促進性の（代謝過程の活動性を高める）．

ex·ci·to·mo·tor (ek-sī′tō-mō′tŏr). 運動促進性の．＝centrokinetic (2).

ex·ci·to·mus·cu·lar (ek-sī′tō-mŭs′kyū-lăr). 筋興奮性の（筋肉の作用を促進する）．

ex·ci·tor (ek-sī′tŏr, -tōr). エクサイター．＝stimulant (2).

ex·ci·to·se·cre·to·ry (ek-sī′tō-sē-krē′tŏ-rē). 分泌刺激性の．

ex·ci·to·tox·ic (ek-sī′tō-tok′sik)［excite + G. *toxikon*, poison］．興奮毒性の（興奮作用をもち，それにより細胞あるいは組織を毒化する作用をいう．例えばグルタミン酸による神経毒性など）．

excitotoxicity (ek-sī′tō-tok-sis′i-tē). 興奮［性］毒性（細胞内グルタメートが増加することによるニューロンの死．ニューロンの虚血は ATP 喪失と脱分極をもたらし，シナプスからグルタメートが放出され，過剰刺激によりナトリウムチャネルとカルシウムチャネルが開く）．

ex·ci·to·tox·ins (ek-sī′tō-toks′ins). 興奮毒（ある受容体(例えばグルタミン酸受容体)に結合して神経細胞を死滅させる物質．脳卒中による脳障害にも関与していると考えられる）．

ex·clave (eks′klāv)［L. *ex*, out + *-clave* (in enclave)］．分絶部分（甲状腺と副甲状腺，膵臓と副膵のように臓器の一部が離れて存在することがあり，離れたほうを分絶部分または副腺という）．

ex·clu·sion (eks-klū′zhŭn)［L. *ex-cludo*, pp. *-clusus*, to shut out］．排除，圧排法，除外（締め出すこと．主要部分から分離すること）．

allelic e. 対立遺伝子排除（常染色体上で異型接合体を有する各細胞において，対立遺伝子のどちらか一方のみがランダムに発現する状況．その個体の表現型はモザイクとなる．*cf.* lyonization）．

e. of pupil 瞳孔遮断．＝seclusion of *pupil*.

ex·clu·sive pro·vid·er or·gan·i·za·tion (EPO) (eks-klū′siv prō-vīd′ĕr ōr′gan-i-zā′shŭn). 専属医療機関(提供者)団体（加入者が，加盟医療機関からのみ医療を受ける管理医療計画．認定医療機関外から受けた医療費は患者が支払う．→managed *care*）．

ex·con·ju·gant (eks-kon′jū-gant)［ex- + L. *conjugo*, to join］．接合完了体（原生動物の纖毛虫類の接合対が分離して有糸分裂を始める前の接合個体．→conjugant; conjugation (3)）．

ex·co·ri·ate (eks-kō′rē-āt). 引っ掻く（物理的な方法で皮膚を剝離する）．

ex·co·ri·a·tion (eks-kō′rē-ā′shŭn)［L. *excorio*, to skin, strip < *corium*, skin, hide］．すり傷，擦［過］創，瘡痕，爪痕（皮膚表面の線状の創で，通常は血液または血清の痂皮でおおわれている）．

neurotic e. 神経症性擦創（皮膚疾患の有無にかかわらず繰り返される自励的な擦創であって，強迫的または神経症的行動上の問題を伴う）．

ex·cre·ment (eks′krĕ-ment)［L. *ex-cerno*, pp. *-cretus*, to separate］．排出物，排泄物，屎尿(しにょう)（体内から出る不要物．例えば糞便など）．

ex·cre·men·ti·tious (eks′krē-men-tish′ŭs). 排出物の．

ex·cres·cence (eks-kres′ens)［L. *ex-cresco*, pp. *-cretus*, to grow forth］．突出［物］，病的増殖物（表面から突出したもの）．

Lambl e.'s 半月弁結節（大動脈半月弁の辺縁の小突起．意義は不明）．

ex·cre·ta (eks-krē′tă)［L. *ex-cerno*(to separate)の完了分詞 *excretus* の中性・複数形］．排出物（［本語は文法的に複数形である］）．＝excretion (2).

ex·crete (eks-krēt′). 排出する（血液から分離して外へ出す）．

ex·cre·tion (eks-krē′shŭn)［→excrement］．***1*** 排出，排泄（食物の不消化残渣および代謝の廃棄物を除いたり，体液あるいは組織の構成を調節するために物質を除去したり，外表面での機能を発揮するため物質を出す過程）．***2*** 排出物，排泄物（組織または器官の生成物で体外に排出されるべき不要物．*cf.* secretion）．＝excreta.

ex·cre·to·ry (eks′krē-tō-rē). 排出の，排泄の．

ex·cur·sion (eks-kŭr′zhŭn). 可動域，偏倚運動（1点から他の1点への運動で，通常は元の点に再び戻る）．

lateral e. 側方運動（下顎の右側または左側への運動）．

protrusive e. 前方運動（下顎の中心点より前方への運動）．

retrusive e. 後方運動（閉口位とそのわずか後方の咬合位との間における，下顎のわずかな前後運動）．

ex·cy·clo·duc·tion (ek′sī-klō-dŭk′shŭn) [ex- + cyclo- + L. *duco*, pp. *ductus*, to lead]. 単眼外旋運動，外回しひき，外旋（角膜上縁の外方への回旋）.

ex·cy·clo·pho·ri·a (ek′sī-klō-fō′rē-ă) [ex- + cyclo- + G. *phora*, a carrying]. 外旋斜位，外回し斜位（角膜上縁が外方に回旋する傾向にある回旋位）.

ex·cy·clo·tor·sion (ek′sī-klō-tōr′shŭn) [ex- + cyclo- + L. *torqueo*, pp. *torsus*, to twist]. 外旋. ＝extorsion (1).

ex·cy·clo·tro·pi·a (ek′sī-klō-trō′pē-ă) [ex- + cyclo- + G. *tropē*, a turning]. 外旋斜視（両眼の角膜上極が外側(側方)に回転した回旋斜視）.

ex·cy·clo·ver·gence (ek′sī-klō-vĕr′jens) [ex- + cyclo- + L. *vergo*, to bend, incline]. 両眼外旋運動，外回し寄せ（両角膜の上縁が外回しする運動）.

ex·cys·ta·tion (ek′sis-tā′shŭn). 脱嚢，包嚢脱出（嚢から脱出すること．被嚢生体が嚢から脱出することについていう）.

ex·duc·tion (eks-dŭk′shŭn) [ex- + L. *duco*, pp. *ductus*, to lead]. 側方偏視. ＝lateroduction.

ex·e·mi·a (ek-sē′mē-ă) [G. *ex*, out of + *haima*, blood]. 血液脱出（[eczema と混同しないこと]．血液の相当量が体循環から失われたが，ある場所内にはかなり血液がうっ滞して残っている状態で生じたショック）.

ex·en·ce·pha·li·a (eks′en-se-fā′lē-ă). ＝exencephaly.

ex·en·ce·phal·ic (eks′en-se-fal′ik). 脳ヘルニアの，脳脱〔出症〕の. ＝exencephalous.

ex·en·ceph·a·lo·cele (eks′en-sef′ă-lō-sēl) [*ex*, out + G. *enkephalos*, brain + *kēlē*, tumor]. 脳ヘルニア，脳脱〔出症〕.

ex·en·ceph·a·lous (eks′en-sef′ă-lŭs). ＝exencephalic.

ex·en·ceph·a·ly (eks′en-sef′ă-lē) [G. *ex*, out + *enkephalos*, brain]. 脳ヘルニア，脳脱〔出症〕（頭蓋に欠陥があり，脳が露出したり突出している状態）. ＝exencephalia.

exendin (eks-en′din). エキセンディン（選択的グルカゴン類似ペプチド-1受容体アンタゴニスト）.

ex·en·ter·a·tion (eks′en-tĕr-ā′shŭn) [G. *ex*, out + *enteron*, bowel]. 内容除去〔術〕，内臓除去〔術〕（内部の器官や組織を除去すること．通常は体腔の内容物をすべて除去することをいう）. ＝evisceration (1).

anterior pelvic e. 前骨盤内容除去〔術〕（膀胱，遠位尿管，腟，子宮，付属器，および隣接リンパ節の除去．尿路変更術または膀胱置換術が必要）.

orbital e. 眼窩内容除去〔術〕（眼窩の内容物を残らず取り除くこと）.

pelvic e. 骨盤内容除去〔術〕（骨盤内の器官および隣接構造全体の除去．通常は膀胱，子宮頸部，または直腸の癌を手術で切除するために行う）.

posterior pelvic e. 後骨盤内容除去〔術〕（腟，子宮，付属器，直腸，肛門，および隣接リンパ節の除去．人工肛門造設術が必要）.

total pelvic e. 全骨盤内容除去〔術〕（膀胱，遠位尿道，腟，子宮，付属器，直腸，肛門，および隣接リンパ節の除去．人工肛門造設術と尿路変更術または膀胱置換術が必要）. ＝Brunschwig operation.

ex·en·ter·i·tis (eks′en-tĕr-ī′tis) [G. *exō*, on the outside + enteritis]. 腸漿膜炎（腸の腹腔面皮膜の炎症）.

ex·er·cise (ek′sĕr-sīz). [誤ったつづり excercise, exersise, exercize, および他の別形を避けること]. ***1*** 自動運動（器官や機能を健康状態に戻したり，健康に保つために行う体の運動）. ***2*** 他動運動，他動的体運動（患者の意思で行うのではない四肢の運動）.

Hoffman e.'s (hof′mahn). ホフマン運動（陥没乳頭からの授乳を補助するために，母指と示指で乳輪から胸の外側へ向かって圧迫する手技）.

isokinetic e. 等運動性訓練（運動全域にわたって一定した抵抗に抗して行う筋収縮訓練）.

isometric e. 等尺性運動（筋が本来行う関節を動かすことなく，筋収縮のみを行わせる運動）.

isotonic e. 等張性訓練. ＝isotonic *contraction*.

Kegel e.'s (keg′ĕl). ケーゲル体操（腹圧性尿失禁の治療のために行う，骨盤底筋と会陰筋の収縮と弛緩を交互に行う方法）.

ex·er·e·sis (ek-sĕr′ĕ-sis) [G. *exairesis*, a taking out < *haireō*, to take, grasp]. 捻除〔術〕，切除〔術〕. ＝excision.

ex·er·gon·ic (ek′sĕr-gon′ik) [exo- + G. *ergon*, work]. ***1*** 発熱の（周囲に Gibbs 自由エネルギーの減少を伴って起こる反応．*cf.* endergonic）. ***2*** 仕事を生みだすことができるプロセス.

ex·flag·el·la·tion (eks′flaj-ĕ-lā′shŭn). べん毛放出（小配偶子母細胞から急速に運動するべん毛状の小配偶子が分離すること．ヒトのマラリア寄生虫の場合は，特有の媒介アノフェレスカが摂取した血液内で，カが感染血液を伝達後 2，3 分のうちに，べん毛放出が起こる）. ＝polymitus.

ex·fo·li·a·tion (eks′fō-lē-ā′shŭn) [Mod. L. < L. *ex*, out + *folium*, leaf]. ***1*** 剝脱，脱皮（表皮の，または組織表面から表面細胞が剝脱すること）. ***2*** 落屑（表皮の角層の鱗屑または落屑で，その量は微量から外皮全体に及ぶこともある）. ***3*** 交換（歯根構造の生理的欠陥による乳歯の欠損）.

e. of lens 水晶体剝離（水晶体の被膜がシート状に分離すること．眼を高熱に当てると生じる）.

ex·fo·li·a·tive (eks-fō′lē-ā-tiv) [Mod. L. *exfoliativus*]. 剝脱性の，表皮剝離性の（剝離，落屑，または大量の鱗屑を特徴とする）.

ex·ha·la·tion (eks-hă-lā′shŭn) [L. *ex-halo*, pp. *-halatus*, to breathe out]. ***1*** 呼気，呼息，呼出. ＝expiration (1). ***2*** 蒸発，発散，放散（気体または蒸気を放出すること）. ***3*** 蒸発物（放出した気体または蒸気）.

ex·hale (eks-hāl′). ***1*** 呼気する，呼息する，呼出する. ＝expire (1). ***2*** 発散する，放散する（気体，蒸気，香りを放出すること）.

ex·haus·tion (eks-aw′chŭn) [L. *ex-haurio*, pp. *-haustus*, to draw out, empty]. ***1*** 疲はい，極度疲労，へばり（刺激に反応できないこと）. ***2*** 消耗（内容物の除去．使って何もなくなること）. ***3*** 抽出（水，アルコール，またはその他の溶媒で処理して薬の活性成分を抽出すること）.

heat e. 熱ばて，暑さへばり（熱に対する反応の一種で，疲はい，衰弱，虚脱を特徴とし，激しい脱水作用により起こる）.

ex·hi·bi·tion·ism (ek′si-bish′ŭn-izm). 露出症（見せられた者に性的関心を誘発する目的で，身体の一部，特に陰部を露出する病的強迫行為）.

ex·hi·bi·tion·ist (ek′si-bish′ŭn-ist). 〔性器〕露出症者（露出衝動をもつ者）.

ex·hil·a·rant (eg-zil′ă-rant) [L. *ex-hilaro*, pp. *-atus*, pres. p. *-ans*, to gladden]. 快活な，愉快な（精神的な刺激のある）.

ex·is·ten·tial (ek′si-sten′shăl) [L. *existentia*, existence]. 実存の（人間存在の意味を探究する哲学の一分野に属し，実存精神療法 existential *psychotherapy* にまで広げられている）.

ex·i·tus (eks′i-tŭs) [L. < *ex-eo* pp. *-itus*, to go out]. 出口，死（[複数形は exiti ではなく exitus である]）.

Ex·ner (eks′nĕr), Siegmund. オーストリア人生理学者，1846—1926. →Call-E. *bodies*; E. *plexus*.

exo- (ek′sō) [G. *exō*, outside]. [本接頭語と eco- を混同しないこと]．外部，外面，外側，を意味する接頭語. →ecto-.

ex·o·am·y·lase (ek′sō-am′il-ās). エキソアミラーゼ（多糖の末端付近のグリコシド結合に作用するグルカノヒドロラーゼ．例えばβ- アミラーゼ）.

ex·o·an·ti·gen (ek′sō-an′ti-jen). ＝ectoantigen.

ex·o·car·di·a (ek′sō-kar′dē-ă). 心臓転位. ＝ectocardia.

ex·o·ce·lom, exocoelom (eks′ō-sē′lom) [*exo-* + *coelom*]. 胚外体腔. ＝extraembryonic *celom*.

ex·o·crine (ek′sō-krin) [exo- + G. *krinō*, to separate]. 外分泌の（①体表面への腺分泌についていう. ＝eccrine (1). ②分泌管を通って外部に分泌する腺についていう）.

ex·o·cy·clic (ek′sō-sī′klik, -sik′lik). 環外の（それ自体は環状ではないが環状構造に付いている原子または基についていう．例えばトルエンのメチル基など．*cf.* endocyclic）.

ex·o·cy·to·sis (ek′sō-sī-to′sis) [exo- + G. *kytos*, cell + *-osis*, condition]. エキソサイトーシス（①移動性炎症細胞が表皮中に現れること．②分泌顆粒または小粒が細胞から放出する過程．顆粒周囲の膜が細胞膜と融合し，破壊して分泌物が排出される．*cf.* endocytosis. ＝emeiocytosis; emiocytosis）.

ex·o·de·vi·a·tion (ek′sō-dē′vē-ā′shŭn). ***1*** ＝exophoria. ***2*** ＝exotropia.

ex·o·don·tia (ek-sō-don′shē-ă)［exo- + G. *odous*, tooth］. 抜歯〔術〕(歯の抜去を扱う歯科医術の一分野).

ex·o·don·tist (ek′sō-don′tist). 抜歯専門医 (抜歯を専門に行う人).

ex·o·en·zyme (ek′sō-en′zīm). 〔細胞〕外酵素. = extracellular *enzyme*.

ex·og·a·my (eks-og′ă-mē)［exo- + G. *gamos*, marriage］. エキソガミー (ある種の原生動物にみられるような, 異なる系統に由来する２個の配偶子の接合による有性生殖).

ex·o·gas·tru·la (eks′ō-gas′trū-lă). 外原腸胚 (原腸が外転している異常胚).

ex·o·ge·net·ic (ek′sō-jĕ-net′ik). = exogenous.

ex·o·ge·note (ek′sō-jē′nōt)［exo + genote］. エキソゲノート, 外来性ゲノム断片 (微生物遺伝学において, 供与菌から受容菌に転移される遺伝質の断片. 受容菌の原ゲノム(エンドゲノート)の一部分と相同で, この部分において二倍体類似の状態(部分二倍体)を形成する).

ex·og·e·nous (eks-oj′ĕ-nŭs)［exo- + G. *-gen*, production］. 外因〔性〕の. = ectogenous; exogenetic.

ex·o-1,4-α-D-glu·co·si·dase (ek′sō-glū-kō′si-dās). エキソ-1,4-α-D-グルコシダーゼ (グリコゲンの最も外側の非還元性末端から β-D-グルコースを放出して, α-1,4-結合D-グルコース残渣を除去するヒドロラーゼ). = acid maltase; amyloglucosidase; γ-amylase; glucoamylase.

ex·o·lev·er (ek′sō-lē′v′ĕr)［exo- + L. *levare*, to raise］. エクソレバー (歯根抜去に用いる変形のエレベータ).

ex·om·pha·los (eks-om′fă-lŭs)［G. *ex*, out + *omphalos*, umbilicus］. ***1*** でべそ (臍の突出). = exumbilication (1). ***2*** = umbilical *hernia*. ***3*** = omphalocele.

ex·on (ek′son)［ex- + on］. エクソン, エキソン (DNA の中で成熟メッセンジャー RNA としてコードされる部分のこと. したがって, リボソームで発現している(蛋白に翻訳される)領域である).

ex·on shuf·fle (ek′son shŭfĭl). エクソンシャッフル (単一の遺伝子から多種のエクソンの組合せが産出されるような多様性).

ex·o·nu·cle·ase (ek′sō-nū′klē-ās). エキソヌクレアーゼ (ポリヌクレオチド(核酸)の一方の端から始まり, ヌクレオチド１個に連続的に放出するヌクレアーゼ. 大腸菌 *Escherichia coli* からつくられるものも数種あり, e. I, e. II などと命名されている. エキソヌクレアーゼ III は DNA の 3′ 末端からヌクレオチドを脱離させることができ, DNA 配列決定で用いられる. *cf.* endonuclease).

ex·o·pep·ti·dase (ek′sō-pep′ti-dās). エキソペプチダーゼ (ペプチド鎖の末端アミノ酸の加水分解に関与する酵素. 例えばカルボキシペプチダーゼ. *cf.* endopeptidase).

Ex·o·phi·a·la (ek′sō-fī′ă-lă)［*exo* + G. *phialē*, a broad flat vessel］. エクソフィアラ属 (病原性真菌の一属で, １または２細胞の環紋型分生子を産生する黒色の分生子柄がある. 菌腫や黒色菌糸症の原因となる. 菌腫の例では黒色顆粒が皮下膿瘍中に形成され, 黒色菌糸症の場合には透明あるいは褐色の菌糸が組織中にみられる).

E. jeanselmei 菌腫または黒色菌糸症の症例で認められる真菌種.

E. werneckii 黒色癬を引き起こす真菌種. = *Cladosporium werneckii*.

ex·o·pho·ri·a (ek′so-fō′rē-ă)［exo- + G. *phora*, a carrying］. 外斜位 ([esophoria と混同しないこと]. 融像が中断すると眼が外側に偏位する傾向). = exodeviation (1).

ex·o·phor·ic (ek′sō-fōr′ik). 外斜位の.

ex·oph·thal·mic (ek′sof-thal′mik). 眼球突出〔症〕の.

ex·oph·thal·mom·e·ter (ek′sof-thal-mom′ĕ-tĕr)［exophthalmos + G. *metron*, measure］. 眼球突出〔測定〕計 (眼の前極と一定の基準点(たいていは頬骨)との距離を測定する器具). = orthometer; proptometer; statometer.

ex·oph·thal·mos, ex·oph·thal·mus (ek′sof-thal′mos)［G. *ex*, out + *ophthalmos*, eye］. 眼球突出〔症〕(片眼あるいは両眼の眼球の突出. 先天性や家族性, または, 病理学的に眼窩内腫瘍(通常片眼性)や甲状腺疾患(通常両眼性)のような場合がある). = proptosis.

endocrine e. 内分泌性眼球突出〔症〕(甲状腺障害を伴った眼球突出. → Graves *ophthalmopathy*; Graves *orbitopathy*).

malignant e. 悪性眼球突出〔症〕(重症で進行性の眼球突出).

ex·o·phyte (ek′sō-fīt)［exo- + G. *phyton*, plant］. 表面寄生植物 (外面または外部に寄生する植物).

ex·o·phyt·ic (ek′sō-fit′ik). ***1*** 表面寄生植物の. ***2*** 外方増殖〔性〕の (上皮表面より外方に増殖する腫瘍または病変を示す).

ex·o·plasm (ek′sō-plazm). 外形質. = ectoplasm.

ex·o·ri·bo·nu·cle·ase II (eks′ō-rī′bō-nū′klē-ās). エキソリボヌクレアーゼ II. = RNase II.

exorphin (eks-ōr′fin). エキソルフィン (小麦グルテンに見出される, 食用由来のオピオイドペプチド).

ex·o·se·ro·sis (ek′sō-se-rō′sis). 漿液滲出 (湿疹または剝離などにみられるような皮膚表面からの漿液の滲出).

ex·o·skel·e·ton (ek′sō-skel′ĕ-tŏn). ***1*** 皮膚骨格 (脊椎動物門の外胚葉または体中胚葉から発育する毛髪, 歯, 爪, 羽毛, ひづめ, 鱗屑などの硬い部分). = dermoskeleton. ***2*** 外骨格 (昆虫の外部のキチン性被包, またはある種の甲殻類および他の無脊椎動物のキチン性, または石灰性被包).

ex·o·spore (ek′sō-spōr)［exo- + G. *sporos*, seed］. 外生胞子 (胞子嚢の外に生じる胞子).

ex·o·spo·ri·um (ek′sō-spō′rē-ŭm). エキソスポリウム, 外膜 (胞子の外部被覆).

ex·os·tec·to·my (ek′sos-tek′tŏ-mē)［exostosis + G. *ektomē*, excision］. 外骨切除〔術〕. = exostosectomy.

ex·os·to·sec·to·my (ek-sos-tō-sek′tŏ-mē). = exostectomy.

ex·os·to·sis, pl. ex·os·to·ses (eks′os-tō′sis, -sēz)［exo- + G. *osteon*, bone + *-osis*, condition］. 外骨〔腫〕症 (軟骨をかぶった骨の突出で, 軟骨から発育する骨から発生する. → osteochondroma). = hyperostosis (2); poroma (2).

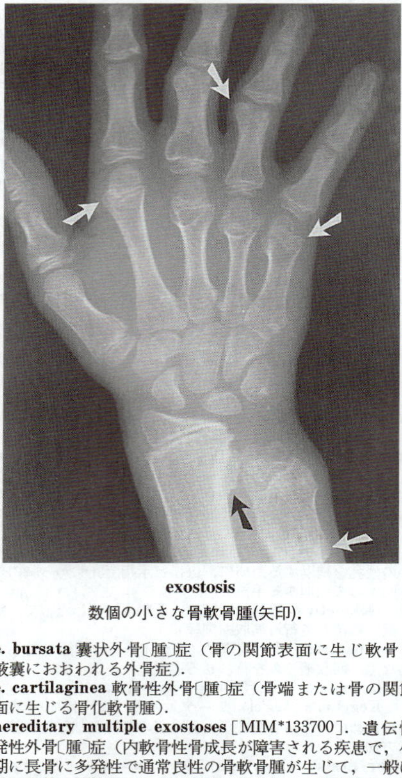

exostosis
数個の小さな骨軟骨腫(矢印).

e. bursata 嚢状外骨〔腫〕症 (骨の関節表面に生じ軟骨と滑液嚢におおわれる外骨症).

e. cartilaginea 軟骨性外骨〔腫〕症 (骨端または骨の関節表面に生じる骨化軟骨腫).

hereditary multiple exostoses［MIM*133700］. 遺伝性多発性外骨〔腫〕症 (内軟骨性骨成長が障害される疾患で, 小児期に長骨に多発性で通常良性の骨軟骨腫が生じて, 一般に橈骨と腓骨の短縮をきたす. 頭蓋は侵さない. 問題となる症状は，通常，腫瘍による機械的要因によるもので，悪性変化はまれである．常染色体優性遺伝であるが，遺伝子異質性がみられる．タイプ I は外骨腫-1-遺伝子(*EXT1*)の第 8 染色体長腕の突然変異，タイプ II は外骨腫-2-遺伝子(*EXT2*)，タイプ III は第 19 染色体短腕の突然変異によって起こる)．＝hereditary deforming chondrodystrophy (1); multiple e.; osteochondromatosis.

ivory e. そうげ様外骨〔腫〕症（通常，頭蓋骨の 1 つから発生する小さな球状のそうげ質化した腫瘍）．

multiple e. 多発性外骨〔腫〕症．＝hereditary multiple exostoses.

solitary osteocartilaginous e. 孤立性骨軟骨性外骨〔腫〕症．＝osteochondroma.

subungual e. 爪下外骨腫（青年期に生じる，手あるいは足の親指の爪を押しあげる有痛性の骨性増殖）．

ex·o·ter·ic (ek′sō-ter′ik) [G. *exōterikos*, outer]. 外部の，外部的な（外部に由来する．生体外部に生じる）．

ex·o·ther·mic (ek′sō-ther′mik) [exo- ＋G. *thermē*, heat]. ***1*** 発熱〔性〕の（熱，すなわちエンタルピーの発生を伴う化学反応についていう．*cf.* endothermic)．***2*** 外熱の（身体の外の熱についていう）．

ex·o·tox·ic (ek′sō-tok′sik). ***1*** 〔細菌〕外毒素の．***2*** 外毒素の（外因性の毒または毒素の侵入についていう）．

ex·o·tox·in (ek′sō-tok′sin). 〔細菌〕外毒素（ある種のグラム陽性菌またはグラム陰性菌によって産生される，特異的で可溶性，抗原性のある通常は易熱性の毒性物質．細胞内で形成されるが，周囲に放出され，そこではきわめて少量でも急速に活性を帯びるようになる．外毒素のほとんどはその性質から蛋白様(分子量 70,000—900,000)であり，分子の毒素活性部分は，熱，長期貯蔵，または化学物質などにより破壊される．抗原性があるが毒性活性を有しないものは toxoid とよばれる)．＝ectotoxin; extracellular toxin.

ex·o·tro·pi·a (ek′sō-trō′pē-ă) [exo- ＋G. *tropē*, turn]. 外斜視（視軸が開散している斜視の一型．麻痺性または共動性，一眼性あるいは交代性，恒常性または間欠性のものがある)．＝divergent squint; divergent strabismus; exodeviation (2); external squint; wall-eye (1).

A-pattern e. A 外斜視（上方視よりも下方視で偏位が大きい外斜視）．

basic e. 基礎型外斜視（遠見と近見の斜視角が同じ外斜視）．

divergence excess e. 開散過多型外斜視，外寄せ過多型外斜視（遠見での斜視角が近見でのそれより明らかに大きい型の外斜視）．

divergence insufficiency e. 輻輳不全型外斜視，内寄せ不全型外斜視（近見での斜視角が遠見でのそれより明らかに大きい型の外斜視）．

V-pattern e. V 外斜視（下方視よりも上方視で偏位が大きい外斜視）．

X-pattern e. X 外斜視（上方視，下方視の両方で，正注視からの偏位が大きくなること）．

ex·pan·sile (eks-pants′ĭl). 拡張の（拡張，拡大膨張に関係がある．→expansion (2))．

ex·pan·sion (eks-pan′shŭn) [L. *ex-pando*, pp. *-pansus*, to spread out]. ***1*** 拡大，膨張（胸部または肺などのように大きさが増すこと)．***2*** 展開，伸張（腱などのように構造がのびること)．***3*** 広がり．

clonal e. クローン〔性〕増殖（娘細胞がすべて単一細胞から産生されること．リンパ球の場合には，増殖したすべての細胞がまったく同じ抗原特異性をもつ)．

extensor e. ＝extensor digital e.

extensor digital e. 伸筋腱膜（中央に指伸筋の腱，両側に骨間筋の腱，外側に虫様筋の腱のある三角形の腱性筋膜．中足指節関節と指の基節の背面をおおう)．＝dorsal hood; extensor aponeurosis; extensor e.

hygroscopic e. 吸湿膨張（①水分の吸収による膨張．②歯科鋳造において，硬化のときに鋳造埋没材表面に水を加えて鋳型を大きくすること）．

perceptual e. 知覚拡大（過去に体験した類似刺激との関連から感覚刺激の認識力，解釈力を発達させること．防衛機構を緩めることによる知覚拡大は精神療法の最終目標である)．

setting e. 硬化膨張（焼石膏などの種々の物質が硬化する際に起こる膨張）．

wax e. ワックス膨張（歯科において，ろう原型を拡大させて鋳造中の金の収縮を補う方法）．

ex·pan·sive·ness (ek-span′siv-nes). 誇大症（多幸症，多弁，反応性を特徴とする状態）．

ex·pec·ta·tion (ek-spek-tā′shŭn). 期待値（確率論や統計学での(標本分布から計算される)真の平均）．

ex·pec·ta·tion of life (ek-spek-tā′shŭn līf). 平均余命（現在の死亡率が引き続きあてはまるとした場合の，ある年齢の人に期待される今後の生存年数の平均．現在の年齢別死亡率を基に統計的に算出される）．

e. o. l. at age *x* *x* 歳平均余命（ある年の年齢別死亡率をもとに，それが継続した場合に，*x* 歳の人があと何年生存できるかの平均）．

e. o. l. at birth 出生時余命（現在の死亡率が継続するとした場合の，新生児において期待される生存年数の平均）．

ex·pect·ed (ek-spek′tĕd). 期待される（確率論や統計学においては平均と同義．もっともな，あるいは起こりうる値である必要はない．例えば，両親のそろった家庭において期待される子供の数は 2.53 人であるかもしれないが，現実の家庭ではこのようなことは起こりえない）．

ex·pec·to·rant (ek-spek′tō-rănt) [L. *ex*, out ＋ *pectus*, chest]. ***1*** 〚adj.〛去痰の（気道粘膜からの分泌を促す，またはその排出を促進する)．***2*** 〚n.〛去痰薬（気管支分泌物を増加させ，その排出を促進する薬物）．

ex·pec·to·rate (ek-spek′tō-rāt). 吐き出す，喀出する（つばを吐く，唾液，粘液，他の液を口から吐き出すこと）．

ex·pec·to·ra·tion (ek-spek′tō-rā′shŭn). ***1*** 痰（気道および口内でつくられ，咳によって喀出される粘液，その他の液体．→sputum (1))．***2*** 喀出（唾液，粘液，その他の気道または上部植物通路(口)から出る物質を口から吐き出すこと)．＝spitting.

prune-juice e. ＝prune-juice *sputum*.

ex·pe·ri·ence (ek-spēr′ē-ens) [L. *experientia* < *experior*, to try]. 体験（思考に対するものとしての情動および感覚の感情．出来事または人と人との出会いに関して，抽象的に考えるよりはむしろ実際に起こっていることにかかわること）．

corrective emotional e. 修正感情体験（過去には対処することのできなかったある情緒的状況に，好ましい環境下で，再び直面させること）．

out-of-body e. 幽体離脱体験（心と感覚を含む自分自身が肉体の外にあるような体験のこと．臨死現象の 1 つとして報告される）．

ex·per·i·ment (eks-per′i-ment) [L. *experimentum* < *experior*, to test, try]. **[誤った発音 iks-per′i-ment および eks-pēr-i-ment を避けること]．*1*** 実験（1 つまたは複数の因子を変化させた場合の影響をみるために条件を一定にして目的とする因子を意図的に変化させる研究方法)．***2*** NMR においては，パルス系列と同義に用いられる．

Carr-Purcell e. (kar pŭr-sel′). カー－パーセル〔パルス〕系列（核磁気共鳴におけるマルチスピンエコーの技法）．

control e. 対照実験（他の並行実験のチェック，その結果の照合，問題の要因を除くか一定に保った実験条件下に起こる事象の証明などのために行う実験．→control; control *animal*)．

delayed reaction e. 遅延反応実験（記憶を測定する方法．まず刺激を与え，それに対して生体が反応する前に除去する．刺激の与えられていない間に，生体が正確に反応するような間隔が記憶の長さを示す指標となる）．

double-blind e. 二重マスク(盲検)法（記録された結果に対する偏見を防止するために検者も被検者もどれが対照であるかを知らされずに行う実験．→double-blind *study*)．＝double-masked e.

double-masked e. 二重マスク(盲検)試験．＝double-blind e.

factorial e.'s 要因分析（すべての組合せにおいて 2 つ以上の一連の処置を試みる実験計画）．

found e. 事前に予期されていなかった自然な，または社会的イベントによってつくられた，計画されていないデータセットの解析．

hertzian e.'s ヘルツ実験（電磁誘導は波によって伝わり，網膜には作用しないが光波に類似していることを示す実験）．

E

Mariotte e. (mah-rē-ot′). マリョット実験（紙上の黒点および黒い十字記号を片方の眼で注視する(他眼は閉じる)実験．紙を眼から離したり近づけたりすると，ある点で十字記号が見えなくなり，また，紙をそのまま動かし続けると再び見えるようになる．これは，視神経が眼にはいる部分には光受容体が存在しないことを証明している）．

pulse-chase e. パルス－チェイス実験（酵素，代謝経路，培養細胞などを放射性同位元素で標識した化合物の短時間添加(パルス)により反応させ，その後，過剰の非放射性物質で分離や置換(チェイス)させる実験）．

Scheiner e. (shī′nĕr). シャイナー実験（調節の証明．カード上の，瞳孔の直径より離れていない2個の小さな穴を通して患者はピンを見る．眼から近い場合には点は二重に見える．眼から離していくと，ある所では点は1つになり，それ以上遠ざけても，正視眼の場合，点は1つであるが，近視眼の場合にはすぐに二重に見えるようになる）．

ex·pi·ra·tion (eks′pi-rā′shŭn) [L. *expiro*, *ex-spiro*, pp. *-atus*, to breathe out]. ***1*** 呼気，呼息，呼出．＝exhalation (1). ***2*** 死．

ex·pi·ra·to·ry (ek-spī′ră-tō-rē). 呼気〔性〕の，呼息〔性〕の（[第1音節にアクセントを置く誤った発音を避けること]）．

ex·pire (ek-spīr′). ***1*** 呼息する．＝exhale (1). ***2*** 止息する（死ぬ）．

ex·plant (eks-plant′). 体外移植組織，外植片（培養の目的で生体から人工培養液に移植された生きている組織）．

ex·plan·ta·tion (eks′plan-tā′shŭn). 外〔移〕植（体外移植組織の移植）．

ex·plo·ra·tion (eks′plōr-ā′shŭn) [L. *ex-ploro*, pp. *-ploratus*, to explore]. 診査（診断のために，通常，内視鏡検査または外科的手法を含む積極的な検査により実際の症状を確かめること）．

ex·plor·a·to·ry (eks-plōr′ă-tōr′ē). 診査の．

ex·plor·er (eks-plōr′ĕr). エキスプロラ，探針（う食や他の欠損をみつけるために，自然歯または修復歯表面を調べるときに用いる鋭くとがった探針）．

ex·plo·sion (eks-plō′zhŭn) [L. *explosio* < *explodo*, to drive away by clapping]. 爆発（化学的変化，核反応，あるいは圧力下での気体または蒸気の放出より起こる爆音とエネルギー放出を伴う突然の急激な容量の増加）．

ex·pose (eks-pōz′) [O. Fr. *exposer* < L. *ex-pono*, pp. *ex-positum*, to set out, expose]. 露出する．

ex·po·sure (eks-pō′zhūr). ***1*** 表示，露呈，提示，接触可能にする状態．***2*** 露髄（歯科において，う食，切削あるいは外傷によって歯髄をおおっている歯の硬組織が欠如すること）．***3*** 暴露（病原菌の伝播または有害作用が生じる可能性のある形で，病原菌源に接近または接触すること）．***4*** 暴露量（集団または個人がさらされるある因子の量．これに対して一個体に侵入または作用した量を取り込み量(dosage)という）．

ex·press (eks-pres′) [L. *ex-premo*, pp. *-pressus*, to press out]. 絞り出す，圧出する．

ex·pres·sion (eks-presh′ŭn). ***1*** 圧出，圧搾（圧力をかけて出すこと）．***2*** 表情（顔に特別な感情的意味を与える表情の動き）．＝facies (4). ***3*** 表出，表像（個人によって決定される行為のすべて）．***4*** 表現（他のものを明示するもの）．***5*** 表明（情報を明らかにする行為）．***6*** 式（定数，変数，関数，演算記号の組み合わせで表現された数式）．

differential gene e. 識別的遺伝子発現（シグナルあるいはトリガーに反応する遺伝子発現．遺伝子調節の方法．例えばあるホルモンの蛋白生合成への効果）．

gene e. 遺伝子発現（①検出可能な遺伝子の効果．②遺伝形質の発現．多くの遺伝的(例えば劣性，下位性，平行性)および環境性(適切な誘発の欠如)の要因により，ある遺伝子はまったく発現しないかもしれない．そのような状況ではDarwin 進化への影響はないであろう）．

integrated rate e. 統合反応速度表現（全プログレス曲線を得るための化学または酵素触媒反応の式）．

e. library 発現ライブラリー（cDNA あるいはゲノム断片を代表するサンプルを含むプラスミドあるいはファージの集まりで，宿主(通常バクテリア)によって転写，翻訳されるように構築されている）．

ex·pres·siv·i·ty (eks′pres-siv′i-tē). 表現度（臨床遺伝学において，ある遺伝子が顕在化した際に病状として重篤な程度）．

ex·pul·sive (eks-pŭl′siv) [L. *ex-pello*, pp. *-pulsus*, to drive out]. 駆逐〔性〕の，排出〔性〕の．

ex·qui·site (eks-kwiz′it) [L. *exquiro*, pp. *exquisitus*, to search out]. 鋭敏な（非常に強く，鋭く，また激しい．ある身体部位における疼痛あるいは圧痛をいう）．

ex·san·gui·nate (ek-sang′gwi-nāt) [L. *ex*, out + *sanguis* (*-guin*), blood]. [誤ったつづり exanguinate を避けること]. ***1***《v.》放血する，しゃ(瀉)血する（循環血液を採る．無血状態にする）．***2***《adj.》しゃ(瀉)血の．＝exsanguine.

ex·san·gui·na·tion (ek-sang′gwi-nā′shŭn). しゃ(瀉)血，放血，全採血（血液を採り去ること．無血状態にすること）．

ex·san·guine (ek-sang′gwin). しゃ(瀉)血の．＝exsanguinate (2).

ex·sect (ek-sekt′) [L. *ex-seco*, pp. *-sectus*, to cut out]. 切除する（excise を表すまれに用いる語）．

ex·sec·tion (ek-sek′shŭn). 切除（excision を表すまれに用いる語）．

Ex·ser·o·hi·lum (eks′ĕr-ō-hī′lŭm). エクセロヒルム（ヒト黒色真菌症の原因となる真菌の一属）．

ex·sic·cant (ek-sik′ant). ＝desiccant.

ex·sic·cate (ek′si-kāt). ＝desiccate.

ex·sic·ca·tion (ek′si-kā′shŭn) [L. *ex sicco*, pp. *siccatus*, to dry up]. ***1*** 乾燥．＝desiccation. ***2*** 脱水，乾固（結晶から水分を除去すること）．＝dehydration (3).

ex·so·ma·tize (ek-sō′mă-tiz) [G. *ex*, out of + *sōma*, body]. 体外に移す（体から除去する）．

ex·sorp·tion (ek-sōrp′shŭn) [L. *ex*, out + *sorbeo*, to suck]. 漏出（血液から消化管腔に物質が移動すること）．

ex·stro·phy (ek′strō-fē) [G. *ex*, out + *strophē*, a turning]. 外反〔症〕（[誤ったつづり extrophy を避けること]．管腔器官が先天的に外翻していること）．＝ecstrophe.

e. of the bladder 膀胱外反症（膀胱前壁と腹壁の前方の先天性欠損．膀胱内腔が露出され外反する）．＝ectopia vesicae.

cloacal e. 排泄腔外反症（腸の部分外反とそれによりしきられた2つの外反膀胱を有する先天性奇形．腸の外反部は通常，盲腸，その口側回腸，肛側縮小結腸よりなる．解剖学的な異常はいくつも亜形が存在する）．＝ectopia cloacae.

ex·tend (eks-tend′) [L. *ex-tendo*, pp. *-tensus*, to stretch out]. 伸展する（四肢をのばすこと．屈曲により生じた角度をなくすこと．四肢の遠位部の軸が近位部の軸と一致するような位置に遠位部を置くこと）．

ex·ten·sion (eks-ten′shŭn) [L. *extensus* : *extendere*(to stretch out, extend)の完了分詞][TA]. ***1*** 伸展，延長（関節の遠位部を近位部分の長軸とつながる(ただし平行に)ようにすること）．***2*** 牽引〔法〕（四肢を体から離れた方向に引くこと）．***3*** 1つまたは複数の伸筋の収縮によって生じる動き．通常，四肢をまっすぐにする．一般に四肢または体幹をまっすぐにする軸性牽引．屈曲に反対または相反する動き．***4*** traction を意味する現在では用いられない語．

Buck e. (bŭk). バック牽引〔装置〕．＝Buck *traction*.

primer e. プライマー伸長法（特定のメッセンジャーRNA 分子の5′-非翻訳領域を決定する手法．既知 RNA 配列に相補的なオリゴヌクレオチドをプライマーとして逆トランスクリプターゼによる cDNA 合成のため用いる）．

ridge e. 歯槽堤拡張術（唇側，頬側，舌側の溝を深くする目的で行う口腔内外科手術．これは義歯の保持を良くするために口腔内で歯槽堤の高さを増す目的で行われる）．

skeletal e. 骨格牽引．＝skeletal *traction*.

ex·ten·sor (eks-ten′sŏr, -sōr) [L. one who stretches < *ex-tendo*, to stretch out][TA]. 伸筋（収縮すると関節で運動が起こる筋で，その結果体肢がいっそう直線に近づくとか，関節をはさんで近位の骨と遠位の骨との距離が離れるような動きをする筋．対抗筋は屈筋．→muscle）．

ex·te·ri·or (eks-tē′rē-ōr) [L.]. 外部，外部の．

ex·te·ri·or·ize (eks-tēr′ē-ōr-īz). 外面化する，肱置する（①ある明確な目標または目的に向けて，患者の興味，思考，感情を外部に向けるように指導する．②観察のために一時的に，また実験のために永久的に臓器を外部に出す．③血流を正常に保ちながら腸の一部を腹壁の外部に固定する場合）．

ex·tern (eks′tern) [F. *externe*, outside, a day scholar]. エク

スターン（入院患者の診療，手術を手伝う上級生または新卒者．以前は院外に住む者をいった）．

ex·ter·nal (eks-ter′năl) [L. *externus*][TA]．外の，外部の（[lateral または outer と混同しないこと]．中心から離れた．しばしば誤って外側の，の意味で用いられる）．＝externus [TA]．

ex·ter·nus (eks-ter′nŭs) [TA]．外の．＝external.

ex·ter·o·cep·tive (eks′ter-ō-sep′tiv) [L. *exterus*, outside + *capio*, to take]．外受容性の（外部からの印象または刺激を受け取ることができる末端器のある体表面についていう）．

ex·ter·o·cep·tor (eks′ter-ō-sep′tŏr, -tōr) [L. *exterus*, external + *receptor*, receiver]．外受容器（皮膚または粘膜内の求心性神経の末端器の1つで，外部からの刺激に反応する）．

ex·tinc·tion (eks-tingk′shŭn) [L. *extinguo*, to quench]．***1*** 消去，消衰（行動変容あるいは古典的条件付け，オペラント条件付けにおいて，陽性に再強化されていない反応の頻度を徐々に減ずること．望ましくない行動を維持しているとわかっている再強化因子を取り除くこと．→conditioning）．***2*** 吸光度．＝absorbance.

specific e. 比吸光度．＝specific absorption *coefficient*.

visual e. 視消衰．＝pseudohemianopia.

ex·tin·guish (eks-tin′gwish) [L. *extinguo*, to quench]．***1*** 絶やす，消す，消滅する（絶滅する．火，炎などを消す．同一性の喪失を起こす．破壊する）．***2*** 消去する（心理学において，徐々に前の条件反応を消していく．→conditioning）．

ex·tir·pa·tion (eks′tĭr-pā′shŭn) [L. *extirpo*, to root out < *stirps*, a stalk, root]．摘出〔術〕（臓器または病的組織の一部，あるいは全体を摘出すること）．

Ex·ton (eks′tŏn), William G. 米国人医師，1876—1943．→E. *reagent*.

ex·tor·sion (eks-tōr′shŭn) [L. *extorsio* < *ex-* *torqueo*, to twist out]．外反（①個々の角膜の上極が外方へ共同回転すること．＝excyclotorsion．②四肢または器官が外転すること）．

ex·tor·tor (eks-tōr′tor, -tōr)．外旋筋．

ex·tra- (eks′tră) [L.]．外部，外の，を意味する接頭語．

ex·tra·ar·tic·u·lar (eks′tră-ar-tik′yū-lăr)．関節外の．

ex·tra·ax·i·al (eks′tră-aks′ē-ăl)．軸外の（軸から離れて，脳自体から起こるのでない脳内病変についていう）．

ex·tra·buc·cal (eks′tră-bŭk′ăl)．頬外の，頬ではない部分の．

ex·tra·bul·bar (eks′tră-bŭl′bar)．球外の（尿道球，延髄のオリーブなどの球状構造外の，または球状構造と無関係の）．

ex·tra·cal·i·ce·al (eks′tră-kă-lis′ē-ăl)．〔腎〕杯外の．

ex·tra·cap·su·lar (eks′tră-kap′sū-lăr)．関節包外の，関節囊外の．

ex·tra·car·pal (eks′tră-kar′păl)．***1*** 手根外の．***2*** 手根の外側の．

ex·tra·cel·lu·lar (eks′tră-sel′yū-lăr)．細胞外の．

ex·tra·chro·mo·som·al (eks′tră-krō′mō-sōm′ăl)．染色体外の（染色体の外の，または染色体と離れた．特に染色体から離脱したDNA）．

ex·tra·cor·po·re·al (eks′tră-kōr-pō′rē-ăl)．体外の（肉体またはすべての解剖学的な〝体 corpus〟の外，あるいはこれ以外の）．

ex·tra·cor·pus·cu·lar (eks′tră-kōr-pŭs′kyū-lăr)．血球外の，小体外の．

ex·tra·cra·ni·al (eks′tră-krā′nē-ăl)．頭蓋外の．

ex·tract (eks-trakt′) [L. *ex-traho*, pp. *-tractus*, to draw out]．***1*** (ek′strakt)．〚n.〛抽出物，エキス（適切な溶媒を用いて薬の活性成分を分離し，溶媒を全部またはほとんど蒸発させ，その残渣塊，粉末を基準値に調節して得られる濃縮製剤）．***2*** (ek-strakt′)．〚v.〛抽出する（溶媒を用いて混合物の一部を取り出す）．***3***〚v.〛抽出を行う．

alcoholic e. アルコールエキス（薬のアルコール可溶成分を抽出し，アルコール分を蒸発させてつくった固体エキス）．

allergenic e. アレルゲンエキス（花粉，粉塵，カビ，昆虫毒，食物など免疫原的すなわちアレルギー物質である種々の原料から得られた抽出物(通常は蛋白を含む)．皮膚試験や脱感作に用いられる）．＝allergic e.

allergic e. アレルギー性抽出物．＝allergenic e.

Büchner e. (buk′nĕr)．ブーフナーエキス（イーストの遊離細胞エキス．Büchner 兄弟(Eduard と Hans)がつくり，アルコール発酵を触媒することが発見された．これにより，生物化学反応における〝活力説 vitalism〟が消え，近代生物学(酵素化学)の第一歩が築かれた）．

equivalent e. エクィバレントエキス，当量エキス（もとの薬物と同じ強さと重さをもつ流エキス）．＝valoid.

fluid e. →fluidextract.

hydroalcoholic e. 水アルコールエキス（アルコールと水によって薬の可溶成分を抽出した後，溶液を蒸発させて得られる固体エキス）．

liquid e. 流エキス剤．＝fluidextract.

pollen e. 花粉エキス（植物の花粉から蛋白を抽出して得た液体で，診断試験や治療に用いる）．

ex·tract·ant (eks-trak′tant)．エクストラクタント（混合物，組織，あるいは粗薬から成分を分離または抽出するのに用いる薬剤）．

ex·trac·tion (eks-trak′shŭn) [L. *ex-traho*, pp. *-tractus*, to draw out]．***1*** 抜歯〔術〕（歯槽から歯を脱臼させ，抜去すること）．***2*** 抽出（物質を溶媒中に分離すること）．***3*** 薬の有効成分．エキスからつくること．***4*** 摘出〔術〕．***5*** 牽出〔術〕（用手的あるいは機械的に子宮あるいは産道から妊娠末期胎児を牽出すること）．***6*** 月経周期が延長する以前に受精卵を吸引で除去すること．

Baker pyridine e. (bā′kĕr)．ベーカーのピリジン抽出（希釈 Bouin 溶液に固定した組織の熱ピリジン処理．この物質の組織化学的染色において，対照として組織からリン脂質を抽出するのに用いる）．

breech e. 殿位牽出〔術〕，骨盤位牽出〔術〕（殿位が先進する胎児の牽出術）．

partial breech e. 骨盤位介助術（産科医による骨盤位分娩で，臍帯娩出の時点で自然分娩を介助する方法）．

podalic e. 胎児を足から外に引き出す牽出術．

serial e. 連続抜歯法（ある乳歯または永久歯，あるいは両者を歯の発育の早期に選択的に抜去すること．通常は第一小臼歯ときには第二小臼歯を抜去する．前歯部のひどい叢生を自動的に適度に調整させるために行われる．その後，矯正治療を必要とするときと必要としないときとがある）．

spontaneous breech e. 産科医の介助を要さなかった骨盤位分娩．

total breech e. 骨盤位牽出〔術〕（骨盤位分娩で胎児体幹すべてを子宮内から娩出させる法．註緊急時の娩出法）．

ex·trac·tives (eks-trak′tivz)．抽出物，エキス（植物性や動物性組織に存在し，溶媒を連続的処理で分離して，その溶液を蒸発させて得られる物質）．

ex·trac·tor (eks-trak′tŏr, tōr)．抽出器，摘出器（歯のような自然物や異物を引き出すのに用いる器械）．

vacuum e. 吸引分娩器（陰圧を利用して胎児の頭部に柔軟な吸引用カップを固定させ，牽引する装置）．

ex·tra·cys·tic (eks′tră-sis′tik)．胆囊外の，膀胱外の，囊腫外の．

ex·tra·du·ral (eks′tră-dū′răl)．硬膜外の（①硬膜の外側についていう．②硬膜と結合していない．→epidural）．

ex·tra·em·bry·on·ic (eks′tră-em′brē-on′ik)．胚〔体〕外の（例えば，胚の防護や栄養に関連し，出産時に放出される胚外膜についていう）．

ex·tra·ep·i·phy·si·al (eks′tră-ep′i-fiz′ē-ăl)．骨端外の．

ex·tra·gen·i·tal (eks′tră-jen′i-tăl)．性器外の，生殖器外の．

ex·tra·he·pat·ic (eks′tră-he-pat′ik)．肝〔臓〕外の．

ex·tra·lig·a·men·tous (eks′tră-lig′ă-men′tŭs)．靱帯外の．

ex·tra·mal·le·o·lus (eks′tră-mal-ē′ō-lŭs)．外果，そとくるぶし．＝lateral *malleolus*.

ex·tra·med·ul·la·ry (eks′tră-med′yū-lā′rē)．〔骨〕髄外の，延髄外の．

ex·tra·mi·to·chon·dri·al (eks′tră-mī′tō-kon′drē-ăl)．ミトコンドリア外の（ミトコンドリアの外側の）．

ex·tra·mu·ral (eks′tră-myū′răl) [extra- + L. *murus*, wall]．壁外の（体の部分の壁の外にある）．

ex·tra·ne·ous (eks-trā′nē-ŭs) [L. *extraneus*]．外来の，外生の，付着した，異質の（生体外のもので，生体に属さない）．

ex·tra·nu·cle·ar (eks′tră-nū′klē-ĕr)．核外の．

ex·tra·oc·u·lar (eks′tră-ok′yū-lăr)．眼球外の（眼球に隣接

するが，その外部にある）.

ex·tra·o·ral (eks′tră-ō′răl). 口〔腔〕外の（通常，用いられるときは，口唇および頬部の外にあるものを含む）.

ex·tra·ov·u·lar (eks′tră-ov′yū-lăr). 卵外の（卵の外部，は虫類や鳥類にみられるように卵からふ化した後の状態）.

ex·tra·pap·il·la·ry (eks′tră-pap′i-lā-rē). 乳頭外の.

ex·tra·pa·ren·chy·mal (eks′tră-pă-reng′kī-măl). 実質外の.

ex·tra·per·i·ne·al (eks′tră-per′i-nē′al). 会陰外の.

ex·tra·per·i·os·te·al (eks′tră-per′ē-os′tē-ăl). 骨膜外の.

ex·tra·per·i·to·ne·al (eks′tră-per′i-tō-nē′ăl). 腹膜腔外の.

ex·tra·phys·i·o·log·ic (eks′tră-fiz′ē-ō-loj′ik). 生理〔学〕外の（病理的な）.

ex·tra·pla·cen·tal (eks′tră-pla-sen′tăl). 胎盤外の.

ex·tra·pros·tat·ic (eks′tră-pros-tat′ik). 前立腺外の.

ex·tra·psy·chic (eks′tră-sī′kik). 精神外界の（個人が他人や出来事と交流するときに心の中に生じる心理的力動をいう．*cf.* intrapsychic）.

ex·tra·pul·mo·na·ry (eks′tră-pŭl′mō-nā′rē). 肺〔臓〕外の.

ex·tra·py·ram·i·dal (eks′tră-pi-ram′i-dăl). 錐体外路の（→extrapyramidal motor *system*）.

ex·tra·sen·so·ry (eks′tră-sen′sō′rē). 超感覚的な（通常の感覚を超えた．超感覚的知覚のように感覚に限定されない）.

ex·tra·se·rous (eks′tră-sē′rŭs). 漿膜腔外の.

ex·tra·so·mat·ic (eks′tră-sō-mat′ik). 体外の.

ex·tra·sys·to·le (eks′tră-sis′tō-lē). 期外収縮（心臓のいかなる場所でも起こる異所性拍動を意味する非特異的な言葉）.＝premature beat; premature systole.

atrial e. 心房性期外収縮（異所性心房性焦点から発生する心臓の早期収縮）.＝auricular e.

atrioventricular e. 房室性期外収縮.＝junctional e.

auricular e. ＝atrial e.

interpolated e. 間入性期外収縮（代償性または非代償性休止期が後に続く代わりに，心室性または心房性期外収縮が2つの連続した洞周期にはさまれる）.

junctional e. 房室接合部性期外収縮（房室接合部から発生し，両心房と両心室の収縮がほぼ同時に起こる）.＝atrioventricular e.

return e. 逆行性期外収縮（心室から発生した刺激が心房の方に進む逆行性リズムの一種であるが，心房に到達する以前に心室に反射して第2の心室性収縮を起こす）.

supraventricular e. 上室性期外収縮（心室上部の中心，すなわち心房または房室結節から発生する期外収縮）.

ventricular e. 心室性期外収縮（心室の電気的複合体早期収縮）.

ex·tra·tar·sal (eks′tră-tar′săl). ***1*** 足根外の．***2*** 足根の外側の.

ex·tra·tra·che·al (eks′tră-trā′kē-ăl). 気管外の.

ex·tra·tub·al (eks′tră-tū′băl). 管外の，卵管外の，耳管外の.

ex·tra·u·ter·ine (eks′tră-yū′tĕr-in). 子宮外の.

ex·tra·vag·i·nal (eks′tră-vaj′i-năl). 腟外の.

ex·trav·a·sate (eks-trav′ă-sāt) [L. *extra*, out of + *vas*, vessel]. ***1***〖v.〗溢出する，溢血する（管から，または管を通って，血液，リンパ液，尿などが組織内に滲出する）．***2***〖n.〗〔血〕管外遊出物，溢出物（***1*** のようにして滲出した物質）.＝extravasation (2); suffusion (4).

ex·trav·a·sa·tion (eks-trav′ă-sā′shŭn) [extra- + L. *vas*, vessel]. ***1***〔血〕管外遊出，溢出，溢血．***2***〔血〕管外遊出物，溢出物.＝extravasate (2).

ex·tra·vas·cu·lar (eks′tră-vas′kyū-lăr). 〔血〕管外の，脈管外の，リンパ管外の.

ex·tra·ven·tric·u·lar (eks′tră-ven-trik′yū-lăr). 心室外の.

ex·tra·ver·sion (eks′tră-vĕr′zhŭn, -shŭn). ***1*** 外翻（外に向かって回転させること）．***2*** 外向〔性〕（社交性がある特性．*cf.* introversion）.＝extroversion.

ex·tra·vert (eks′tră-vĕrt). 外向性（［誤ったつづりまたは発音 extrovert を避けること］．常に関心を外部に向け，社交に自信があり，他人のことに熱中する社交的な人をいう．*cf.* introvert）.＝extrovert.

ex·tra·vi·su·al (eks′tră-vizh′yū-ăl). 視界外の，可視スペクトル外の.

ex·trem·i·tal (eks-trem′i-tăl). 四肢の，体肢の（→distal）.

ex·trem·i·tas (eks-trem′i-tas) [L. ＜ *extremus*, last, outermost][TA]. 端（→limb）.＝extremity.

e. acromialis claviculae [TA]. 鎖骨の肩峰端.＝acromial *end* of clavicle.

e. anterior splenica [TA]. 脾臓前端.＝anterior *extremity* of spleen.

e. inferior [TA]. 下端.＝inferior *pole*.

e. inferior renis [TA]. 腎〔臓〕下端.＝inferior *pole* of kidney.

e. inferior testis [TA]. 精巣下端.＝lower *pole* of testis.

e. posterior splenica [TA]. 脾臓後端.＝posterior *extremity* of spleen.

e. sternalis claviculae [TA]. 鎖骨の胸骨端.＝sternal *end* of clavicle.

e. superior [TA]. 上端.＝superior *pole*.

e. superior renis [TA]. 腎〔臓〕上端.＝superior *pole* of kidney.

e. superior testis [TA]. 精巣上端.＝upper *pole* of testis.

e. tubaria ovarii [TA].＝tubal *extremity* of ovary.

e. uterina ovarii [TA].＝uterine *extremity* of ovary.

ex·trem·i·ty (eks-trem′i-tē) [TA]. 端（構造物の末端．臨床ではしばしば付属肢(体肢)を表すのにも用いる(すなわち upper e. 上肢，lower e. 下肢)．→limb; end; pole）.＝extremitas [TA].

acromial e. of clavicle 鎖骨の肩峰端.＝acromial *end* of clavicle.

anterior e. of caudate nucleus ＝*head* of caudate nucleus.

anterior e. of spleen [TA]. 脾臓前端（脾臓の前方端 (extremitas anterior splenis [NA])をいう）.＝extremitas anterior splenica [TA].

inferior e. 下端（①* inferior *pole* の公式の別名．②正しいとはいえないが，通常 lower *limb* をさすのに用いる）.

inferior e. of kidney* inferior *pole* of kidney の公式の別名.

lower e. 下肢.＝lower *limb*.

posterior e. of spleen [TA]. 脾臓後端（脾臓の後方端 (extremitas posterior splenis [NA])をいう）.＝extremitas posterior splenica [TA].

sternal e. of clavicle 鎖骨の胸骨端.＝sternal *end* of clavicle.

superior e. 上端（①* superior *pole* の公式の別名．②正しいとはいえないが，通常 upper *limb* をさすのに用いられる）.

superior e. of kidney* superior *pole* of kidney の公式の別名.

tubal e. of ovary [TA]. 卵巣の卵管端（卵巣の半円状の外側端で通常は卵管の卵管漏斗の方に向いている）.＝extremitas tubaria ovarii [TA]; lateral pole.

upper e. 上肢.＝upper *limb*.

upper e. of fibula ＝*head* of fibula.

uterine e. of ovary [TA]. 卵巣の子宮端（卵巣の半円状の内側端で通常は子宮の方に向いている）.＝extremitas uterina ovarii [TA]; medial pole of ovary.

ex·trin·sic (eks-trin′sik) [L. *extrinsecus*, from without]. 外因性の，外在性の（発見された場所，または作用を及ぼす場所の外から発生する．手の外在筋など特に筋肉についていう）.

ex·tro·gas·tru·la·tion (eks′trō-gas′trū-lā′shŭn). 外原腸胚形成（原腸形成の際，正常なら陥入する原腸が裏返って外方に膨隆すること．発生中の胚またはその周囲環境に対する何らかの自然的または実験的操作によって起こる）.

ex·tro·ver·sion (eks′trō-vĕr′zhŭn, -shŭn) [(L. *extra*, outside + *verto*, pp. *versus*, to turn)から誤ってつくられた].＝extraversion.

ex·tro·vert (eks′trō-vĕrt). [広く用いられているが，正しくは extravert である].＝extravert.

ex·trude (eks-trūd′). 排出する，吸い出す，挺出する，突き出す，押し出す.

ex·tru·sion (eks-trū′zhŭn). ***1*** 排出，吸い出し，突出（正常

位置より押し出すこと）．*2* 挺出（歯が正常咬合部位からはずれて萌出あるいは遊走すること）．

e. of a tooth 歯の挺出（歯が挺出すること．歯が咬合または切縁方向に移動すること）．

ex・tu・bate (eks′tū-bāt). 抜管する．

ex・tu・ba・tion (eks′tū-bā′shŭn) [L. *ex*, out + *tuba*, tube]. 抜管〔法〕（器官，構造，あるいは口から管内チューブを除去すること．特に，挿管後に管を抜くこと）．

ex・u・ber・ant (ek-zū′bĕr-ănt) [L. *exubero*, to abound, be abundant]. 高度増殖の，過増殖の（例えば，ある組織や顆粒などが過度に増殖したり成長したりすることをいう）．

ex・u・date (eks′ū-dāt) [L. *ex*, out + *sudo*, to sweat]. 滲出液，滲出物（組織または毛細血管から滲出する液または半固体．特に，外傷や炎症(例えば，腹膜炎の際の腹膜にたまる膿，皮膚が剝離したところにかさぶたを形成する滲出物)が原因であり，この場合蛋白や白血球に富むことが特徴である．*cf.* transudate)．＝exudation (2).

tonsillar e. (ton′si-lăr eks′ū-dāt). 扁桃浸出液（細菌性扁桃炎の患者の扁桃腺表面に付着した膿性浸出液．その有無は治療方針決定に際し判断材料となる）．

ex・u・da・tion (eks′ū-dā′shŭn). *1* 滲出，放出，排出（滲出の過程）．*2* 滲出液，滲出物．＝exudate.

ex・u・da・tive (eks-ū′dă-tiv). 滲出性の（滲出の過程または滲出液についていう）．

ex・ude (ek-zūd′) [L. *ex*, out + *sudo*, to sweat]. 滲出する（一般に，身体構造または組織を通して徐々ににじみ出ること．特に，外傷あるいは炎症のため出てくる感染性の，またはかさぶたになることのある液体や半固体についていう）．

ex・ul・cer・ans (eks-ŭl′sĕr-anz). 潰瘍化の，潰瘍性の．

ex・um・bil・i・ca・tion (eks′ŭm-bil-i-kā′shŭn) [L. *ex*, out + *umbilicus*, navel]. *1* 臍突出．＝exomphalos (1). *2* 臍ヘルニア．＝umbilical *hernia*. *3* 臍帯ヘルニア．＝omphalocele.

ex vi・vo (ex vē′vō) [L. from the living]. 生体外の，生体外で（生きたまま組織や細胞を生体から取り出すこと，またそれを利用することをさす）．

EYA1 the human analogue of *Drosophila* eyes absent *gene* の遺伝子シンボル．

eye (ī) [A.S. *eāge*][TA]. 眼，目（①眼球および視神経からなる視覚器官．＝oculus [TA]. ②眼瞼および他の眼付属器を含む眼の領域．眼窩部）．

眼の調節

正常者の年齢による調節力

8歳－13.8ジオプトリ	40歳－5.8ジオプトリ
16歳－12.0ジオプトリ	48歳－2.5ジオプトリ
24歳－10.2ジオプトリ	56歳－1.25ジオプトリ
32歳－ 8.2ジオプトリ	64歳－1.1ジオプトリ

amaurotic cat e. 黒内障性猫眼（網膜芽細胞腫または偽網膜膠腫の場合に瞳孔が黄色く光ること）．

aphakic e. 無水晶体眼（水晶体を欠く眼）．

artificial e. 義眼（不透明なガラスまたはプラスチックの弯曲した円板で，その中央に虹彩と瞳孔があり，眼球内容除去または眼球摘出後の眼窩内容に合わせて眼瞼の内側に挿入するもの．既製のものと注文でつくったものがある）．

black e. 眼瞼皮下出血（眼瞼とその周囲の斑状皮下出血）．

blear e. ただれ眼（古語．粘着性の眼脂を伴う眼瞼炎で，眼瞼がしばしばくっついてしまう）．＝lippitude; lippitudo.

bleary e. かすみ目（古語．生気のない目つきを伴って，痛んだり涙っぽく，ぼんやりと見える状態）．

compound e. 複眼（節足動物の眼で，昆虫や甲殻類で最も高度に発達している．複眼は機能的に関連した視覚要素(個眼)が集合したもので，角膜表面は集合して球面の一部を形成する）．

crossed e.'s 内斜視，やぶにらみ．＝strabismus.

cyclopian e., cyclopean e. 単眼（→cyclopia）．

dark-adapted e. 暗順応眼（暗い所または半ば暗い所にいてロドプシン(視紅)が再生された状態の眼で，弱い光にもよく感じるようになっている）．＝scotopic e.

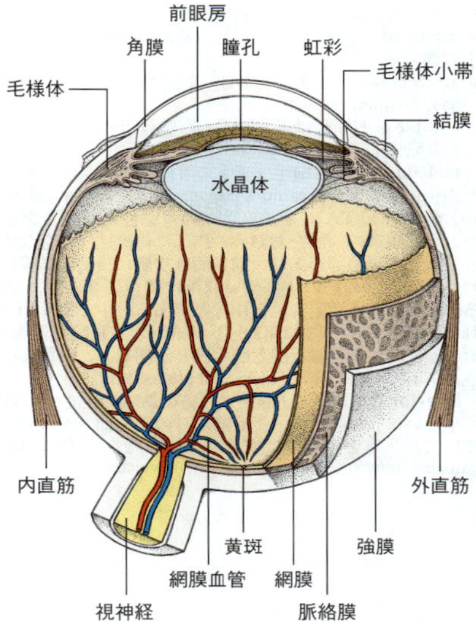

eye

dominant e. 利き眼（単眼で行う作業に際し習慣的に用いる眼）．＝master e.

epiphysial e. 上生眼．＝pineal e.

exciting e. 起交感眼（交感性眼炎で罹患した眼）．

fixing e. 固視眼（斜視の場合，見ようとしている物体の方向に向いている眼）．

hare's e. 兎眼．＝lagophthalmos.

light-adapted e. 明順応眼（光を受けてロドプシン(視紅)が退色し，弱い光を感じなくなっている状態）．＝photopic e.

Listing reduced e. (lis′ting). リスティング省略眼（網膜の結像計算を簡略化する方式．前屈折面半径 5.1 mm，全長 20 mm，結点から網膜までの距離 15 mm）．

master e. ＝dominant e.

parietal e. 頭頂眼．＝pineal e.

phakic e. 有水晶体眼（生体水晶体を有する眼）．

photopic e. 明所視眼．＝light-adapted e.

pineal e. 松果眼（像を結ばない光感受性の眼で，ある種の甲殻類および下等脊椎動物の正中線上またはその近くにある．さらに高等なものでは松果腺と同義である）．＝epiphysial e.; parietal e.

raccoon e.'s ラクーン眼（両側の眼窩部皮下出血．頭蓋底骨折あるいは神経芽腫を疑う所見）．＝bilateral medial orbital ecchymoses.

reduced e. 省略眼（眼の光学系を簡略化し，単一屈折表面と均一の屈折率をもつと仮定したもの．この概念に基づく模型は，検影法および検眼鏡検査に用いられる）．

schematic e. 要式眼（理論上の正常眼の光学系を表したもので，屈折境界面の曲率半径，屈折率，およびそれらの間の距離が示される）．

scotopic e. 暗所視眼．＝dark-adapted e.

shipyard e. ＝epidemic keratoconjunctivitis *virus*.

squinting e. 斜視眼（斜視の場合，見ようとしている物体の方向に向いていない眼）．

sympathizing e. 被交感眼（交感性眼炎で，外傷を受けず，後になって疾患が及ぶ眼）．

watery e. 流涙，なみだ眼（①＝epiphora. ②涙液分泌過多）．

web e. 翼状片．＝pterygium (1).

eye・ball (ī′bawl) [TA]. 眼球（付属器を含めない狭義の眼）．＝bulbus oculi [TA]; bulb of eye; globe of eye.

eye・brow (ī′brow) [TA]. 眉，まゆ（眼窩上端の半月形の線

をなす毛髪群). ＝supercilium［TA］.

eye・glass・es (ī-glasʹez). ＝spectacles.

eye・grounds (īʹgrowndz). 眼底（検眼鏡で見ることができる眼底部).

eye・lash (īʹlash). 睫毛，まつげ（眼瞼縁から生え出ている硬い毛). ＝cilium (1).

ectopic e. 異所性睫毛（睫毛が眼瞼縁以外の部位から生えてくる状態). ＝canities poliosis.

piebald e. まだら睫毛（正常の有色睫毛の間にある孤立した白色の睫毛束). ＝canities circumscripta; ciliary poliosis.

eye・lid (īʹlid)［TA］. 眼瞼（2つの可動性のひだで眼を閉じたときに眼球の前面をおおう．内部に線維性の核をなす瞼板と眼輪筋の眼瞼部があり，前表面は皮膚に後面は結膜におおわれる．内部の筋のすばやい収縮によってまたたきが起こる．眼窩に付く固定部と自由縁とがある．中心部は切り離されて眼裂となり，左右端は上下が結合して眼瞼交連をなす．睫毛が生えており瞼板腺と睫毛腺とが開口し，内側端には涙点がある). ＝palpebra［TA］; blepharon; lid.

inferior e.［TA］. 下眼瞼（下方にあって小さく，可動性も小さいほうの眼瞼で，下直筋からの制動靱帯がはいり込んでいて，下方を見ようとするときに眼瞼を下方に引く). ＝palpebra inferior［TA］; lower e.*; lower lid.

lower e.* 下眼瞼（inferior e. の公式の別名).

superior e.［TA］. 上眼瞼（上方にあって大きく，可動性も大きいほうの眼瞼で，眼を閉じたときは角膜ともども眼球前面の大部分をおおう．涙腺の一部と上眼瞼挙筋筋膜がはいり込んでいる．この筋は閉じた眼を開いたり，さらに上方を見るために大きく見開いたりするときに働く). ＝palpebra superior［TA］; upper e.*; upper lid.

third e. 半月ひだ，第三眼瞼. ＝*plica* semilunaris of conjunctiva (2).

upper e.* 上眼瞼（superior e. の公式の別名).

eye・piece (īʹpēs). 接眼鏡，接眼レンズ，アイピース（顕微鏡の鏡筒の眼に近い側の複合レンズ系で，対物レンズによってつくられる像を拡大する).

eye・spot (īʹspot). ***1*** 眼点（単細胞生物にみられる有色点または色素体). ***2*** 単眼. ＝ocellus (1).

eye・stone (īʹstōn). 臨床的に異物を取り出すために眼と眼瞼の間に差し込む小さく滑らかな貝殻状のもの.

eye・strain (īʹstrān). 眼精疲労. ＝asthenopia.

eye・wash (īʹwash). 洗眼薬（眼の洗浄に用いる点眼液).

ez・rin (ezʹrin). エズリン（酸分泌制御や細胞骨格の細胞膜接合部位に関与している蛋白).

F

F *1* 分圧濃度の記号で，位置や化学物質の種類を下付き文字で示す．カ氏，ファラッド，稔性，視野 visual *field*，葉酸，雑種世代 filial *generation* の記号で，下付きの数字で世代数を示す．フッ素の元素記号．フェニルアラニン，分散比 variance *ratio* の記号．*2* focus (1); French *scale* の略．

F ファラデー，ファラデー定数 Faraday *constant*，力，自由エネルギー free *energy* の記号．

f femto- の記号．呼吸頻度 respiratory *frequency*，揮散力，ホルミル，フマローズ型(通常，単糖を表す記号に続く)，機能を示す記号．

F.A.A.N. Fellow of the American Academy of Nursing の略．

F.A.A.O.S. Fellow of the American Academy of Orthopaedic Surgery(米国整形外科学会特別会員)の略．

FAB French-American-British(急性白血病の分類である仏－米－英分類)の略．⇀FAB *classification*.

Fab ⇀Fab *fragment*.

fa·bel·la (fă-bel′lă) [Mod. L. *faba*(bean)の指小辞]．ファベラ (腓腹筋外側頭の腱の中にある種子骨).

Fa·ber (fah′bĕr), Knud H. デンマーク人医師，1862—1956. ⇀F. *anemia*, *syndrome*.

fa·bism (fā′bizm) [L. *faba*, bean]. ＝favism.

F.A.B.O.S. Fellow of the American Board of Orthopaedic Surgery(米国整形外科協会特別会員)の略．

fab·ri·ca·tion (fab′ri-kā′shŭn). 作話症 (うそをあたかも本当のことのように言うこと．例えば，症状や病気についてつくりごとを言ったり，心理検査や精神現在症の検査中に故意に誤った反応や計算をすること).

Fa·bri·ci·us (Fabrizzi) (fă-bris′ī-ē-us), Girolamo (Hieronymus ab Aquapendente). イタリア人解剖・発生学者，1537—1619. ⇀*bursa* fabricii.

Fa·bry (fah′brē), Johannes. ドイツ人皮膚科医，1860—1930. ⇀F. *disease*.

F.A.C.C.P. Fellow of the American College of Chest Physicians(米国胸部医師会会員)の略．

F.A.C.D. Fellow of the American College of Dentists(米国歯科医師会会員)の略．

face (fās) [TA]. *1* 顔，顔貌，面 (首から上の部分の前半部．目，鼻，口，額，頬，顎を含む部分．耳は除く)．＝facies (1) [TA]. *2* ＝surface.

bird f. 鳥〔状〕顔〔貌〕．＝brachygnathia.

cow f. 牛顔〔貌〕．＝*facies* bovina.

dish f. 皿状顔〔貌〕．＝*facies* scaphoidea.

frog f. カエル顔〔貌〕(鼻が広がった顔．鼻たけのある場合に生じる).

hippocratic f. ヒポクラテス顔〔貌〕，ヒポクラテス死相．＝hippocratic *facies*.

masklike f. 仮面状(仮面様)顔〔貌〕．＝Parkinson *facies*.

moon f. 満月状(満月様)顔〔貌〕(通常，赤みを伴った下ぶくれの丸顔で，Cushing 病や外因性のステロイド投与で認められる).

moon-shaped f. 満月様顔貌．＝moon *facies*.

superolateral f. of cerebral hemisphere [TA]．大脳半球上外側面．＝superolateral *surface* of cerebrum.

face-bow (fās′bō). 顔弓，フェイスボー (顎関節と顎との関係を記録するカリパス様の測定用器具．この測定記録は上顎の鋳型もしくは模型を咬合器の開閉軸に一致させるのに用いる)．＝hinge-bow.

adjustable axis f. アジャスタブルアキシスフェイスボー (下顎骨の回転軸の位置に調整できる先端をもつ顔弓)．＝kinematic f.

kinematic f. キネマティックフェイスボー．＝adjustable axis f.

face-lift (fās′lift). ＝rhytidectomy; facialplasty.

fac·et, fa·cette (fas′et, fă-set′) [Fr. *facette*]. [英語 facet のアクセントをフランス語 facette のように後ろの音節に置かないこと]. *1* [TA]．小関節面 (骨または他の硬組織の小さな滑面，通常は生涯にわたり関節軟骨でおおわれる関節面をさす)．＝facies (3) [TA]. *2* 咬合局面，咬合小面 (そしゃくによりできる歯のすり減った部分).

acromial f. of clavicle [TA]．〔鎖骨〕肩峰関節面 (肩峰の鎖骨関節面と連結する鎖骨外側端上の小卵形関節面)．＝facies articularis acromialis claviculae [TA]; acromial articular facies of clavicle; acromial articular surface of clavicle.

anterior f. (on talus) for calcaneus [TA]．〔距骨の〕前踵骨関節面 (距骨頭の下面の関節面で，踵骨の前距骨関節面と連結し，距踵舟関節の一部をなす)．＝facies articularis calcanea anterior tali [TA].

articular f. 小関節窩 (比較的小さな関節窩，特に椎骨のものについていう).

articular f. of head of fibula [TA]．腓骨頭関節面 (脛骨外側顆にある対応する関節面と関節で結ぶ腓骨頭の平らな球状面)．＝facies articularis capitis fibulae [TA].

articular f. of head of radius [TA]．橈骨頭関節窩 (橈骨頭の上面にみられるくぼみで，上腕骨小頭と関節する)．＝fovea articularis capitis radii [TA]; articular pit of head of radius; fovea of radial head.

articular f. of head of rib [TA]．肋骨頭関節面 (椎体の肋骨窩と関節をなす肋骨頭の関節面．第 1，11，12 肋骨はそれぞれ同じ番号の椎体にある円形の上肋骨窩と関節する．それ以外の肋骨は同じ番号と 1 つ上の番号の椎体にある半円形の上および下肋骨窩と関節する)．＝facies articularis capitis costae [TA].

articular f. of lateral malleolus [TA]．〔腓骨〕外果関節面 (距骨と関節をなす外果の内側面)．＝facies articularis malleoli lateralis fibulae [TA]; malleolar articular surface of fibula.

articular f. of medial malleolus [TA]．〔脛骨〕内果関節面 (距骨の側面と関節をなす内果の外側表面上の関節面．脛骨の下関節面に続く)．＝facies articularis malleoli medialis tibiae [TA]; malleolar articular surface of tibia.

articular f. of tubercle of rib [TA]．肋骨結節関節面 (椎骨の横突肋骨窩と関節をなす肋骨結筋の下内側部にある卵形の関節面)．＝facies articularis tuberculi costae [TA].

f. (of atlas) for dens [TA]．〔環椎〕歯突起窩 (軸椎の歯突起と関節をなす環椎前弓の後(内)面上にある円形関節面)．＝fovea dentis atlantis [TA]; pit of atlas for dens.

clavicular f. ＝clavicular *notch* of sternum.

clavicular articular f. of acromion [TA]．鎖骨関節面 (鎖骨外側端の肩峰関節面と関節をなす肩蜂内側縁上方の小卵形関節面)．＝facies articularis clavicularis acromii [TA]; articular surface of acromion.

corneal f. 角膜ファセッテ (実質の欠損によって生じた角膜の陥凹部).

costal f.'s 肋骨小窩 (椎骨にある関節窩で肋骨と関節する).

fibular articular f. of tibia [TA]．〔脛骨の〕腓骨関節面 (腓骨頭と関節をなす脛骨外顆の下外側面上の扁平な円板状関節面)．＝facies articularis fibularis tibiae [TA]; fibular articular surface of tibia.

inferior articular f. of atlas 環椎下関節窩．＝inferior articular *surface* of atlas.

inferior articular f. of vertebra [TA]．〔椎骨の〕下関節面 (椎骨の下関節突起の関節面で，下位の椎骨の上関節面と連結して椎間関節をなす)．＝facies articularis inferior vertebrae [TA].

inferior costal f. [TA]．下肋骨窩 (肋骨頭と関節する，椎体の下縁にある半関節面)．＝fovea costalis inferior [TA]; inferior costal pit.

lateral malleolar f. of talus [TA]．距骨外果面 (距骨滑車のうち腓骨と外果と関節する面)．＝facies malleolaris lateralis tali [TA]; lateral malleolar surface of talus.

Lenoir f. (lĕn′war[h], lĕ-nwahr′). ルノワール小関節面 (膝蓋骨内側の関節面).

locked f.'s 椎間関節嵌頓．＝*dislocation* of articular processes.

medial malleolar f. of talus [TA]．距骨内果面 (距骨滑

車のうち脛骨の内果と関節する面). =facies malleolaris medialis tali [TA].

middle f. (on talus) for calcaneus [TA]. 〔距骨の〕中踵骨関節面 (距骨頸の下面の関節面で, 距骨溝の前方にあり, 踵骨の中距骨関節面と連結し, 距踵舟関節の一部をなす). =facies articularis calcanea media tali [TA].

posterior articular f. of dens [TA]. 〔歯突起〕後関節面 (環椎横靱帯と関節でつながる軸椎の歯突起面). =facies articularis posterior dentis [TA]; posterior articular surface of dens.

posterior calcaneal articular f. of talus [TA]. 〔距骨の〕後踵骨関節面 (距骨体の下面の関節面で, 距骨溝の後方にあり, 踵骨の後距骨関節面と連結し, 距骨下関節(後距踵関節)の一部をなす). =facies articularis calcanea posterior tali [TA].

sternal f. of clavicle [TA]. 鎖骨の胸骨関節面 (胸鎖関節の線維軟骨性の関節円板と関節する鎖骨の胸骨端上の卵形面). =facies articularis sternalis claviculae [TA]; sternal articular surface of clavicle.

superior articular f. of atlas 環椎上関節窩. =superior articular *surface* of atlas.

superior articular f. of vertebra [TA]. 〔椎骨の〕上関節面 (椎骨の上関節突起の関節面で, 上位の椎骨の下関節面と連結して椎間関節をなす). =facies articularis superior vertebrae [TA].

superior costal f. [TA]. 上肋骨窩 (肋骨頭と関節する椎体の上縁にある半関節面. 1本の肋骨が隣接する脊椎骨の下肋骨窩と上肋骨窩とに関節する). =fovea costalis superior [TA]; superior costal pit.

superior f. of the trochlea of the talus [TA]. 距骨上面 (距骨滑車のうち脛骨の下関節面と接する面). =facies superior tali [TA]; superior surface of talus.

f. (on talus) for calcaneonavicular part of bifurcate ligament [TA]. 踵舟靱帯面 (距骨の舟状骨関節面の外側にある小面で, 二分靱帯内側部(踵舟靱帯)の内側面が接触して生じたもの). =facies articularis partis calcaneonavicularis ligamenti bifurcati tali [TA].

f. (on talus) for plantar calcaneonavicular ligament [TA]. 底側踵舟靱帯面 (距骨頭関節面の最下端にあり底側踵舟靱帯が接触して生じたもの). =facies articularis ligamenti calcaneonavicularis plantaris tali [TA].

transverse costal f. [TA]. 横突起肋骨窩 (椎骨の横突起にみられる関節面で, 肋骨結節と関節する). =fovea costalis processus transversi [TA]; costal pit of transverse process.

fac·e·tec·to·my (fas′ĕ-tek′tŏ-mē) [facet + G. *ektomē*, excision]. 脊椎関節突起切除〔術〕.

fa·cial (fā′shăl). 面の ([fascial または faucial と混同しないこと]). =facialis.

fa·ci·a·lis (fā′shē-ā′lis) [L.]. 面の. =facial.

facialplasty (fā′shăl-plas-tē). 顔面形成. =rhytidectomy; face-lift.

-facient (fa′shent) [L. *facio*, to make]. 由来を表す接尾語.

FACIES

fa·ci·es, pl. **fa·ci·es** (fā′shē-ēz, fash′-ēz) [L.]. [本語は正しくは3音節で発音されるが, 米語ではしばしば第2と第3音節が融合して1音節になる]. ***1*** [TA]. 顔, かお. =face (1). ***2*** [TA]. 面. =surface. ***3*** [TA]. =facet (1). ***4*** 顔貌. =expression (2).

acromial articular f. of clavicle 〔鎖骨〕肩峰関節面. =acromial *facet* of clavicle.

adenoid f. アデノイド顔〔貌〕(アデノイド肥大の小児の, 口を開けた遅鈍状の顔貌で, 鼻閉を伴う).

f. antebrachialis anterior 前前腕面. =anterior *region* of forearm.

f. antebrachialis posterior 後前腕面. =posterior *region* of forearm.

f. anterior [TA]. 前面. =anterior *surface.*

f. anterior antebrachii 前腕前面. =anterior *region* of forearm.

f. anterior brachii 上腕前面. =anterior *region* of arm.

f. anterior cordis* 心臓前面 (anterior *surface* of heart の公式の別名).

f. anterior corneae [TA]. 角膜前面. =anterior *surface* of cornea.

f. anterior corporis maxillae [TA]. 〔上顎骨〕前面. =anterior *surface* of maxilla.

f. anterior cruris 下腿前面. =anterior *region* of leg.

f. anterior glandulae suprarenalis [TA]. 副腎前面. =anterior *surface* of suprarenal gland.

f. anterior iridis [TA]. 虹彩前面. =anterior *surface* of iris.

f. anterior lateralis corporis humeri =anterolateral *surface* of (shaft of) humerus.

f. anterior lentis [TA]. 水晶体前面. =anterior *surface* of lens.

f. anterior medialis corporis humeri =anteromedial *surface* of (shaft of) humerus.

f. anterior membri inferioris 下肢前面. =anterior *surface* of lower limb.

f. anterior palpebrae [TA]. 眼瞼前面. =anterior *surface* of eyelids.

f. anterior partis petrosae ossis temporalis [TA]. =anterior *surface* of petrous part of temporal bone.

f. anterior patellae [TA]. 〔膝蓋骨の〕前面. =anterior *surface* of patella.

f. anterior prostatae [TA]. 前立腺前面. =anterior *surface* of prostate.

f. anterior radii [TA]. 橈骨前面. =anterior *surface* of radius.

f. anterior renis [TA]. 腎臓前面. =anterior *surface* of kidney.

f. anterior ulnae [TA]. 尺骨前面. =anterior *surface* of ulna.

f. anterior uteri =vesical *surface* of uterus.

f. anteroinferior corporis pancreatis [TA]. =anteroinferior *surface* of pancreas.

f. anterolateralis cartilaginis arytenoideae [TA]. =anterolateral *surface* of arytenoid cartilage.

f. anterolateralis corporis humeri [TA]. =anterolateral *surface* of (shaft of) humerus.

f. anteromedialis corporis humeri [TA]. =anteromedial *surface* of (shaft of) humerus.

f. anterosuperioris corporis pancreatis [TA]. =anterosuperior *surface* of body of pancreas.

f. antonina アントニーヌス顔〔貌〕(眼瞼および眼前部の変質による顔貌で, らい病にみられる).

aortic f. 大動脈弁閉鎖不全性顔貌 (大動脈弁閉鎖不全により生じる血色の悪い顔貌で, 非特異的所見である).

f. approximalis dentis [TA]. =approximal *surface* of tooth.

f. articularis [TA]. 関節面. =articular *surface.*

f. articularis acromialis claviculae [TA]. 〔鎖骨〕肩峰関節面. =acromial *facet* of clavicle.

f. articularis anterior dentis [TA]. 〔歯突起〕前関節面. =anterior articular *surface* of dens.

f. articularis arytenoidea cricoideae [TA]. 輪状軟骨の披裂軟骨関節面. =arytenoid articular *surface* of lamina of cricoid cartilage.

f. articularis calcanea anterior tali [TA]. =anterior *facet* (on talus) for calcaneus.

f. articularis calcanea media tali [TA]. =middle *facet* (on talus) for calcaneus.

f. articularis calcanea posterrior tali [TA]. =posterior calcaneal articular *facet* of talus.

f. articularis capitis costae [TA]. 肋骨頭関節面. =articular *facet* of head of rib.

f. articularis capitis fibulae [TA]. 腓骨頭関節面. =articular *facet* of head of fibula.

f. articularis carpi radii [TA]. 〔橈骨の〕手根関節面. = carpal articular *surface* of radius.

f. articularis cartilaginis arytenoideae [TA]. 披裂軟骨関節面. = articular *surface* of arytenoid cartilage.

f. articularis clavicularis acromii [TA]. = clavicular articular *facet* of acromion.

f. articularis cuboidea calcanei [TA]. 〔踵骨の〕立方骨関節面. = articular *surface* on calcaneus for cuboid.

f. articularis fibularis tibiae [TA]. 〔脛骨の〕腓骨関節面. = fibular articular *facet* of tibia.

f. articularis fossae mandibularis ossis temporalis [TA]. = articular *surface* of mandibular fossa of temporal bone.

f. articularis inferior atlantis [TA]. 〔環椎〕下関節窩. = inferior articular *surface* of atlas.

f. articularis inferior tibiae [TA]. 〔脛骨の〕下関節面. = inferior articular *surface* of tibia.

f. articularis inferior vertebrae [TA]. = inferior articular *facet* of vertebra.

f. articularis ligamenti calcaneonavicularis plantaris tali [TA]. = *facet* (on talus) for plantar calcaneonavicular ligament.

f. articularis malleoli lateralis fibulae [TA]. = articular *facet* of lateral malleolus.

f. articularis malleoli medialis tibiae [TA]. = articular *facet* of medial malleolus.

f. articularis navicularis tali [TA]. 〔距骨の〕舟状骨関節面. = navicular articular *surface* of talus.

f. articularis partis calcaneonavicularis ligamenti bifurcati tali [TA]. = *facet* (on talus) for calcaneonavicular part of bifurcate ligament.

f. articularis patellae [TA]. 〔膝蓋骨の〕関節面. = articular *surface* of patella.

f. articularis posterior dentis [TA]. 〔歯突起〕後関節面. = posterior articular *facet* of dens.

f. articularis sternalis claviculae [TA]. 〔鎖骨の〕胸骨関節面. = sternal *facet* of clavicle.

f. articularis superior atlantis [TA]. 〔環椎〕上関節窩. = superior articular *surface* of atlas.

f. articularis superior tibiae [TA]. 〔脛骨の〕上関節面. = superior articular *surface* of tibia.

f. articularis superior vertebrae [TA]. = superior articular *facet* of vertebra.

f. articularis talaris anterior calcanei [TA]. = anterior talar articular *surface* of calcaneus.

f. articularis talaris (anterior, media, et posterior) calcanei [TA]. = talar articular *surfaces* of calcaneus.

f. articularis talaris calcanei [TA]. 〔踵骨の〕距骨関節面. = talar articular *surfaces* of calcaneus.

f. articularis talaris media calcanei [TA]. = middle talar articular *surface* of calcaneus.

f. articularis talaris posterior calcanei [TA]. = posterior talar articular *surface* (of calcaneus).

f. articularis thyroidea cricoideae [TA]. 輪状軟骨の甲状軟骨関節面. = thyroid articular *surface* of cricoid (cartilage).

f. articularis tuberculi costae [TA]. 肋骨結節関節面. = articular *facet* of tubercle of rib.

f. auricularis ossis ilii [TA]. 〔腸骨の〕耳状面. = auricular *surface* of ilium.

f. auricularis ossis sacri [TA]. 〔仙骨の〕耳状面. = auricular *surface* of sacrum.

f. bovina 牛顔〔貌〕(両眼隔離症によるウシのような顔. 頭蓋顔面異骨症の典型例). = cow face.

f. brachialis anterior 前上腕面. = anterior *region* of arm.

f. brachialis posterior 後上腕面. = posterior *region* of arm.

f. buccalis dentis [TA]. = buccal *surface* of tooth.

f. cerebralis [TA]. 大脳面. = cerebral *surface*.

f. cerebralis ossis temporalis [TA]. = cerebral *surface* of temporal bone.

cherubic f. ケルビム様顔〔貌〕(ケルビム症にみられる特徴的な小児様の顔貌. 糖原病(特に糖原病2型)にもみられる).

f. colica splenis [TA]. 脾臓結腸面. = colic *impression* of spleen.

f. contactus dentis 歯の隣接面. = approximal *surface* of tooth.

Corvisart f. (kōr-vē-sahr′). コルヴィザール顔〔貌〕(心機能不全または大動脈弁逆流にみられる特徴的な顔貌. 目は輝いていて眼瞼は厚ぼったく脹れて紫色がかったチアノーゼ様の顔貌を呈する).

f. costalis [TA]. 肋骨面. = costal *surface*.

f. costalis (anterior) scapulae [TA]. 肩甲骨肋骨面〔前面〕. = anterior *surface* of scapula.

f. costalis pulmonis [TA]. 〔肺の〕肋骨面. = costal *surface* of lung.

f. costalis scapulae [TA]. 〔肩甲骨の〕肋骨面. = costal *surface* of scapula.

f. cruralis anterior 前下腿面. = anterior *region* of leg.

f. cruralis posterior 後下腿面. = posterior *region* of leg.

f. cubitalis anterior 前肘面. = anterior *region* of elbow.

f. cubitalis posterior 後肘面. = posterior *region* of elbow.

f. diaphragmatica (cordis, hepatis, pulmonis, splenica) [TA]. 〔心臓・肝臓・肺臓・脾臓の〕横隔面. = diaphragmatic *surface* (of heart, liver, lung, spleen).

f. diaphragmatica (inferior) cordis☆[TA]. diaphragmatic *surface* of heart の公式の別名.

f. digitalis dorsalis (manus et pedis) 指背面. = dorsal *surface* of digit (of hand or foot).

f. digitalis palmaris = palmar *surfaces* of fingers.

f. digitalis plantaris = plantar *surface* of toe.

f. digitalis ventralis 指腹面. = palmar *surfaces* of fingers.

f. distalis dentis [TA]. 歯の遠心面. = distal *surface* of tooth.

f. dolorosa 疼痛性顔貌 (不快なとき, 病気のとき, または痛みのあるときの顔貌).

f. dorsales digitorum (manus et pedis) [TA]. = dorsal *surface* of digit (of hand or foot).

f. dorsalis [TA]. 背面. = dorsal *surface*.

f. dorsalis ossis sacri [TA]. 〔仙骨の〕後面. = dorsal *surface* of sacrum.

f. dorsalis scapulae 〔肩甲骨〕背側面. = posterior *surface* of scapula.

elfin f. 小妖精顔〔貌〕(短い上向きの鼻, 開いた口, 離れた眼, 丸い頬などを特徴とする顔貌. 高カルシウム血症, 大動脈弁上部狭窄症, 精神遅滞などに付随することがある).

f. externa [TA]. 外側面. = external *surface*.

f. externa ossis frontalis [TA]. 〔前頭骨の〕外面. = external *surface* of frontal bone.

f. externa ossis parietalis [TA]. 〔頭頂骨の〕外面. = external *surface* of parietal bone.

f. facialis dentis = vestibular *surface* of tooth.

f. femoralis anterior 前大腿面. = anterior *region* of thigh.

f. femoralis posterior 後大腿面. = posterior *region* of thigh.

f. gastrica splenis [TA]. 脾臓胃面. = gastric *impression* on spleen.

f. glutea ossis ilii [TA]. 〔腸骨〕殿筋面. = gluteal *surface* of ilium.

hippocratic f., f. hippocratica ヒポクラテス顔〔貌〕, ヒポクラテス死相 (長期にわたる重病の死期の患者にみられるやせ衰えた顔貌. くぼんだ眼, 頬とこめかみのへこみ, 弛緩した唇, 鉛様の顔色などの特徴がある). = hippocratic face.

hound-dog f. 猟犬様顔〔貌〕(顔の皮膚が緩んで垂れ下がった状態の弛緩性皮膚にみられる顔貌).

Hutchinson f. (hŭtsh′in-sŏn). ハッチンソン顔〔貌〕(外眼筋麻痺のための眼球不動, 眼瞼下垂によって生じる独特の顔貌).

f. inferior hemispherii cerebri [TA]. 〔小脳半球〕下面. = inferior *surface* of cerebellar hemisphere.

f. inferior linguae [TA]. 〔舌の〕下面. = inferior *surface* of tongue.

f. inferior partis petrosae ossis temporalis [TA]. ＝inferior *surface* of petrous part of temporal bone.

f. inferolateralis prostatae [TA]. 前立腺下外側面. ＝inferolateral *surface* of prostate.

f. infratemporalis alaris majoris ossis sphenoidalis [TA]. ＝infratemporal *surface* of greater wing of sphenoid.

f. infratemporalis corporis maxillae [TA]. 上顎骨側頭下面. ＝infratemporal *surface* of (body of) maxilla.

f. interlobares pulmonis〔肺の〕葉間面. ＝interlobar *surfaces* of lung.

f. interna [TA]. 内側面. ＝internal *surface*.

f. interna ossis frontalis [TA].〔前頭骨の〕内面. ＝internal *surface* of frontal bone.

f. interna ossis parietalis [TA].〔頭頂骨の〕内面. ＝internal *surface* of parietal bone.

f. intervertebralis vertebrae [TA]. ＝intervertebral *surface* of body of vertebra.

f. intestinalis uteri [TA].〔子宮の〕後面. ＝intestinal *surface* of uterus.

f. labialis dentis [TA]. ＝labial surface of tooth.

f. lateralis [TA]. 外側面. ＝lateral *surface*.

f. lateralis brachii 上腕外側面. ＝lateral *surface* of arm.

f. lateralis cruris 下腿外側面. ＝lateral *surface* of leg.

f. lateralis digiti manus 手指外側面. ＝lateral *surface* of finger.

f. lateralis digiti pedis 足指外側面. ＝lateral *surface* of toe.

f. lateralis fibulae [TA]. 腓骨外側面. ＝lateral *surface* of fibula.

f. lateralis membri inferioris 下肢外側面. ＝lateral *surface* of lower limb.

f. lateralis ossis zygomatici [TA]. 頬骨外側面. ＝lateral *surface* of zygomatic bone.

f. lateralis ovarii [TA]. 卵巣外側面. ＝lateral *surface* of ovary.

f. lateralis radii [TA]. ＝lateral *surface* of (shaft of) radius.

f. lateralis testis [TA]. 精巣外側面. ＝lateral *surface* of testis.

f. lateralis tibiae [TA]. 脛骨外側面. ＝lateral *surface* of tibia.

leonine f. 獅子面，獅子顔貌. ＝leontiasis.

f. lingualis dentis [TA].〔歯の〕舌側面. ＝lingual *surface* of tooth.

f. lunata acetabuli [TA].〔寛骨臼〕月状面. ＝lunate *surface* of acetabulum.

f. malleolaris lateralis tali [TA]. 距骨外果面. ＝lateral malleolar *facet* of talus.

f. malleolaris medialis tali [TA]. 距骨内果面. ＝medial malleolar *facet* of talus.

f. masticatoria ＝denture occlusal *surface*.

f. maxillaris alaris majoris ossis sphenoidalis [TA]. ＝maxillary *surface* of greater wing of sphenoid bone.

f. maxillaris ossis palatini ＝maxillary *surface* of palatine bone.

f. medialis [TA]. 内側面. ＝medial *surface*.

f. medialis cartilaginis arytenoideae [TA]. 披裂軟骨内側面. ＝medial *surface* of arytenoid cartilage.

f. medialis corporis tibiae 脛骨体内側面. ＝medial *surface* of tibia.

f. medialis digiti pedis 足指内側面. ＝medial *surface* of toes.

f. medialis fibulae [TA]. 腓骨内側面. ＝medial *surface* of fibula.

f. medialis hemispherii cerebri [TA]. ＝medial *surface* of cerebral hemisphere.

f. medialis ovarii [TA]. 卵巣内側面. ＝medial *surface* of ovary.

f. medialis pulmonis〔肺の〕内側面. ＝mediastinal *surface* of lung.

f. medialis testis [TA]. 精巣内側面. ＝medial *surface* of testis.

f. medialis ulnae [TA]. 尺骨内側面. ＝medial *surface* of (shaft of) ulna.

f. mediastinalis pulmonis [TA]. ＝mediastinal *surface* of lung.

f. mesialis dentis [TA]. 歯の近心面. ＝mesial *surface* of tooth.

mitral f. 僧帽弁顔〔貌〕(僧帽弁の疾患によって，ピンク色のやや紅潮した頬を有する顔貌で，非特異的所見である).

moon f. 満月様顔〔貌〕(副腎皮質機能亢進症患者に認められる両頬に脂肪が沈着したために生じる丸顔．内因性に起こることも(例えばCushing病)，外因性に起こることも(例えば治療中のステロイド剤の投与)ある).

myasthenic f. 筋無力症顔〔貌〕(顔面筋の筋力低下により生じる重症筋無力症における眼瞼や口角が下垂した顔貌).

myopathic f. 筋障害性顔貌，ミオパシー性顔〔貌〕(ミオパシーや重症筋無力症の患者の一部にみられる顔貌．筋脱力により，両側眼瞼下垂，口角の挙上不能がみられる).

f. nasalis corporis maxillae [TA].〔上顎骨〕鼻腔面. ＝nasal *surface* of body of maxilla.

f. nasalis laminae horizontalis ossis palatini [TA]. ＝nasal *surface* of horizontal plate of palatine bone.

f. nasalis ossis palatini [TA]. 口蓋骨鼻腔面. ＝nasal *surface* of palatine bone.

f. occlusalis dentis [TA]. 歯の咬合面，そしゃく面. ＝denture occlusal *surface*.

f. orbitalis [TA]. 眼窩面. ＝orbital *surface*.

f. orbitalis alaris majoris ossis sphenoidalis [TA]. ＝orbital *surface* of greater wing of sphenoid bone.

f. orbitalis maxillae [TA]. ＝orbital *surface* of body of maxilla.

f. palatina dentis [TA]. ＝palatine *surface* of tooth.

f. palatina laminae horizontalis ossis palatini [TA]. ＝palatine *surface* of horizontal plate of palatine bone.

f. palmares digitorum [TA]. ＝palmar *surfaces* of fingers.

Parkinson f. (par′kin-sŏn). パーキンソン顔〔貌〕(パーキンソン病に特徴的な無表情で仮面のような顔). ＝masklike face.

f. patellaris femoris [TA].〔大腿骨〕膝蓋面. ＝patellar *surface* of femur.

f. pelvica ossis sacri [TA]. 仙骨前面. ＝pelvic *surface* of sacrum.

f. poplitea femoris [TA].〔大腿骨〕膝窩面. ＝popliteal *surface* of femur.

f. posterior [TA]. 後面. ＝posterior *surface*.

f. posterior cartilaginis arytenoideae [TA]. 披裂軟骨後面. ＝posterior *surface* of arytenoid cartilage.

f. posterior corneae [TA]. 角膜後面. ＝posterior *surface* of cornea.

f. posterior corporis humeri [TA]. 上腕骨後面. ＝posterior *surface* of shaft of humerus.

f. posterior corporis pancreatis [TA]. ＝posterior *surface* of body of pancreas.

f. posterior cruris 下腿後面. ＝posterior *region* of leg.

f. posterior fibulae [TA]. 腓骨後面. ＝posterior *surface* of fibula.

f. posterior glandulae suprarenalis [TA]. 副腎後面. ＝posterior *surface* of suprarenal gland.

f. posterior iridis [TA]. 虹彩後面. ＝posterior *surface* of iris.

f. posterior lentis [TA]. 水晶体後面. ＝posterior *surface* of lens.

f. posterior membri inferioris 下肢後面. ＝posterior *surface* of lower limb.

f. posterior palpebrae [TA]. 眼瞼後面. ＝posterior *surface* of eyelids.

f. posterior partis petrosae ossis temporalis [TA]. ＝posterior *surface* of petrous part of temporal bone.

f. posterior prostatae [TA]. 前立腺後面. ＝posterior *surface* of prostate.

f. posterior radii [TA]. 橈骨後面. ＝posterior *surface* of radius.

f. posterior renis [TA]．腎臓後面．＝posterior *surface* of kidney.

f. posterior scapulae [TA]．肩甲骨後面．＝posterior *surface* of scapula.

f. posterior tibiae [TA]．脛骨後面．＝posterior *surface* of tibia.

f. posterior ulnae [TA]．尺骨後面．＝posterior *surface* of ulna.

f. posterior uteri [TA]．＝posterior *surface* of uterus.

Potter f. (pot′ĕr)．ポッター顔〔貌〕（両側腎臓の無形成や極度の腎臓奇形にみられる顔貌で，両眼隔離症，下方に位置する耳，へこんだ顎，扁平鼻などの特徴を示す．→Potter *syndrome*）．＝Potter disease.

f. pulmonales dextra/sinistra cordis 心臓の〔右または左〕肺面．＝pulmonary *surfaces* of heart.

f. renalis glandulae suprarenalis [TA]．副腎腎面．＝renal *surface* of suprarenal gland.

f. renalis lienis* renal *impression* of spleen の公式の別名．

f. renalis splenica [TA]．＝renal *impression* of spleen.

f. sacropelvic ossis ilii [TA]．〔腸骨の〕仙骨盤面．＝sacropelvic *surface* of ilium.

f. scaphoidea 舟状顔〔貌〕（前頭の隆起，鼻と上顎の陥没，おとがいの隆起などの特徴をもつ顔の奇形）．＝dish face.

f. sternocostalis cordis [TA]．〔心臓の〕胸肋面．＝anterior *surface* of heart.

f. superior hemispherii cerebelli 〔小脳半球〕上面．＝superior *surface* of cerebellar hemisphere.

f. superior tali [TA]．距骨上面．＝superior *facet* of the trochlea of the talus.

f. superolateralis hemispherii cerebri [TA]．大脳半球上外側面．＝superolateral *surface* of cerebrum.

f. symphysialis [TA]．恥骨結合面．＝symphysial *surface* of pubis.

f. temporalis [TA]．側頭面．＝temporal *surface*.

f. temporalis alaris majoris ossis sphenoidalis [TA]．＝temporal *surface* of greater wing of sphenoid bone.

f. temporalis ossis frontalis [TA]．＝temporal *surface* of frontal bone.

f. temporalis ossis zygomatici [TA]．＝temporal *surface* of zygomatic bone.

f. urethralis penis [TA]．〔陰茎の〕尿道面．＝urethral *surface* of penis.

f. vesicalis uteri [TA]．〔子宮の〕前面．＝vesical *surface* of uterus.

f. vestibularis dentis [TA]．〔歯の〕前庭面，〔歯の〕頬面，〔歯の〕唇面．＝vestibular *surface* of tooth.

f. visceralis hepatis [TA]．〔肝臓〕臓側面．＝visceral *surface* of liver.

f. visceralis splenis [TA]．→colic *impression* of spleen; gastric *impression* on spleen; renal *impression* of spleen. ＝visceral *surface* of the spleen.

---

fa·cil·i·ta·tion (fă-sil′i-tā′shŭn) [L. *facilitas* < *facilis*, easy]．促通，疏通，促進（他の興奮性インパルスが反射中枢に達したために，反射または他の神経活動が強化，増強されること）．

Wedensky f. ヴェデンスキー促通（遮断帯に到着するインパルスが遮断を越えた側の神経の興奮性を促進する．促通刺激は遮断帯を通って伝導されないが，遮断より末梢側の神経筋組織標本が変化していることを示す）．

fac·ing (fās′ing)．前装（歯の色をした物質（通常は合成樹脂または陶材）で，自然な外観にするため，金属冠の頬面や唇面を隠すのに用いられる）．

facio- (fā′shē-ō) [L. *facies*]．顔に関する連結形．→prosopo-.

fa·ci·o·lin·gual (fā′shē-ō-ling′gwăl)．顔舌の（顔と舌に関する．しばしばこれらの部分を侵す麻痺についていう）．

fa·ci·o·plas·ty (fā′shē-ō-plas′tē) [facio- + G. *plastos*, formed]．顔面形成術，美容術（顔面の形成外科手術）．

fa·ci·o·ple·gi·a (fā′shē-ō-plē′jē-ă) [facio- + G. *plēgē*, a stroke]．顔面神経麻痺．＝facial *paralysis*.

F.A.C.N.M. Fellow of the American College of Nuclear Medicine（米国核医学会会員）の略．

F.A.C.N.P. Fellow of the American College of Nuclear Physicians（米国核医学医師会会員）の略．

F.A.C.O.G. Fellow of the American College of Obstetricians and Gynecologists（米国産婦人科医師会会員）の略．

F.A.C.P. Fellow of the American College of Physicians（米国医師会会員）; Fellow of the American College of Prosthodontists（米国補綴歯科医師会会員）の略．

F.A.C.R. Fellow of the American College of Radiology（米国放射線医学会会員）の略．

FACS fluorescence-activated cell sorter の略．

F.A.C.S. Fellow of the American College of Surgeons（米国外科医師会会員）の略．

F.A.C.S.M. Fellow of the American College of Sports Medicine（米国スポーツ医学医師会会員）の略．

fac·ti·tious (fak-tish′ŭs) [L. *factitius*, made by art < *facio*, to make]．人為的な，人工的な，自然発生的でない（[factitial と混同しないこと]）．

FACTOR

fac·tor (fak′tŏr) [L. maker, causer < *facio*, to make]．***1*** 因子，要因，要素，動因（様々な作用に影響を与える原因）．***2*** 因数（増加によって数または式をつくる成分の1つ）．***3*** 遺伝子．＝gene. ***4*** ビタミンまたは他の必須要素．***5*** 健康に変化をもたらす事象，性質または他の定義可能な実体．***6*** カテゴリカルな独立変数．質的に同定可能な集団に属するかどうかを数値コードを通じて指定するために用いられる．例えば〝過密度は疾病伝播の因子である〞というように用いる．

f. I 第 I 因子（①血液凝固因子．フィブリノーゲンはトロンビンの作用でフィブリンに変わる．→fibrinogen. ②補体副経路の調節因子）．

f. II 第 II 因子（凝血塊中で第 Xa 因子，血小板，カルシウムイオンそして第V因子によってトロンビンに変化する糖蛋白．→prothrombin）．

f. IIa 第 IIa 因子．＝thrombin.

f. III 第 III 因子（血液凝固因子．組織因子またはトロンボプラスチン．第 III 因子は第 VII 因子とカルシウムを反応させて第 VIIa 因子を形成することにより，外因系を開始する．→thromboplastin）．

f. IV 第 IV 因子（血液凝固因子．カルシウムイオン）．

f. V 第V因子（以下の同意語で知られる血液凝固因子．プロアクセレリン(Owren)，不安定因子，血漿不安定因子(Quick)，血漿アクセレレータグロブリン(Ware and Seegars)，トロンボゲン(Nolf)，プロトロンボキナーゼ(Milstone)，プラスミンプロトロンビン転化因子(Stefanini)，プロトロンビンA成分(Quick)，プロトロンビン促進因子(Fantl and Nance)，トロンボプラスチン補因子(Honorato)，促進因子．第V因子はそれ自身では酵素的な働きをもたないが，血小板表面で第 Xa 因子と結合することにより，凝固系の共通系に関与している．第V因子が欠乏すると，パラ血友病および低プロアクセレリン血症として知られる常染色体劣性遺伝のまれな出血傾向を呈する．ヘテロ接合の患者は第V因子の減少によってそれと知られるが出血傾向はない）．＝accelerator f.; labile f.; plasma accelerator globulin; plasma labile f.; plasmin prothrombin conversion f.; proaccelerin; prothrombokinase; thrombogene.

f. V_{1a} 第 V_{1a} 因子．＝cobyric acid.

f. V_a 第 V_a 因子（血液凝固因子，アクセレリン）．

f. VII 第 VII 因子（以下の同意語で知られる血液凝固因子．プロコンバルチン(Owren)，コンバルチン，血清プロトロンビン変換促進因子(de Vries, Alexander)，安定因子(Stefanini)，補因子V(Owren)，プロトロンビノゲン(Quick)，コトロンボプラスチン(Mann and Hurn)，血清促進因子(Jacox)．第 VII 因子は組織トロンボフラスチンやカルシウムと複合体を形成し，第X因子を活性化する．第 VII 因子は次の疾患に関与することが知られている．ⓘ先天性第 VII 因子欠乏症：紫斑，粘膜よりの出血を伴い，常染色体劣

F

性遺伝．ⓘ後天性第 VII 因子欠乏症：新生児患者のビタミンK欠乏，プロトロンビン減少性薬剤の摂取による．ⓘⓘⓘ後天性第 VII 因子過剰症：血栓塞栓症のあるものにみられる．第 VII 因子は組織トロンボプラスチン，カルシウム，第V因子とともに，プロトロンビンのトロンビンへの転化を促進する)．＝proconvertin; prothrombinogen; stable f.

f. VIII 第 VIII 因子（以下の同意語で知られる血液凝固因子．抗血友病A因子(Brinkhous)，抗血友病グロブリン(Patek and Taylor)，抗血友病Aグロブリン(Cramer)，血漿トロンボプラスチン因子(Ratnoff)，血漿トロンボプラスチン因子A(Aggeler)，トロンボプラスチン生成血漿因子(Shinowara)，トロンボプラスチノゲン(Quick)，プロトロンボキナーゼ(Feissly)，血小板補因子(Johnson)，プラスモキニン(Laki)，トロンボカチリシン(Leggenhager)．およびプロトロンビン変換促進因子．第 III 因子は第 IXa 因子，血小板そしてカルシウムと複合体を形成し，酵素的に第X因子の活性を触媒することにより，血液の凝固に関与する．VIII 因子の欠乏は古典的な血友病Aで認められる．第 VIII C因子は第 VIII 因子の凝固因子成分であり，正常者では第 VIII R因子(von Willebrand 因子)と結合して循環している．第 VIII R因子は血漿第 VIII 因子関連蛋白で，巨大な糖蛋白で，血管内皮細胞と巨核球で生成され，血液中を循環し，内皮細胞配列を失なった動脈壁に結合し，同部分の血小板粘着を促す．第 VIIIR 因子を含む異常は von Willebrand 病とよばれる種々の異常を形成する．第 VIIIR 因子の欠損は血液凝固を障害する)．＝antihemophilic f. A; antihemophilic globulin A; antihemophilic globulin (1); plasma thromboplastin f.; platelet cofactor I; prothrombokinase.

f. IX 第 IX 因子（以下の同意語で知られる血液凝固因子．Christmas 因子(Biggs and Macfarlane)，血漿トロンボプラスチン成分(Aggeler)，抗血友病Bグロブリン(Cramer)，血漿トロンボプラスチン因子B(Aggeler)，血漿因子X(Shulman)，抗血友病因子B，および血小板補因子 II．第 IX 因子は内因性血液トロンボプラスチン形成に必要とされ，その形成速度よりも量に影響する．この活性体の第 IXa 因子(EC 3.4.21.22)はセリンプロテイナーゼで，第X因子を第 Xa 因子にアルギニン－イソロイシン結合を切断することにより変換する．第 IX 因子欠乏は血友病Bを生じる)．＝antihemophilic f. B; antihemophilic globulin B; Christmas f.; plasma f. X; plasma thromboplastin component; plasma thromboplastin f. B; platelet cofactor II.

f. X 第X因子（以下の同義語で知られる血液凝固因子．Stuart 因子，Stuart-Prower 因子，プロトロンバーゼ，プロトロンビナーゼ．第X因子から制限蛋白分解により生成される活性型の第 Xa 因子(EC 3.4.21.6)はプロトロンビンのトロンビンへの変換を補助する．第X因子の欠損は血液凝固を障害する)．＝prothrombinase; Stuart f.; Stuart-Prower f.

f. X for *Haemophilus* ヘモフィルスX因子．＝hemin.

f. XI 第 XI 因子（血液凝固因子．血漿トロンボプラスチン前駆物質としても知られる．これは接触反応因子で，ガラスなどとの接触によって血漿や漿液から形成される．その活性型である第 XIa 因子(EC 3.4.21.27)はセリンプロテイナーゼで，第 IX 因子を第 IXa 因子に変換する．第 XI 因子の欠乏は出血傾向を生じ，常染色体劣性遺伝子によって起こる)．＝plasma thromboplastin antecedent.

f. XII 第 XII 因子（血液凝固因子．ガラス因子，Hageman 因子としても知られる．ガラスなどにより活性化され，活性型の第 XIIa 因子(EC 3.4.21.38)となる．これはセリンプロテイナーゼで，第 VII 因子と第 XI 因子を活性化し，第 XI 因子はその活性型である第 XIa 因子に変換する．第 XII 因子が欠乏すると静脈血の凝固時間は大幅に遅くなるが，出血傾向を呈することはきわめてまれである．欠乏は常染色体劣性遺伝子によって起こる)．＝glass f.; Hageman f.

f. XIII 第 XIII 因子（血液凝固因子．フィブリン安定因子，Laki-Lorand 因子，L-L 因子としても知られる．トロンビンは，第 XIII 因子がその活性型，すなわちフィブリンのサブユニットを交差結合させて不溶性のフィブリンを形成させる第 XIIIa 因子に転化する反応を触媒する)．＝fibrin-stabilizing f.; L-L f.; Laki-Lorand f.

f. 3 第3因子（①ビタミンEの欠乏のために起こるネズミの肝障害を微量で予防する作用のあるセレンを含む天然物質．その特徴が明確でなかったため便宜的につけられた名称．②ビタミン B_{12} 群の第 III 因子 5-ヒドロキシベンズイミダゾール．通常のビタミン B_{12} ヌクレオチド成分の類似物質)．

accelerator f. 促進因子．＝f. V.

acetate replacement f. ＝lipoic acid.

adrenal weight f. 副腎皮質の重さを維持させる腺下垂体由来の仮想物質．

adrenocorticotropin releasing f. ACTH 分泌刺激因子（視床下部で産生され，下垂体より ACTH の分泌を促進するホルモン)．

angiogenesis f. 血管新生因子（いくつかの型の細胞から分泌され，治癒過程の創傷や腫瘍の間質において血管の新生を促す物質)．

animal protein f. (**APF**) 動物蛋白因子．＝*vitamin* B_{12}.

antialopecia f. 抗脱毛因子．＝inositol.

antianemic f. ＝*vitamin* B_{12}.

antiangiogenesis f. 抗血管新生因子（血管新生を阻害することのできるいくつかの分子の1つ)．

antiberiberi f. 抗脚気因子．＝thiamin.

anti-black-tongue f. 抗黒舌症因子．＝nicotinic acid.

anticomplementary f. 抗補体因子（補体の活性を阻害したり，活性化を阻止する物質)．

antidermatitis f. ＝pantothenic acid.

antihemophilic f. A (**AHF**) 抗血友病A因子．＝f. VIII.

antihemophilic f. B 抗血友病B因子．＝f. IX.

antihemorrhagic f. 抗出血因子．＝*vitamin* K.

antineuritic f. 抗神経炎因子．＝thiamin.

antinuclear f. (**ANF**) 抗核因子（核に対して強い親和力をもつ血清中の因子．通常，抗体で，蛍光抗体法によって検出される．エリテマトーデス，関節リウマチ，その他の特定の自己免疫疾患の患者に出現する．健常人にも微量存在することがある)．

antipellagra f. 抗ペラグラ因子．＝nicotinic acid.

antipernicious anemia f. (**APA**) 抗悪性貧血因子（①＝*vitamin* B_{12}. ②特にシアノコバラミン)．

antisterility f. 抗不妊因子．＝*vitamin* E (2).

atrial natriuretic f. (**ANF**) 心房性ナトリウム利尿因子（心房由来のナトリウム利尿因子につけられた古い名称．この名称はこの因子がペプチドホルモンであることが判明しているので現在では用いられない)．

f. B B因子（→*complement* pathways)．

B_T **f.** B_T因子．＝carnitine.

bacteriocin f.'s バクテリオシン因子．＝bacteriocinogenic *plasmids.*

B-cell differentiating f. B細胞分化因子．＝interleukin-4.

B-cell differentiation/growth f.'s B細胞分化/成長因子（通常はT細胞培養上清より得られるインターロイキン-4, 5, 6などの物質で，B細胞の増殖，成熟，形質細胞やメモリ細胞への分化に不可欠である)．

B-cell stimulatory f. 2 B細胞刺激因子2．＝interleukin-6.

bifidus f. ビフィズス因子（哺乳類の乳汁中に存在する因子で，ビフィズス菌 *Lactobacillus bifidus* のペンシルバニア亜種 subsp. *pennsylvanicus* と関連した物質である．しかしいまだ分離証明されていない)．

biotic f.'s 生物要因（生物の活動に由来する環境因子または影響．気候，地質学的，その他の要素によるものとは対照をなす)．

Bittner milk f. (bit′nĕr)．ビットナー母乳因子．＝mammary tumor *virus* of mice.

branching f. ブランチング因子．＝1,4-α-glucan-branching enzyme.

C f.'s C因子．＝coupling f.'s.

CAMP f. CAMP 因子（→CAMP *test*)．

capillary permeability f. 毛細血管透過性因子．＝*vitamin* P.

Castle intrinsic f. (kas′ĕl)［William B. *Castle*］．キャッスル内因子．＝intrinsic f.

Christmas f. クリスマス因子．＝f. IX.

citrovorum f. (**CF**) シトロボラム因子．＝folinic acid.

clearing f.'s 清澄化因子（脂肪血症中の血漿に現れるリポ蛋白分解酵素(リポプロテインリパーゼ)で，トリグリセリドが蛋白に結合しているときと受容体(例えば血清アルブミン)が存在するときだけトリグリセリド加水分解に触媒作用を及ぼす).

clotting f. 凝固因子(凝固過程にかかわる種々の血漿成分). =coagulation f.

coagulation f. 凝固因子. =clotting f.

cobra venom f. コブラ毒因子(補体の代替経路を活性化するコブラ毒の一成分).

coenzyme f. 補酵素因子. =dihydrolipoamide dehydrogenase.

colony-stimulating f.'s (CSF) コロニー刺激因子(骨髄系細胞の分化を調節する増殖因子の一群. これらは糖蛋白であり, 骨髄細胞にパラクラインやオートクラインの機序で働き, まだ解明されていないが互いに協調して作用すると考えられている. 各因子は多数の前駆細胞株に作用活性があり, その細胞機能への影響力をもつ).

complement chemotactic f. 補体化学走性因子(5番目の補体成分(C5a)の活性複合体. 多形核白血球の場合に化学走性を招来する).

complement f. I 補体因子 I (ヘテロ二量体性の糖蛋白. この欠損症は, C3の活性化を惹起する).

corticotropin-releasing f. (CRF) 副腎皮質刺激ホルモン放出因子. =corticotropin-releasing *hormone*.

coupling f.'s 共役因子(リン酸化能を失った, すなわち"脱共役 uncoupled" の状態となり, 酸化や電子伝達によってATP合成を行わないミトコンドリアのリン酸化能を回復させる蛋白. 通常, 共役因子 F_1, F_2 などという). =C f.'s.

f. D [MIM*134350]. D因子(→*complement* pathways).

debranching f.'s デブランチング因子. =debranching *enzymes*.

decapacitation f. 受精能獲得抑制因子(精巣上体液, 精液中にあるとされる因子で, 精子の授精能獲得を抑制する).

diabetogenic f. 糖尿病誘発因子(膵島細胞を変性させ永久的な糖尿病を惹起する下垂体前葉の生エキス中にある因子を表す, まれに用いる語).

diffusing f. 拡散因子. =hyaluronidase (1).

direct lytic f. of cobra venom =cobrotoxin.

Duran-Reynals permeability f., Duran-Reynals spreading f. (dū-ran[h]′ rā-nal) [Francisco *Duran-Reynals*]. デュラン・レーナルズ透過性因子, デュラン・レーナルズ拡散因子. =hyaluronidase (1).

elongation f. 延長因子(蛋白生合成中のペプチド鎖の延長反応を触媒する蛋白). =transfer f. (3).

endothelial relaxing f. 内皮細胞遊離因子(活性化マクロファージによって産生される神経伝達物質様の一酸化窒素. 腫瘍細胞, 寄生体, 細胞内寄生菌を殺傷できる).

endothelium-derived relaxing f. (EDRF) 内皮由来血管弛緩因子(血管平滑筋を弛緩させる内皮細胞由来の拡張性物質. 例えば, 一酸化窒素(NO)).

eosinophil chemotactic f. of anaphylaxis (ECF-A) アナフィラキシー好酸球遊走因子(破壊した肥満細胞から放出される因子. 分子量500—600のペプチドで, 好酸球を遊走させる).

epidermal growth f. (EGF) [MIM*131530]. 上皮増殖因子(雄マウスの下顎腺から分離された耐熱性抗原性蛋白. 生まれたての動物に注入すると開眼, 歯生を促進し, 表皮の成長や角化を刺激する. 多量に投与すると体部の発育や髪の成長を抑え, 脂肪肝になる).

erythrocyte maturation f. 赤血球成熟因子. =*vitamin* B_{12}.

essential food f.'s 必須食物因子(生命を維持するのに必要な物質で, 生体が合成できないもの. したがって食事によって外から供給しなければならない. 必須アミノ酸, 不飽和脂肪酸, ビタミン, ミネラルなどが含まれる).

extrinsic f. 外因子(食物性のビタミンB_{12}).

fermentation *Lactobacillus casei* f. 乳酸菌発育因子. =pteropterin.

fertility f. 稔性因子. =F *plasmid*.

fibrin-stabilizing f. フィブリン安定因子. =f. XIII.

filtrate f. 沪過性因子(pantothenic acid の古語).

Fitzgerald f. (fitz-jer′ăld). =high molecular weight *kininogen*.

Flaujeac f. (flah′jĕ-ak). =high molecular weight *kininogen*.

Fletcher f. (flet′chĕr). フレッチャー因子. =prekallikrein.

G f. G因子(①種々の知能検査に共通する(経験的に相関する)単独一般分散または因子. ②特定の生物の成長に必須の物質).

glass f. ガラス因子. =f. XII.

glucose tolerance f. ブドウ糖耐性因子(正常の耐糖能の維持に必要なクロームを含む水溶性化合物).

f. Gm Gm因子(ヒト免疫グロブリンのアロタイプを決定する因子. IgG(γ-グロブリン)のγ鎖上だけにみられる).

gonadotropin-releasing f. ゴナドトロピン放出因子(→gonadotropin-releasing *hormone*). =gonadoliberin (1).

granulocyte colony-stimulating f. (G-CSF) 顆粒球コロニー刺激因子(多種の細胞で合成される糖蛋白で, 血液幹細胞からの好中球の産生を刺激する.→colony-stimulating f.'s).

granulocyte-macrophage colony-stimulating f. (GM-CSF) 顆粒球マクロファージコロニー刺激因子(マクロファージまたは骨髄ストローマ細胞から分泌される糖蛋白. 顆粒球系, マクロファージ, 好酸球などの骨髄球系前駆細胞の刺激因子として機能する.→colony-stimulating f.'s).

growth f.'s 成長因子, 増殖因子(生体内物質(ホルモン)や食物由来の天然物(ビタミン, ミネラル)で, 細胞成熟・分化の調節や組織維持・修復の仲介により成長や発育を促進する. 成長因子の異常が良性・悪性腫瘍に関与しているかもしれない).

growth hormone-releasing f. (GHRF, GH-RF) 成長(生長)ホルモン放出因子(→growth hormone-releasing *hormone*). =somatoliberin.

F

f. H H因子(① biotin の旧名. ②ビタミンB_{12}同族体または前駆物質. ③補体因子C3bの活性を制御する糖蛋白. 欠乏により因子C3の連続した活性化と消費に至る第2溶血性経路を阻害できなくなる).

Hageman f. (hāg′măn). ハーゲマン因子. =f. XII.

hematopoietic transcription f. PU.1 造血転写因子PU.1(リンパ系および骨髄系細胞のうち, ある系統の発達に必要なEtsファミリーの造血特異的転写因子. 赤血球系前駆細胞の癌蛋白としても働く).

HG f. HG因子. =glucagon.

histamine-releasing f. ヒスタミン放出因子(サイトカインで, 抗原刺激されたリンパ球からつくられ, 好塩基球からのヒスタミン放出を引き起こす).

human antihemophilic f. ヒト抗血友病因子(正常なヒトの新鮮血漿から採れる第VIII因子の凍結乾燥濃縮物で, 血友病の止血薬として用いる). =antihemophilic globulin (2); human antihemophilic fraction.

hyperglycemic-glycogenolytic f. (HGF) 血糖上昇〔性〕糖原分解〔性〕因子. =glucagon.

impact f. インパクトファクター(ある特定の医学雑誌に掲載された原本の論文が他の医学雑誌に引用される頻度を数量的に表示したもの).

inhibition f. 抑制因子. =migration-inhibitory f.

initiation f. (IF) 開始因子(蛋白やRNAの合成開始に関与するいくつかの可溶性蛋白のうちの1つ).

insulinlike growth f. (IGF) インスリン様成長因子(以前はソマトメジンCとよばれていた. 生後の成長に最も重要なソマトメジン. 肝や腎, 筋肉, 下垂体, 消化管や軟骨細胞で産生される. IGF-Iは塩基性蛋白であり(分子量7,600), 6種類のIGF結合蛋白(IGF-BPs)に結合して血中を循環している. IGF-BPsはIGF-Iの血中半減期を3—18時間に延長している(IGF-BPs非結合型のIGF-Iの血中半減期は20—30分). 特に骨で産生されたIGF-Iはパラクリン的に作用して骨の成長に重要な役割を果たしているらしい). =somatomedins.

intrinsic f. (IF) 内〔性〕因子(胃液腺頸細胞によって分泌される小さなムコ蛋白(分子量約45,000)で, ビタミンB_{12}およびその他のコバラミンの吸収に必須である. 悪性貧血患者では, この因子が欠損している). =Castle intrinsic f.

f. Inv Inv因子(ヒト免疫グロブリンKmのアロタイプを表す現在では用いられない語. κ鎖上にみられる).

ischemia-modifying f.'s 虚血修飾因子(脳卒中に伴う壊

死の範囲を決めるのに役割を演じる種々の因子．血液粘稠度，モル浸透圧濃度，血圧，首と頭蓋内動脈の解剖などを含む）．

labile f. 不安定因子．＝f. V.

***Lactobacillus bulgaricus* f.** (**LBF**) ブルガリア乳酸菌因子．＝pantetheine.

***Lactobacillus casei* f.** 酪酸菌因子．＝folic acid (2).

Laki-Lorand f. (lāʹke lōrʹand). レーキ－ローランド因子．＝f. XIII.

LE f.'s LE 因子（全身性エリテマトーデス患者の血漿中の抗核免疫グロブリン．LE テスト陽性でみられる）．

lethal f. 致死因子（→genetic *lethal*）．

leukemia inhibitory f. ［MIM*159540］．白血病抑制因子（好中球の遊走を阻害するリンホカイン）．

leukocytosis-promoting f. 白血球増加因子（炎症性滲出液から採れる物質で，白血球増加を刺激するもの．現在では用いられない語）．

leukopenic f. 白血球減少因子（炎症性滲出液の研究中に得られる成分で，現在では用いられない．正常の動物に注射すると白血球減少症を起こす）．

lipotropic f. 脂向性因子．＝choline.

liver filtrate f. 肝〔臓〕沪液因子（pantothenic acid の古語）．

liver *Lactobacillus casei* f. ＝folic acid (2).

L-L f. L-L 因子．＝f. XIII.

luteinizing hormone / follicle-stimulating hormone-releasing f. (**LH/FSH-RF**) 黄体化ホルモン／卵胞刺激ホルモン放出因子．＝gonadoliberin (2).

luteinizing hormone-releasing f. (**LH-RF, LRF**) 黄体化ホルモン放出因子（luteinizing hormone-releasing *hormone* の古語）．

lymph node permeability f. (**LNPF**) リンパ節透過因子（リンパ球が刺激されたり，破壊されたとき放出する物質で，毛細管透過性と単球集合を促す）．

macrophage-activating f. (**MAF**) マクロファージ活性化因子（マクロファージ活性化を誘導する $CD4^+T$ 細胞由来のリンフォカイン．主要なマクロファージ活性化因子はインターフェロン-γである．マウスではインターロイキン-4もMAF である）．

macrophage colony-stimulating f. (**M-CSF**) マクロファージコロニー刺激因子（前駆細胞をマクロファージへと増殖・成熟させる単球系糖蛋白．→colony-stimulating f.'s）．

maize f. トウモロコシ因子．＝zeatin.

mammotropic f. 乳汁分泌因子．＝prolactin.

maturation f. 成熟因子．＝*vitamin* B_{12}.

megakaryocyte growth and development f. ＝thrombopoietin.

melanotropin-releasing f. (**MRF**) メラノトロピン放出因子．＝melanoliberin.

mesodermal f. 中胚葉〔誘導〕因子（胚子の腎原基や筋原基を誘導することのできる蛋白）．

migration-inhibitory f. (**MIF**) 遊走阻止因子（特定抗原にさらされた感作リンパ球（すなわち感作動物のリンパ球）によって産生される可溶性非透析性の物質で，マクロファージを固着させ，その遊走を抑制する）．＝inhibition f.

milk f. 母乳因子，乳汁因子．＝mammary tumor *virus* of mice.

monocyte-derived neutrophil chemotactic f. (**MDNCF**) 単球由来好中球走化因子．＝interleukin-8.

mouse antialopecia f. ＝inositol.

müllerian inhibiting f. ミューラー阻害因子．＝müllerian inhibiting *substance*.

müllerian regression f., müllerian duct inhibitory f. ミュラー〔管〕退行因子（単独で中腎傍管の発育を抑制するように働き，テストステロンとともに精管とそれに関連した構造の発育を促進するように働く胎児精巣由来の非ステロイド物質）．

multicolony-stimulating f. (**multi-CSF**) 重複コロニー刺激因子．＝interleukin-3.

myocardial depressant f. (**MDF**) 心筋抑制因子（ショック時に出現する毒性因子で，心筋の収縮力を障害する．恐らく内臓領域の循環低下とともに膵臓から蛋白分解酵素が放出されることによって生じるペプチド）．

natural killer cell stimulating f. ナチュラルキラー細胞刺激因子（interleukin-12 を表す現在では用いられない語）．

nephritic f. 腎炎因子（低補体血症を伴う膜性増殖性糸球体腎炎患者のある者に見出される血清蛋白（恐らくIgG の自己抗体）である．これはまた，補体活性化の副経路に関与する補助因子とともに補体第3成分（C3）を切断する）．

nerve growth f. (**NGF**) 神経発育因子（交感神経節後ニューロンの発達と，哺乳類の知覚（後根）神経節細胞の発達とを調節する蛋白（分子量約 27,000）．類似因子が数種類の蛇毒から分離されている．雄マウスの下顎腺から分離されている．新生動物に注入すると交感神経節は過形成となり肥大する．核酸と蛋白の合成を刺激する）．

neural f. 神経〔誘導〕因子（胚子の脊索を誘導することのできる蛋白）．

neutrophil-activating f. 好中球活性化因子．＝interleukin-8.

neutrophil chemotactant f. 好中球走化因子．＝interleukin-8.

nuclear f.-κB 核性因子κB（進化上保存されてきた真核細胞転写制御因子で，効果的な免疫反応を惹起するのに関与するのみならず，多岐にわたる細胞内反応過程に重要な役割を果たす．NF-κB とその調節因子は，シグナル伝達経路のみならず，細胞が増殖，分化，アポトーシスを起こす際の決定的な段階を媒介する転写活性反応にも連関する）．

osteoclast activating f. 破骨細胞活性化因子（骨吸収を促進し，骨コラーゲン合成を抑制するリンフォカイン）．

osteoclast differentiation f. 破骨細胞分化因子．＝TRANCE; receptor activator of nuclear factor-κ B.

ψ f. ＝psi f.

f. P P因子（T. Lewis が提唱した化学物質で，虚血に陥った骨格筋や心筋で形成され，間欠的跛行や狭心症の際の痛みを引き起こす物質と考えられている）．＝P substance of Lewis.

P f. P因子（付録 Blood Groups の P 血液型参照）．

parturition-mediating f. 分娩介在因子．＝relaxin.

pellagra-preventing f. (**p-p f.**) ペラグラ予防因子，p-p 因子．＝nicotinic acid.

plasma labile f. 血漿不安定因子．＝f. V.

plasma thromboplastin f. (**PTF**) 血漿トロンボプラスチン因子．＝f. VIII.

plasma thromboplastin f. B 血漿トロンボプラスチン B 因子．＝f. IX.

plasma f. X 血漿因子．＝f. IX.

plasmin prothrombin conversion f. (**PPCF**) プラスミンプロトロンビン転化因子．＝f. V.

platelet f. 3 血小板第3因子（血小板から出る血液凝固因子．化学的にはリン脂質リポ蛋白．特定の血漿トロンボプラスチン因子の存在下で，プロトロンビンをトロンビンに転化させる）．

platelet-activating f. (**PAF**) 血小板活性化因子．＝platelet-aggregating f.

platelet-aggregating f. (**PAF**) 血小板凝集因子，パフ（血小板凝集，炎症，過敏症のリン脂質の媒介物．好中球，好塩基球，血小板，内皮細胞を含む種々の細胞による特異的な刺激に反応して産生する．*O*-アルキル側鎖の長さの違いによる種々の分子種の PAF が同定されている．気管支狭窄の重要な媒介物である）．＝platelet-activating f.

platelet-derived growth f. (**PDGF**) 血小板由来増殖因子（血小板中に存在する因子で，創傷部位の細胞に対し分裂促進効果をもち，内皮増生などを起こす．陽性に荷電した糖蛋白で線維芽細胞，平滑筋細胞，神経膠細胞に対して分裂促進効果をもつ．組織培養で間葉系細胞を成長増殖させるのに必要な主な血清因子）．

platelet tissue f. 血小板組織因子．＝thromboplastin.

p-p f. p-p 因子（pellagra-preventing f. の略）．

predisposing f.'s 素因（ある個人において健康あるいは損われた健康に関連する遺伝・態度・人格・環境の因子）．

prolactin-inhibiting f. (**PIF**) プロラクチン抑制因子（ドパミン．脳下垂体前葉からプロラクチンの分泌を阻害する物質）．

prolactin-releasing f. (**PRF**) プロラクチン放出因子（プ

ロラクチンの放出を促す視床下部由来の物質).

properdin f. B [MIM*138470]. プロパージン因子B(正常血清蛋白(分子量 95,000)で, プロパージン系の一成分. C3b と結合して副経路の C3 コンバターゼを形成する).

properdin f. D プロパージン因子D (正常血清の α-グロブリン(分子量約 25,000)の1つで, プロパージン系に必要とされる. B因子を分解して Bb と Ba にする. Bb は C3b と結合して補体副経路の C3 コンバターゼを形成する).

protein f. 蛋白因数 (蛋白の窒素含有量を乗じて, 蛋白の概算量を計算するための数(6.25)).

psi f. サイ因子 (遺伝子のプロモータ部位において RNA ポリメラーゼ触媒反応が特異的に開始するのに必要な蛋白). =ψ f.

pyruvate oxidation f. ピルビン酸酸化因子. =lipoic acid.

quality f. (**QF**) 線質係数 (吸収線量を乗じて, 放射線防護の目的で, 吸収線量のおおよその生物学的効果を示す量を求めるための係数. *cf.* RBE; relative biologic *effectiveness*).

ρ f. =rho f.

R f.'s R因子. =resistance *plasmids.*

radiation weighting f. 放射線荷重係数 (放射線防護において, ある特定のタイプおよびエネルギーをもつ放射線の吸収線量を組織への影響に基づいて荷重する係数. →equivalent *dose*; relative biologic *effectiveness*; quality f.).

receptor activator of nuclear f.-κB 核内κB活性化受容体. =osteoclast differentiation f.

releasing f.'s (**RF**) 放出因子 (①下垂体前葉のホルモン分泌を促進する, 通常は, 視床下部由来の因子. ②RNA の生合成や蛋白の生合成の最終段階で必要な因子. =termination f. ③一般的に最後に statin と名がつく抗高脂血症薬である HMG-CoA reductase 阻害剤に対する短縮した口語. =statins). =liberins; releasing hormone.

resistance f.'s 耐性因子. =resistance *plasmids.*

resistance-inducing f. (**RIF**) 抵抗誘導因子 (正常のニワトリ胚から得られる物質で, 鳥類肉腫ウイルスの増殖を妨げる. 鳥類肉腫ウイルスと抗原的に関連した白血症ウイルス).

resistance-transfer f. 耐性転移因子 (抗生物質への耐性のような特性を授ける遺伝子を有するプラスミドの構成部分).

Rh f. Rh 因子 (Rh 血液型抗原. 付録 Blood Groups 参照). =Rhesus f.

Rhesus f. =Rh f. (付録 Blood Groups 参照).

rheumatoid f.'s (**RF**) リウマチ因子 (関節リウマチ患者の血漿中の抗体. これらの因子は IgM, IgG, IgA クラスの自己抗体である. 最も一般的な因子は IgM で, よく測定されている. リウマチ因子は他の自己免疫疾患やある種の感染症にも見出される).

rho f. ロー因子 (DNA 鋳型から RNA を離す終結因子. ATP 依存性ヘリカーゼがある細菌性蛋白). =ρ f.

risk f. 危険因子, リスクファクター (必ずしも因果関係を必要とはしないが, 有病割合や死亡率の増加と統計的な関連を有する要因. 例えば心臓疾患に対する危険因子).

σ f. =sigma f.

S f. S因子, 特殊因子 (様々な知能検査でみられる特定の変数, または実験的に最小な相互相関あるいは一般分散).

secretor f. 分泌因子 (唾液中または他の体液中に, ABO 血液型抗原を分泌する能力で, 1対の対立形質遺伝子, *Se* と *se*(あるいは *S* と *s*)によって支配される. この場合, *Se* は *se* に対し優性. 唾液分泌型(遺伝子型 *SeSe* および *Sese*)のヒトの唾液には赤血球と同じ血液型物質 A, B, または H が含まれる. 非分泌型(遺伝子型 *sese*)のヒトの唾液は血液型物質を含まない. ABH 分泌検査は遺伝的つながりや集団調査に役立つ. この分泌現象は Lewis 血液型とも密接な関係がある).

sex f. 性因子. =F *plasmid.*

sigma f. シグマ因子 (RNA ポリメラーゼの非特異的な DNA 結合を抑制するとともに転写開始点を固定するのを助ける因子. それにより RNA ポリメラーゼが特定の転写開始点に結合するのを促進する). =σ f.

slow-reacting f. of anaphylaxis (**SRF-A**) =slow-reacting *substance.*

SLR f., ***Streptococcus lactis* R f.** SLR 因子, 乳酸連鎖球菌R因子. =rhizopterin.

somatotropin release-inhibiting f. (**SRIF, SIF**) ソマトトロピン放出抑制因子. =somatostatin.

somatotropin-releasing f. (**SRF**) growth hormone-releasing hormone (GHRH) を表す旧名. =somatoliberin.

spreading f. 拡散因子. =hyaluronidase (1).

stable f. 安定因子. =f. VII.

stem cell f. (**SCF**) 幹細胞因子 (造血幹細胞から様々な系統への増殖, 分化を促すサイトカイン).

steroidogenic f. 1 (**SF-1**) ステロイド産生刺激因子1 (副腎, 性腺や下垂体の器官形成に関与しているリガンドが同定されていないみなしご核内受容体. この因子が欠損すると, 副腎不全や性腺の形成不全が生じる).

stringent f. 緊縮調節因子 (アミノ酸欠乏によるリボソーム産生の減少を引き起こす細胞応答に対して重要な遺伝子産物(酵素). →stringent *response*).

Stuart f., Stuart-Prower f. (stū′ărt, prow′ĕr). スチュアート因子, スチュアート-プラウアー因子. =f. X.

sun protection f. (**SPF**) 日光阻止因子 (サンスクリーン剤を使用したときとしないときの紅斑を発するのに要する超紫外線の量の割合. 有効なサンスクリーン剤は SPF15 以上である).

T-cell growth f. T細胞増殖(成長)因子 (interleukin-2 を表す現在では用いられない語).

T-cell growth f.-1 T細胞増殖(成長)因子-1 (interleukin-2 を表す現在では用いられない語).

T-cell growth f.-2 T細胞増殖(成長)因子-2 (interleukin-4 を表す現在では用いられない語).

termination f. 終結因子. =releasing f.'s (2).

testis-determining f. (**TDF**) 精巣決定因子 (Y染色体短腕にある遺伝子の産物で精巣形成を決定するもの).

thymic lymphopoietic f. 胸腺リンパ産生因子 (胸腺から抽出された糖蛋白(分子量約 12,000). この胸腺で産生されるホルモンは胸腺依存細胞に免疫能を与え, リンパ球産生を誘導する).

thyroid-stimulating hormone-releasing f. (**TSH-RF**) =thyroliberin.

thyrotropin-releasing f. (**TRF**) 甲状腺刺激ホルモン放出因子 (thyrotropin-releasing *hormone* の旧名).

tissue f. 組織因子. =thromboplastin.

tissue weighting f. 組織荷重係数 (放射線防護において, 全身均等被曝による全影響に対する特定の組織や臓器の相対的寄与を評価するために用いる, その組織や臓器の等価線量につける重み係数. →effective *dose*).

transfer f. 転移因子, 伝達因子, トランスファーファクター (①接合性プラスミド, 特に薬剤耐性プラスミドの伝達遺伝子. ②遅延型過敏症のヒト白血球から採れる透析性の抽出物で, 非感作者の皮膚に注射するとそれに特有な過敏性を付与する. ③=elongation f.).

transforming f. 形質転換因子 (細菌の形質転換を左右する DNA).

transforming growth f.'s (**TGF**) トランスホーミング増殖因子 (2つのポリペプチド成長因子. TGF-α は多くの表皮や上皮細胞の増殖を促進する. また形質転換細胞や癌細胞の条件培地から得られる. TGF-β は腎臓や血小板から得られ, 多くの細胞に対し増殖, 分化を制御する).

transforming growth f. α (**TGFα**) トランスホーミング増殖因子α (癌細胞や形質転換した細胞によって産生されるサイトカインで, 増殖や分化に関与する. また, 胚形成時の正常組織やある種の成人組織で産生される).

transforming growth f. β (**TGFβ**) トランスホーミング増殖因子β (他のサイトカインと干渉したりコラーゲン沈着を高めるような多機能性をもつ調節サイトカイン. 多数のサブタイプがあり, 血小板やマクロファージによって産生されるが, 多くの他の細胞株によっても産生される).

transmethylation f. メチル基転移因子. =choline.

tumor angiogenic f. (**TAF**) 腫瘍脈管形成因子 (固形腫瘍より遊離される物質. 腫瘍への新しい血管の形成を誘導する).

tumor necrosis f. (**TNF**) [MIM*191160]. 腫瘍壊死因子. =cachectin.

tumor necrosis f.-α 腫瘍壊死因子アルファ (広く女性性器上皮で合成される多作用性のサイトカイン).

F

tumor necrosis f.-β 腫瘍壊死因子ベータ（抗原と接触後，CD4 と CD8 とのT細胞によって産生されるサイトカイン）．

uncoupling f.'s 結合解離因子．= uncouplers.

vascular endothelial growth f.（**VEGF**）血管内皮〔細胞〕増殖因子，血管内皮〔細胞〕成長因子（低酸素血症，虚血，低血糖により血管内皮細胞およびその他の細胞により産生されるペプチド．VEGF は血管形成を促進する．VEGF が VEGF-2 受容体と結合すると，血管の透過性の亢進，血管内皮細胞の増殖や移動などの，一連の VEGF 作用が生じる．VEGF は組織の微小血管系を維持するために持続的に分泌されている．過酸素血症にすると VEGF 産生は抑制され，余分な微小血管系の退縮が起こる）．

f. V Leiden 第V因子ライデン（蛋白性の凝固因子の１つである第V因子の変異．第V因子 Leiden 遺伝子は一般人口の３%を占める．本遺伝子をもったヒトは正常人に比べて血栓症のリスクが５倍高い．静脈血栓症の遺伝的な原因として最も多い．この変異により活性型プロテインCに対する抵抗性が生じ，自然に備わっている抗凝固系に欠陥をもたらす）．

von Willebrand f.（von vil'ĕ-brahnt）．ヴォン・ヴィレブランド(フォン・ヴィレブランド)因子（→f. VIII）．

W f. W因子．= biotin.

Williams f.（wil'yŭms）．= high molecular weight *kininogen.*

---

fac·to·ri·al（fak-tōr'ē-ăl）．*1* 要因の，因子の（統計的な要因，因子を示す）．*2* 階乗の（１つの整数から次々と小さい整数を１まで順番に乗じることについていう．!と書く．例えば５の階乗，すなわち 5! = 5×4×3×2×1 = 120）．

fac·ul·ta·tive（fak'ŭl-tā'tiv）．通性の，条件的の，任意の（１つ以上の特定の環境下で生きることのできる．交代経路をもつ）．

fac·ul·ty（fak'ŭl-tē）．才能（生物の生来の，または特殊な能力）．

FAD *flavin* adenine dinucleotide の略．

F.A.G.D. Fellow of the Academy of General Dentistry(米国シカゴに本部がある歯科学術団体特別会員)．

Fag·et（fazhā'），Jean C. フランス人医師，1818—1884．→F. *sign.*

Fahr（fahr），Theodore. ドイツ人医師，1877—1945．→F. *disease.*

Fah·rae·us（fah-rē'us），Robert（Robin）Sanno. スウェーデン人生理学者，1888—1968．→F.-Lindqvist *effect.*

Fahr·en·heit（**F**）（far'ĕn-hīt），Gabriel D. ドイツ系オランダ人物理学者，1686—1736．→F. *scale.*

fail·ure（fāl'yūr）．不全，欠損（欠損した，または不十分な状態）．

backward heart f. 後方心不全（以前，前方心不全と対比して考えられた概念で，心室後方の血圧上昇のために生じる静脈のうっ血によってうっ血性心不全が起こるという説．*cf.* forward heart f.）．

biochemical f. 生化学的再発（臨床検査のモニタリングで決定された測定値の変化だけによって特徴づけられる無症候性疾患の再発）．

cardiac f. = heart f. (1).

congestive heart f. うっ血性心不全．= heart f. (1).

coronary f. 冠不全（急性の冠状動脈不全）．

electrical f. 電気的不全（電気的刺激の障害により二次的に生じる心臓障害）．

forward heart f. 前方心不全（以前，後方心不全と対比して考えられた概念で，心拍出量の減少に引き続くナトリウムと水分の貯留による腎血流量減少の結果，うっ血性心不全が起こるという説．*cf.* backward heart f.）．

heart f. 心不全（①血液循環が維持できなくなる心臓の機能的障害．その結果，組織内にうっ血や浮腫が生じる．→forward heart f.; backward heart f.; right ventricular f.; left ventricular f. = cardiac f.; cardiac insufficiency; congestive heart f.; myocardial insufficiency. ②息切れ，圧痕浮腫，非陥凹浮腫，腫大と圧痛のある肝臓，頸静脈怒張，肺のラ音などの組合せを含む心不全の結果としての症候群）．

high output f. 高心拍出量性心不全（肺気腫や中毒性甲状腺腫などにみられるように，心筋機能不全やそれによるうっ血性心不全の存在にもかかわらず，心臓血液拍出量が正常またはそれ以上に維持されている心不全）．

left-sided heart f. 左心不全（循環負荷を維持できない左室機能不全．肺循環圧の上昇，通常肺うっ血，最終的には肺浮腫を伴う）．= left ventricular f.

left ventricular f. 左室不全．= left-sided heart f.

low output f. 低心拍出量性心不全（冠動脈疾患，高血圧性疾患，弁膜心疾患などにみられるように，心拍出量が正常以下である心不全）．

pacemaker f. ペースメーカ不全（心筋に効果的な刺激を伝える人工ペースメーカの不全）．

power f. = pump f.

premature ovarian f. 早発性卵巣機能不全．= premature *menopause.*

pump f. 心力不全（ポンプとしての機械的心機能不全を強調するために用いる語．急性心筋梗塞では，心力不全はうっ血性心不全，肺浮腫，心原性ショックを起こす．*cf.* electrical f.）．= power f.

pure autonomic f. 純粋自律神経不全〔症〕（成人期発症の散発性の神経変性疾患で，主に起立性低血圧と失神を呈する．自律神経系の機能障害以外の神経系の障害はみられない．交感神経節のニューロンの選択的変性によると考えられている．平滑筋，血管，副腎の脱神経を伴う）．= Bradbury-Eggleston syndrome.

renal f. 腎不全（急性または慢性の腎機能の廃絶で，その結果，高窒素血症や尿素症症候群をきたす）．= end-stage renal disease.

respiratory f. 呼吸不全（急性あるいは慢性の肺機能低下で低酸素血症あるいは高炭酸ガス血症となる，無数の呼吸器疾患の最終共通路である）．

right ventricular f. 右室不全（右心室のポンプ障害による頸静脈怒張，肝腫大，浮腫などが現れるうっ血性心不全）．

secondary f. *1* 続発性機能不全（別の個所の先行病変の結果としてある臓器の機能が低下すること）．*2* 二次無効（初め有効であった薬物に対する反応性が低下してくること．通常，治療開始より数か月後に起こる）．

f. to thrive 成長障害（乳幼児の体重および身長が通常の同年齢の児に比べて，かなり標準値以下であること）．

faint（fānt）[M. E. < O. Fr. *feindre*, to feign]．*1*〖adj.〗極度に衰弱した，切迫失神した．*2*〖n.〗失神〔発作〕，気絶（→syncope）．

fal·cate（fal'kāt）．= falciform.

fal·ces（fawl'sēz）．falx の複数形．

fal·cial（fal'shăl）．鎌の（小脳鎌および大脳鎌についていう）．= falcine.

fal·ci·form（fal'si-fōrm）[L. *falx*, sickle + *forma*, form]．鎌状の，半月形の．= falcate.

fal·cine（fal'sēn）．= falcial.

fal·cu·la（fal'kyū-lă）[L. *falx*(falx) の指小辞]．小脳鎌．= *falx* cerebelli.

fal·cu·lar（fal'kyū-lăr）．*1* 鎌状の．*2* 小脳鎌の，大脳鎌の．

fal·lo·pi·an（fă-lō'pē-ăn）．Fallopius の記した，または彼に起因する．

Fal·lot（fah'yō），Étienne-Louis A. フランス人医師，1850—1911．→*pentalogy* of F.; F. *tetrad*, *triad*; *trilogy* of F.

false neg·a·tive（fawls neg'ă-tiv）．*1* 偽陰性（被検者を正しい診断から誤って除外してしまう検査結果）．*2* 偽陰性者（検査の結果，属する真の疾患群から誤って除外されてしまった被検者）．*3* 偽陰性の成績（検査が目的とする属性を有する対象にみられた陰性の結果）．

false pos·i·tive（fawls poz'i-tiv）．*1* 偽陽性（被検者を間違った診断群の中に誤って入れてしまう検査結果で，特に検査手技に十分な正確さを欠いたため生じたもの）．*2* 偽陽性者（検査の結果，属していない疾患群に誤って入れられた被検者）．*3* 偽陽性の成績（検査が目的とする属性を有しない対象にみられた陽性の結果）．

fal·set·to（fawl-set'tō）[It. < *falso*, false + 指小接尾語 *-etto*]．ファルセット(頭声)（不自然に高い周波数の発声をすること．裏声）．

fal·si·fi·ca·tion（fawl'si-fi-kā'shŭn）[L. *falsus*, false + *facio*, to make]．錯誤，虚偽（→Munchausen *syndrome*）．

retrospective f. 追想錯誤，記憶錯誤（現在の心理的欲求

に一致させるため過去の経験を無意識にゆがめること).

falx, pl. **fal·ces** (fawlks, fawl′sēz) [L. sickle] [TA]. 鎌(鎌状の構造).

f. aponeurotica ＝inguinal f.

cerebellar f.* f. cerebelli の公式の別名.

f. cerebelli [TA]. 小脳鎌(小脳テント下の内後頭稜から前方へ突出する硬膜の小突起. これは後小脳切痕, 小脳谷を占め, 二分して大後頭孔の両側を通る2つの相遠ざかる肢となる). ＝cerebellar f.*; falcula.

cerebral f.* f. cerebri の公式の別名.

f. cerebri [TA]. 大脳鎌(2つの大脳半球間の縦裂内にある硬膜の大きな鎌状のひだ. 前方で篩骨の鶏冠に付着し, 後方で小脳テントの上面に付着する). ＝cerebral f.*.

inguinal f. [TA]. 鼡径鎌(恥骨稜, 恥骨櫛, 腸恥線に停止する腹横筋と内腹斜筋の共通の腱. しばしば, 腱膜というよりも筋肉であり, 発達が悪い. 鼡径管の後壁をなす). ＝f. inguinalis [TA]; conjoint tendon*; tendo conjunctivus*; conjoined tendon; f. aponeurotica; inguinal aponeurotic fold.

f. inguinalis [TA]. 鼡径鎌. ＝inguinal f.

f. septi 中隔鎌. ＝*valve* of foramen ovale.

fa·mil·i·al (fa-mil′ē-ăl) [L. *familia*, family]. 家族性の(同一家族の構成員, 通常兄弟姉妹が偶然で説明できないほど多数罹患する. 通常, genetic の意味で誤って用いている).

fa·mil·i·al neu·ro·vis·cer·o·lip·i·do·sis (fă-mil′ē-ăl nū′rō-vis′ĕr-ō-lip′i-dō′sis). 家族性神経内臓リピドーシス. ＝infantile, generalized G_{M1} *gangliosidosis*.

fam·i·ly (fam′ĭ-lē) [L. *familia*]. ***1*** 家族(血縁, 養子または婚姻, もしくは通常の法的にそれと同等の関係をもつ2人あるいはそれ以上の人々の集団). ***2*** 科(生物分類において, 目 order と族 tribe もしくは属 genus の中間に位する分類群). ***3*** 構造的に類似した物質群. ***4*** 特徴的な配列, 薬理学的, シグナリングプロフィールをもつ蛋白群.

Alu f. Alu(アルー)族, Alu(アルー)ファミリー(ヒトゲノムにある散在性配列で, 各末端に制限酵素 Alu I 切断部位をもっている. 制限エンドヌクレアーゼ).

Alu-equivalent f. Alu 相当族, Alu 相当ファミリー(哺乳類ゲノムにある配列で, ヒト Alu 族に関係がある).

cancer f. 癌家系(複数の人が癌を経験した血縁関係. 集積状態は, 家族性結腸ポリポーシスの場合のように遺伝的で均質の場合も, 神経線維腫症のように多様であることもあり, 遺伝的で均質であるか, またはウイルスのような発癌性因子に共通に作用されたために生じることもある).

ETS-domain f. ETS ドメインファミリー(進化で保存されたETS ドメインが特徴の, 転写調節因子ファミリー. 転写調節因子は細胞の発生, 分化, 増殖, アポトーシス, 組織再構築に重要な役割を果たす. いくつかの ETS 遺伝子がヒト白血病と Ewing 腫瘍で再配列されている).

extended f. 大家系(血縁, 養子, 婚姻あるいは同等の絆で結ばれた数世代の人々からなる一団).

gene f. 遺伝子ファミリー(同様の配列を有する遺伝子群).

nuclear f. 核家族(遺伝学において, 通常, 両親とその子孫をさす).

structural maintenance of chromosomes (SMC) f. 染色体構造維持(SMC)ファミリー(この蛋白ファミリーは細胞分裂時の染色体動態で機能する. カエルの細胞分裂時の染色体凝縮と哺乳類の DNA 修復に重要だと考えられている).

FANA fluorescent antinuclear antibody *test* の略.

Fa·ña·nás (fah-nyah′nahs), J. スペイン人医師. ⇀F. *cell*.

Fan·co·ni (fahn-kō′nē), Guido. スイス人小児科医, 1892—1979. ⇀F. *anemia, pancytopenia, syndrome*.

fang (fang) [A.S. *fōhan*, to seize]. 牙, 内裂歯, 歯根(①長い歯または長牙, 通常は犬歯. ②毒が出るヘビの陥凹歯).

fan·go (fan′gō) [It. mud]. 泥土, ファンゴ, 温泉泥(イタリアの Battaglio 温泉泥土で, 関節や筋肉の病気の治療に用いる).

Fan·ni·a (fan′ē-ă). ヒメイエバエ属(イエバエ科のハエの一属. 次の各種を含む. ヒメイエバエ *F. canicularis* は台所や食物のそばにみられ, イエバエ *Musca domestica* に似ているが, いくぶん小さく, 胸節に茶色の筋が3本ある点が違う. ベンジョバエ *F. scalaris* は, 通常, ヒトや動物の液状の糞便に産卵し, 胸節の2本の茶色の筋によってヒメイエバエ *F. canicularis* と区別されるであろう).

fan·ta·sy (fan′tă-sē) [G. *phantasia*, idea, image]. 空想(夢や白昼夢におけるような, 多少は筋の通った心象であるが, 現実によって拘束されないもの). ＝phantasia.

FAP familial adenomatous *polyposis* の略.

Far·a·beuf (fahr-ă-būf′), Louis H. フランス人外科医, 1841—1910. ⇀F. *amputation, triangle*.

far·ad (F) (fa′rad) [Michael *Faraday*]. ファラッド(電気容量の実用単位で, 1Vの電位で1クーロンの電気量を有するコンデンサの電気容量).

Far·a·day (far′ă-dā), Michael. イングランド人物理・化学者, 1791—1867. ⇀farad; faraday; F. *constant, laws*.

far·a·day (*F*), Fa·ra·day (far′ă-dā) [Michael *Faraday*]. ファラデー(96,485.309 クーロン/モルに相当. 1グラム当量の1価のイオンを電気分解するのに要する電気量).

far·a·dism (far′ă-dizm). 感応電流, 誘導電流.

surging f. サージ感応電流(振幅が徐々に増減する電流で, 誘導コイルによって生じる交流に律動抵抗をかけて得られる).

far·a·di·za·tion (far′ad-i-zā′shŭn). 感応電流療法, 感応通電法(誘導電流を応用する治療).

fa·ra·do·con·trac·til·i·ty (fa′ră-dō-kon′trak-til′i-tē). 感応電気収縮性, 誘導電気収縮性(誘導電流刺激下における筋肉の収縮性).

fa·ra·do·mus·cu·lar (fa′ră-dō-mŭs′kyū-lăr). 筋電流刺激の(誘導電流を筋肉に直接流したときの作用についていう).

far·a·do·pal·pa·tion (fa′ră-dō-pal-pā′shŭn). 電気触診〔法〕(先端が鋭くとがった電極から基準電極に向けて弱い交流電流を通すことにより行う知覚測定法).

far·a·do·ther·a·py (fa′ră-dō-thār′ă-pē). 感応電気療法(誘導電流による, 疾病や麻痺の治療).

Far·ber (far′bĕr), Sidney. 米国人小児病理学者, 1903—1973. ⇀F. *disease, syndrome*.

far·cy (far′sē) [L. *farcio*, to stuff]. 鼻疽(① *Nocardia farcinica* によって起こるウシのリンパ腺疾患. ②馬鼻疽の皮膚型).

far·del (far-del′) [M. E. < O. Fr. < Ar. *fardah*, bundle]. 重荷(ある個人に遺伝病が起こったことによって負う計量可能な疾患の合計. 遺伝学的カウンセリングでは, 予後の見通しを定量的に考える場合の2大重要点の1つであり, もう1つは発生危険度である. 重荷は, 概算では, 疾患の継続と重篤度(全時間－強度関数の積分)で測られる. 色覚異常は生涯を通じ疾患の重篤度は低く, 無脳症は, わずかな時間で重篤度の破綻を起こし, Alzheimer 病は疾患の継続と重篤度の観点から中間型であるが重荷はより大である).

far·fa·ra (far′far-ă) [L. *farfarus*, coltsfoot]. ファルファラ葉(キク科植物宿根草 *Tussilago farfara* の乾燥葉. 粘滑薬).

fa·ri·na (fă-rē′nă) [L.]. 穀粉(カラスムギ *Avena sativa* あるいはコムギ *Triticum sativum* のような穀物から得られるコムギ粉, メリケン粉あるいは粗びき粉, 穀粉食品として用いる).

f. avenae オートムギ粉.

f. tritici ライコムギ粉.

far·i·na·ceous (far′i-nā′shŭs). ***1*** 穀粉様の. ***2*** デンプン様の.

α-**far·ne·sene** (far′nĕ-sēn). *α*–ファルネセン(直開鎖炭化水素. 3個のイソプレン単位より構成されている. 4種の異性体の1つがリンゴの天然被膜にみられる).

β-**far·ne·sene** (far′nĕ-sēn). *β*–ファルネセン(2つの異性体のうち1つ(*trans*)はある種のアブラムシの警告フェロモンや種々の精油にみられる).

far·ne·sene al·co·hol (far′nĕ-sēn al′kŏ-hōl). ファルネセンアルコール. ＝farnesol.

far·ne·sol (far′nĕ-sol). ファルネソール(ビタミンK_2の側鎖に存在し, スクアレンを構成するジファネシル基. シトロネラ油に存在する. セスキテルペンアルコール). ＝farnesene alcohol.

far·nes·yl py·ro·phos·phate (far′nĕ-sil pī′rō-fos′fāt). ファルネシルピロリン酸(ファルネソールのピロリン酸誘導体. ステロイド, ドリコール, ユビキノン, プレニル化蛋白およびヘム a の生合成の重要中間体である).

F

Farns•worth (farnz′wŏrth), Dean. 米国人海軍士官, 1902—1959. F.-Munsell color *test*.

Farr (far), William. イングランド人医学統計学者, 1807—1883. →F. *laws*.

Farrant mount•ing flu•id (far′ănt). ⇒fluid.

Farre (fahr), Arthur. イングランド人産科婦人科医, 1811—1887. →F. *line*.

far•sight•ed•ness (far′sīt-ĕd-nes). 遠視. = hyperopia.

Fas ファス(ファスリガンドと結合する受容体で細胞に存在し, アポトーシスを引き起こす. →Fas *ligand*).

FASCIA

fas•ci•a, pl. **fas•ci•ae, fas•ci•as** (fash′ē-ă, -ē-ē) [L. a band or fillet][TA]. 筋膜(皮膚の下で体を包む線維組織層. 筋肉および筋肉群をも包み, その層または群を束ねる).

f. abdominis parietalis [TA]. 腹部の壁側筋膜. = parietal abdominal f.

f. abdominis visceralis [TA]. = visceral abdominal f.

Abernethy f. (ab′er-neth-ē). アバーネシー筋膜(外腸骨動脈の前にある腹膜下の疎性結合組織層. ⇀iliac f.).

f. adherens 付着筋膜(心筋の介在板にあってアクチンフィラメントが付着している幅広い細胞間結合部).

anal f. = inferior f. of pelvic diaphragm.

antebrachial f. [TA]. 前腕筋膜(前腕を包み込む深筋膜であり, 上腕筋膜と連続する. 手首付近で伸筋支帯と屈筋支帯の2つの厚い帯を形成する). =f. antebrachii [TA]; deep f. of forearm; f. of forearm.

f. antebrachii [TA]. 前腕筋膜. = antebrachial f.

f. axillaris [TA]. 腋窩筋膜. = axillary f.

axillary f. [TA]. 腋窩筋膜(腋窩床を形成する穴だらけの筋膜. この筋膜は前方で胸筋筋膜および鎖骨胸筋筋膜と, 外側で上腕筋膜と, 後内側で広背筋膜および前鋸筋膜とつながる). =f. axillaris [TA].

bicipital f. = bicipital *aponeurosis*.

brachial f. [TA]. 上腕筋膜(近位では胸筋筋膜と三角筋をおおう筋膜に続く. 遠位では前腕筋膜につながる). =f. brachii [TA]; deep f. of arm.

f. brachii [TA]. 上腕筋膜. = brachial f.

broad f. = deep f. of thigh.

f. buccopharyngea [TA]. 頬咽頭筋膜. = buccopharyngeal f.

buccopharyngeal f. [TA]. 頬咽頭筋膜(咽頭の筋層をおおい, 頬筋へと続く筋膜). =f. buccopharyngea [TA].

Buck f. (bŭk). バック筋膜. = f. of penis.

f. bulbi 眼球筋膜. = fascial *sheath* of eyeball.

Camper f. (kahm′pĕr). カンペル筋膜. = fatty *layer* of subcutaneous tissue of abdomen.

f. capitis et colli [TA]. = f. of head and neck.

f. cervicalis [TA]. = (deep) cervical f.

f. cervicalis profunda = (deep) cervical f.

f. cinerea 灰白小束. = fasciolar *gyrus*.

clavipectoral f. [TA]. 鎖骨胸筋筋膜(鎖骨と烏口突起と胸壁との間に広がる筋膜で三部に区別される. 鎖骨下筋と小胸筋を包むもの, 両者の間にある強力な肋骨烏口膜, そして腋窩提靱帯である. この筋膜はその内部に包み込んでいるものとともに腋窩深部の前壁を形成している). =f. clavipectoralis [TA].

f. clavipectoralis [TA]. 鎖骨胸筋筋膜. = clavipectoral f.

f. clitoridis [TA]. 陰核筋膜. = f. of clitoris.

f. of clitoris [TA]. 陰核筋膜(陰茎筋膜に相当する陰核の結合組織. 勃起組織を取り囲む). =f. clitoridis [TA].

Colles f. (kol′ēz). コリーズ筋膜. = subcutaneous *tissue* of perineum.

f. colli* (deep) cervical f. の公式の別名.

Cooper f. (kū′pĕr). クーパー筋膜. = cremasteric f.

cremasteric f. [TA]. 精巣挙筋膜, 挙睾筋膜(内腹斜筋(精巣挙筋)由来の疎性結合組織および筋線維からなる精管を包む構造の1つ. →*aponeurosis* of internal oblique muscle). =f. cremasterica [TA]; Cooper f.; Scarpa sheath.

f. cremasterica [TA]. 精巣挙筋膜, 挙睾筋膜. = cremasteric f.

cribriform f. [TA]. 篩状筋膜(大腿浅筋膜の膜状になった深層部のうち伏在裂孔をおおうまばらな部分). =f. cribrosa [TA]; Hesselbach f.

f. cribrosa [TA]. 篩状筋膜. = cribriform f.

crural f. 下腿筋膜. = deep f. of leg.

f. cruris [TA]. 下腿筋膜. = deep f. of leg.

Cruveilhier f. (krū-vāl-yā′). クリュヴェーリエ筋膜. = subcutaneous *tissue* of perineum.

dartos f. [TA]. 肉様膜(陰囊の外皮にある平滑筋を含んだ浅筋膜. 陰囊中隔も形成する. →*dartos* muliebris; dartos *muscle*). =tunica dartos [TA]; superficial f. of scrotum*; membrana carnosa; tunica carnea.

deep f. 深在筋膜(脂肪を含まない, 種々の厚さの線維性の膜で, 筋肉を包んで個々の筋や筋群を分け, 神経や脈管の鞘を形成する. 関節周囲では, 特殊化して靱帯を形成したり, 強化したりする. さらに様々な器官や腺を囲み, あらゆる構造を密な塊にまとめる. TA は, superficial fascia や deep fascia は国際的な理解の一致が得られていないので定義付けをしないまま総称的に使うべきでないとして, 前者には subcutaneous tissue, 後者には muscular fascia, parietal fascia または visceral fascia を推奨している). =f. profunda.

deep f. of arm = brachial f.

(deep) cervical f. [TA]. 〔深〕頸筋膜(頸を囲み僧帽筋と胸鎖乳突筋を包む外層あるいは外套層(浅葉), 舌下筋群に関係のある気管前層あるいは中間層(気管前葉), 頸部臓器, 椎骨と椎前諸筋に関係のある椎前層(深葉または椎前葉)に分かれる). =f. cervicalis [TA]; deep f. of neck; f. cervicalis profunda; f. colli*.

deep f. of forearm = antebrachial f.

deep investing f. [TA]. 深被覆筋膜(腹壁前外側部の3層の筋の最深層の腹横筋をおおう筋膜). =f. investiens profunda [TA].

deep f. of leg [TA]. 下腿〔深〕筋膜(大腿広筋膜から下腿へと続く筋膜で, 近位では膝蓋骨, 膝蓋靱帯, 脛骨粗面, 脛骨顆, 腓骨頭に付着し, 遠位では厚さを増して屈筋支帯や伸筋支帯を形成している). =f. cruris [TA]; crural f.; f. of leg.

deep f. of neck = (deep) cervical f.

deep f. of penis 深陰茎筋膜. = f. of penis.

deep perineal f.* perineal f. の公式の別名.

deep f. of thigh 大腿筋膜(大腿筋をおおう強い筋膜で外側部は肥厚して腸脛靱帯となる). =f. lata [TA]; broad f.

deltoid f. [TA]. 三角筋膜(上腕筋膜の上方の延長で三角筋をおおう). =f. deltoides [TA].

f. deltoides [TA]. = deltoid f.

Denonvilliers f. (dĕ-nōn[h]-vē-ā′). ドノンヴィーエ筋膜. = rectoprostatic f.

f. dentata hippocampi 鋸歯状回転. = dentate *gyrus*.

dentate f. = dentate *gyrus*.

f. diaphragmatis pelvis inferior [TA]. 下骨盤隔膜筋膜. = inferior f. of pelvic diaphragm.

f. diaphragmatis urogenitalis inferior 下尿生殖隔膜筋膜(perineal *membrane* を表す現在では用いられない語).

dorsal f. of foot [TA]. 足背筋膜(足指伸筋腱を包み, 下伸筋支帯と合流する筋膜). =f. dorsalis pedis [TA].

dorsal f. of hand [TA]. 手背筋膜(手背深層の筋膜で, 近位側で伸筋支帯に連結している). =f. dorsalis manus [TA].

f. dorsalis manus [TA]. 手背筋膜. = dorsal f. of hand.

f. dorsalis pedis [TA]. 足背筋膜. = dorsal f. of foot.

Dupuytren f. (dū-pwē-tren[h]′). デュピュイトラン筋膜. = palmar *aponeurosis*.

endoabdominal f. [TA]. 腹壁内筋膜(①= extraperitoneal f. ②腹膜外筋膜のみならず内臓周囲の筋膜(内臓筋膜)まで含めた呼称). =f. endoabdominalis [TA].

f. endoabdominalis [TA]. = endoabdominal f. (2).

endopelvic f.* 骨盤内筋膜(parietal pelvic f. の公式の別名).

f. endopelvina* parietal pelvic f. の公式の別名.

endothoracic f. [TA]. 胸内筋膜（胸壁を裏打ちする胸膜の外にある筋膜．胸膜上膜として胸膜頂にのび，また横隔膜と胸膜との間にある横隔胸膜筋膜といわれる薄い層を形成する．この疎性結合組織層は胸膜外の外科処置に利用できる空間を提供する）．＝f. endothoracica [TA].

f. endothoracica [TA]. 胸内筋膜．＝endothoracic f.

external spermatic f. [TA]. 外精筋膜（精索の外側をおおう筋膜．浅鼡径輪のところで外腹斜筋腱膜と連続する．→*aponeurosis* of external oblique (muscle)）．＝f. spermatica externa [TA].

f. of extraocular muscles ＝muscular f. of extraocular muscles.

extraperitoneal f. [TA]. 腹腔外筋膜（壁側腹膜と内筋膜(腸腰筋，胸腰筋膜内板，腹横筋筋膜)の間にある疎性結合組織層で，その性質や量は部位により様々で，例えば腎臓周囲では厚くて脂肪が多く前腹壁白線内部では薄く線維質である）．＝endoabdominal f. (1) [TA]; f. subperitonealis; subperitoneal f.; f. extraperitonealis [TA].

f. extraperitonealis [TA]. ＝extraperitoneal f.

extraserosal f. [TA]. 漿膜外筋膜（壁側筋膜より内で臓側筋膜より外にある(壁側・臓側筋膜の間にある)すべての筋膜の総称．明瞭な漿膜外筋膜は疎性の骨盤内筋膜であり，子宮の基靱帯などの骨盤靱帯をなす疎性または線維疎性の部がある）．＝f. extraserosalis [TA].

f. extraserosalis [TA]. ＝extraserosal f.

f. of forearm 前腕筋膜．＝antebrachial f.

Gallaudet f. (gah-lō-dā′). ＝perineal f.

Gerota f. (gā-rō′tah). ジェロータ筋膜．＝renal f.

Godman f. (god′măn). ゴッドマン筋膜（胸部にはいり，心膜へと続く気管前筋膜の延長）．

f. of head and neck [TA]. 頭と頸の筋膜（頭頸部の鞘，膜などの解剖可能な結合組織の集合）．＝f. capitis et colli [TA].

Hesselbach f. (hes′ĕl-bahk). ヘッセルバッハ筋膜．＝cribriform f.

hypothenar f. 小指球筋膜（小指球筋をおおう手掌筋膜のうちの薄い尺側部分をいい，手掌の小指球区画の天井を形成する．→palmar f.）．

iliac f. [TA]. 腸骨筋膜（腸骨筋および大腰筋を包む筋膜で，前外側方は腹横筋膜に，下方は大腿筋膜に続いている）．＝pars iliaca fasciae iliopsoaticae [TA]; f. iliaca.

f. iliaca 腸骨筋膜．＝iliac f.

iliopectineal f. 腸骨恥骨筋膜（恥骨筋膜と腸骨筋膜が一緒になって形成される，腸骨恥骨窩底をおおう筋膜．→iliopectineal *arch*）．

f. of individual abdominal organ [TA]. 腹部の器官固有の筋膜（腹膜内臓器の漿膜下部をなす腹部の臓側筋膜）．＝f. propria organi abdominis [TA].

f. of individual extraperitoneal abdominal organ [TA]. 腹部の腹膜外器官固有の筋膜（腹部の腹膜外臓器の外膜をなす腹腔内筋膜）．＝f. propria organi endoabdominalis [TA].

f. of individual extraperitoneal pelvic organ [TA]. 骨盤の腹膜外器官固有の筋膜（骨盤内筋膜で，腹膜外の骨盤内臓の外膜をなす）．＝f. propria organi pelvici [TA].

f. of individual muscle [TA]. 筋の固有筋膜（線維性できわめて薄く脂肪を欠く膜で，1つの筋を包んで隣接する筋から分離し，筋の間の動きを可能にする）．＝f. propria musculi [TA]; muscle sheath.

inferior f. of pelvic diaphragm [TA]. 下骨盤隔膜筋膜(尾骨筋と肛門挙筋の下面をおおう筋膜)．＝f. diaphragmatis pelvis inferior [TA]; anal f.

inferior f. of urogenital diaphragm 下尿生殖隔膜筋膜(perineal *membrane* を表す現在では用いられない語)．

f. infraspinata ＝infraspinous f.

infraspinatus f. [TA]. ＝infraspinous f.

infraspinous f. [TA]. 棘下筋膜（棘下窩の縁に付着し，棘下筋をおおう筋膜．三角筋をおおう筋膜に続き，棘下筋の起始としても重要な役割をもつ）．＝f. infraspinata; infraspinatus f. [TA].

infundibuliform f. ＝internal spermatic f.

intercolumnar fasciae〔浅鼡径輪の〕脚間線維．＝intercrural *fibers* of superficial ring.

intermediate investing f. [TA]. 中間被覆筋膜（腹壁前外側部の3層の筋の中間の内腹斜筋をおおう筋膜）．＝f. investientes intermediae [TA].

intermuscular f. of rectus muscles 直筋の筋間筋膜（外眼筋の固有筋膜の膜状の延長で，直筋とともに眼球の後部に完全な円錐をなし，眼窩脂肪体を円錐内・外の部に分ける）．

internal spermatic f. [TA]. 内精筋膜（深鼡径輪上で腹横筋膜とつながる精索の内側被膜）．＝f. spermatica interna [TA]; infundibuliform f.; tunica vaginalis communis.

interosseous f. 骨間筋膜（手足の骨間筋をおおう筋膜．背層および手掌層または足底層からなる）．

f. investiens [TA]. ＝investing *layer*.

f. investiens abdominis [TA]. ＝investing abdominal f.

f. investiens perinei superficialis* perineal f. の公式の別名．

f. investiens profunda [TA]. ＝deep investing f.

f. investiens superficialis [TA]. ＝superficial investing f. (of abdomen).

f. investientes intermediae [TA]. ＝intermediate investing f.

investing f. [TA]. 被覆筋膜（比較的薄い膜状の線維性結合組織で，脂肪を欠く．1つのシート状の原基から形成される一連の筋を包み込む．この筋膜は筋の表面と接し，他の原基からできる筋との境界をなす）．

investing abdominal f. [TA]. 腹部の被覆筋膜（腹壁前外側部の3層の筋をおおう筋膜の総称．→deep investing f.; intermediate investing f.; superficial investing f. (of abdomen)）．＝f. investiens abdominis [TA].

lacrimal f. 涙嚢筋膜（涙嚢窩にまたがる眼窩骨膜の一部）．

f. lata [TA]. 大腿筋膜．＝deep f. of thigh.

f. of leg ＝deep f. of leg.

f. of limbs [TA]. 体肢の筋膜（上肢と下肢の深筋膜の総称．通常は外表の筋膜筒(例えば，上腕筋膜，前腕筋膜，大腿と下腿の深筋膜)，筋間中隔，神経血管鞘をさし，筋の固有筋膜は含めない）．＝fasciae membrorum [TA].

lumbodorsal f. ＝thoracolumbar f.

masseteric f. [TA]. 咬筋筋膜（咬筋の外側面をおおう筋膜）．＝f. masseterica [TA].

f. masseterica [TA]. 咬筋筋膜．＝masseteric f.

fasciae membrorum [TA]. ＝f. of limbs.

middle cervical f. 頸筋膜の気管前葉．＝pretracheal *layer* of cervical fascia.

muscular f. [TA]. 筋の筋膜（特定の筋を直接包む筋膜．個々の筋を包むこともあれば，被覆筋膜となって単一のシート状原基に由来する一連の筋を包み込むこともある）．＝f. musculorum [TA].

muscular f. of extraocular muscles [TA]. 眼筋筋膜(眼窩の筋膜のうちで外眼筋を包んでいるもの．後方では薄いが次第に厚くなって眼球鞘へと続く．4つの直筋の筋鞘は筋間膜によってつながり合っている)．＝f. muscularis musculorum bulbi [TA]; f. of extraocular muscles; fascial sheaths of extraocular muscles.

f. muscularis musculorum bulbi [TA]. 眼筋筋膜．＝muscular f. of extraocular muscles.

f. musculi piriformis [TA]. ＝piriformis f.

f. musculi quadrati lumborum* anterior *layer* of thoracolumbar fascia の公式の別名．

f. musculorum [TA]. ＝muscular f.

f. nuchae [TA]. 項筋膜．＝nuchal f.

nuchal f. [TA]. 項筋膜（頸部後面の筋を包む筋膜）．＝f. nuchae [TA].

obturator f. [TA]. 閉鎖筋膜（壁側骨盤筋膜の内閉鎖筋をおおう部分．部分的に変化して，肛門挙筋腱弓や陰部神経管を形成する）．＝f. obturatoria [TA]; f. of obturator internus.

f. obturatoria [TA]. 閉鎖筋膜．＝obturator f.

f. of obturator internus [TA]. ＝obturator f.

orbital fasciae 眼窩筋膜（眼窩骨膜，眼窩隔膜，眼筋筋膜，眼球鞘などからなる眼窩内の筋膜層）．＝fasciae orbitales.

F

fasciae orbitales 眼窩筋膜. ＝orbital fasciae.

palmar f. 手掌筋膜（手掌の深筋膜で，母指側と小指側の薄いものは母指球筋膜，小指球筋膜とよばれ，手掌の中央をおおう厚いものは手掌腱膜とよばれる.→palmar *aponeurosis*).

parietal abdominal f. [TA]. 腹部の壁側筋膜（横筋筋膜，腸腰筋膜，腰方形筋膜などからなる．腹膜の外にあり，腹腔の壁を裏打つ). ＝f. abdominis parietalis [TA].

parietal pelvic f. [TA]. 壁側骨盤筋膜（閉鎖筋膜などからなり，主として骨盤内から大腿へ続く筋群が形成する骨盤壁の内面をおおう). ＝f. pelvis parietalis [TA]; endopelvic f.*; f. endopelvina*.

parotid f. [TA]. 耳下腺筋膜（耳下腺を被包し，頬骨弓の上にある頸筋膜の部分). ＝f. parotidea [TA]; fibrous capsule of parotid gland; parotid sheath.

f. parotidea [TA]. 耳下腺筋膜. ＝parotid f.

parotideomasseteric f. 耳下腺咬筋筋膜（耳下腺の外側と内側をおおう稠密な膜で，前方では咬筋をおおう筋膜へ移行する.→parotid f.; masseteric f.). ＝f. parotideomasseterica.

f. parotideomasseterica ＝parotideomasseteric f.

pectoral f. [TA]. 胸筋筋膜（大胸筋をおおう筋膜．胸骨と鎖骨に付着し，外側および下方で，肩，腋窩，胸部の筋膜とつながる). ＝f. pectoralis [TA].

f. pectoralis [TA]. 胸筋筋膜. ＝pectoral f.

pelvic f. [TA]. 骨盤筋膜（壁側筋膜と臓側筋膜とに区別される). ＝f. pelvis [TA]; f. pelvica*.

f. pelvica* pelvic f. の公式の別名.

f. pelvis [TA]. 骨盤筋膜. ＝pelvic f.

f. pelvis parietalis [TA]. ＝parietal pelvic f.

f. pelvis visceralis [TA]. ＝visceral pelvic f.

f. penis [TA]. 陰茎筋膜. ＝f. of penis.

f. of penis [TA]. 陰茎筋膜（深筋膜で，陰茎の３つの勃起構造を包んでいる). ＝f. penis [TA]; Buck f.; deep f. of penis; f. penis profunda.

f. penis profunda ＝f. of penis.

f. penis superficialis ＝subcutaneous *tissue* of penis.

perineal f. [TA]. 会陰筋膜（浅会陰筋(坐骨海綿体筋，球海綿体筋，浅会陰横筋)を包み込む膜で，前方では陰茎(陰核)提靱帯と癒着し外腹斜筋や腹直筋の筋膜にまで続いている). ＝f. perinei [TA]; deep perineal f.*; f. investiens perinei superficialis*; superficial investing f. of perineum*; Galludet f.

f. perinei [TA]. ＝perineal f.

f. perinei superficialis 浅会陰筋膜. ＝subcutaneous *tissue* of perineum.

perirenal f. 腎周囲筋膜. ＝renal f.

pharyngobasilar f. [TA]. 咽頭頭底板（咽頭壁のうち，筋のない最上部に存在する結合組織性の壁で，後頭骨底部と側頭骨錐体部に付着する．この筋膜とその裏打ちの粘膜とで上咽頭収縮筋の上方に非筋性の咽頭円蓋が形成される). ＝f. pharyngobasilaris [TA]; aponeurosis pharyngea; tela submucosa pharyngis [TA].

f. pharyngobasilaris [TA]. 咽頭頭底板. ＝pharyngobasilar f.

phrenicopleural f. [TA]. 横隔胸膜筋膜（横隔胸膜と横隔膜の間にあり，胸内筋膜が薄くなった部分). ＝f. phrenicopleuralis [TA].

f. phrenicopleuralis [TA]. 横隔胸膜筋膜. ＝phrenicopleural f.

piriformis f. [TA]. 梨状筋筋膜（梨状筋を包む筋膜で，大坐骨孔を閉鎖し，坐骨神経の腓骨神経部が筋膜と筋を貫くことがある). ＝f. musculi piriformis [TA].

plantar f. 足底筋膜（足底の深筋膜で，足底の中央部をおおう厚い部分は足底腱膜とよばれ，母指球と小指球をおおう内側部と外側部は薄い).

popliteal f. 膝窩筋膜（膝窩をおおう筋膜で上方は大腿広筋膜と，下方は下腿筋膜と連続する).

Porter f. (pōr′tĕr). ポーター筋膜. ＝pretracheal *layer* of cervical fascia.

prececocolic f. [TA]. 回盲前筋膜（腹部の壁側筋膜における薄く不定な部分で，盲腸の前を通って上行結腸の方へ延びる．血管膜もしくは帆状の癒着物として認められる．ときに右結腸曲にまで及ぶ．腸捻転や腸閉塞の原因となる場合がある). ＝f. prececocolica [TA]; Jackson membrane; Jackson veil.

f. prececocolica [TA]. ＝prececocolic f.

presacral f. [TA]. 仙骨前筋膜（仙骨と直腸の間にある骨盤内筋膜で，仙骨前筋膜腔の前壁をなす．この腔には下腹神経叢が収まっている). ＝f. presacralis [TA]; lamina retrorectalis fasciae endopelvicae; retrorectal lamina of endopelvic fascia; retrorectal lamina of hypogastric sheath.

f. presacralis [TA]. ＝presacral f.

pretracheal f. 頸筋膜の気管前葉. ＝pretracheal *layer* of cervical fascia.

prevertebral f. 頸筋膜の椎前葉. ＝prevertebral *layer* of cervical fascia.

f. profunda ＝deep f.

f. propria musculi [TA]. ＝f. of individual muscle.

f. propria organi abdominis [TA]. ＝f. of individual abdominal organ.

f. propria organi endoabdominalis [TA]. ＝f. of individual extraperitoneal abdominal organ.

f. propria organi pelvici [TA]. ＝f. of individual extraperitoneal pelvic organ.

f. prostatae [TA]. 前立腺筋膜. ＝f. of prostate.

f. of prostate 前立腺筋膜（前立腺をおおう筋膜で，骨盤内臓器面をおおう臓側骨盤筋膜と癒着している). ＝f. prostatae [TA].

rectoprostatic f. [TA]. 直腸前立腺筋膜，直腸膀胱中隔（会陰腱中心から上方に伸びて腹膜の直腸膀胱窩に達する筋膜層で，前方の前立腺と膀胱底と，後方の直腸との間を分け，精嚢と精管膨大部をおおい，男性において基靱帯に相当し，下腹鞘の中間層をなす). ＝f. rectoprostatica [TA]; Denonvilliers f.; rectovesical f.

f. rectoprostatica [TA]. ＝rectoprostatic f.

rectosacral f. [TA]. 直腸仙骨筋膜（直腸の内臓筋膜と仙骨前筋膜とが直腸の後面で癒着したもの). ＝f. rectosacralis [TA]; mesoprocton.

f. rectosacralis [TA]. ＝rectosacral f.

rectovaginal f. [TA]. 直腸腟筋膜，直腸腟中隔（前方の腟と後方の直腸の間の疎性結合組織，および会陰腱中心の上方にあり腹膜の直腸子宮窩の下方にある．この面を外科的に開いて骨盤に到達する). ＝f. rectovaginalis [TA]; rectovaginal septum [TA].

f. rectovaginalis [TA]. ＝rectovaginal f.

rectovesical f. ＝rectoprostatic f.

renal f. [TA]. 腎筋膜（腎臓を囲む結合組織と脂肪が袋または鞘となっている全体をいう). ＝f. renalis [TA]; Gerota capsule; Gerota f.; perirenal f.

f. renalis [TA]. 腎筋膜. ＝renal f.

Scarpa f. (skar′pah). スカルパ筋膜. ＝membranous *layer* of subcutaneous tissue of abdomen.

semilunar f. ＝bicipital *aponeurosis*.

Sibson f. (sib′sŏn). シブソン筋膜. ＝suprapleural *membrane*.

f. spermatica externa [TA]. 外精筋膜. ＝external spermatic f.

f. spermatica interna [TA]. 内精筋膜. ＝internal spermatic f.

subperitoneal f. 腹膜下筋膜. ＝extraperitoneal f.

f. subperitonealis 腹膜下筋膜. ＝extraperitoneal f.

subsartorial f. 縫工筋下筋膜. ＝anteromedial intermuscular *septum*.

superficial f. 浅在筋膜. ＝subcutaneous *tissue*.

superficial investing f. (of abdomen) [TA]. 〔腹部の〕浅被覆筋膜（腹壁前外側部の３層の筋の外層の外腹斜筋をおおう筋膜). ＝f. investiens superficialis [TA].

superficial investing f. of perineum* perineal f. の公式の別名.

f. superficialis ＝subcutaneous *tissue*.

superficial f. of penis 浅陰茎筋膜. ＝subcutaneous *tissue* of penis.

superficial f. of perineum 浅会陰筋膜. ＝subcutaneous *tissue* of perineum.

superficial f. of scrotum☆ dartos f. の公式の別名.
f. superior diaphragmatis pelvis [TA]. =superior f. of pelvic diaphragm.
superior f. of pelvic diaphragm [TA]. 上骨盤隔膜筋膜(尾骨筋と肛門挙筋の上面をおおう筋膜). =f. superior diaphragmatis pelvis [TA].
f. supraspinata [TA]. =supraspinous f.
supraspinous f. [TA]. 棘上筋膜(棘上窩と中の棘上筋をおおう筋膜. 肩甲骨の上縁と肩甲棘の間に張る). =f. supraspinata [TA].
temporal f. [TA]. 側頭筋膜(側頭筋をおおう筋膜で浅層と深層の2葉からなる. 両者とも上方では上側頭線に付着するが, 下方では2葉がわかれて頬骨弓の外側面と内側面とに付着する). =f. temporalis [TA]; temporal aponeurosis.
f. temporalis [TA]. 側頭筋膜. =temporal f.
f. thoracolumbalis [TA]. 胸腰筋膜. =thoracolumbar f.
thoracolumbar f. [TA]. 胸腰筋膜(背部の中央に存在する広い腱膜で, 筋を包み込む. また内腹斜筋, 腹横筋および広背筋(一部)の起始にもなり, 後層, 中層, 前層に分けられる. 後層と中層は脊柱起立筋を包み, 中層と前層は腰方形筋を包む). =f. thoracolumbalis [TA]; lumbodorsal f.; thoracolumbar aponeurosis.
Toldt f. (tōlt). トルト筋膜(膵体部後方の Treitz 筋膜の連続をいう).
f. transversalis [TA]. 横筋筋膜. =transversalis f.
transversalis f. [TA]. 横筋筋膜(腹膜と腹筋, 特に腹横筋との間にあって腹腔の前外側を包む筋膜). =f. transversalis [TA].
Treitz f. (trīts). トライツ筋膜(膵頭部後方の筋膜).
triangular f. =reflected inguinal *ligament.*
f. triangularis abdominis =reflected inguinal *ligament.*
f. trunci [TA]. =f. of trunk.
f. of trunk [TA]. 体幹の筋膜(胴の筋膜の総称. 壁側筋膜, 漿膜外筋膜, 臓側筋膜を含む). =f. trunci [TA].
Tyrrell f. (tī-rel′). ティレル筋膜. =rectovesical *septum.*
umbilical f. [TA]. 臍〔膀胱〕筋膜(両側の内側臍ひだの間にあり, 腹膜と横筋筋膜に挟まれる薄い筋膜. 臍から下方に向かって膀胱まで広がり, 膀胱をおおう臓側筋膜へ連なる. 恥骨後隙の後縁をつくる). =f. umbilicalis [TA]; umbilical prevesical f.; umbilicovesical f.
f. umbilicalis [TA]. =umbilical f.
umbilical prevesical f. 臍膀胱前筋膜. =umbilical f.
umbilicovesical f. 臍膀胱筋膜. =umbilical f.
vastoadductor f. 広内転筋膜. =anteromedial intermuscular *septum.*
visceral abdominal f. [TA]. 腹部の臓側筋膜(腹部の器官と神経・血管に付属する漿膜・外膜の結合組織). =f. abdominis visceralis [TA].
visceral f. [TA]. 内臓筋膜(結合組織線維性の薄い膜で, 各種臓器や腺をいくつも包み込んだり分離したりしている膜. TAでは superficial fascia(浅筋膜), deep fascia(深筋膜)は国際的に多義で使用が薦められないので, 前者の代わりには subcutaneous tissue(皮下組織)を, 後者の代わりには muscular fascia(筋の筋膜)および visceral fascia の使用を薦めている).
visceral pelvic f. [TA]. 臓側骨盤筋膜(骨盤内臓をおおい, 腹膜下の血管や神経を取り囲む). =f. pelvis visceralis [TA].
Zuckerkandl f. (tsuk′ĕr-kahn-dĕl). ツッカーカンドル筋膜(腎筋膜の後層).

---

fas·ci·al (fash′ē-ăl). 筋膜の([facial または faucial と混同しないこと]).
fas·ci·cle (fas′i-kĕl). 束(線維の束で, 通常は筋線維や神経線維の束をさす. 神経線維路をさすこともある). =fasciculus (1) [TA].
anterior f. of palatopharyngeus (muscle) [TA]. 口蓋咽頭筋の前筋束(口蓋咽頭弓の太いほうの筋束で, 口蓋帆挙筋と張筋の間の前方を通り硬口蓋後部と口蓋腱膜に付着するが, その間に少数の筋線維は正中線を越えて対側の筋に嵌入する). =fasciculus anterior musculi palatopharyngei [TA].
muscle f. 筋肉束(筋周膜に囲まれている筋線維束).
nerve f. 神経束(神経周膜に囲まれている神経線維束).
posterior f. of palatopharyngeus muscle [TA]. 口蓋咽頭筋の後筋束(口蓋咽頭弓の細いほうの筋束で, 正中で対側の筋が嵌入しているところから起こり, 口蓋帆挙筋の後ろを通って縦走する咽頭筋群に合流する. 一種の括約筋として働き口蓋咽頭弓の口峡狭部を締め付ける). =fasciculus posterior musculi palatopharyngei [TA]; musculus sphincter palatopharyngeus☆; palatopharyngeal sphincter☆; pharyngeal ridge; sphincter of the pharyngeal isthmus; velopharyngeal sphincter.
fas·cic·u·lar (fa-sik′yū-lăr). 線維束の, 束状の. =fasciculate; fasciculated.
fas·cic·u·late, fas·cic·u·lat·ed (fa-sik′kyū-lāt, -lā-ted). =fascicular.
fas·cic·u·la·tion (fa-sik′yū-lā′shŭn). *1* 束形成, 束状配列. *2* 〔線維〕束〔性〕攣縮, 〔線維〕束〔性〕収縮(筋線維束の不随意攣縮. fibrillation(線維攣縮)より粗大な筋収縮である).
fas·cic·u·li (fa-sik′yū-lī). fasciculus の複数形.

FASCICULUS

fas·cic·u·lus, gen. & pl. **fas·cic·u·li** (fă-sik′kyū-lŭs, fă-sik′ū-lī) [L. *fascis*(bundle)の指小辞][TA]. *1* 束. =fascicle. *2* 索, 帯, 腱. =cord. *3* 束. =bundle.
f. anterior musculi palatopharyngei [TA]. =anterior *fascicle* of palatopharyngeus (muscle).
anterior f. proprius [TA]. 前固有束. =fasciculi proprii.
anterior pyramidal f. =anterior corticospinal *tract.*
arcuate f. *1* =superior longitudinal f. *2* =unciform f.
f. atrioventricularis [TA]. 房室束. =atrioventricular *bundle.*
Burdach f. (bŭr′dahk). ブルダッハ束. =cuneate f.
calcarine f. 鳥距束(大脳後頭葉の鳥距溝下の短い線維群).
central tegmental f. =central tegmental *tract.*
f. ciliaris partis palpebralis musculus orbicularis oculi palpebralis [TA]. =ciliary *bundle* of palpebral part of orbicularis oculi (muscle).
f. circumolivaris pyramidis 錐体オリーブ周囲束(錐体から出て, オリーブ下極上を前背側に曲がる延髄表面上の異常神経束. これは, 橋小脳線維の迷走束, または皮質橋線維の迷走束など様々に解釈されている).
f. corticospinalis anterior =anterior corticospinal *tract.*
f. corticospinalis lateralis =lateral corticospinal *tract.*
cuneate f. [TA]. 楔状束(後索の大きな外側部分). =f. cuneatus [TA]; Burdach column; Burdach f.; Burdach tract; cuneate funiculus; wedge-shaped f.
f. cuneatus [TA]. 楔状束. =cuneate f.
dorsal longitudinal f. [TA]. 背側縦束(わずかにミエリン鞘を有する薄い神経線維束で, 視床下部の脳室周辺帯と中脳の中心灰白質の腹側部を互いにつないでいる). =f. longitudinalis posterior [TA]; Schütz bundle; tract of Schütz.
dorsolateral f. [TA]. 後外側束(脊髄灰白質の後角尖をおおう無髄か, わずかにミエリン鞘を有する薄い神経線維の縦束. 後根神経線維と後角の隣接部位をつなぐ短い連合神経線維からなる). =posterolateral tract [TA]; tractus dorsolateralis [TA]; tractus posterolateralis [TA]; dorsolateral tract☆; f. dorsolateralis; f. marginalis; Lissauer bundle; Lissauer column; Lissauer f.; Lissauer marginal zone; Lissauer tract; marginal f.; Spitzka marginal tract; Spitzka marginal zone; Waldeyer tract; Waldeyer zonal layer.
f. dorsolateralis 後外側束. =dorsolateral f.
Flechsig fasciculi (flek′sig). フレヒシッヒ束(固有前束と固有外側束. →fasciculi proprii).
Foville f. (fō-vēl′). フォヴィル束. =terminal *stria.*
frontooccipital f. 前頭後頭束. =occipitofrontal f.
gracile f. [TA]. 薄束(後索の小さな内側部分). =f. gracilis [TA]; funiculus gracilis; Goll column; posterior

pyramid of the medulla; slender f.; tract of Goll.

f. gracilis [TA]. 薄束. =gracile f.

hooked f. 鉤状束. =unciform f.

inferior longitudinal f. [TA]. 下縦束（大脳の後頭葉および側頭葉の全長にわたって走行する長い連合線維のはっきりした神経束. 側脳室の下角と一部平行している). =f. longitudinalis inferior [TA].

inferior occipitofrontal f. [TA]. →occipitofrontal f.

interfascicular f. [TA]. 半円束. =semilunar f.

f. interfascicularis [TA]. 半円束. =semilunar f.

intersegmental fasciculi 固有束. =fasciculi proprii.

f. lateralis plexus brachialis [TA]. 〔腕神経叢の〕外側神経束. =lateral *cord* of brachial plexus.

lateral f. proprius [TA]. 外側固有束. =fasciculi proprii.

lateral pyramidal f. =lateral corticospinal *tract*.

lenticular f. [TA]. レンズ束（内包を横切り，視床下核と不確帯の間をくぐり抜けていく淡蒼球から出る神経線維で，視床束の形成に加わる. →lenticular *loop*). =f. lenticularis [TA].

f. lenticularis [TA]. レンズ束=lenticular f.

Lissauer f. (lis′ow-ĕr). リッサウアー束. =dorsolateral f.

fasciculi longitudinales ligamenti cruciformis atlantis [TA]. =longitudinal *bands* of cruciform ligament of atlas.

fasciculi longitudinales pontis 橋縦束. =longitudinal pontine fasciculi.

f. longitudinalis inferior [TA]. 下縦束. =inferior longitudinal f.

f. longitudinalis medialis [TA]. 内側縦束. =medial longitudinal f.

f. longitudinalis posterior [TA]. =dorsal longitudinal f.

f. longitudinalis superior [TA]. 上縦束. =superior longitudinal f.

longitudinal pontine fasciculi 橋縦束（皮質遠心性の太い神経束で，橋前(腹側)部を縦走する. 皮質網様体，中脳蓋橋，皮質橋，皮質延髄，および皮質脊髄線維からなる). =fasciculi longitudinales pontis; longitudinal pontine bundles.

macular f. 黄斑神経束（視神経のうちで黄斑に直接結合している線維束). =f. macularis.

f. macularis 黄斑神経束. =macular f.

mammillotegmental f. [TA]. 乳頭被蓋路（乳頭体から背部方向へ向かい，乳頭視床路に並走するがすぐに離れて脳幹を下行し，中脳の背後および腹部被蓋核に至る神経線維束). =f. mammillotegmentalis [TA].

f. mammillotegmentalis [TA]. 乳頭被蓋路. =mammillotegmental f.

mammillothalamic f. [TA]. 乳頭視床束（密で太い神経線維束で，乳頭体の両側から背方に走り，視床の前核に至る). =f. mammillothalamicus; f. thalamomammillaris; mammillothalamic tract; Vicq d'Azyr bundle.

f. mammillothalamicus 乳頭視床束. =mammillothalamic f.

marginal f. =dorsolateral f.

f. marginalis =dorsolateral f.

f. medialis plexus brachialis [TA]. 〔腕神経叢の〕内側神経束. =medial *cord* of brachial plexus.

f. medialis telencephali [TA]. =medial forebrain *bundle*.

medial longitudinal f. [TA]. 内側縦束（中脳の上縁から始まり，主として頸髄に至る神経線維の縦束. 正中線に近く，中心灰白質の腹側にある. 主に前庭神経核からの神経線維からなり，外眼筋(外転神経核，滑車神経核，動眼神経核)を神経支配している運動神経ニューロンへと上行し，他方，頸部の筋を支配している脊髄分節へと下行している). =f. longitudinalis medialis [TA]; Collier tract; medial longitudinal bundle; posterior longitudinal bundle.

f. of Meynert (mī′nĕrt). マイネルト束. =retroflex f.

oblique pontine f. 橋斜束（橋の腹側表面にある線維束で，前方近心部から外側および後側へと走る). =f. obliquus pontis; oblique bundle of pons.

f. obliquus pontis 橋斜束. =oblique pontine f.

occipitofrontal f. 後頭前頭束（大脳半球の後頭葉から前頭葉に延びる上束(上後頭前頭束)と下束(下後頭前頭束)とからなる連合神経線維束). =frontooccipital f.

f. occipitofrontalis 後頭前頭束（→occipitofrontal f.).

f. occipitofrontalis inferior [TA]. →occipitofrontal f.

f. occipitofrontalis superior [TA]. →occipitofrontal f.

oval f. 卵形束（→semilunar f.).

f. pedunculomammillaris 脚乳頭束. =*peduncle* of mammillary body.

pedunculomammillary f. =*peduncle* of mammillary body.

perpendicular f. 垂直束（垂直に走る連合線維束で，側頭葉，後頭葉，頭頂葉を互いに連合している).

f. posterior musculi palatopharyngei [TA]. =posterior *fascicle* of palatopharyngeus muscle.

f. posterior plexus brachialis [TA]. 〔腕神経叢の〕後神経束. =posterior *cord* of brachial plexus.

posterior f. proprius [TA]. 後固有束. =fasciculi proprii.

proper fasciculi 固有束. =fasciculi proprii.

fasciculi proprii 固有束（前固有束，外側固有束，後固有束からなり，脊髄内部の同側を上行および下行する連合線維束で，前索，側索，後索の灰白質に近いところを走る). =anterior f. proprius [TA]; lateral f. proprius [TA]; posterior f. proprius [TA]; ground bundles; intersegmental fasciculi; lateral proprius bundle; proper fasciculi.

f. proprius anterior [TA]. 固有前束（脊髄の前灰白柱にある固有束. →fasciculi proprii). =anterior ground bundle.

f. proprius lateralis [TA]. →fasciculi proprii.

f. pyramidalis anterior 前錐体束. =anterior corticospinal *tract*.

f. pyramidalis lateralis 外側錐体束. =lateral corticospinal *tract*.

retroflex f. [TA]. 反屈束（密な線維束で，手綱から前(腹側)方向に走り，中脳底部の脚間核に至る. 一部の線維束はこの脚間核を通過して尾側中脳被蓋の縫線核に至る). =f. retroflexus [TA]; habenulointerpeduncular tract; habenulopeduncular tract [TA]; tractus habenulointerpeduncularis [TA]; f. of Meynert; habenulopeduncular tract; retroflex bundle of Meynert.

f. retroflexus [TA]. 反屈束. =retroflex f.

f. rotundus =solitary *tract*.

round f. =solitary *tract*.

rubroreticular fasciculi 赤核網様体路（赤核と橋および中脳の網様体核を結ぶ線維束). =fasciculi rubroreticulares.

fasciculi rubroreticulares 赤核網様体路. =rubroreticular fasciculi.

semilunar f. [TA]. 半円束（後根線維の下行性分枝からなる密な線維束で，頸髄と胸髄の薄束と楔上束の境界にある. 中隔縁束，半円束または腰髄の Flechsig 卵形野および仙髄の Philippe-Gombault 三角に相当する. 後根損傷の結果としての脱髄の場合にのみ，これらの線維束を観察することができる). =f. interfascicularis [TA]; interfascicular f. [TA]; f. semilunaris*; comma bundle of Schultze; comma tract of Schultze.

f. semilunaris* 半円束（semilunar f. の公式の別名. →semilunar f.).

septomarginal f. [TA]. 中隔縁束，中隔縁路（→semilunar f.). =f. septomarginalis [TA].

f. septomarginalis [TA]. 中隔縁束. =septomarginal f.

slender f. =gracile f.

f. solitarius =solitary *tract*.

solitary f. =solitary *tract*.

subcallosal f. 梁下束（細い線維束で，脳梁の下方を縦に脳梁と尾状核の間を通るような角度で走っている. 側頭葉の壁板の吻側延長部を形成する. その大部分が大脳皮質から尾状核に出ている線維により成り立っていると思われる). =f. subcallosus for superior occipitofrontal fasciculus*.

f. subcallosus for superior occipitofrontal fasciculus* subcallosal f. の公式の別名.

subthalamic f. [TA]. 視床下束（内包を横切り視床下核と淡蒼球の間にある神経線維で，両核を相互に連絡する線維を含む). =f. subthalamicus [TA].

f. subthalamicus [TA]. = subthalamic f.

superior longitudinal f. [TA]. 上縦束（大脳半球の半卵円中心の外側部にある長い連合線維束．前頭葉，後頭葉，および側頭葉を結んでいる．線維束は前頭葉から発し，弁蓋を通り，外側溝の後端に至る．そこで，多くの線維は後頭葉内に放散し，他は下方に転じ，被殻の周囲に向かい，側頭葉の前部へと走る）. = f. longitudinalis superior [TA]; arcuate f. (1).

superior occipitofrontal f. [TA]. → occipitofrontal f.

thalamic f. [TA]. 視床束（交叉性の視床小脳線維と非交叉性の視床淡蒼球線維との複合した束で，視床と不確帯の間をくぐり抜ける．→*fields* of Forel）. = f. thalamicus [TA].

f. thalamicus [TA]. 視床束. = thalamic f.

f. thalamomammillaris 乳頭視床束. = mammillothalamic f.

transverse fasciculi [TA]. 横束. = fasciculi transversi.

fasciculi transversi [TA]. 横束（手掌および足底腱膜の遠位部にある横行性結合組織線維束）. = transverse fasciculi [TA].

unciform f., uncinate f. [TA]. 鉤状束（大脳の前頭葉と側頭葉を互いに結合している長い連合線維の束．前頭葉の白質を通って，尾方に走り，外側溝の幹の下を前外側に鋭く曲がり，上および中側頭回の皮質前半に扇のように広がる）. = f. uncinatus [TA]; arcuate f. (2); frontotemporal tract; hooked f.; temporofrontal tract.

uncinate f. of cerebellum [TA]. 小脳鉤状束（室頂の遠心性線維で，小脳を横切り上小脳脚の外側面を下行し，大部分は前庭神経核および橋・延髄の網様体に終止する）. = f. uncinatus cerebelli [TA]; hooked bundle of Russell; uncinate bundle of Russell; uncinate f. of Russell.

uncinate f. of Russell (rŭs′ĕl). ラッセルの鉤状束. = uncinate f. of cerebellum.

f. uncinatus [TA]. 鉤状束. = unciform f.

f. uncinatus cerebelli [TA]. = uncinate f. of cerebellum.

wedge-shaped f. = cuneate f.

---

fas·ci·ec·to·my (fash′ē-ek′tō-mē) [fascia + G. *ektomē*, excision]. 筋膜切除〔術〕.

fas·ci·i·tis (fas′ē-ī′tis, fash-). 筋膜炎（①筋膜の炎症．②筋膜の線維芽細胞の反応性増殖）. = fascitis.

eosinophilic f. [MIM*226350]. 好酸球性筋膜炎（四肢結合組織の硬結と浮腫を生じる疾患で，通常，過度の肉体運動のあとに生じる．血沈亢進，IgG 上昇，好酸球増加を伴う）. = Shulman syndrome.

group A streptococcal necrotizing f. A 型連鎖球菌性壊死性筋膜炎（A 型 β 溶血性連鎖球菌感染の重症合併症で，しばしば電撃性毒血症を呈する．表層筋膜とその下の筋組織を急速に破壊する）.

ischemic f. 阻血性筋膜炎（寝たきりの人の骨性隆起上に生じる特有な線維芽細胞の偽肉腫性増殖）.

necrotizing f. 壊死性筋膜炎（浅在性筋膜に始まり周囲組織に深い傷をつけるまれな軟部組織感染症．進行はしばしば激しく，皮膚を含むすべての軟部組織構成要素に及ぶことがある．通常，手術後，軽度外傷後，あるいは膿瘍や皮膚潰瘍の不適切な処置後に起こる．→group A streptococcal necrotizing f.）.

nodular f. 結節性筋膜炎（急激に成長する筋膜の線維芽細胞の腫瘍様増殖．新生物性ではないと考えられるもので，軽度の炎症性滲出を伴う．線維化は周囲の組織に浸潤することもあるが，無制限に増殖したり，転移したりはしない）. = pseudosarcomatous f.

parosteal f. 傍骨性筋膜炎（骨膜より生じた結節性筋膜炎のまれな型で，反応性の皮質骨形成を伴うことがある）.

plantar f. 足底筋膜炎（足底筋膜の炎症性疾患で，ほとんどの場合は非感染性で，しばしば使いすぎにより生じる．足および，踵部痛を生じる）. = plantar tendinitis.

proliferative f. 増殖性筋膜炎（良性の急激に成長する皮下結節を生じる疾患．線維芽細胞と神経節細胞に少し似ている好塩基性巨大細胞の増殖を特徴とする）.

pseudosarcomatous f. = nodular f.

synergistic necrotizing f. 相乗壊死性筋膜炎（筋膜を含め皮下組織における好気性・嫌気性細菌の混合感染による重篤で，しばしば致命的な電撃性の疾患）.

fascin (fas′in). ファシン（Hodgkin リンパ腫の大半，非 Hodgkin リンパ腫の一部，および樹枝状細網細胞に発現するアクチン結合蛋白）.

fascio- (fas′ē-ō) [L. *fascia*, a band or fillet]. 筋膜を表す連結形.

fas·ci·od·e·sis (fas′ē-od′ĕ-sis) [fascio- + G. *desis*, a binding together]. 筋膜固定術（筋膜を他の筋膜または腱と結合させる手術）.

Fas·ci·o·la (fa-sī′ō-lă) [L. *fascia*(a band) の指小辞]. ファスキオラ属（哺乳類寄生の大型で葉状の世代交代型吸虫綱肝蛭の一属）.

F. gigantica 巨大肝蛭（肝蛭 *F. hepatica* に類似しているが，より大型の種．特にアフリカの草食動物に見出され，ヒトにも寄生する）.

F. hepatica 肝蛭（ヒツジやウシの胆管中に住むありふれた吸虫で，中間宿主は，モノアラガイ属 *Lymnaea* やその近縁の属のような水生巻貝．セルカリアは脱出後に水生植物の上で被嚢し，そこから腸管への経路をたどる．この吸虫のヒトへの寄生報告例はまれであるが，その場合，かなりの胆管障害を起こすことがある）.

fas·ci·o·la, pl. fas·ci·o·lae (fa-sī′ō-lă, fa-sē′ō-lă; -ō-lē) [L. *fascia*(band, fillet)の指小辞]. 小束（線維の小帯または小群）.

f. cinerea 灰白小束. = fasciolar *gyrus*.

fas·ci·o·lar (fa-sē′ō-lăr, fa-sī′). 小帯回の.

fas·ci·o·li·a·sis (fa′sē-ō-lī′ă-sis). 肝蛭症（*Fasciola*属による感染）.

fas·ci·o·lid (fa-sē′ō-lid, fa-sī′). 肝蛭類（肝蛭科に属する吸虫類）.

fas·ci·o·lop·si·a·sis (fas′ē-ō-lop-sī′ă-sis, fa-sī′o-). 肥大吸虫症（肥大吸虫属 *Fasciolopsis* の吸虫類による寄生虫感染）.

Fas·ci·o·lop·sis (fa′sēi-o-lop′sis) [*Fasciola* + G. *opsis*, form, appearance]. 肥大吸虫属（大型のファスキオラ科の腸吸虫の属）.

F. buski ブスキ肥大吸虫（東南アジアにおいてヒトの腸にみられる種．感染性メタセルカリアで汚染されたオニビシなどの野菜の摂取により伝播される巨大腸内吸虫）.

F. rathouisi アジア肝蛭（中国において，腸または肝臓における少数例の報告がある種．*F. buski* と同じものと思われる）.

fas·ci·or·rha·phy (fash′ē-ōr′ă-fē) [fascio- + G. *rhaphē*, suture]. 筋膜縫合〔術〕（筋膜または腱膜の縫合）. = aponeurorrhaphy.

fasciosis (fash′ē-ō-sis). 筋膜症（筋膜の変性性またはその他の症候性疾患）.

fas·ci·ot·o·my (fash′ē-ot′ŏ-mē) [fascio- + G. *tomē*, incision]. 筋膜切開〔術〕（筋膜の切開．疾患または外傷により，血流障害をきたしうる著明な腫脹がある，または予想される場合に用いる治療法．急性動脈塞栓症の治療においては，塞栓切除術と併用されることがある）.

fas·ci·tis (fa-sī′tis). = fasciitis.

FASD fetal alcohol spectrum *disorders* の略.

fast (fast) [A.S. *foest*, firm, fixed]. ***1***〖adj.〗抵抗性の，堅牢な，耐性の，変化しにくい（脱色できないように染色された微生物について用いる語．→acid-fast）. ***2***〖v.〗断食する，絶食する.

fast green FCF (fast grēn) [C.I. 42053]. ファストグリーン FCF（組織学や細胞学で広く用いる酸性アリルメタン色素で，ライトグリーン FCF より退色しにくいので多くの技法において取って代わった．DNA の酸性抽出後，アルカリ性の pH でヒストンに対する定量的細胞化学的染色として用いる．蛋白染色として電気泳動でも用いる）.

fas·tid·i·ous (fas-tid′ē-ŭs). 選好性の，偏好性の（細菌学において，正確な栄養要求性および環境要求性をもつことをいう）.

fas·ti·ga·tum (fas′ti-gā′tŭm) [L. *fastigatus*, pointed]. 被蓋核. = fastigial *nucleus*.

fas·tig·i·um (fas-tij′ē-ŭm) [L. top, as of a gable; a pointed extremity]. ***1*** [TA]. 室頂（第 4 脳室蓋の頂上．虫部に突出する前髄帆と後髄帆の結合によってつくられる角）. ***2*** 極

F

期（疾病の最も悪化した時期または病勢極期）.

fast·ness (fast′nes). 耐性，抵抗性（細菌が薬物や薬品に耐性な状態．→fast）.

fat (fat) [A.S. *faet*]. ***1***〘n.〙脂肪．＝adipose *tissue*. ***2***〘adj.〙肥満の，太った（obese の一般語）. ***3***〘n.〙中性脂肪（動物組織および多くの植物にみられるグリース状の軟らかい固体物質．グリセロールエステルの混合物からなり，油とともにホモ脂質(同種脂質)を構成している）. ***4***〘n.〙トリアシルグリセロールまたはトリアシルグリセロール混合物.

brown f. 褐色脂肪（無数の小さい脂肪粒子と多量のヘムを含有するシトクロームやミトコンドリアを含む細胞からなる褐色発熱組織．小葉状顆粒は，肩甲骨間および縦隔領域などにみられる．冬眠中のある種の動物に最も普通にみられるが，ブタ，げっ歯類，およびヒト新生児にもみられる）.＝brown adipose tissue; hibernating gland; interscapular gland; interscapular hibernoma; multilocular adipose tissue; multilocular f.

multilocular f. 多房脂肪．＝brown f.

neutral f. 中性脂肪（脂肪酸とグリセロールのトリエステル．すなわちトリアシルグリセロール）.

paranephric f. [TA]. 腎傍脂肪体（腎臓周囲の脂肪）.＝capsula adiposa perirenalis [TA]; adipose capsule; capsula adiposa renis; fatty renal capsule; perirenal fat capsule.

retrobulbar f. [TA]. 眼球後脂肪体（眼窩にあって眼球を支えている脂肪塊）.＝corpus adiposum orbitae [TA]; orbital fat body*; fat body of orbit; orbital fat-pad.

saturated f. 飽和脂肪（→saturated *fatty acid*）.

split f. 分解脂肪（リパーゼ，中性脂肪あるいはリン脂質類などの作用によって減少するような遊離脂肪酸類）.

unilocular f. 単房脂肪（脂肪細胞中の一滴中に脂肪が存在するような脂肪組織）.＝white f. (2).

unsaturated f. 不飽和脂肪（→unsaturated *fatty acid*）.

white f. ***1*** ＝adipose *tissue*. ***2*** ＝unilocular f.

fa·tal (fā′tăl) [L. *fatalis*, of or belonging to fate]. 致死の，致命的な（死に関する，または死を引き起こすことについていう．特に死を避けられない，あるいは免れないことを示す）.

fa·tal·i·ty (fā-tal′i-tē). ***1*** 死を招くような状態，疾病，災難. ***2*** 死亡，死者.

fate (fāt). 発生運命（胚期における細胞分化の最終結果）.

prospective f. 予定〔発生〕運命（卵母細胞または胚子のどの部分も妨害されることなく到達する正常な発生）.

fat·i·ga·bil·i·ty (fat′i-gă-bil′i-tē). 疲労性（[誤ったつづり fatiguability および誤った発音 fatig′ability を避けること]．疲労が起こりやすい状態）.

fa·ti·ga·ble (fat′i-gă-bĕl) [L. *fatigabilis*, easily tired < *fatigo*, to tire]. 疲労性の（きわめてわずかの仕事で疲れる）.

fa·tigue (fă-tēg′) [Fr. < L. *fatigo*, to tire]. 疲労（①精神的または肉体的に活動した後に続く，仕事量や仕事に対する動機づけの減少，遂行の非能率化などを特徴とする状態．通常，倦怠感，眠気，怒りっぽさ，野望の喪失などを伴う．様々な原因によりエネルギー消費量が再生過程を上回った場合にも起こることがあり，単一の器官に限定されることがある．②単調なことや刺激のないことからくる退屈感や倦怠感，または周囲の物に対する興味の欠如）.

auditory f. 聴覚疲労（音暴露後に聴力閾値感受性が短時間減衰すること）.

battle f. 戦争神経症（戦闘によるストレスの結果生じる精神疾患を示すのに用いる語）.＝shell shock.

functional vocal f. 機能的発声疲労．＝phonasthenia.

idiopathic chronic f. 特発性慢性疲労（慢性疲労症候群の厳しい診断基準は満たさないが，長期間続く重度の疲労）.

fat-pad (fat-pad) [TA]. 脂肪パッド（やや被包性の脂肪組織の蓄積）.＝corpus adiposum [TA]; fat body*.

Bichat f.-p. (bē-shah′). ビシャ脂肪パッド．＝buccal f.-p.

buccal f.-p. 頬脂肪体（頬筋外側の被膜に包まれた頬の脂肪塊で，特に乳児に著しい．吸引行為をする間，頬を強化し支えるものと考えられる）.＝corpus adiposum buccae [TA]; Bichat f.-p.; Bichat protuberance; fat body of cheek; sucking cushion; sucking pad; suctorial pad.

Imlach f.-p. (im′lak). イムラック脂肪パッド（鼡径管部分の子宮の円靱帯を取り囲んでいる脂肪）.

infrapatellar f.-p. [TA]. 膝蓋下脂肪体（膝関節の膝蓋靱帯と膝蓋下滑膜ひだの間を埋めている脂肪塊）.＝corpus adiposum infrapatellare [TA]; infrapatellar fat body.

ischiorectal f.-p. 坐骨直腸窩脂肪体．＝fat *body* of ischiorectal fossa.

orbital f.-p. 眼窩脂肪体．＝retrobulbar *fat*.

fat·ty (fat′ē). 脂肪の（一般的な意味での脂肪についていう）.

fat·ty ac·id (fat′ē as′id). 脂肪酸（オレイン酸，パルミチン酸，ステアリン酸などのように脂肪の加水分解により生成する酸．長鎖状一塩基性有機酸．脂肪酸はペルオキシソーム関連疾患で蓄積する）.

activated f. a. 活性脂肪酸（脂肪酸アシルCoA チオールエステル）.

diethenoid f. a. ジエチレン脂肪酸（リノール酸のように２つの二重結合を有する脂肪酸）.

essential f. a. 必須脂肪酸（栄養的必須である脂肪酸．例えば，リノール酸やリノレイン酸）.

ω-3 f. a.'s ω−3 脂肪酸（メチル基から３炭素原子に二重結合を１つもつ脂肪酸の一種．コレステロールと LDL 濃度の低下作用があるという報告がある）.＝omega-3 f. a.'s.

omega-3 f. a.'s ω−3 脂肪酸．＝ω-3 f. a.'s.

saturated f. a. 飽和脂肪酸（炭素原子間で，エチレンまたは他の不飽和結合をもたない炭素鎖を有する脂肪酸(例えば，ステアリン酸やパルミチン酸)．これ以上水素と結合できないことから飽和とよばれる）.

f. a. synthase complex 脂肪酸シンターゼ複合体（アセチルCoA，マロニルCoA および NADPH からパルミチン酸の生成を触媒する多酵素複合体）.

f. a. thiokinase 脂肪酸チオキナーゼ（①長鎖．＝long-chain fatty acid:CoA ligase. ②中鎖．＝butyrate:CoA ligase）.

unesterified free f. a. (**FFA, UFA**) 非エステル遊離脂肪酸（褐色脂肪組織での脂肪分解の結果として，また血漿トリアシルグリセロールが組織中に取り込まれるときに血漿中に生じる遊離脂肪酸）.

unsaturated f. a. 不飽和脂肪酸（１つ以上の二重結合または三重結合を含む炭素鎖をもつ脂肪酸(例えば，１つの二重結合を有するオレイン酸や２つの二重結合を有するリノール酸)．水素と結合できることから不飽和とよばれる）.

fau·ces, gen. **fau·ci·um** (faw′sēz, faw′sē-ŭm) [L. the throat] [TA]. 口峡（[本語は文法的に複数形である]．口腔と咽頭の間の軟口蓋と舌根に囲まれた空間．→*isthmus* of fauces）.＝oropharyngeal passage.

fau·cial (faw′shăl). 口峡の（[facial または fascial と混同しないこと]）.

fau·na (faw′nă) [< Mod. L. *Fauna*, 田園の神 *Faunus* の妹]. 動物相，ファウナ（一大陸，一地域，一地方，または一生息地における動物相）.

fa·ve·o·late (fā-vē′ō-lāt). 小窩のある，痘瘡のある.

fa·ve·o·lus, pl. **fa·ve·o·li** (fā-vē′ō-lŭs, -ō-lī) [Mod. L. *favus*(honeycomb) の指小辞]. 小窩（[foveola と混同しないこと]）.

fa·vic chan·de·liers (fā′vik shan-dĕ-lērz′). 黄癬シャンデリア（病原性真菌 *Trichophyton schoenleinii* および *T. concentricum* によってつくられる特殊な菌糸で，屈曲し，分枝して，シカの枝角のような外観を呈する）.

fa·vid (fā′vid). 黄癬疹（黄癬患者にみられる皮膚のアレルギー性反応）.

fa·vism (fā′vizm) [It. *favismo* < *fava*, bean]. ソラマメ中毒〔症〕（ある種のマメ(例えばソラマメ *Vicia fava*)の摂取，またはその花粉の吸入により起こる急性症状．発熱，頭痛，腹痛，重症貧血，疲はい，および昏睡を伴う．赤血球の遺伝性グルコース−6−リン酸デヒドロゲナーゼ欠損症のあるヒトに起こる．ソラマメ *Vicia fava* への偶然の暴露により，グルコース−6−リン酸デヒドロゲナーゼの発現型に影響し，不完全な遺伝例においても，遺伝子の発現をもたらす）.＝fabism.

Favre (fahv), Maurice J. フランス人医師，1876—1954. → Gamna-F. *bodies*; Nicolas-Favre *disease*; Favre-Durand-Nicolas *disease*; Goldmann-Favre *syndrome*; Favre *dystrophy*.

fa·vus (fā′vŭs, fah′vŭs) [L. honeycomb]. 黄癬（重症かつ持

続性の慢性の頭部白癬または爪白癬で，菌甲とよばれる痂皮を形成し瘢痕化する．シェーンライン白癬菌 *Trichophyton schoenleinii*(最多)，紫色白癬菌 *T. violaceum*, ジプシー小胞子菌 *Microsporum gypseum* の3種の異なる皮膚糸状菌によって引き起こされる．地中海の国々，南東ヨーロッパ，南アジア，北アフリカにおいてより頻繁に生じる)．＝crusted ringworm; honeycomb ringworm; tinea favosa; witkop.

FB foreign *body* の略.

FBS fasting blood *sugar* の略.

Fc →Fc *fragment*.

F.C.A.P. Fellow of the College of American Pathologists(米国病理学者会会員)の略.

F.C.C.P. Fellow of the College of Chest Physicians(胸部医師会会員)の略.

Fd ferredoxin の略.

FDA Food and Drug Administration of the United States Department of Health and Human Services(米国食品医薬品局保健・人的サービス局)の略.

FDG fluorodeoxyglucose の略.

FDNB 1-fluoro-2,4-dinitrobenzene の略.

FDP fibrin/fibrinogen degradation *products* の略.

Fe [L. *ferrum*, iron]. 鉄の元素記号．Fe の左の肩字の数字は同位体の質量数を示す.

fear (fēr) [A.S. *faer*]. 恐怖（fear には識別できる刺激がある．したがって容易に刺激を識別できない anxiety(不安)とは区別される).

fea·tures (fē′chūrz) [< O. Fr. < L. *factura*, a making < *facio*, to do]. 顔の造作，顔立（個性や特徴を与える額，眼，鼻，口，顎，頬，耳などの顔の各部分).

feb·ri·cant (feb′ri-kant). ＝febrifacient.

fe·bric·u·la (fĕ-brik′yū-lă) [L. *febris*(fever)の指小辞]. 軽熱，微熱（単純な連続性発熱．短期間の微熱で，特定の原因もなく，顕著な病理所見もないもの).

feb·ri·fa·cient (feb′ri-fā′shĕnt) [L. *febris*, fever + *facio*, to make]. ＝febricant. *1* 〘adj.〙 発熱性の. ＝febriferous; febrific. *2* 〘n.〙 発熱薬（→pyrogenic).

fe·brif·er·ous (fĕ-brif′ĕr-ŭs) [L. *febris*, fever + *fero*, to bear + *-ous*]. 発熱させる，熱を出させる. ＝febrifacient (1).

fe·brif·ic (fĕ-brif′ik). 発熱の. ＝febrifacient (1).

fe·brif·u·gal (fĕ-brif′ŭ-găl). ＝antipyretic (1).

feb·ri·fuge (feb′ri-fyūj) [L. *febris*, fever + *fugo*, to put to flight]. 解熱薬. ＝antipyretic (2).

feb·rile (feb′ril, fē′brīl). 〔有〕熱性の，発熱している，熱のある. ＝feverish (1); pyrectic; pyretic.

fe·bris (fē′bris) [L.]. 熱，熱病. ＝fever.

f. melitensis 波状熱，ブルセラ熱（→*Brucella melitensis* biovar *cunis*).

f. undulans 波状熱. ＝brucellosis.

fe·cal (fē′kăl). 糞〔便〕の.

fe·ca·lith (fē′kă-lith) [L. *faeces*, feces + G. *lithos*, stone]. 糞石（濃縮された糞からなる硬い塊). ＝coprolith; stercolith.

fe·cal·oid (fē′kă-loyd) [L. *faeces*, feces + G. *eidos*, resemblance]. 糞便様の.

fe·ca·lo·ma (fē-kă-lō′mă). 糞石（結腸や直腸に濃縮した糞便がたまり，腹部腫瘍のようになる). ＝coproma; fecal tumor; scatoma; stercoroma.

fe·ca·lu·ri·a (fē-kă-lū′rē-ă) [L. *faeces*, feces + G. *ouron*, urine]. 糞尿〔症〕（腸管と下部尿路を連絡する瘻孔のある患者の尿中に糞便が混入する症状．しばしば放屁が尿道を通ることによって非常に劇的にみられる).

fe·ces (fē′sēz) [L. *faex(faec-)*(dregs) の複数形]. 〔大〕便，糞〔便〕（**[**本語は文法的に複数形である**]**．排便中に腸から放出される物質．食物の未消化残渣，上皮，腸粘液，細菌，および廃棄物). ＝stercus.

Fech·ner (fek′nĕr), Gustav T. ドイツ人物理学者，1801—1887. →Weber-F. *law*; F.-Weber *law*.

fec·u·lent (fek′yū-lent) [L. *faeculentus*, full of excrement < *faeces*, dregs, feces]. 不潔な.

fe·cund (fē′kŭnd, fek′ŭnd) [L. *fecundus*, fruitful]. 生殖能力のある（**[**誤った発音 fē-kund′ を避けること**]**). ＝fertile (1).

fec·un·date (fē′kŭn-dāt) [L. *fecundo*, pp. *-atus*, to make fruitful, fertilize]. 受胎させる，受精させる，多産にする.

fe·cun·da·tion (fē′kŭn-dā′shŭn). 受精（受精させること．→fertilization; impregnation).

fe·cun·di·ty (fē-kŭn′di-tē). 生殖能〔力〕，繁殖力，多産，妊孕性（**[**誤った形 fecundability を避けること**]**).

Fe·de (fā′dā), Francesco. イタリア人医師，1832—1913. →Riga-F. *disease*.

feed·back (fēd′bak). フィードバック（①ある回路系で出力を入力として再び系に戻す調節機構．例えば，サーモスタットによる暖房炉の調節．②運動技術の習得については，筋肉の収縮によって設定された知覚刺激が，運動機構の活動を調節すること．③他人の自己に対する反応によって起こされる感情．→biofeedback).

auditory f. ハウリング（拡声器からの音をマイクロフォンが拾う際に増幅系に生じる望ましくない音．補聴器を用いる際に大きな問題となる).

negative f. 負のフィードバック（帰還信号の符号または性質が，増幅を減少させるもの).

positive f. 正のフィードバック（帰還信号の符号または性質が，増幅を増大させたり不安定にしたりするもの).

tubuloglomerular f. 尿細管糸球体フィードバック（腎臓における血流コントロール機構で，糸球体沪過率の変化を規定している).

feed·ing (fēd′ing). 栄養補給，給食，飼育（食物または栄養物を与えること).

fictitious f. ＝sham f.

forced f., forcible f. 強制栄養（①鼻から胃へ管を通じて流動食を与えること．②食べたい量以上に食べるように強制すること). ＝forced alimentation.

gastric f. 経胃栄養（経鼻・食道からあるいは直接腹壁を通して挿入されたチューブによって直接胃の中へ栄養を与える方法).

nasal f. 鼻腔栄養〔法〕（鼻孔から胃に通した柔らかな管を通じて，栄養食を与えること).

sham f. 擬給食，みせかけ飼養（胃における消化液の分泌の心理的な面を研究するための実験法．イヌによる実験では，食べた食物を頸部に取りつけた管から排出させ胃の中には入れない．その結果，食物のそしゃくとえん下のみによって，多量の消化液の分泌が引き起こされる). ＝fictitious f.

feel·ing (fēl′ing). *1* 感情（あらゆる種類の意識的感覚経験). *2* 感情（感覚的刺激の知覚). *3* 感情（あらゆる精神状態や気分がもつ一特質で，それによってその精神状態が快または不快であると認知される). *4* 感じ（引き起こされた情緒と相互に関係する身体的感覚).

Feer (fār), Emil. スイス人小児科医, 1864—1955. →F. *disease*.

FEF forced expiratory *flow* の略.

Feh·ling (fā′ling), Hermann von. ドイツ人化学者，1812—1885. →F. *reagent*, *solution*.

Feil (fīl), André. 20 世紀のフランス人医師. →Klippel-F. *syndrome*.

Feiss (fīs), Henry O. 20 世紀の米国人整形外科医. →F. *line*.

FEL familial erythrophagocytic *lymphohistiocytosis* の略.

Feld·berg (feld′bĕrg), Wilhelm. 英国人生理学者，1900—1993. →Dale-F. *law*.

Feld·man (feld′măn), Harry Alfred. 米国人疫学者，1914—1986. →Sabin-F. dye *test*.

feldscher (felt′shĕr) [Russian < Ger. *feldscherer*, field surgeon < *feld*, field + *scherer*, cutter, surgeon]. フェルチャー，準医師（東ヨーロッパ，特にロシアの中レベルの臨床医．米国の physician assitant(医師助手)，フランスの officier de′stanté(保健師)と同様なもの).

Fe·li·dae (fē′li-dē) [L. *felis*, cat]. ネコ科（イエネコおよびトラ，ライオンなどの野生ネコ類を含む肉食動物の科).

fe·line (fē′līn) [L. *felis*, cat]. ネコの.

Fe·lix (fā′lēks), Arthur. ポーランド人細菌学者，1887—1956. →Weil-F. *reaction*, *test*.

fel·la·tio (fĕ-lā′shē-ō) [L.]. フェラチオ，吸茎，口淫（陰茎を口に入れる行為．口による性器に対する性的行動の1つ．腟やクリトリスを口で刺激するクニリングスに対応する語). ＝irrumation.

fel·low (fel′ō). フェロー，専修医（さらに狭い専門分野の訓練を受けている学会認定医).

F

fel·on (fel′ŏn) [M.E. *feloun*, malignant]. 瘭疽. ＝whitlow.

Fel·son (fel′sŏn), Benjamin. 米国人放射線科医, 1913—1988. ⇀silhouette *sign* of F.

felt·work (felt′wŏrk). ***1*** 線維性の網状構造. ***2*** 神経性線維の緻密な叢構造. ⇀neuropile.

Fel·ty (fel′tē), Augustus R. 米国人医師, 1895—1963. ⇀F. *syndrome*.

FeLV feline leukemia *virus* の略.

fel·y·pres·sin (fel′i-pres′in). フェリプレシン（2番目がL-フェニルアラニンであるリジンバソプレッシン）. ＝octapressin.

fe·male (fē′māl). 女性, 雌〔性〕（ヒトでは, 卵子をつくり子を産む性）.

genetic f. 遺伝上の女性（①2つのX染色体を含む正常な女性核型をもつ人. ②女性固有の Barr 性染色質体を細胞核内にもつ人）.

XO f. XO 女性（Turner 症候群でみられる遺伝学的女性. 低身長, 翼状頸, 胸が広く乳首間が広い, 原発性無月経などの異常がみられる）.

XXX f. ⇀triple X *syndrome*.

fem·i·ni·za·tion (fem′i-ni-zā′shŭn). 女性化, 雌性化（[effemination と混同しないこと]. 男性が, 外観上女性の特徴を備えて発育すること）.

testicular f. ⇀testicular feminization *syndrome*.

fem·o·ral (fem′ŏ-răl). 大腿の.

fem·o·ro·cele (fem′ŏ-rō-sēl′) [L. *femur*, thigh＋G. *kēlē*, hernia]. 大腿ヘルニア. ＝femoral *hernia*.

fem·o·ro·tib·i·al (fem′ŏ-rō-tib′ē-ăl). 大腿脛骨の（大腿骨と脛骨についていう）.

femto- (f) (fem′to) [デンマーク語およびノルウェー語 *femten*, fifteen]. 国際単位系(SI)およびメートル法で, 10^{-15} を示す接頭語.

fe·mur, gen. **fe·mo·ris**, pl. **fem·o·ra** (fē′mŭr, fem′ŏ-ris, -ă) [L. thigh][TA]. [本語の複数形の誤った発音 femor′a を避けること]. ***1*** 大腿. ＝thigh. ***2*** 大腿骨（大腿にある長い骨で, 近位端は寛骨と, 遠位端は脛骨および膝蓋骨と関節する）. ＝os femoris*; thigh bone*.

Fendt (fent), Heinrich. 19 世紀のオーストリア人皮膚科医. ⇀cutaneous *pseudolymphoma*; Spiegler-F. *sarcoid*.

fe·nes·tra, pl. **fe·nes·trae** (fĕ-nes′tră, -trē) [L. window]. 窓（①[TA]. 解剖学的開口. しばしば膜によって閉じられている. ②焼石膏やその他の固定包帯において, 創や局所の診察のためにあけた開口部. ③産科鉗子葉の一側にあけた開口部. ④内視鏡検査において, 側方の観察や経内視鏡的手術操作を行うために内視鏡の側方に設けた開口部. ⑤管, カテーテル, 套管針への空気や液体の流れを促進するために, 側壁にあけた開口部）. ＝window (1).

f. of the cochlea 蝸牛窓. ＝round *window*.

f. cochleae [TA]. 蝸牛窓. ＝round *window*.

f. nov-ovalis 新卵円窓（開窓術でつくられた人工的開口で, 膜迷路と乳様腔とを結ぶ外側半規管の耳嚢に開けられたもの）.

f. ovalis 卵円窓. ＝oval *window*.

f. rotunda 正円窓. ＝round *window*.

f. of the vestibule 前庭窓. ＝oval *window*.

f. vestibuli [TA]. 前庭窓. ＝oval *window*.

fen·es·trat·ed (fen′es-trā′tĕd). 有窓〔性〕の（窓または窓様の開口部を有する）.

fen·es·tra·tion (fen′es-trā′shŭn). ***1*** 開窓, 穿孔（ある部位に開口部または穿孔があること）. ***2*** 患部視診のために包帯に穴をあけること. ***3*** 穿孔術（歯科において, 組織滲出液を排出させるための歯根尖を露出する, 粘膜性骨膜および歯槽板の外科的穿孔術）. ***4*** 耳硬化症の聴力改善のために水平半規管を開窓する手術.

optic nerve sheath f. 視神経鞘開窓術, 視神経鞘減圧術（視神経鞘の硬膜に窓をあけて視神経浮腫を改善させ, 将来の視神経線維の消失を防ぐ手術）.

tracheal f. 気管開窓術（頸部から気管に, 上皮化した粘膜皮膚の開口をつくる外科手術）.

Fenn (fen), Wallace Osgood. 米国人生理学者, 1893—1971. ⇀F. *effect*.

fen·nel (fen′ĕl) [O.Fr. ＜ L. *faeniculum*, fennel: *faenum* (*hay*)の指小辞]. ウイキョウ（ウイキョウの種子. 南ヨーロッパおよびアジア原産の薬草で, セリ科 *Foeniculum vulgare* の栽培変種の熟した実を乾燥したもの. 発汗薬, 駆風薬. また, その果実から抽出された揮発性油は香料に用いる）.

Fen·ton (fen′tŏn), Henry J. H. イングランド人化学者, 1854—1929. ⇀Fenton *reaction*.

fen·u·greek (fen′yū-grēk) [L. *faenum graecum*, fenugreek ＜ *faenum*, hay＋*Graecus*, Greek]. コロハ種子（西アジアに自生しアフリカとヨーロッパの一部で栽培される一年生植物 *Trigonella foenum-graecum*. 粘質性種子は食用として, また料理用香料(カレー)の製造に用いられる）.

Fen·wick (fen′wik), Edwin Hurry. 英国人泌尿器科医, 1856—1944. ⇀F.-Hunner *ulcer*.

fer·al (fer′ăl) [L. *fera*, wild beast]. 野性的な（①野生ないし未馴化な動物を示す. ②家畜化されたり飼いならされた動物が野生に復帰した状態. ③野獣の特性）.

Fer·gu·son (fĕr′gŭs-ŏn), J.K.W. 20 世紀の産科医. ⇀F. *reflex*.

Fer·gus·son (fĕr′gŭs-ŏn), William. スコットランド人外科医, 1808—1877. ⇀F. *incision*.

fer·ment (fĕr-ment′) [L. *fermentum*, leaven]. ***1*** 〖v.〗 発酵する, 発酵させる. ***2*** 〖n.〗 発酵を起こさせる物質.

fer·ment·a·ble (fĕr-ment′ă-bĕl). 発酵性の.

fer·men·ta·tion (fĕr′men-tā′shŭn) [L. *fermento*, pp. *-atus*, to ferment ＜ *fermentum*, yeast]. 発酵（①酵素作用により複雑な有機化合物に起こる化学変化. 結果, 簡単な化合物に分解される. ②細菌学において, エネルギーおよび還元化合物の産生を伴う基質の嫌気的異化. その機作に呼吸鎖やシトクロムは関与せず, したがって, 酸化と違って酸素は最終的な電子受容体ではない）.

acetic f., acetous f. 酢酸発酵（ブドウ酒またはビールのアルコールが酢酸に酸化される発酵）.

alcoholic f. アルコール発酵（嫌気的に D-グルコースからエタノールと CO_2 を生成すること. *cf.* Gay-Lussac *equation*）.

amylic f. アミル発酵（ジャガイモまたはトウモロコシのすりつぶした物などのデンプン質の発酵で, これによりフーゼル油が生成される）.

lactic acid f. 乳酸発酵（ミルクなどの炭化水素含有溶液中の乳酸生成. 多数の乳酸菌のどの1つの存在によっても起こされる）.

fer·ment·a·tive (fĕr-ment′ă-tiv). 酵素の, 発酵の.

fer·ment·er (fĕr-ment′er). 発酵槽（微生物の培養に使われる大きな容器）.

Fer·mi (fār′mē), Enrico. イタリア生まれの米国人物理学者・ノーベル賞受賞者, 1901—1954. ⇀fermium.

fer·mi·um (Fm) (fĕr′mē-ŭm) [Enrico *Fermi*]. フェルミウム（1955 年に人工的につくられた放射性同位元素, 原子番号 100. 原子量 257.095. 超ウラン元素の中で ^{257}Fm は, 知られているうちで最も長い半減期(100.5 日)をもつ）.

Fernandez re·ac·tion (fĕr-ran′dez). ⇀reaction.

Fern·bach (fĕrn′bahk), Auguste. フランス人微生物学者, 1860—1939. ⇀F. *flask*.

fern·ing (fĕrn′ing). ***1*** シダ状結晶形成（月経周期の中期に分泌される頸管粘液が結晶化する際に示す分枝状態を記述するのに用いる語. シダまたはヤシの葉に多少似ている）. ***2*** ＝filigree *burn*.

fer·re·dox·ins (fer′ĕ-dok′sinz). フェレドキシン（鉄・硫黄錯体を含み, 電子伝達体活性を示すが, 古典的な酵素機能は示さない蛋白. フェレドキシンは緑色植物, 藻類や嫌気性細菌, 副腎皮質や心筋のミトコンドリアに見出され, 生体中の数種の酸化還元反応(例えば窒素固定)に関与している）.

Fer·rein (fer-ān′), Antoine. フランス人解剖学者, 1693—1769. ⇀F. *canal*, *cords*, *foramen*, *ligament*, *pyramid*, *tube*, *vasa* aberrantia(⇀vas); *processus* ferreini.

ferri- [L. *ferrum*, iron]. 3 価鉄 Fe^{3+} が化合物中に存在することを示す接頭語.

fer·ric (fer′ik). 鉄の, 第二鉄の（鉄, 特に高い電子価(Fe^{3+})の鉄塩についていう. 多くの鉄塩は造血薬, 栄養補助食品として用いられる）.

fer·ric hy·drox·ide (fer′ik hī-droks′īd). 水酸化第二鉄（調製直後にヒ素中毒解毒薬として以前用いられた化合物）.

fer·ric ox·ide (fer′ik oks′īd). 酸化第二鉄（着色材料として用いる化合物）.
fer·ric sul·fate (fer′ik sŭl′fāt). 硫酸第二鉄；iron persulfate; iron tersulfate; iron sesquisulfate（収れん薬および止血薬）.
fer·ri·cy·a·nide (fer′i-sī′ă-nīd, fer-ē-). フェリシアニド，フェリシアン化物（陰イオン $Fe(CN)_6^{3-}$）.
fer·ri·cy·to·chrome (fer′i-sī′tō-krōm, fer-ē-). フェリシトクロム（酸化鉄を含むシトクロム）.
fer·ri·heme (fer′i-hēm). フェリヘム．＝hematin.
  f. chloride ＝hemin.
fer·ri·he·mo·glo·bin (fer′i-hē′mō-glō′bin). フェリヘモグロビン．＝methemoglobin.
fer·ri·por·phy·rin (fer′i-pōr′fi-rin). フェリポルフィリン（第二鉄イオンとポルフィリンからなる化合物．例えばフェリプロトポルフィリン（ヘミン））.
  f. chloride 塩化フェリポルフィリン．＝hemin.
fer·ri·pro·to·por·phy·rin (fer′i-prō-tō-pōr′fi-rin). フェリプロトポルフィリン．＝hemin.
fer·ri·tin (fer′i-tin). フェリチン（23％の鉄を含む鉄蛋白複合体．第二鉄イオンとアポフェリチンの結合により生成される．腸粘膜，脾臓，骨髄，網赤血球，肝臓にみられる．腸粘膜内腔から血漿への鉄の貯蔵や輸送を制御している．→apoferritin）.
ferro- (fer′ō)［L. *ferrum*, iron］. 金属鉄または２価鉄 Fe^{2+} が存在することを示す接頭語.
fer·ro·che·la·tase (fer′ō-kē′lă-tās). フェロケラターゼ（ヘムの可逆的酸加水分解を触媒し，プロトポルフィリンおよび遊離の第一鉄イオン（Fe^{2+}）を生成させるリアーゼで，鉛で阻害される．この酵素の欠損により，赤芽球増殖性プロトポルフィリン症になる）.
fer·ro·cy·a·nide (fer′ō-sī′ă-nīd). フェロシアニド，フェロシアン化物（陰イオン $Fe(CN)_6^{4-}$ を含む化合物）.
fer·ro·cy·to·chrome (fer′ō-sī′tō-krōm). フェロシトクロム（還元鉄（２価鉄）を含むシトクロム）.
fer·ro·heme (fer′ō-hēm). フェロヘム．＝heme.
fer·ro·ki·net·ics (fer′ō-ki-net′iks)［L. *ferrum*, iron ＋ G. *kinēsis*, movement］. 鉄動態（放射性鉄を用いる鉄代謝の研究）.
fer·ro·por·phy·rin (fer′ō-pōr′fi-rin). フェロポルフィリン（第一鉄イオンとポルフィリンの化合物．例えばフェロプロトポルフィリン（ヘム））.
fer·ro·pro·teins (fer′ō-prō′tēnz). 鉄蛋白（ヘム，シトクロムのような，補欠分子族として鉄をもつ蛋白）.
fer·ro·pro·to·por·phy·rin (fer′ō-prō′tō-pōr′fi-rin). フェロプロトポルフィリン．＝heme.
fer·ro·so·fer·ric (fer′ō-sō-fer′ik). 第二鉄の化合物（例えば Fe_3O_4）の結合についていう.
fer·ro·ther·a·py (fer′ō-thār′ă-pē)［L. *ferrum*, iron］. 鉄剤療法.
fer·rous (fer′ŭs)［L. *ferreus*, made of iron］. 鉄の，第一鉄の（鉄，特に最小電子価（Fe^{2+}）の鉄塩についていう．多くの鉄塩は造血薬，栄養補助食品として用いられる）.
fer·rous cit·rate (fer′ŭs sit′rāt). クエン酸第一鉄（数種の型がある化合物．そのうちの２つは monoferrous acid citrate monohydrate と triferrous dicitrate decahydrate である．造血薬）.
fer·ru·gi·na·tion (fe-rū′ji-nā′shŭn)［L. *ferrugo*, iron-rust］. 鉄沈着（小血管壁や死滅した神経細胞に鉄などの無機質が沈着すること）.
fer·ru·gi·nous (fe-rū′ji-nŭs)［L. *ferrugineus*, iron rust, rust-colored］. ***1*** 鉄の，含鉄の（鉄に関連する，鉄を含むことについていう）．***2*** 鉄さび色の.
fer·rule (fer′ūl)［訛語 ＜O. Fr., Med. L.＜L. *viriola*, a small bracelet］. 環状鉤（歯冠または歯根の周囲に用いられる金属のバンドやリング）.
Fer·ry (fer′ē), Erwin S. 米国人物理学者，1868—1956. →F.-Porter *law*.
fer·tile (fer′til)［L. *fertilis* ＜ *fero*, to bear］. ***1*** 妊娠・出産可能な．＝fecund; fruitful. ***2*** 受精した，受胎した.
fer·til·i·ty (fer-til′i-tē). 受胎能，受精能，妊孕性，繁殖可能性（生きている子孫を実際に生むこと．死胎児を含まない）.
fer·til·i·za·tion (fer′til-i-zā′shŭn). 受精，授精（二次卵母細胞への精子の進入から男性および女性前核の融合までの過程）.
  ***in vitro* f.** (**IVF**) 体外（胎外）受精（採卵された卵（通常，複数）を培養液中で精子を加え受精させる過程．したがって胚となった受精卵を子宮内に移植し，分娩を期待する）.
  ***in vivo* f.** 体内（胎内）受精（人工培養液の代わりにドナー（供給者）の卵管遠位端で受精させ，その後不妊患者へ移植する受精法）.
fer·til·i·zin (fer-til′i-zin). 受精素（酸性多糖類とアミノ酸の複合体で，いくつかの生物の雌配偶子膜と結合している．精子を膠着し卵子と結合させるレセプタ群になる）.
Fer·u·la (fer′ū-lă)［L. giant plant］. オオウイキョウ属（セリ科植物の一属．*F. assa-foetida*, *F. rubricaulis*, *F. foetida* からはアギが，*F. galbaniflua*, *F. rubricaulis* からはガルバヌムが，*F. sumbul* からはスンブールが得られる）.
fer·ves·cence (fer-ves′ens)［L. *fervesco*, to begin to boil ＜ *ferveo*, to boil］. 発熱，体温上昇.
FESS functional endoscopic sinus *surgery* の頭字語.
fes·ter (fes′tĕr)［L. *fistula*］. ***1*** 膿む，化膿する．***2*** 炎症が生じる.
fes·ti·nant (fes′ti-nant)［L. *festino*, to hasten］. 促進の，速い，早い.
fes·ti·na·tion (fes′ti-nā′shŭn)［L. *festino*, to hasten］. 加速歩行，加速歩調．＝festinating *gait*.
fes·toon (fes-tūn′)［＜Fr. ＜ L. *festum*, festival, hence festive decoration］. ***1*** 義歯の基部を元の歯のその部分の輪郭に似せて彫ること．***2*** 花采（ある種のマダニの形態的特徴の１つ．雌雄とも，背面後部の縁に沿った溝によって分けられた数個の小さな長方形の面をもつ）.
  gingival f. 歯ぎん（齦）腫脹（辺縁歯肉の弓状腫脹）.
fes·toon·ing (fes-tūn′ing). フェストーニング（表皮下水疱の下の真皮乳頭のような波状構造）.
FET forced expiratory *time* の略.
fe·tal (fē′tăl). 胎児の（①胎児に関する．②８週以降の子宮内発育についていう）.
fe·tal·ism (fē′tăl-izm). 胎生症，胎児化（出生後に，ある種の胎児構造または特徴が身体に存在すること）.
fe·tal re·tic·u·la·ris (fē′tăl re-tik′yū-lā′ris). 胎生網状層（①＝fetal suprarenal *cortex*．②＝androgenic *zone* (2)．③＝X *zone* (2)）.
fe·ta·tion (fē-tā′shŭn). 妊娠，懐妊．＝pregnancy.
fe·ti·cide (fē′ti-sīd)［L. *fetus* ＋ *caedo*, to kill］. 胎児殺し，人工流産（子宮内の胎児を破壊すること）.
fet·id (fet′id, fē′tid)［L. *foetidus*］. 悪臭の.
fet·ish (fet′ish, fē′tish)［Fr. *fétiche* ＜ L. *factitius*, made by art, artificial］. 拝物，呪物，物神（魔性があるとされたり，性愛の対象となる非性的な身体の一部または生命のない物体）.
fet·ish·ism (fet′ish-izm, fē′tish-). フェチシズム（呪物 fetish とされている物を，崇拝したり，性的刺激や満足のために用いたりする行為）.
fe·to·glob·u·lins (fē′tō-glob′yū-linz). 胎児蛋白，胎児グロブリン（機能は不明な胎児の血中に存在する蛋白の一種．α-胎児蛋白は健康な成人にも微量存在するが，胎児および母体には多量に存在する．特に妊娠中期に増量する．成人では肝疾患，新生物が存在する場合に上昇が認められる）.
fe·tog·ra·phy (fē-tog′ră-fē)［L. *fetus* ＋ G. *graphō*, to write］. 胎児レントゲン撮影〔法〕（子宮内胎児のＸ線造影法．造影剤を使用する．現在では行われなくなった方法．*cf.* amniography）.
fe·tol·o·gy (fē-tol′ŏ-jē)［L. *fetus* ＋ G. *logos*, study］. 胎児学．＝maternal-fetal *medicine*.
fe·tom·e·try (fē-tom′ĕ-trē)［L. *fetus* ＋ G. *metron*, measure］. 胎児計測（胎児の大きさ，特に頭部の大きさを出産前に測定すること）.
fe·top·a·thy (fē-top′ă-thē)［L. *fetus* ＋ G. *pathos*, suffering, disease］. 胎児病．＝embryopathy.
  diabetic f. 糖尿病性胎児病（母体に糖尿病があるときにみられる胎児病で巨人症が起き，胎児死をまねくことがある）.
fe·to·pla·cen·tal (fē′tō-plă-sen′tăl). 胎児胎盤の.
fe·to·pro·teins (fē′tō-prō′tēnz). フェトプロテイン，胎児

〔性〕蛋白（成人の体内に少量存在する胎児性蛋白．α–フェトプロテイン(AFP)は妊娠中に母体血中に増加する．羊水中に検出されれば胎児神経管閉鎖不全の重要な診断指標．成人の腫瘍マーカとしても利用される(→α f.)．β–フェトプロテインは胎児肝の蛋白で，成人肝疾患患者にも検出される．γ–フェトプロテインは各種の新生物に存在する．→fetoglobulins)．

α **f.** α–フェト蛋白，α–フェトプロテイン（妊娠 12 週—15 週にかけて産生される蛋白で，それ以後減少する．ある種の癌，例えば睾丸や卵巣の胎生期癌，肝癌それに頻度は少ないが膵臓，胃，結腸，肺の癌患者の血中に出現する．陽性の場合，腫瘍の経過を追跡する有用な指標となる)．

fe·tor (fē′tōr) [L. an offensive smell < *feteo*, to stink]．悪臭（きわめて不快なにおい)．

f. hepaticus 肝〔性口〕臭（重度の肝疾患患者の息の独特なにおい．肝代謝不全で血液および尿中に蓄積した揮発性芳香族物質による)．＝liver breath.

f. oris 口臭．＝halitosis.

fe·to·scope (fē′tō-skōp)．***1*** 胎児鏡（胎児観察に用いるファイバー内視鏡)．***2*** 胎児心音の聴診用の聴診器．

fe·tos·co·py (fē-tos′kŏ-pē)．胎児内視鏡検査（ファイバー内視鏡を用いて経腹的に子宮内に挿入し胎児，胎盤表面を観察するとともに臍帯穿刺で胎児血採血を行い，胎児異常の胎内診断に用いる)．

fe·tu·in (fĕ-tū′in) [fetus + -in]．フェチュイン（低分子グロブリンで，その組成は胎児血の総グロブリンとほぼ同じである)．

fe·tus, pl. **fe·tus·es** (fē′tŭs, fē′tŭs-ez) [L. offspring]．胎児（[誤った複数形 feti を避けること]．①胎生期に続く胎生動物の出生前の子．②［NA］．ヒトでは妊娠第 8 週の終わりから出生時までの間の胎児をいう)．

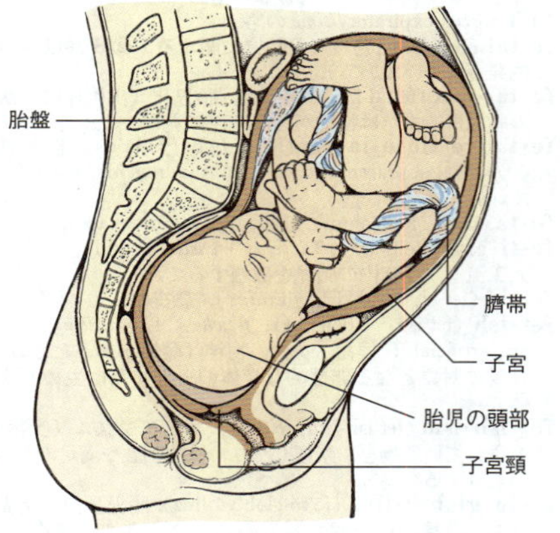

fetus
分娩前の胎児．

f. in fetu 胎児内胎児（不完全な形成不全胎児をもつ胎児)．

harlequin f. 道化胎児（新生児(通常は未熟児)にみられるコロジオン児の重症の常染色体劣性遺伝型．よろいの甲に似て，所々に亀裂のある灰色がかった茶色の斑点によって体表がおおわれ，唇外反を伴った顔，四肢指節骨の壊疽のようなグロテスクな変形を伴うのが特徴である魚鱗癬様紅皮の一型．いくつかの症例では 13-*cis*-レチン酸を用いた治療が効果的であったが，通常は 2 — 3 日で死亡する)．＝ichthyosis fetalis (1).

impacted f. 嵌頓胎児（胎児の大きさあるいは産道狭窄のために嵌頓し，分娩の進行や還納が不能になった状態)．

f. papyraceus 紙様〔胎〕児，紙状〔胎〕児（双生児胎児の死亡した一方で，他方の胎児の成長によって子宮壁に押しつぶされたもの)．

胎児発育

妊娠齢（週）	身長 (cm)	体重 (g)	特記すべき変化
12	7.5—10	45	断端性四肢，性分化の外観，肛門開大，眼窩の存在
16	16	200	体型完成，眼裂閉鎖，皮膚赤紅色，前額・下顎のうぶ毛，骨格形成の開始，歯芽の構成，肝内血液
20	25	460	前額・顎への脂質蓄積，胎便，結腸への下降，消化酵素の存在，脊柱での血液
24	30—32	820	全身にうぶ毛，手掌・足底の骨端線の形成
28	35—40	1,000	子宮外での生存能の獲得，皮下脂肪不完全，しかめ面，毛髪0.5cm，睾丸下降，眼裂開放，泣き声(ヒュー)
32	46	1,800	胎脂の増加，皮膚赤色
36	51	2,500	皮下脂肪の増加，爪が指先に達する，力強い泣き声
40	49—53	3,200	成熟

f. sanguinolentis 浸軟〔胎〕児（浸軟した死胎児)．

Feul·gen (foyl′gen), Robert．ドイツ人核酸生化学・細胞化学者，1884—1955．特異的な細胞化学的試験により細胞中の DNA を初めて発見した．→F. *cytometry*.

FEV forced expiratory *volume* の略．秒で時間を示す数字を下付き文字で書く．

FEVER

fe·ver (fē′vĕr) [A.S. *fefer*]．熱（発熱サイトカインを介した疾患に対する複雑な生理反応．体幹温度の上昇，急性期反応物質の生成，免疫系の活性化を特徴とする)．＝febris; pyrexia.

absorption f. 吸収熱（出産後まもなく，他の病的または異常な症状なしに起こる体温の上昇．腟壁の剥脱部からの子宮排泄物の吸収によって起こるとされている)．

acclimating f. 順化(馴化)熱（倦怠感を伴う体温上昇で，非常な高温環境で作業している人に起こる)．

acute pharyngoconjunctival f. 急性咽頭結膜熱（伝染性の急性感染症で，発熱，咽頭炎，結膜炎を呈し，年長児と成人に生じる．アデノウイルスの数種の型によって生じ，夏季キャンプやプールで発症する)．

Aden f. エーデン熱．＝dengue.

aestivoautumnal f. 夏秋熱．＝falciparum *malaria.*

African hemorrhagic f. アフリカ出血熱（同様の疾患を起こす他の多くのウイルスと同様に，形態学的には類似するが，抗原的には異なる Marburg ウイルスおよび Ebola ウイルスに起因する出血熱．→viral hemorrhagic f.)．

African tick f. アフリカダニ熱．＝Crimean-Congo hemorrhagic f.

African tick-bite f. アフリカダニ熱（アフリカ南部の *Rickettsia africae* による熱性疾患．感染したマダニ *Amblyomma* の刺咬部に黒斑がみられるのとリンパ節炎が特徴である)．

algid pernicious f. 悪性悪寒熱（悪性マラリア発作で，患者は虚脱やショック症状を呈する)．

ardent f. 間欠性のマラリアによる発熱で起こる過高体温に対して，ときに用いる語．＝heat apoplexy (2).

Argentinean hemorrhagic f. アルゼンチン出血熱（南アメリカでみられる出血熱の一種で，げっ歯類との接触によりヒトへ伝播されるらしく，病原体はアレナウイルス科の Junin ウイルスである）．

artificial f. 人工発熱．＝pyretotherapy.

aseptic f. 無菌熱（外傷後，死滅しているが感染はしていない組織の吸収によって起こる倦怠感を伴う発熱）．

Assam f. アッサム熱．＝visceral *leishmaniasis.*

Australian Q f. オーストラリアQ熱（オーストラリアにみられる多様なQ熱．*Coxiella burnetii* による急性リケッチア感染症でダニに媒介される．オーストラリアの原産動物，特にフクロダヌキに蔓延している）．

autumn f. 秋熱（①デング熱に似た熱病．インドで夏の終わりごろにみられる．＝seven-day f. (1). ②＝hasamiyami）．

benign tertian f. ＝vivax *malaria.*

bilious remittent f. *1* relapsing f.(回帰熱)の古語．*2* 血清ビリルビンの著明な増加を伴うマラリア性嘔吐病．

black f. ＝Rocky Mountain spotted f.

blackwater f. 黒水熱（熱帯熱マラリアによる重度の溶血から起こるヘモグロビン尿）．＝malarial *hemoglobinuria.*

blue f. 青色熱．＝Rocky Mountain spotted f.

Bolivian hemorrhagic f. ボリビア出血熱（アルゼンチン出血熱と似ているが，アレナウイルス科の Machupo ウイルスによって起こる病気）．

bouquet f. ＝dengue.

boutonneuse f. ブートン熱．＝Mediterranean spotted f.

brass founder's f. 金属〔蒸気〕熱（職業病で，マラリア様症状を特徴とし，金属酸化物の粒子および蒸気の吸入による．蒸気は高い温度で蒸発して空中に微粒子となって形成される）．＝brass founder's ague; foundryman's f.; metal fume f.; zinc fume f.

Brazilian hemorrhagic f. ブラジル出血熱．＝Brazilian spotted f.

Brazilian purpuric f. ブラジル紫斑熱．＝Brazilian spotted f.

Brazilian spotted f. ブラジル斑状熱（通常，結膜炎で始まり，紫斑皮膚病変を特徴とする劇症敗血症．高い致死率で，*Hemophilus aegyptius* によると考えられている）．＝Brazilian hemorrhagic f.; Brazilian purpuric f.

breakbone f. ＝dengue.

Bunyamwera f. ブンヤムウェラ熱（アフリカのヒトの熱性疾患でブンヤムウェラウイルス(ブンヤウイルス科)によって起こり，イエカ属のカによって媒介される）．

Burdwan f. ＝visceral *leishmaniasis.*

Bwamba f. ブワンバ熱（アフリカのヒトの熱性疾患で，ブンヤウイルス科のウイルスによって起こり，カによって媒介される）．

cachectic f. 悪液質熱．＝visceral *leishmaniasis.*

camp f. *1* 野営中の軍隊にみられる流行性の発熱疾患．*2* typhus を表す現在では用いられない語．*3* ＝typhus.

canicola f. カニコラ熱（*Leptospira interrogans* の血清亜種の *canicola* により起こされるヒトの疾患で，通常はイヌから，まれにウシおよびブタから伝染する．感染した尿によって媒介される）．

catarrhal f. カタル熱（かぜ，インフルエンザ，小葉性肺炎，大葉性肺炎を含めた一群の気道疾患を表す古語）．

cat-bite f. ＝cat-bite *disease.*

catheter f. カテーテル熱．＝urinary f.

catscratch f. ネコ引っ掻き熱．＝catscratch *disease.*

Central European tick-borne f. 中央ヨーロッパダニ熱．＝tick-borne *encephalitis* (Central European subtype).

cerebrospinal f. 流行性〔脳脊〕髄膜炎．＝meningococcal *meningitis.*

Charcot intermittent f. (shahr′kō). シャルコー間欠熱（発熱，悪寒，右上腹部の痛みと総胆管の間欠的な閉塞を伴う結石に関係する黄疸がある）．

childbed f. ＝puerperal f.

Colorado tick f. コロラドダニ熱（コロラドダニ熱ウイルスによって引き起こされ，アンダーソンカクマダニ *Dermacentor andersoni* によってヒトに媒介される感染症．症状は軽く，皮疹はなく，熱もあまり高くなく，死に至ることはほとんどない）．

Congolian red f. コンゴ紅熱．＝murine *typhus.*

continued f. 持続熱（マラリアの間欠熱以外の熱性疾患を表す，現在では用いられない語．多くの例は腸チフスであったが，他の多くの熱性疾患も含まれていた）．

cotton-mill f. 紡績工場熱．＝byssinosis.

Crimean f. ＝Mediterranean spotted f.

Crimean-Congo hemorrhagic f. クリミア－コンゴ出血〔性〕熱（ロシア中部にみられるオムスク出血熱とは異なる出

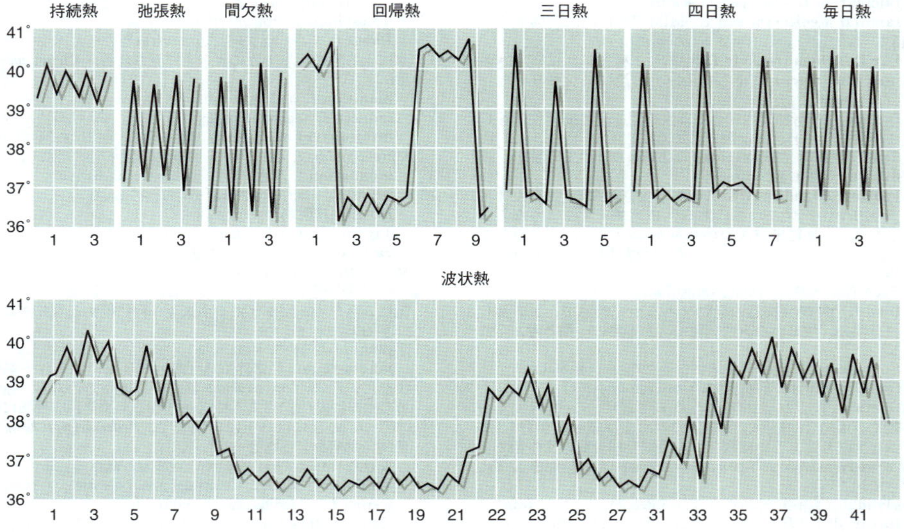

fever

横軸の単位は日数．

血熱の一種. イボマダニ属 *Hyalomma* の種により媒介される. ブンヤウイルス科のクリミア－コンゴ出血熱ウイルスに起因する. ヒトの感染においてはウマが主な病原保有動物である. 突然発症し, 高熱, 頭痛, 筋肉痛, 広範な点状出血斑, 消化管出血と高い死亡率が特徴である). ＝African tick f.

dandy f. ＝dengue.

date f. ＝dengue.

deer-fly f. ＝tularemia.

dehydration f. ＝thirst f.

dengue f. デング熱. ＝dengue.

dengue hemorrhagic f. デング出血熱. ＝dengue.

desert f. 砂漠熱. ＝primary *coccidioidomycosis*.

digestive f. 消化熱（消化時のわずかな体温上昇).

diphasic milk f. ＝tick-borne *encephalitis* (Central European subtype).

double quotidian f. 重複毎日熱（1日に2回発作の起こるマラリア. →malaria).

drug f. 薬剤熱（薬剤に対するアレルギーに起因する発熱で, 薬剤投与の中止により直ちに消滅する).

Dumdum f. ダムダム熱. ＝visceral *leishmaniasis*.

Dutton relapsing f. (dŭt′ŏn). ダットン回帰熱. ＝Dutton *disease*.

Ebola hemorrhagic f. エボラ出血〔性〕熱. ＝hemorrhagic f.

elephantoid f. 象皮病様熱（地方病性象皮病(フィラリア症)の初期の特徴であるリンパ管炎と発熱).

enteric f. 腸熱（①＝typhoid f. ②腸チフス, パラチフスの一群).

entericoid f. 腸チフス様熱病（パラチフスでも腸チフスでもないが, どちらかというと後者に似ている熱病).

ephemeral f. 一日熱, 一過性熱（丸1日以上は続かない軽熱).

epidemic hemorrhagic f. 流行性出血熱＝hemorrhagic f. with renal syndrome.

epimastical f. 頂〔性〕熱（極期に達するまで着実に上昇し, 分利または渙散により熱が下がるもの).

eruptive f. 発疹熱. ＝Mediterranean spotted f.

essential f. 本態性熱（はっきりした感染症なしで起こる発熱).

exanthematous f. 発疹性発熱.

exsiccation f. ＝thirst f.

falciparum f. ＝falciparum *malaria*.

familial Mediterranean f. [MIM*249100]. 家族性地中海熱. ＝familial paroxysmal *polyserositis*.

Far East hemorrhagic f. 極東出血熱（ダニに媒介される *Rickettsia sibirica* による感染症で, 最初にシベリアとモンゴルで検出された).

fatigue f. 疲労熱（過度または長時間連続の筋肉使用後に起こる発熱で, ときには数日に及ぶ).

field f. 収穫熱（*Leptospira*属によるレプトスピラ症).

five-day f. 五日熱. ＝trench f.

Flinders Island spotted f. [最初の症例が同定されたオーストラリアのタスマニアにあるフリンダース島にちなむ]. フリンダース島紅斑熱（*Rickettsia honei* が原因の熱性疾患でオーストラリア東南部にみられる. 特徴は頭痛, 筋肉痛, 斑丘疹).

flood f. 洪水熱. ＝tsutsugamushi *disease*.

food f. 食事熱（突然の発熱をみる小児疾患で, 重い消化不良を伴い, 数日から数週間続く. 食中毒の一種と考えられる).

Fort Bragg f. フォート・ブラッグ熱. ＝pretibial f.

foundryman's f. 鋳金工熱. ＝brass founder's f.

Gambian f. ガンビア熱（2—5日ごとに, 1—4日間くらい続く不規則な回帰熱. 脾腫, 頻脈および頻呼吸が著しい. ガンビア眠り病あるいは西アフリカ眠り病の病原微生物である *Trypanosoma brucei gambiense* が血中に存在することによって起こる).

glandular f. 伝染性単核球症. ＝infectious *mononucleosis*.

Haverhill f. [*Haverhill*, 1926年にこの感染症が流行したマサチューセッツ州の町]. ヘーヴァヒル熱（*Streptobacillus moniliformis* の感染症で, 初期に悪寒および高熱があるが, 徐々に軽快する. 通常, 大関節および脊柱に関節炎が起こり, 主として関節部と四肢伸側に発疹を生じる. ヘーヴァヒル熱は, 汚染された飲食物から起こる, 鼡咬に関連しない *S. moniliformis* 感染症を示すのに用いられる). ＝erythema arthriticum epidemicum.

hay f. 枯草熱（眼と上気道粘膜の急性の刺激性炎症で, かゆみと多量の水様鼻汁分泌を伴い, ときとして気管支炎とぜん息がそれに続くアトピー性疾患の1つ. 通常, 発熱はない. 木, 草, 雑草, 花などの花粉に対するアレルギー反応によって, 臨床症状は毎年同じかほぼ同時期の春, 夏, あるいは晩夏から秋に起こる). ＝allergic coryza.

hematuric bilious f. 血尿性胆汁性熱（マラリア住血虫類, 熱帯熱マラリア原虫 *Plasmodium falciparum* による腎病変に由来する血尿症).

hemoglobinuric f. ＝malarial *hemoglobinuria*.

hemorrhagic f. 出血熱（アレナウイルス科(ラッサ熱, ボリビア出血熱, アルゼンチン出血熱), ブンヤウイルス科(クリミア－コンゴ出血熱), フラビウイルス科(デング出血熱, オムスク出血熱), フィロウイルス科(エボラ熱, マルブルグウイルス病)の多数の異なるウイルスによる感染の恐らく20—40%に起こる症候群. ある種のものはダニ媒介性, 他のものはカ媒介性で, いくつかは人畜共通感染症とみられる. 臨床症状は高熱, 散在性点状出血, 消化管あるいは他臓器の出血, 低血圧およびショックである. 腎障害は高度, 特に韓国出血熱で高度でありうるし, 神経学的徴候, 特にアルゼンチン－ボリビア型に出現することがある. ボリビア出血熱, ラッサ熱, エボラ熱, マルブルグウイルス病, クリミア－コンゴ出血熱の5型の出血熱はヒトからヒトに伝播されうる. →epidemic hemorrhagic f.). ＝Ebola hemorrhagic f.

hemorrhagic f. with renal syndrome 腎症状を伴う出血〔性〕熱（Hantaan ウイルスによって引き起こされる疾患の一型). ＝epidemic hemorrhagic f.; Korean hemorrhagic f.; Manchurian hemorrhagic f.; Songo f.

hepatic intermittent f. 肝性間欠熱（総胆管結石症で起こる間欠熱様発作).

herpetic f. 疱疹熱（病期は短く, 明らかに感染症の疾患で, 悪寒, 悪心, 発熱, のどの痛み, 顔面および他の部分の疱疹性発疹を特徴とする. 単純疱疹ウイルスの初感染に伴う).

hospital f. 病院熱. ＝epidemic *typhus*.

icterohemorrhagic f. 黄疸出血性熱（*Leptospira interrogans* の血清型 *icterohemorrhagiae* の感染で, 発熱, 黄疸, 出血性病巣, 高窒素血症, 中枢神経症状が特徴である). ＝leptospirosis icterohemorrhagica.

Ilhéus f. イルヘウス熱（*Flavivirus*属のイルヘウスウイルスによる熱性疾患でカによって媒介される. →Ilhéus *encephalitis*).

inanition f. 飢餓熱. ＝thirst f.

induced f. ＝pyretotherapy.

intermittent malarial f. 間欠性マラリア熱（→intermittent *malaria*).

inundation f. 洪水熱. ＝tsutsugamushi *disease*.

island f. ＝tsutsugamushi *disease*.

jail f. 刑務所熱. ＝typhus.

Japanese river f. ＝tsutsugamushi *disease*.

Japanese spotted f. 日本紅斑熱（プロテオバクテリアに属する *Rickettsia japonica* によって起きる熱性疾患で, ヒトでは頭痛と発疹を特徴とする. 日本および極東ロシアで散発的にみられる. 野ウサギやネズミが保菌動物となりダニが媒介する).

jungle f. 密林熱. ＝malaria.

jungle yellow f. 密林黄熱（南アメリカにみられる熱病の1つで, *Aedes leucocelaenus* および *Haemagogus* 群の種々のカ(木に生息する)によって媒介される. 通常, 霊長類に伝染するが, ときにはヒトに伝染して, *Aedes aegypti* 媒介の古典的黄熱病を発症させる).

Katayama f. (kat′a-yă-mă). ＝Katayama *disease*.

kedani f. ケダニ熱. ＝tsutsugamushi *disease*.

Kenya f. ＝Mediterranean spotted f.

Kew Gardens f. [*Kew Gardens*, リケッチア痘が最初に報告されたニューヨーク市クイーンズ区の地域]. キュー園熱. ＝rickettsialpox.

Kinkiang f. *schistosomiasis* japonica を表す, 現在では用

いられない地名由来の語. =*schistosomiasis* japonica.

Korean hemorrhagic f. 朝鮮出血熱. =hemorrhagic f. with renal syndrome.

Lassa f. ラッサ熱（ナイジェリアのラッサで初めて認識された通常は致死性の流行性出血熱の重症型. アレナウイルス科のラッサウイルスが原因で, 高熱, 咽頭痛, 激しい筋肉痛, 出血を伴う皮膚発疹, 頭痛, 腹痛, 嘔吐, 下痢を特徴とする. 多乳房ラット *Mastomys natalensis* が保有宿主であるが, ヒトからヒトへの伝播もよく起こる). =Lassa hemorrhagic f.

Lassa hemorrhagic f. ラッサ出血熱. =Lassa f.

laurel f. ゲッケイジュ熱（枯草熱と同質の疾患で, ゲッケイジュの開花期に起こるもの).

malarial f. マラリア熱（⇀malaria).

malignant tertian f. 悪性三日熱. =falciparum *malaria.*

Malta f. マルタ熱. =brucellosis.

Manchurian f. 満州熱（発疹チフスによく似た熱病で, 南満州地方で 9 月から 12 月にかけて流行する. 病原体は *Rickettsia manchuriae* であるらしい).

Manchurian hemorrhagic f. 満州出血熱. =hemorrhagic f. with renal syndrome.

Marseilles f. マルセーユ熱. =Mediterranean spotted f.

marsh f. 沼地熱. =malaria.

Mediterranean f. 地中海熱（① =brucellosis. ② =familial paroxysmal *polyserositis*).

Mediterranean erythematous f. 地中海紅斑熱（皮膚の発赤を起こす地中海斑熱の一型. その経過と他の症状は恐らく地中海発疹熱と同じ. ⇀*Rickettsia conorii*).

Mediterranean exanthematous f. 地中海発疹熱（⇀boutonneuse f.).

Mediterranean spotted f. 地中海斑熱（*Rickettsia conorii* によるダニ伝播性の感染症で, アフリカ, ヨーロッパ, 中東, インドでみられる. 地域により異なる名称が知られており, 例えば, マルセーユ熱, クリミア熱, インドダニチフス, ケニア熱がある. 皮膚に発疹を生じる地中海発疹熱 Mediterranean exanthematous f. と, 皮膚に潮紅を生じる地中海紅斑熱 Mediterranean erythematous f. の 2 型がある. ⇀*Rickettsia conorii*). =boutonneuse f.; Crimean f.; eruptive f.; fièvre boutonneuse; Indian tick typhus; Kenya f.; Marseilles f.; tick typhus.

meningotyphoid f. 髄膜チフス熱（大脳や脊髄髄膜の刺激または炎症症状の目立つ腸チフス).

metal fume f. 金属〔蒸気〕熱. =brass founder's f.

Mexican spotted f. メキシコ斑点熱. =Rocky Mountain spotted f.

miliary f. 粟粒熱（①多量の発汗および汗疹発生を特徴とする感染症で, 以前は重篤な流行病とされた. ② =miliaria).

milk f. ①授乳熱, 軽症産褥熱（出産後の軽度の発熱で, 乳汁分泌体制の確立によるとみられるが, 恐らく吸収熱と同じものと考えられる). ②乳熱, ウシの分娩麻痺, ウシの不全麻痺（ウシの出産直後に起こる無熱性代謝性疾患で, 意識喪失および全身麻痺をきたす. 低カルシウム症を特徴とする).

mill f. =byssinosis.

miniature scarlet f. [L. *minio*, pp. *atus minium*(red-lead)で色をつける]. 小猩紅熱（ワクチンの目的で化膿連鎖球菌 *Streptococcus pyogenes* の毒素を注射したときに, 感受性者にみられる反応で, 発熱, 悪心, 嘔吐, および一過性猩紅熱様発疹を伴う反応についての現在では用いられない語).

monoleptic f. 単発作性熱（1 回の発作だけを伴う持続熱. *cf.* polyleptic f.).

Mossman f. モスマン熱（オーストラリアの北クイーンズランド, モスマン地方のサトウキビ刈取り人夫に特にみられる熱病で, レプトスピラによって起こる).

mud f. 沼地熱（*Leptospira interrogans* の血清型亜種 *L. grippotyphosa* によって引き起こされるレプトスピラ症).

mumu f. ムーマ熱（象皮症様熱を意味するサモア語).

nanukayami f. 七日熱（日本にみられるレプトスピラ症で, 通常はハタネズミや野ネズミに見出されるレプトスピラによって起こる). =nanukayami.

nine mile f. 9 マイル熱. =Q f.

nodal f. 結節性熱. =*erythema* nodosum.

North Queensland tick f. 北クイーンズランドダニ熱（マダニ媒介性チフスの軽症型で, 痂皮, リンパ節腫脹, 発疹および発熱を伴う. *Rickettsia australis* により引き起こされ, マダニ *Ixodes holocyclus* によって伝播されると考えられる).

Omsk hemorrhagic f. オムスク出血〔性〕熱（中央ロシア地方に見出される流行性出血熱の一型で, フラビウイルス科のオムスク出血熱ウイルスによって起こり, カクマダニ属のダニによって媒介される. 胃腸症状および出血を伴うが, 中枢神経系は侵されない).

O'nyong-nyong f. オニョンニョン熱（トガウイルス科の O'nyong-nyong ウイルスに起因するデング熱様の病気. カによって媒介され, 関節痛と著明なリンパ節腫脹, 次いで起こる顔面の斑丘疹状発疹を特徴とする. この発疹は体幹と四肢にひろがるが, 落屑なしに数日で消退する).

Oropouche f. オロポーチ熱（ブンヤウイルスの一種によって起こる急性の熱性疾患).

Oroya f. オロヤ熱（全身性, 急性, 熱性, 散発性のバルトネラ症の全身症. 高熱, リウマチ性疼痛, 進行性重症貧血, および蛋白尿が特徴). =Carrión disease.

Pahvant Valley f. パーヴァントバレー熱. =tularemia.

paludal f. =malaria.

pappataci f. パパタシ熱. =phlebotomus f.

paratyphoid f. パラチフス熱（腸チフスに類似した症状および病変を伴う急性感染症で, 症状はより軽度. パラチフス生体による. 少なくとも 3 種類(A·B·C型)の菌型がある). =paratyphoid.

parenteric f. チフス・パラチフス様熱病（腸チフスおよびパラチフスA·B型に臨床的に類似した熱性疾患の一群だが, 病原菌は特異的で, これらとは異なる).

parrot f. オウム熱. =psittacosis.

Pel-Ebstein f. (pel eb′stin). ペル－エブスタイン熱 (Hodgkin 病でよくみられる弛張熱). =Pel-Ebstein disease.

periodic f. 周期熱, 周期性発熱（現在では用いられない語で, 家族性地中海熱 familial Mediterranean f. と後に命名された疾患でみられた間欠性発熱を記述するのに用いられた).

Persian relapsing f. ペルシア回帰熱（中東のダニ媒介性の回帰熱で, *Borrelia persica* によって起こる. *Ornithodoros tholozani* および *Ornithodoros lahorensis* によっても媒介される).

Philippine hemorrhagic f. フィリピン出血熱（重篤なアルボウイルス感染症で出血を伴い, 死亡率が相当高い. 恐らくカ媒介性のデングウイルスによるもので, 東南アジア, 南太平洋, オーストラリア, 中南米, カリブ諸島の熱帯, 亜熱帯の都市部にみられる).

phlebotomus f. サシチョウバエ熱（バルカン半島やその他の南ヨーロッパ地方に発生する感染症であるが, 伝染性のない疾患で, パパタシサシチョウバエ *Phlebotomus papatasii* に刺されてもたらされることが明らかになったブンヤウイルス科に属する数種のウイルスに起因する. 症状はデング熱に類似するが, 重篤ではなく, その期間もより短い). =dog disease; pappataci f.; Pym f.; sandfly f.; three-day f.

pinta f. ピンタ熱（ロッキー山紅斑熱のメキシコにおける語).

polka f. ポルカ熱. =dengue.

polyleptic f. 多発作熱（2 回以上の発作を起こす発熱についていう. 例えば, 痘瘡, 回帰熱, 間欠性熱. *cf.* monoleptic f.).

polymer fume f. ポリマーガス熱（プラスチックの一種であるポリテトラフルオルエチレンの加熱時に発生するガスを吸入することによって起こる職業病. 発熱, 胸痛, および咳を伴う).

pretibial f. 前脛骨熱（ノースカロライナ州フォートブラッグの軍人のあいだで初めてみられた軽症の疾患. 発熱, 中等度の疲はい, 脾腫, および下肢前部の発疹を特徴とする. *Leptospira interrogans* の血清型亜種 *autumnalis* による). =Fort Bragg f.

protein f. 蛋白熱（牛乳のような異種蛋白の注射によって起こる発熱).

puerperal f. 産褥熱, 産床熱（分娩 24 時間後, 11 日目以

内に起こる発熱を伴う分娩後敗血症)．＝childbed f.; puerperal sepsis.

Pym f. ピム熱．＝phlebotomus f.

pyogenic f. 化膿熱．＝pyemia.

Q f. ［*Q*は“query（疑問）”の意で，病因は不明であることから付けられた］．Q熱（リケッチア *Coxiella burnetii* による疾患．病原体は症状を起こさないが，ヒツジとウシの体内で増殖する．ヒトの感染はこれらの動物との接触のみならず，感染しているヒトとの接触，空気，ほこり，野生の保有宿主やその他の感染源から起こる)．＝nine mile f.

quartan f. 四日熱．＝malariae *malaria.*

quintan f. 五日熱．＝trench f.

quotidian f. 毎日熱．＝quotidian *malaria.*

rabbit f. 野兎熱．＝tularemia.

rat-bite f. 鼠咬熱（ラットの咬傷に伴う２種類の細菌感染症の単一呼称．１つは *Streptobacillus moniliformis* によって起きるもの(例えば Haverhill 熱)と *Spirillum minus*(*S. minor* ともよばれる)によって起きるもの(例えば鼠毒)がある．両疾患とも回帰熱，悪寒，頭痛，関節痛，リンパ節腫脹，四肢の斑点状丘疹状皮疹を特徴とする)．＝rat-bite disease; sodoku; sokosho.

recrudescent typhus f. 再燃性発疹チフス熱．＝Brill-Zinsser *disease.*

recurrent f. ＝relapsing f.

red f., red f. of the Congo コンゴ発疹熱．＝murine *typhus.*

relapsing f. 回帰熱（多種の *Borrelia*属のいずれかにより起こる急性感染症．約６日間持続する頻回の発熱発作と，ほぼ同じ期間持続する平熱期を特徴とする．発熱期には，血液中に微生物が見出されるが，平熱期にはみられない．この消失は，特異的抗体と以前に生成された抗体の出現に伴う．疫学的に２種の型がある．第１はシラミ媒介性の型で，主としてヨーロッパ，北アフリカ，およびインドでみられ，*B. recurrentis* によって起こるもの．第２は，ダニ媒介性の型で，アフリカ，アジア，南・北アメリカでみられ，種々の菌で起こる．このいずれもが，*Ornithodoros*属の各種の軟マダニによって媒介される)．＝bilious typhoid of Griesinger; recurrent f.; spirillum f.; typhinia.

remittent f. 弛張熱（24 時間の期間で熱の高さは変化するが，正常までは下がらない熱型．19 世紀には診断用語と考えられたが，大部分の熱は弛張熱であり，ある疾患に特徴的な熱型ではない)．

remittent malarial f. →remittent *malaria.*

rheumatic f. リウマチ熱（A群 β 型溶血性連鎖球菌の感染(通常は咽頭炎)後に起こる亜急性の熱性疾患で，本菌に対する免疫応答による．小児および青年によくみられる．症状は発熱，心筋炎（頻脈，ときに急性心不全を起こす)，心内膜炎(弁膜機能不全を伴い，治癒後に病痕を残す)，移動性の多発性関節炎である．まれに皮下の小結節，輪状紅斑，Sydenham 舞踏病を起こす．再発は連鎖球菌の再感染によって起こる．→Jones *criteria* (⇒*criterion*))．

rice-field f. 田熱（水田作業者を侵す熱性疾患で，イタリアのポー川流域やスマトラにおいて報告されている．*Leptospira*属の１種によって起こる)．

Rift Valley f. ［ケニアの *Rift Valley*］．リフトバレー熱（ブンヤウイルス科のリフトバレー熱ウイルスによって引き起こされる致死率の高いヒツジの地方病で，そのウイルスはヒトおよびウシにも病原性をもち，ヒトの場合，診断のつかない発熱を起こす．カによる伝播および直接接触による)．

Rocky Mountain spotted f. ロッキー山〔紅斑〕熱（死亡率の高い急性感染症で，前頭部および後頭部の頭痛，激しい腰痛，倦怠感，中等度の持続熱，2—5 日目に手首，手掌，足首，足底に出現し，その後全身に広がる発疹を特徴とする．春に起こり，主に米国南東部とロッキー山地域でみられるが，米国の他の地域，カナダの一部，メキシコ，南アメリカでも地方病的にみられる．病原体は斑点熱リケッチア *Rickettsia rickettsii* で，カクマダニ属 *Dermacentor* の２種以上のマダニによって媒介される．米国西部の州では *D. andersoni* によって，東部の州ではイヌのマダニ *D. variabilis* によって媒介される)．＝black f.; black measles (2); blue disease; blue f.; Mexican spotted f.; São Paulo f.; Tobia f.

Roman f. ローマ熱（悪性の三日熱，熱帯熱，または夏秋熱．以前，ローマのカンパーニャ平野およびローマ市で流行した．熱帯熱マラリア原虫 *Plasmodium falciparum* によって起こる)．

Ross River f. ロスリバー熱．＝epidemic *polyarthritis.*

sakushu f. 作州熱．＝hasamiyami.

Salinem f. サリネム熱（サリネムで報告された血清型レプトスピラによる感染症)．＝Salinem infection.

salt f. 食塩熱（幼児に食塩水を肛門注入したときに起こる体温上昇．→thirst f.)．

sandfly f. ＝phlebotomus f.

San Joaquin f. サン・ホアキン熱．＝primary *coccidioidomycosis.*

San Joaquin Valley f. サン・ホアキン渓谷熱．＝primary *coccidioidomycosis.*

São Paulo f. サンパウロ熱．＝Rocky Mountain spotted f.

scarlet f. 猩紅熱．＝scarlatina; second disease.

Schamberg f. (shahm′bĕrg)．＝progressive pigmentary *dermatosis.*

Sennetsu f. 腺熱（リケッチア *Ehrlichia sennetsu* による西日本にみられるヒトの病気で，発熱，倦怠感，食欲不振，背痛，リンパ節腫大を特徴とする)．

septic f. 敗血症．＝septicemia.

seven-day f. 七日病（① ＝autumn f. (1)．② ＝hasamiyami)．

shin bone f. ＝trench f.

ship f. 船舶熱．＝typhus.

shoddy f. 再生羊毛工熱（ボロ布を再利用する工場労働者に起こる熱性疾患で，咳，呼吸困難および頭痛があり，塵埃吸入による)．

simian hemorrhagic f. サルの出血熱（サル出血熱ウイルスに起因するきわめて致死的なマカクザルの疾病で，発熱，顔面浮腫，食欲不振，渇感欠如，皮膚の点状出血，下痢，出血および死を特徴とする)．

Sindbis f. シンドビス熱（ヒトの熱性疾患で，アフリカ，オーストラリアやその他でみられ，関節痛，発疹，倦怠感を特徴とする．トガウイルス科のシンドビスウイルスにより起こり，イエカ属のカによって媒介される)．

slime f. スライム熱（黄疸を伴うレプトスピラ感染．恐らく *Leptospira icterohemorrhagica* の感染による)．

slow f. 遅延熱，慢性稽留熱（長期間にわたる持続熱)．

smelter's f. 製錬工熱（亜鉛製錬工に発生する金属蒸気熱)．＝smelter's chills; smelter's shakes.

snail f. 巻貝熱．＝schistosomiasis.

solar f. *1* ＝dengue. *2* ＝sunstroke.

Songo f. ソンゴ熱．＝hemorrhagic f. with renal syndrome.

South African tick-bite f. 南アフリカダニ熱（南アフリカの発疹チフス様熱病で，斑点熱リケッチア *Rickettsia rickettsii* によって起こる．通常，痂皮を形成し，局所のリンパ節炎，筋強直，および斑状丘疹状発疹を第５病日に認め，しばしば重篤な中枢神経症状を伴う)．

spirillum f. スピリルム熱．＝relapsing f.

spotted f. 斑点熱（斑点熱リケッチア *Rickettsia rickettsii* による発疹熱で，南・北アメリカおよびシベリアにみられる)．

steroid f. ステロイド熱（ある種の発熱性ステロイドの血漿中濃度の上昇によって生じると推測される発熱．エチオコラノロン投与によって起こりうる)．

symptomatic f. 症候性発熱．＝traumatic f.

syphilitic f. 梅毒熱（二期梅毒のバラ疹期初期にしばしばみられる発熱)．

tertian f. 三日熱．＝vivax *malaria.*

therapeutic f. 〔発〕熱療法．＝pyrotherapy.

thermic f. 熱射病．＝heatstroke.

thirst f. 渇熱（幼児の発熱で，水分摂取量の減少後，下痢または嘔吐後に発熱をみる．身体の水分減少の結果，蒸発による熱の発散が減少するために起こる．類似の症状は，成人でも，脱水状態で活発な運動を続ける場合に起こる)．＝dehydration f.; exsiccation f.; inanition f.

three-day f. 三日熱．＝phlebotomus f.

Tobia f. トビア熱．＝Rocky Mountain spotted f.

traumatic f. 外傷熱（外傷後の発熱)．＝symptomatic f.; wound f.

trench f. 塹壕熱（まれなリケッチア病で *Bartonella quintana* によって起こりシラミ *Pediculus humanus* によって媒介され，最初第一次大戦の塹壕での戦争状態の際に流行した．突然の悪寒と発熱で発症し，筋肉痛(特に背部と足)，頭痛，全身倦怠感が定型例では５日間続き，再発もみられることを特徴とする)．＝five-day f.; quintan f.; shin bone f.

trypanosome f. トリパノソーマ熱（睡眠病の発熱期)．

tsutsugamushi f. ＝tsutsugamushi *disease.*

typhoid f. 腸チフス（チフス菌 *Salmonella typhi* による急性感染症で，第１週における階段状の持続的体温上昇，重篤な肉体的・精神的機能低下，胸部および腹部のバラ疹，鼓腸などを特徴とし，初期に便秘，下痢，ときに腸出血や腸穿孔などもみられる．平均病期は４週間であるが，不全型および再発もまれでない．病変は主に小腸のリンパ沪胞(Peyer斑)，腸間膜リンパ節，および脾臓にみられる．感染中にWidal反応が高値を示し，血液および尿培養が陽性だったのが陰性となり，通常，免疫が獲得される)．＝abdominal typhoid; enteric f. (1); typhoid (2).

undifferentiated type f.'s 未分化型熱（ヒトに病原性を有する，以前はアルボウイルス群といわれたウイルスのどれかの感染で起こる疾患に付けられた名称で，常にみられる唯一の症状が発熱．発疹，リンパ節腫脹，関節痛が単独で，あるいは組み合わされて出現する．ある種のウイルスは未分化型熱が唯一の症状であるが，他種のウイルスはある人々には未分化型熱しか起こさないが，他の人々には同じ未分化型熱に引き続き二次的症状である出血熱あるいは脳炎を起こす)．

undulating f. ［長期にわたり熱型が波状の変化を呈するのでこうよばれる］．波状熱．＝brucellosis.

f. of unknown origin 不明熱（徹底的な検査によっても原因不明の 101°F または 38.3°C 以上の発熱がみられる状態．この用語の使用に際しての厳密な基準は様々で，とりわけ発熱の持続期間と臨床検査の範囲により変わる．一般に１週間以上(２－３週間を必要とする意見もある)の徹底的な入院検査，または少なくとも３週間の外来受診で入念な病歴，身体所見，培養や血清反応などの検査，ならびに臨床医の指示や疫学的な考慮に基づいた侵襲的な検査による培養や生検を行う)．

urethral f. ＝urinary f.

urinary f. 尿道熱（尿道のカテーテル挿入，凝血塊，結砂，または結石の通過によって起こる発熱で，通常は軽微で一過性である)．＝catheter f.; urethral f.

urticarial f. じんま疹熱．＝*schistosomiasis* japonica.

uveoparotid f. ブドウ膜耳下腺熱（耳下腺の慢性肥大，ブドウ膜系の炎症，および持続的な軽度の発熱を示すサルコイドーシスの徴候．脳神経麻痺を伴う)．＝Heerfordt disease; Heerfordt syndrome.

Uzbekistan hemorrhagic f. ウズベク出血〔性〕熱（中央アジアのウイルス性の熱病で，イボマダニ属の *Hyalomma anatolicum* によって媒介されると考えられる)．

valley f. 渓谷熱．＝primary *coccidioidomycosis.*

Venezuelan hemorrhagic f. ベネズエラ出血熱（ベネズエラの Guanarito ウイルスによって起こる熱性疾患．頭痛，関節痛，咽頭炎，白血球減少，血小板減少，出血が特徴である)．

viral hemorrhagic f. ウイルス性出血〔性〕熱（発熱，全身倦怠感，筋肉痛，呼吸器症状，嘔吐，下痢を伴う流行性疾患．鼻出血，喀血，吐血，結膜下出血が重症例では起こり，ある症例では発疹，振せんなどがみられる．本疾患はアレノウイルス科，ブンヤウイルス科，フラビウイルス科，フィロウイルス科などの多くの異なるウイルスによって起こる．→hemorrhagic f.)．

vivax f. 三日熱．＝vivax *malaria.*

Wesselsbron f. ［*Wesselsbron*，最初に原因種が分離された南アフリカの町］．ヴェッセルスブロン熱（フラビウイルス科の Wesselsbron 病ウイルスに起因するヒツジとヒトの，カが媒介する疾病で，ヒツジでは流産と子ヒツジの死が，またヒトでは発熱，頭痛，筋肉痛，軽い発疹が特徴である)．＝Wesselsbron disease.

West African f. 西アフリカ熱病．＝malarial *hemoglobinuria.*

West Nile f. 西ナイル熱（西ナイルウイルス West Nile *virus* による発熱性疾患)．

wound f. ＝traumatic f.

Yangtze Valley f. 揚子江渓谷熱．＝*schistosomiasis* japonica.

yellow f. 黄熱（カ媒介性のウイルス性肝炎で，フラビウイルス科の黄熱ウイルスによる．都市部では，ネッタイシマカ *Aedes aegypti* によって媒介されるが，農村，密林や森林地帯では，樹木に生息する哺乳類から *Haemagogus* 種群のカによって媒介される．臨床的には，発熱，徐脈，蛋白尿，黄疸，顔面の充血，および出血，特に吐血を特徴とする．流行は主に港湾都市の晩夏に起こることが多く，死亡率は 20—40 % である．治癒すれば，再感染に対する免疫が賦与される)．

Zika f. ジカ熱（急性疾患で，恐らくカによって媒介される．臨床的にはデング熱に似ている．フラビウイルス科のジカウイルス Zika *virus* による)．

zinc fume f. 亜鉛蒸気熱．＝brass founder's f.

---

fe·ver·ish (fē′vĕr-ish)．熱のある（①熱性の．＝febrile．②有熱の)．

FF filtration *fraction* の略．

FFA unesterified free *fatty acid* の略．

FFD focus-film *distance* の略．

FFP *1* fresh frozen *plasma* の略．*2* 合衆国連邦政府に関する研究についての規定によって不正行為として３つの有罪となる行為すなわち捏造，改ざん，剽窃の略称．

F.F.R. Fellow of the Faculty of Radiologists (United Kingdom)(英国放射線科専門医会特別会員)の略．

FGAR *N*-formylglycinamide ribotide の略．

FGFR fibroblast growth factor receptor *gene* の略．

FH_4 tetrahydrofolic acid の略．→5,6,7,8-tetrahydrofolate dehydrogenase; tetrahydrofolate methyltransferase.

FHR fetal heart *rate* の略．

FHT fetal heart *tones* の略．

FIA fluorescent *immunoassay* の略．

FIBER

fi·ber (fī′bĕr) [L. *fibra*]．線維（細い糸またはフィラメント．ⓘ [TA]．膠原線維組織あるいは弾性線維組織の線維のような細胞外フィラメント様構造物．ⓘⓘ神経膠性の被覆を含めた神経細胞の突起．ⓘⓘⓘある種ののびた形のもの，についていう．したがって，筋細胞や眼の水晶体の主要部分である上皮細胞のような糸状細胞について用いる．ⓘⓥ消化管の酵素により消化されない食事中の栄養素)．＝fibra [TA]; fibre.

A f.'s A線維（体性神経中の有髄神経線維で，直径１—22 μm．６—120 m/sec でインパルスを伝導する)．

accelerator f.'s 心拍促進線維（交感神経幹の上・中・下頸神経節から出る節後性交感神経線維．神経インパルスを心臓に伝え，心拍の速度と力を増す)．＝augmentor f.'s.

adrenergic f.'s アドレナリン〔作用，作動〕性線維（アドレナリン様伝達物質，ノルエピネフリン(ノルアドレナリン)の媒介によって，神経インパルスを他の神経細胞(または平滑筋，腺細胞)へ伝導する神経線維)．

afferent f.'s 求心性線維（インパルスを神経節または脳や脊髄の中枢神経系へ伝導する神経線維)．

alpha f.'s アルファ線維（太い運動神経線維あるいは固有受容系線維．80—120 m/sec でインパルスを伝導する)．

alveologingival f. group 歯槽歯肉線維群（タイプⅠコラーゲンが集束した線維群で，歯肉上皮下の結合組織内に存在する．歯槽骨頂から走行し，付着歯肉および遊離歯肉内の緻密で不規則なコラーゲン性結合組織へ入り込んでいる．→gingival principal f. groups)．

anastomosing f.'s, anastomotic f.'s 吻合神経線維（１つの神経幹または筋束から，他の神経幹または筋束へ通る神経線維)．

anterior external arcuate f.'s [TA]．→external arcuate f.'s.

arcuate f.'s 弓状線維（神経または腱線維で，大脳皮質の

F

脳回のようにある構造物から通常隣接した構造物へと弓状につながっているもの．→arcuate f.'s of cerebrum; external arcuate f.'s; internal arcuate f.'s).

arcuate f.'s of cerebrum [TA]．大脳弓状線維（大脳皮質内の近接した回を結合する短い連合線維)．＝fibrae arcuatae cerebri [TA].

argyrophilic f.'s 好銀線維（細網線維性結合組織の線維で，銀塩と反応し顕微鏡下で黒く見える).

association f.'s 連合線維（同じ大脳半球の異なる部位の大脳皮質を互いに結ぶか，同じ側の脊髄の異なった分節を互いに結んでいる神経線維)．＝endogenous f.'s; intrinsic f.'s.

astral f.'s 星状原線維（光学顕微鏡で中心球より細胞の辺縁に向かって放射状にのびる原線維で，電子顕微鏡では微小管である．*cf.* kinetochore f.'s; polar f.'s).

augmentor f.'s ＝accelerator f.'s.

autonomic nerve f.'s [TA]．自律神経線維（節前線維・節後線維の総称で，交感・副交感など末梢神経系の自律性部分の線維)．＝neurofibrae autonomicae [TA]; visceral motor f.'s.

B f.'s B線維（自律神経中の有髄神経線維で，直径 2 μm 以下．3―15 m/sec でインパルスを伝導する).

Bergmann f.'s (berg'mahn)．ベルクマン線維（小脳皮質中を表面に対し垂直方向に横走するフィラメント状のグリア線維．これらの線維は Golgi 上皮細胞の突起である).

beta f.'s ベータ線維（40―70 m/sec の伝導速度を有する神経線維).

bulbar corticonuclear f.'s [TA]．延髄性皮質核線維（大脳皮質の運動知覚中枢から延髄の中継核(舌下核，副核，薄束核，楔状束核など)に投射する神経線維．→corticonuclear f.'s)．＝fibrae corticonucleares bulbi [TA].

C f.'s C線維（直径 0.4―1.2 μm の無髄線維で，0.7―2.3 m/sec でインパルスを伝導する).

cerebellohypothalamic f.'s 小脳視床下部線維（小脳核から起こり上小脳脚を経て反対側の視床下部，特にその背側・外側・後部に投射する線維).

cerebelloolivary f.'s [TA]．オリーブ小脳路線維（小脳諸核から起こり上小脳脚を通った後，交叉して対側に移り中心被蓋路に合流して下降する．起始に対応して主・副オリーブ核に終わる．すなわち前部・後部の核からの線維は背側・内側の副オリーブ核に，内側核からは内側副オリーブ核に，外側核からは主オリーブ核に終わる)．＝fibrae cerebello-olivares [TA].

cerebellospinal f.'s 小脳脊髄（小脳の室頂核と介在する(主として後)小脳核から起こり，脊髄の対側を下降する線維束．→fastigiospinal f.'s).

cholinergic f.'s コリン〔作動，作用〕性線維（伝達物質アセチルコリンを媒介として，他の神経細胞，筋線維または腺細胞へインパルスを伝導する神経線維).

chromatic f. 染色糸．＝chromonema.

circular f.'s 輪状線維（毛様体筋の輪状線維)．＝fibrae circulares [TA]; Müller f.'s (1); Müller muscle (2); Rouget muscle.

circular f. group 輪状線維群（タイプⅠコラーゲンが集束した線維群で，歯肉上皮下の結合組織内に存在している．歯頸部を取り囲んでいるが，セメント質にも歯槽骨にも入り込んでいない．→gingival principal f. groups).

climbing f.'s 登上線維（小脳皮質中の神経線維で，Purkinje 細胞樹状突起の滑らかな小枝とシナプスを形成する).

collagen f., collagenous f. 膠原線維（直径が 1 μm に満たないものから約 12 μm までの種々の線維で，原線維からなる．通常は束をなすが，ある程度の分岐を示し，長さは様々である．生化学的に，コラーゲンや糖蛋白からなり，煮沸によりゼラチンを生じる．不規則な配列をする結合組織，腱，腱膜およびほとんどの靱帯を形成する線維で，軟骨基質や象牙質，セメント質，骨組織中にも大量に存在する)．＝white f. (2).

commissural f.'s 交連線維（正中線を交差して，神経系の左右の対応部位を互いに結合する神経線維).

cone f. 錐状体線維（網膜の錐状体細胞の一部．内錐状体線維(**inner cone f.**)は細長い軸索様の部分で細胞体から網膜外網状層にある小足までのびている．錐状体が特に著しく細長い中心窩(黄斑の一部)では，錐状体の下方が細長くのびて外錐状体線維(**outer cone f.**)を形成し，内節と細胞体とをつないでいる).

corticobulbar f.'s 皮質延髄線維（菱脳が神経支配している顔面，舌，顎の筋肉の核への運動および感覚皮質からの投射線維と，菱脳の中継核への線維の一部を記述するのに以前用いられた語．現在では bulbar corticonuclear f.'s (髄質へ)，pontine corticonuclear f.'s (橋へ)，mesencephalic corticonuclear f.'s (中脳へ)という語を用いる．個々の項参照).

corticomesencephalic f.'s [TA]．皮質中脳路線維（大脳皮質から起こり中脳の諸構造(被蓋，中脳蓋，黒質など)に終わる線維)．＝fibrae corticomesencephalicae [TA].

corticonuclear f.'s 皮質核線維（大脳や小脳の皮質から皮質下の神経細胞群に投射する線維をさす一般名称．例えば，皮質延髄性核線維，橋皮質核線維，皮質中脳核線維，Purkinje細胞の軸索が小脳核に投射する小脳皮質核線維など)．＝fibrae corticonucleares [TA].

corticopontine f.'s [TA]．皮質橋線維（皮質橋核路を結ぶ線維)．＝fibrae corticopontinae [TA].

corticoreticular f.'s [TA]．皮質網様体線維（中脳と菱脳の網状体に分布している大脳皮質より発する遠心性線維．→corticonuclear f.'s)．＝fibrae corticoreticulares [TA].

corticorubral f.'s [TA]．皮質赤核線維（大脳皮質，特に中心前回と運動前野から中脳の赤核に投射する線維)．＝fibrae corticorubrales [TA].

corticospinal f.'s 皮質脊髄線維．＝pyramidal f.'s.

corticothalamic f.'s 皮質視床線維（大脳皮質の至るところから出て視床に終わる線維の総称).

cuneocerebellar f.'s [TA]．＝cuneocerebellar *tract*.

cuneospinal f.'s [TA]．楔状束脊髄線維（延髄の楔状束核から起こり，同側の楔状束を下降して頸部および上胸部の脊髄後角に終わる線維)．＝fibrae cuneospinales [TA].

delta f.'s デルタ線維（8―30 m/秒の伝導速度である神経線維).

dentatorubral f.'s 室頂核脳幹線維（小脳の室頂核から反対側の脳幹へ投射する線維で，主に前庭神経核・網様体核と内側副オリーブ核に終わる)．＝fibrae dentatorubrales.

dentatothalamic f.'s 歯状核視床線維（小脳の歯状核から上小脳脚を経て反対側の視床に投射し，視床束に加わる線維).

dentinal f.'s, dental f.'s デンチン線維，ぞうげ線維，ぞうげ芽細胞突起（①歯髄細胞およびぞうげ芽細胞の突起で，歯質を通って，ぞうげエナメル接合部へと放射状にのびて，ぞうげ細管内に含まれている．＝odontoblastic processes; Tomes f.'s．②ぞうげ細管の間にある微細な膠原線維．カルシウム塩の浸潤したぞうげ質の基質とともにぞうげ質の実質をつくっている).

dentogingival f. group 歯頸歯肉線維群（タイプⅠコラーゲンが集束した線維束群で，歯肉上皮下の結合組織内に存在している．歯頸部のセメント質から走行し，遊離歯肉および付着歯肉内へ伸びている．→gingival principal f. groups).

dentoperiosteal f. group 歯骨膜線維群（タイプⅠコラーゲンが集束した線維群で，歯肉上皮下の結合組織内に存在している．歯頸部のセメント質から走行し，歯槽骨頂の上を通過し，歯槽の皮質骨の骨膜内に入り込んでいる．→gingival principal f. groups).

depressor f.'s 減圧〔神経〕線維（ある種の動脈壁にある圧受容性神経終末をもつ知覚神経線維で，動脈内圧力の上昇によって刺激されると脳幹に働き，血圧を低下させる).

dietary f. 食事性線維（人間の消化酵素で加水分解されない植物性多糖類やリグニン).

efferent f.'s 遠心性線維（末梢で効果器(筋と腺)に命令を伝える神経線維．特定の細胞群を刺激する神経線維で，1つの細胞群について用いられる).

elastic f.'s 弾性線維（直径 0.2― 2 μm の線維であるが，ある種の靱帯ではそれより太い．分岐，吻合して網目構造をつくり，融合して弾性板や有窓膜を形成する．この線維は，幅約 10 nmの細線維とエラスチンを含む無定形物質とからなる)．＝yellow f.'s.

enamel f.'s ＝*prismata* adamantina(⇒prisma).

endogenous f.'s 髄内原性線維，内線維．＝association f.'s.

exogenous f.'s 髄外原性線維，外線維（中枢神経系のある領域と他の領域とを相互に結合する神経線維．求心性および遠心性線維の結合の両方について適用される語).

external arcuate f.'s 外弓状線維（2種類ある. ⓘ［TA］. 後外弓状線維：副楔状束核または楔状束核外側部から小脳へと通っているもの. ⓘⓘ［TA］. 前外弓状線維：延髄基部の弓状核から出て延髄の外側表面に沿って走っているもの. 両者とも下小脳脚の索状体として小脳にはいる). ＝fibrae arcuatae externae.

fastigiobulbar f.'s 歯状核赤核線維（小脳の歯状核から上小脳脚を経て反対側の中脳の赤核に投射する線維).

fastigiospinal f.'s 室頂核脊髄線維（小脳の室頂核から出て下行し，反対側の脊髄の頸部，ときにはさらに下方の灰白質に終わる線維).

frontopontine f.'s 前頭葉橋線維（大脳半球前頭葉，特に中心前回，から起こり内包を下降して大脳脚となり，さらに下降して橋腹側の灰白質(橋核)に終わる線維. ⇀corticopontine *tract*). ＝fibrae frontopontinae［TA］.

gamma f.'s ガンマ線維（15—40 m/sec の伝導速度をもつ神経線維. →gamma *efferent*).

Gerdy f.'s (zher-dē′). ジェルディ線維. ＝superficial transverse metacarpal *ligament*.

gingival principal f. groups 歯肉主線維群（タイプⅠコラーゲンが集束した線維束群で，歯肉上皮下の結合組織内に存在し，それぞれ特徴的な走行を示す. 線維の走行に基づき，歯頸歯肉線維，歯骨膜線維，歯槽歯肉線維，輪状線維，歯間水平線維の名称がつけられている).

gracilespinal f.'s［TA］. 薄束脊髄線維（延髄の薄束核から起こり，同側の薄束を下降して下胸部および腰仙骨部の脊髄後角に終わる線維). ＝fibrae gracilispinales［TA］.

Gratiolet f.'s (grah-tē-ō-lā′). グラショレー線維. ＝optic *radiation*.

gray f.'s ＝unmyelinated f.'s.

hypothalamocerebellar f.'s 視床下部小脳線維（視床下部から出て小脳の皮質や核に終わる線維).

hypothalamospinal f.'s［TA］. 視床下部脊髄路線維（室傍核および視床下部の後部・外側部領域より起こり，同側脳幹の腹外側部を通り脊髄の側索にはいり中間外側核に終わる線維). ＝fibrae hypothalamospinales［TA］.

inhibitory f.'s 抑制〔性〕線維（シナプス結合をする神経細胞またはその中で線維が終わる効果器(平滑筋，心筋，腺)の活動性を抑制する神経線維).

intercolumnar f.'s〔浅鼡径輪の〕脚間線維. ＝intercrural f.'s of superficial ring.

intercrural f.'s of superficial ring［TA］. 浅鼡径輪の脚間線維（鼡径靱帯から起こり，浅鼡径輪の内側脚および外側脚と交差して水平に走る弓状線維). ＝fibrae intercrurales anuli inguinalis superficialis［TA］; intercolumnar fasciae; intercolumnar f.'s.

internal arcuate f.'s［TA］. 内弓状線維（薄束核と楔状束核から発し，弧を描いて延髄中線を越え，対側の内側毛帯を形成する線維. この語は延髄内を通る知覚性の交叉を示す弓状オリーブ小脳路のような線維を示すのにも用いる). ＝fibrae arcuatae internae［TA］.

intrafusal f.'s 錘内〔筋〕線維（筋紡錘内にある筋線維).

intrathalamic f.'s［TA］. 視床内線維（視床背側部のある核から別の核につながる線維). ＝fibrae intrathalamicae［TA］.

intrinsic f.'s ＝association f.'s.

James f.'s (jāmz). ジェームズ線維（P–R 間隔短縮症候群の基となると考えられている心房－His 束間に存在する線維. この線維は，議論されているが心房の結節間路とは区別されるべきものである). ＝James tracts.

kinetochore f.'s 動原体線維（細胞有糸分裂の際出現する紡錘糸のうち，動原体に付着していて極の方にのびているもの. *cf.* astral f.'s; polar f.'s).

Korff f.'s (kōrf). コルフ線維（外套(表)ぞうげ質に存在するタイプⅠコラーゲン線維で，扇状に配列している).

Kühne f. (kē′ne). キューネ線維（昆虫の腸管を変形菌類の増殖物で充満させた人工筋線維. 原形質の収縮性を示すのに用いる).

f.'s of lens 水晶体線維（眼の水晶体を形成する外胚葉由来の細長い細胞). ＝fiber cell; fibrae lentis.

long association f.'s［TA］. 長連合線維（大脳皮質同側の離れた部位を結ぶ神経線維. 脊髄同側の離れた部位を結ぶ神経線維. 離れた部位を結ぶ線維). ＝fibrae associationes longae［TA］.

longitudinal pontine f.'s［TA］. 橋縦束（⇀longitudinal pontine *fasciculi* (⇀fasciculus)). ＝fibrae pontis longitudinales［TA］.

Mahaim f.'s (mă-hām′). マヘーム(マハーム)線維（房室結節，His 束，または脚から出て心室筋に達する副伝導路を形成する線維. リエントリー性不整脈の興奮旋回路となりうる可能性をもっている). ＝nodoventricular f.'s.

medullated nerve f. ＝myelinated nerve f.

meridional f.'s of ciliary muscle［TA］.〔毛様体筋の〕経線状線維（毛様体筋の縦走線維). ＝fibrae meridionales muscularis ciliaris［TA］.

mesencephalic corticonuclear f.'s［TA］. 中脳性皮質核線維（前頭眼球領から中脳の運動核(動眼神経核，滑車神経核)に投射する神経線維. 投射された情報は隣接する核に中継される. ⇀corticonuclear f.'s). ＝fibrae corticonucleares mesencephali［TA］.

mossy f.'s 苔状線維（小脳皮質中でロゼット形成で終わるか，顆粒状細胞の樹状突起とシナプス結合し，高度に分岐する神経線維).

motor f.'s 運動〔神経〕線維（例えば，筋肉や腺組織内の効果器細胞を活性化させるインパルスを伝導する神経線維).

Müller f.'s (mul′ĕr). ミュラー線維（① ＝circular f.'s. ② 網膜の支持神経膠細胞で，内側限界膜から網膜深部を通って杆状体と錐状体の基底部へと走り，そこで接合部複合体の列を形成する. ＝Müller radial cells; sustentacular f.'s of retina).

myelinated nerve f. 有髄〔神経〕線維（乏突起膠細胞(脳と脊髄の場合)または Schwann 細胞(末梢神経の場合)によって形成された，ミエリン鞘で取り囲まれた軸索). ＝medullated nerve f.

Nélaton f.'s (nā-lah-tawn[h]′). ネラトン線維. ＝Nélaton *sphincter*.

nerve f. 神経線維（神経細胞の軸索. 脳および脊髄中では乏突起膠細胞，末梢神経では Schwann 細胞の鞘でおおわれている).

神経線維の分類

線維の直径	組織学	群名		伝導速度	機能
1—22 μm			α	80—120m/秒	運動刺激，筋腱紡錘器からの求心性刺激
			β	60m/秒	皮膚触覚刺激
3—20 μm	太い線維で比較的厚い髄	A	γ	40m/秒	筋紡錘内筋線維への遠心性刺激
			δ	20m/秒	機械的受容体の刺激. 皮膚の温度感覚・痛覚（速い）
1—3 μm	細い線維または薄い髄鞘	B		10m/秒	神経節前の不随意線維
1 μm	髄鞘をもたない線維	C		1m/秒	節後自律線維や内臓求心性線維，機械的受容体・寒暖受容体の刺激（遅い）

F

nodoventricular f.'s 房室結節心室間線維．＝Mahaim f.'s.

nonmedullated f.'s ＝unmyelinated f.'s.

nuclear bag f. 核嚢線維，核の袋線維（筋紡錘の錘内筋線維のうちの最大のもので，中央部に核が集塊(核嚢)をなしている）．

nuclear chain f. 核鎖線維（筋紡錘の錘内筋線維のうちの最も短くて数の多いもので，中央部に核が一列に並んでいる）．

nucleocortical f.'s 核皮質線維（脳の核から出てその上の皮質に終わる線維の総称．特に小脳核から小脳皮質に苔状線維として終わるものをさすのに用いられる）．

oblique f.'s of muscular layer of stomach [TA]．胃の斜線維（胃の最内筋層の平滑筋．胃の噴門端から発し，前壁および後壁表面に広がっている）．＝fibrae obliquae tunicae muscularis [TA].

occipitopontine f.'s [TA]．後頭葉橋線維（大脳半球後頭葉から起こり内包を下降して大脳脚の外側を経て橋底部の諸核に終わる神経線維.→corticopontine *tract*）．＝fibrae occipitopontinae [TA].

occipitotectal f.'s [TA]．後頭葉中脳蓋線維（後頭葉視覚領から起こり，内包のレンズ核後部を通り中脳蓋の上丘に終わる神経線維）．＝fibrae occipitotectales [TA].

olivocochlear f.'s →olivocochlear *tract*.

olivospinal f.'s オリーブ脊髄路線維（脊髄側索辺縁にある細い神経束．むしろ spinoolivary とするほうがよい）．＝fibrae olivospinales [TA]; Helweg bundle.

osteocollagenous f.'s 骨内膠原線維（骨組織基質の微細な膠原線維）．

osteogenetic f.'s 骨形成性線維（骨膜の骨形成層にある線維）．

parietopontine f.'s [TA]．頭頂葉橋線維（大脳半球頭頂葉から起こり，内包を下降して大脳脚の外側を経て橋腹側部の諸核に終わる神経線維.→corticopontine *tract*）．＝fibrae parietopontinae [TA].

pectinate f.'s ＝pectinate *muscles*.

perforating f.'s 貫通線維（骨の外環状層板，固有歯槽骨，および歯のセメント質の中を通るコラーゲン線維の束）．＝Sharpey f.'s.

periodontal f.* desmodentium の公式の別名．

periodontal ligament f.'s 歯根膜線維．＝desmodentium.

periventricular f.'s [TA]．室周線維（視床下部の室間灰白質の細い神経線維からなる不均一な系．背側縦束はこの系の尾方への続きである）．＝fibrae periventriculares [TA].

pilomotor f.'s 立毛運動線維，起毛運動線維（毛包の立毛筋を支配する神経線維で，立毛に関与する.→arrector *muscle* of hair）．

polar f.'s 極線維（細胞有糸分裂の際，両極から赤道板の方に向かって出る線維．*cf.* astral f.'s; kinetochore f.'s）．

pontine corticonuclear f.'s [TA]．橋皮質核線維（大脳皮質の運動知覚中枢から橋被蓋の中継核(顔面神経核，外転神経核，三叉神経核など)に直接または網様体核を経て投射する神経線維．前頭眼球領から外転神経核に投射するものも含まれる．→corticonuclear f.'s）．＝fibrae corticonucleares pontis [TA].

pontocerebellar f.'s [TA]．橋小脳路線維（橋底部の核から起こり，正中線を越えて中小脳脚を経て小脳にはいり，苔状線維となって小脳皮質に終わる）．＝fibrae pontocerebellares [TA].

postcommissural f.'s [TA]．交連後線維（脳弓柱の線維で，前交連の尾側を通って乳頭体核に入る．脳弓柱の大部分を占める）．＝fibrae postcommissurales [TA].

posterior external arcuate f.'s [TA]．→external arcuate f.'s.

postganglionic f.'s 節後線維（自律神経節に細胞体が位置し，ここから出る線維で，平滑筋・心筋・腺上皮などに分布する．交感性あるいは副交感性に関係する）．＝neurofibrae postganglionicae.

postganglionic nerve f. [TA]．→postganglionic.

precollagenous f.'s 膠原前線維（未熟な，好銀性線維）．

precommissural f.'s [TA]．交連前線維（脳弓柱の線維で，前交連の吻側を通って中隔核にはいる）．＝fibrae precommissurales [TA].

preganglionic f.'s 節前線維（脊髄や脳幹の自律神経核に位置する細胞体からの線維で，軸索突起は自律神経節に終わる．交感性あるいは副交感性の線維を含む）．＝neurofibrae preganglionicae.

preganglionic nerve f.'s 節前神経線維（→preganglionic）．

pressor f.'s 昇圧〔神経〕線維（刺激により血管収縮および血圧上昇を引き起こす感覚神経線維）．

pretectoolivary f.'s [TA]．オリーブ中脳蓋前核線維（中脳蓋前核から同側の内側副オリーブ核に投射する神経線維）．＝fibrae pretectoolivares [TA].

projection f.'s 投射線維（大脳皮質と，脳または脊髄の他の中枢とを結ぶ神経線維．中枢神経系の細胞から出て，遠隔部へ行く線維）．

Prussak f.'s (prū′sahk)．プルサク線維（鼓膜弛緩部の周囲にある弾性結合組織線維）．

Purkinje f.'s (pŭr-kin′jē)．プルキンエ線維．＝subendocardial *branches* of atrioventricular bundles.

pyramidal f.'s 錐体路線維（皮質脊髄路を構成する線維．→corticospinal *tract*.）．＝corticospinal f.'s [TA]; fibrae corticospinales [TA]; fibrae pyramidales.

raphespinal f.'s 縫線脊髄線維（大縫線核・淡蒼球・橋延髄の黒質から出た神経線維の束で脊髄灰白質に終わる．後角にあって侵害受容の下行性抑制に働く．セロトニンを含む）．

red f.'s 赤筋線維（哺乳類の赤い骨格筋線維で，筋形質，ミオグロビン，ミトコンドリアに富み，白筋線維より細くてゆっくり収縮する）．＝slow f.

Reissner f. (ris′nĕr)．ライスナー線維（交連下器官から尾側へ行く杆状の高屈折性線維で，脳幹および脊髄の中心管の全長を通る）．

Remak f.'s (rā′mahk)．レーマック(レマーク)線維．＝unmyelinated f.'s.

reticular f.'s 細網線維（III 型膠原線維で，胎児組織・間葉・脾赤色髄・リンパ節の皮質および髄質・骨髄の造血部位に明瞭に認められる疎性結合組織間質を形成する．また皮膚・肝臓・血管・滑膜・子宮・肉芽組織の膠原線維の大部分を占める．細い線維の網状構造，好銀性，PAS 陽性を特徴とする）．

Retzius f.'s (ret′zē-ŭs)．レッチウス線維（Deiters 細胞内の強固な線維）．

rod f. 杆状体線維（網膜杆状体細胞の一部で，細胞体から両側にのびている線維状の部分．内線維は外網状層にあるシナプス装置である小球に終わる）．

Rosenthal f. ローゼンタール線維（卵円形または細長い好酸性の塊で，神経膠星状細胞の変化した突起を意味すると信じられている．ある種のゆっくり増殖する神経膠星状細胞種および慢性反応性神経膠症で大量にみられる）．

rubroolivary f.'s [TA]．赤核オリーブ路線維（赤核の小細胞部から起こり，同側を中心被蓋路の一部となって下降し主オリーブ核に終わる神経線維）．＝fibrae rubroolivares [TA].

Sappey f.'s (sah-pā′)．サペー線維（眼球支帯にある平滑筋線維）．

Sharpey f.'s (shahr′pē)．シャーペー線維．＝perforating f.'s.

short association f.'s [TA]．短連合線維（大脳皮質同側の離れた部位を結ぶ神経線維．脊髄同側の離れた部位を結ぶ神経線維．離れた部位を結ぶ線維）．＝fibrae associationes breves [TA].

skeletal muscle f.'s 骨格筋線維（多核の収縮性細胞．直径は 10 μm に満たないものから 100 μm まで，長さは 1 mm に満たないものから数 cm まで様々である．筋形質と横紋のある筋原線維(筋フィラメント)からなる．ヒトの骨格筋は赤色，白色，およびその中間色の線維からできている）．＝skeletal muscle cells.

slow f. (slō fī′bĕr)．緩徐線維．＝red f.'s.

somatic nerve f.'s [TA]．体性神経線維（体腔外すなわち体壁に分布する求心性遠心性神経の総称．求心性線維の大部分は感覚を中枢に送ってよこし遠心性線維は体性筋(随意筋，横紋筋，骨格筋)を刺激する）．＝neurofibrae somaticae [TA].

spindle f. 紡錘糸（→mitotic *spindle*）．

spinocuneate f.'s 楔状束脊髄線維（頸部・上胸部脊髄の後角細胞から起こり，同側の楔状束を上行して楔状束核に終わる神経線維．シナプス後後柱システムの一部をなす）．＝fibrae spinocuneatae [TA].

spinogracile f.'s [TA]．薄束脊髄線維（下胸部・腰仙骨部脊髄の後角細胞から起こり，同側の薄束を上行して薄束核に終わる神経線維．シナプス後後柱システムの一部をなす）．＝fibrae spinogracilеs [TA].

spinohypothalamic f.'s [TA]．視床下部脊髄路線維（脊髄灰白質から起こり，前外側索の一部として上行し視床下部に終わる神経線維）．＝fibrae spinohypothalamicae [TA].

spinomesencephalic f.'s [TA]．中脳脊髄線維（脊髄毛帯に含まれて中脳に終わる神経線維の総称．中脳蓋脊髄線維から上丘線維・水道周囲脊髄線維の深層に続き水道周囲灰白質に終わる）．＝fibrae spinomesencephalicae [TA].

spinoolivary f.'s [TA]．オリーブ核脊髄線維（脊髄から起こり，同側を上行して下オリーブ核の副核に終わる神経線維）．＝fibrae spinoolivares [TA].

spinoperiaqueductal f.'s [TA]．水道周囲脊髄線維（脊髄後角の神経細胞から起こり，対側の前外側索を上行して中脳の水道周囲灰白質に終わる神経線維．下降性痛覚抑制路を含む．→spinomesencephalic f.'s）．＝fibrae spinoperiaqueductales [TA].

spinoreticular f.'s [TA]．脊髄網様体線維（脊髄から出て脳幹の網様体に終わる線維で，一部は前外側に加わって上行する）．＝fibrae spinoreticulares [TA]; spinoreticular tract [TA].

spinotectal f.'s [TA]．中脳蓋脊髄線維（脊髄後角の神経細胞から起こり，前白交連で対側に移り前外側索を上行して上丘深層に終わる神経線維．→spinomesencephalic f.'s）．＝fibrae spinotectales [TA].

spinothalamic f.'s 脊髄視床線維（脊髄から始まり脊髄前部で反対側へ交叉し，視床核に終わる神経線維で，前側索の一部として上行する．→spinothalamic *tract*）.

stress f.'s 張線維（アクチンでできた細線維の長い束．培養細胞の基質への接着や線維芽細胞での細胞の形の決定に関係していると思われる）.

striatonigral f.'s ＝strionigral f.'s.

strionigral f.'s 線状体黒質線維（尾形核や被殻から出て主に中脳黒質の網様体に終わる線維．γ-アミノ酪酸(GABA)とサブスタンスPが使われる）．＝striatonigral f.'s.

sudomotor f.'s 汗腺運動線維（汗腺を支配する節後コリン作用性交感神経線維）.

sustentacular f.'s of retina 網膜の支持線維．＝Müller f.'s (2).

T f. 直角に左右に枝の出ている線維，特に小脳顆粒層細胞の軸索突起の分枝についていう.

tautomeric f.'s 分節線維（脊髄内の神経線維で，それが発出した分節の範囲を超えることのないもの）.

tectoolivary f.'s [TA]．中脳蓋オリーブ核線維（中脳上丘深層から起こり，対側の副オリーブ核内側に終わる神経線維）．＝fibrae tectoolivares [TA].

tectopontine f.'s [TA]．中脳蓋橋線維（中脳蓋から起こり，同側の橋底核と網様体被蓋核に終わる神経線維）．＝fibrae tectopontinae [TA].

tectoreticular f.'s [TA]．中脳蓋網様体線維（中脳上丘から起こり，網様体の両側を下降し中脳に終わる神経線維）．＝fibrae tectoreticulares [TA].

temporopontine f.'s [TA]．側頭葉橋線維（側頭葉の上・中側頭回から起こり，内包のレンズ下脚に伴って大脳脚の外側を下降し橋底の諸核に終わる神経線維．→corticospinal *tract*）．＝fibrae temporopontinae [TA].

thalamocortical f.'s 視床皮質線維（視床から出て大脳皮質に終わる線維の総称）.

Tomes f.'s トームズ線維（[誤った形 Tome および Tome's を避けること]）．＝dentinal f.'s (1).

transseptal f.'s 歯間水平線維（歯槽頂の上を歯から歯へ走るタイプII コラーゲン線維．歯間乳頭の大半を構成する）.

transseptal f. group 歯間水平線維（タイプI コラーゲンが集束した線維束群で，歯肉上皮下の結合組織内に存在している．歯頸部セメント質から走行し，隣在歯の歯頸部セメント質まで伸び，歯間乳頭の本体を形成する．→gingival principal f. groups）.

transverse pontine f.'s [TA]．横橋線維（橋核から発した線維で，交差し，中小脳脚として小脳にはいっている）．＝fibrae pontis transversae [TA].

unmyelinated f.'s 無髄〔神経〕線維（ミエリン鞘のない線維で軸索が裸になっている．中枢神経系では乏突起膠細胞のくぼみに軸索が存在し，末梢神経系では１つのSchwann細胞のくぼみに軸索が存在する線維が代表的である．伝導速度が遅い線維）．＝gray f.'s; nonmedullated f.'s; Remak f.'s.

vasomotor f.'s 血管運動〔神経〕線維（血管壁の平滑筋に分布する内臓遠心性節後神経線維）.

visceral motor f.'s 内臓運動性神経線維．＝autonomic nerve f.'s.

Weitbrecht f.'s ヴァイトブレヒト線維．＝*retinaculum* of articular capsule of hip.

white f. 白筋線維（①哺乳類の白筋の筋線維で，赤筋線維よりも直径が太く，ミオグロビン，筋形質，ミトコンドリアが少なく，より迅速に収縮する．②＝collagen f.）.

yellow f.'s ＝elastic f.'s.

zonular f.'s [TA]．小帯線維（水晶体赤道部分から毛様体へと通っている微細な線維．集合的に毛様体小帯として知られる）．＝fibrae zonulares [TA].

---

fi·ber·op·tic (fī′bĕr-op′tik). 光ファイバーの.

fi·ber·op·tics (fī′bĕr-op′tiks). 光ファイバー（細く曲がりやすい透光性の線維をしっかり束ね，像を通すようにした光学系）.

fi·ber·scope (fī′bĕr-skōp). ファイバースコープ，内視鏡．＝flexible *endoscope*.

fibr- →fibro-.

fi·bra, pl. fi·brae (fī′bră, fībrē) [L.][TA]．線維．＝fiber.

fibrae arcuatae cerebri [TA]．〔大脳〕弓状線維．＝arcuate *fibers* of cerebrum.

fibrae arcuatae externae 外弓状線維．＝external arcuate *fibers*.

fibrae arcuatae externae anteriores [TA]．→external arcuate *fibers*.

fibrae arcuatae externae posteriores [TA]．→external arcuate *fibers*.

fibrae arcuatae internae [TA]．内弓状線維．＝internal arcuate *fibers*.

fibrae associationes breves [TA]．＝short association *fibers*.

fibrae associationes longae [TA]．＝long association *fibers*.

fibrae cerebelloolivares [TA]．＝cerebelloolivary *fibers*.

fibrae circulares [TA]．輪状線維．＝circular *fibers*.

fibrae corticomesencephalicae [TA]．＝corticomesencephalic *fibers*.

fibrae corticonucleares [TA]．皮質核線維．＝corticonuclear *fibers*.

fibrae corticonucleares bulbi [TA]．＝bulbar corticonuclear *fibers*.

fibrae corticonucleares mesencephali [TA]．＝mesencephalic corticonuclear *fibers*.

fibrae corticonucleares pontis [TA]．＝pontine corticonuclear *fibers*.

fibrae corticopontinae [TA]．皮質橋線維．＝corticopontine *fibers*.

fibrae corticoreticulares [TA]．皮質網様体線維．＝corticoreticular *fibers*.

fibrae corticorubrales [TA]．＝corticorubral *fibers*.

fibrae corticospinales [TA]．皮質脊髄線維．＝pyramidal *fibers*.

fibrae cuneocerebellares [TA]．＝cuneocerebellar *tract*.

fibrae cuneospinales [TA]．＝cuneospinal *fibers*.

fibrae dentatorubrales ＝dentatorubral *fibers*.

fibrae frontopontinae ＝frontopontine *fibers*.

fibrae gracilispinales [TA]．＝gracilespinal *fibers*.

fibrae hypothalamospinales [TA]. = hypothalamospinal *fibers.*

fibrae intercrurales anuli inguinalis superficialis [TA]. 浅鼡径輪の脚間線維. = intercrural *fibers* of superficial ring.

fibrae intrathalamicae [TA]. = intrathalamic *fibers.*

fibrae lentis 水晶体線維. = *fibers* of lens.

fibrae meridionales muscularis ciliaris [TA]. 〔毛様体筋の〕経線状線維. = meridional *fibers* of ciliary muscle.

fibrae obliquae tunicae muscularis [TA]. = oblique *fibers* of muscular layer of stomach.

fibrae occipitopontinae [TA]. = occipitopontine *fibers.*

fibrae occipitotectales [TA]. = occipitotectal *fibers.*

fibrae olivospinales [TA]. = olivospinal *fibers.*

fibrae parietopontinae [TA]. = parietopontine *fibers.*

fibrae periventriculares [TA]. 室周線維. = periventricular *fibers.*

fibrae pontis longitudinales [TA]. 橋縦束 (→longitudinal pontine *fasciculi* (⇒fasciculus)). = longitudinal pontine *fibers.*

fibrae pontis transversae [TA]. 横橋線維. = transverse pontine *fibers.*

fibrae pontocerebellares [TA]. = pontocerebellar *fibers.*

fibrae postcommissurales [TA]. = postcommissural *fibers.*

fibrae precommissurales [TA]. = precommissural *fibers.*

fibrae pretectoolivares [TA]. = pretectoolivary *fibers.*

fibrae pyramidales 錐体路線維. = pyramidal *fibers.*

fibrae rubroolivares [TA]. = rubroolivary *fibers.*

fibrae spinocuneatae [TA]. = spinocuneate *fibers.*

fibrae spinograciles [TA]. = spinogracile *fibers.*

fibrae spinohypothalamicae [TA]. = spinohypothalamic *fibers.*

fibrae spinomesencephalicae [TA]. = spinomesencephalic *fibers.*

fibrae spinoolivares [TA]. = spinoolivary *fibers.*

fibrae spinoperiaqueductales [TA]. = spinoperiaqueductal *fibers.*

fibrae spinoreticulares [TA]. = spinoreticular *fibers.*

fibrae spinotectales [TA]. = spinotectal *fibers.*

fibrae tectoolivares [TA]. = tectoolivary *fibers.*

fibrae tectopontinae [TA]. = tectopontine *fibers.*

fibrae tectoreticulares [TA]. = tectoreticular *fibers.*

fibrae temporopontinae [TA]. = temporopontine *fibers.*

fibrae zonulares [TA]. 小帯線維. = zonular *fibers.*

fibrate (fī-brāt). フィブラート (高脂血症治療に用いられるフィブリン酸誘導体の代替語の1つ).

fi·brates (fī′brāts). = fibric acids.

fi·bre (fī′bĕr). 線維. = fiber.

fi·bre·mi·a (fī-brē′mē-ă) [fibrin + G. *haima*, blood]. 線維素血〔症〕, フィブリン血症 (現在では用いられない語. 血中に線維素が析出して存在する症状を表す. 血栓症または塞栓症を起こす). = inosemia (2).

fi·bric ac·ids (fī′brik as′idz). フィブリン酸 (クロフィブラートと構造の類似した薬物. 高コレステロール血症および高トリグリセリド血症の治療に用いられる). = fibrates.

fi·bril (fī′bril) [Mod. L. *fibrilla*]. 原線維, 筋原線維 (微細な線維あるいは線維の成分). = fibrilla.

anchoring f.'s 係留線維 (表皮基底板にはめ込み, 下方の真皮と基底板を結ぶVII 型膠原線維).

collagen f.'s = unit f.'s.

muscular f. 筋原線維. = myofibril.

subpellicular f. 薄皮下原線維. = subpellicular *microtubule.*

unit f.'s 膠原原線維 (膠原線維を形成する原線維. 直径は20—200 nm で, 平均は約 100 nm だが, 腱ではもっと太く, 平均 64nmの横縞がみられる). = collagen f.'s.

fi·bril·la, pl. **fi·bril·lae** (fī-bril′ă, -ē) [Mod.L.: L. *fibra* (a fiber)の指小辞]. = fibril.

fi·bril·lar, fi·bril·lary (fī′bri-lăr, -lar-ē). = filar (1). ***1*** 原線維の, 筋原線維の. ***2*** 筋原線維攣縮の (骨格筋や心筋の筋原線維またはその小群の細かな急速な収縮または単収縮についていう).

fi·bril·late (fī′bri-lāt). ***1*** 〘v.〙 原線維になる, 原線維をつくる. ***2*** 〘adj.〙 = fibrillated. ***3*** 〘v.〙 線維攣縮の状態にある.

fi·bril·lat·ed (fī′bri-lā-tĕd). 原線維からなる. = fibrillate (2).

fi·bril·la·tion (fī′bri-lā′shŭn, fib-rĭ-). ***1*** 原線維性 (原線維からなる状態). ***2*** 原線維形式. ***3*** 線維攣縮 (筋全体ではなく, 筋原線維だけのきわめて急速な収縮または単収縮). ***4*** 細動 (個々の筋線維の, 通常, 緩徐なぜん動様単収縮. 一般に, 心房, 心室, 新たに除神経された骨格筋線維にみられる).

atrial f., auricular f. 心房〔性〕細動 (心房の正常な律動性収縮が, 筋壁の急速で不規則な攣縮に変わる状態. 心室は, 心房からの非律動性の刺激に対して不規則に反応する). = ataxia cordis.

ventricular f. 心室〔性〕細動 (正常な収縮に代わって現れる, 心室筋の粗い, または細かく速い細動性運動).

fi·bril·lin (fī′bril-in) [Mod.L. *fibrilla*, fibril + -in][MIM *134797]. フィブリリン (生体に広く分布する結合組織中のミクロフィブリル蛋白. 分子量約 350,000. Marfan 症候群はフィブリリンの変異によるという確かな知見がある).

fi·bril·lo·flut·ter (fib′ril-ō-flut′ĕr). 細粗動. = impure *flutter.*

fi·bril·lo·gen·e·sis (fī′bril-ō-jen′ĕ-sis). 原線維発生 (結合組織の膠原線維に正常構成物質として存在する微細な原線維の生成(原線維は電子顕微鏡で観察できる)).

fi·brin (fī′brin) [L. *fibra*, fiber]. フィブリン, 線維素 (トロンビンの作用によりフィブリノーゲンから生成される弾性糸状蛋白. 血液凝固の際に, フィブリノーゲンから線維素ペプチドAおよびBが遊離される. 血栓, 肉芽, ジフテリアや大葉性肺炎のような急性炎症性滲出物の構成要素).

fi·brin·ase (fī′brin-ās). フィブリナーゼ (①*factor* XIII の古語. ②= plasmin).

fibrin glue (fī′brin glū). フィブリン糊. = fibrin *sealant.*

fibrino- (fī-brin′ō) [L. *fibra*, fiber]. 線維素を表す連結形.

fi·bri·no·cel·lu·lar (fī′bri-nō-sel′yū-lăr). 線維素細胞性の, フィブリン細胞性の (線維素および細胞からなる. 例えば, 急性炎症の結果ある種の滲出液にみられる).

fi·brin·o·gen (fī-brin′ō-jen). 線維素原, フィブリノ〔ー〕ゲン (血漿のグロブリン. カルシウムイオンの存在下で, トロンビンの作用によりフィブリンに変換される. この変化によって血液凝固が起こる. 脊椎動物の血漿中の唯一の凝固性の蛋白である. フィブリノーゲンは無フィブリノーゲン血症で

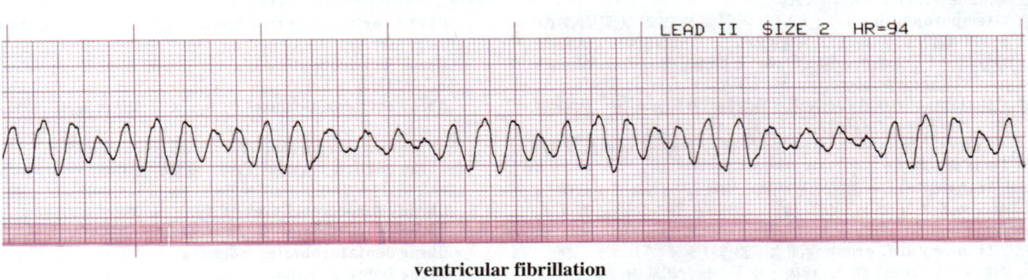

ventricular fibrillation

細長い紙に記録した心電図リズムの像.

欠如し，異常フィブリノーゲン血症で欠損する）．

human f. ヒト線維素原（正常なヒト血漿から調製され，急性，先天性，または後天性慢性の線維素原減少症の治療に補助薬として用いる）．

fi·brin·og·e·nase (fī′brin-ōj-ĕ-nās). 線維素原分解酵素，フィブリノ〔ー〕ゲン分解酵素．=thrombin.

fi·brin·o·ge·ne·mia (fī-brin′ō-jĕ-nē′mē-ă). =hyperfibrinogenemia.

fi·bri·no·gen·e·sis (fī′bri-nō-jen′ĕ-sis). 線維素(フィブリン)形成，線維素(フィブリン)生成．

fi·bri·no·gen·ic, fi·bri·nog·e·nous (fī′brin-ō-jen′ik, fī′bri-noj′ĕ-nŭs). *1* 線維素原の，フィブリノ〔ー〕ゲンの．*2* 線維素生成の，フィブリン生成の．

fi·brin·o·gen·ol·y·sis (fī-brin′ō-jen-ol′i-sis) [fibrinogen + G. *lysis*, dissolution]. フィブリノ〔ー〕ゲン溶解〔現象〕，線維素原溶解〔現象〕，線溶〔現象〕（血液中のフィブリノーゲンの不活性化あるいは分解）．

fi·brin·o·gen·o·pe·ni·a (fī-brin′ō-jen′ō-pē′nē-ă) [fibrinogen + G. *penia*, poverty]. 線維素原減少〔症〕，フィブリノ〔ー〕ゲン減少〔症〕（血液中のフィブリノーゲン濃度の減少）．

fi·brin·oid (fī′bri-noyd) [fibrin + G. *eidos*, resemblance]. *1* 〖adj.〗 フィブリン様の，線維素様の．*2* 〖n.〗 フィブリノイド，類線維素（強好酸性・均質蛋白性物質で，ⓘ播種性紅斑性狼瘡，結節性多発動脈炎，強皮症，皮膚筋炎，およびリウマチ熱などの患者の血管壁や結合組織中にしばしば形成されるもの，ⓘⓘ回復期創傷，慢性消化性潰瘍，胎盤，悪性高血圧の壊死性細動脈，および他の膠原病と関係のない状態でときとしてみられるもの，の2種がある）．

fi·bri·no·ki·nase (fī′brin-ō-kī′nās). フィブリノキナーゼ（以前プラスミノゲンをプラスミンに変換する酵素をさして用いた語．その後ウロキナーゼとよばれたが，現在ではプラスミノゲンアクチベータ plasminogen *activator* といわれている）．=fibrinolysokinase.

fi·bri·nol·y·sin (fī′bri-nōl′i′sin). フィブリノリジン，線維素溶解酵素，フィブリン溶解酵素．=plasmin.

streptococcal f. 連鎖球菌性フィブリノリジン．=streptokinase.

fi·bri·nol·y·sis (fī-bri-nol′i-sis) [fibrino- + G. *lysis*, dissolution]. フィブリン溶解〔現象〕，線維素溶解〔現象〕（[誤った発音 fibronoly′sis を避けること]．①フィブリンの加水分解．②血栓においてのフィブリンの分解過程）．

fi·bri·no·ly·so·ki·nase (fī′brin-ō-lī′sō-kī′nās). =fibrinokinase.

fi·bri·no·lyt·ic (fī′brin-ō-lit′ik). フィブリン溶解性の（フィブリン溶解によって特徴付けられる，フィブリン溶解を起こす）．

fi·brin·o·pep·tide (fī′brin-ō-pep′tīd). フィブリノペプチド，線維素ペプチド（トロンビンの作用でフィブリノーゲンからフィブリンを生成するが，その際フィブリノーゲンの 2α(または $A\alpha$)および 2β(または $B\beta$)鎖のアミノ末端から遊離する2種のペプチド(AおよびB)のうちの1つ）．

fi·bri·no·pu·ru·lent (fī′bri-nō-pyū′rū-lent). フィブリン膿性，線維素膿性（比較的大量の線維素を含む膿または化膿性滲出物についていう）．

fi·bri·nos·co·py (fī′bri-nos′kŏ-pē) [fibrino- + G. *skopeō*, to view]. フィブリン診断法，線維素診断法（滲出物，凝固血液などにある線維素の化学的および物理的検査）．

fi·brin·ous (fī′brin-ŭs). フィブリンの，線維素〔性〕の．

fi·bri·nu·ri·a (fī′bri-nyū′rē-ă) [fibrin + G. *ouron*, urine]. 線維素尿〔症〕，フィブリン尿〔症〕（線維素を含んだ尿の排出）．

fibro-, fibr- (fī′brō) [L. *fibra*]. 線維を表す連結形．

fi·bro·ad·e·no·ma (fī′brō-ad′ĕ-nō′mă). 線維腺腫（腺上皮由来の良性新生物．増殖している線維芽細胞と結合組織の要素とからなる基質が明らかに認められる．通常，乳腺組織に生じる）．

giant f. 巨〔大〕線維腺腫（思春期女性にみられる良性の巨大線維腺腫）．

intracanalicular f. 管内〔性〕線維腺腫（腺管を侵し，圧迫する線維組織の小結節からなる乳腺の線維腺腫）．

pericanalicular f. 管周囲〔性〕線維腺腫（同心円状の線維組織で囲まれた細管の数が増加した乳腺の線維腺腫）．

fi·bro·ad·i·pose (fī′brō-ad′i-pōs). 線維脂肪の（線維性と脂肪性の両方の構造をもつ）．=fibrofatty.

fi·bro·a·re·o·lar (fī′brō-ă-rē′ō-lăr). 線維疎性の（線維性と疎性の両方の性質をもつ結合組織についていう）．

fi·bro·blast (fī′brō-blast). 線維芽細胞（細胞形質をもつ星状の，または紡錘形の細胞で結合組織中にあり，膠原線維を形成する）．

fi·bro·blas·tic (fī′brō-blas′tik). 線維芽細胞の．

fibrocalcific (fī′brō-kal-sif′ik). 線維石灰性の，線維石灰化の（胸部X線写真でみられる，通例，先行する肉芽腫性疾患の残存する副次的な変化である石灰化を含む線状および結節状の境界明瞭な陰影に関していう）．

fi·bro·car·ti·lage (fī′brō-kar′ti-lăj). 線維軟骨（細胞間質にI型コラーゲン線維が多量にみられる軟骨の一種．腱，靱帯，骨の移行部にみられる）．=fibrocartilago.

basilar f. =basilar *cartilage*.

circumferential f. 関節周縁線維軟骨（関節腔周縁の環状の線維軟骨で，関節腔を深くする働きがある．→acetabular *labrum*; glenoid *labrum* of scapula）．

external semilunar f. =lateral *meniscus*.

interarticular f. =articular *disc*.

internal semilunar f. of knee joint =medial *meniscus*.

interpubic f.* interpubic *disc* の公式の別名．

semilunar f. ⇀lateral *meniscus*; medial *meniscus*.

stratiform f. 層状性線維軟骨（腱が通る骨の溝の底部にある線維軟骨層）．

fi·bro·car·ti·lag·i·nous (fī′brō-kar′ti-laj′i-nŭs). 線維軟骨〔性〕の．

fi·bro·car·ti·la·go (fī′brō-kar′ti-lā′gō). 線維軟骨．=fibrocartilage.

f. basalis 頭蓋底線維軟骨．=basilar *cartilage*.

f. interarticularis =articular *disc*.

f. interpubica* interpubic *disc* の公式の別名．

f. intervertebralis =intervertebral *disc*.

fi·bro·cel·lu·lar (fī′brō-sel′yū-lăr). 線維細胞性（線維および細胞についていう）．

fi·bro·chon·dri·tis (fī′brō-kon-drī′tis). 線維軟骨炎．

fi·bro·chon·dro·ma (fī′brō-kon-drō′mă). 線維軟骨腫（軟骨組織の良性新生物で，線維基質が量的にみて比較的異常なほど含まれている）．

fi·bro·con·ges·tive (fī′brō-kon-jes′tiv). 線維〔性〕うっ血性（器官または組織の一般状態を表すのにときに用いる語．慢性うっ血性巨脾症のように，急性または慢性の頑固なうっ血の結果，細胞の変性や壊死が起こり，代わりに結合組織ができるような状態をいう）．

fi·bro·cys·tic (fī′brō-sis′tik). 線維〔性〕嚢胞の．

fi·bro·cyte (fī′brō-sīt) [fibro- + G. *kytos*, cell]. 線維細胞（不活性な線維芽細胞に対して用いる古語）．

fi·bro·dys·pla·si·a (fī′brō-dis-plā′zē-ă). 線維形成異常〔症〕（線維性結合組織の形成異常）．

f. ossificans progressiva [MIM*135100]. 進行性骨化性線維形成異常〔症〕（異所性骨化により，腱，筋膜，靱帯が骨に置き換わる結合組織の全身性障害．致死性遺伝性疾患で常染色体優性遺伝と考えられている．→fibrous *dysplasia* of bone）．

fi·bro·e·las·tic (fī′brō-ē-las′tik). 線維弾性の（膠原と弾性線維からなる）．

fi·bro·e·las·to·sis (fī′brō-ē′las-tō′sis). 線維弾性症（膠原および弾性線維組織の過剰増殖）．

endocardial f., endomyocardial f. [MIM*305300, MIM*226000]. 心内膜線維弾性症（①先天性疾患で，左心室壁内膜の肥厚(主として線維性組織と弾性組織による)，心臓弁膜の肥厚と奇形，心筋層の心内膜下の変化，心臓肥大などを特徴とする．主な症候は，チアノーゼ，呼吸困難，食欲不振，および過敏性である．②=endomyocardial *fibrosis*）．

fi·bro·ep·i·the·li·o·ma (fī′brō-ep′i-thē-lē-ō′mă). 線維上皮腫（皮膚腫瘍の1つで，表皮基底細胞がつくる細い帯状物が吻合し交錯する線維組織からなる．角質嚢腫を内包する．結節型基底細胞癌の方向に進むこともある）．=Pinkus tumor.

fi·bro·fat·ty (fī′brō-fat′ē). =fibroadipose.

fi·bro·fol·lic·u·lo·ma (fī′brō-fŏ-lik′yū-lō′mă). 線維毛包

腫（毛包線維鞘の小さな丘疹状の過誤腫．毛漏斗上皮の連続性伸展がいくつもみられる．多発性のものは家族性のことがある）．

fi·bro·gen·e·sis (fī′brō-jen′ĕ-sis). 線維発生，線維形成（線維の発生および発達）．

fi·bro·gli·o·sis (fī′brō-glī-ō′sis) ［fibro- + G. *glia*, glue + *-osis*, condition］. 線維神経膠症（脳内の細胞の反応で，通常，貫通性外傷に伴って起こる．星状細胞および線維芽細胞の両者が関係し，線維性の神経膠の瘢痕となる）．

fi·broid (fī′broyd) ［fibro- + G. *eidos*, resemblance］. ***1***〘adj.〙類線維の，線維〔性〕の．***2***〘n.〙フィブロイド，類線維〔腫〕（特に子宮に発生する平滑筋腫のある種の型についての古語）．***3***〘n.〙＝fibroleiomyoma.

fi·broid·ec·to·my (fī′broyd-ek′tŏ-mē) ［fibroid + G. *ektomē*, excision］. 類線維腫切除〔術〕．＝myomectomy.

fi·bro·in (fī′brō-in). フィブロイン（白色の不溶性(27.6kDa)蛋白で，クモの糸や絹糸の主成分(70%)）．

fi·bro·lei·o·my·o·ma (fī′brō-lī′ō-mī-ō′mă). 線維平滑筋腫（平滑筋腫で，腫瘍を硬化する非腫瘍性膠原線維組織を含む．通常，子宮筋層に生じ，加齢とともに線維組織が増大する）．＝fibroid (3); leiomyofibroma.

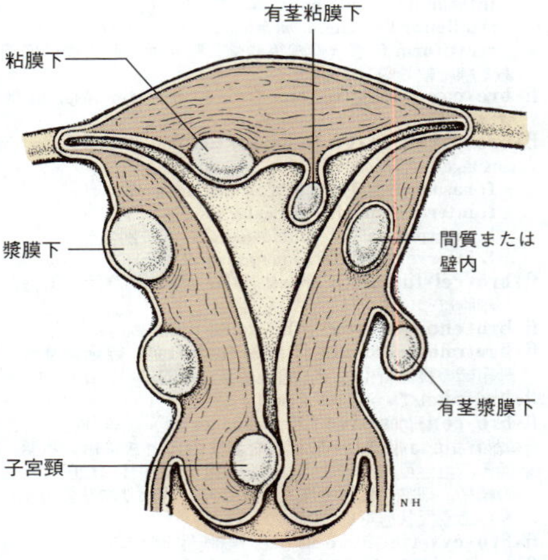

uterine fibroleiomyomata

fi·bro·li·po·ma (fī′brō-li-pō′mă). 線維脂肪腫（線維性組織基質に富む脂肪腫）．＝lipoma fibrosum.

fi·bro·ma (fī-brō′mă) ［fibro- + G. *-oma*, tumor］. 線維腫（線維性結合組織に由来する良性新生物）．

ameloblastic f. エナメル上皮線維腫（良性の歯原性混合性腫瘍で，硬組織の沈着を伴わない．歯胚の上皮性および間葉性成分の新生増殖が特徴である．臨床的には，経過の長い無痛性の発育を示し，X線透過性である．一般的に青少年の下顎に好発する）．

aponeurotic f. 腱膜性線維腫（石灰化性再発性非転移性で非浸潤状の線維腫症．皮膚とは癒着のない小さな硬い結節で，若年者の手掌に最もよくみられる）．

cementoossifying f. セメント骨化性線維腫（細胞成分のやや多い基質内にセメント質粒と骨芽細胞で縁どられた骨がみられる線維腫の一型）．

central ossifying f.〔顎骨〕中心性骨形成性線維腫（顎に生じる良性の骨形成性の線維性腫瘍で，緩慢な無痛性の発育を示し，顎骨の膨隆を認める．境界は明瞭で，歯根膜細胞に由来する．初期においてはX線透過性でX線写真上に存在するが，成熟するに従って不透過性が増す）．

chondromyxoid f. 軟骨粘液線維腫（まれな良性腫瘍で，青年および若年成人の脛骨に最も多く生じる．わずかな軟骨様組織巣を伴う分葉状・粘液様組織で構成される）．＝chondrofibroma; chondromyxoma.

concentric f. 同心性線維腫，共心性線維腫（子宮壁の全周を占める良性新生物で，実際は平滑筋腫）．

desmoplastic f. 類腱線維腫（小児や20代の成人にみられる良性の骨の線維性腫瘍で，骨皮質の破壊を生じることがある）．

giant cell f. 巨細胞性線維腫（多核で星芒状の大きな核を有する線維芽細胞よりなる口腔粘膜の腫瘍．犬歯後部乳頭，鼻の線維性丘疹，陰茎の真珠様丘疹，爪の線維腫と組織学的に類似している）．

irritation f. 刺激性線維腫（口腔粘膜に認められる小結節で，上皮におおわれた線維性結合組織よりなる．緩慢な成長を示し，義歯，充塡物，咬頰癖などの機械的刺激に起因する）．

f. molle 軟性線維腫．＝skin *tag*.

f. molle gravidarum 妊娠性軟ゆう状線維腫（妊娠中の女性に発症し，しばしば後に消滅する懸垂線維腫またはポリープ）．

f. myxomatodes 粘液腫性線維腫．＝myxofibroma.

nonossifying f. 非骨化性線維腫（細胞性線維組織の小房性骨溶解性病巣で，わずかに骨を拡張させる．通常，年長児の長骨端近くにみられる．線維性皮膚欠損 fibrous cortical *defect* に類似しているが，やや大きい）．

nonosteogenic f. 非骨形成性線維腫．＝fibrous cortical *defect*.

odontogenic f. 歯原性線維腫（軟部組織中または顎骨中心性病変としてみられる歯原性上皮に由来するまれな腫瘍．線維性結合織，歯原性上皮からなり，ときに石灰化を伴う）．

peripheral ossifying f. 周辺性化骨性線維腫（局所反応性の歯肉の増生で，組織発生的には歯根膜に由来する．通常，歯苔や歯石が局所の歯を刺激し，その反応として生じる．顕微鏡的には細胞成分に富んだ線維性の基質で，そこに骨，セメント質，未熟石灰質が沈着しやすい）．

periungual f. 爪周囲線維腫（多発性の硬い小結節で，爪ひだに発生する．長径はしばしば10 mmを超える．結節性硬化症の何人かの患者において思春期あるいは思春期以降にみられる）．

rabbit f. ＝Shope f.

recurring digital f. of childhood〔小児期の〕再発性指線維腫（乳児と年少小児の相隣る指の末梢指節骨の伸展側に多数の線維性の新鮮な色をした結節であり，摘出してもしばしば再発するが，転移することはなく，2－3年の間に自然に消退することがある．この腫瘤は筋原線維に由来すると思われている細胞質封入体を含む紡錘細胞からなっている）．＝infantile digital fibromatosis.

Shope f. (shōp). ショープ線維腫（*Leporipoxvirus*属のポックスウイルスによって起こるシロオウサギの結合組織腫．細胞懸濁液またはBerkefeld 沪過液で伝染可能で，Shopeによって発見された．粘液腫症と関係があり，ヨーロッパでは粘液腫ウイルスに対するワクチン材料として用いられる）．＝rabbit f.

telangiectatic f. 末梢血管拡張性線維腫，毛細血管拡張性線維腫（線維組織の良性新生物で，しばしば拡張した大小多数の血管をもつ）．

fi·bro·ma·toid (fī-brō′mă-toyd). 線維腫様結節（線維芽細胞の増殖による病巣，小結節，または塊で，線維腫に類似するが新生物としては扱われない）．

fi·bro·ma·to·sis (fī′brō-mă-tō′sis). 線維腫症（①比較的広い分布をもつ多発性線維腫を特徴とする状態．②線維組織の異常増殖）．

abdominal f. 腹部線維腫症．＝desmoid (2).

aggressive infantile f. 急速進行性乳児線維腫症（(成人の)腹部，あるいは腹部外の類腱腫の小児型であり，局所的に浸潤したり，再発を繰り返しながら身体のいかなる部位においても急速に成長するが転移することのない硬い皮下結節を特徴とする）．

f. colli 頸部線維腫症（胸鎖乳突筋の中央部にみられる線維性の腫瘤．生下時の損傷に由来する血腫のこともある．斜頸の原因となることがある）．

congenital generalized f. ［MIM*228550］. 先天性全身性線維腫症（分娩時にみられる多発性の皮下および内臓の線維腫．まれな異常で，しばしば生後1週間以内に死亡する．

しかしときとして軽快することもある．劣性遺伝形質をとる）．

gingival f. 歯肉線維腫症（毛髪腫に随伴してみられることがある線維腫症．いくつかの遺伝性表現型が知られている．すべて常染色体優性遺伝［MIM*135300, *135400, *135500, *135550］である）．

infantile digital f. 乳児指線維腫症．＝recurring digital *fibroma* of childhood.

juvenile hyalin f.［MIM*228600］．若年性ヒアリン(硝子質)線維腫症（正常な知能をもつ小児にみられる頭部，頸部そして全身性の皮膚の結節あるいは腫瘤が生じるまれな劣性遺伝性の奇形疾患．この病巣は主にグリコサミノグリカンからなる好酸性ヒアリン間質で境された線維芽細胞でできている）．＝systemic hyalinosis.

juvenile palmoplantar f. 若年性手掌足底線維腫症（母指球あるいは小指球の隆起部に，また足底部の中程の蹠骨の部分にも重なって，単一ではあるが境界が不鮮明な結節として生後から思春期までの小児に生じる線維腫症）．

palmar f. 手掌線維腫症（片手または両手の手掌筋膜の小結節性線維芽細胞性増殖．Dupuytren 攣縮に先行あるいは併発する）．

penile f. 陰茎線維化症．＝Peyronie *disease.*

plantar f. 足底線維腫症（片足または両足の足底筋膜の小結節性線維芽細胞性増殖．まれに拘縮を伴う）．＝Dupuytren disease of the foot.

fi·bro·ma·tous (fī-brō′mă-tŭs). 線維腫の，線維腫性の．

fi·bro·mec·to·my (fī′brō-mek′tŏ-mē). 線維腫切除〔術〕．＝myomectomy.

fi·bro·me·ter (fī′brō-mē′tĕr). フィブロメータ（試験管を使った凝固試験と同じく，凝血塊の形成を測定する装置で，探針を動かしながら凝血を機械的に検出する）．

fi·bro·mus·cu·lar (fī′brō-mŭs′kyū-lăr). 線維性筋性の（線維組織および筋組織の両方についていう）．

---

fi·bro·my·al·gi·a (fī′brō-mī-al′ja). 線維筋痛症（筋力低下，疲労，睡眠障害を伴う慢性広範性の軟部組織性の痛みを呈する頻度の高い症候群．原因は不明．*cf.* fibrositis）．＝fibromyalgia syndrome.

線維筋痛症は特に頸部，肩部，背部，股関節部の慢性の非限局性疼痛とこわばりを特徴とする原因不明の疾患で，罹患筋を使用すると症状が増悪する．米国リウマチ協会は診断基準を確立し，それによれば，その疼痛は体軸部位(頸，胸，腰椎または前胸部)とともに体の両側全身にみられ，さらに 18 か所の特定の圧痛点のうち少なくとも 11 か所に圧痛を認めることが必要である．圧痛点ははっきりと限局し，両側対称性にみられ，自発痛の部位と一致する場合もあれば，無痛の場合もある．通常，連想疲労，ある動作を行いにくい，またはできないという感覚，感覚異常，睡眠障害，頭痛がみられる．本症の約 1/4 の患者は収入の一部またはすべてを障害補償に頼っている．本症はしばしば片頭痛，側頭下顎関節機能障害，過敏性腸管症候群，不穏下肢症候群，慢性疲労とうつ病を伴い，精神的ストレスにより顕著に増悪する．米国での発生頻度は人口の 1－3％と推定されており，人種，社会経済的階層による差はない．患者の多く(90％)は成人女性である．症状発症は通常 50 歳以前である．本症は慢性疾患であるが，非進行性である．一般の血液，血清学的検査と画像検査では一様に正常である．しかし睡眠脳波ではほとんどの場合，非レム睡眠に α 波が混入し，まれに第 3 期，第 4 期睡眠への進行がみられる．本症の 1/3 の患者はインスリン様成長因子(IGF)値が低値である．脳脊髄液中サブスタンス P の上昇，コルチゾル産生抑制，起立性低血圧症が報告されている．ほとんどの患者は中等度から重度の機能障害を経験するが，症状は通常，治療により軽減する．有効な治療プログラムは病気についての教育，一般的低衝撃有酸素運動プログラムと必要に応じて行う理学療法である．認知療法や集団治療はしばしば有用である．約 1/3 の患者には抗うつ薬(アミトリプチリン，フルオキセチン)と筋弛緩薬(シクロベンザプリン)などの薬剤が奏功する．

---

fi·bro·my·ec·to·my (fī′brō-mī-ek′tŏ-mē). 線維筋腫切除〔術〕．

fi·bro·my·o·ma (fī′brō-mī-ō′mă). 線維筋腫（比較的多くの線維性組織に富む平滑筋腫）．

fi·bro·my·o·si·tis (fī′brō-mī′ō-sī′tis)［fibro- + G. *mys*, muscle + *-itis*, inflammation］．線維筋炎（結合組織の過成長または増殖を伴う筋の慢性炎症）．

fi·bro·myx·o·ma (fī′brō-mik-sō′mă) ［fibro- + G. *myxa*, mucus + *-ōma*, tumor］．線維粘液腫（成熟線維芽細胞および結合組織を比較的多く含む粘液腫）．

fi·bro·nec·tins (fī′brō-nek′tinz)［L. *fibra*, fiber + *nexus*, interconnection］．フィブロネクチン（高分子量の多機能性糖蛋白で，細胞表面の膜や血漿，他の体液中に存在する．フィブロネクチンは，接触阻止作用をもつ接着性リガンド様分子として機能すると考えられている．また，大型細胞外トランスフォーメーション感受性蛋白(LETS：レッツ蛋白)として知られている．この蛋白は細胞がトランスフォーム(悪性化)すると減少する［MIM*135600–135631］）．＝zetaprotein.

plasma f. 血漿フィブロネクチン（循環血液中にある α_2－糖蛋白で，オプソニンとして働く．細網内皮系やマクロファージがフィブリンの微小凝集塊，コラーゲン沈渣，細菌粒子を処理する際働いて微小血管の血流やリンパ管の流通を保護する）．

fi·bro·neu·ro·ma (fī′brō-nū-rō′mă). 線維神経腫．＝neurofibroma.

fibronodular (fī-brō-nod′yū-lăr). 線維結節性の（隣接する構造を歪曲する線状陰影を伴い集簇して認められるほぼ円形の境界明瞭な陰影に関していう．通常，過去の肉芽腫性疾患の存在を示唆する）．

fi·bro·os·te·o·ma (fī′brō-os-tē-ō′mă). 線維骨腫（骨腫の 1 つで，比較的多量の線維組織基質中に腫瘍性骨形成細胞がある）．

fi·bro·pap·il·lo·ma (fī′brō-pap′i-lō′mă). 線維乳頭腫（多量の線維性結合組織を基部にもつ乳頭腫で，腫瘍性上皮細胞がその上に集合して中核をなしている）．

fi·bro·pla·si·a (fī′brō-plā′zē-ă)［fibro- + G. *plasis*, a molding］．線維増殖〔症〕（線維組織の増殖で，通常，非腫瘍性線維組織の異常増加をさす）．

retrolental f. 水晶体後線維増殖〔症〕．＝*retinopathy* of prematurity.

fi·bro·plas·tic (fī′brō-plas′tik)［fibro- + G. *plastos*, formed］．線維形成性の．

fi·bro·plate (fī′brō-plāt). 線維軟骨板．＝articular *disc.*

fi·bro·pol·y·pus (fī′brō-pol′i-pŭs). 線維〔性〕ポリープ（主として線維組織からなるポリープ）．

fi·bro·re·tic·u·late (fī′brō-re-tik′yū-lāt). 線維性網状の．

fi·bro·sa (fī-brō′să). ＝fibrous.

fi·bro·sar·co·ma (fī′brō-sar-kō′mă). 線維肉腫（未成熟な線維芽細胞が束状に増殖し，杉綾模様状に明瞭に配列するのを特徴とする深部線維組織の悪性腫瘍．コラーゲン生成の程度は様々である．局所浸潤，血行性転移をきたしやすい）．

ameloblastic f. エナメル上皮線維肉腫（有痛性，骨破壊性の歯原性腫瘍で，急速な発育を示す．X 線透過性である．通常，エナメル上皮線維腫の間葉性成分が悪性転化し，発生する）．＝ameloblastic sarcoma.

Earle L f. (ĕrl). アール L 線維肉腫（C3H 系マウスの皮下組織由来で移植可能な線維肉腫．20–メチルコランスレンを加えた組織培地中で成育）．

fibromyxoid type f. 線維類粘液型線維肉腫．＝low-grade fibromyxoid *sarcoma.*

infantile f. 乳児線維肉腫（生後 1 年のうちに通常，四肢に生じ，急速に成長するが，ほとんど転移することのない線維肉腫）．

sclerosing epithelioid f. 硬化性類上皮線維肉腫（軟部組織にできる間葉系の悪性腫瘍．膠原線維束に囲まれた，上皮様小細胞の巣，索，腺房からなる）．

fi·brose (fī′brōs). 線維組織を形成する．

fi·bro·se·rous (fī′brō-sē′rŭs). 線維漿膜性の（漿膜面をもった線維組織からなる．漿膜についていう）．

fi·bro·sis (fī-brō′sis). 線維症，線維増多（器官や組織の正常な成分である線維組織の形成とは対照的に，修復または反応過程として線維組織が形成されること）．

African endomyocardial f. アフリカ心内膜線維症（心室

内層の線維症で，しばしば心内膜も含む．心臓の拡張不全をきたす東アフリカの風土病）．

bridging hepatic f. 線維性架橋形成（肝組織の顕微鏡観察で認められる，コラーゲンの過剰な沈着によって形成される．門脈域と中心静脈を結ぶ線維束）．

congenital f. of the extraocular muscles [MIM *135700]．外眼筋の先天性線維症（眼瞼下垂と眼球運動の消失を伴う常染色体優性遺伝疾患）．

cystic f., cystic f. of the pancreas [MIM*219700]．嚢胞性線維症，膵嚢胞性線維症（先天的代謝異常．外分泌腺の分泌が異常となる．粘液の粘着性が異常に高く，膵管，胆管，腸管，気管支などの通路が詰まり，汗中のナトリウム，塩素の量が増える．症状は通常，幼児期に出現し，胎便性イレウス，食欲旺盛状態での成長不良，吸収不良，多量の便，慢性の咳，再発性肺炎，気管支拡張，気腫，太鼓ばち指，暑い気候下での塩類欠乏などが発現する．逆遺伝学により遺伝子座位や遺伝子異常が詳細に解明されている．第7染色体長腕にある嚢胞性線維症伝達調節因子(*CFTR*)遺伝子の突然変異により生じる．常染色体劣性遺伝疾患）．＝Clarke-Hadfield syndrome; fibrocystic disease of the pancreas; mucoviscidosis; viscidosis.

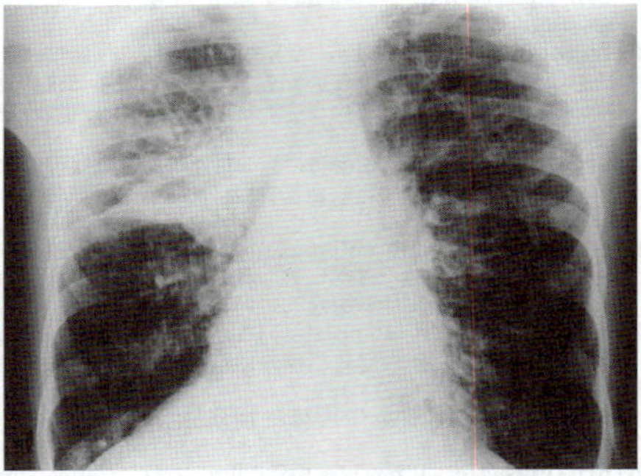

cystic fibrosis
気管支拡張を伴う肺の両側性過膨張．

endocardial f. 心内膜線維症（心内膜の線維化またはコラーゲンの増殖）．＝endocardial sclerosis.

endomyocardial f. 心内膜心筋線維症（線維形成による心室心内膜の肥厚．心内膜下心筋層，ときには房室弁も侵し，壁在血栓を伴うこともあり，僧帽弁と三尖弁の閉鎖不全を伴った両心不全を生じる．アフリカの一部における地方病で，成人に起こる）．＝Davies disease; endocardial fibroelastosis (2); endomyocardial fibroelastosis.

idiopathic interstitial f. 特発性間質性線維症．＝idiopathic pulmonary f.

idiopathic pulmonary f. (**IPF**) [MIM*178500]．特発性肺線維症（原因不明あるいは膠原血管病に合併する急性から慢性に至る肺の炎症過程あるいは肺線維症）．＝chronic fibrosing alveolitis; cryptogenic fibrosing alveolitis; fibrosing alveolitis; Hamman-Rich syndrome; idiopathic interstitial f.

interstitial pulmonary f. 間質性肺線維症（特発性肺線維症および膠原病や他の既知の疾患に合併するものを含む）．

leptomeningeal f. 軟膜線維症（クモ膜下腔に起こる線維化の反応．ときに感染性または化学性の髄膜炎に続いて起こる．→adhesive *arachnoiditis*）．

mediastinal f. 縦隔線維症（上大静脈，肺動脈，肺静脈や気管支を閉塞する線維症．ほとんどの場合ヒストプラズマ症によって起こるが，結核や原因不明の場合もある）．＝fibrosing mediastinitis; idiopathic fibrous mediastinitis.

nodular subepidermal f. 結節性表皮下線維組織増殖症（→dermatofibroma）．

oral submucous f. 口腔粘膜下線維症（インド居住者に特徴的にみられる口腔粘膜および鼻咽腔，上部消化管の前癌状態）．

pericentral f. 中心静脈周囲線維化（肝小葉の中心静脈周囲の線維化）．

perimuscular f. 筋周囲線維化（動脈の中膜外層に起こる線維症．通常，若い女性の腎動脈を侵し，分節性の狭窄および高血圧を起こす．線維筋性形成異常の一型）．＝subadventitial f.

pipestem f. パイプ軸線維症（マンソン住血吸虫 *Schistosoma mansoni* の長期にわたる重症感染症例の一部において，肝の門脈域周囲に形成される特徴的なパイプ軸状の線維症．肝組織に住血吸虫卵が多数存在することにより引き起こされると考えられる）．＝Symmers clay pipestem f.; Symmers f.

replacement f. 置換性線維形成（萎縮，または変性および壊死を起こした種々の細胞や組織に線維組織が形成されること）．

retroperitoneal f. 後腹膜線維症（後腹膜構造物および結合織の線維化で，尿管をよく侵し，閉塞する．原因はたいてい不明）．＝idiopathic fibrous retroperitonitis; Ormond disease; periureteritis plastica.

subadventitial f. 外膜下線維症．＝perimuscular f.

Symmers clay pipestem f., Symmers f. (sī′mĕrz)．シンマーズ陶製パイプ柄〔状〕線維症，シンマーズ線維症．＝pipestem f.

fi·bro·si·tis (fī′brō-sī′tis) [fibro- + G. *-itis*, inflammation]．結合組織炎（①線維組織の炎症．②多くの圧痛点（疼痛誘発点）を伴う全身の筋肉痛，圧痛，硬直を表現する用語．原因不明．現在線維筋痛症として知られている症候群の昔の呼称．＝muscular rheumatism. *cf.* fibromyalgia）．

cervical f. 頸部結合組織炎．＝posttraumatic neck *syndrome*.

fi·bro·tho·rax (fī′brō-thō′raks)．線維胸（胸膜腔の線維症）．

fi·brot·ic (fī-brot′ik)．線維症〔性〕の．

fi·brous (fī′brŭs)．＝fibrosa. ***1*** 〚adj〛 線維〔性〕の（線維を含んだ，線維からなる，線維に似た）．***2*** 〚n.〛 線維膜（二層膜のうち膠原線維をもち，強靱性を与えている方の膜（もう一方は漿膜））．

fi·bro·xan·tho·ma (fī′brō-zan-thō′mă)．線維黄色腫（線維組織球の新生物．→dermatofibroma）．

atypical f. 非定型的線維黄色腫（孤立性の皮膚の小腫瘍で通常良性，しばしば潰瘍を伴う．泡状組織球，紡錘形細胞，奇形巨細胞よりなり，通常は老人の皮膚露出部にみられる．組織学的には，非定型的線維黄色腫は悪性線維性組織球症に酷似するが，起源は真皮である）．

fib·u·la (fib′yū-lă) [L. *fibula*(*figibula* 由来の短縮形), that which fastens, a clasp, buckle < *figo*, to fix, fasten][TA]．腓骨（下腿の2本の骨のうち外側の細いほうの骨．体重を支える働きはしておらず，上部で脛骨と，下部で脛骨および距骨と関節をなす）．＝calf bone; calf-bone (1); perone; peroneal bone.

fib·u·lar (fib′yū-lăr) [L. *fibularis*][TA]．***1*** 腓骨の，腓骨に関する．＝fibularis [TA]; peroneal; peronealis. ***2*** 腓側の，（下腿における）外側の．

fib·u·la·ris (fib′yū-lā′ris) [Mod.L.][TA]．腓側の．＝fibular (1).

fibulins フィブリン（基底膜および弾性細胞外マトリックス線維と結合した蛋白群）．

fib·u·lo·cal·ca·ne·al (fib′yū-lō-kal-kā′nē-ăl)．腓骨踵骨の（腓骨と踵骨についていう）．

fi·cain (fī′kān)．＝ficin (2).

F.I.C.D. Fellow of the International College of Dentists(国際歯科学士会特別会員)．

fi·cin (fī′sin)．フィシン（①イチジク(*Ficus carica*, *F. globata*, *F. doliaria*)から分離されたシステインエンドペプチターゼ．工業的には蛋白消化剤として用いる．蛋白性基質に対し広い基質特異性をもつ．駆虫薬として用いられる．②クワ科のイチジク(*Ficus* spp.)から採取された粗製の乾燥ラテックス(樹液)．＝ficain.）．

Fick (fik), Adolf. ドイツ人医師，1829—1901. →F. *method*, *principle*.

fi·co·lin (fī′kō-lin)．フィコリン（構造的にはマンノース結合レクチン(MBL)に類似した蛋白．そのポリペプチド鎖はN末端領域，コラーゲン様ドメイン，球状領域(フィブリノーゲン様領域)からなる．HフィコリンとLフィコリンは肝臓で産生される血清蛋白であるが，Mフィコリンは単球から産生され膜結合型である．HとLフィコリンはオリゴマーを形成でき補体を活性化できる．Mフィコリンはグルコシル化蛋白に対する循環単球における貪食レセプタとして働いているかもしれない．→L-f.; H-f.)．

H-f. Hフィコリン（肝臓で合成される血漿蛋白の1つで，ハカタ抗原またはフィコリン3ともいう．構造的にマンノース結合レクチンに類似する．N末端はコラーゲン様のドメインをもち球状で，フィブリノーゲンに類似している．重合体を形成し，補体を活性化することができる．→ficolin; L-f.)．

L-f. Lフィコリン（構造的にはマンノース結合レクチン(MBL)に類似している蛋白．そのポリペプチド鎖はN末端領域，コラーゲン様ドメイン，球状領域(フィブリノーゲン様領域)からなる．Lフィコリンは肝臓で産生される血清蛋白である．オリゴマーを形成でき補体を活性化できる．→ficolin; H-f.)．

FID free induction *decay* の略．

Fied·ler (fēd′lĕr), Carl L.A. ドイツ人医師，1835—1921．→F. *myocarditis*.

field (fēld) [A.S. *feld*]．領域，野，区（平面上の明確に規定された区域．ある特定の目的に関連して考慮される)．

auditory f. 聴野（特殊音を聞く能力限界域を示す領域)．

Broca f. (brō-kah′)．ブロカ野．＝Broca *center*.

Cohnheim f. (kōn′hīm)．コーンハイム野．＝Cohnheim *area*.

f. of fixation 注視野（眼科学において，注視線が回転できる角距離)．

f.'s of Forel (fō-rel′)．フォレル野（視床下部の3つに限局したミエリンの豊富な部分で，Haubenfelder またはH野として知られる．ⓘH_1野：視床束に同じ．不確帯とその上にある視床とが接する部分を走る神経線維の層．淡蒼球視床線維および上小脳脚の小脳視床線維とからなる．より腹側にあるH_2野とは不確帯によって分離される．ⓘⓘH_2野：レンズ束からなり，視床下核の上縁をおおう主として淡蒼球視床線維からなる線維束．ⓘⓘⓘH_3野(赤核前野)：赤核のすぐ吻側にある，灰白質と白質の混合した大きな領域．不確帯の内側縁の周囲でH_1野とH_2野を結合する．この灰白質は赤核の前にある核を形成する．→lenticular *loop*)．＝campi foreli; tegmental f.'s of Forel.

free f. 自由野（境界のない，均一で等方性の媒質中にある三次元の空間領域．実際には，境界の影響を無視できるような領域)．

H f.'s H野（→f.'s of Forel)．

high-power f. (**HPF**) 強拡大視野（光学顕微鏡を高倍率(約500倍)にした時に視野に納まるスライドの範囲)．

individuation f. 個体化野（形成体が始原組織を再編成して，完全な胚を形成できるような領域)．

involved f. 浸潤野（放射線治療における，腫瘍そのものの領域)．

magnetic f. 磁場，磁界（磁力の働く範囲)．

microscopic f. 顕微鏡視野（顕微鏡の種々の倍率の接眼レンズおよび対物レンズで見られる対象の領域)．

nerve f. 神経領域（神経終末の局所的な分布)．

prerubral f. 赤核前野（→f.'s of Forel)．

sound f. 音場（音波が伝わる場所)．＝acoustic surround.

tegmental f.'s of Forel (fō-rel′)．＝f.'s of Forel.

visual f. (**F**) 視野（眼を動かすことなしに一眼で同時に見える領域．通例，眼から330 mm離れた位置の弧(球状視野計)によって測定する)．

Wernicke f. ヴェルニッケ野．＝Wernicke *center*.

Field·ing (fēld′ing), George H. 英国人解剖学者，1801—1871．→F. *membrane*.

field rap·id stain ⇒stain.

field-vole (fēld′vōl)．ハタネズミ（ノネズミの一種 *Microtus montebelloi* で，伝染性単核球症に類似した型のレプトスピラ症を起こす病原体 *Leptospira hebdomadis* の通常の宿主)．

Fies·sing·er (fē′sing-ĕr), Noël Armand. フランス人医師，1881—1946．→F.-Leroy-Reiter *syndrome*.

fièv·re (fē-evr′)．熱を意味するフランス語．

f. boutonneuse ＝Mediterranean spotted *fever*.

fig [L. *ficus*; A.S. *fic*]．イチジク（クワ科 *Ficus carica* の半乾燥果実で，食用のほか，緩下薬，粘滑薬として用いる)．

FIGLU formiminoglutamic acid の略．

fig·u·ra·tus (figyū-rā′tŭs) [L. *figuro*, pp. *-atus*, to form, fashion]．模様状の（ある種の皮膚病変を表現する用語)．

fig·ure (fig′yūr) [L. *figura* < *fingo*, to shape, fashion]．***1*** 形態，形象．***2*** 本質的観点からみて，ある特殊な役割を示しているような人物，例えば，男性の上司を父性像，女性の先生を母性像と関連させること．***3*** ある物体または人間の形態や形象，概郭，表現．

authority f. 権威的存在者（実在の，あるいは投射によってつくられた権威者．すなわち両親，警官，管理者やある人々にとっての権威的人物．精神分析の感情転移段階では，精神分析者がこれに当たる)．

flame f. 炎状構造（好酸球性蜂巣炎(Wells 症候群)の病変でみられる，好酸性に濃染する膠原線維束を伴う真皮内あるいは皮下組織の小さな壊死)．

fortification f.'s 城壁像．＝fortification *spectrum*.

Lichtenberg f. (lik′tĕn-bĕrg)．リヒテンベルク模様，リヒテンベルク図．＝ filigree *burn*.

mitotic f. 有糸〔核〕分裂像（有糸分裂中の細胞の顕微鏡像．光学顕微鏡で見ることのできる細胞染色体)．

myelin f. ミエリン形態（表面的に神経のミエリン鞘に似た，細胞内の脂質二重層の巻き物または渦巻き状の配列．ミエリン形態は電子顕微鏡で細胞質内にみられ，ミトコンドリアと自動食作用小胞内に封入体としてみられ，脂肪固定のアーチファクトとなることもある)．＝myelin body.

Purkinje f.'s (pŭr-kin′jē)．プルキンエ像（網膜血管の影．光が瞳孔ではなく強膜を通して眼にはいるとき，赤色背景上に黒い線としてみられる)．

fig·ure and ground (fig′yūr grownd)．図と地，図柄と地面(じづら)，像と背景（知覚されるものが少なくとも2つの部分に分かれて認められるような知覚の様式．各々は異なった特質をもっているが互いに影響し合っている．空(地)にみえる鳥または木(図)などのように図ははっきりと際立ち，地はほとんど形をなさない)．

fi·la (fī′lă) [L.]．filum の複数形．

fi·la·ceous (fī-lā′shŭs) [L. *filum*, a thread]．＝filamentous.

fil·ag·grin (fil-ag′grin) [*fil*ament + *aggregating*] [MIM *135940]．フィラグリン（主として L-ヒスチジル，L-リシル，および L-アルギニル残基よりなるケラトヒアリン顆粒の主な蛋白(角質層塩基性蛋白)．ケラチン中間体フィラメントを凝集させジスルフィド結合生成を促進させる)．

fil·a·men, filamin (fil′ă-min)．フィラメン，フィラミン（高分子量のアクチン結合蛋白で，線維芽細胞の細胞内糸状構造の要素．その細胞内分布は重合アクチンとの相互作用による)．

fil·a·ment (fil′ă-ment) [L. *filamentum* < *filum*, a thread]．***1*** 細糸，微細線維，糸状構造．＝filamentum．***2*** フィラメント（細菌学において，分節がないか，分節しても狭窄部のない糸状形態をいう)．

actin f. アクチンフィラメント（筋線維をはじめとした細胞にみられる収縮機構の構成要素の1つ．骨格筋のアクチンフィラメントは幅約7.5 nm，長さ約1 μm で，横走するZフィラメントに付着している)．＝thin f.

axial f. 軸糸（べん毛または線毛の中心糸．電子顕微鏡で，9個の周辺性二重微小管と1個の中心性微小管対の複合体としてみられる)．＝axoneme (2).

cytokeratin f.'s 細胞ケラチンフィラメント．＝keratin f.'s.

intermediate f.'s 中間フィラメント（蛋白フィラメントの1つで，外径9—10 nm．ケラチンフィラメント，ニューロンフィラメント，デスミン(胃の細胞)，およびビメンチン(間葉生細胞)を含み，大部分の真核細胞の細胞質の細胞骨格部分を構成している．外径がアクチンフィラメントと微小管との中間にあるところから中間フィラメントという名前でよばれている)．

keratin f.'s ケラチンフィラメント（中間フィラメントの1つで，上皮細胞内に網を形成したり，デスモソームに固着したりして，組織に対して伸張性のある強度を分け与えている．→tonofilament)．＝cytokeratin f.'s.

F

myosin f. ミオシンフィラメント（骨格筋，心筋，平滑筋にみられる収縮物質の１つ．骨格筋では長さ約 1.5 μm，外径約 15 nm）．＝thick f.

parabasal f. rhizoplast の旧名．

pial f.* pial *part* of filum terminale の公式の別名．

root f.'s ＝radicular *fila*（⇀filum）．

spermatic f. 精虫線維，精虫線糸（精子，特に精子の尾部をいう）．

thick f. ＝myosin f.

thin f. ＝actin f.

Z f. Ｚフィラメント（横紋筋のＺ線にあってジクザクに走っている線維で，アクチンフィラメントが付着している）．

fil・a・men・tous (fil′ă-men′tŭs). ＝filaceous; filar (2). ***1*** 糸状の，線状の，線維状の．＝filiform (1). ***2*** 糸状構造の．

fil・a・men・tum, pl. **fil・a・men・ta** (fil′ă-men′tŭm, -tă) [L.]. 細糸，微細線維．＝filament (1).

filamin B (fil′ă-min). フィラミンＢ（560-kD のアクチン二重体蛋白で，アクチンフィラメントを結合させ，三次元格子網を構築させ，細胞が薄い平らな糸状仮足を形成できるようにさせ，細胞が移動しやすくする）．

fi・lar (fī′lăr) [L. *filum*, a thread]. ***1*** 原線維の．＝fibrillar. ***2*** 糸状の．＝filamentous.

Fi・la・ri・a (fi-lā′rē-ă). フィラリア属，糸状虫属（線虫類の，以前に用いられた属名で，現在では，オンコセルカ科の数属および種に分類される．例としては，*Wuchereria bancrofti*（旧名 *F. bancrofti*, *F. diurna*，または *F. nocturna*），*Brugia malayi*（*F. malaya*），*Onchocerca volvulus*（*F. volvulus*），*Mansonella perstans*（*F. perstans* または *F. sanguinis hominis*），*M. streptocerca*, *M. ozzardi*（*F. demarquayi* または *F. ozzardi*），*Loa loa*（*F. extraocularis*, *F. lentis*, *F. loa*，または *F. oculi humani*），および *Dirafilaria*（*F. medinensis*）などがある．→filaria）．

fi・la・ri・a, pl. **fi・lar・i・ae** (fi-lā′rē-ă, -ē-ē) [L. *filum*, a thread]. フィラリア，糸状虫（オンコセルカ科線虫の一般名で，多くの脊椎動物の血液，組織液，組織，または体腔内に成虫として寄生する．雌は部分的にふ化した卵を産む．幼虫は屈巻しておらず，ミクロフィラリアとして血液中または組織液中を循環する．適当な吸血性節足動物により摂取されて幼虫は発育し，後に，その節足動物の吸血時に，他の脊椎動物宿主の皮膚へと移される）．

fi・lar・i・al (fi-lā′rē-ăl). フィラリアの（ミクロフィラリア段階も含めていう）．

fil・a・ri・a・sis (fil′ă-rī′ă-sis). フィラリア症，住血糸状虫症（体組織中，血液中（ミクロフィラリア血症），あるいは組織液中（ミクロフィラリア症）にフィラリアがいるもので，熱帯・亜熱帯地方でみられる．生存しているフィラリアは組織にほとんど反応を起こさず，症状のないことが多いが，成虫の死後，肉芽腫性炎症と永続的な線維化をもたらし，皮下組織の密な硝子化の瘢痕となってリンパ管閉塞をきたす．最も重篤な結果は，象皮病または皮膚肥厚である）．

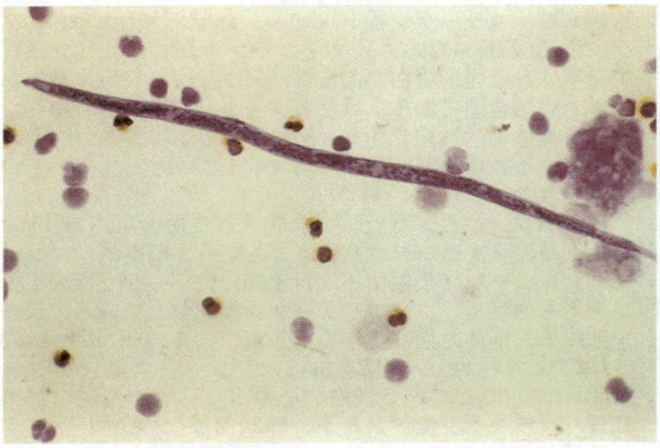

filarial infestation

ミクロフィラリア（*Filaria loa*）および好酸球を示す末梢血スミア（ヘマトキシリン-エオシン染色，×40）

bancroftian f. バンクロフトフィラリア症（バンクロフト糸状虫 *Wuchereria bancrofti* によって起こるフィラリア症）．＝bancroftiasis; bancroftosis.

Brug f. ブルグ糸状虫症（フィラリアの *Brugia malayi* による感染症．リンパ節炎，発熱，リンパ管炎，ときには象皮病を起こす．主に東南アジア，インド，インドネシア，中国，日本，韓国，フィリピンで発症する．㊟マレー糸状虫症と同義）．

periodic f. 周期フィラリア症（フィラリア症の一型で，ミクロフィラリアが末梢血液中に 24 時間ごとに出現する．通常，バンクロフトフィラリア症の夜間定期性が当てはまる）．

fi・lar・i・ci・dal (fi-lar′i-sī′dăl). フィラリア殺虫性の．

fi・lar・i・cide (fi-lar′i-sīd) [filaria + L. *caedo*, to kill]. フィラリア撲滅薬．

fi・lar・i・form (fi-lar′i-fōrm). ***1*** フィラリア状の（フィラリアまたは他の小さな糸状虫類に類似した．→filariform *larva*）．

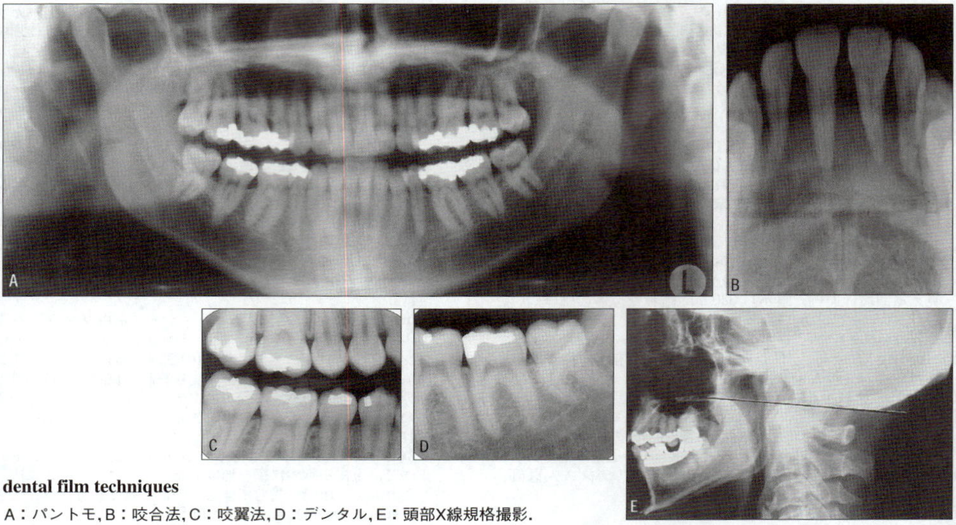

dental film techniques

A：パントモ，B：咬合法，C：咬翼法，D：デンタル，E：頭部X線規格撮影．

2 毛状の.

Fil·a·ri·i·cae (fi-lar′ē-i-sē). =Filarioidea.

Fi·lar·i·oi·de·a (fi-lar′ē-oy′dē-ă). フィラリア上科（ヒトを含む多くの動物に寄生する糸状線虫類の上科. Filariidae 科, Diplotraenidae 科, Onchocercidae 科, Stephanofilariidae 科を含む. →*Filaria.* →*Dipetalonema*; *Dirofilaria*; *Loa loa*; *Mansonella*; *Onchocerca*; *Wuchereria*; *Brugia*). =Filariicae.

Fi·la·tov (fē′lah-tof), Nil F. ロシア人小児科医, 1847—1902. →F. *disease*.

Fi·la·tov (fē′lah-tof), Vladimir P. ロシア人眼科医, 1875—1956. →F. *flap*; F.-Gillies *flap*.

file (fīl). やすり（滑らかにしたり，磨いたり，切ったりするための道具）.

Hedström f. (hed′strŏm). ヘドストレームファイル（石目やすりと同様の目の粗い根管用ファイル）.

periodontal f. 歯周ファイル（うねやとがったところが列をなして配列されている器具で，歯石除去のために用いる）.

root canal f. 根管用ファイル（先端のとがった，弾力性のある鉄製の根管用器具で，管壁を削るのに用いる）.

fi·len·sin (fi-len′sin). フィレンシン（レンズ線維細胞に存在する中間径フィラメント蛋白. ビメンチンのアンカーとしての役割をもつ）.

filgrastim (fil-gras′tim). フィルグラスティム（組換え DNA 技術で製造したヒト型顆粒球刺激因子）.

fil·i·al (fil′ē-ăl) [L. *filialis* < *filius*, son, *filia*, daughter]. 子の，雑種の（親に対する子の関係をいう. →filial *generation*）.

fi·li·form (fil′i-fōrm) [L. *filum*, thread]. *1* 糸状の，毛様の. =filamentous (1). *2* 細菌学において，穿刺培養あるいは塗抹培養時にみられる接種線に沿った規則正しい発育についていう.

fil·i·o·pa·ren·tal (fil′ē-ō-pă-ren′tăl) [L. *filius*, son + *parens*, parent < *pario* to give birth]. 親子の.

fil·let (fil′et) [Fr. *filet*, a band]. [誤った発音 fi-lā′ を避けること]. *1* 毛帯. =lemniscus. *2* 係蹄（胎児の身体の一部を牽引するための糸やテープのわな）.

lateral f. 外側毛帯. =lateral *lemniscus*.

medial f. 内側毛帯. =medial *lemniscus*.

fill·ing (fil′ing). 充塡（歯の充塡を表す一般用語）.

film (film). *1* フイルム（写真または放射線写真の撮影時に用いる光感受性またはX線感受性物質により塗布された薄い可曲性物質のシート）. *2* 被膜，薄膜. *3* フイルム（X線写真（口語））.

absorbable gelatin f. 吸収性ゼラチン膜（プレート上にゼラチン－ホルムアルデヒド溶液を乾燥させることによりつくられた滅菌性・非抗原性・吸収性の，水に不溶のゼラチンの薄いシート. 硬膜や胸膜などでの欠損の閉鎖や修復に用いる. 1—6 か月間で吸収される）.

bitewing f. 咬翼付きフイルム（上下歯の咬合面間で保持される付属物をつけた，特別包装のX線フイルム）.

decubitus f. デクビタスフイルム（側臥位での正面像で，下になっている側で表現する(左下が左デクビタス像)）. =right or left lateral decubitus f.

horizontal beam f. 水平X線による撮影（床に対して平行なX線を用いた像で，鏡面形成を描出できる）.

latitude f. =wide-latitude f.

panoramic x-ray f. パノラマX線写真（歯科において，顎関節はもちろん上下顎全顎のパノラマ像を得るために撮影されるX線写真）.

plain f. 単純写真（造影剤を用いずに撮ったX線写真）.

precorneal f. 前角膜（7—9 nm の厚さの保護膜で，外層は油性，中間層は水性，深層は粘性蛋白層になっている）. =tear f.

right or left lateral decubitus f. =decubitus f.

scout f. 造影前単純像（造影剤注入前に撮影するX線像で，血管造影や尿路，さらに消化管造影検査における単純像のこと）. =scout radiograph.

f. speed フイルム感度（光や放射線の露光に対するフイルム感光乳剤の相対感度. 感度は解像度と反比例の関係にある）.

spot f. スポットフイルム（透視装置に装備された機構による透視中の撮影）.

tear f. 涙液膜. =precorneal f.

wide-latitude f. 低コントラストフイルム（露光量の差が大きなコントラストを示さないフイルム. H–D 曲線の傾きが緩やかなフイルム）. =latitude f.

film chang·er (film chānj′ĕr). フイルムチェンジャー（血管撮影のように高速な連続X線撮影が要求される放射線検査のための，フイルムを高速で移動(交換)する装置）. =rapid f. c.; serial f.c.

rapid f. c. 高速フイルムチェンジャー. =film changer.

serial f. c. 連続フイルムチェンジャー. =film changer.

Fil·mer (fil′mĕr), David L. 20 世紀の米国人生化学者. →Adair-Koshland-Némethy-F. *model*; Koshland-Némethy-F. *model*.

filopod フィロポッド（アクチンコアをもつラメリポッドに類似した細い細胞突起. 細胞縁が運動する際に形態学的特徴を維持し，その長さの増大を容易にしている）.

fi·lo·po·di·a (fī′lō-pō′dē-ă). filopodium の複数形.

fi·lo·po·di·um, pl. **fi·lo·po·di·a** (fī′lō-pō′dē-ŭm, -ă) [L. *filum*, thread + G. *pous*, foot]. 糸状足，糸状偽足（①ある種の自由生活性アメーバがもつ細い糸状の偽足. ②血小板から糸状に伸びる突起で，網目構造をつくる）.

fi·lo·pres·sure (fī′lō-presh′ŭr) [L. *filum*, thread]. 結紮による一時的な血管圧迫で，血流が停止したときに取り去られる.

fi·lo·var·i·co·sis (fī′lō-var′i-kō′sis) [L. *filum*, thread + *varix*, dilation of vein]. 神経線維軸索に沿って発生する静脈瘤.

Fil·o·vi·ri·dae (fī′lō-vī′ri-dē) [L. *filum*, thread + virus]. フィロウイルス科（線維状の一本鎖マイナス鎖 RNA を有するウイルスの一科で，ヌクレオカプシドはエンベロープに包まれている. 以前はラブドウイルスに分類されており出血熱に関与する. 自然界での保有宿主は不明である. →Ebola *virus*）.

Fil·o·vi·rus (fī′lō-vī′rŭs). フィロウイルス（フィロウイルス科のウイルスで，Marburg ウイルス，Ebola ウイルスが含まれる）.

fil·ter (fil′tĕr) [Mediev.L. *filtro*, pp. *-atus*, to strain through felt < *filtrum*, felt]. *1* 〖n.〗 沪過器，フィルタ（多孔性物質で，液体や気体を通過させて，中に含まれる特別な物質や不純物を滅菌するために分離するもの）. =filtrum. *2* 〖v.〗 沪過する，物質中を通す（フィルタの作用を利用する，あるいはフィルタの作用にゆだねる）. *3* 〖n.〗 沪過板，フィルタ（放射線診断または治療において用いる，アルミニウムや銅など 1 種類以上の金属でつくられた板. X線やγ線の線束中に置き，高エネルギー放射線の大部分を通過させて低エネルギーや不必要なエネルギーの部分は減衰させることにより，放射線の平均エネルギーは高くなり，線質は硬くなる）. *4* 〖n.〗 フィルタ（分光測光分析において，スペクトルのある部分を除くために用いる装置）. *5* 〖n.〗 フィルタ（画質向上の目的で画像データに使用される数学的アルゴリズム. 通常は，高い空間周波数の制御に用いられる）. *6* 〖n.〗 フィルタ（特定の電気信号の通過を選択的に可能にする沪波電気回路または装置）. *7* 〖n.〗 フィルタ（下肢からの凝血塊による肺塞栓症を防ぐために下大静脈に置かれる器具. 多変種ある）.

bandpass f. 帯域(バンドパス)フィルタ（限られた周波数帯域のみを通過させる機器）.

Berkefeld f. [Berkefield，けいそう土の鉱山の名前]. ベルケフェルトフィルタ（19 世紀のけいそう土の細菌フィルタ）.

bird's nest f. 鳥の巣状フィルタ（下大静脈用メッシュ状の針金のフィルタ）.

Greenfield f. グリーンフィルドフィルタ（複数の支柱よりなるスプリング式の下大静脈フィルタ. 肺塞栓の予防に使用する）.

high-pass f. 高域(高周波強調)フィルタ（高い周波数の信号を通過させ，他の信号は減衰させる装置または材質）.

low-pass f. 低域(低周波強調)フィルタ（高域フィルタとは反対の効果をもつ装置または材質. ほとんどの生体組織は，超音波信号に対して低域フィルタとして作用する）.

nitinol f. ニチノールフィルタ（カテーテルでの挿入後，血液により体温にまで暖められると特定の形状になる金属でできている大静脈フィルタ).

vena cava f. 大静脈フィルタ (肺塞栓を防止するために下大静脈を遮るときに用いるフィルタ. 例えば, グリーンフィールドフィルタ Greenfield f.). ＝venocaval f.

venocaval f. ＝vena cava f.

fil·tra·ble, fil·ter·a·ble (fil′tră-bĕl, fil′ter-ă-bl). 沪過性の (沪過膜を通りうる. しばしばウイルスに対して用いる語).

fil·trate (fil′trāt). 沪液 (フィルタを通った液体).

fil·tra·tion (fil-trā′shŭn). 沪過 (①沪過器に液体または気体を通す過程. ②放射線医学において, フィルタを線源と被写体の間に置くことにより, X線やγ線の線束の減衰や線質の硬化をもたらす過程. 固有沪過とは, 装置自身に起因するもので, 例えば, フィルタを付加しないX線管球のガラスによる沪過をさす). ＝percolation (1).

gel f. ゲル沪過 (交差結合デキストランまたはデキストランに類似の, 一定した径の孔をもつ比較的不活性な物質の顆粒を詰めたカラムを通すことによって, 分子の大きさに応じて混合物を分離する方法. 分子が大きいほど顆粒中にとどまる時間が短いため小さい分子より早くカラムから流出する).

fil·trum (fil′trŭm) [Mediev. L.]. フィルタ様の構造 ([philtrum と混同しないこと]). ＝filter (1).

Merkel f. ventriculi (mĕr′kĕl). メルケル喉頭前庭窩. ＝f. ventriculi.

f. ventriculi 喉頭前庭窩 (楔状軟骨および披裂軟骨からなる, 喉頭前庭の両側壁の隆起間の溝). ＝Merkel f. ventriculi.

fi·lum, pl. fi·la (fī′lŭm, -lă) [L. thread][TA]. 糸 (線維状または糸状の外観をもつ構造物).

f. durae matris spinalis 脊髄硬膜糸. ＝dural *part* of filum terminale.

fila olfactoria [TA]. 嗅糸. ＝olfactory *nerves* [CN I].

olfactory fila 嗅糸. ＝olfactory *nerves* [CN I].

radicular fila 根糸 (すべての脊髄神経およびいくつかの脳神経(舌下神経, 迷走神経, 動眼神経)の根が脊髄や脳幹に出入りするところで扇状に広がって分かれる細い線維束. 脊髄神経の後根は 8—12本 のこのような根糸に分かれる). ＝root filaments.

fila radicularia [TA]. 根糸. ＝rootlets.

f. of spinal dura mater 脊髄硬膜糸. ＝dural *part* of filum terminale.

terminal f. [TA]. 終糸 (長く細い結合組織性の軟膜線維束で脊髄円錐下端から脊髄硬膜鞘の内面までのびている(終糸の軟膜部, 内終糸). 脊髄硬膜鞘から尾骨までのびている頑丈な線維束(終糸の硬膜部, 外終糸, 尾骨靱帯)). ＝f. terminale [TA]; nervus impar; terminal thread.

f. terminale [TA]. 終糸. ＝terminal f.

f. terminale externum* dural *part* of filum terminale の公式の別名.

f. terminale internum* pial *part* of filum terminale の公式の別名.

fim·bri·a, pl. fim·bri·ae (fim′brē-ă, -brē-ē) [L. fringe]. *1* [TA]. 采, ふさ (すべての采状構造物についていう). ＝fringe. *2* 線毛. ＝pilus (2).

f. hippocampi [TA]. 海馬采 (白線維質の狭く鋭い縁をした堤. 海馬白板と連続して, 海馬の内側縁にある. 最終的には脳弓を形成する海馬の遠心性線維, 海馬交連の線維, 中隔海馬線維からなる). ＝f. of hippocampus [TA]; corpus fimbriatum (1); tenia hippocampi.

f. of hippocampus [TA]. ＝f. hippocampi.

ovarian f. [TA]. 卵巣采 (卵管采のうち最も長いもので, 卵管漏斗から卵巣の方へのびている). ＝f. ovarica [TA]; infundibuloovarian ligament.

f. ovarica [TA]. 卵巣采. ＝ovarian f.

fimbriae tubae uterinae [TA]. 卵管采. ＝fimbriae of uterine tube.

fimbriae of uterine tube [TA]. 卵管采 (卵管の腹腔口の膨大部を取り囲んでいる不規則な分枝状もしくは采状の突起. 大部分の上皮細胞が線毛をもっていて子宮の方向へ線毛運動を行っている). ＝fimbriae tubae uterinae [TA]; laciniae tubae.

fim·bri·ate, fim·bri·at·ed (fim′brē-āt, -ā-ted). 采状の.

fim·bri·ec·to·my (fim′brē-ek′tŏ-mē) [L. *fimbria*, fringe + G. *ektomē*, excision]. 卵管采切除〔術〕.

fim·brin (fim′brin) [L. *fimbriae*, threads, fibers + -in]. フィンブリン (脊椎動物の隣接するフィラメントと堅く架橋して平行アクチン線維を形成するアクチン結合蛋白. 細胞極性や生長の維持に働く).

fim·bri·o·cele (fim′brē-ō-sēl′) [L. *fimbria*, fringe + G. *kēlē*, hernia]. 卵管采ヘルニア.

fim·bri·o·plas·ty (fim′brē-ō-plas′tē) [L. *fimbria*, fringe + G. *plastos*, formed]. 卵管采形成〔術〕.

Finckh (fink), Johann. 20 世紀のドイツ人精神科医. →F. *test*.

find·ing (find′ing). 所見 (臨床的に意味のある観察で, 通常は理学的検査や検査室検査でみつかったものについていう).

fine·ness (fīn′nes). ファインネス (合金の貴金属含有量を示すのに用いる表示法. 1000 fine は 24 カラットまたは純金).

fin·ger (fing′gĕr) [A.S.][TA]. 指 (手の指). ＝digitus manus [TA].

baseball f. 野球指. ＝mallet f.

blubber f. ＝erysipeloid.

bolster f. まくら指 (爪郭のモニリア感染症).

clubbed f.'s 〔太鼓〕ばち(撥)指 (彎曲指. →clubbing).

dead f.'s 死指. ＝acroasphyxia.

drop f. 下垂指. ＝mallet f.

fifth f. 第五指. ＝little f.

first f. 第一指. ＝thumb.

fourth f. 第四指. ＝ring f.

hammer f. ハンマー指, つち(槌)指. ＝mallet f.

hippocratic f.'s ヒポクラテス指 (→clubbing).

index f. [TA]. 示指, ひとさしゆび (親指を第一指とすると第二指). ＝digitus (manus) secundus [II]*; forefinger; index (1); second f.

jerk f. ＝trigger f.

jersey f. ジャージー指 (深指屈筋腱付着部での断裂をさす. スポーツ競技者が相手のジャージーをつかんだ際によく生じるのでこうよばれる).

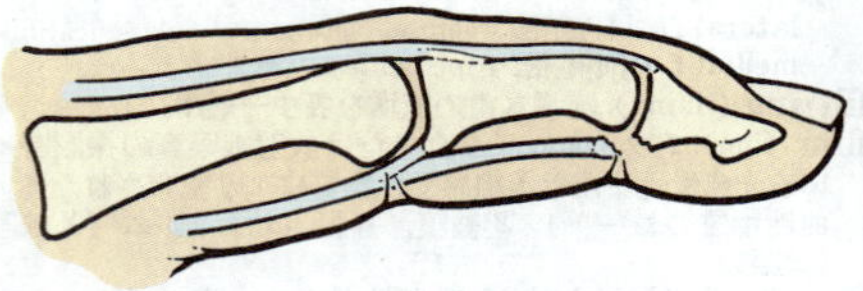

jersey finger
遠位指骨間関節を屈曲できなくする末節骨付着部から深指屈筋腱の剥離.

little f. [TA]. 小指, こゆび (第五指). ＝digitus (manus) minimus [TA]; digitus auricularis; digitus (manus) quintus [V]; fifth f.

lock f. 固定指. ＝trigger f.

mallet f. 槌指 (末節骨基部に付着する指伸筋腱が不完全または完全に引きぬけ, 結果として遠位指節間関節を自動的に完全伸展することができなくなった指). ＝baseball f.; drop f.; hammer f.

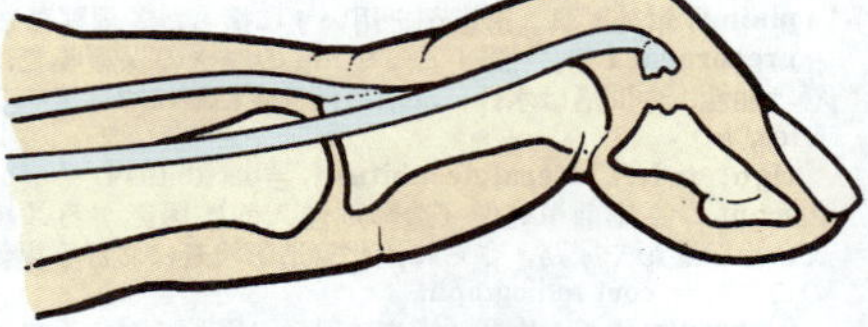

mallet finger (baseball finger)
指伸筋腱の伸筋メカニズムを壊し, 遠位指骨間関節で屈曲変形を生じさせる末節骨底の剥離骨折.

middle f. [TA]. 中指，なかゆび（第三指）. ＝digitus (manus) medius [TA]; digitus (manus) tertius [III]*; third f.

ring f. [TA]. 環指，薬指，くすりゆび（第四指）. ＝digitus anularis [TA]; digitus (manus) quartus [IV]*; fourth f.

sausage f.'s ソーセージ指（先端巨大症の太く短い指．全身性硬化症の初期病変として認められる左右対称性と一様に腫大した手の指）.

seal f.'s ＝erysipeloid.

second f. 第二指. ＝index f.

snap f. ＝trigger f.

spade f.'s すき(鋤)指（先端巨大症または粘液水腫症による太く荒れた指）.

spider f. クモ指. ＝arachnodactyly.

spring f. ばね指. ＝trigger f.

stuck f. ＝trigger f.

telescoping f. 伸縮指（破壊性関節炎で骨吸収の結果生じる軟部組織の圧潰を伴う指の変形）.

third f. 第三指. ＝middle f.

trigger f. ばね指（一瞬指の動きが屈曲または伸展位で抑留され，次いでぐいと動く指の疾患．腱が局所的に腫大して，手掌部の滑車での腱の滑走が防げられ起こる）. ＝jerk f.; lock f.; snap f.; spring f.; stuck f.

waxy f.'s ろう状指. ＝acroasphyxia.

webbed f.'s みずかき指（２本以上の指が融合して，共通の皮膚でおおわれている）.

whale f.'s ＝erysipeloid.

white f.'s 白色指（圧搾空気駆動のつち(槌)を寒冷下で使用する者に起こる職業病）.

zinc f. 亜鉛フィンガー，ジンクフィンガー（蛋白構造における亜鉛結合ドメインで，しばしばある遺伝子調節蛋白にみられる．転写因子）.

fin·ger·nail (fing′gĕr-nāl). 〔指の〕爪（→nail）.

fin·ger·print (fing′gĕr-print). ***1*** 指紋（指頭の捺印によって得られる紋理で，隆線の構成が示される．個人の識別に用いる．→dermatoglyphics; Galton system of classification of f.'s）. ***2*** 類似化合物やゲルパターンが識別できるような分析法についてときに非公式に用いる語．例えば，赤外線吸収曲線や二次元ペーパークロマトグラフ. ***3*** フィンガープリント（遺伝学では，個人の同定あるいは親子関係を決定するためにDNA断片を分析すること）. ＝genetic f.

Galton system of classification of f.'s (gahl′tŏn). ガルトン指紋分類〔法〕（隆線図形の多様性に基づいた指紋分類法．指紋を弓状紋，蹄状紋，渦状紋に分類する(A.L.W. 系または arch-loop-whorl 系とよばれる)．弓状型は，指球の片側から他側へ，逆向きの反転およびねじれもなく隆線が流れている．渦巻き型は，少なくとも１個の完全な円を描く隆線があるもので，すべての二重らせん形もこれに含まれる．指紋の記録に用いる記号は，*a* は弓状紋，*l* は蹄状紋，*w* は渦状紋である．*i* は蹄状紋が内側(親指側)に傾斜，*o* は蹄状紋が外側(小指側)に傾斜したことを示す．10本の指は，４群に分けて，大文字を用いて次のように記載する．A：右手の示指，中指，薬指，B：左手の示指，中指，薬指，C：右手の母指，小指，D：左手の母指，小指. →dermatoglyphics）.

genetic f. ＝fingerprint (3).

fin·ger spel·ling (fing′gĕr spel′ing). 指文字（指の位置や動きによってアルファベット文字を表しスペリングを示すことによって高度難聴の人とコミュニケーションをとる方法）.

Fink (fink), R.P. 20世紀の米国人解剖学者. →F.-Heimer *stain*.

Fink·el·dey (fink′ĕl-dēy), Wilhelm. 20世紀のドイツ人病理学者. →Warthin-F. *cells*.

Fin·ney (fin′ē), John M.T. 米国人外科医，1863—1942. →F. *operation*, *pyloroplasty*.

fipronil (fip-rō′nil). フィプロニル（フェニルピラゾール系殺虫剤の１つで，イヌおよびネコにおけるノミとダニの寄生に対して局所滴下型溶液およびスプレーとして用いられている．作用機序としては，神経細胞膜におけるガンマアミノ酪酸介在性チャネルにおける塩素イオンの通過を阻害することが知られており，その結果，致死的な神経機能不全を引き起こす．市販されている溶液は可燃性である）.

fire (fīr). ***1*** 火（鍼の理論によれば，鍼治療によって均衡が保たれる５つの要素の１つ(他の要素は水，金属，土，木である)）. ***2*** 焼成（歯科において，カオリン，長石などを含んだ粉末と水とを溶解し，修復物や人工歯に用いるための陶材にすること）.

fire·damp (fīr′damp). 坑気，爆発ガス（空気(ガスの７または８倍の容量)と混合し爆発性混合物をつくるガス．メタン(沼気)または他の軽い炭化水素）.

first aid (first ād′). 応急処置（外傷または急病の場合に，医師が到着する前に，居合わせた人(必ずしも医師ではない)によってなされる緊急の救助）.

Fisch·er (fish′ĕr), Louis. 米国人小児科医，1864—1944. →F. *sign*, *symptom*.

Fisch·er (fish′ĕr), Emil. ドイツ人科学者・ノーベル賞受賞者，1852—1919. →F. projection formulas of *sugars*; Kiliani-F. *synthesis*, *reaction*.

FISH (fish). フィッシュ（fluorescence in situ *hybridization* の略）.

Fish·berg (fish′bĕrg), Arthur M. 20世紀の米国人医師. →F. concentration *test*.

fish ber·ry (fish ber′rē). ツヅラフジ（ツヅラフジ *Anamirta paniculata* の種子はピクロトキシンを含有し，中枢および呼吸興奮薬であり，獣医薬としてバルビツレートの解毒薬に用いられる．英名は，傷つけた種子を川へ投入することにより魚を獲ることに由来する）.

Fish·er (fish′ĕr), Ronald A. 英国人医学統計学者，遺伝学者，1890—1962. 多くの統計学的検定を考案した.

Fish·er (fish′ĕr), C. Miller. 20世紀のカナダ人神経科医. →F. *syndrome*.

fis·sion (fish′ŭn) [L. *fissio*, a cleaving < *findo*, pp. *fissus*, to cleave]. ***1*** 分裂（分裂運動，例えば，細胞またはその核の無糸分裂）. ***2*** 核分裂（原子核の分裂）.

binary f. 二分裂（生成された２個の細胞が，ほぼ同じ大きさになるような単数分裂）.

bud f. 発蕾(らい)分裂，発芽分裂. ＝gemmation.

multiple f. 多分裂，複分裂（核が同時また連続的に多数の娘核に分裂し，次いで細胞質がそれぞれに核を有する同数の部分に分裂する）.

simple f. 単数分裂（最初に核が，次いで細胞体が２つになる分裂. →binary f.）.

fis·si·par·i·ty (fis′i-par′i-tē) [L. *fissio*, cleaving < *findo*, to cleave + *pario*, to bring forth]. 分裂増殖. ＝schizogenesis.

fis·sip·a·rous (fi-sip′ă-rŭs) [L. *findo*, pp. *fissus*, split + *pario*, to produce]. 分裂増殖の，分裂再生の.

fis·sul·a (fis′yū-la). 小裂（fissure の指小辞．小さな裂）.

f. antefenestram 卵円窓前裂隙（卵円窓の前の骨性迷路壁のある小裂隙．この裂隙の周りの骨は通常線維性組織および未発達の軟骨組織が充満している．耳硬化症の初発部位または外リンパ瘻が生じる部位でもある）.

FISSURA

fis·su·ra, pl. **fis·su·rae** (fi-sū′ră, -soo′rē) [L. < *findo*, to cleave][TA]. 裂（①＝fissure. ②神経解剖学において，特に脳または脊髄表面の深い溝をいう）.

f. antitragohelicina [TA]. 対珠耳輪裂（耳輪尾と対珠の間の耳介軟耳骨の分界溝）. ＝antitragohelicine fissure.

f. calcarina 鳥距裂. ＝calcarine *sulcus*.

fissurae cerebelli [TA]. 小脳溝. ＝cerebellar *fissures*.

f. cerebri lateralis 外側大脳裂. ＝lateral *sulcus*.

f. collateralis 側副裂. ＝collateral *sulcus*.

f. dentata 海馬溝. ＝hippocampal *sulcus*.

f. hippocampi 海馬溝. ＝hippocampal *sulcus*.

f. horizontalis [TA]. 〔小脳の〕水平裂. ＝horizontal *fissure* [TA] of cerebellum.

f. horizontalis pulmonis dextri [TA]. 〔右肺の〕水平裂. ＝transverse *fissure* of the right lung.

f. intersemilunaris [TA]. 半月間裂. ＝ansoparamedian *fissure*.

f. intraculminalis [TA]. =intraculminate *fissure.*

f. ligamenti teretis hepatis [TA]. =*fissure* for ligamentum teres.

f. ligamenti venosi [TA]. 静脈管索裂. =*fissure* for ligamentum venosum.

f. longitudinalis cerebri [TA]. 大脳縦裂. =longitudinal cerebral *fissure.*

f. mediana anterior medullae oblongatae [TA]. 〔延髄の〕〔前〕正中裂. =anterior median *fissure* of medulla oblongata.

f. mediana anterior medullae spinalis [TA]. 〔脊髄の〕〔前〕正中裂. =anterior median *fissure* of spinal cord.

f. obliqua pulmonis [TA]. =oblique *fissure* of lung.

f. occlusalis [TA]. =occlusal *fissure.*

f. orbitalis inferior [TA]. 下眼窩裂. =inferior orbital *fissure.*

f. orbitalis superior [TA]. 上眼窩裂. =superior orbital *fissure.*

f. parietooccipitalis 頭頂後頭裂. =parietooccipital *sulcus.*

f. petrooccipitalis [TA]. 錐体後頭裂. =petrooccipital *fissure.*

f. petrosquamosa [TA]. 錐体鱗裂. =petrosquamous *fissure.*

f. petrotympanica [TA]. 錐体鼓室裂. =petrotympanic *fissure.*

f. portalis dextra [TA]. =right portal *fissure.*

f. portalis principalis [TA]. =main portal *fissure.*

f. posterior superior [TA]. =posterior superior *fissure.*

f. posterolateralis [TA]. 後外側裂. =posterolateral *fissure.*

f. precentralis [TA]. =precentral *fissure.*

f. preculminalis [TA]. =preculminate *fissure.*

f. prepyramidalis [TA]. =prepyramidal *fissure.*

f. prima cerebelli [TA]. 〔小脳の〕第一裂. =primary *fissure* of cerebellum.

f. pterygoidea 翼裂. =pterygoid *notch.*

f. pterygomaxillaris [TA]. 翼上顎裂. =pterygomaxillary *fissure.*

f. pterygopalatina =pterygomaxillary *fissure.*

f. pudendi =pudendal *cleft.*

f. secunda cerebelli [TA]. 〔小脳の〕第二裂. =secondary *fissure* [TA] of cerebellum.

f. sphenopetrosa [TA]. 蝶錐体裂. =petrosphenoidal *fissure.*

f. transversa cerebelli 小脳横裂. =transverse *fissure* of cerebellum.

f. transversa cerebri [TA]. 大脳横裂. =transverse cerebral *fissure.*

f. tympanomastoidea [TA]. 鼓室乳突裂. =tympanomastoid *fissure.*

f. tympanosquamosa [TA]. 鼓室鱗裂. =tympanosquamous *fissure.*

f. umbilicalis [TA]. =umbilical *fissure.*

---

fis·sur·al (fish′ŭ-răl). 裂の, 溝の.

fis·su·ra·tion (fish′ŭ-rā′shŭn). 分裂〔現象〕(裂けている状態).

FISSURE

fis·sure (fish′ŭr) [L. *fissura*]. 裂〔溝〕(① [TA]. 深い溝, 隙, または裂け目. 骨もしくは骨要素の間にできた裂隙. 脳の溝は sulcus の項参照. ②歯科においては, 歯のエナメル質の発育裂または欠損). =fissura (1) [TA].

abdominal f. 腹〔腔〕裂 (先天性の腹壁閉塞欠損. →celosomia; gastroschisis).

Ammon f. (ah′mŏn). アンモン裂〔溝〕(早期胚子強膜に生じた円形の開口).

anal f. 肛門裂傷, 裂肛 (肛門の粘膜の裂傷で, 激しい痛みを伴い, 治りにくい).

ansoparamedian f. [TA]. 係蹄正中傍裂 (小脳皮質後葉の係蹄小葉の第二脚(HVIIA)と正中傍小葉(HVIIB)の間の裂). =fissura intersemilunaris [TA]; intersemilunar f.* [TA].

anterior median f. of medulla oblongata [TA]. 〔延髄の〕〔前〕正中裂 (延髄前面の正中部にある縦溝. 脊髄の前正中裂と連続し, 後盲孔で終わる. 錐体交叉によって, この裂の下方部分は閉塞されている). =fissura mediana anterior medullae oblongatae [TA]; anteromedian groove (1).

anterior median f. of spinal cord [TA]. 〔脊髄の〕〔前〕正中裂 (脊髄前面にある縦に走る深い裂け目). =fissura mediana anterior medullae spinalis [TA]; anteromedian groove (2); sulcus ventralis.

antitragohelicine f. 対珠耳輪裂. =*fissura* antitragohelicina.

ape f. 後頭葉月状溝 lunate *sulcus* [TA] of ocipital lobe を表す現在では用いられない語.

auricular f. =tympanomastoid f.

azygos f. 奇静脈葉間裂 (奇静脈葉とその他の右上葉から分ける4層の胸膜からなり, 胸部X線写真で, 右肺尖から縦隔影に向けて下方へ曲線を描く斜めの線状影. 奇静脈は奇静脈葉間裂の下部では滂のような陰影として投影されている).

Bichat f. (bē-shah′). ビシャ裂〔溝〕(大脳外套の内側縁に相当するほぼ円形の裂溝. 大脳半球の入り口を縁どる, 脳梁辺縁裂と海馬に沿った脈絡裂とからなる. この両方の裂は側頭葉の最前端にある外側溝の本幹とつながる).

branchial f. 鰓溝 (遺残した咽頭溝).

Broca f. (brō-kah′). ブロカ〔溝〕(Broca 回を取り巻く裂溝. →inferior frontal *gyrus*).

calcarine f. =calcarine *sulcus.*

callosomarginal f. =cingulate *sulcus.*

caudal transverse f. =*porta* hepatis.

cerebellar f.'s 小脳溝 (小脳の小葉を分割する深い溝. →postcentral f.; primary f. of cerebellum; secondary f. [TA] ofcerebellum). =fissurae cerebelli [TA].

cerebral f.'s 大脳溝 (種々に名付けられた大脳半球の溝. →*sulci* cerebri).

choroid f. 眼杯裂. =retinal f.

choroidal f. [TA]. ***1*** 眼杯裂. =retinal f. ***2*** 脈絡裂 (側脳室の内側壁で脈絡叢が付着している縁に沿った隙間. 脳室中央部では視床の上部表面と脳弓の外側縁の間, 下角では海馬采と分界条の間に存在する).

Clevenger f. (klev′ĕn-jĕr). クレヴェンジャー裂〔溝〕. =inferior temporal *sulcus.*

collateral f. =collateral *sulcus.*

decidual f. 脱落膜裂溝 (基底脱落膜または胎盤の母体側部分にみられる裂溝).

dentate f. 海馬溝. =hippocampal *sulcus.*

Duverney f.'s (dū-vĕr-nā′). デュヴェルネー裂〔溝〕. =*notch* in cartilage of acoustic meatus.

Ecker f. (ek′ĕr). エッカー裂〔溝〕. =petrooccipital f.

enamel f. エナメル裂溝 (う食発生物質が沈着される咬頭間の深い裂溝).

glaserian f. グラーザー裂〔溝〕. =petrotympanic f.

great horizontal f. 〔小脳の〕大水平裂. =horizontal f. [TA] of cerebellum.

great longitudinal f. =longitudinal cerebral f.

Henle f.'s ヘンレ裂〔溝〕(心筋束間の結合組織で満たされた小さな間隙).

hippocampal f. 海馬溝. =hippocampal *sulcus.*

horizontal f. [TA] of cerebellum 〔小脳の〕水平裂 (小脳の係蹄小葉を上半月小葉(crus I)と下半月小葉(crus II)に2大別している水平な裂溝). =fissura horizontalis [TA]; great horizontal f.

horizontal f. of right lung 〔右肺の〕水平裂. =transverse f. of the right lung.

inferior accessory f. 下副葉間裂 (右下葉の内側底区をその他の底区から分ける葉間裂で, ときに胸部写真において右心縁の近くの斜線としてみられる).

inferior orbital f. [TA]. 下眼窩裂（蝶形骨大翼と上顎骨眼窩部の間にある裂隙．ここを通過するのは，上顎神経，下眼静脈およびこれと側頭下窩にある翼突筋静脈叢を結ぶ交通枝である）．＝fissura orbitalis inferior [TA]; sphenomaxillary f.

intersemilunar f. [TA]. 半月間裂（ansoparamedian f. の公式の別名）.

intraculminate f. [TA]. 小脳山頂裂（山頂小葉にあって小脳皮質前葉の小葉IVと小葉Vとを分ける裂で，小脳の外側縁まで続いている）．＝fissura intraculminalis [TA].

lateral cerebral f. ＝lateral *sulcus*.

left sagittal hepatic f. 左矢状裂溝（肝臓の下面に前後に走る溝で，前方は肝円索裂溝，後方は静脈管索裂溝からなる）.

f. for ligamentum teres [TA]. 肝円索裂（肝臓の臓側面の溝で，下縁から肝門の左端まで走っている．肝円索を入れる）．＝fissura ligamenti teretis hepatis [TA]; f. for round ligament of liver☆; fossa venae umbilicalis; umbilical fossa.

f. for ligamentum venosum [TA]. 静脈管索裂（肝門から下大静脈へ，肝左葉と尾状葉の間にのびている深い溝．静脈管索を入れる．静脈管窩の遺残）．＝fissura ligamenti venosi [TA]; f. of venous ligament.

linguogingival f. 舌側歯肉裂溝（1本の上顎切歯の舌側表面に起こり，セメント質中にのびている裂）.

f.'s of liver 肝裂溝（→left sagittal hepatic f.; right sagittal hepatic f.; *porta* hepatis; f. for ligamentum teres; f. for ligamentum venosum）.

longitudinal cerebral f. [TA]. 大脳縦裂（左右の大脳半球を分けている深い溝）．＝fissura longitudinalis cerebri [TA]; great longitudinal f.

lunate f. [TA]. 〔大脳〕月状溝．＝lunate *sulcus*.

f.'s of lung 肺の裂溝（→transverse f. of the right lung; oblique f. of lung）.

main portal f. [TA]. 主門脈裂（中肝静脈を通る面で肝臓の左右を分ける．その位置を表面から推定するための Cantlie 線は，横隔面では胆嚢窩と大静脈溝の上縁をつなぎ，臓側面では右矢状溝に一致する）．＝fissura portalis principalis [TA].

major f. ＝oblique f. of lung.

minor f. ＝transverse f. of the right lung.

oblique f. 斜裂．＝oblique f. of lung.

oblique f. of lung [TA]. 〔肺臓の〕斜裂（肺臓の後方から前下方に斜走する裂け目で，左では上葉と下葉を，右では上葉と中葉を分ける）．＝fissura obliqua pulmonis [TA]; major f.; oblique f.

occlusal f. [TA]. 咬合面裂溝（上顎・下顎の歯の咬合面の間の隙間）．＝fissura occlusalis [TA].

optic f. 眼杯裂＝retinal f.

oral f. [TA]. 口裂（口唇間にできる水平な裂隙で，口腔前庭に連なる．口の開口部）．＝rima oris [TA]; oral opening☆.

palpebral f. [TA]. 眼瞼裂（眼瞼間にできる裂隙で，結膜嚢に連なる）．＝rima palpebrarum [TA].

Pansch f. (pahnsh). パンシュ裂〔溝〕（中心溝の下端から後頭葉のほぼ終わりまで走っている大脳溝）.

paracentral f. 中心傍溝（→paracentral *sulcus*）.

parietooccipital f. ＝parietooccipital *sulcus*.

petrooccipital f. [TA]. 錐体後頭裂（後頭骨底部と側頭骨岩様部の間に破裂孔から前内側方向に走る裂溝で，後端に頸静脈孔を含む）．＝fissura petrooccipitalis [TA]; Ecker f.

petrosphenoidal f. [TA]. 蝶形骨錐体裂（蝶形骨大翼後縁の内側部（卵円孔の後ろ）と側頭骨錐体前縁の内側部との間に不定にみられる裂．ときには破裂孔の外側への延長のように幅広いことや，外側が閉鎖して溝状になっていることもある）．＝fissura sphenopetrosa [TA]; sphenopetrosal f.

petrosquamous f. [TA]. 錐体鱗裂（側頭骨の錐体と鱗部との間の融合部を外側から示している浅い裂溝）．＝fissura petrosquamosa [TA].

petrotympanic f. [TA]. 錐体鼓室裂（側頭骨の鼓室部と錐体部との間の裂溝．鼓索神経が鼓索の前細管へ通っている）．＝fissura petrotympanica [TA]; glaserian f.

portal f. ＝*porta* hepatis; portal scissura.

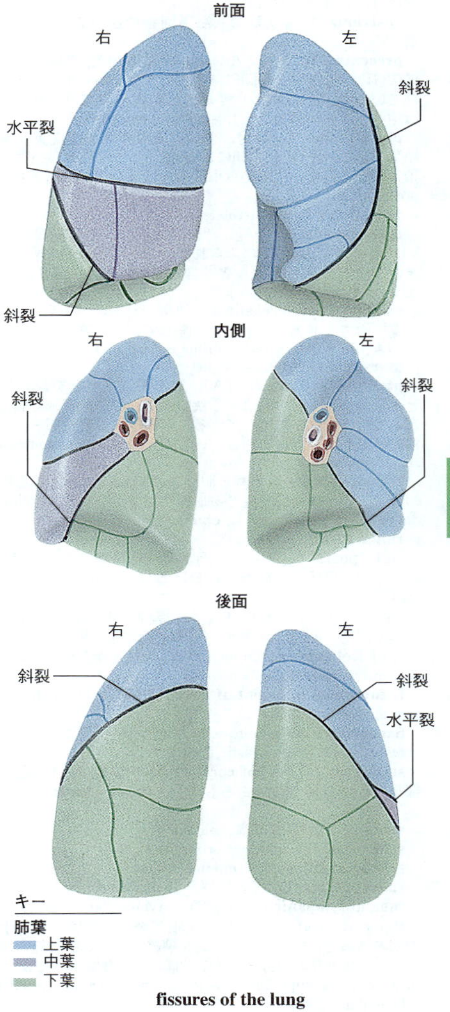

fissures of the lung

postcentral f. 後中心裂（小脳山頂を中心小葉から分ける小脳上面にある裂溝）.

posterior median f. of the medulla oblongata ＝posterior median *sulcus* of medulla oblongata.

posterior median f. of spinal cord ＝posterior median *sulcus* of spinal cord.

posterior superior f. [TA]. 小脳後上裂（小脳後葉の小葉 VI と VII の間にある裂で，小脳外側縁まで延びている）．＝fissura posterior superior [TA].

posterolateral f. [TA]. 後外側裂（小脳の発育時に最も早く現れる裂で，小葉と小節とを虫部垂と扁桃から分離している）．＝fissura posterolateralis [TA]; prenodular f.

posthippocampal f. ＝calcarine *sulcus*.

postlingual f. 後小脳小舌裂（小脳小舌を中心小葉から分ける小脳上虫部の横走裂溝）.

postlunate f. 後半月裂（小脳上虫部にある横走裂溝で，前部の下半月小葉を二腹小葉から分ける）.

postpyramidal f. 後虫部錐体裂（小脳虫部錐体を虫部隆起部分から分ける裂溝）.

postrhinal f. 後嗅脳溝（海馬回を側副回から分ける裂溝）.

precentral f. [TA]. 小脳中心前裂（小脳前葉中心小葉の前部(II)と後部(III)の間にある裂で，虫部から小脳縁まで延びている．中心前裂は小葉 I と小葉 II の間にみられ，後者は中心小葉の前部となる）. = fissura precentralis [TA].

preculminate f. [TA]. 小脳山頂前裂（小脳皮質前葉の小葉 III と小葉 IV との間にある裂，すなわち中心小葉と山頂との間の裂で，虫部から小脳縁まで延びている）. = fissura preculminalis [TA].

prenodular f. = posterolateral f.

prepyramidal f. [TA]. 小脳錐体前裂（小脳後葉の小葉 VIII と小葉 VIIB の間にみられる裂で，虫部から半球まで続き，そこで小葉 HVIIIA と小葉 HVIIB を切り離す）. = fissura prepyramidalis [TA].

primary f. of cerebellum [TA]. 小脳第一裂（小脳の最も深い溝で，前葉と後葉とを分画している．第二裂は胎生期にのみ出現する）. = fissura prima cerebelli [TA].

pterygoid f. 翼突切痕. = pterygoid *notch.*

pterygomaxillary f. [TA]. 翼上顎裂（翼状突起外側板と上顎骨側頭下面の間にある狭い溝で，ここを通って側頭下窩と翼口蓋窩とが連絡している．上顎動脈の第三部・後上歯槽動静脈および神経が通っている）. = fissura pterygomaxillaris [TA]; fissura pterygopalatina.

retinal f. 網膜裂（眼杯と眼杯茎の陥入により生じる腹側の溝で，硝子体血管を生じる血管性間葉がつくる）. = choroidal f. (1) [TA]; choroid f.; optic f.

rhinal f. = rhinal *sulcus.*

right portal f. [TA]. 右門脈裂（右肝静脈を通る面で，右肝を右外側区と右内側区に分ける）. = fissura portalis dextra [TA].

right sagittal hepatic f. 右矢状裂溝（肝臓の下面を前後に走る溝で，前方は胆嚢窩，後方は下大動脈溝からなる）.

f. of Rolando (rō-lan′dō). ロランド裂〔溝〕. = central *sulcus.*

f. for round ligament of liver* 肝円索裂（f. for ligamentum teres の公式の別名）.

Santorini f.'s (sahn-tō-rē′nē). サントリーニ裂〔溝〕. = *notch* in cartilage of acoustic meatus.

secondary f. [TA] of cerebellum 小脳第二裂（小脳の虫部垂と虫部錐体の間にある裂溝）. = fissura secunda cerebelli [TA].

simian f.〔大脳〕月状溝. = lunate *sulcus.*

sphenoidal f. = superior orbital f.

sphenomaxillary f. = inferior orbital f.

sphenopetrosal f. 蝶錐体裂. = petrosphenoidal f.

squamotympanic f. 鼓室鱗裂. = tympanosquamous f.

superior orbital f. [TA]. 上眼窩裂（蝶形骨大翼と小翼の間の裂隙で，中頭蓋窩と眼窩を連絡する．動眼神経，滑車神経，三叉神経の眼分枝，外転神経，上眼静脈が通る）. = fissura orbitalis superior [TA]; foramen lacerum anterius; sphenoidal f.

superior temporal f. = superior temporal *sulcus.*

sylvian f., f. of Sylvius (sil′vē-ŭs). シルヴィウス裂〔溝〕. = lateral *sulcus.*

transverse f. of cerebellum 小脳横裂（小脳の前葉が上小脳脚および中小脳脚の上に突出することによってつくられた裂溝）. = fissura transversa cerebelli.

transverse cerebral f. [TA]. 大脳横裂（上方は脳梁と脳弓，下方は視床背面，側方は側脳室の脈絡裂に囲まれた三角形の間隙で，軟膜におおわれ，尾側方でクモ膜下腔の大脳静脈槽に開く）. = fissura transversa cerebri [TA].

transverse f. of the right lung [TA]. 右肺水平裂（右肺の上葉および中葉を分離する深い溝）. = fissura horizontalis pulmonis dextri [TA]; horizontal f. of right lung; minor f.

tympanomastoid f. [TA]. 鼓室乳突裂（側頭骨の鼓室部と乳様突起とを分離している裂溝．迷走神経脳の耳介枝が通っている）. = fissura tympanomastoidea [TA]; auricular f.; tympanomastoid suture.

tympanosquamous f. [TA]. 鼓室鱗裂（側頭骨の鼓室部と鱗部を分けている裂溝．内側で錐体鼓室裂および錐体鱗裂とつながっている）. = fissura tympanosquamosa [TA]; squamotympanic f.

umbilical f. 臍裂（左肝静脈と肝鎌状間膜の付着部を通る平面．左肝の左内側区域と左外側区域を分ける）. = fissura umbilicalis [TA]; left portal scissura.

f. of venous ligament 静脈管索裂. = f. for ligamentum venosum.

vestibular f. of cochlea 蝸牛前庭裂（蝸牛の第一回転の下部にある細い裂で，ラセン板により形成されている．ラセン板は蝸牛の外壁から突出しているが，骨ラセン板に達していないために，狭い空隙を残している）.

zygal f. H字裂溝（ほぼ平行な 2 つの大脳溝の間を直角に短い裂溝が連絡し，H字形をなしている）.

FISTULA

fis·tu·la, pl. **fis·tu·lae, fis·tu·las** (fis′tyū-lă, -tyū-lē, -tyū-lăz) [L. a pipe, a tube]. フィステル，瘻〔孔〕（1 つの上皮でおおわれている表面から他のやはり上皮でおおわれている表面への異常な導管）.

abdominal f. 腹フィステル(瘻)（腹部内臓の 1 つから外部表面の間に連絡する瘻孔交通）.

amphibolic f., amphibolous f. 両面フィステル(瘻)（外部および内部の両方に開く完全肛門フィステル）.

anal f. 肛門フィステル，痔瘻（肛門または肛門近くの開口．通常，内肛門括約筋の上部の直腸に開いているが，常時ではない）.

aortoenteric f. 大動脈腸瘻（腹部大動脈または大動脈グラフトと腸，通常は十二指腸上行部との間に形成された異常な交通）.

arteriovenous f. 動静脈瘻（動脈と静脈との間の異常な結合．特発的なものと外科手術で造設されたものとがある）.

f. auris congenita 先天性耳瘻孔（耳介の形成欠如による耳輪のつけ根の前方の先天性瘻孔）.

biliary f. 胆道フィステル(瘻)（胆道のある部分に通じている瘻）.

f. bimucosa 両粘膜フィステル(瘻)（両端が粘膜面に開いている完全瘻孔）.

blind f. 盲フィステル(瘻)（一端が盲管で，片端だけに開いている瘻孔）. = incomplete f.

BP f. 気管支胸膜瘻. = bronchopleural f.

branchial f. 鰓溝性フィステル(瘻). = pharyngeal f.

Brescia-Cimino f. (bresh′ē-ă chi-mē′nō). ブレーシャーチミーノフィステル(瘻)（手術的に作製する直接静脈瘻．長期の血液透析を容易にするために作製する）.

bronchobiliary f. 気管支胆道瘻（気管支と胆道系の間の交通．例えば肝膿瘍の破裂後に生じる）.

bronchocavitary f. 気管支膿瘍瘻（気管支と肺膿瘍腔との間の交通）.

bronchoesophageal f. 気管食道瘻（気管と食道の間が開通している．気管または食道の感染症または腫瘍のいずれかに伴って起こることがある）.

bronchopleural f. (BPF) 気管支胸腔瘻（気管支と胸膜腔の間の交通．通常，壊死性肺炎や膿胸により生じるが，肺手術や放射線照射後に生じることもある）. = BP f.

bronchopleural-cutaneous f. 気管支胸膜皮膚瘻（胸膜腔を横断し気管気管支樹と皮膚の連絡路）.

carotid-cavernous f. 頸動脈海綿静脈洞瘻（自発的にあるいは外傷に起因して形成された海綿静脈洞とその中を横切っている内頸動脈との間に連絡する瘻孔交通．拍動性偏側性(一側性)の眼球突出と頭蓋内雑音が一般的な徴候である）.

cholecystoduodenal f. 胆嚢十二指腸フィステル(瘻)（しばしば穿孔と膿瘻形成を伴った重症の胆嚢炎に続発する，胆嚢と十二指腸間の異常な連絡．結石が胆嚢内にあるときには結石が隣接十二指腸壁を侵食し，もし大きな結石が十二指腸にはいった場合には，胆石性腸閉塞症 gallstone *ileus* を起こすことがある）.

chyle f. 乳び瘻（リンパ管から皮膚表面への乳びの瘻出．頸部根治術の胸管が損傷した際の合併症）．

coccygeal f. 尾骨フィステル(瘻)（尾骨部分の類皮嚢胞の瘻孔）．

colocutaneous f. 結腸皮膚フィステル(瘻)（結腸と皮膚の間に連絡する瘻孔交通）．

coloileal f. 結腸回腸フィステル(瘻)（結腸と回腸の間に連絡する瘻孔交通）．

colonic f. 結腸フィステル(瘻)（①内腸瘻は結腸と管腔臓器の間に連絡する瘻孔交通．②外腸瘻は結腸と皮膚の間に連絡する瘻孔交通）．

colovaginal f. 結腸腟フィステル(瘻)（結腸と腟の間に連絡する瘻孔交通）．

colovesical f. 結腸膀胱フィステル(瘻)（結腸と膀胱の間に連絡する瘻孔交通）．＝vesicocolic f.

complete f. 完全フィステル(瘻)（両端が開いた瘻孔）．

congenital pulmonary arteriovenous f. 先天性肺動静脈瘻（肺の動脈と静脈を連絡する多発性の通常拡張した血管．多くは Rendu-Osler-Weber 症候群に合併し，生理的な左右シャントの原因になる）．

dental f. 歯フィステル(瘻)．＝gingival f.

duodenal f. 十二指腸フィステル(瘻)（十二指腸壁から他の上皮でおおわれた臓器または腹壁に通じる瘻孔）．

dural cavernous sinus f. 硬膜海綿静脈洞瘻（内頸動脈 internal carotid *artery* か外頸動脈 external carotid *artery* の硬膜枝と海綿静脈洞 cavernous *sinus* の血管の短絡）．

Eck f. (ek)．エックフィステル(瘻)（大静脈と門脈間を吻合し，肝臓に近い門脈部分を結紮することにより，門脈血流を大循環に流入させるもの）．

enterocutaneous f. 腸皮フィステル(瘻)（腸と腹部の皮膚の間に連絡する瘻孔交通）．

enterovaginal f. 腸腟フィステル(瘻)（腸と腟の間に連絡する瘻孔交通）．

enterovesical f. 腸膀胱瘻（腸と膀胱の間に連絡する瘻孔交通）．

ethmoidal-lacrimal f. 篩骨洞涙嚢フィステル(瘻)（涙嚢と篩骨洞間の瘻孔）．＝internal lacrimal f.

external f. 外瘻（管腔臓器と皮膚の間に連絡する瘻孔交通）．

fecal f. 糞フィステル(瘻)．＝intestinal f.

gastric f. 胃フィステル(瘻)（胃から腹壁の間に連絡する瘻孔交通）．

gastrocolic f. 胃結腸フィステル(瘻)（胃と結腸の間に連絡する瘻孔交通）．

gastrocutaneous f. 胃皮フィステル(瘻)（胃と皮膚の間に連絡する瘻孔交通）．

gastroduodenal f. 胃十二指腸フィステル(瘻)（胃から十二指腸の間に連絡する瘻孔交通）．

gastrointestinal f. 胃腸フィステル(瘻)（胃と腸を接続している瘻孔交通）．

genitourinary f. 尿生殖器瘻（尿生殖器管への瘻孔性開口）．＝urogenital f.

gingival f. 歯肉瘻（末梢部位の膿瘍に起因し，口腔内の歯肉部に開口する管状の交通路）．＝dental f.

hepatic f. 肝臓フィステル(瘻)（肝臓へ通じる瘻孔交通）．

hepatopleural f. 肝胸腔フィステル(瘻)（肝と胸腔の間に連絡する瘻孔交通）．

horseshoe f. 馬蹄型フィステル(瘻)（肛門を部分的に取り囲んでいる肛門瘻で，両端で皮膚表面に開いている）．

H-type f. H型気管食道瘻（食道閉鎖のないまれな型の先天性気管食道瘻．誤えん性肺炎で判明する）．＝H-type tracheoesophageal f.

H-type tracheoesophageal f. H型気管食道瘻．＝H-type f.

incomplete f. 不完全フィステル(瘻)．＝blind f.

internal f. 内フィステル(瘻)（管腔臓器間に連絡する瘻孔交通）．

internal lacrimal f. ＝ethmoidal-lacrimal f.

intestinal f. 腸フィステル(瘻)（腸管から外部へ通じる管）．＝fecal f.

labyrinthine f. 内耳瘻孔（液体で満たされた内耳の一区画と，内耳内の他の区画(内瘻孔)，または中耳，乳突蜂巣，クモ膜下腔(外瘻孔)との間の瘻孔．瘻孔の位置によって聴覚や前庭機能の障害が生じる．⇀perilymphatic f.）．

lacrimal f., f. lacrimalis 涙〔管〕フィステル(瘻)（涙腺または涙嚢への異常な瘻孔）．

lacteal f. 乳管フィステル(瘻)（乳管の１つへの瘻孔）．＝mammary f.

lymphatic f. リンパフィステル(瘻)（リンパ管と接続し，リンパ液を排出する頸部の先天性瘻孔）．

mammary f. ＝lacteal f.

Mann-Bollman f. (man bōl′măn)．マン－ボールマンフィステル(瘻)（実験的研究に用いられる瘻．回腸係蹄を遊離して，遠位側(肛側)端を十二指腸または小腸に側吻合し，開放した近位側(口側)端を腹壁に縫合する．ぜん動波は口側から肛側へ進むので，内腔液の外部への漏れは最小限に抑えられる）．

metroperitoneal f. ＝uteroperitoneal f.

obstetric f. 産科的な瘻孔（出産後に腟や子宮頸部と尿路や腸管の間に生じた瘻孔の総称）．＝obstetric genital f.

obstetric genital f. 産科的な性器瘻．＝obstetric f.

omphaloenteric f. 臍小腸瘻（臍と回腸末端との間に生じた異常な経路または瘻孔であり，卵黄茎の遺残が原因である．⇀Meckel diverticulum）．＝vitelline f.

oroantral f. 口腔上顎洞フィステル(瘻)（上顎洞と口腔の間の病的な交通路で，上顎，特に小臼歯あるいは大臼歯の抜歯の際に合併症として生じることが多い）．

orofacial f. 口腔顔面フィステル(瘻)（顔面と口腔間の瘻孔）．

oronasal f. 口腔鼻腔フィステル(瘻)．

parietal f. 体壁フィステル(瘻)（盲瘻または完全瘻孔のいずれかで，胸壁あるいは腹壁の瘻孔）．＝thoracic f.

perilymphatic f. 外リンパ瘻（内耳前庭と中耳腔との間の瘻孔で，外リンパが漏出し，蝸牛・前庭障害を生じる．外リンパ瘻の好発部位は卵円窓と正円窓で，卵円窓ではアブミ骨底板を貫通してまたは底板の周囲から，正円窓では正円窓膜を通過して漏出する）．

perineovaginal f. 会陰腟フィステル(瘻)（会陰と腟の間に連絡する瘻孔交通）．

pharyngeal f. 咽頭瘻（咽頭溝または裂の不完全な閉鎖により頸部に開いた先天性瘻孔）．＝branchial f.

pilonidal f. 毛巣フィステル(瘻)．＝pilonidal *sinus*.

pulmonary f. 肺瘻（肺と連絡する体壁瘻）．

rectolabial f. 直腸陰唇フィステル(瘻)（直腸から大陰唇の表面の間に連絡する瘻孔交通）．＝rectovulvar f.

rectourethral f. 直腸尿管瘻（直腸と尿管の間に連絡する瘻孔交通）．

rectovaginal f. 直腸腟瘻（直腸と腟の間に連絡する瘻孔交通）．

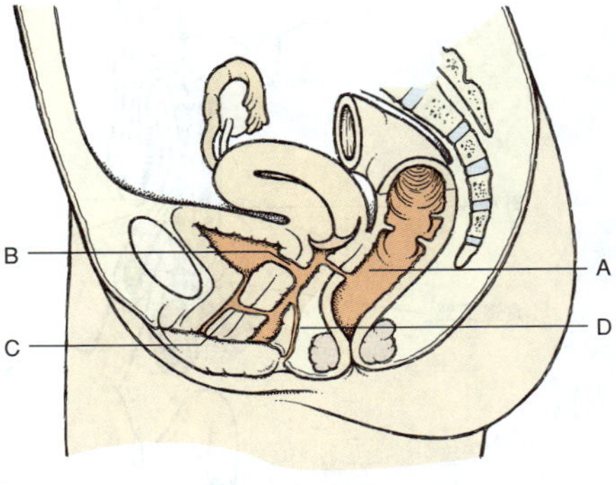

fistulae of vagina

A：直腸腟瘻．B：膀胱腟瘻．C：尿道腟瘻．D：腟会陰瘻．

rectovesical f. 直腸膀胱瘻（直腸と膀胱の間に連絡する瘻孔交通）．

F

rectovestibular f. 直腸腟前庭瘻（直腸と腟前庭の間に連絡する瘻孔交通）.

rectovulvar f. ＝rectolabial f.

reverse Eck f. (ek). 逆エックフィステル(瘻)（門脈と下大静脈を側側吻合し，吻合部の上，肝静脈の下の間で下大静脈を結紮する．したがって下半身からの血液は，直接，肝循環を通る）.

salivary f. 唾液腺フィステル(瘻)（唾液管または腺と皮膚表面，口腔内，咽頭，食道から頸部の皮膚表面との病的な交通．頭頸部の手術の合併症として生じる）.

sigmoidovesical f. Ｓ状結腸膀胱瘻（Ｓ状結腸と膀胱の間に連絡する瘻孔交通）.

spermatic f. 精瘻（精巣または精液通路に通じる瘻孔）.

T-E f. 気管食道瘻．＝tracheoesophageal f.

Thiry f. (tē′rē). ティリーフィステル(瘻)（実験的目的で，動物の腸液を採取するための人工瘻．腸のわなは分離されているが，その血管および神経は接続されたままになっており，端端吻合によって腸管の連絡を保った後に分離部分の一端は閉じられ，もう一方は腹部の皮膚に接合している）.

Thiry-Vella f. (tē′rē vāl′ah). ティリー－ヴェラフィステル(瘻)（動物において腸の一部を実験的に分離することで，腸管ループを遊離し，その血管系，神経系は保存され，端端吻合によって腸管の連絡を保つ．遊離腸管の両端はそれぞれ独立に腹壁に開口させる）.＝Vella f.

thoracic f. 胸壁瘻．＝parietal f.

tracheobiliary f. 気管胆管瘻（副気管支と異常胆管系間のまれな先天性吻合）.

tracheoesophageal f. 気管食道瘻（気管と食道の間に連絡する瘻孔交通．しばしば食道閉鎖を合併し，後天的にも生じる．成人における病因は，気管支食道瘻の場合に類似する）.＝T-E f.

umbilical f. 臍フィステル(瘻)（臍における腸または尿膜管の間に連絡する瘻孔交通）.

urachal f. 尿膜管瘻（膀胱と臍の間の異常な通路および瘻孔）.

ureterocutaneous f. 尿管皮膚瘻（尿管と皮膚の間にある瘻孔）.

ureterovaginal f. 尿管腟瘻（尿管下部と腟をつなぐ瘻孔）.

urethrocutaneous f. 尿道皮膚瘻（尿道と陰茎皮膚との間の瘻孔．尿道下裂修復術の合併症の１つとして最も起こりやすい）.

urethrovaginal f. 尿道腟瘻（尿道と腟の間の瘻孔）.

urinary f. 尿瘻（皮膚または他の器官への尿の異常なドレナージの結果起こる瘻孔）.

urogenital f. ＝genitourinary f.

uteroperitoneal f. 子宮腹腔フィステル(瘻)（子宮壁を通って腹腔内へ開いている瘻孔交通）.＝metroperitoneal f.

Vella f. (vā′lah). ヴィラフィステル(瘻).＝Thiry-Vella f.

vesical f. 膀胱からの瘻孔交通.

vesicocolic f. 膀胱結腸瘻．＝colovesical f.

vesicocutaneous f. 膀胱皮膚瘻（膀胱と皮膚の間にある瘻孔）.

vesicointestinal f. 膀胱と小腸の間に連絡する瘻孔交通.

vesicouterine f. 膀胱子宮瘻（膀胱と子宮の間の瘻孔）.

vesicovaginal f. 膀胱腟瘻.

vesicovaginorectal f. 膀胱腟直腸瘻（腟と膀胱と直腸の間に連絡する瘻孔交通）.

vitelline f. 卵黄管フィステル(瘻).＝omphaloenteric f.

---

fis·tu·la·tion, fis·tu·li·za·tion (fis′tyū-lā′shŭn, -tū-li-zā′shŭn). 瘻孔形成，瘻管形成.

fis·tu·la·tome (fis′tyū-lă-tōm)［fistula＋G. *tomē*, a cutting］. 瘻孔切開刀（瘻孔を切り開くための先端が探針様のナイフで，長くて刃が薄い）.＝fistula knife; syringotome.

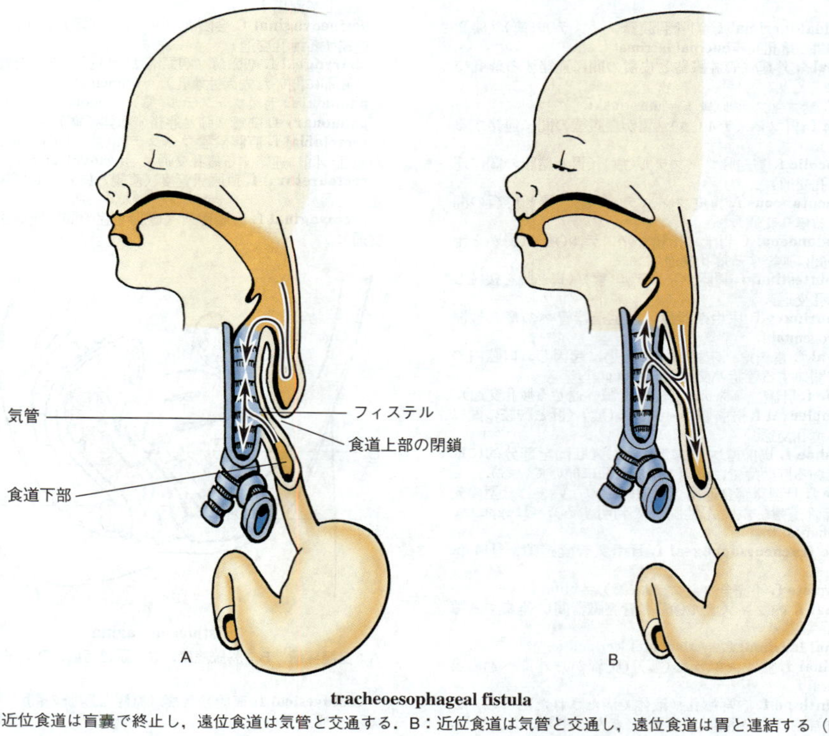

tracheoesophageal fistula

A：近位食道は盲嚢で終止し，遠位食道は気管と交通する．B：近位食道は気管と交通し，遠位食道は胃と連結する（H型）.

fis·tu·lec·to·my (fis′tyū-lek′tŏ-mē) [fistula + G. *ektomē*, excision]. 瘻孔切除〔術〕. = syringectomy.
fis·tu·lo·en·ter·os·to·my (fis′tyū-lō-en′tĕr-os′tŏ-mē) [fistula + G. *enteron*, intestine + *stoma*, mouth]. 瘻孔腸管吻合〔術〕(瘻孔と腸を接合する手術).
fis·tu·lot·o·my (fis′tyū-lot′ŏ-mē) [fistula + G. *tomē*, incision]. 瘻孔切開〔術〕(瘻孔の切開または瘻孔を外科的に拡大すること). = syringotomy.
fis·tu·lous (fis′tyū-lŭs). 瘻の.
fit (fit) [A.S. *fitt*]. ***1*** 発作 (急性疾患の発作, または咳のように症状が突然発現すること). ***2*** 痙攣, らいかん(癲癇)発作. ***3*** [pl.]てんかん. ***4*** 適合 (歯科において, あらゆる歯科修復物の適合. 例えば歯の窩洞へのインレー適合, 基底部への義歯適合).
　induced f. 誘導適合 (リガンドや基質との多数の弱い相互作用の結果による高分子(例えば蛋白)のコンフォメーション変化).
　uncinate f. 鉤〔回〕発作. = temporal lobe *epilepsy*.
FITC fluorescein isothiocyanate の略.
fit·ness (fit′nes). ***1*** 良好 (健康状態を表す用語). ***2*** 適正, 適応度. ***3*** 適正度 (集団遺伝学において, 特定の個人あるいは表現型, または集団の亜グループについて, 相対的な生存と生殖の成立を測定すること). ***4*** 適正, 適応度 (エネルギーを消費する仕事をなす能力に関して, 特に呼吸, 心血管系の一連の特質).
　clinical f. 臨床的健康状態 (明らかな疾病または前駆症状がない状態).
　evolutionary f. 進化学的適性 (ある特別な特徴をもつ個体からの系統が最終的に死に絶えない確率).
　genetic f. 遺伝的適合性 (個体が一生の間に生む子孫の平均生存数. 通常, 集団の遺伝的適合性の平均の分数あるいは百分率で表現される).
　physical f. 体力良好 (動作が最適となるような健康良好な状態).
Fitz-Hugh (fits′hyū), T., Jr. 米国人医師, 1894—1963. → F.-H. and Curtis *syndrome*.
FIV feline immunodeficiency *virus* の略.
fix·a·tion (fik-sā′shŭn) [L. *figo*, pp. *fixus*, to fix, fasten]. ***1*** 固定, 不動, 据え付け. ***2*** 固定 (組織学において, 組織成分をできるだけ生体時の状態に保つように, 組織を迅速に殺し, 硬化, 保存すること). = fixing. ***3*** 固定 (化学において, 化学反応(生体組織の助けを借りる場合と借りない場合がある)によって気体を固体または液体に変えること). ***4*** 固着 (精神分析において, 特定の人や対象や成長の期間に強く執着し固定していること). ***5*** 固視, 注視, 視線固定, 凝視 (生理光学において, 静止または動いている物体の鮮明な像をもたらしたり維持する各眼の協調した位置付けまたは調節).
　ammonia f. アンモニア固定. = ammonia *assimilation*.
　bifoveal f. = binocular f.
　binocular f. 両眼固視 (両眼が同時に同じ目標を見ている状態). = bifoveal f.
　circumalveolar f. 歯槽骨周囲固定 (歯槽突起にワイヤを通し周囲に回して骨片や副子を安定化すること).
　circummandibular f. 下顎骨周囲固定 (ワイヤを下顎骨周囲に回して骨片や副子を安定化すること).
　circumzygomatic f. 顎弓周囲固定 (顎弓周囲にワイヤをかけ骨片や副子を固定させること).
　complement f. 補体結合反応 (①抗原抗体反応が起こると免疫グロブリンの構造に立体的な変化がもたらされ, その結果, CI の結合とそれに続く補体カスケードの活性化が促進される. ②補体結合反応とインジケーターとして赤血球溶解反応を用いる免疫測定法で, 標的抗原に対する抗体価を測定する検査法. 溶血の程度によって試料の吸光度が変化するので, 標準曲線と比較することによって抗体価が測定できる. → Bordet-Gengou *phenomenon*; Wassermann *test*). = CF test; complement binding assay.
　craniofacial f. 頭蓋顔面骨固定 (顔面骨骨折の場合, 直接ワイヤをかけたり, あるいは外から(経皮的に)鋼線を刺入し, 骨折部を頭蓋底に固定し安定化すること).
　crossed f. 交叉性固視 (内斜視において, 左側の物を見るために右眼で, 右側の物を見るために左眼で見ることにより, 眼球運動をあまり起こさなくなる状態).
　eccentric f. 偏心固視 (視線が目標と中心窩外の網膜を結ぶ場合で, 一眼での状態についていう).
　elastic band f. エラスティックバンド固定, 弾性帯固定 (副子または固定装置に取り付けられた顎骨板間弾性帯による, 顎の骨折部分の固定).
　external f. 外固定 (骨折部を副子, プラスチック包帯, または鋼線刺入により固定すること).
　external pin f. 骨外ピン固定 (口腔外科において, おおっている皮膚を通じて骨部分にドリルでピンまたはねじを取り付け, 金属棒で接続して, 下顎骨, 上顎骨, 頬骨の骨折部分を固定する).
　external pin f., biphase 〔二方向性〕骨外ピン固定 (骨折整復の際に, 硬い接続金属棒の代わりにアクリル棒を用いるピン固定法).
　freudian f. フロイト学派の固着 (→ fixation (4)).
　genetic f. 遺伝子固定 (ある特定の限定された集団において, 他の対立遺伝子が存在しなくなるまで, 1個の遺伝子の頻度が増加すること).
　intermaxillary f. 顎間固定 (輪ゴムやステンレスワイヤを上顎と下顎間のアーチバーやその他の副子に使用して行う上下顎の骨折の固定法). = mandibulomaxillary f.; maxillomandibular f.
　internal f. 内固定 (外科的ワイヤ, ねじ, 針, 釘, プレートを用いて骨折部を直接に相互に固定して安定化する方法). = intraosseous f.

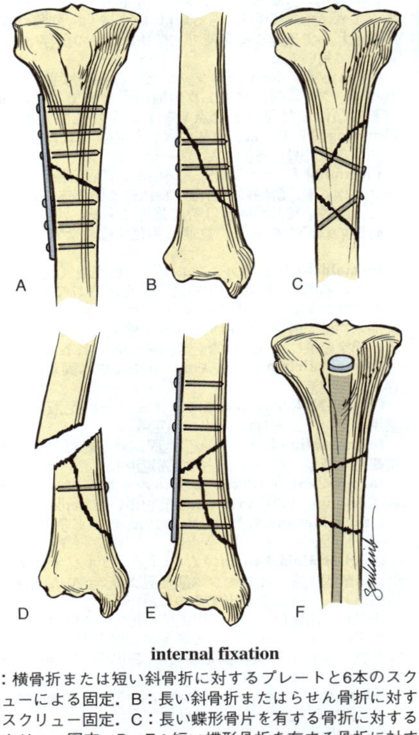

internal fixation
A：横骨折または短い斜骨折に対するプレートと6本のスクリューによる固定. B：長い斜骨折またはらせん骨折に対するスクリュー固定. C：長い蝶形骨片を有する骨折に対するスクリュー固定. D, E：短い蝶形骨折を有する骨折に対するプレートと6本のスクリューによる固定. F：粉砕骨折に対する髄内釘固定.

　intraosseous f. 骨内固定. = internal f.
　mandibulomaxillary f. 上下顎骨固定. = intermaxillary f.
　maxillomandibular f. 上下顎骨固定. = intermaxillary f.
　nasomandibular f. 鼻下顎固定 (下顎の固定. 下顎の前鼻

棘にドリルで穴を開けて通した口腔内骨間ワイヤと，下顎周囲のワイヤをつなぐことにより取り付けられ，特に無歯顎に対し上下顎スプリントで固定する）．

nitrogen f. 窒素固定（大気中の窒素がアンモニアに変換される経路）．

fix·a·tive (fik′să-tiv). ***1***〚adj.〛固定性の，固着性の．***2***〚n.〛固定液，固定剤（組織の肉眼的・組織学的標本または個々の細胞の保存に用いる物質．通常，蛋白成分を変性，沈殿させるか交差させる．→fluid; solution）．

acetone f. アセトン固定液（低温で酵素，特にホスファターゼの固定に用いるアセトン．これは脂肪とグリコゲンを除去する）．

AFA f. AFA 固定液（アルコール，フォルマリン，酢酸を組み合わせたもので，線虫類，吸虫類，条虫類の固定に用いる）．

alcohol-glycerin f. アルコール－グリセリン固定液（5%のグリセリンを含む70%アルコール．ほとんどの線虫の固定に適している）．

Altmann f. (ahlt′mahn). アルトマン固定液（オスミウム酸二クロムの固定液）．

Bouin f. (bū-an[h]′). ブワン固定液（氷酢酸，ホルマリン，ピクリン酸の溶液で，柔軟で繊細な組織(例えば胎児組織など)や組織小片に有効である．グリコゲンや核を保存し，美しい染色が可能であるが徐々に腎組織やミトコンドリアにはいり込んでこれをゆがめ，また，DNA を染める Feulgen 染色も行えない）．

Carnoy f. (kar-noy′). カルノワ固定液（エタノール:クロロホルム:酢酸＝6:3:1，あるいはエタノール:酢酸＝3:1の組成のきわめて迅速な固定液で，グリコゲンの保存や核の固定液として用いる）．

Champy f. (sham′pē). シャンピー固定液（重クロム酸カリウム，クロム酸，オスミウム酸の混合液で，Flemming 固定液に類似した利点と欠点を有する優れた固定液である．Flemming 固定液とは，酢酸の代わりに重クロム酸塩を使用している点で異なる）．

Flemming f. (flem′ing). フレンミング固定液（クロム酸，オスミウム酸，酢酸の混合液．細胞質と染色体の強力な固定液で，酢酸を減じた場合は特に強力である．浸透しにくい，長時間の洗浄を要する，急速に劣化する，などの欠点がある）．

formaldehyde f. ホルムアルデヒド固定液（病理組織学で広く用いる固定剤．37—40%溶液が市販されており，100%ホルマリンあるいは 100%ホルモルとして知られている．主な混入物はギ酸で，中和するか緩衝液中で作製する必要がある．固定組織には人工的な色素沈着がみられる）．

formol-calcium f. ホルモル－カルシウム固定液（脂質保存用の固定液）．

formol-Müller f. ホルモル－ミュラー固定液（2%の工業用ホルマリンを含む Müller 固定液）．

formol-saline f. ホルモル生食固定液（組織標本あるいは組織化学標本に用いる一般的な固定液）．

formol-Zenker f. (zen′kĕr). ホルモル－ツェンカー固定液（ホルマリンの代わりに氷酢酸を用いた Zenker 固定液）．

glutaraldehyde f. グルタルアルデヒド固定液．＝glutaraldehyde.

Golgi osmiobichromate f. (gol′jē). ゴルジオスミウム重クロム酸固定液（オスミウム酸と重クロム酸の混合液で，神経細胞とその突起を表出するのに用いる）．

Helly f. (hel′ē). ヘリー固定液（重クロム酸カリウム，塩化水銀，ホルムアルデヒドと蒸留水の混合液で，細胞質の顆粒と核の染色用の組織固定液として用いる．Zenker 固定液と同じような欠点を有する）．

Hermann f. (her′mahn). ヘルマン固定液（氷酢酸，オスミウム酸，塩化白金よりなる硬化固定液）．

Kaiserling f. (kīzĕr-ling). カイゼルリング固定（正常組織標本または病理組織標本を硝酸カリウム，酢酸カリウム，およびホルマリンのはいった水溶液中に浸し，色を変えずに保存する方法）．

Luft potassium permanganate f. (lūft). ラフト過マンガン酸カリウム固定液（酸化的性質により，膜やミエリンのリポ蛋白複合物をよく保存するので，電子顕微鏡による細胞観察に有用な固定液）．

Marchi f. (mahr′kē). マルキ固定液（Müller 固定液と四酸化オスミウムの混合液．Müller 固定液の重クロム酸カリウムの代わりに塩素酸カリウムを用いるとさらに良好な結果が得られる．変性したミエリンの証明に用いる．→Marchi *stain*）．

methanol f. メタノール固定液（乾燥血液塗抹標本の固定に用い，しばしば染色の一部に組み入れて用いられる）．

Müller f. (mēl′ĕr). ミュラー固定液（Regaud 固定液と同様に重クロム酸カリウムと亜硫酸ナトリウムと蒸留水を含む硬化固定液）．

neutral buffered formalin f. 中性〔緩衝〕ホルマリン固定液（一般的な組織固定液．ホルモル生食固定液に比べ，組織にホルマリンの沈着を残すことが少ない）．

Newcomer f. ニューカマー固定液（イソプロパノールとプロピオン酸とジオキサンを含む固定液で，クロマチンの保存には Carnoy 固定液に代えて用いることが推奨されている．多糖類の固定にも有用であり，また過度の縮小を起こすこともあるが，小組織片の固定には必ず用いる）．

Orth f. (ōrth). オルト固定液（Müller 固定液にホルマリンを加えたもの．クロム親和性を明瞭にして，初期の変性過程や壊死を調べたり，リケッチアや細菌を証明するのに用いる）．

osmic acid f. オスミウム酸固定液（緩衝液中で単独に，あるいは電子顕微鏡標本用のグルタルアルデヒド固定後の後固定液として用いる固定液．膜の固定液としては優れているが，クロマチンの保存はよくない）．

Park-Williams f. (park wil′yămz). パーク－ウィリアムズ固定法（スピロヘータに対して用いる固定法．オスミウム酸の 2%溶液からなる煙霧に細菌を数秒間さらす）．

picroformol f. ピクロホルモル固定液（ホルマリンとピクリン酸を含む固定液）．

PVA f. PVA 固定（塩化水銀か硫化亜鉛または硫化銅を用いた Schaudinn 固定液．固定後に染色するための永久塗抹標本を作製する際の糞便材料の接着剤としてポリビニールアルコールの粉末を含む）．

Regaud f. (rĕ-gō′). ルゴー固定液（ホルムアルデヒドと重クロム酸カリウムを含む固定液で，ミトコンドリアの保存に用いるが，脂肪には不適当である．十分な洗浄と後染色を必要とする）．

SAF f. SAF 固定液（酢酸ナトリウム，酢酸，フォルマリンの混合液で，糞便材料の固定に使う．固定後に濃縮と塗抹標本の染色を行う）．

Schaudinn f. (show′din). シャウディン固定液（塩化第二水銀，塩化ナトリウム，アルコール，および氷酢酸よりなる溶液．未乾燥塗抹標本の細胞固定に用いる）．

single vial f.'s シングルバイアル固定液（商標登録されている市販品の糞便固定液．この固定液 1 本で処理した検体で，濃縮，永久塗抹標本作製，いくつかの免疫測定を行うことができる）．

Thoma f. (tō′mah). トーマ固定液（硝酸の 95%アルコール溶液で，組織標本作成の際，骨のカルシウム除去に用いる）．

Zenker f. (zen′kĕr). ツェンカー固定液（塩化水銀(昇汞)，重クロム酸カリウム，硫酸ナトリウム，氷酢酸，および水よりなる迅速固定液で，三重染色に有用である．重クロム酸カリウムを除くための洗浄と塩化水銀を除くためのヨウ素液処理を必要とする．24 時間以上固定液につけておくと組織がもろくなる傾向がある）．

fix·a·tor (fik-sā′tŏr). 固定器（[誤った発音 fix′ator を避けること]．骨に刺入，または貫通させたピンに棒(固定器)を取り付け骨外固定することにより，強固な固定を可能にする器具）．

fix·ing (fik′sing). 固定．＝fixation (2).

flac·cid (flak′sid)［L. *flaccidus*］. 弛緩性の（[誤った発音 flăs′id を避けること]）．

flac·cid·i·ty (fla-sid′i-tē). 弛緩性，弛緩状態．

Flack (flak), Martin W. 英国人生理学者，1882—1931. →F. *node*; Keith and F. *node*.

fla·gel·la (flă-jel′ă). flagellum の複数形．

fla·gel·lar (flă-jel′ăr). べん毛の，細突起の．

Flag·el·la·ta (flaj′ĕ-lā′tă). 鞭毛虫綱（Mastigophora の旧名）．

flag·el·late (flaj′ĕ-lāt). *1*〚adj.〛有べん毛の．*2*〚n.〛鞭毛虫上綱類の一般名．

collared f. 襟鞭毛虫．＝choanomastigote.

flag·el·lat·ed (flaj′ĕ-lā′tĕd). 有べん毛の．

flag·el·la·tion (flaj′ĕ-lā′shŭn)［L. *flagellatus* < *flagello*, to whip or scourge］．*1* べん(鞭)打（性感あるいは宗教的感覚を生じる，あるいは高める手段として自分または他者をむち打つこと）．*2* べん毛発生（べん毛の形成パターン）．

flag·el·lin (flaj′ĕ-lin). フラゲリン（べん毛のサブユニットの構成成分であり，アミノ酸 ε-*N*-メチルリシンを含む蛋白群の総称）．

flag·el·lo·sis (flaj′ĕ-lō′sis). 鞭毛虫症（腸管または性器への鞭毛虫類の感染症．例えばトリコモナス症）．

fla·gel·lum, pl. **fla·gel·la** (flă-jel′ŭm, -ă)［L. *flagrum* (whip)の指小辞］．べん毛（9対の周辺微小管と，1対の中心微小管からなり，一定の構造形態を示すむち様の運動小器官．べん毛は濃く染色される基粒から生じ，しばしば線維性のリゾプラストにより核と接続している．べん毛は鞭毛虫上綱原生動物の特徴であるが，類似の構造は他の多くの種類にも通常みられる．例えば精子の尾部）．

FLAIR フレア（fluid attenuated inversion recovery の頭字語．本語は常に頭字語の形で用いられる．反転パルスの時間を遅らせることにより水からの信号を抑制する反転回復 MRI 法の1つ．→short TI inversion *recovery*）．

flam·ma·ble (flam′a-bĕl)［L. *flamma*, flame］．引火性の，可燃性の（[本語は inflammable より好ましい．接頭語 in- は否定の意に誤解されることがある]）．＝inflammable.

flange (flanj). フレンジ（歯頸末端から義歯床の辺縁までのびる義歯床部分）．

buccal f. 頬側フレンジ（頬側の口腔前庭を占める義歯床部分）．

denture f. 義歯フレンジ（①義歯の体部から口腔前庭へのほぼ垂直なのび．また下顎義歯における歯槽舌溝の舌側に沿ったほぼ垂直なのび．②上顎または下顎義歯床の頬側および唇側の垂直なのび．下顎義歯床の舌側の垂直なのび．頬側および唇側義歯フレンジは頬面(または唇面)と床座面の2つの表面をもつ．下顎舌側フレンジも床座面と舌面の2つの表面をもつ）．

labial f. 唇側フレンジ（唇側の口腔前庭を占める義歯床部分）．

lingual f. 舌側フレンジ（舌に隣接する空隙を占める下顎義歯床部分）．

flank (flank).［TA］．側腹，側腹部（腹の部位のうち臍部の両脇にあり幽門面と坐骨結節面(または坐骨棘面)の間の部分）．＝latus［TA］; lateral abdominal region☆; lateral region of abdominal region☆; lateral region☆; regio abdominis lateralis☆; regio lateralis abdominis☆.

FLAP (flap). フラプ（5-lipooxygenase-activating *protein* の頭字語）．

flap (flap)［M. E. *flappe*］．*1* 皮〔膚〕弁，弁，組織弁（茎によって血管支配を保持した移植用組織．有茎皮弁．→local f.; distant f.; free f.）．*2* 振せん運動（手にみられる制御できない運動．→asterixis）．

Abbe f. (ah-bĕ′). アッベ唇〔皮〕弁，アビー皮弁（下口唇の三角弁．通常は正中部に作成される．口唇動脈で栄養され上口唇へ移植される．*cf.* Estlander f.）．

advancement f. 前進皮弁，伸展皮弁（欠損創に対して直進させて創を閉鎖する局所皮弁）．

arterialized f. 動脈支配弁（明らかな栄養動脈と還流静脈を有する皮弁．*cf.* random pattern f.）．

axial pattern f. 有軸皮弁（直接血行を保つ特定の動脈が弁の縦軸に沿ってある皮弁）．

bilobed f. 双葉皮弁（AとBの2つの葉で成り立つ皮弁．A皮弁は欠損を被覆するのに用い，B皮弁はA皮弁が移動してできた欠損を一時的に被覆する．通常，B皮弁の採取部位は一期的に縫縮されるので，それが可能な部位に適用される）．

bipedicle f. 双茎皮弁（両端に茎をもつ皮弁）．＝double pedicle f.

bone f. 骨弁（血流のある筋肉と筋膜を付着したまま手術的に切除(開頭)した頭蓋骨片．本用語はしばしば不正確に，完全に遊離させて切除した頭蓋骨片，すなわち遊離(移植)骨片の意味として用いられる）．

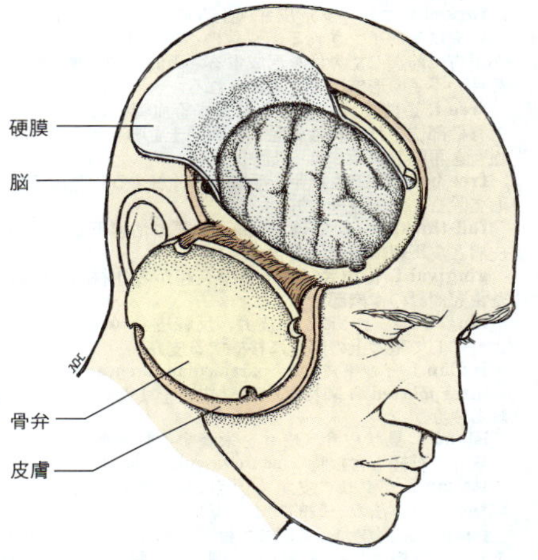

bone flap

buried f. 埋没皮弁（①表皮を除去して皮下組織に埋め込む皮弁．②段階的移植で正式に差し込めるまで一時的に皮下に置いておく皮弁）．

Byars f. (bī-yahrz′). バイアーズ皮弁（尿道索や尿道下裂の患者において陰茎腹部を被覆するために背側包皮で作成した皮弁）．

composite f., compound f. 複合皮弁（皮膚，筋肉，骨，あるいは軟骨など複数の組織によって構成される組織弁）．

cross f. 交差皮弁（一方の上下肢や指趾より対側肢や隣接する指趾へと移植する皮弁）．

cross-finger f. 指交差皮弁（指の指腹または指背に作成される皮弁で，隣接する指または母指の再建に用いられる．皮弁採取部は通常皮膚移植によって被覆される．2－3週間後に皮弁の茎部は切り離される．→cross f.）．

delayed f. 遅延皮弁（移植後の皮弁の生存率を向上させるため，あらかじめ皮弁部に皮膚切開やいったん挙上を行ってから作成する皮弁）．

deltopectoral f. 三角筋胸筋皮弁，DP 皮弁（三角筋および大胸筋領域で内胸動脈の血行を受ける有軸皮弁）．

direct f. 直接皮弁（一度で完全に採られ，同時に移植される皮弁）．

distant f. 遠隔皮弁（恵皮部と受皮部とが離れている皮弁．恵皮部と受皮部が近くなくても，例えばクロスレッグ皮弁のように，複数回の手術で皮膚が移植できる．現在は，遠隔皮弁は動脈と静脈を微小血管吻合することで，一時的に移植できる）．

double pedicle f. ＝bipedicle f.

Eloesser f. (el-es′ĕr). エレッサー皮弁（膿胸の長期ドレナージを目的として，外科的に作製された皮弁でつくった開放性の管．多くは肺切除後に行われる．→Eloesser *procedure*）．

envelope f. エンベロープフラップ（遊離歯肉縁に沿った水平切開により形成された粘膜骨膜弁）．

Estlander f. (est′lahn-dĕr). エストランダー唇〔皮〕弁（全層の唇弁．口唇の片側から同側の他の口唇へ(多くは下口唇から上口唇へ)移動される全層の皮弁．口唇動脈によって栄養される．Abbe 唇弁との区別は，正中部ではなく口角に位置させることである．*cf.* Abbe f.）．

fasciocutaneous f. 筋膜皮弁（深筋膜とその上層の皮膚によって形成される皮弁．その血流は区域動脈から筋体を貫通する筋幹中隔を貫通してくる筋膜穿通枝に基づく．深筋膜血管叢による筋膜穿通枝は有軸である．ゆえに，いわゆる無軸皮弁よりは大きな長さ・幅比の皮弁が挙上できる．→musculocutaneous f.）．

Filatov f. (fē′lah-tof). フィラートフ皮弁．＝tubed f.

F

Filatov-Gillies f. (fē′lah-tof gil′ēz). フィラートフ－ギリース皮弁．＝tubed f.

forked f. フォーク形皮弁（上方に茎をもつ通常は上口唇の中央にデザインされる，双葉のペナント型の〝フォーク〟が上方に前進して鼻柱を形成する．両側唇裂の鼻変形による鼻柱の不足の形成によく用いられる．→cleft *lip*）．

free f. 遊離皮弁（皮弁を栄養する血管を切離し，皮弁側と移植部位それぞれの動脈と静脈同士を吻合することにより血行を再開し移植される皮弁）．

free bone f. 遊離骨弁（手術的に付着する軟部組織を遊離して除去した頭蓋骨片）．

full-thickness f. 全層〔皮〕弁（粘膜と粘膜下層，あるいは皮膚と皮下組織の全層を含む皮弁）．

gingival f. 歯肉弁（歯と歯槽突起から外科的に剝離された歯冠周縁の歯肉部分）．

hinged f. ちょうつがい皮弁，反転皮弁（本の頁を丸めるようにして茎の上の部位に移植する皮弁）．

Indian f. インド皮弁．＝paramedian forehead f.

interpolated f. 隣接部へ健常皮膚をまたいで回転移動される皮弁．

island f. 島状皮弁（皮弁を栄養する動静脈のみを茎にもつ皮弁．神経も含む時は neurovascular island f. とよぶ）．

Italian f. イタリア皮弁（上腕に挙上された皮弁を鼻に遠隔移植する方法の一般的なよび方）．

jump f. 跳躍皮弁（2回またはそれ以上の手術で中間担体を介して移植される遠隔皮弁．例えば，腹部皮弁を筒状にして，前腕に移植し第2段階で腹部の茎を切断し，顔面に縫着し，第3段階で腕の部分を切離し顔面に移植する．→tubed f.）．

lined f. 被覆皮弁（両面が皮膚でおおわれた皮弁．例えば折りたたみ皮弁．あるいは，裏面が植皮によって被覆された皮弁．裏表が皮膚面の部位の再建に用いられる．例えば，鼻翼）．

lip switch f. 口唇交叉皮弁（口唇(通常は下口唇)に作成される三角弁．顔面動脈の枝である上あるいは下口唇動脈によって栄養され，180度回転し対側の口唇の組織欠損の修復に用いられる．皮弁採取部は一期的に縫縮される．→Abbe f.）．

liver f. 肝臓弁（→asterixis）．

local f. 局所皮弁（健常皮膚の茎を有し，隣接部位に一期的に移植される皮弁．その茎は輪郭修正や，裏が被覆されずに渡してある皮膚を治すために，後に切離されることもあるがしないこともある）．

mucoperichondrial f. 粘膜軟骨膜弁（鼻中隔より作製されるような，粘膜と軟骨膜より構成される弁）．

mucoperiosteal f. 粘膜骨膜弁（硬口蓋または歯肉からつくる粘膜および骨膜からなる弁）．

musculocutaneous f. 筋皮弁（弁の下にある筋肉とその筋膜，およびこれに対する血行を包括した有茎皮弁．しばしば島状皮弁の形をとる）．＝myocutaneous f.

myocutaneous f. 筋皮弁．＝musculocutaneous f.; myodermal f.

myodermal f. ＝myocutaneous f.

nasolabial f. 鼻唇溝皮弁（鼻や口唇部を再建するために用いられる，上部茎にも下部茎にもできる細長い皮弁．その血行は筋穿通枝によって供給されるので，狭茎や皮膚島状にもできる．→island f.）．

neurovascular f. 神経血管皮弁（感覚神経を残して受皮部に感覚を残すことに使う皮弁）．

neurovascular island f. 神経血管付き島状皮弁（動脈，静脈，および知覚神経を含む島状皮弁で，通常は手の外科で用いられる．中指か環指の尺側神経血管束を茎にする皮弁は，母指や示指の指尖部の指腹の再建によく用いられる．→neurovascular f.）．

omental f. 大網弁（血行を伴った大網の一区域をそのままの茎としてあるいは遊離組織として遠方へ移植し，動静脈交通による血流再開通を得る）．

osteoplastic bone f. 骨形成用骨弁（生骨を含む血管付き組織．通常は血管茎を付着した筋や筋膜を含み，微小血管吻合によって他部位へ移植される）．

paramedian forehead f. 前額傍正中皮弁（上滑車動静脈によって栄養される，下部茎を有し前額部にデザインされる皮弁である．180度回転させることで外鼻の再建に使用される．以前には両側の上滑車動静脈を含め前額正中部に作成されたインド皮弁として使用された．その起源は1400年にさかのぼる）．＝Indian f.

pedicle f. 有茎〔皮〕弁（歯周手術において，歯に接した歯肉の厚みを増す目的で，あるいは歯根部表面をおおうために行う．歯肉を，片側は歯根部につけたまま対側を隣接部に動かし端を縫合する．この言葉は，例えば形成外科では，すべての茎のある(皮)弁に対して用いられる）．

perforator f. 穿通枝皮弁（筋膜を貫通あるいは横切って皮膚に派生する前に筋肉を穿通する血管に基づく遊離皮弁．血管が筋膜に到達するまでに筋肉を長く横切る場合は長い血管柄を付着できる．→fasciocutaneous f.）．

pericoronal f. 歯冠周囲弁（未萌出歯，特に下の第三大臼歯をおおっている歯肉弁）．

pharyngeal f. 咽頭弁（主として口蓋裂の修復後の口蓋帆咽頭不全患者において，話し中に鼻腔への空気の流れを正しくするための遮断に用いる．咽頭後壁に挙上し軟口蓋に縫着する筋粘膜弁）．

prefabricated f. プレハブ皮弁，プレファブリケイテッド皮弁（実際の移植に先立って，再建目的にかなうような組織をあらかじめ移植しておく皮弁あるいはその方法．例えば，外鼻再建の目的であらかじめ軟骨や裏打ちの皮膚を移植した皮弁．→lined f.）．

random pattern f. 無軸皮弁（皮弁の茎からの血行が小血管網より成り立っており，その領域の血行は皮弁として挙上されるまでは，有軸皮弁の動脈のような方向性がない）．

rotation f. 転位皮弁（恵皮部よりそれに隣接する受皮部へ転位して移植される有茎皮弁）．

rotation advancement f. 回転伸展皮弁（片側か両側唇裂の手術で使用される皮弁で，披裂側では鼻翼基部での切開で下方への〝回転〟，非披裂側へは鼻柱と口唇の間の切開された欠損への〝伸展〟という2つの要素を有する．デザインは先天性の欠損における，非常に小さな組織の切除と正常の人中稜で想定される部位に瘢痕をつくるという利点を有する．D. R. Millard によって発案された）．

scalping f. 頭皮皮弁（外鼻を再建する皮弁．皮膚切開を鼻基部，前額から頭皮に伸ばし作成される，頭皮の血管で栄養される回転皮弁．通常，段階的移植(遠隔皮弁法)による．外鼻への移植が完了した頃，皮弁の茎部は切断され元の位置に戻される．鼻に用いられた部分の皮膚欠損は通常，皮膚移植で被覆される）．

skin f. 皮〔膚〕弁（その下層の皮下組織の有無にかかわらず，皮膚を含むフラップ(弁)）．

subcutaneous f. 皮下組織弁（茎部の表皮が剝脱されて移植される皮弁．茎部は皮下に埋め込まれる）．

TRAM f. TRAM 皮弁．＝transverse rectus abdominus musculocutaneous f.

transverse rectus abdominus musculocutaneous f. 横型腹直筋（下部あるいはより普通には上部を茎とする腹直筋皮弁．栄養血管はそれぞれ深下腹壁動脈と上腹壁動脈である．最も良く用いられるのは，体幹の被覆と(より多くは)乳房再建である．C. R. Hartrampf が最初に発表した）．＝TRAM f.

tubed f. 管状皮弁（遠隔皮弁の移動の方法．皮弁は挙上され裏面が閉鎖されるように辺縁と辺縁が縫合され，その遠位部が移植部位に移動され移植される）．＝Filatov f.; Filatov-Gillies f.

volar fingertip f. 指腹指尖部皮弁（指の皮膚欠損に隣接して三角形に作成される様々な皮弁であり，VY 前進皮弁法のように用いられ欠損を被覆する．皮下穿通枝により栄養され皮膚の質も同様であり知覚も伴うので，指尖部の再建に特に用いられる．→V-Y f.）．

V-Y f. V-Y 皮弁（V字形に作成された皮弁で前進することでY字形となり，余剰の長さを得る）．＝V-Y plasty.

flare (flār). 発赤，〔発赤〕拡大（［flair と混同しないこと］．①外に向かって次第に広がりながら薄くなること．②刺激物の塗布に対して局所反応以上に広がる皮膚のびまん性発赤．細小動脈と毛細血管の拡張によるもので，受傷時に，皮膚にヒスタミン様物質が放出されて生じる軸索反射による．→triple *response*）．

aqueous f. 房水フレア（眼の前房の液体中にみられる Tyndall 現象）．

flash (flash). ***1*** 閃光（光または熱の突然かつ瞬時の出現）．***2***

バリ（義歯床その他の歯科修復物の制作過程で，フラスコから押し出された過剰な材料）．
hot f. のぼせ．＝hot *flush*.

flash·back (flash′bak). フラッシュバック（①幻覚薬がもともとの効果を生みだした後になって，その物質を再び使用することなく，幻覚体験や知覚変容のいろいろな面が不随意に再現すること．②外傷後ストレス障害において強い感情の連鎖がきっかけとなってもたらされる感覚のこと）．

flask (flask) [M. E. keg < Fr. *flasque* < Germanic]. フラスコ，びん（液体，粉末，気体などを入れる，通常，ガラス製の小さい容器）．
casting f. 鋳造用フラスコ．＝refractory f.
crown f. 歯冠用フラスコ．＝denture f.
denture f. 義歯用フラスコ（分割できる金属製の箱形ケース．この中で，義歯やその他レジン性修復物を圧接したり重合したりするための分割陰型が焼石膏や硬石膏でつくられる）．＝crown f.
Dewar f. (dū′wăr). デューアーびん（2つの壁の間が真空になっている二重構造のガラス容器で，しばしば銀めっきが施される．内容物を一定の温度(通常は低温)に保つために用いる）．＝vacuum f.
Erlenmeyer f. (er′lĕn-mī-ĕr). エルレンマイアーフラスコ（円錐形で，底が広くまた首が細いフラスコ．その形のため，横に振っても中の液体がこぼれることがない）．
Fernbach f. (fern′bahk). フェルンバッハフラスコ（溶液の表面が広くなければならない微生物発酵に用いるフラスコ）．
hatching f. ふ化フラスコ（暗色に色付けされたフラスコで，頂上部のわずかな部分の脱塩水のみに光が当たるようにして池の水の状態を模倣する．こうすることにより，フラスコに加えた新鮮糞便および尿沈渣中の住血吸虫卵のふ化を刺激する．泳ぎ出したミラシジウム幼虫は適切な中間宿主貝を探索する）．
injection f. 射出形成フラスコ（上下のフラスコを合わせて重合する間，陰型の中へ，貯蔵器から義歯床用材料を勢いよく流し込めるように製作された義歯用フラスコ）．
refractory f. 耐火性フラスコ（金属製の管で，この中で金属製歯科矯正または装置の型を取るため，耐火性の型がつくられる）．＝casting f.; casting ring.
vacuum f. 真空フラスコ．＝Dewar f.
volumetric f. 容量フラスコ（一定量の液体を入れたり，または加えたりするための目盛りのついた首の細いフラスコ）．

flask·ing (flask′ing). 埋没（義歯床用材料を義歯にする準備として，フラスコ内に模型とワックス義歯を埋没させる操作）．

Fla·tau (flah′tow), Edward. ポーランド人神経科医，1869—1932. →F. *law*.

flat·foot (flat′fut). 扁平足．＝*pes* planus.

flat·u·lence (flat′yū-lents) [Mod. L. *flatulentus* < L. *flatus*, a blowing < *flo*, pp. *flatus*, to blow]. 膨満，鼓腸（胃腸内にガスが過剰に存在すること）．

flat·u·lent (flat′yū-lent). 膨満の，膨満で苦しむ．

fla·tus (flā′tŭs) [L. a blowing]. 放屁（肛門から排出できる胃腸管内のガスまたは空気のこと）．
f. vaginalis 膣排気音（膣からの気体の排出であり，直腸膣瘻の例でみられるものが典型例である）．

flat·worm (flat′wŏrm). 扁虫（扁形動物門の1つで，寄生条虫類や吸虫類を含む）．

fla·ve·do (fla-vē′dō) [L. *flavus*, yellow]. 黄色調（皮膚が黄色いこと，または血色の悪いこと）．

fla·vi·an·ic ac·id (flā′vē-an′ik as′id) [C.I. 10316]. フラビアン酸（ナフトール誘導体染料．アルギニンおよび他の塩基性物質の析出(およびその後の測定)に有益である）．

fla·vin, fla·vine (flā′vin, -vēn, flav′in, -ēn) [L. *flavus*, yellow]. フラビン（①＝riboflavin. ②黄色のアクリジン系染料(製液は消毒薬として使用)）．
f. adenine dinucleotide (FAD) フラビンアデニンジヌクレオチド（リボフラビンとアデノシン5′-二リン酸の縮合生成物．種々の好気性デヒドロゲナーゼの補酵素．例えばD-アミノ酸オキシダーゼとアルデヒドデヒドロゲナーゼ．厳密にいうと，FADは糖アルコールを含むのでジヌクレオチドではない．その補酵素は逆に還元され$FADH_2$になる）．
electron transfer f. 電子伝達フラビン（電子伝達経路に関与するフラボ蛋白）．
f. mononucleotide (FMN) フラビンモノヌクレオチド；riboflavin 5′-phosphate（多くの酸化還元酵素の補酵素．例えばNADHデヒドロゲナーゼ．厳密には，FMNはリボースの代わりにリビトールを含むのでヌクレオチドではない．その補酵素は逆に還元されて$FMNH_2$になる）．

Fla·vi·vi·ri·dae (flā′vī-vī′ri-dē). フラビウイルス科（エンベロープを有する直径40—60 nm一本鎖プラス鎖RNAウイルスの一科で，以前はアルボウイルスB群に分類されていた．黄熱病ウイルスやデング熱ウイルスが属す．自然界では節足動物ベクターから脊椎動物宿主への伝搬によって維持される）．

Fla·vi·vi·rus (flā′vi-vī′rŭs) [L. *flavus*, yellow + virus]. フラビウイルス属（黄熱病ウイルス，デング熱ウイルス，セントルイス脳炎ウイルスを含むフラビウイルス科の一属）．

Fla·vo·bac·te·ri·um (flā′vō-bak-tēr′ē-ŭm) [L. *flavus*, yellow]. フラボバクテリウム属（好気性から通性嫌気性までの，非胞子形成性，運動性および非運動性バクテリアAchromobacteraceae科の一属で，グラム陰性杆菌を含む．運動性のあるものには菌体に周毛がみられる．これらの細菌は，黄色，橙色，赤色，または黄褐色の色素を生じるのが特徴．土壌，淡水，塩水内にみられる．種類によっては病原性がある．標準種は*F. aquatile*）．
F. aquatile 高濃度のカルシウム炭酸塩を含む水中にみられる．*Flavobacterium*属の標準種．
F. breve 汚水中にみられる種．実験動物に対して病原性．
F. meningosepticum ヒト気道正常細菌叢のなかで，この細菌種はときとして新生児髄膜炎を含む日和見感染症の原因となる．
F. piscicida *Pseudomonas piscicida*の旧名．

fla·vo·en·zyme (flā′vō-en′zīm). フラボ酵素（補酵素としてフラビンヌクレオチドを有する酵素．例えばキサンチンオキシダーゼ，コハク酸デヒドロゲナーゼ）．＝yellow enzyme.

fla·vo·ki·nase (flā′vō-kī′nās). フラボキナーゼ．＝*riboflavin* kinase.

fla·vone (flā′vōn). ***1*** フラボン（植物色素．フラボノイド類の基本骨格．強力なプロスタグランジン生合成阻害剤である）．***2*** フラボン類（***1***を基本骨格とする化合物の一群の1つ）．

fla·vo·noids (flā′vō-noydz). ***1*** フラボノイド（種々に結合したフラボン(例えば，アントキサンチン，アピゲニン，フラボン，クエルシチン)を含む植物由来の物質．様々な生物学的活性を有する）．***2*** フラボン誘導体．

fla·vo·nol (flā′vō-nol). フラボノール（①還元されたフラボン．②3位がヒドロキシル化されたフラボン．血液色素の一群の1つ．③ヒドロキシル化フラボンの総称）．

fla·vo·pro·tein (flā′vō-prō′tēn). 黄色蛋白，フラビン蛋白（補欠分子団として，フラビンを有する複合蛋白．*cf.* flavoenzyme）．

fla·vor (flā′vŏr) [M.E. < O.Fr. < L.L. *flator*, aroma < *flo*, to blow]. ***1*** 香味（物質の味として現れる(主ににおいにより影響される)性質）．***2*** 矯味矯臭薬（合剤に嗜好に応じた味をつける物質で，治療上の効果のないもの）．

flavoridin (flā′vŏr-i-din) [< *Trimeresurus flavoviridis*, species of source viper + -in]. フラボリジン（ガラガラヘビ毒液から単離される，単量体のディスインテグリン(インテグリン阻害物質)）．

fla·vus (flā′vŭs) [L.]. yellow（黄色の）を表すラテン語．

flax·seed (flaks′sēd). アマニ(亜麻仁)．＝linseed.
f. oil アマニ油．＝*linseed* oil.

flea (flē). ノミ（ノミ目の昆虫．体は縦に平たく，かなりの跳躍力をもつ．吸口に特徴があり，温血動物の毛や羽内における外寄生的成虫生活をする．重要なノミは以下を含む．*Ctenocephalides felis*(ネコノミ)や*C. canis*(イヌノミ)，*Pulex irritans*(ヒトノミ)，*Tunga penetrans*(ツツガムシノミ，スナノミ)，*Echidnophaga gallinacea*(ダニノミ)，*Xenopsylla*属(ネズミノミ)，および*Ceratophyllus*属．→Copepoda）．

Flech·sig (flek′sig), Paul E. ドイツ人神経科医，1847—1929. →F. *areas*, ground *bundles*, *fasciculi*(⇒fasciculus), *tract*; oval *area* of F.; semilunar *nucleus* of F.

F

Fleg·el (fleg′ĕl), H. 20世紀のドイツ人皮膚科医. →F. *disease.*

Fleisch (flīsh), Alfred. スイス人医師・生理学者, 1892—1973. →F. *pneumotachograph.*

Fleisch·er (flīsh′ĕr) Bruno. ドイツ人眼科医, 1874—1965. →F. *ring, vortex*; Kayser-F. *ring*; F.-Strümpell *ring.*

Fleisch·mann (flīsh′mahn), Friedrich Ludwig. 19世紀のドイツ人解剖学者. →sublingual *bursa.*

Fleisch·ner (flīsh′nĕr), Felix. オーストリア系米国人放射線科医, 1893—1969. →F. *lines.*

Fleit·mann (flīt′mahn), Theodore. 19世紀のドイツ人化学者. →F. *test.*

Flem·ing (flem′ing), Sir Alexander. スコットランド人細菌学者, 1881—1955. ペニシリンの発見により1945年ノーベル賞を共同受賞.

Flem·ming (flem′ing), Walther. ドイツ人解剖学者, 1843—1905. →intermediate *body* of F.; germinal *center* of F.; F. *fixative*, triple *stain.*

Flesch (flesh), Rudolf F. 20世紀のオーストリア人教育学者. →F. *formula.*

flesh (flesh) [A.S. *flaesc*]. ***1*** 筋組織. =muscular *tissue.* ***2*** 軟部組織 (特に, 皮膚, 皮下組織, 脂肪, 筋の総称).

goose f. 鵞皮(とりはだ). =*cutis* anserina.

proud f. 肉芽 (創傷表面の肉芽組織の過剰な肉芽形成を表す歴史的な語).

flesh·flies (flesh′flīz). ニクバエ類 (双翅目の昆虫で, *Wohlfahrtia*属, *Sarcophaga*属, *Parasarcophaga*属などを含み, 糞便や腐敗した肉, 魚を摂食する. 幼虫(ウジ)は腐敗組織または生組織中で発生する. 生組織に発生するグループのウジは, ハエウジ病を引き起こす. これらには, ラセンウジバエ幼虫 screw-worm (一次および二次侵入者の両方あり), ヒツジのウールウジ, ウシバエ類すなわちヒトや家畜の皮膚ウジ (ウシバエ warble fly または heel fly を含む), ヒツジ, ヤギ, ウマ, ラクダ, シカの頭部や鼻部のボット症ウジ, ウマの胃, 十二指腸, 直腸で幼虫が発生するウマボット症ウジ(すなわちウマバエ gadfly)が含まれる. ウマバエの幼虫は口唇で発育(卵から2齢幼虫まで)し, 胃(ウマバエ *Gasterophilus intestinalis*)または十二指腸(ムネアカウマバエ *Gasterophilus nasalis*)で2齢から3齢となって成熟する. 後者はこの時期に糞便中に排泄されるようになる). =flesh fly.

flex (fleks) [L. *flecto*, pp. *flexus*, to bend]. 屈曲させる ([医学の文脈では, 本語を contract 「(筋肉を)緊張させる」という口語的意味で用いないこと]. 接続している2つの部分が近づくように関節を曲げる).

flex·i·bil·i·tas ce·re·a (flek-si-bil′i-tas sē′rē-ă) [L. waxy flexibility]. ろう屈症, ろう様可撓性 (カタレプシー特有の硬直で, わずかな外力で容易にその肢位を変えうるが, 硬直はすぐ元に復し, 与えられた新しい位置をとる).

flex·im·e·ter (flek-sim′ĕ-tĕr). 屈曲測定計. =goniometer (3).

flex·ion (flek′shŭn) [L. *flecto*, pp. *flexus*, to bend][TA]. 屈曲 ([誤ったつづり flection を避けること]. ①屈曲する動作. 例えば, 連結している部分が近づくように関節を曲げること. 脊椎弯曲の陥凹面が前方に向くように脊椎を曲げること. ②屈曲または弯曲している状態).

palmar f. 掌屈 (手掌面に向け手や指を曲げること).

plantar f. 〔足〕底屈 (足または趾を足底面に向けること).

volar f. 掌屈 (前腕の掌側面に向け手を曲げること).

Flex·ner (fleks′nĕr), Simon. 米国人病理学者, 1863—1946. →F. *bacillus.*

flex·or (flek′sŏr) [TA]. 屈筋 (関節を屈曲させる筋肉).

flex·u·ra, pl. **flex·u·rae** (flek-shūr′ă, -shūr′ē) [L. a bending][TA]. 曲. =flexure.

f. anorectalis [TA]. 肛門直腸曲. =anorectal *flexure.*

f. coli dextra [TA]. 右結腸曲. =right colic *flexure.*

f. coli hepatis =right colic *flexure.*

f. coli sinistra [TA]. 左結腸曲. =left colic *flexure.*

f. colica splenica* left colic *flexure* の公式の別名.

f. duodeni inferior [TA]. 下十二指腸曲. =inferior duodenal *flexure.*

f. duodeni superior [TA]. 上十二指腸曲. =superior duodenal *flexure.*

f. duodenojejunalis [TA]. 十二指腸空腸曲. =duodenojejunal *flexure.*

f. inferior lateralis* [TA]. inferodextral lateral *flexure* of rectum の公式の別名.

f. inferodextra lateralis recti [TA]. =inferodextral lateral *flexure* of rectum.

f. intermedia lateralis* intermediosinistral lateral *flexure* of rectum の公式の別名.

f. intermediosinistra lateralis [TA]. =intermediosinistral lateral *flexure* of rectum.

flexurae laterales recti [TA]. =lateral *flexures* of rectum.

f. perinealis (canalis ani)* 〔直腸の〕会陰曲 (anorectal *flexure* の公式の別名).

f. sacralis recti [TA]. 〔直腸の〕仙骨曲. =sacral *flexure* of rectum.

f. sigmoidea =sigmoid *colon.*

f. superior lateralis recti* superodextral lateral *flexure* of rectum の公式の別名.

f. superodextra lateralis recti [TA]. =superodextral lateral *flexure* of rectum.

flex·ur·al (flek′shŭr-ăl). 曲の, 弯曲の.

flex·ure (flek′shŭr) [L. *flexura*][TA]. 曲, 弯曲 (臓器または構造における屈曲). =flexura [TA].

anorectal f. [TA]. 肛門直腸曲, 会陰曲 (直腸から肛門への移行部にみられる前方に凹の前後方向の屈曲. 恥骨直腸筋の収縮によって形成され便の排出を防ぎ, 筋が緩むと屈曲も緩み排便が容易となる). =flexura anorectalis [TA]; flexura perinealis (canalis ani)*; perineal f. of anal canal*; anorectal angle; perineal f. of rectum.

basicranial f. =pontine f.

caudal f. 仙骨曲 (胚の腰仙骨部分の屈曲). =sacral f.

cephalic f. 頭屈, 中脳屈 (胚の発育中の中脳における, 腹側が凹面となる深い屈曲). =cerebral f.; cranial f.; mesencephalic f.

cerebral f. 脳屈. =cephalic f.

cervical f. 頸屈 (胚の脳幹と脊髄の境界部の腹側が凹面となる屈曲).

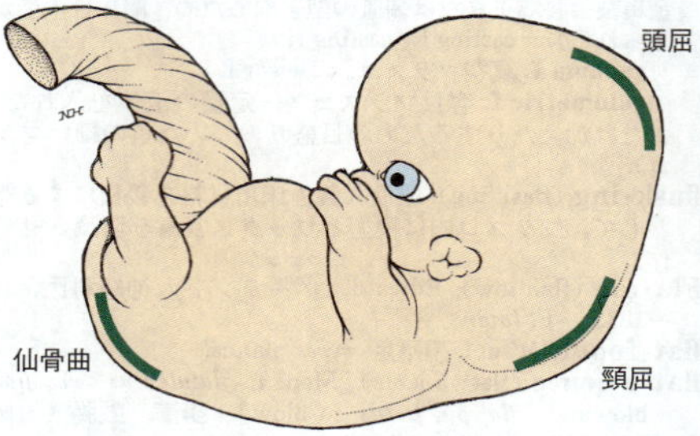

flexures

8週目の胚子でみられる.

cranial f. 脳屈. =cephalic f.

dorsal f. 中背曲 (胚の中背部分の弯曲).

duodenojejunal f. [TA]. 十二指腸空腸曲 (十二指腸と空腸の移行部における小腸の鋭い屈曲). =flexura duodenojejunalis [TA]; duodenojejunal angle.

hepatic f.* right colic f. の公式の別名.

inferior duodenal f. [TA]. 下十二指腸曲 (十二指腸の下行部と水平部の移行部における弯曲. ときに左下十二指腸曲が水平部と上行部との間に生じる). =flexura duodeni inferior [TA].

inferodextral lateral f. of rectum [TA]. 〔直腸の〕下右外側曲 (直腸の3つの外側曲の第3(最下)で, 右に突き出す). =flexura inferodextra lateralis recti [TA]; flexura inferior lateralis* [TA].

intermediosinistral lateral f. of rectum [TA]. 〔直腸の〕中間左外側曲 (直腸の3つの外側曲の第2(中間)で, 左に突き出す). =flexura intermediosinistra lateralis [TA];

flexura intermedia lateralis☆.

lateral f.'s of rectum [TA]. 〔直腸の〕外側曲（直腸にある3つの外側曲で，仙骨曲と会陰曲の間にある）. = flexurae laterales recti [TA].

left colic f. [TA]. 左結腸曲（横行結腸と下行結腸の移行部における弯曲）. = flexura coli sinistra [TA]; flexura colica splenica☆; splenic f.☆.

lumbar f. 腰椎前弯. = lumbar *lordosis*.

mesencephalic f. 中脳屈. = cephalic f.

perineal f. of anal canal☆ 会陰曲（anorectal f. の公式の別名）.

perineal f. of rectum 〔直腸の〕会陰曲. = anorectal f.

pontine f. 橋屈（胚子期菱脳の背側が凹の弯曲．これが出現したときは菱脳は後脳と髄脳に分かれていることを示す）. = basicranial f.; transverse rhombencephalic f.

right colic f. [TA]. 右結腸曲（上行結腸と横行結腸の移行部における弯曲）. = flexura coli dextra [TA]; hepatic f.☆; flexura coli hepatis.

sacral f. = caudal f.

sacral f. of rectum [TA]. 〔直腸の〕仙骨曲（直腸起始部の前方へ凹面を向けた前後方向の屈曲）. = flexura sacralis recti [TA].

sigmoid f. = sigmoid *colon*.

splenic f.☆ left colic f. の公式の別名.

superior duodenal f. [TA]. 上十二指腸曲（十二指腸の上部と下行部の移行部における弯曲）. = flexura duodeni superior [TA].

superodextral lateral f. of rectum [TA]. 〔直腸の〕上右外側曲（直腸の3つの外側曲の第1（最上）で，右に突き出す）. = flexura superodextra lateralis recti [TA]; flexura superior lateralis recti☆.

telencephalic f. 終脳屈（胚前脳部分に現れる弯曲）.

transverse rhombencephalic f. = pontine f.

flick·er (flik'ĕr). フリッカー，ちらつき（一定間隔の，一連の間欠性閃光による網膜刺激で生じる視覚. →flicker *fusion*; critical flicker fusion *frequency*）.

flicks (fliks). フリック，固視微動（素早い，不随意性の，5—10分の角度をもつ眼球固視運動）. = flick movements.

Fli·e·ring·a (flī-ĕ-ring'ă), Henri J. 20世紀のオランダ人眼科医. → F. *ring*.

flight in·to dis·ease (flīt dis-ēz'). 疾患への逃避（病気になることまたは病気だと思い込むことによって得をすること. → primary *gain*; secondary *gain*）.

flight in·to health (flīt helth). 健康への逃避（力動的精神療法において，患者が治療を受けるきっかけとなった症状が，治療の早期に，しばしばただ一時的に消失することをいう．それは患者の，自分の葛藤をさらに深く精神分析的に究明されるだろうという不安に対する防衛である）.

Flint (flint), Austin, Jr. 米国人生理学者，1836—1915. → F. *arcade*.

Flint (flint), Austin. 米国人医師，1812—1886. → Austin F. *murmur*, *phenomenon*; F. *murmur*.

flip (flip). 挫砕輪（銃弾による軟部組織の創で，弾丸侵入側にのみ起こる熱傷）.

flit·ter (flit'ĕr). = impure *flutter*.

float·er (flōt'ĕr). フローター（硝子体に生じ視野中に現れる物体. →muscae volitantes）.

float·ing (flōt'ing). ***1*** 移動性の，浮動する（固定されていない，付着していない）. ***2*** 遊走〔性〕の（過度に動く．正常位置からはずれた．腎臓，肝臓，脾臓などのある種の臓器にときにみられる異常状態についていう）.

floc (flok). 綿状〔沈降〕物，綿状〔沈殿〕物（凝集（ある種の血清沈降素テストにみられるように，コロイド状懸濁液の分散相が，通常，肉眼で見える不連続な粒子へ分離する過程）で生じる物質に対する口語的表現）.

floc·cil·la·tion (flok'si-lā'shŭn) [Mod. L. *flocculus*]. 瀕死のもがき，撮空模床（[誤った発音 flos-i-lā'shŭn および flok-i-lā'shŭn を避けること．flocculation と混同しないこと]．糸または綿毛を引き抜くかのように，寝具を目的もなくつかむ動作）.

floc·cose (flok'ōs) [L. *floccus*, a flock of wool]. 毛状の（細菌学において，不規則で稠密に配列されている，短く曲がった糸状体または連鎖状の増殖をいう）.

floc·cu·la·ble (flok'yū-lă-bĕl). 凝集可能な.

floc·cu·lar (flok'yū-lăr). 片葉の，綿状の（どの種類の片葉にも関連するが，特に小脳の小葉についていう）.

floc·cu·late (flok'yū-lāt). 綿状になる.

floc·cu·la·tion (flok'yū-lā'shŭn). 凝集，フロキュレーション，綿状反応，凝結（[flocillation と混同しないこと]．溶液から綿状の塊の形に沈殿すること．綿状になる過程）. = flocculence.

floc·cule (flok'yūl). = flocculus.

floc·cu·lence (flok'yū-lents). = flocculation.

floc·cu·lent (flok'yū-lent). 綿状の（①綿または羊毛の毛に似ていること．尿のように灰白色または白色の粘膜の細片，綿毛体の粒子，その他の物質を含んでいる液体についていう．②細菌学において，多数の集落が液体培地の表面に浮遊しているか，あるいは底に緩く沈殿している液体培養をいう）.

floc·cu·lo·nod·u·lar (flok'yū-lō-nod'yū-lăr). 片葉小節の（→ flocculonodular *lobe*）.

floc·cu·lus, pl. **floc·cu·li** (flok'yū-lŭs, -lī) [Mod. L.; L. *floccus*(tuft of wool)の指小辞]. = floccule. ***1*** フロキュール，綿状沈降物（綿，羊毛またはそれに類似したもののふさ，細片）. ***2*** [TA]. 片葉（下小脳脚と二腹小葉の後方で中小脳脚後縁にある小脳の小葉．虫部結節と連絡しており，これらの2つの構造は小脳の片葉小節葉(前庭部分)を構成する）.

accessory f. 副片葉（小脳の片葉のすぐ近傍にある副次的な小葉）.

Flocks (floks), Milton. 20世紀の米国人眼科医. → Harrington-F. *test*.

Flood (flŭd), Valentine. アイルランド人解剖学者・外科医，1800—1847. → F. *ligament*.

flood (flŭd) [A.S. *flōd*]. ***1*** 〘v.〙 = flooding (1). ***2*** 〘n.〙 月経過多（口語表現）. = flooding (2).

flood·ing (flŭd'ing). ***1*** 〘adj.〙 大量出血の（特に分娩後または月経過多の重症例における子宮からの大量出血）. = flood (1). ***2*** 〘n.〙 大量出血（子宮からの）. = flood (2). ***3*** 〘n.〙 情動洪水法（行動治療の一型．治療の方法として，治療の初めに，患者に最も不安を生じる光景を想像させ，その中に完全に没頭させる. *cf.* systematic *desensitization*）.

floor (flōr) [TA]. 床（開放空間，または管腔器官の下方内方の表面）.

f. of orbit [TA]. 眼窩床，眼窩下壁（眼窩4壁中最も短く，眼窩縁から上方に傾斜する．上顎骨と口蓋骨の眼窩突起から構成される）. = paries inferior orbitae [TA]; inferior wall of orbit.

f. of tympanic cavity☆ 鼓室床，鼓室頸静脈壁（jugular *wall* of middle ear の公式の別名）.

flo·ra (flō'ră) [L. *Flora*, goddess of flowers < *flos*(*flor*-), a flower]. ***1*** 植物相，フローラ（特定の地域における植物の生活）. ***2*** 微生物叢（健康で普通に生活している動物の体内や体表に生息している微生物の集団）. = microbial associates.

florafur (flōr'ăfŭr). フロラフール（肝臓において5-フルオロウラシルに転換されるプロドラッグ）.

Flor·ence (flōr-ahn[h]s'), Albert. フランス人医師，1851—1927. → F. *crystals*.

Flor·ey (flōr'ē), Howard W. オーストラリア系英国人病理学者・ノーベル賞受賞者，1898—1968. → F. *unit*.

flor·id (flōr'id) [L. *floridus*, flowery]. 鮮紅色の，病勢盛んな（①特定の皮膚病変についていう．②十分に発達した）.

Florschütz (flōr'shuts), Georg. 19世紀後期のドイツ人医師. → F. *formula*.

floss (flos). ***1*** 〘n.〙 フロス，デンタルフロス，フロスシルク. = dental f. ***2*** 〘v.〙 フロッシング（口腔衛生の目的で，デンタルフロスを用いること）.

dental f. デンタルフロス（細く短い，よりのない絹糸あるいは合成繊維で，しばしば塗ろうされている．歯間隙や接触している歯間の清掃に用いる）. = floss silk; floss (1).

flo·ta·tion (flō-tā'shŭn). 浮選，浮上法（液体中に浮沈する性質を利用して，固形物を分離すること）.

Flour·ens (flūr'enz), Marie Jean Pierre. フランス人生理学者，1794—1867. → F. *theory*.

flow (flō) [A.S. *flōwan*]. ***1*** 〘v.〙 子宮から出血する（floodingの状態よりはやや少ない）．*2*〘n.〙月経，過多月経．*3*〘n.〙流れ，流量（液体または気体の流れ．特に一定単位時間内に流れる液体または気体の量．呼吸生理学において，ガス流量 gas flow の記号は $\dot{V}$，血流量 blood flow は $\dot{Q}$ で，位置や化学種類を示す下付き文字がその後に示される）．*4*〘n.〙流動学において，時間経過に伴い進行する構造の恒久的変形．

Bingham f. (bing′ăm)．ビンガム流動（Bingham 塑性体が示す流れ特性）．

cerebral blood f. 脳血流〔量〕（脳組織に十分量の血液を還流させる力を表す測定値または指標．脳組織が障害に打ち勝つために脳還流圧や頭蓋内圧よりも重要な意味をもつと考えられる．脳の血管運動活動を含めた多くの因子によって決定される）．

Doppler color f. (dop′lĕr)．ドップラー(ドプラ)カラー血流〔画像〕（超音波 Doppler 装置で得られた合成カラー画像で，異なる方向の流れは異なる速度と方向で表現される．→Doppler *ultrasonography*）．

effective renal blood f.（**ERBF**）有効腎血流量（尿成分の生成に関与する腎臓部分への血流量）．

effective renal plasma f.（**ERPF**）有効腎血漿流量（尿成分の生成機能をもつ腎臓の部分へ流れる血漿量．ヨードピラセトや *p*-アミノ馬尿酸のような物質のクリアランスは，尿細管周囲毛細血管の抽出率を100%と仮定する）．

forced expiratory f.（**FEF**）努力呼気流量（努力肺活量測定時の呼気流量．付帯サブスクリプトが測定された実際のパラメータを特定する．例えば，最大瞬間呼気流量，呼気量－時間軸曲線上のある特定点の瞬間呼気流量，あるいはフローボリューム曲線における2つの呼気量間の平均呼気流量）．

gene f. 遺伝子流動（ある集団において徐々に起こる遺伝子構造の変化の原因が，突然変異や自然淘汰よりも移住の結果であること）．

laminar f. 層流（平行かつ滑らかに流れる流体の各部分の相対的な動き．Reynolds 数が小さい値のときに起こる）．

newtonian f. ニュートン流動（ニュートン流体が示す流れ特性）．

peak expiratory f. 最大呼気流量（努力呼気の始まりの最大流量．ぜん息などで気道閉塞の重篤度に比例して減少する）．

shear f. ずれ流動，せん断流れ（物質の内部の平行面が互いに他に対して平行に変位するような物質の流れ）．

Flow·er (flow′ĕr), William H. イングランド人外科医・解剖学者，1831—1899．→F. *bone*, dental *index*.

flower (flow′er)．花．

Lichtenberg f. (lik′tĕn-bĕrg)．リヒテンベルク花．＝filigree *burn*.

f. basket of Bochdalek (bik′dă-lek)．ボホダレク花かご（第4脳室外側口を通って突出し，舌咽神経の背側面にある第4脳室脈絡叢の一部分）．

flow·ers (flow′erz)．華（昇華後，粉状になった鉱質成分）．

f. of antimony アンチモン華．＝*antimony* trioxide.

f. of benzoin 安息香華．＝benzoic acid.

f. of sulfur 硫黄華．＝sublimed *sulfur*.

f. of zinc 亜鉛華．＝*zinc* oxide.

flow·me·ter (flō′mē-tĕr)．流量計，流速計（液体または気体の流速または流量を測定する器械）．

electromagnetic f. 電磁流量(流速)計，電磁血流計（血管に磁場を加え，磁場を通過する導体としての血液によって生じる電圧から流量(流速)を測定する器械）．

flu (flū)．フルー（日常の用語としてのフルーは腸炎を含むあらゆる急性ウイルス感染症を含む表現として用いられる．しかしインフルエンザは明確な病原体により引き起こされる呼吸器感染症であり，胃腸症状はほとんど起こさない）．＝influenza.

flu·cry·late (flū′kri-lāt)．フルクリレート（手術用組織接着剤）．

fluc·tu·an·cy (flŭk′tyū-ant-sē)．波動（[標準外の表記 fluctuance, fluctulance, および fluctulancy を避けること]）．＝fluctuation(2).

fluc·tu·ate (flŭk′tyū-āt)［L. *fluctuo*, pp. *-atus*, to flow in waves］．*1* 波動する．*2* 変動する，動揺する（量あるいは質がときとして変動，変化する．例えば，血圧の高さ，尿中または血中物質の濃縮度，分泌活動など）．

fluc·tu·a·tion (flŭk′tyū-ā′shŭn)．*1* 変動．*2* 波動（柔らかい壁をもつ空洞，特に液体を貯留した空洞に触れたときに感じる波のような動き）．＝fluctuancy.

flu·ence (***H***) (flū′ens)［L. *fluentia*, a flowing＜*fluo*, to flow］．フルエンス（診断放射線学におけるX線光束の量の測定単位．粒子フルエンスとは，単位断面積の開口部を通過した光子の数であり，エネルギーフルエンスとは，単位面積を通過した光子のエネルギーの総和である．*cf.* flux）．

flu·en·cy (flū′en-sē)［L. *fluentia*, a flowing ＜ *fluo*, to flow］．流暢（話す言葉が連続してなめらかに発せられること）．

flu·ent (flū′ent)．流暢な．

flu·id (flū′id)［L. *fluidus* ＜ *fluo*, to flow］．*1*〘n.〙［TA］．流体（非固形物質．液体または気体．容器の形に合わせて流れる）．*2*〘adj.〙流体の，液性の（容易にそれらの相対的位置を変化できる，すなわち動いたり，流れたりできる粒子や，実在物からなる）．

allantoic f. 尿膜腔液．

amnionic f. 羊水（半膜腔内に存在する液体であり，胎児を取り囲み機械的な刺激から胎児を守るのに役立っている）．＝liquor amnii.

Brodie f. ブローディー液（細胞呼吸時に，ガスの放出または吸収を検査するためにつくられた，圧力計の中に用いる食塩水）．

bronchoalveolar f. 気管支肺胞液（肺気道から吸引された粒子を除去するのに役立つ，いく種かの融解性酵素を含む液体）．

Callison f. (kal′ĭ-sŏn)．キャリソン液（赤血球計算用の希釈液．Loeffler アルカリ性メチレンブルー1 mL，ホルマリン1 mL，グリセリン10 mL，中性シュウ酸アンモニウム1 g，食塩2.5 g を90 mL の蒸留水に加えたものを，よく混ぜて，固形物が溶け，試薬が清澄になるまで静かに立てておく．使用前に沪過する）．

cerebrospinal f.（**CSF**）［TA］．脳脊髄液（脳室の脈絡叢から分泌される液体で，脳室と脊髄のクモ膜下腔を満たす）．＝liquor cerebrospinalis［TA］．

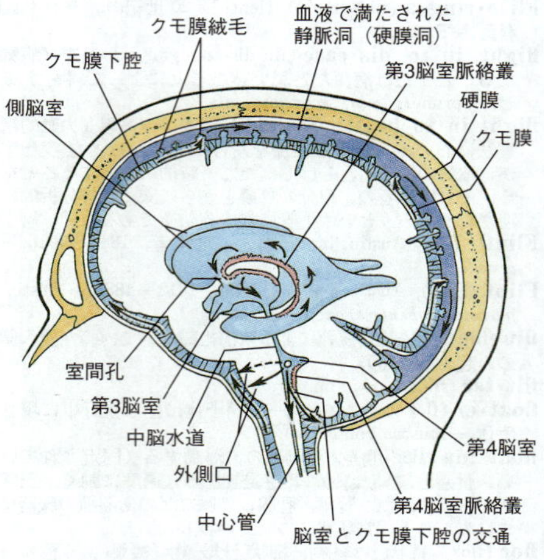

circulation (flow) of cerebrospinal fluid

chorionic f. 絨毛膜内貯留液（絨毛膜袋内の液体．半膜袋の増大に伴い消えていき，絨毛と融合する）．

crevicular f. ＝gingival f.

Dakin f. (dā′kin)．＝Dakin *solution*.

dentinal f. 歯液（ぞうげ質，特に若い人の歯の切削面にみられるぞうげ質のリンパまたは滲出液．歯髄からぞうげ細管を経て出てくる細胞外溶液，すなわち，主としてぞうげ芽細胞突起の細胞質の漏出液である）．＝dental lymph.

extracellular f. (**ECF**) 細胞外液（①体重の約 20％を占める間質液と血漿．②ときに，細胞外のすべての液体(通常，細胞透過液は除く)を意味する)．

extravascular f. 血管外液（血管外のすべての液体，すなわち，細胞内液，間質液，細胞透過液などをいう．体重の約 48—58％を占める)．

Farrant mounting f. (far′ănt)．ファラント封入液（アラビアゴム，三酸化ヒ素，グリセロールを含む水溶液で，組織切片を水中から直接封入するのに用いる．pH を中性にするために酢酸カリウムを加えたり，クレゾールやチモールのような他の防腐剤を三酸化ヒ素の代わりに用いるいくつかの変法もある)．

gingival f. 歯肉滲出液（血漿蛋白を含んだ滲出液で，歯肉炎に伴って増量する)．＝crevicular f.; sulcular f.

infranatant f. 下澄み〔液〕（重力あるいは遠心力によって，不溶性の液体または固体を沈殿させ，その下層部分をくみ上げた清澄液)．

interstitial f. 間質液（組織細胞間にある液体で，体重の約 16％を占める．リンパ液の成分と非常に類似している)．＝tissue f.

intracellular f. (**ICF**) 細胞内液（組織細胞内の液．体重の約 30—40％を占める)．＝intracellular water.

intraocular f. ＝aqueous *humor.*

lacrimal f. 涙液（水様の生理的な食塩水，密度は血漿程度，殺菌酵素のリゾチームを含む．結膜と角膜を潤し，栄養と溶解酸素を角膜に供給する)．＝tears.

newtonian f. ニュートン流体（流量とずれの割合が，加えられたずれ応力に対し常に比例する流体．このような液は，Poiseuille 法則に正確に従う．*cf.* nonnewtonian f.)．

nonnewtonian f. 非ニュートン流体（流量とずれの割合が，加えられたずれ応力に対し常には比例せず，Poiseuille 法則にも従わない流体.→anomalous *viscosity*; Fahraeus-Lindqvist *effect*; Bingham *plastic*. *cf.* newtonian f.)．

pleural f. 胸膜液（壁側胸膜と肺胸膜との間にある漿液体．疾病で著増すると胸水とよばれる)．

prostatic f. 前立腺液（精液成分の１つである白色の分泌液)．

pseudoplastic f. 偽塑性流体．

Rees-Ecker f. (rēs ek′ĕr)．リース－エッカー液（クエン酸ナトリウム，ショ糖，ブリリアントクレシルブルーの水溶液で血小板数算定に用いる)．

Scarpa f. (skar′pah)．スカルパ液．＝endolymph.

seminal f. 精液．＝semen (1).

sulcular f. ＝gingival f.

supernatant f. 上澄み〔液〕（重力あるいは遠心力によって不溶性の液体または固体を沈殿させ，すくい上げられた上層の澄んだ液)．

synovial f. [TA]．滑液（関節，腱鞘または関節嚢の潤滑油としての機能をもつ透明な擬液性液．ムチンを主成分とし，アルブミン，脂肪，表皮，白血球からなる．血管分布のない関節軟骨に栄養を与える働きもしている)．＝synovia [TA]; joint oil.

thixotropic f. 揺変性液，チキソトロピー液（静置するとゲル化し，振動や十分な剪断力を加えると再び液化する液体)．

tissue f. 組織液．＝interstitial f.

transcellular f.'s 細胞透過液（細胞内にはなく，細胞壁によって血漿や間質液から分離している液．例えば，脳脊髄液，滑液，胸膜液など)．

ventricular f. 脳室液（脳室に含まれる脳脊髄液の一部)．

flu·id·ex·tract (flū′id-eks′trakt)．流エキス剤（[誤った形 fluid extract を避けること]．植物性の薬の薬局方液体製剤で，アルコールを溶媒あるいは保存剤として，または両方の目的で含み，各々 1 mL 中に，相当する標準薬の有効成分 1 g を含むようにつくられている．これはパーコレーション法によってつくられる)．＝liquid extract.

flu·id·glyc·er·ates (flū′id-glis′ĕr-āts)．流グリセリン塩（以前は National Formulary(国民医薬品集)に収載されていた調製剤で，グリセリンを 50％容量含み，アルコールは含まない．流エキス剤と同様の薬効をもつ)．

flu·id·ism (flū′id-izm)．体液説．＝humoral *doctrine.*

flu·id·i·ty (flū-id′i-tē)．流動率（粘性率の逆数．単位は rhe＝poise^{-1})．

flu·id·ounce (flū-id-owns′)．液量オンス，フルイドオンス（容量単位で 8 液量ドラム．英液量オンスは 15.6°C で蒸留水 1 常衡法オンス，すなわち 437.5 グレーンを含み，28.4 mL に相当する．米液量オンスは 1/128 ガロンであり，25°C で蒸留水 454.6 グレーンを含み，29.57 mL に相当する)．

flu·id·rachm, flu·i·dram (flū′id-ram′)．液量ドラム，フルイドラム（[誤ったつづり fluid dram および fluiddram を避けること]．容量単位で液量オンスの 1/8．茶匙 1 杯．英液量ドラムは蒸留水 54.8 グレーンを含み，3.55 mL に相当する．米液量ドラムは蒸留水 57.1 グレーンを含み，3.70 mL に相当する)．

fluke (flūk) [A.S. *flōc*, flatfish]．吸虫類（吸虫綱(扁形動物門)の種類に対する一般名．哺乳類の吸虫類(二生亜綱)はすべて，成虫期は内部寄生性で，複雑な複世代生活環を特徴とする．すなわち，第一中間宿主の巻貝中で幼虫が増殖し，次いで遊泳幼虫を放出して，これが最終宿主の皮膚を直接通過(住血吸虫などの場合)したり，植物上で被嚢(肝蛭 *Fasciola* などの場合)したり，あるいは他の中間宿主の内部または表面で被嚢(肝ジストマ *Clonorchis* や他の魚類媒介性吸虫などの場合)したりする．下等脊椎動物，特に魚類の吸虫類(単生目)は多くの場合，単世代の外部寄生または鰓寄生虫である．住血吸虫は腸間・門脈系およびその関連内臓および骨盤静脈叢の血中に住む．この中には，ビルハイツ住血吸虫 *Schistosoma haematobium*(内臓住血吸虫)，マンソン住血吸虫 *S. mansoni*(マンソン氏腸住血吸虫)，日本住血吸虫 *S. japonicum*(東洋住血吸虫)などが含まれる．他の重要な吸虫に，肺吸虫 *Paragonimus westermani*(気管支または肺の吸虫)，ネコ肝蛭 *Opisthorchis felineus*(ネコの肝臓吸虫)，肝ジストマ *Clonorchis sinensis*(中国肝蛭または東洋肝蛭)，異形吸虫 *Heterophyes heterophyes*(エジプト吸虫または小型腸吸虫)，肥大吸虫 *Fasciolopsis buski*(大型腸吸虫)，槍形吸虫 *Dicrocoelium dendritricum*(ランセット吸虫)，肝蛭 *Fasciola hepatica*(肝吸虫またはヒツジ肝吸虫)，およびアズキムシ *Paramphistomum*(瘤胃吸虫)がある)．

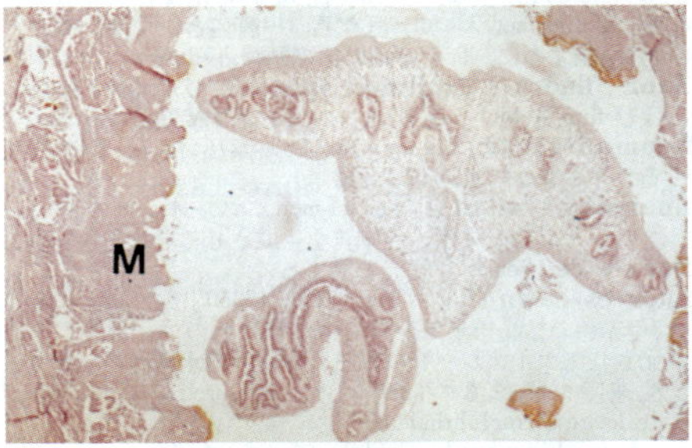

liver fluke

肝臓内胆管中の肝蛭*Fasciola hepatica*の2つの断面が，粘液分泌（M）の増加を伴う管上皮の腺腫様増殖を示す．断面は肝蛭*F. hepatica*に特徴的な，顕著な腸の枝および小数の表皮の棘を含む．ヘマトキシリン-エオシン染色，×8.

flu·ma·ze·nil (flū′mā-zē-nil)．フルマゼニル（ベンゾジアゼピン–GABA–クロライドチャネル複合体のベンゾジアゼピン認識部位を遮断するベンゾジアゼピン系化合物．ベンゾジアゼピン系中枢抑制薬の過量摂取時の治療に，またはこのような薬剤により誘導される麻酔状態を拮抗的にコントロールするために用いる)．

flu·men, pl. **flu·mi·na** (flū′men, flū′min-ă) [L.]．流れ．＝stream.

flumina pilorum 毛流．＝hair *streams.*

flu·meth·a·sone (flū-meth′ă-sōn)．フルメタゾン（効力の低い外用コルチコステロイド．21–ピバリン酸塩およびアセテートも同様に入手できる)．

flu·mi·na (flū′mi-nă)．flumen の複数形．

F

flu·ni·traz·e·pam (flū′nī-trāz′ĕ-pam). フルニトラゼパム（鎮静・催眠作用を有するベンゾジアゼピン系薬物).

フルニトラゼパムは，米国では認可されていないものの，欧州では最も多く処方されている鎮静・催眠薬である．米国でも，不正流通や乱用が南部州から他の州へ広がりをみせている．高校生や大学生の若者において特に乱用されている．フルニトラゼパム単独の使用では，穏やかな多幸感と鎮静をもたらすが，しばしば他の薬剤とともに使用され，ヘロインの効果を高めたり，コカインなどからの離脱を容易にさせる．フルニトラゼパムとアルコールの併用では，脱抑制や健忘などの相乗作用がみられる．これを利用して強姦を容易にするため，フルニトラゼパムを加えたアルコール飲料が用いられる場合もある．本薬物の広まりは，その低価格性と適法に製造された純正の錠剤があるという点にある．フルニトラゼパムは，Hoffman–La Roche 社によりロヒプノールの製品名で販売されている．世間では "circles" "Mexican Valium" "la rocha" "R2" "roofies" "rope" "rophies" "ruffies" などとよばれている．本薬物の影響下にある場合の言い方として，"being roached out" という表現がある．フルニトラゼパムの効果は，服用後 30 分以内に発現し，2 時間以内に最大効果に達し，8 時間あるいはそれ以上効果が持続する．副作用としては，傾眠，錯乱，記憶喪失，興奮，攻撃性興奮，視力障害，低血圧，胃腸障害，尿量低下などがあげられる．過量投与により死に至ることはめったにない．連用により身体依存を生じる．禁断症状としては，頭痛，筋肉痛，不安，混乱，自己喪失，幻覚，精神錯乱，痙攣，循環器系障害などがあげられる．投与中止後 1 週間あるいはそれ以上で，離脱に伴う痙攣発作がみられることがある．離脱の補助薬としてフェノバルビタールが用いられる．最近，Hoffman–La Roche 社は，密かに投与することができないように飲物の中でゆっくりと溶解し，溶解により溶液の色が明るい青色に変わる錠剤を開発している．

---

fluo- (flū′ō) [L. *fluo*, pp. *fluxus*, to flow]. ***1*** 流れを表す連結形. ***2*** fluorine(フッ素)(医薬品の一般名として用いられている)を表すのにしばしば用いる接頭語. →fluor-.

fluor-, fluoro- (flōr, flōr′ō). [誤ったつづり flor-, flour-, および flur- を避けること]. フッ素を示す接頭語.

fluor·ap·a·tite (flōr-ap′ă-tīt). フッ素リン灰石（天然に生じるカルシウムのフッ素リン酸塩).

fluor·es·ca·mine (flōr-es′kă-mēn). フルオレサミン（一級アミンと反応して蛍光性物質を生成させる非蛍光性物質).

fluor·esce (flōr-es′). 蛍光を発する.

fluor·es·ce·in (flōr-es′ē-in) [C.I. 45350]. フルオレセイン（橙赤色の結晶粉末で，溶液中に鮮緑色の蛍光を生じる．還元されてフルオレシンになる．無毒性の水溶性指示薬で，水流速度を調べるのに用いる). =resorcinol phthalic anhydride; resorcinolphthalein.

f. isothiocyanate (**FITC**) (ī′sō-thī-ō-sī′ă-nāt). フルオレセインイソチオシアネート(FITC)（しばしば抗体に結合させる蛍光色素で，特定の抗原の局在と同定に用いられる).

f. sodium フルオレセインナトリウム（ある種の眼疾の診断，外科における臓器部分の区別あるいは輪郭描写，および循環時間の測定に用いる染料). =resorcinolphthalein sodium; uranin.

fluor·es·cence (flōr-es′ents) [*fluor*spar + *-escence*, inchoative suffix]. 蛍光（物質を光で刺激すると，そのエネルギーを吸収し，それより長い波長の光を放射すること．この現象は刺激されている間だけ持続する．このため刺激を取り去ってもしばらく光の放射が続くリン光とは異なる. ⇀photoelectric *effect*).

fluor·es·cence-ac·ti·vat·ed cell sort·er (**FACS**) (flōr-es′ents ak′ti-vāt′ed sel sōr′tĕr). 蛍光細胞分析分離装置，ファクス（蛍光色素複合抗体で標識化されたリンパ球のような細胞を，それらの蛍光および光散乱のパターンにより分離・分析する装置).

flu·o·res·cent (flōr-es′ent). 蛍光の.

fluor·es·cin (flōr′-es-in). フルオレシン（還元されたフルオレセインで，フルオレセインと同様に用いる).

flu·o·ri·da·tion (flōr′i-dā′shŭn). フッ素添加，フッ素化（むしば予防として飲料水に通常約 1 ppm のフッ化物を加えること).

flu·o·ride (flōr′īd). ***1*** フッ化物（金属，非金属，または有機性基を含有するフッ素化合物). ***2*** フッ素イオン（フッ素の陰イオン．エノラーゼを阻害する．骨や歯のアパタイト中に存在する．フッ化物は抗う食効果をもつ．高濃度で毒性がある).

fluor·ide num·ber (flōr′īd nŭm′bĕr). フッ化物数（フッ化物によって生成された擬コリンエステラーゼの阻害率．不定型から標準型の擬コリンエステラーゼを区別するのに用いる. →dibucaine number).

flu·o·ri·di·za·tion (flōr′i-di-zā′shŭn). フッ素処理，フッ化物処理（う食抑制のため，フッ化物を治療的に用いること．ときに，フッ化物の歯への局所応用をさして用いる).

fluor·ine (**F**) (flōr′ēn) [L. *fluere*, flow]. フッ素（[誤った発音 fluorīne を避けること]．気体元素．原子番号 9，原子量 18.9984032. ^{18}F(半減期 1.83 時間)は種々の各種スキャンでの診断補助剤として用いられる).

fluoro- (flōr′ō). ⇀fluor-.

fluor·o·chrome (flōr′ō-krōm). 蛍光色素（標示あるいは染色するために用いる蛍光染料).

fluor·o·chrom·ing (flōr′ō-krōm′ing). 蛍光染色（①組織内の根源，分布，抗原による反応を研究するため，紫外光線を用いた顕微鏡観察で，抗体に蛍光染料を付着させたり，蛍光染料で抗体に標示したりすること．②蛍光染料が結合することによる，細胞および組織の化学成分(DNA，RNA，蛋白，多糖類)の顕微鏡的検出).

flu·o·ro·cyte (flōr′ō-sīt). 蛍光球，蛍光赤血球（蛍光性を呈する網状赤血球に対して，ときに用いる語).

fluo·ro·de·ox·y·glu·cose (flū-rō′dē-oks′ē-glū′kōs). フルオロデオキシグルコース（代謝活性あるいは悪性組織を透写するための，放射フッ素誘導体．一般的に PET(陽電子放射断層撮影法)で用いられる).

1-fluor·o-2,4-di·ni·tro·ben·zene (**FDNB**) (flōr′ō-dī-nī′trō-ben′zēn). 1–フルオロ–2,4–ジニトロベンゼン（ペプチドのアミノアシル残基の遊離アミノ基と結合させるのに用いる反応試薬．すなわちこの残基に印をつけるためである．この結合形は DNP–蛋白，Dnp–アミノアシルアミノ酸として知られる．すなわち，フッ素が脱離し，NH_2 基とジニトロフェニル基(DNP–，Dnp–，N_2Ph–)が結合する．その結果，N–末端アミノ酸やリシン側鎖は共有結合的に化学修飾されるだろう). =Sanger reagent.

flu·o·rog·ra·phy (flōr-og′ră-fē). 〔蛍光〕間接撮影〔法〕. =photofluorography.

fluor·om·e·ter (flōr-om′ĕ-tĕr). 蛍光計（この装置は紫外線を光源とし，波長選択用の分光単色器，および可視光線検出器を備えている．蛍光光度法に用いる).

fluor·om·e·try (flōr-om′ĕ-trē) [fluoro- + G. *metron*, measure]. 蛍光比色法，蛍光光度法（そのもの自体のもつ特有の蛍光をより短波長の紫外線あるいは可視光線を光源として照射し，化合物類を励起させ，その波長強度を用いて蛍光化合物類を決定する定量分析法).

flu·o·ro·pho·tom·e·try (flōr′ō-fō-tom′ĕ-trē). フルオロフォトメトリ（フルオレセインの静脈内投与後，眼内での蛍光強度を光電子増倍管で測定する方法．房水産生量の測定，網膜血管の正常度を測定するのに用いる).

---

fluor·o·quin·o·lone (flūr′ō-kwin′ō-lōn). フルオロキノロン類（広域抗菌スペクトルをもつ抗菌薬群で，経口投与後の吸収は良く，組織移性も良好であり，比較的作用時間も長い).

フルオロキノロン系抗菌薬は，細菌のあるタイプの耐性に含まれるプラスミドの場合と同様に，DNA の複製に必要な DNA ジャイレースを阻害する．非フルオロキノロン系抗菌薬のナリジクス酸は，1960 年代まで，尿道の感染症の治療に使用されていたが，その有用性は全身移行性が低いこと，グラム陽性菌に対する作用の欠乏，耐性の急速な獲得のために限定されている．対照的に，フッ素原子を含むフルオロキノロン系抗菌薬は経口投与後，血漿，組織，および尿中薬物濃度は，急速に治療域に達し，いくつかのグラム陽性菌に対して活性をもつ．

フッ素原子は同様に細菌の耐性獲得を遅延させるが，1990年代のフルオロキノロン系抗菌薬の広範囲な使用は，好気性のグラム陰性桿菌に対する耐性を有意かつ継続的に導びいた．第二世代および第三世代フルオロキノロン系抗菌薬は市中肺炎，慢性気管支炎の急性憎悪，細菌性副鼻腔炎，および尿道感染症に有用である．これらの薬剤のいくつかは，単純な淋病に対して，単回経口投与される．またこれらは一般的に嫌気性菌とβ-溶血性連鎖状球菌には不活性である．現在，使用されている唯一の第四世代フルオロキノロン系抗菌剤のトロバフロキサシンは，腹腔内および骨盤の感染症の原因となる嫌気性菌を含む，広域スペクトルを有している．しかしながら，肝毒性の危険性が高いため，その使用は限定されている．フルオロキノロン系抗菌剤は一般的に耐性を獲得しやすい．最も頻度の高い副作用は嘔気，腹痛，および不眠である．主に腎排泄型であり，腎疾患患者では投与量を調節しなければならない．薬物は関節の軟骨に蓄積して，その部位の組織の急速な成長に重篤な損傷を与える原因となる可能性がある．したがって，18歳以下の患者には禁忌である．血液障害と腎毒性が時折みられる．激しい運動時の使用は関節に対して危険であり，腱断裂の原因となる．これらの薬物は，テオフィリンとワルファリンの肝代謝を阻害する．

fluor·o·roent·gen·og·ra·phy (flōr′ō-rent′gen-og′ră-fē). X線透視〔法〕. ＝photofluorography.

fluor·o·scope (flōr′ō-skōp) [fluorescence + G. *skopeō*, to examine]. ***1***〖n.〗〔X線〕透視装置（タングステン酸カルシウムのような蛍光物質を塗布したガラス板を用いて，検査中に人体を通過したX線の像を暗順応した眼には肉眼で見えるようにした旧式の装置．最近では，イメージ増倍管およびビデオを用いる）．***2***〖v.〗旧式あるいは新式の透視法で患者を検査すること．

fluor·o·scop·ic (flōr′ō-skop′ik). 〔X線〕透視〔検査〕の（X線透視検査(例えば経皮的生検)による方法に関する，によって効果がある）．

fluor·os·co·py (flōr-os′kŏ-pē). 〔X線〕透視〔検査〕（透視装置またはその後継であるビデオ透視(video f. 参照)を用いて，X線によって身体の組織や深部を検査すること）．

digital f. ディジタル(デジタル)X線透視（固体放射線検出器を使用し，出力映像信号をディジタル信号に変換して画像処理を行い，モニターに表示する検査法）．

video f. ビデオ〔X線〕透視検査（画像検出のために蛍光増倍管(イメージインテンシファイア)とテレビカメラを用い，表示のためにビデオモニタを使用するX線透視検査）．

fluor·o·sis (flōr-ō′sis). フッ素〔中毒〕症，フッ素沈着〔症〕（①過剰のフッ化物(飲料水中2 ppm以上を含む)の摂取により起こる症状．骨も侵されるが，歯のエナメル質の斑点，着色，減形成症が主な特徴である．②家畜の慢性フッ素中毒症で，発育中の歯を黒く軟らかくし，骨質をもろい白亜質にする．近くにある大きいアルミニウム工場で汚染された飼料を食べることにより起こることがきわめて多い）．

chronic endemic f. 慢性地方流行性フッ素〔中毒〕症（インドのある地方にみられるように，天然水の中に過剰のフッ素が存在することにより起こる病気．脊椎の強直を伴った骨硬化症を起こすことがある）．

fluor·o·u·ra·cil (FU) (flōr′ō-yū′ră-sil). フルオロウラシル（ピリミジン同族体．いくつかの癌の治療において，抗腫瘍性の効果がある．ある種の新生物の細胞は，正常の組織細胞よりもずっと速くウラシルをリボ核酸の中に取り込む）．

flu·o·sol-DA (flu′ō-sol). フルオソール-DA（人工血液代用物質として研究中の実験的パーフルオロケミカル溶液）．

flush (flŭsh). ***1***〖v.〗流す，洗う（液で洗う）．***2***〖n.〗潮紅（熱，疲労，緊張，病気などによる一過性の紅斑）．***3***〖adj.〗平坦な（平らな，すなわち平坦開口部のような，他の表面と同じ高さの）．

carcinoid f. カルチノイド〔性〕潮紅（カルチノイド腫瘍患者にみられる顔面その他の皮膚の周期的充血(潮紅発作)．この腫瘍は種々のモノアミンやペプチドホルモンを産生するが，潮紅発作の真の原因は不明である．潮紅発作は，アルコール，食事，ストレス，あるいは肝臓の触診で引き起こされる）．

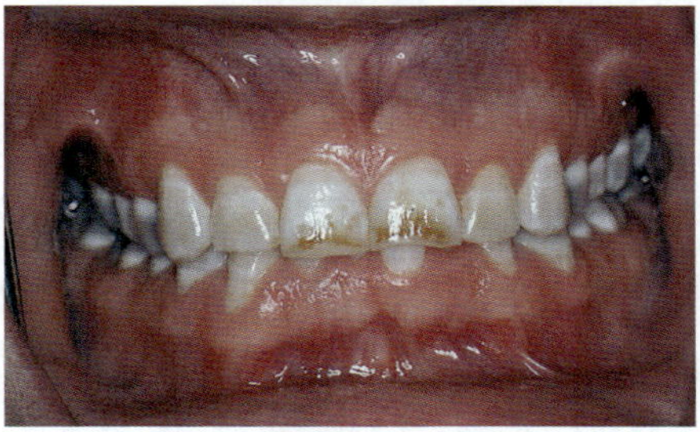

dental fluorosis

長期にわたりフッ化物の過剰摂取を続けた患者の歯列．茶色に変色した領域とともに，不透明なエナメル質の白斑が散在している．

hectic f. 消耗熱性潮紅（種々の熱病における発熱を伴った顔面の紅潮）．

histamine f. ヒスタミン〔性〕潮紅（ヒスタミンの放出に起因する血管拡張と紅斑．カルチノイド症候群における潮紅の1つの発生因子と考えられている）．

hot f. 顔面潮紅（更年期の血管運動症状を意味する口語的表現．熱感を伴った発作性の血管拡張で，通常，顔や頸，それに胸の上部に生じる．*cf.* hot *flash*）．＝hot flash.

malar f. 頬部潮紅（頬骨隆起部の限局性の消耗性潮紅で，しばしば結核で起こる．また，ときにリウマチ熱や全身性エリテマートデスにもみられる）．

flut·ter (flŭt′ĕr) [A.S. *floterian*, to float about]. 粗動（動揺，震え）．

atrial f., auricular f. 心房粗動（通常，毎分250—350回起こる規則的な速い心房収縮(I型心房粗動)で，しばしば心電図，特にII，III，aV_F誘導に鋸歯状の波を生じる．II型心房粗動は毎分330—450回起こり，I型と異なり，過剰電気刺激によっても停止させることができない）．

diaphragmatic f. 横隔膜粗動（横隔膜の律動的な速い収縮(平均，1分間に150)で，臨床上あるいは心電図上で心房粗動と類似する）．

impure f. 不純粗動（心電図上において，心房粗動(FF)と細動(ff)が混合していること）．＝fibrilloflutter; flitter; flutter-fibrillation.

ocular f. 眼球粗動（自然発生的な短期間の間欠性水平位の眼の振動で，凝視中に起こる．これはしばしば，小脳性症候群の眼球共同運動障害を合併する）．

ventricular f. 心室粗動（心室頻脈の一型で，心電図上，明確なQRSやT波が消失した一定の波形を示す）．

flut·ter-fi·bril·la·tion (flŭt′ĕr fi′brĭl-ā′shŭn). 粗動－細動．＝impure *flutter*.

flux (flŭks) [L. *fluxus*, a flow]. ***1*** 体液の病的流出（身体の体腔面または体表面から流動性の物質が大量に排泄されること．→diarrhea）．***2*** 糞便（腸から排泄される物質）．***3*** 融剤（融解した金属の表面から酸化物を取り除き，鋳造するときにそれを保護するために用い，熔接の場合も同じ目的に使われる）．***4*** フラックス，融剤（その低い融解温度から歯の陶材の成分としてシリカ粒子の結合を助けるのに用いる）．***5*** 束密度（単位時間内に境界層または膜の単位面積を通過する物質モル数）．＝flux density (1)．***6*** フラックス（膜や表面での物質の2方向性移動）．***7*** 流速（放射線診断学においては，単位時間内の光子の流れ）．***8*** 束（単位面積に直交する磁力場などの強さ）．***9*** 変動率（単位時間当たりの物質の化学または物理的変化，変位の割合）．

luminous f. 光束（一定時間内に，点状の光源から送り出される光の量．単位はルーメン）．

net f. 正味の流れ（一定方向をもつ2つの流れ(流量)の差）．

unidirectional f. 一定方向の流れ（境界層または境界膜の一面から他の面へ向かう物質の流れで，他方向への釣合いの流れは考えない．例えば，トレーサ技法によって測定される）．

fly (flī) [A.S. *fleóge*]. ハエ（双翅目の２枚の羽をもつ昆虫．重要なハエとしてはブユ属 *Simulium*(black f.)，オオクロバエ属 *Calliphora*(bluebottle f.)，チーズバエ *Piophila casei* (cheese f.)，シカバエ属 *Chrysops*(deer f.)，ツノバエ *Siphona irritans*(horn f.)，ヒメイエバエ *Fannia scolaris*(latrine f.)，ヒツジバエ *Oestrus ovis* およびウマのボット症ウジバエ *Gasterophilus hemorrhoidalis*(nose f.)，アメリカバエ *Cochliomyia hominivorax*(primary screw-worm f.) および *C. macellaria*(secondary screw-worm f.)，サシバエ *Stomoxys calcitrans*(stable f.)，ツェツェバエ属 *Glossina*(tsetse f.) および毛翅目の昆虫などがある．以下に記載のないハエ(通常１語で書かれる)についてはフルネームを参照．例えば，blowfly, botfly, gadfly, horsefly, housefly など）．

flesh f. ニクバエ．＝fleshflies.

heel f. ⇀botfly.

louse f.'s シラミバエ（産蛹性で，前後に扁平の双翅をもつ外部寄生虫で，ハエ科に属する．→*Hippobosca*）．

Lunds f. (lŭndz). *Cordylobia*属のハエ，特に *C. rodhaini* を指す．＝*Cordylobia rodhaini*.

mangrove f. マングローブバエ（アフリカの *Chrysops*属の種で，*Loa loa* の媒介動物．例えば *Chrysops silacea*）．

Russian f., Spanish f. ＝cantharis.

warble f. ⇀botfly.

flyaway (flī'wā). フライウェイ，渡りルート（野生生物学および動物行動学において鳥の飛行ルートおよび休息場所を示す用語．フライウェイは鳥が媒介動物となっている疾患の疫学的研究に利用される）．

Flynn (flin), P. 20 世紀の米国人医師．⇀F.-Aird *syndrome*; F. *phenomenon*.

Fm フェルミウムの元素記号．

FMD foot-and-mouth *disease* の略．

fMet *N*-formylmethionine の略．

fMet-tRNA formylmethionyl-tRNA の略．

FMLH familial hemophagocytic *lymphohistiocytosis* の略．

FMN *flavin* mononucleotide の略．

FMR1 ＝fragile X *syndrome*.

FNA fine-needle aspiration biopsy(細針吸引生検)の略．

foam (fōm). ***1*** 〖n.〗 泡沫（液体表面の小さい泡の塊）．***2*** 〖v.〗 泡沫を生じる．***3*** 〖n.〗 気泡（ホームラバー foam rubber のような，固形または半固形の空胞の塊）．

human fibrin f. ヒト線維素泡（ヒトの線維素原溶液の泡沫をトロンビンで凝固してつくった，乾燥した人工的線維素の海綿．凝固した泡沫を凍結乾燥して加熱させたもの．局所的抗凝固薬として用いる）．

fo·cal (fō'kăl). ***1*** 焦点の．***2*** 病巣の．

fo·cal spot size (fō'kăl spot sīz). 焦点サイズ（X 線管球の焦点の測定値．陰極の実際の大きさと陽極表面の角度との関数である．⇀focal *spot*）．

fo·ci (fō'sī). focus の複数形．

fo·cim·e·ter (fō-sim'ĕ-tĕr). 焦点距離計．＝lensometer.

fo·cus, pl. fo·ci (fō'kŭs, fō'sī) [L. a hearth]. [本語の複数形の誤った発音 fō'kī を避けること]. ***1*** (**F**). 焦点（光線が凸レンズを通った後，合流する点）．***2*** 病巣（病気の進行の中心または発生点）．

conjugate foci 共役焦点（レンズや凹鏡に関する２点で，１点からの像がもう一方の点に集合する．その逆も同じ）．

Ghon f. (gon). ゴーン病巣．＝Ghon *tubercle*.

natural f. of infection 自然感染巣（自然界で感染物が普通にいつも存在している生態系．例えば，密林－サル－*Haemagogus*属のカと黄熱病ウイルスとの生態系）．

principal f. 主焦点（レンズの軸に平行にはいってくる光線の真焦点または虚焦点）．

real f. 真焦点（一点に向かう光線の集合点）．

virtual f. 虚焦点（開散光線が出てきたと思われる点，または開散光線を後方に延長させると合流する点）．

fo·drin (fō'drin). ホドリン（脊椎動物細胞の隣接アクチンフィラメントを架橋するスペクリン様蛋白）．＝calspectin.

Fo·gar·ty (fō'găr-tē), Thomas J. 20 世紀の米国の胸部外科医．⇀F. embolectomy *catheter*, *clamp*.

fog·ging (fog'ing). 雲霧法（凸の球面レンズで過矯正することにより調節力を弛緩させる屈折検査法）．

fo·go sel·va·gem (fō'gō sel'vă-jem) [Pg. wild fire]. ブラジル天疱瘡（落葉状天疱瘡の一型で，ブラジル南部にみられる．水疱性病変が初め顔面と体幹上部に限局して生じ，これが全身性に拡大して斑点状を呈したり，紅皮症や落屑をきたしたりする．免疫学的には落葉状あるいは尋常性天疱瘡と区別できない）．＝Brazilian pemphigus; wildfire.

foil (foyl). 箔（金属の極度に薄い柔軟な板）．

Foix (fwah), Charles. フランス人神経科医，1882—1927．⇀F.-Alajouanine *myelitis*, *syndrome*; F.-Chavany-Marie *syndrome*.

fo·late (fō'lāt). 葉酸塩またはエステル．

FOLD

fold (fōld) ひだ（① [TA]．外見上，層が折り重なって形成されたように見える隆起または縁．＝plica．②胚子における形成層の一過性の膨隆または再重複）．

adipose f.'s of the pleura ＝fatty f.'s of pleura.

alar f.'s of infrapatellar synovial fold [TA]．翼状ひだ（膝蓋下滑膜ひだの外側および内側へのくさび状の拡大部分で脂肪が充満している）．＝plicae alares plicae synovialis infrapatellaris [TA].

amnionic f. 羊膜ひだ（卵黄茎を包んでいる羊膜のひだで，臍帯の付着点から卵黄嚢までのびている．は虫類や鳥類では，羊膜が反転した縁で，発生初期に重なって胚を包んでいる）．＝Schultze f.

ampullary f.'s of uterine tube 卵管膨大部ひだ（卵管のふさ状末端部にみられる粘膜のひだ）．＝plicae ampullares tubae uterinae.

anal f.'s 肛門ひだ（肛門膜の外側にある排泄腔ひだ由来のひだ状隆起）．

anterior axillary f. 前腋窩ひだ（大胸筋下縁とそこにかぶさる皮膚によってできるひだ．腋窩の前方の境界をなす）．

aryepiglottic f. [TA]．披裂喉頭蓋ひだ（喉頭蓋の外側縁と披裂軟骨の間の一側にのびる粘膜の顕著なひだ．披裂筋を内部にもつ）．＝plica aryepiglottica [TA]; arytenoepiglottidean f.

arytenoepiglottidean f. ＝aryepiglottic f.

axillary f. 腋窩ひだ（前腋窩と後腋窩を仕切る皮膚と筋組織のひだ）．＝plica axillaris.

caval f. 大静脈ひだ（背側腸間膜の右側基底部に近いひだで，下大静脈の原基部分が，右側後主静脈と肝臓内の血管の間から発生する）．

cecal f.'s [TA]．盲腸ひだ（盲腸後窩の境界をつくる２つの腹膜ひだ）．＝plicae cecales [TA].

f. of chorda tympani [TA]．鼓索ひだ（鼓索神経が鼓室を通る道筋を囲む粘膜のひだ）．＝plica chordae tympani [TA].

ciliary f.'s [TA]．毛様体ひだ（毛様体突起の間にある溝の中の下稜の多くのひだ．突起とともに毛様体冠を構成する）．＝plicae ciliares [TA].

circular f.'s of small intestine [TA]．〔小腸の〕輪状ひだ（腸の周囲約 2/3 を横切る小腸粘膜の多数のひだ）．＝plicae circulares intestini tenuis [TA]; Kerckring f.'s; Kerckring valves; plicae circulares; valvulae conniventes.

cloacal f.'s 排泄腔ひだ（第５週初期排泄腔膜の外側に位置する隆起ひだ．その後発達して前尿生殖ひだおよび肛門ひだに分かれる）．＝primary urethral f.'s.

Dennie-Morgan f. (den'ē mōr'găn). デニー－モルガン皺襞（アトピー性皮膚炎の浮腫で生じる両下眼瞼下方のしわもしくは線）．＝Dennie line.

dinucleotide f. ジヌクレオチド折りたたみ（NAD^+ または $NADP^+$ と結合するある種の蛋白での構造的ドメイン）．＝dinucleotide domain.

Douglas f. (dŭg'lăs). ダグラスひだ．＝rectouterine f.

Duncan f.'s (dŭng'kăn). ダンカンひだ（分娩直後の子宮の腹膜表面上のひだを表す，現在では用いられない語）．

duodenojejunal f.* 十二指腸空腸ひだ（superior duodenal

f. の公式の別名).

duodenomesocolic f.* 十二指腸結膜間膜ひだ (inferior duodenal f. の公式の別名).

epicanthal f. 瞼鼻ひだ. =palpebronasal f.

epigastric f. =lateral umbilical f.

epiglottic f.'s 喉頭蓋ひだ (舌と喉頭蓋の間に走る3枚の粘膜ひだ, すなわち左右の外側舌喉頭蓋ひだと正中舌喉頭蓋ひだの総称). =plicae epiglotticae.

falciform retinal f. 鎌状網膜ひだ (乳頭から毛様体部分への先天性のひだで, 網膜の下耳側象限にある).

fatty f.'s of pleura 胸膜の脂肪ひだ (胸膜内, 主に肋骨縦隔洞の隣接部内にある脂肪で包まれた小塊). =adipose f.'s of the pleura; plicae adiposae pleurae.

fimbriated f. of inferior surface of tongue [TA]. 〔舌下面の〕采状ひだ (舌下面の小帯から外に向かうひだ). =plica fimbriata faciei inferioris linguae [TA].

gastric f.'s [TA]. 胃粘膜ひだ (胃粘膜の特徴的なひだで特に収縮時の胃で顕著である). =plicae gastricae [TA]; gastric rugae*; ruga gastrica; rugae of stomach.

gastropancreatic f. [TA]. 胃膵ひだ (肝動脈と左胃動脈をその通路に沿って包む網嚢内の腹膜ひだ). =plica gastropancreatica [TA].

genital f. =urogenital *ridge.*

giant gastric f.'s 胃巨大ひだ (Zollinger-Ellison 症候群, Ménétrier 病, 過形成性過分泌性胃疾患でみられるような過形成粘膜におおわれた, 腫大した胃粘膜下のひだ).

glossoepiglottic f.'s 舌喉頭蓋ひだ (→epiglottic f.'s).

glossopalatine f. =palatoglossal *arch.*

gluteal f. [TA]. 殿溝 (大腿の上限から殿部の下限を区切る著明な溝. これは大殿筋の下縁にほぼ対応する. 殿部と大腿の間の溝). =sulcus glutealis [TA]; gluteal furrow.

Guérin f. (gā-rĭn[h]′). ゲランひだ. =*valve* of navicular fossa.

Hasner f. (hahs′nĕr). ハスナーひだ. =lacrimal f.

head f. 頭側ひだ (胚盤の頭部末端の腹側ひだで, 脳は口と心臓への吻側に横たわっている).

hepatopancreatic f. [TA]. 肝膵ひだ (半月状の腹膜のひだで, 小網を通る総肝動脈を包む). =plica hepatopancreatica [TA].

Houston f.'s (how′stŏn). ヒューストンひだ. =transverse f.'s of rectum.

ileocecal f. [TA]. 回盲ひだ (回盲部または回腸虫垂窩との境界をなす腹膜のひだ). =plica ileocecalis [TA]; Treves f.

f. of incus [TA]. きぬた骨ひだ (鼓室蓋からきぬた骨体と短脚に至る粘膜のひだ). =plica incudialis [TA].

inferior duodenal f. [TA]. 下十二指腸ひだ (下十二指腸陥凹との境界を形成する腹膜のひだ). =plica duodenalis inferior [TA]; duodenomesocolic f.*; plica duodenomesocolica*.

infrapatellar synovial f. [TA]. 膝蓋下滑膜ひだ (膝蓋骨の関節表面下から顆間窩前部にのびる滑膜のひだ). =plica synovialis infrapatellaris [TA]; plica synovialis patellaris.

inguinal f. 鼡径ひだ. =*plica* inguinalis.

inguinal aponeurotic f. =inguinal *falx.*

interarytenoid f. [TA]. 披裂間ひだ (喉頭入口部後内側を形成する披裂間くぼみの底部にある披裂軟骨間の正中部を横断する粘膜ひだ). =plica interarytenoidea [TA]; posterior commissure of the larynx.

interarytenoid f. of rima glottidis 〔声門の〕披裂門ひだ (近接する披裂軟骨がつくる横走する粘膜ひだ). =plica interarytenoidea rimae glottidis [TA].

interdigital f.'s =*web* of fingers/toes.

interureteric f. 尿管間ひだ. =interureteric *crest.*

f.'s of iris [TA]. 虹彩ひだ (虹彩の後部表面上にあり瞳孔辺縁周囲に広がる, 多数の, 細かく, ほとんど顕微鏡的な放射状のひだ). =plicae iridis [TA].

Kerckring f.'s (kerk′kring). ケルクリングひだ. =circular f.'s of small intestine.

Kohlrausch f.'s (kōl′rowsh). コールラウシュひだ. =transverse f.'s of rectum.

labioscrotal f.'s 陰唇陰嚢隆起 (胚の排出腔の両側の外側ひだで, 陰嚢または大陰唇に発展する).

lacrimal f. [TA]. 鼻涙管ひだ (鼻涙管の下部開口部を保護する粘膜のひだ). =plica lacrimalis [TA]; Hasner f.; Huschke valve; Rosenmüller valve.

f. of laryngeal nerve 咽頭神経ひだ. =f. of superior laryngeal nerve.

lateral f.'s 外側ひだ (胚盤の外側縁の腹側に向かう屈曲で, これの発達によって最終的な胚の形がつくり上げられる).

lateral glossoepiglottic f. [TA]. 外側舌喉頭蓋ひだ (喉頭蓋縁から咽頭壁と舌の両側の底部にのびる粘膜ひだ. 喉頭蓋谷の外側部をなす). =plica glossoepiglottica lateralis [TA]; pharyngoepiglottic f.

lateral nasal f. 外側鼻隆起. =lateral nasal *prominence.*

lateral umbilical f. [TA]. 外側臍ひだ (下腹壁血管によってつくられる前腹壁腹膜面上の降線). =plica umbilicalis lateralis [TA]; epigastric f.; plica epigastrica [TA].

f. of left vena cava [TA]. 左大静脈ひだ (左心房斜静脈と左上肺静脈の間にあり, 左上大静脈の閉塞残遺物をもつ心膜のひだ). =plica venae cavae sinistrae [TA]; Marshall vestigial f.; vestigial f.

longitudinal f. of duodenum [TA]. 十二指腸縦ひだ (大十二指腸乳頭の上方で, 十二指腸下行部の内側壁上にある粘膜のひだ. 総胆管に関連して生じたと考えられる). =plica longitudinalis duodeni [TA].

malar f. 頬ひだ (外眼角から下内側方にのびる不明確なひだ).

mallear f.'s [TA]. つち骨ひだ (前・後部の2つの靱帯. 鼓室切痕の各末端からつち骨突起にのびて鼓膜の鼓室側にひだをつくり, 鼓膜の緊張部と弛緩部の間を区切る). =plicae malleares (anterior et posterior) [TA]; plica membranae tympani.

mammary f. =mammary *crests.*

Marshall vestigial f. (mar′shăl). マーシャル痕跡ひだ. =f. of left vena cava.

medial canthic f.* palpebronasal f. の公式の別名.

medial nasal f. 内側鼻隆起. =medial nasal *prominence.*

medial umbilical f. [TA]. 内側臍ひだ (尿膜管の左右両側にある閉塞した臍動脈をおおう前腹壁下部の腹膜のひだ). =plica umbilicalis medialis [TA]; plica hypogastrica.

median glossoepiglottic f. [TA]. 正中舌喉頭蓋ひだ (舌背部から喉頭蓋にのびる正中線上の粘膜ひだで喉頭蓋谷の内側の境界をなす). =plica glossoepiglottica mediana [TA]; frenulum epiglottidis; middle glossoepiglottic f.

median umbilical f. [TA]. 正中臍ひだ (尿膜管または, 尿膜茎の残遺物をおおう前腹壁上の腹膜のひだ). =plica umbilicalis mediana [TA]; middle umbilical f.; plica urachi; urachal f.

medullary f.'s =neural f.'s.

mesonephric f. 中腎堤. =mesonephric *ridge.*

middle glossoepiglottic f. 正中舌喉頭蓋ひだ. =median glossoepiglottic f.

middle transverse rectal f. 中直腸横ひだ (→transverse f.'s of rectum).

middle umbilical f. 正中臍ひだ. =median umbilical f.

mongolian f. 蒙古ひだ. =palpebronasal f.

mucobuccal f. 頬粘膜ひだ (上顎または下顎から頬に達する粘膜の屈曲線).

mucosal f.'s of gallbladder [TA]. 〔胆嚢の〕粘膜ひだ (ハチの巣のような外観をしており, 胆嚢内部の粘膜が交錯するひだ). =plicae mucosae vesicae biliaris [TA]; rugae of gallbladder*; rugae vesicae biliaris*.

nail f. 爪郭. =nail *wall.*

nasojugal f. 鼻頬ひだ (内眼角から下外側方に広がる浅い皮膚の溝).

Nélaton f. (nā-lah-tawn[h]′). →transverse f.'s of rectum.

neural f.'s 神経ひだ (神経溝の膨隆した縁). =medullary f.'s.

opercular f. 弁蓋ひだ (扁桃と前口蓋弓間の間橋または癒合を形成する組織).

palmate f.'s of cervical canal [TA]. 棕状ひだ (子宮頸との境界をなす粘膜内の前後2つの縦の稜. ここから多数の

二次的なひだまたはしわが分枝する).＝plicae palmatae canalis cervicis uteri [TA]; arbor vitae uteri; lyra uterina.

palpebronasal f. [TA]. 瞼鼻ひだ (鼻根から眉毛の内側端にのびる皮膚のひだで，内眼角の上に重なる．胎児期およびアジア人では正常人に存在する).＝plica palpebronasalis [TA]; medial canthic f.*; epicanthal f.; epicanthus; mongolian f.

paraduodenal f. [TA]. 十二指腸傍ひだ (十二指腸空腸曲の左側と左腎内側縁との間にときとして出現する腹膜の鎌状のひだ．その右側の自由縁内には左結腸動脈の上行枝と下腸間膜静脈があり，十二指腸傍陥凹の前縁をなしている.→paraduodenal *recess*).＝plica paraduodenalis [TA]; Treitz arch.

pharyngoepiglottic f. 咽頭喉頭ひだ.＝lateral glossoepiglottic f.

pleuropericardial f. 胸腔心嚢膜 (胚期の心膜腹膜管へ突出する組織ひだ．発達中の心嚢を胸腔から隔てる．総主静脈の正中への伸び出しによって形成される).＝pericardiopleural membrane; pleuropericardial membrane.

pleuroperitoneal f. 胸腔腹腔ひだ (胚期の心嚢腹膜管の尾部に突出する組織ひだ．将来の横隔膜の背部になる．肺が尾側方に成長し，肝臓が頭側方へ拡大することで形成される).＝pleuroperitoneal membrane.

posterior axillary f. 後腋窩ひだ (広背筋・大円筋およびこの2筋の停止腱とこれらにかぶさる皮膚によってできるひだ．腋窩の後方の境界をなす).

presplenic f. 脾前部ひだ (扇形の腹膜のひだで，脾臓の下端近くにある胃脾間膜から横隔結腸間膜に至り，これと融合する．脾動脈と左胃大網動脈の分枝を含んでいる).

primary urethral f.'s 原始尿道ひだ.＝cloacal f.'s.

rectal f.'s ＝transverse f.'s of rectum.

rectouterine f. [TA]. 直腸子宮ひだ (直腸子宮筋を含み，直腸から仙骨を通り広間膜の各々の側の基底部を通り，直腸子宮窩(Douglas 窩)の外側を形成する腹膜のひだ).＝plica rectouterina [TA]; Douglas f.; sacrouterine f.

rectovesical f. 直腸膀胱ひだ.＝sacrovesical f.

retinal f. 網膜ひだ (先天性あるいは続発性の網膜のひだ．二次的に膜が収縮することにより網膜の星状・経線性・輪状ひだを形成する).

retroauricular f. 耳介後ひだ (耳介と耳後部皮膚の境にできる皮膚の溝).

retrotarsal f. ＝conjunctival *fornix*.

Rindfleisch f.'s (rint′flīsh). リントフライシュひだ (大動脈の起始部を取り囲んでいる，心膜の漿膜面の半月状ひだ).

sacrogenital f.'s 仙骨生殖器ひだ (男性では膀胱，女性では子宮の側面より起こり，直腸の両側を通って仙骨に至り，後方にのびる腹膜のひだ．これらは直腸膀胱窩・直腸子宮窩の外側縁を形成する.→sacrouterine f.; sacrovesical f.).

sacrouterine f. 直腸子宮ひだ.＝rectouterine f.

sacrovaginal f. 仙骨腟ひだ，直腸腟ひだ (直腸子宮ひだの下部).＝plica rectovaginalis.

sacrovesical f. 仙骨膀胱ひだ，直腸膀胱ひだ (直腸膀胱窩の外側を走る腹膜のひだ).＝rectovesical f.

salpingopalatine f. [TA]. 耳管口蓋ひだ (耳管(Eustachio 管)開口部の前辺縁から口蓋に通じる粘膜の隆線).＝plica salpingopalatina [TA]; plica tubopalatina.

salpingopharyngeal f. [TA]. 耳管咽頭ひだ (耳管隆起部の下端から，咽頭壁に沿って耳管咽頭筋上に横たわる粘膜の隆線).＝plica salpingopharyngea [TA].

Schultze f. (shūlt′sĕ). シュルツェひだ.＝amnionic f.

semilunar f. [TA]. 半月ひだ (扁桃上窩の上の，口蓋舌弓と口蓋咽頭弓を結ぶ弯曲した不定のひだ．存在するときは常にリンパ組織をもつ).＝plica semilunaris [TA].

semilunar f.'s of colon [TA]. 結腸半月ひだ (結腸膨起の間にある結腸壁のひだ).＝plicae semilunares coli [TA].

semilunar conjunctival f. 結膜半月ひだ.＝*plica* semilunaris of conjunctiva.

spiral f. of cystic duct [TA]. 〔胆嚢管〕ラセンひだ (胆嚢管上部内の，らせん状に配列した一連の粘膜の半月状のひだ).＝plica spiralis ductus cystici [TA]; Amussat valve; Heister valve; spiral valve of cystic duct; valvula spiralis.

stapedial f. あぶみ骨ひだ.＝f. of stapedius.

f. of stapedius [TA]. あぶみ骨ひだ (鼓室の後壁から生じ，あぶみ骨をおおう薄い粘膜のひだ).＝plica stapedialis [TA]; stapedial f.

sublingual f. [TA]. 舌下ひだ (舌下の両側の，舌下腺の位置を示す口腔底の隆起).＝plica sublingualis [TA].

superior duodenal f. [TA]. 上十二指腸ひだ (上十二指腸陥凹を境界する腹膜のひだ).＝plica duodenalis superior [TA]; duodenojejunal f.*; plica duodenojejunalis*.

f. of superior laryngeal nerve [TA]. 上喉頭神経ひだ (咽頭の梨状窩にあって，上喉頭神経を包む粘膜のわずかなひだ).＝plica nervi laryngei superioris [TA]; f. of laryngeal nerve.

synovial f. [TA]. 滑膜ひだ (2つの関節表面に向かって，またはその間にのびる関節滑膜からの突起または隆起).＝plica synovialis [TA].

tail f. 尾側ひだ (胚盤の尾方末端の腹側へのひだ).

tarsal f. 瞼板ひだ (上眼瞼挙筋が上眼瞼の皮膚に停止する個所にみられるひだ).

tracheoesophageal f. 気管食道ひだ (呼吸憩室の縦状のひだ．気管食道中隔を形成し，喉頭気管管から食道を区別する).＝tracheoesophageal crest; tracheoesophageal ridge.

transverse palatine f. [TA]. 横口蓋ひだ (硬口蓋にあるそしゃく用構造の痕跡．最前部の切歯乳頭部分から放射状に始まり，やや後方にのび，硬口蓋を横切って側方の諸所に達するいくつかの不整形の，ときに分枝を形成する軟組織堤).＝plica palatina transversa [TA]; ruga palatina; transverse palatine ridge.

transverse f.'s of rectum [TA]. 直腸横ひだ (直腸粘膜に水平に走る3—4個の半月形のひだ．上直腸横ひだは左側の直腸の起始部の近くにある．中直腸横ひだ(Houston または Kohlrausch のひだ)は右側から肛門の上方約8 cm のところに突出する．下直腸横ひだは左側から肛門の上方約5 cm のところに出ている).＝plicae transversae recti [TA]; Houston f.'s; Kohlrausch f.'s; plicae recti; rectal f.'s; rectal valves.

transverse vesical f. 横膀胱ひだ (空の膀胱の上を通り，膀胱がいっぱいのときは消失する腹膜の重なり).＝plica vesicalis transversa [TA].

Treves f. (trēvs). トリーヴェスひだ.＝ileocecal f.

triangular f. [TA]. 三角ひだ (口蓋舌弓から起こり，口蓋扁桃の前方にある粘膜の不定のひだ).＝plica triangularis [TA].

urachal f. ＝median umbilical f.

ureteric f. ＝interureteric *crest*.

urethral f.'s 尿道ひだ.＝urogenital f.'s.

urogenital f.'s 尿生殖ひだ (排泄腔ひだより発生．男性は尿道板が近接し，癒合し，尿道海綿体と陰茎の腹側面を形成し，女性は尿生殖ひだは癒合しないで小陰唇となる).＝plicae urethrales; urethral f.'s.

urorectal f. 尿直腸ひだ.＝urorectal *septum*; urorectal *membrane*.

f.'s of uterine tubes [TA]. 卵管ひだ (卵管の粘膜にある多数の縦ひだ).＝plicae tubariae tubae uterinae [TA].

uterovesical f. 子宮膀胱ひだ.＝uterovesical *ligament*.

vascular f. of the cecum [TA]. 盲腸血管ひだ (回結腸動脈枝上に橋をかけ，狭い陥凹，すなわち上回結腸(または回結腸)陥凹の前で境界をつくる腹膜ひだ).＝plica cecalis vascularis [TA].

Vater f. (vah′tĕr). ファーターひだ (十二指腸乳頭のすぐ上の十二指腸粘膜のひだ).

ventricular f. 室ひだ.＝vestibular f.

vestibular f. [TA]. 室ひだ (咽頭腔を仕切るように甲状軟骨角から披裂軟骨に張っている左右一対の室靱帯をおおう粘膜のひだで，両者の間が喉頭前庭裂(偽声門)で喉頭前庭の上限をなしている).＝plica vestibularis [TA]; false vocal cord; plica ventricularis; ventricular band of larynx; ventricular f.

vestigial f. ＝f. of left vena cava.

vocal f. [TA]. 声帯ひだ (鋭い辺縁をもったひだで，声帯靱帯と声帯筋およびこれらをおおう粘膜からなる．甲状軟骨板間の角から披裂軟骨の声帯突起まで，咽頭の片方の壁に沿ってのびる．空気の流れによって声帯ひだを振動させ，声を出す). =plica vocalis [TA]; chorda vocalis; Ferrein cords; labium vocale; true vocal cord; vocal cord; vocal shelf.

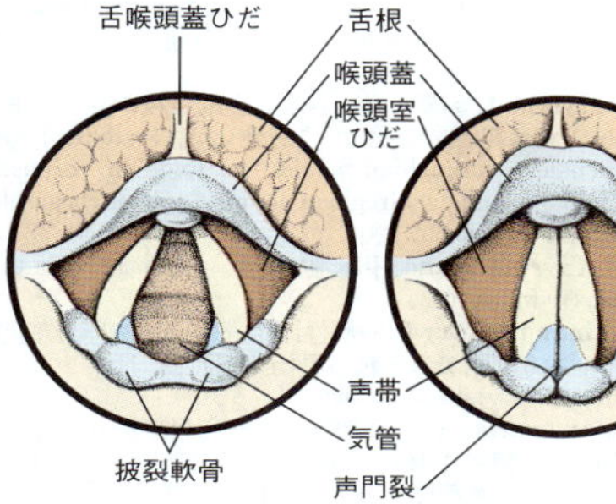

vocal folds

喉頭鏡で見られる喉頭の内部. 左：声門裂が広く開いている. 右：声門裂が閉じている.

Fo·ley (fō′lē), Frederic E.B. 米国人泌尿器科医, 1891—1966. →F. *catheter*, Y-plasty *pyeloplasty*.

fo·li·a (fō′lē-ă). folium の複数形.

fo·li·a·ceous (fō-lē-ā′shŭs). 葉状の. =foliate.

fo·li·ar (fō′lē-ăr). =foliate.

fo·li·ate (fō′lē-āt). 〔小〕葉の, 〔小〕葉状の. =foliaceous; foliar; foliose.

fo·lic ac·id (fō′lik as′id) [L. *folium*, leaf + -ic]. 葉酸 (①プテロイルグルタミン酸, およびそのオリゴグルタミン酸抱合物の集合名. *N*-[p-[[(2-amino-4-hydroxypteridin-6-yl)methyl]amino]benzoyl]-L(+)-glutamic acid. 特にプテロイルモノグルタミン酸をいう. →homocysteine. ②カセイ菌 *Lactobacillus casei* に対する成長因子. 赤血球の正常な産生に必須のビタミンB複合体の1つ. 肝臓や緑色野菜, 酵母に含まれ, 遊離型あるいはL-(+)-グルタミン酸がペプチド結合した形で存在する. 葉酸塩欠乏や巨赤芽球性貧血の治療や, さらにホモステイン値を下げる目的で用いられる. =*Lactobacillus casei* factor; liver *Lactobacillus casei* factor; pteroylmonoglutamic acid).

葉酸は, 全粉パンやシリアル, オレンジジュース, レンズマメ, 豆類, 酵母, レバーや, ブロッコリー, ケール, ホウレンソウなどの緑色野菜に含まれている. 葉酸は, コバラミン(ビタミン B_{12})と共役し, ホモシステインからメチオニンへのメチル化などといったC1単位の反応の酵素として働いている. 葉酸欠乏症では, 赤血球産生障害による巨赤芽球貧血や血漿中ホモシステイン値の上昇がみられ, 冠血管硬化, 不整脈, 血管塞栓などの循環系疾患の危険因子となる. 妊婦における葉酸欠乏では, 早産や低体重出産とともに, 二分脊椎や無脳症などの神経障害の危険性が増加する. また, 5,10-メチレンテトラヒドロ葉酸還元酵素の欠損している人では, 葉酸の摂取がさらに必要である. この酵素のホモ体欠損者の頻度は, 10%を超えることが明らかとなっている. 治療量の葉酸, ピリドキシン(ビタミン B_6)並びにコバラミンの摂取により, 冠血管疾患および神経管欠損のリスクを低減させる. 1998年10月に強化穀物への添加が義務化された結果, 翌年には脊椎披裂および部分無脳症がそれぞれ31%, 16%減少した. 栄養学者は少なくとも1日400 μg, 特に妊婦やホモシステイン値が上昇している人では1日1mg以上の葉酸の摂取を推奨している.

fo·lie (fō-lē′) [Fr. folly]. 精神病, 狂気を表す古語で, 現在ではほとんどの場合, 幻覚妄想を呈する精神病性の障害を意味すると解釈されている.

f. à deux (ah dyeuh) [Fr. two]. 二人組精神病 (確固たる妄想を有する他者との関わりにおいて妄想が生じるという精神障害). =shared psychotic disorder.

f. du doute (dū-dūt) [Fr. from doubt]. 疑惑病, 疑惑癖 (生活の出来事のすべてに対して過度の疑惑をもち, ささいな事柄に関して, 病的な入念性があること. 現在では用いられない語).

f. du pourquoi (-pūr-kwah′) [Fr. why]. 質問癖 (質問を繰り返す精神病理学的な性向を表す, 現在では用いられない語).

f. gémellaire (zhā-mel-ār′) [Fr. relating to twins]. 双生児精神病 (双生児に同時に, またはほぼ同じ時期に現れる精神病. そのとき2人は必ずしも一緒に生活していたり, 密接であるとは限らない).

Fo·lin (fol′in), Otto K.O. 米国人生化学者, 1867—1934. →F. *reaction*, *test*; F.-Looney *test*.

fo·li·nate (fō′li-nāt). ホリニン酸塩またはエステル.

fo·lin·ic ac·id (fō-lin′ik as′id). フォリン酸 (①ホルミル基転位反応において, ホルミル基輸送体として働く葉酸の活性体. そのカルシウム塩はロイコボリンカルシウムで, 治療薬である. ②本用語は, まれに他の葉酸誘導体に用いられる). =citrovorum factor; leucovorin.

fo·li·ose (fō′lē-ōs). =foliate.

fo·li·um, pl. **fo·li·a** (fō′lē-ŭm, -lē-ă) [L. a leaf][TA]. 葉 (広くて薄い, 葉状の構造).

folia cerebelli [TA]. 小脳回. =folia of cerebellum.

folia of cerebellum [TA]. 小脳回 (小脳皮質の幅の狭い葉状の回. →f. of vermis). =folia cerebelli [TA].

folia linguae 舌葉. =foliate *papillae* (⇀papilla).

f. vermis [TA]. 虫部葉. =f. of vermis.

f. of vermis [TA]. 虫部葉 (小脳の上虫部にある, 小さい後方の区分, VIIA 葉). =f. vermis [TA].

Fol·li, Folius (fol′ē, fo′lē-us), Cecilio (Caesilius). ヴェネチアの解剖学者, 1615—1660. →Folli *process*; follian *process*.

fol·li·cle (fol′i-kĕl) [L. *folliculus*, a small sac: *follis*(a pair of bellows)の指小辞][TA]. 小胞 (①細胞でつくられた多少球状の塊で, 通常, 腔を有する. ②毛が表出する部位の皮膚の陥凹のような陰窩または微細な盲嚢). =folliculus [TA].

aggregated lymphatic f.'s of small intestine =aggregated lymphoid *nodules* of the small intestine.

aggregated lymphatic f.'s of vermiform appendix 虫垂の集合リンパ小節. =aggregated lymphoid *nodules* of appendix.

anovular ovarian f. 無排卵性卵胞 (卵母細胞を含まない卵胞).

antral f. =vesicular ovarian f.

atretic ovarian f. 退縮卵胞 (成熟する前に変性する卵胞. このような多数の退縮卵胞が思春期前の卵巣に生じ, 性的に成熟した女性においてさえも, 毎月数個が形成される). =corpus atreticum.

dental f. 歯〔小〕嚢 (歯の形成器官および発育中の歯を包む細維嚢をいう. →dental *sac*).

gastric f.'s =gastric *glands*.

graafian f. グラーフ卵胞. =vesicular ovarian f.

growing ovarian f. 発育卵胞 (卵母細胞を取り囲む, 数層の増殖中の卵胞細胞をもつ卵胞. 細胞外糖蛋白層(透明層)で卵とは分離している).

hair f. [TA]. 毛包 (表皮が管状に落ち込んでできたものでここから毛が発達し, 脂腺の分泌物もここに分泌される. 表皮由来の細胞性の内根鞘・外根鞘と真皮由来の結合組織鞘とでできている. 次頁の図参照). =folliculus pili [TA].

intestinal f.'s =intestinal *glands*.

Lieberkühn f.'s (lē′ber-kēn). リーベルキューン沪胞. =intestinal *glands*.

lingual f.'s 舌小胞. =*folliculi* linguales (⇀folliculus).

luteinized unruptured f. 黄体化閉鎖卵胞 (卵胞破裂を起こさずそのまま黄体化する卵胞. 不妊症の原因と考えられたが現在は妊孕女性にも不妊女性にも同様に起こると考えられている).

lymphatic f.'s of larynx 喉頭リンパ小節. =laryngeal lymphoid *nodules*.

lymphatic f.'s of rectum 〔直腸の〕リンパ小節. =*folliculi* lymphatici recti (⇀folliculus).

F

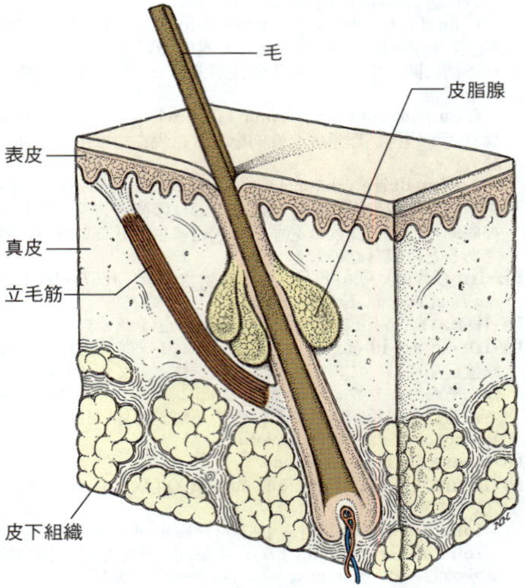

hair follicle with associated anatomic structures
関連した解剖学的構造とともに.

mature ovarian f. 成熟卵胞（排卵準備のできた卵胞. ヒトの卵巣では，その腔洞は直径 6—8 mm で，表面が膨隆し卵胞裂孔となる. 通常，一次卵母細胞の最初の成熟分裂(減数分裂)は卵胞破裂の直前に起こる).

Montgomery f.'s (mont-gŏme′ēr-ē). モントゴメリー沪胞. ＝areolar *glands*.

multilaminar primary f. 多層性原始卵胞（一次卵母細胞内に 2 層以上の立方細胞がみられる原始卵胞).

nabothian f. ナーボト(ナボット)沪胞. ＝nabothian *cyst*.

ovarian f. 卵胞（卵巣にみられる球形の細胞塊で，中に卵母細胞を入れている).

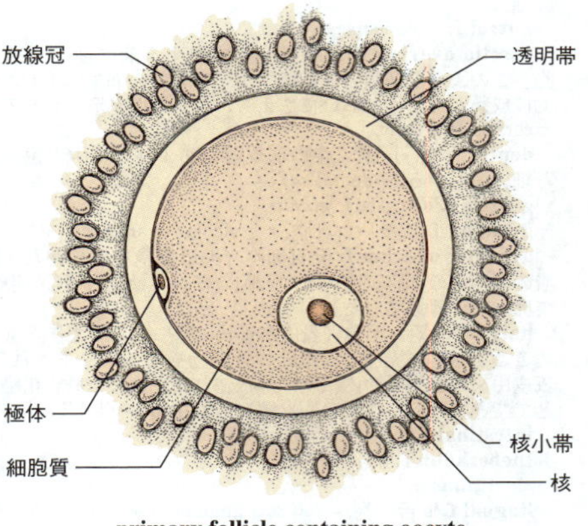

primary follicle containing oocyte

polyovular ovarian f. 多卵性卵胞（1 つ以上の卵母細胞を含んでいる卵胞).

primary ovarian f. 一次卵胞（卵胞腔ができる前の卵胞. 一次卵母細胞と卵胞細胞の発育変化が著しく，卵胞細胞は 1 つ以上の立方状または円柱状細胞層を形成する. 卵胞は間質鞘, 卵胞膜によって囲まれるようになる). ＝folliculus ovaricus primarius.

primordial ovarian f. 原始卵胞（単層扁平の卵胞細胞層に取り囲まれた一次卵母細胞).

sebaceous f.'s ＝sebaceous *glands*.

secondary ovarian f. 二次卵胞. ＝vesicular ovarian f.

solitary f.'s 孤立リンパ小節. ＝solitary lymphoid *nodules*.

solitary lymphatic f.'s 孤立リンパ小節. ＝solitary lymphoid *nodules*.

splenic lymph f.'s 脾リンパ小節（小動脈枝の側面に付着しているリンパ組織の小さい結節性の塊). ＝folliculi lymphatici lienales; malpighian bodies; malpighian corpuscles (2); malpighian glands; malpighian nodules; splenic corpuscles; splenic lymph nodules.

f.'s of thyroid gland 甲状腺小胞. ＝*folliculi* glandulae thyroideae (⇒folliculus).

unilaminar primary f. 一層性原始卵胞（一次卵母細胞内に一層性の立方細胞がみられる原始卵胞).

vesicular f. ＝vesicular ovarian f.

vesicular ovarian f. 胞状卵胞（一次卵母細胞が完全に発育した卵胞で，細胞外糖蛋白層(透明層)で被覆され，1 層から数層の液相で卵胞細胞から分離される. 卵丘は一次卵母細胞によって占められている. 卵胞膜は外卵胞膜および内卵胞膜に発育する). ＝antral f.; folliculus ovaricus vesiculosus [TA]; graafian f.; secondary ovarian f.; vesicular f.

fol·lic·u·lar (fŏ-lik′yū-lăr). 小胞の.

fol·lic·u·li (fŏ-lik′yū-lī). folliculus の複数形.

fol·lic·u·lin (fŏ-lik′yū-lin) [MIM*607273]. フォリクリン. ＝estrone.

fol·lic·u·lin hy·drate (fŏ-lik′yū-lin hī′drāt). フォリクリン水化物. ＝estriol.

fol·lic·u·li·tis (fŏ-lik′yū-lī′tis). 毛包炎，毛嚢炎（毛嚢の炎症. 病巣は丘疹または膿疱を呈する).

f. abscedens et suffodiens 膿瘍性穿掘性毛包(毛嚢)炎（頭皮の慢性進行性の膿疱性毛包炎).

f. barbae 鬚髯毛包(毛嚢)炎. ＝*tinea* barbae.

f. decalvans 脱毛性毛包(毛嚢)炎，禿髪性毛包(毛嚢)炎（多くは男性にみられる原因不明の頭皮の毛包の丘疹状または膿疱性炎症で，病変部分の瘢痕または脱毛をもたらす).

eosinophilic pustular f. 好酸球性膿疱性毛包(毛嚢)炎（無菌性そう痒性の丘疹と膿疱が集簇し丘疹水疱性の境界を有する局面を形成する. 末梢血白血球や好酸球の増多に伴い自然に増悪・寛解し毛包の破壊や好酸球性膿瘍を形成する. この疾患はエイズの患者でも報告されているが，小児に起こる好酸球性膿疱性毛包炎とは明らかに別の形態をとる). ＝Ofuji disease.

gram-negative f. グラム陰性菌毛包炎（尋常性ざ瘡で長期間，抗生剤の全身投与を受けている患者にみられる丘疹−膿疱を呈する毛包炎のこと. 通常，*Klebsiella*属，*Escherichia*属，*Serratia*属，および *Proteus*属の種の感染により生じる).

hot-tub f. 温水浴毛包炎（温水浴に長時間浸った後に水着におおわれた部分に生じるかゆみのある丘疹や膿疱のこと. 緑膿菌 *Pseudomonas aeruginosa* が原因).

f. keloidalis ケロイド性毛包(毛嚢)炎. ＝acne *keloid*.

f. nares perforans 穿孔性鼻孔毛包(毛嚢)炎（鼻孔の毛包の炎症. この感染は皮膚の表面に広がり，穿孔するであろう).

perforating f. 穿孔性毛包(毛嚢)炎（中心に角栓を伴う紅色丘疹が，腕，大腿，殿部に散在性に多発するもの. 生検組織において，真皮の線維が毛嚢へ侵入している像がみられる. 類似病変は特に人工透析をしている糖尿病患者にみられる.→*hyperkeratosis* follicularis et parafollicularis).

f. ulerythematosa reticulata 網状瘢痕〔性〕紅斑性毛包(毛嚢)炎（頬部の紅斑性の点状瘢痕. 毛包炎の瘢痕型の 1 つであり，毛包の角化を伴い，一般的には常染色体優性遺伝である).

fol·lic·u·lo·ma (fŏ-lik′yū-lō′-mă). 毛包腫（①＝granulosa cell *tumor*. ②胞状卵胞の腫脹).

fol·lic·u·lo·sis (fŏ-lik′yū-lō′sis). 沪胞症，小胞症，毛包症（異常に多くのリンパ沪胞が存在すること).

fol·lic·u·lus, pl. **fol·lic·u·li** (fŏ-lik′yū-lŭs, fŏ-lik′yū-lī) [L. a small sac: *follis*(bellows)の指小辞][TA]. 小胞. ＝follicle.

folliculi glandulae thyroideae 甲状腺小胞（上皮で縁どられた甲状腺の小さい球状の小胞成分で，様々な量のコロイドを含んでいる．コロイドは甲状腺ホルモンの前駆体サイログロブリンの貯蔵の役割をしている）．＝follicles of thyroid gland.

folliculi linguales 舌小胞（舌の分界溝後方の粘膜上にみられるリンパ組織の隆起で，集合的に舌扁桃を形成する）．＝lenticular papillae; lingual follicles.

folliculi lymphatici aggregati 集合リンパ小節．＝aggregated lymphoid *nodules* of the small intestine.

folliculi lymphatici aggregati appendicis vermiformis 虫垂の集合リンパ小節．＝aggregated lymphoid *nodules* of appendix.

folliculi lymphatici gastrici ＝gastric lymphoid *nodules*.

folliculi lymphatici laryngei 喉頭リンパ小節．＝laryngeal lymphoid *nodules*.

folliculi lymphatici lienales 脾リンパ小節．＝splenic lymph *follicles*.

folliculi lymphatici recti〔直腸の〕リンパ小節（直腸粘膜固有層に散在したリンパ組織の塊）．＝lymphatic follicles of rectum.

folliculi lymphatici solitarii 孤立リンパ小節．＝solitary lymphoid *nodules*.

f. lymphaticus リンパ小節．＝lymphoid *nodule*.

f. ovaricus primarius 一次卵胞．＝primary ovarian *follicle*.

f. ovaricus vesiculosus［TA］．胞状卵胞．＝vesicular ovarian *follicle*.

f. pili［TA］．毛包，毛嚢．＝hair *follicle*.

Fol·ling (fol′ing), Ivar A. ノルウェー人医師，1888—1973. ⇀F. *disease*.

fol·li·stat·in (fol′i-stat′in) [*follicle* + -stat + -in][MIM *136470]. フォリスタチン（FSH に反応して顆粒膜細胞で生合成されるペプチドホルモン．アクチビンと結合して FSH の作用を抑制すると考えられる）．

fol·li·tro·pin (fol′i-trō′pin) [follicle + G. *tropē*, a turning + -in]. ホリトロピン（下垂体前葉の酸性の糖蛋白ホルモン．卵巣の胞状卵胞を刺激し，その後の卵胞の成熟やエストラジオールの分泌を助ける．男性では精細管の上皮を刺激し部分的に精子形成を誘導する）．＝follicle-stimulating hormone; follicle-stimulating principle; gametokinetic hormone.

Foltz (foltz), Jean C.E. フランス人解剖学者・眼科医，1822—1876. ⇀F. *valvule*.

fo·men·ta·tion (fō′men-tā′shŭn) [L. *fomento*, pp. *-atus*, to forment ＜ *fomentum*, a poultice ＜ *foveo*, to keep warm]. 湿布（①→poultice; stupe. ②病気の治療において，温かさと湿り気を与えること）．

fo·mes, pl. **fom·i·tes** (fō′mēz, fō′mi-tēz) [L. tinder ＜ *foveo*, to keep warm]. 媒介物（衣類，タオル，家庭用品のように病気の病毒を吸着，伝播できる物質．通常，複数形で用いる）．＝fomite.

fo·mite (fō′mīt) [L. *fomitis*; *fomes* の属格. ⇀*fomes*]. ＝fomes.

fom·i·tes (fō′mi-tēz). fomes の複数形.

Fo·ni·o (fon′ē-ō), Anton. スイス人医師，1881—1968. ⇀F. *solution*.

Fon·se·cae·a (fon-sē-sē′ă). フォンセセア属（真菌の一属で，少なくとも 2 種類の菌，*F. pedrosoi*, *F. compacta* がクロモブラストミコーシスの原因となる）．

Fon·tan (fon-tān′), François M. 20 世紀中期のフランス人胸部外科医. ⇀F. *procedure*, *operation*.

Fon·tan·a (fon-tah′nă), Felice. イタリア人生理学者，1730—1805. ⇀F. *canal*, *spaces*.

Fon·tan·a (fon-tah′nă), Arturo. イタリア人皮膚科医，1873—1950. ⇀F. *stain*; F.-Masson silver *stain*; Masson-F. ammoniac silver *stain*.

fon·ta·nelle (fon′tă-nel′) [Fr. *fontaine*(fountain, spring)の指小辞][TA]. 泉門（乳児において頭蓋骨の角あるいは縁の間にある間隙．膜性の結合組織で閉じている．正中部には大泉門，小泉門，左右両側には前側頭泉門，後側頭泉門が存在する. ⇀cranial f.'s）．＝fonticulus［TA］; fonticuli cranii［TA］; cranial f.'s.

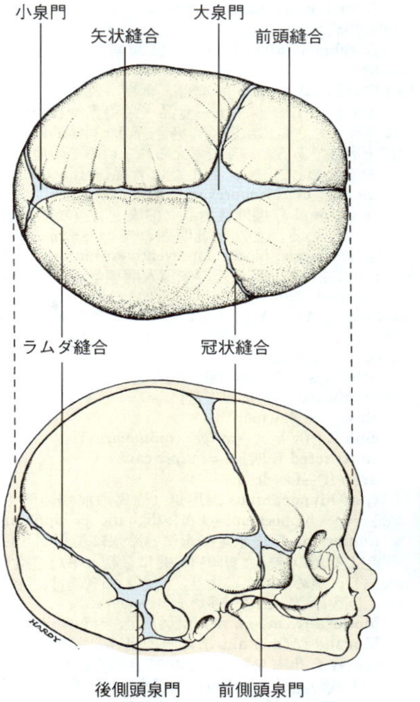

fontanelles and sutures of the fetal skull
上：上からの図．下：側面からの図．

anterior f.［TA］．大泉門（前頭，冠状，矢状の各縫合の接合点にあるダイヤモンド形膜性の間隙．頭頂骨の前頭角がまだ融合していない左右の前頭骨の頭頂縁と接合する部位）．＝fonticulus anterior［TA］; bregmatic f.; frontal f.

anterolateral f. ＝sphenoidal f.

bregmatic f. ＝anterior f.

Casser f. (kas′ĕr). カッセル泉門．＝mastoid f.

cranial f.'s［NA］．頭蓋泉門．＝fontanelle.

frontal f. ＝anterior f.

Gerdy f. (zher-dē′). ジェルディ泉門．＝sagittal f.

mastoid f.［TA］．後側頭泉門（頭頂骨乳突角，側頭骨錐体乳突部，後頭骨の接合点にある両側の膜性の間隙）．＝fonticulus mastoideus［TA］; fonticulus posterolateralis*; Casser f.; posterolateral f.

occipital f. ＝posterior f.

posterior f.［TA］．小泉門（ラムダ縫合と矢状縫合の結合部分にある三角形の間隙で，頭頂骨の後頭角がここで後頭骨と出合う）．＝fonticulus posterior［TA］; occipital f.

posterolateral f. ＝mastoid f.

sagittal f. 矢状泉門（新生児にみられる，矢状縫合上でときに起こる泉門様の間隙）．＝Gerdy f.

sphenoidal f.［TA］．前側頭泉門（胎児の頭蓋の前外側に存在する不規則な形をした間隙．前縁は前頭骨，後縁は側頭骨の鱗部，上縁は頭頂骨，下縁は蝶形骨の大翼によって形成される）．＝fonticulus sphenoidalis［TA］; fonticulus anterolateralis*; anterolateral f.

fon·tic·u·lus, pl. **fon·tic·u·li** (fon-tik′yū-lŭs, -lī)［TA］．泉門．＝fontanelle.

f. anterior［TA］．大泉門．＝anterior *fontanelle*.

f. anterolateralis* 前外側泉門（sphenoidal *fontanelle* の公式の別名）．

fonticuli cranii［TA］．頭蓋泉門．＝fontanelle.

f. mastoideus［TA］．後側頭泉門．＝mastoid *fontanelle*.

F

f. posterior [TA]. 小泉門. =posterior *fontanelle.*

f. posterolateralis* 後外側泉門（mastoid *fontanelle* の公式の別名）.

f. sphenoidalis [TA]. 前側頭泉門. =sphenoidal *fontanelle.*

food (fūd) [A.S. *fōda*]. 食品，食物，栄養物.

designer f. デザイナー食品（栄養素や様々なビタミン，ミネラル，さらには多くの場合適切な科学的証明がないが臨床上有益であると一部で考えられているその他の成分の組合せを含むサプリメントまたは食品.→functional f.; phytochemicals; biochemopreventives; nutraceutical）.

functional f. 機能性食品（健康上有益な効果を有するといわれている，または証明されている食品.→designer f.; phytochemicals; biochemopreventives; nutraceutical）.

Foot (fut), N.C. 20 世紀の米国人病理学者. →F. reticulin impregnation *stain.*

foot (fut) [A.S. *fōt*]. ***1*** [TA]. 足（脚の末端）. =pes (1). ***2*** フート，フィート（長さの単位で，12 インチに相当し，30.48 cm に等しい）.

athlete's f. 汗疱状白癬，みずむし（[誤った形 athletes および athletes' を避けること]）. =*tinea* pedis.

claw f. →clawfoot.

club f. 内反足（→*talipes* equinovarus）.

contracted f. 凹足. =*talipes* cavus.

drop f. →footdrop.

f. of hippocampus 海馬足（海馬の前端の厚くなった部分）. =pes hippocampi [TA]; digitationes hippocampi.

immersion f. 浸水足（湿気と冷水に長期間さらされた結果起こる足の神経血管障害．足は最初，冷たく感覚が脱失しており，温めることにより，充血，知覚異常，発汗過多になる．回復は遅いことが多い）. =trench f.

Madura f. (mă-dū′ra). マズラ足. =mycetoma.

Morand f. (mōr-ahn′). モラン足（8 本の趾をもつ足）.

mossy f. 生苔足（大きいいぼ状の突起を生じる多数のビロード状の乳頭腫状増殖で，浸軟および感染を伴う慢性のリンパ浮腫およびうっ血により起こる）. =lymphedematous keratoderma; lymphostatic verrucosis.

sandal f. サンダル足（第一趾と第二趾間が広い足で，Down 症にみられる）.

spastic flat f. 痙〔攣〕性扁平足（外側の筋（腓骨筋）の痙縮を伴う足の外返し．しばしば，足根骨癒合を生じる踵骨と舟状骨間，または舟状骨と距骨間の軟骨性または線維性異常弓を伴う）.

trench f. 塹壕足. =immersion f.

foot·can·dle (fut′kan-dĕl). フート燭（平方フート当たり 1 ルーメンに等しい照度．国際単位系(SI)ではルクスを用いる）.

foot·drop (fut′drop). 尖足，〔下〕垂足（足を背屈することが部分的に，または完全にできないことで，そのため鶏歩を用いないと歩行中に足指が地面についたままになる．足を背屈する筋肉(特に前脛骨筋)の脱力が最終的な原因であることが多いが，末梢神経系，中枢神経系，運動単位，腱，骨などの多くの疾患で起こりうる）.

foot·ling (fut′ling) [foot < A.S. *fot* + 指小接尾辞 *-ling*]. 足位分娩（胎児の下肢，特に不完全複殿位で産道内に片側の下肢が脱出したもの）.

foot·plate, foot-plate* (fut′plāt). ***1*** あぶみ骨底（*base* of stapes の公式の別名）. ***2*** pedicel の公式の別名.

foot-pound (fut′pownd). フートポンド（エネルギーの単位で，重力に逆らって，1 ポンドのものを垂直に 1 フート持ち上げるのに必要なエネルギー）.

foot-pound·al (fut′pownd-ăl). フートポンダル（エネルギーの単位で，物体を 1 ポンダルの力によって，その力の方向に 1 フート動かすのに要するエネルギー．約 0.01 カロリーに等しい）.

foot·print·ing (fut′print-ing). フットプリンティング，フットプリント法（蛋白結合によりおおわれる DNA の領域を決定する方法．蛋白-DNA 複合体をヌクレアーゼで消化した後，蛋白との相互作用により保護された DNA の領域を分析することにより達成される）.

for·age (fōr-ahzh′) [Fr. boring]. 電気凝固穿孔法（肥大した前立腺を経て，外科的ジアテルミー(焼灼)により尿道を切開する手術）.

FORAMEN

fo·ra·men, pl. **fo·ram·i·na** (fō-rā′men, fō-ram′i-nă) [L. an aperture < *foro*, to pierce] [TA]. 孔（骨または膜組織の孔，または穿孔）. =trema (1).

foramina alveolaria corporis maxillae [TA]. =alveolar foramina of maxilla.

alveolar foramina of maxilla [TA]. 上顎歯槽孔（上顎骨の側頭下面にある後歯管の開口部）. =foramina alveolaria corporis maxillae [TA].

anterior condyloid f. =hypoglossal *canal.*

anterior palatine f. 前口蓋孔. =greater palatine f.

aortic f. =aortic *hiatus.*

apical dental f. 歯根尖孔. =apical f. of tooth.

apical f. of tooth [TA]. 歯根尖孔（神経や血管の通路になっている歯根尖端の孔）. =f. apicis dentis [TA]; apical dental f.; root f.

f. apicis dentis [TA]. 歯根尖孔. =apical f. of tooth.

arachnoid f. =median *aperture* of fourth ventricle.

f. of Arnold (ar′nŏld). アルノルト孔. =f. petrosum.

blind f. of frontal bone〔前頭骨の〕盲孔. =f. cecum of frontal bone.

blind f. of the tongue 舌盲孔. =f. cecum of tongue.

Bochdalek f. (bok′dă-lek). ボホダレク孔. =pleuroperitoneal *hiatus.*

Botallo f. (bō-tah′lō). ボタロ孔（胎児心臓における 2 心房間の連絡孔.→f. ovale）.

f. caecum medullae oblongatae [TA]. 延髄盲孔（橋の下端にあり延髄の前正中裂上限を示す錐体の間にある小さい三角形の陥凹）. =f. caecum posterius; Vicq d'Azyr f.

f. caecum posterius 後盲孔. =f. caecum medullae oblongatae.

carotid f. 頸動脈孔. =*openings* of carotid canal.

cecal f. of frontal bone =f. cecum of frontal bone.

cecal f. of the tongue 舌盲孔. =f. cecum of tongue.

f. cecum of frontal bone [TA].〔前頭骨の〕盲孔（前頭稜下端にある篩骨切痕と，これと関節する篩骨によって鶏冠直前に形成される盲孔で，胎生期には脈管を通すが生後は無用となる）. =f. cecum ossis frontalis [TA]; blind f. of frontal bone; cecal f. of frontal bone.

f. cecum linguae [TA]. 舌盲孔. =f. cecum of tongue.

f. cecum ossis frontalis [TA].〔前頭骨の〕盲孔. =f. cecum of frontal bone.

f. cecum of tongue [TA]. 舌盲孔（舌背後方にある正中線上の小窩で，そこから V 字型の溝が前外側方に走っている．舌盲孔は胚期に甲状舌管とそれに続く甲状腺の発生した場所である）. =f. cecum linguae [TA]; blind f. of the tongue; cecal f. of the tongue; Morgagni f. (1); ductus lingualis.

conjugate f. 共役孔（付着している 2 つの骨の切痕によって形成されている孔）.

f. costotransversarium [TA]. 肋横突孔. =costotransverse f.

costotransverse f. [TA]. 肋横突孔（肋骨頸と胸椎横突起との間の孔で，肋横突靱帯が張っている）. =f. costotransversarium [TA].

cribriform foramina [TA]. 篩状孔（篩骨篩板に開いている孔で，神経線維約 20 束を通過させるが，これを総称して嗅神経(第一脳神経)という）. =foramina cribrosa [TA]; olfactory f.

foramina cribrosa [TA]. =cribriform foramina.

f. diaphragmatis sellae 鞍隔膜孔. =f. of sellar diaphragm.

epiploic f.* 網嚢孔（omental f. の公式の別名）.

f. epiploicum* 網嚢孔（omental f. の公式の別名）.

ethmoidal f. [TA]. 篩骨孔（前頭骨の篩骨切痕の前後にある細い溝と同位置にある篩骨の溝により完成される眼窩内側壁の孔で，前篩骨孔 anterior ethmoidal f. および後篩骨孔

posterior ethmoidal f. がある). =f. ethmoidale (anterior et posterior) [TA].

f. ethmoidale (anterior et posterior) [TA]. 篩骨孔. = ethmoidal f.

external acoustic f. 外耳孔. =external acoustic *pore*.

external auditory f. =external acoustic *pore*.

Ferrein f. (fer-ān′). フェラン孔. =*hiatus* for greater petrosal nerve.

frontal f. 前頭孔 (眼窩上孔の内側, 前頭骨の眼窩上部にしばしばみられる小さい穴.→frontal *notch*). =f. frontale.

f. frontale 前頭孔. =frontal f.

great f. 大〔後頭〕孔. =f. magnum.

greater palatine f. [TA]. 大口蓋孔 (第三大臼歯に向かい合った硬口蓋後外側にある孔で, 翼口蓋管の下端をなす). =f. palatinum majus [TA]; anterior palatine f.

Huschke f. (hūsh′kě). フシュケ孔 (骨性外耳道の床の鼓膜に近い部分にある孔で, 通常, 成人では閉じる).

Hyrtl f. (hěr′těl). ヒルトル孔. =*porus* crotaphyticobuccinatorius.

incisive f. [TA]. 切歯孔 (切歯窩に開いている切歯管のいくつか(通常 4 つ)の孔の 1 つ). =f. incisivum [TA]; incisor f.; Stensen f.

f. incisivum [TA]. 切歯孔. =incisive f.

incisor f. 切歯孔. =incisive f.

inferior dental f. =mandibular f.

infraorbital f. [TA]. 眼窩下孔 (上顎体前面にある眼窩下管の外開口). =f. infraorbitale [TA].

f. infraorbitale [TA]. 眼窩下孔. =infraorbital f.

interatrial f. primum 心房間一次口 (①一次中隔の下縁と心内隆起の間に形成される胚の心臓の一時的な孔. ②幼若胚において閉鎖する二次口が, 成人心臓においてもなお開存している異常な状態). =f. subseptale; ostium primum; primary interatrial f.

interatrial f. secundum 心房間二次口 (胎生第 6 週目に心房間一次口が閉じる直前, 一次中隔の上部に現れる二次的な孔). =ostium secundum; secondary interatrial f.

internal acoustic f. 内耳孔. =internal acoustic *opening*.

internal auditory f. =internal acoustic *opening*.

interventricular f. [TA]. 室間孔 (左右両側にある短い割れ目のような通路で, 間脳の第 3 脳室と大脳半球の側脳室をつなぐ. 前内側方を脳弓柱で, 後外側方を背側視床の前極と前隆起とで区切られている). =f. interventriculare [TA]; Monro f.; porta (2).

f. interventriculare [TA]. 室間孔. =interventricular f.

intervertebral f. [TA]. 椎間孔 (脊柱管の外側面に開く孔で, 脊髄神経および動静脈が通る. 上下を隣接する椎骨の椎弓根によって, 前方を上になっている椎体と椎間円板とによって, 後方を椎間関節を形成する関節突起によって囲まれている). =f. intervertebrale [TA].

f. intervertebrale [TA]. 椎間孔. =intervertebral f.

f. ischiadicum (anterior et posterior) 大・小坐骨孔. = sciatic f.

f. ischiadicum majus et minus [TA]. 大・小坐骨孔 (⇀sciatic f.).

jugular f. [TA]. 頸静脈孔 (側頭骨の錐体部と後頭骨の頸静脈突起との間にある通路で, しばしば, 頸静脈孔内突起により 2 つに分けられる. ここを, S 状静脈洞の内頸静脈への移行部, 下錐体静脈洞, 舌咽神経, 迷走神経, 副神経, 上行咽頭動脈および後頭動脈の硬膜枝が通る). =f. jugulare [TA]; f. lacerum posterius.

f. jugulare [TA]. 頸静脈孔. =jugular f.

f. of Key-Retzius (kē ret′zē-ŭs). ケイ(キー)-レッチウス孔. =lateral *aperture* of fourth ventricle.

lacerated f. 破裂孔. =f. lacerum.

f. lacerum [TA]. 破裂孔 (側頭骨錐体部先端, 蝶形骨体部, および後頭骨底部の間にある. 生体では軟骨(頭蓋底軟骨)で満たされた不規則な形をした孔. いくつかの構造(深錐体神経, 大錐体神経, 内頸動脈)が破裂孔の縁に沿ってほぼ水平に通っているが, 垂直に通るものはない). =f. lacerum medium; lacerated f.; sphenotic f.

f. lacerum anterius =superior orbital *fissure*.

f. lacerum medium =f. lacerum.

f. lacerum posterius =jugular f.

Lannelongue foramina (lah-ně-lawng′). ラヌローング孔. =*openings* of smallest cardiac veins.

f. lateralis ventriculi quarti =lateral *aperture* of fourth ventricle.

lesser palatine foramina [TA]. 小口蓋孔 (口蓋骨の粗面を通り, 鉛直に走る口蓋管の硬口蓋への開口で, 小口蓋神経および血管を通す). =foramina palatina minora [TA]; posterior palatine foramina.

f. of Luschka (lūsh′kah). ルシュカ孔. =lateral *aperture* of fourth ventricle.

f. of Magendie (mah-gen′dē). マジャンディ孔. =median *aperture* of fourth ventricle.

f. magnum [TA]. 大〔後頭〕孔 (後頭骨底部にある大孔で, ここを通って延髄が脊髄と連続している). =great f.

malar f. 頬骨顔面孔. =zygomaticofacial f.

f. mandibulae [TA]. 下顎孔. =mandibular f.

mandibular f. [TA]. 下顎孔 (下顎枝の内側にある下顎管の始まるところで, 下歯槽神経・動脈・静脈の通路). =f. mandibulae [TA]; inferior dental f.

mastoid f. [TA]. 乳突孔 (乳突様突起の後方にある孔で, 小動脈を硬膜へ, 導出静脈を S 状静脈洞へ送っている). =f. mastoideum [TA].

f. mastoideum [TA]. 乳突孔. =mastoid f.

mental f. [TA]. おとがい孔 (おとがい結節の外側上部の下顎体部にある下顎管の出口でおとがい動脈・おとがい神経の通路). =f. mentale [TA]; mental canal.

f. mentale [TA]. おとがい孔. =mental f.

Monro f. (mŏn-rō′). モンロー孔. =interventricular f.

Morgagni f. (mōr-gah′nyē). モルガニー孔 (①=f. cecum of tongue. ②横隔膜原基の胸骨および肋骨成分融合の先天的欠損で, 傍胸骨ヘルニアの発生部位となる).

nasal foramina [TA]. 鼻骨孔 (左右の鼻骨の外面にある血管のための孔). =foramina nasalia [TA].

foramina nasalia [TA]. =nasal foramina.

foramina nervosa [TA]. 神経孔 (ラセン板の鼓室唇に沿って開き, 蝸牛神経を通している貫孔). =habenulae perforatae; zona perforata.

f. nutricium [TA]. 栄養孔. =nutrient f.

nutrient f. [TA]. 栄養孔 (骨の内部に侵入していく血管の入り口の孔). =f. nutricium [TA].

obturator f. [TA]. 閉鎖孔 (寛骨にある卵形または不規則な三角形をした大きな孔で, その縁は恥骨と坐骨により形成されている. 自然な状態では閉鎖動静脈および閉鎖神経が通る小孔が開いている他は, 閉鎖膜によって閉じられている). =f. obturatum [TA].

f. obturatum [TA]. 閉鎖孔. =obturator f.

olfactory f. 嗅神経孔. =cribriform foramina.

omental f. [TA]. 網嚢孔 (腹腔と盲嚢をつないでいる肝門下後方の通路で, 前方は肝十二指腸間膜, 後方は下大静脈をおおう腹膜ひだで形成されている). =f. omentale [TA]; epiploic f.*; f. epiploicum*; aditus ad saccum peritonei minorem; f. of Winslow.

f. omentale [TA]. [最後の e は発音される]. = omental f.

optic f. =optic *canal*.

f. opticum 視神経孔. =optic *canal*.

oval f. 卵円孔 (①[TA]. 蝶形骨大翼基部にある大きい卵形の孔で, 三叉神経の枝である下顎神経と細い硬膜動脈を通している. ②心臓の卵円孔の弁機能不全. 卵円孔の消息子開存(消息子によって認知される潜在的開存)とは異なり, 卵円孔弁に異常穿孔があるか, または卵円孔弁が出生前に適切な弁機能を果たし, 出生後に完全閉鎖するには不十分な大きさである状態). =f. ovale of heart; f. ovale.

f. ovale [TA]. 卵円孔 ([最後の e は発音される]). = oval f.

f. ovale cordis [TA]. =oval f. of heart.

f. ovale of heart [TA]. 心臓の卵円孔. =oval f. of heart.

oval f. of heart [TA]. 心臓の卵円孔 (胎児心房の二次中隔にみられる卵形の孔で, 一次中隔の残存部が胎児期心房間を連絡する弁として働くが, 正常には生後二次中隔に癒合して孔を閉じる). =f. ovale cordis; f. ovale of heart.

F

foramina palatina minora [TA]. 小口蓋孔. = lesser palatine foramina.

f. palatinum majus [TA]. 大口蓋孔. = greater palatine f.

foramina papillaria renis [TA]. 腎臓の乳頭孔. = *openings* of papillary ducts.

papillary foramina of kidney 腎臓の乳頭孔. = *openings* of papillary ducts.

parietal f. [TA]. 頭頂孔（後方の矢状縁に近い頭頂骨上にときとして出現する一対の孔. 導出静脈を上矢状静脈洞に通す）. = f. parietale [TA].

f. parietale [TA]. 頭頂孔. = parietal f.

petrosal f. 錐体孔. = f. petrosum.

f. petrosum [TA]. 錐体孔（蝶形骨大翼の棘孔と卵円孔の間にときとしてみられる孔で, 小錐体神経が通っている）. = canaliculus innominatus; f. of Arnold; petrosal f.

posterior condyloid f. = condylar *canal*.

posterior palatine foramina = lesser palatine foramina.

postglenoid f. 後関節窩孔（外耳道にはいる直前の側頭骨上にときに出現する小孔）.

primary interatrial f. 心房間一次口. = interatrial f. primum.

f. processus transversi 横突孔. = transverse f.

f. quadratum = caval *opening* of diaphragm.

f. recessus superioris bursae omentalis = f. of superior recess of omental bursa.

f. of Retzius (rat′zē-ŭs). レッチウス孔. = lateral *aperture* of fourth ventricle.

root f. 歯根尖孔. = apical f. of tooth.

f. rotundum [TA]. 正円孔（蝶形骨大翼基部にある孔で, 上顎神経を通す）. = round f.

round f. 正円孔. = f. rotundum.

sacral foramina (anterior and posterior) [TA]. 仙骨孔（癒合した仙椎間にあって仙骨神経を通している孔. 前仙骨孔 anterior sacral f. は仙骨神経の前枝を通し, 後仙骨孔 posterior sacral f. は仙骨神経の後枝の通路となっている. 前・後という名付け方は第一・第二仙骨孔についてはいささか躊躇したくなる. というのは解剖学的姿勢にあってはこれらの孔はむしろ上下方向に向いているからである）. = foramina sacralia; foramina sacralia anterior et posterior [TA].

foramina sacralia 仙骨孔. = sacral foramina (anterior and posterior).

foramina sacralia anterior et posterior [TA]. = sacral foramina (anterior and posterior).

Scarpa foramina (skar′pah). スカルパ孔（上顎骨間縫合線上にある2つの孔. 前孔は左鼻口蓋神経, 後孔は右鼻口蓋神経を通している）.

sciatic f. [TA]. 坐骨孔（寛骨の坐骨切痕を横切る仙棘靱帯と仙結節靱帯によって形成される孔で, 大坐骨孔 greater sciatic f. (f. ischiadicum majus) と小坐骨孔 lesser sciatic f. (f. ischiadicum minus) がある）. = f. ischiadicum (anterior et posterior).

secondary interatrial f. 心房間二次口. = interatrial f. secundum.

f. of sellar diaphragm 鞍隔膜孔（トルコ鞍の隔膜の中心にある穴で, ここを視床下部の漏斗が通る）. = f. diaphragmatis sellae.

singular f. = f. singulare.

f. singulare [TA]. 単孔（蝸牛野の後方の内耳道内にある孔で, 後半規管膨大部への神経を通す）. = singular f.

foramina of the smallest veins of heart 細小静脈孔. = *openings* of smallest cardiac veins.

sphenoidal emissary f. [TA]. 蝶形骨静脈孔（蝶形骨の大翼において卵円孔の前内側にときとして出現する小さな孔で, 静脈洞からの導出静脈が通っている）. = f. venosum [TA]; venous f.; Vesalius f.

sphenopalatine f. [TA]. 蝶口蓋孔（口蓋骨の蝶形骨切痕が蝶形骨と連結することによってできる孔で蝶口蓋動脈や伴走する神経が通過している）. = f. sphenopalatinum [TA].

f. sphenopalatinum [TA]. 蝶口蓋孔. = sphenopalatine f.

sphenotic f. = f. lacerum.

f. spinosum [TA]. 棘孔（蝶形骨棘前方の大翼基部にある孔で, 中硬膜動脈と下顎神経の硬膜枝を通す）.

Stensen f. (sten′sĕn). ステンセン孔. = incisive f.

stylomastoid f. [TA]. 茎乳突孔（茎状突起と乳様突起の間にある側頭骨錐体部下面に開く顔面神経管の外孔. 顔面神経と茎乳突動脈を通す）. = f. stylomastoideum [TA].

f. stylomastoideum [TA]. 茎乳突孔. = stylomastoid f.

f. subseptale = interatrial f. primum.

f. of superior recess of omental bursa 網嚢上窩孔（右側では総肝動脈, 固有肝動脈, 左側では左胃動脈をおおい, 網嚢にはいり込み締める2つの腹膜のひだにより形成される孔. この孔を通して上方の小嚢上窩と網嚢の他の部分とが交通する）. = f. recessus superioris bursae omentalis.

supraorbital f. [TA]. 眼窩上孔（前頭骨眼窩上縁の内側1/3の位置にある孔. →supraorbital *notch*）. = f. supraorbitale [TA].

f. supraorbitale [TA]. 眼窩上孔. = supraorbital f.

thebesian foramina テベージウス孔. = *openings* of smallest cardiac veins.

thyroid f. [TA]. 甲状孔（甲状軟骨の片側または両側にときに存在する孔）. = f. thyroideum [TA].

f. thyroideum [TA]. 甲状孔. = thyroid f.

f. transversarium [TA]. 横突孔. = transverse f.

transverse f. 横突孔. = f. transversarium [TA]; f. of transverse process; f. processus transversi; f. vertebroarteriale; vertebroarterial f.

f. of transverse process 横突孔. = transverse f.

f. of vena cava 大静脈孔. = caval *opening* of diaphragm.

vena caval f. 大静脈孔. = caval *opening* of diaphragm.

f. venae cavae 大静脈孔. = caval *opening* of diaphragm.

foramina of the venae minimae 細小静脈孔. = *openings* of smallest cardiac veins.

foramina venarum minimarum atrium dextrum cordis [TA]. 細小静脈孔. = *openings* of smallest cardiac veins.

f. venosum [TA]. 静脈孔. = sphenoidal emissary f.

venous f. = sphenoidal emissary f.

vertebral f. [TA]. 椎孔（椎弓が椎体に連結されることにより形成された孔. 椎骨が連結してできた脊柱では椎孔も連続して脊柱管となる）. = f. vertebrale [TA].

f. vertebrale [TA]. 椎孔（**[最後の e は発音される]**）. = vertebral f.

vertebroarterial f. = transverse f.

f. vertebroarteriale 椎骨動脈孔. = transverse f.

Vesalius f. (vĕ-sā′lē-ŭs). ヴェサリウス孔. = sphenoidal emissary f.

Vicq d'Azyr f. (vēk dah-zēr). ヴィック・ダジール孔. = f. caecum medullae oblongatae.

Vieussens foramina (vyū-sŏn[h]′). ビューサン孔. = *openings* of smallest cardiac veins.

Weitbrecht f. (vīt′bresht). ヴァイトブレヒト孔（肩関節の関節包にある孔で, 肩甲下筋の腱甲包とつながっている）.

f. of Winslow (winz′lō). = omental f.

zygomaticofacial f. [TA]. 頬骨顔面孔（頬骨顔面神経を通す眼窩縁下の頬骨外面上の孔）. = f. zygomaticofaciale [TA]; malar f.

f. zygomaticofaciale [TA]. 頬骨顔面孔. = zygomaticofacial f.

zygomatico-orbital f. [TA]. 頬骨眼窩孔（頬骨顔面神経と頬骨側頭神経を通す管の頬骨眼窩面上の共通孔. ときにはこれらの各管が眼窩面上に別個の孔をもつ）. = f. zygomaticoorbitale [TA].

f. zygomaticoorbitale [TA]. 頬骨眼窩孔. = zygomatico-orbital f.

zygomaticotemporal f. [TA]. 頬骨側頭孔（頬骨側頭面上の孔で, 頬骨側頭骨神経を通す管の孔）. = f. zygomaticotemporale [TA].

f. zygomaticotemporale [TA]. 頬骨側頭孔. = zygomaticotemporal f.

---

fo·ram·i·na (fō-ram′i-nă). foramen の複数形.

Fo·ram·i·nif·e·ra (fō-ram′i-nif′ĕr-ă, for′ă-mi-nif′er-ă) [L. *foramen*, aperture + *fero*, to carry]. 有孔虫亜綱（根足虫類

の亜綱で，吻合した偽足を有する．これらは細胞周囲に網目を形成し，通常，複雑な石灰殻を形成する．海底の岩床や石油床の重要成分）．

fo·ram·i·nif·er·ous (fō-ram′i-nif′ĕr-ŭs, fōr′ă-mi-nif′er-ŭs). ***1*** 有孔の．***2*** 有孔虫の．

for·am·i·not·o·my (fōr′am-i-not′ŏ-mē) [L. *foramen*, aperture + G. *tomē*, a cutting]. 〔椎間〕孔拡大術（孔に対する手術で，通常それを拡大するもの．例えば椎間孔を外科的に拡大する術式）．

fo·ra·min·u·lum, pl. **fo·ra·min·u·la** (fōr′ă-min′yū-lŭm, ū-lă) [Mod. L. *foramen*(foramen)の指小辞]．小孔．

Forbes (fōrbz), A.P. 20世紀の米国人医師．→F.-Albright *syndrome.*

Forbes (fōrbz), Gilbert B. 20世紀の米国人小児科医．→F. *disease.*

force (*F*) (fōrs) [L. *fortis*, strong]．力，動力，活力（身体の停止，運動状態または運動方向(または両者)，または身体の形状を変化させる外的因子）．

animal f. 筋力を表す現在では用いられない語．

chewing f. そしゃく力．＝f. of mastication.

dynamic f. ＝energy.

electromotive f. (EMF) 起電力（1点から他へ電気を流す力．ボルトを単位とする）．

G f. G力（加速または重力によって生じる慣性力で，重力単位で表される．1Gは，北緯45°の海面位における地表面での重力に等しい(32.1725 ft/sec²；980.621 cm/sec²)．→*g*）．

f. of mastication そしゃく力（そしゃく中に筋肉運動によって生じる動力）．＝biting strength; chewing f.; masticatory f.

masticatory f. ＝f. of mastication.

occlusal f. 咬合力（相対する歯に筋力が加えられる結果出る力）．

psychic f. ＝psychic *energy.*

reciprocal f.'s 相反矯正力（歯科において，1歯または数歯の抵抗が対咬歯の移動に用いられるような矯正力）．

reserve f. 予備力（正常機能に必要なエネルギー以上に，有機体またはその有機体の一部分に残っている力）．

van der Waals f.'s (von der vahls)．ファン・デル・ワールス力（実在気体と理想気体との性質の差を説明するために，1873年van der Waalsによって初めて提唱された力．静電気的結合(イオン性の)，共有結合(電子の共有)または水素結合(陽子の共有)よりもむしろ原子または分子間の引力で，一般に双極子や分散効果，π電子，および同様のものに基づくものとされている．これらの比較的漠然とした力は有機化合物の相互引力に寄与する）．

vital f. 生命力（→vitalism）．

force feedback (fōrs fēd-bak′)．力のフィードバック（訓練の間，触覚に似た感じがするように実験や手術に用いるロボットの制御装置に抵抗力を生み出すこと．→haptic）．

force plat·form (fōrs plat′fōrm)．力台（視覚，迷路，体性感覚刺激が変化したときの，力，対称性，代償姿勢運動潜時を測定するのに用いる装置）．

for·ceps, pl. **forceps, forcepses** (fōr′seps) [L. pair of tongs]. **[本語の単数形はforcepではなくforcepsである]．** ***1*** 鉗子，摂子（物をつかんだり，圧迫したり，引っ張ったりする器具．*cf.* clamp）．***2*** [TA]．鉗子（脳の白線維束で，大鉗子と小鉗子がある）．

Adson f. (ad′sŏn)．アドソン摂子（一方の先端に歯が2つ，他方に1つ付いた小さな母指摂子）．

alligator f. ワニ口鉗子（先端に小さいちょうつがいの付いた顎をもつ長い鉗子）．

Allis f. (al′is)．アリス鉗子（鋸歯状の顎をもつ垂直な把持鉗子の一種．組織または構造を強くつかんだり，牽引したりするのに用いる）．

f. anterior ＝minor f.

Arruga f. (ă-rū′ga)．アルガ鉗子（白内障の嚢内摘出に用いる鉗子）．

arterial f. 動脈鉗子（結紮されるまで血管の末端をつかんでおくため，傾斜葉でかみ合うようになっている鉗子）．

axis-traction f. 応軸鉗子（胎児の頭を骨盤軸の線上に沿って牽引できるように，2つの柄の付いた産科用鉗子）．

Barton f. (bar′tŏn)．バートン鉗子（固定された彎曲葉と前方にちょうつがいの付いた葉をもつ産科用鉗子．高在横定位に用いる）．

bayonet f. 銃剣状鉗子（例えば耳鏡を通すときなどに使用する先が段状になっている鉗子）．

bone f. 骨鉗子（骨の断片をつかみ，除去するために用いる強力な鉗子）．

Brown-Adson f. (brown ad′sŏn)．ブラウン－アドソン摂子（各先端に16の細い歯の付いたAdson摂子）．

bulldog f. 止血用発条鉗子，ブルドッグ鉗子（血管を閉塞するのに用いる軟らかく圧迫する鉗子）．

bullet f. 弾丸鉗子（鋸歯状の把握面をもった薄い彎曲葉の鉗子で，組織から弾丸を摘出するのに用いる）．

capsule f. カプセル鉗子（白内障の嚢外摘出術の際に，水晶体嚢を除去するのに用いる鉗子）．

Chamberlen f. (chām′bĕr-lĕn)．チェーンバーレン鉗子（本来，産科用として用いる彎曲していない鉗子）．

clamp f. クランプ鉗子（ラバーダムクランプとかみ合うようにつくられた，先がとがって分かれている顎をもつ鉗子．歯の頬舌的最大豊隆部を通過するように開いて用いる）．＝rubber dam clamp f.

clip f. クリップ鉗子（出血中の血管の断端をはさんで止めるために用いるばね付きの小鉗子）．

cup biopsy f. 杯形生検鉗子（可動性の杯形の口部をもった細い軟性の鉗子．特殊な内視鏡を通し，生検標本を採取するために用いる）．

cutting f. 切開用鉗子．＝labitome.

DeBakey f. (dĕ-bā′kē)．ディベーキー(ドベーキー)型摂子（非傷害的摂子で，血管をつまみ上げるのに用いる．〝magics〟として知られる）．＝magic f.

dental f. 抜歯鉗子（歯を脱臼させ，歯槽から取り除くのに用いる鉗子）．＝extracting f.

dressing f. 麦粒鉗子，包交摂子（創のガーゼ交換，壊死組織の断片や小さい異物の除去などに広く用いる鉗子）．

Evans f. (e′vănz)．エヴァンズ鉗子（持針器に似せてデザインされた母指摂子．様々な縫合操作において彎曲針を把持するために使用する）．

extracting f. ＝dental f.

frontal f.* minor f.の公式の別名．

f. frontalis* minor f.の公式の別名．

Graefe f. (grā′fĕ)．グレーフェ摂子（6本または8本の繊細な歯が水平に並んで先端に付く小さな母指摂子）．

hemostatic f. 止血鉗子（鉗子の葉を動かなくなるようロックする留め金の付いた鉗子．出血を抑えるために血管の端をはさむのに用いる）．

jeweler's f. 宝石商摂子（非常に細かな先端部をもつ小母指摂子．マイクロサージェリーにおいて組織を把持するために用いる）．

Kjelland f. (kyel′ănd)．ケーランド(キーラン)鉗子（接合部がスライド式になった産科用器具で，骨盤軸彎曲はほとんどない）．

Lahey f. (lā′hē)．レーヒー(レイヒー)鉗子（腟式子宮摘出術で，子宮を引き出すのに役立つ甲状鉗子）．

Laplace f. (lah-plās′)．ラプラース鉗子（外科的吻合の際，腸を接近させるために用いる鉗子）．

Levret f. (lĕ-vrā′)．レヴレー鉗子（Chamberlen鉗子の修正型で，産道の彎曲に対応して曲がっている）．

lion-jaw bone-holding f. ライオン顎状骨把持鉗子（骨片を把持する目的で口部に強く鋭い歯をもつ頑強な鉗子）．

Löwenberg f. (lŏr′vĕn-berg)．レーヴェンベルク鉗子（アデノイドを除去するために工夫された，末端の把握部が丸く，短い彎曲葉をもつ鉗子）．

magic f. ＝DeBakey f.

Magill f. (mă-gil′)．マギル鉗子（経鼻挿管を容易にするための彎曲した先の鈍い鉗子）．

f. major [TA]．大鉗子．＝major f.

major f. [TA]．大鉗子（脳梁放線線維の後方部分で，後方へ鋭く折れて，大脳の後頭葉にはいっている）．＝f. major [TA]; occipital f.*; f. occipitalis; f. posterior; occipital part of corpus callosum; pars occipitalis corporis callosi.

f. minor [TA]．小鉗子．＝minor f.

minor f. [TA]．小鉗子（脳梁放線線維の前方部分で，大

F

脳の前頭葉に向かって前方へ折れている). =f. minor [TA]; f. frontalis*; frontal f.*; f. anterior; frontal part of corpus callosum; pars frontalis corporis callosi.

mosquito f. モスキート鉗子. =mosquito *clamp*.

mouse-tooth f. 有鉤鉗子(摂子), ネズミ歯摂子 (各葉の先端に1, 2個の鋭い歯が付いており, 反対側の葉のその部分の穴にうまくかみ合う鉗子).

needle f. =needle-holder.

nonfenestrated f. 非有窓鉗子 (葉に穴のない産科用鉗子で, 胎児の頭を回転させるのに用いる).

obstetric f. 産科鉗子 (胎児の頭をはさんで牽引または回転する鉗子. 産道へ別々に挿入し, 確実に最小限の圧迫で胎児の頭をはさんで正しい位置に置いた後かみ合わせて用いる).

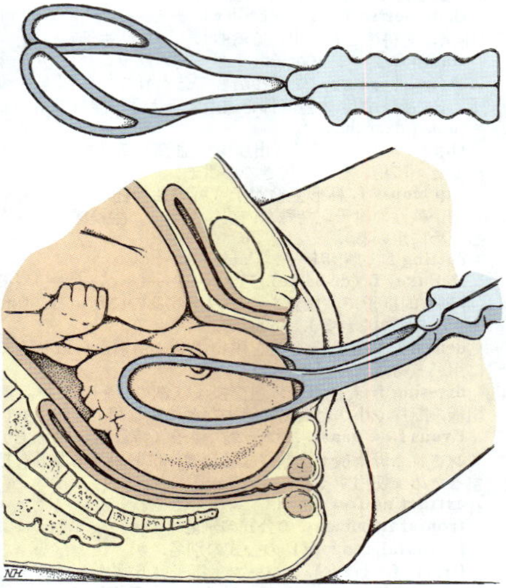

obstetric forceps
頭位に対する標準の有窓型.

occipital f.* major f. の公式の別名.

f. occipitalis =major f.

O'Hara f. (ō-har'ă). オーハーラ鉗子 (止血鉗子と一緒になった2つの細い圧挫鉗子で, 腸吻合に用いたが, 現在では用いられない).

Piper f. (pī'pĕr). パイパー鉗子 (殿位で胎児頭部の娩出を容易にするのに用いる産科用鉗子).

f. posterior =major f.

Randall stone f. (ran'dăl stōn). ランダル結石鉗子 (腎盂または腎杯より結石を摘除する目的で, 種々の曲がりの細い刃と鋸歯状の口部をもつ鉗子).

Rowe-Killey f. (rō-kil'ē). ローーキリー鉗子 (顔面骨折の軽減のために大骨片をつかむ鉗子).

rubber dam clamp f. 〔ラバーダム〕クランプ鉗子. =clamp f.

Simpson f. (simp'sŏn). シンプソン鉗子 (分娩鉗子の1つ).

speculum f. 鏡用鉗子 (鏡を通して用いる細い管状鉗子).

Tarnier f. (tar-nē-ā'). タルニエ鉗子 (応軸鉗子の一種).

tenaculum f. 支持鉤鉗子 (かみ合う部分に支持鉤のような鋭利でまっすぐの鉤を有する鉗子).

thumb f. 母指摂子 (母指と示指で使うばね摂子).

tubular f. 管状鉗子 (カニューレその他の管状器具の中を通して用いる細長い鉗子).

Tucker-McLean f. (tŭk'ĕr măk-lĕn'). タッカー－マクリーン鉗子 (応軸鉗子の一種).

tying f. 結紮用摂子 (眼科手術, 特に糸の結紮に用いられる, 偏平で平滑な先端を有する器具).

vulsella f., vulsellum f. 有鉤鉗子 (各葉の先端に鉤の付いた鉗子). =volsella; vulsella; vulsellum.

Willett f. (wil'lĕt). ウィレット鉗子 (胎盤に対して胎児の頭を下に引っ張ることにより前置胎盤の処置に用いる牽引鉗子. 現在では用いられない).

Forch·heim·er (fork-hīm'ĕr), Frederick. 米国人医師, 1853—1913. →F. *sign*.

for·ci·pate (fōr'si-pāt). 鉗子状の.

for·ci·pres·sure (fōr'si-presh-ŭr). 鉗子圧迫 (鉗子で血管を圧迫することにより止血する方法).

For·dyce (fōr'dīs), John A. 米国人皮膚科医, 1858—1925. →F. *angiokeratoma, disease, granules, spots*; Fox-F. *disease*.

fore·arm (fōr'arm) [TA]. 前腕 (肘と手首の間にある上肢の部分). =antebrachium [TA].

fore·bag (fōr'bag). =forewaters.

fore·brain* (fōr'brān). 前脳 (prosencephalon の公式の別名).

fore·con·scious (fōr'kon-shŭs). 前意識の, 予備意識の (現在の意識ではなく, ときとして喚起される記憶またはある条件が満たされたときにのみ意識的になる無意識の精神過程についていう. *cf.* preconscious).

fore·fin·ger (fōr'fing-gĕ). 示指, ひとさしゆび. =index *finger*.

fore·gut (fōr'gŭt). 前腸 (胚の原始消化管の前方部分. その内胚葉からは, 咽頭・気管・肺・食道・胃の上皮層, 十二指腸の第一部分および第二部分の前半分, および肝臓・膵臓・胆嚢の実質が生じる). =headgut.

fore·head (fōr'hed) [TA]. 額, 前頭 (眉毛と有髪頭部の間にある顔の部分). =frons [TA]; sinciput*; brow (2).

olympian f. オリンピア額 (先天性梅毒にみられる, 異常に突出した高く広い額).

fore·kid·ney (fōr'kid-nē). 前腎. =pronephros.

Fo·rel (fō-rel'), Auguste H. スイス人神経科医, 1848—1931. →F. *decussation*; *fields* of F.; tegmental *fields* of F.

fore·lock (fōr'lok). 前髪 (前額直上に生えた髪のふさ).

white f. 白髪を伴う三角形あるいは菱形の色素脱失斑. 通常前頭部中央に存在し, まだら症(piebaldism)にみられる.

fore·milk (fōr'milk). 初乳. =colostrum.

fo·ren·sic (fō-ren'sik) [L. *forensis*, of a forum]. 法律の, 法医学の (個人的な傷害, 殺人ないしその他の法的な出来事に関した).

fore·pel·vis (fōr'pel-vis). 骨盤前部 (骨盤入口部の左右の骨盤分界線間の最大距離によって定義される線(入口部横径)よりも前方に位置する骨盤腔のこと. 多くの例で, 骨盤後部より大きく, 形による個人差が小さい).

fore·play (fōr'plā). 前戯 (性交前の刺激的な性戯).

fore·pleas·ure (fōr'plezh-ŭr, plā'zher). 前駆快感 (性交時の性器結合によるオルガスムスに先立つ前戯により起こる性的快感).

fore·skin* (fōr'skin). 包皮 (prepuce の公式の別名).

f. of penis* =*prepuce* of penis の公式の別名.

Fo·res·ti·er (fō-res-tē-ā'), Jacques. フランス人リウマチ学者, 1890—1978. →F. *disease*.

fore·stom·ach (fōr'stŏm'ŏk). =cardiac *antrum*.

fore·wa·ters (fōr'wah-tĕrz). 胎胞, 前羊水 (胎児の頭の前にある, 羊水で満たされた膨隆した膜を表す口語). =forebag.

for·get·ting (fōr-get'ing). 忘却 (ひとたび登録されたり, 学習されたり, 短期または長期記憶に貯蔵された情報を思い出したり想起できないこと).

fork (fōrk). フォーク (①つかんだり持ち上げたりするのに用いる, 先が分かれてとがった道具. ②刃または先がとがって分かれたフォーク様の道具).

bite f. バイトフォーク. =face-bow f.

face-bow f. フェイスボーフォーク, 顔弓フォーク (顔弓に上顎咬合床を適切に取り付けるのに用いる顔弓の一構成部分). =bite f.

tuning f. 音叉 (歯が2つに分かれたフォークに似た鋼鉄またはマグネシウム合金製の道具. 叩くと純音と倍音を生じる. 聴力検査と骨伝導検査に使用する).

form (fōrm) [L. *forma*]. 形, 形状, 形態, 様式.

accolé f.'s (ak-ōlā'). アコレー形. ＝appliqué f.'s.

appliqué f.'s アプリケー形（赤血球縁に寄生する熱帯熱マラリア原虫 *Plasmodium falciparum* の環状期における様式を表す用語）. ＝accolé f.'s.

arch f. 歯列弓形（歯列弓，または歯列弓の形につくられた歯列矯正用ワイヤの形態）.

boat f. 舟形（環状六炭糖(ピラノース)またはシクロヘキサン誘導体にみられる２つのコンフォメーションのうち，より不安定な方．chair f. とは対照をなす.→Haworth conformational formulas of cyclic *sugars*).

cavity preparation f. 窩洞形態（窩洞形成の形態）.

chair f. いす形（環状六炭糖(ピラノース)またはシクロヘキサン誘導体にみられる２つのコンフォメーションのうち，より安定した方．boat f. とは対照をなす.→Haworth conformational formulas of cyclic *sugars*).

convenience f. 便宜形態（窩洞形成や歯科修復物の挿入のための固有の器具操作を可能にするために，基本的な窩洞外形以外に要求される変化）.

extension f. 予防拡大（窩洞外形を拡大し，う食好発部位を含めること．この拡大により，修復物は自浄作用または清掃容易な辺縁をもつことになる）.

face f. 顔面形（①顔の輪郭．②正面からみた顔の輪郭）.

half-chair f. 半いす形（⇀Haworth conformational formulas of cyclic *sugars*).

involution f. 退行形（好ましくない環境にさらされた結果生じる，不規則なまたは異型な細菌の形状）.

L f. L型（⇀L-phase *variants*).

occlusal f. 咬合面形態（歯または歯列の咬合面の形態）. ＝occlusal pattern.

outline f. 窩洞外形（修復物の窩洞の窩縁に包含される歯の表面の形態）.

posterior tooth f. 後方歯形態，臼歯形態（種々の臼歯の咬合面を区別する輪郭）.

replicative f. (**RF**) 複製型（①DNA あるいは RNA ウイルスゲノムの複製における中間段階で，通常二本鎖である．②一本鎖の大腸菌ファージ DNA が感受性細菌に感染後に変換してできる二本鎖 DNA 型．相補鎖(マイナス鎖)の形成はウイルス鎖(プラス鎖)の侵入前から細菌内に存在した酵素によって行われる）.

resistance f. 抵抗形態（修復物が咬合力に耐えられるように窩洞に付与される形態）.

retention f. 保持形態（咬合力はもちろん，側方または斜めに加わる力によって生じる修復物の移動を防ぐような窩洞形態）.

sickle f. 鎌形. ＝malarial *crescent*.

skew f. スキュー形（⇀Haworth conformational formulas of cyclic *sugars*).

tooth f. 歯形（それぞれの歯を特徴付ける歯の弯曲，線，角度，輪郭などの形態）.

twist f. ねじれ形（⇀Haworth conformational formulas of cyclic *sugars*).

wave f. 波形（⇀waveform). ＝waveshape.

wax f. ろう型. ＝wax *pattern*.

-form (fōrm) [L. *-formis*]. 形状を表す接尾語．-oid と等しい. ⇀morpho-.

For•mad (fōr'mad), Henry. 米国人医師，1847—1892. ⇀F. *kidney*.

for•mal•de•hyde (fōr-mal'dĕ-hīd) [form(ic) + aldehyde]. ホルムアルデヒド；HCHO（刺激性の気体．消毒・殺菌薬，組織固定剤として用いる．通常，溶液として用いる）. ＝formic aldehyde; methyl aldehyde.

active f. 活性ホルムアルデヒド（①テトラヒドロ葉酸やチアミンピロリン酸のヒドロキシメチル誘導体．②N^5,N^{10}–メチレンテトラヒドロ葉酸）.

for•ma•lin (fōr'mă-lin). ホルマリン（ホルムアルデヒドの37%水溶液）. ＝formol.

for•ma•lin•ize (fōr'mă-li-nīz). ホルマリン化する（不活性ワクチンに，その免疫力を損わずにホルマリン溶液を加えること）.

for•mam•i•dase (fōr-mam'i-dās). ホルマミダーゼ（N–ホルミル–L–キヌレニンを，L–キヌレニンとギ酸に加水分解する（L–トリプトファンの代謝における重要な反応の１つ)のを触媒する酵素）. ＝formylase; kynurenine formamidase.

5-for•mam•i•do•im•id•a•zole-4-car•box•im•ide ri•bo•tide (fōr-mam'i-dō-im-id'a-zōl kar-boks'i-mīdrī'bō-tīd). 5–ホルムアミドイミダゾール–4–カルボキシミドリボチド（プリン生合成の中間体）.

for•mant (fōr'mănt). フォルマント（母音を発することによって生じる音の強さを含んだ音とその倍音）.

for•mate (fōr'māt). ギ酸塩またはギ酸エステル．すなわち，１価の官能基 HCOO– または陰イオン $HCOO^-$ を含む.

active f. 活性ギ酸（N^{10}–ホルミルテトラヒドロ葉酸または等価なテトラヒドロ葉酸酸化生成物）.

for•ma•ti•o, pl. **for•ma•ti•o•nes** (fōr-mā'shē-ō, fōr-mā-shē-ō'nēz) [L. < *formo*, pp. *-atus*, to form][TA]. 構成体（①＝formation. ②明確な形や細胞配列をもつ構造）.

f. hippocampalis 海馬体（⇀hippocampus).

f. reticularis [TA]. 網様体. ＝reticular *formation*.

for•ma•tion (fōr-mā'shŭn) [TA]. ＝formatio (1) [TA]. ***1*** 構成体（定型構造または細胞配列構造）. ***2*** 形成されたもの. ***3*** 形成（形や外形をつくる行為）.

concept f. 概念形成（心理学において，行動または対象に基づいた抽象的観念により考えたり反応したりすることの習得）.

personality f. 人格形成（個人の性格特徴の発達と個性の発達に関する生活史）.

reaction f. 反動形成（精神分析において，想定されている防衛機制の１つで，実際の態度や行動が本来実現されたり，無意識の状態で実際に感じるはずのものと正反対に表現される）.

reticular f. (**RF**) 網様体（大きいが，漠然としか境界の定まらない神経系の構造で，密に交錯する灰白質と白質からなり，脳幹の中心部に存在し，間脳中に至る．この用語は，運動ニューロンや，特殊感覚伝導路の一部を構成するニューロン群以外の脳幹の多数のニューロンをさす．これらのニューロンは一般に長い樹状突起と様々な求心性線維結合を有し，それゆえ，この構造はしばしば非特殊性とよばれる．網様体は非常に複雑な多シナプス性の上行性および下行性の線維結合を有し，これらは自律神経系(例えば，呼吸，血圧，体温調節)や内分泌機能，あるいは姿勢における骨格筋の反射活動，覚醒や睡眠などの一般的な活動状態を中枢支配する上で役割を果たす）. ＝formatio reticularis [TA]; reticular substance (2); substantia reticularis (2).

rouleaux f. [Fr. *rouleau*(roll) の複数形]. 連銭形成（血液中(または希釈浮遊液中)の赤血球の，両陥凹面が付着した配列で，その形が貨幣を積み上げたのに似ている）. ＝pseudoagglutination (2).

symptom f. ＝symptom *substitution*.

for•ma•ti•o•nes (fōr-mā-shē-ō'nēz). formatio の複数形.

for•ma•zan (fōr'mă-zan). ホルマザン（一般構造 RNH–N=CR'–N=NR'' の不溶性の着色化合物．酸化酵素の組織化学的検出で，テトラゾリウム塩の還元によって形成される．R は通常フェニル基．ネオテトラゾリウム，ブルーテトラゾリウム，ニトロブルーテトラゾリウムなどが代表例）.

form•board (fōrm'bōrd). 型板（種々の型の切抜きがなされている板で，相当した型のブロックをはめ込めるようになっている．例として，神経心理検査の１つである Halstead-Reitan 検査のタクシュアルパフォーマンステストがあげられる. ⇀Halstead-Reitan *battery*).

forme fruste, pl. **formes frustes** (fōrm frūst) [Fr. unfinished form]. 不完全型（疾患の部分型，停滞型，または潜在型）.

for•mic (fōr'mik) [L. *formica*, ant]. ***1*** ギ酸の. ***2*** アリの.

for•mic ac•id (fōr'ik as'id). ギ酸；HCOOH（最も簡単なカルボン酸．強力な腐食剤．収れん薬や刺激中和薬として用いる）.

for•mic al•de•hyde (fōr'mik al'dĕ-hīd). ＝formaldehyde.

for•mi•ca•tion (fōr'mi-kā'shŭn) [L. *formica*, ant]. 蟻走感（[fornication と混同しないこと]．知覚異常あるいは幻触の一種で，小さい虫が皮膚の下を這っているように感じること）.

for•mim•i•no•glu•tam•ic ac•id (FIGLU) (fōr-mim'i-nō-glū-tam'ik as'id). ホルムイミノグルタミン酸（L–ヒスチジンを L–グルタミン酸に転換する L–ヒスチジン異化作用の

F

中間代謝産物．ホルムイミノ基はテトラヒドロ葉酸に転移される．葉酸やビタミンB_{12}欠乏症，肝疾患の患者の尿中に排出される）．

***N*-for·mim·i·no·tet·ra·hy·dro·fo·late** (for-mim′i-nō-tet′ră-hī-drō-fō′lāt). *N*–ホルムイミノテトラヒドロ葉酸（L–ヒスチジン異化によって生成される 1–炭素原子のテトラヒドロ葉酸の誘導体）．

for·mins (for′minz) [L. *forma*, form + -in]. フォーミン（細胞分極化，細胞質分裂，脊椎動物の肢形成に関与する蛋白の一群）．

for·mo·cre·sol (fōr′mō-krē′sol). ホルモクレゾール（クレゾール，ホルムアルデヒド，およびグリセリンを含む水溶液で，乳歯の歯冠部歯髄切断法に用いる）．

for·mol (fōr′mol). ホルモル．＝formalin.

FORMULA

for·mu·la, pl. **for·mu·las, for·mu·lae** (fōr′myū-lă, -lăz, -lē) [L. *forma*(form)の指小辞]. ***1*** 処方箋（医療薬剤の配合についての指示が書かれている処方箋）．***2*** 公式（化学において，元素あるいは物質の 1 分子を形成する複数の元素の原子数を表す記号または記号の集合．ときには分子内での原子の配列，原子の電子構造，電荷，分子内結合の性質などに関する情報を示す）．***3*** 式（部分または構造の正常な順序あるいは配列についての記号または数による表現）．***4*** 公式（概して，等式を用いることによって与えられる数学的な関係や原理）．

Arneth f. (ahr-net′). アルネート〔公〕式（多形核好中球の正常の近似比率で，核内の葉数に基づく．すなわち 1 葉 5％，2 葉 35％，3 葉 41％，4 葉 17％，5 葉 2％）．

Bazett f. (bă-zet′). バゼット〔公〕式（心拍数に対する心電図上の QT 間隔を訂正するための公式．訂正された QT＝QT sec/$\sqrt{\text{RR sec}}$）．

Bernhardt f. (bern′hart). ベルンハルト〔公〕式（成人の理想的体重を kg で計算するのに用いる．身長の cm 数を胸囲の cm 数で乗じて，240 で除したもの）．

Broca f. (brō-kah′). ブロカ〔公〕式（成人(30 歳ぐらい)の体重(kg 数)は，身長1m 以上の cm 数に等しい）．

chemical f. 化学式（分子構造を化学記号で表したもの）．

Christison f. (kris′tĕ-sŏn). クリスティソン〔公〕式．＝Häser f.

constitutional f. ＝structural f.

Demoivre f. (dĕ-mwah′vrĕ). ドゥモワーヴル〔公〕式（現在では用いられていない余命の計算式）．

dental f. 歯式（顎にある種々の歯数を表の形で表したもの．ヒトの歯式は以下のとおりである）．

乳歯：i. $\frac{2-2}{2-2}$, c. $\frac{1-1}{1-1}$, m. $\frac{2-2}{2-2}=20$

永久歯：i. $\frac{2-2}{2-2}$, c. $\frac{1-1}{1-1}$, bic. $\frac{2-2}{2-2}$, m. $\frac{3-3}{3-3}=32$

Dreyer f. (drī′ĕr). 肺活量と体表面積の関係を示す式で，現在では用いられていない．

DuBois f. (dū-bwah′). デュボイス(デュボワ)〔公〕式（体重と身長から人間の体表面積の予測値を算出する公式．$A=71.84\ W^{0.425}\ H^{0.725}$ で示される．ただし，A＝体表面積(cm²)，W＝体重(kg)，H＝身長(cm)）．

electrical f. 電気式（電気刺激に対する筋肉反応を記号によりグラフで表したもの）．

empiric f. 実験式（化学において，物質の分子内の原子の種類や数またはその組成を示す公式．しかし，原子相互の関係，分子の本質的構造を示すものではない）．＝molecular f.

Fischer projection formulas (fish′ĕr) [Emil *Fischer*]. → Fischer projection formulas of *sugars*.

Flesch f. (flesh). フレッシュの公式（米国で，どのくらいの人が，書かれた文章を読み，かつ理解できるかを推定できる公式によって，その文章の文言の難易度を決定する方法．通常，病院の同意書への患者の理解度を測るのに用いる）．

Florschütz f. (flōr′shēts). フロールシュッツ〔公〕式（身長と腹囲間の適切な関係を示す古い方法で，L:(2B–L)．Lは身長，Bは腹囲を示す．正常値は 5 で，5 未満は肥満を示す）．

Gorlin f. (gōr′lin). ゴーリン〔公〕式（心臓弁口の面積を計算する公式で，弁を通る血流量と，弁のいずれかの側の心房または心室の平均圧に基づく）．

graphic f. ＝structural f.

Hamilton-Stewart f. (ham′ĭl-tŏn stūw′ărt). ハミルトン–スチュワートの式．＝Hamilton-Stewart *method*.

Häser f. (hăs′ĕr). ヘーザー〔公〕式（2.33 を尿比重の下 2 桁の数字で乗じて得られる，1L 当たりの尿固形物の g 数を決めるための公式）．＝Christison f.; Trapp f.; Trapp-Häser f.

Haworth perspective and conformational formulas (hā′wŏrth) [Walter Norman *Haworth*]. → Haworth perspective formulas of cyclic *sugars*.

Jellinek f. (jel′i-nek). イエリネクの式（国民のアルコール中毒の有病率を推定する方法．アルコール中毒者のある割合が肝硬変で死亡するという仮定に基づいている）．

Ledermann f. (lā′dĕr-mahn). レーデルマンの式（アルコール依存度を計算する公式．Ledermann は，集団におけるアルコール消費量が対数正規分布することを経験的に示した．この式は，様々な程度のアルコール依存症の有病割合を推定するのにこの事実を用いているが，その妥当性には疑問も投げかけられている）．

Long f. (long). ロング〔公〕式（1L 当たりの固形物の g 数の近似量を尿比重から概算する公式．比重値の下 2 けたの数字を 2.6 で乗じる）．＝Long coefficient.

Mall f. (mahl). マル〔公〕式（胚の年齢(日数で表す)は，長さ(頭頂から殿部まで)の mm 数の平方根を 100 で乗じる）．

Meeh f. (mē). メー〔公〕式．＝Meeh-DuBois f.

Meeh-DuBois f. (mē dū-bwah′). メー–デュボイス(デュボワ)〔公〕式（体表面積を予測するための公式．体重の 2/3 乗に比例すると仮定する）．＝Meeh f.

molecular f. 分子式．＝empiric f.

official f. 公定処方（薬局方または国民医薬品集に記載されている処方）．

Poisson-Pearson f. (pwah-son[h]′ pēr′sŏn). ポワソン(ポアソン)–ピアーソン〔公〕式（マラリアの地方流行指数の計算で，統計的誤差を決める公式．N＝その地方の 15 歳以下の児童の総数，n＝脾臓率を検査した児童の総数，x＝脾腫を発見された児童の数，$(x/n)100$＝脾臓率，e％＝誤差率．誤差率は次式により得られる）．

$$e\% = \frac{200}{n}\sqrt{\frac{2x(n-x)}{n}}\sqrt{1-\frac{n-1}{N-1}}$$

Ranke f. (rahn′kĕ). ランケ〔公〕式（A＝(比重－1.000)×0.52－5.406．ただし，Aは漿液 1 L 中のアルブミンの g 数）．

rational f. 示性式（化学において，物質の組成とともに構造を示す公式）．

Reuss f. (rois). ロイス〔公〕式（漏出液または滲出液のアルブミンの量を概算する方法．3/8(比重－1.000)－2.8 は，液体中のアルブミン百分率の実際の値となる）．

Runeberg f. (rūn′bĕrg). ルネベルグ〔公〕式（漿液中のアルブミン百分率を計算する公式．Reuss 式と似ているが，2.8 の代わりに，漏出液の際には 2.73，炎症性滲出液の際には 2.88 で置き換える）．

spatial f. 空間式．＝stereochemical f.

stereochemical f. 立体化学式（原子または原子団の空間における分布を示す化学式）．＝spatial f.

structural f. 構造式（原子や原子団の種類と数の他に，結合を示す式）．＝constitutional f.; graphic f.

Toronto f. for pulmonary artery banding 肺動脈バンディングのためのトロントの計算式（患者の体重に従ってバンドの大きさを示す一般的な指標）．

Trapp f. (trop). トラップ〔公〕式．＝Häser f.

Trapp-Häser f. (trop hās′er). トラップ–ヘーザー〔公〕式．＝Häser f.

Van Slyke f. (van slīk). ヴァン・スライク〔公〕式．＝standard urea *clearance*.

vertebral f. 脊椎式（脊柱の各部における脊椎数を示す式．ヒトでは，C(頸椎)が7，T(胸椎)が12，L(腰椎)が5，S(仙椎)が5，Co(尾椎)が4で，計33である）.

---

for·mu·lary (fōr′myū-lā′rē). 処方集（薬剤の調製のための処方集．→National Formulary; *Pharmacopeia*).

hospital f. 病院医薬品集（採用医薬品と，重要な補助的情報を編集したもので随時改訂され，病院の医療従事者における最新の臨床上の判断に役立つ）.

for·myl (f) (fōr′mil). ホルミル（HCO- 基）.

active f. 活性ホルミル（葉酸誘導体とのホルミル基転位反応で，担体の役割をするホルミル基）.

for·my·lase (fōr′mi-lās). ホルミラーゼ．=formamidase.

***N*-for·myl·gly·cin·a·mide ri·bo·tide (FGAR)** (fōr′-mil-gli-sin′ă-mēd ri′bo-tīd). *N*-ホルミルグリシンアミドリボチド（プリン生合成の中間体）.

***N*-for·myl·ky·nur·e·nine** (fōr′mil-ki-nūr′ĕ-nēn). *N*-ホルミルキヌレニン（L-トリプトファンにおけるインドール環の酸化開裂の産物．L-トリプトファン異化作用で，最初に形成される中間産物）.

***N*-for·myl·me·thi·o·nine (fMet)** (fōr′mil-me-thī′ō-nēn). *N*-ホルミルメチオニン（アミノ基がホルミル基(-CHO)でアシル化されたメチオニン．事実上，全細菌性ポリペプチドにおける開始アミノ酸残基である．真核生物のミトコンドリアや葉緑体にも存在している．→initiating *codon*).

for·myl·me·thi·o·nyl-tRNA (fōr′mil-me-thī′ō-nĭl). ホルミルメチオニル-トランスファー RNA（一定の生物体における開始トランスファー RNA）.

N^{10}-for·myl·tet·ra·hy·dro·fo·late (fōr′mil-tet′ră-hī′-dro-fō′lāt). N^{10}-ホルミルテトラヒドロ葉酸（テトラヒドロ葉酸のホルミル誘導体で，代謝においては1炭素原子源として供される）.

for·ni·cate (fōr′ni-kāt). ***1*** [L. *fornicatus*, arched < *fornix*, vault, arch].〖adj.〗弓状の（丸天井形の，円蓋に類似した）. ***2*** [→fornication].〖v.〗性交をする.

for·ni·ca·tion (fōr′ni-kā′shŭn) [L. *fornicatio*, an arched or vaulted basement(brothel)]. 私通，姦淫（[formication と混同しないこと]．結婚していない相手との性交）.

for·ni·ces (fōr′ni-sēz). fornixの複数形.

for·nix, gen. **for·ni·cis,** pl. **for·ni·ces** (fōr′niks, -ni-sis, -ni-sēz) [L. arch, vault][TA]. [pharynx と混同しないこと]. =cerebral trigone. ***1*** 円蓋（一般にアーチ状の構造．しばしば解剖学的空間のアーチ状の天井，またその部分）. ***2*** 脳弓（大脳半球の海馬から対側の海馬，透明中隔，視床前核，乳頭体に至る密な白質線維束．Ammon 角の錐体細胞から由来する脳弓線維は海馬白板・海馬采を形成してから先に進んで以下のものを形成する．脳弓交連(海馬交連)，脳弓脚，脳弓体，脳弓柱である．脳弓柱は2つに分かれ小さいほうは交連前線維となって前交連の前を通過して中隔域に達し，大きいほうは交連後線維となって前交連の後を通過して大部分が乳頭体核に終わり一部は視床核に達する）. =trigonum cerebrale.

f. conjunctivae [TA]. =conjunctival f.

conjunctival f. [TA]. 結膜円蓋（眼球結膜と眼瞼結膜の結合により形成される空間で，上眼瞼のものを上結膜円蓋，下眼瞼のものを下結膜円蓋という）. =f. conjunctivae [TA]; conjunctival cul-de-sac; retrotarsal fold.

f. gastricus [TA]. =f. of stomach.

f. of lacrimal sac [TA]. 涙嚢円蓋（涙小管開口部の上方にのびる涙嚢の上盲端）. =f. sacci lacrimalis [TA].

pharyngeal f. 咽頭円蓋．=*vault* of pharynx.

f. pharyngis [TA]. =*vault* of pharynx.

f. sacci lacrimalis [TA]. 涙嚢円蓋．=f. of lacrimal sac.

f. of stomach [TA]. 胃円蓋（以前は fundus of stomach (胃底)の同義語とみなされていた(特に放射線科で使用)が，TAでは fundus of stomach と fornix of stomach とを別扱いしている．胃底はすべての胃にあるもので胃体の最上部をいい，その粘膜は非常に厚い．円蓋は噴門口より左上方にみられるドーム状もしくはポケット状の膨らみで直立姿勢ではしばしばガスが入っている）. =f. gastricus [TA].

transverse f. =*commissura* fornicis.

f. uteri =vaginal f.

f. vaginae [TA]. 腟円蓋．=vaginal f.

vaginal f. [TA]. 腟円蓋（腟の天井部にみられる陥凹で，子宮頸との位置関係から前部，後部，側部に区別される．後部は Douglas 窩穿刺や内視の場所として，側部の近くには下方に尿管，上方に子宮動脈が接近していて臨床的に重要である）. =f. vaginae [TA]; f. uteri.

for·sko·lin (fōr′skŏ-lin) [< *Coleus forskohlii*, taxonomic name of botanic source]. フォルスコリン（ジテルペンの1つで，プロテインキナーゼCに統合し活性化する．ジアシルグリセロールの作用に類似している）.

Fors·sman (fŏrs′măn), John. スウェーデン人細菌・病理学者，1868—1947. →F. *antibody*, *antigen*, *reaction*, antigen-antibody *reaction*.

Fors·sman (fŏrs′măn), Hans. 20世紀のスウェーデン人医師．→Börjeson-F.-Lehmann *syndrome*.

För·ster (fērs′tĕr), Richard. ドイツ人眼科医，1825—1902. →F. *uveitis*.

Fos·dick (fos′dik), Leonard S. 米国人化学者，1903—1969. →F.-Hansen-Epple *test*.

Fo·shay (fō-shā′), Lee. 米国人細菌学者，1896—1961. →F. *test*.

FOSSA

F

fos·sa, gen. & pl. **fos·sae** (fos′ă, fos′ē) [L. a trench or ditch][TA]. 窩（ある部位の表面から落ち込んだ，通常，多少縦長の陥凹）.

acetabular f. [TA]. 寛骨臼窩（寛骨臼の底部にある陥凹部で，下方は寛骨臼切痕に連なる．寛骨臼窩は下方部以外を月状面に取り囲まれる）. =f. acetabuli [TA].

f. acetabuli [TA]. 寛骨臼窩．=acetabular f.

adipose fossae 脂肪窩（乳房にある脂肪の蓄積した皮下の空間）.

amygdaloid f. 扁桃窩，扁桃洞．=tonsillar f.

anconal f. =olecranon f.

anterior cranial f. [TA]. 前頭蓋窩（頭蓋内腔底部のうち蝶形骨稜および縁より前方の部分．前頭葉が収まる）. =f. cranii anterior [TA]; anterior cranial base.

f. anthelicis 対輪窩．=f. antihelica.

f. of anthelix 対輪窩．=f. antihelica.

f. antihelica [TA]. 対輪窩（対輪に対応する耳介背面の陥凹）. =antihelical f.* [TA]; f. anthelicis; f. of anthelix; periconchal sulcus.

antihelical f.* [TA]. f. antihelica の公式の別名.

articular f. of temporal bone =mandibular f.

f. axillaris [TA]. 腋窩，わきのした．=axillary f.

axillary f. [TA]. 腋窩，わきのした（前および後腋窩ひだの間に形成されるくぼみ．思春期以後に，腋毛が生じ，汗腺が発達する）. =f. axillaris [TA]; armpit.

Bichat f. (bē-shah′). ビシャ窩．=pterygopalatine f.

Biesiadecki f. (bye-syah-det′skē). ビエシャデッキ窩．=iliacosubfascial f.

Broesike f. (bre′sik-ĕ). ブレージケ窩．=parajejunal f.

f. canina [TA]. 犬歯窩．=canine f.

canine f. [TA]. 犬歯窩（眼窩下孔の下の上顎前面で，犬歯根隆起の外側上にある窩）. =f. canina [TA].

f. carotica =carotid *triangle*.

cerebellar f. [TA]. 小脳窩（大孔および内後頭隆起の左右にある後頭骨内面の大きな陥凹で，小脳半球が収容される．後頭蓋窩の一部分）. =f. cerebellaris [TA].

f. cerebellaris [TA]. =cerebellar f.

Claudius f. (klaw′dē-ŭs). クラウディウス窩．=ovarian f.

condylar f. [TA]. 顆窩（後頭骨後頭顆の後方にみられるくぼみで，環椎の上関節面の後縁部がはいり込むところ）. =f. condylaris [TA].

f. condylaris [TA]. 顆窩．=condylar f.

f. coronoidea humeri [TA]. 鉤突窩．=coronoid f. of

humerus.

coronoid f. of humerus [TA]. 鉤突窩（上腕骨遠位端の前面上の窩. 滑車のすぐ上方にあり，肘が屈曲したとき尺骨の鳥口突起を入れる）. =f. coronoidea humeri [TA].

f. cranii anterior [TA]. 前頭蓋窩. =anterior cranial f.

f. cranii media [TA]. 中頭蓋窩. =middle cranial f.

f. cranii posterior [TA]. 後頭蓋窩. =posterior cranial f.

crural f. =femoral f.

Cruveilhier f. (krū-vāl-yā′). クリュヴェーリエ窩. =scaphoid f. of sphenoid bone.

cubital f. [TA]. 肘窩（肘の前面にある陥凹で，外側・内側はそれぞれ伸筋群・屈筋群の上腕頭起始で，上方は左右の上腕骨顆を結んだ仮想上の線で境される）. =f. cubitalis [TA]; antecubital space; chelidon; triangle of elbow.

f. cubitalis [TA]. 肘窩. =cubital f.

digastric f. [TA]. 二腹筋窩（下顎底にある凹窩で，正中面の両側に顎二腹筋の前腹が付着する）. =f. digastrica [TA].

f. digastrica [TA]. 二腹筋窩. =digastric f.

digital f. ***1*** =trochanteric f. ***2*** =f. of lateral malleolus.

f. ductus venosi 静脈管窩. =f. of ductus venosus.

f. of ductus venosus 静脈管窩（尾状葉と肝左葉の間にある，胎児の肝臓下面後方の広い溝. 静脈管を入れるが成人では静脈管索を入れる狭い溝となる）. =f. ductus venosi.

duodenal fossae ⇀inferior duodenal f.; superior duodenal f.

duodenojejunal f. =superior duodenal f.

epigastric f. [TA]. みずおち（胸骨剣状突起のすぐ下方にある，正中線上のわずかな陥凹. （TAは epigastric *region* の同義語として本語を記載している））. =f. epigastrica [TA]; pit of stomach; scrobiculus cordis.

f. epigastrica [TA]. みずおち. =epigastric f.

femoral f. 大腿窩（鼡径靭帯下方の腹壁の腹膜面上にある陥凹で，大腿輪の位置に相当する）. =crural f.; fovea femoralis.

floccular f. =subarcuate f.

gallbladder f. 胆嚢窩. =f. for gallbladder.

f. for gallbladder [TA]. 胆嚢窩（肝臓下面の前方にある陥凹で，方形葉と右葉の間にあり，胆嚢がはいる）. =f. vesicae biliaris [TA]; f. vesicae felleae☆; gallbladder f.

Gerdy hyoid f. (zher-dē′). ジェルディ舌骨窩. =carotid *triangle*.

f. glandulae lacrimalis [TA]. 涙腺窩. =f. for lacrimal gland.

glenoid f. 関節窩（① =glenoid *cavity* of scapula. ② =mandibular f.）.

greater supraclavicular f. [TA]. 大鎖骨上窩（本語は後頸三角の一部である肩甲鎖骨三角 omoclavicular triangle と以前は同義とみなされていた. TAは肩甲鎖骨三角の表面をおおう皮膚にみられるくぼみをさす語としており，胸鎖乳突筋の外側で鎖骨中央上部にみられるくぼみとしている）. =f. supraclavicularis major [TA].

Gruber-Landzert f. (grū′bĕr lahnd′zĕrt). グルーベル－ラントツェルト窩. =inferior duodenal f.

f. of helix =scapha (1).

hyaloid f. [TA]. 硝子体窩（レンズがはいる硝子体の前表面のくぼみ）. =f. hyaloidea [TA]; lenticular f.; patellar f. of vitreous.

f. hyaloidea [TA]. 硝子体窩. =hyaloid f.

hypophysial f. [TA]. 下垂体窩（下垂体を包む蝶形骨の陥凹. →*sella* turcica）. =f. hypophysialis [TA]; pituitary f.

f. hypophysialis [TA]. 下垂体窩. =hypophysial f.

iliac f. [TA]. 腸骨窩（腸骨で弓状線より上の平滑な内面. 腸骨筋が起始する）. =f. iliaca [TA].

f. iliaca [TA]. 腸骨窩. =iliac f.

iliacosubfascial f. 腸骨筋膜下窩（腸骨稜と大腰筋の間にできる腹膜陥凹）. =Biesiadecki f.; f. iliacosubfascialis.

f. iliacosubfascialis 腸骨筋膜下窩. =iliacosubfascial f.

iliopectineal f. 腸〔骨〕恥〔骨〕窩（大腿三角の中央にある腸腰筋と恥骨筋間のくぼみ. 大腿血管と神経が走っている）.

f. incisiva [TA]. 切歯窩. =incisive f.

incisive f. [TA]. 切歯窩（中切歯後方の口蓋骨正中線上の陥凹. そこで切歯管が開いている）. =f. incisiva [TA].

incudal f. きぬた骨窩. =f. of incus.

f. incudis [TA]. きぬた骨窩. =f. of incus.

f. of incus [TA]. きぬた骨窩（鼓室上陥凹の下後方部分にある小窩で，きぬた骨靭帯がはいる）. =f. incudis [TA]; incudal f.

inferior duodenal f. [TA]. 下十二指腸陥凹（下十二指腸ひだの後方で十二指腸の上行部に沿って位置する変化しうる腹膜陥凹）. =recessus duodenalis inferior [TA]; Gruber-Landzert f.; inferior duodenal recess.

infraclavicular f. [TA]. 鎖骨下窩（上は鎖骨，前は大胸筋，後ろは三角筋で囲まれた三角形のくぼみ）. =f. infraclavicularis [TA]; deltoideopectoral trigone; infraclavicular triangle; Mohrenheim f.; Mohrenheim space; regio infraclavicularis.

f. infraclavicularis [TA]. 鎖骨下窩. =infraclavicular f.

infraduodenal f. 十二指腸下窩. =retroduodenal *recess*.

f. infraspinata [TA]. 棘下窩. =infraspinous f.

infraspinous f. [TA]. 棘下窩（肩甲棘下方のくぼみで，主に棘下筋が起始する）. =f. infraspinata [TA].

infratemporal f. [TA]. 側頭下窩（頭骨両側にある窩状空間で，外側は頬骨弓と下顎枝，内側は蝶形骨外側翼突板，前方は上顎骨の頬骨突起と側頭下面，後方は側頭骨鼓室板と茎状・乳頭突起，上方は蝶形骨大翼の側頭下面で境される）. =f. infratemporalis [TA]; zygomatic f.

f. infratemporalis [TA]. 側頭下窩. =infratemporal f.

inguinal f. 鼡径窩（⇀lateral inguinal f.; medial inguinal f.）.

f. inguinalis lateralis [TA]. 外側鼡径窩. =lateral inguinal f.

f. inguinalis medialis [TA]. 内側鼡径窩. =medial inguinal f.

f. innominata 無名窩. =innominate f.

innominate f. 無名窩（仮声帯と披裂喉頭蓋ひだの間にある浅い陥凹）. =f. innominata.

intercondylar f. [TA]. 顆間窩（大腿骨の外側顆と内側顆の間にみられる深いくぼみで，十字靭帯が付着している）. =f. intercondylaris [TA]; intercondyloid f. (2); intercondylic f.; intercondyloid notch; popliteal notch.

f. intercondylaris [TA]. 顆間窩. =intercondylar f.

intercondyloid f., intercondylic f. ***1*** ⇀*area* intercondylaris anterior tibiae; *area* intercondylaris posterior tibiae. ***2*** =intercondylar f.

f. intermesocolica transversa 結腸間膜横窩. =transverse intermesocolic f.

interpeduncular f. [TA]. 脚間窩（大脳脚間にある中脳後表面上の深い陥凹で底面は後有孔質によって形成されている. →interpeduncular *cistern*）. =f. interpeduncularis [TA].

f. interpeduncularis [TA]. 脚間窩. =interpeduncular f.

intrabulbar f. 尿道膨大窩（尿道球内にある男性尿道起始部の拡張したところ）.

ischioanal f. [TA]. 坐骨直腸窩（底面を会陰に向けた楔形の空間で，外側部は坐骨結節と内閉鎖筋の間にあり，内側部は外肛門括約筋と肛門挙筋の間にある）. =f. ischioanalis [TA]; f. ischiorectalis; ischiorectal f.; Velpeau f.

f. ischioanalis [TA]. =ischioanal f.

ischiorectal f. 坐骨直腸窩. =ischioanal f.

f. ischiorectalis 坐骨直腸窩. =ischioanal f.

Jobert de Lamballe f. (zhō-bār′ dĕ-lahm-bahl′). ジョベール・ド・ランバル窩（大内転筋，縫工筋，薄筋によって形成されている膝のすぐ上にあるくぼみあるいは溝）.

Jonnesco f. (yō-nes′kō). ヨネスコ窩. =superior duodenal f.

jugular f. [TA]. 頸静脈窩（茎状突起の内側で，側頭骨錐体部後縁の卵形の陥凹. 内頸静脈(頸静脈球)がある）. =f. jugularis [TA].

f. jugularis [TA]. 頸静脈窩. =jugular f.

lacrimal f.☆ 涙腺窩（f. for lacrimal gland の公式の別名）.

f. for lacrimal gland [TA]. 涙腺窩（前頭骨の眼窩板上にあるくぼみで，涙腺を入れる. 眉弓下部の下垂と頬骨突起により形成されている）. =f. glandulae lacrimalis [TA]; lacrimal f.☆.

f. for lacrimal sac [TA]. 涙囊窩（涙骨と上顎前突起により形成された窩で，涙嚢がはいる）. =f. sacci lacrimalis [TA].

Landzert f. (lahnd′zĕrt). ラントツェルト窩（2つの腹膜ひだにより形成された窩で，左結腸動脈と下腸間膜静脈をそれぞれ十二指腸側で包んでいる．これは，ときに同領域でみられる十二指腸窩より小さい）.

lateral f. of brain 大脳外側窩. =lateral cerebral f.

lateral cerebral f. [TA]. 大脳外側窩（前有孔質の位置に相当する前脳底面の深い窩．内側を視索に，上側を前頭葉の眼窩面によってそれぞれ囲まれており，突出する側頭極を回って外側溝(Sylvius 溝)にのびる）. =f. lateralis cerebri [TA]; f. of Sylvius; lateral f. of brain; vallecula sylvii.

lateral inguinal f. [TA]. 外側鼡径窩（下腹壁動脈によって形成された隆起の外側にある前腹壁の腹膜面上の陥凹．深鼡径輪に相当する部分のくぼみ）. =f. inguinalis lateralis [TA].

f. lateralis cerebri [TA]. 大脳外側窩. =lateral cerebral f.

f. of lateral malleolus [TA]. 外果窩（腓骨下端外顆の後内側にある大きな粗い陥凹で，後距腓靱帯および横頸腓靱帯が付着する距骨の関節面のすぐ後ろにある）. =f. malleoli lateralis [TA]; digital f. (2); f. malleoli fibulae.

lenticular f. =hyaloid f.

lesser supraclavicular f. [TA]. 小鎖骨上窩（胸鎖乳突筋の胸骨頭および鎖骨頭によってつくられる三角形の空間）. =f. supraclavicularis minor [TA].

little f. of the cochlear window =f. of round window.

little f. of the oval (vestibular) window =f. of oval window.

Malgaigne f. (mahl-gān′). マルゲーニュ窩. =carotid *triangle.*

f. malleoli fibulae 外果窩. =f. of lateral malleolus.

f. malleoli lateralis [TA]. 外果窩. =f. of lateral malleolus.

mandibular f. [TA]. 下顎窩（頬骨弓根部の側頭骨鱗部にある深い凹窩で，下顎頭がはいる）. =f. mandibularis [TA]; articular f. of temporal bone; cavitas glenoidalis; glenoid cavity; glenoid f. (2); glenoid surface.

f. mandibularis [TA]. 下顎窩. =mandibular f.

mastoid f., f. mastoidea 乳突窩. =suprameatal *triangle.*

medial inguinal f. [TA]. 内側鼡径窩（下腹壁動脈(外側臍ひだ)と臍動脈索によって形成された隆起(内側臍ひだ)にはさまれた前腹壁の腹膜表面上の陥凹．浅鼡径輪の位置に相当する．直接鼡径ヘルニアの発生するところ）. =f. inguinalis medialis [TA]; fovea inguinalis interna.

Merkel f. (măr′kĕl). メルケル窩（小角軟骨と楔状軟骨にはさまれた喉頭前庭の後外側壁にみられる溝）.

mesentericoparietal f. =parajejunal f.

middle cranial f. [TA]. 中頭蓋窩（蝶の形をした内頭蓋底の陥凹で，前は蝶形骨稜と蝶形骨縁，後ろは側頭骨錐体部稜と鞍背に囲まれる領域．ここには両外側に側頭葉，中央に脳下垂体が収まる）. =f. cranii media [TA].

Mohrenheim f. (mō′ren-hīm). モーレンハイム窩. =infraclavicular f.

Morgagni f. (mōr-gah′nyē). モルガニー窩. =navicular f. of urethra.

mylohyoid f. =mylohyoid *groove.*

f. navicularis auriculae〔耳介の〕舟状窩. =triangular f. of auricle.

f. navicularis auris scapha (1) の不適切な語.

f. navicularis Cruveilhier (krū-vāl-yā′). クリュヴェーリエ舟状窩. =scaphoid f. of sphenoid bone.

f. navicularis urethrae [TA]. 尿道舟状窩. =navicular f. of urethra.

f. navicularis vestibulae vaginae =vestibular f.

navicular f. of urethra [TA]. 尿道舟状窩（陰茎亀頭内の尿道末端拡張部分）. =f. navicularis urethrae [TA]; f. terminalis urethrae; Morgagni f.; Morgagni fovea.

occlusal f. [TA]. 咬合面窩（歯の咬合面の不規則な陥凹で，咬頭の間にある）. =f. occlusalis [TA].

f. occlusalis [TA]. =occlusal f.

f. olecrani [TA]. 肘頭窩. =olecranon f.

olecranon f. [TA]. 肘頭窩（上腕骨遠位末端の背面で，上腕骨滑車のすぐ上にあるくぼみ．肘をのばしたとき尺骨の肘頭がはいる）. =f. olecrani [TA]; anconal f.

oval f.* 卵円窩（f. ovalis (1) の公式の別名）.

f. ovalis *1* [NA]. 卵円窩（右心房中隔下方部分にある卵形の陥凹．胎生期卵円孔の遺残でその底部は胎児心臓の第一次中隔に相当する）. =oval f.*. ***2*** 伏在裂孔. =saphenous *opening.*

f. of oval window [TA]. 前庭窓小窩（前庭窓が下方にある中耳内側壁の陥凹）. =fossula fenestrae vestibuli [TA]; Huguier sinus; little f. of the oval (vestibular) window.

ovarian f. [TA]. 卵巣窩（骨盤の壁側腹膜にみられる陥凹で，前方は痕跡的な臍動脈で，後方は尿管と子宮血管で囲まれ，中に卵巣が収まっている）. =f. ovarica [TA]; Claudius f.

f. ovarica [TA]. 卵巣窩. =ovarian f.

paraduodenal f. =paraduodenal *recess.*

parajejunal f. 空腸傍陥凹（ときにみられる腹膜の陥凹で，空腸が腸間膜をもたず，後方の壁側腹膜に付着する．この窩は腸管膜が終わる点から始まり，遊離小腸の係蹄がもち上がるのでみられる）. =Broesike f.; f. parajejunalis; mesentericoparietal f.; mesentericoparietal recess.

f. parajejunalis 空腸傍陥凹. =parajejunal f.

pararectal f. [TA]. 直腸傍窩（骨盤の後外側壁から中央の骨盤内臓に広がる仙骨生殖器ひだにみられる直腸両側の陥凹で，男性では直腸膀窩の，女性では直腸子宮窩の続きである）. =f. pararectalis [TA]; pararectal pouch.

f. pararectalis [TA]. =pararectal f.

paravesical f. [TA]. 膀胱傍陥凹（腹膜が骨盤外壁から膀胱上部へ折れ返ることでできるくぼみ．女性では子宮膀胱窩の外側にあり，広い靱帯で後方にある直腸傍窩と境されている）. =f. paravesicalis [TA]; paracystic pouch; paravesical pouch.

f. paravesicalis [TA]. 膀胱傍陥凹. =paravesical f.

patellar f. of vitreous =hyaloid f.

peritoneal fossae 腹膜陥凹（種々の腹膜ひだの間に形成された陥凹．内ヘルニアになりやすい部位）.

petrosal f. 錐体小窩. =petrosal *fossula.*

piriform f. [TA]. 梨状陥凹（鼻咽頭の前外側壁の陥凹で喉頭前室の両側にあたり，披裂喉頭ひだによって仕切られている）. =recessus piriformis [TA]; piriform recess*; piriform sinus.

pituitary f. 下垂体窩. =hypophysial f.

f. poplitea [TA]. 膝窩，ひかがみ. =popliteal f.

popliteal f. [TA]. 膝窩，ひかがみ（膝関節後方にある菱形の空間で，上方を大腿二頭筋と半膜様筋，下方を腓腹筋の二頭によって，それぞれ囲まれている.→posterior *part* of knee [TA]). =f. poplitea [TA]; ham (1); popliteal region; popliteal space; popliteus (2).

posterior cranial f. [TA]. 後頭蓋窩（頭蓋内腔底部のうち側頭骨錐体稜と鞍背の後方で後頭横静脈洞溝の前までの部分．小脳，橋，延髄が収まる）. =f. cranii posterior [TA].

f. provesicalis 胆嚢頸窩. =Hartmann *pouch.*

pterygoid f. [TA]. 翼突窩（蝶形骨の翼状突起板が後方へのびるとき形成される窩．内翼状筋および口蓋張筋を入れる）. =f. pterygoidea [TA].

f. pterygoidea [TA]. 翼突窩. =pterygoid f.

pterygomaxillary f. =pterygopalatine f.

f. pterygopalatina [TA]. 翼口蓋窩. =pterygopalatine f.

pterygopalatine f. [TA]. 翼口蓋窩（翼状突起，上顎骨，口蓋骨の間にある錐体形の小窩．翼口蓋神経節や顎動脈の第3部を入れる）. =f. pterygopalatina [TA]; Bichat f.; pterygomaxillary f.; sphenomaxillary f.

radial f. of humerus [TA]. 上腕骨橈骨窩（上腕骨遠位部前面，上腕骨小頭の前方，鉤空窩の外側にある浅い陥凹．肘を極度に曲げたとき橈骨骨頭縁がはいる）. =f. radialis humeri [TA].

f. radialis humeri [TA]. 上腕骨橈骨窩. =radial f. of humerus.

retroduodenal f. =retroduodenal *recess.*

retromandibular f. 下顎後陥凹（下顎角・下顎枝後方で

耳介の下方にある陥凹). =f. retromandibularis.

f. retromandibularis 下顎後陥凹. =retromandibular f.

retromolar f. [TA]. 臼歯後窩（第三大臼歯後方の下顎にある三角形の陥凹). =f. retromolaris [TA].

f. retromolaris [TA]. 臼後窩. =retromolar f.

rhomboid f. [TA]. 菱形窩（第4脳室底．菱脳室面により形成されている). =f. rhomboidea [TA].

f. rhomboidea [TA]. 菱形窩. =rhomboid f.

Rosenmüller f. (rō′zĕn-mu-lĕr). ローゼンミュラー窩. =pharyngeal *recess*.

f. of round window [TA]. 蝸牛窓小窩（蝸牛窓が下方にある中耳内側壁の陥凹). =fossula fenestrae cochleae [TA]; fossula rotunda; little f. of the cochlear window.

f. sacci lacrimalis [TA]. 涙嚢窩. =f. for lacrimal sac.

scaphoid f. [TA]. 舟状窩（舟型のくぼみ.→scaphoid f. of sphenoid bone). =f. scaphoidea [TA].

f. scaphoidea [TA]. =scaphoid f.

f. scaphoidea ossis sphenoidalis =scaphoid f. of sphenoid bone.

scaphoid f. of sphenoid bone 蝶形骨の舟状窩（内側翼突板上部(根底部)後面にある縦長のくぼみで，口蓋帆張筋の起始にあたる). =Cruveilhier f.; f. navicularis Cruveilhier; f. scaphoidea ossis sphenoidalis.

f. scarpae major =femoral *triangle*.

sigmoid f. =*groove* for sigmoid sinus.

sphenomaxillary f. =pterygopalatine f.

f. subarcuata [TA]. 弓下窩. =subarcuate f.

subarcuate f. [TA]. 弓下窩（側頭骨錐体部後面にある稜の直下にみられる不規則な陥凹で，内耳道の上外側方にある．胎児では小脳の片葉がここに収まっている．成人では小静脈がここの骨にはいり込んでいる). =f. subarcuata [TA]; floccular f.; hiatus subarcuatus.

subcecal f. 盲腸下陥凹（盲腸後方へのびる腹膜の不定の陥凹). =Treitz f.

subinguinal f. 鼡径下陥凹（鼡径部の下にある大腿前面の陥凹).

sublingual f. [TA]. 舌下腺窩（下顎体内面にあるおとがい棘の左右両側にある浅い陥凹で，顎舌骨筋線の上方にあり，舌下腺を入れる). =fovea sublingualis [TA]; sublingual pit.

submandibular f. [TA]. 顎下腺窩（顎舌骨筋線の下方にある下顎体内面の陥凹で，顎下腺を入れる). =fovea submandibularis [TA]; f. submandibularis; fovea submaxillaris; submaxillary f.

f. submandibularis =submandibular f.

submaxillary f. 顎下腺窩. =submandibular f.

subscapular f. [TA]. 肩甲下窩（肩甲下筋が起始する肩甲骨体部の腹側面上の陥凹). =f. subscapularis [TA].

f. subscapularis [TA]. 肩甲下窩. =subscapular f.

superior duodenal f. [TA]. 上十二指腸陥凹（上十二指腸ひだの後上方に広がる腹膜陥凹). =recessus duodenalis superior [TA]; superior duodenal recess*; duodenojejunal f.; duodenojejunal recess; Jonnesco f.

f. supraclavicularis major [TA]. 大鎖骨上窩. =greater supraclavicular f.

f. supraclavicularis minor [TA]. 小鎖骨上窩. =lesser supraclavicular f.

supramastoid f. 乳突上窩. =suprameatal *triangle*.

f. supraspinata [TA]. 棘上窩. =supraspinous f.

supraspinous f. [TA]. 棘上窩（肩甲棘上方の肩甲骨背面上のくぼみで，棘上筋が起始する). =f. supraspinata [TA].

supratonsillar f. [TA]. 扁桃上窩（扁桃上方の口蓋舌弓と口蓋咽頭弓の間を隔てる陥凹で，扁桃の退縮した成人に顕著である). =f. supratonsillaris [TA]; supratonsillar recess; Tourtual sinus.

f. supratonsillaris [TA]. 扁桃上窩. =supratonsillar f.

supravesical f. [TA]. 膀胱上窩（膀胱上部前腹壁腹膜面上で正中臍ひだと内側臍ひだの間にあるくぼみ．その恥部との相対的位置は膀胱の充満度に応じて変化する). =f. supravesicalis [TA]; fovea supravesicalis.

f. supravesicalis [TA]. 膀胱上窩. =supravesical f.

f. of Sylvius (sil′vē-ŭs). シルヴィウス窩. =lateral cerebral f.

temporal f. [TA]. 側頭窩（側頭線と頬骨弓の間に位置する). =f. temporalis [TA].

f. temporalis [TA]. 側頭窩. =temporal f.

f. terminalis urethrae =navicular f. of urethra.

tonsillar f. [TA]. 扁桃窩（口蓋舌弓と口蓋咽頭弓間の陥凹．口蓋扁桃によって占められる). =f. tonsillaris [TA]; sinus tonsillaris [TA]; amygdaloid f.; tonsillar sinus.

f. tonsillaris [TA]. 扁桃窩. =tonsillar f.

transverse intermesocolic f. 結腸間膜横窩（上十二指腸陥凹の位置を占める窩であるが，数センチメートルほど右から左へ横にのびている). =f. intermesocolica transversa.

Treitz f. (trīts). トライツ窩. =subcecal f.

triangular f. of auricle [TA]. 〔耳介の〕三角窩（2本の対輪脚間の，耳介上部にある陥凹). =f. triangularis auriculae [TA]; f. navicularis auriculae.

f. triangularis auriculae [TA]. 〔耳介の〕三角窩. =triangular f. of auricle.

trochanteric f. 転子窩（大腿骨頸基部で大転子基部の内側にあるくぼみ．外閉鎖筋の停止を与える). =f. trochanterica [TA]; digital f. (1).

f. trochanterica [TA]. 転子窩. =trochanteric f.

trochlear f. 滑車窩. =trochlear *fovea*.

f. trochlearis =trochlear *fovea*.

umbilical f. =*fissure* for ligamentum teres.

Velpeau f. (vel-pō′). ヴェルポー窩. =ischioanal f.

f. venae cavae =*sulcus* for vena cava.

f. venae umbilicalis =*fissure* for ligamentum teres.

f. venosa =paraduodenal *recess*.

vermian f. 小脳虫部窩（内後頭稜の下方近くにある小さい陥凹で，下小脳虫部がはいる).

f. vesicae biliaris [TA]. 胆嚢窩. =f. for gallbladder.

f. vesicae felleae* f. for gallbladder の公式の別名.

vestibular f. [TA]. 膣前庭窩（陰唇小帯と後陰唇交連の間にある膣前庭部分). =f. vestibuli vaginae [TA]; f. navicularis vestibulae vaginae; f. of vestibule of vagina.

f. of vestibule of vagina 膣前庭窩. =vestibular f.

f. vestibuli vaginae [TA]. 膣前庭窩. =vestibular f.

Waldeyer fossae (vahl′dā-ĕr). ヴァルダイアー(ワルダイエル)窩（→inferior duodenal f.; superior duodenal f.).

zygomatic f. =infratemporal f.

---

fos·sette (fo-set′) [Fr. *fosse*(a ditch) の指小辞]. ***1*** 小窩. =fossula. ***2*** 小さい角膜潰瘍に対してまれに用いる語.

fos·su·la, pl. fos·su·lae (fos′yū-lă, -lē) [L. *fossa*(ditch) の指小辞][TA]. =fossette (1). ***1*** [NA]. 小窩. ***2*** 小窩（大脳表面上の小溝またはわずかな陥凹).

f. fenestrae cochleae [TA]. 蝸牛窓小窩（蝸牛窓が下方にある中耳内側壁の陥凹). =*fossa* of round window.

f. fenestrae vestibuli [TA]. 前庭窓小窩. =*fossa* of oval window.

f. petrosa [TA]. 錐体小窩. =petrosal f.

petrosal f. [TA]. 錐体小窩（側頭骨錐体部下面にある小さい，しばしばわずかにみられる陥凹で，頸動脈管と頸動脈管の外口の間にある．この部分には鼓室神経を通す鼓室神経小管が開口する). =f. petrosa [TA]; petrosal fossa; receptaculum ganglii petrosi.

f. post fenestram 前庭窓後小窩（卵円窓の後方にある，結合組織で満たされた中耳から前庭への小さな導管．耳硬化症および多少の外リンパ瘻が生じやすい部位).

f. rotunda =*fossa* of round window.

tonsillar fossulae (palatine and pharyngeal) [TA]. 扁桃小窩（口蓋扁桃や咽頭扁桃としてみられる扁桃の内側面に開く扁桃陰窩の開口部にある小窩). =fossulae tonsillarum (palatini et pharyngealis) [TA].

fossulae tonsillarum (palatini et pharyngealis) [TA]. 〔口蓋扁桃または咽頭扁桃の〕扁桃小窩. =tonsillar fossulae (palatine and pharyngeal).

fos·su·late (fos′yū-lāt). 小窩のある，溝のある.

Fos·ter Ken·ne·dy (fos′tĕr ken′ĕ-dē). →Kennedy.

Foth·er·gill (foth′ĕr-gil), John. イングランド人医師，1712—1780. ⇀F. *disease, neuralgia, sign.*

Foth·er·gill (foth′ĕr-gil), William E. イングランド人婦人科医，1865—1926. ⇀F. *operation.*

Fou·chet (fū-sha′), A. 20世紀のフランス人医師. ⇀F. *reagent, stain.*

fou·lage (fū-lahzh′) [Fr. impression]. 按摩（筋肉をもんだり圧迫するマッサージの一種）.

foun·da·tion (fown-dā′shŭn). 基礎，支持構造.

denture f. 床支持組織（義歯を支持できる口腔内組織の一部. →denture foundation *area*; denture foundation *surface*; mean foundation *plane*).

found·er (fown′dĕr). ***1*** 創始者（ある集団で最初にその遺伝的構造に寄与し，その子孫の遺伝子の大部分に寄与する人のこと）. ***2*** 獣医学では蹄葉炎をさす用語としてよく用いられる．ウマのひづめ(蹄)に認められる重篤で有痛性の炎症および静脈うっ滞の状況は，著しい跛行の他，ときには第三指節骨の回転，蹄底の脱落，蹄壁の離断や脱落を引き起こす．慢性に経過した症例では，蹄部を取り巻く蹄壁が巻き上がり，つま先では前方に伸びた状態となり，ひづめの扁平化が進行した変形脚となる．

four·chette* (fūr-shet′) [Fr. *fourché* < L. *furca*(fork) の指小辞]. *frenulum* of labia minora の公式の別名.

Fou·ri·er (fūr-ē-ā′), J.B.J. フランス人数学者・行政官，1768—1830. ⇀F. *analysis, transform, transfer.*

Fourneau (fūr-nō′), Ernest F.A. フランス人化学者・薬理学者，1872—1949. ⇀F. 710.

Fourneau 710 (fūr-nō′) [Ernest F.A. *Fourneau*]. フォルノー710（合成キノリン．抗マラリア薬）.

Four·ni·er (fūr-nē-ā′), Jean A. フランス人梅毒学者，1832—1914. ⇀F. *disease, gangrene; syphiloma* of F.

fo·ve·a, pl. **fo·ve·ae** (fō′vē-ă, fō′vē-ē) [L. a pit] [TA]. 窩（健常者の体表面にみられる陥凹(例えば腋窩)，骨の表面にみられる陥凹．*cf.* dimple). =pit (1).

f. anterior =superior f.

anterior f. =superior f.

f. articularis capitis radii [TA]. 〔橈骨頭の〕関節窩. =articular *facet* of head of radius.

f. articularis inferior atlantis〔環椎〕下関節窩. =inferior articular *surface* of atlas.

f. articularis superior atlantis〔環椎〕上関節窩. =superior articular *surface* of atlas.

f. capitis femoris [TA]. =f. for ligament of head of femur.

f. cardiaca 噴門窩（前腸の中腸への開口部. →epigastric *fossa*). =anterior intestinal portal.

f. centralis maculae luteae [TA]. =central retinal f.

central retinal f. [TA]. 網膜中心窩（錐状体のみが存在し，血管のない黄斑の中心にある陥凹). =f. centralis maculae luteae [TA]; central pit.

f. costalis inferior [TA]. 下肋骨窩. =inferior costal *facet*.

f. costalis processus transversi [TA]. 横突起肋骨窩. =transverse costal *facet*.

f. costalis superior [TA]. 上肋骨窩. =superior costal *facet*.

f. dentis atlantis [TA]. 〔環椎〕歯突起窩. =*facet* (of atlas) for dens.

f. distalis dentis [TA]. =distal f. of tooth.

distal f. of tooth [TA]. 〔歯の〕遠心小窩（臼歯の後方部の咬頭の近くの浅い陥凹). =f. distalis dentis [TA].

f. elliptica =elliptical *recess* of bony labyrinth.

f. ethmoidalis 篩骨窩（篩骨含気蜂巣の上壁).

f. of the femoral head 大腿骨頭窩（大腿骨頭頂部にみられるくぼみで，大腿骨頭靱帯が付着する). =f. for ligament of head of femur.

f. femoralis 大腿窩. =femoral *fossa*.

f. hemielliptica =elliptical *recess* of bony labyrinth.

f. hemispherica =spherical *recess* of bony labyrinth.

f. inferior [TA]. 下窩. =inferior f.

inferior f. [TA]. 下窩（髄条の下方，通常は舌下神経三角や迷走神経三角の外側にある，菱形窩の左右を境する溝(sulcus limitans)の中のわずかな陥凹). =f. inferior [TA].

f. inguinalis interna =medial inguinal *fossa*.

f. for ligament of head of femur [TA]. 大腿骨頭窩（大腿骨頭上端にある小窩で，大腿骨頭靱帯が付着していた箇所). =f. capitis femoris [TA]; f. of the femoral head; pit of head of femur.

f. mesialis dentis [TA]. =mesial f. of tooth.

mesial f. of tooth [TA]. 近心小窩（臼歯の前方部の咬頭の近くの浅い陥凹). =f. mesialis dentis [TA].

Morgagni f. (mōr-gah′nyē). モルガニー窩. =navicular *fossa* of urethra.

f. oblonga cartilaginis arytenoideae [TA]. 〔披裂軟骨〕楕円窩. =oblong f. of arytenoid cartilage.

oblong f. of arytenoid cartilage [TA]. 〔披裂軟骨〕楕円窩（披裂軟骨の前外側面上の広く浅い陥凹で，甲状披裂筋が付着する). =f. oblonga cartilaginis arytenoideae [TA]; oblong pit of arytenoid cartilage.

f. palatinae 口蓋窩（口蓋後部の軟口蓋と硬口蓋との境界近くで正中線の両側にある2つの小さなくぼみ).

pterygoid f. [TA]. 翼突筋窩（下顎骨の関節突起頸の前内側にある陥凹で，外側翼突筋が付着する). =f. pterygoidea [TA]; pterygoid depression; pterygoid pit.

f. pterygoidea [TA]. 翼突筋窩. =pterygoid f.

f. of radial head〔橈骨頭の〕関節窩. =articular *facet* of head of radius.

f. spherica =spherical *recess* of bony labyrinth.

f. sublingualis [TA]. 舌下腺窩. =sublingual *fossa*.

f. submandibularis [TA]. 顎下腺窩. =submandibular *fossa*.

f. submaxillaris =submandibular *fossa*.

f. superior [TA]. 上窩. =superior f.

superior f. [TA]. 上窩（髄条の上方，顔面神経丘の外側にある，菱形窩の左右両側を境する溝(sulcus limitans)の中のわずかな陥凹). =f. superior [TA]; anterior f.; f. anterior.

f. supravesicalis 膀胱上窩. =supravesical *fossa*.

triangular f. of arytenoid cartilage [TA]. 〔披裂軟骨〕三角窩（披裂軟骨の前外側面の上部にある深い陥凹で，腺を入れる). =f. triangularis cartilaginis arytenoideae [TA]; triangular pit of arytenoid cartilage.

f. triangularis cartilaginis arytenoideae [TA]. 〔披裂軟骨〕三角窩. =triangular f. of arytenoid cartilage.

trochlear f. [TA]. 滑車窩（内側縁に近い眼窩上壁にある浅い陥凹で，上斜筋の滑車が付着する). =f. trochlearis [TA]; fossa trochlearis; trochlear fossa; trochlear pit.

f. trochlearis [TA]. 滑車窩. =trochlear f.

fo·ve·ate, fo·ve·at·ed (fō′vē-āt, -ā-ted). 窩状の，陥凹した（表面に陥凹のある).

fo·ve·a·tion (fō′vē-ā′shŭn) [L. *fovea*, a pit]. 陥凹形成（痘瘡，水痘，または種痘疹にみられるような陥凹瘢痕形成).

fo·ve·o·la, pl. **fo·ve·o·lae** (fō-vē′ō-lă, -lē) [Mod. L.: L. *fovea*(pit) の指小辞][TA]. 小窩（[誤った発音 foveo′la を避けること．faveolus と混同しないこと]).

f. coccygea [TA]. 尾骨窩. =coccygeal f.

coccygeal f. [TA]. 尾骨窩（尾骨の上方にある皮膚の陥凹で，尾骨支帯によって起こる). =f. coccygea [TA]; coccygeal dimple; postanal dimple.

f. gastrica [TA]. 胃小窩. =gastric *pit*.

granular foveolae [TA]. クモ膜顆粒小窩（上矢状静脈洞に沿った頭蓋内面上の小窩で，クモ膜顆粒を入れる). =foveolae granulares [TA]; granular pits; pacchionian depressions.

foveolae granulares [TA]. クモ膜顆粒小窩. =granular foveolae.

f. ocularis 眼小窩. =f. of retina.

f. papillaris 乳頭小窩（乳頭管が腎杯へ開口する腎乳頭先端にときにみられる微小陥凹).

f. of retina [TA]. 網膜小窩（中心窩の中心部で，錐状体のみが存在する). =f. retinae [TA]; f. ocularis.

f. retinae [TA]. 網膜小窩. =f. of retina.

f. suprameatalis* =suprameatal *triangle* の公式の別名.

f. suprameatica [TA]. 道上小窩. =suprameatal *trian-*

gle.

fo·ve·o·lar (fō-vē′ō-lăr). 小窩の（[誤った発音 foveo′lar を避けること]）.

fo·ve·o·late (fō-vē′ō-lāt). 小窩状の（[誤った発音 foveo′late を避けること]）.

Fo·ville (fō-vēl′), Achille L. フランス人神経科医，1799—1878. ⇀F. *fasciculus, syndrome.*

Fow·ler (fow′lĕr), George R. 米国人外科医，1848—1906. ⇀F. *position.*

Fox (foks), George H. 米国人皮膚科医，1846—1937. ⇀F.-Fordyce *disease.*

Fox (foks), Lewis. 20 世紀の米国人歯周病専門歯科医. ⇀Goldman-F. *knives*(⇌knife).

fox·glove (foks′glŏv). ＝*Digitalis.*

FPLC fast protein liquid chromatography(高速蛋白液体クロマトグラフィ)の略.

FPS, fps foot-pound-secondの略. ⇀foot-pound-second *system*; foot-pound-second *unit*.

Fr フランシウムの元素記号.

Frac·ca·ro (frah-kahr′ō), Marco. 20 世紀のイタリア人眼科医. ⇀Parenti-F. *syndrome*; Schmid-F. *syndrome.*

F.R.A.C.P. Fellow of the Royal Australasian College of Physicians(王立オーストラリア医師会会員)の略.

frac·tals (frak′talz) [Fr. ＜L. *fractus*, broken; *frango* (to break) の完了分詞 ＋-al]. フラクタル（1977年に Benoit Mandelbrot により展開された数学様式で，小部分が全体と同様の型を呈する．血管や気管枝の分枝構造がフラクタルを示す．またある種の感染や腫瘍もフラクタルを示す）.

frac·tion (frak′shŭn). ***1*** 〖n.〗分数. ***2*** 〖n.〗分画. ***3*** 〖v.〗分画する.

amorphous f. of adrenal cortex 副腎皮質の無形分画（結晶ステロイド(コルチコステロン，デオキシコルチコステロンなど)の分離後の，副腎皮質のアセトン抽出物の非結晶性分層）.

blood plasma f.'s 結晶分画（電気泳動その他の方法で分離された血漿部分）.

f. collector フラクションコレクタ（カラムクロマトグラフィのカラムから溶出物を回収するのに用いられる装置）.

dried human plasma protein f. 乾燥ヒト血漿蛋白分画（凍結乾燥したヒト血漿蛋白分層）.

ejection f. 駆出率（拡張終期に心室内(註ほとんどの場合，左心室)に存在する血液のうち，次の収縮に伴って心室より駆出される血液の割合．すなわち，一回心拍出量を拡張終期容量で除した値で，正常では 0.55 以上．うっ血性心不全が始まるとともに，この駆出率は減少し，重症例ではときに 0.10 かそれ以下まで減少することがある）.

filtration f. (FF) 沪過率（腎臓にはいり，腎尿細管の管腔内で沪過される血漿の割合．これは糸球体沪過値を腎血漿流量で除して得られる．正常値は 0.17 前後）.

human antihemophilic f. ヒト抗血友病分画. ＝human antihemophilic *factor.*

human plasma protein f. ヒト血漿蛋白分画（成人供血者の血漿から得られる蛋白を精選したものの滅菌溶液．100 mL 中に蛋白を 4.5—5.5 g 含み，そのうち 83—90%はアルブミン，残りは α- および β-グロブリンである．血液量担荷体として用いる）.

left ventricular ejection f. (LVEF) 左〔心〕室駆出率（⇀ejection f.）.

mole f. モル比率（全成分のモル数に対する，その一成分のモル数の比）.

radionuclide ejection f. 放射性核種駆出率（どちらかの心室の駆出率測定のための核医学検査．施設によっては心電同期データ採取法 multiple-gated acquistiion *scan* に取って代わる．→multiple-gated acquisition *scan*）.

recombination f. 組換え比，組換え割合再配列率（1 回の減数分裂において，2 座位間で組換えが起こる確率）.

regurgitant f. 逆流率（心臓へ逆流する血液の量，または心腔内へ逆流する血液の量を一回心拍出量で除した値．正常では逆流は全く存在しない．僧帽弁または大動脈弁の閉鎖不全症など重症の弁膜症を有する患者では，80%にもなりうる．この逆流率によって，弁膜症の重症度を定量的に測ることができる）.

frac·tion·a·tion (frak′shŭn-ā′shŭn). ***1*** 分別（混合物の成分を区別すること）. ***2*** 分割法（腫瘍の放射線治療において，正常な隣接組織への放射線の影響を最小限にするため行われる．一定時間をかけて全治療放射量を分けて照射すること．通常は 1 日 1 回数週間で行う）.

FRACTURE

frac·ture (Fx) (frak′chūr) [L. *fractura*, a break]. ***1*** 〖v.〗破損する. ***2*** 〖n.〗骨折（特に骨や軟骨の破損）.

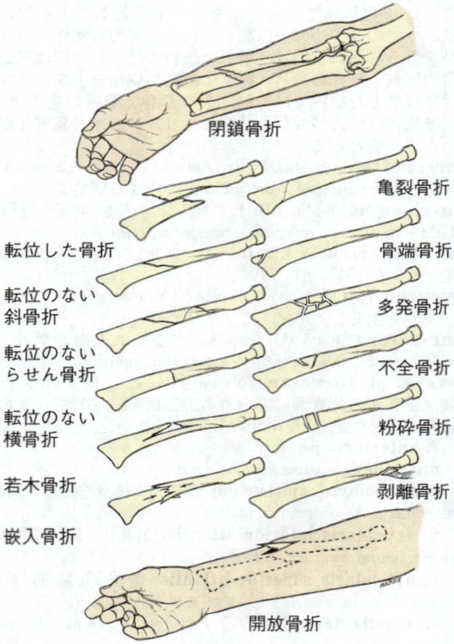

types of fractures

apophysial f. 骨起骨折（骨から骨端が離れるもの）.

articular f. 関節骨折（骨の関節面を含む骨折）.

avulsion f. 剝離骨折（捻挫や脱臼を生じさせるような，あるいは筋力に抗した強い収縮が働いた場合，関節包，靱帯，筋付着部が骨から引き離される形の骨折．軟部組織が骨から引き離されるときに骨片もともにちぎれる）. ＝strain f.

Barton f. (bar′tŏn). バートン骨折（橈骨手根関節の掌側亜脱臼または脱臼を伴う橈骨遠位端の骨折）.

basal skull f. 頭蓋底骨折.

bending f. 屈曲骨折（長管骨，通常は橈骨と尺骨が，X 線画像では明らかにできない程度の多発性微小骨折により屈曲(すなわち角形成)を生じた骨折）.

Bennett f. (ben′ĕt). ベネット骨折（手根中手関節部の第一中手骨の脱臼骨折）.

bimalleolar f. 両果骨折（脛骨と腓骨の遠位部の骨折で，脛骨遠位の内果と腓骨遠位の外果とが骨折したもの）. ＝Pott f.

birth f. 分娩骨折（分娩損傷で生じる骨折．骨形成不全症では分娩前に発生することもある）.

blow-out f. 吹き抜け骨折（眼球経由の眼窩底に伝わる力で眼球が打撲を受けたときに生じる眼窩縁の骨折がない眼窩底の骨折）.

boxer's f. ボクサー骨折（中手骨頸部の骨折で，小指中手骨に最もよくみられる第一中手骨の骨折）.

capillary f. 毛細管様骨折. ＝hairline f.

Chance f. (chans). チャンス骨折（通常，胸椎または腰椎

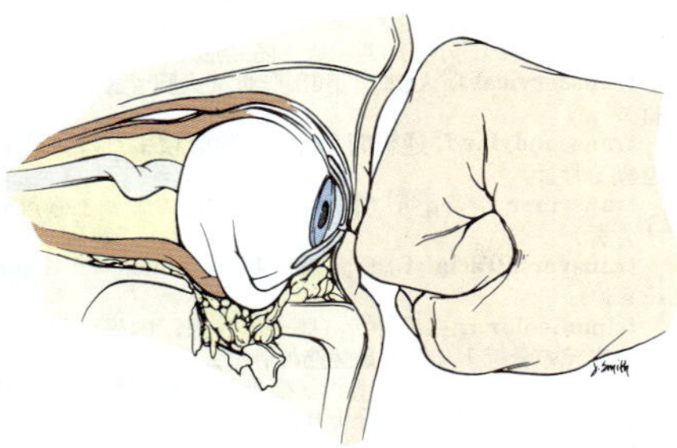

blow-out fracture

に生じるもので，骨折線が椎体より後方へ向かい椎弓根，棘突起に及ぶ横骨折）.

clay shoveler's f. シャベル作業者骨折（C_7，C_6，T_1(発生頻度順)の棘突起基部の剝離骨折）.

closed f. 閉鎖骨折（骨折部分の皮膚が無傷のもの）. ＝simple f.

closed skull f. 頭蓋閉鎖骨折（頭皮および(あるいは)粘膜が無傷である頭蓋の骨折）. ＝simple skull f.

Colles f. (kol′ēz). コリーズ骨折（末梢骨片が背側に転位および(または)屈曲している橈骨遠位部の骨折）.

comminuted f. 粉砕骨折，細片骨折（骨が２つ以上の破片に砕かれた骨折）.

comminuted skull f. 細片頭蓋骨折（骨が粉々になった頭蓋骨折）.

complex f. 複雑骨折（高度な軟部組織損傷を伴う骨折）.

compound f. 開放骨折（皮膚に孔が開き，骨折部まで露出した骨折）. ＝open f.

compound skull f. ＝open skull f.

compression f. 圧迫骨折（圧潰破損型骨折で，脊椎にしばしば起こり，上から下へとかかる軸性荷重力により生じる．X線学上，椎体高と正方性が減じる．しばしば疼痛がみられるが，神経学的障害は伴わない．骨粗鬆症に伴って軽微な外傷後にみられることがある）.

f. by contrecoup 反衝損傷による骨折（衝撃部位から離れたところに生じる頭蓋骨骨折）.

cough f. 咳〔嗽〕骨折（激しい咳によって起こる肋骨や肋軟骨の骨折で，通常第五または第七肋骨にみられる）.

craniofacial dysjunction f. 頭蓋顔面分離骨折（顔面骨が頭蓋骨から離れる複雑骨折）. ＝Le Fort III craniofacial dysjunction; Le Fort III f.; transverse facial f.

dentate f. 歯状骨折（反対面が粗で，歯状突起または鋸歯状突起が対応する陥凹の中にはまり込んでいる骨折）.

depressed f. 陥没骨折. ＝depressed skull f.

depressed skull f. 頭蓋陥没骨折（直下の硬膜や大脳皮質の損傷を合併することもしないこともある）. ＝depressed f.

derby hat f. 山高帽〔子〕骨折（小児にみられるスムースな頭蓋陥凹．骨折によるものとよらないものとがある）. ＝dishpan f.

diastatic skull f. 頭蓋離開骨折（①縫合上で頭蓋骨が離開しているもの．②骨片の離開が著しい骨折）.

direct f. 直達骨折（特に頭蓋の外傷点に起こる骨折）.

dishpan f. ディッシュパン形骨折，皿状骨折. ＝derby hat f.

dislocation f. 脱臼骨折（関節近くの骨の骨折で，隣接する関節の脱臼を伴うもの）.

double f. 重複骨折. ＝segmental f.

Dupuytren f. (dū-pwē-tren[h]′). デュピュイトラン骨折（腓骨下部の骨折で，果の脱臼を伴う）.

epiphysial f., epiphyseal f. 骨端骨折（外傷によって起こる長骨骨端の分離. →Salter-Harris *classification* of epiphysial plate injuries）.

expressed skull f. 頭蓋圧出骨折（頭蓋の一部が外へ脱臼している骨折）.

extracapsular f. 関節包(関節嚢)外骨折（関節付近の骨折であるが，骨折線は関節包の付着部より外にあるもの）.

fatigue f. 疲労骨折（反復するストレスが骨に加わって起こる骨折．横に折れるのが最も多い）.

fetal f. 胎児骨折. ＝intrauterine f.

fissured f. 亀裂骨折. ＝longitudinal f.

folding f. ＝torus f.

freeze f. フリーズフラクチャー法（電子顕微鏡用に細胞，その他の生物試料を調製する方法．試料を急速凍結したあと鋭い一撃を加えて割る）. ＝cryofracture.

Galeazzi f. (gah-lā-aht′sē). ガレアッチ骨折（遠位橈尺関節の脱臼を伴う橈骨骨幹部の骨折）.

Gosselin f. (gos-lan[h]′). ゴスラン骨折（脛骨遠位末端のV字形骨折）.

greenstick f. 若木骨折（彎曲の陥凹部のみに起こる不完全骨折を伴う骨の屈折）.

growing f. 成長骨折（大きさを増してくる年少小児の線状頭蓋骨折であり，通常，骨折線内に生じた硬膜破砕とクモ膜嚢腫形成の結果としてみられる）.

Guérin f. (gā-rĭn[h]′). ゲラン骨折（顔面骨の骨折で，歯根先端より上の上顎底の水平骨折がある）. ＝horizontal f.; Le Fort I f.

gutter f. 溝状骨折（頭蓋骨の長く狭い陥凹骨折）.

hairline f. 毛髪様骨折（骨片に分離していない骨折で，しばしば頭蓋骨でみられるように骨折線が毛髪のようになっている）. ＝capillary f.

hangman's f. 絞首骨折（軸椎(C2)の椎弓を通る頸椎の骨折．第三頸椎に対し，軸椎椎体の前方脱臼を伴うことがある）.

hip f. 股関節部骨折（大腿骨頸部骨折の俗語．骨粗しょう症をもつ高齢者が転倒して生じることが最も多い．女性に多発する．内固定材を用いた外科修復を要し，歩行が長期にわたり，または完全に不能となり，寿命が短くなることが多い）.

horizontal f. 水平骨折. ＝Guérin f.

impacted f. 嵌入骨折（破片の１つが，他の破片の網状組織内にはいり込んでいる骨折）.

incomplete f. 不〔完〕全骨折（骨折線が骨全体に完全には及ばない骨折）.

indirect f. 介達骨折（特に頭蓋の骨折で，衝撃を受けた位置ではない部分に起こる）.

intertrochanteric f. 転子間骨折（近位大腿骨骨折の1つで，大・小転子間部での骨幹端の骨折）.

intraarticular f. 関節内骨折（骨折線が関節面に達する骨折）.

intracapsular f. 関節包(関節嚢)内骨折（関節近傍の骨折で，骨折線が関節包の付着部内にあるもの）.

intrauterine f. 子宮内骨折（出生前に起こる胎児の１本以上の骨の骨折）. ＝fetal f.

Le Fort I f. (lĕ fōrt′). ル・フォールⅠ骨折. ＝Guérin f.

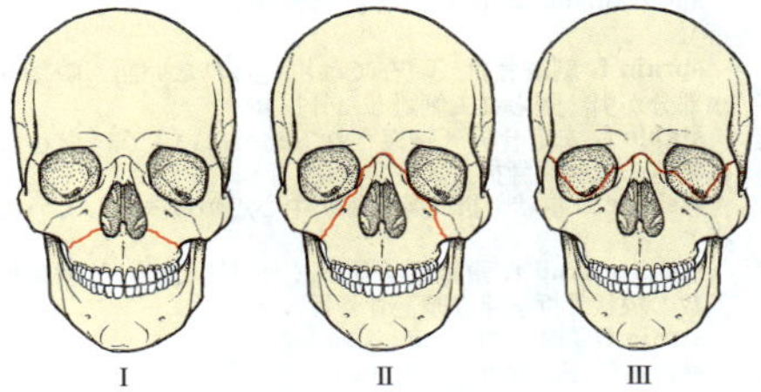

Le Fort classification of facial fractures

Ⅰ：Guérin骨折．Ⅱ：錐体状骨折．Ⅲ：頭蓋顔面分離骨折．

Le Fort II f. (lĕ fōrt′). ル・フォールⅡ骨折. ＝pyramidal f.

Le Fort III f. (lĕ fōrt′). ル・フォールⅢ骨折. ＝craniofacial dysjunction f.

linear f. 線状骨折. ＝longitudinal f.

linear skull f. 頭蓋線状骨折.

longitudinal f. 縦骨折（軸線上の骨における骨折）.＝fissured f.; linear f.

march f. 行軍骨折（中足骨の１つの疲労骨折）.

Monteggia f. (mon-tej′ē-ă). モンテッジャ(モンテジア)骨折（橈骨頭の脱臼を伴う尺骨付近の骨折）.

multiple f. 多発〔性〕骨折（①１つの骨に２か所以上起こる骨折．→segmental f. ②同時にいくつかの骨に起こる骨折）.

neurogenic f. 神経原性骨折（神経疾患により弱くなった骨の骨折）.

oblique f. 斜骨折（骨折線が縦方向の骨軸に対し斜めに走っている骨折）.

occult f. 不顕性骨折（骨折の臨床症状はあるが，X線写真によって証明されない骨折．２―４週間後に，X線写真上新しい骨形成がみられる．しばしばX線写真で骨折による変化が明らかになる前に，磁気共鳴画像法(MRI)により骨折が確認できる．手関節部の舟状骨でよくみられる）.

open f. 開放骨折．＝compound f.

open skull f. 頭蓋開放骨折（頭皮，粘膜の裂傷を伴う頭蓋の骨折）.＝compound skull f.

parry f. 受止め骨折（Monteggia f. を表す，現在では用いられない語）.

pathologic f. 病的骨折（先在疾患，特に腫瘍や壊死のような疾患によって弱くなった骨の部位に起こる骨折）.

pertrochanteric f. 転子貫通骨折（大腿大転子を穿通する骨折．股関節関節包外骨折の一型）.

pilon f. ピロン骨折（骨折線が足関節にはいる脛骨遠位骨幹端部の骨折）.

ping-pong f. ピンポン骨折（→derby hat f.）.

pond f. 池状骨折（頭蓋の円形陥没骨折）.

Pott f. (pot). ポット骨折＝bimalleolar f.

pyramidal f. 錐体状骨折（主な骨折線が，鼻骨上面の先端またはその近くで出会う中央顔面骨折）.＝Le Fort II f.

segmental f. 分節〔性〕骨折（同じ骨の２か所が骨折すること）.＝double f.

Shepherd f. (shep′hĕrd). シェパード骨折（距骨の外側結節(後方突起)の骨折．三角骨の脱臼と間違いやすい）.

silver-fork f. フォーク状骨折（変形がフォークに似ている手首の Colles 骨折）.

simple f. 単純骨折．＝closed f.

simple skull f. ＝closed skull f.

Skillern f. (skil′ĕrn). スキラーン骨折（現在では用いられない語．尺骨の隣接部分の骨屈折を伴う橈骨遠位部の骨折を表す）.

skull f. 頭蓋〔骨〕骨折（外傷の結果起こる頭蓋の断裂）.

Smith f. (smith). スミス骨折（逆 Colles 骨折で，橈骨遠位骨折が掌側に転位した骨折）.

spiral f. らせん骨折（骨折線がらせん状を呈する骨折．通常，捻転損傷により生じる）.

splintered f. 細片骨折（破片が長く，鋭くとがっている粉砕骨折）.

spontaneous f. 特発性骨折（特別の外力なく起こる骨折）.

sprain f. 剝離骨折（現在では用いられない語．隣接骨の小部分が引っ張られて剝離した骨折）.

stable f. 安定骨折（整復されて動かないようにされた後は転位しにくい骨折）.

stellate f. 星状骨折（骨折線が中心点から放散している骨折）.

stellate skull f. 頭蓋星状骨折（衝突部位から放射線状に多数の線状骨折を伴う頭蓋骨骨折）.

strain f. 裂離骨折．＝avulsion f.

stress f. 圧力骨折．＝fatigue f.

subcapital f. 骨頭下骨折（大腿骨頸と骨頭との接合部に発生した大腿骨頸部の関節囊(包)内骨折）.

subperiosteal f. 骨膜下骨折（骨膜のすぐ下に起こる骨折で，脱臼を伴わない）.

supracondylar f. 顆上骨折（上腕骨または大腿骨の遠位端の顆部より近位での骨折）.

toddler's f. よちよち歩き骨折（1―2歳の小児によくみられる脛骨のらせん骨折）.

torsion f. 回旋骨折，捻転骨折（四肢の捻転によって起こる骨折）.

torus f. 膨隆骨折（小児に起こる骨が曲がる骨変形．橈骨または尺骨，あるいは両者に起こる．小児の骨は成人と比べて軟らかいため，小児のみに起こる変形である）.＝folding f.

transcervical f. 大腿〔骨〕頸部骨折（大腿骨頸部を経る骨折）.

transcondylar f. 通顆間骨折（上腕骨顆または大腿骨顆を経る骨折）.

transverse f. 横骨折（骨折線が縦方向の骨軸と直角をなす骨折）.

transverse facial f. 顔面横骨折．＝craniofacial dysjunction f.

trimalleolar f. 三果骨折（腓骨の外果，内果，および脛骨後突起の骨折よりなる足関節の骨折）.

tripod f. トライポッド骨折（頰骨弓，前頭骨の頰骨突起，上顎骨の頰骨突起の３部分より構成される頰の隆起部における顔面骨折）.

unstable f. 不安定骨折（整復後に(整復された)位置を保ちにくいような傾向にある骨折）.

ununited f. 非癒合性骨折（骨端間の癒合が起こっていない骨折）.

Fraen·kel (freng′kĕl), Albert. ドイツ人医師，1848―1916. →F. *pneumococcus*.

fra·gil·i·tas (fra-jil′i-tas) [L.]. ぜい弱性，もろさ．＝fragility.

f. crinium 毛ぜい弱〔症〕（頭や顔の毛がもろく切れやすい状態）.

f. sanguinis 血球ぜい弱性．＝osmotic *fragility*.

fra·gil·i·ty (fra-jil′i-tē) [L. *fragilitas*]. ぜい弱性，もろさ（破壊，破裂，あるいは分解しやすい性質）.＝fragilitas.

f. of the blood 血球ぜい弱性．＝osmotic f.

capillary f. 毛細血管のぜい弱性（損傷に対して毛細血管の感受性が増加し，ストレスで赤血球が血管外に漏出する）.

osmotic f. 浸透圧ぜい弱性（赤血球が低浸透圧性食塩水内で溶血しやすい傾向）.＝fragilitas sanguinis; f. of the blood.

fra·gil·o·cyte (fra-jil′ō-sīt) [L. *fragilis*, brittle＋G. *kytos*, hollow(cell)]. ぜい弱赤血球（低張塩溶液に対して異常にぜい弱な赤血球）.

fra·gil·o·cy·to·sis (fra-jil′ō-sī-tō′sis). ぜい弱赤血球症（赤血球が異常にぜい弱な血液状態）.

frag·ment (frag′ment). フラグメント，破片，断片（大きな全体から破壊された小片）.

acentric f. 無動原体断片．＝acentric *chromosome*.

Brimacombe f. [Richard *Brimacombe*]. ブリマコンブフラグメント（リボソームの緩和なリボヌクレアーゼ処理により得られるリボ核蛋白フラグメント）.

butterfly f. 蝶形様骨片（幅の広い三角形の骨折で，普通，骨幹部の粉砕骨折に認められる）.

f. D フラグメントD（熱不安定なコアフラグメントで，早期のフィブリノゲン分解産物．血管内皮細胞の接着分子に結合することにより，動脈収縮をきたすことがある）.

Fab f. Fab フラグメント（免疫グロブリン分子の抗原結合フラグメントのこと．L鎖とH鎖の可変領域を含む）.＝Fab piece.

Fc f. Fc フラグメント（免疫グロブリン分子の結晶化可能フラグメント．H鎖の定常部位から構成されており，細胞上の抗体レセプター(Fcレセプター)との結合と補体構成成分Clqとの結合性を有する部位である）.＝Fc piece.

Klenow f. クレノー断片，クレノーフラグメント（DNAポリメラーゼＩのC末端断片で，ポリメラーゼとともに3′→5′ エキソヌクレアーゼ活性を含んでおり，誤対合を校正する）.

Okazaki f. (ō-kă-ză′kē) [Reiji *Okazaki*]. 岡崎フラグメント，岡崎断片（相対的に短い DNA の断片(100―1,000 塩基対)で，複製中 3′→5′ 全体にわたる鎖の成長が可能であるように DNA リガーゼにより後に結合される）.

one-carbon f. 一炭素単位（ホルミル基転移反応またはメチル基転移反応におけるホルミル基またはメチル基をさす．これらの反応により，チミン生成におけるメチル基，セリン生合成のヒドロキシメチル基の添加，プリン生成の際の閉環反応などのように生合成される化合物に炭素原子を含む基を添加する）．

two-carbon f. 二炭素フラグメント（担体として補酵素Aとのトランスアセチル化反応に関与するアセチル基（CH_3CO–）．通常，酢酸塩または酢酸と関係して，そこから誘導されている）．

frag·men·ta·tion (frag′men-tā′shŭn)．切断，分断，細分（あるものをさらに小さな部分に断片化すること）．＝spallation (1).

f. of the myocardium 心筋断裂（心筋線維，特に乳頭筋線維が横に裂けること）．

fraise (frāz) [Fr. strawberry]．穿孔器，削截器，窩洞鑽子（刃物のついた半球状のつまみで，頭蓋の円鋸孔の拡大や，移植用骨小片の切除に用いられる．つまみの滑らかな凸面は硬膜損傷を防ぐ）．

Fra·ley (frā′lē), Elwin E. 20 世紀の米国人泌尿器科医．→F. *syndrome*.

fram·be·si·a tro·pi·ca (fram-bē′zē-ă trop′ĭ-kă) [Fr. *framboise*, raspberry]．イチゴ腫，熱帯フランベジア．＝yaws.

fram·be·si·form (fram-be′zi-fōrm)．イチゴ腫状の．

fram·be·si·o·ma (fram-bē′zē-ō′mă) [frambesia + *-oma*, tumor]．イチゴ腫，フランベジア．＝mother *yaw*.

frame (frām)．構成物，枠（組み合わされた部分からなる構造）．

Anderson f. アンダーソンフレーム．＝Anderson *splint*.

Balkan f. バルカン枠（ベッドの柱または別のスタンドに取り付けられ，垂直に保たれ，突出した枠．骨折や関節疾患の治療において，副木のついた足をつるす）．＝Balkan beam; Balkan splint.

Bradford f. (brad′fŏrd)．ブラッドフォード枠（パイプでつくられた細長い長方形の枠で，その上に２枚の帆布が横に張ってある．この枠により寝たきり患者の体幹と下肢を１つの単位として動かせる．現在ではまれにしか用いられない）．

Deiters terminal f.'s (dī′tĕrz)．ダイテルス終末枠（外側指骨細胞を Hensen 細胞で結合しているラセン器内の板状構造）．

Foster Kennedy f. (fos′tĕr ken′ĕ-dē)．フォスターケネディ枠（Stryker 枠に類似した可変性ベッド）．

occluding f. 咬合框．＝articulator.

Stryker f. (strī′kĕr)．ストライカー枠（適所に患者を守る枠で，身体の部分を動かすことなく，種々の面に回転することができる）．

trial f. 検眼用眼鏡枠（屈折検査の間，検眼レンズを支えるための，多種多様に調整できる眼鏡の枠）．

Whitman f. (wit′măn)．ホウィットマン枠（Bradford 枠に似ているが，各側が彎曲している枠）．

frame·shift (frām′shift)．フレームシフト（遺伝学において，メッセンジャー RNA における読み枠の三塩基グループが本来の読み枠からずれた配列となるような突然変異．例えば，１個あるいは２個の塩基の挿入ないし欠失は三塩基のグループ分けに変化が起こり，間違ったアミノ酸残基が成長しているポリペプチド鎖に取り込まれる原因となるが，ポリペプチド鎖が完成しない前に終止するシグナルとなるであろう）．

frame·work (frām′wŏrk)．***1*** 間質，基質（→stroma）．***2*** フレーム枠（歯科において，補てつ物の骨格となるもの（通常は金属）で，その周囲およびそれには，完成した義歯（部分義歯）をつくる補てつ物の他の部分が接合している）．

Fran·ces·chet·ti (frahn-che-ket′ē), Adolphe. スイス人眼科医，1896—1968．→F. *syndrome*; F.-Jadassohn *syndrome*.

Fran·ci·sel·la (fran-si-sel′lă)．フランシセラ属（非運動性，非胞子形成性の好気性菌の一属で，小さい，グラム陰性球菌と杆菌を含む．莢膜はまれにしか生成せず，細胞は両極染色を示す．これらの細菌は非常に多形態性であり，純粋の寒天または液体培地では，特別の増殖法なくしては増殖しない．これらの細菌は病原性があり，ヒトに野兎病を起こす．標準種は *F. tularensis*）．

F. tularensis 野兎病菌（ヒトに野兎病を起こす種．マダニなどの感染動物との接触あるいは吸血昆虫によって野生動物からヒトへ伝播される．主要な感染源はウサギとマダニである．この細菌は裂創のない皮膚から侵入し，感染を起こす．吸入してしまった場合には，急速に致死的な肺炎を引き起こすことがある．*Francisella*属の標準種）．＝*Pasteurella tularensis*.

fran·ci·um (Fr) (fran′sē-ŭm) [*France*：発見者 Marguerite Perey(1909—1975)の母国]．フランシウム（放射性のアルカリ金属元素．原子番号 87，フランシウムの同位元素中最も安定な ^{223}Fr の半減期は 21.8 分である）．

Franc·ke (frahng′ke), Karl E. ドイツ人医師，1859—1920．→F. *needle*.

Fran·çois (frŏn[h]-swah′), Jules. ベルギー人眼科医，1907—1984．→central cloudy corneal *dystrophy* of François.

fran·gu·la (frang′gū-lă)．フラングラ皮（クロウメモドキ科 *Rhamnus frangula* の樹皮．緩下薬またはしゃ下薬）．

fran·gu·lic ac·id (frang′gū-lik as′id) [→frangula]．フラングリン酸．＝emodin.

fran·gu·lin (frang′gū-lin)．フラングリン（フラングラの配糖体．しゃ下薬として用いる）．＝rhamnoxanthin.

Frank (frahngk), Otto. ドイツ人生理学者，1865—1944．→F.-Starling *curve*.

frank (frank)．明白な（臨床的に疑いないこと）．

Frank·en·häu·ser (frahngk′en-hoy′zĕr), Ferdinand. ドイツ人婦人科医，1832—1894．→F. *ganglion*.

Frank·fort (frank′fŏrt) [ドイツの都市 *Frankfurt*-am-Main]．→F. *plane*; F. horizontal *plane*; F.-mandibular incisor *angle*.

frank·in·cense (frangk′in-sents) [Mediev. L. *francum incensum*, pure incense]．乳香．＝olibanum.

Frank·lin (frank′lin), Benjamin. 英国系米国人物理学者・政治家，1706—1790．→franklinic; F. *spectacles*.

Frank·lin (frank′lin), Edward C. 20 世紀の米国人医師・免疫学者．→F. *disease*.

frank·lin·ic (frank′lin-ik) [Benjamin *Franklin*]．静電気の，摩擦電気の．

Fränt·zel (frent′zĕl), Oscar Maximilian Victor. ドイツ人医師，1838—1894．→Fräntzel *murmur*.

Fra·ser (frā′zĕr), Alexander. カナダ人病理学者，1869—1939．→F.-Lendrum *stain* for fibrin.

Fra·ser (frā′zĕr), George R. 20 世紀の英国人遺伝学者．→F. *syndrome*.

frataxin (fră-taks′in) [*F*riedreich *atax*ia + -in]．フラタキシン（アコニテートヒドラターゼ活性を調節する物質として働く鉄結合性ミトコンドリア蛋白で，欠乏すると Friedreich 運動失調症になる）．

Frau·men·i (fraw′me-nē), Joseph F. Jr. 疫学学者，1933—？ →Li-F. cancer *syndrome*.

Fraun·hof·er (frown′hō-fer), Joseph von. ドイツ人光学器製作者，1787—1826．→F. *lines*.

Fra·zier (frā′zhĕr), Charles H. 米国人外科医，1870—1936．→F. *needle*; F.-Spiller *operation*.

FRC functional residual *capacity* (of lungs) の略．

F.R.C.P. Fellow of the Royal College of Physicians (of England)(英国医師会会員)の略．

F.R.C.P.(C) Fellow of the Royal College of Physicians (Canada)(カナダ医師会会員)の略．

F.R.C.P.(E), F.R.C.P.(Edin) Fellow of the Royal College of Physicians (Edinburgh)(エジンバラ医師会会員)の略．

F.R.C.P.(I) Fellow of the Royal College of Physicians (Ireland)(アイルランド医師会会員)の略．

F.R.C.S. Fellow of the Royal College of Surgeons (of England)(英国外科医師会会員)の略．

F.R.C.S.(C) Fellow of the Royal College of Surgeons (Canada)(カナダ外科医師会会員)の略．

F.R.C.S.(E), F.R.C.S.(Edin) Fellow of the Royal College of Surgeons (Edinburgh)(エジンバラ外科医師会会員)の略．

F.R.C.S.(I) Fellow of the Royal College of Surgeons (Ireland)(アイルランド外科医師会会員)の略．

freck·le (frek′ĕl) [O.E. *freken*]．そばかす，雀斑，雀卵斑（特に色白の顔をした人にみられる，皮膚の露出部分の黄色または褐色の斑点．この病変は太陽に当たると数が増加する．表皮は顕微鏡的に，メラニンの増加以外は正常である．→lentigo）．＝ephelis.

Hutchinson f. (hŭtsh′in-sŏn)．ハッチンソンそばかす．＝*lentigo* maligna.

iris f.'s 虹彩斑（虹彩表面のブドウ膜色素細胞の小さい色

素性塊).

melanotic f. 黒色〔症〕性そばかす. = *lentigo* maligna.

Fre·det (frĕ-dā′), Pierre. フランス人外科医, 1870—1946. ⇀F.-Ramstedt *operation*.

Free·man (frē′măn), Ernest A. 1900—1975. ⇀F.-Sheldon *syndrome*.

freeze-dry·ing (frēz′drī-ing). 凍結乾燥. = lyophilization.

freez·ing (frē′zing). ***1*** 凝固点 (液体が固体になる温度). ***2*** 氷結, 冷凍, 凝固 (寒冷にさらすことにより凍結, 硬直, 固まること).

gastric f. 胃冷凍法 (胃内に挿入したバルーンに過冷却の液体を入れて, 分泌細胞を氷結することにより, 胃液の産生を減少, または除くように考案された消化性潰瘍の治療法. 以前用いられた).

Frei (frī), Wilhelm S. ドイツ人皮膚科医, 1885—1943. ⇀F. *test*; F.-Hoffmann *reaction*.

Frei·berg (frē′bĕrg), Albert Henry. 米国人外科医, 1869—1940. ⇀F. *disease*.

Frej·ka (frāj′kah), Bedrich. チェコ人整形外科医, 1890—1972. ⇀F. pillow *splint*.

fré·mis·se·ment cat·taire (frā-mēs′mon kat′air). 低振動雑音 (⇀fremitus).

frem·i·tus (frem′i-tŭs) [L. a dull roaring sound < *fremo*, pp. *-itus*, to roar, resound]. 振とう(盪)音 (胸または身体の他の部分に載せた手に伝わる振動. →thrill).

bronchial f. 気管支振とう音 (耳と同様に, 胸に置いた手に偶発的に感じられる肺音または声音).

hydatid f. 包虫嚢振とう音. = hydatid *thrill*.

pericardial f. 心膜振とう音 (相対する心膜粗糙面の摩擦によって胸壁に生じる振動. →pericardial *rub*).

pleural f. 胸膜〔摩擦〕振とう音 (臓側壁側胸膜の不整炎症面がこすれあう摩擦面によって惹起される胸壁の振とう).

rhonchal f. 水泡振とう音, ラ音振とう音 (粘液により部分的に閉塞された気管支を, 空気が通過する際の振動により生じる振とう音).

subjective f. 自覚振とう音 (口を閉じて鼻歌を歌うとき, 患者自身が胸内に感じる振動. また特に疼痛が最小であるとき, 粗い心膜, 胸膜の摩擦音があるときに感じられる振動).

tactile f. 触覚振とう音 (声音振せんの間, 胸部に当てた手に感じられる振動).

tussive f. 咳そう振とう音 (咳により生じる音声に似た振とう音).

vocal f. 声音振とう音 (話し声によって胸壁に生じる振とう音. 触診により感じられる).

fre·na (frē′nă). frenum の複数形.

fre·nal (frē′năl). 小帯の.

French (french). ⇀French *scale*.

fre·nec·to·my (frē-nek′tŏ-mē) [frenum + G. *ektomē*, excision]. 小帯切除〔術〕.

fre·no·plas·ty (frē′nō-plas′tē) [frenum + G. *plastos*, formed]. 小帯形成〔術〕(外科的に小帯を置き換えることにより, 異常に付着している小帯を正すこと).

fre·not·o·my (frē-not′ŏ-mē) [frenum + G. *tomē*, a cutting]. 舌小帯切開(切断)〔術〕(特に舌小帯の切開をいう).

fren·u·lum, pl. **fren·u·la** (fren′yū-lŭm, -lă) [Mod. L.; L. *frenum*(bridle)の指小辞] [TA]. 小帯 (→ frenum). = habenula (1) [TA].

cerebellar f. = f. of superior medullary velum.

f. cerebelli = f. of superior medullary velum.

f. clitoridis [TA]. 陰核小帯. = f. of clitoris.

f. of clitoris [TA]. 陰核小帯 (陰核亀頭の下面に合する小陰唇の内葉の前端). = f. clitoridis [TA]; f. preputii clitoridis.

f. epiglottidis = median glossoepiglottic *fold*.

f. of foreskin* f. of prepuce の公式の別名.

f. of Giacomini (jah-kō-mē′nē). ジャコミーニ小帯. = uncus *band* of Giacomini.

f. of ileal orifice [TA]. 回腸口小帯 (回盲弁の2唇の結合部から回盲結腸移行部の内壁に沿って両側に走るひだ. 死体でより著明). = f. ostii ilealis [TA]; f. of ileocecal valve; f. of Morgagni; f. valvae ileocecalis; Morgagni frenum; Morgagni retinaculum.

f. of ileocecal valve 回盲弁小帯. = f. of ileal orifice.

f. of labia minora [TA]. 陰唇小帯 (小陰唇を後方で結合するひだ). = f. labiorum pudendi [TA]; fourchette*; f. labiorum minorum; f. of pudendal lips; f. pudendi.

f. labii inferioris, f. labii superioris [TA]. 下唇小帯, 上唇小帯. = f. of lower lip.

f. labiorum minorum = f. of labia minora.

f. labiorum pudendi [TA]. 陰唇小帯. = f. of labia minora.

f. linguae [TA]. 舌小帯. = f. of tongue.

lingual f. 舌小帯. = f. of tongue.

f. of lower lip, f. of upper lip [TA]. 下唇小帯, 上唇小帯 (歯肉から上唇または下唇の正中線にのびている粘膜のひだ). = f. labii inferioris; f. labii superioris [TA].

f. of M'Dowel (mik-dow′ĕl). マクダウアル小帯 (大胸筋の腱から, 二頭筋溝を横断する腱束).

f. of Morgagni (mōr-gah′nyē). モルガニー小帯. = f. of ileal orifice.

f. ostii ilealis [TA]. = f. of ileal orifice.

f. of prepuce [TA]. 包皮小帯 (陰茎亀頭の下面から包皮の深部面へ通じる粘膜のひだ). = f. preputii [TA]; f. of foreskin*; vinculum preputii.

f. preputii [TA]. 包皮小帯. = f. of prepuce.

f. preputii clitoridis = f. of clitoris.

f. of pudendal lips 陰唇小帯. = f. of labia minora.

f. pudendi = f. of labia minora.

f. of superior medullary velum 上髄帆小帯 (四丘体間にある縦溝から, 上髄帆に走る小帯). = f. veli medullaris superioris [TA]; cerebellar f.; f. cerebelli.

synovial frenula = *vincula* tendinea of digits of hand and foot (⇀vinculum).

f. of tongue [TA]. 舌小帯 (口腔底から舌の下面の正中線にのびる粘膜ひだ). = f. linguae [TA]; lingual f.; vinculum linguae.

f. valvae ileocecalis 回盲弁小帯. = f. of ileal orifice.

f. veli medullaris superioris [TA]. 上髄帆小帯. = f. of superior medullary velum.

fre·num, pl. **fre·na, fre·nums** (frē′nŭm, -nă, -nŭmz) [L. a bridle, curb]. 小帯 (①粘膜の狭い反転またはひだで, より固定した部分から可動部分へ走り, 部分の過度の動きを食い止める動きがある. ②①のようなひだに似た解剖学的構造). = bridle (1).

Morgagni f. (mōr-gah′nyē). モルガニー小帯. = *frenulum* of ileal orifice.

synovial frena = *vincula* tendinea of digits of hand and foot (⇀vinculum).

fren·zy (fren′zē) [< O. Fr./L. < G. *phrenēsis*, inflammation of the brain < *phrēn*, mind]. 狂暴, 逆上 (精神や感情の極度の興奮).

fre·quen·cy (ν) (frē′kwen-sē) [L. *frequens*, repeated, often, constant]. 度数, 頻度, 周波数, 振動数 (一定時間内の規則的な反復の数. 例えば, 心拍数, 音の振動数).

best f. 最良周波数. = characteristic f.

characteristic f. 特徴〔的〕周波数 (ニューロンが最小の音強度に反応する周波数). = best f.

critical flicker fusion f. 臨界フリッカー融合頻度 (間欠的な光刺激が連続的な視覚として, もはやとらえられないときの1秒当たりの閃光の最小数).

f. domain 周波数領域 (各周波数成分の振幅と位相を用いた関数の表記. 通常, Fourier 解析によって決定される).

dominant f. 主周波数, 優位周波数 (脳波で, 最も多く起こる周波数).

f. encoding 周波数エンコード, 周波数情報付加 (MRI において, ある一方向の各ボクセル位置を一義的に関連づけるために, 場所によって磁場強度を変化させる方法).

fundamental f. 基本周波数 (最大波長, 最低周波数をもつ音の主成分. 音は基礎周波数以上の高周波数音から成り立っている. ⇀harmony; noise).

gene f. 遺伝子頻度分布 (①ある一定の母集団からランダム抽出を行ったとき, ある遺伝子型が観察される確率分布. ②疫学的には, ある集団に存在する遺伝子型の割合. ③統計的には, ①, ②のいずれかの推定値).

Larmor f. ラーモア周波数（核磁気共鳴において，外部磁場の方向に垂直な面内での磁性原子核(スピン)の歳差回転運動の周波数 ν_0 のこと．$\nu_0=\gamma B_0/2\pi$，B_0 は磁場の強度，γ は磁気回転比）．

f. of micturition 尿意頻数（短い間隔で生じる尿意．尿生成の増加，膀胱容積の減少または下部尿路の刺激症状により起こる）．

mutational f. 突然変異頻度（ある集団のなかでの突然変異の起こる割合）．

nearest neighbor f. あるタイプの実体や構造がある既知の構造のすぐ近くにある頻度．

resonant f. 共鳴周波数（核磁気共鳴現象において，個々の磁性原子核(スピン)が高周波エネルギーを吸収したり，放出したりする特定の周波数）．＝resonance (6).

respiratory f. (f) 呼吸頻度（１分間当たりの呼吸数．⇀respiratory *rate*）．

Frer·ichs (frer′iks), Friedrich T. von. ドイツ人病理学者・臨床医，1819—1885. ⇀F. *theory*.

fresh·en·ing (fresh′ĕn-ing). フレッシュニング（①開放創，部分的に一部治癒している創で，フィブリン，肉芽，早期の瘢痕組織を除去して二次的縫合のために行う準備操作．②ウシでは，乳牛が泌乳するサイクルにはいってくること）．

Fres·nel (fres-nel′), Augustin Jean. フランス人物理学者，1788—1827. ⇀F. *lens, prism*.

fress·re·flex (fres′rē-fleks) [Ger. < *fressen*, to feed, said of animals]. 貪食反射（顔や唇の刺激により誘発される吸引およびそしゃく運動）．

FRET fluorescence resonance energy transfer *microscopy* の頭字語．

fret·ting (fret′ing) [M. E. < O. E. *fretan*, to devour]. フレッティング（２つの金属の接触面において，反復運動のために起こる研磨作用および摩滅作用をいう）．

fre·tum, pl. fre·ta (frē′tŭm, -tă) [L.]. 海峡，狭窄．

Freud (froyd), Sigmund. オーストリア人神経・精神科医，1856—1939. 精神分析の創始者．⇀freudian; freudian *fixation*; freudian *psychoanalysis*; *freudian* slip; F. *theory*.

freud·i·an (froy′dē-ăn). ウィーンの精神科医 Sigmund Freud(1856—1939)に関する，または彼の記した．

f. slip フロイトの誤り（しばしば性的または攻撃的性質の，潜在する動機を暗示すると思われる，言語または行動における誤り）．

Freund (froynd), Jules. 米国人細菌学者，1891—1960. ⇀F. complete *adjuvant*, incomplete *adjuvant*.

Freund (froynd), Wilhelm A. ドイツ人婦人科医，1833—1918. ⇀F. *operation*.

Frey (frī), Max von. ドイツ人医師，1852—1932. ⇀F. *hairs*.

Frey (frī), Lucie. ポーランド人医師，1852—1932. ⇀F. *syndrome*.

FRH follitropin-releasing hormone(ホリトロピン放出ホルモン)の略．

fri·a·ble (frī′ă-bĕl) [L. *friabilis* < *frio*, to crumble]. もろい（①容易に粉になる．②細菌学において，触れたり，ゆすったりすると，粉になるような乾燥したもろい培養をいう）．

fric·a·tive (frik′ă-tiv). 摩擦音（口をすぼめて，空気を吹き出すと生じる音声．ｆ，ｖ，ｓ，ｚのような子音を発声する際に，歯，舌，または口唇を接触させてつくり出される）．

fric·tion (frik′shŭn) [L. *frictio* < *frico*, to rub]. ***1*** 摩擦（物体の表面を他の物体でこすること）．***2*** 摩擦力（接触している２つの物体が一方に対して運動しようとするときに必要な力）．

dynamic f. 動摩擦，運動摩擦（互いに接触している２つの物体が同じ運動を続けようとすることに逆らって，一方の物体を他方に対して動かそうとする力．*cf.* starting f.）．

starting f. 始動摩擦，静止摩擦（互いに接触し静止しているため，この２つの物体の一方を他方に対して動かそうとするときに必要な力．*cf.* dynamic f.）．＝static f.

static f. ＝starting f.

Frid·er·ich·sen (frēd′ĕr-ik-sĕn), Carl. デンマーク人医師，1886—1979. ⇀Waterhouse-F. *syndrome*; F.-Waterhouse *syndrome*.

Fried·län·der (frēd′len-dĕr), Carl. ドイツ人病理学者，1847—1887. ⇀F. *bacillus, pneumonia, stain* for capsules.

Fried·man (frēd′măn), Emanuel A. 分娩経過のグラフ式分析を研究した米国人産科医で，彼の研究は Friedman カーブ(⇒curve)を生み出した．⇀F. *curve*.

Fried·reich (frēd′rīk), Nikolaus. ドイツ人神経科医，1825—1882. ⇀F. *ataxia, phenomenon, sign*.

Friend (frend), Charlotte. 米国人微生物学者，1921—1987. ⇀F. *disease, virus*, leukemia *virus*.

frig·id (frij′id) [L. *frigidus*, cold]. ***1*** 冷たい．＝cold. ***2*** 冷感の（気質上，特に性行為に対し冷感または無反応な）．

fri·gid·i·ty (fri-jid′i-tē). 不感症（①女性の不感症．②不感症状態．女性の性的不全を示すことで，オルガスムを得られないという Freud の概念から，女性自身あるいは性行為の相手から不満足と感じられる様々な程度の性的反応性低下まで含まれる）．

frig·o·rif·ic (frig′ō-rif′ik) [L. *frigus*, cold + *facio*, to make]. 寒冷を生じる．

frig·o·rism (frig′ō-rizm) [L. *frigus*, cold]. 寒冷障害．＝cryopathy.

fringe (frinj). ふさ，采，絨毛．＝fimbria (1).

costal f. 肋骨采（中高年者の皮膚にみられる，不規則に配列した静脈の集まり．横隔膜のような深部臓器には特に関係がなく，潜在性の内臓疾患にも，必ずしも関連しない）．＝zona corona.

synovial f. ＝synovial *villi* (⇒villus).

frit (frit) [Fr. *frit*, fried]. フリット（①人工歯のグレーズをつくる材料．②人工歯の陶材の着色に使用する粉状の色素材）．

Fritsch (frich), Heinrich. ドイツ人婦人科医，1844—1915. ⇀Bozeman-F. *catheter*.

Froeh·de (frōh′dĕ), A. 19世紀のドイツ人化学者．⇀F. *reagent*.

frog (frog) [A.S. *frogge*]. ***1*** カエル（無尾目の両生類で，ヒキガエルを含む．最も一般的なカエル属は *Rana*属(アカガエル，トノサマガエル)と *Hyla*属(アマガエル)）．***2*** 獣医学では，ウマの蹄底に認められるスポンジ状の三角形のクッションのことで，蹄底にかかる衝撃を吸収するのに役立つ．

Fröh·lich (froy′lik), Alfred. オーストリア人神経科医・薬理学者，1871—1953. ⇀F. *dwarfism, syndrome*.

Frohn (frōn), Damianus. 19世紀のドイツ人医師．⇀F. *reagent*.

Froin (frwah[n]), Georges. フランス人医師，1874—1932. ⇀F. *syndrome*.

frôle·ment (frol-mawn[h]′) [Fr.]. ***1*** 軽擦法（手掌による軽い摩擦またはマッサージ）．***2*** 微摩擦音（聴診で聞かれるカサカサいう音）．

Fro·ment (frō-mawn[h]′), Jules. リヨンの医師，1878—1946. ⇀F. *sign*.

From·mel (from′ĕl), Richard. ドイツ人婦人科医，1854—1912. ⇀Chiari-F. *syndrome*.

frons, gen. fron·tis (fronz, fron′tis) [L.][TA]. 前頭，額，ひたい．＝forehead.

front (frŏnt). 先端（クロマトグラフィでの溶媒の最前端の位置）．

front·ad (frŏn′tad). 前方へ．

fron·tal (frŏn′tăl) [TA]. ***1*** 前部の，前方の（身体の前方部分についていう）．***2*** 前頭の（前頭面，または前頭骨，額をさす）．＝frontalis [TA].

fron·ta·lis (frŏn-tā′lis) [L.][TA]. 前頭の．＝frontal.

fron·to·ma·lar (frŏn′tō-mā′lăr). 前頭頬骨の．＝frontozygomatic.

fron·to·max·il·lar·y (frŏn′tō-mak′si-lā′rē). 前頭上顎骨の（前頭骨および上顎骨に関する）．

fron·to·na·sal (frŏn′tō-nā′zăl). 前頭鼻骨の（前頭骨と鼻骨に関する）．

fron·to·oc·cip·i·tal (frŏn′tō-ok-sip′i-tăl). 前頭後頭の（前頭骨と後頭骨，または前頭と後頭に関する）．

fron·to·pa·ri·e·tal (frŏn′tō-pa-rī′ĕ-tăl). 前頭頭頂の（前頭骨と頭頂骨に関する）．

fron·to·tem·po·ral (frŏn′tō-tem′pŏ-răl). 前頭側頭骨の（前頭骨と側頭骨に関する）．

fron·to·tem·po·ra·le (frŏn′tō-tem′pō-rā′lē). フロントテンポラーレ（頭蓋計測法上の点．前頭骨側面にあって側頭線

F

が最も前方に出ているか所).

fron·to·zy·go·mat·ic (frŏn′tō-zī′gō-mat′ik). 前頭頬骨の(前頭骨と頬骨に関する). ＝frontomalar.

Fro·riep (frō′rēp), August von. ドイツ人解剖学者, 1849—1917. ⇀F. *ganglion*.

frost (frost). 霜 (凍結した蒸気や露の沈積物に似たもの).

urea f., uremic f. 尿素霜, 尿毒症性霜 (皮膚(特に顔)にみられる, 汗の中に排出された窒素化合物に由来する尿素および尿酸結晶の粉状沈着. 重度尿毒症にみられる). ＝uridrosis crystallina.

Frost (frost), Albert D. 米国人眼科医, 1889—1945. ⇀F. *suture*.

Frost (frost), Wade H. 米国人疫学者, 1880—1938. ⇀Reed-F. *model*.

Frost (frost), William A. イングランド人眼科医, 1853—1935.

frost·bite (frost′bīt). 凍傷 (極度の寒冷にさらされた結果, または極度に冷たい物体と接触した結果起こる局所的な組織破壊. 軽症では, 回復可能な凍結により紅斑と軽い痛み(しもやけ)が生じる. 重症では, 無痛または知覚異常が生じることがあり, 水疱形成や持続する浮腫や壊疽を起こす. 凍傷の治療は通常, 急速に暖める).

frot·tage (frō-tahzh′) [Fr. a rubbing]. フロタージュ, 摩擦 (①マッサージの摩擦運動. ②他人とすれ合って性的興奮を感じること).

frot·teur (frō-tur′). フロツール (フロタージュにより性的興奮を得る人).

FRS first rank *symptoms* の略.

F.R.S. Fellow of the Royal Society(英国学士会会員)の略.

F.R.S.C. Fellow of the Royal Society (Canada)(カナダ学士会会員)の略.

Fru フルクトースの記号.

fruc·tan (frŭk′tan). フルクタン. ＝fructosan (1).

fructo- (fruk′tō) [L. *fructus*, fruit]. 果糖の配置を示す化学で用いる接頭語.

fruc·to·al·do·lase フルクトアルドラーゼ. ＝fructose-bisphosphate aldolase.

fruc·to·fu·ra·nose (fruk′tō-fūr′ă-nōs). フルクトフラノース (フラノース型のフルクトース).

β-fruc·to·fu·ran·o·sid·ase (fruk′tō-fūr′ă-nō′sid-ās). β-フルクトフラノシダーゼ；*β-h*-fructosidase (β-ᴅ-フルクトフラノシドを加水分解してフルクトースを遊離する酵素. 基質がショ糖の場合, その産物はᴅ-グルコースとᴅ-フルクトース(転化糖)である. 転化糖はショ糖より消化しやすい). ＝invertase; invertin; saccharase.

fruc·to·ki·nase (fruk′tō-kī′nās). フルクトキナーゼ (ATPとᴅ-フルクトースより, フルクトース-6-リン酸とADPを生成する反応を触媒する肝臓中の酵素. 本態性果糖尿症患者で欠損している(肝臓フルクトキナーゼ欠損症)).

fruc·tol·y·sis (fruk-tol′ĭ-sis). フルクトリシス (フルクトースの乳酸への変換. 解糖に類似している).

fruc·tos·a·mine (frŭk-tōs′ă-mēn). フルクトサミン (グリコシル化された蛋白の1つ. 獣医学における糖尿病コントロールのモニターのために測定される. 血糖値測定のための採血のストレスによるコルチゾール誘発性ブドウ糖レベルの変動があるため, 特にネコにおいて用いられる. フルクトサミンレベルは, 平均的血糖コントロールをモニターする).

fruc·to·san (fruk′tō-san). フルクトサン (①少量の他の糖類を含むフルクトースからなる多糖類(例えばイヌリン)で, ある種の塊茎に存在する. ＝fructan; levan; levulan; levulin; levulosan; polyfructose. ②2,6-アンヒドロフルクトフラノース).

fruc·tose (Fru) (fruk′tōs) [L. *fructus*, fruit + -ose]. フルクトース, 果糖 (果物や蜂蜜に自然に生じる糖. ᴅ型単糖類は2-ケトヘキソースの一種で, 生理学的に最も重要なケトヘキソースであり, ショ糖の加水分解における2つの産物の1つ. インスリンの欠損時には代謝されてグリコゲンに変わる. 果糖, レボグルコース, レブロース, ᴅ-*arabino*-2-ヘキスロースともよばれる).

fruc·tose-bis·phos·pha·tase (fruk′tōs bis-fos′fă-tās). フルクトースビスホスファターゼ (糖新生でのᴅ-フルクトース1,6-二リン酸からフルクトース-6-リン酸への変換を触媒するヒドロラーゼ. AMPがアロステリックインヒビターである. フルクトースビスホスファターゼ欠損により糖新生の欠陥をきたす. フルクトース2,6-二リン酸に作用する同様な酵素が存在する).

fruc·tose 1,6-bis·phos·phate (fruk′tōs bis-fos′fāt). フルクトース1,6-ビスリン酸 (O-1位とO-6位とにリン酸基をもつフルクトース. 解糖や糖新生の重要中間体). ＝hexosebisphosphatase; hexosediphosphatase.

fruc·tose 2,6-bis·phos·phate (fruk′tōs bis-fos′fāt). フルクトース2,6-ビスリン酸 (フルクトース1,6-ビスリン酸の類似体で, 解糖および糖新生の制御に重要な働きをする. すなわち, ホスホフルクトキナーゼを活性化し, フルクトース1,6-ビスホスファターゼを抑制する).

fruc·tose-bis·phos·phate al·dol·ase (fruk′tōs bis-fos′fāt al′dol-ās). フルクトース二リン酸アルドラーゼ；fructose-1,6-bisphosphate triophosphate-lyase (フルクトース-1,6-二リン酸をジヒドロキシアセトン(グリセロケトン)リン酸と, グリセロアルデヒド-3-リン酸に開裂させる反応を可逆的に触媒する酵素. ある種のケトース-1-リン酸にも作用する. 遺伝性果糖不耐症患者で欠損している(アルドラーゼB同位酵素). アルドラーゼAの欠損により, 非球状赤血球性溶血性貧血を伴う赤血球アルドラーゼ欠損症になる. *cf.* hereditary fructose *intolerance*). ＝1,6-diphosphofructose aldolase; 1-phosphofructaldolase; diphosphofructose aldolase; fructoaldolase; fructose 1,6-bisphosphate triosephosphate-lyase; fructose 1,6-diphosphate aldolase; fructose 1-monophosphate aldolase; fructose 1-phosphate aldolase; fructose-diphosphate aldolase; ketose-1-phosphate aldolase; phosphofructoaldolase; SMALDO; zymohexase.

fruc·tose 1,6-bis·phos·phate tri·ose·phos·phate-ly·ase (fruk′tōs bī-fos′fāt trī-ō-sĕ-fos′fāt-lī-ās). フルクトース1, 6-二リン酸トリオースリン酸リアーゼ. ＝fructose-bisphosphate aldolase.

fruc·tose-di·phos·phate al·dol·ase (fruk′tōs dī-fos′fāt al′dol-ās). フルクトース-二リン酸アルドラーゼ. ＝fructose-bisphosphate aldolase.

fruc·tose 1,6-di·phos·phate al·do·lase (fruk′tōs dī-fos′fāt al′dol-ās). フルクトース1,6-二リン酸アルドラーゼ. ＝fructose-bisphosphate aldolase.

fruc·to·se·mi·a (fruk-tō-sē′mē-ă). 果糖血〔症〕(循環血液中に果糖が存在すること. →hereditary fructose *intolerance*). ＝levulosemia.

fruc·tose 1-mon·o·phos·phate al·do·lase (fruk′tōs mŏ-nō-fos′fāt al′dō-lās). フルクトース1-一リン酸アルドラーゼ. ＝fructose-bisphosphate aldolase.

fruc·tose 1-phos·phate (fruk′tōs fos′fāt). フルクトース1-リン酸 (フルクトースの誘導体で, 遺伝性フルクトース不耐症患者に蓄積する).

fruc·tose 1-phos·phate al·do·lase (fruk′tōs fos′fāt al′dō-lās). フルクトース1-リン酸アルドラーゼ. ＝fructose-bisphosphate aldolase.

fruc·tose 6-phos·phate (fruk′tōs fos′fāt). フルクトース6-リン酸 (解糖やエリスロース4-リン酸のトランスケトール化反応での中間体). ＝Neuberg ester.

fruc·to·side (fruk′tō-sīd). フルクトシド (-C-O-結合をしたフルクトースで, -C-O-基は, フルクトースの本来の2位の基である).

fruc·to·su·ri·a (fruk-tō-sū′rē-ă) [fructose + G. *ouron*, urine] [MIM*229800]. 果糖尿〔症〕, フルクトース尿〔症〕(尿中への果糖の排泄). ＝levulosuria.

benign f. 良性フルクトース尿〔症〕. ＝essential f.

essential f. [MIM*229800]. 本態性果糖尿〔症〕(特定のフルクトース代謝経路における最初の酵素であるフルクトキナーゼの欠乏による, 良性の, 無症状の先天性代謝異常. 血液中と尿中に果糖がみられるが, 変化せず, そのまま排泄される. 常染色体劣性遺伝. フルクトキナーゼ欠損症. →hereditary fructose *intolerance*). ＝benign f.; fructokinase deficiency.

fructosyl- (fruk′tō-sil). C-2を介した-C-R-(-C-O-R-ではない)結合をもつフルクトースを示す化学で用いる接頭語(Rは通常C).

fru·se·mide (frū′sĕ-mīd). フルセミド. ＝furosemide.

frus·tra·tion (frŭs-trā′shŭn) [L. *frustro*, pp. *-atus*, to deceive, disappoint < *frustra*(adv.), in vain]. 欲求不満，フラストレーション，挫折（願望や衝動または欲求を満たすことに対する妨げ，無能力性を示すのに用いる心理学的，または精神医学的用語）.

FSE fast spin *echo* の略.

FSH follicle-stimulating *hormone* の略.

ft. ラテン語 *fiat*(つくれ)の略. foot; feet の略.

FTA-ABS fluorescent treponemal antibody absorption の略. →fluorescent treponemal antibody-absorption *test*.

FTI free thyroxine *index* の略.

FU fluorouracil の記号.

F/U follow-up(継続管理，追跡調査)の略.

Fuc (fūk). fucose の略.

Fuchs (fūks), Ernst. オーストリア人眼科医，1851—1930. → F. *adenoma*; *angle* of F.; F. heterochromic *cyclitis*, *coloboma*, endothelial *dystrophy*, black *spot*, *spur*, *stomas*, *syndrome*, *uveitis*; Dalen-F. *nodules*.

fuch·sin (fūk′sin) [Leonhard *Fuchs*. ドイツ人植物学者，1501—1566]. フクシン（[誤った発音 fū′shin を避けること]. 組織学や細菌学の染料として用いる. 数種の赤色ローザニリン染料を示す一般的名称）.

acid f. [C.I. 42685]. 酸性フクシン（ローザニリンとパラローザニリンのビスルホン酸およびトリスルホン酸の各ナトリウム塩の混合物. 指示染料として，また細胞質およびコラーゲンの染色に用いる）. =rubin S; rubine.

aldehyde f. アルデヒドフクシン（塩基性フクシンパラアルデヒドと塩酸を用いる染料. 弾性線維，肥満細胞顆粒，胃主細胞，膵島のベータ細胞や下垂体ベータ顆粒の紫色の染色を行う. 他の下垂体顆粒や細胞は他の色に染色される. →Gomori aldehyde fuchsin *stain*）.

aniline f. アニリンフクシン（Goodpasture 染色におけるように，ごく少量のフェタノールを含む 30%エタノールに，アニリンと塩基性フクシンを混合したもの）.

basic f. [C.I. 42500]. 塩基性フクシン（パラロザニンを主成分とするトリフェニルメタン染料. 組織学，組織化学および細菌学で重要な染色剤）. =diamond f.

carbol f. 石炭酸フクシン（① →Ziehl *stain*. ② →carbolfuchsin *paint*）.

diamond f. ダイアモンドフクシン. =basic f.

fuch·sin·o·phil (fūksin′ō-fil) [fuchsin + G. *philos*, fond]. *1*《adj.》好フクシン性の，フクシン親和性の（フクシン染料に染まりやすい）. =fuchsinophilic. *2*《n.》フクシン親和性細胞，フクシン親和性組織要素.

fuch·sin·o·phil·i·a (fūk′sin-ō-fil′ē-ă). 好フクシン性，フクシン親和性（フクシンに染まりやすい性質）.

fuch·sin·o·phil·ic (fūk′sin-ō-fil′ik). =fuchsinophil (1).

fu·cose (Fuc) (fyū′kōs). フコース；6-deoxygalactose（メチル化された五炭糖の 1 つ. L 体は血液型決定物質のムコ多糖類やヒト乳中(多糖類として)およびその他の自然界にみられる. D 体はある種の抗生物質や植物性グリコシドに存在する）. =rhodeose.

α-fu·co·si·dase (fyū-kōs′i-dās). α-フコシダーゼ（α-L-フコシドを加水分解しアルコールと L-フコースを生成させる反応を触媒する酵素. リソソーム中のこの酵素の欠損によりフコシドーシスになる）.

fu·co·si·do·sis (fyū′kō-si-dō′sis) [MIM*230000]. フコース蓄積症（代謝性蓄積症で，フコースを含む糖脂質の蓄積と α-フコシダーゼ酵素の欠乏が特徴. 1 歳以降に進行性の神経学的荒廃が始まり，痙縮や振せん，および軽度の骨格変化を伴っている. 常染色体劣性遺伝. 第 1 染色体にある α-1-フコシダーゼ遺伝子の突然変異により生じる）.

FUDR fluorodeoxyuridine の略.

fu·gac·i·ty (f) (fū-gas′i-tē) [L. *fuga*, flight]. 揮散力，逸散度，逃散能（液体に種々の力が作用した結果，体内の一定の場所から揮散する傾向. 拡散，蒸発のような液体の逃散傾向）.

-fugal (fyū′găl) [L. *fugio*, to flee]. 前につく語の主要部分から離れることを示す接尾語.

-fuge (fūje) [L. *fuga*, a running away]. 飛ぶことを意味する接尾語で，飛行を起こす場合あるいは敗走することを示す.

fu·gi·tive (fyū′ji-tiv) [L. *fugitivus*, fleeing < *fugio*, pp. *fugitus*, to flee]. *1* 一過性の. *2* 遊走性の（変わりやすい症状についていう）.

fugue (fyūg) [Fr. < L. *fuga*, flight]. 遁走（患者が突然，現在の生活様式や活動を捨て，しばしば違う都市で，一定期間新しい異なった生活を始める状態. 後で初期の出来事を思い出すが，徘徊期の出来事は忘れたと主張する. 習慣や技術，手続き記憶(非陳述性記憶)は通常，影響されない）.

fu·gu·tox·in (fū′gū-tok′sin)[Japan *fugu*, a poisonous fish]. フグ毒素（東アジア海域のハリセンボン，ウチワフグおよびフグの魚卵あるいは他の部分に含まれる毒素. →tetrodotoxin）. =fish poison (2); fugu poison.

ful·crum, pl. **ful·cra, ful·crums** (ful′krŭm, -kră, -krŭmz) [L. a bed-post < *fulcio*, to prop up]. 支持台，支点（支持台，またはてこが回転する点）.

ful·gu·rant (ful′gŭ-rănt) [L. *fulgur*, flashing, lightning]. 閃光性の（突き刺すような. *cf.* fulminant）. =fulgurating (1).

ful·gu·rat·ing (ful′gŭ-rā′ting). *1* =fulgurant. *2* 高周波療法の.

ful·gu·ra·tion (ful′gŭ-rā′shŭn) [L. *fulgur*, lightning stroke]. 高周波療法（高周波電流による組織の破壊. ⓘ直接高周波療法(**direct f.**)は，先端が金属でできている絶縁体電極を高周波発生装置の端子につなぎ，電気火花が処置する部分に作用するようにした方法. ⓘⓘ間接高周波療法(**indirect f.**)は，患者を金属ハンドルによる直接端子につなぎ，患者から電弧が形成されるように活性電極を使用する方法）.

ful·mi·nant (ful′mi-nănt) [L. *fulmino*, pp. *-atus*, to hurl lightning < *fulmen*, lightning]. 電撃性の，激症の，劇症の，閃光状の（電撃的な速さ，激しさで起こることについていう. 例えば髄膜炎菌性髄膜炎. *cf.* fulgurant）.

F

ful·mi·nat·ing (ful′mi-nā′ting). 激症の，劇症の（急速な悪化を伴った速い経過についていう）.

fu·ma·rase (fū′mă-rās). フマラーゼ. =fumarate hydratase.

fu·ma·rate hy·dra·tase (fū′mă-rāt hī′dră-tās) [MIM*136850]フマル酸ヒドラターゼ（トリカルボン酸サイクルにおける重要な反応の 1 つである，フマル酸および水とリンゴ酸の相互転換を可逆的に触媒する酵素. 欠損により，精神遅滞が起こる）. =fumarase.

fu·ma·rate re·duc·tase (NADH) (fū′mă-rāt rē-dŭk′-tās). フマル酸レダクターゼ. =*succinate* dehydrogenase.

fu·mar·ic ac·id (fū-mar′ik as′id). フマル酸；*trans*-butanedioic acid（トリカルボン酸サイクルの中間産物として生じる不飽和ジカルボキシル酸）.

fu·mar·ic ac·i·de·mi·a (fū-mar′ik as′ĭ-dē′mē-ă). フマル酸血症（血漿中のフマル酸値が上昇している状態. フマル酸加水分解酵素の活性低下による）.

fu·mar·ic am·i·nase (fū-mar′ik am′i-nās). フマル酸アミナーゼ. =*aspartate* ammonia-lyase.

fu·mar·ic hy·dro·gen·ase (fū-mar′ik hī-drō′jen-ās). フマル酸ヒドロゲナーゼ. =*succinate* dehydrogenase.

fum·ar·yl·ac·e·to·ac·e·tate (fyū′-mă-ril-as′ētō-as′e-tāt). フマリルアセト酢酸（フェニルアラニンやチロシンの異化での中間体. チロシン血症 IA で上昇する）.

f. hydrolase フマリルアセト酢酸ヒドラーゼ（フマリルアセト酢酸からフマル酸とアセト酢酸への加水分解を触媒する酵素. この酵素の欠損によりチロシン血症 IA になる）.

fu·mi·gant (fyū′mi-gănt). 燻蒸剤，燻煙剤（燻蒸や燻煙に用いる化合物）.

fu·mi·gate (fyū′mi-gāt) [L. *fumigo*, pp. *-atus*, to fumigate < *fumus*, smoke + *ago*, to drive]. 燻蒸消毒する（殺菌，根絶の一手段として，ある種の煙または蒸気の作用にさらすこと）.

fu·mi·ga·tion (fyū-mi-gā′shŭn). 燻蒸（燻蒸消毒すること. 燻蒸剤あるいは燻煙剤を用いること）.

fum·ing (fyūm′ing) [L. *fumus*, smoke]. 発煙性の（目に見える蒸気を発するもので，濃硝酸，硫酸，塩酸，その他ある種の物質の性質）.

fumonisins (fyū-mōn-ĭ-sĭnz). フモニシン（*Fusarium moniliforme*, *F. proliferatum*, *Aspergillus ochraceus* に感染したトウモロコシやトウモロコシ製品中にしばしば見出されるマイコトキシン類. →mycotoxin）.

func·ti·o lae·sa (fŭnk′shē-ō lē′să) [L.]. 機能喪失（Celsus

が提唱した炎症徴候(発赤, 腫瘍, 発熱, 疼痛)に, Galen が付け加えた炎症の第 5 番目の徴候).

func·tion (f) (fŭnk′shŭn) [L. *functio* < *fungor*, pp. *functus*, to perform]. ***1***〘n.〙機能 (身体の器官やその他の部分の特定の作用や生理学的性質). ***2***〘v.〙機能を営む (身体の器官または他の部分の特定の働きや作用を遂行する). ***3***〘n.〙〔化学的〕機能, 作用 (化学的特性や他の物質との関係による物質の一般的性質で, それによって分類される(例えば, 酸, 塩基, アルコール, エステル)). ***4***〘n.〙官能基 (分子の特定反応群, 機能群. 例えばアルコールの OH 基). ***5***〘n.〙関数, 函数 (他方に従属し, 他方と共に変化するような性質, 特性, 現象). ***6***〘n.〙関数 (数学的な変数や式).

allomeric f. アロ異性機能 (脊髄と延髄のいくつかの分節の結合機能で, 白質によって互いに連結する).

arousal f. 覚醒機能 (皮質を覚性状態あるいは準備状態にさせる感覚能力).

atrial transport f. 心房伝導機能 (心房の前収縮期収縮により心室を満たし, 拡張させる心房の役割. これがないと心室収縮力(それゆえの拍出量)が著しく減少する).

discriminant f. 判別関数 (グループに分類することを目的とした, 多変量の試験結果群の組合せ, 例えば, 臨床的等級を判別するために, ウエート付けした臨床検査結果を組み合わせることによって表される 1 つの数値).

isomeric f. 異性機能 (脊髄の個々の分節の個々の機能).

line spread f. (**LSF**) 線広がり関数 (鮮明な画像を作成するためのシステム能力の指標. 放射線医学においては, ウランのような高密度金属でつくった狭スリットのフイルム上の X 線像の空間密度分布の測定によって決定される. これにより変調伝達関数(MTF)が計算される).

modulation transfer f. (**MTF**) 変調伝達関数 (放射性核種の分布の描写またはラジオグラフィにおいて, 対象の特性を, 与えられた空間周波数における像の特性に変換する際の係数. 空間分解能の完全な表現であって, イメージング機器とその構成を評価するために用いる. 周波数反応関数あるいは濃度伝達関数ともいわれ, 反応強度の率の, mm 当たりの周波数に対する表で表される).

func·tion·al (fŭnk′shŭn-ăl). 機能性の (①機能に関する. ②器質的なものではない. 症状を説明する器質的原因がないかみつからない疾患についていう. →neurosis).

func·tion·al·ism (fŭnk′shŭn-ăl-izm). 機能主義 (ヒトや動物の心理過程の機能に関する心理学の分科. 特に環境に対する個人の適応における精神, 知性, 感情, 行動の役割に関心が置かれている. *cf.* structuralism).

func·tion cor·rec·tor (fŭnk′shŭn kōr-ek′tōr). 機能的矯正装置 (歯の移動および上下歯列弓の関係を変えるため, 口腔および顔面の筋力を用いる可撤式矯正装置).

fun·da·ment (fŭn′dă-ment) [L. *fundamentum*, foundation < *fundus*, bottom]. ***1*** 基礎. ***2*** 肛門.

fun·dec·to·my (fŭn-dek′tŏ-mē) [fundus + G. *ektomē*, excision]. =fundusectomy.

fund-holding (fŭnd′hōld′ing). 公債投資, 公債所有 (開業医によって運営されている健康維持機構に関して英国で用いられる語).

fun·dic (fŭn′dik). 底部の.

fun·di·form (fŭn′di-fōrm) [L. *funda*, a sling + *forma*, shape]. 三角巾形の.

fun·do·pli·ca·tion (fŭn′dō-pli-kā′shŭn) [fundus + L. *plico*, to fold]. フンドプリケーション, 胃底ひだ形成〔術〕(胃食道逆流症の治療のために胃食道接合部の周囲を胃底部で完全または部分的に縫合する手術. 開腹開胸または, 腹腔鏡手術で施行される).

Belsey f. (bel′sē). ベルセー胃底ひだ形成〔術〕(開胸により行われる部分的(270°)胃底皺襞形成術). =Belsey Mark operation; Belsey procedure.

Collis-Belsey f. (kol′is bel′sē). コリス－ベルセー胃底ひだ形成〔術〕. =Collis-Nissen f.

Collis-Nissen f. (kol′is nis′ĭn). コリス－ニッセン胃底ひだ形成〔術〕(食道が短くなった場合に行われる手術. 食道を胃噴門部をチューブ状にすることにより長くし, この新しい食道のまわりにひだ形成を行う). =Collis-Belsey f.; Collis-Belsey procedure.

Dor f. (dōr). ドー胃底ひだ形成〔術〕(ヨーロッパ, 南米でよく行われる部分的(180°)な前方胃底ひだ形成術で, 多くはアカラシアの治療のため筋切開術とともに施行される).

Nissen f. (nis′ĕn). ニッセン胃底ひだ形成〔術〕(完全(360°)な胃底ひだ形成. 腹腔あるいは胸腔からのアプローチでなされる. 最近では多くは腹腔鏡的に行われる). =Nissen operation.

Toupet f. (tū-pā′). トゥーペ胃底ひだ形成〔術〕(部分的後方胃底ひだ形成術. 胃の端は食道に固定される. この方法の変法が腹腔鏡下の胃底ひだ形成で通常用いられる).

fun·dus, pl. **fun·di** (fŭn′dŭs, dī) [L. bottom][TA]. 底 (嚢または管腔臓器の底, あるいは下部. 開口部や出口から最も遠い部分. しばしば幅の広い盲嚢となっている).

f. albipunctatus [MIM*136880]. 白点眼底 (多くの孤立した白点によって特徴付けられる網膜色素上皮の非進行性病変. 夜盲が所見である. 関係する遺伝子は不明である).

f. of bladder [TA]. 膀胱底 (多少凸になっている後壁により形成されている部分). =f. vesicae urinariae [TA]; bas-fond; base of bladder; f. of urinary bladder.

f. diabeticus 糖尿病眼底. =diabetic *retinopathy*.

f. of eyeball 眼底 (眼球の内部の後極の周囲. 検眼鏡でみえる. →eyegrounds). =f. oculi; ocular f.

f. flavimaculatus 黄色斑眼底 (黄白色の斑状病変を呈する網膜の色素上皮の遺伝性疾患. 中心視力のある程度の低下がある. 常染色体劣性と考えられている).

f. of gallbladder [TA]. 胆嚢底 (肝臓の下縁にある胆嚢の広く閉じた盲端). =f. vesicae biliaris [TA]; f. vesicae felleae*.

f. gastricus [TA]. =f. of stomach.

f. of internal acoustic meatus [TA]. 内耳道底 (内耳道の外側端で, その壁は内耳道と蝸牛や前庭を隔てている薄い篩状の骨板でできている. 横稜がこれを 2 部に分けている. 上部には顔面神経野と上前庭野があり, 下部には蝸牛野, 下前庭野, 単孔がある). =f. meatus acustici interni [TA]; f. of internal auditory meatus.

f. of internal auditory meatus =f. of internal acoustic meatus.

leopard f. =tessellated f.

f. meatus acustici interni [TA]. 内耳道底. =f. of internal acoustic meatus.

mosaic f. =tessellated f.

ocular f. 眼底. =f. of eyeball.

f. oculi 眼底. =f. of eyeball.

pepper and salt f. ごま塩状眼底 (脈絡毛細管板萎縮と色素増殖によって引き起こされた眼底の検眼鏡による所見).

f. polycythemicus 赤血球増加眼底 (赤血球増加症のときに起こる青味がかった網膜と充血し拡張した静脈).

f. of stomach [TA]. 胃底 (噴門切痕上方にある胃の部分). =f. gastricus [TA]; f. ventriculi; greater cul-de-sac.

tessellated f. 豹紋状眼底 (濃く色素沈着した脈絡膜が, 特に周囲の脈絡膜血管の間に暗い多角形小区の像を与える正常の眼底). =f. tigré; leopard f.; leopard retina; mosaic f.; tigroid f.; tigroid retina.

f. tigré =tessellated f.

tigroid f. チグロイド眼底. =tessellated f.

f. tympani =jugular *wall* of middle ear.

f. of urinary bladder 膀胱底. =f. of bladder.

f. uteri [TA]. 子宮底. =f. of uterus.

f. of uterus [TA]. 子宮底 (卵管開口部より上方の, 子宮の丸くなった上端). =f. uteri [TA].

f. ventriculi 胃底. =f. of stomach.

f. vesicae biliaris [TA]. 胆嚢底. =f. of gallbladder.

f. vesicae felleae* f. of gallbladder の公式の別名.

f. vesicae urinariae [TA]. 膀胱底. =f. of bladder.

fun·du·scope (fŭn′dŭ-skōp) [L. *fundus*, bottom + G. *skopeō*, to view]. **[**誤ったつづり fundoscope を避けること**]**. =ophthalmoscope.

fun·dus·co·py (fŭn-dŭs′kŏ-pē). **[**誤ったつづりまたは発音 fundoscopy を避けること**]**. =ophthalmoscopy.

fun·du·sec·to·my (fŭn′dŭ-sek′tŏ-mē) [L. *fundus* + G. *ektomē*, excision]. 噴門側胃切除〔術〕(器官の底の切除術). =fundectomy.

fun·gal (fŭng′găl). =fungous.

fun·gate (fŭng′gāt). カビ状に生える（カビやカイメンの増殖のように，生い茂って生える）.

fun·ge·mi·a (fŭn-jē′mē-ă). 真菌血症（血流経路で伝播する真菌感染症）.

Fun·gi (fŭn′jī) [L. *fungus*, a mushroom]. 菌界（不規則な塊で増殖する真核生物の界．根，茎，葉をもたず，葉緑素その他の光合成能を有する色素をまったくもたない．各菌体（葉状体）は単細胞性から糸状で，枝分かれした体細胞構造（菌糸）をもち，グルカン，キチンあるいは両方を含んでいる細胞壁で囲まれ，真核を有している．この生物は有性または無性生殖性(胞子形成)により繁殖し，これらの菌類は栄養を，寄生体のように他の生物から，また腐生菌のように死んだ有機物から得る．→kingdom.）.

fun·gi (fŭn′jī). [誤った発音 fung′gī を避けること]. fungus の複数形.

fun·gi·ci·dal (fŭn′ji-sī′dăl) [fungus + L. *caedo*, to kill]. 殺真菌の（真菌類を殺す作用がある）.

fun·gi·cide (fŭn′ji-sīd). 殺真菌薬，防カビ薬（真菌類を死滅させる物質）. =mycocide.

fun·gi·form (fŭn′ji-fōrm). 真菌状の，キノコ状の，ポリープ状の（広く，しばしば枝分かれした，遊離部分とより狭い基底部をもつ構造に対して用いる）. =fungilliform.

Fun·gi Im·per·fec·ti (fŭn′jī im′pĕr-fek′tī). 不完全菌類（有性生殖が知られていないか，交配型の一方がいまだ知られていない真菌の一門．以前は，ヒトに疾病を引き起こす大多数の真菌は無性的と考えられて本門に分類されてきたが，研究の結果，これらは不完全なのではなく，その有性型は，子嚢菌類や担子菌類に分類できることが明らかにされてきた．→imperfect *fungus*）.

fun·gil·li·form (fŭn-jil′i-fōrm) [Mod.L. *fungillus*: L. *fungus*(mushroom) の指小辞]. =fungiform.

fun·gi·stat (fŭn′ji-stat). 静真菌剤（静真菌作用をもつ薬剤）.

fun·gi·stat·ic (fŭn′ji-stat′ik) [fungus + G. *statos*, standing]. 静真菌性の，静真菌作用をもつ（真菌類の増殖に抑制的作用を有する）. =mycostatic.

fun·gi·tox·ic (fŭn′ji-tok′sik). 対真菌毒性の（真菌の増殖に毒性，または何らかの有害な作用をもつ）.

fun·gi·tox·ic·i·ty (fŭn′ji-tok-sis′i-tē). 対真菌毒性.

fun·goid (fŭng′goyd). ポリープ状の，キノコ状の，真菌様の（体表面の盛んな病的増殖をさす）.

fun·gous (fŭng′gŭs). 真菌類の. =fungal.

fun·gus, pl. fun·gi (fŭng′gŭs, fŭn′jī) [L. *fungus*, a mushroom]. 真菌（多様な形態をもつ酵母およびカビを包含するのに用いる一般用語．元来は，葉緑素をもたない原始的植物として分類されたが，現在真菌類は菌界，および藍藻類を除くすべての藻類，原生動物，粘菌類とともに原生生物界の一部に含められている．真菌類は細菌とともに，ほとんどあらゆる種類の複雑な有機物(セルロースなど)を分解するうえで重要な役割を果たし，生命サイクルにおいて，炭素や他の元素の再利用に必須である．真菌類は食物として，また，工業的・医薬的に重要な物質(例えば，アルコール，抗生物質，他の薬剤，抗毒素など)の製造における発酵過程にとっても重要である．ヒトに対し病原性をもつものは比較的少数であるが，植物疾病の大多数は真菌が原因となる）.

asexual fungi 不完全菌類. =mitosporic fungi.

f. cerebri 脳ヘルニア（頭皮の創から肉芽組織が突出している潰瘍性脳ヘルニア）.

conidial fungi 不完全菌類. =mitosporic fungi.

dematiaceous fungi [Mod. L. *Dematium* (genus name) < G. *demation*, fine strand < *dema*, band < *deō*, to bind + *-aceous*, characterized by]. 黒色真菌（メラニンを形成する暗色の真菌）.

imperfect f. 不完全真菌（有性生殖法が認められていない真菌．これらの真菌類は一般に分生子によって増殖する．→Fungi Imperfecti）.

mitosporic fungi (mī-tō-spōr′ik fŭng′jī). 不完全菌類（無性生殖期をもつ，または減数分裂よりもむしろ有糸分裂によって増殖する真菌．有糸分裂を行う真菌の大部分は減数分裂状態とは関連していない．子嚢菌および担子菌における完全世代と関連している不完全菌はこれらの群の不完全世代または無性状態とよばれる．→Fungi Imperfecti）. =asexual fungi; conidial fungi.

perfect f. 完全真菌（有性および無性の両生殖法を有し，その交配型が両方とも認められている真菌）.

ray f. 放線菌（放線菌目に属する細菌）.

thrush f. 鵞口瘡菌. =*Candida albicans.*

umbilical f. 臍帯カイメン腫（新生児の臍帯切断面上に生じる肉芽組織の塊）.

yeast f. *Saccharomyces* を表す現在では用いられない語.

fu·nic (fyū′nik). 索状の，臍帯の. =funicular (2).

fu·ni·cle (fyū′ni-kĕl). 索，帯，腱. =cord.

fu·nic·u·lar (fyū-nik′yū-lăr). ***1*** 索状の. ***2*** 臍帯の. =funic.

fu·nic·u·li·tis (fyū-nik′yū-lī′tis) [funiculus + G. *-itis*, inflammation]. ***1*** 精索炎. ***2*** 通常，絨毛膜羊膜炎に合併する臍帯の炎症.

endemic f. 地方流行性精索炎. =filarial f.

filarial f. フィラリア精索炎（フィラリア症による精索の蜂巣炎．スリランカ，エジプト，その他のアジア地方で地方流行病として起こる）. =endemic f.

fu·nic·u·lus, pl. fu·nic·u·li (fyū-nik′yū-lŭs, -lī) [L. *funis* (cord) の指小辞] [TA]. 索. =cord.

anterior f. [TA]. 前索（脊髄の前白質柱．前正中裂と前外側溝の間にある，前正中裂の左右両側の白質の柱または束）. =f. anterior [TA]; ventral f.*.

f. anterior [TA]. 前索. =anterior f.

cuneate f. =cuneate *fasciculus.*

dorsal f.* 後索（posterior f. の公式の別名）.

f. dorsalis =posterior f.

f. gracilis =gracile *fasciculus.*

lateral f. [TA]. 側索（脊髄の前外側柱．前根および後根の出口と入口の線の間にある脊髄の外側白質柱）. =f. lateralis [TA]; anterolateral column of spinal cord; lateral f. of spinal cord.

f. lateralis [TA]. 側索. =lateral f.

lateral f. of spinal cord 〔脊髄の〕側索. =lateral f.

funiculi medullae spinalis [TA]. 脊髄の索（脊髄にある3つの大きな白質柱）.

posterior f. 後索（脊髄後方の白質柱．後外側溝と後正中溝の間にある大きいくさび形の神経束で，大部分の線維は後根神経節細胞の中枢軸索枝からなる）. =f. posterior [TA]; dorsal f.*; f. dorsalis.

f. posterior [TA]. 後索. =posterior f.

f. separans [TA]. 分離索（第4脳室の底にある斜めの隆線で，最後野と迷走神経三角を分離する）.

f. solitarius 孤束. =solitary *tract.*

f. spermaticus [TA]. 精索. =spermatic *cord.*

f. teres =medial *eminence.*

f. umbilicalis [TA]. 臍帯. =umbilical *cord.*

ventral f.* anterior f. の公式の別名.

fu·ni·form (fyū′ni-fōrm) [L. *funis*, cord + *forma*, shape]. 索状の，帯状の，ひも状の.

fu·ni·punc·ture (fyū′ni-pŭnk′chŭr) [L. *funis*, cord + puncture]. 胎児穿刺. =cordocentesis.

fu·nis (fyū′nis) [L. a rope, cord]. ***1*** 臍帯. =umbilical *cord.* ***2*** 索条（索様の構造）.

fu·ni·si·tis (fyū-ni-sī′tis) [funis + -itis]. 臍帯炎（臍帯に波及した炎症）.

fun·nel (fŭn′ĕl). 漏斗（①先端に管がついた中空円錐形の容器で，1つの容器から他の容器へ液体を注ぐのに用いる．②解剖学上の漏斗. =infundibulum）.

Büchner f. (buk′nĕr). ブーフナー漏斗（陶製漏斗で，沪過紙をのせる孔の開いた陶製板がある）.

Martegiani f. (mahr-te-gē-ah′nē). マルテジャーニ漏斗（硝子体管の起始部を示す視神経乳頭の漏斗状の広がり）. =Martegiani area.

pial f. 軟膜漏斗（脳実質内へはいる血管を取り囲んでのびている軟膜管．本来，軟膜漏斗はクモ膜下腔が血管周囲腔へのびて連続したもの）.

FUO fever of unknown origin(原因不明熱)の略.

fur (fūr) [M. E. *furre* < O. Fr. < Germanic]. ***1*** 柔皮（ある種の哺乳類の柔らかくて，繊細な毛の皮）. ***2*** 白苔（舌の背面上の上皮の残屑および真菌要素よりなる層．基礎疾患との関連よりも，口腔内の衛生状態とより関連が深い）.

F

fu·ra-2 (fū′ra). フラ-2（カルシウムと結合する蛍光指示薬．カルシウムが結合していないときのほうが結合しているときより長波長で励起される．2つの励起波長の蛍光強度比により遊離カルシウムイオン濃度を測定できる．細胞中に注入し，細胞内遊離カルシウムイオン濃度の経時変化をモニターすることができる．→aequorin）．

fu·ran (fyū′ran). フラン（①炭素原子の1と4，2と5，3と7の間に酸素架橋をもつような糖の中に，通常，飽和した形でみられる環式化合物．それゆえに，これらはフラノースとして知られている．②オキサ-2, 4-シクロペンタジエン）．

furanocoumarin (fyūr-a-nō-kū-mah′rinz). フラノクマリン（グレープフルーツ中に見出される化学物質群の1つで，ベルガモチンや6′7′-ジヒドロキシベルガモチンなどが含まれる．特に消化管において CYP450 3A4 を阻害する．→bergamottin）．

fu·ra·nose (fyū′rā-nōs)［furan + -ose (1)］．フラノース（フラン環を含む単糖類，分子．個別にはその分子の配位を示す接頭語を伴う．例えばフルクトフラノース，リボフラノース）．

fur·cal (fŭr′kăl). 分岐の，フォーク状の．

fur·ca·tion (fŭr-kā′shŭn)［L. *furca*, fork］．分岐部（①分岐すること，またはフォーク様の部分または枝．②歯科解剖において，多根歯の歯根が分かれる部位をいう）．

fur·cu·la (fŭr′kyū-lă)［L. a forked prop: *furca*(fork)の指小辞］．***1*** 叉骨（鳥類の骨格のV字型の骨(暢思骨)を形成する癒合した鎖骨）．***2*** 叉状隆起（胚において，咽頭腹側壁上にみられる逆U字形の膨隆で，2本の線状隆起と鰓下隆起の尾側部分から形成されている．U字形で囲まれた陥凹は喉頭気管溝である）．

fur·fur, pl. **fur·fu·res** (fŭr′fūr, fūr′fyū-rēz)［L. bran］．ふけ，ひこう(粃糠)疹（上皮鱗屑，例えばふけ）．

fur·fu·ra·ceous (fŭr-fyū-rā′shŭs)［L. *furfuraceus* < *furfur*, bran］．ぬか(糠)状の，ふけ様の（小さい鱗屑からなる．落屑の一型についていう）．＝pityroid．

fur·fu·ral (fŭr′fyūr-ăl). フルフラル（ぬかを希硫酸で蒸留して得られる無色芳香性で刺激のある液体．薬品製造に用いる）．

fur·fu·rol (fūr′fyūr-ol). フルフロール（フルフラルおよびフルフリルアルコールの誤称）．

fur·fu·ryl (fūr′fyū-ril). フルフリル（フルフリルアルコールから OH 基を除くことにより得られる1価の基）．

f. alcohol フルフリルアルコール(溶剤，湿潤剤)．

fur·nace (fŭr′năs). 炉，窯（加熱，融解，癒合をするための小室のついたストーブ様の装置）．

dental f. 歯科用ファーネス（①金属で鋳造する前に，埋没したワックスを除去するのに用いられる炉．②歯科用陶材を溶解し，グレーズするのに用いる炉）．

muffle f. マッフルファーネス（①抵抗炉から熱を直接送ることにより加熱される電気炉．②マッフルにより加熱される歯科用炉）．

fu·ro·se·mide (fyū-rō′sĕ-mīd). フロセミド（Henle の上行脚におけるNaとClの再吸収を阻害することによって作用するループ利尿薬．強い利尿作用とともに，カルシウム，マグネシウム，重炭酸，アンモニウムおよびリン酸の排泄を増加させる）．＝frusemide．

fur·row (fŭr′rō)［A.S. *furh*］．溝．

digital f. 指線，指節間ひだ．＝digital *crease*.

genital f. 生殖溝（胚の生殖結節にある溝で，2か月の終わりに現れる）．

gluteal f. 殿溝．＝gluteal *fold*.

mentolabial f. おとがい唇溝．＝mentolabial *sulcus*.

posterior median f. 後正中溝（背部の正中を縦走する陥凹．上方の頸部から始まり，下方の殿裂に達し，頸の底と仙骨底で消える）．

primordial f. 原始溝．＝primordial *groove*.

skin f.'s 皮膚小溝．＝skin *sulci*.

fu·run·cle (fū′rŭng-kĕl)［L. *furunculus*, a petty thief］．癤（せつ），フルンケル（最も頻度が高いのは黄色ブドウ球菌 *Staphylococcus aureus* で深部毛包から発生する限局性の化膿性感染）．＝boil; furunculus.

fu·run·cu·lo·sis (fū-rŭng′kyū-lō′sis). 癤(せつ)〔多発〕症，フルンケル〔多発〕症，癤腫症（しばしば慢性化，再発する）．

fu·run·cu·lus, pl. **fu·run·cu·li** (fū-rŭng′kyū-lŭs, -lī)［L. a petty thief, a boil: *fur*(thief) の指小辞］．＝furuncle.

fusariosis (fū-sar-ē-ō′sis). フサリウム症（*Fusarium*属による真菌感染症）．

Fu·sar·i·um (fyū-sā′rē-ŭm)［L. *fusus*, spindle］．フザリウム属（急速に成長する真菌の一属で，特徴的な鎌状の多分節性大分生子を生じる．この大分生子は，皮膚糸状菌類のつくる分生子と間違われることがある．一般に腐生性で，*F. oxysporum*, *F. solani*, *F. moniliforme* などは角膜潰瘍の原因となりうる．いくつかの種は熱傷した皮膚で普通に増殖し，またいくつかのものは播種性の感染症を起こすことがある）．

fu·seau (fŭ-zō′)［Fr. *spindle* < L. *fusus*］．フーゾ（紡錘形の多室性の大分生子）．

fu·sid·ic ac·id (fyū-sid′ik as′id). フシジン酸（イヌフグリ属*Veronica*の寄生菌 *Fusidium coccineum* の発酵産物．蛋白合成や ppGpp 蓄積を阻害する）．＝ramycin.

fu·si·form (fyū′si-fōrm)［L. *fusus*, a spindle + *forma*, form］．紡錘状の（両端が細くなった）．

Fu·si·for·mis (fyū-si-fōr′mis)［→fusiform］．紡錘菌属（現在では用いられない属名．ヒトの口中にみられる嫌気性の紡錘状菌に対しときに用いる．これらの細菌は，ヒトの腸内にみられる嫌気性菌と緊密な関係があり *Fusobacterium*属にはいる）．

fu·si·mo·tor (fyū′si-mō′tŏr)［L. *fusus*, spindle + *movere*, to move］．紡錘運動の（ガンマ運動ニューロンによる，筋紡錘内線維の遠心性神経支配についていう．→neuromuscular *spindle*）．

fu·sin (fyū′zin)［fuse < L. *fundo*, pp. *fusum*, to melt + -in］．フュージン（ある種のヒト細胞に存在するG蛋白結合性受容体で，HIV と標的細胞との融合に必要であると考えられている．〔註〕CXCR4 (chemokine(C-X-C motif) receptor 4) の旧名である）．

fu·sion (fyū′zhŭn)［L. *fusio*, a pouring < *fundo*, pp. *fusus*, to pour］．***1*** 融解（例えば熱による融解）．***2*** 癒合（2つのものを結合すること．例えば骨癒合）．***3*** 融像（各眼で見たわずかに異なる2つの像を，1つの像に融合すること）．***4*** 融合（隣接する2本以上の歯が発育の途上においてぞうげ質を介して結合したもの．→concrescence）．***5*** 融合（2個の遺伝子，しばしば隣接する遺伝子を結合すること）．***6*** 固定（2つの骨を合わせて1つにし，それにより2つの骨の間の動きをなくす）．***7*** 融合（2つの膜が互いに合併する過程）．

bone block f. 骨塊固定〔術〕（骨癒合と変形矯正のために2つの骨の間にブロック状の骨移植を行うことにより2つの骨を癒合させる方法）．

cell f. 細胞融合（2個の細胞の内容物を傷害なしに人工的に合体させること．少なくとも数世代の間は異核共存体が持続するため，染色体での座の決定に重要な方法である）．

centric f. 中心融合．＝robertsonian *translocation*.

flicker f. 閃光融合（→critical flicker fusion *frequency*）．

nuclear f. 核融合（エネルギーの放出によって，軽い原子核からより複雑な原子核を形成すること．例えば，水素核からヘリウム核を形成すること(水素融合)）．

spinal f., spine f. 脊椎固定〔術〕（2個以上の脊椎間の骨性強直をつくる手術方法）．＝spondylosyndesis; vertebral f.

splenogonadal f. 脾生殖腺癒合（脾と精巣もしくは卵巣組織が塊を形成すること）．

vertebral f. 脊椎椎体固定〔術〕．＝spinal f.

Fu·so·bac·te·ri·um (fyū′zō-bak-tēr′ē-ŭm)［L. *fusus*, a spindle + bacterium］．フゾバクテリウム属（主な代謝産物として酪酸を生じるグラム陰性，非胞子形成性の偏性嫌気性杆菌を含む細菌の一属．これらの細菌はヒトや他の動物の体腔内にみられ，いくつかの種類は病原性がある．標準種は *F. nucleatum*）．

F. mortiferum ヒトの消化管にみられ，腹部感染症に関与する細菌種．別名 *Sphaerophorus mortiferus*.

F. necrophorum 壊死杆菌（別名 *Sphaerophorus necrophorus*. ウシジフテリア，ウサギの唇の壊死，ブタの壊死性鼻炎，ウシ・ヒツジ・ヤギの足腐敗症のような動物の壊死性・壊疽性病巣，そしてときにはヒトの壊死性病巣をつくる，通常は多形態性の原因菌種または関連菌種）．＝necrosis bacillus.

F. nucleatum 口腔や上気道および胸膜腔の感染，ときに

は腸管下部の感染にみられる一細菌種(恐らく，Plaut 杆菌または Vincent 杆菌)．ヒトのフゾバクテリウム感染症の最も一般的な原因種で，*Fusobacterium*属の標準種．

fu·so·cel·lu·lar (fyū′zō-sel′yū-lăr)．紡錘細胞の．

fu·so·spi·ro·chet·al (fyū-zō-spī′rō-kē′tăl)．紡錘菌スピロヘータの（Vincent アンギナの病巣にみられるような，紡錘菌とスピロヘータ菌の共存したものをさす)．

fus·tic (fŭs′tik)．フスチック（西インド(*Rhus cotinus*)，中央・南アメリカ(*Chlorophora tinctoria*)の樹木から誘導された天然染料の混合物．織物の媒染染料として用いる．その混合物の主要染料はモリンで，染料であるマクルリンと関連する)．

fus·ti·ga·tion (fŭs′ti-gā′shŭn)［L. *fustigo*, pp. *-atus*, to beat with a cudgel］．皮膚鞭打療法（軽い棒で表面を打つマッサージの一型)．

Fut·cher (fut′chĕr), Palmer Howard．米国系カナダ人医師，1910—2004．

FVC forced vital *capacity* の略．

Fx fracture の略．

Fy blood group (blŭd grūp)．Fy 血液型（付録 Blood Groups 参照)．

F

𝔊

γ ガンマ（①ギリシア語アルファベットの第３字 gamma．②化学において，系列の中の３番目．例えば，脂肪酸の４番目の炭素やベンゼン環中のアルファ位置から２つ離れた位置を表す．③$10^{-4}$ ガウス，表面張力 surface *tension*，活量係数 activity *coefficient* の記号として用いる．④光子の記号．この接頭語をもつ化合物については各項参照）．

G ***1*** 重力単位 gravitational *units* の記号または略．***2*** gap (3) の略．***3*** gauss の略．***4*** giga- の略．***5*** UDPG におけるような D-glucose の記号．***6*** GDP におけるような guanosine の記号．***7*** glycine の略．***8*** guanine の略．

G ニュートン万有引力定数 newtonian *constant* of gravitation の記号．Gibbs 自由エネルギー free *energy* の記号．G_{act} または $G^{\ddagger}$ は Gibbs 活性化(自由)エネルギー(free) *energy* of activation; conductance の記号．

g gram; gaseous state の略．

g 地球の引力によって生じる加速度を基準にした加速度の単位で，海面上で緯度 45° において $1\,g = 980.621$ cm/sec²(約 32.1725 ft/sec²)．緯度 30° において $1\,g = 979.329$ cm/sec²．

G_0 静止期 gap_0 *period* の記号．

G_1 G_1期 gap_1 *period* の記号．

G_2 G_2 期 gap_2 *period* の記号．

Ga ガリウムの元素記号．左の肩字で，同位体の質量数を示す．

^{67}Ga gallium 67 の略．

^{68}Ga gallium 68 の略．

GABA *γ*-aminobutyric acid の略．

gabaergic (gab-ă-ĕr′jik). GABA作働性の．＝gabanergic.

GABA-ergic (gab-ă-ĕr′jik). GABA作働性の．＝gabanergic.

gabanergic (gab-ă-nĕr′jik) [GABA + G. *ergon*, work]. GABA作動性の（ガンマアミノ酪酸(GABA)の作用またはトランスミッターとして作用する神経経路または代謝経路に関する）．＝GABA-ergic; gabaergic.

GAD *glutamate* decarboxylase; generalized anxiety *disorder* の略．

Gad·dum (gad′ŭm), John H. イングランド人薬理学者，1900—1965. ⇀G. and Schild *test*.

gad·fly (gad′flī). アブ（⇀*Tabanus*）．

gad·o·di·am·ide (gad′ō-dī′ă-mid). ガドジアミド（ガドリニウム DPTA の非イオン性構造類似体．磁気共鳴画像(MRI)において，常磁性造影剤として用いられる）．

gad·o·le·ic ac·id (gad′ō-lē′ik as′id). ガドレイン酸（タラの肝油などに含まれる *cis*–不飽和脂肪酸）．＝9-eicosenoic acid.

gad·o·lin·i·um (Gd) (gad′ō-lin′ē-ŭm) [mineral, gadolinite < Johan *Gadolin*, フィンランド人化学者，1760—1852]. ガドリニウム（ランタニド族の元素で，原子番号 64，原子量 157.25．この元素が常磁性をもつことから，磁気共鳴画像法の造影剤として用いられている）．

gad·o·pen·te·tate (gad′ō-pen′tĕ-tāt). ガドペンテト酸，ガドペンテテート；(NMG)2; dimeglumine diethylenetriamine pentaacetatogadolinate (III)（２価陰イオンの非環式キレートであるガドリニウム DPTA のメチルグルカミン塩．磁気共鳴画像(MRI)において，常磁性造影剤として用いられる）．

gad·o·ter·i·dol (gad′ō-ter′i-dol). ガドテリドール（ガドリニウム DOTA の非イオン性大環状類似体．磁気共鳴画像(MRI)において，常磁性造影剤として用いられる）．

Gaens·len (genz′lĕn), Frederick J. 米国人外科医，1877—1937. ⇀G. *sign*.

Gaff·ky (gahf′kē), Georg T.A. ドイツ人衛生学者，1850—1918. ⇀G. *scale*, *table*.

GAG glycosaminoglycan の略．

gag (gag). ***1***〘v.〙むかつく，嘔気を催させる．***2***〘v.〙黙らせる．***3***〘n.〙開口器（口や咽喉の手術中に歯の間にはめ込んで口を開かせておく器具）．

Crowe-Davis mouth g. (krō dāv′ĭs). クロー－デーヴィス開口器（扁桃摘出あるいは口腔咽頭手術中，吸入あるいは気管内挿管によって，口を開き舌を押さえ，気道を確保して揮発性麻酔薬を送るために用いる器械）．

gage (gāj). 計器，尺度（[gauge の別のつづり]）．

gain (gān) [M.E. *gayne*, booty < O.Fr. < Germanic]. ***1*** 利得，利点．***2*** 利得，増幅率（増幅回路の入力に対する出力の比．超音波では一般にデシベルで表現する）．

primary g. 一次性利得（情動負荷を，器質疾患(例えば，ヒステリー性盲または麻痺)に目に見える形で転換して，対人的，社会的ないし経済的利益を得ること．*cf.* secondary g.）．

secondary g. 二次性利得（器質疾患により間接的に得られる私的または社会的利益，すなわち援助，関心，同情など．*cf.* primary g.）．

time-compensated g. ＝time-gain *compensation*.

time compensation g. (**TCG**) ＝time-gain *compensation*.

time-varied g. (**TVG**) ＝time-gain *compensation*.

Gaird·ner (gārd′nĕr), William T. スコットランド人医師，1824—1907. ⇀G. *disease*.

Gais·böck (gīs′bŏk), Felix. ドイツ人医師，1868—1955. ⇀G. *syndrome*.

gait (gāt). 歩行．

antalgic g. 鎮痛歩行（患肢に体重をかけたときの痛みに起因する特有な歩行．歩行時，患肢を地につけている時間が短い）．

ataxic g. 失調〔性〕歩行．＝cerebellar g.

calcaneal g. 踵骨歩行（腓腹筋麻痺に起因する歩行障害で，踵での歩行が特徴．小児麻痺やその他の神経疾患に続発して起こる）．

cerebellar g. 小脳性歩行（外側に傾き，不安定な，歩幅の一定しない両足を開いた歩行．しばしば前後，左右に倒れかかるような歩行となる）．＝ataxic g.

Charcot g. (shahr′kō). シャルコー歩行（遺伝性運動失調症の歩行）．

circumduction g. 分回し歩行．＝hemiplegic g.

equine g. 尖足歩行．＝steppage g.

festinating g. 加速歩行（体幹は前屈，股・膝関節は屈曲し，硬直性で歩幅は狭く，だんだんと早くなっていく歩行．パーキンソン病などでみられる特徴的歩行）．＝festination.

gluteus maximus g. 大殿筋〔麻痺〕歩行（重心が常に支持脚の上にくるよう，体幹を代償的に後方に突き出した歩行）．

gluteus medius g. 中殿筋〔麻痺〕歩行（歩行の立脚期に荷重肢に重心をかけるために，弱い殿筋側へ身体を代償的に傾ける歩行）．＝Trendelenburg g.

helicopod g. ひねり歩き（ある種の転換反応またはヒステリー性障害にみられるような歩行で，足が半円を描く）．＝helicopodia.

hemiplegic g. 片麻痺歩行，半側麻痺歩行（歩行時，膝・足関節は曲げず，まず下肢が体幹より離れ，次いで体幹に近づき，下肢が半円形を描くような歩行をする下肢硬直性の歩行）．＝circumduction g.; spastic g.

high-steppage g. ニワトリ歩行，鶏歩．＝steppage g.

hysteric g. ヒステリー性歩行（転換反応でみられる種々のおかしな歩行．歩行時に足を上げるかわりに，ひきずったり前に押し出したりすることが多い．足を背屈したり内転したりすることが多い．⇀conversion (2)）．

magnetic g. 磁石歩行，磁気歩行．＝Bruns *ataxia*.

scissors g. はさみ歩行（[不合理な変形 scissor gait を避けること]．歩行に際し，各肢が前方かつ内方に振れるもので，通常，脳性麻痺による両下肢痙性麻痺でみられる）．

spastic g. 痙性歩行．＝hemiplegic g.

steppage g. ニワトリ歩行，鶏歩（足関節が背屈できないため，歩行時，足を前に出す際，地面に足がひっかからないよう通常よりも足を高く持ち上げる動き．腓骨神経麻痺や足関節の背屈力低下を生じる疾患にみられる）．＝equine g.; high-steppage g.; steppage.

toppling g. よろめき歩行，ぐらぐら歩行（歩行が不確かでちゅうちょしており，患者はよろめき，ときに転倒する歩行．平衡障害によることが多いが，脳卒中後の老年患者にみられることもある）．

Trendelenburg g. (tren′dĕ-lĕn-bĕrg). トレンデレンブルク歩行. =gluteus medius g.

waddling g. アヒル歩行，よたつき歩行（体重を支える股関節が安定しない横揺れする歩行．1歩ごとに股関節は外側に突き出て，反対側の骨盤は下がり，交互する側方体幹運動になる．中殿筋の筋力低下による．筋ジストロフィや他の疾患でみられる）. =waddle.

Gal ガラクトースの記号.

galact- (gă-lakt′). →galacto-.

ga·lac·ta·cra·si·a (gă-lak′tă-krā′zē-ă) [galact- + G. *akrasia*, bad mixture < *a-* 欠性辞 + *krasis*, a mixing]. 母乳異常（母乳の組成が悪いこと）.

ga·lac·ta·gogue (gă-lak′tă-gog) [galact- + G. *agōgos*, leading]. 催乳薬（乳汁の分泌および流出を促進させる薬剤）.

ga·lac·tan (gă-lak′tan). ガラクタン（ガラクトースの重合体で，天然で，ペクチン中，ガラクトロナンやアラバンとともに見出される．例えば寒天）. =galactosans.

ga·lac·tan 1,3-β-ga·lac·to·si·dase (gă-lak′tan gă-lak′-to′sĭ-dās). ガラクタン1, 3-β-ガラクトシダーゼ（1, 3-β-ガラクタンの末端の非還元性ガラクトシル残基の加水分解および切断反応を触媒する酵素）.

ga·lac·tic (gă-lak′tik). 乳〔汁〕の，催乳の（乳汁に関する，乳汁の流出を促進する）.

ga·lac·ti·dro·sis (gă-lak′ti-drō′sis) [galact- + G. *hidrōs*, sweat + *-osis*, condition]. 乳汗〔症〕（乳汁様の発汗）.

ga·lac·ti·tol (gă-lak′ti-tol). ガラクティトール（ガラクトース由来の糖アルコール．ガラクトース血症のとき高値となる）.

galacto-, galact- (gă-lak′tō, gă-lakt′) [G. *gala*]. 乳汁を意味する連結形. *cf.* lact-.

ga·lac·to·blast (gă-lak′tō-blast) [galacto- + G. *blastos*, germ]. 初乳球. =colostrum *corpuscle*.

ga·lac·to·cele (gă-lak′tō-sēl) [galacto- + G. *kēlē*, tumor]. 乳腺嚢胞，乳瘤（乳管の閉塞による停滞嚢胞）. =lactocele.

ga·lac·to·gen (gă-lak′tō-jen) [galacto- + G. *-gen*, producing]. ガラクトゲン（様々な形のガラクトースを含む多糖類）.

galactography (gal-ak-tog′ră-fē) [galacto- + graphy]. 乳管造影法（乳管内へ造影剤を逆行性に注入し，乳房撮影を行って乳管の造影写真を得る方法）. =ductography.

ga·lac·to·ki·nase (gă-lak′tō-kī′nās). ガラクトキナーゼ（ATPの存在下で，D-ガラクトース代謝の第1段階であるD-ガラクトースのD-ガラクトース-1-リン酸へのリン酸化反応を触媒する酵素(ホスホトランスフェラーゼ)の一種．ガラクトキナーゼはある型のガラクトース血症で欠損している）.

ga·lac·tom·e·ter (gal′ak-tom′ĕ-tĕr) [galacto- + G. *metron*, measure]. 乳脂計，乳調計（乳脂含有量を示すための液体比重計の一種）. =lactometer.

gal·ac·toph·a·gous (gal′ak-tof′ă-gŭs) [galacto- + G. *phagō*, to eat]. 乳汁栄養の（乳汁で生きている）.

ga·lac·to·phore (gă-lak′tō-fōr) [galacto- + G. *phoros*, bearing]. 乳管. =lactiferous *ducts*.

ga·lac·to·pho·ri·tis (gă-lak′tō-fō-rī′tis) [galacto- + G. *phoros*, carrying + *-itis*, inflammation]. 乳管炎.

gal·ac·toph·o·rous (gal′ak-tof′ŏ-rŭs). 乳汁を運ぶ，乳管の.

ga·lac·to·poi·e·sis (gă-lak′tō-poy-ē′sis) [galacto- + G. *poiēsis*, forming]. 乳汁産生.

ga·lac·to·poi·et·ic (gă-lak′tō-poy-et′ik). 乳汁産生〔性〕の.

ga·lac·to·pyr·a·nose (gă-lak′tō-pir′ă-nōs). ガラクトピラノース（ピラノース型のガラクトース）.

ga·lac·tor·rhe·a (gă-lak′tō-rē′ă) [galacto- + G. *rhoia*, a flow][MIM*230300]. 乳汁漏出〔症〕，乳漏〔症〕（①乳頭より分泌される白色の分泌物．一過性でなく，ミルク様の外見を呈する．②授乳の合間または離乳後も，乳房から継続して乳汁が分泌されること）. =incontinence of milk; lactorrhea.

ga·lac·tos·a·mine (gă-lak′tō-sam′ēn). ガラクトサミン（ガラクトースの2-アミノ-2-デオキシ誘導体でNH_2が2-OH基に置換している．そのD-異性体は種々のムコ多糖類，特にコンドロイチン硫酸や血液B型物質のムコ多糖類に存在．通常，*N*-アセチル誘導体として存在する）.

ga·lac·tos·am·i·no·gly·can (gă-lak′tōs-am′i-nō-glī′-kan). ガラクトサミノグリカン（→mucopolysaccharide）.

ga·lac·to·sans (gă-lak′tō-sanz). ガラクトサン. =galactan.

ga·lac·to·scope (gă-lak′tō-skōp) [galacto- + G. *skopeō*, to examine]. 検乳器（薄層の透明度によって，乳汁の濃度と純度を判定する器械）. =lactoscope.

ga·lac·tose (Gal) (gă-lak′tōs). ガラクトース（ラクトース，セレブロシド，ガングリオシド，およびムコ蛋白のような化合物の成分として(D型で)みられるアルドヘキソース．ガラクトシドまたはガラクトースの化合物にみられる．D-グルコースのエピマー）.

ga·lac·to·se·mi·a (gă-lak′tō-sē′mē-ă) [galactose + G. *haima*, blood]. ガラクトース血〔症〕（① [MIM*230400]．酵素ガラクトシル-1-リン酸ウリジルトランスフェラーゼの先天性欠損による遺伝性のガラクトース代謝障害で，1-リン酸ガラクトースの組織内蓄積を生じる．栄養障害，肝硬変を伴った肝脾腫大，白内障，精神遅滞，ガラクトース尿，アミノ酸尿，アルブミン尿の症状が発現し，ガラクトースを食事から除くと症状は消退あるいは消失する．常染色体劣性遺伝．第9染色体短腕上に存在するガラクトース1-リン酸ウリジルトランスフェラーゼ(GALT)遺伝子の突然変異により生じる．→galactokinase *deficiency*．②ガラクトシル-1-リン酸ウリジルトランスフェラーゼ欠損症以外の先天性代謝異常．galactosemiaの他の項目参照）. =galactose diabetes.

epimerase deficiency g. エピメラーゼ欠損性ガラクトース血症（先天性の代謝異常症．ウリジン二リン酸ガラクトース-4-エピメラーゼ欠損のためにガラクトース1-リン酸が蓄積する）.

galactokinase deficiency g. ガラクトキナーゼ欠損性ガラクトース血症（常染色体劣性遺伝．ガラクトースとガラクティトールが蓄積する）.

transferase deficiency g. トランスフェラーゼ欠損性ガラクトース血症（常染色体劣性遺伝疾患．ガラクトース1-リン酸ウリジリルトランスフェラーゼの欠損により生じる．(galactosemiaの項参照)）.

ga·lac·tose 1-phos·phate ガラクトース1-リン酸（ガラクトースのリン酸誘導体でガラクトース代謝の重要中間体であり，ある種のガラクトース血症で蓄積する）.

g. 1-p. uridylyltransferase ガラクトース1-リン酸ウリジルトランスフェラーゼ（ガラクトース代謝の第2段階で，最も重要な反応であるUTPとα-D-ガラクトース1-リン酸からUDPガラクトースとピロリン酸を生成する反応を触媒する酵素．この酵素の欠損により，ガラクトースやガラクトース1-リン酸，ガラクチトールが蓄積する）.

ga·lac·tose-6-sul·fa·tase (gă-lak′tōs sŭl′fă-tās). ガラクトース-6-スルファターゼ（ある種のムコ多糖のガラクトース-6-硫酸残基から硫黄原子を脱離させ，3,6-アンヒドロガラクトース残基を生成させる酵素．Morquio症候群A型で欠損している）. =galactose-6-sulfurase.

ga·lac·tose-6-sul·fu·rase (gă-lak′tōs sŭl-fyū′rās). ガラクトース-6-スルフラーゼ. =galactose-6-sulfatase.

α-D-ga·lac·to·sid·ase (gă-lak′tō-sīd′ās). α-D-ガラクトシダーゼ（α-D-ガラクトシドの遊離D-ガラクトースへの加水分解を触媒する酵素．A型α-D-ガラクトシダーゼの欠損によりFabry病になる）. =melibiase.

β-ga·lac·to·sid·ase (gă-lak′tō-sīd′ās). β-ガラクトシダーゼ（ラクトースからグルコースとガラクトースへの変換で，β-ガラクトシド結合を加水分解する酵素．また色素原性基質IPTG(イソプロピルチオガラクトシド)も加水分解し，人工融合遺伝子や遺伝子発現の指示薬として用いられる）.

β-D-ga·lac·to·sid·ase (gă-lak′tō-sīd′ās). β-D-ガラクトシダーゼ（ラクトースをD-グルコースとD-ガラクトースへ，また他のβ-D-ガラクトシドの加水分解を触媒する糖分分解酵素．これはまた，ガラクトトランスフェラーゼ反応をも触媒する．β-D-ガラクトシダーゼ欠乏によりラクトースの腸内消化に問題が起こる．その腸内酵素をもたない成人用乳製品の製造に用いられる．β-D-ガラクトシダーゼの1つのアイソザイムの欠損によりMorquio症候群B型になる．*cf.* lactase *persistence*; lactase *restriction*）. =lactase.

ga·lac·to·side (gă-lak′tō-sīd). ガラクトシド（ガラクトースのC-1のOH基のHが有機基で置換された化合物）.

gal·ac·to·sis (gal′ak-tō′sis) [galacto- + G. *-osis*, condition]. 乳汁形成（乳腺による乳汁の形成）.

G

ga·lac·to·su·ri·a (gă-lak′tō-syū′rē-ă) [galactose + G. *ouron*, urine]. ガラクトース尿〔症〕(ガラクトースの尿中排泄).
ga·lac·to·syl (gă-lak′tō-sil). ガラクトシル（ガラクトシドのガラクトース部分).
β-ga·lac·to·syl·cer·am·i·dase (gă-lak′tō-sil-ser-am′i-dās). β–ガラクトシルセラミダーゼ（あるセラミドの異化に関与する酵素．β–ガラクトシルセラミダーゼの欠損により，Krabbe 病になる).
ga·lac·to·syl·cer·a·mide (gă-lak′tō-sil-ser′ă-mīd). ガラクトシルセラミド（スフィンゴ脂質で，Krabbe 病患者で蓄積する).
ga·lac·to·ther·a·py (gă-lak′tō-thār′ă-pē). 牛乳療法（牛乳のみによる，またはほとんど牛乳だけの食事による病気の治療). = lactotherapy.
ga·lac·tur·o·nan (gă-lak′tūr-ō-nan′). ガラクツロナン（加水分解によってガラクツロン酸を生じる多糖類．数種のペクチンの一成分).
ᴅ-**ga·lac·tu·ron·ic ac·id** (gă-lak-tūr-on′ik as′id). ᴅ–ガラクツロン酸（ガラクトースの酸化産物で，その中の 6–CH_2OH 基が − COOH 基になったもの．多くの天然産物(例えばペクチン)や細胞壁にみられる). = pectic acid.
ga·lan·gal, ga·lan·ga (ga-lan′găl, -gă) [Mediev.L. *galanga*, mild ginger < Chinese]. ガランガ根，ゲットウ（ショウガ科コウリョウキョウ *Alpinia officinarum* の根茎．芳香刺激薬および駆風薬として用いる). = Chinese ginger.
Ga·lant (gă-lant′), Nikolay Fedorovich. 20世紀のロシア人保健士. ⇀G. *reflex*.
ga·lan·tha·mine (gă-lan′thă-mēn). ガランタミン（マツユキソウから得られるアルカロイドで，抗コリンエステラーゼ作用を示す．東ヨーロッパでよく用いられる).
ga·le·a (gā′lē-ă) [L. a helmet]. ***1*** ヘルメット形の構造. ***2*** 帽状腱膜（⇀epicranial *aponeurosis*). ***3*** 頭をおおった包帯の形のこと. ***4*** = caul (1).
g. aponeurotica [TA]. 帽状腱膜. = epicranial *aponeurosis*.
Gal·e·a·ti (gal′ē-ah′tē), Domenico. イタリア人医師，1686—1775. ⇀G. *glands*.
ga·le·at·o·my (gā-lē-at′ŏ-mē) [galea + G. *tomē*, incision]. 帽状腱膜切開〔術〕.
Ga·le·az·zi (gah-lā-aht′sē), Riccardo. イタリア人外科医，1886—1952. ⇀G. *fracture*.
Ga·len (Galenius, Galenos) (gā′lĕn), Claudius. ローマに在住したギリシア人医師・科学者，130—201 頃. ⇀G. *anastomosis, nerve; veins* of G.; great *vein* of G.
ga·le·na (gā-lē′nă) [L.]. 方鉛鉱. = *lead* sulfide.
ga·len·ic (gā-len′ik). Galen に関する，または彼の説についていう.
ga·len·i·cals (gā-len′i-kălz) [Claudius *Galen*]. 生薬，ガレン製薬（①薬用植物およびその他の植物性生薬で，鉱物および化学薬品とは区別される．②薬用植物などからつくられる生薬，チンキ剤，煎剤その他の調製剤で，アルカロイドや他の有効成分とは区別される．③公定書に従って調製された薬剤).
gall (gawl) [A.S. *gealla*]. ***1*** 胆汁. = bile. ***2*** 擦過傷（皮膚のすりむきあるいはただれ). ***3*** 五倍子，没食子. = nutgall.
gal·la (gal′ă) [L.]. 五倍子，没食子. = nutgall.
gal·la·mine tri·eth·i·o·dide (gal′ă-mēn trī′eth-ī′ō-dīd). ガラミントリエチオダイド（3 個の四級アンモニウムをもつ化合物で，クラーリンと同様な作用をもつ).
Gal·la·var·din (gahl-ă-var-dan[h]′), Louis. フランス人医師，1875—1957. ⇀G. *phenomenon*.
gall·blad·der (gawl′blad-ĕr). [TA]. 胆嚢（肝臓の下面上の，右葉と方形葉の間の陥凹部分にある梨状の臓器．胆汁の貯蔵所として働く). = vesica biliaris [TA]; vesica fellea*; bile cyst; cholecyst; cholecystis; cystis fellea; gall bladder; vesicula fellis.
Courvoisier g. (kūr-vwah-sē-ā′). クルヴォワジェ胆嚢（膵頭部癌患者でよく触知される拡張した胆嚢．総胆管の閉塞による黄疸を伴っている. ⇀Courvoisier *law*).
porcelain g. 陶器様胆嚢（内腔が石灰化した胆嚢で，通常胆嚢癌に合併する).

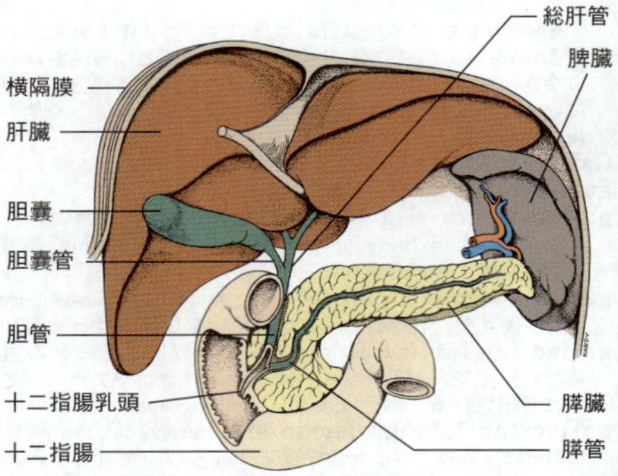

gallbladder, liver, and biliary system

sandpaper g. サンドペーパー胆嚢，紙やすり性胆嚢（胆嚢粘膜の荒れた状態で，通常，胆石症を合併している).
strawberry g. イチゴ状胆嚢（赤く充血した粘膜上に，対照的に黄色のコレステロール沈着による斑点がある胆嚢).
Gal·le·go dif·fer·en·ti·at·ing so·lu·tion (gă-yă′gō). ⇒solution.
gal·le·in (gal′ē-in). ガレイン（構造的にフルオレセインに類似している．指示薬として用い，pH6.6 以上で真紅，pH4 以下で黄褐色を呈する). = pyrogallolphthalein.
gal·lic ac·id (gal′ik as′id). 没食子酸（通常，タンニン酸または没食子からつくられ，タンニン酸と同様に収れん薬として局所的に用いる).
Gal·lie (gal′ē), William E. カナダ人外科医，1882—1959. ⇀G. *transplant*.
Gal·li·for·mes (gal′i-fōr′mēz) [L. *gallus*, a cock + *forma*, form]. キジ目（キジ，シチメンチョウ，ニワトリを包括する鳥類の一目).
gal·li·na·ceous (gal′i-nā′shŭs) [L. *gallinaceus* < *gallina*, a hen]. キジ類の.
gal·li·um (Ga) (gal′ē-ŭm) [L. *Gallia*, France]. ガリウム（希土類元素，原子番号 31，原子量 69.723).
g. 67 (^{67}Ga) (gal′ē-ŭm). ガリウム 67（サイクロトロンで産生される放射性核種で，半減期は 3.260 日．放出される主要ガンマ線は 93，185，300 keV のエネルギーをもつ．クエン酸塩の形で，腫瘍および炎症をみつける放射性トレーサとして用いる).
g. 68 (^{68}Ga) (gal′ē-ŭm). ガリウム 68（1.130 時間の放射能半減期で陽電子を放出する).
gal·lo·cy·a·nin, gal·lo·cy·a·nine (gal′ō-sī′ă-nin, ă-nēn) [C.I. 51030]. ガロシアニン（青色フェノキサジン色素．クロムミョウバンと煮沸後，核酸に対する染料として用い，これらの部分の定量的細胞光度測定に応用できる).
gal·lon (gal′ŏn) [O.Fr. *galon*]. ガロン（4 クォート，231 立方インチ，20°C の蒸留水 8.3293 ポンドに相当する液体の米国式体積測定単位．または 3.785412 リットルに等しい．英国式ガロンは 277.4194 立方インチに相当する).
gal·lop (gal′ŏp). 奔馬調律（心音の 3 律動．第 1 心音と第 2 心音に加えて異常な第 3 心音および第 4 心音が聞かれるためで，通常，重症疾患の徴候である). = bruit de galop; cantering rhythm; gallop rhythm; Traube bruit.
atrial g. 心房性奔馬調律，心房奔馬リズム. = presystolic g.
presystolic g. 収縮前期奔馬調律，前収縮期奔馬調律（拡張後期の奔馬調律で，心房収縮に続く強力な心室充満によって聴取しうる第 4 心音との合成音). = atrial g.
protodiastolic g. 拡張初期奔馬調律（拡張早期に生じる奔馬調律で，異常第 3 心音がある).
S_7 g. S_7 ギャロップ. = summation g.
summation g. 重合奔馬調律（奔馬調律が第 3 心音と第 4 心音の加重によるもの．ときには正常者でも頻脈時に聞かれるが，通常は心筋疾患の徴候である）．＝S_7 g.; S_7.

systolic g. 収縮期奔馬調律（収縮期に，収縮期クリックの形で余分な心音が聞かれる心音の3律動を表す，現在では用いられない語）．

gall·stone (gal′stōn). 胆石（胆嚢または胆管内の結石で，主にコレステロール，ビリルビンカルシウム，炭酸カルシウムの混合物からなり，ときに1つの成分のみからなる）．＝biliary calculus; cholelith.

asymptomatic g.'s 無症状胆石．＝silent g.'s.

opacifying g.'s 不透明化胆石（胆嚢撮影用造影剤に長期間接触したためにX線上不透明になった胆石）．

silent g.'s 無症候性胆石（無症状で経過し，X線検査や超音波検査により，手術時に，あるいは剖検で発見される胆石）．＝asymptomatic g.'s.

Gal·lus (gal′ŭs) [L. *gallus*, a cock]. 野鶏属（キジ類の一属で，ニワトリ *G. domestica* を含む）．

GALT gut-associated lymphoid *tissue* の略．

Gal·ton (gahl′tŏn), Francis. イングランド人科学者，1822—1911. →G. *delta*, system of classification of *fingerprints*, *law*, *whistle*.

gal·to·ni·an (gahl-tō′nē-ăn). Sir Francis Galton に関する，または彼の記した．

Gal·van·i (gahl-vahn′ē), Luigi. イタリア人医師，解剖学者，1737—1798. →galvanism.

gal·van·ic (gal-van′ik). 直流電流の，ガルヴァーニ電流の．＝voltaic.

gal·va·nism (gal′vă-nizm). ＝voltaism. ***1*** ガルヴァーニ電流（電池などのように，化学作用によって生じる直流電流）．***2*** ガルヴァニズム（口腔内に装着されている電位の異なった修復物(例えば金と銀)間に生じた直流電流による口腔内症状．痛みや小さな白斑症を生じることを特徴とする）．

gal·va·ni·za·tion (gal′vă-ni-ză′shŭn). 直流通電〔法〕（電気めっきのように，直流電流を通すこと）．

galvano- (gal′vă-nō) [→galvanism]. 電気，主に直流，を示す接頭語．

gal·va·no·cau·ter·y (gal′vă-nō-kaw′tĕr-ē). 直流焼灼器（直流電流を通し加熱した針金を用いる電気焼灼器の一種）．

gal·va·no·con·trac·til·i·ty (gal′vă-nō-kon′trak-til′i-tē). 電気収縮性（直流電流の刺激による筋収縮能力）．

gal·va·no·far·a·di·za·tion (gal′vă-nō-far′ă-di-ză′shŭn). 直流交流通電〔法〕（直流と交流を同時に用いる療法）．

gal·va·nom·e·ter (gal′vă-nom′ĕ-tĕr). 検流計（電流の強さを測定する器械）．

d'Arsonval g. (dahr-sahn-vahl′). ダルソンヴァル検流計，動コイル検流計（感度の高い検流計で，永久磁石の両極の間に可動コイルをスプリングと導線を兼ねるごく細い針金またはリボンでつるし，このコイルに取り付けられた鏡が目盛り上に光線ビームを反射するようになっているもの）．

Einthoven string g. アイントホーフェン(アイントーフェン)弦検流計（Einthoven が最初に心電図記録をした際に用いた検流計）．

gal·va·no·mus·cu·lar (gal′vă-nō-mŭs′kyū-lăr). 筋肉通電の（筋肉への直流電流の通電効果についていう）．

gal·va·no·pal·pa·tion (gal′vă-nō-pal-pā′shŭn). 電気触診〔法〕（先端が鋭くとがった電極から，身体のあまり重要でない部分に付けた陰極に向けて弱い直流電流を通すことにより行う触覚測定法）．

gal·va·no·scope (gal′vă-nō-skōp) [galvano- + G. *skopeō*, to view]. 検流器（直流電流の存在を探る器械）．

gal·va·no·sur·ger·y (gal′vă-nō-sŭr′jĕr-ē). 〔直流〕電気手術（直流電流を用いた手術）．

gal·va·no·tax·is (gal′vă-nō-tak′sis). 電気走性，走電性．＝electrotaxis.

gal·va·no·ther·a·py (gal′vă-nō-thār′ă-pē). 直流療法（直流電流を通すことによる病気の治療）．

gal·va·not·o·nus (gal′vă-not′ō-nŭs) [galvano- + G. *tonos*, tension]. [誤った発音 alvanoto′nus を避けること]. ***1*** 電気緊張．＝electrotonus. ***2*** 直流電流の刺激に反応した緊張性筋収縮．

gal·va·not·ro·pism (gal′vă-not′rō-pizm) [galvano- + G. *tropē*, a turning]. 電気走性，走電性．＝electrotaxis.

gam·a·bu·fa·gin, gam·a·bu·fo·gen·in (gam′ă-bū′fă-jin, gam-ă-boo′fō-jen-in). ガマブファギン．＝gamabufotalin.

gam·a·bu·fo·tal·in (gam′ă-bū-fō′tal-in). ガマブホタリン（トリヒドロキシンブファジノリドの一種でヒキガエル科ヒキガエルの毒中に存在する．化学的作用および薬理学的作用はジギタリスに似ている）．＝gamabufagin; gamabufogenin.

gam·bir (gam′bēr). ガンビール，阿仙薬（アカネ科 *Uncaria* (*Ourouparia*) *gambier* の葉からの抽出物で，収れん薬．商業用ガンビールは阿仙薬として知られている）．

game (gām) [M.E. < O.E. *gamen*]. ゲーム（定められた規則に沿って行われる肉体的または精神的競争で，娯楽として，あるいは賞金を得るために行う）．

language g. 言語ゲーム（哲学において，記号，言語法則，および言語使用の社会的習慣に包含，表現されるすべての操作および行為をゲームとみなす説）．

model g. モデルゲーム（人の行動(正常，異常を問わず)を解明するために，ゲーム，特に策略を要するゲームを用いること）．

ga·me·tan·gi·um (gam-ĕ-tan′jē-ŭm). 配偶子嚢（その中で配偶子が形成される構造）．

gam·ete (gam′ēt) [G. *gametēs*, husband; *gametē*, wife]. 配偶子，生殖体（①細胞核融合を行う2つの半数体細胞の1つ．②卵母細胞または精子のいずれかの生殖細胞）．

joint g. 接合配偶子（1つの胚細胞から受け継がれる(非対立遺伝子性)一倍体遺伝子の一群）．

gameto- (gă-mē′tō) [G. *gametēs*, husband, *gametē*, wife < *gameō*, to marry]. 配偶子を意味する連結形．

ga·me·to·cide (gă-mē′tō-sīd) [gameto- + L. *caedo*, to kill]. 生殖体撲滅薬（生殖体，特にマラリアの有性生殖母細胞に対して破壊作用のある薬物）．

ga·me·to·cyst (gă-mē′tō-sist) [gameto- + G. *kystis*, bladder]. 配偶子母細胞嚢，ガメトシスト（簇胞子虫の接合した1対のガモント(有性親)の周囲に形成される被嚢．この中で配偶子がつくられる）．

ga·me·to·cyte (gă-mē′tō-sīt) [gameto- + G. *kytos*, cell]. 生殖母細胞（分裂して配偶子を生じる能力のある細胞．例えば，精子または卵母細胞など）．＝gamont.

ga·me·to·gen·e·sis (gam′ĕ-tō-jen′ĕ-sis) [gameto- + G. *genesis*, production]. 配偶子発生，配偶子形成（配偶子の形成・発育過程）．

ga·me·to·go·ni·a (gam′ĕ-tō-go′nē-ă). ＝gametogony.

gam·e·tog·o·ny (gam′ĕ-tog′ō-nē) [gameto- + G. *gonē*, a begetting]. ガメトゴニー，生殖体形成（胞子中の有性生活環において，生殖体が形成される段階．生殖体はシゾゴニーによってつくられることが多い）．＝gametogonia; gamogony.

gam·e·toid (gam′ĕ-toyd). 類配偶子細胞（配偶子細胞あるいは生殖細胞に類似した，生物学的特徴に関して用いる語）．

ga·me·to·ki·net·ic (gam′ĕ-tō-ki-net′ik) [gameto- + G. *kinēsis*, movement]. 配偶子接合の（細胞核融合または真性接合に向かう，あるいはそれらを引き起こすことについていう）．

gam·e·to·pha·gi·a (gam′ĕ-tō-fā′jē-ă) [gameto- + G. *phagō*, to eat]. 配偶子消失（接合生殖における雄あるいは雌の要素の消失）．＝gamophagia.

Gam·gee (gam′jē), Joseph Sampson. 英国人外科医，1828—1886. →G. *tissue*.

gam·ic (gam′ik) [G. *gamikos*, pert. to marriage]. 配偶の，有性の（有性生殖結合についていう．通常，接尾語として用いる）．

gam·ma (gam′ă) [G.]. ガンマ（ギリシア語アルファベットの第3字 γ．②磁場強度の単位で，10^{-9} テラスに等しい）．

gam·ma ben·zene hex·a·chlor·ide (GBH) (gam′ă ben′zēn heks′ă-klōr′īd). ガンマ六塩化ベンゼン，ガンマビーエイチシー（精製された六塩化ベンゼンの一異性体で，殺疥癬，殺しらみ剤として皮膚にローション，クリーム，シャンプー剤の形で外用される．γ-BHCは経皮吸収される．作用はDDTと似るが残存性は低い）．＝hexachlorocyclohexane.

gam·ma·cism (gam′ă-sizm) [G. *gamma*, the letter g]. ガ行呐（g音の誤った発音またはその構音困難）．

gam·ma·gram (gam′ă-gram). ガンマ線写真，ガンマグラム（scintiscan を表す古語）．

Gam·ma·her·pes·vir·i·nae (gam′ă-her′pēz-vir′i-nē). ガンマヘルペスウイルス科（Epstein-Barr ウイルスなどリンパ

球増殖を引き起こすウイルスが属するヘルペスウイルス科の亜科).

gamma-hydroxybutyrate ガンマ－ヒドロキシ酪酸. ＝γ-hydroxybutyric acid

gam·mop·a·thy (gă-mop′ă-thē). 高ガンマグロブリン血症, ガンモパシー (免疫グロブリン合成の一次的障害).

benign monoclonal g. 良性単クローン性高ガンマグロブリン血症. ＝monoclonal g. of undetermined significance.

biclonal g. 二クローン性高ガンマグロブリン血症(ガンモパシー) (2種類の相違する(高濃度)単一クローン性の免疫グロブリンが血清中に含まれている免疫グロブリン症).

monoclonal g. 単クローン性高ガンマグロブリン血症(ガンモパシー) (リンパ様細胞あるいは形質細胞の単一クローンが異常増殖をきたす疾患. 血清中または尿中の(高濃度)単クローン性免疫グロブリンの存在を特徴とする(電気泳動法で単一ピークとして観察される)).

monoclonal g. of undetermined significance 意味未確定の単クローン性高ガンマグロブリン血症(3 g/100 mL以下のパラプロテイン血症(λ軽鎖物質中心の異常なγグロブリン)で, 発見時には明確な原因がないもの. 特に多発性骨髄腫や他の悪性疾患の形跡がない). ＝benign monoclonal g.

monoclonal g. of unknown significance (**MGUS**) 意味不明の単クローン性高ガンマグロブリン血症 (無症候で, 形質細胞の腫瘍新生がまったく確認できない老年者において, 血清電気泳動により診断される高ガンマグロブリン血症. 20%が形質細胞の悪性化へと進行する).

polyclonal g. ポリクローナル高ガンマグロブリン血症(ガンモパシー) (多クローンの細胞より産生される免疫グロブリンのヘテロ性の増加を示す. 炎症, 感染や悪性腫瘍などの多様な原因による).

Gamna (gahm′nă), Carlos. イタリア人医師, 1896—1950. →G. *disease*; G.-Favre *bodies*; Gandy-G. *bodies*; G.-Gandy *bodies*, *nodules*.

gam·o·gen·e·sis (gam′ō-jen′ĕ-sis) [G. *gamos*, marriage + *genesis*, production]. 雌雄〔両性〕生殖. ＝sexual *reproduction*.

gam·og·o·ny (gam-og′ō-nē). 配偶子生殖. ＝gametogony.

gam·ont (gam′ont) [G. *gamos*, marriage + *ōn* (*ont-*), being]. ガモント. ＝gametocyte.

gam·o·pha·gi·a (gam′ō-fā′jē-ă). ＝gametophagia.

gam·o·pho·bi·a (gam′ō-fō′bē-ă) [G. *gamos*, marriage + *phobos*, fear]. 結婚恐怖〔症〕(結婚に対する恐れ).

Gan·dy (gan′dē), Charles. フランス人医師, 1872—1943. →Gamna-G. *bodies*, *nodules*; G.-Gamna *bodies*; G.-Nanta *disease*.

gan·ga, ganja (gang′gă). ガンガ (インド, イラン, アラビアに生育する雌ずい植物インドアサ *Cannabis sativa* の花のエキス. →cannabis).

gan·gli·a (gang′glē-ă). ganglion の複数形.

gan·gli·al (gang′glē-ăl). 神経節の. ＝ganglionic.

gan·gli·ate, gan·gli·at·ed (gang′glē-āt, gang′glē-ā-tĕd). 神経節をもった. ＝ganglionated.

gan·gli·form (gang′glē-fōrm). 神経節状の (神経節の形や外観を有する). ＝ganglioform.

gan·gli·i·tis (gang′glē-ī′tis). ＝ganglionitis.

gan·gli·o·blast (gang′glē-ō-blast′) [ganglion＋G. *blastos*, germ]. 神経節芽細胞 (神経節細胞をつくる胚芽細胞).

gan·gli·o·cyte (gang′glē-ō-sīt′). 神経節細胞. ＝ganglion *cell*.

gan·gli·o·cy·to·ma (gang′glē-ō-sī-tō′mă) [ganglion＋G. *kytos*, cell＋*-oma*, tumor]. 〔神経〕節細胞腫 (粗なグリアの間質に神経細胞(神経節細胞)を含むまれな病変). ＝central ganglioneuroma.

gan·gli·o·form (gang′glē-ō-fōrm). ＝gangliform.

gan·gli·o·gli·o·ma (gang′glē-ō-glī-ō′mă). 神経節膠腫 (グリアの成分と異型神経(神経節)細胞の成分からなるまれな腫瘍. 若年の患者ではしばしば痙攣を伴う).

gan·gli·ol·y·sis (gang′glē-ol′i-sis). 神経節溶解 (神経節の融解または崩壊).

percutaneous radiofrequency g. 経皮的高周波神経節溶解 (高周波電流を経皮的に刺した針から神経節に与えることによって生じる神経節溶解).

gan·gli·o·ma (gang′glē-ō′mă). 神経節腫. ＝ganglioneuroma.

GANGLION

gan·gli·on, pl. **gan·gli·a, gan·gli·ons** (gang′glē-on, -glē-ă, -glē-onz) [G. a swelling or knot]. ***1*** [TA]. 神経節 (元来は, 中枢または末梢神経系の神経細胞体の集りすべてをさしたが, 現在では, 末梢神経系にみられる神経細胞体の集合をさす). ＝nerve g.; neural g.; neuroganglion. ***2*** 結節腫, ガングリオン (線維組織, ときに筋肉, 骨あるいは半月内にできる, ムコ多糖類に富む液体を含んだ嚢腫. 通常, 手, 手首, または足の腱鞘に付着しているか, 関節とつながっている). ＝myxoid cyst; peritendinitis serosa; synovial cyst.

aberrant g. 迷走性神経節 (脊髄神経節と脊髄間にある脊髄神経後根上に, ときにみられる神経細胞の集まり).

acousticofacial g. 聴覚顔面神経節 (胎生期初期の原始神経節細胞の塊で, 後に, 内耳神経(第八脳神経)の聴神経節またはラセン神経節と顔面神経(第七脳神経)の膝神経節に分かれる).

Acrel g. (ahk′rel). アスレル結節腫, アスレルガングリオン (①手首関節の背面にある後骨間神経上の偽神経節. ②手首の位置にある伸筋の腱上にある嚢腫).

Andersch g. (ahn′dĕrsh). アンデルシュ神経節. ＝inferior g. of glossopharyngeal nerve.

aorticorenal ganglia [TA]. 大動脈腎動脈神経節 (腹腔神経節から半ば分離したような神経節で, 左右の腎動脈の起始部にある. 小内臓神経を経由した交感神経節前線維は, この神経節内で節後線維とシナプスを形成する. 節後線維は上腸間膜動脈や腎動脈に沿って各臓器へ分布する). ＝ganglia aorticorenalia [TA].

ganglia aorticorenalia [TA]. 大動脈腎動脈神経節. ＝aorticorenal ganglia.

Arnold g. (ar′nōld). アルノルト神経節. ＝otic g.

auditory g. ＝cochlear g.

Auerbach ganglia (ow′ĕr-bahk). アウエルバッハ神経節 (腸筋神経叢にある副交感神経細胞の集合. →myenteric (nerve) *plexus*).

auricular g. ＝otic g.

autonomic ganglia 自律神経節 (→autonomic (visceral motor) *division* of nervous system).

ganglia of autonomic plexuses 自律〔神経〕叢神経節 (自律神経叢中にある自律神経節. 例えば, 交感神経叢の腹腔神経節, 下腸間膜動脈神経節, 筋層間神経叢の小副交感神経節など). ＝ganglia plexuum autonomicorum [TA].

basal ganglia 大脳基底核 (本来は, 大脳半球底にある灰白質の大きな塊すべてをさしたが, 現在は, 線状体(尾状核とレンズ核)および視床下核と黒質のような線状体に付随した神経核群をさす. →basal *nuclei*).

Bezold g. (bāt′sōlt). ベツォルト神経節 (心房中隔にある神経細胞の集合).

Bochdalek g. (bok′dă-lek). ボホダレク神経節 (犬歯根のすぐ上の上顎にある歯神経叢神経節).

Bock g. (bahk). ボック神経節. ＝carotid g.

Böttcher g. (bert′shĕr). ベットヒャー神経節 (内耳道にある蝸牛神経節).

cardiac ganglia [TA]. 心臓神経節 (副交感性の神経節で, 上行大動脈と肺動脈分岐部との間の神経叢の中とその心房および房室溝への拡大部の中とにある. その1つはしばしば動脈管索のすぐ近くにみつかる. 神経節は節後副交感性ニューロンからなり結節組織や冠状動脈周囲神経叢に分布する). ＝ganglia cardiaca [TA]; Wrisberg ganglia.

ganglia cardiaca [TA]. 心臓神経節. ＝cardiac ganglia.

carotid g. 頸動脈神経節 (海綿洞内の頸動脈下面にある内頸動脈神経叢から出ている糸状体上の小さい神経節様腫脹). ＝Bock g.; Laumonier g.

celiac ganglia [TA]. 腹腔神経節 (交感神経節前線維の中で最も大きく上位にある集合体で, 腹大動脈上部で腹腔動脈の起始の両側に位置し，その無髄の線維は，胃，肝臓，胆嚢，脾臓，腎臓，小腸，上行結腸，および横行結腸を支配している節後性交感神経ニューロンからなる）. = ganglia coeliaca [TA]; solar ganglia; Vieussens ganglia; Willis centrum nervosum.

g. cervicale inferius [TA]. 下頸神経節. = inferior cervical g.

g. cervicale medium [TA]. 中頸神経節. = middle cervical g.

g. cervicale superius [TA]. 上頸神経節. = superior cervical g.

cervicothoracic g. [TA]. 頸胸神経節（交感神経幹の脊椎傍神経節の1つで，椎骨動脈起始部の近くの鎖骨下動脈の後方にある．第七頸椎の高さで下頸神経節が第一胸神経節と癒合してできたものである）. = g. cervicothoracicum [TA]; g. stellatum*; stellate g.*.

g. cervicothoracicum [TA]. 頸胸神経節. = cervicothoracic g.

chain ganglia 神経節鎖. = g. of sympathetic trunk.

g. ciliare [TA]. 毛様体神経節. = ciliary g.

ciliary g. [TA]. 毛様体神経節（眼窩内の，視神経と外側直筋の間にある小さい副交感神経節．動眼神経を経てEdinger-Westphal 核から節前線維を受け，節後線維(この神経節内に細胞体が存在する)は毛様体筋および虹彩の瞳孔括約筋を支配する）. = g. ciliare [TA]; lenticular g.; Schacher g.

coccygeal g. = g. impar.

cochlear g. [TA]. ラセン神経節（蝸牛軸のラセン管内にあって蝸牛神経の双極性知覚神経細胞体からなる細長い神経節．各神経節細胞は，骨ラセン板層間をラセン器へ通っている末梢性神経突起と，第八神経の下根(蝸牛根，聴覚伝達)の構成要素として後悩にはいっている中枢性軸索を出している）. = g. cochleare [TA]; spiral g. of cochlea [TA]; g. spirale cochleae*; auditory g.; Corti g.; spiral cochlear g.

g. cochleare [TA]. = cochlear g.

ganglia coeliaca [TA]. = celiac ganglia.

Corti g. (kōr′tē). コルティ(コルチ)神経節. = cochlear g.

ganglia craniospinalia sensoria [TA]. 脳脊髄神経節. = craniospinal sensory ganglia.

craniospinal sensory ganglia [TA]. 脳脊髄神経節（脊髄神経後根の神経節および感覚神経や味覚神経を含む脳神経の神経節の総称．encephalospinal ganglia ともいう）. = ganglia craniospinalia sensoria [TA].

diffuse g. 広汎性結節腫，広汎性ガングリオン（1つまたはいくつかの隣接腱鞘の炎症性滲出液貯留による嚢胞性腫脹）.

dorsal root g.* spinal g. の公式の別名.

Ehrenritter g. (ār-ĕn-rĭt′ĕr). エーレンリッター神経節. = superior g. of glossopharyngeal nerve.

extracranial ganglia = inferior g. of glossopharyngeal nerve.

g. extracraniale 脳外神経節. = inferior g. of glossopharyngeal nerve.

g. of facial nerve = geniculate g.

Frankenhäuser g. (frahngk′en-hoy-zĕr). フランケンホイザー神経節. = uterovaginal (nervous) *plexus*.

Froriep g. (frō′rēp). フローリープ神経節（胚の舌下神経の背面上にある一時的な神経細胞の集りで，知覚神経節原基を代表するもの）.

gasserian g. ガッサー神経節. = trigeminal g.

geniculate g. [TA]. 膝神経節（顔面神経または中間神経上にみられる神経節．顔面神経管の膝部にあり，舌の前 2/3 にある味蕾よりの知覚性線維およびごくわずかの外耳からの線維を含む中間神経の神経節）. = g. geniculi [TA]; g. geniculatum*; g. of facial nerve; g. of intermediate nerve; g. of nervus intermedius; intumescentia ganglioformis.

g. geniculatum* geniculate g. の公式の別名.

g. geniculi [TA]. 膝神経節. = geniculate g.

Gudden g. (gūd′en). グッデン神経節. = interpeduncular *nucleus*.

g. habenulae = habenular *nuclei*.

hypogastric ganglia 骨盤神経節. = pelvic ganglia.

g. impar [TA]. 不対神経節（交感神経幹の最も下方の不対の神経節．非常在）. = coccygeal g.; Walther g.

inferior cervical g. [TA]. 下頸神経節（交感神経幹の頸部にある3つの脊椎傍神経節のうち最下方のもので，第七頸椎の高さにある．多くの場合，第一胸神経節と癒合して星状神経節となっている）. = g. cervicale inferius [TA].

inferior g. of glossopharyngeal nerve [TA]. 舌咽神経の下神経節（舌咽神経の2つの知覚性神経節のうち下方の著明なほうのもので舌咽神経が頸静脈孔を出てすぐ下方にある．神経節の双極ニューロンは味覚と舌の後 1/3 の感覚を伝え，さらに口峡，軟口蓋，口腔咽頭部の感覚も伝える）. = g. inferius nervi glossopharyngei [TA]; Andersch g.; extracranial ganglia; g. extracraniale; petrosal g.; petrous g.

inferior mesenteric g. [TA]. 下腸間膜動脈神経節（前脊椎神経節の最下位の神経節で，大動脈からの下腸間膜動脈の起始部にあり，下行結腸とS状結腸を支配する交感神経線維を含んでいる）. = g. mesentericum inferius [TA].

inferior g. of vagus nerve [TA]. 〔迷走神経の〕下神経節（大きな知覚性の神経節で，内頸静脈の前方にあり，迷走神経が頸静脈孔を出てすぐの部分に形成される．この神経節に存在する単極神経細胞は舌根にある味蕾からの味覚を伝える．また，喉頭や咽頭から左結腸曲までの消化管の一般感覚も伝える）. = g. inferius nervi vagi [TA]; g. of trunk of vagus; nodose g.

g. inferius nervi glossopharyngei [TA]. 舌咽神経の下神経節. = inferior g. of glossopharyngeal nerve.

g. inferius nervi vagi [TA]. 〔迷走神経の〕下神経節. = inferior g. of vagus nerve.

intercrural g. = interpeduncular *nucleus*.

ganglia intermedia [TA]. 中間神経節. = intermediate ganglia.

intermediate ganglia [TA]. 中間神経節（頸椎と腰椎部分の交通枝に最もよくみられる小さな交感神経節）. = ganglia intermedia [TA].

g. of intermediate nerve = geniculate g.

interpeduncular g. = interpeduncular *nucleus*.

intervertebral g. = spinal g.

intracranial g. = superior g. of glossopharyngeal nerve.

g. isthmi = interpeduncular *nucleus*.

jugular g. 頸静脈の神経節（① = superior g. of glossopharyngeal nerve. ② = superior g. of vagus nerve).

Laumonier g. (lō-mon′ē-ā′). ロモニエ神経節. = carotid g.

Lee g. (lē). リー神経節. = uterovaginal (nervous) *plexus*.

lenticular g. = ciliary g.

Lobstein g. (lōb′shtīn). ロープシュタイン神経節. = thoracic splanchnic g.

Ludwig g. (lūd′vig). ルートヴィヒ神経節（心房中隔内の副交感神経細胞の小集合）.

ganglia lumbalia [TA]. 〔交感神経幹の〕腰神経節. = lumbar ganglia.

lumbar ganglia [TA]. 腰神経節（大腰筋のいずれかの側の正中境界上にある4つ以上の交感神経幹の脊椎傍神経節で，仙尾骨神経節および神経節間枝とともに，腹部骨盤交感神経幹の一部を形成している）. = ganglia lumbalia [TA].

Meckel g. (mek′ĕl). メッケル神経節. = pterygopalatine g.

g. mesentericum inferius [TA]. 下腸間膜動脈神経節. = inferior mesenteric g.

g. mesentericum superius [TA]. 上腸間膜動脈神経節. = superior mesenteric g.

middle cervical g. [TA]. 中頸神経節（脊椎傍の小さな交感神経節で，存在しないこともある．輪状軟骨の高さに位置する）. = g. cervicale medium [TA].

nasal g. = pterygopalatine g.

nerve g., neural g. 神経節. = ganglion (1).

g. of nervus intermedius = geniculate g.

nodose g. = inferior g. of vagus nerve.

otic g. [TA]. 耳神経節（卵円孔のすぐ下で下顎神経の内側にある自律神経節．その節後副交感神経性ニューロンは分泌促進性で耳下腺へ分布する）. = g. oticum [TA]; Arnold g.; auricular g.; otoganglion.

g. oticum [TA]. 耳神経節. = otic g.

parasympathetic ganglia [TA]. 副交感神経節（自律神

経系の神経節で，コリン作用性ニューロンからなり，脳幹または脊髄の仙骨分節(S2 から S4)からの節前ニューロンを受けている．大部分の副交感神経節(少なくとも頭部以外のもの)は，壁に近い神経節と壁内神経節(すなわち支配内臓の外と内部)に分類することができる．頭部の副交感神経節には，毛様体神経節，耳神経節，翼口蓋神経節，顎下神経節が存在する．→autonomic (visceral motor) *division* of nervous *system*). ＝ganglia parasympathetica [TA].

ganglia parasympathetica [TA]. ＝ parasympathetic ganglia.

paravertebral ganglia 脊椎傍神経節. ＝g. of sympathetic trunk.

pelvic ganglia [TA]. 骨盤神経節 (下下腹神経叢(骨盤神経叢)内に散在する副交感神経節). ＝ganglia pelvica [TA]; hypogastric ganglia.

ganglia pelvica [TA]. 骨盤神経節. ＝pelvic ganglia.

periosteal g. 骨膜結節腫 (扁平な骨膜下腔で，清澄な，黄色く粘性の滑液様の液体を含んでいる).

petrosal g., petrous g. ＝inferior g. of glossopharyngeal nerve.

phrenic ganglia [TA]. 横隔神経節 (下横隔動脈に伴う叢内に含まれるいくつかの小さな自律神経節). ＝ganglia phrenica [TA].

ganglia phrenica [TA]. 横隔神経節. ＝phrenic ganglia.

ganglia plexuum autonomicorum [TA]. 自律〔神経〕叢神経節. ＝ganglia of autonomic plexuses.

prevertebral ganglia 脊椎前神経節 (脊椎前方にある交感神経節(腹腔，大動脈腎，上下腸間膜動脈の各神経節)で，交感神経幹の脊椎傍神経節と区別される．これら脊椎前神経節の大部分は腹大動脈から出る枝の起始部周辺にあり，その節後交感性線維は動脈周囲神経叢を経て腹部骨盤部内臓に達する).

pterygopalatine g. [TA]. 翼口蓋神経節 (翼口蓋窩上部にある小さな副交感神経節で，その分泌促進性節後線維は涙腺・鼻腺・口蓋腺・咽頭腺に分布する). ＝g. pterygopalatinum [TA]; Meckel g.; nasal g.; sphenopalatine g.

g. pterygopalatinum [TA]. 翼口蓋神経節. ＝pterygopalatine g.

Remak ganglia (rā′mahk). レーマック(レマーク)神経節 (①右心房に連結している静脈洞壁内の神経細胞群. ②胃神経の自律神経節).

renal ganglia [TA]. 腎神経節 (腎神経叢の内部に散在している小さな交感神経幹の脊椎前神経節). ＝ganglia renalia [TA].

ganglia renalia [TA]. 腎神経節. ＝renal ganglia.

Ribes g. (rēb). リーブ神経節 ([誤った表記 Ribe および Ribe's を避けること]. 脳の前交通動脈上にある小さな交感神経節).

sacral ganglia [TA]. 仙骨神経節 (不対神経節および神経節間枝とともに交感神経幹の骨盤部分を構成する，両側にそれぞれ 3 個または 4 個ある交感神経幹の脊椎傍神経節). ＝ganglia sacralia [TA].

ganglia sacralia [TA]. 仙骨神経節. ＝sacral ganglia.

Scarpa g. (skar′pah). スカルパ神経節. ＝vestibular g.

Schacher g. (shah′kĕr). シャッヒャー神経節. ＝ciliary g.

semilunar g. 半月神経節. ＝trigeminal g.

g. sensorium nervi spinalis [TA]. ＝ spinal g.

sensory g. 知覚神経節 (第一感覚ニューロンの集合で，末梢神経またはその後根形成中に，通常，目にみえる膨隆を形成している．この神経細胞は，感覚末端(皮膚，口腔および鼻腔粘膜，筋肉組織，腱，関節嚢，特別感覚臓器，血管壁，内臓器官の組織)と中枢神経系の間に単独の求心性神経連結をつくっている．これらは末梢神経系の全感覚線維の起始細胞である).

Soemmering g. (sŏrm′ĕr-ing). ゼンメリング神経節. ＝*substantia* nigra.

solar ganglia ＝celiac ganglia.

sphenopalatine g. ＝pterygopalatine g.

spinal g. [TA]. 脊髄神経節 (第一を除く各脊髄分節神経後根の神経節で，末梢軸索枝が混合分節神経の部分になり，中枢軸索枝が，知覚性後根の構成要素として脊髄にはいっている偽単極性第一感覚ニューロンの細胞体を含んでいる). ＝g. sensorium nervi spinalis [TA]; dorsal root g.*; g. spinale; intervertebral g.

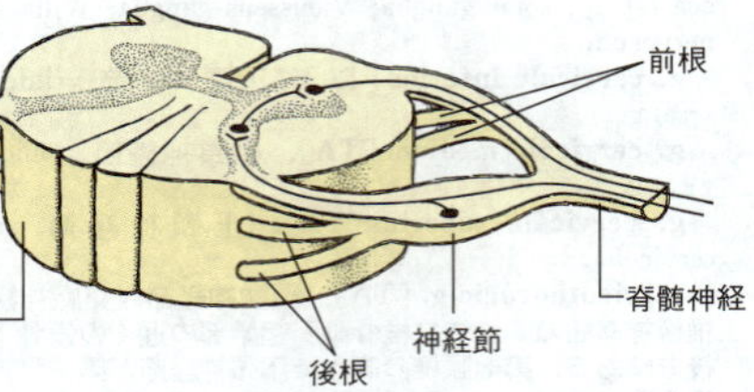

spinal (dorsal root) ganglion

g. spinale 脊髄神経節. ＝spinal g.

spiral g. of cochlea [TA]. ラセン神経節. ＝cochlear g.

spiral cochlear g. ＝cochlear g.

g. spirale cochleae* ラセン神経節 (cochlear g. の公式の別名).

stellate g.* 星状神経節 (cervicothoracic g. の公式の別名).

g. stellatum* 星状神経節 (cervicothoracic g. の公式の別名).

sublingual g. [TA]. 舌下神経節 (顎下神経節の直前にときとしてみられる副交感性の小神経節で，顎下神経節から分離してできたもの．その節後線維は分泌促進性で舌下腺を支配する). ＝g. sublinguale [TA].

g. sublinguale [TA]. 舌下神経節. ＝sublingual g.

submandibular g. [TA]. 顎下神経節 (舌神経からつり下がっている小さな副交感神経節．その分泌を促進する節後線維は顎下腺と舌下腺に至り，また節前線維は鼓索神経により上唾液核から出ている). ＝g. submandibulare [TA]; submaxillary g.

g. submandibulare [TA]. 顎下神経節. ＝submandibular g.

submaxillary g. ＝submandibular g.

superior cervical g. [TA]. 上頸神経節 (交感神経幹の最上部にある最も大きい脊椎傍神経節で，内頸動脈と内頸静脈間の頭蓋底付近にある．頭頸部に分布するすべての節後交感性線維はこの神経節内の神経細胞体を発したものである). ＝g. cervicale superius [TA].

superior g. of glossopharyngeal nerve [TA]. 舌咽神経の上神経節 (舌咽神経の 2 つの知覚性神経節のうち上方の著明でないほうのもので，舌咽神経が頸静脈孔を通過する位置にある．通常は下神経節から分離したものとみなされている). ＝g. superius nervi glossopharyngei [TA]; Ehrenritter g.; intracranial g.; jugular g. (1).

superior mesenteric g. [TA]. 上腸間膜動脈神経節 (大動脈からの上腸間膜動脈起始部にある通常は 1 対の交感神経幹の脊椎前神経節．そのニューロンは節後線維を上腸間膜動脈づたいに小腸および大腸に送る). ＝g. mesentericum superius [TA].

superior g. of vagus nerve [TA]. 迷走神経の上神経節 (頸静脈孔を横切る迷走神経上の小さな知覚神経節). ＝g. superius nervi vagi [TA]; jugular g. (2).

g. superius nervi glossopharyngei [TA]. 舌咽神経の上神経節. ＝superior g. of glossopharyngeal nerve.

g. superius nervi vagi [TA]. 迷走神経の上神経節. ＝superior g. of vagus nerve.

sympathetic ganglia 交感神経節 (自律神経(内臓運動)系の神経節で，胸髄と腰髄上部(T1–L2)の中間外側細胞柱にある節前内臓運動ニューロンから出る遠心性線維を受ける．交感神経節はその位置により脊椎傍神経節(交感神経幹神経節)と脊椎前神経節(腹腔神経節)とに分類できる．→autonomic (visceral motor) *division* of nervous system).

g. of sympathetic trunk [TA]. 〔交感神経〕幹神経節 (交感神経幹に沿って，ある間隔をおいて存在する節後神経ニューロンの塊で，上頸神経節，中頸神経節，頸胸神経節(星状神経節)，胸神経節，腰神経節，仙骨神経節，不対神経節を含む). =ganglia trunci sympathici [TA]; chain ganglia; paravertebral ganglia.

terminal g. [TA]. 終神経節（支配する臓器壁内またはその近くに散在する自律神経系の節後ニューロンの1つ．これらは通常，副交感神経性). =g. terminale[TA].

g. terminale [TA]. 終神経節. =terminal g.

thoracic ganglia [TA]. 〔交感神経幹の〕胸神経節（左右それぞれ11個または12個の交感神経幹の脊椎傍神経節．各肋骨頭の高さで両側にあり，神経節間枝とともに，胸交感神経幹を構成している). =ganglia thoracica [TA].

ganglia thoracica [TA]. 胸神経節. =thoracic ganglia.

thoracic splanchnic g. 内臓神経神経節（大内臓神経の走行中に，しばしば存在する小さな交感神経節). =g. thoracicum splanchnicum; Lobstein g.

g. thoracicum splanchnicum 内臓神経神経節. =thoracic splanchnic g.

trigeminal g. [TA]. 三叉神経節（三叉神経の大きい扁平な知覚神経節で，中頭蓋窩の正中部分に沿った静脈洞に密接して脳硬膜の三叉神経腔にある). =g. trigeminale [TA]; gasserian g.; semilunar g.

g. trigeminale [TA]. 三叉神経節. =trigeminal g.

Troisier g. (twah-zē-ā′). トロワジェ結節腫（悪性腫瘍の転移の結果，肥大したと思われる鎖骨直上(特に左側)のリンパ節に対して用いられた旧名．このような結節の存在は，原発部位が腹部臓器にあることを示す.→signal *node*). =Troisier node.

ganglia trunci sympathici [TA]. 〔交感神経〕幹神経節. =g. of sympathetic trunk.

g. of trunk of vagus =inferior g. of vagus nerve.

tympanic g. [TA]. 鼓室神経節（側頭骨錐体部を通過する際，鼓室神経上にみられる小神経節). =g. tympanicum*.

g. tympanicum* 鼓室神経節（tympanic g. の公式の別名).

Valentin g. (val′ĕn-tin). ヴァーレンティーン神経節（上歯槽神経上の神経節).

vertebral g. [TA]. 椎骨動脈神経節（交感神経幹の頸神経節沿いに，または中頸神経節と頸胸神経節を結ぶ節間線維の1つにみられる不定の神経節で，通常は椎骨動脈の近くにある). =g. vertebrale [TA].

g. vertebrale [TA]. 椎骨動脈神経節. =vertebral g.

vestibular g. [TA]. 前庭神経節（内耳道底で第八脳神経の前庭神経上に膨隆を形成している平衡覚を伝達する双極性神経細胞体の集り．狭い峡部で結合されている上部と下部とからなる). =g. vestibulare [TA]; Scarpa g.

g. vestibulare [TA]. 前庭神経節. =vestibular g.

Vieussens ganglia (vyū-sŏn[h]′). ビューサン神経節. =celiac ganglia.

Walther g. (vahl′tĕr). ヴァルター神経節. =g. impar.

Wrisberg ganglia (vris′bĕrg). ヴリスベルク神経節. =cardiac ganglia.

---

gan·gli·on·at·ed (gang′glē-ō-nā′tĕd). 神経節をもった. =gangliate.

gan·gli·on·ec·to·my (gang′glē-ō-nek′tŏ-mē) [ganglion + G. *ektomē*, excision]. 神経節切除〔術〕.

gan·gli·o·neur·o·blas·to·ma (gang′lē-ō-nūr′ō-blas-tō′-mă). 〔神経〕節芽細胞腫，節芽〔細胞〕腫（神経芽細胞腫と節神経腫の要素をもつ混合細胞型の腫瘍).

gan·glio·neu·ro·ma (gang′glē-ō-nū-rō′mă) [ganglion + G. *neuron*, nerve + *-oma*, tumor]. 〔神経〕節細胞腫，〔神経〕節神経腫（成熟神経節性ニューロンからなる良性腫瘍で，その数は一定でなく，比較的豊富で密度の高い神経線維および膠質線維の間質内に，単独でまたは塊状に散在している．通常，後縦隔洞や腹膜後腔にみられ，ときに副腎と関連がある). =ganglioma.

central g. 中枢〔神経〕節細胞腫. =gangliocytoma.

dumbbell g. 亜鈴状〔神経〕節細胞腫（全体の形が亜鈴に似ている神経節神経腫．例えば，2つの球形の塊が狭い部分でつながったような形で，通常，腫瘍が2本の肋骨のような抵抗構造によってくびれて生じる).

gan·glio·neu·ro·ma·to·sis (gang′glē-ō-nūr′ō-mă-tō′sis). 〔神経〕節神経腫症（多数の神経節神経腫が広がっている状態).

gan·gli·on·ic (gang′glē-on′ik). 神経節の. =ganglial.

gan·gli·on·i·tis (gang′glē-on-ī′tis). =gangliitis. ***1*** リンパ性結節腫の炎症. ***2*** 神経節炎.

gan·gli·o·nos·to·my (gang′glē-ō-nos′tŏ-mē) [ganglion + G. *stoma*, mouth]. 結節腫切開〔術〕（結節腫に開口部をつくること).

gan·gli·o·ple·gic (gang′glē-ō-plē′jik) [ganglion + G. *plēgē*, stroke, shock]. 神経節遮断薬（自律神経節を麻痺させる薬理化合物．持続時間は通常，比較的短い).

gan·gli·os·i·a·li·do·sis (gang′glē-ō-sī′al-i-dō′sis). =gangliosidosis.

gan·gli·o·side (gang′glē-ō-sīd). ガングリオシド（化学的にはセレブロシドに類似しているが，2つ以上のシアリン酸(*N*-アセチルノイラミン酸または*N*-グリコリルノイラミン酸)残基を含んでいるグリコスフィンゴリピド．主に神経組織と脾臓，胸腺にみられる．ガングリオシドG_{M1}は全身性ガングリオシドーシスで蓄積され，G_{M2}はTay-Sachs病で蓄積される). =sialoglycosphingolipid.

gan·gli·o·si·do·sis (gang′glē-ō-si-dō′sis). ガングリオシドーシス（特定のガングリオシドが神経系内に一部分異常に蓄積しているすべての疾患をさす．例えば，G_{M2}ガングリオシドーシス(Tay-Sachs病)はヘキソサミニダーゼA酵素の欠乏によって起こり，G_{M2}ガングリオシドが蓄積する). =gangliosialidosis; ganglioside lipidosis.

G_{M1} g. G_{M1}ガングリオシドーシス（乳児全身型，若年型，成人型の3型がある．特定のモノシアロガングリオシドの蓄積を特徴とするガングリオシドーシスで，G_{M1}で示される．G_{M1}-β-ガラクトシダーゼの欠乏による). =generalized g.

G_{M2} g. G_{M2}ガングリオシドーシス（遺伝性代謝疾患の1つ．いくつかの型があり，Tay-Sachs病，Sandhoff病，AB異型，成人発症を含む．特異的な代謝産物であるG_{M2}ガングリオシドの蓄積を特徴とする．ヘキソサミニダーゼA，またはB，またはG_{M2}活性化因子の欠乏による).

generalized g. 全身性ガングリオシドーシス. =G_{M1} g.

infantile G_{M2} g. 乳児G_{M2}ガングリオシドーシス. =Tay-Sachs *disease*.

infantile, generalized G_{M1} g. 乳児性全身性G_{M1}ガングリオシドーシス（乳児期の遺伝性の代謝性疾患の1つ．Tay-Sachs病に似ているが，骨・肝・腎などの臓器も障害される). =familial neurovisceroliPidosis; pseudo-Hurler disease; Type 1 G_{M1} g.

Type 1 G_{M1} g. I型G_{M1}ガングリオシドーシス. =infantile, generalized G_{M1} g.

gan·go·sa (gang-gō′să) [Sp. *gangoso*, snuffling]. ガンゴーサ（破壊性潰瘍形成が軟口蓋に始まり，硬口蓋，鼻咽頭，鼻に進行して断節性の瘢痕を生じる．この疾患は，現在知られているかぎりでは熱帯の特定地域，特に太平洋の熱帯諸島だけに発生し，一般にフランベジアの続発症とみなされている).

gan·grene (gang′grēn) [G. *gangraina*, an eating sore < *graō*, to gnaw]. 壊疽（[誤った発音gang-grēn′を避けること]. ①血液供給の途絶，喪失，減少による壊死．小部分に限局される場合，肢節全体または腸のような器官全体に及ぶ場合がある．湿性のものと乾性のものがある. =mortification. ②広汎な壊死のこと．原因は問わない．ガス壊疽など).

arteriosclerotic g. 動脈硬化性壊疽（老年者の動脈硬化症のような，続発性閉塞が原因となる乾性壊疽).

cold g. 寒冷〔性〕壊疽. =dry g.

cutaneous g. 皮膚壊疽（腐肉形成を特徴とする皮膚壊疽．帯状疱疹の際，また表在性循環障害を生じる急性感染症の場合にも起こる).

decubital g. 圧迫壊疽. =decubitus *ulcer*.

diabetic g. 糖尿病性壊疽（糖尿病に合併した動脈硬化症から起こる壊疽).

disseminated cutaneous g. =*dermatitis* gangrenosa infantum.

dry g. 乾性壊疽（周辺と明瞭に境界され，乾燥してしなびた壊疽．血管の閉塞がゆっくりと進行した場合にみられるのが普通である). =cold g.; mummification (1).

embolic g. 塞栓性壊疽（血栓による動脈閉塞から生じる

壊疽).

emphysematous g. ＝gas g.

Fournier g. (foor-nē-ā′). ＝Fournier *disease*.

gas g. ガス壊疽（種々の嫌気性芽胞形成性細菌，特にウェルチ菌 *Clostridium perfringens* とノーヴィ菌 *C. novyi* の感染創に生じる壊疽．細菌発酵によって生じるガスによる急速に進む周囲組織の捻髪音，腎や肝，その他の器官の細胞傷害を伴う全身性，中毒性敗血症の症状を起こす）．＝clostridial myonecrosis; emphysematous g.; gangrenous emphysema; progressive emphysematous necrosis.

hemorrhagic g. 出血性壊疽（①＝hemorrhagic *infarct*. ②重症の髄膜炎菌性敗血症の際，まれに起こる壊疽）.

hospital g. 病院壊疽．＝decubitus *ulcer*.

hot g. 熱〔性〕壊疽（炎症に続いて起こる壊疽）.

Meleney g. (mĕ-lē′nē). メレニー壊疽．＝Meleney *ulcer*.

moist g. 湿性壊疽．＝wet g.

presenile spontaneous g. 中年期特発〔性〕壊疽（閉塞性血栓血管炎の結果として中年期に起こる壊疽）.

pressure g. 圧迫壊疽．＝decubitus *ulcer*.

progressive bacterial synergistic g. 進行性細菌共力(協力)性壊疽．＝Meleney *ulcer*.

senile g. 老年(老人)性壊疽（動脈閉塞の結果，老年者に起こる乾性壊疽で，特に四肢に発生する）.

spontaneous g. of newborn 新生児特発〔性〕壊疽（原因不明の血管閉塞による壊疽で，通常，衰弱または脱水した新生児に起こる）.

static g. うっ血性壊疽（静脈循環の閉塞による湿性壊疽）．＝venous g.

symmetrical g. 対側(対称)〔性〕壊疽（四肢の両側性の壊疽．重症動脈硬化症，心筋梗塞，球状弁血栓に著しくみられる）.

thrombotic g. 血栓性壊疽（血栓による動脈閉塞のため起こる壊疽）.

trophic g. 栄養性壊疽．＝trophic *ulcer*.

venous g. ＝static g.

wet g. 湿性壊疽（細菌作用による腐敗を伴った四肢の虚血性壊死で，壊死部に隣接した蜂巣炎を生じる）．＝moist g.

white g. 白色壊疽（灰白色の腐肉形成を伴った身体部分の壊死）．＝leukonecrosis.

gan·gre·nous (gang′grĕ-nŭs). 壊疽〔性〕の.

gan·o·blast (gan′o-blast). ＝ameloblast.

Gan·ong (gan′ang), William F. 20世紀の米国人生理学者．→Lown-G.-Levine *syndrome*.

Gan·ser (gahn′sĕr), Siegbert J.M. ドイツ人精神科医，1853—1931．→G. *commissure*, *syndrome*; *nucleus* basalis of G.

Gant (gant), Samuel G. 米国人外科医，1869—1944．→G. *clamp*.

gan·try (gan′trē) [M.E. < O.Fr. < L. *cantherius*, wooden frame < G. *kanthēlia*, pack saddle < *kanthos*, pack ass]. ガントリー（CT 装置の中で，X線管，コリメータ，検出器を収納している構造物で，患者を入れるための大きな開口部をもつ．回転運動をさせる装置を設置するための機械的支持部分）.

Gant·zer (gahnt′zĕr), Carol F.L. 17 世紀のドイツ人解剖学者．→G. accessory *bundle*, *muscle*.

Ganz (ganz), William. 米国人心臓病専門医，1919—？ →Swan-G. *catheter*.

gap (gap). 裂，裂孔，間隙（①構造の中にみられる裂け目または孔．②一連の連続構造の中にみられる隙間または不連続部分．③(G)．細胞分裂と次の細胞分裂との間の時間的間隔，中間期．④ギャップ結合）.

g. $_1$ (G_1) ギャップ１，G_1期（体細胞周期において，有糸分裂期に引き続いて起こり，次のサイクル準備としての合成期が後に続く）.

g. $_2$ (G_2) ギャップ２，G_2期（体細胞周期において，合成の完了と細胞分裂の開始との間の小休止期）.

air-bone g. 刺激が届いたときの気導と骨伝導による聴力閾値の差.

anion g. アニオン差，アニオンギャップ（血漿または血清中の測定されたカチオン(陽イオン)とアニオン(陰イオン)の合計の差で，$(Na + K) - (Cl + HCO_3) \leq 20$ mmol/L のように計算する．高い値は糖尿病または乳酸アシドーシスにみられる．正常または低い値は低炭酸塩血性代謝性アシドーシスや様々な中毒症にみられる）．＝cation-anion difference.

auscultatory g. 聴診間隙（真の収縮期圧を示す Korotkoff 音が徐々に聞こえなくなって，少し圧が下がったところで再び聞こえるようになるまでの間隔．収縮期圧を誤って低く記録するという間違いの原因となり，特に高血圧の患者では 25 mmHg に及ぶことがある．触診で得られる収縮期圧より 30 mmHg 高くカフの圧を上げれば，これを避けることができる）．＝silent g.

Bochdalek g. (bok′dă-lek). ボホダレク裂孔．＝lumbocostal *triangle* of diaphragm.

chromosomal g. 染色体間隙（染色分体が完全欠損に近いくらいに細く縦裂した部位）.

DNA g. DNA ギャップ（二重らせん DNA の１本だけに限局した DNA の欠損，すなわち，１つ以上のヌクレオチドの欠損による二本鎖のうちの１本の不連続性）.

excitable g. 興奮性ギャップ．＝gap *phenomenon*.

interocclusal g. 咬合間隙．＝freeway *space*.

silent g. ＝auscultatory g.

Gar·be (gar′bē), William. 20世紀のカナダ人皮膚科医．→Sulzberger-G. *disease*, *syndrome*.

Gard·ner (gard′nĕr), F.H. 20世紀の米国人小児科医．→G.-Diamond *syndrome*.

Gard·ner (gard′nĕr), Eldon J. 米国人遺伝学者，1909—1989．→G. *syndrome*.

Gard·ner·el·la (gărd′nĕr-el′ă). ガルドネレラ属（通性嫌気性，オキシダーゼおよびカタラーゼ陰性，無芽胞性，非被包性，非運動性の多形性杆菌の一属で，グラム染色性は一定しない）.

G. vaginalis ヒトの細菌性腟感染症の病原体となる種.

gar·gle (gar′gĕl) [O.Fr. < L. *gurgulio*, gullet, windpipe]. ***1***〖v.〗うがいする．治療学的に無効である．***2***〖n.〗含そう薬，咽頭洗浄剤.

Ga·ri·el (gah-rē-el′), Maurice. フランス人医師，1812—1878．→G. *pessary*.

Gar·land (gar′lănd), Hugh. 英国人神経科医，1903—1967．→Marinesco-G. *syndrome*.

Gar·land (gar′lănd), M. 米国人医師，1848—1926．→G. *triangle*.

gar·lic (gar′lik). ガーリック，ニンニク．＝allium.

g. oil ニンニク油（ユリ科ニンニク *Allium sativum* の球根または植物全体から得られる揮発性油．二硫化ジアリルと二硫化アリルプロピルを含む．駆虫薬や発赤薬として用いられてきた）.

Gar·ré (gah-rā′), Carl. スイス人外科医，1857—1928．→G. *disease*, *osteomyelitis*.

Gärt·ner (gart′nĕr), August. ドイツ人医師，1848—1934．→G. *method*, vein *phenomenon*, *tonometer*.

Gart·ner (gart′nĕr), Herman T. デンマーク人解剖学者・外科医，1785—1827．→G. *canal*, *cyst*, *duct*.

GAS group A *streptococci*(⇒streptococcus)の略.

gas (gas)［フランダース人化学者・医師 J.B. van Helmont (1579—1644)による造語］．ガス，気体（①空気のような希薄な流動体で，無限に膨張でき，圧縮および冷却により液体に，ついには固体に変えることができる．②臨床的には，周囲の温度が沸点より高いため，１気圧下で完全に蒸気相になっている液体）.

alveolar g. 肺胞気（下付き記号Ａ．肺胞内の気体で，酸素－二酸化炭素交換は肺毛細管血液により行われる）．＝alveolar air.

anesthetic g. 麻酔ガス（→inhalation *anesthetic*）.

blood g.'s 血液ガス（血液ガス分析の臨床的表現．→blood gas *analysis*）.

carbonic acid g. 炭酸ガス．＝*carbon* dioxide.

expired g. 呼気（①肺から吐き出されるガス．②しばしば混合呼気 mixed expired g. と同じ意味で用いる）.

hemolytic g. 溶血ガス（アルシンガスのような毒ガスで，吸引すると血色素尿，黄疸，胃腸炎，腎炎を伴った溶血を起こす）.

ideal alveolar g. 理想肺胞気（すべての肺胞が等しい換気－血流比をもち，肺毛細管から出る血液と完全な平衡をとった場合，一定の総換気において全肺胞内に存在するガスの均一構成).

inert g.'s 不活性ガス. =noble g.'s.

inspired g. (**I**) 吸気（下付き記号 I. ①吸入されたすべての気体. ②特に，体温で加湿されている気体).

laughing g. [吸入により，意識消失に先行してしばしばうきうきしたせん妄状態を起こすことよりこうよばれた]. 笑気（亜酸化窒素の古い名称).

marsh g. 沼気. =methane.

mixed expired g. 混合呼気（死腔および肺胞から完全に混ざって出てくる 1 回以上の呼気).

mustard g. (**HD**) マスタードガス（第一次世界大戦で使われ始めた発疱性毒ガス. いわゆるナイトロジェンマスタードの原料である. 化学兵器として用いられ，発癌物質として知られている). =di(2-chloroethyl)sulfide; mustard (2); sulfur mustard.

noble g.'s 貴ガス，希ガス（希ガス類(元素)，周期律表における 0 族の元素. ヘリウム，ネオン，アルゴン，クリプトン，キセノン，ラドン). =inert g.'s; neutral elements.

sewer g. 下水ガス（恐らくほとんどはメタンガス. 下水の有機物の分解で生じる. 爆発性で有毒である).

sneezing g. くしゃみガス. =sternutator.

suffocating g. 窒息ガス（気管と肺に強度の刺激を与え，肺浮腫を起こすガス(例えば，塩素，ホスゲン)).

tear g. 催涙ガス（結膜を刺激し大量の流涙を起こすガス(例えば，アセトン，臭化ベンゼン，キシロール).→lacrimator).

vesicating g. 発疱性ガス（皮膚に接触すると発疱と腐肉作用を示すガス(例えばマスタードガス)で，吸入すると気管支肺炎を起こす).

vomiting g. 催吐ガス（嘔吐や仙痛，下痢などの胃腸障害を起こすガス(例えば，クロロピクリン)).

water g. 水性ガス（赤く熱した石炭に蒸気を通すと生じ，イルミネーションや燃料に用いるガスで，主に水素，炭化水素，一酸化炭素からなる).

gas·e·ous (gas'ē-ŭs). ガスの，気体の.

Gas·kell (gas'kĕl), Walter H. イングランド人生理学者，1847—1914. →G. *bridge*, *clamp*.

gas·om·e·ter (gas-om'ĕ-tĕr). ガス留，ガス計量器（ガスの量を測定する目盛りのついた器械または容器. →spirometer).

gas·o·met·ric (gas'ō-met'rik). 気体定量の.

gas·om·e·try (gas-om'ĕ-trē). 気体定量（ガスの測定. 混合気体の混合比の決定).

Gass (gahs), John D.M. 20世紀の米国人眼科医. →Irvine-G. *syndrome*.

Gas·ser, Gas·ser·i·o (gas'ĕr), Johann L. オーストリア人解剖学者，1723—1765. →gasserian *ganglion*.

gas·ser·i·an (gă-sēr'ē-ăn). Johann L. Gasser に関する，または彼の記した.

gas·sing (gas'ing). ガス中毒（吸ってはならないガス，または無酸素性のガスによる中毒).

Gas·taut (gahs-tō), Henri. フランスの生物学者，1915—1995. →Lennox-G. *syndrome*.

gas·ter (gas'tĕr) [G. *gastēr*, belly] [TA]. ***1*** 胃. =stomach. ***2*** 腹部（ハチやアリで顕著にみられる部位で，細い結合部によって体の他の部位から区別されている).

Gas·ter·o·phil·i·dae (gas'tĕr-ō-fil'i-dē) [G. *gastēr*, belly, stomach + *philos*, fond]. ウマバエ科（[誤ったつづりまたは発音 Gastrophilidae を避けること]. ウマバエ(またはウシバエ)の科で，これらはウマ科の動物(*Gasterophilus*属)，サイ科の動物(*Gyrostigma*属)，およびゾウ科の動物(*Cobboldia*属，*Platycobboldia*属，および *Rodhainomyia*属)において，腸ハエウジ病の原因となる). =Gastrophilidae.

gastr- →gastro-.

gas·tral·gi·a (gas-tral'jē-ă) [gastr- + G. *algos*, pain]. 胃痛. =stomach *ache*.

gas·trec·ta·sis, gas·trec·ta·sia (gas-trek'tă-sis, gas-trek-tā'zē-ă) [gastr- + G. *ektasis*, extension]. 胃拡張.

gas·trec·to·my (gas-trek'tŏ-mē) [gastr- + G. *ektomē*, excision]. 胃切除[術].

Hofmeister g. ホーフマイスター胃切除術（胃部分切除術と結腸後での胃大弯部との胃空腸端側吻合術よりなる手術手技).

Pólya g. (pōl'yah). ポーリャ胃切除[術]（胃部分切除と結腸後での胃断端との胃空腸端側吻合術よりなる手術手技). =Pólya operation.

gas·tric (gas'trik). 胃の. =gastricus.

gas·tric car·dia (gas'trik kar'dē-ă). 胃の噴門. =cardia.

gas·tric·sin (gas-trik'sin). ガストリクシン（ヒトのペプチダーゼの別名で，現在はペプシンCとよばれる. 多くの脊椎動物の胃液に含まれる. Tyr–Xaa結合に対して選択的に加水分解する).

gas·tri·cus (gas'tri-kŭs) [L.]. 胃の. =gastric.

gas·trin·o·ma (gas'tri-nō'mă). ガストリノーマ（Zollinger-Ellison 症候群に伴うガストリン産生腫瘍).

gas·trins (gas'trinz) [G. *gastēr*, stomach + -in]. ガストリン（哺乳類の胃の幽門腔粘膜に分泌されるホルモンで，胃腺壁細胞による塩化水素の分泌を刺激する. 3 種の主要なタイプがある. ビッグガストリン(34 個のアミノアシル残基)とリトルガストリン(17 個のアミノ酸残基)，ミニガストリン(14 個のアミノ酸残基)，およびそれぞれの硫酸化誘導体. そのC末端ペンタペプチド配列はコレシストキニンやセルレインにも見出されている).

gas·tri·tis (gas-trī'tis) [gastr- + G. *-itis*, inflammation]. 胃炎（特に胃粘膜の炎症).

alkaline reflux g. アルカリ逆流性胃炎（腸から胃への逆流する刺激因子により生じたと考えられる胃粘膜の炎症. 幽門を切除した後にしばしば生じる). =bile g.

atrophic g. 萎縮性胃炎（粘膜の萎縮と消化腺の破壊を伴う慢性胃炎. ときには悪性貧血または胃癌を併発する. また炎症性の症状がない胃の萎縮症もいう).

bile g. 胆汁性胃炎. =alkaline reflux g.

catarrhal g. カタル性胃炎（過度の粘液分泌を伴う胃炎).

g. cystica polyposa 嚢胞性ポリープ性胃炎（古い胃腸吻合部の近位部の胃に生じる大きな無茎性の粘膜ポリープ).

eosinophilic g. 好酸球性胃炎. =eosinophilic *gastroenteritis*.

exfoliative g. 剝脱性胃炎（粘膜上皮細胞の過度の剝脱を伴う胃炎).

hypertrophic g. 肥厚性胃炎. =Ménétrier *disease*.

interstitial g. 間質性胃炎（粘膜下組織と筋外膜に及ぶ胃の炎症).

polypous g. ポリープ性胃炎（慢性胃炎の一種で，嚢胞状腺管を伴う粘膜の不規則な萎縮があり，表面が瘤状あるいはポリープ状の外観を呈する).

pseudomembranous g. 偽膜性胃炎（偽膜形成を特徴とする胃炎).

sclerotic g. 硬化性胃炎（臓器の容積減少を伴った胃壁の線維性肥厚).

gastro-, gastr- (gas'trō) [G. *gastēr*, the belly]. 胃・腹を意味する連結形.

gas·tro·a·ceph·a·lus (gas'trō-ă-sef'ă-lŭs) [gastro- + G. *a-* 欠性辞 + *kephalē*, head]. 無頭体腹部内生奇形（無頭寄生体が，自生体の腹部に付着している不等接着双生児. →conjoined *twins*).

gas·tro·al·bu·mor·rhe·a (gas'trō-al'byū-mō-rē'ă) [gastro- + albumin + G. *rhoia*, flow]. 胃アルブミン漏（胃内にアルブミンが漏出すること).

gas·tro·a·mor·phus (gas'trō-ă-mōr'fŭs) [gastro- + G. *amorphos*, unshapely]. 腹体内生奇形（自生体の腹部内にある無定形の寄生双生児).

gas·tro·a·nas·to·mo·sis (gas'trō-ă-nas'tō-mō'sis). 胃胃吻合. =gastrogastrostomy.

gas·tro·a·to·ni·a (gas'trō-ă-tō'nē-ă) [gastro- + G. *atonia*, languor]. 胃アトニーを表す現在では用いられない語.

gas·tro·blen·nor·rhe·a (gas'trō-blen'ō-rē'ă) [gastro- + blennorrhea]. 胃粘液漏（胃粘液の過度の分泌).

gas·tro·car·di·ac (gas'trō-kar'dē-ak). 胃心の（胃と心臓に関する).

gas·tro·cele (gas'trō-sēl) [gastro- + G. *kēlē*, hernia]. 胃ヘルニア（胃の部分のヘルニア).

gas·tro·chron·or·rhe·a (gas'trō-kron'ō-rē'ă) [gastro- + G. *chronos*, time(chronic) + *rhoia*, a flow]. 慢性胃液分泌過

ヒトの急性胃腸炎に関連するウイルス

ウイルス	大きさ(nm)	疫学
ロタウイルス		
A群	70	世界中（温帯の涼しい時期に）で地方病的にみられる乳幼児の激しい下痢を生じる病因で，ウイルス性細菌性の原因のなかで最も重要である
B群	70	中国の成人，小児の下痢の集団発生の病因
C群	70	小児に散発的に下痢を生じるが，ときに集団発生がある
腸性アデノウイルス（血清型40, 41）	70—80	世界的で乳幼児に地方病的な下痢を生じる2番目に重要なウイルス
ノーウォークウイルスとノーウォーク様ウイルス	27—32	家族内，地域，施設で年長小児，成人に嘔吐，下痢の集団発生を生じる重要な病因で，食中毒を引き起こす最も一般的なウイルス
カリチウイルス	28—40	乳幼児，老齢者に下痢の散発性発生，ときに集団発生を生じる
アストロウイルス	28	乳幼児，老齢者に下痢の散発性発生，ときに集団発生を生じる

多〔症〕（過度の胃液分泌が持続していること）．

gas·troc·ne·mi·us (gas′trok-nē′mē-ŭs)［G. *gastroknēmia*, calf of the leg < *gaster*(*gastr-*), belly + *knēmē*, leg］．腓腹筋．＝gastrocnemius (*muscle*).

gas·tro·co·lic (gas′trō-kol′ik)．胃結腸の（胃と結腸に関する）．

gas·tro·co·li·tis (gas′trō-kō-lī′tis)．胃結腸炎（胃と結腸の炎症）．

gas·tro·co·lop·to·sis (gas′trō-kō′lop-tō′sis)［gastro- + G. *kōlon*, colon + *ptōsis*, a falling］．胃結腸下垂〔症〕（胃と結腸の下方への変位）．

gas·tro·co·los·to·my (gas′trō-kō-los′tŏ-mē)［gastro- + G. *kōlon*, colon + *stoma*, mouth］．胃結腸吻合（胃と結腸間の交通形成．通常，胃潰瘍または大腸あるいは胃の悪性疾患に伴ってみられる）．

gas·tro·cys·to·plas·ty (gas′trō-sis′tō-plas′tē)．胃膀胱形成術（血管支配を伴う胃の一片によって膀胱を拡大させる術式）．

gas·tro·di·al·y·sis (gas′trō-dī-al′i-sis)．胃透析（胃粘膜を介する透析）．

Gas·tro·dis·coi·des hom·i·nis (gas′trō-dis-koy′dēz hom′i-nis)［gastro- + G. *diskos*, disk; L. *homo*, gen. *hominis*, man］．ヒト胃盤虫（インド，東南アジア，中国で，ヒトの腸腔内にときに発見される吸虫．固有宿主はブタである）．＝*Gastrodiscus hominis*.

Gas·tro·dis·cus hom·i·nis (gas′trō-dis′kŭs hom′i-nis)．＝*Gastrodiscoides hominis*.

gas·tro·du·o·de·nal (gas′trō-dū′ō-dē′năl)．胃十二指腸の（胃と十二指腸に関する）．

gas·tro·du·od·e·ni·tis (gas′trō-dū-od′ĕ-nī′tis)．胃十二指腸炎（胃と十二指腸の炎症）．

gas·tro·du·o·de·nos·co·py (gas′trō-dū-ō-dĕ-nos′kŏ-pē)［gastro- + duodenum + G. *skopeō*, to view］．胃十二指腸鏡検査〔法〕（胃鏡による胃と十二指腸内壁の検査）．

gas·tro·du·o·de·nos·to·my (gas′trō-dū-ō-dĕ-nos′tŏ-mē)［gastro- + duodenum + G. *stoma*, mouth］．胃十二指腸吻合〔術〕（胃十二指腸間に通路を形成すること）．

gas·tro·dyn·i·a (gas′trō-din′ē-ă)［gastro- + G. *odynē*, pain］．胃痛．＝stomach *ache*.

gas·tro·en·ter·ic (gas′trō-en-ter′ik)．＝gastrointestinal.

gas·tro·en·ter·i·tis (gas′trō-en-tĕr-ī′tis)［gastro- + G. *enteron*, intestine + *-itis*, inflammation］．胃腸炎．＝enterogastritis.

acute infectious nonbacterial g. 急性感染性非細菌性胃腸炎．＝epidemic nonbacterial g.

endemic nonbacterial infantile g. 流行性非細菌性小児胃腸炎（6か月—12歳の小児に起こるウイルス性流行性胃腸炎，特に冬期に広く流行しやすい．ロタウイルス(レオウイルス科)の一種が原因で，潜伏期は2—4日，腹痛，下痢，発熱，嘔吐などの症状が3—5日続く）．＝infantile g.

eosinophilic g. 好酸球性胃腸炎（末梢血好酸球増多，胃，小腸，大腸の好酸球浸潤病変を伴い，腹痛，吸収不良に加え，しばしば閉塞症状を呈する疾患．アレルギー性と考えられ，患者によっては食事を除くと改善する．ステロイド投与も有効である）．＝eosinophilic gastritis.

epidemic nonbacterial g. 流行性非細菌性胃腸炎（流行性，伝染性の強い比較的軽症の疾患で，流行性胃腸炎ウイルス(特にNorwalkウイルス)により突然起こる．潜伏期は16—48時間，持続は1—2日．全年齢層を侵す．発熱，腹部仙痛，吐き気，嘔吐，下痢，頭痛を伴い，ときにはその中の1，2の症状のみが目立つこともある）．＝acute infectious nonbacterial g.

infantile g. 乳児胃腸炎．＝endemic nonbacterial infantile g.

viral g. ウイルス性胃腸炎（→endemic nonbacterial infantile g.; epidemic nonbacterial g.）．

gas·tro·en·ter·o·a·nas·to·mo·sis (gas′trō-en′tĕr-ō-an-as′tō-mō′sis)．胃腸吻合〔術〕．＝gastroenterostomy.

gas·tro·en·ter·o·co·li·tis (gas′trō-en′tĕr-ō-kō-lī′tis)［gastro- + G. *enteron*, intestine + *kōlon*, colon + *-itis*, inflammation］．胃腸結腸炎（胃と大腸および小腸に及ぶ炎症性疾患）．

gas·tro·en·ter·o·co·los·to·my (gas′trō-en′tĕr-ō-kō-los′tŏ-mē)［gastro- + G. *enteron*, intestine + *kōlon*, colon + *stoma*, mouth］．胃腸結腸吻合（胃と大腸および小腸間に直接の開口部が形成されること．通常，胃潰瘍または大腸あるいは胃の悪性疾患に伴ってみられる）．

gas·tro·en·ter·ol·o·gist (gas′trō-en′tĕr-ol′ŏ-jist)．胃腸病学者，胃腸病専門医．

gas·tro·en·ter·ol·o·gy (gas′trō-en′tĕr-ol′ŏ-jē)［gastro- + G. *enteron*, intestine + *logos*, study］．胃腸病学（胃腸を含む消化管と関連臓器の機能と障害に関する医学の専門分野）．

gas·tro·en·ter·op·a·thy (gas′trō-en′tĕr-op′ă-thē)［gastro- + G. *enteron*, intestine + *pathos*, suffering］．胃腸病（消化管の障害）．

gas·tro·en·ter·o·plas·ty (gas′trō-en′tĕr-ō-plas′tē)［gastro- + G. *enteron*, intestine + *plassō*, to form］．胃腸形成〔術〕（胃腸の欠損部分の外科的修復）．

gas·tro·en·ter·op·to·sis (gas′trō-en′tĕr-ŏp-tō′sis)［gastro- + G. *enteron*, intestine + *ptōsis*, a falling］．胃腸下垂〔症〕（胃と腸の一部の下垂）．

gas·tro·en·ter·os·to·my (gas′trō-en′tĕr-os′tŏ-mē)［gastro- + G. *enteron*, intestine + *stoma*, mouth］．胃腸吻合〔術〕（横行結腸の前後いずれかで，胃腸間に新しい開口部を形成すること）．＝gastroenteroanastomosis.

gas·tro·en·ter·ot·o·my (gas′trō-en′tĕr-ot′ŏ-mē)［gastro- + G. *enteron*, intestine + *tomē*, incision］．胃腸切開〔術〕．

gas·tro·ep·i·plo·ic (gas′trō-ep′i-plō′ik)．胃大網の（胃と

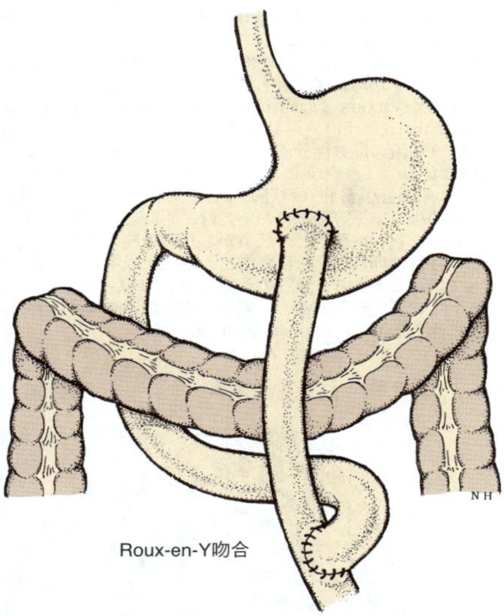

gastroenterostomy

大網(epiploon)に関する).

gas·tro·e·soph·a·ge·al (gas′trō-ĕ-sof′ă-jē′ăl) [gastro- + G. *oisophagos*, gullet(esophagus)]. 胃食道の(胃と食道に関する).

gas·tro·e·soph·a·gi·tis (gas′trō-ĕ-sof′ă-jī′tis). 胃食道炎(胃と食道の炎症).

gas·tro·e·soph·a·gos·to·my (gas′trō-ē-sof-ă-gos′tŏ-mē) [gastro- + G. *oisophagos*, gullet (esophagus) + *stoma*, mouth]. 胃食道吻合〔術〕. ＝esophagogastrostomy.

gas·tro·gas·tros·to·my (gas′trō-gas-tros′tŏ-mē). 噴門幽門吻合〔術〕(通常，狭窄部のバイパスのために行われる胃の二部分の間の吻合). ＝gastroanastomosis.

gas·tro·ga·vage (gas′trō-gă-vahzh′). 胃瘻栄養〔法〕. ＝gavage (1).

gas·tro·gen·ic (gas′trō-jen′ik). 胃〔性〕の.

gas·tro·graph (gas′trō-graf) [gastro- + G. *graphē*, a writing]. 胃運動描写器(胃ぜん動をグラフに記録する器械). ＝gastrokinesograph.

gas·tro·he·pat·ic (gas′trō-he-pat′ik) [gastro- + G. *hēpar* (*hēpat-*), liver]. 胃肝の(胃と肝臓に関する).

gas·tro·hy·dror·rhe·a (gas′trō-hī′drō-rē′ă) [gastro- + G. *hydōr*, water + *rhoia*, a flow]. 水様胃液分泌(塩酸，凝乳酵素，消化酵素のいずれも含まない多量の水様液の胃内への分泌).

gas·tro·il·e·i·tis (gas′trō-il-ē-ī′tis). 胃回腸炎.

gas·tro·il·e·os·to·my (gas′trō-il-ē-os′tŏ-mē). 胃回腸吻合〔術〕(胃と回腸の外科的接合. 著明な肥満の治療のために利用されることが最も多い).

gas·tro·in·tes·ti·nal (GI) (gas′trō-in-tes′tin-ăl). 胃腸の(胃と腸に関する). ＝gastroenteric.

gas·tro·je·ju·no·co·lic (gas′trō-je-jū′nō-kol′ik). 胃空腸結腸の(胃，空腸，および結腸についていう).

gas·tro·je·ju·nos·to·my (gas′trō-je-jū-nos′tŏ-mē) [gastro- + jejunum + G. *stoma*, mouth]. 胃空腸吻合〔術〕(胃と空腸に直接の通路を形成すること). ＝gastronesteostomy.

gas·tro·ki·ne·so·graph (gas′trō-ki-nē′sō-graf) [gastro- + G. *kinēsis*, motion + *graphē*, a writing]. ＝gastrograph.

gas·tro·la·vage (gas′trō-lă-vahzh′). 胃洗浄.

gas·tro·li·e·nal (gas′trō-lī′ē-năl) [gastro- + L. *lien*, spleen]. 胃脾の. ＝gastrosplenic.

gas·tro·lith (gas′trō-lith) [gastro- + G. *lithos*, stone]. 胃石(胃の結石). ＝gastric calculus.

gas·tro·li·thi·a·sis (gas′trō-li-thī′ă-sis) [gastro- + G. *lithos*, stone + *-iasis*, condition]. 胃石症(胃内に1個以上の結石をもっていること).

gas·trol·o·gist (gas-trol′ŏ-jist). 胃病学者，胃病専門医.

gas·trol·o·gy (gas-trol′ŏ-jē) [gastro- + G. *logos*, study]. 胃病学(胃およびその疾患に関する医学の一分野).

gas·trol·y·sis (gas-trol′i-sis) [gastro- + G. *lysis*, loosening]. 胃癒着剥離〔術〕([誤った発音 gastroly′sis を避けること]. 胃周囲の癒着を剥離すること).

gas·tro·ma·la·ci·a (gas′trō-mă-lā′shē-ă) [gastro- + G. *malakia*, softness]. 胃壁軟化〔症〕.

gas·tro·meg·a·ly (gas′trō-meg′ă-lē) [gastro- + G. *megas* (*megal-*), large]. ***1*** 胃巨大〔症〕. ***2*** 腹部膨隆.

gas·trom·e·lus (gas-trom′ĕ-lus) [gastro- + G. *melos*, a limb]. 腹部多肢奇形(個体の腹部に余分な肢が付着している状態. ⇀conjoined *twins*).

gas·tro·myx·or·rhe·a (gas′trō-mik-sō-rē′ă) [gastro- + G. *myxa*, mucus + *rhoia*, a flow]. 胃粘液漏(胃内の過度の粘液分泌). ＝myxorrhea gastrica.

gas·tro·nes·te·os·to·my (gas′trō-nes′tē-os′tŏ-mē) [gastro- + G. *nēstis*, jejunum + *stoma*, mouth]. 胃空腸吻合〔術〕. ＝gastrojejunostomy.

gas·trop·a·gus (gas-trop′ă-gŭs) [gastro- + -pagus]. 腹部結合奇形(腹部で結合した接着双生児. ⇀conjoined *twins*).

gas·tro·pa·ral·y·sis (gas′trō-pă-ral′i-sis). 胃麻痺(胃の筋層麻痺).

gas·tro·par·a·si·tus (gas′trō-par′ă-sī′tŭs). 腹部内生双胎奇形，胃内生双胎奇形(不完全な寄生体が，自生体の腹部に付着しているか，またはその中にはいっている大小不同の接着双生児. ⇀conjoined *twins*).

gas·tro·pa·re·sis (gas′trō-pă-rē′sis, -par′ĕ-sis) [gastro- + G. *paresis*, a letting go, paralysis]. 胃不全麻痺(腸の排泄遅延を生じる胃ぜん動の低下).

g. diabeticorum 糖尿病性胃不全麻痺(糖尿病患者における胃内容物の停留を伴った胃の拡張で，重症アシドーシスや昏睡に合併してよくみられる).

gas·tro·path·ic (gas′trō-path′ik). 胃疾患の，胃病の.

gas·trop·a·thy (gas-trop′ă-thē) [gastro- + G. *pathos*, disease]. 胃疾患，胃病.

hypertrophic hypersecretory g. 過形成性過分泌性胃疾患(酸分泌過剰，しばしば胃潰瘍を伴う胃粘膜の結節性肥厚でガストリン分泌腫瘍に伴わないもの).

gas·tro·pex·y (gas′trō-pek′sē) [gastro- + G. *pēxis*, fixation]. 胃〔腹壁〕固定〔術〕(腹壁または横隔膜への胃の固定).

Gas·tro·phil·i·dae (gas′trō-fil′i-dē). ＝Gasterophilidae.

gas·tro·phren·ic (gas′trō-fren′ik) [gastro- + G. *phrēn*, diaphragm]. 胃横隔膜の(胃と横隔膜についていう).

gas·tro·plas·ty (gas′trō-plas′tē) [gastro- + G. *plastos*, formed]. 胃形成〔術〕(①胃あるいは下部食道の胃管形成の欠損部を再建するのに胃壁を用いて行う手術的治療法. ②著明な肥満に対して，胃容量を減らし，それによって食物摂取を制限する目的で胃上部を横切ってステープルをかける手術).

Collis g. (kol′is). コリス胃形成〔術〕(短食道を長くするための技術. 小弯に平行に，胃噴門部に全層切開を加え，通常はステープルを用いて胃の上部にチューブ(胃管)を形成することにより食道の延長を図る).

vertical banded g. 垂直帯胃形成〔術〕(垂直方向の縫合線によって上部に胃嚢が形成された病的肥満治療のための胃形成術. 拡張を防止するために，その出口で主胃嚢内へつけられたバンドを備えている).

gas·tro·pli·ca·tion (gas′trō-pli-kā′shŭn) [gastro- + L. *plico*, to fold]. 胃ひだ形成術，胃造襞術(腹膜表面を折り込んで縦ひだを縫合することによって胃を小さくする手術). ＝gastroptyxis; gastrorrhaphy (2); stomach reefing.

gas·tro·pneu·mon·ic (gas′trō-nū-mon′ik) [gastro- + G. *pneumōn*, lung]. 胃肺の([二重字pnのpは通常，語頭に位置する場合のみ，無音であるが，それが連結形 pneum(o)- または pneumon(o)- の一部である場合，長い慣習によりそ

れは単語の途中にあっても無音である]). ＝pneumogastric.

gas·tro·pod (gas′trō-pod). 腹足類（腹足綱動物の一般名).

Gas·trop·o·da (gas-trop′ŏ-dă) [gastro- + G. *pous* (*pod*-), foot]. 腹足綱（マキガイ，エゾバイ，ナメクジ，ササガイを含む軟体動物門の一綱).

gas·trop·to·sis, gas·trop·to·sia (gas′trō-tō′sis, -tō′sē-ă) [gastro- + G. *ptosis*, a falling]. 胃下垂〔症〕([二重字ptにおいて，pは語頭にあるときのみ無音である]. 胃の下方移動). ＝bathygastry; descensus ventriculi; ventroptosis; ventroptosia.

gas·tro·ptyx·is (gas′trō-tik′sis) [gastro- + G. *ptyxis*, a fold]. ＝gastroplication.

gas·tro·pul·mo·nary (gas′trō-pul′mō-nār-ē). ＝pneumogastric.

gas·tro·py·lor·ic (gas′trō-pī-lōr′ik). 胃幽門の（胃と幽門についていう).

gas·tror·rha·gi·a (gas′trō-rā′jē-ă) [gastro- + G. *rhēgnymi*, to burst forth]. 胃出血. ＝gastric hemorrhage.

gas·tror·rha·phy (gas-trōr′ă-fē) [gastro- + G. *rhaphē*, a stitching]. 胃縫合〔術〕(①胃穿孔部の縫合. ②＝gastroplication).

gas·tror·rhe·a (gas′trō-rē′ă) [gastro- + G. *rhoia*, a flow]. 胃液漏，胃液分泌過多〔症〕(過度の胃液分泌または粘液分泌(gastromyxorrhea)).

gas·tror·rhex·is (gas′trō-rek′sis) [gastro- + G. *rhēxis*, a bursting]. 胃破裂（胃の亀裂または破裂).

gas·tros·chi·sis (gas-tros′ki-sis) [gastro- + G. *schisis*, a fissure][MIM*230750]. 胃壁〔破〕裂〔症〕，腹壁破裂（臍帯を含まない前腹壁の先天的な(欠損による)裂隙. 通常は内臓逸脱を伴う).

gas·tro·scope (gas′trō-skōp) [gastro- + G. *skopeō*, to examine]. 胃鏡（胃の内表面を調べる内視鏡).

fiberoptic g. 胃ファイバースコープ（胃内部を調べるためのファイバーを用いた装置).

gas·tro·scop·ic (gas′trō-skop′ik). 胃鏡検査〔法〕の.

gas·tros·co·py (gas-tros′kŏ-pē). 胃鏡検査〔法〕(内視鏡により，胃の内表面を調べること).

gas·tro·spasm (gas′trō-spazm). 胃痙攣，胃痙（胃壁の痙縮).

gas·tro·splen·ic (gas′trō-splen′ik). 胃脾の（胃と脾臓についていう). ＝gastrolienal.

gas·tro·stax·is (gas′trō-stak′sis) [gastro- + G. *staxis*, trickling]. 胃出血（胃粘膜から血液がにじみ出ることを表す，まれに用いる語).

gas·tro·ste·no·sis (gas′trō-ste-nō′sis) [gastro- + G. *stenōsis*, narrowing]. 胃狭窄（胃が縮小すること).

gas·tros·to·ga·vage (gas-tros′tō-gă-vahzh′). ＝gavage (1).

gas·tros·to·la·vage (gas-tros′tō-lă-vahzh′). 胃瘻洗浄（胃瘻を通じての胃洗浄).

gas·tros·to·my (gas-tros′tŏ-mē) [gastro- + G. *stoma*, mouth]. 胃造瘻〔術〕，胃瘻造設〔術〕，胃フィステル形成〔術〕(胃に新しい瘻を設置すること).

percutaneous endoscopic g. 経皮的内視鏡下胃瘻造設術（開腹することなく胃瘻を造設する方法で，通常は胃鏡，胃への送気，胃と腹壁の穿刺，そして特別なチューブの設置からなる).

gas·tro·tho·ra·cop·a·gus (gas′trō-thōr′ă-kop′ă-gŭs) [gastro- + G. *thōrax*, chest + *pagos*, something fixed]. 腹胸接合双胎奇形（胸部と腹部で接合した接着双生児. →conjoined *twins*).

gastrothorax (gas-trō-thōr′aks). 胸郭胃（胸郭内の胃の存在. 横隔膜ヘルニアにより生じる).

gas·tro·tome (gas′trō-tōm). 胃切開刀.

gas·trot·o·my (gas-trot′ŏ-mē) [gastro- + G. *tomē*, incision]. 胃切開〔術〕.

gas·tro·to·nom·e·ter (gas′trō-tō-nom′ĕ-tĕr). 胃内圧計（胃内圧測定法に用いる装置).

gas·tro·to·nom·e·try (gas′trō-tō-nom′ĕ-trē) [gastro- + G. *tonos*, tension + *metron*, measure]. 胃内圧測定〔法〕.

gas·tro·tox·ic (gas′trō-tok′sik). 胃粘膜毒性の（胃に対して毒性があることについていう).

gas·tro·tox·in (gas′trō-tok′sin). ガストロトキシン（特に胃粘膜細胞に対する細胞毒素).

gas·tro·tro·pic (gas′trō-trop′ik) [gastro- + G. *tropikos*, turning]. 胃親和性の.

gas·trox·i·a (gas-trok′sē-ă) [gastro- + G. *oxys*, keen, acid]. gastroxynsis に対してまれに用いる語.

gas·trox·yn·sis (gas′trok-sin′sis) [gastro- + G. *oxynō*, to make sharp, acid]. 周期性胃液分泌亢進〔症〕，胃酸過多〔症〕(胃液の間欠性分泌過多を表す，まれに用いる語).

gas·tru·la (gas′trū-lă) [Mod.L.: G. *gastēr*(belly)の指小辞]. 原腸胚，嚢胚（胞胚および胚盤胞に続く発生期の胚. 卵黄の少ない下等動物においては，原口より多部へ開いている原腸を包む内胚葉と外胚葉からなる単純な2層の構造である. 多量の卵黄を含む動物では，原腸形成中にも卵黄が残存していることから，嚢胚の形態は非常に違ったものとなる. ヒトでの嚢胚の形成は，胎盤が3層となる時期すなわち3週目に起こる). ＝invaginate planula.

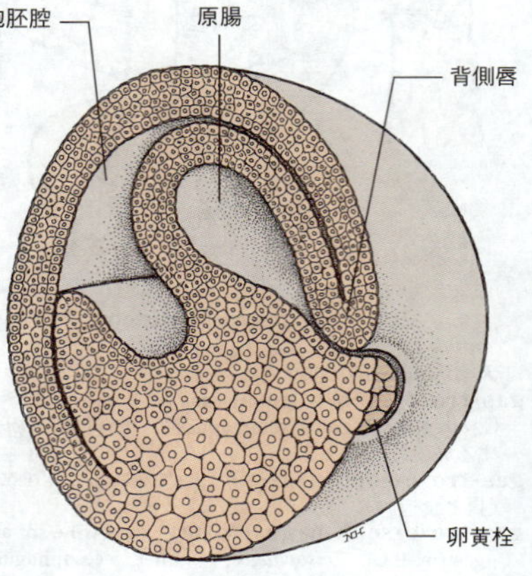

gastrula

gas·tru·la·tion (gas′trū-lā′shŭn). 原腸形成，嚢胚形成（一般的には胞胚が原腸胚に変わることをいう. 胞胚の原始胚細胞層の一部が発達しながら胚内へ陥入し，原腸胚ができる. ヒトの胚では，原腸形成によって，2層性胚盤が3層性胚盤に変化する).

Gatch (gatch), Willis D. 米国人外科医，1878—1961. →G. *bed*.

gate (gāt) [O.E. *geat*]. ***1*** ゲート（電気的(膜電位)あるいは化学的(神経伝達物質)作用によりイオンチャネルを閉じること). ***2*** ゲート，門（シナプスを経由するインパルスの伝達を遮断する，特殊な神経線維の作用. 例えば，後角におけるシナプスで，痛みのインパルスに対する門の開閉作用). ***3*** ゲート（信号の通過を電気的に切り替え制御できる装置). ***4*** 同期（ECGのような生理学的信号を，X線照射や，連続収集データの区切りのきっかけに用いること. →gated radionuclide *angiocardiography*. →cardiac *gating*).

gate·keep·er (gāt′kēp-ĕr). ゲートキーパー（患者に最初に会い，したがって患者の医療施設への導入を調節する医療専門家で，通常，医師あるいは看護師).

gat·ing (gāt′ing). 呼吸ゲーティング（①生体膜におけるチャネルの開閉. 内在性膜蛋白の変化によると考えられている. ②電気的シグナルがゲートによって選択される経路で，そのゲートではゲートパルスがコントロールシグナルとして作用するときだけそのシグナルは通過でき，またある特性をもつシグナルだけ通過できる. →gate).

cardiac g. 心臓ゲーティング（心周期の中の特定のトリガー(例えばQ波)を用いて，他の事象の解析に用いること. RI検査や磁気共鳴画像で，心周期の収縮期や拡張期相の描出に用いる).

respiratory g. 呼吸ゲーティング（例えば呼気時のデータ

集積に役立つような，電気回路の引き金となる呼吸から得られるシグナルをとらえる方法.→navigator *echo*).

voltage-g. 電位依存（膜チャネルの開口が，膜電位の変化によって調節されること).

Gauch·er (gō-shā′), Philippe C.E. フランス人医師，1854—1918. →G. *cells, disease*; pseudo-G. *cell*.

Gau·er (gow′ĕr), Otto Hans. ドイツ人生理学者，1909—1979. →Henry-G. *response*.

gauge (gāj). 計器，尺度，ゲージ，標準規(測定器械)（[誤ったつづり guage を避けること]).

bite g. 咬合測定器. =gnathodynamometer.

Boley g. (bō′lē). ボレーゲージ（ミリメートル単位の目盛りがついたカリパス形の計器で，歯科材料の厚さの測定に用いる).

catheter g. カテーテル外径測定板（カテーテルの大きさを決めるのに用いる種々の直径の孔の開いた金属板).

strain g. ひずみ計，ストレインゲージ（Wheatstone ブリッジの原理を用いて，歪力，ストレス，圧力のような力を正確に測定するための器械).

undercut g. アンダーカットゲージ（取りはずしのできる部分床義歯をつくるとき，鉤の固定部分を正確に位置付けるために，測定士が用いる器械).

gaul·the·ri·a oil (gawl-thēr′ē-ă oyl). 冬緑油. =methyl salicylate.

gaul·the·rin (gawl′thĕ-rin). ガウルテリン（マカンバ属 *Betula* のカバのいくつかの種類の樹皮から得られる配糖体. 加水分解によってサリチル酸メチル，D-グルコース，D-キシロースを生じる).

gaunt·let (gawnt′let). 手袋状包帯（→bandage).

Gauss (gows), Johann K.F. ドイツ人物理学者，1777—1855. →gauss; gaussian *curve, distribution*.

Gauss (gows), Karl J. ドイツ人婦人科医，1875—1957. →G. *sign*.

gauss (**G**) (gows) [J.K.F. *Gauss*]. ガウス（磁場の単位. 10^{-4} テスラに等しい).

Gaus·sel (gō-sel′), Amans. フランス人医師，1871—1937. →Grasset-G. *phenomenon*.

gaus·si·an (gows′ē-ăn). Johann K.F. Gauss に関する，彼の記した. →gaussian *curve*.

gauze (gawz) [Fr. *gaze* < Ar. *gazz*, raw silk]. ガーゼ（漂白した平織りの綿布で，包帯，吸収性スポンジとして用いる. ワセリンガーゼはワセリンを浸したガーゼ).

ga·vage (gă-vahzh′) [Fr. *gaver*, to gorge fowls]. 栄養（①胃管による強制栄養法. =gastrogavage; gastrostogavage. ②胃管により管理される強力な食事の治療的使用法).

Ga·vard (gĕ-vahr′), Hyacinthe. フランス人解剖学者，1753—1802. →G. *muscle*.

Gay (gā), Alexander H. ロシア人解剖学者，1842—1907. →G. *glands*.

gay (gā). →lesbian. ***1*** 〚n.〛 同性愛者，ゲイ（同性愛者，特に男性). ***2*** 〚adj.〛 ゲイの（同性愛者あるいは男性同性愛者の生活様式についていう).

Gay-Lus·sac (gā′lū-sahk′), Joseph L. フランス人博物学者，1778—1850. →G.-L. *equation, law*.

gaze (gāz). 注視，凝視（しばらく一方向をじっとみつめる行為).

conjugate g. 共同注視（視軸が平行な眼の運動).

dysconjugate g. 非共同注視（両眼が同じ方向に共同して回転することが不能な状態).

G-band·ing (band′ing). →G-banding *stain*.

GBG gonadal steroid-binding *globulin* の略.

GBH gamma benzene hexachloride の略.

GC ポリ核酸中のグアニンとシトシンの塩基対の略. gonococcus; gonorrhea の略.

GCS Glasgow coma scale の略.

G-CSF granulocyte colony-stimulating *factor* の略.

Gd ガドリニウムの元素記号.

GDM gestational *diabetes* mellitus の略.

GDP guanosine 5′-diphosphate の略.

GDPman·nose phos·phor·y·lase (man′ōs fos-fōr′ĭl-ās). GDP マンノースホスホリラーゼ. =mannose-1-phosphate guanylyltransferase (GDP).

GDV gastric *dilatation* and volvulus の略.

Ge ゲルマニウムの元素記号.

Ge·doel·sti·a (ge-del′stē-ă). ヒツジバエ科に属する鼻腔内寄生バエの一属で，*G. cristata*, *G. haessleri* を含む. ヌー wildebeest やシカレイヨウ hartebeest などのアフリカ産アンテロープ類に寄生するが，ヒツジやヒトに眼ハエウジ症を引き起こすこともある.

ge·doel·sti·o·sis (ge-del′stē-ō′sis). 腫脹眼疾患（*Gedoelstia* 属のハエの幼虫による草食動物およびまれにヒトにみられる感染で，ヒトでは眼ハエウジ症の原因となる). =bulging eye disease.

Geh·rig (ger′ig), Henry Louis. 米国人野球選手，1903—1941. Lou G. *disease* の患者. →Lou G. *disease*.

Gei·gel (gī′gĕl), Richard. ドイツ人医師，1859—1930. →G. *reflex*.

Gei·ger (gī′gĕr), Hans. ドイツ人医師，1882—1945. →G.-Müller *counter, tube*.

gel (jel) [Mod. L. *gelatum*]. ***1*** 〚n.〛 ゲル（コロイド溶液のゼリー，固形，または半固形状態). =gelatum. ***2*** 〚v.〛 ゲル化する（ゲルまたはゼリー状にする. ゾルをゲルに変える).

colloidal g. コロイド状ゲル（化学変化または温度変化により，流動性の減少したコロイド).

pharmacopeial g. 薬局方のゲル（水溶媒中に水和物として存在する不溶性薬物の懸濁液. その中の粒子径はコロイドの次元に接近あるいは到達する).

ge·late (jel′āt). =gelatinize.

gel·a·tin (jal′ă-tin) [L. *gelo*, pp. *gelatus*, to freeze, congeal]. ゼラチン（組織のコラーゲンから熱湯で煮沸することによりつくられる誘導蛋白. にかわ，のり，にべ(鰾膠)はゼラチンの種類である. 冷水中に入れると膨潤するが，熱湯の中でのみ可溶. ゼラチンは止血薬，血漿代用薬，および栄養失調に対する蛋白添加物として用いる).

glycerinated g. グリセリンゼラチン（等量のグリセリンとゼラチンでつくられる製剤. 微温で液化する固い塊. 肛門坐剤，尿道坐剤の賦形剤として用いる). =glycerin jelly; glycerogelatin; glycogelatin.

Irish moss g. アイルランドゴケから抽出され，乳剤をつくるのに用いているアラビアゴムの代用物として糊剤をつくるのに用いる.

vegetable g. 寒天（グルテンから得られるゼラチンに似た物質).

gel·a·tin·ase (jĕ-lat′i-nās). ゼラチナーゼ；pepsin B（ゼラチンと多種類のコラーゲンを加水分解するメタロプロテイナーゼ. →pepsin).

ge·la·ti·nif·er·ous (jel′ă-ti-nif′ĕr-ŭs) [gelatin + L. *fero*, to bear]. ゼラチン産生の，ゼラチンを含む，ゲル様の性質を有する.

ge·lat·i·ni·za·tion (jĕ-lat′i-ni-zā′shŭn). 膠化，ゲル化（ゼラチンまたはそれに似た物質への転換).

ge·lat·i·nize (jĕ-lat′i-nīz). =gelate. ***1*** ゼラチン化する. ***2*** ゼラチン様になる.

ge·lat·i·noid (jĕ-lat′i-noyd). =gelatinous (2).

ge·lat·i·nous (jĕ-lat′i-nŭs). ***1*** ゼラチンの. ***2*** 膠状の，ゼラチン様の. =gelatinoid.

ge·la·tion (jĕ-lā′shŭn). ゲル化（①膠質化学において，ゾルのゲルへの変換. ②低温による液体の固化).

ge·la·tum (jĕ-lā′tŭm) [Mod. L.]. ゲル. =gel (1).

gelcap ジェルキャップ（投与剤形の1つ. 活性成分がゲルに含まれており，カプセルに充填されている).

Gé·li·neau (zhā-lē-nō′), Jean Baptiste Eduoard. フランス人医師，1859—1906. →G. *syndrome*.

Gell (gel), Philip G. H. 20世紀の英国人免疫学者. →G. and Coombs *reactions*.

Gel·lé (zhel′ā), Marie-Ernst. フランス人耳科医，1834—1923. →G. *test*.

ge·lo·sis (jĕ-lō′sis) [L. *gelo*, to freeze, congeal + G. *-osis*, condition]. 硬結塊，凝結塊（凍結組織に似た硬度をもつ，組織内，特に筋肉内にできる非常に硬い塊).

gel·se·mine (jel′sĕ-mēn) [Mod.L. *gelsemium* < Pers. *yāsmin*, jasmine]. ゲルセミン（ゲルセミウム(イエロージャスミン)から得られる結晶可能なアルカロイド. 散瞳・中枢神経系刺激薬).

gel·so·lin (jel-sol′in) [MIM*137350]. ゲルソリン（アクチン結合蛋白．Ca^{2+}誘発性アクチンフィラメント作用蛋白で，その役割は運動，分泌，エンドサイトーシスである）．

Gé·ly (zhā-lē′), Jules A. フランス人外科医，1806—1861.→G. *suture*.

gem- (jem) [L. *geminus*, twin]. 1個の原子上の双子置換を示す用語の接頭語．例えば，ラノステロールのC-4上にある*gem*-ジメチル基の置換．

Ge·mel·la (jĕ-mel′ă) [L. *geminus*(twin)の指小辞]. 双子菌属（運動性，好気性，条件的嫌気性，球菌状の細菌の一属（連鎖球菌科）で，単独または隣接する扁平な側面で対をなして出現する．グラム染色不確定性であるが，グラム陽性菌と類似した細胞壁をもち，哺乳類に寄生する．標準種は*G. haemolysans*で，気管支分泌物や気道からの粘液中に見出される）．

G. morbillorum 以前には*Streptococcus morbillorum*とよばれていた微好気性の細菌で，血液寒天培地上でβ溶血毒素は産生せず，識別可能な血清群抗原を欠如している．毒性をもった連鎖球菌で認められるのと同様にある患者においては重篤な感染症を引き起こす．

ge·mel·lol·o·gy (jem′el-ol′ō-jē) [L. *gemellus*, twinborn + G. *logos*, study]. 双胎学（双胎および双胎発生現象の研究）．

ge·mel·lus (jĕ-mel′ŭs) [L. *geminus*(twin)の指小辞]. 双子筋．＝inferior gemellus (*muscle*); superior gemellus (*muscle*).

gem·i·nate (jem′i-nāt) [L. *gemino*, pp. *-atus*, to double < *geminus*, twin]. 一対の，双生の．＝geminous.

gem·i·na·tion (jem′i-nā′shŭn) [L. *geminatio*, a doubling]. 双生（原基の発生学的な部分的分割．例えば，1つの歯胚の双生とは1つの歯根の上に部分的または完全に分かれた歯冠を有するようになることを意味する）．

gem·i·nous (jem′i-nŭs). 双生の．＝geminate.

ge·mis·to·cyte (jĕ-mis′tō-sīt) [G. *gemistos*, loaded < *gemizō*, to fill + -cyte]. 大円形細胞．＝gemistocytic *astrocyte*.

ge·mis·to·cy·to·ma (jĕ-mis′tō-sī-tō′mă). 大円形細胞腫．＝gemistocytic *astrocytoma*.

gem·ma (jem′ă) [L. bud]. 特に味蕾や終末球のような芽状または球状の構造．

gem·ma·tion (jem-ā′shŭn) [L. *gemma*, a bud]. 発芽，芽生（母細胞の分裂を伴わずに行われる無性生殖の一型．染色質を母細胞と同じ比率で含む芽状の小突起(娘細胞)が母細胞から出て，母細胞から分離し，独立した生活を営むようになる）．＝bud fission; budding.

gem·mule (jem′yūl) [L. *gemmula*: *gemma*(bud)の指小辞]. ***1*** 芽球（母細胞から突出した小さい芽で，最終的に分離して新しい世代の細胞を形成する）．***2*** 神経細胞の樹状突起．＝dendritic *spines*.

Hoboken g.'s (hō′bō-kĕn). ＝Hoboken *nodules*.

gen- (jen) [G. *genos*, birth]. 生まれる，生じる，もたらす，を意味する接頭語．

-gen (jen). 〝～の前触れ〟を意味する接尾語．→pro- (2).

ge·na (jē′nă) [L.]. 頰（顔の側面）．＝cheek.

ge·nal (jē′năl). 頰の．

gen·der (jen′dĕr). 性（個体の解剖学的な性．*cf.* sex; gender *role*）．

gene (jēn) [G. *genos*, birth]. 遺伝子，遺伝因子（[国際ヒトゲノム命名法(ISGN)によると，ヒト遺伝子記号は，長さで2—9文字，アラビア数字やローマ文字を用いてもよいが，文字で始まるべきで，文字はすべて大文字，イタリックの活字体表記である．上付き文字，下付き文字，ギリシア文字，ローマ数字，句読点は使用不可である．記号は唯一無二で，その遺伝子の正式名称の略語であるべきである．例えば，α-fetoprotein が AFP，antithrombin III が AT 3]．遺伝の機能的単位，染色体上の特定の部位(座)を占める各遺伝子は，各細胞分裂において正確に自分を複製することができ，酵素や他の蛋白の合成を支配する．機能単位としての遺伝子は，巨大DNA分子の中の不連続な分節からなっており，特定のペプチドのアミノ酸配列をコードする正しい配列の塩基，すなわちプリン(アデニンとグアニン)およびピリミジン(シトシンとチミン)を含んでいる．蛋白合成は，鋳型として働く遺伝子を含む染色体から合成されるメッセンジャーRNA分子によって仲介される．このRNAは，後に細胞質中に移行し，リボソーム上において，ペプチドを構成するアミノ酸配列を決定するための鋳型として機能する．有性生殖の生物では，染色体すべては雄の性染色体(XとY)を除いて対になっているがゆえに，必然的に，遺伝子は通常，配偶子を除くすべての細胞中で対になって存在する）．＝factor (3).

allelic g. 対立遺伝子（→allele; *dominance* of traits）．

autosomal g. 常染色体遺伝子（性染色体(XとY)以外の染色体にある遺伝子）．

BRCA1 g. *BRCA1*遺伝子（1994年に分離された第17染色体長腕(17 q 21)に座位する癌抑制遺伝子．生殖細胞に*BRCA1*の変異をきたしたキャリアは乳癌と卵巣癌を発症しやすい．→*BRCA2* g.; *carcinoma* of the breast）．

***BRCA2* g.** BRCA2遺伝子（1995年に同定された，第13染色体長腕(13 q 12—q 13)に座位する癌抑制遺伝子．27エクソンからなる巨大な遺伝子で，70 kbにわたって分布し，3,418アミノ酸からなる蛋白をコードする．生殖細胞系列に変異をきたしたキャリアは，*BRCA1*の変異の場合と同様に，乳癌に罹患するリスクが上昇し，卵巣癌でもややリスクが高まる．*BRCA2*ファミリーはまた，男性においても，乳癌，膵臓癌，前立腺癌，喉頭癌，眼腫瘍の発症率を上昇させる．→*BRCA1* g.; *carcinoma* of the breast）．

家族性の乳癌は長い間認識されていた．家族性乳癌は45歳以前に発症し，3人以上の親族かつ世代にわたって発生するという特徴がある．全乳癌患者中約5％が優性感受性遺伝子，とりわけ*BRCA1*と*BRCA2*の遺伝によるとされている．*BRCA*遺伝子の自然突然変異はまれであるが，各遺伝子について何百もの遺伝的変異が観察されている．これらの臨床的意義についてはいまだ不明である．*BRCA*遺伝子は常染色体に存在するので，女性同様男性も*BRCA*の変異を受け継ぎ，そして子孫に伝える．*BRCA1*と*BRCA2*の変異を有する女性の乳癌組織像は，自然発生の組織像とは異なる．*BRCA1*関連乳癌では他のどんな乳癌と比べても髄質癌の比率が高い．*BRCA1*と*BRCA2*は癌抑制遺伝子で，正常に機能しているときは癌の成長を妨げる．両者共に大きな遺伝子であり，*BRCA1*では2か所，*BRCA2*では1か所の独特な変異が特徴的である．変異遺伝子の浸透度が高いにもかかわらず，必ずしもキャリアが癌を発症するわけではない．ホルモン，環境，生殖，その他の遺伝因子が浸透度に影響を及ぼすのかもしれない．エストラジオールは*BRCA1*遺伝子産物の産生と細胞増殖を増加させる．変異は遺伝子全般にわたって観察されているが，ほとんどが挿入と欠失とナンセンス変異である．よくみられる2つの変異(エクソン2の185AG欠失とエクソン20の5382C挿入)が*BRCA1*変異の約19％を占める．前者の変異はアシュケナージユダヤ人の約1％に存在し，ユダヤ人の家族性乳癌の約32％に関与する．この変異は，乳癌や卵巣癌の家族歴がない卵巣癌患者の13％，家族歴がある卵巣癌患者の30％に見い出されたことから，遺伝的疾患であることが示唆される．*BRCA1*の変異は，前立腺癌のリスクを3倍にし，男性でも女性でも大腸癌のリスクを4倍にする．*BRCA2*の6174T欠失変異は，アシュケナージユダヤ人の1.3％に存在すると推定されている．*BRCA1*か*BRCA2*のいずれかに遺伝子変異を有する女性が生涯で乳癌を発症するリスクは10—30％だろうと信じられている．さらに，*BRCA1*変異のある女性の15—20％が卵巣癌を患うであろう．*BRCA1*遺伝子変異試験ができるようになったが，ほとんどの専門家は，癌の強い家族歴がある女性を除き，日常的なスクリーニングを推奨してはいない．*BRCA*遺伝子変異が発見された女性は，18歳から乳房の自己触診と25歳からは毎年医師による定期検診とマンモグラフィを始めるようすすめられている．X線撮影によるスクリーニングで得られる情報は，放射線照射による*BRCA1*と*BRCA2*の対立遺伝子に起こり得る影響を考慮したとしても，それにも増して価値を重要視すべきである．専門家の中には，ハイリスク女性の定期検診に，MRIを推奨している．卵巣癌のハイリスク女性が定期的に血清マーカ，経腟超音波，骨盤検査を実施することで卵巣癌の死亡率を減らすことができると信じるにたるだけの確固たる証拠はない．tamoxifenは，遺伝的素因のある女性について乳癌のリスクを 50 %まで減少させたことが示された．

C g. C遺伝子（免疫グロブリン鎖の定常部位をコードしている遺伝子）．

cdc g. ＝cell-division-cycle g..

cell-division-cycle g. 細胞分裂周期遺伝子，CDC(cdc)遺伝子（細胞周期制御システムが正常に機能するために必要な物質をコードする遺伝子．本遺伝子が変異すると細胞の有糸分裂が完了しない）．＝cdc g.

codominant g. 共優性遺伝子，相互優性遺伝子（2個以上の対立遺伝子について，各対立遺伝子が他の対立遺伝子が存在しても表現型として発現される場合をいう）．

collagen type II α-1 g. コラーゲンII型α-1遺伝子（Stickler 1症候群の責任遺伝子で，遺伝子座は第12染色体長腕(12q13.11 — 13.2)．互い違いに配列様式で整列した線維性コラーゲンと細胞外基質成分を構成する蛋白を規定している）．

collagen type IV α-3 g. コラーゲンIV型α-3遺伝子（Alport症候群の一部の責任遺伝子で，第2染色体長腕(2q36 — 37)に位置する．腎臓の糸球体基底膜，蝸牛の基底膜，ラセン靱帯，血管条を構成する蛋白をコードする遺伝子である）．

collagen type IV α-4 g. コラーゲンIV型α-4遺伝子（Alport症候群の一部の責任遺伝子で，第2染色体長腕(2q36 — 37)に位置する．腎臓の糸球体基底膜，蝸牛の基底膜，ラセン靱帯，血管条を構成する蛋白をコードする遺伝子である）．

collagen type IV α-5 g. コラーゲンIV型α-5遺伝子（X染色体短腕(Xp22)に位置し，腎糸球体基底膜および蝸牛の基底板，ラセン靱帯，血管条の蛋白構成成分をコードする遺伝子で，この遺伝子変異は一部のAlport症候群の発症に関与する）．

collagen type XI α-1 g. コラーゲンXI型α-1遺伝子（Stickler 3症候群の責任遺伝子で，遺伝子座は第1染色体短腕(1p21)．本遺伝子は，互い違いの配列様式で整列した線維性コラーゲンと細胞外基質成分を構成する蛋白を規定している）．

collagen type XI α-2 g. コラーゲンXI型α-2遺伝子（Stickler 2症候群およびDFNA 13の原因遺伝子で，遺伝子座は第6染色体短腕(6p21)．本遺伝子は，互い違いの配列様式で整列した線維性コラーゲンと細胞外マトリックス成分を構成する蛋白をコードしている）．

control g. ⇀operator g.; regulator g.

DFN1 g. DFN1遺伝子（DFN1の責任遺伝子で，X染色体長腕(Xq22)に位置する．正常なヒト神経系の発達に必須な，進化上保存されてきた未知のポリペプチドをコードしていると考えられる）．

DFN3 g. DFN3遺伝子（DFN3および伝導性難聴の責任遺伝子で，X染色体長腕(Xq21)に位置する．中耳と内耳の間葉に発現している転写因子をコードする）．

DFNA1 g. DFNA1遺伝子（DFNA1の責任遺伝子で，第5染色体長腕(5q31)に位置する．蝸牛有毛細胞の主要成分であるアクチンの重合を制御する蛋白をコードする）．

DFNA2 g. DFNA2遺伝子（DFNA2の一部の責任遺伝子で，第1染色体短腕(1p34)に位置する．細胞内伝達に重要な役割を果たすギャップ結合蛋白，コネキシン31をコードする）．

DFNA3 g. DFNA3遺伝子（DFNA3の一部の責任遺伝子．細胞内伝達に重要なギャップ結合蛋白をコードする）．

DFNA3 g. and DFNB1 g. DFNA3・DFNB1遺伝子（DFNB1および一部のDFNA3の責任遺伝子で，第13染色体長腕(13q12)に位置する．細胞内伝達に重要なギャップ結合蛋白をコードする）．

DFNA9 g. DFNA9遺伝子（DFNA9の責任遺伝子で，第14染色体長腕(14q12 — 13)に位置する．細胞外基質蛋白をコードしていると思われる）．

DFNA12 g. and DFNB21 g. DFNA12・DFNB21遺伝子（DFNA12とDFNB21の責任遺伝子で，第11染色体長腕(11q22 — 24)に位置する．蓋膜の非コラーゲン基質を形成するβ-テクトリンと相互作用する蛋白をコードする）．

DFNA15 g. DFNA15遺伝子（DFNA15の責任遺伝子で，第5染色体長腕(5q31)に位置する．蝸牛有毛細胞の表現型を規定する転写因子と成長制御因子をコードする）．

DFNB4 g. DFNB4遺伝子（Pendred症候群およびDFNB4の原因遺伝子．solute carrier 26 (SLC 26)ファミリーの1つで，第7染色体長腕(7q21—34)に位置する．ペンドリンという塩化物－ヨウ化物トランスポータ蛋白を規定する）．

DFNB9 g. DFNB9遺伝子（DFNB9の責任遺伝子で，第2染色体長腕(2q22 — 23)に位置する．シナプスにおけるカルシウムイオン誘発性の分泌小胞－細胞膜融合に関与する蛋白をコードする）．

DFNB10 g. DFNB10遺伝子（DFNB10の責任遺伝子で，第21染色体長腕(21q22.3)に位置する．膜貫通セリンプロテアーゼをコードする）．

DHNA5 g. DHNA5遺伝子（DFNA5の責任遺伝子で，第7染色体短腕(7p15)に位置する）．

dominant g. ⇀*dominance* of traits.

extrachromosomal g. 染色体外遺伝子（核外(例えばミトコンドリア遺伝子)に存在する遺伝子）．

fibroblast growth factor receptor g. (FGFR) 線維芽細胞増殖因子受容体遺伝子（Crouzon症候群の責任遺伝子で，第10染色体長腕(10q25 — 26)に位置する．チロシンキナーゼ受容体スーパーファミリーに属す蛋白の1つをコードしているが，これは細胞分裂，細胞分化，胚発生のためのシグナル伝達に関与するペプチドと高い親和性を有する）．

H g. ＝histocompatibility g.

HER2/neu g. HER2/neu遺伝子（乳癌，腎臓癌，卵巣癌などの悪性腫瘍で高発現がみられる遺伝子で，浸潤性の乳癌では20 — 30 %に見出される．HER2/neu蛋白が過剰発現した症例は，予後が悪いという指標となってきた．またその発現は，ハーセプチン治療に対する感受性を判断するための指標ともなり得る）．

histocompatibility g. 組織適合遺伝子（実験動物で，免疫応答を引き起こし，組織がある個体から他個体へ移植される際の同種移植片拒否反応の原因となる遺伝子．ヒトではこの遺伝子はHLA抗原を支配している）．＝H g.

holandric g. 限雄性遺伝子．＝Y-linked g.

homeotic g.'s ホメオティック遺伝子（いくつかの領域の境界を定めることによって，身体各部の発生を調節する一群の遺伝子）．

housekeeping g.'s ハウスキーピング遺伝子（一般に常に発現され，恒常的な細胞代謝に関与していると考えられる遺伝子）．

human analogue of *Drosophila* eyes absent g. 鰓耳腎症候群の責任遺伝子で，第8染色体長腕(8q12.3)に位置する．内耳のあらゆる構成成分の発達に役割を果たす蛋白をコードする．

immune response g.'s 免疫応答遺伝子群（ヒト第6染色体上にある組織適合抗原複合体のHLA-D領域に存在する遺伝子群で，特異抗原に対する免疫応答を制御している）．

jumping g. ジャンピング遺伝子（トランスポゾンに関与する遺伝子．⇀transposon）．

***KCNE1* g.** KCNE1遺伝子（Jervell and Lange-Nielsen症候群2の責任遺伝子で，第21染色体長腕(21q22.1 — 22.2)に位置する．膜電位依存性カリウムチャネルを構成している蛋白のサブユニットをコードしている遺伝子である．内リンパのホメオスタシスにとって重要な蛋白）．

***KVLQT1* g.** KVLQT1遺伝子（Jervell and Lange-Nielsen症候群1の責任遺伝子で，第11染色体短腕(11p15.5)に位置する．内リンパのホメオスタシスに重要な膜電位依存性カリウムチャネル蛋白のサブユニットを規定する）．

lethal g. 致死遺伝子（個体の生殖年齢以前に死に至らしめたり，生殖を阻止したりする遺伝子型を生成する遺伝子．劣性遺伝子の場合は，ホモ接合あるいはヘミ接合の状態は致死的である）．

microophthalmia transcription factor g. 微小眼炎転写因子遺伝子（その変異によって，聴覚障害を呈する常染色体優性遺伝疾患であるWaardenburg症候群II型とTietz症候群を家系中の少なくとも複数の家族に引き起こす遺伝子．遺伝子座は第3染色体短腕(3p12.3—14.1)である．ホモダイマーの転写因子蛋白をコードする.）．

mimic g.'s 擬態遺伝子（例えば楕円赤血球症のように，非常に似通った影響をもつ非対立(独立)遺伝子）．

mitochondrial g. ミトコンドリア遺伝子（核でなくミトコンドリア染色体に存在する機能をもった遺伝子）.

modifier g. 変更遺伝子，モディファイアー遺伝子（転写に干渉することによってある遺伝子の発現を変化させたり，調節したりする非対立遺伝子）.

mutant g. 突然変異遺伝子（現世代への必要性とは別に，代々の塩基配列を変化させた遺伝子．→mutant; mutation）.

MYO15 g. MYO15 遺伝子（DFNB3 の責任遺伝子で，第 17 染色体短腕(17p11.2)に位置する．蝸牛有毛細胞のアクチンを編成するのに必須なミオシン 15 をコードする）.

MYO7A g. MYO7A 遺伝子（Usher 症候群 1B 型，DFNB2, DFNA11 の責任遺伝子で，第 11 染色体長腕(11q13.5)に位置する．アクチンフィラメントを動かして，蝸牛の内・外有毛細胞上の不動毛を正常に保つ働きをする特殊なミオシンをコードする）.

neurofibromatosis type 2 (*NF2*) g. 神経線維腫症 2 型遺伝子（神経線維腫症 2 型の責任遺伝子で，第 22 染色体長腕(22q12)に位置する．メルリンという癌抑制に働く蛋白をコードする）.

operator g. オペレータ遺伝子，作動遺伝子（1 個以上の隣接する構造遺伝子座が規定するメッセンジャー RNA の生成を賦活する機能をもつ遺伝子）.

orphan g. オーファン(みなしご)遺伝子（データベース中のホモロジー検索で，どのリガンド配列とも一致しない核受容体ファミリーの予測遺伝子．機能的アノテーションがなされないためにこうよばれる）.

paired box g.'s ペアボックス遺伝子．＝PAX.

pleiotropic g. 多面性遺伝子（単一の遺伝子で，多くの明らかに無関係と思われる表現型を表すこと）．＝polyphenic g.

polyphenic g. 多面性遺伝子．＝pleiotropic g.

regulator g. 調節遺伝子（オペレータ遺伝子と結合するとき，それを抑制するような抑制物質を生み出す遺伝子．これにより特定蛋白の生成を妨げる．蛋白が再び要求されると特別の調節代謝物が抑制物質を阻害する）.

repressor g. 抑制遺伝子（非対立遺伝子の転写を妨げる遺伝子）.

SOS g.'s SOS 遺伝子（DNA 修復に関与する遺伝子のグループで，しばしば DNA 合成の停止の原因となるような厳しい障害によって誘導される）.

SPEECH1 g. SPEECH1 遺伝子（結合運動障害の責任遺伝子）.

g. splicing ＝splicing (1).

split g.'s スプリット遺伝子，開裂遺伝子（ゲノム配列がイントロン(介在配列)により中断されているような遺伝子で，介在配列は翻訳前にメッセンジャー RNA から除去される）.

structural g. 構造遺伝子（特定の蛋白またはペプチドの遺伝情報をもつ遺伝子）.

transfer g.'s 伝達遺伝子（接合性プラスミドの上にあって，接合能力および細菌の宿主状態の確立に必須な遺伝子）.

transforming g. ＝oncogene.

Treacher Collins syndrome g. (trē′chĕr kal′inz). トリーチャー・コリンズ症候群遺伝子（Treacher Collins 症候群の責任遺伝子で，第 5 染色体長腕(5q32 — 33)に位置する．核‐細胞質輸送体と考えられる蛋白 treacle をコードする）.

---

tumor suppressor g. 癌抑制遺伝子（細胞増殖を制御する蛋白をコードする遺伝子．この種の遺伝子を不活化することにより，癌のように脱制御された細胞増殖がもたらされる．→oncogene）．＝antioncogene.

> 正常に 2 コピーの癌抑制遺伝子をもって生まれた人は，癌が形成されるには，自然発生的な点変異，欠失，発現不全などが起こって，両方のコピーが不活化される必要がある．家族性に癌になりやすい場合のほとんどで，癌抑制遺伝子の先天性突然変異がその根本原因である．そうした素因の持ち主でも染色体の一部あるいは全部が欠失することによって，遺伝子のもう一方の正常なコピーが不活化するまでは，悪性の細胞増殖が起こらないのである．これまでに同定された数々の癌抑制遺伝子の中で，第 17 染色体に座位し，細胞増殖を抑制するリン酸化蛋白をコードする p 53 遺伝子が最も重要と思われる．調査したすべてのヒト癌の半分以上の DNA で p 53 の変異が見出されている．Li-Fraumeni 症候群は癌と肉腫の若年発症を特徴とするが，p 53 癌抑制遺伝子の先天性(常染色体優性)変異を有する．*BRCA1* と *BRCA2* は家族性若年発症の乳癌と同様に，男女ともに卵巣癌や種々の癌にも関与する癌抑制遺伝子である．

Usher type 2A syndrome g. (ŭsh′ĕr). アッシャー症候群 2A 型遺伝子（Usher 症候群 2A 型の責任遺伝子で，第 1 染色体長腕(1q41)に位置する．蝸牛の基底板と細胞外基質を構成すると思われるアシェリンをコードする）.

Usher type 1C syndrome g. (ŭsh′ĕr). アッシャー症候群 1C 型遺伝子（Usher 症候群 1C 型の責任遺伝子で，第 11 染色体短腕(11p15.1)に位置する．不動毛のイオンチャネル構造内でラフト蛋白として働くハーモニンをコードする）.

Usher type 1D syndrome g. (ŭsh′ĕr). アッシャー症候群 1D 型遺伝子（Usher 症候群 1D 型の責任遺伝子で，第 10 染色体長腕に位置する．接着結合の形成に重要な蛋白をコードしている）.

V g. V 遺伝子（免疫グロブリン鎖の可変領域の主要部分をコードする遺伝子）.

Waardenburg types 1 and 3 syndrome g. (vahr′den-bŭrg). ワールデンブルヒ(ワールデンブルグ)症候群 1・3 型遺伝子（Waardenburg 症候群 1・3 型を引き起こす遺伝子の突然変異型で，第 2 染色体長腕(2q35)に位置する．他の遺伝子の発現を制御するであろう DNA 結合蛋白をコードする遺伝子．突然変異によって神経堤由来メラノサイトの欠損が生じる）.

Waardenburg type 4 syndrome g. (vahr′den-bŭrg). ワールデンブルヒ(ワールデンブルグ)症候群 4 型遺伝子（疾患責任遺伝子の突然変異型で，第 13 染色体長腕(13q22)に位置する．早期神経堤由来前駆細胞の発生に必要な蛋白をコードする）.

X-linked g. X〔染色体〕連鎖遺伝子（X 染色体上にある遺伝子）.

Y-linked g. Y 連鎖遺伝子（Y 染色体上にある遺伝子）．＝holandric g.

Z g. Z 遺伝子（β-ガラクトシダーゼの構造遺伝子）.

ge・ne・al・o・gy (jē′nē-al′ŏ-jē) ［G. *genea*, descent + *logos*, study］. ***1*** 遺伝学，世襲学．***2*** 家系学（人または家族の明らかにされた系統歴あるいは血統歴．長さは種々である）.

gene li・brar・y (jēn lī′brār-ē). 遺伝子ライブラリー（ある特定の生物種の遺伝情報(DNA)を無作為にベクターに組み込んだ，クローン化された DNA の集合体）.

gen・er・a (jen′ĕr-ă). genus の複数形.

gen・er・al・ist (jen′ĕr-ăl-ist). 一般医，家庭医（一般医療を行う内科医，家庭医，小児科医．手術を必要としない，ときには産科に関連したことも含んだほとんどすべての疾患を扱う）.

gen・er・al・i・za・tion (jen′ĕr-ăl-i-zā′shŭn). ***1*** 汎化，全身化（原発性限局性疾患が全身性になるときのように，全般的に，びまん性にまたは広汎性になる，またはすること）．***2*** 一般化，普遍化（様々に異なった事柄から共通の因子を取り出して，基本的な結論に導く推論）.

stimulus g. 刺激汎化（Pavlov の条件付けにおいて，特定の条件刺激に類似したかつて経験のない刺激によって，条件反応を引き出すこと．→conditioning; classical *conditioning*）.

gen・er・al・ized (jen′ĕr-ăl-izd). 全身〔性〕の，広汎〔性〕の，汎発〔性〕の（巣状または局所的過程と異なり，ある器官全体を含む）.

gen・er・ate (jen′ĕr-āt) ［L. *genero*, pp. *-atus*, to beget］. ***1*** 生じる，産生する．***2*** 子孫をもうける.

gen・er・a・tion (jen′ĕr-ā′shŭn) ［L. *generatio* < *genero*, pp. *-atus*, to beget］. ***1*** 出産，生殖．＝reproduction (1). ***2*** 世代（血統継承の個々の段階．例えば，父親，息子，孫は三世代である）.

asexual g. 無性世代（分裂，発芽など，雌雄細胞の結合または接合のない方法による生殖．→parthenogenesis）．＝heterogenesis (2); nonsexual g.

filial g. (F) 雑種世代（遺伝的に明確な交配から生じる子孫．雑種第一代(記号 F_1)は，対照的遺伝子型の親の交配から生じる子孫．雑種第二代(F_2)は，2 つの F_1 個体の交配から生じる子孫．雑種第三代(F_3)，雑種第四代(F_4)，その他は

F_1 の子孫の系統的な同系交配による子孫）．

nonsexual g. 無性世代．＝asexual g.

parental g. (P_1) 親世代(P_1)（通常，実験的な交配での親についていい，遺伝子型の構築に関与する．遺伝的実験での最初の交配．F_1 世代の親）．

sexual g. 有性世代（接合または雌雄細胞の結合による生殖．asexual g. の対語）．

skipped g. 飛び越え世代（ある遺伝子が，それに侵された人から他の人へ伝達される場合，表現型上ではそれに侵されていない人を介して伝達されたような家系を示す現象で，劣性度(特にX連鎖形質)，遺伝的上位，多様な発現度，あるいは毒のような環境要因の欠如により起こる）．

spontaneous g. 偶然発生（生物は非生物が生気を与えられることにより生じうるという誤った概念．→biogenesis）．＝heterogenesis (3)．

virgin g. 単為生殖．＝parthenogenesis.

gen·er·a·tion·al (jen′ĕr-a′shŭn-ăl)．世代の（世代に関すること，つまり家系図において別々の時期にあること）．

gen·er·a·tive (jen′ĕr-ă-tiv)．繁殖上の，生殖上の，発生上の．

gen·er·a·tor (jen′ĕr-ā-tŏr) [*generator*, a begetter, producer]．発電機（化学的，機械的，原子など，様々な種類のエネルギーを電気に変換する装置）．

aerosol g. エーロゾル発生器，煙霧発生器（吸引療法や実験に用いる空気で運ばれる小粒子の懸濁物を生じる器械．例えば，La Mer 発生器，回転盤，振動片はそれぞれ単分散のエーロゾルを生じる）．

asynchronous pulse g. 非同期型パルス発生器（電気刺激発振の頻度が心臓の自然な活動から独立しているもの）．＝fixed-rate pulse g.

atrial synchronous pulse g. 心房同期型パルス発生器（電気刺激発振の頻度が心房の頻度により直接規定される心室興奮性脈拍）．＝atrial triggered pulse g.

atrial triggered pulse g. ＝atrial synchronous pulse g.

demand pulse g. ディマンド型パルス発生器，応需型パルス発生器．＝ventricular inhibited pulse g.

fixed-rate pulse g. レート固定型パルス発生器．＝asynchronous pulse g.

pulse g. パルス発生器（整または律動的な波形を有する電気放電を行う装置で，その起電力が時間との関係で特異的なパターンで変化する．例えば，電気的ペースメーカがその1つだが，規則正しい間隔で電気放電を行う．この間隔は感知回路によって変わることがあり，自己の心拍動などによって生じる電気的興奮により，次の放電に対する時間の基礎がリセットされる）．

radionuclide g.〔ラジオアイソトープ〕ジェネレータ（より短い物理的半減期をもつ娘核種に壊変する特定の放射性核種(親核種)を大量に含むイオン交換カラム．娘放射性核種を溶出により親核種から分離しうるので，実験用や診断用に，比較的短寿命の放射性核種を継続的に供給することができる．この溶出過程を，俗に〝ミルキング(搾乳) milking〟といい，ジェネレータを〝カウ radioactive cow〟とよぶ）．

standby pulse g. ＝ventricular inhibited pulse g.

ventricular inhibited pulse g. 心室抑制型パルス発生器（自然の心室活動に反応してその出力が抑制されるが，心室活動が欠如すると，レート固定型として働くもの）．＝demand pulse g.; standby pulse g.

ventricular synchronous pulse g. 心室同期型パルス発生器（自然に生じる心室活動に同期して働くが，心室活動が欠如すると，レート固定型として働くもの）．＝ventricular triggered pulse g.

ventricular triggered pulse g. ＝ventricular synchronous pulse g.

x-ray g. X線発生装置（X線撮影において，X線の発生を制御する電子機器．電源電圧を凹凸のない直流電圧に整流してX線管球に供給する機能が重要である）．

ge·ner·ic (jĕ-ner′ik) [L. *genus*(*gener*-), birth]．***1*** 属性の．***2*** 一般的な．***3*** 独特の．

ge·ner·ic name (jĕ-ner′ik nam)．***1*** 総称名（化学において，ある1つの化合物の種類または型を示す名詞．例えば，糖質(糖)，ヘキソース，アルコール，アルデヒド，ラクトン，酸，アルミ，アルカン，ステロイド，ビタミン．“class”のほうが “generic” より適切でよく用いられている）．***2*** 一般名（製薬または商業界では，非専売名に対する誤称）．***3*** 属名（生物科学において，生物の科学名(ラテン語の二重組合せ，すなわち二名法)の最初の部分．属名は大文字で始まり，イタリック体で記す）．***4*** 属名（細菌学において，種名は2つの部分すなわち属名と種小名よりなる1つの名称であるが，他の生物分野では，種名は2つの名称すなわち属名と種名からなるものとして考えられる）．

ge·ne·si·al (jĕ-nē′sē-ăl)．世代の．

ge·ne·si·ol·o·gy (jĕ-nē′sē-ol′ŏ-jē) [G. *genesis*, generation + *logos*, study]．世代学，生殖学（世代，生殖に関する科学の分野）．

gen·e·sis (jen′ĕ-sis) [G.]．発生（始原過程または創始過程．結合形としても用い，接尾語の位置におく）．

ge·net·ic (jĕ-net′ik)．遺伝の（遺伝学に関すること．遺伝学の）．

ge·net·i·cist (jĕ-net′i-sist)．遺伝学者．

ge·net·ics (jĕ-net′iks) [G. *genesis*, origin or production]．***1*** 遺伝学（生物の遺伝要素の伝達と産生の仕方とその結果を扱う科学の分野）．***2*** 遺伝的特質（単一の生物あるいは生物集団における遺伝的特徴と構成）．

behavioral g. 行動遺伝学（行動パターンの遺伝要因の研究．例えば，家系分析，生化学的異常，あるいは染色体の分析など）．

biochemical g. 遺伝生化学（DNA 分子が複製し，遺伝暗号によって特定酵素の合成を調節するような仕組みなど，遺伝学に化学(生化学)を適用した学問）．

classical g. 古典的遺伝学（親から子孫へ遺伝子型が伝達されることを研究することが遺伝学であるとみる方法および分析の一群．多数の個体に関する研究がそれには必須である）．

clinical g. 臨床遺伝学（遺伝病の診断，予後，管理，予防に適用する遺伝学．*cf.* medical g.）．

epidemiologic g. 疫学遺伝学（集団遺伝学よりむしろ疫学の基準，方法および目的によって規定された集団の現象として遺伝学を研究すること）．

galtonian g. ガルトン遺伝学（計量的なデータの最初の2時点を分析することによって，形質を研究する遺伝学の手法．多変数の Gauss 分布に従って形質を分析する方法が好んで用いられる．→galtonian-Fisher g.）．

galtonian-Fisher g. (fish′ĕr)．ガルトン－フィッシャー遺伝学（多数の遺伝子座によって決定される計量形質についての遺伝学で，遺伝子座は，独立で付加的，およそ同程度の貢献をする）．＝multilocal g.

human g. 人類遺伝学（人類を研究対象とする遺伝学．*cf.* medical g.）．

mathematical g. 数学的遺伝学（伝統的な遺伝学の研究方法で，統計遺伝学，人口動態，遺伝疫学，モデリングなどがある）．

medical g. 遺伝医学（何らかの遺伝的異常を有する疾患について，原因，病理，自然経過などを研究する学問．*cf.* clinical g.; human g.）．

mendelian g. メンデル遺伝学（一度に1つの遺伝子座ずつについて着目し，その支配する表現型の分離について研究すること）．

microbial g. 微生物遺伝学（微生物の遺伝機能に関する学問）．

modern g. 現代遺伝学（遺伝学を核酸とそれに関与する物質の節用と理法として理解する方法論と分析論）．

molecular g. 分子遺伝学（遺伝学に分子生物学を適用した学問）．

multilocal g. ＝galtonian-Fisher g.

population g. 集団遺伝学（集団における身体的特徴について，その原因と結果に対する遺伝的影響を研究する学問）．

quantitative g. 量的遺伝学（定量的な遺伝形質についての古典的学問で，伝統的であるが，必ずしも Galton 遺伝学に限定されない）．

reverse g. 逆遺伝学（遺伝子機能の研究を可能にする概念的アプローチであり，〝遺伝子から表現形へ〟と要約できる．これは順遺伝学が〝表現形から遺伝子へ〟と要約されるのと対照的である．本法は位置指定突然変異誘発による遺伝子ノックアウトもしくは遺伝子破壊を介した遺伝子欠失による遺伝子の構造的変化を用いており，このような変化が細胞もしくは生物の表現形の変化への影響を研究する）．＝positional cloning.

somatic cell g. 体細胞遺伝学（細胞ハイブリダイゼーションの手法を用いて，遺伝子の構造，機構，機能を研究する学問）．

statistical g. 統計遺伝学（遺伝学における問題に統計原理を適用した学問）．

transplantation g. 移植遺伝学（ある動物の組織を他に移植する際に応用される遺伝学）．

ge·net·o·tro·phic (jĕ-net′ō-trof′ik)［G. *genesis*, origin + *trophē*, nourishment］．遺伝栄養性の（栄養必要性についての遺伝的個人差）．

Ge·ne·va Con·ven·tion (jĕ-nē′vă cŏn-ven′shŭn)．ジュネーブ協定（1864年と1906年に，スイスのジュネーブの会議で成立した国際協定で，（医療問題中で）戦場の負傷兵や彼らを治療看護する者および治療が行われる建物の保護に関するものである．これらの会議の直接の成果として，赤十字が設立された）．

Ge·ne·va lens mea·sure［*Geneva*, Switzerland］．ジュネーブ式レンズ計（⇀measure）．

Gen·gou (zhawn-gū′), Octave．フランス人細菌学者，1875—1957．→G. *phenomenon*; Bordet-G. potato blood *agar*, *bacillus*, *phenomenon*; Bordet and G. *reaction*.

ge·ni·al, ge·ni·an (jĕ-nī′ăl, -nī′an)［G. *geneion*, chin］．＝mental (2).

-genic (jen′ik)［G. *genos*, birth］．…によって発生する，形成する，発生した，形成した，を表す接尾語．

ge·nic·u·la (je-nik′yū-lă)．geniculum の複数形．

ge·nic·u·lar (je-nik′yū-lăr)．膝の，膝状の（膝に関する，または膝のように曲がる構造の）．

ge·nic·u·late (je-nik′yū-lāt)［L. *geniculo*, pp. *-atus*, to bend the knee < *genu*, knee］．***1*** 膝状の（膝状に屈曲した）．＝geniculated; kneed. ***2*** 顔面神経膝の（顔面神経膝にある神経節を表す）．***3*** 膝状体の（外側または内側の膝状体について いう）．***4*** ひざ折り状，関節状屈曲の（真菌において，通常仮軸からできるジグザグの分生子柄または分生子産生細胞に対して用いられる）．

ge·nic·u·lat·ed (je-nik′yū-lā-tĕd)．＝geniculate (1).

ge·nic·u·lum, pl. ge·nic·u·la (je-nik′yū-lŭm, je-nik′yū-lă)［L. *genu* (knee) の指小辞］．***1***［TA］．膝（小膝，または角張った膝形構造）．***2*** 結節状の構造．

g. canalis facialis［TA］．顔面神経管膝．＝g. of facial canal.

g. of facial canal［TA］．顔面神経管膝（顔面神経管水平部の内側脚と外側脚とを結ぶ折れ曲がりの部分で，顔面神経の膝神経節のある場所に相当する）．＝g. canalis facialis［TA］; genu of facial canal.

g. of facial nerve［TA］．顔面神経膝（①顔面神経が顔面神経管の中で鋭く曲がっているところで，前のほうに進んでいた神経がここで後方へ向きを変え中耳の内側壁に達する（外神経膝）．膝神経節は顔面神経膝の頂点に位置する．②外転神経核を回り込む顔面神経線維束の係蹄（内神経膝））．＝g. nervus facialis［TA］.

g. nervus facialis［TA］．顔面神経膝．＝g. of facial nerve.

-genin (jen′in)．毒性物質（通常，ステロイド性配糖体）の基本的ステロイド部分（例えばアグリコン部分）を示すのに用いる接尾語．

ge·ni·o·glos·sus (je′nē-ō-glos′ŭs)［G. *geneion*, chin + *glōssa*, tongue］．おとがい(頤)舌筋．＝genioglossus (*muscle*).

ge·ni·o·hy·oid (je′nē-ō-hī′oyd)．おとがい(頤)舌骨筋．＝geniohyoid (*muscle*).

ge·ni·o·hy·oi·de·us (je′nē-ō-hī-oyd′ē-ŭs)［G. *geneion*, chin + *hyoeidēs*, y-shaped, hyoid］．おとがい(頤)舌骨筋．＝geniohyoid (*muscle*).

ge·ni·on (jĕ′nī-on)［G. *geneion*, chin］．ゲニオン（おとがい棘の頂点，頭蓋測定点）．

ge·ni·o·plas·ty (jen′ī-ō-plas′tē)［G. *geneion*, chin, cheek + *plastos*, formed］．おとがい(頤)形成［術］（下顎おとがい部の骨形状の形成術）．

gen·i·tal (jen′i-tăl)［L. *genitalis*, pertaining to reproduction < *gigno*, to bring forth］．***1*** 生殖の．***2*** 性器の，生殖器の（女性または男性の第一次的生殖器に関連して）．***3*** 性器性欲の．

gen·i·ta·li·a (jen-i-tā′lē-ă)［L. *genitalis*(genital) の中性複数形］［TA］．性器，生殖器（［本語は文法的に複数形である］．生殖のための器官で，内と外に区別される）．＝organa genitalia［TA］; genital organs; genitals.

ambiguous g. ＝genital *ambiguity*.

ambiguous external g. 外性器形成不全．＝genital *ambiguity*.

external g. 外性器（女性では外陰，男性では陰茎と精巣のこと）．

female external g.［TA］．女の外生殖器（陰唇と陰核）．＝external female genital organs; organa genitalia feminina externa.

female internal g.［TA］．女の内生殖器（卵巣，卵管，子宮，膣）．＝internal female genital organs; organa genitalia feminina interna.

indifferent g. 性的分化前の胎芽の生殖臓器．

male external g.［TA］．男の外生殖器（陰茎と陰嚢）．＝external male genital organs; organa genitalia masculina externa.

male internal g.［TA］．男の内生殖器（精巣，精巣上体，精管，精嚢，前立腺，射精管，球尿道腺）．＝internal male genital organs; organa genitalia masculina interna.

gen·i·tal·i·ty (jen′i-tal′i-tē)．性器性欲（精神分析において，口愛 orality や肛門愛 anality に対して，性欲の性器的要素（陰茎や膣）をさす用語）．

gen·i·tals (jen′i-tălz)．性器，生殖器．＝genitalia.

gen·i·to·cru·ral (jen′i-tō-krū′răl)．＝genitofemoral.

gen·i·to·fem·o·ral (jen′i-tō-fem′ŏ-răl)．陰部大腿の（陰部と大腿についていう．また陰部大腿神経をさす）．＝genitocrural.

genitoplasty (jen-ĭ-tō-plas′tē)［genital + -plasty］．性器形成術（新生児における性を再決定する場合のような，外性器の手術的形成）．

gen·i·to·u·ri·nary (GU) (jen′i-tō-yū′ri-nār-ē)．尿生殖器の（生殖および排尿に関する）．＝urinogenital; urinosexual; urogenital.

ge·nius (jēn′yŭs, jēn′ē-ŭs)［L.］．***1*** 天分，天賦の才（著しく高い知能や芸術的能力または稀有な創造力）．***2*** 天才（***1*** のような能力を授けられた人）．***3*** 天才（心理学では知能検査の成績が全構成員中上位1パーセントにはいる人）．

ge·nius ep·i·dem·i·cus (jen′yŭs ep′i-dem′i-kŭs)［Mod. L.］．流行病因子（大気，地球，宇宙のそれぞれまたは各要素の合併による影響で，昔は流行性や地方流行性疾患の原因とみなされていた）．

Gen·na·ri (jē-nah′rē), Francesco．イタリア人解剖学者，1750—1795．→G. *band*, *stria*; *line* of G.; *stripe* of G.

gen·o·blast (jen′ō-blast)．受精卵核（受精卵の核）．

gen·o·copy (jen′ō-kop′ē)．遺伝子型模写，ゲノコピー（1つの遺伝子座のある遺伝子型が，他の遺伝子型の産生する表現型とはあるレベルの分析では区別できないような表現型をつくること．楕円赤血球症は互いに遺伝子型模写の2型があるが，一方はRh血液型と連鎖していることで区別できる）．

ge·no·der·ma·tol·o·gy (jen′ō-dĕr′mă-tol′ŏ-jē)［G. *genos*, birth, descent + *derma*, skin + *logos*, theory］．遺伝皮膚病学（皮膚病の遺伝面の学問）．

ge·no·der·ma·to·sis (jen′ō-dĕr′mă-tō′sis)．遺伝性皮膚症（遺伝的原因による皮膚の状態）．

ge·nome (je′nōm, -nom)［gene + *-ome*，定義されたシステムまたは小宇宙を示す接尾語 < G. *-oma*, noun suffix］．ゲノム（①片親に由来する染色体のすべて，すなわち配偶子の一倍数染色体．②高等な生命体にみられる染色体一式が有する全遺伝子（真核細胞の一倍体），あるいは細菌やウイルスにみられる機能的に類似したより単純な線状配列．→Human Genome Project）．

ge·nom·ic (jĕ-nom′ik)．ゲノムの．

ge·nom·ics (jĕ-nom′iks)．ゲノミクス（特定の生物のゲノム構造研究のことで，マッピングやシークエンシング（塩基配列決定）を含む）．

chemical g. ゲノム化学（ゲノムレベルで細胞の機能を検

討するために通常〝小分子〞とよばれる有機化合物を用いること). = chemogenomics.

functional g. 機能的遺伝学(生物中で発現している遺伝子についての学問で,特異的発現を制御する遺伝子や因子を単離することを含む).

ge·no·spe·cies (jē′nō-spē′sēz, jen′). 遺伝種(遺伝的伝達および組換えで実証されるような相互交雑の可能な生物個体群).

ge·note (jē′nōt) [gene + G. *-ōtēs*, toponymic suffix]. 微生物遺伝学において,対の1つが完全な染色体でない場合の組換えの要素.一般には接尾語として用いられる(例えば,endogenote, exogenote, F genote).

ge·no·tox·ic (jē′nō-toks′ik) [gene + toxic]. 遺伝子毒性(DNA に障害を与え,突然変異や癌を起こし得る物質).

genotoxin (gē-nō-tok′sin). 遺伝毒,ジェノトキシン(DNA に損傷を与える物質の総称).

gen·o·type (jen′ō-tīp) [G. *genos*, birth, descent + *typos*, type]. 遺伝子型(①個体の遺伝的構成.②特定の1遺伝子座における遺伝子組合せ,または遺伝子座のあらゆる特殊な組合せ.特殊な血液型の遺伝子型に関しては付録 Blood Groups 参照).

hepatitis C virus g. C型肝炎ウイルス遺伝子型(ウイルス遺伝子配列の異種性と多様性によって,HCV には少なくとも6種の遺伝子型が存在する.遺伝子型は地域的な分布を示す(1a 型と 1b 型は米国とヨーロッパで典型的であり,4型はアフリカと中近東,5型と6型は東南アジアと南アフリカにみられる).インターフェロン治療に対する反応性は HCV 遺伝子型に依存する).

ZZ g. ZZ 遺伝子型(α_1-抗トリプシンの欠損と同時に肺気腫をもつ患者).

gen·o·typ·ic (jēn′ō-tip′ik). = genotypical.

gen·o·typ·i·cal (jen′ō-tip′i-kăl). 遺伝子型の. = genotypic.

gen·ta·mi·cin (jen′tă-mī′sin). ゲンタマイシン([誤ったつづり gentamycin を避けること]. *Micromonospora purpurea* と *M. echinospora* から得られる広域スペクトルをもつアミノグリコシド系抗生物質で,グラム陽性・陰性菌の発育を抑制する.硫酸塩は医薬として用いる).

gen·tian, gen·tian root (jen′shŭn, gen′shŭn rūt). ゲンチアナ(リンドウ科 *Gentiana lutea* の乾燥根茎および根で,南・中央ヨーロッパの薬草.単純な苦味がある).

gen·tian·o·phil, gen·tian·o·phile (jen′shŭn-ō-fil, -fīl) [gentian + G. *philos*, fond]. ゲンチアナバイオレット親和(親好)性の(ゲンチアナバイオレットに染まりやすいことについていう). = gentianophilous.

gen·tian·oph·i·lous (jen′shŭn-of′i-lŭs). = gentianophil.

gen·tian·o·pho·bic (jen′shŭn-ō-fō′bik) [gentian + G. *phobos*, fear]. ゲンチアナバイオレット嫌性の(ゲンチアナバイオレットに染まらない,またはわずかしか染まらないことについていう).

gen·tian root (gen′shŭn rūt). →gentian.

gen·tian vi·o·let (jen′shŭn vī′ō-let). ゲンチアナバイオレット(バイオレットローザニリンの規格化されていない染料混合物.また局所的抗感染症薬として用いられる. →crystal violet).

gen·ti·o·bi·ase (jen′shē-ō-bī′ās). ゲンチオビアーゼ. = β-D-glucosidase.

gen·ti·o·bi·o·se (jen′shē-ō-bī′ōs). ゲンチオビオース(2個の D-グルコピラノーズ分子が β-1,6 結合した2糖類.多くの化合物(例えばアミグダリン)の部分構造). = amygdalose.

gen·tis·ic ac·id (jen-tis′ik). ゲンチシン酸(鎮痛および抗炎症作用を有するアスピリンの代謝物).

genu, gen. **ge·nus,** pl. **gen·ua** (jē′nū, jēnŭs, jen′ū-ă) [L.][TA]. ***1*** 膝(大腿と下腿の間の関節のあるところ.→knee *joint*; geniculum). = knee (1) [TA]. ***2*** 屈曲した膝に似た角張った構造.

g. capsulae internae [TA]. 〔内包〕膝. = g. of internal capsule.

g. corporis callosi [TA]. 脳梁膝. = g. of corpus callosum.

g. of corpus callosum [TA]. 脳梁膝(下方と後方にひだを形成し脳梁吻で終わる脳梁の前端部). = g. corporis callosi [TA].

g. of facial canal 顔面神経膝. = *geniculum* of facial canal.

g. of facial nerve [TA]. 顔面神経膝(顔面神経根の線維が,脳橋被蓋の外旋核の周囲に描いている曲線). = g. nervi facialis [TA].

g. of internal capsule [TA]. 〔内包〕膝(内包の2本の脚(前脚と後脚)の結合により形成されている.大脳水平断面において,鈍角をもって外側に開いているのがわかる). = g. capsulae internae [TA].

g. nervi facialis [TA]. 顔面神経膝. = g. of facial nerve.

g. recurvatum 前反膝,反張膝(膝の過度の伸展状態で,下肢は前方へ弯曲している). = back-knee.

g. valgum 外反膝(大腿に対し下腿が外方に角状に曲がる変形). = knock-knee; tibia valga.

g. varum 内反膝(大腿に対して下腿が内方へ角状に曲がる変形.膝を中心として下肢が外方へ弯曲している). = bandy-leg; bowleg; bow-leg; tibia vara.

gen·u·al (jen′yū-ăl) [L. *genu*, knee]. 膝〔状〕の.

ge·nus, pl. **gen·er·a** (jēnŭs, jen′ĕr-ă) [L. birth, descent]. 属([属名は *Eschelichia*, *Helicobacter*, *Staphylococcus* のように,大文字で始まり,イタリック体で印刷される.この際,複数形になることは決してない.属名を一般名詞として使用する場合には,chlamydia のように小文字で始め,イタリック体にはならない.また staphylococci のように複数形にすることもできる.属名は文脈から意味が明瞭であるときのみ,ピリオドをつけたりつけなかったり(*E. coli*, *H. pylori*, *S aureus*)して省略することができる].自然史分類における科または族と種の間の分類階級.この群の種はその構築の大体の特徴は似ているが,詳細において異なっており,有性生殖はできない).

gen·y·an·trum (jen′ē-an′trŭm) [G. *genys*, cheek + *antron*, cave]. = maxillary *sinus*.

geo- (jē′ō) [G. *gē*, earth]. 地球,土地に関する連結形.

ge·ode (jē′ōd) [Fr. < L. *geodes*, precious stone < G. *gē*, earth + *-ōdēs*, appearance]. 骨小洞(X線上関節下骨にみられる嚢腫状空洞で,上皮細胞の裏打ちのあるものとないものとがある.通常,関節疾患で生じる).

ge·o·med·i·cine (jē′ō-med′i-sin). 地理医学(天候と環境状態が健康や病気に及ぼす影響に関する科学). = nosochthonography; nosogeography.

ge·o·pa·thol·o·gy (jē′ō-pă-thol′ŏ-jē). 地理病理学(病気と風土,気候やその他の環境からの影響との関連を調べる学問).

ge·o·pha·gi·a, ge·oph·a·gism, ge·oph·a·gy (jē′ō-fā′jē-ă, jē-of′ă-jizm, -of′ă-jē) [geo- + G. *phagō*, to eat]. 土食症(ほこりや土を食べること). = dirt-eating.

ge·o·phil·ic (jē′ō-fil′ik) [*geo-* + G. *philos*, love, attraction + -ic]. 好地性の(陸生の,土壌中に棲む).

Ge·oph·i·lus (jē-of′i-lŭs). ジムカデ属(非常に多数の脚(47—67 対)が特徴のムカデの一属,アメリカでは *G. californius*, *G. rubens*, *G. umbraticus* が含まれる).

Geor·gi (gā-ōr′gē), Walter. ドイツ人細菌学者,1889—1920. →Sachs-G. *test*.

ge·o·tax·is (jē′ō-tak′sis) [geo- + G. *taxis*, orderly arrangement]. 走地性(正の圧走性の一型で,土に向かう傾向をもつこと). = geotropism.

ge·ot·ri·cho·sis (jē′ō-tri-kō′sis) [geo- + G. *thrix*, hair + *-osis*, condition]. ゲオトリクム症,酵母菌類似菌症(*Geotrichum candidum* の日和見感染による全身性のヒアロヒホ真菌症.本症に帰せられる症状は多彩で,二次的あるいは混合感染を示唆する).

Ge·ot·ri·chum (jē-ot′ri-kŭm). ゲオトリクム属(酵母球様の真菌の一属で,分節胞子をつくるが分芽胞子をつくることはまれである. *G. candidum* はかつてヒトの感染症の原因になると考えられていた).

ge·ot·ro·pism (jē-ot′rō-pizm) [geo + G. *tropē*, a turning]. 向地性. = geotaxis.

ge·phy·rin (je-fir′in) [MIM*603930]. ジェフィリン(毛細管拡張性運動失調症の変異患者家族に存在する蛋白.ニューロン膜上にクラスター化しているグリシンレセプタに必須).

geph·y·ro·pho·bi·a (jef′ī-rō-fō′bē-ă) [G. *gephyra*, bridge + *phobos*, fear]. 渡橋恐怖〔症〕(橋を渡ることに対する恐

G

れ).

ge·ran·i·ol (jĕ-ra′nē-ol). ゲラニオール（オレフィン系テルペンアルコールでローズ油やパルマローザ油の主成分である．またシトロネラやレモングラスなどの多くの他の揮発油も含有している．リナロオールの異性体である．香料に用いられる．甘いバラの香りの油状液体．また昆虫誘引物質でもある).

ger·a·nyl·ger·a·nyl py·ro·phos·phate (jer′a-nil-jer′a-nil pī′rō-fos′fāt). ゲラニルゲラニルピロリン酸（多くのテルペンの生合成鍵中間体．ゲラニルゲラニル基を蛋白に導入するための鍵基質).

ger·a·nyl py·ro·phos·phate (jer′a-nil-pī′rō-fos′fāt). ゲラニルピロリン酸（ステロール，ドリコール，ユビキノン，プレニル化蛋白の生合成の鍵中間体).

ger·a·tol·o·gy (jer′ă-tol′ŏ-jē). ＝gerontology.

Gerbich an·ti·gen (gĕr′bich). ⇀antigen.

Ger·bode (gĕr′bōd), Frank. 米国人心臓外科医，1907—1984. ⇀G. *defect*.

GERD gastroesophageal reflux *disease* の略.

Ger·dy (zher-dē′), Pierre N. フランス人外科医，1797—1856. ⇀G. *fibers*, *fontanelle*, hyoid *fossa*, *ligament*, interatrial *loop*, *tubercle*.

Ger·hardt (ger-hahrt′), Carl A. C. J. ドイツ人医師，1833—1902. ⇀G. *reaction*, *test* for acetoacetic acid; G.-Mitchell *disease*.

Ger·hardt (zher-hahrt′), Charles F. フランス人化学者，1816—1856. ⇀G. *test* for urobilin in the urine.

ger·i·at·ric (jer′ē-at′rik). 老年者の，老人の，老年医学の.

ger·i·at·rics (jer′ē-at′riks) [G. *gēras*, old age + *iatrikos*, healing]. 老年(老人)医学（老年者の医療に関する医学の部門).

dental g. 老年(老人)歯学（老年者に特異な歯科疾患の治療). ＝gerodontics; gerodontology.

Ger·lach (ger′lahk), Joseph. ドイツ人解剖学者，1820—1896. ⇀G. anular *tendon*, *tonsil*, *valvula*; *valve* of vermiform appendix.

Ger·li·er (zher-le-ā′), Felix. スイス人医師，1840—1914. ⇀G. *disease*.

germ (jĕrm) [L. *germen*, sprout, bud, germ]. ***1*** 微生物. ＝microbe. ***2*** 原基，胚芽（胚内の構造の最初のもの). ＝primordium.

dental g. 歯胚. ＝tooth *bud*.

enamel g. エナメル原基（発育中の歯のエナメル器．歯堤から出ている一連の節状突起の１つで，後に鐘状になり，その空洞に歯乳頭がはいる).

reserve tooth g. 代生歯胚（永久歯のエナメル器と歯乳頭).

tooth g. 歯胚. ＝tooth *bud*.

wheat g. コムギ胚芽（コムギの胚．チアミン，リボフラビンや他のビタミンを含有する).

ger·ma·ni·um (Ge) (jer-mān′ē-ŭm) [L. *Germania*, Germany]. ゲルマニウム（金属元素，原子番号 32，原子量 72.61).

ger·mi·ci·dal (jer′mi-sī′dăl). ＝germicide (1).

ger·mi·cide (jer′mi-sīd) [germ + L. *caedo*, to kill]. ***1*** 〖adj.〗殺菌[性]の（細菌や微生物を破壊することについていう). ＝germicidal. ***2***〖n.〗殺菌薬.

ger·mi·nal (jer′mi-năl). 胚の（胚芽または植物学の発芽についていう).

ger·mine (jer′mīn). ゲルミン（バイケイソウ *Veratrum* およびリンリソウ *Zygandenus* が有するアルカロイド，ベラトリンやベラトリジンのように，ナトリウムチャネルの機能変化により，神経細胞の反復性の興奮を引き起こすと考えられている).

ger·mi·no·ma (jer-mi-nō′mă) [L. *germen*, bud + *-oma*, tumor]. 胚細胞腫（性腺，縦隔または松果体部の胚組織から起こる新生物．例えば，精上皮腫).

gero-, geront-, geronto- (jer′ō, jer-on′tō) [G. *gerōn*, old man]. 老年を表す連結形. →presby-.

ger·o·der·ma (jer′ō-dĕr′mă) [gero- + G. *derma*, skin]. 老年(老人)[性]皮膚（①老年者の皮膚萎縮．②皮膚が薄くしわになった状態で，老年者の皮膚に似ている).

ger·o·don·tics, ger·o·don·tol·o·gy (jer′ō-don′tiks, -don-tol′ō-jē) [gero- + G. *odous*, tooth]. 老年(老人)歯学. ＝dental *geriatrics*.

ger·o·ma·ras·mus (jer′ō-mă-raz′mŭs) [gero- + G. *marasmos*, a wasting]. 老衰，老年(老人)削痩. ＝senile *atrophy*.

ger·on·tal (jer-on′tăl). 老年(老人)[性]の.

ger·on·tine (jer′on-tēn). ゲロンチン. ＝spermine.

geronto- (jer-on′tō). ⇀gero-.

ger·on·tol·o·gist (jer′on-tol′ŏ-jist). 老年医学の専門家.

ger·on·tol·o·gy (jer′on-tol′ŏ-jē) [geronto- + G. *logos*, study]. 老年医学（加齢に関する臨床的，社会学的，生物学的，および生理学的現象の科学的研究). ＝geratology.

ger·on·to·phil·i·a (jer′on-tō-fil′ē-ă) [geronto- + G. *philos*, fond]. 老人愛（老年者に対する病的な愛情).

ge·ron·to·pho·bi·a (jer′on-tō-fō′bē-ă) [geronto- + G. *phobos*, fear]. 老人恐怖[症]（老年者に対する病的な恐れ).

ger·on·to·ther·a·peu·tics (jer-on′tō-thār′ă-pyū′tiks). 老年者治療学（老年者治療に関する学問).

ger·on·to·ther·a·py (jer-on′tō-thār′ă-pē). 老年者治療（老年者の疾患の治療). ＝geriatric therapy.

ger·on·tox·on (jer′on-tok′son) [geronto- + G. *toxon*, bow]. 老人環. ＝*arcus* senilis.

Ge·ro·ta (gā-rō′tah), Dimitru. ルーマニア人解剖学者・外科医，1867—1939. ⇀G. *capsule*, *fascia*, *method*.

Gersh (gersh), Isidore. 20世紀の米国人組織学者. ⇀Altmann-G. *method*.

Gerst·mann (gerst′mahn), Josef. オーストリア人神経科医，1887—1969. ⇀G. *syndrome*; G.-Sträussler-Scheinker *syndrome*.

ges·ta·gen (jes′tă-jen). ゲスタ[ー]ゲン（いくつかの黄体ホルモン様作用をもつ物質の総称で，通常はステロイドホルモン). ＝gestin; progestin (3).

ges·ta·gen·ic (jes′tă-jen′ik). 黄体ホルモン性の（子宮に黄体ホルモン様作用を生じる).

ge·stalt (ges-tahlt′) [Ger. shape]. ゲシュタルト，形態（部分に分解できない特性の機能単位を形成するほどにまとまりをもって知覚される統一体. ⇀gestaltism).

ge·stalt·ism (ge-stahlt′izm) [⇀gestalt]. ゲシュタルト理論（心に映ずる対象は部分に分解できない全体として現れてくるとする心理学の理論．例えば，正方形は４本の別個の線としてよりもむしろそのような形として受け取られる).

ges·ta·tion (jes-tā′shŭn) [L. *gestatio* < *gesto*, pp. *gestatus*, to bear]. 妊娠. ＝pregnancy.

ges·tin (jes′tin). ゲスチン. ＝gestagen.

ges·to·sis, pl. ges·to·ses (jes-tō′sis, -sēz) [L. *gesto*, to carry, to bear + G. *-osis*, condition]. 妊娠中毒[症]，妊娠高血圧症候群（妊娠による何らかの障害).

ges·ture (jes′chŭr) [L. *gestus*, movement, gesture]. ***1*** 身ぶり，態度（考え，意見，あるいは感情を表現する動作). ***2*** 行為.

suicide g. 自殺のそぶり，自殺の真似（注意を引くとか，同情を得るために，または自己破壊以外の何らかの目的達成のために自殺を試みること).

Gey (gāy), George O. 米国人医師，研究者，1899—1970. ⇀G. *solution*.

GFR glomerular filtration *rate* の略.

GH growth *hormone* の略.

GHB γ-hydroxybutyrate の略.

ghee (gē) [ヒンズー語 *ghi* の英つづり]. 牛酪油（攪乳前に凝固したウシまたは水牛の乳からつくられる透明化したインドのバター．皮膚軟化薬，外傷の保護薬および食品として用いる).

Ghon (gon), Anton. [誤ったつづり Gohn を避けること]. チェコ人病理学者，1866—1936. ⇀G. *complex*, *focus*, primary *lesion*, *tubercle*.

ghost (gōst). ゴースト（ヘモグロビン欠損赤血球で，しかも，内在性蛋白を全部あるいは一部失っている).

ghrel·in (grel′in) [growth *h*ormone *rel*ease + -in]. グレリン（自然に存在する 28 個のアミノ酸より構成されている腸管性の成長ホルモン分泌刺激ペプチド(GHRP)．主として胃および恐らく視床下部にも発現している．飢餓や低血糖ではグレリンの分泌は促進され，慢性の肥満，急激にカロリーを摂取した後やエネルギーバランスが過剰状態では血中濃度は減少する．ヒトにグレリンを急速に投与すると飢餓感をもたらす．グレリンは下垂体前葉や，恐らく視床下部の内底部や内外側部に存在するグレリン受容体に結合し，成長ホルモンの分泌を促進し，エネルギーの恒常性を調節している．グレリンの血中濃度は減食により体重を減量したものでは測定可能なほど高値である）．

GHRF, GH-RF growth hormone-releasing *factor* の略．

GHRH, GH-RH growth hormone-releasing *hormone* の略．

GHz gigahertz の略．10 億(10^9)ヘルツに等しい．超音波で用いる．

GI gastrointestinal; Gingival Index の略．

Gi·a·co·mi·ni (jah-kō-mē′nē), Carlo. イタリア人解剖学者，1841—1898. ⇀*band* of G.; *frenulum* of G.; uncus *band* of G.

Gian·nuz·zi (jah-nūt′zē), イタリア人解剖学者，1839—1876. ⇀G. *crescents*, *demilunes*.

Gia·not·ti (jah-not′ē), F. 20 世紀のイタリア人皮膚科医. ⇀G.-Crosti *syndrome*.

gi·ant·ism (jī′an-tizm). ＝gigantism.

Gi·ar·di·a (jē-ar′dē-ă) [Alfred *Giard*, フランスの生物学者，1846—1908]. ジアルジア属（[誤ったつづりまたは発音 Girardia を避けること]．ほとんどの家畜やヒトを含む多くの哺乳類の小腸に寄生する寄生性鞭毛虫類の一属．例えば *G. bovis* はウシに，*G. canis* はイヌに，*G. cati* はネコに寄生する．多くの種が記載されてきたが，近年の研究では，これは2，3 種だけに減らすことを示唆している）．

G. intestinalis ランブル鞭毛虫（8 本のべん毛をもつ扁平なハート形の運動性をもつ鞭毛虫(長さ10—20μm)．一対の吸着器により腸粘膜に付着する．ヒトでは通常は無症状であるが，重症感染では脂肪吸収の障害，膨満，鼓腸，脂肪便症，急性腹痛を生じることもある．これはヒトに普通にみられる *Giardia*属であるが，ブタ，イヌ，ネコ，あるいはその他の動物でもみられる．イヌ，ネコでは一般に，鼓腸，膨満，しぶり，体重減少，および悪臭や血性の軟らかい泡状の多量の便がみられる．幼若動物，疾病罹患動物，あるいは免疫抑制動物では重篤な臨床経過をとることがある．慢性感染で衰弱することもあるが無症状のこともある）．＝*G. lamblia*.

G. lamblia ランブル鞭毛虫．＝*G. intestinalis*.

gi·ar·di·a·sis (jē′ar-dī′ă-sis). ジアルジア鞭毛虫症，ランブル鞭毛虫症（原虫である *Giardia*属の感染．G. lamblia は，ヒトに下痢，赤痢様症状，およびときに吸収不良を引き起こす）．＝lambliasis.

gib·ber·el·lic ac·id (jib′ĕr-el-ik as′id). ジベレリン酸（オーキシンの 1 つ，植物ホルモンの一種で，生長を促進させる．イネ馬鹿苗病菌 *Gibberella fujikuroi* の植物生長促進代謝物の産生を促進する．植物生長制御物質や促進物質として用いられる．特に実生の生長に用いられる．またオオムギの麦芽製造での食品添加物としても用いる）．

gib·ber·el·lins (jib′ĕr-el′inz). ジベレリン（60 種類以上のものが知られている植物生長ホルモン(オーキシン)の一種．1938 年，イネ馬鹿苗病菌 *Gibberella fujikuroi* の培養によって最初に単離された．この菌はイネの馬鹿苗病を起こす．高等植物にも見出される．ジベレリンは市販されているジテルペンノイドの酸である）．

gib·bon (gib′on) [Fr.]. テナガザル（類人猿のうちテナガザル属 *Hylobates* のことで，類人上科に含まれる）．

gib·bous (gib′ŭs) [L. *gibbosus*]. 〔脊椎〕角状弯曲の，せむしの．

Gibbs (gibz), Josiah W. 米国人数学・物理学者，1839—1903. ⇀G.-Donnan *equilibrium*; G.-Helmholtz *equation*; Helmholtz-G. *theory*; G. *theorem*, free *energy*, *energy* of activation.

gib·bus (gib′ŭs) [L. a hump]. 突背（極度の脊柱後弯，こぶ，隆肉．角の先端を後方に向け，鋭くとがった弓形をなしている脊椎変形）．

Gib·ney (gib′nē), Virgil P. 米国人整形外科医，1847—1927. ⇀G. fixation *bandage*, *boot*.

Gib·son (gib′sŏn), George A. スコットランド人医師，1854—1913. ⇀G. *murmur*.

Gib·son (gib′sŏn), Kasson C. 米国人歯科医，1849—1925. ⇀G. *bandage*.

Giem·sa (gēm′să), Gustav. ドイツ人細菌学者，1867—1948. ⇀G. *stain*, chromosome banding *stain*.

Gier·ke (gēr′kĕ), Edgar von. ドイツ人病理学者，1877—1945. ⇀G. *disease*; von G. *disease*.

Gier·ke (gēr′kĕ), Hans P.B. ドイツ人解剖学者，1847—1886. ⇀G. respiratory *bundle*, *cells*.

Gif·ford (gif′ărd), Harold. 米国人眼科医，1858—1929. ⇀G. *reflex*.

GIFT gamete intrafallopian *transfer* の略．

giga- (**G**) (jig′a, jī′ga) [G. *gigas*, giant]. 国際単位系(SI)およびメートル法で 10 億(10^9)の倍数の意に用いる接頭語．

gi·gan·tism (jī′gan-tizm, jī-gan′tizm) [G. *gigas*, giant]. 巨人症（全身または身体の部分が異常に大きい，すなわち発育過剰の状態）．＝giantism.

acromegalic g. 末端肥大性巨人症（脳下垂体性巨人症の一型で，異常に高い身長とともに末端肥大症の徴候を呈する）．

cerebral g. 脳性巨人症（出生時体重および身長の増加(第 90 百分位数以上)を特徴とする症候群．最初 4—5 年は血清中成長ホルモンレベルの上昇もなく急激に成長し，その後正常の成長率に戻る．上顎前突症，両眼隔離症，眼裂の逆内眼角ぜい皮，長頭蓋が特徴的顔貌で，中等度の知能障害，協調障害も合併する．⇀Sotos *syndrome*）．

eunuchoid g. 宦官様巨人症（性器の発育不全を伴った巨人症．脳下垂体または生殖腺障害によるものと思われる．性腺機能低下症に特有な体型を呈して思春期に生じてくる）．

fetal g. 胎児巨人症（胎児または新生児の巨人症．例えば，脳性巨人症や，糖尿病の母よりの児）．

pituitary g. 脳下垂体性巨人症（下垂体成長ホルモンの分泌過多により起こる巨人症の一型．一般に脳下垂体腺腫によるまれな障害）．

primordial g. 家族性または遺伝的素因により出生時から異常に大きい，下垂体機能亢進症を伴わない巨人症．子宮内の発育環境(母親の前糖尿病状態)によるものもある．

giganto- (jī-gan′tō) [G. *gigas*, one of the race of giants]. 巨大な，を表す連結形．

gi·gan·to·mas·ti·a (jī-gan′tō-mas′tē-ă) [giganto- + G. *mastos*, breast]. 巨〔大〕乳房（乳房の巨大な肥大）．

Gi·gan·to·rhyn·chus (ji-gan′to-ring′kŭs) [giganto- + G. *rhynchos*, snout]. ギガントリンクス属（非常に大型の鉤頭虫類の一属．→*Macracanthorhynchus*; *Moniliformis*）．

Gig·li (jē′ylē), Leonardo. イタリア人婦人科医，1863—1908. ⇀G. *saw*.

GIH growth *hormone*-inhibiting *hormone* の略．

Gi·la mon·ster (hē′lă mon′stĕr) [*Gila*, アリゾナ州にある川]. ヒーラモンスター，ドクトカゲ（ニューメキシコ，アリゾナ，および北部メキシコに分布する大型の有毒トカゲである *Heloderma suspectum* をさす）．

Gil·bert (zhēl-bār′), Nicholas A. フランス人医師，1858—1927. ⇀G. *syndrome*.

Gil·bert (gil′bĕrt), Walter. 20世紀の米国人微生物学者・ノーベル賞受賞者. ⇀Maxim-G. *sequencing*.

gil·bert (gil′bĕrt) [W. *Gilbert*, イングランド人物理学者，1544—1603]. ギルバート（起磁力または磁位の単位）．

Gil·christ (gil′krist), Thomas C. 米国人医師，1862—1927. ⇀G. *disease*.

Gil·ford (gil′fŏrd), Hastings. イングランド人医師，1861—1941. ⇀Hutchinson-G. *disease*, *syndrome*.

Gil·les de la Tou·rette (zhēl dĕ lah tū-ret′), Georges. フランス人医師，1857—1904. ⇀G. de la T. *disease*, *syndrome*; Tourette *disease*, *syndrome*.

Gil·les·pie (gi-les′pē), Frank. 20世紀の米国人眼科医. ⇀G. *syndrome*.

Gil·lette (zhē-let′), Eugène P. フランス人外科医，1836—1886. ⇀G. suspensory *ligament*.

Gil·li·am (gil′ē-ăm), David Tod. 米国人婦人科医，1844—1923. ⇀G. *operation*.

Gil·lies (gil′ēz), Harold D. 英国人形成外科医，1882—1960. ⇀G. *operation*; Filatov-G. *flap*.

Gil·mer (gil′mĕr), Thomas L. 米国人口腔外科医，1849—1931. ⇀G. *wiring*.

Gil-Ver·net (zhēl ver-nā′), Jose Maria Vila. 20世紀のスペイン人泌尿器科医. ⇀G.-V. *operation*.

Gim·ber·nat (hēm-bār-naht′), Antonio de. スペイン人解剖学者・外科医，1734—1816. →G. *ligament*.

gin·ger (jin′jĕr). ショウキョウ(生薑)（ショウガ科ショウガ *Zingiber officinale* の乾燥根茎で，商品としてジャマイカショウキョウ，アフリカショウキョウ，コーチシショウキョウが知られている．外樹皮は，多くの場合，一部あるいは全部が除去される．駆風薬，香料）．＝zingiber.

Chinese g. リョウキョウ(良薑)．＝galangal.

Indian g. ＝*Asarum canadense*.

g. oleoresin ショウキョウ樹脂油（駆風薬．興奮薬．香料）.

wild g. ＝*Asarum canadense*.

gin·gi·li oil (jin′ji-lē oyl). ＝*sesame* oil.

gin·gi·va, gen. & pl. **gin·gi·vae** (jin′ji-vă, -vē) [L.] [TA]. 歯肉（[正しい発音は gingi′va であるが，米国ではしばしば gin′giva と発音される]．粘膜でおおわれた緻密な線維組織で，上下顎の歯槽突起を包み，歯頸部を取り巻いている）．＝gum (2)*.

alveolar g. 歯槽歯肉（歯槽骨をおおっている歯肉）.

attached g. 付着歯肉（歯と歯槽突起に固く付着している歯肉）.

buccal g. 頬側歯肉（歯と歯槽突起の頬側をおおっている歯肉）.

free g. 自由歯肉（歯を取り巻き，歯の表面に直接付着していない歯肉．歯肉溝の外壁）.

labial g. 唇側歯肉（歯と歯槽突起の唇側をおおっている歯肉）.

lingual g. 舌側歯肉（歯と歯槽の舌側をおおっている歯肉）.

septal g. 中隔(歯間)歯肉（歯間部をおおっている歯肉）.

gin·gi·val (jin′ji-văl). 歯肉の（[正しい発音は gingi′val であるが，米国ではしばしば gin′gival と発音される]）.

Gin·gi·val In·dex (GI) (jin′ji-văl in′deks). 歯周疾患の指数で，病変の強さと場所による.

Gin·gi·val-Per·i·o·don·tal In·dex (GPI) (jin′ji-văl per′ē-ō-don′tăl in′deks). 歯肉炎，歯肉刺激，および進行した歯周疾患の指数.

gin·gi·vec·to·my (jin′ji-vek′tŏ-mē) [gingiva＋G. *ektomē*, excision]. 歯肉切除〔術〕（非支持歯肉組織の外科的切除）．＝gum resection.

gin·gi·vi·tis (jin′ji-vī′tis) [gingiva＋G. *-itis*, inflammation]. 歯肉炎（歯肉の炎症で，歯の周囲の歯垢による反応．歯肉の発赤，浮腫，線維性腫脹を特徴とし，歯槽骨の吸収は伴わない）.

acute necrotizing ulcerative g. (ANUG) 急性壊死性潰瘍性歯肉炎（→necrotizing ulcerative g.）.

atypical g. 非定型歯肉炎．＝plasma cell g.

chronic desquamative g. 慢性剥離性歯肉炎（原因不明の歯肉病変の臨床名．中年から老年の女性に多くみられる．紅斑，粘膜の萎縮および剥離を特徴とし，灼熱感や痛みを伴うことが多い．診断は通常，生検と直接蛍光抗体法により行われる）．＝gingivosis.

diabetic g. 糖尿病性歯肉炎（コントロールされていない糖尿病の患者に認められる歯肉炎で，代謝が変調をきたし，歯垢に対する生体の応答性が変化して発症すると考えられる）.

dilantin g. ダイランチン歯肉炎．＝diphenylhydantoin g.

diphenylhydantoin g. ジフェニルヒダントイン歯肉炎（ジフェニルヒダントインの長期服用により生じる歯肉炎で，歯垢に対する生体反応として，線維性結合組織の著明な増殖と，程度は低いが表層上皮の増殖を特徴とする．その結果，歯間乳頭の腫脹が起こり，互いに癒合して歯間が見えないほどになる）．＝dilantin g.

fusospirochetal g. 紡錘菌スピロヘータ歯肉炎．＝necrotizing ulcerative g.

HIV g. HIV 歯肉炎（HIV 感染者に生じる特徴的な歯肉炎．遊離歯肉周囲に生じ，付着歯肉に 2—3 mm にわたって伸びる赤い線が特徴．口腔内の衛生状態が良好な AIDS 患者においてもみられることがある）.

hormonal g. ホルモン性歯肉炎（ホルモンの変調により，歯垢に対する生体の応答性が変化して発症すると考えられる歯肉炎．思春期，妊娠中，経口避妊薬服用中，あるいは閉経期にみられることが多い）．＝pregnancy g.

hyperplastic g. 増殖性歯肉炎（経過の長い歯肉炎で，線維性結合組織の増殖のため，歯肉は肥大して硬くなる）.

leukemic hyperplastic g. 白血病性増殖性歯肉炎（白血病細胞の浸潤と宿主の応答が減弱することによって起こる局所的な感染による歯肉の肥厚）.

marginal g. 辺縁性歯肉炎（臨床的な病変が辺縁部歯に限局しており，付着歯肉にまでは波及していない歯肉炎）.

necrotizing ulcerative g. (NUG) 壊死性潰瘍性歯肉炎（急性，再発性の歯肉炎で，若年から中年の成人に多くみられる．臨床的には，歯肉の紅斑と痛み，口気悪臭，壊死，歯間乳頭および辺縁歯肉の脱落を認め，それらは灰色の偽膜を形成する．発熱，局部的なリンパ節症および種々の全身症状を認めることもある．多数の紡錘杆菌および *Treponema vincentii* が，歯肉組織より分離同定され，発病に重要な役割を果たしていると思われるが，確認はされていない）．＝fusospirochetal g.; trench mouth; ulceromembranous g.; Vincent disease; Vincent infection.

nephritic g. 腎性歯肉炎（腎障害と関連した歯肉炎(口内炎)で，偽膜形成を伴う．疼痛，唾液分泌の増加，アンモニア臭を随伴する）.

plasma cell g. 形質細胞性歯肉炎（感覚過敏反応により生じる歯肉の強い充血性浮腫および炎症．粘膜固有層内に形質細胞の強い浸潤がみられる）．＝atypical g.

pregnancy g. 妊娠性歯肉炎．＝hormonal g.

proliferative g. 増殖性歯肉炎（歯肉組織の増殖を特徴とする歯肉の炎症性変化）.

suppurative g. 化膿性歯肉炎（歯肉表面からの化膿性滲出液を認める歯肉炎）.

ulceromembranous g. 潰瘍性膜性歯肉炎．＝necrotizing ulcerative g.

gingivo- (jin′ji-vō) [L. *gingiva*]. 歯肉を意味する連結形.

gin·gi·vo·ax·i·al (jin′ji-vō-ak′sē-ăl). 歯肉軸側の（窩洞の歯肉側壁と軸側壁により形成される線角についていう）.

gin·gi·vo·glos·si·tis (jin′ji-vō-glo-sī′tis). 歯肉舌炎（歯肉組織および舌の炎症．→stomatitis）.

gin·gi·vo·la·bi·al (jin′ji-vō-lā′bē-ăl). 歯肉唇側の（class III 窩洞または class IV 窩洞の歯肉側壁と唇側壁の接合により形成される線角についていう）.

gin·gi·vo·lin·guo·ax·i·al (jin′ji-vō-ling′gwō-ak′sē-ăl). 歯肉側舌側軸側の（窩洞において歯肉側，舌側および軸側壁によって形成される点角についていう）.

gin·gi·vo·os·se·ous (jin′ji-vō-os′ē-ŭs). 歯肉－骨の（歯肉とその下にある骨についていう）.

gin·gi·vo·plas·ty (jin′ji-vō-plas′tē). 歯肉形成〔術〕（審美的・生理的・機能的形態を得るために歯肉組織の形態と輪郭を調整する外科手術）.

gin·gi·vo·sis (jin′ji-vō′sis). 歯肉症．＝chronic desquamative *gingivitis*.

gin·gi·vo·sto·ma·ti·tis (jin′ji-vō-stō′mă-tī′tis) [gingivo-＋G. *stoma*, mouth＋*-itis*, inflammation]. 〔歯肉〕口内炎（口腔内の歯肉組織の炎症）.

primary herpetic g. ＝primary herpetic *stomatitis*.

gin·gly·form (jing′gli-fōrm, ging-) [G. *ginglymos*, a hinge joint＋L. *forma*, form]. ちょうつがい(蝶番)形の（[誤った発音 ging′li-form および誤ったつづり gingliform を避けること]）．＝ginglymoid.

gin·glym·o·ar·thro·di·al (jing′gli-mō-ar-thrō′dē-ăl, ging-). ちょうつがい(蝶番)滑走関節の（ちょうつがい関節と滑走関節の両方をもつ関節についていう）.

gin·gly·moid (jing′gli-moyd, ging-) [G. *ginglymos*, a hinge joint＋*eidos*, resembling]. ちょうつがい(蝶番)関節状の（ちょうつがい関節に関連した，類似した）．＝ginglyform.

gin·gly·mus (jing′gli-mŭs, ging-) [G. *ginglymos*][TA]. ちょうつがい(蝶番)関節（[誤った発音 ging′li-mus を避けること]）．＝hinge *joint*.

helicoid g. ＝pivot *joint*.

lateral g. ＝pivot *joint*.

Gink·go bi·lo·ba (ging′kō bil-lō′bă). イチョウ（イチョウ科に属し中央に切れ込みのある特徴的な扇形の葉をつける落葉高木．雌雄異株であり雌木がつける種子は核果状で外種皮が黄色肉質で熟すと強い酪酸臭を呈する(内種皮(ギンナン)

は食用となる)．原産は中国であるが，野生のものは絶滅しており，現在は繁殖によるもののみである．葉の抽出液には ginkgoheterosides や terpene lactones を含み，中枢および末梢の血管障害に用いられる)．＝maidenhair tree.

gin·seng (jin′seng)［中国語］．ニンジン（ウコギ科朝鮮ニンジン *Panax* の根で，中国では非常に効きめのある薬とされており，栄養剤として広く用いられている．精神機能や身体機能を改善するといわれる)．

Asian g. チョウセンニンジン，オタネニンジン．＝Panax g.

Panax g. チョウセンニンジン，オタネニンジン（朝鮮ニンジンの一種)．＝Asian g.

ginsenoside (jin-en-ō-sīd)．ジンセノサイド（朝鮮ニンジンに含まれる活性成分と考えられており，化学的にサポニンに分類される)．

GIP gastric inhibitory *polypeptide*; gastric inhibitory *peptide* の略．

Gi·rard (ji-rahr′), Alfred C. スイス生まれの米国人外科医，1841—1914. ⇀G. *reagent*.

gir·dle (ger′dĕl)［A.S. *gyrdel*］［TA］．帯．＝cingulum (1)［TA］．

Hitzig g. (hits′ig)．ヒッチヒ帯．＝tabetic *cuirass*.

Neptune's g. ネプチューン帯（腹部周辺に当てる湿布)．

pectoral g.［TA］．上肢帯（鎖骨と肩甲骨とでつくられる不完全環状構造で，上肢を支持し付属肢骨格を軸骨格(実は胸骨柄)と連結する)．＝cingulum pectorale［TA］; cingulum membri superioris*; shoulder g.*; thoracic g.

pelvic g.［TA］．下肢帯（左右の寛骨が前方において恥骨結合で連結したもの．下肢帯は後方では仙骨に連結する．自由下肢の骨格は下肢帯によって中軸骨格(仙骨)と連結する．左右の寛骨と仙骨は骨性の輪(骨盤)を形成する)．＝cingulum pelvici［TA］; cingulum membri inferioris*.

shoulder g.* 上肢帯（pectoral g. の公式の別名)．

thoracic g. ＝pectoral g.

white limbal g. of Vogt (vōkt)．フォークトの白色輪部帯（40 歳以上の患者にしばしばみられる周辺部角膜での対称性弧状黄白色沈着物)．

Gir·dle·stone (gĭr′dĕl-stōn), Gathorne Robert. 英国人整形外科医，1881—1950. ⇀G. *procedure*.

gi·tal·in (jit′ă-lin)．ギタリン（無定形ギタリン，*Digitalis purpurea* のエキス．配糖体とアグリコンとの混合物を含む．作用および用途はジギタリスに似ている)．

gith·a·gism (gith′ă-jizm)［L. *gith*, a plant, Roman coriander + *ago*, to drive］．ギタギズム，ムギセンノウ中毒症（ムギセンノウ(Agrostemma githago)の中毒によると考えられている，エジプトマメ中毒症に似た病気．ヒト，ヤギ，ウシ，家禽に障害を及ぼすギタギ(githagi)は活性毒素である)．

gi·tog·e·nin (jit-oj′en-in)．ギトゲニン（アグリコンのゲニン．強心薬)．

gi·to·nin (jit′ō-nin)．ジトニン（2 個のガラクトース，1 個のグルコース，1 個のキシロースからなるジトゲニン四糖類．F–ジトニゲンは，1 個のガラクトース，2 個のグルコース，1 個のキシロースからなる．いずれも強心剤である)．

gi·tox·i·gen·in (ji-toks′i-jen-in)．ギトキシゲニン（ギトキシンのアグリコン)．

gi·tox·in (ji-tok′sin)．ジトキシン（*Digitalis purpurea* と *D. lanata* からの二次的強心薬配糖体)．＝anhydrogitalin; bigitalin; pseudodigitoxin.

git·ter·zel·le (git′ĕr-zel-ĕ)［Ger. < *Gitter*, lattice + *Zelle*, cell］．格子〔状〕細胞．＝gitter *cell*.

GJB2 DFNA3 遺伝子および DFNB1 遺伝子の遺伝子シンボル．

GJB3 DFNA2 遺伝子の遺伝子シンボル．

GJB6 DFNA3 遺伝子の遺伝子シンボル．

Gla 4-carboxyglutamate の略．

gla·bel·la (glă-bel′ă)［L. *glabellus*, hairless, smooth; *glaber* の指小辞］［TA］．＝intercilium. ***1*** 眉間(みけん)（鼻根のすぐ上にある前頭骨の軽度突出部で，男性に最も著しい)．***2*** グラベラ（眉上弓の高さにある正中線上の額の最も前方へ突出している点．→antinion)．＝mesophryon.

gla·bel·lad (glă-bel′ad)．眉間の方向に．

gla·brous, gla·brate (glā′brŭs, glā′brāt)［L. *glaber*, smooth］．平滑な，無毛の（正常では毛の生えない部分，すなわち手掌や足底のような部分をさす語)．

glad·i·ate (glad′ē-āt)［L. *gladius*, a sword］．剣状の．＝xiphoid.

gla·di·o·lus (glă-dī′ō-lŭs, glad′ē-ō′lŭs)［L. *gladius*(a sword)の指小辞］．［正しい発音は gladi′olus であるが，米国ではしばしば gladio′lus と発音される］．＝*body* of sternum.

GLAND

gland (gland)［L. *glans*, acorn］［TA］．腺（分泌作用を営む細胞の集合体)．＝glandula (1)［TA］．

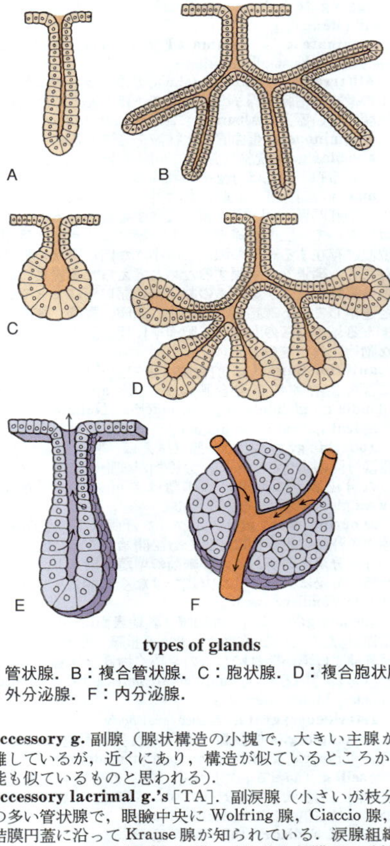

types of glands

A：管状腺．B：複合管状腺．C：胞状腺．D：複合胞状腺．E：外分泌腺．F：内分泌腺．

accessory g. 副腺（腺状構造の小塊で，大きい主腺から分離しているが，近くにあり，構造が似ているところから，機能も似ているものと思われる)．

accessory lacrimal g.'s［TA］．副涙腺（小さいが枝分かれの多い管状腺で，眼瞼中央に Wolfring 腺，Ciaccio 腺，上下結膜円蓋に沿って Krause 腺が知られている．涙腺組織が散在したもので，主涙腺と同様の分泌物を結膜面に分泌する．Henle 腺とか Baumgarten 腺とかよばれているものは腺ではなく粘膜の陥凹にすぎない)．＝glandulae lacrimales accessoriae［TA］．

accessory parathyroid g.［TA］．副上皮小体，副副甲状腺（過剰な，または分離した副甲状腺．5 つ以上多数の腺塊をなす)．＝glandula parathyroidea accessoria［TA］．

accessory parotid g.［TA］．副耳下腺（耳下腺管が出ていくところの前上方に耳下腺から離れて，ときにみられる耳下腺組織の小塊)．＝glandula parotidea accessoria［TA］; admaxillary g.; glandula parotis accessoria; socia parotidis.

accessory suprarenal g.'s［TA］．副副腎（多くの場合，

小型の遊離した副腎組織塊で，副腎，子宮広靱帯，精巣上体などの近くにときにみられる)．＝glandulae suprarenales accessoriae［TA］．

accessory thyroid g.［TA］．副甲状腺（甲状腺組織が分離孤立して１つまたは数個存在するもので，ときに頸部の側面に，あるいは舌骨のすぐ上(舌骨上副甲状腺)から下方は大動脈弓までの範囲にみられる)．＝glandula thyroidea accessoria［TA］; accessory thyroid; prehyoid g.; suprahyoid g.; thyroidea accessoria; thyroidea ima; Wölfler g.

acid g. 胃酸分泌腺（胃液の酸を分泌している胃腺の１つ)．＝oxyntic g.

acinotubular g. 細葉性管状腺．＝tubuloacinar g.

acinous g. 細葉状腺（腺単位がブドウの房状で非常に小さい管腔をもつ．例えば，膵臓の外分泌部分)．

admaxillary g. ＝accessory parotid g.

adrenal g. 副腎．＝suprarenal g.

aggregate g.'s ＝aggregated lymphoid *nodules* of the small intestine.

agminate g.'s, agminated g.'s ＝aggregated lymphoid *nodules* of the small intestine.

Albarran g.'s (ahl'bah-rahn)．アルバラン腺（前立腺頸部下の微細な粘膜下腺または枝管で，ほとんどが尿道後方部分に開いている)．＝Albarran y Dominguez tubules.

albuminous g. 蛋白腺（水様液を分泌する腺)．

alveolar g. 胞状腺（腺単位が胞状をなし，広い管腔をもっている腺．例えば分泌中の乳腺)．

anal g. 肛門腺（①肛門粘膜中にある多数の大汗腺の１つ．②肛門嚢 anal sac を誤ってさす場合がある．③イヌやネコにおいて，肛門を後方から見た場合に４時と８時くらいの位置に存在する一対の腺．この小さな円形嚢状の腺は皮下に存在し，縄張りを主張するためと考えられる悪臭のある油状の分泌物を産生する．この腺は細い開口管によって肛門の端と連結している．感染，分泌物の充満，膿瘍，腫瘍などが起きうる．これらの問題は，肥満や便秘が認められたり不活発な動物において多い)．

anterior lingual g. 前舌腺（舌尖近くで，舌小帯の両側に深く存在する小混合腺の１つ)．＝apical g.; Bauhin g.; Blandin g.; glandula lingualis anterior; Nuhn g.

apical g. ＝anterior lingual g.

apocrine g. アポクリン腺（例えば，乳汁分泌における脂質滴分泌の場合のように，分泌物が細胞の先端に存在するような分泌腺．㊟実際には本語はアポクリン汗腺 apocrine sweat gland の意味で使用されている)．

apocrine sweat g.'s アポクリン汗腺（毛包と関係して発達する汗腺で思春期に成長し分泌開始する．粘性のある無臭の汗を分泌するが，これが細菌の増殖を招き不快臭を発生させる．分泌はメロクリン方式ではなくアポクリン方式で行われる)．＝axillary sweat g.'s.

areolar g.'s［TA］．乳輪腺（乳輪表面に小円形突起(乳輪結節)をなしている多数の大きめの脂腺．妊娠期間に拡大し，授乳期にはあかぎれになるのを防ぐ物質を分泌しているものとみられている)．＝glandulae areolares［TA］; Montgomery follicles; Montgomery g.'s.

arteriococcygeal g. ＝coccygeal *body*.

arytenoid g.'s 披裂腺（喉頭の披裂軟骨近くにある粘膜腺．→laryngeal g.'s)．＝glandula arytenoidea.

Aselli g. (ă-sel'ē)．アセリ腺（多くの小型哺乳類で腹大動脈の前にある大きな不対性のリンパ節で，小腸からのすべてのリンパが集まる)．＝Aselli pancreas.

g.'s of auditory tube 耳管腺．＝tubal g.'s of pharyngotympanic tube.

axillary g.'s ＝axillary *lymph nodes*.

axillary sweat g.'s 腋窩汗腺．＝apocrine sweat g.'s.

Bartholin g. (bahr'tō-lĭn)．バルトリン腺．＝greater vestibular g.

basal g. ＝pituitary g.

Bauhin g. (bō'an[h])．ボアン腺．＝anterior lingual g.

Baumgarten g.'s (bowm'gahr-tĕn)．バウムガルテン腺．＝Henle g.'s.

biliary g.'s☆ g.'s of (common) bile duct の公式の別名．

g.'s of biliary mucosa 胆管粘液腺（胆管の太い部分と，特に胆嚢頸部にある小粘液性管状胞状腺)．＝glandulae mucosae biliosae; Luschka cystic g.'s; Theile g.'s.

Blandin g. (blahn-dan[h]')．ブランダン腺．＝anterior lingual g.

Bowman g. (bō'măn)．ボーマン腺．＝olfactory g.'s.

brachial g. 上腕リンパ節（腕のリンパ節の１つ)．

bronchial g.'s［TA］．気管支腺（分泌部が気管支筋の外側にある粘液漿液腺)．＝glandulae bronchiales［TA］．

Bruch g.'s (bruk)．ブルーフ腺（眼瞼結膜のリンパ節)．＝trachoma g.'s.

Brunner g.'s (brūn'ĕr)．ブルンナー腺．＝duodenal g.'s.

buccal g.'s［TA］．頰腺（頰の粘膜下組織にある多数のブドウ状の粘液漿液腺)．＝glandulae buccales［TA］; genal g.'s.

bulbourethral g.［TA］．尿道球腺（粘液分泌物を出す２つの小複合胞状腺で，海綿体球のすぐ上の尿道膜性部に沿って並んでいる．尿道海綿体部に小管を通じて分泌する)．＝glandula bulbourethralis［TA］; Cowper g.; Méry g.

cardial g.'s 噴門腺（食道の最下部と胃の最上部(両者の噴門域)の粘膜固有層にある．噴門腺は分岐管状で粘液細胞からなり，中性粘液を分泌して酸の逆流に対して保護を与える)．

cardial g.'s of esophagus 食道噴門腺（食道最下部で胃食道結合部の直上の粘膜固有層にある噴門腺)．

cardial g.'s of stomach［TA］．〔胃の〕噴門腺（胃の噴門部(食道胃結合部に隣接)の粘膜固有層にある腺)．

ceruminous g.'s 外耳道腺（外耳道にみられる管状胞状腺でアポクリン汗腺から変化したもの．ろう様の耳垢を分泌する)．＝glandulae ceruminosae.

cervical g.'s 子宮頸〔管〕腺．＝glandulae cervicales［TA］; cervical g.'s of uterus.

cervical g.'s of uterus［TA］．子宮頸〔管〕腺（子宮頸管粘膜にある分岐粘液分泌腺)．＝cervical g.'s.

Ciaccio g.'s (chah'chō)．チャッチョ腺（→accessory lacrimal g.'s)．

ciliary g.'s［TA］．睫毛腺（眼瞼にあるアポクリン汗腺が変化した数多くの腺．通常，睫毛の毛包に開口する管をもつ)．＝glandulae ciliares［TA］; Moll g.'s.

circumanal g.'s 肛門周囲腺（肛門を囲むアポクリン汗腺)．＝Gay g.'s; glandulae circumanales.

coccygeal g. ＝coccygeal *body*.

coil g. コイル状腺，屈曲腺（分泌部が屈曲している腺)．＝convoluted g.

g.'s of (common) bile duct［TA］．総胆管腺（ムチンを分泌する管状胞状腺で，総胆管壁に房状に配置する)．＝glandulae ductus choledochi［TA］; biliary g.'s☆; glandulae ductus biliaris☆.

compound g. 複合腺（大きい導管が繰り返し分岐して細管となり，その末端に分泌部がある腺)．

conjunctival g.'s［TA］．結膜腺（結膜上皮の粘液細胞の集合で眼球結膜に最も多い)．＝glandulae conjunctivales［TA］; Terson g.'s.

convoluted g. ＝coil g.

Cowper g. (kow'pĕr)．カウパー(クーパー)腺．＝bulbourethral g.

cutaneous g.'s［TA］．皮膚腺（皮膚にあるあらゆる腺)．＝glandulae cutis［TA］．

ductless g.'s ＝endocrine g.'s.

duodenal g.'s［TA］．十二指腸腺（大半が十二指腸の初めの 1/3 の粘膜下に存在する小さい分岐コイル状管状腺．アルカリ性の粘液物質はもちろんヒト上皮増殖因子(ウロガストロン)を分泌して胃液を中和する)．＝glandulae duodenales［TA］; Brunner g.'s; Wepfer g.'s.

Duverney g. (dū-vĕr-nā')．デュヴェルネー腺．＝greater vestibular g.

Ebner g.'s (eb'nĕr)．エブナー腺（葉状乳頭や有郭乳頭を囲んでいる溝の底に開口する舌の漿液腺)．

eccrine g. エクリン汗腺（身体のほぼ全域の皮膚にあるコイル状管状汗腺．アポクリン汗腺とは異なる)．

ecdysial g.'s 脱皮腺（頭の腹尾側の外胚葉から発生し，エクジソンを分泌する昆虫の器官)．＝peritracheal g.'s; prothoracic g.'s; thoracic g.'s; ventral g.'s.

Eglis g.'s (eg'lis)．エグリ腺（尿管と腎盂の小さい不定の粘液腺).

endocrine g.'s [TA]. 内分泌腺 (導管がなく, 分泌物が直接血液中に吸収される腺. 全体として, これらの線は内分泌系を構成する). =glandulae endocrinae [TA]; ductless g.'s; endocrine system; g.'s of internal secretion; glandulae sine ductibus.

esophageal g.'s 食道腺 (食道粘膜下の多数の小複合粘液腺). =glandulae esophageae.

g.'s of eustachian tube 耳管腺. =tubal g.'s of pharyngotympanic tube.

excretory g. 排出腺 (血液中から排泄物質または廃物を分ける腺).

exocrine g. 外分泌腺 (分泌物がしばしば導管を通して体表面に放出される腺).

external salivary g. =parotid g.

g.'s of the female urethra 女の尿道腺. =urethral g.'s of female.

follicular g. 胞状腺 (小胞からなる腺).

fundic g.'s =gastric g.'s.

Galeati g.'s (gah-lā-ah'tē). ガレアーティ腺. =intestinal g.'s.

gastric g.'s [TA]. 胃腺, 固有胃腺, 胃底腺 (胃底および胃体部の粘膜にある分岐した管状腺. 塩酸および内因子を分泌する壁細胞, ペプシンを分泌する主細胞, 様々なホルモンを分泌する内分泌細胞および頸粘液(副)細胞をもつ). =glandulae gastricae [TA]; fundic g.'s; gastric follicles; Wasmann g.'s.

Gay g.'s (gā). ゲイ腺. =circumanal g.'s.

genal g.'s 頰腺. =buccal g.'s.

genital g. ***1*** =testis. ***2*** =ovary.

Gley g.'s (glā). グレー腺 (→parathyroid g.)

glomiform g.'s 束状腺. =glomus (2).

greater vestibular g. [TA]. 大前庭腺 (膣下部にある2つの粘液分泌性の管状胞状腺で, 男性の尿道球腺と相同器官である. 前庭球とともに坐骨海綿体筋に包まれているので, 勃起やこの筋の収縮によって分泌物が膣前庭に放出される). =glandula vestibularis major [TA]; Bartholin g.; Duverney g.; Tiedemann g.; vulvovaginal g.

Guérin g.'s (gā-rĭn[h]'). ゲラン腺. =urethral g.'s of female.

hemal g. =hemal *node.*

hematopoietic g. 造血腺 (脾臓のような造血臓器).

hemolymph g. =hemal *node.*

Henle g.'s (hen'lĕ). ヘンレ腺 (以前は副涙腺とみなされていた粘膜の落ち込みで, 眼瞼結膜の内側部の円蓋の近くにあり, 結膜表面に開口する.→accessory lacrimal g.'s). =Baumgarten g.'s.

hibernating g. 冬眠腺. =brown *fat.*

holocrine g. ホロクリン腺, 全分泌腺 (メロクリン腺とは対照的に, 分泌物が崩壊した腺細胞も含む腺. 例えば皮脂腺).

inferior parathyroid g. [TA]. 下上皮小体 (上皮小体のうち, 下方に位置する一対. 第三咽頭嚢の内胚葉に由来. 発生初期には将来の胸腺を形成する第三咽頭嚢と連絡しているが, 胸腺の下降とともに甲状腺の下極へと移動する). =glandula parathyroidea inferior [TA]; parathyroid III.

infraglottic g.'s of the larynx 声門下腺〔喉頭の〕(喉頭の声門下腔粘膜にみられる粘液腺.→laryngeal g.'s). =glandulae infraglottica laryngis.

internal salivary g. 内唾液腺 (舌下腺と顎下腺とを一括した呼称).

g.'s of internal secretion 内分泌腺. =endocrine g.'s.

interscapular g. 肩甲間腺. =brown *fat.*

interstitial g. 間質腺 (→interstitial *cells*).

interstitial g. of ovary 卵巣の間質腺. =interstitial *cells.*

intestinal g.'s [TA]. 腸腺 (大腸と小腸の粘膜にある管状腺). =glandulae intestinales [TA]; crypts of Lieberkühn; Galeati g.'s; intestinal follicles; Lieberkühn follicles; Lieberkühn g.'s.

intraepithelial g.'s 上皮内腺 (尿道の腺のような上皮内の腺細胞の集積).

jugular g. 頸腺. =signal *lymph node.*

Knoll g.'s (knōl). クノル腺 (→laryngeal g.'s). =ventricular g.'s of the larynx.

Krause g.'s (krows). クラウゼ腺 (①→accessory lacrimal g.'s. ②鼓室内の粘膜にある腺.→accessory lacrimal g.'s).

labial g.'s [TA]. 口唇腺 (口唇の粘膜下組織にある粘液腺). =glandulae labiales [TA].

lacrimal g. [TA]. 涙腺 (結膜嚢へ涙を分泌する腺. 6—12本の別々の複合管状胞状漿液腺からなり, 眼窩の上外側部にある. 部分的に眼瞼挙筋腱膜により, 眼瞼部と眼窩部に分けられる). =glandula lacrimalis [TA].

lactiferous g. 乳腺. =mammary g.

g.'s of large intestine [TA]. 大腸腺 (内腔面に垂直に配置された粘膜の管で, 数が多いため管の開口が粘膜面にふるいのようにみえる. 管壁は背の低い柱状上皮でおおわれ, その大部分は杯細胞で, その間に水分吸収細胞と腸管内分泌細胞が点在する. 小腸と比べると大腸のほうが管の長さが長く, 管の数が多く, 管が密集しており, 杯細胞も多い.→g.'s of small intestine). =glandulae intestini crassi [TA]; crypts of Lieberkühn of large intestine.

laryngeal g.'s [TA]. 喉頭腺 (喉頭粘膜にある多数の混合腺. 場所により披裂腺, 心室腺, 単胞状腺, 声門下腺とよばれる). =glandulae laryngeales [TA]; arytenoid g.'s.

lesser vestibular g.'s [TA]. 小前庭腺 (膣口と尿道口間の前庭面に開いている多数の微小粘膜腺). =glandulae vestibulares minores [TA].

Lieberkühn g.'s (lē'ber-kēn). リーベルキューン腺. =intestinal g.'s.

lingual g.'s [TA]. 舌腺 (舌にみられる小唾液腺). =glandulae linguales [TA].

Littré g.'s (lē'trĕ). リトレ腺. =urethral g.'s of male.

Luschka g. (lūsh'kah). ルシュカ腺 (①=adenoid. ② *corpus* coccygeum の旧名).

Luschka cystic g.'s (lūsh'kah). ルシュカ胆嚢腺. =g.'s of biliary mucosa.

lymph g. =lymph node.

major salivary g.'s [TA]. 大唾液腺 (三大唾液腺の総称で, 口腔内に分泌される唾液の大部分を間欠的に分泌する. 耳下腺, 顎下腺, 舌下腺をいう). =glandulae salivariae majores [TA].

g.'s of the male urethra 男の尿道腺. =urethral g.'s of male.

malpighian g.'s マルピーギ腺. =splenic lymph *follicles.*

mammary g. [TA]. 乳腺 (乳房の中にある乳汁を分泌する複合胞状腺で静止期または活動期にある. カゼインなどは開口分泌されるが, 脂質は離出分泌される. 15—24腺葉からなり, それぞれ脂肪組織や線維中隔によって多数の小葉に区分されている. 性成熟後の女性の静止期乳腺実質はほとんど管状で, 腺房は妊娠期のみ現れ, 授乳期間中維持される. 正常男性では痕跡的で小児期と区別がつかない.→breast (2)). =glandula mammaria [TA]; lactiferous g.; milk g.

marrow-lymph g. 骨髄リンパ節 (血リンパ節の一型で, 構造および機能が骨髄に似ている).

master g. =pituitary g.

maxillary g. =submandibular g.

meibomian g.'s マイボーム腺. =tarsal g.'s.

merocrine g. メロクリン腺, 部分分泌腺, 漏出分泌腺 (ホロクリン腺とは対照的に, 細胞成分を含まない分泌産物を放出する腺).

Méry g. (mā'rē). メリー腺. =bulbourethral g.

mesenteric g.'s →mesenteric *lymph nodes.*

milk g. 乳腺. =mammary g.

minor salivary g.'s [TA]. 小唾液腺 (口腔内に粘液性の唾液を分泌する小さな腺で, 口唇腺, 頰腺, 臼歯腺, 舌腺, 口蓋腺に区別される. これらの腺は, 大唾液腺とは異なり, 持続的に分泌を行う). =glandulae salivariae minores [TA].

mixed g. 混合腺 (①漿液と粘液を含む腺. ②内分泌腺と外分泌腺がある腺, 例えば膵臓).

molar g.'s [TA]. 臼歯腺 (最後方の臼歯近くにある4, 5本の大きな頰腺). =glandulae molares [TA].

Moll g.'s (mol). モル腺. =ciliary g.'s.

Montgomery g.'s (mont-gŏm'ĕr-ē). モントゴメリー腺. =areolar g.'s.

G

g.'s of mouth [TA]. 口腔腺（口腔に開いている腺）. = glandulae oris [TA].

mucilaginous g. 滑膜腺（滑膜絨毛の１つ. 現在では用いられない語. 滑液を分泌していると推定された）.

muciparous g. 粘液腺. = mucous g.

mucous g. 粘液腺（粘液を分泌する腺）. = glandula mucosa; muciparous g.

mucous g.'s of auditory tube 耳管腺. = tubal g.'s of pharyngotympanic tube.

nasal g.'s [TA]. 鼻腺（鼻粘膜の呼吸部にある粘漿混合腺）. = glandulae nasales [TA].

Nuhn g. (nūn). ヌーン腺. = anterior lingual g.

odoriferous g. 臭腺（①包皮腺のように分泌物が強い臭気をもつ腺. ②→sweat g.'s）.

oil g.'s = sebaceous g.'s.

olfactory g.'s [TA]. 嗅腺（鼻腔嗅部の粘膜にある分岐管状胞状漿液分泌腺(Bowman 腺)）. = glandulae olfactoriae [TA]; Bowman g.

oxyntic g. = acid g.

pacchionian g.'s パッキオーニ腺. = arachnoid *granulations.*

palatine g.'s [TA]. 口蓋腺（軟口蓋と口蓋垂のすべてと硬口蓋もおおう粘膜下組織の後半部にある多数のブドウ状粘液腺）. = glandulae palatinae [TA].

palpebral g.'s 瞼板腺. = tarsal g.'s.

parathyroid g. [TA]. 上皮小体, 副甲状腺（小さな２対の内分泌腺である上上皮小体および下上皮小体からなり, 通常, 甲状腺の後面の結合組織被膜内に埋没している. カルシウムおよびリンの代謝を調節するホルモンを分泌する. 実質は主細胞と好酸性細胞の索状網工よりなる. 甲状腺摘出の際, 誤って上皮小体を全摘出してしまうとホルモン補充処置を行わなければテタニーを起こして死を招く）. = glandula parathyroidea [TA]; epithelial body; parathyroid (2).

paraurethral g.'s = urethral g.'s of female.

parotid g. [TA]. 耳下腺（最大の唾液腺で, 耳下腺床に位置する対性の複合胞状腺で左右の耳の前下方にあり, 下は下顎角まで, 上は頬骨弓まで, 後方は胸鎖乳突筋まで, 内側は側頭下窩の下顎骨下顎枝まで広がっている. 顔面神経の枝によって浅部と深部とに分けられる. 漿粘液性の唾液は耳下腺管によって排出される）. = glandula parotidea [TA]; external salivary g.; glandula parotis.

pectoral g.'s 胸部リンパ節（→axillary *lymph nodes*）.

peptic g. ペプシン分泌腺（→gastric g.'s）.

peritracheal g.'s 気管周腺. = ecdysial g.'s.

perspiratory g.'s 汗腺. = sweat g.'s.

Peyer g.'s (pī′ĕr). パイアー(パイエル)腺. = aggregated lymphoid *nodules* of the small intestine.

pharyngeal g.'s [TA]. 咽頭腺（咽頭粘膜下のブドウ状粘液腺）. = glandulae pharyngeales [TA].

Philip g.'s (fil′ĭp). フィリップ腺（肺結核児にみられ, ときには他の例にもみられる鎖骨真上の肥大した深部リンパ節）.

pileous g. 毛腺（毛包に分泌物を流し込む皮脂腺）.

pineal g. [TA]. 松果体. = pineal *body.*

pituitary g. [TA]. 下垂体（対をなさない複合腺で, 短い索状の漏斗伸展部, すなわち下垂体茎によって視床下部の基底から下垂しているもの. 下垂体は２つの主な部分からなる. ⓘ神経性下垂体は漏斗とその先端の膨隆部(神経葉, 漏斗突起, 後葉)とからなり, グリア様の下垂体細胞, 血管, 無髄線維を含む. この無髄線維は視床下部下垂体路をなし, これらの軸索の細胞体は視索上核, 室傍核にあって後葉に神経分泌ホルモン(オキシトシン, 抗利尿ホルモン)を運ぶ. ⓘⓘ腺性下垂体は大きな末端部と漏斗を包む袖状の延長部と前葉と後葉の間にある薄い中間部(ヒトでは発達が悪い)とからなり, いくつかの異なった型の細胞と下垂体門脈系の毛細血管床を含む. 成長ホルモン, プロラクチン, 甲状腺刺激ホルモン, 性腺刺激ホルモン, 副腎皮質刺激ホルモンおよび関連するペプチドを分泌するが, どれも視床下部でつくられる促進および抑制因子によって調節されている. これらの調節因子は中央隆起にある第一次毛細血管に取り込まれ漏斗にある下垂体門脈によって末端部にある第二次毛細血管へと運ばれる）. = hypophysis [TA]; glandula pituitaria*; basal g.; glandula basilaris; hypophysis cerebri; master g.

Poirier g. (pwah-rē-ā′). ポワリエ腺（尿管を横切る子宮動脈上のリンパ節）.

prehyoid g. = accessory thyroid g.

preputial g.'s [TA]. 包皮腺（亀頭冠および頸の皮脂腺で, 恥垢とよばれる臭気のある物質を分泌する）. = glandulae preputiales [TA]; Tyson g.'s.

prostate g. 前立腺. = prostate.

prothoracic g.'s 前胸腺. = ecdysial g.'s.

pyloric g.'s 幽門腺（粘液を分泌する幽門のコイル状腺）. = glandulae pyloricae.

racemose g. ブドウ房状腺（細葉状腺や胞状腺のように立体構造がブドウの房状の外観を呈する腺）.

Rivinus g. (ri-vē′nŭs). リヴィヌス腺. = sublingual g.

Rosenmüller g. (rō′zĕn-mē-lĕr). ローゼンミュラー腺. = proximal deep inguinal *lymph node.*

saccular g. 単胞状腺.

saccular g.'s of the larynx 喉頭小嚢腺（喉頭小嚢の開口部および粘膜にみられる 60 — 70 個の粘液腺. →laryngeal g.'s）. = glandulae sacculi laryngis.

salivary g. [TA]. 唾液腺（口腔に唾液を分泌する外分泌腺. →major salivary g.'s; minor salivary g.'s）. = glandula salivaria [TA].

sebaceous g.'s [TA]. 〔皮〕脂腺（真皮中にある多数のホロクリン腺で, 通常, 毛包に開き, 脂様の半水様性の皮脂を分泌する）. = glandulae sebaceae [TA]; oil g.'s; sebaceous follicles.

seminal g. [TA]. 精嚢（精管憩室である２つに折れた小嚢形成性の腺状構造の１つで, 精液成分の１つを分泌する. 以前は精子を貯蔵すると考えられてきたが, 正常には精子を蓄えていない）. = glandula vesiculosa [TA]; glandula seminalis*; seminal vesicle*; vesicula seminalis*; gonecyst; gonecystis; seminal capsule.

sentinel g. 前哨リンパ節. = sentinel *lymph node.*

seromucous g. 混合腺（①分泌細胞のいくつかが漿液性, 粘液性である腺. ②細胞が水性と粘性の中間に変化する物質を分泌する腺）. = glandula seromucosa.

serous g. 漿液腺（酵素を含むことも含まないこともある水様性物質を分泌する腺）. = glandula serosa.

Serres g.'s (sār-uh). セール腺（新生児の口蓋の上皮下結合組織にみられる上皮胚細胞遺残で, 歯肉にみられるものに似ている）.

sexual g. →testis; ovary.

Skene g.'s (skēn). スキーン腺. = urethral g.'s of female.

g.'s of small intestine [TA]. 小腸腺（上皮性の管が平行して並んでおり絨毛の根元に開口している. 管壁は薄い柱状上皮でおおわれ, その大部分は未分化細胞と中間細胞で, 小腸を先へ行くにつれて杯細胞が多くなってくる. すべての細胞は絨毛の方へと移動して行くが, 蛋白を分泌する Paneth 細胞だけは管底に留まる. →g.'s of large intestine）. = glandulae intestini tenuis [TA]; crypts of Lieberkühn of small intestine.

solitary g.'s 孤立リンパ小節. = solitary lymphoid *nodules.*

sublingual g. [TA]. 舌下腺（口腔底の舌下にある２つの唾液腺で, 舌下腺管より分泌する. ヒトの腺の分泌部は, ほとんど漿液性半月を伴った粘液分泌である）. = glandula sublingualis [TA]; Rivinus g.

submandibular g. [TA]. 顎下腺（頸部に２つある大唾液腺のうちの１つで, 顎二腹筋の２つの筋腹と, 下顎角により囲まれた空間内にある. 顎下腺管を通じ分泌する. 分泌部(腺房)の大部分は漿液性細胞で占められる. 少数の粘液性細胞も存在し, 漿液性半月がみられる. 顎下腺は, 耳下腺より小さいにもかかわらず, 唾液の65%を産生する）. = glandula submandibularis [TA]; maxillary g.; submaxillary g.

submaxillary g. = submandibular g.

sudoriferous g.'s 汗腺. = sweat g.'s.

superior parathyroid g. [TA]. 上副甲状腺(上皮小体)（副甲状腺のうち, 上方に位置する一対. 第四咽頭嚢の内胚葉に由来し, 通常, 甲状腺後縁の中程にみられる）. = glandula parathyroidea superior [TA]; parathyroid IV.

suprahyoid g. = accessory thyroid g.

suprarenal g. [TA]. 腎上体, 副腎（左右腎臓上端に位

置を占めるほぼ三角形の平たい臓器で横隔膜脚に付着する．内分泌腺の1つで，髄質からはエピネフリンとノルエピネフリン，皮質からはステロイドホルモンが分泌されている）．＝glandula suprarenalis [TA]; adrenal body; adrenal gland; atrabiliary capsule; epinephros; glandula atrabiliaris; paranephros; suprarenal body.

Suzanne g. (sū-zahn′). シュザーヌ腺（口腔の小粘液腺）.

sweat g.'s [TA]. 汗腺（皮膚にあるらせん状の腺で，高温環境では放熱を可能にする汗を分泌し情動に反応した汗も分泌する）. ＝glandulae sudoriferae [TA]; perspiratory g.'s; sudoriferous g.'s.

target g. 標的腺（他の腺の内分泌物，またはその他の刺激により興奮して作用を発動する器官）.

tarsal g.'s [TA]. 瞼板腺（各眼瞼の瞼板に埋没している皮脂腺で，後縁近くの眼瞼端から分泌する．分泌物は眼瞼縁に沿って脂質のバリアを形成する．開瞼状態で漿液性涙液がバリアを越えてあふれ出るのを防ぐ）. ＝glandulae tarsales [TA]; meibomian g.'s; palpebral g.'s.

Terson g.'s (tĕr′son). テルソン腺. ＝conjunctival g.'s.

Theile g.'s (tī′lĕ). タイレ腺. ＝g.'s of biliary mucosa.

thoracic g.'s 胸部腺. ＝ecdysial g.'s.

thymus g. 胸腺. ＝thymus.

thyroid g. [TA]. 甲状腺（不規則な楕円形嚢胞からなる内分泌腺で，気管上部と喉頭下部の前および両側にある．外側葉が狭い中心部である峡部に接続して馬蹄形をしている．ときには延長した枝である錐体葉が峡部から上方の喉頭の前に通っている．外頸および鎖骨下動脈からの枝により血液を受け，その神経は交感神経幹の中頸，頸胸神経節から出ている．甲状腺ホルモンとカルシトニンを分泌する）. ＝glandula thyroidea [TA]; thyroid body; thyroidea.

Tiedemann g. (tē′dĕ-mahn). ティーデマン腺. ＝greater vestibular g.

tracheal g.'s [TA]. 気管腺（主に気管の粘膜下にある多数の管状胞状混合腺，短い導管を通じて気管内腔に開く）. ＝glandulae tracheales [TA].

trachoma g.'s トラコーマ腺. ＝Bruch g.'s.

tubal g.'s of pharyngotympanic tube [TA]. 耳管腺（耳管の分泌腺で，主に耳管の咽頭側末端近くにある腺）. ＝g.'s of auditory tube; g.'s of eustachian tube; glandulae tubariae; mucous g.'s of auditory tube.

tubular g. 管状腺（盲端で終わる1つまたは複数の細管からなる腺）.

tubuloacinar g. 細葉性管状腺（分泌部が細長く引きのばされた房状の腺）. ＝acinotubular g.

tubuloalveolar g. 管状胞状腺（短い細管の分泌単位をもつ腺）.

tympanic g. 鼓室腺（鼓室の粘液腺）. ＝tympanic body.

Tyson g.'s (tī′sŏn). タイソン腺. ＝preputial g.'s.

unicellular g. 単細胞腺（粘液分泌する杯細胞のような単位分泌細胞）.

urethral g.'s 尿道腺（⇀urethral g.'s of female; urethral g.'s of male).

urethral g.'s of female [TA]. 女の尿道腺（尿道壁にある多数の粘液腺）. ＝glandulae urethrales femininae [TA]; g.'s of the female urethra; Guérin g.'s.; paraurethral g.'s; Skene g.'s.

urethral g.'s of male [TA]. 男の尿道腺（陰茎内尿道壁にある多数の粘液腺）. ＝glandulae urethrales masculinae [TA]; g.'s of the male urethra; Littré g.'s.

uterine g.'s [TA]. 子宮〔内膜〕腺（子宮内膜にある多数の管状腺で，月経周期の黄体期にグリコゲンを豊富に含んだ粘液性の分泌物を放出する）. ＝glandulae uterinae [TA].

vaginal g. 腟腺（腟粘膜の粘液腺）.

vascular g. ＝hemal *node.*

ventral g.'s 腹面腺. ＝ecdysial g.'s.

ventricular g.'s of the larynx 喉頭の室腺（喉頭の室ひだ(仮声帯)にある腺. ⇀laryngeal g.'s). ＝glandulae ventriculi laryngis; Knoll g.'s.

vesical g. 膀胱腺（膀胱頸部付近の粘膜にいくつもみられる粘液嚢で，本来は腺ではない）.

vestibular g.'s 前庭腺（⇀greater vestibular g.; lesser vestibular g.'s).

vulvovaginal g. ＝greater vestibular g.

Waldeyer g.'s (vahl′dā-ĕr). ヴァルダイアー（ワルダイエル）腺（眼瞼縁付近のコイル状の腺）.

Wasmann g.'s (vahs′mahn). ヴァスマン腺. ＝gastric g.'s.

Weber g.'s (vābĕr). ヴェーバー腺（舌縁後方左右両側にある粘液腺）.

Wepfer g.'s (vep′fĕr). ヴェプファー腺. ＝duodenal g.'s.

Wölfler g. (velf′lĕr). ヴェルフラー腺. ＝accessory thyroid g.

Wolfring g.'s (vōlf′ring). ヴォルフリング腺（⇀accessory lacrimal g.'s).

Zeis g.'s (zīs). ツァイス腺（睫毛嚢に開く皮脂腺）.

---

glan·ders (glan′dĕrz) [O.Fr. *glandres,* glands]. 鼻疽（*Pseudomonas mallei* により起こるウマおよび他のウマ科，数種のネコ科の動物にみられる慢性衰弱疾患でヒトに伝染性がある．ウマの鼻孔の粘膜を侵し，多量の腐敗した分泌物や粘液の排出，下顎腺の腫脹と硬変を起こす．他に化膿性肺炎および皮膚の結節や潰瘍が本疾患の症状として認められることがある．北アメリカの他，多くの国々で根絶され，1999年にはブラジル，モンゴル，およびパキスタンのみで発生が認められている）.

glan·des (glan′dēz). glans の複数形.

glan·di·lem·ma (glan′di-lem′ă) [L. *glandula,* gland＋G. *lemma,* sheath]. 腺膜（腺の被膜）.

glan·du·la, pl. **glan·du·lae** (glan′dū-lă, -lē) [L. gland: *glans*(acorn)の指小辞] [TA]. 腺（①＝gland. ②＝glandule).

glandulae areolares [TA]. 乳輪腺. ＝areolar *glands.*

g. arytenoidea ＝arytenoid *glands.*

g. atrabiliaris 黒胆汁腺. ＝suprarenal *gland.*

g. basilaris ＝pituitary *gland.*

glandulae bronchiales [TA]. 気管支腺. ＝bronchial *glands.*

glandulae buccales [TA]. 頬腺. ＝buccal *glands.*

g. bulbourethralis [TA]. 尿道球腺. ＝bulbourethral *gland.*

glandulae ceruminosae 耳道腺. ＝ceruminous *glands.*

glandulae cervicales [TA]. 子宮頸〔管〕腺. ＝cervical *glands.*

glandulae ciliares [TA]. 睫毛腺. ＝ciliary *glands.*

glandulae circumanales 肛門周囲腺. ＝circumanal *glands.*

glandulae conjunctivales [TA]. 結膜腺. ＝conjunctival *glands.*

glandulae cutis [TA]. 皮膚腺. ＝cutaneous *glands.*

glandulae ductus biliaris☆ *glands* of (common) bile duct の公式の別名.

glandulae ductus choledochi [TA]. ＝ *glands* of (common) bile duct.

glandulae duodenales [TA]. 十二指腸腺. ＝duodenal *glands.*

glandulae endocrinae [TA]. 内分泌腺. ＝endocrine *glands.*

glandulae esophageae 食道腺. ＝esophageal *glands.*

glandulae gastricae [TA]. 胃腺. ＝gastric *glands.*

glandulae glomiformes 糸球状腺（①＝glomus (2). ②皮膚の管状腺．盲端は渦を巻き球形または糸球体形をしている．小さいエクリン腺と大きいアポクリン腺の総称）.

glandulae infraglottica laryngis ＝infraglottic *glands* of the larynx.

glandulae intestinales [TA]. 腸腺. ＝intestinal *glands.*

glandulae intestini crassi [TA]. ＝ *glands* of large intestine.

glandulae intestini tenuis [TA]. ＝ *glands* of small intestine.

glandulae labiales [TA]. 口唇腺. ＝labial *glands.*

glandulae lacrimales accessoriae [TA]. 副涙腺. ＝accessory lacrimal *glands.*

g. lacrimalis [TA]. 涙腺. ＝lacrimal *gland.*

glandulae laryngeales [TA]. 喉頭腺. ＝ laryngeal *glands.*

G

glandulae linguales [TA]. = lingual *glands.*
g. lingualis anterior 前舌腺. = anterior lingual *gland.*
g. mammaria [TA]. 乳腺. = mammary *gland.*
glandulae molares [TA]. 臼歯腺. = molar *glands.*
g. mucosa 粘液腺. = mucous *gland.*
glandulae mucosae biliosae 胆管粘液腺. = *glands* of biliary mucosa.
glandulae nasales [TA]. 鼻腺. = nasal *glands.*
glandulae olfactoriae [TA]. 嗅腺. = olfactory *glands.*
glandulae oris [TA]. 口腔腺. = *glands* of mouth.
glandulae palatinae [TA]. 口蓋腺. = palatine *glands.*
g. parathyroidea [TA]. 上皮小体. = parathyroid *gland.*
g. parathyroidea accessoria [TA]. = accessory parathyroid *gland.*
g. parathyroidea inferior [TA]. = inferior parathyroid *gland.*
g. parathyroidea superior [TA]. = superior parathyroid *gland.*
g. parotidea [TA]. 耳下腺 (㊟以前, 日本では誤って副甲状腺とよばれたことがあった. 副甲状腺は g. thyroidea accessoria をさす). = parotid *gland.*
g. parotidea accessoria [TA]. 副耳下腺. = accessory parotid *gland.*
g. parotis = parotid *gland.*
g. parotis accessoria = accessory parotid *gland.*
glandulae pharyngeales [TA]. = pharyngeal *glands.*
g. pinealis [TA]. = pineal *body.*
g. pituitaria* 下垂体 (pituitary *gland* の公式の別名).
glandulae preputiales [TA]. 包皮腺. = preputial *glands.*
g. prostatica 前立腺. = prostate.
glandulae pyloricae 幽門腺. = pyloric *glands.*
glandulae sacculi laryngis = saccular *glands* of the larynx.
g. salivaria [TA]. 唾液腺. = salivary *gland.*
glandulae salivariae majores [TA]. = major salivary *glands.*
glandulae salivariae minores [TA]. = minor salivary *glands.*
glandulae sebaceae [TA]. 〔皮〕脂腺. = sebaceous *glands.*
g. seminalis* seminal *gland* の公式の別名.
g. seromucosa 混合腺. = seromucous *gland.*
g. serosa 漿液腺. = serous *gland.*
glandulae sine ductibus = endocrine *glands.*
g. sublingualis [TA]. 舌下腺. = sublingual *gland.*
g. submandibularis [TA]. 顎下腺. = submandibular *gland.*
glandulae sudoriferae [TA]. 汗腺. = sweat *glands.*
glandulae suprarenales accessoriae [TA]. 副副腎. = accessory suprarenal *glands.*
g. suprarenalis [TA]. 副腎, 腎上体. = suprarenal *gland.*
glandulae tarsales [TA]. 瞼板腺. = tarsal *glands.*
g. thyroidea [TA]. 甲状腺. = thyroid *gland.*
g. thyroidea accessoria, pl. **glandulae thyroideae accessoriae** [TA]. 副甲状腺. = accessory thyroid *gland.*
glandulae tracheales [TA]. 気管腺. = tracheal *glands.*
glandulae tubariae 耳管腺. = tubal *glands* of pharyngotympanic tube.
glandulae urethrales femininae [TA]. 尿道腺. = urethral *glands* of female.
glandulae urethrales masculinae [TA]. = urethral *glands* of male.
glandulae uterinae [TA]. 子宮〔内膜〕腺. = uterine *glands.*
glandulae ventriculi laryngis = ventricular *glands* of the larynx.
g. vesiculosa [TA]. = seminal *gland.*
glandulae vestibulares minores [TA]. 小前庭腺. = lesser vestibular *glands.*
g. vestibularis major [TA]. 大前庭腺. = greater vestibular *gland.*

glan·du·lar (glan′dū-lăr). 腺の. = glandulous.
glan·dule (glan′dūl) [L. *glandula*]. 小腺. = glandula (2) [TA].
glan·du·lous (glan′dū-lŭs). = glandular.
glans, pl. **glan·des** (glanz, glan′dēz) [L. acorn][TA]. 亀頭 (円錐で, カシの実状の構造).
g. clitoridis [TA]. 陰核亀頭. = g. of clitoris.
g. of clitoris [TA]. 陰核亀頭 (陰核体部に帽子状にかぶさる鋭敏な勃起組織の小塊). = g. clitoridis [TA].
g. penis [TA]. 陰茎亀頭 (陰茎頭部を形成する海綿体の円錐状膨大部). = balanus.
g. penis plicata 溝状陰茎亀頭. = scrotal g. penis.
scrotal g. penis 陰嚢様陰茎亀頭 (陰茎亀頭の無症状の深い溝. 恐らく陰嚢様舌(溝状舌)と関連がある). = g. penis plicata.
glan·u·lar (glan′yū-lăr) [irreg. < *glans,* by analogy with *glandular*]. 陰茎亀頭部に属する.
Glanz·mann (glahns′măn), Eduard. スイス人臨床医, 1887—1959. →G. *disease, thrombasthenia.*
glare (glār). 眩輝, まぶしさ, グレア (眼が適応できないほどの高輝度の物が視野内にあるために起こる感覚. 不快感を伴い, 視機能低下が起こる).
blinding g. 中心性過度照明眩輝 (過度の照明によって起こるまぶしさ). = veiling g.
dazzling g. 末梢性過度照明眩輝 (周辺視野内の過度の照明によって起こるまぶしさ).
peripheral g. 周辺〔性〕眩輝 (作業対象よりも眼に多くの光線が当たるような場合に生じるまぶしさ).
specular g. 鏡面眩輝 (反射光によるまぶしさ).
veiling g. 膜状眩輝. = blinding g.
gla·rom·e·ter (glā-rom′ĕ-tĕr). 眩輝計 (近付いてくる自動車のヘッドライトによる中心性眩輝に対する感受性を測定する器械).
Gla·ser (Glaserius) (glā′zĕr), Johann H. スイス人解剖学者, 1629—1675. →glaserian *artery, fissure.*
gla·se·ri·an (gla-sē′rē-ăn). Johann H. Glaser に関する, 彼の記した.
Glas·gow (glas′gō), William C. 米国人医師, 1845—1907. →G. *sign.*
Glas·gow co·ma scale (GCS) (glas′gō kō′mă skāl). グラスゴーコーマスケール, グラスゴー昏睡尺度 (→coma *scale*).
glass (glas) [A.S. *glaes*]. ガラス (透明な物質で, 種々の塩基の化合物を含むシリカの化合物).
cover g. カバーガラス, かぶせガラス (顕微鏡で検査される対象をおおう薄いガラス板). = coverslip.
Crookes g. クルックスガラス (紫外線または赤外線を吸収するために金属性の酸化物を結合させた眼鏡レンズ).
crown g. クラウンガラス (石灰, 苛性カリ, アルミナ, シリカの化合物. レンズによく用いる. 屈折指数(1.523)に比べて分散(52.2)が低い).
cupping g. 吸角ガラス (熱または特別の吸引器で中の空気を除き, 皮膚に当て, 血液を表面に吸い出すために以前用いたガラス容器. →cupping; cup). = cup (2).
flint g. フリントガラス (屈折率を高めるために, 石灰の代わりに鉛酸化物を含んだガラス. 融着した二焦点レンズの切片の作製に用いる).
object g. 対物レンズ, 対物鏡. = objective (1).
quartz g. 石英ガラス (純粋な石英砂を融解してつくられる透明な無色の結晶. 紫外線を通す).
soluble g. 可溶ガラス (カリウムまたはナトリウムのケイ酸塩で, 熱湯に可溶であるが常温では固形である. 固定包帯に用いる). = water g.
vita g. ビタガラス (スペクトルの紫外線に対して透明であるように特別につくられたガラス).
water g. 水ガラス. = soluble g.
Wood g. ウッドガラス (ニッケル酸化物を含むガラスで, Wood 灯に使われる).
glass·es (glas′ĕz). *1* 眼鏡. = spectacles. *2* レンズ (眼の屈折異常を矯正するためのレンズ).
Glau·ber (glow′bĕr), Johann R. ドイツ人化学者, 1604—1670. →G. *salt.*

glau·cine (glaw′sēn). グラウシン（天然には *d* 体が優位に存在する．*Glaucium flavum*(*G. luteum scop.*), *Papaveraceae* や *Dicentra*, *Corydalis*属，Fumariceae 科の植物に見出される鎮咳薬）. = boldine dimethyl ether.

glau·co·ma (glaw-kō′mă) [G. *glaukōma*, opacity of the crystalline lens < *glaukos*, bluish green]. 緑内障（[誤った発音 glow-kō′mă を避けること]．眼の疾患．眼内圧上昇，視神経の陥凹と萎縮を特徴とする．視野の欠損を起こし，結果として失明する）.

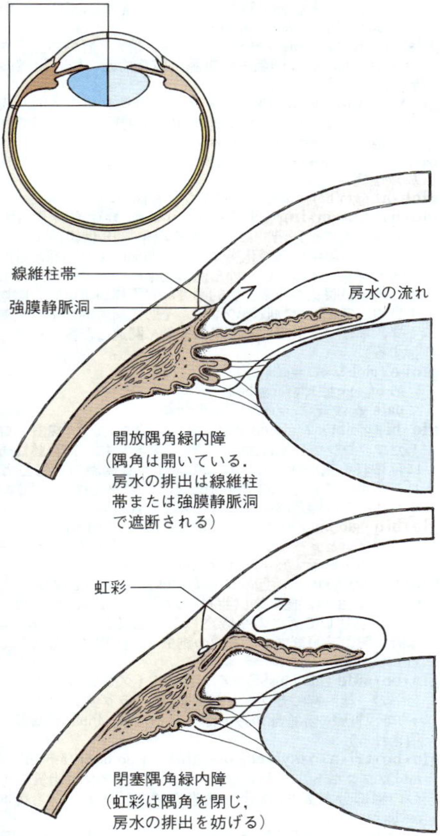
線維柱帯
強膜静脈洞
房水の流れ
開放隅角緑内障
（隅角は開いている．
房水の排出は線維柱
帯または強膜静脈洞
で遮断される）
虹彩
閉塞隅角緑内障
（虹彩は隅角を閉じ，
房水の排出を妨げる）

glaucoma

absolute g. 絶対緑内障（失明を起こす緑内障の最終期）.
acute g. 急性緑内障. = angle-closure g.
angle-closure g. 閉塞隅角緑内障（虹彩と周辺角膜の接触により，房水が線維柱帯網から排出されない原発緑内障）. = acute g.; closed-angle g.; narrow-angle g.
aphakic g. 無水晶体緑内障（白内障摘出後の緑内障）.
chronic g. 慢性緑内障. = open-angle g.
α-chymotrypsin-induced g. α–キモトリプシン緑内障（白内障嚢内摘出術で α–キモトリプシンを使用した際に起こる一過性の続発緑内障）.
closed-angle g. = angle-closure g.
combined g. 結合緑内障（同一の眼に閉塞隅角と開放隅角機構を伴った緑内障）.
compensated g. 代償性緑内障. = open-angle g.
congenital g. 先天性緑内障. = buphthalmia.
corticosteroid-induced g. ステロイド緑内障（副腎皮質ステロイドを含有した点眼薬の局所使用の後，遺伝的素因により眼圧が上昇した緑内障）.
g. fulminans 電撃様緑内障（急性閉塞隅角緑内障で，急速に視力消失が起こる）.
ghost cell g. 泡沫細胞緑内障（硝子体手術後に生じる緑内障，赤血球が房水流出路の膜(註線維柱帯)を閉塞することによる．註必ずしも硝子体手術後に生じるものではなく，前房内出血で生じるものである）.
hemorrhagic g. 出血性緑内障（虹彩に新生血管形成後に生じる続発緑内障）.
hypersecretion g. 分泌過多緑内障（前房水の過剰形成による緑内障）.
low-tension g. 低眼圧緑内障（眼圧が正常範囲内であるにもかかわらず，緑内障に典型的な視野欠損を伴った視神経萎縮および陥凹）. = normal-tension g.
malignant g. 悪性緑内障（虹彩や水晶体の前方移動，前房消失により生じる続発緑内障で，通常，原発緑内障に対し沪過手術を行った後に起こる）.
narrow-angle g. 狭〔隅〕角緑内障. = angle-closure g.
neovascular g. 血管新生緑内障（虹彩ルベオーシスのときに起こる緑内障）.
normal-tension g. 正常眼圧緑内障. = low-tension g.
open-angle g. 開放〔隅〕角緑内障（房水が線維柱網へ自由に通れる原発緑内障）. = chronic g.; compensated g.; simple g.; g. simplex.
phacogenic g. 水晶体性緑内障. = phacomorphic g.
phacolytic g. 水晶体融解緑内障（過剰進行した白内障に二次的に起こり，水晶体物質によって線維柱帯網が塞栓されることによって起こる緑内障）.
phacomorphic g. 水晶体形態性緑内障（水晶体の過大または球状形により生じる続発緑内障）. = phacogenic g.
pigmentary g. 色素性緑内障（虹彩後面からの色素の脱落と線維柱帯への色素粒子の蓄積を伴う緑内障）.
pseudoexfoliative g. 偽剥脱性緑内障（水晶体嚢，眼血管壁，虹彩，毛様体表面への広範な細胞小器官の沈着に合併して生じる緑内障. → *pseudoexfoliation* of lens capsule）.
pupillary block g. 瞳孔閉鎖緑内障（房水が，瞳孔縁を通って，前房へ流れないために起こる続発緑内障）.
secondary g. 続発緑内障（すでにかかっている眼病または外傷の結果起こる緑内障）.
simple g., g. simplex 単性緑内障. = open-angle g.

glau·co·ma·to·cy·clit·ic (glaw-kō′mă-tō-si-klit′ik). 緑内障毛様体炎の（毛様体炎に伴う眼内圧上昇についていう. → glaucomatocyclitic *crisis*）.

glau·co·ma·tous (glaw-kō′mă-tŭs). 緑内障の（→ glaucomatous *cup*）.

glau·co·su·ri·a (glaw′kō-syū′rē-ă) [G. *glaukos*, bluish green + *ouron*, urine]. indicanuria を表す現在では用いられない語.

GLC gas-liquid *chromatography* の略.

Glc, GlcA, GlcN, GlcNAc, GlcUA D-glucose, gluconic acid, glucuronic acid, glucosamine, *N*-acetylglucosamine, glucuronic acid の基を表す記号.

Glea·son (glē′sŏn), Donald F. [本名前を Glisson と混同しないこと]. 20世紀の米国人病理学者. → G. tumor *grade*, *score*.

gleet (glēt) [M. E. *glet*, slime < O. Fr. *glette* < L. *glittus*, sticky]. 淋疾の後の慢性的尿道からの液流出．現在では用いられない語.

Glenn (glen), William W. 20世紀の米国人心臓胸部外科医. → Glenn *shunt*.

Glen·ner (glen′ĕr), George B. 20世紀の米国人病理・組織学者. → G.-Lillie *stain* for pituitary.

gle·no·hu·mer·al (glē′nō-hyū′mĕr-ăl). 上腕関節窩の（関節窩と上腕骨についていう）.

gle·noid (glē′noyd, glen′oyd) [G. *glēnoeidēs* < *glēnē*, pupil of eye, socket of joint, honeycomb + *eidos*, appearance]. 関節窩（肩関節の構成に参加する肩甲骨の関節陥凹を示す．ソケットに似ている）.

Gley (glā), Marcel E. フランス人生理学者，1857—1930. → G. *glands*.

glia (glī′ă) [G. glue]. 〔神経〕膠，グリア. = neuroglia.

gli·a·cyte (glī′ă-sīt) [G. *glia*, glue + *kytos*, cell]. 〔神経〕膠

G

細胞，グリア細胞（→neuroglia）.

gli·a·din (glī′ă-din). グリアジン（ムギやライ麦のグルテンから分離できる蛋白．プロラミン(プロリンを多量に含む蛋白)の一種で，水，無水アルコール，中性溶剤に不溶であるが 50—90% アルコールには可溶）.

gli·al (glī′ăl). 神経膠の，グリアの.

glide (glīd). すべり（滑らかな連続運動）.

mandibular g. 下顎滑走運動（歯または他の咬合面が接触しているときに起こる下顎の左右・前後およびそれらの合成された運動をいう）.

glio- (glī′ō)［G. *glia*, glue］. にかわ，にかわ様の，を意味する連結形，特に神経膠を意味する連結形.

gli·o·blast (glī′ō-blast)［glio- + G. *blastos*, germ］. 神経膠芽細胞，グリア芽細胞（神経芽細胞と同じく，神経管上衣細胞から発生してくる初期神経系細胞．ここから成熟上衣細胞，すなわち星状膠細胞，乏突起膠細胞が生じる．→spongioblast）.

gli·o·blas·to·ma mul·ti·forme (glī′ō-blas-tō′mă mŭl′ti-fōrm) ［G. *glia*, glue + *blastos*, germ + *-oma*, tumor］. 多形〔性〕グリア芽〔細胞〕腫，多形〔性〕〔神経〕膠芽〔細胞〕腫（主に星状膠細胞由来の未分化細胞からなる神経膠腫．核の多形性が顕著で，壊死，血管内皮増殖がみられる．不規則な壊死巣の周囲に放線状に腫瘍細胞が配列されていることが多い．本腫瘍は成長が速く，広範に浸潤し，成人の大脳に発生することが多い）.

giant cell g. m. 巨細胞多形〔性〕神経膠芽腫（巨大な，しばしば多核性の異様な腫瘍細胞をもつ神経膠芽腫の組織学的形態）. =giant cell monstrocellular sarcoma of Zülch; gigantocellular glioma.

gli·o·blas·to·sis ce·re·bri (glī′ō-blas-tō′sis se-rē′brē). 大脳神経膠芽腫症. =*gliomatosis* cerebri.

gli·o·ma (glī-ō′mă)［G. *glia*, glue + *-oma*, tumor］. 神経膠腫，グリオーム（脳，松果体，下垂体後葉，網膜の間質組織を形成する種々の型の細胞の1つから生じる腫瘍）.

brainstem g. 脳幹神経膠腫（延髄，橋，中脳にできる神経膠腫で，星状膠細胞腫のことが多い）.

gigantocellular g. 巨細胞神経膠腫. =giant cell *glioblastoma multiforme*.

mixed g. 混合性神経膠腫（2つ以上の悪性細胞要素からなる神経膠腫で，星状神経膠細胞腫と乏突起神経膠細胞腫からなることが最も多い）.

nasal g. 鼻神経膠腫，鼻グリオーム（恐らく真の新生物ではなく，鼻背にできる小結節で，反応性星状神経膠細胞を伴った神経膠組織，神経節ニューロン，上衣細胞からなる奇形腫．しばしば頭蓋腔と交通している）.

g. of optic chiasm 視交叉部神経膠腫（しばしば小児にみられる，視交叉部または視神経の，緩慢に発育する腫瘍．通常，星状膠細胞腫）.

g. of the spinal cord 脊髄の神経膠腫，脊髄のグリオーム（通常，上衣細胞腫．脊髄腫瘍は比較的まれであるが，神経膠腫は全体の約1/4を占める）.

telangiectatic g., g. telangiectodes 毛細血管拡張性神経膠腫，毛細血管拡張性グリオーム（間質に多数の著明な，しばしば拡張した小血管や毛細血管，および内皮で囲まれた血液の大きな〝たまり lakes〟がある神経膠腫）.

gli·o·ma·to·sis (glī′ō-mă-tō′sis). 神経膠腫症（脳または脊髄における神経膠細胞の腫瘍性成長．特に比較的大きな腫瘍または多発の病巣について用いる語）. =neurogliomatosis.

g. cerebri 大脳神経膠腫症（星状膠細胞由来のびまん性頭蓋内腫瘍）. =astrocytosis cerebri; glioblastosis cerebri.

gli·o·ma·tous (glī-ō′mă-tŭs). 神経膠腫の.

gli·o·myx·o·ma (glī′ō-mik-sō′mă). 〔神経〕膠粘液腫（かなりの量の増殖性膠細胞や線維を含む粘液腫）.

gli·o·neu·ro·ma (glī′ō-nū-rō′mă). 神経膠神経腫（基質に多数の膠細胞と線維をもつ，ニューロンから発生する神経節性神経腫）.

gli·o·sar·co·ma (glī′ō-sar-kō′mă). 神経膠肉腫（間葉系の悪性細胞要素をもった多形性神経膠芽腫．ときに結合組織（例えば，脳血管）由来の悪性新生物で神経膠細胞の増殖を伴うものに使われる語）.

gli·o·sis (glī-ō′sis). 神経膠症，グリオーシス（脳または脊髄の損傷部位における星状神経膠細胞の過剰増殖）.

isomorphous g. 同形神経膠症（秩序正しく規則的に神経膠線維が並んだ神経膠症）.

piloid g. 毛様神経膠症（ほぼ平行に配列した細い毛様細胞からなる慢性反応性星状細胞症の部分）.

g. uteri 子宮内グリオーシス(神経膠症)（子宮内膜または子宮頸管に局所的に良性の腫瘍として，持続または再発する胎児の神経組織．胎児の神経膠質の迷入に由来すると考えられる）.

GLIP glucagonlike insulinotropic *peptide* の略.

Glis·son (glis′ŏn), Francis. ［Gleason と混同しないこと］. イングランド人医師・解剖・生理・病理学者，1597—1677. →G. *capsule, cirrhosis, sphincter*.

glis·so·ni·tis (glis′ŏ-nī′tis). グリソン鞘炎（肝臓の血管周囲線維鞘，あるいは門脈・肝動脈・胆管周囲の結合組織の炎症）.

gli·ta·zone (glit-ah′zōn). グリタゾン（それらの名前に成分としてのグリタゾンをもつ経口糖尿病用薬の1つに分類される簡略名）. =thiazolidinedione.

Gln グルタミンあるいはグルタミニル(グルタミンのアシル基)の記号.

glob·al (glō′băl). 全般の，完全な，全体の.

glo·bal warm·ing (glō′bal warm′ing). 地球温暖化（大気と海洋の温度が段階的に上昇する現象．19 世紀後半から観察され，大気中の二酸化炭素濃度の増加により地球からの熱の放射が減少する，いわゆる温室効果によると考えられている．地球温暖化の公衆衛生的影響は病原体および媒介動物の生息地の変化，食物収穫の不作，そして局所的な平均気温の上昇，旱ばつ，洪水などの気候変動に関連した健康危機を包含する）.

globe (glōb). 球. =globus.

g. of eye 眼球. =eyeball.

pale g. 淡蒼球. =*globus* pallidus.

glo·bi (glō′bī). *1* globus の複数形. *2* らい球（抗酸菌を貪食したマクロファージに加えて，ときにらい病の肉芽腫性病変にみられる褐色体．らい球はそのような細胞の変性型とされ，マクロファージ内では抗酸菌はもはや生存不能となり，顆粒状または無定形になったと考えられる）.

glo·bin (glō′bin). グロビン（ヘモグロビンの蛋白成分．α ヘモグロビンと β ヘモグロビンは成人ヘモグロビンに見出される2種の鎖を示す）. =hematohiston.

Glo·bo·ceph·a·lus (glō′bō-sef′ă-lŭs). グロボセファルス属（ズビニ鉤虫科，極東鉤虫亜科の鉤虫の一属で，約5種よりなり，主としてブタの小腸内にみられる．*G. urosubalatus* は野生および飼育ブタに普通の鉤虫で，全世界に分布している）.

glo·bo·side (glō′bō-sīd). グロボシド（グリコスフィンゴリピドの一種，特にセラミド四糖類(テトラグリコシルセラミド)で，腎臓や赤血球から分離される．Sandhoff 病患者で蓄積される）.

glo·bo·tri·a·o·syl·cer·a·mide (glō′bō-trī′ă-ō-sil-ser′ă-mīd). グロボトリアオシルセラミド（スフィンゴ脂質で，3つの糖部分をもち，Fabry 病患者で蓄積される）. =trihexosylceramide.

glob·ule (glob′yūl)［L. *globulus*: *globus*(a ball) の指小辞］. =globulus. *1* 小球（小さい球体の総称）. *2* 乳球（乳中の脂肪小滴のような球状液）.

dentin g.'s〔ぞうげ質の〕石灰化球（歯冠部ぞうげ質基質の石灰化によって形成される石灰小球で，ぞうげ質の球間区が認められる領域に生じる）.

Morgagni g.'s (mōr-gah′nyē). モルガニー球（初期の白内障において被膜の下や水晶体線維間にある液体の小滴）. = Morgagni spheres.

polar g. 極体. =polar *body*.

glob·u·lif·er·ous (glob′yū-lif′ĕr-ŭs)［L. *globulus*, globule + *fero*, to bear］. 血球含有の，血球貪食性の（小球，特に赤血球を含んでいる）.

glob·u·lin (glob′yū-lin)［L. *globulus*, globule］. グロブリン（硫酸アンモニウムの半飽和(飽和硫酸アンモニウムを等量加える)によって血漿または血清から沈降する一群の蛋白の名称．グロブリンは溶解度，電気泳動，超遠心分離や他の分離方法によりさらに多くの亜群に分別されうる．主なものは α-, β-, γ-グロブリンで，これは抗体を最も含む）.

accelerator g. (**AcG, ac-g**) 促進性グロブリン（トロンボプラスチンとカルシウムイオンの存在下で，プロトロンビンのトロンビン転換を促進する血清中物質．→*factor* Va; *factor* V; serum accelerator g.）．

antihemophilic g. (**AHG**) 抗血友病グロブリン（①＝*factor* VIII．②＝human antihemophilic *factor*）．

antihemophilic g. A 抗血友病Aグロブリン．＝*factor* VIII.

antihemophilic g. B 抗血友病Bグロブリン．＝*factor* IX.

antihuman g. 抗ヒトグロブリン血清（精製ヒトグロブリンで前もって免疫したウサギまたはその他の動物から得た血清で，ヒト免疫グロブリンに対する抗体を含む．直接および間接 Coombs テストで使われる）．＝Coombs serum.

antilymphocyte g. (**ALG**) 抗リンパ球グロブリン．＝antilymphocyte *serum*.

β_{1c} **g.** β_{1c}グロブリン（血清のグロブリン分画で，これは補体第3成分(C3)を含む．→*component* of complement）．

chickenpox immune g. (**human**) 抗水痘ウイルス免疫グロブリン(ヒト)（帯状疱疹感染から回復したばかりの患者の血清のガンマグロブリン分画．感染罹患の可能性の高い小児の感染予防に用いる）．＝chickenpox immunoglobulin.

corticosteroid-binding g. (**CBG**) コルチコステロイド結合性グロブリン．＝transcortin.

gonadal steroid-binding g. (**GBG**) 性腺ステロイド結合グロブリン（血漿中の65% のテストステロンを輸送する蛋白)．＝sex steroid-binding g.

hepatitis B immune g.(**HBIG**) B型肝炎免疫グロブリン（B型肝炎ウイルス(HBV)に対する高力価の受動免疫用グロブリン．これを注射することでB型肝炎に対する免疫を付与できる．HBV 感染者の体液に暴露されたヒトに推奨される）．

human gamma g. ヒト・ガンマグロブリン（健康成人の抗体を含んでいるヒト血漿蛋白製剤(大部分が IgG)．多数の供血者から集められたヒト血清から得られ，一定の pH，イオン強度，温度の下における析出によりつくられる）．＝human normal immunoglobulin.

immune serum g. 免疫血清グロブリン（成人血液中に正常に存在する多くの抗体を含んでいるグロブリンの無菌溶液．受動免疫薬．しばしばA型肝炎ウイルスに対する予防，および川崎病，特発性血小板減少性紫斑病，および免疫不全病の治療に使用される）．

measles immune g. (**human**) 麻疹免疫グロブリン(ヒト)（麻疹に対する高力価を有する成人供血者の血漿からつくられるグロブリンの無菌溶液．希釈後，麻疹抗体価の力価検定標準液に照らして免疫血清グロブリンからつくられる．受動免疫薬）．＝measles immunoglobulin.

pertussis immune g. 百日咳免疫グロブリン（百日咳ワクチンによる免疫をもつ成人供血者の血漿から得られるグロブリンの滅菌溶液．予防および治療に用いる）．＝pertussis immunoglobulin.

plasma accelerator g. 血漿促進性グロブリン．＝*factor* V.

poliomyelitis immune g. (**human**) ポリオ免疫グロブリン(ヒト)（健康成人の血液中に存在し，ポリオに対する高力価を有する抗体を含むグロブリンの無菌溶液．一過性であるが麻痺型ポリオに対しては著しい防御力がある）．＝poliomyelitis immunoglobulin.

rabies immune g. (**human**) 狂犬病免疫グロブリン(ヒト)（予防接種を受けたヒトからの抗狂犬病ウイルス力価の高い，プールした血漿のグロブリン分画）．＝rabies immunoglobulin.

Rh$_0$ (D) immune g. Rh$_0$(D)免疫グロブリン（Rh 群(付録 Blood Groups 参照)で最もよくみられる抗原である Rh$_0$(D)に特異的な，ヒトのドナー由来の抗体のグロブリン分画．Rh 陽性胎児を分娩後の Rh 陰性女性の Rh 感作を予防するために用いる）．＝anti-D immunoglobulin; Rh$_0$ (D) immunoglobulin.

serum accelerator g. 血清促進性グロブリン（トロンボプラスチンとカルシウムの存在下でプロトロンビンをトロンビンに転換するのを促進する血清中のグロブリン．血漿促進グロブリンの極微量のトロンビンの作用により産生される）．

sex hormone-binding g. (**SHBG**) 性ホルモン結合グロブリン（血漿 β-グロブリンで，肝臓で生成される．テストステロンと結合し，エストロゲンとは弱い親和性がある．女性の SHBG の血清濃度は男性の2倍である．ある種の肝疾患や甲状腺機能亢進病での血清濃度は上昇する．年をとるほど，またアンドロゲンの投与や甲状腺機能低下症において減少する）．＝testosterone-estrogen-binding g.

sex steroid-binding g. 性ステロイド結合グロブリン．＝gonadal steroid-binding g.

specific immune g. (**human**) 特異的免疫グロブリン(ヒト)（ある特定抗原に対する高い力価の特異的抗体のために選別されたか，あるいは特異的に免疫されたヒトからのプール血清(血漿)のグロブリン分画）．

testosterone-estrogen-binding g. テストステロン－エストロゲン結合グロブリン．＝sex hormone-binding g.

tetanus immune g. 破傷風免疫グロブリン（破傷風トキソイドの免疫をもつ成人供血者の血漿から得られるグロブリンの滅菌溶液．受動免疫薬）．＝tetanus immunoglobulin.

thyroxine-binding g. (**TBG**) サイロキシン結合性グロブリン（サイロキシンに対し強度の結合親和性をもつ血液中の α-グロブリン．トリヨードサイロニンへの結合力はかなり弱い．この蛋白の欠乏や過剰はまれな良性のX連鎖の疾患として起こる）．＝thyroxine-binding protein (1).

varicella-zoster immune g. (**VZIG**) 水痘－帯状疱疹免疫グロブリン（→zoster immune g.）．

zoster immune g. 帯状疱疹〔ヘルペス〕免疫グロブリン（帯状疱疹ヘルペスの感染から回復した患者血漿からのグロブリン分画．免疫が抑制された小児の水痘感染予防および水痘感染治療に用いる）．

glob·u·li·nu·ri·a (glob′yū-li-nyū′rē-ă)．グロブリン尿〔症〕（尿中のグロブリン排泄で，通常，血清アルブミンの排泄を伴う）．

glob·u·lus (glob′yū-lŭs) [L.]．小球．＝globule.

glo·bus, pl. **glo·bi** (glō′bŭs, -bī) [L.]．＝globe. ***1*** [TA]．球．***2*** →globi.

g. hystericus ヒステリー球（えん下困難，すなわちのどにボールがある感じ，またはのどが詰まった感じ．転換障害 conversion *disorder* の症状）．

g. major ＝*head* of epididymis.

g. minor ＝*tail* of epididymis.

g. pallidus [TA]．淡蒼球（レンズ核の内部の比較的明るい灰白部分．外側区と内側区からなり，両者は垂直に走る内側髄板で隔てられる．内側区はさらに不完全ながら外側部と内側部とに副髄板で隔てられている．→paleostriatum）．＝pallidum [TA]; pale globe.

glo·mal (glō′măl)．糸球の，糸球を含む．

glo·man·gi·o·ma (glō-man′jē-ō′mă)．グロムス血管腫（海綿状血管腫に似た多発性腫瘍によってしばしば特徴付けられるグロムス腫瘍 glomus *tumor* の一型で，グロムス細胞により囲まれる．→glomus）．

glo·man·gi·o·sis (glō-man′jē-ō′sis)．グロムス血管症（各々が糸球に似ている小血管床の複合体が多数発生すること）．

pulmonary g. 肺グロムス血管症（重症肺高血圧や先天性心疾患において小肺動脈に生じるグロムス血管症）．＝angiomatoid lesion; plexiform lesion.

glome (glōm)．糸球．＝glomus.

glo·mec·to·my (glō-mek′tŏ-mē) [L. *glomus* + G. *ektomē*, cutting out]．頸動脈球切除〔術〕（グロムス腫瘍の切除）．

glom·er·a (glom′ĕr-ă)．glomus の複数形．

glom·er·a aor·ti·ca* (glom′ĕr-ă ā-ōr′ti-kă)．para-aortic *bodies* の公式の別名．

glo·mer·u·lar (glō-mer′yū-lăr)．糸球〔体〕の，糸球〔体〕を侵す．＝glomerulose.

glom·er·ule (glom′ĕr-yūl)．＝glomerulus.

glo·mer·u·li·tis (glō-mer′yū-lī′tis)．糸球体炎（糸球体の炎症．糸球体腎炎のように特に腎糸球体に限局する）．

glo·mer·u·lo·ne·phri·tis (glō-mer′yū-lō-ne-frī′tis) [glomerulus + G. *nephros*, kidney + *-itis*, inflammation]．糸球体腎炎（腎の感染に対する急性反応でない糸球体のびまん性の炎症性変化を特徴とする腎疾患）．＝glomerular nephritis.

acute g. 急性糸球体腎炎（β 溶血性連鎖球菌の腎害性株による咽頭炎や皮膚感染症の後期合併症としてしばしば起こ

G

り，血尿，顔面浮腫，乏尿，種々の程度の高窒素血症，および高血圧の突然発症を特徴とする．腎糸球体は通常，細胞増殖または多核白血球浸潤を示す）．＝acute hemorrhagic g.; acute nephritis; acute poststreptococcal g.

acute crescentic g. 急性半月体形成性糸球体腎炎．＝rapidly progressive g.

acute hemorrhagic g. 急性出血性糸球体腎炎．＝acute g.

acute poststreptococcal g. 急性溶連菌感染後性糸球体腎炎．＝acute g.

anti-basement membrane g. 抗基底膜型糸球体腎炎（抗糸球体基底膜抗体の存在による糸球体腎炎であり，糸球体毛細管係蹄壁に沿って IgG，C3 が線状に沈着するのが特徴である．急速進行性糸球体腎炎と Goodpasture 症候群の糸球体腎炎を含む）．

Berger focal g. (ber′gĕr). ベルジェ巣状糸球体腎炎．＝focal g.

chronic g. 慢性糸球体腎炎（持続性の蛋白尿，慢性腎不全，高血圧を示し，潜行性に発症，または急性糸球体腎炎の後期続発症として発症する．糸球体の瘢痕化と消失，尿細管萎縮と間質線維化を伴って，腎は両側性に萎縮し顆粒状になる）．＝chronic nephritis.

diffuse g. びまん性糸球体腎炎（腎糸球体のほとんどに病変が及ぶもの．窒素血症に至ることがある）．

exudative g. 滲出性糸球体腎炎（急性糸球体腎炎に起こり，多形核白血球による糸球体浸潤を伴ったもの）．

focal g. 巣状糸球体腎炎（ごく一部の腎糸球体を侵す腎炎．一般に血尿がみられ，若年男性の急性上気道感染に合併することが多いが，通常，これは連鎖球菌によるものではない．糸球体メサンギウム内への IgA 沈着と関連する．また，Henoch-Schönlein 紫斑病のような全身疾患に関連することもある）．＝Berger disease; Berger focal g.; focal nephritis; IgA nephropathy.

focal embolic g. 巣状塞栓性糸球体腎炎（亜急性細菌性心内膜炎に合併し，しばしば窒素血症を伴わない極微量の血尿を示す）．

hypocomplementemic g. 低補体血症性糸球体腎炎．＝membranoproliferative g.

immune complex g. 免疫複合体性糸球体腎炎（免疫複合体が腎糸球体に沈着し，そこに補体が結合する．これにより炎症反応が惹起されて好中球とマクロファージが引き寄せられ，その結果腎糸球体基底膜に変化が起きる．病的状態では糸球体が破壊され腎不全になっていく）．

lobular g. 分葉性糸球体腎炎．＝membranoproliferative g.

local g. 局在性糸球体腎炎．＝segmental g.

membranoproliferative g. 膜性増殖性糸球体腎炎（メサンギウム細胞の増殖，糸球体小葉分離の拡大，糸球体毛細血管壁の肥厚，メサンギウム基質の増加，血清低補体価を特徴とする慢性糸球体腎炎．主に年長児に好発し，ゆっくりした進行性の経過をとることが多く，血尿または浮腫，および高血圧がみられる．以下に示す 3 型に分けられる．ⓘ内皮細胞下に電子高密度沈着物を認め，最も多くみられるタイプの 1 型，ⓘⓘ基底膜稠密層がきわめて電子密度の高い物質により非常に肥厚している 2 型(dense-deposit disease)，ⓘⓘⓘ内皮細胞下および上皮細胞下の両方に沈着物を認める 3 型）．＝hypocomplementemic g.; lobular g.; mesangiocapillary g.

membranous g. 膜性糸球体腎炎（基底膜物質のスパイクにより分けられた免疫グロブリンの上皮下沈着による，糸球体毛細管基底膜のびまん性肥厚を特徴とする糸球体腎炎で，臨床的にはネフローゼ症候群が徐々に発症し，蛋白尿が消失しない．本疾患はほとんどが特発性であるが，悪性腫瘍，薬剤，感染，または全身性エリテマトーデスに続発することがある）．

mesangial proliferative g. メサンギウム増殖性糸球体腎炎（臨床的にはネフローゼ症候群を呈し，組織学的には血管内皮細胞，メサンギウム細胞やメサンギウム基質の増殖を示す．中には IgM や補体のメサンギウム沈着を伴うものがある）．＝diffuse mesangial proliferation; IgM nephropathy.

mesangiocapillary g. ＝membranoproliferative g.

proliferative g. 増殖性糸球体腎炎（内皮またはメサンギウム細胞の増殖による糸球体の細胞増加を伴ったもので，急性糸球体腎炎や膜性増殖性糸球体腎炎に起こる）．

rapidly progressive g. 急速進行性糸球体腎炎（通常，潜行性に発症する糸球体腎炎で，先行する連鎖球菌感染を伴わず，腎不全が進行し 2，3 か月以内に尿毒症を起こす．剖検では，腎は正常な大きさであるが多数の糸球体嚢の上皮細胞からなる半月体が存在し，抗糸球体基底膜抗体がしばしばみられる）．＝acute crescentic g.

segmental g. 分節性糸球体腎炎（1 個以上の糸球体を部分的に侵す糸球体腎炎）．＝local g.

subacute g. 亜急性糸球体腎炎（蛋白尿，血尿，窒素血症が何週間も持続する糸球体腎炎を表す不適切な語．腎の変化は多様で，急速進行性糸球体腎炎および膜性増殖性糸球体腎炎の腎変化も含む）．＝subacute nephritis.

glo·mer·u·lop·a·thy (glō-mer′yū-lop′ă-thē) ［glomerulus + G. *pathos*, suffering］. 糸球体症（あらゆるタイプの糸球体の病気）．

focal sclerosing g. 巣状硬化性糸球体症（正常な血清補体を示す成人または小児に報告されている巣状，分節性の糸球体硬化症で，慢性糸球体腎炎に移行する）．

glo·mer·u·lo·scle·ro·sis (glō-mer′yū-lō-sklē-rō′sis) ［glomerulus + G. *sklērōsis*, hardness］. 糸球体硬化症（腎糸球体内に硝子様物質の沈着または瘢痕化が生じ，腎動脈硬化症や糖尿病に合併する変性の過程）．＝glomerular sclerosis.

diabetic g. 糖尿病性糸球体硬化症（長年にわたる糖尿病に出現し，蛋白尿を呈し最終的には腎不全になる．糸球体末梢における球形の硝子化や層状の結節を示し，毛細血管基底膜の肥厚とメサンギウム基質の増生を伴う）．＝intercapillary g.

focal segmental g. 巣状分節状糸球体硬化症（糸球体毛細血管の分節状の虚脱を示し，肥厚した基底膜やメサンギウム基質の増生を伴う．ネフローゼ症候群患者やメサンギウム増殖性糸球体腎炎患者の糸球体にみられる）．

intercapillary g. 毛細管内糸球体硬化症．＝diabetic g.

glo·mer·u·lose (glō-mer′yū-lōs). ＝glomerular.

glo·mer·u·lus, pl. **glo·mer·u·li** (glō-mer′yū-lŭs, -ū-lī) ［Mod.L: L. *glomus*(a ball of yarn)の指小辞］. ＝glomerule. ***1*** 糸球（毛細血管叢）．***2*** 糸球体（腎臓の尿細管の起始部にある毛細血管わなよりなる房．この房とその嚢で腎小体を構成する）．＝malpighian g.; malpighian tuft. ***3*** 糸球（汗腺の屈曲した分泌部）．***4*** 糸球（樹状突起の分枝と軸索終末の房で，しばしば互いに複雑なシナプス関係をもちグリアの鞘で囲まれている）．

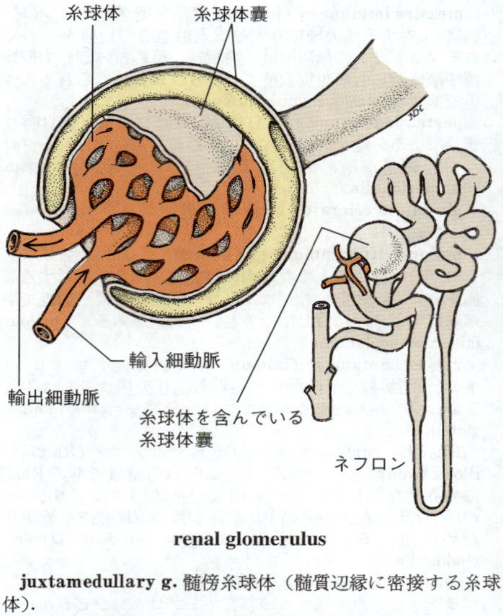

renal glomerulus

juxtamedullary g. 髄傍糸球体（髄質辺縁に密接する糸球体）．

malpighian g. マルピーギ糸球体．＝glomerulus (2).

g. of mesonephros 中腎糸球体（原始大動脈の外側枝から出ている中腎内の毛細血管の小房の 1 つ．各糸球体は小管に接続している).

olfactory g. 嗅糸球体（嗅球内の小球状領域の1つで，その中では僧帽細胞と房飾細胞の樹状突起が嗅覚受容細胞の軸索とシナプスする).

g. of pronephros 前腎糸球体（前腎に存在する毛細血管の房で，大動脈の外側枝によって形成される．前腎糸球体はヒトの胎児では発達しない).

glo·mus, pl. **glom·er·a** (glō′mŭs, glom′ĕr-ă)［L. *glomus*, a ball］. 糸球（[誤った複数形 glomi を避けること]. ①［TA］. 小さい球状体. ②小動脈と静脈間の高度に発達した動静脈吻合で，爪床，指腹，足腹，耳，手，足，および他の多くの体内臓器に小結節を形成する．輸入動脈は結合組織性糸球体嚢にはいり，内弾性膜を欠き，比較的厚い類上皮筋細胞壁と小管腔を生じる．吻合は枝分かれし回旋しており，交感神経と有髄神経の豊富な支配下にある．そして糸球周囲静脈の1つに流れ込んでいる短い壁の薄い静脈に接続している．糸球は血流，温度，熱の保存，血圧の間接的調整，および循環系の他の機能におけるメカニズムを調整する短絡または側副路として働く. ＝glandulae glomiformes (1); glomiform glands; glomus body). ＝glome.

aortic glomera* para-aortic *bodies* の公式の別名.

g. aorticum ＝ para-aortic *bodies*.

g. caroticum［TA］. 頸動脈小体. ＝carotid *body*.

choroid g. 脈絡糸球. ＝choroid *enlargement*.

g. choroideum［TA］. 脈絡糸球. ＝choroid *enlargement*.

g. coccygeum［TA］. 尾骨糸球. ＝coccygeal *body*.

intravagal g. 迷走神経内糸球（迷走神経の耳介枝に存在する化学受容体細胞の小さな集り．この細胞の腫瘍によって耳鳴り，難聴が生じることがある). ＝g. intravagale.

g. intravagale 迷走神経内小体. ＝intravagal g.

jugular g. 頸静脈糸球（頸静脈球の外膜中にある化学受容体細胞の小さな集り．この細胞の腫瘍によって声帯麻痺，めまい，眼前暗黒，眼振が生じることがある). ＝g. jugulare［TA］.

g. jugulare［TA］. 頸静脈小体. ＝jugular g.

g. pulmonale 肺動脈小体. ＝pulmonary g.

pulmonary g. 肺グロームス（肺血管に関連して認められる頸動脈体と似た構造物). ＝g. pulmonale.

gloss- (glos). →glosso-.

glos·sa (glos′ă)［G.］. 舌. ＝tongue (1).

glos·sag·ra (glos-ag′ră)［gloss- ＋ G. *agra*, a seizure］. 舌痛発作（痛風による舌痛).

glos·sal (glos′ăl). 舌の. ＝lingual (1).

glos·sal·gia (glos-al′jē-ă)［gloss- ＋ G. *algos*, pain］. 舌痛. ＝glossodynia.

glos·sec·to·my (glo-sek′tŏ-mē)［gloss- ＋ G. *ektomē*, excision］. 舌切除〔術〕（舌の切除または切断). ＝elinguation; glossosteresis.

Glos·si·na (glo-sī′nă)［G. *glōssa*, tongue］. ツェツェバエ属（アフリカに限定される吸血双翅目(ツェツェバエ)．ヒト，家畜，野生動物の様々なアフリカ睡眠病を引き起こす病原性トリパノソーマの媒介動物).

G. morsitans 中央アフリカのウマのトリパノソーマ症を引き起こす *Trypanosoma brucei brucei* の唯一の伝播体とされていた種．この種はある地域内ではこの疾患の伝播体となるが，唯一のものではなく，必ずしも主要な伝播体とはいえない．東アフリカ，ローデシアにみられ，急性睡眠病の病原体の1つである *Trypanosoma brucei rhodesiense* の媒介動物.

G. pallidipes ウマのトリパノソーマ症の主要伝播体である種．*Trypanosoma brucei rhodesiense* も伝播する.

G. palpalis 西アフリカ，ガンビアにおける慢性睡眠病の病原性寄生虫の1つで，*Trypanosoma brucei gambiense* を伝播するツェツェバエの一種.

glos·si·tis (glo-sī′tis)［gloss- ＋ G. *-itis*, inflammation］. 舌炎.

g. areata exfoliativa ＝geographic *tongue*.

atrophic g. 萎縮性舌炎（紅斑様，浮腫様の疼痛を伴う舌炎．栄養欠損，特にペラグラでみられるビタミンB欠乏や，チアミン欠乏，そして悪性貧血(Hunter 舌炎や Moeller 舌炎)といった疾患による異常のために糸状乳頭，ときに茸状乳頭が消失するため平滑で光沢のある舌となる). ＝bald tongue.

benign migratory g. ＝geographic *tongue*.

Clarke-Fournier g. (klahrk-fūr-nē-ā′). クラーク－フルニエ舌炎. ＝interstitial sclerous g.

g. desiccans 乾燥性舌炎（痛みの激しい舌の疾患で，原因不明．舌表面は赤層状となり，亀裂が生じる).

Hunter g. (hŭn′tĕr). ハンター舌炎（⇀atrophic g.).

interstitial sclerous g. 硬化性間質性舌炎（末期の梅毒に関連した，結節状で小葉に分かれ硬化した舌). ＝Clarke-Fournier g.

median rhomboid g. 正中菱形舌炎（有郭乳頭の前方で舌の背面の正中で乳頭を欠如し，無症状で，卵形または菱形で，斑点状の，紅斑性病変．不対結節の遺残を表現していると思われる).

Moeller g. (mĕr′lĕr). メラー舌炎（⇀atrophic g.).

glosso-, gloss- (glos′ō, glos)［G. *glōssa*, tongue］. 言語を表す連結形．ラテン語の *linguo-* に相当する．*cf.* linguo-.

glos·so·cele (glos′ō-sēl)［glosso- ＋ G. *kēlē*, tumor, hernia］. 舌脱（舌が腫脹し口から突出すること.→macroglossia).

glos·so·cin·es·thet·ic (glos′ō-sin-es-thet′ik). ＝glossokinesthetic.

glos·so·don·to·tro·pism (glos′ō-don′tō-trō-pizm)［glosso- ＋ G. *odous(odont-)*, tooth ＋ *tropē*, a turning］. 舌歯向性（舌が歯または歯の損傷部に引き付けられる，緊張あるいは不安の現れ).

glos·so·dy·na·mom·e·ter (glos′ō-dī′nă-mom′ĕ-tĕr)［glosso- ＋ G. *dynamis*, power ＋ *metron*, measure］. 舌力計（舌筋の収縮力を測定する器械).

glos·so·dyn·i·a (glos′ō-din′ē-ă)［glosso- ＋ G. *odynē*, pain］. 舌痛（舌の疼痛を特徴とする状態.⇀burning tongue *syndrome*). ＝glossalgia.

glos·so·dyn·i·o·tro·pism (glos′ō-din′ē-ō-trō′pizm)［glosso- ＋ G. *odynē*, pain ＋ *tropē*, a turning］. 舌痛向性（痛む歯の損傷部に舌を当てて得られるうわべの満足感．マゾヒズム的な行為またはその現れとも考えられている).

glos·so·ep·i·glot·tic, glos·so·ep·i·glot·tid·e·an (glos′ō-ep-i-glot′ik, glos′ō-ep-i-glo-tid′ē-ăn). 舌喉頭蓋の（舌と喉頭蓋についていう).

glos·so·graph (glos′ō-graf)［glosso- ＋ G. *graphō*, to write］. 舌運動描写器（会話中の舌の運動を記録する器械).

glos·so·hy·al (glos′ō-hī′ăl). ＝hyoglossal.

glos·so·kin·es·thet·ic (glos′ō-kin′es-thet′ik)［glosso- ＋ G. *kinēsis*, movement ＋ *aisthētikos*, perceptive］. 舌運動自覚〔性〕の（舌運動の主観的感覚を示す). ＝glossocinesthetic.

glos·so·la·li·a (glos′ō-lā′lē-ă)［glosso- ＋ G. *lalia*, talk, chat］. 舌語（理解しがたい早口の言葉または饒舌に対してまれに用いる語).

glos·sol·o·gy (glos-ol′ŏ-jē)［glosso- ＋ G. *logos*, study］. 舌学（舌とその疾患に関する医学の分野). ＝glottology.

glos·son·cus (glos-ong′kŭs)［glosso- ＋ G. *onkos*, mass, tumor］. 舌腫瘤（舌に生じる腫脹で，新生物も含む).

glos·so·pal·a·ti·nus (glos′ō-pal′ă-tī′nŭs)［glosso- ＋ Mod. L. *palatinus* ＜ L. *palatum*, palate］. 口蓋舌筋. ＝palatoglossus (*muscle*).

glos·sop·a·thy (glos-op′ă-thē)［glosso- ＋ G. *pathos*, suffering］. 舌病，舌疾患.

glos·so·pha·ryn·ge·al (glos′ō-fă-rin′jē-ăl). 舌咽の（[誤った発音 glossopharynge′al を避けること]. 舌と咽頭についていう.→glossopharyngeal *nerve*［CN IX］).

glos·so·pha·ryn·ge·us (glos′ō-fă-rin′jē-ŭs). 舌咽頭筋（⇀superior pharyngeal constrictor (*muscle*)).

glos·so·plas·ty (glos′ō-plas′tē)［glosso- ＋ G. *plastos*, formed］. 舌形成〔術〕.

glos·so·ple·gi·a (glos′ō-plē′jē-ă)［glosso- ＋ G. *plēgē*, stroke］. 舌麻痺.

glos·sop·to·sis, glos·sop·to·si·a (glos′op-tō′sis, -op-tō′sē-ă)［glosso- ＋ G. *ptōsis*, a falling］. 舌下垂，舌沈下（舌の咽頭方向への置き換え).

glos·so·py·ro·sis (glos′ō-pī-rō′sis)［glosso- ＋ G. *pyrōsis*, a burning］. 舌熱感. ＝burning *tongue*.

glos·sor·rha·phy (glo-sōr′ă-fē)［glosso- ＋ G. *rhaphē*, suture］. 舌縫合〔術〕（舌の創の縫合).

G

glos·so·spasm (glos′ō-spazm). 舌痙攣（舌の筋肉の痙攣）.

glos·so·ste·re·sis (glos′ō-ste-rē′sis). 舌切除〔術〕. ＝glossectomy.

glos·sot·o·my (glo-sot′ŏ-mē) [glosso- + G. *tomē*, incision]. 舌切開〔術〕（通常，咽頭腔への交通を得たい場合に行う）.

glos·so·trich·i·a (glos′ō-trik′ē-ă) [glosso- + G. *thrix*, hair]. 毛舌. ＝hairy *tongue*.

glot·tal (glot′ăl). 声門の.

glot·tal·iz·a·tion (glot′al-ĭ-zā′shun). グロッタリゼーション. ＝vocal fry.

glot·tic (glot′ik). ***1*** 舌の. ***2*** 声門の.

glot·ti·do·spasm (glot′i-dō-spazm). 声門痙攣. ＝laryngospasm.

glot·tis, pl. **glot·ti·des** (glot′is, glot′i-dēz) [G. *glōttis*, aperture of the larynx][TA]. 声門（喉頭の発声器で，内側に声帯靱帯，声帯筋を含む粘膜の声帯ひだからなる．これの遊離端は声帯で，中央の裂溝は，声門裂である）.

false g. ＝*rima* vestibuli.

g. respiratoria ＝intercartilaginous *part* of rima glottidis.

g. spuria ＝*rima* vestibuli.

true g. ＝*rima* glottidis.

g. vera ＝*rima* glottidis.

g. vocalis ＝intermembranous *part* of rima glottidis.

glot·ti·tis (glo-tī′tis). 声門炎（喉頭の声門部の炎症）.

glot·tol·o·gy (glo-tol′ŏ-jē) [G. *glōssa*, *glōtta*, tongue + *logos*, study]. ＝glossology.

GLP-1 glucagonlike *peptide* の略.

Glp ***1*** 5-oxoproline の略. ***2*** glucagonlike insulinotropic *peptide* の略. →glucagonlike *peptide*.

Glu glutamic acid; glutamyl の略.

glu·ca·gon (glū′kă-gon) [glucose + G. *agō*, to lead][MIM*138030]. グルカゴン（29 個のアミノ酸残基の一本鎖ポリペプチドからなるホルモンで，膵臓のアルファ細胞から分泌される．0.5—1.0 mg を静脈注射すると，肝臓グリコゲンの動員が促進され，血糖濃度が上昇する．グルカゴンは，肝臓のホスホリラーゼを活性化し，グリコゲン分解を促進する．胃運動，胃液および膵液分泌は減少し，窒素とカリウムの尿中排泄量は増加する．なお，筋肉のホスホリラーゼには影響を及ぼさない．塩酸塩として，1 型糖原病(von Gierke 病)，低血糖症，特に体外から投与されたインスリンによる低血糖性昏睡の治療に用いる）. ＝HG factor; hyperglycemic-glycogenolytic factor; pancreatic hyperglycemic hormone.

gut g. 腸グルカゴン（血液中に生理的に分泌される腸由来の物質で，インスリンの分泌を促す．化学構造や生物学的効果はグルカゴンと異なるが，グルカゴンに対する抗体で交差反応を示す）.

glu·ca·gon·o·ma (glu′kă-gon-ō′mă). グルカゴノーマ（グルカゴン産生腫瘍で，通常，膵島細胞より発生する）.

glu·cal (glū′kăl). グルカール. ＝glycal.

glu·can (glū′kan). グルカン. ＝glucosan.

1,4-*α*-ᴅ-**glu·can-branch·ing en·zyme** (glū′kan-branch′ing enzīm). 1,4–*α*–ᴅ–グルカン分枝酵素（筋肉内や植物(Q酵素)にある酵素で，グリコゲンやデンプンの *α*–1,4 結合を加水分解させ，そのフラグメントを *α*–1,6 結合に転移させ，多糖類分子中に分枝をつくる．植物ではこの酵素はアミロースをアミロペクチンに変換する．この酵素の欠損はグリコゲン蓄積症 IV 型の患者で見出されている）. ＝*α*-glucan-branching glycosyltransferase; amylo-1,4:1,6-glucantransferase; amylo-(1,4→1,6)-transglucosidase; amylo-(1,4→1,6)-transglucosylase; branching enzyme.

α-**glu·can-branch·ing gly·co·syl·trans·fer·ase** (glū′kan-branch′ing glī-kō′sĭl-trans′fĕr-ās). ＝1,4-*α*-ᴅ-glucan-branching enzyme.

1,4-*α*-ᴅ-**glu·can 6-*α*-ᴅ-glu·co·syl·trans·fer·ase** (glū′ kan glū-kō′sĭl-trans′fĕr-ās). 1,4–*α*–ᴅ–グルカン6–*α*–ᴅ–グルコシルトランスフェラーゼ（1,4–*α*–グルカンにある *α*–グルコシル残基を 1,4–*α*–グルカンにあるグルコースの第一水酸基に移すグルコシルトランスフェラーゼ. →1,4-*α*-ᴅ-glucan-branching enzyme）. ＝oligoglucan-branching glycosyltransferase.

4-*α*-ᴅ-**glu·can·o·trans·fer·ase** (glū′kan-ō-trans′fĕr-ās). 4–*α*–ᴅ–グルカノトランスフェラーゼ（1,4–グルカン鎖の部分をグルコース，または他の 1,4–グルカンの新しい 4 の位置に移すことにより，麦芽デキストリンをアミロースとグルコースに変える 4–グリコシルトランスフェラーゼ）. ＝amylomaltase; D enzyme; dextrin glycosyltransferase; dextrin transglycosylase; disproportionating enzyme.

α-**glu·can phos·phor·yl·ase** (glū′kan fos-fōr′ĭl-ās). *α*–グルカンホスホリラーゼ. ＝phosphorylase.

glu·cep·tate (glū-sep′tāt). グルセプテート（glucoheptonate の USAN 公認の短縮名）.

glu·ci·phore (glū′si-fōr) [G. *glykys*, sweet + *phoros*, bearing]. 糖発生基（甘味を惹起するとみなされる化学基を表す造語）.

gluco- (glū′kō) [G. *gleukos*, sweet new wine, sweetness]. ブドウ糖を意味する接頭語. →glyco-.

glu·co·am·y·lase (glū-kō-am′i-lās). グルコアミラーゼ. ＝exo-1,4-*α*-ᴅ-glucosidase.

glu·co·a·scor·bic ac·id (glū′kō-as-kōr′bik as′id). グルコアスコルビン酸（アスコルビン酸の 5 位と 6 位の炭素原子間に –CHOH– が付加されているアスコルビン酸類似化合物．食事に加えると毒性効果を示すが，アスコルビン酸拮抗作用により起こるものではない）.

β-**glu·co·cer·e·bro·sid·ase** (glū′kō-ser′ĕ-brō-sīd′ās). *β*–グルコセレブロシダーゼ（セレブロシドの *β*–グルコシドを加水分解する酵素．この酵素欠損により Gaucher 病になる）.

glu·co·cer·e·bro·side (glū′kō-ser′ĕ-brō-sīd). グルコセレブロシド. ＝glucosylceramide.

glu·co·cor·ti·coid (glū′kō-kōr′ti-koyd). ＝glycocorticoid. ***1*** 糖質コルチコイド，グルココルチコイド（中間代謝に重要な影響を与えるステロイド様化合物で，例えば，肝臓グリコゲン貯蔵の促進や，臨床的に有効な抗炎症作用を促進する．コルチゾール(ヒドロコルチゾン)は天然に存在する糖質コルチコイドの中で最も強力である．ほとんどの半合成糖質コルチコイドはコルチゾール誘導体である）. ***2*** この型の生物的作用を示す. ***3*** ＝corticoid.

glu·co·cor·ti·co·tro·phic (glū′kō-kōr′ti-kō-trōf′ik). 糖質コルチコイド刺激性の（副腎皮質の糖質コルチコイドホルモン生成を刺激する下垂体前葉に存在するとされる物質を示す．この作用だけをもつホルモンは現在のところ明らかにされていないが，ACTH は副腎皮質ホルモンの分泌を促進する）.

glu·co·cy·a·mine (glū′kō-sī′ă-mēn). ＝glycocyamine.

glu·co·fu·ra·nose (glū′kō-fūr′ă-nōs). グルコフラノース（フラノース型のグルコース）.

glu·co·gen·e·sis (glū′kō-jen′ĕ-sis) [gluco- + G. *genesis*, production]. 糖生成（グルコースが産生されること）.

glu·co·gen·ic (glū′kō-jen′ik). グルコース生成の，糖生成の. ＝glucoplastic.

glu·co·in·vert·ase (glū′kō-in′vĕr-tās). グルコインベルターゼ. ＝*α*-ᴅ-glucosidase.

glu·co·ki·nase (glū′kō-kī′nās) [MIM*138079]. グルコキナーゼ（ホスホトランスフェラーゼで，ᴅ–グルコースと ATP がグルコース6–リン酸と ADP に変わるのを触媒する．その肝臓酵素はヘキソキナーゼより ᴅ–グルコースに対する K_m 値は高く，生成物の ᴅ–グルコース6–リン酸によって強くは阻害されない）.

glu·co·ki·net·ic (glū′kō-ki-net′ik). グルコース動員性の（グルコースを動員する．通常，血液中を循環しているグルコースの濃度を増加させるために組織中のグリコゲン蓄積の減少により示される）.

glu·co·lip·ids (glū′kō-lip′idz). 糖脂質（ᴅ–グルコースを含んでいる脂質）.

glu·col·y·sis (glū-kol′i-sis). ＝glycolysis.

glu·co·ne·o·gen·e·sis (glū′kō-nē′ō-jen′ĕ-sis). 糖新生，グルコース新生（炭水化物ではない物質(蛋白や脂肪)よりグルコースを産生すること）. ＝glyconeogenesis (2).

glu·con·ic ac·id (glū-kon′ik as′id). グルコン酸（–CHO 基を酸化し，–COOH にするとグルコースから得られるヘキソン(アルドン)酸）.

glu·con·o·lac·to·nase (glū′kon-o-lak′tō-nās). グルコノラクトナーゼ（ᴅ–グルコノ–*δ*–ラクトンを加水分解して ᴅ–グルコン酸にするのを触媒する酵素）. ＝lactonase (1).

glu・co・pe・ni・a (glū'kō-pē'nē-ă) [gluco- + G. *penia*, poverty]. 低血糖症. = hypoglycemia.

glu・co・plas・tic (glū'kō-plas'tik). グルコプラスチック. = glucogenic.

glu・co・pro・tein (glū'kō-prō'tēn). 糖がグルコースである糖蛋白.

glu・co・pyr・a・nose (glū'kō-pir'ă-nōs). グルコピラノース(ピラノース型のグルコース).

glu・co・sa・mine (glū-kōs'ă-mēn). グルコサミン (キチン, 細胞膜, ムコ多糖類に一般にみられるアミノ糖).

glu・cos・a・mi・no・gly・cans (glū-kōs'ă-mē'nō-glī'kanz). グルコサミノグリカン (構成糖アミンのすべてがグルコサミンであるグルコサミノグリカン(またはムコ多糖)).

glu・co・san (glū'kō-san). グルコサン (多糖類. 例えば, カロース, セルロース, グリコゲン, デンプン, デキストリンなどで, 加水分解によりグルコースを生じる). = glucan.

D-**glu・cose (G, Glc)** (glū'kōs). D-グルコース (デキストロース. 右旋性の単糖類(ヘキソース)で, 遊離型で植物の果実などに, また結合した形で配糖体, 二糖類(多くの場合糖中のフルクトースと), オリゴ糖類, 多糖類にみられる. セルロース, デンプン, グリコゲンの完全加水分解産物. 遊離型グルコースも血液中に存在し, 生体組織によって用いられる主エネルギー源である(正常ヒト血中濃度は 70—110mg/mL). 糖尿病では尿中に含有する. D-グルコースのエピマーは, D-アロース, D-マンノース, D-ガラクトース, L-イドースである. デキストロースは, その L-異性体であるシニストロースと混同しないこと). = cellohexose.

activated D-**g.** 活性 D-グルコース (UDP グルコースなどのヌクレオシドジホスホグルコース).

D-**g. dehydrogenase** [MIM*138090]. D-グルコースデヒドロゲナーゼ (β-D-グルコースを D-グルコノ-δ-ラクトンに変化するとともに水素を NAD^+ または $NADP^+$ に移転させる. *cf.* D-g. oxidase).

liquid D-**g.** 液状 D-グルコース (デキストロース, デキストリン, マルトース, および水からなる製剤補助剤. デンプンの水解が不完全な場合に得られる).

D-**g. oxidase** D-グルコースオキシダーゼ (抗細菌性フラボ蛋白性酵素の一種で *Penicillum notatum* および他の真菌から得られる. これが抗細菌性を発揮するのは D-グルコースと酸素が存在する場合に限られる. その理由は, 当該効果が D-グルコノ-δ-ラクトンに変え同時に酸素を過酸化水素にする作用に基づくからである. 食品保存やグルコース濃度の測定に用いられる). = D-g. oxyhydrase; microcide.

D-**g. oxyhydrase** グルコースオキシヒドラーゼ. = D-g. oxidase.

D-**g. phosphomutase** = phosphoglucomutase.

D-**glu・cose 1,6-bis・phos・phate** (glū'kōs bis-fos'fāt). D-グルコース 1,6-ビスリン酸 (D-グルコースのビスリン酸誘導体で, D-グルコース 1-リン酸と D-グルコース 6-リン酸の相互変換での必須中間体である).

glu・cose-6-phos・pha・tase (glū'kōs fos'fă-tās). グルコース 6-ホスファターゼ (肝臓酵素の一種で, D-グルコース 6-リン酸を D-グルコースと正リン酸塩に加水分解する反応を触媒する. この酵素は糖原病 Ia では欠乏している).

glu・cose 6-phos・phate (glū'kōs fos'fāt). グルコース 6-リン酸 (グルコースのリン酸とのエステル. 哺乳類などの細胞によるグルコース代謝経路において生成される. 静止筋肉の正常な構成成分で, 通常, フルクトース 6-リン酸との平衡状態であると考えられる).

D-**glu・cose 1-phos・phate** (glū'kōs fos'fāt). D-グルコース 1-リン酸 (グリコゲンの生成・分解の重要中間体). = Cori ester.

D-**glu・cose 6-phos・phate** (glū'kōs fos'fāt). D-グルコース 6-リン酸 (解糖, グリコゲン分解, ペントースリン酸経路のような重要中間体. その濃度が上昇すると脳ヘキソキナーゼや解糖を抑制する). = Robison ester; Robison-Embden ester.

glu・cose-6-phos・phate de・hy・dro・gen・ase (glū'kōs fos'fāt dē'hī-droj'en-ās). グルコース 6-リン酸デヒドロゲナーゼ (グルコース 6-リン酸から 6-ホスホ-D-グルコノ-δ-ラクトンを生じる脱水素反応を触媒する $NADP^+$ 依存酵素. この反応はペントース経路の初段階反応である. この酵素の欠損により高度な溶血性貧血, ソラマメ中毒をきたす. その白血球酵素の欠損により好中球による呼吸バーストを生じさせなくなる). = Robison ester dehydrogenase; Zwischenferment.

glu・cose-phos・phate i・som・er・ase (glū'kos-fos'fāt ī-sō'mĕr-ās). グルコースリン酸イソメラーゼ (D-フルクトース 6-リン酸と D-グルコース 6-リン酸の相互変化を触媒する酵素. 解糖や糖新生の一部分. グルコースリン酸イソメラーゼの欠損は遺伝病で肝糖原病や溶血性貧血を起こす). = hexosephosphate isomerase; phosphohexomutase; phosphohexose isomerase.

glu・cose-1-phos・phate ki・nase (glū'kōs-fos'fāt kī'nās). グルコース 1-リン酸キナーゼ. = phosphoglucokinase.

glu・cose-1-phos・phate phos・pho・dis・mu・tase (glū'-kōs-fos'fāt fos'fō-dis'myū-tās). グルコース 1-リン酸ホスホジスムターゼ (リン酸基転移酵素の一種で, D-グルコース 1-リン酸基をもう 1 つの D-グルコース 1-リン酸に可逆的に転移させ, D-グルコース1,6-二リン酸を生じる反応を触媒する. この酵素により, グルコースリン酸イソメラーゼに必要な重要中間体が生じる).

glu・cose-6-phos・phate trans・lo・case (glū'kōs-fos'fāt trans'lō-kās). グルコース 6-リン酸トランスロカーゼ (小胞体の重要な膜蛋白. この酵素欠損により糖原病 1b 型になる).

glu・cose-1-phos・phate ur・i・dyl・yl・trans・fer・ase (glū'kōs-fos'fāt yūr'i-dil'ĭl-trans'fĕr-ās). グルコース 1-リン酸ウリジリルトランスフェラーゼ (D-グルコース 1-リン酸と UTP と反応させて, D-グルコースを活性化させ, ピロリン酸と UDP グルコースを生成させる酵素. グリコゲン生合成の重要段階).

α-D-**glu・co・si・dase** (glū-kō'si-dās). α-D-グルコシダーゼ (マルターゼの一種. 末端非還元性の α-1,4 結合した α-グルコース残基を加水分解によって除去し, α-グルコースを生成するグルコヒドロラーゼ. そのリソソーム酵素の欠損により糖原病 2 型になる. マルターゼには少なくとも 5 種のアイソザイムが存在する). = glucoinvertase.

β-D-**glu・co・si・dase** (glū-kō'si-dās). β-D-グルコシダーゼ (α-D-グルコシダーゼに類似したグルコヒドロラーゼ. β-グルコシドに作用し, β-D-グルコースを遊離する). = amygdalase; cellobiase; gentiobiase.

glu・co・si・das・es (glū-kō'sid-ās-ĕz). グルコシダーゼ (グルコシドを加水分解する酵素).

glu・co・side (glū'kō-sīd). グルコシド, 配糖体 (グルコースとアルコールまたは他の R-OH 化合物が化合し, ブドウ糖の 1-OH(ヘミアセタール)基の H 原子を失ったもので, このときグルコースの C-1 から-C-O-R 連鎖が得られる. グルコースのグリコシドの一種).

glu・co・sin・o・lates (glū'ko-sin'ō-lātes). グルコシノレーツ (アブラナ科の植物, 特にアブラナ属 *Brassica* の野菜(例えば, キャベツ)に存在する二次的な植物の代謝物. 加水分解して抗発癌作用を示すイソチオシアネート類を含む, 広範な生物学的に活性な物質となる).

glu・co・sone (glū'kō-sōn) [glucose + -one]. グルコソン (グルコースの 2-脱水素化物(2-ケト)の一種. グルコースからグルコサミンを形成する際に生成されることがある中間物質).

glu・cos・u・ri・a (glū'kō-syū'rē-ă) [glucose + G. *ouron*, urine]. 糖尿 (ブドウ糖の尿中への排泄で, 通常, その量の多いものをいう). = glycosuria (1); glycuresis (1).

glu・co・syl (glū'kō-sil). グルコシル (グルコースのヘミアセタール(C-1)OH 基を取り去ってできる基の一般名).

glu・co・syl・cer・a・mide (glū'kō-sil-ser'ă-mīd). グルコシルセラミド (中性の糖脂質の一種で, 等モル量の脂肪酸, グルコース, スフィンゴシンを含むもの(あるいはその誘導体). Gaucher 病患者で蓄積する). = glucocerebroside.

glu・co・syl・trans・fer・ase (glū'kō-sil-trans'fĕr-ās). グルコシルトランスフェラーゼ (グルコシル基をある化合物から他の化合物へと転移させる酵素一般をさす. グルコシルトランスフェラーゼは EC subclass 2.4(glycosyltransferases)である). = transglucosylase.

glucotoxicity 糖毒性. = glycotoxicity.

glu・cu・ro・nate (glū-kū'rō-nāt). グルクロン酸塩またはエステル.

glu・cu・rone (glū'kū-rōn). グルクロン. = D-glucuronolactone.

G

glu·cu·ron·ic ac·id (glū′-kū-ron′ik as′id). グルクロン酸（グルコースから誘導されるウロン酸で，6位の炭素が酸化されてカルボキシル基になっている．そのD-異性体は安息香酸，フェノール，樟脳，女性ホルモンなどの物質を肝臓において抱合し，これらを無毒化または不活性化する．こうして形成されたグルクロニドは尿中に排泄される）．

β-D-glu·cu·ron·i·dase (glū′kū-ron′i-dās). β-D-グルクロニダーゼ（種々のβ-D-グルクロン酸化合物を加水分解し，遊離グルクロン酸とアルコールを放出させる酵素．この酵素の欠損によりSly症候群になる）．＝glusulase; glycuronidase.

glu·cu·ro·nide (glū-kū′rōn-īd). グルクロニド（グルクロン酸のグリコシド．多くの異質化合物は，異化作用により正常な身体の構成成分からつくられた産物(ステロイドホルモンなど)と同様，通常，D-グルクロニドの形で尿中に排泄される．この抱合反応は肝臓で行われる）．＝glucuronoside.

D-glu·cu·ron·o·lac·tone (glū′kŭ-rō′nō-lak′tōn). D-グルクロノラクトン（膠原病や関節病の治療で，グルクロン酸の経口投与に用いる物質）．＝glucurone.

glu·cu·ro·no·side (glū′kū-ron′ō-sīd). ＝glucuronide.

glu·cu·ron·o·syl·trans·fer·ase (glū′kū-ron′ō-sil-trans′-fĕr-ās). グルクロノシルトランスフェラーゼ（D-グルクロン酸塩を指定した受容体に転送し，グルクロノシドをつくる酵素の総称．例えば，UDPグルクロン酸－ビリルビングルクロノシルトランスフェラーゼ）．

glue-sniff·ing (glū′snif-ing). 有機溶剤乱用，シンナー遊び（プラスチックセメントからの燻蒸気を吸入すること．溶剤はトルエン，キシレン，ベンゼンなどで，うつ病に至る中枢神経系の興奮を惹起する．→solvent *inhalation*）．＝huffing (2).

Glu·ge (glū′gĕ), Gottlieb. ドイツ人組織学者，1812—1898. →G. *corpuscles*.

glu·sul·ase (glū′sŭl-ās). グルスラーゼ．＝β-D-glucuronidase.

glu·ta·con·ic ac·id (glū′ta-kon′ik as′id). グルタコン酸（グルタル酸血症Ⅰ型患者で蓄積されるジカルボン酸）．＝2-pentendioic acid.

glu·ta·mate (glū′tă-māt). グルタミン酸塩またはエステル．

g. acetyltransferase グルタミン酸アセチルトランスフェラーゼ（①アセチル基のN^2-アセチルオルニチンからL-グルタミン酸への転移によりL-オルニチンとN-アセチル-L-グルタミン酸(尿素回路の活性化因子)を与える反応を触媒する酵素．②アセチルCoAのアセチル基をL-グルタミン酸への転移により補酵素AとN-アセチル-L-グルタミン酸(尿素回路の活性化因子)を与える反応を触媒する酵素）．＝ornithine acetyltransferase.

g. decarboxylase (GAD) グルタミン酸デカルボキシラーゼ（L-グルタミン酸塩を4-アミノ酪酸塩とCO_2に，またL-アスパラギン酸を3-アミノプロピオン酸塩とCO_2に変換するカルボキシリアーゼ(カルボキシル基脱離酵素)．この酵素の補酵素の結合の欠損により，発作を伴うピリドキシン依存症になる）．＝aspartate 1-decarboxylase.

g. dehydrogenases グルタミン酸デヒドロゲナーゼ（L-グルタミン酸，H_2O，NAD^+(または$NADP^+$)からα-ケトグルタル酸(2-オキソグルタル酸)，アンモニア，NADHへの反応を触媒する酵素．哺乳類では，これは酸化的脱アミノ化の主要な酵素である）．＝glutamic acid dehydrogenases.

g. formiminotransferase グルタミン酸ホルムイミノトランスフェラーゼ（N-ホルムイミノ-L-グルタミン酸のホルムイミノ基のテトラヒドロ葉酸への転移反応を触媒する酵素．この酵素欠損により，ホルムイミノグルタミン酸濃度が上昇することがある）．

g. γ-semialdehyde グルタミン酸γ-セミアルデヒド（L-プロリンやL-オルニチン代謝の中間体．Ⅱ型高プロリン血症で増加する）．

g. synthase グルタミン酸シンターゼ（L-グルタミン，α-ケトグルタル酸およびNADH(ある場合ではNADPH)の2つのL-グルタミン酸とNAD^+(または$NADP^+$)への変換を触媒する酵素．明らかに非哺乳類性酵素である．ある種の植物では，この反応はフェレドキシン依存性反応である）．

γ-glu·ta·mate (glu·ta·mate γ-) car·box·y·pep·ti·dase (glū′tă-māt kar-boks′ē pep′ti-dās). γ-グルタミン酸カルボキシペプチダーゼ．＝γ-glutamyl hydrolase.

glu·tam·ic ac·id (E, Glu) (glū-tam′ik as′id). グルタミン酸（アミノ酸の一種．ナトリウム塩はグルタミン酸ナトリウム．*cf.* glutamate）．

g. a. dehydrogenases グルタミン酸デヒドロゲナーゼ．＝*glutamate* dehydrogenases.

g. a. hydrochloride グルタミン酸塩酸塩（胃の酸性化薬の一種で消化を助けるといわれる．胃の塩酸補充療法としても用いる）．

glu·tam·ic-as·par·tic trans·am·i·nase (glū-tam′ik as-par′tik trans-am′i-nās). グルタミン酸－アスパラギン酸トランスアミナーゼ．＝*aspartate* aminotransferase.

glu·tam·ic-ox·a·lo·a·ce·tic trans·am·i·nase (GOT) (glūtam′ik oks′ă-lō-a-sē′tik trans-am′i-nās). グルタミン酸－オキサロ酢酸トランスアミナーゼ．＝*aspartate* aminotransferase.

glu·tam·ic-py·ru·vic trans·am·i·nase (GPT) (glū-tam′ik pī-rū′vik trans-am′i-nās). グルタミン酸－ピルビン酸トランスアミナーゼ．＝alanine aminotransferase.

glu·ta·min·ase (glū-tam′in-ās). グルタミナーゼ（酵素の一種で，腎臓およびその他の組織に存在し，L-グルタミンをアンモニアとL-グルタミン酸に分解する反応を触媒する．尿アンモニア生成の重要な酵素）．

glu·ta·min·ate (glū-tam′in-āt). グルタミネート（グルタミンのアニオン型）．

glu·ta·mine (Gln, Q) (glū′tă-mēn, -tă-min, glū-tam′in). グルタミン（グルタミン酸のδ-アミド．肝臓におけるプロリンの酸化，またはグルタミン酸とアンモニアの結合による誘導体．そのL-異性体は各種蛋白，血液およびその他の組織中に存在する．尿中アンモニアの主原料で，腎臓において酵素グルタミナーゼの作用により分解されてできる．非酵素的にグルタミンは5-オキソプロリンへ変換される）．

g. aminotransferase グルタミンアミノトランスフェラーゼ（L-グルタミンとα-ケトグルタル酸とが反応してα-ケトグルタラミン酸とL-グルタミン酸を可逆的に生成させる酵素．α-ケトグルタラミン酸がある種の肝性昏睡で増加する）．＝g. transaminase.

g. synthetase グルタミンシンセターゼ（酵素の一種で，グルタミン酸とアンモニア，ATPとでグルタミンとADP，正リン酸へ変換する反応を触媒する酵素．生理的条件下，基質としてアンモニウムイオンを利用する数少ない哺乳類酵素の1つ）．

g. transaminase グルタミントランスアミナーゼ．＝g. aminotransferase.

glu·tam·i·nyl (Gln, Glx, Q) (glū-tam′i-nil). グルタミニル（グルタミンのアシル基）．

glu·tam·o·yl (glū-tam′ō-il). グルタモイル（グルタミン酸からα-およびδ-水酸基が除去されたグルタミン酸基）．

glu·tam·yl (E, Glu, Glx) (glū-tam′il, glū′tă-mil). グルタミル（グルタミン酸からα-またはδ-水酸基が除去されたグルタミン酸基）．

γ-glu·tam·yl car·box·yl·ase (glū-tam′il kar-boks′i-lās). γ-グルタミルカルボキシラーゼ（多くの蛋白のγ-カルボキシグルタミル残基の生成を触媒する酵素で，血液凝固カスケードでも関与する）．

γ-glu·ta·myl·cys·teine (glū′tă-mil-sis′tē-in). γ-グルタミルシステイン（グルタチオンの生合成の必須前駆物質．真正ペプチド結合よりむしろイソペプチド結合を含有する）．

γ-g. synthetase γ-グルタミルシステインシンテターゼ（グルタチオン生合成の最初の段階を触媒する酵素で，L-グルタミン酸，L-システインおよびATPとが反応しγ-グルタミンシステイン，ADPおよび正リン酸を生成する．グルタチオンやシステアミンのようなチオールで阻害される）．

γ-glu·tam·yl hy·dro·lase (glū′tam′il hī′drō-lās). γ-グルタミルヒドロラーゼ（プテリジンオリゴグルタミン酸からグルタミル残基の除去を触媒する酵素．ある種の抗腫瘍的治療に用いる）．＝carboxypeptidase G; γ-glutamate (glutamate γ-) carboxypeptidase.

γ-glu·tam·yl·trans·fer·ase (glū-tam′il-trans′fĕr-ās). γ-グルタミルトランスフェラーゼ（γ-グルタミルペプチド(通常，グルタチオン)から他のペプチド，アミノ酸または水へのγ-グルタミル基の転移を触媒する酵素）．＝γ-glutamyl transpeptidase.

γ-glu·tam·yl trans·pep·ti·dase (glū-tam′il trans-pep′ti-dās). γ-グルタミルトランスペプチダーゼ．＝γ-glutamyltransferase.

glu·ta·ral (glū′tă-ral). グルタラール．＝glutaraldehyde.

glu·ta·ral·de·hyde (glū′tă-ral′dĕ-hīd). グルタルアルデヒド（固定液として，加熱滅菌できない器具・装置の消毒，滅菌用の殺菌剤として用いる）．＝glutaral; glutaraldehyde fixative.

glu·tar·ic ac·id (glū-tar′ik as′id). グルタル酸；pentanedioic acid（トリプトファン分解の中間物質．グルタル酸血症で蓄積される）．

glu·ta·ryl-CoA (glū′tă-ril). グルタリルCoA（CoA とグルタル酸のモノチオールエステル．L-リシンとL-トリプトファンの異化の中間体）．

g.-CoA dehydrogenase グルタリルCoA デヒドロゲナーゼ（グルタリルCoA とアクセプタとにより，クロトノイルCoA，CO_2 および還元型アクセプタを生成する反応を触媒する酵素．この酵素欠損によりグルタル酸血症 I 型または，高シュウ酸尿症 II 型になる）．

g.-CoA synthetase グルタリルCoA シンテターゼ（アシルCoA シンテターゼに類似の酵素．しかし，グルタリル酸に作用し，グルタリルCoA を生成する際，ATP，GTP またはITP とそれぞれに対応するヌクレオシド二リン酸と正リン酸に変換する）．

glu·ta·thi·one (GSH) (glū′tă-thī′ōn). グルタチオン（グリシン，L-システイン，L-グルタミン酸とからなるトリペプチドで，L-グルタミン酸はL-システインのアミノ酸とイソペプチド結合をしている．グルタチオンは細胞内で多様な働きをする．グルタチオンは最も有効な非蛋白性チオールである．グルタチオンジスルフィド(GSSG)は 2 個のグルタチオンがジスルフィド結合したものである．GSSG に対し，酸化型グルタチオンの名称はスルホンやスルホキシドも含まれるので避けるべきである．還元型グルタチオンはグルタチオンがチオール型であるので不必要である．グルタチオンの欠乏により，酸化的ストレスを伴う溶血が起こる．また，チオール(SH)基の供与体として中間代謝で利用され，アセトアミノフェンの解毒化に必須である．→oxidized g.; reduced g.; g. reductase）．

oxidized g. 酸化型グルタチオン（①水素アクセプタとして細胞内で作用する．グルタチオンレダクターゼによって還元される．グルタチオンジスルフィド．②グルタチオンまたはグルタチオンジスルフィドのスルホンまたはスルホキシド）．

g. peroxidase [MIM*138320]．グルタチオンペルオキシダーゼ（2分子のグルタチオンと H_2O_2 とで，グルタチオンジスルフィドと 2 分子の H_2O を生成する反応を触媒する酵素．過酸化水素の解毒化での重要な酵素）．

reduced g. 還元型グルタチオン（水素ドナーとして作用するグルタチオン．グルタチオン）．

g. reductase [MIM*138300]．グルタチオンレダクターゼ（グルタチオンジスルフィドと NADH(または NADPH)とで，2 分子のグルタチオンと NAD^+(または $NADP^+$)を生成する反応を触媒する酵素．多くの酸化還元反応に関与する．この酵素欠損により酸化ストレスによる溶血をきたす）．

g. synthetase [MIM*601002]．グルタチオンシンテターゼ（γ-グルタミルシステイン，ATP，および，グリシンからグルタチオン，ADP，および正リン酸を生成する反応を触媒する酵素．酵素欠損より代謝性アシドーシスと進行性脳機能不全になる）．

g. *S*-transferase グルタチオン *S*-トランスフェラーゼ（グルタチオンとアクセプタ分子(例えば，アレンオキシド)とから *S*-置換グルタチオンを生成する反応を触媒する酵素の一種．多くの物質の解毒化反応の重要な段階．メルカプツール酸経路への最初の段階）．＝ligandin.

glu·ta·thi·o·nu·ri·a (glū′tă-thī′ō-nyū′rē-ă) [MIM*231950]．グルタチオン尿症（グルタチオンおよびグルタチオンジスルフィドの尿中排泄が亢進している状態）．

glu·te·al (glū′tē-ăl) [G. *gloutos*, buttock]．殿〔部〕の．

glu·te·lins (glū′tĕ-linz). グルテリン（穀類の種子に存在する単純蛋白の一種．希酸および希塩基に可溶で，中性溶液には不溶．コムギのものはグルテニン，また米のものはオリセニンという．グルタミンを多量に含有するドメインをもち，貯蔵蛋白として働く）．

glu·ten (glū′tĕn) [L. *gluten*, glue]．グルテン（コムギなどの穀類にある不溶性蛋白(プロラミン)成分で，グリアジン，グルテニン，プロラミンその他の蛋白の混和物．グルテンによって小麦粉が膨れる）．＝wheat gum.

g. casein グルテンカゼイン（カゼインに似た蛋白で，グルテン中に存在する）．

glu·te·nin (glū′tĕ-nin). グルテニン（コムギの種子の内胚乳に存在するグルテリンの総称．コムギの生パンの粘膜に関与すると考えられている）．

glu·te·o·fem·o·ral (glū′tē-ō-fem′ō-răl). 殿大腿部の（殿部と大腿についていう）．

glu·te·o·in·gui·nal (glū′tē-ō-ing′gwi-năl). 殿鼡径部の（殿部と鼡径部についていう）．

glu·te·us (glū′tē-ŭs). 殿筋（→gluteus maximus (*muscle*); gluteus medius (*muscle*); gluteus minimus (*muscle*)）．

glu·ti·noid (glū′ti-noyd). グルチノイド．＝albuminoid (3).

glu·ti·nous (glū′tin-ŭs). 粘着性の，ねばねばした．

glu·ti·tis (glū-tī′tis) [G. *gloutos*, buttock + *-itis*, inflammation]．殿筋炎．

Glx グルタミル(Glu)，グルタミニル(Gln)および(または)ペプチドの酸加水分解によってグルタミン酸を与える物質(例えば，5-オキソプロリン，4-カルボキシグルタミン酸)に対する記号で，〝x〟は実際の分子の実体の正確な同定について不明である場合に用いる．

Gly グリシンあるいはグリシル(グリシンのアシル基)の記号．

gly·cal (glī′kăl). グリカール（隣り合った 2 つの水酸基が除去されて CH=CH を形成している不飽和糖誘導体．水酸基の 1 つはアルドースの C-1(またはケトンの C-2)にある）．＝glucal.

gly·can (glī′kan). グリカン（→heteroglycan; homoglycan）．＝polysaccharide.

gly·can·o·hy·dro·las·es (glī′kan-ō-hī′drō-lā-sĕz). グリカノヒドロラーゼ（グリカンに作用する加水分解酵素群．例えば，キチナーゼ，ヒアルロノグルコシダーゼ）．

gly·cate (glī′kāt). グリケート（糖と蛋白のフリーのアミノ基(群)の間の非酵素的な反応による生成物．ただし糖がグリコシル基あるいはグリコシドで結合しているのか Schiff 塩基を形成しているのかはわかっていない）．

gly·ca·tion (glī-kā′shŭn). グリケーション（血糖と反応してグリコシル化される非酵素的な反応）．

gly·ce·mi·a (glī-sē′mē-ă) [G. *glykys*, sweet + *haima*, blood]．血糖〔症〕．

glyc·er·al·de·hyde (glis′ĕr-al′dĕ-hīd). グリセルアルデヒド（三炭糖の一種．最も単純で，光学的活性を有するアルドース．右旋異性体はあらゆる右旋化合物の構造基準点とみなされており，左旋異性体もあらゆる左旋化合物に対して同様の地位を占める）．＝glyceric aldehyde; 2,3-dihydroxypropranal.

glyc·er·al·de·hyde 3-phos·phate (glis′ĕr-al′dĕ-hīd fos′fāt). グリセルアルデヒド 3-リン酸（D-グルコースの解糖分解における中間物質．フルクトース二リン酸アルドラーゼの触媒作用によるフルクトース 1,6-二リン酸の分解産物の 1 つ）．

gly·cer·ic ac·id (gli-sĕr′ik as′id). グリセリン酸（グリセロールの脂肪酸同族体．特に解糖時の中間物質のように加リン酸分解による誘導体の形で存在する）．＝2,3-dihydroxypropanoic acid.

D-**gly·cer·ic ac·i·dur·i·a** (gli-sĕr′ik as′i-dyūr′ē-ă). D-グリセリン酸尿〔症〕（①尿中にグリセリン酸の排泄が増加している状態．②先天性の代謝障害のため尿中にグリセリン酸の排泄が増加している疾患）．

L-**gly·cer·ic ac·i·dur·i·a** (gli-sĕr′ikas′i-dūr′ē-ă). L-グリセリン酸尿〔症〕（L-グリセリン酸の尿中への排泄．D-グリセリン酸デヒドロゲナーゼの欠乏により一次的な代謝異常を呈し，その結果，L-グリセリン酸およびシュウ酸を排泄し，しばしばシュウ酸塩腎臓結石の形成を伴ったシュウ酸症の臨床的症候群に至る）．

gly·cer·ic al·de·hyde (gli-sĕr′ik al′de-hīd). グリセリンアルデヒド．＝glyceraldehyde.

glyc·er·i·das·es (glis′ĕr-ĭ-dās-ĕz). グリセリダーゼ（グリセロールエステル(グリセリド)の加水分解を触媒する酵素の総称名．トリアシルグリセロールパーゼなどがある）．

glyc·er·ide (glis′ĕr-īd, -id). グリセリド（グリセロールのエ

G

ステルの一種．この語は通常，phospho- と結合して用いる(phosphoglyceride)．mono-, di-, triglyceride という言い方は現在，より正確な用語である mono-, di-, triacylglycerol に，それぞれ置き換えられつつある）．

mixed g.'s 混合グリセリド（種々のグリセリン脂肪酸エステルで，加水分解により，1つ以上の多様の脂肪酸を生成する）．

glyc·er·in (glis′ĕr-in). グリセリン．＝glycerol.

g. jelly グリセリンゼリー．＝glycerinated *gelatin*.

glyc·er·ite (glis′ĕr-īt). ***1*** グリセライト．＝glycerol. ***2*** グリセリン剤（活性の医薬物質をグリセロールと研和してつくられた製剤）．

starch g. グリセリン軟膏（1000 g 中に，デンプン 100 g，安息香酸 2 g，精製水 200 mL，グリセリン 700 g を含む製剤．局所緩和薬）．

tannic acid g. グリセリン化タンニン酸（タンニンのグリセリン剤．タンニン酸，クエン酸ナトリウム，乾燥亜硫酸ナトリウム，グリセリンからなる．収れん薬）．

glyc·er·o·gel·a·tin (glis′ĕr-ō-jel′ă-tin). グリセロゼラチン．＝glycerinated *gelatin*.

glyc·er·o·ki·nase (glis′ĕr-ō-kī′nās). グリセロキナーゼ．＝*glycerol* kinase.

glyc·er·ol (glis′ĕr-ol). グリセロール（甘く，粘着性の液体で，脂肪および不揮発性油をけん化して得られる．溶媒，皮膚軟化薬，注入あるいは坐剤の形で便秘の治療に，賦形剤および甘味料など多くの用途がある）．＝1,2,3-propanetriol; glycerin; glycerite (1); glyceryl alcohol.

iodinated g. ヨウ化グリセロール（ヨウ素が有機的に結合した物質で，逐次ヨウ素を遊離する．医療上，ヨウ素源として用いられてきており，また，去痰薬としてヨウ化カリウムなどの無機ヨウ素の代わりに用いられる）．＝iodopropylidene glycerol; organidin.

g. kinase グリセロールキナーゼ（ATP とグリセロールの反応を触媒し，リン酸グリセロールと ADP を生成する．褐色脂肪組織でのトリアシルグリセロール合成の最初の律速段階．この欠損により副腎，筋肉，および(または)肝臓，脳の機能障害をきたす）．＝glycerokinase.

g. phosphate グリセリンリン酸（グリセリンのリン酸エステルのアニオンで，その 3-誘導体はホスファチジン酸の主体をなすもの(*R*-グリセリン-3-リン酸)）．＝glycerophosphate.

glyc·er·ol-3-phos·phate ac·yl·trans·fer·ase (glis′ĕr-ol fos′fāt as′il-trans′fĕr-ās). グリセロール-3-リン酸アシルトランスフェラーゼ（リン脂質の生合成に関与し，アシル基を脂肪酸アシルCoA から *sn*-グリセロール-3-リン酸を転移させ，CoA とリゾホスファチジル酸を生成させる）．

glyc·er·ol-3-phos·phate de·hy·dro·gen·ase (NAD⁺) (glis′ĕr-ol fos′fāt dē-hī′drō-jen-ās). グリセリン-3-リン酸デヒドロゲナーゼ；α-glycerol phosphate dehydrogenase; 3-phosphoglycerol dehydrogenase（フラボ酵素で，NAD⁺ 存在下，ジヒドロキシアセトンリン酸と *sn*-グリセリン 3-リン酸との相互交換を触媒する．その作用は，脂肪生成に炭水化物からグリセリン部分を供給する）．

glyc·er·one (glis′ĕr-ōn). グリセロン（dihydroxyacetone に対する IUPAC 推奨名）．

glyc·er·o·phos·phate (glis′ĕr-ō-fos′fāt). ＝*glycerol* phosphate.

glyc·er·o·phos·pho·cho·line (glis′ĕr-ō-fos′fō-kō′lēn). グリセロリン酸コリン（ホスファチジルコリン(レシチン)の一構成要素で，この場合グリセロリン酸コリンの 2 つの OH 基が脂肪酸とエステル化している）．＝glycerophosphorylcholine.

glyc·er·o·phos·phor·ic ac·id (glis′ĕr-ō-fos-fōr′ik as′id). グリセロリン酸（グリセロールのリン酸エステル．→*glycerol* phosphate）．

glyc·er·o·phos·phor·yl·cho·line (glis′ĕr-ō-fos′fōr-il-kō′lēn). ＝glycerophosphocholine.

glyc·er·ul·ose (glis-ĕr′ul-ōs). ＝dihydroxyacetone.

glyc·er·yl (glis′ĕr-il). グリセリル（①グリセロールに対する 3 価の基 $C_3H_5^{3-}$．しばしば glycero- または glycerol と誤って用いられる．②グリセロールの 1 個以上のヒドロキシル基を除去することにより得られた置換基の総称）．

g. alcohol グリセリルアルコール．＝glycerol.

g. borate ホウ酸グリセリン．＝boroglycerin.

g. guaiacolate グリセリルグアヤコール塩．＝guaifenesin.

g. iodide ヨウ化グリセリル（経口投与後生体でヨウ素を徐々に遊離するヨウ素有機化合物．主として去痰薬や粘液溶解薬として用いられる）．＝3-iodo-1,2-propanediol; γ-iodopropyleneglycol.

g. monostearate モノステアリン酸グリセリン（グリセロールと 1 分子のステアリン酸とのエステル．化粧用クリームの製造，皮膚科用製剤に用いる）．

g. triacetate 三酢酸グリセリン．＝triacetin.

g. tributyrate グリセリルトリブチレート．＝tributyrin.

g. tricaprate ＝caprin.

g. trinitrate トリニトログリセリン．＝nitroglycerin.

gly·cin·am·ide ri·bo·nu·cle·o·tide (glī-sin′a-mīd rī′bō-nū′klē-ō-tīd). →glycineamide ribonucleotide.

gly·cin·ate (glī′sin-āt). ***1*** グリシン酸塩．***2*** グリシンアニオン．

gly·cine (G, Gly) (glī′sēn). グリシン（最も単純なアミノ酸．ゼラチンおよび絹フィブロインの主成分．栄養剤，食品添加物として，溶液では灌注剤として用いる．イソ吉草酸血症の治療に用いる）．＝gelatin sugar.

g. acyltransferase グリシンアシルトランスフェラーゼ（アシルCoA からアシル基をグリシンへ可逆的に転移させ遊離の CoA と *N*-アシルグリシンを生成させる反応を触媒する酵素．解毒化経路の 1 段階である）．

g. amidinotransferase グリシンアミジノトランスフェラーゼ（酵素の一種．アミジン団が L-アルギニンからグリシンへ転移し，グリコシアミンと L-オルニチンを形成する反応を触媒する．クレアチン生合成の重要な反応である．それはまた，カナバニンに作用する）．＝g. transamidinase.

g. betaine ＝betaine.

g. cleavage complex グリシン開裂複合体（グリシンとテトラヒドロ葉酸とにより CO_2，NH_3，N^5,N^{10}-メチレンテトラヒドロ葉酸を与える可逆的反応を触媒する数種の蛋白の複合体．この酵素(またはそのサブユニットの 1 つ)の欠損により非ケトーシス型高グリシン血症になる）．＝g. synthase.

g. dehydrogenases グリシンデヒドロゲナーゼ（酵素の一種で，NAD⁺ またはフェリシトクロム *c* を用い，グリシンをグリオキシル酸とアンモニアに転化する反応を触媒する酵素）．

g. synthase グリシンシンターゼ．＝g. cleavage complex.

g. transamidinase ＝g. amidinotransferase.

gly·cine·a·mide ri·bo·nu·cle·o·tide, gly·cin·am·ide ri·bo·nu·cle·o·tide (glī′sin-ă-mīd rī′bō-nū′klē-ō-tīd, glī-sin′a-mīd rī′bō-nū′klē-ō-tīd). グリシンアミドリボヌクレオチド（プリン生合成の中間物質で，グリシンアミドのアミドNがリボシル部分の C-1 に結合しているもの）．

gly·cin·in (glī-sin′in). グリシニン（ダイズの主蛋白．グロブリンの一種で，構造的にはアラキン，エデスチン，エキセルシンと類似している）．

gly·cin·i·um (glī-sin′ē-ŭm). グリシニウム（グリシンのカチオン）．

gly·ci·nu·ri·a (glī′si-nyū′rē-ă) ［glycine＋G. *ouron*, urine］. グリシン尿〔症〕（尿中にグリシンを排泄すること）．

familial g. ［MIM*138500］. 家族性グリシン尿〔症〕（代謝異常の一種で，腎臓のグリシン再吸収障害によると考えられている．シュウ酸塩結石症を伴う場合もある．イミノグリシン尿症のヘテロ接合型の可能性もある．常染色体優性遺伝）．

glyco- (glī′kō) ［G. *glykys*, sweet］. 糖(例えば glycogen)またはグリシン(例えば glycocholate)に関係があることを示す接頭語．→gluco-.

gly·co·ca·lyx (glī′kō-kā′liks) ［glyco-＋G. *kalyx*, husk, shell］. グリコカリックス（PAS(過ヨウ素酸 Schiff 反応)陽性の線維状外皮．原形質膜の遊離表面から突き出ている蛋白の炭水化物(糖質)部分からなる．ある種の上皮細胞の先端面上をおおっている）．

gly·co·cho·late (glī′kō-kō′lāt). グリココール酸塩またはエステル．

g. sodium グリココール酸ナトリウム（ヒトや草食動物の胆汁の正常成分．草食動物から得られるグルココール酸ナトリウムは精製されて催胆薬，利胆薬として用いる）．

gly・co・cho・lic ac・id (glī′kō-kō′lik as′id)．グリココール酸；*N*-cholylglycine（胆汁酸の主要な配合体の一種．コール酸の–COOH 基とグリシンのアミノ基が縮合してできる *N*-コリルグリシンで，水溶性の強力な洗浄剤）．

gly・co・con・ju・gates (glī′kō-kon′jū-gātz)．複合糖質（生体の糖を含有する高分子の一種．糖脂質，糖蛋白，プロテオグリカンが属する）．

gly・co・cor・ti・coid (glī′kō-kōr′ti-koyd)．＝glucocorticoid.

gly・co・cy・a・mine (glī′kō-sī′ă-mēn)．グリコシアミン；2-guanidinoacetic acid（アミジン基の L-アルギニンからグリシンへの転移によりできる）．＝glucocyamine.

gly・co・gel・a・tin (glī′kō-jel′ă-tin)．グリコゼラチン．＝glycerinated *gelatin*.

gly・co・gen (glī′kō-jen)．グリコゲン，糖原（高分子量のグルコサン．構造的にはアミロペクチンに類似するが(α(1,4)結合で，一部α(1,3)結合)，より高度に分枝している(α(1,6)結合)．身体のほとんどの組織に存在し，特に肝臓および筋肉組織に顕著である．主要な貯蔵炭水化物で，容易にブドウ糖に転化される）．＝animal dextran; animal starch; hepatin; liver starch.

g. phosphorylase グリコゲンホスホリラーゼ．＝phosphorylase.

g. synthase, g. starch synthase グリコゲンシンターゼ，グリコゲンデンプンシンターゼ（UDP-D-グルコースの D-グルコースを 1,4-α-D-グルコシル鎖へ転移させる反応を触媒するグルコシルトランスフェラーゼ．肝臓にあるこの酵素の欠損により一種の低血糖症になる）．

gly・co・ge・nase (gli′kō-jĕ-nās′)．グリコゲナーゼ，グリコゲン分解酵素．＝α-amylase; β-amylase.

gly・co・gen・e・sis (glī′kō-jen′ĕ-sis)［glyco- + G. *genesis*, production］．糖生成，糖原形成（D-glucose からのグリコゲン形成で，グリコゲンシンターゼおよびデキストリンデキストラナーゼを介して行われる．グリコゲンシンターゼは α-1,4 結合をもったポリグルコースを UDP グルコースから形成する反応を触媒する．デキストリンデキストラナーゼは，一部を１つの鎖から他の鎖 α-1,6 分岐部に転移する）．

gly・co・ge・net・ic (glī′kō-jĕ-net′ik)．糖生成の，糖原形成の．＝D-glycogenous.

gly・co・gen・ic (glī′ko-jen′ik)．糖原生成性の．

gly・co・gen・ol・y・sis (glī′kō-jĕ-nol′i-sis)．糖原分解（グリコゲンのブドウ糖への加水分解）．

gly・co・ge・no・sis (glī′kō-jĕ-nō′sis)［MIM 指定：I * 232200, * 232220, * 232240; II * 232300; III * 232400; IV * 232500; V * 232600; VI * 232700; VII * 232800］．糖原病，糖原〔貯蔵〕症（正常または異常な化学構造のグリコゲンが組織に蓄積するすべての糖原貯蔵病についていう．進行性の筋力低下を伴う肝臓，心臓，舌などの横紋筋の肥大をみる場合がある．欠損する酵素によって７つの型(Cori 分類)に分類される．すべての型は常染色体劣性遺伝に起因するが，各々の酵素の欠損は異なった遺伝子座による）．＝dextrinosis; glycogen-storage disease.

brancher deficiency g. 分枝酵素欠損症性グリコーゲン蓄積症．＝brancher glycogen storage *disease*.

generalized g. 全身性糖原病．＝g. type 2．

glucose-6-phosphatase hepatorenal g. グルコース 6-ホスファターゼ〔欠損〕性肝腎〔型〕糖原病．＝g. type 1．

hepatophosphorylase deficiency g. 肝ホスホリラーゼ欠損性糖原病．＝g. type 6．

myophosphorylase deficiency g. 筋ホスホリラーゼ欠損性糖原病．＝g. type 5．

g. type 1 糖原病１型（グルコース 6-ホスファターゼの欠損に起因する糖原病で，正常な化学構造のグリコゲンが過量に，特に肝臓と腎臓に蓄積する）．＝Gierke disease; glucose-6-phosphatase hepatorenal g.; von Gierke disease.

g. type 2 糖原病２型（リソソームの α-1,4-グルコシダーゼの欠損に起因する糖原病で，正常な化学構造の糖原が，心臓，筋肉，肝臓，神経系に過量に蓄積する）．＝generalized g.; Pompe disease.

g. type 3 糖原病３型（アミロ-1,6-グルコシダーゼの欠損に起因する糖原病で，短い外鎖を有する異常な糖原が，肝臓，筋肉に蓄積する）．＝Cori disease; debranching deficiency limit dextrinosis; limit dextrinosis; Forbes disease.

g. type 4 糖原病４型．＝brancher glycogen storage *disease*;

G

糖原病の分類

型	糖原病	酵素欠損	生化学的診断	臨床症状
1	肝腎型糖原病，Gierke病	グルコース-6-ホスタファーゼ	グリコゲン分子は正常．肝腎にグリコゲンが過剰に沈着	低血糖，高尿酸血症，高脂血症，ケトーシス，肝腫大，小人症
2	全身型悪性糖原病，Pompe病	α-1,4-グルコシダーゼ	グリコゲン分子は正常．全身の臓器にグリコゲンが沈着	筋力低下，心不全，神経症状，幼児期に死亡
3	肝腎型良性糖原病，Cori病，Forbes病（3b—fの異型あり）	アミロ-1,6-グルコシダーゼ	分枝を有する異常グリコゲンが肝や筋肉に蓄積	肝腫大，低血糖，臨床症状は軽く経過
4	肝・細網内皮系糖原病，Andersen病，amylopectinosis	α-1,4-グルカン：α-1,4-グルカン-6-グリコシルトランスフェラーゼ	長い分枝を有する異常グリコゲンが肝，脾やリンパ節に蓄積	肝硬変，肝脾腫
5	筋型糖原病，McArdle-Schmid-Pearson病	α-グルカンホスホリラーゼ（筋）	グリコゲン分子は正常，筋肉に過剰に蓄積	全身の筋力低下，筋肉痛，ミオグロビン尿症
6	肝型糖原病，Hers病	α-グルカンホスホリラーゼ（肝）	グリコゲン分子は正常．肝に過剰に蓄積	肝腫大，比較的良性
7	筋型糖原病，垂井病	ホスホフルクトキナーゼ（筋）	グリコゲン分子は正常．骨格筋に蓄積	筋肉の痙攣，ミオグロビン尿症
8	肝型糖原病，X染色体劣性遺伝	ホスホリラーゼ-bキナーゼ（肝）	グリコゲン分子は正常．肝に過剰に蓄積	臨床的には軽症，肝腫大，低血糖

Andersen disease.

g. type 5 糖原病 5 型（筋肉のグリコゲンホスホリラーゼの欠損に起因する糖原病で，正常な化学構造の糖原が筋肉に蓄積する）. ＝McArdle disease; McArdle syndrome; McArdle-Schmid-Pearson disease; myophosphorylase deficiency g.

g. type 6 糖原病 6 型（肝グリコゲンホスホリラーゼの欠損に起因する糖原病で，正常な化学構造の糖原が肝臓，白血球に蓄積する）. ＝hepatophosphorylase deficiency g.; Hers disease.

g. type 7 糖原病 7 型（筋肉のホスホフルクトキナーゼ欠損症．激しい運動時には筋肉の痙攣やミオグロビン尿を呈する．臨床症状は糖原病 5 型と似ている）. ＝Tarui disease.

D-gly·cog·e·nous (glī-koj′ĕ-nŭs). ＝glycogenetic.

gly·co·geu·si·a (glī′kō-gū′sē-ă) [glyco- + G. *geusis*, taste]. 自覚的甘味症（主観的な甘味）.

gly·co·gly·ci·nu·ri·a (glī′kō-glī′si-nyū′rē-ă) [MIM *138070]. 糖グリシン尿〔症〕（代謝異常の一種で，糖尿および高グリシン尿を特徴とする．常染色体優性遺伝）.

gly·co·his·to·chem·is·try (glī′kō-his′tō-kem′is-trē). 糖質組織化学（組織中の特異的な糖質の構造解析）.

lectin g. レクチン糖質組織化学（胚上皮の同定での特異的糖質構造(例えば，ピーナッツ凝集素，小麦胚芽凝集素，ハリエニシダ種子凝集素など)に対する内在性リガンドの測定技術）.

gly·col (glī′kol). グリコール（① 2 つのアルコール基を含む化合物の一種．②エチレングリコール）.

gly·col·al·de·hyde (glī′kol-al′dĕ-hīd). グリコールアルデヒド；$HOCH_2CHO$（存在しうる最も単純な(二炭素の)糖．エタノールアミンの好気的脱アミノ化した生成物）. ＝diose.

active g. 活性グリコールアルデヒド；2-(1,2-dihydroxyethyl)thiamin pyrophosphate（炭水化物代謝で生成する誘導体）.

gly·col·al·de·hyde·trans·fer·ase (glī′kol-al′dĕ-hīd-trans′fĕr-ās). グリコールアルデヒドトランスフェラーゼ. ＝transketolase.

gly·co·late (glī-kō′lāt). グリコレート（グリコール酸の塩やエステル）.

gly·co·leu·cine (glī′kō-lū′-sin). ＝norleucine.

gly·col·ic ac·id (glī-kol′ik as′id). グリコール酸（グリシンとエタノールアミンの相互転化における中間物質）. ＝hydroxyacetic acid.

gly·col·ic ac·i·du·ri·a (glī-kol′ik as′i-dū′rē-ă). グリコール酸尿〔症〕（グリコール酸を尿中に過剰に排泄すること．一次性の代謝欠陥で，2-ヒドロキシ-3-オキソアジピン酸カルボキシラーゼの欠乏に起因する．グリコール酸およびシュウ酸を排泄してシュウ酸症の臨床的症候群を招来する）.

gly·co·lip·id (glī′kō-lip′id). 糖脂質（1 個以上の糖が共有結合している脂質）.

gly·co·lyl (glī′kō-lil). グリコリル（グリコール酸のアシル基 $HOCH_2CO$- で，ある種のシアル酸中のアセチル基と置換する．その生成物は，しばしば *N*-glycolylneuraminic acids とよばれる）.

gly·co·lyl·u·rea (glī′kō-lil-yū-rē′ă). グリコリル尿素. ＝hydantoin.

gly·col·y·sis (glī-kol′i-sis) [glyco- + G. *lysis*, a loosening]. 解糖〔作用〕（D-グルコースを乳酸に転化することによりエネルギーを産生する糖代謝過程(ピルビン酸の産生はない)．酸素が不足しているとき(緊急時など)に主に筋肉で行われる．酸素は消費されないことから，しばしば anaerobic g.(嫌気性解糖)とよばれる．*cf.* Embden-Meyerhof-Parnas *pathway*）. ＝glucolysis.

gly·co·lyt·ic (glī′kō-lit′ik). 解糖〔作用〕の.

gly·co·ne·o·gen·e·sis (glī′kō-nē′ō-jen′ĕ-sis) [glyco- + G. *neos*, new + *genesis*, production]. 糖〔質〕新生（①蛋白や脂肪など炭水化物以外の物質を，D-グルコースに転化することによってグリコゲンを形成すること.→glycogenesis. ② ＝gluconeogenesis）.

gly·con·ic ac·ids (glī-kon′ik as′idz). グリコン酸. ＝aldonic acids.

gly·co·pe·ni·a (glī′kō-pē′nē-ă) [glyco- + G. *penia*, poverty]. 糖欠乏〔症〕（ある器官あるいは組織に，ある種のまたはあらゆる種類の糖が欠乏していること）.

gly·co·pep·tide (glī′kō-pep′tīd). グリコペプチド（細菌の細胞壁に存在するようなアミノ酸(またはペプチド)と結合した糖を含む化合物(前者が後者(糖)より多い)．*cf.* peptidoglycan）.

Gly·coph·a·gus (glī-kof′ă-gŭs) [glyco- + G. *phagō*, to eat]. グリコファグス属（コナダニの一般的な属で，しばしば食品取り扱い業者の間にみられる皮膚炎の原因となる.→*Tyrophagus putrescentiae*）.

gly·co·phil·i·a (glī′kō-fil′ē-ă) [glyco- + G. *phileō*, to love]. 高血糖傾向（高血糖を起こす傾向が非常に強い状態で，比較的少量のブドウ糖の摂取によってもこの症状を呈する）.

gly·co·pho·rins (glī′kō-fōr′inz). グリコホリン（赤血球膜に存在する糖蛋白．ある種のグリコホリンは血液型抗原と関係がある．グリコホリン A は主要なグリコホリンである．グリコホリン C の欠損が，4 型遺伝性楕円赤血球症でみられる）.

gly·co·pro·tein (glī′kō-prō′tēn). 糖蛋白〔質〕（①共有結合で連結した炭水化物を含有する蛋白群の一種で，中でもムチン，ムコイド，アミロイドがとりわけ重要である．②少量の炭水化物を含有する蛋白をムコイドまたはムコ蛋白と対照して示す場合に用い，通常，ヘキソースアミンがその判別の尺度となる．これらの複合蛋白は広範にみられ，とりわけ γ-グロブリン，α_1-グロブリン，α_2-グロブリン，トランスフェリンなどにおいて顕著である．これらの蛋白は，粘液，ムチンにも含まれる.→mucoprotein）.

α_1-acid g. α_1 酸性糖蛋白. ＝orosomucoid.

***β*2 g. I** *β*2糖蛋白 I（抗カルジオリピン抗体が結合する主要標的抗原）.

platelet g. IIb/IIIa 血小板糖蛋白 IIb/IIIa（インテグリン，アルファ鎖とベータ鎖のサブユニットからなる膜貫通蛋白の大きなファミリー群に属する．細胞接着を促進したり細胞間および細胞と細胞外マトリックス間相互作用を媒介する）.

gly·co·pty·a·lism (glī′kō-tī′ă-lizm) [glyco- + G. *ptyalon*, saliva]. 糖唾液〔症〕. ＝glycosialia.

gly·cor·rha·chi·a (glī′kō-rā′kē-ă) [glyco- + G. *rhachis*, spine]. 糖髄液〔症〕（脳脊髄液中に糖が存在すること）.

gly·cor·rhe·a (glī′kō-rē′ă) [glyco- + G. *rhoia*, a flow]. 糖液漏，糖排泄（糖尿と同様，身体から糖を排泄することで，特にその量の過剰なものをいう）.

gly·cos·am·i·no·gly·can (GAG) (glī′kōs-am′i-nō-glī′kan). →mucopolysaccharide.

gly·co·se·cre·to·ry (glī′kō-sē-krē′tŏ-rē). 糖原分泌の.

gly·co·si·a·li·a (glī′kō-sī-ā′lē-ă) [glyco- + G. *sialon*, saliva]. 糖唾液〔症〕（唾液中に糖が存在すること）. ＝glycoptyalism.

gly·co·si·a·lor·rhea (glī′kō-sī′ă-lō-rē′ă) [glyco- + G. *sialon*, saliva + *rhoia*, a flow]. 糖唾液分泌（糖性唾液の過剰な分泌）.

gly·cos·i·das·es (glī-kō-sīd-ās′ez). グリコシダーゼ（グリコシドに作用する加水分解酵素の一種．α-グリコシダーゼは α-グリコシド結合に作用する(例えば α-アミラーゼ)が，β-グリコシダーゼは β-グリコシド結合に作用する(例えば β-グルコシダーゼ)．グリコシダーゼはさらに *O*-グリコシル，*N*-グリコシルまたは *S*-グリコシル化合物に作用する酵素に分類される）.

gly·co·side (glī′kō-sīd). グリコシド，配糖体（糖とそれ以外の何らかの基との縮合物で，糖のヘミアセタールまたはヘミケタールから OH が失われ，このアノマー炭素が結合して残ったもの．したがってそのアノマー炭素を介してアルコールとの縮合は，そのヒドロキシル基の水素を消失させアルコール配糖体を生成する．プリンまたはピリミジンの-NH-基との連鎖はグリコシル(または *N*-グリコシル)化合物を生成する）.

cardiac g.'s 強心配糖体（心不全時に心臓の収縮力を増強する作用を有する薬物の一般名．ジギタリス(キツネノテブクロ)，他の植物および動物から抽出されたものがある）.

cyanogenic g. 青酸グリコシド（代謝によって CN^- を生成する能力があるグルコシド(例えばアミグダリン)）.

***N*-gly·co·side** (glī′kō-sīd). glycosyl の誤称.

gly·co·sid·ic (glī′kō-sid′ik). グリコシドの（グリコシドま

たはグリコシド結合に関する).
gly·co·sphin·go·lip·id (glī′kō-sfing′gō-lip′id). グリコスフィンゴリピド（セラミドが1個以上の糖と末端のOH基を介して結合したもの．グリコスフィンゴリピドに含まれるものとしては，セレブロシド，ガングリオシド，セラミド(オリゴグリコシルセラミド)などがある．接頭語のglyc-は，gluc-, galact-, lact-, その他に置き換えてもよい). ＝ceramide saccharide.
gly·co·stat·ic (glī′kō-stat′ik). 糖〔原〕定常〔性〕の（ある種の下垂体前葉抽出物の性質をさす用語で，この物質には，筋肉，肝臓，その他の組織の貯蔵糖原を体内に維持する働きがある).
gly·co·sur·i·a (glī′kō-syū′rē-ă) [glyco- ＋ G. *ouron*, urine]. ***1*** 糖尿．＝glucosuria. ***2*** 炭水化物の尿中排泄．＝glycuresis (2).
alimentary g. 食事性糖尿（中等量の糖またはデンプンの摂取後起こる糖尿．通常，グルコースは腎尿細管で再吸収されるため，グルコースが尿中に排泄されることはない．しかし，消化管での糖の吸収が肝やその他の組織での糖処理能力を越えて血糖が高くなった場合には尿中に糖が排泄される). ＝alimentary diabetes; digestive g.
benign g. 良性糖尿（糖に対する腎閾値が低いために起こる真性糖尿病によらない糖尿).
digestive g. 消化性糖尿．＝alimentary g.
nondiabetic g. 非糖尿病性糖尿．＝nonhyperglycemic g.
nonhyperglycemic g. 非高血糖〔症〕性糖尿（沪過された糖の腎尿細管による再吸収の異常に由来する高血糖症がないにもかかわらず尿中に糖が存在すること). ＝nondiabetic g.; orthoglycemic g.
normoglycemic g. 正常血糖性糖尿．＝renal g.
orthoglycemic g. 正血糖〔症〕性糖尿．＝nonhyperglycemic g.
pathologic g. 病的糖尿（尿中に比較的多量の糖を慢性的に排泄するもの).
phlorizin g., phloridzin g. フロリジン糖尿（フロリジン実験投与後，尿中に糖が現れること．フロリジンの投与はブドウ糖の再吸収に対する腎閾値を低下させる作用がある). ＝phlorizin diabetes.
renal g. 腎性糖尿（反復性または継続的にブドウ糖を尿中に排泄するが，ブドウ糖の血中濃度は正常範囲にある．糸球体沪過後，ブドウ糖を再吸収する腎近位尿細管の機能不全(低腎閾値)による．ネフロンにおける糖担体の欠損による). ＝normoglycemic g.; renal diabetes.
gly·co·syl (glī′kō-sil). グリコシル（糖のヘミアセタールまたはヘミケタール性水酸基が分離してできる基．*cf.* glycoside).
gly·co·sy·la·tion (glī′kō-si-lā′shŭn). 糖化（グリコシル基と結合すること．例えばD-グルコースとヘモグロビンが結合するとヘモグロビンA_{1c}となり，コントロール不良の糖尿病で血中のD-グルコース濃度が上昇するにつれてA_{1c}の濃度も上昇する．→glycosylated *hemoglobin*).
gly·co·syl·trans·fer·ase (glī′kō-sil-trans′fĕr-ās). グリコシルトランスフェラーゼ（グリコシル基を1つの化合物から他の化合物へ転移させる酵素(EC subclass 2.4)の総称名). ＝transglycosylase.
glycotoxicity (glī′kō-tok-sis′i-tē). 糖毒性（グルコースが上昇したため糖尿病などで生じる臓器の病的変化). ＝glucotoxicity.
gly·co·tro·pic, gly·co·tro·phic (glī′kō-trop′ik, -trof′-ik) [glyco- ＋ G. *trophē*, nourishment; *tropē*, a turning]. 糖親和性（下垂体前葉の抽出物中の成分との関係を示す．この成分はインスリンの作用に拮抗して高血糖をもたらす).
gly·cu·re·sis (glī′kyū-rē′sis) [glyco- ＋ G. *ourēsis*, urination]. ***1*** ＝glucosuria. ***2*** ＝glycosuria (2).
gly·cu·ron·ate (glī-kūr′on-āt). グリクロン酸塩またはエステル.
gly·cu·ron·ic ac·id (glī′kū-ron′ik as′id). グリクロン酸（炭素鎖末端がカルボキシル基に酸化された糖のウロン酸).
gly·cu·ron·i·dase (glī′kū-ron′i-dās). グリクロニダーゼ．＝*β*-D-glucuronidase.
gly·cu·ro·nide (glī-kūr′on-īd). グリクロニド（ウロン酸のグリコシド．例えばグルクロニド).
gly·cu·ro·nu·ri·a (glī′kū-rō-nyū′rē-ă). グルクロン酸尿〔症〕(尿中にグルクロン酸が存在するもの).
gly·cyl (Gly) (glī′sil). グリシル（グリシンのアシル基).
glycylcycline (gli-sil-sī-klēn). グリシルサイクリン（テトラサイクリン系抗生物質に化学的に関連する抗生物質群の1つ).
glyc·yr·rhi·za (glis′ri-rī′ză) [G. ＜ *glykys*, sweet ＋ *rhiza*, root]. カンゾウ(甘草)（蝶蝶花科のスペインカンゾウ *Glycyrrhiza glabra* および類縁種の乾燥根茎または根．粘滑剤，微緩下薬，去痰薬である．また他の治療薬の矯味剤としても用いる．その作用はグリシルリジン酸によるものとみられる．グリシルリジン酸はアルドステロンに似た作用を有するナトリウム保持性のグリコシドである). ＝licorice; liquorice.
gly·ox·al (glī-oks′ăl). グリオキサール；OHC–CHO（最も単純なジアルデヒド). ＝oxalaldehyde.
gly·ox·a·lase (glī-oks′ă-lās). グリオキサラーゼ（赤血球その他の組織に存在する酵素．ラクトイルグルタチオンリアーゼ(グリオキサラーゼI)，ヒドロキシアシルグルタチオンヒドロラーゼ(グリオキサラーゼII)で，グリオキサールとグルタチオンに結合した置換グリオキサールを対応する遊離ヒドロキシ酸(グリオキサラーゼII)またはグリオキサール(グリオキサラーゼI)に転化する).
gly·ox·y·late trans·a·cet·y·lase (glī-oks′i-lāt trans′ă-set′i-lās). ＝*malate* synthase.
gly·ox·yl·di·u·reide (glī-oks′il-dī′yū-rīd). グリオキシルジウレイド．＝allantoin.
gly·ox·yl·ic ac·id (glī′oks-il′ik as′id). グリオキシル酸；OHC–COOH（グリシンまたはサルコシンにグリシン酸化酵素が作用したり，あるいはアラントイン酸にアラントイカーゼが作用したり，またはアラニン－グリオキシル酸アミノトランスフェラーゼ経由でつくられる). ＝oxoacetic acid.
gm [旧式の本略号は使用を避けること]．以前用いたgramの略.
GM-CSF granulocyte-macrophage colony-stimulating *factor* の略.
Gme·lin ([Guh]mā′lin), Leopold. ドイツ人生理・化学者，1788—1853. →G. *test*; Rosenbach-G. *test*.
GMO General Medical Officer(軍医総監，主席衛生官)の略.
GMP guanosine monophosphate(guanylic acid)の略.
GMP re·duc·tase (rē-dŭk′tās). *guanylic acid* reductase の略.
GMP syn·the·tase (sin′the-tās). *guanylic acid* synthetase の略.
GMS Grocott-Gomori methenamine-silver *stain* の略.
GN graduate *nurse* の略.
gnash·ing (nash′ing). 歯ぎしり（そしゃく機能とは無関係に歯をすり合わせること．ときには，情緒的緊張を伴う．→bruxism).
gnat (nat) [A.S. *gnaet*]. ブユ（微小な昆虫数種に用いる一般的な名称．*Simulium*属(buffalo g.)や *Hippelates*属(eye g.)の種を含む．英国ではカをこの群に含めることがあるが，米国では含まない).
gnath- (nath). →gnatho-.
gnath·ic (nath′ik) [G. *gnathos*, jaw]. 顎の，歯槽突起の.
gnath·i·on (nath′ē-on) [G. *gnathos*, jaw]. グナチオン（下顎正中線の最下点．頭部計測法で，おとがいの最前方と最下方との間の中点にあり，下顎下縁線とナジオン－ポゴニオン線の交点で測定される).
gnatho-, gnath- (nath′ō,nath) [G. *gnathos*]. 顎に関連する連結形.
gnath·o·ceph·a·lus (nath′ō-sef′ă-lŭs) [*gnatho-* ＋ G. *kephalē*, head]. 顎頭奇形，顎頭体（顎以外の頭部がほとんどない奇形胎児).
gnath·o·dy·nam·ics (nath′ō-dī-nam′iks) [gnatho- ＋ G. *dynamis*, power]. 顎力学（機能中のそしゃく系の成分により，その成分上に発生する力の大きさ，方向の関係を研究する学問).
gnath·o·dy·na·mom·e·ter (nath′ō-dī-nă-mom′ĕ-tĕr) [gnatho- ＋ dynamometer]. 顎力測定計（咬合圧を測定する装置). ＝bite gauge; occlusometer.
gnath·og·ra·phy (nath-og′ră-fē). 咬合描画法（機能中のそしゃく器官の作用を記録する).
gnath·o·log·ic·al (nath′ō-loj′i-kăl). 顎力学の.

G

gnath·ol·o·gy (nath-ol′ŏ-jē). ナソロジー（生理学，機能障害，治療を含めたそしゃく系を研究する学問）.

gnath·os·chi·sis (nath-os′ki-sis) [gnatho- + G. *schisis*, a cleaving]. 顎裂. = cleft *jaw*.

gnath·o·stat·ics (nath′ō-stat′iks) [gnatho- + G. *statikos*, causing to stand]. 顎態診断学（頭蓋位測定点に基づいて歯列を定位にする矯正歯科における技術的操作）.

Gnath·os·to·ma (nath-os′tō-mă) [gnatho- + G. *stoma*, mouth]. 顎口虫属（旋尾線虫類の一属(顎口虫類)で，数列のクチクラ性のとげが頭部付近にあり，また複数の宿主を経る水中生活環をもつことを特徴とする．ネコ，ウシ，ブタに病原性のある寄生虫を含む）.

G. doloresi ドロレス顎口虫（家畜および野生のブタ類にみられる線虫の種．ヒトへの感染(皮膚幼虫移行症)が日本で報告されている）.

G. hispidum 剛棘顎口虫（家畜および野生のブタ類にみられる線虫の種．ヒトへの感染(皮膚幼虫移行症)が日本で報告されている）.

G. nipponicum 日本顎口虫（イタチにみられる線虫の種．ヒトへの感染(皮膚幼虫移行症)が日本で報告されている）.

G. siamense *G. spinigerum* の無効名.

G. spinigerum 有棘顎口虫（ネコ，イヌ，野生食肉類の寄生虫であるが，極東地域ではヒトに発見されることもある．橈脚類，魚類を介して伝播する．ヒトへの感染は通常，皮膚に限られるが，この遊走する幼虫による眼や脳への感染例も報告されている）.

gnath·o·sto·mi·a·sis (nath′ōstō-mī′ă-sis). 顎口虫症（*Gnathostoma spinigerum* の幼虫の皮膚感染による遊走性浮腫またはいん線病）. = Yangtze edema.

gnos·co·pine (nos′kō-pēn). グノスコピン（ノスカピンのラセミ化によって得られるアヘンアルカロイドの一種．鎮咳薬）. = *dl*-narcotine.

gno·si·a (nō′sē-ă) [G. *gnōsis*, knowledge]. 人や事物の形状および性質を認知する知覚能力，すなわち知覚力，認知力のこと.

gno·to·bi·ol·o·gy (nō′tō-bī-ol′ŏ-jē) [G. *gnotos*, known + *bios*, life + *logos*, study]. ノトバイオロジー，無菌動物学（汚染微生物の存在しない状態の動物，すなわち無菌動物についての研究）.

gno·to·bi·o·ta (nō′tō-bī-ō′tă) [G. *gnotos*, known + Mod. L. *biota* < G. *bios*, life]. ノトビオタ（純粋に隔離された生物群落または種）.

gno·to·bi·ote (nō′tō-bī′ōt). ノトバイオート（純粋な隔離群(ノトビオタ)から取り出した個体）.

gno·to·bi·ot·ic (nō′tō-bī-ot′ik) [→gnotobiota]. ノトバイオートの（無菌またはあらかじめ無菌であった動物を示すが，微生物叢が関連して存在すればその構成菌は完全にわかっている）.

GnRH gonadotropin-releasing *hormone* の略.

goal (gōl) [M. E. *gol*]. 目標（心理学において，生体が到達あるいは達成しようとする対象または目的一般を示す）.

Go·dé·lier (gō-dā-lyā′), Charles P. フランス人医師，1813—1877. →G. *law*.

God·man (god′măn), John D. 米国人解剖学者，1794—1830. →G. *fascia*.

God·win (god′win), John T. 20 世紀の米国人病理学者. →G. *tumor*.

Goeck·er·man (gōer′kĕr-măn), William H. 米国人皮膚医，1884—1954. →G. *treatment*.

Gof·man (gof′măn), Moses. 20 世紀のドイツ人医師. →G. *test*.

Gog·gi·a (gō′jah), Carlo P. 20 世紀のイタリア人医師. →G. *sign*.

gog·gle (gog′gĕl) [M. E. *gogelen*, to squint]. ***1*** ちりよけ，紫外線よけ（眼を保護するための網状のおおい）. ***2*** 保護眼鏡（眼を保護するための補助防護物のついた眼鏡の一種）.

plethysmographic g. 体積〔変動〕記録用保護眼鏡（眼底血圧計として使用するために特別につくられた保護眼鏡で，眼球加圧による一過性眼内圧上昇時の，自覚的視力変化と他覚的眼変化を知ることができる）.

goi·ter (goy′tĕr) [Fr. < L. *guttur*, throat]. 甲状腺腫（甲状腺の慢性的腫脹．腫瘍によるものではなく，特定の地方，氷河が発生して土壌中のヨード含量が低くなっている地域に特に多い．その他の地方でも散発的に発生する）. = struma (1).

aberrant g. 異所性甲状腺腫（過剰甲状腺の腫脹）. = struma aberrata.

acute g. 急性甲状腺腫（急速に進展する甲状腺腫）.

adenomatous g. 腺腫性甲状腺腫（甲状腺の腫脹．1 個以上の被嚢性腺腫または多数の非被嚢性コロイド小節がその組織内で増殖して生じる）.

Basedow g. (bahz′e-dō). バーゼドー(バセドウ)病甲状腺腫（過剰のヨード摂取後に甲状腺機能亢進症となる甲状腺腫）.

cabbage g. キャベツ性甲状腺腫（キャベツまたはその他の食物性甲状腺腫誘発物質による甲状腺腫）.

colloid g. コロイド甲状腺腫（小胞内容物が激増した甲状腺の一型で，上皮の圧迫性萎縮が起こり，その結果，腫瘍内ではゼラチン様物質が主要部分を占める）. = struma colloides.

cystic g. 嚢腫性甲状腺腫（1 個以上の嚢胞が腺内に存在する甲状腺部の腫脹）.

diffuse g. びまん性甲状腺腫（病変が腺全体に及ぶ甲状腺腫．nodular g. または thyroid adenoma の対語）.

diving g. 潜水夫甲状腺腫（自由に移動する甲状腺腫で，ときには胸骨切痕の上部に，またときには下部にある）. = wandering g.

endemic g. 地方病性甲状腺腫（通常，単純性の甲状腺腫で，ヨウ素の摂取量が不足している地域に多発する）.

exophthalmic g. 眼球突出性甲状腺腫（甲状腺腫がみられ，眼球突出を伴う甲状腺機能亢進症のこと）.

familial g. 家族性甲状腺腫（遺伝性甲状腺障害を総称し，一般に小児期に甲状腺腫が発現する．年とともに，しばしば骨格および精神遅滞その他の甲状腺機能障害に特有な徴候が出現する．何種類かの家族性甲状腺腫が確認されている．ⓘヨウ素転送障害[MIM*274400]：常染色体劣性遺伝で，第 19 染色体短腕にあるナトリウムヨードシンポータ(*SLC5A5*)遺伝子の突然変異により生じる．甲状腺のヨウ素濃縮能が不十分なもの．ⓘⓘヨード有機化障害[MIM*274500, *274600]：チロシンのヨード化に欠陥のあるもの．ⓘⓘⓘ Pendred 症候群[MIM*274600]：常染色体劣性遺伝で，第 7 染色体長腕にある Pendred 症候群遺伝子(*PDS*)の突然変異により生じる．難聴を伴う．ⓘⓥ縮合障害[MIM*274700]：ヨードチロシンの縮合不全の結果，ヨードサイロニンの形成が阻害され，その結果，クレチン病になるもの．ⓥヨードチロシン脱ヨード酵素障害[MIM*274800]：ヨードチロシンの脱ヨード化障害があり，その結果，相当量のホルモン先駆物質の損失が甲状腺にみられ，クレチン病が存在するもの．ⓥⓘ血漿ヨード蛋白異常[MIM*274900]：酸性ブタノールに非溶解性の異常ヨード化血清蛋白が存在するもの．ⓥⓘⓘ家族性甲状腺機能亢進症）.

fibrous g. 線維性甲状腺腫（甲状腺およびその被膜が固く肥厚する）.

follicular g. 沪胞性甲状腺腫. = parenchymatous g.

lingual g. 舌根甲状腺腫（甲状腺組織の腫瘍で，舌根の胚原基痕跡に関連する）.

microfollicular g. 小沪胞性甲状腺腫（腫組織が異常に小さなコロイドが充填された小胞および不定形の小胞形成を伴った未分化の組織からなる甲状腺腫）.

multinodular g. 多結節性甲状腺腫（数個のコロイド結節を伴う腺腫様甲状腺腫）.

nontoxic g. 非中毒性甲状腺腫（甲状腺機能亢進を伴わない甲状腺腫）.

parenchymatous g. 実質性甲状腺腫（上皮の増殖を伴う，小胞の著明な増加のみられる甲状腺腫）. = follicular g.

simple g. 単純性甲状腺腫（甲状腺の腫脹はみられるが甲状腺機能低下または亢進などの機能的影響はない．通常，食事によるヨウ素摂取が不適当なために起こる）.

substernal g. 胸骨下甲状腺腫（主に峡部下部の甲状腺腫で，触知は困難，ときに不可能である）.

suffocative g. 窒息性甲状腺腫（圧迫により極度の呼吸困難を伴う甲状腺腫）.

thoracic g. 胸郭内甲状腺腫（胸腔内の甲状腺腫で，甲状腺機能亢進を伴う場合も伴わない場合もある）.

toxic g. 中毒性甲状腺腫（分泌過剰を伴う甲状腺腫で，甲状腺機能亢進症の徴候および症状がみられる).

wandering g. 遊走甲状腺腫.＝diving g.

goi·tro·gen (goy′trō-jen). 甲状腺腫誘発物質（甲状腺腫を誘発する物質すべてをさす．例えば，キャベツ，菜種).

goi·tro·gen·ic (goy′trō-jen′ik). 甲状腺腫誘発〔性〕の.

goi·trous (goy′trŭs). 甲状腺腫の.

gold (Au) (gōld). 金（黄色の金属元素．原子番号79，原子量196.96654．^{198}Au(半減期2.694日)は，いくつかのタイプの腫瘍の治療，放射線滑膜切除，画像診断などに利用される．種々の金塩はリウマチ性疾患の治療に用いられる).＝aurum.

cohesive g. 粘着性金（室温で加圧熔接できるように，表面に吸着しているガスや不純物を取り除く処置の施された純金に近いもの．歯科においては，形成された窩洞に直接充塡され，加圧によって熔接される修復材として用いる).

mat g. マットゴールド（電解析出により形成され，帯状に圧縮，焼成された金).＝powdered g.

noncohesive g. 非粘着性金（表面に吸着しているガスのために熔接できない金．あるものは熱処理によって粘着性にすることができる．歯科においては，直接充塡材として用いる).

powdered g. 粉金（粉砕または化学的な析出によってつくられる金．あらかじめわずかに濃縮した後金箔で包み，ペレットをつくる).

g. standard [jargon]. 金基準，金標準（[医学文書では criterion standard の方が好まれる]．最も有用であると広く認められている方法を記述するのに用いられる俗語).

Gold·blatt (gōld′blat), Harry. 米国人病理学者，1891—1977. ⇀G. *hypertension*, *kidney*.

Gol·den·har (gōl′dĕn-hahr), Maurice. 20世紀のスイス系米国人医師，1924—2001. ⇀G. *syndrome*.

gold·en seal (gold′en sēl). ＝hydrastis.

Gold·flam (gōldt′flahm), Samuel V. ポーランド人神経科医，1852—1932. ⇀G. *disease*.

gold foil (gōld foyl). 金箔（超薄板に延ばされた純金．う食や破折歯の修復に用いる.→cohesive *gold*; noncohesive *gold*).

Gol·die (gōl′dē), James H. 20世紀のカナダ人疫学者. ⇀G.-Coldman *hypothesis*.

Gold·man (gōld′măn), David E. 20世紀の米国人生理学者. ⇀G. *equation*; G.-Hodgkin-Katz *equation*.

Gold·man (gōld′măn), Henry M. 米国人歯周病専門歯科医，1911—1980. ⇀G.-Fox *knives*(⇌knife).

Gold·mann (gōldt′mahn), Hans. スイス人眼科医，1899—1991. ⇀G. *perimeter*, applanation *tonometer*.

Gold·schei·der (gōldt′shī-dĕr), Johannes K.A.E. ドイツ人神経科医，1858—1935. ⇀G. *test*.

Gold·stein (gōld′stīn), Hyman I. 米国人医師，1887—1954. ⇀G. toe *sign*.

Gol·gi (gōl′jē), Camillo. イタリア人組織学者・ノーベル賞受賞者，1843—1926. ⇀G. *apparatus*, *complex*, *corpuscle*, tendon *organ*, internal *reticulum*, *zone*, *cells*, osmiobichromate *fixative*, *stain*; G.-Mazzoni *corpuscle*; Holmgrén-G. *canals*.

gol·gi·o·ki·ne·sis (gol′jē-ō-ki-nē′sis). ゴルジ体運動（有糸分裂の際にGolgi体が分割され，2個の娘細胞へと分配される過程).

Goll (gol), Friedrich. スイス人解剖学者，1829—1903. ⇀G. *column*; *nucleus* of G.; *tract* of G.

Goltz (gōltz), Robert W. 米国人皮膚科医，1923—? ⇀G. *syndrome*.

Gom·bault (gom-bō′), Albert F. フランス人神経科医・病理学者，1844—1904. ⇀G. *triangle*.

go·me·nol (gō′mĕ-nol) [*Gomen*, ニューカレドニアの一地方＋L. *oleum*, oil]. ゴメノール *Melaleuca viridiflora* という植物から得られる精油．主成分はシネオール．殺菌作用を有するが刺激はない．慢性的な肺粘膜の炎症に用いられており，駆虫薬としても使用される.＝oleogomenol.

go·mit·o·li (gō-mit′tō-lī) [It. *gomitolo*, coil]. コイル状動脈（複雑な回旋状およびループ状の毛細血管で，主として下垂体柄の上漏斗部に存在する．これらの毛細血管は下垂体門脈系を形成する).

gom·mel·in (gom′mē-lin). ゴメリン（デキストリンの一型).

Go·mo·ri (gō-mō′-rē), George. 米国に在住したハンガリー人組織化学者，1904—1957. ⇀Grocott-G. methenamine-silver *stain*; G. nonspecific alkaline phosphatase *stain*, one-step trichrome *stain*, silver impregnation *stain*, chrome alum hematoxylin-phloxine *stain*. stain の項参照.

Gom·pertz (gom′pĕrtz), Benjamin. イングランド人保険統計学者，1779—1865. ⇀G. *hypothesis*, *law*.

gom·pho·sis (gom-fō′sis) [G. *gomphos*, bolt, nail＋*-osis*, condition][TA]. 丁植（①線維性関節の一型．杭様の突起が穴にはめ込まれているもので，歯根が歯槽の穴に植え込まれている例などがある．②関節をなす骨にみられる深いくぼみ．他の骨の突出部がはめ込まれる).＝socket (1)*; peg-and-socket articulation; peg-and-socket joint.

gon- [G. *gonē*, seed]. [本連結形を gonio- と混同しないこと]. 種，精液を意味する.

go·nad (gō′nad) [Mod. L.＜G. *gonē*, seed]. 性腺，生殖腺（性細胞を形成する器官．精巣，または卵巣).

female g. 女性生殖腺.＝ovary.

indifferent g. 未分化生殖腺（胚の原基器官で，精巣，卵巣に分化する以前のもの.→indifferent *genitalia*).

male g. 男性生殖腺.＝testis.

streak g. 線状性腺.＝gonadal *streak*.

gonad- (gō′nad). ⇀gonado-.

go·nad·al (gō-nad′ăl). 性腺の，生殖腺の.

go·nad·ec·to·my (gō′nad-ek′tŏ-mē) [gonado-＋G. *ektomē*, excision]. 去勢，性腺摘出，生殖腺切除〔術〕（卵巣または精巣の切除.→castration; orchiectomy; ovariectomy).

gonado-, gonad- (gō-nad′ō, gō′nad) [G. *gonē*, seed]. 性腺を意味する連結形.

go·nad·o·blas·to·ma (gō-nad′ō-blas-tō′ma) [MIM *424500]. 性腺芽腫（良性腫瘍で胚細胞，性索派生物，間質細胞を含み，混合型あるいは単純性性腺形成不全にみられる．通常，小腫瘍(1—3 cm)で一部石灰化する．しかし悪性性腺腫瘍(しばしばセミノーマ/未分化胚細胞腫または胎児性癌)に発展する可能性がある).

go·nad·o·crins (gō-nad′ō-krinz) [gonad＋G. *krinō*, to separate, to secrete]. ゴナドクリン（脳下垂体からの卵胞刺激ホルモンおよび黄体形成ホルモンの放出を刺激するプペチド．ラットの卵胞液中で見出された).

go·nad·o·lib·er·in (gō′nad-ō-lib′er-in) [gonad＋L. *libero*, to free＋-in]. ゴナドリベリン（①ゴナドトロピン放出ホルモンを表す現在では用いられない語.＝gonadotropin-releasing factor. ②ブタ視床下部から得られたデカペプチドで，lutropin と follitropin を一定の割合で分泌させる．したがって luliberin と folliberin の両者として作用している．*cf.* gonadotropin-releasing *hormone*. ＝luteinizing hormone/follicle-stimulating hormone-releasing factor).

gon·a·dop·athy (gon′ă-dop′ă-thē) [gonado-＋G. *pathos*, suffering]. 生殖腺病（生殖腺に病変を起こす疾病).

go·nad·o·rel·in hy·dro·chlor·ide (gō′nad-ō-rel′in hī′drō-klōr′īd) [*gonado*tropin-*rel*easing＋-in]. ゴナドレリン（ヒツジやブタより精製されたゴナドトロピン放出刺激ホルモン．下垂体前葉のゴナドトロピン産生細胞よりのゴナドトロピン分泌能を検討する際に用いる).

go·nad·o·troph (gō-nad′ō-trōf, gon′ă-dō-). 性腺刺激細胞（下垂体の内分泌細胞の一種で，卵巣または精巣のある種の細胞に作用しホルモンを放出する).

go·nad·o·troph·ic (gō′nad-o-trōf′ik, gon′ă-dō-) [gonado-＋G. *trophē*, nourishment].＝gonadotropic.

go·nad·o·tro·phin (gō′nad-ō-trō′fin, gon′ă-do-) [for gonadotrophin＜gonad＋G. *trophē*, nourishment].＝gonadotropin.

go·nad·o·tro·pic (gō′nad-ō-trōp′ik, gon′ă-dō-) [gonado-＋G. *tropē*, a turning].＝gonadotrophic. ***1*** 性腺刺激ホルモンの，ゴナドトロピンの. ***2*** 性腺刺激〔性〕の（性(生殖)腺の成長と機能の一方または双方を促進させる).

go·nad·o·tro·pin (gō′nad-ō-trō′pin, gon′ă-dō-). 性腺刺激ホルモン，ゴナドトロピン（①性腺の成長および機能を促進するホルモン．個々のホルモンが及ぼす効果は卵胞の成長やアンドロゲンの生成を刺激するなど，特有の性腺機能または組織に限定されているのが普通である．大抵のゴナドトロピンは両性に効果を及ぼすが，その効果の現れ方は，通常，男性と女性で大きく異なる．②性腺を刺激するすべてのホルモン．③ FSH と LH の作用を発揮するすべての物質）．＝gonadotrophin; gonadotropic hormone.

anterior pituitary g. 脳下垂体前葉向性腺ホルモン（脳下垂体によりつくられるホルモンの総称名．以前は，下垂体前葉は 1 種類のゴナドトロピンしか分泌しないと考えられていたので，この用語は単一のホルモンをさして用いられていた）．＝pituitary gonadotropic hormone.

chorionic g. (**CG**) 絨毛性ゴナドトロピン（D–ガラクトースおよびヘキソサミンからなる糖質を有する糖蛋白で，妊婦の尿から抽出される．胎盤トロホブラスト細胞によりつくられる．このホルモンの最も重要な役割は，妊婦の最初の 1/3 の期間に卵巣を刺激してエストロゲンとプロゲステロンを分泌させ，妊娠を維持することである．その後の 2/3 の期間には重要な働きをしないものとみられている．この時期にはエストロゲンとプロゲステロンが胎盤により産成されるようになる．絨毛性ゴナドトロピンは，黄体化ホルモン(LH)受容体を介する LH 作用も有する）．＝β-HCG; choriogonadotropin; chorionic gonadotropic hormone; chorionic gonadotrophic hormone; placenta g.; placentagonadotropin.

human chorionic g. (**HCG, hCG**) ヒト絨毛性ゴナドトロピン（→chorionic g.）.

β-human chorionic g. β–ヒト絨毛性性腺刺激ホルモン（FSH，LH，TSHと同様の α 鎖をもつ HCG に対して 145 のアミノ酸構成の特異なサブユニットをもつ．βHCG による妊娠反応は下垂体性ゴナドトロピンと交差しないのでより鋭敏である）．

human menopausal g. (**HMG, hMG**) ヒト閉経期尿性ゴナドトロピン（閉経期の女性の尿中に含まれる脳下垂体ホルモンであり，現在では合成されている．排卵誘発に用いられる．→menotropins）.

placenta g. 胎盤［性］ゴナドトロピン．＝chorionic g.

gon·a·duct (gon′ă-dŭkt)［gonado- ＋ duct］. ***1*** 精管．＝seminal *duct*. ***2*** 卵管．＝uterine *tube*.

go·nal·gi·a (gō-nal′jē-ă)［G. *gony*, knee ＋ *algos*, pain］. 膝痛を表す現在では用いられない語．

gon·ane (gon′ān). ゴナン（エストラン，アンドロスタンなどホルモンの仮説上の母体(炭素17)となる炭水化物分子．系統的命名を行うために考えられた用語）.

gon·ar·thri·tis (gon′ar-thrī′tis)［G. *gony*, knee ＋ *arthron*, joint ＋ *-itis*, inflammation］. 膝関節炎．

gon·e·cyst, gon·e·cys·tis (gon′ĕ-sist, gon-ĕ-sis′tis)［G. *gonē*, seed ＋ *kystis*, bladder］. 精嚢．＝seminal *gland*.

Gon·gy·lo·ne·ma (gon′ji-lō-nē′mă)［Gr. *gongylos*, round ＋ *nēma*, thread］. ゴンギロネマ属（旋尾線虫類の一属で，鳥類，哺乳類に寄生する．種々の昆虫，特に甲虫類が被嚢した感染性幼虫を運搬することにより伝播する．数種が獣医学上重要であり，一種はヒトに寄生することも知られている）.

G. pulchrum 美麗食道虫（多くの家畜，野生反すう類，ブタ，クマ，ヒトの食道あるいは前胃の粘膜下組織に侵入する種(ヒトの場合は，主として未成熟の虫による)．食糞性甲虫類によって伝播され，世界全域に分布する）.

gon·gy·lo·ne·mi·a·sis (gon′ji-lō-nē-mī′ă-sis). ゴンギロネマ症（*Gongylonema*属の線虫による，動物とまれにヒトでの感染症）.

go·ni·a (gō′nē-ă). gonion の複数形．

gonio-［G. *gōnia*］.［本連結形を含む語を gonē(種子)または gony(膝)から派生した語と混同しないこと］．角を意味する連結形．

go·ni·o·cra·ni·om·e·try (gō′nē-ō-krā′nē-om′ĕ-trē)［G. *gōnia*, angle ＋ *kranion*, skull ＋ *metron*, measure］. 頭蓋骨角度測定．

go·ni·o·dys·gen·e·sis (gō′nē-ō-dis-jen′ĕ-sis)［G. *gōnia*, angle ＋ dysgenesis］. 隅角発生不全（眼球前節の発生不全）.

go·ni·om·e·ter (gō′nē-om′ĕ-tĕr)［G. *gōnia*, angle ＋ *metron*, measure］. ***1*** 角度計，測角器（結晶などの角度を測定するための装置）. ***2*** ゴニオメータ（前庭疾患の平衡機能を検査するための装置．患者がもたれかかる調節可能な面からできている．この面が徐々に傾き，患者がバランスを保てなくなる角度を求める）. ***3*** 角度計（関節運動の弧および範囲を測定する目盛り付き測定器）．＝arthrometer; fleximeter; pronometer. ***4*** 斜視または眼振における頭位回転の測定装置．

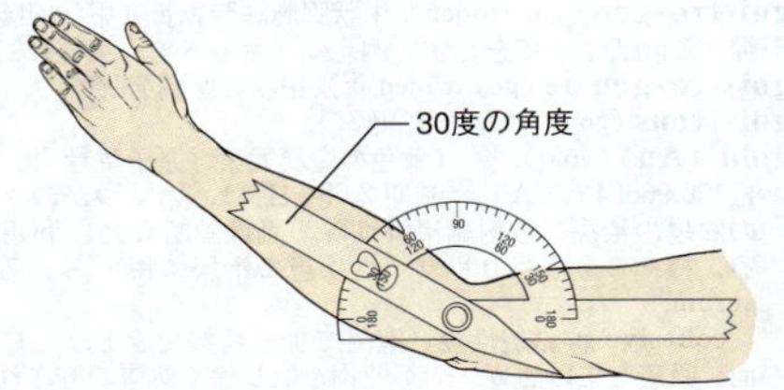

goniometer

関節運動角度を測るのに用いる．この例では肘は30度屈曲していることを示す．

go·ni·on, pl. **go·nia** (gō′nē-on, gō′nē-ă)［G. *gōnia*, an angle］［TA］. ゴニオン（下顎角で最後方かつ最下方にある点．頭部計測法で，下顎骨の下縁と後縁の接線のなす角を 2 等分して定める．両側の下顎角部が側面 X 線写真にみられるときには，右側と左側の中間点が用いられる）.

go·ni·o·punc·ture (gō′nē-ō-pŭnk′chŭr). 隅角穿刺［術］（先天性緑内障の手術の一種で，前房隅角に穿刺を行う）.

go·ni·o·scope (gō′nē-ō-skōp)［G. *gōnia*, angle ＋ *skopeō*, to examine］. ゴニオスコープ，［前房］隅角鏡（眼の前房隅角を詳しく調べるためのレンズ）.

go·ni·os·co·py (gō′nē-os′kŏ-pē). ゴニオスコピー，隅角鏡検査［法］（ゴニオスコープまたはプリズム内蔵コンタクトレンズで行う前房隅角の検査）.

go·ni·o·sy·nech·i·a (gō′nē-ō-si-nek′ē-ă)［G. *gōnia*, angle ＋ *synechis*, holding together］. 隅角癒着（虹彩が前房隅角において，角膜の後部表面に癒着すること．閉塞隅角緑内障に伴う）．＝peripheral anterior synechia.

go·ni·ot·o·my (gō′nē-ot′ŏ-mē)［G. *gōnia*, angle ＋ *tomē*, incision］. 隅角切開［術］（先天性緑内障において，小柱網を外科的に開放すること）.

gon·och·o·rism, gon·o·cho·ris·mus (gon-ok′ōr-izm, -ō-riz′mŭs)［G. *gonē*, seed, sex ＋ *chōrizō*, to separate］. 雌雄異体現象（個体の性に従って，性腺が正しく分化すること）.

gon·o·cide (gon′ō-sīd). ＝gonococcicide. ***1***〖adj.〗殺淋菌性の. ***2***〖n.〗殺淋菌薬．

gon·o·coc·cal (gon′ō-kok′ăl). 淋菌［性］の．＝gonococcic.

gon·o·coc·ce·mi·a (gon′ō-kok-sē′mē-ă)［gonococcus ＋ G. *haima*, blood］. 淋菌敗血症（循環血液中に淋菌が存在するもの）.

gon·o·coc·ci (gon′ō-kok′sī).［誤った発音 gon-ō-kok′ī を避けること］. gonococcus の複数形．

gon·o·coc·cic (gon′ō-kok′sik).［誤った発音 gon-ō-kok′ik を避けること］．＝gonococcal.

gon·o·coc·ci·cide (gon′ō-kok′si-sīd)［gonococcus ＋ L. *caedo*, to kill］．＝gonocide.

gon·o·coc·cus (**GC**), pl. **gon·o·coc·ci** (gon′ō-kok′ŭs, -sī)［G. *gonē*, seed ＋ *kokkos*, berry］. 淋菌．＝*Neisseria gonorrhoeae*.

gon·o·cyte (gon′ō-sīt)［G. *gonē*, seed ＋ *kytos*, hollow (cell)］. 原生殖細胞．＝primordial germ *cell*.

gon·o·he·mi·a (gon′ō-hē′mē-ă). gonococcemia を表す現在では用いられない語．

gon·o·op·so·nin (gon′ō-op′sŏ-nin). 淋菌オプソニン（特異性淋菌オプソニン）.

gon·o·phage (gon′ō-fāj). 淋菌ファージ（殺淋菌性バクテリオファージ）.

gon·o·phore, gon·oph·o·rus (gon′ŏ-fōr, gō-nof′ŏ-rŭs)［G. *gonē*, seed ＋ *phoros*, bearing］. 生殖管（性細胞の貯蔵または輸送に当たる構造器一般．卵管，精管，子宮，精嚢など）.

gon·or·rhe·a (**GC**) (gon′ō-rē′ă)［G. *gonorrhoia* < *gonē*, seed ＋ *rhoia*, a flow］. 淋疾，淋病（接触感染による性器粘膜の炎症．主として性交時に伝播し，淋菌 *Neisseria gonorrhoeae* により起こる．上下の性器路，特に尿道，子宮

頸部，子宮頸管を侵し，血流により腹膜，まれには心臓，関節，その他の器官にまで及ぶこともある）.

gon·or·rhe·al (gon′ō-rē′ăl). 淋菌性の，淋疾の.

gon·o·some (gon′ō-sōm)［G. *gonē*, seed + *sōma*, body］. ゴノソム. =sex *chromosomes.*

gon·o·tox·e·mi·a (gon′ō-tok-sē′mē-ă). 淋菌中毒症（淋菌の血行性播種および吸収された内毒素の作用による中毒症）.

gon·o·tox·in (gon′ō-tok′sin). 淋菌毒素（淋菌 *Neisseria gonorrhoeae* により産生される内毒素）.

gon·o·tyl (gon′ō-til)［G. *gonos*, offspring + *tylē*, knob］. ゴノティル（異形吸虫科吸虫類の生殖孔を取り囲んでいる吸盤様の構造物）.

Gon·y·au·lax cat·a·nel·la (gon′ē-aw′laks kat′ă-nel′ă)［G. *gony*, knee + *aulakos*, a furrow］. ゴニオラクス・カタネラ（海生渦鞭毛藻類の原生動物で，強力な毒素を産生し，これがイガイ類その他の沪過摂食性の貝類の組織中に蓄積され，ヒトに致命的なイガイ中毒を起こす場合がある）.

gon·y·camp·sis (gon-i-kamp′sis)［G. *gony*, knee + *kampsis*, a bending or curving］. 膝関節屈曲（膝の強直または異常彎曲を表す現在では用いられない語）.

Good·ell (gu-del′), William. 米国人婦人科医，1829—1894. ⇀G. *sign*.

good·ness of fit (gud′nes fit). 適合度，あてはまりの良さ（実際に観察された分布と数学的・理論的に想定された分布との一致の度合い）.

Good·pas·ture (gud′pas-tyŭr), Ernest W. 米国人病理学者，1886—1960. ⇀G. *stain*, *syndrome*.

Goor·magh·tigh (gūr′mah-tēk), Norbert. ベルギー人医師，1890—1960. ⇀G. *cells*.

goose·flesh (gūs′flesh). 鳥肌. =*cutis* anserina.

Gop·a·lan (gō′pah-lahn), C. 20世紀のインド人生化学者. ⇀G. *syndrome*.

Gor·di·us (gōr′dē-ŭs)［L. ＜ G. *Gordios*, 古代小アジア Phrygia の Gordium の王. この類の結び目のようなからまりに対する比喩］. ハリガネムシ属（線虫類の一属である *Dracunculus*属の旧名であるが，正しくは線形虫門 Nematomorpha に包含されるものである. 一般的にはハリガネムシ，鉄線虫(gordian worms, horsehair worms, hair worms, hair snakes)とよばれる）.

Gor·don (gōr′dŏn), Alfred. 米国人神経科医，1869—1953. ⇀G. *reflex*, *sign*, *symptom*.

Gor·don·a (gōr′dōn-ă). ゴルドナ属（ヒト気道で見出される好気性細菌の一属で，グラム陽性またはグラム不定の放線菌. ある種は気管支拡張症や混合性細菌叢膿瘍でみられる. 標準種は *Gordona bronchialis*）.

Gor·don and Sweet stain (gōr′dŏn swēt). ⇒*stain*.

gor·get (gōr′jet). 砕石術用有溝導子（広い溝のある導子で，砕石術に用いる）.

probe g. 消息子状有溝導子（砕石術用有溝導子で，先端に探針を有する）.

Gor·ham (gōr′ăm), Lemuel W. 米国人医師，1885—1968. ⇀G. *disease*, *syndrome*.

Gor·lin (gōr′lin), Richard. 20世紀の米国人生理・心臓学者. ⇀G. *formula*.

Gor·lin (gōr′lin), Robert J. 20世紀の米国人口腔病理学者. ⇀G. *sign*, *syndrome*; G.-Chaudhry-Moss *syndrome*.

go·ron·dou (gō-ron′dū). 大鼻〔症〕. =goundou.

gos·er·e·lin (gos′ĕr-ĕ-lin). ゴセレリン（LHRH(GnRH)の合成デカペプチドアゴニスト類似体. これは下垂体ゴナドトロピン分泌阻害活性があり，前立腺癌，乳癌，子宮内膜症の治療，子宮内膜薄層の剝離切除前に行う子宮内膜の前処理に用いられる）.

Gos·se·lin (gos-lan[h]′), Léon Athanese. フランス人外科医，1815—1887. ⇀G. *fracture*.

gos·sy·pol (gos′i-pol). ゴシポール（ワタ属 *Gossypium* ワタの木の種子から分離された毒性成分で，精子数を減少させる. 男性用経口避妊薬として中国で用いられている）.

gos·sy·pose (gos′i-pōs). =raffinose.

GOT glutamic-oxaloacetic transaminase の略.

Göth·lin (gŏt-lin), Gustaf F. スウェーデン人生理学者，1874—1949. ⇀G. *test*.

Gott·lieb (got′lēb), Bernard. オーストリア人歯科医，1885—1950. ⇀epithelial *attachment* of G.

gouge (gowj). 切骨器（がんじょうな，縦方向に彎曲したのみで，骨の手術に用いる）.

Gou·ge·rot (gū′zher-ō′), Henri. フランス人皮膚科医，1881—1955. ⇀G. and Blum *disease*; G.-Sjögren *disease*; G.-Carteaud *syndrome*.

Gould (gūld), Alfred P. イングランド人外科医，1852—1922. ⇀G. *suture*.

Gou·ley (gū′le), John W.S. 米国人泌尿器科医，1832—1920. ⇀G. *catheter*.

goun·dou (gūn′dū)［原地名］. 大鼻〔症〕（西アフリカの地方病で，上顎骨の鼻突起から外骨腫が生じ，鼻の両側に対称な腫脹を起こす. イチゴ腫(フラベンジア)と関係のある骨炎であると信じられている）. =anákhré; dog nose; gorondou; henpuye.

gout (gowt)［L. *gutta*, drop］［MIM*138900］. 痛風（プリン代謝異常で，特に男性に多く，血中の尿酸値は高値で，変動することが多い. 結晶性尿酸ナトリウムの結合組織および関節軟骨への沈着のため症状の激しい急性関節炎を繰り返すのが特徴である. 大部分の症例では遺伝性があり，種々のプリン代謝障害により発症する. 家族内集積は大部分 Galton の法則に従っており，尿酸の溶解度により，症状の発現が規定されている. しかし痛風はX連鎖遺伝形式をとる Lesch-Nyhan 症候群(⇒syndrome)の一症状でもある［MIM*308000］）.

articular g. 関節〔性〕痛風（通常型の痛風. 1か所以上の関節が侵される）.

calcium g. 石灰痛風. =pseudogout.

idiopathic g. 特発性痛風（プリン代謝障害により生じた尿酸の結晶により誘発される急性の滑膜炎. 尿酸の排泄が不良なため高尿酸血症となり，関節の急性炎症が起こる）. =primary g.

interval g. 痛風間期（痛風の急性発作間の無症候期）.

latent g. 潜在性痛風（痛風の症状を伴わない高尿酸血症. しばしば痛風間期 interval g. と同じ意味に用いられる）. =masked g.

lead g. =saturnine g.

masked g. =latent g.

primary g. 原発性痛風. =idiopathic g.

retrocedent g. 痛風の発作中，胃，心臓，または脳に症状がみられるものを表す現在では用いられない語で，特にこれらの発症と同時に関節や他の症状が突如として軽減する場合をいう.

saturnine g. 鉛痛風（鉛中毒から起こる痛風）. =lead g.

secondary g. 続発性痛風（種々の疾患により血中尿酸値が上昇するために生じる痛風. 血液や骨髄などの悪性腫瘍患者，鉛中毒および長期間血液透析中の腎不全患者にみられる）.

tophaceous g. 結節性痛風（尿酸や尿酸塩が痛風で侵されている関節近傍の痛風結節に沈着することにより生じる痛風）.

gouty (gow′tē). 痛風〔性〕の.

Gow·ers (gow′ĕrz), Sir William R. イングランド人神経科医，1845—1915. ⇀G. *column*, *contraction*, *disease*, *syndrome*, *tract*.

GPI Gingival-Periodontal Index の略.

GPT glutamic-pyruvic transaminase の略.

gr［grain は，医学，薬学，および看護において現在では用いられない単位である. しばしば誤解をまねく略号 gr を避けること］. grain (3) の略.

Graaf (grahf), Reijnier de. オランダ人生理・組織学者，1641—1673. ⇀graafian *follicle*.

graa·fia·n (grah′fē-ăn). R. de Graaf に関する，または彼の記した.

grac·i·lis (gras′i-lis)［L.］. ***1*** 薄い，ほっそりした（薄いまたは繊細な構造についていう）. ***2*** =gracilis (*muscle*).

grad. ラテン語 *gradatim*(徐々に)の略.

grade (grād)［L. *gradus*, step］. ***1*** グレード，段階（評価体系の尺度上の等級，区分，程度）. ***2*** 悪性度分類（悪性腫瘍病理学で，腫瘍の分化程度を，例えば，分化型，中等度分化型，低分化型，未分化型などと分類すること）. ***3*** グレード（運動機能評価における水平方向の移動当たりの垂直方向の

G

上昇・下降の程度の測定評価).

Gleason tumor g. (glē′sŏn). グリーソンの腫瘍(異型度)分類(腺様分化の型式の評価による前立腺腺癌の分類法．腫瘍の異型度を Gleason スコアで表すが，優勢な型式と二次的な型式のそれぞれを１から５までの評点とし，その合計で示す).

Heath-Edwards g.'s (hēth ed′wărdz). ヒース－エドワーズ分類(肺高血圧疾患の病理を記載するための程度を示す系).

Gra・de・ni・go (grah-dā′ne-go), Giuseppe. イタリア人耳科医, 1859—1926. →G. *syndrome*.

gra・di・ent (grā′dē-ĕnt). 勾配，傾き，階調度，グラディエント(温度，圧力，磁場や他の変数が距離，時間または連続的に変化する作用または力の関数として変化する度合い).

atrioventricular g. 房室勾配(房室間の拡張期圧の差).

concentration g. 濃度勾配．＝density g.

density g. 密度勾配(容器の上から下へ，または端から端へと溶質の濃度(密度)が連続的に増大していくような溶液．例えば，密度勾配遠心沈殿法における遠心管はこのような容器の一例).＝concentration g.

electrochemical g. 電気化学勾配(イオンが受動的に１点から他点へと移動する傾向を測る尺度で，イオンの濃度および２点間の電位差も考慮の対象となる．一般に，平衡に達するために要する追加分の電圧によって表される).

g. encoding 傾斜磁場エンコード．＝*phase* encoding.

field g. ＝magnetic field g.

magnetic field g. 傾斜磁場(MRI において，位置によって大きさが異なる磁場のことで，磁石による均一磁場に付加されたものである．核の共鳴周波数を変化させ，その空間的位置を求めることを可能とする).

mitral g. 僧帽弁勾配(左心房と左心室間の拡張期圧の差).

systolic g. 収縮期勾配(収縮期における２個の連絡した心臓血管房室間の血圧の差．例えば，僧帽弁閉鎖不全における左心室と左心房間の血圧差).

ventricular g. 心室勾配(心電図上で，QRS 群によって囲まれた面積と，T 波によって囲まれた面積の代数和(すなわち両者の純電位差)).

grad・u・ate (grad′yū-ăt) [Mediev. L. *graduatus* < L. *gradus*, step]. 目盛り付き容器，メートルグラス(液体の体積測定に用いる普通ガラス製の目盛り付きの容器．目盛り付きシリンダー).

grad・u・at・ed (grad′yū-āt′ed). ***1*** 目盛り付きの(測定を可能にするための目盛りを付けた). ***2*** 等級別にした(レベル，程度，あるいは段階の目盛りを付けた，または別の方法で区切る).

Grae・fe (grā′fē), Albrecht von. ドイツ人眼科医, 1828—1870. →G. *forceps, knife, operation, sign*; pseudo-G. *phenomenon*; von G. *sign*.

Grae・fenberg (grā′fĕn-bĕrg), Ernst. 米国に在住したドイツ人婦人科医, 1881—1957. →G. *ring*.

Graf・fi (graf′ē), Arnold. 20 世紀のドイツ人病理学者. →G. *virus*.

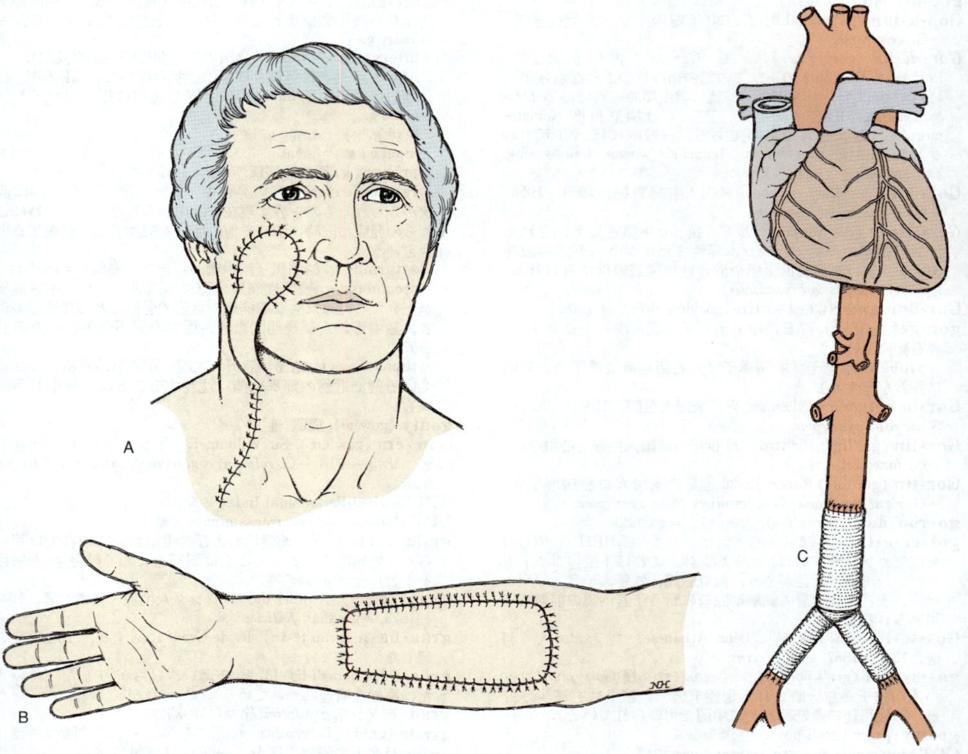

graft types

A：茎状移植片．回転皮弁の血液供給を維持する．B：遠隔ドナー部位からの分層遊離自家移植片．C：大動脈の分岐部の類似合成物質移植片．

GRAFT

graft (graft) [A.S. *graef*]. [graph と混同しないこと]. ***1*** 移植片，グラフト（移植のための組織または器官）. ***2*** 移植（組織または器官の移植.→flap; implant; transplant).

allogeneic g. 同種異系移植片．＝allograft.

animal g. ＝zoograft.

autogeneic g. ＝autograft.

autologous g. 自己〔由来の〕移植片．＝autograft.

autoplastic g. 自己形成性移植片．＝autograft.

bone g. 骨移植〔片〕（栄養血管の吻合をせずに供給部から被移植部に移植する骨片．骨は自家骨あるいは他人からの同種骨として移植される.→osteoplasty).

chorioallantoic g. 漿尿膜移植（ひなの胚期の漿尿膜に生きている細胞と組織を移植すること）.

composite g. 複合移植〔片〕（2つ以上の組織型からなる移植片．例えば，皮膚と軟骨あるいは皮膚と皮下脂肪のようなもの）.

corneal g. 角膜移植〔片〕．＝keratoplasty.

coronary artery bypass g. (**CABG**) 冠動脈バイパス術（血管壁が傷害されて血流が低下または途絶した冠動脈に対して，静脈グラフトまたは動脈グラフトでバイパスし，冠動脈血流を増やす手術）.

Davis g. (dā′vĭs). デーヴィス移植片（〝ピンチグラフト〟，すなわち小さな（2－3 mm の）全層皮膚断片）.

delayed g. 遅延移植（被移植床の状態が外科的にきれいになるか止血が十分になされるまで数日間待機して行う植皮）.

dermal g. 皮膚移植〔片〕（真皮の移植片．表皮を取り出した皮膚からつくられる）.

dermal-fat g. 皮膚脂肪移植〔片〕（皮下脂肪を付けた皮膚移植片）.

dowel g. 骨栓移植（整形外科で行われる特殊な形の骨移植法で，通常，特殊な器具を用いて円形の骨片を採取し，移植して隣接する2つの椎体の癒合を得る構築性骨移植法）.＝dowel (4).

fascial g. 筋膜移植（線維性組織の移植．最も普通には，大腿筋膜や側頭筋膜がある）.

fascicular g. 〔神経〕線維束移植〔片〕（線維束の各々が個々に近接された神経移植片）.

fat g. 脂肪移植〔片〕（脂肪の遊離移植片）.

free g. 遊離移植（栄養血管なしで移植されること．血行は移植床よりの新生血管の進入による）.

full-thickness g. 全層皮膚移植片，全層植皮（皮膚粘膜の全層を有する移植片）.

funicular g. 〔神経〕線維索移植〔片〕（各々の線維索（2本以上の線維束から構成されている）が個々に近接された神経移植片）.

gusset g. 補強用移植片（血管と血管をつなぎ合わせるための導管として用いる自己組織でできた移植片）.

H g. ＝H *shunt*.

heterologous g. ＝xenograft.

heteroplastic g. ＝xenograft.

heterotopic g. 異所移植（ある組織または器官を，それら本来の部位でない所に移植すること）.

homologous g. ＝allograft.

homoplastic g. 同種形成性移植片．＝allograft.

inlay g. 充填移植〔片〕（固型の補填材料の周囲を真皮側を外にした皮膚片で包み，外科処置後の欠損腔に挿入する皮膚移植）.＝epithelial inlay.

isogeneic g. ＝syngraft; isograft.

isologous g. ＝syngraft.

isoplastic g. ほとんど用いられない語．＝syngraft.

Krause g. (krows). クラウゼ移植〔片〕（全層皮膚移植片）.＝Krause-Wolfe g.

Krause-Wolfe g. (krows wūlf). クラウゼ－ウルフ移植〔片〕．＝Krause g.

mesh g. 網状移植〔片〕（互い違いの点線状切開を施して拡張できるようにした分層植皮．血液のドレナージが必要であったり，採皮部位が大きくなるとき，（それを制限して）創面を被覆するのに用いられる）.

mucosal g. 粘膜移植〔片〕（通常，頬部あるいは下口唇の内側の粘膜を用いる粘膜移植片）.

nerve g. 神経移植〔片〕（移植片として用いる神経または神経の一部）.

Ollier g. (ō-lē-ā′). オリエ移植〔片〕（薄い中間層皮膚移植片）．＝Ollier-Thiersch g.

Ollier-Thiersch g. (ō-lē-ā′ tērsh). オリエ－ティールシュ移植〔片〕．＝Ollier g.

onlay g. 上のせ移植（受容側の骨の外面に植えられる骨移植）.

orthotopic g. 同所移植（ある組織または器官を，それらが正常に存在すべき解剖学的部位に移植すること）.

osteoperiosteal g. 骨骨膜移植（付着した骨膜を付けたままの骨移植）.

partial-thickness g. 分層植皮．＝split-thickness skin g.

pedicle g. 茎状移植片（現在では用いられない語.→pedicle *flap*).

periosteal g. 骨膜移植（骨膜の移植）.

pinch g. ピンチ移植〔片〕（分層か全層の皮片を採取し小片として移植する手技）.＝Reverdin g.

porcine g. 豚皮移植〔片〕（人体の開放創に一時的被覆材として使用される豚皮の分層皮膚移植片.→xenograft).

primary skin g. 一次皮膚移植〔片〕（皮膚欠損部をつくった後，直ちに欠損部に移植する皮膚移植片）.

punch g.'s 打抜き植皮〔片〕（小さな全層植皮片を円形の打抜き器で移植のために採取する手技．最も一般的には，頭皮のついた皮片を毛髪移植のために採取したり，無毛の小皮片を小欠損の充填のために行う）.

radix g. 鼻根の高さを変えるために移植される軟骨片．鼻のバランスを整容的に改善させる.

Reverdin g. (re-vĕr-dan[h]). ルヴェルダン移植〔片〕．＝pinch g.

skin g. 植皮〔片〕，皮膚移植〔片〕（身体のある部位から他の部位に移植された皮膚片）.

sleeve g. 袖状移植片（切断された神経を修復するための移植片で，近位部端と遠位部端を袖様の構造で連結する．一般には静脈の一部分）.

split-skin g. ＝split-thickness skin g.

split-thickness skin g. 分層植皮〔片〕（真皮の全層は含まない植皮．例えば，表皮と真皮の一部分あるいは粘膜と粘膜下組織）．＝partial-thickness g.; split-skin g.

spreader g. 鼻中隔の遠位端と上外側軟骨の遠位端の間にある粘膜下軟骨膜トンネルに置かれた軟骨片．鼻中隔の遠位端を効果的に拡大し，内鼻弁の閉塞を機能的に矯正するために上外側軟骨を安定化させる．両側に均等に置かれる.→internal nasal *valve*.

Stent g. (stent). ステント植皮（ずれないように縫合固定された部位の皮下に移植される皮片）.

syngeneic g. ＝syngraft; isograft.

tendon g. 腱移植〔片〕（最も一般的には，移植や置換に用いられる腱の移植）.

Thiersch g. (tērsh). ティールシュ植皮（split-thickness g. の古語.→Ollier-Thiersch g.).

Wolfe g. (wūlf). ウルフ移植〔片〕（全層皮膚移植片）.＝Wolfe-Krause g.

Wolfe-Krause g. (wūlf krows). ウルフ－クラウゼ移植〔片〕．＝Wolfe g.

xenogeneic g. 異種移植片．＝xenograft; xenogenic (2).

zooplastic g. 動物移植片．＝zoograft.

---

graft·ing (graft′ing). 移植〔術〕（移植片を適合させる過程）.

Gra·ham (grā′ăm), Evarts Ambrose. 米国人外科医，1883―1957. 1924 年，W.H. Cole とともに初めて胆嚢造影の成功を報告．1933 年，J. J. Singer とともに一期的な肺癌切除の成功例を初めて報告した.→G.-Cole *test*.

Gra·ham (grā′ăm), Thomas. イングランド人化学者，1805―1869.→G. *law*.

Gra·ha·mel·la (grā′am-el′ă) [G.S. *Graham-Smith*]. グラ

ハメラ属（好気性で非運動性の細菌の旧属名で，現在は *Bartonella*属の構成メンバーとして再分類されている）.

Gra·ham Steell (grā′ăm stēl). →Steell.

grain (grān) [L. *granum*]. *1* 穀草，穀物（穀物用植物あるいはそれらの種子）. *2* 〔細〕粒子（砂などの硬い微細片）. *3* グレーン（記号 gr. 医学，薬学，看護学での今は用いられない重量の単位．しばしば誤解をまねく略語 gr は避ける．1 グレーンは0.064799 g にあたる）. *4* 顆粒（放線菌症や菌腫の病変組織中の微生物が集塊をなして肉眼で見えるようになったもの）. *5* 粒子（写真乳剤中のハロゲン化銀の粒子）.

grains (grānz).〔細〕粒子（表皮角質層内のパラ角化核で，毛包性角化症でみられる）.

gram (g) (gram). グラム（[誤った略号 g., gm, および Gm を避けること]．メートル法または百進法における重量の単位．15.432358 グレーン，0.03527 常用オンスにあたる）.

-gram (gram) [G. *gramma*, character, mark]. 記録したものを示す接尾語．通常，器機を使って書かれたものをさす．*cf*. -graph.

gram-cen·ti·me·ter (gram sen′ti-mē′tĕr). グラムセンチメートル（仕事量の単位．1 g の質量を 1 cm 持ち上げたときに消費されたエネルギー，あるいは行われた仕事．9.807 × 10^{-5} ジュール(ニュートンメートル)に等しい）.

gram·i·ci·din (gram′i-sī′din). グラミシジン（*Bacillus brevis* 産生のポリペプチド群の一種で，グラム陽性の球菌および杆菌に対して主として静菌的に作用する．数種のグラミシジン(グラミシジンA，B，C，D)が市販製剤に含まれている．グラミシジンS(ソビエトのS)は環状，その他は線状である）.

gram-i·on (gram-ī′on). グラムイオン（イオンをつくる原子の原子数の総数に等しいイオンのグラム量）.

gram-me·ter (gram-mē′tĕr). グラムメートル（エネルギーの単位．100 グラムセンチメートルに等しい）.

gram-mol·e·cule ⇀molecule.

gram-neg·a·tive (gram-neg′ă-tiv). グラム陰性の（[この表現の場合，gram は小文字 g で開始する．ただし，Gram stain は大文字 G で始める]．クリスタルバイオレットで処理した後，アルコールによる脱色に細菌が抵抗できないことをさす．しかし脱色後サフラニンで容易に対比染色することができ，顕微鏡下でピンクまたは赤に染まる．この反応は，細菌の表面構造が原形質膜(内膜)とその外側の比較的薄いペプチドグリカン層，さらに外側の外膜からなっていることを通常示唆している．→Gram *stain*）.

gram-pos·i·tive (gram-pos′i-tiv). グラム陽性の（[この表現の場合，gram は小文字 g で開始する．ただし，Gram stain は大文字 G で始める]．クリスタルバイオレットで処理した後，アルコールによる脱色に細菌が抵抗できることをさす．顕微鏡下で紫に染まる．この反応は，細菌の表面構造が原形質膜とその外側のペプチドグリカンからなる厚くて硬い細菌細胞壁からなっていることを通常示唆している．→Gram *stain*）.

gra·na (grā′nă) [L. *granum*(grain)の複数形]. グラナ（植物細胞の葉緑体中に存在する構造で，葉緑素とリン脂質からなる層を有する）.

gra·na·tum (gra-nā′tum) [L. *granatus*, having many seeds]. ザクロ皮．＝pomegranate.

gran·di·ose (gran′dē-ōs) [It. *grandioso* ＜ L. *grandis*, large]. 誇大的な（自分が非常に重要であるという感情や誇大性または誇大妄想について用いる語）.

Gran·ger (grān′jĕr), Amedee. 米国人放射線専門医，1879—1939. →G. *line*, projection.

Gran·it (gran′it), Ragnar A. フィンランド系スウェーデン人神経生理学者・ノーベル賞受賞者，1900—1991. →G. *loop*.

gran·u·lar (gran′yū-lăr). *1*〖adj.〗顆粒〔性〕の，〔顆〕粒状の. *2*〖n.〗顆粒（多くの細菌の種にみられる，核染料に対し強い親和性をもつ粒子）.

gra·nu·la·ti·o, pl. **gran·u·la·ti·o·nes** (gran′yū-lā′shē-ō, -shē-o′nēz) [L.]. 顆粒．＝granulation.

granulationes arachnoideae [TA]. クモ膜顆粒（→arachnoid *villi*(⇀villus)）. ＝arachnoidal *granulations*.

gran·u·la·tion (gran′yū-lā′shŭn) [L. *granulatio*]. ＝granulatio. *1* 顆粒化，顆粒〔形成〕（粒子または顆粒を形成すること．顆粒となっている状態）. *2* 顆粒（器官および膜の表面または内部に存在する顆粒の塊あるいはそれを構成する 1 つ 1 つの顆粒）. *3* 肉芽化，肉芽形成，肉芽（微細で丸い，肉質の結合組織突起が，傷，潰瘍などの表面または炎症の表面に，治癒の過程で形成されること．この表面を構成する肉質の顆粒の 1 つ．→granulation *tissue*）. *4* 造粒（薬学において，塩の過飽和溶液を絶えずかくはんすることにより結晶を形成すること．経口錠剤の調製に使用する）.

arachnoid g.'s [TA]. クモ膜顆粒（軟膜とクモ膜が叢状に延長したもので，多数の絨毛を硬膜静脈洞に伸ばして脳脊髄液を静脈に還流させる働きをする．老年者では数が多くなり石灰化を起こしやすくなる）. ＝arachnoidal g.'s [TA]; granulationes arachnoideae [TA]; pacchionian bodies; pacchionian corpuscles; pacchionian glands; pacchionian g.'s.

arachnoidal g.'s [TA]. クモ膜顆粒．＝arachnoid g.'s.

pacchionian g.'s パッキオーニ顆粒．＝arachnoid g.'s.

gran·u·la·ti·o·nes (gran′yū-lā-shē-ō′nēz). granulatio の複数形.

gran·ule (gran′yūl) [L. *granulum*: *granum*(grain)の指小辞]. *1* 顆粒（穀物様の粒子．分散した微細な塊）. *2* 顆粒剤，〔小〕丸剤（小さい丸剤で，通常，投与すべき少量の薬物をゼラチンまたは砂糖でおおう）. *3* 顆粒（病気の原因となったり，あるいは単に患者の組織で増殖した細菌や真菌の小塊．複雑疾患の患者では，原因か単なる増殖かを区別するのは困難である）. *4* 顆粒（電子顕微鏡写真上でみられる細胞内貯留物質）.

α g.'s アルファ顆粒（棒状ないし細糸状の大きな顆粒で，いろいろな細胞にみられるが，血小板に特に多い．フィブリノーゲン，フィブロネクチン，フィブロスポンディン，von Willebrand 因子(これらをまとめて粘着蛋白という)やその他の分泌蛋白(例えば，血小板第 4 因子，血小板由来増殖因子，血液凝固Ⅴ因子)を含む）.

acidophil g. 好酸性顆粒（エオシンなどの酸性染料で染まる顆粒）. ＝oxyphil g.

acrosomal g. 先体顆粒（先体小胞内に 1 個存在する顆粒で酵素に富む．前先体顆粒の融合によって生じる）.

alpha g. アルファ顆粒（アルファ細胞の顆粒で，命名の由来は，数種類の中で最初のもの，または好酸性であることからである）.

Altmann g. (ahlt′mahn). アルトマン顆粒（①＝fuchsinophil g. ②＝mitochondrion）.

amphophil g. 両〔染色〕性顆粒（酸性と塩基性，いずれの染料でも染まる顆粒）.

argentaffin g.'s 嗜銀性顆粒，好銀性顆粒，銀可染性顆粒（アンモニア性硝酸銀塩染色溶液中の銀イオンを還元する顆粒）.

azurophil g. アズール〔好，親和〕〔性〕顆粒（アズール染料によって赤紫色に染まる顆粒．これらの顆粒は，ある種の成熟した，発育途上の血液細胞の乾燥スミアでみられる．膜結合性リソソームで，酵素を含む）. ＝kappa g.

basal g. ＝basal *body*.

basophil g. 好塩基性顆粒（塩基性染料で容易に染まる顆粒）.

Bensley specific g.'s (ben′slē). ベンスレー特異顆粒（膵臓の Langerhans 島の細胞に存在する顆粒）.

beta g. ベータ顆粒（ベータ細胞の顆粒）.

Birbeck g. (bĕr′bek). バーベック顆粒．＝Langerhans g.

Bollinger g.'s (bol′in-gĕr). ボリンガー顆粒（①比較的小さな(しばしば顕微鏡でみられる)，淡黄色あるいは黄白色の顆粒で，ボトリオミセス症の肉芽腫性病変または滲出液中にみられる．これらの顆粒はグラム陽性球菌，通常はブドウ状球菌の集団または集落から成り立つ．② Bollinger 小体(⇀body)と同じ意味で，ときに誤って用いられる語）.

chromatic g. 染色性顆粒．＝chromophil g. (2).

chromophil g. 好色素性顆粒（①易染色性顆粒．②好色素性物質 chromophil (Nissl) substance の 1 つ．＝chromatic g.）.

chromophobe g.'s 色素嫌性顆粒（通常の染色液では染まらない，あるいは染まりにくい顆粒．例えば，下垂体前葉のいくつかの細胞中にみられる）.

cone g. 錐状体顆粒（錐状体の 1 つとつながる網膜細胞の核）.

Crooke g.'s (kruk). クルック顆粒（下垂体前葉の好塩基

性細胞における，凸凹のある好塩基性物質で，Cushing 病あるいは ACTH 投与に伴う）.

delta g. デルタ顆粒（膵臓デルタ細胞の顆粒）.

elementary g. 基本顆粒（血じんの一粒子）.

eosinophil g. 好酸性顆粒，酸親和〔性〕顆粒，エオシン好性顆粒（エオシンで染まる顆粒）.

Fordyce g.'s (fōr′dīs). フォーダイス顆粒. ＝Fordyce *spots.*

fuchsinophil g. フクシン好性顆粒（フクシンに親和性をもつ顆粒）. ＝Altmann g. (1).

glycogen g. グリコゲン顆粒（直径が平均 30 nm 程度のベータ顆粒，あるいは直径 90 nm の比較的小さな粒子に凝集したアルファ顆粒として細胞内にあるグリコゲン）.

iodophil g. ヨード好性顆粒，好ヨード親和〔性〕顆粒（ヨウ素で茶色に染まる顆粒の１つ．肺炎，丹毒，猩紅熱，および他の急性疾患の際，多形核白血球の多くにみられる）.

juxtaglomerular g. 傍糸球体顆粒（傍糸球体細胞中に存在するオスミウム酸好性の分泌顆粒で，レニンを含むと考えられている）.

kappa g. カッパ顆粒. ＝azurophil g.

keratohyalin g.'s ケラトヒアリン顆粒（表皮顆粒層の細胞内に存在する不整形の好塩基性顆粒）.

lamellar g. ラメラ顆粒. ＝keratinosome.

Langerhans g. (lahng′ĕr-hahnz). ランゲルハンス顆粒（テニスのラケットの形をした，膜に囲まれた小さな顆粒で，横紋のある特徴的な内部構造を示す．表皮の Langerhans 細胞で最初に報告された．→eosinophilic *granuloma*）. ＝Birbeck g.

Langley g.'s (lang′lē). ラングリー顆粒（漿液分泌顆粒）.

membrane-coating g. ＝keratinosome.

metachromatic g.'s *1* 異染顆粒〔小体〕，変色性顆粒（使用染料の色と違う色に染まる顆粒．→metachromasia）. *2* volutin g.'s の類義語として用いることがある．

mucinogen g.'s 粘素原顆粒（ムチンを生じる顆粒．例えば，唾液腺の細胞内および胃腸粘膜にある．→mucinogen）.

Neusser g.'s (nūs′ĕr). ノイサー顆粒（白血球の核周囲を不鮮明に取り巻いて，ときにみられる微細な好塩基性顆粒）.

neutrophil g. 好中性顆粒，中性親和〔性〕顆粒（例えば Romanowsky タイプの血液染色で，染料の中性成分に染まる顆粒）.

Nissl g.'s (nis′ĕl). ニッスル顆粒. ＝Nissl *substance.*

oxyphil g. ＝acidophil g.

Palade g. (pă-lād′) [George E. *Palade*]. パラーデ顆粒. ＝ribosome.

proacrosomal g.'s 前先体顆粒（精細胞の Golgi 装置小胞内に出現する酵素に富んだ小顆粒で，先体小胞内に含まれる単一の先体顆粒と癒合する）.

prosecretion g.'s 前分泌顆粒（分泌物形成の前段階を示す細胞質の顆粒）.

rod g. 杆状体顆粒（杆状体の１つとつながる網膜細胞の核）.

Schüffner g.'s (shēf′nĕr). シュフナー顆粒. ＝Schüffner *dots.*

secretory g. 分泌顆粒（膜に包まれた小胞で，通常，粗面小胞体でつくられた蛋白を含んでいる．粗面小胞体からゴルジ装置に送られた蛋白はトランスゴルジ網で分泌顆粒に取り込まれる）.

seminal g. 精液顆粒（精液中にある微細な顆粒体の１つ）.

specific g.'s 特異顆粒（好塩基球，好酸球，好中球それぞれに特徴的な顆粒．非特異的なアズール顆粒に対していう）.

volutin g.'s ボルチン顆粒. ＝volutin.

Zimmermann g. (tsim′ĕr-mahn). ツィンメルマン顆粒（platelet を表す現在では用いられない語）.

zymogen g. 酵素原顆粒（膵腺房細胞の分泌顆粒）.

granulo- (gran′yū-lō) [L. *granulum*, a small grain]. 顆粒の，を意味する，あるいは顆粒との関連を示す連結形．

gran·u·lo·blast (gran′yū-lō-blast′) [granulo- + G. *blastos*, germ]. 顆粒芽球（顆粒球を生成できる未熟な造血細胞を表す．まれに用いる語）.

gran·u·lo·cyte (gran′yū-lō-sīt′) [granulo- + G. *kytos*, cell]. 顆粒球（成熟した顆粒白血球．多形核白血球の好中性，好酸性，好塩基性の型を含む．すなわちそれぞれ好中球，好酸球，好塩基球）.

immature g. 未熟顆粒球（好中性，好酸性，あるいは好塩基性である未熟白血球）.

gran·u·lo·cy·to·pe·ni·a (gran′yū-lō-sī′tō-pē′nē-ă) [granulocyte + G. *penia*, poverty]. 顆粒球減少〔症〕（血中の顆粒白血球数が正常より少ないこと）. ＝granulopenia; hypogranulocytosis.

gran·u·lo·cy·to·poi·e·sis (gran′yū-lō-sī′tō-poy-ē′sis). 顆粒球造血. ＝granulopoiesis.

gran·u·lo·cy·to·poi·et·ic (gran′yū-lō-sī′tō-poy-et′ik) [granulocyte + G. *poieō*, to make]. ＝granulopoietic.

gran·u·lo·cy·to·sis (gran′yū-lō-sī-tō′sis). 顆粒球増加症（循環血液中または組織中において，顆粒球の数が正常以上になることを特徴とする状態）.

GRANULOMA

gran·u·lo·ma (gran′yū-lō′mă) [glanulo- + G. *-oma*, tumor]. 肉芽腫（結節性炎症性病変をさす用語．通常，小さいか顆粒状の，硬い，変化した食細胞(例えば，持続性の病変で，類上皮細胞，巨細胞，その他のマクロファージ)がグループをなして密集している．→granulomatosis）.

actinic g. 日光肉芽腫（日光照射部の環状皮疹で，組織学的には巨細胞や組織球による真皮弾力線維の食作用がみられる）. ＝Miescher g.

amebic g. アメーバ性肉芽腫. ＝ameboma.

g. annulare 環状肉芽腫（慢性または再発性の通常は自然に治癒する丘疹性皮疹で，四肢遠位部や骨突起部に生じる傾向があるが，汎発性に生じることもある．ろう様の丘疹が環状の配列を示すことが多く，組織学的に核が柵状配列した組織球に囲まれた，ムチン沈着を伴う巣状の真皮壊死を特徴とする）.

apical g. ＝periapical g.

beryllium g. ベリリウム肉芽腫（ベリリウムの吸入暴露または蛍光灯のガラスで皮膚を傷つけたときにできる類肉腫様の肉芽腫性反応）.

bilharzial g. ビルハルツ吸収肉芽腫. ＝schistosome g.

***Capillaria* g.** カピラリア肉芽腫（肝臓や肺にみられる肉芽腫様病変は虫卵あるいは寄生虫に対する組織の反応である）.

cholesterol g. コレステリン肉芽腫（異物巨細胞によって取り囲まれ，コレステロールを含む大きな裂隙を有する肉芽腫．慢性中耳炎や副鼻腔炎で認められる）.

coccidioidal g. コクシジウム性肉芽腫. ＝secondary *coccidioidomycosis.*

contact g. 接触性肉芽腫（音声酷使，感染，外傷や胃内容物の逆流によって生じる披裂軟骨の声帯突起に生じる肉芽腫．嗄声を生じる）.

cutaneous leishmaniasis g. 皮膚リーシュマニア肉芽腫（中心壊死を伴ったリンパ球性肉芽腫で，治癒過程で認められる）.

dental g. 歯根肉芽腫. ＝periapical g.

***Enterobius* g.** 消化管性肉芽腫（線虫の死骸，卵などを含む肉芽腫．腟壁，子宮頸管，卵管，大網，腹膜，肝臓，腎臓，肺などでみられる）.

eosinophilic g. 好酸球〔性〕肉芽腫（若年者の骨組織を主として侵す Langerhans 型組織球増多症の一型．孤発性または多発性で組織学的に Langerhans 細胞と好酸球よりなる）.

g. faciale 顔面肉芽腫（原因不明の通常，中年の人の顔面に生じる境界明瞭な赤褐色の持続性小結節で，好酸球と好中球の稠密な真皮内浸潤からなり，表皮，毛包に接しない．これに原因不明のフィブリノイド血管炎を伴う）.

fish-tank g. 鑑賞魚水槽肉芽腫. ＝swimming pool g.

foreign body g. 異物肉芽腫（組織に外来異物がはいることによって起こされる肉芽腫．組織球が異物型巨細胞と反応することを特徴とする）.

g. gangrenescens 壊疽性肉芽腫. ＝lethal midline g.

giant cell g. 巨細胞肉芽腫（多数の多核巨細胞を含む肉芽組織の増殖を特徴とする非腫瘍性病変．歯肉および歯槽粘膜

(ときには他の部位の軟組織)において，弾性軟で易出血性の赤色－青色を呈する小結節状の腫脹として発現する．上下の顎骨内にも生じ，単房性または多房性のX線透過像を呈する．顕微鏡的に類似の病変を手足の長管骨に認めるが，それらは新生物であり，悪性化の転帰をたどることが多い．上皮小体機能亢進症とケルビム症において同様の骨病変がみられることがある．→giant cell *tumor* of bone)．＝giant cell epulis; reparative giant cell g.

g. gravidarum 妊娠性肉芽腫（妊娠中に発現する化膿性肉芽腫．ホルモンの変調により，歯垢などの局所刺激因子に対する口腔粘膜の応答性が変化することに起因すると考えられている)．＝pregnancy tumor.

infectious g. 伝染性肉芽腫（バクテリア，菌類，蠕虫類などの生物によって引き起こされる肉芽腫性病変)．

g. inguinale 鼡径部肉芽腫（*Calymmatobacterium granulomatis* による特異性肉芽腫で性病に分類される．病原菌はマクロファージ中にドノバン小体として観察される．鼡径部および性器に潰瘍性の肉芽腫病変が生じる．病巣が周囲に及ぶと広範な組織破壊を引き起こす)．＝g. venereum.

laryngeal g. 喉頭肉芽腫（喉頭腔への肉芽腫組織の，茸腫様突出物．通常，気管内挿管による外傷に伴う)．

lethal midline g. 致死性正中肉芽腫（①異形リンパ球，組織球の炎症性浸潤による鼻中隔，硬口蓋，鼻の外壁，副鼻腔，顔面皮膚，眼窩，鼻咽腔の破壊．ほとんどの症例はリンパ腫の一型．② polymorphic *reticulosis* を表す現在では用いられない語)．＝g. gangrenescens; malignant g.; midline malignant reticulosis granuloma.

lipoid g. リポイド性肉芽腫（脂質含有のかなり大きな単核食細胞の集合または蓄積を特徴とする肉芽腫)．

lipophagic g. 脂質食性肉芽腫（ある種の外傷性負傷のように，皮下脂肪の壊死病巣に喚起されて起こる炎症性反応の結果としての病変．壊死物質の中心病巣部は多くのマクロファージの不規則帯によって囲まれており，その多くは小さな脂質の球をもつようになる)．

lymphatic filariasis g. リンパ性フィラリア性肉芽腫（死んだミクロフィラリア周囲にしばしば認められる)．

Majocchi g.'s (mah-yok′ē)．マヨッキ肉芽腫（皮膚の無毛部に生じる炎症性白癬)．＝tinea profunda.

malignant g. 悪性肉芽腫．＝lethal midline g.

Miescher g. (mē′shĕr)．ミーシャー肉芽腫．＝actinic g.

g. multiforme 多形肉芽腫（中央アフリカの年長者の上半身の皮膚にみられる慢性肉芽腫性の環状発疹．原因不明)．

ocular larva migrans g. 眼幼虫徘徊性肉芽腫（眼内で死滅した寄生虫(通常 *Toxocara* 属の種)周囲にみられる好酸性肉芽．網膜芽細胞腫に類似することあり)．

oily g. 油性肉芽腫（かさのある，不溶性液体(しばしば油性物質)の封入に対する反応．その物質の注入後数か月から，ときには数年後に起こる)．

paracoccidioidal g. ＝paracoccidioidomycosis.

***Paragonimus* g.** 肺吸虫肉芽腫（肺実質内に捕捉された肺吸虫卵や成虫による病巣)．

periapical g. 歯根肉芽腫（失活歯の根尖周囲に認められる増殖肉芽組織．歯髄の壊死に起因する)．＝apical g.; dental g.; root end g.

pulse g. 脈拍性肉芽腫．＝giant cell hyaline *angiopathy*.

pyogenic g., g. pyogenicum 化膿性肉芽腫（血管に富む肉芽組織からなる後天性の小さな丸い腫瘤．しばしば表面が潰瘍化し，皮膚，特に顔の皮膚，口腔粘膜から突出していることが多い．組織学的には小葉状毛細血管血管腫)．＝lobular capillary hemangioma.

reparative g. 修復性肉芽腫（あぶみ骨切除術の合併症．卵円窓の人工耳小骨の周りに肉芽が形成される．感音難聴が生じる)．

reparative giant cell g. →giant cell g.

root end g. ＝periapical g.

sarcoidal g. サルコイド様肉芽腫（サルコイドーシスにみられるのと同様な，乾酪壊死を伴わない類上皮細胞肉芽腫)．

schistosome g. 住血吸虫性肉芽腫（住血吸虫症(ビルハルツ住血吸虫症)において，組織内にある住血吸虫卵の周囲に形成される肉芽腫性病巣．定型的にはこれらの肉芽腫は小腸壁(日本住血吸虫 *Schistosoma japonicum* あるいはマンソン住血吸虫 *S. mansoni*)，膀胱組織(ヘマトビウム住血吸虫 *S. haematobium*)，および肝組織(ヒトの住血吸虫すべて)に見出される)．＝bilharzial g.

sea urchin g. ウニ肉芽腫（異物型か類肉腫型のいずれかの肉芽腫様結節．ウニのとげがはいったままになったことが原因．皮膚損傷の数か月後に起こる)．

silica g. シリカ肉芽腫（砂やシリカを含む物質が外傷性に皮膚に混入されて生じる肉芽腫性病巣の発疹．これは，サンドペーパーを用いた皮膚剝削術後にも生じることがある)．

silicotic g. シリカ肉芽腫（シリカ粒子の沈着により生じる肉芽腫性結節．肺に起こることが多い)．

swimming pool g. プール肉芽腫（慢性のいぼ状病変．膝部にみられることが最も多い．*Mycobacterium marinum* の感染による)．＝fish-tank g.

trichinosis g. 旋毛虫肉芽腫（線虫の幼虫が迷入穿通して細胞が死んだことによる病変)．

g. tropicum 熱帯性肉芽腫．＝yaws.

umbilical g. 臍肉芽腫（湿潤した肉芽組織で，新生児の臍の中央にできる)．

g. venereum 性病性肉芽腫．＝g. inguinale.

zirconium g. ジルコニウム肉芽腫（ジルコニウム塩により起こる肉芽腫．通常，腋窩に起こり，この物質を含む制汗薬やうるしかぶれに塗る酸化ジルコニウムの水和物に由来する)．

---

gran·u·lo·ma·to·sis (gran′yū-lō-mă-tō′sis)．肉芽腫症（多発性肉芽腫を特徴とする状態)．

allergic g. アレルギー性肉芽腫症．＝Churg-Strauss *syndrome*.

lipid g., lipoid g. 類脂性肉芽腫症，リポイド性肉芽腫症．＝xanthomatosis.

lymphomatoid g. リンパ腫様肉芽腫症（向血管性の肺悪性リンパ腫．上気道や身体の他の部位を侵す可能性がある．→polymorphic *reticulosis*)．

g. siderotica 鉄沈着性肉芽腫症（肥大した脾臓に，鉄色素を含む茶色の病巣(Gamna 小結節)のある形状)．

Wegener g. (veg′ĕn-ĕr)．ヴェーゲナー肉芽腫症（上気道の壊死性肉芽腫，血管炎，潰瘍形成を特徴とする，主として30代および40代の人に起こる病気．鼻閉を伴う化膿性鼻漏，ときに耳漏，喀血，肺浸潤，肺空洞形成，発熱がみられる．眼球突出，喉頭および咽頭の潰瘍，糸球体腎炎も起こることがある．基本的な病態は小血管を侵す血管炎で，これは免疫障害による可能性がある．肺のみ障害されるタイプもある．気管狭窄だけの症例が増えている．→lymphomatoid g.)．

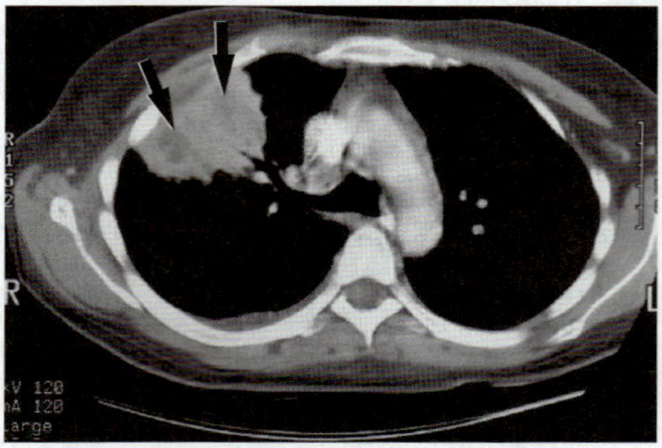

Wegener granulomatosis

CTスキャンは，右上葉の前区における壊死の限局部を有する病変塊を明らかにする（矢印）．経気管支肺生検標本は，診断と一致する．広範囲な壊死を有する肉芽腫性脈管炎および多形性炎症細胞浸潤を明示する．

gran·u·lom·a·tous (gran′yū-lom′ă-tŭs)．肉芽腫性の．

gran·u·lo·mere (gran′yū-lō-mēr′) [granulo- ＋G. *meros*, a part]．顆粒質〔分粒〕(血小板の中心部分)．＝chromomere (2).

gran·u·lo·pe·nia (gran′ū-lō-pē′nē-ă). ＝granulocytopenia.
gran·u·lo·plasm (gran′yū-lō-plazm). 顆粒質（アメーバや他の単細胞生物の細胞内物質．細胞外膜内で核の周囲にある）．
gran·u·lo·plas·tic (gran′yū-lō-plas′tik). 顆粒形成の．
gran·u·lo·poi·e·sis (gran′yū-lō-poy-ē′sis)［granulo(cyte) ＋ G. *poiēsis*, a making］. 顆粒球形成（顆粒球を産生すること．成人では，主として扁平骨の赤色骨髄でつくられる）．＝granulocytopoiesis.
gran·u·lo·poi·et·ic (gran′yū-lō-poy-et′ik). 顆粒球形成の．＝granulocytopoietic.
gran·u·lo·sa (gran′yū-lō′să). 顆粒層．＝*stratum* granulosum folliculi ovarici vesiculosi.
gran·u·lo·sis (gran′yū-lō′sis). 顆粒症（微細な顆粒の塊）．
g. rubra nasi［MIM*139000］. 紅色鼻顆粒症（鼻の先の紅斑，丘疹，ときには小疱疹など．上方および側方に拡大して頬に及ぶ．汗腺の閉鎖および慢性炎症によって起こる）．
gra·num (grā′nŭm). grana の単数形．
gran·zymes (gran′zīmz)［granule ＋ -zyme］. グランザイム（セリンエステラーゼ活性をもつプロテアーゼで，細胞傷害性T細胞の顆粒成分の多くに存在する）．
graph (graf)［G. *graphō*, to write］. 図表，グラフ（[graft と混同しないこと]．①物価，温度，尿排出量などの変化を示す線あるいは記録．さらに一般的には，他の方法で，作表という形で表されるような測定値の幾何学的または描画的表現．②２変数間の関連の視覚的表示．一方の値は横軸，他方の値が縦軸にプロットされる．３変数の関係を示す三次元グラフも描くことができ，視覚的には二次元(平面)の中で理解することができる）．
-graph (graf)［G. *graphō*, to write］. ***1*** 書かれたものを意味する接尾語．例えば monograph, radiograph. ***2*** 記録する器具を意味する接尾語．例えば kymograph. *cf.* -gram.
graph·an·es·the·si·a (graf′an-es-thē′zē-ă)［G. *graphē*, writing ＋ *anaisthēsia* ＜ *an-* 欠性辞 ＋ *aisthēsis*, perception］. 筆跡覚消失（皮膚に書かれた図や数字などを触覚として知覚できないこと．脊髄あるいは脳の障害によると思われる）．
graph·es·the·si·a (graf′es-thē′zē-ă)［G. *graphē*, writing ＋ *aisthēsis*, perception］. 筆跡〔感〕覚（皮膚に書かれた図や数字を認識する触覚の能力）．
graph·ite (graf′īt). 黒鉛，石墨（結晶性の柔らかい黒い炭素）．＝black lead; plumbago.
grapho- (graf′ō)［G. *graphō*, to write］. 書写または記述の行為を意味する連結形．
graph·ol·o·gy (graf-ol′ŏ-jē)［grapho- ＋ G. *logos*, study］. 筆相学（気質や性格や人格を示すものとしての筆跡の研究）．
graph·o·ma·ni·a (graf′ō-mā′nē-ă)［grapho- ＋ G. *mania*, insanity］. 書字狂（書くことに対する病的で過剰な衝動）．
graph·o·mo·tor (graf′ō-mō′tŏr)［grapho- ＋ L. *motus* ＜ *movere*, to move］. 書字運動の．
graph·o·pa·thol·o·gy (graf′ō-path-ol′ŏ-jē)［grapho- ＋ pathology］. 書字病理学（筆跡の研究から人格障害の解釈をすること．→graphology）．
graph·o·pho·bi·a (graf′ō-fō′bē-ă)［grapho- ＋ G. *phobos*, fear］. 書字恐怖〔症〕（書くことを病的に恐れること）．
graph·o·spasm (graf′ō-spazm). 書痙．＝writer's *cramp*.
-graphy (graf′ē)［G. *graphō*, to write］. 記述または描写を表す接尾語．
grasp (grasp). 把持（損傷しないように，そしてしっかりとつかんで持つこと）．
palm g. 手掌把握（手のひらと指で包むようにして物を持つこと）．
pen g. ペン把握（器具の把握の際，書写のときのペンの持ち方に似た方法）．
GRASS gradient-recalled *acquisition* in the steady state の略．
Gras·set (grah-sā′), Joseph. フランス人医師，1849—1918. →G. *law*, *phenomenon*, *sign*; G.-Gaussel *phenomenon*; Landouzy-G. *law*.
Gra·ti·o·let (grah-tē-ō-lā′), Louis P. フランス人解剖・生理学者・医師，1815—1865. →G. *fibers*, *radiation*.
grat·tage (gră-tazh′)［Fr. scraping］. 顆粒除去〔法〕（遷延性の顆粒形成のある潰瘍や表面を擦過したり，ブラッシングすること．治癒過程を刺激するのが目的）．

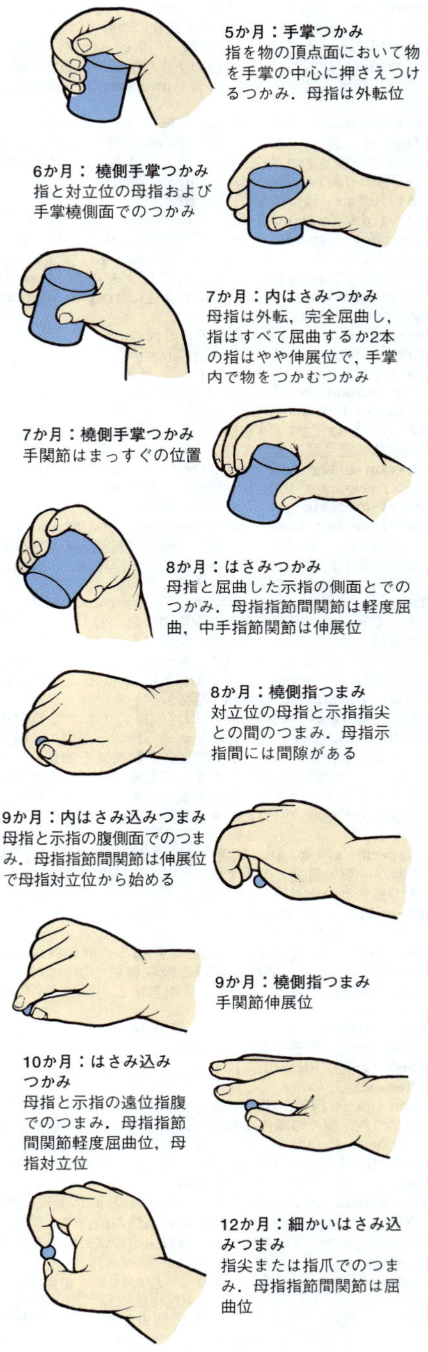
5か月：手掌つかみ
指を物の頂点面において物を手掌の中心に押さえつけるつかみ．母指は外転位
6か月：橈側手掌つかみ
指と対立位の母指および手掌橈側面でのつかみ
7か月：内はさみつかみ
母指は外転，完全屈曲し，指はすべて屈曲するか2本の指はやや伸展位で，手掌内で物をつかむつかみ
7か月：橈側手掌つかみ
手関節はまっすぐの位置
8か月：はさみつかみ
母指と屈曲した示指の側面とでのつかみ．母指指節間関節は軽度屈曲，中手指節関節は伸展位
8か月：橈側指つまみ
対立位の母指と示指指尖との間のつまみ．母指示指間には間隙がある
9か月：内はさみ込みつまみ
母指と示指の腹側面でのつまみ．母指指節間関節は伸展位で母指対立位から始める
9か月：橈側指つまみ
手関節伸展位
10か月：はさみ込みつかみ
母指と示指の遠位指腹でのつまみ．母指指節間関節軽度屈曲位，母指対立位
12か月：細かいはさみ込みつまみ
指尖または指爪でのつまみ．母指指節間関節は屈曲位

pinch and grasp patterns

grave (grāv) [L. *gravis*, heavy, grave]. 重篤な，重症の（重症なまたは危険な状態を示す症状についていう）.

grav·el (grav′ĕl) [M. E. < O. Fr.]. 尿砂（通常，尿酸，シュウ酸カルシウム，リン酸塩の小さな結石．腎臓で形成され尿管，膀胱，尿道を通過する）. = urocheras (1); uropsammus (1).

Graves (grāvz), Robert James. **[**誤った形 Grave および Grave's を避けること**]**. 1835 年の眼球突出性甲状腺腫の記述で記憶されているアイルランド人医師，1796—1853. ⇀G. *disease*, *ophthalmopathy*, *orbitopathy*.

grav·id (grav′id). 妊娠した. = pregnant.

grav·i·da (grav′i-dă) [L. *gravidus*(形容詞)，(女性形 *gravida*) < *gravis*, heavy]. 妊婦（妊娠中の女性．後ろに付けたローマ数字，またはラテン語の数を表す接頭語によって妊婦の妊娠回数を示す．例えば，初妊婦は **gravida I**(primigravida)，2 回目妊娠中の女性は **gravida II**(secundigravida) など．*cf.* para).

gra·vid·ic (gra-vid′ik). 妊娠の，妊婦の.

grav·id·ism (grav′id-izm). 妊娠期. = pregnancy.

gra·vid·i·tas (grah-vid′i-tas) [L]. 妊娠. = pregnancy.

g. examnialis 羊膜外妊娠. = extraamniotic *pregnancy*.

g. exochorialis 絨毛膜外妊娠. = extrachorial *pregnancy*.

gra·vid·i·ty (gra-vid′i-tē) [L. *graviditas*, pregnancy]. 妊娠回数（流早産を含めて）.

gra·vim·e·ter (gră-vim′ĕ-tĕr) [L. *gravis*, heavy + G. *metron*, measure]. 比重計，度量計. = hydrometer.

grav·i·met·ric (grav′i-met′rik). 重量の.

grav·i·re·cep·tors (grav′i-rē-sep′tŏrz) [L. *gravis*, heavy + receptor]. 動受容器（内耳，関節，腱，筋肉にある非常に特殊化した受容器および神経終末．大脳に体位，平衡，重力方向，上下感覚の情報を与える）.

grav·i·ta·tion (grav′i-tā′shŭn) [L. *gravitas*, weight]. 重力，万有引力（宇宙で 2 つの物体間に働く引力．それら物体の質量の積に比例し，中心間の距離の平方に反比例する．式は $F=Gm_1m_2l^{-2}$，ただし，G(ニュートンの万有引力定数) = $6.67259\times10^{-11}\mathrm{m^3kg^{-1}s^{-2}}$，$m_1$，$m_2$ は kg 単位の 2 つの物体の質量，l は m 単位の物体間の距離）.

grav·i·ty (grav′i-tē) [L. *gravitas*]. 重力（すべての物質に下方への力，つまり重力を発生させる地球への引力．厳密にいえば，重力は地球の万有引力とそれに反する物質の遠心力の代数学的合計である．したがって北極と南極の重力は赤道上での重力より大きい．静止軌道上の人工衛星は，軌道運動の遠心力と地球の引力とが平衡状態にあるためその重力は 0 である）.

specific g. (sp. gr.) 比重（物体の重さを，それと同体積の標準物質の質量との比で表したもの．通常，液体では蒸留水の重さとの比が用いられる）.

Gra·witz (grah′vits), Paul. ドイツ人病理学者，1850—1932. ⇀G. *basophilia*, *tumor*.

gray (Gy) (grā) [Louis H. *Gray*, 英国の放射線科医，1905—1965]. グレイ（電離放射線の吸収線量の国際単位(SI)．1 kg の組織当たり 1 ジュールに相当する．1Gy=100 rad）. = griseus.

grayanotoxin (grā-yan′ō-toks-in). グラヤノトキシン（シャクナゲが産生する毒素）. = rhodotoxin.

Greeff (grāf), Richard. ドイツ人眼科医，1862—1938. ⇀ Prowazek-G. *bodies*.

green (grēn). 緑色，緑色顔料（スペクトルで青色と黄色との中間の色．個々の緑色顔料については各々の項参照）.

Scheele g. (shē′lĕ). シェーレグリーン. = cupric arsenite.

Green·field (grēn′fēld), L. 現代の米国人外科医で，Greenfield 沪過器を設計した. ⇀G. *filter*.

greg·a·loid (greg′ă-loyd) [L. *grex*(*greg*-), a flock]. 〔叢状〕群生〔の〕（個々に独立した細胞群の偶然の結合により形成される原生動物の緩い集団，特に肉質虫類の偽足により接着した集落についていう）.

Greg·a·ri·na (greg′ă-rī′nă) [L. *gregarius*, gregarious < *grex* (*greg*-), a flock]. 簇虫属，簇胞子虫属（胞子虫類原生動物の一属(アピコンプレクサ門，簇虫亜綱)で，環形動物や節足動物に寄生し，生活環中にシゾゴニーおよびエンドディオジェニーを欠く）.

greg·a·rine (greg′ă-rēn). 簇虫類，簇胞子虫類（簇虫目の生物）.

Greg·a·ri·ni·a (greg′ă-rin′e-ă). 簇虫目，簇胞子虫目（胞子虫類の一目で，無脊椎動物，特に環形動物および節足動物の体腔や腸管に寄生する種類からなっている．典型的な属は，昆虫寄生の簇虫属 *Gregarina* およびミミズ類に寄生する *Monocystis*属である）.

greg·a·ri·no·sis (greg′ă-ri-nō′sis). 簇虫症，簇胞子虫症（簇虫類の寄生による疾病）.

Greig (greg), David M. スコットランド人医師，1864—1936. ⇀G. *syndrome*.

gres·sion (gres′shŭn) [L. *grador*, pp. *gressus*, to walk < *gradus*, a step]. 転位（歯の後方への転位）.

grey mat·ter (grā mat′ĕr). ⇀gray *matter*.

Grey Turner (grā tĕr′nĕr). ⇀Turner.

GRH gonadotropin-releasing *hormone* の略.

grid (grid) [M. E. *gridel* < L. *craticula*, lattice]. ***1*** グリッド，方眼紙. ***2*** グリッド（X線撮影において，多数の鉛の板によりつくられた，散乱線がX線フイルムに達するのを防ぐためのアルミニウムの薄板）.

Amsler g. (ahm′slĕr). アムスラーグリッド. = Amsler *chart*.

focused g. 集束グリッド（特定の距離範囲から発散したX線束が，この中で鉛板に平行な束となるようなグリッド）.

Wetzel g. (wets′ĕl). ウェッツェルグリッド（少年期，青年期の身長，体重，健康状態，その他の肉体的な発達に関連した項目の変化を示した図表．現在は一般に成長曲線とよばれている．現在では用いられない語）.

Grid·ley (grid′lē), Mary F. 米国人医療技術者，1908—1954. ⇀G. *stain*, *stain* for fungi.

grief (grēf). 悲嘆（外的な喪失に対する正常な情緒反応．適当な時間が経てば鎮静するので，抑うつとは区別される）.

Grie·sing·er (grē′sing-ĕr), Wilhelm. ドイツ人神経科医，1817—1868. ⇀G. *disease*; bilious *typhoid* of G.; G. *sign*.

grin·de·li·a (grin-dē′lē-ă) [David H. *Grindel*, ドイツの植物学者，1776—1836]. グリンデリア（キク科 *Grindelia camporum*, *G. humilius*, *G. squarrosa* の乾燥した葉と花芽．去痰薬として用いる．流エキス剤は，外用剤としてウルシ中毒の治療に用いる）.

grind·ing (grīnd′ing). グラインディング，削合. = abrasion (3).

selective g. 選択削合（歯の咬合を修正する方法で，ある計画に基づいて削合する方法と咬合リボンや咬合紙で印をつけた場所を削合する方法とがある）.

grind·ing-in (grīnd′ing-in). 削合〔術〕（自然歯または人工歯を削合して，咬合不正を修正する技術を示す用語）.

grippe (grip) [Fr. *gripper*, to seize]. インフルエンザ，流〔行性〕感〔冒〕. = influenza.

devil's g. 悪魔の握りしめ. = epidemic *pleurodynia*.

gris·e·o·ful·vin (gris′ē-ō-fŭl′vin). グリセオフルビン（*Penicillium griseofulvin*, *P. patulum* および *P. janczewskii* からつくられる抗生物質．小胞子菌属 *Microsporum*，白癬菌属 *Trichophyton*，表皮菌属 *Epidermophyton* などの皮膚糸状菌によって起こる表在性真菌感染の全身的治療に用いる．微小管の構成を阻害する）.

gris·e·us (gris′ē-ŭs) [L.]. 灰白（**[**本形容詞は男性名詞(ramus griseus, 複数形 rami grisei)でのみ用いられる．女性名詞では grisea の形(commissura grisea, 複数形 commissurae griseae)で，中性名詞では dextrum の形(stratum griseum, 複数形 strata grisea)で用いられる**]**）. = gray.

Gri·so·nel·la ra·tel·li·na (gri-sŏ-nel′ă ra-te-lī′nă). 南アメリカ産のイタチ．*Trypanosoma cruzi* の保有宿主.

gris·tle (gris′ĕl) [A.S.]. 軟骨. = cartilage.

Grit·ti (grē′tē), Rocco. イタリア人外科医，1828—1920. ⇀ G. *operation*; G.-Stokes *amputation*.

Groc·co (grok′ō), Pietro. イタリア人医師，1857—1916. ⇀ G. *sign*, *triangle*; Orsi-G. *method*.

Gro·cott-Go·mo·ri meth·en·a·mine-sil·ver stain (GMS) (grō′kot gō-mō′rē′). ⇒stain.

Groe·nouw (grŏ′nō), Arthur. ドイツ人眼科医，1862—1945. ⇀G. corneal *dystrophy*.

groin (groyn) [TA]. 鼡径部（①体表区分の 1 つで恥部の外側の鼡径管のあるあたりの下腹部域. = inguen [TA]; inguinal region*; regio inguinalis*; iliac region. ②ときに体幹と大腿との境にあるひだのみをさすこともある).

sportsman's g. スポーツヘルニア（潜在性鼡径ヘルニア occult hernia に対して英国でよく用いられる語).

Grön・blad (grŏn′blahd), Ester E. スウェーデン人眼科医, 1898—1970. →G.-Strandberg *syndrome.*

GROOVE

groove (grūv) [TA]. 溝（狭く細長い陥凹.→sulcus).

alveolobuccal g. 歯槽頬溝（口腔前庭のうち頬と接する部分の上方部と下方部にできる溝の部分. 頬と上下の頬側歯肉の間であり，頬と歯の間にある部分はこれに含めない). =alveolobuccal sulcus; gingivobuccal g.; gingivobuccal sulcus.

alveololabial g. 歯槽唇溝（①口腔前庭のうち，唇と上・下の歯槽(歯肉)の間にできる溝の部分. ②胎生期において，原唇溝の深まりによってつくられる溝. その内壁は上下顎骨の歯槽突起を構成し，外壁は唇および頬を構成する). =alveololabial sulcus; gingivolabial g.; gingivolabial sulcus.

alveololingual g. 歯槽舌溝（①舌小帯の両側で舌と下顎骨歯槽突起または隆線の間にある口腔の一部分. ②胎児では，舌原基と下顎骨の歯槽隆起の間で，両側にある溝). =alveololingual sulcus; gingivolingual g.; gingivolingual sulcus.

ampullary g. [TA]. 膨大部溝（神経が膨大部稜にはいる各半規管の膨大部の外面にある溝). =sulcus ampullaris [TA]; ampullary sulcus.

anterior auricular g. 〔耳介の〕前切痕. =anterior *notch* of auricle.

anterior intermediate g. 前中間溝. =anterior intermediate *sulcus.*

anterior interventricular g. 前室間溝. =anterior interventricular *sulcus.*

anterolateral g. 前外側溝. =anterolateral *sulcus.*

anteromedian g. ***1*** =anterior median *fissure* of medulla oblongata. ***2*** =anterior median *fissure* of spinal cord.

g. for arch of aorta 大動脈弓溝（死体の左肺縦隔面で肺門上部を上に凸に弓なりに走る幅広い深い溝. 大動脈弓が肺臓にくいこんでつくられた).

arterial g.'s [TA]. 動脈溝（硬膜動脈が走る頭蓋の内面にある分岐溝. 最も顕著なものは中硬膜動脈の枝に関連している). =sulci arteriosi [TA].

g.'s for arteries [TA]. 動脈溝（頭頂骨内面を走る動脈(主に中硬膜動脈の枝)によって形成される溝).

atrioventricular g. =coronary *sulcus.*

g. for auditory tube 耳管溝. =*sulcus* for pharyngotympanic tube.

auriculoventricular g. =coronary *sulcus.*

bicipital g.* intertubercular *sulcus* の公式の別名.

branchial g. 鰓溝. =pharyngeal g.'s.

canine g. 犬歯溝（第一小臼歯近心面の縦走する溝. 隣接する犬歯との接触線に一致してみられる). =stria canina [TA]; sulcus caninus [TA].

carotid g. 頸動脈溝. =carotid *sulcus.*

carpal g. [TA]. 手根溝（手根骨でつくられるアーチの掌面にある陥凹). =sulcus carpi [TA]; carpal canal (2).

cavernous g. 頸動脈溝=carotid *sulcus.*

chiasmatic g. 視交叉溝. =prechiasmatic *sulcus.*

coronary g. 冠状溝. =coronary *sulcus.*

costal g. [TA]. 肋骨溝（肋骨の下内縁にある溝で，肋間動静脈と肋間神経が通る). =sulcus costae [TA]; subcostal g.

g. of crus of helix [TA]. 耳輪脚溝（耳輪脚に対応する耳介の後面にある横溝). =sulcus cruris helicis [TA].

dental g. 歯溝（胚期の顎の歯肉面にみられる歯堤の内部成長線に沿った一過性の陥凹).

g. for the descending aorta 下行大動脈溝（左肺を下行大動脈が圧排して死体肺に認められる縦隔表面で肺門部の直背部の広い垂直な溝).

developmental g.'s 発育線（歯のエナメル質にみられる細い線で，歯冠の発育葉の融合部を示す). =developmental lines.

digastric g. =mastoid *notch.*

ethmoidal g. [TA]. 篩骨神経溝（鼻骨の内面にある溝. 前篩骨神経の外鼻枝を入れる). =sulcus ethmoidalis [TA].

g. for extensor muscle tendons [TA]. 伸筋腱溝（橈骨遠位端背側面にみられる縦走陥凹. 長母指伸筋腱，示指伸筋腱，総指伸筋腱，小指伸筋腱が通る). =sulci tendineum musculorum extensorum [TA].

first pharyngeal g. 第一咽頭溝. =hyomandibular *cleft.*

g. of first rib for subclavian artery [TA]. 第一肋骨の鎖骨下動脈溝（第一肋骨上面で斜角筋結節のすぐ後ろにある溝で鎖骨下動脈が通過する). =sulcus arteriae subclaviae costae primae [TA]; sulcus costae arteriae subclaviae.

frontal g.'s 前頭溝 (→inferior frontal *sulcus*; middle frontal *sulcus*; superior frontal *sulcus*).

gingival g. =gingival *sulcus.*

gingivobuccal g. 歯肉頬溝. =alveolobuccal g.

gingivolabial g. 歯肉唇溝. =alveololabial g.

gingivolingual g. 歯肉舌溝. =alveololingual g.

greater palatine g. [TA]. 大口蓋溝（上顎骨体と口蓋骨鉛直板とでできた溝で，両者が連結すれば大口蓋管となる). =sulcus palatinus major [TA]; pterygopalatine g.; sulcus for greater palatine nerve; sulcus pterygopalatinus.

g. for greater petrosal nerve [TA]. 大錐体神経溝（側頭骨錐体の前面にある溝. 大錐体神経が通る). =sulcus nervi petrosi majoris [TA].

Harrison g. (har′i-sŏn). ハリソン溝（くる病または何らかの原因によって軟化した骨を，横隔膜が引っ張ることによって起こる肋骨の変形).

inferior petrosal g. 下錐体洞溝. =g. for inferior petrosal sinus.

g. for inferior petrosal sinus [TA]. 下錐体洞溝（側頭骨錐体と後頭骨底部にある同名の溝の結合によってつくられる. 下錐体洞を入れる溝). =sulcus sinus petrosi inferioris [TA]; inferior petrosal g.; inferior petrosal sulcus.

g. for inferior vena cava 下大静脈溝. =*sulcus* for vena cava.

infraorbital g. [TA]. 眼窩下溝（上顎骨の眼窩面にある次第に深くなる溝で,眼窩下管に連なる). =sulcus infraorbitalis [TA].

interosseous g. ***1*** =calcaneal *sulcus.* ***2*** =*sulcus* tali.

interosseous g. of calcaneus 踵骨〔骨間〕溝. =calcaneal *sulcus.*

interosseous g. of talus 距骨〔骨間〕溝. =*sulcus* tali.

intertubercular g. 結節間溝（2結節の間を通り上腕骨体を下行する溝，上腕二頭筋長頭の腱が通り，その床に広背筋が付着している). =intertubercular sulcus[TA]; sulcus intertubercularis[TA].

interventricular g.'s 心室間溝 (→anterior interventricular *sulcus*; posterior interventricular *sulcus*).

lacrimal g. [TA]. 涙嚢溝（上顎骨の鼻側面にある溝で，涙骨とともに涙嚢窩をつくる). =sulcus lacrimalis [TA].

laryngotracheal g. 喉頭気管溝（原始咽頭尾側端の陥凹. 下方にのびて前腸の腹側壁に到達し，そこから喉頭と気管，気管支，肺が発生する). =tracheobronchial g.

lateral bicipital g. [TA]. 外側二頭筋溝（腕の外側で上腕二頭筋と上腕筋とを分ける溝). =sulcus bicipitalis lateralis [TA]; sulcus bicipitalis radialis*.

g. of lesser petrosal nerve [TA]. 小錐体神経溝（側頭骨錐体の前面にある溝. 耳神経節に向かう小錐体神経が通る). =sulcus nervi petrosi minoris [TA].

linguogingival g. 舌歯肉溝（胚期の顎弓の舌部分とその他の顎弓部分を分ける溝).

Lucas g. (lū′kăs). ルーカス溝. =*stria* spinosa.

g. of lung for subclavian artery 肺の鎖骨下動脈溝（鎖骨下動脈の走路に対応する，肺尖の真下にみられる死体の肺表面の溝). =sulcus subclavius.

major g. 深いほうの溝（DNA構造の詳細な分析において，外観上2つの型の溝が存在する. 深いほうの溝はらせん軸へ内側に向かっている. 塩基対の窒素原子と酸素原子をも

G

ち，一方浅いほうの溝では窒素原子および酸素原子は外側に向いている．深いほうの溝は塩基組成により依存しており，蛋白が特定の DNA 配列あるいは領域を認識する部位である可能性があるので重要である）．

malleolar g. [TA]．内果溝（内果の後面にある広い溝，後脛骨筋の腱が通る）．＝sulcus malleolaris [TA]; g. for tibialis posterior tendon; malleolar sulcus.

g. for marginal sinus [TA]．辺縁洞溝（大後頭孔辺縁にみられる溝．硬膜の辺縁静脈洞によってできる）．＝sulcus sinus marginalis [TA].

mastoid g. 乳突溝．＝mastoid *notch*.

medial bicipital g. [TA]．内側二頭筋溝（腕の内側面で上腕二頭筋と上腕筋とを分ける溝）．＝sulcus bicipitalis medialis [TA]; sulcus bicipitalis ulnaris*.

median g. of tongue 舌正中溝．＝median *sulcus* of tongue.

medullary g. ＝neural g.

middle meningeal artery g. 中大脳動脈溝（頭蓋の内板においてみられる細い溝で，側面像で細い黒い線としてみられ，頭蓋骨骨折と間違われることがある．→*sulci* arteriosi(⇀sulcus)）．

g. for middle meningeal artery [TA]．中硬膜動脈溝（側頭骨鱗部から頭頂骨の内面にみられる溝．棘孔から起こり，中硬膜動脈の分枝に一致して走向する）．＝sulcus arteriae meningeae mediae [TA].

g. for middle temporal artery [TA]．中側頭動脈溝（側頭骨鱗部の外面で外耳道の上にある縦溝）．＝sulcus arteriae temporalis mediae [TA]; sulcus for middle temporal artery.

minor g. 浅いほうの溝（→major g.）．

musculospiral g. ＝radial g.

mylohyoid g. [TA]．顎舌骨筋神経溝（下顎小舌に始まる下顎枝の内側面にある溝．顎舌骨筋動脈および神経が通る）．＝sulcus mylohyoideus [TA]; mylohyoid fossa.

g. of nail matrix 爪床小溝．＝*sulcus* matricis unguis.

nasolabial g. 鼻唇溝．＝nasolabial *sulcus*.

nasopalatine g. 鼻口蓋溝（鼻口蓋神経を通している鋤骨外側面の溝）．

nasopharyngeal g. 鼻咽頭溝（鼻腔と鼻咽頭の境をなす不明確な線）．

neural g. 神経溝（胎児の発生過程において，神経板の外側縁が徐々に隆起することにより，背面の正中線に形成されるというような溝．最終的に左右の縁(神経ひだ)が融合して神経管が形成される）．＝medullary g.

obturator g. [TA]．閉鎖溝（恥骨上枝の内面にある深い構）．＝sulcus obturatorius [TA].

occipital g. 後頭動脈溝（側頭骨の乳突切痕の内側にある狭い溝で，後頭動脈を入れる）．＝sulcus arteriae occipitalis [TA]; sulcus of occipital artery.

g. for occipital sinus 後頭洞溝（大後頭孔後方で，後頭骨内面の正中にみられる線状陥凹．後頭静脈洞の位置に一致する）．＝sulcus sinus occipitalis [TA].

olfactory g. 嗅溝．＝olfactory *sulcus*.

olfactory g. of nasal cavity [TA]．鼻腔の嗅溝（鼻腔内の鼻堤上にある中鼻道前房から嗅部に達する狭い溝）．＝sulcus olfactorius cavi nasi [TA]; olfactory sulcus of nasal cavity.

optic g. ＝prechiasmatic *sulcus*.

palatine g.'s [TA]．口蓋溝（上顎骨の口蓋突起下面にある溝．口蓋動静脈および神経が通る）．＝sulci palatini [TA].

palatovaginal g. [TA]．口蓋骨鞘突溝（蝶形骨鞘状突起の下面にある溝で，その下の口蓋骨の蝶形骨突起とともに口蓋骨鞘突管をつくる）．＝sulcus palatovaginalis [TA].

paraglenoid g. 関節[窩]傍溝．＝preauricular g.

pharyngeal g.'s 咽頭溝（発生初期に，一連の鰓弓の間にみられる外胚葉性の溝）．＝branchial g.

pharyngotympanic g. 耳管溝．＝*sulcus* for pharyngotympanic tube.

pontomedullary g. 橋延髄溝．＝medullopontine sulcus [TA].

popliteal g. 膝窩筋溝．＝g. for popliteus.

g. for popliteus [TA]．膝窩筋溝（大腿骨外側上顆と関節縁の間の外側顆上にある溝．その前端部から膝窩筋が起始する．膝の屈曲時には，その後端部に筋肉の腱がはいり込む）．＝sulcus popliteus [TA]; popliteal g.

posterior auricular g. [TA]．後耳介溝（対珠耳輪裂の上にある対珠と耳輪尾との間の溝）．＝sulcus posterior auriculae [TA].

posterior intermediate g. 後中間溝．＝posterior intermediate *sulcus*.

posterior interventricular g. 後室間溝．＝posterior interventricular *sulcus*.

posterolateral g. 後外側溝．＝posterolateral *sulcus*.

preauricular g. 耳状面前溝（腸骨の骨盤面で耳状面のすぐ外側にみられる溝．女性に顕著である）．＝paraglenoid g.; paraglenoid sulcus; preauricular sulcus; sulcus paraglenoidalis.

primary labial g. 初期生殖溝．＝labial *sulcus*.

primordial g. 原始溝（原始ひだが側面に位置する原始線条に形成される正中のくぼみ）．＝primordial furrow.

g. of promontory of labyrinthine wall of tympanic cavity [TA]．鼓室迷路壁の岬角溝（中耳内の岬角表面を垂直に通る細く枝分かれした溝．鼓室神経叢を入れる）．＝sulcus promontorii cavitatis tympanicae [TA]; sulcus of promontory of tympanic cavity.

g. of pterygoid hamulus [TA]．翼突鉤溝（翼突鉤の基部にある溝もしくは切痕．口蓋帆張筋の腱が通る滑車を形成する）．＝sulcus hamuli pterygoidei [TA]; hamular notch; pterygomaxillary notch; sulcus of pterygoid hamulus.

pterygopalatine g. ＝greater palatine g.

pulmonary g. [TA]．肺溝（胸郭の背内面で，脊柱の両側にある垂直な深い陥凹．肋骨の後方における彎曲部によって形成され，肺の後部が収まる）．＝sulcus pulmonalis [TA]; paravertebral gutter; pulmonary sulcus.

radial g. [TA]．橈骨神経溝（上腕骨体を回っている浅い溝．上腕三頭筋の外側頭と内側頭の起始部に狭まれるように存在する．橈骨神経と上腕深動脈がこの溝に沿って走る）．＝sulcus nervi radialis [TA]; g. for radial nerve*; musculospiral g.; spiral g.

g. for radial nerve* 橈骨神経溝（radial g. の公式の別名）．

retention g. 保持溝（歯の修復物の保持を助けるため，歯に加わる垂直圧に対抗するように形成される溝の一種）．

rhombic g.'s 菱形溝（肧の後脳床にある 7 対の横溝）．

sagittal g. ＝g. for superior sagittal sinus.

Sibson g. (sib′sŏn)．シブソン溝（胸郭の外側にしばしばみられる溝．大胸筋の隆起した下方端によりつくられる）．

sigmoid g. S 状洞溝．＝g. for sigmoid sinus.

g. for sigmoid sinus [TA]．S 状洞溝（後頭蓋窩内にある広い溝で，始めは後頭骨の外側部にあるが，頸動脈突起を回って曲がり側頭骨の乳突部に達し，終わりには頭頂骨の後下角上を鋭く曲がって横洞溝とつながる．横洞溝は横静脈洞を入れる溝）．＝sulcus sinus sigmoidei [TA]; sigmoid fossa; sigmoid g.; sigmoid sulcus.

skin g.'s 皮膚小溝．＝skin *sulci*(⇀sulcus).

g. for spinal nerve [TA]．脊髄神経溝（典型的脊椎の横突起の上面で前結節と後結節の間にある外側方へ向かう溝．これに沿って出ていく脊髄神経が通る）．＝sulcus nervi spinalis [TA].

spiral g. ＝radial g.

subclavian g. [TA]．鎖骨下筋溝（鎖骨の下面の凹窩で，鎖骨下筋が付着する）．＝sulcus musculi subclavii [TA]; g. for subclavius*; subclavian sulcus; sulcus subclavianus.

g. for subclavian artery [TA]．鎖骨下動脈溝（第一肋骨上面にみられる溝で，鎖骨下動脈が通る．→g. of first rib subclavian artery）．

g. for subclavian vein [TA]．鎖骨下静脈溝（第一肋骨の前斜角筋結節の直前にある溝で，鎖骨下静脈がこの肋骨を横切るところを示す）．＝sulcus venae subclaviae [TA].

g. for subclavius* subclavian g. の公式の別名．

subcostal g. ＝costal g.

g. for superior petrosal sinus [TA]．上錐体洞溝（側頭骨錐体の上縁にある上錐体洞のはいる溝）．＝sulcus sinus petrosi superioris [TA]; superior petrosal sulcus.

g. for superior sagittal sinus 上矢状洞溝（頭蓋冠内板正

中線にある上矢状洞を入れる溝).＝sagittal g.; sagittal sulcus; sulcus sinus sagittalis superioris; superior longitudinal sulcus.

g. for superior vena cava〔肺の〕上大静脈溝（死体の右肺の肺門の上にある上大静脈が通る溝).＝sulcus venae cavae cranialis.

supplemental g. 補助溝（通常，三角隆線の両側にみられる曲線状の溝).

supra-acetabular g.［TA］. 寛骨臼上溝（寛骨臼の後上方にある溝で，大腿直筋の筋頭の一部が反転して付着している).＝sulcus supraacetabularis［TA］; supraacetabular sulcus.

g. for tendon of fibularis longus［TA］. 長腓骨筋腱溝（①踵骨の腓骨筋滑車の下にある溝．②方形骨結節の遠位にある溝).＝sulcus tendinis musculi fibularis longi［TA］; g. for tendon of peroneus longus☆; sulcus tendinis musculi peronei longi (1)☆.

g. for tendon of flexor hallucis longus［TA］. 長母指屈筋腱溝（踵骨載距突起の下側にある同じ名前の溝とつながる距骨後突起上の縦溝).＝sulcus tendinis musculi flexoris hallucis longi［TA］.

g. for tendon of peroneus longus☆ g. for tendon of fibularis longus の公式の別名.

g. for tibialis posterior tendon 内果溝.＝malleolar g.

tracheobronchial g. 喉頭気管溝.＝laryngotracheal g.

transverse anthelicine g. 横対輪溝（三角窩隆起と甲介隆起とを分ける耳介の後面上の深い溝).＝sulcus anthelicis transversus.

transverse nasal g. ＝*stria* nasi transversa.

g. for transverse sinus［TA］. 横洞溝（横洞の道筋をつくる後頭骨内面にある溝．その縁に小脳テントが付いている).＝sulcus sinus transversi［TA］; sulcus for transverse sinus.

tympanic g. 鼓膜溝.＝tympanic *sulcus.*

g. for ulnar nerve［TA］. 尺骨神経溝（上腕骨内側上顆の後面にある溝．尺骨神経が通る).＝sulcus nervi ulnaris［TA］.

urethral g. 尿道溝（胚期の陰茎の腹側表面にある溝．最終的にはふさがれて尿道の海綿体部を形成する).

venous g.'s［TA］. 静脈溝（頭蓋腔の外表面にしばしばみられる静脈の通る溝).＝sulci venosi［TA］.

vertebral g. 脊椎溝（棘突起と横突起と椎弓板によりつくられる陥凹で，固有背筋(横突棘筋)を入れる).

g. for vertebral artery［TA］. 椎骨動脈溝（椎骨動脈を内側方の大孔に通す環椎後弓の上面にある溝).＝sulcus arteriae vertebralis［TA］; sulcus for vertebral artery.

vomeral g. 鋤骨溝.＝vomerine g.

vomerine g.［TA］. 鋤骨溝（鋤骨前縁にみられる溝で，鼻中隔軟骨が連結している).＝sulcus vomeris［TA］; sulcus vomeralis; vomeral g.; vomeral sulcus.

vomerovaginal g.［TA］. 鋤骨鞘突溝（鋤骨翼とともに鋤骨鞘突管をつくる．蝶形骨鞘状突起下面にある溝).＝sulcus vomerovaginalis［TA］.

Gross (grōs), Ludwik. 20世紀の米国人腫瘍学者.→G. *virus*, leukemia *virus.*

gross (grōs)［L. *grossus*, thick］. 粗大な，肉眼で見える（粗野な，大柄な，肉眼で十分見える程大きい).

group (grūp). ***1*** 群，族，類（類似した事物の集まり). ***2*** 基，原子団（個々の化学基については各々の名称参照).

characterizing g. 特徴群（分子内にある原子団で，これによって，その物質の部類を他の部類から区別する．例えば，カルボニル基(CO)はケトンの特徴群，COOH はカルボン酸の特徴群).

connective tissue g. 結合組織群（粘膜組織，歯質，骨，軟骨，および通常の結合組織など間葉組織から発育するものすべての総称).

control g. 対照群（同一実験で，実験群の対照として用いる，実験要件を加えない検体群.→experimental g.).

cytophil g. 細胞親和基，対細胞基（細胞に結合する抗体内の部分).

determinant g. 決定群.＝antigenic *determinant.*

diagnosis-related g. (**DRG**) 診断関連群別〔法〕（医療，特に入院医療の支払いのための米国の計画表で，医療に必要な人的および物的資源によって診断区分で調整して疾病を群別するもの．支払費を各群で定め，その群のすべての患者各人の支払額とする．各患者の実際の医療費や入院期間は考慮しない．これは医療提供者の経費削減を促すものとなる).

encounter g. エンカウンターグループ，出会い集団（集団内における個人関係の経験を重視し，知的，教訓的なことをなるべく言わなくする心理学的感受性の訓練法．集団の構成員自身の過去または集団外の問題より，むしろ現時点に焦点を置く.→sensitivity training g.).

experimental g.〔目標〕実験群（対照群とは逆に，種々の実験が行われる検体群).

functional g. 官能基（→function (4)).

HACEK g. *Haemophilus* spp., *Actinobacillus actinomycetemcomitans*, *Cardiobacterium hominis*, *Eikenella corrodens*, *Kingella kingae* を含むグラム陰性菌の一群を表す頭字語の名称．この群の細菌は一般に培養時には高濃度の二酸化炭素環境を要求する．ヒトの心臓弁への感染能をもつ.

linkage g. 連鎖群（連鎖分析でゲノム上では近い位置であると示された2つ以上の遺伝子座の組．しかしまだ特定の染色体に確定されていない．急速に古語になっている).

matched g.'s 対応群（実験者が影響を与えると考えるすべての生体条件(例えば，年齢，性別，身長，体重)に関して，ある群の被検体と他の群の被検体を1対1で対応させる対照実験法).

prosthetic g. 補欠分子族〔団〕（蛋白に結合する非アミノ酸化合物．しばしば可逆的で，このようにして生成される複合蛋白は新たな特性を示す.→coenzyme).

sensitivity training g. 感受性訓練集団（1960年代および1970年代に最も一般的であった，各構成員が，感情障害の治療を受けるよりもむしろ自己洞察と集団力学過程の理解を発達させようとする集団.→encounter g.; personal growth *laboratory*).

symptom g. →syndrome; complex (1).

T g. training g. の略.

therapeutic g. 治療集団（共通の精神療法，個人発達，生活変化の目標のために集まった患者集団).

training g. (**T g.**) 訓練グループ（自己洞察と集団力学の訓練を強調する集団.→sensitivity training g.).

Gro·ver (grō′vĕr), Ralph W. 20世紀の米国人皮膚科医. →G. *disease.*

growth (grōth). 発育，成長(生長)，増殖（成長発育の過程で，生物自体またはその一部が大きくなること).

accretionary g. 付着成長（細胞間質の増加による成長).

appositional g. 付加成長（前に形成された層に新しい層が付加する成長．例えば，骨形成における層板付加など．硬い物質を含む場合の特殊な成長法).＝apposition.

auxetic g. 肥大成長（構成細胞が大きくなる成長).＝intussusceptive g.

bacterial g. 細菌増殖（菌体成分または菌体数の増加による培養細菌の増殖).

collateral g. 側副血行路形成（残存する血管網の間に血管の連絡橋を形成すること).

differential g. 分化成長，偏差成長（関連組織または構造の速度が異なる成長．特に発生学において，成長速度の差により元の比率あるいは関係が変化する場合に用いる).

exponential g. 指数増殖（→logarithmic *phase*).

interstitial g. 間質成長，介在性成長（ある部位の内部にある多くの異なる中心からの成長．付加成長とは対照的に，軟骨のように含まれる物質が硬くない場合にのみ可能).

intussusceptive g. ＝auxetic g.

lipidic g. 脂質内結晶成長（膜タンパク質の結晶成長場を提供し結晶成長を促す脂質分子・水分子アレイ(配列)).

multiplicative g. 増殖性成長，分裂成長（細胞増殖による成長).

new g. 新生物.＝neoplasm.

grub (grŭb). 幼虫，地虫，ウジ（ある種の昆虫，特に鞘翅目，双翅目，膜翅目，およびヒフバエ属 *Hypoderma* の，蠕虫状の幼虫あるいはウジ).

Gru·ber (grū′bĕr), George B. ドイツ人医師，1884―1977.→

G

Meckel-G. *syndrome*; Martin-G. *anastomosis*.
Gru·ber (grū′bĕr), Josef. ハプスブルク帝国の耳科医，1827—1900. ⇀G. *method*.
Gru·ber (grū′bĕr), Max von. ドイツ人衛生学者，1853—1927. ⇀G. *reaction*; G.-Widal *reaction*.
Gru·ber (grū′bĕr), Wenzel (Wenaslaus) L. ロシア人解剖学者，1814—1890. ⇀G. *cul-de-sac*; G.-Landzert *fossa*.
gru·el (grū′ĕl) [< O. Fr. < Mediev. L. *grutum*, meal]. かゆ(粥)(オートミールまたは他の穀類を水でゆでた半流動食).
gru·mous (grū′mŭs) [L. *grumus*, a little heap]. 凝血塊あるいは嚢胞の中身のように，どろっとして固まった様子.
Grunert spur (grū′nĕrt). ⇀spur.
Grun·stein-Hog·ness as·say (grun′stīn hog′nes). ⇀assay.
Grün·wald (grēn′vahld), L. 19世紀後期のドイツ人耳鼻咽喉科医. ⇀May-G. *stain*.
Grütz (grŭtz), O. 20世紀のドイツ人皮膚科医. ⇀Bürger-G. *syndrome*.
Gryn·feltt (grin′felt), Joseph C. フランス人外科医，1840—1913. ⇀G. *triangle*.
gry·o·chrome (grī′ō-krōm) [G. *gry*, something insignificant + *chrōma*, color]. グリオクローム(染色可能部分が，一定に配置されずに細かい顆粒の形で存在する神経細胞に対してNissl が用いた語).
gry·po·sis (gri-pō′sis) [G. *grypos*, hooked + *-osis*, condition]. 彎曲(異常な彎曲).
GSH glutathione の略.
GSR galvanic skin *response* の略.
G-stro·phan·thin (strō-fan′thin). ⇀ouabain.
GSW gunshot *wound* の略.
g-tol·er·ance (tol′ĕr-ants). g 耐性，重力耐性(加速や減速の結果として生じる力に対する人や物の耐性).
GTP guanosine 5′-triphosphate の略.
GTT glucose tolerance *test* の略.
GU genitourinary の略.
Gua guanine の略.
guai·ac (gwī′ak) [Sp. *guayaco*, カリブ土語をまねた]. グアヤク(Zygophyllaceae 科の *Guaiacum officinale* または *G. sanctum* の樹脂．嘔吐薬，発汗薬，刺激薬，潜血試験に用いる試薬). = guaiac gum.
guai·a·cin (gwī′ă-sin). グアヤシン(グアヤクサポニン，グアヤクの成分で，オキシダーゼの試薬として用いる．混合すると青色を呈する).
guai·a·col glyc·er·yl e·ther (gwī′ă-col glis′ĕr-il ē′thĕr). グアヤコールグリセリルエーテル. = guaifenesin.
guai·fen·e·sin (gwī-fen′ĕ-sin). グアイフェネシン(痰の粘度を減じてその排出を促進するといわれている去痰薬). = glyceryl guaiacolate; guaiacol glyceryl ether.
gua·nase (gwahn′ās). グアナーゼ. = *guanine* deaminase.
guan·a·zol·o (gwahn′-ă-zōl′ō). グアナゾロ. = 8-azaguanine.
guan·i·dine (gwahn′i-dēn, -din). グアニジン(強塩基性化合物．通常は(ある種の植物と下等動物で)塩酸塩として存在する．クレアチンの構成成分).
guan·i·din·i·um (gwahn′i-din′ē-ŭm). グアニジニウム(分子中(例えばアルギニン中)に存在するプロトン化したグアニジン部分をさす).
guan·i·din·o·ac·e·tate (gwahn′i-din′ō-as′ĕ-tāt). グアニジノ酢酸(クレアチンの生合成の中間体).
guan·i·din·o·ac·e·tate *N*-meth·yl·trans·fer·ase (guahn′i-din′ō-as′ĕ-tāt meth′ĭl-trans′fĕr-ās). 酢酸グアニジン *N*-メチルトランスフェラーゼ(メチル基を，*S*-アデノシル-L-メチオニンから酢酸グアニジン(グリコシアミン)に移し，クレアチンと*S*-アデノシン-L-ホモシステインの生成を触媒する酵素).
gua·nine (Gua, G) (gwahn′ēn, -in). グアニン；2-amino-6-oxypurine(核酸中の主要な２種のプリン化合物の１つ．もう一方はアデニン).
  g. aminase = g. deaminase.
  g. deaminase [MIM*139260]. グアニンデアミナーゼ(グアニンを加水分解しキサンチンとアンモニアに変換する反応を触媒する肝臓のデアミナーゼ). = guanase; g. aminase.
  g. deoxyribonucleotide グアニンデオキシリボヌクレオチド. = deoxyguanylic acid.
  g. ribonucleotide グアニンリボヌクレオチド. = guanylic acid.
guan·o·sine (G, Guo) (gwahn′ō-sēn, -sin). グアノシン；9-β-D-ribosylguanine(N-9 を通じて β-D-リボースの C-1 と結合するグアニン．RNA とグアニンヌクレオチドの主成分). = 9-β-D-ribofuranosylguanine.
  cyclic g. 3′,5′-monophosphate (cGMP) サイクリックグアノシン 3′,5′-一リン酸(cAMP の類似体．心房性ナトリウム利尿因子に対するセカンドメッセンジャー). = cyclic GMP.
guan·o·sine 5′-di·phos·phate (GDP) (gwahn′ō-sēn dī-fos′fāt). グアノシン 5′-二リン酸(5′位で２つのリン酸がエステル結合したグアノシン．微小管に強固に結合している).
guan·o·sine 5′-monophos·phate (gwahn′ō-sēn mon′ō-fos′fāt). グアノシン 5′-一リン酸. = guanylic acid.
guan·o·sine 5′-tri·phos·phate (GTP) (gwahn′ō-sēn trī-fos′fāt). グアノシン 5′-三リン酸(ATP に類似．RNA のグアニンヌクレオチドの直接の前駆物質．微小管形成に重要な働きをする).
  GTP cyclohydrolase GTP シクロヒドロラーゼ(GTP と H_2O によりギ酸とテトラヒドロバイオプテリンの前駆物質を生成させる反応を触媒する酵素．この酵素の欠損により，ある種の悪性高フェニルアラニン血症になる).
guan·yl (gwahn′il). グアニル(グアニン基).
  g. cyclase = guanylate cyclase.
guan·y·late cy·clase (gwahn′i-lāt sī′klās). グアニル酸シクラーゼ(アデニン酸(アデニリル)シクラーゼの同族体酵素であるが，グアノシン三リン酸を環化し，グアノシン 3′：5′-サイクリック一リン酸またはピロリン酸を与える．一酸化窒素で活性化される). = guanyl cyclase; guanylyl cyclase.
gua·nyl·ic ac·id (GMP) (gwă-nil′ik as′id). グアニル酸(リボ核酸の主成分). = guanine ribonucleotide; guanosine 5′-monophosphate.
  g. a. reductase (GMP reductase) グアニル酸レダクターゼ，GMP レダクターゼ(GMP と NADPH とから，IMP，NH_3 および $NADP^+$ への反応を触媒する酵素．プリンサルベージ経路の一部).
  g. a. synthetase (GMP synthetase) グアニル酸シンテターゼ，GMP シンテターゼ(L-グルタミン，XMP，および ATP から GMP，L-グルタミン酸，AMP，およびピロリン酸への反応を触媒する酵素．プリン生合成の重要な段階).
gua·nyl·o·ri·bo·nu·cle·ase (gwahn′i-lō-rī′bō-nū′klē-ās). グアニロリボヌクレアーゼ. = RNase T_1 (⇀ribonuclease).
gua·nyl·yl (gwahn′i-lil). グアニル酸の基.
  g. cyclase グアニリルシクラーゼ. = guanylate cyclase.
gua·ra·na (gwah-rah′nah) [ブラジルの土語]. ガラナ(ブラジルで広く栽培されているつる植物ムクロジ科ガラナ *Paullinia cupana* の種子を砕いた乾燥ペースト．グアラニン(カフェイン)，サポニン，揮発油，パウリニタン酸が含まれる．頭痛薬として用いられてきた).
gua·ra·nine (gwahr′ă-nēn). グアラニン. = caffeine.
guard·ing (gard′ing). 防御(障害あるいは疫病によって障害された部位の動きや振動を小さくするような筋肉の痙攣).
  abdominal g. 腹壁防御(炎症を起こした腹部臓器を圧迫から守るため，触診で認められる腹壁の筋肉の痙攣．通常，虫垂炎，憩室炎，広汎な膀胱炎における腹膜壁側表面の炎症の結果生じる).
  involuntary g. 不随意筋性防御(後腹膜腔の炎症で生じる，意志では抑制できない腹筋の痙縮).
  voluntary g. 随意筋性防御(意識的に抑制できる腹筋の痙縮).
Guar·ni·er·i (gwahr-nā-er′ē), Giuseppi. イタリア人医師，1856—1918. ⇀G. *bodies*.
gu·ber·nac·u·lum (gū′bĕr-nak′yū-lŭm) [L. a helm, rudder]. ***1*** 導帯(２つの組織を結合する線維状のひも(例えば，精巣と陰嚢，卵巣と陰唇)．女性の場合，導帯の中間部が子宮に付着し，上方部が固有卵巣索，下方部が子宮円索となる). ***2*** = g. testis.
  g. dentis 歯帯(歯嚢と上にかぶさった歯肉を結合する結

合組織のひも).

Hunter g. (hŭn′tĕr). g. testis を表す現在では用いられない語.

g. ovarian 卵巣導帯（胎生初期に卵巣と生殖隆起を連結する結合組織帯であり，この相対的短縮により卵巣は骨盤内に下降する).

g. testis 精巣導帯，睾丸導帯（間葉性の密な組織索で，胎児期に精巣と発達過程にある陰嚢をつなぐ．精巣の下降を導く役割があると考えられている．ただし，精巣導帯の収縮によって，精巣が陰嚢内へ引き込まれるわけではない). = gubernaculum (2).

Gub·ler (gū-blār′), Adolphe. フランス人医師，1821—1879. ⇀G. *line, paralysis, syndrome*; Millard-G. *syndrome.*

Gud·den (gūd′en), Bernhard A. von. ドイツ人神経科医，1824—1886. ⇀G. *commissure, ganglion*, tegmental *nuclei*(⇒nucleus).

Gue·del (gū-del′), Arthur Ernest. 米国人麻酔科医，1883—1956. ⇀G. *airway.*

Gué·neau de Mus·sy (gā-nō′ dĕ mū-sē′), Noël F.O. フランス人医師，1813—1885. ⇀G. de M. *point.*

Gué·rin (gā-rĭn[h]′), Camille. フランス人細菌学者，1872—1961. ⇀bacille Calmette-G.; bacillus Calmette-G. *vaccine*; Calmette *test*; Calmette-G. *bacillus, vaccine.*

Gué·rin (gā-rĭn[h]′), Alphonse F.M. フランス人外科医，1816—1895. ⇀G. *fold, fracture, glands, sinus, valve.*

guid·ance (gī′dănts). ***1*** 誘導，案内，指導. ***2*** 誘導装置（⇀guide).

condylar g. コンディラーガイダンス（咬合器の動きを顎関節の下顎顆の運動と類似させるために，咬合器上に取り付ける機械装置.→condylar guidance *inclination*). = condylar guide.

incisal g. 切歯誘導（偏心運動時に，上下顎前歯の接触面が下顎運動に及ぼす影響). = incisal path.

guide (gīd) [M. E. < O. Fr. *guier*, to show the way < Germanic]. ***1*** 〚v.〛 誘導する（決まった進路に導くことをいう). ***2*** 〚n.〛 誘導装置（他のものに適切な進路をとらせる装置あるいは器具．例えば，溝付きガイド，カテーテル誘導).

anterior g. = incisal g.

catheter g. カテーテルガイド（屈曲自在の金属性またはプラスチック性ワイヤあるいは細いゾンデで，カテーテルの中を通して，血管あるいは尿道の目的の部位にまで前進させる.→stylet; Seldinger *technique*).

condylar g. コンディラーガイド. = condylar *guidance.*

incisal g. 切歯誘導板（歯科において，垂直顎間距離と切歯誘導によってつくられる切歯路角を保つために，切歯誘導釘が存在している咬合器の部分．切歯路角の変化に対応するように上面を変えたり，異常運動において直線的な切歯誘導以外のものも許容されるよう，個々に合うようにプラスチックでつくられるので調節可能である). = anterior g.

mold g. モールドガイド（1本以上の人工歯の形態を決めるのに用いるガイド).

guide·line (gīd′līn). 指標基準，指針（指標あるいは参考として基準の目安となるもの).

clasp g. 鉤ガイドライン. = survey *line.*

clinical practice g.'s 診療ガイドライン（望ましい診断検査法やある特定の疾病に対する適切な診療法などの診療活動や機能を限定した公式の指針．Cochrane 共同研究グループによって行われてきた無作為対照試験などの入手可能なエビデンスに基づいている.→Cochrane *collaboration*).

Cummer g. (kŭm′ĕr). カマー指針. = survey *line.*

practice g.'s 診療指針（種々の徴候に基づく医療について，医師団が開発した推奨治療法). = practice parameters.

guide·wire (gīd′wīr). ガイドワイヤ（カテーテルや髄内釘のようなより太い器材を挿入・装着するための誘導に用いるワイヤあるいはスプリング).

Guil·lain (gē-yan[h]′), Georges. フランス人神経科医，1876—1961. ⇀G.-Barré *reflex, syndrome*; Landry-G.-Barré *syndrome.*

guil·lo·tine (gil′ŏ-tēn, gē′ō-tēn) [Fr. 斬首刑のための道具]. ギロチン（金属の輪の中をナイフの刃が動く器具で，扁桃腺の切除に用いる).

guin·ea green B (gin′ē grēn) [C.I. 42085]. ギニアグリーンB（酸性ジアミノトリフェニルメタン染料．水素イオン測定の指示薬として用いる(pH 6 でマゼンタ色から緑色へ変化する)．また，Masson 三重染色法での線維性細胞形質の染料として用いることもある).

guin·ea pig (gin′ē pig). モルモット，テンジクネズミ. = *Cavia porcellus.*

Guld·berg (gūld′bĕrg), C. ノルウェー人化学者，1862—1902. ⇀G.-Waage *law.*

gul·let (gŭl′ĕt) [L. *gula*, throat]. 咽喉. = throat (1).

L-**gu·lon·ic ac·id** (gū-lon′ik as′id). L-グロン酸（グルクロン酸の還元物(–CHO→–CH_2OH). L-グロースの酸化物(–CHO→–COOH). L-グロノラクトンを経由するアスコルビン酸の前駆物質(ある種の霊長類とモルモット，ある種の魚類，インド産オオコウモリを除く)).

L-**gu·lon·o·lac·tone** (gū-lon′ō-lak′tōn). L-グロノラクトン（アスコルビン酸生合成を行う動物に存するアスコルビン酸の直接の前駆物質). = dihydroascorbic acid; L-gulono-γ-lactone.

L-**g. oxidase** L-グロノラクトンオキシダーゼ（L-グロノラクトンと O_2 より H_2O_2 と L-*xylo*-ヘキスロノラクトンへの変換を触媒する酵素．アスコルビン酸の前駆物質．ヒトでは存在しない).

L-**gu·lon·o-γ-lac·tone** (gū-lon′ō-lak′tōn). L-グロノ-γ-ラクトン. = L-gulonolactone.

gu·lose (gū′lōs). グロース（8組(D と L)のアルドヘキソースのうちの1つ．D-グロースは D-ガラクトースのエピマーである).

gum (gŭm). ***1*** [L. *gummi*]. ゴム（高木や低木から分泌される樹液を乾燥したもので，無定形の粘性塊を形成する．通常は水を加えると粘液状になる．不溶性薬物の液剤を調製する際に懸濁剤としてしばしば用いられる). ***2***☆ [A.S. *goma*, jaw]. gingiva の公式の別名. ***3*** ゴム（植物中に存在する水溶性グリカン．しばしばウロン酸を含有する).

g. arabic アラビアゴム（→arabin). = acacia.

Bassora g. イランとトルコが原産地．トラガカント，アラビアゴム，およびサクラやスモモの木のゴム状分泌物に類似したゴム．蘇合香の製造に用いる.

g. benjamin, g. benzoin = benzoin.

British g. イギリスゴム（デキストリンの一型).

eucalyptus g. ユーカリゴム（*Eucalyptus rostrata* および他のフトモモ科ユーカリ属 *Eucalyptus* から得られるゴム状分泌物を乾燥したもの．収れん薬(含そう薬，トローチ剤)および止しゃ薬として用いる). = red g.

ghatti g. = Indian g.

guaiac g. = guaiac.

guar g. マメ科植物 *Cyamopsis tetragonolobus* の基底胚乳．ゼリー製剤を調製するのに用いる.

Indian g. インドゴム（シクンシ科 *Anogeissus latifolia* から得られる分泌物．粘液はアラビアゴム粘液の代用物として用いる). = ghatti g.

karaya g. カラヤゴム. = sterculia g.

locust g. ローカストゴム. = algaroba.

g. opium = opium.

red g. 赤色ゴム. = eucalyptus g.

senegal g. セネガルゴム（アラビアゴムノキ *Acacia senegal* のゴム. ⇀acacia).

starch g. デンプンゴム. = dextrin.

sterculia g. *Sterculia urens, S. villosa, S. tragacantha*, その他の *Sterculia*属の種，あるいはベニノキ科 *Cochlospermum gossypium, Cochlospermum*属のその他の種から得られるゴム状分泌物の乾燥物．親水性下剤として用いるほか，ローションや糊料の製造にも用いる. = karaya g.

wheat g. = gluten.

gum·boil (gŭm′boyl). 歯槽膿瘍. = gingival *abscess.*

gum·ma, pl. **gum·ma·ta, gum·mas** (gŭm′ă, ă-tă, -ĕz) [L. *gummi*, gum < G. *kommi*]. ゴム腫，梅毒性ゴム腫（三期梅毒に特有の伝染性肉芽腫であるが，常に発生するとは限らない．ゴム腫は1個(直径 8—10 cm)あるいは多数で，びまん性に分散している(直径 1 mm 以下)．ゴム腫は硬い不規則な中心部分をもつことが特徴で，ときには一部が硝子質化し，内部に "ghost(幻影)" 構造が認められる凝固壊死から構成される．類上皮細胞の境界が不鮮明な中心部は，ときに

G

は多核巨細胞を伴う．線維芽細胞と多数の毛細管からなる周辺部は浸潤性リンパ球と形質細胞を伴う．ゴム腫が古くなるに従い，不規則な瘢痕や球状線維小結節が現れる）．＝syphiloma.

Gum·precht (gŭm′prekt), Ferdinand A. ドイツ人医師，1864—1941. →Klein-G. shadow *nuclei*(⇒nucleus); G. *shadows*.

Gunn (gŭn), Robert Marcus. 英国人眼科医，1850—1909. →G. *phenomenon*, *dots*, *sign*, *syndrome*, *pupil*; Marcus G. *pupil*; G. crossing *sign*.

Gün·ning (gun′ing), Jan W. オランダ人化学者，1827—1901. →G. *reaction*.

Gun·ning (gŭn′ing), Thomas B. 米国人歯科医，1813—1889. →G. *splint*.

Günz (gunts), Justus W. ドイツ人解剖学者，1714—1815. →G. *ligament*.

Günz·berg (gunts′bĕrg), Alfred. 19世紀のドイツ人医師．→G. *reagent*, *test*.

Guo (gwah). グアノシンの記号．

gur·ney (gŭr′nē) [Sir Goldsworthy *Gurney*, 英国人医師・発明家，1793—1875]. 患者を移送するのに用いる，車輪の付いた担架または簡易寝台．

gush·er (gush′ĕr). ガッシャー（液体が大量に溢れ出ること）．

perilymphatic g. 外リンパ液ガッシャー（あぶみ骨底板に穴があいた際に外リンパ液が流れる異常．POU3F4 の変異やX染色体性混合性難聴(DFN-3)やその他の病気で生じる）．

Gus·sen·bau·er (gŭs-en-bow′ĕr), Carl. ドイツ人外科医，1842—1903. →G. *suture*.

gus·ta·tion (gŭs-tā′shŭn) [L. *gustatio* < *gusto*, pp. *-atus*, to taste]. *1* 賞味，吟味〔覚〕. *2* 味覚．

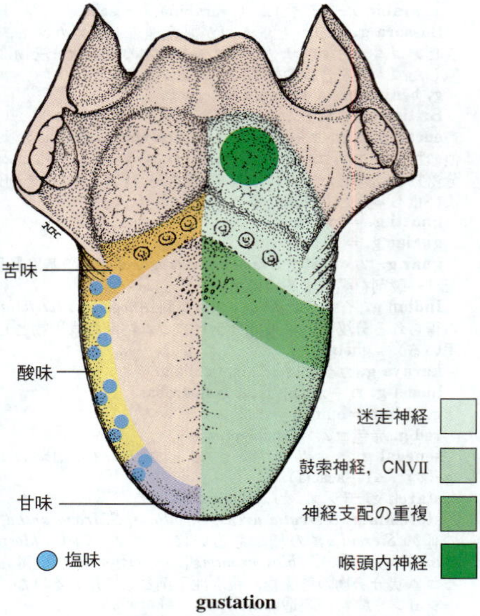

gustation
味覚認知および味覚神経の部位．

gus·ta·to·ry (gŭs′tă-tō′rē). 味覚の．

gust·duc·in (gŭst′dus-in) [L. *gustus*, taste + *duco*, to lead, induce + -in]. ガストデューシン（甘味と苦味に応答し活性化される味蕾の蛋白性メッセンジャー．ガストデューシンはG蛋白の α-サブユニットである）．

gut (gŭt) [A.S.]. *1* 腸．＝intestine. *2* 消化管（胚期の消化管）．*3* catgut の略．→suture.

blind g. 盲腸．＝cecum (1).

postanal g. 肛後腸（肛門の開口部に至る後腸の尾部の延長）．＝postcloacal g.; tailgut.

postcloacal g. ＝postanal g.

preoral g. 口前腸．＝Seessel *pocket*.

primitive g. 原始腸管．＝primordial g.

primordial g. 原始腸管（胎芽の体幹(頭部尾部側方ひだ)ひだ形成によって管状に変化する内胚葉性のシート状の膜）．＝archenteron; celenteron; endodermal canal; primitive g.; subgerminal cavity.

Guth·rie (gŭth′rē), George J. イングランド人泌尿器科医，1785—1856. →G. *muscle*.

Guth·rie (gŭth′rē), Robert. 米国人小児科医，1916—1995. →G. *test*.

Gut·mann (gūt′mahn), Carl. 19世紀のドイツ人医師．→Michaelis-G. *body*.

gut·ta, pl. **gut·tae** (gŭt′ă, -e) [L.]. *1* 滴，ガッタ（略語 gt.(単数形)，gtt.(複数形))．*2* ペルカゴム（グッタペルカ中に見出されるゴム状のポリテルペン）．

g. serena 原因不明の失明に対する古語．serena は前眼部が透明かつ安定していることを示す．失明の原因となる所見がなく，角膜瘢痕，炎症，白内障もない．そのため g. serena は，網膜，視神経，脳の障害による後眼部に由来する原因不明の失明の場合に用いられる慣例語．これは John Milton の失明に対し用いられた語句．1851 年の検眼鏡とともに，診断名 g. serena は急速にすたれ，不適切とされた．

gut·tae (gut′ē) [L.]. gutta の複数形．

gut·ta-per·cha (gut′ă-pĕr′chă) [マライ語 *gatah*, gum + *percha*, the name of a tree]. グッタペルカ，ガッタパーチャ（アカテツ科 *Palaquium*属(特に *P. gutta*)およびアカテツ科 *Payena* 属の高木の乳汁を凝固，精製，乾燥したもの．トリテルペンを含有するゴムのトランス異性体で，歯科において，一時充塡に使用され，スプリントと電気絶縁体の構造にも使用される．溶液はコロジオンの代用物，保護剤および切傷の密封に用いる．*cf.*chicle; gutta)．

guttat. ラテン語 *guttatim*(1滴ずつ)の略．

gut·tate (gŭt′tāt). 滴状の（ある種の皮膚病巣に特有な滴の形をした，あるいは滴に類似していることについていう）．

gut·ter (gŭt′ĕr) [TA]. 溝（深い陥凹，細長いくぼみ）．

paracolic g.'s [TA]. 結腸傍溝（縦にのびる腹膜腔の陥凹部で，上行結腸または下行結腸の外側面と腹壁の後外側部との間にある）．＝sulci paracolici [TA]; paracolic recesses.

paravertebral g. 脊柱傍溝，肺溝．＝pulmonary *groove*.

Gutt·man (gŭt′măn), L.L. 20 世紀の米国人疫学者．→G. *scale*.

gut·tur·al (gŭt′ŭr-ăl). 咽喉の．

gut·tur·o·tet·a·ny (gŭt′ŭr-ō-tet′ă-nē) [L. *guttur*, throat + G. *tetanos*, convulsive tension]. 咽喉痙攣（一時的な吃の原因となる咽喉痙攣）．

Gut·zeit (gūt′zīt), Max A.G. ドイツ人化学者，1847—1915. →G. *test*.

Gu·yon (gē-yon[h]′), Jean C. F. フランス人外科医，1831—1920. →G. *amputation*, *isthmus*, *sign*; Guyon tunnel *syndrome*.

GVH graft versus host(移植片対宿主)の略．

GVHD graft versus host *disease* の略．

GVHR graft versus host *reaction* の略．

Gy gray の略．

Gym·na·moe·bi·da (jim′nă-mē′bi-dă) [G. *gymnos*, naked + *amoibē*, change (ameba)]. 裸変形虫目（殻(堅殻)を欠く裸のアメーバの一目．ただし，凝縮外形質の皮層があることがある．アメーバ属 *Amoeba* を含む）．

gym·nas·tics (jim-nas′tiks) [G. *gymnos*, naked]. 体操（戸外運動とは異なり屋内で行われる組織的な体育運動）．

Swedish g. スウェーデン体操．＝Swedish *movements*.

Gym·no·as·ca·ce·ae (jim′nō-as-kā′sē-ē). ギムノアスクス科（ヒトの多くの皮膚糸状菌および数種の全身性病原菌(*Histoplasma capsulatum*, *Blastomyces dermatitidis* など)を含む真菌の一科．有性形が知られるまでは，これらの病原菌は不完全菌類に分類されていた）．

Gym·no·din·i·um (jim′nō-din′ē-ŭm). ギムノディニウム属（海産の渦鞭毛藻類の一属で，赤潮を引き起こす単細胞生物が含まれる）．

G. breve 赤潮を引き起こす微小藻類の一種．毒素を産生

し，魚の中枢神経に作用して，麻痺させ死に至らしめる．

Gymnodium (jim-nō′dē-ŭm). ギムノディウム．＝Karenia brevis.

Gym·no·phal·loi·des (jim′nō-fal-oy′dēz). ギムノファロイデス属（ギムノファルス科に属する小型の吸虫で，通常，鳥類にみられる．韓国ではときにヒトへの感染が報告されている．中間宿主は海産のカキあるいはハマグリであると考えられている）．

G. seoi 朝鮮半島南西部の島しょに住む動物にみられる線虫．感染すると軽度の消化管症状が起こる．偶発的ではなく，自然状況下でヒトに感染する．二枚貝が中間宿主となる．

gym·no·pho·bi·a (jim′nō-fō′bē-ă) [G. *gymnos*, naked + *phobos*, fear]. 裸の人や身体の隠されていない部分を見ることを病的に恐れる．

gym·no·the·ci·um (jim′nō-the′sē-ŭm) [G. *gymnos*, naked + *thēkion*, case, dim. < *thēkē*, box]. 裸子嚢殻（粗に折り重なった菌糸からなる子嚢菌の子実体）．

GYN gynecology の略．

gyn-, gyne-, gyneco-, gyno- (gīn, gī′ne, gī′no) [G. *gynē*, woman]. [原則と慣例による本連結形の正しい発音は jīn であるが，しばしば gīn,gĭn, または jĭn と発音される]．女性に関する連続形．

gy·nan·drism (ji-nan′drizm, gī′nan-drizm) [gyn- + G. *anēr* (*andr*-), man]. 女性半陰陽（陰核肥大と大陰唇癒合がみられ，陰茎と陰嚢に類似する発育異常．→hermaphroditism; female pseudohermaphroditism）．

gy·nan·dro·blas·to·ma (ji-nan′drō-blas-tō′mă, gī-). 半陰陽性卵巣腫瘍，〔卵巣〕男性胚〔細胞〕腫（①＝Sertoli-Leydig cell *tumor*．②卵巣の男性胚腫のまれな変種．顆粒膜あるいは莢膜細胞成分をもち，同時にアンドロゲンおよびエストロゲン作用を与える）．

gy·nan·droid (ji-nan′droyd) [gyn- + G. *anēr*(*andr*-), man + *eidos*, resemblance]. 女性半陰陽者（女性半陰陽を示す人）．

gy·nan·dro·mor·phism (ji-nan′drō-mōr′fizm) [gyn- + G. *anēr*(*andr*-), a male human + *morphē*, form]. 雌雄モザイク（①男性と女性の特徴を併せもつ異常．②異なる組織に男性と女性の性染色体補体が存在する．性染色体モザイク）．

gy·nan·dro·mor·phous (ji-nan′drō-mōr′fŭs). 雌雄モザイクの（男性と女性の両方の特徴をもつことについていう）．

gyn·a·tre·si·a (jin′ă-trē′zē-ă) [gyn- + G. *a*- 欠性辞 + *trēsis*, a hole]. 鎖陰，外陰閉鎖（[本語の第1音節は正しくは jīn と発音されるが，しばしば gīn, gĭn または jĭn と発音される]．女性の生殖管の一部の閉鎖，特に厚い膜による膣の閉鎖）．

gyne- (gī′nĕ). →gyn-.

gy·ne·cic (gī-nē′sik, jĭ-). 女子の，女性の（女性に関連することについていう）．

gy·ne·co·gen·ic (gī′nĕ-kō-jen′ik, jin′ĕ-). ***1*** 女性をより多く産む．***2*** 女性の特徴をつくり出す，という意味を表す現在では用いられない語．

gy·ne·coid (gī′nĕ-koyd, -jin′ĕ-) [gyneco- + G. *eidos*, resemblance]. 女性様の，婦人のような（形と構造が女性に類似することについていう）．

gy·ne·co·log·ic, gy·ne·co·log·i·cal (gī′nĕ-kō-loj′ik, jin′ĕ-; -loj′i-kăl). 婦人科学の（[本語の第1音節は正しくは jīn と発音されるが，しばしば gīn, gĭn または jĭn と発音される]）．

gy·ne·col·o·gist (gī′nĕ-kol′ŏ-jist). 婦人科医（[本語の第1音節は正しくは jīn と発音されるが，しばしば gīn, gĭn または jĭn と発音される]．婦人科を専門とする医師）．

gy·ne·col·o·gy (GYN) (gī′nĕ-kol′ŏ-jē, jin-ĕ-) [gyneco- + G. *logos*, study]. 婦人科学（[本語の第1音節は正しくは jīn と発音されるが，しばしば gīn, gĭn または jĭn と発音される]．女性の内分泌学や生殖生理学と同様に，女性の生殖器の疾病を扱う医学の専門分野）．

gy·ne·co·ma·ni·a (gī′nĕ-kō-mā′nē-ă, jin′ĕ-) [gyneco- + G. *mania*, frenzy]. 男子色情症，多淫（女性に対する病的または過剰な欲望）．

gy·ne·co·mas·ti·a, gy·ne·co·mas·ty (gī′nĕ-kō-mas′-tē-ă, jin′ĕ-; -mas′tē) [gyneco- + G. *mastos*, breast]. 女性化乳房，女性型乳房（[本語の第1音節は正しくは jīn と発音されるが，しばしば gīn, gĭn または jĭn と発音される]．男性の乳腺の過剰な発育で，主として腺管周囲の浮腫を伴う腺管増殖．しばしばエストロゲン量の増加に続発するが，軽症型は正常思春期にも生じる）．

refeeding g. 栄養補充性女性化乳房（飢餓状態にあった男性が，栄養補給をうけたときに一過性に生じる乳房の腫大．恐らく内分泌機能の異常により生じるものと考えられる．第二次世界大戦終了時に強制収容所や連合国軍の捕虜が解放されたときに多く発生したものが有名）．

gy·ne·pho·bi·a (gī-nĕ-fō′bē-ă, jin-ĕ-) [gyne- + G. *phobos*, fear]. 女性恐怖〔症〕，婦人恐怖〔症〕（女性あるいは雌性に対する病的な恐れ）．

gy·ni·at·rics (gī′nē-at′riks, jin-ē-) [gyn- + G. *iatrikos*, of medicine or surgery]. 婦人科疾患治療法．＝gyniatry.

gy·ni·at·ry (gī′nē-at′rē, jin-ē). ＝gyniatrics.

gyno- (gī′nō). →gyn-.

gy·no·car·di·a oil (gī′nō-kar′dē-ă oyl). ＝chaulmoogra oil.

gy·no·gen·e·sis (gī′nō-jen′ĕ-sis, jin-ō-) [gyno- + G. *genesis*, production]. 雌性発生（精子によって活性化されるが，雄性配偶子は遺伝物質に関与しない卵母細胞発生）．

gy·nop·a·thy (gī-nop′ă-thē, jĭ-) [gyno- + G. *pathos*, suffering]. 女性に特有の疾患．

gy·no·plas·ty (gī′nō-plas′tē) [gyno- + G. *plassō*, to form]. 女性器形成術（女性器の修復あるいは形成手術）．

gyp·sum (jip′sŭm) [L. < G. *gypsos*]. 石膏（硫酸カルシウムの天然水和物．歯科用石膏，埋没材などの原料となる）．

gy·rase (jī′rās) [L. *gyro*, to turn in a circle < *gyrus*, G. *gyros*, circle + -ase, enzyme suff.]. ジャイレース（原核生物のトポイソメラーゼ II で，ATP を用い，DNA の負のねじれをもった超らせんを形成させる）．

gy·rate (jī′rāt) [L. *gyro*, pp. *gyratus*, to turn round in a circle, *gyrus*]. ***1***〘adj.〙回転した，花環状の，う曲状の，らせん形の．***2***〘v.〙回転する，旋回する．

gy·ra·tion (jī-rā′shŭn). ***1*** 回転〔運動〕．***2*** 〔脳〕回の配列．

gy·rec·to·my (jī-rek′tŏ-mē) [G. *gyros*, ring + *ektomē*, excision]. 脳回切除〔術〕．

gy·ren·ce·phal·ic (jī′ren-sĕ-fal′ik) [G. *gyros*, ring(gyrus) + *enkaphalē*, brain]. 皺脳の（げっ歯類などの小哺乳類の大脳皮質が平滑な脳であるのとは対照的に，脳回をもつヒトなどの脳についていう）．

gy·ri (jī′rī) [L.]. gyrus の複数形．

gy·ro·chrome (jī′rō-krōm) [G. *gyros*, a ring, circle + *chrōma*, a color]. ジャイロクローム（Nissl の造語．神経細胞内の，一定の配列を示さず細かく顆粒状に染まる部分）．

Gy·ro·mi·tra es·cu·len·ta (gī′rō-mē′tră es′kyū-len′tă). モノメチルヒドラジンを産生するキノコの一菌種で，悪心，下痢，および他の症状を引き起こす．重症例では死亡することがある．＝*Helvella esculenta*.

gy·rose (jī′rōs) [G. *gyros*, circle]. 曲線状の，環状の（大脳半球の表面のように，不規則な曲線で表された）．

gy·ro·spasm (jī′rō-spazm) [G. *gyros*, circle + *spasmos*, spasm]. 頭部回転痙攣（頭部の痙攣性回転運動）．

GYRUS

gy·rus, gen. & pl. **gy·ri** (jī′rŭs, -rī) [L. < G. *gyros*, circle][TA]. 回（大脳半球を形成する丸みを帯びた隆起または脳回．それぞれの脳回は，露出している表層部分と，溝(→sulcus)の壁や床に隠されている部分からなる．次頁の写真参照）．

angular g. [TA]. 角回（上側および中側頭回の後端が結合して形成される，下頭頂小葉内のひだの付いた回）．＝g. angularis [TA]; angular convolution.

g. angularis [TA]. 角回．＝angular g.

annectent g. ＝transitional g.

anterior central g. 中心前回．＝precentral g.

anterior paracentral g. [TA]. 前中心傍回（中心傍回

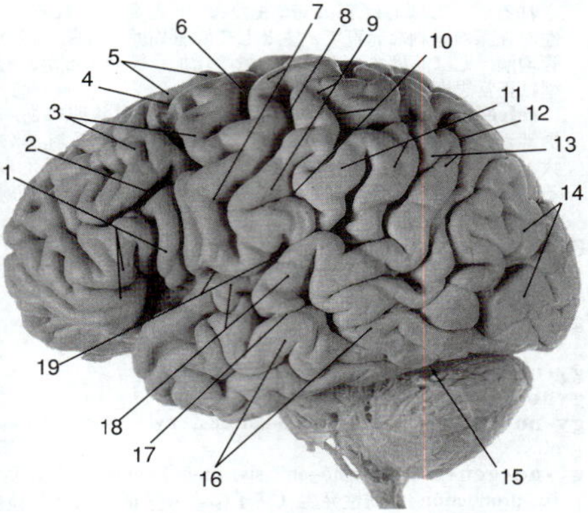

gyri and sulci

1：下前頭回．2：下前頭溝．3：中前頭回．4：上前頭溝．5：上前頭回．6：中心前溝．7：中心前回．8：中心溝．9：中心後回．10：中心後溝．11：縁上回．12：頭頂間溝．13：角回．14：後頭回．15：後頭前切痕．16：中側頭回．17：上側頭溝．18：上側頭回．19：外側溝．

の前部で運動中枢である中心前回の内側への続きで，大腿，下腿，足の支配域にあたる)．＝g. paracentralis anterior [TA].

anterior piriform g. ＝prepiriform g.

anterior transverse temporal g. [TA]．前横側頭回 (→transverse temporal gyri)．＝ g. temporalis transversus anterior [TA].

ascending frontal g. ＝precentral g.

ascending parietal g. ＝postcentral g.

gyri breves insulae [TA]．〔島〕短回．＝short gyri of insula.

callosal g. ＝cingulate g.

central gyri 中心回 (中心前回と中心後回)．

cerebral gyri [TA]．＝ gyri cerebri.

gyri cerebri [TA]．大脳回 (大脳皮質の回)．＝cerebral gyri [TA].

cingulate g. [TA]．帯状回 (大脳半球内側面上の長く，曲がりくねった回で，脳梁をアーチ状にまたいでいるが，脳梁とは脳梁溝によって分離されている．脳梁後部で海馬傍回と連続し，脳弓回を形成する)．＝g. cinguli [TA]; callosal convolution; callosal g.; cingulate convolution; falciform lobe; lobus falciformis.

g. cinguli [TA]．帯状回．＝cingulate g.

deep transitional g. 深部移行回 (発生中に大脳半球の中心溝の深部に埋伏される胚子の横頭回)．

dentate g. [TA]．歯状回 (海馬を構成するために連結している2個の脳回のうちの1個で，もう1個は Ammon 角)．＝g. dentatus [TA]; dentate fascia; fascia dentata hippocampi.

g. dentatus [TA]．歯状回．＝dentate g.

fasciolar g. [TA]．小帯回 (脳梁膨大の周囲を外側縦条から歯状回に通じる1対の小帯)．＝g. fasciolaris [TA]; fascia cinerea; fasciola cinerea.

g. fasciolaris [TA]．小帯回．＝fasciolar g.

fornicate g. 弓隆回 (大脳半球の門を囲む馬蹄形をした皮質回．上脚は帯状回により，下脚は海馬傍回により形成される)．＝g. fornicatus (1).

g. fornicatus ***1*** ＝fornicate g. ***2*** 弓隆回 (以前には大脳辺縁全体をさす語として用いられた)．

g. frontalis inferior [TA]．下前頭回．＝inferior frontal g.

g. frontalis medialis [TA]．＝ medial frontal g.

g. frontalis medius [TA]．中前頭回．＝middle frontal g.

g. frontalis superior [TA]．上前頭回．＝superior frontal g.

fusiform g. 紡錘状回 (側頭葉から後頭葉にかけて，その下縁を縦にのびる非常に長い脳回．内側は側副溝により舌状回と海馬傍回の前部から，また外側は下側頭溝により下側頭回から区切られている)．＝g. occipitotemporalis lateralis [TA]; lateral occipitotemporal g. [TA]; g. fusiformis; lobulus fusiformis.

g. fusiformis 紡錘状回．＝fusiform g.

Heschl gyri (hesh′ĕl)．ヘッシュル回．＝transverse temporal gyri.

hippocampal g. ＝parahippocampal g.

inferior frontal g. [TA]．下前頭回 (下前頭溝と外側溝(Sylvius 溝)の間の大脳前頭葉の外側面にある広い脳回．外側溝(Sylvius 溝)の枝脈により，弁蓋部，三角部，眼窩部の3部分に分けられる．底部と三角部は前頭弁蓋を構成する)．＝g. frontalis inferior [TA]; Broca convolution; inferior frontal convolution.

inferior occipital g. 下後頭回 (後頭葉の側面下部，側後頭溝の下にある回)．

inferior parietal g. ＝inferior parietal *lobule.*

inferior temporal g. [TA]．下側頭回 (大脳の側頭葉の下外側境界上にあり，下側頭溝により中側頭回から分けられる矢状回．側頭葉の下部表面上において，後頭側頭溝により内側後頭側頭回から分離される．外側後頭側頭回を含む)．＝g. temporalis inferior [TA]; inferior temporal convolution; third temporal convolution.

gyri insulae [TA]．島回．＝insular gyri.

insular gyri [TA]．島回 (島短回と島長回の総称)．＝gyri insulae [TA].

interlocking gyri 連結回 (大脳半球の中心溝の壁内にある数個の小回．向かい合った回は互いに連結する)．

lateral occipitotemporal g. [TA]．外側後頭側頭回．＝fusiform g.

lateral olfactory g. [TA]．外側嗅回 (外側嗅条に隣接する細胞の表層部で，嗅覚の鈍い動物では発達が悪く，嗅覚の鋭い動物では発達が良い)．＝g. olfactorius lateralis [TA].

lingual g. [TA]．舌状回 (大脳の内側で側頭葉と後頭葉の境界領域で，水平に走る比較的短い回．深い側副溝により外側後頭側頭回(紡錘状回)から区切られ，また鳥距溝により楔部から分けられている．その前端は海馬傍回の峡に隣接する．鳥距溝の下縁を形成する回の中部と上部の帯は，有線領(一次視覚領)の下半部に対応し，両眼視の際，視覚野の反対側の上部 1/4 を占める)．＝g. lingualis [TA]; g. occipitotemporalis medialis [TA]; medial occipitotemporal g. [TA].

g. lingualis [TA]．舌状回．＝lingual g.

long g. of insula [TA]．〔島〕長回 (島を構成する細くまっすぐな回のうち，最後部にある最長のもの)．＝g. longus insulae [TA].

g. longus insulae [TA]．〔島〕長回．＝long g. of insula.

marginal g. ＝superior frontal g.

medial frontal g. [TA]．内側前頭回 (上前頭回のうち前頭葉内側面にあって，帯状溝の上方および前方に位置する部分をこのようによぶ場合がある)．＝g. frontalis medialis [TA].

medial occipitotemporal g. [TA]．内側後頭側頭回．＝lingual g.

medial olfactory g. [TA]．内側嗅回 (内側嗅条に隣接する細胞の表層部で，嗅覚の鈍い動物では発達が悪く，嗅覚の鋭い動物では発達が良い)．＝g. olfactorius medialis [TA].

middle frontal g. 中前頭回 (大脳の左右の前頭葉の外側面にあり，上前頭溝と下前頭溝の間にある脳回)．＝g. frontalis medius [TA]; middle frontal convolution.

middle temporal g. [TA]．中側頭回 (上側頭溝と下側頭溝の間，側頭葉の外側表面上にある矢状回)．＝g. temporalis medius [TA]; middle temporal convolution; second temporal convolution.

occipital gyri 後頭回 (→inferior occipital g.; superior occipital g.)．

g. occipitotemporalis lateralis [TA]．外側後頭側頭回．＝fusiform g.

g. occipitotemporalis medialis [TA]．内側後頭側頭回．

=lingual g.

g. olfactorius lateralis [TA].= lateral olfactory g.

g. olfactorius medialis [TA].= medial olfactory g.

orbital gyri [TA]．眼窩回（大脳の左右の前頭葉の凹状下部表面にある，多数の不規則な小回）．=gyri orbitales [TA].

gyri orbitales [TA]．眼窩回．=orbital gyri.

g. paracentralis anterior [TA].= anterior paracentral g.

g. paracentralis posterior [TA].= posterior paracentral g.

parahippocampal g. [TA]．海馬傍回（側頭葉の内側面上にある長回．弓隆回の下部を形成し，脳梁膨大の後ろから海馬の歯状回に沿ってのびるが，歯状回とは，海馬溝によって区切られている．回の前端は鉤状に曲がって，嗅覚皮質の主要位置である鉤を形成する．→entorhinal *area*）．=g. parahippocampalis [TA]; hippocampal convolution; hippocampal g.

g. parahippocampalis [TA]．海馬傍回．=parahippocampal g.

paraterminal g. [TA]．終板傍回．=subcallosal g.

g. paraterminalis [TA]．終板傍回．=subcallosal g.

postcentral g. [TA]．中心後回（前部は中心溝(Rolando 裂)と，後部は中心後溝と隣接する頭頂葉の最前回）．=g. postcentralis [TA]; ascending parietal convolution; ascending parietal g.; posterior central convolution; posterior central g.

g. postcentralis [TA]．中心後回．=postcentral g.

posterior central g. 中心後回．=postcentral g.

posterior paracentral g. [TA]．後中心傍回（中心傍回の後部で運動中枢である中心前回の内側への続きで，大腿，下腿，足の支配域に当たる）．=g. paracentralis posterior [TA].

posterior transverse temporal g. [TA]．後横側頭回（聴覚中枢に 2 つの皮質回がある場合，その後方のもの．→transverse temporal gyri）．=g. temporalis transversus posterior [TA].

precentral g. [TA]．中心前回（後方は中心溝，前方は中心前溝にはさまれた脳回）．=g. precentralis [TA]; anterior central convolution; anterior central g.; ascending frontal convolution; ascending frontal g.

g. precentralis [TA]．中心前回．=precentral g.

prepiriform g. 前梨状回（深部にある扁桃体をおおう回．嗅覚機能に関連する）．=anterior piriform g.

g. rectus [TA]．直回．=straight g.

Retzius g. (ret′zē-ŭs)．レッチウス回（嗅脳の皮質部にある辺縁内回）．

short gyri of insula [TA]．〔島〕短回（島皮質の前部のほぼ 2/3 を占める数個の短い放射状の回．島の底部に向かって収れんしている）．=gyri breves insulae [TA].

splenial g. 板状回（大脳半球の内側表面上にある皮質の帯．脳梁膨大の周囲にあり，前部は細くなり最終的には灰白層と融合する）．

straight g. [TA]．直回（大脳半球前頭葉の眼窩面の内側部に沿う回．外側部は嗅溝と隣接する）．=g. rectus [TA].

subcallosal g. 梁下回（終板と(大脳)前交連のすぐ前にある細く垂直の白色帯．その名前にもかかわらず，皮質回でなく，透明中隔の下面の連続である．終板のすぐ吻側に組織の細い稜がみられるが，ときに梁下野の一部とみなされて終板傍回 paraterminal g. とよばれることもある）．=area subcallosa [TA]; g. paraterminalis [TA]; g. subcallosus [TA]; paraterminal g. [TA]; subcallosal area [TA]; corpus paraterminale; paraterminal body; peduncle of corpus callosum; pedunculus corporis callosi; precommissural septal area; Zuckerkandl convolution.

g. subcallosus [TA]．梁下回．=subcallosal g.

superior frontal g. [TA]．上前頭回（前頭葉外側面の内側縁を前後に走る広い脳回．前頭葉内側面にまで巻き込むようにはいり込んでおり，特にこの部分を内側前頭回とよぶことがある）．=g. frontalis superior [TA]; marginal g.; superior frontal convolution.

superior occipital g. 上後頭回（後頭葉の外側表面上の外側後頭溝上にある脳回）．

superior parietal g. =superior parietal *lobule*.

superior temporal g. [TA]．上側頭回（外側溝(Sylvius 溝)と上側頭溝の間，側頭葉の外側表面上にある矢状回）．=g. temporalis superior [TA]; first temporal convolution; superior temporal convolution.

supracallosal g. =*indusium* griseum.

supramarginal g. [TA]．縁上回（外側溝(Sylvius 溝)の後部辺縁を囲むひだの付いた脳回．角回とともに頭頂葉の下辺縁部をつくる）．=g. supramarginalis [TA]; supramarginal convolution.

g. supramarginalis [TA]．縁上回．=supramarginal g.

gyri temporales transversi [TA]．横側頭回．=transverse temporal gyri.

g. temporalis inferior [TA]．下側頭回．=inferior temporal g.

g. temporalis medius [TA]．中側頭回．=middle temporal g.

g. temporalis superior [TA]．上側頭回．=superior temporal g.

g. temporalis transversus anterior [TA]．前横側頭回（→transverse temporal gyri）．= anterior transverse temporal g.

g. temporalis transversus posterior [TA].= posterior transverse temporal g.

transitional g. 移行回（脳溝の深部で，異なる脳葉間あるいは 2 つの主な脳回を結ぶ小回）．=annectent g.; transitional convolution.

transverse temporal gyri [TA]．横側頭回（外側溝(Sylvius 溝)と隣接し，側頭葉の上部表面上を横側頭溝により互いに分離されて横に走る 2 − 3 個の脳回）．=gyri temporales transversi [TA]; Heschl gyri; transverse temporal convolutions.

uncinate g. =uncus (2).

G

𝕳

H ***1*** 水素の元素記号．左の肩字の数字は同位体の質量数を示す．***2*** hyperopia; hyperopic の略．***3*** horizontal の略．***4*** Hauch の記号．***5*** Holzknecht 単位(⇀*unit*)の記号．***6*** 電気インダクタンスの単位ヘンリーの記号．***7*** カルシウムに帰すべき波長 3,968 Å の Fraunhofer 線の記号．***8*** histidine の略．***9*** 磁場の強さの記号．***10*** heroin の略．***11*** histone の略．***12*** histamine の略．

H^+ 水素イオン hydrogen *ion*，すなわち陽子を表す記号．

H 自由エネルギーの方程式でエンタルピー，熱含量の記号．フルエンス，磁場強度の記号．

h hecto-，高さ，時間を表す記号．

hν 光子の記号であり，フォトンのエネルギーを表す．h は Planck 定数，ν は電磁波の振動数．

h Planck 定数(⇀constant)，Hill 係数(⇀coefficient)の記号．

HAA hepatitis-associated *antigen* の略．

HAART (hahrt)．ハート（highly active antiretroviral *therapy* の頭字語）．

Haase rule (hahs)．⇀rule．

ha·be·na, pl. **ha·be·nae** (hă-bē′nă, -bē′nē) [L. strap]．***1*** 小帯，あるいは拘束している線維性の帯状物．***2*** 抑制包帯．***3*** ＝habenula (2)．

hab·e·nal, ha·be·nar (hab′ĕ-năl, hă-bē′năr)．小帯の，包帯の．

ha·ben·u·la, pl. **ha·ben·u·lae** (ha-ben′yū-lă, -lē) [L.] [TA]．***1*** 小帯．＝frenulum．***2*** [TA]．手綱（神経解剖学において，その名称は元来，松果体の柄(ⓘ松果体手綱，ⓘⓘ松果体脚)を示したが，次第に，連合されると信じられた松果体付近の神経細胞の隣接群を habenular nucleus(手綱核)とよぶようになった．一般に，habenula [TA] の名称は，導入線維のほとんどを受けたところから髄条の後部末端に埋められた背側視床の背尾側部におけるこの周辺細胞塊をもっぱらさしている．反屈束(手綱脚間路)を通って，中脳脚間窩の天井の脚間核および他の傍内側細胞群にのびる．松果体の柄に近接しているにもかかわらず，手綱松果体線維連結は認められていない．視床上部の一部)．＝habena (3)．

h. of cecum 盲腸手綱（間膜ひもが回腸末端の背側あるいは腹側へのびたもの）．

Haller h. (hah′lĕr)．ハラー手綱（腹膜鞘状突起の索状遺物）．＝Scarpa h．

habenulae perforatae ＝*foramina* nervosa (⇀foramen)．

pineal h. 松果体手綱（松果体の柄．⇀habenula (2)）．

Scarpa h. (skar′pah)．スカルパ手綱．＝Haller h．

h. urethralis 尿道手綱（少女および若い女性の尿道口から陰核に至る２本の細く白っぽい線．海綿体前部の痕跡）．

ha·ben·u·lar (hă-ben′yū-lăr)．手綱の（手綱，特に松果体の柄についていう）．

Ha·ber (hā′bĕr), Henry．英国人皮膚科医，1900—1962．⇀H. *syndrome*．

Ha·ber (hah′bĕr), Fritz．ドイツ人化学者，1868 — 1934．⇀Haber-Weiss *reaction*．

Ha·ber·mann (hah′bĕr-mahn), R．ドイツ人皮膚科医，1884—1941．⇀Mucha-H. *disease*．

hab·it (hab′it) [L. *habeo*, pp. *habitus*, to have]．***1*** 嗜癖（行為，行動的応答，習慣，あるいは同じ行為の頻繁な繰返しによって定着した習慣．→addiction）．***2*** 習慣（条件付けや学習の研究において基本的な可変要素とされる．連合によってか，または報賞や強化された事象によって学ばれた新しい反応を意味する用語．⇀conditioning; learning）．

ha·bit·u·a·tion (ha-bit′chū-ā′shŭn)．***1*** 習慣〔性〕（習慣形成の過程．一般には薬物に対する心理的依存性をさし，快感を維持するために薬物を常用し，ときには薬物嗜癖にまで至る）．***2*** 慣れ（反復刺激の間に神経系が反応性を減少または抑制する方法）．

hab·i·tus (hab′i-tŭs) [L. habit]．体型，体質（[複数形は habiti ではなく habitus である]）．

fetal h. 胎勢（胎児の姿勢．胎児部分と母体との関連性．*cf.* lie）．

gracile h. 虚弱体型（小さな体格，虚弱な身体をしている）．

Hab·ro·ne·ma (hab′rō-nē′mă) [G. *habros*, graceful, delicate + *nēma*, a thread]．ハブロネマ属（ウマの胃に寄生する旋尾線虫類の一属．幼虫は，イエバエ，および馬糞に宿るサシバエのウジの中で発育し，そのハエの幼虫が蛹化し成虫となってウマの皮膚を刺すことにより，皮膚のハブロネマ症を起こす．感染したハエの成虫を偶発的にえん下したり，感染した幼虫がいる創傷をなめることにより，ハブロネマがウマの胃に再感染する）．

H. majus 外見，宿主分布および生活環が *H. muscae* に類似した２つの種類(一方は，*H. microstoma*)のうちの一種．中間宿主はサシバエ *Stomoxys calcitrans* である．

H. megastoma 胃粘膜に腫瘤を形成し，中には多数の小線虫が見出される種．幼虫は，皮膚ハブロネマ症を引き起こす．中間宿主はイエバエ *Musca domestica* である．

H. microstoma ⇀*H. majus*．

H. muscae ウマ，ラバ，ロバ，シマウマの胃に寄生する種．中間宿主は，イエバエ *Musca domestica* あるいはこれに類似したハエである．

hack·ing (hak′ing)．***1*** 叩打法（マッサージ法において手の尺側で細かく打つこと）．***2*** ハッキング，不正アクセス（健康介護データや他の個人情報にアクセスするために，コンピュータシステムに不正にはいること）．

Had·field (had′fēld), Geoffrey．英国人医師，1889 — 1968．⇀Clarke-H. *syndrome*．

Ha·dru·rus (hă-drū′rŭs) [G. *hadros*, thick, stout + *ouro*, tail]．米国南西部に生息するサソリの一属．毒針に多数の剛毛を有する．最も普通にみられる種は *H. arizonensis* でオリーブ色の毛を有するサソリである．→Scorpionida．

Haeck·el (hāk′ĕl), Ernst H. P. A. ドイツ人博物学者，1834—1919．⇀H. gastrea *theory*, *law*．

haem- (hēm)．⇀hem-．

haema [TA]．＝blood．

Hae·ma·dip·sa cey·lon·i·ca (hē′mă-dip′să sā-lon′i-kă) [G. *haima*, blood + *dipsa*, thirst]．セイロン山ヒル（スリランカにみられる山ヒルの一種．動物あるいはヒトの皮膚に吸い付く．刺し傷は痛く，何度も刺されると貧血を起こす）．

Hae·ma·moe·ba (hē′mă-mē′bă) [G. *haima*, blood + *amoibē*, change]．住血アメーバ属（*Plasmodium*属を含む血液寄生虫．現在は住血胞子虫亜目に分類されるアメーバ状原生動物類の旧名）．

Hae·ma·phy·sa·lis (hē′mă-fī′să-lis) [G. *haima*, blood + *physaleos*, full of wind]．チマダニ属（小型で無眼の，飾りをもたないマダニ群の属．雌雄同性．幼虫および若虫は主に小さな哺乳類および鳥にみられる．成虫になると，大型哺乳類やある種の鳥にみられ，原生動物類やウイルス(例えば Kyasanur Forest disease virus)の媒介動物として重視される）．

H. cinnabarina [G. *kinnabarinos*, like cinnabar, vermilion]．カナダ西部のブリティッシュ・コロンビアの乾燥地帯に主に発生するマチダニ属の一種．この種に属するものは，ヒトや動物に対しダニ麻痺症を惹起する．

H. concinna ロシアと東部ヨーロッパに普通にみられるげっ歯類のチマダニで，ダニチフスの媒介動物および保有宿主．

H. leachi アフリカ，アジア，およびオーストラリアのチマダニ属の一種．イヌ，ネコ，野生食肉類，小げっ歯類，およびときにウシに寄生する．イヌのバベシア症およびボタン熱を媒介する．

H. spinigera インドの熱帯森林性の種で，Kyasanur 森林病の媒介動物．多くのげっ歯類や食虫類が，ロシア春－夏B型グループ複合体のアルボウイルスをもった本種の未成熟ダニの宿主の役をする．サルがヒト感染の保有宿主として働く．

Hae·ma·to·pi·nus (hē′mă-tō-pī′nŭs) [G. *haima*, blood + L. *pinus*, pine tree]．ブタジラミ属（ブタなどの家畜および野生動物に寄生するケモノジラミ科シラミ類の重要な属．通常，非病原性である．ウマジラミ *H. asini* はウマ，ラバ，

ロバに，ウシジラミ *H. eurysternus* および *H. quadripertusus* はウシに，ブタジラミ *H. suis* はブタに寄生する）．

Haemobartonella グラム陰性菌の一属で，おそらくマイコプラズマと同じである．数種類が肉食動物やげっ歯類に感染する．感染は不顕性あるいは免疫介在性の溶血性貧血の結果起こる．伝播は吸血性節足動物ベクターによると考えられている．

Hae·mo·coc·cid·i·um (hē′mō-kok-sid′ē-ŭm)［G. *haima*, blood + *kokkos*, berry］．*Plasmodium*属に属する種の旧名．

Hae·mo·dip·sus ven·tri·co·sus (hē′mō-dip′sŭs ven′tri-kō′sŭs)［G. *haima*, blood + *dipsos*, thirst; L. *venter*(*ventr-*), belly］．ウサギジラミ（ウサギにつくシラミで，野兎病菌 *Francisella tularensis* の媒介動物）．

Hae·mo·greg·a·ri·na (hē′mō-greg′ă-rī′nă)［G. *haima*, blood + L. *grex*, a flock］．ヘモグレガリナ属（コクシジウム類に属する胞子虫(真コクシジウム目ヘモグレガリナ科)の一属．二宿主を必須とする生活環をもち，冷血動物の血球および固有宿主である無脊椎動物の消化器系に寄生する）．

Hae·mon·chus (hē-mong′kŭs)［G. *haima*, blood + *onchos*, spear］．捻転胃虫属（反すう類の第四胃にみられ，特に幼若または感染歴のない動物では重度の貧血を起こす寄生線虫(毛様線虫科)の一属で，経済的に問題となる．重要な種としては *H. placei*(ウシ，ヒツジ，ヤギ)，*H. similis*(ウシ，ヒツジ)，および *H. contortus* があり，*H. contortus* はウシ，ヒツジ，ヤギ，および他の反すう類の stomach worm, barberpole worm, twisted wire worm といわれ，ヒトの症例も2，3報告があるが，ヒトへの寄生は偶発的なものである）．

Hae·moph·i·lus (hē-mof′i-lŭs)［G. *haima*, blood + *philos*, fond］．ヘモフィルス属（**[**誤ったつづり Hemophilus を避けること**]**．好気性および通性嫌気性の非運動性のブルセラ科バクテリアの一属で，しばしば糸状であったり，多形性の小さなグラム陰性杆菌である．厳密な寄生性で，血液を含む培地上でのみよく発育できる．病原性のものも非病原性のものもあり，脊椎動物の正常気道だけでなく，様々な病変部および分泌物にみられる．標準種は *H. influenzae*）．

H. actinomycetemcomitans ＝*Actinobacillus actinomycetemcomitans*.

H. aegyptius エジプトヘモフィルス（暖気候の地域において，急性あるいは亜急性の感染性結膜炎を起こす細菌種）．＝Koch-Weeks bacillus.

H. aphrophilus 心内膜炎の原因菌として，血液中およびまれに心臓弁に見出される細菌種．

H. ducreyi 軟性下疳菌，デュクレー菌（性行為感染性軟性下疳の原因となる細菌種）．＝Ducrey bacillus.

H. haemolyticus 通常，非病原性であるが，まれに亜急性心内膜炎を起こす細菌種．

H. influenzae インフルエンザ菌（**[**誤ったつづり H.influenza および隠語的略号 H.flu. を避けること**]**．気道にみられ急性呼吸器感染症を引き起こす細菌種．肺炎，急性結膜炎，耳炎，小児での化膿性髄膜炎（まれに副鼻腔炎や慢性気管支炎を有する成人にみられる）の起因菌となる．元来，インフルエンザの原因とみなされた．*Haemophilus*属の標準種）．＝influenza bacillus; Weeks bacillus.

***H. influenzae* type b** ヘモフィルスインフルエンザタイプb（最も病原性の強い血清型(莢膜多糖体としてa－fの6型がある）．小児の呼吸器，髄膜炎において主要な起炎菌である）．

nontypeable *H. influenzae* 分類不能型インフルエンザ菌（急性中耳炎の主たる病原菌である細菌の一種）．

H. parahaemolyticus 上気道にみられる細菌種で，しばしば咽頭炎を伴う．亜急性心内膜炎を起こすこともある．

H. parainfluenzae パラインフルエンザ菌（通常，非病原性であるが，亜急性心内膜炎を起こすこともある細菌種）．

H. paratropicalis ほとんど病原性のない細菌種で，心内膜炎などのヒトの感染でみられる．

H. segnis 腐生細菌で，ときにヒトに心内膜炎，骨髄炎，その他の感染を起こす．

Hae·mo·pro·te·us (hē′mō-prō′tē-ŭs)［G. *haima*, blood + *Proteus*, 化身の力をもった海の神］．ヘモプロテウス属（鳥および爬虫類に寄生する住血胞子虫目の胞子虫類の一属で，本属が含まれるヘモプロテウス科には *Leucocytozoon*属，*Hepatocystis*属などの諸属がある．増員生殖は血管の内皮性細胞，特に宿主の肺において行われ，こん棒状生殖母体が赤血球中にみられる．感染はシラミバエ科シラミバエおよび *Culicoides*属の吸血性ヌカカなどの完全変態双翅目昆虫によって媒介される）．

Hae·mo·spo·ri·na (hē′mō-spō-rī′nă)［G. *haima*, blood + *sporos*, seed］．住血胞子虫類（コクシジウム類(胞子虫綱)の一亜目で，連接期を欠き，マクロガメートとミクロガモントは分かれて発育し，ミクロガモントにはべん毛をもった8個のミクロガメートが形成される．複数宿主性で，メロゾイト形成を脊椎動物体内で，スポロゾイト形成を吸血昆虫の体内で行う．*Haemoproteus*属，*Leucocytozoon*属，*Plasmodium*属などの属が含まれる）．

Haens·zel (hēn′zel), William M. 米国人疫学・統計学者，1910―1998. ⇀Mantel-H. *test*.

Haff·kine (haf′kēn), Waldemar M.W. ロシア人医師，1860―1930. ⇀H. *vaccine*.

Haf·ni·a (haf′nē-ah). ハフニア属（ヒトの糞便中にみられる腸内細菌科の一属で，まれに院内感染の原因となる．原因不詳の下痢症に関与している．唯一の種 *Hafnia alvei* を包含する）．

haf·ni·um (Hf) (haf′nē-ŭm)［L. *Hafniae*, Copenhagen］．ハフニウム（希土類元素，原子番号72，原子量178.49）．

Hag·e·dorn (hahg′ĕ-dōrn), Werner. ドイツ人外科医，1831―1894. ⇀H. *needle*.

Hage·man (hāg′măn). Hageman 因子の欠陥を最初に述べた人の姓．

hag·i·o·ther·a·py (hag′ē-ō-thār′ă-pē)［G. *hagios*, sacred］．祈禱療法（聖人の遺物に接触したり，聖地を訪れたり，他の宗教的な儀式などの手段によって病気を治療すること）．

Hag·lund (hahg′lūnd), S.E. Patrick. スウェーデン人整形外科医，1870―1937. ⇀H. *deformity*, *disease*.

hah·ne·man·ni·an (hah′nĕ-mahn′ē-ăn). ハーネマン療法の（Hahnemann 式ホメオパシーに関連した）．

Hahn ox·ine re·a·gent (hahn). ⇒reagent.

Hai·din·ger (hī′ding-ĕr), Wilhelm von. ハプスブルク帝国の鉱物学者，1795―1871. ⇀H. *brushes*.

Hai·ley (hā′lē), Hugh E. 20世紀の米国人皮膚科医. ⇀H.-H. *disease*.

Hai·ley (hā′lē), W. Howard. 米国人皮膚科医，1898―1967. ⇀H.-H. *disease*.

hair (hār)［A.S. *haer*］［TA］．毛（①哺乳類の皮膚から生じ，手掌・足底・関節の屈側面を除く身体の全面に存在する角化した細い糸状の表皮形成物．毛の長さや特性は体部位ごとに著しく異なっている．＝pilus (1)［TA］．②迷路の聴覚細胞や他の感覚細胞の細い毛様の突起で聴毛，感覚毛などとよばれる）．＝thrix［TA］．

auditory h.'s 聴毛（聴覚細胞の自由表面の線毛）．

axillary h.'s［TA］．腋毛（腋窩の毛）．＝hircus (2).

bamboo h. 竹状毛（一般に毛幹に沿って結節を有する毛髪で，遠位の毛髪が近位の毛髪に重なり，中間部で折れたりすることにより短くなったりして正常の長さでなくなり，竹のような外観を呈するもの．Netherton 症候群にみられる．常染色体劣性）．＝trichorrhexis invaginata.

bayonet h. 銃剣状毛（紡錘形をした発育上の欠陥で，先細りを示す毛髪の末端に生じる）．

beaded h. 連珠毛．＝monilethrix.

burrowing h.'s 穴掘り毛．＝ingrown h.'s.

club h. 棍［状］毛（脱毛する前の静止状態の毛髪．毛根球は棍状の塊をなす）．

downy h.［TA］．胎毛＝lanugo.

exclamation point h. 感嘆符状毛（円形脱毛症の脱毛部の辺縁にみられる毛髪組織の萎縮型．毛根球がない）．

Frey h.'s (frī). フライ毛（様々な程度の硬度の短毛を集め，軽量の木製ハンドルの一端に一定の角度でとりつけられたもの．皮膚感覚測定のために用いられる）．

h.'s of head［TA］．頭髪（頭部の毛髪）．＝scalp h.

ingrown h.'s 内方発育毛（顔と頸のひげの部分に最も普通にみられる．正常よりも急な角度であらゆる方向に生える毛．毛髪が毛包から完全に出られずに逆戻りする結果，偽性毛嚢炎が生じる）．＝burrowing h.'s.

kinky h. 縮れ毛（きつくカールした毛，または曲がった

毛．→kinky-hair *disease*)．

lanugo h. うぶ毛，生毛．＝lanugo.

moniliform h. 連珠毛．＝monilethrix.

nettling h.'s 棘毛（ある種の毛虫の鋭くとがった，とげのある毛．皮膚に触れると皮膚炎を起こす）．

primary h.☆ 一次毛（lanugo の公式の別名）．

pubic h. [TA]．陰毛，恥毛（外性器直上の恥部の毛）．＝pubes (1) [TA]．

ringed h. [MIM*180600]．白輪毛（毛髪が色素性の部分と明るい部分に交互に分かれているまれな状態．明るい部分は皮質の空胞による）．＝pili annulati.

scalp h. 頭髪．＝h.'s of head.

Schridde cancer h.'s (shrid'ĕ)．シュリッデ癌毛（顎ひげの部分や側頭部に散乱する光沢のない太い毛．癌患者にみられるといわれているが他の悪液質の患者にもみられる）．

spun glass h. ガラス繊維毛．＝uncombable hair *syndrome.*

stellate h. 星状毛（先端で幾筋にも裂けている毛）．

taste h.'s 味毛（味蕾の味覚細胞の毛様突起．電子顕微鏡で見ると微絨毛が群生していることがわかる）．

terminal h. 硬毛，終毛（成熟した有色の硬い毛）．

h.'s of tragus [TA]．耳珠毛（耳介の耳珠に生えてくる毛）．

twisted h.'s 捻転毛症．＝*pili* torti (⇒pilus)．

vellus h. うぶ毛，軟毛（出生後から成人期にまでみられる無色で軟らかく細い毛のこと）．

h.'s of vestibule of nose [TA]．鼻毛，はなげ（鼻孔または鼻前庭内に生える毛）．＝vibrissa [TA]．

woolly h. 羊毛状毛（羊毛の手ざわりをもった横断面が卵円形のねじれ毛）．

hair·pin (hār'pin)．ヘアピン（①ポリ核酸によって形成される構造で，一本鎖の DNA か RNA が隣接した相補的配列の間で塩基対を形成することによる．②プロスタグランジンに含まれる構造で，その分子の 2 つのセグメントが互いに折りたたまれている）．

hair·worm (hār'wŏrm)．毛様線虫（→*Trichostrongylus*; *Gordius*）．

hair·y (hār'ē)．＝pilar; pilary; pilose. *1* 毛のような．*2* 毛でおおわれた（→hirsutism）．

ha·la·tion (hă-lā'shŭn)．ハレーション，暈影，光暈（まぶしさによって像がぼやけること）．

hal·a·zone (hal'ă-zōn)．ハラゾーン（飲料水の消毒に用いるクロラミン類の 1 つ）．

Hal·bei·sen (hahl'bī-sĕn), William A. 20世紀の米国人医師．→Stryker-H. *syndrome.*

Hal·ber·staed·ter (hahl'bĕr-städt'ĕr), Ludwig. ドイツ人医師，1876—1949．→H.-Prowazek *bodies.*

Hal·dane (hawl'dān), John B.S. イングランド人生化学・遺伝学者，1892—1964．→H. *relationship.*

Hal·dane (hawl'dān), John S. スコットランド人生理学者，1860—1936．→H. *apparatus, effect, transformation, tube*; H.-Priestley *sample.*

Hales (hālz), Stephen. イングランド人生理学者，1677—1761．→H. *piesimeter.*

half-cys·tine (haf sis'tēn)．ハーフシスチン（チオール基のプロトンがとれたシステイン）．

half-hap·ten (haf-hap'ten)．半ハプテン（抗原抗体反応は惹起できるが，沈降は起こし得ない物質）．

half-life (haf'līf)．半減期（放射能，あるいは放射性物質中の原子数が半分に減少するのに要する時間．時間に対して指数関数的に減少するような，いかなる物質の量にも同様に適用される．*cf.* half-time）．

biologic h.-l. 生物学的半減期（物質の半分の量が，生物学的過程によって消失するのに要する時間）．

effective h.-l. 実効(有効)半減期（投与されて身体負荷となった放射能の量が，放射性崩壊と生物学的排泄によって半分に減少するのに要する時間）．

physical h.-l. 物理的半減期（放射性核種の原子の半数が壊変するのに要する時間）．

half-moon (haf'mūn)．半月．＝*lunule* of nail.

red h.-m. 赤色半月（指の爪の基底部で，通常は青白い半月部が不規則に赤く変色する．うっ血性心不全，悪性腫瘍，肝疾患にみられるが，いずれかに特異的ではない）．

half-time (haf'tīm)．半減期（化学反応あるいは酵素反応の一次反応において，物質(基質)の半分が変化または消失する時間．*cf.* half-life）．

half·way house (haf'wā hows)．ハーフウェイハウス，中間寮（完全な病院設備は必要としないが，まだ自立生活に復帰のできない患者のための施設）．

hal·i·but liv·er oil (hal'i-bŭt liv'ĕr oyl)．ハリバ肝油（ヒラメ科オヒョウ属 *Hippoglossus* の魚の新鮮なまたは適当に保存された肝臓から得られる不揮発性油．ビタミン A および D の補充源）．

hal·ide (hal'īd)．ハロゲン化物（ハロゲン塩化合物）．

hal·i·pha·gi·a (hal'i-fā'jē-ă) [G. *hals*, salt + *phagō*, to eat]．塩食症（塩または塩類，特に塩化ナトリウム，カルシウム塩，マグネシウム塩，カリウム塩あるいは重炭酸ナトリウムの過剰摂取）．

ha·lis·te·re·sis (hă-lis'tĕr-ē'sis) [G. *hals*, salt + *sterēsis*, privation < *stereō*, to deprive]．石灰脱失〔症〕（骨の石灰塩の欠乏）．＝halosteresis.

ha·lis·te·ret·ic (hă-lis'tĕr-et'ik)．石灰脱失〔症〕の．

hal·i·to·pho·bi·a (hal'i-tō-fō'bē-ă) [*halitosis* + *phobia*]．口臭恐怖（口臭がひどいのではないかという過度な恐れ）．

hal·i·to·sis (hal'i-tō'sis) [L. *halitus*, breath + G. *-osis*, condition]．口臭．＝fetor oris; ozostomia; stomatodysodia.

hal·i·tus (hal'i-tŭs) [L. < *halo*, to breathe]．蒸気，呼気（呼気または蒸気のような発散物）．

hal·la·chrome (hal'ă-krōm)．ハラクローム（L-チロシンからメラニンが形成されるときに L-ドパから誘導されるキノン中間体）．

Hal·lé (ah-lā'), Adrien J.M.N. フランス人医師，1859—1947．→H. *point.*

Hal·ler (hah'lĕr), Albrecht von. スイス人生理学者，1708—1777．→H. *ansa, anulus, arches, circle, cones, habenula, insula, line, plexus, rete,* vascular *tissue, tripod, tunica* vasculosa, *unguis, vas* aberrans.

Hal·ler·mann (hah'lĕr-mahn), Wilhelm. ドイツ人眼科医．1901—1976．→H.-Streiff *syndrome*; H.-Streiff-François *syndrome.*

Hal·ler·vor·den (hah'lĕr-fōr-dĕn), Julius. ドイツ人神経科医，1882—1965．→H. *syndrome*; H.-Spatz *disease, syndrome.*

hal·lex, pl. **hal·li·ces** (hal'eks, hal'i-sēz) [L.]．＝great *toe* [I].

Hall·gren (hahl'grĕn), Bertil. 20 世紀のスウェーデン人遺伝学者．→H. *syndrome.*

Hal·lo·peau (ah-lō-pō'), François H. フランス人皮膚科医，1842—1919．→H. *disease.*

Hall·pike (hal'pīk), C.S. 20 世紀の英国人耳科医．→Dix-H. *maneuver.*

hal·lu·cal (ha'lū-kăl)．〔足の〕母指の，おやゆびの．

hal·lu·ci·na·tion (ha-lū-si-nā'shŭn) [L. *alucinor*, to wander in mind]．幻覚（[delusion または illusion と混同しないこと]．そのような刺激や状況が存在しないのに外部の対象や事象をはっきりと，しばしば強く主観的に知覚すること．幻視，幻聴，幻嗅，幻味，幻触などがある）．

auditory h. 幻聴（統合失調症または精神病性の気分障害によくみられる症状の 1 つで，外部の音源が存在せず，他者には知覚できない声や他の聴覚刺激が聞こえるというもの）．

autoscopic h. 自己〔像〕幻視（自己を外的な対象と知覚する幻視で，自分が二重であるという妄想に発展しうる．*cf.* out-of-body *experience*）．

command h. 命令幻覚（統合失調症もしくは精神病性の感情障害に随伴する症状で，実際には外的な源がないものの，ふつうは聴覚性であるが，ときに視覚性の何かをしろというメッセージからなる）．

formed visual h. 有構造幻視（情景や風景からなる幻覚）．

gustatory h. 幻味（味覚刺激がないのに味覚を感じること．側頭葉てんかんでみられることがある）．

haptic h. 幻触（刺激がないのに触覚を感じること．アルコール性振せんせん妄でみることがある）．

hypnagogic h. 入眠〔時〕幻覚（睡眠に至る間に起こる幻覚．ナルコレプシーの構成要素の 1 つ）．＝hypnagogic image.

hypnopompic h. 覚醒〔時〕幻覚（睡眠から起きた時に起こ

るはっきりした幻覚．ナルコレプシーでみられるが，入眠時幻覚といっしょにされる）．＝hypnopompic image.

kinesthesia h. 運動幻覚（身体運動していないのに，1つ以上の筋肉の運動を感じること）．

lilliputian h. 小人幻覚（小さな物体や人間の幻覚）．

mood-congruent h. 気分調和性の幻覚（その内容が気分に妥当であるような幻覚）．

mood-incongruent h. 気分不調和性の幻覚（外的刺激にそぐわない幻覚で，内容は躁またはうつのどちらの気分とも一致しない）．

olfactory h. 幻嗅（においの誤った感覚）．

partial h. 部分幻覚．＝pseudohallucination (2).

stump h. 幻影肢（現在では用いられない語）．＝phantom limb *pain*.

tactile h. 幻触（運動や感覚のいつわりの感触．切断肢や皮膚のむずむずする感じなど）．

unformed visual h. 無構造幻視（火花，光，さく裂光などからなる幻覚）．

hal·lu·ci·no·gen (ha-lū′si-nō-jen)［L. *alucinor*, to wander in mind＋G. *-gen*, producing］．幻覚〔誘発〕薬（幻覚性の化学薬品，薬剤，特に最も特徴的な薬理作用が中枢神経系にある化学薬品(例えばメスカリン)．正常人に幻視，幻聴，離人症，知覚障害，思考過程の障害を起こす）．＝psychedelic drug; psychodysleptic drug; psycholytic drug; psychotomimetic drug.

hal·lu·ci·no·gen·e·sis (ha-lū′si-nō-jen′ĕ-sis)．幻覚を生じる過程．

hal·lu·ci·no·gen·ic (ha-lū′si-nō-jen′ik)．幻覚薬の，幻覚誘発〔性〕の．＝psychedelic.

hal·lu·ci·no·sis (ha-lū′si-nō′sis)．幻覚症（通常，器質因性の症候群．多かれ少なかれ，持続する幻覚を特徴とする）．

organic h. 器質〔性〕幻覚症（何らかの器質性精神障害を有する人が，外的刺激なしに誤った知覚を体験する状態(例えば，アルコール幻覚症や LSD などの精神変容薬を摂取した人の体験する恐怖感)．⇀hallucination ）．

hal·lus (hal′ŭs)．母趾(指)，第一趾(指)．＝great *toe*［I］.

hal·lux, pl. **hal·lu·ces** (hal′ŭks, hal′ū-sēz)［L. *hallex* (*hallic-*)(great toe) の現代ラテン語］［TA］．母趾(指)，第一趾(指)．＝great *toe*［I］.

h. dolorosus 母趾痛（通常，扁平足に伴う状態で，歩くと母趾の中足指骨関節に強い痛みが起こる）．＝painful toe.

h. extensus 伸展母趾（母趾が伸展位に固く保たれている奇形）．

h. flexus 屈曲母趾．＝h. malleus.

h. malleus つち趾（第一趾を含むつち状足指）．＝h. flexus.

h. rigidus 強直母趾（第一中足指節関節に強直のある状態．通常，関節背側の骨棘形成により生じる）．＝stiff toe.

h. valgus 外反母趾，母趾外反〔症〕（母趾の遠位部が中足趾節関節で足の外側へ偏位していること）．

h. varus 内反母趾，母趾内反〔症〕（母趾の遠位部が中足趾節関節で第二趾から離れて足の内側に偏位していること）．

ha·lo (hā′lō)［G. *halōs*, threshing floor on which oxen trod a circle; the halo round the sun or moon］．暈(かさ)，輪（①視神経乳頭を囲む赤黄色の輪で，強膜輪が拡大して深部構造が透見できるようになったもの．②発光体を取り囲んでいる環状の光の輝き．⇀halo *nevus*．③＝areola (4)．④ハロキャストh. cast またはハロブレース h. brace に用いる円形の金属帯．頭蓋骨にピンで止める）．

anemic h. 貧血暈（皮膚の蒼白な，比較的血管に乏しい領域でクモ状血管拡張や老年性血管腫，ときに急性の斑状皮疹の周りにみられるもの）．

glaucomatous h. *1* 緑内障輪（緑内障において，脈絡膜の萎縮を示す乳頭の周りの黄白色の輪）．＝glaucomatous ring. *2* 虹視症（緑内障において，角膜浮腫のために光源の周りに輪が見えること）．＝rainbow symptom.

senile h. 老人輪（老年者の脈絡膜萎縮の病巣中にみられる視神経乳頭周囲の暈輪）．

hal·o·al·kyl·a·mines (hal′ō-al-kil′ă-mēnz)．ハロアルキルアミン〔類〕（フェノキシベンザミン，ダイベナミンなどを含む一群の化合物で，α-アドレナリン作用性受容体をアルキル化し，不可逆的に不活性化させる）．

hal·o·gen (hal′ō-jen)［G. *hals*, salt＋*-gen*, producing］．ハロゲン（塩素族(フッ素，塩素，臭素，ヨウ素)の元素の総称．水素と一塩基酸を形成する．水酸基(フッ素には水酸基によるものがない)もまた一塩基酸を形成する）．

hal·o·gen·a·tion (hal′ō-jĕ-nā′shŭn)．ハロゲン化（分子の中に1原子以上のハロゲン原子を組み込むこと）．

hal·o·gen·o·der·ma (hal′ō-gen′ō-dĕr′mă)［halogen＋G. *derma*, skin］．ハロゲン皮膚症（ハロゲンの摂取あるいは注射により生じる皮膚病．最も明らかな例としては臭化物やヨウ化物がある）．

Hal·o·ge·ton (hal-ō-jē′tŏn)．米国西部および世界の乾燥地帯に生育するアカザ科の植物．可溶性シュウ酸塩により，ウシやヒツジに中毒を起こす．

ha·lom·e·ter (hal-om′ĕ-tĕr)．回折暈計（赤血球の回折暈を測定するために用いる器械．悪性貧血の大赤血球の暈は正常赤血球の暈より小さいという前提に基づく．正常大のかすんだ無色の暈は続発性貧血の特徴である）．

hal·o·phil, hal·o·phile (hal′ō-fil, -fīl)［G. *hals*, salt＋*philos*, fond］．好塩菌（その成長が高濃度の塩によって増強するか依存している微生物）．

hal·o·phil·ic (hal′ō-fil′ik)．好塩性の，塩親和〔性〕の（成長のために高濃度の塩を必要とする）．

ha·los·te·re·sis (hă-los′tē-rē′sis)．＝halisteresis.

Hal·stead (hahl′sted), Ward C. 米国人心理学者，1908－1968. ⇀H.-Reitan *battery*.

Hal·sted (hahl′sted), William Stewart. 米国人外科医，1852－1922. ⇀H. *law*, *operation*, *suture*.

Hal·te·rid·i·um (hawl′tĕ-rid′ē-ŭm)［G. *haltēres*, weights held in the hand in leaping］．*Haemoproteus*属の旧名．

hal·zoun (hal′zūn)［Ar. snail］．ハルザン（レバノンで起こる口咽頭感染症の地方名．恐らく宿主のヒトが感染を受けたヒツジやヤギの生の肝臓あるいはリンパ節を摂取した後で，咽頭に迷入したイヌの舌虫の幼虫 *Linguatula serrata* によって起こる）．

Ham (ham), Thomas Hale. 米国人医師，1905－1987. ⇀H. *test*.

ham (ham)［A.S.］．*1* 膝窩，ひかがみ．＝popliteal *fossa*. *2* 殿部と大腿の後ろの部分．

HAMA human antimouse *antibody* の略．

ham·a·me·lis (ham′ă-mē′lis)［Mod. L.＜G. *hama-mēlis* ＜*hama*, together with＋*mēlon*, apple］．ハマメリス（低木のマンサク科 *Hamamelis virginiana*．この樹皮および乾燥葉は挫傷やその他の創傷，頭痛に応用され，また痔疾部の炎症を抑える治療に外用とされてきた．ウィチ・ヘーゼル(ハシバミ樹の抽出物)として一般的によく知られているハマメリス水(収れん性化粧水)はこの樹皮からつくられ，14%のアルコールを含む）．＝witch hazel.

ha·mar·ti·a (ham-ahr′shē-ă)［G. *hamartion*, a bodily defect］．過誤組織（その部位に正常に存在する組織の配列および組合せの異常を特徴とする局所の発育障害）．

ham·ar·to·blas·to·ma (ham-ahr′tō-blas-tō′mă)［hamartoma＋blastoma］．過誤芽腫（過誤腫から起こった未分化細胞の悪性新生物）．

ham·ar·to·chon·dro·ma·to·sis (ham-ahr′tō-kon′drō-mă-tō′sis)［G. *hamartion*, bodily defect＋*chondros*, cartilage＋*-osis*, condition］．過誤腫性軟骨腫（軟骨が正常の構成要素である部位の軟骨組織の新生物様病巣であって，軟骨細胞が組織の他の要素と不均衡に増殖しているもの）．

ham·ar·to·ma (ham′ahr-tō′mă)［G. *hamartion*, a bodily defect＋*-oma*, tumor］．過誤腫（肉眼的にも顕微鏡的にも新生物に類似する巣状の奇形．過誤腫は器官の誤った発育で起こる．組織諸要素の存在部位は正常であるが，混合が異常であるか単一要素の構成が異常であるときに現れる．それらは正常の成分と同じ速度で発育成長し，新生物組織と異なり隣接組織を圧迫することはない）．

fibrous h. of infancy 乳児期線維性過誤腫（1－2歳のころ，通常，上腕や肩に出現する腫瘍で，皮下組織に浸潤する細胞性線維組織からなる）．

omental mesenteric myxoid h. 大網・腸間膜類粘液過誤腫．＝inflammatory myofibroblastic *tumor*.

pulmonary h. 肺過誤腫（主に軟骨と気管支上皮よりなる良性小結節を生じる肺の過誤腫）．

H

ham·ar·tom·a·tous (ham′ahr-tō′mă-tŭs). 過誤腫の.

ham·ar·to·pho·bi·a (ham′ahr-tō-fō′bē-ă) [G. *hamartia*, fault + *phobos*, fear]. 失敗恐怖〔症〕, 過誤恐怖〔症〕(誤りまたは過失に対する病的な恐れ).

ha·mate (ha′māt). →hamate (*bone*).

ha·ma·tum (ha-mā′tŭm) [L. *hamatus*(hooked) の中性形 < *hamus*, a hook]. 有鉤骨. =hamate(*bone*).

Ham·bur·ger (hahm′būr-gĕr), Hartog J. オランダ人生理学者, 1859—1924. →H. *phenomenon*.

HAMLET (ham′lit). *h*uman α-lactalbumin *m*ade *l*ethal to *t*umor cells(腫瘍細胞に致死的なヒト α-ラクトアルブミン)の頭字語. →lactalbumin.

Ham·man (ham′ăn), Louis. 米国人医師, 1877—1946. →H. *disease*, *murmur*, *sign*, *syndrome*; H.-Rich *syndrome*.

Ham·mar·sten (hahm′ar-sten), Olof. スウェーデン人生理化学者, 1841—1932. →H. *reagent*.

ham·mer (ham′ĕr). つち骨. =malleus.

Ham·mer·schlag (hahm′ĕr-shlahg), Albert. オーストリア人医師, 1863—1935. →H. *method*.

Ham·mond (ham′ŏnd), William A. 米国人神経科医, 1828—1900. →H. *disease*.

Hamp·ton (hamp′tŏn), Aubrey Otis. 米国人放射線科医, 1900—1955. →H. *line*, *maneuver*, *technique*, *hump*.

ham·ster (ham′stĕr). ハムスター(研究用, 愛玩用として広く用いられている小型げっ歯類の 4 属(ネズミ科 Cricetinae 亜科), *Cricetus*属, *Cricetulus*属, *Mesocricetus*属, *Phodopus*属をいう. ほとんどのハムスターは種子や植物を食べ, 食物を蓄え, 冬眠し, 実験室で通年繁殖する).

ham·string (ham′string). 膝窩腱, 膝屈曲筋 (①膝窩の両側に付いている腱. **medial h.** 内側膝窩腱は半膜様筋, 半腱様筋の腱から構成され, **lateral h.** 外側膝窩腱は大腿二頭筋の腱である. これらの筋は, ⓘ坐骨結節から起こり, ⓘⓘ股関節と膝関節とにまたがって作用し, 股関節は伸展させ, 膝関節は屈曲させる, ⓘⓘⓘ坐骨神経の脛骨部の支配を受ける. 内側部は膝関節の屈曲のときに内側に回旋させ, 外側部は外側に回旋させる. ②家畜では, 共通踵骨腱とみなされる浅指屈筋, 下腿三頭筋, 大腿二頭筋および半腱様筋の結合腱で, 飛節の踵骨隆起に付いている).

ham·u·lar (ham′yū-lăr) [L. *hamulus* 参照]. 鉤状の, 鉤形の.

ham·u·lus, gen. & pl. **ham·u·li** (ham′yū-lŭs, -lī) [L. *hamus*(hook) の指小辞][TA]. 鉤 (鉤状の構造). =hook (2)*.

h. cochleae =h. of spiral lamina.

lacrimal h. [TA]. 涙骨鉤 (涙骨の鉤状突起. 涙稜の鉤状の下端にあり, 上顎骨の前頭突起と眼窩面の間の弯曲で, 鼻涙管の骨性部分の上入口を形成する). =h. lacrimalis [TA]; hamular process of lacrimal bone.

h. lacrimalis [TA]. 涙骨鉤. =lacrimal h.

h. laminae spiralis [TA]. =h. of spiral lamina.

h. ossis hamati [TA]. 有鉤骨鉤. =*hook* of hamate.

pterygoid h. [TA]. 翼突鉤 (蝶形骨の翼状突起の内側先端にある鉤状の突起で, 口蓋帆張筋腱の滑車となっている). =hamular process of sphenoid bone; h. pterygoideus.

h. pterygoideus 翼突鉤. =pterygoid h.

h. of spiral lamina [TA]. ラセン板鉤 (蝸牛頂における骨性ラセン板の鉤状終末). =h. laminae spiralis [TA]; h. cochleae; hook of spiral lamina.

Han·cock (han′kok), Henry. イングランド人外科医, 1809—1880. →H. *amputation*.

Hand (hand), Alfred. 米国人小児科医, 1868—1949. →H.-Schüller-Christian *disease*.

hand (hand) [TA]. 手 (上肢のうち橈骨手根関節より遠位の部分で, 手首・手掌・指からなる). =manus [TA]; main.

accoucheur h. 産科医の手 (手指は各指内転して相接し, 中手指節関節で屈曲し指節間関節で伸展し, 母指は手掌側に内転屈曲している手の形状. 腟の診察を行うときの医師の手の形状に似ていることから名付けられた). =obstetric h.

ape h. 猿手. =simian h.

claw h. →clawhand.

cleft h. 裂手 (先天性の奇形で, 指間, 特に第三指と第四指間の隔壁が中手部までのびている. →lobster-claw *deformity*). =split h.

club h. 弯手, 内反手 (→clubhand).

crab h. カニ手. =erysipeloid.

drop h. 〔下〕垂手, 手下垂症. =*wrist*-drop.

ghoul h. 鬼手 (アフリカ黒人にみられる状態で, 第三期熱帯フランベシアの一表現形態であると思われるが, 手掌の色素脱失と皮膚の収縮を特徴とし, ワシあるいは死体のような外見を有する手のこと).

Marinesco succulent h. (mah-rē-nes′kō). マリネスコ浮腫状手 (脊髄空洞症にみられる冷たく鉛色をした皮膚をもつ手の浮腫). =main succulente.

monkey h. 猿手. =simian h.

obstetric h. =accoucheur h.

opera-glass h. 双眼鏡様手 (慢性吸収性関節炎にみられる手の変形. 指と手首は短縮し, これをおおう皮膚に蛇腹様横じわを生じる. 指節は小型の双眼鏡のように互いに外筒と内筒をなすようにみえる).

simian h. サル(猿)手 (重度正中神経麻痺により生じる手の外見上変形で, 母指球が筋萎縮のため平坦化し, 母指が内転, 伸展した手. サルの手に似ているのでこうよばれる). =ape h.; monkey h.; monkey-paw.

skeleton h. 骸骨様手 (筋萎縮を伴う指の伸展. 進行性筋萎縮症にみられる).

spade h. くわ手 (先端巨大症または粘液水腫にみられる, 粗で厚く四角い手).

split h. =cleft h.

trident h. 三叉手 (指がほとんど同じ長さで第一指骨関節で反屈し, フォーク状をした手. 軟骨異栄養症の疾患にみられる).

writing h. 書字手 (振せん麻痺にみられる, 指がペンを握る形に固定された筋肉の収縮).

hand·ed·ness (hand′ĕd-nes) [MIM*139900]. 利き手 (片方の手の使用をより好むこと. 通常は右手であり, 反対側の大脳半球の優位を伴う. 訓練や習慣の結果として起こることもある).

hand·i·cap (hand′ē-kap) [< *hand in cap*(game)]. ハンディキャップ, 社会的不利 (**[本語のもつ否定的または軽蔑的な響きは, 文脈によっては不快な表現になるかもしれない]**. ①個人の正常機能に支障をきたすような身体的, 精神的あるいは感情状態. ②ある社会的役割をはたす個人の能力が何らかの障害やその役割に対する不適切な訓練, 他の環境のために低下すること. →disability).

han·dle of mal·le·us (han′dĕl mal′lē-ŭs) [TA]. つち骨柄 (つち骨頸から下方やや後内側に伸びる突起部. その外側縁は鼓膜の内側面に密着するため, 耳鏡検査ではつち骨条として観察される). =manubrium mallei [TA].

hand·piece (hand′pēs). ハンドピース (回転する切削用, 削合用, または研磨用器具を把持する動力歯科機械).

hand·shapes (hand′shāps). 手文字 (読唇術において発音している音を(発音と同時に)手で表す際の表現法).

HANE hereditary angioneurotic *edema* の略.

Hanes (hānz), Charles S. カナダ人生化学者, 1903—1993. →Hanes *plot*.

hang·nail (hang′nāl). 逆むけ (内側または外側の爪のくぼみの基部についているむけかかった三角形の皮膚片).

Han·hart (han′hart), Ernst. スイス人内科医, 1891—1973. →H. *syndrome*.

Hanks (hangks), Horace Tracy. 米国人外科医, 1837—1900. →H. *dilators*.

Hanks (hangks), John H. 20 世紀の米国人微生物学者. →Hanks *solution*.

Han·lon (han′lŏn), C. Rollins. 20世紀の米国人心臓血管・胸部外科医. →Blalock-H. *operation*.

Han·no·ver (han′ō-vĕr), Adolph. デンマーク人解剖学者, 1814—1894. →H. *canal*.

Han·ot (ahn-ō′), Victor C. フランス人医師, 1844—1896. →H. *cirrhosis*.

Han·sen (hahn′sĕn), Gerhard A. ノルウェー人医師, 1841—1912. →H. *bacillus*, *disease*.

Han·ta·vi·rus (han′tă-vī′rŭs). ハンタウイルス属 (ブンヤウイルス科の一属で, 肺炎と出血熱を引き起こす. 現在までに少なくとも 7 種のウイルス, Hantaan, Puumala, Seoul,

Prospect Hill, Thailand, Thottapalayam, Sin Nombre ウイルスが分離されている．他の種はまだ分類されていない．Hantaan ウイルスは，朝鮮出血熱の起因ウイルスである．種々のげっ歯類が無症候キャリアとして唾液・尿・糞便中にウイルスを分泌する．ヒトへの感染はげっ歯類から直接，あるいは感染性分泌物から気道を介して感染する．ヒトからヒトへの感染はまれであるとされている．ハンタウイルス感染によるハンタウイルス肺症候群(HPS)は重篤でしばしば致死的な肺症状を呈す疾患であるが，その突発が1993年に米国の南西部のFour-Corners地域で認められ，その後Sin Nombreウイルスと命名された）．

hap·a·lo·nych·i·a (hap′ă-lō-nik′ē-ă)［G. *hapalos*, soft + G. *onyx* (*onych-*), nail］. 爪甲軟化症（爪が薄くなり，先端が屈曲し，破壊される．縦に溝ができる）．＝eggshell nail.

haph·al·ge·si·a (haf′al-jē′zē-ă)［G. *haphē*, touch + *algēsis*, sense of pain］. 接触痛（ほんのわずかの接触でも起こる疼痛，または非常に不快な感覚）．＝Pitres sign (1).

hap·haz·ard (hap-haz′ărd). 無計画〔の，に〕（首尾一貫した機構，組織，目標が欠如していることをいう．random(でたらめ)とかchaotic(無秩序)とは混同しないこと）．

haph·e·pho·bi·a (haf′ē-fō′bē-ă)［G. *haphē*, touch + *phobos*, fear］. 〔他人〕接触恐怖〔症〕（触れられることに対する病的な嫌悪または恐れ）．

haplo- (hap′lō)［G. *haplous*］. 単一または単独を意味する連結形．

hap·lo·dont (hap′lō-dont)［haplo- + G. *odous*, tooth］. 単錐歯，ハプロドント（単一の歯冠の臼歯をもつこと．すなわち隆線や結節のない単一の円錐形の歯のこと）．

hap·loid (hap′loyd)［G. *hapolls*, simple + *eidos*, appearance］. ハプロイド，単相の，一倍体の（精子または卵子の染色体の数についていう．その数は体細胞(二倍体)の半数．正常なヒトの一倍体の数は23）．＝monoploid.

hap·lol·o·gy (hap-lol′ŏ-jē)［haplo- + G. *logos*, study］. 重音脱落（極端に速いスピードで話すために音節が脱落すること）．

hap·lo·pro·tein (hap′lō-prō′tēn). ハプロプロテイン（アポ蛋白と補欠分子族との機能性複合体．それらは一緒になって生物活性を果たす）．

hap·lo·scope (hap′lō-skōp)［haplo- + G. *skopeō*, to view］. ハプロスコープ，視軸測定器（各々の眼で見た別々のながめを1つの物として見られるようにする機器）．

mirror h. 鏡付き視軸測定器（Worth弱視計や共観斜視矯正器のように，2つの眼の視界を変えるために鏡を用いたハプロスコープ）．

hap·lo·scop·ic (hap′lō-skop′ik). ハプロスコープの．

Hap·lo·spo·rid·i·a (hap′lō-spō-rid′ē-ă)［haplo- + G. *sporos*, seed］. 単胞子虫目，略胞子虫目（胞子虫類に属する原生動物の一目で，現在はアセトスポラ門ステラトスポラ綱に分類されている．増員生殖によって無性的に増殖する．胞子を産生し，仮足は存在することもあるがべん毛はない）．

hap·lo·type (hap′lō-tīp)［haplo- + G. *typos*, impression, model］. ハプロタイプ（①個体の遺伝子構成において，連鎖した一組の対立遺伝子のうちのいずれか片方の遺伝子群のこと．もし，1つの対立遺伝子に関しては類似で，他の対立遺伝子に関して異なる場合，個体は遺伝子型は異なるが，ハプロタイプは同じである．②免疫遺伝学的には，片親由来で受け継がれる隣接した一組の遺伝子により決められた表現型をいう(1対の染色体上の片方の遺伝子)）．

hap·ten (hap′-ten)［G. *haptō*, to fasten, bind］. ハプテン（それ自体では細胞性・液性免疫反応を惹起できないが，キャリアとよばれるやや大きめの分子との結合体として抗原性を発現できる分子のこと．ハプテン-キャリア複合体は抗体産生と反応性T細胞を刺激することができる．→hapten *inhibition* of precipitation）．＝incomplete antigen; partial antigen.

conjugated h. 結合ハプテン（蛋白と共有結合したことによって，抗体産生を惹起することが可能なハプテンのこと）．＝conjugated antigen.

Forssman h.［John *Forssman*］. フォルスマンハプテン（哺乳類の器官に由来する糖脂質．セラミド五糖類である．*cf.* Forssman *antibody*; Forssman *antigen*）．

half h. ⇀half-hapten.

haptic (hap′tik). ***1*** 触覚の，触覚に関する（→force feedback）．***2*** 〔眼内レンズの〕支持部（眼内レンズを眼内に固定，中心に位置させるための柔軟性を有するループ）．

hap·to·dys·pho·ri·a (hap′tō-dis-fō′rē-ă)［G. *haptō*, to touch + dysphoria］. 接触不快〔気分〕（ある対象物に触れることによって起こる不愉快な感覚）．

hap·to·glo·bin (HP) (hap′tō-glō′bin)［G. *haptō*, to grasp + hemoglobin］［MIM*140100, *140210］. ハプトグロビン（ヒト血清中のα_2グロブリンの一種．ヘモグロビンと結合する能力から名付けられ，尿での欠損を予防する．別々の遺伝子座により制御されているα-およびβ-ポリペプチド鎖から構成され，いくつかの多型が存在する．溶血性疾患で減少し炎症状態や組織損傷で増加する）．

hap·tom·e·ter (hap-tom′ĕ-tĕr)［G. *haptō*, to touch + *metron*, measure］. 触覚計．

Har (har). homoarginine の略．

Ha·ra·da (hah-rah′dă), Einosuke. 日本人外科医，1892—1947. ⇀H. *disease, syndrome*; Harada-Ito *procedure*.

Ha·ra·da (hah-rah′dă), T. 20世紀の日本人病理学者．⇀H.-Mori filter paper strip *culture*.

Har·den (har′dĕn), Arthur. イングランド人生化学者・ノーベル賞受賞者，1865—1940. ⇀H.-Young *ester*.

har·den·ing (har′den-ing). ***1*** 無感化（脱感作と同様に，長期にわたって非治療的抗原暴露を繰り返すとアレルゲンに対する反応が減弱する状態）．***2*** 固定，硬化（鏡検のための切り出しなどのために組織片を固くする操作）．

har·di·ness (har′dē-nes)［M.E. < O.Fr. *hardi* < Germanic］. 強壮性（病気に対する抵抗性を増強すると考えられている健康増進特性．日常生活での出来事に対し，高度の個人的抑制力，関与あるいは行動力を示す）．

Har·ding (har′ding), Harold E. 20世紀の英国人病理学者．⇀H.-Passey *melanoma*.

hard·ness (hard′nes). 硬さ，硬度（①固体の硬さの程度．硬度は，変形，こすること，摩滅への抵抗で示される．→hardness *scale*; number. ②X線束の相対的透過力を示すもので，診断目的のエネルギー範囲でも放射線治療でも用いられる．半価層の大きさで表す）．

indentation h. 押込み硬さ，圧入硬度（既知荷重下に一定の形と大きさをもつ圧子(または試験子)によってつくられた圧痕の大きさを表す数）．

H

hard·ware (hard′wār). ハードウエア（コンピュータを構成する電子機器）．

Har·dy (har′dē), George H. イングランド人数学者，1877—1947. ⇀H.-Weinberg *equilibrium, law*.

Har·dy (har′dē), LeGrand H. 米国人眼科医，1894—1954. ⇀H.-Rand-Ritter *test*.

hare·lip (hār′lip). 兎唇．＝cleft *lip*.

har·ma·line (har′mă-līn). ハルマリン（ハマビシ科*Peganum harmala*の種子や，キントラノオ科*Banisteria caapi*から得られる．アミンオキシダーゼ阻害薬で，中枢神経刺激薬．パーキンソン症候群に用いる）．＝harmidine.

harman (hahr′man). ハルマン（一群の変異原物質と一緒に摂取したときに共変異原となる物質．ノルハルマンよりは変異原性が小さい）．

har·mi·dine (har′mi-dēn). ＝harmaline.

har·mine (har′mēn)［G.*harmala*, harmal < Ar.*harmalah* + -ine］. ハルミン（中枢神経刺激薬でモノアミンオキシダーゼ阻害薬．ハマビシ科*Peganum harmala*の種子やキントラノオ科*Banisteria caapi*から得られる．向精神作用はLSDの作用に似ているが，鎮静や抑うつの性質は幻覚発現よりまさっていると考えられる）．＝banisterine; leucoharmine; telepathine.

har·mo·nia (har-mō′nē-ă)［L. & G. a joining］. ＝plane *suture*.

har·mon·ic (har-mon′ik). 倍音（振動数が基本振動数の整数倍である複合音の構成成分．基本振動数は第1倍音ともよばれ，第2倍音はその2倍．以下同様に名付けられる）．

harmonin (har′mō-nin). ハーモニン（Usher症候群タイプ1Cの原因遺伝子の翻訳産物である蛋白．不動毛におけるゲートの開閉複合体のラフティング剤として働くといわれている）．

har·mo·ny (har′mō-nē)［G., L. *harmonia*, agreement, articulation < *harmos*, joint］. 調和，一致（複合音で基音と

その倍音の周波数の間の数学的関係を示す．倍音の周波数は基音の周波数の全倍数あるいは一部分である．この聴覚的効果は騒音と反対に音楽的あるいは楽しいものとなっている．→noise）．

functional occlusal h. 機能的咬合平衡（支持組織，歯および筋肉に過度の緊張や外傷を起こさないで最大のそしゃく効力を与えるような，すべての機能的範囲と動きにおける上下歯の咬合関係）．

occlusal h. 咬合平衡（偏心運動上および中心関係位において，咬合接触に偏位や障害のない咬合）．

har·pax·o·pho·bia (har′paks-ō-fō′bē-ă)［G. *harpax*, robber + *phobos*, fear］．盗賊恐怖〔症〕（泥棒に対する病的な恐れ）．

har·poon (har-pūn′)．組織切取り器（顕微鏡検査用の組織小片を切り取るために用いる，顎のある小さい先のとがった器械）．

Har·ring·ton (har′ing-tŏn), David O. 20世紀の米国人眼科医．→H.-Flocks *test*.

Har·ris (ha′ris), Henry A. イングランド人解剖学者，1886—1968．→H. *lines*.

Har·ris (ha′ris), Henry F. 米国人医師，1867—1926．→H. *hematoxylin*.

Har·ris (ha′ris), Wilfred. イングランド人神経科医，1869—1960．→H. *migraine*.

Har·ri·son (har′i-sŏn), Edward. イングランド人医師，1766—1838．→H. *groove*.

Har·ris and Ray test (ha′ris rā)．⇒test.

HARS ＝HIV-associated adipose redistribution *syndrome*.

Har·tel (hahr′tel), Fritz. ドイツ人外科医．→H. *technique*.

Hart·man (hart′măn), LeRoy L. 米国人歯科医，1893—1951．→H. *solution*.

Hart·mann (hahrt′mahn), Alexis F. 米国人小児科医，1898—1964．→H. *solution*; Shaffer-H. *method*.

Hart·mann (hahrt′mahn), Arthur. ドイツ人喉頭学者，1849—1931．→H. *curette*.

Hart·mann (hahrt′mahn), Henri A.C.A. フランス人外科医，1860—1952．→H. *operation*, *pouch*.

Hart·man·nel·la (hart′mă-nel′ă)．ハルトマンアメーバ属（土壌，下水汚物，および水中にいる自由生活性のアメーバ．無脊椎動物（カタツムリ，バッタ，カキ）に侵入することが知られ，ヒトの原発性アメーバ性髄膜脳炎の原因として疑われているが確定的ではない）．

Hart·nup (hart′nŭp)．Hartnup 病（⇒disease）として初めて報告された英国の患者の姓．→H. *syndrome*.

Hartrampf (har′trahmf), Carl R., Jr. 米国人形成外科医，1932 年生まれ．

harts·horn (harts′hōrn)．鹿角（ろっかく）精（［誤った発音 hart′shorn を避けること］．昇華により硫酸アンモニウムと炭酸カルシウムから得られた炭酸水素アンモニウムとカルバミン酸アンモニウムの混合物．以前は去痰薬や気つけ薬として用いた．hartshorn（雄じかの角）という名は，鹿の角から得られたという由来による）．

har·vest bug (har′vest bŭg)．ツツガムシ属 *Trombicula* の種の幼虫．

has·a·mi·ya·mi (has′ă-mē-yah′mē)．波佐見病（はさみやみ）（日本で秋季に起こる発熱．Weil 病に似ているが，Weil 病よりも軽く，*Leptospira interrogans autumnalis* 亜種により起こる）．＝akiyami; autumn fever (2); sakushu fever; seven-day fever (2).

Hä·ser (hăs′ĕr), Heinrich. ドイツ人医師，1811—1884．→H. *formula*; Trapp-H. *formula*.

Ha·shi·mo·to (hah-shē-mō′tō)，日本人外科医，1881—1934．→H. *disease*, *struma*, *thyroiditis*.

hash·ish (hash′ish,-ish′)［Ar. hay］．ハシシュ，タイマ（大麻），マリファナ（［本語を最終音節にアクセントを置いて発音すると，語源のアラビア語の音に近くなる］．栽培インドアサの雌株の芽や花の先からの樹脂よりなるタイマの一種．インドアサ製品中にはカンナビノールが高濃度に含まれる）．

Has·ner (hahs′nĕr), Joseph Ritter von. チェコ人眼科医，1819—1892．→H. *fold*.

Has·sall (has′ăl), Arthur. 英国人医師，1817—1894．→H. *bodies*; H. concentric *corpuscles*; H.-Henle *bodies*; Virchow-H. *bodies*.

Has·sel·balch (hahs′ĕl-bawlk), Karl. デンマーク人生化学者・医師，1874—1962．→Henderson-H. *equation*.

hassium (hahs′ē-ŭm)［*Hesse*, 最初につくられたドイツの州＋-ium］．ハッシウム（合成超プルトニウム元素．原子番号 108．原子量 265．［以前はウンニルオクチウム Uno，およびドイツの物理学者 O. *Hahn* にちなんでハーニウムとよばれていた］）．

hatch·et (hatch′et)．ハッチェット（柄の軸とある角度で鋭利な刃先をもつ歯科用器具．1つまたは2つの斜面があり，前者の場合は左右1対となっており，エナメルハッチェットとして用いられる．歯のエナメル質やぞうげ質の切削に用いる）．

Hau·ben·fel·der (how′ben-fel′der)［Ger.］．→*fields* of Forel.

Hauch (H) (howkh)［Ger. breath］．細菌のべん毛抗原を表すのに用いる語．→H *antigen*.

Hau·dek (haw′dek), Martin. オーストリア人放射線科医，1880—1931．→H. *niche*.

Hau·ser (how′zĕr), G.A. 20世紀のドイツ人婦人科医．→Mayer-Rokitansky-Küster-H. *syndrome*; Rokitansky-Küster-H. *syndrome*.

haus·to·ri·um, pl. **haus·to·ria** (haw-stō′rē-ŭm, -stō′rē-ă)［Mod. L.＜L. *haustus*, drinking in or draw up］．吸器，吸収管（栄養物を吸収する器官）．

haus·tra (haw′stră)［L.］．［誤った形 haustrae を避けること］．haustrum の複数形．

haus·tral (haw′străl)．膨起の．

haus·tra·tion (haw′strā′shŭn)．膨起形成（①膨起形成の過程．②膨起の膨らみが強まること）．

h.'s of colon ＝*haustra* of colon（⇒haustrum）．

haus·trum, pl. **haus·tra** (how′strŭm, haw′stră)［L. a machine for drawing water＜*haurio*, pp. *haustus*, to draw up, drink up］［TA］．膨起（［本語の正しい複数形は haustrae ではなく haustra である］．小嚢または陥凹が連続して存在するために生じる．水車の水受けになぞらえてこうよばれる）．

haustra coli［TA］．＝haustra of colon.

haustra of colon［TA］．結腸膨起，ハウストラ（結腸ひも，すなわち縦走靭帯によってできる結腸の嚢状膨隆．結腸ひもが腸管よりやや短いので腸管がタック状または嚢状になる）．＝haustra coli［TA］; cellulae coli; haustrations of colon; sacculations of colon.

haus·tus (haws′tŭs)［L. a drink, draft］．頓服水剤の一服量（一服，すなわち一飲みの薬）．

HAV hepatitis A *virus* の略．

Ha·ver·hil·li·a mul·ti·for·mis (ha′vĕr-hil′ē-ă mŭl′ti-fōr′mis)．→*Streptobacillus moniliformis*.

ha·ver·si·an (ha-vĕr′shăn)．Clopton Havers に関する，彼の記載した種々の骨構造の．

HAVS hand arm vibration *syndrome* の略．

Haw·ley (haw′lē), C.A. 米国人矯正歯科医．→H. *appliance*, *retainer*.

Ha·worth (hā′wŏrth), Sir Walter Norman. 英国人化学者・ノーベル賞受賞者，1883—1950．→H. conformational formulas of cyclic *sugars*, perspective formulas of cyclic *sugars*.

Ha·yem (ah-yĕm′), Georges. フランス人医師，1841—1933．→H. *hematoblast*, *solution*; H.-Widal *syndrome*.

Hay·flick (hā′flik), Leonard. 20世紀の米国人微生物学者．→H. *limit*.

Hay·garth (hā′garth), John. イングランド人医師，1740—1827．→H. *nodes*.

ha·zel·wort (hā′zĕl-wōrt)．＝*Asarum europaeum*.

Hb hemoglobin の略．

$Hb_{Chesapeake}$ *hemoglobin* Chesapeake の略．

HB_cAb antibody to the hepatitis B core *antigen* の略．→anti-HB_c.

HB_eAb antibody to the hepatitis B e *antigen* の略．→anti-HB_e.

HB_sAb antibody to the hepatitis B surface *antigen* の略．→anti-HB_s.

HB_cAg hepatitis B core *antigen* の略．

HB_sAg hepatitis B surface *antigen* の略．

HbCO carboxyhemoglobin の略．

HBE His bundle *electrogram* の略．

HBe, HB$_e$Ag hepatitis B e *antigen* の略.
HbF fetal *hemoglobin* の略.
HBIG hepatitis B immune *globulin* の略.
HBO hyperbaric *oxygen* の略.
HbO$_2$ oxyhemoglobin の略.
Hb S sickle cell *hemoglobin* の略.
HBV hepatitis B *virus* の略.
HCC 25-hydroxycholecalciferol; hepatocellular *carcinoma* の略.
HCFA Health Care Financing Administration(米国保健省医療保険財政(財務)管理局)の略.
HCG, hCG human chorionic *gonadotropin* の略.
β-HCG ＝chorionic *gonadotropin*.
H chain H鎖. ＝heavy *chain*.
HCl 塩酸 hydrochloric acid の化学式.
HCN シアン化水素酸 hydrocyanic acid の化学式.
HCS human chorionic somatomammotropic *hormone*; human chorionic *somatomammotropin* の略.
Hct hematocrit の略.
HCV hepatitis C *virus* の略.
Hcy homocysteine の略.
HD mustard *gas* の略.
h.d. ラテン語 *hora decubitus* (就床時に)の略.
HDCV human diploid cell *vaccine*; human diploid cell rabies *vaccine* の略.
HDIA1 DFNA1遺伝子の遺伝子シンボル.
HDL high density lipoprotein (高密度リポ蛋白)の略. ⇀lipoprotein.
HDV hepatitis delta *virus* の略.
He ヘリウムの元素記号. 左の肩字の数字は同位体の質量数を示す.
head (hed) [A.S. *heāfod*] [TA]. 頭〔部〕, あたま (① [TA]. 動物体の上端または前端にあって, 脳および視・聴・味・嗅などの感覚器を収容している部分. ② [TA]. 器官その他の構造の上端・前端・大きいほうの端部などで丸く拡大している部分. ③骨の丸い形をした端部. ④筋の両端のうちで, その筋が収縮したとき, 付着している骨の動きの少ないほうの端部). ＝caput [TA].

articular h. [TA]. 関節頭 (関節窩との間に関節を形成する丸みを帯びた凸面の総称. 長骨端や突起部にみられる). ＝caput articulare [TA].

h. of caudate nucleus [TA]. 尾状核頭 (側脳室の前角に突き出ている尾状角の頭部あるいは前端). ＝caput nuclei caudati [TA]; anterior extremity of caudate nucleus.

clavicular h. of pectoralis major muscle [TA]. ⇀pectoralis major (*muscle*). ＝pars clavicularis musculi pectoralis majoris [TA]; clavicular part of pectoralis major (muscle).

deep h. of flexor pollicis brevis [TA]. 短母指屈筋の深頭 (小菱形骨と有頭骨と手根横靱帯に起始をもつ短母指屈筋の筋頭で, 尺骨神経深枝の支配を受ける. 多くの研究者はこれを第一掌側骨間筋とみなしている). ＝caput profundum musculi flexoris pollicis brevis [TA].

deep h. of triceps brachii☆ medial h. of triceps brachii (muscle) の公式の別名. ⇀medial.

h. of epididymis [TA]. 精巣上体頭 (精巣上体の上部の大きいほうの先端). ＝caput epididymidis [TA]; caput epididymis ; globus major.

h. of femur [TA]. 大腿骨頭 (大腿骨上端にある球形の関節面部分). ＝caput femoris [TA]; caput ossis femoris; h. of thigh bone.

h. of fibula [TA]. 腓骨頭 (腓骨の上端で, 小関節面で脛骨の外側顆の下表面と関節をなす). ＝caput fibulae [TA]; upper extremity of fibula.

hourglass h. 砂時計様頭蓋 (先天梅毒で冠状縫合が陥凹している頭蓋).

humeral h. [TA]. 上腕頭 (上腕骨に付着している前腕筋の何本かの頭につけられた名称. TAでは, ⓘ尺側手根屈筋 flexor carpli ulnaris [TA] (…musculi flexoris carpi ulnaris [TA]), ⓘⓘ円回内筋 pronator teres [TA] (…musculi pronatoris teretis [TA]), ⓘⓘⓘ尺側手根伸筋 extensor carpi ulnaris [TA] (…musculi extensoris carpi ulnaris [TA]), にこの名がある). ＝caput humerale [TA].

humeral h. of extensor carpi ulnaris 尺側手根伸筋の上腕頭 (尺側手根伸筋の筋頭(起始)のうち, 上腕骨外側上顆から起こる部). ＝caput humerale musculi extensoris carpi ulnaris [TA].

humeroulnar h. of flexor digitorum superficialis muscle [TA]. 浅指屈筋の上腕尺骨頭 (上腕骨と尺骨の両方に付着している浅指屈筋の筋頭). ＝caput humeroulnare musculi flexoris digitorum superficialis [TA].

h. of humerus [TA]. 上腕骨頭 (肩甲骨関節窩にはまっている上腕骨上部の丸い先端). ＝caput humeri [TA].

inferior h. of lateral pterygoid (muscle)☆ lower h. of lateral pterygoid (muscle) の公式の別名.

lateral h. [TA]. 外側頭 (正中線から遠いほうの筋頭. TAでは, ⓘ上腕三頭筋 triceps brachii [TA] (…musculi tricipitis brachii [TA]), ⓘⓘ腓腹筋 gastrocnemius [TA] (…musculi gastrocnemii [TA]), ⓘⓘⓘ短母趾屈筋 flexor hallucis brevis [TA] (…musculi flexoris hallucis brevis [TA]), にこの名がある). ＝caput laterale [TA].

lateral h. of flexor hallucis brevis muscle [TA]. 短母趾屈筋の外側頭 (短母趾屈筋の筋頭(起始)のうち, 立方骨下面から起こる部). ＝caput laterale musculi flexoris hallucis brevis [TA].

little h. of humerus 上腕骨小頭. ＝*capitulum* of humerus.

long h. [TA]. 長頭 (相対的に近位に起始をもつ筋頭. TAでは, ⓘ上腕二頭筋 biceps brachii [TA] (…musculi bicipitis brachii [TA]), ⓘⓘ大腿二頭筋 biceps femoris [TA] (…musculi bicipitis femoris [TA]), ⓘⓘⓘ上腕三頭筋 triceps brachii [TA] (…musculi tricipitis brachii [TA]), にこの名がある). ＝caput longum [TA].

lower h. of lateral pterygoid (muscle) [TA]. 外側翼突筋の下頭 (外側翼突筋の筋頭のうち, 翼状突起外側板の外側面から起こる部. ここからの筋束は下顎骨関節突起の翼突筋窩に停止し, 下顎骨の前突に働く). ＝caput inferius musculi pterygoidei lateralis [TA]; inferior h. of lateral pterygoid (muscle)☆.

h. of malleus [TA]. つち骨頭 (きぬた骨と関節をなすつち骨の丸い部分). ＝caput mallei [TA].

h. of mandible [TA]. 下顎頭 (下顎骨の関節突起の, 膨らんだ関節部分). ＝caput mandibulae [TA].

medial h. [TA]. 内側頭 (正中線に近い方の(筋の)起始. TAでは, ⓘ上腕三頭筋 triceps brachii [TA] (…musculi tricipitis brachii [TA]), ⓘⓘ腓腹筋 gastrocnemius [TA] (…musculi gastrocnemii [TA]), ⓘⓘⓘ短母趾屈筋 flexor hallucis brevis [TA] (…musculi flexoris hallucis brevis [TA]), にこの名がある). ＝caput mediale [TA].

medial h. of flexor hallucis brevis [TA]. 短母趾屈筋の内側頭 (短母趾屈筋の筋頭(起始)のうち, 外側楔状骨下面から起こる部). ＝caput mediale musculi flexoris hallucis brevis [TA].

medial h. of triceps brachii (muscle) 上腕三頭筋の内側頭 (上腕三頭筋の筋頭(起始)の1つ. 外側面と長頭の間で深層に位置し, 最も短い. 上腕骨後面と内側面および内側上腕筋間中隔から起こる). ＝caput profundum musculi tricipitis brachii☆; deep h. of triceps brachii☆.

Medusa h. メズサ〔の〕頭. ＝*caput* medusae.

h. of metacarpal [TA]. 中手骨頭 (中手骨の膨らんだ遠位端で, 同じ指の基節骨と関節している). ＝caput ossis metacarpi [TA].

h. of metatarsal [TA]. 中足骨頭 (中足骨の太くなっている遠位端で同じ指の基節骨と関節している). ＝caput ossis metatarsi [TA].

oblique h. [TA]. 斜頭 (斜めに位置している筋頭をいう. TAでは, ⓘ母趾内転筋 adductor hallucis [TA] (…musculi adductoris hallucis [TA]), ⓘⓘ母指内転筋 adductor pollicis [TA] (…musculi adductoris pollicis [TA]), にこの名がある). ＝caput obliquum [TA].

optic nerve h. 視神経乳頭. ＝optic *disc*.

h. of pancreas [TA]. 膵頭 (十二指腸のくぼみにある膵臓の頭部). ＝caput pancreatis [TA].

h. of phalanx (of hand or foot) [TA]. 〔手または足の〕指節骨頭 (手足の基節骨, 中節骨の遠位端にある丸い関節面部分). ＝caput phalangis (manus et pedis) [TA].

radial h. 橈骨頭 (橈骨の近位端. 橈骨輪状靱帯内で動く

ことにより，前腕の回内および回外に働く．→elbow)．

radial h. of flexor digitorum superficialis (muscle) [TA]．浅指屈筋の橈骨頭（浅指屈筋の筋頭(起始)の１つ．橈骨前縁で橈骨粗面と円回内筋付着部の間から薄膜状に起始する)．＝caput radiale musculi flexoris digitorum superficialis [TA]．

h. of radius [TA]．橈骨頭（上腕骨小頭と関節をなす円板状の上端)．＝caput radii [TA]．

reflected h. of rectus femoris (muscle) [TA]．大腿直筋の屈曲頭（大腿直筋の起始の１つ．寛骨臼上縁の溝および股関節の関節包から斜走する靱帯として起こる)．＝caput reflexum musculi rectus femoris [TA]．

h. of rib [TA]．肋骨頭（肋骨の丸い内側端で，第一，第十一十二を除いて，２つの小関節面で隣接する２個の椎骨の椎体と関節をなす)．＝caput costae [TA]．

saddle h. 鞍状頭蓋．＝clinocephaly.

short h. [TA]．短頭（筋頭が２つある筋(二頭筋)で，停止のほうに近い筋頭．→short h. of biceps brachii; short h. of biceps femoris)．＝caput breve [TA]．

short h. of biceps brachii [TA]．上腕二頭筋短頭（肩甲骨烏口突起から起こる)．＝caput breve musculi bicipitis brachii [TA]．

short h. of biceps femoris [TA]．大腿二頭筋短頭（大腿骨粗線の遠位半から起こる)．＝caput breve musculi bicipitis femoris [TA]．

h. of stapes [TA]．あぶみ骨頭（あぶみ骨の頭部で，きぬた骨の豆状突起と関節をなす部分)．＝caput stapedis [TA]．

sternocostal h. of pectoralis major (muscle) [TA]．大胸筋の胸肋部（大胸筋のうち胸骨と肋骨とから起始する部分．これが単独で働くと肩関節で腕を伸展するが，鎖骨部が一緒に働くと腕を内転する．→pectoralis major (*muscle*))．＝pars sternocostalis musculi pectoralis majoris [TA]; sternocostal part of pectoralis major muscle.

straight h. of rectus femoris (muscle) [TA]．大腿直筋の直頭（大腿直筋の起始のうち，上前腸骨棘から直に起こる部．筋線維と並列する腱からなる)．＝caput rectum musculi rectus femoris [TA]．

superficial h. of flexor pollicis brevis [TA]．短母指屈筋の浅頭（屈筋支帯や大菱形骨に起始をもつ短母指屈筋の筋頭．正中神経の反回神経に支配される)．＝caput superficiale musculi flexoris pollicis brevis [TA]．

superior h. of lateral pterygoid (muscle)* upper h. of lateral pterygoid muscle の公式の別名．

h. of talus [TA]．距骨頭（距骨前部の丸い部分で舟状骨と関節している)．＝caput tali [TA]．

h. of thigh bone 大腿骨頭．＝h. of femur.

transverse h. [TA]．横頭（横向きになっている筋の筋頭．TA では，ⓘ母趾内転筋adductor hallucis [TA] (…musculi adductoris hallucis [TA])，ⓘⓘ母指内転筋 adductor pollicis [TA] (…musculi adductoris pollicis [TA])，にこの名がある)．＝caput transversum [TA]．

h. of ulna [TA]．尺骨頭（尺骨遠位端の小さな丸い部分で橈骨の尺骨切痕および関節円板と連結している)．＝caput ulnae [TA]．

ulnar h. [TA]．尺骨頭（大骨から起こる筋頭をいう．TA では，ⓘ尺側手根屈筋 flexor carpi ulnaris [TA] (…musculi flexoris carpi ulnaris [TA])，ⓘⓘ円回内筋 pronator teres [TA] (…musculi pronatoris teritis [TA])，ⓘⓘⓘ尺側手根伸筋 extensor carpi ulnaris [TA] (…musculi extensoris carpi ulnaris [TA])，にこの名がある)．＝caput ulnare [TA]．

ulnar h. of extensor carpi ulnaris (muscle) 尺側手根伸筋の尺骨頭（尺側手根伸筋の筋頭(起始)のうち，尺骨後縁より起こる部)．＝caput ulnare musculi extensoris carpi ulnaris [TA]．

upper h. of lateral pterygoid muscle [TA]．外側翼突筋の上頭（外側翼突筋のうち，蝶形骨大翼の側頭下面および側頭下稜に起始する部．顎関節(側頭下顎関節)の関節包(線維膜)および関節円板に付着する．筋電図検査により，下顎の前後運動時に働くことが判明し，いずれの場合にも関節円板が下顎頭とともに移動することが確認された)．＝caput superius musculi pterygoideus lateralis [TA]; superior h. of lateral pterygoid (muscle)*.

head・ache (hed′āk)．頭痛（頭の神経の分布領域に限定されない種々の部分の痛み．→cephalodynia)．＝cephalalgia; encephalalgia; encephalodynia.

benign exertional h. 良性労作性頭痛（頭蓋内疾患がなく，労作やいきみで起こる頭痛)．

bilious h. 胆汁〔症〕性頭痛．＝migraine.

blind h. 視覚消失性頭痛．＝migraine.

cluster h. 群発性頭痛（ヒスタミンに対する過敏による可能性がある．再発性の強い片側眼窩側頭部痛を特徴とし，同側の羞明，流涙，鼻閉を伴う)．＝histaminic cephalalgia; histaminic h.; Horton cephalalgia; Horton h.

coital h. 性交頭痛（性交時に起こる良性労作性頭痛)．＝benign coital cephalalgia.

drug-induced h. 薬物誘発性頭痛（→medication-overuse h.)．

fibrositic h. 結合組織炎性頭痛（後頭筋の線維組織炎によって起こる，後頭部に中心をもつ頭痛．圧痛部位があり通常，圧痛結節が下部後頭部の頭皮に存在する)．

histaminic h. ヒスタミン性頭痛．＝cluster h.

Horton h. (hōr′tŏn)．ホートン頭痛．＝cluster h.

ice pick h. アイスピック頭痛．＝idiopathic stabbing h.

idiopathic stabbing h. 特発性刺痛性頭痛（頭の側頭頭頂部に起こる短い反復性の鋭い痛み)．＝ice pick h.

medication-overuse h. 薬物乱用頭痛（鎮痛薬を使い過ぎて起こる慢性頭痛や断薬様症状で，以前は薬物誘発性頭痛とよばれた)．

migraine h. 片頭痛（→migraine)．

muscle contraction h. 筋収縮性頭痛．＝tension h.

nodular h. 小結節性頭痛（板状筋，前頭筋，僧帽筋その他の筋肉に結節を伴う頭の放射性の痛み)．

organic h. 器質性頭痛（頭蓋内疾患による頭痛)．

posttraumatic h. 外傷後頭痛（頭部または頸部の外傷後に起こる頭痛)．

reflex h. 反射性頭痛．＝symptomatic h.

sick h. ＝migraine.

spinal h. 脊髄〔麻酔〕性頭痛（通常，前頭部または後頭部の頭痛で腰椎穿刺後に起こる．患者が坐位や立位になると悪化し，臥位になると改善する．穿刺部位からの髄液の漏出による．髄液圧が低下し，硬膜と脳の血管が引っ張られて起こる)．＝post-lumbar puncture *syndrome*.

symptomatic h. 症候性頭痛（他の器質性疾患に続発する頭痛)．＝reflex h.

tension h. 緊張性頭痛（神経の緊張，不安，およびその他の原因に伴う頭痛．しばしば頭皮筋肉の慢性の収縮に関係する．→posttraumatic neck *syndrome*)．＝muscle contraction h.; tension-type h.

tension-type h. 緊張型頭痛．＝tension h.

thunderclap h. 雷鳴頭痛（突然起こる強い非局在性頭痛で，神経学的な異常所見を伴わない．クモ膜下出血，片頭痛，頸動脈または椎骨動脈の解離性動脈瘤，海綿静脈洞血栓症，特発性など種々の原因で起こる)．

vacuum h. 真空性頭痛（前頭洞の閉鎖による頭痛)．

vascular h. 血管性頭痛．＝migraine.

head・gear (hed′gēr)．ヘッドギア（歯と顎に力を加えるため，牽引力源として用いる可撤性顎外固定装置)．

head・gut (hed′gŭt)．前腸．＝foregut.

head-nod・ding (hed′nod-ing)．点頭（先天性眼振，点頭痙攣，および坑夫眼振に伴う頭の動き)．＝head tremors.

head-tilt (hed′tilt)．頭位傾斜（垂直外眼筋の作用低下により生じる複視を防ぐためにとられる頭位の異常)．

heal (hēl) [A.S. *healan*]．*1* 治癒させる（健康を回復させる，特に潰瘍や創傷を癒合させる)．*2* 治癒する（よくなる，癒合する．潰瘍や創傷についていう)．

heal・er (hē′lĕr)．*1* 医師（病気を治す人)．＝physician. *2* 治療者（祈祷，秘儀，新思想，または他の暗示によって治療しようとする人)．

heal・ing (hēl′ing)．*1* 治癒（①病気から回復すること．創傷や潰瘍の閉鎖を促進すること．②病気の回復の過程)．*2* 癒合（創が閉じること．→union)．

distant h. 遠隔治癒，遠回し治癒（一般に第三者に向けられた治癒における種々の非身体的努力で，患者との接触はあってもなくてもよい).

faith h. 信心療法（祈祷師による病気の経過を変えようとする様々な種類の試み).

h. by first intention 一次〔的〕治癒（線維素癒着による癒合で，化膿あるいは肉芽組織形成のないもの). = primary adhesion; primary union.

h. by second intention 二次〔的〕治癒（遅延閉鎖に伴う2つの肉芽面の癒合). = secondary adhesion; secondary union.

h. by third intention 三次〔的〕治癒（肉芽組織による創傷腔および潰瘍のゆっくりした治癒で，続発する瘢痕形成を伴う).

health (helth) [A.S. *haelth*]. 健康，保健（①諸器官が病気や異常の形跡がなく機能する状態．②個人あるいはグループが生活のあらゆる局面で対処する能力が最適である動的な均衡状態．③肉体的にも生理的にも精神的にも完全な状態．個人に適した家庭生活，仕事および社会的貢献ができる状態．物理的，生物的，精神的および社会的ストレスを処理できる能力状態．良好と感じる状態．病気や突然の死のリスクのない状態).

behavioral h. 行動保健〔学〕（学際的な学問分野で，健康保持あるいは病気や機能異常の予防に行動学的・生物医科学的な知識や技術を個人の責任で応用することを強調する健康哲学を，種々の自発的な個人あるいは集団活動によって広めようとする).

h. education 健康教育（個人やグループが健康の保持，増進，または回復をもたらす行動を学ぶこと).

mental h. 精神保健，精神衛生，精神健康（感情，行動および社会性の上で成熟しあるいは正常であること．精神上および行動上の障害がないこと．自身にもその属する共同体においても受け入れられるように本能を満足に調節できる精神的に健康な状態．恋愛，仕事，余暇の探求がほどよいバランスがとれていること).

public h. 公衆衛生（人間集団の健康に関する学問および科学で，統計・疫学・衛生・流行性疾患の予防と根絶にかかわるもの．人々の健康を増進し，予防し，かつ保持すべく社会によって組織化された努力．公衆衛生は社会的な施設，サービスおよび実際の行動である).

Health Care Fi·nanc·ing Ad·min·is·tra·tion (HCFA) (helth kār fī′nans-ing ad-min′is-trā′shŭn). 保健医療財政局（連邦の政策の債務を決定する連邦の機関).

health cen·ter (helth sen′tĕr). 保健センター（住民にあらゆる医療や保健サービスを行う施設または施設団体).

Health Insurance Portability and Accountability Act (HIPAA) 医療保険の相互運用性と説明責任に関する法律(医療保険責任法)（労働者が職を変えたり失ったりしても，医療保険が労働者や家族に適応するように，合衆国立法府が定めた法律．個人の健康情報を守り，誤用や不適切な開示を防ぐための防御法や秘密保持の基準も盛り込まれた．1996年に制定され，米国保健省によって施行されている).

患者と医療提供者の関係においては，疾病の診断や治療の過程で患者から得られた情報のすべてが非常に厳格に秘密とされていることが本質的に求められている．医療情報の秘密保持は，伝統的には，医療，看護，および病院倫理の一部であったが，今や医療情報や医療記録の秘密を守るための手段や手順も確立されている．HIPAAは，すべての識別可能な個人健康情報を保護するための国家基準を確立するものである．この法律の第一の目的は電子的にやりとりされる医療情報を守ることであるが，条文上では，電子情報，文書，口頭，その他，すべての形態の個人の識別可能な健康情報に適応される．HIPAAの秘密保持規則では，医療提供者は次の事柄を求められている．すなわち，例えば文書棚には鍵をかけるといった物理的な安全性確保や，コンピュータでのパスワード設定などの特異的な手段と手順をとること．保有しているすべての医療情報の秘密を保持すること．スタッフにこの手段と手順を確実に理解させること．そして，患者に患者情報の秘密保持の権利について知らせるとともに，情報がどのように用いられ，他に伝えられるかについて説明すること．患者の書面による許可がなければ，明らかな特別な状態にない限り，その患者についての識別可能な個人情報や患者の診療記録が，だれに対しても暴かれたり，転載されたり，議論の対象になったりすることはない．秘密保持規則のもとでは，医療従事者は，医療，看護やその他のサービスを提供するために，必要に応じて，医療従事者間で患者の医療情報を交換したり議論したりすることが可能である．医療従事者は，患者の医療管理にかかわる他の医療従事者(救急隊員，救急部のスタッフ，薬局，検査室，X線部門の職員，専門職員や相談員)に対して，その患者の記録から得られる情報を供与することも可能である．しかし，本規則では，医療提供者が，情報開示に制限を設け，意図された目的を満たす必要最小限の個人健康情報の使用をするための合理的な努力を行うことが求められている．緊急時や情報伝達が実質的に遮断されている場合には，あらかじめ同意がなくても，情報開示や情報の使用が認められることがある．本規則によって，患者には，自分自身の健康記録を調べ，そのコピーを入手し，訂正を求め，患者の情報の秘密保持の権利を侵害した医療従事者に対しては民事上・刑事上の罰を与える，といった権利が付与された．

Health Re·sources and Ser·vic·es Ad·min·is·tra·tion (HRSA) (helth rē′sōrs-ez sĕr′vis-ez ad-min′is-trā′shŭn). 保健資源サービス局（全国医師データバンクやその他の保健計画などの全国データバンクをつかさどる連邦政府機関).

health·y (helth′ē). 健康な．

Hea·ney (hē′nē), Noble Sproat. 米国人婦人科外科・産科医，1880—1955. → H. *operation*.

hear (hēr) [A.S. *hēran*]. 聞く（音を知覚する，耳の機能についていう).

hear·ing (hēr′ing). 聴覚，聴力（音を知覚する能力，振動に対する音の感覚). = audition.

color h. 色聴（音によって生じる主観的な色の感覚. → pseudochromesthesia). = chromatic audition.

hard of h. 難聴．

normal h. 正常聴力. = acusis.

hear·ing aid (hēr′ing ād). 補聴器（音を増幅して耳に伝える電子機器で，マイクロホン，増幅器，レシーバーからなる). = hearing instrument.

behind-the-ear h. a. 耳掛け型補聴器（耳介の内側面に収まる補聴器).

binaural contralateral routing of signal h. a. 両耳装用CROS(クロス)補聴器（両耳に装用したマイクロフォンで受けた信号を増幅して良聴耳に伝達する補聴器システムで両側性高度難聴者にハウリングのない増幅が可能である). = criss CROS h. a.

body h. a. ボディ補聴器（一側または両耳(Y型のコードで)にかけるイヤホンと胸にかける箱型のマイクロフォンとアンプからなる補聴器で，両側性の高度から重度の難聴者に適応となる).

bone-anchored h. a. 骨導式埋め込み型補聴器（制御不能な中耳炎や外耳道閉塞のため気導補聴器が効果的に使用できない難聴者のための埋め込み型骨導補聴器).

completely in the canal h. a. (CIC) 〔完全〕挿耳型補聴器（完全に外耳道内に収まり，身体の表面から見えない補聴器).

contralateral routing of signal h. a. CROS(クロス)補聴器（難聴耳にマイクロフォンを装用し，音信号を良聴耳に伝達する補聴器システムで，一側性難聴者に適応される).

criss CROS h. a. 襷掛けCROS(クロス)補聴器. = binaural contralateral routing of signal h. a.

digital signal processing h. a. ディジタル補聴器（アナログ音をディジタル信号に変換し，コンピュータプログラムによって装用者の聴力に応じた信号増幅を行い，再度アナログ出力する補聴器).

directional h. a. 指向性補聴器（指向性マイクロフォンを使用した補聴器).

frequency transposition h. a. 周波数転移型補聴器（高周波数音の音響エネルギーを低周波数音に変換する補聴器で，低周波数域のみ残聴がある難聴者に適応となる).

implantable h. a. 植込み型(埋め込み型)補聴器（音の振動エネルギーを耳小骨に伝達するように設計された補聴器の

一部を乳突蜂巣または中耳に埋め込む補聴器).
in-the-canal h. a. 挿耳型補聴器 (外耳道内に置かれるのが外からまだ見える補聴器).
in-the-ear h. a. 耳穴式補聴器 (耳殻に収まる補聴器).
programmable h. a. プログラマブル補聴器 (多チャンネル，コンピュータ制御のアナログまたはディジタル補聴器).

HEARING IMPAIRMENT

hear·ing im·pair·ment, hear·ing loss (hēr′ing im-pār′ment, laws). 聴覚障害，聴力損失，難聴 (音を知覚する能力の低下で，軽度のものから，ろうまでにわたる.→deafness; threshold *shift*).
acoustic trauma hearing loss 音響外傷性難聴 (強大音にさらされることによって生じた感覚性難聴).
Alexander h. i. (al-ek-zan′dĕr) [MIM*203500]. アレキサンダー難聴 (膜蝸牛の異形性による高音域の難聴).
boilermaker's h. i. ＝noise-induced h. i.
conductive h. i. 伝音難聴 (外耳または中耳の障害による難聴).
functional h. i. 機能性難聴. ＝psychogenic h. i.
hard of h. i. 難聴.
hereditary h. i. 遺伝性難聴 (常染色体性優性または劣勢，X染色体性，ミトコンドリア遺伝性の，症候群の形態でみられる(つまり難聴に加えて他の奇形もみられる)難聴と非症候群の形態でみられる(つまり難聴が唯一の異常所見である)難聴. 小児の早期に発症するもの，中年に達して遅く発症するもの，高齢になって発症するものなどがある).
high-frequency h. i. 高周波数難聴 (高音域のみの難聴. 通常，感覚細胞の障害を伴う. 音響外傷や騒音性難聴でよくみられる).
hysteric h. i. ヒステリー性難聴 (psychogenic h. i. を表す古語.→conversion (2)).
idiopathic sudden sensorineural h. i. 突発性難聴 (原因不明で3日またはそれ以内で発症する感音難聴.→sudden *deafness*).
industrial hearing loss ＝noise-induced h. i.
low-tone hearing loss 低音障害型難聴 (低音または低い周波数の音を聴くことができないこと).
mixed h. i. 混合性難聴 (伝音難聴と感音難聴がともにみられる難聴のタイプ).
Mondini h. i. (mōn-dē′nē). モンディーニ型難聴 (Mondini 型異形性の構造異常により生じる難聴).
neural h. i. 神経性難聴 (第八脳神経の聴覚技の障害で生じる感音難聴).
noise-induced h. i. 騒音性難聴 (強大な衝撃音や持続性の音にさらされることによって生じる感覚性難聴). ＝boilermaker's h. i.; industrial hearing loss; occupational hearing loss.
occupational hearing loss 職業性難聴. ＝noise-induced h. i.
organic h. i. 基質性難聴 (病的過程または器質的病変によって生じる難聴. 心因性難聴の対語).
perceptive h. i. 知覚性難聴 (sensorineural h. i. の旧名).
prelingual hard of h. i. 言語修得前難聴 (言語修得前または3歳前に発症する).
psychogenic h. i. 心因性難聴 (器質的原因が認められない難聴. しばしば強い精神的ショックのあとに生じる). ＝functional h. i.
retrocochlear h. i. 後迷路性難聴 (蝸牛よりも近位(中枢側)の病変により生じた感音難聴).
Scheibe h. i. (shī′bĕ). シャイベ型難聴 (蝸牛球形嚢異形成による難聴. 通常，常染色体性劣性遺伝をする).
sensorineural h. i. 感音難聴 (第八脳神経の聴覚枝または内耳の障害によって生じた難聴).
sensory h. i. 感覚性難聴 (内耳の病変により生じる難聴).

---

heart (hart) [A.S. *heorte*][TA]. 心[臓] (静脈から血液を受け取り，動脈に送り出す中空の筋肉の器官. 哺乳類では筋膜性の中隔によって2つ(右すなわち静脈系と左すなわち動脈系)に分けられている. その各々は受入れの室(心房)と押出しの室(心室)とからなる). ＝cor [TA]; coeur.
armor h. 鎧状心 (心外膜の完全な石灰化. まれには骨化を呈し，通常，梗塞性心外膜炎を生じる).
armored h. よろい心 (亜急性あるいは慢性の心外膜炎で起こる心嚢への石灰の沈着). ＝panzerherz.
arterial h. ＝left h.
artificial h. 人工心臓 (機能的に障害された心臓の代わりに機械的ポンプとして用いられるもの. 一時的なものと，永久的なものの2種類がある).
athlete's h. 運動選手性心 (健常人なら異常な程度の心臓所見が，健康なスポーツマンに認められること. 房室ブロック，左室肥大，ときには不整脈を含む. 註別名〝スポーツマン心臓〟).
athletic h. スポーツ心 (運動家にみられ，全身性の運動によると考えられる心肥大).
beer h. ビール心. ＝alcoholic *cardiomyopathy*.
beriberi h. 脚気心 (チアミン欠乏による心疾患. 流行性あるいは散発性に発生し，心代謝性障害と心不全，多くの場合浮腫(乾性の衝心脚気を除く)と多発性神経炎を伴う. 脚気の beriberi とは，シンハリ語で「私はできない」の意味).
bony h. 骨様心 (心臓の心嚢と心壁に広範に石灰が沈着していること. その中の一部は慢性に骨様の変化に至る).
chaotic h. 無秩序心 (心臓の活動あるいは心拍がでたらめな状態.→chaotic *rhythm*).
crisscross h. 交差心 (通常の房室の結合に予想される心室間の関連をもたない奇形).
drop h. 滴状心. ＝cardioptosia.
fatty h. 脂肪心 (①心筋の脂肪変性. ②心臓の外側面の脂肪組織の累積. ときに心臓壁の筋束の間に脂肪の浸潤がみられる. ＝cor adiposum).
frosted h. 糖衣状心 (心嚢を包む硝子状漿膜炎 hyaloserositis). ＝icing h.
globular h. 球状心. ＝round h.
hairy h. 絨毛心. ＝fibrinous *pericarditis*.
Holmes h. (hōlmz). ホームズ心 (左室型単心室の異型で，心室心房関係は一致し，右室は未発達).
horizontal h. 水平心 (心電図上，心臓の電気軸が水平の位置にある心臓. 心電図では，aV_L 誘導の QRS 群が V_6 と似て，また aV_F 誘導の QRS 群が V_1 と似ており，電気軸は $-30°$ と $+30°$ の間に位置する).
hyperthyroid h. 甲状腺機能亢進性心 (甲状腺機能亢進症に伴う心臓の応答で，頻脈と，治療をしなければ最終的には心不全・心房細動に至る. 交感神経の緊張亢進の結果による).
hypoplastic h. 発育不全心 (Addison 病にみられるような小さい心臓).
icing h. 糖衣状心. ＝frosted h.
intermediate h. 中間心 (約 $+30°$ — $+60°$ の間の電気軸をもつ心臓. 心臓の位置として心電図では，QRS 群は aV_L 誘導，aV_F 誘導ともに V_6 と似ている).
Jarvik artificial h. (jar′vik). ジャーヴィック型人工心臓 (空気駆動型人工心臓).
left h. 左心 (左心房と左心室). ＝arterial h.; hemicardia sinistra.
mechanical h. 人工心臓 (機械的循環補助装置に対して漠然と用いられる言葉).
movable h. 遊走心. ＝*cor* mobile.
myxedema h. 粘液水腫心 (重症で未治療の甲状腺機能低下症に伴う肥大した心臓で，しばしば心嚢液滲出を伴う. 最近ではまれである).
ox h. 牛心 (慢性の高血圧，しばしば大動脈弁疾患，特に逆流による異常に大きな心臓). ＝bucardia; cor bovinum.
parchment h. 羊皮紙心 (右心室の形成不全. 先天的，後天的に右心室の心筋が薄くなっている状態.→Uhl *anomaly*). ＝right ventricular hypoplasia.
pendulous h. 振子心. ＝*cor* pendulum.
pulmonary h. 右心 (静脈血を受け取り，肺へ送る右心房と右心室をいう.→*cor* pulmonale).
right h. 右心 (右心房と右心室). ＝hemicardia dextra; ve-

nous h.

round h. 球状心（心臓のX線陰影が球状を呈する状態で，心室の疾患によるか，あるいは多量の心嚢液貯流の結果，心臓の外見が球状を呈する）. =globular h.

sabot h. 木靴心. =*coeur* en sabot.

semihorizontal h. 半水平心（心臓の電気軸が約0度のときの位置を漠然と示す．心臓の位置として心電図では，QRS群が aV_L 誘導が V_6 誘導と似て陽性，一方 aV_F 誘導で代数的にあるいは絶対的に小さい）.

semivertical h. 半垂直心（漠然と電気軸が約+60度の方向を示すときの心臓の電気軸．心臓の位置として心電図では，QRS群が aV_F が V_6 誘導と似て，一方 aV_L 誘導は代数的にも絶対的にも小さい）.

stone h. =ischemic *contracture* of the left ventricle.

systemic h. 左心（肺から酸化された血液を受け取り，全身に送る左心房と左心室をいう）.

three-chambered h. 三心腔心（先天性異常で，1心房2心室か2心房1心室．心房と心室中隔の未発達な部分があることもあるが，どちらの場合も実質上の単腔となるのを防ぐには十分でない）.

tiger h. 虎斑心（脂肪が途切れた線条のように心内膜下の心筋層に沈着している脂肪変性心）.

tobacco h. タバコ心（タバコの吸い過ぎによると考えられる不整脈，動悸，ときに疼痛を特徴とする心臓の過敏性）.

univentricular h. 単心室（すべての血流が1つの心室を通るか，あるいは房室弁が心室の1腔のみを空にするのに関わる奇形）.

venous h. 静脈心=right h.

vertical h. 垂直心（漠然と心臓の電気軸が約+90度を示すときの心臓．心臓の位置として心電図では，QRS群が aV_L 誘導と V_1 誘導，aV_F 誘導と V_6 誘導が似ている）.

wooden-shoe h. 木靴心. =*coeur* en sabot.

heart·beat (hart′bēt). 心拍〔動〕（心筋が完全に収縮，拡張する一周期のこと）.

heart·burn (hart′bŭrn). 胸焼け. =pyrosis.

heart·worm (hart′wŏrm). イヌ糸状虫. =*Dirofilaria immitis.*

heat (q) (hēt) [A.S. *haete*]. ***1*** 熱，熱感（cold の対語で，火や灼熱物に近づいたときに起こる感覚）. ***2*** 熱（原子や分子の運動エネルギーで，回転エネルギーや振動エネルギーももちろん含まれる）. ***3*** 発情. =estrus. ***4*** 熱含量. =enthalpy.

atomic h. 原子熱（原子を0°Cから1°Cに暖めるのに必要な熱の量．すべての元素で大体同じである(1 g原子当たり約25 kJ)）.

h. of combustion 酸化熱，燃焼熱（物質が完全酸化するときに，1 g分子量当たり放出される熱量）.

h. of compression 圧縮熱（気体が圧縮されるときに発生する熱）.

conductive h. 伝導熱（電熱クッションや湯たんぽのように，直接の接触によって伝播される熱）.

convective h. 対流熱（熱源から発生して，空気や水のような熱媒体により運ばれる熱）.

conversive h. 変換熱（太陽光線や赤外線放射のように，それ自体は熱くない波長を吸収することによって体内に生じる熱）.

h. of crystallization 結晶熱（物質が結晶状態になるときの1モル当たりに放出または吸収される熱量）.

h. of dissociation 解離熱（1モルの物質が特定の化合物から解離される際に費やされる熱(cal または J で表す)）.

h. of evaporation 気化熱，蒸発熱（水，汗，その他の液体が気化する際に吸収される熱．水では100°Cで1 g当たり540 cal になる）. =h. of vaporization.

h. of formation 生成熱（ある1モルの化合物がその成分元素の単位から生成されると仮定した反応中に吸収または放出される熱(cal または J で表す)）.

initial h. 初期熱（筋の収縮の開始後生じる最初の熱で，A.V. Hill によって記述された）.

innate h. 固有熱（古代ギリシア医学において，霊気によって養われ，血管によって体中に供給されるとした心の熱）.

latent h. 潜熱（固体から液体へ(0°Cで氷から水へ)，液体から気体へ(100°Cで水から水蒸気へ)変わるときに，温度の上昇なしに物質が吸収する熱の量．*cf.*sensible h.）.

molecular h. 分子熱（物体の比熱にその分子量を掛けた積）.

prickly h. =*miliaria* rubra.

radiant h. 放射熱（赤外線波の形で物体から発生する熱で，光の波長に類似しているが，それより長い）.

sensible h. 顕熱（物質によって吸収されたとき，温度の上昇をみる熱の量．*cf.*latent h.）.

h. of solution 溶解熱（固体が液体に溶解するとき，吸収または放出される熱の量）.

specific h. 比熱（物質の温度を1°C上げるのに必要な熱の量を，同量の水を1°C上げるのに必要な熱の量と比較したもの）.

h. of vaporization =h. of evaporation.

heat-la·bile (hēt′lā′bīl). 非耐熱性の（熱によって破壊されたり変性したりする）.

heat-sta·ble (hēt′stā′bĕl). 耐熱性の. =thermostabile.

heat·stroke (hēt′strōk). 熱射病（過度の高温に暴露して起こる重篤でしばしば致命的な疾患．頭痛，めまい，錯乱，熱く乾いた皮膚，および体温の上昇を特徴とする．重症例では高熱，血管の虚脱および昏睡が起こる）. =heat apoplexy (1); heat hyperpyrexia; malignant hyperpyrexia; thermic fever.

Heb·e·lo·ma (heb′ĕ-lō′mă). ベニテングダケの一属で，消化管に対し強い毒性を示す．ムスカリンを含有する.

he·be·phre·ni·a (hē′bĕ-frē′nē-ă, heb′ē-) [G. *hēbē*, puberty + *phrēn*, the mind]. 破瓜(はか)病（浅薄で，不適切な感情，空笑，ばかげた，退行性の行動やわざとらしさを特徴とする症候群．統合失調症の一亜型で，現在は解体型統合失調症 disorganized *schizophrenia* という名称になっている）.

he·be·phren·ic (hē′bĕ-fren′ik, heb-ē-). 破瓜病の（破瓜病に関する，または特徴付けられる）.

Heb·er·den (hē′bĕr-dĕn), William. イングランド人医師，1710—1801. ⇀H. *angina*, *nodes*; Rougnon-H. *disease*.

he·bet·ic (hē-bet′ik) [G. *hēbētikos*, youthful < *hēbē*, youth]. 思春期の.

heb·e·tude (heb′ĕ-tūd) [L. *hebetudo* < *hebeo*, to be dull]. 遅鈍. =moria (1).

he·bi·at·rics (hē′bē-at′riks) [G. *hēbē*, youth + *iatrikos*, relating to medicine]. 青春期医学. =adolescent *medicine*.

He·bra (hā′brah), Ferdinand von. オーストリア人皮膚科医，1816—1880. ⇀H. *prurigo*.

hec·a·ter·o·mer·ic (hek′ă-ter′ō-mer′ik) [G. *hekateros*, each of two + *meros*, part]. 両節の（軸索が2分し，脊髄の両側に突起を出している脊髄ニューロンを表す．通常，heteromeric neuron(異節ニューロン)と同義）. =hecatomeral; hecatomeric.

hec·a·tom·er·al, hec·a·to·mer·ic (hek′ă-tom′ĕr-ăl, hek′ă-tō-mer′ik). =hecateromeric.

Hecht (hekt), Victor. 20世紀初頭のオーストリア人病理学者. ⇀H. *pneumonia*.

Heck (hek), John W. 20世紀の米国人歯科医. ⇀H. *disease*.

hec·tic (hek′tik) [G. *hektikos*, habitual, hectic, consumptive < *hexis*, habit]. 消耗〔性〕の（活動性結核や他の感染症にみられ，午後になると頬の潮紅を伴う体温上昇をみることをさす．温度板の熱型を基にした用語）.

hecto- (h) (hek′tō) [G. *hekaton*, one hundred]. 10^2 の倍数を意味する，国際単位系(SI)およびメートル法で用いる接頭語.

hec·to·gram (hek′tō-gram). ヘクトグラム（100 g. 1,543.7 グレーンに等しい）.

hec·to·li·ter (hek′tō-lē-tĕr). ヘクトリットル（100 L. 105.7 クォート，または26.4米ガロン(22英ガロン)に等しい）.

hed·e·o·ma (hed′ē-ō′mă). ⇀pennyroyal.

hed·er·i·form (hed′ĕr-i-fōrm) [L. *hedera*, ivy + *forma*, shape]. ツタ状の（皮膚にあるツタの形をした知覚神経の末端をさして用いる語）.

he·do·no·pho·bi·a (hē′dŏ-nō-fō′bē-ă) [G.*hēdonē*,delight + *phobos*, fear]. 快楽恐怖〔症〕（楽しみに対する病的な恐れ）.

Hed·ström (hed′strŏm), Gustav. スウェーデン人歯内治療医. ⇀H. *file*.

heel (hēl) [A.S. *hēla*]. ***1*** 踵，かかと（解剖学的姿勢において足底面で最も近位になる部分）. ***2*** =calx (2). ***3*** =distal *end*.

black h. ブラックヒール．＝calcaneal *petechiae.*
cracked h. ひび割れ足．＝*keratoderma* plantare sulcatum.
painful h. 踵骨痛（踵で重さを支えたときに様々な強い痛みが起こる状態）．＝calcaneodynia.
prominent h. 踵骨膨隆（踵骨の後面をおおっている骨膜あるいは線維組織の肥厚による圧痛を伴う踵骨の膨隆を特徴とする状態）．

heel strike (hēl strīk). 踵接地（歩行面に足または靴の踵が最初に接触する歩行の時期）．

Heer·fordt (hār′fōrt), Christian Frederick. 19世紀後期のデンマーク人眼科医．→H. *disease.*

Heer·fordt (hār′fōrt), Christian Fredrik. デンマーク人医師，1872—1953.

He·gar (hā′gahr), Alfred. ドイツ人婦人科医，1830—1914. →H. *dilators, sign.*

Hegg·lin (heg′lin), Robert M.P. スイス人医師，1907—1970. →H. *anomaly, syndrome*; May-H. *anomaly.*

Heh·ner (hā′nĕr), Otto. 英国人化学者，1853—1924. →H. *number.*

Hei·den·hain (hī′dĕn-hān), Rudolph P. H. ドイツ人組織・生理学者，1834—1897. →H. *crescents, demilunes, law,* azan *stain,* iron hematoxylin *stain, pouch*; Biondi-H. *stain.*

height (h) (hīt). 高さ（［誤った発音 hīth を避けること］．垂直方向の径）．
anterior facial h. (**AFH**) 顔面高（頭蓋測定において，ナジオンからポゴニオンまでの直線距離をいう）．
h. of contour 最大豊隆線（歯や他の構造物の最大豊隆部，または最厚径部を取り囲む線．歯科治療器具あるいは装置の挿入路の選択に関係する）．
cusp h. 咬頭高（①咬頭頂とその基底平面との間の最短距離．②臼歯の中央窩の最深部と歯の咬頭を連結する線との間の最短距離）．
facial h.〔相貌学〕顔面高（正中線上において髪の生えぎわからおとがい下端までの直線距離）．
nasal h. 鼻高（ナジオンと鼻孔の下端との間の距離）．
orbital h. 眼窩高（眼窩の上下端の中点間の距離）．

Heil·bron·ner (hīl′brŏn-ĕr), Karl. オランダ人医師，1869—1914. →H. *thigh.*

Heim (hīm), Ernst L. ドイツ人医師，1747—1834. →H.-Kreysig *sign.*

Heim·lich (hīm′lik), Henry J. 米国人胸部外科医，1920—? →H. *maneuver.*

Hei·ne·ke (hī′nĕ-kuh), Walter. ドイツ人外科医，1834—1901. →H.-Mikulicz *pyloroplasty.*

Heinz (hīnz), Robert. ドイツ人病理学者，1865—1924. →H. body *anemia, bodies,* body *test*; H.-Ehrlich *body*; H. body *anemia.*

Heis·ter (hīs′tĕr), Lorenz. ドイツ人解剖学者，1683—1758. →H. *diverticulum, valve.*

He·La (hē′lă) [*Henrietta Lacks*(d. 1951), 培養源となった頸部癌の患者名]. ヒーラ（ヒトで初めて継代培養に成功した子宮頸部癌由来の細胞株についていう）．

hel·co·me·ni·a (hel′kō-mē′nē-ă) [G. *helkos,* ulcer + *emmēnos,* monthly]. 月経潰瘍（月経時に潰瘍が生じること）．

Held (held), Hans. ドイツ人解剖学者，1866—1942. →H. *bundle, decussation.*

he·li·an·thine (hē-li-an′thin). ヘリアンチン．＝methyl orange.

hel·i·cal (hel′i-kăl) [G. *helix,* a coil]. ***1*** らせんの，耳輪の．＝helicine (2). ***2*** らせん状の．＝helicoid.

helicase (hel-ĭ-kāz). ヘリカーゼ（複製フォークを起点としたDNA二重らせんを巻戻しする酵素を述べる一般用語．→Werner *syndrome*）．

hel·i·ces (hel′i-sēz). helix の複数形．

hel·i·cine (hel′i-sēn) [G. *helix,* a coil]. ***1*** らせん形の．***2*** → helicine *arteries* of penis; helicine *arteries* of the uterus; helicine *branches* of the uterine artery. ＝helical (1).

Hel·i·co·bac·ter (hel′ĭ-kō-bak′tĕr). ヘリコバクター属（らせん形，弯曲形，直線状で端部が球状を呈する．微好気性細菌．先端に球状バルブを形成し，鞘におおわれた線毛(単極性または双極性，ときに側部性)をもつ．無色透明な１—２mm のコロニーを形成する．カタラーゼ，オキシダーゼ陽性である．ヒトを含む霊長類とイタチの胃粘膜に存在する．胃潰瘍，消化性潰瘍に関連するものと，胃癌の素因を与えるものがある．*H. pylori* が標準種である）．
H. cinaedi ホモセクシャルの男性の直腸炎．大腸炎に関連する細菌種．
H. fennelliae ホモセクシャルの男性の直腸炎，大腸炎との関連が報告されている細菌種．
H. heilmannii 胃に見出される細菌種．見出される頻度は低く(患者の１%以下)，培養はできず，病的意義は明らかではない．

H. pylori ヘリコバクターピロリ（ウレアーゼを産生する細菌で，胃炎の原因となり，胃や十二指腸の消化性潰瘍のほとんどすべての症例に関与する．本細菌の感染は胃粘膜の異形成，遠位胃腺癌や胃の非 Hodgkin リンパ腫の病因(恐らく食事の関連因子と協同して)となる）．＝*Campylobacter pylori.*
本細菌は，1982年 Robin Warren と Barry J. Marshall によって，西部オーストラリアの Royal Perth 病院の慢性胃炎患者から採取した生検標本に初めて見出された．この菌は最初は *Campylobacter* の一種と考えられていたが，1989年に *Helicobacter pylori* として改めて分類された．*H. pylori* は曲線状あるいはらせん状のべん毛を有するグラム陰性菌で，胃粘膜にコロニーを形成し，粘液を分泌する円柱細胞の表面に付着している．この細菌が酸性液中でも生存可能なのは，ウレアーゼを産生するためである．ウレアーゼは尿素をアンモニアに変換し，この細菌が生息する粘膜層をアルカリ性にする．*H. pylori* による感染は世界に広くみられ，有病率は加齢とともに高まり，60歳のヒトでは約50%に達する．伝播はヒトからヒトへの糞口経路によるものと思われる．感染に家族集積性がみられ，黒人とヒスパニックに高率であるのは，遺伝的素因よりはむしろ社会的要因によるものとされている．いったん感染が起こると，抗生剤で治療しない限り，通常は生涯存続する．新たな感染が起こると，胃壁細胞の広範な損傷，胃酸産生の障害を伴う，一過性の急性胃炎を生じる．感染者の多くは症状を発現しないが(恐らく，*H. pylori* のいくつかの株は細胞毒素を産生しない)毎年，*H. pylori* に感染した成人のおよそ１%は，消化性潰瘍となる．消化器性潰瘍に進展する危険性は，喫煙と長時間にわたる非ステロイド性抗炎症剤の服用によって増加する．胃潰瘍患者の約70%，十二指腸潰瘍患者の約90%は *H. pylori* に感染していることが判明している．米国では，約50万例の消化器潰瘍が毎年新たに発生している．この疾患により，約300—400万回の医師への受診が発生しており，約1万6,000人が死亡している．*H. pylori* の感染は，消化器潰瘍以外の非潰瘍性消化不良や，消化器の炎症性病変には関与しないとされてきた．しかし，胃の腺癌と胃リンパ腫の両者の発生率は，本細菌の感染者に高率にみられる．さらに本細菌は，胆嚢炎や自己免疫性甲状腺炎のいくつの症例にも関連しており，また，*H. pylori* の胃への感染が，その機序は不明ではあるが，幼児突然死症候群(SIDS)の一因になっていることを示唆する研究もある．*H. pylori* 感染の診断は，胃生検材料の染色切片中の菌の固定，生検材料の培養，生検材料のウレアーゼ活性試験，糞便中の菌体抗原の同定，血清中のこの菌に対する IgG 抗体の検出(以前の未治療患者の感染を確認する方法)，各種生化学検査によるウレアーゼ活性の検出などによって確定される．尿素呼気試験は一定の治療後に *H. pylori* が根絶されたかどうかを確認するのに血清学的検査よりも有用である．なぜなら，IgG 抗体は除菌後も１—５年は高値を示すからである．抗生剤による治療での除菌は，分泌抑制剤での治療よりも速やかに消化性潰瘍を治癒させることにはならないが，潰瘍再発の可能性は激減する．*H. pylori* に推奨される処方は，次サルチル酸ビスマスと２種類の抗生剤(メトロニダゾルまたは clarithomycin(クラリスロマイシン)およびテトラサイクリンまたはアモキシリン)との併用療法である。マクロライド系とイミダゾール系抗生剤に対する *H. pylori* の耐性獲得が次第に問題となっている．米国でみられるこの細菌株の約35%がメトロニダゾル耐性，約10%がマクロライド系に耐性と推定されている．耐性株出現の最大要因は，

初回治療の不適性または失敗によるものと考えられる．酵素学的に不活化した *H. pylori* ウレアーゼの組換えサブユニットと粘膜アジュバント(大腸菌 *Escherichia coli* の易熱性毒素)とを経口投与する活性ワクチンは，細菌学的にも臨床的にも *H. pylori* の治癒につながるということが，動物実験と限定的なヒト治験で示されている．

hel·i·coid (hel′i-koyd) [G. *helix*, a coil + *eidos*, resemblance]. らせん状の．＝helical (2).

hel·i·co·po·di·a (hel′i-kō-pō′dē-ă) [G. *helix*, a coil + *pous*, foot]. 環状脚歩行．＝helicopod *gait*.

hel·i·co·tre·ma (hel′i-kō-trē′mă) [G. *helix*, a spiral + *trēma*, a hole][TA]. 蝸牛孔（蝸牛軸板の遊離端と骨ラセン板鉤との間の蝸牛先端の半月形の開口で，ここを通じて蝸牛の前庭階と鼓室階が互いに交通している)．＝Breschet hiatus; Scarpa hiatus.

He·lie (ā-lē′), Louis T. フランス人婦人科医，1804—1867. ⇀H. *bundle*.

he·li·en·ceph·a·li·tis (hē′lē-en-sef′ă-lī′tis) [G. *helios*, sun + *enkephalos*, brain + *-itis*, inflammation]. 日光性脳炎（日射病に続いて起こる脳炎)．

helio- (hē′lē-ō) [G. *hēlios*]. **[**本連結形(長いｅで発音される)を helico-(helix に由来，短いｅで発音される)と混同しないこと**]**．太陽に関する連結形．

he·li·o·aer·o·ther·a·py (hē′lē-ō-ār′ō-thār′ă-pē). 日光大気療法．

he·li·op·a·thy (hē′lē-op′ă-thē) [helio- + G. *pathos*, suffering]. 日光性障害（日光へさらされることから起こる障害)．

he·li·o·pho·bi·a (hē′lē-ō-fō′bē-ă) [helio- + G. *phobos*, fear]. 日光恐怖〔症〕（太陽光線へさらされることへの病的な恐れ)．

he·li·o·sis (hē′lē-ō′sis) [helio- + G. *-osis*, condition]. 日射病．＝sunstroke.

he·li·o·tax·is (hē′lē-ō-tak′sis) [helio- + G. *taxis*, orderly arrangement]. 走日性，向日性（走光性あるいは走熱性の一型で，太陽または日光に向かって(正の走日性)または背を向けて(負の走日性)成長あるいは運動する傾向)．＝heliotropism.

heliotrope (hēl-ē-ō-trōp′). ヘリオトロープ疹（眼周囲の皮膚に対称性に分布する紫色から黒色調の紅斑性発疹．浮腫を伴う場合も伴わない場合もある．これは皮膚筋炎でよくみられる皮膚症状であり，全身性紅斑性狼瘡の５％でも認められる)．

he·li·ot·ro·pism (hē′lē-ot′rō-pizm) [helio- + G. *tropē*, a turning]. 走日性，向日性．＝heliotaxis.

heliox (hē′lē-oks) [*hel*ium + *ox*ygen]. ヘリオックス（急性ぜん息発作の治療のためのヘリウム(60 — 70％)と酸素(30 — 40％)の混合ガス)．

He·li·o·zo·e·a (hē′lē-ō-zō′ē-ă) [helio- + G. *zōon*, animal]. 太陽虫綱（肉質虫亜門に属する原生動物の一綱．全表面に存在する硬い放射状の有軸仮足を特徴とし，通常，裸であるがときにはケイ酸の鱗と棘の骨格をもつ．中心嚢はない．通常，澄んだ水中にコロニーをつくって生活する)．

he·li·um (He) (hē′lē-ŭm) [G. *hēlios*, the sun]. ヘリウム（大気中にわずかに存在する気体元素(乾燥重量の 0.000524％)．原子番号２，原子量 4.002602. ヘリウムは，医療ガスの希釈剤として用いる．主に医学外の応用として，酸素の希釈剤として用いられる．超伝導磁石(磁気共鳴画像法でのように)の冷却剤としてその液体が用いられる)．

he·li·um 3 (hē′lē-ŭm). ヘリウム３（ヘリウムの安定同位体．天然ヘリウムに 100 万分の 1.37 含まれる．また，トリチウム(三重水素)のベータ崩壊によって生じる)．

he·li·um 4 (hē′lē-ŭm). ヘリウム４（ヘリウムの同位体の１つ．天然ヘリウムの 99.999％ を占める．種々の放射性核種からアルファ線として放射されるのは，この原子核である)．

he·lix, pl. hel·i·ces (hē′liks, hel′i-sēz) [L. < G. *helix*, a coil][TA]. **[**spiral と混同しないこと**]**．***1*** 耳輪（耳の縁，耳の前上部，頭方部，後縁の大部分をつくる軟骨のひだの部分)．***2*** らせん（コイル状(またはスプリング状，ボルトのねじ山状)の線，各点が円柱の中心軸から等距離にある)．

3_{10} h. 3_{10} らせん（多くの蛋白のいくつかの小さな部分に見出されるある種の右巻きらせん構造)．

3.6_{13} h. 3.6_{13} らせん．＝α h.

α h. αヘリックス（多くの蛋白にあるらせん(通常，右巻き)構造．Pauling および Corey の α-ケラチンなどの蛋白のＸ線回折の研究から推論された．αヘリックスは，例えば異なった真正ペプチド結合の $R_2C{=}O$ 基と HNR_2' 基($R_2CO{\cdot}HNR_2'$ の真ん中の点で表す)間の水素結合により安定化する．典型的αヘリックスでは，らせん１回転当たりアミノ酸 3–6 残基があり，一残基当たり 1.5Å 上昇する)．＝3.6_{13} h.; Pauling-Corey h.

collagen h. コラーゲンらせん（コラーゲンに存在する高含量のグリシン，L-プロリン，L-ヒドロキシプロリン残基により形成される広域左巻きらせん構造．らせんの１回転当たり 3.3 アミノ酸残基が存在する．この左巻きらせんの３個から三重超らせんが形成され，これは右巻きである)．

DNA h. DNA らせん．＝Watson-Crick h.

double h. 二重らせん．＝Watson-Crick h.

π h. πらせん（ある種の蛋白の小さな領域にだけに見出されるまれな右巻きらせん．αらせんと同様な水素結合により安定化されている．らせんの１回転は 4.3 個のアミノ酸残基からなる)．

Pauling-Corey h. (pawl′ing kōr′ē) [Linus C. *Pauling*, R. B. *Corey*]. ポーリング－コーレーらせん．＝α h.

triple h. 三重らせん（３個の個々のコラーゲンらせん(各々は左巻き)から形成される超らせん(右巻き))．

twin h. 二重らせん．＝Watson-Crick h.

Watson-Crick h. (waht′sŏn crik) [James Dewey *Watson*, Francis H. C. *Crick*]. ワトソン－クリックらせん（DNA の２本の鎖(ストランド)がなすらせん構造．２本の鎖はその長さの全域にわたって対側との相互の塩基を結ぶ水素結合によって間隔が保たれている．Watson-Crick 塩基対 Watson-Crick base pairing とよばれている．⇀base *pair*)．＝DNA h.; double h.; twin h.

hel·le·bore (hel′ĕ-bōr) [G. *helleboros*]. ヘレボルス（*Helleborus*属(Ranunculaceae 科)の植物，特に *H. niger* についていう．→*Veratrum album*; *Veratrum viride*)．

false h. ＝adonis.

hel·leb·o·rin (hĕ-leb′o-rin, hel-ĕ-bō′rin). ヘレボリン（*Veratrum viride*(green hellebore) から得られる有毒配糖体．麻酔薬)．

hel·le·bor·ism (hel′ĕ-bōr-izm). ヘレボルス中毒〔症〕（*Veratrum Helleborus* による中毒症)．

hel·leb·o·rus (he-leb′ŏ-rŭs) [G. *helleboros*]. ヘレボルス；black hellebore（キンポウゲ科 *Helleborus niger* の乾燥した根茎および根．強心薬，動脈緊張薬，利尿薬，しゃ下薬として用いる)．

Hel·ler (hel′ĕr), Arnold L.G. ドイツ人病理学者，1840—1913. ⇀H. *plexus*.

Hel·ler (hel′ĕr), Ernst. ドイツ人外科医，1877—1964. ⇀H. *operation*.

Hel·lin (hel′in), Dyonizy (Dionys). ポーランド人病理学者，1867—1935. ⇀H. *law*.

Hel·ly (hel′ē), Konrad. 19世紀後期のスイス人病理学者．⇀H. *fixative*.

Helm·holtz (helm′hōltz), Hermann L.F. von. ドイツ人医師・物理・生理学者，1821—1894. ⇀H. axis *ligament*, *energy*, *theory* of accommodation, *theory* of color vision, *theory* of hearing; H.-Gibbs *theory*; Gibbs-H. *equation*; Young-H. *theory* of color vision.

hel·minth (hel′minth) [G. *helmins*, worm]. 蠕虫（腸内に棲む虫様の寄生虫．主に線虫類，条虫類，吸虫類，鉤頭虫類を含む)．

hel·min·tha·gogue (hel-minth′ă-gog) [G. *helmins*, worm + *agōgos*, leading]. 駆虫薬．＝anthelmintic (1).

hel·min·them·e·sis (hel′min-them′ĕ-sis) [G. *helmins*, a worm + *emesis*, vomiting]. 寄生虫吐出（腸内寄生虫を口から吐出または排出すること)．

hel·min·thi·a·sis (hel′min-thī′ă-sis). 蠕虫病（腸内寄生蠕虫が寄生する状態)．＝helminthism; invermination.

hel·min·thic (hel-min′thik). ***1***〚adj.〛駆虫性の，寄生虫の．***2***〚n.〛駆虫薬．＝anthelmintic (1).

hel·min·thism (hel′min-thizm). ＝helminthiasis.

hel·min·thoid (hel-min′thoyd) [G. *helminthōdēs*, wormlike < *helmins*, worm + *eidos*, resemblance]. 寄生虫様の.

hel·min·thol·o·gy (hel′min-thol′ō-jē) [G. *helmins*, worm + *logos*, study]. 蠕虫学（蠕虫類に関する科学の一部門，特に腸内寄生蠕虫とかかわりをもつ動物学と医学の部門）. =scolecology.

hel·min·tho·ma (hel′min-thō′mă) [G. *helmins*, worm + *-oma*, tumor]. 蠕虫腫（蠕虫またはその産生物により引き起こされる肉芽腫性炎症(治癒した時期を含む)の境界明瞭な小結節．腫瘍と一見類似することからこの名がある）.

hel·min·tho·pho·bi·a (hel′min-thō-fō′bē-ă) [G. *helmins*, worm + *phobos*, fear]. 蠕虫恐怖〔症〕（蠕虫に対する病的な恐れ）.

Hel·min·tho·spo·ri·um (hel′min-thō-spōr′ē-ŭm). ヘルミントスポリウム属（腐生的な真菌で臨床検査室で通常分離される．明確に平衡に隔壁された分生子柄がある．*Drechslera* の分離株に一般に誤って当てられていた）.

hel·min·tic (hel-min′tik). *1* 〘adj.〙 寄生虫に関する，寄生虫に感染している．*2* 〘n.〙 駆虫薬．=anthelmintic (1).

He·lo·der·ma (hē-lō-dĕr′mă) [G. *hēlos*, nail + *derma*, skin]. ドクトカゲ属（アメリカドクトカゲを含む有毒トカゲの唯一の属．身体全体が粒状鱗でおおわれているためこのようによばれる．メキシコおよび米国南西部原産）.

Hel·vel·la es·cu·len·ta (hel-vel′ă es′kyū-len′tă). ノボリリョウ．=*Gyromitra esculenta.*

Hel·weg (hel′veg), Hans K.S. デンマーク人医師，1847—1901. →H. *bundle*.

Hel·weg-Lars·sen (hel′veg lahr′sen), Hans F. 20世紀のデンマーク人皮膚科医. →H.-L. *syndrome*.

hem-, hema- (hēm, hem) [G. *haima*]. ［米国式つづりは，ギリシア語 haima- のローマ式連結形 haem- を短縮したこの形を好むが，*Heamophilus* のような分類学用語においては二重字つづりを守らねばならない］．血液に関する連結形.→hemat-; hemato-; hemo-.

he·ma·chrome (hē′mă-krōm, hem′ă-) [hema- + G. *chrōma*, color]. ヘマクローム，血液色素（ヘモグロビンまたはヘマチンなど，血液に色を与える物質）.

he·ma·cy·tom·e·ter (hē′mă-sī-tom′ĕ-tĕr, hem′ă-). =hemocytometer.

he·ma·cy·to·zo·on (hē′mă-sī′tō-zō′on, hem′ă-). =hemocytozoon.

he·ma·do·ste·no·sis (hē′mă-dō-ste-nō′sis) [G. *haimas* (*haimad*-), a stream of blood + *stenōsis*, a narrowing]. 血管狭窄（動脈の収縮）.

he·mad·sorp·tion (hē′mad-sōrp-shŭn, hem′ad-). 〔赤〕血球吸着〔現象〕（赤血球の表面に付着または吸着した物質により起こる現象）.

he·ma·fa·ci·ent (hē-mă-fā′shē-ĕnt, hem-ă-). =hemopoietic.

he·mag·glu·ti·na·tion (hē′mă-glū′ti-nā′shŭn). 〔赤〕血球凝集〔反応〕（赤血球抗原それ自体や赤血球に付着している他の抗原に対する特異抗体により起こる凝集のように免疫性のものと，ウイルスその他の微生物による非免疫性のものとがある）. =hemoagglutination.

passive h. 受身〔赤〕血球凝集〔反応〕（受身凝集反応の一種で，通常，タンニン酸または他の化学薬品による緩い処理により変性した赤血球を用いて，その表面に可溶性抗原を吸着させる．この吸着された抗原に対する特異抗血清が存在すると赤血球が凝集する）. =indirect hemagglutination test.

reverse passive h. 逆転受身〔赤〕血球凝集〔反応〕（ウイルス感染の診断法の一種で，あらかじめウイルス特異性抗体で被覆されている赤血球のウイルスによる凝集反応を用いる）.

viral h. ウイルス〔赤〕血球凝集〔反応〕（他の点では関係のない広範囲なウイルスの中のいくつかによる，浮遊している赤血球の非免疫性凝集をいう．通常，ウイルス粒子自身によるが，ウイルス増殖時の産生物(例えばサブユニット)による凝集もあり，凝集する赤血球の種はウイルスの種類により異なる.→hemagglutination *inhibition*）.

he·mag·glu·ti·nin (hē′mă-glū′ti-nin, hem-). 〔赤〕血球凝集素（抗体などのように，血球凝集を起こす物質）. =hemoagglutinin.

he·ma·gog·ic (hē′mă-goj′ik, hem-ă-). 出血促進の.

he·mal (hē′măl) [G. *haima*, blood]. *1* 血液の，血管の．*2* 腹側の（心臓および大きな血管の位置する椎体またはその前駆体の腹側についていう．neural (2) の対語）.

he·mal·um (hē-mal′ŭm, hem-). ヘマラム（ヘマトキシリンとミョウバンとからなる溶液．組織学における核染色，特にエオシンとの対比染色に用いる）.

he·ma·me·bi·a·sis (hē′mă-mē-bī′ă-sis, hem′ă-). 住血アメーバ様寄生虫症（マラリア感染のように，赤血球におけるアメーバ様寄生虫による感染）.

he·ma·nal·y·sis (hē′mă-nal′ĭ-sis, hem-) [G. *haima*, blood + analysis]. 血液分析（血液の検査，特に化学的方法に関していう）.

he·man·gi·ec·ta·sis, he·man·gi·ec·ta·sia (hē′man-jē-ek′tă-sis, hem-an-, -ek-tā′zē-ă) [G. *haima*, blood + *angeion*, vessel + *ektasis*, a stretching]. 血管拡張〔症〕.

hemangio- (hē-man′jē-ō) [G. *haima*, blood + *angeion*, vessel]. 血管に関する連結形.

he·man·gi·o·blast (hē-man′jē-ō-blast) [hemangio- + G. *blastos*, germ]. 血管芽細胞（中胚葉由来の原始胚細胞で，血管内皮，細網内皮要素，およびすべての型の血液形成細胞のもととなる細胞を産生する）.

he·man·gi·o·blas·to·ma (he-man′jē-ō-blas-tō′mă). 血管芽〔細胞〕腫（毛細血管を形成する内皮細胞および間質細胞からなる良性新生物で小脳にしばしば発生する．生育緩慢で中年に多い．von Hippel-Lindau病に合併する頻度が高い）. =angioblastoma; Lindau tumor.

he·man·gi·o·en·do·the·li·o·blas·to·ma (hē-man′jē-ō-en′dō-thē′lē-ō-blas-tō′mă) [hemangio- + endothelium + G. *blastos*, germ + *-oma*, tumor]. 血管内皮芽細胞腫（内皮細胞が特に未成熟な血管内皮腫）.

he·man·gi·o·en·do·the·li·o·ma (hē-man′jē-ō-en′dō-thē′lē-ō′mă) [hemangio- + endothelium + G. *-oma*, tumor]. 血管内皮腫（血管由来の新生物．単発あるいはいくつか集合して発生する．血管の内張をしている無数の内皮細胞が目立つのが特徴．高齢者の血管内皮腫は悪性(血管肉腫)のこともあるが，小児の場合は良性で，恐らく毛細血管性血管腫の成長期にあたると考えられる．局所侵襲性はあるが転移することはごくまれ）.

composite h. 混成血管内皮腫（局所侵襲性の血管腫瘍で，まれに転移する．四肢遠位部に好発し，良性の部分と明らかに悪性の部分，またその中間の部分からなる）.

epithelioid h. 類上皮血管内皮腫（血管を中心に増殖する血管腫瘍で，類上皮細胞様の内皮細胞が短い索状または巣状に配列し，その周囲を粘液ヒアリンの間質が取り囲む）. =angioglomoid tumor; intravascular bronchioloalveolar tumor.

hobnail h. 鋲釘様血管内皮腫. =retiform h.

kaposiform h. カポジ様血管内皮腫（局所侵襲性の血管腫瘍で，皮膚，後腹膜に好発するが，他の部位にできることもある．未熟な紡錘細胞とその間に散在する毛細血管からなる）.

retiform h. 網状血管内皮腫（局所侵襲性だが，まれに転移する血管性の腫瘍で，内皮細胞が鋲釘様に内張りした血管が樹枝状に枝分かれしているのを特徴とする）. =hobnail h.

h. tuberosum multiplex 多発性結節状血管内皮腫（表在性血管の内皮の増殖により起こる淡紅色丘疹の発疹）.

he·man·gi·o·fi·bro·ma (hē-man′jē-ō-fī-brō′mă). 血管線維腫（多くの線維性組織の構造をもつ血管腫）.

juvenile h. 若年性血管線維腫. =juvenile *angiofibroma.*

hemangiolymphangioma (hē-man′jē-ō-lim-fan-jē-ō′mă). 血管リンパ管腫（主として血管とリンパ管よりなる限局性の奇形．自然退縮は稀である．リンパ管腫が優勢であればリンパ管血管腫(lymphangiohemangioma)とされる.→lymphangiohemangioma）.

he·man·gi·o·ma (hē-man′jē-ō′mă) [hemangio- + G. *-oma*, tumor]. 血管腫（血管が増生して新生物様の塊となった腫瘍で生下時すでに存在することも，後になって生じることもある．身体のどの部分にもできるが，皮膚および皮下組織に最も多く認められる．生下時に存在したもののほとんどは自然に退縮する.→nevus）.

capillary h. 毛細血管性血管腫（毛細血管の過剰増殖で，生下時ないし生後まもなく，柔らかい鮮紅色から紫の結節または斑として皮膚によくみられる．通常，5歳までに消退する．最もよくみられる血管腫である）．＝capillary angioma; capillary h. of infancy; nevus vascularis; nevus vasculosus; superficial angioma.

capillary h. of infancy 乳児毛細血管性血管腫．＝capillary h.

cavernous h. 海綿状血管腫（自然退縮する深在性皮膚血管腫を表す古語．内眼的，顕微鏡的に拡張した血管からなる．静脈奇形に対して誤って用いられることがある）．

lobular capillary h. ＝pyogenic *granuloma.*

racemose h. 蔓状血管腫．＝cirsoid *aneurysm.*

sclerosing h. 硬化性血管腫（①良性の肺または気管支病変で，胸膜下にしばしばみられ，ときに多発する．硝子化した結合織を伴う．②＝dermatofibroma）．

senile h. 老年(老人)性血管腫（皮膚の毛細血管壁の脆弱化によって生じる赤色の丘疹．圧迫しても褪色しない．通常 30 歳以上の人にみられる）．＝cherry angioma; De Morgan spots.

spider h. クモ状血管腫．＝spider *angioma.*

strawberry h. イチゴ状血管腫（未熟な毛細血管の過剰増殖により頭部あるいは頸部に発生する血管腫．生下時から生後 2 — 3 か月以内にみられ，通常，斑痕を残さずに退縮する）．

verrucous h. ゆうぜい(疣贅)状血管腫（異常毛細血管や異常リンパ管を含む皮膚血管の奇形に対する不適切な語）．

he·man·gi·o·ma·to·sis (hē-man′jē-ō-mă-tō′sis). 血管腫症（非常に多数の血管腫がみられる状態）．

he·man·gi·o·per·i·cy·to·ma (he-man′jē-ō-per′i-sī-tō′-mă) [hemangio- + pericyte + G. *-oma*, tumor]. 血管周囲細胞腫，血管外皮細胞腫（めずらしい，そしてたいていは良性である血管性新生物で，周辺細胞由来の円形および紡錘形の細胞からなり，内皮細胞層をもつ脈管を取り囲む．悪性のものは，顕微鏡的にも鑑別するのは困難である）．

he·man·gi·o·sar·co·ma (hē-man′jē-ō-sar-kō′mă). 血管肉腫（血管由来の未分化細胞からなるまれな悪性新生物で，未分化細胞は不規則な形をした血液充満腔や腫瘤内の空隙の内側をおおい，急速に増殖し，浸潤性が強いのを特徴とする）．

he·ma·phe·ic (hē′mă-fē′ik, hem-ă-). ヘマフェインの．

he·ma·phe·in (hē′mă-fē′in, hem-ă-) [G. *haima*, blood + *phaios*, dusky]. ヘマフェイン（ヘモグロビン由来の褐色の病的色素．インジカンとウロビリンの結合物であるといわれる）．

he·ma·phe·ism (hē′mă-fē′izm, hem-ă-). ヘマフェイン尿症，ヘマフェイン血症（血漿中や尿中にヘマフェインが含まれること）．

he·mar·thro·sis (hēm′ar-thrō′sis, hem′ar-) [G. *haima*, blood + *arthron*, joint]. 関節血症，出血性関節症（関節内の出血）．

he·ma·stron·ti·um (hē′mă-stron′shē-ŭm, hem-ă-). ヘマストロンチウム（クエン酸とアルコールにヘマテインと塩化アルミニウムを入れた溶液に塩化ストロンチウムを加えてつくった染料．組織学で用いる）．

hemat- (hē-mat′) [G. *haima(haimat-)*]. 【米国式つづりは，ギリシア語 haima- のローマ式連結形 haemat- を短縮したこの形を好むが，Schistosomia haematobium のような分類学用語においては二重字つづりを守らねばならない】．血液に関する連結形．→hem-; hemato-; hemo-.

he·ma·ta·chom·e·ter (hē′mă-tă-kom′ĕ-tĕr, hem′ă-). ＝hemotachometer.

he·mat·ap·os·te·ma (hē′mat-ă-pos-tē′mă, hem′at-) [hemat- + G. *apostēma*, abscess]. 血液〔性〕腫瘍（血液が内部へ滲出している膿瘍）．

he·ma·te·in (hē′mă-tē′in, hem-ă). ヘマテイン（ヘマトキシリンの酸化物）．

Baker acid h. (bā′kĕr). ベーカー酸〔性〕ヘマテイン（リン脂質染色の際，凍結切片に対して用いる酸化ヘマトキシリンの酸性溶液）．

he·ma·tem·e·sis (hē′mă-tem′ĕ-sis, hem-ă-) [hemat- + G. *emesis*, vomiting]. 吐血．＝vomitus cruentus.

he·mat·en·ceph·a·lon (hē′mat-en-sef′ă-lon, hem′at-) [hemat- + G. *enkephalos*, brain]. 脳出血．＝cerebral *hemorrhage.*

he·ma·ther·a·py (hē′mă-thār′ă-pē, hem′ă-). 血液療法．＝hemotherapy.

he·ma·therm (hē′mă-therm, hem′ă-) [G. *haima*, blood + *thermos*, warm]. 恒温動物，定温動物．＝homeotherm.

he·ma·ther·mal (hē′mă-ther′măl, hem-ă-) [G. *haima*, blood + *thermos*, warm]. 温血の．＝homeothermic.

he·ma·ther·mous (hē′mă-ther′mŭs, hem-ă-). ＝homeothermic.

he·ma·tho·rax (hē′mă-thōr′aks, hem-ă-). ＝hemothorax.

he·mat·ic (hē-mat′ik). *1* 〚adj.〛 血液の．＝hemic. *2* 〚n.〛＝hematinic (2).

he·ma·tid (hē′mă-tid, hem′a-) [hemat- + *-id*]. *1* 赤血球を表す，まれに用いる語．*2* 血液性皮疹（循環血液中の物質により起こると考えられる皮疹を表す，まれに用いる語）．

he·ma·ti·dro·sis (hē′mat-i-drō′sis, hem′at-) [hemat- + G. *hidrōs*, sweat]. 血汗症（汗の中に血液または血液色素が排泄される，非常にまれな疾患）．

he·ma·tim·e·ter (hē-mă-tim′ĕ-tĕr, hem-ă-). ＝hemocytometer.

he·ma·tin (hē′mă-tin, hem′ă-). ヘマチン（第二鉄の状態にあるヘム．メトヘモグロビンの補欠分子族）．＝ferriheme; hematosin; hydroxyhemin; oxyheme; oxyhemochromogen; phenodin.

h. chloride 塩化ヘマチン．＝hemin.

reduced h. 還元ヘマチン．＝heme.

he·ma·ti·ne·mi·a (hē′mă-ti-nē′mē-ă, hem′ă-) [hematin + G. *haima*, blood]. ヘマチン血症（循環血液中にヘムが存在すること）．

he·ma·tin·ic (hē′mă-tin′ik, hem-a-). ＝hematonic. *1* 〚adj.〛 造血性の（血液の状態を改善する）．*2* 〚n.〛 造血薬（赤血球を増加させたりヘモグロビン濃度を高くすることにより血液の質を改善する薬物）．＝hematic (2).

hemato- (he′mă-tō) [G. *haima(haimat-)*]. 血液に関する連結形．→hem-; hemat-; hemo-.

he·ma·to·bil·i·a (hē′mă-tō-bil′ē-ă, hem′ă-). ＝hemobilia.

he·ma·to·bi·um (hē′mă-tō′bē-ŭm, hem-ă-) [hemato- + G. *bios*, life]. 住血生物，血液寄生体（血液に寄生する微生物，特に下等動物または住血性寄生虫）．

he·ma·to·blast (hē′mă-tō-blast′, hem′ă-) [hemato- + G. *blastos*, germ]. 血球芽細胞，血球母細胞（pluripotential hemopoietic stem *cell* を表す現在では用いられない語）．

Hayem h. (ah-yĕm′). エヤンヘマトブラストを表す，まれに用いる語．

he·ma·to·cele (hē′mă-tō-sēl′, hem′ă-) [hemato- + G. *kēlē*, tumor]. *1* 血瘤．＝hemorrhagic *cyst.* *2* 血洞（身体の管または腔への出血）．*3* 血腫（精巣鞘膜内への血液滲出による腫脹）．

pelvic h. 骨盤内血腫（骨盤内への腹腔内出血）．

pudendal h. 会陰血腫（大陰唇内への出血）．

he·ma·to·ceph·a·ly (hē′mă-tō-sef′ă-lē, hem′ă-) [hemato- + G. *kephalē*, head]. 頭蓋内血腫（一般に胎児における頭蓋内出血）．

he·ma·to·che·zi·a (hē′mă-tō-kē′zē-ă, hem′ă-) [hemato- + G. *chezō*, to go to stool]. 血便排泄（メレナまたはタール便と区別される血性便の排泄）．

he·ma·to·chlo·rin (hē′mă-tō-klō′rin, hem′ă) [hemato- + G. *chlōros*, light green + -in]. ヘマトクロリン（胎盤から得られる緑色ヘモグロビン分解生成物）．

he·ma·to·chy·lu·ri·a (hē′mă-tō-kī-lyū′rē-ă, hem′a-) [hemato- + G. *chylos*, juice + *ouron*, urine]. 乳び血尿（尿中に乳びと血液が混在すること）．

he·ma·to·col·po·me·tra (hē′mă-tō-kol′pō-mē′tră-) [hemato- + G. *kolpos*, vagina + *mētra*, womb]. 腟子宮留血症，腟子宮血腫（閉塞した処女膜または他の腟下方の閉鎖により子宮および腟に血液が滞留すること）．

he·ma·to·col·pos (hē′mă-tō-kol′pos, hem′ă-) [hemato- + G. *kolpos*, vagina]. 腟留血症（閉塞した処女膜または他の閉鎖により腟に経血が滞留すること）．＝retained menstruation.

he·mat·o·crit (Hct) (hē-măt′ō-krit, hem′ă-) [hemato- + G. *krinō*, to separate]. ヘマトクリット（①血液検体のうち血球成分の占める量の百分率．*cf.* plasmacrit. ②血液中の細胞その他粒子成分を血漿から分離する遠心器または装置を

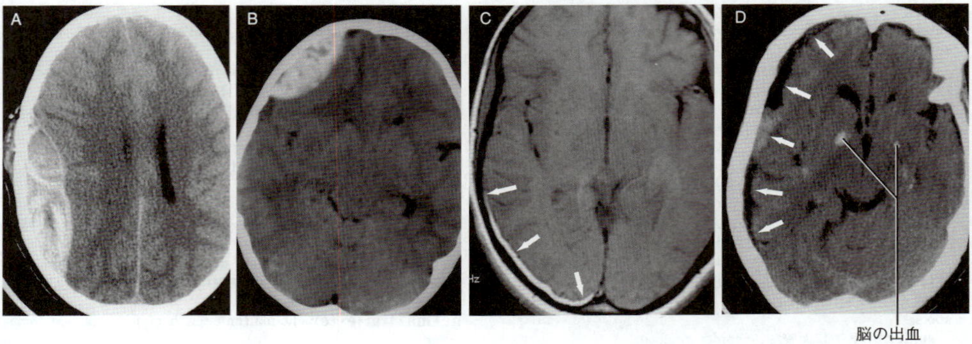

hematoma

硬膜外出血（A，B）および急性（C），亜急性（D）の硬膜下血腫．硬膜外病変（A，B）のレンズ状の形状と房性の外観，および脳実質外側における位置を示す．対照的に急性期の硬膜下病変は薄く，皮質上の広範囲に及んでいる．Dの病変は慢性および亜急性の相を示している．慢性相は上部2つ，下部2つの矢印で示されるように血液が液体で置換されており，亜急性相は真中の矢印で示されるように血液が病変に入りこんでいる．皮質上での病変の広がりと薄さが硬膜外病変と比較して顕著である．Dの症例では脳実質に小出血もみられ，大きいほうは内包膝領域にあたる．CT像．

表す語．現在では用いられない）．

he·ma·toc·ry·al (hē′mă-tok′rē-ăl, hem-ă-) [hemato- + G. *kryos*, cold]. 冷血の．＝poikilothermic.

he·ma·to·cyst (hē′mă-tō-sist′, hem′ă-). 血液嚢胞，血液嚢腫．＝hemorrhagic *cyst*.

he·ma·to·cys·tis (hē′mă-tō-sis′tis, hem′ă-) [hemato- + G. *kystis*, bladder]. 膀胱内に血液が存在すること．

he·ma·to·cyte (hē′mă-tō-sīt, hem′ă-). ＝hemocyte.

he·ma·to·cy·to·blast (hē′mă-tō-sī′tō-blast, hem′ă-). ＝hemocytoblast.

he·ma·to·cy·tol·y·sis (hē′mă-tō-sī-tol′i-sis, hem′ă-). ＝hemocytolysis.

he·ma·to·cy·tom·e·ter (hē′mă-tō-sī-tom′ĕ-tĕr, hem′ă-). ＝hemocytometer.

he·ma·to·cy·to·zo·on (hē′mă-tō-sī′tō-zō′on, hem′ă-). ＝hemocytozoon.

he·ma·to·dys·cra·si·a (hē′mă-tō-dis-krā′zē-ă, hem′ă-). ＝hemodyscrasia.

he·ma·to·dys·tro·phy (hē′mă-tō-dis′trŏ-fē, hem′ă-). ＝hemodystrophy.

he·ma·to·gen·e·sis (hē′mă-tō-jen′ĕ-sis, hem′ă-) [hemato- + G. *genesis*, production]. ＝hemopoiesis.

he·ma·to·gen·ic, he·ma·tog·e·nous (hē′mă-tō-jen′ik, hem′ă-; hem-ă-toj′en-ŭs). ***1*** ＝hemopoietic. ***2*** 血液原の，血行性の（血液からつくられた，血液から出た，または血液に運ばれたものについていう）．

he·ma·to·his·ti·o·blast (hē′mă-tō-his′tē-ō-blast, hem′-ă-). ＝hemohistioblast.

he·ma·to·his·ton (hē′mă-tō-his′tŏn, hem′ă-). ヘマトヒストン．＝globin.

he·ma·toi·din (hē′mă-toy′din) [hemato- + G. *eidos*, resemblance + -in]. ヘマトイジン（鉄を含有せず，ビリルビンと密接な関係があるかまたは同一のヘモグロビンに由来する色素．細胞内（恐らく網状内皮細胞内）で形成されるが，5—7日後には先に出血のあった病巣の細胞外に見出されることが多い．屈折性で，黄褐色および橙赤色の顆粒として現れるが，さらに特徴的には放射状に配列した菱形板，いわゆるh. burrsとして現れる）．＝blood crystals; hematoidin crystals.

he·ma·tol·o·gist (hē′mă-tol′ŏ-jist, hem-ă-). 血液学者，血液病専門医（血液学の教育を受け経験を積んだ医師．すなわち血液および骨髄の診断的検査または血液疾患の治療の専門家）．

he·ma·tol·o·gy (hē′mă-tol′ŏ-jē, hem-ă-) [hemato- + G. *logos*, study]. 血液学，血液病学（血液と血液を形成する組織に関係した解剖学，生理学，病理学，症候学，治療学に関する医学の専門分野）．＝hemology.

he·ma·to·lymph·an·gi·o·ma (hē′mă-tō-limf′an-jē′ō′-mă). 血管リンパ管腫（多数の，密に詰まった，大きさの様々なリンパ管および大きい溝からなる先天異常で，同様の型の中程度の数の血管と関連している）．

he·ma·tol·y·sis (hē′mă-tol′i-sis, hem-ă-). ＝hemolysis.

he·ma·to·lyt·ic (hē′mă-tō-lit′ik, hem′ă). ＝hemolytic.

he·ma·to·ma (hē′mă-tō′mă, hem-ă-) [hemato- + G. *-oma*, tumor]. 血腫（溢血の局所的な塊で，臓器，組織，空隙，または有効空隙に限られる．血液は通常，凝固（または部分的凝固）して，出血後の経過時間に従い，種々の程度の器質化と脱色がみられる）．

- **communicating h.** ＝pseudoaneurysm.
- **corpus luteum h.** 黄体血腫．＝*corpus* hemorrhagicum.
- **epidural h.** 硬膜上血腫．＝extradural *hemorrhage*.
- **intracranial h.** 頭蓋内血腫（→intracranial *hemorrhage*）．
- **intramural h.** 壁内血腫（腸または膀胱のような組織の壁内の血腫．通常，外傷または過剰の抗凝固により生じる）．
- **pulsatile h.** 拍動性血管腫．＝pseudoaneurysm.
- **subdural h.** 硬膜下血腫．＝subdural *hemorrhage*.

he·ma·to·me·tra (hē′mă-tō-mē′tră, hem′ă-) [hemato- + G. *mētra*, uterus]. 子宮留血症，子宮血腫（子宮腔に血液が充満あるいは貯留した状態）．＝hemometra.

he·ma·tom·e·try (hē′mă-tom′ĕ-trē, hem-ă) [hemato- + G. *metron*, measure]. 検血（ⓘ血液細胞の総数，型および相対比，ⓘⓘその他の構成成分の数および比，ⓘⓘⓘヘモグロビンの百分率などを測定するために行う血液検査．血圧測定を含む場合もある）．＝hemometry.

he·mat·om·pha·lo·cele (hē′mat-om-fal′ō-sēl, hem′at-) [hemato- + G. *omphalos*, umbilicus + *kēlē*, hernia]. 臍［帯］血瘤（内部へ出血している臍ヘルニア）．

he·ma·to·my·e·li·a (hē′mă-tō-mī-ē′lē-ă) [hemato- + G. *myelos*, marrow]. 脊髄［内］出血（脊髄組織への出血．通常は外傷後の病変であるが，脊髄毛細管拡張症の場合にも起こりうる）．＝hematorrhachis interna; myelapoplexy; myelorrhagia.

he·ma·to·my·e·lo·pore (hē′mă-tō-mī′ĕ-lō-pōr) [hemato- + G. *myelos*, marrow + *poros*, a pore]. 出血性脊髄穿孔症（出血のため脊髄が多孔性になること）．

he·ma·ton·ic (hē′mă-ton′ik, hem-ă-). ＝hematinic.

he·ma·to·pa·thol·o·gy (hē′mă-tō-path-ol′ŏ-jē, hem′ă-) [hemato- + G. *pathos*, suffering + *logos*, study]. 血液病理学（血液や造血およびリンパ組織の疾患に関する病理学の部門）．＝hemopathology.

he·ma·top·a·thy (hē′mă-top′ă-thē, hem-ă-). ＝hemopathy.

he·ma·to·pe·ni·a (hē′mă-tō-pē′nē-ă, hem′ă-) [hemato-

＋G. *penia*, poverty］．血球減少（血球減少症を伴う血液の欠乏）．

he·ma·to·pha·gi·a (hē′mă-tō-fā′jē-ă, hem′ă-)［hemato-＋G. *phagō*, to eat］．食血〔現象〕，吸血（チスイコウモリおよびヒルのように他の動物の血を吸って生きること）．＝hemophagia.

he·ma·toph·a·gous (hē′mă-tof′ă-gŭs, hem′ă-)［hemato-＋G. *phagō*, to eat］．吸血性の．

he·ma·toph·a·gus (hē′mă-tof′ă-gŭs, hem′ă-)［hemato-＋G. *phagō*, to eat］．吸血者（特に吸血昆虫についていう）．

he·ma·to·plas·tic (hē′mă-tō-plas′tik, hem′ă)［hemato-＋G. *plassō*, to form］．血液生成の．＝hemopoietic.

he·ma·to·poi·e·sis (hē′mă-tō-poy-ē′sis, hem′ă-)．＝hemopoiesis.

he·ma·to·poi·et·ic (hē′mă-tō-poy-et′ik)．＝hemopoietic.

he·ma·to·poi·e·tin (hē′mă-tō-poy′ĕ-tin, hem′ă-)．造血素，仮定因子．＝erythropoietin.

he·ma·to·por·phyr·i·a (hē′mă-tō-pōr-fir′ē-ă, hem′ă-)［hemato-＋G. *porphyra*, purple］．ヘマトポルフィリン症（原因に関係なくポルフィリン代謝障害を表す現在では用いられない語）．

he·ma·to·por·phy·rin (hē′mă-tō-pōr′fi-rin, hem′ă-)．ヘマトポルフィリン（暗赤色または紫色のヘモグロビン分解色素．化学組成はヘムの組成であるが，鉄を失いヒドロキシエチル($-CH(OH)-CH_3$)へ加水分解される2個のビニル基($-CH{=}CH_2$)をもつ）．＝hemoporphyrin.

he·ma·to·por·phy·ri·ne·mi·a (hē′mă-tō-pōr′fi-ri-nē′mē-ă, hem′ă-)．ヘマトポルフィリン血症（循環血液中にヘマトポルフィリンを生じることを意味する古語）．

he·ma·to·por·phy·rin·u·ri·a (hē′mă-tō-pōr′fi-ri-nyū′rē-ă)．ヘマトポルフィリン尿症（ポルフィリンの尿中排泄促進を意味する古語）．

he·ma·top·si·a (hē′mă-top′sē-ă, hem-ă-)［hemato-＋G. *opsis*, vision］．眼出血．＝hemophthalmia.

he·ma·tor·rha·chis (hē′mă-tōr′ă-kis, hem-ă-)［hemato-＋G. *rhachis*, spine］．脊椎管内出血．

h. externa 外脊椎管内出血（脊髄外の脊椎管内への出血で硬膜内外いずれの場合もある）．＝extradural h.; subdural h.

extradural h. ＝h. externa.

h. interna 内脊椎管内出血．＝hematomyelia.

subdural h. ＝h. externa.

he·ma·to·sal·pinx (hē′mă-tō-sal′pinks, hem′ă-)［hemato-＋G. *salpinx*, a trumpet］．卵管留血症，卵管血腫（卵管に血液が貯留すること．卵管妊娠と合併することが多い）．＝hemosalpinx.

he·ma·to·sep·sis (hē′mă-tō-sep′sis, hem′ă)．septicemia を表す，まれに用いる語．

he·ma·to·sin (hē′mă-tō′sin, hem-ă-)．ヘマトシン．＝hematin.

he·ma·to·sis (hē′mă-tō′sis, hem-ă-)．***1*** 血液生成，造血．＝hemopoiesis. ***2*** 動脈血液化，動脈血液形成（肺における静脈血への酸素付加）．

he·ma·to·spec·tro·scope (hē′mă-tō-spek′trō-skōp, hem′ă-)．血〔液〕分光度計（特に血液検査に用いる分光器）．

he·ma·to·spec·tros·co·py (hē′mă-tō-spek-tros′kŏ-pē, hem′ă-)．血〔液〕分光度検査〔法〕（分光器による血液検査）．

he·ma·to·sper·mat·o·cele (hē′mă-tō-sper′mat′ō-sēl, hem′ă-)．血精液瘤（血液を含む精液瘤）．

he·ma·to·sper·mi·a (hē′mă-tō-spĕr′mē-ă, hem′ă-)．＝hemospermia.

he·ma·to·stat·ic (hē′mă-tō-stat′ik, hem′ă-)．血行停止性の，止血性の（① hemostatic の別称．②局所の血管に血液が貯留または停止することによる）．

he·ma·to·stax·is (hē′mă-tō-stak′sis, hem′ă-)［hemato-＋G. *staxis*, a dripping］．血液疾患による特発出血．

he·ma·tos·te·on (hē′mă-tos′tē-on, hem-ă)［hemato-＋G. *osteon*, bone］．骨髄内出血．

he·ma·to·ther·mal (hē′mă-tō-ther′măl, hem′ă-)．＝homeothermic.

he·ma·to·tox·in (hē′mă-tō-toks′in, hem′ă-)．＝hemotoxin.

he·ma·to·tro·pic (hē′mă-tō-trop′ik, hem′ă-)．血液向性の．＝hemotropic.

he·ma·to·tym·pa·num (hē′mă-tō-tim′pa-nŭm, hem′ă-)．＝hemotympanum.

he·ma·tox·in (hē′mă-toks′in, hem-ă)．＝hemotoxin.

he·ma·tox·y·lin (hē′mă-toks′i-lin, hem-ă-)［C.I. 75290］．ヘマトキシリン（結晶化合物でヘマトキシリンノキ *Haematoxylon campechianum* の色素を含有する．組織学において，染色，特に細胞核および染色体，筋肉横紋，腸クロム親和細胞の染色に用いられる．その染色性はヘマトキシンからヘマテインへの酸化，クロムおよび鉄ミョウバンでの媒染剤処理に基づく．指示薬(pH 0—1 で赤色から黄色に変わり，pH 5—6 で黄色から紫色に変わる)としても用いる）．

Boehmer h. (bō′mĕr)．ベーマーヘマトキシリン（自然熟成が 8 —10 日ぐらいで起こるミョウバンヘマトキシリン．溶液は何か月も有効である）．

Delafield h. (del′ă-fēld)．デラフィールドヘマトキシリン（組織学で用いるミョウバンヘマトキシリン．自然の熟成は約 2 か月かかり，その溶液は何年も有効である）．

Harris h. (ha′ris)．ハリスヘマトキシリン（Delafield ヘマトキシリンに類似のミョウバンヘマトキシリンであるが，直接使用のため，化学的熟成により，ヘマトキシリンを酸化している）．

iron h. 鉄ヘマトキシリン（ヘマテインが2価鉄によって不溶化したユニークな有機顔料で濃藍色に染色する．染色体，紡錘糸，Golgi 装置，筋原線維やミトコンドリアのような細胞微小構造の研究に有用である．また赤痢アメーバ *Entamoeba histolytica* の検出にも役立つ．→Heidenhain iron hematoxylin *stain*; Weigert iron hematoxylin *stain*）．

phosphotungstic acid h. (**PTAH**) リンタングステン酸ヘマトキシリン（細胞学や組織学で広く応用されている．核，ミトコンドリア，フィブリン，神経膠原線維や骨格筋や心筋の交差線紋が青色に染色．軟骨基質や骨小網やエラスチンは黄橙色または褐赤色の明暗で現れる．また，異常または病的星状細胞に有効で，しばしば過ヨウ素酸 Schiff 染色法や Luxol ファストブルーと併せて用いる）．＝Mallory phosphotungstic acid hematoxylin stain.

he·ma·to·zo·ic (hē′mă-tō-zō′ik, hem′ă)．＝hemozoic.

he·ma·to·zo·on (hē′mă-tō-zō′on, hem′ă-)．＝hemozoon.

he·ma·tu·ri·a (hē-mă-tyū′-rē-ă, hem-ă-)［hemato-＋G. *ouron*, urine］．血尿（尿に血液または赤血球が存在している状態）．

Egyptian h. ＝*schistosomiasis* haematobium.

endemic h. 地方病性血尿．＝*schistosomiasis* haematobium.

false h. 偽〔性〕血尿．＝pseudohematuria.

gross h. 肉眼〔的〕血尿（通常の黄色調の変化として肉眼で認められる程度の血液が尿中に混入した状態）．

initial h. 初期血尿（排尿した最初の分画のみに血液が存在した状態で，通常は尿道あるいは前立腺由来の出血を意味する）．

microscopic h. 顕微〔鏡的〕血尿（顕微鏡によってのみ見える，尿中の血球の存在）．

painful h. 有痛性血尿（排尿困難を伴う血尿で，通常，感染，外傷，結石，あるいは異物の下部尿路での存在を意味する）．

painless h. 無痛性血尿（排尿困難を伴わない血尿で，しばしば血管あるいは新生物が原因となる）．

renal h. 腎性血尿（腎臓の糸球体間隙，細管または骨盤内への溢血により起こる血尿）．

terminal h. 終末〔時〕血尿（排尿した最後の分画のみに血液が存在した状態で，通常は前立腺からの出血を意味する）．

total h. 全血尿（排出尿の全分画を通しての血尿で，一般に上部尿路に出血源があることを意味する）．

urethral h. 尿道性血尿（出血の部位が尿道にある血尿）．

vesical h. 膀胱性血尿（出血の部位が膀胱にある血尿）．

heme (hēm)［G. *haima*, blood］．ヘム（① 2 価の鉄イオン(Fe^{2+})を含むポルフィリンキレート．ヘモグロビンの配合群，酸素担体，着色成分である．②テトラピロール構造(例えばビリベルジンヘム)に類似しているが，非ポルフィリンとの鉄錯体．③ポルフィリンならどんなものでも鉄原子の原子価状態にかかわりなく，キレートしている鉄）．＝ferroheme; ferroprotoporphyrin; reduced hematin.

h. a ヘム a（シトクロム aa_3 に存在するヘム誘導体）．

H

h. c ヘムc（シトクロム*c*，b_4，および*f*に存在するヘム誘導体）.

h. oxygenase (decyclizing) ヘムオキシゲナーゼ(開環)（ヘムと酸素分子と三電子供与体からビリルビンとCO，Fe^{3+}，$3H_2O$ の生成への反応を触媒する酵素．ヒトでの一酸化炭素が生成する唯一の反応）.

hem·er·a·lo·pi·a (hem′ĕr-ăl-ō′pē-ă) [G. *hēmera*, day + *alaos*, obscure + *ōps*, eye]. 昼盲〔症〕（薄暗い光の中と同様に明るい光の中でもはっきり物が見えないこと．錐体機能障害症例にみられる）. = day blindness; hemeranopia; night sight.

hem·er·a·no·pi·a (hem′ĕr-ă-nō′pē-ă) [G. *hemera*, day + *an-* 欠性辞 + *ōps*, eye]. = hemeralopia.

he·me·ryth·rins (hē-mĕ-rith′rinz, hem-ĕ-) [G. *haima*, blood + *erythros*, red + -in]. ヘムエリトリン（ある種の無脊椎動物がもっている，鉄を含み酸素結合能力のある蛋白．分子量はヘモグロビンとほぼ等しいが，ポルフィリン基を含まない点が異なる．酸素化型ヘムエリトリンはオキシヘムエリトリンである）.

hemi- (hem′ē) [G.]. 半分を意味する接頭語（[本接頭語をhem(o)と混同しないこと]. *cf.* semi-）.

hem·i·a·car·di·us (hem′ē-ă-kar′dē-ŭs) [hemi- + G. *a-* 欠性辞 + *kardia*, heart]. 半無心体（双胎の一種．循環の一部分だけが自己の心臓により行われ，残りは双胎のもう一方の心臓により行われるもの）.

hem·i·ac·e·tal (hem′ē-as′e-tăl). ヘミアセタール（アルデヒドにアルコールが付加した生成物，RCH(OH)OR′(アセタールはヘミアセタールにアルコールが付加して生成される)．アルドース糖において，ヘミアセタール生成は起こりやすく，分子内で4–OHまたは5–OHがカルボニル酸素原子を攻撃することにより行われ，フラノースまたはピラノース構造がつくられる．糖のヘミアセタールは，グリコシル残基または配糖体のようにすべて多糖類に含まれる．→hemiketal; acetal）.

hem·i·ac·ro·so·mi·a (hem′ē-ak′rō-sō′mē-ă) [hemi- + G. *akron*, extremity + *sōma*, body]. 片側(半側)肥大症（四肢の先天性肥大）.

hem·i·a·geu·si·a (hem′ē-ă-gū′sē-ă) [hemi- + G. *a-* 欠性辞 + *geusis*, taste]. 片側(半側)味覚消失（舌の片側の味覚喪失）. = hemiageustia; hemigeusia.

hem·i·a·geus·ti·a (hem′ē-ă-gūs′tē-ă). = hemiageusia.

hem·i·al·gi·a (hem′ē-al′jē-ă) [hemi- + G. *algos*, pain]. 片側(半側)疼痛（身体の半分に感じる疼痛）.

hem·i·an·al·ge·si·a (hem′ē-an′ăl-jē′zē-ă). 片側(半側)痛覚消失（身体の半分を侵す無痛覚症）.

hem·i·an·en·ceph·a·ly (hem′ē-an′en-sef′ă-lē). 半無脳症（一側のみまたは一側が他側よりも広範囲に侵された無脳症）.

hem·i·an·es·the·si·a (hem′ē-an′es-thē′zē-ă). 片側(半側)感覚消失（半身の無感覚症）. = unilateral anesthesia.

alternate h. 交差(交叉)性片側(半側)感覚消失（頭の片側とその反対側の身体と四肢が侵されるもの）. = crossed h.

crossed h. = alternate h.

hem·i·a·no·pi·a (hem′ē-ă-nō′pē-ă). 半盲，片側(半側)視野欠損（片眼または両眼の視野の半分の視障害）. = hemianopsia.

absolute h. 絶対半盲（侵された視野部分ではすべての視覚刺激に対して完全に無感覚であること）. = complete h.

altitudinal h. 上下半盲（上半分または下半分の視野欠損．一眼性または両眼性）.

binasal h. 両鼻側半盲（両眼の鼻側半視野の盲目）.

bitemporal h. 両耳側半盲（両眼の耳側半視野の盲目）.

complete h. 完全半盲. = absolute h.

congruous h. 相合性半盲（両眼の視野欠損がそのいずれの個所においても対称的なもの）.

crossed h. 交差(交叉)半盲. = heteronymous h.

heteronymous h. 異側〔性〕半盲（片眼の上視野と他眼の下視野欠損を含む上下半盲，または両鼻側または両耳側半盲）. = crossed h.

homonymous h. 同側〔性〕半盲（各眼の視野(右か左)の視力喪失）.

incomplete h. 不全半盲（各眼の視野の半分以下を侵すもの）.

incongruous h. 不斉半盲（不完全または左右不同の同側性半盲）.

pseudohemianopia. 偽半盲（個々の刺激は正確に見られるが，鼻側や耳側視野が同時に刺激されたときにそれぞれの視野が見えない状態）. = visual extinction.

quadrantic h. 四分〔の一〕半盲. = quadrantanopia.

unilateral h. 片半盲（片眼のみにおける視野の半分の視力喪失）. = unilocular h.

unilocular h. = unilateral h.

hem·i·a·nop·ic (hem′ē-an-op′ik). 半盲の.

hem·i·a·nop·si·a (hem′ē-an-op′sē-ă) [hemi- + G. *an-* 欠性辞 + *opsis*, vision]. 半盲. = hemianopia.

hem·i·an·os·mi·a (hem′ē-an-oz′mē-ă) [hemi- + G. *an-* 欠性辞 + *osmē*, smell]. 片側(半側)嗅覚麻痺（片側の嗅覚喪失）.

hem·i·a·pla·si·a (hem′ē-ă-plā′zē-ă) [hemi- + aplasia]. 半葉形成不全（両葉性臓器の片側の欠損．特に甲状腺に関していう）.

hem·i·a·prax·i·a (hem′ē-ă-prak′sē-ă). 片側(半側)失行〔症〕（半身を侵す失行症）.

hem·i·ar·thro·plas·ty (hem′ē-ar′thrō-plas′tē). 半関節形成術（関節面の一側を人工物(通常金属性)で置き換える関節形成術）.

hem·i·a·syn·er·gi·a (hem′ē-a′sin-ĕr′jē-ă). 片側(半側)共同(協同)運動不能〔症〕（身体の片側を侵す協同運動不能）.

hem·i·a·tax·i·a (hem′ē-ă-tak′sē-ă). 片側(半側)〔運動〕失調〔症〕（身体の片側の運動失調）.

hem·i·ath·e·to·sis (hem′ē-ath′ĕ-tō′sis). 片側(半側)アテトーシス（片手または片手片足を侵すアテトーシス）.

hem·i·at·ro·phy (hem′ē-at′rō-fē). 片側(半側)萎縮（顔や舌など体部または臓器の片側半分の萎縮）.

facial h. 片側(半側)顔面萎縮（顔の片側の組織を侵す萎縮．通常は進行性）. = facial h. of Romberg; Romberg disease; Romberg syndrome.

facial h. of Romberg (rom′bĕrg). ロンベルク顔面片側(半側)萎縮症，ロンベルク片側顔面萎縮〔症〕. = facial h.

lingual h. 舌片側(半側)萎縮症，片側(半側)舌萎縮〔症〕（舌の片側の萎縮）.

hem·i·bal·lism (hem′ē-bal′izm) [hemi- + G. *ballismos*, jumping about]. 片側(半側)バリスム. = hemiballismus.

hem·i·bal·lis·mus (hem′ē-bal-iz′mŭs) [hemi- + G. *ballismos*, jumping about]. 片側(半側)バリスム（身体の片側に起こるバリスム）. = hemiballism.

hem·i·block (hem′ē-blok). ヘミブロック. = divisional *block*.

he·mic (hē′mik). = hematic (1).

hem·i·car·di·a (hem′ē-kar′dē-ă) [hemi- + G. *kardia*, heart]. *1* 片側(一側)心臓（心臓の心房および心室を含む片側半分）. *2* 片側(一側)心臓症（心臓の先天的異常で，通常は4個ある室が2個しかつくられない）.

h. dextra 右心. = right *heart*.

h. sinistra 左心. = left *heart*.

hem·i·cel·lu·lose (hem′ē-sel′yū-lōs). ヘミセルロース（植物細胞壁の多糖類で，セルロース(例えば，キシラン，マンナン，ガラクタン)と密接に関連している）. = cellulosan.

hem·i·cen·trum (hem′ē-sen′trŭm) [hemi- + G. *kentron*, center]. 半椎体（椎体の片側半分）.

hem·i·ceph·a·lal·gi·a (hem′ē-sef-ă-lal′jē-ă) [hemi- + G. *kephalē*, head + *algos*, pain]. 片側頭痛（典型的片頭痛に特徴的な単側性頭痛）. = hemicrania (2).

hem·i·ce·pha·li·a (hem′ē-se-fā′lē-ă) [hemi- + G. *kephalē*, head]. 半頭〔蓋〕症（先天的脳発達不全．通常，小脳および大脳基底核は痕跡的な形以上に発達する）. = partial anencephaly.

hem·i·cer·e·brum (hem′ē-ser′ĕ-brŭm). 大脳半球.

hem·i·cho·lin·i·um (hem′ē-kō-lin′ē-ŭm). ヘミコリニウム（コリン作動性神経末端でのアセチルコリンの生合成を阻害する化学物質）.

Hem·i·chor·da (hem′ē-kōr′dă). = Hemichordata.

Hem·i·chor·da·ta (hem′ē-kōr-dā′tă) [hemi- + Mod. L. *chordata*, having a notochord < G. *chordē*, string]. 半索動物門（軟らかで左右相称の蠕虫様の体をもち，咽頭へのびる

鰓裂と円吻形の吻を有する海産動物からなる一門．線毛をもつ幼生期は棘皮動物の幼生期に類似している）．＝Hemichorda.

hem·i·cho·re·a (hem′ē-kōr-ē′ă). 片側(半側)舞踏病（一側のみの筋肉を侵す舞踏病）．＝hemilateral chorea.

hem·i·col·ec·to·my (hem′ē-kō-lek′tō-mē)［hemi- + G. *kolon*, colon + *ektomē*, excision］．結腸半〔側〕切除〔術〕（結腸の右側または左側の切除）．

hem·i·cor·po·rec·to·my (hem′ē-kōr′pō-rek′tŏ-mē)［hemi- + L. *corpus*, body + G. *ektomē*, excision］．ヘミコルポレクトミー（下半身の外科的切除．下肢，骨盤，生殖器，下部直腸から肛門までの種々の骨盤臓器を含む）．

hem·i·cra·ni·a (hem′ē-krā′nē-ă)［hemi- + G. *kranion*, skull］．*1* 片頭痛．＝migraine. *2* 片側頭痛．＝hemicephalalgia.

hem·i·cra·ni·ec·to·my (hem′ē-krā′nē-ek′tŏ-mē)［hemi- + G. *kranion*, skull + *ektomē*, excision］．＝hemicraniotomy.

hem·i·cra·ni·o·sis (hem′ē-krā′nē-ō′sis). 半頭肥大症（頭蓋の片側の肥大）．

hem·i·cra·ni·ot·o·my (hem′ē-krā′nē-ot′ŏ-mē)［hemi- + G. *kranion*, skull + *tomē*, cut］．半頭蓋切開〔術〕（頭蓋の大部分または半分の分離および反転．脳手術に先立って行う）．＝hemicraniectomy.

hem·i·des·mo·somes (hem′ē-des′mō-sōmz). 半接着斑（重層扁平上皮の最下層細胞の底面(結合組織と結合する)にみられる接着性結合装置）．

hem·i·di·a·pho·re·sis (hem′ē-dī′ă-fō-rē′sis). 片側(半側)発汗（身体の片側の発汗）．＝hemidrosis; hemihidrosis.

hem·i·dro·sis (hem′i-drō′sis). 片側(半側)発汗症．＝hemidiaphoresis.

hem·i·dys·es·the·si·a (hem′ē-dis′es-thē′zē-ă). 片側(半側)知覚不全（身体の片側が侵された知覚不全）．

hemidystonia (hĕm-ē′dis-tō′nē-a). 片側ジストニー(ジストニア)（身体の片側のみを侵すジストニーで，通常は反対側の基底核の器質性病変を伴う）．

hem·i·dys·tro·phy (hem′ē-dis′trŏ-fē)［hemi- + G. *dys*-, ill + *trophē*, nourishment, growth］．片側(半側)異栄養症（半身の発達不全状態）．

hem·i·ec·tro·me·li·a (hem′ē-ek′trō-mē′lē-ă)［hemi- + ectromelia］．片側(半側)欠肢症，片側(半側)奇肢症（半身の体肢の発達不全）．

hem·i·fa·cial (hem′ē-fā′shăl). 片側(半側)顔面の．

hem·i·gas·trec·to·my (hem′ē-gas-trek′tŏ-mē). 胃半切除〔術〕（胃の幽門側半分の切除）．

hem·i·geu·si·a (hem′ē-gū′sē-ă). ＝hemiageusia.

hem·i·glos·sal (hem′ē-glos′ăl)［hemi- + G. *glōssa*, tongue］．＝hemilingual.

hem·i·glos·sec·to·my (hem′ē-glos-ek′tŏ-mē)［hemi- + G. *glōssa*, tongue + *ektomē*, excision］．舌半切除〔術〕（舌の半分を外科的に切除すること）．

hem·i·glos·si·tis (hem′ē-glos-ī′tis)［hemi- + G. *glōssa*, tongue + *-itis*, inflammation］．片側(半側)舌炎（舌の片側とそこに当たる頰の内側面に小胞性発疹が出るもの．恐らく疱疹性である）．

hem·i·gna·thi·a (hem′ē-nath′ē-ă)［hemi- + G. *gnathos*, jaw］．半顎症（下顎骨片側の発達不良）．

hem·i·hep·a·tec·to·my (hem′ē-hep′ă-tek′tŏ-mē). 部分的肝切除〔術〕（肝臓の半分または一葉を外科的に切除すること）．

hem·i·hi·dro·sis (hem′ē-hī-drō′sis). ＝hemidiaphoresis.

hem·i·hy·dran·en·ceph·a·ly (hem′ē-hī′dran-en-sef′ă-lē). 片側(半側)内水頭症（内水頭症の単側型）．

hem·i·hy·pal·ge·si·a (hem′ē-hī′pal-je′zē-ă). 片側(半側)痛覚鈍麻（身体の片側を侵す痛覚減退症）．

hem·i·hy·per·es·the·si·a (hem′ē-hī′pĕr-es-thē′zē-ă). 片側(半側)知覚過敏（身体の片側を侵す感覚過敏または触覚および感覚の過敏）．

hem·i·hy·per·hi·dro·sis (hem′ē-hī′pĕr-hī-drō′sis)［hemi- + G. *hyper*, over + *hidrōsis*, sweating］．片側(半側)多汗症（身体の片側だけの大量発汗）．

hem·i·hy·per·to·ni·a (hem′ē-hī′pĕr-tō′nē-ă)［hemi- + G. *hyper*, over + *tonos*, tone］．片側(半側)緊張亢進（身体の片側筋肉の緊張性の高まり）．

hem·i·hy·per·tro·phy (hem′ē-hī-pĕr′trō-fē)［MIM* 235000］．片側(半側)肥大〔症〕（顔または身体の片側の過成長）．

hem·i·hy·pes·the·si·a (hem′ē-hī′pes-thē′zē-ă)［hemi- + G. *hypo*, under + *aisthēses*, sensation］．片側(半側)感覚鈍麻（身体の片側における感覚の減退）．＝hemihypoesthesia.

hem·i·hy·po·es·the·sia (hem′ē-hī-pō-es-thē′zē-ă)［hemi- + G. *hypo*, under + *aisthēses*, sensation］．＝hemihypesthesia.

hem·i·hy·po·to·ni·a (hem′ē-hī′pō-tō′nē-ă)［hemi- + G. *hypo*, under + *tonos*, tone］．片側(半側)緊張低下（身体の片側における筋肉緊張性の部分的消失）．

hem·i·kar·y·on (hem′i-kar′ē-on)［hemi- + G. *karyon*, nut(nucleus)］．半核（半数体組の染色体をもつ細胞核）．

hem·i·ke·tal (hem′ē-kē′tăl). ヘミケタール（ケトンへアルコールが付加した生成物，RC(R′)(OH)OR″．ケトン類ではヘミケタール生成はケトンのカルボニル基へ内部の OH が攻撃し分子内環化反応(フラノースまたはピラノース)が起きることによる．半ケト型の糖はグリコシルまたは配糖体のように多糖類形成において現れる．→hemiacetal; ketal）．

hem·i·lam·i·nec·to·my (hem′ē-lam′i-nek′tŏ-mē)［hemi- + L. *lamina*, layer + G. *ektomē*, excision］．片側(半側)椎弓切除〔術〕（椎弓の半側切除術．脊椎管内の除圧のために行われる手術）．

hem·i·lar·yn·gec·to·my (hem′ē-lar′in-jek′tŏ-mē)［hemi- + G. *larynx* (*laryng-*), larynx + *ektomē*, excision］．片側(半側)喉頭切除〔術〕（喉頭の側方半分を摘除する手術）．

hem·i·lat·er·al (hem′ē-lat′ĕr-ăl). 片側(半側)の．

hem·i·le·sion (hem′ē-lē′zhŭn). 片側(半側)病巣．

hem·i·lin·gual (hem′ē-ling′gwăl)［hemi- + L. *lingua*, tongue］．舌片側(半側)の．＝hemiglossal.

hem·i·mac·ro·glos·si·a (hem′ē-mak′rō-glos′ē-ă)［hemi- + G. *makros*, large + *glōssa*, tongue］．片側(半側)舌肥大症．

hem·i·man·dib·u·lec·to·my (hem′ē-man-dib′yū-lek′tŏ-mē). 下顎半切除〔術〕．

hem·i·mel·i·a (hem′ē-mēl′ē-ă)［hemi- + G. *melos*, limb + -ia］．半肢症（四肢のある部分の先天性部分欠損．例えば腓骨の欠損，脛骨の欠損）．

hem·i·me·tab·o·lous (hem′ē-me-tab′ŏ-lŭs)［hemi- + G. *metabolē*, change］．不完全変態性の（不完全変態をする昆虫の一連の諸目，すなわち半変態群の種類についていう）．

he·min (hēm′in). ヘミン（①ヘムの塩化物で Fe^{2+} は Fe^{3+} になっている．ヘミン結晶は Teichmann 結晶(⇀crystal)とよばれる．②クロロ(ポルフィリナト)鉄(III)錯体の総称）．＝chlorohemin; factor X for *Haemophilus*; ferriheme chloride; ferriporphyrin chloride; ferriprotoporphyrin; hematin chloride.

hem·i·o·pal·gi·a (hem′ē-ō-pal′jē-ă)［hemi- + G. *ōps*, eye + *algos*, pain］．片眼痛（片方の眼の痛み．通常は片頭痛を伴う）．

hem·ip·a·gus (hem-ip′ă-gŭs)［hemi- + G. *pagos*, something fixed］．胸部結合体（胸部の側面が結合した双生児．結合の部位は頸部や顎部にも及ぶ．⇀conjoined twins）．

hem·i·pan·cre·a·tec·to·my (hem′ē-pan′krē-ă-tek′tŏ-mē). 膵半切除術（膵の半分を手術的に切除すること）．

hem·i·pa·re·sis (hem′ē-pă-rē′sis, -par′ĕ-sis). 片側(半側)不全麻痺，不全片麻痺(半側麻痺)（片側のみを侵す脱力）．

hem·i·pel·vec·to·my (hem′ē-pel-vek′tŏ-mē)［hemi- + L. *pelvis*, basin(pelvis) + G. *ektomē*, excision］．片側(半側)骨盤切除〔術〕，片側(半側)下肢切除〔術〕（同側の骨盤を含めて下肢全体を切断すること）．＝hindquarter amputation; Jaboulay amputation.

hem·i·ple·gi·a (hem′ē-plē′jē-ă)［hemi- + G. *plēgē*, a stroke］．片麻痺，半側麻痺．

alternating h. 交代性片麻痺(半側麻痺)（反対側の脳神経麻痺を伴う，脳幹病変による片側性の脳神経不全麻痺）．＝crossed h.; crossed paralysis.

contralateral h. 対側片麻痺(半側麻痺)（錐体交叉より中枢側の下行運動経路の病変に特徴的な症候で，脳病変と反対側の肢の脱力を呈する）．

crossed h. 交差(交叉)性片麻痺(半側麻痺)．＝alternating h.

double h. ＝diplegia.

facial h. 顔面片麻痺(半側麻痺)（四肢の筋肉は侵されない).

infantile h. 小児片麻痺(半側麻痺)（乳児期に起こる急性不全片麻痺で，脳梗塞や脳血栓などの血管疾患によることが多い．しばしば痙攣を伴う).

spastic h. 痙性片麻痺(半側麻痺)（侵された側の抗重力筋の緊張が高まる).

hem・i・ple・gic (hem′ē-plē′jik). 片麻痺の，半側麻痺の.

He・mip・ter・a (hem-ip′tĕr-ă)［hemi- ＋ G. *pteron*, wing］. 半翅目（昆虫綱に属する節足動物の一目で，アブラムシやカメムシ類を含む．サシガメ亜科のこれらは吸血性で医学的に重要である．最もよく知られている種はトコジラミ *Cimex lectularius* である).

hem・i・sec・tion (hem′ē-sek′shŭn). ヘミセクション，半側切除（多根歯の1根とそれに付随する歯冠部の外科的切除).

hem・i・sen・so・ry (hem′ē-sen′sōr-ē). 片側(半側)感覚〔消失〕の（身体の一側の感覚の消失．*cf.* hemianesthesia).

hem・i・sep・tum (hem′ē-sep′tŭm). 片中隔（中隔の片側半分).

hem・i・spasm (hem′ē-spazm). 片側(半側)痙攣（顔または身体の片側の1つ以上の筋肉を侵す痙縮).

hem・i・sphere (hem′i-sfēr)［hemi- ＋ G. *sphaira*, ball, globe］［TA］. 半球（球体構造の半分をいう). ＝hemispherium［TA］.

h. of bulb of penis 尿道球半球（尿道内面後部の正中溝によって分けられている尿道球の片側半分). ＝hemispherium bulbi urethrae.

h. of cerebellum 小脳半球. ＝h. of cerebellum［H II–H X］.

h. of cerebellum ［H II–H X］ 小脳半球（小脳虫部外側にある小脳の大部分(H II–H X)). ＝hemispherium cerebelli［H II–H X］［TA］; h. of cerebellum; hemisphericum cerebelli［H II–H X］; hemisphericum.

cerebral h.［TA］. 大脳半球（終脳の大きな塊で正中面の両側にあり，大脳皮質とその関連線維系およびより深部にある皮質下終脳核すなわち基底核からなる). ＝hemispherium cerebri［TA］.

dominant h. 優位〔大脳〕半球（言語中枢を含み，熟練した運動において優先的に用いる腕や脚(利き腕，利き脚)を支配する側の大脳半球．通常，左半球).

hem・i・spher・ec・to・my (hem′ē-sfēr-ek′tŏ-mē). 大脳半球切除〔術〕(大脳半球の切除で，悪性腫瘍，分娩外傷による乳児片麻痺を通常伴う難治性てんかん，その他の大脳の状態に対して行われる).

hem・i・spher・i・cum (hem′i-sfēr′i-kŭm). 小脳半球. ＝*hemisphere* of cerebellum［H II–H X］.

h. cerebelli ［H II–H X］ 小脳半球. ＝*hemisphere* of cerebellum［H II–H X］.

hem・i・sphe・ri・um (hem′i-sfēr′ē-ŭm)［G. *hemisphairion*］［TA］. 半球. ＝hemisphere.

h. bulbi urethrae 尿道球半球. ＝*hemisphere* of bulb of penis.

h. cerebelli ［H II–H X］［TA］. ＝*hemisphere* of cerebellum［H II–H X］.

h. cerebri［TA］. 大脳半球. ＝cerebral *hemisphere*.

Hem・i・spo・ra (hem′ē-spō′ră)［hemi- ＋ G. *sporos*, seed］. ヘミスポラ属，半胞子属（不完全菌類 *Fungi Imperfecti* のある種のものにつけられた属名．この菌類においては分生子器の鎖が，一連の短い菌糸の枝の各々の末端部の狭窄によりつくられた管状構造から出ている．きめの細かい中隔が管の内容を正方形に近い形で，壁の厚い，色の濃く染まる分節に分割し，その結果この分節は分離して丸くなり，壁が厚く表面の粗い胞子となる．この菌類は他の菌の培養中，混入物として現れることが多い．普通は非病原性とされているが，明らかに疾患の原因になったという例が2, 3報告されている).

hem・i・stru・mec・to・my (hem′ē-strū-mek′tŏ-mē)［hemi- ＋ L. *struma* ＋ G. *ektomē*, excision］. 片側(半側)甲状腺腫切除〔術〕に対してまれに用いる語.

hem・i・sub・stance (hem′ē-sŭb′stans). 半物質（細胞壁に存在する無晶形物質).

hem・i・syn・drome (hem′ē-sin′drōm). 片側(半側)症候群（①身体の半分が萎縮または肥大した状態．②脊髄の片側病変).

hem・i・ter・pene (hem′ē-ter′pēn). ヘミテルペン（イソプレンまたは単一イソプレン誘導体).

hem・i・ther・mo・an・es・the・si・a (hem′ē-ther′mō-an′es-thē′zē-ă). 片側(半側)温覚消失，片側(半側)温熱性無感覚（身体の片側を侵す熱感覚および冷感覚の消失).

hem・i・tho・rax (hem′ē-thō′raks). 半胸郭（胸郭の片側).

hem・i・trem・or (hem′ē-trem′ŏr, -trē′mer). 片側(半側)振せん（身体の片側の筋肉を侵す振せん).

hem・i・trun・cus (hem′ē-trŭnk′ŭs). 半総動脈幹症（総動脈幹症の変異型で総動脈幹から肺動脈が1本分枝する(もう1本は右室から起始する). 註あまり用いられない語である).

hem・i・ver・te・bra (hem′ē-ver′tĕ-bră). 半側椎骨，半椎（脊椎椎体の片側半分の発育が完全に障害された先天奇形．欠損側の軟骨化中心の障害によるもので，側弯症(脊柱の側方弯曲)を生じる).

hem・i・zy・gos・i・ty (hem′ē-zī-gos′i-tē). 半接合.

hem・i・zy・gote (hem′ē-zī′gōt)［hemi- ＋ G. *zygōtos*, yoked］. ヘミ接合体，半接合体（1個以上の特異遺伝子座に関して半接合である個体．例えば，正常男子はゲノムでの全X連鎖またはY連鎖遺伝子に対して，その遺伝子に関してヘミ接合体である).

hem・i・zy・got・ic (hem′i-zī-got′ik). ヘミ接合体性，半接合体性. ＝hemizygous.

hem・i・zy・gous (hem′ē-zī′gŭs). ヘミ接合の，半接合の（2倍体生物であるのに，その中に存在する遺伝子が1コピーだけの状態．ヒトでは，男性のX染色体上の遺伝子はヘミ接合であり，優性か劣性かに発現する). ＝hemizygotic.

hem・lock (hem′lok). ドクニンジン，ヘムロック. ＝conium.

hemo- (he′mō)［G. *haima*］.［本連結形を hemi- と混同しないこと］. 血液を意味する連結形. →hem-; hemat-; hemato-.

he・mo・ag・glu・ti・na・tion (hē′mō-ă-glū′ti-nā′shŭn). ＝hemagglutination.

he・mo・ag・glu・ti・nin (hē′mō-ă-glū′ti-nin). ＝hemagglutinin.

he・mo・an・ti・tox・in (hē′mō-an′ti-tok′sin). 血液抗毒素（血液毒の影響を中和する抗体，例えばコブラ蛇毒の溶血素).

he・mo・bil・i・a (hē′mō-bil′ē-ă). 血性胆汁〔症〕(肝臓の損傷，あるいは肝臓や胆管内の新生物による胆汁道への出血). ＝hematobilia.

he・mo・blast (hē′mō-blast). 血芽球. ＝hemocytoblast.

lymphoid h. of Pappenheim (pahp′ĕn-hīm). pronormoblast を表す現在では用いられない語. →erythroblast.

he・mo・blas・to・sis (hē′mō-blas-tō′sis). 血芽球症，造血器〔官〕増殖症（一般に造血組織の増殖状態).

he・mo・ca・thar・sis (hē′mō-kă-thar′sis)［hemo- ＋ G. *katharsis*, a cleansing］. 血液浄化.

he・mo・cath・e・re・sis (hē′mō-kath′ĕ-rē′sis)［hemo- ＋ G. *kathairesis*, destruction］.〔赤〕血球崩壊（血球，特に赤血球の崩壊. →hemocytocatheresis).

he・mo・cath・e・re・tic (hē′mō-kath′ĕ-ret′ik).〔赤〕血球崩壊性の（赤血球崩壊を特徴とする).

he・mo・cele (hē′mō-sēl)［hemo- ＋ G. *koilōma*, cavity］. 血体腔（節足動物の体に広がる血液を有する間隙の体系をいう).

he・mo・cho・le・cys・ti・tis (hē′mō-kō′lē-sis-tī′tis). 血性胆嚢炎（出血性胆嚢炎).

he・mo・chro・ma・to・sis (hē′mō-krō′mă-tō′sis)［hemo- ＋ G. *chrōma*, color ＋ *-osis*, condition］［MIM*235200］. ヘモクロマトーシス（鉄代謝の異常で，摂取した鉄の吸収過剰，鉄結合蛋白の飽和，特に肝臓，膵臓，皮膚におけるヘモジデリンの沈着を特徴とする．肝硬変，糖尿病(青銅色糖尿病)，青銅肌，末期には心不全を起こすことがある．経口的または非経口的に鉄を大量に摂取した場合や輸血を大量に行った場合に生じることもある).

classic h. 古典的ヘモクロマトーシス（正常の食事にもかかわらず鉄の吸収が亢進しており鉄が沈着する特異な遺伝性代謝性疾患［MIM*235200］．常染色体劣性遺伝で第6染色体短腕(6p21.3)にある *HFE* 遺伝子の突然変異による). ＝h. type 1.

exogenous h. 外因性ヘモクロマトーシス（繰り返し輸血することによるヘモジデリン沈着症．色素沈着性肝硬変に進行することもある).

hereditary h. 遺伝性ヘモクロマトーシス(鉄の腸からの過剰吸収により生じる慢性肝疾患．血清鉄飽和度，トランスフェリン濃度，フェリチン濃度の上昇が特徴で，しゃ血により改善する．患者は肝硬変，肝癌，肝不全に至るリスクが高い．合併症として糖尿病，心筋障害，青銅色の皮膚，偽痛風がある．白人では 80 %の症例で HFE 遺伝子の変異(C282Y ホモ接合体あるいは C282Y/C63D 複合ヘテロ接合体)がみられ，常染色体劣性遺伝する).

juvenile h. 若年性ヘモクロマトーシス，若年発症ヘモクロマトーシス(第 19 染色体長腕(19q13)にある抗菌ペプチド hepcidin をコードする *HAMP* 遺伝子の変異，あるいは第 1 染色体長腕上にある常染色体劣性疾患). = h. type 2.

primary h. [MIM*235200]. 原発性ヘモクロマトーシス(特異な遺伝的な代謝性疾患で，普通食をとっていても鉄吸収の増加と蓄積とが起こる．常染色体劣性遺伝で，第 6 染色体短腕のヘモクロマトーシス遺伝子(HFE)の突然変異により生じる．女性では軽症である．若年性ヘモクロマトーシスはこの遺伝子のホモ接合体のことがある).

secondary h. 続発性ヘモクロマトーシス(経口的鉄療法や度重なる輸血などの原因により，二次的に鉄の摂取が増加して蓄積が起こる状態).

h. type 1 ヘモクロマトーシス 1 型. = classic h.

h. type 2 2 型ヘモクロマトーシス. = juvenile h.

h. type 3 ヘモクロマトーシス 3 型(第 7 染色体長腕(7q22)でトランスフェリン受容体-2 をコードしている *TFR2* 遺伝子の突然変異により生じる常染色体劣性遺伝疾患 [MIM*604250]).

h. type 4 ヘモクロマトーシス 4 型(第 2 染色体長腕(2q32)で鉄蛋白をコードしている *SLC11A3* 遺伝子の突然変異により生じる常染色体優性遺伝疾患 [MIM*606069]).

he·mo·chrome (hē′mō-krōm). ヘモクロム. = hemochromogen.

he·mo·chro·mo·gen (hē′mō-krō′mō-jen) [hemo- + G. *chrōma*, color + *-gen*, producing]. ヘモクロモゲン(元来，2 モルの窒素性塩基をもつフェロまたはフェリポルフィリンの結合を意味した．例えば，ピリジン，フェロポルフィリン). = hemochrome.

he·moc·la·sis, he·mo·cla·sia (hē-mok′lă-sis, hē-mō-klā′zē-ă) [hemo- + G. *klasis*, a breaking]. 血球崩壊(赤血球の破壊，溶解(溶血 hemolysis)など).

he·mo·clas·tic (hē′mō-klas′tik). 血球崩壊性の.

he·mo·con·cen·tra·tion (hē′mō-kon′sen-trā′shŭn). 血液濃縮(赤血球の数に対して血漿の量が減少すること．循環血液中の赤血球濃度の増大).

he·mo·co·ni·a (hē′mō-kō′nē-ă) [hemo- + G. *konis*, dust]. 血じん(塵)(循環血液中の小さい屈折性の粒子を表す現在では用いられない語．恐らく赤血球の破片と脂質が結合したものと思われる). = blood dust; blood motes; dust corpuscles.

he·mo·co·ni·o·sis (hē′mō-kō′nē-ō′sis). 血じん(塵)増加〔症〕(血液中に異常量の血じんがある状態).

he·mo·cry·os·co·py (hē′mō-krī-os′kŏ-pē) [hemo- + G. *kryos*, cold + *skopeō*, to examine]. 血液結氷点測定〔法〕(血液の氷点を決定する).

he·mo·cu·pre·in (hē′mō-kū′prē-in). ヘモクプレイン. = cytocuprein.

he·mo·cy·a·nin (hē′mō-sī′ă-nin). ヘモシアニン(下等海洋動物(軟体動物や甲殻類)や節足動物の酸素運搬色素．分子量は 45 万—1,300 万．銅を必須成分とするが，ヘムは含まない．実験抗原として用いる).

he·mo·cyte (hē′mō-sīt) [hemo- + G. *kytos*, a hollow(cell)]. 血液細胞，血球(血液の細胞または形成された成分). = hematocyte.

he·mo·cy·to·blast (hē′mō-sī′tō-blast) [hemo- + G. *kytos*, cell + *blastos*, germ]. 血球始原細胞，ヘモシトブラスト，血液組織芽細胞(pluripotential hemopoietic stem *cell* を表す現在では用いられない語). = hematocytoblast; hemoblast.

he·mo·cy·to·ca·ther·e·sis (hē′mō-sī′tō-kă-ther′ē-sis) [hemo- + G. *kytos*, a hollow (cell) + *kathairesis*, destruction]. 赤血球破壊(溶血またはその他の型の赤血球破壊).

he·mo·cy·tol·y·sis (hē′mō-sī-tol′i-sis) [hemo- + G. *kytos*, cell + *lysis*, dissolution]. 血球崩壊(溶血を含む血球の溶解). = hematocytolysis.

he·mo·cy·tom·e·ter (hē′mō-sī-tom′ĕ-tĕr) [hemo- + G. *kytos*, cell + *metron*, measure]. 血球計，血球計算板(血液の一定量中の血球数を測定する装置．膨大部で血液を希釈する，ガラスのピペットと区画に区切られた計算板よりなる). = hemacytometer; hematimeter; hematocytometer.

he·mo·cy·tom·e·try (hē′mō-sī-tom′ĕ-trē). 血球計算〔法〕.

he·mo·cy·to·trip·sis (hē′mō-sī-tō-trip′sis) [hemo- + G. *kytos* + *tripsis*, a grinding]. 血球破壊(例えば，硬い面の間で圧迫するなど，物理的損傷による血球の破砕または崩壊).

he·mo·cy·to·zo·on (hē′mō-sī-tō-zō′on) [hemo- + G. *kytos*, cell + *zōon*, animal]. 住血原虫，血液寄生虫(血球に寄生する原生動物類). = hemacytozoon; hematocytozoon.

he·mo·di·ag·no·sis (hē′mō-dī-ag-nō′sis). 血液診断〔法〕(血液の検査による診断).

he·mo·di·al·y·sis (hē′mō-dī-al′i-sis). 血液透析(半透膜を介する拡散による血液からの溶液および水の透析．細胞成分およびコロイドの溶質からの分離は膜孔のサイズ，拡散速度により達成される).

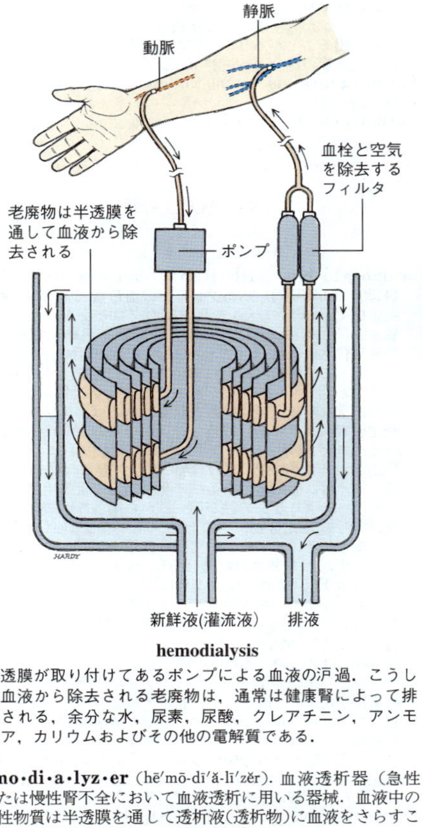

hemodialysis

半透膜が取り付けてあるポンプによる血液の沪過．こうして血液から除去される老廃物は，通常は健康腎によって排泄される，余分な水，尿素，尿酸，クレアチニン，アンモニア，カリウムおよびその他の電解質である．

he·mo·di·a·lyz·er (hē′mō-dī′ă-lī′zĕr). 血液透析器(急性または慢性腎不全において血液透析に用いる器械．血液中の毒性物質は半透膜を通して透析液(透析物)に血液をさらすことにより除去される). = artificial kidney.

ultrafiltration h. 限外沪過血液透析(液圧差を利用して，血液からの蛋白を含まない液(限外沪過液)を槽へ出すための血液透析器).

he·mo·di·as·tase (hē′mō-dī′as-tās). 血液デンプン分解酵素，ヘモジアスターゼ.

he·mo·di·lu·tion (hē′mō-di-lū′shŭn). 血液希釈(赤血球容量に比し血漿量が増加すること．循環血液中の赤血球濃度の減少).

he・mo・dy・nam・ic (hē′mō-dī-nam′ik). 血流力学の，血行力学の（血液循環の物理学的な面についていう).

he・mo・dy・nam・ics (hē′mō-dī-nam′iks) [hemo- + G. *dynamis*, power]. 血行力学.

he・mo・dys・cra・si・a (hē′mō-dis-krā′zē-ă) [hemo- + G. *dyscrasia*, bad temperament]. 血液疾患（血液および造血組織の異常状態または障害．特に生成成分の異常をもたらす状態に用いる). ＝hematodyscrasia.

he・mo・dys・tro・phy (hē′mō-dis′trō-fē). 血液異栄養症（単純一過性の変化を除く，血液および造血組織の疾患または異常状態をさす). ＝hematodystrophy.

he・mo・fil・tra・tion (hē′mō-fil-trā′shŭn). 血液沪過（血液透析と同様の過程で，限外沪液を血液から持続的に除去する方法．限外沪液の分の補充や持続的な透析と一緒に行われることが多い).

he・mo・flag・el・lates (hē′mō-flaj′ĕ-lāts) [hemo- + L. *flagellum*, *flagrum*(whip)の指小辞]. 住血鞭毛虫類（家畜，野生動物，鳥類の多くの種およびヒトの血中に寄生するトリパノソーマ科の鞭毛虫類．*Leishmania*属および *Trypanosoma*属が含まれ，数種は重要な病原体である).

he・mo・fus・cin (hē′mō-fŭs′in). ヘモフスシン，血褐素（ヘモグロビンから生成される褐色色素．ヘモジデリンとともに尿中に出ることがあり，通常，赤血球崩壊の増加を示す．また血色素症の場合，ヘモジデリンとともに肝臓に生じる).

he・mo・gen・e・sis (hē′mō-jen′ĕ-sis). 血液生成，造血. ＝hemopoiesis.

he・mo・gen・ic (hē′mō-jen′ik). 血液生成の，造血の. ＝hemopoietic.

HEMOGLOBIN

he・mo・glo・bin (Hb, Hgb) (hē′mō-glō′bin) [MIM*141800— 142310]. ヘモグロビン，血色素（赤血球の赤色呼吸蛋白で，3.8%のヘムと96.2%のグロビンからなる．分子量 64,450．ヘモグロビンは酸素を肺から組織へ運搬し，この酸素化された型はオキシヘモグロビン(HbO_2)と命名されている．この酸素は組織において容易に遊離され，HbO_2 は Hb となる．ヘモグロビンをある種の化学物質にさらすと，その正常な呼吸機能は障害される．例えば HbO_2 の酸素は一酸化炭素により容易に置換され，かなり安定した一酸化炭素ヘモグロビン(HbCO)となる．これはガソリンエンジンから排出される煙霧を吸入した結果起こす窒息の場合などがある．例えば，硝酸塩やある種の化学物質による中毒の場合のようにヘモグロビンの鉄が第一鉄から第二鉄へ酸化された場合，非呼吸性化合物，すなわちメトヘモグロビン(MetHb)が形成される．ヒトにおいては5種類の正常ヘモグロビンがある．すなわち２つの胚性(Hb Gower-1，Hb Gower-2)，胎児性(Hb F)，２つの成人型(Hb A, Hb A_2)がある．これらのうち，４つのヘモグロビンは141 個のアミノ酸残基をもつ２本の α-グロビン鎖と 146 個のアミノ酸残基をもつ２本の他のグロビン鎖(β-，γ-，δ-，ε-または ζ-)からなる．Hb Gower-1 は２つの ζ 鎖と２つの ε 鎖をもつ．これらそれぞれのグロビン鎖の産生は同じギリシア文字によって表される構造遺伝子により支配される．正常人はこれら５個のヘモグロビンのペプチド鎖に１つのアミノ酸の置換を起こすような突然変異が，これら５つのグロビン遺伝子のどのコドンにも起こりうる．このような突然変異の結果，数百種以上の異常ヘモグロビンがつくられ，その大半は臨床的意義が不明である．また，１個以上のアミノ酸残基の欠失が知られている相同染色体間の交差による遺伝子再配列もある．以下に列挙されたヘモグロビンの型は臨床的意義の知られている主な異常型である．新たに発見された異常ヘモグロビン型は最初に名称(それが発見された場所の名)が与えられ，分子式は決定してから加えられる．分子式は異常のあるグロビン鎖を示すギリシア文字を書き，そのグロビン鎖が２本あれば下に２をつける．上付き文字(例えば正常成人ヘモグロビンの場合は^{A})が加えられ，あるいはまた上付き文字はアミノ酸置換の位置(ポリペプチドのN末端からアミノ酸残基を数えて)を示し，アミノ酸の標準略号を用いてその変化を明記する．合成ナンバーで表されている MIM に，種々のヘモグロビンが完全にリストされている).

h. A [MIM*141800]. ヘモグロビン A（分子式 $\alpha_2^A\beta_2^A$ または $\alpha_2\beta_2$ の正常成人ヘモグロビン(HbA)).

h. A₂ [MIM*141850]. ヘモグロビン A_2（分子式 $\alpha_2^A\delta_2$ または $\alpha_2\delta_2$の正常ヘモグロビン(HbA_2)．成人の総ヘモグロビン濃度の約 2.5%を占める．少なくとも 18 の δ 鎖の変異体が報告されている).

h. A_{1c} ヘモグロビンA_{1c}（グリコシル化血色素の主要分画).

aberrant h. 機能の異常な突然変異ヘモグロビン．*cf.* variant h.

h. anti-Lepore 抗レポーレ(レポアー)ヘモグロビン（レポーレヘモグロビンと類似の異常ヘモグロビン群．これらのヘモグロビンは正常の α 鎖をもち，しかし，非 α 鎖は β 鎖のN末端が δ 鎖のC末端に結合している．これはレポーレヘモグロビンにて認められるパターンと逆となる．抗レポーレヘモグロビンの例はHb_{Miyada}，Hb P_{Congo}，Hb $P_{Nilotic}$，Hb $_{Lincoln\ Park}$を含む．またレポーレヘモグロビンと抗レポーレヘモグロビンさらにもう１つの変種がある($Hb_{Parchman}$)．*cf.* h. Lepore).

h. Bart [MIM*142309]. ヘモグロビンバート（分子式 γ_4 のヘモグロビンホモ四量体(４個のポリペプチドがすべて同一)で，早期胚および α サラセミア２にみられる．この型は酸素運搬には関与しない．Bohr効果を示さない).

bile pigment h. 胆汁色素ヘモグロビン．＝choleglobin.

h. C [MIM*141900.0038]. ヘモグロビン C（分子式が $\alpha_2^A\beta_2^{6Glu\text{-}Lys}$ の，β 鎖の６番目のグルタミン酸残基がリシン残基で置換された異常ヘモグロビン．この型は赤血球の正常な可塑性を減少させる．ヘテロ接合体はHb C 形質(総ヘモグロビンの 28—44%が Hb C)であるが貧血はない．ホモ接合体はほとんどすべてのヘモグロビンが Hb C からなり，中等度の正赤血球性溶血性貧血をきたす．Hb C と Hb S(Hb SC 病)の，および Hb C とサラセミアのヘテロ接合体が知られており，非定型的溶血性貧血を起こす．Hb SC病では鎌状化が増強する).

h. $C_{Georgetown}$, h. C_{Harlem} [MIM*141900.0039]. ヘモグロビンCジョージタウン，ヘモグロビンCハーレム（２種類の異常ヘモグロビンで，いずれも Hb Sと同じように β 鎖の６番目のグルタミン酸残基がバリン残基に置換しており，それに加えて β 鎖の 73 番目のアスパラギン酸がアスパラギンに置換している．両方とも Hb S と同様に赤血球の鎌状化を起こす).

carbon monoxide h. 一酸化炭素ヘモグロビン．＝carboxyhemoglobin.

h. Chesapeake ($Hb_{Chesapeake}$) [MIM*141800.0018]. ヘモグロビンチェサピーク（１個の α 鎖置換を有する異常血色素で，分子式 $\alpha_2^{92Arg\text{-}Leu}\beta_2^A$．ヘテロ接合体は赤血球増加症をきたす．これは明らかにこのヘモグロビンの酸素親和性増加を代償するためで，その結果，組織内での酸素の遊離が減少する).

h. Constant Spring ヘモグロビンコンスタントスプリング（α 鎖のポリペプチド鎖の延長(31 個のアミノ酸付加)のため，α 鎖が 172 個のアミノアシルで構成される異常ヘモグロビン．患者の約 20% はこの異常を併せもつ Hb H 病(H鎖ヘモグロビン病)である).

h. D_{Punjab} [MIM*141900.0065]. ヘモグロビンDパンジャブ（１個の β 鎖置換を有する異常ヘモグロビンで，分子式は $\alpha_2^A\beta_2^{121Glu\text{-}Gln}$．ヘテロ接合体は無症状，ホモ接合体は軽度の溶血性貧血を呈する．酸素親和性の増加がある．h. $D_{Los\ Angeles}$，h. $D_{North\ Carolina}$，h. $D_{Portugal}$，h. $D_{Chicago}$，ヘモグロビンオークリッジと同一).

h. E [MIM*141900.0071]. ヘモグロビン E（１個の β 鎖置換をもつ異常ヘモグロビンで，分子式は $\alpha_2^A\beta_2^{26Glu\text{-}Lys}$．東南アジア，特にタイに多い．ヘテロ接合体は 35—45%の Hb E をもち無症状．ホモ接合体は 90—100%の Hb E とわずかの Hb F からなり，軽度ないし中等度の溶血性貧血をきたす).

embryonic h. →h. Gower-1; h. Gower-2.

h. F [MIM*142200]. ヘモグロビン F（分子式 $\alpha_2^A\gamma_2^F$ の正常胎児ヘモグロビン(Hb F)．胎生期のヘモグロビンの主成分で，乳児期に急速に減少し，小児および成人においては0.5%以下の濃度となる．Hb F の濃度は異常血色素疾患，再生不良性貧血，悪性貧血，白血病において増加することがある．Hb F は Hb A よりも 2,3−ビスホスホグリセリン酸に対する親和性が弱い．γ鎖の 50 以上の変異体が報告されている）．＝fetal h.

fetal h.（**HbF**）胎児性ヘモグロビン．＝h. F.

h. F（**hereditary persistence of**）［MIM*142200.0026 —］．ヘモグロビンF〔の遺伝的存続〕（β鎖，δ鎖の合成を抑制する対立遺伝子により起こる状態(例えばサラセミア)．しかしγ鎖合成の増加により十分代償されるため，貧血を生じない．3つの型があり，アフリカ型は異常遺伝子を有する染色体のためβ鎖またはδ鎖が合成されない．ヘテロ接合体はわずかに減少して 20—30%の Hb F と Hb A_2 からなり，ホモ接合体はいかなる Hb A または Hb A_2 も形成しない．ギリシア型ではβ鎖，δ鎖合成が減少し，ヘテロ接合体は 10—20%の Hb F と正常 Hb A_2 を有する．スイス型では，ヘテロ接合体は1—3%の Hb F と正常 Hb A_2 を有する）．

glycated h. 糖化ヘモグロビン．＝glycosylated h.

glycosylated h. グリコシル化ヘモグロビン，グリコヘモグロビン（A_{Ia1}，A_{Ia2}，A_{Ib}，A_{Ic} の4つの HbA 分画のいずれかのことで，D−グルコースとそれに関連したムコ多糖類が等価的に結合している．その濃度検査を行う前の一定期間には糖尿病患者の赤血球内に増加するため，血糖コントロールの指標として使用できる）．＝glycated h.

h. Gower-1 ヘモグロビンガウアー1（分子式が $\zeta_2\varepsilon_2$ のヘモグロビン．早期胚に見出される．ヘモグロビンガウアー2とヘモグロビンポートランドとヘモグロビンFのために妊娠3か月目には消失する．ζ鎖は141個のアミノ酸残基をもつ．胎児性水腫ではζ鎖の合成は欠損している．*cf.* h. Gower-2; h. Portland）．

h. Gower-2 ヘモグロビンガウアー2（分子式が $\alpha_2^{A}\varepsilon_2$ の正常ヘモグロビン．早期胚のヘモグロビンの主要成分であるが，ε鎖の産生は，通常，胎生3か月で終わり，Hb F に置換される．*cf.* h. Gower-1; h. Portland）．

green h. 緑色ヘモグロビン．＝choleglobin.

h. H［MIM*142309］．ヘモグロビンH（分子式が β_4 のホモ四量体のヘモグロビン(4個のポリペプチドがすべて同一)．α鎖合成が抑制されたときにのみみられる．酸素運搬は行えない．Hb H 症(中間型αサラセミア)はαサラセミアの重症型と軽症型の両遺伝子がヘトロ接合している患者にみられ，サラセミアの症状を呈する．中等度の貧血と出生時に 25—35%の Hb Bart をもつ赤血球異常があるが，その後 Hb Bart は Hb H に置換され，Hb A_2 は減少する．Hb H は酸素結合との協同性を示さず，Bohr 効果を呈さない）．

high-affinity h. 高親和性ヘモグロビン（酸素解曲線が左方に移動する異常ヘモグロビンで，家族性赤血球増加症をきたす．Hb Chesapeake, Hb J Capetown, Hb Malmo, Hb Yakima, Hb Kemp, Hb Ypsi (Ypsilanti), Hb Hiroshima, Hb Rainier, Hb Bethesda など，43 種類の高親和性ヘモグロビンが報告されている）．＝high-oxygen-affinity h.

high-oxygen-affinity h. 高酸素親和性ヘモグロビン．＝high-affinity h.

h. I［MIM*141800.0055］．ヘモグロビンI（分子式が $\alpha_2^{16\mathrm{Lys}\to\mathrm{Glu}}\beta_2^{A}$ の，1個のα鎖置換がある異常ヘモグロビン．Hb I とαサラセミアの遺伝子のヘテロ接合体においてサラセミア様症状がみられる．約 70%の Hb I の形成がある）．

h. J$_{\mathrm{Capetown}}$［MIM*141800.0063］．ヘモグロビンJケープタウン（分子式が $\alpha_2^{92\mathrm{Arg}\to\mathrm{Gln}}\beta_2^{A}$ の，α鎖置換がある異常ヘモグロビンで，ヘテロ接合体は赤血球増加症をきたす．これはこのヘモグロビンの酸素親和性が高いためである）．

h. Kansas［MIM*141900.0145］．ヘモグロビンカンザス（分子式が $\alpha_2^{A}\beta_2^{102\mathrm{Asn}\to\mathrm{Thr}}$ の異常ヘモグロビンで，このヘモグロビンの酸素親和性が低いため，家族性チアノーゼに伴って認められる）．

h. Lepore［変種が最初に発見された家族の名前をつけた］［MIM*142000-various］．ヘモグロビンレポーレ(レポアー)(一連の異常ヘモグロビン群で，α鎖は正常であるが，非α鎖がβ鎖のC末端に結合したδ鎖のN末端からなり，明らかにβ鎖およびδ鎖の遺伝子間の非相同性対合および交差の結果である．主な型では Hb Lepore$_{\mathrm{Boston}}$(Hb Lepore$_{\mathrm{Washington}}$ と同じ)，Hb Lepore$_{\mathrm{Hollandia}}$，Hb Lepore$_{\mathrm{Baltimore}}$ があり，交差の位置が異なる(それぞれ，δ87−β116，δ22−β50，δ50−β86)．ヘテロ接合体は約 10%の Hb Lepore を含み，Hb A_2 は正常量，Hb F は中等度に増加し，通常，軽度の貧血，小球性低色素性である．ホモ接合体は Hb Lepore と Hb F のみからなり，重篤な貧血を呈する．*cf.* h. anti-Lepore）．

h. M［MIM*142310-various］．ヘモグロビンM（一連の異常ヘモグロビン群(メトヘモグロビン還元酵素の量は正常であるが)で，1個のアミノ酸置換によりメトヘモグロビンの形成が促進する．厳密にいうと，Hb M は近位または遠位のヒスチジン残基の変異を伴うヘモグロビンをさす．それ以外の Hb M は3価の鉄の状態をとる傾向にある．ヘテロ接合体は先天性メトヘモグロビン血症をきたす．これらの遺伝子のホモ接合体は知られていないが，恐らく致命的であろう．特異型は下記のとおりである．Hb M$_{\mathrm{Iwate}}$，$\alpha^{87\mathrm{His}\to\mathrm{Tyr}}$(α鎖 87 位でヒスチジンがチロシンに置換される)；Hb M$_{\mathrm{Hyde\ park}}$，$\beta^{92\mathrm{His}\to\mathrm{Tyr}}$；Hb M$_{\mathrm{Boston}}$，$\alpha^{58\mathrm{His}\to\mathrm{Tyr}}$；Hb M$_{\mathrm{Saskatoon}}$，$\beta^{63\mathrm{His}\to\mathrm{Tyr}}$；Hb M$_{\mathrm{Milwaukee\text{-}1}}$，$\beta^{67\mathrm{Val}\to\mathrm{Glu}}$）．

mean corpuscular h.（**MCH**）平均赤血球ヘモグロビン量(赤血球の平均ヘモグロビン含有量．ヘモグロビンと赤血球数より計算される）．

muscle h. 筋肉ヘモグロビン．＝myoglobin.

oxygenated h. 酸化ヘモグロビン．＝oxyhemoglobin.

h. Portland ヘモグロビンポートランド（胎生期のヘモグロビンの一型．ヘモグロビン Gower-1 のζ鎖と Hb F のγ鎖を持ち，$\zeta_2\gamma_2$ 型となる．これは通常妊娠3か月で消失する．*cf.* h. Gower-1; h. Gower-2）．

h. Rainier［MIM*141900.0232］．ヘモグロビンレーニアー（分子式が $\alpha_2^{A}\beta_2^{145\mathrm{Tyr}\to\mathrm{Cys}}$ の異常ヘモグロビン．ヘテロ接合体は，このヘモグロビンの酸素親和性が高いため赤血球増加症をきたす）．

reduced h. 還元ヘモグロビン（酸化ヘモグロビンの酸素が組織中に遊離された後，赤血球中にあるヘモグロビンの型）．

h. S［MIM*141900］．ヘモグロビンS（β鎖の6番目にあるグルタミン酸残基がバリン残基に置換された異常ヘモグロビンで，構造は $\alpha_2^{A}\beta_2^{S}$ で，より明確に書くと $\alpha_2^{A}\beta_2^{6\mathrm{Glu}\to\mathrm{Val}}$．ヘテロ接合体では鎌状赤血球形質であるが貧血はなく，Hb S は全体の 20—45%，残りは Hb A である．ホモ接合体は鎌状赤血球症で，Hb S が全体の 75—100%を占め，残りは Hb F または Hb A_2 である）．＝sickle cell h.

sickle cell h.（**Hb S**）鎌状赤血球ヘモグロビン．＝h. S.

unstable h.'s 不安定ヘモグロビン（まれな一連のヘモグロビン群で，アミノ酸の置換または3つの型の欠損があり，グロビンの三次元の形が変化し分子が不安定となる．これらのヘモグロビンは自己酸化と Heinz 小体形成の傾向を強く示すが，その程度は様々である．先天性非球状赤血球性溶血性貧血を伴う．不安定β鎖異常には Hb Genova, Gun Hill, Hammersmith, Köln, Philly, Sabine, Santa Ana, Sydney, Wien, Zürich がある．不安定α鎖異常には Hb Bibba, Sinai, Torino がある）．

variant h. 無害な突然変異ヘモグロビン．

h. Yakima［MIM*141900.0301］．ヘモグロビンヤキマ(分子式が $\alpha_2^{A}\beta_2^{99\mathrm{Asp}\to\mathrm{His}}$ の異常ヘモグロビン．ヘテロ接合体は，このヘモグロビンの酸素親和性が高いために赤血球増加症をきたす）．

---

he·mo·glo·bi·ne·mi·a (hē′mō-glo′bi-nē′mē-ă)．血色素血〔症〕，ヘモグロビン血〔症〕（例えば，血管内溶血が起こった場合のように血漿中に遊離ヘモグロビンが存在する状態）．

paroxysmal nocturnal h. 発作性夜間血色素尿症（後天性の造血幹細胞異常で，不完全な血小板，顆粒球，赤血球，そして恐らくリンパ球の形成が特徴である．赤血球の異常により，補体介在性の血管内溶血が不規則，不顕性に起こる）．

puerperal h. 産褥性血色素血症．＝postparturient *hemoglobinuria.*

he·mo·glo·bi·no·cho·li·a (hē′mō-glō′bi-nō-kō′lē-ă)［hemoglobin + G. *cholē*, bile］．血色素胆汁，ヘモグロビン胆汁（胆汁中にヘモグロビンが存在すること）．

he·mo·glo·bi·nol·y·sis (hē′mō-glō′bi-nol′i-sis)［hemoglobin + G. *lysis*, dissolution］．血色素溶解，ヘモグロビン溶

解（ヘモグロビンの崩壊または化学的分解）．＝hemoglobinopepsia.

he·mo·glo·bi·nop·a·thy (hē′mō-glō′bi-nop′ă-thē) [hemoglobin + G. *pathos*, disease]．異常血色素症，異常ヘモグロビン症（血中の異常なヘモグロビンによって起こる疾患あるいは障害．例えば，鎌状赤血球症，サラセミア，Hb C，D，E，H または I 症など．これらの異常ヘモグロビンが 2 つ組み合わさっている場合がある）．

he·mo·glo·bi·no·pep·si·a (hē′mō-glō′bi-nō-pep′sē-ă) [hemoglobin + G. *pepsis*, digestion]．血色素消化，ヘモグロビン消化．＝hemoglobinolysis.

he·mo·glo·bi·no·phil·ic (hē′mō-glō′bi-nō-fil′ik) [hemoglobin + G. *phileō*, to love]．血色素親和性の，ヘモグロビン親和性の（ヘモグロビンが存在しなければ培養できないある種の細菌についていう）．

he·mo·glo·bi·nu·ri·a (hē′mō-glō′bi-nyū′rē-ă) [hemoglobin + G. *ouron*, urine]．血色素尿〔症〕，ヘモグロビン尿〔症〕（尿中にヘモグロビンまたはヘモグロビン分子がわずかに変化して生じる化学的に非常に近似した色素が存在すること．尿中に大量に存在する場合は尿が明るい赤味がかった黄色から暗赤色までの種々の色彩を呈する）．

epidemic h. 流行性血色素尿症（乳幼児の尿中にヘモグロビンまたはヘモグロビンから誘導されてできた色素が存在し，チアノーゼ，黄疸，その他がみられる．流行性血色素尿症は続発性メトヘモグロビン血症によるものと思われる．Winckel disease ともよばれる）．

intermittent h. 間欠的血色素尿症（発作性夜間血色素尿症や発作性寒冷血色素尿症に特徴的な，再発性で偶然的な血色素尿症の発作）．

malarial h. マラリア性血色素尿症（現在まれな疾患で，熱帯熱マラリア原虫 *Plasmodium falciparum* の感染（重篤な溶血を伴う悪性三日熱マラリア＝熱帯熱マラリア）で起こり，治療中断後の白人にみられる）．＝blackwater fever; hemoglobinuric fever; West African fever.

march h. 行軍血色素尿症（マラソンレース，長時間の行軍，または激しい運動の後に起こる）．

paroxysmal cold h. 発作性寒冷血色素尿症（寒冷に暴露されて急性で重症の溶血が起こるまれな疾患）．

paroxysmal nocturnal h. 発作性夜間血色素尿症（まれな疾患で，徐々に（通常 20—30 歳代で）発症し慢性に経過する．症状は溶血性貧血，血色素尿症（主に夜間），蒼白，黄疸，青銅肌，中等度の脾腫，ときに肝腫を特徴とする．赤血球は通常，大球性であるが，大きさはかなり異なる．球状赤血球症，赤血球貪食，または異常白血球はみられない．この疾患は，赤血球を補体による溶解に異常に感受性のあるようにさせる赤血球膜の異常の結果，起こる）．＝Marchiafava-Micheli anemia; Marchiafava-Micheli syndrome.

postparturient h. 産褥性血色素尿症（突然起こる激しい溶血性疾患で，分娩後 2—4 週間に栄養の良い乳牛に散発的に起こる．また通常，冬季，早春に畜舎にいる動物に起こる．この疾患は低リン酸血症を合併することが多いが原因は不明）．＝puerperal hemoglobinemia.

toxic h. 中毒性血色素尿症（ある種の血液疾患あるいは感染症において，毒物を摂取した後に起こる）．

he·mo·glo·bi·nu·ric (hē′mō-glō′bi-nū′rik)．血色素尿症の．

he·mo·gram (hē′mō-gram) [hemo- + G. *gramma*, a drawing]．ヘモグラム（血液検査所見の完全で詳細な記録．特に有血球数，白血球百分率，形態学所見に関するもの）．

he·mo·his·ti·o·blast (hē′mō-his′tē-ō-blast′) [hemo- + G. *histion*, web + *blastos*, germ]．血液組織芽細胞（単球も含めたすべての血球および組織球に発育しうると考えられている原始的間葉細胞）．＝Ferrata cell; hematohistioblast.

he·mo·la·mel·la (hē′mō-lă-mel′ă)．platelet を表す現在では用いられない語．

he·mo·li·pase (hē′mō-lip′ās)．血液脂肪分解酵素，ヘモリパーゼ．

he·mo·lith (hē′mō-lith) [hemo- + G. *lithos*, stone]．血液結石（血管壁内結石）．

he·mol·o·gy (hē-mol′ŏ-jē)．＝hematology.

he·mo·lymph (hē′mō-limf) [hemo- + L. *lympha*, clear water]．血液リンパ（①循環する組織という概念での血液およびリンパ．②ある種の無脊椎動物の栄養液）．

he·mol·y·sate (hē-mol′i-sāt)．溶血血液，溶血〔産〕物（赤血球溶解の結果できたもの）．

he·mol·y·sin (hē-mol′i-sin)．溶血素（①生物によってつくり出され，赤血球の崩壊（すなわち溶血）を起こし，そのヘモグロビンを遊離する物質．＝erythrocytolysin; erythrolysin. ②感作（補体結合）抗体．溶血素の生成を刺激する抗原型赤血球と結合し，抗体と細胞の複合体に補体が結合し，細胞の溶解をきたす）．

α′ h. α′溶血素（→*α′ hemolysis*）．

β h. β溶血素（→*β hemolysis*）．

bacterial h. 細菌〔性〕溶血素（様々な種のバクテリアまたは 1 つの種のある株によってつくられた溶血素）．

cold h. 寒冷溶血素．＝Donath-Landsteiner cold *autoantibody*.

heterophil h. 異好性溶血素（（溶血素形成を刺激するために抗原として用いられるものに加えて）様々な種の赤血球と結合し，適量の補体が存在するとき溶血を起こす感作抗体）．

immune h. 免疫〔性〕溶血素（異種の動物の赤血球または全血を非経口投与した結果，動物内に形成された感作補体結合溶血性抗体．免疫性溶血素は受血者において抗原性を示すヒト血液を（ヒトに）輸血した場合にも形成される．例えば Rh 陽性赤血球を投与することにより Rh 陰性のヒトにおいて抗 Rh 抗体が形成される）．

natural h. 自然溶血素（ある種の動物（例えばイヌ）の血漿中にできる溶血素で，他種の動物（例えばウサギ）の赤血球と補体結合する．そのため，イヌの赤血球をあらかじめ抗原刺激にさらさなくとも，ウサギ赤血球の溶血を引き起こす）．

specific h. 特異的溶血素（感作補体結合性溶血性抗体で，溶血素形成を刺激するために用いられる抗原型の赤血球に完全に反応する）．

warm-cold h. 温－寒冷溶血素（20°C 以下の温度で赤血球と結合し，それより高い温度，例えば，30—37°C では溶出される溶血素．→Donath-Landsteiner cold *autoantibody*; hemagglutinating cold *autoantibody*）．

he·mol·y·sin·o·gen (hē′mol-i-sin′ŏ-jen)．溶血素原（赤血球中にあり，溶血素の産生を刺激する抗原性物質）．

he·mol·y·sis (hē-mol′i-sis) [hemo- + G. *lysis*, destruction]．溶血，溶血〔反応〕（赤血球の浮遊する液中へヘモグロビンが遊離するような赤血球の変性，溶解または破壊．溶血現象は特異的補体結合抗体，毒素，種々の化学物質，張力，温度変化により起こりうる）．＝erythrocytolysis; erythrolysis; hematolysis.

α′ h. α′溶血（連鎖球菌の菌株の血液寒天培養においてまれに観察される溶血．この菌株の周りの溶血区域は β 溶血の場合のように透明ではなく，広くなく，境界は不鮮明）．

β h. β 溶血（種々のバクテリア，特に溶血性連鎖球菌やブドウ球菌の血液寒天培養においてみられる完全または〝真性〟溶血．実質的には細菌集落の周りのすべての赤血球が比較的広範囲にわたって，規則的に境界を描いた球形に破壊され，その結果，透明な寒天による澄んだ暈輪ができる．この溶血区域は菌集落の直径よりずっと広いことが多い．変化の程度は赤血球の種により異なる）．

biologic h. 生物学的溶血（種々の動植物の産生する物質により起こる溶血）．

conditioned h. 条件溶血．＝immune h.

γ h. γ 溶血（血液寒天内または寒天上に細菌集落に関係のある溶血がないことを示すために用いることのある語．そのため非溶血性細菌が γ 溶血形成に関係すると思われる）．

immune h. 免疫溶血〔反応〕（赤血球が特異的補体結合抗体によって感作されているとき，補体により起こる溶血の型）．＝conditioned h.

phenylhydrazine h. フェニルヒドラジン溶血（グルコース–6–リン酸デヒドロゲナーゼ（G6PD）欠損症の試験管内テスト．赤血球中の G6PD が欠損している血液にフェニルヒドラジンを添加すると溶血が起こり，Heinz-Ehrlich 小体が出現する）．

venom h. 蛇毒溶血（多種のヘビあるいは他の動物の毒液中にある溶血性物質により起こる溶血）．

viridans h. 緑色溶血（→α′ h.）．

he·mo·lyt·ic (hē′mō-lit′ik)．溶血性の（赤血球破壊によりヘモグロビンを遊離する）．＝hematolytic; hemotoxic (2); hema-

totoxic; hematoxic.
he·mo·ly·za·tion (hē′mol-i-zā′shŭn). 溶血〔現象〕.
he·mo·lyze (hē′mō-līz). 溶血する（溶血を起こす赤血球からヘモグロビンを遊離する）.
he·mo·me·di·as·ti·num (hē′mō-mē′dē-ă-stī′nŭm). 縦隔出血（縦隔洞内の血液）.
he·mo·me·tra (hē′mō-mē′tră). ＝hematometra.
he·mom·e·try (hē-mom′ĕ-trē). ＝hematometry.
he·mo·pa·thol·o·gy (hē′mō-pă-thol′ŏ-jē). ＝hematopathology.
he·mop·a·thy (hē-mop′ă-thē) [hemo- + G. *pathos*, suffering]. 血液疾患，血液病（血液または造血組織の異常な状態または疾患）. ＝hematopathy.
he·mo·per·fu·sion (hē′mō-pĕr-fyū′zhŭn) [hemo- + L. *perfusio*, to pass through]. 血液灌流（血中の有毒物質を除くため，血液を活性炭などの吸着物質を詰めた管の中に通すこと）.
he·mo·per·i·car·di·um (hē′mō-per′i-kar′dē-ŭm). 心膜血腫，心膜血症（心嚢へはいる血液）.
he·mo·per·i·to·ne·um (hē′mō-per′i-tō-nē′ŭm). 腹腔内出血（腹膜腔内の血液）.
he·mo·pex·in (hē′mō-peks′in) [hemo- + G. *pēxis*, fixation + -in][MIM*142290]. ヘモペキシン，凝血酵素（β-グロブリンに関連する血清糖蛋白．分子量は約 57,000，22%の炭水化物を含有する．ヘムやポルフィリン類の結合に重要で，排泄を阻止し，特に薬物代謝でヘムを調節する）.
he·mo·pha·gi·a (hē′mō-fā′jē-ă) [hemo- + G. *phagō*, to eat]. ＝hematophagia.
he·mo·phag·o·cy·to·sis (hē′mō-fag′ō-sī-tō′sis). 血球貪食〔現象〕（種々の型の貪食細胞により血球が捕らえ込まれる（そして通常，破壊される）過程．特に赤血球および赤血球系の血球を捕らえ込むことに関して用いる）.
he·mo·phil, he·mo·phile (hē′mō-fil, -fīl) [hemo- + G. *philos*, fond]. 好血〔性〕の（血液を含有する培地に好んで繁殖する細菌についていう）.
he·mo·phil·i·a (hē′mō-fil′ē-ă) [hemo- + G. *philos*, fond]. 血友病（遺伝性の血液凝固障害．血液の凝固機序による障害のため特発的に，または外傷によって持続的な出血傾向をもつことを特徴とする）.

h. A [MIM*306700–various]. 血友病A（第 VIII 因子の欠乏による血友病．X連鎖劣性に遺伝し，ほとんど男性にみられるが，幾種かのイヌにもまたみられる．凝固時間の延長，トロンボプラスチン生成不全，プロトロンビンの転化の低下を特徴とする）. ＝classic h.

h. B [MIM*306900–various]. 血友病B（血友病Aと似た凝固障害で，血漿トロンボプラスチン生成因子(凝固第 IX 因子)の先天性欠損により起こる．X連鎖劣性に遺伝し，テリヤ犬でもみられる）. ＝Christmas disease.

h. C 血友病C（第 XI 因子の欠乏による血友病．臨床的には血友病A，Bに類似するが，常染色体優性遺伝形式をとる．主としてユダヤ人の家系に発症する）.

classic h. ＝h. A.

he·mo·phil·i·ac (hē′mō-fil′ē-ak). 血友病者，出血性素因者.
he·mo·phil·ic (hē-mō-fil′ik). 血友病の.
he·mo·phil·o·sis (hē′mō-fil-ō′sis). ヘモフィルス感染症（ヘモフィルス *Haemophilus*属の細菌による病気）.
he·mo·pho·bi·a (hē′mō-fō′bē-ă) [hemo- + G. *phobos*, fear]. 血液恐怖〔症〕（血液または出血に対する病的な恐れ）.
he·mo·pho·re·sis (hē′mō-fō-rē′sis) [hemo- + G. *phoreō*, to bear]. 血液灌流（組織の血液対流または灌流）.
he·moph·thal·mi·a, he·moph·thal·mus (hē′mof-thal′mē-ă, -mof-thal′mŭs) [hemo- + G. *ophthalmos*, eye]. 眼球出血（眼球内への血液滲出）. ＝hematopsia.
he·moph·thi·sis (hē-mof′thi-sis, hē-mof-thī′sis) [hemo- + G. *phthisis*, a wasting away]. 血液ろう(癆)（赤血球形成における異常な変性あるいは破壊，または欠乏による貧血を表す現在では用いられない語）.
he·mo·plas·tic (hē′mō-plas′tik). ＝hemopoietic.
he·mo·plas·ty (hē′mō-plas′tē) [hemo- + G. *plassō*, to form]. 血液生成（造血組織による血液の形成）.
he·mo·pneu·mo·per·i·car·di·um (hē′mō-nū′mō-per′i-kar′dē-ŭm) [hemo- + G. *pneuma*, air + pericardium]. 心膜血気腫（心嚢内に血液および空気がはいること）. ＝pneumohemopericardium.
he·mo·pneu·mo·tho·rax (hē′mō-nū′mō-thō′raks) [hemo- + G. *pneuma*, air + thorax]. 血気胸（胸膜腔に空気および血液が滞留すること）. ＝pneumohemothorax.
he·mo·poi·e·sis (hē′mō-poy-ē′sis) [hemo- + G. *poiēsis*, a making]. 造血（種々の型の血球その他の有形成分の形成および発達の過程）. ＝hematogenesis; hematopoiesis; hematosis (1); hemogenesis; sanguification.
he·mo·poi·et·ic (hē′mō-poy-et′ik). 造血の. ＝hemafacient; hematogenic (1); hematogenous; hematoplastic; hematopoietic; hemogenic; hemoplastic; sanguifacient.
he·mo·poi·e·tin (hē′mō-poy′ĕ-tin). ヘモポイエチン. ＝erythropoietin.
he·mo·por·phy·rin (hē′mō-pōr′fi-rin). ヘモポルフィリン. ＝hematoporphyrin.
he·mo·pre·cip·i·tin (hē′mō-prē-sip′i-tin). 血液沈降素（赤血球から出た可溶性の抗原物質と結合して沈殿する抗体）.
he·mo·pro·tein (hē′mō-prō′tēn). 血液蛋白（金属ポルフィリン化合物に結合した蛋白．例えば，シトクロム，ミオグロビン，カタラーゼ）.
he·mop·ty·sis (hē-mop′ti-sis) [hemo- + G. *ptysis*, a spitting]. 喀血（肺または気管支からの出血．血液の喀出）. ＝bronchostaxis.

endemic h. 地方病性喀血. ＝parasitic h.

massive h. 大量喀血（大量の血液を喀出すること．1日当たり 300 mL を超えると，大量喀血とされる）.

parasitic h. 寄生虫性喀血（肺吸虫症の最も一般的な臨床上の表れ．咳および肺からの吐血を特徴とする）. ＝endemic h.

he·mo·py·el·ec·ta·sis, he·mo·py·el·ec·ta·sia (hē′-mō-pī′ĕ-lek′tă-sis, -lek-tā′zē-ă) [hemo- + pyelectasia]. 血性腎盂拡張〔症〕（血液や尿によって腎盂が拡張することを表す現在では用いられない語）.
he·mo·re·pel·lant (hē′mō-re-pel′ănt). ***1***〚n.〛血液粘着阻止物（血液の粘着を妨げる物質または表面）. ***2***〚adj.〛血液粘着阻止〔性〕の（血液の粘着を妨げる作用をもつ）.
he·mo·rhe·ol·o·gy (hē′mō-rē-ol′ŏ-jē) [hemo- + G. *rheos*, stream, flow + *logos*, study]. 血液レオロジー（[ギリシア語起源の単語では，音節の初めにある二重字 rh は，接頭語または他の語彙要素がその前に置かれる場合，通常 rrh に変更されるが，本語では r を重ねない]．血管内の圧力，流れ，容量，抵抗の関係に関連する血流の科学．特に，微小循環での血液の粘性と赤血球の変形に関連する用語）.
hem·or·rhage (hem′ŏ-răj) [G. *haimorrhagia* < *haima*, blood + *rhēgnymi*, to burst forth]. ***1***〚n.〛出血（血管内腔から血液が漏れ出ること）. ***2***〚v.〛出血する.

brainstem h. 脳幹〔部〕出血（橋または中脳への出血．頭蓋内病巣が急速に拡大して天幕切痕のヘルニア形成をみたために脳幹がゆがんで，しばしば続発的に起こる）.

cerebral h. 脳出血（脳組織内への出血．多くはレンズ核線条体動脈の破裂による内包部分への出血）. ＝hematencephalon; intracerebral h.

concealed h. ＝internal h.

Duret h. (dū-rā′). デュレー出血（テント切痕ヘルニアによる二次的な脳幹の歪曲に起因する脳幹の小出血）.

extradural h. 硬膜外出血（頭蓋と硬膜の間に血液が溢出すること）. ＝epidural hematoma.

gastric h. 胃出血. ＝gastrorrhagia.

intermediate h. 中間出血（再発性の出血）.

internal h. 内出血（臓器または体腔への出血）. ＝concealed h.

intracerebral h. 脳内出血. ＝cerebral h.

intracranial h. 頭蓋内出血（頭蓋円蓋部内の出血．脳出血とクモ膜下出血を含む）.

intrapartum h. 分娩時出血（正常な分娩過程で起こる出血）.

intraventricular h. 脳室内出血（脳室系への溢血）.

nasal h. 鼻出血，はなぢ. ＝epistaxis.

parenchymatous h. 実質内出血（臓器の組織内への出

H

血).

h. per rhexis 破裂出血(血管破裂による出血).

petechial h. 点状出血(毛細管の皮内出血. 点状出血となる). = punctate h.

pontine h. 橋出血(脳橋組織に起こる出血. 高血圧患者に典型的に起こる).

postpartum h. 分娩後出血(分娩後 24 時間以内に, 経腟分娩では 500 mL, 帝王切開では 1,000 mL を超える産道からの出血).

primary h. 原発〔性〕出血, 一次出血(損傷または手術直後の出血. intermediate h.(中間出血)や secondary h.(後出血)と区別される).

punctate h. = petechial h.

renal h. 腎出血(腎臓に起因する血尿).

secondary h. 後出血, 二次出血(負傷または手術後, 時間的間隔を置いて起こる出血).

serous h. 漿液性出血(毛細管壁を通して大量の血漿が沪出することを表す現在では用いられない語).

splinter h.'s 線状出血(ごく小さな縦の爪下出血. 細菌性心膜炎, 旋毛虫症に典型的にみられるが, 診断の決め手にはならない).

subarachnoid h. クモ膜下出血(クモ膜下腔の溢血. しばしば, 動脈瘤のために起こり, 通常は脳脊髄液の経路を通じて広がる).

subdural h. 硬膜下出血(血腫)(硬膜とクモ膜の間への血液の血管外漏出. 頭部外傷後急性期にも慢性期にもみられ, 慢性硬膜下血腫の周囲に新生されて形成される). = subdural hematoma.

subgaleal h. 帽状腱膜下出血(帽状腱膜の下に血液が集まる).

syringomyelic h. 脊髄空洞出血(脊髄空洞内への出血).

hem·or·rhag·ic (hem′ŏ-raj′ik). 出血〔性〕の.

hem·or·rhag·ins (hem′ŏ-raj′inz, -rā′jins) [hemorrhage + -in]. 出血素(ある種の蛇毒に見出される細胞溶解素および植物の毒性物質. 例えばガラガラヘビ蛇毒, リシンなど. 毛細血管, 小血管の内皮細胞を変性および溶解させ, その結果, 組織に無数の小出血をつくる).

hem·or·rhoid (hem′ŏ-royd). 痔〔核〕([誤ったつづり hemroid および多くの別形を避けること]. 痔核 hemorrhoids を形成する腫瘤または静脈瘤についていう).

hem·or·rhoi·dal (hem′ŏ-roy′dăl). ***1*** 痔〔核〕の. ***2*** 直腸, 肛門部に分布する動脈および静脈に対して以前用いられた. 現在は anal や rectal が用いられる.

hem·or·rhoid·ec·to·my (hem′ō-roy-dek′tŏ-mē) [hemorrhoids + G. *ektomē*, excision]. 痔核切除〔術〕(痔核の外科的切除. 通常, 鋭的に痔核組織を切除するか, あるいは痔核の基部をゴムなどで結紮することによって虚血性壊死に至らせて最終的に痔核を除去する).

hem·or·rhoids (hem′ŏ-roydz) [G. *haimorrhois*, pl. *haimorrhoides*, veins likely to bleed < *haima*, blood + *rhoia*, a flow]. 痔〔核〕, 痔疾(肛門において痛みを伴う腫脹を起こす外痔静脈の静脈瘤). = piles.

cutaneous h. 皮膚痔核(肛門に隣接する皮膚の正常な放射状ひだの 1 個以上に結合組織が増殖すること).

external h. 外痔核(外括約筋外側に腫瘤を形成する拡張した静脈).

internal h. 内痔核(括約筋の内部の粘膜下にできる拡張した静脈).

he·mo·sal·pinx (hē′mō-sal′pinks). = hematosalpinx.

he·mo·si·al·em·e·sis (hē′mō-sī′ăl-em′ĕ-sis) [hemo- + G. *sialon*, saliva + *emesis*, vomiting]. 血唾液吐出(血液および唾液を吐出すること).

he·mo·sid·er·in (hē′mō-sid′ĕr-in) [hemo- + G. *sidēros*, iron + -in]. ヘモジデリン, 血鉄素(ヘマチンの食細胞の消化により生じた黄金色または黄褐色の不溶性蛋白. 多くの組織, 特に肝臓, 脾臓, 骨髄にフェリチン分子より大きい顆粒として見出される(そのうちそれらは集合体になると考えられる)が, 37%ほどの高含量の鉄をもつ. Perls のペルシアンブルー染色法で青色に染色する).

he·mo·sid·er·o·sis (hē′mō-sid′ĕr-ō′sis) [hemosiderin + *-osis*, condition]. ヘモジデリン沈着〔症〕, 血鉄症(組織におけるヘモジデリンの滞留. 特に肝と脾で高度である. → hemochromatosis).

idiopathic pulmonary h. 特発性肺ヘモジデリン沈着〔症〕, 特発性肺血鉄症(通常幼小児にみられる原因不明のまれな致死的疾患で, ヘモジデリンを貪食したマクロファージが肺胞に侵潤し, び慢性の肺線維症に進展するのが特徴. 臨床症状として, 繰り返す肺出血, 貧血, 呼吸困難や心肺不全がみられる). = Ceelen-Gellerstedt syndrome.

nutritional h. 栄養性ヘモジデリン沈着〔症〕, 栄養性血鉄症(鉄製の食器で調理された食物を摂取することによる).

he·mo·sper·mi·a (hē′mō-spĕr′mē-ă) [hemo- + G. *sperma*, seed]. 血精液症(精液中に血液が混じること). = hematospermia.

h. spuria 偽血精液症(尿道前立腺部で起こる血精液症).

h. vera 真性血精液症(精嚢からの血精液症).

he·mo·spo·rid·i·um (hē′mō-spō-rid′ē-ŭm) [hemo- + Mod. L.: G. *sporos* (seed)の指小辞]. 住血胞子虫(住血胞子虫目の住血寄生虫).

he·mo·spo·rines (hē′mō-spō′rēnz). 住血胞子虫(住血胞子虫目に属する寄生虫の一般名).

he·mo·sta·si·a (hē′mō-stā′zē-ă). = hemostasis.

he·mo·sta·sis (hē′mō-stā′sis, hē-mos′tă-sis) [hemo- + G. *stasis*, a standing]. [本語の主アクセントは正しくは第 2 音節にあるが, 米国では hemosta′sis という発音のほうがより一般的である. homeostasis と混同しないこと]. = hemostasia. ***1*** 止血(出血を止めること). ***2*** 血流遮断(一部の血行を止めること). ***3*** うっ血(血液の停滞).

primary h. 一次止血(血小板を介した凝固).

secondary h. 二次止血(血漿蛋白を介した凝固).

he·mo·stat (hē′mō-stat). ***1*** 止血物質(開放血管からの血液流出を化学的あるいは機械的に止める物質). ***2*** 止血鉗子, 血管鉗子(出血している血管を圧迫することによって出血を止める器械).

he·mo·stat·ic (hē′mō-stat′ik). ***1*** うっ血の(血管内の血流を止めることについていう). ***2*** 止血の. = antihemorrhagic.

he·mo·styp·tic (hē′mo-stip′tik) [hemo- + G. *styptikos*, astringent]. 止血薬. = styptic (2).

he·mo·suc·cus pan·cre·a·ti·cus (hē′mō-sŭk′ŭs pan′-krē-at′i-kŭs). 血液分泌性膵炎(膵管内への出血. 通常, 外傷, 腫瘍, 炎症, 偽性嚢胞に合併した偽性動脈瘤が原因で起こる).

he·mo·ta·cho·gram (hē′mō-takō-gram) [hemo + tachos + G. *gramma*, something written]. 血流図(血流計によって表された記録).

he·mo·ta·chom·e·ter (hē′mō-tă-kom′ĕ-tĕr) [hemo- + G. *tachos*, swiftness + *metron*, measure]. ヘモタコメータ, 積算血流計(動脈の血流速度を測定する器械). = hematachometer.

he·mo·ther·a·py, he·mo·ther·a·peu·tics (hē′mō-thār′ă-pē, hē′mō-thār-ă-pyū′tiks). 血液療法(輸血などのように, 血液, または血液の派生物を用いて疾患を治療すること). = hematherapy.

he·mo·tho·rax (hē′mō-thōr′aks). 血胸(胸膜腔内の血液). = hemathorax.

he·mo·tox·ic, he·ma·to·tox·ic, he·ma·tox·ic (hē′mō-tok′sik; hē′mă-tō-toks′ik, hem′ă-; hē-mă-toks′ik, hem-ă-). ***1*** 血液毒〔症〕の(血液中毒を起こす). ***2*** 溶血性の. = hemolytic.

he·mo·tox·in (hē′mō-tok′sin). 血液毒(赤血球を破壊する物質で種々の溶血素を含む. 生物由来の物質に関して用いる). = hematotoxin; hematoxin.

cobra h. コブラ血液毒(様々な種の赤血球を溶血させるコブラ蛇毒の成分).

he·mo·troph, he·mot·ro·phe (hē′mō-trof) [hemo- + G. *trophē*, food]. 血液栄養素(有胎盤哺乳類の胎児に母体血流を通して供給される栄養物質. *cf.* embryotroph; histotroph).

he·mo·tro·pic (hē′mō-trop′ik) [hemo- + G. *tropos*, direction(or *tropē*, a turning)]. 血液向性の(血液中あるいは血球表面の物質で, 特に赤血球にあり, 食細胞に親和性をもつようになる機構についていう. 食細胞は方向を変えてこの作用のある血球に向かって遊走する). = hematotropic.

he·mo·tym·pa·num (hē′mō-tim′pă-nŭm). 鼓室内出血(中耳に血液が存在すること). = hematotympanum.

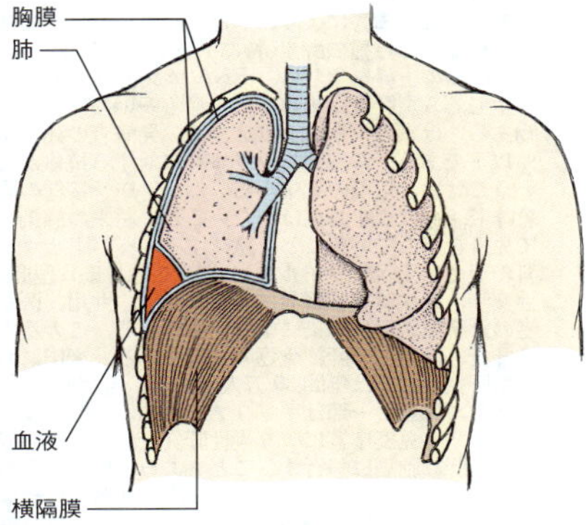

hemothorax
右肺腔内.

he·mo·zo·ic (hē′mō-zō′ik). 住血性寄生虫の（脊椎動物の血液中に寄生するある種の原生動物類についていう）. ＝hematozoic.

he·mo·zo·on (hē′mō-zō′on) [hemo- + G. *zōon*, animal]. 住血性寄生虫（トリパノソーマや *Wuchereria*, *Brugia* のミクロフィラリアのような, 血液中に棲む寄生虫）. ＝hematozoon.

HEMPAS *h*ereditary *e*rythroblastic *m*ultinuclearity associated with *p*ositive *a*cidified *s*erum の頭字語. ⇀HEMPAS *cells*.

hen·bane (hen′bān). ヒヨス. ＝hyoscyamus.

Hen·der·son, Lawrence J. 米国人生化学者, 1878—1942. ⇀H.-Hasselbalch *equation*.

Hen·der·son·u·la tor·u·loi·de·a (hen′dĕr-sŏn′yū-lă tōr′yū-loy′dē-ă). ＝*Nattrassia mangiferae*.

Hen·ke (heng′kĕ), Wilhelm. ドイツ人解剖学者, 1834—1896. ⇀H. *space*.

Hen·le (hen′lē), Friedrich G.J. ドイツ人解剖・病理・組織学者, 1809—1885. ⇀*crypts* of H.; H. *ampulla*, *ansa*, *glands*, *fissures*, *layer*, fiber *layer*, nervous *layer*, *loop*, *membrane*, fenestrated elastic *membrane*, *reaction*, *sheath*, *spine*, *tubules*, *warts;* Hassall-H. *bodies*.

hen·na (hen′ă) [Ar. *hennā*]. ヘンナ（ツマクレナイノキ *Lawsonia inermis* の葉. 化粧品, 毛髪染料として用いる）.

Henne·bert (en-bār′), Camille. ベルギー人耳科医, 1867—1958. ⇀H. *sign*.

He·noch (he′nok), Eduard H. ドイツ人小児科医, 1820—1910. ⇀H. *chorea*, *purpura*; H.-Schönlein *purpura*, *syndrome*; Schönlein-H. *syndrome*.

hen·pu·ye (hen-pū′yē) [〝ブルドック鼻〟を意味する黄金海岸地方の土語]. ＝goundou.

Hen·ri (ĕn-rē′), Victor. 20 世紀のフランス人生化学者. ⇀Michaelis-Menten *equation*; H.-Michaelis-Menten *equation*.

Hen·ry (hen′rē), James Paget. 20世紀の米国人生理学者. ⇀H.-Gauer *response*.

Hen·ry (hen′rē), Joseph. 米国人物理学者, 1797—1878. ⇀Dalton-H. *law*.

Hen·ry (hen′rē), William. 英国人化学者, 1775—1837. ⇀H. *law*.

hen·ry (H) (hen′rē) [Joseph *Henry*]. ヘンリー（インダクタンスの国際単位系(SI). 1ヘンリーは毎秒1アンペアの電流変化によって1ボルトの起電力が誘起される回路のインダクタンスをいう）.

Hen·se·leit (hen′sĕ-līt), K. 20 世紀のドイツ人内科医. ⇀Krebs-H. *cycle*.

Hen·sen (hen′sĕn), Victor. ドイツ人解剖・生理学者, 1835—1924. ⇀H. *canal*, *cell*, *disc*, *duct*, *knot*, *line*, *node*, *stripe*.

Hen·sing (hen′sing), Friedrich W. ドイツ人解剖学者, 1719—1745. ⇀H. *ligament*.

He·pad·na·vi·ri·dae (hē-pad′nă-vir′ā-dē) [*hep*atitis + DNA + virus]. ヘパドナウイルス科（直径 42 nm の脂質を含む正二十面体構造の DNA ウイルスの一科で, ゲノムは一重鎖と二重鎖が混在した非共有結合性閉環状 DNA の一量体からなる. 数種の動物種に肝炎を起こす. 哺乳類において, 真の代表種は B 型肝炎ウイルスに関与する. Avihepadnavirus 種は鳥の肝炎に関与する. 持続性の感染が一般的で慢性疾患と肝癌と関連がある）.

he·par, gen. **hep·a·tis** (hē′par, hē′pă-tis) [L. < G. *hēpar*, gen. *hēpatos*, the liver][TA]. 肝〔臓〕. ＝liver.

h. lobatum 分葉肝（亀裂の生じた肝臓. 梅毒性ゴム腫の治癒した瘢痕からできる）.

heparanase (hep′ar-i-nās) [heparin + -ase]. ヘパラナーゼ（基底膜および他の構成組織のヘパラン硫酸構造を破壊する能力をもつ酵素で, 癌細胞に発現する）.

hep·a·ran *N*-sul·fa·tase (hep′ă-ran sŭl′fă-tās). ヘパラン *N*–スルファターゼ（ヘパラン硫酸の段階的分解に関与する酵素. ヘパラン *N*–スルファターゼはヘパラン硫酸のグルコサミン残基のアミノ基に結合した硫酸残基を加水分解する. この酵素の欠損によって, ムコ多糖症 IIIA(Sanfilippo 症候群A)になる）.

hep·a·ran sul·fate (hep′ă-ran sŭl′fāt). 硫酸ヘパリン（ヘパリンのように二糖類の同じ繰返しをもつムコ多糖で, より少ない硫酸塩とより多くのアセチル基をもっている. ある種のムコ多糖体症患者で蓄積する）. ＝heparitin sulfate.

hep·a·rin (hep′ă-rin). ヘパリン（抗凝血成分. 哺乳類組織(特に肝と肺)および肥満細胞の成分である. 主な活性成分はムコ多糖で D–グルクロン酸, D–グルコサミン(両者とも 1,4–α 連鎖硫酸化されている)からなり, 分子量は 6,000—20,000. 血清蛋白補因子(いわゆるヘパリン補因子)と結合して, 抗トロンビン, 抗プロトロンビンとなる. 合成品が普通, 治療用凝血予防に用いられる. “clearing factors”（リポプロテインリパーゼ)を活性化する）. ＝heparinic acid.

h. eliminase ヘパリンエリミナーゼ. ＝h. lyase.

h. lyase ヘパリンリアーゼ（ヘパリンおよび同類の 1,4–連鎖のポリグルクロン酸塩から Δ-4, 5–D–グルクロン酸塩残基を除去する酵素）. ＝h. eliminase; heparinase.

hep·a·rin·ase (hep′ă-rin-ās). ヘパリナーゼ. ＝*heparin* lyase.

hep·a·ri·ne·mi·a (hep′ă-ri-nē′mē-ă). ヘパリン血〔症〕（循環血液中にかなりの量のヘパリンが存在するもの）.

hep·a·rin·ic ac·id (hep′ă-rin′ik as′id). ＝heparin.

hep·a·rin·ize (hep′ă-rin-īz). ヘパリン化する, ヘパリンを加える（治療を目的としたヘパリンの投与を行うこと）.

heparinoid (hĕp-ah-rin-oyd′). ヘパリノイド（ヘパリンと同様の活性をもつ物質に使用される一般用語）.

hep·a·rit·in sul·fate (hep′ă-rit-in sŭl′fāt). ＝heparan sulfate.

hepat-, hepato- (he-pat′, he-pat′ō) [G. *hēpar*(*hēpat-*)]. [連結形 hepato- で始まる 3 音節を超える語のほとんどは, 第 2 ではなく第 1 音節に軽いアクセントを置く. したがって hepat′osple′nomg′aly でなく hep′atosple′nomeg′aly である]. 肝臓を意味する連結形.

hep·a·ta·tro·phi·a, hep·a·tat·ro·phy (hep′ă-tă-trō′fē-ă, hep-ă-tat′rŏ-fē). 肝萎縮.

hep·a·tec·to·my (hep′ă-tek′tŏ-mē) [hepat- + G. *ektomē*, excision]. 肝切除〔術〕（肝臓の完全除去または一部除去）.

he·pa·tic (he-pat′ik) [G. *hēpatikos*]. 肝〔性〕の.

he·pat·i·co·do·chot·o·my (he-pat′i-kō-dō-kot′ŏ-mē). 肝管総胆管切開〔術〕（肝管切開術と総胆管切開術を併せて行うこと）.

he·pat·i·co·du·o·de·nos·to·my (he-pat′i-kō-dū′ō-dē-nos′tō-mē) [hepatico- + duodenostomy]. 肝〔管〕十二指腸吻合〔術〕（肝管と十二指腸とを連結させること）. ＝hepatoduodenostomy.

he·pat·i·co·en·ter·os·to·my (he-pat′i-kō-en′tĕr-os′tŏ-mē) [hepatico- + enterostomy]. 肝腸〔管〕吻合〔術〕（肝管と腸とを連絡させること）. ＝hepatocholangioenterostomy.

he·pat·i·co·gas·tros·to·my (he-pat′i-kō-gas-tros′tŏ-mē) [hepatico- + gastrostomy]. 肝胃吻合〔術〕（肝管と胃とを連

絡させること).

he·pat·i·co·li·thot·o·my (he-pat′i-kō-li-thot′ŏ-mē) [hepatico- + G. *lithos*, stone + *tomē*, a cutting]. 肝管結石砕石術(肝管から結石を除去すること).

he·pat·i·co·lith·o·trip·sy (he-pat′i-kō-lith′ō-trip-sē) [hepatico- + G. *lithos*, stone + *tripsis*, a rubbing]. 肝管結石破砕術.

he·pat·i·co·pul·mo·nary (he-pat′i-kō-pul′mŏ-nār-ē). = hepatopneumonic.

he·pat·i·cos·to·my (he-pat′i-kos′tŏ-mē) [hepatico- + G. *stoma*, mouth]. 肝管造瘻術(肝管内への瘻孔を造設すること).

he·pat·i·cot·o·my (he-pat′i-kot′ŏ-mē) [hepatico- + G. *tomē*, incision]. 肝管切開〔術〕.

hep·a·tin (hep′ă-tin). ヘパチン. = glycogen.

hep·a·tit·ic (hep′ă-tit′ik). 肝炎の.

---

hep·a·ti·tis (hep′ă-tī′tis) [hepat- + -itis]. 肝炎(肝臓の炎症, 一般にはウイルス感染によるが, 毒性物質によることもある).

以前は多くの発展途上国における風土病であったが, ウイルス性肝炎は今や産業国家における公衆衛生上の最大の問題である. 最も頻度の高い3種類のウイルス性肝炎であるA型, B型, C型肝炎は世界中で数百万人以上の発症をみる. 急性ウイルス性肝炎では種々の程度の発熱, 倦怠感, 脱力感, 食欲不振, 悪心, 腹部不快感が生じる. 肝細胞障害により, しばしば黄疸を伴うビリルビンの停滞, ある種の酵素(特にトランスアミナーゼ)の血清レベルの上昇を生じる. RNAエンテロウイルスにより生じるA型肝炎は糞口感染, 最も多いのは汚染した食物あるいは水の摂取により広がる. 発病者の死亡率は1%以下である. A型肝炎ウイルスに対する抗体があるということは, 以前の感染あるいはワクチン接種の成功を意味し, 今はウイルスはいないこと, 将来の感染に対して免疫を有していることを意味する. ヘパドナウイルス科の小さいDNAウイルスによって生じるB型肝炎は, 性交渉, 静注麻薬常習者による注射針の共用, 医療従事者の針事故, 母児感染により伝搬される. この疾患は慢性肝炎, 肝硬変, 肝細胞癌の主因である. 米国におけるB型肝炎の頻度は年間30万人である. 潜伏期は6—24週である. 患者の一部はキャリアになり, 一部ではウイルスに対する免疫応答により慢性肝炎を生じ, 肝硬変, 肝不全, 肝細胞癌に移行することもある. HB_s抗原が感染早期から血清中に検出され, HB_s抗原陽性の持続は慢性感染であり, 感染性があることを意味する. HB_c抗原は後期に出現し, これも感染性があることを意味する. これらの抗原に対する抗体の存在は治癒し, 感染性がないことを意味する. フラビウイルス科のRNAウイルスに

肝炎抗原・抗体の名称

疾病	ウイルス・抗原・抗体	定義
A型肝炎	HAV	A型肝炎ウイルス, ピコルナウイルス. A型肝炎の病因
	anti-HAV/IgM	HAVに対する抗体. 最近感染したことを示す. 感染後3—4週で発現し4—6か月陽性を持続
	anti-HAV/IgG	HAVに対する抗体. 発症時に検知でき, 一生持続する
B型肝炎	HBV (Dane粒子)	B型肝炎ウイルス—ヘパドナウイルス, B型肝炎の病因
	HBsAg	B型肝炎表面(被膜)抗原:臨床症状の発症前の血清, 急性および慢性感染, およびキャリア状態において血清から検知可能
	anti-HBs	HBsAgに対する抗体—HBsAg消失の約1か月後に現れる. 過去の感染または予防接種(HB1G後のみの短期免疫)のいずれかからのHBVに対する免疫を示す
	HBcAg	B型肝炎コア抗原
	anti-HBc/IgG	HBcAgに対する抗体—臨床症状の発症直前に現れ, 特に慢性肝炎において, 数年にわたって上昇する. HBsAg消失からanti-HBsまでの間にHBV感染を示す唯一の血清マーカの可能性がある
	anti-HBc/IgM	HBcAgに対する抗体—最近HBVに感染したことを示す. 感染後4—6か月の間に検知可能. 予防接種後の免疫確認には有用でない
	HBeAg	B型肝炎エンベロープ抗原—血清のHBV応答および感染性と関連する. 上昇の持続は慢性HBV感染を示唆する
	anti-HBe	HBeに対する抗体—HBsAgキャリアの血清における存在はそのキャリアからの感染リスクの低下(HBVの低力価)を示す
C型肝炎	HCV	C型肝炎ウイルス—フラビウイルス, C型肝炎の病因. 血漿中のウイルスRNAの検出は感染の存在を確認する
	anti-HCV/IgM	HCVに対する抗体, 急性感染のマーカ
D型肝炎	HDV	D型肝炎ウイルス—D(デルタ)型肝炎の病因. 欠損型のRNAウイルスで, B型肝炎ウイルス感染がある場合のみ複製可能で疾病を引き起こす. 感染後数日以内にRIAによって検出される
	HDAg	デルタ抗原—急性感染初期に検出される
	anti-HDV	D型肝炎ウイルスに対する抗体(IgG, IgM)
E型肝炎	HEV	E型肝炎ウイルス—未分類属の一本鎖RNA, E型R型肝炎の病因
	anti-HEV/IgM	HEVに対する抗体—急性感染で上昇
免疫グロブリン	IG	免疫グロブリン製剤—HAVに対する抗体を含む. HBsAg, HCV, HIVに対する抗体は含まない
	HBIG	B型肝炎免疫グロブリン—HBVに対する高力価の抗体を含む

より生じるC型肝炎は輸血用血液におけるこのウイルスのスクリーニングが始まった1990年代初頭以前は輸血後肝炎の主因であった．現在感染している人の2/3は静注用麻薬乱用の既往がある．ピアスや刺青に使用する針，頻度は低いが性交渉による，あるいは母児間の感染もある．感染初期は通常無症状である．早期からウイルスの様々な部分に対する抗体が現れるが，ウイルスを中和しない．しかしながら15—20%の患者は自然治癒する．残りは感染が持続化し，ウイルスRNAが持続して検出され，約半数で肝機能は徐々に悪化する．肝硬変は15—20%のC型肝炎患者で生じる．C型肝炎ウイルス感染の肝外所見としてクリオグロブリン血症，糸球体腎炎，非Hodgkinリンパ腫がみられる．B型肝炎，C型肝炎の急性感染はA型肝炎より死亡率が高い(註急性肝炎そのものの死亡率ではC型肝炎による死亡はほとんどない．慢性化した部分の長期予後も含めた場合のことである)．A型肝炎，B型肝炎に対しては能動免疫のための有効なワクチンが存在する．インターフェロンα-2bとラミブジンはB型肝炎に有効なことがある．インターフェロンα-2a，あるいは2bとリバビリンの併用療法はC型肝炎患者の一部に有効である．有効性は一部ウイルスの遺伝子型による．D型肝炎はB型肝炎に感染している人にのみ肝炎を生じることができるRNAウイルスにより起こる．B型肝炎ウイルスとD型肝炎ウイルスの両者に感染した人は劇症肝炎や肝硬変を生じるリスクが高い．長期にわたるインターフェロン投与がときに有効である．主に熱帯地方でみられるE型肝炎は，糞口感染し，慢性にならず，キャリアを生じないという点でA型肝炎に似るが，死亡率はもっと高い．

---

h. A A型肝炎．＝viral h. type A.

acute parenchymatous h. 急性実質性肝炎．＝acute massive liver *necrosis*.

anicteric h. 黄疸のない肝炎．

anicteric viral h. 無黄疸性ウイルス性肝炎（比較的軽度の肝炎で黄疸はなく，ウイルスによるものである．主な身体的徴候と症状は肝，リンパ節および脾臓の肥大に頭痛，持続的な疲労，吐気，食欲不振，突発的な喫煙嫌悪感，腹痛，ときとして微熱を伴う．検査により肝炎と判明する）．

autoimmune h. (**AIH**) 自己免疫性肝炎（原因不明の慢性肝疾患．組織学的には形質細胞浸潤を伴う門脈枝周囲の炎症があり，高γ-グロブリン血症，血清中の自己抗体を特徴とする．女性に多く発症し，免疫抑制剤によく反応する）．

h. B B型肝炎．＝viral h. type B.

h. C C型肝炎．＝viral h. type C.

cholangiolitic h. 細胆管炎性肝炎（小胆管周囲に炎症性変化を伴う肝炎で，主に閉塞性黄疸を起こす．ウイルス感染，あるいは閉塞に伴い胆道を逆行する細菌感染によると思われる）．

cholestatic h. 胆汁うっ滞性肝炎（炎症を生じた肝内胆管に胆汁うっ滞を伴った黄疸．通常，薬剤性）．

chronic h. 慢性肝炎（6か月以上存続する型の肝炎で，しばしば肝硬変に進行する）．＝chronic active liver disease.

chronic active h. 慢性活動性肝炎（肝実質に拡大する慢性の門脈域の炎症，ピースミール壊死と線維化を伴う肝炎で，通常粗大な結節性の壊死後性肝硬変に進展する）．＝juvenile cirrhosis; posthepatitic cirrhosis; subacute h.

chronic interstitial h. 慢性間質性肝炎（肝硬変を表す現在では用いられない語）．

chronic persistent h. ＝chronic persisting h.

chronic persisting h. 慢性持続性肝炎（通常良性の経過で，肝硬変に進行せず，身体所見，症状はなく，肝機能検査の異常のみが持続する慢性肝炎の一型）．＝chronic persistent h.

h. D ＝viral h. type D.

delta h. デルタ型肝炎．＝viral h. type D.

drug-induced h. 薬物性肝炎（薬物による肝細胞の傷害）．

h. E E型肝炎．＝viral h. type E.

epidemic h. 流行性肝炎．＝viral h. type A.

h. externa ＝perihepatitis.

h. F F型肝炎（いまだ特徴が明らかにされていないDNAウイルスによって生じる肝炎．註この肝炎は現在完全に否定されている）．

fulminant h. 劇症肝炎（ウイルス感染や，肝組織の他の原因の炎症性破壊による，重症の急速に進行する肝機能低下．凝固障害および脳障害を伴う）．

h. G G型肝炎（肝炎ウイルスに類似したRNAウイルスによって生じる疾患．註G型肝炎ウイルスは現在では真の肝炎ウイルスではないと考えられている）．

giant cell h. 巨細胞性肝炎．＝neonatal h.

halothane h. ［MIM*234350］．ハロタン性肝炎（ハロタン麻酔によるといわれる肝細胞の傷害）．

infectious h. (**IH**) 感染性肝炎，伝染性肝炎．＝viral h. type A.

long incubation h. 長期潜伏性肝炎（h.Bに対する古語．A型肝炎(15—45日，平均30日)より潜伏期が長い(一般に30—180日，通常60—90日)ことによる）．

lupoid h. ルポイド肝炎（肝細胞障害の形跡を示し，抗核抗体やLE細胞テストで陽性を示す黄疸．全身性紅斑性狼瘡の形跡はなく，肝生検は形質細胞の浸潤を伴った活動性慢性肝炎または壊死後性肝硬変を示すのが普通である．血清はB型肝炎抗原に対して陰性である．自己免疫性肝炎とよぶことが多い）．＝plasma cell h.

MS-1 h. MS-1肝炎．＝viral h. type A.

NANB h. non-A, non-B h. の略．

NANBNC h. non-A, non-B, non-C h. の略．

neonatal h. 新生児肝炎（新生児期の肝炎で主にウイルス性であるが，様々な原因によると推定される．直接・間接ビリルビンの上昇や肝細胞の変性，多核巨細胞の出現を特徴とする．新生児肝炎は胆道閉鎖と区別することがむずかしいが，前者は，肝硬変症は進展することはあるが，より回復しやすい）．＝giant cell h.

non-A-E h. 非A-E型肝炎（既知のA型—E型肝炎ウイルス以外の原因による肝炎）．

non-A, non-B h. (**NANB h.**) 非A・非B型肝炎（A型・B型肝炎ウイルスの診断法によって検出されない多数の感染源によって起こる肝炎）．

non-A, non-B, non-C h. (**NANBNC h.**) 非A・非B・非C型肝炎（A型肝炎ウイルス，B型肝炎ウイルス，C型肝炎ウイルス以外のウイルスによる肝炎）．

peliosis h. 肝臓紫斑病（肝臓に多数の，血液の充満した小腔がみられるまれな疾患．小腔の内壁はときに内皮細胞に裏打ちされていることがある．本疾患は偶然に発見されることもあり，また破裂して腹腔内出血を起こすこともある）．

plasma cell h. ＝lupoid h.

serum h. (**SH**) 血清肝炎．＝viral h. type B.

short incubation h. 短潜伏期性肝炎．＝viral h. type A.

subacute h. 亜急性肝炎．＝chronic active h.

suppurative h. 化膿性肝炎（膿瘍を形成する肝炎．原因はアメーバ性の場合が多い）．

transfusion h. 輸血肝炎．＝viral h. type B.

viral h. ウイルス性肝炎（①免疫学的に無関係な少なくとも7つのウイルス(A型肝炎ウイルス，B型肝炎ウイルス，C型肝炎ウイルス，D型肝炎ウイルス，E型肝炎ウイルス，F型肝炎ウイルス，G型肝炎ウイルス)のいずれか1つにより生じる肝炎．②EBウイルス，サイトメガロウイルスなどのウイルス感染で生じる肝炎）．＝virus h.

viral h. type A A型ウイルス性肝炎（潜伏期の短い(通常は15—50日)ウイルス性肝炎．ピコルナウイルス科のA型ウイルスによって起こる．しばしば便から口を経て伝播される．症状のないものから軽症，重症，ときには死亡に至るまで様々である．特発的な流行が起こり，学齢児や若い成人によく起こる．リンパ球，形質細胞の浸潤を伴って，門脈域の肝細胞の壊死が顕著で，黄疸は共通の症状である．γ-グロブリンがこの疾患予防に役立つ）．＝epidemic h.; h. A; infectious h.; MS-1 h.; short incubation h.; virus A h.

viral h. type B B型ウイルス性肝炎（潜伏期の長い(通常は50—160日)ウイルス性肝炎．B型肝炎ウイルス(血清肝炎ウイルス)，DNAウイルス，ヘパドナウイルス科のウイルスにより起こるが，このウイルスは，通常，感染血液または感染血液成分の注射によって，あるいは単に汚染された注射器，ランセット，その他の器具を使用することによって，あるいは性交渉によって伝播される．臨床的，病理学的にはA型肝炎(伝染性肝炎)と同類であるが，交差予防免疫はない．

H

ウイルス性抗原(HB_sAg)が血清中にみられ，患者によってはデルタ型肝炎ウイルスがみられることもある．急性または慢性の肝疾患を引き起こすかもしれない)．＝h. B; serum h.; transfusion h.; virus B h.

viral h. type C C型ウイルス性肝炎（非A・非B(NANB)型輸血後肝炎の主な原因で，フラビウイルス科に分類されるRNA ウイルスにより引き起こされる．潜伏期は6－8週で，75%の感染者は臨床症状を呈さず慢性持続性肝炎に移行する．これらの患者は高頻度で慢性肝疾患を発症し，肝硬変に進行し，肝細胞癌を生じる可能性がある)．＝h. C; virus C h.

viral h. type D D型ウイルス性肝炎（被殻にHB_s抗原を利用するため増殖にB型肝炎ウイルスを必要とする不完全RNA ウイルスであるサテライトウイルスのデルタ型肝炎ウイルスによって生じる急性あるいは慢性肝炎．急性型には次の2種がある．ⓘB型肝炎ウイルスとデルタ型肝炎ウイルスとの共感染により生じる急性肝炎で通常は自然に終息する．ⓘⓘB型肝炎ウイルスキャリアにデルタ型肝炎ウイルスが重感染して生じる肝炎で，しばしば慢性化する．慢性型は他の型の肝炎よりも重症である)．＝delta h.; h. D.

viral h. type E E型ウイルス性肝炎（被殻を有さない一本鎖，プラス鎖の直径 27—34 nm の RNA ウイルスによって生じる肝炎で，ウイルスは他の肝炎とは無関係でカルシウイルス科に属する．主にアジア，アフリカ，南米で生じる経口感染，水系感染，流行性非A・非B型肝炎の主な原因)．＝h. E.

virus h. ＝viral h.

virus A h. A型ウイルス性肝炎．＝viral h. type A.

virus B h. B型ウイルス性肝炎．＝viral h. type B.

virus C h. C型ウイルス性肝炎．＝viral h. type C.

hep·a·ti·za·tion (hep′ă-ti-ză′shŭn). 肝変（肉眼的に粗い組織が肝様物質のように硬い塊に変わること．特に肺炎における肺の硬化についていう)．

gray h. 灰色肝変（肺炎における肝変の第2期で，滲出物が分解に先立って変性し始める時期のもの．色は黄色がかった灰色または斑状である)．

red h. 赤色肝変（肝変の第1期で，滲出物は血液に染まっている)．

yellow h. 黄色肝変（肝変の最終期で，滲出物が膿状を呈する)．

hepato- (he-pat′ō). →hepat-.

hep·a·to·blas·to·ma (hep′ă-tō-blas-tō′mă). 胚芽〔細胞〕腫（年少小児に発生する悪性新生物．主に肝臓に発生し，胚芽期あるいは胎児期の肝臓上皮，または上皮と間葉組織の混在したものに類似した組織からなる)．

hep·a·to·car·ci·no·ma (hep′ă-tō-kar′si-nō′mă). ＝hepatocellular *carcinoma.*

he·pa·to·cele (he-pă′tō-sēl) [hepato- + G. *kēlē*, hernia]. 肝ヘルニア（肝臓の一部が腹壁または横隔膜を通して突出するもの)．

hep·a·to·chol·an·gi·o·en·ter·os·to·my (hep′ă-tō-kō-lan′jē-ō-en-ter-os′tō-mē) [hepato- + G. *cholē*, bile + *angeion*, vessel + *enteron*, intestine + *stoma*, mouth]. 肝管腸〔管〕吻合〔術〕．＝hepaticoenterostomy.

hep·a·to·chol·an·gi·o·je·ju·nos·to·my (hep′ă-tō-kō-lan′jē-ō-jē-jū-nos′tō-mē) [hepato- + G. *cholē*, bile + *angeion*, vessel + jejunostomy]. 肝管空腸吻合〔術〕（肝管を空腸に結び付ける手術)．

hep·a·to·chol·an·gi·os·to·my (hep′ă-tō-kō-lan-jē-os′tō-mē). 肝臓胆管造瘻術（排液を通すために総胆管内へ開口部を設ける手術)．

hep·a·to·chol·an·gi·tis (hep′ă-tō-kō-lan-jī′tis). 肝胆管炎（肝臓および胆道系の炎症)．

hep·a·to·col·ic (hep′a-tō-cŏl′ik). 肝結腸の（肝臓と結腸に関する)．

hep·a·to·cu·pre·in (hep′ă-tō-kū′prē-in). ヘパトクプレイン．＝cytocuprein.

hep·a·to·cys·tic (hep′ă-tō-sis′tik) [hepato- + G. *kystis*, bladder]. 肝胆嚢の（胆嚢または肝臓と胆嚢の両方に関する)．

Hep·a·to·cys·tis (hep′ă-tō-sis′tis) [hepato- + G. *kystis*, bladder]. ヘパトシスチス属（プラズモディウム科の住血胞子虫属で，赤血球中に生殖体母細胞，肝実質中に嚢胞様赤血球外繁殖体をもつ．旧世界の霊長類，コウモリ，リスなどに寄生するが，家畜または西半球においては寄生しない．アフリカのヒヒやその他のサルに一般に寄生する種 *H. kochi* はヌカカ *Culicoides* によって伝播される)．

hep·a·to·cyte (hep′ă-tō-sīt). 肝〔実質〕細胞．

hep·a·to·du·o·de·nal (hep′ă-tō-dū-ō-dē′năl,dū-od′en-al). 肝十二指腸の（肝臓と十二指腸に関する)．

hep·a·to·du·o·de·nos·to·my (hep′ă-tō-dū′ō-dĕ-nos′tŏ-mē). ＝hepaticoduodenostomy.

hep·a·to·dys·en·tery (hep′ă-tō-dis′en-ter-ē). 肝性赤痢（肝疾患を合併した赤痢)．

hep·a·to·en·ter·ic (hep′ă-tō-en-ter′ik) [hepato- + G. *enteron*, intestine]. 肝腸の（肝臓と腸に関する)．

hep·a·to·fu·gal (hep′ă-tō-fyū′găl). 遠肝性（肝臓から離れて，通常，門脈血流についていう)．

hep·a·to·gas·tric (hep′ă-tō-gas′trik). 肝胃の（肝臓と胃に関する)．

hep·a·to·gen·ic, he·pa·tog·e·nous (hep′ă-tō-jen′ik, -toj′en-ŭs). 肝由来の（肝臓で形成された)．

hep·a·tog·raphy (hep′ă-tog′ră-fē) [hepato- + G. *graphē*, a writing]. 肝造影(撮影)〔法〕．

hep·a·to·he·mi·a (hep′ă-tō-hē′mē-ă) [hepato- + G. *haima*, blood]. 肝充血を表す，まれに用いる語．

hep·a·toid (hep′ă-toyd) [hepato- + G. *eidos*, resemblance]. 肝様の．

hep·a·to·jug·u·la·rom·e·ter (hep′ă-tō-jŭg′yū-lă-rom′ĕ-tĕr) [hepato- + L. *jugulum*, throat + G. *metron*, measure]. 肝頸静脈計（肝頸静脈還流試験で，肝臓に加わる圧力および力を量的に調節し，測定するための装置)．

hep·a·to·li·en·og·ra·phy (hep′ă-tō-lī′en-og′ră-fē) [hepato- + L. *lien*, spleen + G. *graphē*, a writing]. ＝hepatosplenography.

hep·a·to·li·en·o·meg·a·ly (hep′ă-tō-lī′ĕ-nō-meg′ă-lē). ＝hepatosplenomegaly.

hep·a·to·lith (hep′ă-tō-lith) [hepato- + G. *lithos*, stone]. 肝結石．

hep·a·to·li·thec·to·my (hep′ă-tō-li-thek′tŏ-mē) [hepato- + G. *lithos*, stone + *ektomē*, excision]. 肝結石摘出〔術〕（肝臓の結石を摘出すること)．

hep·a·to·li·thi·a·sis (hep′ă-tō-li-thī′ă-sis) [hepato- + G. *lithiasis*, presence of a calculus]. 肝結石症（肝臓に結石があること)．

hep·a·tol·o·gist (hep′ă-tol′ŏ-jist). 肝臓学者，肝臓専門医．

hep·a·tol·o·gy (hep′ă-tol′ŏ-jē) [hepato- + G. *logos*, study]. 肝臓学（肝臓を扱う医学の分野)．

hep·a·tol·y·sin (hep′ă-tol′i-sin). 肝細胞溶解素（胆実質細胞を破壊する細胞溶解素)．

hep·a·to·ma (hep′ă-tō′mă) [hepato- + G. *-oma*, tumor]. ヘパトーム，肝〔細胞〕癌（→malignant h.)．＝hepatocellular *carcinoma.*

malignant h. 悪性ヘパトーム，悪性肝〔細胞〕癌．＝hepatocellular *carcinoma.*

hep·a·to·ma·la·cia (hep′ă-tō-mă-lā′shē-ă) [hepato- + G. *malakia*, softening]. 肝軟化〔症〕（肝臓が軟らかくなること)．

hep·a·to·meg·a·ly, he·pa·to·me·ga·lia (hep′ă-tō-meg′ă-lē, -mĕ-gā′lē-ă) [hepato- + G. *megas*, large]. 肝腫〔大〕（肝臓の腫大)．

hep·a·to·mel·a·no·sis (hep′ă-tō-mel′ă-nō′sis) [hepato- + G. *melas*, black + *-osis*, condition]. 肝黒色症（肝臓の濃厚色素沈着)．

hep·a·tom·pha·lo·cele (hep′ă-tom′fă-lō-sēl′) [hepato- + omphalocele]. 肝臍ヘルニア（肝臓を含んだ臍ヘルニア)．＝hepatomphalos.

hep·a·tom·pha·los (hep′ă-tom′fă-lōs). ＝hepatomphalocele.

hep·a·to·ne·cro·sis (hep′ă-tō-nĕ-krō′sis). 肝壊死（肝細胞の死)．

hep·a·to·neph·ric (hep′ă-tō-nef′rik). ＝hepatorenal.

hep·a·to·neph·ro·meg·a·ly (hep′ă-tō-nef′rō-meg′ă-lē) [hepato- + G. *nephros*, kidney + *megas*, great]. 肝腎腫（肝

臓と一側または両側の腎臓の腫脹）.

hep·a·to·pan·cre·a·tic (hep′ă-tō-pan-crē-ă′tik). 肝膵の（肝臓と膵臓に関する）.

hep·a·to·path·ic (hep′ă-tō-path′ik). 肝障害性の.

hep·a·top·a·thy (hep′ă-top′ă-thē) [hepato- + G. *pathos*, suffering]. ヘパトパシー，肝障害.

hep·a·to·per·i·to·ni·tis (hep′ă-tō-per′i-tō-nī′tis). ＝perihepatitis.

hep·a·to·pet·al (hep′ă-tō-pet′ăl). 求肝性（肝臓に向かって，通常，正常の門脈血流の方向をいう）.

hep·a·to·pex·y (hep′ă-tō-pek′sē) [hepato- + G. *pēxis*, fixation]. 肝固定〔術〕（肝臓を腹壁に固定すること）.

hep·a·to·phren·ic (hep′ă-tō-fren′ik). 肝横隔〔膜〕の（肝臓と横隔膜に関する）.

hep·a·to·phy·ma (hep′ă-tō-fī′mă) [hepato- + G. *phyma*, tumor]. 肝腫瘍（肝臓の球形または結節性腫瘍）.

hep·a·to·pneu·mon·ic (hep′ă-tō-nū-mon′ik) [hepato- + G. *pneumonikos*, pulmonary]. 肝肺の（肝臓と肺に関する）. ＝hepaticopulmonary; hepatopulmonary.

hep·a·to·por·tal (hep′ă-tō-pōr′tăl). 肝門脈の（肝臓の門脈系に関する）.

hep·a·to·pto·sis (hep′ă-ttō-tō′sis, tō-tō′sis) [hepato- + G. *ptōsis*, a falling]. 肝下垂〔症〕（**[**二重字 pt において，p は語頭にあるときのみ無音である**]**．肝臓が下方へ変位すること）. ＝wandering liver.

hep·a·to·pul·mo·nar·y (hep′ă-tō-pŭl′mō-nār′ē). ＝hepatopneumonic.

hep·a·to·re·nal (hep′ă-tō-rē′năl) [hepato- + L. *renalis*, renal < *renes*, kidneys]. 肝腎の（肝臓と腎臓に関する）. ＝hepatonephric.

hep·a·tor·rha·gi·a (hep′ă-tō-rā′jē-ă) [hepato- + G. *rhēgnymi*, to burst forth]. 肝出血（肝臓内への出血，または肝臓からの出血）.

hep·a·tor·rha·phy (hep′ă-tōr′ă-fē) [hepato- + G. *rhaphē*, a suture]. 肝縫合〔術〕（肝臓の創傷の縫合）.

hep·a·tor·rhex·is (hep′ă-tō-rek′sis) [hepato- + G. *rhēxis*, rupture]. 肝〔臓〕破裂.

hep·a·tos·co·py (hep′ă-tos′kŏ-pē) [hepato- + G. *skopeō*, to examine]. 肝〔臓〕検査.

hep·a·to·sple·ni·tis (hep′ă-tō-splē-nī′tis). 肝脾炎（肝臓と脾臓の疾患）.

hep·a·to·splen·og·ra·phy (hep′ă-tō-splē-nog′ră-fē). 肝脾造影(撮影)〔法〕（X線撮影で肝臓および脾臓の輪郭を描くために対比染料を用いること）. ＝hepatolienography.

hep·a·to·splen·o·meg·a·ly (hep′ă-tō-splē′nō-meg′ă-lē) [hepato- + G. *splēn*, spleen + *megas*, large]. 肝脾腫大〔症〕. ＝hepatolienomegaly.

he·pa·to·sple·nop·a·thy (hep′ă-tō-splē-nop′ă-thē). 肝脾障害.

hep·a·tos·to·my (hep′ă-tos′tŏ-mē) [hepato- + G. *stoma*, mouth]. 肝臓開口術，肝臓瘻術（肝臓に瘻孔を設置すること）.

hep·a·to·ther·a·py (hep′ă-tō-thār′ă-pē). ***1*** 肝臓療法（肝疾患の治療に対してまれに用いる語）. ***2*** 肝臓製剤療法（肝臓エキスまたは粗肝臓抽出物を治療に用いることを表す，まれに用いる語）.

hep·a·tot·o·my (hep′ă-tot′ŏ-mē) [hepato- + G. *tomē*, incision]. 肝切開〔術〕.

hep·a·to·tox·e·mi·a (hep′ă-tō-tok-sē′mē-ă) [hepato- + G. *toxikon*, poison + *haima*, blood]. 肝性毒血症（肝機能不全によると思われる自家中毒）.

hep·a·to·tox·ic (hep′ă-tō-tok′sik). 肝臓毒素の，肝毒性の（肝臓に損傷を与える物質またはそのような作用についていう）.

hep·a·to·tox·ic·i·ty (hep′ă-tō-tok-sis′i-tē). 肝毒性（薬物，化学物質などが肝臓を傷害する能力．よく知られたものとして四塩化炭素，アルコール，ダントロレンナトリウム，バルプロ酸，イソニコチン酸ヒドラジドなどがある）.

hep·a·to·tox·in (hep′ă-tō-tok′sin). 肝臓毒素（肝実質細胞を破壊する毒素）.

Hep·a·to·zo·on (hep′ă-tō-zō′on) [hepato- + G. *zōon*, animal]. ヘパトゾーン属（ヘモグレガリナ科の原生動物．脊椎動物の内臓で増員生殖し，その白血球中または赤血球中で有性生殖をする．ある種のマダニ，その他の吸血無脊椎動物で，胞子形成をする．*H. canis* はイヌ，ネコ，ジャッカル，ハイエナに寄生するが，イヌにおいて最も病原性が強く，重篤な疾病を起こし死に至らしめる．罹患する他の種はラット，マウス，ウサギ，リスが含まれる）.

HEPES ヘペス（4-(2-ヒドロキシエチル)-1-ピペラジンエタンスルホン酸．*in vitro* 実験の生理的緩衝液に使用される物質で，薬理作用をもたない）.

hepta- (hep′tă) [G. *hepta*]. 7を意味する接頭語. *cf.*septi-; sept-.

hep·ta·chlor (hep′tă-klōr). ヘプタクロル（綿花ゾウムシの制御に使用される塩素化炭化水素系殺虫薬．経皮，吸入，あるいは経口摂取により体内に吸収され毒性を発現する．ヒトへも毒性を示すため適用は限られている）.

hep·tad (hep′tad). 七価元素，七価の基.

hep·ta·nal (hep′tă-năl). ヘプタナール（多くの人工芳香物質(香料)の一構成要素で，ヒマシ油のリシノール酸から化学的方法により得られる．エナンチル酸エチルの製造に用いる）. ＝enanthal; oenanthal.

hep·ta·pep·tide (hep′tă-pep′tīd). ヘプタペプチド（7個のアミノ酸残基からなるペプチド）.

hep·tose (hep′tōs). ヘプトース（分子中に7個の炭素原子をもつ糖．例えば sedoheptulose）.

hep·tu·lose (hep′tū-lōs). ヘプツロース. ＝ketoheptose.

D-*al·tro*-2-**hep·tu·lose** (al′trō hep′tū-lōs). D-アルトロ-2-ヘプツロース. ＝sedoheptulose.

D-*manno*-**hep·tu·lose** (man′ō hep′tū-lōs). D-マンノ-ヘプツロース（マンノース配列をもつケト七炭糖の1つで，アボカドを大量に食べたヒトの尿に排泄される）.

n-**hep·tyl·pen·i·cil·lin** (hep′til-pen′i-sil′in). *n*-ヘプチルペニシリン（ペニシリンK）.

her·biv·o·rous (hĕr-biv′ŏ-rŭs) [L. *herba*, herb + *voro*, to devour]. 草食性の（植物を常食とすることについていう）.

her·cep·tin (her-sep′tin). ハーセプチン（HER2/neu 陽性の乳癌の治療に用いられるモノクローナル抗体）. ＝trastuzumab.

herd (hĕrd) [O. E. *heord*]. 群れ（一定区域内のヒトや動物の一群）.

he·red·i·tar·y (hĕ-red′i-ter-ē) [L. *hereditatius* < *heres*(*hered-*), an heir]. 遺伝〔性〕の（親の生殖細胞によってコード化された情報によって親から子に伝えられる）.

he·red·i·ty (hĕ-red′i-tē) [L. *hereditas*, inheritance < *heres* (*hered-*), heir]. ***1*** 遺伝（親の生殖細胞によってコード化された情報によって親の形質が子孫に伝えられること）. ***2*** 家系学

heredo- (hĕr′ĕ-dō) [L. *heres*, an heir]. 遺伝を意味する接頭語.

her·e·do·path·i·a a·tac·ti·ca pol·y·neu·ri·ti·for·mis (her′ĕ-dō-path′ē-ă ă-tak′ti-kă pol′ē-nū-rō-ti-fōr′mis). 遺伝性多発神経炎性失調. ＝Refsum *disease*.

her·e·do·a·tax·i·a (hĕr′rĕ-do-taks′ĕ-ă). 遺伝性運動失調. ＝Friedreich *ataxia*.

He·rel·le·a (hĕ-rel′ē-ă). ヘレレア属（細菌の一属名．その標準種である *H. vaginicola* が *Acinetobacter*属の一菌種であるため国際委員会で公式に除外された）.

He·ring (her′ing), Heinrich Ewald. ドイツ人生理学者，1866 — 1948. →sinus *nerve* of H.; H.-Breuer *reflex*; Traube-H. *curves*.

He·ring (her′ing), Karl E.K. ドイツ人生理学者，1834 — 1918. →H. *test*, *theory* of color vision; *canal* of H.; Traube-H. *curves*, *waves*; Semon-H. *theory*.

her·i·ta·bil·i·ty (her′i-tă-bil′i-tē) [→heredity]. 遺伝率，遺伝力（①精神(心理)測定において，獲得要素に対比して，遺伝的要素に起因すると思われる反応様式や個人の総合得点を示すのに使う統計用語．②遺伝学において，表現型の全変異のうち，どれだけが遺伝的変異によるものかを表す統計的用語．慣例的にシンボルh^2で示される）.

h. in the broad sense 広義の遺伝率(遺伝力)（すべての表現型変異について，どの程度が何らかの遺伝因子(相加，優性効果，上位，下位によるもの，およびすべての種類の相互作用)に帰することができるかの割合）.

H

h. in the narrow sense 狭義の遺伝率(遺伝力)(全表現型分散のうち相加的遺伝分散のみに帰することができる比率. 形質が親から子供に伝達される程度を反映しており，商業的交配価に関与する).

her·i·tage (her′i-tăj) [O. Fr.]. 遺伝物(遺伝形質すべてをいう).

Her·litz (her′lits), Gillis. 20世紀のスウェーデン人小児科医. →H. *syndrome*.

Her·man (her′măn), E. 20 世紀の米国人組織学者.

Her·mann (her′mahn), Friedrich. ドイツ人解剖学者，1858—1920. →H. *fixative*.

Her·man·sky (hār-mon′skē), Frantisek. 20 世紀のチェコ人医師. →H.-Pudlak *syndrome*.

her·maph·ro·dism (her-maf′rō-dizm). = hermaphroditism.

her·maph·ro·dite (her-maf′rō-dīt) [G. *Hermaphroditos*: *Hermēs*(Mercury)の息子 + *Aphroditē*, Venus]. 半陰陽者(intersex ともいう).

her·maph·ro·dit·ism (her-maf′rō-dīt-izm). 半陰陽(1人のヒトに卵巣と精巣の両組織および遊送性外性器が存在する. 真半陰陽). = hermaphrodism.

adrenal h. 副腎性半陰陽(副腎皮質機能障害により変化した性形質. 最も多いのは女性の男性化. 真半陰陽の例ではない).

bilateral h. 両側性半陰陽(両側に卵巣精巣をもった真半陰陽).

dimidiate h. = lateral h.

false h. 偽半陰陽. = pseudohermaphroditism.

female h. 女性半陰陽(正確には女性偽性半陰陽 female pseudohermaphroditism といわれ，泌尿生殖器の性別がはっきりせず，男性か女性かの性別が明らかでなく，卵巣のみが存在する女性半陰陽をさす. クロマチン陽性の核をもち，染色体は46，XX で構成されている. 註最近では〝46，XX 性分化異常症〟(46，XX DSD)と訳す. DSD は Disorder of Sex Development の略).

lateral h. 側半陰陽(一側に精巣，他側に卵巣のあるもの). = dimidiate h.

male h. 男性半陰陽(正確には男性偽性半陰陽 male pseudohermaphroditism といわれ，核のクロマチンは陰性で 46，XY の染色体をもつ. しかし精巣のみが存在する男性半陰陽で，顕在する身体的特徴が男性優位の真性半陰陽をさすこともある. 註最近では〝46，XY 性分化異常症〟(46，XY DSD)と訳す. DSD は Disorder of Sex Development の略).

transverse h. 交差性半陰陽(外性器は一方の性の特徴を示し，生殖腺は他方の性の特徴を示す偽半陰陽).

true h. [MIM*235600]. 真半陰陽(卵巣と精巣の両組織が存在する半陰陽. 両性の身体の特徴をもつ. true intersexuality ともいう).

unilateral h. 一側性半陰陽(一側にのみ両性の特質が重なる半陰陽，つまり片側に卵巣精巣があり，他の側には卵巣または精巣のいずれかがあるもの).

her·met·ic (her-met′ik). 気密の(空気の出入りができないように密閉，密封した状態をいう).

HERNIA

her·ni·a, pl. **her·ni·ae** (her′nē-ă, her′nē-ē) [L. rupture]. ヘルニア，脱出(臓器の一部，あるいは構造体の一部が正常ではそれらを含む組織を通過して突出すること). = rupture (1).

abdominal h. 腹部ヘルニア(腹壁を通過，または腹壁の内部へ突出するヘルニア). = laparocele.

Barth h. (barth). バルトヘルニア(残存する卵黄管と腸壁の間の腸の係蹄).

Béclard h. (bā-klahr′). ベクラールヘルニア(伏在静脈の孔を通過して突出するヘルニア).

bilocular femoral h. 二房性大腿ヘルニア. = Cooper h.

h. en bissac 二房性ヘルニア. = properitoneal inguinal h.

h. of the broad ligament of the uterus 子宮広間膜ヘルニア(広靱帯組織中へ突出している嚢にコイル状の腸管がはいるもの).

cecal h. 盲腸ヘルニア(盲腸を含むヘルニア).

cerebral h. 脳ヘルニア(頭蓋骨欠損部を通して脳組織が突出すること).

Cloquet h. (klō-kā′). クロケーヘルニア(大腿ヘルニアの1つで，恥骨筋の腱膜を穿孔して，この腱膜と筋肉の間に徐々にはいり込み，大腿血管の後側にみられる).

complete h. 完全ヘルニア(内容物が鞘膜内まで広がる間接鼡径ヘルニア).

concealed h. 隠伏ヘルニア(視診または触診で発見されないヘルニア).

congenital diaphragmatic h. 先天性横隔膜ヘルニア(①左側胸腹膜の横隔膜後縁との融合不全で，通常左側で生じる. ② = retrosternal h.; foramen of Bochdalek h.).

Cooper h. (kū′pĕr). クーパーヘルニア(2個の嚢を有する大腿ヘルニア. 第1の嚢は大腿管内にみられ，第2の嚢は表在筋膜の欠損部を通って皮膚の直下に現れる). = bilocular femoral h.; Hey h.

crural h. = femoral h.

diaphragmatic h. [MIM*142340]. 横隔膜ヘルニア(腹部の内臓が横隔膜の欠損部を通って胸部へ突き出ること. 一般的なタイプは裂孔ヘルニア).

direct inguinal h. → inguinal h.

double loop h. 二重係蹄ヘルニア. = "w" h.

dry h. 乾性ヘルニア(ヘルニア嚢とその内容物が癒着したもの).

duodenojejunal h. 十二指腸空腸ヘルニア(腹膜下組織におけるヘルニア). = retroperitoneal h.; Treitz h.

epigastric h. 上腹壁ヘルニア(臍の上の白線を通るヘルニア).

extrasaccular h. 嚢外性ヘルニア. = sliding h.

fascial h. 筋膜ヘルニア(筋がその筋膜の欠損部を通って膨隆してくること).

fat h. 脂肪ヘルニア(通常の部位のヘルニアで，脱出している組織が脂肪だけからなっているヘルニア).

fatty h. 脂肪ヘルニア. = pannicular h.

femoral h. 大腿ヘルニア(大腿輪を通るヘルニア). = crural h.; femorocele.

foramen of Bochdalek h. (bok′dă-lek). ボホダレク孔ヘルニア. = congenital diaphragmatic h.

gastroesophageal h. 胃食道ヘルニア(胸郭内へ突出した裂孔ヘルニア).

gluteal h. = sciatic h.

Hesselbach h. (hes′ĕl-bahk). ヘッセルバッハヘルニア(篩状筋膜を通る憩室を有するヘルニアで，小葉状の輪郭を呈する).

Hey h. (hā). ヘイヘルニア. = Cooper h.

hiatal h., hiatus h. 裂孔ヘルニア(横隔膜の食道裂孔を通る胃の部分的なヘルニア. それらは滑脱ヘルニア(横隔膜上食道胃接合部)または傍食道ヘルニア(横隔膜下食道胃接合部)に分類される. 後者は横隔膜食道靱帯に異常がない).

Holthouse h. (hōlt′hows). ホールトハウスヘルニア(鼡径靱帯に沿って腸の係蹄が伸展している鼡径ヘルニア).

iliacosubfascial h. 腸骨筋膜下ヘルニア(ヘルニア嚢が腸骨筋膜を通って腸骨筋に接して腸骨窩にあるヘルニア).

incarcerated h. 嵌頓ヘルニア. = irreducible h.

incisional h. 切開創ヘルニア(外科的切開または瘢痕から起こるヘルニア).

indirect inguinal h. → inguinal h.

infantile h. 小児ヘルニア(腸係蹄が鞘膜の後ろを下降するもので，ヘルニアの前には3つの腹膜層がある).

inguinal h. 鼡径ヘルニア(鼡径部におけるヘルニア. direct inguinal h.(直接鼡径ヘルニア)は下腹壁動脈と腹直筋外縁の間の腹壁を通過する. indirect inguinal h.(間接鼡径ヘルニア)は内鼡径輪を抜けて鼡径管にはいる).

inguinocrural h., inguinofemoral h. 鼡径大腿ヘルニア(二室性または二重のヘルニアで，鼡径ヘルニアと大腿ヘルニアの両方がある).

inguinolabial h. 鼡径大陰唇ヘルニア(陰唇へ下降する鼡径ヘルニア).

inguinoscrotal h. 鼡径陰嚢ヘルニア(陰嚢内へ下降する鼡径ヘルニア).

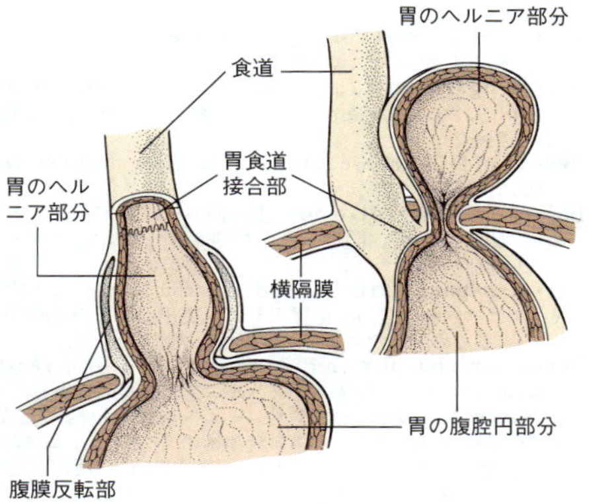

sliding esophageal and paraesophageal hernias

食道滑脱ヘルニア(左)では胃上部と胃食道接合部が胸腔を出たりはいったりする．一方，傍食道ヘルニア(右)では胃の全部または一部が横隔膜を貫いて胃食道接合部の近くまで突出する．

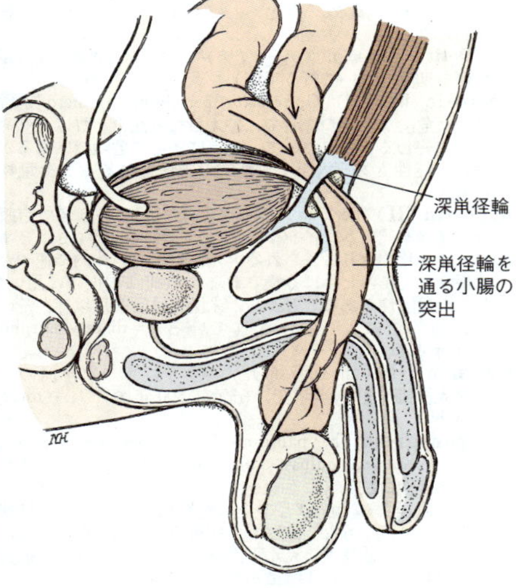

indirect inguinal hernia

inguinosuperficial h. 鼡径皮下ヘルニア（陰嚢ではなく頭方へ転じて，腹壁の皮下にある鼡径ヘルニア）．

internal h. 内ヘルニア（腹腔内臓器が腹腔内の陥凹部または絞窄性バンドの下へはいり込むこと）．

intersigmoid h. S状結腸間膜窩ヘルニア（大腰筋内側縁近くにあってS状結腸間膜根部の下面にある，S状結腸間膜窩内へ突出しているヘルニア）．

interstitial h.〔鼡径〕間質ヘルニア（突出が腹壁のいずれかの2層の間にあるヘルニア）．

intraepiploic h. 大網内ヘルニア，網嚢ヘルニア（網嚢内にコイル状の腸が嵌頓したヘルニア）．

intrailiac h. 腸骨内ヘルニア（内鼡径輪から突出する間質ヘルニア）．

intrapelvic h. 骨盤内ヘルニア（内鼡径輪から骨盤内へ突出する間質ヘルニア）．

irreducible h. 非還納性ヘルニア（手術をしないと還納できないヘルニア）．＝incarcerated h.

ischiatic h. 坐骨〔孔〕ヘルニア（仙坐骨孔を通るヘルニア）．

Krönlein h. (krān′līn)．クレーンラインヘルニア．＝properitoneal inguinal h.

labial h. 陰唇ヘルニア（Nuck 管を通って出るヘルニア）．

lateral ventral h. 腹壁側ヘルニア．＝spigelian h.

Laugier h. (lō-zhē-ā′)．ロジェヘルニア（裂孔靱帯の開口を通って出ているヘルニア）．

levator h. 挙筋ヘルニア．＝perineal h.

Littré h. (lē′trĕ)．リトレヘルニア（①＝parietal h. ② Meckel 憩室のヘルニア）．

lumbar h. 腰ヘルニア（腹横筋の腱膜が広背筋によってのみおおわれている最下位の肋骨と腸骨稜の間のヘルニア）．

Malgaigne h. (mahl-gān′)．マルゲーニュヘルニア（精巣の下降に先行して起こる小児鼡径ヘルニア）．

meningeal h. 髄膜ヘルニア（脊椎披裂または頭蓋披裂から髄膜が突き出るヘルニア）．

mesenteric h. 腸間膜ヘルニア（腸間膜の孔から突き出るヘルニア）．

Morgagni foramen h. (mōr-gah′nyē)．モルガニー孔ヘルニア．＝retrosternal h.; parasternal h.

obturator h. 閉鎖孔ヘルニア（閉鎖孔からのヘルニア）．

orbital h. 眼窩ヘルニア（眼窩隔壁や Tenon 嚢の欠損部位を通して，眼窩脂肪が眼瞼の皮下組織や結膜下に移動すること）．

pannicular h. 皮下脂肪性ヘルニア（筋膜または腱膜の裂孔から皮下脂肪が脱出すること）．＝fatty h.

pantaloon h. パンタロンヘルニア（直接および間接ヘルニアの両者を合併する鼡径ヘルニア）．

paraduodenal h. 十二指腸傍ヘルニア（内ヘルニアの一種で，中腸の回転異常，回転不全より生じる．十二指腸傍腔にはいくつかあり，そのうちの1つが関係する）．

paraesophageal h. 傍食道ヘルニア（横隔膜の食道裂孔あるいはそれに接した部を通るヘルニア．食道胃接合部は横隔膜下に位置し胃が胸腔内へ巻き上がってくる）．

parahiatal h. 傍食道裂口ヘルニア（食道裂口から離れた部で生じる横隔膜のヘルニア）．

paraperitoneal h. 傍腹膜膀胱ヘルニア（膀胱ヘルニアの1つで，脱出した臓器の一部が腹膜によるヘルニア嚢でおおわれている）．

parasaccular h. 副嚢ヘルニア．＝sliding h.

parasternal h. 傍胸骨ヘルニア．＝Morgagni foramen h.

parietal h. 腸壁ヘルニア（腸壁の一部のみが突出するヘルニア）．＝Littré h. (1); partial enterocele; Richter h.

perineal h. 会陰ヘルニア（骨盤隔膜から突き出るヘルニア）．＝levator h.; pudendal h.

Petit h. (pĕ-tē′)．プティ(プチ)ヘルニア（腰三角に起こる腰ヘルニア）．

posterior vaginal h. 後腟円蓋ヘルニア（直腸子宮窩の下方への偏位）．

properitoneal inguinal h. 腹膜前鼡径ヘルニア（複雑なヘルニアで2個の嚢があり，1個は鼡径管に，他の1個は内鼡径輪から突き出て腹膜下組織内にある）．＝h. en bissac; Krönlein h.

pudendal h. 外陰ヘルニア．＝perineal h.

reducible h. 還納性ヘルニア（ヘルニア嚢の内容物がその正常な位置に戻ることのできるヘルニア）．

retrograde h. 逆行性ヘルニア（二重係蹄ヘルニアで，中央の係蹄が腹腔内にある）．

retroperitoneal h. 腹膜後ヘルニア．＝duodenojejunal h.

retropubic h. 恥骨後ヘルニア（内鼡径輪から下へ突出したヘルニアで，腹膜下組織内にある）．

retrosternal h. 胸骨後ヘルニア（上腹壁動静脈が通過する胸骨肋骨孔(モルガニー孔)から脱出するヘルニア．大網や腸管の脱出を生じることがある）．＝congenital diaphragmatic h. (2); Morgagni foramen h.

Richter h. (rik′tĕr)．リヒターヘルニア．＝parietal h.

Rokitansky h. (rō-ki-tahn′skē)．ロキタンスキーヘルニア（腸の筋肉線維が分離して，粘膜嚢が脱出すること）．

sciatic h. 坐骨ヘルニア（大仙坐骨孔から腸が脱出するこ

H

と). =gluteal h.; ischiocele.

scrotal h. 陰嚢ヘルニア（陰嚢にある完全鼡径ヘルニア）.

sliding h. 滑脱ヘルニア（腹部臓器がヘルニア嚢の一部をなすもの）. =extrasaccular h.; parasaccular h.; slipped h.

sliding esophageal hiatal h. 滑脱性食道裂孔ヘルニア（心臓・食道の境界部および胃が食道裂孔を通り縦隔内へ移動すること）. =sliding hiatal h.

sliding hiatal h. 滑脱裂孔ヘルニア. =sliding esophageal hiatal h.

slipped h. =sliding h.

spigelian h. スピゲリウスヘルニア（半月線を通って脱出した腹壁ヘルニア）. =lateral ventral h.

strangulated h. 絞扼性ヘルニア（非還納性のヘルニアで，循環が止まり，早急に手当をしないと壊疽を起こす）.

synovial h. 滑液包ヘルニア，滑液嚢ヘルニア（関節嚢の線維層の切れ目を通る滑膜層のひだの突出）.

Treitz h. (trīts). トライツヘルニア. =duodenojejunal h.

umbilical h. 臍ヘルニア（臍皮下の腹壁を通って腸または大網が脱出しているもの. →omphalocele）. =exomphalos (2); exumbilication (2).

h. uteri inguinale =persistent müllerian duct *syndrome*.

Velpeau h. (vel-pō′). ヴェルポーヘルニア（腸が血管の前にある大腿ヘルニア）.

ventral h. 腹壁ヘルニア（腹部切開創のヘルニア）.

vesicle h. 膀胱ヘルニア（腹壁を通って膀胱の一部が突出する，あるいは鼡径管や陰嚢内へ突出すること）.

vitreous h. 硝子体ヘルニア（硝子体の前房への脱出. 水晶体腔から水晶体を除去あるいは置換したときに起こることがある）.

"w" h. Wヘルニア（ヘルニア嚢内に2個の腸係蹄があるもの）. =double loop h.

---

her·ni·ae (her′nē-ē). hernia の複数形.

her·ni·al (her′nē-ăl). ヘルニアの，脱出の.

her·ni·at·ed (her′nē-āt′ĕd). ヘルニア様の，脱出した（ヘルニア孔から脱出した構造についていう）.

her·ni·a·tion (her′nē-ā′shŭn). ヘルニア形成（解剖的構造物の(例えば，椎間板)正常位置からの突出）.

caudal transtentorial h. 尾方テント切痕〔内〕ヘルニア（側頭葉内側構造物のテント切痕を通じた偏位. 脳幹の吻側－尾側方向への偏位を伴うことも伴わないこともある）. =uncal h.

cingulate h. 帯状回ヘルニア（鎌の下にある帯状回の偏位）.

contained disc h. 包含椎間板ヘルニア（椎間板ヘルニア組織が後方線維輪の薄い層や後縦靱帯によりおおわれたままのものをいう. 例えば椎間板突出）.

disc h. 椎間板ヘルニア（後方線維輪と後縦靱帯を越え，脊柱管内へ椎間板組織が脱出すること）.

foraminal h. 大孔ヘルニア（大孔を通る小脳扁桃の偏位）.

noncontained disc h. 非包含椎間板ヘルニア（脱出した椎間板組織が後方線維輪と後縦靱帯の完全欠損部を通って硬膜外腔前方と直接接触している椎間板ヘルニア. 2型ある. ⓘ脱出型：脱出した椎間板は椎間板腔と連続性を有しているが，完全に硬膜外腔に出ているもの. ⓘⓘ分離脱出型：ヘルニアが椎間板腔との連続性を失い，硬膜外腔で遊離片となっているもの）.

rostral transtentorial h. 吻方テント切痕〔内〕ヘルニア（小脳前部のテント切痕を通じた偏位. 脳幹の尾側－吻側方向への偏位を伴うことも伴わないこともある）.

sphenoidal h. 蝶形骨ヘルニア（蝶形骨稜上の腹側前頭葉組織の偏位）.

subfalcial h. 鎌下ヘルニア（大脳鎌の下のヘルニア. 通常，帯状回が嵌入する）.

tonsillar h. 〔小脳〕扁桃ヘルニア（小脳扁桃が大(後頭)孔を通じて嵌入(頓)すること）.

transtentorial h. テント切痕ヘルニア（小脳テント切痕へのヘルニアで，テント上から(吻側)またはテント下から(尾側)起こる）.

uncal h. 鉤回ヘルニア. =caudal transtentorial h.

hernio- (her′nē-ō) [L. *hernia*, rupture]. ヘルニアに関する連結形.

her·ni·o·en·ter·ot·o·my (her′nē-ō-en′tĕr-ot′ŏ-mē). ヘルニア腸切開〔術〕（ヘルニア整復後の腸切開）.

her·ni·og·ra·phy (her-nē-og′ră-fē) [hernia + G. *graphō*, to write]. ヘルニア造影（ヘルニア嚢に造影剤を注入して行うX線検査）.

her·ni·oid (her′nē-oyd) [hernio- + G. *eidos*, resemblance]. ヘルニア様の.

her·ni·o·lap·a·rot·o·my (her′nē-ō-lap′ă-rot′ŏ-mē). ヘルニア切開開腹〔術〕，開腹ヘルニア切開〔術〕（ヘルニア矯正のための開腹術）.

her·ni·o·punc·ture (her′nē-ō-pŭnk′chūr). ヘルニア穿刺（ヘルニア内へ中空の針を挿入して，突出している内臓を小さくするため内部のガスまたは液体を抜き出すこと）.

her·ni·or·rha·phy (her′nē-ōr′ă-fē) [hernio- + G. *rhaphē*, a seam]. ヘルニア縫縮〔術〕（ヘルニアの外科的修復）.

Bassini h. (bă-sē′nē). バッシーニヘルニア根治(縫縮)術（間接鼡径ヘルニアのヘルニア縫縮術の1つ. ヘルニアの整復後，嚢をねじって結紮・切断し，さらに内腹斜筋の縁を鼡径靱帯に縫着して新しい鼡径管の後壁とし，その上に精索を置き，外腹斜筋で精索をおおって新しい鼡径管をつくる）. =Bassini operation.

her·ni·o·tome (her′nē-ō-tōm). ヘルニア刀. =hernia *knife*.

Cooper h. (kū′pĕr). クーパーヘルニア刀（ヘルニア嚢の頸部において狭窄している組織を分けるために用いる，刃の短く細い柳葉刀）.

her·ni·ot·o·my (her-nē-ot′ŏ-mē) [hernio- + G. *tomē*, a cutting]. ヘルニア切開〔術〕（ヘルニアの狭窄部あるいは絞扼部を外科的に解除すること. しばしば，同時にヘルニア根治が行われる）.

Petit h. (pĕ-tē′). プティ(プチ)ヘルニア切開〔術〕（ヘルニア嚢を切開しないで行う手術）.

he·ro·ic (hē-rō′ik) [G. *hērōikos*, pertaining to a hero]. 冒険的な（危険な病状の患者で，控え目な方法をとれば必然的に失敗に終わる状態において，患者にとって危険ではあるが成功の可能性もある大胆で攻撃的な方法をとることを意味する）.

her·o·in (H) (her′ō-in) [商品名("heroin"という名で市販された鎮痛薬)]. ヘロイン；$C_{17}H_{17}(OC_2H_3O)_2ON$（モルヒネのアセチル化によりつくられるアルカロイド. 体内で速やかに代謝されてモルヒネに変換される. 以前は咳止めに用いた. 乱用の危険性があることから，米国では研究用以外，その使用は連邦法により禁止されている）. =diacetylmorphine; diamorphine.

He·roph·i·lus (hĕ-rof′i-lŭs), アレキサンドリア学派のギリシア人医師・解剖学者で，紀元前300年頃の人. →torcular herophili.

her·pan·gi·na (her-pan′ji-nă) [G. *herpēs*, vesicular eruption + L. *angina*, quinsy < *ango*, to strangle]. ヘルパンギナ，水疱性口峡炎（コクサッキーウイルスによって起こる病気で，直径1—2mmほどの小水疱性丘疹性の発疹が口峡の周りに現れ，まもなく破壊して灰黄色の潰瘍を形成する. 急激な発熱，食欲減退，えん下困難，咽喉痛，ときに腹痛，悪心，嘔吐などをきたす特徴がある）.

her·pes (her′pēz) [G. *herpēs*, a spreading skin eruption, shingles < *herpō*, to creep]. 疱疹，ヘルペス（単純ヘルペスウイルスまたは水痘－帯状疱疹ウイルスによる炎症性皮膚疾患. 紅斑上の深在性小水疱の集簇からなる発疹）. =serpigo (2).

h. catarrhalis カタル性疱疹，カタル性ヘルペス. =h. simplex.

h. corneae 角膜疱疹，角膜ヘルペス. =herpetic *keratitis*.

h. digitalis 指疱疹，指ヘルペス（指の単純ヘルペス感染）.

h. facialis 顔面疱疹，顔面ヘルペス. =h. simplex.

h. febrilis 熱性疱疹，熱性ヘルペス. =h. simplex.

h. generalisatus 全身性疱疹，全身性ヘルペス（汎発性の単純疱疹ウイルス感染）.

h. genitalis, genital h. 陰部疱疹，陰部ヘルペス（性器における単純ヘルペス感染症で，ほとんどヘルペス2型により起こる）.

h. gestationis 妊娠〔性〕疱疹，妊娠〔性〕ヘルペス（上部体幹よりも四肢と腹部に好発する多形性水疱性の発疹で，類天疱瘡または疱疹状皮膚炎の外観を呈する．妊娠の中－後期に発症し，分娩後に消退する．一度生じると，その後の妊娠のたびに再発する．蛍光抗体直接法により表皮基底膜部に線状の C3 の沈着がみられる．ウイルス感染が原因ではない）．

h. gladiatorum 剣状ヘルペス（皮膚組織の外傷に伴う単純ヘルペスの感染）．

inoculation h. 接種性ヘルペス（皮膚欠損を通して起こったヘルペス感染(例えばヘルペス性瘭疽)）．

h. labialis 口唇疱疹，口唇ヘルペス．＝h. simplex.

neonatal h. 新生児疱疹，新生児ヘルペス（ヘルペス 1 型，2 型の母子垂直感染．しばしば産道通過時に感染する．全身性感染は軽症のものから致死性のものまである．後者は特に母親の性器ヘルペスの初感染により起こる）．

h. progenitalis 性器ヘルペス（単純ヘルペスウイルスで発症する性器ヘルペス）．

h. simplex 単純疱疹，単純ヘルペス（ヘルペス 1 型および 2 型による種々の感染症．1 型による感染症は，通常は，唇の辺縁部あるいは外鼻孔の 1 個以上の集簇性水疱からなる発疹を特徴とし，2 型は性器にこのような発疹を生じる．ともにしばしば，再発性で，他の熱病の際，あるいは月経のような生理的状態のときでさえ再発する．潜伏感染となることが多く，何年にもわたって症状を引き起こさないことがある）．＝h. catarrhalis; h. facialis; h. febrilis; h. labialis; Simplexvirus.

traumatic h. 外傷性疱疹，外傷性ヘルペス（外傷または熱傷部位にみられる単純疱疹で，ときに体温上昇と倦怠感を伴うことがある）．

h. whitlow ヘルペス性爪囲炎(瘭疽)（爪郭部表皮の単純ヘルペス感染）．

h. zoster 帯状疱疹，帯状ヘルペス（疱疹ウイルスの一種，水痘－帯状疱疹ウイルスによって生じる感染症で，片側性に神経の走行に一致した小水疱の集簇をきたすのを特徴とする．多くの場合，水痘罹患後何年も潜伏していたウイルスが活性化されることにより，神経節および神経後根が炎症を起こして発症する．この疾患は一定の経過で治癒するが，激しい疱疹後痛を合併または続発することがある．→varicella)．＝zona (2)［TA］; shingles; zoster.

h. zoster ophthalmicus 眼部帯状疱疹，眼部帯状ヘルペス（三叉神経第一枝の帯状疱疹．角膜潰瘍を発症することがある）．

h. zoster oticus 耳帯状疱疹（有痛性の水痘ウイルス感染症．耳介の小疱性発疹を伴い，ときに，顔面神経麻痺を伴うことがある）．＝geniculate zoster; Ramsay Hunt syndrome (2).

h. zoster varicellosus 水痘状帯状疱疹，水痘状帯状ヘルペス（播種性の水痘様皮疹に合併した帯状疱疹）．

Her·pes·vir·i·dae (her′pēs-vir′i-dē). ヘルペスウイルス科（形態的に類似しているウイルスをまとめた不統一な科で，すべてのものが二重鎖の DNA を有し，ヒトや広範囲の脊椎動物に感染する．感染により A 型の封入体が形成される．多くの場合，特異的循環抗体の存在下でも感染は長期間潜在的に持続する．ビリオンはエンベロープにおおわれ，エーテル感受性で，直径は 200 nm 以上に達することがある．ヌクレオカプシドは直径 100 nm で，162 個のカプソメアをもち二十面体で対称である．本科はアルファヘルペスウイルス亜科，ベータヘルペスウイルス亜科，ガンマヘルペスウイルス亜科の 3 亜科に分けられ，単純疱疹ウイルス，水痘－帯状疱疹ウイルス，サイトメガロウイルス，Epstein-Barr ウイルス（これらはすべてヒトに感染する），ブタの仮性狂犬病ウイルス，ウマ鼻肺炎ウイルス，ウシ伝染性鼻気管炎ウイルス，イヌヘルペスウイルス，旧世界サルの B ウイルス，新世界サルの数種のウイルス，ウサギウイルス III，鳥類の伝染性喉頭気管炎ウイルス，ニワトリの Marek 病ウイルス，カエルの Lucké 腫瘍ウイルス，その他多くのウイルスが含まれる）．

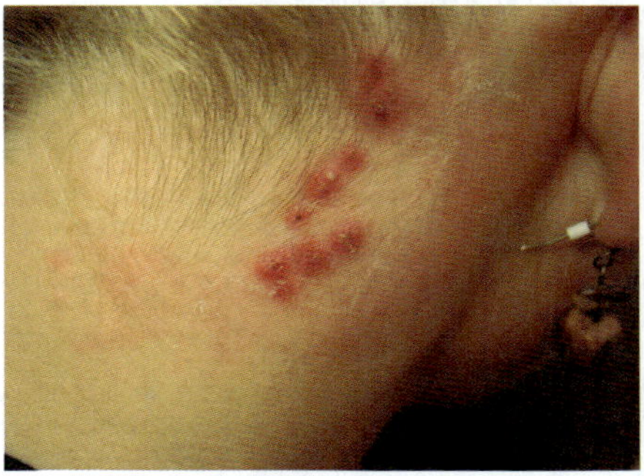

herpes simplex
耳介後方．

her·pes·vi·rus (her′pēz-vī′rŭs). ヘルペスウイルス（ヘルペスウイルス科に属するすべてのウイルス）．

cercopithecrine h. オナガザルヘルペスウイルス（旧世界のサルに感染するヘルペスウイルス科のヘルペスウイルス．形態学的には単純ヘルペスウイルスによく似ている．感染したサルにかまれると，ヒトの場合死をまねくことがあるが，その他にも伝播経路のあることが知られている）．＝B virus; monkey B virus.

H

ヒトヘルペスウイルスの分類

亜科名	属名	分類名	一般名	疾病
アルファヘルペスウイルス	*Simplexvirus*	ヒトヘルペスウイルス1 ヒトヘルペスウイルス2	単純ヘルペスウイルス1型 単純ヘルペスウイルス2型	顔面単純疱疹 陰部単純疱疹
	Varicellovirus	ヒトヘルペスウイルス3	帯状疱疹ウイルス	水痘，帯状疱疹
ベータヘルペスウイルス	*Cytomegalovirus*	ヒトヘルペスウイルス5	サイトメガロウイルス	サイトメガロウイルス
	Reseolovirus	ヒトヘルペスウイルス6 ヒトヘルペスウイルス7	ヒトヘルペスウイルス6 ヒトヘルペスウイルス7	バラ疹（突発性発疹） 唾液腺保菌者状態， バラ疹のいくつかの症例
ガンマヘルペスウイルス	*Lymphocryptovirus*	ヒトヘルペスウイルス4	Epstein-Barrウイルス	伝染性単核球症， Burkittリンパ腫，鼻咽喉癌
	Rhadinovirus	ヒトヘルペスウイルス8	Kaposi肉腫関連 ヘルペスウイルス	Kaposi肉腫， 多巣性Castleman病， 原発性滲出リンパ腫

human h. 1 ヒトヘルペスウイルス１型（単純ヘルペスウイルス１型. → *herpes* simplex).

human h. 2 ヒトヘルペスウイルス２型（単純ヘルペスウイルス２型. → *herpes* simplex).

human h. 3 ヒトヘルペスウイルス３型. = varicella-zoster *virus.*

human h. 4 ヒトヘルペスウイルス４型. = Epstein-Barr *virus.*

human h. 5 ヒトヘルペスウイルス５型（唾液腺に特に親和性が強い極度に種特異的なヘルペスウイルス(サイトメガロウイルス)). = salivary gland virus; salivary virus.

human h. 6 ヒトヘルペスウイルス６型（ある種のリンパ球増殖異常でみつかったヒトヘルペスウイルス．数種の異なる白血球中で増殖可能で，幼児のバラ疹(突発性発疹)に関与する).

human h. 7 ヒトヘルペスウイルス７型（ヒトＴリンパ球から分離されたウイルスで，ほとんどの成人が唾液中に分泌する．疾患との相関性はいまだ明らかにされていない).

---

human h. 8(HHV8) ヒトヘルペスウイルス８型（直鎖２本鎖 DNA ウイルスで，免疫不全者に Kaposi 肉腫(KS)を引き起こす．このウイルスに特有な DNA 塩基配列は，HIV 陰性の KS 検体からも通常同様に検出される．さらに多巣性 Castleman 病や原発性浸出リンパ腫(体腔性リンパ腫)などエイズ患者でみられる珍しいリンパ増殖症候群のいくつかと関連がある．限られた知見ではあるが，免疫能が十分な小児で，非感染性の発熱性発疹をしばしば引き起こす，ということも示唆されている).

エイズ発症者の中で，Kaposi 肉腫は男性同性愛者の 15—25 %に発生するが，非性的経路(血友病など輸血)でエイズになった人では 1—3 %にしかみられない．こうした事実は，HHV8 ウイルスが性的経路によって伝搬されたという仮説を支持する．KS は組織学的には，異常な血管新生と，内皮細胞，線維芽細胞，浸潤白血球，紡錘形腫瘍細胞の増殖を特徴とする．HHV8 は紡錘細胞の一部のみで増殖するが，そうした細胞の多くにウイルスが潜伏感染している．紡錘細胞の増殖は HIV 感染細胞から放出される成長因子によって誘発されるらしい．一方，紡錘細胞は血管新生を助長させる因子を産生する．HHV8 DNA はまた，KS を発症したエイズ患者の 40—50 %で，循環 CD19 陽性 B リンパ球中に見出される．抗HHV8 抗体の血清検査が可能になったが，それらの多くは，体腔性リンパ腫から分離された細胞株由来のウイルス抗原を用いている．ウイルスはアシクロビルに非感受性であるが，ガンシクロビル，ホスカーネット，シドフォビル，インターフェロンαにより増殖が抑制される．

---

h. saimiri リスザルに偏在性に感染しており，他の種のサルに接種するときわめて腫瘍原性である．

suid h. ブタヘルペスウイルス（仮性狂犬病の病原体).

her·pet·ic (her-pet′ik). ヘルペス〔性〕の（①ヘルペスに関する，ヘルペスに特徴的な．②ヘルペスウイルスについていう).

her·pet·i·form (her-pet′i-fōrm). 疱疹状の，ヘルペス状の．

her·pe·tol·o·gist (her′pe-tol′ō-jist). 両生・は虫類学者（両生・は虫類学を専門とする人).

her·pe·tol·o·gy (her′pe-tol′ŏ-jē). 両生・は虫類学（は虫類や両生類の研究に関連する動物学の一分野).

Her·pe·tom·o·nas (her′pĕ-tom′ŏ-năs) [G. *herpeton*, a reptile (< *herpō*, to creep) + *monas*, unit(*Monadidae* の１つ)]. ヘルペトモナス属（無性生殖をするトリパノソーマ科の鞭毛虫類の一属．プロマスティゴート(レプトモナス型)，エピマスティゴート(クリシジア型)，アマスティゴート(リーシュマニア型)，トリポマスティゴート(トリパノソーマ型)を含む種々の体型をもつ，昆虫の寄生原生動物．宿主の糞便によって感染．標準種イエバエヘルペトモナス *H. muscae domesticae* は普通のイエバエにみられる).

Her·pe·to·vir·i·dae (her′pe-tō-vir′i-dē). ヘルペトウイルス科（ヘルペスウイルス科 Herpesviridae を表す現在では用いられない語).

her·pe·to·vi·rus (her′pĕ-tō-vī′rŭs). ヘルペトウイルス類（ヘルペスウイルス科に属するすべてのウイルスを表す現在では用いられない語. → herpesvirus).

Her·ring (her′ing), Percy T. イングランド人生理学者，1872—1967. → H. *bodies.*

Herr·mann (her′mahn), C. Jr. 20 世紀. → H. *syndrome.*

Hers (ārz), G. フランス人生化学者. → H. *disease.*

her·sage (ār-sahzh′) [Fr. (< L. *hirpex*, a large rake), a harrowing]. 神経線維遊離術，エルサージュ（１本の神経幹を数条の神経線維に分離すること).

Hersh·berg (hĕrsh′bĕrg), E.G. 20 世紀の米国人化学者. → Hershberg *test.*

Hert·wig (hārt-vig), Wilhelm A.O. ドイツ人発生学者，1849—1922. → H. *sheath.*

Hertz (hārts), Heinrich R. ドイツ人物理学者，1857—1894. → hertz; hertzian *experiments.*

hertz (Hz) (herts) [H.R. *Hertz*]. ヘルツ（振動数の国際単位系(SI)．毎秒１サイクルの振動に等しい．この用語は動径(円形)周波数または角速度には用いられない．これらの場合には，sec^{-1} の用語を用いる).

hertz·i·an (hertz′ē-ăn). Heinrich R. Hertz の，または彼の記した．

Herx·hei·mer (herks′hī-mĕr), Karl. ドイツ人皮膚科医，1861—1944. → H. *reaction*; Jarisch-H. *reaction.*

herz·stoss (hārz′stos) [Ger. heart thrust]. 〔胸壁〕心動，心悸動（最大衝動点として明確な点を伴うことも，伴わないこともあるが，心臓前部全体が膨隆により形成される心臓収縮).

Hesch·l (hesh′ĕl), Richard L. オーストリア人病理学者，1824—1881. → H. *gyri* (⇒gyrus).

hes·i·tan·cy (hez′i-tănt-sē). 〔排尿〕ちゅうちょ(躊躇)（排尿開始または尿線形成の始まりが不随意に遅れること).

hes·i·tant (hez′ĭ-tant). ヘジタント（RNA ポリメラーゼの状態を表すのに用いられる語で，休止，停止，あるいは終止シグナルに対して感受性があるときにいう. → overdrive; antitermination).

hes·per·i·din (hes-per′i-din). ヘスペリジン（熟していないかんきつ類の果物から採れるフラボン二配糖体．ビタミン P 作用をもつといわれる). = cirantin.

Hess (hes), Carl von. ドイツ人眼科医，1860—1923. → H. *screen.*

Hess (hes), Germain Henri. ロシア在住のスイス人化学者，1802—1850. → Hess *law.*

Hess (hes), Walter R. スイス人生理学者・ノーベル賞受賞者，1881—1973. → trophotropic *zone* of H.

Hes·sel·bach (hes′ĕl-bahk), Franz K. ドイツ人解剖学者・外科医，1759—1816. → H. *fascia, hernia, ligament, triangle.*

het·a·starch (het′ă-starch). ヘタスターチ（赤血球の凍結保護剤として用いられる炭水化物のデンプン誘導体．血漿増量剤としても用いられる).

heter- (het′ĕr). → hetero-.

het·er·a·del·phus (het′ĕr-ă-del′fŭs) [heter- + G. *adelphos*, brother]. 不完全体癒着体，不完全体結合体（普通に近い大きさの自生体に結合した小さな不完全寄生体をもつ不等接着双生児. → conjoined *twins*).

het·er·a·li·us (het-ĕr-ā′lē-ŭs) [heter- + G. *halios*, useless]. 極度の不完全体癒着体(結合体)（寄生体が自生体の突起物のようにみえる不等接着双生児. → conjoined *twins*).

het·er·ax·i·al (het′ĕr-ak′sē-ăl). 不等軸性の（互いに直交する異なった長さの軸を有する).

het·er·e·cious (het′ĕr-ē′shŭs) [heter- + G. *oikion*, home]. 異種寄生性の（２つ以上の宿主をもつ．異なる動物中で異なった発育期を過ごす寄生生物についていう). = metoxenous.

het·er·e·cism (het′ĕr-ē′sizm) [heter- + G. *oikion*, home]. 異種寄生（寄生生物が，異なる２つの宿主を通過して２つの生活史をもつ現象). = metoxeny (1).

het·er·es·the·si·a (het′ĕr-es-thē′zē-ă) [heter- + G. *aisthēsis*, sensation]. 異種感覚（皮膚表面のある線を越すと，皮膚刺激に対する感覚反応の度合いが(プラスかマイナス)に変化すること).

hetero-, heter- (het′ĕr-ō, het′ĕr) [G. *heteros*, other]. 異種または雑種の意を表す連結形．homo- の対語．

het·er·o·ag·glu·ti·nin (het′ĕr-ō-ă-glū′ti-nin). 異種凝集

素（血球凝集素の一種で，他種の赤血球をも凝集させるもの．→hemagglutinin）．

het·er·o·al·leles (het′ĕr-ō-ă-lēlz′)．ヘテロ対立遺伝子（異なったヌクレオチド配列部位で突然変異を受ける遺伝子．したがって別々の突然変異に由来する．*cf.*eualleles）．

het·er·o·an·ti·body (het′ĕr-ō-an′ti-bod-ē)．異種抗体（異種の抗原に対して産出された抗体で，isoantibody(同種抗体)とは区別される）．

het·er·o·an·ti·se·rum (het′ĕr-ō-an′ti-sē-rŭm)．ヘテロ抗血清（ある動物に，他の動物種の抗原や細胞を接種してできた抗血清）．

het·er·o·at·om (het′ĕr-ō-at′ŏm)．ヘテロアトム，異種原子（ピリジンやピリミジン(異項環化合物)のNのように，有機化合物の環構造中にある炭素でない原子）．

het·er·o·blas·tic (het′er-ō-blas′tik) ［hetero- + G. *blastos*, germ］．異胚葉性の（2型以上の組織から発達することについていう）．

het·er·o·cel·lu·lar (het′ĕr-ō-sel′yū-lăr)．異種細胞の．

het·er·o·cen·tric (het′ĕr-ō-sen′trik) ［hetero- + G. *kentron*, center］．***1*** 異中心性の，偏心性の（異なった中心をもつ．普通の焦点には合わない光線についていう．*cf.* homocentric）．***2*** 他〔者〕中心〔性〕の．＝allocentric.

het·er·o·ceph·a·lus (het′ĕr-ō-sef′ă-lŭs) ［hetero- + G.*kephalē*, head］．頭不等奇形児（頭部の大きさが異なる接着双生児．→conjoined *twins*）．

het·er·o·chei·ral, het·er·o·chi·ral (het′ĕr-ō-kī′răl) ［hetero- + G. *cheir*, hand］．対側手の．

het·er·o·chro·mat·ic (het′ĕr-ō-krō-mat′ik)．異質染色質の．

het·er·o·chro·ma·tin (het′ĕr-ō-krō′mă-tin)．異質染色質，ヘテロクロマチン（分裂間期に固くコイル状に凝縮していて，直ちに染まる染色糸の部分）．＝heteropyknotic chromatin.

constitutive h. 構成ヘテロクロマチン（仁形成体での二次的収縮のときに存在する反復ヘテロクロマチン）．

facultative h. 随意ヘテロクロマチン（DNA の転写配列を含む非反復ヘテロクロマチン）．

satellite-rich h. 多サテライトヘテロクロマチン（リボソーム RNA の 18S および 28S 粒子をコードし，ある染色体の中心体に近隣しているヘテロクロマチン）．

het·er·o·chro·mi·a (het′ĕr-ō-krō′mē-ă) ［hetero- + G. *chrōma*, color］．異色〔症〕（正常では色が同じである2つの構造で，色が異なっていること）．

atrophic h. 萎縮性虹彩異色〔症〕（外傷や炎症後，あるいは老年者に起こる虹彩異色症）．

binocular h. 双眼異色〔症〕（一眼の色素の増加または減少で，眼外色素欠損を伴う場合と伴わない場合がある）．

h. iridis, h. of iris ［MIM*142500］．虹彩異色〔症〕（両眼の虹彩の色の違い．→binocular h.）．

monocular h. 単眼異色〔症〕．＝*iris* bicolor.

simple h. 単純異色〔症〕（発育欠陥として現れる虹彩異色症．神経支配の障害はない）．

sympathetic h. 交感神経性異色〔症〕（頸部交感神経障害後に起こる虹彩異色症）．

het·er·o·chro·mous (het′ĕr-ō-krō′mŭs)．異色性の（着色が正常と異なっている）．

het·er·o·chron (het′ĕr-ō-kron′) ［hetero- + G. *chronos*, time］．異時値〔性〕の（異なった時値をもつ）．

het·er·o·chro·ni·a (het′ĕr-ō-krō′nē-ă) ［hetero- + G. *chronos*, time］．異時性（時期をはずれた，または通常の順序をはずれた組織または器官の発生または成長．*cf.* synchronia）．

het·er·o·chron·ic (het′ĕr-ō-kron′ik)．＝heterochronous.

het·er·och·ro·nous (het′ĕr-ok′rō-nŭs)．異時性の．＝heterochronic.

het·er·o·clad·ic (het′ĕr-ō-klad′ik) ［hetero- + G. *klados*, a twig］．異枝吻合の（異なった動脈幹枝間の吻合についていう．homocladic(同枝吻合の)とは異なる）．

het·er·o·crine (het′ĕr-ō-krin) ［hetero- + G. *krinō*, to separate］．異質分泌の（2種以上の物質の分泌についていう）．

het·er·o·cy·to·trop·ic (het′ĕr-ō-sī′tō-trop′ik) ［hetero- + G. *kytos*, cell + *tropē*, a turning toward］．異種細胞向性の（異種細胞に対し親和力のある）．

het·er·o·di·mer (het′ĕr-ō-dī′mĕr) ［hetero- + dimer］．ヘテロ二量体，ヘテロダイマー（いくつかのアミノ酸配列変異がある一対の蛋白からなる分子）．

het·er·o·dis·perse (het′ĕr-ō-dis-pers′)．様々な大きさの（粒子の大きさがふぞろいのエーロゾルを表すのに用いる語）．

het·er·o·dont (het′ĕr-ō-dont) ［hetero- + G. *odous*, tooth］．異形歯（ヒトや他の多くの哺乳類のように様々な形の歯をもつこと．*cf.* homodont）．

Het·er·o·dox·us spi·ni·ger (het′ĕr-ō-dok′sŭs spī′ni-gĕr)．イヌに寄生するシラミ．ときにはカンガルージラミともよばれた．

het·er·od·ro·mous (het′ĕr-ŏd′rŏ-mŭs) ［hetero- + G. *dromos*, running］．逆運動〔性〕の．

het·er·o·du·plex (het′ĕr-ō-dū′pleks) ［hetero- + L. *duplex*, two-fold］．ヘテロ二本鎖（①二本鎖 DNA を構成する2分子の由来が別個であるゆえに，一部で塩基対を形成しえない領域のあるような DNA．② DNA–RNA ハイブリッド）．

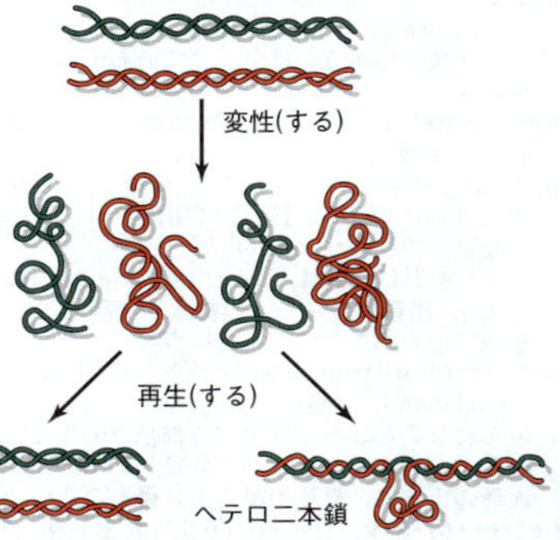

heteroduplex formation

het·er·od·y·mus (het′ĕr-od′i-mŭs) ［hetero- + G. *didymos*, twin］．異種結合体（頭と首，および胸郭の一部などからなる不完全な寄生体が自生体前面で結合した不等接着双生児．→conjoined *twins*）．

het·er·o·e·rot·i·cism (het′ĕr-ō-ĕ-rot′ĭ-sizm)．異性との交際によって性的興奮が生まれる状態．

het·er·o·ga·met·ic (het′ĕr-ō-gă-met′ik) ［hetero- + G. *gametikos*, connubial］．異型配偶子の（対立型の性配偶子をもっていることをいう．ヒトの男性は異型配偶子である）．＝digametic.

het·er·og·a·mous (het′ĕr-og′ă-mŭs)．異型接合の．

het·er·og·a·my (het′ĕr-og′ă-mē) ［hetero- + G. *gamos*, marriage］．異型接合，異型配偶子生殖（①異なった配偶子の接合．②異なる種類の花をつけること．③間接的受粉方法による生殖）．

het·er·o·ge·ne·i·ty (het′ĕr-ō-jĕ-nē′i-tē)．異質性，不均質性，不均一性．

genetic h. 遺伝子異質性（1つ以上の遺伝子の変異あるいは1つ以上の遺伝的メカニズムによって形成される表現型の特質．→genocopy）．

het·er·o·ge·ne·ous (het′ĕr-ō-jē′nē-ŭs)．異質性の，不均質の（種々の異なった性質や特徴をもつ成分からできている）．

het·er·o·gen·e·sis (het′ĕr-ō-jen′ĕ-sis) ［hetero- + G. *genesis*, production］．***1*** 世代交代．***2*** 単為生殖．＝asexual *generation*. ***3*** 突然発生．＝spontaneous *generation*.

het·er·o·ge·net·ic (het′ĕr-ō-jĕ-net′ik)．異質の．

het·er·o·gen·ic, het·er·o·ge·ne·ic (het′ĕr-ō-jen′ik, -jĕ-nē′ik)．異種遺伝子型の（特に異種間で異なる遺伝子構造をもつことについていう）．

het·er·o·ge·note (het′ĕr-ō-jē′nōt)．ヘテロジェノート，異型遺伝子接合体（微生物遺伝学において，本来のゲノムの対応部分とは多少異なる外来性の遺伝物質をもつ生物で，限られた意味では異型接合体に似ている）．

het·er·og·e·nous (het′ĕr-oj′ĕ-nŭs)．異種起源の（しばしばheterogeneous(異質性の)と混同される）．

het·er·o·gly·can (het′ĕr-ō-glī′kan)．ヘテログリカン．＝heteropolysaccharide.

het·er·o·graft (het′ĕr-ō-graft)．異種移植〔片〕．＝xenograft.

het·er·o·kar·y·on(het′ĕr-ō-kar′ē-on) ［hetero- + G.*karyon*, kernel, nut］．ヘテロカリオン，異核共存体（1つの細胞質に遺伝的起源の異なる核を含む細胞のこと．通常，異種の2つの細胞を人工的に融合させることによって得られる）．

het·er·o·kar·y·ot·ic (het′ĕr-ō-kar′ē-ot′ik)．ヘテロカリオン性，ヘテロ核型の（ヘテロカリオンとしての性質を示すこと）．

het·er·o·ker·a·to·plas·ty (het′ĕr-ō-ker′ă-tō-plas′tē)．異種角膜移植〔術〕（ある種の動物の角膜を他種の動物の眼に移植する術）．

het·er·o·ki·ne·si·a (het′ĕr-ō-ki-nē′zē-ă) ［hetero- + G. *kinēsis*, movement］．ヘテロキネシア（命じられたことと逆の運動をすること）．＝heterokinesis (2).

het·er·o·ki·ne·sis (het′ĕr-ō-ki-nē′sis) ［hetero- + G.*kinēsis*, movement］．ヘテロキネシス（①減数分裂期において，X，Y染色体が互いに分かれて分布すること．②＝heterokinesia）．

het·er·o·lat·er·al (het′ĕr-ō-lat′ĕr-ăl) ［hetero- + L. *latus*, side］．対側の．＝contralateral.

het·er·o·lip·ids (het′ĕr-ō-lip′idz)．ヘテロ脂質（①脂質分子中に共通の原子C，H，Oに加えてN，Pを含む脂質．②複合脂質の総称．*cf.* homolipids）．

het·er·o·lit·er·al (het′ĕr-ō-lit′ĕr-ăl) ［hetero- + L. *littera*, letter］．錯音字の（一定の言葉を発音するときに，つづり字を取り違えることについていう）．

het·er·ol·o·gous (het′ĕr-ol′ŏ-gŭs) ［hetero- + G. *logos*, ratio, relation］．異種の，非対応の，異形の（①正常であればみられないところに発生する細胞学的または組織学的要素についていう．→xenogeneic. ②例えば，ウサギに対するウマの血清のように，異種の動物から得ることについていう）．

het·er·ol·o·gy (het′ĕr-ol′ŏ-jē)．異常発生（構造，配列，または成長の型や時間が正常でないこと）．

het·er·ol·y·sin (het′ĕr-ol′i-sin)．異常溶解素（ある種の動物によって形成され，異種の動物の細胞に溶解作用を及ぼす溶解素）．

het·er·ol·y·sis (het′ĕr-ol′i-sis) ［hetero- + G. *lysis*, a loosening］．異種溶解（［誤った発音 heteroly′sis を避けること］．異種からの溶解成分によって細胞あるいは蛋白成分が分解または消化を起こすこと）．

het·er·o·lyt·ic (het′ĕr-ō-lit′ik)．異種溶解の．

het·er·o·mas·ti·gote (het′ĕr-ō-mas′ti-gōt) ［hetero- + G. *mastix*, a whip］．異鞭毛虫（前後に1本ずつのべん毛をもつ鞭毛虫）．

het·er·om·er·al (het′ĕr-om′ĕr-ăl)．＝heteromeric (2).

het·er·o·mer·ic (het′ĕr-ō-mer′ik) ［hetero- + G. *meros*, part］．*1* 異なった化学構造をもつ．*2* 異側性の（脊髄の他側への突起をもつ脊髄ニューロンについていう）．＝heteromeral; heteromerous.

het·er·om·er·ous (het′ĕr-om′ĕr-ŭs)．＝heteromeric (2).

het·er·o·me·tab·o·lous (het′ĕr-ō-me-tab′ŏ-lŭs) ［hetero- + G. *metabolē*, change］．異変態上目の（異変態上目の昆虫に関する．本上目名はときに不完全な変態がみられる一連の目に対して用いられる語である）．

het·er·o·met·a·pla·si·a (het′ĕr-ō-met′ă-plā′zē-ă)．異種組織形成（組織変成によりその部分と異なる組織が形成されること）．

het·er·o·met·ric (het′ĕr-ō-met′rik) ［hetero- + G. *metron*, measure］．異量性の（大きさの変化によることについていう）．

het·er·o·me·tro·pi·a (het′ĕr-ō-me-trō′pē-ă) ［hetero- + G. *metron*, measure + *ōps*, eye］．異視症（両眼の屈折度が異なること）．

het·er·o·morph·ism (het′ĕr-ō-mōrf′izm) ［hetero- + G. *morphē*, shape］．異形(異型)性（細胞遺伝学において，分裂中期に2つの相同染色体間のそれぞれの大きさや型が異なること）．

het·er·o·mor·pho·sis (het′ĕr-ō-mōr-fō′sis) ［hetero- + G. *morphōsis*, a molding］．異質形成，異形(異型)再生（①ある種類，型の組織から別の種類の組織が発生すること．②胎児の組織または器官が不適当な場所に発生すること）．

het·er·o·mor·phous (het′ĕr-ō-mōr′fŭs)．異形(異型)の．

het·er·on·o·mous (het′ĕr-on′ō-mŭs) ［hetero- + G. *nomos*, law］．［heteronymous と混同しないこと］．*1* 不等の（型の異なる）．*2* 他律の（方向または法則が他のものに従う．自己統制のない．*cf.* autonomous）．

het·er·on·o·my (het′ĕr-on′ō-mē) ［hetero- + G. *nomos*, law］．他律性（他律状態）．

het·er·o·nu·cle·ar (het′ĕr-ō-nū′klē-ĕr)．異核（細胞株が確立した時点の核成分の一部を失ったヘテロカリオンの表現）．

het·er·on·y·mous (het′ĕr-on′i-mŭs) ［G. *heterōnymos*, having a different name < *onyma*, *onoma*, name］．異名の（［heteronomous と混同しないこと］．異なる名前をもつ，または異なる用語で表されることをいう）．

het·er·op·a·gus (het′ĕr-op′ă-gŭs) ［hetero- + G. *pagos*, fixed］．異種結合体（不完全に発育した寄生体が自生体の前面に結合した不等接着双生児．→conjoined *twins*.→epigastrius）．

het·er·op·a·thy (het′ĕr-op′ă-thē) ［hetero- + G. *pathos*, suffering］．*1* 病的感受性（刺激に対する異常過敏）．*2* 逆症療法．＝allopathy.

het·er·oph·a·gy (het′ĕr-of′ă-jē) ［hetero- + G. *phagō*, to eat］．異食作用（細胞周囲より貪食した外因性物質の細胞内での消化）．

het·er·o·phil, het·er·o·phile (het′ĕr-ō-fil, -fīl) ［hetero- + G. *philos*, fond］．*1* 異好〔性〕の（他種の生物中にみられる異質あるいは交差反応性の抗原のこと．またそのような抗原に対しての抗体のこと）．*2* 異染〔性〕の（ヒトの好中球についていう．ある種の動物においては顆粒の大きさや染色反応が異なる）．

het·er·o·pho·ni·a (het′ĕr-ō-fō′nē-ă) ［hetero- + G. *phōnē*, voice］．声音異常（①思春期における声の変化．②声音の異常）．＝heterophthongia.

het·er·o·pho·ri·a (het′ĕr-ō-fō′rē-ă) ［hetero- + G. *phora*, movement］．〔眼球〕斜位（両眼視を妨げられること，眼が一方に偏り，平行に保てない性質があること）．

het·er·oph·thal·mus (het′ĕr-of-thal′mŭs) ［hetero- + G. *ophtalmos*, eye］．異色眼（通常，虹彩異色症のために両眼で異なってみえることに対して，まれに用いる語）．＝allophthalmia.

het·er·oph·thon·gi·a (het′ĕr-of-thon′jē-ă) ［G. *heterophthongos* < *heteros*, different + *phthongos*, sound, voice］．音声異常．＝heterophonia.

Het·er·o·phy·es (het′ĕr-of′i-ēz) ［hetero- + G. *phyē*, stature, form］．異形吸虫属（魚類を食べる鳥，哺乳類，ヒトに寄生する異形吸虫科複世代吸虫類の一属．感染した巻貝から出たセルカリアが魚類にはいり，包囊を形成して，それが最終宿主により食べられる）．

H. brevicaeca フィリピンでヒトから発見されたと報告されている一種で，この微小な異形吸虫の卵が小腸粘膜から冠状毛細血管へと運ばれ，心臓障害を生じたとされている．

H. heterophyes エジプト腸吸虫あるいは小さな腸管吸虫．エジプトや極東に住むヒトや，魚類を食べる哺乳類の小腸や盲腸に寄生する吸虫．

H. katsuradai 日本にいる吸虫の一種で，*H. heterophyes* より小さい．

het·er·o·phy·i·a·sis (het′ĕr-ō-fi-ī′ă-sis)．異形吸虫症（異形吸虫類，特に *Heterophyes heterophyes* による感染）．＝heterophyidiasis.

het·er·o·phy·id (het′ĕr-o-fi′id)．異形吸虫科に属する種を示す通称．

Het·er·o·phy·i·dae (het′ĕr-ō-fi′i-dē)．異形吸虫科（魚に寄生する小さな吸虫類の一科で，ヒトに寄生する *H. heterophyes* の属する異形吸虫属 *Heterophyes* を含む）．

het·er·o·phy·id·i·a·sis (het′ĕr-ō-fi′id-ī′ă-sis)．ヘテロフィイド症．＝heterophyiasis.

het·er·o·pla·si·a (het′ĕr-ō-plā′zē-ă) ［hetero- + G. *plasis*, a forming］．異形成（①正常な線維結合組織が存在する部位で

の骨の発育のように，該当の器官や部分に対して正常ではない細胞学的および組織学的要素の発育．②腎臓の下極で発育する尿管のように，正常な組織または部分の変位）．＝alloplasia.

progressive osseous h. 進行性骨異形成（GNAS1 変異に連鎖した遺伝性疾患）.

het·er·o·plas·tic (het′ĕr-ō-plas′tik). ***1*** 異形成の．***2*** 異種移植〔術〕の，異種形成〔術〕の.

het·er·o·plas·tid (het′ĕr-ō-plas′tid). 異種移植片（異種移植術における移植組織）.

het·er·o·ploid (het′ĕr-ō-ployd). 異数体の.

het·er·o·ploi·dy (het′ĕr-ō-ploy′dē) [hetero- ＋G. *ploides*, in form]. 異数性，異倍数性（細胞が標準でない数個の完全な半数体組をもつ状態）.

het·er·o·pol·y·sac·cha·ride (het′ĕr-ō-pol′ē-sak′ă-rīd). 複合多糖類（2 種類以上の単糖からなる多糖類．*cf.* glycan; homoglycan）．＝heteroglycan.

het·er·o·pro·te·ose (het′ĕr-ō-prō′tē-ōs). →primary *proteose*.

het·er·o·pyk·no·sis (het′ĕr-ō-pik-nō′sis) [hetero- ＋G. *pyknos*, dense]. ヘテロピクノーシス，異常凝縮（密度や濃縮度が一様でない状態．通常は，異なる染色体間または同一染色体の異なる部位間の密度の違いをさす．らせんがゆるく巻かれていることもあれば(負の異常凝縮 **negative h.**)，他部位より固く巻かれていることもある(正の異常凝縮 **positive h.**)）.

het·er·o·pyk·not·ic (het′ĕr-ō-pik-not′ik). 異常凝縮〔性〕の（異常凝縮に関する，またはそれによって特徴付けられる）.

het·er·o·re·cep·tor (het′ĕr-ō-rē-sep′tŏr) [hetero- ＋ receptor]. 異種受容体，ヘテロ受容体（ニューロンから放出されたものと異なる修飾性神経調節因子と結合するニューロンの部位）.

het·er·o·sac·cha·ride (het′ĕr-ō-sak′ă-rīd). 異糖類（糖類が非糖類と結合した多糖類．例えばアミグダリン）.

het·er·o·sced·as·tic·i·ty (het′ĕr-ō-skĕd-as-tis′ĭ-tē) [hetero- ＋G. *skedastikos*, pertaining to scatering ＜ *skedannumi*, to scatter]. 不等分散性（研究中のある因子のレベルによって，ある測定値の分散が一定でないこと）.

het·er·o·sex·u·al (het′ĕr-ō-seks′yū-ăl). ***1***〚n.〛異性愛者（性的志向が異性に向いている人）．***2***〚adj.〛異性愛の（異性愛に関する，あるいは異性愛に特徴的な）．***3***〚n.〛異性愛者（異性愛に特徴的とされる興味や行動を示す人）.

het·er·o·sex·u·al·i·ty (het′ĕr-ō-seks′yū-al′i-tē). 異性愛（異性間の性愛，性交または色情的素質）.

het·er·o·side (het′ĕr-ō-sīd). ヘテロシド（2 個以上の違った炭水化物残基からなる化合物．その炭水化物は非炭水化物部分と共有結合をしている）.

het·er·o·sis (het′ĕr-ō′sis) [hetero- ＋ *-ōsis*, condition]. ヘテローシス，雑種強勢（植物の株，動物の血統では，成長，力，性質または体質に関して親の平均的表現型と F_1 のそれとの違いをみると，雑種の表現型のほうが優勢であるという現象．雑種の活力を示すことに用いられることもある）.

het·er·os·mi·a (het′ĕr-os′mē-ă). ＝allotriosmia.

het·er·o·some (het′ĕr-ō-sōm) [hetero- ＋G. *sōma*, body]. 異型染色体（遺伝学的に 2 種の性で異なる染色体対．→sex *chromosomes*）.

het·er·o·spe·cif·ic (het′ĕr-ō-spe-sif′ik). 異種特異的の（組織移植に関して，異種組織からなる）.

het·er·o·sug·ges·tion (het′ĕr-ō-sŭg-jes′chŭn). 他者暗示（他人から受ける催眠性の暗示に対してまれに用いる語．autosuggestion の対語）.

het·er·o·tax·ia (het′ĕr-ō-taks′ē-ă) [hetero- ＋G. *taxis*, arrangement]. 内臓逆位〔症〕（内臓または身体の部分が他と比較して異常な配列になっていること）．＝heterotaxis; heterotaxy.

cardiac h. 心臓逆位〔症〕（→dextrocardia）.

het·er·o·tax·ic (het′ĕr-ō-taks′ik). 内臓逆位〔症〕の（異常に配置または配列されていることについていう）.

het·er·o·tax·is, het·er·o·taxy (het′ĕr-ō-taks′is, het′er-ō-taks-ē). ＝heterotaxia.

het·er·o·thal·lic (het′ĕr-ō-thal′ik) [hetero- ＋G. *thallos*, a young shoot]. 異株性の，性的異質接合性の（真菌類において，他の交配型の核との融合によってのみ有性胞子が形成されるような，一種の有性生殖についていう．*cf.* homothallic）.

het·er·o·therm (het′ĕr-ō-thĕrm). 異温動物.

het·er·o·ther·mic (het′ĕr-ō-thĕr′mik). 異温性の（体温を部分的に調節している．変温性と恒温性との中間）.

het·er·ot·ic (het′ĕr-ot′ik). ヘテローシスの，雑種強勢の.

het·er·o·to·ni·a (het′ĕr-ō-tō′nē-ă) [hetero- ＋G. *tonos*, tension]. 緊張変動（緊張異常または緊張変化）.

het·er·o·to·pi·a (het′ĕr-ō-tō′pē-ă) [hetero- ＋G. *topos*, place]. 異所性（①＝ectopia. ②神経病理学において，特に深大脳白質への灰白質の偏位）.

h. maculae ＝*ectopia* maculae.

het·er·o·top·ic (het′ĕr-ō-top′ik) [hetero- ＋ *topos*, place ＋ *-ic*, pertaining to]. 異所性の（①＝ectopic (1). ②深大脳白質への灰白質の偏位に関する）.

het·er·ot·o·pous (het′ĕr-ot′ō-pŭs). 異所性の（あるべき部位以外にできる組織の奇形腫についていう）.

het·er·o·trans·plan·ta·tion (het′ĕr-ō-tranz′plan-tā′-shŭn). 異種移植，ヘテロ移植，異体移植.

het·er·o·tri·cho·sis (het′ĕr-ō-tri-kō′sis) [hetero- ＋G. *trichōsis*, growth of hair]. 異毛症（種々の色の毛がある状態）.

het·er·o·troph (het′ĕr-ō-trof, -trōf) [hetero- ＋G. *trophē*, nourishment]. 従属栄養体(生物)，有機栄養体(生物)，従属栄養菌(株)（有機化合物からエネルギーと炭素を得る微生物．→autotroph）.

het·er·o·troph·ic (het′ĕr-ō-trof′ik). ***1*** 従属栄養性に関する，従属栄養性をもつ．***2*** 従属栄養体(生物)の，従属栄養菌(株)の.

het·er·ot·ro·phy (het′ĕr-ō-trō-fē). 従属栄養（有機化合物から全代謝物を合成するための能力または要求）.

het·er·o·tro·pi·a, het·er·ot·ro·py (het′ĕr-ō-trō′pē-ă, het-er-ot′rō-pē) [hetero- ＋G. *tropē*, a turning]. 異方視，斜視．＝strabismus.

het·er·o·typ·ic (het′ĕr-ō-tip′ik). 異型(異形)の.

het·er·o·xan·thine (het′ĕr-ō-zan′thin). ヘテロキサンチン；7-methylxanthine (尿中のプリン体尿基の 1 つで，プリン代謝の最終産物).

het·er·ox·e·nous (het′ĕr-oks′ĕ-nŭs) [hetero- ＋G. *xenos*, stranger]. 世代交代の．＝digenetic (1).

het·er·o·zo·ic (het′ĕr-ō-zō′ik) [hetero- ＋G. *zōikos*, relating to an animal]. 異種動物の.

het·er·o·zy·gos·i·ty, het·er·o·zy·go·sis (het′ĕr-ō-zī-gos′i-tē, -zī-gō′sis) [hetero- ＋G. *zygon*, a yoke]. ヘテロ接合〔性〕，異型接合〔性〕（ヘテロ接合の状態）.

het·er·o·zy·gote (het′ĕr-ō-zī′gōt) [hetero- ＋G. *zygotos*, yoked]. ヘテロ接合体，異型接合体（異型接合の状態にある細胞からなる個体）.

compound h. 合成異型接合体（臨床遺伝学の用語で，同一遺伝子座に 2 つの異なった突然変異対立遺伝子が存在する状態）．＝genetic compound.

manifesting h. 顕在性異型接合体（特殊な機序(ライオニゼーション，対立遺伝子排除，相同染色体の欠失など)により，通常は劣性状態であるのに表現型が顕在しているような，異型接合体をもつ生物体）．＝manifesting carrier.

het·er·o·zy·gous (het′ĕr-ō-zī′gŭs). 異型接合の，ヘテロ接合の（2 倍体細胞中の一対の染色体について，その上に存在する任意の遺伝子座で，異なる対立遺伝子を持つこと．例えば，第 11 染色体短腕の遺伝子座 p15.5 について，1 本の染色体には正常ベータグロビン遺伝子(正常ヘモグロビン，HbA)がコードされ，もう 1 本の第 11 染色体の同じ遺伝子座には異常遺伝子(鎌状細胞ヘモグロビン，HbS)が存在するような場合）.

doubly h. 複異型接合体（2 つの遺伝子座間の連鎖分析において，片親の遺伝子型がその両方の座でヘテロである場合，概してその連鎖については最大限の情報が得られるという状態の表現）.

Heub·ner (hoyb′nĕr), Johann O.L. ドイツ人小児科医，1843—1926．→*artery* of H.; H. *arteritis*.

Heu·ser (hoy′zĕr), Chester. 米国人発生学者，1885—1965．→H. *membrane*.

HEV hepatitis E *virus* の略.

hexa-, hex- (hek′să) [G. *hex*]．6の数を表す接頭語．
hex·a·canth (hek′să-kanth) [hexa- ＋G. *akantha*, hook or thorn]．六鉤（円葉目条虫類の運動性のある6つの鉤をもつ初期幼虫．ふ化後に中間宿主の腸を突き破り，次の幼虫段階へと成長する．例えば，無鉤条虫 *Taenia saginata* の六鉤は卵を摂取したウシの腸を貫通し，中間宿主の筋肉中で嚢尾虫になる）．＝oncosphere.
hex·a·chlo·ro·cy·clo·hex·ane (hek′să-klō′rō-sī′klō-hek′-sān)．ヘキサクロロシクロヘキサン．＝gamma benzene hexachloride.
hex·a·chlo·ro·phane (hek′să-klō′rō-fān)．ヘキサクロロフェン．＝hexachlorophene.
hex·a·chlo·ro·phene (hek′să-klō′rō-fēn)．ヘキサクロロフェン（以前は創部の治療および手術時の手洗い消毒に広く用いられていた局所抗菌薬．粘膜，素肌または火傷面，および新生児の正常皮膚への適用により，致死的なCNSを引き起こすことがある．現在では，成人の正常皮膚の消毒に使用が制限されている．0.1％以上のヘキサクロロフェンを含む医薬品は処方箋によってのみ使用可能）．＝hexachlorophane.
hex·a·co·sa·no·ic ac·id (heks-ak′ō-san-ō′ik as′id)．セロチン酸の系統名．
hex·a·co·sa·nol (hek′să-kō′să-nol)．ヘキサコサノール（→ceryl）．
hex·a·co·syl (hek′să-kō′sil)．ヘキサコシル．＝ceryl.
hex·ad (heks′ad)．六価元素，六価の基．
hex·a·dac·ty·ly, hex·a·dac·tyl·ism (hek′să-dak′ti-lē, -lizm) [hexa- ＋G. *daktylos*, finger]．六指症（片方または両方の手足に指が6本あること）．
hex·a·dec·a·no·ic ac·id (hek′să-dek′ă-nō′ik as′id)．ヘキサデカノン酸．＝palmitic acid.
1-hex·a·dec·a·nol (hek-să-dek′ă-nol)．1-ヘキサデカノール．＝cetyl alcohol.
hex·a·flu·o·ren·i·um bro·mide (hek′să-flū-rēn′ē-ŭm brō′mīd)．臭化ヘキサフルオレニウム（麻酔において，軽い非脱分極性の神経筋遮断を起こし，スクシニルコリンの作用を増強する．また血漿コリンエステラーゼも抑制する）．
hex·a·mer (hek′să-mĕr) [hexa- ＋G. *meros*, part]．***1*** ヘキサマー（正二十面体ウイルス表面のカプソメアを構成する6個の蛋白サブユニットのこと）．***2*** 六量体（6個のサブユニットや部品を含有する複合体または化合物(例えば，6個のポリペプチド鎖からなる蛋白複合体，またはアミノ酸6残基からなるオリゴペプチド)）．
hex·a·mer·ic (heks′ă-mĕr-ik)．六量体の（6個のサブユニットまたは部分を含有する）．
hex·a·met·a·zime (HMPAO) (hek′să-met′ă-zēm)．ヘキサメタジム（血液脳関門を容易に透過する脂溶性物質．^{99m}Tcと結合させたものは，SPECT画像あるいは脳血流測定用の放射性薬品として用いられる）．＝hexamethylpropyleneamine oxime.
hex·a·meth·yl·pro·py·lene·a·mine ox·ime (heks′ă-meth′il-prō′pi-lēn-ă-mēn oks′ēm)．ヘキサメチルプロピレンアミンオキシム．＝hexametazime.
hex·a·mine (hek′să-mēn)．ヘキサミン．＝methenamine.
hex·ane (hek′sān)．ヘキサン（パラフィンの飽和炭水化物 C_6H_{14}(一般的に *n*-ヘキサン，CH_3-$(CH_2)_4$-CH_3)）．
hex·a·no·ate (hek′să-nō′āt)．＝caproylate.
***n*-hex·a·no·ic ac·id** (hek′să-nō′ik as′id)．＝*n*-caproic acid.
hex·a·no·yl (hek′să-nō-il)．ヘキサノイル．＝caproyl.
hex·a·pep·tide (hek′să-pep′tīd)．ヘキサペプチド（6個のアミノ酸残基を含有するペプチド）．
hex·a·ploi·dy (hek′să-ploy′dē)．六倍数性（→polyploidy）．
Hex·a·po·da (hek-sap′ō-dă) [hexa- ＋G. *pous*, foot]．六脚類．＝Insecta.
hex·i·tol (heks′i-tol)．ヘキシトール（六炭糖(例えばD-ソルビトール)の還元によってできる糖アルコール）．
hex·o·ki·nase (heks′ō-kī′nās)．ヘキソキナーゼ（酵母，筋肉，その他の組織にあるホスホトランスフェラーゼ．D-グルコースその他のヘキソースのATP依存性リン酸反応を触媒してD-グルコース-6-リン酸(または他のヘキソース-6-リン酸)を生成する．解糖の最初の段階．この酵素の欠損により溶血性貧血や解糖欠陥になる）．
hex·on (heks′on) [hex- ＋-on]．ヘキソン（あるウイルスがもつ正二十面体のカプソメアの三角形表面にある6個の蛋白単位(六量体単位)群のうちの1つ）．
hex·on·ic ac·id (heks-on′ik as′id)．ヘキソン酸（アルドヘキソースのアルデヒド基の酸化によってカルボン酸が生じて得られるアルドン酸．例えば，グルコースから生じるグルコン酸）．
hex·os·a·mine (hek-sō-sam′ēn)．ヘキソースアミン，ヘキソサミン（[正しいアクセントは最後から2番目の音節に置くが，米国の用法ではしばしば最後の音節にアクセントを置く]．ヘキソースのアミン誘導体 NH_2 でOHを置換する．例えばグルコサミン）．
hex·os·a·min·i·dase (hek′sōs-ă-min′i-dās)．ヘキソサミニダーゼ（ガングリオシドのようなオリゴ糖類から*N*-アセチルヘキソース(例えば*N*-アセチルグルコサミン)残留物を加水分解する酵素をさす一般用語．少なくとも次の4つの特異的酵素が上記の作用をすることが知られている．*α*-*N*-acetyl-D-galactosaminidase, *α*-*N*-acetyl-D-glucosaminidase, *β*-*N*-acetyl-D-hexosaminidase, *β*-*N*-acetyl-D-galactosaminidase. 各々はその名前の中に含まれる糖の配列と基型に対して特異性がある）．

h. A [MIM*606869]．ヘキソサミニダーゼA（ガングリオシド G_{M2} に作用して*N*-アセチル-D-ガラクトサミンとガングリオシド G_{M3} を生成させる加水分解酵素．この酵素の欠損によりTay-Sachs病になる）．

h. B [MIM*606873]．ヘキソサミニダーゼB（加水分解酵素の1つで，グロボシドに作用して*N*-アセチルガラクトサミンとトリヘキソシルセラミドを与えるのと同様にガングリオシド G_{M1} に作用し，ガングリオシド G_{M1} とガラクトースを与える．この酵素が欠損するとSandhoff病になる）．

hex·o·sans (hek′sō-sanz)．ヘキソサン（一般公式 $(C_6H_{10}O_5)_x$ の多糖類で，加水分解により六炭糖を生じる．グルコサン(グルカン)，マンナン，ガラクタン，フルクトサン(フルクタン)などが含まれる）．＝polyhexoses.
hex·ose (hek′sōs)．ヘキソース，六炭糖（分子中に炭素原子6個をもつ単糖類(例えば $C_6H_{12}O_6$)．天然ではD-グルコースが主な六炭糖）．
hex·ose·bis·phos·pha·tase, hex·ose·di·phos·pha·tase (hek′sōs-bis-fos′fă-tās, -di-)．ヘキソースビスホスファターゼ．＝fructose 1,6-bisphosphate.
hex·ose phos·pha·tase (hek′sōs fos′fa-tās)．ヘキソースホスファターゼ，リン酸六炭糖分解酵素（ヘキソースリン酸を加水分解してヘキソースにする酵素．例えばグルコース-6-ホスファターゼ）．
hex·ose·phos·phate i·som·er·ase (hek′sōs-fos′fāt ī-som′ĕr-ās)．ヘキソースホスフェートイソメラーゼ，ヘキソースリン酸イソメラーゼ．＝glucose-phosphate isomerase.
hex·ose-1-phos·phate u·ri·dyl·yl·trans·fer·ase (hek′sōs fos′fāt yū′ri-dil′trans′fĕr-ās)．ヘキソース-1-ホスフェートウリジルトランスフェラーゼ．＝UDPglucose-hexose-1-phosphate uridylyltransferase.
hex·u·lose (hek′syū-lōs)．ヘキスロース．＝ketohexose.
hex·ur·on·ic ac·id (heks′yūr-on′ik as′id)．ヘキスロン酸（六炭酸のウロン酸）．
hex·yl (hek′sil)．ヘキシル（ヘキサンの基 $CH_3(CH_2)_4CH_2$-）．
hex·yl·re·sor·ci·nol (hek′sil-re-zōr′si-nol)．ヘキシルレソルシノール（広域スペクトルをもつ駆虫薬または防腐薬）．
Hey (hā), William．イングランド人外科医，1736—1819．→H. *amputation, hernia, ligament*.
Hey·er (hī′yer), W.T.　20世紀の米国人科学者．→H.-Pudenz *valve*.
Hf ハフニウムの元素記号．
HFE2 *hemochromatosis* type 2の略．
HFJV high-frequency jet *ventilation* の略．
HFOV high-frequency oscillatory *ventilation* の略．
HFPPV high-frequency positive pressure *ventilation* の略．
HFV high-frequency *ventilation* の略．
Hg 水銀の元素記号．
Hgb hemoglobin の略．
HGE human granulocytotropic *ehrlichiosis* の略．
HGF hyperglycemic-glycogenolytic *factor* の略．
HGH human growth hormone（ヒト成長ホルモン）の略．→somatotropin.

HGPRT *hypoxanthine* guanine phosphoribosyltransferase の略.
HGSIL high-grade squamous intraepithelial *lesion* の略.
HGV hepatitis G *virus* の略.
Hh protein hedgehog *protein* の略.
HHV human herpesvirus の略.
HHV8 human *herpesvirus* 8 の略.
hi·a·tal (hī-ā′tăl). 裂孔の.
hi·a·tus (hī-ā′tŭs) [L.an aperture < *hio*, pp. *hiatus*, to yawn][TA]. **[複数形は hiati ではなく hiatus である]**. ***1*** 口，裂. ***2*** 裂孔.
adductor h. [TA]. 内転筋裂孔（大内転筋停止腱膜に開いた口で，大腿動静脈が内転筋管から膝窩にここを通過していく）. = h. adductorius [TA]; femoral opening; h. tendineus; tendinous opening.
h. adductorius [TA]. 内転筋裂孔. = adductor h.
aortic h. [TA]. 大動脈裂孔（横隔膜の裂孔で，第 12 胸椎の高さに位置し，2 つの脚，脊柱と正中弓状靱帯により境界され，大動脈と胸管が通る）. = h. aorticus [TA]; aortic foramen; aortic opening.
h. aorticus [TA]. = aortic h.
Breschet h. (brĕ-shā′). ブレシェ裂孔. = helicotrema.
h. canalis facialis = h. for greater petrosal nerve.
h. canalis nervi petrosi majoris [TA]. 大錐体神経裂孔. = h. for greater petrosal nerve.
h. canalis nervi petrosi minoris [TA]. 小錐体神経裂孔. = h. for lesser petrosal nerve.
esophageal h. [TA]. 食道裂孔（横隔膜右脚の裂孔で，第 10 胸椎の高さに位置し，食道と 2 本の迷走神経が通る．腱中心と大動脈裂孔の間にある）. = h. esophageus [TA]; esophageal opening.
h. esophageus [TA]. = esophageal h.
h. ethmoidalis = semilunar h.
h. of facial canal 顔面神経裂孔，大錐体神経裂孔. = h. for greater petrosal nerve.
fallopian h. ファローピウス裂孔. = h. for greater petrosal nerve.
h. for greater petrosal nerve [TA]. 顔面神経裂孔，大錐体神経裂孔（側頭骨錐体部前面にある孔で，顔面神経管に通じ，大錐体神経の通路となる）. = h. canalis nervi petrosi majoris [TA]; fallopian h.; Ferrein foramen; h. canalis facialis; h. of facial canal.
h. for lesser petrosal nerve [TA]. 小錐体神経裂孔（大錐体神経裂孔外側の錐体にある小孔で，小錐体神経が通る）. = h. canalis nervi petrosi minoris [TA]; Arnold canal; canalis nervi petrosi superficialis minoris.
h. maxillaris [TA]. 上顎洞裂孔. = maxillary h.
maxillary h. [TA]. 上顎洞裂孔（上顎骨内側面の上顎洞の大きな開口）. = h. maxillaris [TA].
pleuropericardial h. 胸膜心膜裂孔（胸膜腔と心膜腔をつなぐ孔．通常は胚の心膜胸膜ひだの発育不全の結果起こる）.
pleuroperitoneal h. 胸腹裂孔（横隔膜を貫通し，胸膜腔と腹腔を結ぶ孔．通常は胚の胸腹膜の発育不全の結果起こる．この孔が大きい場合は，胸膜腔内に向かう消化器官のヘルニア形成を起こす）. = Bochdalek foramen.
sacral h. [TA]. 仙骨裂孔（仙骨下端の裂孔で，第五仙椎の椎弓板の融合不全のために脊柱管の開口部となっている．そこは仙尾靱帯により閉鎖され，麻酔薬の投与(仙骨神経ブロック)の際には，仙骨硬膜腔への投与経路となる）. = h. sacralis [TA].
h. sacralis [TA]. 仙骨裂孔. = sacral h.
saphenous h. = saphenous *opening*.
h. saphenus [TA]. 伏在裂孔. = saphenous *opening*.
scalene h. 斜角筋裂孔（前斜角筋・中斜角筋・第一肋骨の間の三角形の隙間で鎖骨下動脈や腕神経叢が通過する．何らかの理由でここが圧迫されると胸郭出口症候群が出現する）. = interscalene triangle.
Scarpa h. (skar′pah). スカルパ裂孔. = helicotrema.
semilunar h. [TA]. 半月裂孔（鼻腔の中鼻道の外側壁内にある深く狭い溝で，上顎洞，前頭洞鼻管，中篩骨蜂巣が開口する）. = h. semilunaris [TA]; h. ethmoidalis.
h. semilunaris [TA]. 半月裂孔. = semilunar h.
h. subarcuatus 弓下裂孔. = subarcuate *fossa*.
h. tendineus 腱裂孔. = adductor h.
h. totalis sacralis 全仙椎裂孔（仙骨の発生異常による裂孔．隣接腰椎にもみられることがある）.
urogenital h. [TA]. 尿生殖裂孔（骨盤隔膜(恥骨尾骨筋)の前端部に挟まれて位置する裂隙．男性では尿道と(深)陰茎背静脈，女性では尿道，腟および(深)陰核背静脈が通るが，その周囲は会陰膜(下尿生殖隔膜筋膜)で塞がれる）. = h. urogenitalis [TA].
h. urogenitalis [TA]. = urogenital h.
hi·ber·na·tion (hī′bĕr-nā′shŭn) [L. *hibernus*, relating to winter]. 冬眠（ある種の動物が寒い期間を過ごす場合の休眠状態．マーモット，リス，ヤマネ，その他の動物などの冬眠動物は 0°C 近くまで体温が下がり，心臓の鼓動は非常に遅くなり，低代謝，低呼吸になる．クマ，スカンク，アライグマのような部分的冬眠動物は寒冷期間中に生理活動が減退するが，昏睡状態ではない．*cf.* estivation）. = winter sleep.
hi·ber·no·ma (hī′bĕr-nō′mă) [L. *hibernus*, pertaining to winter + G. *-ōma*, tumor]. 冬眠腺腫（ある種の冬眠動物内の脂肪に似た褐色の脂肪からなる，ヒトにできる良性新生物のまれな型．腫瘍細胞は複合脂質蓄積を含む．→brown *fat*）.
interscapular h. 肩甲骨間冬眠腺腫. = brown *fat*.
hic·cup (hik′ŭp). しゃっくり（**[最近の別形である誤ったつづり hiccough は避けたほうがよい]**．横隔膜の痙縮．痙攣性の声門閉鎖によって中断される突然の息の吸入を引き起こすもの．音を発する）. = singultus.
epidemic h. 流行性しゃっくり（インフルエンザの併発症として起こる持続性しゃっくり）.
Hick·man (hik′măn), Robert O. 20 世紀の米国人小児外科医. → H. *catheter*.
Hicks (hiks). → Braxton Hicks.
HIDA dimethyl iminodiacetic acid の略.
hidr- → hidro-.
hi·drad·e·ni·tis (hī′drad-ĕ-nī′tis) [G. *hidrōs*, sweat + *adēn*, gland + *-itis*, inflammation]. 汗腺炎（汗腺の炎症，特にアポクリン腺の炎症）. = hydradenitis.
h. suppurativa 汗腺膿瘍，化膿性汗腺炎（肛門周囲，腋窩，生殖器周囲，または乳房下の皮膚のアポクリン汗腺の慢性化膿性毛嚢炎．思春期後に現れ，瘢痕を伴った膿瘍や膿瘻を起こす）.
neutrophilic eccrine h. 好中球性エクリン汗腺炎（化学療法を受けている患者に起こる炎症性病変で，深部のエクリン汗腺に好中球浸潤を起こす）.
hi·drad·e·no·ma (hī′drad-ĕ-nō′mă) [G. *hidrōs*, sweat + *adēn*, gland + *-oma*, tumor]. 汗腺腫（汗腺の上皮細胞から生じる良性新生物）. = hydradenoma.
clear cell h. 〔透〕明細胞汗腺腫（エクリン汗腺から発生する腫瘍．グリコゲンの豊富な明細胞でできている）. = eccrine acrospiroma; nodular h.
nodular h. 小結節性汗腺腫. = clear cell h.
papillary h. 乳頭状汗腺腫（通常，女性の大陰唇にできる嚢胞状・乳頭状の孤立性腫瘍．アポクリン腺上皮に似た上皮からなる）. = apocrine adenoma; h. papilliferum.
h. papilliferum 乳頭状汗腺腫. = papillary h.
hidro-, hidr- (hī′drō) [G. *hidrōs*]. **[本連結形を hydro- と混同しないこと．これらは単につづりが異なるだけでなく，別々の語から由来する]**. 汗または汗腺に関する連結形. *cf.* sudor-.
hi·dro·a (hī-drō′ă). = hydroa.
hi·dro·cys·to·ma (hī′drō-sis-tō′mă) [hidro- + G. *kystis*, bladder + *-ōma*, tumor]. 汗腺嚢腫（汗腺腫の嚢胞型．通常は，アポクリン汗腺系）. = hydrocystoma (2); syringocystoma.
apocrine h. アポクリン汗嚢腫. = sudoriferous *cyst*.
hi·dro·mei·o·sis (hī′drō-mī-ō′sis) [hidro- + G. *meiōsis*, a lessening]. ヒドロメイオーシス（入浴中などの，熱にさらされている間に，発汗が減少すること）.
hi·dro·poi·e·sis (hī′drō-poy-ē′sis, hid′rō-) [hidro- + G. *poiēsis*, formation]. 発汗.
hi·dros·che·sis (hī-dros′kĕ-sis, hid-ros′) [hidro- + G. *schesis*, a checking]. 制汗（発汗を抑えること）.
hi·dro·sis (hi-drō′sis, hī-) [G. *hidrōs*, sweat + *-osis*, condition]. 多汗〔症〕（汗をかいて出すこと）.

hi·drot·ic (hi-drot′ik, hī-). 多汗〔症〕の.

hi·er·ar·chy (hī′ĕr-ar-kē, hī-rar′kē) [G. *hierarchia*, rule or power of the high priest]. 階層（①人々または事物を段階付ける体系. ②心理学または精神医学において，より単純な成分が結び付けられて，より複雑な統合体を形成するという傾向または概念の構造）.

dominance h. 優位階層，順位制（ある個体がそれより下位のすべてを支配し，さらにそれが次にあるより下位のすべてを支配していき，全体に支配される個体にまで至るという社会的状況. 例えば，サル，アザラシ，農場飼育のニワトリなどにおける順位）.

Maslow h. (maz′lō). マスロー階層（生理的欲求，愛と所有物，自尊心，自己実現というように，人間が低いものから高いものへと順次満たしていくと考えられる欲求の段階付け）.

response h. 反応階層（与えられた状況を有効性を予測して優先的順序に応じて調整する選択的反応あるいは適応様式. 例えば，母親が手に負えない子供をしつけようとする場合，まず頼んでみたり，おだてたりし，次には嘆願し，叱り，最終的には罰する. 母親の行動はその先の有効性をみながらするという反応階層構造に従って段階付けできる）.

h. of terms 用語の階級（放射線学において，診断的画像に対する様々な用語および解剖学的・病理学的構造を記載するために用いられる様々な意味の概念）.

hi·er·o·pho·bi·a (hī′ĕr-ō-fō′bē-ă) [G. *hieros*, holy + *phobos*, fear]. 神聖物恐怖〔症〕（宗教的なもの，または神聖なものに対する病的な恐れ）.

hi·er·o·ther·a·py (hī′ĕr-ō-thār′ă-pē) [G. *hieros*, holy + *therapeia*, therapy]. 信仰療法，宗教療法（祈りや宗教的実践による疾病治療）.

Hi·ga·shi (hē-gah′shē), Ototaka. 日本人医師. → Chédiak-H. *disease*; Chédiak-Steinbrinck-H. *anomaly, syndrome.*

High·more (hī′mōr), Nathaniel. 英国人解剖学者，1613—1685. → *antrum* of H.; H. *body.*

hi·la (hī′lă). hilum の複数形.

hi·lar (hī′lăr). 門の.

hi·li·tis (hī-lī′tis). 門炎（門の内膜の炎症）.

Hill (hil), Archibald V. イングランド人生理学者・ノーベル賞受賞者，1886—1977. → H. *equation, plot*; initial *heat.*

Hill (hil), Austin Bradford. 英国人医学統計学者，1897—1991. → H. *criteria* of evidence.

Hill (hil), Harold A. 20 世紀の米国人放射線科医. → H.-Sachs *lesion.*

Hill (hil), Leonard Erskine. イングランド人生理学者，1866—1952. → H. *sign, phenomenon.*

Hill (hil), Lucius D. 20 世紀の米国人胸部外科医. → H. *operation.*

Hill (hil), Robert. 20 世紀の英国人植物生理学者. → H. *reaction.*

Hil·lis (hil′is), David S. 米国人産科・婦人科医，1873—1942. → H.-Müller *maneuver.*

hil·lock (hil′lok). 小丘（解剖学において，小さな丘または隆起）.

axon h. 軸索小丘，起始円錐（神経細胞体から出る軸索起始部の円錐状の部分. 平行に配列した神経細管を含み，Nissl 物質はない）. = implantation cone.

facial h. = facial *colliculus.*

seminal h. = seminal *colliculus.*

Hil·ton (hil′tŏn), John. イングランド人外科医，1804—1878. → H. *law*, white *line, method, sac.*

hi·lum, pl. **hi·la** (hī′lŭm, hī′lă) [L. a small bit or trifle] [TA]. 門（[誤った形 hilus を避けること]. ①神経と脈管が出入りする器官の部分. = porta (1). ②脳のオリーブ核門に似た陥凹）.

h. of dentate nucleus [TA]. 歯状核門（小脳のフラスコ状歯状核門で，内方(吻内側)を向き，上小脳脚または結合腕をつくる線維群に出口を与えている）. = h. nuclei dentati [TA].

h. glandulae suprarenalis [TA]. 副腎門（副腎の門）.

h. of inferior olivary nucleus [TA]. 下オリーブ核門（下オリーブ核を構成するひだ状の細胞層にある内方に向く門. この門の出口は下オリーブ核の遠心性線維によって占められる）. = h. nuclei olivaris inferioris [TA].

h. of kidney [TA]. 腎門（腎臓の内側縁の陥凹で，腎区脈管や腎神経が通り，腎盤の先端が通る）. = h. renale [TA]; porta renis.

h. lienale* 脾門（splenic h. の公式の別名）.

h. of lung [TA]. 肺門（①両肺の縦隔面にある楔形をした陥凹部分で，気管支，血管，神経，リンパ管が臓器に出入りする. ②放射線医学で，解剖学的肺門に隣接する肺基部の肺動静脈主幹とリンパ節の混成陰影）. = h. pulmonis [TA]; porta pulmonis.

h. of lymph node [TA]. 〔リンパ節の〕門（リンパ節の陥凹面で，ここから輸出リンパ管が出ていき，また血管が出入りする）. = h. nodi lymphoidei [TA].

h. nodi lymphoidei [TA]. = h. of lymph node.

h. nuclei dentati [TA]. 歯状核門. = h. of dentate nucleus.

h. nuclei olivaris inferioris [TA]. 下オリーブ核門. = h. of inferior olivary nucleus.

h. ovarii 卵巣門. = h. of ovary.

h. of ovary 卵巣門（血管や神経が卵巣に出入りする卵巣間膜付着部における，卵巣間膜縁に沿う陥凹部分）. = h. ovarii.

h. pulmonis [TA]. 肺門. = h. of lung.

h. renale [TA]. 腎門. = h. of kidney.

h. of spleen 脾門. = splenic h.

splenic h. [TA]. 脾門（脾臓の胃面上の裂溝で，脾動脈および静脈，脾神経の通路となる）. = h. splenicum [TA]; h. lienale*; h. of spleen; porta lienis.

h. splenicum [TA]. 脾門. = splenic h.

hi·lus (hī′lŭs) [L. *hilum* の英語の変形]. hilum(門)を表す不適切な用語.

hi·man·to·sis (hī′man-tō′sis) [G. *himas*, strap + *-osis*, condition]. 口蓋垂延長（異常に長い口蓋垂）.

hind·brain (hīnd′brān) [TA]. 菱脳. = rhombencephalon.

hind·gut (hīnd′gŭt). 後腸（①胚における腸管の尾側部または末端部. ②下行結腸，S 状結腸，直腸，肛門管の上方 1/3）. = endgut.

hind·pel·vis (hīnd-pel′vis). 後骨盤（骨盤(腔)のうち骨盤上口横径より後方の部分. 通常は前骨盤に比べて小さく，男性型骨盤ではさらに小さい. その形状は仙椎が示す隆起によって大きく異なる）.

hind·wa·ter (hīnd′wah-tĕr). 後羊水（胎児先進部よりも後方の子宮内羊水を表す口語）.

hinge-bow (hinj′bō). ヒンジボウ. = face-bow.

Hin·man (hin′măn), Frank, Jr. 20 世紀の米国人泌尿器科医. → H. *syndrome.*

Hin·ton (hin′tŏn), William A. 米国人医師，1883—1959. → H. *test*; Mueller-H. *agar.*

hip [A.S. *hype*]. ***1*** 股関節部（腰から大腿へかけての骨盤部の側方への隆起. 腸骨稜，大腿骨の大転子およびこれらに付髄する軟部組織によって形成される）. = coxa (1). ***2*** = *hip bone.* ***3*** = *hip joint.* ***4*** 大腿骨の骨頭，頸部と大・小転子を含む大腿骨の近位部をさす. 通常よく用いられる股関節骨折 hip fracture や股関節釘固定 hip nailing の場合にはこの意味で用いられる.［あいまいさを避けるため，意味を限定する用語を hip joint, hip region のように追加するか，femoral neck fracture のように hip をまったく用いないのが望ましい］.

snapping h. 弾撥股，ばね股（緊張下の大腿筋膜や大腿筋が大腿骨近位端の大転子上を動いたり，腸腰筋の腱が小転子の上を動いたりすることによりクリックを生じる状態をいう）.

HIPAA Health Insurance Portability and Accountability Act の略.

hip·ber·ries (hip′ber′ēz). = *rose* hips.

Hip·pe·la·tes (hip′ĕ-lā′tēz) [G. *hippelatēs*, driver of horses]. ヒッペラテス属（Chloropidae 蝿科の一属で，動物やヒトの分泌物や体液，特に眼の分泌物に引き付けられる. *Hippelates* 属は結膜炎(急性カタル性結膜炎)，ウシの乳腺炎，イチゴ腫(熱帯フランベジア)などを媒介するといわれる）.

Hip·po·bos·ca (hip′ō-bos′kă) [G. *hippos*, horse + *boskein*, to feed]. シラミバエ属（ツェツェバエと関連のある蛹生群のシラミバエ科の一属. 鳥類や哺乳類の外部寄生虫である）.

hip·po·cam·pal (hip′ō-kam′păl). 海馬の.

hip·po·cam·pus (hip′ō-kam′pŭs) [G. *hippocampos*, seahorse] [TA]. 海馬（大脳半球の皮質外套内側縁を形成する内部回転状構造の複合体で，白質，海馬槽神経束(アルベウス)，海馬采とともに2つの回(Ammon角と歯状回)からなり，側脳室脈絡膜裂に境界される．サルやヒトでは，この海馬は脳梁が大きく発達するために，側頭葉に限局される．細胞構築学的に典型的な不等皮質(古皮質)で，海馬は辺縁系(以前は嗅脳といわれた)の一部を構成する．海馬の主な求心性線維連絡は海馬傍回の内側嗅領と透明中隔．脳弓により，海馬は中隔，視床前核，乳頭体に投射する）．＝h. major; major h.

h. major ＝hippocampus.

major h. ＝hippocampus.

h. minor ＝calcarine *spur*.

minor h. ＝calcarine *spur*.

Hip·po·cra·tes of Cos (hip-ok′ră-tēz kas), ギリシア人医師，460—377 B.C. 頃．〝医学の父〟とよばれる．→hippocratic *facies*, *fingers*, *school*, *succussion*, *nails*.

hip·po·crat·ic (hip′ō-krat′ik). [hypocritical と混同しないこと]. Hippocrates の，彼の記した，彼に基づく．

Hip·po·crat·ic Oath (hip′ō-krat′ik ōth). ヒポクラテスの誓い（通常，医学士の学位を受けるときに医師が行う誓い．そこで，医師は医学の実践に際して，倫理的な原理を守ることを約束する．この誓いは，Cos 島出身の Hippocrates(紀元前460—377)にちなんで名づけられている．医学の同業者組合，すなわち，アスクレピアズ協会に属していた彼は，医学の父と称えられている．なぜなら，彼は，医学という技術と科学を哲学や宗教から分離した初めての人だからである．しかしながら，その誓いは，Hippocrates の言語資料体を構成する無数の様々な書物の中で現在まで伝わっているが，それが Hippocrates 自身によるものであるということについては，近代の学者たちは疑いをもっている．この誓いが，(アスクレピアズ協会の人々の間で，すべて認められ，許されていた)自殺，安楽死，堕胎，手術を禁止していることは，むしろ Pythagoras 学派に由来していることを示唆している．この誓いがいつつくられ，そのもともとの使われ方がどうであったのかはわかっていない）．

「私は，医神 Apollo, Asclepius, Hygeia, Panaceia, そしてすべての神と女神の名に懸けて，そして，これらの神，女神を証人として，この誓いと約束を果たすことを，私の能力と判断によって誓う．私に医学技術を教えてくれる人を両親と同様にみなす．私の人生，そして必要ならば，私の食料もその先生に分け与える．先生の子供たちは私の兄弟とみなし，彼らに医学技術を教える．医学知識は，書いて，口頭で，あるいは実習で，私の息子たちや私の先生の息子たちに教える．同様に，私たちの職業の規範に従い，他の何者にも従わずに，誓約書に署名し，誓いを宣言したすべての医学生に教える．私は，私の能力と判断に従って，病人の利益のために治療手段を施す．危害を加えたり犯罪を犯したりはしない．私は，誰に対しても，求めに応じて死をもたらす薬を与えたりはしない．また，その使用を勧めたりはしない．同様に，女性に堕胎をさせる薬を与えない．私は純粋な，神聖な生活をし，医療技術を磨く．私は，結石による病気であっても手術はしないが，それに従事する人を妨げたりはしない．私が訪ねる家はどこも，私は病人の利益のためだけに訪れ，意図的な悪行や姦通はしない．特に，男性でも女性でも，自由人でも奴隷でも，性的に親密な関係を結ぶことはない．私は，職業によるものであってもなくても，私が見たり聞いたりした，人々の個人的な生活に関する私的な性質について一切漏らすことはしない．なぜなら，私はそうした情報を暴露することの恥を理解しているからだ．もし，私がこの誓いを実行し破らなければ，私は人生と職業の実践に満足し，人々の間で永遠の栄誉に浴するだろう．もし，私がこの誓いを破り，偽りの誓いをしたら，私のすべては反対になるだろう」

米国とカナダのほとんどすべての医学校の卒業生は，学位授与式の間，医学の実践において，倫理的な原理を守るために，何らかの形式の制約を暗唱する．しかし，いまや，Hippocrates の誓いの原文を使用する機関は少ししかない．ほとんどの卒業生は，規則上あるいは道徳上制約にしばられるというよりも，その訓練を，単なる形式上のもの，あるいは伝統への敬意を示すものとみなされているようにみえる．この誓いの現代版は，典型的には，自分の先生の子供たちに無料で医学技術を教えることを約束するとか，手術をしないなどといった，文化的にすでにない用法，すなわち遺物を除外している．より重要なことは，それらのほとんどはまた，神への祈祷を除外し，宗教的な勤めや義務およびそれを破ったときに受ける罰への注意を除外し，さらには，安楽死や医師の助けを借りた自殺，堕胎，患者との性的な関係を誓ってやめることを除外していることである．Roe らと Wade (1973年)の裁判において，合衆国大法廷は，堕胎を禁止する点で Hippocrates の誓いの権威を拒否した．この誓いは古代の文化水準を反映しておらず，ユダヤキリスト教の堕胎に関する考え方の影響を長くもち続けてきたものであるとの理由による．「まず傷つけないように」(しばしばラテン語で “primum non nocere” と引用される)という一般によく知られた規範は起源がわからないが，Hippocrates の誓いの一部ではない．

hip·poc·ra·tism (hi-pok′ră-tizm). ヒポクラテス体系（Hippocrates とその学派によるものとされる医学体系で，疾病治療において自然の作用にならうことに基礎をおいている）．

hip pointer (hip poynt′ĕr). ヒップポインター（骨盤帯における外傷性骨膜下血腫）．

hip·pu·rate (hip′yū-rāt). 馬尿酸塩またはエステル．

hip·pu·ri·a (hi-pyū′rē-ă). 馬尿酸尿〔症〕（尿中に非常に多量の馬尿酸が排出されること）．

hip·pu·ric ac·id (hi-pyūr′ik as′id) [G. *hippos*, horse + *ouron*, urine]. 馬尿酸（安息香酸の解毒反応産物であり，排出産物で，ヒトおよび多くの草食動物の尿中に見出される．治療上では，カルシウム塩やアンモニウム塩の形で用いる）．

hip·pu·ri·case (hi-pyūr′i-kās). ヒプリカーゼ，馬尿酸分解酵素．＝aminoacylase.

hip·pus (hip′ŭs) [G. *hippos*, 疾走運動しているようなウマ]. 瞳孔動揺，瞳孔変動（間欠性の瞳孔の拡大および収縮で，照明，収束，精神刺激などに影響されない）．

respiratory h. 呼吸性瞳孔動揺（強制または随意性吸気中に起こる瞳孔の拡張と，呼気中に起こる収縮）．

hir·ci (hĕr′si). hircus の複数形．

hir·cis·mus (hĭr-siz′mŭs) [L. *hircus*, goat]. 腋臭，わきが（腋の悪臭）．

hir·cus, gen. & pl. **hir·ci** (hĭr′kŭs, hĕr′si) [L. he-goat]. ***1*** 腋臭（腋の下のにおい）．***2*** [TA]. 腋毛．＝axillary *hairs*. ***3*** 耳毛．＝tragus (1).

Hirsch·berg (hĭrsh′bĕrg), Julius. ドイツ人眼科医，1843—1925. →H. *method*.

Hirsch·feld (hĭrsh′feld), Isador. 米国人歯科医，1881—1965. →H. *canals*.

Hirsch-Peiffer stain ⇒stain.

Hirschsprung (hĭrsh′sprŭng), Harald. デンマーク人医師，1830—1916. →H. *disease*.

hir·sute (hĭr-sūt′) [L. *hirsutus*, shaggy]. 多毛の．

hir·su·ti·es (hĭr-su′tē-ēz) [Mod. L. < L. *hirsutus*, shaggy]. 多毛症．＝hirsutism.

hir·sut·ism (hĭr′sū-tizm) [L. *hirsutus*, shaggy]. 〔男性型〕多毛〔症〕（体毛や顔面で毛が多いこと．特に女性についていわれる．人種的特徴の現れとして普通の成人に起こることもあり，また腫瘍や種々の薬剤による男性ホルモン過剰の結果として小児や成人に起こることもある）．＝hirsuties; pilosis.

constitutional h. 体質性多毛〔症〕（個人に現れる比較的軽度の多毛症．内分泌機能，生殖機能は正常である．遺伝性の多毛症の現れ）．

idiopathic h. 特発性多毛〔症〕（女性における原因不明の過度な身体や顔の毛．月経異常，不妊症を伴うものがある）．

hir·tel·lous (hĭr′tĕ-lŭs) [L. *hirtus*, hairly, shaggy]. 細い毛をもつ，細い毛に類似した（微絨毛の糸状蛋白多糖類の膜についていう．→glycocalyx）．

hi·ru·di·cide (hi-rū′di-sīd) [L. *hirudo*, leech + *caedo*, to kill〕. ヒル撲滅薬.

hir·u·din (hir′ū-din)〔L. *hirudo*, leech〕. ヒルジン（抗トロンビン物質で，ヒルの唾液腺から抽出され，血液凝固を阻止する性質をもつ).

Hir·u·din·e·a (hir′ū-din′ē-ă)〔L. *hirudo*, leech〕. ヒル綱（平らな体節性の体をもち，後端には吸盤，前端にもしばしば小吸盤をもつ環形動物門の一綱. 無脊椎動物の組織を食し，脊椎動物の血液や組織液を吸う). ＝leech.

hir·u·di·ni·a·sis (hir′ū-di-nī′ă-sis)〔L. *hirudo*, leech ＋G. *-iasis*, healing, therapy〕. ヒル症（ヒルが皮膚に付着したり，飲み物を飲んでいる間に口や鼻に取り込まれて起こる病態).

hi·ru·din·i·za·tion (hi-rū′di-nī-zā′shŭn). ヒルジン化（①ヒルジンの注入によって血液凝固を阻止するプロセス. ②ヒルの応用).

Hi·ru·do (hi-rū′dō)〔L. leech〕. チスイビル属（ヒル類の一属. 以前，医薬で用いられたヒルの種類は次のとおり. *H. australis*, *H. decora*, *H. interrupta*, *H. troctina*，最も一般的に用いられた種は *H. medicinalis*，前種の亜種は *H. m. officinalis*, *H. provincialis*, *H. quinquestriata*).

hirulog (her-yū-log). ハーユログ（合成トロンビン抑制剤). ＝bivalirudin.

His (hiz), Wilhelm, Jr. ドイツ人医師，1863—1934. ⇀H. *band*, *bundle*, bundle *electrogram*, *spindle*; Kent-H. *bundle*; H.-Tawara *system*.

His (hiz), Wilhelm, Sr. ドイツに在住したスイス人解剖・発生学者，1831—1904. ⇀H. *copula*, *line*, perivascular *space*; *isthmus* of H.

His (hiz). ヒスチジンの記号.

His-, -His- ヒスチジルの記号.

-His ヒスチジノの記号.

Hiss (his), Philip. 米国人細菌学者，1868—1913. ⇀H. *stain*.

his·tam·i·nase (his-tam′i-nās). ヒスタミナーゼ. ＝*amine* oxidase (1).

his·ta·mine (H) (his′tă-mēn). ヒスタミン（脱カルボキシル化によってヒスチジンから誘導される血管抑制性アミン. 麦角，動物組織中にある. 胃液分泌を強く刺激し，気管支平滑筋を収縮する. 高希釈度で皮内に注射すると三重反応を起こす. ヒスタミンは血管拡張薬(毛細管，動脈)で，血圧を下げる. ヒスタミン，あるいはヒスタミン様物質は，けがの際，皮膚中で遊離される).

h. phosphate リン酸ヒスタミン（非特異的気管支過敏症の評価および皮膚アレルギー反応のポジティブコントロール(陽性対照)に用いる. リン酸ヒスタミン酸としても有効).

his·ta·mine-fast (his′tă-mēn fast). ヒスタミン耐性の（ヒスタミンに対する正常反応の欠如を示す. 特に真性胃酸欠乏症についていう).

his·ta·mi·ne·mi·a (his′tă-mi-nē′mē-ă)〔histamine ＋G. *haima*, blood〕. ヒスタミン血〔症〕(循環血液中にヒスタミンが存在すること).

his·ta·mi·nu·ri·a (his′tă-mi-nyū′rē-ă)〔histidine＋G. *ouron*, urine〕. ヒスタミン尿〔症〕(ヒスタミンが尿中に排出されること).

his·tan·gic (his-tan′jik). ＝histoangic.

his·ti·dase (his′ti-dās). ヒスチダーゼ. ＝*histidine* ammonia-lyase.

his·ti·din·al (his′ti-din′ăl). ヒスチジナール（ヒスチジンのアルデヒド類似体(–COOH の置換により–CHO となる)).

his·ti·di·nase (his′ti-di-nās). ヒスチジナーゼ. ＝*histidine* ammonia-lyase.

his·ti·dine (H, His) (his′ti-dēn). ヒスチジン；α-amino-1H-4; propionic acid（その L-異性体は多くの蛋白中にある塩基性アミノ酸. 哺乳類では栄養的には必須アミノ酸の1つである).

h. ammonia-lyase ヒスチジンアンモニアリアーゼ（L-ヒスチジンをウロカニン酸とアンモニアにする脱アミノ反応を触媒する酵素. ヒスチジン血症患者では，この酵素が欠損しているか，または不足している). ＝histidase; histidinase; h. deaminase.

h. deaminase ヒスチジンデアミナーゼ. ＝h. ammonia-lyase.

h. decarboxylase〔MIM*142704〕. ヒスチジンデカルボキシラーゼ（L-ヒスチジンをピリドキサルリン酸依存性脱炭酸反応によりヒスタミンにする酵素. 気管支平滑筋の収縮に関与する).

his·ti·di·ne·mi·a (his′ti-di-nē′mē-ă)〔histidine＋G. *haima*, blood＋-ia〕〔MIM*235800〕. ヒスチジン血〔症〕(代謝性疾患で，言語障害，発育障害，そして一部の患者では軽度の精神遅滞が認められる. ヒスチジンアンモニアリアーゼやヒスチジナーゼの不足による血中ヒスチジン濃度が上昇し，尿中にヒスチジンとイミダゾール代謝産物が排出されることに関連する. 常染色体劣性遺伝で，第12染色体長腕にあるヒスチジナーゼ遺伝子(*HIS*)の突然変異に原因がある).

his·ti·din·o (–His) (his′ti-din-ō). ヒスチジノ（窒素原子上の1個の水素を除いたヒスチジン残基. N^{α}, N^{τ}, およびN^{π}を接頭語として付ける).

his·ti·di·nol (his′ti-di-nol). ヒスチジノール（ヒスチジンのアルコール類似体(–COOH が–CH_2OH になる)).

his·ti·di·nu·ri·a (his′ti-di-nyū′rē-ă). ヒスチジン尿〔症〕(尿中にかなりの量のヒスチジンが排出されること. 妊娠の後期に，またヒスチジン血症にしばしばみられる).

his·ti·dyl (His–) (his′ti-dil). ヒスチジル（ヒスチジンのアシル基).

histio- (his′tē-ō)〔G. *histion*, web(tissue)〕. 組織，特に結合組織に関する連結形.

his·ti·o·blast (his′tē-ō-blast′)〔histio-＋G. *blastos*, germ〕. 組織芽細胞，組織芽球（組織を形成する細胞). ＝histoblast.

his·ti·o·cyte (his′tē-ō-sīt′)〔histio-＋G. *kytos*, cell〕. 組織球（結合組織に存在するマクロファージ. 肝 Kupffer 細胞，肺胞マクロファージ，肉芽腫巨細胞，破骨細胞，皮膚 Langerhans 細胞が含まれる. これらの細胞は通常，骨髄にある前駆細胞に由来し，血流に乗って組織中に現れ，最終分化をとげる). ＝histocyte.

cardiac h. 心臓組織球（炎症状態にある心臓壁の結合組織内にみられる大単核細胞. 特に Aschoff 体にみられる. その卵円核は縦部分の波状弓として現れる染色質の塊を含む). ＝Anitschkow cell; Anitschkow myocyte; caterpillar cell.

sea-blue h. シーブルー組織球，青藍組織球（血液学的染色法(例えば Wright-Giemsa 染色)で鮮明な青色に染まる細胞質顆粒を含む組織球. 骨髄や脾臓内に認められ，脾臓腫と血小板減少性紫斑病を伴う. また他の血液疾患にも認められる).

his·ti·o·cy·to·ma (his′tē-ō-sī-tō′mă)〔histio-＋G. *kytos*, cell＋ *-ōma*, tumor〕. 組織球腫（組織球からなる腫瘍).

fibrous h. 線維性組織球腫. ＝dermatofibroma.

generalized eruptive h. 汎発疹型組織球腫（成人にみられる黄紅色で紅斑様の丘疹からなる汎発疹で再発はまれ. 限局した皮疹として残り，脂質に染まらない単核の組織球の真皮での小集合体からなる). ＝nodular non-X histiocytosis.

malignant fibrous h. 悪性線維性組織球腫（四肢，後腹膜に好発する肉腫で，悪性度は様々である. 切除後しばしば局所再発するが転移は少ない. 一部は線維芽細胞や組織球への分化を示し，多様な層状パターンや粘液腫様変化や巨細胞などを伴う).

his·ti·o·cy·to·sis (his′tē-ō-sī-tō′sis). 組織球増殖〔症〕，組織球症（組織球の汎発性増殖). ＝histocytosis.

Langerhans cell h. (lahng′ĕr-hahnz)〔MIM*604856〕. ランゲルハンス細胞組織球増殖症（Langerhans 細胞の増殖が共通にみられる密接に関連した一連の疾患. 3つのオーバラップする症候群が認められている. 1か所にのみ生じる好酸球性肉芽腫，多発性であるが1組織に限定する Hand-Schuller-Christian 病，多発性多組織性組織球増多症である Letter-Siwe 病である. 以前はこれらは組織球増多症 X とよばれていた). ＝h. X.

lipid h. 脂質性組織球増殖〔症〕(リン脂質(Niemann-Pick 病)，グルコセレブロシド(Gaucher 病)などの脂質が細胞質に蓄積する組織球増殖症).

malignant h. 悪性組織球増殖〔症〕(リンパ腫の速やかに死に至る型で，発熱，黄疸，汎血球減少症，および肝臓・脾臓・リンパ節の腫脹が特徴. 患部器官は，組織球の増殖と赤血球の貪食を伴う病巣壊死と出血を起こす).

nodular non-X h. ＝generalized eruptive *histiocytoma*.

nonlipid h. 非脂質性組織球増殖〔症〕. ＝Letterer-Siwe *disease*.

sinus h. with massive lymphadenopathy〔広範なリンパ

節症を伴う〕洞組織球増殖〔症〕（小児に生じる慢性疾患で，貪食したリンパ球を含むマクロファージと，被膜および被膜周囲の線維症によるリンパ節洞の拡大のために生じた広範な無痛性頸部リンパ節症を特徴とする）．＝Rosai-Dorfman disease.

h. X ヒスチオサイトーシスX．＝Langerhans cell h.

h. Y ヒスチオサイトーシスY．＝verrucous *xanthoma.*

his·ti·o·gen·ic (his′tē-ō-jen′ik)．＝histogenous.

his·ti·oid (his′tē-oyd)．＝histoid.

his·ti·o·ma (his′tē-ō′mă)．＝histoma.

his·ti·on·ic (his′tē-on′ik)．組織の．

histo- (his′tō) [G. *histos*, web(tissue)]．組織との関係を意味する連結形．

his·to·an·gic (his′tō-an′jik) [histo- + G. *angeion*, vessel]．組織血管の（血管構造，特にその機能についていう）．＝histangic.

his·to·blast (his′tō-blast)．＝histioblast.

his·to·chem·is·try (his′tō-kem′is-trē)．組織化学．＝cytochemistry.

his·to·com·pat·i·bil·i·ty (his′tō-kom-pat′i-bil′i-tē)．組織適合性（同種移植が成功するために十分な，組織の免疫的類似性あるいは同一性の状態）．

his·to·cyte (his′tō-sīt)．＝histiocyte.

his·to·cy·to·sis (his′tō-sī-tō′sis)．＝histiocytosis.

his·to·dif·fer·en·ti·a·tion (his′tō-dif′ĕr-en-shē-ā′shŭn)．組織分化（発育中の細胞群に組織の形態的性質が現れる過程をいう）．

his·to·fluor·es·cence (his′tō-flōr-es′ens)．組織蛍光（蛍光物質を注入した後，紫外線を照射した場合，あるいは天然に蛍光を発する物質が存在する結果として，組織が発する蛍光）．

his·to·gen·e·sis (his′tō-jen′ĕ-sis) [histo- + G. *genesis*, origin]．組織発生（組織の発生．身体の組織の形式と発育）．＝histogeny.

his·to·ge·net·ic (his′tō-jĕ-net′ik)．組織発生の．

his·tog·e·nous (his-toj′ĕ-nŭs) [histo- + G. *-gen*, producing]．組織原性の（組織によって形成される．例えば，固定組織の細胞増殖によって滲出液中に出現する組織由来の細胞）．＝histiogenic.

his·tog·e·ny (his-toj′ĕ-nē)．＝histogenesis.

his·to·gram (his′tō-gram) [histo- + G. *gramma*, a writing]．ヒストグラム（①度数量または項目数を比較するための柱状あるいは棒状の図．②ある変数の頻度分布の図的表現．区間を表す等しい間隔の底辺と，それぞれの区間内にはいる値の数に比例する高さからなる長方形の集り）．

his·toid (his′toyd) [histo- + G. *eidos*, resemblance]．組織様の（①構造上，身体の組織の１つに類似する．②ある種の線維腫，平滑筋腫などのように正常の組織によく似た単一の．比較的単純な型の新生物組織から発生し，またそれからなる新生物の組織構造に関して用いることがある）．＝histioid.

his·to·in·com·pat·i·bil·i·ty (his′tō-in′kom-pat′i-bil′i-tē)．組織不適合性（組織が１人のヒトから他のヒトに移植されるとき，同種移植組織拒絶を起こすのに十分な組織間の免疫的非類似性の状態．ドナーとレシピエントの組織適合遺伝子の相違を意味する）．

his·to·log·ic, his·to·log·i·cal (his′tō-loj′ik, i-kăl)．組織〔学的〕の．

his·tol·o·gist (his-tol′ŏ-jist)．組織学者（組織学を専門に扱う人）．＝microanatomist.

his·tol·o·gy (his-tol′ŏ-jē) [histo- + G. *logos*, study]．組織学（細胞，組織，および器官の微細な構造を機能との関連において研究する学問．→microscopic *anatomy*）．＝microanatomy.

pathologic h. ＝histopathology.

his·tol·y·sis (his-tol′i-sis) [histo- + G. *lysis*, dissolution]．組織分解，組織融解．

his·to·ma (his-tō′mă) [histo- + G. *-oma*, tumor]．組織腫（細胞学的，組織学的要素が，新生物細胞が生じる正常組織の要素にきわめて類似する良性新生物）．＝histioma.

his·to·met·a·plas·tic (his′tō-met′ă-plas′tik)．組織化生の．

his·to·mor·phom·e·try (his′tō-mōr-fom′ĕ-trē) [histo- + G. *morphē*, shape + *metron*, measure]．組織形態計測（コンピュータで光顕像を定量化し特徴をつかむこと．手動または自動的にディジタル画像を分析し，任意に選択したいくつかの部位の面積，周長，長軸配向角，形態要素，重心座標を測定し，比較したり，画像処理を行う）．

his·tone (H) (his′tōn)．ヒストン（塩基性アミノ酸を多く含有する単純蛋白の１つ（しばしば細胞核中にみられる）．水，希酸，希アルカリに可溶．熱によって凝固しない．例えば，動植物の核組織中の核酸に会合した蛋白などである．真核細胞の染色体の約半分の量がある）．

his·to·nec·to·my (his′tō-nek′tŏ-mē) [histo- + G. *ektomē*, excision]．血管周囲交感神経切除〔術〕．＝periarterial *sympathectomy.*

his·to·neu·rol·o·gy (his′tō-nū-rol′ŏ-jē)．＝neurohistology.

his·ton·o·my (his-ton′ŏ-mē) [histo- + G. *nomos*, law]．組織発生学（体組織の成長と構造の法則）．

his·to·nu·ri·a (his′tō-nyū′rē-ă) [histone + G. *ouron*, urine]．ヒストン尿〔症〕（尿中にヒストンが排出されること．白血病，熱病，消耗病の場合などにみられる）．

his·to·path·o·gen·e·sis (his′tō-path′ō-jen′ĕ-sis) [histogenesis + pathogenesis]．異常組織発生（異常な胚発育または組織成長）．

his·to·pa·thol·o·gy (his′tō-pă-thol′ŏ-jē)．組織病理学（異常な，あるいは病的な組織の細胞学的・組織学的構造を研究する学問）．＝pathologic histology.

his·to·phys·i·ol·o·gy (his′tō-fiz′ē-ol′ŏ-jē)．組織生理学（組織の機能に関連した組織の顕微鏡的学問）．

His·to·plas·ma cap·su·la·tum (his′tō-plaz′mă kap′sū-lā′tŭm) [histo- + G. *plasma*, something formed]．ヒストプラスマ・カプスラーツム（二形性の真菌の一種で，ヒトや他の哺乳類にヒストプラスマ症を引き起こす．その子嚢菌性段階は *Ajellomyces capsulatum* である．この生物の自然生息場所は鳥やコウモリの排出物の混入した土壌で，そこではカビとして成長し，その断片が吸入によって原発性肺感染を生じる．哺乳類宿主の組織中で，吸入された菌糸断片が単核の酵母菌として成長し，出芽によって増殖する．この寄生形態は，菌糸形のものを血液に富んだ培地を用いて37°C で培養すると，実験室内でも得られる．温度を37°C 以下にすると，成長は菌糸形へと戻る．*H. c.* var. *duboisii* は臨床的に異なる疾患であるアフリカヒストプラスマ症を起こし，本症では厚い壁をもつ大きな酵母細胞が組織中にみられるが，それは流行性のリンパ管炎を起こす *H. c.* var. *farciminosum* の小さな酵母細胞とは対照的である）．

H

his·to·plas·min (his′tō-plas′min)．ヒストプラスミン（*Histoplasma capsulatum* の抗原性抽出物．ヒストプラスマ症診断の免疫学的試験に用いる．また，真菌の地理的分布の決定や，ヒストプラスマ症の地方流行の予測のための人口調査の皮膚試験に用いる）．

his·to·plas·mo·ma (his′tō-plaz-mō′mă)．ヒストプラスマ腫（*Histoplasma capsulatum* によって起こる伝染性肉芽腫）．

his·to·plas·mo·sis (his′tō-plaz-mō′sis)．ヒストプラスマ症（*Emmonsiella capusulata* に起因する広範に分布する感染症で，ときに突発的大流行が起こる．通常，土壌中の真菌胞子を吸入して感染し，自己限定性の肺炎を起こす．肺気腫患者では感染が慢性化し，結核に類似する肺線維性空洞の原因となる．免疫抑制の患者，まれに健常者でもヒストプラスマは，網内系の播種性疾患の原因となり，発熱，るいそう，脾腫，白血球減少を起こす）．＝Darling disease.

acute h. 急性ヒストプラスマ症（小分生子の吸入によって起こるヒストプラスマ症．かぜに似た症状から多数の小分生子に暴露されたときにみられる急性びまん性肺炎まで広範な病態がある．しばしば病後，病巣が治癒し石灰化した結節を残す）．

African h. アフリカヒストプラスマ症（*Histoplasma capsulatum* var. *duboisii* によって起こるヒストプラスマ症の一型で熱帯アフリカだけにみられる．感染は骨，皮膚，他器官における慢性肉芽性病変として証明される）．

chronic h. 慢性ヒストプラスマ症（肺の実質に異常のある患者，特に肺気腫や水泡性肺疾患によくみられる．本症は無痛性で咳と痰が特徴である．X線上，肺含気量の段階的な低下がみられる）．

chronic mediastinal h. 慢性縦隔ヒストプラスマ症（ヒストプラスマ感染のリンパ節が原因で起こる縦隔の線維化．縦隔には多くのクリティカルな構造を有する大きな線維性の集塊ができる).

disseminated h. 播種性ヒストプラスマ症（小児やエイズのような免疫不全患者に起こる多臓器に及ぶ広範な感染).

presumed ocular h. 推定眼ヒストプラスマ症（網脈絡膜萎縮を伴った黄斑部の網膜下血管新生と視神経乳頭周囲の色素増殖．眼底周辺部にヒストスポット histo-spots とよばれる網脈絡膜萎縮巣がある).

his·to·ra·di·og·ra·phy (his′tō-rā′dē-og′ră-fē). 組織切片X線撮影〔法〕(組織，特に組織の顕微鏡用切片のX線撮影法．通常，マイクロラジオグラフィ).

his·tor·rhex·is (his′tō-rek′sis) [histo- + G. *rhēxis*, rupture]. 組織崩壊（感染以外の原因による組織の崩壊).

history (his′tŏr-ē). ***1*** 病歴（患者の症状，病気，状態，発達変化，重要な関連生活出来事の記録). ***2*** 歴史，沿革（以前の出来事の記録で，何らかの解析や解釈が付いていることが多い).

medical h. 病歴（患者の現在の健康状態と関係している可能性がある過去の出来事や状況の口述または記載．過去の疾病，外傷，治療，他の医学的事実を記述することが多いが，より公式には，下記の項目ごとに患者から聞き出して集めた過去と現在の健康に関する事実を総合的に記載する．主訴(CC)：受診の原因となった症状の簡潔な記述．現病歴(HPI)：発症から現在までの現病の経過を，できるだけ患者の言葉で，時間経過に沿って詳しく記述する．既往歴(PMH)：以前の疾病，その治療と後遺症．社会歴(SH)：婚姻状態，過去と現在の職業，旅行，趣味，ストレス，食事，習慣，喫煙，飲酒，服薬．家族歴(FH)：両親，兄弟，姉妹の現在の健康状態または死亡原因を記載し，遺伝疾患に注意する．系統別再調査(ROS)：上記の病歴でカバーされない身体系統別の症状や疾患の調査).

value h. バリューヒストリー（その人の人生のいろいろな場面に意味をもたらすような，その人の価値観，信念，評価を事前に指示したり表明したりしたものの一部となりうる資料のこと．意思決定が不可能になった人の医学的な決断をする場合にその指針として役立てる).

his·to·tome (his′tō-tōm) [histo- + G. *tomē*, cut]. 組織刀．＝microtome.

his·tot·o·my (his-tot′ŏ-mē). 組織切片作製〔法〕．＝microtomy.

his·to·tope (his′tō-tōp) [histo- + -tope]. ヒストトープ（主要組織適合遺伝子複合体クラスIIの中で，T細胞レセプタと結合する部位).

his·to·tox·ic (his′tō-tok′sik). 組織毒性の（組織の呼吸酵素系に毒性のものについていう).

his·to·troph (his′tō-trof). 組織栄養素（血液以外の細胞性成分に由来する胎児の栄養成分．*cf.* embryotroph; hemotroph).

his·to·troph·ic (his′tō-trof′ik) [histo- + G. *trophē*, nourishment]. 組織栄養性の（組織形成のために栄養を与える).

his·to·trop·ic (his′tō-trop′ik) [histo- + G. *tropikos*, turning]. 組織親和〔性〕の（組織に引きつけられる．特定の寄生体，染料および化合物についていう).

his·to·zo·ic (his′tō-zō′ik) [histo- + G. *zōikos*, relating to an animal]. 組織寄生の（細胞体の外側の組織に住む．特定の寄生性原生動物類についていう).

his·to·zyme (his′tō-zīm). ヒストチーム．＝aminoacylase.

hitch·hik·er (hitch′hīk-ĕr). ヒッチハイカー（淘汰の有利がまったくなく，傷害的でさえあるが，選択性の強い高度に有利である遺伝子と密接に連鎖しているため，ときとして広範に存在する遺伝子).

Hit·zig (hits′ig), Eduard．ドイツ人精神科医，1838—1907．→H. *girdle*.

HIV human immunodeficiency *virus* の略.

HIV-1 human immunodeficiency virus-1 の略.

HIV-2 human immunodeficiency virus-2 の略．→human immunodeficiency *virus*.

hives (hīvz). じんま疹（①＝urticaria. ②＝wheal).

giant h. 巨大じんま疹．＝angioedema.

hK3 human glandular *kallikrein* 3 の略.

HL-7 Health Level 7 (ヘルスレベル7)の略．異なるディジタルシステム間のコミュニケーションを容易化する医学情報科学標準.

HLA human leukocyte *antigens* の略.

HMB-45 悪性黒色腫やメラノサイト由来の他の腫瘍に存在するプレメラノソームの糖蛋白に対する抗体.

HME human monocytotropic *ehrlichiosis* の略.

HMG, hMG human menopausal *gonadotropin* の略.

HMG-CoA β-hydroxy-β-methylglutaryl-CoA の略.

HMO health maintenance *organization* の略.

HMOという言葉は，サービスの多様性(プライマリケア医師および専門医，検査，放射線医療，薬，および入院など)，基本的にはともにある特定の地域に限られるが加入者への医療サービスと関与医療提供者への利益の制限，およびサービスに対する支払いというよりは前払いによる会計システムを特徴とする医療提供方式をいう．HMOは非利益機関であることも，また営利事業であることもある．20世紀の最後の四半期にHMOは従来の医療補償保険計画に代わる重要な方式として生まれ，大きく取って代わった．HMOは医療専門性，科学性，社会性，経済性，および法律性などすべての面にきわめて大きな影響を与えている．→managed care.

HMO hypothetical mean *organism* の略.

HMPAO hexametazime; hexamethylpropyleneamine oxime の略.

HMS hypothetic mean *strain* の略.

HMWK high molecular weight *kininogen* の略.

HN-2 ナイトロジェンマスタードの記号．→nitrogen *mustards*.

hnRNA heterogeneous nuclear RNA の略.

Ho ホルミウムの元素記号.

h/o history of(〜の病歴)の略.

hoarse (hōrs) [A.S. *hās*]. 嗄声の，かれ声の.

hoarse·ness (hōrs′nes). 嗄声，かれ声（声質が荒れていること).

Ho·bo·ken (hō′bō-kĕn), Nicholaus van．オランダ人解剖学者・医師，1632—1678．→H. *gemmules, nodules, valves*.

HOBr 次亜臭素酸 hypobromous acid の化学式.

HOCA ＝HOCM.

Hoch·e (hok′ĕ), Alfred E．ドイツ人精神科医，1865—1943．→H. *bundle, tract*.

hock (hok) [M.E. < O.E. *hōh*, heel]. 飛節（四足動物の後肢にある複合関節で，大腿骨(近位側)と脛骨・腓骨(遠位側)との間にある関節).

HOCl 次亜塩素酸 hypochlorous acid の化学式.

HOCM high osmolar contrast medium(高浸透圧性造影剤)の略．＝HOCA.

Hodge (hoj), Hugh L．米国人婦人科医，1796—1873．→H. *pessary*.

Hodg·kin (hoj′kin), Alan L．英国人生理学者・ノーベル賞受賞者，1914—1998．→Goldman-H.-Katz *equation*.

Hodg·kin (hoj′kin), Thomas．英国人医師，1798—1866．→H. *disease*; H.-Key *murmur*; non-H. *lymphoma*.

Hodg·son (hoj′sŏn), Joseph．英国人医師，1788—1869．→H. *disease*.

ho·do·neu·ro·mere (hō′dō-nū′rō-mēr) [G. *hodos*, path + *neuron*, nerve + *meros*, part]. 胎生学において，神経とその枝の対をもった神経管の中胚葉分節を表す現在では用いられない語.

ho·do·pho·bi·a (hō′dō-fō′bē-ă) [G. *hodos*, path + *phobos*, fear]. 旅行恐怖〔症〕(旅行に対する病的な恐れ).

Hoep·pli (hŏrp′lē), Reinhard J.C．ドイツ人寄生虫学者，1893—1973．→Splendore-H. *phenomenon*.

hof (hōf) [Ger. court]. 核部，核室（核の位置する細胞質の空所).

Hof·bau·er (hawf′bow-ĕr), J. Isfred I．米国人婦人科医，1878—1961．→H. *cell*.

Hof·fa (hof′ă), Albert．ドイツ人外科医，1859—1907．→H. *operation*.

Hoff·mann (hof′mahn), August Wilhelm．ドイツ人化学者，1818—1892．→Frei-H. *reaction*; H. *violet*.

Hoff·mann (hof′mahn), Friedrich (Fredericus)．ドイツ人医師，1660—1742．Halle(ドイツ)の解剖学，外科学の教授.

HIV感染患者の臨床診断

通常CD4細胞数	一般的な臨床特徴
150—500/mL	口および膣のカンジダ症，口の毛髪状白斑，副鼻腔炎，歯肉炎，脂漏性皮膚炎，乾癬，いぼ，伝染性軟属腫，再発性水痘-帯状ヘルペスおよび単純ヘルペス感染，子宮頸部形成異常，結核，熱，汗，体重減少
＜150/mL	*Pneumocystis jiroveci*肺炎，Kaposi肉腫，食道カンジダ症，脳のトキソプラスマ症，リンパ腫，HIV認知症，クリプトコックス髄膜炎
＜50/mL	サイトメガロウイルス網膜炎，脳のリンパ腫，*Mycobacterium avium*複合体感染

感染物質	診断	臨床特徴
Pneumocystis jiroveci	*Pneumocystis jiroveci* 肺炎（PCP）	・乾いた咳　・熱 ・呼吸困難　・寝汗
Candida 属の種	口のカンジダ症（鵞口瘡） 食道カンジダ症 膣カンジダ症	口腔中の白い粘膜斑または紅斑 ・えん下困難　・+/-胸症 膣分泌物，紅斑，そう痒
単純ヘルペスウイルス（HSV）	口，性器および肛門の小胞性皮膚炎	有痛性小胞性病巣または表在性潰瘍
水痘-単純ヘルペスウイルス（VZV）	帯状ヘルペス	・皮節の痛み ・皮節分布における小胞性病巣
Mycobacterium tuberculosis	肺結核 肺外結核	・咳　・体重減少 ・熱　・疲労 リンパ節または脾臓の拡大
Cryptococcus neoformans	クリプトコックス髄膜炎	・頭痛　・+/-髄膜症 ・神経学的異常　・+/-熱
サイトメガロウイルス（CMV）	網膜炎 腸炎	視覚障害 ・下痢　・鼓脹　・腹部圧痛
*Mycobacterium avium*複合体（MAC）	MAC菌血症，るいそう	・慢性・回帰熱　・疲労　・体重減少
Toxoplasma gondii	トキソプラスマ脳炎	・頭痛　・限局性神経障害 ・嗜眠状態　・発作　・熱
*Cryptosporidium*属	クリプトスポリジウム腸炎 +/-胆管炎	・慢性下痢—初期HIV感染では自然に解消されるかも ・右上四分円の痛み
微胞子虫類（いくつかの生物）	微胞子虫腸炎 +/-胆管炎	・慢性下痢 ・無症候かもしれない

悪性疾患	臨床特徴
Kaposi肉腫	・赤色/紫色皮膚および粘膜病変　・口病変の出血 ・悪心/嘔吐を引き起こす胃腸閉塞　・肺疾患—呼吸困難 ・リンパ系の罹患—四肢の腫脹
非Hodgkinリンパ腫	・巨脾腫　・限局性神経障害 ・非対称リンパ節腫脹の増加
脳の原発性リンパ腫	・頭痛 ・限局性神経障害
子宮頸部形成異常/癌	・性交後出血，月経間出血 ・異常なPapanicolaouスミア
肛門性器癌	・粘膜病変—非治癒 ・生検に関する異常な結果

H

種々の感染症の臨床観察で有名.

Hoff·mann (hof′mahn), Johann. ドイツ人神経科医, 1857—1919. →H. muscular *atrophy*, *phenomenon*, *reflex*, *sign*; Werdnig-H. *disease*, muscular *atrophy*.

Hoff·mann (hof′mahn), Moritz. ドイツ人解剖学者, 1622—1698. →H. *duct*.

Hof·mann (Hof·mann-Wel·len·hof) (hof′mahn), Georg von. オーストリア人細菌学者, 1843—1890. → H. *bacillus*.

Hof·mei·ster (hof′mīs-tĕr), Franz. ドイツ人生化学者, 1850—1922. →H. *series*.

Hof·mei·ster (hof′mīs-tĕr), Franz von. ドイツ人外科医, 1867—1926. →H. *gastrectomy*, *operation*; H.-Pólya *anastomosis*.

Hog·ben (hog′bĕn), Lancelot. 英国人数学者, 1895—1975. →H. *number*.

Hog·ness (hog′nes), D.S. 20 世紀の米国人分子生物学者. →Grunstein-H. *assay*; H. *box*.

hol·an·dric (hol-an′drik) [G. *holos*, entire + *aner*, human male]. 限雄性の (Y 染色体上の遺伝子についていう).

hol·ar·thrit·ic (hol′ar-thrit′ik). 全関節炎の.

hol·ar·thri·tis (hol′ar-thrī′tis) [G. *holos*, entire + *arthron*, joint + *-itis*, inflammation]. 全関節炎 (すべての関節, または多数の関節の炎症).

Hol·den (hōl′dĕn), Luther. イングランド人解剖学者, 1815—1905. →H. *line*.

hole in ret·i·na (hōl ret′i-nă). 網膜円孔 (口語表現. 感覚網膜の連続性の破綻. 網膜色素上皮と感覚網膜との分離を可能にする).

ho·lism (hō′lizm) [G. *holos*, entire]. 全体論 (①有機体あるいはその行動の 1 つは単に部分の総和と等しいのではなく, 1 つの全体としてとらえ, 研究されなければならないという主義. ②心理現象をそれ自体 1 つの完全な単位として分析する研究方法. *cf.* atomism).

ho·lis·tic (hō-lis′tik) [G. holo, all]. **[誤ったつづり wholistic を避けること]**. ***1*** 全体論の (全体論または全体論的心理学の特徴に関する). ***2*** 最近ではホリスティック医療に拡張され, 患者を全体的に診療する医療の実践をさす.

Holl (hol), Mortiz. オーストリア人外科医, 1852—1920. →H. *ligament*.

Hol·land·er (hol′ăn-dĕr), Franklin. 米国人生理学者, 1899—1966. →H. *test*.

Hol·len·horst (hol′ĕn-hōrst), Robert W. 20 世紀の米国人眼科医. →H. *plaques*.

hol·low (hol′ō). 凹窩, 陥凹, くぼみ.

Sebileau h. (seb-i-lō′). スビロー陥凹 (舌下面と舌下腺の間にある窩).

Holmes (hōlmz), Andrew F. カナダ人医師, 1797 — 1860. McGill 医科大学(ケベック州モントリオール)の創設者 4 人のうちの 1 人. 同大学の初代学長・司書.

Holmes (hōlmz), Gordon M. イングランド人神経科医, 1876—1965. →H.-Adie *pupil*, *syndrome*; Stewart-H. *sign*.

Holmes (hōlmz), Walter Chapin. 1884—1932. →H. *stain*.

Holm·gren (hōlm′grĕn), Alarik Frithiof. スウェーデン人生理学者, 1831—1897. →H. wool *test*.

Holm·grén (hōlm′grĕn), Emil A. スウェーデン人組織学者, 1866—1922. →Holmgrén-Golgi *canals*.

hol·mi·um (Ho) (hol′mē-ŭm) [L. *Holmia*, for Stockholm]. ホルミウム (希土類元素の 1 つ. 原子番号 67, 原子量 164.93032).

holo- (hol′ō) [G. *holos*]. 全体, または全体への関係を意味する連結形.

hol·o·a·car·di·us (hol′ō-ă-kar′dē-ŭs) [holo- + G. *a-* 欠性辞 + *kardia*, heart]. 全無心体 (双胎の一方が自身の心臓を欠く肉眼的奇形双胎. その血液供給は, これよりもまだ正常に近い他方の双胎の胎盤循環の側路に依存する. 胎盤寄生双胎または臍帯寄生体. *cf.* acardius).

h. acephalus 無頭完全無心〔臓〕体 (頭もない全無心体).

h. amorphus 無形体 (寄生体が無形の塊によって表される全無心体. →anideus).

ho·lo-ACP syn·thase (hol′ō sin′thās). ホロ ACP シンターゼ (補酵素 A の 4′-ホスホパンテテイニル残基をアポ-ACP (アシル担体蛋白)のセリル残基に転移させ, ホロ ACP の生成を触媒し, アデノシン 3′,5′-二リン酸を放出する酵素. 脂肪酸の生合成が機能するならば, 必須の段階).

hol·o·a·cra·ni·a (hol′ō-ă-krā′nē-ă) [holo- + G. *a-* 欠性辞 + *kranion*, skull]. 完全無頭体 (頭蓋骨がない先天性頭蓋欠損).

hol·o·an·en·ceph·a·ly (hol′ō-an′en-sef′ă-lē) [holo- + G. *an-* 欠性辞 + *enkephalos*, brain]. 完全無頭体 (頭蓋骨および脳が完全に欠損していること).

hol·o·blas·tic (hol′ō-blas′tik) [holo- + G. *blastos*, germ]. 全割性の (分割に卵母細胞(等黄卵またはやや端黄卵)の全体が巻き込まれる状態).

hol·o·car·box·y·lase syn·the·tase (hōl′ō-kar-boks′il-ās sin′thĕ-tās). ホロカルボキシラーゼシンテターゼ (他の蛋白(例えばカルボキシラーゼ)をビオチニル化する数種の酵素の 1 つ. この酵素は有機酸血症では欠損している).

hol·o·ce·phal·ic (hol′ō-sĕ-fal′ik) [holo- + G. *kephalē*, head]. 頭は完全であるが, 他の身体部分に欠損がある胎児を表す.

hol·o·cord (hol′ō-kōrd). 全脊髄の (延髄と脊髄の境界から脊髄円錐まで, 脊髄全体についての).

hol·o·crine (hol′ō-krin) [holo- + G. *krinō*, to separate]. 全分泌の (→holocrine *gland*).

hol·o·di·a·stol·ic (hol′ō-dī′ă-stol′ik). 汎拡張期の, 全拡張期の (心拡張全期に関する, またはその時間を占めることについていう).

hol·o·en·dem·ic (hol′ō-en-dem′ik). 全域地方病〔性〕の (全住人に対する地方流行病で, 例えば, サウジアラビアのある村におけるトラコーマのようなもの).

hol·o·en·zyme (hol′ō-en′zīm). ホロ酵素 (完全な酵素. すなわち, アポ酵素と補酵素, 補因子, 金属イオンおよび(または)補欠分子族とを合わせたもの).

hol·o·gas·tros·chi·sis (hol′ō-gas-tros′ki-sis) [holo- + G. *gastēr*, belly + *schisis*, cleaving]. 完全腹裂 (腹部が全長にわたって裂けている先天性奇形).

hol·o·gram (hol′ō-gram) [holo- + G. *gramma*, something written]. ホログラム (波面再生によって再現され, 感光板に記録されている像. 三次元画像).

hol·og·ra·phy (hol-og′ră-fē). ホログラフィ (ホログラムを作成する技法).

hol·o·gyn·ic (hol′ō-jin′ik) [holo- + G. *gynē*, woman]. 限雌性の (女性だけにはっきりみられる特徴についていう).

hol·o·mas·ti·gote (hol′ō-mas′ti-gōt) [holo- + G. *mastix*, whip]. 多べん毛性の (表面全体にべん毛がある).

hol·o·me·tab·o·lous (hol′ō-me-tab′ŏ-lŭs) [holo- + G. *metabolē*, change]. 完全変態類の (複雑な変態, すなわち完全変態がみられる, 完全変態類に属する昆虫の一連の諸目についていう).

hol·o·mor·pho·sis (hol′ō-mōr-fō′sis)[holo- + G. *morphosis*, shaping]. 完全再生 (身体的完全を再確立することに対してまれに用いる語).

hol·o·phyt·ic (hol′ō-fit′ik) [holo- + G. *phyton*, plant]. 完全植物性の (栄養摂取の方法が植物と同じである. 例えばミドリムシ属 *Euglena* のような, ある種の光合成原生動物についていう).

hol·o·pros·en·ceph·a·ly (hol′ō-pros-en-sef′ă-lē) [holo- + G. *prosō*, forward + *enkephalos*, brain]. 全前脳症 (胚の前脳の正中分割が障害されて, 重症なのは眼の上方に口吻がある単眼症から軽症なのは眼間隔離症や単中央上門歯まで種々の顔面異常を呈する. この疾患群は, 第 2, 3, 7, 13, 18, 21 染色体の迷入と関連している).

hol·o·pro·tein (hol′ō-prō′tēn). ホロ蛋白 (完全な蛋白, すなわちアポ蛋白と金属イオンおよび(または)補欠分子族からなる).

hol·o·ra·chis·chi·sis (hol′ō-ră-kis′ki-sis) [holo- + G. *rhachis*, spine + *schisis*, fissure]. 全脊椎裂 (脊柱全体が二分脊椎になっていること). =araphia; rachischisis totalis.

hol·o·side (hōl′ō-sīd). ホロシド (少数のグリコシドを結合した炭水化物を含有する化合物).

hol·o·sys·tol·ic (hol′ō-sis-tol′ik). 汎収縮期の, 全収縮期の. =pansystolic.

hol·o·tel·en·ceph·a·ly (hol′ō-tel′en-sef′ă-lē) [holo- + telencephalon]．全終脳症（無嗅脳症を伴う全前脳症）．

hol·o·thur·ins (hŏl′ō-thu′rinz)．ホロスリン類（ナマコ *Holothurioidea* から分泌されるきわめて有毒な硫化ステロイド配糖体）．

ho·lot·ri·chous (ho-lot′ri-kŭs) [holo- + G. *thrix*, hair]．全線毛性の（表面全体に線毛をもった）．

hol·o·zo·ic (hol′ō-zō′ik) [holo- + G. *zōon*, animal]．完全動物性の（栄養摂取の方法が動物と同じである．光合成能力がない．完全植物性の原生動物と対照をなす原生動物をいう）．

Holt (hōlt), Mary．20 世紀のイングランド人心臓病専門医．→H.-Oram *syndrome*.

Hol·ter (hōl′tĕr), Norman．米国人生物物理学者，1914—1983．→H. *monitor*.

Holt·house (hōlt′hows), Carsten．英国人外科医，1810—1901．→H. *hernia*.

Holz·knecht (holz′knekt), Guido．オーストリア人放射線専門医，1872—1931．→H. *unit*.

hom·a·lo·ceph·a·lous (hom′ă-lō-sef′ă-lŭs) [G. *homalos*, level + *kephalē*, head]．扁平頭の（扁平の頭をもつ）．

Ho·ma·lo·my·ia (hom′ă-lō-mī′yă) [G. *homalos*, even + *myia*, a fly]．ホマロミヤ属（ハエの一属で，幼虫はヒトや動物の腸に寄生することがある）．

hom·a·lu·ri·a (hom′ă-lyū′rē-ă) [G. *homalos*, level + *ouron*, urine]．正常排尿を表す現在では用いられない語．

Ho·mans (hō′mănz), John．米国人外科医，1877—1954．→H. *sign*.

ho·mat·ro·pine (hō-mat′rō-pēn)．ホマトロピン（抗コリン・散瞳・毛様体筋麻痺薬．臭化水素酸塩やメチル臭酸塩として適用される）．＝mandelytropine; tropine mandelate.

ho·max·i·al (hō-mak′sē-ăl) [G. *homos*, the same + axis]．等軸性の，同軸性の（球のようにすべての軸が等しい）．

Home (hōm), Everard．イングランド人外科医，1756—1832．→H. *lobe*.

homeo- (hō′mē-ō) [G. *homoios*, similar]．同じ，似ている，を意味する連結形．→homo- (1).

ho·me·o·box (hō′mē-ō-boks)．ホメオボックス（特定のホメオ遺伝子の 3′ 末端近傍に存在する 180 塩基対の高度に保存された DNA 塩基配列．ホメオボックス蛋白が結合し，発生の過程で遺伝子発現を調節する，DNA 結合ドメインをコードする）．＝homeodomain.

ho·me·o·do·main (hō′mē-ō-dō-mān′)．＝homeobox.

ho·me·o·met·ric (hō′mē-ō-met′rik) [homeo- + G. *metron*, measure]．大きさを変えない状態についていう．

ho·me·o·mor·phous (hō′mē-ō-mōr′fŭs) [homeo- + G. *morphē*, shape]．類似形態の（類似した形をもつが，必ずしも組成は同一ではない）．

ho·me·o·path (hō′mē-ō-path)．＝homeopathist.

ho·me·o·path·ic (hō′mē-ō-path′ik) [homeo- + G. *pathos*, disease]．***1*** ホメオパシーの．＝homeotherapeutic (1).　***2*** ホメオパシーで用いられるような，理論的には投与したときに作用をわずかに発現する薬理作用のある物質のごく少量をいう．より一般的には，薬物の期待される効果を発揮するにはあまりにも少なすぎると考えられる用量をいう．逆症療法に代わる療法．この療法での薬剤は疾患の症状と拮抗する．*cf.* pharmacologic (2); physiologic (4); supraphysiologic.

ho·me·op·a·thist (hō′mē-op′ă-thist)．ホメオパシスト（ホメオパシーの医師）．＝homeopath.

ho·me·op·a·thy (hō′mē-op′ă-thē) [homeo- + G. *pathos*, suffering]．ホメオパシー（Samuel Hahnemann が考えた治療体系．〝類似物の法則〟とよばれる，格言〝類似物をもって類似症は治癒される〟〝火には火をもって闘う〟に基づく治療方法．健康人に対してある種の症状を惹起する薬剤はかなり少量であっても，その症状に類似した症状をもつ疾病の治療に有効であろうと考える）．

ho·me·o·pla·si·a (hō′mē-ō-plā′zē-ă) [homeo- + G. *plasis*, a molding]．同〔質〕形成，同組織新生（以前存在していた組織と同じ性質をもった新しい組織を形成すること）．＝homoioplasia.

ho·me·o·plas·tic (hō′mē-ō-plas′tik)．同〔質〕形成の，同組織新生の．

homeoprotein (hō-mē-ō-prō′tēn)．ホメオ蛋白（他の既知蛋白（通常他の種のもの）と同一または類似性を示す蛋白）．

ho·me·or·rhe·sis (hō′mē-ō-rē′sis) [homeo- + G. *rheos*, stream, current]．ホメオレーシス（不平衡および他の欠損が，発生が完了する前に修正される過程）．＝ontogenic homeostasis; waddingtonian homeostasis.

ho·me·o·sis (hō′mē-ō′sis) [homeo- + G. *-osis*, condition]．ホメオーシス，相同異質形成（正常に恒常性をもっている体節構造が他の体節構造に似た構造になること）．

ho·me·o·sta·sis (hō′mē-ō-stā′sis, -os′tă-sis) [homeo- + G. *stasis*, standing]．ホメオスタシス，恒常性（[本語の主アクセントは正しくは第 3 音節にあるが，米国では homeosta′sis という発音のほうがより一般的である．hemostasis と混同しないこと]．①種々の機能や体液，組織の化学的組成についての身体の平衡状態(対抗する力間の釣合い)．②このような身体的平衡が維持される過程）．

Bernard-Cannon h. (bār-nahr′ kan′ŏn) [Claude *Bernard*, Walter B. *Cannon*]．ベルナール－キャノンホメオスタシス（出生後の生理学的・生化学的な状態のサイバネティクス的制御機構）．＝physiologic h.

genetic h. ＝Lerner h.

Lerner h. (ler′nĕr)．ラーナーのホメオスタシス（ある集団の遺伝的構成における正確な摂動を起こしやすい回復推進機構）．＝genetic h.

ontogenic h. 個体発生的ホメオスタシス．＝homeorrhesis.

physiologic h. 生理学的ホメオスタシス．＝Bernard-Cannon h.

waddingtonian h. ワジントンのホメオスタシス．＝homeorrhesis.

ho·me·o·stat·ic (hō′mē-ō-stat′ik)．恒常性の．

ho·me·o·ther·a·peu·tic (hō′mē-ō-thār′ă-pyū′tik)．***1*** ＝homeopathic (1).　***2*** 類似療法の．

ho·me·o·ther·a·py, ho·me·o·ther·a·peu·tics (hō′-mē-ō-thār′ă-pē, -thār-ă-pyū′tiks)．類似療法（ホメオパシーの原理を利用する疾病の治療や予防）．

ho·me·o·therm (hō′mē-ō-therm) [homeo- + G. *thermos*, warm]．恒温動物（一定の体温を保つ動物．哺乳類や鳥類を含む）．＝hematherm; warm-blooded animal.

ho·me·o·ther·mal (hō′mē-ō-ther′măl)．＝homeothermic.

ho·me·o·ther·mic (hō′mē-ō-ther′mik)．恒温動物の（恒温動物に関する，恒温動物の特徴をもつ．*cf.* poikilothermic; heterothermic）．＝hemathermal; hemathermous; hematothermal; homeothermal; homoiothermal; homothermal; warm-blooded.

ho·me·ot·ic (hō′mē-ot′ik)．異種再成の（相同異質形成の，あるいは相同異質形成を特徴とする）．

ho·me·o·typ·i·cal (hō′mē-ō-tip′i-kăl)．同型の．

hom·er·gy (hom′ĕr-jē) [G. *homos*, same + *ergon*, work]．正常代謝とその生成物を表す現在では用いられない語．

hom·i·cid·al (hom′i-sī′dăl)．殺人性の．

hom·i·cide (hom′i-sīd) [L. *homo*, man + *caedo*, to kill]．殺人．

ho·mid·i·um bro·mide (hō-mid′ē-ŭm brō′mīd)．臭化ホミジウム（獣医学で用いる抗トリパノソーマ薬）．＝ethidium.

Ho·min·i·dae (hō-min′i-dē)．ヒト科（霊長目の中の科で，現代人 *Homo sapiens* といくつかの化石群を含む）．

Hom·i·noi·de·a (hom′i-noy′dē-ă) [L. *homo* (*homin-*), man + G. *eidos*, form]．ヒト上科（霊長目の上級の科で，類人猿とヒトからなる．Pongidae 科(類人猿)とヒト科(ヒト)とに分かれる）．

Ho·mo (hō′mō) [L. man]．ヒト属（霊長目の一属で，ヒトを含む）．

H. sapiens [L. wise man]．ヒト（現生人）．

homo- (hō′mō) [G. *homos*, the same]．***1*** 同じ，似ている，を意味する接頭語．hetero- の対語．→homeo-.　***2*** 化学において，原子鎖のなかに炭素原子が 1 つ挿入されること(すなわちメチレン基の挿入)を表す接頭語．

ho·mo·ar·gi·nine (Har) (hō′mō-ar′ji-nēn)．ホモアルギニン（メチレン基を 1 個付加したアルギニン同族体）．

ho·mo·bi·o·tin (hō′mō-bī′ō-tin)．ホモビオチン（ビオチンに類似の化合物であるが，硫黄の代わりに酸素原子が置換し，側鎖にさらに CH_2 基が存在する．活性ビオチン拮抗物質）．

ho·mo·blas·tic (hō′mō-blas′tik) [homo- + G. *blastos*,

H

germ]. 同胚葉性の（組織の1つの型から発達したことについていう）.

ho·mo·car·no·sine (hō′mō-kar′nō-sēn). ホモカルノシン；N^2-(4-aminobutyryl)-L-histidine（脳の構成成分で，L-ヒスチジンとγ-アミノ酪酸から生合成される）.

ho·mo·car·no·sin·o·sis (hō′mō-kar′nō-sin-ō′sis) [MIM *236130]. ホモカルノシン症（先天性の代謝病．ホモカルノシンが特に髄液中で著高値を呈する）.

ho·mo·cen·tric (hō′mō-sen′trik). 共心性の（同じ中心をもつこと．同一の点を通過する光線束についていう．*cf.* heterocentric (1)).

ho·moch·ro·nous (hō-mōk′rō-nŭs) [homo- + G. *chronos*, time]. ***1*** 同時[性]の．= synchronous. ***2*** 同時期の（各世代の同年齢に起こることについていう）.

ho·mo·cit·rul·li·nu·ri·a (hō′mō-sit′rū-lēn-yūr′ē-ă). ホモシトルリン尿症（尿中ホモシトルリンの上昇を伴う遺伝疾患）.

ho·mo·clad·ic (hō′mō-klad′ik) [homo- + G. *klados*, a branch]. 同枝吻合の（同じ動脈の分枝を吻合することを表す．heterocladic（異枝吻合の）とは異なる）.

---

ho·mo·cys·te·ine (Hcy) (hō′mō-sis′tē-ēn, -sis′tēn). ホモシステイン（[つづりおよび発音において homocystine と区別すること]．システインの同族体．メチオニンの脱メチル化によりつくられ，L-メチオニンから L-シスタチオニンを経て L-システインが生合成されるときの中間代謝産物である．ホモシステインの高値とある種の心臓病には関連があった．→folic acid).

血漿ホモシステイン量の上昇は，心血管疾患（心筋梗塞，うっ血性心不全，発作，血栓塞栓性疾患，間欠跛行など）や（妊婦では）二分脊椎や部分無脳症のような胎児の神経管欠損に対する独立危険因子である．心筋梗塞患者の約25%が15 mmol/L以上の血漿ホモシステイン量上昇がみられた．ホモシステインは心筋梗塞後に上昇し数か月間高値を持続するため，血管疾患でのホモシステイン原因説を疑問視する人もある．いくつかの前向き研究の結果，ホモシステイン量と冠疾患リスクとの関連は見出せなかった．ホモシステインは低密度リポ蛋白の酸化を誘発したり血小板や凝固因子の活性化による血栓形成をしやすくする以外に，動脈の内膜に直接的に毒性を示すようである．動物繁殖研究においてホモシステインは神経管欠損，心臓奇形，腹側閉塞不全を起こす．血漿ホモシステイン量の増加により遺伝的疾患，栄養不足，慢性疾患など様々な状態で起きる．ホモシステイン量は男性で高く，加齢とともに上昇する．ホモシステイン尿症患者（酵素シスタチオニンβ-シンターゼの欠損により血清ホモシステインと尿中のその酸化生成物であるホモシスチンの上昇がみられるまれな遺伝的疾患）での若年性心血管疾患を最初，ホモシステインの上昇と関連づけていた．ホモシステインの異常な高値を示す，より一般的な遺伝的疾患は酵素メチレンテトラヒドロ葉酸レダクターゼをコードしている遺伝子の突然変異により起きる．閉経後のホモシステインの異常な上昇が閉経後の女性にみられる血管疾患，癌，骨粗しょう症の高発現に関与しているかもしれない．葉酸，ビタミンB_6（ピリドキシン），ビタミンB_{12}の栄養不足も，慢性腎不全や甲状腺低下などの悪性疾患にみられるようにホモシステインの上昇に関与している．ホモシステイン尿症患者において，葉酸投与により血清ホモシステイン濃度を低下させた結果，有害な心血管疾患のリスクを下げることが示された．動物実験では葉酸の投与によりホモシステインの催奇形性を防止する．ホモシステイン量上昇を調べる検査は，既知の危険因子が該当しない冠状動脈疾患患者または若年性アテローム性動脈硬化症の家族歴を有する患者に対して推奨される．葉酸の1 mg/日以上の投与によりホモシステインレベルはほとんど正常値まで低下し，血管疾患や先天性異常を防止することができる．

---

ho·mo·cys·tine (hō′mō-sis′tēn). ホモシスチン（[つづりおよび発音において homocysteine と区別すること]．ホモシステインを静かに酸化すると生じる二硫化物．シスチンの同族体).

ho·mo·cys·ti·ne·mi·a (hō′mō-sis′ti-nē′mē-ă). ホモシスチン血症（ホモシスチン尿症のときに，血漿中にホモシスチンが過剰に存在すること).

ho·mo·cys·ti·nu·ri·a (hō′mō-sis′ti-nyū′rē-ă) [MIM *236200]. ホモシスチン[尿]症（薄い金髪，長い手足，外反膝，水晶体偏位，発育障害，精神遅滞，精神異常，および血栓塞栓症を特徴とする代謝性疾患．ピリドキシン投与により軽快することもあるが，無反応の者もある．尿中ホモシスチンとメチオニンの排泄量が増加している．常染色体劣性遺伝であるが，キャリアは閉塞性血管障害を起こす危険性がある．第21染色体長腕にあるシスタチオニンベータシンターゼ(CBS)の突然変異により生じる．その他7型あり，ⓘビタミンB_{12}代謝異常症[MIM*277400]，ⓘⓘ*N*-メチレンテトラヒドロ葉酸レダクターゼ欠損症[MIM*236250]，ⓘⓘⓘビタミンB_{12}の特異的な吸収障害[MIM*261100]，ⓘⓥビタミンB_{12}反応性ホモシスチン尿症．cblE型[MIM*236270]，ⓥメチルコバラミン欠損症．cblG型[MIM*250940]，ⓥⓘビタミンB_{12}代謝障害2型[MIM*277410]，ⓥⓘⓘトランスコバラミンII欠損症[MIM*275350]).

ho·mo·cy·to·tro·pic (hō′mō-sī′tō-trop′ik) [homo- + G. *kytos*, cell + *tropē*, a turning toward]. 同種細胞親和[性]の（同一のまたは密接に関連した種の細胞に対して親和性をもつことについていう).

homodimer (hō-mō-dī′mĕr). ホモ二量体，ホモダイマー（一対の同一蛋白からなる分子).

ho·mo·dont (hō′mō-dont) [homo- + G. *odous*, tooth]. 同形歯（下等な脊椎動物の歯のように，すべての歯の形が似ていること．heterodont（異形歯）の対語).

ho·mod·ro·mous (hō-mod′rō-mŭs) [homo- + G. *dromos*, running]. 同方向運動[性]の（[誤った発音 homodro′mous を避けること]).

homoeo- →homeo-.

ho·mo·er·ot·ism, ho·mo·e·rot·i·cism (hō′mō-er′ō-tizm, -ĕ-rot′i-sizm) [homo- + G. *erōs*, love]. = homosexuality.

ho·mo·ga·met·ic (hō′mō-gă-met′ik) [homo- + G. *gametikos*, connubial]. 同形配偶子の（性染色体に関して一型のみの配偶子を生じることについていう．ヒトや多くの動物においては雌が同形配偶子). = monogametic.

ho·mog·a·my (hō-mog′ă-mē) [homo- + G. *gamos*, marriage]. ホモガミー，雌雄同熟（ある特性において，雌雄が同じであること).

ho·mog·e·nate (hō-moj′ĕ-nāt). ホモジネート（組織をすりつぶしてクリーム状にしたもので，その中では細胞構造は破壊されている（いわゆる cell-free). *cf.* brei).

ho·mo·ge·ne·ous (hō′mō-jē′nē-ŭs) [homo- + G. *genos*, race]. [homogenous と混同しないこと]. ***1*** 均質の，ホモジェナス（全体の構造や組成が均一であることについていう). ***2*** 単相からなる.

ho·mo·gen·e·sis (hō′mō-jen′ĕ-sis) [homo- + G. *genesis*, production]. ホモゲネシス，同種発生（両親と似ている子孫ができること．ヘテロゲネシスとは異なる). = homogeny.

ho·mog·e·ni·za·tion (hō-moj′ĕ-ni-zā′shŭn). 均質化（物質が均一化される過程).

ho·mog·e·nize (hō-moj′ĕ-nīz). 均質化する，ホモジネートする.

ho·mog·e·nous (hō-moj′ĕ-nŭs) [homo- + G. *genos*, family, kind]. [歴史的]相同の（[homogeneous と混同しないこと]．共通の祖先から派生しているため，同一の構造をもつことについていう．一般に homogeneous と混同されることがよくある).

ho·mo·gen·tis·ate 1,2-di·ox·y·gen·ase (hō′mō-jen′-tis-āt dī-oks′i-jen-ās). ホモゲンチシン酸1,2-ジオキシゲナーゼ（鉄を含む酵素で，ホモゲンチシン酸中のベンゼン環を，酸素によって酸化的に開裂し，4-マレイルアセト酢酸を生成する反応を触媒する．この酵素の欠損によりアルカプトン尿症になる). = homogentisic acid oxidase.

ho·mo·gen·tis·ic ac·id (hō′mō-jen-tis′ik as′id). ホモゲンチシン酸；glycosuric acid; (2,5-dihydroxyphenyl)acetic acid（L-フェニルアラニンおよび L-チロシンの異化中間体．アルカリで，空気によって急速に酸化し，キノンとなり，重合してメラニン様物質となる．アルカプトン尿症患者では，その濃度の上昇がみられる). =alcapton; alkapton.

h. a. oxidase =homogentisate 1,2-dioxygenase.

ho·mog·e·ny (hō-moj′ĕ-nē). =homogenesis.

ho·mo·gly·can (hō′mō-glī′kan). ホモグリカン (同種類の単糖サブユニットだけからなる多糖類(例えばグルカン). *cf.* heteroglycan; glycan).

ho·mo·graft (hō′mō-graft). 同種移植〔片〕. =allograft.

ho·moi·o·pla·si·a (hō′moy-ō-plā′zē-ă). =homeoplasia.

ho·moi·o·ther·mal (hō′moy-ō-ther′măl). =homeothermic.

ho·mo·kar·y·on (hō′mō-kar′ē-on) [homo- + G. *karyon*, kernel, nut]. ホモカリオン (1個の細胞質中に，遺伝的に均一な核が複数存在する状態で，通常は，同種に由来する2細胞が融合して生じる).

ho·mo·kar·y·ot·ic (hō′mō-kar′ē-ot′ik). ホモカリオン状 (ホモカリオンとしての性質を示すこと).

ho·mo·ker·a·to·plas·ty (hō′mō-ker′ă-tō-plas′tē). 同種角膜移植〔術〕(同種の個体間の角膜移植).

ho·mo·lat·er·al (hō′mō-lat′ĕr-ăl) [homo- + L. *latus*, side]. 同側性の. =ipsilateral.

ho·mo·lip·ids (hō′mō-lip′idz). ホモリピド (C, H, O からなる脂質. *cf.* heterolipids). =simple lipids.

ho·mol·o·gous (hō-mol′ō-gŭs) [→homologue]. ***1*** 相同性の (生物学や動物学において，発生的根源で同じで，構造がある程度類似している器官や部分についていう. 必ずしも機能は類似していなくてもよい). ***2*** 同族の (化学において，数の増加だけが異なる単一の化学系統についていう). ***3*** 相同の (遺伝学において，染色体やその断片が，構造的あるいは遺伝情報について同一なこと). ***4*** 同種の (免疫学において，同種の集団から得た血清や組織，あるいは同一種の抗原から得られた抗体についていう). ***5*** 同族体 (同一あるいは類似の機能をもつが異なった種の蛋白).

hom·o·logue, ho·mo·log (hom′ō-log) [homo- + G. *logos*, word, ratio, relation]. 相同体，同族体，ホモログ (相同性のある一対または系列の1つ).

ho·mol·o·gy (hō-mol′ō-jē). 相同性 (相同の関係にあること).

h. of chains 鎖の相同性 (2つの DNA 鎖の塩基配列間の類似度). =h. of strands.

DNA h. DNA 相同性 (異なった微生物の DNA の間のハイブリダイゼーションの程度(百分率)).

h. of strands =h. of chains.

ho·mol·y·sin (hō-mol′i-sin) [homo- + hemolysin]. 同種溶血素 (感作性溶血性抗体(溶血素)で，同種の動物から得た抗原で感作すると生じる).

ho·mol·y·sis (hō-mol′i-sis). 同種溶血 (同種溶血素と補体による赤血球の溶解).

ho·mo·mor·phic (hō′mō-mōr′fik) [homo- + G. *morphē*, shape, appearance]. 同形の (大きさや形が類似した2つ以上の構造についていう).

ho·mon·o·mous (hō-mon′ō-mŭs) [G. *homonomos*, under the same laws < *homos*, same + *nomos*, law]. 同規の ([homonymous と混同しないこと]. 類似した形や構造が，手足の指のように系列的に並列して配置されている部分についていう).

ho·mon·o·my (hō-mon′ō-mē). 同規.

ho·mo·nu·cle·ar (hō′mō-nū′klē-ĕr). 同一核性 (染色体の原型をとどめた細胞株の表現).

ho·mon·y·mous (hō-mon′i-mŭs) [G. *homōnymous*, of the same name < *onyma*, name]. 同義の ([homonomous と混同しないこと]. 同名の，または同じ語で表されるものについていう. 例えば，網膜の対応する部分(左右，上下)など).

ho·mo·phenes (hō′mō-fēnz). 同音異義語 (視覚上，発音器官が同じように動く単語. 例えば，tug, tongue, tuck).

ho·mo·phil (hō′mō-fil) [homo- + G. *philos*, fond]. 同種〔特異〕親和性の (その抗体形成を誘発した特異抗原とのみ反応する抗体についていう).

ho·mo·pho·bi·a (hō′mō-fō′bē-ă). 同性愛恐怖 (同性愛の感覚，思考，行動や人に対する不合理な恐怖).

internalized h. 内在性同性愛恐怖 (同性愛者に生じる同性愛恐怖の型で，自己嫌悪，自己非難，自己検閲感をしばしば伴う).

ho·mo·plas·tic (hō′mō-plas′tik) [homo- + G. *plastos*, formed]. 同種形成性の (形や構造は似ているが，起源が異なる).

ho·mo·pol·y·mer (hō′mō-pol′i-mĕr). ホモポリマー (同一系統の基からなる重合体. 例えば，ポリリシン，ポリ(アデニル酸)，ポリグルコース).

ho·mo·pro·line (hō′mō-prō′lēn). ホモプロリン. =pipecolic acid.

ho·mo·pro·to·cat·e·chu·ic ac·id (hō′mō-prō′tō-kat′ĕ-chū′ik as′id). ホモプロトカテチュ酸; (3,4-dihydroxyphenyl)acetic acid (尿中にみられるホモゲンチシン酸の異性体. L-チロシン，L-ドパ，ヒドロキシチラミンの分解産物).

hom·or·gan·ic (hom′ōr-gan′ik). 同器官由来の (同じ器官または相同器官によってつくられた).

ho·mo·sal·ate (hō′mō-sal′āt). ホモサラート (皮膚に局所的に用いる紫外線遮断薬).

ho·mo·sced·as·tic·i·ty (hō′mō-skĕd-as-tis′ĭ-tē). 等分散性 (研究中のある因子のレベルによらず，ある測定値の分散が一定であること).

ho·mo·ser·ine (hō′mō-ser′ēn). ホモセリン; amino-4-hydroxybutyric acid (セリンより1個余分にCH_2基をもつ水酸化アミノ酸. シスタチオニン，スレオニン，メチオニンの生合成の中間体).

h. deaminase =cystathionine γ-lyase.

h. dehydratase =cystathionine γ-lyase.

h. lactone ホモセリンラクトン (ホモセリンの環状エステル(すなわちδ-ラクトン). ペプチドや蛋白のメチオニン残基の臭化シアンとの反応によって生成する).

ho·mo·sex·u·al (hō′mō-seks′yū-ăl). ***1*** 〖adj.〗 同性愛の. ***2*** 〖n.〗 同性愛者 (同性愛に特徴的な関心，行動をもつ人. → gay; lesbian).

ho·mo·sex·u·al·i·ty (hō′mō-seks′yū-al′i-tē). 同性愛 (特に思春期以後における同性間の性愛的魅力，活動(性交も含む)). =homoerotism; homoeroticism.

ego-dystonic h. 自我異質性同性愛 (個人が同性を好むことに持続的な苦悩を経験し，その行動を変えなければならないか，少なくともその苦悩を軽減する必要のある心理学的あるいは精神医学的障害. 現在は DSM で認められる独立した診断ではなく，性関連障害，特定不能のものに含まれる).

female h. 女性の同性愛 (思春期以後における2人の女性の間の，性的な交渉を含む，性愛的な偏りまたは活動).

latent h. 潜伏性同性愛 (意識的には体験されず明白な行動にも現れることがない，同性に対する性愛的傾向. この用語は1つには医原性効果を及ぼす可能性があり，また1つには精神分析理論以外の技法ではこの現象を確認することができないので使用しなくなりつつある. overt h. の対語). =unconscious h.

male h. 男性の同性愛 (思春期以後における2人の男性の間の，性的な交渉を含む，性愛的な偏りまたは活動).

overt h. 顕性同性愛 (意識的に体験され，実際の同性愛行為に現れる同性愛傾向).

unconscious h. 無意識的同性愛. =latent h.

D-ho·mo·ster·oid (hō-mō-stēr′oyd). D-ホモステロイド (通常，五員環であるD環が六員環であるステロイド).

ho·mo·ster·oid (hō′mō-stēr′oyd). ホモステロイド (ステロイドで，その環の少なくとも1個が拡大した構造をもつもの).

ho·mo·thal·lic (hō′mō-thal′ik) [homo- + G. *thallos*, a young shoot]. 同株性の，性的同質接合性の (真菌類において，ある株の1個の核が，同一株あるいは同一交配系からの他の核と融合しうるような一種の有性生殖についていう. *cf.* heterothallic).

ho·mo·ther·mal (hō′mō-ther′măl) [homo- + G. *thermē*, heat]. 恒温〔性〕の，定温〔性〕の (常に同じ温度を保つ. 温血動物についていう). =homeothermic.

ho·mo·ton·ic (hō′mō-ton′ik). 一様緊張の (緊張が均一である).

ho·mo·top·ic (hō′mō-top′ik) [homo- + G. *topos*, place]. 同位置の ([homotropic と混同しないこと]. 身体の同一場所または体部に関する，あるいはその部位に現れる).

ho·mo·trans·plan·ta·tion (hō′mō-tranz′plan-tā′shŭn). 同種移植，ホモ移植. =allotransplantation.

ho·mo·tro·pic (hō′mō-trō′pik). ホモトロピック ([homo-

H

topic と混同しないこと］．１つの高分子に同じリガンドが結合すること．例えばヘモグロビンへ４個の O_2 が結合することはホモトロピック協同性である）．

ho·mo·type (hō′mō-tīp)［homo- ＋ G. *typos*, type］．体輻（同一の構造または機能をもつ部分や器官．特に身体の両側にあるものについていう）．

ho·mo·typ·ic, ho·mo·typ·i·cal (hō′mō-tip′ik, i-kăl)．体輻をなす（対をなす器官や部分のうちの一方が他方に対して型や形が同じである場合）．

ho·mo·va·nil·lic ac·id (HVA) (hō′mō-vă-nil′ik as′id)．ホモバニリン酸；4-hydroxy-3-methoxyphenylacetic acid（ヒトの尿中にみられるフェノール．ホモプロトカテチュ酸のメタ位の OH 基がメチル化を受けてできる．ドーパおよびドパミンの主要尿代謝物）．

ho·mo·zo·ic (hō′mō-zō′ik)［homo- ＋ G. *zōikos*, relating to an animal］．同種動物の．

ho·mo·zy·gos·i·ty, ho·mo·zy·go·sis (hō′mō-zī-gos′i-tē, -zī-gō′sis)［homo- ＋ G. *zygon*, yoke］．ホモ接合性，同型接合性（同型接合である状態）．

ho·mo·zy·gote (hō′mō-zī′gōt)［homo- ＋ G. *zygōtos*, yoke］．ホモ接合体，同型接合体（同型接合の個体）．

ho·mo·zy·gous (hō′mō-zī′gŭs)．ホモ接合の，同型接合の（１つまたは複数の遺伝子座に同じ対立遺伝子をもつ）．

ho·mo·zy·gous by de·scent (hō′mō-zī′gŭs dē-sent′)．血縁による同型接合体（血族結婚で発生する場合があるが，１つの先祖に由来するある１つの遺伝子座に２つの等しい対立遺伝子が存在すること）．

ho·mun·cu·lus (hō-mŭngk′yū-lŭs)［L. *homo*(man)の指小辞］．ホムンクルス（①精子または卵母細胞に含まれる非常に小さな身体のことをさす．これは 16, 17 世紀のある医学者の個体発生の考え方による．すでに形づくられてはいるが，非常に小さなこの身体からヒトが生じると考えられた．→preformation *theory*; animalcule．②脳の表面のイラストにヒトの形を変形して重ね合わせたもので，運動皮質領域，感覚皮質領域などに支配されている身体の部位を示すのに用いられる）．

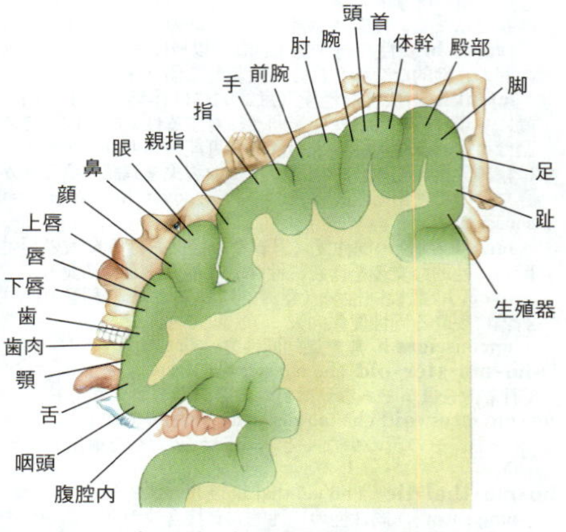

somatotopic projection of the body surface onto primary somatosensory cortex (homunculus)

図は中心後回を通る断面．各野におけるニューロンはそれらの上に図示した体の部分に最も応答する．

Hon·du·ras bark (hon-dū′răs bark)．＝*cascara* amara.

hon·ey (hŭn′ē)［A.S. *hunig*］．ハチ蜜（①精製ハチ蜜．*Apis mellifera* の巣に蓄えられるサッカリン様物質．賦形剤，含そう薬や鎮咳薬の香料，食物として用いる．②獣医学領域では創傷や火傷における包帯(ドレッシング)剤として用いられることがある）．＝mel (1).

honk (hawngk)［echoic］．*1* 医学用語で，ガンの鳴き声に似た音．*2* しばしば気管を圧迫する先天的な血管輪のために強制された呼気による声帯振動によりつくられた喉頭由来の音を示すのに用いられる．

systolic h. ガンの鳴き声に似たやや音楽的な収縮期雑音．無害で原因不明のときもあるが，僧帽弁閉鎖不全症の徴候の場合もある．＝systolic whoop.

hood (hud)［O.E. *hōd*, hat］．フード（①ヒメダニ科のダニの包被の前部．擬頭部の上までのび，房状口の蓋を形成する．②ローブやコートのような形をし，働きをしておおうもの．例えば中手骨頭背面をおおう指伸筋腱からの膜状構造など）．

dorsal h. ＝extensor digital *expansion*.

hook (huk)［A.S. *hōk*］．*1* 鉤，かぎ（先端近くが曲がった道具で，部分の固定や牽引に用いる）．*2* * hamulus の公式の別名．

calvarial h. 頭蓋冠鉤（検死や解剖のときに用いる道具で，頭蓋骨の頂上をのこぎりで丸く切った後，そこをこじあける）．

h. of hamate 有鉤骨鉤（有鉤骨の掌側の遠位側の内側にある鉤状の突起）．＝hamulus ossis hamati［TA］．

palate h. 口蓋鉤（軟口蓋を前方に牽引して，後鼻鏡検査を行いやすくするための器具）．

sliding h. スライディングフック（ゴムによる牽引やヘッドギヤの力を用いるために矯正ワイヤに用いられる可動性アタッチメント）．

h. of spiral lamina ラセン板鉤．＝*hamulus* of spiral lamina.

squint h. 斜視鉤（外眼筋を持ち上げる外科用器具）．

tracheostomy h. 気管切開鉤（気管切開術の際，気管をしっかりと固定するのに用いる右に曲がった鉤）．

Hooke (huk), Robert．英国人実験物理学者，1635―1703．→hookean *behavior*; H. *law*.

hook·lets (huk′letz)．小鉤（①爪状で伸縮性のキチン質の鉤．ある種の条虫類の頭節の吻の周囲や，これに沿って配列し，吸盤とともに腸粘膜へ吸着する．条虫が移動する場合，吻を裏返したり，小鉤を引っ込めることが可能である．小鉤の配列や形は条虫類を鑑別する．②包虫液の中にみられる *Echinococcus*属の種の退行変化した頭節の小鉤．③六鉤幼虫の小鉤は，ふ化後膜外被からの脱出，宿主の腸壁への侵入に用いられる．これらの小鉤は，後に前擬尾虫または擬嚢尾虫の尾部にみられる）．

hook·worm (huk′wŏrm)．鉤虫（Ancyclostomatidae 科の吸血線虫の一般名．主として *Ancylostoma*属(旧世界鉤虫)，*Necator*属，*Uncinaria*属からなる．*A. caninum*(イヌ鉤虫)，*N. americanus*(新世界鉤虫)種を含む）．

Hoo·ver (hū′vĕr), Charles F．米国人医師，1865―1927．→H. *sign*.

Hop·kins (hop′kinz), H.H. 20 世紀の英国人光学物理学者．→H. rod-lens *telescope*.

Hop·kins (hop′kinz), Sir Frederick G．イングランド人生化学者・ノーベル賞受賞者，1861―1947．→Benedict-H.-Cole *reagent*.

Hop·lop·syl·lus a·nom·a·lus (hop′lō-sil′ŭs ă-nom′ă-lŭs)［G. *hoplo*, tool, weapon ＋ *psyll*, flea］．米国西部のリスに寄生するノミの一種で，ペストの媒介体．

Hop·mann (hop′mahn), Carl M．ドイツ人鼻科医，1849―1925．→H. *papilloma*, *polyp*.

hops (hops)．ホップ．＝humulus.

hor. decub. ラテン語 *hora decubitus*(就床時に)の略．

hor·de·nine (hōr′de-nēn)［L. *hordeum*, barley ＋ -in］．ホルデニン（生体アミンで，最初大麦から単離された．血圧を上昇させる）．

hor·de·o·lum (hōr-dē′ō-lŭm)［Mod. L. *hordeolus*, a sty in the eye; *hordeum*(barley)の指小辞］．麦粒腫（眼瞼腺の化膿性感染）．

h. externum 外麦粒腫（睫毛の皮脂腺の炎症）．＝sty; stye.

h. internum 内麦粒腫（瞼板腺(Meibom 腺)の急性化膿性感染）．＝acute chalazion; h. meibomianum; meibomian sty.

h. meibomianum ＝h. internum.

Horecker (hōr′ek-ĕr), Bernard L．米国人生化学者，1914―？ →Warburg-Dickens-H. *shunt*.

hore·hound, hoar·hound (hōr-hownd)［O. E. *hār*, hoary ＋ *hūne*, herb］．ニガハッカ（欧州産ハッカ *Marrubium vulgare*．苦み成分は揮発性油であるマルビウム．去痰作用があると考えられており，しばしば咳止め飴などに配合されてい

る).

hor·i·zon·ta·lis (hōr′i-zon-tā′lis) [L.]. 水平の（身体の面のうちで水平の．垂直面に対して直交し，正中面および前頭面の両方に直角で，身体を上部と下部に分ける）.

hor·me·sis (hōr-mē′sis) [Gr. *hormēsis*, rapid motion]. ホルメシス（毒性物質が抑制濃度以下で生体に対して示す刺激効果）.

hor·mi·on (hōr′mē-on) [G. *hormos*, cord, chain, necklace]. ホルミオン（蝶形骨と鋤骨後縁の会合部における頭骨計測点）.

hor·mo·go·nal (hōr-mō′gō-năl). 連鎖体の（細胞が糸状に増殖するシアノバクテリア(藍藻)の一部のものについていう）.

hor·mo·nal (hōr-mō′năl). ホルモン〔性〕の.

HORMONE

hor·mone (hōr′mōn) [G. *hormōn*: *hormaō*(to rouse or set in motion)の現在分詞]. ホルモン（身体の器官や機能的効果を発揮する部位でつくられ，血液によって他の器官や部分に運ばれる化学物質．その効果の特異性により，1つまたは数多くの器官の機能活性やときには構造を変えることができる．種々のホルモンは内分泌腺によりつくられるが，セクレチン，コレシストキニンやソマトスタチンも胃腸管でつくられても定義上はホルモンである．最近，ホルモンの定義が拡大された．細胞から分泌され，隣接した細胞に作用する化学物質(すなわち，パラクリン作用)，同じ細胞に作用する化学物質(すなわち，オートクリン作用)．以下に記載のない語については各々の項参照).

adipokinetic h. アジポキニンホルモン，脂肪動員ホルモン．＝adipokinin.

adrenal androgen-stimulating h. (**AASH**) 副腎アンドロゲン刺激性ホルモン（思春期に副腎性アンドロゲンの分泌を促進すると想定されている下垂体ホルモン).

adrenocortical h.'s 副腎皮質ホルモン（ヒト副腎皮質から分泌されるホルモン．例えば，コルチゾール，アルドステロン，コルチコステロン).

adrenocorticotropic h. (**ACTH**) 副腎皮質刺激ホルモン（脳下垂体前葉のホルモン．副腎皮質の栄養と発育を支配し，その機能活性を高め，副腎外の脂肪代謝活性ももつ．39個のアミノ酸を含むポリペプチドで，正確な構造は種によって異なる．β-コルチコトロピンと区別するため，前にαを付けることもある．*N*末端領域の最初の13個のアミノ酸は，α-メラノトロピンと同一である)．＝adrenocorticotropin; adrenotropic h.; adrenotropin; corticotropic h.; corticotropin (1).

adrenomedullary h.'s 副腎髄質ホルモン（副腎の髄質により産生されるホルモン．特にエピネフリンやノルエピネフリンなどのカテコールアミンのこと).

adrenotropic h. ＝adrenocorticotropic h.

androgenic h. 男性ホルモン（男性化効果をもたらすホルモン．天然の男性ホルモンの中ではテストステロンが最も有効である).

antidiuretic h. (**ADH**) 抗利尿ホルモン．＝vasopressin.

anti-müllerian h. [MIM*600957]．＝müllerian inhibiting *substance*.

cardiac h. 心臓ホルモン．＝herz h.

chorionic gonadotropic h., chorionic gonadotrophic h. 絨毛性性腺刺激ホルモン．＝chorionic *gonadotropin*.

chorionic "growth h.-prolactin" (**CGP**) 絨毛性成長ホルモン-プロラクチン．＝human placental *lactogen*.

cortical h.'s 副腎皮質ホルモン（副腎皮質で産出されるステロイドホルモン).

corticotropic h. 向副腎皮質ホルモン．＝adrenocorticotropic h.

corticotropin-releasing h. (**CRH**) 副腎皮質刺激ホルモン放出ホルモン（視床下部によって分泌される因子で，下垂体を刺激して副腎皮質刺激ホルモンの分泌を促す)．＝corticotropin-releasing factor.

ectopic h. 異所性ホルモン（通常産生されている組織以外で産生されるホルモン．例えば気管支癌で産生されるACTHなど)．＝inappropriate h.

endocrine h.'s 内分泌性ホルモン（内分泌系により産生されるホルモン．*cf.* tissue h.'s; endocrine (2)).

erythropoietic h. 赤血球造血ホルモン（①種々のホルモンのうち，赤血球形成を促進する作用のあるもの．例えばテストステロン．②＝erythropoietin).

estrogenic h. 卵胞ホルモン．＝estradiol.

follicle-stimulating h. (**FSH**) 卵胞刺激ホルモン．＝ follitropin.

follicular h. 卵胞ホルモン．＝estrone.

galactopoietic h. 乳汁分泌ホルモン．＝prolactin.

gametokinetic h. 配偶子接合ホルモン．＝follitropin.

gastrointestinal h. 消化管ホルモン（種々の消化液分泌の時期や量に影響を与える(例えばセクレチン)，または標的器官の自動運動性を増大させる(例えばコレシストキニン)消化管粘膜からの分泌物).

gonadal h.'s 性腺ホルモン．＝sex h.'s.

gonadotropic h. 性腺刺激ホルモン．＝gonadotropin.

gonadotropin-releasing h. (**GnRH, GRH**) 性腺刺激ホルモン放出ホルモン（視床下部より分泌される10個のアミノ酸より構成されるペプチドホルモンで，下垂体前葉を刺激して卵胞刺激ホルモンと黄体刺激ホルモンを分泌する．→gonadotropin-releasing *factor*)．＝luteinizing h.-releasing h.; luteinizing h./follicle-stimulating h.-releasing h.

growth h. (**GH**) 成長ホルモン．＝somatotropin.

growth h.-inhibiting h. (**GIH**) 成長ホルモン分泌抑制ホルモン．＝somatostatin.

growth h.-releasing h. (**GHRH, GH-RH**) 成長ホルモン放出ホルモン（→growth hormone-releasing *factor*)．＝somatoliberin.

heart h. ＝herz h.

herz h. 心臓ホルモン（心臓組織の抽出液中に存在する物質で，心臓の収縮を増進する．アデノシン，カテコールアミンまたは一般的に組織に存在する非特異的刺激物と考えられる)．＝cardiac h.; heart h.

human chorionic somatomammotropic h. (**HCS**) ＝human placental *lactogen*.

hypophysiotropic h. 下垂体刺激ホルモン（例えば，ホルモン放出因子や視床下部調節因子のように，下垂体ホルモンの分泌を促進するホルモン).

inappropriate h. 不適合ホルモン．＝ectopic h.

interstitial cell-stimulating h. (**ICSH**) 間質細胞刺激ホルモン．＝lutropin.

lactation h. 乳汁分泌ホルモン．＝prolactin.

lactogenic h. 乳腺刺激ホルモン．＝prolactin.

lipid-mobilizing h. 脂肪動員ホルモン．＝lipotropin.

lipotropic h. (**LPH**), **lipotropic pituitary h.** 向脂肪ホルモン，向脂肪性脳下垂体ホルモン．＝lipotropin.

local h. 局所ホルモン（ある細胞によって産生され，その細胞の近傍の細胞に影響を与えるホルモン．オータコイド．例えばプロスタグランジンや神経伝達因子).

luteinizing h. (**LH**) 黄体化ホルモン，黄体形成ホルモン．＝lutropin.

luteinizing h./follicle-stimulating h.-releasing h. 黄体化ホルモン/卵胞刺激ホルモン放出ホルモン．＝gonadotropin-releasing h.

luteinizing h.-releasing h. (**LH-RH, LRH**) 黄体化ホルモン放出ホルモン．＝gonadotropin-releasing h.

luteotropic h. (**LTH**) 黄体刺激ホルモン（黄体機能を維持するように作用する下垂体前葉ホルモン).

mammotropic h. 乳腺刺激ホルモン．＝prolactin.

melanocyte-stimulating h. (**MSH**) メラニン細胞刺激ホルモン．＝melanotropin.

melanotropin release-inhibiting h. (**MIH**) メラノトロピン放出抑制ホルモン．＝melanostatin.

melanotropin-releasing h. (**MRH**) メラノトロピン放出ホルモン．＝melanoliberin.

neurohypophysial h.'s 神経下垂体ホルモン（視床下部で産生されるホルモン．例えば，オキシトシン，バソプレッシン).

ovarian h. 卵巣ホルモン．＝relaxin.

pancreatic hyperglycemic h. 膵性血糖上昇ホルモン．＝glucagon.

parathyroid h. (**PTH**)［MIM*168450］．副甲状腺ホルモン，上皮小体ホルモン（上皮小体でつくられるペプチドホルモン．非経口的投与で，骨吸収によって血清カルシウム濃度を増加させ，カルシウムの腎クリアランスを減少させ，腸管のカルシウム吸収率を増加させる．カルシトニンなどのホルモンと協同作用する）．＝parathormone; parathyrin.

pituitary gonadotropic h. 脳下垂体前葉性腺刺激ホルモン．＝anterior pituitary *gonadotropin.*

pituitary growth h. 脳下垂体成長ホルモン．＝somatotropin.

placental growth h. 胎盤成長ホルモン．＝human placental *lactogen.*

pregnancy h. 妊娠ホルモン．＝progesterone.

progestational h. 月経前期ホルモン．＝progesterone.

proparathyroid h. プロ副甲状腺ホルモン（副甲状腺ホルモンの前駆ホルモン．N末端にアミノ酸が6個多くついている点が異なっている）．

recombinant human growth h. (**rh-GH**) 遺伝子組換え型ヒト成長ホルモン．＝somatropin.

releasing h. (**RH**) 遊離促進ホルモン．＝releasing *factors.*

salivary gland h. 唾液腺ホルモン．＝parotin.

sex h.'s 性ホルモン（精巣，卵巣，副腎皮質でつくられるステロイドホルモンの総称名．アンドロゲン，エストロゲンやプロゲスチンをさす）．＝gonadal h.'s.

somatotropic h. (**STH**) 成長ホルモン．＝somatotropin.

somatotropin release-inhibiting h. (**SIH**) ソマトトロピン分泌抑制ホルモン．＝somatostatin.

somatotropin-releasing h. (**SRH**) ソマトトロピン分泌刺激ホルモン．＝somatoliberin.

steroid h.'s ステロイドホルモン（ステロイド環系をもつホルモン．例えば，アンドロゲン，エストロゲン，副腎皮質ホルモン）．

sympathetic h. 交感神経系ホルモン．＝sympathin.

thyroid-stimulating h. (**TSH**) 甲状腺刺激ホルモン．＝thyrotropin.

thyrotropic h. 甲状腺刺激ホルモン．＝thyrotropin.

thyrotropin-releasing h. (**TRH**) 甲状腺刺激ホルモン放出ホルモン．＝thyroliberin.

tissue h.'s 組織ホルモン（内分泌腺以外の細胞で産生されるホルモン．*cf.* endocrine h.'s)．

tropic h.'s, trophic h.'s 刺激ホルモン（下垂体前葉のホルモンで，他の内分泌腺の発育，栄養または機能に影響を与える(例えば TRH, ACTH など))．

vertebrate h.'s 脊椎動物ホルモン（脊椎動物で合成されるホルモン）．

---

hor·mo·no·gen·e·sis (hōr′mō-nō-jen′ĕ-sis)．ホルモン生成，ホルモン発生．＝hormonopoiesis.

hor·mo·no·gen·ic (hōr′mō-nō-jen′ik)．ホルモン生成の．＝hormonopoietic.

hor·mo·no·poi·e·sis (hōr′mō-nō-poy-ē′sis)［hormone＋G. *poiēsis*, prodution］．＝hormonogenesis.

hor·mo·no·poi·et·ic (hōr′mō-nō-poy-et′ik)．＝hormonogenic.

hor·mo·no·priv·i·a (hōr′mō-nō-priv′ē-ă)［hormone＋G. *privus*, deprived of］．ホルモンの部分的または全般的欠損を表す，現在では用いられない語．

hor·mo·no·ther·a·py (hōr′mō-nō-thār′ă-pē)．ホルモン療法（ホルモンを用いた治療法）．

horn (hōrn)［A.S.］［TA］．角（角状の構造の総称）．＝cornu (1).

Ammon's h. (ah′mŏn)［G. *Ammōn*, エジプトの神 *Amūn*］［TA］．アンモン角（海馬を構成する2つの脳回の1つで，もう1つは歯状回．内部の細胞構成からI部，II部，III部，IV部に区別される）．＝cornu ammonis.

anterior h.［TA］．前角（①側脳室のうち Monro 脳室間孔から前方にのびる前部．→lateral *ventricle.* ②脊髄横断面にみられる，脊髄の前柱または腹側灰白柱．前角は Rexed のVIII層とIX 層からなり腰仙骨部と頸部では VII 層の一部が境界域まで伸び出ている．内部の核には前外側核，前核，前内側核，後外側核，外側核後核，後内側核，中心核があり，頸部にのみ副核と横隔核がある．→anterior *column*; gray *columns*)．＝cornu anterius［TA］; ventral h.

cicatricial h. 瘢痕〔性〕角（瘢痕から外に突き出したケラチン様角)．

coccygeal h. 尾骨核．＝coccygeal *cornu.*

cutaneous h. 皮角（皮膚の角質性突起物．基部は光線性角化症や癌腫を示すことがある)．＝cornu cutaneum; warty h.

frontal h.［TA］．前角（→inferior h. of lateral ventricle; anterior h.)．

greater h. of hyoid bone［TA］．舌骨の大角（舌骨の左右各側にある2つの突起のうち，大きくて外側にあるもの)．＝cornu majus ossis hyoidei［TA］.

h.'s of hyoid bone 舌骨の角（→greater h. of hyoid bone; lesser h. of hyoid)．

iliac h. 腸骨角（腸骨後部の骨棘．爪・膝蓋骨症候群 nail-patella syndrome にみられる)．

inferior h. 下角（甲状軟骨後縁から下方に向かう1対の突起)．＝cornu inferius［TA］.

inferior h. of falciform margin of saphenous opening［TA］．〔伏在裂孔鎌状縁の〕下角（大伏在静脈が通る伏在裂孔の鎌状縁の下部)．＝cornu inferius marginis falciformis hiatus sapheni［TA］; crus inferius marginis falciformis hiatus sapheni☆.

inferior h. of lateral ventricle〔側脳室の〕下角（側頭葉内部の上方および下方にのびる側脳室の部分．→lateral *ventricle*)．＝cornu inferius ventriculi lateralis［TA］; cornu temporale ventriculi lateralis［TA］; temporal h.［TA］.

inferior h. of thyroid cartilage［TA］．〔甲状軟骨の〕下角（甲状軟骨後縁から下方に向かう1対の突起．輪状軟骨と各側で関節をなしている)．＝cornu inferius cartilaginis thyroideae［TA］.

lateral h.［TA］．側角（脊髄横断面にみられる，小さい外側灰白柱で，中間外側細胞柱を含む．→gray *columns*)．＝cornu laterale［TA］.

h.'s of lateral ventricle 側脳室の角（大脳半球の側脳室の尖端部．前角(前頭角)，後角(後頭角)，下角(側頭角)がある．→anterior h.(1); inferior h.; posterior h.)．＝cornu occipitale ventriculi lateralis［TA］; cornua of lateral ventricle.

lesser h. of hyoid［TA］．舌骨小角（舌骨に対をなして存在する2種の突起のうち内側にある小さい突起)．＝cornu minus ossis hyoidei［TA］; styloid cornu.

occipital h.［TA］．後角．＝posterior h.

posterior h. 後角（①側脳室の後部で，後方の後頭葉にのびる．→posterior *column.* ②［TA］．脊髄横断面にみられる後柱または後灰白柱．後角は Rexed の I—VI 層からなり内部の核には辺縁核，膠様質，固有核，二次内臓灰白質，内底核，内側頸核，側索の後核，外側頸核がある)．＝cornu posterius ventriculi lateralis［TA］; cornu posterius［TA］; occipital h.［TA］; cornu of spinal cord.

pulp h. 髄角（歯髄が咬頭の方に伸長した部分)．

sacral h.☆ 仙骨角（sacral *cornu* の公式の別名)．

h.'s of saphenous opening 伏在裂孔角（→inferior h. of falciform margin of saphenous opening; superior h. of falciform margin of saphenous opening)．

sebaceous h. 皮脂性皮角（皮脂嚢胞からの充実性突出物)．

superior h. of falciform margin of saphenous opening［TA］．〔伏在裂孔鎌状縁の〕上角（大伏在静脈が通る大腿膜にある伏在裂孔の鎌状縁の上部)．＝cornu superius marginalis falciformis［TA］; Burns falciform process; Burns ligament; crus superius marginis falciformis hiatus sapheni; Hey ligament.

superior h. of thyroid cartilage［TA］．〔甲状軟骨の〕上角（甲状軟骨の上方へ向かう1対の突起．外側甲状舌骨靱帯がここに付く)．＝cornu superius cartilaginis thyroideae［TA］.

temporal h.［TA］．下角．＝inferior h. of lateral ventricle.

h.'s of thyroid cartilage 甲状軟骨角（→inferior h. of

thyroid cartilage; superior h. of thyroid cartilage).

uterine h., h. of uterus [TA]. 子宮角（子宮体のうちで卵管壁内部がはいり込んでいる左右の部分）. = cornu uteri [TA].

ventral h. = anterior h.

warty h. いぼ状皮角，乳頭状皮角. = cutaneous h.

Hor・ner (hōr′nĕr), Johann F. スイス人眼科医，1831—1886. ⇀H. *syndrome*, *pupil*; Bernard-H. *syndrome*; H.-Trantas *dots*.

Hor・ner (hōr′nĕr), William E. 米国人解剖学者，1793—1853. ⇀H. *muscle*, *teeth* (⇒tooth).

horn・y (hōrn′ē). 角形の，角質の（角の性質や形態をもった）. = keratinous (2).

ho・rop・ter (hō-rop′tĕr) [G. *horos*, limit + *optēr*, spy, scout < *oraō*, *opsomai*(to see) の未来形]. ホロプタ（ある固視点において網膜の対応点に結像するような外界点の集合．固視点が2 m ならばホロプタは直線，それ以下なら顔に対して凹曲線，それ以上ならば凸曲線である）.

empirical h. 実験的ホロプタ（両眼の光学中心を通る実験的に規定された楕円．それにより楕円上にある固視点・近傍点は網膜対応点の刺激により認知される）.

hor・rip・i・la・tion (ho′rip-i-lā′shŭn) [L. *horreo*, to bristle + *pilus*, hair]. 鳥肌，鵞皮（立毛筋の収縮で細い毛が起立すること）.

hor・ror (hor′ŏr) [L.]. 恐怖，嫌悪.

h. autotoxicus [L.自己中毒の恐怖]. 自己中毒回避（Ehrlich が定義した概念で，免疫反応は異物に対して向けられるが，自分自身の身体の構成要素に対しては向けられないことを意味する．この概念に対する例外は自己アレルギー反応や疾病である）. = self-tolerance.

h. fusionis [L.混合することの恐怖]. 恐怖融像（融像不能の２つの網膜像が同時に意識下に投影されること）. = macular evasion.

horse・fly (hōrs′flī). ウマバエ（⇀*Tabanus*; *Anthomyia canicularis*）.

horse・pow・er (hōrs′pow-ĕr). 馬力（仕事率の単位．記号 HP または HP．1英馬力は 550 フートポンドまたは 745.700 W に等しい）.

Hors・fall (hōrs′fahl), Frank L., Jr. 米国人医師，1906—1971. ⇀Tamm-H. *mucoprotein*, *protein*.

Hors・ley (hōrs′lē), Victor A.H. イングランド人外科医，1857—1916. ⇀H. bone *wax*.

hor. som. ラテン語 *hora somni*(就眠前に，就床時に)の略.

Hor・te・ga (ōr-tā′gă), Pio del Rio. 南アメリカに在住したスペイン人神経組織学者，1882—1945. ⇀H. *cells*, neuroglia *stain*.

Hor・ton (hōr′tŏn), Bayard T. 米国人医師，1895—1980. ⇀H. *arteritis*, *cephalalgia*, *headache*.

hose (hōz) [O. E. *hosa*]. ホース（①管あるいは管腔構造部分．通常程度の差はあるが柔軟で，両端が開いている．ときにはねじ切りがしてあり，他の装置に取り付けることができる．②医療現場で，筋肉，神経あるいは皮膚を支持するために使用する靴下）.

orogastric h. 経口胃管（胃洗浄に用いるチューブ）.

hos・pice (hos′pis) [L. *hospitium*, hospitality < *hospes*, guest]. ホスピス（身体的・心理的・社会的・精神的な世話をすることで，死の間近い人々およびその家族に，苦しみを和らげ，支持的なサービスを主要プログラムとして提供する施設．このようなサービスは家庭と専門の入院施設において，専門家とボランティアの広範なチームによって提供される）.

hos・pi・tal (hos′pi-tăl) [L. *hospitalis*, for a guest < *hospes* (*hospit-*), a host, a guest]. 病院（病人や負傷者の治療，看護，疾病の研究，医師，看護師，および関連保健従事者の訓練のための施設）.

base h. 基地病院（軍隊やリクレーションキャンプにつくられる病院．通常，規模は小さく設備も限られており，急病や外傷の救急治療を行う）. = camp h.

camp h. キャンプ病院. = base h.

closed h. 閉鎖式病院（主治医または所属医のみにより診療が許されている病院．ときには，雇用医師やメンバーシップリストに掲載されている医師でもよい）.

day h. デイホスピタル，昼間病院（病院内の特殊な施設や設備で，昼間，患者は病院にきて治療を受け，夜は家に帰るか，他の施設へ行く．*cf.* night h.）.

general h. 総合病院，一般病院（大きな市民病院で，内科，外科，産科，精神科を有し，通常はレジデントがいる）.

government h. 公立病院（市，郡，州，国によって管理される病院）. = public h.

group h. 集団病院（医師の集団により組織され，管理されている私立病院で，彼らの患者に限り受け入れ治療する）.

maternity h. 産科病院（出産時の婦人のための専門病院）.

mental h. 精神病院（精神的および心理学的な障害の人を治療し，看護するための医療施設）.

municipal h. 市中病院，市立病院，都立病院（市によって管理されている公立病院）.

night h. ナイトホスピタル，夜間病院（病院内の特殊な施設や設備で，昼間社会で働く患者のために，夜，治療し宿泊させる病院．*cf.* day h.）.

open h. 開放式病院（所属医やメンバーシップリストに掲載されている医師以外の開業医が自由に患者を入院させ治療できる病院．多くの病院は，ある程度医師の関与を制限しているためきわめてまれである）.

philanthropic h. 慈善病院. = voluntary h.

private h. 私立病院，個人病院（①組合病院と似ているが，単独の開業医またはその開業医とその診療所や関連の人々によって管理されるものは除かれる．②営利目的で開設された病院）. = proprietary h.

proprietary h. 専有病院. = private h.

public h. = government h.

special h. 専門病院（特殊な疾病(例えば，耳，鼻，咽喉，目，精神病)をもつ患者のために診療や治療を行う病院）.

state h. 州立病院（納税者によって維持される州政府管轄の病院）.

teaching h. 教育病院（医師，看護師および関連医療保健従事者のトレーニングのための正式の教育センターとしての機能を兼ねもつ病院）.

Veterans Administration h. 在郷軍人局病院（連邦政府の出資で運営される病院で，米国在郷軍人局の管轄下で退役軍人の世話をするもの）.

voluntary h. 任意寄付制病院（一部，任意の寄付によって維持されている病院．通常，地元の自選の委員会によって管理される．非営利的病院）. = philanthropic h.

weekend h. 週末病院（病院内での特別な設備，取り決め．患者が週日は会社で働き，週末には治療を受けられるようになっている）.

---

hos・pi・tal・ist (hos′pi-tăl-ist) [hospital + -ist]. 病院医師（①専門的活動が主に病院内で行われる医師．例えば，麻酔医，救急医，集中治療医(集中治療専門医)，病理学者，および放射線医師．②プライマリケア医師(病棟医でなく)で，入院患者の観察と治療の責任をもち，患者が退院した後は患者の私的な主治医に帰すことを行う医師）.

病院医師の専門職団体である国立院内医師協会(NAIP)は病院医師をプロとして第一に考えること(臨床，教育，研究，管理として)が一般的な入院患者のケアである医師と定義した．病院医師は病院や HMO の勤務医の場合もあるし，契約者の場合や個人開業医の場合もある．病院医師の 75% が一般内科医である．病院に勤務するプライマリーケア医師によって，一般医師は入院患者を毎日訪ねなくて済む．病院医師のシステムのもとでは医療の質や患者の満足度を落とさずに病院での費用や入院期間を有意に減少させるという研究がいくつかある．大学の医療センターの中には入院患者のケアや教育に病院医師モデルを採用しているところもある．

---

hos・pi・tal・i・za・tion (hos′pi-tăl-i-zā′shŭn). 入院（診断や治療のために患者として病院にはいること）.

host (hōst) [L. *hospes*, a host]. 宿主（寄生体が寄生し，体の組織やエネルギーを引き出す生物）.

accidental h. 偶発宿主（通常は感染しない生物を寄生させている宿主）.

amplifier h. 増幅宿主（この中で寄生体が急速に増殖して

H

数を増やし，媒介者にそれが媒介する疾病の重要な感染源を供給するような宿主）.

compromised h. 易感染性宿主（先天性または後天性免疫不全のため感染症にかかりやすくなった患者）.

dead-end h. 行き止まり宿主（寄生体がもはや，そこから感受性をもつ他の宿主へ伝播されない宿主）.

definitive h. 固有宿主（寄生体がその中で成虫または性的成熟に達する宿主）. ＝final h.

final h. 最終宿主. ＝definitive h.

intermediate h., intermediary h. 中間宿主（①幼虫または発育段階の寄生体が寄生する宿主．②微生物が通過できたり，無性世代の寄生虫を宿す宿主）. ＝secondary h.

paratenic h. 副中間宿主，運搬宿主（寄生体の発育はみられないが，その生活環の完成において必要とされる中間宿主．例えば，広節裂頭条虫 *Diphyllobothrium latum* のプレロセルコイドを，最後にヒトまたは他の最終宿主が食べるような大きな食用魚にまで連続的に伝播していく途中のより小さな魚類がこれにあたる）. ＝transport h.

reservoir h. 保有宿主（感染生物がその中で増殖・成長し，事実上その生存を依存する感染宿主．新たな感染が起きない期間に感染を続けるのに欠かせない宿主）.

secondary h. 第二宿主. ＝intermediate h.

transport h. ＝paratenic h.

Houns·field (hownz′fēld), Godfrey N. 英国人電子工学者，1919—1975. 最初の実用的なCT装置，EMIスキャナーを開発した．1979年，物理学者A. M. Cormackとともにノーベル医学賞を受賞. ⇀H. *unit, number*.

house·fly (hows′flī). イエバエ（⇀*Musca*; *Fannia*）.

house of·fi·cer (hōws of′i-sĕr). 病棟医（病院に雇われた医師の免許をもった者で，医学専門分野のトレーニングを受けながら患者サービスを行う者）.

Hous·say (ū′sā), Bernardo A. アルゼンチン人生理学者・ノーベル賞受賞者，1887—1971. ⇀H. *animal, phenomenon, syndrome*.

Hous·ton (how′stŏn), John. アイルランド人医師，1802—1845. ⇀H. *folds, muscle*.

Ho·vi·us (hō′vē-ŭs), Jacob. オランダ人眼科医，1710—1786. ⇀*canal* of H.

How·ard (how′ărd), John Eager. 米国人内科医・内分泌学者，1902—1985. ⇀H. *test*; Ellsworth-H. *test*.

How·ell (how′ĕl), William H. 米国人生理学者，1860—1945. ⇀H. *unit*; H.-Jolly *bodies*.

How·ship (how′ship), John. 英国人外科医，1781—1841. ⇀H. *lacunae*(⇌lacuna).

Hoy·er (hoy′ĕr), Heinrich F. ポーランド人解剖・組織学者，1834—1907. ⇀H. *anastomoses*(⇌anastomosis), *canals*; Sucquet-H. *canals*.

HP haptoglobin の略.

HPA hypothalamic-pituitary-adrenal *axis* の略.

HPETE (āch′pēt). ハペト（hydroperoxyeicosatetraenoic *acid* の略）.

HPF high-power *field* の略.

HPG hypothalamic-pituitary-gonadal(視床下部－下垂体－性腺の)の略.

HPL human placental *lactogen* の略.

HPLC high-performance liquid *chromatography*; high-pressure liquid chromatography の略.

HPT hypothalamic-pituitary-thyroid(視床下部－下垂体－甲状腺の)の略

HPV human *papillomavirus* の略.

H_2Q ユビキノールの記号.

h.r.a. health risk *assessment* の略.

HRCT high-resolution computed *tomography* の略.

HRSA Health Resources and Services Administration の略.

HRT hormone replacement *therapy* の略.

Hs hassium の略.

h.s. ［JCAHOは，誤解を避けるために half strength または bedtime は完全表記するように指導している］. ラテン語 *hora somni*(就眠前に，就床時に)；half strength(半分の強さ，半量)の略.

hs-CRP high-sensitivity C-reactive *protein* の略.

HSCT hemotopoietic stem cell transplant(造血幹細胞移植)の略.

HSIL high-grade squamous intraepithelial *lesion* の略.

hsp heat shock *proteins* の略.

HSV herpes simplex *virus* の略.

5-HT 5-hydroxytryptamine の略.

Ht total *hyperopia* の略.

HTLV human T-cell lymphoma/leukemia *virus* の略.

HTLV-I human T-cell lymphotrophic virus type Ⅰ; human lymphotropic virus, type 1 の略.

HTLV-II human T-cell lymphotrophic virus type II; human lymphotropic virus, type 2 の略.

HTLV-III human T-cell lymphotropic virus type III の略. ⇀human immunodeficiency *virus*.

HTN hypertension の略.

hU, hu dihydrouridine の略.

Hu·brecht (hū′brekt), Ambrosius A.W. オランダ人動物・比較解剖学者，1853—1915. ⇀H. protochordal *knot*.

Hüc·kel (hu′kĕl), Erich. ドイツ人物理学者，1896—1984. ⇀Hückel *rule*.

Huck·er (hŭk′ĕr), G. J. 米国人研究者，1893年生まれ. ⇀H.-Conn *stain*.

Hudson (hŭd′sŏn), Arthur Cyril. 英国人眼科医，1875—1962. ⇀H.-Stähli *line*.

hue (hyū). 色調，色相（色の三属性の1つ．スペクトルにおけるそれぞれの色を区別し，また同程度の輝度の灰色(無彩色)と区別する属性．光の波長またはその組合せによって決まる）.

Hueck (hēk), Alexander F. ドイツ人解剖学者，1802—1842. ⇀H. *ligament*.

Hu·ët (hū-et′), G. J. 20世紀初頭のオランダ人医師. ⇀Pelger-H. nuclear *anomaly*.

Hueter (hē′tĕr), Karl. ドイツ人外科医，1838—1882. ⇀H. *maneuver*.

huffing (hŭf′ing). 吸引（①中毒や意識変容を引き起こす揮発性の溶剤(例えばガソリン)の吸入乱用行為の口語的かつ一般的な呼称．②＝glue-sniffing）.

Hüf·ner (hŭf′nĕr), Carl Gustav von. ドイツ人医師，1840—1908. ⇀H. *equation*.

Hu·gui·er (yū-gē-ā′), Pierre C. フランス人外科医，1804—1873. ⇀H. *canal, circle, sinus*.

Huh·ner (hū′nĕr), Max. 米国人泌尿器科医，1873—1947. ⇀H. *test*.

Hull (hŭl), Edgar. 20世紀の米国人心臓病専門医.

hum (hŭm). 唸音（低い連続的な雑音）.

venous h. 静脈コマ音（頸静脈に生じる短いまたは連続性の雑音．特に，動脈管開存の連続性雑音と間違いやすい）. ＝bruit de diable; nun's murmur.

Hu·man Ge·nome In·i·ti·a·tive (hyū′măn jē′nōm in-i′shē-ă-tiv). ＝Human Genome Project.

Hu·man Ge·nome Pro·ject (hyū′măn jē′nōm pro′jekt). ヒトゲノム計画（ヒトゲノムをマップするため，世界中の分子生物学者による包括的努力．2003年に終了した．本計画の結果によりヒトゲノム30億個のDNA文字が99.99％の正確さで明らかにされた）. ＝Human Genome Initiative.

米国ヒトゲノム計画は1990年に議会により創設された多くの学問領域を網羅した努力で，エネルギー省および国立衛生研究所が共同で管理し，ヒトゲノムをマップし，配列を決定することである．国際ヒトゲノムシーケンス決定コンソーシアムは米国，英国，中国，フランス，ドイツならびに日本の20か所のゲノム配列決定センターに数百人の科学者を抱えていた．46染色体中のすべてのDNAを決定するのにポリメラーゼ連鎖反応，FISH法，DNA断片クローン化，自動DNA配列決定技術の手助けを得てすら10年を要した．その結果得られた遺伝子地図は解剖図鑑に示されているように高度に理想的化された内容であり，おそらくは一卵性双生児以外，どの2人も正確に同じ遺伝子構成をもたない．現在見積られている3万—4万個のヒト遺伝子は，以前予想されていたよりもかなり少ないが，その10倍以上の蛋白をコードしている．これらの遺伝子の約1,200に影響する異常により1,600以上の疾患が同定されている．遺伝子地図の完成によりヒトの生物学の理解が広がり，遺伝病の発見と治療を加速化し，オーダーメイド薬による標的化可能な遺伝子ならびに遺伝子産物の同定を可能にし，医療の個別化を促進することが期待できる．また現在研究が行われている細菌，酵母，作付植物，家畜，および他の生物のゲノム計画は農業，環境科学，および産業工程の進歩を促進するであろう．ヒトゲノム計画の予算の5％はこの研究から引き起こされそうな倫理的，法的，および社会的問題を予測し，解決することに当てられてきた．

---

humanosis (hyū-mă-nō′sis)［human ＋ -osis］．ヒト由来感染症（通常はヒトの病気であるが他の動物種にも波及することもある感染症）．

hu·mec·tant (hyū-mek′tănt). ***1***〖adj.〗湿潤性の．***2***〖n.〗湿潤効果を得るために用いる物質(例えば，グリセリン溶液など)．

hu·mec·ta·tion (hyū′mek-tā′shŭn)［L. *humecto*, pp. *-mectus*, to moisten < *humeo*, to be damp］．軟釈，湿潤（①湿度を治療に応用すること．②組織に漿液が浸潤すること．③抽出液を調製するために生薬を水につけること）．

hu·mer·al (hyū′mer-ăl). 上腕骨の．

hu·mer·o·ra·di·al (hyū′mĕr-ō-rā′dē-ăl). 腕橈骨の（上腕骨と橈骨の両方に関する．特にそれぞれの長さの比を表す）．

hu·mer·o·scap·u·lar (hyū′mĕr-ō-skap′yū-lăr). 上腕肩甲の（上腕骨と肩甲骨の両方に関する）．

hu·mer·o·ul·nar (hyū′mĕr-ō-ŭl′năr). 腕尺〔骨〕の（上腕骨と尺骨の両方に関する．特にそれぞれの長さの比を表す）．

hu·mer·us, gen. & pl. **hu·meri** (hyū′mĕr-ŭs, -ī)［L. shoulder］［TA］．上腕骨（上部は肩甲骨と，下部は橈骨および尺骨と関節でつながる）．＝arm bone.

hu·mid·i·ty (hyū-mid′i-tē)［L. *humiditas*, dampness］．湿度（空気の水分または湿気）．

absolute h. 絶対湿度（一定体積の気体または空気中に実際に存在する水蒸気の量）．

relative h. 相対湿度（空気または気体中に存在する実際の水蒸気量を，同温同圧の飽和水蒸気量で除したもの．百分率で表す）．

specific h. (*q*) 絶対湿度（ある温度における水蒸気量を湿り空気の容積単位で割ったもの）．

hu·min (hyū′min). 腐植素，フミン（糖蛋白の酸加水分解で得られる茶色あるいは黒い色の不溶性残渣）．

Hum·mel·sheim (hŭm′elz-hīm), Eduard K.M.J. ドイツ人眼科医，1868—1952. ⇀H. *operation*, *procedure*.

hu·mor, gen. **hu·mor·is** (hyū′mŏr, hyū-mōr′is)［L. 正確には *umor*(liquid)］［TA］．***1***［NA］．液（澄んだ液体または液体様硝子質）．***2*** 体液（Hippocrates 学派の生理学的および病理学的教義の基礎となる基本体液，すなわち血液，黄胆汁，黒胆汁，粘液の1つ．→humoral *doctrine*）．

aqueous h.［TA］．〔眼〕房水（眼の前眼房および後眼房を満たしている水性液体．後眼房内の毛様体突起より分泌され，後眼房と瞳孔を通って前眼房に達する．そこから線維柱網で沪過され，静脈洞経由で虹彩角膜角から静脈系に再吸収される）．＝h. aquosus［TA］; intraocular fluid.

h. aquosus［TA］．〔眼〕房水．＝aqueous h.

Morgagni h. (mōr-gah′nyē). モルガニー液．＝Morgagni *liquor*.

ocular h. 眼水（眼の2液素すなわち房水および硝子体の総称）．

peccant h.'s 病原性体液（疾病の歴史的体液説に基づいて，体液の乱れを種々の病気の直接的原因とみなすもの）．

vitreous h.［TA］．硝子体液（硝子体の液体成分．しばしば誤って硝子体 vitreus body と硝子体液を同じものとみなしてしまう）．＝h. vitreus［TA］．

h. vitreus［TA］．硝子体液．＝vitreous h.

hu·mor·al (hyū′mŏr-ăl). 体液〔性〕の，液性の，液素性の（あらゆる意味の体液についていう）．

hu·mor·al·ism, hu·mor·ism (hyū′mŏr-ăl-izm, -mŏr-izm)［L. *umor*, *humor*, moisture］．体液説．＝humoral *doctrine*.

hump (hŭmp). こぶ（丸い隆起または膨らみ）．

buffalo h. バッファロー瘤．＝buffalo *type*.

dowager h. 寡婦のこぶ（骨粗しょう症や椎体圧迫骨折により生じる高齢女性にみられる閉経後胸後弯）．

Hampton h. (hamp′tŏn). ハンプトンハンプ（通常，肋骨横隔膜角においてみられる，肺門に向かって凸状の，胸膜を底辺とした肺の軟部組織陰影．肺塞栓により肺梗塞にみられる）．

hump·back (hŭmp′bak). 円骨，ねこ背（kyphosis(脊柱後弯症)，gibbus(突背)に対する非医学用語）．

Hum·phry (hŭm′frē), George M. イングランド人外科医，1820—1896. ⇀H. *ligament*.

hu·mu·lin (hyū′mū-lin). ホップ腺．＝lupulin.

hu·mu·lus (hyū′mū-lŭs)［Mediev. L.］．ホップ（*Humulus lupulus* の乾燥果実(球果)．中央・北アジア，ヨーロッパ，北アメリカのつる性草本．芳香苦味薬，穏やかな鎮静薬，利尿薬．主にビールの芳香と風味を出すために用いる）．＝hops.

hunch·back (hŭnch′bak). 亀背，ねこ背（kyphosis(脊柱後弯症)，gibbus(突背)に対する非医学用語）．

Hün·er·mann (hŭn′ĕr-mahn), Carl. ドイツ人医師．⇀Conradi-H. *disease*.

Hung (hŭng), C.F. 台湾人医師．⇀Hung *method*.

hun·ger (hŭn′gĕr)［A.S.］．飢餓，空腹（①食物に対する欲望や切望．②あらゆる種類の渇望）．

affect h. 情緒飢餓（母と子の相関関係における母性愛や保護の感覚に対する感情的飢餓）．

narcotic h. 麻薬飢餓（麻薬に対する生理的切望）．

Hun·ner (hŭn′ĕr), Guy L. 米国人外科医，1868—1957. ⇀H. *ulcer*; Fenwick-H. *ulcer*.

Hunt (hŭnt), William E. 20世紀の米国人神経外科医．⇀Tolosa-H. *syndrome*.

Hunt (hŭnt), James Ramsay. 米国人神経科医，1872—1937. ⇀H. *neuralgia*, paradoxic *phenomenon*, *syndrome*; Ramsay H. *syndrome*.

Hun·ter (hŭn′tĕr), William. スコットランド人解剖学者・産科医，1718—1783. ⇀H. *ligament*, *line*, *membrane*.

Hun·ter (hŭn′tĕr), William. イングランド人病理学者，1861—1937. ⇀H. *glossitis*.

Hun·ter (hŭn′tĕr), Charles. カナダ人医師，1872—1955. ⇀H. *syndrome*.

Hun·ter (hŭn′tĕr), John. スコットランド人外科医・解剖・生理・病理学者，1728—1793. ⇀H. *canal*, *gubernaculum*, *operation*; H.-Schreger *bands*, *lines*.

hunt·ing (hŭnt′ing). ハンチング（サーモスタットで制御される温度のように，制御量が設定点を中心に振動すること．⇀hunting *reaction*）．

huntingtin (hŭn′ting-tin)［Huntington ＋ -in］．ハンチンチン（末梢組織細胞質内に存在する蛋白であるが，その機能はいまだ不明である．およそ3,000アミノ酸残基で，Huntington 病(⇀disease)をはじめとしたニューロパシーの患者では，種々の長さのグルタミンの連続で長くなっている）．

Hun·ting·ton (hŭn′ting-tŏn), George. 米国人医師，1850—1916. ⇀H. *chorea*, *disease*.

Hur·ler (hŭr′ler), Gertrud. オーストリア人小児科医，1889—1965. ⇀H. *disease*, *syndrome*; Pfaundler-H. *syndrome*.

Hurst (hŭrst), Edward Weston. 20世紀のオーストラリア人医師．⇀H. *disease*.

Hurst (hŭrst), Arthur Frederick (旧名 Hertz). イングランド人医師，1879—1944. ⇀hertz.

Hürth·le (hērt′lĕ), Karl W. ドイツ人組織学者，1860—1945. ⇀H. *cell*, cell *adenoma*, cell *carcinoma*.

Husch·ke (hūsh′kĕ), Emil. ドイツ人解剖学者，1797—1858. ⇀H. *cartilages*, *foramen*, auditory *teeth* (⇀tooth), *valve*.

Hutch·in·son (hŭtsh′ĭn-sŏn), Jonathan. 英国人外科医，1828—1913. ⇀H. *facies*, *freckle*, *mask*, crescentic *notch*, *patch*, *pupil*, *teeth*(⇀tooth), *triad*; H.-Gilford *disease*, *syndrome*.

Hutch·i·son (hutsh′in-son), Robert. イングランド人小児科医，1871—1960. ⇀H. *syndrome*.

Hux·ley (hŭks′lē), Thomas H. イングランド人生物・生理・比較解剖学者，1825—1895. ⇀H. *layer*, *membrane*, *sheath*.

Huy·gens (hoy′genz), Christian. オランダ人物理学者，1629—1695. ⇀H. *ocular*, *principle*.

HV half-value(半価)の略.
HVA homovanillic acid の略.
HVL half-value *layer* の略.
hyal- (hī′ăl). →hyalo-.
hy·a·lin (hī′ă-lin) [G. *hyalos*, glass]. ヒアリン, 硝子質(細胞が変性した際にみられる透明な, 好酸性均一物質. 例えば, 小動脈硬化症の細動脈壁や糖尿病性糸球体硬化症の糸球体にみられる).
　alcoholic h. ＝Mallory *bodies*.
hy·a·line (hī′ă-lin, -lēn) [G. *hyalos*, glass]. ヒアリンの, 硝子質の, 硝子様の (菌糸またはその他の真菌要素が無色あるいは透明な). ＝hyaloid.
hy·a·lin·i·za·tion (hī′ă-lin-i-zā′shŭn). ヒアリン〔質〕化, 硝子質化 (ヒアリンを形成すること).
hy·a·li·no·sis (hī′ă-li-nō′sis). ヒアリン症, 硝子様変性症 (ヒアリン変性 hyaline *degeneration* で, 特に広汎性のもの).
　h. cutis et mucosae 皮膚粘膜ヒアリン症. ＝lipoid *proteinosis*.
　systemic h. 全身性ヒアリン症(硝子質症). ＝juvenile hyalin *fibromatosis*.
hy·a·li·nu·ri·a (hī′ă-li-nyū′rē-ă) [hyalin＋G. *ouron*, urine]. ヒアリン尿〔症〕, 硝子質尿〔症〕(尿中にヒアリンまたはヒアリン円柱が排出されること).
hy·a·li·tis (hī-ă-lī′tis). 硝子体炎. ＝vitreitis.
　suppurative h. 化膿性硝子体炎 (全眼球炎にみられるように, 隣接組織からの滲出による化膿性硝子体液が貯留すること).
hyalo-, hyal- (hī′ă-lō, hī′ăl) [G. *hyalos*, glass]. ガラス様の, または硝子質に関する連結形. *cf.* vitreo-.
hy·a·lo·bi·u·ron·ic ac·id (hī′ă-lō-bī′yū-ron′ik as′id). ヒアロビウロン酸 (*N*–アセチル–D–グルコサミンと D–グルクロン酸の β 1,3 結合による二糖類. ヒアルロン酸中に反復単位としてみられる).
hy·a·lo·cyte (hī′ă-lō-sīt) [hyalo-＋G. *kytos*, cell]. 硝子体細胞. ＝vitreous *cell*.
hy·al·o·gens (hī-al′ō-jenz). ヒアロゲン (例えば, 軟骨, 硝子体液, 包虫嚢胞のような, 多くの動物構造にみられるムコイドに関連した物質. 加水分解により糖が得られる).
hy·a·lo·hy·pho·my·co·sis (hī′ă-lō-hī′fō-mī-kō′sis) [hyalo-＋G. *hyphē*, web＋*mykēs*, fungus＋*-osis*, condition]. ヒアロヒホ真菌症 (硝子様(無色)菌糸を有する真菌の組織への感染の一般的名称. もし, 真菌が同定されれば, 疾患にアスペルギルス症やフサリウム症などの特定の名称をつける).
hy·a·loid (hī′ă-loyd) [hyalo-＋G. *eidos*, resemblance]. ＝hyaline.
hy·a·lo·mere (hī′ă-lō-mēr′) [hyalo-＋G. *meros*, part]. 透明質〔分粒〕, 硝子質 (血小板の透明な周辺部).
Hy·a·lom·ma (hī′ă-lom′ă) [hyalo-＋G. *omma*, eye]. イボマダニ属 (旧世界に分布する, 大型のマダニ科の属(約 21 種)で, 辺縁下眼, 癒着した花采, 飾り立てた背甲板, 長い吻をもつ. 成虫はすべての家畜や種々の野生動物に寄生する. 幼虫や若虫は小さな哺乳類, 鳥類, は虫類に寄生する. 本属の種はヒトや動物に非常に多くの病原体を媒介し, かなりの機械的損傷も与える).
　H. anatolicum *H. anatolicum anatolicum* の旧名.
　H. anatolicum anatolicum アジア, 中近東, 東南ヨーロッパ, 北アフリカのウシ, ラクダ, ウマに寄生のみられる亜種. ウシの熱帯タイレリア症, ウマのバベシア症およびヒトのクリミア－コンゴ出血熱の媒介者となる.
　H. marginatum ヨーロッパ, アジア, アフリカを渡る鳥によって運ばれる非常に一般的なダニの種. クリミア出血熱ウイルスの媒介動物と考えられる.
　H. variegatum エチオピアにおける, リンパ球性脈絡髄膜炎ウイルスの媒介者となるマダニ.
hy·a·lo·pha·gi·a, hy·a·loph·a·gy (hī′ă-lō-fā′jē-ă, hī-ă-lof′ă-jē) [hyalo-＋G. *phagō*, to eat]. ガラス貪食〔症〕(ガラスを食べたりかんだりすること).
hy·a·lo·pho·bi·a (hī′ă-lō-fō′bē-ă) [hyalo-＋G. *phobos*, fear]. ガラス恐怖〔症〕(ガラス製品に対する病的な恐れ). ＝crystallophobia.
hy·a·lo·plasm, hy·a·lo·plas·ma (hī′ă-lō-plazm′, -plaz′mă) [hyalo-＋G. *plasma*, thing formed]. ヒアリン形質, 硝子形質, 透明質 (細胞の原形質液体物質).
　nuclear h. 核透明質. ＝karyolymph.
hy·a·lo·se·ro·si·tis (hī′ă-lō-sē′rō-sī′tis) [hyalo-＋Mod. L. *serosa*, serous membrane＋*-itis*, inflammation]. 硝子状漿膜炎 (線維素性滲出液による漿膜の炎症. 最後にはヒアリン化し, 比較的厚い, 密な, 不透明で光った白色または灰白色の被膜ができる. 種々の臓器の内臓漿膜にこの過程がみられ, 全体的外観から通称, icing liver, sugar-coated spleen, frosted heart などとよばれる).
hy·a·lo·sis (hī′ă-lō′sis) [hyalo-＋G. *-osis*, condition]. 硝子体の変性.
　asteroid h. 星芒状硝子体症, 硝子体閃輝症 (硝子体中に, 検眼鏡で見える無数の小さな球形体(〝雪玉〟混濁 “snowball” opacities). 通常, 一側性の老人性変化で, 視力には影響しない).
　punctate h. 点状硝子体症 (硝子体中の小さな混濁を特徴とする状態).
hy·al·o·some (hī-al′ō-sōm) [hyalo-＋G. *sōma*, body]. 透明質 (細胞核中の長円形または丸い構造体で, わずかに染色されるが, 他の点では核小体と類似する).
hy·a·lu·rate (hī′ă-lū′rāt). ＝hyaluronate.
hy·a·lu·ro·nate (hī′ă-lū′rō-nāt). ヒアルロン酸塩またはエステル. ＝hyalurate.
　h. lyase ヒアルロン酸リアーゼ (ヒアルロン酸の開裂を触媒し, 3–(4–デオキシ–β–D–グルコ–4–エンウロノシル)–*N*–アセチル–D–グルコサミン(ヒアロビウロン酸)を生成するリアーゼ. →hyaluronidase (1); hyaluronoglucosaminidase). ＝hyaluronic lyase.
hy·a·lu·ron·ic ac·id (hī′ă-lū-ron′ik as′id). ヒアルロン酸 (ヒアロビウロン酸の交互に β1,4 結合した残基からなるムコ多糖類. 組織間隙のゲル状物質を形成する. また身体全体の潤滑剤や衝撃吸収剤として働く. ヒアルロニダーゼによって, 二糖類または四糖類に加水分解される).
hy·a·lu·ron·ic ly·ase (hī′ă-lū-ron′ik lī′ās). ＝*hyaluronate* lyase.
hy·a·lu·ron·i·dase (hī′ă-lū-ron′i-dās). ヒアルロニダーゼ (①ヒアルロン酸リアーゼ, ヒアルロノグルコサミニダーゼ, ヒアルロノグルクロニダーゼに対して一般的に用いる名称. そのうちのいくつかは精子, 精巣, 他の臓器, ハチや蛇毒, II 型肺炎球菌, およびある種の溶血性連鎖球菌に存在する. ＝diffusing factor; Duran-Reynals permeability factor; Duran-Reynals spreading factor; invasin; spreading factor. ②哺乳類の精巣から調製される可溶性酵素. 局所麻酔薬の効果を高め, 皮下注射液の幅広い浸潤を助けるのに用いる. ある種の関節炎の治療で, 余分の組織の吸収を高めるのにも使われる. 外傷性または術後浮腫, 血腫の吸収を早める. また, 肝臓や心臓のような器官を生細胞浮遊中に分離するためにコラゲナーゼと配合して用いられる. 組織化学的には, ヒアルロン酸やコンドロイチン硫酸の存在を確かめるために組織の分泌物に用いられる).
hy·a·lu·ron·o·glu·co·sa·min·i·dase (hī′ă-lū-ron′ō-glū′kō-să-min′-i-dās). ヒアルロノグルコサミニダーゼ (ヒアルロン酸またはエステルの β1,4 結合の加水分解を触媒する酵素. →hyaluronidase (1); *hyaluronate* lyase).
hy·a·lu·ron·o·glu·cu·ron·i·dase (hī′ă-lū-ron′ō-glū-ku-ron′i-dās). ヒアルロノグルクロニダーゼ (ヒアルロン酸またはエステルの β1,3 結合の加水分解を触媒する酵素. → hyaluronidase (1)).
hy·bar·ox·i·a (hī′bă-rok′sē-ă) [G. *hyper*, above＋*baros*, pressure＋*oxys*, acute]. 高圧酸素療法 (1 気圧または周囲の酸素分圧よりも大きな圧力を用いた酸素療法. 箱や部屋の中で, 全身に適用される).
hy·brid (hī′brid) [L. *hybrida*, ブタと野生のイノシシの子孫 <G. *hybris*, violation, wantonness]. ＝crossbreed (1). ***1*** 雑種, ハイブリッド (①同種であっても種々の変種であったり, 異種であっても非常に近縁である両親の交配によってできた個体(植物または動物). ②ハイブリドーマにおけるような融合した組織培養細胞). ***2*** 化学結合, 価電子軌道 (2 つ以上の異なる原子軌道の線形結合による化学結合).
　DNA-RNA h. DNA–RNA 雑種, DNA–RNA ハイブリッド (二本鎖ポリ核酸で 1 つの鎖が DNA でもう 1 つの鎖が相補的な RNA からなる. 転写中および癌性 RNA ウイルスの増殖中に形成される).

SV40-adenovirus h. SV40–アデノウイルス雑種（SV40の遺伝物質をアデノウイルスカプシドで包んだウイルス粒子).

hy·brid·ism (hī′brid-izm). 雑種性.

hy·brid·i·za·tion (hī′brid-i-zā′shŭn). =crossbreeding. ***1*** 雑種形成，交雑（雑種を生じる過程). ***2*** 雑種形成（非対立性であるが，関連がある遺伝子間の乗換え). ***3*** ハイブリッド形成，ハイブリダイゼーション（ポリ核酸の相補性鎖が特異的に再会合すること．例えば，DNA–RNAハイブリッド形成). ***4*** 交配（異なる起源のサブユニットから，高分子ハイブリッドを生成する過程または生成すること).

cell h. 細胞交雑（融合核形成へ誘導する2個以上の異種細胞の融合).

chromogenic *in situ* h. 原位置ハイブリッド形成. = colorimetric *in situ* h.

colorimetric *in situ* h. 比色原位置ハイブリッド形成（骨髄などの生検材料のパラフィン標本を使って，形質細胞およびB細胞内の免疫グロブリン軽鎖の κ / λ 比の偏りを自動的に検出する方法．増幅したHER-2遺伝子を検出する蛍光原位置ハイブリッド形成に似ている). =chromogenic *in situ* h.

cross h. クロスハイブリダイゼーション（不完全な対応のDNA分子にプローブを結合させること).

DNA h. DNAハイブリダイゼーション（2種の生物に由来する単鎖DNA同士が二本鎖DNAを形成する際の再結合の速度と効率によって，その微生物の近縁性を決定する方法．塩基配列が相補的あるいはほぼ相補的であれば二本鎖が形成される).

fluorescence *in situ* h.(FISH) 蛍光原位置ハイブリッド形成（細胞遺伝学的解析に使われる技術．蛍光色素で標識したDNAプローブを分裂間期の核に掛けて相補的な配列に結合させ，特定の染色体に目印を付けて蛍光顕微鏡下に可視化する．本法によれば通常行われる染色体検査では容易に発見できない複雑な転座や軽微な欠損をみつけることができる).

fluorescent *in situ* h. 蛍光原位置ハイブリッド形成（ゲノムDNAあるいはcDNA断片の染色体上の位置あるいは発現型を決定するのに用いられる方法．地図作製に用いられるDNA片(プローブ)は蛍光色素で標識され，染色体調製材料あるいは組織切片とハイブリッド形成される．プローブは相補的DNAあるいはRNA配列と対合する．蛍光顕微鏡下で染色体あるいは組織切片を検索すると標的配列の数，大きさ，および位置が明らかとなる).

***in situ* h.** 原位置ハイブリッド形成（オートラジオグラフィにより細胞DNAを検出するため核酸プローブをアニールする技術で，1969年に開発された．適当な実験条件下で，結合過程は自動的に起こる．原位置ハイブリッド形成はDNAフィンガープリンティングにおいて重要な第1歩である). =*in situ* nucleic acid h.

***in situ* nucleic acid h.** =*in situ* h.

nucleic acid h. 核酸ハイブリダイゼーション. =anneal (5).

overlap h. =*chromosome* walking.

somatic cell h. 体細胞ハイブリダイゼーション（異種接合体の産出).

hy·brid·o·ma (hī′brid-ō′mă) [G. *hybris*, violation, wantonness + *-ōma*, tumor]. ハイブリドーマ（*in vitro*で特異的な単クローン性抗体を産出するために用いるハイブリッド細胞(腫瘍としての性質を有する)．リンパ球系腫瘍細胞の組織培養により樹立された細胞系(例えば，マウスの形質細胞腫細胞)と特異的抗体産出細胞(例えば，特異抗原で免疫したマウスの脾細胞)を細胞融合させてつくる．細胞融合はポリエチレングリコールを用いたり，他の方法で行われている).

hy·dan·to·in (hī-dan′tō-in). ヒダントイン；2,4-imidazolidinedione（尿素またはアラントインの誘導体．原型 α–アミノ酸での NH–CH_2–CO 基．ヒダントイン誘導体はフェニルイソチオシアネートまたはフェニルイソシアネートとポリペプチドの反応で生成する). =glycolylurea.

hy·dan·to·in·ate (hī′dan-tō′in-āt). ヒダントイン塩.

hy·da·tid (hī′da-tid) [G. *hydatis*, a drop of water, a hyatid]. [誤った発音 hydat′idを避けること．hydatoidと混同しないこと]. ***1*** 包虫. =hydatid *cyst*. ***2*** 水胞体（包虫嚢に似た小胞構造).

Morgagni h. (mōr-gah′nyē). モルガニー水胞体. =vesicular *appendages* of epoophoron.

nonpedunculated h. =*appendix* of testis.

pedunculated h. =*appendix* of epididymidis.

sessile h. =*appendix* of testis.

stalked h. =vesicular *appendages* of epoophoron.

hy·da·tid·i·form (hī′da-tid′i-form). 包虫状の，水胞形の.

hy·da·tid·o·cele (hī′da-tid′ō-sēl) [hydatid + G. *kēlē*, tumor]. 包虫性陰嚢腫（陰嚢にできた1つ以上の包虫からなる嚢胞状の塊).

hy·da·tid·o·sis (hī′da-ti-dō′sis). 包虫症（包虫嚢胞の存在から起こる病的状態).

hy·da·ti·dos·to·my (hī′da-ti-dos′tŏ-mē) [hydatid + G. *stoma*, mouth]. 包虫嚢胞切開〔術〕(包虫嚢胞の外科的排出).

Hy·da·tig·er·a tae·ni·ae·for·mis (hī′da-tij′ĕr-ă tē′ni-ē-fōr′mis). =*Taenia taeniaeformis*.

hy·da·toid (hī′da-toyd) [G. *hydōr(hydat-)*, water + *eidos*, resemblance]. [誤った発音 hydat′oidを避けること．hydatidと混同しないこと]. ***1***《n.》〔眼〕房水. ***2***《n.》硝子膜. ***3***《adj.》〔眼〕房水の. ***4***《adj.》水様の.

hyd·no·car·pus oil (hid′nō-kar′pŭs). 大風子油，ヒドノカルプス油. =chaulmoogra oil.

hydr- →hydro-.

hy·drac·e·tin (hī-dras′ĕ-tin). ヒドラセチン（アセチルフェニルヒドラジンの純化されたもの).

hy·drad·e·ni·tis (hī′drad-ĕ-nī′tis). =hidradenitis.

hy·drad·e·no·ma (hī′drad-ĕ-nō′mă). =hidradenoma.

hy·dra·gogue (hī′dră-gog) [hydr- + G. *agōgos*, drawing forth]. 駆水の，利水の（水性液体の排泄を生じる．腸内の体液を保持し，浮腫性液体の除去を助ける種類のしゃ下薬についていう).

hy·dral·lo·stane (hī-dral′ō-stān). ヒドラロスタン；11β,17α,21-trihydroxy-5β-pregnane-3,20-dione（コルチゾールの4,5二重結合の還元代謝物). =4,5α-dihydrocortisol.

hy·dram·ni·os, hy·dram·ni·on (hī-dram′nē-os, -nē-on) [G. *hydōr*, water + amnion]. 羊水過多〔症〕(羊水の量が過度に，通常2,000 mL以上存在すること．㊟日本では妊娠の時期に無関係に800 mL以上を羊水過多，それに症状を伴うものを羊水過多症という). =polyhydramnios.

hy·dran·en·ceph·a·ly (hī′dran-en-sef′ă-lē) [hydr- + G. *an-* 欠性辞 + *enkephalos*, brain]. 水無脳症（大脳半球が欠損し，それが液体で満たされた脳軟膜に沿った嚢に置き換わっている状態．しかしながら頭蓋骨とその脳を収容する腔は正常である).

hy·drar·gyr·i·a, hy·drar·gy·rism (hī′drar-jir′ē-ă, hī′drar′jir-izm) [L. *hydrargyrum*, mercury]. 水銀症. =mercury *poisoning*.

hy·drar·gy·rum (hī-drar′ji-rŭm) [G. *hydrargyros*, quicksilver < *hydōr*, water + *argyros*, silver]. 水銀. =mercury.

hy·drar·thro·di·al (hī′drar-thrō′dē-ăl). 関節水腫の，関節水症の.

hy·drar·thro·sis (hī′drar-thrō′sis) [hydr- + G. *arthron*, joint]. 関節水腫，関節水症（漿液が関節腔内に滲出すること).

intermittent h. 間欠性関節水腫（間欠的に起こる関節腔内への漿液の滲出を特徴とする疾患．関節は慢性関節炎の患部となるか，または発作の間欠期に外見は正常にみえる).

hy·drase (hī′drās). hydrataseの古語.

hy·dras·tine (hī-dras′tēn). ヒドラスチン（ヒドラスチスのアルカロイド．化学的にナルコチンに関連したイソキノリン．(+)–ヒドラスチンは $GABA_{14}$ アンタゴニストであり，抗痙攣薬である).

hy·dras·ti·nine (hī-dras′ti-nēn). ヒドラスチニン（ヒドラスチンから製造される半合成アルカロイド．塩酸塩は子宮出血の治療や分娩促進薬として用いられた．大量投与で全運動神経系(運動皮質，神経，筋肉)に強力な抑制作用を示す).

hy·dras·tis (hī-dras′tis) [Mod. L. < G. *hydōr(hydro-)*, water + *draō*, to accomplish]. ヒドラスチス（米国東部に自生するキンポウゲ科 *Hydrastis canadensis* の根茎を乾燥したもの．以前，粘膜の慢性カタル状態の治療や子宮出血に用いられた). =golden seal; jaundice root; yellow root.

hy·dra·tase (hī′dră-tās). ヒドラターゼ（デヒドラターゼと

ともに，水和－脱水反応を触媒するある種のヒドロリアーゼに用いる慣用名．例えばフマル酸ヒドラターゼによるフマル酸塩とリンゴ酸塩の相互転換）．

hy·drate (hī′drāt). 水和物，含水化合物（水性溶媒化合物（旧専門用語では水酸化物 hydroxide）．１つ以上の水分子を含んで結晶化する化合物．例えば $CuSO_4 \cdot 5H_2O$）．

hy·drat·ed (hī′drāt-ĕd). 水和物の（水と結合し水和物をつくる）．＝hydrous.

hy·dra·tion (hī-drā′shŭn). ***1*** 水和（化学的には，水の付加．水との結合によりもとの分子と水の分子に分かれる加水分解とは異なる．→solvation）．***2*** 水分補給（臨床的には，水を取り入れること．一般的には水分減少または脱水の意味で用いる）．***3*** 水和（分子種の周囲に水分子の殻を形成すること）．

absolute h. 絶対水分過剰（正常または一定の水分量との差を測定して得られた実際の水分過剰）．

hy·dra·zide (hī′dră-zīd). ヒドラジド（共通の化学式 RCO–NHNH₂ をもつ有機化合物．ヒドラジンのアシル誘導体）．

hy·dra·zine (hī′dră-zēn). ヒドラジン（ジアミン(H_2N–NH_2)で，フェニルヒドラジンや類似した生成物が誘導される油状の液体．非常に有毒で恐らく発癌物質である）．

hy·dra·zine yel·low (hī′dră-zēn yel′ō). ヒドラジンイエロー．＝tartrazine.

hy·dra·zi·nol·y·sis (hī′dră-zi-nol′i-sis). ヒドラジン分解（ヒドラジンによる化学結合の開裂．蛋白や核酸の分解に適用される）．

hy·dra·zone (hī′dră-zōn). ヒドラゾン（ヒドラジンまたはその誘導体がアルデヒドやケトンと反応して得られる物質で，R′R″C=N–NHR 基をもつ）．

hy·dre·mi·a (hī-drē′mē-ă) [hydr- ＋G. *haima*, blood]. 水血症（血漿中の水分含有量の増加の結果，血液量が増加している状態で，蛋白濃度の減少を伴うことも伴わないこともある．血球成分に比して血漿の過剰があり，ヘマトクリットの減少に対応する）．＝dilution anemia; polyplasmia.

hy·dren·ceph·a·lo·cele (hī′dren-sef′ă-lō-sēl) [hydr- ＋G. *enkephalos*, brain ＋ *kēlē*, tumor]. 脳室水腫性脳脱出（頭蓋骨の中裂を通って，液体を含んだ嚢の中に広がった脳質の突出）．＝encephalocystocele; hydrocephalocele; hydroencephalocele.

hy·dren·ceph·a·lo·me·nin·go·cele (hī′dren-sef′ă-lō-me-ning′gō-sēl). 脳室水腫性軟〔髄〕膜脱出（頭蓋骨の欠損部からの嚢の突出で，その中には軟脳，脳質，髄液が含まれる）．

hy·dren·ceph·a·lus (hī′dren-sef′ă-lŭs) [hydr- ＋G. *enkephalos*, brain]. 内水頭症 internal *hydrocephalus* に対してまれに用いる語．

hy·dri·at·ric, hy·dri·a·tic (hī′drē-at′rik, -at′ik) [hydr- ＋G. *iatrikos*, relating to medicine]. 水治療法の（現在では用いられないが，疾病の治療に水を用いることについていう）．＝hydrotherapeutic.

hy·dric (hī′drik). 水素の（化学結合における水素についていう）．

hy·dride (hī′drīd). 水素化物（負電荷の水素(すなわち $H{:}^-$)または水素の化合物で，形式的な負電荷を呈するもの．例えばホウ水素化ナトリウム $NaBH_4$）．

hy·drin·dan·tin (hī′drin-dan′tin). ヒドリンダンチン（ニンヒドリンの還元型．しばしば，アミノ基やイミノ基の検出にニンヒドリンと併用して用いられる）．

hydro-, hydr- (hī′drō) [G. *hydōr*, water]. [本連結形を hidro- と混同しないこと．これらは単につづりが異なるだけでなく，別々の語から由来する]．***1*** 水，水性液体，水素の存在を表す連結形．***2*** 包虫を表す連結形．

hy·dro·a (hī-drō′ă) [hydro ＋G. *ōon*, egg]. 水疱症（小水疱性あるいは水疱性発疹）．＝hidroa.

h. aestivale 夏日水疱症．＝h. vacciniforme.

h. puerorum 小児水疱症．＝h. vacciniforme.

h. vacciniforme 種痘状(種痘様)水疱症（臍窩を有する水疱を発生させる紅斑のある再発性の発疹．日光暴露により生じ，成人までに自然消退する．主として男児が罹患する．重症例では手と顔の変形や角膜混濁が現れる）．＝h. aestivale; h. puerorum.

hy·dro·a·dip·si·a (hī′drō-ă-dip′sē-ă) [hydro- ＋G. *a-* 欠性辞 ＋ *dipsa*, thirst]. 水渇感欠乏（水に対する渇きを感じないこと）．

hy·dro·ap·pen·dix (hī′drō-ă-pen′diks). 虫垂水腫（虫垂の漿液による膨満）．

hy·dro·bil·i·ru·bin (hī′drō-bil′i-rū′bin). ヒドロビリルビン（ビリルビンが還元されてできる暗赤褐色の色素）．

hy·dro·bro·mic ac·id (hī′drō-brō′mik as′id). 臭化水素酸（臭化水素(HBr)の水溶液．その塩は臭化物である）．

hy·dro·cal·y·co·sis (hī′drō-kal′i-kō′sis) [hydro- ＋G. *kalyx*, cup of a flower]. 水腎杯〔症〕，腎杯水腫（腎杯の無症候性奇形で，漏斗の閉鎖によって拡張した腎杯をもつ．通常，腎盂造影または剖検時に偶然に発見される．感染の可能性がある）．

hy·dro·car·bon (hī′drō-kar′bŏn). 炭化水素（炭素と水素のみを含有する化合物）．

Diels h. (dēlz). ディールス炭化水素（種々のステロイドを脱水素して得られるフェナントレン誘導体）．

saturated h. 飽和炭化水素（可能な限り多くの水素原子をもつ炭化水素．そのため分子は環も多重結合ももたない）．

hy·dro·cele (hī′drō-sēl) [hydro- ＋G. *kēlē*, hernia]. 水瘤，水腫（[誤ったつづり hydroseal を避けること]．小嚢の空洞に漿液が貯留すること．精巣鞘膜腔内，または精索に沿った離れた空隙に貯留する）．

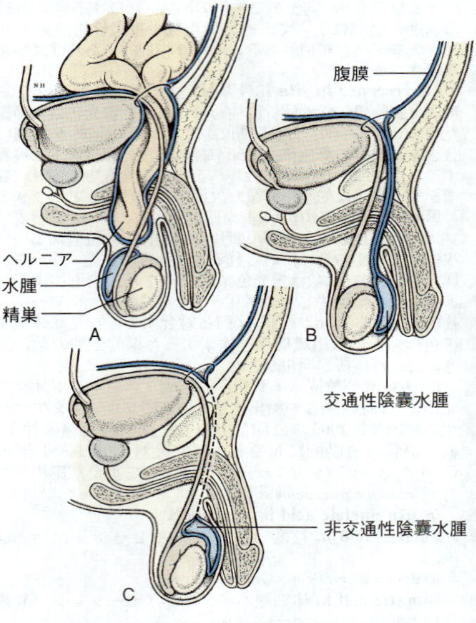

types of hydroceles

腹膜は青，水腫は薄い青で示した．A：関節鼡径ヘルニアを伴う水腫．B：交通性陰嚢水腫．C：非交通性陰嚢水腫．

cervical h. 頸部水瘤（頸部の遺存管または裂への分泌によって形成される嚢胞．嚢胞がリンパ管を侵すと，通常，リンパ管腫である）．＝h. colli.

h. colli ＝cervical h.

communicating h. 交通性陰嚢水腫(瘤)（鞘状突起の開通を伴う陰嚢水腫）．

congenital h. 先天〔性〕水瘤（腹腔から精巣(鞘膜)の埋没嚢につながる開存している鞘状突起に液体がたまること）．

cord h. 精索水腫(瘤)（精索に発生する水腫）．＝funicular h.

Dupuytren h. (dū-pwē-tren[h]′). デュピュイトラン水瘤（嚢が陰嚢を満たし，腹膜下の腹腔にのびる二室性水瘤）．

h. feminae 女子水瘤（漿液が大陰唇または Nuck 管にたまること）．＝Nuck h.

filarial h. フィラリア性水瘤（ミクロフィラリア(主にバ

ンクロフト糸状虫 *Wuchereria bancrofti*)によって起こる鞘膜内の水瘤).

funicular h. 精索水瘤. ＝cord h.

noncommunicating h. 非交通性陰嚢水腫(瘤)(鞘状突起が開存していないため腹腔とは交通性がない陰嚢水瘤).

Nuck h. (nuk). ヌック〔管〕水瘤. ＝h. feminae.

h. spinalis ＝*spina* bifida.

hy·dro·ce·lec·to·my (hī′drō-sē-lek′tŏ-mē) ［hydrocele＋G. *ektomē*, excision］. 水瘤切除〔術〕(内容液の排出による陰嚢水瘤切除でときに鞘状突起部分切除による).

hy·dro·ce·phal·ic (hī′drō-se-fal′ik). 水頭〔症〕の.

hy·dro·ceph·a·lo·cele (hī′drō-sef′ă-lō-sēl). ＝hydrencephalocele.

hy·dro·ceph·a·loid (hī′drō-sef′ă-loyd). ***1***〚adj.〛水頭〔症〕様の, 類水頭〔症〕の. ***2***〚n.〛類水頭〔症〕(小児の下痢や他の衰弱性疾患にみられる状態で, 脱水症や水頭症でみられるような全身的な症状を呈するが, 脳脊髄液の異常貯留は認められない).

hy·dro·ceph·a·lus (hī′drō-sef′ă-lŭs) ［hydro-＋G. *kephalē*, head］［MIM*236600］. 水頭〔症〕(脳脊髄液の過剰貯留の結果, 脳室の拡大と頭蓋内圧亢進をきたすことを特徴とする状態. 頭蓋骨の拡大や脳萎縮もみられることがある). ＝hydrocephaly.

communicating h. 交通性水頭〔症〕(脳脊髄液の吸収異常はあるが, 脳室内または脳室内から脊椎管への脳脊髄液の通過障害を認めないような水頭症の分類型).

congenital h. 先天性水頭〔症〕(脳の発育障害による水頭症). ＝primary h.

double compartment h. 通常, 中脳水道の隔膜形成による, テント上下の孤立した水頭症.

external h. 外水頭〔症〕(①脳のクモ膜下腔に液体が貯留すること. ②クモ膜下腔と硬膜下腔が交通しているために硬膜下腔に液が貯留すること).

h. ex vacuo 脳組織の欠損または萎縮による水頭症. 通常, 頭蓋内圧亢進を合併しない.

internal h. 内水頭〔症〕(髄液の貯留が脳室に限局する水頭症の一型).

noncommunicating h. 非交通性水頭〔症〕. ＝obstructive h.

normal pressure h. 正常圧水頭〔症〕(クモ膜顆粒による脳脊髄液の吸収が障害されて起こる, 通常, 老年者にみられる水頭症の一型. 進行性認知症, 不安定歩行, 尿失禁, および通常は正常な脊髄液圧を臨床的特徴とする). ＝occult h.

obstructive h. 閉塞性水頭〔症〕(脳室内または脳室と脊椎管内のクモ膜下腔との間における脳脊髄液の通過障害による二次性の水頭症). ＝noncommunicating h.

occult h. 潜在〔性〕水頭〔症〕. ＝normal pressure h.

otitic h. 耳炎性水頭〔症〕(水頭症の一型で, 中耳炎や一側または両側のS状硬膜静脈洞の血栓症を伴い, 脳脊髄液の高度の圧亢進が特徴的である).

postmeningitic h. 髄膜炎後水頭〔症〕(髄膜炎の後に起こる脳室拡張で, 二次的に脳脊髄液路閉塞をきたす).

posttraumatic h. 外傷性水頭〔症〕(頭部外傷後に起こる脳室拡大で, 循環障害と髄液吸収, またはそのいずれか, あるいは脳実質の欠損によるもの).

primary h. 一次性水頭〔症〕. ＝congenital h.

secondary h. 二次性水頭〔症〕(髄膜炎または静脈の閉塞により頭蓋腔内に液が貯留するもの).

thrombotic h. 血栓性水頭〔症〕(脳静脈または静脈洞の血栓症により, 髄液の増加と頭蓋内圧の亢進がみられること. 敗血性感染症, 脱水, 結核, チフス, 白血病, その他の疾患によって起こる).

toxic h. 中毒性水頭〔症〕(全身感染または中毒に伴う血栓性水頭症).

hy·dro·ceph·a·ly (hī′drō-sef′ă-lē). 水頭〔症〕. ＝hydrocephalus.

hy·dro·chlor·ic ac·id (HCl) (hī′drō-klōr′ik as′id). 塩酸, 塩化水素酸(胃液の酸. 市販品は腐食薬として用いる. 気体と濃厚液は強い刺激性がある). ＝muriatic acid.

diluted h. a. 希塩酸 (100 mL 中に塩酸を 10 g 含む製剤. 塩酸欠乏症に内服薬として用いる).

hy·dro·chlor·ide (hī′drō-klōr′īd). 塩酸塩 (塩化水素酸分

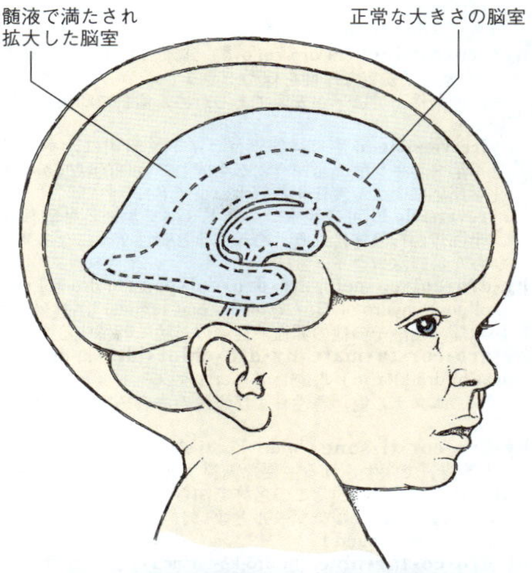

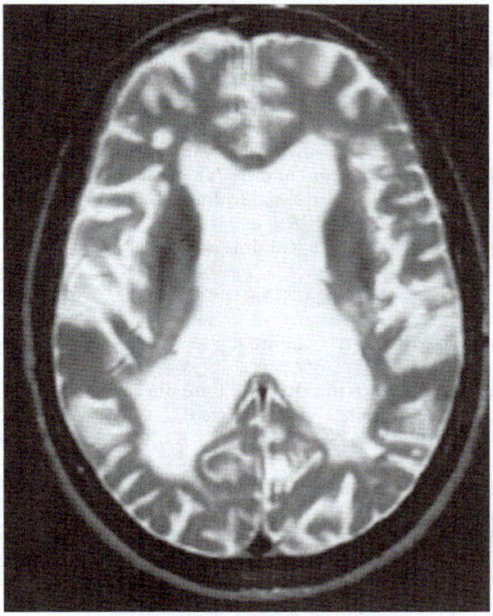

hydrocephalus

上：先天性水頭症. 下：T2強調軸位断MRIスキャンは拡張した側脳室を示す.

子を物質の塩基性部分に付加して生成される化合物. 例えば塩酸グアニン, 塩酸グリシン).

hy·dro·chlo·ro·thi·a·zide (hī′drō-klōr′ō-thī′ă-zīd). ヒドロクロロチアジド (クロロチアジド系の強力な経口利尿・抗高血圧薬. 低カリウム血症と過血糖症の原因となる).

hy·dro·cho·le·cys·tis (hī′drō-kō′lē-sis′tis)［hydro-＋G. *cholē*, bile＋*kystis*, bladder］. 水腫性胆嚢炎 (漿液が胆嚢内に滲出することを表す, まれに用いる語).

hy·dro·cho·le·re·sis (hī′drō-kō′lĕ-rē′sis, -kol-ĕr-)［hydro-＋G. *cholē*, bile＋*hairesis*, a taking］. 水〔様〕性胆汁分泌 (比重, 粘度, 固形成分含有量が低い水性の胆汁分泌の増加).

hy·dro·cho·le·ret·ic (hī′drō-kō′lĕ-ret′ik). 水〔様〕性胆汁分泌の.

hy·dro·co·done (hī′drō-kō′dōn). ヒドロコドン (強力な鎮

痛薬．鎮咳薬および鎮痛薬として用いるコデインの誘導体．しばしばアスピリンやアセトアミノフェンと併用して用いられる）．＝dihydrocodeinone.

hy·dro·col·loid (hī′drō-kol′oyd). 親水コロイド，親水膠質（含有水と不安定な平衡を保つゼラチン状コロイドで，ある一定の条件下では形が安定であるため，歯科で印象採得に用いる）．

irreversible h. 不可逆親水コロイド（粉末に水を加えると不溶アルギン酸カルシウムが生成し，物理的状態が不可逆化学反応によって変化する親水コロイド）．

reversible h. 可逆親水コロイド（熱を加えると固体または半固体から液体になり，冷却すると弾性ゲルになる寒天質からなる親水コロイド）．

hy·dro·col·po·cele, hy·dro·col·pos (hī′drō-kol′pō-sēl, -kol′pos) [hydro- + G. *kolpos*, bosom(vagina)]. 膣留水症，膣水瘤（粘液その他の非血液性液体が膣に貯留すること）．

hy·dro·cor·ta·mate hy·dro·chlor·ide (hī-drō-kōr′tă-māt hī′drō-klōr′īd). 塩酸ヒドロコルタメート（ヒドロコルチゾンのエステル塩．急性および慢性の皮膚病に局所的に用いる）．

hy·dro·cor·ti·sone (hī′drō-kōr′ti-sōn). ヒドロコルチゾン（副腎皮質で産生される主要な糖質コルチコイド．医療で使用される合成品は通常この名称で知られているが，天然のホルモンは頻繁にコルチゾールとよばれる．→cortisol）．＝Wintersteiner compound F.

hy·dro·co·tar·nine (hī′drō-kō-tar′nēn). ヒドロコタルニン（コタルニンから誘導されるアルカロイド成分．ナルコチンの塩基性水解物．テバインの抽出残液からも得られる）．

hy·dro·cy·an·ic ac·id (HCN) (hī′drō-sī-an′ik as′id). シアン化水素酸，青酸；HCN（苦扁桃様の香りをもつ無色の有毒な液体で，苦扁桃(アミグダリン)，モモ，プラム，その他の核果，およびゲッケイジュの葉に存在する．300 ppm 吸入すると死亡する）．＝hydrogen cyanide; prussic acid.

hy·dro·cy·an·ism (hī′drō-sī′an-izm). 青酸中毒．

hy·dro·cyst (hī′drō-sist) [hydro- + G. *kystis*, bladder]. 水嚢腫（透明な水性嚢腫）．

hy·dro·cys·to·ma (hī′drō-sis-tō′mă) [hydro- + G. *kystis*, bladder + *-ōma*, tumor]. ***1*** 汗胞（皮膚深部に存在する水疱様発疹で，汗腺小胞内に液体が貯留するために生じる）．***2*** 汗嚢腫．＝hidrocystoma.

hy·dro·dip·si·a (hī′drō-dip′sē-ă) [hydro- + G. *dipsa*, thirst]. 口渇症（通常，水を飲む動物にみられる）．

hy·dro·dip·so·ma·ni·a (hī′drō-dip′sō-mā′nē-ă) [hydro- + G. *dipsa*, thirst + *mania*, frenzy]. 口渇狂（制御できない渇きが周期的に襲うもので，ときにてんかんの患者にみられる）．

hy·dro·di·u·re·sis (hī′drō-dī′yū-rē′sis). 希釈尿過多排泄（水による利尿）．

hy·dro·dy·nam·ics (hī′drō-dī-nam′iks) [hydro- + G. *dynamis*, force]. 流体力学（液体の流れを扱う物理学の一分野）．

hy·dro·en·ceph·a·lo·cele (hī′drō-en-sef′ă-lō-sēl). ＝hydrencephalocele.

hy·dro·fluor·ic ac·id (hī′drō-flōr′ik as′id). フッ化水素酸（フッ化水素ガスの水溶液．金属の洗浄に用いられたりガラスをエッチングすることができる毒性のある腐食性で起泡性の液体．皮膚および肺に対して極度に刺激性を示す）．

hy·dro·gel (hī′drō-jel). ヒドロゲル（粒子が外相または分散相に，そして水が内相または被分散相にあるコロイド．*cf.* hydrosol）．

hy·dro·gen (H) (hī′drō-jen) [hydro- + G. *-gen*, producing]. 水素（①気体元素，原子番号 1，原子量 1.00794．②その元素の分子型(H_2)）．＝dihydrogen.

activated h. 活性化水素（フラビン蛋白などを経由してデヒドロゲナーゼにより，別の物質と結合するために代謝産物から離れた水素）．

arseniureted h. ヒ化水素．＝arsine.

h. bromide 臭化水素；HBr（水分を含んだ気体中では有毒ガスとなる強い刺激臭をもつ無色の気体．水溶液にすると臭化水素酸となる）．

h. chloride 塩化水素；HCl（非常に溶けやすい気体で，液体は塩酸となる）．

h. cyanide シアン化水素．＝hydrocyanic acid.

h. dehydrogenase デヒドロゲナーゼ（水素分子(H_2)によるNAD$^+$からNADHへの変換を触媒するフラビン蛋白．すなわち H_2 + NAD$^+$→H$^+$ + NADH）．

h. dioxide 二酸化水素．＝h. peroxide.

heavy h. 重水素．＝hydrogen-2.

h. peroxide 過酸化水素（種々の粉末金属や酵素，カタラーゼによって触媒される反応で，容易に水と酸素に分解される不安定な化合物．3% 溶液は皮膚や粘膜に対する緩やかな消毒薬として用いる）．＝h. dioxide; hydroperoxide.

h. phosphide リン化水素．＝phosphine.

phosphureted h. ＝phosphine.

h. sulfide 硫化水素；H_2S（よく知られる〝腐った卵〟のにおいをもつ無色，引火性の毒ガスで，硫黄を含む有機物の分解によって生成する．試薬として，また化学工業に用いる）．＝sulfureted h.

sulfureted h. ＝h. sulfide.

hy·dro·gen-1 (hī′drō-jen). 水素 1（一般にみられる水素の同位元素で，天然に存在する水素原子の 99.985% を占める）．＝protium.

hy·dro·gen-2 (hī′drō-jen). 水素 2，重水素（水素の同位元素で質量数 2 のもの．不安定な同位元素で，天然に存在する水素原子の 0.015% を占める．その核は陽子と中性子からなる）．＝deuterium; heavy hydrogen.

hy·dro·gen-3 (hī′drō-jen). 水素 3，三重水素（水素の同位元素で質量数 3 のもの．弱放射性を有し，ベータ粒子を放出して安定したヘリウム 3 になる．半減期は 12.32 年）．＝tritium.

hy·dro·gen·ase (hī′drō-jen-ās, hī-droj′ĕ-nās). ヒドロゲナーゼ（① NADH(または NADPH)からヒドリドイオン(すなわちH:$^-$)を取る酵素．＝hydrogenlyase. ② 2H$^+$ のフェリシトクロムまたはフェレドキシンとの反応により H_2 を生成する反応を触媒する酵素）．

hy·dro·gen·a·tion (hī′drō-jen-ā′shŭn, hī-droj′ĕ-nā-shŭn). 水素添加〔作用〕，添水素〔作用〕（特に不飽和脂肪または不飽和脂肪酸の化合物に水素を添加すること．これにより軟らかい脂肪や油は固化または〝硬化〟される）．

hy·dro·gen ex·po·nent (hī′drō-jen eks-pō′nent). 水素イオン指数（血液その他の体液中の水素イオン濃度の常用対数．これに負の符号を付けたものが pH）．

hy·dro·gen·ly·ase (hī′drō-gen-lī′ās). ヒドロゲンリアーゼ．＝hydrogenase (1).

hydrogenosome (hī-drō′jen′ō-sōm). ヒドロゲノソーム（*Trichomonas*属および *Giardia*属などの嫌気性真核生物に存在し，ATP と水素を産生する細胞内小器官．二重膜構造を有し，一部の研究者はミトコンドリアの相同器官と考えている）．

hy·dro·ki·net·ic (hī′drō-ki-net′ik). 流体運動学の（流体の運動，およびそのような運動を起こす力についていう）．

hy·dro·ki·net·ics (hī′drō-ki-net′iks). 流体運動学（運動する流体に関する運動学の一分野）．

hy·dro·la·bile (hī′drō-lā′bil). 水分不安定性の．

hy·dro·la·bil·i·ty (hī′drō-lă-bil′i-tē). 水分不安定性（組織内の水分量が変化しやすい状態）．

hy·dro·las·es (hī′drō-lās-ĕz). 加水分解酵素，ヒドロラーゼ（分解点に H_2O を添加して基質を分解する酵素(EC class 3)．例えば，エステラーゼ，ホスファターゼ，ヌクレアーゼ，ペプチダーゼなど）．＝hydrolyzing enzymes.

cysteine h. システインヒドロラーゼ（触媒作用に活性部位にあるシステイン残基を利用するヒドロラーゼ）．

fatty acid amide h. 脂肪酸アミドヒドロラーゼ（脳の脂質膜に存在するシグナル伝達分子を分解する酵素）．

serine h. セリンヒドロラーゼ（触媒作用に活性部位にあるセリン残基を利用するヒドロラーゼ）．

hy·dro·ly·as·es (hī′drō-lī′ās-ĕz). ヒドロリアーゼ（H と OH を水として除去して分子内に新しい二重結合をつくる酵素からなるリアーゼの一種．通常，デヒドラターゼとヒドラターゼの両方を含む）．

hy·dro·lymph (hī′drō-limf). 水リンパ（多くの無脊椎動物にみられる循環体液）．

hy·drol·y·sate (hī-drol′i-sāt). 加水分解産物，水解物（加水分解の生成物を含む溶液）．

hy·drol·y·sis (hī-drol′i-sis) [hydro- + G. *lysis*, dissolution]. 加水分解（化合物が2個または2個以上のより簡単な化合物に分解する化学反応において，水分子のHとOH基がいずれかの分解した化学結合部位に結合する．加水分解は，酸，アルカリ，酵素の作用による．*cf.* hydration）．＝hydrolytic cleavage.

hy·dro·lyt·ic (hī′drō-lit′ik). 加水分解の．

hy·dro·lyze (hī′drō-līz). 加水分解する．

hy·dro·ma (hī-drō′mă). ヒドローマ．＝hygroma.

hy·dro·mas·sage (hī′drō-mă-sahzh′). 水中マッサージ，水按摩（水流によるマッサージ）．

hy·dro·me·nin·go·cele (hī′drō-mĕ-ning′gō-sēl) [hydro- + G. *mēninx*, membrane + *kēlē*, hernia]. 水髄膜瘤（骨壁の欠損による脳髄または脊髄の突出．またそれに伴い，脳脊髄液を含んだ嚢ができる）．

hy·drom·e·ter (hī-drom′ĕ-tĕr) [hydro- + G. *mētron*, measure]. 〔液体〕比重計，浮き秤（液体の比重を測定する器械）．＝areometer; gravimeter.

hy·dro·me·tra (hī′drō-mē′tră) [hydro- + G. *mētra*, uterus]. 子宮留水症（希薄な粘液，または他の水様液が子宮腔内にたまっていること）．

hy·dro·met·ric (hī′drō-met′rik). 〔液体〕比重測定〔法〕の．

hy·dro·me·tro·col·pos (hī′drō-mē′trō-kol′pos) [hydro- + G. *mētra*, uterus + *kolpos*, bosom (vagina)]. 腟子宮留水症（血液および膿以外の液体によって子宮と腟が拡張すること）．

hy·drom·e·try (hī-drom′ĕ-trē). 〔液体〕比重測定〔法〕（比重計を用いて液体の比重を測定すること）．

hy·dro·mi·cro·ceph·a·ly (hī′drō-mī′krō-sef′ă-lē). 水小頭〔症〕（脳脊髄液が増加する小頭症）．

hy·dro·mor·phone hy·dro·chlor·ide (hī′drō-mōr′fōn hī′drō-klōr′īd). 塩酸ヒドロモルホン（モルヒネの合成誘導体．モルヒネに比べて約10倍の鎮痛効果をもつ）．

hy·drom·pha·lus (hī-drom′fă-lŭs) [hydro- + G. *omphalos*, umbilicus]. 水臍〔症〕（臍の嚢腫で，卵黄腸嚢胞が最も一般的）．

hy·dro·my·e·li·a (hī′drō-mī-ē′lē-ă) [hydro- + G. *myelos*, marrow]. 水脊髄〔症〕（脊髄の拡張された中心管，または脊髄内にある先天性の空洞内に液体が貯留すること）．

hy·dro·my·el·o·cele (hī′drō-mī-el′ō-sēl) [hydro- + G. *myelos*, marrow + *kēlē*, tumor, hernia]. 水脊髄瘤（脊髄の一部が，二分脊椎を通り，脳脊髄液によって拡張し，薄い嚢状となって突出すること）．

hy·dro·ne·phro·sis (hī′drō-ne-frō′sis) [hydro- + G. *nephros*, kidney + *-osis*, condition]. 水腎〔症〕（片側または両側の腎盂および腎杯の拡張で，尿路の閉塞，膀胱尿管逆流の結果起こる．また明らかな原因のない原発性先天性奇形のこともある）．＝pelvocaliectasis; pyeloureterectasis.

hy·dro·ne·phrot·ic (hī′drō-ne-frot′ik). 水腎〔症〕の．

hy·dro·ni·um (hī-drō′nē-ŭm). →hydronium *ion*.

hy·dro·par·a·sal·pinx (hī′drō-par′ă-sal′pinks) [hydro- + G. *para*, beside + *salpinx*, trumpet]. 傍卵管留水（卵管の副管における漿液の貯留）．

hy·dro·path·ic (hī′drō-path′ik). 水治療法の．

hy·drop·a·thy (hī-drop′ă-thē). 水治療法（現在では用いられないが，疾病の治療に水を用いる方法）．

hy·dro·pe·ni·a (hī′drō-pē′nē-ă) [hydro- + G. *penia*, poverty]. 水欠乏〔症〕．

hy·dro·pe·nic (hī′drō-pē′nik). 水欠乏〔症〕の．

hy·dro·per·i·car·di·um (hī′drō-pār′i-kar′dē-ŭm). 心膜水腫，水心膜（心膜における非炎症性の液体貯留）．

hy·dro·per·i·to·ne·um, hy·dro·per·i·to·nia (hī′-drō-pār′i-tō-nē′ŭm, -tō′nē-ă) [hydro- + peritoneum]. 腹水，水腹膜．＝ascites.

hy·dro·per·ox·i·das·es (hī′drō-pĕr-oks′i-dā-sez). ヒドロペルオキシダーゼ（水素受容体として過酸化水素を必要とする酸化還元酵素．例えば，ペルオキシダーゼ，カタラーゼ）．

hy·dro·per·ox·ide (hī′drō-pĕr-ok′sīd). ＝*hydrogen* peroxide.

hy·dro·phil, hy·dro·phile (hī′drō-fil, -fīl). 親水性物質（親水性である物質）．

hy·dro·phil·i·a (hī′drō-fil′ē-ă) [hydro- + G. *philos*,

	水腎症の原因
Ⅰ.	尿路の機械的閉塞
	a) 尿路内の変化 1. 前立腺の過形成および癌 2. 尿路の腫瘍 3. 尿管および尿道の瘢痕 4. 結石 5. 先天的奇形やその他の変形（腎下垂）
	b) 尿路外の変化 1. 骨盤腫瘍（子宮頸癌） 2. 後腹膜の腫瘍や増殖性疾患 3. 後腹膜線維症 4. 迷走性腎動脈や腎動脈瘤からの圧力 5. 癒着による圧力
Ⅱ.	神経筋疾患
	二分脊椎，対麻痺，脊髄ろう，多発性硬化症
Ⅲ.	妊娠
Ⅳ.	原疾患不明
	腎盂からの通路における尿管の機能的狭窄．巨大膀胱巨大尿管症候群

fond]. 親水性，吸水性（血液や組織が液体を吸収しようとする性質）．

hy·dro·phil·ic (hī′drō-fil′ik). ＝hydrophilous. ***1*** 親水性の，吸水性の（極性基またはイオンをもつ水分子を吸収したり，水と会合する性質についていう．hydrophobic (2) の対語）．***2*** 水に溶解しやすい．***3*** 極性の．

hy·droph·i·lous (hī-drof′i-lŭs). ＝hydrophilic.

hy·dro·pho·bi·a (hī′drō-fō′bē-ă) [hydro- + G. *phobos*, fear（ヒトや動物の狂犬病において，飲み込み不能とその結果として生じる口辺の液体に対する抵抗が報告されていることによる）]. 恐水病．＝rabies.

hy·dro·pho·bic (hī′drō-fōbik′). ***1*** 恐水病の．***2*** 疎水性の（水の分子に対する親和性がないこと．hydrophilic の対語）．＝apolar (2). ***3*** 水に溶解しにくい．***4*** 非極性の．

hy·droph·thal·mi·a, hy·droph·thal·mos, hy·droph·thal·mus (hī′drof-thal′mē-ă, -thal′mos) [hydro- + G. *ophthalmos*, eye]. 水眼〔症〕，牛眼．＝buphthalmia.

Hy·dro·phy·i·dae (hī′drō-fī′i-dē). ウミヘビ科（ヘビの一科．真正ウミヘビ類で，垂直方向に圧縮された尾が，櫂あるいはオール状の外見を与えている点が特徴．その牙は，コブラと同様に小さくて溝があり，いつも直立している．太平洋の多くの区域の海岸線に沿った浅所に普通みられ，マレーシア西部およびベトナム沿岸部では医学上重要である．多くの種類があり，すべて有毒であるが，ヒトに咬みつくものは少ない）．

hy·drop·ic (hī-drop′ik). 水腫の（過剰の水または水様液を含む）．＝dropsical.

hy·dro·pneu·ma·to·sis (hī′drō-nū′mă-tō′sis) [hydro- + G. *pneuma*, breath, spirit]. 水気症，水気腫（気腫と水腫の合併症．組織内に液体と気体が併存すること）．

hy·dro·pneu·mo·per·i·car·di·um (hī′drō-nū′mō-per′i-kar′dē-ŭm) [hydro- + G. *pneuma*, air + pericardium]. 心膜水気腫，水気心膜（心膜内に，漿液滲出液と気体が存在すること）．＝pneumohydropericardium.

hy·dro·pneu·mo·per·i·to·ne·um (hī′drō-nū′mō-per-i-tō-nē′ŭm) [hydro- + G. *pneuma*, air + peritoneum]. 水気腹膜（腹腔内に気体および漿液が存在すること）．＝pneumohydroperitoneum.

hy·dro·pneu·mo·tho·rax (hī′drō-nū′mō-thōr′aks) [hydro- + G. *pneuma*, air + thorax]. 水気胸（胸腔内に気体，液体がともに存在すること）．＝pneumohydrothorax; pneumoserothorax.

H

hy·dro·po·si·a (hī'drō-pō'zē-ă) [hydro- + G. *posis*, drinking]. 飲水性（水を飲むこと．普通に水を飲む動物を特徴付ける用語）.

hy·drops (hī'drops) [G. *hydrōps*]. 水症，ヒドロップス（透明な水様液が，体内の組織または体腔に過剰にたまること．性状，部位などに応じて，腹水 ascites，全身水腫 anasarca，浮腫 edema などという）.

endolymphatic h. 内リンパ水腫（内耳膜迷路の拡張で，内リンパ嚢における内リンパ吸収障害が原因と考えられている．メニエール病の病理所見である）. = Ménière *disease*.

fetal h., h. fetalis 胎児水腫（胎児の組織に漿液が異常にたまること．胎児赤芽球症などにみられる）.

h. folliculi 卵胞水腫，卵胞水症（胞状卵胞に液体がたまること）.

h. of gallbladder 胆嚢水腫（胆嚢内の透明な水様性液体の蓄積．長期間の胆嚢管の閉塞の結果生じる）.

immune fetal h. 免疫性胎児水腫（母児間血液型不適合の結果二次的に発症する胎児水腫および腹水のこと．㊟胸腹水は最近腔水症として区分することが提案されている）.

nonimmune fetal h. 非免疫性胎児水腫（母児間血液型不適合に関連しない胎児心疾患，ウイルス感染，胎児形態異常などの多因子性障害による胎児水腫および腹水）.

h. ovarii 水卵巣〔症〕. = hydrovarium.

h. pericardii pericardial *effusion* を表す現在では用いられない語.

h. tubae 卵管留水症. = hydrosalpinx.

h. tubae profluens 漏泄〔性〕卵管留水症，漏水性卵管水腫. = intermittent *hydrosalpinx*.

hy·dro·py·o·ne·phro·sis (hī'drō-pī'ō-ne-frō'sis) [hydro- + G. *pyon*, pus + nephrosis]. 水膿腎〔症〕，腎〔臓〕膿水症（尿管の閉塞のため，腎杯，腎盂に化膿性の尿が貯留する状態）.

hy·dror·chis (hī-drōr'kis) [hydro- + G. *orchis*, testicle]. 水精巣(睾丸)〔症〕（現在では用いられない語．鞘膜内または精索に沿って精巣の周囲に水が貯留した(水瘤)状態）.

hy·dro·rhe·o·stat (hī'drō-rē'ō-stat). 水可変抵抗器，水加減抵抗器（電気抵抗体として水を用いる電気抵抗器）.

hy·dror·rhe·a (hī'drō-rē'ă) [hydro- + G. *rhoia*, flow]. 漏水症（身体の器官や組織から水分が多量に排出される状態）.

h. gravidae, h. gravidarum 羊膜性漏水症，妊娠子宮漏水症（妊娠中に腟から水様液が排出される状態）.

hy·dro·sal·pinx (hī'drō-sal'pinks) [hydro- + G. *salpinx*, trumpet]. 卵管留水症，卵管水腫（卵管に漿液が貯留した状態で，しばしば卵管留膿症の最終的結果として起こる）. = hydrops tubae.

intermittent h. 間欠性卵管留水症（卵管から水様液が間欠的に排出される状態）. = hydrops tubae profluens.

hy·dro·sar·ca (hī'drō-sar'kă) [hydro- + G. *sarx*, flesh]. 全身水腫，全身浮腫. = anasarca.

hy·dro·sar·co·cele (hī'drō-sar'kō-sēl) [hydro- + G. *sarx*, flesh + *kēlē*, tumor]. 水精巣(睾丸)瘤（水瘤を伴う慢性の精巣の腫瘤）.

hy·dro·sol (hī'drō-sol). ヒドロゾル，水〔性〕ゾル（水溶液のコロイドで，水を外相または分散媒として，粒子が分散相または内相となって浮遊していること．*cf.* hydrogel）.

hy·dro·sphyg·mo·graph (hī'drō-sfig'mō-graf). 水脈波計（脈拍が水柱を介して記録計に伝達される脈波計）.

hy·dro·stat (hī'drō-stat) [hydro- + G. *statikos*, causing to stand]. ***1*** 警水器，漏水検出器（水位を調節する装置）. ***2*** 水床臓器，静水圧生物（殻に対して内部の液圧がかかることにより，形を保つ生物や臓器(舌，陰茎など)）.

hy·dro·stat·ic (hī'drō-stat'ik). 流体静力学の，静水学的な（平衡状態にある流体の圧力，またはその性質についていう）.

hy·dro·su·dop·a·thy (hī'drō-sū-dop'ă-thē) [hydro- + L. *sudor*, sweat + G. *pathos*, suffering]. = hydrosudotherapy.

hy·dro·su·do·ther·a·py (hī'drō-sū'dō-thār'ă-pē). 発汗水治療法（トルコ浴のように，発汗誘発を伴う水治療法）. = hydrosudopathy.

hy·dro·sy·rin·go·my·e·li·a (hī'drō-si-rin'gō-mī-ē'lē-ă) [hydro- + G. *hydōr*, water + *syrinx*, a tube + *myelos*, marrow]. 水脊髄空洞症. = syringomyelia.

hy·dro·tax·is (hī'drō-tak'sis) [hydro- + G. *taxis*, arrangement]. 走水性，水分走性（水に対する細胞または生体の動き）.

hy·dro·ther·a·peu·tic (hī'drō-thār'ă-pyū'tik). 水治療法の. = hydriatric.

hy·dro·ther·a·peu·tics (hī'drō-thār'ă-pyū'tiks). = hydrotherapy.

hy·dro·ther·a·py (hī'drō-thār'ă-pē) [hydro- + G. *therapeia*, therapy]. 水治〔療〕法（水を外用で用いる治療．水圧効果，または組織に用いて物理的エネルギーを与えることを目的とする）. = hydrotherapeutics.

hy·dro·ther·mal (hī'drō-ther'măl) [hydro- + G. *thermē*, heat]. 熱水の.

hy·dro·thi·o·ne·mi·a (hī'drō-thī'ō-nē'mē-ă) [hydro- + G. *theion*, sulfur + *haima*, blood]. 硫化水素血〔症〕（循環血液中に硫化水素が存在する状態）.

hy·dro·thi·o·nu·ri·a (hī'drō-thī'ō-nyū'rē-ă) [hydro- + G. *theion*, sulfur + *ouron*, urine]. 硫化水素尿〔症〕（尿中に硫化水素が排泄される状態）.

hy·dro·tho·rax (hī-drō-thōr'aks). 水胸〔症〕. = pleural *effusion*.

chylous h. 乳び性水胸〔症〕. = chylothorax.

hy·drot·o·my (hī-drot'ŏ-mē) [hydro- + G. *tomē*, a cutting]. 注水解剖〔術〕（組織学において，水を注入することにより組織中のある部分を分離する操作）.

hy·dro·tro·pism (hī'drō-trō'pizm, hī-drot'rō-pizm) [hydro- + G. *tropos*, a turning]. 水〔分〕屈性，湿度屈性，水向性（成長期の生体の性質で，湿った表面に向かったり(**positive h.**：正の水屈性)，それから離れようとする(**negative h.**：負の水屈性)性質）.

hy·dro·tu·ba·tion (hī'drō-tū-bā'shŭn). 卵管通水法（頸管を通じて生理的食塩水あるいはその他の液体を子宮腔および卵管に注入し，卵管の拡張および(または)卵管の治療を行う）.

hy·dro·u·re·ter (hī'drō-yū-rē'ter, -yūr'ē-tĕr). 水尿管〔症〕. = ureterectasia.

hy·dro·u·re·ter·o·ne·phro·sis (hī'drō-yū-rē'tĕr-ō-ne-frō'sis). 水腎水尿管症. = ureterohydronephrosis.

hy·drous (hī'drŭs). 含水の. = hydrated.

hy·dro·va·ri·um (hī'drō-vā'rē-ŭm). 卵巣留水症（卵巣に液体がたまる症状）. = hydrops ovarii.

hy·drox·am·ic ac·ids (hī'drok-sam'ik as'idz). ヒドロキサム酸；R–CO–NH–OH⇌RC(OH)=N–OH（カルボン酸のヒドロキシルアミン誘導体で，アミノ酸を含み，ヒドロキシルアミンのカルボン酸を作用させてつくる）.

hy·drox·ide (hī-drok'sīd). ***1*** 水酸化物（潜在的にイオン化した水酸基を含む化合物．特に，水に溶解する際に OH^- を遊離する化合物をいう）. ***2*** 水酸化物イオン(OH^-).

hy·drox·o·co·bal·a·min (hī-drok'sō-kō-bal'ă-min). ヒドロキソコバラミン（ビタミン B_{12b}．シアノコバラミン(ビタミン B_{12})とはコバルト原子の第六配位座にシアンイオンがヒドロキシルイオンで置換されている点で異なっている．→ *vitamin* B_{12}）. = hydroxocobemine.

hy·drox·o·co·be·mine (hī-drok'sō-kō-bĕ-mēn). = hydroxocobalamin.

hydroxy- (hī-drok'sē). –OH 基の添加や，–OH 基で置換された化合物を表す接頭語で，化合物名を後に付けてその名称とする. → oxa-; oxo-; oxy-.

hy·drox·y·ace·tic ac·id (hī-drok'sē-a-sē'tik as'id). ヒドロキシ酢酸. = glycolic acid.

hy·drox·y ac·id (hī-drok'sē as'id). ヒドロキシ酸，オキシ酸（OH 基，COOH 基の両方をもつ有機酸．例えば乳酸）.

3-hy·drox·y·ac·yl-CoA de·hy·dro·gen·ase (hī-drok'sē-as'il dē'hī-drō'jen-ās). 3-ヒドロキシアシル CoA デヒドロゲナーゼ；*β*-hydroxyacyl dehydrogenase (NAD^+ の還元を伴い，L-3-ヒドロキシアシル CoA を，3-ケトアシル CoA に酸化する酵素．脂肪酸 *β* 酸化の一酵素）. = *β*-ketohydrogenase; *β*-ketoreductase.

hy·drox·y·a·cyl·glu·ta·thi·one hy·dro·lase (hī-drok'sē-as'il-glū'tă-thī'ōn hī'drō-lās). ヒドロキシアシルグルタチオンヒドロラーゼ（ラクトイルグルタチオンリアーゼに触媒活性は類似しているが，より一般的な酵素．S-2-ヒドロキシアシルグルタチオンを加水分解し，グルタチオンと2-ヒドロキシ酸アニオンを生成させる反応を触媒する．→glyoxalase）．

3-hy·drox·y·anth·ra·nil·ic ac·id (hī-drok′sē-anth′ră-nil′ik as′id). 3-ヒドロキシアントラニル酸（トリプトファンの分解代謝物で，NAD^+ の生合成の前駆物質として用いられる）．

hy·drox·y·ap·a·tite (hī-drok′sē-ap′ă-tīt). 水酸化リン灰石，ヒドロキシアパタイト（骨や歯（すなわち，非晶質ヒドロキシアパタイト）の結晶格子に非常によく似た天然の鉱物．核酸のクロマトグラフィに用いる．また，病的カルシウム沈着でも見出される（例えば，アテローム硬化の大動脈））．＝hydroxylapatite.

amorphous h. 無定形ヒドロキシアパタイト（イオン不純物（例えば 6—8% CO_3^{2-}，3—5% Mg^{2+}，F^-，Cl^- など）を含有するヒドロキシアパタイト．無機質化した結合組織（例えば，骨，そうげ質，セメント質）に存在する）．＝poorly crystalline h.

poorly crystalline h. 不完全結晶性ヒドロキシアパタイト．＝amorphous h.

3-hy·drox·y·bu·ta·no·ic ac·id (hī-drok′sē-byū′tă-nō′ik as′id). 3-ヒドロキシブタン酸．＝3-hydroxybutyric acid.

γ-hy·drox·y·bu·tyr·ate (GHB) (hī-drok′sē-byū′tir-āt). γ-ヒドロキシ酪酸（天然短鎖脂肪酸で，あらゆる生体組織に存在する γ-アミノ酪酸（GABA）の代謝物であり，なかでも脳内濃度が最高である．GHB は GABA，ドパミン，5-ヒドロキシトリプタミン，アセチルコリンの濃度に影響を与える神経伝達物質と考えられている．GABA 代謝の先天性疾患患者では GHB が蓄積すると運動失調や精神遅滞を引き起す．合成 GHB は以前，麻酔薬，ナルコレプシーやアルコール禁断症の治療に用いられたが，FDA（米国食品医薬品局）はその神経系，心臓血管系，呼吸系および消化器系への重篤な副作用を理由に禁止した）．＝4-hydroxybutyrate.

GHB の不法使用が次第に大衆化するにつれ，特にボディビルダーの間で流行している．それは家庭で容易にしかも安価に製造でき，食欲の抑制，うつ状態の解消，成長ホルモン分泌促進による筋肉の増量，睡眠状態の改善に効果があるといわれている．また陶酔薬として，またデートレイプを容易にするため用いられる（GHB は無臭性でほとんど無味で逆向性記憶消失を伴う鎮痛作用を誘導する）．GHB の世俗名（ストリートネーム）としては，grievous bodily harm, liquid ecstasy liquid E，liquid X, scoop がある．この薬物は経口投与後速やかに吸収され血液脳関門を容易に移行する．GHB は，主作用としては CNS（中枢神経系）抑制薬であるが，体温，心拍数，心拍出量を低下させる．急性毒性としては嗜眠状態，錯乱，闘争的または自己損傷行動，悪心，振せん，痙攣や昏睡がある．またアルコール，ベンゾジアゼピンや麻薬と相乗的に作用し強い CNS や呼吸系の抑制を引き起こす．ほとんどの中毒発症は 18 歳— 25 歳までの男性でありアルコールの関与がある．習慣性があるという報告が最近多くなってきた．頻回投与（毎 1 — 3 時間連続投与）により依存性を誘導させる．長期使用後の中断により，重篤な禁断症候群（頻脈，血圧上昇，振せん，失見当識，幻覚，せん妄など）を伴う．中毒や中断に対する治療は単に補助的であり，解毒薬はない．工業用や家庭用溶剤の γ-ブチロラクトンは，代謝されて GHB になるので，GHB と同様の治療効果をもつといい立て，栄養補助剤として非合法的に市場で売買されている．その使用に関連して死亡例を含む数多くの有害事象例が報告されている．

4-hy·drox·y·bu·tyr·ate (hī-drok′sē-byū′tir-āt). ＝γ-hydroxybutyrate.

β-hy·drox·y·bu·tyr·ic ac·id (hī-drok′sē-byū-tir′ik as′id). β-ヒドロキシ酪酸．＝3-hydroxybutyric acid.

γ-hydroxybutyric acid ガンマ-ヒドロキシ酪酸（くつろいだ状態，筋弛緩および気分の発揚を引き起こす中枢神経系抑制薬．アルコールに混ぜられると，効果が増強される．（成長ホルモンの分泌の促進作用を有するため）1990 年に FDA によって禁止されるまでは，筋肉増強剤として健康食品店で販売されていた．通称，デートレイプドラッグともよばれていた）．＝gamma-hydroxybutyrate.

3-hy·drox·y·bu·tyr·ic ac·id (hī-drŏk′sē-byū-tir′ik as′id). 3-ヒドロキシ酪酸；$CH_3CH(OH)CH_2COOH$（D-異性体はケトン体の 1 つで，ケトン体生成経路で生成する肝臓外の組織の重要な燃料である．また，アシル誘導体として脂肪酸の生合成の中間体である．L-異性体は脂肪酸の β 酸化で，補酵素 A 誘導体として見出された）．＝3-hydroxybutanoic acid; β-hydroxybutyric acid.

D-3-h. a. dehydrogenase D-3-ヒドロキシ酪酸デヒドロゲナーゼ（2 つの主要なケトン体の可逆的変換を触媒する酵素で，反応アセト酢酸 + NADH + $H^+ \rightleftharpoons$ D-3-ヒドロキシ酪酸 + NAD^+ を触媒する）．

4-hy·drox·y·bu·tyr·ic ac·i·du·ri·a (hī-drŏk′sē-byū-tir′ik as′i-dū′rē-ă). 4-ヒドロキシ酪酸尿〔症〕（尿中の 4-hydroxybutyrate の上昇がみられる遺伝性疾患で，筋緊張低下や精神遅滞がみられる）．

hy·drox·y·car·bam·ide (hī-drok′sē-kar′bă-mīd). ヒドロキシカルバミド．＝hydroxyurea.

25-hy·drox·y·cho·le·cal·cif·er·ol (HCC) (hī-drok′-sē-kō′lē-kal-sif′ĕr-ol). 25-ヒドロキシコレカルシフェロール．＝calcidiol.

7α-hy·drox·y·cho·les·ter·ol (hī-droks′ē-kō-les-tĕr-ol). 7α-ヒドロキシコレステロール（コレステロールから胆汁酸への変換の最初の中間体で，胆汁酸生合成の主要な律速段階で生成される）．

hy·drox·y·chro·man (hī-drok′sē-krō′man). ヒドロキシクロマン．＝chromanol.

hy·drox·y·chro·mene (hī-drok′sē-krō′mēn). ヒドロキシクロメン．＝chromenol.

25-hy·drox·y·er·go·cal·cif·er·ol (hī-drok′sē-ĕr′gō-kal-sif′ĕr-ol). 25-ヒドロキシエルゴカルシフェロール（ビタミン D_2 の生物活性をもつ主要循環代謝物である）．＝ercalcidiol.

α-hy·drox·y·eth·yl·thi·a·min py·ro·phos·phate (hī-drok′sē-eth-il-thī′ă-min pī′rō-fos′fāt). α-ヒドロキシエチルチアミンピロリン酸．＝activated *acetaldehyde*.

hy·drox·y·fat·ty ac·id (hī-drok′sē-fat′tē as′id). ヒドロキシ脂肪酸（ヒドロキシル基が共有結合した脂肪酸（例えば，ヒドロキシネルボン））．

3-hy·drox·y·glu·tar·ic ac·id (hī-drok′sē-glū-tar′ik as′id). 3-ヒドロキシグルタル酸（グルタル酸血症 I 型の患者で蓄積するジカルボン酸）．

hy·drox·y·he·min (hī-drok-sē-hē′min). ヒドロキシヘミン．＝hematin.

β-hy·drox·y·i·so·bu·tyr·ic ac·id (hī-drok′sē-ī′sō-byū-tir′ik as′id). β-ヒドロキシイソ酪酸（L-バリンの分解での中間体の 1 つ）．

3-L-hy·drox·y·ky·nu·ren·ine (hī-drok′sē-kī-nū′rĕ-nēn). 3-L-ヒドロキシキヌレニン（L-トリプトファンの異化での中間体で，キサンツレン酸の前駆物質．ビタミン B_6 欠乏症において増加する）．

hy·drox·y·ky·nu·re·ni·nu·ri·a (hī-drok′sē-kī-nū′rĕ-ni-nū′rē-ă) [MIM*236800]. ヒドロキシキヌレニン尿症（トリプトファン代謝異常で，恐らくキヌレニダーゼの欠損による．軽度の知能障害，片頭痛様の頭痛，尿中の大量のキヌレニン，3-ヒドロキシキヌレニン，キサンスレン酸を排泄することが特徴である．常染色体劣性遺伝）．

hy·drox·yl (hī-drok′sil). ヒドロキシル（OH の基または部分）．

hy·drox·yl·a·mine (hī-drok′sil-ă-mēn). ヒドロキシルアミン（① NH_2OH. アンモニアの部分酸化誘導体．カルボニル基と反応してオキシムを生成する．酸塩，例えば塩酸ヒドロキシルアミンを生成する．化学変異原であり，DNA のシトシン残基の脱アミノ化を起こす．②RNH–OH を含有する化合物の総称）．

h. reductase ヒドロキシルアミンレダクターゼ（ヒドロキシルアミンを，様々な供給体（例えばメチレンブルー，フラビン）を伴って可逆的に還元して，アンモニアを生成する酵素．→*NADH*-hydroxylamine reductase）．

hy·drox·yl·a·mi·no (hī-drok′sil-a-mē′nō). ヒドロキシルアミノ（一価の基あるいは部分．–NH–OH）．

hy·drox·yl·ap·a·tite (hī-drok′sil-ap′ă-tīt). ＝hydroxyapatite.

hy·drox·y·las·es (hī-drok′si-lās′ez). ヒドロキシラーゼ，水酸化酵素（酸素原子を添加して水酸基を生成する（基質を酸化する）反応を触媒する酵素．そのほとんどは EC subclass 1.14 にみられる）．

hy·drox·yl·a·tion (hī-drok′si-lā′shŭn). 水酸化，ヒドロキシル化（それまで水酸基のなかったところの化合物に水酸基が置かれること）．

δ-**hy·drox·y·ly·sine** (hī-drok′si-lī′sēn). *δ*–ヒドロキシリシン．＝5-hydroxylysine.

5-hy·drox·y·ly·sine（**5Hyl**）(hī′drok′si-lī′sēn). 5–ヒドロキシリシン（ある種のコラーゲン中に存在するヒドロキシル化アミノ酸．5–ヒドロキシリシンへの変換能力の減少により Ehlers-Danlos 症候群 VI 型を発症させる）．＝δ-hydroxylysine.

p-**hy·drox·y·mer·cur·i·ben·zo·ate** (hī-drok′sē-mer′-kyūr-ē-ben′zō-āt). *p*–ヒドロキシ水銀安息香酸（有機水銀で，その *p*–クロロ第二水銀安息香酸塩の加水分解によって自然に生成される，様々な酵素の阻害剤である．→*p*-mercuribenzoate）．

β-**hy·drox·y**-*β*-**meth·yl·glu·tar·yl-CoA**（**HMG-CoA**）(hī-drok′sē-meth′ĭl-glū-tar′ĭl). *β*–ヒドロキシ–*β*–メチルグルタリルCoA（ケトン体やステロイド，ファルネシルやゲラニル誘導体の生合成中間体）．＝3-hydroxy-3-methylglutaryl-CoA.

β-**h.**-*β*-**m.-CoA lyase** *β*–ヒドロキシ–*β*–メチルグルタリル CoA リアーゼ（主として肝臓や瘤胃上皮に存在し，*β*–ヒドロキシ–*β*–メチルグルタリルCoA からアセチルCoA およびアセト酢酸への生成反応を触媒する酵素．ケトン体生成経路の重要段階．この酵素の欠損によりケトン症にならず，重篤な代謝性アシドーシスになる）．

β-**h.**-*β*-**m.-CoA reductase** *β*–ヒドロキシ–*β*–メチルグルタリルCoA レダクターゼ（コレステロール生合成の律速段階を触媒する酵素．*β*–ヒドロキシ–*β*–メチルグルタリルCoA＋2NADPH＋$2H^+$→メバリン酸＋$2NADP^+$＋CoA）．

β-**h.**-*β*-**m.-CoA synthase** *β*–ヒドロキシ–*β*–メチルグルタリルCoA シンターゼ（ミトコンドリアに依存する酵素で，アセチルCoA のアセトアセチルCoA と水との反応で(*S*)–*β*–ヒドロキシ–*β*–メチルグルタリルCoA と CoA を生成する反応を触媒する．この段階は，ケトン体生成にもステロイド合成にもどちらにも必要である）．

3-hy·droxy-3-meth·yl·glu·tar·yl-CoA (hī-drok′sē-meth′ĭl-glū-tar′ĭl). 3–ヒドロキシ–3–メチルグルタリルCoA.＝*β*-hydroxy-*β*-methylglutaryl-CoA.

hy·drox·y·ner·vone (hī-drok′sē-nĕr′vōn). ヒドロキシネルボン（α–ヒドロキシネルボン酸を含むセレブロシド）．＝oxynervone.

hy·drox·y·ner·von·ic ac·id (hī-drok′sē-nĕr-von′ik as′id). ヒドロキシネルボン酸（ある種のセレブロシドの重要な構成成分）．

p-**hy·drox·y·phen·yl·ac·e·tate** (hī-droks′ē-fen′il-as′ĕ-tāt). *p*–ヒドロキシフェニル酢酸（ʟ–チロシン分解の副生成物で，新生児のチロシン血症やチロシン血症 II 型の尿中で増加する）．

p-**hy·drox·y·phen·yl·lac·tate** (hī-droks-ē-fen-il-lak-tāt). *p*–ヒドロキシフェニル乳酸（チロシン分解の代謝産物で，Richner-Hanhart 症候群の患者で増加する）．

p-**hy·drox·y·phen·yl·py·ru·vate** (hī-droks′ē-fen′il-pī′rū-vāt). *p*–ヒドロキシフェニルピルビン酸（チロシンのアミノ基転移によって生成する代謝産物．チロシン血症の患者の尿中に多く排泄されている）．

hy·drox·y·phen·yl·u·ri·a (hī-drok′sē-fen′il-yū′rē-ă). ヒドロキシフェニル尿〔症〕（アスコルビン酸の欠乏により，チロシンおよびフェニルアラニンが尿中に排出されること．このビタミンが不足している未熟児に顕著にみられる）．

3α-hy·droxy-5α-preg·nan-20-one (hī-drok′sē preg′nan). 3α–ヒドロキシ–5α–プレグナン–20–オン（プロゲステロンのカタボライト（異化代謝産物）．妊娠女性の尿中に見出される）．

17α-hy·drox·y·pro·ges·ter·one (hī-drok′sē-prō-jes′tĕr-ōn). 17α–ヒドロキシプロゲステロン（アンドロゲン，エストロゲン，副腎皮質ホルモンの前駆体．この濃度は 21–ヒドロキシラーゼ欠損の先天性副腎（皮質）過形成タイプで上昇する）．

21-hy·drox·y·pro·ges·ter·one (hī-drok′sē-pro-jes′tĕr-on). 21–ヒドロキシプロゲステロン．＝deoxycorticosterone.

3-hy·drox·y·pro·line（**3Hyp**）(hī-drok′sē-prō′lēn). 3–ヒドロキシプロリン（ある種のコラーゲン，特に基底膜コラーゲンに見出されるプロリン誘導体）．＝3-hydroxy-2-pyrrolidinecarboxylic acid.

4-hy·drox·y·pro·line（**4Hyp, Hyp**）(hī-drok′sē-prō′-lēn). 4–ヒドロキシプロリン；4-hydroxy-2-pyrrolidinecarboxylic acid（*trans*–ʟ–異性体はコラーゲンの加水分解生成物中に見出されたピロリジンである．結合組織以外では見出されていない．ビタミンC欠乏により 4–ヒドロキシプロリン生成欠陥になる）．

4-h. oxidase 4–ヒドロキシプロリンオキシダーゼ（①フラビン酵素で，FAD を用いヒドロキシプロリンから Δ′–ピロリン–3–ヒドロキシ–5–カルボン酸への変換反応を触媒する．この酵素は高ヒドロキシプロリン血症の患者に欠損していると思われる．②ヒドロキシプロリンの NAD^+ とにより NADH と 4–オキソプロリンへの生成反応を触媒する酵素）．＝4-oxoproline reductase.

hy·drox·y·pro·li·ne·mi·a (hī-drok′sē-prō′li-nē′mē-ă) [MIM*237000]. ヒドロキシプロリン血〔症〕（精神遅滞と顕微鏡的血尿を特徴とする代謝性疾患．ヒドロキシプロリンオキシダーゼ欠損により血中や尿中での遊離型ヒドロキシプロリンが高値である．常染色体劣性遺伝）．

β-**hy·drox·y·pro·pi·o·nic ac·id** (hī-drok′sē-prō′pē-on′ik as′id). *β*–ヒドロキシプロピオン酸（プロピオン酸およびメチルマロン酸代謝での副生中間体．→*β*-hydroxypropionic aciduria）．

β-**hy·drox·y·pro·pi·o·nic ac·i·du·ri·a** (hī-drok′sē-prō′pē-on′ik as′i-dyū′rē-ă). *β*–ヒドロキシプロピオン酸尿症（尿中に *β*–ヒドロキシプロピオン酸が多く排泄されている病態．メチールマロン酸やプロピオン酸の代謝障害やケトン性の高グリシン血症のときにみられる）．

15-hy·drox·y·pros·ta·glan·din de·hy·dro·gen·ase (hī-drok′sē-pros′tă-glan′din dē′hī-drō′jen-ās). 15–ヒドロキシプロスタグランジンデヒドロゲナーゼ（プロスタグランジンを酸化する酵素で，15–水酸基を NAD^+ を利用ケト基に変え非活性にする）．

6-hy·drox·y·pu·rine (hī-drok′sē-pyūr′ēn). 6–ヒドロキシプリン．＝hypoxanthine.

3-hy·droxy-2-pyr·ro·li·di·ne·car·box·yl·ic ac·id (hī-drok′sē-pī′rō-li′di-nē-kar′bok-sĭl′ik as′id). 3–ヒドロキシ–2–ピロリジンカルボン酸．＝3-hydroxyproline.

8-hy·drox·y·quin·o·line (hī-drok′sē-kwin′ō-lin). 8–ヒドロキシキノリン（静真菌剤およびキレート剤．様々な金属結合酵素を阻害する）．＝quinolinol.

3β-hy·drox·y·ster·oid sul·fa·tase (hī-drok′sē-stēr′ōyd sŭl′fă-tās). 3β–ヒドロキシステロイドスルファターゼ（多くの哺乳類の組織に見出される酵素で，種々の硫酸化ステロールの硫酸エステル結合を加水分解する．この酵素の欠損により X 染色体性魚鱗癬になると思われる）．

hy·drox·y·to·lu·ic ac·id (hī-drok′sē-tō-lū′ik as′id). ヒドロキシトルイン酸．＝mandelic acid.

5-hy·drox·y·tryp·ta·mine（**5-HT**）(hī-drok′sē-trip′tă-mēn). 5–ヒドロキシトリプタミン．＝serotonin.

hy·drox·y·tryp·to·phan de·car·box·yl·ase (hī-drok′sē-trip′tō-fan dē′kar-bok′sĭl-ās). ヒドロキシトリプトファンデカルボキシラーゼ．＝aromatic ᴅ-amino acid decarboxylase.

3-hy·drox·y·ty·ra·mine (hī-drok′sē-tī′ră-mēn). 3–ヒドロキシチラミン．＝dopamine.

hy·drox·y·u·re·a (hī-drok′sē-yū-rē′ă). ヒドロキシ尿素（経口抗新生物薬．DNA 合成阻害作用を有し，黒色腫，慢性白血性骨髄症，子宮癌などの各種の悪性の腫瘍の治療に用いられる）．＝hydroxycarbamide.

hy·drox·y·zine (hī-drok′si-zēn). ヒドロキシジン（緩やかな作用をもつ鎮静薬，弱トランキライザで，神経症の治療に用いる．塩酸およびパモエートの形で利用される．しばしば制吐や麻酔の効果の増強にも用いられる）．

Hy·dro·zo·a (hī-drō-zō′ă) [hydro- ＋G. *zōon*, animal]. ヒ

ドロ虫綱（腔腸動物すなわちクラゲの一綱で，ヒドロポリプの *Hydra*属，管クラゲ類のカツオノエボシ属 *Physalia*，毒サンゴ類の *Millepora*属や，〝海のスズメバチ〟とよばれ，その毒は重篤な膨疹，疼痛，皮膚の壊死を引き起こし，ときとして呼吸機能や心機能低下から急速な死に至らせることがある *Chironex heckeri* および *Chiropsalmus quadrigatus* を含む）.

hy·giei·ol·o·gy (hī-jē-ol′ŏ-jē) [G. *hygieia*, health + *-logia*]. 衛生学（衛生，公衆衛生に関する学問，およびそれらの実践学）.

hy·gie·ist (hī′jē-ist) [G. *hygieia*, health]. = hygienist.

hy·giene (hī′jēn) [G. *hygieinos*, healthful < *hygiēs*, healthy]. [誤ったつづり hygeine を避けること]. ***1*** 衛生〔学〕（衛生およびその保持の学問）. ***2*** 衛生（健康および安寧を増進する清潔状態．特に個人に関するもの）.

criminal h. 犯罪衛生〔学〕（犯罪の原因と予防，および犯罪者の処遇を研究する精神衛生あるいは行刑学の分野を表す，現在では用いられない語）.

industrial h. 産業衛生（産業の立場から職業関連疾患や外傷を減少させる保健活動）.

mental h. 精神衛生〔学〕（精神の健康を維持し回復するための科学および実践．20 世紀初期の精神医学の一分野で，心理学，看護学，ソーシャルワーク，法律，その他の部門の専門家の注目を集める学際的領域となってきた）.

oral h. 口腔衛生（ブラシ，フロス，洗浄，マッサージ，その他の方法を用いて口をきれいにすること．→oral *physiotherapy*）.

hy·gien·ic (hī-jen′ik, hī-jē-en′ik). 衛生の，保健の.

hy·gien·ist (hī-jē′nist, hī′jē-en′ist). 保健士，衛生士，衛生技師（健康とその保持の科学に精通した人）. = hygieist.

dental h. (**D.Hy., DH**) 歯科衛生士（歯科において，免許を受けて専門的に補助を行う人．口腔衛生士であり臨床家である．口腔疾患の管理のために予防，治療，訓練法を行う）.

hygr- →hygro-.

hy·gric (hī′grik) [G. *hygros*, moist]. 湿気の.

hy·gric ac·id (hī′grik as′id). ヒグリン酸（*N*–メチルプロリン．このメチルベタインがスタキドリンである）.

hygro-, hygr- (hī′grō) [G. *hygros*, moist]. 湿気，湿気のある，を意味する連結形．xero- の対語.

hy·gro·ma (hī-grō′mă) [hygro- + G. *-oma*, tumor]. ヒグローマ（漿液を含む嚢胞性腫瘍で，女中膝などをいう）. = hydroma.

h. axillare 腋窩ヒグローマ（腋窩部分のヒグローマ）.

cervical h. 頸部ヒグローマ（頸部リンパ管の良性の嚢胞状過形成．出生時にみられ，腫瘍状の大きな塊を形成することがある）. = h. colli cysticum.

h. colli cysticum 頸部ヒグローマ. = cervical h.

cystic h. 水滑液嚢腫（リンパ管腫ヒグローマに同じ．内皮細胞で内張りされ，リンパ液を満たした嚢腫の集りからなる腫瘤で，被膜に乏しい．頸部に認めることが多いが，腋窩や陰股部，その他の部位にみられることもある．単純な構造のことも，複雑なこともある．しばしば Turner 症候群に合併する）. = lymphangioma hygroma.

subdural h. 硬膜下ヒグローマ（通常は，血清からの蛋白液，またはクモ膜裂傷のために脳脊髄液が硬膜下空隙に蓄積すること）.

hy·grom·e·ter (hī-grom′ĕ-tĕr) [hygro- + G. *metron*, measure]. 湿度計（大気中の水蒸気を測定する装置．通常，直接に相対湿度を示す）.

hy·grom·e·try (hī-grom′ĕ-trē). 湿度測定〔法〕，計湿法. = psychrometry.

hy·gro·pho·bi·a (hī′grō-fō′bē-ă) [hygro- + G. *phobos*, fear]. 湿気恐怖〔症〕（湿気や水分に対する病的な恐れ）.

hy·gro·scop·ic (hī′grō-skop′ik). 吸湿性の，引湿性の（湿気を素早く吸収し，保持できる物質についていう．例えば，水酸化ナトリウム，塩化カルシウム）.

hy·gro·sto·mia (hī′grō-stō′mē-ă) [hygro- + G. *stoma*, mouth]. 流涎. = sialorrhea.

Hyl ヒドロキシリシンまたはヒドロキシリシルの記号．5Hyl は特に 5–ヒドロキシリシンをさす.

5Hyl 5-hydroxylysine の略.

hy·la (hī′lă) [G. *hylē*, wood]. 中脳水道の外側延長部.

hy·le·pho·bi·a (hī′lĕ-fō′bē-ă) [G. *hylē*, forest + *phobos*, fear]. 森林恐怖〔症〕（森林に対する病的な恐れ）.

hy·men (hī′men) [G. *hymēn*, membrane] [TA]. 処女膜（形態変化に富む薄い膜状のひだで，種々の理由で破れる以前は腔を閉鎖している．処女でもしばしば失われているが，通常，その痕跡が処女膜痕として残っている）.

h. bifenestratus, h. biforis 二窓処女膜（広い中隔で分かれている二窓をもつ処女膜．*cf.* septate h.）.

cribriform h. 篩状処女膜（多数の小さな穿孔をもつ処女膜）.

denticulate h. 歯状〔縁〕処女膜（鋸歯状の縁をもつ処女膜）.

imperforate h. [MIM*237100]. 無孔処女膜（開口部がなく，完全に膣口をおおう状態の膜）.

infundibuliform h. 漏斗状処女膜（中央に緩斜面の縁の付いた開口部をもつ突出状漏斗の形をした処女膜）.

h. sculptatus 彫刻状処女膜（非常に凹凸が激しく，ギザギザした縁の付いた処女膜）.

septate h. 中隔処女膜（細い組織の帯によって 2 個の開口部が分離している処女膜．*cf.* h. bifenestratus）.

h. subseptus 部分的中隔処女膜（開口部が中隔により部分的に閉じた処女膜）.

vertical h. 垂直処女膜（開口部が垂直である処女膜）.

hy·men·al (hī′men-ăl). 処女膜の（[hymeneal と混同しないこと]）.

hy·me·nec·to·my (hī′me-nek′tŏ-mē) [G. *hymēn*, membrane + *ektomē*, excision]. 処女膜切除〔術〕.

hy·me·ni·tis (hī′me-nī′tis). 処女膜炎.

hy·men·oid (hī′men-oyd). ***1*** = membranous. ***2*** 処女膜様の.

hy·me·no·le·pi·a·sis (hī′me-nō-lĕ-pī′ă-sis). 膜様条虫症（膜様条虫属 *Hymenolepis* による感染症）.

hy·me·no·lep·i·did (hī′me-nō-lep′i-did). 膜様条虫（膜様条虫科の条虫の一般名）.

Hy·men·o·lep·i·di·dae (hī′men-ō-lep′i-did-ē) [G. *hymēn*, membrane + *lepis*, rind]. 膜様条虫科（円葉目条虫の一科をなし，医学的に重要な膜様条虫属 *Hymenolepis* を含む）.

Hy·me·nol·e·pis (hī′me-nol′ĕ-pis) [G. *hymēn*, membrane + *lepis*, rind]. 膜様条虫属（膜様条虫科の円葉目条虫で最大の属）.

H. diminuta 縮小条虫（ラットおよびマウスにみられる条虫の種で，ヒトにはほとんどみられない．嚢尾を有するその幼虫(擬嚢尾虫)は，甲虫，ノミ，毛虫その他の昆虫内に潜伏する）.

H. lanceolata 小槍状条虫（水鳥の条虫で，ヒトにはほとんどみられない）.

H. nana 小型条虫（ヒトに寄生する小型の条虫．ときに小腸に非常に多数みられることがある．擬嚢尾虫(システィセルコイド幼虫)は 2 通りの方法で発生可能である．すなわち，終宿主のみでは，患者からの虫卵が直接他のヒトに感染し，そこでは幼虫期と成虫期の双方の虫がみられる．一方，2 つの宿主を通る場合には，昆虫(または甲殻類)を中間宿主，脊椎動物を終宿主として，2 宿主を必須とする多くの円葉類条虫と同じ発育をする．さらに小型条虫は同一のヒトやげっ歯類体内で自家感染し得るため，重篤な再感染を引き起こすことがある）.

H. nana*, var. *fraterna 矮小条虫フラテルナ変種（マウスに適応した矮小条虫 *H. nana* の 1 つの株，系統，または亜種．ヒトへの感染性も保留しているらしい．ヒト寄生の種である *H. nana* は，元来は恐らくげっ歯類寄生系統に由来したものであろう）.

hy·me·nol·o·gy (hī′me-nol′ŏ-jē) [G. *hymēn*, membrane + *logos*, study]. 膜学（身体の膜を扱う解剖学および生理学の分野）.

Hy·me·nop·ter·a (hī′me-nop′tĕr-ă) [G. *hymēn*, membrane + *pteron*, wing]. 膜翅目（昆虫の一目で，ミツバチ類，スズメバチ類，アリ類を含み，1 対の前後翅が連結した膜状の翅をもつのを特徴とする．社会的・群体的行動が高度に発達している）.

hy·me·not·o·my (hī-me-not′ŏ-mē) [G. *hymēn*, membrane + *tomē*, incision]. 処女膜切開〔術〕，膜切開〔術〕.

hyo- (hī′ō) [G. *hyoeides* υ に似た形の]. U 字形の，または舌骨の，を意味する連結形.

H

hy·o·ep·i·glot·tic (hī′ō-ep′i-glot′ik). 舌骨喉頭蓋の（舌骨と喉頭蓋に関する．この２構造を結合する弾力性の舌骨喉頭蓋靱帯を表す）．＝hyoepiglottidean.

hy·o·ep·i·glot·tid·e·an (hī′ō-ep′i-glo-tid′ē-ăn). ＝hyoepiglottic.

hy·o·glos·sal (hī′ō-glos′ăl). 舌骨舌筋の（[hypoglossal と混同しないこと]．舌骨と舌筋に関する）．＝glossohyal.

hy·o·glos·sus (hī′ō-glos′ŭs). 舌骨舌筋．＝hyoglossus (*muscle*).

hy·oid (hī′oyd) [G. *hyoeidēs* υ のような形をした]．U字形の，V字形の，舌骨の（舌骨 *os* hyoideum，舌骨器官 *apparatus* hyoideus を表す．→hyoid *bone*）．

hy·o·pha·ryn·ge·us (hī′ō-far′in-jē′ŭs). 舌骨咽頭の（→middle constrictor (*muscle*) of pharynx）．

hy·o·scine (hī′ō-sēn). ヒオスシン．＝scopolamine.

hy·o·scy·a·mine (hī′ō-sī′ă-mēn). ヒヨスチアミン（ヒヨス葉，ベラドンナ，デュボイシア，ダツラに含まれるアルカロイド．ラセミ体であるアトロピンの左旋性物質．鎮痙・鎮痛・鎮静薬として用いる．臭化水素酸ヒヨスチアミンも同じ目的に用いられる）．

h. sulfate 硫酸ヒヨスチアミン（鎮痙・催眠・鎮静薬として，またパーキンソン症候群において，震え，硬直，過度の唾液分泌の治療に用いる）．

hy·o·scy·a·mus (hī′ō-sī′ă-mŭs) [G. *hyoskyamos*, henbane or hog's bean < *hys*, gen. *hyos*, a hog + *kyamos*, a bean]. ナス科のヒヨス *Hyoscyamus niger* の葉および花頭．ヒヨスチアミンとヒヨスチン(スコポラミン)を含む．抗コリン作用薬，鎮痙薬．＝henbane.

hy·o·thy·roid (hī′ō-thī′royd). 甲状舌骨の（[hypothyroid と混同しないこと]．→thyrohyoid *membrane*）．

Hyp hypoxanthine; hydroxyproline の略(特に 3Hyp は 3-hydroxyproline の略で，4Hyp は 4-hydroxyproline の略である)．

3Hyp 3-hydroxyproline の略．

4Hyp 4-hydroxyproline の略．

hyp- (hīp). [本接頭語と hyper- を混同しないこと]．接頭語 hypo-の変形で，母音の前に用いることが多い．*cf.* sub-.

hy·pa·cu·sis, hyp·a·cu·si·a (hī′pă-kū′sis, hip′ă-; hī′pă-koo′zē-ă, hip′ă-) [hypo- + G. *akousis*, hearing]. 聴力障害，難聴．＝hypoacusis.

hy·pal·bu·mi·ne·mi·a (hī′pal-byū′mi-nē′mē-ă, hip′al-) [G. *hypo*, under + albuminemia]. ＝hypoalbuminemia.

hy·pal·ge·si·a (hī′pal-jē′zē-ă, hip-al-) [G. *hypo*, under + *algēsis*, sense of pain]. 痛覚鈍麻（痛みの感覚が減少すること）．＝hypoalgesia.

hy·pal·ge·sic, hyp·al·get·ic (hī′pal-jē′sik, hip-al-; -jet′ik). 痛覚鈍麻の．

hy·pam·ni·on, hyp·am·ni·os (hī-pam′nē-on, -nē-os) [G. *hypo*, under + amnion]. 羊水減少〔症〕．＝oligohydramnios.

hy·pan·a·ki·ne·si·a, hyp·an·a·ki·ne·sis (hī-pan′ă-ki-nē′sē-ă, -kin-ē′sis) [G. *hypo*, under + *anakinēsis*, to-and-fro movement]. 運動機能低下〔症〕（正常な胃または腸の運動が低下すること）．

hy·par·te·ri·al (hī′par-tēr′ē-ăl, hip-ar-) [G. *hypo*, beneath + *artēria*, artery]. 動脈下の．

hy·pax·i·al (hī-pak′sē-ăl, hip-ak′) [G. *hypo*, beneath + axis]. 軸下の（脊髄の軸または肢の軸など，軸の下にあるものについていう．→hypomere）．

hy·paz·o·tu·ri·a (hī′paz-ō-tyū′rē-ă). ＝hypoazoturia.

hy·pen·ceph·a·lon (hī′pen-sef′ă-lon) [G. *hypo*, under + *enkephalos*, brain]. 下脳（中脳，橋，延髄をいう）．

hy·pen·gy·o·pho·bi·a (hī′pen′gī-ō-fō′bē-ă) [G. *hypengyos*, responsible + *phobos*, fear]. 責任恐怖〔症〕（責任に対する病的な恐れ）．

hyper- (hī′pĕr) [G. *hyper*, above, over]. [本接頭語と hyp- を混同しないこと]．過剰，または正常範囲を超えていること，を意味する接頭語．hypo- の対語．

hy·per·ab·duc·tion (hī′pĕr-ab-dŭk′shŭn). ＝superabduction.

hy·per·a·cid·i·ty (hī′pĕr-a-sid′i-tē). 過酸〔症〕（胃酸のように，異常に酸度が高いこと）．

hy·per·ac·tiv·i·ty (hī′pĕr-ak-tiv′i-tē). ***1*** 機能亢進．＝superactivity. ***2*** 多動，注意欠陥児（注意散漫児や多動児を特徴付けるような，全体的落着きのなさや運動過多）．

hy·per·a·cu·sis, hy·per·a·cu·si·a (hī′pĕr-ă-kū′sis, -kū′sē-ă). 聴覚過敏（通常の環境音に対する嫌悪的または苦痛な反応を伴うような音に対する感度の亢進．→decreased sound *tolerance*; misophonia; phonophobia）．

hy·per·ad·e·no·sis (hī′pĕr-ad′ĕ-nō′sis) [hyper- + G. *adēn*, gland + *-ōsis*, condition]. 腺腫脹〔症〕（腺，特にリンパ節の腫脹をいう）．

hy·per·ad·i·po·sis, hy·per·ad·i·pos·i·ty (hī′pĕr-ad′i-pō′sis, -pos′i-tē). 脂肪過剰〔症〕（脂肪の量が極端に多いこと）．

hy·per·a·dre·nal·cor·ti·cal·ism, hy·per·a·dre·no·cor·ti·cal·ism (hī′pĕr-ă-drē′năl-kōr′ti-kăl-izm, hī′per-ă-drē′nō-kōr′ti-kăl-izm). ＝hypercorticoidism.

hy·per·al·a·nin·e·mi·a (hī′pĕr-al′ă-nēn-ē′mē-ă). 高アラニン血症（血清アラニンの上昇している状態）．

hy·per-β-al·a·nin·e·mi·a (hī′pĕr-al′ă-nēn-ē′mē-ă). 高β-アラニン血症（血清 β-アラニンが上昇している状態で，β-アラニン：ピルビン酸アミノトランスフェラーゼの欠乏によると考えられている．中枢神経系機能の障害をきたす）．

hy·per·al·do·ste·ron·ism (hī′pĕr-al-dos′tĕr-on-izm). 高アルドステロン症．＝aldosteronism.

hy·per·al·ge·si·a (hī′pĕr-al-jē′zē-ă) [hyper- + G. *algos*, pain]. 痛覚過敏（痛みの刺激に対して過敏であること，閾値が上昇すること）．

hy·per·al·ge·sic, hy·per·al·get·ic (hī′pĕr-al-jē′sik, -jet′ik). 痛覚過敏の．

hy·per·al·i·men·ta·tion (hī′pĕr-al′i-men-tā′shŭn). 高栄養療法，過栄養（栄養欠乏症をなくす目的で，最低必要量よりも栄養素を大量に投与または消費すること）．＝superalimentation; suralimentation.

enteral h. 経腸高栄養療法（腸管に挿入したカテーテルを通した必須栄養素の投与による高栄養療法．通常，少しでも機能を有する小腸を一部有する患者に用いられる）．

parenteral h. 非経口的高栄養療法（経口的に十分な栄養を摂取できない患者に中心静脈カテーテルにより十分な栄養を補給すること）．

hy·per·al·lan·to·i·nu·ri·a (hī′pĕr-ă-lan′tō-i-nyū′rē-ă). 高アラントイン尿〔症〕，アラントイン過剰尿〔症〕（尿中にアラントインが過剰に排出されること）．

hy·per·al·pha·lip·o·pro·tein·e·mi·a (hī′pĕr-ăl′fă-lip-ō-prō′tēn-ē′mē-ă) [MIM*143470]. 高アルファリポプロテイン血症（遺伝性疾患で，血清中に高比重リポ蛋白が上昇する病態）．

hy·per·am·i·no·ac·i·du·ri·a (hī′pĕr-am′i-nō-as′i-dyū′-rē-ă). 高アミノ酸尿〔症〕，アミノ酸過剰尿〔症〕．＝aminoaciduria.

hy·per-β-am·i·no·i·so·bu·ty·ric ac·i·du·ri·a (hī′pĕr-am′i-nō-ī′sō-byū-ti′rik as′i-dū′rē-ă). 尿中の β-aminoisobutyric acid の上昇がみられる．肝臓の β-aminoisobutyrate: pyruvate aminotransferase の欠損によると考えられている．

hy·per·am·mo·ne·mi·a (hī′pĕr-am′ō-nē′mē-ă). 高アンモニア血〔症〕，アンモニア過剰血〔症〕．＝ammonemia.

hy·per·am·y·la·se·mi·a (hī′pĕr-am′i-lā-sē′mē-ă) [hyper- + amylase + G. *haima*, blood]. 高アミラーゼ血〔症〕，アミラーゼ過剰血〔症〕（血清アミラーゼが増加することで，急性膵炎の特徴の１つとして通常みられる）．

hy·per·an·a·ci·ne·si·a, hy·per·an·a·ci·ne·sis (hī′pĕr-an′ă-si-nē′zē-ă, -nē′sis). ＝hyperanakinesia.

hy·per·an·a·ki·ne·si·a, hy·per·an·a·ki·ne·sis (hī′pĕr-an′ă-ki-nē′zē-ă, -ki-nē′sis) [hyper- + G. *anakinēsis*, to-and-fro movement]. 運動機能亢進〔症〕（例えば，胃または腸などの過剰な動き）．＝hyperanacinesia; hyperanacinesis.

hy·per·a·phi·a (hī′pĕr-ā′fē-ă) [hyper- + G. *haphē*, touch]. 触覚過敏．＝oxyaphia; tactile hyperesthesia.

hy·per·aph·ic (hī′pĕr-af′ik). 触覚過敏の．

hy·per·ar·gi·ni·ne·mi·a (hī′pĕr-ar′ji-ni-nē′mē-a). 高アルギニン血症（血漿中のアルギニン値が上昇した状態．通常，アルギナーゼの欠損に伴う）．

hy·per·bar·ic (hī′pĕr-bar′ik) [hyper- + G. *baros*, weight].

高圧の，高比重の（①周囲の気体の圧が 1 大気圧以上についていう．②溶液については，希釈液または媒質より濃度が高い場合についていう．例えば，脊髄麻酔の場合，高比重局所麻酔薬は脊髄液より濃度が高い）．

hy·per·bar·ism (hī′pĕr-bar′izm) [hyper- + G. *baros*, weight]. 高圧症（周囲の気圧が 1 大気圧より高いため起こる身体の変調．例えば，窒素性ナルコーシス，酸素毒性，減圧痛など）．

hy·per·be·ta·lip·o·pro·te·in·e·mi·a (hī′pĕr-bā′tă-lip′ō-prō-tē-inē′mē-ă). 高 β リポ蛋白血〔症〕，β リポ蛋白過剰血〔症〕（血液中の β リポ蛋白濃度が高いこと）．

familial h. 家族性高 β リポ蛋白血〔症〕，家族性 β リポ蛋白過剰血〔症〕（→familial *hyperlipoproteinemia* type II）．

familial h. and hyperprebetalipoproteinemia ＝familial *hyperlipoproteinemia* type III.

hy·per·bil·i·ru·bi·ne·mi·a (hī′pĕr-bil′i-rū-bi-nē′mē-ă). 高ビリルビン血〔症〕，ビリルビン過剰血〔症〕（循環血液中に異常に高い値のビリルビンが存在すること．濃度が十分に高くなると臨床的に明らかな黄疸となる）．

neonatal h. 新生児高ビリルビン血症（血清ビリルビンが 12.9 mg/dL(220 μmol/L)以上，または 1 日に 5 mg/dL 以上の速度で上昇している状態．非生理的な高ビリルビン血症の意味にも用いられる．例えば，生後 24 時間内に出現したり，または生後 1 週間以上乳児期まで延長する黄疸）．

hy·per·brach·y·ceph·a·ly (hī′pĕr-brak′ē-sef′ă-lē) [hyper- + G. *brachys*, short + *kephalē*, head]. 高短頭〔蓋〕〔症〕（85 以上の頭指数をもつ重症の短頭症）．

hy·per·cal·ce·mi·a (hī′pĕr-kal-sē′mē-ă). 高カルシウム血症（循環血液中のカルシウム化合物濃度が異常に高くなること．通常，血中カルシウムイオンの高濃度を表すのに用いる）．

humoral h. of benignancy 良性体液性高カルシウム血症（良性腫瘍の副甲状腺ホルモン様の蛋白によって起こる高カルシウム血症）．

idiopathic h. of infants 乳幼児特発性高カルシウム血症（原因不明の持続性高カルシウム血症で，骨軟化症，腎不全，およびときには高血圧症を伴う．また，弁上の大動脈の狭窄，小人のような顔，精神遅滞を伴うことがある）．

hy·per·cal·ci·u·ri·a, hy·per·cal·ci·nu·ria, hy·per·cal·cu·ria (hī′pĕr-kal′sē-yu′rē-ă, hī′pĕr-kal-si-nyū′rē-ă, hī′pĕr-kal-kyū′rē-ă). 高カルシウム尿〔症〕，カルシウム過剰尿〔症〕（副甲状腺機能亢進症やある種の遺伝性低リン血症くる病のように，尿中に異常に大量のカルシウムが排出されること）．＝calcinuric diabetes.

hy·per·cap·ni·a (hī′pĕr-kap′nē-ă) [hyper- + G. *kapnos*, smoke, vapor]. 高炭酸ガス〔症〕，炭酸ガス過剰〔症〕（動脈炭酸ガス圧が異常に増加すること）．＝hypercarbia.

hy·per·car·bi·a (hī′pĕr-kar′bē-ă). ＝hypercapnia.

hy·per·car·di·a (hī′pĕr-kar′dē-ă) [hyper- + G. *kardia*, heart]. 心〔臓〕肥大.

hy·per·cat·a·bol·ic (hī′pĕr-kat′ă-bol′ik). 異化の亢進している（異化の亢進状態に関連している）．

hy·per·ca·tab·o·lism (hī′pĕr-kă-tab′ŏ-lizm). 異化亢進（一般に体組織の分解が亢進している状態．体重減少や体力の消耗が生じる）．

hy·per·ca·thar·sis (hī′pĕr-kă-thar′sis) [hyper- + G. *katharsis*, a cleansing]. 峻下，過剰しゃ(瀉)下（過剰で頻発する排便）．

hy·per·ca·thex·is (hī′per-kă-thek′sis) [hyper- + G. *kathexis*, a holding in, retention]. 過備給，過充当（精神分析において，患者がリビドーまたは興味をある対象，人物，考えなどに過度に投入すること）．

hy·per·ce·men·to·sis (hī′pĕr-sē′men-tō′sis) [hyper- + L. *caementum*, a rough quarry stone + *-osis*, condition]. セメント質肥大（歯根面における第二セメント質の過剰な沈着で，局所の外傷や炎症，歯の過剰な挺出，変形性骨炎，または特発的原因により発症すると考えられている）．＝cementum hyperplasia.

hy·per·chlor·e·mi·a (hī′pĕr-klōr-ē′mē-ă). 高塩素血〔症〕，塩素過剰血〔症〕（循環血液中に異常に大量の塩素イオンが存在すること）．＝chloremia (2).

hy·per·chlor·hy·dri·a (hī′pĕr-klōr-hī′drē-ă) [hyper- + chlorhydric (acid)]. 過塩酸〔症〕（胃中の塩酸の量が過剰であること）．＝chlorhydria; hyperhydrochloria.

hy·per·chlor·u·ri·a (hī′pĕr-klōr-yū′rē-ă). 高塩素尿〔症〕，塩素過剰尿〔症〕（尿中の塩素イオンの分泌量が増加すること）．

hy·per·cho·les·ter·ol·e·mi·a, hy·per·cho·les·ter·e·mia, hy·per·cho·les·ter·in·e·mia (hī′pĕr-kō-les′tĕr-ol-ē′mē-ă, hī′pĕr-kō-les′tĕr-ē′mē-ă, hī′pĕr-kō-les′tĕr-i-nē′mē-ă). 高コレステロール血〔症〕，コレステロール過剰血〔症〕（血液中のコレステロール量が異常に多いこと）．

familial h. [MIM*143890]. 家族性高コレステロール血〔症〕，家族性コレステロール過剰血〔症〕（→familial *hyperlipoproteinemia* type II）．

familial h. with hyperlipemia 高脂肪血を伴う家族性高コレステロール血〔症〕，脂肪過剰血を伴う家族性コレステロール過剰血〔症〕．＝familial *hyperlipoproteinemia* type III.

hy·per·cho·les·ter·o·li·a (hī′per-kō-les′ter-ō′lē-ă). 高コレステロール胆汁〔症〕（胆汁中のコレステロールが異常に大量に存在すること）．

hy·per·cho·li·a (hī′pĕr-kō′lē-ă) [hyper- + G. *cholē*, bile]. 胆汁〔分泌〕過多〔症〕（異常に大量の胆汁が肝臓内でつくられる状態）．

hy·per·chro·maf·fin·ism (hī′pĕr-krō′maf-in-izm). 高クロマフィン症（機能性褐色細胞腫が存在する状態）．

hy·per·chro·ma·si·a (hī′pĕr-krō-mā′zē-ă). ＝hyperchromatism.

hy·per·chro·mat·ic (hī′pĕr-krō-mat′ik) [hyper- + G. *chrōma*, color]. ***1*** 血色素増加〔性〕の，高色素〔性〕の．＝hyperchromic (1). ***2*** クロマチン増加〔性〕の．

hy·per·chro·ma·tism (hī′pĕr-krō′mă-tizm) [hyper- + G. *chrōma*, color]. ＝hyperchromasia; hyperchromia. ***1*** 過度色素沈着．***2*** 過染色性（特にヘマトキシリンに対する細胞核の染色能力が増加すること）．***3*** 染色質過多（細胞核の染色質が増加すること）．

hy·per·chro·mi·a (hī′pĕr-krō′mē-ă). 血色素増加〔症〕，高色素血〔症〕．＝hyperchromatism.

macrocytic h. 大球性血色素増加〔症〕，大球性高色素血〔症〕（赤血球が正常値より大きいために，赤血球 1 個当たりのヘモグロビンの総量は増加するが，しかし通常，赤血球 1 個当たりのヘモグロビンの濃度は正色素性の範囲にあるので，不適切な命名である）．

hy·per·chro·mic (hī′pĕr-krōm′ik). ***1*** ＝hyperchromatic (1). ***2*** 光吸収の増加を表す．***3*** 濃染性の．***4*** 高色素性（正常よりヘモグロビンを多く含むまたは含むようにみえる赤血球についていう）．

hy·per·chy·li·a (hī′pĕr-kī′lē-ă) [hyper- + G. *chylos*, juice]. 胃酸過多〔症〕．

hy·per·chy·lo·mi·cro·ne·mi·a (hī′pĕr-kī′lō-mī′krō-nē′mē-ă). 高乳状脂粒血〔症〕，乳状脂粒過剰血〔症〕（乳状脂粒の血漿濃度が高くなること）．

familial h. 家族性高乳状脂粒血〔症〕，家族性乳状脂粒過剰血〔症〕．＝familial *hyperlipoproteinemia* type I.

familial h. with hyperprebetalipoproteinemia 高プレ β リポ蛋白血症を伴う家族性高乳状脂粒血〔症〕，プレ β リポ蛋白過剰血を伴う家族性乳状脂粒過剰血〔症〕．＝familial *hyperlipoproteinemia* type V.

hy·per·ci·ne·sis, hy·per·ci·ne·sia (hī′pĕr-si-nē′sis, -si-nē′zē-ă). ＝hyperkinesis.

hy·per·co·ag·u·la·bil·i·ty (hī′pĕr-kō-ag′yū-lă-bil′i-tē). 凝固能亢進（凝固能の異常亢進）．

hy·per·co·ag·u·la·ble (hī′pĕr-kō-ag′yū-lă-bĕl). 凝固能亢進性の（異常に凝固能が亢進している状態をいう）．

hy·per·cor·ti·coid·ism (hī′pĕr-kōr′ti-koyd-izm). 高コルチコイド〔症〕，コルチコイド過剰〔症〕（副腎皮質のステロイドホルモンのいずれかが過剰に分泌すること．糖質コルチコイド作用をもつステロイドの大量投与によってつくられる状態を表すのに用いられることもある．例えばヒドロコルチゾン．→Cushing *syndrome*）．＝adrenalism; hyperadrenalcorticalism; hyperadrenocorticalism.

hy·per·cor·ti·sol·ism (hī′pĕr-kōr′ti-sol-izm). →hyperadrenocorticalism.

hy·per·cry·al·ge·si·a (hī′pĕr-krī′al-jē′zē-ă) [hyper- + G.

H

kryos, cold + *algēsis*, the sense of pain]. = hypercryesthesia.

hy·per·cry·es·the·si·a (hī′pĕr-krī′es-thē′zē-ă) [hyper- + G. *kryos*, cold + *aisthēsis*, sensation]. 冷覚過敏（寒さに対する感覚が過敏なこと）. = hypercryalgesia.

hy·per·cu·pre·mi·a (hī′pĕr-kū-prē′mē-ă) [hyper- + L. *cuprum*, copper + G. *haima*, blood]. 高銅血〔症〕, 銅過剰血〔症〕（血漿の銅濃度が異常に高いこと）.

hypercyanescence (hī′pĕr-sī-ă-nes′ens). 高シアン発光（インドシアニングリーン(ICG)蛍光眼底検査の際に，ICG 色素の蛍光が増強して観察される状態）.

hy·per·cy·a·not·ic (hī′pĕr-sī-ă-not′ik). 高度チアノーゼの.

hy·per·cy·e·sis, hy·per·cy·e·sia (hī′pĕr-sī-ē′sis, -ē′zē-ă) [hyper- + G. *kyēsis*, pregnancy]. 重複妊娠，過受胎. = superfetation.

hy·per·cy·the·mi·a (hī′pĕr-sī-thē′mē-ă) [hyper- + G. *kytos*, cell + *haima*, blood]. 赤血球増加〔症〕（循環血液内に，異常に多数の赤血球が存在すること）. = hypererythrocythemia; polycythemia.

hy·per·cy·to·chro·mi·a (hī′pĕr-sī′tō-krō′mē-ă) [hyper- + G. *kytos*, cell + *chrōma*, color]. 〔血球〕過染色〔症〕（細胞，特に血球の染色性が高くなること）.

hy·per·cy·to·sis (hī′pĕr-sī-tō′sis). 〔白〕血球増加〔症〕（循環血液中または組織内の血球数が異常に増加する状態を表す古語．leukocytosis の類義語として用いることもある）.

hy·per·di·crot·ic (hī′pĕr-dī-krot′ik). 高度重拍の. = superdicrotic.

hy·per·dic·ro·tism (hī′pĕr-dik′rō-tizm, -dī′krō-tizm). 高度重拍脈，高度重拍性.

hy·per·dip·loid (hī′pĕr-dip′loid). 高二倍体（二倍体数より多い染色体数をもつもの）.

hy·per·dip·si·a (hī′pĕr-dip′sē-ă) [hyper- + G. *dipsa*, thirst]. 高度口渇〔症〕（強度の渇きで，比較的一時的なもの）.

hy·per·dis·ten·tion (hī′pĕr-dis-ten′shŭn). 高度拡張. = superdistention.

hyperdontia (hī-pĕr-don′shē-ă). 多歯〔症〕の（過剰な数の歯をもっている）.

hy·per·e·cho·ic (hī′pĕr-e-kō′ik). 高エコーの（①超音波検査において，周囲より高い反射濃度をもつ物質についていう．②超音波画像において，正常あるいは周囲の構造より高エコーな部分を意味する）.

hy·per·ek·plex·i·a (hī′pĕr-ek-plek′sē-ă) [hyper- + G. *ekplēxia*, sudden shock < *ekplēssō*,to startle][MIM*149400]. 驚愕過剰〔症〕（病的驚愕反応がみられる遺伝性疾患．予期しない音などの驚くような刺激に対して，過剰に防衛反応を起こす．頭部，頸部，背部，ときに四肢の筋肉に広範な強い突然の収縮を起こし，不随意的な叫び，攣縮，跳躍，転倒などがみられる．第 5 染色体長腕にある遺伝子が関与しており，常染色体優性遺伝または常染色体劣性遺伝である．抑制性神経伝達物質であるグリシンまたは GABA の欠乏が原因と考えられている）. = kok disease; startle disease.

hy·per·em·e·sis (hī′pĕr-em′ĕ-sis) [hyper- + G. *emesis*, vomiting]. 悪阻(おそ)（嘔吐が度重なること）.

h. gravidarum 妊娠悪阻.

h. lactentium 乳児悪阻（幽門狭窄を伴う乳児の嘔吐）.

hy·per·e·met·ic (hī′pĕr-ĕ-met′ik). 悪阻(おそ)の（度重なる嘔吐を特徴とする）.

hy·per·e·mi·a (hī′pĕr-ē′mē-ă) [hyper- + G. *haima*, blood]. 充血（身体の一部，すなわち器官の血流量が増加すること.→congestion）.

active h. 能動性(能動的)充血（拡張毛細血管に動脈血液が充満する充血）. = arterial h.; fluxionary h.

arterial h. 動脈性充血. = active h.

Bier h. (bēr). Bier *method* (1) によって生じる充血を表す，現在では用いられない語.

collateral h. 副血行性充血，側副循環性充血（主動脈から身体のある部分への循環が阻止されて，側枝内の血流が増加すること）.

fluxionary h. 流動性充血. = active h.

passive h. 受動性(受動的)充血（静脈小根の拡張により，罹患部分からの血液の流れが阻止されて起こる充血）. = venous h.

peristatic h. 循環遅滞期充血. = peristasis.

reactive h. 反応性充血（身体の一部への血液供給を停止し，元の状態に戻すと起こる充血）.

venous h. 静脈性充血. = passive h.

hy·per·e·mic (hī′pĕr-ē′mik). 充血〔性〕の.

hy·per·en·ceph·a·ly (hī′pĕr-en-sef′ă-lē) [hyper- + G. *enkephalos*, brain]. 脳露出症（頭蓋天井の胎生期発達不全で，十分に形成されていない脳を示す）.

hyperenzymemia (hī′pĕr-en-zīm-ē′mē-ă) [hyper- + enzyme + -emia]. 高酵素血症（非特異的だが便利な用語．血清酵素濃度の相対的上昇を示す．上昇の程度は本語が用いられる状況によって異なる）.

hy·per·e·o·sin·o·phil·i·a (hī′pĕr-ē′ō-sin-ō-fil′ē-ă). 過好酸球増加〔症〕（循環血液中または組織内の好酸性顆粒球が異常に増加すること．例えば，通常は好酸球の増加量が 10—30 % の病気の場合に，50—60 %(またはそれ以上)の増加がみられると過好酸球増加症とみなす）.

hy·per·er·gi·a (hī′pĕr-ĕr′jē-ă). ヒペルエルギー（アレルギー性過敏症を表す現在では用いられない語）. = hypergia.

hy·per·er·gic (hī′pĕr-ĕr′jik). ヒペルエルギーの. = hypergic.

hy·per·e·ryth·ro·cy·the·mi·a (hī′pĕr-ĕ-rith′rō-sī-thē′mē-ă). = hypercythemia.

hy·per·es·o·pho·ri·a (hī′pĕr-es-ō-fō′rē-ă) [hyper- + G. *esō*, inward + *phora*, movement]. 上内斜位（両眼の視力を遮ったとき，一方の眼が上方かつ内側に寄ること）.

hy·per·es·the·si·a (hī′pĕr-es-thē′zē-ă) [hyper- + G. *aisthēsis*, sensation]. 知覚過敏，触覚過敏（接触，痛み，その他の感覚刺激に対し異常に過敏なこと）.

auditory h. 聴覚過敏（聴覚の感度の異常.→hyperacusis）.

cervical h. 歯頸部知覚過敏〔症〕（ぞうげ質の口腔内露出による歯頸部の過敏）.

gustatory h. 味覚過敏. = hypergeusia.

muscular h. 筋感覚過敏（圧力に対する筋肉の過敏）.

olfactory h., h. olfactoria 嗅覚過敏. = hyperosmia.

h. optica 光線過敏（光線に対する眼の極端な過敏.→photophobia; photosensitivity）.

tactile h. 触覚過敏. = hyperaphia.

hy·per·es·thet·ic (hī′pĕr-es-thet′ik). 知覚過敏の，触覚過敏の.

hy·per·eu·ry·pro·so·pic (hī′pĕr-yū′ri-prō-so′pik) [hyper- + G. *eurys*, wide + *prosōpon*, face]. 超広顔の（非常に幅広く低い顔についての）.

hy·per·ex·o·pho·ri·a (hī′pĕr-ek′sō-fō′rē-ă) [hyper- + G. *exō*, outward + *phora*, movement]. 上外斜位（両眼視力を遮ったとき，一方の眼が上方かつ外側に寄ること）.

hy·per·ex·ten·sion (hī′pĕr-eks-ten′shŭn). 過伸展（肢，または他の部位が正常限度以上にのびること）. = overextension; superextension.

hy·per·fer·re·mi·a (hī′pĕr-fĕr-ē′mē-ă). 高鉄血〔症〕（血清の鉄含有量が多いこと．血色素症にみられる）.

hy·per·fi·brin·o·ge·ne·mi·a (hī′pĕr-fī-brin′ō-jĕ-nē′mē-ă). フィブリノ〔ー〕ゲン過剰血〔症〕，線維素原過剰血〔症〕，高フィブリノーゲン血〔症〕，高線維素原血〔症〕（血液中のフィブリノーゲン量が増加すること）. = fibrinogenemia.

hy·per·fi·bri·nol·y·sis (hī′pĕr-fī′brin-ol′i-sis). 線溶亢進（[誤った発音 hyperfibrinoly′sis を避けること]．硬膜下血腫でみられるような線維素溶解現象の著明な亢進状態）.

hy·per·flex·ion (hī′pĕr-flek′shŭn). 過屈曲（肢または部位が正常以上に屈曲すること）. = superflexion.

hyperfluorescence (hı′pĕr-flōr-es′ens). 過蛍光（フルオレセイン血管造影で眼底に観察されるフルオレセイン色素の増強した蛍光）.

hyperforin (hī′pĕr-fōr′in). ハイパーフォリン（セント・ジョンズ・ワート(セイヨウオトギリ草 *Hypericum perforatum*)に含まれる成分）.

hyperfractionation (hī′pĕr-frak-shŭn-ā′shŭn). 過分割照射，多分割照射（1 日に 2 回以上施行される放射線治療）.

hy·per·fruc·to·se·mi·a (hī′pĕr-fruk′tō-sē′mē-ă). 高フルクトース血症（血清フルクトース値の上昇した状態）.

hy·per·gal·ac·to·sis (hī′pĕr-gal′ak-tō′sis) [hyper- + G. *gala*, milk + *-ōsis*, condition]. 乳汁〔分泌〕過多〔症〕, 過乳〔症〕.

hy·per·gam·ma·glob·u·lin·e·mi·a (hī′pĕr-gam′ă-glob′yū-lin-ē′mē-ă). 高ガンマグロブリン血〔症〕, ガンマグロブリン過剰血〔症〕(血漿中の γ-グロブリンの量が増加することで, 慢性感染症にしばしばみられる).

hy·per·gan·gli·on·o·sis (hī′pĕr-gang′glē-ō-nō′sis). 神経節細胞増殖〔症〕. =neuronal *hyperplasia.*

hy·per·gen·e·sis (hī′pĕr-jen′ĕ-sis) [hyper- + G. *genesis*, production]. 発育過度性肥大(身体の部分あるいは器官の過度の発育または余分な成育).

hy·per·ge·net·ic (hī′pĕr-jĕ-net′ik). 発育過度性肥大の.

hy·per·gen·i·tal·ism (hī′pĕr-jen′i-tăl-izm). 性器発育過度(性器が過度に発育すること).

hy·per·geu·si·a (hī′pĕr-gū′sē-ă, -jū′sē-ă) [hyper- + G. *geusis*, taste]. 味覚過敏. =gustatory hyperesthesia.

hy·per·gi·a (hī-pĕr′jē-ă). =hyperergia.

hy·per·gic (hī-pĕr′jik). =hyperergic.

hy·per·glan·du·lar (hī′pĕr-glan′dyū-lăr). 腺機能亢進の(腺の過剰機能, または拡大を特徴とするものについていう).

hy·per·glob·u·li·a, hy·per·glob·u·lism (hī′pĕr-glob-yū′lē-ă, -glob′yū-lizm) [hyper- + L. *globulus*, globule]. polycythemia の古語.

hy·per·glob·u·lin·e·mi·a (hī′pĕr-glob′yū-lin-ē′mē-ă). 高グロブリン血〔症〕, グロブリン過剰血〔症〕(循環血漿中のグロブリン濃度が異常に高値であること).

hy·per·gly·ce·mi·a (hī′pĕr-glī-sē′mē-ă) [hyper- + G. *glykys*, sweet + *haima*, blood]. 高血糖〔症〕, 過血糖〔症〕(循環血液中のグルコース濃度が異常に高いことで, 特に糖尿病患者にみられる). =hyperglycosemia.

posthypoglycemic h. 低血糖後性高血糖. =Somogyi *phenomenon.*

hy·per·glyc·er·i·de·mi·a (hī′pĕr-glis′ĕr-i-dē′mē-ă). 高グリセリド血〔症〕, グリセリド過剰血〔症〕(血漿中のグリセリド濃度が高くなること).

endogenous h. 内因性高グリセリド血〔症〕, 内因性グリセリド過剰血〔症〕(IV 型家族性高リポ蛋白血症, あるいはより一般的にみられる非家族性の散発性の変種がある).

exogenous h. 外因性高グリセリド血〔症〕, 外因性グリセリド過剰血〔症〕(カイロミクロンの血漿中からの除率が低下することによって生じる持続性高グリセリド血症で, 食事に起因する. アルコール中毒, 甲状腺機能低下症, インスリン欠乏性糖尿病, I 型・V型高リポ蛋白血症, および急性膵炎においてみられる).

hy·per·gly·ci·ne·mi·a (hī′pĕr-glī′si-nē′mē-ă). 高グリシン血〔症〕, グリシン過剰血〔症〕(血漿中のグリシン濃度が高くなること).

ketotic h. ケトン型高グリシン血症(プロピオニル CoA カルボキシラーゼの欠損(PCC)により生じる遺伝性の代謝疾患. PCC はビオチンを補酵素としてプロピオン酸をメチルマロン酸に変換する. PCC をコードしている第 13 染色体長腕(*PCCA*)か, 第 3 染色体長腕(*PCCB*)にある遺伝子の突然変異により生ずる. 突発的な嘔吐, 無気力, 高アンモニア血症, 高グリシン血症やケトアシドーシスなどの臨床症状を呈する. 痙攣や昏睡にて死亡することもある). =methylmalonic acidemia; propionic acidemia.

nonketotic h. [MIM*238300]. 非ケトン性高グリシン血〔症〕(先天性のグリシン代謝障害で, グリシン分解系のグリシンジカルボキシラーゼ P 蛋白(GCSP)の欠乏による. 昏睡, 痙攣, 死をきたす特徴的な新生児疾患で, まれではあるが, 段階的な成長の遅れ, 焦点発作, 精神遅滞がみられる. 脳脊髄液と尿中の血漿グリシン値の著しい上昇があり, 血漿高浸透圧, 重篤な脱水症を伴うが, ケトアシドーシスは起こらない. 常染色体劣性遺伝. 第 9 染色体短腕の *GCSP* 遺伝子の突然変異が原因である).

hy·per·gly·ci·nu·ri·a (hī′pĕr-glī′si-nyū′rē-ă). 高グリシン尿〔症〕, グリシン過剰尿〔症〕(尿中のグリシン排出量が多いこと).

hy·per·gly·co·ge·nol·y·sis (hī′pĕr-glī′kō-jĕ-nol′i-sis) [hyper- + glycogen + G. *lysis*, loosening]. 糖原分解過度.

hy·per·gly·cor·rha·chi·a (hī′pĕr-glī′kō-rak′ē-ă) [hyper- + G. *glykys*, sweet + *rhachis*, spine]. 髄液糖過剰〔症〕.

hy·per·gly·co·se·mi·a (hī′pĕr-glī′kō-sē′mē-ă). =hyperglycemia.

hy·per·gly·co·su·ri·a (hī′pĕr-glī′kō-syū′rē-ă). 高血糖〔症〕性糖尿, 高尿糖〔症〕(尿中に, 持続的に大量のグルコースが排出されること. すなわち重度の糖尿をいう).

hy·per·gly·ox·yl·e·mi·a (hī′pĕr-glī-ok′si-lē′mē-ă). 高グリオキシル〔塩〕血〔症〕, グリオキシル〔塩〕過剰血〔症〕(血漿中および組織内のグリオキシル塩の濃度が高くなること. チアミン不足の場合に起こることがある).

hy·per·gno·sis (hī′pĕrg-nō′sis) [hyper- + G. *gnōsis*, knowledge]. 過剰知覚([二重字 gn において, g は語頭にあるときのみ無音である]. ①内的葛藤を外界に投射すること. ②疎外感の拡大のように物事を過大にとらえること).

hy·per·go·nad·ism (hī′pĕr-gō′nad-izm). 性機能亢進〔症〕(生殖腺ホルモンの分泌過剰に起因する病態).

hy·per·go·nad·o·tro·pic (hī′pĕr-gō′nad-ō-trop′ik). 性腺刺激ホルモン過剰の(性腺刺激ホルモンの生産増加または分泌増加についていう).

hy·per·gran·u·lo·sis (hī′pĕr-gran′yū-lō′sis) [hyper- + (stratum) granulosum + *-osis*, condition]. 顆粒層肥厚(角質増殖に伴って, 表皮の顆粒層が肥厚すること).

hy·per·guan·i·di·ne·mi·a (hī′pĕr-gwan′i-di-nē′mē-ă). 高グアニジン血〔症〕, グアニジン過剰血〔症〕(循環血液中に異常に大量のグアニジンが存在するような状態).

hy·per·gy·ne·cos·mi·a (hī′pĕr-gī′nĕ-koz′mē-ă) [hyper- + G. *gyne*, woman + *kosmeō*, to decorate]. 過女性化成熟, 過女性化〔症〕(成人女子の二次性徴の過剰な発育, または少女にみられる早熟).

hy·per·he·do·ni·a, hy·per·he·do·nism (hī′pĕr-hē-dō′nē-ă, -hē′don-izm) [hyper- + G. *hēdonē*, pleasure]. 快感過敏(どんな行為または出来事に対しても異常に大きな快感を感じること).

hy·per·he·mo·glo·bi·ne·mi·a (hī′pĕr-hē′mō-glō′bi-nē′-mē-ă). 高血色素血〔症〕, 高ヘモグロビン血〔症〕, 血色素過剰血〔症〕, ヘモグロビン過剰血〔症〕(循環血漿中に異常に大量のヘモグロビンが存在すること).

H

hy·per·hep·a·ri·ne·mi·a (hī′pĕr-hep′a-ri-nē′mē-ă) [MIM*144050]. 高ヘパリン血〔症〕, ヘパリン過剰血〔症〕(血漿中のヘパリン濃度が高いこと. 遺伝性出血の原因と考えられている. 恐らく常染色体優性遺伝である).

hy·per·hi·dro·sis (hī′pĕr-hī-drō′sis) [hyper- + hidrosis]. 発汗過多〔症〕, 多汗〔症〕. =polyhidrosis; sudorrhea.

gustatory h. [MIM*144100]. 味覚性多汗症(ある種の食物を摂取した後, 口唇, 鼻, および前額に生じる発汗亢進. 多くの場合生理的に生じるが, ときに耳下腺手術後や頭頸部の副交感あるいは交感神経に対する障害によっても生じる).

hyperhomocysteinemia (hī′pĕr-hō′mō-sis′tē-in-ē′mē-ă). 高ホモシステイン血〔症〕(血漿ホモシステインが 12 μmol/L より高く, 動脈硬化, 内皮細胞損傷によることが明らかな静・動脈血栓を伴う疾患. 後天性の場合は B_{12}, B_6, 葉酸塩で治療できる).

hy·per·hy·dra·tion (hī′pĕr-hī-drā′shŭn). 水分過剰, 過水〔症〕(体内に過剰の水分が存在すること. グルコース溶液を不当に大量に静脈注射すると起こると考えられる). =overhydration.

hy·per·hy·dro·chlor·i·a (hī′pĕr-hī-drō-klōr′ē-ă). =hyperchlorhydria.

hy·per·hy·dro·chlor·id·i·a (hī′pĕr-hī′drō-klōr-id′ē-ă) [hyper + *hydrochloric*, acid + -ia]. 過酸症(胃の過度の酸分泌. 消化性潰瘍に関連する).

hy·per·hy·dro·pex·y, hy·per·hy·dro·pex·is (hī′pĕr-hī′drō-pek-sē, hī′pĕr-hī-drō-pek′sis) [hyper- + G. *hydōr*, water + *pēgnymi*, to fasten]. 水分固定過度(組織内に水を過度に固定すること).

hy·per·hy·drox·y·pro·li·ne·mi·a (hī′pĕr-hī-drok′sē-prō-li-nē′mē-ă). 高ヒドロキシプロリン血〔症〕(→hydroxyprolinemia).

hypericin (hī-pĕr-i-sin). ヒペリシン(セイヨウオトギリソウ(*Hypericum perforatum*)の成分. →St. John's *wort*).

hy·per·im·i·do·di·pep·ti·du·ri·a (hī′pĕr-im′i-dō-dī-pep′ti-dūr-ē-ă). 高イミドジペプチド尿〔症〕（プロリダーゼ欠損のためイミドジペプチド(例えば Xaa–Pro)が尿中に多く排出されている病態）.

hy·per·im·mune (hī′pĕr-im-yūn′). 超免疫〔状態〕の（繰返し免疫あるいは感染を受けた結果，血清中の特異抗体が大量に存在する状態をいう）.

hy·per·im·mu·ni·ty (hī′pĕr-im-yū′ni-tē). 超免疫〔性〕（高度に免疫された状態）.

hy·per·im·mu·ni·za·tion (hī′pĕr-im-yū′nī-zā′shŭn). 超免疫〔化〕（①抗原を繰り返して投与することにより高度な免疫状態を誘導することで，アレルギーの減感作でしばしば用いられる．②超免疫状態のガンマグロブリンを投与する受動免疫法）.

hy·per·in·di·can·e·mi·a (hī′pĕr-in′di-kan-ē′mē-ă). 高インジカン血〔症〕，インジカン過剰血〔症〕（循環血液中に異常に大量のインジカンが存在すること．すなわち，通常のインジカン血症よりもさらに大量のインジカンがみられるもの）.

hy·per·in·fec·tion (hī′pĕr-in-fek′shŭn). 超感染（免疫不全の結果，多数の微生物が感染すること．*cf.* superinfection）.

hy·per·in·fla·tion (hī′pĕr-in-flā′shŭn) [hyper- + inflation]. 過膨張（閉塞性肺疾患によってもたらされる，ときに気腫に至る気道と肺胞の過伸で，ぜん息では可逆性に起こり，異物の吸引の結果の球形弁で局所的に起こりうる）.

hy·per·i·no·se·mi·a (hī′pĕr-i′nō-sē′mē-ă) [hyper- + G. *is* (*in-*), fiber + *haima*, blood]. 高線維素血〔症〕，線維素過剰血〔症〕（循環血液中に大量の線維素原が存在すること．ある種の条件下で，異常に大量の線維素がつくられると血液の凝固度が非常に高くなる）. ＝hyperinosis.

hy·per·i·no·sis (hī′pĕr-i-nō′sis). ＝hyperinosemia.

hy·per·in·su·lin·ism, hy·per·in·su·li·ne·mia (hī′pĕr-in′sū-lin-izm, hī′pĕr-in′syū-lin-ē′mē-ă). 高インスリン〔血〕症（膵ベータ細胞よりのインスリン分泌過剰のためインスリン血漿濃度が上昇している状態．肝臓でのインスリン除去が減少しているために生じることもあるが，通常はインスリン抵抗性の病態にみられる．特に高血糖を伴った肥満者に多い）.

alimentary h. 食事(餌)性高インスリン症（食物の胃通過時間の急速な患者(胃切除，迷走神経切除後など)が食事したあとにみられる高インスリン血症．ブドウ糖の急速な吸収によりインスリンが大量に分泌されるので，一過性の高血糖に引き続き，血糖は急速に低下することがある）.

hy·per·in·vo·lu·tion (hī′pĕr-in′vō-lū′shŭn). 子宮過度退縮. ＝superinvolution.

hy·per·i·so·ton·ic (hī′pĕr-ī′sō-ton′ik). ＝hypertonic.

hy·per·ka·le·mi·a (hī′pĕr-kă-lē′mē-ă) [hyper- + G. *kalium*, potash + G. *haima*, blood]. 高カリウム血〔症〕，カリウム過剰血〔症〕（血液中のカリウム濃度が正常値より大きいこと）. ＝hyperkaliemia; hyperpotassemia.

hy·per·kal·i·e·mi·a (hī′pĕr-kal′i-ē′mē-ă). ＝hyperkalemia.

hy·per·kal·u·re·sis (hī′pĕr-kal′yū-rē′sis) [hyper- + G. *kalium*, potassium + G. *oureō*, to urinate]. 高カリウム尿〔症〕，カリウム過剰尿〔症〕（尿中にカリウムが過剰に排出されること）.

hy·per·ker·a·tin·i·za·tion (hī′pĕr-ker′a-tin-i-zā′shŭn). ＝hyperkeratosis.

hy·per·ker·a·to·sis (hī′pĕr-ker′ă-tō′sis). 角質増殖〔症〕，〔過〕角化〔症〕（表皮あるいは粘膜の角質層の肥厚. →keratoderma; keratosis）. ＝hyperkeratinization.

h. congenita 先天性角質増殖〔症〕，先天性角化症. ＝*ichthyosis* vulgaris.

diffuse h. of palms and soles 手掌足底のびまん性過角化（常染色体優性遺伝を呈する疾患で，早期乳児期に発症する．手掌，足底に落屑を伴う角化性局面が特徴で，しばしば多汗を伴う）. ＝Unna-Thost syndrome.

epidermolytic h. [MIM*144200]. 表皮剝離性角質増殖〔症〕，表皮剝離性角化症（限局性の皮膚病変と掌蹠の角化，IgE 上昇を特徴とし，表皮上層の過角化，顆粒層の肥厚と網状変性を認める．常染色体優性遺伝で，第 17 染色体長腕の表皮剝離性掌蹠角皮症遺伝子(*EPPK*)の変異による．汎発型の本症は水疱性先天性魚鱗癬様紅皮症に認められる）. ＝porcupine skin.

h. follicularis et parafollicularis 毛包毛包傍〔結合〕組織角質増殖〔症〕，毛包毛包傍〔結合〕組織角化症（噴火口状の基底部上の一部は孤立し，一部は集合した角栓で，通常は，腎不全のある糖尿病の患者の腕や脚に現れる．恐らく穿孔性毛包炎の重症型. →perforating *folliculitis*）. ＝Kyrle disease.

generalized epidermolytic h. 全身性表皮融解性角化症（全身性表皮解離性角質増殖症）. ＝bullous congenital ichthyosiform *erythroderma*.

h. lenticularis perstans [MIM*144150]. 恒久性レンズ形角質増加症（足背，下肢に生じる角化性小丘疹．別の部位に生じることもあり，掌蹠に帽針大の角化性丘疹を生じる．30—40 歳代に発症する．常染色体優性遺伝）. ＝Flegel disease.

hy·per·ke·to·ne·mi·a (hī′pĕr-kē′tō-nē′mē-ă). 高ケトン血〔症〕，ケトン過剰血〔症〕（血液中のケトン体濃度が高くなること）.

hy·per·ke·ton·u·ri·a (hī′pĕr-kē′tō-nū′rē-ă). 高ケトン尿〔症〕，ケトン過剰尿〔症〕（尿中にケトン化合物が過剰に排出されること）.

hy·per·ki·ne·mi·a (hī′pĕr-ki-nē′mē-ă) [hyper- + G. *kineō*, to move + *haima*, blood]. 運動過剰血〔症〕（循環量が多いこと．循環速度が高いこと．心拍出量が過剰なこと）.

hy·per·ki·ne·sis, hy·per·ki·ne·sia (hī′pĕr-ki-nē′sis, -nē′zē-ă) [hyper- + G. *kinēsis*, motion]. 運動過剰〔症〕，運動亢進〔症〕，多動（①過剰な運動．②過剰な筋活動）. ＝hypercinesis; hypercinesia; supermotility.

hy·per·ki·net·ic (hī′pĕr-ki-net′ik). 運動過剰〔症〕の，運動亢進〔症〕の，多動の.

hy·per·lac·ta·tion (hī′pĕr-lak-tā′shŭn). 乳汁分泌過度. ＝superlactation.

hy·per·leu·ko·cy·to·sis (hī′pĕr-lū′kō-sī-tō′sis). 白血球増加〔症〕（循環血液中または組織中の，白血球の数および比率が異常に大幅な増加をすること．すなわち leukocytosis の通常例よりはるかに多いもの）.

hy·per·lex·i·a (hī-pĕr-lek′sē-ă) [hyper- + G. *lexis*, word, phrase][MIM*238350]. ハイパレクシア，読字過剰（機能強化された，促進された，より一層の読書力技能．様々な発達障害の患者の特徴を表現・描写・記述するのに使われる）.

hy·per·li·pe·mi·a (hī′pĕr-li-pē′mē-ă). 高脂〔肪〕血〔症〕，脂肪過剰血〔症〕（血漿中の脂質値の上昇．高脂血症には数種の型があり，その 1 つは δ–アミノアジピン酸セミアルデヒド合成酵素の欠損に合併している. →lipemia; hyperlipidemia）.

carbohydrate-induced h. ＝familial *hyperlipoproteinemia* type III; familial *hyperlipoproteinemia* type IV.

combined fat- and carbohydrate-induced h. ＝familial *hyperlipoproteinemia* type V.

familial combined h. →familial *hyperlipoproteinemia*.

familial fat-induced h. ＝familial *hyperlipoproteinemia* type I.

idiopathic h. ＝familial *hyperlipoproteinemia* type I.

mixed h. ＝familial *hyperlipoproteinemia* type V.

hy·per·lip·id·e·mi·a (hī′per-lip-i-dē′mē-ă). 高脂〔質〕血〔症〕. ＝lipemia.

familial h. 家族性高脂血症. ＝LDL receptor *disorder*.

mixed h. 混合型高脂血症. ＝mixed hyperlipoproteinemia familial, type 5 h.

mixed hyperlipoproteinemia familial, type 5 h. 家族性混合型高リポ蛋白血〔症〕（血漿中に VLDL とカイロミクロンが上昇する高脂血症(5 型)）. ＝mixed h.

hy·per·lip·oi·de·mia (hī′pĕr-lip-oy-dē′mē-ă). 高類脂〔質〕血〔症〕. ＝lipemia.

hy·per·lip·o·pro·te·in·e·mi·a (hī′pĕr-lip′ō-prō′tēn-ē′mē-ă). 高リポ蛋白血〔症〕，リポ蛋白過剰血〔症〕（血中リポ蛋白濃度が増加すること）.

acquired h. 後天性高リポ蛋白血〔症〕，後天性リポ蛋白過剰血〔症〕（甲状腺疾患など，原発性疾患の結果として発生するもの．非家族性）.

familial h. 家族性高リポ蛋白血〔症〕，家族性リポ蛋白過剰血〔症〕（βリポ蛋白，プレβリポ蛋白，およびこれらに含まれる脂質の濃度が増加することを特徴とする一群の疾病.

→familial h. type I; familial h. type II; familial h. type III; familial h. type IV; familial h. type V).

familial h. type I [MIM*238600]. 家族性高リポ蛋白血〔症〕I 型，家族性リポ蛋白過剰血〔症〕I 型（普通の食事をとっていても，血漿中に大量のカイロミクロンおよびトリグリセリドが存在し，無脂肪食をとるとこれらが消えるのを特徴とする高リポ蛋白血症．普通の食事でαおよびβリポ蛋白が低い値を示し，無脂肪食下ではこれらが増加，およびヘパリン静注後の脂肪分解能が低下する．腹痛の発作，肝脾腫大，膵炎，発疹性黄色腫を伴う．常染色体劣性遺伝．第8染色体短腕のリポ蛋白リパーゼ遺伝子(LPL)の突然変異による．→familial lipoprotein lipase *inhibitor*). ＝Bürger-Grütz syndrome; familial fat-induced hyperlipemia; familial hyperchylomicronemia; familial hypertriglyceridemia (1); idiopathic hyperlipemia.

familial h. type II [MIM*143890, *144400]. 家族性高リポ蛋白血〔症〕II 型，家族性リポ蛋白過剰血〔症〕II 型（血漿中のβリポ蛋白，コレステロールの値が増加し，トリグリセリドの値は増加しているか，正常値を示すのを特徴とする高リポ蛋白血症．ヘテロ接合体は軽度の脂質異常で，中年期に動脈硬化症を起こしやすい．ホモ接合体は重篤で全身性黄色腫症，眼瞼黄色板症，角膜環，若年者では臨床的に明確な動脈硬化症を伴う．本疾患は2群に分類され，共に常染色体優性遺伝で，ホモ接合体はヘテロ接合体より重症である．ⓘ II A 型：LDL 値は上昇するが，トリグリセリドの値は正常であり，LDL 受容体の欠損が特徴である．第19染色体短腕の LDL 受容体(LDLR)遺伝子の変異による受容体の欠損または修飾された LDL–アポリポ蛋白により起こる．＝familial hypercholesterolemia. ⓘⓘ II B 型：LDL，コレステロール，トリグリセリドの値は上昇する．コレステロール生合成の律速段階酵素である3–ヒドロキシ–3–メチルグルタリル CoA レダクターゼ(HMG–CoA レダクターゼ)の異常調節で起こる．＝familial hyperbetalipoproteinemia; familial hypercholesteremic xanthomatosis).

familial h. type III [MIM*107741]. 家族性高リポ蛋白血〔症〕III 型，家族性リポ蛋白過剰血〔症〕III 型（血漿中の LDL，βリポ蛋白，プレβリポ蛋白，コレステロール，リン脂質，およびトリグリセリドの値が増加するのを特徴とする高リポ蛋白血症．高トリグリセリド血症は高含水炭素により誘発される．耐糖能試験の異常がみられ，しばしば発疹性黄色腫症およびアテローム硬化症，特に冠動脈疾患を伴う．生化学的異常はアポリポ蛋白に認められる．多くの種類があり，一部の病型は第19染色体長腕の *APOE* 遺伝子における突然変異による)．＝carbohydrate-induced hyperlipemia; dysbetalipoproteinemia; familial hyperbetalipoproteinemia; familial hyperprebetalipoproteinemia; familial hypercholesterolemia with hyperlipemia.

familial h. type IV [MIM*144600]. 家族性高リポ蛋白血〔症〕IV 型，家族性リポ蛋白過剰血〔症〕IV 型（血漿中の VLDL，プレβリポ蛋白およびトリグリセリドの値が普通食下においても増加するが，βリポ蛋白，コレステロール，リン脂質は正常値を示すもの．高トリグリセリド血症は，高含水炭素食によって誘発される．耐糖能試験の異常をみたり，虚血性心疾患に罹患しやすくなることがある．恐らく常染色体優性遺伝であるが遺伝的多様性が存在する)．＝carbohydrate-induced hyperlipemia; familial hyperprebetalipoproteinemia; familial hypertriglyceridemia (2).

familial h. type V [MIM*144650]. 家族性高リポ蛋白血〔症〕V 型，家族性リポ蛋白過剰血〔症〕V 型（血漿中のカイロミクロン，VLDL，プレβリポ蛋白，トリグリセリドの値が普通食下においても増加し，コレステロールがわずかに上昇するが，βリポ蛋白は正常値を示すのを特徴とする高リポ蛋白血症．腹痛の発作，肝脾腫大，動脈硬化に対する罹患性，耐糖能試験の異常を伴うことがある．常染色体優性遺伝と思われる)．＝combined fat- and carbohydrate-induced hyperlipemia; familial hyperchylomicronemia with hyperprebetalipoproteinemia; mixed hyperlipemia.

lipoprotein(a) h. リポ蛋白性高脂血症（血清中にリポ蛋白が増加している病態．冠動脈疾患の合併の危険性が高い)．

hy·per·li·po·sis (hī′pĕr-li-pō′sis) [hyper- ＋ G. *lipos*, fat]. *1* 高脂肪症．*2* 高度脂肪変性．

hy·per·li·thu·ri·a (hī′pĕr-li-thyu′rē-ă). 高尿酸尿〔症〕，尿酸過剰尿〔症〕（尿中に尿酸が過剰に排泄されること)．

hy·per·lo·gi·a (hī′pĕr-lō′jē-ă) [hyper- ＋ G. *logios*, eloquent]. 饒舌，多弁（病的なものについていう．→logorrhea)．

hy·per·lor·do·sis (hī′pĕr-lōr-dō′sis). 脊柱前弯過度．

hy·per·lu·cent (hī′pĕr-lū′sĕnt) [hyper- ＋ L. *lucens*, shining ＜ *luceo*, to shine]. 透過性亢進（X線の透過亢進による正常のフイルム黒色調以上を示す胸部X線写真上の部位．→unilateral hyperlucent *lung*)．

hy·per·ly·si·ne·mi·a (hī′pĕr-lī′si-nē′mē-ă) [MIM*238700]. 高リシン血〔症〕，リシン過剰血〔症〕（代謝異常の疾患で，精神遅滞，痙攣，貧血，および無力症が特徴である．リシンケトグルタレートレダクターゼの欠損により末梢血液中のアミノ酸リシンが増加する．一亜型[MIM*268700]として，α–アミノアジピン酸セミアルデヒドシンセターゼの欠損による高リシン血症とサッカロピン血症を示すものがある)．

hy·per·ly·si·nu·ri·a (hī′pĕr-lī′si-nyū′rē-ă). 高リシン尿〔症〕，リシン過剰尿〔症〕（尿中に異常に高濃度のリシンが存在すること．アミノ酸尿症の一形態で，シスチン尿症，肝レンズ核変性症，および Fanconi 症候群において発生するもの)．

hy·per·mag·ne·se·mi·a (hī′pĕr-mag′nĕ-sē′mē-ă). 高マグネシウム血症（血清中に異常に高濃度のマグネシウムが存在すること)．

hy·per·mas·ti·a (hī′pĕr-mas′tē-ă) [hyper- ＋ G. *mastos*, breast]. *1* 多乳房〔症〕．＝polymastia. *2* 乳腺肥大（過度に大きな乳腺)．

hy·per·men·or·rhe·a (hī′pĕr-men′ō-rē′ă) [hyper- ＋ G. *mēn*, month ＋ *rhoia*, flow]. 過多月経，月経過多〔症〕（[polymenorrhea と混同しないこと]．過度な持続性または大量の月経)．＝menorrhagia.

hy·per·me·tab·o·lism (hī′pĕr-mĕ-tab′ŏ-lizm). 代謝亢進（正常値を超えた熱を身体が生産すること．甲状腺中毒症の場合などにみられる)．

extrathyroidal h. 甲状腺外性の代謝亢進状態（甲状腺ホルモンの産生は正常にもかかわらず，代謝が亢進している病態)．

hy·per·met·a·mor·pho·sis (hī′pĕr-met′ă-mōr′fŏ-sis) [hyper- ＋ G. *metamorphōsis*, transformation]. 変形過多（特に，精神障害における思考の急速な変化をさす．→mania; manic-depressive; manic *excitement*)．

hy·per·me·thi·o·ni·ne·mi·a (hī′pĕr-me-thī′ō-nēn-ē-mē-ă). 高メチオニン血症（血清メチオニン値の上昇した状態)．

hy·per·me·tri·a (hī′pĕr-mē′trē-ă) [hyper- ＋ G. *metron*, measure]. 測定過大〔症〕，推尺過大（求める対象物または目標を通り越してしまう運動失調．通常，小脳疾患でみられる．*cf.* hypometria)．

hy·per·me·trope (hī′pĕr-me-trōp′). ＝hyperope.

hy·per·me·tro·pi·a (hī′pĕr-me-trō′pē-ă) [hyper- ＋ G. *metron*, measure ＋ *ōps*, eye]. 遠視．＝hyperopia.

index h. 屈折性遠視（水晶体の屈折力増加のために起こった遠視)．

hy·perm·ne·si·a (hī′pĕrm-nē′zē-ă) [hyper- ＋ G. *mnēmē*, memory]. 記憶増進（①極度の記憶力．②催眠下の能力で，通常状況下において可能と考えられる量をはるかに上回る個々の細目を瞬時に記銘したり，正確に想起するもの)．

hy·per·mo·bil·i·ty (hī′pĕr-mō-bil′i-tē). 過剰運動性（関節の可動域が正常に比べ増大した状態および関節弛緩のことで，幼児や青年においては通常認められるが，その他 Marfan 症候群や Ehlers-Danlos 症候群においてみられる)．

hy·per·morph (hī′pĕr-mōrf) [hyper- ＋ G. *morphē*, form]. *1* 長肢体〔型〕（身長に比べて座高が低い人のことで，肢部が非常に長いことによる．*cf.* hypomorph; ectomorph)．*2* ハイパーモルフ（その遺伝子により制御されている活性を上昇させるような突然変異遺伝子．*cf.* hypomorph)．

hypermutation (hī′pĕr-myū-tā′shŭn). 超変異（抗体分子の H 鎖と L 鎖の遺伝子で起こる高頻度の突然変異のことで，抗体のレパトアの多様性を生み出す)．

hy·per·my·ot·ro·phy (hī′pĕr-mī-ot′rŏ-fē) [hyper- ＋ G. *mys*, muscle ＋ *trophē*, nourishment]. 筋発育過度，筋肥大過度．

H

hy·per·na·tre·mi·a (hī′per-nă-trē′mē-ă) [hyper- + natrium + G. *haima*, blood]. 高ナトリウム血〔症〕，ナトリウム過剰血〔症〕（ナトリウムイオンの血漿中濃度が異常に高いこと）．

hy·per·ne·o·cy·to·sis (hī′pĕr-nē′ō-sī-tō′sis) [hyper- + G. *neos*, new + *kytos*, cell + *-osis*, condition]. 幼若白血球増加〔症〕（白血球増加症で，未熟または幼若細胞(特に顆粒球系列において)がかなり存在するもの．すなわち，ヘモグラムにおいて〝左方移動〟して現れる）．＝hyperskeocytosis.

hy·per·neph·roid (hī-pĕr-nef′royd) [hyper- + G. *nephros*, kidney + *eidos*, appearance]. 副腎様の，副腎に似た．

hy·per·noi·a (hī′pĕr-noy′ă) [hyper- + G. *noeō*, to think]. ***1*** 思考過速．***2*** 精神機能亢進，思考過剰（精神活動または想像力が過剰なことで，躁うつ病の躁病相に典型的にみられる．→depression）．

hy·per·nom·ic (hī′pĕr-nom′ik) [hyper- + G. *nomos*, law]. 法外の，無束縛の，過度の．

hy·per·nu·tri·tion (hī′pĕr-nū-trish′ŭn). 栄養過剰，過栄養．＝supernutrition.

hy·per·on·cot·ic (hī′pĕr-on-kot′ik). 高張性の（正常よりも高いコロイド浸透圧．例えば，血漿の浸透圧についていう）．

hy·per·o·nych·i·a (hī′pĕr-ō-nik′ē-ă) [hyper- + G. *onyx* (*onych-*), nail]. 爪〔甲〕肥大〔症〕，爪〔甲〕肥厚〔症〕．

hy·per·ope (hī′pĕr-ōp). 遠視患者．＝hypermetrope.

hy·per·o·pi·a (H) (hī′pĕr-ō′pē-ă) [hyper- + G. *ōps*, eye]. 遠視（網膜によって妨げられなければ，収束する光線のみが網膜面上に焦点をもたらすような眼の状態）．＝far sight; farsightedness; hypermetropia; long sight.

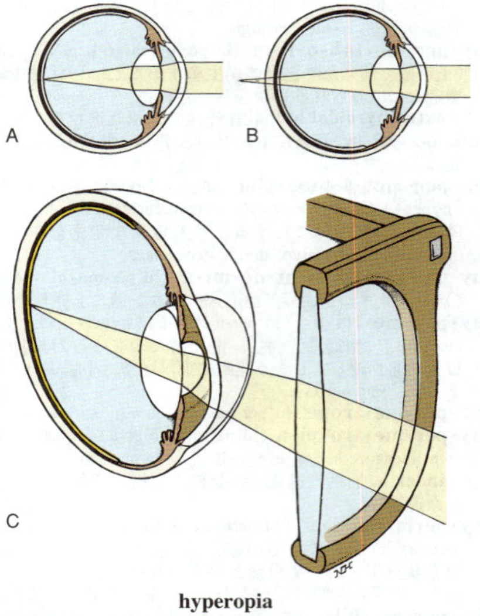

hyperopia

A：正視(20/20＝1.0)．光線は網膜上に鮮明に焦点を結ぶ．B：遠視(遠目)．近方の物体からの光線は網膜の後方に鮮明な焦点を結ぶ．C：凸レンズの眼鏡により矯正された遠視眼．

absolute h. 絶対遠視（顕在遠視で，調節の努力をしても克服できないもの）．

axial h. 軸性遠視（眼球の前後径の短縮によって起こる遠視）．

curvature h. 屈折性遠視（前眼部の屈折力の減少による遠視）．

facultative h. 随意遠視．＝manifest h.

latent h. 潜伏遠視（全遠視と顕在遠視との差）．

manifest h. 顕性遠視（毛様体筋の生理的反応によって調節しきれない遠視総体の中の成分．無散瞳薬状態で検査）．＝facultative h.

total h. (Ht) 全遠視（毛様体筋麻痺薬を用いて調節機能を完全に麻痺させた後に測定できる遠視）．

hy·per·o·pic (H) (hī′pĕr-ō′pik). 遠視の．

hy·per·o·ral·i·ty (hī′pĕr-ō-ral′i-tē) [hyper- + L. *os* (*or-*), mouth]. 口愛過度（普通は口中に入れない物を口に入れることで特徴づけられる状態）．

hy·per·o·rex·i·a (hī′pĕr-ō-rek′sē-ă) [hyper- + G. *orexis*, appetite]. 食欲過剰．＝*bulimia* nervosa.

hy·per·or·ni·thi·ne·mi·a (hī′pĕr-ōr′ni-thi-nē′mē-ă). 高オルニチン血症（血清オルニチンが上昇した状態．ときに高アンモニア血症とホモシトルリン尿症に合併する）．

hy·per·or·tho·cy·to·sis (hī′pĕr-ōr′thō-sī-tō′sis) [hyper- + G. *orthos*, correct + *kytos*, cell + *-osis*, condition]. 正常白血球増加〔症〕（白血球増加症で，白血球百分率が正常な範囲内にあり，未成熟のものは観察されないもの）．

hy·per·os·mi·a (hī′pĕr-oz′mē-ă) [hyper- + G. *osmē*, sense of smell]. 嗅覚過敏（異常に鋭い嗅覚）．＝olfactory hyperesthesia; hyperesthesia olfactoria.

hy·per·os·mo·lal·i·ty (hī′pĕr-oz′mō-lal′i-tē). 高浸透圧〔症〕（血清水のキログラム当たりの溶質のオスモルとして表した溶液濃度の増大）．

hy·per·os·mo·lar·i·ty (hī′pĕr-oz′mō-lar′i-tē). 高浸透圧〔症〕（溶液の浸透圧濃度の増大で，溶液1L当たりの溶質の浸透圧によって表される）．

hy·per·os·mot·ic (hī′pĕr-oz-mot′ik). ***1*** 他の液体よりも浸透圧の高いことをいう．通常は，血漿や細胞外液と考えられる液体についていう．***2*** 高浸透圧の．

hy·per·os·te·oi·do·sis (hī′pĕr-os′tē-oy-dō′sis). 過類骨症（類骨の過剰形成状態．くる病や骨軟化症に認められる）．

hy·per·os·to·sis (hī′pĕr-os-tō′sis) [hyper- + G. *osteon*, bone + *-ōsis*, condition]. ***1*** 骨化過剰〔症〕，過骨症（骨の肥大）．***2*** 外骨〔腫〕．＝exostosis.

ankylosing h. 強直性骨増殖症．＝diffuse idiopathic skeletal h.

h. corticalis deformans [MIM*239000]. 変形性皮質性骨化過剰〔症〕（頭蓋と骨皮質の著明に不整な肥厚で，長管骨幹部が肥厚・肥大し血清アルカリホスファターゼが高値となる．常染色体劣性遺伝）．

diffuse idiopathic skeletal h. (DISH) 汎発性特発性骨増殖症（靱帯，特に前縦靱帯の石灰化と骨化を特徴とする全身性の脊椎および脊椎外関節を侵す疾患で，強直性脊椎炎や変性性関節疾患とは明らかに異なる）．＝ankylosing h.; Forestier disease; hyperostotic spondylosis.

flowing h. 流動状過骨症．＝rheostosis.

h. frontalis interna [MIM*144800]. 内前頭骨過骨症（前頭骨内面への骨の異常な沈着で，X線によって観察できる．Morgagni 症候群の一部でもある）．

generalized cortical h. 汎発性皮質過骨症．＝van Buchem *syndrome*.

infantile cortical h. [MIM*114000]. 乳児皮質過骨症（新生児の，骨膜下の骨形成で多数の骨に起こる．特に下顎骨，鎖骨，長骨に著しい．発熱に続いて起こり，通常，生後6か月以前に発現し，幼児期に消失する．家族性の場合，常染色体優性遺伝）．＝Caffey disease; Caffey syndrome; Caffey-Silverman syndrome.

streak h. 線状過骨症．＝rheostosis.

hy·per·o·var·i·an·ism (hī′pĕr-ō-vār′ē-an-izm). 卵巣機能亢進〔症〕（少女の性的早熟で，視床下部－下垂体系－卵巣の早期成熟および卵巣ホルモンの分泌を伴う卵巣の早期発達による）．＝true precocious puberty.

hy·per·ox·a·lu·ri·a (hī′pĕr-ok′să-lyū′rē-ă). 高シュウ酸尿〔症〕，シュウ酸過剰尿〔症〕（異常に大量のシュウ酸またはシュウ酸塩が尿中に存在すること．腎結石が起こりやすい）．＝oxaluria.

primary h. and oxalosis [MIM*259900, *260000]. 原発性高シュウ酸尿症およびシュウ酸症（代謝障害の一種で，生後10歳未満でシュウ酸カルシウム腎石灰症および腎石症，腎外性シュウ酸症を生じる．尿中へのシュウ酸およびグリコール酸の排泄量が増加する．しだいに腎不全から尿毒症へと進行する．I型はアラニン－グリオキシレートアミノトランスフェラーゼの欠損症であり，II型は D-グルコースデヒドロゲナーゼの欠損による．後者は軽症型であり腎機能不全に陥るまでの経過が長い．両型ともに常染色体劣性遺伝であり第2染色体長腕にあるアラニン－グリオキシレートアミノトランスフェラーゼ遺伝子(*AGXT*)の突然変異により生じる)．

hy·per·ox·i·a (hī′pĕr-ok′sē-ă). 高酸素〔症〕，酸素過剰〔症〕(①組織および器官に大量の酸素が存在する状態．②酸素圧が正常よりも大きいもので，1気圧以上の空気または酸素を呼吸することでもたらされる例などがある)．

hy·per·ox·i·da·tion (hī′pĕr-oks′i-dā′shŭn). 過酸化．

hy·per·pan·cre·a·tism (hī′pĕr-pan′krē-ă-tizm). 膵機能亢進〔症〕(膵臓の機能が亢進した状態で，各種酵素のうちトリプシンが過剰に存在する)．

hy·per·par·a·site (hī′pĕr-par′ă-sīt). 超寄生体（既存の寄生体内部で発育できる二次寄生体)．

hy·per·par·a·sit·ism (hī′pĕr-par′ă-sīt-izm). 重複寄生，寄生過度，過寄生（すでに寄生生物がいるところへ次の寄生生物が発育する現象)．＝biparasitism.

hy·per·par·a·thy·roid·ism (hī′pĕr-par′ă-thī′royd-izm). 副甲状腺(上皮小体)機能亢進症（副甲状腺ホルモン分泌の亢進によってもたらされる1つの状態で，血清カルシウム値の上昇および血清リン値の低下，カルシウムとリンの排泄増加，腎結石ときに広汎性嚢胞性線維性骨炎をきたす．㊟副甲状腺機能亢進症は内科系，上皮小体機能亢進症は外科系で用いられる)．

primary h. 原発性副甲状腺(上皮小体)機能亢進症（副甲状腺の腫瘍または特発性過形成によるもの)．

secondary h. 続発性副甲状腺(上皮小体)機能亢進症（代謝障害の結果生じるもので，例えば，高カルシウム尿症，くる病または骨軟化症を特徴とする腎疾患にみられる．副甲状腺の増殖を伴う)．

hy·per·pa·rot·i·dism (hī′pĕr-pa-rot′i-dizm). 耳下腺〔機能〕亢進〔症〕．

hy·per·path·i·a (hī′pĕr-path′ē-ă) [hyper- ＋G. *pathos*, suffering]. ヒペルパシー（疼痛刺激に対する過剰な感度があり，閾値は上昇している)．

summation h. 加重ヒペルパシー（同じ部位を2つの異なる感覚または刺激(触覚と痛覚など)で同時に刺激した時だけに起こる過度の疼痛反応．中枢性疼痛の一型)．

hy·per·pep·si·a (hī′pĕr-pep′sē-ă) [hyper- ＋G. *pepsis*, digestion]. ***1*** 病的急速消化．***2*** 胃酸過多性消化不良．

hy·per·pep·sin·i·a (hī′pĕr-pep-sin′ē-ă). 高ペプシン〔症〕，ペプシン過剰〔症〕(胃液中にペプシンが過剰にあること)．

hy·per·per·i·stal·sis (hī′pĕr-per′i-stal′sis). ぜん動亢進（食物が胃腸を通過する速度が速いこと)．

hy·per·pha·gi·a (hī′pĕr-fā′jē-ă) [hyper- ＋G. *phagein*, to eat]. 過食〔症〕，摂食亢進〔症〕．＝gluttony.

hy·per·pha·lan·gism (hī′pĕr-fă-lan′jizm). 指節骨過剰症（指節骨が過剰にある状態)．＝polyphalangism.

hy·per·phen·yl·al·a·ni·ne·mi·a (hī′pĕr-fen′il-al-ă-ni-nē′mē-ă). 高フェニルアラニン血症（新生児(未熟児でも満期産でも起こる)で血中のフェニルアラニン値が異常に高いもの．チロシン値の上昇を伴い，フェニルケトン尿症のヘテロ接合体，母体由来のフェニルケトン尿症，ないしはフェニルアラニンヒドロキシラーゼや *p*-ヒドロキシフェニルピルビン酸オキシダーゼの一過性欠損に伴って起こる)．

malignant h. 悪性高フェニルアラニン血症（①ジヒドロプテリジンレダクターゼ(dHPR)欠損型：遺伝疾患で DHPR が欠如または欠損している．この結果テトラヒドロビオテリンの再生が障害され，フェニルアラニンの上昇を引き起こす．② GTP シクロヒドラーゼ(gTP–CH)型：遺伝疾患でグアノシン三リン酸シクロヒドラーゼが欠損している．この酵素はテトラヒドロビオテリンの生合成に使われる．③ 6–ピルボイルテトラヒドロプテリンシンターゼ(6–PTS)型：遺伝性疾患で，6–ピルボイルテトラヒドロプテリンシンターゼが欠損している．この酵素はテトラヒドロビオプテリンの生合成に関与している)．＝nonclassical phenylketonuria.

non-PKU h. 非 PKU 高フェニルアラニン血症（良性表現型で，フェニルアラニンモノオキシゲナーゼが欠損しているが，正常値の1％より多い)．

hy·per·pho·ne·sis (hī′pĕr-fō-nē′sis) [hyper- ＋G. *phōnēsis*, a sounding]. 打診音増強，声音増強（打診音が大きい，または聴診時声音が大きいこと)．

hy·per·pho·ni·a (hī′pĕr-fō′nē-ă) [hyper- ＋G. *phōnē*, sound, voice]. 発声過度（発声における過度の努力で，大声と声帯筋の過度の緊張を特徴とする)．

hy·per·pho·ri·a (hī′pĕr-fō′rē-ă) [hyper- ＋G. *phora*, motion]. 上斜位（両眼視力をさえぎったとき，一眼の視軸が上方に寄ること)．

hy·per·phos·pha·ta·se·mi·a (hī′pĕr-fos′fă-tă-sē′mē-ă). 高ホスファターゼ血〔症〕(循環血液中のアルカリホスファターゼの含有量が異常に多いこと．→hyperphosphatasia)．

hy·per·phos·pha·ta·si·a (hī′pĕr-fos′fă-tā′zē-ă) [MIM *239000, *239300]. 高ホスファターゼ〔血〕症（小人症，大頭蓋，多発性骨折を伴う長管骨骨幹部の腫大，散在性の骨硬化症，O脚を特徴とする骨疾患．ときに精神遅滞を伴う．血清中のアルカリホスファターゼ値は上昇している．常染色体劣性遺伝)．

hy·per·phos·pha·te·mia (hī′per-fos-fă-tē′mē-ă). 高リン血症（循環血液中のリン酸塩濃度が異常に高いこと)．

hy·per·phos·pha·tu·ri·a (hī′pĕr-fos-fă-tyū′rē-ă). 高リン酸塩尿〔症〕，過リン酸塩尿〔症〕(尿中へのリン酸塩排泄の増加)．

hy·per·phre·ni·a (hī′pĕr-frē′nē-ă) [hyper- ＋G. *phrēn*, mind]. 精神異常興奮（過度の精神活動．躁病の一形態を表す，まれに用いる語)．

hy·per·pi·e·sis, hy·per·pi·e·sia (hī′pĕr-pī-ē′sis, -pī-ē′zē-ă) [hyper- ＋G. *piesis*, pressure]. 〔本態性〕高血圧〔症〕．＝hypertension.

hy·per·pi·et·ic (hī′pĕr-pī-et′ik). 高血圧性の．

hy·per·pig·men·ta·tion (hī′pĕr-pig′men-tā′shŭn). 色素過剰〔症〕，色素増強（組織または身体の一部における色素の過剰)．

hy·per·pip·e·co·la·te·mi·a (hī′pĕr-pip′ĕ-kō′lă-tē′mē-ă) [MIM*239400]. 高ピペコール酸血〔症〕(代謝障害で，血清中のピペコール酸の濃度が大幅に増加するもの．肝腫脹および進行性・広汎性の神経系脱髄が特徴)．＝hyperpipecolic acidemia.

hy·per·pip·e·co·lic ac·i·de·mi·a (hī′pĕr-pip′ĕ-kō′lik as′i-dē′mē-ă). 高ピペコリン酸血症．＝hyperpipecolatemia.

hy·per·pi·tu·i·ta·rism (hī′pĕr-pi-tū′i-tă-rizm). 下垂体〔機能〕亢進〔症〕(下垂体前葉ホルモン，特に成長ホルモンが過剰産生されること．巨人症または先端巨大症に至る場合がある)．

hy·per·pla·si·a (hī-pĕr-plā′zhē-ă) [hyper- ＋G. *plasis*, a molding]. 過形成，増殖，増生，肥厚（組織または器官における細胞数の増大．過形成のみられる部位または器官の体積は増大する．ただし腫瘍形成は含まない．→hypertrophy)．＝numeric hypertrophy; quantitative hypertrophy.

adenomatous h. 腺腫様増殖．＝complex endometrial h.

angiofollicular mediastinal lymph node h. 脈管沪胞性縦隔リンパ節増殖〔症〕．＝benign giant lymph node h.

angiolymphoid h. with eosinophilia 好酸球増加随伴性血管類リンパ組織増殖症（皮膚に単発または多発する良性の紅色小結節で，若年成人の頭頸部に好発する．真皮の血管増生を特徴とし，空胞化した組織球様の内皮細胞と好酸球および組織球の種々の程度の浸潤がみられる)．＝Kimura disease.

atypical ductal h. 異型性乳管過形成（乳管の前癌病変)．

atypical endometrial h. 子宮内膜異型増殖症（腺管増殖が特徴的な内膜増殖症のうち特にその程度の著しいもの．これらの腺管はその間隙に間質をほとんど有しないが，子宮内膜癌とは区別される規則的な構造を保っている．本病態は子宮内膜癌の前癌病変とみなされることもある)．

atypical melanocytic h. 非定型メラニン細胞過形成（核異型性を呈したメラニン細胞の増殖であり，その中でも特に表皮上層内に一個一個，細胞が散在している状態をいう．病理学者の一部には，上皮内悪性黒色腫とみる向きもある)．

basal cell h. 基底細胞過形成（上皮における基底細胞に類似する細胞の数の増加)．

benign giant lymph node h. 良性巨大リンパ節増殖症（リンパ組織の孤立した腫瘤で，血管周囲に同心状に凝集したリンパ球を有する．若年成人の縦隔部または肺門部に通常起こる．同様の病変は縦隔外でも報告されており，沪胞間組織にプラスマ細胞を伴うものは，リンパ腫やプラスマ細胞腫に進

H

展する場合がある)．＝angiofollicular mediastinal lymph node h.; Castleman disease.

benign prostatic h. (BPH) [MIM*600082]．良性前立腺増殖症（前立腺の腺性成分と間質性成分の両方の進行性の腫大で，典型的には 50 歳代に始まり，ときには閉塞性または刺激症状，あるいは両方の原因となる．癌に発展することはない）．

cementum h. セメント質過形成．＝hypercementosis.

complex endometrial h. 複合〔性〕内膜増殖症（密集した腺管構造で，通常，基底相に局在する軽度に増大した核をもつ一層性の細胞配列をもつ)．＝adenomatous h.

congenital adrenal h. 先天性副腎過形成（コルチゾールの生合成系の 1 酵素に異常のある常染色体劣性遺伝疾患群．ACTH が高値となり酵素阻害を受けた直前のコルチゾール代謝産物が過剰に産生・蓄積する．アンドロゲンが大量に産生され，男性化徴候を呈する．最も多いのは 21-水酸化酵素欠損症であり，第 6 染色体短腕のシトクロム P450 21- 水酸化酵素(*CYP21*)遺伝子の突然変異により生じる．臨床症状の類似した 3 型があるが遺伝子座や生化学所見は明確に異なっている．ⓘ塩類喪失型［MIM*201710, *201810, *202110］，ⓘⓘ単純男性化型［MIM*201910］，ⓘⓘⓘ遅発型．3 型ともに 21-水酸化酵素の異常を伴う)．

congenital virilizing adrenal h. 先天性男性化副腎過形成（副腎皮質の過形成と男性化ホルモンの過剰産生による一連の遺伝性疾患．代表的なものは 21-ヒドロキシラーゼの部分または完全欠損症であり，下垂体からの ACTH の過剰分泌により副腎の肥大と機能亢進症が起こる．重症の男性化型では塩類喪失状態となる)．

cystic h. 嚢胞性増殖〔症〕，嚢胞性過形成（腺管壁上皮の増殖による管または腺の閉塞から起こる多発性の停滞嚢胞の形成．乳腺の線維性嚢胞症および出血性子宮症などにおいてその例がみられる)．

cystic h. of the breast 乳房嚢胞性過形成．＝fibrocystic *condition* of the breast.

denture h. 義歯性線維症．＝inflammatory fibrous h.

ductal h. 導管過形成（上皮細胞の導管内増殖を特徴とする過形成．乳房などでみられる)．

endometrial h. 内膜増殖症（内膜腺管の増殖，通常，高エストロゲン症での二次的変化．単純増殖，複合増殖，異型増殖に分類される．後者は内膜癌に進展する可能性がある)．

fibromuscular h. 線維筋過形成（動脈中膜の肥厚で，線維症および筋増殖によるもの．通常，腎動脈を侵し，多発性の狭窄および高血圧を引き起こす．線維筋形成異常の一種)．

focal epithelial h. 局所性上皮肥厚（小児，若年者の口唇，頰粘膜，舌，その他の口腔における多発性の軟らかい結節性病変．病変は数か月後に自然消退し，病因としてパポバウイルスが考えられている)．＝Heck disease.

gingival h. 歯肉増殖〔症〕，歯肉過形成〔症〕（線維性結合組織の増殖による歯肉の腫脹)．＝gingival proliferation.

inflammatory fibrous h. 炎症性線維性過形成〔症〕（歯肉頰移行部における組織の過成長で，不適合な義歯による慢性的な外傷が誘因となる)．＝denture h.; epulis fissuratum.

inflammatory papillary h. 炎症性乳頭状過形成〔症〕（ポリープ状の線維のひだで，不適合な義歯下の口蓋にみられるもの)．＝palatal papillomatosis.

intravascular papillary endothelial h. 血管内乳頭状内皮過形成（良性の，著明な乳頭形成を示す内皮細胞の増殖で，皮膚，皮下組織，まれに内臓の血管にみられる)．

neointimal h. 新生内膜増殖．＝neointimal proliferation.

neuronal h. 神経過形成（腸管筋叢の過形成を伴った神経節細胞数の増加．粘膜および粘膜下組織におけるアセチルコリンエステラーゼ活性の増加を伴う．臨床的には，Hirschsprung 病と似ている．同様の所見は多発性内分泌腺腫症 IIB 型や神経線維腫症でも認められる)．＝hyperganglionosis; neuronal intestinal dysplasia.

nodular h. of prostate 結節性前立腺過形成（高齢の男性の前立腺移行区域および前方線維筋性基質部にきわめて一般的に起こり，結節を形成し，それが増大すると尿道を閉塞することになる)．

nodular regenerative h. 結節性再生過形成．＝nodular *transformation* of the liver.

pseudoepitheliomatous h., pseudocarcinomatous h. 偽上皮腫性増殖〔症〕，偽癌性増殖〔症〕（表皮細胞の著しい増加や下方成長する良性疾患で，慢性の炎症性皮膚疾患やある種の真皮の腫瘍や母斑上において観察される．顕微鏡的に有棘細胞癌に類似する)．

senile sebaceous h. 老年(老人)性脂腺増生症（成熟脂腺の増生症で，老年者の顔面や前額の皮膚に小結節を形成する)．

simple endometrial h. 単純性子宮内膜増殖症（豊富な間質で区分された腺構造をもつ内膜組織の増殖)．＝Swiss cheese endometrium.

squamous cell h. 扁平上皮過形成（扁平上皮の細胞数が増加している状態)．＝hypertrophic dystrophy.

verrucous h. ゆうぜい(疣贅)性肥厚（老年者に生じる口腔粘膜の肥厚．扁平上皮の鋭い，あるいは鈍な上方への乳頭状の突出を特徴とする)．

hy·per·plas·tic (hī′pĕr-plas′tik). 過形成の，増殖性の．

hyperploidy (hī′pĕr-ploy-dē) [hyper- + ploidy]．高倍数性（染色体の数が，基本数の整数倍よりも数個多い細胞や個体の状態)．

hy·per·pne·a (hī′pĕr-nē′ă, hī-perp′nē-ă) [hyper- + G. *pnoē*, breathing]．呼吸亢進，過呼吸（[二重字 pn において，p は語頭にあるときのみ無音である．正しい発音は hyperpne′a であるが，米国では広く hyperp′na と発音される]．安静時における，正常よりも深く速い呼吸)．

hy·per·po·lar·i·za·tion (hī′pĕr-pō′lăr-i-zā′shŭn)．過分極，高分極（膜，神経または筋細胞の分極が増大すること．興奮作用に伴う変化とは逆の変化)．

hy·per·po·tas·se·mi·a (hī′pĕr-pō′tas-ē′mē-ă)．＝hyperkalemia.

hy·per·pre·be·ta·lip·o·pro·tein·e·mi·a (hī′pĕr-prē-bā′tă-lip′ō-prō′tē-in-ē′mē-ă, -prō′tēn-)．高プレ β リポ蛋白血〔症〕（血液中のプレ β リポ蛋白濃度の増加)．

familial h. 家族性高プレ β リポ蛋白血〔症〕．＝familial *hyperlipoproteinemia* type IV.

hy·per·pro·chor·e·sis (hī′pĕr-prō′kōr-ē′sis) [hyper- + G. *pro-chōreō*, to go forward]．hyperperistalsis(ぜん動亢進)を表す，まれに用いる語．

hy·per·pro·in·su·li·ne·mi·a (hī′pĕr-prō-in′sŭl-i-nē′mē-ă)．高プロインスリン血症（血漿中にプロインスリンまたはプロインスリン類似物質が高濃度に存在する状態)．

hy·per·pro·lac·ti·ne·mi·a (hī′pĕr-prō′lak-ti-nē′mē-ă)．過プロラクチン血症（血中プロラクチン値の上昇した状態．授乳中および妊娠中は正常な生理的状態であるが，その他の場合は病的で非生理的乳汁分泌を伴う．ある種の下垂体腫瘍でも上昇し，無月経を伴うことが多い)．

hy·per·pro·li·ne·mi·a (hī′pĕr-prō′li-nē′mē-ă) [MIM *239500, *239510]．高プロリン血〔症〕（代謝障害の一種で，血漿中のプロリン濃度の増大および尿中へのプロリン，ヒドロキシプロリン，グリシン排出量の増加が特徴．常染色体劣性遺伝．I 型高プロリン血症はプロリンオキシダーゼの欠損，腎疾患を合併する．II 型高プロリン血症はピロリン-5-カルボン酸デヒドロゲナーゼの欠損，精神遅滞と痙攣を合併する．第 1 染色体短腕のプロリン 5 カルボキシレート遺伝子(*P5CD*)の突然変異による)．

hy·per·pro·tein·e·mi·a (hī′pĕr-prō′tē-in-ē′mē-ă)．蛋白過剰血〔症〕，高蛋白血〔症〕（血漿中の蛋白濃度が異常に高いこと)．

hy·per·pro·te·o·sis (hī′pĕr-prō′tē-ō′sis)．過蛋白症（食事中の蛋白の過剰摂取により生じる状態)．

hy·per·py·ret·ic (hī′pĕr-pī-ret′ik)．超高熱の，過高体温の，異常高熱〔症〕の．＝hyperpyrexial.

hy·per·py·rex·i·a (hī′pĕr-pī-rek′sē-ă) [hyper- + G. *pyrexis*, feverishness]．超高熱，過高体温，異常高熱〔症〕．

fulminant h. 激症過高体温．＝malignant *hyperthermia.*

heat h. ＝heatstroke.

malignant h. 悪性高熱症．＝heatstroke.

hy·per·py·rex·i·al (hī′pĕr-pī-rek′sē-ăl)．＝hyperpyretic.

hy·per·re·flex·i·a (hī′pĕr-rē-flek′sē-ă) [MIM*145290]．反射亢進（深部腱反射の亢進．全般的なことも，領域的なことも，局所的なこともある)．

detrusor h. ＝hyperreflexic *bladder.*

hy·per·res·o·nance (hī′pĕr-rez′ō-nans)．共鳴亢進（①共

鳴の程度が亢進していること．②身体の部分を打診した際，正常以上に増強した共鳴をいい，しばしばそのピッチは低い．胸部では肺気腫における肺の過膨張や気胸の場合，腹部では膨満した腸の部分にみられる）．

hy·per·sal·e·mi·a (hī′pĕr-sal-ē′mē-ă). 過塩類血症（現在では用いられない語．循環血液中の塩類含有量の増加を表す）．

hy·per·sa·line (hī′pĕr-sā′lēn, -sā′līn). 過塩性（生理食塩水溶液中の塩類濃度の増加を特徴とする）．

hy·per·sal·i·va·tion (hī′pĕr-sal′i-vā′shŭn). 過流涎(ぜん)（唾液分泌の増大）．

hy·per·sar·co·si·ne·mi·a (hī′pĕr-sar′kō-si-nē′mē-ă). ＝sarcosinemia.

hy·per·se·cre·tion (hī′pĕr-sē-krē′shŭn). 過分泌（組織，腺の過剰な分泌）．

gastric h. 胃過分泌（胃液，特に胃酸の過剰産生）．

hy·per·seg·men·ta·tion (hī′pĕr-seg-men-tā′shŭn). 過分葉（組織やある部分が過剰に分割され，分節となる）．

hereditary h. of neutrophils 遺伝性好中球過分葉（常染色体優性遺伝で，好中球の過分葉がある．罹患者は無症状である）．

hy·per·sen·si·tiv·i·ty (hī′pĕr-sen′si-tiv′i-tē). ***1*** 過敏症，過敏性（異常な感受性で，外部からの刺激に対して身体が過剰に反応する状態．→allergy）．***2*** 内分泌学では，あるホルモンに対する標的臓器の過剰反応．＝hormone h.

contact h. 接触過敏症（①＝contact *dermatitis*．②＝delayed *reaction*）．

delayed h. 遅延〔型〕過敏症（①＝cell-mediated *immunity*．②＝delayed *reaction*．③初回投与と同じ抗原での刺激後 24—48 時間で最大となる感作個体に起こる，細胞性免疫反応．ヘルパーT1型リンパ球と MHC クラス II 陽性抗原提示細胞との相互作用によって反応が開始する．この相互作用がヘルパーT1型とマクロファージの局所でのサイトカイン分泌(反応の主要な因子)を誘導する．ツベルクリン型過敏症とよばれる）．

glucocorticoid h. 糖質コルチコイド過敏症（糖質コルチコイドに対する標的臓器の反応過剰症．成因が不明のまれな症候群であり，メタボリックシンドローム(肥満，インスリン抵抗性，耐糖能障害，2 型糖尿病，高血圧，脂質代謝異常，血液凝固異常)および AIDS 関連リポジストロフィー・インスリン抵抗症候群を呈する）．

hormone h. ホルモン過敏〔症〕．＝hypersensitivity (2).

immediate h. 即時型過敏症（肥満細胞に結合した IgE 抗体によって媒介される過剰免疫反応で，感作個体が問題となる抗原に暴露して数分以内に起こる．I 型過敏症ともいう．臨床症状は，小胞内に既存，あるいは新生して遊離するヒスタミン，血小板活性化因子，プロスタグランジン，ロイコトリエン，ブラディキニン，タキキニンなどのメディエーターの生理作用によって生じる．反応は特定の臓器に限局する場合もあるし，全身性となってアナフィラキシーに至る場合もある．徴候には，かゆみ，じんま疹，血管浮腫，結膜炎，くしゃみ，鼻漏，気管支痙攣，低血圧，不整脈，ショックがある．→allergy）．＝immediate allergy; immediate hypersensitivity reaction.

tuberculin-type h. ツベルクリン型過敏症．＝delayed *reaction*.

hy·per·sen·si·ti·za·tion (hī′pĕr-sen′si-ti-zā′shŭn). 過〔剰〕感作，過増感（過感作が誘発される免疫学的過程のこと）．

hy·per·se·ro·to·ne·mi·a (hī′pĕr-sēr′ō-tō-nē′mē-ă). 高セロトニン血〔症〕（異常に大量のセロトニンが循環血液中に存在すること．カルチノイド症候群にみられる症状，徴候のうちのいくつかの原因と思われる）．

hy·per·ske·o·cy·to·sis (hī′pĕr-skē′ō-sī-tō′sis) [G. *skaios*, left + *kytos*, cell + *-osis*, condition]. ＝hyperneocytosis.

hy·per·so·ma·to·tro·pism (hī′pĕr-sō′mă-tō-trō′pizm). 高ソマトトロピン分泌〔症〕（下垂体成長ホルモン(ソマトトロピン)分泌の異常な亢進を特徴とする状態）．

hy·per·som·ni·a (hī′pĕr-som′nē-ă) [hyper- + L. *somnus*, sleep]. 睡眠過剰，過眠症（睡眠時間が過度に長い状態．ただし，眠っていないときは正常に反応する．somnolens(傾眠)とは区別される）．

hy·per·son·ic (hī′pĕr-son′ik) [hyper- + L. *sonus*, sound]. 極超音速の（マッハ 5 以上の超音速についていう．音速以上の速度はすべて超音速 supersonic といわれるが，そのうちマッハ 5 以上のものを特に極超音速という）．

hy·per·sphyx·i·a (hī′pĕr-sfik′sē-ă) [hyper- + G. *sphyxis*, pulse]. 高血圧および循環活動の増大を呈する状態．

hy·per·splen·ism (hī′pĕr-splēn′izm). 脾機能亢進〔症〕（脾臓により血中の細胞成分や血小板が異常に速く除去される状態で，これらの成分は血中で低値となる）．

hy·per·ste·a·to·sis (hī′pĕr-stē′ă-tō′sis). 皮脂〔分泌〕過多．

hy·per·sthe·ni·a (hī′pĕr-sthē′nē-ă) [hyper- + G. *sthenos*, strength]. 異常興奮，異常緊張．

hy·per·sthen·ic (hī′pĕr-sthen′ik). 異常興奮の，異常緊張の．

hy·per·sthen·u·ri·a (hī′pĕr-sthen-yū′rē-ă) [hyper- + G. *sthenos*, strength + *ouron*, urine]. 高張尿〔症〕（比重および溶質濃度が異常に高い尿を排泄することで，通常，脱水または水分の喪失によって起こる）．

hy·per·sus·cep·ti·bil·i·ty (hī′pĕr-sŭ-sep′ti-bil′i-tē). 感受性亢進過度，過度感受性（感染物質，化学物質，その他の物質に対する感受性亢進反応）．

hy·per·sys·to·le (hī′pĕr-sis′tō-lē). 収縮力亢進，異常強収縮（心臓の収縮力または収縮時間が異常に増加すること）．

hy·per·sys·tol·ic (hī′pĕr-sis-tol′ik). 収縮力亢進の，異常強収縮〔性〕の．

hy·per·tel·or·ism (hī′pĕr-tel′ōr-izm) [hyper- + G. *tēle*, far off + *horizō*, to separate < *horos*, boundary][MIM*145400]. 隔離症（2 個 1 組になっている器官の，各個の間隔が異常に離れていること）．

Bixler type h. (biks′lĕr). ビクスラー解離〔症〕（小耳症，口唇，口蓋裂，鼻裂，精神遅滞，外耳道閉鎖，異所性腎および母指球低形成などの奇形を伴う．常染色体劣性遺伝をとる）．

canthal h. 眼角離開．＝telecanthus.

ocular h. [MIM*145400]. 両眼隔離〔症〕（両眼の間が異常に広いことで，蝶形骨大翼の発育の拡大による．これにより眼窩は胎生時の広く分離した位置に固定される．常染色体優性遺伝．眼隔離症は多くの症候群の一症状である．著明な形態 [MIM*145410]は尿道下裂および食道奇形のような他の先天欠損を示す．→faciodigitogenital *dysplasia*）．＝Greig syndrome; Opitz BBB syndrome; Opitz G syndrome.

hy·per·ten·sin (hī′pĕr-ten′sin). ハイパーテンシン（angiotensin の旧名）．

hy·per·ten·sin·o·gen (hī′pĕr-ten-sin′ō-jen). ハイパーテンシノゲン（angiotensinogen の旧名）．

---

hy·per·ten·sion (HTN) (hī′pĕr-ten′shŭn) [hyper- + L. *tensio*, tension]. 高血圧〔症〕（高い血圧状態．循環系障害や，その他の障害結果を誘発する恐れのあるレベルにまで，全身の動脈圧が一過性にまたは持続的に高まること．高血圧は，収縮血圧が 140mmHg 以上，拡張血圧が 90mmHg 以上と定義されている．高血圧を十分治療しないと生じる結果としては，網膜血管損傷(Keith-Wagener-Barker 変化)，脳血管障害・卒中，左室肥大・不全，心筋梗塞，解離性動脈瘤や，腎血管疾患がある．基礎障害(例えば，網膜疾患，Cushing 症候群，褐色細胞腫)が高血圧全症例の 10％未満に特定される．残りの，従来から〝本態性〟高血圧と表示されるものは，恐らく正常血圧調整機構(圧受容器，心収縮速度や血管緊張力に対する自律神経系の影響，腎による塩分や水分の維持，レニンやアンギオテンシン転換酵素影響下におけるアンギオテンシン II の形成，およびその他の既知・未知の因子が含まれる)における様々な障害から生じるものと考えられるが，多くは遺伝的に条件付けられているようである）．＝hyperpiesis; hyperpiesia.

患者数が多いことと循環系に対する強い影響のあるために，高血圧は工業国における主要病因・死因となっている．60 歳を超える人の約 50％を含めて，米国の全人口の 24％が高血圧症を有すると推定される．この人々のうち，その状態に気づいていて適切な治療を受けているのはわずかに約 1/3 である．55 歳の時点で正常血圧である人々もその後生涯の間に高血圧となる危険性は 90％に及び，高血圧やその合併症の治療に費やす費用も

H

370 億ドルと推計される．米国では，高血圧は毎年3万5,000 人の死因となっており，さらに，18 万人の死亡例の寄与因子となっている．高血圧は心臓発作危険率を 3 倍，脳卒中危険率を 7 —10 倍増加させる．高血圧出現率および非致命的・致命的病態の発生頻度は，アフリカ系米国人が明らかに高い．本態性高血圧症は，遺伝や環境因子が複雑に関係し合った症候群として現在認識されている．その症候には肥満，耐糖能異常，脂質代謝異常，インスリン抵抗性，動脈壁のコンプライアンスの低下，動脈硬化の促進や腎疾患がある．左室肥大や動脈のコンプライアンスの低下などの高血圧素因のあるものは，血圧が上昇する以前にすでに発現していることもある．拡張血圧が極端に高い人々では，頭痛，めまいや，脳症すら自覚するが，合併症を伴わない高血圧では症状はめったにない．したがって，高血圧の診断は通常，外見的に健康な人や，他の病状で治療を受けている人を対象にしたスクリーニングによって行われる．高血圧に至る危険因子としては，高血圧の家系，アフリカ系米国人という人種，高齢，閉経後，肥満，閉塞性睡眠時無呼吸，アルコールの飲み過ぎ，座業生活，および慢性的感情ストレスがあげられる．治療選択肢としては，ライフスタイルの変更(健康的体重の維持，飽和脂肪酸と全脂肪の含量が低く，果物，野菜に富む食事や脂肪の少ない乳製品，1 週間に数日間の少なくとも 30 分の有酸素運動，ナトリウム摂取量を 1 日当たり 2.4 g，アルコール摂取量を 1 日当たり約 30mL に制限すること，十分な量のカリウム，カルシウム，マグネシウムの摂取，および過度の感情的ストレスを避ける)，および利尿薬，ベータ遮断薬，カルシウム拮抗薬，アンギオテンシン転換酵素(ACE)阻害薬，アンギオテンシン II 受容体拮抗薬，α_1-アドレナリン拮抗薬，中枢性アルファアゴニストなどを含む，広範な薬剤服用があげられる．ある大規模試験によると，1 つは心血管系危険因子を合併する高血圧症患者では，サイアザイド利尿薬はカルシウム拮抗薬やACE 阻害薬よりも心血管死を減少するのに優れているとされる．ここ数十年，高血圧の早期発見および積極的治療によって，関連性の罹病率・死亡率は減少した．高血圧のコントロールは脳卒中のリスクを 30—50 %低下させる．特に高血圧家系では既知の危険因子を回避すること，および高血圧者に循環器障害の危険率を増加させる協調因子(喫煙，高コレステロール血症，糖尿病)をコントロールするなど厳密に管理することが現在標準的な治療法とされる．治療の目標は拡張血圧が 80 またはそれ以下と示唆する研究がいくつかある．

---

accelerated h. 加速性の高血圧（血圧が異常に速く上昇する状態で，通常，急性増悪の徴候を伴う）．

adrenal h. 副腎性高血圧〔症〕（副腎髄質の褐色細胞腫または過剰反応，または副腎皮質の機能性腫瘍による高血圧）．

benign h. 良性高血圧〔症〕(本態性高血圧で，比較的長期にわたり無症状に経過するもの)．

borderline h. 境界型高血圧（正常上限と明らかな高血圧の中間の血圧で，Framingham Heart Study によれば収縮期血圧が 140—160 mm/Hgまたは拡張期血圧が 90—95 mm/Hg と定義している）．

episodic h. エピソード性高血圧（不安や感性因子に起因する間欠的な高血圧）．＝paroxysmal h.

essential h. ［MIM*145500］．本態性高血圧〔症〕（既知の原因なく起こる高血圧）．＝idiopathic h.; primary h.

gestational h. 妊娠性高血圧（妊娠前は正常血圧または軽症高血圧だった女性が妊娠中に増悪する高血圧）．＝pregnancy-induced h.

Goldblatt h. (gōld′blat)．ゴールドブラット高血圧〔症〕(片側腎への血流閉塞後の血圧の上昇)．

idiopathic h. 特発性高血圧〔症〕．＝essential h.

idiopathic intracranial h. 突発性頭蓋内圧亢進〔症〕．＝*pseudotumor* cerebri.

labile h. 動揺性高血圧（いったん上昇した血圧が頻繁に変化する状態）．

malignant h. 悪性高血圧〔症〕（重症の高血圧で，急速な経過をとり腎臓，網膜などの小動脈壁の壊死をもたらす．出血が起こり，死因の多くは尿毒症または脳血管出血である）．

masked h. 仮面高血圧症（家庭では認められるが，診療の場では認められない高血圧症）．

office h. オフィス高血圧．＝white coat h.

pale h. 蒼白性高血圧〔症〕（皮膚の蒼白を伴う高血圧で，顕著な末梢血管の狭窄を伴う重症型である）．

paroxysmal h. 発作性高血圧．＝episodic h.

portal h. 門脈圧亢進〔症〕（門脈系の高血圧で，肝硬変や他の門脈の閉塞を起こさせる状態にみられる）．

postpartum h. 分娩後高血圧〔症〕（分娩終了直後の血圧の増大）．

pregnancy-induced h. 妊娠誘発性高血圧．＝gestational h.

primary h. 原発性高血圧〔症〕．＝essential h.

pulmonary h. 肺高血圧〔症〕（肺循環系の高血圧．原発性の場合と，肺疾患または心疾患，例えば，肺線維症や僧帽弁狭窄などに続いて起こる続発性の場合がある）．

renal h. 腎性高血圧〔症〕（腎疾患に続発する高血圧）．

renovascular h. 腎血管性高血圧〔症〕（腎動脈閉塞によって起こる高血圧）．

secondary h. 二次性高血圧（原因不明の一次性高血圧と対比し，甲状腺機能亢進状態や腎疾患などと合併する原因の明らかな動脈性高血圧）．

systemic venous h. 全身性静脈性高血圧（中心静脈圧が上昇した状態で，右心系の心疾患か，まれに上行大静脈の閉塞による）．

white coat h. 白衣高血圧（24 時間血圧測定の血圧を超えて，しばしば，または連続して臨床の場で血圧値が高くなること）．＝office h.

hy·per·ten·sive (hī′pĕr-ten′siv)．*1*〚adj.〛高血圧〔性〕の，昇圧性の．*2*〚n.〛高血圧患者．

hy·per·ten·sor (hī′pĕr-ten′ser, -sōr)．昇圧薬．＝pressor.

hy·per·tes·toid·ism (hī′pĕr-tes′toyd-izm)．高テストステロン症（男性の性機能亢進症．Leydig 細胞が増殖することで，テストステロンの過剰な生成を伴う）．

hy·per·the·co·sis (hī′pĕr-thē-kō′sis)．卵胞莢膜増殖〔症〕(胞状卵胞の卵胞膜細胞のびまん性増殖)．

stromal h. 間質性卵胞莢膜増殖〔症〕（卵胞と離れた卵巣間質内に黄体細胞が存在する状態）．

hy·per·the·li·a (hī′pĕr-thē′lē-ă)［hyper- + G. *thēlē*, nipple］．過多乳頭症．＝polythelia.

hy·per·ther·mal·ge·si·a (hī′pĕr-ther-măl-jē′zē-ă)［hyper- + G. *thermē*, heat + *algēsis*, pain］．熱感覚過敏〔症〕(暖かさが痛いと感知するような感覚・知覚のゆがみ)．

hy·per·ther·mia (hī-per-ther′mē-ă)［hyper- + G. *thermē*, heat］．高体温，高熱，過温症（治療のために引き起こされた異常高熱）．

malignant h. 悪性高熱，悪性高体温，悪性過温症（極度の高熱が急激に発生することで，筋硬直を伴う．遺伝的に感受性の強い人に外因性の要因が加わると突然発症する．その因子としてはハロタンまたはスクシニルコリンが知られている．*cf.* futile *cycle*)．＝fulminant hyperpyrexia.

hy·per·ther·mo·es·the·sia (hī-per-ther′mō-es-thē′zē-ă)［hyper- + G. *thermē*, heat + *aisthēsis*, feeling］．熱〔感〕覚過敏，温度〔感〕覚過敏（熱に対する極度の感受性）．

hy·per·throm·bi·ne·mi·a (hī′pĕr-throm′bi-nē′mē-ă)．高トロンビン血〔症〕(血液中のトロンビンが異常に増加することで，しばしば血管内凝固を引き起こす)．

hy·per·thy·mi·a (hī′pĕr-thī′mē-ă)［hyper- + G. *thymos*, soul, thought］．気分高揚（平均よりも強く，躁うつ病の躁状態におけるものよりは弱い過活動状態）．

hy·per·thy·mic (hī′pĕr-thī′mik)．*1* 気分高揚の．*2* 胸腺機能亢進〔症〕の．

hy·per·thy·mism (hī′pĕr-thī′mizm)．胸腺機能亢進〔症〕(以前は，ある種の突然死，頓死の原因であるとされていた胸腺リンパ体質のような，胸腺の機能亢進状態)．＝hyperthymization.

hy·per·thy·mi·za·tion (hī′per-thī-mi-zā′shŭn)．＝hyperthymism.

hy·per·thy·rea (hī′per-thī-rē-ă)．甲状腺機能亢進〔症〕．＝hyperthyroidism.

hy·per·thy·roid·ism (hī-per-thī′royd-izm)．甲状腺機能亢進〔症〕（通常，甲状腺ホルモンの分泌が亢進し，視床下部－下垂体中枢の調節的制御の支配を受けていない甲状腺機能異常．代謝が亢進し，一般に体重減少，身体のふるえ，血中サイロキシンやトリヨードサイロニンの高値や眼球突出を伴う．全身倦怠感，全身衰弱や高熱を生じて甲状腺クリーゼに陥ることもある．Graves 病を伴うことが多い．→thyrotoxicosis)．＝hyperthyrea; thyroidism (1); thyrointoxication.

hereditary h. 遺伝性甲状腺機能亢進〔症〕（まれな遺伝性疾患(常染色体性優性)で，甲状腺細胞は過剰に刺激され続けている)．

iodine-induced h. ヨード誘発性甲状腺機能亢進症．＝Jod-Basedow *phenomenon.*

masked h. 仮面性甲状腺機能亢進〔症〕（通常の甲状腺機能亢進症状を伴わずに生じる甲状腺機能亢進症．一般に動きに乏しく，眼症状を呈さず，ときには寡黙，傾眠となる．臨床症状としては心不全のみのこともある)．

ophthalmic h. 眼球突出性甲状腺機能亢進〔症〕．＝Graves *disease.*

primary h. 原発性甲状腺機能亢進〔症〕（下垂体に原因があって生じる二次性の甲状腺機能亢進症に対して，甲状腺に原因があって生じる甲状腺機能亢進症．甲状腺全体の機能亢進，甲状腺ホルモン産生性の腺腫，または甲状腺刺激性の流血中の抗体(long-acting thyroid *stimulator*)により生じる)．

secondary h. 二次性甲状腺機能亢進〔症〕（下垂体からの甲状腺刺激ホルモンの過剰分泌により，甲状腺が刺激されて起こる甲状腺機能亢進)．

hy·per·thy·rox·i·ne·mi·a (hī′pĕr-thī-rok′si-nē′mē-ă)．高サイロキシン血〔症〕（血液中のサイロキシン濃度が上昇している状態)．

hy·per·to·ni·a (hī′pĕr-tō′nē-ă) [hyper- + G. *tonos*, tension]．高張，緊張過度，緊張亢進（筋肉または動脈の極度の緊張)．＝hypertonicity (1).

h. polycythemica 高血圧性赤血球増加〔症〕（赤血球増加症の一型で，顕著な巨脾を伴わず血圧が上昇するもの)．

sympathetic h. 交感神経緊張亢進（交感神経の機能亢進で，しばしば不安の形で発現する)．

hy·per·ton·ic (hī′pĕr-ton′ik)．＝hyperisotonic. ***1*** 緊張過度の．＝spastic (1). ***2*** 高張〔性〕の，優張の，優浸圧の，高浸透〔圧〕的の（標準溶液よりも高い浸透圧を有する．標準溶液としては通例，血漿または腸液が想定される．特殊なものとして，細胞萎縮などの際の流動液をさす)．

hy·per·to·nic·i·ty (hī′pĕr-tō-nis′i-tē). ***1*** ＝hypertonia. ***2*** 高張性，高浸透性（体液の有効浸透圧が増加すること)．

hy·per·tri·chi·a·sis (hī′pĕr-tri-kī′ă-sis)．＝hypertrichosis.

hy·per·trich·o·phry·di·a (hī′pĕr-trik-ō-fri′dē-ă) [hyper- + G. *thrix*, hair + *ophrys*, eyebrow]．眉毛過多〔症〕（極端に濃いまゆ)．

hy·per·tri·cho·sis (hī′pĕr-tri-kō′sis) [hyper- + G. *trichōsis*, being hairy]．多毛〔症〕（異常に多くの毛が生えていること．→hirsutism)．＝hypertrichiasis.

h. lanuginosa 毳毛性多毛〔症〕（内臓悪性腫瘍に伴う毳毛が過度に生えた状態)．

nevoid h. 母斑性多毛〔症〕（先天的な毛髪の発育異常．毛髪の発育部位，構造，色調，長さの異常を生じる．しばしば先天性色素細胞性母斑を伴う)．

h. partialis 局所性多毛〔症〕（通常とは異なる部位に異常に多くの毛が斑状に生えているもの)．

h. universalis [MIM*145700]．汎発性多毛〔症〕，全身多毛〔症〕（全身性の多毛症)．

hy·per·tri·glyc·er·i·de·mi·a (hī′pĕr-trī-glis′er-i-dē′mē-ă)．高トリグリセリド血症（血液中のトリグリセリド濃度の上昇)．

familial h. [MIM*145750]．家族性高トリグリセリド血〔症〕（①＝familial *hyperlipoproteinemia* type I. ②＝familial *hyperlipoproteinemia* type IV)．

hy·per·troph (hī′pĕr-trōf)．過従属栄養生物（その成長および増殖に必要な酵素系の供給源として，生きた細胞を必要とする微生物)．

hy·per·tro·phi·a (hī′pĕr-trō′fē-ă)．＝hypertrophy.

hy·per·tro·phic (hī′pĕr-trof′ik)．肥大性の，肥厚性の．

hy·per·tro·phy (hī′pĕr′trō-fē) [hyper- + G. *trophē*, nourishment]．肥大，肥厚，栄養過度，過栄養（ある部位または器官が腫瘍形成によらず全体的に大きくなること．本用語は，細胞その他の個々の組織要素の量的増大による体積の増加に限定されるのであって，数的増加を示すのではない．*cf.* hyperplasia)．＝hypertrophia.

adaptive h. 順応性肥大（膀胱のような管腔臓器壁の肥厚で，流出障害があるときに生じる)．

asymmetric septal h. (**ASH**) 非対称性中隔肥厚（先天性または後天性に大動脈弁下の心室中隔左室側が異常肥厚し，左室流出路狭窄と僧帽弁の異常運動を伴う．→systolic anterior *motion*)．＝idiopathic hypertrophic subaortic stenosis.

benign prostatic h. (**BPH**) 良性前立腺肥大（nodular *hyperplasia* of prostate. の同義語と間違えて用いられる語)．

compensatory h. 代償〔性〕肥大（ある器官または器官や組織の一部の体積が増大することで，破壊された組織や痛みのある器官の機能を補足したり，代償する必要が生じた場合に起こる)．

compensatory h. of the heart 心代償〔性〕肥大（血管性心疾患，弁膜性心疾患，その他の心疾患や運動状態の後にみられる心臓壁の肥厚)．

complementary h. 代償補充性肥大（器官または組織の破壊によって失われた部分を埋めるため，その器官または組織の一部がその体積を増大したり腫脹したりすること)．

concentric h. 求心性肥大（心臓その他の管腔臓器壁の肥厚で，その管腔の容量が明らかな減少を示すこと)．

eccentric h. 遠心性肥大（心臓その他の管腔壁の肥厚で，拡張を伴うもの)．

endemic h. 流行性踵骨腫瘤（黄金海岸(現在のガーナ)および台湾の原住民の間にみられる，踵部の発熱および痛みが先行する踵骨の特異的な腫脹)．

false h. 偽〔性〕肥大，仮性肥大．＝pseudohypertrophy.

functional h. 機能性肥大，作業肥大．＝physiologic h.

giant h. of gastric mucosa ＝Ménétrier *disease.*

hemangiectatic h. 血管拡張性肥大．＝Klippel-Trenaunay-Weber *syndrome.*

lipomatous h. 脂肪腫性肥大．＝lipomatous *infiltration.*

numeric h. 数量的肥大．＝hyperplasia.

physiologic h. 生理的肥大（ある器官または臓器の一部が一時的に体積を増大させて機能の増大に応じるもので，妊娠中の子宮壁や乳房にみられる肥大など)．＝functional h.

quantitative h. 量的肥大．＝hyperplasia.

simple h. 単純肥大（細胞の大きさが増大すること)．

simulated h. 擬似性肥大（ある部分の体積の増加で，消耗による拘束を受けずに成長を続けるために起こる．ある種の動物の歯において，それに対合する歯が欠損した場合などにみられる)．

true h. 真性肥大（体積の増大が，その部位を形成する個別組織のすべてに及ぶもの)．

vicarious h. 代償性肥大（ある器官の不全に続いて起こる他の器官の肥大で，両器官が機能的に関連していることにより生じる．例えば，甲状腺の破壊による下垂体の腫脹)．

hy·per·tro·pi·a (hī′pĕr-trō′pē-ă) [hyper- + G. *tropē*, a turn]．上斜視（一眼が瞭眼より上方に偏位する眼)．

hy·per·ty·ro·si·ne·mi·a (hī′pĕr-tī′rō-si-nē′mē-ă)．高チロシン血〔症〕．＝tyrosinemia.

hy·per·ur·a·cil thy·mi·nu·ri·a (hī′pĕr-yūr′a-sil thī′mi-nyū′rē-ă)．高ウラシルチミン尿症（遺伝性疾患で，尿中ウラシルとチミン値が上昇している．ジヒドロピリミジンデヒドロゲナーゼの欠損とその結果中枢神経系の機能障害を伴う)．

hy·per·u·ri·ce·mi·a (hī′pĕr-yū′ri-sē′mē-ă)．尿酸過剰血〔症〕，高尿酸血〔症〕（血液中の尿酸濃度が増大する状態)．

hy·per·u·ri·ce·mic (hī′pĕr-yū′ri-sē′mik)．尿酸過剰血〔症〕の，高尿酸血〔症〕の．

hy·per·u·ri·cu·ri·a (hī′pĕr-yū′ri-kyū′rē-ă)．尿酸過剰尿〔症〕，高尿酸尿〔症〕（尿中への尿酸の排泄量が増大する状態)．

hy·per·vac·ci·na·tion (hī′pĕr-vak′si-nā′shŭn)．ワクチン重接種（すでに免疫を獲得している個体に対して繰返しワクチン接種を行うこと．高力価の抗血清を製造する手段として用いる)．

hy·per·val·i·ne·mi·a (hī′pĕr-val′i-nē′mē-ă)．高バリン血〔症〕（血漿中のバリン濃度が異常に高いこと．カエデシロップ病において一般にみられる)．

hy·per·vas·cu·lar (hī′pĕr-vas′kyū-lăr) [hyper- + L. *vas*, a vessel]．血管〔像，分布〕過多の（異常に血管の多い．過剰

H

な数の血管を有する).

hy·per·ven·ti·la·tion (hī′pĕr-ven′ti-lā′shŭn). 換気亢進, 呼吸亢進, 過換気, 過度呼吸, 換気増大, 過剰換気(代謝性二酸化炭素生成に伴う肺胞換気量の増大で, これにより肺胞の二酸化炭素圧が正常以下になる傾向がある). = overventilation.

hy·per·vi·ta·min·o·sis (hī′pĕr-vī′tă-mi-nō′sis). ビタミン過剰〔症〕, ビタミン過多〔症〕, 過ビタミン症(ビタミン製剤を過度に摂取した結果起こる状態で, 症状はそれぞれのビタミンの種類によって異なる. 脂溶性ビタミン, 特にA, またはD, まれには水溶性ビタミン類を過量に用いると重大な影響を及ぼすことがある).

hy·per·vo·le·mi·a (hī′pĕr-vō-lē′mē-ă) [hyper- + L. *volumen*, volume + G. *haima*, blood]. 〔循環〕血液量過多〔症〕, 多血症(**[**hypervolia と混同しないこと**]**. 血液の量が異常に増大する状態). = plethora (1); repletion.

hy·per·vo·le·mic (hī′pĕr-vō-lē′mik). 〔循環〕血液量過多〔症〕の, 多血症の.

hy·per·vo·li·a (hī′pĕr-vō′lē-ă). 水過多症(**[**hypervolema と混同しないこと**]**. ある部分の水分が増大すること. 例えば細胞性水過多症など).

hyp·es·the·si·a (hīp′es-thē′zē-ă) [G. *hypo*, under + *aisthēsis*, feeling]. 知覚減退, 触覚減退(刺激に対する感受性が減少すること). = hypoesthesia.

olfactory h. 嗅覚減退. = hyposmia.

hy·pha, pl. **hy·phae** (hī′fă, hī′fē) [G. *hyphē*, a web]. 菌糸(①線維性真菌(カビ)に特徴的な, 分枝した管状の細胞. たいていの種で, 菌糸は横断壁(隔壁)によって仕切られ, 多細胞性菌糸となっている. 自然の基質や実験室の人工培地の上では, 相互交流のある菌糸が菌糸体を構築する. hypha (菌糸)および mycelium(菌糸体)という語は, 互換的に用いられている. ② *Streptomyces* などのいくつかの細菌でみられる類似の構造).

racquet h. ラケット状菌糸(隣接する細胞の遠位端が膨潤し, 一続きの, 引きのばした雪ぐつあるいはテニスラケットのようになっている菌糸. 多くの糸状菌, 例えば培養中の多くの皮膚糸状菌でみられる).

spiral hyphae らせん菌糸(*Trichophyton mentagrophytes* (毛瘡白癬菌)において実験室の集落でみられるような, 末端が扁平または回転したらせんを呈する菌糸).

hyp·he·do·ni·a (hīp′hē-dō′nē-ă) [G. *hypo*, under + *hēdonē*, pleasure]. 快感減退, 冷感症(正常なら大きな快感を与える出来事に対し, 習慣的に軽度の, または減退した快感しか感じない症状).

hy·phe·ma (hī-fē′mă) [G. *hyphaimos*, suffused with blood]. 前房出血(**[**hyphemia と混同しないこと**]**. 眼前房内の出血).

hy·phe·mi·a (hī-fē′mē-ă) [hypo + G. *haima*, blood]. = hypovolemia.

intertropical h., tropic h. 熱帯性貧血. = ancylostomiasis.

Hy·pho·my·ces des·tru·ens (hī′fō-mī′sēs des′trū-enz). *Pythium insidiosum* の旧名.

Hy·pho·my·ce·tes (hī′fō-mī-sē′tēs) [G. *hyphe*, web + *mykēs*, fungus]. 線菌綱(不完全菌類のうち糸状を呈する菌すべてを包含する綱で, 分生子層や分生子殻(ピクニディア)を形成しないものである. 有性生殖はしない. この菌群のほとんどの菌は無性胞子を産生する).

hyphomycetous (hī′fō-mī-sē′tŭs). 線菌類の(線菌綱の真菌に関する).

hy·pho·my·co·sis (hī′fō-mī-kō′sis). ヒフォミコーシス(真菌である *Pythium insidiosum*(*Hyphomyces destruens*)に起因するウマやラバ, イヌ, ウシおよびネコ(まれにヒト)にみられる疾患. 熱帯または亜熱帯の環境で最も多い. 肉芽腫性および壊死性の病巣が頭部と四肢下部に発現し, 潰瘍化し, 皮下組織に波及拡大するのを特徴とする. また特にイヌにおいては消化管に肉芽腫を引き起こす. 動物では, まれに眼や鼻咽頭部の他, 播種性の病変が認められる. 低湿地の高湿環境において感染の危険性が増大する).

hypn- ⇀hypno-.

hyp·na·gog·ic (hip-nă-goj′ik) [hypno- + G. *agōgos*, leading]. 半眠の, 入眠幻覚の(**[**誤ったつづりまたは発音 hypnogogic を避けること**]**. 眠りに先だつ催眠様の遷移状態についていう. その時点で現れる場合のある種々の幻覚に対しても用いる. ⇀hypnoidal).

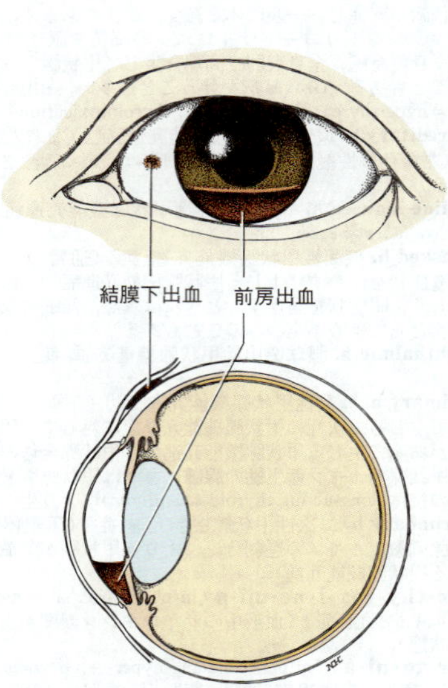

hyphema

前房出血と結膜下出血.

hypno-, hypn- [G. *hypnos*, sleep]. 睡眠または催眠に関する連結形.

hyp·no·a·nal·y·sis (hip′nō-ă-nal′i-sis). 催眠分析(精神分析またはその他の精神療法で, 催眠を補助技法として用いるもの).

hyp·no·an·a·lyt·ic (hip′nō-an′ă-lit′ik). 催眠分析の.

hyp·no·ca·thar·sis (hip′nō-kă-thar′sis) [hypno- + G. *katharsis*, purification]. 催眠浄化(意識的ないし無意識的に抑圧された情動緊張, 葛藤, 不安を催眠下で発散すること).

hyp·no·cyst (hip′nō-sist) [hypno- + G. *kystis*, bladder (cyst)]. 静止嚢胞, 休眠嚢胞(静止中の, または〝睡眠中の〟嚢胞. 被嚢原生動物で繁殖が一時的休止状態にあるもの).

hyp·no·gen·e·sis (hip′nō-jen′ĕ-sis) [hypno- + G. *genesis*, production]. 催眠(睡眠または催眠状態に誘導すること).

hyp·no·gen·ic, hyp·nog·e·nous (hip′nō-jen′ik, -noj′ĕ-nŭs). ***1***〖adj.〗催眠の. ***2***〖n.〗催眠薬(催眠状態をもたらしうる薬物. ⇀hypnosis).

hyp·noid (hip′noyd). 催眠様, 睡眠様(半眠状態すなわち睡眠と覚醒の中間の精神状態についていう. ⇀hypnagogic). = hypnoidal.

hyp·noi·dal (hip-noy′dăl) [hypno- + G. *eidos*, resemblance]. 催眠様の, 睡眠様の. = hypnoid.

hyp·no·pho·bi·a (hip′nō-fō′bē-ă) [hypno- + G. *phobos*, fear]. 恐眠症, 睡眠恐怖〔症〕(眠りに陥ることに対する病的な恐れ).

hyp·no·pom·pic (hip′nō-pom′pik) [hypno- + G. *pompē*, procession]. 睡眠前後の傾眠状態のときに幻視または夢をみることについていう.

hyp·no·sis (hip-nō′sis) [G. *hypnos*, sleep + *-osis*, condition]. 催眠〔状態〕(人為的に誘導された昏睡状態で夢遊症に類似する. この状態では, 被術者は暗示に対して高度の感受性を示し, ほかのことはすべて忘失して, 施術者の命令に速やかに反応する. その科学的妥当性は過去2世紀の間に数回のサイクルで受け入れられては退けられてきた. ⇀mesmerism). = hypnotic sleep; hypnotic state.

lethargic h. 嗜眠性催眠（主催眠に続く深い睡眠）. = trance coma.

major h. 深催眠（極度の被暗示性を呈する状態で，被術者は施術者の指令または暗示以外のあらゆる外的印象に対して知覚しなくなる）.

minor h. 浅催眠（正常な睡眠に類似する誘発状態であるが，被術者はカタレプシーや夢遊症ほどではないにせよ暗示に従う）.

hyp·no·ther·a·py (hip′nō-thār′ă-pē). ***1*** 催眠〔術〕療法（催眠を用いての精神療法的治療）. ***2*** 睡眠療法（トランス様の睡眠を生じさせて疾病を治療する方法）.

hyp·not·ic (hip-not′ik) [G. *hypnōtikos*, causing one to sleep]. ***1*** 〘adj.〙 催眠性〔の〕（睡眠を引き起こす）. ***2*** 〘n.〙 催眠薬. = soporific (2). ***3*** 〘adj.〙 催眠術の，催眠法の.

hyp·no·tism (hip′nō-tizm) [G. *hypnos*, sleep]. ***1*** 催眠術（催眠を誘導する手順または行為）. = somnolism. ***2*** 催眠法（催眠の実施または研究. → mesmerism）.

hyp·no·tist (hip′nō-tist). 催眠術者（催眠術をかける人）.

hyp·no·tize (hip′nō-tīz). 催眠誘導する.

hyp·no·zo·ite (hip′nō-zō′īt). ヒプノゾイト（ヒト肝の三日熱マラリア原虫 *Plasmodium vivax* または卵形マラリア原虫 *P. ovale* の赤血球外分裂小体で，発育が遅れたもの. マラリアの再発はこれによると考えられている）.

hypo- (hī′pō) [G. *hypo*, under]. ***1*** 欠乏あるいは正常以下を示す接頭語. *cf.* sub-. ***2*** 化学において，１つの系列に属する化合物中で最低位のもの，または酸素含有が最小のものを示す.

hy·po·a·cid·i·ty (hī′pō-a-sid′i-tē). 低酸〔症〕（正常よりも酸度が低いこと. 胃液などについていう）.

hy·po·a·cu·sis (hī′pō-ă-kū′sis). = hypacusis.

hy·po·a·de·nia (hī′pō-ă-dē′nē-ă) [hypo- + G. *adēn*, gland]. 腺機能低下（腺器官または組織機能の欠損）.

hy·po·a·dre·nal·ism (hī′pō-ă-drē′năl-izm). 低アドレナリン症，副腎〔機能〕低下（不全）〔症〕（副腎皮質の機能が低下すること）.

hy·po·a·dre·no·cort·i·cism with hy·po·par·a·thy·roid·ism and su·per·fi·cial mon·il·i·a·sis (hī′pō-ă-drē′nō-cōrt′i-sizm hī′pō-par′ă-thī′royd-izm sū′pěr-fish′ăl mon′il-ī′ă-sis). 副甲状腺機能低下症と表在性モニリア症を伴う副腎皮質機能低下症. = autoimmune polyendocrinopathy-candidiasis-ectodermal *dystrophy*.

hy·po·al·bu·mi·ne·mi·a (hī′pō-al-byū-mi-nē′mē-ă). 低アルブミン血〔症〕，低蛋白血〔症〕（血液中のアルブミン濃度が異常に低いこと）. = hypalbuminemia.

hy·po·al·dos·ter·on·ism (hī′pō-al-dos′tĕr-on-izm). 低アルドステロン血症（アルドステロンの分泌低下による状態で，以下の２つの病態でみられる. ①汎副腎皮質機能不全の１部分症. ⓘ原発性副腎欠損により生じる選択的欠乏またはアルドステロン生合成の欠損）.

hyporeninemic h. 低レニン血症性低アルドステロン血症（レニン分泌低下による選択的アルドステロン欠乏）.

isolated h. 孤立性低アルドステロン血症. = selective h.

selective h. 選択的低アルドステロン血症（糖質コルチコイドの分泌障害を伴わないアルドステロン欠乏）. = isolated h.

hy·po·al·dos·ter·on·u·ri·a (hī′pō-al-dos′tĕr-on-yū′rē-ă). 低アルドステロン尿症（尿中アルドステロンの異常低値）.

hy·po·al·ge·si·a (hī′pō-al-jē′zē-ă) [hypo- + G. *algēsis*, a sense of pain]. 痛感鈍麻. = hypalgesia.

hy·po·al·i·men·ta·tion (hī′pō-al′i-men-tā′shŭn). 栄養不足. = subalimentation.

hy·po·az·o·tu·ri·a (hī′pō-az′ō-tyū′rē-ă) [hypo- + Fr. *azote*, nitrogen + G. *ouron*, urine]. 窒素減少尿〔症〕（尿中の，非蛋白性の窒素含有物（特に尿素）の排泄量が異常に少ないこと）. = hypazoturia.

hy·po·bar·i·a (hī′pō-bar′ē-ă). = hypobarism.

hy·po·bar·ic (hī′pō-bar′ik) [hypo- + G. *baros*, weight]. 低圧の，低比重の，低〔比〕重性の（①周囲の気体の圧が１大気圧以下についていう. ②溶液に関しては，希釈液または媒質より濃度が低い場合. 例えば脊椎麻酔の場合，低比重局所麻酔薬は脊髄液より濃度が低い）.

hy·po·bar·ism (hī′pō-bar′izm). 〔異常〕低〔気〕圧〔病〕（酸素圧の低下がないのに，身体に対する大気圧が減少して生じる気圧の異常. 体腔に存在する気体が膨張し，体液中に溶解している気体は気泡となって溶液から出てこようとする. *cf.* decompression *sickness*）. = hypobaria.

hy·po·ba·rop·a·thy (hī′pō-ba-rop′ă-thē) [hypo- + G. *baros*, weight + *pathos*, suffering]. 低圧病（大気圧の減少によって起こる病気. 低圧病と高山病との見分けがつかないことがある）.

hy·po·be·ta·lip·o·pro·tein·e·mi·a (hī′pō-bā′tă-lip′ō-prō′tēn-ē′mē-ă) [MIM*107730]. 低ベータリポ蛋白血症（血漿中のβリポ蛋白が，異常に低値である状態. ときに，有棘赤血球増加と神経徴候を伴う. 常染色体優性遺伝. 第２染色体短腕のアポリポ蛋白Ｂ遺伝子（*APOB*）の突然変異による. → abetalipoproteinemia）.

familial h. 家族性低ベータリポ蛋白血症（無ベータリポ蛋白血症に似た病態. カイロミクロンは産生されるが，LDL 濃度は著しく低値である）.

h. with apo B-37 アポ B–37 を伴う低ベータリポ蛋白血症（LDL 濃度が低値の病態. 脂肪の吸収障害があり，異常な B–37 アポリポ蛋白が産生される）.

hy·po·blast (hī′pō-blast) [hypo- + G. *blastos*, germ]. 胚盤葉下層（鳥類など部分割する卵で胚盤が２層になったときの卵黄嚢に接する下の方の層で，発生が進むと内胚葉になる（上の層は epiblast という））.

hy·po·blas·tic (hī′pō-blas′tik). 内胚葉〔性〕の.

hy·po·bran·chi·al (hī′pō-brang′kē-ăl). 鰓弓下の. = hypopharyngeal.

hy·po·bro·mite (hī′pō-brō′mīt). 次亜臭素酸塩.

hy·po·bro·mous ac·id (HOBr) (hī′pō-brō′mŭs as′id). 次亜臭素酸（酸の一種で，その水溶液は酸化および漂白作用を有する）.

hy·po·cal·ce·mi·a (hī′pō-kal-sē′mē-ă). 低カルシウム血症（循環血液中のカルシウム量が異常に低いこと. 通常，カルシウムイオン濃度が正常以下の場合についていう）.

hy·po·cal·ci·fi·ca·tion (hī′pō-kal′si-fi-kā′shŭn). 低石灰化（骨または歯の石灰化の不全）.

enamel h. [MIM*104500]. エナメル質石灰化不全〔症〕（エナメル質の成熟障害. 透明度がやや低い，あるいは黄白色で光沢のないエナメル質を特徴とする. 様々なエナメル質形成不全症がみられる. 常染色体優性，常染色体劣性，およびＸ連鎖劣性遺伝によるものがある）.

hy·po·cap·ni·a (hī′pō-kap′nē-ă) [hypo- + G. *kapnos*, smoke, vapor]. 低炭酸〔症〕，炭酸不足（循環血液中の炭酸ガス圧が異常に低いこと. 比較的微量または軽度の炭酸ガス欠乏）. = hypocarbia.

hy·po·car·bi·a (hī′pō-kar′bē-ă). = hypocapnia.

hy·po·ce·lom (hī′pō-sē′lom) [hypo- + G. *koilos*, hollow]. 下体腔（胎児における体腔の腹側部を表す，まれに用いる語）.

hy·po·chlor·e·mi·a (hī′pō-klōr-ē′mē-ă). 低塩素血〔症〕，低クロル血〔症〕（循環血液中の塩化物イオン値が異常に低いこと）.

hy·po·chlor·e·mic (hī′pō-klōr-ē′mik). 低塩素血〔症〕の，クロル血〔症〕の.

hy·po·chlor·hy·dri·a (hī′pō-klōr-hī′drē-ă, -hid′rĭ-ă). 低塩酸〔症〕，減酸症（胃における塩酸量が異常に少ないもの）. = hypohydrochloria.

hy·po·chlor·ite (hī′pō-klōr′īt). 次亜塩素酸塩.

hy·po·chlor·ous ac·id (HOCl) (hī′pō-klōr′ŭs as′id). 次亜塩素酸；HOCl（酸の一種で，酸化および漂白作用を有する）.

hy·po·chlor·u·ri·a (hī′pō-klōr-yū′rē-ă). 低塩酸塩尿症（尿中の塩化物イオンの排出量が異常に少ないこと）.

hy·po·cho·les·ter·e·mi·a (hī′pō-kō-les′tĕr-ē′mē-ă). = hypocholesterolemia.

hy·po·cho·les·ter·in·e·mi·a (hī′pō-kō-les′tĕr-in-ē-mē-ă). = hypocholesterolemia.

hy·po·cho·les·ter·ol·e·mi·a (hī′pō-kō-les′tĕr-ol-ē′mē-ă). 低コレステロール（コレステリン）血〔症〕（循環血液中のコレステロール量が異常に少ないこと）. = hypocholesteremia; hypocholesterinemia.

H

hy·po·cho·li·a (hī′pō-kō′lē-ă). 胆汁減少 (oligocholia を表す，まれに用いる語).

hy·po·chon·dri·a (hī′pō-kon′drē-ă). [本語のもつ否定的および軽蔑的な響きは，文脈によっては不快な表現になるかもしれない]. =hypochondriasis.

hy·po·chon·dri·ac (hī-pō-kon′drē-ak). [本語のもつ否定的および軽蔑的な響きは，文脈によっては不快な表現になるかもしれない]. ***1***〘n.〙心気症質〔者〕(肉体機能の細部に病的な注意をはらったり，とるに足らないあらゆる徴候を誇張するなど身体への関心が過剰な人). ***2***〘n.〙心気症患者. ***3***〘adj.〙下肋部の.

hy·po·chon·dri·a·cal (hī′pō-kon-drī′ă-kăl). 心気的な，心気症の.

hy·po·chon·dri·a·sis (hī′pō-kon-drī′ă-sis) [< hypochondrium (心気症の存在部位とみなされる) + G. *-iasis*, condition]. 心気症，ヒポコンドリー〔症〕(自己の健康に対する病的な関心および何らかの異常な身体的・精神的感覚に対する過大な関心．身体的根拠はないにもかかわらず，自己が何らかの疾病を患っているという誤った信念). =hypochondria; hypochondriacal neurosis.

hy·po·chon·dri·um, pl. **hy·po·chon·dri·a** (hī′pō-kon′drē-ŭm, -ă) [L. < G. *hypochondrion*, abdomen < *hypo*, under + *chondros*, cartilage (of ribs)] [TA]. 下肋部. = hypochondriac *region*.

hy·po·chon·dro·pla·si·a (hī′pō-kon′drō-plā′zē-ă) [hypo- + G. *chondros*, cartilage + *plasis*, a molding] [MIM *146000]. 低軟骨形成症 (軟骨無形成症に似ているが，より軽症型の軟骨形成異常症．頭蓋や顔面は正常である．少年期になるまで臨床症状は現れない．常染色体優性遺伝であり，第4染色体短腕にあるFGF-3受容体(*FGFR3*)遺伝子の突然変異により生じる).

hy·po·chord·al (hī′pō-kōr′dăl) [hypo- + G. *chordē*, cord]. 脊髄腹側の.

hy·po·chro·ma·si·a (hī′pō-krō-mā′zē-ă). =hypochromia.

hy·po·chro·mat·ic (hī′pō-krō-mat′ik) [hypo- + G. *chrōma*, color]. 低色素〔性〕の (少量の，または個々の組織にとって正常量以下の色素を含有する). =hypochromic (1).

hy·po·chro·ma·tism (hī′pō-krō′mă-tizm). ***1*** 減色性，低色素性，低色素症 (低色素の状態). ***2*** =hypochromia.

hy·po·chro·mi·a (hī-pō-krō′mē-ă) [hypo- + G. *chrōma*, color]. 血色素減少〔症〕，低色素〔症〕(貧血状態で，赤血球中のヘモグロビンの百分率が正常範囲以下のもの). =hypochromasia; hypochromatism (2); hypochrosis.

hy·po·chro·mic (hī′pō-krō′mik). ***1*** =hypochromatic. ***2*** 淡色性の (より低波長に波長移動を伴う光吸収の低下についていう).

hy·po·chro·sis (hī′pō-krō′sis) [hypo- + G. *chrōsis*, a tinting]. =hypochromia.

hy·po·chy·li·a (hī′pō-kī′lē-ă) [hypo- + G. *chylos*, juice]. 胃液減少〔症〕(oligochylia を表す，まれに用いる語).

hy·po·ci·ne·sis, hy·po·ci·ne·sia (hī′pō-si-nē′sis, -nē′zē-ă). =hypokinesis.

hy·po·cit·ra·tur·i·a (hī′pō-si′trā-tyū′rē-ă). 低クエン酸尿症 (尿中のクエン酸濃度が異常に低い状態).

hy·po·com·ple·men·te·mi·a (hī′pō-kom′plĕ-men-tē′mē-ă). 低補体血症 (補体の成分のいずれかが欠落するか減量する血液の状態．免疫複合体病および腎炎因子が存在する膜性増殖性糸球体腎炎に伴う．各種の常染色体遺伝型が知られている．優性型 [MIM*120550, *120980]，劣性型 [MIM *216950, *217070]).

hy·po·cone (hī′pō-kōn) [hypo- + G. *kōnos*, pine cone]. ヒポコーヌス，次錐，ハイポコーン (上顎臼歯の遠心舌側咬頭).

hy·po·con·id (hī′pō-kon′id). ヒポコニード，次錐，ハイポコニド (下顎臼歯の遠心頬側咬頭).

hy·po·con·ule (hī′pō-kon′yūl) [hypo- + Mod.L.: L. *conus* (cone)の指小辞]. 次小錐，ハイポコニュール (上顎臼歯の遠心第五咬頭).

hy·po·con·u·lid (hī′pō-kon′yū-lid) [hypo- + Mod.L.: L. *conus*(cone)の指小辞] [TA]. ヒポコヌリド，次小錐，ハイポコニュリド (下顎臼歯の遠心第五咬頭). =distal cusp.

hy·po·cor·ti·coid·ism (hī′pō-kōr′ti-koyd-izm). 低副腎皮質機能. =adrenocortical *insufficiency*.

hy·po·cu·pre·mi·a (hī′pō-kū-prē′mē-ă) [hypo- + L. *cuprum*, copper + G. *haima*, blood]. 低銅血症 (血液中の銅含有量が低下すること．Wilson 病においてみられるが，これは，血清におけるアルブミン中の銅が増加するにもかかわらず，セルロプラスミンが抑制されるために起こるものである).

hy·po·cy·cloi·dal (hī′pō-sī-kloy′dăl) [*hypo-* + G. *kuklos*, circle + *-oeidēs*, appearance]. ハイポサイクロイドの，三つ葉〔軌道〕の (ぼかしの最適化を行いアーチファクトを減少させるような，機械的断層撮影に用いられる三連円様の動き).

hy·po·cys·tot·o·my (hī′pō-sis-tot′ō-mē). 経会陰的膀胱切開〔術〕(現在では用いられない語).

hy·po·cy·the·mi·a (hī′pō-sī-thē′mē-ă) [hypo- + G. *kytos*, cell + *haima*, blood]. 血球減少症 (循環血液中の血球減少で，再生不良性貧血などにおいて観察される).

hy·po·cy·to·sis (hī′pō-sī-tō′sis) [hypo- + G. *kytos*, cell + *-osis*, condition]. 血球減少症 (赤血球，白血球，およびその他の血液成分の数が程度の差こそあれ異常に少ないこと．場合によっては，他の組織においてもある細胞数が不足していることをさして用いられる. →cytopenia; pancytopenia).

hy·po·dac·ty·ly, hy·po·dac·tyl·ia, hy·po·dac·tyl·ism (hī′pō-dak′ti-lē, -dak-til′ē-ă, -dak′til-izm) [hypo- + G. *daktylos*, finger]. 指(趾)欠損 (正常構成要素が全部そろわず，手足の指が少ない状態).

hy·po·derm (hī′pō-derm) [hypo- + G. *derma*, skin]. 皮下組織. =subcutaneous *tissue*.

Hy·po·der·ma (hī′pō-der′mă) [hypo- + G. *derma*, skin]. ヒフバエ属 (ウシバエ botfly の一属で，幼虫はヒトの熱帯性いん線病(皮膚幼虫移行症)の原因となる．ときには眼の内側に進入する．ウシのウシバエには2種，すなわち *H. bovis* と *H. lineatum* とがある．*H. bovis* の卵は脚の毛に生みつけられ，幼虫は皮膚を貫通し，皮膚組織内を移動して背中の皮膚に達し，そこで晩冬の時期に，普通のウシバエウジ warble として出現する．このウジが体表を潰瘍化し，成熟幼虫は初夏に脱け出て地上に落ちてウジとなり，次の世代のハエとなる).

hy·po·der·mat·oc·ly·sis (hī′pō-der′mă-tok′li-sis). hypodermoclysis のまれに用いるつづり.

hy·po·der·mat·o·my (hī′pō-der-mat′ŏ-mē) [hypo- + G. *derma*, skin + *tomē*, incision]. 皮下切開〔術〕(皮下において組織を切ること).

hy·po·der·ma·to·sis (hī′pō-der′mă-tō′sis). ハイポデルマ症 (*Hypoderma*属のハエの幼虫による草食動物とヒトでの感染症).

hy·po·der·mic (hī′pō-der′mik). ***1***〘adj.〙皮下の. =subcutaneous. ***2***〘n.〙=hypodermic *injection*. ***3***〘n.〙=hypodermic *syringe*.

hy·po·der·mis* (hī-pō-der′mis). 皮下組織 (subcutaneous *tissue* の公式の別名).

hy·po·der·moc·ly·sis (hī′pō-der-mok′li-sis) [hypo- + G. *derma*, skin + *klysis*, a washing out]. 皮下注入 (生理食塩水またはその他の溶液を皮下注射すること).

hy·po·dip·loid (hī′pō-dip′loid). 低二倍体 (二倍体数より少ない染色体数をもつもの).

hy·po·dip·si·a (hī′pō-dip′sē-ă) [hypo- + G. *dipsa*, thirst]. 潜在性口渇 (恐らく体液の高張性による生理的状態で，水分の要求には至らないが，ときに，いったん水分の摂取を始めると飲み続けたくなる．緩慢な乏渇感症). =insensible thirst; subliminal thirst.

hy·po·don·ti·a (hī′pō-don′shē-ă) [hypo- + G. *odous*, tooth]. 歯数不足〔症〕(歯が先天的あるいは後天的に欠如している状態). =oligodontia; partial anodontia.

hy·po·dy·nam·i·a (hī′pō-dī-nā′mē-ă, -dī-nam′ē-ă) [hypo- + G. *dynamis*, force]. 活力低下，活力減退，弱力.

h. cordis 心収縮力減退.

hy·po·dy·nam·ic (hī′pō-dī-nam′ik). 活力低下の，弱力の.

hy·po·ec·cri·sis (hī′pō-ek′ri-sis) [hypo- + G. *eccrisis*, separation]. 排泄減退.

hy·po·ec·crit·ic (hī′pō-ĕ-krit′ik). 排泄減退の.

hy·po·ech·o·ic (hī′pō-ē-kō′ik) [hypo- + echo + -ic]. 低エコー (超音波画像において，正常あるいは周囲の構造より低

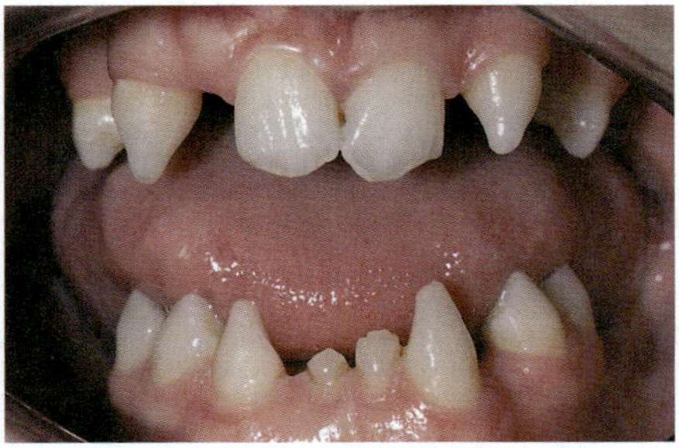

hypodontia

乳歯が晩期残存し，多数の永久歯の萌出欠如がみられる歯列．

エコーな部分)．

hypoendemic (hī′pō-en-dem′ik)．低度流行（ある患者の罹患率が十分に低いために，その地域の住民の病原体に対する免疫が欠けているか限定的である地域または集団を示す状態のこと）．

hy・po・e・o・sin・o・phil・i・a (hī′pō-ē′ō-sin′ō-fil′ē-ă)．好酸球減少〔症〕．＝eosinopenia.

hy・po・es・o・pho・ri・a (hī′pō-es′ō-fō′rē-ă)［hypo- ＋G. *esō*, within ＋ *phoros*, bearing］．下内斜位（片眼の眼軸が下内方へ偏位する傾向のこと．両眼視が妨げられる）．

hy・po・es・the・si・a (hī′pō-es-thē′zē-ă)．＝hypesthesia.

hy・po・ex・o・pho・ri・a (hī′pō-ek′sō-fō′rē-ă)［hypo- ＋G. *exō*, without ＋ *phoros*, bearing］．下外斜位（片眼の眼軸が下外方へ偏位する傾向のこと．両眼視が妨げられる）．

hy・po・fer・re・mi・a (hī′pō-fĕr-ē′mē-ă)．低鉄血症（循環血液中における鉄の欠乏）．

hy・po・fi・brin・o・ge・ne・mi・a (hī′pō-fī-brin′ō-jĕ-nē′mē-ă)．低フィブリノ〔ー〕ゲン血〔症〕，低線維素原血〔症〕，線維素原減少〔症〕（フィブリノーゲンの循環血漿中の濃度が異常に低いこと）．

hy・po・fron・tal・i・ty (hī′pō-fron-tal′i-tē)．前頭葉機能低下（前頭葉の種々の部位の神経活動の低下で，種々の原因による．多くの臨床症状や疾患と関連する）．

hy・po・func・tion (hī′pō-fŭnk′shŭn)．機能低下，機能不全，機能減退．

hy・po・ga・lac・ti・a (hī′pō-ga-lak′shē-ă)［hypo- ＋G. *gala*, milk］．乳汁〔分泌〕過少(減少)，乏乳〔症〕，乳汁分泌不全（乳汁分泌が正常より少ないこと）．

hy・po・ga・lac・tous (hī′pō-ga-lak′tŭs)．乳汁分泌過少(減少)の，乏乳〔症〕の，乳汁分泌不全の（正常より少ない量の乳汁を分泌する）．

hy・po・gam・ma・glo・bi・ne・mi・a (hī′pō-gam′ă-glō′bi-nē′mē-ă)．＝hypogammaglobulinemia.

hy・po・gam・ma・glob・u・lin・e・mi・a (hī′pō-gam′ă-glob′yū-li-nē′mē-ă)．低ガンマグロブリン血〔症〕（血清グロブリンのガンマ分画の減量．ときに一般的な免疫グロブリンの減少を意味しても用いる．化膿性菌による感染症に対する感受性が亢進する）．＝hypogammaglobinemia.

acquired h. 後天性低ガンマグロブリン血症．＝common variable *immunodeficiency*.

primary h. 原発性低ガンマグロブリン血症（免疫グロブリン産生細胞(Bリンパ球)の原発性免疫欠損による低ガンマグロブリン血症）．

secondary h. 続発性低ガンマグロブリン血症．＝secondary *immunodeficiency*.

transient h. of infancy 一過性乳児低ガンマグロブリン血症（原発性免疫不全症の一型で，両性の新生児に通例は生後6か月以内に発症する．リンパ系組織の未発達によるものと考えられている）．＝transient agammaglobulinemia.

X-linked h., X-linked infantile h. X連鎖低(無)ガンマグロブリン血症，ブルトン型無ガンマグロブリン血症（循環血液中のBリンパ球の減少あるいは欠如により5種類の免疫グロブリンの減少を生じる先天性，原発性の免疫不全症．母体移行免疫消失後に顕在化する化膿性細菌(特に肺炎球菌あるいはインフルエンザ菌 *Haemophilus influenzae*)への易感染性を呈する．X染色体短腕の Bruton チロシンキナーゼ(*BTK*)の変異に起因し，X連鎖劣性遺伝形式をとる）．

X-linked h. with growth hormone deficiency 成長ホルモン欠損を伴うX連鎖低ガンマグロブリン血症（B細胞数が減少している低ガンマグロブリン血症．低身長，思春期の遅発および繰り返す感染症を特徴とする）．

hy・po・gan・gli・on・o・sis (hī′pō-gang′lē-on-ō′sis)．神経節細胞減少〔症〕（神経節の神経細胞数の減少）．

hy・po・gas・tric (hī′pō-gas′trik)．下腹部の．

hy・po・gas・tri・um (hī′pō-gas′trē-ŭm)［G. *hypogastrion*, lower belly ＜ *hypo*, under ＋ *gastēr*, belly］［TA］．下腹部．＝pubic *region*.

hy・po・gas・tro・cele (hī′pō-gas′trō-sēl)［hypogastrium ＋G. *kēlē*, hernia］．下腹部ヘルニア．

hy・po・gas・trop・a・gus (hī′pō-gas-trop′ă-gŭs)［hypogastrium ＋ G. *pagos* ＜ *pēgnynai*, to fasten］．下腹部結合奇形（下腹部において結合した双生児．→conjoined twins）．

hy・po・gas・tros・chi・sis (hī′pō-gas-tros′ki-sis)［hypogastrium ＋ G. *schisis*, cleaving］．下腹裂（下腹部における腹壁の先天的裂溝）．

hy・po・gen・e・sis (hī′pō-jen′ĕ-sis)［hypo- ＋G. *genesis*, origin］．発育不全〔症〕，減形成（成長の先天的欠陥で，身体の部位または器官の発育不全）．

polar h. 極性減形成（胚の頭端または尾端の発育程度が正常以下であること）．

hy・po・ge・net・ic (hī′pō-jĕ-net′ik)．発育不全性の，減形成の．

hy・po・gen・i・tal・ism (hī′pō-jen′i-tăl-izm)．性器発育不全〔症〕，性腺機能減退〔症〕（生殖器の部分的または完全な成熟不全．一般に性機能低下の結果生じる）．

hy・po・geu・si・a (hī′pō-gū′sē-ă)［hypo- ＋G. *geusis*, taste］．味覚減退（輸送障害(味蕾内部の到達)または感覚神経障害(味覚細胞，味覚神経または中枢味覚神経経路)による味覚の鈍麻．遺伝性のことも後天性のこともある．すべての味覚物質に対して全般的に鈍麻，いくつかの味覚物質に対して部分的に鈍麻，または1つ以上の味覚物質に対して特異的に鈍麻していることがある）．

hy・po・glob・u・li・a (hī′pō-glo-byū′lē-ă)［hypo- ＋G. *globulus*, globule］．赤血球減少〔症〕（現在では用いられない語．循環血液中の赤血球数が異常に少ないことを表す．骨髄中の赤血球系細胞の比率が異常に減少していることをさす場合もある）．

hy・po・glos・sal (hī′pō-glos′ăl)［L. *hypoglossus* ＜ *hypo-* ＋ *glossus*, tongue］．舌下の（[hyoglossalと混同しないこと]．①舌の下の．②第十二脳神経である舌下神経に関する）．＝hypoglossus.

hy・po・glos・sis (hī′pō-glos′is)．＝hypoglottis.

hy・po・glos・sus (hī′pō-glos′ŭs)［L.］．舌下の．＝hypoglossal.

hy・po・glot・tis (hī′pō-glot′is)［G. *hypoglōssis*, *-glōttis*, undersurface of tongue ＜ *hypo*, under ＋ *glōssa*, tongue］．舌下（舌の下面）．＝hypoglossis.

hy・po・gly・ce・mi・a (hī′pō-glī-sē′mē-ă)．低血糖〔症〕（低血糖(正常血糖値は60—100mg/dL(3.3—5.6mmol/L))による自律神経性，神経低血糖性の症状がある．自律神経症状は，発汗，震え，発熱感，不安，吐気などがある．神経低血糖性の症状はめまい感，錯乱，疲労感，会話の障害，頭痛，集中力低下を含む．）．＝glucopenia.

fasting h. 空腹時性低血糖（絶食に関連して起こる著しい低血糖．過インスリン血症時にも認められるが，特に誘因なく生じることもある）．

ketotic h. ケトン性低血糖〔症〕（新生児期後に起こる最も頻度の高い小児期の低血糖症．18か月—5歳までに発症し，小児期後半には自然軽快する．この状態は通常，感冒時に生じ，傾眠傾向や食欲低下を特徴とする．8—16時間の絶食が症状に先行することがよくみられ，原因は不十分なグリコーゲン蓄積と糖新生の障害によると考えられる）．

leucine h. ロイシン低血糖〔症〕（ロイシンの投与によりブドウ糖の血中濃度が低下すること．このアミノ酸にインスリ

H

ン分泌を刺激する能力があるためと考えられる).

leucine-induced h. ロイシン誘発性低血糖（ロイシンを摂取したときに生じるまれな低血糖．特に幼児に多い）．= leucine-sensitive h.

leucine-sensitive h. = leucine-induced h.

mixed h. 混合性低血糖（1つ以上の原因による低血糖）.

neonatal h. [MIM*240900]. 新生児低血糖（幼少期の症候性低血糖で，家族性に発症し，持続性の低血糖を呈する．高インスリン血症および種々の知能低下を伴うロイシン誘発性の異型[MIM*240800]である）.

hy·po·gly·ce·mic (hī′pō-glī-sē′mik). 低血糖〔症〕の.

hy·po·gly·co·gen·ol·y·sis (hī′pō-glī′kō-jĕ-nol′i-sis). 糖原分解低下.

hy·po·gly·cor·rha·chi·a (hī′pō-glī′kō-rak′ē-ă) [hypo- + G. *glykys*, sweet + *rhachis*, spine]. 髄液糖減少〔症〕（脳脊髄液中の糖の低濃度状態．特に細菌性髄膜炎におけるものがよく知られている）.

hy·pog·na·thous (hī-pog′na-thŭs) [hypo- + G. *gnathos*, jaw]. 小下顎症の（[二重字 gn において，g は語頭にあるときのみ無音である]．下顎の先天的な発育不全についていう）.

hy·pog·na·thus (hī-pog′nă-thŭs) [hypo- + G. *gnathos*, jaw]. 下口体（[二重字 gn において，g は語頭にあるときのみ無音である]．不等接着双生児で，痕跡寄生体が自生体の下顎骨に結合したもの．→conjoined *twins*）.

hy·po·go·nad·ism (hī′pō-gō′nad-izm). 性腺機能低下症，生殖機能不全（性腺の機能不全で，生殖発生あるいは性腺ホルモン分泌の一方または双方の欠損によって発現するものなどがある．萎縮あるいは二次的性徴の発現欠如という結果となり，思春期男子に起こったときは，体幹が短く肢体が長いという，特徴ある体型に変わる）.

h. with anosmia 無嗅覚性性腺機能低下症（下垂体ゴナドトロピンの分泌不全に伴う性腺発育障害．脳の嗅葉の無形成により無嗅覚症となる．常染色体優性遺伝型 [MIM*147950]，常染色体劣性遺伝型 [MIM*244200]，および X 連鎖劣性遺伝型 [MIM*308700]がある．X 連鎖型のものは X 染色体短腕にある Kallmann 遺伝子(*KAL1*)の突然変異により生じる）．= Kallmann syndrome.

familial hypogonadotropic h. [MIM*312100, *307300]. 家族性低ゴナドトロピン性性腺機能低下症（性発育の不全を特徴とする障害で，下垂体ゴナドトロピン分泌の不全によるもの．X 連鎖と思われるが常染色体優性や劣性遺伝のものも存在する）.

hypergonadotropic h. [MIM*238320]. 高ゴナドトロピン性性腺機能低下症（性腺の発育障害や機能障害．そのため性腺刺激ホルモンは高値となる）.

hypogonadotropic h. 低ゴナドトロピン性性腺機能低下症（性腺の発育または機能，またはその双方の欠陥で，下垂体のゴナドトロピン分泌不全の結果起こるもの）．= hypogonadotropic eunuchoidism; secondary h.

male h. [MIM*241100]. = eunuchoidism.

primary h. 原発性性腺機能低下症（性腺の発育，機能あるいはその双方の欠陥で，性腺自体の何らかの異常によるもの）.

secondary h. 続発性性腺機能低下症．= hypogonadotropic h.

hy·po·go·nad·o·tro·pic (hī′pō-gon′ă-dō-trop′ik). 下垂体性機能不全〔性〕の，性腺刺激ホルモン分泌低下〔性〕の，低ゴナドトロピン性の（ゴナドトロピンの分泌不全およびそれによって生じる結果についていう）.

hy·po·gran·u·lo·cy·to·sis (hī′pō-gran′yū-lō-sī-tō′sis). 顆粒球減少〔症〕．= granulocytopenia.

hy·po·he·pat·i·a (hī′pō-hĕ-pat′ē-ă) [hypo- + G. *hēpar*, liver]. 肝臓機能低下を表す，まれに用いる語.

hy·po·hi·dro·sis (hī′pō-hī-drō′sis). 発汗減少〔症〕.

hy·po·hy·dre·mi·a (hī′pō-hī-drē′mē-ă) [hypo- + G. *hydōr*, water + *haima*, blood]. 脱水症（血液中の液体量が不足していること）.

hy·po·hy·dro·chlor·i·a (hī′pō-hī′drō-klōr′ē-ă). = hypochlorhydria.

hy·po·i·so·ton·ic (hī′pō-ī′sō-ton′ik). 低張〔性〕の，低浸透〔圧〕的な．= hypotonic.

hy·po·ka·le·mi·a (hī′pō-ka-lē′mē-ă) [hypo- + G. *kalion* L. *kalium*, potassium + G. *haima*, blood]. 低カリウム血〔症〕（循環血液中に存在するカリウムイオンの濃度が異常に低いこと．家族性周期性麻痺および消化管または腎臓からの過剰喪失によるカリウム枯渇において発生する．低カリウム血症における各種変化には，尿濃縮能および酸性化作用の欠陥を伴う腎尿細管上皮細胞質の空胞化，心電図の T 波の平坦化および筋の脱力などがある）．= hypopotassemia.

hy·po·ki·ne·mi·a (hī′pō-ki-nē′mē-ă) [hypo- + G. *kineo*, to move + *kaima*, blood]. 心拍出量減少〔症〕（循環率が低下すること．循環血流量が減少すること．心拍出量が正常以下であること）.

hy·po·ki·ne·sis, hy·po·ki·ne·sia (hī′pō-ki-nē′sis, -nē′zē-ă) [hypo- + G. *kinēsis*, movement]. 運動低下〔症〕，減動，運動機能減少〔症〕（動きが減少すること，または遅くなること）．= hypocinesis; hypocinesia; hypomotility.

hy·po·ki·net·ic (hī′pō-ki-net′ik). 運動低下〔症〕の，減動の.

hy·po·leu·ke·mi·a (hī′pō-lū-kē′mē-ă). 低形成性白血病．= subleukemic *leukemia*.

hy·po·ley·dig·ism (hī′pō-lī′dig-izm). ライディヒ細胞機能低下〔症〕（精巣の間質(Leydig)細胞からのアンドロゲン分泌が正常以下であること）.

hy·po·lip·o·pro·te·in·e·mi·a (hī′pō-lip′ō-prō′tē-in-ē′mē-ă). 低リポ蛋白血〔症〕（血清中のリポ蛋白が低下していること）.

hy·po·li·po·sis (hī′pō-li-pō′sis). 脂肪欠乏症（組織内の脂肪量が異常に少ないこと）.

hy·po·lo·gi·a (hī-pō-lō′jē-ă) [hypo- + G. *logos*, word]. 言語不随症（話す能力が欠けていること）.

hy·po·lym·phe·mi·a (hī′pō-lim-fē′mē-ă). リンパ球減少〔症〕（循環血中のリンパ球の数が異常に少ないこと）.

hy·po·mag·ne·se·mi·a (hī′pō-mag′nē-sē′mē-ă). 血中マグネシウム減少〔症〕，低マグネシウム血〔症〕（血清中のマグネシウム濃度が正常以下であること．痙攣および同時発生の低カルシウム血症を引き起こす場合がある）.

hy·po·ma·ni·a (hī′pō-mā′nē-ă). 軽躁〔病〕.

hy·po·mas·ti·a (hī′pō-mas′tē-ă) [hypo- + G. *mastos*, breast]. 乳房矮小〔症〕，乳房発育不全（乳房の萎縮または先天的矮小）.

hy·po·mel·an·cho·li·a (hī′pō-mel′an-kō′lē-ă). 軽症〔憂〕うつ病（軽度の精神的うつ状態）.

hy·po·mel·a·no·sis (hī′pō-mel-ă-nō′sis). メラニン減少〔症〕．= leukoderma.

h. of Ito [MIM*146150, *308300, *300337]. 伊藤のメラニン減少症（特定の疾患単位としてではなく，様々なモザイクの表現型として認識されるものである．片側性または両側性の渦巻き状，流線状，斑状の脱色素斑で，〝大理石様〟と形容される．表皮母斑，脱毛，眼，骨，神経の異常などを種々合併する．→*incontinentia* pigmenti）．= incontinentia pigmenti achromians.

hy·po·me·li·a (hī′pō-mē′lē-ă) [hypo- + G. *melos*, limb]. 肢形成不全〔症〕（1肢以上の一部あるいは全体の形成不全に対する一般用語）.

hy·po·men·or·rhe·a (hī′pō-men′ō-rē′ă) [hypo- + G. *mēn*, month + *rhoia*, flow]. 月経過少〔症〕，過少月経（[oligomenorrhea と混同しないこと]．月経量が少ないこと，または出血持続期間の短いこと）.

hy·po·mere (hī′pō-mēr) [hypo- + G. *meros*, part]. ***1*** 腹外側筋節（腹部外側に伸展して体壁筋や体肢筋を形成し，脊髄神経の第一前枝の支配を受ける筋節の部分．→hypaxial）. ***2*** 中胚葉外側板（*1* ほど一般的ではないが，外側中胚葉の体細胞層および内臓包層をさす．これらは体腔の壁を形成する）.

hy·po·me·tab·o·lism (hī′pō-me-tab′ō-lizm). 代謝低下（→hypometabolic *state*）.

euthyroid h. 甲状腺機能正常性代謝低下〔症〕（明らかに正常な甲状腺であるのに，粘液水腫に類似した症状を示すまれな状態）.

hy·po·met·ri·a (hī′pō-mē′trē-ă) [hypo- + G. *metron*, measure]. 測定減少〔症〕（対象あるいは目標に届かない運動失調．小脳疾患でみられる．*cf.* hypermetria）.

hy·pom·ne·si·a (hī′pom-nē′zē-ă) [hypo- + G. *mnēmē*,

memory]．記憶減退（[二重字 mn において，m は語頭にあるときのみ無音である]．記憶障害．*cf.* hypermnesia）．

hy·po·morph (hī′pō-mōrf) [hypo- + G. *morphē*, form]．***1*** 矮小体型（四肢が短いために，身長が座高に比して短い人のこと．*cf.* hypermorph; endomorph）．***2*** ハイポモルフ（その遺伝子により制御されている活性を部分的に減少させるような突然変異遺伝子．*cf.* hypermorph）．

hy·po·mo·til·i·ty (hī′pō-mō-til′i-tē)．低運動〔性〕，運動性減弱．＝hypokinesis.

hy·po·my·e·li·na·tion, hy·po·my·e·lin·o·gen·e·sis (hī′pō-mī′ĕ-lin-ā′shun, -ō-jen′ĕ-sis)．ミエリン形成減少〔症〕（脊髄，脳または末梢神経におけるミエリンの形成不全．種々の神経疾患の症候を呈する）．

hy·po·my·o·to·ni·a (hī′pō-mī′ō-tō′nē-ă) [hypo- + G. *mys* (*myo-*), muscle + *tonos*, tension]．筋弛緩〔症〕，筋緊張減退．

hy·po·myx·i·a (hī′pō-mik′sē-ă) [hypo- + G. *myxa*, mucus]．粘液分泌減退．

hy·po·na·tre·mi·a (hī′pō-nă-trē′mē-ă) [hypo- + natrium + G. *haima*, blood]．低ナトリウム血〔症〕（循環血液中のナトリウム濃度が異常に低いこと）．

depletional h. 欠乏性低ナトリウム血症（循環血液中からのナトリウム喪失に伴う血清ナトリウム濃度の減少．ナトリウム喪失は消化管，腎から，またはいわゆるサードスペースへの移行により起こる．血液低容量性，低浸透圧性状態に伴う）．

dilutional h. 希釈性低ナトリウム血〔症〕．＝depletional h.

hy·po·ne·o·cy·to·sis (hī′pō-nē′ō-sī-tō′sis) [hypo- + G. *neos*, new + *kytos*, cell + *-osis*, condition]．白血球減少症で，幼若白血球(特に顆粒球系のもの)が存在するもの．すなわちヘモグラムにおける〝左方移動〟の状態．＝hyposkeocytosis.

hy·po·noi·a (hī′pō-noy′ă) [hypo- + G. *noeō*, to think]．精神機能減退（精神活動または想像力の障害または鈍化）．

hy·po·nych·i·al (hī′pō-nik′ē-ăl)．爪床の，爪下皮の（①＝subungual．②爪下皮に関する）．

hy·po·nych·i·um (hī′pō-nik′ē-ŭm) [hypo- + G. *onyx*, nail] [TA]．爪下皮（爪床の上皮，特にその半月付近の近位部分で，爪床を形成する）．

hy·pon·y·chon (hī-pon′i-kon) [hypo- + G. *onyx*, nail]．爪床溢血（爪下の出血）．

hy·po·on·cot·ic (hī′pō-on-kot′ik)．低張性の（血漿などのコロイド浸透圧が正常以下であることについていう）．

hy·po·or·tho·cy·to·sis (hī′pō-ōr′thō-sī-tō′sis) [hypo- + G. *orthos*, correct + *kytos*, cell + *-osis*, condition]．正常百分率性白血球減少〔症〕（様々な形の白血球数の比率が正常範囲内にある白血球減少症で，循環血液中に未成熟細胞がみられないもの）．

hy·po·o·var·i·an·ism (hī′pō-ō-vā′rē-an-izm)．卵巣機能減退〔症〕（卵巣機能の不全．一般に卵巣ホルモン分泌の低下についていう）．＝hypovarianism.

hy·po·pan·cre·a·tism (hī′pō-pan′krē-ă-tizm)．膵機能減退（膵臓による消化酵素分泌の活動が減退した状態）．

hy·po·pan·cre·or·rhe·a (hī′pō-pan′krē-ō-rē′ă) [hypo- + pancreas + G. *rhoia*, flow]．膵臓分泌過少（膵臓分泌物の産出が低下すること）．

hy·po·par·a·thy·roid·ism (hī′pō-par′ă-thī′royd-izm) [MIM*241400]．副甲状腺(上皮小体)機能低下症（副甲状腺ホルモン分泌の減少または欠如により起こる状態．低カルシウム血症を呈し，テタニーを生じる．ときには骨密度が増加している．㊟副甲状腺機能低下症は内科系，上皮小体機能低下症は外科系で用いられる．→pseudohypoparathyroidism）．＝parathyroid insufficiency.

familial h. 家族性副甲状腺(上皮小体)機能低下〔症〕（低カルシウム血症，高リン血症，白内障，脳内石灰化，テタニーを特徴とする遺伝性の副甲状腺機能低下症．メンデル型遺伝をとる 3 型(性染色体性，常染色体優性および劣性)が存在する [MIM*146200, *241400, *307700]．常染色体優性遺伝型のものは第 11 染色体短腕の副甲状腺ホルモン(*PTH*)遺伝子または第 3 染色体長腕のカルシウム感知受容体(*CASR*)遺伝子の突然変異により生じる）．

hy·po·pep·si·a (hī′pō-pep′sē-ă) [hypo- + G. *pepsis*, digestion]．消化減退（特にペプシンの欠乏によって起こる消化障害）．＝oligopepsia.

hy·po·per·i·stal·sis (hī′pō-per′i-stal′sis)．ぜん動低下，ぜん動緩慢．

hy·po·pha·lan·gism (hī′pō-fă-lan′jizm)．減指骨症（手足の指節骨が先天的に 1 個以上欠如していること）．

hy·po·pha·ryn·ge·al (hī′pō-fă-rin′jē-ăl)．下咽頭（咽頭器官の下方に位置する）．＝hypobranchial.

hy·po·phar·ynx* (hī′pō-far′inks)．下咽頭，咽頭喉頭部（laryngopharynx の公式の別名）．

hy·po·pho·ne·sis (hī′pō-fō-nē′sis) [hypo- + G. *phōnēsis*, a sounding]．聴診音減弱，打診音減弱（打診または聴診において，普通よりも音が減少または弱化していること）．

hy·po·pho·ni·a (hī′pō-fō′nē-ă) [hypo- + G. *phōnē*, voice]．発声不全（異常に弱い声のことで，発声に関係する筋の失調から起こるもの）．＝leptophonia; microphonia; microphony.

hy·po·pho·ri·a (hī′pō-fō′rē-ă) [hypo- + G. *phora*, motion]．下斜位（片眼の眼軸が下方へ偏位する傾向のこと．両眼視が妨げられる）．

hy·po·phos·pha·ta·se·mi·a (hī′pō-fos′fă-tă-sē′mē-ă)．＝hypophosphatasia.

hy·po·phos·pha·ta·sia (hī′pō-fos′fă-tā′zē-ă)．低ホスファターゼ血〔症〕（循環血液中のアルカリホスファターゼ含有量が異常に低いこと）．＝hypophosphatasemia.

adult h. 成人型低フォスファターゼ血症（歯の早期脱落，くる病と診断される四肢の彎曲，X 線写真で銅箔状に見える頭蓋骨を呈する常染色体優性遺伝性の骨病変．第 1 染色体短腕にある組織非特異的アルカリフォスファターゼをコードしている *ALPL* 遺伝子の突然変異により生じる）．

childhood h. 小児型低アルカリホスファターゼ血症（比較的軽度の常染色体劣性遺伝をする低ホスファターゼ血症．先天型のものと対立形質になっていることもある）．

congenital h. [MIM*241500]．先天性低ホスファターゼ血症（血清アルカリホスファターゼ低値，高リン酸塩尿症，高カルシウム血症，骨格異常，病的骨折，狭頭症，早期の歯牙の喪失，および早期の死亡を伴うまれな疾患．青色強膜や眼瞼退縮，帯状角膜混濁，白内障，視神経乳頭浮腫，視神経萎縮などの眼症状を示すことがある．第 1 染色体長腕の肝アルカリホスファターゼ遺伝子(*ALPL*)の突然変異に起因し，常染色体劣性遺伝形式をとる）．

hy·po·phos·pha·te·mi·a (hī′pō-fos′fă-tē′mē-ă)．低リン血症（循環血液中のリン酸塩の濃度が異常に低いこと．rickets の項も参照）．

hy·po·phos·pha·tu·ri·a (hī′pō-fos′fă-tyū′rē-ă)．低リン酸〔塩〕尿症（リン酸塩の尿中への排泄低下）．

hy·po·phos·pho·rous ac·id (hī′pō-fos′fō-rŭs as′id)．次亜リン酸（31% の HPH_2O_2 を含む水溶液．製剤において安定化還元剤として用いる）．

hy·po·phra·si·a (hī′pō-frā′zē-ă) [hypo- + G. *phrasis*, speaking]．寡言症（言語が遅いかまたは欠如していることで，精神病または脳傷害に伴うもの）．

hy·po·phy·se·al (hī′pō-fiz′ē-ăl)．下垂体〔性〕の（[誤った発音 hypophyse′al を避けること]）．＝hypophysial.

hy·poph·y·sec·to·mize (hī′pof-i-sek′tŏ-mīz)．下垂体を切除する．

hy·poph·y·sec·to·my (hī′pof-i-sek′tŏ-mē)．下垂体切除〔術〕（下垂体の外科的切除）．

hy·po·phys·e·o·priv·ic (hī′pō-fiz′ē-ō-priv′ik)．下垂体〔機能〕欠乏性の．＝hypophysioprivic.

hy·po·phys·e·o·trop·ic (hī′pō-fiz′ē-ō-trop′ik)．下垂体刺激性．＝hypophysiotropic.

hy·po·phy·si·al (hī′pō-fiz′ē-ăl)．下垂体〔性〕の．＝hypophyseal.

hy·poph·y·sin (hī-pof′i-sin)．ヒポフィジン（ウシの新鮮な下垂体後葉から抽出される水様の抽出物．オキシトシンおよびバソプレッシンを含有する）．

hy·po·phys·i·o·priv·ic (hī′pō-fiz′ē-ō-priv′ik) [hypophysis + L. *privus*, deprived of]．下垂体機能不全の（下垂体切除後に現れる下垂体機能不活性または欠如の状態についていう）．＝hypophyseoprivic.

hy·po·phys·i·o·trop·ic (hī′pō-fiz′ē-ō-trop′ik)．下垂体刺激性の（下垂体に作用する刺激性のホルモンについていう）．＝hypophyseotropic.

hy·poph·y·sis (hī-pof′i-sis)〔G. an undergrowth〕〔TA〕. 下垂体（→hypothalamus). ＝pituitary *gland.*

h. cerebri 脳下垂体. ＝pituitary *gland.*

pharyngeal h. 咽頭下垂体（下垂体憩室に由来する遺残組織. 鼻咽頭の粘膜の固有層にある. 細胞とその配置は腺性下垂体の末端部と同じ). ＝h. pharyngealis〔TA〕; pars pharyngea hypophyseos.

h. pharyngealis〔TA〕. 咽頭下垂体. ＝pharyngeal h.

h. sicca ＝posterior *pituitary.*

hy·poph·y·si·tis (hī-pof′i-sī′tis). 下垂体炎（下垂体の炎症).

lymphocytic h. リンパ球性下垂体炎（下垂体前葉への急性のリンパ球浸潤によって生じる下垂体前葉機能不全症. 抗下垂体抗体が血中に検出されるので, 恐らく自己免疫疾患と考えられている). ＝lymphoid h.

lymphoid h. リンパ球性下垂体炎. ＝lymphocytic h.

hy·po·pi·e·sis (hī′pō-pī-ē′sis)〔hypo- ＋ G. *piesis,* pressure〕. ＝hypotension (1).

orthostatic h. ＝orthostatic *hypotension.*

hy·po·pig·men·ta·tion (hī′pō-pig′men-tā′shun)〔hypo- ＋ pigmentation〕. 色素脱失（周囲皮膚に対してメラニン量が低下している状態. →albinism).

hy·po·pi·tu·i·ta·rism (hī′pō-pi-tū′i-tă-rizm). 下垂体〔機能〕低下〔不全〕〔症〕（下垂体前葉の活動減退によって起こる状態. 種々の程度の, 1種以上の下垂体前葉ホルモンの分泌不全を必然的に伴う).

hy·po·pla·si·a (hī′pō-plā′zē-ă)〔hypo- ＋ G. *plasis,* a molding〕. ***1*** 発育不全, 形成不全, 減形成〔症〕（組織または器官の発育不全で, 通常, 細胞数の不足によって起こる). ***2*** 減形成体質, 形成不全体質（構成要素の大きさの減少のみによらず, その破壊によって起こる萎縮).

cartilage-hair h.〔MIM*250250, *250460〕. 軟骨毛髪形成不全〔症〕（アマン派の人々に多くみられる骨形成不全で, 短い四肢, 小人症, まばらで明るい色の毛髪, T細胞性免疫不全を特徴とする. 感染症を起こしやすく, X線で骨端部の異形成が認められる. 常染色体劣性遺伝で, 第9染色体短腕の *RMPR* 遺伝子の変異により起こる). ＝McKusick metaphysial dysplasia.

enamel h. エナメル質形成不全〔症〕（歯の発育障害で, エナメル基質の形成不全または無形成が特徴である. 本疾患は遺伝性エナメル質形成不全症といった遺伝的原因による場合と, 斑状歯, 歯胚の局所的な感染, あるいは小児期の発熱などの後天的原因による場合とがある. なお, 先天性梅毒においても認められる).

focal dermal h.〔MIM*305600〕. 局所性真皮低形成（皮膚, ときには粘膜の病的状態で, X連鎖優性遺伝で男性の大部分は胎生期に死亡する. 皮膚の線状萎縮または低形成, 皮膚欠損部からの脂肪組織のヘルニア, 粘膜や皮膚の乳頭腫を特徴とする. ときに指頭・眼球・口腔奇形, 精神遅滞, 骨の線条 bony striations も伴う). ＝Goltz syndrome.

optic nerve h. 視神経乳頭低形成（視神経乳頭が先天的に小さいもので, 網膜神経節細胞の数の減少により, 正常神経細胞数の低下を伴う. 視覚欠陥が高度な場合もある. →de Morsier *syndrome*).

renal h. 腎形成不全（形態学的には正常だが異常に小さい腎臓で, ネフロン数が減少しているか, またはネフロンの大きさが小さい).

h. of right ventricle 右室低形成（右室の発達不全で, 少量の筋肉と多い結合織をもつ).

right ventricular h. 右心室形成不全. ＝parchment *heart.*

thymic h. 胸腺発育不全. ＝DiGeorge *syndrome.*

hy·po·plas·tic (hī′pō-plas′tik). 発育不全の, 形成不全の, 減形成症の, 減形成体質の, 形成不全体質の, 低形成の.

hypoploidy (hī′pō-ploy-dē)〔hypo- ＋ ploidy〕. 低倍数性（1つ以上の染色体欠損).

hy·pop·ne·a (hī-pop′nē-ă)〔hypo- ＋ G. *pnoē,* breathing〕. 呼吸低下, 減〔少〕呼吸（[二重字 pn において, p は語頭にあるときのみ無音である. 正しい発音は hypopne′a であるが, 米国では広く hypop′nea と発音される]. 正常より浅いか遅い呼吸). ＝oligopnea.

hy·po·po·si·a (hī′pō-pō′sē-ă)〔hypo- ＋ G. *posis,* drinking〕. 低飲症（主に口渇感の減少より, 飲用傾向の減少による潜在性口渇).

hy·po·po·tas·se·mi·a (hī′pō′pō-ta-sē′mē-ă). ＝hypokalemia.

hy·po·pro·ac·cel·er·i·ne·mi·a (hī′pō-prō′ak-sel′ĕr-i-nē′-mē-ă). 低プロアクセレリン血〔症〕（循環血液中の血液凝固因子Vすなわちプロアクセレリンの異常低濃度).

hy·po·pro·con·ver·ti·ne·mi·a (hī′pō-prō′kon-ver′ti-nē′-mē-ă). 低プロコンバーチン血〔症〕（循環血液中の血液凝固因子 VII すなわちプロコンバーチンの異常低濃度. この欠陥によりプロトロンビン時間の定量的延長が起こる).

hy·po·pro·te·in·e·mi·a (hī′pō-prō′tē-in-ē′mē-ă, -prō-tēn-). 低蛋白血〔症〕（循環血漿中の総蛋白量の異常低値).

hy·po·pro·te·in·o·sis (hī′pō-prō′tē-in-o′sis, -prō′tēn-). 低蛋白症（特に小児期における蛋白性食物摂取不足によりみられる状態. 食欲不振, 嘔吐, 成長遅滞, 貧血, および感染性増大が特徴).

hy·po·pro·throm·bin·e·mi·a (hī′pō-prō-throm′bin-ē′-mē-ă). 低プロトロンビン血〔症〕（循環血液中の血液凝固因子 II すなわちプロトロンビンの異常低値). ＝prothrombinopenia.

hy·pop·ty·a·lism (hī′pōp-tī′ă-lizm)〔hypo- ＋ G. *ptyalon,* saliva〕. 唾液分泌不全, 唾液分泌減退（[二重字 pt において, p は語頭にあるときのみ無音である]). ＝hyposalivation.

hy·po·py·on (hī-pō′pi-on)〔hypo- ＋ G. *pyon,* pus〕. 前房蓄膿（眼の前房に白血球が存在すること).

recurrent h. 再発性前房蓄膿. ＝Behçet *syndrome.*

hy·po·re·flex·i·a (hī′pō-rē-flek′sē-ă). 反射低下, 反射減退（深部腱反射の低下は全般的なことも, 領域的なことも, 局所的なこともある).

hy·po·ren·i·ne·mi·a (hī′pō-ren′i-nē′mē-ă). 低レニン血症（循環血液中のレニンの濃度が低い状態).

hy·po·ren·i·ne·mic (hī′pō-ren′i-nē′mik). 低レニン血症を呈した, あるいはその特徴的症状を呈した.

hy·po·ri·bo·fla·vin·o·sis (hī′pō-rī′bō-flā′vi-nō′sis). リボフラビン欠乏症（一般的に用いられている ariboflavinosis の, より正確な用語. →ariboflavinosis).

hy·po·sal·i·va·tion (hī′pō-sal′i-vā′shŭn). 唾液分泌減退. ＝hypoptyalism.

hy·pos·che·ot·o·my (hī-pos′kē-ot′ŏ-mē)〔hypo- ＋ G. *oscheon,* scrotum ＋ *tomē,* incision〕. 陰嚢下部からの水瘤穿刺法を表す現在では用いられない語.

hy·po·scle·ral (hī′pō-sklē′răl). 強膜下の（眼球の強膜下についていう).

hy·po·sen·si·tiv·i·ty (hī′pō-sen′si-tiv′i-tē). 感受性低下（感受性が正常以下の状態で, 刺激に対する反応は通常, 遅れるか程度が小さくなる).

hy·po·sen·si·ti·za·tion (hī′pō-sen′si-ti-zā′shŭn). 脱感作. ＝desensitization.

hy·po·ske·o·cy·to·sis (hī′pō-skē′ō-sī-tō′sis)〔hypo- ＋ *skaios,* left ＋ *kytos,* cell ＋ *-osis,* condition〕. ＝hyponeocytosis.

hy·pos·mi·a (hī-poz′mē-ă)〔hypo- ＋ G. *osmē,* smell〕. 嗅覚減退（輸送障害(鼻閉), 感覚神経障害(嗅覚神経上皮または中枢嗅覚神経経路を侵す)による嗅覚の鈍麻. 遺伝性のことも, 後天性のこともある. すべての臭覚物質に対して全般的に鈍麻, いくつかの嗅覚物質に対して部分的に鈍麻, または1つ以上の嗅覚物質に対して特異的に鈍麻していることがある). ＝microsmia; olfactory hypesthesia.

hy·pos·mo·sis (hī′pos-mō′sis). 低浸透圧（浸透速度の減少).

hy·pos·mot·ic (hī′pos-mot′ik). 低浸透圧〔の〕（他の液体, 普通, 血漿や細胞外液を想定し, それよりも低い浸透圧を有すること).

hy·po·so·ma·to·tro·pism (hī′pō-sō′mă-tō-trō′pizm). 低ソマトトロピン症（脳下垂体成長ホルモン(ソマトトロピン)の分泌不足に特有な状態).

hy·po·so·mi·a (hī′pō-sō′mē-ă)〔hypo- ＋ G. *sōma,* body〕. 身体が十分に発達していないこと.

hy·po·som·ni·ac (hī′pō-som′nē-ak)〔hypo- ＋ L. *somnus,* sleep〕. 不眠症患者（睡眠時間の減少のある者).

hy·po·spa·di·ac (hī′pō-spā′dē-ak). 尿道下裂の.

hy·po·spa·di·as (hī′pō-spā′dē-ăs)〔hypo- ＋ G.*spaō,* to tear or gouge〕〔MIM*146450〕. 尿道下裂（尿道壁欠損を特

徴とする発生異常で，陰茎の腹側表面で様々な距離の位置に尿道が開いており，外尿道口は正常の位置より近位にあり索状物を伴うこともある．女性の同様な欠損では尿道が腟内に開く．*cf.* epispadias)．＝urogenital sinus anomaly.

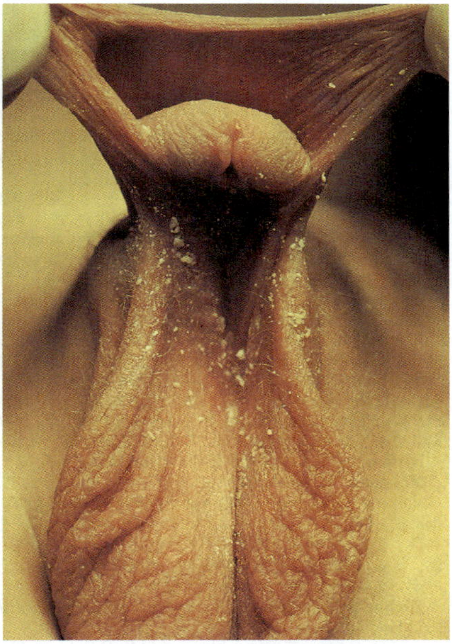

hypospadias with the urethral opening at the penoscrotal junction
陰茎の腹側への弯曲(尿道索).

balanic h. 陰茎亀頭尿道下裂．＝glanular h.
coronal h. 冠状溝尿道下裂（外尿道口が近位に変位し，冠状溝の陰茎腹側部分に開口している先天異常）.
glanular h. 亀頭尿道下裂（亀頭腹側に外尿道口が開口している奇形）．＝balanic h.
penile h. 陰茎体尿道下裂（陰茎体腹側に外道口が開口している位置異常の奇形）.
penoscrotal h. 陰茎陰嚢尿道下裂（陰茎と陰嚢の接合部に尿道が開口する位置異常の奇形）.
perineal h. 会陰尿道下裂（尿道口は会陰部の肛門近くに開口している尿道下裂で，陰嚢も通常は裂け目がある）.
scrotal h. 陰嚢尿道下裂（陰嚢表面に尿道が開口する尿道下裂）.
subcoronal h. 冠状溝下尿道下裂（冠状溝の外尿道口が開口している位置異常の奇形）.

hy·po·sphyg·mi·a (hī′pō-sfig′mē-ă) [hypo- + G. *sphyxis*, pulse]. 低脈拍症（循環鈍化による異常に低い血圧）.

hy·po·splen·ism (hī′pō-splēn′izm). 脾機能低下症（脾機能の低下または減弱．通常，外科切除，先天性無形性，腫瘍による置換，脾血管トラブルにより起こる．封入体の存在，有核赤血球，標的細胞などの赤血球異常が通常認められる．脾機能低下症の患者は細菌，特に肺炎球菌 *Pneumococcus* による敗血症に対する危険が高い）.

hy·pos·ta·sis (hi-pos′tă-sis) [G. *hypo-stasis*, a standing under, sediment]. ***1*** 沈渣（液体の底に沈殿物を形成すること）．***2*** 血液沈滞，沈下うっ血，体液沈下．＝hypostatic *congestion*. ***3*** 下位性（通常，ある遺伝子座によって示される表現型が，他の上位遺伝子座によって抑制される現象．例えば，ヒトのABO式血液型遺伝子座の表現型はその前駆物質，H物質の存在でのみ発現しうる．ホモ接合状態の Bombay 因子はH形成を阻害し，ABO表現型を不明確にする）.
postmortem h. 死後の血液沈下．＝postmortem *livedo*.
pulmonary h. 肺の血液沈滞（肺の就下性うっ血）.

hy·po·stat·ic (hī′pō-stat′ik). ***1*** 沈下性の（従属位置の結果として起こる）．＝sedimentary. ***2*** 下位性の.

hy·pos·the·nu·ri·a (hī′pos-thĕ-nyū′rē-ă) [hypo- + G. *sthenos*, strength + *ouron*, urine]. 低張尿〔症〕（低比重尿の排泄で，腎尿細管が濃縮尿を生成できないことで起こる．または尿崩症で水分摂取過多によっても起こる）.

hy·po·stome (hī′pō-stōm) [hypo- + G. *stoma*, mouth]. 下口体，口丘（マダニ類の擬頭部の中心に1つある吸着器官で，摂食時に固着装置として働くために逆向性の歯状突起列で囲まれている）.

hy·po·sto·mi·a (hī′pō-stō′mē-ă) [hypo- + G*stoma*, mouth]. 下唇症（小口症の一型で，口裂が小さく垂直である）.

hyp·os·to·sis (hip′os-tō′sis) [hypo- + G. *osteon*, bone + *-osis*, condition]. 不全骨症（骨の発育不全）.

hy·po·su·pra·dren·al·ism (hī′pō-sū′pră-ă-drē′năl-izm). 副腎皮質機能低下症．＝chronic adrenocortical *insufficiency*.

hy·po·sys·to·le (hī′pō-sis′tō-lē). 収縮力低下，収縮力減退（微弱な，または不完全な心臓収縮）.

hy·po·tel·or·ism (hī′pō-tel′ōr-izm) [hypo- + G. *tēle*, far off + *horizō*, to separate < *horos*, boundary]. 眼の異常な接近.

hy·po·ten·sion (hī′pō-ten′shŭn) [hypo- + L. *tensio*, a stretching]. ***1*** 低血圧〔症〕（正常以下の動脈血圧）．＝hypopiesis. ***2*** すべての種類の圧力または張力の減少.
arterial h. 低血圧〔症〕(→hypotension (1)).
idiopathic orthostatic h. 特発性起立性低血圧（原因不明の理由で立位時に急速に血圧が低下する状態）.
induced h., controlled h. 人工的に誘発した低血圧，低血圧法（手術中の失血を減らすために，麻酔や手術中に薬物を用いて動脈血圧を故意に急速に下げること）.
intracranial h. 脳圧低下〔症〕（脳脊髄液の異常低圧で，腰椎穿刺に続いて最も起こりやすく，頭痛，悪心，嘔吐，頸部硬直，ときには発熱を伴う．脱水の結果起こることもある）.
orthostatic h. 起立性低血圧〔症〕（起立時に起こる低血圧の一型）．＝orthostatic hypopiesis; postural h.
postural h. 体位性低血圧〔症〕．＝orthostatic h.

hy·po·ten·sive (hī′pō-ten′siv). 低血圧性の.

hy·po·ten·sor (hī′pō-ten′sŏr, -sōr). 降圧物質，降圧薬．＝depressor (4).

hy·po·thal·a·mo·hy·po·phy·si·al (hī′pō-thal′ă-mō-hī-pō-fiz′ē-ăl). 視床下部下垂体の（視床下部と脳下垂体の両方に関連した）.

hy·po·thal·a·mus (hī′pō-thal′ă-mŭs) [hypo- + thalamus] [TA]. 視床下部（脳の腹側と内側の領域で，第3脳室のおおよそ腹側半分の壁を形成しており，視床下溝により視床と区別され，内包と視床腹側部の内側に位置し，前方では前交連中隔と後方では中脳被蓋および中心灰白質と続いている．視床下部の腹側表面は，前方から後方に向かって，視束交叉，視床漏斗茎を通って下垂体の後葉へのびる対をなさない視床漏斗，対をなす乳頭体，により標識される．視床下部は前野，背側野，中間野，外側野，後野に分けられそれぞれ独自の核を含む．中脳，小脳，大脳辺縁系を結ぶ求心性線維結合をもち，それらと下垂体後葉を結ぶ遠心性線維結合をもつ．下垂体前葉との機能的な結合は，視床下部下垂体の門脈系によって確立されている．視床下部は，自律神経系の内臓運動性機能に深く関与しており，下垂体前葉との血管連絡を通じて内分泌機構に関与している．情緒や動機付けの基礎である神経機構にも役割を演じているように思われる．次頁の図参照．→pituitary *gland*).

hy·po·the·nar (hī′pō-thē′nar, hī-poth′ĕ-nar) [hypo- + G. *thenar*, the palm][TA]. [本語は形容詞ではなく名詞である]. ***1***〚n.〛[NA]. 小指球．＝hypothenar *eminence*. ***2***〚adj.〛小指球の（小指球およびその内部のすべての構造に関係する構造についていう）．＝antithenar.

hy·po·ther·mal (hī′pō-ther′măl). 低体温〔症〕の.

hy·po·ther·mi·a (hī′pō-ther′mē-ă) [hypo- + G. *thermē*, heat]. 低体温〔症〕，体温異常降下，低温症（37°C(98.6°F)より有意に低い体温）.
accidental h. 偶発性低体温（寒冷環境にさらされて体温が故意にでなく低下することで，特に新生児，乳幼児，およ

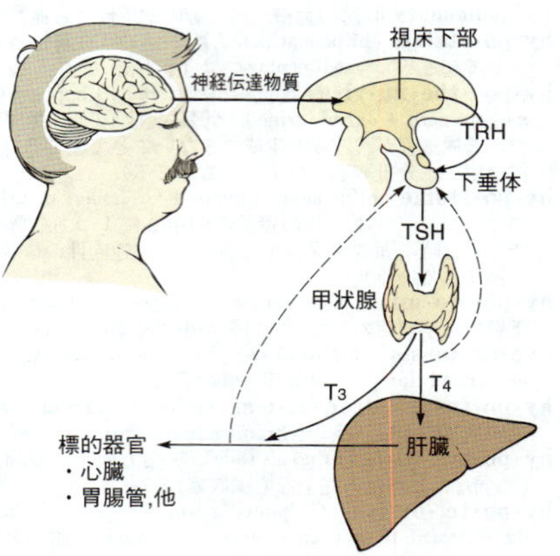

hypothalamic-pituitary-thyroid axis

視床下部より分泌されるTRH(甲状腺刺激ホルモン放出ホルモン)は下垂体を刺激してTSH(甲状腺刺激ホルモン)を分泌する．TSHは甲状腺ホルモン(T_3,T_4)の産生を促進する．T_3やT_4が高値になるとネガティブフィードバック機構(破線で示す)によりTSHの分泌と甲状腺ホルモンの産生が抑制される．

び老年者に，また特に手術中に起こる）．

moderate h. 中等度低体温（表面を冷却して起こされる23—32°C(73.4—89.6°F)の低体温）．

profound h. 超低体温（12—20°C(53.6—68°F)の体温）．

regional h. 局所低体温法（四肢または臓器を，外部よりの冷却血液または灌流液により灌流し，温度を低下させること）．

total body h. 組織の代謝減少のために故意に体全体の体温を低下させること．

hy·poth·e·sis (hī-poth′ĕ-sis) [G. foundation, assumption < *hypotithenai*, to lay down]. 仮説（発見的目的のために提唱される推測 conjecture で，これは定義された実験の遂行と実験的データの批判的構築による確証または論証に従う型式で組み立てられている．想定 assumption，仮定 postulation や，焦点の定まらない推測 unfocused speculation とは区別すべきものである．→postulate; theory）．

adaptor h. アダプタ説（F.H.C. Crick によって提唱された説で，アダプタ分子が情報を含んでいる DNA と合成される蛋白との間に存在しなければならない）．

alternative h. 対立仮説（Neyman-Pearson 流の仮説検定において，帰無仮説を棄却した場合に採択するパラメータ値に関する仮説または仮説の集合）．

autocrine h. オートクライン仮説（ウイルス癌遺伝子を有する腫瘍細胞が，通常では他種の細胞が産生するような増殖因子をもコードしていたならば，その因子を自発的に産生し，無制御な分化が起こる，という説）．

Avogadro h. (ah-vō-gahd′rō) [amadeo *Avogadro*]. アヴォガドロ仮説．＝Avogadro *law*.

Bayesian h. [Thomas Bayes. 英国人数学者，1702—1761]. ベイズ流の仮説（論理的な釣合いを保ちつつ，現実のデータと照らし合わせ，それぞれ探索されるパラメータの推定値の集合．それぞれの仮説の強さは，ある量，事前確率で考えられる仮説によって条件付けられたデータの確率がそれぞれの仮説ごとに計算され，それら2つの積が同時確率となり，それぞれの同時確率とすべての同時確率の和との比が事後確率となる．Neyman-Pearson 流の仮説検定と異なり，解答は仮説のもとでの標本についてではなく，仮説そのものになされる．初めから好まれる，または優勢である仮説はない．この手続きはデータが利用可能となるに従い，繰返し幾度も適用することが可能である）．

conal growth h. 動脈円錐成長仮説（大血管転移の仮説．大動脈肺動脈中隔欠損は，大動脈と肺動脈の形成過程で，心球および総動脈幹を分割する間にらせん状の走行をたどらなくなる）．

frustration-aggression h. 欲求不満－攻撃性仮説（欲求不満は攻撃性へと至りうるものであり，また攻撃性は常に何らかの形の欲求不満の結果であるとする学説）．

gate-control h. ＝gate-control *theory*.

Goldie-Coldman h. (gōl′dē cōld′măn). ゴルディ－コールドマン仮説（腫瘍細胞が，内在性の遺伝的不安性に依存する率で抵抗性の表現型に変異することを予測する数学的モデル．癌が薬剤耐性のクローンを含有する確率は変異率と腫瘍の大きさに依存する．この仮定によると，発見可能な最小の癌でも最低1個の薬剤耐性のクローンを含有する．したがって，治療のための最良の方法は，すべての効果的な化学療法剤を使用することである．実際には，2つの異なった互いに交差耐性を示さない化学療法剤を交互に用いる）．

Gompertz h. (gom′pertz). ゴンペルツ仮説（死亡率が加速度的に増加するという説で，死を避ける生命力の平均的消耗は，無限に小さく等間隔に分けられた区間の終点において，この区間の始点にもっていた崩壊に対抗する生命力の一定割合を失っていくという仮説が基盤となっている）．

insular h. 島仮説（真性糖尿病は膵臓の Langerhans 島の破壊または機能喪失の結果であるという説）．

Knudsen h. (nŭd′sĕn) [Alfred G. Knudsen. 現代の米国人遺伝学者]. ヌードセン仮説（両側性で早期に発生する遺伝性網膜芽細胞腫に対する説明．もし1つの癌抑制遺伝子に遺伝的に変異が認められた場合，他の対立遺伝子を不活化するためには1つの体性変異が必要である．散発型では，各々の対立遺伝子を不活化するために2つの変異が必要である）．

Lyon h. (lī′on). ライオン仮説．＝lyonization.

Makeham h. (māk′ăm). メークハム(マーカム)仮説（Gompertz 仮説を発展させた仮説で，死亡率はある数学的法則に従い規定されるというもの．Makeham は，死は一般に共存する2つの原因の結果であると仮定した．すなわち(i)偶然，(ii)破壊に対する抵抗力の低下または減少，である．(i)は一定であり，(ii)は等比級数的に増加する）．

Michaelis-Menten h. (mi-kā′lis men′tĕn) [Leonor *Michaelis*, Maud L. *Menten*]. ミヒャエーリス(ミカエリス)－メンテン仮説（酵素－基質結合体が生成され(O'Sullivan-Tompson 仮説ともよばれる)，それが分解して遊離酵素と反応生成物を生じる(Brown 仮説ともよばれる)．後半の反応経路が基質－反応生成物変換の全体の速度に対する律速段階であるという説．→Michaelis-Menten *constant*, *equation*）．

mnemic h. ムネメの仮説（刺激が動物の原形質内に明確な痕跡(エングラム)を残し，その刺激が規則的に繰り返されると，刺激が止まった後でも持続する習慣をもたらすという説）．＝mnemic theory; mnemism; Semon-Hering theory.

monoamine h. 3つのモノアミン性神経伝達物質のノルエピネフリン，セロトニン，ドパミンのうち少なくとも1つの欠乏とうつ病とを関連付ける，うつ病の古典的神経化学的理論．

Neyman-Pearson statistical h. (nā′man pēr′son). ネイマン－ピアソン流の統計的仮説（パラメータ(母数)に関する形式的な命題であり，事前の知識や信念にはかかわらず，他の証拠も無視して，当該のデータのみに基づいて検定される．解答はその仮説が正しいか否かではなく，その仮説によるデータの解釈が受け入れられるか，あるいは他の仮説を採用し，当該仮説を棄却すべきかのいずれかで与えられる）．

Norton-Simon h. (nōr′tŏn sīmŏn). ノートン－サイモン仮説（腫瘍は，治療に感受性のある，より早く成長する細胞と，治療抵抗性を示すより遅く成長する細胞集団により構成されているとする仮説．すべての腫瘍細胞を根絶するのが唯一の治癒治療である．これは，交差耐性のない治療プログラムを繰り返すことにより，達成される可能性が最も高い．最初の治療プログラムは少量の癌細胞のみしか残さないような効果のあるものでなくてはならず，その後に，1つもしくはそれ以上の交差耐性を示さない治療により残存する癌を根絶する）．

null h. 帰無仮説（ある1つの変数が他の1つまたは1組の変数と関連がない，あるいは2つ以上の母集団の間に差がないとする統計学的仮説．得られた結果が偶然によって予想される結果と違わないということ．この仮説が否定されれば，対立仮説の信頼度が高くなる）．

sequence h. 配列仮説（蛋白のアミノ酸配列は，その蛋白の合成を行う生物の DNA 中のヌクレオチドの固有の配列(シストロン)によって決定されるという説).

sliding filament h. 細糸滑り仮説，滑走フィラメント仮説(2組の筋フィラメントの相対的な滑りによって収縮筋が短縮するという理論).

Starling h. (star′ling). スターリング仮説 (毛細管を通る総沪過量は，透過膜の静水圧差から透過膜膠質浸透圧差を引いたものに比例するという原理. よく確立されているが, Starling law of the heart と区別するために Starling h. とよばれる).

upregulation/downregulation h. アップレギュレーション/ダウンレギュレーション仮説 (うつ病において後シナプスのモノアミン受容体数の増加(アップレギュレーション)が認められ，抗うつ薬の活性の結果，効果的に受容体数が減少される(ダウンレギュレーション)ということをうつ病と関連付ける，うつ病の神経化学的理論. →monoamine h.).

wobble h. ゆらぎ仮説 (蛋白生合成過程での翻訳の際に, RNA 中のアンチコドン5′塩基部分の塩基対形成には特異性が低い程度の場合があり，これにより RNA が代替の水素結合反応をすることを可能にしているという仮説. →wobble *base*; wobble).

zwitter h. 両性分子(例えばアミノ酸)が等電点において，等数の正電荷および負電荷を生じ，両性イオンになるという説.

hy·po·throm·bi·ne·mi·a (hī′pō-throm′bi-nē′mē-ă). 低トロンビン血〔症〕(循環血液中のトロンビン量が異常に低く，出血傾向を生じること).

hy·po·throm·bo·plas·ti·ne·mi·a (hī′pō-throm′bō-plas′ti-nē′mē-ă). 低トロンボプラスチン血〔症〕(血液中のトロンボプラスチンが異常に低濃度で，組織から遊離される量が不足であるために起こる).

hy·po·thy·mi·a (hī′pō-thī′mē-ă) [hypo- + G. *thymos*, mind, soul]. 気分沈滞，感情減退症 (精神の抑うつ). =blues.

hy·po·thy·mic (hī′pō-thī′mik). 気分沈滞の，感情減退症の.

hy·po·thy·mism (hī′pō-thī′mizm). 胸腺機能減退症を表す現在では用いられない語.

hy·po·thy·roid (hī′pō-thī′royd). 甲状腺〔機能〕低下(不全)性の ([hyothyroid と混同しないこと]).

hy·po·thy·roid·ism (hī′pō-thī′royd-izm) [hypo- + G. *thyreoeidēs*, thyroid]. 甲状腺〔機能〕低下(不全)〔症〕(甲状腺ホルモンの産生が減少し，甲状腺機能不全になること. 基礎代謝の低下，体重増加の傾向，傾眠，ときに粘液水腫を生じる). =athyrea (1).

congenital h. 先天性甲状腺機能低下症 (先天性に甲状腺ホルモン分泌のない病態. →infantile h.).

infantile h. 乳児期甲状腺機能低下症 (地方病性の先天的な甲状腺腫によるものの他に，非地方病性のものとして胎生期における甲状腺の形成障害，視床下部・下垂体原の機能障害，甲状腺ホルモンの生成障害や作用機序障害，または胎生期に甲状腺機能障害性の物質の投与を受けた場合に生じる). =Brissaud infantilism; congenital myxedema; dysthyroidal infantilism; hypothyroid dwarfism; hypothyroid infantilism; infantile myxedema; myxedematous infantilism.

secondary h. 二次性甲状腺〔機能〕低下(不全)〔症〕(脳下垂体前葉による甲状腺刺激ホルモン分泌不足の結果として起こる甲状腺機能不全).

hy·po·thy·rox·i·ne·mi·a (hī′pō-thī-roks′i-nē′mē-ă). 血液中におけるサイロキシンの低値.

hy·po·to·ni·a (hī′pō-tō′nē-ă) [hypo- + G. *tonos*, tone]. =hypotonicity (1); hypotonus; hypotony. ***1*** 低張，低圧 (眼球のように，ある部分の張力が低下すること). ***2*** 低血圧〔症〕(動脈の弛緩状態). ***3*** 緊張低下 (筋肉の緊張性が減少または減退した状態).

benign congenital h. 良性先天性筋緊張低下症 (乳児と小児にみられる，疫学的背景の不明な非進行性の筋緊張低下症. 他の既知の原因による筋緊張低下症は除外する).

hy·po·ton·ic (hī′pō-ton′ik). =hypoisotonic. ***1*** 低緊張の (より低度の張力をもった). ***2*** 低張〔性〕の (通常，血漿または間質液と仮定される基準液より低い浸透圧を有する. 特殊なものとして，細胞が膨潤する際の流動液をさす).

hy·po·to·nic·i·ty (hī′pō-tō-nis′i-tē). ***1*** 緊張低下〔状態〕. =hypotonia. ***2*** 低張圧 (浸透圧効果が減少すること).

hy·po·to·nus, hy·pot·o·ny (hī-pot′ō-nŭs, hī-pot′ō-nē). [誤った発音 hypoto′nus を避けること]. =hypotonia.

hy·po·tri·chi·a·sis (hī′pō-tri-kī′ă-sis) [hypo- + G. *trichiasis*, hairiness]. ***1*** =hypotrichosis. ***2*** =*alopecia* congenitalis.

hy·po·tri·cho·sis (hī′pō-tri-kō′sis) [hypo- + G. *trichōsis*, hairiness]. 貧毛〔症〕，乏毛〔症〕(頭部および(または)身体の毛の量が正常より少ないこと). =hypotrichiasis (1); oligotrichia; oligotrichosis.

hy·po·tro·pi·a (hī′pō-trō′pē-ă) [hypo- + G. *tropē*, turn]. 下斜視 (一眼が他眼より低い位置にある眼位偏位).

hy·po·tym·pa·not·o·my (hī′pō-tim′pă-not′ō-mē) [hypo- + G. *tympanon*, tympanum + *tomē*, incision]. 下鼓室切開〔術〕(下鼓室に限局した小さな腫瘍を，聴力を損なうことなく切除するための外科的手術法).

hy·po·tym·pa·num (hī′pō-tim′pă-nŭm). 下鼓室 (鼓室下部. 頸静脈球から骨性壁により分離されている).

hy·po·u·re·sis (hī′pō-yū-rē′sis). 乏尿症 (尿流が減少すること).

hy·po·u·ri·ce·mi·a (hī′pō-yū-ri-sē′mē-ă). 低尿酸血〔症〕(血中尿酸濃度が低下した状態).

hy·po·u·ri·cu·ri·a (hī′pō-yū′ri-kyū′rē-ă). 低尿酸尿〔症〕(尿中の尿酸排泄の減少).

hereditary renal h. 遺伝性腎性低尿酸尿症 (腎近位尿細管における尿酸の再吸収不全によって起こる常染色体性劣性遺伝疾患).

hy·po·var·i·an·ism (hī′pō-vā′rē-an-izm). 卵巣機能低下症. =hypoovarianism.

hy·po·ven·ti·la·tion (hī′pō-ven′ti-lā′shŭn). 換気過少 (代謝性炭酸ガス生成に比して肺胞換気が低下するため，肺胞の炭酸ガス圧が正常以上に上昇する). =underventilation.

hy·po·vi·ta·min·o·sis (hī′pō-vī′tă-min-ō′sis). ビタミン不足症 (1種類以上の必須ビタミンの相対的な不足を特徴とする状態で，最初は組織内の濃度が低下し，次いで機能的変化が起こり，最後には形態的病変が現れる. *cf.* avitaminosis).

hy·po·vo·le·mi·a (hī′pō-vō-lē′mē-ă) [hypo- + L. *volumen*, volume + G. *haima*, blood]. 〔循環〕血液量減少 ([hypovolia と混同しないこと]. 全身の血液量の減少). =hyphemia.

hy·po·vo·le·mic (hī′pō-vō-lē′mik). 循環血液量減少に関連した，あるいはその特徴的症状を呈した.

hy·po·vo·li·a (hī′pō-vō′lē-ă) [hypo- + L. *volumen*, volume]. 減量症 ([hypovolema と混同しないこと]. ある部分の含水量が減少すること. 例えば，細胞外液の減量症).

hy·po·xan·thine (Hyp) (hī′pō-zan′thin). ヒポキサンチン；6-oxypurine; purin-6(1*H*)-one (筋肉および他の組織に存在するプリンの1つで，プリン分解中にアデニンの脱アミノ化により生成される. モリブデン補因子欠損症で上昇する). =6-hydroxypurine.

h. guanine phosphoribosyltransferase (HGPRT) =h. phosphoribosyltransferase.

h. oxidase ヒポキサンチンオキシダーゼ. =*xanthine* oxidase.

h. phosphoribosyltransferase ヒポキサンチンホスホリボシルトランスフェラーゼ (ヒポキサンチンとグアニンをリボースリン酸供与体として 5-ホスホリボース 1-二リン酸を用い，相当する5′-ヌクレオチドに変換する，人体の組織に存在する酵素. この酵素の欠損によりプリンの生合成が亢進し，痛風になる. 別のレベルの欠損により Lesch-Nyhan 症候群になる). =h. guanine phosphoribosyltransferase.

hy·po·xan·thin·o·sine (hī′pō-zan-thēn′ō-sēn). ヒポキサンチノシン. =inosine.

hy·pox·e·mi·a (hī′pok-sē′mē-ă) [hypo- + oxygen + G. *haima*, blood]. 低酸素血〔症〕，血中酸素減少 (無酸素症には至らないが動脈血酸素飽和が正常以下であること).

hy·pox·i·a (hī-pok′sē-ă) [hypo- + oxygen]. 低酸素〔症〕(吸気中，動脈血中，生体組織中の酸素が正常レベル以下に減少すること. 無酸素症 anoxia には至らない状態).

anemic h. 貧血性低酸素〔症〕(機能的なヘモグロビン濃度の減少，または赤血球数の減少によって生じる低酸素症. 出

H

血，種々の貧血，一酸化炭素中毒，亜硝酸塩中毒，塩素酸塩中毒などが原因で起こる）．

diffusion h. 拡散性低酸素〔症〕（笑気麻酔の最後に大気が吸入された際，肺胞酸素分圧が突然一過性に下がること．これは血液により漏出した笑気が肺胞酸素を薄めるために生じる）．

hypoxic h. 低酸素性低酸素〔症〕（肺での酸素付加の過程に障害があって生じる低酸素症．酸素分圧が低くて起こることもあり，肺機能の異常や呼吸器系の閉塞で起こることもあり，あるいは心内に右左シャントがある場合にもみられる）．

ischemic h. 虚血性低酸素〔症〕（組織の酸素不足を特徴とする組織低酸素．動脈あるいは小動脈の閉塞，あるいは動脈収縮のために生じる）．

oxygen affinity h. 酸素親和性亢進による低酸素症．ヘモグロビンの酸素解離能の低下によってもたらされた低酸素症．

stagnant h. うっ血性低酸素〔症〕（(組織血液量が正常，あるいは増加した状態で)組織への血液供給量の減少のためではなく，静脈血流の障害，あるいは(ある場合には)動脈血の流入低下のために血管内のうっ滞が起こり，このために生じる組織の酸素不足を特徴とする組織低酸素）．

hy·pox·ic (hī-pok′sik). 低酸素症を呈した，あるいはその特徴的症状を呈した．

hyp·sa·rhyth·mi·a, hyp·sar·rhyth·mia (hip′să-rith′-mē-ă) [G. *hypsi*, high + *a-* 欠性辞 + *rhythmos*, rhythm]. ヒプサルスミア（点頭てんかんの患者に共通してみられる，異常で独特の無秩序さのある脳波）．

hypsi-, hypso- (hip′sē, hip′si; hip′sō) [G. *hypsos*, height]. 高い，または高さを示す連結形．

hyp·si·brach·y·ce·phal·ic (hip′sē-brak′ē-sĕ-fal′ik) [hypsi- + G. *brachys*, broad + *kephalē*, head]. 短高頭高の（高く幅広い頭をもっている）．

hyp·si·ceph·a·ly (hip′sē-sef′ă-lē) [hypsi- + G. *kephalē*, head]. 高頭高症．= oxycephaly.

hyp·si·con·chous (hip′sē-kon′kŭs) [hypsi- + G. *konchos*, a shell, the upper part of the skull]. 眼窩指数 85 以上の高い眼窩をもっている．

hyp·si·loid (hip′si-loyd) [G. *upsilon(ypsilon)*]. Y 字型の，U字型の．= upsiloid; ypsiliform.

hyp·si·sta·phyl·i·a (hip′si-stă-fil′ē-ă) [hypsi- + G. *staphylē*, uvula]. 口蓋が高く狭い状態．

hyp·si·sten·o·ce·phal·ic (hip′si-sten′ō-sĕ-fal′ik) [hypsi- + G. *stenos*, narrow + *kephalē*, head]. 高く狭い頭をもった．

hypso- (hip′sō). →hypsi-.

hyp·so·ceph·a·ly (hip′sō-sef′ă-lē) [hypso- + G. *kephalē*, head]. 塔状頭症．= oxycephaly.

hyp·so·chro·mic (hip′sō-krōm′ik) [hypso- + G. *chroma*, color]. 浅色の（吸収スペクトルの最大値の短波長(エネルギー大)側への移動を示す語）．

hyp·so·dont (hip′sō-dont) [hypso- + G. *odous*, tooth]. 長冠歯の．

hy·pur·gi·a (hī-pŭr′jē-ă) [G. *hypourgia*, help, service < *hypo* + *ergon*, work]. 看病（快方または悪化に，特に快方に向かう病気の経過に変化を与えるすべての二次的因子を表すまれに用いる語）．

Hyr·tl (hĕr′tēl), Joseph. ハプスブルク帝国の解剖学者，1811—1894. →H. *anastomosis*, *foramen*, *loop*, epitympanic *recess*, *sphincter*.

hyster- (his′tĕr). →hystero-.

hys·ter·al·gi·a (his′ter-al′jē-ă) [hypstero- + G. *algos*, pain]. 子宮痛．= hysterodynia; metrodynia.

hys·ter·ec·to·my (his′ter-ek′tŏ-mē) [hystero- + G. *ektomē*, excision]. 子宮摘出〔術〕（子宮の摘出で，特別な場合を除いて通常，子宮の完全な摘出(子宮体部および頸部)を意味する）．

abdominal h. 腹式子宮摘出〔術〕（腹壁を切開して子宮を摘出すること）．= abdominohysterectomy.

abdominovaginal h. 腟式腹式の合併手術方式で，骨盤内臓器と同じく，腟，外陰，直腸，会陰(腹会陰式)の一部または全部の摘出に用いる．進行した骨盤内の癌に行われる．

cesarean h. 帝王切開後に子宮を摘出すること．= Porro h.

laparoscopic-assisted vaginal h. 内視鏡下腟式子宮全摘出術（腟式子宮全摘出術で，卵巣提索，広靱帯，仙骨子宮靱帯の切断を内視鏡的に行った後，標準術式で腟円蓋を切開し子宮を摘出する）．

modified radical h. 腟の上部を含めて切除する拡大子宮摘出術．尿管は露出し，尿管床から切り離すことなく横に牽引する．= TeLinde operation.

Porro h. (pōr′ō). ポロ子宮摘出〔術〕. = cesarean h.

radical h. 子宮，腟上部，子宮傍結合組織の完全摘出．

subtotal h. 部分的子宮摘出術．= supracervical h.

supracervical h. 子宮腟上部切断術（子宮体部を頸部を残して切除すること）. = subtotal h.

vaginal h. 腟式子宮摘出〔術〕（腹壁を切開しないで，腟から子宮を切除する方法）. = colpohysterectomy; vaginohysterectomy.

hys·ter·e·sis (his′ter-ē′sis) [G. *hysterēsis*, a coming later]. ヒステリシス，履歴現象（①歩調を合わせる 2 つの関連現象のうち，どちらか一方がペースを乱すようなこと．または，一方の値が他方の値の増減に依存しているとき，その値が他方の変化に直従しないような状態が起こること．②磁気効果がその原因より遅れて起こること．= magnetic inertia．③可逆水性コロイドのような物質にみられる融解点と凝固点との温度差．④協同度が酵素のゆっくりしたコンフォメーション変化に関連している多くの酵素触媒反応で観察された協同性の様式の根拠．*cf.* allosterism; cooperativity．⑤肺の圧－容量曲線における非線形的性質．すなわち吸気時のある容量における肺内外比較差は呼気時の同容量における肺内外比較差より低い）．

static h. 静ヒステリシス，静履歴現象（独立変数が上下のどちらから接近するかにより，ある特別な一定値の独立変数に対する従属変数の値が異なること．例えば，肺の圧力体積関係を測る場合，もし完全に呼出した後で一定の量まで吸入し，そのまま保つとすれば，完全に吸入してから同じ量まで呼出しそのまま保つ場合より，肺容量を保つためにより大きい肺内外圧差が必要とされる）．

hys·te·ri·a (his-tē′rē-ă) [G. *hystera*, womb(以前は子宮が原因と思われていたことによる)]. ヒステリー（[本語のもつ否定的または軽蔑的な響きは，文脈によっては不快な表現になるかもしれない]．さまよう子宮という古代ギリシアの概念に由来する用語で，心理学的要因にてより適切に説明される身体症状を呈する病気を意味する．ヒステリーの概念は歴史的に身体化障害と転換性障害に区別されるが，DSMではいずれも身体表現性障害としてみなされる．一方ICD-10では，転換性障害は身体表現性障害ではなく，解離性障害とともに分類されている．→conversion; psychogenic; psychosomatic）．

anxiety h. 不安性ヒステリー（顕著な不安を特徴とするヒステリー）．

conversion h. 転換ヒステリー（conversion *disorder* を表す古語）．

dissociative h. 解離型ヒステリー（dissociative *disorders* を表す古語）．

epidemic h. 流行性ヒステリー．= mass h.

mass h. 集団ヒステリー（①学童の授業中にみられるように，ある集団において同一の身体的あるいは情動的症状が，自然発生的に生じる．②ある出来事に対する反応として，非理性的な行動がある集団内において伝播する狂気をさす）．= epidemic h.; mass sociogenic illness.

hys·ter·ic, hys·ter·i·cal (his-ter′ik, his-ter′i-kăl). ヒステリー性の（→conversion）．

hys·ter·ics (his-ter′iks). ヒステリー発作（[本語のもつ否定的または軽蔑的な響きは，文脈によっては不快な表現になるかもしれない]．しばしば泣き叫び，笑い，悲鳴を伴う感情の表現）．

hystero-, hyster- (his′tĕr-ō, his′tĕr). ***1*** [G. *hystera*, womb (uterus)]. 子宮を意味する連結形．→metr-; utero-. ***2*** [G. *hystera*, womb (uterus)]. ヒステリーを意味する連結形．***3*** [G. *hysteros*, later]. 後で，続いて，を意味する連結形．

hys·ter·o·cat·a·lep·sy (his′ter-ō-kat′ă-lep′sē). ヒステリー性カタレプシー（強硬症状を伴うヒステリー）．

hys·ter·o·cele (his′ter-ō-sēl) [hystero- + G. *kēlē*, hernia]. ***1*** 子宮ヘルニア（子宮の全部または一部を含む腹部または会

陰のヘルニア). *2* 子宮瘤 (子宮内容物が, 子宮壁の弱まった膨隆部分に突出すること).

hys·ter·o·clei·sis (his′ter-ō-klī′sis) [hystero- + G. *kleisis*, closure]. 子宮口縫合〔術〕(子宮の閉鎖手術).

hys·ter·o·col·po·scope (his′ter-ō-kol′pō-skōp) [hystero- + G. *kolpos*, vagina + *skopeō*, to view]. 子宮腟〔検査〕鏡 (子宮腔および腟を検査する機器).

hys·ter·o·cys·to·pe·xy (his′ter-ō-sis′tō-pek-sē) [hystero- + G. *kystis*, bladder + *pēxis*, fixation]. 子宮膀胱腹壁固定〔術〕(脱出症治療のために子宮および膀胱を腹壁に付着させること).

hys·ter·o·dyn·i·a (his′ter-ō-din′ē-ă) [hystero- + G. *odynē*, pain]. 子宮痛. = hysteralgia.

hys·ter·o·gen·ic, hys·ter·og·en·ous (his′ter-ō-jen′ik, his-ter-oj′ĕ-nŭs) [hysteria + G. *-gen*, producing]. ヒステリー発生の, ヒステリー起因性の (⇀conversion).

hys·ter·o·gram (his′ter-ō-gram). *1* 子宮造影図 (子宮の放射線診断で, 通常は造影剤を用いる). *2* 子宮収縮描写図 (子宮収縮力の記録).

hys·ter·o·graph (his′ter-ō-graf). 子宮収縮力を記録するための装置.

hys·ter·og·ra·phy (his′ter-og′ră-fē) [hystero- + G. *graphō*, to write]. *1* 子宮造影〔法〕(造影剤で満たされた子宮腔のX線撮影). *2* 子宮収縮描写〔法〕(子宮収縮の画像記録法).

hys·ter·oid (his′ter-oyd) [hystero- + G. *eidos*, resemblance]. ヒステリー様の (⇀conversion).

hys·ter·ol·y·sis (his′ter-ol′i-sis) [hystero- + G. *lysis*, dissolution]. 子宮剝離〔術〕(**[**誤った発音 hysteroly′sis を避けること**]**. 子宮とその周辺部を剝離すること).

hys·ter·om·e·ter (his′ter-om′ĕ-tĕr) [hystero- + G. *metron*, measure]. 子宮計 (子宮腔の深さを測るために用いる目盛り付きゾンデ). = uterometer.

hys·ter·o·my·o·mec·to·my (his′ter-ō-mī′ō-mek′tŏ-mē) [hysteromyoma + G. *ektomē*, excision]. 子宮筋腫切除〔術〕, 筋腫摘出術. = myomectomy.

hys·ter·o·my·ot·o·my (his′ter-ō-mī-ot′ŏ-mē) [hystero- + G. *mys*, muscle + *tomē*, incision]. 子宮筋腫切開〔術〕.

hys·ter·o-o·oph·o·rec·to·my (his′ter-ō-ō′of-ō-rek′tŏ-mē) [hystero- + G. *ōon*, egg + *phoros*, bearing + *ektomē*, excision]. 子宮卵巣摘除〔術〕.

hys·ter·op·a·thy (his′ter-op′ă-thē) [histero- + G. *pathos*, suffering]. 子宮疾患.

hys·ter·o·pex·y (his′ter-ō-pek′sē) [hystero- + G. *pēxis*, fixation]. 子宮固定〔術〕(異常な位置にある, または異常に移動しやすい子宮を固定すること). = uterofixation; uteropexy.

abdominal h. 腹壁子宮固定〔術〕(腹部前壁に子宮を固定すること).

hys·ter·o·plas·ty (his′ter-ō-plas′tē). 子宮形成術. = uteroplasty.

hys·ter·or·rha·phy (his′ter-ōr′ă-fē) [hystero- + G. *rhaphē*, suture]. 子宮縫合〔術〕(破裂した子宮を縫合修復すること).

hys·ter·o·sal·pin·gec·to·my (his′ter-ō-sal′pin-jek′tŏ-mē) [hystero- + G. *salpinx*, a trumpet + *ektomē*, excision]. 子宮卵管切除〔術〕(子宮および一方または両方の卵管を切除する手術).

hys·ter·o·sal·pin·gog·ra·phy (his′ter-ō-sal′pin-gog′ră-fē) [hystero- + G. *salpinx*, a trumpet + *graphō*, to write]. 子宮卵管造影(撮影)〔法〕(造影剤注入後の子宮および卵管のX線撮影法). = hysterotubography; uterosalpingography; uterotubography.

hys·ter·o·sal·pin·go-o·oph·o·rec·to·my (his′ter-ō-sal-ping′gō-ō-of-ō-rek′tŏ-mē) [hystero- + G. *salpinx*, trumpet + *ōon*, egg + *phoros*, bearing + *ektomē*, excision]. 子宮卵管卵巣摘除〔術〕.

hys·ter·o·sal·pin·gos·to·my (his′ter-ō-sal-ping-gos′tŏ-mē) [hystero- + G. *salpinx*, trumpet + *stoma*, mouth]. 子宮卵管開口〔術〕, 子宮卵管造瘻術 (子宮卵管の再開通のための手術).

hys·ter·o·scope (his′ter-ō-skōp) [hystero- + G. *skopeō*, to view]. 子宮鏡, ヒステロスコープ (子宮腔内の直接視診に用いる内視鏡). = uteroscope.

contact h. 接触型子宮鏡 (屈曲率可変のレンズをもつ子宮鏡. 視野確保のための伸展は不要で, 極短焦点性の視診が可能. 限局性の出血診断に適する).

flexible h. 可変型子宮鏡 (調節できる可変型の子宮鏡で, 直径が小さく, 手術, 診断操作に適する. 外套が不要で, ファイバーガラスで視野を得ることができるが, 腔内拡張のためのガス注入が必要である).

hys·ter·os·co·py (his-ter-os′kŏ-pē). 子宮鏡検査〔法〕(子宮腔の視診器具による検査). = uteroscopy.

hys·ter·o·spasm (his′ter-ō-spazm). 子宮痙攣.

hys·ter·o·sys·to·le (his′ter-ō-sis′tō-lē) [G. *hysteros*, following, after + *systolē*, a contracting]. 遅延性心臓収縮 (心臓の遅延性収縮で, premature contraction, extrasystole の対語).

hys·ter·o·ther·mom·e·try (his′ter-ō-ther-mom′ĕ-trē). 子宮温度測定〔法〕.

hys·ter·ot·o·my (his′ter-ot′ŏ-mē) [hystero- + G. *tomē*, incision]. 子宮切開〔術〕. = metrotomy; uterotomy.

abdominal h. 腹式子宮切開〔術〕(腹壁切開による子宮切開). = abdominohysterotomy.

vaginal h. 腟式子宮切開〔術〕. = colpohysterotomy.

hys·ter·o·trach·e·lec·to·my (his′ter-ō-trāk-el-ek′tŏ-mē) [hystero- + G. *trachēlos*, neck + *ektomē*, excision]. 子宮頸部切除〔術〕.

hys·ter·o·trach·e·lo·plas·ty (his′tĕr-ō-trak′ĕ-lō-plas-tē) [hystero- + G. *trachēlos*, neck + *plastos*, formed, shaped]. 子宮頸部形成〔術〕.

hys·ter·o·tra·che·lor·rha·phy (his′ter-ō-trāk-ĕ-lōr′ă-fē) [hystero- + G. *trachēlos*, neck + *rhaphē*, a seam]. 子宮頸部縫合〔術〕(破裂した子宮頸部の縫合手術).

hys·ter·o·trach·e·lot·o·my (his′ter-ō-trāk-ĕ-lot′ŏ-mē) [hystero- + G. *trachēlos*, neck + *tomē*, incision]. 子宮頸管切開〔術〕.

hys·ter·o·tu·bog·ra·phy (his′ter-ō-tū-bog′ră-fē). 子宮卵管造影〔法〕. = hysterosalpingography.

Hz hertz の略.

I

ι イオータ（ギリシア語アルファベットの第9字 iota）.

I *1* ヨウ素の元素記号，元素記号の左の肩字は同位体の質量を示す．光度 luminous *intensity*，または放射強度 radiant *intensity* の記号．イオン強度 ionic *strength*（mol/L における）の記号．イソロイシン，イノシンの記号．*2* 下付き文字として吸気 inspired *gas* の記号．*3* I 血液型の記号（付録 Blood Groups の I blood group 参照）.

I アンペアで表現される電流の強さの略.

i iso- の記号.

-ia (ē′ă) [G. *-ia* 古代の名詞形の接尾語]．状態または条件を示す接尾語で，しばしば異常な状態または条件に関する用語を形成する．*cf.* -ism.

IADL instrumental acivities of daily living(手段的日常生活動作)の略.→instrumental activities of daily living *scale*.

IAHS infection-associated hemophagocytic syndrome(感染症関連血球貪食症候群)の略.

IANC International Anatomical Nomenclature Committee（国際解剖学用語委員会）の略．→*Nomina Anatomica*.

IAP intermittent acute *porphyria* の略.

-iasis (ī′ă-sis) [G. 動詞を名詞化する接尾語]．特に不健康な状態または状況を意味する接尾語．医学上の新語構成においては，ギリシア語の *-osis* と同じ意味をもち，ときに交換可能である.

i·a·tra·lip·tics (ī′ă-tră-lip′tiks). 塗擦療法.

i·at·ric (ī-at′rik) [G. *iatros*, physician]．医薬の，医師の，治療者の.

iatro- (ī′ă-trō) [G. *iatros*, physician]．医師，医薬，医療に関する連結形．*cf.* medico-.

i·at·ro·chem·i·cal (ī-at′rō-kem′i-kăl). 医化学派の，イアトロ化学派の（医化学を遵守する医学の一派についていう）.

i·at·ro·chem·ist (ī-at′rō-kem′ist). 医化学派に属する人.

i·at·ro·chem·is·try (ī-at′rō-kem′is-trē). 医化学，イアトロ化学（17世紀，ある医学派によって行われた生理学的・病理学的過程に関連した化学の研究と化学物質による治療）.

i·at·ro·gen·ic (ī-at′rō-jen′ik) [iatro- + G. *-gen*, producing]．医原性の（内科的あるいは外科的治療への反応についていう．通常，好ましくない反応についていう）.

i·a·trol·o·gy (ī′a-trol′ō-jē) [iatro- + G. *logos*, study]．医学を意味するまれに用いる語.

i·at·ro·math·e·mat·i·cal (ī-at′rō-math′ĕ-mat′i-kăl). ＝iatrophysical.

i·at·ro·me·chan·i·cal (ī-at′rō-mĕ-kan′i-kăl). ＝iatrophysical.

i·at·ro·phys·i·cal (ī-at′rō-fiz′i-kăl). 医療物理学派の（すべての生理学的・病理学的現象を物理法則で説明しようとした17世紀の一医学派についていう）.＝iatromathematical; iatromechanical.

i·at·ro·phys·i·cist (ī-at′rō-fiz′i-sist).医療物理学派に属す人.

i·at·ro·phys·ics (ī-at′rō-fiz′iks). 物理療法，物療医学.

i·at·ro·tech·nique (ī-at′rō-tek-nēk′) [iatro- + G. *techne*, art]．医療技術，物療技術（医学的・外科的技術，医学を応用した技術または方法に対してまれに用いる語）.

IBC iron-binding *capacity* の略.

IBD inflammatory bowel *disease* の略.

i·bo·ga·ine (ī′bō-gă-ēn). イボガイン（[誤った発音 ī′bō-gān を避けること]．*Iboga*属植物から得られるインドールアルカロイド．アフリカの低木 *Tabernante iboga*(Apocynaceae 科)のいくつかの植物にみられる．アフリカで狩猟に使用される．催幻覚作用，抗うつ作用，催多幸作用がある）.

i·bo·ten·ic ac·id (ī′bō-ten-ik). イボテン酸（カイニン酸と化学的に類似しており，*Amantia muscaria, A. pantherina* (Agaricaceae 科)の有毒マッシュルームから抽出される．神経興奮活性を有する．神経薬理実験に用いる）.

IBS irritable bowel *syndrome* の略.

i·bu·pro·fen (ī-boo′prō-fen). イブプロフェン（プロピオン酸誘導体の非ステロイド性消炎鎮痛薬）.

IBW ideal body *weight* の略.

-ic (ik) [L. *-icus* < G. *-ikos*]. *1* …を表す，…の意の接尾語．*2* 化学において，化合物の最も高い原子価をもつ元素を表す接尾語．*cf.* -ous (1). *3* 酸を表す接尾語.

ICA internal carotid *artery* の略.

ICAM-1 intercellular adhesion *molecule*-1 の略.

ic·co·somes (ī′kō-sōmz) [*i*mmune *c*omplex *c*oated + -some]．イコソーム（沪胞内樹状細胞にみられる数珠状の細胞質内構造物．抗原の貯蔵場と考えられている）.

ICD *1* 世界保健機関による *International Classification of Diseases* の略．*2* implantable cardioverter defibrillator(植込み型心臓除細動器)の略.

ICDA 米国で使用される *International Classification of Diseases* の略．外科手術，その他の治療的および診断的方法の分類を含む.

ice pack (īs pak). アイスパック（急性の外傷組織の腫脹を減じるために冷却物を局所使用すること．通常は防水容器に氷を入れて使用する．氷を入れる即席の手段としてはプラスチック袋やタオルなどがよく用いられる．衝撃を与えると吸熱反応を生じる化学物質が混じり合うように工夫された特殊な化学製品でつくられた袋が使用される）.

ICF intracellular *fluid* の略.

i·chor (ī′kōr) [G. *ichōr*, serum]．膿漿〔液〕（潰瘍または病的創面から出る薄い水様の排出液）.

i·cho·re·mi·a (ī′kō-rē′mē-ă). →ichorrhemia.

i·cho·roid (ī′kō-royd) [G. *ichōr*, serum + *eidos*, resemblance]．膿漿〔液〕様の（薄い化膿性排出液を示す）.

i·chor·ous (ī′kōr-ŭs). 膿漿〔液〕性の.

i·chor·rhe·a (ī′-kō-rē′ă) [G. *ichōr*, serum + *rhoia*, a flow]．膿漿〔液〕漏（多量の膿漿液排出）.

i·chor·rhe·mi·a, i·cho·re·mi·a (ī-kō-rē′mē-ă, ī′kō-rē′-mē-ă) [G. *ichōr*, serum + *rhoia*, a flow + *haima*, blood]．敗血症（膿漿性分泌物を伴う敗血症）.

ICHPPC International Classification of Health Problems in Primary Care の略.

ich·tham·mol (ik′tham-mol). イクタモール（赤褐色または黒褐色の粘液で，強い特有な焦臭を有し，水およびグリセリンに溶ける．瀝青質片岩を乾留し，その乾留物をスルホン化し，これをアンモニアで中和して得られる．皮膚疾患に用い，その緩和な刺激・防腐・鎮痛作用ゆえに卓効がある．10—20%の濃度の軟膏として使用される(発疱性軟膏 drawing salve)).＝ammonium ichthosulfonate.

ich·thy·ism (ik′thē-izm) [G. *ichthys*, fish]．魚〔肉〕中毒〔症〕(腐敗魚または食用に不適な魚の摂取により起こる中毒).＝ichthyismus.

ich·thy·is·mus (ik-thē-iz′mŭs) [G. *ichthys*, fish]．魚〔肉〕中毒〔症〕.＝ichthyism.

i. exanthematicus 発疹性魚〔肉〕中毒〔症〕（腐敗魚の摂取による中毒性紅斑性発疹）.

i. hystrix 豪猪皮状魚鱗癬．＝bullous congenital ichthyosiform *erythroderma*.

ichthyo- (ik′thē-ō) [G. *ichthys*]．魚に関する連結形.

ich·thy·o·a·can·tho·tox·ism (ik′thē-ō-ă-kan′thō-tok′-sizm) [ichthyo- + G. *akantha*, thorn + *toxikon*, poison]．有毒魚のとげまたは針による中毒.

ich·thy·o·col·la (ik′thē-ō-kol′ă) [ichthyo- + G. *kolla*, glue]．にべ（タラ，チョウザメのような魚の浮袋から得られるゼラチンで，接着剤，代用食品，清澄剤として用いる）.＝isinglass.

ich·thy·o·he·mo·tox·in (ik′thē-ō-hē′mō-tok′sin) [ichthyo- + G. *haima*, blood + *toxikon*, poison]．ある種の魚の血液に含まれる毒性物質.

ich·thy·o·he·mo·tox·ism (ik′thē-ō-hē′mō-tok′sizm). ichthyohemotoxin をもつ魚の摂取により起こる中毒.

ich·thy·oid (ik′thē-oyd) [ichthyo- + G. *eidos*, resemblance]．魚状の.

ich·thy·o·o·tox·in (ik′thē-ō-ō-tok′sin) [ichthyo- + G. *ōon*, egg + *toxikon*, poison]．魚卵にのみ存在する毒性物質.

ich·thy·oph·a·gous (ik′thē-of′ă-gŭs) [ichthyo- + G. *phagō*, to eat]．魚食[性]の（魚を食べて生きているものについ

ていう).

ich·thy·o·pho·bi·a (ik′thē-ō-fō′bē-ă) [ichthyo- + G. *phobos*, fear]. 魚恐怖〔症〕(魚に対する病的な恐れ).

ich·thy·o·sar·co·tox·in (ik′thē-ō-sar′kō-tok′sin) [ichthyo- + G. *sarx*, flesh + *toxikon*, poison]. 魚肉あるいは魚の臓器に含まれる毒性物質.

ich·thy·o·sar·co·tox·ism (ik′thē-ō-sar′kō-tok′sizm) [ichthyo- + G. *sarx*, flesh + *toxikon*, poison]. 魚肉または魚類の臓器に含まれる毒性物質(ichthyosarcotoxin)により起こる中毒.

ich·thy·o·sis (ik′thē-ō′sis) [ichthyo- + G. *-osis*, condition]. 魚鱗癬(角化の先天性異常で，非炎症性の皮膚の乾燥と鱗屑を特徴とし，しばしば他の異常や脂質代謝異常を伴い，遺伝的，臨床的，顕微鏡的に，また表皮細胞の動態により識別される). = alligator skin; fish skin; sauriasis.

acquired i. 後天性魚鱗癬(皮膚の肥厚と落屑. Hodgkin リンパ腫のようなある種の悪性腫瘍，らい，重症の栄養不良に伴って生じる).

i. congenita 先天性魚鱗癬. = lamellar i.

i. congenita neonatorum 新生児先天性魚鱗癬(未熟児にみられる羊皮紙様皮膚を伴う全身性魚鱗癬).

i. corneae 角膜魚鱗癬(角膜角化，乾燥，落屑からなる先天性皮膚異常の眼における合併症).

i. fetalis ***1*** 胎児魚鱗癬. = harlequin *fetus*. ***2*** ホルスタインおよびノルウェーの赤ウシにみられる劣性の病気. ヒトの道化胎児 harlequin fetus に類似する.

i. follicularis 毛包性魚鱗癬(常染色体優性遺伝をする魚鱗癬の一型で，四肢伸側に毛包性角栓を有する. 小児期早期に発症).

harlequin i. [MIM*242500]. まだら色魚鱗癬(葉状魚鱗癬とは異なる致死型の魚鱗癬. ダイヤモンドのような形の斑が道化師の服に似る. 線維性構造蛋白である張原線維が表皮内で増加している. 常染色体劣性遺伝).

i. hystrix [G. *hystrix*, hedgehog]. ヤマアラシ(豪猪)状魚鱗癬. = bullous congenital ichthyosiform *erythroderma*.

lamellar i. [MIM*242300]. 葉状魚鱗癬(先天性魚鱗癬様紅皮症の乾燥型. 眼瞼外反やほぼ全身に大きな荒い鱗屑がみられ，手掌および足底が肥厚するのが特徴. 生後1年以内に蛋白，電解質欠乏や敗血症の合併症により死亡することもある. 組織学的には表皮の角質増殖，顆粒層増大，軽度の有棘層肥厚，多数の有糸分裂像がみられるが，上皮細胞の入れ替わりは正常か減少している. 第14染色体長腕上にコードされているケラチノサイトトランスグルタミナーゼ(*TGM1*)遺伝子の突然変異に起因する. 常染色体劣性遺伝形式をとる. →collodion *baby*; harlequin *fetus*). = i. congenita.

i. linearis circumflexa 回旋性線状魚鱗癬(先天性または乳児性の移動性多環性の紅斑あるいは魚鱗で，末梢性の二重縁を示す. 生涯にわたって出現し，Netherton 症候群 [MIM*256500]では重積性裂毛症を伴う. 常染色体劣性遺伝).

nacreous i. 真珠状魚鱗癬(乾燥した真珠様鱗屑を特徴とする魚鱗癬の一型).

i. palmaris et plantaris 手掌足底魚鱗癬. = palmoplantar *keratoderma*.

i. scutulata 盾形魚鱗癬(ダイヤモンド形，または盾形の病変を特徴とする魚鱗癬).

i. simplex 単純〔性〕魚鱗癬. = i. vulgaris.

i. vulgaris [MIM*146700]. 尋常〔性〕魚鱗癬(常染色体優性遺伝による魚鱗癬の一型で，小児期に体幹および四肢に細かい鱗屑が発現する. ただし屈曲部には現れない. アトピー，掌蹠の紋理増強を伴う. 組織学的には，表皮の角質増殖，顆粒層欠如，正常な表皮細胞の増殖がみられる). = hyperkeratosis congenita; i. simplex.

X-linked i. [MIM*308100]. X染色体性魚鱗癬(出生時または乳児期初期に発病する魚鱗癬の一型で，男児が罹患する. 主として頭部，頸部，体幹に出現する鱗屑と求心性に進行する特徴がある. 手掌と足蹠にはみられない. 組織学的に顕著なのは，角質増殖，表皮の顆粒層，正常な表皮細胞の交代である. X連鎖劣性遺伝で，X染色体短腕に存在するステロイドスルファターゼ遺伝子(*STS*)の変異による). = steroid sulfatase deficiency.

ich·thy·ot·ic (ik′thē-ot′ik). 魚鱗癬の.

ich·thy·o·tox·i·col·o·gy (ik′thē-ō-tok′si-kol′ŏ-jē) [ichthyo- + G. *toxikon*, poison + *logos*, study]. 魚毒に関する学問.

ich·thy·o·tox·i·con (ik′thē-ō-tok′si-kon) [ichthyo- + G. *toxikon*, poison]. 魚毒(ある種の魚類に存在する毒性成分). = fish poison (1).

ich·thy·o·tox·in (ik′thē-ō-tok′sin) [ichthyo- + G. *toxicon*, poison]. イヒチオトキシン(ウナギ血清中の溶血性活性成分).

ich·thy·o·tox·ism (ik′thē-ō-tok′sizm) [ichthyo- + G. *toxikon*, poison]. 魚〔肉〕中毒.

ICIDH International Classification of Impairments, Disabilities and Handicaps の略.

i·co·sa·he·dral (ī′kō-să-hē′drăl) [G. *eikosi*, twenty + *-edros*, having sides or bases]. 正二十面体の(立体的対称性を有するほとんどのウイルスでみられるように，20の等辺三角面と12の頂点を有するもの).

***N*-i·co·sa·no·ic ac·id** (ī′kō-să-nō′ik). = arachidic acid.

ICP intracranial *pressure* の略.

ICRP International Commission on Radiological Protection(国際放射線防禦委員会)の略.

-ics (iks) [-ic + -s]. 系統立てた学問，診療，治療，を意味する接尾語.

IcsB 赤痢菌 *Shigella flexneri* のエフェクター蛋白で，感染細胞内のリソソームでの異物排除機構を抑制する.

ICSH interstitial cell-stimulating *hormone* の略.

ic·tal (ik′tăl) [L. *ictus*, a stroke]. 発作〔性〕の.

ic·ter·ic (ik-ter′ik) [G. *ikterikos*, jaundiced]. 黄疸の.

ictero- (ik′ter-ō) [G. *ikteros*, jaundice]. 黄疸を表す連結形.

ic·ter·o·a·ne·mi·a (ik′ter-ō-ă-nē′mē-ă). 黄疸性貧血. = acquired hemolytic *icterus*.

ic·ter·o·gen·ic (ik′ter-ō-jen′ik) [ictero- + G. *-gen*, producing]. 黄疸を起こす.

ic·ter·o·he·ma·tu·ric (ik′ter-ō-hē′mă-tyū′rik) [ictero- + G. *haima*, blood + *ouron*, urine]. 黄疸性血尿の(血尿を伴う黄疸についていう).

ic·ter·o·he·mo·glo·bi·nu·ri·a (ik′ter-ō-hē′mō-glō-bi-nyū′rē-ă). 黄疸血色素尿〔症〕(ヘモグロビン尿を伴う黄疸).

ic·ter·oid (ik′ter-oyd) [ictero- + G *eidos*, resemblance]. 黄疸様の，黄色調の.

ic·ter·us (ik′ter-ŭs) [G. *ikteros*]. 黄疸. = jaundice.

acquired hemolytic i. 後天性溶血性黄疸(中等度の脾腫，赤血球のぜい弱性の増加，および尿中のウロビリン量の増加を合併して起こる黄疸と貧血). = icteroanemia.

benign familial i. 良性家族性黄疸. = familial nonhemolytic *jaundice*.

cholestatic hepatosis i. gravidarum = intrahepatic *cholestasis* of pregnancy.

chronic familial i. 慢性家族性黄疸. = hereditary *spherocytosis*.

congenital hemolytic i. 先天性溶血性黄疸. = hereditary *spherocytosis*.

cythemolytic i. 溶血性黄疸(赤血球の破壊により生じた遊離ヘモグロビンによる刺激で過剰に生成された胆汁を吸収して起こる黄疸).

i. gravis 重症黄疸(高熱，せん妄を伴う黄疸. 重症肝炎や重症機能不全を伴う他の肝疾患にみられる). = malignant jaundice.

infectious i. 伝染〔性〕黄疸，感染〔性〕黄疸. = Weil *disease*.

i. melas 黒色黄疸(蒼白な皮膚が不健康な褐色の色合いへ暗くなる1つの形式).

i. neonatorum 新生児期黄疸. = physiologic i.; physiologic *jaundice*.

physiologic i. 生理的黄疸. = i. neonatorum.

i. praecox 早発黄疸(新生児において，比較的無害ではあるが軽度の貧血を伴い急速に進展する黄疸. 母親と胎児のABO型不適合により非常に頻繁に生じる).

ic·tom·e·ter (ik-tom′ĕ-tĕr) [L. *ictus*, stroke + G. *metron*, measure]. 心拍動計(心臓の心尖拍動力を測る装置).

ic·tus (ik′tŭs) [L.]. **[複数形は icti ではなく ictus である]**. ***1*** 発作. ***2*** 拍動.

i. cordis 心拍〔動〕. = heart *beat*.

i. epilepticus てんかん発作.

i. paralyticus 麻痺性発作.
i. solis 日射病. ＝sunstroke.
ICU intensive care *unit* の略.
ID infecting(または intective) dose の略.⇀minimal infecting *dose*.
id (id) [L. *id*, that]. イド，エス（①精神分析学で，Freud 学派の構造論モデルで精神的装置の３要素の１つ．残りの２つは自我と超自我．すなわち完全に無意識の領域にあって，無秩序で，心的エネルギーまたはリビドーの貯蔵庫であり，一次過程の影響下にある部分をさす．②新生児の生物学的飢餓，食欲，身体欲求，先天的衝動によって生じるすべての心的エネルギー．このような広範な無指向性のエネルギーは，社会生活を通して，自己中心的でない，より社会的に対応する方向へ向かうようになる．これをイドからエゴへの発展という）.
-id (id). ***1*** [G. *-eidēs*, resembling ＜ Fr. *-ide*]. 原発病変部から隔たった部位が病原性物質と反応し(過敏性反応 id reaction)，二次的に炎症性病変を起こすような皮膚の過敏状態を示す接尾語．***2*** [G. *-idion* 指小接尾語]. 小さなまたは幼若な標本を示す接尾語.
IDA iminodiacetate の略．そのテクネチウム 99 m 標識誘導体は放射性薬品として用いる.⇀HIDA.→DISIDA.
IDDM insulin-dependent *diabetes* mellitus の略．米国糖尿病学会により廃語となっており現在では１型糖尿病と称する.
-ide (īde). ***1*** 二元性化合物中のより電気陰性な元素を示す接尾語．以前は -ureted が用いられた．例えば hydrogen sulfide は sulfureted hydrogen. ***2*** 糖の名称の接尾語として，ヘミアセタール OH の H に対する置換を示す．例えば glycoside.
i·de·a (ī-dē′ă) [G. form, appearance ＜ *idein*, to have seen ＜ obs. *eidō*, to see]. 観念，表象（あらゆる心像または観念）.
autochthonous i.'s 自生観念（非常に重要であるかのごとく，またしばしば外界に起因するかのごとくに突然に意識される観念）.
compulsive i. 強迫観念（固定した繰返し再燃する観念.→fixed i.）.
dominant i. 支配観念（個人の行動や考えのすべてを支配する観念）.
fixed i. 固定観念（①誇張された観念，信仰または妄想で，反対の証拠があるにもかかわらず存続して心を支配する．②自分の妄想は正しいという精神病者の頑固な確信）. ＝idée fixe; overvalued i.
flight of i.'s 観念奔逸（全体の言葉数は著明に増加するにもかかわらず，言葉にするのが困難なほどの速さで関連のない言葉や考えの流れが起こる，双極性障害の躁病相のコントロールできないほどの症状.→mania; manic *episode*）.
overvalued i. 優格観念. ＝fixed i.
i. of reference 関係念慮（実際にはそうでないのに，他人の言動や行動，または同じ環境下にあるまったく関係のないものが自分に関係していると誤解すること）.
i·deal (ī-dēl′). 理想（完全性の１つの標準）.
i·de·a·tion (ī′dē-ā′shŭn). 観念化，思考過程（観念や思考の形成）.
i·de·a·tion·al (ī′dē-ā′shŭn-ăl). 観念の，観念的な.
i·dée fixe (ē-dā′ fēks) [Fr. obsession]. 固着観念，定着観念. ＝fixed *idea*.
i·den·ti·fi·ca·tion (ī-den′ti-fi-kā′shŭn) [Mediev.L. *identicus* ＜ L. *idem*, the same ＋ *facio*, to make]. ＝incorporation. ***1*** 確認（対象の分類や性質をはっきりさせる行為や過程）. ***2*** 同一視，同一化（他の人またはグループとの同一感覚または精神的連続性．万人に共通する Freud の防御機制の１つで，一般大衆の中で共通点を認め，または幼少時に親のようなより強力な人間と同一視する心理過程を通して，自己同一性や価値観と関連した不安が消失すること）.
projective i. 投影同一視（個人の精神的な過程を他者に帰属させる防衛）.
synthetic sentence i. 合成文同定（中枢の聴覚伝導路の機能検査．あらかじめ決めた 10 のつじつまの合わない不完全な文を聴かせながら矛盾するメッセージを呈示し同定させる）.
i·den·ti·ty (ī-den′ti-tē). 同一〔性〕（個人の対象やその人の社会的役割への内的歴史の総括や両者に対する認識，"自我"の体験.⇀ego.→persona; shadow (2)）.
ego i. 自我同一性（自己の同一性についての意識）.
gender i. 性同一性（男性，女性，両性としての自身の個人的特徴の一貫性および持続性．特に自己洞察において経験される，性的役割の内面化された表現. *cf.* gender *role*; sex *role*）.
sense of i. 同一性意識（個人の，自分自身の同一性あるいは心理的個性についての意識）.
ideo- (ī′dē-ō) [G. *idea*, form, notion]. 観念あるいは思考過程を表す連結形. *cf.* idio-.
i·de·o·ki·net·ic (ī′dē-ō-ki-net′ik). ＝ideomotor.
i·de·ol·o·gy (ī′dē-ol′ŏ-jē, id-ē-) [ideo- ＋ G. *logos*, study]. イデオロギー，観念形態（他に対する個人または集団の組織だった見解を構成する観念，信仰，態度の集成）.
i·de·o·mo·tion (ī′dē-ō-mō′shŭn). 観念運動（支配的観念の影響下で行われる筋肉運動で，実際には自動的であり，意志によるものではない）.
i·de·o·mo·tor (ī′dē-ō-mō′tŏr). 観念運動の. ＝ideokinetic.
i·de·o·pho·bi·a (ī′dē-ō-fō′bē-ă). 観念恐怖〔症〕（新たなまたは異なった観念に対する病的な恐れ）.
idio- (id′ē-ō) [G. *idios*, one's own]. 個別的，特異的なことを意味する連結形. *cf.* ideo-.
id·i·o·ag·glu·ti·nin (id′ē-ō-ă-glū′ti-nin). 自発凝集素，天然凝集素（ヒトまたは動物の血液中に自然発生する凝集素で，刺激性抗原注射あるいは抗体の外からの注入によらないもの）.
id·i·o·dy·nam·ic (id′ē-ō-dī-nam′ik). 独立的活性の（他からの作用なしに活動するものについていう）.
id·i·o·gen·e·sis (id′ē-ō-jen′ĕ-sis) [idio- ＋ G. *genesis*, production]. 疾病特発発生（はっきりした病因がない疾病の発生．特に特発性疾患についていう）.
id·i·o·glos·si·a (id′ē-ō-glos′ē-ă) [idio- ＋ G. *glōssa*, tongue, speech]. 構音欠如，構語不全（小児の発語によくある *l* 音の変換，母音または子音の置換など極端な変形．このため理解不可能で，文字上の変化の法則を理解していない人には外国語のように聞こえる）.
id·i·o·glot·tic (id′ē-ō-glot′ik). 構音欠如の，構語不全の.
id·i·o·gram (id′ē-ō-gram) [idio- ＋ G. *gramma*, something written]. ***1*** 核型. ＝karyotype. ***2*** イディオグラム（種または個体群に特異な染色体形態を図示したもの）.
id·i·o·graph·ic (id′ē-ō-graf′ik) [idio- ＋ G. *graphō*, to write]. 個別的な（特定個人の個人としての特質または行動についていう．nomothetic の対語）.
id·i·o·het·er·o·ag·glu·ti·nin (id′ē-ō-het′ĕr-ō-ă-glū′ti-nin) [idio- ＋ G. *heteros*, another ＋ agglutinin]. 自発性異種凝集素（ある種の動物の血液中に生じる自発性凝集素で，他種由来の抗原物質とも結合しうる）.
id·i·o·het·er·o·ly·sin (id′ē-ō-het′ĕr-ol′i-sin). 自発性異種溶解素（ある種の動物の血液中に生じる自発性溶解素で，他種の赤血球とも結合しうる．したがって，補体の存在下では溶血が起こる）.
id·i·o·hyp·no·tism (id′ē-ō-hip′nō-tizm). 自発催眠術. ＝autohypnosis.
id·i·o·i·so·ag·glu·ti·nin (id′ē-ō-ī′sō-ă-glū′ti-nin) [idio- ＋ G. *isos*, equal ＋ agglutinin]. 自発性同種凝集素（ある種の動物の血液中に生じる自発性凝集素で，同種動物の赤血球を凝集しうる）.
id·i·o·i·sol·y·sin (id′ē-ō-ī-sol′i-sin). 自発性同種溶解素（ある種の動物の血液中に生じる自発性溶解素で，同種動物の赤血球と結合して補体の存在下で溶血を引き起こす）.
id·i·o·la·li·a (id′ē-ō-lā′lē-ă) [idio- ＋ G. *lalia*, talk]. 自作言語（自分で案出した言語を用いること）.
id·i·ol·y·sin (id′ē-ol′i-sin). 自発性溶解素（ヒトまたは動物の血液中に自然に発生する溶解素で，感作性抗原の注射あるいは抗体を受動的に移入せずに生じる）.
id·i·o·mus·cu·lar (id′ē-ō-mŭs′kyū-lăr). 特発〔性〕筋の，筋自発〔性〕の（神経支配から独立した筋のみについていう）.
id·i·o·nod·al (id′ē-ō-nō′dăl). 房室結節固有の（完全洞房ブロックまたは房室ブロック，あるいは他の房室解離における心室リズム．その際，心室は異所性心室焦点よりむしろ房室結節の支配を受ける．より正確には房室接合部固有のことである．通常，房室結節は房室接合部の部分であり，より正確に房室結節リズムを突き止めることは不可能である.→id-

ioventricular).
id・i・o・pa・thet・ic (id′ē-ō-pă-thet′ik). idiopathic を表すまれに用いる語.
id・i・o・path・ic (id′ē-ō-path′ik) [idio- + G. *pathos*, suffering]. 特発〔性〕の（原因不明の疾病についていう）. = agnogenic.
id・i・op・a・thy (id′ē-op′ă-thē) [idio- + G. *pathos*, suffering]. 特発〔性〕疾患，特発症（原発性疾患）.
id・i・o・phren・ic (id′ē-ō-fren′ik) [idio- + G. *phrēn*, mind]. 脳自体の（反射または二次的なものではなく精神または脳のみに関する，または由来するものについていう）.
id・i・o・psy・cho・log・ic (id′ē-ō-sī′kō-loj′ik). 自発観念の（外からの示唆によらず，自分自身の心の中で発展した観念についていう）.
id・i・o・re・flex (id′ē-ō-rē′fleks). 同一器官内反射（反射を生じる器官あるいはその一部からの刺激が原因で起こる反射）.
id・i・o・some (id′ē-ō-sōm) [idio- + G. *sōma*, body]. イディオソーム（精子または卵細胞の中心体）.
id・i・o・syn・cra・sy (id′ē-ō-sin′kră-sē) [G. *idiosynkrasia* < *idios*, one's own + *synkrasis*, a mixing together]. **[誤ったつづり idiosyncracy を避けること]**. ***1*** 個人的特質（個人の精神的・行動的・身体的特徴または特異性）. ***2*** 特異体質（薬理学において，薬物に対し特異な反応をすること．遺伝的に決定される場合がある）.
id・i・o・syn・crat・ic (id′ē-ō-sin-krat′ik). 特異体質〔性〕の.
id・i・o・tope (id′ē-ō-tōp) [idio- + -tope]. イディオトープ（イディオタイプの単一抗原決定基.→idiotypic antigenic *determinant*）. = idiotypic antigenic determinant.
set of i.'s イディオトープ（免疫グロブリンあるいはT細胞レセプタの可変領域(の抗原決定基)）.
id・i・ot-prod・i・gy (id′ē-ŏt prod′i-jē). 非凡性白痴，賢いばか. = idiot-savant.
id・i・o・troph・ic (id′ē-ō-trof′ik) [idio- + G. *trophē*, food]. 自体栄養の，栄養選択〔性〕の（自分の食物を選択しうる）.
id・i・o・trop・ic (id′ē-ō-trop′ik) [idio- + G. *tropē*, a turning]. 自己志向的の，内省型の（自己の内面へ向かうことをいう）.
id・i・ot-sa・vant (ē-dē-ō′ sah-vahn′) [Fr.]. イディオ・サヴァン，賢いばか（一般常識には乏しいが，ほとんどの正常人には不可能なある特定の精神的作業に対して並はずれた才能を有する人）. = idiot-prodigy.
id・i・o・type (id′ē-ō-tīp) [idio- + G. *typos*, model]. イディオタイプ（免疫グロブリン可変領域中のイディオトープの集まりで，免疫グロブリン分子に構造上の特異性を与え，しばしば特定の動物中で対象抗体に特徴ある性質を付与している．限定された数のBリンパ球クローンの産物であり，T細胞レセプタ上にも見出される.→idiotope）.
id・i・o・ven・tric・u・lar (id′ē-ō-ven-trik′yū-lăr). 心室固有の.
id・i・tol (ī′di-tol). イジトール（ヘキソースのイドースの還元生成物）.
IDL intermediate density *lipoprotein* の略.
i・dose (ī′dōs). イドース（アルドヘキソースの1つで，ガラクトースの異性体．L-イドースはD-グルコースのエピマーである.→sugar）.
i・dox・ur・i・dine (IDU) (ī′doks-yū′ri-dēn). イドクスウリジン（ピリミジン類似体で，DNA合成阻害により抗ウイルス性および抗癌作用を示す．ウイルス性角膜炎の治療に局所的に用いる）.
IDP inosine 5′-diphosphate の略.
IDU idoxuridine; injecting/injection drug user(注射乱用者)の略.
i・dur・o・nate (ī-dūr′ō-nāt). イズロネート（イズロン酸の塩またはエステル）.
i. sulfatase イズロン酸スルファターゼ（ヘパリン硫酸のイズロン酸2-硫酸の脱硫酸化に作用する酵素．またデルマタン硫酸の分解にも働く．Hunter症候群はこの酵素の欠損に関連する）.
i・dur・on・ic ac・id (ī′dūr-on′ik as′id). イズロン酸（イドースのウロン酸．デルマタン硫酸の成分）.
α-L-i・dur・on・id・ase (ī′dūr-on′i-dās). α-L-イズロニダーゼ（デルマタン硫酸やヘパラン硫酸の末端脱硫酸α-L-イズロン酸残基を加水分解する酵素．この酵素の欠損によりHurler症候群やScheie症候群になる）.
IEP isoelectric *point* の略.
IF initiation *factor*; intrinsic *factor* の略.
IFN interferon の略．サブセットはギリシア文字の接頭辞で表示される.
ifosfamide (ī-fos′fă-mīd). イホスファミド（抗癌性のアルキル化剤のプロドラッグ）.
Ig immunoglobulin の略.
IGF insulinlike growth *factor* の略.
ig・na・ti・a (ig-nā′shē-ă) [*St. Ignatius*]. イグナチア（フジウツギ科 *Strychnos ignatii* の乾燥完熟種子．性状はホミカに類似し，ストリキニーネの原料である）.
ig・ni・pe・di・tes (ig′ni-pe-dī′tēz) [L. *ignis*, fire + *pes*(*ped*-), foot + G. *itēs*]. 炎足（小径多発ニューロパシーによることが多い，足底の焼けるような痛み）.
ig・ni・punc・ture (ig′ni-pŭngk′chūr) [L. *ignis*, fire + puncture]. 烙刺法（焼灼器で裂孔を貫通することにより網膜剝離の裂孔を閉鎖する原法）.
ig・no・tine (ig′nō-tēn). イグノチン. = carnosine.
IH infectious *hepatitis* の略.
IHSS idiopathic hypertrophic subaortic *stenosis* の略.
IJP inhibitory junction *potential* の略.
i・ko・ta (ī-kō′tă). イコタ（latah(ジャワにみられる跳躍病)に似た神経症で，シベリアのサモイエド人の既婚婦人が罹患する）.
IL interleukin の略.
ILA insulinlike *activity* の略.
il・e・ac (il′ē-ak). ***1*** イレウスの. ***2*** 回腸の.
il・e・a・del・phus (il′ē-ă-del′fŭs). = *duplicitas* posterior.
il・e・al (il′ē-ăl). 回腸の（**[ilial と混同しないこと]**）.
il・e・ec・to・my (il′ē-ek′tŏ-mē) [ileum + G. *ektomē*, excision]. 回腸切除〔術〕.
il・e・i・tis (il′ē-ī′tis). 回腸炎.
backwash i. 逆流性回腸炎（慢性潰瘍性大腸炎にみられる回腸末端の炎症および潰瘍性病変．回腸および近接結腸の限局性(肉芽性)腸炎(例えば回腸末端および近位結腸のCrohn病)とは異なる）.
distal i., regional i., terminal i. = regional *enteritis*.
ileo- (il′ē-ō) [New L. *ileum*, groin]. 回腸を意味する連結形.
il・e・o・ce・cal (il′ē-ō-sē′kăl). 回盲の（回腸と盲腸の両方についていう）.
il・e・o・ce・co・cys・to・plas・ty (il′ē-ō-sē′kō-sis′tō-plas′tē) [ileo- + ceco- + G. *kystis*, bladder + *plastos*, formed]. 回盲部膀胱形成術（血管支配を伴ったまま遊離された回盲部分節を用いて，膀胱の形成または拡張を行う術式）.
il・e・o・ce・cos・to・my (il′ē-ō-sē-kos′tŏ′mē). 回〔腸〕盲〔腸〕吻合〔術〕（回腸と盲腸を吻合すること）. = cecoileostomy.
il・e・o・ce・cum (il′ē-ō-sē′kŭm). 回盲部（回腸と盲腸の結合部）.
il・e・o・co・lic (il′ē-ō-kol′ik). 回結腸の（回腸と結腸についていう）. = ileocolonic.
il・e・o・co・li・tis (il′ē-ō-kō-lī′tis). 回結腸炎（回腸と結腸が何らかの粘膜性炎症を起こした状態）.
il・e・o・co・lon・ic (il′ē-ō-kō-lon′ik). = ileocolic.
il・e・o・co・los・to・my (il′ē-ō-kō-los′tŏ-mē) [ileo- + colostomy]. 回腸結腸吻合〔術〕（回腸の結腸への吻合．次頁の図参照）.
il・e・o・cys・to・plas・ty (il′ē-ō-sis′tō-plas′tē) [ileo- + G. *kystis*, bladder + *plastos*, formed]. 小腸膀胱形成〔術〕（膀胱容量を増大させるために血管をつけて遊離した回腸の一部を用いた膀胱の再建手術）.
il・e・o・en・tec・tro・py (il′ē-ō-en-tek′trō-pē) [ileo- + G. *entos*, within + *ek*, out + *tropē*, a turning]. 回腸外反術（回腸の一部を外反する術式を表す，まれに用いる語）.
il・e・o・il・e・os・to・my (il′ē-ō-il′ē-os′tŏ-mē) [ileum + ileum + G. *stoma*, mouth]. ***1*** 回腸回腸吻合〔術〕（回腸の2分節の間を吻合すること）. ***2*** 回腸回腸吻合によってつくられた吻合口.
il・e・o・je・ju・ni・tis (il′ē-ō-je′jū-nī′tis). 空回腸炎（空腸および回腸の一部または大部分の慢性炎症状態で，限局性回腸炎に似た肉芽腫様症状，偽憩室の形成，腸の瘢痕性狭窄などの

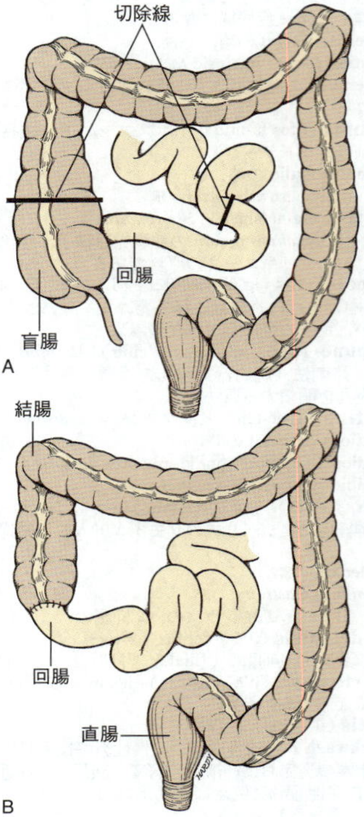

ileocolostomy

回腸と盲腸の疾患部分を切除し(A)，切除端を吻合する(B).

異なった症状を呈する).

il·e·o·pex·y (il′ē-ō-pek′sē) [ileo- + G. *pēxis*, fixation]. 回腸固定〔術〕(回腸を外科的に固定すること).

il·e·o·proc·tos·to·my (il′ē-ō-prok-tos′tŏ-mē) [ileo- + G. *prōktos*, anus (rectum) + *stoma*, mouth]. 回腸直腸吻合〔術〕(回腸と直腸を吻合すること). = ileorectostomy.

il·e·o·rec·tos·to·my (il′ē-ō-rek-tos′tŏ-mē) [ileum + rectum + G. *stoma*, mouth]. = ileoproctostomy.

il·e·or·rha·phy (il′ē-ōr′ă-fē) [ileo- + G. *rhaphē*, suture]. 回腸縫合〔術〕.

il·e·o·sig·moid·os·to·my (il′ē-ō-sig′moyd-os′tŏ-mē) [ileo- + sigmoid + G. *stoma*, mouth]. 回腸S状結腸吻合〔術〕(回腸とS状結腸を吻合すること).

il·e·os·to·my (il′ē-os′tŏ-mē) [ileo- + G. *stoma*, mouth]. 回腸造瘻〔術〕, 回腸フィステル形成〔術〕(回腸から直接体外に排泄するフィステルを形成すること).

Brooke i. (bruk). ブルック回腸瘻 (切離された近位側回腸が腹壁を通して外反され，縁が真皮に縫合された回腸瘻. この手術では2 cm 突出させることが望ましい).

Kock i. (kōk). コック回腸造瘻〔術〕, コック回腸フィステル形成〔術〕. = Kock *pouch*.

il·e·ot·o·my (il′ē-ot′ŏ-mē) [ileo- + G. *tomē*, incision]. 回腸切開〔術〕.

il·e·o·trans·ver·sos·to·my (il′ē-ō-tranz-ver-sos′tŏ-mē) [ileum + transverse colon + G. *stoma*, mouth]. 回腸横行結腸吻合〔術〕(回腸を横行結腸に吻合すること).

il·e·um (il′ē-ŭm) [L. < G. *eileō*, to roll up, twist][TA]. 回腸 ([ilium と混同しないこと]. 小腸の第三部位で最も長い. ヒトで長さ約3.5 m で(死後の測定による)，空腸との不明瞭な分岐部から回盲の開口部に至る. 次の点で空腸と区別できる. 管径が小さく，壁が薄く，輪状ひだが小さくて少なく，

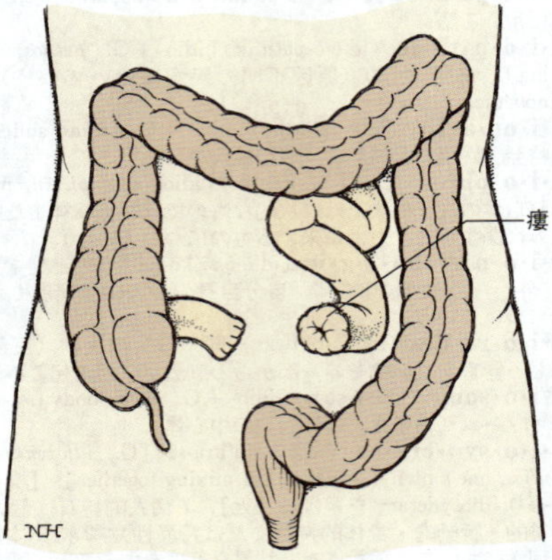

ileostomy

腸間膜には脂肪が多く，動脈弓が多く，直細動脈は短い).

i. duplex 消化管の管部または嚢部の重複.

il·e·us (il′ē-ŭs) [G. *eileos*, intestinal colic < *eilō*, to roll up tight]. イレウス, 腸閉塞〔症〕(機械的，運動亢進性，または無力性の腸管閉塞で，激しい仙痛や腹部膨満，嘔吐，糞便排泄困難，ときに発熱や脱水を伴う).

adynamic i. 麻痺性イレウス (腸壁麻痺による腸管の閉塞で，通常，限局性または広汎性腹膜炎あるいはショックにより生じる). = paralytic i.

dynamic i. 力学的イレウス (腸管の部分的痙攣収縮による腸の閉塞). = spastic i.

gallstone i. 胆石性イレウス (小腸閉塞で，胆管(通常は胆嚢炎により)からの胆石が小腸(通常は胆嚢と小腸の間の瘻により)へ通過するために起こる. 閉塞の発生および部位は胆石の大きさによるが，通常，回盲部またはその近傍に生じる).

mechanical i. 機械的イレウス (腸軸捻転，胆石，癒着などの機械的原因による腸管閉塞). = mechanical obstruction.

meconium i. 胎便性イレウス (胎便の濃縮に続発する胎児や新生児の小腸閉塞で，トリプシンの欠乏による. 嚢胞性線維形成を伴う).

occlusive i. 閉塞性イレウス (小腸内腔の機械的な完全閉塞).

paralytic i. 麻痺性イレウス. = adynamic i.

spastic i. 痙性イレウス. = dynamic i.

i. subparta 分娩下イレウス (妊娠中の子宮の圧迫による大腸の閉塞).

terminal i. 小腸下部の閉塞. = pars terminalis ilei [TA].

verminous i. 寄生虫性イレウス (大量の腸内寄生虫による閉塞).

il·i·ac (il′ē-ak). 腸骨の.

il·i·a·cus (il-ī′ă-kŭs). 腸骨筋の ([誤った発音 iliac′us を避けること]. →iliacus (*muscle*)).

il·i·a·del·phus (il′ē-ă-del′fŭs) [L. *ilium* + G. *adelphos*, brother]. = *duplicitas* posterior.

ilio- (il′ē-ō) [L. *ilium*]. 腸骨を表す連結形.

il·i·o·coc·cyg·e·al (il′ē-ō-kok-sij′ē-ăl). 腸骨尾骨の (腸骨と尾骨に関する).

il·i·o·co·lot·o·my (il′ē-ō-kō-lot′ŏ-mē) [ilio- + G. *kolon*, colon + *tomē*, incision]. 腸骨部結腸切開〔術〕(鼡径部(腸骨部)における結腸の切開手術).

il·i·o·cos·tal (il′ē-ō-kos′tăl). 腸肋の (腸骨と肋骨に関する. 両部位間にある筋肉をさす).

il·i·o·cos·ta·lis (il′ē-ō-kos-tā′lis). 腸肋筋の (→iliocostalis (*muscle*)).

il·i·o·fem·o·ral (il′ē-ō-fem′ŏ-răl). 腸骨大腿骨の (腸骨と

大腿骨に関する).

il·i·o·fem·o·ro·plas·ty (il′ē-o-fem′ōr-ō-plas′tē). 腸骨大腿骨形成〔術〕(現在は用いられない関節外法による股関節固定を確実にする方法(関節外固定法). 腸骨の骨片を下方に回転させて大転子につくった裂け目に置く).

il·i·o·hy·po·gas·tric (il′ē-ō-hī-pō-gas′trik). 腸骨下腹の(腸骨部と下腹部に関する).

il·i·o·in·gui·nal (il′ē-ō-ing′gwi-năl). 腸骨鼡径の(腸骨部と鼡径部に関する).

il·i·o·lum·bar (il′ē-ō-lŭm′băr). 腸腰の(腸骨部と腰部に関する).

il·i·op·a·gus (il′ē-op′ă-gŭs) [ilio- + G. *pagos*, something fixed]. 腸骨結合体(腸骨部位のみが融合した接着双生児. →conjoined *twins*).

il·i·o·pec·tin·e·al (il′ē-ō-pek-tin′ē-ăl). 腸恥の(腸骨と恥骨に関する).

il·i·o·pel·vic (il′ē-ō-pel′vik). 腸骨盤の(腸骨部と骨盤腔に関する).

il·i·o·sa·cral (il′ē-ō-sā′krăl). 腸骨仙骨の(腸骨と仙骨に関する).

il·i·o·sci·at·ic (il′ē-ō-sī-at′ik). 腸骨坐骨の(腸骨と坐骨に関する).

il·i·o·spi·nal (il′ē-ō-spī′năl). 腸骨脊柱の(腸骨と脊柱に関する).

il·i·o·thor·a·cop·a·gus (il′ē-ō-thōră-kop′ă-gŭs) [ilio- + G. *thorax*, chest + *pagos*, fixed]. 腸骨胸結合体(腸骨から胸部に至る部分が結合した接着双生児. → conjoined *twins*). =ischiothoracopagus.

il·i·o·tib·i·al (il′ē-ō-tib′ē-ăl). 腸骨脛骨の(腸骨と脛骨に関する).

il·i·o·tro·chan·ter·ic (il′ē-ō-trō-kan′tĕr-ik). 腸骨転子の(腸骨と大腿骨の大転子に関する).

il·i·o·xi·phop·a·gus (il′ē-ō-zī-fop′ă-gŭs) [ilio- + xiphoid + G. *pagos*, fixed]. 腸骨剣状突起結合体(剣状突起から腸骨部に至る部分が融合した接着双生児. →conjoined *twins*).

il·i·um, pl. **il·ia** (il′ē-ŭm, il′ē-ă) [L. groin, flank][TA]. 腸骨 (**[**ileum と混同しないこと**]**. 寛骨のうち幅広く外方に張り出している部分. 出生時には別個の骨であるが, 後に坐骨および恥骨と癒合する. 恥骨および坐骨と結合して寛骨臼を形成する腸骨体および翼とよばれる上方を厚い稜で縁どられている幅広くて薄い部分とからなる. 体部は体幹の重みを大腿骨に伝えるのに対し, 翼と稜は筋の付着部となり, 腹部骨盤内臓器を保護する). =os ilium [TA]; flank bone; iliac bone; os iliacum.

il·lic·i·um (il-lis′ē-ŭm) [L. an allurement < *il-licio*, to allure]. オオウイキョウ(モクレン科 *Illhicium verum* の乾燥果実. 常緑の低木で中国南部に自生. 刺激性シラミ駆除薬として用いる).

il·lin·i·tion (il′in-ish′ŭn) [L. *il-lino*, pp. *-litus*, to smear on (*in* + *lino*)]. 軟膏塗擦〔療法〕(軟膏の吸収を促進するために塗付表面を摩擦すること).

ill·ness (il′nes). 疾患, 疾病(→syndrome). =disease (1).

environmental i. 環境性疾患. =multiple chemical *sensitivity*.

factitious i. by proxy 代理人(患児に関わる人)による詐病. =Munchausen *syndrome* by proxy.

functional i. 機能障害. =functional *disorder*.

manic-depressive i. 躁うつ病性障害 manic-depressive *disorder* の古語. 現行の米国精神医学会(APA)の *Diagnostic and Statistical Manual of Mental Disorders*(DSM)においては双極性障害とよばれる.

mass sociogenic i. =mass *hysteria*.

mental i. 精神病(①広い包括的用語で, 通常, 次の1つまたはすべてを示す. ⓘ不全麻痺, 急性アルコール中毒のような比較的顕著な行動的症状を伴う脳の病気. ⓘⓘヒステリーや統合失調症のような異常行動を示す精神または人格の病気. =mental disease; emotional disease; mental disturbance; emotional disturbance; mental disorder; emotional disorder; behavior disorder. ②米国医学会(AMA)の *Current Medical Information and Terminology*, 米国精神医学会(APA)の *Diagnostic and Statistical Manual of Mental Disorders*(DSM)に記載されているすべての精神の病気. →behavior *disorder*).

nonspecific building-related i.'s 非特異性建物関連疾病(明瞭な客観的身体所見または検査所見を伴わず仕事場もしくは住居に関係した症状を呈する異なる疾病の群. *cf.* specific building-related i.'s).

severity of i. 病気の重症度(医療記録から得た臨床データまたは病院の退院/請求書データに基づく患者が呈した病気の程度および疾病のリスク. 結果の比較は通常, 有意なデータの解釈が確実になされるよう疾病の重症度を基準に解釈される).

southern-tick-associated rash i. 南部マダニ関連発疹症(*Amblyomma americanum* の刺咬に関連したライム病類似の疾病. 本種のマダニは *Borrelia*属を宿していない). =Master disease.

specific building-related i.'s 特異性建物関連疾病(苦痛を受けている患者が仕事をしているか居住している建物因子に原因が由来しうる, かなりの同質的臨床徴候を伴った感染性, アレルギー性, および免疫性疾病群. *cf.* nonspecific building-related i.'s).

il·lu·mi·na·tion (i-lū′mi-nā′shŭn) [L. *il-lumino*, pp. *-atus*, to light up]. 照明(①診断のために全身, 局部, または腔内に光を当てること. ②顕微鏡下の物体を照らすこと).

axial i. 随軸照明(透過あるいは反射する照明光線が光学軸と同じ方向をもつような照明). =central i.

central i. 中心照明. =axial i.

contact i. 接触照明(角膜または球結膜に接触した機器による眼の照明).

critical i. 臨界照明(照明光源が直接, 被検物体上正確な焦点を結ぶようになっている顕微鏡の照明方法).

dark-field i. 暗視野照明〔法〕(黒い円形の遮へい板を使い, 中心部の垂直入射光線を遮断して視野を暗くし, 周囲に配置された, 適当な角度のついた鏡を使って, 周辺部からの垂直入射光線を水平方向に向けて標本に当て, 反射した光が対物レンズ, 光軸を垂直に通過するようにする方法. このようにすると暗い視野の中に標本が際立って明るく見える). =dark-ground i.

dark-ground i. =dark-field i.

direct i. 直接照明(光線を下方に物体の上部表面にほぼ垂直になるように向け, 物体からの反射光が光学系内へ上向きに進むようにした照明). =erect i.; vertical i.

erect i. 垂直照明. =direct i.

focal i. 偏斜照明, 斜照法(周囲が影の中にあるのに対象物が明るくみえるように, 対象物に斜めの方向に光を当てる照明). =lateral i.; oblique i.

Köhler i. (kō′ler). ケーラー照明〔法〕(顕微鏡照明法の1つで, 光源の像をステージの下にあるコンデンサの絞りの位置に投影し, 光源の絞りの像を物体と同一平面上に結ぶようにするもの. 明るく, むらのない照明を最大限得られる).

lateral i. =focal i.

oblique i. =focal i.

vertical i. 垂直照明. =direct i.

il·lu·mi·nism (i-lū′mi-nizm). イルミニズム, 天啓状態(精神病性の高揚状態で, 超自然的あるいは高貴な存在との交流があるという妄想や幻覚をもつ).

il·lu·sion (i-lū′zhŭn) [L. *illusio* < *il-ludo*, pp. *-lusus*, to play at, mock]. 錯覚(**[**delusion または hallucination と混同しないこと**]**. 誤った認識. 実在しない事物をあたかも存在するかのように思い違いすること).

i. of doubles 二重錯覚. =Capgras *syndrome*.

i. of movement 動性錯覚(隣り合った網膜部位が連続的に刺激され, 動いているように見える錯覚).

oculogravic i. 重力錯覚(重力のために, 身体が加速を受けたときに見かけ上視野が動いたように見えること).

oculogyral i. 動眼限界錯覚(角加速度中に起こる錯覚で, 固視灯の位置が揺れて見える).

optical i. 錯視(視覚の色, 形, 大きさ, および運動の誤った解釈).

il·lu·sion·al (i-lū′zhŭn-ăl). 錯覚の, 錯覚的な.

I·los·vay (i-los′va), Lajos de. ハンガリー人化学者, 1851—1936. →I. *reagent*.

IM internal *medicine*; intramuscular の略.

i·ma (ī′mă) [L.]. 最低の, 最下の(→imus).

im·age (im′ăj) [L. *imago*, likeness]. 像(①物体の発光また

は物体からの反射光によってできる映像．②X線，核磁気共鳴撮影，断層撮影，超音波検査，サーモグラフィ，放射性同位元素，加算心電図，陽電子放射断層撮影(PET)および電子エネルギーを探知することなどによりつくられた像.→SPECT; MRI; CT．③これらの像をつくること）.

accidental i. 残像．＝afterimage.

body i. 身体図式（①頭頂葉皮質に組み込まれたすべての身体感覚の大脳への投射．②実際に解剖学的見地からみた身体や他の人からみた身体の概念とは異なり，自分自身の身体についての概念）.＝body schema.

catatropic i. 後方走性像．＝Purkinje-Sanson i.'s.

direct i. 直立像．＝virtual i.

eidetic i. 直観像（夢や幻想の中の生き生きした心像，あるいは以前に見たり想像した事物を記憶したり視覚化する能力の優れた者における生き生きした心像）.

false i. 仮像（斜視で偏位している眼に映る像）.

heteronymous i. 異名像（生理的複視で，物体より遠くを注視したときの複像．右の像は左眼由来であり，左の像は右眼由来である．交差性複視がある）.

homonymous i.'s 同名像（単視軌跡の中心部により近い点からの刺激によって生じる複像）.＝homonymous diplopia; simple diplopia; uncrossed diplopia.

hypnagogic i. 入眠時心像．＝hypnagogic *hallucination.*

hypnopompic i. 出眠時心像．＝hypnopompic *hallucination.*

inverted i. 倒像．＝real i.

magnitude i. 強度画像（MRIにおいて，位相情報を含まない信号の大きさから構成される画像.→magnetic resonance *imaging*）.

mental i. 心像（記憶や想像によって心の中でつくられる物体像）.

mirror i. 鏡像（鏡に反射像として現れる全体像または部分像）.

motor i. 運動像（身体の動きに関する像）.

negative i. ＝afterimage.

optical i. 視像（光の反射または屈折によってできる像）.

phase i. 位相画像（動きの情報を得るために位相のずれの情報のみを表現したMR画像）.

proteome i. プロテオームイメージ画像（溶解した対象とする蛋白を二次元ゲル電気泳動で分離したときに生み出された蛋白ドットのパターン）.

proton density weighted i. 水素原子密度強調画像（組織中での水素原子密度の相対値を主に反映したT1強調画像とT2強調画像との中間的な画像．例えば，グラディエントエコー法では非常に小さいフリップ角と長い繰り返し時間を使う）.

Purkinje i.'s (pur-kin′jē). プルキンエ像．＝Purkinje-Sanson i.'s.

Purkinje-Sanson i.'s (pŭr-kin′jē san′šon). プルキンエ－サンソン像（角膜の前後面でつくられる2つの像，および水晶体の前後面でつくられる2つの像）.＝catatropic i.; Purkinje i.'s; Sanson i.'s.

real i. 実像（物体からの実光線の収束によりできる像）.＝inverted i.

retinal i. 網膜像（網膜上につくられる実像）.

Sanson i.'s (san′sŏn). サンソン像．＝Purkinje-Sanson i.'s.

sensory i. 感覚像（1つ以上の感覚器に基づく像）.

specular i. 鏡像（鏡からの反射によって可視される光源の像）.

tactile i. 触覚印象（触覚によって得られる物体像）.

T1 weighted i. T1強調画像（短い繰り返し時間とエコー時間によるスピンエコー法あるいは反転回復法で撮像し，異なるT1値をもつ組織間のコントラストを表すMRI撮像法．脂肪を有する組織ではより強い信号を示す画像）.

T2 weighted i. T2強調画像（長い繰り返し時間とエコー時間を使って撮像することで，多様なT2緩和時間をもつ組織間のコントラストを表現するMRI撮像法．水は強い信号を呈する）.

unequal retinal i. 不等網膜像．＝aniseikonia.

virtual i. 虚像（光学系からの拡散光線の投影によってつくられる直像）.＝direct i.

visual i. 視像（物体の全発光点に対応する焦点の集り）.

im·age in·ten·si·fi·er (im′ăj in-ten′si-fiĕr). イメージインテンシファイアー，蛍光倍増管．＝image *amplifier.*

im·age·ry (im′aj-rē). 心象（行動療法の技法で，患者は不安と結び付いた不快感情に対抗するために楽しい空想に置き換えるように条件付けられる）.

i·mag·i·nal (i-maj′i-năl). 像の，想像上の.

im·ag·ing (im′ă-jing). イメージング，画像化（X線，超音波，CT，MRI，RI，およびサーモグラフィを用いた臨床画像法．特に超音波のような断層像をさすことが多い.→image）.

blood oxygen level dependent i. 血液内酸素レベル依存画像（オキシヘモグロビンとデオキシヘモグロビンとの信号差を使い，脳の代謝活性，さらにここから神経学的な活性を検出しようとする機能MR画像）.

blood pool i. 血液プール像（血管内に留まる放射性同位元素を用いる核医学検査）.

diffusion i. ＝diffusion weighted i.

diffusion weighted i. 拡散強調画像（水の拡散定数に比例した信号で表現されるMRI技術．髄鞘内の水の動きは制限されるため，信号は神経束に平行なものが最も強くなる．主に急性脳梗塞の浮腫評価に使われるが，脱髄疾患の評価にも使われる．心臓では心筋の筋線維方向を描くのに使われている）.＝diffusion i.

exercise i. →stress *test.*

functional magnetic resonance i. 機能磁気共鳴画像（局所脳組織の酸素消費量と血流量を反映したMR信号強度変化を巧みに使う脳機能賦活画像）.

harmonic i. 倍音イメージング（変換器の基本周波数とそれ以上の倍音を記録する超音波走査．通常の検査法の結果と比較し，解像度は良くアーチファクトは少ない）.

magnetic resonance i. (**MRI**) 磁気共鳴画像法（核磁気共鳴技術を用いた画像診断法で，均一な強磁場内では，磁性核(特にプロトン)の磁気方向がそろい，同調されたパルス状のラジオ波のエネルギーを吸収し，励起状態の消退とともにラジオ波信号を放出する．この信号は，原子核の，および分子の化学的環境により強度が変化するが，信号の発生源を3次元的に特定できる磁場の勾配を利用して，一連の断層像を得る）.＝nuclear magnetic resonance i.; NMR i.; nuclear magnetic resonance tomography.

morphometric magnetic resonance i. 形態測定磁気共鳴画像（脳内の様々な構造物のサイズ計測を特に目的とするが，同時に形態を表示する実験的な方法.→neuromorphometric）.

nuclear magnetic resonance i., NMR i. ＝magnetic resonance i.

optic i. 光学的イメージング（赤外および近赤外光を基盤にして構築する画像）.

optoacoustic i. 視音響イメージング（組織にレーザーを放射することによって産生される，熱誘発音波を解析してつくられる画像）.＝optoacoustics; thermoacoustic i.; thermoacoustics.

pharmacologic stress i. 薬理学的ストレス試験（→stress *test*）.

pulse-inversion contrast harmonic i. (**PICHI**) パルスーインバージョン造影ハーモニック画像（造影ハーモニック画像はバブル増強ハーモニックスにより造影ミクロバブルを含む脈管像を増強する超音波技術である．パルスインバージョンは2番目のハーモニクスの影響を消すため，極性を交互にする）.

thermoacoustic i. (thĕr′mō-ă-kū-stik im′ăj-ing). 熱音響イメージング．＝optoacoustic i.

through transfer i. ＝transfer i.

transfer i. 透過画像（人体の反対側に置かれた探触子から発振された音波を検出し解析する超音波画像表示法）.＝through transfer i.

im·ag·ing de·part·ment (im′ăj-ing dē-part′ment). 画像診断科（放射線などを用い診断を行う科.→imaging; radiology）.

i·ma·go, pl. imag·ines (i-mā′gō, i-maj′i-nēz) [L. image]. ***1*** 成虫（昆虫の変態の最終段階で，卵，幼虫，さなぎを経た後に完成される．成虫体）. ***2*** ＝archetype (2).

im·a·tin·ib (im-ă-tin′ib). イマチニブ（慢性骨髄性白血病と消化管間質腫瘍の治療に重要な経口薬剤．フィラデルフィア染色体の転座により生じるチロシンキナーゼ酵素の特異的な阻害剤で，腫瘍細胞の変異体クローンの速やかな発育を阻害する）．

im·bal·ance (im-bal′ănts)［L. *in-* 否定辞 + *bi-lanx*(*-lanc-*), having two scales < *bis*, twice + *lanx*, dish, scale of a balance］. 不均等（①相反する力の間での均一の欠如．②両眼視の要素(例えば，筋力バランス，像の大きさ，または形状)の均衡の欠如）．

autonomic i. 自律神経失調〔症〕（交感・副交感神経系失調，特に血管神経運動性障害をいう）．= vasomotor i.

occlusal i. 咬合不調和（閉口運動時および機能的運動時において，上下顎の歯と歯の関係の調和がとれていない状態）．

sex chromosome i. 性染色体不均衡（性染色体の異常型．例えば，XXY は精細管発育不全を伴う男性，XO は Turner 症候群の女性などである．まれな不均衡型として XXX, XXXY，および XYY がある．→isochromosome）．

sympathetic i. 交感神経失調〔症〕．= vagotonia.

vasomotor i. 脈管運動失調．= autonomic i.

im·be·cile (im′bĕ-sil)［L. *imbecillus*, weak, silly］. 精神遅滞 mental *retardation* の下位分類の 1 つ，またはその分類に該当する個人を表す語．現在では用いられない．

im·bed (im′bed). 包埋，埋め込み．= embed.

im·bi·bi·tion (im′bi-bish′ŭn)［L. *im-bibo*, to drink in(*in* + *bibo*)］. ***1*** 浸染，吸水（固体による液体の吸収で，両者に化学的変化はない）．***2*** 膨潤，膨化（膠体による水の取り込みで，このために膠体は膨張する）．

im·bri·cate, im·bri·cat·ed (im′bri-kāt, im′bri-kā-tĕd)［L. *imbricatus*, covered with tiles］. 瓦状の，瓦合わせの（重なり合わせること．一般的には，片方の辺縁が他方に重なり合うように(辺縁と辺縁が合わされるというよりむしろ)縫合されること．あるいは，筋膜のような平坦な構造では，コルセットのような，平行する縫合線で締め付けるように治療されること）．

im·bri·ca·tion (im′bri-kā′shŭn)［→imbricate］. 鱗状重層〔術〕（創をおおうため，または欠損修復のために組織層を鱗状に重ね合わせる手術）．

eyelid i. 上眼瞼被覆症（閉瞼時に上眼瞼が下眼瞼上にかぶさる眼瞼の位置異常．慢性の眼刺激を生じる）．

Imerslünd, Olga. 20 世紀のノルウェー人医師．→Imerslünd-Grasbeck *syndrome*.

im·id·a·zole (im-id′ă-zōl). イミダゾール（複素五員環化合物で，L-ヒスチジンおよび生物学的に重要な他の化合物中に存在する）．

i. alkaloids イミダゾールアルカロイド（化学構造中に 1 個またはそれ以上のイミダゾール基を有するアルカロイド（例えば，ピロカルピン））．

4-im·id·a·zo·lone-5-pro·pi·on·ate (im-id′a-zō′lōn prō-pī′ōn). 4-イミダゾロン-5-プロピオン酸（ヒスチジン分解の中間体．ウロカニン酸尿症では，その量が減少している）．

im·id·az·o·lyl (im′id-az′ō-lil). イミダゾリル（イミダゾール基）．= iminazolyl.

im·ide (im′īd). イミド（2 つの -CO- 基に結合した -NH 基または部分）．

imido- (im′i-dō). -NH基の H が取れてできるイミド基を示す接頭語．

im·i·do·di·pep·ti·dase (im′i-dō-dī-pep′ti-dās). イミドペプチダーゼ．= *proline* dipeptidase.

im·id·o·di·pep·ti·du·ri·a (im′i-dō-dī-pep′tī-dyūr′ē-ă). イミドジペプチド尿症（尿中にプロリンを含むジペプチドが大量に排泄されている病態．プロリダーゼ(ペプチダーゼ D)の欠損による．発育障害を伴う）．

im·i·dole (im′i-dōl). イミドール．= pyrrole.

im·in·az·o·lyl (im-in-az′ō-lil). = imidazolyl.

-imine (i-mīne, i-mēn′). -NH 基を示す接尾語．

imino- (i-mē′nō). -NH 基を示す接頭語．

i·m·i·no ac·ids (i-mē′nō as′izd). イミノ酸（酸基(通常はカルボキシル基-COOH)とイミノ基(-NH)の両方を含んだ化合物）．

i·mi·no·car·bon·yl (i-mē′nō-kar′bon-il). イミノカルボニル（→carboxamide）．

i·mi·no·di·pep·ti·dase (i-mē′nō-dī-pep′ti-dās). イミノジペプチダーゼ．= *prolyl* dipeptidase.

i·mi·no·gly·ci·nu·ri·a (imē′nō-glī′si-nyū′rē-ă)［MIM *242600］. イミノグリシン尿〔症〕（腎尿細管と小腸におけるアミノ酸輸送に関する良性の先天性異常．グリシン，プロリン，ヒドロキシプロリンが尿中に排泄される．恐らく常染色体劣性遺伝をとり，遺伝的多様性が示唆されている）．

i·mi·no·hy·dro·las·es (i-mē′nō-hī′drō-lās-ez). イミノヒドロラーゼ，イミノ加水分解酵素（イミノ基を加水分解する酵素．例えばアルギニンデイミナーゼなど）．= deiminases.

im·i·no·stil·benes (im′i-nō-stil′bēnz). イミノスチルベン類（化学物質の一群で，抗てんかん薬であるカルバマゼピンが最もよく知られている）．

im·i·pen·em (im′i-pen′em). イミペネム（様々な感染の治療にシラスタチンと組み合わせて用いられる，広域抗菌スペクトルを有するチェナマイシンから誘導されたβ-ラクタム系抗生物質．カルバペネム系抗生物質に分類される）．

i·mi·qui·mod (im′i-kwī′mod). イミキモッド（外陰部，肛囲疣贅の治療に用いられる皮膚外用免疫賦活剤）．

IML intermediolateral; intermediolateral nucleus of spinal cord（脊髄中間外側核）の略．

Im·lach (im′lak), Francis. スコットランド人解剖学者・外科医，1819—1891．→I. *fat-pad*.

im·me·di·ca·ble (im-med′i-kă-bĕl)［L. *in-* 否定辞 + *medicabilis*, curable］. 医薬品では治癒できないことを意味する，現在では用いられない語．

im·mer·sion (i-mer′zhŭn)［L. *immergo*, pp. *-mersus*, to dip in (*in* + *mergo*)］. 液浸（①物体を水中または他の液体中に浸すこと．②鏡検の際に対物レンズとカバーガラスの間に水または油のような液体を満たすこと．球面収差が減少し，また空気とガラスの界面で生じる屈折による影響を除くことによって開口数を大きくできる．コンデンサレンズと標本スライドの間も液体を満たせれば最高の解像力が得られる）．

homogeneous i. 均等液浸（液浸鏡検の際，できるだけ高い開口数を得るのにガラスとほぼ同じ屈折率をもった油などの液体を用いること）．

oil i., water i. 油浸，水浸（→immersion (2)）．

im·mis·ci·ble (i-mis′i-bĕl)［L. *im-misceo*, to mix in (*in* + *misceo*)］. 不混和性の（水と油のように相互に溶け合わないものについていう）．

im·mis·sion (im-ish′in)［L. *immissio*, introduction < *immitto*, to introduce］. 注入量，投入量，汚染量（環境汚染物質の投入量と消散量の総和から由来する環境濃度．exposure(暴露量)と同義に使われることが多い）．

im·mit·tance (i-mit′ans)［L. *immitto*, to send in］. イミタンス（中耳インピーダンスとティンパノメトリーのアドミタンスの測定．→admittance; impedance．→tympanometry）．

im·mo·bi·li·za·tion (i-mo′bi-li-zā′shŭn). 不動〔化〕，固定，非可動化（→immobilize）．

im·mo·bi·lize (i-mō′bi-līz)［L. *in-* 否定辞 + *mobilis*, movable］. 固定する，不動にする．

im·mor·tal·i·za·tion (i-mōr′tăl-i-zā′shŭn). 不死化（試験管内で培養している正常細胞に，任意の突然変異，化学発癌物質への暴露，ウイルス感染などによって永遠の寿命という性質を与えること．初代培養細胞における不死化は，DNA 腫瘍ウイルスの形質転換遺伝子，レトロウイルスの癌遺伝子，ヒト癌細胞から得られた細胞癌遺伝子が発現する過程で起こる数段階のできごとの最初のステップである）．

im·mune (i-mūn′)［L. *immunis*, free from service < *in-* 否定辞 + *munus* (*muner-*), service］. 免疫〔性〕の，免疫された（①流行中の感染症にかかる可能性のないこと，または感染症に抵抗性があること．②抗原との接触経験により反応性が変化するため，その後の接触では反応組織が速やかに反応するような感作機構，あるいはそのように感作されたヒトから得られた抗体を含む血清との試験管内反応についていう）．

im·mu·ni·fa·cient (i-myū′ni-fā′shent)［L. *immunis*, exempt + *faciens*, making(*facio* の現在分詞)］. 免疫形成の（特定の疾患後に免疫を獲得する）．

im·mu·ni·ty (i-myū′ni-tē)［L. *immunitas*(→immune)］. ***1*** 免疫〔性〕（免疫された状態，性質）．= insusceptibility. ***2*** 感染症の予防．

acquired i. 獲得免疫，後天免疫（感染性因子あるいは抗原に対して個体が接触した結果，得られる抵抗性．能動的

(active)・特異的(specific)なものとしては(顕性，不顕性にかかわらず)自然に起こった感染または意図的なワクチン接種(人工能動免疫 artificial active i.)によるものがあり，受動的(passive)なものとしては他の個体または動物の産生した抗体の直接移入によるものがある．母体から胎児にというように自然なものと，意図的注入(人工受動免疫 artificial passive i.)によるものとがある)．

active i. 能動免疫（→acquired i.）.

adoptive i. 養子免疫（→acquired i.）.

antiviral i. 抗ウイルス免疫（ウイルス感染の結果得られる免疫で，自然に獲得するか，あるいは意図的ワクチン接種によりつくられる．細菌性免疫に比べると比較的長く持続するが，これは腸チフス熱感染後の細菌性免疫でも起こるということから，ウイルス感染自体に特異的であるというよりは感染性免疫の結果と考えられる)．

artificial active i. 人工能動免疫（→acquired i.）.

artificial passive i. 人工受動免疫（→acquired i.）.

bacteriophage i. バクテリオファージ免疫（溶原化によって細菌が獲得する状態．溶原菌はさらなる感染をする重感染バクテリオファージによる溶原化や溶菌反応に対して反応しなくなる．バクテリオファージ耐性とは異なる)．

cell-mediated i.（CMI）, cellular i. 細胞媒介性免疫，細胞性免疫（活性化した抗原特異的Tリンパ球によって誘導される免疫反応．このT細胞は効果細胞として機能し得るし，サイトカインやケモカインを分泌することによって，炎症反応の伝播や細胞反応の漸増を調和させている可能性もある)．＝delayed hypersensitivity (1).

concomitant i. 随伴性免疫．＝infection i.

general i. 全身免疫（局所免疫とは対照的に，全身に広く分布している機構による免疫で，生体全体の防御に役立つ)．

group i. ＝herd i.

herd i. 集団免疫，群集免疫（集団またはコミュニティに感染要因が侵入・蔓延することに対する抵抗性で，その集団の個々の構成員が抵抗性をもっている比率が高いことに基づく．抵抗性は，感受性をもつ個体の数と個体が感染者に接触する可能性で決まる)．＝group i.

humoral i. 体液〔性〕免疫（循環抗体が関与する免疫で，細胞性免疫と対比される．抗体活性のバリエーションは生来多岐にわたっているが，感染が起こると即座に抗原特異的B細胞の分化が発生し，その病原体に対して親和性が増した抗体が迅速に増加し，より効果的で直接的な反応がもたらされる)．

infection i. 感染免疫（初めの感染の持続状態と再感染への抵抗性とが同時進行しているという逆説的な免疫の状態)．＝concomitant i.

innate i. 自然免疫，先天免疫（過去の感染やワクチン接種によって免疫(感作，アレルゲン暴露)されたことなく，種(あるいは，人種，家族，個人)に生来備わった感染抵抗性のこと．その機序は獲得免疫とは異なり，免疫学的記憶は関与せずに，遺伝子に支配された生来備わっている分子を用いて，病原体に共通の特徴を認識する防御機構である．一般的に自然免疫は非特異的であり，特定の抗原によって惹起されることはない．→self)．＝natural i.; nonspecific i.

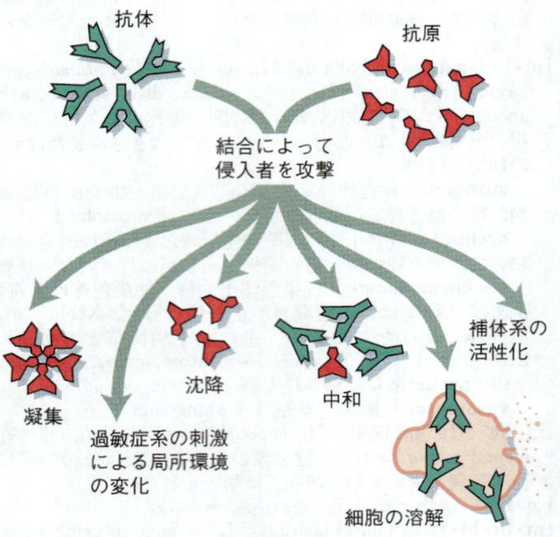

humoral immunity

local i. 局所免疫（器官，組織の全体または部分に現れる，ある感染源に対する自然免疫，獲得免疫)．

maternal i. 先天性免疫（母親の IgG が胎盤を通過することにより胎児が獲得する免疫)．

natural i., nonspecific i. 自然免疫，非特異免疫．＝innate i.

passive i. 受動免疫，受身免疫（→acquired i.）.

relative i. 相対的免疫（宿主の防御機構と感染微生物間に一種の〝動的〟平衡があるとき，その結果として発生する弱められた不完全な抵抗性)．

specific i. 特異免疫（免疫系を刺激した抗原決定基(感染性病原体など)にのみ，厳密に反応性を有する免疫状態．→acquired i.）.

specific active i. 特異能動免疫（→acquired i.）.

specific passive i. 特異受動免疫（→acquired i.）.

stress i. 情緒的緊張の影響に対する非感受性または抵抗性．

im·mu·ni·za·tion (im′myū-ni-zā′shŭn). 免疫〔法〕（伝染病

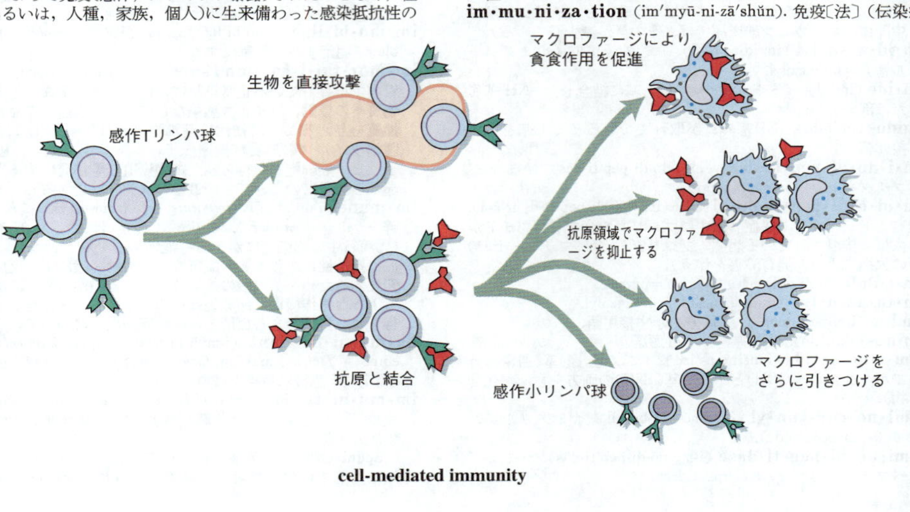

cell-mediated immunity

予防のために，生の弱毒病原体(例えば黄熱ワクチン)，不活化病原体の懸濁液(例えば百日咳ワクチン)，他の生物で発現させた蛋白(例えばB型肝炎ワクチン)，不活化毒素(例えば破傷風ワクチン)を投与すること．→vaccination; allergization).

active i. 能動免疫〔法〕(能動免疫の産生).

mucosal i. 粘膜免疫法(鼻腔のような粘膜上面への抗原提示による免疫法).

passive i. 受動免疫〔法〕(受動免疫の産生).

im·mu·nize (im′yū-nīz). *1* 免疫状態にする．*2* 予防注射をする．

immuno- (im′yū-nō) [L. *immunis*, immune]. 免疫の，を意味する，または免疫に関する連結形．

im·mu·no·ad·ju·vant (im′yū-nō-ad′jū-vănt). →adjuvant (2).

im·mu·no·ag·glu·ti·na·tion (im′yū-nō-ă-glū′ti-nā′shŭn). 免疫凝集(抗体による特異的凝集).

im·mu·no·as·say (im′ū-nō-as′ā, im-ū′nō). 免疫学的検定〔法〕，免疫測定〔法〕(血清学的(免疫学的)方法による物質の検出および分析．多くの場合，抗体産生および被検物質による抗体測定のいずれの場合でも，問題となる物質は抗原として作用する．→enzyme-linked immunosorbent *assay*; radioimmunoassay; radioimmunoelectrophoresis; immunologic pregnancy *test*). ＝immunochemical assay.

double antibody i. 二抗体法．＝double antibody *precipitation*.

enzyme i. 酵素免疫法(抗原あるいは抗体に酵素を標識として行う免疫測定法をさす．ELISA(enzyme-linked immunosorbent assay)とEMIT(enzyme-multiplied immunoassay technique)が汎用されている．→enzyme-linked immunosorbent *assay*; enzyme-multiplied i. technique).

enzyme-multiplied i. technique (EMIT) エミット，ホモジニアスエンザイムイムノアッセイ，酵素増幅免疫測定法(免疫学的測定法の一種で，リガンドが酵素標識されていて，酵素標識リガントと抗体とが結合物を形成すると酵素活性が不活化されるので，これと競合する未標識リガンド(検定物質)が存在すると抗体による酵素活性の阻害が阻止されて酵素活性としては高まる形で検体を定量する方法．未標識リガンドの定量が可能となる．→competitive binding *assay*; enzyme-linked immunosorbent *assay*).

fluorescent i. (FIA) 蛍光免疫測定法(抗原または抗体を蛍光染料で標識する免疫測定法).

solid phase i. 固相免疫測定法(抗原あるいは抗体をマイクロプレートやチューブなどに吸着させて固相化し，対象となる物質を溶液状態で反応させて定量する方法).

thin-layer i. 薄層免疫測定法(抗原抗体反応を検出する方法の1つで，抗原あるいは抗体をポリスチレン容器の表面に吸着させ，免疫反応体として対応する物質を結合させる方法).

im·mun·o·bi·ol·o·gy (im′ū-nō-bī-ŏl-ō-jē, im-oo′nō). 免疫生物学(生物の成長・発生・恒常性に影響する免疫学的因子についての研究).

im·mu·no·blast (im′yū-nō-blast′) [immuno- + G. *blastos*, germ]. 免疫芽球，免疫芽細胞，イムノブラスト(抗原刺激によって活性化されたリンパ球．境界明瞭な強塩基好性細胞質をもった大型細胞で，核膜の顕著な大きな核と，明瞭な核小体，集合クロマチンをもつ．→lymphoblast; lymphocyte *transformation*).

im·mu·no·blot, im·mu·no·blot·ting (im′yū-nō-blot′, im′yū-nō-blot′ing). 免疫ブロット法(抗原を電気泳動により分子量で分離し，ナイロン膜(ニトロセルロース膜)に結合させた後，適当な標識抗体により目的分子を同定する手法．→Western blot *analysis*).

im·mu·no·chem·is·try (im′yū-nō-kem′is-trē). 免疫化学(免疫現象の化学的側面についての研究分野．例えば，組織の抗原刺激に関する化学反応，抗原および抗体に関する化学的研究).

im·mu·no·com·pe·tence (im′yū-nō-kom′pĕ-tens). 免疫能(正常な免疫反応を起こすことができる能力).

im·mu·no·com·pe·tent (im′yū-nō-kom′pĕ-tent). 免疫応答性(正常な免疫反応をする能力を有すること).

im·mu·no·com·plex (im′yū-nō-kom′pleks). 免疫複合体．＝immune *complex*.

im·mu·no·com·pro·mised (im′yū-nō-kom′pro-mīzd). 免疫減弱状態(免疫不全疾患または免疫抑制(薬剤)因子によって免疫機構が欠損した状態のヒトを表す).

im·mu·no·con·glu·ti·nin (im′yū-nō-kon-glū′ti-nin). 免疫コングルチニン(自動抗体様の免疫グロブリン(IgM)で，補体含有複合体または感作細菌の注入後，動物やヒトの体内で自らの補体に対して産生される).

im·mu·no·cyte (im′yū-nō-sīt, im-ū′nō) [immuno- + G. *kytos*, cell]. 免疫細胞(免疫能力を担うリンパ球．抗体の産生能あるいは細胞性免疫反応を発現する能力を有する．→I *cell*).

im·mu·no·cy·to·ad·her·ence (im′yū-nō-sī′tō-ad-hēr′-ens). 免疫細胞粘着(細胞表面の性質を決定するために用いられる方法で，1つの細胞群が表面に有する免疫グロブリンやレセプタによって，特有なロゼットを形成する性質を利用する).

im·mu·no·cy·to·chem·is·try (im′yū-nō-sī′tō-kem′is-trē). 免疫細胞学(蛍光抗体あるいはイムノペルオキシダーゼ染色法などの免疫学的方法による細胞成分の研究).

im·mu·no·cy·to·ma (im′yū-nō-sī-tō′mă). イムノサイトーマ，免疫細胞腫．＝lymphoplasmacytic *lymphoma*.

im·mu·no·de·fi·cien·cy (im′yū-nō-dē-fish′en-sē, i-myū′). 免疫不全，免疫欠損(欠乏)(免疫機構の機能不全によって起こる状態．一次的(免疫機構自体の欠陥による)，または二次的(他の病気の経過による)に生じる場合もあり，特異的(Bリンパ球系あるいはTリンパ球系の欠損，または両方の欠損による)あるいは非特異的(非特異的免疫機構，例えば，補体系，プロペルジン系，食細胞系の欠損による)に生じる場合もある．次頁の表参照)．＝immune deficiency; immunity deficiency; immunologic deficiency.

cellular i. with abnormal immunoglobulin synthesis 免疫グロブリン生成不全も共存する細胞性免疫不全(特発性に男女両性に生じる，細菌，真菌，原虫，ウイルスなどによる感染症を反復する原因不明の疾患と，広義に定義される一連の障害．液性免疫(Bリンパ球)障害と合併する細胞性免疫(Tリンパ球)の抑制が胸腺形成不全に伴うことを特徴とする．しかし，血中の免疫グロブリンの量は一般に正常である)．＝Nezelof syndrome.

combined i. 複合〔型〕免疫不全(Bリンパ球とTリンパ球両者の免疫欠損).

common variable i. (CVI) [MIM*240500]. 分類不能型免疫不全(原因不明の免疫不全．通常，分類ができない．男女両性のいかなる年齢層(通常15歳以上)にも発症する．免疫グロブリン総量が300 mg/dL以下でBリンパ球の数はしばしば正常範囲にあるが，リンパ組織中に形質細胞が認められない．細胞性免疫(Tリンパ球)は，通常は正常である．この型の免疫不全は副鼻腔と肺気道の化膿性感染症にかかりやすく，自己免疫疾患と合併することがよくある)．＝acquired agammaglobulinemia; acquired hypogammaglobulinemia.

phagocytic dysfunction i. 食細胞機能障害免疫不全(慢性肉芽腫症でみられるような，食細胞の数あるいは機能の抑制)．＝phagocytic dysfunction disorders i.

phagocytic dysfunction disorders i. 食細胞機能障害疾患免疫不全．＝phagocytic dysfunction i.

secondary i. 続発性免疫不全(リンパ組織には何らの欠陥を認めず，むしろ，家族性特発性異化亢進による低蛋白血症，蛋白喪失性腸症，ネフローゼ症候群，尿毒症，栄養失調，感染，糖尿病，悪性腫瘍などでみられる，異化作用亢進や免疫グロブリンの減少による免疫不全)．＝secondary agammaglobulinemia; secondary hypogammaglobulinemia.

severe combined i. (SCID) [MIM*202500, *300400, *312863]. 重症複合〔型〕免疫不全(リンパ球減少(BリンパとTリンパ球の両者)によって体液性免疫と細胞性免疫の両者が欠損した免疫不全．胸腺萎縮，遅延性過敏反応の欠如，細菌・ウイルス・真菌・原虫・生ワクチンによる感染への異常な感受性亢進などを特徴とする．骨髄移植が効果的ではあるが1歳未満で死亡する可能性がある．常染色体劣性とX連鎖の2型がある．常染色体劣性SCIDの約半数にアデノシンデアミナーゼの欠損がみられる．X連鎖型ではX染色体長腕のインターロイキン-2レセプタガンマ遺伝子(*IL2RG*)の変異が原因である)．＝Swiss type agammaglobulinemia.

原発性免疫不全疾患の分類

抗体（B細胞）免疫不全	細胞性（T細胞）免疫不全	複合型B細胞・T細胞免疫不全	貪食機能障害疾患
X連鎖無ガンマグロブリン血症	DiGeorge奇形	重症複合型免疫不全（X連鎖SCID，Nezelof症候群など）	好中球減少性症候群
幼少時の一過性の低ガンマグロブリン血症	慢性粘膜皮膚カンジダ症	T細胞膜あるいはシグナリングの障害による複合免疫不全	慢性肉芽腫
よくある種々の免疫不全	ビオシン依存性コカルボキシラーゼ欠損	Wiskott-Aldrich症候群	白血球グルコース-6-リン酸デヒドロゲナーゼ欠損
高IgM免疫不全	ナチュラルキラー細胞欠損	毛細血管拡張性運動失調症	Chediak-Higashi症候群
IgA欠損	本態性CD4リンパ球減少	—	—
IgM欠損		短四肢小人症，軟骨と毛の形成不全を伴う免疫不全（軟骨毛髪形成不全）	—
IgGサブクラス欠損		酵素欠損（アデノシンデアミナーゼまたはヌクレオシド）を伴う免疫不全	グリコゲン蓄積病タイプ1b
多糖類の無反応性		対宿主性移植片病	高IgE/Job症候群
トランスコバラミン欠損		不全リンパ球症候群	白血球付着障害
胸腺腫を伴う免疫不全		—	—
		網様発育不全	タフトシン欠損
		X連鎖リンパ球増殖症候群	歯周炎症候群

SCID：重症複合型免疫不全

i. with elevated IgM IgM 上昇を伴う免疫不全（IgG, IgA 産生細胞の減少がみられる免疫不全の一型で，化膿性の感染を繰り返すことで特徴づけられる．X染色体性である場合もある）．

i. with hypoparathyroidism 副甲状腺機能低下症を伴う免疫不全．＝DiGeorge *syndrome.*

im·mu·no·de·fi·cient (im′yū-nō-dē-fish′ĕnt). 免疫不全（免疫系の重要な機能，すなわち抗体機能あるいは細胞性免疫に何らかの欠陥が生じている状態）．

im·mu·no·de·pres·sant (im′yū-nō-dē-pres′ănt). 免疫抑制薬．＝immunosuppressant.

im·mu·no·de·pres·sor (im′yū-nō-dē-pres′ŏr, -ōr). 免疫抑制薬．＝immunosuppressant.

immunodetection (im′yū-nō-dē-tek′shŭn). 免疫学的検出（免疫学的分子結合によって物質を同定すること）．

im·mu·no·di·ag·no·sis (im′yū-nō-dī′ag-nō′sis). 免疫診断（個体，細胞，血清，その他の生物学的検体の特異的免疫特性を決定する過程）．

im·mu·no·dif·fu·sion (im′yū-nō-di-fyū′zhŭn, im-ū′nō-). 免疫拡散〔法〕（特異的な抗原および抗体をゲル内で拡散させて，組み合わせである抗原－抗体複合物を沈降物として観察することによって抗原－抗体反応を研究する一手法）．

double i. 二重免疫拡散〔法〕（→gel diffusion precipitin *tests* in two dimensions）．

radial i. (**RID**) 放射状免疫拡散〔法〕（→gel diffusion precipitin *tests* in one dimension）．

single i. 一次元免疫拡散〔法〕（→gel diffusion precipitin *tests* in one dimension; gel diffusion precipitin *tests* in two dimensions）．

im·mu·no·e·lec·tro·pho·re·sis (im′yū-nō-ē-lek′trō-fō-rē′sis). 免疫電気泳動〔法〕（沈降反応の一種で，まず一群の免疫反応成分(通常は抗原の混合物)を寒天その他の支持体中で電気移動度によって分け，次にその各成分を，二重拡散法によって他の一群の反応物(抗体群)との間に生じる沈降物によって同定する）．

crossed i. ＝two-dimensional i.

rocket i. ロケット免疫電気泳動（血清蛋白の定量法の1つで，抗体を含んだゲル中に抗原物質を電気泳動によって移動させることによって定量する(註ロケット状(放射線状)の沈降線を得る．このピークの高さによって抗原蛋白量を定量する)．本方法は，電気泳動によって陽極側に移動する抗原物質の検定にのみ用いられる．→electroimmunodiffusion）．

two-dimensional i. 二次元免疫電気泳動（従来の電気泳動による分離と免疫電気泳動拡散法とを組み合わせた方法．電気泳動を初めに行い，次いで電気泳動支持体を別のスライドガラス上に移し，これに隣接させて抗体を含有しているアガロース液を流し，固まるのを待つ．その後，初めのものと直角の方向に電気泳動を行う）．＝crossed i.

im·mu·no·en·hance·ment (im′yū-nō-en-hans′ment). 免疫増強（免疫応答の増強を図ること．抗体以外に非特異的物質もまた免疫応答の増強に働く）．＝immunologic enhancement.

im·mu·no·en·hanc·er (im′yū-nō-en-hans′ĕr). 免疫増強物質（免疫反応を特異的あるいは非特異的に増強する物質）．

im·mu·no·fer·ri·tin (im′yū-nō-fer′i-tin). 免疫フェリチン（フェリチン－抗体複合体で，電子顕微鏡により特異抗原を同定するために用いる）．

im·mu·no·fluor·es·cence (im′yū-nō-flōr-es′ens, i-myū′-nō-). 免疫蛍光検査〔法〕，蛍光抗体法（蛍光色素で抗体を標識してその抗体に特異的な抗原物質を同定する免疫組織化学的方法である．特異的に結合した抗体の存在は，紫外線を標本に照射すると生じる特徴的な可視光線の発色を通して，顕微鏡下で同定しうる．→fluorescent antibody *technique*）．

direct i. (**DIF**) 直接蛍光抗体法（標識した抗体を反応させた後に，組織を蛍光顕微鏡下で観察する．→fluorescent antibody *technique*）．

indirect i. 間接蛍光抗体法（正常組織構成物質に対する抗体(自己抗体)を検出するために，被検血清を正常組織に反応させて蛍光顕微鏡で観察する．→fluorescent antibody *technique*）．

im·mu·no·gen (i-myū′nō-jen). 免疫原（→antigen）．

im·mu·no·ge·net·ics (im′yū-nō-jĕ-net′iks, im-yū′nō-). 免疫遺伝学（移植と組織拒絶反応，組織適合性遺伝子座，免疫応答，免疫グロブリン構造および免疫抑制に関する遺伝学的研究).

im·mu·no·gen·ic (im′yū-nō-jen′ik). 免疫原〔性〕の. ＝antigenic.

im·mu·no·ge·nic·i·ty (im′yū-nō-jĕ-nis′i-tē). 免疫原性. ＝antigenicity.

im·mu·no·glob·u·lin (Ig) (im′yū-nō-glob′yū-lin). 免疫グロブリン（構造学的に類似の蛋白群の1つで，それぞれ2対のポリペプチド鎖，すなわち，1対の低分子量L鎖(κ鎖，あるいはλ鎖)と，1対のH鎖(γ，α，μ，δ，およびε鎖)からなり，通常4鎖が互いにジスルフィド結合している．H鎖の構造特性および抗原的性質をもとに，免疫グロブリンは正常ヒト血清中の存在量の順に，IgG(サイズ7S，80%)，IgA(10—15%)，IgM(サイズ19S，基本ユニットの5量体，5—10%)，IgD(0.1%未満)，IgE(0.01%未満)に分類される．各クラスの免疫グロブリンはすべて均一であり，アミノ酸配列分析が可能である．各クラスのH鎖は，L鎖のκ鎖あるいはλ鎖のいずれかと相互作用する事ができる．免疫グロブリンのサブクラスはH鎖の違いによって決定されており，IgG1のように表現する．パパインによって分解すると，IgGは3片に分断される，すなわち，H鎖のC末端を構成し，抗体としての結合能はないが補体を結合する事ができる結晶性のFc断片と，H鎖の残部とそれに結合したL鎖からなり，抗原結合部位を有する2つの同一なFab断片である．抗体とは免疫グロブリンのことであり，またすべての免疫グロブリンは恐らく抗体として機能できる．しかしながら，免疫グロブリンは，通常の抗体をさすのみでなく，ミエローマ蛋白として分類される多数の病的蛋白をも表している．ミエローマ蛋白は，ベンス・ジョーンズ蛋白，ミエローマグロブリン，免疫グロブリン断片と一緒に多発性骨髄腫で出現する．ベンス・ジョーンズ蛋白のアミノ酸配列から，すべてのL鎖は可変配列(V_L)領域と定常配列(C_L)の1つとから構成されることが知られており，それぞれL鎖の半分の長さからなる．すべてのヒトL鎖定常領域は，同じ型(κまたはλ)の中では，遺伝的支配により1アミノ酸置換を除いては同一である．H鎖も同様な成分に分けられるが，V_H領域の長さはV_L領域とほぼ同じであるが，C_H領域の長さの1/3から1/4しかない．抗原結合部位はV_LとV_H蛋白領域が組み合わさった部位である．L鎖とH鎖によって形成される可能な限りの数多くの組み合わせによって，各個体の抗体〝ライブラリー〟が構成される).

anti-D i. ＝RH_0 (D) immune *globulin.*

chickenpox i. ＝chickenpox immune *globulin* (human).

i. domains 免疫グロブリンドメイン（およそ110アミノ酸からなる免疫グロブリンH鎖あるいはL鎖の構造単位．免疫グロブリンL鎖は，1つの定常領域(C)と1つの可変領域(V)を有し，H鎖は3あるいは4定常領域と1可変領域からなる).

i. G subclass deficiency 免疫グロブリンG(IgG)欠損（まれな遺伝性疾患で，H鎖遺伝子の欠陥，あるいはアイソタイプスイッチングの調節機構不全により，1種あるいは数種のIgGサブクラス量が減少する状態).

human normal i. ＝human gamma *globulin.*

measles i. ＝measles immune *globulin* (human).

monoclonal i. 単〔一〕クローン性免疫グロブリン（単一クローンの形質細胞が増殖した結果生じる均一な免疫グロブリン．血清の電気泳動の際，狭いバンドあるいはスパイクとして現れる．これは単一クラスおよびサブクラスのH鎖と単一タイプのL鎖によって形成されている). ＝M protein (2); monoclonal protein; paraprotein (2).

pertussis i. ＝pertussis immune *globulin.*

poliomyelitis i. ＝poliomyelitis immune *globulin* (human).

rabies i. ＝rabies immune *globulin* (human).

Rh_0 (D) i. ＝RH_0 (D) immune *globulin.*

secretory i. 分泌性免疫グロブリン（通常はIgAをさし(IgMも可能)，分泌性物質に結合し，粘膜分泌物中に見出される).

secretory i. A 分泌性免疫グロブリンA(IgA)（IgAのサブクラスで，主として涙や初乳中に存在する．この種のIgAは，分泌物によって蛋白分解による失活を免れている).

selective i. A deficiency 選択的免疫グロブリンA(IgA)欠損症（IgA産生B細胞の未成熟の結果，著明なIgA減少あるいは欠損をきたす遺伝疾患).

tetanus i. ＝tetanus immune *globulin.*

thyroid-stimulating i.'s (TSI) 甲状腺刺激免疫グロブリン（Graves病でみられる甲状腺のTSHレセプタに対する抗体．この抗体はBリンパ球で産生され，TSHレセプタを刺激する結果，甲状腺機能亢進症をきたす．以前はLATS (long-acting thyroid *stimulator*) として知られた).

im·mu·no·he·ma·tol·o·gy (im′yū-nō-hē′mă-tol′ŏ-jē). 免疫血液学（免疫反応，抗原－抗体反応およびそれに関する血液変化を扱う血液学の一分野).

im·mu·no·his·to·chem·is·try (im′yū-nō-his′tō-kem′is-trē). 免疫組織化学（特異抗原を組織中に証明する方法で，蛍光色素や西洋ワサビペルオキシダーゼのような酵素をマーカとして用いる).

im·mu·no·lo·cal·i·za·tion (im′yū-nō-lō′kal-ī-zā′shŭn). 免疫学的局在決定（特異抗体などの免疫学的手法を用いることにより，細胞や組織中に存在する分子や構造を同定すること).

im·mu·nol·o·gist (im′yū-nol′ŏ-jist). 免疫学者.

im·mu·nol·o·gy (im′yū-nol′ŏ-jē) [immuno- ＋G. *logos*, study]. 免疫学（①免疫，誘発された感受性，アレルギーの種々な現象を扱う科学．②免疫系の構造および機能に関する学問).

immunomodulator (im′yū-nō-mod′yū-lā-tŏr). 免疫調節薬. ＝biologic response *modifier.*

im·mu·no·mod·u·la·to·ry (im′yū-nō-mod′yū-la-tō′rē). ***1*** 〚adj.〛 免疫調節性の（免疫機能を修飾あるいは調節できる). ***2*** 〚n.〛 免疫調節（免疫学的な適応，調節，あるいはそれらの可能性).

im·mu·no·pa·thol·o·gy (im′yū-nō-pă-thol′ŏ-jē). 免疫病理学（免疫反応の結果生じる病気または状態に関する学問).

im·mu·no·phil·ins (im′yū-nō-fil′inz) [*immune* ＋G. *philos*, fond ＋in]. イムノフィリン（免疫抑制剤と高い親和性をもつ，細胞質内の受容体蛋白．ロータマーゼ阻害作用をもち，T細胞の活性化が抑制される).

im·mu·no·po·ten·ti·a·tion (im′yū-nō-pō-ten′shē-ā′-shŭn). 免疫増強（免疫反応の起こる頻度を増加させたり，免疫応答を延長させたりすることによる免疫応答能力の増強).

im·mu·no·po·ten·ti·a·tor (im′yū-nō-pō-ten′shē-ā-tŏr). 免疫増強物質（接種により，免疫応答能力を増強させる特異的・非特異的物質の総称).

im·mu·no·pre·cip·i·ta·tion (im′yū-nō-prē-sip′i-tā′shŭn). 免疫沈降〔反応〕（溶液中の抗原に，特異的抗体(沈降素)を加えたときに，感作された抗原が凝集(塊状形成)してくる現象). ＝immune precipitation.

im·mu·no·re·ac·tion (im′yū-nō-rē-ak′shŭn). 免疫反応（特に*in vitro*での抗原-抗体間の免疫反応).

im·mu·no·re·ac·tive (im′yū-nō-rē-ak′tiv). 免疫反応性（免疫反応を示す状態を表す).

im·mu·no·se·lec·tion (im′yū-nō-se-lek′shŭn). 免疫選択（①母親との免疫学的不適合により，特定の遺伝子型をもつ胎児の生死が選択されること．②ある種の細胞の生存がその細胞表面の抗原性に依存していること).

im·mu·no·sor·bent (im′yū-nō-sōr′bent). イムノソルベント，免疫吸着剤（溶液あるいは懸濁液から特異的な抗原(あるいは抗体)を除去するために用いる抗体(あるいは抗原)．通常，溶液中の可溶性抗原(例えばインスリン)を除くために用いる，デキストラン重合体のような粒子状物質に結合した抗体をいう).

immunostain (im′yū-nō-stān). 免疫染色（一部に色素分子を有する免疫学的分子を用いて行われる組織化学染色法).

im·mu·no·sup·pres·sant (im′yū-nō-sū-pres′ănt). 免疫抑制薬（免疫抑制を誘発する薬剤．例えばシクロスポリン，コルチコステロイド). ＝immunodepressant; immunodepressor; immunosuppressive (2).

im·mu·no·sup·pres·sion (im′yū-nō-sū-presh′ŭn). 免疫抑制（免疫反応が進行するのを防止あるいは阻害すること．自然の免疫不応答(トレランス)を反映している場合，化学的・生物的・物理的な物質によって人工的に誘導される場合，あるいは疾病によってもたらされる場合もあり得る).

im·mu·no·sup·pres·sive (im′yū-nō-sū-pres′iv). ***1*** 〚adj.〛

I

免疫抑制性（免疫の抑制あるいはその誘導）．*2*〘n.〙免疫抑制剤．＝immunosuppressant.

im·mu·no·sur·veil·lance (im′yū-nō-sŭr-vā′lans) 免疫学的監視（自然発生した異常な細胞あるいは癌細胞は免疫機構によって排除されると仮定する理論）.

im·mu·no·sym·pa·thec·to·my (im′yū-nō-sim′pă-thek′-tŏ-mē). 免疫交感神経切除〔術〕（交感神経ニューロンの成長を選択的に促進する蛋白に対する特異抗血清を動物の赤ん坊に注射することによってもたらされる交感神経節成長の阻止）.

---

im·mu·no·ther·a·py (im′yū-nō-thār′ă-pē). 免疫療法（元来，すでに感染して抗体をもっている他人の血清あるいは免疫グロブリン(IgG)を治療のために投与することであったが，現在では，非特異的な種々のアジュバントによる免疫反応の増強，能動免疫治療や養子免疫をも包含して広義に用いられる．新しい免疫療法には，単クローン性抗体の利用が含まれる）．＝biologic i.

この方法は腫瘍学の分野で広く採用されてきたが，特に他の治療が無効の場合に採用された．免疫療法とは，免疫機能を増強させようとすることである．例えばインターフェロンとインターロイキン-2の使用，あるいは癌細胞を直接的に攻撃する目的での単クローン抗体の注入などである．免疫機能を高めるいくつかの治療法が提唱され，その特性のために，種々の店頭販売物質が売られている．

---

adoptive i. 養子免疫療法（免疫をもった個体の感作リンパ球．血清中の抗体や γ グロブリンなどを注入することによって免疫能を受動的に伝達する治療法）.

allergen i. アレルゲン免疫療法（アレルギー性鼻結膜炎およびアレルギー性喘息の患者に対し，アレルゲン抽出物質を投与して過敏症(アレルギー)の症状緩和を図る治療．花粉，埃，動物のふけ，かびなどの環境中のアレルゲンに対する免疫応答を減弱させることによる．ハチ毒アレルギーの患者に対してのアナフィラキシー予防効果も非常に高い)．＝allergy vaccine therapy.

biologic i. 生物学的免疫療法．＝immunotherapy.

im·mu·no·tol·er·ance (im′yū-nō-tol′ĕr-ăns). 免疫耐性，免疫寛容．＝immunologic *tolerance*.

im·mu·no·trans·fu·sion (im′yū-nō-trans-fyū′zhŭn). 免疫輸血（まず供血者，血液の受容者(患者)から単離された微生物で調製された抗原注射により免疫される．その後，供血者の血液はフィブリンを除去して患者に輸血される．こうして患者は供血者体内で生成された抗体により受動的に免疫される，という間接的な輸血．注入された抗体は患者体内の微生物と反応する）.

IMP inosine 5′-monophosphate の略.

im·pact (im-pakt) [L. *impingo*, pp. *-pactus*, to strike at (*in* + *pango*), fasten, drive in]. *1* (im′pakt).〘n.〙衝撃，衝突（外力により物体を他の物体に打ち付けること）．*2* (im-pakt′).〘v.〙楔合する，嵌入する，押し込む（2つの物体，部分，あるいは断片をぴったり押し付け，両者が一塊として動くようにすること）.

im·pact·ed (im-pak′ted). 楔合した，嵌入した（一体として動くように，楔合あるいは嵌入させた状態）.

im·pac·tion (im-pak′shŭn). 埋伏，嵌入，嵌頓.

dental i. 歯牙埋伏〔症〕（歯が歯槽内に閉じ込められていること，また歯が萌出すべき正常な位置に萌出できないでいること．→impacted *tooth*）.

fecal i. 宿便（大腸あるいは直腸に圧縮された，あるいは固くなった便が動かないほど詰まった状態）.

food i. 食物圧入（そしゃく中に，隣接歯の間に食物が強制的に押し込まれること．歯内の退縮および歯周ポケットの形成をまねく）.

mucus i. 粘液栓塞（粘液によって近位気管支と細気管支が充填された状態）.

im·pair·ment (im-pār′ment). 欠陥，障害（体の系や器官のレベルでの身体または精神の障害．WHO の公式定義は，心理的，生理的または解剖学的構造または機能の喪失または異常である）.

mental i. 精神的欠陥（知的欠陥が現れるのを特徴とする障害．対人関係や社会的，職業的な面での認識能力の減少，心理学的検査および評価により定量的に証明される）.

IMP-as·par·tate li·gase (as-par′tāt lī′gās). IMP–アスパラギン酸リガーゼ．＝adenylosuccinate synthase.

im·pat·ent (im-pat′ĕnt, im-pā′tĕnt). 閉鎖の，閉じた.

im·ped·ance (im-pē′dăns). インピーダンス（①流れに対する全抵抗．電流が変化しない場合，インピーダンスは単に抵抗で，単位電流当たりの電圧である．電流が変化する場合には，インピーダンスは電流の変化を妨げる因子をも含む．したがって，静電容量およびインダクタンスの効果のため，インピーダンスの単純オーム抵抗からの偏差は，周波数が増加する交流において，より重要になる．液類似体(例えば，血液の脈流，呼吸ガスの出入)では，インピーダンスは粘性抵抗のみならず，圧縮率，コンプライアンス，不活性度，付加された流れの繰返し数に左右される．②音響系を作動させる際の抵抗）.

acoustic i. 音響インピーダンス（音波の通過に対して，物質が示す抵抗のこと．密度と音速の積で示す媒質の性質（固有音響インピーダンス)．音響インピーダンスの不連続は，超音波画像法の原理であるエコー信号の成因である．単位は rayl）.

im·per·cep·tion (im′pĕr-sep′shŭn) [L. *in-* 否定辞 + *per-cipio*, pp. *-ceptus*, to perceive]. 知覚低下，無認知（対象から得る感覚データを統合して，対象の心像を形成することができないこと）.

im·per·fo·rate (im-per′fō-rāt). 閉塞した，無孔の．＝atretic.

im·per·fo·ra·tion (im-per′fō-rā′shŭn) [L. *im-* 否定辞 + *per-foro*, pp. *-atus*, to bore through]. 無開口，不穿孔，閉塞（無孔の，閉じられた状態．接頭語 *atreto-*，接尾語 *-atresia* との結合語で示される）.

im·per·me·a·ble (im-per′mē-ă-bĕl) [L. *im-permeabilis*, not to be passed through]. 不透過性の，不浸透性の（膜あるいはその他の組織に物質(例えば，液体，気体)あるいは熱を通さない）．＝impervious.

im·per·me·ant (im-per′mē-ănt) [L. *im-* 否定辞 + *permano*, to penetrate]. 不透過の（特定の半透過性膜を通過できないことについていう）.

im·per·sis·tence (im′per-sis′tens) [L. *im-* 否定辞 + *persisto*, to persist]. 短時間のみ存続する一時的な存在または発生.

motor i. ある動作を維持できないこと.

im·per·vi·ous (im-per′vē-ŭs). ＝impermeable.

im·pe·tig·i·ni·za·tion (im′pe-tij′i-ni-zā′shŭn). 膿痂疹化（既存の皮膚病変部の感染によって膿痂疹が発生すること）.

im·pe·tig·i·nous (im′pe-tij′i-nŭs). 膿痂疹の，膿痂疹性の.

im·pe·ti·go (im′pe-tī′gō) [L. a scabby eruption < *im-peto* (*inp-*), to rush on, attack]. 膿痂疹，インペチゴ（[誤ったつづりまたは発音 infantigo を避けること]．黄色ブドウ球菌，A 群連鎖球菌によって起こる伝染性の表在性膿皮症で，表在性の弛緩した小水疱から始まり，やがて破れて黄色調の痂皮を生じる．小児に生じる場合が最も多い)．＝i. contagiosa; i. vulgaris.

Bockhart i. (bah′hart). ボックハルト膿痂疹．＝follicular i.

i. bullosa 水疱性膿痂疹，水疱性インペチゴ（水疱を形づくる膿痂疹の広範な病変部）.

bullous i. of newborn 新生児水疱性膿痂疹（通常，広範囲にみられる播種性水疱性発疹で，生後まもなく現れる．黄色ブドウ球菌感染による)．＝i. neonatorum (2); pemphigus gangrenosus (2).

i. circinata 連圏状膿痂疹（膿痂疹の水疱性病変が環状の配列を呈したもので，数個の水疱が融合することによって，あるいは1個の水疱が破れて辺縁に痂皮を形成することによって生じる）.

i. contagiosa 伝染性膿痂疹．＝impetigo.

i. contagiosa bullosa 水疱性伝染性膿痂疹（ブドウ球菌性膿皮症の際，ときにみられる散在性の化膿性皮膚病変）.

follicular i. 毛包性膿痂疹（浅在性の毛包性の膿疱性発疹で，頭皮その他の有毛部にできる場合をいう)．＝Bockhart i.

i. herpetiformis 疱疹状膿痂疹（膿疱性乾癬と関係があるかもしれないまれな膿皮症で，妊娠末期に現れる場合が最も多い．密に集簇した小膿疱からなる発疹で，発赤部に生じ，重篤な全身症状あるいは胎児死亡を伴う．その後の妊娠のたびに再発する）．

i. neonatorum 新生児膿痂疹（①＝*dermatitis* exfoliativa infantum．②＝bullous i. of newborn）．

i. vulgaris 尋常性膿痂疹．＝impetigo.

im·pe·tus (im′pe-tŭs)［L. an onset＜*im-peto*, to attack］．起動力（［複数形は impeti ではなく impetus である］．精神分析において，本能の発動因子を示し，本能的衝動が必要とする個人のエネルギーの総量を表す）．

im·plant (im′plant)［L. *im*-, in + *planto*, pp. *-atus*, to plant＜*planta*, a sprout, shoot］．***1*** (im-plant′)．〖v.〗移植する，挿入する，埋没する．***2*** (im′plant)．〖n.〗挿入物，埋没物，移植片（外科的に挿入あるいは埋入される移植物あるいは人工物．発生段階の過誤により異所に迷入した細胞や組織をさすこともある．→graft; transplant; prosthesis）．

basket endosteal i. バスケット型骨内インプラント（歯科で用いられる有孔の骨内インプラントで，本体は1本あるいは複数の円柱からなる）．

carcinomatous i.'s 癌細胞移植（癌細胞をその成長が持続するように原発腫瘍部から近接組織に移植すること→metastasis）．

cochlear i. 人工内耳（マイクロフォン，スピーチプロセッサー，および高度難聴やろうの成人や小児の第八神経の聴覚部分に残存している神経線維を刺激するために内耳に移植された電極からなる電子装置．人工内耳手術を受けた多数の患者は単語の認知が良く，会話を理解し電話で話すこともできる．→auditory *prosthesis*）．＝cochlear prosthesis.

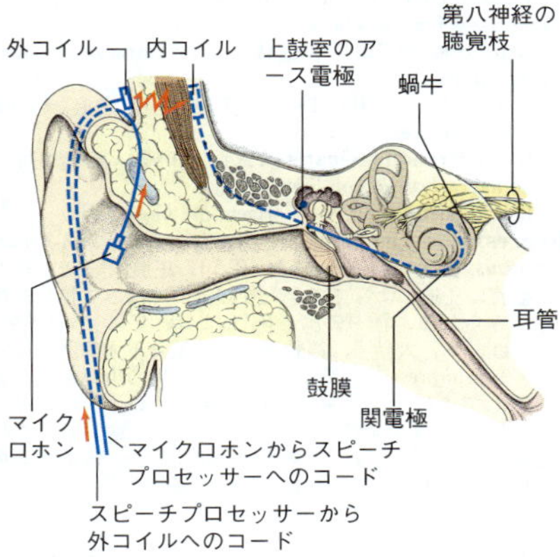

cochlear implant

dental i.'s 歯科インプラント（金属の維持装置，主としてチタン製の支台を用いて，顎骨に永久に固定させた冠，橋義歯，有床義歯）．

endometrial i.'s 子宮内膜移植（卵管を逆行して骨盤組織に移植された子宮内膜片）．＝endometriosis.

endo-osseous i. 歯内骨内インプラント（有効な根の長さを増すために，根管を通して歯槽骨中に挿入するインプラント）．

endosseous i. 骨内インプラント（インプラントの一種で，一端を歯槽骨および(または)顎骨基底部に挿入する．他端は粘膜骨膜から突き出ている）．＝endosteal i.

endosteal i. 骨内インプラント＝endosseous i.

inflatable i. 可膨張性インプラント（注入用チューブと弁を備えた，空のシリコンラバーバッグからなる埋入物．乳腺内あるいは乳腺下に挿入した後，軟部組織による空間を拡張させる目的で，希望の大きさまで生理食塩水を注入して膨張させる．通常，乳房手術や泌尿器手術で皮膚を拡張するのに用いる）．

intracorneal i.'s 角膜内挿入体（眼の屈折を変化させるための角膜内ポケットへの挿入物）．

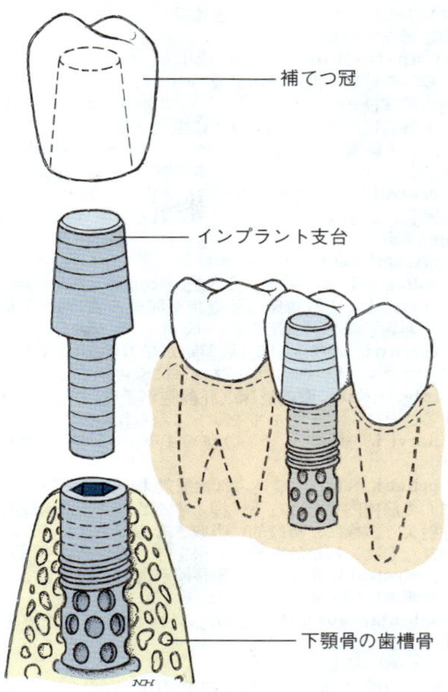

dental implant

intraocular i. 眼内レンズ（白内障摘出術において，除去されたレンズの代わりに前房や後房に置くプラスチックレンズ．次頁の図参照）．

magnetic i. マグネットインプラント（義歯の維持のため，組織許容の磁性をもった金属を骨の中に植え込むことで，磁場をつくるために同様の磁石が義歯内にも植え込まれる）．

orbital i. 眼窩インプラント（眼球摘出の後に筋漏斗に置くガラス，プラスチック，金属性の装置）．

penile i. 陰茎インプラント(補てん術)（硬性，軟性または可膨張式器具を陰茎海綿体内に手術的に埋め込み，勃起状態をつくる方法）．

pin i. ピンインプラント（通常は杆状の歯科インプラントの一種で，上顎洞部位に用いる）．

post i. ポストインプラント（修復部と結合するために粘膜より突出した歯科インプラントの支台部分）．

root-form i. 歯根型インプラント（形態が歯根に類似したインプラント）．

silicone i. シリコンインプラント（シリコンによって構成されたインプラント(体内埋入材)．充塡用の乳房インプラントの通常の形態のもの）．

submucosal i. 粘膜下インプラント（粘膜直下に置かれる歯科インプラント．→implant *denture*）．

subperiosteal i. 骨膜下インプラント（骨の形態に適合するようにつくられた歯科金属装置で，骨膜下の骨表面に置かれる．→implant denture *substructure*）．

supraperiosteal i. 骨膜上インプラント（外形を変えるために骨膜表面に挿入される不活性異物埋没物）．

testicular i. 精巣移植術（精巣の欠損または極度の低形成に対して精巣を陰嚢内に移植する手術）．＝testicular prosthesis.

threaded i.〔スクリュータイプ〕歯根型インプラント（スクリュー状のねじ山を備えたインプラント．あらかじめ雌ねじ切りによりねじ山を付与された骨にねじ込まれる．あるいは，あらかじめ骨に形成された穴に挿入する際にインプラント体自身がねじ切りを行う）．

triplant i. トリプラントインプラント（3つのピンインプラントの結合で，有床義歯を維持または固定するための支台歯を形成する）.

im·plan·ta·tion (im′plan-tā′shŭn). *1* 着床（胚盤胞の子宮内膜への付着，次いで緻密層内への着床で，ヒトでは卵母細胞の受精後 6—7 日目に起こる）. *2* 器具や物質を生体内へ埋入する過程．例えば胸部皮下に生理食塩水バッグを埋入すること．*3* 移植（自然歯を人工的につくられた歯槽内に挿入すること）. *4* 〔体内〕移植，組織移植（→transplantation）.

central i. 中心着床（胚盤胞が子宮腔にとどまる着床．肉食動物，赤毛ザル，ウサギにみられる）. =circumferential i.; superficial i.

circumferential i. =central i.

collagen i. コラーゲン注入法. =collagen *injection.*

cortical i. 皮質着床（胚盤胞が卵巣皮質内に着床すること．卵巣妊娠を引き起こす. →ectopic *pregnancy*）.

eccentric i. 偏心着床（胚盤胞が子宮陰窩に着床することで，マウス，ラット，ハムスターにみられる）.

interstitial i. 壁内着床（胚盤胞が子宮内膜実質内に着床することで，ヒト，モルモットにみられる）.

nerve i. 神経挿入〔術〕（別の神経鞘内に神経を挿入すること）.

pellet i. ペレット植込み（治療効果のある薬物を錠剤の形にして筋肉内または皮下に挿入することで，筋肉注射，皮下注射より緩徐に，持続的に吸収させるために行う．繰り返し投与なしに，持続的な治療効果を与えるための手段）.

periosteal i. 骨膜移植（腱移植手術の一部として，正常腱を骨膜内に挿入すること）.

subcutaneous i. 皮下埋め込み〔術〕（皮下に物体を挿入すること）.

superficial i. =central i.

im·plo·sion (im-plō′shŭn). 内破（①内容のない血管におけるような突然の崩壊．外側よりも内側に破裂する．②情動洪水法に類似した一種の行動療法．まず患者に強い感情的反応を起こさせている出来事または状況を患者自らに記述させ，頭の中で再体験させることにより極度の不安感のもととなっている刺激を十分与える．この間に治療者はこのような無意識の事柄が今後患者の行動や情動に影響を及ぼさないよう治療し，さらに，そのような刺激に対し起こっていた回避反応をより適切なものに変えていく）.

im·po·tence, im·po·ten·cy (im′pŏ-tens, -ten-sē) [L. *impotentia*, inability < *in-* 否定辞 + *potentia*, power]. *1* 虚弱，無力. *2* 不能〔症〕，インポテンス（特に男性が陰茎勃起不能のため性交ができないこと．神経性，血管性，あるいは精神的な障害によって起こる）.

psychic i. 精神的不能〔症〕（心理的因子によって引き起こされる不能）.

vasculogenic i. 血管性インポテンス（陰茎の血流の流入・出障害によって起こるインポテンス）.

im·preg·nate (im-preg′nāt) [L. *im-*, in + *praegnans*, with child]. *1* 受胎させる，受精させる，妊娠させる. *2* 浸透させる，飽和させる（→saturate）.

im·preg·na·tion (im′preg-nā′shŭn). *1* 精子進入（妊娠行為）. *2* 浸透，含浸（硝酸銀またはアンモニア銀による組織成分の金属メッキ法にあるような他の物質を拡散または浸透させる過程. →saturation）.

im·pres·si·o, pl. **im·pres·si·o·nes** (im-pres′ē-ō, im-pres-ē-ō′nēz) [L.][TA]. 圧痕. =impression (1).

i. aortica pulmonis sinistri =aortic *impression* of left lung.

i. cardiaca faciei diaphragmaticae hepatis [TA]. 〔肝臓横隔面の〕心圧痕. =cardiac *impression* of diaphragmatic surface of liver.

i. cardiaca pulmonis [TA]. 〔肺の〕心圧痕. =cardiac *impression* on lung.

i. colica hepatis [TA]. 〔肝臓の〕結腸圧痕. =colic *impression* on liver.

impressiones digitatae* 指圧痕（*impressions* of cerebral gyri の公式の別名）.

i. duodenalis hepatis [TA]. 〔肝臓の〕十二指腸圧痕. =duodenal *impression* on liver.

i. esophagea hepatis [TA]. 〔肝臓の〕食道圧痕. =esophageal *impression* on liver.

i. gastrica hepatis [TA]. 〔肝臓の〕胃圧痕. =gastric *impression* on liver.

impressiones gyrorum [TA]. = *impressions* of cerebral gyri.

i. ligamenti costoclavicularis [TA]. 肋鎖靱帯圧痕. =*impression* for costoclavicular ligament.

i. petrosa pallii 外套錐体圧痕. =petrosal *impression* of the pallium.

i. renalis hepatis [TA]. 〔肝臓の〕腎圧痕. =renal *impression* on liver.

i. suprarenalis hepatis [TA]. 〔肝臓の〕副腎圧痕. =suprarenal *impression* on liver.

i. trigeminalis [TA]. =trigeminal *impression.*

im·pres·sion (im-presh′ŭn) [L. *impressio* < *im-primo*, pp. *-pressus*, to press upon]. *1* [TA]. 圧痕，陥凹（他の臓器や器官の圧迫によってできた外観上のくぼみで特に死体解剖中にみられる．種々の肺の陥凹については *groove* を参照．例えば，下行大動脈，鎖骨下動脈，鎖骨下大静脈によるものなど）. =impressio [TA]. *2* 印象（外界の事物が，感覚器官を通して心に生じさせた効果）. =mental i. *3* 型穴，痕跡（特に口腔の歯および（または）他の組織の陰型で，これらの組織との接触によって相関的に硬化するか，凝固する可塑性材料が使用される．印象した組織の陽型の再現のために用い

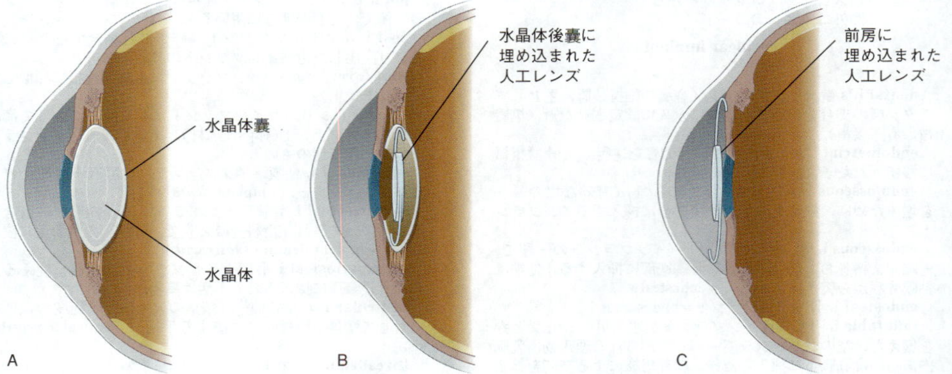

intraocular lens implant

白内障摘出術．A：正常眼の解剖学的横断面．B：囊外摘出は水晶体を取り除くことを含んでいるが，人工眼内レンズを支えるために後囊を無傷で残す．C：囊内摘出は水晶体および水晶体囊を取り除くことを含み，前房に人工眼内レンズを移植する．

る．使われる材料により，可逆性と非可逆性ハイドロコロイド印象，モデリングプラスチック印象，石膏印象，ワックス印象に分類される)．

aortic i. of left lung 大動脈溝，大動脈圧痕（肺門の背部にある左肺の内側面上の広く深い溝で，大動脈弓と胸大動脈を入れる)．＝aortic sulcus; impressio aortica pulmonis sinistri; sulcus aorticus.

basilar i. 頭蓋底陥入〔症〕（頭蓋底部が後頭蓋窩へ陥入する状態．脳幹と小脳構成部分が大孔へ落ち込み圧迫される．*cf.* platybasia)．

cardiac i. of diaphragmatic surface of liver［TA］．〔肝臓横隔面の〕心圧痕（心臓の位置に対応して，肝臓の横隔面にみられる陥凹)．＝impressio cardiaca faciei diaphragmaticae hepatis［TA］.

cardiac i. on lung［TA］．〔肺の〕心圧痕（左右肺の内側表面にみられる陥凹で，心臓の存在によって生じる．左肺のほうが著しい)．＝impressio cardiaca pulmonis［TA］.

i.'s of cerebral gyri［TA］．脳回痕，指圧痕（頭蓋骨の内側表面の陥凹で，脳回に対応する)．＝impressiones gyrorum［TA］; impressiones digitatae*; juga cerebralia*; digitate i.'s.

colic i. on liver［TA］．〔肝臓の〕結腸圧痕（肝右葉前部の下面にみられるくぼみで，右結腸曲と横行結腸起始部の位置にあたる)．＝impressio colica hepatis［TA］.

colic i. of spleen［TA］．脾臓結腸陥凹（結腸と接触している脾臓の面の一部)．＝facies colica splenis［TA］; colic surface of spleen.

complete denture i. 総義歯印象（①無歯顎堤の印象で，総義歯をつくるために行われる．②義歯全体を維持，安定させる上下顎の陰型像．③無歯顎口腔にある総義歯基部および周縁閉鎖の陰型)．

i. for costoclavicular ligament［TA］．肋鎖靱帯圧痕（鎖骨の胸骨端の下面にある不規則なくぼみで，肋鎖靱帯が付着する)．＝impressio ligamenti costoclavicularis［TA］; costal tuberosity; rhomboid i.; tuberositas costalis.

deltoid i. 三角筋粗面．＝deltoid *tuberosity* (of humerus).

digitate i.'s 指圧痕．＝i.'s of cerebral gyri.

direct bone i. ダイレクトボーン印象（露出骨の印象で，骨膜下のデンチャーインプラントをつくるために用いる)．

duodenal i. on liver［TA］．〔肝臓の〕十二指腸圧痕（胆嚢に沿った肝右葉の下面にある陥凹で，十二指腸の存在による)．＝impressio duodenalis hepatis［TA］.

esophageal i. on liver［TA］．〔肝臓の〕食道圧痕（肝左葉後部の食道による圧痕)．＝impressio esophagea hepatis［TA］.

i.'s of esophagus 食道圧痕．＝esophageal *constrictions*.

final i. 最終印象（歯科において，作業模型をつくるために用いる印象)．

gastric i. on liver［TA］．〔肝臓の〕胃圧痕（胃の位置に対応して肝左葉下面にある陥凹)．＝impressio gastrica hepatis［TA］.

gastric i. on spleen［TA］．脾臓胃陥凹（脾臓のうち胃と接している面)．＝facies gastrica splenis［TA］; gastric surface of spleen.

mental i. 精神印象．＝impression (2).

partial denture i. 部分床義歯印象，局所床義歯印象（局部的に歯のない歯列弓の全体または一部の印象あるいは陰型で，部分床義歯の設計または製作のために採得される)．

petrosal i. of the pallium 外套錐体圧痕（側頭骨岩様部の上縁によってできる大脳半球下面上の浅い圧痕)．＝impressio petrosa pallii.

preliminary i. 予備印象（歯科において，診断またはトレーの製作のためにつくられる印象)．＝primary i.

primary i. 一次印象．＝preliminary i.

renal i. on liver［TA］．〔肝臓の〕腎圧痕（肝右葉下面のくぼみで，右腎がはいる)．＝impressio renalis hepatis［TA］.

renal i. of spleen［TA］．脾臓腎陥凹（脾臓が左の腎臓と接する面)．＝facies renalis splenica［TA］; facies renalis lienis*; renal surface of spleen.

rhomboid i. ＝i. for costoclavicular ligament.

sectional i. 分割印象（分割してつくられる印象)．

suprarenal i. on liver［TA］．〔肝臓の〕副腎圧痕（大静脈溝に近接した肝右葉下面の陥凹で，右副腎がはいる)．＝impressio suprarenalis hepatis［TA］.

trigeminal i.［TA］．三叉神経圧痕（側頭骨岩様部前面の陥凹で，頂点近くに三叉神経節が位置するところから生じたもの)．＝impressio trigeminalis［TA］.

im·print·ing (im′print-ing)．刻印付け，刷り込み（出生後数時間内に起こる特殊な学習で，種族認知行動を決定する)．

genomic i. ゲノム刷り込み，ゲノムインプリンティング（後成的調節に感受性のある種の遺伝子について，父方あるいは母方の対立遺伝子が不活化するというエピジェネティックな過程．Angelman 症候群，Prader-Willi 症候群の原因である)．

im·pulse (im′pŭls)［L. *im-pello*, pp. *-pulsus*, to push against, impel (*inp-*)］．***1*** 衝動，インパルス（突然に押し動かす力)．***2*** 欲求，インパルス（ある事を行うための突然の，多くは理由のない決定)．***3*** インパルス（神経線維の活動電位)．

apex i. 心尖〔部〕拍動（通常，心拍動を触れる最下・最左側の辺縁部)．

cardiac i. 心悸動，刺激波動（心収縮によって起こる胸壁の運動)．

ectopic i. 異所性刺激（心臓の洞結節以外の部分より生じた電気的刺激)．

escape i. 補充刺激（もともと存在する歩調取り(ペースメーカ)心拍の生成や到達に遅れが生じた結果起こる(心房性，房室接合部性，または心室性の) 1 個または 2 個の刺激)．

irresistible i. 抵抗不能衝動．

morbid i. 病的欲求（通常，異常な行為や禁じられている行為を行うように人を駆り立てる欲求で，自制できない)．

right parasternal i.'s 胸骨右縁〔部〕拍動（胸骨の右側に触知される，あるいは記録される心の動き)．

im·pul·sion (im-pŭl′shŭn)．衝動（何らかの行動をとるように駆り立てられる抑えがたい力)．

im·pul·sive (im-pŭl′siv)．衝動的な（理性または慎重な思慮により抑制されず，衝動によって駆り立てられること，または衝動についていう)．

IMS Indian Medical Service(インディアン(先住民)医療サービス)の略．

imus (ī′mŭs)［L.］．最低の，最下の（数種の類似組織のうち最下部あるいは最尾部を示す)．

IMV intermittent mandatory *ventilation* の略．

IMViC (im′vik)．インビック試験（*i*ndole 生成，*m*ethyl red 試験，*V*oges-Proskauer 反応，および唯一の炭素源としての *cit*rate 利用能からなる頭字語(*i* は音声上挿入される)．主として大腸菌 *Escherichia coli* を *Enterobacter aerogenes* およびその関連菌から鑑別するのに用いられる)．

I

In インジウムの元素記号，左の肩字の数字は同位体の質量数を示す．イヌリンの記号．

in-［L.］．***1*** 否定を意味する接頭語．ギリシア語の *a-*, *an-*，英語の un- に同じ．***2*** 内へ，内に，内側の，を意味する接頭語．***3*** 非常に，を意味する接頭語．b，p，m の前では *im-* となる．

-in［G. *-inos*, L. *-inus*, adj. suffixes］．生化学物質を命名する際，汎用される接尾辞．蛋白(例えば *globulin*)，脂質 (*lecithin*)，ホルモン (*insulin*)，植物成分 (*digoxin*)，抗生物質 (*streptomycin*)，合成薬 (*aspirin*)，色素 (*eosin*) 他．最初は *-ine* の変形．いくつかの用語(例えば *dentin*，*thyroxin*)では，最後に *e* が付くときと付かないときの 2 通りのつづり方がみられる．

in·ac·tion (in-ak′shŭn)．反応低下（刺激に対する反応不活発，休止，または欠如)．

in·ac·ti·vate (in-ak′ti-vāt)．不活〔性〕化する（薬剤または物質の生物学的活性や効力を破壊することで，例えば，血清が加熱されて補体活性を失う場合などをいう)．

in·ac·ti·va·tion (in′ak-ti-vā′shŭn)．不活〔性〕化（薬剤または物質の活性や効力を破壊または除去する経過．例えば，血清の補体効果は 56°C で 30 分間の不活性化によって破壊される)．

insertional i. 挿入不活化（組換えプラスミドをもつバクテリアを選択するために使用される組換え DNA 技術の一手法．外来 DNA の断片が抗生物質抵抗性遺伝子内の制限酵素部位に挿入され，その結果，遺伝子は機能がなくなる)．

X i. ＝lyonization.

in·an·i·mate (in-an′i-māt) [L. *in-* 否定辞 + *anima*, breath, soul]. 生命のない，無生物の，不活発な.

in·a·ni·tion (in′ă-nish′ŭn) [L. *inanis*, empty]. 飢餓〔性〕衰弱（食物の欠乏，同化障害，または腫瘍性疾患による極度の衰えと消耗）.

in·ap·par·ent (in′ă-pār′ent). 不顕性の（外に現れないことについていう．臨床的認知の閾下であることを示す．例えば inapparent infection（不顕性感染）のように用いる）.

in·ap·pe·tence (in-ap′ĕ-tens) [L. *in-* 否定辞 + *ap-peto*, pp. *-petitus*, to strive after, long for(*adp-*)]. 欲望欠如，食欲不振.

in·ar·tic·u·late (in′ar-tik′yū-lăt). ***1*** 言語不明瞭の. ***2*** 言葉による自己表現が満足にできない.

in·as·sim·i·la·ble (in′ă-sim′i-lă-bĕl). 同化不能の（→assimilation）.

in·at·ten·tion (in-ă-ten′shŭn). 不注意，怠慢.

selective i. 選択的不注意（不安を生じさせる対象の認知を無視，または避けようとすること）.

sensory i. 感覚不注意（同様の刺激が身体の対称部位に同時に加えられ，片方の刺激が認知されたときに，もう片方の触覚刺激を感じることができない）.

visual i. 視覚不注意（同様の刺激が視野の対称部位にも同時に加えられ，それが認知されたときに，視野にある刺激を認知できない）.

in·born (in′bōrn). 生来の，生得の，先天〔性〕の（子宮内での成育中に授かったことを意味する．先天代謝異常症の特徴的な背景としては，遺伝的酵素異常が示唆される．→inborn *error* of metabolism）. ＝innate.

in·bred (in′bred). 近交系，同系，純系（ほとんど単一の祖先から数世代にわたって系統化され，そのため高い血縁関係をもつ集団(例えば，群，遺伝系)を表す）.

in·breed·ing (in′brēd-ing). 近親交配，同系交配（①集団から任意に選んだ生物体よりも遺伝的により近密なもの同士を交配すること．②近親関係の動物を交配すること）.

in·car·cer·at·ed (in-kar′sĕr-ā-tĕd) [L. *in*, in＋*carcero*, pp. *-atus*, to imprison < *carcer*, prison]. 嵌頓した（[strangulated と混同しないこと]）.

in·car·nant (in-kar′nant) [L. *incarno* < *in* + *caro*(*carn-*), flesh]. 肉芽形成促進の（創部の肉芽形成を促進する）. ＝incarnative.

in·car·na·tive (in-kar′nă-tiv). ＝incarnant.

in·cen·di·a·rism (in-sen′di-ă-rizm) [L. *incendiarius*, causing a conflagration]. 放火狂. ＝pyromania.

in·cen·tive (in-sen′tiv) [LL. *incentivus*, provocative]. 誘因（実験心理学において，動機のある行動の対象または目標）.

in·cer·tae se·dis (in-ser′tē sē′dis) [L.]. 所属位置不明（生物を分類学的に区分する際に，所属位置の不明なもの，あるいは帰属や位置が疑わしいものに用いる）.

in·cest (in′sest) [L. *incestus*, unchaste < *in-*, not + *castus*, chaste]. 近親相姦（①近親血族間の性関係．特に親子，兄弟姉妹間．②法律で禁止されているような，血族間の性関係の罪）.

in·ces·tu·ous (in-ses′chū-ŭs). ***1*** 近親相姦の. ***2*** 近親相姦罪の.

in·ci·dence (in′si-dens) [L. *incido*, to fall into or upon, to happen]. [prevalence と混同しないこと]. ***1*** 発生数（ある特定の疾病に罹患するなど，特定の新たな事象が特定の集団の中で一定期間中に発生する数）. ***2*** 入射〔角〕，投射〔角〕（光学において，光線が表面に交差すること）.

in·ci·dent (in′si-dent) [L. *incido*, pp. *-casus*, to fall into, to meet with]. ***1*** 〘adj.〙 起こりやすい，入射の，投射の. ***2*** 〘n.〙 事変，事件，インシデント（通常やっかいな都合の悪いことが起こること．疾病に合併症が起きたり，病院内の患者に災難が起きること）.

multicasualty i. (**MCI**) 多数傷病者事例（同一の原因にて突発的に多数の傷病者が発生した事例．傷病者数の基準は，各地域で定められることが多い）.

in·ci·dent·a·lo·ma (in′sĭ-dent′ă-lō′mă) [incidental + *-oma*, tumor]. 偶発腫（別の理由で行われた CT 検査でたまたまうまくみつかった腫瘍．副腎の腫瘍のことが多い）.

in·ci·sal (in-sī′zăl) [L. *incido*, pp. *-cisus*, to cut into]. 切端の（切歯，犬歯の鋭利な先端についていう）.

in·cise (in-sīz′). 〔ナイフで〕切開する.

in·ci·sion (in-sizh′ŭn) [L. *incisio*]. 切開〔術〕（切り口．外科的創．ナイフで体部を切り開くこと）.

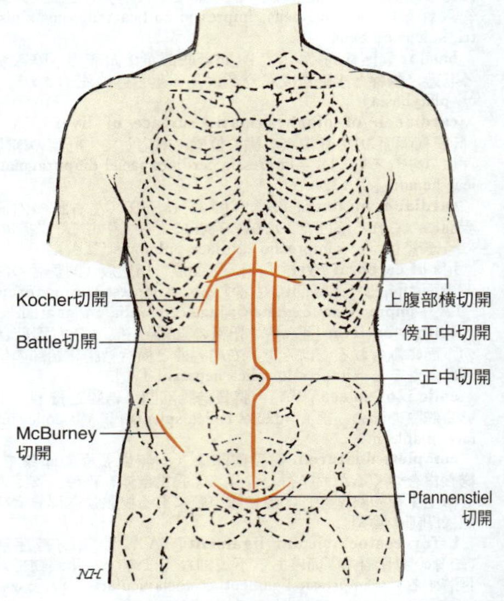

surgical incisions

Battle i. [William Henry *Battle*. イギリス人外科医（1855—1936）]. バットル(バトル)切開（腹直筋を損傷せずに内側に牽引して，前後の腹直筋鞘を切開する傍正中切開）.

bucket-handle i. バケツ柄-ハンドル切開（両側肋骨弓下の切開）.

celiotomy i. 腹腔切開〔術〕（腹壁を通して切開する方法）.

chevron i. 山形切開〔術〕（両側にわたる腹部肋骨弓下切開．逆V字形をなしている．上腹部の手術に用いる）.

clamshell i. クラムシェル切開（両側乳房下前方開胸を胸骨横切開で結んだ切開．標準的胸骨切開と同等の視野が得られる．→transverse *thoracosternotomy*）. ＝clamshell thoracotomy.

collar i. 頸部切開（胸骨切痕より 2—4 cm 上部に定められた頸部切開創．甲状腺や副甲状腺の手術時に使用される）.

Deaver i. (dē′vĕr). ディーヴァー切開〔術〕（腹直筋を中央に寄せ，右下腹部を切開する方法）.

Dührssen i.'s (dērsĕn). デュールセン切開〔術〕（拡張が不完全な子宮頸部をほぼ時計の 2，6，10 時の方向に切開する方法．骨盤位分娩で児頭が嵌頓した場合，急速分娩に有効である）.

endaural i. 耳内切開〔術〕（乳様突起の外科手術のために，軟骨を避けて外耳道を通して切開する方法）.

Fergusson i. (fer′gŭs-ŏn). ファーガソン切開〔術〕（上顎骨切除のための切開法）.

flank i. 側腹切開（腸骨稜と肋骨の間で，通常は第十二肋骨に近く，これと平行に行う皮膚切開）.

Kocher i. (kō′kĕr). コッヒャー(コッヘル)切開〔術〕（右肋骨縁の数インチ下でそれに平行に切開する方法）.

lumbotomy i. 腰部切開. ＝posterior *nephrectomy*.

McBurney i. (măk-bŭr′nē). マックバーニー切開〔術〕（前上腸骨棘から 3—5 cm 内上方で外腹斜筋の走行と平行に切開する方法．通常，炎症した虫垂を切除するのに用いる）.

midline i. 正中切開，腹部縦切開（腹直筋前鞘，後鞘の正中癒合部におかれた切開）.

paramedian i. 傍正中切開〔術〕（正中線の側方を切開する方法）.

Pfannenstiel i. (fahn′ĕn-shtēl). プファンネンシュティール切開〔術〕(恥骨の約 2.5 cm 上の下腹部を横に切開し，腹直筋前鞘を切開，筋肉を正中線で線維の方向に分割または分離する方法).

postauricular i. 耳介後部切開（後耳介ひだと平行に 2—3 mm 後方を切開すること．乳様突起の皮質に達する目的で用いる).

transmeatal i. 経外耳道切開（後つち骨ひだから 6 時の位置に達する，外耳道後方の皮膚に加える切開．中耳の後方に達するために行う).

transverse abdominal i. 腹部横切開（腹直筋の軸方向に対して直交するような腹部切開).

in·ci·sive (in-sī′siv). ***1*** 鋭利な，切るのに適した．***2*** 切歯の.

in·ci·sor (in-sī′zŏr) [L. *incido*, to cut into]. 切歯．= incisor *tooth*.

central i. 中切歯（頭正中矢状面の両側で上下顎にある第一の歯).

Hutchinson i.'s (hŭtsh′ĭn-sŏn). = Hutchinson *teeth* (⇒tooth).

lateral i. 側切歯．= second i.

second i. 頭正中矢状面の両側で上下顎にある第二の永久歯または乳歯．= lateral i.

INCISURA

in·ci·su·ra, pl. **in·ci·su·rae** (in′sī-sū′ră, in-sī-sū′rē) [L. a cutting into][TA]. 切痕．= notch.

i. acetabuli [TA]. 寛骨臼切痕．= acetabular *notch*.

i. angularis gastricae [TA]. 〔胃の〕角切痕．= angular *incisure* of stomach.

i. anterior auriculae [TA]. 〔耳介の〕前切痕．= anterior *notch* of auricle.

i. anterior auris = anterior *notch* of auricle.

i. apicis cordis [TA]. 心尖切痕．= *notch* of cardiac apex.

i. cardiaca pulmonis sinistri [TA]. 〔左肺の〕心切痕．= cardiac *notch* of left lung.

i. cardialis [TA]. = cardial *notch*.

i. cartilaginis meatus acustici [TA]. 外耳道軟骨切痕．= *notch* in cartilage of acoustic meatus.

i. cerebelli anterior 前小脳切痕．= anterior cerebellar *notch*.

i. cerebelli posterior 後小脳切痕．= posterior cerebellar *notch*.

i. clavicularis [TA]. 鎖骨切痕．= clavicular *notch* of sternum.

incisurae costales [TA]. 肋骨切痕．= costal *notches*.

i. ethmoidalis [TA]. 篩骨切痕．= ethmoidal *notch*.

i. fibularis [TA]. 腓骨切痕．= fibular *notch*.

i. frontalis [TA]. 前頭切痕．= frontal *notch*.

i. interarytenoidea [TA]. 披裂間切痕．= interarytenoid *notch*.

i. intertragica [TA]. 珠間切痕．= intertragic *notch*.

i. ischiadica major [TA]. 大坐骨切痕．= greater sciatic *notch*.

i. ischiadica minor [TA]. 小坐骨切痕．= lesser sciatic *notch*.

i. jugularis ossis occipitalis [TA]. 後頭骨頸静脈切痕．= jugular notch of occipital bone.

i. jugularis ossis temporalis [TA]. = jugular *notch* of petrous part of temporal bone.

i. jugularis sternalis [TA]. 頸切痕．= jugular *notch* of sternum.

i. lacrimalis [TA]. 涙骨切痕．= lacrimal *notch*.

i. ligamenti teretis hepatis [TA]. 肝円索切痕．= *notch* for ligamentum teres.

i. mandibulae [TA]. 下顎切痕．= mandibular *notch*.

i. mastoidea [TA]. 乳突切痕．= mastoid *notch*.

i. nasalis [TA]. 鼻切痕．= nasal *notch*.

i. pancreatis [TA]. 膵切痕．= pancreatic *notch*.

i. parietalis [TA]. 頭頂切痕．= parietal *notch*.

i. preoccipitalis [TA]. 後頭前切痕．= preoccipital *notch*.

i. pterygoidea 翼突切痕．= pterygoid *notch*.

i. radialis [TA]. 橈骨切痕．= radial *notch*.

i. rivini (ri-vē′nē). リヴィヌス切痕．= tympanic *notch*.

i. santorini (sahn-tō-rē′nē). サントリーニ切痕．= *notch* in cartilage of acoustic meatus.

i. scapulae 肩甲切痕．= suprascapular *notch*.

i. semilunaris ulnae 〔尺骨の〕半月切痕．= trochlear *notch*.

i. sphenopalatina [TA]. 蝶口蓋切痕．= sphenopalatine *notch*.

i. supraorbitalis [TA]. 眼窩上切痕（→supraorbital *foramen*). = supraorbital *notch*.

i. tentorii [TA]. テント切痕．= tentorial notch.

i. of tentorium* tentorial *notch* の公式の別名.

i. terminalis auricularis [TA]. = terminal *notch* of auricle.

i. terminalis auris 分界切痕．= terminal *notch* of auricle.

i. thyroidea inferior [TA]. 下甲状切痕．= inferior thyroid *notch*.

i. thyroidea superior [TA]. 上甲状切痕．= superior thyroid *notch*.

i. tragica = intertragic *notch*.

i. trochlearis [TA]. 滑車切痕．= trochlear *notch*.

i. tympanica [TA]. 鼓膜切痕．= tympanic *notch*.

i. ulnaris [TA]. 尺骨切痕．= ulnar *notch*.

i. umbilicalis 臍切痕．= *notch* for ligamentum teres.

i. vertebralis [TA]. 椎切痕．= vertebral *notch*.

---

in·ci·sure (in-sī′zhūr) [L. *incisura*]. 切痕．= *notch*.

angular i. of stomach [TA]. 〔胃の〕角切痕（幽門部への移行部にみられる胃小弯の深い陥凹). = incisura angularis gastricae [TA]; angular notch; sulcus angularis.

Lanterman i.'s (lahn′tĕr-măn). ランテルマン(ランターマン)切痕．= Schmidt-Lanterman i.'s.

Rivinus i. (ri-vē′nŭs). リヴィヌス切痕．= tympanic *notch*.

Santorini i.'s (sahn-tō-rē′nē). サントリーニ切痕．= *notch* in cartilage of acoustic meatus.

Schmidt-Lanterman i.'s (shmit lahn′tĕr-mahn). シュミット-ランテルマン(ランタルマン)切痕（神経線維のミエリン鞘の規則正しい構造中にある主要な濃い線の漏斗状中断部．以前は，実際にその部分で鞘が切れていると解釈されていたが，ミエリン鞘を形成している乏突起膠細胞(末梢神経では Schwann 細胞)膜が，他では融合しているが局部的に細胞質面が分離している細胞質延長部に相当することが電子顕微鏡によってわかった). = Lanterman i.'s; Schmidt-Lanterman clefts.

tympanic i. 鼓膜切痕．= tympanic *notch*.

in·cli·na·tio, pl. **in·cli·na·ti·o·nes** (in′kli-nā′shē-ō, -nā-shē-ō′nēz) [L.][TA]. 傾斜．= inclination.

i. pelvis [TA]. 骨盤傾斜．= pelvic *inclination*.

in·cli·na·tion (in′kli-nā′shŭn) [L. *inclinatio*, a leaning][TA]. 傾斜（①傾き．②歯科において，歯の長軸の垂直からのずれ). = inclinatio [TA]; version (3).

condylar guidance i. 顆部誘導傾斜（水平面に具合よく顆部を誘導するための傾斜角).

enamel rod i. エナメル小柱の走向（歯のエナメル質の外面に対する，エナメル柱の方向).

lateral condylar i. 側方顆路の方向.

pelvic i. [TA]. 骨盤傾斜角（骨盤上口面が水平面となす角度). = inclinatio pelvis [TA]; i. of pelvis.

i. of pelvis 骨盤傾斜．= pelvic i.

in·cli·nom·e·ter (in′kli-nom′ĕ-tĕr) [L. *in-clino*, to incline + G. *metron*, measure]. 伏角計（乱視の軸方向を決める，現在では用いられない装置).

in·clu·sion (in-klū′zhŭn) [L. *inclusio*, a shutting in < *includo*, pp. *-clusus*, to close in]. ***1*** 封入体（外傷によるものではなく，細胞，組織，臓器中に含まれている異物または異種物質). ***2*** 封入（異物または異種物質が他の組織中に誤って混入する過程).

cell i.'s 細胞封入体（①細胞の代謝産物である細胞質の残

留性要素，例えば色素顆粒や結晶．②グリコゲンや脂肪のような貯留物質．③炭素その他の異物のように飲み込まれた物質．→inclusion *bodies*）．

Döhle i.'s (dō′lĕh). デーレ封入体．＝Döhle *bodies*.

fetal i. 胎児封入（不等接着双生児で，不完全に成長した寄生体が完全に自生体の中に封入されているもの）．

leukocyte i.'s 白血球封入体．＝Döhle *bodies*.

in·co·her·ent (in′kō-hēr′ent)［L. *in-* 否定辞 ＋ *co-haereo*, pp. *-haesus*, to cling together ＜ *haereo*, to stick］．非連続性の，支離滅裂な，まとまりのない（混乱した状態や，話に脈絡や一貫性がないことを示す）．

in·com·pat·i·bil·i·ty (in′kom-pat′i-bil′i-tē). ***1*** 不適合〔性〕，配合禁忌，不和合〔性〕（相容れない特性）．***2*** 不和合性（細菌のプラスミドを分類する方法．２つのプラスミドが１個の宿主細胞に共存することができない場合，それらは不和合性である）．

physiologic i. 生理的配合禁忌（配合によって物質の生理的作用がその本質的な性質と相反するものになること）．＝therapeutic i.

Rh antigen i. Rh 抗原不一致．＝*erythroblastosis* fetalis.

therapeutic i. 治療的配合禁忌．＝physiologic i.

in·com·pat·i·ble (in′kom-pat′i-bĕl)［L. *in-* 否定辞 ＋ *con-*, with ＋ *patior*, pp. *passus*, to suffer, tolerate］．***1*** 不適合な，配合禁忌の（望ましくない反応(化学変化，化学分解または薬理学的効果を含む)を起こすため，配合したり混合することが不適当である）．***2*** 不和合の（他の人々と共同で行動する際，必ず不安や葛藤を引き起こす人についていう）．***3*** 不適合の，不和合の（子孫に重篤な劣性遺伝障害を引き起こす危険性が高いか，母親と胎児に有害な反応を起こす遺伝型を有すること(例えば胎児性赤芽球症は Rh 不適合)）．***4*** 不適合〔な〕（ドナーとレシピエントの間で抗原的に同一でないこと）．

in·com·pe·tence, in·com·pe·ten·cy (in-kom′pe-tens, in-kom′pĕ-ten-sē)［L. *in-* 否定辞 ＋ *com-peto*, strive after together］．***1***〔機能〕不全〔症〕（定められた機能の遂行が不完全あるいは不能であること．特に，心臓や静脈の弁が完全に閉じられないこと）．***2*** 無能力（司法精神医学において，善悪を弁別したり，自己の事柄を処理する能力がないこと）．

aortic i. 大動脈弁閉鎖不全〔症〕（大動脈弁の不完全閉鎖で，拡張期に左心室への逆流が起こる状態）．

cardiac i. 心不全（心室が，心房圧を異常に上昇させない程度の速さで心房に戻る血液を押し出すことができない，または正常の循環機能を維持するだけの十分量の血液を駆出できない状態）．

cardiac valvular i. 心臓弁不全（一方向へ流すという弁の基礎的な機能の不全で，弁の閉鎖不全時に反対の方向に血液が逆流することにより明らかになる）．

mitral i. 僧帽弁閉鎖不全〔症〕（収縮期に，左心房への逆流を起こすような僧帽弁の不完全閉鎖）．

muscular i. 筋不全〔症〕（乳頭筋の活動不全の結果起こる，解剖学的には正常な心臓弁の不完全閉鎖）．

palatopharyngeal i. 咽頭口蓋不全（口蓋咽頭閉鎖を行う軟口蓋の能力低下）．

pulmonary i., pulmonic i. 肺動脈弁不全〔症〕（肺動脈弁の不完全閉鎖で，拡張期に右心室への逆流を起こす）．

pyloric i. 幽門〔機能〕不全（幽門の開放状態または緊張力不足で，胃での消化が完了しないうちに食物が小腸へ移される状態）．

relative i. 相対的閉鎖不全（心臓弁の不完全閉鎖で，対応する心房・心室の過度の拡張の結果起こる）．

tricuspid i. 三尖弁閉鎖不全（収縮期に右心房への逆流を起こすような，三尖弁の不完全閉鎖）．

valvular i. 弁閉鎖不全〔症〕．＝valvular *regurgitation*.

in·con·stant (in-kon′stănt). ***1*** 不規則な．***2*** 不定の（解剖学において，動脈や神経などが存在する場合もしない場合もある，といったときに用いられる）．

in·con·ti·nence (in-kon′ti-nens)［L. *incontinentia* ＜ *in-* 否定辞 ＋ *con-tineo*, to hold together ＜ *teneo*, to hold］．＝incontinentia. ***1*** 失禁，失調〔症〕（排出物，特に尿や便などの排出を防止できないこと）．***2*** 淫乱，不節制（欲望，特に性欲の抑制欠如．*cf.* intemperance）．

fecal i. ＝i. of feces.

i. of feces 便失禁（便を着物や寝具に故意でなく排泄すること．通常括約筋支配の病理学的な影響や，知的機能の損失による）．＝fecal i.

giggle i. くすくす笑い尿失禁（くすくす笑いに伴う尿失禁で，女性によくみられる）．

i. of milk 乳汁失禁．＝galactorrhea.

overflow i. 溢流尿失禁（利尿筋の収縮の有無にかかわらず，膀胱の過度拡張に伴って不随意的に尿が漏れること）．＝paradoxical i.; passive i.

paradoxical i. 矛盾性尿失禁．＝overflow i.

passive i. 受動失禁．＝overflow i.

i. of pigment 色素失調〔症〕（表皮からのメラニン喪失および真皮上層へのメラノファージの蓄積．炎症性皮膚疾患のあるものや色素失調症においてみられる）．

reflex i. 反射性〔尿〕失禁（意図せずに，排尿筋の反射亢進のために尿が漏れること）．

stress urinary i. (**SUI**) 腹圧性尿失禁（咳，いきみ，急な動作などにより起こる尿失禁．括約筋機能の不競合による）．＝urinary exertional i.

urge i., urgency i. 切迫尿失禁（強い尿意を伴う無意識の利尿筋収縮により尿を漏らすこと）．

urinary exertional i. 運動性尿失禁．＝stress urinary i.

i. of urine 尿失禁（不随意の排尿により下着や寝具に漏らしてしまうこと．老年者，特に介護施設での一般的な問題となっている．原因としては，神経性の障害，括約筋の機能障害(多産婦で一般的)，慢性の膀胱排尿障害，および認知症が考えられる）．

in·con·ti·nent (in-kon′ti-nent). 失禁の，失調の．

in·con·ti·nen·tia (in-kon′ti-nen′shē-ă)［L.］．失禁，失調〔症〕．＝incontinence.

i. pigmenti［MIM*146150, *308300, *308310］．色素失調〔症〕（まれな遺伝性疾患で，色素沈着性の病変が線状，シマウマ様模様，その他奇異な形状で現れ，Blaschko 線に沿って配列する．ときに眼，歯牙，爪，骨格，心臓などの異常を合併する．皮疹の形態から 4 期に分類される．I 期は紅斑，水疱，膿疱，II 期は丘疹，いぼ状病変，過角化，III 期は色素沈着，IV 期は青白い萎縮と瘢痕である．歴史的に 2 型の存在が考えられていた．ⓘ非遺伝性の色素失調症(IP1)で，現在は伊藤のメラニン減少症として知られているもの．ⓘⓘX 連鎖優性遺伝を示す遺伝型(IP2)で，男児においては致死的と考えられているもの．→*hypomelanosis* of Ito）．＝Bloch-Sulzberger disease; Bloch-Sulzberger syndrome.

i. pigmenti achromians［MIM*146150］．色素欠乏性色素失調症．＝*hypomelanosis* of Ito.

in·co·or·di·na·tion (in′kō-ōr′di-nā′shŭn)［L. *in-* 否定辞 ＋ coordination］．共調〔運動〕不能，協調不能．＝ataxia.

in·cor·po·ra·tion (in-kōr′pŏ-rā′shŭn)［L. *in-*, in ＋ *corporare*, pp. *corporatus*, to make into a body］．取り込み．＝identification.

in·crease (in′krēs). 増殖，増大．

absolute cell i. 細胞の絶対的増加（ある種の白血球の実数の増加をさす．その白血球の比率に全白血球数を掛けると全血 1 μL 中のその白血球の絶対数が得られる）．

base i. at low levels 低音強調（低い周波数領域の入力レベルが低い場合に利得を徐々に上げる，補聴器の信号処理方法）．

treble i. at low levels(**TILL**) 高音強調（補聴器で，低音圧音で高周波数音の利得を徐々に上げる信号処理法）．

in·cre·ment (in′krĕ-ment)［L. *incrementum*, increase］．増強，増分（［any small amount の意味での隠語的使用を避けること］．変動値の変化．増減いずれの場合にも適用できるが，通常は増分を示し，減少分には decrement を用いる）．

in·cre·tin (in-krē′tin). インクレチン（糖を含む食物により血中に放出される消化管由来のインスリン分泌促進作用を有する物質の総称．１つは近位十二指腸の空腸の陰窩細胞から糖あるいは長鎖脂肪酸を含む食事により放出されるブドウ糖依存性インスリン分泌ポリペプチドである．もう１つはグルカゴンの分解産物であるプログルカゴン由来ポリペプチドで，これはさらにグルカゴン様ペプチド１に分解され，次いでグルカゴン様インスリン分泌ペプチドに分解される）．

in·cre·tion (in-krē′shŭn)［in- ＋ secretion］．内分泌，内分泌物（内分泌腺の機能的活動）．

in·crus·ta·tion (in′krŭs-tā′shŭn) [L. *in-crusto*, pp. *-atus*, to incrust < *crusta*, crust]. ***1*** 痂皮形成，結痂．***2*** 痂皮，かさぶた（外来性物質または滲出物でできた外被）．

in·cu·ba·tion (in′kyū-bā′shŭn) [L. *incubo*, to lie on]. ***1*** 培養，保温，ふ卵（微生物の発育成長または組織培養に好ましい一定の環境や，化学反応あるいは免疫反応に最適な環境を維持すること）．***2*** 保育（新生児(通常は早産児または酸素欠乏児)に適当な温度，湿度，および通常は酸素を与えることによって人工的環境を保つこと）．***3*** 潜伏〔期〕（感染後最初の徴候または症候が現れるまでの無症候の進行期間）．

in·cu·ba·tor (in′kyū-bā′tōr). ***1*** ふ卵器，培養器，恒温器，インキュベータ（微生物の培養などのために好適な環境を保つ容器）．***2*** 保育器（通常は未熟児を，適当な酸素・湿度・温度下に保つための装置）．

in·cu·bus (in′kū-bŭs) [L. < *incubo*, to lie on]. 夢魔，悪夢（本来，眠っている人にのしかかり，圧迫する悪魔を意味する．特に，睡眠中女性と性交する男性悪霊をいう．*cf*. succubus）．

in·cu·dal (in′kū-dăl). きぬた骨の．

in·cu·dec·to·my (in′kū-dek′tō-mē) [incus + G. *ektomē*, excision]. きぬた骨切除〔術〕（鼓室からきぬた骨を除去すること）．

in·cu·des (in-kū′dēz) [L.]. incus の複数形．

in·cu·di·form (in-kū′di-fōrm) [L. *incus* (*incud-*), anvil]. きぬた状の．

in·cu·do·mal·le·al (in-kū′dō-mal′lē-ăl). きぬたつち骨の（きぬた骨とつち骨に関する．中耳のきぬた骨とつち骨の間の関節についていう）．＝ambomalleal.

in·cu·do·sta·pe·di·al (in-kū′dō-stā-pē′dē-ăl). きぬたあぶみ骨の（中耳のきぬた骨とあぶみ骨の間の関節についていう）．

in·cur·a·ble (in-kyūr′ă-bĕl). 不治の（内科・外科治療ともに効果がない疾患や病状についていう）．

in·cur·va·tion (in′kĕr-vā′shŭn). 内屈，屈曲（内側への屈曲）．

in·cus, gen. **in·cu·dis,** pl. **in·cu·des** (ing′kŭs, in-kū′dis, in-kū′dēz) [L. anvil][TA]. キヌタ(きぬた)骨（**[**誤った複数形 inci を避けること**]**．中耳にある 3 個の耳小骨のうち中央のもの．体と 2 個の脚または突起(きぬた骨長脚，きぬた骨短脚)を有する．長脚の先端には小頭(豆状突起)があり，あぶみ骨頭と連結する）．＝anvil.

in·cy·clo·duc·tion (in-sī′klō-dŭk′shŭn) [in- + cyclo- + L. *duco*, pp. *ductus*, to lead]. 内旋，単眼内旋運動，内回しひき（角膜の上極が内方に回転する回旋運動）．

in·cy·clo·pho·ria (in-sī′klō-fō′rē-ă) [L. in- + cyclo- + G. *phora*, a carrying]. 内旋斜位，内回し斜位（虹彩の 12 時の位置が内方に動く傾向にある回旋眼位）．

in·cy·clo·tro·pia (in-sī-klō-trō′pē-ă) [in- + cyclo- + G. *tropē*, a turning]. 内旋斜視（両眼の角膜上極が内側(内方)に回転した回旋斜視）．

IND investigational new drug(治験新薬)の略．

in d. ラテン語 *in dies*(毎日)の略．

in·dane·di·ones (in′dān-dī′ōnz). インダンジオン（ワルファリンに類似した作用を有する，間接作用型の経口抗凝固薬の一分類．臨床的にはアニシンジオンとフェニンジオンが使用されている．ジフェナジオンは長時間作用型であり殺鼠剤として用いられる）．

in·de·cid·u·ate (in′dē-sid′yū-āt). 無脱落膜哺乳類（出産時，胎盤を放出する際に子宮組織を脱落しない哺乳類(例えばウマ，ブタ)．脱落膜哺乳類(例えばヒト，イヌ，げっ歯類)とは異なる）．

in·den·i·za·tion (in-den′i-zā′shŭn) [*in-* + denizen]. ＝innidiation.

in·den·ta·tion (in′den-tā′shun) [Med.L. *indento*, pp. *-atus*, to make notches like teeth < L. *dens* (*dent-*), tooth]. ***1*** 窩入，圧入，窩洞形式（切込みまたはへこみをつくること）．***2*** 陥凹，へこみ．***3*** 鋸歯状態．

in·de·pen·dence (in′dē-pen′dens). 独立（① 2 つ以上の事象の中で，それらのいくつかの組合せに関する情報が，他の事象の組合せに対するいかなる情報ももたないという関係．② 2 つまたはそれ以上の自律的な構成単位が互いに分離している状態）．

causal i. 因果的独立（因果関係を共有しない(複数の因果関係が互いに独立である)ようなシステムの状態）．

stochastic i. 確率論における独立（2 つ以上の事象，変数が独立であること．同時確率あるいは同時分布がそれらの周辺確率あるいは周辺分布の積に等しいことをいう）．

INDEX

in·dex, gen. **in·di·cis,** pl. **in·di·ces, in·dex·es** (in′deks, -di-sis, -di-sēz, -dek-sĕz) [L. one that points out, an informer, the forefinger, an index < *in-dico*, pp. *-atus*, to declare]. [index of suspicion は隠語であり，単に suspicion というのと変わらない]. ***1*** [TA]. 示指，ひとさしゆび．＝index *finger*. ***2*** 指数，示数（ある物または部分の大きさ，容量，機能の他に対する関係を示す基準，指標，記号，または数．→quotient; ratio）．***3*** インデックス（1 本以上の歯の，他の歯や模型に対する相関的位置を記録，維持するために用いるコアまたは型）．***4*** 指標（通常，石膏でつくられ，歯や模型を再装着するのに用いる指標）．***5*** 尺度（疫学における評価尺度のこと）．

absorbancy i. ***1*** ＝specific absorption *coefficient*. ***2*** ＝molar absorption *coefficient*.

alveolar i. ***1*** ＝gnathic i. ***2*** ＝basilar i.

amnionic fluid i. (**AFI**) 羊水指数（超音波断層法で子宮腔を 4 分割し，それぞれの羊水ポケットの最大径を合計して表現する．妊娠中の羊水量推定に用いる）．

anesthetic i. 麻酔指数（麻酔状態を得るのに必要な麻酔薬単位数と呼吸不全または循環不全を起こすのに要する麻酔薬の単位数との比）．

ankle-brachial i. (**ABI**) 足首－上腕血圧比（足首と上腕の収縮期血圧の比をとることで動脈硬化による虚血状態を評価する．ABI が 1 ということは虚血がなく，ABI が 0.5 以下ということは重症な虚血の存在を疑わせる）．

antitryptic i. アンチトリプシン指数（現在では用いられない粘稠度の変化を指数で表したアンチトリプシンの検査法）．

apnea-hypopnea i. 無呼吸－寡呼吸指数（睡眠 1 時間当たりの無呼吸と寡呼吸のエピソード）．

Arneth i. (ahr-net′). アルネート指数（1 葉および 2 葉の多形核好中球の百分率に，3 葉の百分率の 1/2 を加えた値．正常値は 60%になる．→Arneth *formula*; Arneth *count*）．

auricular i. 耳介指数（耳介の長さに対する幅の比率．(耳介の幅×100)/耳介の長さ）．

Ayala i. アヤーラ指数（10 mL の脳脊髄液を取り除いたときの脳脊髄液指数）．＝Ayala quotient; spinal quotient.

basilar i. 矢状頭顔面指数（バジオン-プロスチオン距離と頭蓋最大長との比率で，次式で計算する．(Ba–Pr 長×100)/頭蓋長）．＝alveolar i. (2).

Beck Depression I. ベックうつ病尺度（気分，悲観，社会的引きこもり，睡眠障害，体重減少，健康への執着といった 21 のうつ病の特徴を検査する尺度．21 点以上で有意なうつ病を示している）．

bispectral i. バイスペクトラル指数（時間の要素を加味した尺度．脳波の周波数とバイスペクトラル解析により求める．臨床的に鎮静の程度や麻酔の深度と相関する）．

Bödecker i. (bod′ĕ-kĕr). ベーデッカー指数（dmf(DMF)う食指数の変型）．

body mass i. (**BMI**) [MIM*606641]. ボディマス指数（体格を表す人体形測学上の方法．体重(kg)を身長(m)の 2 乗で除した値で定義される(kg/m^2)．肥満度を表す示数）．

buffer i. 緩衝指数．＝buffer *value*.

cardiac i. 心係数（ある単位時間内に心臓より駆出された血液の量を体表面積で除したもので，通常，$L/min/m^2$ で表す）．

centromeric i. 動原体率（全染色体の長さに対するその短腕部の長さの比率．通常，百分率で表す）．

cephalic i. 頭指数（軟部を含んだ頭部の最大幅と最大長の比で，次式で求められる．(幅×100)/長さ）．＝length-breadth i.

I

cephaloorbital i. 頭眼窩指数（頭の容積に 100 を乗じた値を両眼窩の容積で除した比）.

cerebral i. 大脳指数（頭蓋腔の横径と前後径との比に 100 を乗じたもの）.

cerebrospinal i. 脳脊髄〔液〕指数（髄液の最終圧値を採取した髄液量で乗じた数を，最初の髄液圧値で除したもの）.

chemotherapeutic i. 化学療法指数（化学療法剤の最小有効量と最大耐量との比．寄生体と宿主に対する治療薬の相対毒性を表すために Ehrlich によって最初に用いられた）.

chest i. 胸指数．＝thoracic i.

cranial i. 頭〔蓋〕指数（頭蓋の最大幅の最大長に対する比．(幅×100)/長さ）.

Cumulative I. Medicus 毎年出版される医学文献集．南北戦争の終わりに米国陸軍外科局で始められ，現在では米国国立医学図書館に引き継がれ，さらに MEDLINE とよばれるデータベースに発展している．

Dean fluorosis i. (dēn). ディーンフッ素症指数（斑状歯の程度を測る指数．疫学の分野でよく用いる）.

def caries i., DEF caries i. def う食指数，DEF う食指数（乳歯(小文字で表記)および永久歯(大文字で表記)のう食罹患(decayed)，喪失(extracted)，および充填された(filled)歯の数に基づいて過去のう食経験を表す指数）.

degenerative i. 変性指数（中毒性顆粒を細胞質中に含んだ顆粒球の全顆粒球に対する百分率）.

dental i. (**DI**) 臼歯列指数（①臼歯列長(第一小臼歯の近心面から第三大臼歯の遠心面までの距離)のバジオン・ナジオン距離に対する比．(歯長×100)/Ba–Na 長．②それぞれの歯の相対的な大きさを表す数値系）．＝Flower dental i.

df caries i., DF caries i. df(DF)う食指数（う食罹患(decayed)および充填された(filled)乳歯(小文字で示す)または永久歯(大文字で示す)の数に基づいて，過去のう食経験を表す指数）．＝df; DF.

diet quality i. 食事品質指数（食物と栄養素の消費に関する国立科学会議(NAS)からの 8 項目の勧告に準拠した食事の品質の評価法．標準に合っていれば 0，標準からの差が 30%以内なら 1，30%以上かけはなれていれば 2 とする．したがって指数は 0—16 となり，低いほど良い．NAS の勧告では，総脂肪摂取量は総エネルギーの 30%以下，飽和脂肪酸はエネルギーの 10 %より少し，コレステロールの 1 日摂取量は 300mg より少し，野菜や果物を 1 日 5 回以上摂取，パン・穀物・豆を 1 日 6 回以上摂取しデンプンや複合炭水化物の摂取量を増す，蛋白の摂取は中等量(RDA の 2 倍以下)に保つ，ナトリウムの1日摂取量は 2,400mg 以下に制限，十分なカルシウム摂取(RDA の量くらい)を保つとなっている）.

dmfs caries i., DMFS caries i. dmfs(DMFS)う食指数（う食罹患(decayed)，喪失(missing)，および充填(filled)された乳歯(小文字で示す)または永久歯(大文字で示す)の歯面(surface)の数に基づいて，過去のう食経験を表す指数）.

effective temperature i. 快適温度指数，実効温度指数（気温，湿度，風速を種々に組み合わせた条件下で比較された外界の快適度を示す複合指数）．＝effective temperature.

empathic i. 感情移入指数（保健所関係者などが他人に対して行った情緒的理解または感情移入の程度．ある情緒的・身体的状態にある患者に特に用いる指数）.

endemic i. 地方病指数，地域流行指数（ある地域内で，マラリアその他の流行病に感染している小児の百分率）.

erythrocyte indices 赤血球恒数（赤血球の平均サイズ，ヘモグロビン含量，ヘモグロビン濃度の計算値．平均赤血球容積(MCV)，平均赤血球ヘモグロビン含量(MCH)，平均赤血球ヘモグロビン濃度(MCHC)のこと．赤血球系疾患の分類と診断によく使われる）.

facial i. 〔形態学〕顔〔面〕指数（顔の長さと両頬骨弓間の顔幅との割合．上顔面指数 **superior facial i.** を求めるには，ナジオンからプロスチオンまでの長さを測る．(Na–Pr 長×100)/頬骨弓幅．全顔面指数 **total facial i.** を求めるには，ナジオンからグナチオンまでの長さを測る．(Na–Gn 長×100)/頬骨弓幅）.

Flower dental i. (flow′ĕr). フラワー歯牙指数．＝dental i.

free thyroxine i. (**FTI**) 遊離サイロキシン指数（トリヨードサイロニン取り込みに血清サイロキシン濃度を乗じて得られる任意数値．これはサイロキシン結合グロブリン濃度の変動を是正し，臨床的には十分正確な，生理学的に活性な遊離サイロキシン値を示す．直接測定などによる遊離サイロキシンの測定のほうがより正確な値が得られる）.

glycemic i. 血糖上昇指数（種々の食物の血糖上昇能のランク）.

gnathic i. 顎指数（バジオン–プロスチオン距離とバジオン–ナジオン距離との関係．(Ba–Pr 長×100)/Ba–Na 長．上顎骨または上顎の突出度を示す）．＝alveolar i. (1).

health status i. 健康状態指標，健康水準指標（ある人口集団における構成員の健康状態の短期間の変動を検出できる調査可能な一連の変数．これには身体機能，精神的安定，日常生活活動，感情などが含まれる）.

height-length i. ＝vertical i.

impact i. インパクトインデックス（歩行評価に用いられる指数で，体重百分率で表す非荷重肢の最大挙上力）.

International Prognostic I. 国際予後指標(因子)（非 Hodgkin リンパ腫の予後予測に使用されるスケール．ⓘ年齢(60 歳～)，ⓘⓘ病期(臨床ステージ III ～)，ⓘⓘⓘ血清 LDH 高値，ⓘⓥリンパ節外病変が 2 か所以上，ⓥ日常の活動性(PS)指標が不良(PS2 以上)の 5 つの因子からなる）.

international sensitivity i. (**ISI**) 国際感度指数（正常人および安定した経口抗凝固剤療法を受けている患者の双方について，標準試薬で得られたプロトロンビン時間の対数と実際に用いられる試薬で得られたプロトロンビン時間の対数とを相関させた直線の勾配．この補正に用いる標準試薬は，WHO の標準試験で較正した基準品である．*cf.* international normalized *ratio*）.

iron i. 鉄指数（現在では使用されない臨床検査値で，赤血球数と血液中の鉄の正常値から計算される）.

karyopyknotic i. 核濃縮指数（剝脱した腟細胞とその形態より患者のホルモンの状態を推定する指数．腟扁平上皮細胞由来の中間細胞と濃染核をもつ表層細胞との比率を百分率で表したもの）.

length-breadth i. 長幅指数．＝cephalic i.

length-height i. ＝vertical i.

leukopenic i. 白血球減少指数（ある食物に対して患者が過敏である場合，これを摂取した後に白血球数が有意な減少を示すことがある．正常空腹時における白血球数を食後の数値の基準として計算する）.

lift-up i. 持ち上げ指数（歩行評価で用いられるもので，利き足の最大挙上力を体重百分率で表したもの）.

maturation i. 成熟指数（腟上皮における成熟程度を表す指数．腟上皮から剝脱した細胞の型によって判定される．この指数は，ホルモンの分泌や反応を評価する際に客観的な手段となる．また，傍基底細胞，中間細胞，表層細胞の順にそれら百分率を表す．〝左方への移動〟は，表面により多くの未成熟細胞が存在すること(萎縮)を表し，〝右方への移動〟は，上皮がより成熟していることを表す）.

metacarpal i. 中手 II—V までの，長さと幅の平均比．この比は Marfan 症候群においては増大する．

mitotic i. 有糸分裂指数（有糸分裂中の細胞数の組織内での割合．組織切片のある一定の面積中の分裂細胞の数または全細胞数に対する百分率でしばしば表される）.

molar absorbancy i. ＝molar absorption *coefficient*.

nasal i. 鼻指数（頭骨で梨状口の最大幅と，ナジオンと梨状口の下縁とを結ぶ直線の長さとの関係．(梨状口幅×100)/鼻高）.

nucleoplasmic i. 核指数（核の体積を細胞質の体積で除した指数）.

obesity i. 肥満指数（体重を体積で除したもの）.

opsonic i. オプソニン指数（感染性疾患患者血液中のオプソニンの相対含有量を表す値で，*in vitro* で正常と推定される血液と比較することにより測定され，次の式に求められる．正常血清の食細胞指数÷被検血清の食細胞指数＝1÷x．xはオプソニン指数）.

orbital i. 眼窩指数（眼窩の高さと幅との関係．(眼窩高×100)/眼窩幅）.

orbitonasal i. 眼窩鼻根指数，鼻根隆起度指数（巻尺で弧状に測定した外眼角間の距離の 100 倍を外眼角間直線距離で除した値）.

palatal i., palatine i. ＝palatomaxillary i.

palatomaxillary i. 第二大臼歯中央位置の歯槽弓外縁間に

おいて測った口蓋幅と，プロスチオンから両上顎骨後縁に接する横断線の中点までを測った口蓋長との関係．(口蓋幅×100)/口蓋長．この指数は歯槽弓，口蓋の形状を表す．＝palatal i.; palatine i.

Pearl i. (pĕrl). パール指数（100 例の女性の年間平均の避妊失敗数）.

pelvic i. 骨盤指数（骨盤入口部の結合径と横径との比．(前後径×100)/横径）.

Periodontal I. (PI) ペリオドンタルインデックス（歯周疾患の疫学的分類のための指数）.

Periodontal Disease I. (PDI) 歯周疾患指数（歯周病の程度を評価するための指数．歯肉炎，ポケット，歯石，歯垢，摩耗，動揺度，コンタクトの喪失を計測する）.

phagocytic i. 食作用係数（細菌またはその他の粒子と多形核白血球などの食細胞を混合し，37°C にふ置した後，細胞質中に観察される細菌またはその他の粒子の平均数．貪食される粒子の平均数ないし血液または培養液から粒子が除去される速度を反映するとされる）.

Pirquet i. ピルケーの指数（座高(cm)を体重(g/10)で除した値で，栄養不良度を表す指数．この商の立方根の値が 0.945 以下なら栄養不良と判定される．現在では使用されない）.

Plaque I. プラーク指数（口腔衛生状態を評価する指数．歯肉縁に近接した部位に存在する歯垢の量を測定する）.

PMA i. PMA指数（乳頭，歯肉縁，付着歯肉に起こるような，歯肉の炎症の有無を計る指数）.

ponderal i. 体重の立方根を 100 倍し，身長(cm)で除したもの.

pressure-volume i. 圧－容積指数（脳脊髄液の流体力学的評価法）.

pulsatility i. 子宮，胎盤，胎児循環で，超音波 Doppler 法により収縮期および拡張期血流速度から算出する指標(循環抵抗を意味する).

refractive i. (*n*) 屈折率（空気中の光の速度に対する他の媒質中の光の相対速度．例えば，空気とクラウンガラスとでは $n=1.52$．空気と水とでは $n=1.33$．→*law* of refraction）.

Ritchie i. リッチー指数（関節リウマチ患者の関節の圧痛を評価するために汎用されている関節指数．関節(例えば，肩，肘，手，股関節)の関節裂隙に強い圧迫を加えた場合にみられる圧痛の程度(0：圧痛なし，1：圧痛あり，2：たじろぐほどの圧痛，3：たじろぐとともに肢を引っ込めるほどの圧痛)を合計したもの）.

Robinson i. (rob′in-sŏn). ロビンソン係数（心負荷を客観的に示すのに計算された係数．⇀double *product*）.

Röhrer i. (rer′ĕr). レーラー指数（体重のグラム数を 100 倍し，身長のセンチメートル数を 3 乗して除したもの）.

root caries i. 根面う食指数（根面にう食病変をもった歯および(または)根面に修復処置を行った歯の数の，根面の露出した歯の総数に対する比）.

sacral i. 仙骨指数（仙骨の最大幅を 100 倍し，長さで除すことにより得られる値）.

saturation i. 飽和指数（赤血球中のヘモグロビンの相対濃度を表すもので，次のように求める．100 mL 中のヘモグロビンのグラム数の正常値に対する百分率÷ヘマトクリット値の正常値に対する百分率＝飽和指数．成人および乳児の正常な飽和指数は 0.97—1.02 で，原発性・続発性貧血においては，通常，0.97 をかなり下回る）.

Schilling i. (shil′ing). シリング指数．＝Schilling *blood count*.

shock i. ショック指数（心拍数を収縮期血圧で除した値で，正常では 0.5 前後だが，ショック時には(脈拍数が増加して血圧が低下するため)，1.0 にまでなることがある）.

short increment sensitivity i. SISI 検査（音圧のわずかな上昇(1 dB)を認知できた割合．蝸牛の障害ではこの指数が正常よりも高くなる）.

splenic i. 脾〔臓〕指数（特定地域におけるマラリアの汚染度を大まかに表すもの．当該地域住民における脾腫の相対的な蔓延度によって判断される）.

staphyloopsonic i. ブドウ球菌オプソニン指数（ブドウ球菌感染に関するオプソニン指数．黄色ブドウ球菌 *Staphylococcus aureus* の幼若培養，または患者から採取されたブドウ球菌の菌株を検査に使用する）.

stroke work i. 1 回仕事量係数(指数)（心臓が 1 回収縮した際の仕事を表す指標で，体表面積で補正したもの．1 回拍出量に動脈圧を乗じた値を体表面積で除した値に等しい．正常心では 40 g/m² を超えない）.

therapeutic i. 治療指数（LD_{50} と ED_{50} との比．薬物の定量比較に用いる）.

thoracic i. 胸郭指数（胸郭の矢状径を 100 倍し，胸郭横径で除したもの）．＝chest i.

tibiofemoral i. 脛大腿骨指数（脛骨の長さを 100 倍し，大腿骨の長さで除すことにより得られる値）.

transversovertical i. ＝vertical i.

tuberculoopsonic i. 結核菌オプソニン指数（結核感染に関するオプソニン指数．ヒト結核菌 *Mycobacterium tuberculosis* の活発に増殖している培養，あるいは患者から採取した結核菌の菌株を検査に用いる）.

ultraviolet i. 紫外線指数（米国国立気象サービスによって色々な地域で毎日発表されるもので，翌日の正午ごろの地表に達する危険な紫外線の量を予報する）.

uricolytic i. 尿酸分解指数（排泄前に酸化されてアラントインに変化する尿酸の百分率）.

vertical i. 長高指数（頭蓋の高さと長さの関係．(高さ×100)/長さ）．＝height-length i.; length-height i.; transversovertical i.

vital i. 出産死亡率（ある集団の一定期間内における出産と死亡の比）.

Volpe-Manhold I. (V-MI) ヴォルピー－マンホールドの歯石指数（異なる患者の歯石の量を比較するための指数）.

volume i. 容積指数，体積指数（赤血球の相対的な大きさ(すなわち体積)を表すもので，次のごとく求められる．正常値に対する百分率で表したヘマトクリット値÷正常値に対する百分率で表した赤血球数＝容積指数）.

zygomaticoauricular i. 頬骨耳介指数（頭蓋または頭部の頬骨と弓幅と耳孔部(ポリオンまたはトラドオン)間の距離との比）.

---

in·di·can (in′di-kan). インジカン（①藍属 *Indigofera* やアイ *Polygonum tinctorium* の種から得られるインドキシル β-D-グルコシド．インジゴの原料．＝plant i. ②汗と尿中に(塩として)見出される物質．多量にみられる場合は腸内で蛋白の腐敗を示す(インジカン尿)．別名 3-indoxylsulfuric acid．＝metabolic i.; uroxanthin）.

metabolic i. 代謝インジカン．＝indican (2).

plant i. 植物インジカン．＝indican (1).

in·di·can·i·dro·sis (in′di-kan′i-drō′sis) [indican＋G. *hidrōs*, sweat]. インジカン汗〔症〕（汗中にインジカンが排出されること）.

in·di·cant (in′di-kant) [L. *in-dico*, pres. p. *-ans*(*-ant*), to point out]. ***1***〘adj.〙指示する．***2***〘n.〙指示症状（特に療法の適正な方向を指示する症状）．＝indication.

in·di·can·u·ri·a (in′di-kan-yū′rē-ă). インジカン尿〔症〕（尿中へのインジカンの排出が増大すること．インジカンはインドールの誘導体で，主に腸内で蛋白が腐敗した際に生成される．インドールは他の場所で蛋白が腐敗した場合にも生成される）.

in·di·ca·tion (in′di-kā′shŭn) [L. < *in-dico*, pp. *-atus*, to point out < *dico*, to proclaim]. 適応〔症〕，適用，指示，指標（ある疾患の治療または診断上の検査を始めるにあたって基準となるもの．これは，原因を知ることによって(原因適応 causal i.)もあれば，現症状によって(対症適応 symptomatic i.)，または当該疾患の特性によって(特異適応 specific i.)与えられる場合もある）.

off label i. 適応外使用（薬物を FDA で承認されている以外の臨床目的で治療に用いること）.

in·di·ca·tor (in′di-kā′tŏr, -tōr) [L. one that points out]. ***1*** 指示薬（化学分析において，pH または酸化電位のある一定範囲内で変色する，あるいは何らかの方法で化学反応の完了を視認可能にする物質．例えば，リトマス，フェノールスルホンフタレイン）．***2*** インジケータ（トレーサとして用いられる同位元素）．***3*** インジケータ（標識物質で，ある系での反応物間でのその分布により存在する被検体を定量することに用いる）.

I

alizarin i. アリザリン指示薬（蒸留水 100 mL に溶解したアリザリンスルホン酸ナトリウム1gを含む溶液．胃の内容物の遊離酸度の指数薬として用いる）．

clinical i. 臨床指標（特定の臨床状況を判断し施された治療が適切であったかどうかを示すのに用いる尺度，プロセスまたは結果）．

health i. 健康指標（ある地域社会の人々の健康状態を示す，直接測定可能な変数）．

oxidation-reduction i. 酸化還元指示薬（特定の酸化電位において一定の変色を示す物質）．＝redox i.

redox i. ＝oxidation-reduction i.

in·di·ces (in′di-sēz). index の複数形の１つ．

In·di·el·la (in′dē-el′ă). *Madurella* の旧名．

in·dig·e·nous (in-dij′ĕ-nŭs) [L. *indigenus*, born in < *indu*, within(*in* の古い形) + G. *-gen*, producing]. 土着の，固有の（その国または地方本来のものである）．

in·di·ges·tion (in′di-jes′chŭn). 消化障害，消化不良（消化管における食物の適正な消化吸収の不良が原因でみられる様々な症状について用いる不適切な語）．

acid i. 胃酸過多（過酸症が原因の消化障害．しばしば，日常会話で胸焼け pyrosis と同義に用いる）．

fat i. 脂肪消化不良．＝steatorrhea.

gastric i. 胃性消化不良．＝dyspepsia.

nervous i. 神経性消化不良（情動的乱れによって起こる消化不良）．

in·di·go (in′di-gō) [L. *indicum* < G. *indikon*, indigo: *Indikos*(Indian)の中性形][C.I. 73000]. インジゴ（*Indigofera tinctoria* およびマメ科藍属 *Indigofera* の他の種類から得られる青色染色．合成的にも製造される）．＝indigo blue; indigotin.

in·di·go blue (in′di-gō blū). ＝indigo.

in·di·go car·mine (in′di-gō kar′mīn) [C.I. 73015]. インジゴカルミン（青色の色素で，腎機能の測定および Negri 小体の特別染色に用いる）．＝sodium indigotin disulfonate.

in·dig·o·tin (in-dig′ō-tin, in-di-gō′-tin). インジゴチン．＝indigo.

in·di·go·u·ri·a, in·di·gu·ri·a (in′di-gō-yū′rē-ă, in-di-gyū′rē-ă). インジゴ尿〔症〕（尿中にインジゴが排泄される状態）．

in·dis·po·si·tion (in′dis-pō-zish′ŭn) [L. *in-* 否定辞 + *dispositio*, an arrangement < *dispono*, pp. *-positus*, to place apart]. 不快，通常，軽症の疾患．

in·di·um (In) (in′dē-ŭm) [*indigo* スペクトルの青色線による]. インジウム（金属元素で，原子番号 49，原子量 114.82）．

in·di·um 111 (in′dē-um). インジウム111（サイクロトロンによって産生される放射性核種で，半減期 2.8049 日，171.2 および 245.3 keV のガンマ線を放出する．塩化物の形では骨髄および腫瘍のシンチグラフィに，キレート化合物の形では髄液のシンチグラフィに用いる．また白血球標識試薬や抗体標識として用いられる）．

i. chloride, i. trichloride 塩化インジウム－111，三塩化インジウム－111；Cl_3In（薄切組織標本中の核酸を染め，電子顕微鏡で観察するのに使う）．

in·di·um 113m (in′dē-um). インジウム113m（^{113}In の放射性同位体．半減期は 1.658 時間．大槽造影および心拍出量の診断補助に用いられる）．

in·di·vid·u·a·tion (in′di-vid′yū-ā′shŭn). ***1*** 個人化，個体化（種族固有のものから個体固有のものを発達させること）．***2*** 個性化，個別化（Jung 心理学において，個人の人格が他と区別されて発達し，表現されていく過程）．***3*** 個性化（胚子においてオルガナイザの働きに応じて，地域性実現活動が起きること）．

in·do·cy·a·nine green (in′dō-sī′ă-nēn grēn). インドシアニングリーン（血清アルブミンと結合するトリカルボシアニン色素で，血液量の測定および肝機能検査に用いる）．

in·do·cy·bin (in′dō-sī′bin). ＝psilocybin.

in·dol·ac·e·tu·ri·a (in′dōl-as′ĕ-tyū′rē-ă). インドール酢酸尿〔症〕（多量のインドール酢酸が尿中に排出される病態．Hartnup 病の所見の１つであるが，カルチノイド患者にも認められる）．

in·dol·a·mine (in-dol′ă-mēn). インドールまたは第一，第二，第三アミンをもつインドール誘導体(例えばセロトニン)の総称．

in·dole (in′dōl). インドール（[誤ったつづり indol を避けること]．① 2,3-benzopyrrole; 多くの生物学的活性を有する物質(例えば，セロトニン，トリプトファン)の基礎物質．トリプトファンの分解生成物．＝ketole. ②インドールを含有する多くのアルカロイドのいずれかを示す）．

in·do·lent (in′dō-lent) [L. *in-* 否定辞 + *doleo*, pr. p. *dolens* (*-ent-*), to feel pain]. 無痛〔性〕の，不活性の（病気の過程についていう）．

in·dol·ic ac·ids (in-dōl′ik as′idz). インドール酸（体内または腸内細菌により産生される L-トリプトファンの代謝産物．尿中にみられるインドール酸類の主なものはインドール酢酸，インドールアセチルグルタミン，5-ヒドロキシインドール酢酸，インドール乳酸である）．

in·do·log·e·nous (in′dō-loj′ĕ-nŭs). インドール産生〔性〕の．

in·do·lu·ri·a (in′dō-lū′rē-ă). インドール尿〔症〕（インドールが尿中に排泄される状態をいうが，インドール自体が尿中に排泄されるのはまれで，通常，実際にみられるものはインドール酸類やインドキシルである）．

in·do·lyl (in′dō-lil). インドリル（インドールの基）．

in·do·meth·a·cin (in′dō-meth′ă-sin). インドメタシン（強力な鎮痛性，解熱性，抗炎症性の非ステロイド薬で，種々の関節疾患の急性悪化の治療に用いる．幼児の動脈管開存を閉鎖させるためにも用いられる）．

in·do·phe·nol·ase (in′dō-fē′nol-ās). インドフェノラーゼ．＝cytochrome *c* oxidase.

in·do·phe·nol ox·i·dase (in′dō-fē′nol oks′i-dās). インドフェノールオキシダーゼ．＝cytochrome *c* oxidase.

in·dox·yl (in-dok′sil). インドキシル（3-ヒドロキシインドールの基．インドール酢酸の腸内細菌による分解産物で，インドールアセツル酸(グリシンと抱合したもの)，硫酸塩(尿インジカン)，またはグルクロニド(グルコシドウロン酸)の形で尿中に排泄される．フェニルケトン尿症においては量が増大する）．

in·dox·yl·u·ri·a (in-dok′sil-yū′rē-ă). インドキシル尿〔症〕（インドキシル基，特に硫酸インドキシルが尿中に排泄される状態．インジカンが加水分解されることによりインドキシル基が生成されるため，インドキシル尿症はインジカン尿症を伴う場合がある）．

in·duce (in-dūs′). 誘発する，誘導する，感応させる，招来する（→induction）．

in·duc·er (in-dūs′ĕr). 誘発因子，誘導物質，インデューサ（分子，それも通常は特定の酵素経路の基質で，(調節遺伝子によってつくられた)活性リプレッサと結合し，これを非活性化する．この結果，それまで抑制されていた作動遺伝子(オペレータ)が構造遺伝子を活性化し，酵素産生を引き起こす．これが誘導酵素系における酵素産生を調節するための恒常性機構である）．

embryonal i. 胚性誘導物質（発生の初期段階で分化に影響を及ぼす化合物）．

gratuitous i. 無償性誘導物質（誘導される酵素の基質としては供しないがオペロンを誘導することができる天然性誘導物質の類似体）．

in·duc·tance (L) (in-dŭk′tans) [→induction]. 自己感応係数，インダクタンス（電磁誘導係数．インダクタンスの単位はヘンリー）．

in·duc·tion (in-dŭk′shŭn) [L. *inductio*, a leading in]. [inducement と混同しないこと]. ***1*** 誘発，誘致．***2*** 誘導，感応（隣接した個体内の電気または磁性によってもう一方の個体内の電流または磁性を生じること）．***3*** 導入（麻酔を開始してから，それが外科的手法を行うに十分な麻酔深度に達する期間）．***4*** 誘導（発生学において，隣接する細胞の分化や構造の発生に対してのオルガナイザが及ぼす影響）．***5*** 誘導（片親あるいは両親の生殖細胞に対する環境の作用によって子孫に現れる変異）．***6*** 誘導，誘発（微生物学において，プロバクテリオファージが増殖期ファージに変化すること．これは自然に起こる場合もあれば，何らかの物理的・化学的因子による刺激を受けて起こる場合もある）．***7*** 誘導（酵素学において，蛋白の量または活性を増大させる過程．→inducer）．***8*** 導入（催眠の過程における一段階）．***9*** 誘導（原因分析において，１つ以上の特異的観察からより一般的定理に推論する理由付けの方法．*cf.* deduction)．***10*** 誘発，誘導（遺伝子調節の過程でリプレッサが不活化されること）．

electromagnetic i. 電磁誘導（磁場を横切るように電気伝導体が動く時に，その内部に電流が生じる現象）．

lysogenic i. 溶原性誘導（プロファージが，接合または形質導入によって非溶原性細菌に移入した場合に起こる誘導）．

spinal i. 脊髄感応（ある知覚刺激が，もう 1 つの知覚刺激に対する閾値を低下させること）．

in·duc·tor (in-dŭk′tŏr, -tōr)．誘導物質（①誘導を引き起こすもの．②発生学において，喚起因子あるいは形成体）．

in·duc·to·ri·um (in′dŭk-tō′rē-ŭm)．以前，生理学的検査において用いられた器械で，神経または筋肉を刺激するために誘導電流を発生させるもの．

in·duc·to·therm (in-dŭk′tō-therm)．感応熱気に際して用いる装置．

in·duc·to·ther·my (in-dŭk′tō-ther′mē) [induction + G. *thermē*, heat]．感応熱気（電磁誘導を用いて，人工的に熱をつくり出すこと）．

in·du·lin (in′dū-lin) [C.I. 50400—50415]．インジュリン（ニグロシン nigrosin に関連する青色のキノンイミン色素で，ときに組織学および細菌学において染色で用いる）．

in·du·lin·o·phil, in·du·lin·o·phile (in′dū-lin′ō-fil, -fil) [indulin + G. *philos*, fond]．インジュリン好染色の（インジュリン染料に容易に染まる）．

in·du·rat·ed (in′dū-rāt′ĕd) [L. *in-duro*, pp. *-duratus*, to harden < *durus*, hard]．硬化した，硬結した（通常，軟組織が，骨ほどではないが極度に硬くなった状態をさす）．

in·du·ra·tion (in′dū-rā′shŭn) [L. *induratio*(→indurated)]．硬化，硬結，硬変（①極度に硬くなる過程，あるいはそのような物理的特徴をもつこと．②硬化した組織の病巣または部位．＝sclerosis (1))．

brown i. of the lung 肺の褐色硬化（肺の硬化および肺胞内のヘモジデリンの沈着したマクロファージによる褐色を特徴とする状態で，心疾患による長期うっ血の結果起こる)．＝pigment i. of the lung.

cyanotic i. 紫藍色硬化（臓器や組織における持続的，慢性的な静脈のうっ血によるもので，しばしば静脈壁の線維性肥厚および隣接組織の線維化をもたらす．病変部位は正常よりも硬くなり，異常な赤青色を有する傾向がある）．

gray i. 灰白色硬化（吸収不全がある肺炎の過程およびその後に肺に生じる状態．肺胞壁および肺胞内に線維性結合組織が顕著な増加を示す(例えば，滲出液の線維性の器質化)．褐色硬化とは対照的に，通常，慢性的な受動性充血がないかぎり色素沈着は著しくない）．

pigment i. of the lung ＝brown i. of the lung.

plastic i. 形成性陰茎硬化（陰茎海綿体の硬化症）．

red i. 赤色硬化（高度の急性受動性充血，急性肺炎，または類似の病理学的過程を有する肺において観察される状態）．

in·du·ra·tive (in′dū-rā′tiv)．硬化〔性〕の．

in·du·si·um, pl. **in·du·sia** (in-dū′zē-ŭm, -zē-ă) [L. a woman's undergarment < *induo*, to put on]．***1*** 被膜，被包（膜様の層または被覆）．***2*** 羊膜．＝amnion.

i. griseum [TA]．灰白層（脳梁上面にある灰白質の薄い層で，その中を内側および外側縦条が走っている．灰白層は海馬が退化したものであって，後方には，脳梁膨大を回って小帯回または灰白小束へ続く．この細い脳回は，ここから海馬の歯状回または歯状膜へつながる．灰白層は前方には，脳梁膝および脳梁吻を回り，嗅三角に向かって蓋ひもまたは海馬痕跡として頭方へのびるが，このとき，終板傍回または交連前中隔の前縁を境する後嗅傍溝の深部を通る)．＝supracallosal gyrus.

-ine (īn, ēn) [G. *-inos*, L. *-inus*, adj. suffixes]．***1*** 化学物質の命名に用いられる接尾辞．ハロゲン(例えば chlorine)，有機塩基 (guanine)，アミノ酸 (glycine)，植物成分 (caffeine)，医薬品 (meperidine) 他．***2*** 一般的形容詞接尾辞(例えば equine, uterine)．***3*** ラテン語 *dim.*(半分)の接尾辞(例えば cholenine)．

in·e·bri·ant (in-ē′brē-ănt) [→inebriety]．***1***〘adj.〙酩酊させる，中毒させる．***2***〘n.〙酩酊薬（アルコールなど）．

in·e·bri·a·tion (in-ē′brē-āshŭn) [→inebriety]．酩酊（特にアルコールによる酩酊）．

in·e·bri·e·ty (in′ē-brī′ĕ-tē) [L. *in-*, intensive + *ebrietas*, drunkenness]．飲酒癖（アルコール過飲を常習とする癖）．

In·er·mi·cap·si·fer (in-ĕr′mi-cap′si-fĕr)．イネルミカプチフェル（条虫類属(円葉目)．1935 年に発見される．節足動物が媒介していると考えられている(げっ歯類からヒト，ヒトからヒト))．

I. madagascariensis イネルミカプチフェルマダガスカリエンシス（キューバの 1—3 歳の小児にしばしばみられる，人に感染する条虫であり，あいまいな消化器症状を呈する．節足動物の媒介が疑われている．片節，卵，卵殻が方形条虫(*Raillietina*線虫)に類似している）．

in·ert (in-ert′) [L. *iners*, unskillful, sluggish < *in-* 否定辞 + *ars*, art]．***1*** 鈍い，遅鈍な，不活発な（動きの遅い，惰性的な)．***2*** 活性のない，化学作用を起こさない（不活性ガスのように化学的に活発な性質すなわち活性に欠ける)．***3*** 非活性の，不活性の（薬理学的または治療上の作用がない薬物についていう)．

in·er·tia (in-er′she-ă, in-ĕr′shă) [L. want of skill, laziness]．***1*** 慣性（静止している点から動かそうとしたり，または等速運動を変えさせようとする力に対して抵抗する物体の性質)．***2*** 無気力，活動力欠如（不活発であること，力の欠如を表す．精神的または身体的活力の欠如．思考や活動が活発でないこと)．

magnetic i. 磁性慣性．＝hysteresis (2).

psychic i. 精神慣性（精神医学用語で，観念の何らかの変更または進歩に対する抵抗をさす．観念の固定)．

uterine i. 陣痛微弱，子宮無力〔症〕(分娩中の有効な子宮収縮の欠如．**primary uterine i.**(原発性陣痛微弱)，**true uterine i.**(真性陣痛微弱)は，子宮頸管の継続的開大と展退を起こさせる，または児頭の下降と回旋を起こさせるのに十分な子宮収縮力がない状態で，収縮の極期においても子宮壁を容易にへこませることができる．**secondary uterine i.**(続発性陣痛微弱)は，子宮収縮が最初は活勢であるがその後に減弱して分娩停止に至る)．

in ex·tre·mis (in eks-trē′mis) [L. *extremus*, last]．臨終に，死に際して．

in·fan·cy (in′făn-sē)．新生児期，乳児期（子宮外生活の最初の期間．大まかには生後の 1 年間)．

in·fant (in′fănt) [L. *infans*, not speaking]．乳児（1 歳以下の小児)．

i. Hercules 乳幼児ヘルクレス（男性化をもたらす副腎皮質の病変により起こる早熟な性的・筋肉的発育を有する年少小児に対して用いる語)．

liveborn i. 生産児（出産後に生命現象の徴候を示す新生児．出産後，以下の 1 つが観察されれば生命が存在すると考えられる．ⓘ新生児が呼吸する，ⓘⓘ新生児の心臓が拍動を示す，ⓘⓘⓘ臍帯の拍動がある，ⓘⓥ随意筋の明確な運動がある)．

postmature i. 過熟児（在胎 42 週以降に出生した新生児で，胎盤機能不全のためのリスクがある．児はたいてい皮膚のしわが多く，ときに重篤な奇形を合併する)．

postterm i. 過期〔産〕児（在胎月齢が満 42 週(294 日)以上の新生児)．

preterm i. 早期〔産〕児（在胎月齢が 20 週以上満 37 週(259 日)未満の新生児)．

stillborn i. 死産児（在胎 20 週を超え出生後に生命が存在する徴候を示さない新生児．*cf.* liveborn i.)．

term i. 満期〔産〕児，正期産児（在胎月齢が満 37 週(259 日)以上，満 42 週(294 日)以下の新生児)．

in·fan·ti·cide (in-fan′ti-sīd) [infant + L. *caedo*, to kill]．***1*** 嬰児殺し．***2*** 殺児者．

in·fan·tile (in′făn-tīl)．[本語のもつ否定的および軽蔑的な響きは，文脈によっては不快な表現になるかもしれない]．***1*** 乳児の，乳児期の．***2*** 子供っぽい（子供じみた振舞いについていう)．

in·fan·ti·lism (in-făn′ti-lizm)．幼稚症（[本語のもつ否定的および軽蔑的な響きは，文脈によっては不快な表現になるかもしれない]．①精神および身体の発育が遅い状態．＝infantile dwarfism．②青年や成人のかんしゃく発作に特徴付けられるような子供っぽさ．③性器の発育不全)．

Brissaud i. (brē-sō′)．ブリソー幼稚症．＝infantile *hypothyroidism*.

dysthyroidal i. 甲状腺〔機能〕不全性幼稚症．＝infantile *hypothyroidism*.

hepatic i. 肝性幼稚症（肝疾患が原因でみられる発育の遅れ）.

hypophysial i. 下垂体性幼稚症（視床下部からの成長ホルモン分泌刺激ホルモンの分泌不全による成長ホルモン分泌不全症．somatocrinin ともよばれる）.

hypothyroid i. 甲状腺〔機能〕低下性幼稚症．＝infantile *hypothyroidism.*

idiopathic i. 特発性幼稚症（一般的に性機能低下を伴う小人症．下垂体前葉ホルモン分泌障害によって引き起こされると思われる）．＝Lorain disease; proportionate i.; universal i.

Lorain-Lévi i. (lō-rān[h]′ lā-vē′). ロラン－レヴィ幼稚症．＝pituitary *dwarfism.*

myxedematous i. 粘液水腫性幼稚症．＝infantile *hypothyroidism.*

pancreatic i. 膵性幼稚症（膵分泌の欠乏または欠如を伴う幼稚症）.

pituitary i. 下垂体性幼稚症．＝pituitary *dwarfism.*

proportionate i. 均整幼稚症．＝idiopathic i.

renal i. 腎性幼稚症．＝renal *rickets.*

sexual i. 性的幼稚症（正常な思春期後の二次性徴の発育不全）.

static i. 静止性幼稚症（幼児において観察される痙性脊髄麻痺に類似した状態．体幹筋の緊張低下と四肢筋の緊張亢進とを特徴とする）.

tubal i. 卵管幼稚症（胎児にみられるようなコルク栓抜き様の卵管に対する叙述的用語）.

universal i. 全身性幼稚症．＝idiopathic i.

in·farct (in′farkt) ［L. *in-farcio,* pp. *-fartus*(*-ctus* の不正確な形), to stuff into］. 梗塞（動脈または静脈血の供給が急に不全となることにより起こる壊死部）．＝infarction (2).

anemic i. 貧血性梗塞（血液の供給が阻止された際，組織空間への出血がほとんど，あるいはまったくない梗塞）．＝pale i.; white i. (1).

bland i. 無菌性梗塞.

bone i. 骨梗塞（骨内の動脈性血行が途絶された結果生じた骨壊死組織）.

Brewer i.'s (brū′ĕr). ブルーアー梗塞（梗塞に類似した暗赤色のくさび状部位で，腎盂腎炎の腎臓にみられる）.

embolic i. 塞栓性梗塞（塞栓によって起こる梗塞）.

hemorrhagic i. 出血性梗塞（側副血管を通じて壊死領域へ血液が滲み出た結果，赤色を呈した梗塞）．＝hemorrhagic gangrene (1); red i.

pale i. ＝anemic i.

pulmonary i. 肺梗塞（通常，肺塞栓症によって引き起こされる壊死性肺組織．ときに胸膜由来の胸痛を合併する）.

red i. ＝hemorrhagic i.

Roesler-Dressler i. (res′lĕr dres′lĕr). レスラー－ドレスラー〔型〕心筋梗塞（左心室の前壁，後壁，または心室中隔の左側を含む亜鈴(ダンベル)型の心筋梗塞）.

septic i. 化膿性梗塞，腐敗性梗塞（細菌の凝集塊や感染物質からなる塞栓が原因で血管が閉塞した結果生じた壊死巣）.

thrombotic i. 血栓性梗塞（血栓によって起こる梗塞）.

uric acid i. 尿酸梗塞（現在では用いられない語．新生児において，腎集合管を膨満させている尿酸の沈降物．壊死は存在しないので infarct を用いるのは誤り）.

white i. 白色梗塞（①＝anemic i.　②胎盤において，絨毛の虚血性壊死を伴う絨毛間線維素）.

Zahn i. (zahn). ツァーン梗塞（肝臓の偽性梗塞で，実質の萎縮を伴うが壊死は起こしていないうっ血領域からなる．門脈の分枝の閉塞によるもの）.

in·farc·tion (in-fark′shŭn). 梗塞（①機械的な要因(例えば塞栓や血栓)あるいは血圧の変動で，動脈または動脈血の供給が減少し，組織壊死を起こした領域．②＝infarct）.

anterior myocardial i. 前壁心筋梗塞（左心室の前壁を侵す梗塞で，それを指示する心電図上の変化が前胸部誘導と，しばしば肢誘導の第 I および aVL 誘導に現れる）.

anteroinferior myocardial i. 前下壁心筋梗塞（心臓の前壁および下壁を同時に侵すもの）.

anterolateral myocardial i. 前側壁心筋梗塞（前壁梗塞が拡大したもので，前胸部誘導の変化に加え，しばしば第 I および aVL 誘導の変化を起こす）.

anteroseptal myocardial i. 前壁中隔心筋梗塞（心電図上の変化が右胸部誘導(V_1—V_4)に限局される前壁梗塞）.

apical i. 心尖部心筋梗塞．＝inferolateral myocardial i.

cardiac i. 心筋梗塞．＝myocardial i.

diaphragmatic myocardial i. 横隔膜壁心筋梗塞．＝inferior myocardial i.

Freiberg i. (frē′bĕrg). ＝Freiberg *disease.*

inferior myocardial i. 下壁心筋梗塞（心臓の下壁または中隔壁を侵す梗塞で，心電図上の変化が第 II，第 III，および aVF 誘導にみられる）．＝diaphragmatic myocardial i.

inferolateral myocardial i. 下側壁心筋梗塞（心臓の下面および側面を侵す梗塞で，心電図上の変化が第 II，第 III，aVF, V_5 および V_6 誘導に現れる）．＝apical i.

lateral myocardial i. 側壁心筋梗塞（心臓の側壁のみを侵す梗塞で，心電図上の変化が第 I，aVL，V_5 および V_6 誘導に限局して現れる）.

---

myocardial i. (**MI**) 心筋梗塞（心筋の一部分における梗塞で，通常，冠動脈の閉塞の結果起こる）．＝cardiac i.; heart attack.

心筋梗塞は米国で最も頻度の高い死因で，毎年約 80 万人が初発し死亡率は 30％であり，また45 万人が再発して死亡率は 50％である．最大の原因は冠動脈硬化である．またショックや心不全などで冠血流が急激に低下したり，過度の運動での酸素要求量の増加，低酸素血症で血液供給がぎりぎりとなると心筋の部分では梗塞を起こすことがある．冠動脈奇形，血管炎，およびコカイン，麦角アルカロイドやその他の薬物による冠攣縮に起因することもある．心筋梗塞の危険因子として，男性，家族歴，肥満，高血圧，喫煙，長期的なエストロゲンでの補充療法，総コレステロール，LDL コレステロール，ホモシステイン，リポ蛋白 Lp(a)，または C 反応性蛋白(CRP)の増加があげられる．心筋梗塞の少なくとも 80％は狭心症の既往のない人に起こり，心筋梗塞患者の 20％では，無痛性心筋梗塞であったり，他の原因に帰されたりしたために，狭心症の存在に気づかれていない．患者の 20％は病院に搬送される前に死亡している．典型的な症状は 30 分以上継続する頸部，肩，あるいは腕に放散する強い胸痛でニトログリセリンでも軽快しない．典型的な痛みに悪心，発汗，嘔吐を伴うことがある．有意所見を欠くことも多いが心房性ギャロップ(第 4 心音)や心外膜摩擦音を示す．心電図上 ST 部分の上昇(のちに低下に変わる)と梗塞部分を反映して T 波の逆転を認める．Q 波は貫壁性の障害を意味し予後不良なことがある．血清中のミオグロビンや MB 型クレアチナーゼ(CK)や乳酸脱水素酵素の上昇，トロポニンの上昇があれば診断の補助となる．患者の 50％は最初の 6 時間は明瞭な証拠を示さない．死因は通常は(心室細動や心停止などの)不整脈，駆出量低下による心源性ショック，うっ血性心不全，あるいは乳頭筋断裂による．回復期に多い合併症として心室瘤，壁在血栓がある．急性心筋梗塞は理想的には院内の ICU または CCU に入院させ，心電図の持続監視，麻酔性鎮痛剤，酸素吸入，血栓融解剤の静脈内投与や必要な場合は抗不整脈薬と通常抗凝固剤(アスピリン，ヘパリン)，β 遮断薬やアンギオテンシン変換酵素阻害薬を投与する．フラミンガム研究のデータでは急性心筋梗塞のかなりの部分が無症状であり，女性や高齢者では見過ごされている．女性と高齢者は男性や若年者より急性冠動脈症候群でも治療を求めることが遅い傾向があり，さらに急性冠動脈疾患を示唆する症状があり，救急治療を求めて来院した女性では，同様の症状を有する男性に比べて検査のために入院することが少なく，冠動脈撮影などの診断に回ることも少ない．他の研究では胸痛が最も多い点は同じだが，男性では発汗を訴え，女性は頸部・顎部・背部痛，吐き気，嘔吐，呼吸困難，心不全症状を訴える．急性肺水腫と心原性ショックは女性に多く，28 日と 6 か月後の死亡率も女性のほうが高い．しかし，男性では心筋梗塞を比較的若いときに発症するため，成績を年齢で訂正すると男女間で死亡率は同じになる．

---

nontransmural myocardial i. (**NTMI**) 非貫壁性心筋梗塞（心内膜より完全に心外膜まで広がっていない心筋の壊死

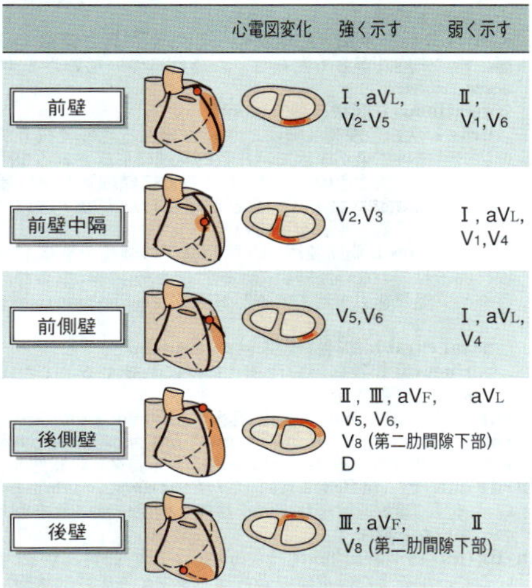

myocardial infarction

心電図検査によりどのような特徴の変化（例えば，ST上昇，T波逆転，Q波異常）が現れるかで梗塞の局在を示す．

で，しばしば誤って予後が比較的良いと考えられている）．

posterior myocardial i. 後壁心筋梗塞（梗塞が心臓の後壁を侵すもの．以前は心臓の下面または中隔面を侵す梗塞に対しても誤って用いられた）．

silent myocardial i. 無症状心筋梗塞（心筋梗塞の症状および徴候をいっさい示さないもの）．

subendocardial myocardial i. 心内膜下心筋梗塞（心内膜の下にある筋層のみを侵すもの）．

through-and-through myocardial i. ＝transmural myocardial i.

transmural myocardial i. 壁内心筋梗塞（心内膜から心外膜までの心筋の全層を侵すもの）．＝through-and-through myocardial i.

watershed i. 分水界〔嶺〕梗塞（大脳皮質，脊髄や末梢神経において各々の栄養動脈の分布が交わり重なり合う部位での梗塞．その部位で組織灌流の血流低下時に最も傷害される）．

in·fect (in-fekt′) [L. *in-ficio*, pp. *-fectus*, to dip into, dye, corrupt, infect < *in* + *facio*, to make]. ***1*** 感染する（微生物が他の生体に侵入し，住みつき，感染または汚染を引き起こす）．***2*** 内寄生する（体外に寄生する(外寄生する)のとは反対に，体内に寄生して住みつく）．

in·fec·tion (in-fek′shŭn). 感染，伝染（病気を引き起こす可能性がある生物が体内に侵入すること）．

agonal i. 末期感染．＝terminal i.

airborne i. 空気伝搬感染（空気中の粒子，粉塵，あるいは小滴核によって感染体が伝播する機序）．

apical i. 根尖感染（歯の先端に微生物が侵入すること．通常，根管から根尖孔を通って微生物が移動することにより起こる）．

cross i. 交差感染（1つの感染源から他へ，ヒトからヒト，動物からヒト，ヒトから動物，動物から動物へと広がる感染）．

cryptogenic i. 特発性感染（細菌，ウイルス，その他による感染で，感染源が不明のもの）．

disseminated gonococcal i. 播種性淋菌感染（感染源(通常は性器)から体内の遠隔部位に広がったもの．淋菌 *Neisseria gonorrhoeae* による．通常発疹，関節炎を発症する）．

droplet i. 飛沫感染，小水滴感染（くしゃみ，咳，笑い，対話などを通じて，他人から出たウイルスその他の微生物を含む唾液，痰の飛沫，エーロゾルを吸入することにより起こる感染）．

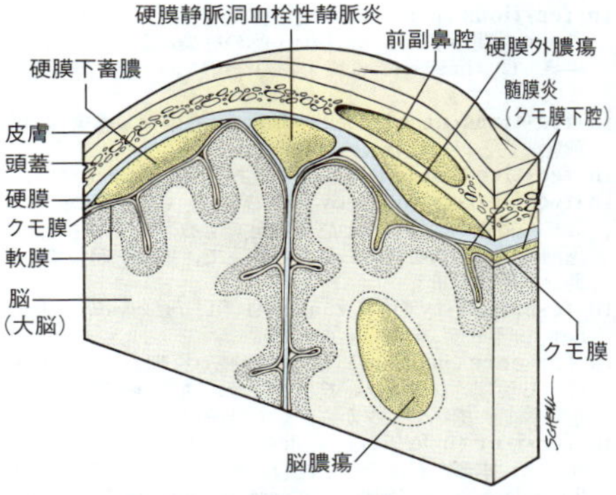

intracranial infections secondary to paranasal sinusitis

副鼻腔に続発する頭蓋内感染症．

endogenous i. 内因感染（すでに体内に存在している感染性病原体によって起こる感染で，それまでは感染が顕性でなかったもの）．

focal i. 病巣感染（局所感染(病巣)を全身感染(敗血症)と区別する古語）．

health care-associated i. 施設内感染（病院内ではなく健康関連施設(例えば，人工透析所，長期療養施設)で獲得した感染）．

holomiantic (i.) (hol′ōm-ī-an-tik) [holo + C. *miantos*, defiled < *miainō*, to defile + -ic]. 全域伝染性感染症（ある人々の集団のすべての人に感染するか，それらの人に広く分布するような病原体に，その集団が暴露することによって起きる感染の発生）．

inapparent i. 不顕性感染（認識できる症状や徴候が生じない宿主の感染状態）．

latent i. 潜在性感染（特別な環境のもとで，または活性化された場合に症状を発現しうる無症状の感染）．

mass i. 大量感染（大量の病原体が循環血液中または組織内にはいることによって起こる感染）．

mixed i. 混合感染（2種以上の病原微生物による感染）．

pyogenic i. 化膿性感染（局所的なひどい炎症，通常，膿形成を特徴とする感染．一般に，化膿性細菌の1つによって引き起こされる）．

Salinem i. (sah′lĭ-nem). サリネム感染．＝Salinem *fever*.

scalp i. 頭皮感染症（帽状腱膜より外側の感染症．毛嚢炎または蜂窩織炎）．

secondary i. 二次感染，続発感染（通常，敗血症性の感染で，他の病原体による感染をすでに起こしているヒトまたは動物に生じるもの）．

terminal i. 末期感染（急性感染で，一般に肺炎性あるいは敗血症性であり，あらゆる疾患の末期にかけて発生し，しばしば死因となる）．＝agonal i.

upper respiratory i. (URI) 上気道感染．＝acute *rhinitis*.

urinary tract i. (UTI) 尿路感染症（微生物，多くは細菌が，尿路に感染すること．腎実質，腎盂，尿管，膀胱，尿道あるいはこれらの複数の臓器に発生する．しばしば，尿路全域に感染することもある．最も頻繁な起因菌は大腸菌 *Escherichia coli* である）．

vector-borne i. 昆虫ないし動物が媒介体となり伝播する感染症の種類．媒介体は単に感染性因子を受動的に運搬している場合があるが，感染性因子は媒介体において生物学的な発育における時期を経るもので，すなわちヒト宿主と同じく媒介体は感染性因子が生存するのに不可欠である．

Vincent i. ヴァンサン感染．＝necrotizing ulcerative *gingivitis*.

zoonotic i. 人畜共通性感染症（ヒトと他種の動物との間に共通して存在する感染症）．

in·fec·ti·os·i·ty (in-fek′shē-os′i-tē). 感染性，感染力．＝infectiousness.

in·fec·tious (in-fek′shŭs). 感染の，感染性（①実際の接触の有無を問わず，ヒトからヒトへの感染によって伝播される疾患．②＝infective. ③微生物の作用により起こる疾患を示す）.

in·fec·tious·ness (in-fek′shŭs-nes). 感染性（感染性のある状態，あるいは性状）.＝infectiosity.

in·fec·tive (in-fek′tiv). 感染力のある．＝infectious (2).

in·fec·tiv·i·ty (in′fek-tiv′i-tē). 感染性（①病原体の性状としての宿主への侵入能と感受性を有する宿主での生存および増殖能力．②ある決められた条件下で，感染を起こすのに必要な病原体の量）.

in·fe·cun·di·ty (in′fē-kŭn′di-tē) ［L. *infecunditas*, barrenness］. 不妊症．＝female *sterility*.

in·fer·ence (in′fĕr-ens). 推測（観測や原理から一般的結論に至る論理的プロセス．統計学では，通常，不確かさの程度を計算し，標本データから一般的結論に導くこと）.

in·fer·i·or (in-fēr′ē-ŏr)［L. lower］. 下の（［ラテン語の語句では，本形容詞は男性名詞(angulus inferior，複数形 anguli inferiores)および女性名詞(pars inferior，複数形 partes inferiores)でともに用いられる．中性名詞では inferius の形(ganglion inferius，複数形 ganglia inferiora)で用いられる］．①下方にある，または下方を向いている．②［TA］．特に人体解剖学においては，何らかの基準点よりも足底に近い位置を占めることを意味する．superior の対語．③役に立たない，または質の劣った）.＝lower.

in·fer·i·or·i·ty (in-fēr′ē-ōr′i-tē). 劣等感（特に仲間や同じような条件のもとにある他者と比較して，劣性である状態，またはそのように感じること）.

in·fer·til·i·ty (in′fĕr-til′i-tē)［L. *in-* 否定辞＋*fertilis*, fruitful］. 不妊症，不妊〔性〕，不育症（男性，女性ともに不妊症ほど不可逆的ではないが，受胎能の減退あるいは欠如した状態）.

in·fest (in-fest′)［L. *infesto*, pp. *-atus*, to attack］. 外寄生する（宿主の体内に住みつく(内寄生する)のとは反対に，外面上の部位を占有し外部寄生的に住みつく）.

in·fes·ta·tion (in-fes-tā′shŭn). インフェステーション，外寄生（(体内よりむしろ)体外にシラミのような病原体が付着すること）.＝ectoparasitism.

in·fib·u·la·tion (in-fib′ū-la′shun)［L. *infibulo*, to pin or clasp togeher, to join surgically (Celsus)＜*in-*＋*fibula*, pin, clasp］. 外陰閉鎖（大陰唇を癒合させて腟前庭を閉鎖すること．小陰唇と陰核を切除し，大陰唇を切開して剝離面をつくり外科的にピンで左右を合わせ，最終的には同時に発育する．医学的理由ではなく文化的理由で行われる.→female *circumcision*）.

in·fil·trate (in′fil-trāt, in-fil′trāt)［L. *in*＋Mediev. L. *filtro*, pp. *-atus*, to strain through felt＜*filtrum*, felt］. ***1***〘v.〙浸潤する．***2***〘n.〙浸潤〔物，巣〕.＝infiltration (2). ***3***〘n.〙肺浸潤（胸部X線上の限局性，境界不鮮明の陰影から推定される肺の細胞浸潤．胸部X線写真上の影を表すのによく用いられる）.

Assmann tuberculous i. (ahs′mahn). アッスマン浸潤．＝infraclavicular i.

infraclavicular i. 鎖骨下浸潤，鎖骨下部〔結核性〕浸潤（結核感染の初期病変）.＝Assmann tuberculous i.

in·fil·tra·tion (in′fil-trā′shŭn). ***1*** 浸潤（物質・細胞・組織内にはいり込む，または侵入する行為．気体・液体・溶液中にある物質についていう）. ***2*** 浸潤物（物質，細胞，または組織内にはいり込んだ気体，液体，または溶解物質）.＝infiltrate (2). ***3*** 浸潤（浸潤麻酔のように，組織内へ溶液を注入すること）. ***4*** 遊出（血管内注入をしようとする溶液が血管外へ遊出すること）.

adipose i. 脂肪浸潤（正常な成人脂肪細胞が，通常は存在しない部位に増殖する状態）.

calcareous i. 石灰浸潤．＝calcification.

cellular i. 細胞浸潤（細胞がその原発巣から移動する状態または細胞が異常発育や増殖により直接周りへ広がる状態で，その結果，かなり明確な病巣，異常蓄積，個別細胞の広範な散在が，種々の器官および組織の結合組織や間隙に発生する．この用語は特に炎症およびある種の悪性新生物に伴う変化をさして用いる）.

epituberculous i. エピツベルクローゼ性浸潤（結核病巣上に加わる浸潤）.

fatty i. 脂肪浸潤（細胞質中に脂肪滴が異常蓄積する状態．特に細胞外からもたらされた脂肪についていう.→fatty *degeneration*）.

gelatinous i. 膠様浸潤．＝gray i.

gray i. 灰白色浸潤（肺にときにみられる急性で抗しがたい広汎性結核感染が原因で，比較的急速に形成される半固体の灰色または灰白色の滲出物(主として組織細胞および残遺物，さらにマクロファージなどが壊死したもの)に対して，ときに用いる語）.＝gelatinous i.

lipomatous i. 脂肪腫浸潤（脂肪腫様の腫瘤を形成した被膜に囲まれていない脂肪組織．通常，心房中隔にみられ，不整脈や突然死を引き起こすことがある）.＝lipomatous hypertrophy.

paraneural i. 傍神経浸潤．＝perineural i.

perineural i. 神経周囲浸潤（神経に隣接する，または神経に沿った浸潤）.＝paraneural i.

in·fin·i·ty (in-fin′i-tē). 無限〔距離〕.＝infinite *distance*.

in·firm (in-firm′)［L. *in-firmus*＜*in-* 否定辞＋*firmus*, strong］. 虚弱な（高齢または疾病による弱々しい状態）.

in·fir·ma·ry (in-fĭr′mă-rē)［L. *infirmarium*; ⇀infirm］. 病院，〔付属〕診療所，医務室（小規模な病院．特に学校や大学の小規模な診療所）.

in·fir·mi·ty (in-fĭr′mi-tē)［⇀infirm］. 〔虚〕弱質，虚弱（弱いこと．精神または身体の異常な，多少とも虚弱な状態）.

in·flam·ma·ble (in-flam′ă-bĕl)［L. *in-*, intensive＋*flamma*, flame］. ［接頭語 in- が否定の意と時々誤解されるため，同意語 flammable のほうが好まれる］.＝flammable.

in·flam·ma·tion (in′flă-mā′shŭn)［L. *inflammo*, pp. *-atus*＜*in*, in＋*flamma*, flame］. 炎症（［誤ったつづり inflamation を避けること］．物理的，化学的，または生物学的作用物質による損傷や異常刺激によって傷害された血管および隣接する組織に起こる組織学的に明らかな細胞学的変化，細胞浸潤，ケミカルメディエイタの放出が時々刻々変化しながら絡み合った基本的な病理学的変化．これには，ⓘ局部反応とその結果起こる形態学的変化，ⓘⓘ損傷を与えた物質の破壊または除去，ⓘⓘⓘ修復と治癒への過程，が含まれる．いわゆる炎症の主徴とは，発赤(赤くなること)，熱感(温熱)，腫瘤(腫脹)，疼痛(痛み)である．さらに機能喪失(機能の抑制または喪失)が，これに加わることもある．場合によっては，これらの徴候のすべてが観察されることもあるが，必ずしも全部存在するとは限らない）.

active i. 活動性炎〔症〕.＝acute i.

acute i. 急性炎〔症〕（非常に急速に発現し，進行が速い炎症一般をいう．通常，2, 3 日しか持続しないが，数日から数週間にもわたって持続することもある．組織学的に浮腫，充血，多形核白血球の浸潤を特徴とする）.＝active i.

adhesive i. 癒着性炎〔症〕（滲出液中の線維素の量が多いために，隣接する組織との軽微な癒着を起こすもので，創傷の一次治癒などにみられる）.

allergic i. アレルギー性炎〔症〕（⇀allergic *reaction*）.

alterative i. 変質性炎〔症〕（何らかの化学物質，ウイルス，細胞内作用因子に反応した結果，ときとして，血管壁および各種器官の実質細胞でみられる損傷に対する局所反応．細胞質および核の退行性変化を特徴とし，しばしば壊死に至るが，滲出(存在する場合)は，通常，罹患血管壁，あるいはその罹患血管または実質細胞に直接隣り合う間隙にのみみられる）.＝degenerative i.

atrophic i. 萎縮性炎〔症〕（慢性炎の一型，または反復性の急性炎で，線維芽細胞が持続的に繰り返して増殖するため，線維組織が形成され，その結果，収縮が起こって，実質細胞の圧迫と萎縮に至る）.＝fibroid i.

catarrhal i. カタル性炎〔症〕（炎症性の過程で最も頻繁にみられるのは気道においてであるが，一般の粘膜に発生することもある．特徴は粘膜血管の充血，間質組織の浮腫，分泌上皮細胞の腫大(増殖し，顕著な粘液球を形成する)，および表面上に粘着性，ムチン質の異常な層ができることなどである．滲出が進むと，多数の好中球が罹患組織内へ遊走し，変性し壊死した上皮細胞の断片とともに滲出液中に取り込まれる．こうして，このような炎症は粘液膿性となる場合がよくある）.

chronic i. 慢性炎〔症〕（比較的急速にあるいは緩徐潜行性に，さらには気づかないうちに始まり，数週，数か月，数年にわたって持続し，終わりのはっきりしない炎症．損傷因子またはそれによって生じた産物が病変部に残っているときや宿主組織の反応が損傷因子の持続的影響に完全に打ち勝つのに十分でないときに生じる．組織病理学的にリンパ球・形質細胞・組織球の浸潤，線維化，肉芽形成を特徴とする）．

chronic active i. 慢性活動性炎症（慢性炎症に加え，急性炎症が存在する状態）．

degenerative i. 退行性炎〔症〕．＝alterative i.

exudative i. 滲出〔性〕炎〔症〕（著しい，明確な特色は滲出液にあり，これは，主として漿液線維素性，線維性，または粘液性(例えば，細胞が比較的少数しか存在しない)の場合と，多数の好中球，好酸球，リンパ球，単球，またはプラスマ細胞(多くはそのうちの 1，2 種の細胞)が多数を占めている場合とがある．滲出炎は，単独の明確な病変過程として発生するだけでなく，しばしばある種の肉芽性炎の一部として起こる）．

fibrinopurulent i. 線維素性化膿性炎，線維素〔性〕化膿〔性〕炎症（化膿性炎で，滲出液が異常に多量の線維を含有するもの．また，線維素性炎あるいは漿液線維素性炎で，多数の多形核白血球が蓄積するために組織の融解壊死，および比較的大量の線維素を含む膿を形成するに至るもの）．

fibrinous i. 線維素〔性〕炎〔症〕（不均衡に多量の線維素が存在する滲出性炎症）．

fibroid i. 線維様炎．＝atrophic i.

granulomatous i. 肉芽性炎，肉芽腫〔性〕炎症（増殖性炎の一型．→granuloma）．

hyperplastic i. 増殖性炎〔症〕．＝proliferative i.

immune i. 免疫性炎〔症〕（⇀allergic *reaction*）．

interstitial i. 間質〔性〕炎〔症〕（炎症性反応が，主として器官の支持線維結合組織または間質に発生するもの）．

necrotic i., necrotizing i. 壊死性炎〔症〕（通常，急性炎症反応で，その顕著な組織学的変化は非常に急速な壊死である．これは，罹患組織内に比較的大きな病巣となって広範囲に起こるが，滲出液中に細胞がほとんどあるいはまったく証明されない場合が多い）．

productive i. あいまいな用語で，通常，滲出液の有無を問わず proliferative i.(増殖性炎)をさして用いる．また，肉眼的に確認できる滲出液が形成される炎症をさすのに用いることもある．

proliferative i. 増殖性炎〔症〕（炎症性反応で，明確な特色は組織細胞数増加であり，特に，細網内皮マクロファージ増加が著しく，血管から滲出した細胞と対照をなす．さらに種々の滲出液が肉芽性炎をはじめ各種の増殖性炎においてみられるようであるが，増殖性炎自体に限っていえば，ある種のウイルス感染の場合のように滲出液の形成をみないで発生する場合もある）．＝hyperplastic i.

pseudomembranous i. 偽膜性炎〔症〕（粘膜および漿膜を含む滲出炎の一型．滲出液中の比較的大量の線維素が頑強な膜様の被覆となり，その下の急性炎症組織に強く粘着する．この偽膜は線維素の稠密な網絡に加えて，種々の血漿蛋白，罹患組織からの変性および壊死物質，多形核白血球，細菌などを含有する）．

purulent i. 化膿性炎，化膿〔性〕炎症（急性の滲出炎で，多形核白血球が集積し，白血球酵素が局所的あるいは散在的に罹患組織の融解を起こす．化膿性の滲出液はしばしば pus(膿)とよばれ，血漿およびその成分，組織の酵素消化による最終産物，変性や壊死性の細胞およびその壊死組織片，多形核白血球その他の白血球，炎症の誘起物質などからなる）．＝suppurative i.

sclerosing i. 硬化性炎〔症〕（線維組織や瘢痕組織を広範囲に形成する炎症）．

serofibrinous i. 漿液線維素〔性〕炎〔症〕（滲出液が主として異常に大量の線維素を含む漿液からなるもの）．

serous i. 漿液性炎，漿液〔性〕炎症（滲出液が主として液体(例えば，血管からの滲出液)からなり，蛋白，電解質，その他の物質をも含む滲出炎．比較的少数の細胞(存在する場合)しかみられない）．

subacute i. 亜急性炎〔症〕（持続期間が急性炎と慢性炎の中間の炎症．亜急性炎は，通常，3，4 週間以上持続する）．

suppurative i. ＝purulent i.

in·flam·ma·to·ry (in-flam′ă-tō′rē)．炎症性の．

in·fla·tion (in-flā′shŭn)［L. *inflatio* < *in-flo*, pp. *-flatus*, to blow into, inflate］．膨張，鼓脹（液体または気体による拡張）．

in·fla·tor (in-flā′tōr, -tŏr)．空気注入器（空気を注入するための器具）．

in·flec·tion, in·flex·ion (in-flek′shŭn)［L. *in-flecto*, pp. *-flexus*, to bend］．***1*** 内彎，内曲，内彎症（内側への屈曲）．***2*** diffraction を表す現在では用いられない語．

infliximab (in-fliks′i-mab)．インフリキシマブ（キメラ型腫瘍壊死因子である TNF-α モノクローナル抗体で，マウス TNF-α 結合部位とヒト IgG1 骨格よりなる．関節リウマチおよびその他の炎症疾患の治療に用いる）．

---

in·flu·en·za (in′flū-en′ză)［It. influence (of planets or stars) < L. *influentia* < *in-fluo*, to flow in］．インフルエンザ，流〔行性〕感〔冒〕（［日常の用語としての flu は腸炎を含むあらゆる急性ウイルス感染症を含む表現として用いられる．しかし influenza は明確な病原体により引き起こされる呼吸器感染症であり，胃腸症状はほとんど起こさない］．急性の感染性呼吸器疾患．オルソミクソウイルス科のインフルエンザウイルスによって起こる．吸入されたウイルスが感受性を有する人々の呼吸上皮細胞を侵襲し，カタル性炎を起こす．本症の特徴は，突然の発病，悪寒，短期間(3—4 日間)の発熱，極度の疲はい，頭痛，筋肉痛，咳で，これは通常，二次的な細菌感染が起こるまで乾性で 10 日間ほど続く．本疾患は一般に流行病，ときに汎発性に流行し，急速に蔓延する．死亡率は通常は低いが，二次的に細菌性肺炎を合併する例で，特に高齢者や基礎疾患を有する患者では高い．株特異性のある免疫が成立するが，ウイルスの変異が頻繁で，免疫は抗原性の異なる株には無効である）．＝flu; grippe.

インフルエンザウイルスは抗原構造の違いによって 3 タ

I

炎症

型	滲出液，滲出物	臨床例
漿液性	小数の細胞を含む 漿液様の澄んだ液体	口唇ヘルペス，結核性胸水
線維性	線維素を含む（重合線維素原）	リウマチ熱の線維性心膜炎
線維素膿性	線維素およびPMNsを含む	連鎖球菌性咽頭炎
化膿性	膿へ分解するPMNsを含む	ブドウ球菌性+，膿瘍，蓄膿
偽膜性	いわゆる偽膜は，粘膜の浅層の壊死から形成され，線維素，粘液，PMNs，細胞残屑から成り立つ	ジフテリア性咽頭炎，偽膜性腸炎 （*Clostridium difficile*感染）
潰瘍性	細胞残屑，PMNs，肉芽組織	梅毒性下疳，消化性潰瘍，潰瘍性大腸(結腸)炎

PMNs：多形核好中球

イプに分けられる．インフルエンザＡウイルスは大流行の原因となるもので，その亜型はトリ，ウマ，ブタ，およびヒトに感染する．インフルエンザＢウイルスによる発症は少なく，これによる流行もほとんどない．またウイルスを保有する動物も問題にはならない．インフルエンザＣ感染は症状が軽いか無症状である．米国におけるインフルエンザによる年間死亡者は５万人以上であり，その90%以上は65歳以上の高齢者である．過去20年間でインフルエンザによる死亡が増加しているが，これは社会の高齢化も関係している．1580年以来，少なくとも30回以上の大流行が発生しており，1918—1920年のインフルエンザＡウイルスによるスペイン風邪では全世界で2,000万人以上の死者があり，米国では50万人であった．やや小規模の流行としては1957年のアジア風邪，1968年の香港風邪がある．ウイルス感染はヒト－ヒトの直接接触や咳・くしゃみにより排出された気道分泌物の飛沫により起こる．発生は晩秋，冬期から早春に多い．流行しているのと同じ型の血球凝集素(H)とノイラミニダーゼ(N)でつくったワクチンを接種することにより流行の規模および重篤度を下げたり高齢者など易感染者の発症防止効果が得られる．50歳以上の年齢層および糖尿病，免疫機能低下者，腎機構障害者，心臓や肺など慢性疾患をもつ人はワクチン接種を受けたほうがよい．感染またはワクチンにより得られた防御免疫は，その抗原型のワクチン株に対してだけ有効である．ウイルス抗原性の変化におけるドリフト(drift)はウイルスのＨおよびＮ分子に軽微なエピトープ獲得が起こることであり，シフト(shift)はＨおよびＮ分子の遺伝子に比較的大きな変異が生じることによる．ある種のウイルス株が動物からヒトへ感染するようになった時にはしばしば新型病原ウイルスとなる．インフルエンザは臨床症状のみでは他の発熱性疾患と鑑別はできない．インフルエンザの診断は直接蛍光反応で鼻汁中のウイルス抗原を検出するか血中の抗インフルエンザヘムアグルチニン抗体価の上昇で確認する．抗ウイルス薬であるamantadineおよびrimantadine(インフルエンザＡだけに有効)およびノイラミニダーゼ阻害剤であるoseltamivirおよびzanamivirは流行期間中に予防的に服用することで発症を防止する効果があるほか，発症後24—48時間以内に服用することで病期間の１日短縮効果が得られる．1948年にWHOによりインフルエンザのサーベイランスのためのネットワークが構築された．現在では83か国110のセンターがあり，ネットワークを通じて世界のインフルエンザの流行状況や流行株の迅速な同定を行い，ワクチンに用いる抗原型の決定に必要な情報を提供している．

---

i. A インフルエンザＡ型（最も普遍的なインフルエンザの型．この株は突然変異による抗原変化の傾向が高い．その理由の１つは重複感染が起こる多くの動物に感染性があるので新たな雑種株ができやすい．感染は流行性に2—3年ごとに起こるが，流行の大きさや重症度は多様である．インフルエンザウイルスの３型(Ａ，Ｂ，Ｃ)のうちで，恐らく最も重要である)．

Asian i. アジア〔型〕インフルエンザ（世界的なインフルエンザで，明らかにその起源は1957年夏，中国においてである．1917—1919年にかけて世界中に流行したものよりも，軽微な疾患であった)．

avian i. トリインフルエンザウイルス（家畜化された鳥類(特ににニワトリ，アヒル，シチメンチョウ)および野生の鳥類の両方に属する多くの鳥類にみられる重篤なウイルス性疾患．野鳥はインフルエンザＡウイルス(オルソミクソウイルス)の保有動物である．鳥類では，これらウイルスは軽度の疾病から高い致死率を示す深刻な大発生まで引き起こす．臨床徴候は，産卵率低下から劇症甚急性の臨床経過まで幅広く，急性感染においては呼吸器症状(副鼻腔炎，血液を混じた鼻汁)がしばしば認められる．歴史的には，鳥類のヒトとの近密な接触が新型インフルエンザ株(例，香港1997［AH5NI］，香港1999［AH9N2］)の種を超えた伝播(鳥類からヒト)を促したことが疫学的に示されている．新しいノイラミニダーゼとヘマグルチニンの亜型が連続抗原変異およびそれより頻度は低いが不連続抗原変異によってつくり出され，ヒトにおける深刻なインフルエンザの流行が起き，新しく流行株を予防するために毎年インフルエンザワクチンをつくり直す必要が生じる．現在のところ，15のヘマグルチニンおよび９のノイラミニダーゼの亜型が保有動物において同定されている)．

i. B インフルエンザＢ型（インフルエンザウイルスＢ型株によるインフルエンザ．流行は，通常，インフルエンザウイルスＡ型によるものに比べ限定されているが，両者の感染は臨床的には区別できない．ときとしてReye症候群と関連がある)．

i. C インフルエンザＣ型（インフルエンザウイルスＣ型株によるインフルエンザ．Ａ型，Ｂ型に比べ，症状が軽く，最近ではあまり多くない)．

endemic i. 地方病性インフルエンザ（通常は汎発流行性のものほど重度ではない．程度の差こそあれ，冬場に，特に世界中の大都市に規則的に発生する)．＝i. nostras.

Hong Kong i. 香港〔型〕インフルエンザ（血清型がインフルエンザウイルスＡ型によるインフルエンザで，香港で最初に同定された)．

i. nostras 土着インフルエンザ．＝endemic i.

Russian i. ロシアインフルエンザ（ロシアから始まったと考えられたＡ型インフルエンザウイルスの大流行．1978年に起きた)．

Spanish i. スペイン〔型〕インフルエンザ（1918—1919年に数波の大流行をきたしたインフルエンザで，その結果世界中で2,000万人が死亡した．スペインでは特に猛烈であったが(病名はこれに基づく)，現在ではブタのインフルエンザとして米国が原発であったと考えられている)．

swine i. ブタのインフルエンザ（ブタの急性呼吸器疾患で，インフルエンザウイルスＡ型株により起こる．この疾患は，1918年のヒトにおける大流行のときに，米国で，ブタに対して感染可能になったとされている．死亡は通常，ヒトの汎発性インフルエンザの場合と同様に続発性細菌性肺炎の合併による)．

in·flu·en·zal (in′flū-en′zăl). インフルエンザの，流〔行性〕感〔冒〕の．

In·flu·en·za vi·rus (in′flū-en′ză vī-rŭs). インフルエンザウイルス属（オルトミクソウイルス科に属し，インフルエンザウイルス属Ａ型·Ｂ型，インフルエンザウイルス属Ｃ型，およびトゴト様ウイルスの３属を含む群．各型のウイルスは一方の型のすべての系統に共通で，他の型のそれとは異なる安定な核蛋白グループ抗原をもっている．ゲノムは6—8分節よりなるマイナスセンス一本鎖RNAである．それぞれがまたモザイク状の表面抗原(血球凝集素とノイラミニダーゼ)をもち，これが系統を特徴付けるが，２種類の変化を受ける．すなわち，ⓘ血球凝集素とノイラミニダーゼ抗原で独立に生じる比較的連続的な変動．ⓘⓘ何年かの期間の後の，異なった血球凝集素あるいはノイラミニダーゼ抗原への突然の変化(ヒト由来のＡ型ウイルスではっきりみられる)．この突然の大きな変化は，ヒト由来Ａ型ウイルスをさらに分類する基準となる．同時に２つの異なった系統が動物宿主に感染することにより雑種ウイルスの形成が起こる．系統表示は例えば，A/Hong Kong/1/68 (H_3N_2), B/ Hong Kong/5/72 のように型，地理的起源，分離した年，Ａ型の系統の場合は，血球凝集素とノイラミニダーゼ抗原の亜型の特徴を示すことになっている)．

in·fold (in-fōld′). 包囲する（胃潰瘍のinfolding(包囲術)のように病変の両側の壁を合わせ，縫合することで，ひだ内に封入することをいう)．

in·for·mat·ics (in′fōr-mat′iks) [*informat*ion + -ics]. インフォマティックス(情報科学)（①情報およびその処理・取り扱い方法に関する学問．特に膨大な量のデータを高速で転送・処理・分析するコンピュータその他の電子装置など情報技術を用いた方法を研究する．②遺伝と機能的遺伝研究の成果を整理・統合する科学のことで，有益な見解がもたらされる．→bioinformatics)．

in·formed con·sent (in-fōrmd′ kŏn-sent′). インフォームドコンセント（目的，方法，手段，有益性およびリスクについて説明を受けた後に，ある調査，ワクチン接種計画，治験，侵襲的医療などへの参加に対し，ある個人ないし患者の法的代理人(親など)によって行われる任意の同意．インフォームドコンセントの必須の条件は，本人が知識と理解の両者をもつこと，同意は強制や不当な圧力なしで自由に行われること，いつでも中止できる権利があることを患者に伝えてあることである．疫学的および生物医学的な研究に関連したその他のインフォームドコンセントの内容，およびそれを得る際に直面する条件については *International Guidelines for Ethical Review of Epidemiologic Studies* (Geneva: CIOMS/WHO 1991) および *International Ethical Guidelines for Biomedical Research Involving Human Subjects* (Geneva: CIOMS/WHO 1993) に示されている).

in·for·mo·fers (in-fōr′mō-fĕrz) [information + -fer]. インフォルモファー (RNA が核蛋白粒子から除かれるとき出現する蛋白粒子に提案された名前).

in·for·mo·somes (in-fōr′mō-sōmz) [*information* + G. *sōma*, body]. インフォルモソーム (動物細胞の細胞質中にみられるメッセンジャー(情報)RNA と蛋白との複合体に対して提示された名称).

infra- (in′fră) [L. below]. 接続される単語が意味する部位の下位を意味する接頭語.

in·fra·ax·il·lar·y (in′fră-ak′si-lār′ē). 腋下の. =subaxillary.

in·fra·bulge (in′fră-bŭlj). 添窩部〔領域〕(①歯冠の歯肉側から最大豊隆線までの部分. ②部分床義歯の鉤の保持部が設置されている歯の領域).

in·fra·car·di·ac (in′fră-kar′dē-ak). 心臓直下の，心臓の高さより下の.

in·fra·ce·re·bral (in′fră-ser′ĕ-brăl). 大脳下の (大脳の高さより下にある神経系の部分についていう).

in·fra·cla·vic·u·lar (in′fră-kla-vik′yū-lăr). 鎖骨下の. =subclavian (1).

in·fra·clu·sion (in′fră-klū′zhŭn). 低位咬合 (歯が相互嵌合の咬合平面まで萌出していない状態). =infraocclusion; infraversion (3).

in·fra·cor·ti·cal (in′fră-kōr′ti-kăl). 皮質下の (主として脳または腎臓の皮質下についていう. →subcortical).

in·fra·cos·tal (in′fră-kos′tăl). 肋骨下の. =subcostal (1).

in·fra·cot·y·loid (in′fră-kot′i-loyd). 臼状窩下の.

in·fra·cris·tal (in′fră-kris′tăl) [infra- + L. *crista*, crest]. 右心室上稜下の (通常，心室中隔欠損についていう).

in·frac·tion (in-frak′shŭn) [L. *infractio*, a breaking < *infringere*, to break]. 亀裂骨折，不〔完〕全骨折，骨屈折を表す現在では用いられない語. 特に変位を伴わない骨折をいう.

in·fra·den·ta·le (in′fră-den-tā′lē). インフラデンターレ (頭部計測法において，下顎中切歯間歯槽中隔の尖端). =lower alveolar point.

in·fra·di·an (in-frā′dē-ăn) [infra- + L. *dies*, day]. 24 時間ごとよりも少ない周期で起こる生物学的変化またはリズムに関する. *cf.* circadian; ultradian.

in·fra·di·a·phrag·mat·ic (in′fră-dī′ă-frag-mat′ik). 横隔膜下の. =subdiaphragmatic.

in·fra·duc·tion (in′fră-dŭk′shŭn). 下転. =deorsumduction.

in·fra·gle·noid (in′fră-glē′noyd). 関節窩下の (肩甲骨の関節窩下についていう). =subglenoid.

in·fra·glot·tic (in′fră-glot′ik). 声門下の. =subglottic.

in·fra·he·pa·tic (in′fră-he-pat′ik). 肝臓下の. =subhepatic.

in·fra·hy·oid (in′fră-hī′oyd). 舌骨下の (特に一群の筋肉，胸骨舌骨筋，胸骨甲状筋，甲状舌骨筋，および肩甲舌骨筋についていう). =subhyoid; subhyoidean.

in·fra·mam·il·lar·y (in′fră-mam′ĭ-lār′ē). 乳頭下の (乳頭より下方にあるものについての).

in·fra·mam·ma·ry (in′fră-mam′ă-rē). 乳腺下の. =submammary (2).

in·fra·man·dib·u·lar (in′fră-man-dib′yū-lăr). 下顎下の. =submandibular.

in·fra·mar·gin·al (in′fră-mar′ji-năl). 辺縁下の.

in·fra·max·il·lar·y (in′fră-mak′si-lār′ē). 顎下の. =mandibular.

in·fra·na·tant (in′fră-nā′tănt) [infra- + L. *natare*, to swim]. ***1*** →infranatant *fluid*. ***2*** 下澄みの.

in·fra·oc·clu·sion (in′fră-ŏ-klū′zhŭn). 低位咬合. =infraclusion.

in·fra·or·bit·al (in′fră-ōr′bi-tăl). 眼窩下の. =suborbital.

in·fra·pa·tel·lar (in′fră-pa-tel′ăr). 膝蓋下の (特に脂肪褥および脂肪嚢または滑膜ひだについていう). =subpatellar (2).

in·fra·psy·chic (in′fră-sī′kik). 意識下の (意識下で生じる観念または行動についていう).

in·fra·red (IR, ir) (in-fră-red′). 赤外線の，赤外部の (波長 770 nm から 1,000 nm までの電磁スペクトルの領域).

in·fra·scap·u·lar (in′fră-skap′yū-lăr). 肩甲骨下の. =subscapular (2).

in·fra·son·ic (in′fră-son′ik) [infra- + L. *sonus*, sound]. 可聴閾下の (人間の耳に聞こえない周波についていう). =subsonic.

in·fra·spi·na·tus (in′fră-spī-nā′tŭs). →infraspinatus (*muscle*).

in·fra·spi·nous (in′fră-spī′nŭs). 棘下の (棘または棘状突起下についていう. 特に肩甲骨の棘下窩を示す). =subspinous (1).

in·fra·splen·ic (in′fră-splen′ik, -sple′nik). 脾下の.

in·fra·ster·nal (in′fră-stĕr′năl). 胸骨下の. =substernal (2).

in·fra·sub·spe·cif·ic (in′fră-sŭb′spe-si′fik). 下種の，下亜種の (亜種より下の階級の生物の区分についていう).

in·fra·tem·po·ral (in′fră-tem′pŏ-răl). 側頭下の (側頭窩下についていう).

in·fra·tho·rac·ic (in′fră-thō-ras′ik). 胸郭下の.

in·fra·ton·sil·lar (in-fră-ton′si-lăr). 扁桃下の，小脳扁桃下の.

in·fra·troch·le·ar (in′fră-trok′lē-ăr). 滑車下の (眼筋の上斜筋滑車下についていう).

in·fra·um·bil·i·cal (in′fră-ŭm-bil′i-kăl). 臍下の. =subumbilical.

in·fra·ver·sion (in′fră-ver′zhŭn). ***1*** 下転 (下方向への回転). ***2*** 下むき (生理学的眼科学において，両眼の下方回旋). ***3*** 低位歯. =infraclusion.

in·fric·tion (in-frik′shŭn) [L. *in*, on + *frictio*, a rubbing]. 塗擦 (塗擦剤または軟膏剤を摩擦によって塗布すること).

in·fun·dib·u·la (in′fŭn-dib′yū-lă). infundibulum の複数形.

in·fun·dib·u·lar (in′fŭn-dib′yū-lăr). 漏斗部の.

in·fun·dib·u·lec·to·my (in′fŭn-dib′yū-lek′tŏ-mē) [infundibulum + G. *ektomē*, excision]. 漏斗部切除〔術〕(漏斗部の切除. 特に Fallot 四徴症にみられる心室流出路を妨害する肥大した心筋についていう).

in·fun·dib·u·li·form (in′fŭn-dib′yū-li-fōrm′) [L. *infundibulum*, funnel + *forma*, form]. 漏斗状の，漏斗形の. =choanoid.

in·fun·dib·u·lin (in′fŭn-dib′yū-lin). インファンジブリン (脳下垂体後葉抽出物の 20%溶液).

in·fun·dib·u·lo·ma (in′fŭn-dib′yū-lō′mă) [infundibulum + G. *-oma*, tumor]. 漏斗腫 (下垂体のうちの神経下垂体から出る毛嚢腫性星状神経膠腫).

in·fun·dib·u·lo·ovar·i·an (in′fŭn-dib′yū-lō-ō-vār′ē-ăn). 卵管漏斗の (卵巣および卵管の房状の突起についていう).

in·fun·dib·u·lo·pel·vic (in′fŭn-dib′yū-lō-pel′vik). 骨盤漏斗の，腎盤漏斗の，腎盂漏斗の (腎杯膨大部と腎盤(腎盂)または卵管漏斗と骨盤などのように，漏斗および盤とよばれる 2 つの構造についていう).

in·fun·dib·u·lum, pl. in·fun·dib·u·la (in′fŭn-dib′yū-lŭm, -yū-lă) [L. a funnel]. ***1*** [TA]. 漏斗 (漏斗または漏斗形の構造や通路). ***2*** 卵管漏斗. =i. of uterine tube. ***3*** 腎盤漏斗，腎盂漏斗 (腎盤(腎盂)へと開く腎杯の膨張部). ***4*** [TA]. =*conus* arteriosus. ***5*** 肺胞漏斗 (肺胞での細気管支の終末). ***6*** 蝸牛漏斗 (蝸牛頂直下の蝸牛管の終末). ***7*** [TA]. 漏斗 (漏斗形の，対をなさない視交叉背後の視床下部基底の隆起. 第 3 脳室の漏斗状陥凹を囲み下方へ，下垂体茎へとつながる).

ethmoid i. 篩骨漏斗. =ethmoidal i.

ethmoidal i. [TA]. 篩骨漏斗 (中鼻道を前篩骨洞および前頭洞と連絡する通路). =i. ethmoidale [TA]; ethmoid i.

i. ethmoidale [TA]. 篩骨漏斗. =ethmoidal i.

i. of gallbladder [TA]. 胆嚢漏斗 (胆嚢底の対側で頸部に向かって次第に細くなっていく部分で，その先は胆嚢管となる). =i. vesicae biliaris [TA]; i. vesicae felleae*.

i. hypothalami [TA]．〔視床下部の〕漏斗．＝i. of pituitary gland.

hypothalamic i. 〔視床下部の〕漏斗．＝i. of pituitary gland.

i. of lungs 肺漏斗（胚期における肺芽の小区画の膨張した末端の1つ．その後の発育で，微小な嚢(肺胞)がその壁上に出現する）．

i. neurohypophysis 下垂体漏斗．＝i. of pituitary gland.

i. of pituitary gland [TA]．下垂体漏斗（下垂体茎内へのびる灰白隆起の先端部）．＝i. hypophysis [TA]; i. hypothalami [TA]; hypothalamic i.; i. neurohypophysis.

i. of right ventricle* [TA]．*conus* arteriosus の公式の別名．

i. tubae uterinae [TA]．卵管漏斗．＝i. of uterine tube.

i. of uterine tube [TA]．卵管漏斗（卵管起始部の漏斗様の膨張）．＝i. tubae uterinae [TA]; infundibulum (2).

i. vesicae biliaris [TA]．＝ i. of gallbladder.

i. vesicae felleae* i. of gallbladder の公式の別名．

in·fu·si·ble (in-fyū′zi-bĕ). *1* 不融性の．*2* 浸剤をつくりうる．

in·fu·sion (in-fyū′zhŭn) [L. *infusio* < *in-fundo*, pp. *-fusus*, to pour in]. *1* 温浸法（可溶性成分を抽出するために物質を冷水または(沸点以下の)湯に浸す過程）．*2* 浸剤（生薬を水に浸すことによって得られる医薬製剤）．*3* 注入，輸液（血液以外の液体，例えば食塩水を静脈内に投与すること）．

continuous subcutaneous insulin i. インスリン持続皮下注入法（インスリンを持続的または一時的に多量に投与するポンプを用いてインスリンを皮下組織に投与する方法）．

In·fu·so·ri·a (in′fyū-sō′rē-ă) [Mod. L. pertaining to or found in an infusion < *in-fundo*, pp. *in-fusus*, to pour in]. Ciliophora の旧名．

in·fu·so·ri·an (in′fyū-sō′rē-ăn). 滴虫類（Infusoria 綱に属する虫に対する旧名．現在の有毛虫門をさす）．

In·gel·fin·ger (ing-gel-fing′gĕr), Franz. 米国人腎臓病専門医・編集責任者，1910—1980．→I. *rule*.

in·ges·ta (in-jes′tă) [L. *ingestum*(*in-gero*, *-gestus*(to carry in)の中性形完了分詞)の複数形]．栄養物，飲食物（[本語は文法的に複数形である]．体内に取り入れられる固体または液体の栄養素）．

in·ges·tion (in-jes′chŭn) [L. *in-gero*, to carry in]. *1* 〔経口〕摂取，食物摂取（食物または飲料を胃に取り入れること）．*2* 粒子が小胞として細胞膜の一部分の陥入により食細胞の細胞質へ取り込むこと．

in·ges·tive (in-jes′tiv). 〔経口〕摂取の，食物摂取の．

In·gras·si·a (in-grah′sē-ah), Giovanni F. イタリア人解剖学者，1510—1580．→I. *process*.

in·gra·ves·cent (in′gră-ves′ent) [L. *ingravesco*, to grow heavier < *gravis*, heavy]. 漸悪性の（重篤さが増すことについていう）．

in·guen (ing′gwen) [L.][TA]．鼡径，もものつけね．＝groin (1).

in·gui·nal (ing′gwi-năl). 鼡径〔部〕の．

in·gui·no·cru·ral (ing′gwi-nō-krū′răl). 鼡径大腿の（鼡径と大腿についていう）．

in·gui·no·dyn·i·a (ing′gwi-nō-din′ē-ă) [L. *inguen* (*inguin-*), groin + G. *odynē*, pain]. 鼡径部痛に対して，まれに用いる語．

in·gui·no·la·bi·al (ing′gwi-nō-lā′bē-ăl). 鼡径陰唇の（鼡径と陰唇についていう）．

in·gui·no·per·i·to·ne·al (ing′gwi-nō-per′i-tō-nē′ăl). 鼡径腹膜の（鼡径部と腹膜に関する）．

in·gui·no·scro·tal (ing′gwi-nō-skrō′tăl). 鼡径陰嚢の（鼡径と陰嚢についていう）．

INH isonicotinic acid hydrazide の略．

in·hal·ant (in-hā′lănt) [→inhalation]．吸入剤（①吸い込まれるもの．吸入によって与えられる治療薬．②高い蒸気圧を有し，気流によって鼻道に運ばれ，そこで効果を発揮する薬剤．③呼吸樹に到達させることを意図し，霧状にして投与するための一種類の薬剤または複数の薬剤を含んだ溶液．④微細粉末または液状の薬剤からなる一群の生成物で，低圧エーロゾル容器などの特殊な装置を用いて気道に送られる．→inhalation; aerosol. ＝insufflation (2)）．

in·ha·la·tion (in′hă-lā′shŭn) [L. *in-halo*, pp. *-halatus*, to breathe at or in]. *1* 吸息（息を吸うこと）．＝inspiration. *2* 吸入〔法〕（医薬の蒸気を息とともに吸い込むこと）．*3* 吸入薬（単一薬剤または合剤の溶液で，呼吸樹に到達させるべく噴霧化して投与するためのもの）．*4* 吸入された，あるいは吸入気に含まれる因子(ガス，気化物や小粒子)を吸入したり，さらされること．

solvent i. 溶剤吸入（自己中毒の目的で，にかわ，マニキュア除去液，ラッカーシンナー，清浄液，ライター液，ガソリンなどに用いられている揮発性有機溶剤を吸入すること．→glue-sniffing）．

in·hale (in-hāl′). 吸息する，吸入する．＝inspire.

in·hal·er (in-hāl′ĕr). *1* 呼吸器．＝respirator (1). *2* 吸入器，吸入麻酔器（吸入により活性薬を薬理的に投与するための装置）．＝puffer.

dry powder i. (**DPI**) ドライパウダー式吸入器（あらかじめ調整された量の吸入薬を放出するための吸入器具．息を吸うことで作動する）．

metered-dose i. (**MDI**) 定量吸入器（吸入のために定量薬剤を投与する器具．ぜん息や他の呼吸器病の治療によく用いられる）．

in·her·ent (in-her′ent) [L. *inhaerens*, sticking to, adhering]. 固有の（固有なものの一部として，あるいは自然な結果として生じる．潜在性の緊迫，本質についていう）．

in·her·i·tance (in-her′i-tans) [L. *heredito*, inherit < *heres* (*hered-*), an heir]. *1* 遺伝〔的〕形質(体質)（細胞の遺伝暗号情報により親から子孫へ伝わる形質または性質．受け継がれるもの）．*2* 相続物件(財産)，遺産（文化的あるいは法的に賦与されたもの endowment）．*3* 遺伝（遺伝すること）．

alternative i. 交代遺伝（①＝mendelian i. ② Galton が提唱した用語で，すべての形質は一方の親に由来するという仮定的な状態についていう）．

blending i. 融合遺伝（Galton が提唱した用語で，どの遺伝形質についても，特徴的でもなく，目立ってもいないような遺伝をいう）．

codominant i. 相互優性遺伝（一対の対立遺伝子の両方が各々独立に発現している遺伝）．

collateral i. 傍系遺伝（家族集団の傍系の構成員に形質が出現することで，叔(伯)父と姪とが共通の先祖から受け継いだ形質を表す例などがある．劣性形質は不規則に出現し，優性形質がある世代から次代へと直接伝えられるのと対照をなす）．

cytoplasmic i. 細胞質遺伝（核由来でない自己増殖性因子によって形質が伝えられること．例えばミトコンドリアの

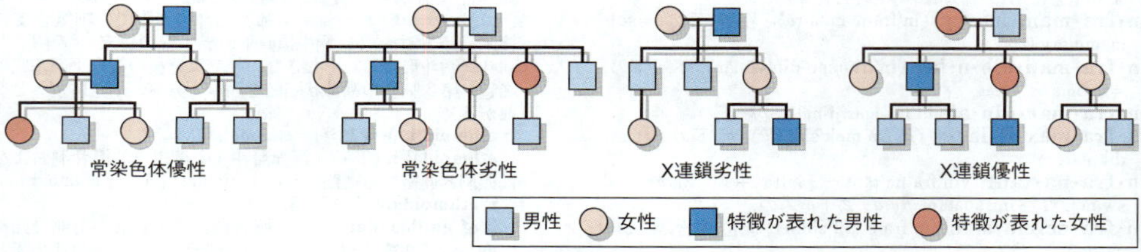

mendelian inheritance

DNA). ＝extranuclear i.

dominant i. 優性遺伝（⇀*dominance* of traits).

extrachromosomal i. 染色体外遺伝（染色体に関連していない何らかの因子によって形質が伝えられること).

extranuclear i. 核外遺伝. ＝cytoplasmic i.

galtonian i. ガルトン遺伝（定量可能な表現型が多くの遺伝子座によって生み出されるような遺伝．多くの座の貢献度は統計学的に独立で，加算的であり，だいたい等価値である（後者は古典的中心限界と一致しており，Galton 遺伝学における多変数正規分布の使用が正しいことを証明している)). ＝polygenic i.

holandric i. 限雄性遺伝. ＝Y-linked i.

hologynic i. 限雌性遺伝（ある形質が母親から女子にのみ伝わり男子には伝わらないこと．原因は，X 染色体付加(部分融合)，細胞質遺伝，または異常な分離を伴う限性現象などによる．例えば腟留血症).

maternal i. 母性遺伝，母系遺伝（核遺伝子かミトコンドリア遺伝子，あるいは両者によって規定された卵子細胞質の特性によって形質が受け継がれること).

mendelian i. (men-dē′lē-ăn in-her′i-tans). メンデル遺伝（単一遺伝子座によって，完全に，あるいは圧倒的に制御されている安定で変質しない形質が，幾世代にもわたって伝達される遺伝. ⇀Mendel first *law*; *law* of segregation; *law* of independent assortment). ＝alternative i. (1).

mosaic i. モザイク式遺伝（ある細胞群においては父系の影響が，他においては母系の影響が優勢である遺伝. *cf.* lyonization).

multifactorial i. 多因子性遺伝（多因子が関与する遺伝．そのうち少なくとも 1 つの因子は遺伝性であるが，1 つ 1 つはそれほど決定的でない．疾患の原因として多数の遺伝的・環境的要因が関わる場合をいう. *cf.* galtonian i.).

polygenic i. 多因子遺伝. ＝galtonian i.

recessive i. 劣性遺伝（⇀*dominance* of traits).

sex-influenced i. 従性遺伝（常染色体遺伝であるが，両性間で発現強度が違っている遺伝．例えば男性型禿頭症).

sex-limited i. 限性遺伝（一方の性にしか発現しない形質の遺伝，例えば精巣性女性化).

sex-linked i. 伴性遺伝（X あるいは Y 染色体上の突然変異遺伝子による遺伝様式).

X-linked i. X 連鎖遺伝（X 染色体上に存在する突然変異遺伝子に起因するといわれる遺伝).

Y-linked i. Y 連鎖遺伝（Y 染色体上に存在する突然変異遺伝子に起因するといわれる遺伝). ＝holandric i.

in·her·it·ed (in-her′it-ĕd). 遺伝した（両親にあらかじめ存在する遺伝暗号に由来する．acquired(後天的な)の対語).

in·hib·in (in-hib′in) [inhibit + -in]. インヒビン（分化や成長に関与している蛋白の一種．精巣の Sertoli 細胞または卵巣の顆粒細胞より分泌される糖蛋白で，インヒビン A と B の 2 種類ある．下垂体に直接作用して，FSH の分泌を抑制する).

in·hib·it (in-hib′it). 抑制する，阻止する，阻害する，制止する.

in·hib·i·tine (in-hib′i-tēn). インヒビチン. ＝carnosine.

in·hi·bi·tion (in′hi-bi′shŭn) [L. *in-hibeo*, pp. *-hibitus*, to keep back < *habeo*, to have]. ***1*** 抑制，阻止，阻害（機能の抑圧または停止.→inhibitor). ***2*** 制止（精神分析学において，本能的，無意識的衝動または傾向が特に自己の良心や社会の要請に抵触するような場合，これを抑止すること). ***3*** 抑制（心理学において，以前に条件付けられていた反応が漸進的に減衰し，マスキングし，消滅していくのに伴う種々の過程に対する総称). ***4*** 抑制（反応や過程の速度が減少すること).

allogeneic i. 同種細胞抑制(阻止)（試験管内において，リンパ球を異なった遺伝子型をもつ他の細胞と混ぜて培養したときに起こる，同種異系細胞への抑制もしくは障害).

central i. 中枢抑制（反射中枢から発するインパルスの抑制または減退).

competitive i. 競合的阻害（酵素作用の阻害様式の 1 つで，化合物が遊離型酵素に結合し，基質を結合させず，その結果，酵素がその基質に作用できなくする．競合的阻害剤は，しばしば基質類似体であり，活性部位に結合する．しかし，このことは競合的阻害の絶対条件ではない．基質を飽和濃度にすると，その阻害はなくなる. *cf.* isostery). ＝selective i.

contact i. 接触阻止〔現象〕（治癒過程にある創の中心部にみられるように，細胞が互いに接触するようになると増殖を停止すること).

end product i. 最終産物阻害. ＝feedback i.

feedback i. フィードバック抑制（その酵素活性が重要である経路の最終反応生成物による酸素活性の抑制．例えば，サイロリベリンはサイログロブリンの産生を刺激するが，サイログロブリンは甲状腺刺激ホルモンの産生を減少させる). ＝end product i.; retroinhibition.

hapten i. of precipitation 沈降〔反応〕ハプテン抑制（抗体が，後に加えられる抗原と同じ特異性を有するハプテンと結合することによって起こる沈降反応の阻止).

hemagglutination i. 〔赤〕血球凝集抑制（血球凝集素に対して特異的な抗体による血球凝集抑制．例えば，あるウイルスに対して特異的な抗体が加えられたならば，ウイルスによる血球凝集は起こらない．抑制は特異的で，ウイルスの同定および抗体価の決定に広く用いられている).

irreversible i. 非可逆的阻害（いったん蛋白に結合すると解離することができない阻害剤の作用).

noncompetitive i. 非競合的阻害（酵素阻害の一型で，阻害物質は，その酵素上の活性部位に対して天然の基質と競合しないが，酵素－基質複合体あるいは遊離型酵素と連結することによって反応を抑制する).

potassium i. カリウム〔性〕抑制（カリウム中毒の結果，心臓が完全に弛緩した状態で停止すること).

proactive i. 前方向抑制，前行抑制（干渉または負の移入の一型で，記憶実験およびその他の学習状況において観察される．以前に学習されたものが，現在の学習または想起に干渉を与えるときにみられる. *cf.* retroactive i.).

product i. 生成物阻害（酵素によって触媒された反応生成物によるその酵素の活性阻害).

reciprocal i. 相互抑制（①＝reciprocal *innervation*. ②＝systematic *desensitization*).

reflex i. 反射抑制（感覚的刺激が反射活動を低下させる状況).

residual i. レジデュアルインヒビション，R.I.（耳鳴をマスクする音を発生させる器具(レジデュアルインヒビター)を使用し，その音を止めたときに生じる残存耳鳴抑制効果を利用した耳鳴の一時的な抑制).

retroactive i. 逆方向抑制，逆行抑制（記憶がより新しい出来事によって部分的または完全に遮断されること．特に新規の学習による場合をさす. *cf.* proactive i.).

reversible i. 可逆阻害（阻害分子が酵素蛋白の結合部位に会合や解離することができる酵素活性阻害).

selective i. 選択的阻害. ＝competitive i.

substrate i. 基質阻害（酵素により触媒される反応の基質によるその酵素の活性阻害．この種の阻害は基質濃度が上昇し，基質がその酵素の第 2 の非活性部位に結合することにより生じる).

uncompetitive i. 不競合阻害（酵素のような代謝機能に対する阻害効果の 1 つで，天然性基質の結合部位での競合に基づかず，その機能が阻害されるその分子に対する異なった効果に基づく．不競合阻害は酵素－基質複合体にのみ結合する).

Wedensky i. ヴェデンスキー抑制（低頻度の刺激では筋反応が起こるのに，運動神経に高頻度の反復刺激を与えると筋反応が抑えられる).

in·hib·i·tor (in-hib′i-tŏr, -tōr). ***1*** 抑制因子(薬，物質，体)，阻害因子(薬，物質，体)（生理学的・化学的・酵素的作用を抑止または遅延する因子，物質，薬物). ***2*** 抑制神経（刺激により活動を抑圧する神経系.→inhibition).

ACE i. アンギオテンシン変換酵素阻害薬，ACE 阻害薬（アンギオテンシン I からアンギオテンシン II への変換を阻害する薬剤(アンギオテンシン変換酵素阻害薬)．高血圧，うっ血性心不全の治療や糖尿病(DM)での微小血管合併症の予防に使用される).

レニン－アンギオテンシン系は血圧調節や電解質バランスに関与する．アンギオテンシノゲンはグロブリンの一種であり，肝臓で合成され，レニンによりアンギオテ

I

ンシンⅠに変換される．レニンは腎臓の輸入細動脈の傍糸球体細胞で合成される酵素であり，全身血圧の低下や血清塩化ナトリウム濃度の低下により分泌される．全身血圧の低下は直接的に圧受容体を介し，または低血圧や脱水の時のように腎尿細管内体液の減少により間接的にレニン分泌を亢進する．ACE によりアンギオテンシンⅠはアンギオテンシンⅡへ変換される．ACE は主に肺で産生される糖蛋白である．ACE は血管拡張物質であるブラジキニンをも代謝する．アンギオテンシンⅡは強力な血管収縮物質であり，神経伝達物質でもある．アンギオテンシンⅡは末梢血管抵抗を高め，副腎皮質を刺激してアルドステロンを分泌することでナトリウム貯留に働く．さらに，アンギオテンシンⅡは細胞の遊走を促進し，血管平滑筋細胞の成長や増殖を促進する．アンギオテンシンⅡは本態性高血圧，うっ血性心不全，および糖尿病性腎症の病態に深く関わることから，アンギオテンシンⅡ産生を阻害する薬剤は，これら疾患の治療に有用である．ACE 阻害薬は本態性高血圧，うっ血性心不全，および心筋梗塞後の左心機能障害の治療薬として確立されている．黒人高血圧への ACE 阻害薬の有用性は非黒人に比較して著明ではない．内皮機能障害を改善し，炎症を減弱し，プラスミノゲン活性化抑制因子–1を阻害して線溶系を亢進することで ACE 阻害薬は心血管系リスクを軽減する．DM での血管合併症に対するこれらの薬剤の効果は，血圧低下に依存しない．高血圧がなくても，ACE 阻害薬は1型糖尿病での糖尿病性腎症の進行を遅らせ，2型糖尿病での微量アルブミン尿の増加を抑制する．ACE 阻害薬カプトプリルでの治療により，1型糖尿病患者では死亡，透析，および腎移植からなる複合エンドポイントを 50 %低下することが複数の研究で示されている．さらに，ACE 阻害薬は糖尿病を合併していない高血圧患者において，糖尿病の新規発症を予防する．ブラジキニンの効果を高めることで，インスリンの感受性を高め，2型糖尿病の新規発症を予防することにつながっていると思われる．特に利尿薬と併用したり，または腎臓病やうっ血性心不全合併において，これらの薬剤は血清尿素窒素値やクレアチニン値を上昇させる傾向があり，また空咳を発現することで，その有用性が制限される．

5-alpha reductase i.'s 5α–還元酵素阻害薬（5α-還元酵素の作用を阻害する薬物群．したがって，テストステロンからジヒドロテストステロンへの変換が制限される）．

aromatase i.'s アロマターゼ阻害薬（アミノグルテチミドなどのように，エストロゲンの生成に関与する酵素であるアロマターゼを阻害する薬物）．

Bowman-Birk i. (bō′man bĕrk) [Donald E. *Bowman*, Yehudith *Birk*]. ボーマン－バークインヒビター（トリプシンやキモトリプシンに対し阻害するポリペプチド）．

carbonate dehydratase i. 炭酸脱水酵素阻害薬（炭酸脱水酵素の活性を阻害する薬物で，通常，化学的にはスルホンアミドと関連する．組織内の H_2CO_3 の生成を減少させる．→acetazolamide）．＝carbonic anhydrase i.

carbonic anhydrase i. ＝carbonate dehydratase i.

C1 esterase i. C1 エステラーゼ阻害因子（活性化された補体第1成分(C1 エステラーゼ)の酵素活性を阻害する α_2–ノイラミノグリコプロテイン．この阻害因子の欠損により C1r と C1s の阻害ができず，補体カスケードの無制御活性化または血管浮腫を起こす）．

cholinesterase i. コリンエステラーゼ阻害薬（コリン作動性シナプスにおいて，アセチルコリンの再取込みに関与する酵素を阻害する効果を有する薬物または薬剤．したがって受容体での作用を永続化させる．最も代表的な治療への適用として，重症筋無力症の治療あるいは非脱分極性神経筋弛緩薬の投与後の処置がある）．

competitive i. 競合阻害剤（→competitive *inhibition*）．

COX-2 i. COX–2 阻害薬（シクロオキシゲナーゼ -2 の作用を阻害することで炎症と痛みを抑制する薬物群）．

炎症，痛み，発熱などに介在するプロスタノイド類は，シクロオキシゲナーゼ -2(COX–2)の作用により生成されるが，COX–2 は脳では構成的に発現しているのに対して，他の臓器ではサイトカインにより誘導される．変形性関節症および関節リウマチにおいて，COX–2 阻害薬はアセトアミノフェンやプラセボより有意に優れた鎮痛効果を示し，イブプロフェンやナプロキセンなどの非ステロイド性抗炎症薬(NSAIDs)と同等の鎮痛効果を示す．関節リウマチにおいて COX–2 阻害薬は疾患に影響を及ぼさない薬物である．非選択的 NSAIDs は COX–2 のみならず COX–1 をも阻害するが，COX–1 は血小板凝集や胃粘膜防御における役割を有しているために，非選択的 NSAIDs は COX–2 選択的阻害薬と比べて胃腸出血の危険が高い．しかし，NSAIDs 同様，選択的薬物も，肝・腎毒性，体液貯留，高血圧などを引き起こしうる．COX–2 の一種(ロフェコキシブ)は 18 か月以上の投与を受けていた患者において心臓発作や血栓性の脳卒中の発症率が容認できないほど高いことから，製薬企業によって発売後 5 年で市場から撤退した．これらの理由と，NSAIDs より高価であることから，COX–2 阻害薬の適応は主に胃腸管出血のリスクが高い患者となっている．

---

familial lipoprotein lipase i. 家族性リポ蛋白リパーゼ阻害因子（リポ蛋白リパーゼの抑制因子．この抑制因子のある患者ではカイロミクロン，VLDL やトリグリセリドが上昇する．臨床症状は家族性のリポ蛋白リパーゼ欠損症と同じである）．

fusion i. 融合阻害薬（ウイルスが宿主細胞に感染する際に必要な細胞膜の融合を防止する薬物）．

glucosidase i.'s グルコシダーゼ阻害薬（アカルボースのように，炭水化物の消化管吸収を低下させる薬物．この薬物群はデンプン遮断薬 starch blockers として知られる(㊟日本ではこのような表現は一般的でない)．血糖値を低下させ，体重減少を起こす．副作用として鼓腸がある）．

α-glucosidase i. α–グルコシダーゼ阻害薬（消化管からのグルコースの吸収を抑制する作用を有する経口糖尿病薬）．

HMG CoA-reductase i.'s HMG–CoA 還元酵素阻害薬（コレステロールの生合成を阻害する薬物．高コレステロール血症の治療に用いられる）．

3-hydroxy-3-methylglutaryl coenzyme A 還元酵素阻害薬は，高脂血症をもつ人の総コレステロールと LDL コレステロール含量を低下させ，アテローム性動脈硬化症の進行を遅延させ，そして心臓血管系の罹病の危険と死亡率を減らす．肝臓でのコレステロール合成において，HMG–CoA は，HMG–CoA 還元酵素によりメバロン酸に変換される．通常，この酵素は食事によるコレステロールの過量摂取により阻害され，逆に食事性コレステロールの摂取を減らすとこの還元酵素活性が高まる可能性がある．HMG–CoA 還元酵素の作用を阻害する薬物は，化学構造的に HMG–CoA と似ており，競合的に阻害してコレステロール合成を防ぐ．細胞内コレステロールレベルの減少は，細胞表面の LDL 受容体の発現と体循環 LDL の取り込みを促進する．アトルバスタチン，フルバスタチン，ロバスタチン，プラバスタチン，およびシンバスタチンのような HMG–CoA 還元酵素阻害薬は，血漿中 LDL 濃度を20—60%低下させ，HDL コレステロールを5—15%増加させ，トリグリセリドを10—45%減少させる．LDL コレステロールの低下の主なメカニズムは，これらの薬剤がアテローム発生を妨害することである．臨床試験では，狭心症または心臓発作の既往歴がある患者において，スタチン系薬剤は，実質的に心臓血管系による死亡率を減少させ，不安定なアンギナを防止し，致死的なあるいは非致死的な心筋梗塞の危険を低下させ，入院患者数を減らし，入院期間を短縮させ，血管再生の処置の必要性を減らし，一過性脳虚血発作と心臓発作の発生数を減少させることが示された．正常なコレステロールレベルの人を対象に行ったこれらの薬剤の使用に関する前向き臨床試験では，2型糖尿病(DM)，閉経後の女性，およびステントの埋め込みの有無にかかわらず経皮的冠動脈内拡張術(PTCA)を受けている 65 歳以上の男女における冠状動静脈系に関する大きなイベントが実質的に減ったことが示された．これに対して，食事のみまたは他の薬剤(例えばコレスチラミン，ゲンフィブロジル)で低下させている人を対象とした臨床試験では，心臓発作あるいは心臓拍動のいずれにおいてもその頻度に及ぼす効果の一致が示されなかった．HMG-CoA 還元酵素阻害薬によりコレステロールを低下させる便益な効果は，アスピリン，β-遮断薬およびカルシウムチャネル拮抗薬のような併用される薬剤の影響を受けないことである．したがって，アテローム形成の進行の減少(血管内超音波照射によって証明される)は，コレステロール低下が心臓系の危険性を変えることによる主機構ではない．スタチン系薬剤は，おそらく動脈血管壁の内皮の硝酸を増加させることによって血圧をわずかに低下させる．プラバスタチンは，同様に心血管系疾患の危険性の固有マーカであるC-反応性蛋白(CRP)を減少させる．HMG-CoA 還元酵素阻害薬は免疫機能，および血漿中 LDL 濃度の変化に依存せずにマクロファージと内皮細胞の増殖と代謝に影響を及ぼすことが，実験的に明らかになっている．動物実験において，HMG-CoA 還元酵素阻害薬は血小板凝集の阻害およびプロトロンビン代謝とフィブリン溶解機構の間のバランスの維持による，プラーク分裂後の血栓症の危険性を低下させる可能性が示唆されている．スタチン系薬剤は，一般的にあまり有害作用はないが，ときに横紋筋融解症の原因となりこれは，まれに致死的となる．

---

human α_1-protease i. (**α_1PI**) ＝*α_1-antitrypsin.*

irreversible i. 非可逆的阻害剤（→irreversible *inhibition*）.

β-lactamase i.'s β-ラクタマーゼ阻害薬（クラバラン酸など，細菌の β-ラクタマーゼを阻害する薬物．薬物耐性を克服するためにしばしばペニシリン類，セファロスポリン類と併用される）.

leukotriene i.'s ロイコトリエン拮抗薬（ロイコトリエンの合成を阻害する薬物．→antileukotriene）.

lipoprotein-associated coagulation i. (**LACI**) リポ蛋白会合凝固インヒビター（以前はアンチコンベルチンとよばれていた．組織因子 III-因子 VII-Ca^{2+}-因子 Xa 複合体との結合により外因性の凝固経路を阻害する蛋白）.

mechanism-based i. 機構に基づいた阻害剤．＝suicide *substrate.*

monoamine oxidase i. (**MAOI**) モノアミンオキシダーゼ阻害薬（可逆的あるいは不可逆的にモノアミンオキシダーゼAを阻害して，抗うつ効果を発揮させる化合物の分類）.

noncompetitive i. 非競合阻害剤（→noncompetitive *inhibition*）.

ovulation i. 排卵抑制剤（排卵を抑制する化合物．しばしば経口避妊薬に使用される）.

phosphodiesterase 5 i. ホスホジエステラーゼ５阻害薬（ホスホジエステラーゼ阻害薬の一つである．環状グアノシン一リン酸(cGMP)を開環させ，その作用を止める cGMP ホスホジエステラーゼタイプ５を特異的に阻害する．cGMP ホスホジエステラーゼタイプ５は，勃起障害の治療に使用されるシルデナフィルやその類薬の作用点である．→sildenafil）．＝PDE5.

plasminogen activator i. プラスミノゲン活性化抑制因子（血栓形成に働く血漿蛋白．血管造影で確認された冠動脈疾患において組織プラスミノゲン活性化因子(tPA)，リポ蛋白(a)ともに上昇していることがわかった）.

---

protease i. プロテアーゼ阻害薬（ヒト免疫不全ウイルス(HIV-1)感染症の治療に用いられる合成薬）.

HIV-1 プロテアーゼは感染したウイルスの成熟の最終過程において重要な役割を果たしている．プロテアーゼ阻害薬は HIV-1 のプロテアーゼに特異的であり，競合的に阻害する．それによりウイルスの成熟を阻害して他の細胞への感染を防ぐ．これらの薬物は，エイズ患者において血漿中ウイルス量(循環血中 HIV-RNA 量)を検出限界以下にまで低下させることが可能であり，HIV 感染患者における進行と悪化の危険性を減少させることができる．また，CD4 レベルやエイズ認知症の改善した例も認められている．プロテアーゼ阻害薬は，他の作用機序を示す逆転写酵素阻害剤との併用療法を行う．プロテアーゼ阻害薬に対するウイルスの耐性化の増大から，通常は３者併用などの併用療法を行う．また，数種のHIV ウイルスにおいてプロテアーゼ阻害薬抵抗性を示すことが報告されている．プロテアーゼ阻害薬の重要な副作用は，コレステロールおよび中性脂肪の上昇，インスリン抵抗性とそれに伴う糖尿病(DM)，脂肪異栄養症(顔面，四肢，殿部の脂肪沈着減少に伴う腹部と胸部の異常な脂肪沈着がみられる)である．プロテアーゼ阻害薬としては，現在，amprenavir，indinavir，nelfinavir，ritonavir，saquinavir が用いられている．

---

proton pump i. プロトンポンプ阻害薬（水素イオンの胃への輸送を阻害する薬物で，胃の過酸の治療に有用）.

5α-reductase i.'s 5-アルファレダクターゼ阻害薬（5-アルファレダクターゼの作用を阻害する薬物群．したがって，テストステロンからジヒドロテストステロンへの変換が制限される）.

residual i. レジデュアルインヒビター（耳に装着し，耳鳴をマスクする音を発生させる器具．その音を止めたときに生じる残存耳鳴抑制効果を利用して耳鳴を抑制する）.

respiratory i. 呼吸抑制剤（呼吸鎖を抑制する化合物）．＝respiratory poison.

reversible i. of monoamine oxidase モノアミンオキシダーゼの可逆的阻害剤（大うつ病の治療に用いられる薬物群の１つ．モノアミンの分解を阻害する）.

selective norepinephrine reuptake i. 選択的ノルエピネフリン再取り込み阻害剤（選択的に程度の差はあるが，シナプス前ニューロンによるノルエピネフリンの再取り込みを阻害し，この機構により抗うつ効果を発現すると考えられている化合物群）.

selective serotonin reuptake i. 選択的セロトニン再取り込み阻害剤（選択的に程度の差はあるが，シナプス前ニューロンによるセロトニンの再取り込みを阻害し，この機構により抗うつ効果を発現すると考えられている化合物群）.

serine protease i.'s セリンプロテアーゼインヒビター（肝細胞やマクロファージで合成されるトリプシン，エラスターゼや他のプロテアーゼの高次多形インヒビターの一種．→α_1-*antitrypsin*）．＝serpins.

serotonin norepinephrine reuptake i. セロトニンノルエピネフリン再取り込み阻害剤（抗うつ剤に属する薬剤で，その作用はセロトニン，ノルエピネフリンのシナプス前部へ再取り込み阻害によると考えられている）.

suicide i. ＝suicide *substrate.*

trypsin i. トリプシンインヒビター（①エンテロペプチダーゼの触媒作用で，結果的にはトリプシンとともにトリプシノゲンから加水分解により生成されるペプチド．このペプチドがトリプシン分子の活性部位をおおったり抑制するのでこうよばれる．②トリプシンの活動を抑制する種々の要素(例えば，ヒトやウシの初乳，ダイズ，卵白)から得られるポリペプチドの１つ．*cf.* Bowman-Birk i.）.

α_1-trypsin i. ＝*α_1-antitrypsin.*

uncompetitive i. 非競合的阻害剤（阻害剤のみが酵素-基質複合体と結合する酵素阻害剤の一種）.

vasopeptidase i. 血管ペプチダーゼ阻害薬（中性エンドペプチダーゼとアンギオテンシン変換酵素の両方の作用を抑制する物質．血管拡張と利尿を引き起こす）.

in·hib·i·tor·y (in-hib′i-tōr′ē). 抑制〔性〕の，抑制的の，阻害の.

in·i·ac (in′ē-ak). イニオンの．＝inial.

in·i·ad (in′ē-ad) [L. *ad*, to]. イニオンの方向へ.

in·i·al (in′ē-ăl). ＝iniac.

in·i·en·ceph·a·ly (in′ē-en-sef′ă-lē) [G. *inion*, back of the head + *enkephalos*, brain]. 後頭孔脳脱出〔症〕(後頭部頭蓋欠損からなる奇形で，脳が露出しているもの．頸部脊椎の裂および後屈を伴う場合が多い).

in·i·on (in′ē-on) [G. nape of the neck][TA]. イニオン（外後頭隆起上にあって左右の上項線に引いた接線と正中線との交点）.

in·i·op·a·gus (in′ē-op′ă-gŭs) [inion + G. *pagos*, fixed]. 後頭結合体．＝*craniopagus* occipitalis.

in·i·ops (in′ē-ops) [inion + G. *ōps*, eye, face]. 二顔面体．＝*janiceps* asymmetrus.

in·i·ti·a·tion (in-i-shē-ā′shŭn). ***1*** イニシエーション（発癌物質による腫瘍誘導の第１段階．発癌物質に暴露されると細

I

胞にわずかな変化が起こり，引き続いてプロモータにさらされると腫瘍を形成しやすくなる）．*2* 開始点（高分子生合成における複製または翻訳の開始点）．*3* 反応開始（化学または酵素反応の開始）．*4* 連鎖第一反応．

in·i·tis (in-ī′tis) [G. *is*(*in-*), fiber + *-itis*, inflammation]. *1* 線維組織炎．*2* 筋炎．＝myositis.

in·ject (in-jekt′) [L. *injicio*, to throw in]. 注入する，注射する（体内に導入する．皮下，血管などに強制的に液体を送り込む．→injection）．

in·jec·ta·ble (in-jek′tă-běl). *1* 注入できる，注射可能の．*2* 注入を受けられる．

in·jec·ted (in-jek′těd). *1* 注入された，注射された（体内に導入された液体を示す）．*2* 充血した（血液によって，視認可能なほど膨張した血管についていう）．

in·jec·tion (in-jek′shŭn) [L. *injectio*, a throwing in＜*in-jicio*, to throw in]. *1* 注射，注入（医薬品または栄養物を，皮下組織(皮下注射)，筋組織(筋肉注射)，静脈(静脈注射)，直腸(直腸注入，注腸，浣腸)，腟(腟注入または圧注法)，尿道，その他の体内の管または空洞に導入すること）．*2* 注射剤（注入しうる製剤）．*3* 充血．

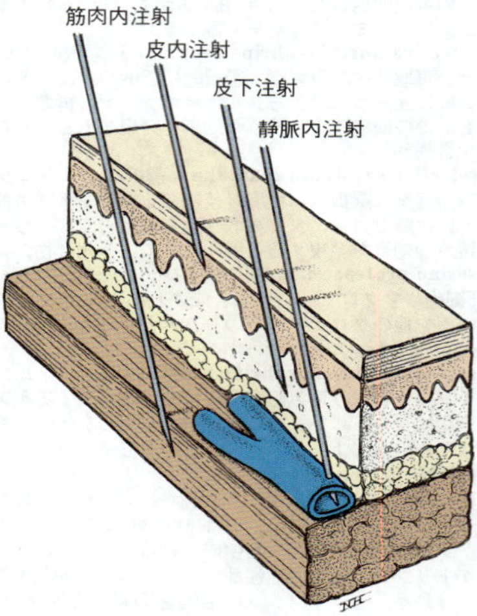

injection

collagen i. コラーゲン注射（座瘡瘢痕あるいは皮膚の老齢変化などの表在性軟組織の変形を，コラーゲンを局注することにより修正する方法．ウシ(皮膚由来)のコラーゲンが通常用いられる．過敏反応を防ぐため，皮内注射をあらかじめ行う必要がある）．＝collagen implantation.

depot i. 蓄積注射（注入部位にとどまる傾向のある溶媒に薬物を混じて行う注射で，これにより長期間にわたる吸収が行われる）．

hypodermic i. 皮下注射（液状の治療薬を皮下組織へ注射により投与すること）．＝hypodermic (2).

insulin i. インスリン注射（通常 1 mL 当たり 100 USP 単位を含んだ調製品．皮下および，ときに経静脈的に投与される．作用は速やかに始まり，作用持続時間は短く（5—7 時間），長時間有効なインスリン剤と混合して使用できる．糖尿病性アシドーシスやインスリン昏睡の治療に用いる）．＝regular insulin i.

intracytoplasmic sperm i. 細胞質内精子注入法（体外受精で精子細胞 1 個を卵細胞内に注入すること）．

intraligamentary i. 靱帯内注射（歯周靱帯内への麻酔液の注射）．

intraosseous i. 骨内注射（歯の周りの歯根間の骨内に麻酔薬を注射すること．通常，歯科用バーを用いて骨皮質を穿孔し，続いて海綿骨内に麻酔液を注入する）．

intrapulpal i. 歯髄内注射〔法〕（溶液(一般的には麻酔薬)を歯髄内に注入し，麻酔効果を得る方法．溶液の成分のみならず，密閉空間内への注入圧によっても麻酔効果が得られる）．

intrathecal i. 髄腔内注射（腰椎穿刺により，クモ膜下腔内に薬物を拡散させる投与法）．

intraventricular i. 脳室内注射（脳室穿刺により脳室およびクモ膜下腔に拡散するように物質を注入すること）．

jet i. ジェット式注射（高圧を出す器具で薬剤を皮下に注入する方法）．

lactated Ringer i. (ring′ĕr). 乳酸加リンガー(リンゲル)液（塩化カルシウム，塩化カリウム，塩化ナトリウム，および乳酸ナトリウムの注射用滅菌水溶液．静脈注射により，体液のアルカリ化および水分と電解質補給のために用いる）．

regular insulin i. ＝insulin i.

Ringer i. (ring′ĕr). リンガー液，リンゲル液（塩化ナトリウム，塩化カリウム，塩化カルシウムの滅菌溶液．100 mL 中に，820—900 mg の塩化ナトリウム，25—35 mg の塩化カリウム，30—37 mg の塩化カルシウムを含有する．水分および電解質の補給のために静脈注射される）．

selective i. 選択性血管造影（血管造影のために動脈あるいは静脈の枝に選択的にカテーテルを進め，造影剤を注入する）．

sensitizing i. 感作注射（抗原(アレルゲン)にその後さらされたときにアレルギー反応を起こすようにヒトを感作させる注射）．

test i. 試験接種（アレルギーあるいは特異体質を発見するため，数 mL の造影剤を静注すること）．

Z-tract i. Z 字型注射法（筋肉注射に際して，皮膚と皮下組織をあらかじめずらす方法．針の刺入経路に沿って薬液が漏れ，結果として組織が刺激されるのを避けるのに用いる）．

in·jec·tor (in-jek′tŏr). 注射器．

jet i. ジェット式注射器（高圧を利用し，針を使わず液体を小さい孔から皮膚または粘膜に浸透できる速度で強制的に送り出す）．

power i. 自動注入器（血管造影あるいは CT において，造影剤を急速注入するための注入器）．

in·jure (in′jŭr). 損傷(傷害，外傷)を与える，負傷する，傷害する．

in·ju·ry (in′jŭr-ē) [L. *injuria*＜*in-* 否定辞＋*jus* (*jur-*), right]. *1* 損傷，傷害，外傷．*2* →lesion (1).

blast i. 爆風損傷（爆発によるような肺組織の裂創または何らかの組織あるいは臓器の破裂で，皮膚の損傷を伴わない）．

brachial plexus i. 腕神経叢損傷（産科において，分娩時に発生する胎児の腕神経叢の損傷．児頭の過度伸展に合併する．肩甲娩出困難あるいは骨盤位分娩でみられる．→brachial birth *palsy*）．

closed head i. 閉鎖性頭部外傷（頭皮および粘膜には損傷を伴わない頭部外傷）．

contrecoup i. of brain 脳の反衝損傷（衝撃を受けた領域と反対側の頭蓋内に発生する損傷）．

coup i. of brain 脳の直撃損傷（衝撃を受けた頭蓋骨の直下に発生する損傷）．

degloving i. 脱手袋損傷（四肢や指趾にみられる，皮膚および皮下組織が深部組織から剝脱する損傷．剝脱した皮膚は血行障害により壊死に陥る危険が大きい）．

egg-white i. ＝egg-white *syndrome.*

flexion-extension i. 屈曲伸展損傷（頭部が支持されていない状態で，強制的に連続して加えられた頭部の前後方向の運動により生じることのある頸椎や脳の損傷）．

hyperextension-hyperflexion i. 過伸展-過屈曲損傷（身体への衝撃によって，固定されていない頭が頸を過度に伸展，屈曲させることによって急に前後に動かされて起こる損傷．結果として起こる特定の損傷あるいは症候については用いない）．

i. of intervertebral disc〔頸〕椎間板損傷（→traumatic cervical *discopathy*）．

open head i. 開放〔性〕頭部外傷（頭皮および粘膜の連続性を喪失した頭部外傷．本用語は外界と頭蓋腔内との交通をさして用いることがある．→penetrating *wound*）．

pneumatic tire i. 空気タイヤ外傷（皮膚および皮下組織

が下層の脂肪組織から分離された状態で，古典的には四肢が車のタイヤによって挫滅され轢かれたときに生じるが，剝脱する力を発生する他の機序によってもこうむると考えられる．脱手袋損傷と同様に皮膚と皮下組織は連続性を失わない）．

reperfusion i. 再灌流障害（冠動脈閉塞が開いた後に続発する心筋障害で，通常，不整脈を伴う．これは酸素由来のフリーラジカルのためと考えられている）．

steering wheel i. ハンドル外傷（交通事故の際ハンドルが前胸壁に当たって生じる外傷．胸骨骨折，肋骨骨折，心挫傷，大動脈その他の大血管破裂，肺損傷を含む）．

whiplash i. むち打ち損傷（傷害）（頸部の屈曲－伸展損傷に対する一般用語）．

Inl internalin の略．

in·lay (in′lā). インレー（①歯科において，窩洞にセメントで固定する前もってつくられた修復物．②骨窩へ移植する骨の移植片．③上皮化するため創腔に移植する皮膚の移植片．④整形外科学において，靴の中に入れる矯正器具．一般にアーチ足底板 arch suppor とよばれる）．

epithelial i. 上皮形成インレー．＝inlay *graft*.

gold i. ゴールドインレー，金インレー（ワックスパターンでつくられたモールド（陰型）で鋳造される金の修復物．この修復物は形成された窩洞に歯科用セメントで装着される）．

porcelain i. ポーセレンインレー，陶材インレー（歯に形成された窩洞に装着される陶材製の修復物）．

in·let (in′let)［TA］．入口（腔へ通じる経路）．＝aditus［TA］.

laryngeal i.［TA］．喉頭入口（咽頭と喉頭の間の口で，前は喉頭蓋の上縁，外側左右は披裂喉頭蓋ひだ，後方は左右披裂軟骨の間の粘膜で囲まれる）．＝aditus laryngis［TA］; laryngeal aditus; i. of larynx; laryngeal aperture.

i. of larynx 喉頭入口．＝laryngeal i.

pelvic i.［TA］．骨盤上口（前方は両側とも恥骨結合と恥骨稜，側方は分界線，後方は仙骨岬骨が境界をなす小骨盤の上口）．＝apertura pelvis superior［TA］; aditus pelvis; first parallel pelvic plane; pelvic brim; pelvic plane of inlet; plane of inlet; superior pelvic aperture.

thoracic i. ＝superior thoracic *aperture*.

in·nate (i′nāt, i-nāt′)［L. *in-nascor*, pp. *-natus*, to be born in（形容詞として，inborn, innate）］．生得の，先天〔性〕の，生来の．＝inborn.

in·ner·va·tion (in′ĕr-vā′shŭn)［L. *in*, in＋*nervus*, nerve］．神経支配（[innervate および innervation と，enervate および enervation を混同しないこと]．ある部位と機能的に関連のある神経線維があること．次頁の図参照）．

peripheral i. 末梢神経支配（運動神経，感覚神経の供給を受ける末梢神経に関して，身体各部位の神経支配を示した図）．

reciprocal i. 相反神経支配（ある筋肉における収縮が，その拮抗筋の緊張喪失または弛緩を伴うもの）．＝reciprocal inhibition (1).

segmental i. 髄節性神経支配，分節性神経支配（運動神経，感覚神経を受ける脊髄分節に関して，身体各部の神経支配の図）．

in·nid·i·a·tion (i-nid′ē-ā′shŭn)［L. *in*, in＋*nidus*, nest］．転移〔増殖〕（異常細胞がリンパ，血流，またはその両者によって転移し，その部位において成長，増殖すること．→metastasis）．＝colonization (1); indenization.

in·no·cent (in′ō-sent)［L. *innocens*(*-ent-*)＜*in-* 否定辞＋*noceo*, to injure］．***1*** 無害〔性〕の，良性の．***2*** 純潔な（法律的悪あるいは道徳的悪に染まらない）．

in·noc·u·ous (i-nok′yū-ŭs)［L. *innocuus*］．無害〔性〕の．＝innoxious.

in·nom·i·na·tal (i-nom′i-nā′tăl). 寛骨の．

in·nom·i·nate (i-nom′i-nāt)［L. *innominatus*＜*in-* 否定辞＋*nomen*(*nomin-*), name］．無名の（現在は腕頭動脈幹と腕頭静脈とよばれている胸郭内および殿部骨の大血管に，以前つけられていた名称）．＝anonyma.

in·nox·ious (i-nok′shŭs)［L. *in-noxius*＜*in-* 否定辞＋*noceo*, to injure］．無害の．＝innocuous.

INO internuclear *ophthalmoplegia* の頭字語．

Ino inosine の記号．

ino-, in- (i′nō)［G. *is*(*in-*), fiber］．線維，線維性の．→fibro-.

in·oc·u·la·bil·i·ty (in-ok′yū-lă-bil′i-tē). 接種感受性（接種感受性を有する，または接種可能な性状）．

in·oc·u·la·ble (in-ok′yū-lă-bĕl). ***1*** 接種可能な（接種により

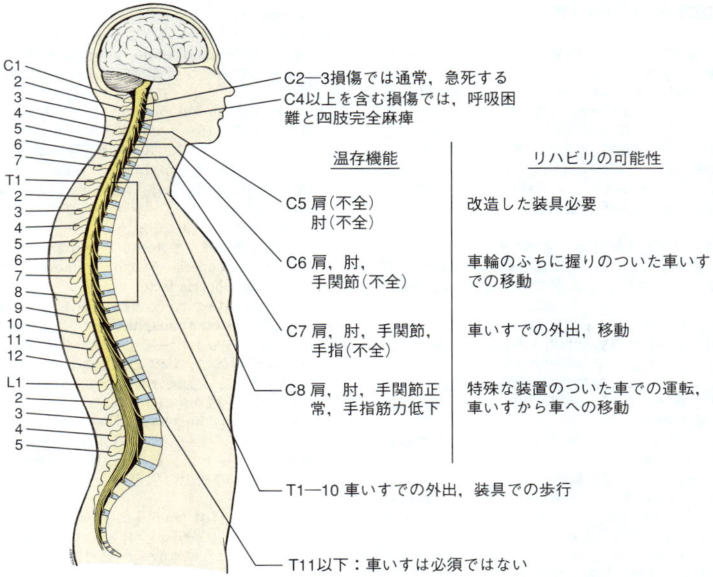

spinal cord injury
様々なレベルでの後遺症．

I

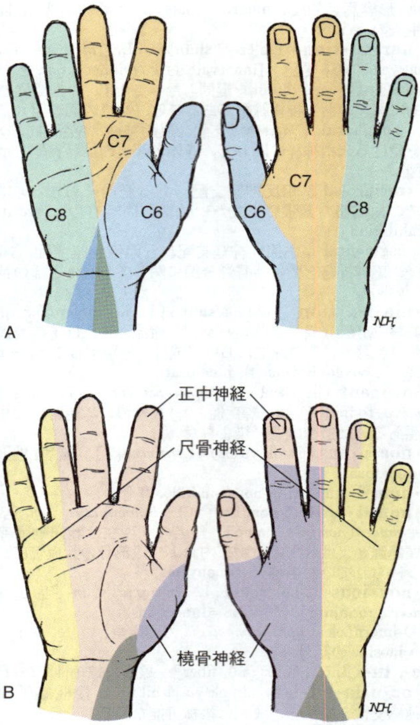

sensory innervation of the hand and wrist
A：部分的皮膚知覚帯．B：末梢皮膚の神経分布．

伝播しうる)．***2*** 接種感受性の（接種により伝播される疾病に対して感受性を有する)．

in·oc·u·late (in-ok′yū-lāt)［L. *inoculo*, pp. *-atus*, to ingraft］.［誤ったつづり innoculate を避けること］. ***1***〖v.〗接種する（①予防，治療，実験のために，疾病の作用因子または他の抗原物質を，皮下組織，血管内，擦過や吸収面を通して挿入する．②微生物または感染性物質を培地内あるいは表面に植え付ける．③ウイルスによって疾病を伝染させる)．***2*** (in-nok′yū-lăt).〖n.〗接種用物質（導入または移植されるもの)．

in·oc·u·la·tion (in-ok-yū-lā′shŭn). 接種〔法〕(［誤ったつづり innoculation を避けること］．病原体を体内に導入する方法．しばしば誤ってワクチンで免疫する意味でも用いられる)．

stress i. ストレス免疫（ストレスに対処する際に用いることができる認知および心的姿勢を利用する技法を，患者に提供することを目的とした，臨床心理的アプローチ)．

in·oc·u·lum (in-ok′yū-lŭm). 接種材料，接種物（［誤ったつづり innoculum を避けること］．接種によって導入される微生物またはその他の物質)．

I·no·cy·be (i-nō′sī-bē). アセタケ属（ムスカリン含有の多い種類を含むキノコの一属)．

in·o·pec·tic (in′ō-pek′tik). 凝血傾向の．

in·op·er·a·ble (in-op′ĕr-ă-bĕl). 手術不能の（［inoperative と混同しないこと］．手術を施すことが不可能，または手術によって治すことが不可能なことについていう)．

in·o·pex·i·a (in′ō-pek′sē-ă)［ino + G. *pexis*, fixation + -ia］. 凝血症（血液が特発性凝固をきたす傾向)．

in·or·gan·ic (in′ōr-gan′ik). ***1*** 無器官の（器官をもたない．生体によって形成されていない)．***2*** →inorganic *compound*. ***3*** 無機の（炭素を含まない)．

in·or·nate (in-or′nāt)［in-(2) + *ornate*］. 無装飾の（平坦で装飾を欠く．色彩斑，帯，あるいは模様などのような表面の標識がない．ある種の生物，特に節足動物で顕著にみられる)．

iNOS (ī′nos). イノス（inducible nitric oxide *synthase* の略)．

in·os·a·mine (in-ōs′ă-mēn). イノサミン（イノシトール誘導体で，OH 基の 1 つが NH_2 基に置換されたもの)．

in·os·co·py (in-os′kŏ-pē)［ino- + G. *skopeō*, to look at］. 線維診断法（生物学的物質(例えば，組織，痰，血餅)に対する顕微鏡的試験．線維成分や線維素の線維を離断あるいは化学的に軟化した後に行う)．

in·ose (in′ōs). イノース．＝inositol.

in·o·se·mi·a (in′ō-sē′mē-ă)［inose + G. *haima*, blood］. ***1*** イノシトール血〔症〕(血液中にイノシトールが存在すること)．***2*** 線維素血〔症〕．＝fibremia.

in·o·si·nate (in-ō′si-nāt). イノシン酸塩またはエステル．

in·o·sine (I, Ino) (in′ō-sēn). イノシン；9-*β*-D-ribosylhypoxanthine（アデノシンの脱アミノ化によって形成されるヌクレオシド)．＝hypoxanthinosine.

in·o·sine 5′-di·phos·phate (IDP) (in′ō-sēn dī-fos′fāt). イノシン 5′-二リン酸（二リン酸で 5′ 位をエステル化されたイノシン)．

in·o·sine 5′-mon·o·phos·phate (IMP) (in′ō-sēn mon′ō-fos′fāt). イノシン 5′-一リン酸．＝inosinic acid.

IMP dehydrogenase IMP デヒドロゲナーゼ（IMP，水，NAD^+ とから NADH とキサントシン 5′-一リン酸(XMP；GMP の中間前駆物質)を生成する反応を触媒する酵素)．

in·o·sine 5′-tri·phos·phate (ITP) (in′ō-sēn trī-fos′fāt). イノシン 5′-三リン酸（5′ 位にエステル化した三リン酸をもつイノシン．多くの酵素触媒反応に関与する)．

in·o·sin·ic ac·id (in′ō-sin′ik as′id). イノシン酸（リン酸イノシン．筋組織およびその他の組織において見出されるモノヌクレオチド．プリン生合成の重要中間体である．また，筋肉中に比較的高濃度で生成される)．＝inosine 5′-monophosphate.

in·o·sin·i·case (in-o-sin′i-kās). イノシナカーゼ（プリン生合成で作用し，5′-ホスホリボシル 5-ホルムアミドイミダゾール-4-カルボキシアミドからイノシン酸を生成する閉環反応を触媒する酵素)．

in·o·sin·yl (in-ō′si-nil). イノシニル（イノシン酸基)．

in·o·site (in′ō-sīt). イノシット．＝inositol.

in·o·si·tide (in-ō′si-tīd). phosphatidylinositol，またはイノシトール含有リン脂質ならどんなものに対しても用いられる語．

in·o·si·tol (in-ō′si-tōl, -tol). イノシトール（酵母やマウスの成長に必要なビタミン B 複合体の 1 つで，食事中にこれを欠いた場合，マウスにおいては脱毛および皮膚炎を，ラットにおいては〝眼鏡をかけたような眼〟の徴候を引き起こす．数々の立体異性体 *cis-*, *epi-*, *allo-*, *neo-*, *myo-*, *muco-*, *chiro-*, *scyllo-* の各イノシトールが存在する．自然状態で最も多く存在するのはミオイノシトールである(接頭語としてではなく単にイノシトールという場合は通常，これを意味する))．＝antialopecia factor; inose; inosite; lipositol; mouse antialopecia factor.

i. niacinate ニコチン酸イノシトール（末梢血管拡張薬)．

i. 1,3,4,5-tetraphosphate イノシトール 1,3,4,5-四リン酸（イノシトール 1,4,5-三リン酸から生成されたイノシトールリン酸誘導体で，Ca^{2+} の細胞外からサイトゾル内への流入を生じさせる．加水分解により不活性化され，イノシトール 1,3,4-三リン酸が生成する)．

i. 1,4,5-trisphosphate (IP_3) イノシトール 1,4,5-三リン酸（ホスファチジルイノシトール 4,5-二リン酸から生成されるセカンドメッセンジャー．小胞体の特別な液胞からのカルシウムイオンの放出の引金になる．好中球の活性化に作用する)．

meso-**in·o·si·tol** (in-ō′si-tōl). *meso*-イノシトール，メソイノシトール（①分子が全体として対称面をもち，光学的に不活性であるように水酸基が配列されている *meso*-イノシトール異性体の総称名．② *myo*-inositol の旧名)．

myo-**in·o·si·tol** (in-ō′si-tōl). *myo*-イノシトール，ミオイノシトール；1,2,3,5/4,6-inositol（様々なホスファチジルイノシトールの成分で，微生物，高等植物，動物中に最も広く存在

するイノシトール．植物においては，フィチン酸およびフィチンの形でみられる．一部リン酸化された，遊離の *myo*- イノシトールは，自然界随所に，また多くの組織中に存在する）．

in·o·si·tu·ri·a (in′ō-sī-tyū′rē-ă) ［inositol + G. *ouron*, urine］. イノシトール尿〔症〕（イノシトールが尿中に排出される状態）. = inosuria (1).

in·o·su·ri·a (in′ō-syū′rē-a). ***1*** イノシトール尿症. = inosituria. ***2*** 線維素尿症（尿中の線維素発生を特徴とする）.

in·o·trope (in′ō-trōp) ［ino- + G. *tropos*, a turning, change］. 変力物質（筋肉の収縮力を変化させる物質）.

positive/negative i. 陽性/陰性変力（試薬または薬剤，あるいはその副作用で，通常は心臓収縮力などの機能系システムの力を増強したり(陽性変力)，減弱したり(陰性変力)すること）.

in·o·tro·pic (in′ō-trop′ik) ［ino- + G. *tropos*, a turning］. 変力〔性〕の（筋組織の収縮に影響する）.

negatively i. 筋変力作用陰性の（筋肉運動を弱めることをさす）.

positively i. 筋変力作用陽性の（筋肉運動を強めることをさす）.

Ino·vir·i·dae (in′ō-vir′i-dē) ［ino- + virus］. イノウイルス科（単鎖 DNA のゲノム(分子量 1.9—2.7 × 10^6)をもった，グラム陰性細菌に寄生する線維状のウイルスの一科．fd ファージグループ属の標準値である大腸菌ファージ fd は，雄性エンテロバクターのピリ線毛の尖端に付着し，増殖した後で，宿主細菌の溶解を起こさずに粒子を放出する）.

in phase (in fāz). 同相で，同相にある（同一時刻に同じ方向に動くこと．同じ周波数(振動数)をもち，同時に動く 2 つの振動の状態）.

in·quest (in′kwest) ［L. *in*, in + *quaero*, pp. *quaesitus*, to seek］. 検死（突然死，暴力による死，変死の原因に対する法的な検索）.

in·qui·line (in′kwi-līn, -lin) ［L. *inquilinus* 自己のものでない場所に居住するもの < *in*, in + *colo*, to inhabit］. 寓棲動物，棲み込み共同生物（習慣的に他種の動物の住居に居住するが，宿主に対してほとんどまたはまったく不都合を与えないもの．例えば，カキの殻内にいるカキガニ. →commensal）.

INR international normalized *ratio* の略.

in·sa·lu·bri·ous (in′să-lū′brē-ŭs) ［L. *in-salubris*, unwholesome］. 不健全な，健康によくない（通常，気候を述べる）.

in·sane (in-sān′) ［L. *in-* 否定辞 + *sanus*, sound, sane］. ［精神的無能力および道徳的責任能力の欠如を表す法律用語だが，医学的意味は明確でない］. ***1*** 精神錯乱の，重篤な精神障害性の，心神喪失の，狂気の. ***2*** 精神病の.

in·san·i·tary (in-san′i-tār-ē) ［L. *in-* 否定辞 + *sanus*, sound］. 非(不)衛生的な，不健康な（通常，不潔な環境に関連する）. = unsanitary.

in·san·i·ty (in-san′i-tē) ［L. *in-* 否定辞 + *sanus*, sound］. 狂気，精神障害，精神錯乱，精神病（［精神的無能力および道徳的責任能力の欠如を表す法律用語だが，医学的意味は明確でない］. ①あまり用いられなくなった語で，重度の精神的病気または精神病についていう．②法律で，患者の法的責任または能力を否定する程度の精神病の状態）.

criminal i. 犯罪精神障害（司法精神医学において，精神的な能力の程度を示す語．これは，Comprehensive Crime Control Act, American Law Institute *rule*, Durham *rule*, M'Naghten *rule*, New Hampshire *rule* などの現在適応できる法律判例によって定義される）.

i. defense 司法精神医学の用語．重大な刑事犯罪の裁判において，被告を弁護するために刑の軽減の要因として法廷で用いられる. → criminal i.

in·scrip·tio (in-skrip′shē-ō) ［L. < *in-scribo*, pp. *-scriptus*, to write on］. 薬名分量，印. = inscription.

i. tendinea = tendinous *intersection*.

in·scrip·tion (in-skrip′shŭn) ［L. *inscriptio*］. = inscriptio. ***1*** 薬名分量（調剤に用いる薬品とその分量を記した処方箋の主要部）. ***2*** 印.

tendinous i. 腱画. = tendinous *intersection*.

In·sec·ta (in-sek′tă) ［L. *insectum*(insect)の複数形 < *in-seco*, pp. *-sectus*, to cut into］. 昆虫綱（節足動物門の最大の綱で，現存生物でも最大のグループを形成する．主たる特徴は，飛ぶこと，適応性の大きいこと，陸上および水中環境に膨大な種形成を行っていること，関節のある 3 対の脚をもつこと，および通常は 2 対の翅をもつことである．あるものは寄生性で，また他のものは寄生生物の中間宿主の役を務め，これらの中には多種のヒトの疾病を引き起こすものが含まれる．あるものは翅がなく，またあるものは双翅目のようにただ 1 対の翅をもつだけである．呼吸は気管小枝，すなわち空気を直接組織へと通過させるクチクラでおおわれた気管による．高級な形態においては，発生は完全変態性で，卵，幼虫，さなぎ，および成虫という明白に区別できる段階を経る）. = Hexapoda.

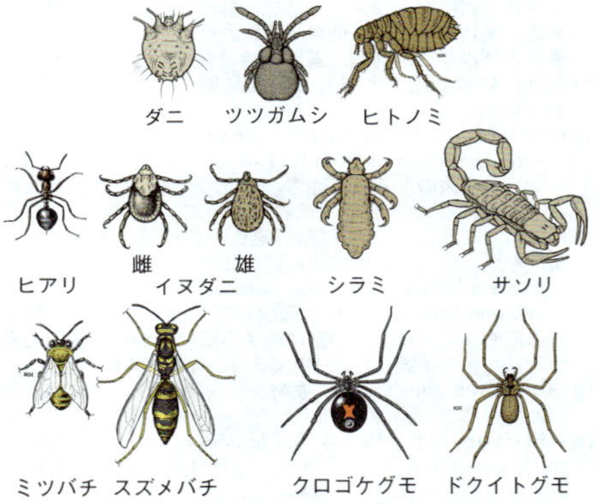

biting and stinging insects, arthropods, acarines, and arachnids
刺咬性の昆虫およびクモ類．上：危険性なし．中：危険の可能性あり（しかし，バークスコーピオンのかみ傷は小さい子供では致命的かもしれないことに注意）．下：命にかかわる．各々の図の縮尺率は異なる．

in·sec·tar·i·um (in′sek-tār′ē-ŭm) ［L.］. 昆虫飼育場（科学的目的のために昆虫を飼い育てる場所）.

in·sec·ti·cide (in-sek′ti-sīd) ［insect + L. *caedō*, to kill］. 殺虫薬.

in·sec·ti·fuge (in-sek′ti-fyūj) ［insect + L. *fugo*, to put to flight］. 昆虫忌避薬（昆虫を追い払う物質）.

In·sec·tiv·o·ra (in′sek-tiv′ō-ră) ［insect + L. *voro*, to devour］. 食虫目（蹠行，胎生の小型哺乳類の一目．非常に活動的で高度の捕食性をもつものが多い．主として，昆虫や小型げっ歯類を食べるが，アフリカのジェスやポトモゲールは魚を食べる．生存する 8 種の科には，キューバとハイチのソレノドン，マダガスカルのテンレク，ヨーロッパやアジアのハリネズミ，米国，アフリカ，およびアジアのトガリネズミとモグラが含まれる）.

in·sec·tiv·o·rous (in′sek-tiv′ŏ-rŭs) ［insect + L. *voro*, to devour］. 食虫の，捕虫の.

in·se·cur·i·ty (in′se-kyūr′i-tē). 不安定（安定していなくて頼りない感じ）.

food i. 食物不安（十分な栄養素が利用できているかについての不安のことで，肥満への心理学的な引き金の 1 つとなる可能性がある）.

in·sem·i·na·tion (in-sem′i-nā′shŭn) ［L. *in-semino*, pp. *-atus*, to sow or plant in < *semen*, seed］. 精液注入，授精，媒精（精液を腟内に注入すること．正常では性交の間に注入される）. = semination.

artificial i. 人工授精（性交以外の方法で精液を腟に注入すること）.

donor i. 非配偶者間授精. = heterologous i.

heterologous i. 非配偶者間人工授精（夫以外の精液による人工授精）. = donor i.

homologous i. 配偶者間人工授精，夫婦間人工授精（夫の精液による人工授精）.

intrauterine i. (IUI) 子宮内受精法（頸管通過を短絡に直接洗浄精子を子宮内に注入すること）.

in·se·nes·cence (in′sĕ-nes′ens) [L. *insenesco*, to begin to grow old]. 老衰，老朽（老衰していく過程）.

in·sen·si·ble (in-sen′si-bĕl) [L. *insensibilis* < *in* 否定辞 + *sentio*, pp. *sensus*, to feel]. ***1*** 知覚のない，自覚のない，意識のない. = unconscious. ***2*** 無感覚の，不感〔性〕の.

in·sert (in-sert′). 挿入部分，挿入物（① DNA に導入された付加 DNA 塩基対の長さ. ② RNA に導入された付加塩基の長さ. ③蛋白に導入された付加アミノアシル残基の長さ）.

package i. 添付文書（詳細な規制仕様に従った，法的に薬剤の薬理的説明を記述した印刷物. 米国においては，認可された化学名および商標名，解説および分類，臨床薬理，認可された適応および用法，禁忌，警告，使用上の注意，有害反応，薬物乱用および依存情報，過量投与に関する考察，用量および投与法，剤形，適切な参考文献を含む. これらの内容は，製薬会社と米国食品医薬品局（FDA）間で協議される. →label (3)).

in·ser·tion (in-sĕr′shŭn) [L. *insertio*, a planting in < *inserto*, *-sertus*, to plant in]. ***1*** 挿入. ***2*** 停止（よく動くほうの骨への筋肉の付着で，通常，遠位の付着をさし，起始部とは区別される）. ***3*** 装着（歯科において，補てつ物を口腔内に付着させること）. ***4*** 細胞質遺伝子の任意の大きさの分子断片を正常ゲノムの中に組み込むこと.

parasol i. 卵膜付着. = velamentous i.

velamentous i. 〔臍帯の〕卵膜付着（胎児血管が胎盤にはいる形態. 胎児血管は胎盤に達する前に分かれ，開いた傘の骨状になって羊膜ひだの中を進む）. = parasol i.

in·sheathed (in-shēthd′). 被鞘した（鞘あるいは被膜におおわれていること）.

in·sid·i·ous (in-sid′ē-ŭs) [L. *insidiosus*, cunning < *insidiae* (pl.), an ambush]. 潜行性の，潜伏性の（重大な症候がほとんどないまま進行する疾病についていう）.

in·sight (in′sīt). 洞察，病識（自分自身や他人の行動の背後にある動機や理由について自分で理解していること）.

in si·tu (in sī′tū) [L. *in*, in + *situs*, site]. 本来の位置に，その部位に.

in·so·la·tion (in′sō-lā′shŭn) [L. *insolare*, to place in the sun]. [insulation および isolation と混同しないこと]. ***1*** 日光浴. ***2*** 日射病. = sunstroke.

in·sol·u·ble (in-sol′yū-bĕl). 不溶〔解〕性の.

in·som·ni·a (in-som′nē-ă) [L. < *in-* 欠性辞 + *somnus*, sleep]. 不眠〔症〕（正常なら眠っているはずの時間に，外的妨害（例えば，騒音，照明）がないのに眠れないこと. 落ち着けない，あるいは睡眠が邪魔される程度のものから，正常な睡眠時間の短縮化あるいは絶対的不眠まである）. = sleeplessness.

conditioned i. 条件性不眠（睡眠と相反するような条件行動の結果生じる不眠. 例えば寝室にはいるたびに眠れないであろうという考えが真っ先に浮かぶなど）.

fatal familial i. [MIM* 600072]. 致死性家族性不眠症（常染色体優性の進行性ニューロパシーで，進行性の不眠症と視床部病変を呈する）.

subjective i. 主観的不眠（著しく睡眠時間が少ないという主観的体験を特徴とする. 睡眠の程度は生理学的には比較的正常である）.

in·som·ni·ac (in-som′nē-ak). ***1*** 〘n.〙 不眠症患者. ***2*** 〘adj.〙 不眠〔症〕性の.

in·sorp·tion (in-sōrp′shŭn) [L. *in*, in + *sorbēre*, to suck]. 吸収（消化管内腔から血液中に物質が移動すること）.

in·spec·tion (in-spek′shŭn) [L. *inspectio* < *in-*, into + *specio*, to look]. 視診.

visual i. with acetic acid 酢酸を用いた視診. = aceto-whitening; cervicoscopy.

in·sper·sion (in-spĕr′zhŭn) [L. *inspersio* < *in-spergo*, pp. *-spersus*, to scatter upon < *spargo*, to scatter]. 散布（液体あるいは粉末をまくこと）.

in·spi·ra·tion (in-spi-rā′shŭn) [L. *inspiratio* < *in-spiro*, pp. *-atus*, to breathe in]. 吸息. = inhalation (1).

crowing i. 鶏鳴様吸息（通常，喉頭の気道閉塞に伴ううるさい呼吸. →inspiratory *stridor*).

in·spi·ra·to·ry (in-spī′ră-tō′rē). 吸息の，吸入〔時〕の.

in·spire (in-spīr′). 吸息する，吸入する. = inhale.

in·spi·rom·e·ter (in′spi-rom′ĕ-tĕr) [L. *in-spiro*, to breathe in + G. *metron*, measure]. 吸気測定計（吸息の強さ，頻度，量を測定する器具）.

in·spis·sate (in-spis′āt). 濃厚な，稠厚性の，固くなった（蒸発あるいは液体の吸収によって濃厚にしたり，させたりすること）.

in·spis·sa·tion (in′spi-sā′shŭn) [L. *in*, intensive + *spisso*, pp. *-atus*, to thicken]. 濃縮化（①蒸発あるいは液体の吸収によって濃厚にするまたは凝縮すること. ②濃縮度の増加，あるいは流動性の減少）.

in·spis·sa·tor (in-spis′ă-tŏr). 蒸発器（液体を蒸発させるための装置）.

in·sta·bil·i·ty (in′stă-bil′i-tē). 不安定性（安定性のない状態）.

detrusor i. 不安定膀胱（主として膀胱容量以下の尿量で起こる抑制できない膀胱収縮）.

spinal i. 脊椎不安定性，脊柱不安定性（脊柱が生理的負荷で正常の形態を維持できないこと. 椎骨，椎間板，脊柱靱帯を障害する. 先天性欠陥，外傷，変性，腫瘍性疾患が原因となりうる. 脊髄や神経根の損傷を起こしたり，疼痛性脊柱変形を起こしたりする）.

in·star (in′stahr) [L. form]. 〔虫〕齢（半変態昆虫の変態（単純変態または不完全変態）においては，次々と続くさなぎの諸段階の各々をいい，完変態昆虫（複雑または完全変態）では，その特徴である次々と起こる脱皮による幼虫の変化の各段階をさす）.

in·step (in′step). 足の甲（足の曲がったところ，あるいは足背の最も高い部分. →tarsus).

in·stil·la·tion (in-sti-lā′shŭn) [L. *instillatio* < *in-stillo*, pp. *-atus*, to pour in by drips < *stilla*, a drop]. 点滴注入〔法〕，滴注，点眼〔法〕（体のある部位に液体を滴下または滴注すること）.

in·stil·la·tor (in′sti-lā′tŏr). 点滴注入器，滴注器，点眼器. = dropper.

in·stinct (in′stinkt) [L. *instinctus*, impulse]. 本能（①生物がその種に特有の，系統だった，生物学的に適応する方法で行動するという永続的性質あるいは傾向. ②ある行動がどんな結果を招くか意識しないで，何らかの目的のため行動を遂行しようとする理性的でない衝動. ③精神分析論において，イドの要求により起こされる緊張の背後に存在すると仮定される力）.

aggressive i. 攻撃本能. = death i.

death i. 死の本能（自己破壊，死あるいは自らが生じた生命のない無機物質に回帰しようとする生物の本能）. = aggressive i.

ego i.'s 自我本能（対象愛と反対で，自己保存の要求および自己愛をいう. 性愛的な衝動に由来する）.

herd i. 群〔居〕本能（群をなし，集団の他の者の習慣と同じにしようとする傾向. 集団の意見や見解に従おうとする傾向）. = social i.

life i. 生命本能，生の本能（自己保存と性的生殖本能. 種の保存に対する基本的要求）. = sexual i.

sexual i. 性的本能. = life i.

social i. 社会本能. = herd i.

in·stinc·tive, in·stinc·tu·al (in-stink′tiv, -stink′chū-ăl). 本能の.

in·stru·ment (in′strū-ment) [L. *instrumentum*]. 器械，器具，機器，道具.

diamond cutting i.'s ダイヤモンドカッティングインストルメント，ダイヤモンド切削工具（多数のダイヤモンド小錐体が金属のめっきによりくっつけられている，円錐形，円板状，その他の形をした切削工具. 歯科で用いる）.

hearing i. = hearing aid.

Krueger i. stop (krū′gĕr). クリューガー器械停止〔装置〕（根管器具の根管内への挿入を制限する装置）.

plugging i. 充填器. = plugger.

purse-string i. 巾着縫合器（取っ手まではさむ部分にでこぼこのある腸管鉗子. 腸管を閉じたとき，大きな鋸歯状の溝を通して直針を挿入することができ，両側に行うと鉗子をはずした後で巾着縫合が形成される）.

Sabouraud-Noiré i. (sah-bū-rō′ nwar). サブロー－ノワレ

ー器械（白金シアン化バリウム円板の色の変化により，X線量を測定する旧式の器械．この方法で使う単位は，tint B（紅斑量）という．→erythema dose）．

stereotactic i., stereotaxic i. 定位装置（頭部に取り付け，位置が明らかな大脳内の構造物を用いて脳のある領域を正確に定位するのに用いる装置）．

test handle i. テストハンドル器具（根管器具の一種．コレットチャックに似たハンドル(柄)で作業長に合わせて根管器具に取り付ける）．

in·stru·men·tar·i·um (in′strū-men-tār′ē-ŭm). 器具整備函（手術その他の医学的操作のための器具を集めたもの）．

in·stru·men·ta·tion (in′strū-men-tā′shŭn). ***1*** 器械(器具)使用．***2*** インストルメンテーション，器械使用（歯科において，修復処置のとき器具を用いること）．

in·suc·ca·tion (in′sŭ-kā′shŭn) [L. *insuco*, pp. *-atus*, to soak in < *in*, in + *sucus*, juice, sap(improp. *succ-*)]. 浸漬（冷浸．特に生薬より精製するために浸すこと）．

in·su·date (in′sū-dāt) [L. *in*, in + *sudo*, pp. *-atus*, to sweat]. 壁内滲出液（動脈壁内の液体の膨張(通常は漿液性)．壁外性でない点で，exudate(滲出液)とは異なる）．

in·suf·fi·cien·cy (in′sŭ-fish′en-sē) [L. *in-* 否定辞 + *sufficientia* < *sufficio*, to suffice]. 〔機能〕不全〔症〕（機能または能力が不完全なこと．→incompetence）．

accommodative i. 調節不全（近方視のための適切な調節の欠如）．

acute adrenocortical i. 急性副腎皮質不全（慢性の副腎皮質不全または比較的大量の副腎皮質ステロイドホルモンを投与されて副腎皮質機能低下症のある患者が他の疾患を併発したり外傷を生じ，副腎皮質ホルモンが大量に必要になったときに生じる重篤な副腎皮質機能低下症．嘔気，嘔吐，低血圧を特徴とし，しばしば高体温，低ナトリウム血，高カリウム血，低血糖をも伴い，放置すると死に至る．死因は激症炎症および(または)循環不全(すなわちショック)による）．＝addisonian crisis; adrenal crisis; Bernard-Sergent syndrome.

adrenocortical i. 副腎皮質不全（種々の程度の副腎皮質機能の喪失）．＝hypocorticoidism.

aortic i. 大動脈弁閉鎖不全〔症〕（大動脈の機能不全であり，その結果左心室の拡張期に大動脈から血液が逆流する．先天的，炎症(例えばリウマチ熱，SLE など)，変性疾患による．→aortic *regurgitation*）．

cardiac i. 心不全．＝heart *failure* (1).

chronic adrenocortical i. 慢性副腎皮質不全（結核，自己免疫疾患，その他の疾病による両側副腎の特発性萎縮あるいは破壊によって起こる．疲労，血圧低下，体重減少，皮膚および粘膜へのメラニン色素沈着，食欲不振，嘔気または嘔吐を特徴とする．適切な処置をしないと急性副腎皮質不全に陥る）．＝Addison disease; addisonian syndrome; hyposupradrenalism; morbus Addisonii.

convergence i. 輻輳不全（内斜位または内斜視が遠方視よりも近方視で著明な状態）．

coronary i. 冠〔状〕〔動脈〕不全（狭心痛に至る冠状動脈循環不全）．＝coronarism (1).

divergence i. 開散不全（外斜位または外斜視が近方視よりも遠方視でより著明な状態）．

exocrine pancreatic i. [MIM*260450]. 膵外分泌機能不全（膵臓の外分泌不足．通常，慢性膵炎による腺房細胞の破壊により生じる．膵由来の消化酵素不足の結果，通常脂肪を含んだ下痢(脂肪便)となる）．

hepatic i. 肝〔機能〕不全〔症〕（肝細胞の機能不全）．

latent adrenocortical i. 不顕性副腎皮質不全（通常は無症状であるが，ストレス時(例えば急性の病気が併発したとき)などに明らかになる副腎皮質機能低下症）．

mitral i. (**MI**) 僧帽弁閉鎖不全〔症〕（→valvular *regurgitation*）．

muscular i. 筋肉不全〔症〕（筋肉が正常な力で収縮できないもの．特に眼の筋肉不全）．

myocardial i. 心筋不全〔症〕．＝heart *failure* (1).

pancreatic i. 膵〔機能〕不全．＝pancreatic *steatorrhea*.

parathyroid i. 上皮小体不全〔症〕．＝hypoparathyroidism.

partial adrenocortical i. 部分的副腎皮質不全（副腎皮質の基礎機能は正常であるが，ACTH 刺激に反応する副腎皮質の予備力が低下しているもの）．

primary adrenocortical i. 一次性副腎皮質不全（副腎皮質の疾病，破壊，または外科的除去により生じる副腎皮質不全）．

pulmonary i. 肺動脈弁閉鎖不全〔症〕（→valvular *regurgitation*）．

pyloric i. 幽門〔機能〕不全（胃幽門出口が開放しているもの．十二指腸内容が胃に逆流する）．

renal i. 腎〔機能〕不全（腎機能の欠損で，血液中に老廃物質(特に窒素物質)の蓄積を伴う）．

respiratory i. 呼吸〔機能〕不全（酸素を体内の細胞に適切に供給し，過剰の二酸化炭素を除去することが不完全なもの）．

secondary adrenocortical i. 二次性副腎皮質不全（脳下垂体前葉の疾病による ACTH 分泌不全，または外因性ステロイド治療による ACTH 産生の抑制により生じる副腎皮質不全）．

thyroid i. 甲状腺機能不全症（甲状腺ホルモンの分泌不足症．→hypothyroidism）．

tricuspid i. 三尖弁閉鎖不全〔症〕（→valvular *regurgitation*）．

uterine i. 子宮不全（子宮筋の弛緩症）．

valvular i. 弁閉鎖不全〔症〕．＝valvular *regurgitation*.

velopharyngeal i. 口蓋帆咽頭不全（軟口蓋あるいは咽頭の上収縮筋の構造上または機能上の欠陥により口蓋帆を閉じられないもの）．

venous i. 静脈不全（ある部分から静脈血を完全に排液できないもの．浮腫や皮膚病が生じる）．

in·suf·flate (in-sŭf′lāt) [L. *in-sufflo*, to blow on or into]. 吹き込む（空気あるいはガスを，加圧下に身体の腔あるいは房へ送り込むこと．例えば，腹腔鏡検査あるいは腹腔鏡手術の際に気腹を達成するために腹腔内へ炭酸ガスを注入する）．

in·suf·fla·tion (in′sŭf-lā′shŭn). ***1*** 通気〔法〕，ガス注入〔法〕．***2*** 吸入剤．＝inhalant (4).

perirenal i. 腎周囲ガス注入〔法〕（副腎をX線撮影で可視的にするために，腎臓周囲に空気や二酸化炭素を注入する方法であるが，最近では施行されることはほとんどない）．

peritoneal i. 腹腔内送気（通常，炭酸ガスを用いる，腹腔鏡下手術を容易にするための腹腔内へのガス送気）．

in·suf·fla·tor (in′sŭf-lā′tŏr). 注入器（注入に用いる器具）．

in·su·la, gen. & pl. **in·su·lae** (in′sū-lă, -lē) [L. island] [TA]. 島（①[TA]．外包の上方で，レンズ核の外側にあり，大脳外側溝の奥に埋まる大脳皮質の楕円形の区域．これにおおいかぶさる前頭弁蓋，頭頂弁蓋および側頭弁蓋とは輪状溝で境される．＝insular area; insular cortex; island of Reil. ②＝island. ③皮膚の眼局した領域あるいは局面）．

Haller i. (hah′lĕr). ハラー島（胸管か胸腔の中を上行する途中で一時的に２本に分かれる部分）．＝Haller anulus.

in·su·lar (in′sū-lăr). 島の（特に Reil 島についていう）．

in·su·late (in′sŭ-lāt) [L. *insulatus*, made like an island]. 絶縁する（不導体を入れて電気または放射エネルギーの通過を妨げる）．

in·su·la·tion (in′sŭ-lā′shŭn). [insolation および isolation と混同しないこと]. ***1*** 絶縁化，断熱化（絶縁すること）．***2*** 絶縁体，不導体（通過を妨げる物質）．***3*** 絶縁，断熱（絶縁されている状態）．

in·su·la·tor (in′sŭ-lā′tŏr). 断熱物〔器〕，絶縁体．

in·su·lin (in′sŭ-lin) [L. *insula*, island + -in] [MIM *176730]. インスリン（Langerhans 島のベータ細胞から分泌されるポリペプチドホルモン．ブドウ糖の消費，蛋白の合成，中性脂肪の形成および貯蔵を促進する．種々のインスリンがあるが遺伝子工学的に作製されたヒトインスリンが最も使用されている．インスリンは非経口的に投与され，糖尿病患者の治療に用いられている．次頁の表参照）．

biphasic i. 二相性インスリン（ブタの膵臓から得られたものの溶液中にある，雄ウシの膵臓の特異的な抗糖尿病薬成分）．

designer i. デザインされたインスリン（アミノ酸を置換したり組み換えたりすることにより，天然に存在するインスリンの吸収速度や作用時間を変化させたインスリン・アナログ）．

globin i. グロビンインスリン．＝regular i.

globin zinc i. グロビン亜鉛インスリン（塩化亜鉛とグロ

インスリン			
代謝効果			
代謝の変化	効果	機序	主臓器
1. グルコース輸送	促進	不明	筋肉，脂肪組織
2. アミノ酸輸送	促進	不明	筋肉，脂肪組織
3. カリウム輸送	促進	不明．グルコース輸送と連動する場合がある	肝臓，筋肉
4. グルコース酸化	促進	細胞内へのグルコース輸送の増加	筋肉，細胞組織
5. グリコゲン合成	促進	細胞内へのグルコース輸送の増加．酵素の脱リン酸化によるグリコゲンシンターゼの活性化	筋肉，肝臓
6. 脂肪酸合成	促進	4. と同じ．さらにアシル-CoAを還元し，ピルビン酸デヒドロゲナーゼの活性化によりグルコースからのアセチル-CoAへの変換が増大．アセチル-CoAカルボキシラーゼの放出	脂肪組織，肝臓
7. 脂肪合成	促進	4. と同じ．さらにグルコースからα-グリセロリン酸を生成	脂肪組織，肝臓，筋肉
8. 蛋白合成	促進	リボソームの活性化（mRNAの翻訳）	筋肉，線維芽細胞
9. 脂肪分解	抑制	脂肪分解ホルモンに対して拮抗的に作用．アデニル酸シクラーゼの阻害	脂肪組織，肝臓
10. ケトン体生成	抑制	抗脂肪分解により脂肪酸生成を抑制(9を参照)	肝臓
11. 糖新生とグリコゲン分解	抑制	グルカゴン刺激によるグルコース放出の阻害．アデニル酸シクラーゼの阻害	肝臓
12. 蛋白分解	抑制	不明．アミノ酸生成の減少による肝臓の尿素生成の阻害	肝臓，筋肉

ビンの添加により変化させた無菌インスリン溶液．1 mL 当たり 100 単位を含む．作用の持続時間は約 18 時間）．

human i. ヒトインスリン（ヒト膵臓で産生されたインスリンと同じ構造をもつ蛋白であり，組換え DNA 技術や半合成法により生産されたもの）．

immunoreactive i. 免疫〔反応性〕インスリン（免疫化学的なホルモン測定法で測定された血中インスリンの割合．総血中インスリンのうちで，遊離した(非結合型の)生物学的に活性な分画であると考えられている）．

isophane i. イソフェンインスリン（インスリン，プロタミン，亜鉛で構成される変性型インスリン．真性糖尿病の治療に用いる中間作用型の製剤）．＝NPH i.

lente i. レンテインスリン．＝insulin zinc *suspension.*

lispro i. [Lys＋Pro]．リスプロインスリン（天然型ヒトインスリンを一部置換したインスリンで，非病原性の大腸菌 *Escherichia coli* により遺伝子工学的に合成される．B 鎖の末端部のリジン(Lys)とプロリン(Pro)を置換することによりレギュラーインスリン(Lys–Pro)よりも早く頂値に達する速効性のインスリンとなる）．

NPH i. [*N*eutral *P*rotamine *H*agedorn]．NPH インスリン．＝isophane i.

protamine zinc i. プロタミン亜鉛インスリン（プロタミンと塩化亜鉛を添加して変化させたインスリン．1 mL 当たり 100 単位を含む）．

regular i. レギュラーインスリン（澄明な液で速やかに作用するインスリン製剤で，静脈内・皮下に投与される．作用を持続させるために長時間作用型インスリンと混合することもある．作用は 30分―1 時間で発現し，2―3 時間で最高に達し，5―7 時間持続する）．＝globin i.

semilente i. セミレンテインスリン．＝prompt insulin zinc *suspension.*

ultralente i. ウルトラレンテインスリン（結晶性インスリン亜鉛水性懸濁で，その粒子形が大きいため，皮下注射後の血流への放出が遅い．本剤は他の異なった粒子形を有するインスリン製剤と異なった作用持続を得るために混合して使用することができる．ブタ，ウシ，または遺伝子工学的にヒト由来から生成できる）．

in·su·li·ne·mi·a (in′sŭ-li-nē′mē-ă) [insulin + G. *haima*, blood]．インスリン血症（文字どおり，循環血液中にインスリンのあること．通常，循環血液中のインスリン濃度が異常に高い場合をさす）．

in·su·lin·o·gen·e·sis (in′sŭ-lin-ō-jen′ĕ-sis) [insulin + G. *genesis*, production]．インスリン生成．

in·su·lin·o·gen·ic, in·su·lo·gen·ic (in′sŭ-lin′ō-jen′ik, in′sŭ-lō-jen′ik)．インスリン生成の．

in·su·li·no·ma (in′sŭ-li-nō′mă)．インスリノーマ（インスリンを分泌する膵島細胞腺腫）．

in·su·li·tis (in′sŭ-lī′tis) [L. *insula*, island + *-itis*, inflammation]．インスリン炎（Langerhans 島の炎症．ウイルス感染症などに続発して起こり，リンパ球の浸潤を伴う．1 型糖尿病の初期症状であることが多い）．

in·sult (in′sŭlt) [LL. *insultus* < L. *insulto*, to spring on]．傷害，発作．

in·sur·ance (in-shūr′ans) [Fr. < *enseurer*, to make certain < L. *securus*, safe, free from care]．保険（病気や怪我によって起こる家計の損失を補うもので，そうした保障を与える会社や代理店から，契約によってもたらされる）．

fee-for-service i. 医療サービス費保険（加入者ないし医療提供者に，要求の承認に基づいて支払われる保険金．加入者は受診する病院や医師に関してほとんど制限はない）．

traditional indemnity i. 伝統的損害保険（支払いをほぼ自動的にして，手続きもれを最小限にした医療保険．しばしば fee-for-service(出来高払い保険)の同義語として用いられる．→managed *care*; health maintenance *organization*; preauthorization）．

in·sus·cep·ti·bil·i·ty (in′sŭ-sep′ti-bil′i-tē) [L. *suscipio*, pp. *-ceptus*, to take upon one < *sub*, under + *capio*, to take]．非感受性．＝immunity (1).

int. cib. ラテン語 *inter cibos*(食間)の略．

in·te·gral (in-te′grăl)．積分（①構成要素．②積分したもの．③→integration (3)）．

in·te·gra·tion (in′tĕ-grā′shŭn) [L. *integro*, pp. *-atus*, to make whole < *integer*, whole]．***1*** 統合（1 つの完全な調和のとれた全体へと統合されている状態あるいは統合する過程）．***2*** 形成（生理学において，付加や同化などによって構築すること）．***3*** 積分（数学において，微分から得られる関数を求める手続き）．***4*** 組込み（分子生物学において，遺伝因子を挿入する組換え事象）．

fibroosseous i. 歯科用インプラントと隣接する骨との間に，線維性結合組織が存在すること．実際には，骨とインプラントの間には付着は生じないため，誤った呼称である．＝fibrous i.

fibrous i. (fī′brŭs in-te-grā′shŭn)．線維性結合．＝fibroosseous i.

personality i. 人格統合（新旧の経験，データ，情緒的能力を人格に有効に組み込むこと．調和のとれた人格形成）．

in·te·grel·in (in-tĕ-grel′in)．インテグレリン（血小板糖蛋白 IIb/IIIa 受容体アンタゴニスト．抗血小板薬）．

in·te·grins (in-te′grinz) [L. *integer*, whole, intact < *in-* + *tango*, to touch + -in]. インテグリン（細胞膜糖蛋白の一群で，αとβ鎖のサブユニットからなるヘテロダイマーである．それらは細胞接着に関与する細胞外マトリックス糖蛋白性レセプタとして働く(例えば，好中球の内皮細胞への接着を仲介))．

in·teg·ri·ty (in-teg′ri-tē). 完全〔性〕（構造の充全性，完全性をいう．健全で損なわれていない状態)．

marginal i. of amalgam アマルガムの辺縁破折抵抗（アマルガムの窩縁形態を保つための窩縁におけるアマルガム修復物の性能)．

in·teg·u·ment (in-teg′yū-ment) [L. *integumentum*, a covering < *in-tego*, to cover][TA]. ＝tegument; integumentum commune [TA]; integumentary system. ***1*** 外皮（身体を包む膜．表皮，真皮の他に表皮に由来するもの(皮下組織はもちろん，毛髪，爪，汗腺，脂腺，乳腺など)すべてを含む)．***2*** 被膜，被包（身体または部分の上皮，包嚢，おおい)．

in·teg·u·men·ta·ry (in-teg′yū-men′tă-rē). 外皮の（→cutaneous; dermal)．

in·teg·u·men·tum com·mu·ne (in-teg′yū-men′tŭm kō-mū′nē) [TA]. 外皮．＝integument.

in·tel·lec·tu·al·i·za·tion (in′te-lek′chū-ăl-i-zā′shŭn) [L. *intellectus*, perception, discernment]. 知性化，観念化（無意識の防御機制の一種．不愉快な衝動や感情や対人的状況に直面することを避けようとして観念的な理由付けや理論付けをしたり，ささいなことに知的興味の焦点をあて，言語化すること)．

in·tel·li·gence (in-tel′i-jens) [L. *intelligentia*]. ***1*** 知能，知性，知力（目的をもって行動し，合理的に思考し，環境に効果的に対処し，特に試練に遭った際にその能力の程度がわかるような個人の総合能力をいう)．***2*** 知能（心理学では，ⓘ心理検査で測定された知能，およびⓘⓘ適応行動の有効性，という２つの量的指標について各個人を相対的に位置付けたものをいう)．

abstract i. 抽象的知能（抽象的観念や表象を理解し処理する能力)．

artificial i. 人工知能（①人間の知的活動をコンピュータ内に模倣しようと試みるコンピュータ科学の一分野．１つの応用は，診断のためのコンピュータプログラムの開発である．この種のプログラムは，大量の医療記録の疫学的なデータ解析を基本としていることが多い．②人間の知的機能を模倣した機械装置．だがそのような機械(すなわちコンピュータ)はまだ存在しない)．

measured i. 測定知能（知能検査の得点により，年齢または同等集団の量的指数に比較してランク付けできる知能)．

mechanical i. 機械的知能（技術的機構を理解し処理する能力)．

social i. 社会的知能（人間関係と社会事象を理解し処理する能力)．

in·tem·per·ance (in-tem′pĕr-ăns) [L. *intemperantia* < *in-* 否定辞 + *temperantia*, moderation]. 不節制，不養生（適切な自制の欠如．通常は飲酒に関して用いる．*cf.* incontinence (2))．

in·ten·si·ty (in-ten′si-tē) [L. *in-tendo*, pp. *-tensus*, to stretch out]. 強度，強さ（①単に性質の程度や量の尺度を示すものとしてしばしば用いられる．②聴覚エネルギー，エネルギー束，場，力の大きさ)．

luminous i. (I) 光度（特定の方向に放出される単位立体角当たりの光束)．＝candle-power; radiant i.

performance i. 認識向上（音圧を上げるにしたがって言葉の認知が向上すること)．

radiant i. (I) 放射強度．＝luminous i.

i. of sound 音の強さ（音波振動の振幅に対する客観的尺度)．

in·ten·sive (in-ten′siv). 集中的な，強力な，加強法の（集中的な薬物の投与，または大量投与による治療形態についていう)．

in·ten·tion (in-ten′shŭn) [L. *intentio*, a stretching out; intension]. ***1*** 意図，企図．***2*** 過程（外科における手術の経過)．

inter- (in′tĕr) [L. *inter*, between]. [intra- または intro- と混同しないこと]．…の間，を意味する接頭語．

in·ter·ac·i·nar (in′ter-as′i-nar). ＝interacinous.

in·ter·ac·i·nous (in′tĕr-as′i-nŭs). 腺胞間の，細葉間の．＝interacinar.

in·ter·ac·tion (in′tĕr-ak′shŭn). ***1*** 相互作用（化学的相互作用，生態学的相互作用，社会的相互作用のような共通の環境での２つの存在物間の相互作用)．***2*** 相互作用（２つの実在物が，協同して作用する場合に起き，それぞれ単独では起こりえない効果)．***3*** 交互作用（統計学，薬理学，量的遺伝学において，２つの要因を組み合わせた場合の効果が(相乗作用，拮抗作用として)それぞれ単独での効果の和とならないような現象をさす)．***4*** 相互作用（２つ以上の独立した操作がある効果を生み出したり，効果をうち消し合ったりすること)．***5*** 交互作用（統計学的には線形モデルにおいて，〝積の項〟が必要となる)．***6*** 相互転化（素粒子間やエネルギー場間のエネルギー移動)．

apolar i. 非極性相互作用．＝hydrophobic i.

hydrophobic i. 疎水的相互作用（電子またはプロトンの分担なしで異なった分子間での非荷電性置換基どうしの相互作用)．＝apolar i.

in·ter·al·ve·o·lar (in′tĕr-al-vē′o-lăr). 〔腺〕胞間の，肺胞間の，歯槽間の，槽間の．

in·ter·an·u·lar (in′tĕr-an′yū-lăr) [inter- + L. *anulus*, ring]. 輪間の，環間の，絞窄間の（２つの輪状構造の間あるいは絞窄された部分についていう)．

in·ter·arch (in′tĕr-arch). →interarch *distance*.

in·ter·ar·tic·u·lar (in′tĕr-ar-tik′yū-lăr) [inter- + L. *articulus*, joint]. 関節間の（①２つの関節の間をいう．*cf.* intraarticular. ②２つの関節表面の間をいう)．

in·ter·ar·y·te·noid (in′tĕr-ar′i-tē′noyd). 披裂軟骨間の．

in·ter·as·ter·ic (in′tĕr-as-tēr′ik). アステリオン間の（→asterion)．

in·ter·a·tri·al (in′tĕr-ā′trē-ăl). 心房間の．＝interauricular (1)．

in·ter·au·ral (in′tĕr-aw′răl). 両耳間（両側の耳の間の違いをさす．特に両耳の中で起きる，または両耳から生じる一過性の事柄に関する差)．

in·ter·au·ric·u·lar (in′tĕr-aw-rik′yū-lăr). ***1*** 心房間の．＝interatrial. ***2*** 耳介間の．

in·ter·body (in′tĕr-bod′ē). 椎体間（２つの隣接した椎骨の椎体の間をいう)．

in·ter·ca·dence (in′tĕr-kā′dens) [inter- + L. *cado*, pr.p. *cadens* (*-ent-*), to fall]. 間入〔性期外収縮〕（普通の２拍動の間に１拍動多く起こるもの)．

in·ter·ca·dent (in′ter-kā′dent). 間入〔性期外収縮〕の．

in·ter·ca·lar·y (in-ter′ka-ler′ē) [L. *intercalarius*, concerning an insertion]. 介在の（①２つの異なるものの中間に生じる．例えば，脈拍の記録において，正常な２拍動の間にはさまった重畳脈拍．または，ニューロン同士がある神経回路や神経経路上で連絡している短突起をもつ(介在)ニューロン．②真菌類において，菌糸端ではなく，１本の菌糸の中に，すなわち菌糸の分節と分節の中間に位置することについていう)．

in·ter·ca·lat·ed (in-ter′kă-lā-tĕd) [L. *intercalatus*]. 介在した，挿し込まれた（２つのものの間に挿入されたものについていう)．

in·ter·ca·la·tion (in-ter′kă-lā′shŭn). 挿入，インターカレーション（２個の異なった実体間に起こる挿入の過程．例えば，色素あるいは薬物を DNA の積み重なった塩基間に挿入すること)．

in·ter·can·a·lic·u·lar (in′tĕr-kan′ă-lik′yū-lăr). 小管間の．

in·ter·cap·il·lar·y (in′ter-kap′i-lār′ē). 毛細血管間の．

in·ter·ca·rot·ic, in·ter·ca·rot·id (in′tĕr-ka-rot′ik, -id). 頸動脈間の（内側頸動脈と外側頸動脈の間についていう)．

in·ter·car·pal (in′tĕr-kar′păl). 手根骨間の．

in·ter·car·ti·lag·i·nous (in′tĕr-kar′ti-laj′i-nŭs). 軟骨間の，軟骨をつなぐ．＝interchondral.

in·ter·cav·er·nous (in′tĕr-kav′ĕr-nŭs). 洞間の．

in·ter·cel·lu·lar (in′tĕr-sel′ū-lăr). 細胞間の．

in·ter·cen·tral (in′tĕr-sen′trăl). 中枢間の（２つ以上の中枢をつなぐ，あるいはその間にあるものについていう)．

I

in·ter·ce·re·bral (in′tĕr-ser′ĕ-brăl). 大脳半球間の.
in·ter·chon·dral (in′tĕr-kon′drăl) [inter- + L. *chondros*, cartilage]. ＝intercartilaginous.
in·ter·cil·i·um (in′tĕr-sil′ē-ŭm) [inter- + L. *cilium*, eyelid]. 眉間の. ＝glabella.
in·ter·cla·vic·u·lar (in′tĕr-kla-vik′yū-lăr). 鎖骨間の，鎖骨をつなぐ.
in·ter·coc·cyg·e·al (in′tĕr-kok-sij′ē-ăl). 尾骨間の（尾骨の未融合部分の間にあるものについていう）.
in·ter·co·lum·nar (in′tĕr-ko-lŭm′nar). 柱間の（浅鼡径輪の柱あるいは脚のような2柱間についていう）.
in·ter·con·dy·lar, in·ter·con·dyl·ic, in·ter·con·dy·loid (in′tĕr-kon′di-lăr, -kon-dil′ik, -kon′di-loyd). 顆間の.
in·ter·con·ver·sion (in′tĕr-kon-vĕr′zhŭn). 変換（物質や存在物の物理的・化学的特性の相互変換．例えば，化学物質や栄養素の相互変換）.
enzyme i. 酵素変換（ある酵素の他の酵素への可逆的な変換．特に，酵素活性または調節を変化させる．例えば，グリコゲンホスホリラーゼのリン酸化）.
in·ter·cos·tal (in′tĕr-kos′tăl) [inter- + L. *costa*, rib]. 肋間の.
in·ter·cos·to·bra·chi·al (in-ter-kos′tō-brā′kē-al). 肋間上腕の（肋間間隙と上腕についていう．→intercostobrachial *nerves*）. ＝intercostohumeral.
in·ter·cos·to·hu·mer·al (in′tĕr-kos′tō-hyū′mĕr-ăl). 肋間上腕の. ＝intercostobrachial.
in·ter·cos·to·hu·me·ra·lis (in′tĕr-kos′tō-hyū′mĕr-ā′lis). 肋間上腕の（→intercostobrachial *nerves*）.
in·ter·course (in′tĕr-kōrs) [L. *intercursus*, a running between]. 交際，交通（人々の間での意思伝達や付き合い）.
sexual i. 性交. ＝coitus.
in·ter·cri·co·thy·rot·o·my (in′tĕr-krī′kō-thī-rot′ŏ-mē). 輪状甲状軟骨間切開〔術〕. ＝cricothyrotomy.
in·ter·crines (in′tĕr-krīnz) [inter- + G. *krinō*, to separate, secrete]. ＝chemokines.
in·ter·cris·tal (in′tĕr-kris′tăl). 櫛間の，稜間の（腸骨稜の間のように，2稜間の意で，骨盤測定の1つに用いる）.
in·ter·cross (in′tĕr-kros). 異種交配（ある特定の遺伝子座で異型接合である2個体間の交配）.
in·ter·cru·ral (in′tĕr-krū′răl). 脚間の（大脳脚などの2脚の間についていう）.
in·ter·cur·rent (in′tĕr-kŭr′ent) [inter- + L. *curro*, pr. p. *currens* (*-ent-*), to run]. 介入性の，併発の，介在性の（すでに別の病気に罹患している人がかかる病気についていう→intercurrent *disease*.）.
in·ter·cus·pa·tion (in′tĕr-kŭs-pā′shŭn). 咬頭嵌合（①上下顎臼歯の相互間における咬合対窩の関係．②対合歯の咬頭の組合せと適合. ＝interdigitation (4)）. ＝intercusping.
in·ter·cusp·ing (in′tĕr-kŭs′ping) [L. *inter*, among, mutually + cusp]. ＝intercuspation.
in·ter·cu·ta·ne·o·mu·cous (in′tĕr-kyū-tā′nē-ō-myŭ′kŭs). 皮膚粘膜間の（頬や口唇のように皮膚と粘膜の間の，あるいは口唇や肛門の皮膚粘膜境界縁についていう）.
in·ter·def·er·en·tial (in-ter-def-er-en′shăl). 精管間の.
in·ter·den·tal (in′tĕr-den′tăl) [inter- + L. *dens*, tooth]. 歯間の（①歯の間についていう．②同一歯列弓にある歯の隣接面間の関係をさす）.
in·ter·den·ti·um (in′tĕr-den′shē-ŭm). 歯間（隣接する2歯間の間隔）.
in·ter·dig·it (in′tĕr-dij′it). 指(趾)間部（手または足の隣接2指間の部分）.
in·ter·dig·i·tal (in′tĕr-dij′i-tăl). 指(趾)間の（手または足の指の間についていう）.
in·ter·dig·i·ta·tion (in′tĕr-dij′i-tā′shŭn) [inter- + L. *digitus*, finger]. ***1*** 指状突起鉗合（舌のようなあるいは歯のある突起の相互鉗合）. ***2*** 指状突起（相互鉗合した突起）. ***3*** 鉗合ひだ（隣接細胞あるいは原形質膜のひだ）. ***4*** 咬頭嵌合. ＝intercuspation (2).
in·ter·dis·ci·pli·nar·y (in′tĕr-dis′i-pli-nār′ē) [inter- + L. *disciplina*, instruction, teaching]. 学際的な，学際の（医学および科学の種々の分野の重複部分を対象とすることを示す）.
in·ter·face (in′tĕr-fās). 界面（①2つの物体の間の共有境界面．②異なる放射線吸収度，超音波，磁気共鳴持性部位間の境界．そのような特性の異なる組織間の界面は画像に写し出される）.
crystalline i. 結晶境界（歯科において，隣接する結晶の間の境界）.
dermoepidermal i. 真皮表皮境界面（表皮と真皮乳頭層が互いにかみ合った接合部分のこと．ここでは，表皮の最下層が対応する真皮乳頭に突出している）. ＝dermoepidermal junction.
metal i. 金属界面（歯科において，金属と非溶解性鏽，または金属と表面酸化物との間の境界）.
structural i. 歯質境界（歯科において，歯と修復物との間の境界）.
in·ter·fa·cial (in′tĕr-fā′shăl). 界面の.
in·ter·fas·cic·u·lar (in′tĕr-fă-sik′yū-lăr). 束間の，維管束間の.
in·ter·fem·o·ral (in′tĕr-fem′ŏ-răl). 大腿間の.
in·ter·fer·ence (in′tĕr-fēr′ens) [inter- + L. *ferio*, to strike]. 干渉（①媒質内で，一方の波動の山が他方の波動の谷に対応すれば互いの波動を弱め，また2つの波動の山が対応すれば互いの波動を高め合うような形で波動が出合うこと．②不整脈の房室解離状態で認められるように，各々の伝導刺激によって支配される領域の接合部で2波興奮が心筋内で衝突すること．③また房室解離で，心房からの刺激(例えば，干渉拍動)により心室の正常リズムが乱れること．④細胞があるウイルスに感染していることが，他のウイルスによる重複感染を妨げている状態．あるいは，2種のウイルスが存在するにもかかわらず，どちらか一方のウイルスの感染によって生じる影響を妨げている状態）.
bacterial i. 細菌の干渉（ある種の細菌のコロニー増殖が他種株の増殖を妨げる状態）.
cuspal i. 咬合干渉. ＝deflective occlusal *contact*.
ribonucleic acid i. (**RNAi**) RNA 干渉，リボ核酸干渉（短鎖 RNA 分子が DNA の転写を阻害し，遺伝子発現を制御すること）.
in·ter·fer·om·e·ter (in′tĕr-fĕr-om′ĕ-tĕr) [interfere + G. *metron*, measure]. 干渉計（微小な距離あるいは移動を，それらによって生じる光の干渉を利用して測定する器械）.
electron i. 電子干渉計（光ビームの代わりに電子ビームを用いる干渉計）.
in·ter·fer·o·me·try (in′tĕr-fĕr-om′ĕ-trē). 干渉法（電磁波の相互作用を利用して，微小な距離あるいは移動を測定する方法）.
electron i. 電子干渉法（光ビームの代わりに電子ビームを用いる干渉法）.

---

in·ter·fer·on (**IFN**) (in′tĕr-fēr′on) [interfere + -on]. インターフェロン（ウイルス感染や他の生物学的刺激や人工的な刺激によってT細胞，線維芽細胞をはじめとした細胞から分泌される低分子蛋白と糖蛋白のサイトカイン(15—28kD)の一群．インターフェロンは細胞膜上の特異的レセプタに結合する．その作用は酵素誘導，細胞分裂の抑制，ウイルス増殖の抑制，マクロファージの食作用活性増強，Tリンパ球の細胞傷害作用の増強など多岐にわたる．インターフェロンはその生理化学的性質，由来細胞，誘導様式，抗体の反応から5つの代表型(アルファ，ベータ，ガンマ，タウ，オメガ)といくつかの亜型(アラビア数字と文字で表される)に分類されている）.

一般的に入手可能なインターフェロンは遺伝的に改変した大腸菌 *Escherichia coli* かチャイニーズハムスターの卵巣細胞で産生されるか，ヒト白血球に制御下でウイルスを感染させて誘導する．医学分野ではアルファインターフェロンが最もよく用いられている(alpha というつづりは自然産生インターフェロンに関して用いられる．薬剤の一般名に関する国際会議の取り決めでは，alfa というつづりは調剤名として用いられる)．アルファインターフェロンは，慢性B型およびC型肝炎，ヘアリー細胞白血病，慢性骨髄性白血病，エイズ関連 Kaposi 肉腫，悪性黒色腫，ヒトパピローマウイルスによる尖圭コンジロームや再発性呼吸器パピローマ症，幼児血管腫に用いられている．IFN-alfa で治療した慢性B型肝炎患者の約50%でB型肝炎e抗原(HB_eAg)が消失し，アラニンアミノトランスフェラーゼが正常に転換した．慢性C型肝炎での反応率はそれより低いが(15—25%)，より積極的な治療(週3回よりむしろ毎日の投与)や治療期間を延長する(最低12か月)ことで結果が改善している．ベータインターフェロンは，多発性硬化症でのミエリン損傷の再発と進行を抑える．ガンマインターフェロンは，大理石骨病と全身性強皮症での組織変化を遅延させるのに有効であり，慢性肉芽腫症での感染症の頻度と重篤度を減少させる．インターフェロンの投与は非経口的(静脈内，筋肉内，皮下，経鼻，鞘内，病巣内)に行われ，臨床的に反応が認められるまで数週間続ける必要がある．インターフェロンの治療を受けた人の50%以上が疲労，筋肉痛，関節痛などのかぜ様症候群にかかった．胃腸系と中枢神経系での副作用もまたよくみられ，長期の治療では骨髄抑制がかかる場合もある．

FDAで認められているインターフェロン治療
アルファ
慢性B型肝炎感染
慢性C型肝炎感染
慢性骨髄性白血病
沪胞性リンパ腫
性器いぼ（尖圭コンジローム）
ヘアリーセル白血病
Kaposi肉腫（エイズ関連）
黒色腫
ベータ
多発性硬化症
ガンマ
慢性肉芽腫症
大理石骨病

i. alfa 2b インターフェロンアルファ2b（分子量19,271の水溶性蛋白．ウイルス感染細胞から分泌される．毛様細胞性白血病，悪性黒色腫，尖圭コンジローム，エイズに関連したKaposi肺炎，慢性C型肝炎の治療に用いられる）．

i. alpha インターフェロンアルファ(α)（ウイルスによって誘導を受けた白血球が産生する主要なインターフェロン．ウイルス感染または二重鎖RNAによる刺激に対して白血球によって産生されるもので，いくつかのサブタイプがある．ヒトでは第9染色体短腕にこれらをコードする14個の遺伝子がある．インターフェロンα2Aと2Bは組換えDNA技術によってつくられる蛋白で抗腫瘍剤として用いられる）．＝leukocyte i.

antigen i. 抗原インターフェロン．＝i. gamma.

i. beta インターフェロンベータ(β)（インターフェロンαの場合と同様の刺激によって線維芽細胞とマクロファージによりつくり出される．唯一の遺伝子によりコードされる）．＝fibroblast i.

i. beta 1b インターフェロンベータ1b（抗ウイルスおよび免疫調節効果を有する165個のアミノ酸(分子量約18,500)を含有する精製された蛋白．再発を繰り返す多発性硬化症の治療に用いられ，臨床的増悪の頻度を減らせる）．

fibroblast i. 線維芽細胞型インターフェロン．＝i. beta.

i. gamma インターフェロンガンマ(γ)（特異抗原あるいはマイトジェンの刺激によりTリンパ球が産生分泌するインターフェロン．ただ1つの遺伝子によってコードされる．生物反応調整物質のように働き，免疫調節作用が強い）．＝antigen i.; immune i.

immune i. 免疫インターフェロン．＝i. gamma.

leukocyte i. 白血球インターフェロン．＝i. alpha.

i.-omega インターフェロンオメガ(ω)（インターフェロンアルファ2として知られているインターフェロン）．

i.-tau インターフェロンタウ(τ)（ウシ受胎産物から分泌されるインターフェロンで，抗レトロウイルス活性を有する．実験研究で用いられる）．＝trophoblast i.; trophoblastin.

trophoblast i. 栄養膜インターフェロン．＝i.-tau.

type I i. I型インターフェロン（抗ウイルス性インターフェロンでインターフェロンアルファとインターフェロンベータを含む）．

type II i. II型インターフェロン（免疫インターフェロンでインターフェロンガンマともいう）．

in·ter·fer·on-β2 (in′tĕr-fēr′on). インターフェロンβ2. ＝interleukin-6.

in·ter·fi·bril·lar, in·ter·fi·bril·lary (in′tĕr-fī′bri-lăr, -fī′bri-lār-ē; -fī-bril′ăr). 原線維間の．

in·ter·fi·brous (in′tĕr-fī′brŭs). 線維間の．

in·ter·fil·a·men·tous (in′tĕr-fil′ă-men′tŭs). 細線維間の，フィラメント間の．

in·ter·fron·tal (in′tĕr-fron′tăl). 前頭間の（前頭骨の未融合部分をいい，ここに残存する破格の縫合をさす）．

in·ter·gan·gli·on·ic (in′tĕr-gan′glē-on′ik). 神経節間の（神経節の間，あるいは神経節をつなぐものについていう）．

in·ter·gem·mal (in′tĕr-jem′ăl) [inter- ＋ L. *gemma*, bud]. 味蕾間の（味蕾など，2個以上の蕾あるいは蕾状の物の間の意で，特に2終末球の間の神経終末についていう）．

in·ter·ge·nal (in′tĕr-jēn′ăl). 遺伝子間の（異なった遺伝子間の）．

in·ter·glob·u·lar (in′tĕr-glob′yū-lăr). 球間の．

in·ter·glu·te·al (in′tĕr-glū′tē-ăl) [inter- ＋ G. *gloutos*, buttock]. 殿間の．

in·ter·go·ni·al (in′tĕr-gō′nē-ăl) [inter- ＋ G. *gōnia*, angle]. ゴニオン間の（→gonion）．

in·ter·gy·ral (in′tĕr-jī′răl). 脳回間の．

in·ter·hem·i·ce·re·bral (in′tĕr-hem′ē-ser′ĕ-brăl). 大脳半球間の．

in·ter·hy·ale (in-tĕr-hī′ăl). あぶみ骨筋の腱を形成する第二咽頭弓の内側部．

in·ter·ic·tal (in′tĕr-ik′tăl) [inter- ＋ L. *ictus*, stroke]. 発作間の（痙攣発作と痙攣発作の間の期間についていう）．

in·te·ri·or (in-tēr′ē-ŏr). 内の，内部の，内側の．

in·ter·is·chi·ad·ic (in′tĕr-is′kē-ad′ik). 坐骨間の（特に左右坐骨の坐骨結節間についていう）．＝intersciatic.

in·ter·ki·ne·sis (in′tĕr-ki-nē′sis) [inter- ＋ G. *kinēsis*, movement]. 中間期（減数分裂において，第一分裂と第二分裂の間期）．

in·ter·la·mel·lar (in′tĕr-lă-mel′ăr, -lam′ĕ-lăr). 層間の．

in·ter·leu·kin (IL) (in′tĕr-lū′kin) [inter- ＋ *leuk*ocyte ＋ -in]. インターロイキン（アミノ酸配列が解明された後に命名された多機能なサイトカインの一群．リンパ球，単球，マクロファージなどで産生される．→lymphokine; cytokine）．

recombinant human i. 11 遺伝子組換えヒトインターロイキン－11（血小板数の増加作用を有する薬物．癌化学療法による重篤な血小板減少症の改善目的で用いられる）．＝rhIL-11.

in·ter·leu·kin-1 (in′tĕr-lū′kin). インターロイキン–1（主として単核食細胞で産生されるサイトカインで，ヘルパーT細胞の増殖とB細胞の成長と分化を促進する．IL–1はIL–2の分泌を誘導する．大量に分泌されると炎症のメディエイタとして血流にはいり，発熱を起こし，急性期蛋白の合成を誘発し，代謝消耗を起こす．IL–1にはアルファとベータの2種類があり，いずれも同様に機能するが，蛋白の分子構造は異なる）．

in·ter·leu·kin-2 (in′tĕr-lū′kin). インターロイキン–2（ヘルパーTリンパ球から産生されるサイトカインで，Tリンパ球と活性化Bリンパ球を増殖させる．T細胞の長期培養を維持する）．

in·ter·leu·kin-3 (in′tĕr-lū′kin). インターロイキン–3（活性化CD4陽性リンパ球，線維芽細胞，表皮細胞より産生されるサイトカインで，単球の増殖を促進する．顆粒球の産生と分化を制御することによって造血に働く）．＝multicolony-stimulating factor.

in·ter·leu·kin-4 (in′tĕr-lū′kin). インターロイキン–4（T4リンパ球から産生されるサイトカインで，Bリンパ球の分化を促進する．免疫グロブリンのクラススイッチ，およびIgEの産生を促進する．DNA 生合成を促す）．＝B-cell differentiating factor.

in·ter·leu·kin-5 (in′tĕr-lū′kin). インターロイキン–5（Tリンパ球から産生されるサイトカインで，Bリンパ球の活性化と好酸球の分化，活性化，生存率増加を促進する）．

in·ter·leu·kin-6 (in′tĕr-lū′kin). インターロイキン–6（マクロファージ，内皮細胞より産生されるサイトカインで，Bリンパ球による免疫グロブリンの合成と分泌を増加させ，急性期蛋白をも誘導する．肝細胞中では急性期反応物質を誘導する）．＝B-cell stimulatory factor 2; interferon-β2.

in·ter·leu·kin-7 (in′tĕr-lū′kin). インターロイキン–7（骨髄細胞で産生されるサイトカインで，Bリンパ球とTリンパ球の増殖・分化を引き起こす）．

in·ter·leu·kin-8 (in′tĕr-lū′kin). インターロイキン–8（内皮細胞，線維芽細胞，角質細胞，マクロファージ，単球で産生されるサイトカインで，好中球とTリンパ球の走化性を誘導する）．＝anionic neutrophil-activating peptide; monocyte-derived neutrophil chemotactic factor; neutrophil chemotactant factor; neutrophil-activating factor.

in·ter·leu·kin-9 (in′tĕr-lū′kin). インターロイキン–9（T細胞で産生されるサイトカインで，IL–2/IL–4 非依存性T細胞の増殖・分化を発動する）．

in·ter·leu·kin-10 (in′tĕr-lū′kin). インターロイキン–10（ヘルパーTリンパ球(Th_2)で産生されるサイトカインで，Tリンパ球(Th_1)からのインターフェロンγおよび IL–2の分泌と単核球性の炎症を抑制する）．

in·ter·leu·kin-11 (in′tĕr-lū′kin). インターロイキン–11（骨髄間質細胞(内皮細胞，マクロファージ，前脂肪細胞)より産生されるサイトカインと成長因子で，血漿中の急性期蛋白の濃度を上昇させる．多機能の造血効果を有する成長因子である）．

in·ter·leu·kin-12 (in′tĕr-lū′kin). インターロイキン–12（Bリンパ球，マクロファージで産生されるサイトカインで，Tリンパ球と NK 細胞におけるインターフェロンγ遺伝子の発現と IL–2 を誘導する．Th_2サイトカインを負に制御する）．

in·ter·leu·kin-13 (in′tĕr-lū′kin). インターロイキン–13（ヘルパーTリンパ球より産生されるサイトカインで，単核球性の炎症を抑制する．B細胞の反応性調整物質と考えられている）．

in·ter·leu·kin-14 (in′tĕr-lū′kin). インターロイキン–14（T細胞で産生されるサイトカインで，B細胞の分化を促進し，免疫グロブリンの分泌を抑制する）．

in·ter·leu·kin-15 (in′tĕr-lū′kin). インターロイキン–15（T細胞で産生されるサイトカインで，T細胞の増殖と NK 細胞の活性化を開始させる）．

in·ter·leu·kin-16 (in′tĕr-lū′kin). インターロイキン–16（T細胞で産生されるサイトカインの1つで，$CD4^+$T 細胞の強力な化学誘導物質である）．

in·ter·leu·kin-17 (in′tĕr-lū′kin). インターロイキン–17（T細胞で産生される炎症誘発性サイトカイン）．

in·ter·leu·kin-18 (in′tĕr-lū′kin). インターロイキン–18（マクロファージで産生されるサイトカイン．T細胞や NK 細胞によるインターフェロン-γの強力な誘導物質）．

in·ter·lo·bar (in′tĕr-lō′bar). 葉間の（器官その他の構造の葉間についていう）．

in·ter·lo·bi·tis (in′tĕr-lō-bī′tis). 葉間炎（2肺葉を分けている胸膜の炎症）．

in·ter·lob·u·lar (in′ter-lob′yū-lăr). 小葉間の．

in·ter·mal·le·o·lar (in′tĕr-mal-ē′ō-lăr). 果間の．

in·ter·mam·ma·ry (in′tĕr-mam′ă-rē) [inter- + L. *mammilla*, breast, nipple]. 乳房間の（左右の乳頭の間に引かれた線についていう）．＝intermammillary.

in·ter·mam·mil·lar·y (in′tĕr-mam′i-lār-ē). 乳頭間の．＝intermammary.

in·ter·mar·riage (in′tĕr-mar′ij). 雑婚（①血族間の結婚．②異民族あるいは異文化の人との結婚）．

in·ter·max·il·la (in′tĕr-maks-il′ă). ＝incisive *bone.*

in·ter·max·il·lar·y (in′tĕr-mak′si-lār-ē). 〔上〕顎間の，〔上〕顎骨間の．

in·ter·me·di·ary (in′tĕr-mē′dē-ār-ē) [L. *intermedius*, lying between < *medius*, middle]. 中間の，中期の．

in·ter·me·di·ate (in′tĕr-mē′dē-ăt) [TA]. ＝intermedius [TA]. ***1***〚adj.〛中間の，中間にある，介在の．***2***〚n.〛中間体（化学反応の途中で形成され，さらに反応する物質．代謝に関係する化学反応の過程中に現れると，代謝中間生成物となる）．***3***〚n.〛裏装剤（歯科において，裏装に用いるセメントのこと）．***4***〚n.〛中間（右と左(あるいは外側と内側)の構造の中間にある要素，あるいは器官）．

replicative i. 複製中間体（RNA ウイルスがウイルス性 RNA を写しとる間に，プラス鎖産生の鋳型として役立つアンチセンス鎖）．

in·ter·me·din (in′tĕr-mē′din). インテルメジン．＝melanotropin.

in·ter·me·di·o·lat·er·al (IML) (in′tĕr-mē′dē-ō-lat′ĕr-ăl). 中間外側の（中間に位置するが，その中央ではなくどちらかの側に偏することをさす．脊髄の中間外側核をさすのに用いられるが，ここには交感神経の節前細胞体が存在する．→intermediolateral *nucleus*）．

in·ter·me·di·us (in′tĕr-mē′dē-ŭs) [L.][TA]. 中間．＝intermediate (4).

in·ter·mem·bra·nous (in′tĕr-mem′bră-nŭs). 膜間の．

in·ter·me·nin·ge·al (in′tĕr-mĕ-nin′jē-ăl). 髄膜間の（[誤った発音 intermeninge′al を避けること]）．

in·ter·men·stru·al (in′tĕr-men′strū-ăl). 月経間の（月経と月経との間についていう）．

in·ter·met·a·car·pal (in′tĕr-met′ă-kar′păl). 中手骨間の．

in·ter·met·a·mer·ic (in′tĕr-met′ă-mer′ik). 体節間の（特に椎間円板についていう）．

in·ter·met·a·tar·sal (in′tĕr-met′ă-tar′săl). 中足骨間の．

in·ter·met·a·tar·se·um (in′tĕr-met′ă-tar′sē-ŭm). 中足骨間骨．＝*os* intermetatarseum.

in·ter·mis·sion (in′tĕr-mish′ŭn) [L. *intermissio* < *intermitto*, to leave off, intermit < *mitto*, to send]. ***1*** 間欠，中休み，中断（症状あるいは作用の一時停止）．***2*** 間欠期（マラリアのような病気の発作と発作の間）．

in·ter·mit (in′tĕr-mit′). 間欠する，中断する（一時的に中止する）．

in·ter·mit·tence, in·ter·mit·ten·cy (in′tĕr-mit′ens, -en-sē). 間欠〔性〕（①疾病などの経過や状態，または持続中の行為が断続または中断される状態．特に脈拍が1回以上結滞することを示す．②疾患の2つの活動期の間に症状がまったくみられないこと）．

in·ter·mit·tent (in′tĕr-mit′ent). 間欠性の（2つの活動期の間に完全な休止期間のあることをさす）．

in·ter·mus·cu·lar (in′tĕr-mŭs′kyū-lăr). 筋間の．

in·tern (in′tern) [Fr. *interne*, inside]. インターン，医学研修生（監督ないし指導のもとに入院患者の内科的あるいは外科的治療の助手をすることにより，進んだ教育を受けるもの(通常，卒業後の1年目)．かつては病院内に住み込んでいるものをさした）．＝interne.

in·ter·nal (in-ter′năl) [L. *internus*][TA]. 内の，内部の（[inner または medial と混同しないこと]．表面より離れたの意だが，しばしば medial(内側の)の意味で誤って用いられる）．＝internus [TA].

in·ter·na·lin (in-tēr′nă-lin) [internal + -in]. インターナリン（リステリア表面に存在する 80–kD のロイシン－リッチリピート(ロイシンに富む繰り返し配列)で，E–カドヘリンと相互作用して宿主細胞への侵入が促進される）．

in·ter·nal·i·za·tion (in-ter′năl-i-zā′shŭn). 内在化（他人あるいは別の社会の基準や価値を自分自身のものとして採用すること）．

in·ter·na·ri·al (in′tĕr-nā′rē-ăl). 鼻孔間の．＝internasal.

in·ter·na·sal (in′tĕr-nā′săl). 鼻孔間の．＝internarial.

In·ter·na·tion·al Clas·si·fi·ca·tion of Dis·eases (ICD, ICDA) (in′tĕr-na′shŭn-ăl klas′i-fi-kā′shŭn dis-ēz-es). 国際疾病分類（世界保健機関(WHO)による国際的な専門委員会によって決定された疾患または疾患群の分類で，WHO は定期的に改訂して完全なリストを *Manual of the International Statistical Classification of Diseases, Injuries and Causes of Death* として出版している．第10回改訂 ICD は1992年に使用開始となった．本版は20章からなり，各章には階層的亜分類(項目)が付けられている．章によっては病因的分類が付けられ，多くは身体区分による分類がなされているが，ときに疾病分類や方法論的分類もある）．

In·ter·na·tion·al Clas·si·fi·ca·tion of Health Prob·lems in Pri·ma·ry Care (ICHPPC) 国際プライマリケア疾病分類（正確な診断がほとんど不可能なプライマリケアで使用できるようにしてある疾病・異常などの分類）．

In·ter·na·tion·al Clas·si·fi·ca·tion of Im·pair·ments, Dis·a·bil·i·ties and Hand·i·caps (ICIDH) (in′tĕr-nā′shŭn-ăl klas′i-fi-kā′shŭn im-pār′ments dis′ă-bil′i-tēz hand′ē-kaps). 国際障害機能喪失身体障害分類（WHO による分類で，損傷や病気に由来する障害，機能喪失および身体障害を数字で表す）．

In·ter·na·tion·al Com·mit·tee of the Red Cross (in′tĕr-na′shŭn-ăl kŏ-mit′ē red kros). 国際赤十字連合（赤十字の基本的理念に合致するジュネーブ憲章のもとに，軍隊間の武力紛争，市民戦争，内乱などの犠牲者に保護とその他の人道的扶助を与えるように援助する政治的に中立なスイスの機関）．

In·ter·na·tion·al Sys·tem of Units (SI) (in′tĕr-na′shŭn-ăl sis′tem yū′nits). [Fr. *Système International d'Unités*]. 国際単位系（メートル法に基づくこの制度は，国際的な科学および技術の一般分野で使用することが提案され，首尾一貫した単位(基本，補助，および組立単位)と，接尾語を使ってつくられるこれら単位の 10 の整数乗倍を表すものとして，The International Organization for Standardization (1960)の第 11 回度量衡総会で採択された．この単位は，長さ，質量，時間，電流，温度，光度，物質の量の各基本量に対して，メートル(m)，キログラム(kg)，秒(s)，アンペア(A)，ケルビン(K)，カンデラ(cd)，モル(mol)の 7 単位を勧告している．補助単位としては平面角にラジアン(rad)，立体角にステラジアン(sr)が提案された．組立単位(力，仕事率，周波数など)は基本単位を用いて表される．例えば，速度はメートル毎秒(ms^{-1})で表している．単位の 10 の整数乗倍(接頭語)は，大きな順にエクサ(E，10^{18})，ペタ(P，10^{15})，テラ(T，10^{12})，ギガ(G，10^{9})，メガ(M，10^{6})，キロ(k，10^{3})，ヘクト(h，10^{2})，デカ(da，10^{1})，デシ(d，10^{-1})，センチ(c，10^{-2})，ミリ(m，10^{-3})，マイクロ(μ，10^{-6})，ナノ(n，10^{-9})，ピコ(p，10^{-12})，フェムト(f，10^{-15})，アト(a，10^{-18})である．接頭語として提唱されているものにはゼタ(Z，10^{21})，ヨタ(Y，10^{24})，ゼプト(z，10^{-21})，ヨクト(y，10^{-24})がある）．

in·terne (in′tĕrn). ＝intern.

in·ter·neur·o·mer·ic (in′tĕr-nūr-ō-mer′ik). 神経分節間の．

in·ter·neu·rons (intĕr-nū′ronz). 介在ニューロン（知覚ニューロンと運動ニューロンの間に介在し，協調活動を支配するニューロンの結合あるいは集団）．

in·tern·ist (in-ter′nist, in′ter-nist). 内科医（内科学を修めた医師）．

in·ter·nod·al (in′tĕr-nō′dăl). 〔結〕節間の．

in·ter·node (in′tĕr-nōd). 〔結〕節間〔部〕．＝internodal *segment*.

in·ter·nu·cle·ar (in′tĕr-nū′klē-ăr). 核間の（脳あるいは網膜の神経細胞群の間の）．

in·ter·nun·ci·al (in′tĕr-nun′sē-ăl) [L. *internuntius*(または *-nuncius*), a messenger between two parties < *inter*, between + *nuncius*, a messenger]. ***1*** 介在ニューロン（2 個以上のニューロンの間に機能的に介在するニューロンをさす）．＝intercalary neuron. ***2*** 介在の，連絡の（2 器官の間の連絡媒体として作用する）．

in·ter·nus (in-ter′nŭs) [L.][TA]. 内の．＝internal.

in·ter·oc·clu·sal (in′tĕr-ŏ-klū′săl). 咬合面間の（相対する歯の咬合面の間についていう）．

in·ter·o·cep·tive (in′tĕr-ō-sep′tiv) [inter- + L. *capio*, to take]. 内受容〔性〕の（内臓(胸郭，腹腔，骨盤内の各器官，および心血管系)を支配する知覚神経細胞およびその終末器官，あるいはそれが脊髄や脳に伝達する情報についていう）．

in·ter·o·cep·tor (in′tĕr-ō-sep′tŏr) [inter- + L. *capio*, to take]. 内受容器（気道や胃腸管の壁，またはその他の内臓中にある種々の形の小型感覚終末器官(受容器)の 1 つ）．

in·ter·ol·i·var·y (in′tĕr-ol′i-vār′ē). オリーブ核間の（延髄の下オリーブの左右の間についていう）．

in·ter·or·bit·al (in′tĕr-ōr′bi-tăl). 眼窩間の．

in·ter·os·se·al (in′tĕr-os′ē-ăl). ＝interosseous.

in·ter·os·se·i (in′tĕr-os′ē-ī). interosseus の複数形．

in·ter·os·se·ous (in′tĕr-os′ē-ŭs) [inter- + L. *os*, bone]. 骨間の（骨の間にある，または骨を結合する．ある種の筋肉や靱帯についていう）．＝interosseal.

in·ter·os·se·us, pl. **in·ter·os·se·i** (in′tĕr-os′ē-ŭs, -os′e-ī). →muscle.

in·ter·pal·pe·bral (in′tĕr-pal′pe-brăl). 眼瞼間の．

in·ter·pa·ri·e·tal (in′tĕr-pă-rī′ĕ-tăl) [inter- + L. *paries*, wall]. 壁間の，頭頂骨間の（ある部分の壁状構造の間の，あるいは頭頂骨の間についていう）．

in·ter·par·ox·ys·mal (in′tĕr-par′ok-siz′măl). 発作間の（ある疾病の連続する発作の間に起こることについていう）．

in·ter·pe·dic·u·late (in′tĕr-pĕ-dik′yū-lāt). 椎弓根間の．

in·ter·pe·dun·cu·lar (in′tĕr-pe-dŭnk′yū-lăr). 脚間の．

in·ter·per·son·al (in′tĕr-per′sŏn-ăl). 対人的な，対人〔間〕の（人間関係や社会的交際についていう）．

in·ter·pha·lan·ge·al (IP) (in′tĕr-fă-lan′jē-ăl). 指節間の（[誤った発音 interphalange′al を避けること]．手足の指関節についていう）．

in·ter·phase (in′tĕr-fāz). 間期，〔細胞〕分裂間期（連続した 2 回の細胞核分裂の間の期間．細胞の生化学的および生理学的機能が完成し，染色体の複製が起こる）．＝karyostasis.

in·ter·phy·let·ic (in′tĕr-fī-let′ik) [inter- + G. *phylē*, tribe]. 中間型の，中元型の（異形成の途上にある 2 種の細胞の間の移行型をさす）．

in·ter·plant (in′tĕr-plant). 移植片（移植の際，提供者から被移植体に移される材料）．

in·ter·plant·ing (in′tĕr-plant′ing). 移植（実験発生学において，ある胚の原始細胞塊を別の胚の未分化組織に移すこと．例えば，絨毛尿膜組織移植，前眼房内移植など）．

in·ter·pre·ta·tion (in-ter′prĕ-tā′shŭn). 解釈（①精神分析において，分析家が特有な治療的介入をすること．②臨床心理学において，心理テストや精神療法中の個人の固有な反応を，精神力動的に推論し体系立てること）．

in·ter·prox·i·mal (in′tĕr-prok′si-măl). 隣接面の（相接している歯面の間）．

in·ter·pu·bic (in′tĕr-pyū′bik). 恥骨間の．

in·ter·pu·pil·lar·y (in′tĕr-pyū′pi-lār-ē). 瞳孔間の．

in·ter·ra·di·al (in′tĕr-rā′dē-ăl). 放射線間の（放射状の線の間にあることを示す）．

in·ter·re·nal (in′tĕr-rē′năl). 腎〔臓〕間の．

in·terr·up·tion (in-tĕr-up′shun). 休薬（薬物療法における毒性を低減させるため，計画的に治療を一時的に停止または中断すること．→on *period*; off *period*; drug holiday）．

in·ter·scap·u·lar (in′tĕr-skap′yū-lăr). 肩甲〔骨〕間の．

in·ter·scap·u·lum (in′tĕr-skap′yū-lŭm). 肩甲〔骨〕間〔部〕（肩の間の背中の部分，あるいは肩甲骨の間の部分）．

in·ter·sci·at·ic (in′tĕr-sī-at′ik). ＝interischiadic.

in·ter·sec·ti·o, pl. **in·ter·sec·ti·o·nes** (in′tĕr-sek′shē-ō, -sek′shē-ō′nēz) [L.][TA]. 〔腱〕画．＝intersection.

intersectiones tendineae musculi recti abdominis [TA]．＝tendinous *intersections* of rectus abdominis.

i. tendinea [TA]. 腱画．＝tendinous *intersection*.

in·ter·sec·tion (in′tĕr-sek′shŭn) [TA]. 〔腱〕画（2 構造の交わる点）．＝intersectio [TA].

tendinous i. [TA]. 腱画（筋肉を横切る腱の帯）．＝intersectio tendinea [TA]; inscriptio tendinea; tendinous inscription.

tendinous i.'s of rectus abdominis [TA]. 腹直筋の腱画（腹直筋の筋線維部分を横断するように存在する結合組織で，通常は 3 本ときに 4 本あり，完全に横断するときも不完全なときもある．通常は臍より上にある）．＝intersectiones tendineae musculi recti abdominis [TA].

in·ter·sec·ti·o·nes (in′tĕr-sek′shē-ō′nēz). intersectio の複数形．

in·ter·seg·men·tal (in′tĕr-seg-men′tăl). 体節間の，脊髄節間の，区〔域〕間の（体節または筋節などの 2 節間についていう．区域(気管支肺区域，肝区域，腎区域)の間を走行するという意味もある）．

in·ter·sep·tal (in′tĕr-sep′tăl). 中隔間の．

I

in·ter·sep·to·val·vu·lar (in′tĕr-sep′tō-val′vyū-lăr). 中隔弁間の（肧の一次中隔と偽中隔の間についていう）.
in·ter·sep·tum (in′tĕr-sep′tŭm) [L.]. 横隔膜. ＝diaphragm (1).
in·ter·sex·u·al (in′tĕr-seks′yū-ăl). 間性の，半陰陽の.
in·ter·sex·u·al·i·ty (in′tĕr-seks′yū-al′i-tē). 間性，半陰陽（男性と女性の特徴を両方有する状態．両性の中間であること）.
in·ter·space (in′tĕr-spās). 間空（肋骨間空など類似2物体の間の空間，あるいは上下の肋骨の中間）.
in·ter·spi·nal (in′tĕr-spī′năl). 棘突間の，棘間の（脊椎の棘突起などの2棘間についていう）. ＝interspinous.
in·ter·spi·na·lis (in′tĕr-spī-nā′lis). →interspinales (*muscles*).
in·ter·spi·nous (in′tĕr-spī′nŭs). ＝interspinal.
in·ter·stice, pl. **in·ter·stic·es** (in-ter′stis, -sti-siz) [L. *interstitium* < *sisto*, to stand]. 間隙（[本語の複数形の誤った発音 in-ter′sti-sēz を避けること]）. ＝interstitium.
in·ter·sti·tial (in′tĕr-stish′ăl). *1* 間隙〔性〕の，介在性の，割込みの（構造の中にある空間あるいは間隙についていう）. *2* 間隙の（組織や臓器の中にある間隙をさしていう．ただし，体腔や潜在的な空間は除く．*cf.* intracavitary）.
in·ter·stit·i·um (in′tĕr-stish′ē-ŭm) [L.]. 間隙（器官あるいは実質中にある小区域，空間，裂け目.→connective *tissue*）. ＝interstice.
in·ter·tar·sal (in′tĕr-tar′săl). 足根骨間の（足首の中央部に関する．足根骨相互の関節についていう）. ＝tarsotarsal.
in·ter·tha·lam·ic (in′tĕr-thal′ă-mik). 視床間の.
in·ter·trans·ver·sa·les (in′tĕr-trans-ver-sā′lis). 横突間筋（→intertransversarii (*muscles*)）.
in·ter·trans·verse (in′tĕr-trans′vers). 横突間の（脊椎の横突起の間についていう）.
in·ter·trig·i·nous (in′tĕr-trij′i-nŭs). 間擦〔性〕の，間擦疹〔性〕の.
in·ter·tri·go (in′tĕr-trī′gō) [L. a galling of the skin < *inter*, between ＋ *tero*, to rub]. 間擦疹（殿部の間，陰嚢と大腿の間，垂下した乳房などのように，皮膚のすれ合うところまたは近位の皮膚表面に生じる刺激性皮膚炎．摩擦，汗の滞留，湿気，暖かい温度，寄生微生物の相伴した過繁殖によって起こる．年少小児（→diaper *dermatitis*）や肥満成人に起こる）.
in·ter·tro·chan·ter·ic (in′tĕr-trō′kan-tār′ik). 転子間の（大腿骨の2転子間についていう）.
in·ter·tu·bu·lar (in′tĕr-tū′byū-lăr). 管間の（細管の間の）.
in·ter·u·re·ter·al (in′tĕr-yū-rē′tĕr-ăl). 尿管間の. ＝interureteric.
in·ter·u·re·ter·ic (in′tĕr-yū′rē-ter′ik). ＝interureteral.
in·ter·val (in′tĕr-văl) [L. *intervallum*, space between breastworks in a camp, an interval < *vallum*, a rampart, wall]. 間隔，中間〔期〕，間欠期（2期間あるいは2物体間の時間あるいは空間，1つの流れの過程の中断などをいう）.
 a-c i. a–c間隔（頸静脈波のa波とc波の起点間の時間）.
 AH i. AH間隔（心房波の最初の振れの開始から，His束(H)電位の最初の振れの開始までの時間．房室伝導時間(通常は50—120 msec)にほぼ一致する）.
 AN i. AN間隔（心房電位と結節電位の開始の間の時間．通常は40—100 msec）.
 atrioventricular i. 房室間隔. ＝auriculoventricular i.
 auriculoventricular i. 心房心室時間間隔（心房と心室の脱分極の時間差）. ＝atrioventricular i.
 AV i. AV間隔（心房収縮の開始から心室収縮の開始までの時間．動物では脈圧または心容積曲線から，ヒトでは心電図から測定する）.
 BH i. BH間隔（His束電位の持続時間．通常は15—20 msec）.
 calibration i. 校正(較正)周期（仕様書に記載された性能，精度を維持するために機器の校正を行う間隔または測定手順）.
 cardioarterial i., c-a i. 心〔臓〕動脈間隔，c–a間隔（心尖拍動と橈骨動脈拍動との間の時間）.
 confidence i. (CI) 信頼区間（関心のある変数の値の範囲．その変数の真値をある特定の確率で含む範囲として構成される）.
 coupling i. 連結間隔（正常な洞性収縮とそれに続く期外収縮の間の時間．ミリ秒単位で表す）.
 escape i. 補充収縮間隔（患者自身の基本調律の最終拍動(期外収縮または洞性収縮)と，最初の自発的に発生する補充収縮または最初の電気的歩調取り刺激(その回路内であらかじめセットされた刺激)との間の時間．脈拍の間隔より短いことも長いこともある）.
 focal i. 焦点間隔（眼の前焦点と後焦点の間の距離）.
 HV i. HV間隔（His束(H)電位の最初の振れから心室活動開始までの時間．通常は35—45 msec）.
 interectopic i. 異所性拍動間間隔（心電図上で連続する2つの異所性コンプレックスの間の距離）.
 isovolumic i. 等容性時間間隔（房室弁と半月弁の双方が閉じている時間で，この間心室腔の容積は変わらない）.
 lucid i. 意識清明期，平静期（精神病やせん妄で，精神障害の経過中に現れる正常な期間）.
 PA i. PA間隔（His束心電図に現れる，P波の発現からA波の最初の急速な振れまでの時間(通常は25—45 msec)．心房内の伝導時間を表す）.
 PJ i. PJ間隔（心電図上でP波の開始からQRS群の終わりまでの時間．JはQRSとT波の接合部junctionを表す）.
 P-P i. P–P間隔（心電図上でP波とP波の間の距離）.
 PQ i. PQ間隔. ＝PR i.
 PR i. PR間隔（心電図上でP波の開始から次のQRS群の開始までの時間．静脈波のa–c間隔に一致し，通常は0.12—0.20 sec）. ＝PQ i.
 QR i. QR間隔（QRS群の開始からR波のピークまたはR波が複数あれば最後のR波までに経過する時間．適切な単極誘導で決定できれば，近接様効果の発現時間を測定する）.
 QRB i. QRB間隔（心電図上でQ波の開始から右脚電位までの時間．通常は15—20 msec）.
 QRS i. QRS間隔（心電図上のQRS群の持続時間）.
 QS_2 i. QS_2間隔. ＝electromechanical *systole*.
 QT i. QT間隔（心電図上でQ波の開始からT波の終わりまでの時間．電気的収縮期に相当する）.
 R-R i. R–R間隔（心電図上で連続する2つのR波の間に経過する時間）.
 serial i. 連鎖〔感染〕間隔（ヒトからヒトへ広がる連鎖感染で続けて出現する感染疾病例のある同一局面間の時間間隔．→mass action *principle*; infection transmission *parameter*）.
 sphygmic i. 駆出期（心周期で，半月弁が開き血液が心室から動脈系に駆出されるまでの間）. ＝ejection period.
 Sturm i. (shtūrm). シュツルム間隔（球面円柱レンズの組合せにおける前焦線と後焦線の間の距離）.
 systolic time i.'s 収縮期間隔（→electromechanical *systole*; left ventricular ejection *time*; preejection *period*）.
in·ter·vas·cu·lar (in′tĕr-vas′kyū-lăr). 脈管間の（血管あるいはリンパ管の間についていう）.
in·ter·ven·tion (in′tĕr-ven′shŭn) [L. *inter-ventio*, a coming between < *inter-venio*, to come between]. 介入（何らかの影響を及ぼしたり，あるいは病的過程を変えることを意図する行動や援助）.
 crisis i. 危機介入（切迫した生命危機に際してのカウンセリングによる精神療法の技法で，危機解決の援助にとどまる）.
interventionalist (in-tĕr-ven′shŭn-ă-list). 介入専門医，インターベンション専門医（侵襲的検査や低侵襲手技を行う訓練を積んだ医師）.
in·ter·ven·tric·u·lar (in′tĕr-ven-trik′yū-lăr). 心室間の.
in·ter·ver·te·bral (in′tĕr-ver′tĕ-brăl). 椎骨間の（[誤った発音 in-ter-ver-tē′brăl を避けること]）.
in·ter·view (in′tĕr-vyū) [Fr. *entrevue* < L. *inter*-, among ＋ *video*, to see]. 面接（情報を得るために個人と個人が会ったり相談したりすること）.
 Zarit burden i. ザリット負荷面接（Alzheimer病患者の家族や介護者のストレスのレベルを評価するのに用いられる面接方法）.
in·ter·vil·lous (in′tĕr-vil′ŭs). 絨毛間の.
in·tes·ti·nal (in-tes′ti-năl). 腸〔管〕の.
 i. pseudoobstruction 腸偽閉塞（誤って小腸の閉塞ととられるような臨床徴候．通常，多発性空腸憩室の患者に生じる）.

in·tes·tine (in-tes′tin) [L. *intestinum*][TA]. 腸〔管〕(消化管のうちで胃と肛門との間にある部分．大きく小腸と大腸に分かれる)．＝bowel; gut (1); intestinum (1).

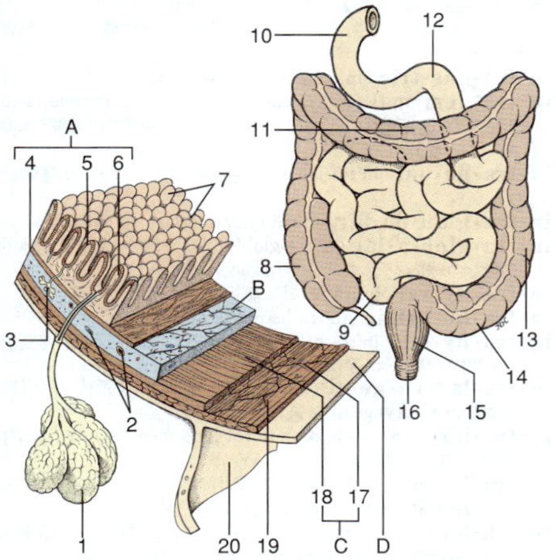

intestines

左：横隔膜下の消化管の4つの主な層の図．A：粘膜，B：粘膜下層，C：筋層，D：漿膜．右：腹部腸管の前面図．1：消化管から発達するがその外に存在する腺(肝臓)，2：血管，3：粘膜下層の腺，4：筋粘膜，5：上皮，6：粘膜固有層，7：絨毛，8：上行結腸，9：回腸，10：十二指腸，11：横行結腸，12：空腸，13：下行結腸，14：S状結腸，15：直腸，16：肛門，17：縦走筋，18：輪状筋，19：筋層間神経層，20：腸間膜．

large i. [TA]. 大腸 (消化管の遠位部で，回盲弁から肛門までの部分．盲腸(中垂が付属する)，結腸，直腸，および肛門管からなる．小腸より短く，かつ太い．水分や電解質の吸収を行い，内容物を一時的にためる働きもある)．＝intestinum crassum [TA].

small i. [TA]. 小腸 (胃と盲腸(回盲弁)の間にある消化管．十二指腸，空腸，回腸からなる．主な機能は，胃で，びじゅく化した食物を引き続いて消化し，栄養素を吸収すること．栄養素はリンパ系(脂質)および門脈系(糖質，アミノ酸)へはいる．小腸の粘膜は栄養素を効率よく吸収できるよう高度に特殊化している)．＝intestinum tenue [TA].

in·tes·ti·no·tox·in (in-tes′ti-nō-tok′sin). enterotoxin を表す現在では用いられない語．

in·tes·ti·num, pl. **in·tes·ti·na** (in′tes-tī′nŭm, -nă) [L. *intestinus*, internal, 中性形の名詞的用法として entrails ＜ *intus*, within]. [誤った発音 intes′tinum を避けること]. ***1*** 〚n.〛[TA]. 腸．＝intestine. ***2*** [*intestinus* の中性形]. 〚adj.〛内部の，内の．

i. cecum 盲腸．＝cecum (1).

i. crassum [TA]. 大腸．＝large *intestine*.

i. ileum 回腸 (→ileum).

i. jejunum 空腸 (→jejunum).

i. rectum 直腸 (→rectum).

i. tenue [TA]. 小腸．＝small *intestine*.

i. tenue mesenteriale 腸間膜小腸．＝mesenteric *portion* of small intestine.

in·ti·ma (in′ti-mă) [L. *intimus*(inmost)の女性形]. 最も内部の (→*tunica* intima).

in·ti·mal (in′ti-măl). 内膜の (内膜あるいは血管内膜についていう)．

in·ti·mi·tis (in′ti-mī′tis) [intima ＋ G. *-itis*, inflammation]. 脈管内膜炎 (血管内膜炎におけるような脈管の炎症)．

proliferative i. 増殖性脈管内膜炎 (毛細管床の増殖性変化が原因の，くすんだ紅斑と小潰瘍を特徴とする発疹)．

in·toe (in′tō). 足指内反．＝*metatarsus* adductus.

in·tol·er·ance (in-tol′ĕr-ăns). 不耐〔性〕(ある一定の物質の異常な代謝，排出，その他の素因についていう．栄養物質の利用障害や処理不全状態を表すのにしばしば用いる語)．

hereditary fructose i. [MIM*229600]. 遺伝性果糖不耐症 (果糖代謝経路中の第2酵素である肝臓のフルクトース-1,6-二リン酸アルドラーゼB(フルクトース-1-リン酸にも作用する)の欠損による代謝障害．果糖を摂取すると嘔吐，低血糖が起こる．年少小児が長期にわたり果糖を摂取すると発育障害をきたし，黄疸，肝腫，アルブミン尿，アミノ酸尿，ときに悪液質を起こし死亡する．常染色体劣性遺伝で，第9染色体長腕にあるアルドラーゼB(*ALDOB*)遺伝子の突然変異により生じる)．

lactose i. 乳糖不耐症 (乳糖を含む食物(例えば，ミルク，アイスクリーム)を摂取すると，痙攣性の腹痛や下痢が起こるのを特徴とする疾患．小腸ラクターゼの欠損による．乳児期にはミルクに耐性であった若年成人に初発することもある)．

lysinuric protein i. [MIM*222700]. リジン蛋白不耐症 (尿中にリジンやアルギニンやオルニチンなどの二塩基性アミノ酸の排泄増加を特徴とする常染色体劣性遺伝病．恐らく二塩基性アミノ酸の移送機構に障害がある)．

in·to·na·tion (in-tō-nā′shŭn). イントネーション (強さ，周波数，強調および付加的意味を呈する音節の変調によって生じる音声の質)．

in·tor·sion (in-tōr′shŭn) [L. *in-torqueo*, pp. *tortus*, to twist]. 内方捻転 (各々の角膜の上方が共同性に内回りする運動)．

in·tor·tor (in-tōr′tōr). 内回旋筋．＝medial *rotator*.

in·tox·a·tion (in′tok-sā′shŭn) [→intoxication]. 中毒 (特に，アルコール以外の細菌や有毒動物のもつ毒による中毒)．

in·tox·i·cant (in-tok′si-kant). ***1*** 〚adj.〛酔わせる．***2*** 〚n.〛酔わせる物質 (アルコールのような酒類)．

in·tox·i·ca·tion (in-tok′si-kā′shŭn) [L. *in*, in ＋ G. *toxikon*, poison]. ***1*** 中毒．＝poisoning (2). ***2*** 酔い，酔わせること．＝acute *alcoholism*.

acid i. 酸中毒 (酸生成物(例えば，β-オキシ酪酸，アセト酢酸，あるいはアセトン)による中毒(例えばコントロール不良の糖尿病)．代謝異常の結果，あるいは外から投与した酸により形成される．上腹部痛，頭痛，食欲不振，便秘，情動不安，呼気のアセトン臭があり，さらに空気飢餓，昏睡，虚脱を特徴とする)．

citrate i. クエン酸〔塩〕中毒 (抗凝固薬としてクエン酸を含む血液を大量輸血したときに起こる中毒症状．クエン酸はカルシウムイオンと結合してテタニーを起こす)．

intestinal i. 腸性中毒．＝autointoxication.

septic i. 敗血性中毒．＝septicemia.

water i. 水中毒 (水を体内に入れすぎたために生じる代謝性の脳障害)．

intra- (in′tră) [L. within]. [inter- または intro- と混同しないこと]. 内部のを意味する接頭語．extra- の対語．→endo-; ento-.

in·tra·ab·dom·i·nal (in′tră-ab-dom′i-năl). 腹腔内の．

in·tra·ac·i·nous (in′tră-as′i-nŭs). 細葉内の，腺胞内の．

in·tra·ad·e·noi·dal (in′tră-ad′ĕ-noy′dăl). アデノイド内の．

in·tra·ar·te·ri·al (in′tră-ar-tē′rē-ăl). 動脈内の．

in·tra·ar·tic·u·lar (in′tră-ar-tik′yū-lăr) [intra- ＋ L. *articulus*, joint]. 関節内の，関節腔内の．

in·tra·a·tri·al (in′tră-ā′trē-ăl). 心房内の (片方あるいは両心房内についていう)．

in·tra·au·ral (in′tră-aw′răl) [intra- ＋ L. *auris*, ear]. 耳内の．

in·tra·au·ric·u·lar (in′tră-aw-rik′yū-lăr). 耳介内の．

in·tra·bron·chi·al (in′tră-brong′kē-ăl). 気管支内の．＝endobronchial.

in·tra·buc·cal (in′tră-bŭk′ăl) [intra- ＋ L. *bucca*, cheek]. ***1*** 口内の．***2*** 頬内の (頬を形成している形態についていう)．

in·tra·can·a·lic·u·lar (in′tră-kan′ă-lik′yū-lăr). 小管内の．

in·tra·cap·su·lar (in′tră-kap′sū-lăr). 包内の，嚢内の (特に関節包内についていう)．

in·tra·car·di·ac (in′trǎ-kar′dē-ak) [intra- + G. *kardia*, heart]. 心臓内の（心室内についていう）. = endocardiac (1); endocardial; intracordal.
in·tra·car·pal (in′trǎ-kar′pǎl). 手根内面の，手根内の，手根骨間の.
in·tra·car·ti·lag·i·nous (in′trǎ-kar′ti-laj′i-nǔs). 軟骨内の（軟骨あるいは軟骨組織内の）. = enchondral; endochondral.
in·tra·cath·e·ter (in′trǎ-kath′ě-těr). 〔血管〕内カテーテル（注入，注射，あるいは圧測定のために血管内に挿入される，通常，穿刺針に付けられたプラスチック管）.
in·tra·cav·i·tary (in′trǎ-cav′i-tār-ē). 腔内性の（臓器腔または体腔内の）.
in·tra·ce·li·al (in′trǎ-sē′lē-ǎl) [intra- + G. *koilia*, cavity]. 腔内の（体腔内，特に脳室内についていう）. = endoceliac.
in·tra·cel·lu·lar (in′trǎ-sel′yū-lǎr). 細胞内の.
in·tra·cer·e·bel·lar (in′trǎ-ser′ě-bel′ǎr). 小脳内の.
in·tra·ce·re·bral (in′trǎ-ser′ē-brǎl). 大脳内の.
in·tra·cer·e·bro·ven·tric·u·lar (in′tra-ser-ē′brō-ven-trik′yū-lar). 脳室内の（脳室内に薬物あるいは化学物質を投与する際の位置についていう．動物実験ではしばしば用いられ，ヒトでは時々，血液脳関門を透過しない抗感染薬または抗腫瘍薬を脳に入れるために用いられる）.
in·tra·cer·vi·cal (in′trǎ-ser′vi-kǎl). 頸〔管〕内の. = endocervical (1).
in·tra·cis·ter·nal (in′trǎ-sis-těr′nǎl). 槽内の（クモ膜下槽内．通常，脳脊髄液を吸引するため，または脳室に空気を入れるため，小脳延髄槽にカニューレを導入することをいう）.
in·tra·co·lic (in′trǎ-kol′ik). 結腸内の.
in·tra·cor·dal (in′trǎ-kōr′dǎl) [intra- + L. *cor*, heart]. = intracardiac.
in·tra·cor·o·nal (in′trǎ-kōr′ǒ-nǎl). 歯冠内の.
in·tra·cor·po·re·al (in′trǎ-kōr-pō′ē-ǎl) [intra- + L. *corpus*, body]. 体内の（①身体内についていう．②解剖学的に体の形をした構造内についていう）.
in·tra·cor·pus·cu·lar (in′trǎ-kōr-pǔs′kyū-lǎr). 血球内の（特に赤血球内についていう）. = intraglobular (2).
in·tra·cos·tal (in′trǎ-kos′tǎl). 肋骨内面の.
in·tra·cra·ni·al (in′trǎ-krā′nē-ǎl). 頭蓋内の（頭蓋の内部，通常，頭蓋腔内を意味する）.
in·tra·crine (in′trǎ-krin) [intra- + G. *krinō*, to separate, secrete]. 細胞内分泌の（細胞内で作用する因子を細胞が産生することによって細胞自身を刺激する働きをさす）.
in·trac·ta·ble (in-trak′tǎ-běl) [L. *in-tractabilis* < *in-* 否定辞 + *tracto*, to draw, haul]. 難治〔性〕の（① = refractory (1). ② = obstinate (1)）.
in·tra·cu·ta·ne·ous (in′trǎ-kyū-tā′nē-ǔs) [intra- + L. *cutis*, skin]. 皮内の（特に真皮についていう）. = intradermal; intradermic.
in·tra·cys·tic (in′trǎ-sis′tik). 嚢内の，嚢胞内の，膀胱内の.
in·trad (in′trǎd). 内方へ（内側の部分に向かって）.
in·tra·der·mal, in·tra·der·mic (in′trǎ-der′mǎl, -der′-mik) [intra- + G. *derma*, skin]. = intracutaneous.
in·tra·duct (in′trǎ-dǔkt). 腺管内の，導管内の.
in·tra·du·ral (in′trǎ-dū′rǎl). 硬膜内の，硬膜で包まれた.
in·tra·em·bry·on·ic (in′trǎ-em′brē-on′ik). 胎芽内の，胎児内の（胎芽内に存在する部分についていう．例えば胎芽（胎児）内に存在する臍静脈（分娩時に離断される臍帯に対比して用いられる）. *cf.* extraembryonic）.
in·tra·ep·i·der·mal (in′trǎ-ep′i-der′mǎl). 表皮内の.
in·tra·ep·i·phys·i·al (in′trǎ-ep′i-fiz′ē-ǎl). 骨端内の（長骨の骨端内についていう）.
in·tra·ep·i·the·li·al (in′trǎ-ep′i-thē′lē-ǎl). 上皮内の，上皮細胞間の.
in·tra·far·a·di·za·tion (in′trǎ-fa′rǎ-di-zā′shǔn). 内部誘導電気刺激（感応焼灼電流を腔または管腔臓器の内部に流すこと）.
in·tra·fas·cic·u·lar (in′trǎ-fǎ-sik′yū-lǎr). 束内の（例えば束間束 interfascicular fasciculus）.
in·tra·fe·brile (in′trǎ-fe′b′ril, -fē′bril). 発熱期の. = intrapyretic.
in·tra·fi·lar (in′trǎ-fī′lǎr) [intra- + L. *filum*, thread]. 網内の.
in·tra·fu·sal (in′trǎ-fyū′sǎl). 錘内線維の（筋紡錘内の筋線維について用いる）.
in·tra·gal·va·ni·za·tion (in′trǎ-gal′van-i-zā′shǔn). 内臓直流通電〔法〕（腔あるいは管腔臓器の内部に直流の焼灼電気を通すこと）.
in·tra·gas·tric (in′trǎ-gas′trik). 胃内の.
in·tra·gem·mal (in′trǎ-jem′ǎl) [intra- + L. *gemma*, bud]. 味蕾内の（味蕾内の，特に終末あるいは味蕾内の神経末端についていう）.
in·tra·ge·nal (in′trǎ-jēn′ǎl). 遺伝子内の（1つの遺伝子内の）.
in·tra·glan·du·lar (in′trǎ-glan′dyū-lǎr). 腺内の.
in·tra·glob·u·lar (in′trǎ-glob′yū-lǎr). 球内の（①総体的な意味での球内をさす．② = intracorpuscular）.
in·tra·gy·ral (in′trǎ-jī′rǎl). 脳回内の.
in·tra·he·pat·ic (in′trǎ-he-pat′ik). 肝臓内の.
in·tra·hy·oid (in′trǎ-hī′oyd). 舌骨内の（特に舌骨実質あるいは腔内の副甲状腺についていう）.
in·tra·la·ryn·ge·al (in′trǎ-lǎ-rin′jē-ǎl). 喉頭内の（[誤った発音 intralarynge′al を避けること]）.
in·tra·lig·a·men·tous (in′trǎ-lig′ǎ-men′tǔs). 靱帯内の（特に子宮の広間膜についていう）.
in·tra·lo·bar (in′trǎ-lō′bar). 葉内の.
in·tra·lob·u·lar (in′trǎ-lob′yū-lǎr). 小葉内の.
in·tra·loc·u·lar (in′trǎ-lok′yū-lǎr). 小室内の，小窩内の.
in·tra·lu·mi·nal (in′trǎ-lū′mi-nǎl). = intratubal.
in·tra·med·ul·lar·y (in′trǎ-med′yū-lār-ē). ***1*** 骨髄内の. ***2*** 脊髄内の. ***3*** 延髄内の.
in·tra·mem·bra·nous (in′trǎ-mem′brā-nǔs). ***1*** 膜内の（膜の内側，あるいは膜の層の間についていう）. ***2*** 膜性（内軟骨性骨化とは異なり，軟骨期を経ることなく間葉細胞から直接骨が形成される骨化形態をさす（例えば，頭蓋冠に生じる））.
in·tra·me·nin·ge·al (in′trǎ-mě-nin′jē-ǎl). 〔脳脊〕髄膜内の，髄膜で囲まれた（[誤った発音 intrameninge′al を避けること]）.
in·tra·mi·to·chon·dri·al (in′trǎ-mī′tō-kon′drē-ǎl). ミトコンドリア内の（ミトコンドリア内部の）.
in·tra·mo·lec·u·lar (in′trǎ-mǒ-lek′yū-lǎr). 分子内の（分子内の状態や事象についていう）.
in·tra·mu·ral (in′trǎ-myū′rǎl). 壁内の（腔または管腔臓器の壁実質内についていう）. = intraparietal (1).
in·tra·mus·cu·lar (IM) (in′trǎ-mǔs′kyū-lǎr). 筋〔肉〕内の.
in·tra·my·o·car·di·al (in′trǎ-mī′ō-kar′dē-ǎl). 心筋内の.
in·tra·my·o·me·tri·al (in′trǎ-mī′ō-mē′trē-ǎl). 子宮筋内の.
in·tra·na·sal (in′trǎ-nā′sǎl). 鼻内の，鼻腔内の.
in·tra·na·tal (in′trǎ-nā′tǎl) [intra- + L. *natalis*, relating to birth]. 出生時の，分娩時の.
in·tra·neu·ral (in′trǎ-nū′rǎl) [intra- + G. *neuron*, nerve]. 神経内の.
in·tra·nu·cle·ar (in′trǎ-nū′klē-ǎr). 核内の，細胞核内の.
in·tra·oc·u·lar (in′trǎ-ok′yū-lǎr). 眼内の.
in·tra·op·er·a·tive (in-trǎ-op′ěr-ǎ-tiv). 術中の（手術の間に起こる）.
in·tra·o·ral (in′trǎ-ō′rǎl) [intra- + L. *os*, mouth]. 口内の.
in·tra·or·bit·al (in′trǎ-ōr′bi-tǎl). 眼窩内の.
in·tra·os·se·ous (in′trǎ-os′ē-ǔs) [intra- + L. *os*, bone]. 骨内の. = intraosteal.
in·tra·os·te·al (in′trǎ-os′tē-ǎl). = intraosseous.
in·tra·o·var·i·an (in′trǎ-ō-vā′rē-ǎn). 卵巣内の.
in·tra·ov·u·lar (in′trǎ-ov′yū-lǎr). 卵内の，卵母細胞内の.
in·tra·pa·ri·e·tal (in′trǎ-pǎ-rī′ě-tǎl). ***1*** = intramural. ***2*** 矢状縫合の（→intraparietal *sulcus*）.
in·tra·par·tum (in′trǎ-par′tǔm) [intra- + L. *partus*, childbirth]. 分娩時の（*cf.* antepartum; postpartum）.
in·tra·pel·vic (in′trǎ-pel′vik). 骨盤内の.
in·tra·per·i·car·di·ac, in·tra·per·i·car·di·al (in′trǎ-per′i-kar′dē- ak, -kar′dē-ǎl). 心膜内の. = endopericar-

diac.

in·tra·per·i·to·ne·al **(IP)** (in′tră-per′i-tō-nē′ăl). 腹腔内の.

in·tra·per·son·al (in′tră-per′sŏn-ăl). 個人内の. =intrapsychic.

in·tra·pi·al (in-tră-pē′ăl). 軟膜内の.

in·tra·pleu·ral (in′tră-plū′răl). 胸膜腔内の, 胸内の.

in·tra·pon·tine (in′tră-pon′tīn). 〔脳幹〕橋内の.

in·tra·pros·tat·ic (in′tră-pros-tat′ik). 前立腺内の.

in·tra·pro·to·plas·mic (in′tră-prō′tō-plaz′mik). 原形質内の.

in·tra·psy·chic (in′tră-sī′kik). 心内の, 精神内の（他人や外部の出来事とは関係なく個人の精神内部に生じる心理的力動についていう）. =intrapersonal.

in·tra·pul·mo·nar·y (in′tră-pul′mo-nār′ē). 肺内の.

in·tra·pul·pal (in-tră-pŭl′păl). 歯髄内の（歯髄の中をさす）.

in·tra·py·ret·ic (in′tră-pī-ret′ik) [intra- + L. *pyretos*, fever]. =intrafebrile.

in·tra·rec·tal (in′tră-rek′tăl). 直腸内の.

in·tra·re·nal (in′tră-rē′năl) [intra- + L. *ren*, kidney]. 腎〔臓〕内の.

in·tra·ret·i·nal (in′tră-ret′i-năl). 網膜内の.

in·trar·rha·chid·i·an, in·tra·ra·chid·i·an (in′tră-ră-kid′ē-ăn) [intra- + G. *rachis*, spine]. =intraspinal.

in·tra·scro·tal (in′tră-skrō′tăl). 陰嚢内の.

in·tra·seg·men·tal (in′tră-seg-men′tal). 区域内の（区域内部の(区域間ではない), または区域(気管支区域, 肝区域, 腎区域など)の中を走る）.

in·tra·spi·nal (in′tră-spī′năl). 脊椎内の, 脊椎管内の, 脊髄内の, 髄腔内の. =intrarrhachidian; intrarachidian.

in·tra·splen·ic (in′tră-splen′ik). 脾臓内の.

in·tra·stro·mal (in′tră-strō′măl). 基質内の（器官あるいはその一部の基質内についていう）.

in·tra·syn·ov·i·al (in′tră-si-nō′vē-ăl). 滑液包内の, 関節滑液嚢内の, 腱滑液鞘内の.

in·tra·tar·sal (in′tră-tar′săl). 足根内の, 足根骨間の.

in·tra·ten·di·nous (in′tră-ten-di′nus). 腱内の（筋の腱性部分内を示す. 例えば腱内肘頭滑液包）.

in·tra·the·cal (in′tră-thē′kăl). ***1*** 鞘内の. ***2*** クモ膜下腔または硬膜下腔内の.

in·tra·tho·rac·ic (in′tră-thō-ras′ik). 胸内の, 胸腔内の.

in·tra·ton·sil·lar (in′tră-ton′si-lăr). 扁桃内の, 扁桃実質内の（例えば扁桃裂 intratonsillar cleft).

in·tra·tub·al (in′tră-tū′băl). 管内の. =intraluminal.

in·tra·tu·bu·lar (in′tră-tū′byū-lăr). 〔小〕管内の.

in·tra·tym·pan·ic (in′tră-tim-pan′ik). 鼓室内の, 中耳内の.

in·tra·u·ter·ine (in′tră-yū′ter-in). 子宮内の.

in·tra·vas·cu·lar (in′tră-vas′kyū-lăr). 脈管内の（血管内またはリンパ管内についていう）.

in·tra·ve·nous **(IV, I.V., i.v.)** (in′tră-vē′nŭs). 静脈〔内〕の（[誤った発音 in-ter-vē′nŭs および in-tră-vē′nē-nŭs を避けること]）. =endovenous.

in·tra·ven·tric·u·lar **(IV, I-V)** (in′tră-ven-trik′yū-lăr). 心室内の, 脳室内の.

in·tra·ves·i·cal (in′tră-ves′i-kăl). 嚢内の, 膀胱内の.

in·tra vi·tam (in′tră vī′tăm) [L. *vita*, life]. 生存中に.

in·tra·vi·tel·line (in′tră-vi-tel′in, -ēn). 卵黄内の(→yolk (1)).

in·tra·vit·re·ous (in′tră-vit′rē-ŭs). 硝子体内の.

in·trin·sic (in-trin′sik) [L. *intrinsecus*, on the inside]. =essential (6). ***1*** 固有の, 内因性の, 内在性の（物の本質や性質に関する）. ***2*** 固有の（解剖学において, 起始部と付着部が同じ構造にある筋肉についていう. 他の構造から起始している外来筋と区別していう. 主として体肢の筋について用いられるが, 毛様体筋を眼球外面にある直筋その他の外眼筋と区別するときにも適用される）.

intro- (in′trō) [L. *intro*, into]. 内部あるいは中へを意味する接頭語. extra- の対語. *cf.* intra-.

introcision (in′trō-sizh-ŭn) [intro- + L. *caedo*, to cut]. 女性割礼（会陰を裂いて膣と肛門の共通孔をつくり, 若い女性の性交時の挿入を容易にする. 重大な障害をもたらす女性の性器割礼. →female *circumcision*).

in·tro·duc·er (in′trō-dūs′ĕr) [L. *intro-duco*, to lead into, introduce]. 誘導針, 導入器（カテーテル, 針, または気管内チューブなどの可橈性の器具を挿入するための器械）. =intubator (2).

in·tro·flec·tion, in·tro·flex·ion (in′trō-flek′shŭn) [intro- + L. *flecto*, pp. *flectus*, to bend]. 内屈（内方へ曲がること）.

in·tro·gas·tric (in′trō-gas′trik) [intro- + G. *gastēr*, belly, stomach]. 胃内への.

in·tro·i·tus (in-trō′i-tŭs) [L. entrance < *intro-eo*, to go into]. 入口, 口（管あるいは膣などの中空臓器の入口）.

i. canalis =i. of facial canal.

i. of facial canal 顔面神経管口（顔面神経管への入口で顔面神経が通過して内耳道端に達する）. =i. canalis.

vaginal i. =*vestibule* of vagina.

in·tro·ject (in′trō-jekt). 取り入れ（力動的に賦与された持続的な対象の内的な表象）.

in·tro·jec·tion (in′trō-jek′shŭn) [intro- + L. *jacto*, to throw]. 摂取, 取込み, 取入れ（外部の出来事を取り入れ, 人格によりそれを同化して自己の一部とすることを意味する心理的防衛機制）.

in·tro·mis·sion (in′trō-mish′ŭn) [intro- + L. *mitto*, to send]. 挿入, 送入（ある部分を他の部分へ挿入または導入すること）.

in·tro·mit·tent (in′trō-mit′ĕnt). 挿入の, 送入の（身体あるいは腔の中に送り込むことについていう）.

in·tron (in′tron) [inter- + -on]. イントロン（2つのエクソン間に位置するDNA配列で, RNAに転写されるが, 成熟mRNA中には存在しない. イントロンはスプライシングにより取り除かれ, 蛋白合成時には(蛋白として)発現しないからである. 慣習的に, 成熟前のmRNA初期転写産物に対応する領域にまで拡大使用されている）. =intervening sequence.

Class I i. クラスIイントロン（顕著なRNAの二次構造をもつイントロンで, P, Q, R, Sという10－12塩基の保存された配列をもつ4つのヌクレオチドからなる. →Class II i.).

Class II i. クラスIIイントロン（クラスIにみられるP, Q, R, Sという保存塩基配列を有しないイントロン. リボザイムおよび特徴と作用が多岐にわたっている可能性の遺伝因子からなるグループであることから, 種々の進化過程を経てきたことが示唆される. →Class I i.).

in·tro·spec·tion (in′trō-spek′shŭn) [intro- + L. *specto*, to look at, inspect]. 内省（内面をみつめること, 自己を吟味すること, 自分自身の精神過程を熟考すること）.

in·tro·spec·tive (in′trō-spek′tiv). 内省〔的〕の.

in·tro·sus·cep·tion (in′trō-sŭs-sep′shŭn). =intussusception.

in·tro·ver·sion (in′trō-ver′zhŭn) [intro- + L. *verto*, pp. *versus*, to turn]. ***1*** 内翻（構造がそれ自身の中へ陥入すること. →intussusception; invagination). ***2*** 内向〔性〕（自分自身のことに没頭する傾向で, 内向的な人にみられる. *cf.* extraversion).

in·tro·vert ***1*** (in′trō-vert). 〚n.〛内向型（他人事には関心を示したり, 関わることを避け, 異常なほど内気で内省的, 自己没入型の人をいう. *cf.* extrovert). ***2*** (in-trō-vert′). 〚v.〛内翻する（構造がそれ自身の中へ陥入する）.

in·tu·bate (in′tū-bāt). 挿管する.

in·tu·ba·tion (in′tū-bā′shŭn) [L. *in*, in + *tuba*, tube]. 挿管〔法〕（チューブを管, 中空臓器, あるいは腔に挿入すること. 特に麻酔または肺換気のため, 口気管チューブあるいは経鼻気管チューブを挿入すること）.

altercursive i. 流路変更挿管（分泌を間欠的に正常の目的地から外部に転じることに対してまれに用いる語. 例えば, 胆汁を腸から外部へ転じる）.

aqueductal i. 水道挿管（中脳水道の閉塞や狭窄を軽減するため, 中脳水道内にチューブを挿入すること）.

blind nasotracheal i. 盲目的経鼻気管内挿管（喉頭鏡を用いずに, チューブを経鼻的に気管内に挿入すること）.

endotracheal i. 気管内挿管（麻酔中の気道維持のため,

I

あるいは換気維持のため，閉塞しそうな気道を維持するため，経鼻または経口で気管内にチューブを挿入すること）．＝intratracheal i.

intratracheal i. ＝endotracheal i.

nasotracheal i. 経鼻気管内挿管（チューブを経鼻的に気管内に挿入すること）．

orotracheal i. 経口気管内挿管（チューブを経口的に気管内に挿入すること）．

tracheal i. 気管〔内〕挿管（気道の開存を維持するために気管内へ鼻，口あるいは気管切開を通じて管を通すこと）．

in·tu·ba·tor (in′tū-bā-tŏr). *1* 挿管を行う人．*2* ＝introducer.

in·tu·mesce (in-tū-mes′)［L. *in-tumesco*, to swell up＜*tumeo*, to swell］．膨張する，膨大する．

in·tu·mes·cence (in′tū-mes′ens). 膨大，膨張（①＝enlargement. ②腫脹または膨大の過程．脊髄膨大を記述するのに用いられる）．

tympanic i. 鼓室膨大．＝tympanic *enlargement*.

in·tu·mes·cent (in′tū-mes′ent). 膨大〔性〕の，膨張〔性〕の．

in·tu·mes·cen·ti·a (in′tū-mes-sen′shē-ă)［Mod. L.］［TA］．膨大．＝enlargement.

i. cervicalis［TA］．頸膨大．＝cervical *enlargement*.

i. ganglioformis ＝geniculate *ganglion*.

i. lumbosacralis［TA］．腰膨大．＝lumbosacral *enlargement*.

i. tympanica［TA］．鼓室膨大．＝tympanic *enlargement*.

in·tus·sus·cep·tion (in′tŭs-sŭs-sep′shŭn)［L. *intus*, within＋*sus-cipio*, to take up＜*sub*＋*capio*, to take］［MIM *147710］．重積〔症〕（［誤ったつづり intussusception, intussuseption, intersusception, および他の別形を避けること］．①ある部分が別の部分に陥入または嵌頓すること．特に腸の一分節が別の分節に陥入すること．→introversion; invagination. ②特に，細胞壁の成長において新しい物質を取り込む過程をしばしば示す）．＝introsusception.

colic i. 結腸重積〔症〕（結腸の一部が結腸の他の部分に陥入すること）．

double i. 二重腸重積〔症〕（最初の重積の上の腸を巻き込んで起こる二次重積．一次重積の後，周囲の腸壁が収縮し，こうして形成された固い集塊は近位の腸に囲まれ，これが二次重積の原因となる）．

ileal i. 回腸重積〔症〕（回腸の一部が回腸の他の部分に陥入する型）．

ileocecal i. 回盲部腸重積〔症〕（回腸下部が回盲弁を通り盲腸にはいり込むこと）．

ileocolic i. 回結腸重積〔症〕（回腸下部が回盲弁とともに上行結腸に陥入する型）．

jejunogastric i. 空腸胃重積〔症〕（胃空腸吻合後のまれな合併症．腸の輸入脚あるいは輸出脚が胃に陥入する）．

retrograde i. 逆行性腸重積〔症〕（腸の下部分節が直上の分節に陥入すること）．

in·tus·sus·cep·tive (in′tŭs-sŭs-ep′tiv). 重積〔症〕の，腸重積〔症〕の．

in·tus·sus·cep·tum (in′tŭs-sŭs-sep′tŭm). 内管，陥入部（腸重積の内筒．他部分に陥入する腸の部分）．

in·tus·sus·cip·i·ens (in′tŭs-sŭs-sip′ē-enz)［L. *intus*, within＋*suscipiens*: *suscipio*(to take up)の現在分詞］．外鞘，外筒（腸重積で他の部分を受け入れる腸の部分）．

in·u·lase (in′yū-lās). イヌラーゼ．＝inulinase.

in·u·lin (In) (in′yū-lin). イヌリン（キク科オオグルマ *Inula helenium* およびその他の植物の根茎から得られる，多糖類で果糖．腎糸球体では沪過されるが再吸収されないので，糸状体沪過率を決定するため静脈注射される．糖尿病患者のパンにも用いる．*cf.* inulin *clearance*）．＝alant starch; alantin; dahlin.

in·u·lin·ase (in′yū-lin-ās). イヌリナーゼ（イヌリン中の 2,1-β-D-フルクトシド環に作用する酵素．イヌリンを D-フルクトースに分解する）．＝inulase.

in·u·lol (in′yū-lol). イヌロール．＝alantol.

in·unc·tion (in-ŭngk′shŭn)［L. *inunctio*, an anointing＜*inunguo*, pp. *-unctus*, to smear on］．塗擦，塗膏（薬物を軟膏の形で皮膚にすり込んで，その有効成分を吸収させること）．

in u·ter·o (in yū′tĕr-ō)［L.］．胎内（子宮内．分娩前の状態）．

in·vac·ci·na·tion (in-vak′si-nā′shŭn). 迷入接種（現在では用いられない語．種痘中，梅毒のような他疾患の病原菌が偶然接種されることを表す）．

in vac·u·o (in vak′yū-ō)［L.］．真空中で（例えば減圧下）．

in·vag·i·nate (in-vaj′i-nāt)［L. *in*, in＋*vagina*, a sheath］．陥入する，重積する（1つの構造がそれ自身または他の構造の中へ陥入，包囲，挿入する）．

in·vag·i·na·tion (in-vaj′i-nā′shŭn). *1* 陥入（構造がそれ自身または他の構造の内部へ陥入，包囲，挿入すること）．*2* 重積〔症〕（陥入されている状態．→introversion; intussusception）．

basilar i. 扁平頭蓋底．＝platybasia.

in·vag·i·na·tor (in-vag′i-nā-tŏr, -tōr). 重積用器械（組織を陥入させるための器械）．

in·va·lid (in′vă-lid)［L. *in-* 否定辞＋*validus*, strong］．*1*〚adj.〛病弱の，廃疾の．*2*〚n.〛病弱者，廃疾者，傷病兵（部分的に，もしくは完全に無力な人）．

in·va·lid·ism (in′vă-lid-izm). 病弱，廃疾．

in·va·sin (in-vā′sin). インベーシン．＝hyaluronidase (1).

in·va·sion (in-vā′zhŭn)［L. *invasio*＜*in-vado*, pp. *-vasus*, to go into, attack］．*1* 侵入，侵襲（病気の初発あるいは侵入）．*2* 浸潤（隣接組織を浸潤あるいは破壊して，悪性新生物が局部的に広がること．上皮性腫瘍の場合は，上皮基底膜下に浸潤すること）．*3* 浸潤（異質の細胞が組織内にはいり込むこと．炎症の際の多形核白血球など）．

in·va·sive (in-vā′siv). 侵襲性の（①侵襲により特徴付けられるような．②診断または治療のために機器または器具を皮膚あるいは身体開口部を通じ，挿入することを要するような方法についていう）．

in·ven·tor·y (in′ven-tōr-ē). 項目表，目録（詳しい項目リストで，種々の行動現象の心理的および精神医学的評価で用いられる．→construct (2)）．

Millon Clinical Multiaxial I. (MCMI) ミロン(ミヨン)臨床多軸質問紙．＝Millon Clinical Multiaxial Inventory *test*.

Minnesota Multiphasic Personality I. ミネソタ多面人格目録．＝Minnesota Multiphasic Personality Inventory *test*.

personality i. 性格特性項目表，人格目録（個々人の特質に基づいた行動，思考，および感情の習慣的形式を仲間の集団と比較して評価する心理テスト）．

in·ver·mi·na·tion (in-ver′mi-nā′shŭn)［L. *in*, in＋*vermis* (*vermin-*), worm］．寄生虫病．＝helminthiasis.

in·ver·sion (in-ver′zhŭn)［L. *inverto*, pp. *-versus*, to turn upside down, to turn about］．*1* 逆位，内反〔症〕，転位，逆生，倒置，反転（内方，逆方向など既存の向きと反対の方向に向きを変えること）．*2* 転化（二糖類，多糖類が加水分解で単糖類に変わること．特にショ糖を D-グルコースと D-フルクトースに加水分解すること．旋光性の変化のためこうよばれる）．*3* 逆位（あるフラグメントを除去し，その配列を逆にしてから，元の位置に戻すことによって生じる DNA 分子の変化）．*4* 転化（シリカの熱誘導変化．鱗石英あるいはクリストバル石が熱膨張により物理的性質を変えること）．*5* 反転（キラル中心のその鏡像への変換）．

i. of chromosomes 染色体逆位（染色体の1節内に2個の切断を生じ，その切断間の断片が両端を回転して再融合した結果生じる染色体異常．その分節では遺伝子順序の逆転を生じる）．

paracentric i. 偏動原体逆位（動原体を含まない単一部位の染色体での逆位）．

pericentric i. 腕間逆位（動原体を含む単一部位の染色体での逆位）．

i. of the uterus 子宮内反〔症〕（通常，分娩後に起こる）．

visceral i. 内臓逆位〔症〕．＝*situs* inversus viscerum.

in·vert (in′vert) →inversion. *1*〚v.〛転化する（化学において，例えば転化糖のように，転化される）．*2*〚v.〛反対にする（方向や順序，効果を逆にすること）．*3*〚n.〛倒錯者（homosexual(同性愛者)古語）．

in·ver·tase (in-ver′tās). インベルターゼ，転化酵素．＝β-fructofuranosidase.

In·ver·te·bra·ta (in-ver′tĕ-brā′tă). 無脊椎動物（動物界(多細胞動物)の中で脊索のない動物を示す総括的分類名．原索動物や脊椎動物を除く他の全動物）．

in・ver・te・brate (in-ver′tĕ-brāt). *1* 〚adj.〛無脊椎の．*2* 〚n.〛無脊椎動物（脊椎のないすべての動物）．

in・vert・ed re・peat (in-vert′ĕd rē-pēt′). 逆方向反復（反対方向である以外ほとんど変化なく繰り返されるヌクレオチド配列で，通常，もとの配列からある程度離れた所にある．しばしば遺伝子挿入と関連している）．

in・ver・tin (in-ver′tin). インベルチン，転化酵素．＝β-fructofuranosidase.

in・ver・tor (in-ver′tŏr, -tōr) [→inversion]. 内回旋筋（足などで一部を内方に向ける筋）．

in・vest・ing (in-vest′ing). *1* 被覆（歯科において，義歯，自然歯，ろう型，歯冠などの物体をおおう，あるいは包むこと．硬化，ろう着あるいは鋳造の前に耐火被覆材を用いて行う）．*2* 傾注，備給負荷（精神分析において，ある対象に精神的エネルギーあるいはカテクシス(備給)を配分または負荷すること）．

vacuum i. 真空埋没（埋没材から気泡を除去するために真空を利用して鋳型を埋没すること）．

in・vest・ment (in-vest′ment). *1* 埋没材（歯科で埋没に使う材料）．*2* カテクシス，備給（精神分析において，ある対象に集中される精神的負荷あるいはカテクシス）．

refractory i. 耐熱埋没材（ろう着や鋳造で用いる，高温に耐えうる埋没材）．

in・vet・er・ate (in-vet′ĕr-āt) [L. *in-vetero*, pp. *-atus*, to render, old < *vetus*, old]. 難治性の（経過が長く固定していること．病気や固定した習慣についていう）．

in・vis・ca・tion (in-vis-kā′shŭn) [L. *in*, in, on + *viscum*, birdlime]. *1* 粘着性物質を塗り付けること．*2* 混唾（そしゃく時に食物が唾液と混ざること）．

in vit・ro (in vē′trō) [L. in glass]. 〔試験〕管内で（[修飾的に用いられる場合はハイフンで結ぶのが正しいが (in-vitro inhibition of aldolase), 述的な形容詞句または副詞句の場合にはハイフンを用いない (inhibition of aldolase in vitro)]．試験管や培養器内のような人工環境内で生じる過程または反応についていう．*cf. in vivo*）．

in vi・vo (in vē′vō) [L. in the living being]. 生体内で（[修飾的に用いられる場合はハイフンで結ぶのが正しいが (in-vivo inhibition of aldolase), 述的な形容詞句または副詞句の場合にはハイフンを用いない (inhibition of aldolase in vivo)]．生体内で起こる過程または反応についていう．*cf. in vitro*）．

in・vo・lu・cre (in′vō-lū′kĕr). ＝involucrum.

in・vo・lu・crin (in′vō-lū′krin) [< L. *involucrum*, a wrapper] [MIM*147360]. 被膜，インボルクリン（角質上皮細胞膜の細胞質側に存在する非ケラチン可溶性架橋蛋白）．

in・vo・lu・crum, pl. **in・vo・lu・cra** (in′vō-lū′krŭm, -loo′-kră) [L. a wrapper < *in-volvo*, to roll up]. ＝involucre. *1* 被膜，包被（例えば，さや，嚢など）．*2* 骨柩（腐骨の周囲にできる新しい骨のさや）．

in・vol・un・tar・y (in-vol′ŭn-tār′ē) [L. *in-* 否定辞 + *voluntarius*, willing < *volo*, to wish]. [He was involuntary twice during the night(彼は夜間に2回失禁した)のように，incontinent の同義語としての隠語的使用を避けること]．*1* 不随意の（意志と無関係の，または意志的でないことについていう）．*2* 不本意の（意志に反したことについていう）．

in・vo・lu・tion (in′vō-lū′shŭn) [L. *in-volvo*, pp. *-volutus*, to roll up]. ＝catagenesis. *1* 退縮，復古（拡張した器官が正常の大きさに戻ること）．*2* 内巻き（ある部分の端を内方へ翻転すること）．*3* 退行（精神医学において，高齢に伴う精神的退化）．

senile i. 老年性退化（生命器官と精神の衰退および老化の過程）．

i. of the uterus 子宮退縮(復古)（出産後，子宮が正常な非妊娠時の大きさや状態に戻る過程）．

in・vo・lu・tion・al (in′vō-lū′shŭn-ăl). 退縮の，復古の，内巻きの，退行の．

I・o・da・moe・ba (ī′ō-dă-mē′bă). ヨードアメーバ属（根足虫上綱アメーバ目，寄生アメーバの一属）．

I. bütschlii ヨードアメーバ（ヒトの大腸に寄生するアメーバ．栄養体は通常，直径 9—14 μm，嚢子は通常，直径 8—10 μm で，単核，やや不規則な形態で，厚い嚢子壁とヨード液で濃く染まる大型のグリコゲン集塊を有す．この寄生虫による臨床的なアメーバ症が存在すると思われる．その症状は慢性の赤痢アメーバ症(赤痢アメーバ *Entamoeba histolytica* による)に類似する．他の霊長類にもみられるが，ブタにごく普通にみられる）．

io・date (ī′ō-dāt). ヨウ素酸塩．

i・od・ic (ī-od′ik). ヨウ素の（①ヨウ素またはヨウ化物についていう，これに起因する．②5価のヨウ素化合物を表す）．

i・od・ic ac・id (ī-od′ik as′id). ヨウ素酸（結晶性粉末で水溶性．収れん薬，腐食薬，消毒薬，脱臭薬として用いる．以前は，腸内殺菌薬としても用いられた）．

i・o・dide (ī′ō-dīd). ヨウ化物（①ヨウ素の負に荷電したもの．I^-．②ヨウ化水素酸塩の総称．③炭素に結合したヨウ素原子を含有する化合物の総称）．

i. peroxidase ヨージドペルオキシダーゼ．＝thyroid *peroxidase*.

sodium i. iodine-131 ヨウ素(^{131}I)標識ヨウ化ナトリウム（放射性ヨウ素(^{131}I)から調製される．名目上無担体で，半減期は 8.1 日．甲状腺疾患が疑われる場合の診断薬として，あるいはある種の甲状腺疾患の治療に用いられる）．

i・o・dim・e・try (ī′ō-dim′ĕ-trē) [iodine + G. *metron*, measure]. ヨウ素酸化滴定，ヨージメトリ．＝iodometry.

i・o・di・nase (ī′ō-di-nās). ヨージナーゼ．＝thyroid *peroxidase*.

tyrosine i. チロシンヨウ化酵素(甲状腺にあると仮定される酵素でチロシンのヨウ化を触媒する．サイロキシンの終局生合成に重要な反応．→peroxidase）．

i・o・di・nate (ī′ō-di-nāt). ヨウ素化する（ヨウ素で処理する，あるいはヨウ素を結合させる）．

i・o・dine (**I**) (ī′ō-dīn, -dēn) [G. *iōdēs*, violet-like < *ion*, a violet + *eidos*, form]. ヨウ素（非金属元素．原子番号 53，原子量 126.90447．ヨウ素化合物の製造に，または触媒，試薬，トレーサ，X 線撮影の造影剤の成分，局所防腐薬，アルカロイド中毒の解毒薬およびある種の染色液，溶液に用いる．以前は，ヨウ素欠乏症の予防に使われていた）．

butanol-extractable i. (**BEI**) ブタノール抽出ヨウ素（ブタノールその他の抽出溶媒によって血漿蛋白から分離されるヨウ素．甲状腺機能の測定に用いる）．

Gram i. (gram). グラムヨウ素（ヨウ素およびヨウ化カリウムを含む溶液．グラム染色に用いる）．

povidone i. ポビドンヨード（ヨウ素とポリビニルピロリドンの水溶性複合体．溶液あるいは軟膏の形で防腐薬として塗布すると，ヨウ素が遊離される．皮膚の洗浄および消毒，皮膚の手術前の準備，およびヨウ素に感受性のある感染の治療に用いられる）．＝polyvinylpyrrolidone-iodine complex; povidone-iodine.

protein-bound i. (**PBI**) 蛋白結合ヨウ素（循環血液中の甲状腺ホルモン．1個以上のヨードサイロニンが1個以上の血清蛋白と結合したもの）．

radioactive i. 放射性ヨウ素（生物学および医学においてトレーサとして使用されるヨウ素の放射性同位元素 ^{131}I, ^{125}I, ^{123}I）．

tamed i. ヨウ素担体．＝iodophor.

i. tincture ヨードチンキ（ヨウ素 2%，溶解促進のためのヨウ化カリウム 2.4%，およびアルコール 47% を含有する含水アルコール溶液．皮膚表面の切傷およびかすり傷に防腐薬・殺菌薬として用いられる．手術前の皮膚消毒薬として用いられてきたが，現在は代わりにヨウ素を含む有機化合物が広く用いられている）．

i・o・dine 123 (ī′ō-dīn). ヨウ素 123（159keV のガンマ線を放出し，半減期が 13.2 時間であるヨウ素の放射性同位元素．甲状腺代謝と腎機能の研究に用いる）．

i・o・dine 125 ヨウ素 125（ヨウ素の放射性同位元素．K 電子捕獲(内部転換)によって崩壊し，半減期は 59.4 日．ラジオイムノアッセイの標識として使用される．以前は，トレーサとして甲状腺検査に，標識として画像検査に利用されていた）．

i・o・dine 127 (ī′ō-dīn). ヨウ素 127（安定な非放射性ヨウ素．自然界にあるヨウ素の唯一の同位元素．食事による不足から単純性甲状腺腫になる．核事故から放出された放射性ヨウ素の甲状腺取り込みを阻害するのに用いられる）．

i・o・dine 131 (ī′ō-dīn). ヨウ素 131（ヨウ素の放射性同位元素．ベータ線とガンマ線を放出し，半減期は 8.1 日．甲状腺検査のトレーサおよび甲状腺機能亢進症や甲状腺癌の治療

I

に，またラジオイムノアッセイや画像化の標識として用いる．以前，心臓疾患の治療としても用いられた）．

i・o・dine 132 (ī′ō-dīn). ヨウ素 132（半減期 2.28 時間，ベータ線とガンマ線を放出するヨウ素の放射性同位元素．通常はテルル 132 ジェネレータによってつくられる．臨床上は ^{131}I および ^{123}I が代わりに用いられている）．

i・o・dine-fast (ī′ō-dīn-fast). 耐ヨードの，耐ヨウ素の（ヨード療法では効果がなく，逆にこの療法では症状が進む場合の多い甲状腺機能亢進についていう）．

i・o・din・o・phil, i・o・din・o・phile (ī′ō-din′ō-fil, -fīl) [iodine + G. *philos*, fond]. ヨウ素親和性の．＝iodophilia.

i・o・din・oph・i・lous (ī′ō-din-of′i-lŭs). ＝iodophilia.

i・o・dism (ī′ō-dizm). ヨード中毒，ヨウ素中毒（激しい鼻感冒，痤瘡状発疹，衰弱，唾液分泌，臭い息などの症状が特徴．ヨウ素またはヨウ化物の連続投与により起こる）．

i・o・dix・an・ol (ī′ō-diks′ă-nol). イオジキサノール；5,5′-[(2-hydroxy-1,3-propane)bis-(acetylamino)]bis[*N*,*N*′-bis(2,3-dihydroxypropyl)-2,4,6-triiodo-1,3-benzenedicarboxamide]（脈管内に用いられる，二量体，非イオン性，低浸透圧性，水溶性のX線造影剤）．

i・o・dize (ī′ō-dīz). ヨウ素化する，ヨードを加える（ヨウ素を用いて治療，または飽和する）．

i・o・dized oil (ī′ō-dīzd oyl). ヨード化油（ヨウ素を植物油に添加し，その含有量が 38%以上，42%以下になるように有機的に結合させたもの．X線造影剤）．

i・o・do・a・cet・a・mide (ī-ō′dō-ă-sē′tă-mīd). ヨードアセトアミド；ICH_2–$CONH_2$（SH 基と結合しやすいアセトアミド誘導体であるため，多くの酵素の強力な阻害薬となる）．

i・o・do・al・phi・on・ic ac・id (ī-ō′dō-al′fē-on′ik as′id). ヨードアルフィオン酸（以前，胆嚢造影のX線造影剤に用いられた）．

i・o・do・ca・sein (ī-ō′dō-kā′sēn). ヨードカゼイン（ヨウ素がチロシン分子に結合しているヨウ素とカゼインの化合物．サイロキシン活性をもつ）．

i・o・do・chlor・ol (ī-ō′dō-klōr′ol). ヨードクロル．＝chloriodized oil.

i・o・do・der・ma (ī-ō′dō-der′mă). ヨード性皮疹（ヨウ素毒性または過敏性によって起こる毛包性丘疹および膿疱，または皮下脂肪組織炎）．

i・o・do・glob・u・lin (ī-ō′dō-glob′yū-lin). ヨードグロブリン．＝thyroglobulin (1).

i・o・do・gor・go・ic ac・id (ī-ō′dō-gōr-gō′ik as′id). ヨードゴルゴ酸；3,5-diiodotyrosine（サイロキシンの前駆物質）．

i・o・do・hip・pu・rate so・di・um (ī-ō′dō-hip′ū-rāt sō′dē-ŭm). ヨード馬尿酸ナトリウム（経静脈的，経口，または逆行性尿路造影に以前用いられた放射線不透過性化合物．^{131}I で標識して，有効腎血漿流量の測定およびラジオアイソトープ腎X線造影のための腎臓イメージに用いられる）．

i・o・do・meth・a・mate so・di・um (ī-ō′dō-meth′ă-māt sō′dē-ŭm). ヨードメタム酸ナトリウム（高浸透圧性，イオン性，水溶性のX線造影剤で，以前は経静脈的尿路造影に二ナトリウム塩として広く用いられていた）．

i・o・do・met・ric (ī-ō′dō-met′rik). ヨウ素滴定に関連した．

i・o・dom・e・try (ī-ō-dom′ĕ-trē) [iodine + G. *metron*, measure]. ヨウ素滴定(広義)，ヨウ素還元滴定(狭義)，ヨードメトリー（ヨウ素の可視化体の生成または消費を利用した滴定による分析法．ヨウ素が現れたり，消える時点を終点とする）．＝iodimetry.

i・o・do・pa・no・ic ac・id (ī-ō′dō-pa-nō′ik as′id). ヨードパノ酸．＝iopanoic acid.

i・o・do・phen・dyl・ate (ī-ō′dō-fen′dil-āt). ヨードフェンジレート．＝iophendylate.

i・o・do・phil・i・a (ī-ō′dō-fil′ē-ă) [iodine + G. *phileō*, to love]. ヨード親和性，ヨード好性（一定条件下の白血球にみられるようなヨウ素の親和性．ヨウ素およびヨウ化カリウム溶液で処理すると，正常な多形核白血球が明るい黄色に染色される．ある種の病理的状態においては，多形核白血球はしばしば褐色のまばら状，または黄褐色に染色される．細胞内反応と考えられているが，白血球のすぐ周りにある粒子と反応する細胞外反応も起こると考えられる）．＝iodinophil; iodinophile; iodinophilous.

i・o・do・phor (ī-ō′dō-fōr) [iodine + G. *phora*, a carrying]. ヨードフォア（ヨウ素と界面活性物質，通常はポリビニルピロリドンとの混合物．商業用製剤は，1%の〝有効〟ヨウ素を含有し，これが徐々に放出されて微生物に対して有効となる．皮膚の消毒薬，特に手術前の手の清浄に用いる）．＝tamed iodine.

i・o・do・phthal・ein (ī-ō′dō-thal′ēn, -dof-thal′ē-in). ヨードフタレイン（X線造影剤．二ナトリウム塩は胆嚢X線造影に以前用いられた）．＝tetraiodophenolphthalein sodium.

3-i・o・do-1,2-pro・pane・di・ol (ī-ō′dō-prō′pān-dī′ō). 3–ヨード-1,2-プロパンジオール．＝*glyceryl* iodide.

γ-i・o・do・pro・py・lene・gly・col (ī-ō′dō-prō′pi-lēn-glī′col). γ-ヨードプロピレングリコール．＝*glyceryl* iodide.

i・o・do・pro・pyl・i・dene glyc・er・ol (ī-ō′dō-prō-pil′i-dēn glis′ĕr-ōl). ヨードプロピリデングリセロール．＝iodinated *glycerol*.

i・o・do・pro・tein (ī-ō′dō-prō′tēnz). ヨード蛋白（ヨウ素がチロシル基と結合している蛋白）．

i・o・dop・sin (ī′ō-dop′sin) [G. *ion*, violet + *ōps*, eye + -in]. ヨードプシン（網膜の錐体にあるオプシンに結合した 11-*cis*-レチナールからなる3視色素のいずれか）．＝visual violet.

i・o・do・py・ra・cet (ī-ō′dō-pī′ră-set). ヨードピラセト（経静脈的尿路造影に以前用いられたX線造影剤．腎血漿流量および尿細管排出量の測定にも用いる）．＝diodone.

i・o・do・qui・nol (ī-ō′dō-kwin′ol). ヨードキノール（8-ヒドロキシキノリンに塩化ヨウ素を反応させてつくる抗アメーバ薬）．

i・o・do・ther・a・py (ī′ō-dō-thār′ă-pē). ヨード療法（ヨウ素を用いる治療法）．

i・o・do・thy・ro・nine (ī-ō′dō-thī′rō-nēnz). ヨードサイロニン（サイロニンのヨウ化誘導体）．

i・o・do・ty・ro・sine (ī-ō′dō-tī′rō-sēn). ヨードチロシン（ヨウ化チロシン）．

i. deiodase ヨードチロシンデヨーダーゼ．＝thyroid *peroxidase*.

i・o・dox・a・mate meg・lu・mine (ī′ō-doks′ă-māt meg′lū-mēn). ヨードキサム酸メグルミン（イオン性，水溶性，二量体性のX線造影剤のメチルグルカミン塩．以前主に経静脈的胆嚢造影に用いられた）．

i・o・du・ri・a (ī′ō-dyū′rē-ă). ヨウ素尿症（尿中にヨウ素が排出される状態）．

i・o・gly・cam・ic ac・id (ī′ō-glī-kam′ik as′id). ヨウ化グリカミン酸(イオン性，水溶性，二量体性のX線造影剤で，以前は経静脈的胆管造影に用いられた）．

i・o・hex・ol (ī′-ō-heks′ol). イオヘキソール（単量体性，非イオン性，水溶性，低浸透圧性の尿路造影あるいは血管造影のためのX線造影剤．経髄腔および経脈管的に用いられる）．

i・om・e・ter (ī-om′ĕ-tĕr) [ion + G. *metron*, measure]. イオメータ（イオン化を測定するための器具）．

IOML infraorbitomeatal *line* の略．

i・on (ī′on) [G. *iōn*, going]. イオン（1個以上の電子を得るかあるいは失うことにより電荷をもつ原子または原子基．陽極に向かって移動する負の電荷は陰イオン(アニオン)，陰極に向かう正の電荷は陽イオン(カチオン)とよばれる．イオンは固体，液体，気体中に存在するが，液体中のイオン(電解質)が最も一般的でよく知られている）．

dipolar i.'s 双極子イオン（負電荷と正電荷をもつイオンで，各々が分子の異なった場所に局在するので陽極，陰極の両極をもつ．アミノ酸は最もよく知られた双極子イオンで，中性 pH で正に荷電した NH_3^+(アミノ基)と，負に荷電した COO^-(カルボキシル基)をもつ）．＝amphions; zwitterions.

hydride i. ヒドリドイオン（H^- イオンのことで，いくつかの生体酸化での受容体分子へ転移される）．

hydrogen i. (H^+) 水素イオン（電子がとれた水素原子で，そのため1価の正電荷(すなわちプロトン)になる．水中では水素イオンが水分子と結合して，ヒドロニウムイオン，$H_5O_2^+$，$H_7O_3^+$ などを形成する）．

hydronium i. ヒドロニウムイオン（水和プロトン H_3O^+ で，この形で水素イオンは水溶液中に存在する．$H_3O^+ \cdot H_2O$，$H_3O^+ \cdot 2H_2O$ なども存在する）．＝oxonium i.

oxonium i. オキソニウムイオン．＝hydronium i.

sulfonium i. スルフォニウムイオン（硫黄原子が3本の共有結合を有し，そのため，アンモニウム化合物の窒素原子と同様，正の電荷を有する化合物．例えば *S*-adenosyl-L-methionine）．

i·on ex·change (ī'on eks-chanj')．イオン交換（→anion exchange; cation exchange; ion exchange *chromatography*）．

i·on ex·chang·er (ī'on eks-chanj'ĕr)．イオン交換体（→anion exchanger; cation exchanger）．

i·on·ic (ī-on'ik)．イオンの，イオン化した．

i·o·ni·um (ī-ō'nē-ŭm) [G. *iōn*, going]．イオニウム（thorium-230 の旧名）．

i·on·i·za·tion (ī'on-i-zā'shŭn)．***1*** イオン化，電離（電解質を水あるいはある種の液体に溶解したとき，または分子を電気放電やイオン放電に付した際に起こるイオンの解離）．***2*** 物質と（電離）放射線の相互作用によるイオンの生成．***3*** ＝iontophoresis.

i·on·ize (ī'on-īz)．イオン化する，電離する（イオンに分離すること．原子や分子を荷電した原子や分子に解離すること）．

i·on·o·gram (ī'on-ō-gram)．イオノグラム．＝electropherogram.

i·o·none (ī'ō-nōn)．イオノン（スミレやシーダー材の香りを有する二環式テルペンケトンの1つ．α体およびβ体は二重結合の位置が異なる．プロビタミンA，ビタミンAはイオノンの環の部分と同じ構造をもつ．α-カロチンはα-イオノン部分とβ-イオノン部分を1個ずつもつ．β-カロチンは2個のβ-イオノン部分，γ-カロチンは1個のβ-イオノン部分をもつ）．

i·on·o·pher·o·gram (ī'on-ō-fer'ō-gram)．イオン泳動描写図．＝electropherogram.

i·on·o·phore (ī-on'ō-fōr) [ion + G. *phore*, a bearer]．イオノフォ（ボ）ア（イオンと複合体を形成して，それを膜透過させる化合物または物質）．

i·on·o·pho·re·sis (ī-on'ō-fō-rē'sis) [ion + G. *phorēsis*, a carrying]．イオン泳動．＝electrophoresis.

i·on·o·pho·ret·ic (ī-on'ō-fō-ret'ik)．イオン泳動の．＝electrophoretic.

ion·to·pho·re·sis (ī-on'tō-fōr-ē'sis) [ion + G. *phorēsis*, a carrying]．イオン導入〔法〕，イオン電気導入〔法〕，イオン浸透療法（電流を用いて薬物のイオンを組織内に導入すること）．＝ionic medication; ionization (3); iontotherapy.

ion·to·pho·ret·ic (ī-on'tō-fōr-et'ik)．イオン導入〔法〕の，イオン電気導入〔法〕の．

i·on·to·ther·a·py (ī-on'tō-thār'ă-pē)．＝iontophoresis.

i·o·pam·i·dol (ī'ō-pam'i-dol)．イオパミドール（単量体性，非イオン性，水溶性，低浸透圧性の尿路造影あるいは血管造影のためのX線造影剤）．

i·o·pa·no·ic ac·id (ī'ō-pa-nō'ik as'id)．ヨーパン酸（非水溶性X線造影剤で，以前，経口的胆嚢造影に広く用いられた）．＝iodopanoic acid.

i·o·pen·tol (ī'ō-pen'tol)．イオペントール；*N*,*N'*-bis(2,3-dihydroxypropyl)-5-[*N*-(2-hydroxy-3-methoxypropyl)acetamido]-2,4,6-triiodoisophthalamide（経静脈的尿路造影あるいは血管造影に用いられる，非イオン性，単量体，低浸透圧性のX線造影剤）．

i·o·phen·dyl·ate (ī'ō-fen'dil-āt)．ヨーフェンジラート（ヨードフェニルウンデシル酸エチルエステルの同位体混合物で，低粘度の吸収可能ヨウ化脂肪酸．脊柱管のX線造影に用いる）．＝iodophendylate.

i·o·phen·o·ic ac·id (ī'ō-fen-ō-ik)．イオフェノ酸．＝iophenoxic acid.

io·phen·ox·ic ac·id (ī-ō-fen'ō-ik as'id)．ヨーフェノキシ酸（以前経口的胆嚢造影に用いられたX線造影剤）．＝iophenoic acid.

i·o·pho·bi·a (ī'ō-fō'bē-ă) [G. *ios*, poison + *phobos*, fear]．毒物恐怖〔症〕（毒物に対する病的な恐れ）．

i·o·pro·mide (ī-ō'prō-mīd)．イオプロミド；*N*,*N'*-bis(2,3-dihydroxy propyl)-2,4-6-triiodo-5-(2-methoxyacetamido)-*N*-methyl isophthalamide（経静脈的尿路造影あるいは血管造影に用いられる，単量体，非イオン性，水溶性，低浸透圧性のX線造影剤）．

i·o·ta (ι) (ī-ō'tă)．イオータ（①ギリシア語アルファベットの第9字．②化学では，シリーズの9番目に付ける，またはカルボキシル基や他の官能基から9番目の原子に付ける．③微少量のこと）．

i·o·ta·cism (ī-ō'tă-sizm) [G. *iōta*, the letter ι]．イ行吶（長母音 e（ギリシア文字 ι）を他の母音に代えて用いる言語障害）．

i·o·tha·lam·ic ac·id (ī'ō-thă-lam'ik as'id)．ヨータラム酸（イオン性，単量体性，水溶性のX線造影剤．経静脈的に尿路および血管造影のためにナトリウムあるいはメチルグルカミン塩（イオタラメート）として広く用いられる）．

i·o·thi·o·u·ra·cil so·di·um (ī'ō-thī-ō'yūr'ă-sil sō'dē-ŭm)．ヨーチオウラシルナトリウム（5-iodo-2-thiouracil のナトリウム塩．チオウラシルのヨウ素誘導体で，ヨウ素のサイロイド退縮作用をもち，サイロキシンの生成を阻害する）．

i·o·trol (ī'ō-trol)．イオトロール．＝iotrolan.

i·o·tro·lan (ī-ō'trō-lan)．イオトロラン；5,5'-[malonylbis-(methylimino)] bis [*N*,*N'*-bis [2,3-dihydroxy-1-(hydroxymethyl)propyl]-2,4,6-triiodoisophthalamide]（脊髄造影および その他の血管外適用に用いられる，二量体，非イオン性，水溶性，低浸透圧性のX線造影剤）．＝iotrol.

i·o·ver·sol (ī'ō-ver'sol)．イオベルソル；*N*,*N'*-bis(2,3-dihydroxypropyl)-5-[*N*-[2-hydroxyethyl]glycolamido]-2,4,6-triiodoisophthalamide（水溶性，非イオン性，低浸透圧性のX線造影剤）．

i·ox·ag·late (ī'oks-ag'lāt)．イオキサグレート（通常はメグルミンイオキサグレートとナトリウムイオキサグレートの組合せで，血管造影（大動脈造影，動脈造影，静脈造影など）や尿路造影に用いる診断用のX線造影剤）．

i·ox·i·lan (ī-oks'ĭ-lan)．イオキシラン；*N*-(2,3-dihydroxypropyl)-5-[*N*(2, 3-dihydroxypropyl)acetamido]-*N'*-(2-hydroxyethyl)-2,4,6-triiodoisophthalamide（尿路造影あるいは血管造影に用いられる，単量体，非イオン性，水溶性，低浸透圧性のX線造影剤）．

i·ox·i·thal·a·mate (ī-oks'ĭ-thal'ă-māt)．イオキシタラム酸塩；5–acetamido-2,4,6-triiodo-*N*-(2-hydroxyethyl)isophthalamic acid（尿路造影および血管造影に用いられる，イオン性，単量体，水溶性のX線造影剤）．

IP intraperitoneal; interphalangeal; isoelectric *point* の略．

IP$_3$ *inositol* 1,4,5-trisphosphate の略．

IPA independent practice *association*; isopropyl alcohol の略．

IPAP inspiratory positive airway *pressure* の略．

ip·e·cac (ip'ĕ-kak)．トコン．＝ipecacuanha.

ip·e·cac·u·an·ha (ip'ĕ-kak'yū-an'ă) [ブラジル土語]．トコン（ブラジルその他の南アメリカ各地の薬草，アカネ科 *Uragoga* (*Cephaelis*) *ipecacuanha* の乾燥根茎．エメチン，セファエリン，エメタミン，トコン酸，サイコトリン，メチルサイコトリンを含む．去痰・催吐・抗赤痢薬）．＝ipecac.

deemetinized i. 脱エメチントコン（エメチン成分を除去したトコン．抗赤痢薬として用いる）．

prepared i. トコン末（トコンの全アルカロイド（エメチンとして計算すると）の2％が含まれる微細末）．

IPF idiopathic pulmonary *fibrosis*; interstitial pulmonary *fibrosis* の略．

IPI International Prognostic *Index* の略．

i·po·date (ī'pō-dāt)．イポデート（X線造影剤で，胆嚢および胆管の造影を目的として，ナトリウム塩あるいはより多くカルシウム塩として経口投与される）．

i·po·me·a (ī-pō-mē'ă) [G. *ips*(*ip*-), a worm + *homoios*, like]．イポメア（ヒルガオ科 *Ipomoea orizabensis* の乾燥根茎．→ipomea *resin*）．＝orizaba jalap root.

I·po·moe·a (ī-pō-mē'ă) [L. ipomea]．サツマイモ属（アサガオを含むヒルガオ科の一属）．

I. rubrocoerulea var. ***praecox*** リセルグ酸アミド，イソリセルグ酸アミド，カノクラビン，エリモクラビン，麦角（インドール）アルカロイドを含有する種子．これを摂取すると幻覚や多幸状態が起こる．＝morning glory.

I. versicolor 幻覚を起こす麦角（インドール）アルカロイドを含有する種子をもつ種．

IPPB intermittent positive pressure *breathing* の頭字語．

IPPV intermittent positive pressure *ventilation* の頭字語．

i·pra·tro·pi·um (i'pră-trō'pē-ŭm)．イプラトロピウム（アトロピンと化学的な関連性をもつ，合成四級アンモニウム化合物．抗コリン作用をもち，吸入による気管支拡張薬として用いられる）．

i·pro·ni·a·zid (ī'prō-nī'ă-zid)．イプロニアジド（イソニア

ジドに類似する抗結核・抗うつ薬であるが，イソニアジドより毒性が強く，まれにしか用いられない．モノアミンオキシダーゼ阻害薬．最初の抗うつ薬）．

i·pro·ver·a·tril (ī′-prō-ver′ă-tril). イプロベラトリル．＝verapamil.

iPrSGal isopropylthiogalactoside の略．

Ips pipsyl の略．

ip·se·fact (ip′se-fakt) [L. *ipse*, self + *factum*, a thing done]. 自己環境（1個の個体，コロニー，集団，あるいは動物種が，自分自身の行動によって化学的または物理的に修飾してきた環境の全体．例えば，巣や家庭，げっ歯類やシカの径，排出物，フェロモンなど）．

ip·si·lat·er·al (ip′si-lat′ĕr-ăl) [L. *ipse*, same + *latus*(*later*-), side]. 同側の（与えられた点に関して同じ側である．例えば，散大した瞳孔は硬膜血腫と同側にあり，不全麻痺は反対側の四肢に起こる）．＝homolateral.

IPSP inhibitory postsynaptic *potential* の略．

IPTG isopropylthiogalactoside の略．

IPV inactivated poliovirus *vaccine* の略．→poliovirus *vaccines*.

IQ intelligence *quotient* の略．

IR, ir infrared の略．

Ir イリジウムの元素記号．

IRB institutional review *board* の略．

irid- (ir′id). →irido-.

i·ri·dal (ī′ri-dăl, ir′i-dăl). 虹彩の．＝iridial; iridian; iridic.

i·ri·dec·to·my (ir′i-dek′tŏ-mē) [irido- + G. *ektomē*, excision]. 虹彩切除〔術〕（①虹彩の一部を切除すること．②手術的虹彩切開により形成される虹彩の穴）．

buttonhole i. ＝peripheral i.

optic i. 光学的虹彩切除〔術〕（人工瞳孔の形成により視力を回復させる目的で行う虹彩切除）．

peripheral i. 周辺虹彩切除〔術〕（狭角緑内障において，虹彩のわずかな部分を虹彩根部で除去すること．白内障の嚢内摘出において，瞳孔辺縁はそのままにして，周辺付近の1か所またはそれ以上の部分を除去すること）．＝buttonhole i.; stenopeic i.

sector i. 扇状虹彩切除〔術〕（瞳孔縁の部分まで切除を行う虹彩切除）．

stenopeic i. 細孔性虹彩切除〔術〕．＝peripheral i.

therapeutic i. 治療的虹彩切除〔術〕（眼病（例えば閉塞隅角緑内障）の予防または治療の目的で行う）．

ir·i·den·clei·sis (ir′i-den-klī′sis) [irido- + G. *enkleiō*, to shut in]. 虹彩はめ込み〔術〕（緑内障において，強角膜切開創に虹彩の一部を嵌頓させ，前房と結膜下腔との間に沪過効果を図る手術のこと）．

ir·i·der·e·mi·a (ir′i-dĕr-ē′mē′ă, ī′rid-ĕr-) [irido- + G. *erēmia*, absence]. 無虹彩〔症〕（先天性のもので，虹彩が原基痕跡状態にあり，欠如しているようにみえる．*cf.* aniridia）．

ir·i·des (ir′i-dēz) [G.]. iris の複数形．

ir·i·des·cent (ir′i-des′ent) [G. *iris*, rainbow]. 虹色の（多種類の輝きのある屈折性のある色を示す．典型的には，入射した白色光が数枚の薄層フイルムを通して反射してきたとき，スペクトル成分に分解するときの光学的干渉により生じる）．

i·rid·e·sis (ī-rid′ĕ-sis, ī-ri-dē′sis) [irido- + G. *desis*, a binding together]. 虹彩結合〔術〕，虹彩結紮〔術〕，虹彩移動〔術〕（角膜を切開してその切開創に虹彩の一部を引いてきて結紮すること）．

i·rid·i·al, irid·i·an, irid·ic (ī-rid′ē-ăl, ī-rid′ē-an, ī-rid′ik ; i-rid′-). ＝iridal.

ir·i·din (ir′i-din). イリジン（①アヤメ科 *Iris florentina* のイリス根から得られるイリゲニン 7-グルコシド．②人造香料の原植物 *Iris versicolor* から得られる樹脂様物質．利胆薬およびしゃ下薬として用いる．＝irisin）．

i·rid·i·um (Ir) (ī-rid′ē-ăm) [L. iris, rainbow]. イリジウム（銀白色の金属元素．原子番号 77，原子量 192.22. ^{192}Ir は放射性同位元素(半減期 73.83 日)で，ある種の癌の組織内治療に用いる）．

irido-, irid- (ir′i-dō, ī-rid′ō; ir′id) [G. *iris* (*irid*-), rainbow]. 虹彩に関する連結形．

ir·i·do·a·vul·sion (ir′i-dō-ă-vŭl′shŭn). 虹彩裂離（虹彩を引き離すこと）．

ir·i·do·cele (ir′i-dō-sēl) [irido- + G. *kēlē*, hernia]. 虹彩嚢胞（角膜欠損部から虹彩の部分的ヘルニア）．

ir·i·do·cho·roid·i·tis (ir′i-dō-kō′roy-dī′tis). 虹彩脈絡膜炎（虹彩と脈絡膜の両方の炎症）．

ir·i·do·col·o·bo·ma (ir′i-dō-ko′lō-bō′mă) [irido- + G. *kolobōma*, coloboma]. 虹彩欠損〔症〕（虹彩の欠損または先天的欠損）．

ir·i·do·cor·ne·al (ir′i-dō-kōr′nē-ăl). 虹彩角膜の（虹彩と角膜についていう）．

ir·i·do·cy·clec·to·my (ir′i-dō-sī-klek′tŏ-mē) [irido- + G. *kyklos*, circle (ciliary body) + *ektomē*, excision]. 虹彩毛様体切除〔術〕（腫瘍の切除を行うために虹彩と毛様体を除去すること）．

ir·i·do·cy·cli·tis (ir′i-dō-sī-klī′tis) [irido- + G. *kyklos*, circle (ciliary body) + *-itis*, inflammation]. 虹彩毛様体炎（虹彩と毛様体の両方の炎症．→iritis; uveitis）．

i. septica 化膿性虹彩毛様体炎．＝Behçet *syndrome*.

ir·i·do·cy·clo·cho·roid·i·tis (ir′i-dō-sī′klō-kō′royd-ī′-tis). 虹彩毛様体脈絡膜炎（毛様体および脈絡膜を含む虹彩の炎症）．

ir·i·do·cys·tec·to·my (ir′i-dō-sis-tek′tŏ-mē) [irido- + G. *kystis*, bladder (capsule) + *ektomē*, excision]. 虹彩嚢摘出〔術〕（白内障の嚢外摘出後に虹彩後癒着が生じた場合に行う人工瞳孔形成術．虹彩の辺縁と水晶体嚢の一部を角膜の切開創から引き出し，切り取ること）．

ir·i·do·di·ag·no·sis (ir′i-dō-dī′ag-nō′sis). 虹彩診断〔法〕（虹彩の形および色の変化を観察して全身の疾患を診断すること）．

ir·i·do·di·al·y·sis (ir′i-dō-dī-al′i-sis) [irido- + G. *dialysis*, loosening]. 虹彩離断（虹彩が強膜岬から分離してできる虹彩欠損）．

ir·i·do·di·la·tor (ir′i-dō-dī-lā′tŏr). 瞳孔散大を起こすもので，瞳孔散大筋に相当する．

ir·i·do·do·ne·sis (ir′i-dō-dō-nē′sis) [irido- + G. *doneō*, to shake to and fro]. 虹彩振とう．＝tremulous iris.

ir·i·do·ki·net·ic (ir′i-dō-ki-net′ik). 虹彩運動の．

ir·i·dol·o·gy (ir′i-dol′ŏ-jē) [irido- + G. *logos*, study]. 虹彩学（虹彩の一定の領域が特定の器官，系統，構造に対し診断的特殊性があると仮定される一種の図を利用した虹彩の検査を含む実証に基づかない仮定的な医学体系）．

ir·i·do·ma·la·ci·a (ir′i-dō-mă-lā′shē-ă) [irido- + G. *malakia*, softness]. 虹彩軟化〔症〕（虹彩の退行性軟化）．

ir·i·do·mes·o·di·al·y·sis (ir′i-dō-mes′ō-dī-al′i-sis) [irido- + G. *mesos*, middle + *dialysis*, loosening]. 虹彩内縁剝離〔術〕（虹彩内縁周囲の癒着を分離すること）．

ir·i·do·mo·tor (ir′i-dō-mō′tŏr). ＝pupillomotor.

ir·i·do·pa·ral·y·sis (ir′i-dō-pă-ral′i-sis). ＝iridoplegia.

ir·i·dop·a·thy (ir′i-dop′ă-thē). 虹彩症（虹彩の病変）．

ir·i·do·ple·gia (ir′i-dō-plē′jē-ă) [irido- + G. *plēgē*, stroke]. 虹彩〔括約筋〕麻痺．＝iridoparalysis.

complete i. 完全虹彩麻痺（虹彩の散大筋と括約筋がともに麻痺すること）．

reflex i. 反射性虹彩麻痺（Argyll Robertson 瞳孔にみられるように，瞳孔の対光反射が失われること）．

sympathetic i. 交感〔神経〕性虹彩麻痺（交感神経支配の散瞳筋の麻痺による虹彩麻痺）．

ir·i·dop·to·sis (ir′i-dop-tō′sis) [irido- + G. *ptōsis*, a falling]. 虹彩脱〔出症〕．

ir·i·dor·rhex·is (ir′i-dō-rek′sis) [irido- + G. *rhēxis*, rupture]. 虹彩断裂〔術〕，虹彩離断〔術〕（欠損幅を拡大するために計画的・手術的に強膜岬から虹彩を断裂すること）．

ir·i·dos·chi·sis (ir′i-dos′ki-sis) [irido- + G. *schisma*, cleft]. 虹彩分離症（虹彩前層が後層から分離すること．房水中に断裂した前線維が浮揚していることがある）．

ir·i·do·scle·rot·o·my (ir′i-dō-skle-rot′ŏ-mē) [irido- + sclera + G. *tomē*, incision]. 虹彩強膜切開〔術〕（強膜と虹彩にわたる切開）．

ir·i·dot·o·my (ir′i-dot′ŏ-mē) [irido- + G. *tomē*, incision]. 虹彩切開〔術〕，瞳孔形成〔術〕（虹彩線維を横に切って人工瞳孔をつくること）．

laser i. レーザー虹彩切開術（レーザー光による周辺虹彩切除術）．

Ir·i·do·vir·i·dae (ir′i-dō-vir′i-dē). イリドウイルス科（昆虫の虹色ウイルス類(*Iridovirus*属)およびカエルや魚類に感染するウイルスを含む一科．これらのウイルスは大形で正二十面体(直径 120—170 nm)を呈し，脂質を含んでいる．ゲノムは，分子量 130—160 × 10^6 の二本鎖 DNA の単一分子である）．

Ir·i·do·vi·rus (ir′i-dō-vī′rŭs). イリドウイルス属（昆虫の虹色ウイルスよりなるウイルスの一属(イリドウイルス科)．その標準種はガガンボ虹色ウイルスである）．

i·ris, pl. ir·i·des (ī′ris, ir′i-dēz)［G. rainbow, the iris of the eye］［TA］．虹彩（眼の血管層の前方部分をつくる隔膜で，中心部は穴が開き(瞳孔)，周囲辺縁は強膜岬に付着している．支質と 2 層の網膜色素上皮からなり，瞳孔括約筋と散大筋がある）．＝orris.

i. bicolor 虹彩二色（まだらに色がついた，または 2 色の虹彩）．＝monocular heterochromia.

i. bombé 膨隆虹彩（輪状虹彩後癒着にみられる症状で，後房水が増加し，周辺部虹彩が膨隆すること）．

plateau i. プラトー虹彩（閉塞隅角緑内障において，前方凸よりむしろ平坦状を示す虹彩）．

tremulous i. 振とう［性］虹彩．＝iridodonesis.

i·ris frill (ī′ris fril). 虹彩捲縮輪．＝collarette.

i·ri·sin (ī′ri-sin). イリシン．＝iridin (2).

i·rit·ic (ī-rit′ik). 虹彩炎性の．

i·ri·tis (ī-rī′tis). 虹彩炎（→iridocyclitis; uveitis）．

fibrinous i. 線維素性虹彩炎（三期梅毒のブドウ膜炎のときに起こる多量の滲出物を伴う虹彩の急性炎症）．

follicular i. 沪胞性虹彩炎（虹彩の前後層間の深部にガラス状小結節を伴う慢性虹彩炎に対してまれに用いる語）．

i. glaucomatosa 緑内障性虹彩炎（閉塞隅角緑内障において，眼圧調整後の滲出物や細胞の流出）．

hemorrhagic i. 出血［性］虹彩炎（前房出血が起こるような重篤な充血を伴う虹彩炎）．

nodular i. 小結節［性］虹彩炎（虹彩内の円形細胞の凝集を伴う虹彩炎）．

plastic i. 形成性虹彩炎（線維性滲出液を分泌する虹彩炎）．

quiet i. 無症候性虹彩炎（充血や角膜浮腫などの炎症徴候を伴わない虹彩炎）．

serous i. 漿液性虹彩炎（前房に漿液性滲出物を伴う虹彩の炎症）．

sympathetic i. 交感性虹彩炎（他眼に同様の病状を引き起こす虹彩炎）．

i·ron (Fe) (ī′ŏrn, ī′rŏn)［A.S. *iren*］．鉄（金属元素，原子番号 26，原子量 55.847．ヘモグロビンのヘム，ミオグロビン，トランスフェリン，フェリチン，鉄含有ポルフィリン中に存し，カタラーゼ，ペルオキシターゼ，その他種々のシトクロムなどの酵素の必須成分．鉄塩は医療用．以下に記載のない個々の塩については ferric, ferrous の項参照）．

albuminized i., i. albuminate アルブミン鉄（酸化鉄とアルブミンの化合物．クエン酸ナトリウムが存在すると可溶性になる．赤褐色の光沢をもつ粒子で，無臭，または無臭に近い．鉄欠乏性貧血の治療に用いる）．

i. filings 鉄のやすり屑（喀痰中にみられる肺吸虫 Paragonimus の卵がはいった小さな袋．卵の集塊は黄褐色を呈する傾向がある）．

i. protoporphyrin プロトポルフィリン鉄（プロトポルフィリンに鉄原子が結合している錯体．例えばヘムなど）．

i. pyrites 黄鉄鉱（天然にある鉄の硫化物）．

i·ron 52 (ī′ron). 鉄 52（放射性鉄同位元素．半減期 8.28 時間のサイクロトロンより生産される陽電子放出体で，鉄代謝を研究するために用いられている）．

i·ron 55 (ī′ron). 鉄 55（鉄の同位元素．2.73 年の半減期で陽電子を放出する．鉄代謝や血液灌流の研究においてトレーサとして用いるが，^{59}Fe より使用頻度は低い）．

i·ron 59 (ī′ron). 鉄 59（鉄の同位元素．44.51 日の半減期でガンマ線とベータ線を放出する．鉄代謝，血液容量の決定，輸血の研究においてトレーサとして用いる）．

ir·ra·di·ate (i-rā′dē-āt)［→irradiation］．照射する（照射源からの放射線を生物組織または器官に当てること）．

ir·ra·di·a·tion (i-rā′dē-ā′shŭn)［L. *ir-radio(in-r)*, pp. *-radi-atus*, to beam forth］．***1*** 光滲（暗いものを背景として明るい物体を見たときに，実際より大きく見えること）．***2*** 照射（電磁放射線(例えば，熱，光，X 線)の作用を受けさせること）．***3*** 拡延，放発（脳，索の一部，またはある神経路から発生する神経インパルスが，他の神経路にまで広がること．→radiation）．

ir·ra·tion·al (i-rash′ŭn-ăl)［L. *irrationalis*, without reason］．不合理な，理性のない．

ir·re·duc·i·ble (ir′rē-dū′si-bĕl, i-rē-). 非還元性の（①還納できない，小さくすることができない．②化学において，単純化，置換，水素添加，または陽電荷の減少などが不可能なことについていう）．

ir·re·spir·a·ble (ir′rē-spīr′ă-bĕl). 吸入不能の，吸入に適さない（①気道に対する刺激により吸収することができない状態．息ごらえの状態をきたす．②有毒ガスあるいは酸素量の不十分な気体についていう．③空気力学的に大きさが 10 μ 以上の粒子からなるエーロゾルをいう）．

ir·re·spon·si·bil·i·ty (ir′rē-spons′i-bil′i-tē). 無責任（意識的または無意識的理由により責任のない態度で行動する状態）．

criminal i. 犯罪責任無能力，心神喪失（犯した犯罪行為に対して責任がないとみなされる状態で，通常は精神的欠陥または疾病が原因）．

ir·re·sus·ci·ta·ble (ir′rē-sŭs′i-tă-bĕl). 蘇生不能の．

ir·re·vers·i·ble (ir′rē-ver′si-bĕl)［L. *in-(ir-)* 否定辞 ＋ *reverto*, pp. *-versus*, to turn back］．不可逆［性］の，回復不能の．

ir·ri·gate (ir′i-gāt)［L. *ir-rigo*, pp. *-atus*, to irrigate ＜ *in*, on ＋ *rigo*, to water］．洗浄する，灌注する．

ir·ri·ga·tion (ir′i-gā′shŭn)［→irrigate］．洗浄，灌注［法］（身体の腔，隙，または創を液体で洗い流すこと）．

ir·ri·ga·tor (ir′i-gā′tŏr). イルリガートル，灌注器（灌注に用いる装置）．

ir·ri·ta·bil·i·ty (ir′i-tă-bil′i-tē)［L. *irritabilitas* ＜ *irrito*, pp. *-atus*, to excite］．被刺激性（刺激に対して反応する原形質に固有の性質）．

electric i. 電気的被刺激性，電気的興奮性（電流に対する神経または筋肉の反応．神経または筋肉の退行変化の場合には被刺激性は変化または消失する．→modal *alteration*; qualitative *alteration*; quantitative *alteration*）．

myotatic i. 筋伸展被刺激性，伸張性筋感応（筋肉が突然の伸張により刺激に反応して収縮できること）．

ir·ri·ta·ble (ir′i-tă-bĕl). ***1*** 刺激反応性の，感応性の（刺激に対して反応可能なことについていう）．***2*** 過敏な（刺激に対して極端に反応する傾向についていう．*cf.* excitable）．

ir·ri·tant (ir′i-tănt). ***1***〘adj.〙刺激性の（刺激を起こすことについていう）．***2***〘n.〙刺激原(物，薬)（刺激作用をもつ物質）．

primary i. 一次刺激原（最初の接触または暴露または蓄積性の接触に対する反応として，特に皮膚に炎症やその他の刺激症状を引き起こす物質．刺激反応は感作機序とは関係なく生じる）．

ir·ri·ta·tion (ir′i-tā′shŭn)［L. *irritatio*］．刺激，過敏（［誤ったつづり irratation を避けること］．①組織の損傷に対する過度の初期炎症反応．②刺激に対する神経または筋の反応．③刺激物を与えたときに組織内に正常または過度に起こる反応）．

ir·ri·ta·tive (ir′i-tā′tiv). 刺激性の．

ir·ru·ma·tion (ir′ū-mā′shŭn)［L. *irrumo*, pp. *-atus*, to give suck］．口淫，吸茎．＝fellatio.

ir·rup·tion (i-rŭp′shŭn)［L. *irruptio* ＜ *irrumpo*, to break in］．侵入（表面を突破する行為または過程）．

ir·rup·tive (i-rŭp′tiv). 侵入性の．

IRS-1 insulin receptor *substrate*-1 の略．

IRS-2 insulin receptor *substrate*-2 の略．

IRS protein IRS 蛋白（insulin receptor substrate *protein* の略）．

IRV inspiratory reserve *volume* の略．

Ir·vine (ĭr′vīn), A. Ray, Jr. 米国人眼科医，1917—？ →I.-Gass *syndrome*.

ISA intrinsic sympathomimetic *activity* の略．

Is·a·mine blue (is′ă-mēn blū, ī′să-). イサミンブルー．＝pyrrol blue.

is·aux·e·sis (is′awk-zē′sis) [G. *isos*, even + *auxēsis*, increase]. 等速成長（部分が全体と同じ速度で成長すること）.

is·che·mi·a (is-kē′mē-ă) [G. *ischō*, to keep back + *haima*, blood]. 虚血，乏血（血管の器質的障害(主に動脈の狭窄または中断)による血液供給の欠乏）.

myocardial i. 心筋虚血（心筋への循環血液量の不足で，通常は冠状動脈疾患の結果起こる．→*angina* pectoris; myocardial *infarction*）.

postural i. 体位性虚血（脚や足などを心臓よりも高く上げたようなときに，血圧，血流が減じること．四肢の外科手術の場合に出血を少なくするのに用いる）.

i. retinae 網膜虚血（動脈循環不全により網膜内への血液供給が少なくなること．これは，ⓘ動脈栓症または痙攣，ⓘⓘキニーネなどによる中毒，ⓘⓘⓘ再発性大量出血によるしゃ血，などの結果起こると考えられる．ときに両眼の一過性または永久的失明が起こる）.

silent i. 無症候性〔心筋〕虚血（狭心症の徴候や症状を伴わない心筋虚血で，心電図または他の検査技法によって認められる．→silent myocardial *infarction*）.

transient focal cerebral i. (**TFCI**) 一過性局所脳虚血(局所的で，一過性の脳血流減少．局所的神経障害を示唆するような自・他覚症状を引き起こす血管病が原因となるが，中枢神経障害は可逆的であり，後遺症を残さない）.

is·che·mic (is-kē′mik). 虚血性の，乏血性の.

is·che·sis (is-kē′sis) [G. *ischō*, to hold back]. 排液貯留（排泄，特に正常な排泄が停止すること）.

is·chi·a (is′kē-ă). ischium の複数形.

is·chi·ad·ic (is′kē-ad′ik). ＝sciatic (1).

is·chi·a·di·cus (is′kē-ad′i-kŭs) [L.]. 坐骨の．＝sciatic.

is·chi·al (is′kē-ăl). 坐骨の．＝sciatic (1).

is·chi·al·gi·a (is′kē-al′jē-ă) [G. *ischion*, hip + *algos*, pain]. 坐骨神経痛（①股関節部の痛みを表す現在では用いられない語．＝ischiodynia. ②sciatica を表す現在では用いられない語）.

is·chi·at·ic (is′kē-at′ik). ＝sciatic (1).

ischio- (is′kē-ō) [G. *ischion*, hip joint, haunch (ischium)]. [本連結形において，ch の発音は k である]．坐骨を表す連結形.

is·chi·o·a·nal (is′kē-ō-ā′năl). 坐骨肛門の（坐骨と肛門についていう）.

is·chi·o·bul·bar (is′kē-ō-bŭl′bar). 坐骨尿道球の（坐骨と尿道球についていう）.

is·chi·o·cap·su·lar (is′kē-ō-kap′sū-lăr). 坐骨股関節包の（坐骨に連続する股関節包についていう）.

is·chi·o·cav·er·no·sus (is′kē-ō-kav′ĕr-nō′sŭs). 坐骨海綿体筋（→ischiocavernous (*muscle*)）.

is·chi·o·cav·ern·ous (is′kē-ō-kav′ĕr-nŭs). 坐骨海綿体の（坐骨と海綿体についていう）.

is·chi·o·cele (is′kē-ō-sēl′) [ischio- + G. *kēlē*, hernia]. ＝sciatic *hernia*.

is·chi·o·coc·cyg·e·al (is′kē-ō-kok-sij′ē-ăl). 坐骨尾骨の（坐骨と尾骨についていう）.

is·chi·o·coc·cyg·e·us (is′kē-ō-kok-sij′ē-ŭs). 尾骨筋（→muscle)．＝coccygeus *muscle*.

is·chi·o·dyn·i·a (is′kē-ō-din′ē-ă) [ischio- + G. *odynē*, pain]. ＝ischialgia (1).

is·chi·o·fem·o·ral (is′kē-ō-fem′ŏ-răl). 坐骨大腿の（坐骨または寛骨と大腿または大腿骨についていう）.

is·chi·o·fib·u·lar (is′kē-ō-fib′yū-lăr). 坐骨腓骨の（坐骨と腓骨をつなぐ，または坐骨と腓骨についていう）.

is·chi·om·e·lus (is′ki-om′ĕ-lŭs) [ischio- + G. *melos*, limb]. 坐骨肢結合奇形（寄生体が，腕や脚だけのことが多いが，自生体の骨盤部から発生しているような不等接着双生児．→conjoined *twins*）.

is·chi·o·ni·tis (is′kē-ō-nī′tis). 坐骨突起炎.

is·chi·op·a·gus (is′kē-op′ă-gŭs) [ischio- + G. *pagos*, fixed]. 坐骨結合体，股結合体（坐骨部分でつながっている接着双生児．→conjoined *twins*）.

is·chi·o·per·i·ne·al (is′kē-ō-per′i-nē′ăl). 坐骨会陰の（坐骨と会陰についていう）.

is·chi·o·pu·bic (is′kē-ō-pyū′bik). 坐骨恥骨の（坐骨と恥骨両方についていう）.

is·chi·o·rec·tal (is′kē-ō-rek′tăl). 坐骨直腸の（坐骨と直腸についていう）.

is·chi·o·sa·cral (is′kē-ō-sā′krăl). 坐骨仙骨の（坐骨と仙骨についていう）.

is·chi·o·tho·ra·cop·a·gus (is′kē-ō-thōr-ă-kop′ă-gŭs). ＝iliothoracopagus.

is·chi·o·tib·i·al (is′kē-ō-tib′ē-ăl). 坐骨脛骨の（坐骨と脛骨をつなぐ，または坐骨と脛骨についていう）.

is·chi·o·vag·i·nal (is′kē-ō-vaj′i-năl). 坐骨腟の（坐骨と腟についていう）.

is·chi·o·ver·te·bral (is′kē-ō-ver′tĕ-brăl). 坐骨脊椎の（坐骨と脊椎についていう）.

is·chi·um, gen. **is·chii,** pl. **is·chi·a** (is′kē-ŭm, is′kē-ī, is′kē-ă) [Mod. L. < G. *ischion*, hip][TA]. 坐骨（[誤った発音 ish′ē-ŭm を避けること]．寛骨の後方下部にあたり，出生時には別個の骨であるが，後に腸骨および恥骨と癒合する．腸骨と恥骨上枝とを結合して寛骨臼をつくる坐骨体，および恥骨下枝と結合する坐骨枝からなる）．＝os ischii [TA]; ischial bone.

is·cho·chy·mi·a (is′kō-kī′mē-ă) [G. *ischō*, to keep back + *chymos*, juice]. 胃消化不全（胃拡張のため，胃中に食物が停滞すること）.

is·chu·ret·ic (is′kyū-ret′ik). ***1*** 〚adj.〛 尿閉を和らげる．***2*** 〚n.〛 抗尿閉薬（尿の貯留または停滞を軽減する薬）.

is·chu·ri·a (is-kyū′rē-ă) [G. *ischō*, to keep back + *ouron*, urine]. 尿閉（尿の貯留または停滞）.

ISCOM (is′kom). immune stimulating complexes(免疫刺激複合体)の頭字語．ワクチン抗原の運び屋(アジュバント)として機能できる.

i·se·thi·o·nate (ī′sĕ-thī′ō-nāt). イセチオン酸塩またはエステル.

i·se·thi·on·ic ac·id (ī′sĕ-thī-on′ik as′id). イセチオン酸（無色の粘稠液で，水，アルコールに可溶．有機酸を加えると結晶性の塩を生成する）.

Ish·ak (is′hahk). →Luna-Ishak *stain*.

Ish·i·ha·ra (ish-ē-hak′rah), Shinobu. 日本人眼科医，1879－1963．→I. *test*.

ISI international sensitivity *index* の略.

i·sin·glass (ī′zing-glas) [Old Ger. *huysenblas*, sturgeon's bladder]. にべ，アイシングラス．＝ichthyocolla.

is·land (ī′land) [A.S. *igland*]. 島（解剖学において，溝によって周囲の組織から分離されていたり，また構造の違いがはっきりしている孤立部分をいう）．＝insula (2) [TA].

blood i. 血島（胚の卵黄嚢にみられる内臓中胚葉細胞の集合体で，血管内皮および原始血球を形成するもの）．＝blood islet.

bone i. 骨島（骨髄骨(海綿骨)の中に皮質骨(緻密骨)の密集部があり，骨盤骨や大腿骨頭，上腕骨，肋骨のX線写真で円形あるいは類円形の濃い陰影として認められることがある）.

i.'s of Calleja (kahl-yā′hah). カエハ島（嗅結部に特有の非常に小さい神経細胞(顆粒細胞)が，前脳の基底部に密集している部分）.

epimyoepithelial i.'s (ep′ē-mī-ō-ep′ē-thē′lī-al). 筋上皮性島（唾液腺管上皮細胞や筋上皮細胞の増殖．良性のリンパ上皮細胞性病変や Sjögren 症候群に特徴的な所見である）.

Langerhans i.'s (lahng′ĕr-hahnz). ランゲルハンス島．＝*islets* of Langerhans.

pancreatic i.'s 膵島．＝*islets* of Langerhans.

i. of Reil (ril). ライル島．＝insula (1).

is·let (ī′let). 小島，島.

blood i. ＝blood *island*.

i.'s of Langerhans (lahng′ĕr-hahnz). ランゲルハンス島（膵臓の腺房間にある数個から数百個の細胞からなる細胞塊．5種類の細胞からなる．膵臓の内分泌部分を構成し，インスリン，グルカゴン，ソマトスタチン，膵ポリペプチドおよびガストリンを分泌する）．＝islet tissue; Langerhans islands; pancreatic islands; pancreatic i.'s.

pancreatic i.'s ＝i.'s of Langerhans.

-ism (izm) [G. *-isma*, *-ismos* 名詞形にする接尾語]. ***1*** 状態，疾患，中毒を表す接尾語．***2*** 実地診療または学説を表す接尾

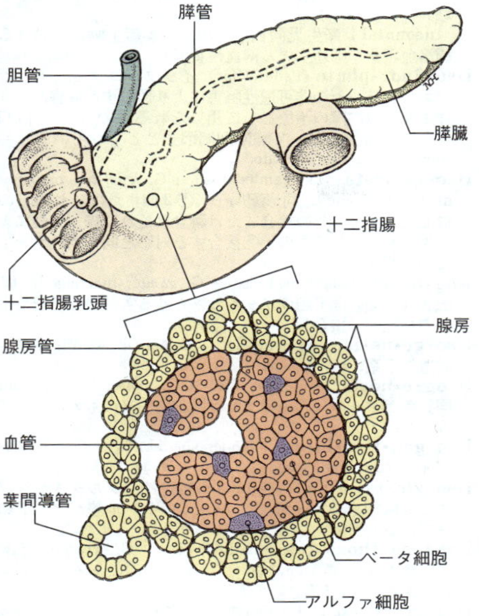

pancreatic islet

語. *cf.*-ia; -ismus.

-ismus (is′mŭs) [L. < G. *-ismos* 行為を表す名詞形をつくる接尾語]. -ism のラテン語. 通常, 痙攣, 収縮を表すのに用いる.

iso-(i) (ī′sō) [G. *isos*, equal]. ***1*** 同等, 同一を意味する接頭語. ***2*** 化学において, "…の異性体"(異性)を示す接頭語. 例えば, cyanate に対する isocyanate. ***3*** 免疫学において,属する種が同一であることを示す接頭語. 近年では, 個体の遺伝的構成が同一であることを意味するように変わってきている.

i·so·ac·cept·or tRNA (ī′sō-ak-sep′tŏr). イソ受容トランスファーRNA, イソアクセプタトランスファーRNA (同じアミノ酸残基に対応するコドンに結合する互いに異なるトランスファーRNA分子種. 特定のアミノ酸残基に対応する種々のコドンを認識するのは一種のトランスファーRNAでありうる).

i·so·ag·glu·ti·na·tion (ī′sō-ă-glū′ti-nā′shŭn) [iso- + L. *ad*, to + *gluten*, glue]. 同種凝集現象 (細胞内または細胞表面の特異抗原と同種凝集素との反応によって起こる赤血球の凝集. →isohemagglutination).

i·so·ag·glu·ti·nin (ī′sō-ă-glū′ti-nin). 同種凝集素 (同種中の, 遺伝学的には異なったものの細胞に凝集を起こす同種抗体). =isohemagglutinin.

i·so·ag·glu·tin·o·gen (ī′sō-ă-glū-tin′ō-jen). 同種凝集原 (特異同種抗体の作用によって, 細胞の凝集が誘発される同種抗原).

i·so·al·lele (ī′sō-ă-lēl′). 同類対立遺伝子 (対立遺伝子の一種で, 特別の検出法を用いたときにのみ異なった対立遺伝子であることが認められるもの).

i·so·al·lox·a·zine (ī′sō-ă-loks′ă-zēn). イソアロキサジン (リボフラビンおよび他のフラビンの構成成分である複素環式化合物).

i·so·am·yl (ī′sō-am′il). イソアミル (→amyl).

i·so·am·y·lase (ī′sō-am′il-ās). イソアミラーゼ (グリコゲン, アミロペクチン, およびその β-リミットデキストリンの 1,6-α-D-グルコシド結合を切る加水分解酵素. この複合体の一部はデブランチングエンザイムとして知られている. α-デキストリンエンド-1,6-α グルコシダーゼに類似しているが, プルランに作用できない).

i·so·an·dros·ter·one (ī′sō-an-dros′tĕr-ōn). イソアンドロステロン. =epiandrosterone.

i·so·an·ti·body (ī′sō-an′ti-bod-ē) [G. *isos*, equal]. 同種抗体 (①ある種の一部の個体にしかみられない抗体で, 特定の非自己同種抗原に対して特異的に反応する. 血液型の特異同種抗体については付録 Blood Groups 参照. ②alloantibody の類義語としてときに用いる).

i·so·an·ti·gen (ī′sō-an′ti-jen). 同種抗原 (①ある種の一部の個体にのみ存在する抗原物質で, ヒトの血液型抗原など. 血液型の特異同種抗原については付録 Blood Groups 参照. ②alloantigen の類義語としてときに用いる).

i·so·bar (ī′sō-bar) [iso- + G. *baros*, weight]. ***1*** 同重体 (陽子と中性子の数の和が同じであるが, その割合が異なっている2個以上の核種に用いる語. 例えば, 陽子18と中性子22からなるアルゴン40や陽子19と中性子21のカリウム40, 陽子20と中性子20をもつカルシウム40など. ベータ崩壊の生成物は親核の同重体). ***2*** 等圧線 (地図上で, 同一大気圧点を結ぶ線). ***3*** 等圧線, 等圧式 (同一圧力下で測定された量に関する曲線や式の総称).

i·so·bar·ic (ī′sō-bar′ik). 等重の, 等圧の (①同じ重量または圧力をもつ. ②溶液において, 希釈剤または溶媒と同じ密度をもつ. 例えば, 脊椎麻酔で等圧溶液は脊椎液と同じ比重をもつ).

i·so·bu·tane (ī′sō-byū′tān). イソブタン (→butane).

i·so·bu·te·ine (ī′sō-byū′tē-ēn). イソブテイン ; *S*-(2-carboxypropyl)cysteine (尿中に存在する硫黄含有化合物).

i·so·bu·tyl ni·trite (ī′sō-byū′til nī′trīt). 亜硝酸イソブチル (市販の亜硝酸アミルに含まれる液体で, 鎮痙および血管拡張類似作用をもつ).

i·so·bu·tyr·ic ac·id (ī′sō-byū-tir′ik as′id). イソ酪酸 (→butyric acid).

i·so·cap·ni·a (ī′sō-kap′nē-ă) [iso- + G. *kapnos*, vapor]. 等炭酸ガス〔血症〕(動脈血二酸化炭素分圧が一定あるいは変化なく経過する状態).

i·so·cel·lu·lar (ī′sō-sel′yū-lăr) [iso- + L. *cellula*: *cella* (a storeroom)の指小辞]. 等細胞の (同じ大きさの, または類似した性質の細胞からなる).

i·so·chor·ic (ī′sō-kōr′ik) [iso- + G. *chōra*, space]. =isovolumic.

i·so·chro·mat·ic (ī′sō-krō-mat′ik) [iso- + G. *chrōma*, color]. ***1*** 等色性の, 同一色の. =isochroous. ***2*** 同じ色の2個の物体についていう.

i·so·chro·mat·o·phil, iso·chro·mat·o·phile (ī′sō-krō-mat′ō-fil, fīl) [iso- + G. *chrōma*, color + *philos*, fond]. 等染性の (同じ色素に対して同等の親和性をもつ. 細胞または組織に対して用いる).

i·so·chro·mo·some (ī′sō-krō′mō-sōm). 同腕染色体, 同位染色体 (減数分裂の際に動原体が縦分裂でなく横分裂することによって生じる染色体の異常. 2個の娘染色体は各々染色体の腕1個が欠け, もう一方が二重になっている).

i·so·chro·ni·a (ī′sō-krō′nē-ă) [iso- + G. *chronos*, time]. 等時値性 (①同じクロナキシーをもつ状態. ②あるプロセス間の時間, 速度, 振動数が一致している状態).

i·soch·ro·nous (ī-sok′rō-nŭs). 等時性の (等時間内に起こる, の意).

i·soch·ro·ous (ī-sok′rō-ŭs). =isochromatic (1).

i·so·cit·rase, iso·cit·ra·tase (ī′sō-sit′rās, -sit′ră-tās). イソシトラーゼ, イソシトラターゼ. =*isocitrate* lyase.

i·so·ci·trate (ī′sō-sit′rāt). イソシトレート (イソクエン酸の塩またはエステル).

i. dehydrogenase イソクエン酸デヒドロゲナーゼ (アコニターゼとイソクエン酸リアーゼの作用による生成物である *threo*-D_S- イソクエン酸から α-ケトグルタル(2-オキソグルタル)酸と CO_2 への反応を触媒する2種の酵素のうちの1種. そのアイソザイムの1つは NAD^+ を利用し(トリカルボン酸回路に関与する), 他の1つは $NADP^+$ を利用する). =isocitric acid dehydrogenase; oxalosuccinic carboxylase.

i. lyase イソクエン酸リアーゼ (グリオキシル酸とコハク酸から *threo*-D_S- イソクエン酸を生成する可逆的アルドール縮合を触媒する酵素. グリオキシル酸回路に関与する). =isocitrase; isocitratase; isocitritase.

i·so·cit·ric ac·id (ī′sō-sit′rik as′id). イソクエン酸 (トリ

カルボン酸サイクルの中間体).

i. a. dehydrogenase イソクエン酸デヒドロゲナーゼ. = *isocitrate* dehydrogenase.

i·so·cit·ri·tase (ī′sō-sit′ri-tās). イソシトリターゼ. = *isocitrate* lyase.

i·so·cline (ī′sō-klīn) [iso- + G. *klinō*, to slope]. アイソクライン(ある集団において, ある遺伝子座における種々の対立遺伝子が同じ平均的頻度であるようにすべての点を地理学的に結んだ線のこと. →cline).

i·so·con·a·zole (ī′sō-kō′nă-zōl). イソコナゾール(ケトコナゾールおよびオキシコナゾールと関連した抗菌および抗真菌薬).

i·so·co·ri·a (ī′sō-kō′rē-ă) [iso- + G. *korē*, pupil]. 等瞳, 瞳孔等大(2個の瞳孔の大きさが等しいこと).

i·so·cor·tex (ī′sō-kōr′teks) [TA]. 同種皮質, 等皮質(哺乳類の大脳皮質の大部分を表すのに O. Vogt と C. Vogt の用いた語で, 異種皮質とは異なり6層になった多数の神経細胞からなる. →cerebral *cortex*). = neocortex [TA]; homotypic cortex; neopallium.

i·so·cy·a·nate (ī′sō-sī′ă-nāt). イソシアネート(イソシアン酸の基 –N=C=O).

i·so·cy·an·ic ac·id (ī′sō-sī′ă-nik as′id). イソシアン酸; HNCO(きわめて反応性に富む化学薬品).

i·so·cy·a·nide (ī-sō-sī′ă-nīd). イソシアン化物(–NC 基. 有機イソシアン化物は isonitrile とよばれる).

i·so·cy·tol·y·sin (ī′sō-sī-tol′i-sin). 同種細胞溶解素(同種の異なる動物の細胞とは反応するが, 同種細胞溶解素を形成する個体の細胞とは反応しない細胞溶解素).

i·so·dac·tyl·ism (ī′sō-dak′ti-lizm) [iso- + G. *daktylos*, finger]. 等指症(手または足の指がほぼ同じ長さである状態).

i·so·dense (ī′sō-dens). 等濃度(ある組織のX線不透過性(放射線濃度)が, 他のあるいは接する組織の不透過性濃度と近似する場合をいう).

i·so·des·mo·sine (ī′sō-des′mō-sēn). イソデスモシン(リシン残基から生成された架橋アミノ酸. エラスチンに存在する).

i·so·dose (ī′sō-dōs) [iso- + dose]. 等線量(等しい放射線線量の領域).

i·so·dul·cit (ī′sō-dŭl′sit). イソズルシット. = L-rhamnose.

i·so·dy·nam·ic (ī′sō-dī-nam′ik) [iso- + G. *dynamis*, force]. 等価の(①同じ力または強さの. ②同量の燃焼エネルギーを放出する食物またはその他の物質についていう).

i·so·dy·na·mo·gen·ic (ī′sō-dī′nă-mō-jen′ik, -dī-nam′ō-) [iso- + G. *dynamis*, force + *-gen*, producing]. ***1*** 等エネルギーの. = isoenergetic. ***2*** 同じ神経力を発生させる.

i·so·e·lec·tric (ī′sō-ē-lek′trik). 等電の(同一電位についていう. *cf.* isoelectric *point*). = isopotential.

i. focusing 等電点電気泳動(pH 勾配での小分子や高分子の電気泳動).

i·so·en·er·get·ic (ī′sō-en-ĕr-jet′ik). 等エネルギーの(同出力, 等活性を示す). = isodynamogenic (1).

i·so·en·zyme (ī′sō-en′zīm). イソエンチーム, アイソエンザイム, イソエンザイム, 同位酵素(同じ反応を触媒するが, 等電点や電気泳動度, 反応速度パラメータ, 制御様式などの物性が異なる酵素の一群の1つ. 例としては乳酸デヒドロゲナーゼがあり, これはαおよびβのサブユニットの存在比が種々異なる(すなわち 4α, $3\alpha + 1\beta$, $2\alpha + 2\beta$, $1\alpha + 3\beta$, 4β)四量体である). = isozyme.

creatine kinase i.'s クレアチンキナーゼイソエンザイム(クレアチンキナーゼのイソエンザイム. クレアチンキナーゼはM(筋肉)サブユニットおよび(または)B(脳)サブユニットからなる二量体である. 3つのイソエンザイムが存在する. CK–MM は主イソエンザイムで, 主として骨格筋に存在する. CK–MB は主に心筋, 舌, 隔膜に存在し, 骨格筋にも少量存在する. CK–BB は脳, 平滑筋, 甲状腺, 肺, 前立腺に存在する. 電気泳動や他の分析方法によって検出される濃度の上昇は種々の病態の鑑別診断に利用される. すなわち CK–MB の上昇は心筋梗塞の重要なマーカ, CK–MM の上昇は筋疾患のインジケータ, CK–BB の上昇から脳梗塞や腸梗塞の徴候, またはある悪性疾患の存在をみつけることもある).

i·so·e·ryth·rol·y·sis (ī′sō-ĕ-rith-rol′i-sis) [iso- + erythrocyte + G. *lysis*, dissolution]. 同種溶血現象([誤った発音 isoerythroly′sis を避けること]. 同種抗体による赤血球の破壊).

neonatal i. 新生児同種溶血現象(①新生動物における同種溶血現象. ②新生児の溶血性黄疸).

i·so·fluor·phate (ī′sō-flōr′fāt). イソフルロフェート(コリンエステラーゼの非可逆性阻害により作用する有害なコリン作用薬. 緑内障の治療として用いられる眼のコリン作用薬. 生化学の研究において酵素抑制因子としても用いる). = diisopropyl fluorophosphate.

i·so·ga·mete (ī′sō-gam′ēt) [iso- + G. *gametēs* or *gametē*, husband or wife]. 同形配偶子(①2個またはそれ以上の類似した細胞で, その接合または融合とそれに続く分裂によって生殖が行われるもの. ②接合する対手と同じ大きさをもっている配偶子).

isog·a·my (ī-sog′ă-mē) [iso- + G. *gamos*, marriage]. 同形配偶(2個の同形配偶子またはあらゆる点で類似性をもつ2個の細胞間の接合).

i·so·ge·ne·ic, iso·gen·ic (ī′sō-jĕ-nē′ik, -jen′ik). 同系, 同遺伝子系. = syngeneic.

i·sog·e·nous (ī-soj′ĕ-nŭs) [iso- + G. *genos*, family, kind]. 同質のゲノムの(同組織または同細胞由来のものについていう).

i·so·gen·ti·o·bi·ose (ī′sō-jen′shē-ō-bī′ōs). イソゲンチオビオース. = isomaltose.

i·so·glu·ta·mine (ī′sō-glū′tă-mēn). イソグルタミン(グルタミン酸誘導体の一種で, α–カルボキシル基がアミドになっている).

i·sog·na·thous (ī-sog′nā-thŭs) [iso- + G. *gnathos*, jaw]. 等顎性の([二重字gnにおいて, g は語頭にあるときのみ無音である]. ほぼ同じ幅の顎をもつことを示す).

i·so·graft (ī′sō-graft). 〔同種〕同系移植片. = syngraft; isogeneic graft; syngeneic graft.

i·so·he·mag·glu·ti·na·tion (ī′sō-hē′mă-glū′ti-nā′shŭn) [iso- + G. *haima*, blood + L. *ad*, to + *gluten*, glue]. 同種血球凝集(同種血球凝集素は血液型抗原に対する抗体のことで, 通常は IgM のアイソタイプである. 血液型がO型のヒトはA型とB型の両方の血液型に対して同種血球凝集素をもち, 血液型が AB 型のヒトはいずれの同種血球凝集素ももたない. →isoagglutination).

i·so·he·mag·glu·ti·nin (ī′sō-hē′mă-glū′ti-nin). 同種血球凝集素. = isoagglutinin.

i·so·he·mo·ly·sin (ī′sō-hē-mol′i-sin). 同種溶血素(赤血球と反応する同種溶解素).

i·so·he·mol·y·sis (ī′sō-hē-mol′i-sis) [iso- + G. *haima*, blood + *lysis*, dissolution]. 同種溶血〔現象〕(同種溶解の型. 同種溶解素(同種溶血素)と細胞中または細胞上にある特異抗原との反応により赤血球が溶解すること).

i·so·hy·dric (ī′sō-hī′drik). 等水素イオン濃度の, 等水性の(同じ pH をもつ2個の物質についていう).

i·so·hy·dru·ri·a (ī′sō-hī-dryū′rē-ă) [iso- + G. *hydor*, water + *ouron*, urine + -ia]. 等水尿〔症〕(尿の pH が通常の変動を示さず, 一定になること).

i·so·im·mu·ni·za·tion (ī′sō-im′yū-nī-zā′shŭn). 同種免疫(同種内の異なる個体の赤血球上または中に含まれる物質で抗原刺激を受けた結果, 特異抗体価が著増すること. 例えば, Rh(−)の人が他人の Rh(+)の血液を輸血したり, あるいは Rh(−)の婦人が Rh(+)赤血球をもつ胎児を妊娠している場合などに起こる現象).

i·so·late (ī′sō-lāt) [It. *isolare*; Mediev. L. *insulo*, pp. *-atus*, to insulate < L. *insula*, island]. ***1*** 〖v.〗 分離する, 隔離する. ***2*** 〖n.〗 分離あるいは隔離されたもの. ***3*** 〖v.〗 単離する(化学的汚染物を除去する). ***4*** 〖v.〗 隔離する(精神分析において, 観念, 経験, 記憶をそれに伴う感情と分離すること). ***5*** 〖n.〗 孤立(集団精神療法において, 患者を同じグループの他の者の反応が得られない者). ***6*** 〖n.〗 分離菌(宿主または培養系から採取された標本より一回に分離した生菌). ***7*** 〖n.〗 (ī′so-lăt). 隔絶(地形や言語, 文化, 社会, 宗教あるいはその他の理由で, 遺伝子流動をほとんど, あるいはまったく受けない集団 = genetic i.).

genetic i. 遺伝的隔離, 遺伝的孤立. = isolate (7).

mating i. 隔離交配集団(何らかの意味で, その隣人達から分離され, すべてあるいは大多数の交配がその集団グループ内で生じるような集団).

i·so·la·tion (ī′sō-lā′shŭn). [insolation および insulation と混同しないこと]. *1* 単離，分離（細菌学において，他から1つの生物種を分離すること．通常一連の培養により行われる）．*2* 隔離，分離，単離（感染者や感染動物が伝染性を有する期間，他者から引き離すこと．それによって感染者から感受性を有する者への病原体の直接的または間接的な伝播が予防あるいは制限される）．

i·so·lec·i·thal (ī-sō-les′i-thăl). 等卵黄の（均一に分布した卵黄が適量存在する卵母細胞についていう）．

i·so·leu·cine (Ile, I) (ī′sō-lū′sēn). イソロイシン；2-amino-3-methylvaleric acid（その L-立体異性体がほとんどすべての蛋白中に存在する．ロイシンの異性体で，ロイシンと同様，必須アミノ酸の1つである）．

i·so·leu·cyl (ī′sō-lū′sil). イソロイシル（イソロイシン由来のアシル基）．

i·so·leu·ko·ag·glu·ti·nin (ī′sō-lū′kō-ă-glū′ti-nin). 同種白血球凝集素（一部のヒトの血液中に存在する異常抗体で，ヒトの白血球を凝集させることができる）．

i·sol·o·gous (ī-sol′ō-gŭs) [iso- + G. *logos*, ratio]. 〔同種〕同系の．= syngeneic.

i·sol·y·sin (ī-sol′i-sin). 同種溶解素，同種溶血素（特異的な同種抗原を有する細胞と結合し，感作し，結果として補体結合を生じて溶解をもたらす抗体のこと．同種溶解素は，ある種の中の一部の血液中に生じ，同一種の細胞と反応するが，先天的に同種溶解素が形成された個体(すなわち同形)の細胞とは反応しない）．

i·sol·y·sis (ī-sol′i-sis) [iso- + G. *lysis*, dissolution]. 同種溶解〔現象〕，同種溶血〔現象〕（[誤った発音 isoly′sis を避けること]．細胞の中または細胞表面にある特異抗原と同種溶解素との反応の結果，細胞溶解が生じること．→isohemolysis）．

i·so·lyt·ic (ī′sō-lit′ik). 同種溶解〔現象〕の，同種溶血〔現象〕の．

i·so·malt·ase (ī′sō-mal′tās). イソマルターゼ（→sucrose α-D-glucosidase）．= oligo-α-1,6-glucosidase.

i·so·malt·ose (ī′sō-mahl′tōs). イソマルトース（2個のグルコース分子が α-1,6 位で結合している二糖類．マルトースの場合は α-1,4 位で結合している）．= isogentiobiose.

i·so·mas·ti·gote (ī′sō-mas′ti-gōt) [iso- + G. *mastix*, whip]. 一端に2本または4本の等長のべん毛をもつ原生動物についていう．

i·so·mer (ī′sō-mĕr) [iso- + G. *meros*, part]. *1* 異性体（異性を示す2個以上の物質．例えば L-glucose と D-glucose またはクエン酸とイソクエン酸．*cf.* stereoisomer）．*2* 核異性体（同一原子番号，同一質量数をもつが，一定の時間，エネルギー水準を異にする2個以上の核種．例えば ^{99m}Tc と ^{99}Tc）．

geometric i. 幾何異性体（→geometric *isomerism*）．

i·som·er·ase (ī-som′ĕr-ās). イソメラーゼ（ある物質の異性体の変化を触媒する酵素群．例えばリン酸グルコースイソメラーゼ）．

i·so·mer·ic (ī′sō-mer′ik). 異性の，異性体の．= isomerous.

i·som·er·ism (ī-som′ĕr-izm). 異性（化学組成は同じであるが分子内の1個以上の原子の位置，および物理的・化学的性質が異なる2個以上の化合物が存在すること）．

geometric i. 幾何異性（結合(通常，炭素結合)において周囲の分子回転が阻止される不飽和化合物，環式化合物にみられる異性の一種．オレイン酸とエライジン酸との関係のような，シス異性体，トランス異性体がその例．*cf.* cis-; entgegen; trans-; zusammen）．

optic i. 光学異性（1個以上の不斉原子(通常，炭素)の周りに置換体があると，偏光面の回転度に応じて種々の異性体の性質が変化するような立体異性．*cf.* stereoisomerism）．

stereochemical i. 立体〔化学〕異性．= stereoisomerism.

structural i. 構造異性（組成原子は同じであるが配列が異なる異性．例えば，酪酸，ロイシンとイソロイシン，グルコースとフルクトース）．

i·som·er·i·za·tion (ī-som′ĕr-ī-zā′shŭn). 異性化（イソメラーゼの作用などにより，1つの異性体を他の異性体に変換すること）．

enzyme i. 酵素異性化（酵素のコンフォメーションにおける可逆的変化）．

i·som·er·ous (ī-som′ĕr-ŭs). = isomeric.

i·so·met·ric (ī′sō-met′rik) [iso- + G. *metron*, measure]. 等尺〔性〕の，等長〔性〕の，同長性の（①同じ寸法の．②生理学において，一定の全長にわたって，収縮が緊張の増大を生じさせるように収縮筋末端が固定された状態を表す．*cf.* auxotonic; isotonic (3); isovolumic）．

i·so·me·tro·pi·a (ī′sō-me-trō′pē-ă) [iso- + G. *metron*, measure + *ōps* (*ōp*-), eye]. 同屈折（両眼屈折状態が等しいこと）．

i·so·mor·phic (ī′sō-mōr′fik). = isomorphous.

i·so·mor·phism (ī′sō-mōr′fizm) [iso- + G. *morphē*, shape]. 同形，同型（2個以上の生体，あるいは体の部分の間の形の類似性）．

i·so·mor·phous (ī′sō-mōr′fŭs). 同形の，同型の．= isomorphic.

i·so·naph·thol (ī′sō-naf′thol). イソナフトール（→naphthol）．

i·son·cot·ic (ī′son-kot′ik). 等コロイド浸透圧の．

i·so·ni·a·zid (ī′sō-nī′ă-zid). イソニアジド；isonicotinic acid hydrazide（結核の治療の第1選択薬．最もよく用いられる抗結核薬．活動性疾患の治療に単独で用いると，薬剤耐性が速やかに出現する．主な副作用として肝毒性がある）．

i·so·nic·o·tin·ic ac·id (ī′sō-nik-ō-tin′ik as′id). イソニコチン酸（そのヒドラジドがイソニアジドである物質）．

i·so·ni·trile (ī′sō-nī′tril). イソニトリル（有機イソシアン化物）．

i·so·ni·tro·so·ac·e·tone (ī′sō-nī′trō-sō-as′ĕ-tōn). イソニトロソアセトン（コリンエステラーゼの活性化物質で，容易に血液－脳関門を通過し，中枢神経系で，リン酸化されたアセチルコリンエステラーゼの重要な活性化を引き起こす．その他に有機リンの抗コリンエステラーゼ薬の致死毒に対して，人間や動物を保護するのにも用いる）．= monoisonitrosoacetone; pyruvaldoxine.

i·so·os·mot·ic (ī′sō-os-mot′ik). = isosmotic.

i·sop·a·thy (ī-sop′ă-thē) [iso- + G. *pathos*, suffering]. 同種毒療法（同じ病気の原因物質や産物を用いて治療すること．健康な動物の類似器官からの抽出物を用いて病気の器官を治療することもいう．→homeopathy）．

i·so·pen·ten·yl·py·ro·phos·phate (ī′sō-pen′tēn-il-pī-rō-fos′fāt). イソペンテニルピロリン酸（ステロイド，テルペン，ドリコール，またはプレニル化蛋白の生合成の中間体）．

i·so·pen·tyl (ī′sō-pen′til). イソペンチル（→amyl）．

i·so·pep·tide (ī′sō-pep′tīd). イソペプチド（→isopeptide *bond*）．

i·soph·a·gy (ī-sof′ă-jē) [iso- + G. *phagō*, to eat]. 自解．= autolysis.

i·so·plas·sonts (ī′sō-plas′onts) [iso- + G. *plassō*, to form]. 同形体（共通の特徴をもつ同形のもの）．

i·so·plas·tic (ī′sō-plas′tik) [iso- + G. *plassō*, to form]. 同種組織移植の．= syngeneic.

i·so·pleth (ī′sō-pleth). 等値〔曲〕線（三次元座標(デカルト計算図表)の特定の平面において，等しい変数値を結んで得られる曲線．例えば，等圧線は特定の圧力の等値曲線）．

i·so·po·ten·tial (ī′sō-pō-ten′chŭl). 同電圧の，等電位の．= isoelectric.

i·so·pre·cip·i·tin (ī′sō-prē-sip′i-tin) [iso- + precipitin]. 同種沈降素（同種のある個体から採った血漿または血清，あるいは細胞抽出物中の可溶抗原物質と結合し沈降させるが，同種のすべての個体のものとは反応しない抗体）．

i·so·pren·a·line (ī-sō-pren′ă-lēn). イソプレナリン．= isoproterenol.

i·so·prene (ī′sō-prēn). イソプレン；2-methyl-1,3-butadiene（側鎖をもつ C-5 不飽和炭化水素で，植物界および動物界においてはイソプレノイドの生成に用いられる基質．例えばテルペン，カロチノイドおよび関連色素，ゴム．脂溶性のビタミンはイソプレノイドかイソプレノイドの側鎖をもつかのいずれかである．ステロイドはユビキノン，ドリコール，プレニル化蛋白のようなイソプレノイド中間体を経て合成される）．

i·so·pren·oids (ī′sō-prēn′oydz). イソプレノイド（炭素骨格の全体または大部分が，末端と末端が結合したイソプレン単位からなるポリマー．例えばカロチン，リコペン，ビタミン

I

Aなど．ビタミンK，ビタミンE，およびコエンチームQはイソプレノイド側鎖をもつ）．

i·so·pren·yl·a·tion (ī′sō-pren′il-ā′shun). イソプレニル化（→prenylation）．

i·so·pro·pa·nol (ī′sō-prō′pă-nol). イソプロパノール．＝isopropyl alcohol.

i·so·pro·phen·a·mine hy·dro·chlor·ide (ī′sō-prō-fen′ă-mēn hī′drō-klōr′īd). 塩酸イソプロフェナミン．

i·so·pro·pyl al·co·hol (ī′sō-prō′pil al′kō-hōl). イソプロピルアルコール（プロピルアルコールの異性体，エチルアルコールの同族体で，外用の場合は後者と同じ性質を示すが，内用に用いると毒性が強い．種々の化粧品，外用製剤の成分として用いる．摩擦用イソプロピルアルコールも用いられるが，これは68—72%(容量)のイソプロピルアルコール水溶液で，引赤薬として用いる）．＝dimethylcarbinol; isopropanol.

i·so·pro·pyl·ar·ter·e·nol (ī′sō-prō′pil-ar-ter′ĕ-nol). イソプロピルアルテレノール．＝isoproterenol.

i·so·pro·pyl·car·bi·nol (ī′sō-prō′pil-kar′bin-ol). イソプロピルカルビノール（→*butyl* alcohol）．

i·so·pro·pyl myr·is·tate (ī′sō-prō′pil mir′is-tāt). イソプロピルミリステート（皮膚からの吸収を促進するための局所用製剤として用いる）．

i·so·pro·pyl·thi·o·ga·lac·to·side (**iPrSGal, IPTG**) (ī′sō-pro′pil-thī′ō-gă-lak′tō-sīd). イソプロピルチオガラクトシド（ラクトースなどの天然基質のように，分解することなく大腸菌 *Escherichia coli* に β–ガラクトシダーゼを誘導しうる人工ガラクトシド）．

i·so·pros·tane (ī-sō-pros-tān). イソプロスタン（アラキドン酸のフリーラジカル酸化により生じた化合物で，プロスタグランジンと類似した性質を有する．増加状態は動脈硬化，肝腎症候群，関節リウマチ，および発癌と関連があるとされている）．

i·so·pro·te·re·nol (ī′sō-prō-ter′ĕ-nol). イソプロテレノール（心筋刺激作用を有している一方，エピネフリンのような血管収縮作用をもたない交感神経興奮性 β–受容体刺激薬．化学構造的には，エピネフリンでは窒素原子にメチル基が付加しているのに対してイソプロピル基が付加している点において異なっている．より特異的な薬が使用できるため，(臨床では)ほとんど用いられない）．＝isoprenaline; isopropylarterenol.

i·sop·ter (ī-sop′tĕr) [iso- ＋ G. *optēr*, observer]. 〔視野〕網膜の等感度線（視野内の網膜等感度線）．

i·so·pyk·nic (ī′sō-pik′nik) [iso- ＋ G. *phknos*, thick, dense ＋ -ic]. 等密度の（同じ密度をもつ）．

i·so·py·ro·cal·cif·er·ol (ī′sō-pī′rō-kal-sif′ĕr-ol). イソプロカルシフェロール；9β-ergosterol（カルシフェロールの熱分解産物．ピロカルシフェロールとエルゴステロールの立体異性体）．

i·so·quin·o·line (ī′sō-kwin′ō-lēn). イソキノリン（①パパベリンに代表されるアヘンアルカロイド群の特徴的環構造．②イソキノリン環状構造を有するアルカロイドの一種）．

i·so·ri·bo·fla·vin (ī′sō-rī′bō-flā′vin). イソリボフラビン；8-demethyl-6-methylriboflavin（リボフラビン代謝拮抗物質．リボフラビンの場合はメチル基はイソアロキサジン核の7,8位に結合しているが，イソリボフラビンでは6,7位に結合している点が異なる）．

i·sor·rhe·a (ī′sō-rē′ă) [iso- ＋ G. *rhoia*, a flow]. 水分均衡（水分の摂取と排出が等量であること）．

i·sos·best·ic (ī′sos-bes′tik) [Ger. *isosbestisch* ＜ G. **isos**, equal ＋ *sbestos*, extinguished]. 等吸収の（2つの関連ある物質が同じ吸光係数をもつ光の波長をいう．例えば，ヘモグロビンとオキシヘモグロビンの吸収スペクトルが交差する波長は，それらの等吸収点である．その波長での分光測光法は酸化された程度にかかわらず，ヘモグロビンの全濃度を測る）．

i·so·schiz·o·mer (ī′sō-skiz′ō-mĕr) [iso- ＋ G. *schizō*, to split ＋ -mer]. イソシゾマー，イソ制限酵素（同じDNA配列を認識し，水解する制限エンドヌクレアーゼで，異なった生物から得られるもの）．

i·so·sen·si·tize (ī′sō-sen′si-tīz). ＝autosensitize.

i·so·sex·u·al (ī′sō-seks′yū-ăl). 同性的な（その個人がもつ性に一致する個人の身体的特徴，あるいはその個人の内部でその性に一致するようになる過程を表す用語）．

i·sos·mot·ic (ī′sos-mot′ik). 等浸透圧〔性〕の（他の液体(通常は細胞液)と同じ浸透圧または浸透性をもつ，の意．液体が自由に細胞膜を通過する溶質を含む場合は等張とはいわない）．＝isoosmotic.

i·so·sor·bide (ī′sō-sōr′bīd). イソソルビド（D-グルシトールの酸触媒による脱水により調製される，利尿作用をもつ化合物）．

i·so·sor·bide di·ni·trate (ī′sō-sōr′bīd dī-nī′trāt). イソソルビドジニトレート（一酸化窒素の生成を介して作用する冠動脈血管拡張薬）．

I·sos·po·ra (ī-sos′pō-ră) [iso- ＋ G. *sporos*, seed]. イソスポラ属（球虫類の一属(胞子虫綱，アイメリア科)で，主として哺乳類に寄生する．成熟オーシストは2個のスポロシストをもち，その各々が4個のスポロゾイトを含む．本属は現在では，*Toxoplasma*属および肉胞子虫属 *Sarcocystis* ときわめて近縁であることが知られ，生活環中に類似の有性相をもち，また類似の先端構造物群をもつ）．

I. belli 戦争イソスポーラ（ヒトの小腸内に寄生する比較的まれな種で，熱帯に多くみられるが，世界中に分布していると考えられる．ほとんどの感染例では無症状であるが，ときに粘液性下痢を起こすことがある．免疫不全をもつ患者(例えばHIV/AIDS罹患者)では，より重篤かつ持続性の下痢が起こりうる）．

I. bigemina イヌ，ネコ，キツネ，ミンクの小腸内，また他の肉食動物の小腸内にも寄生すると思われる種．イヌとネコに寄生する強毒のコクシジウムで，腸炎，下痢を起こす．オーシストは通常，糞便通過の際に胞子形成を行うが，トキソプラスマ *Toxoplasma gondii* のものと区別されていないので，これらの寄生生物の分類学的位置づけに関しては，かなりの問題が残されている．

I. canis 世界中に分布し，イヌに対してはわずかに病原性があるが，ネコには感染しない．

I. felis ネコ，ライオン，および他のネコ科動物の小腸，ときには盲腸や結腸に寄生がみられる種．ネコに対して軽い病原性しか示さず，イヌには感染しない．

I. rivolta イヌ，ネコ，ディンゴの小腸，また，他の野生食肉類の小腸にも寄生すると思われる種．病原性はイヌやネコに寄生する *I. bigemina* と同様である．

I. suis ブタの小腸に寄生し，軽度の下痢を起こす種．

i·sos·po·ri·a·sis (ī-sos′pō-rī′ă-sis). イソスポーラ症（*Isospora* 種，例えばヒトの *I. belli* による感染による疾患．エイズのような免疫不全で難治性下痢を引き起こすのを除けば，ヒトの病気は一般に軽い）．

i·so·stere (ī′sō-stēr) [iso- ＋ G. *stereos*, solid]. 同配体（同じ電子配置をもつ2種以上の原子や分子の1つ．例えば N_2 と CO）．

i·so·stery (ī′sō-stĕr′ē). 等配性（天然基質の構造的類似体による競合的阻害による生理的酵素および代謝的調節）．

i·sos·the·nu·ri·a (ī-sos′thē-nyū′rē-ă, ī′sō-sthē-) [iso- ＋ G. *sthenos*, strength ＋ *ouron*, urine]. 等張尿（慢性腎疾患でみられ，腎臓が蛋白除去血漿の比重より高比重や低比重の尿を生成できない尿の状態．尿比重は水分摂取にかかわりなく約1.010に固定する）．

i·so·suc·cin·ic ac·id (ī′sō-sŭk-sin′ik as′id). イソコハク酸．＝methylmalonic acid.

i·so·sul·fan blue (ī′sō-sŭl′fan blū). イソスルファンブルー（リンパ造影の際にリンパ管を染めるために補助的に用いられる色素）．

i·so·ther·mal (ī′sō-ther′măl) [iso- ＋ G. *thermē*, heat]. 等温の．

i·so·thi·o·cy·a·nate (ī′sō-thī′ō-sī′ă-nāt). イソチオシアン酸の基 –N=C=S.

i·so·tone (ī′sō-tōn) [iso- ＋ G. *tonos*, stretching, tension]. 同中性子体（核内の中性子数が等しい核の1つ．例えば，$^{39}_{19}K$，$^{40}_{20}Ca$ はそれぞれ20，$^{56}_{26}Fe$，$^{58}_{28}Ni$ はそれぞれ30の中性子をもつ同中性子体）．

i·so·to·ni·a (ī′sō-tō′nē-ă) [iso- ＋ G. *tonos*, tension]. 等張〔性〕，等浸透圧〔性〕（2種の物質または溶液の張力や浸透圧が同一である状態）．

i·so·ton·ic (ī′sō-ton′ik). ***1*** 等張〔性〕の，等浸透圧〔性〕の．***2*** 等張の（同じ浸透圧をもつ溶液についていう．より狭義には，液内で細胞が膨張も収縮もしない溶液に限定される．したがって，尿素など細胞膜を自由に通過する溶質を含む溶液の場合は細胞液と等浸透圧であっても等張ではない)．***3*** 均等緊張の (生理学において，重い物を持ち上げるときのように，収縮筋が一定の荷重に対して収縮する状態についていう．*cf.* auxotonic; isometric (2))．

i·so·to·nic·i·ty (ī′sō-tō-nis′i-tē)．等張〔性〕(同一の緊張力または張力をもち，維持する性質)．

i·so·tope (ī′sō-tōp) [iso- + G. *topos*, part, place]．同位体，アイソトープ，同位元素 (同位元素はその記号の左肩にその質量数を示す数字によって識別する(^{12}C)．または質量数を記号の後に続けて記す．記号よりも元素名を用いる場合は，数字は元素名の後に同じ位置に記し，前に記述しない．数字はハイフンを用いて記号や元素名に列記しない．元素の原子数(核内の不変の陽子数)は($_{6}$C)のように記号の左下に示すことができる．核内の中性子数が異なるために，化学的に同一で同数の陽子をもつが質量数の相異なる 2 個以上の核種．個々の同位体は質量数を ^{12}C のように左上に付け加えて表す．そして原子番号(核内陽子数)は $_{6}$C のように左下に添える．以前は，質量数が化学記号の後にきた(C-12))．

daughter i. 娘核種 (ある元素の放射性壊変(崩壊)によって生成する(放射性)元素．㊟ daughter 参照．→radionuclide *generator*; cow)．

radioactive i. 放射性同位元素，ラジオアイソトープ (不安定な核構成をもつ同位体．放射性同位体の原子核は，電子(ベータ粒子)，またはヘリウム核(アルファ粒子)，または放射線(ガンマ線)を放出して自然に崩壊し，安定した核構成となる．トレーサ，放射線，エネルギー源として用いられている．→half-life)．

stable i. 安定同位体 (非放射性核種．放射性崩壊を行わない同位体)．

i·so·to·pic (ī′sō-top′ik)．同位体の，アイソトープの (同じ化学組成をもつが，原子量などの物理的性質の異なるものについていう)．

i·so·trans·plan·ta·tion (ī′sō-tranz′plan-tā′shŭn)．同種組織移植．

i·so·tret·i·noin (ī′-sō-tret′i-noyn)．イソトレチノイン (重度の再発性の嚢腫性痤瘡の治療に用いるレチノイド．ヒトにおける催奇形物質として知られている)．

i·so·tro·pic, i·sot·ro·pous (ī′sō-trop′ik, ī-sot′rō-pŭs) [iso- + G. *tropē*, a turn]．等方性の，等方的な (性質，特質がすべての方向にわたって同じである)．

i·so·type (ī′sō-tīp) [iso- + G. *typos*, model]．アイソタイプ (免疫グロブリン分子のあるクラスまたはサブクラスの全てが共通に有する抗原決定基．免疫グロブリンのアイソタイプには，IgG，IgA，IgE，IgD，IgMがある)．

i. switch アイソタイプスイッチ (抗体のH鎖の定常領域遺伝子が他のアイソタイプの定常領域遺伝子に入れ替わること．ただし抗原結合部位は変化しない)．

i·so·typ·ic (ī′sō-tip′ik)．アイソタイプの．

i·so·va·ler·ic ac·id (ī′so-vă-ler′ik as′id, -lēr′ik)．イソ吉草酸；3-methylbutanoic acid (酸化過程における代謝中間体．イソ吉草酸血症の患児で上昇している)．

i·so·va·ler·ic ac·i·de·mi·a (ī′so-vă-ler′ik as′i-dē′mē-ă) [MIM*243500]．イソ吉草酸血〔症〕(運動神経発育遅延，汗くさい足を思わせる特異なにおい，嘔吐，アシドーシス，昏睡を特徴とするロイシンの先天的代謝異常症．蛋白を摂取したり感染症に罹患したときにイソ吉草酸が過剰に産生されるために生じる．イソ吉草酸 CoA デヒドロゲナーゼの欠損が原因であり，重篤なアシドーシスは大量の酸が産生されるために生じる．常染色体劣性遺伝であり，2 型が知られている．ⓘ急性新生児型は急激な代謝性アシドーシスを呈し急死する．ⓘⓘ慢性型は重篤なアシドーシスを間欠的に繰り返す)．＝sweaty feet syndrome.

i·so·va·ler·yl-CoA (ī′sō-val′ĕr-il)．イソバレリルCoA (イソバレリアン酸と CoA との縮合生成物．L-ロイシンの異化中間体)．＝isovalerylcoenzyme A.

i.-CoA dehydrogenase イソバレリルCoA デヒドロゲナーゼ (L-ロイシンの異化に関与する酵素．この酵素はイソバレリルCoA を，FAD を用い 3-メチルクロトニルCoA へ変換させる．この酵素の欠損によりイソ吉草酸(イソバレリアン酸)血症になる)．

i·so·va·ler·yl·co·en·zyme A (ī′sō-val′ĕr-il kō-en′zīm)．イソバレリル補酵素A．＝isovaleryl-CoA.

i·so·val·thine (ī′sō-val′thēn)．イソバルチン (尿中にみられる硫黄含有化合物)．

i·so·vol·ume (ī′sō-vol′yūm)．等容の (同一または等しい体積についていう．→isovolumic)．

i·so·vol·u·met·ric (ī′sō-vol′yū-met′rik)．＝isovolumic.

i·so·vol·u·mic (ī′sō-vol-yū′mik)．等容性の，等容の (体積変化しない，の意．例えば，初期心室収縮時に筋線維が初めは短くならずに張力を増すため心室体積が変化せず，一定に保たれる．→isometric)．＝isochoric; isovolumetric.

i·so·zyme (ī′sō-zīm)．イソチーム，アイソザイム，同位酵素．＝isoenzyme.

is·pa·ghul·a (is-pă-gŭl′ă) [Pers. *ispaghol*, horse's ear < *asp*, horse + *ghol*, ear]．オオバコ．＝psyllium seed.

is·sue (ish′yū) [Fr. a going out]．***1*** 膿，血液，その他の物質の排出を表す古語．***2*** 問題点，論争点．

nature-nurture i. 先天性－後天性論争 (個体の発達上の種々の様相，例えば，知性，個性，精神病などにおける遺伝(先天性)と環境(後天性)の影響の相対的重要度に関する論争)．

isth·mec·to·my (is-mek′tŏ-mē) [G. *isthmos*, isthmus + *ektomē*, excision]．峡部切除〔術〕(甲状腺の正中部の切除)．

isth·mic, isth·mi·an (is′mik, is′mē-ăn)．峡部の，峡の (解剖学的峡部についていう)．

isth·mo·pa·ral·y·sis (is′mō-pă-ral′i-sis) [G. *isthmos*, isthmus + paralysis]．口峡部麻痺 (口蓋帆と口峡前柱をつくる筋の麻痺)．＝faucial paralysis; isthmoplegia.

isth·mo·ple·gia (is′mō-plē′jē-ă) [G. *isthmos*, isthmus + *plēgē*, stroke]．＝isthmoparalysis.

isth·mus, pl. isth·mi, isth·mus·es (is′mŭs, -mī, -mŭs-ĕz) [G. *isthmos*]．峡 (① [TA]．解剖学的構造で 2 つの大きな部分を結合する狭いくびれた部分および 2 つの大きな腔を連結する細い通路．②＝rhombencephalic i.)．

i. of aorta 大動脈峡部．＝aortic i.

i. aortae [TA]．大動脈峡部．＝aortic i.

aortic i. [TA]．大動脈峡部 (左鎖骨下動脈において，動脈管の接続部の遠位にある大動脈の狭窄部)．＝i. aortae [TA]; i. of aorta.

i. of auditory tube 耳管峡．＝i. of pharyngotympanic tube.

i. of cartilage of ear 耳軟骨峡．＝i. of cartilaginous auricle.

i. cartilaginis auricularis [TA]．耳軟骨峡．＝i. of cartilaginous auricle.

i. cartilaginis auris [NA]．耳軟骨峡．＝i. of cartilaginous auricle.

i. of cartilaginous auricle [TA]．耳軟骨峡 (外耳道と耳珠板を耳介軟骨の主部分に連結する細い橋)．＝i. cartilaginis auris; i. of cartilage of ear.

i. of cingulate gyrus [TA]．帯状回峡 (頭頂後頭溝と鳥距溝の前方への進展により，帯状回が脳梁膨大の後下部の，海馬回との移行部のところで細くなったもの)．＝i. gyri cinguli [TA]; i. of gyrus fornicatus; i. of limbic lobe.

i. of eustachian tube 耳管峡．＝i. of pharyngotympanic tube.

i. of external acoustic meatus 外耳道峡 (外耳道骨部の終端近くにみられる狭まった部分)．＝i. meatus acustici externi.

i. of fauces [TA]．口峡峡部 (口腔と咽頭口部間を連結する細く短い空隙．前方に口蓋舌ひだ，後方に口蓋咽頭ひだ，両側に扁桃窩がある)．＝i. faucium [TA]; oropharyngeal i.

i. faucium [TA]．口峡峡部．＝i. of fauces.

i. glandulae thyroideae [TA]．甲状腺峡部．＝i. of thyroid gland.

Guyon i. (gē-yon[h]′)．ギヨン峡〔部〕．＝i. of uterus.

i. gyri cinguli [TA]．帯状回峡．＝i. of cingulate gyrus.

i. of gyrus fornicatus ＝i. of cingulate gyrus.

i. of His ＝rhombencephalic i.

Krönig i. (krā′nig)．クレーニッヒ峡〔部〕(前後の肺尖部の上の大きな共鳴部につながる狭いつり革状の共鳴部で，肩の方へ広がる).

i. of limbic lobe ＝i. of cingulate gyrus.

i. meatus acustici externi 外耳道峡. ＝i. of external acoustic meatus.

oropharyngeal i. ＝i. of fauces.

pharyngeal i. 咽頭峡部. ＝i. of pharynx.

i. pharyngis ＝i. of pharynx.

i. pharyngonasalis 鼻咽頭峡. ＝choana.

i. of pharyngotympanic tube [TA]. 耳管峡（耳管軟骨部と耳管骨部の境界にある耳管の最も細い部分). ＝i. tubae auditivae [TA]; i. tubae auditoriae*; i. of auditory tube; i. of eustachian tube.

i. of pharynx 咽頭峡部（軟口蓋の後部にある通路で，鼻咽頭と口腔とをつなげている．えん下に際して軟口蓋が挙上されて閉じられ，口蓋咽頭筋の後束の収縮で Passavant 隆起ができる). ＝i. pharyngis; pharyngeal i.

pleural i. 胸膜峡部. ＝mesopneumonium.

i. prostatae [TA]. 〔前立腺の〕峡部. ＝i. of prostate.

i. of prostate [TA]. 〔前立腺の〕峡部（尿道の前方にある前立腺の中央の細い部分). ＝i. prostatae [TA].

i. rhombencephali 菱脳峡. ＝rhombencephalic i.

rhombencephalic i. 菱脳峡（①中脳と菱脳を仕切る胚の神経管にある狭窄部．②中脳と連結する菱脳の前部). ＝isthmus (3) [TA]; i. of His; i. rhombencephali.

i. of thyroid gland [TA]. 甲状腺峡部（2個の側葉を連結する甲状腺の中心部). ＝i. glandulae thyroideae [TA].

i. tubae auditivae [TA]. 耳管峡. ＝i. of pharyngotympanic tube.

i. tubae auditoriae* i. of pharyngotympanic tube の公式の別名.

i. tubae uterinae [TA]. 卵管峡部. ＝i. of uterine tube.

i. uteri [TA]. 子宮峡部. ＝i. of uterus.

i. of uterine tube [TA]. 卵管峡部（子宮に接続する卵管の最も細い部分). ＝i. tubae uterinae [TA].

i. of uterus [TA]. 子宮峡部（子宮体の子宮頸部の接続部にある細長い狭窄部). ＝i. uteri [TA]; Guyon i.; orificium internum uteri; os uteri internum; ostium uteri internum.

Vieussens i. (vyū-sŏn[h]′). ビューサン峡〔部〕. ＝*limbus* fossae ovalis.

it·a·con·ic ac·id (it′ă-kon′ik as′id). イタコン酸（*cis*-アコニチン酸の脱カルボン酸生成物). ＝methylenesuccinic acid.

itch (itch) [A.S. *gikkan*]. ***1*** かゆみ（掻きたくなるような皮膚の特別な刺激感). ＝pruritus (2). ***2*** 疥癬（scabies に対する通称).

azo i. アゾかゆみ〔症〕（アゾ染料を扱う労働者にみられるかゆみ症).

baker's i. パン屋かゆみ〔症〕. ＝baker's *eczema*.

barber's i. 床屋かゆみ〔症〕. ＝*tinea* barbae.

bath i. 入浴かゆみ〔症〕. ＝bath *pruritus*.

copra i. コプラかゆみ〔症〕（コプラ製粉所で働く労働者に，ケナガコナダニ *Tyrophagus putrescentiae* によって生じる皮膚炎).

frost i. (frost). 冬季かゆみ〔症〕. ＝winter i.

grain i. 穀物かゆみ〔症〕（農民や穀物を扱う人にときにみられる膨疹様の皮膚の発疹で，シラミダニ *Pyemotes ventricosus* によって生じるもの).

grocer's i. 乾物屋かゆみ〔症〕（砂糖やコムギ粉を扱う乾物屋，パン屋にみられる小水疱性皮膚炎．*Glycophagus*属によって生じる).

ground i. 土壌かゆみ〔症〕. ＝cutaneous *larva migrans*.

kabure i. ＝*schistosomiasis* japonica.

Norway i. ノルウェー疥癬. ＝Norwegian *scabies*.

poultryman's i. 養禽家かゆみ〔症〕（ワクモ *Dermanyssus gallinae* の感染による発疹).

rice i. 水田皮膚炎. ＝*schistosomiasis* japonica.

Saint Ignatius i. 聖イグナティウスかゆみ〔症〕. ＝pellagra.

straw i., straw-bed i. ワラかゆみ〔症〕，ワラぶとんかゆみ〔症〕（ワラぶとんのワラの中に侵入するシラミダニ *Pyemotes ventricosus* によって生じるじんま疹様の発疹). ＝dermatitis pediculoides ventricosus.

summer i. 夏季かゆみ〔症〕. ＝*pruritus* aestivalis.

swimmer's i. 沼地皮膚炎. ＝schistosomal *dermatitis*.

water i. 水かゆみ〔症〕（①＝cutaneous *larva migrans*. ②＝schistosomal *dermatitis*).

winter i. 冬季かゆみ〔症〕（寒い季節の到来とともに現れる再発性湿疹). ＝dermatitis hiemalis; frost i.; pruritus hiemalis.

itch·ing (itch′ing). かゆみ，そう痒（皮膚または粘膜の不快な刺激感で，その部分を引っ掻いたり，こすったりするようになる). ＝pruritus (1).

-ite (it) [G. *-itēs*（女性形 *-itis*)]. →-ites. ***1*** 単語に〝…性の〞，〝…に類似した〞の意味を付加する接尾語．***2*** -ous で終わる酸の塩を表す．***3*** 比較解剖学において，この語が付く元の名称に対する主要部分を表す接尾語.

i·ter (ī′tĕr) [L. *iter* (*itiner*-), a way, journey]. 通路，入口（1つの解剖学的部分から別の部分へと続く通路. →canaliculus).

i. chordae anterius 前鼓索路. ＝anterior *canaliculus* of chorda tympani.

i. chordae posterius ＝*canaliculus* of chorda tympani.

i. dentis 歯牙通路（1本以上の歯が生える路). ＝i. dentium.

i. dentium ＝i. dentis.

i. a tertio ad quartum ventriculum [L. 第3脳室から第4脳室への道]. ＝cerebral *aqueduct*.

i·ter·al (ī′tĕr-ăl). 通路の，入口の.

-ites [G. *itēs*]. 名詞の語幹に付く，ギリシア語の形容詞的接尾語．ラテン語の *-alis*，または *-inus*，あるいは英語の -y または -like に相当する．この接尾語で形成される形容詞は，あるフレーズを表すのにそれ単独となることがある．例えば，腹部鼓脹症 *tympanitēs hydrōps* の代わりに tympanites で表す. →-ite; -itis.

-itides -itis の複数形.

-itis (ī′tis) [G. 女性形形容詞をつくる接尾語]. [本接尾語で終わる語は複数形が -itides となる．そのような複数形から逆成された正しくない単数形 -itide(例えば arthritide, encephalitide)を避けること]. 炎症を示す接尾語. →-ites.

I·to (ē′tō), Toshio. 20世紀の日本人医師. →I. *cells*.

I·to, (ē′tō), Minoru. 20世紀の日本人皮膚科医. →I. *nevus*; *hypomelanosis* of I.

ITP idiopathic thrombocytopenic *purpura*; inosine 5′-triphosphate の略.

IU [JCAHOは，IVと読み違えやすいので，手書きの記録では本略号を避けるように指導している]. international *unit*の略.

IUB International Union of Biochemistry(国際生化学連合)の略.

IUCD intrauterine *contraceptive* device の略.

IUD intrauterine *device* の略.

IUI intrauterine *insemination* の略.

IUPAC International Union of Pure and Applied Chemistry (国際純正および応用化学連合)の略.

IV intravenous; intraventricular の略.

I-V intraventricular の略.

I.V., i.v. intravenous; intravenously の略.

IVB intraventricular *block* の略.

IVC *vena* cava, inferior の略.

IVDA intravenous drug abuse(r)(静注薬物乱用)の略.

I·ve·mark (ē′vĕ-mark), Björn. スウェーデン人病理学者, 1925—？ →I. *syndrome*.

i·ver·mec·tin (ī′vĕr-mek′tin). アイバメクチン（アベルメクチン類化合物の1つで，フィラリア症および他の多くの寄生虫に対する治療に有効である．本薬剤は *Onchocerca microfilaria* および *Filaria bancrofti* の殺虫に有効である．土壌細菌である *Streptomyces avermitilis* から単離された．局所投与による疥癬治療としてFDAから認可されている獣医学領域では，多くの動物種において外部寄生虫および内部寄生虫のコントロールに広く用いられている．コリー系犬種における異常な感受性(強い毒性を示し，ときには死亡する)に関して詳細に報告されている).

IVF *in vitro fertilization* の略.

IVF-ET 胎外受精と子宮，卵管，または腹腔へ胚を胎内移植することの略.

IVP intravenous *pyelography*; intravenous pyelogram の略.
IVU intravenous urogram の略. IVP よりも好まれる. ⇀intravenous *urography*.
I·vy (ī′vē), Robert H. 米国人口腔・形成外科医, 1881—1974. ⇀I. loop *wiring*; I. bleeding time *test*.
Ix·o·des (ik-sō′dēz) [G. *ixōdēs*, sticky, like bird-lime < *ixos*, mistletoe + *eidos*, form]. マダニ属（マダニ科のダニの一属で，その多くはヒトや動物に寄生する．マダニには眼および花朶がなく，肛門前部に肛門溝があるのを特徴とし，雌雄二形である．約 40 種が北アメリカにいることが記録されている).
I. cookei カナダの Powassan ウイルスを媒介する種.
I. dammini 米国においてライム病(*Borrelia burgdorferi*)およびヒトバベシア症(*Babesia microti*)を媒介する種．ヒトでのライム病は，ノネズミ(white-footed field mice)から *B. burgdorferi* を受け継いだ鉛筆の先ほどの大きさの若ダニに刺されることによって起こる．成ダニはシカに寄生して 2 年間の生活環をまっとうする．*I. scapularis* と記載されることもある.
I. pacificus 米国西部でのライム病を媒介する種．英名 California black-legged tick.
I. persulcatus シュルツェマダニ（ロシア春夏脳炎およびライム病を媒介するユーラシア大陸生息種．英名 taiga tick).
I. redikorzevi ユーラシアに分布する種で，イスラエルではヒトの中毒を引き起こす.
I. ricinus ウシ，ヒツジ，野生動物に寄生するヨーロッパ生息種で，ピロプラズマ *Babesia divergens*，ダニ媒介脳炎ウイルス，およびライム病原因菌を媒介する種．英名 castor bean tick.
I. scapularis 米国南部および東部の動物にみられる種で，米国におけるライム病の主要な媒介者である．英名 black-legged tick または shoulder tick.
I. spinipalpis ブリティッシュコロンビアの野生げっ歯類寄生の種で，*Peromyscus*属のネズミの Powassan ウイルスを媒介する.
ix·o·di·a·sis (ik′sō-dī′ă-sis). マダニ症（マダニに刺されて起こる皮膚病).
ix·od·ic (ik-sod′ik). マダニの.
ix·o·did (ik′sō-did). マダニ（マダニ科に属するダニ類の一般名).
Ix·od·i·dae (ik-sod′i-dē) [G. *ixōdēs*, sticky]. マダニ科（ダニ目，マダニ亜目のダニの一科で，硬い体，背甲板のあること，前方を向く顎体部などの特徴があり通称 “hard(硬)” マダニとよばれる．マダニ属 *Ixodes*，イボマダニ属 *Hyalomma*，キララマダニ属 *Amblyomma*，ウシマダニ属 *Boophilus*，*Margaropus*属，カクマダニ属 *Dermacentor*，チマダニ属 *Haemaphysalis*，コイマダニ属 *Rhipicephalus* などがある．これらの属は，ヒトや動物の多くの疾病の主要な媒介動物となっており，マダニ麻痺を起こす．ときにヒトを襲い，それを常習とするものもある).
Ix·o·doi·de·a (ik′sō-doy′dē-ă) [G. *ixōdēs*, sticky]. マダニ上科（ダニ目の上科で，マダニ科とヒメダニ科の 2 科を含む).

J

J ジュールおよびジュール当量Joule *equivalent*，電流密度の記号．

J 束密度；結合定数の記号．

Ja・bo・ran・di (jha′bō-rahn′dē). ヤボランジ．＝*Pilocarpus.*

Ja・bou・lay (zhah′bū-lā′), Mathieu. フランス人外科医，1860—1913. →J. *amputation, pyloroplasty.*

Jac・coud (zhah-kū′), François Sigismond. フランス人医師，1830—1913. →J. *arthritis, arthropathy.*

jack・et (jak′et) [M.E. ＜ O.Fr. *jaquet, jaque*(tunic) の指小辞 ＜ *Jacques* フランス語での農民の愛称]．ジャケット，包被(①脊柱を固定するため体の周りに着ける被覆．②歯科において，焼成陶材あるいはアクリルレジンでつくる人工歯冠に関して用いる語)．

Minerva j. ミネルヴァジャケット（頸椎の骨折に対して頭部と体幹を一体化する体幹ギプス）．

jack・screw (jak′skrū). 圧開らせん，らせん万力（隣接した歯や顎を分離するのに用いるねじ山付きの器械）．

Jack・son (jak′sŏn), Jabez N. 米国人外科医，1868—1935. →J. *membrane, veil.*

Jack・son (jak′sŏn), John Hughlings. イングランド人神経科医，1835—1911. →jacksonian *epilepsy*; J. *law, rule, sign.*

jack・so・ni・an (jak-sō′nē-ăn). John Hughlings Jackson の記した．→jacksonian *epilepsy, seizure.*

Ja・co・bae・us (yah′kō-bā′ŭs), Hans C. スウェーデン人外科医，1879—1937. →J. *operation.*

Ja・cob・son (jā′kob-sŏn), Ludwig L. デンマーク人解剖学者，1783—1843. →J. *canal, cartilage, nerve, organ, plexus, reflex.*

Jac・quart (zhah-kahr′), Henri. 19 世紀のフランス人医師．→J. facial *angle.*

Jac・que・min (zhah-kuh-min[h]′), Emile. 19 世紀のフランス人化学者．→J. *test.*

Jacques (zhahk), Paul. 19 世紀のフランス人医師．→J. *plexus.*

Ja・das・sohn (yah′dah-sōn), Josef. スイスに在住したドイツ人皮膚科医，1863—1936. 接触皮膚炎のためのパッチテスト patch *test* を紹介した．→J. *nevus*; Borst-J. type intraepidermal *epithelioma*; J.-Pellizzari *anetoderma*; Franceschetti-J. *syndrome*; J.-Lewandowski *syndrome.*

Jae・ger (yā′gĕr), Eduard, Ritter von Jaxthal. オーストリア人眼科医，1818—1884. →J. *test types.*

Jaf・fe (yah′fē), Max. ドイツ人生化学者，1841—1911. →J. *reaction, test.*

Jaf・fe (yah′fē), Henry L. 米国人病理学者，1896—1979. →J.-Lichtenstein *disease.*

JAK (jak). Janus *kinase* の略．

Ja・kob (yah′kŏb), Alfons M. ドイツ人神経精神科医，1884—1931. →Creutzfeldt-J. *disease.*

jal・ap (jal′ap) [*Jalapa(Xalapa)*，この薬が輸出されたメキシコの市]．ヤラッパ（ヒルガオ科ヤラッパ属 *Exogonium purga* や *E. jalapa*，またはサツマイモ属 *Ipomoea purga* の乾燥塊茎状根．しゃ下薬として用いる）．

James (jāmz), George C.W. 米国人放射線科医，1915—1972. →Swyer-J. *syndrome*; Swyer-J.-MacLeod *syndrome.*

James (jāmz), Thomas N. 20 世紀の米国人心臓・生理学者．→J. *fibers, tracts.*

James・town weed (jāmz′town wēd). シロバナヨウシュチョウセンアサガオ．＝*Datura stramonium.*

Ja・net (zhah-nā′), Pierre M.F. フランス人神経科医，1859—1947. →J. *test.*

Jane・way (jān′wā), Edward G. 米国人医師，1841—1911. →J. *lesion.*

jan・i・ceps (jan′i-seps) [L. *Janus*, 2 つの顔をもつローマの神 + *caput*, head]．ヤーヌス体，一頭二顔体（頭部が癒合した双生児で，それぞれの顔は反対側を向く．→conjoined *twins.*→craniopagus; syncephalus）．

j. asymmetrus 非対称性ヤーヌス体（一方が非常に小さな発育不全の顔をもつ頭胸結合体）．＝iniops; syncephalus asymmetros.

j. parasiticus 結合した双生児のうち小さくて発育が不完全なほう(寄生体)が，より十分に発育したほう(自生体)に付着するヤーヌス体．

Jan・sen (zahn′sĕn), Albert. ドイツ人耳科医，1859—1933. →J. *operation.*

Jan・sky (yahn′skē), Jan. チェコ人医師，1873—1921. →J.-Bielschowsky *disease*; J. *classification.*

Janus green B (jā′nŭs grēn) [C.I. 11050]．ヤーヌスグリーンB（組織学において用いる塩基性色素で，ミトコンドリアを超生体染色する）．

jar (jar). ***1***〖v.〗振動する，激しく揺さぶる．***2***〖n.〗振動，衝撃．

heel j. 踵衝撃（つま先立ちした患者が痛みを感じて，踵を地面に急に着ける．ⓘPott 病または椎間板腔感染症の場合には脊柱に，ⓘⓘ腎結石症の場合には腰椎部に，痛みを感じる）．

jar・gon (jar′gŏn) [Fr. gibberish]．専門家用語，特殊用語（特定の分野，専門，またはグループで用いる特殊な語．→paraphasia）．

Ja・risch (yah′rish), Adolf. オーストリア人皮膚科医，1850—1902. →J.-Herxheimer *reaction*; Bezold-J. *reflex.*

Jar・man (jar′măn), Brian. 20 世紀の英国人一次診療医師．→J. *score.*

Jar・vik (jar′vik), Robert Koffler. 20 世紀の米国人心臓病専門医．→J. artificial *heart.*

Ja・tro・pha (jat′rō-fă) [G. *iatros*, physician + *trophē*, nourishment]．ジャトロファ属（タカトウダイ科の一属で，アフリカ東部や西インド諸島に分布する毒草）．

J. curcas 南洋アブラギリ（クロトン油に類似するしゃ下薬を含有する種子）．＝*J. glandulifera.*

J. glandulifera ＝*J. curcas.*

J. urens 南アフリカにみられる種．浸軟した新鮮な葉は引赤薬やパップ剤として用い，種子はしゃ下薬用の油を供給する．

jaun・dice (jawn′dis) [Fr. *jaune*, yellow]．黄疸（[重複的な表現 yellow jaundice を避けること]．外皮，強膜，深部組織，排泄物が胆汁色素で黄色に染まることで，血漿中濃度の上昇により生じる）．＝icterus.

acholuric j. 無胆汁尿性黄疸（血漿中に非抱合ビリルビンが過剰に存在するが，尿中には胆汁色素は存在しない黄疸）．

anhepatic j. 非肝性黄疸（溶血による黄疸で，肝機能や胆道などには異常ない）．＝anhepatogenous j.

anhepatogenous j. 非肝性黄疸．＝anhepatic j.

choleric j. 胆汁性黄疸（尿中にビリルビン代謝産物が排泄される黄疸．逆流性の高ビリルビン血症のときに認められる）．

cholestatic j. 胆汁うっ滞性黄疸（肝臓の小胆管中の濃縮胆汁または胆栓によって起こる黄疸）．

chronic acholuric j. 慢性無胆汁尿性黄疸．＝hereditary *spherocytosis.*

chronic familial j. 慢性家族性黄疸．＝hereditary *spherocytosis.*

chronic idiopathic j. 慢性特発〔性〕黄疸．＝Dubin-Johnson *syndrome.*

congenital hemolytic j. 先天性溶血性黄疸．＝hereditary *spherocytosis.*

familial nonhemolytic j. [MIM*143500]．家族性非溶血性黄疸（肝障害，胆道閉塞，溶血などを伴わない，血漿中の非抱合型ビリルビンの増加による軽度の黄疸で，ビリルビンのグルクロン酸抱合が減少するか，あるいは肝臓のビリルビンの取り込みが損なわれて，肝臓からの排泄が障害される先天性代謝異常によって起こると考えられる．常染色体優性遺伝）．＝benign familial icterus; constitutional hepatic dysfunction; Gilbert syndrome.

hematogenous j. 血液性黄疸．＝hemolytic j.

hemolytic j. 溶血性黄疸（赤血球の破壊を起こす過程(毒性，遺伝性，免疫性)により，ヘモグロビンからのビリルビンの産生が増加して起こる黄疸). ＝hematogenous j.; toxemic j.

hepatocellular j. 肝細胞性黄疸（肝細胞の広範囲な損傷，炎症，機能障害などから起こる黄疸で，通常，ウイルス性または中毒性肝炎により生じるものをいう).

hepatogenous j. 肝性黄疸（肝臓障害による黄疸で，血液変性で起こる黄疸とは区別される).

homologous serum j. viral *hepatitis* type B を表す，現在では用いられない語.

human serum j. ヒト血清黄疸（通常，血液や血液製剤により，非経口的に伝染する肝炎．通常，B型肝炎ウイルスによる．現在では用いられない語).

infectious j. 感染性黄疸. ＝Weil *disease*.

infective j. 感染性黄疸（急性発症の倦怠，発熱，筋痛，吐気，食欲不振，腹痛，黄疸．*Leptospira*属の一種により引き起こされる).

leptospiral j. レプトスピラ性黄疸（種々の *Leptospira*属の感染によって起こる黄疸).

malignant j. 悪性黄疸. ＝*icterus* gravis.

mechanical j. 機械的黄疸. ＝obstructive j.

neonatal j. 新生児黄疸. ＝physiologic j.

j. of the newborn 新生児黄疸. ＝physiologic j.

nonobstructive j. 非閉塞性黄疸（主要胆管の閉塞によらない黄疸．例えば，溶血性黄疸，肝炎による黄疸).

nuclear j. 核黄疸. ＝kernicterus.

obstructive j. 閉塞性黄疸（主要胆管の閉塞により十二指腸へ胆汁が流出しないため肝臓内外に起こる黄疸). ＝mechanical j.

painless j. 無痛性黄疸（腹痛を伴わない黄疸．通常，膵頭部の腫瘍や結石の嵌頓による総胆管の閉塞によって生じる閉塞性黄疸に用いる語).

physiologic j. 生理的黄疸（出生後１－２週の新生児にしばしばみられる黄疸．出生時は成人と比べて比較的赤血球量が多いこと，赤血球寿命が短いこと，肝臓のビリルビン抱合能が一時的に損なわれていること，ビリルビンの腸での代謝・排泄に関わる腸の細菌叢が欠けていることなどのいくつかの因子により生じる．間接型(非抱合型)高ビリルビン血症がみられ，正常の満期産の乳児ではそのピークは生後２－３日であり，早産の乳児ではピークの時期は遅れ，ビリルビン濃度は高くなり，母乳の乳児では高ビリルビン血症が強くなる). ＝icterus neonatorum; j. of the newborn; neonatal j.

postarsphenamine j. アルスフェナミン後黄疸（アルスフェナミンを投与された患者の肝毒性．黄疸を生じる).

recurrent j. of pregnancy 妊娠性反復性黄疸. ＝intrahepatic *cholestasis* of pregnancy.

regurgitation j. 反流性黄疸，逆行性黄疸（胆道閉塞によって起こる黄疸．胆汁色素は肝細胞によって分泌され，血液中に再吸収される).

retention j. 停留性黄疸（肝臓の機能不全または胆汁色素の過剰産生によって起こる黄疸．胆汁色素は肝細胞を通過しないため，ビリルビンは非抱合型である).

Schmorl j. (shmōrl). シュモルル(シュモール)黄疸（核黄疸).

spherocytic j. 球状赤血球性黄疸（球状赤血球症を伴う溶血性黄疸).

spirochetal j. スピロヘータ黄疸（*Leptospira* 種の感染，通常，*Leptospira icterohemorrhagica* により生じる黄疸).

toxemic j. 毒血性黄疸. ＝hemolytic j.

jaun·dice root (jawn′dis rūt). 宿根草. ＝hydrastis.

jaw (jaw) [A.S. *ceōwan*, to chew]. 顎（①口の骨格を形成し，歯が納まっている骨構造の１つ．②上顎または下顎のいずれかに対する一般名).

cleft j. 唇顎裂（下顎隆起が癒合できないため起こる下顎の先天異常). ＝gnathoschisis.

crackling j. 轢音顎（慢性の亜脱臼で，動かすとカクンという音がする).

Hapsburg j. ハプスブルク顎（Hispano-Austrian 歴代王朝によくみられた下顎前突症およびとがった下唇).

j. winking ジョーウインキング（顎運動に関連した不随意な眼瞼の動き).

lock-j. 開口障害. ＝trismus.

lower j. 下顎. ＝mandible.

lumpy j. 顎放線菌症. ＝actinomycosis.

parrot j. オウム状顎（切歯の突出した状態).

upper j. 上顎. ＝maxilla.

Ja·wor·ski (yă-vōr′skē), Walery. ポーランド人医師，1849—1924. →J. *bodies*.

JCAHO Joint Commission on Accreditation of Healthcare Organizations(〔米国の〕医療施設認定合同委員会)の略.

JCIH Joint Committee on Infant Hearing の略.

Jean·selme (zhahn-selm′), Edouard. フランス人皮膚科医，1858—1935. →J. *nodules*.

Je·ghers (jā′gĕrz), Harold. 米国内科医，1904—1990 → Peutz-J. *syndrome*; J.-Peutz *syndrome*.

jejun- (je-jūn′). →jejuno-.

je·ju·nal (je-jū′năl). 空腸の.

je·ju·nec·to·my (je′jū-nek′tŏ-mē) [jejunum + G. *ektomē*, excision]. 空腸切除〔術〕（空腸全体またはその一部を切除すること).

je·ju·ni·tis (je′jū-nī′tis). 空腸炎.

jejuno-, jejun- (je-jū′nō, je-jūn′) [L. *jejunus*, empty]. 空腸に関する連結形.

je·ju·no·co·los·to·my (je-jū′nō-kō-los′tŏ-mē) [jejuno- + colon + G. *stoma*, mouth]. 空結腸吻合〔術〕（空腸と結腸を吻合すること).

je·ju·no·il·e·al (je-jū′nō-il′ē-ăl). 空回腸の（空腸と回腸に関する).

je·ju·no·il·e·i·tis (je-jū′nō-il′ē-ī′tis). 空回腸炎.

je·ju·no·il·e·os·to·my (je-jū′nō-il′ē-os′tŏ-mē) [jejuno- + ileum + G. *stoma*, mouth]. 空回腸吻合〔術〕（空腸と回腸間を吻合すること).

je·ju·no·je·ju·nos·to·my (je-jū′nō-je′jū-nos′tŏ-mē) [jejuno- + jejuno- + G. *stoma*, mouth]. 空腸空腸吻合〔術〕（空腸の異なる２か所を吻合すること).

je·ju·no·plas·ty (je-jū′nō-plas′tē) [jejuno- + G. *plastos*, molded]. 空腸形成〔術〕.

je·ju·nos·to·my (je′jū-nos′tŏ-mē) [jejuno- + G. *stoma*, mouth]. 空腸造瘻術，空腸フィステル形成〔術〕（空腸から腹壁への瘻を手術によりつくること．通常，開口をつくる).

je·ju·not·o·my (je′jū-not′ŏ-mē) [jejuno- + G. *tomē*, incision]. 空腸切開〔術〕.

je·ju·num (jĕ-jū′nŭm) [L. *jejunus*, empty][TA]. 空腸（腸間膜小腸の近位2/5で，十二指腸と回腸の間の長さ約 2.4 m の部分．次の点で回腸と区別できる．回腸より近位にあり，太く壁が厚く，輪状ひだが大きくてよく発達しており，血管分布が豊富で動脈弓が少なく，直細動脈が長い).

Jel·li·nek (jel′i-nek), Edward J. アルコール関連疾患を専門にした英国人医師，1890—1963. →J. *formula*.

jel·ly (jel′ē) [L. *gelo*, to freeze]. [gel と混同しないこと]. ***1*** ゼリー，凝膠体（振せん性の半固体で，通常は水溶液中でゼラチン状態である). ***2*** ＝jellyfish.

box j. ＝*Chiropsalmus quadrumanus*.

cardiac j. 胚期初期における心臓の内膜と心筋層間のゲル状，無細胞物質．成長すると心臓間質の原質となる.

interlaminar j. 層間ゼリー（外胚葉と内胚葉の間のゲル状物質で，その上を間葉細胞が遊走する).

Wharton j. ホウォートンゼリー（臍帯の粘性結合組織).

jel·ly·fish (jel′ē-fish). クラゲ（ヒドロゾア綱に属する海産の腔腸動物で，いくつかの有毒種(特に〝ポルトガルの軍艦 Portuguese man-of-war〟とよばれているカツオノエボシ *Physalia*)を含む．触肢にある刺胞によって毒が皮膚内に注入されると，線状の膨疹をつくる). ＝jelly (2).

Jen·dras·sik (yĕn-drah′sik), Ernö. ハンガリー人医師，1858—1921. →J. *maneuver*.

Jen·ner, Edward. 1749—1823. 英国の医師・博物学者．牛痘(ワクシニア)を疑わしい人に接種するという，天然痘に対する予防接種法を発見した．Jenner 法は 1977 年における全世界からの天然痘撲滅という公衆衛生上，これまでにない最高の偉業に直結している.

Jen·ner (jen′ĕr), Harley D. 20 世紀のカナダ人医師. → J.-Kay *unit*.

Jen·ner (jen′ĕr), Louis. イングランド人医師，1866—1904. →J. *stain*.

Jen·nings (jen′ingz), E.R. 20 世紀の米国人統計学者. →

Levey-J. *chart.*

Jensen (yen′sĕn), Edmund Z. デンマーク人眼科医，1861—1950. →J. *disease.*

Jensen (yen′sĕn), Carl O. デンマーク人獣医外科・獣医病理学者，1864—1934. →J. *sarcoma.*

jerk (jerk). ***1*** 痙動，単収縮（急激な引きつり）. ***2*** 〔筋〕反射. ＝deep *reflex.*

ankle j. くるぶし反射. ＝Achilles *reflex.*

chin j. おとがい反射. ＝jaw *reflex.*

crossed j. 交差性反射. ＝crossed *reflex.*

crossed adductor j. ＝crossed adductor *reflex.*

crossed knee j. 交差性膝〔蓋〕反射. ＝crossed knee *reflex.*

elbow j. 肘反射. ＝triceps *reflex.*

hypnic j. 睡眠時単収縮，入眠時単収縮（睡眠が始まる前にみられる短いミオクローヌス性筋収縮）.

jaw j. 下顎反射. ＝jaw *reflex.*

knee j. (KJ) 膝〔蓋〕反射. ＝patellar *reflex.*

supinator j. 回外筋反射. ＝brachioradial *reflex.*

jerks (jerks). 舞踏病，チック.

Jer·vell (yĕr′vel), Anton. 20 世紀のノルウェー人心臓病専門医. →J. and Lange-Nielsen *syndrome.*

Je·su·its′ bark (je′sū-its bark). キナ皮. ＝cinchona.

jet (jet). ジェット（血管の狭搾部下流部分の高速血流）.

jet lag (jet lag). 時差ぼけ（時間帯の異なる地域に飛行機で旅行することによる正常の日周期の失調で，疲労，興奮，種々の機能障害を呈する）.

Jeune (zhŭn), M. 20 世紀のフランス人小児科医. →J. *syndrome.*

Jew·ett (jew′ĕt), Hugh J. 米国人泌尿器科医，1903—1990. →J. *sound*; J. and Strong *staging.*

Jew·ett (jew′ĕt), Eugene Lyon. 20 世紀の米国人整形外科医で多くの整形外科器具の発明者.

Jew·ett (jew′ĕt), Don L. 20 世紀の米国人神経生理学者.

jig·ger (jig′ĕr). スナノミ（スナノミ *Tunga penetrans* の一般名. →chigoe）.

jim·son weed (jim′sŏn wēd). ＝*Datura stramonium.*

jitter (jĭt′ĕr). ジッター（声帯振動の各サイクルの持続時間の不定の変動で，粗く耳ざわりな音声に関係する）.

Jk blood group (blŭd grūp). Jk 血液型（付録 Blood Groups の Kidd blood group 参照）.

JMS Junior Medical Student（医学部下級生）の略.

JNA *Jena Nomina Anatomica*, 1935 の略称. →*Terminologia Anatomica.*

Jo·bert de Lam·bal·le (zhō-bār′ dĕ-lahm-bahl′), Antoine J. フランス人外科医，1799—1867. →J. de L. *fossa, suture.*

Jod-Ba·se·dow, jod·bas·e·dow (yod-bas′ĕ-dō) [Ger. *Jod*, iodine＋K.A. von *Basedow*]. ヨードバセドー〔病〕，ヨードバセドウ〔病〕（→Jod-Basedow *phenomenon*）.

Jof·froy (zhō-fwa[h]′), Alexis C. フランス人医師，1844—1908. →J. *reflex, sign.*

Joh·ne (yō′nĕ), H. Albert. ドイツ人医師，1839—1910. →johnin; J. *disease.*

joh·nin (yō′nin) [H. A. *Johne*]. ヨーニン（*Mycobacterium phlei*（オオアワガエリ枯草杆菌）を含む肉汁培地の中で増殖するパラ結核菌 *Mycobacterium paratuberculosis*（Johne 病の原因細菌）からつくられる，ツベルクリンに似た生成物で診断薬として用いる. ヨーニンはアレルギー抗原として用い，感作動物に反応を引き起こす）.

John·son (jon′sŏn), Frank B. 20 世紀の米国人病理学者. →Dubin-J. *syndrome.*

John·son (jon′sŏn), Frank C. 米国人小児科医，1894—1934. →Stevens-J. *syndrome.*

John·son (jon′sŏn), Harry B. 米国人歯科医. →J. *method.*

John·son (jon′sŏn), Treat Baldwin. 米国人化学者，1875—1947. →Wheeler-J. *test.*

JOINT

joint (joynt) [L. *junctura* < *jungo*, pp. *junctus*, to join] [TA]. 関節，連結，結合（解剖学において，2 個またはそれ以上の固い骨格の構成要素（骨，軟骨，または 1 つの骨の各部分）が，多かれ少なかれ可動な仕方で連結されていることをいう. 骨の連結様式は非常に様々であるが，形態的には次の 3 つに大別されている. 線維性連結または靱帯結合，軟骨性連結または軟骨結合，滑膜性連結または関節）. ＝junctura (1) [TA]; articulation (1); articulus.

acromioclavicular j. [TA]. 肩鎖関節（鎖骨の肩峰末端

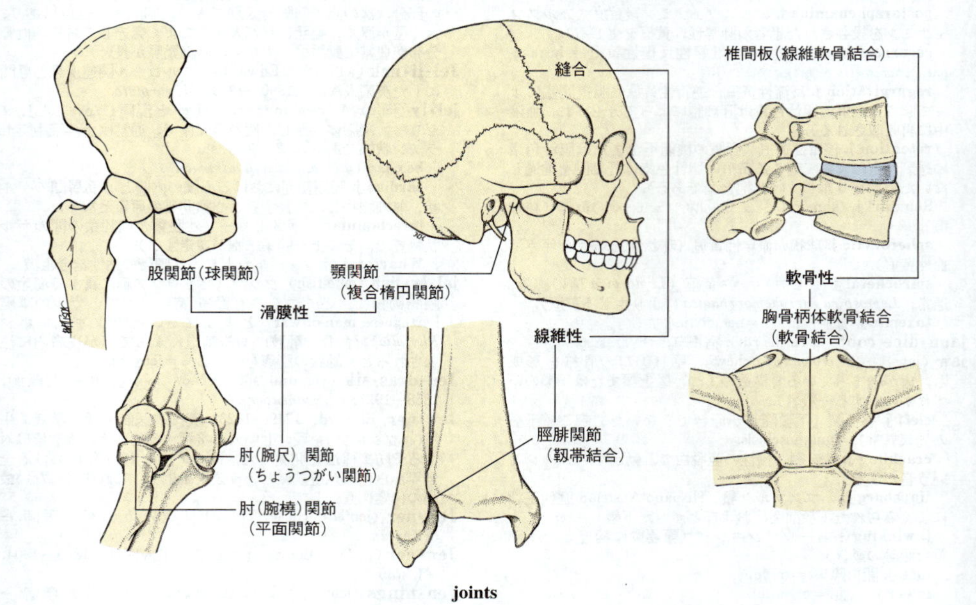

joints

と肩峰の内側縁の間にある平面関節). =articulatio acromioclavicularis [TA].

ankle j. [TA]. 距腿関節，足関節（上に脛骨と腓骨，下に距骨をもつちょうつがい関節). =articulatio talocruralis [TA]; ankle (1); mortise j.; talocrural articulation; talocrural j.; talotibiofibular j.

anterior intraoccipital j. 前後頭内軟骨結合. =anterior intraoccipital *synchondrosis*.

arthrodial j. =plane j.

atlantoaxial j. [TA]. 環軸関節（第一・第二頸椎の間の複合関節．正中および外側環軸関節からなる). =articulationes atlantoaxiales [TA].

atlanto-occipital j. [TA]. 環椎後頭関節（環椎の上関節小窩と後頭顆の間にある顆状関節). =articulatio atlanto-occipitalis [TA]; atlanto-occipital articulation.

j.'s of auditory ossicles [TA]. 耳小骨の関節（きぬた・つち関節，きぬた・あぶみ関節，鼓室あぶみ骨結合からなる耳小骨連鎖の関節の総称). =articulationes ossiculorum auditus [TA]; articulationes ossiculorum auditoriorum*; j.'s of ear bones.

ball and socket j. 球関節（股関節のように，１つの骨頭にある多少広い大きな球が他の骨の円形の空洞にはまり込んでいる多軸関節). =articulatio spheroidea [TA]; enarthrosis*; spheroidal j.*; articulatio cotylica; cotyloid j.; enarthrodial j.; socket j.; spheroid articulation.

biaxial j. 二軸〔性〕関節（互いに直交する２つの運動主軸がある関節．例えば鞍関節).

bicondylar j. [TA]. 双顆関節（一方の骨に多少とも区別できる２つの丸い関節頭があって，他方の骨の浅い関節窩と連結している関節). =articulatio bicondylaris [TA]; bicondylar articulation.

bilocular j. 二房関節（関節円板ができ上がっている関節で，これにより関節腔が二分される).

bony j.'s [TA]. 骨の連結(広義の関節)（２つ以上の骨が，軟骨や線維，あるいは関節軟骨を介して連結するもの．靱帯結合や滑膜性の連結も含まれる．㊟ TA では骨の連結(広義の関節)として軟骨性連結，線維性連結，狭義の関節(滑膜性連結)を含めたものをさす). =juncturae ossium [TA].

Budin obstetric j. (bū-din'[h]). ビュダン産科〔学〕的関節. =posterior intraoccipital *synchondrosis*.

calcaneocuboid j. [TA]. 踵立方関節（踵骨の前面と立方骨の後面の間にある，多少鞍状の関節．横足根関節の外側部をなす). =articulatio calcaneocuboidea [TA].

capitular j. =j. of head of rib.

carpal j.'s 手根間関節（手根骨の間の関節). =articulatio carpi [TA]; articulationes carpi [TA]; articulationes intercarpales*; intercarpal j.'s*.

carpometacarpal j.'s [TA]. 手根中手関節（手根骨と中手骨の間の関節．鞍状関節である母指の関節を除いて，これらはすべて平面関節). =articulationes carpometacarpales [TA].

carpometacarpal j. of thumb [TA]. 母指の手根中手関節（大菱形骨と第一中手骨基部の間にある鞍状の関節). =articulatio carpometacarpalis pollicis [TA].

cartilaginous j. [TA]. 軟骨性連結（向かい合った２つの骨が軟骨によって結合されている状態．軟骨結合 synchondrosis と線維軟骨結合 symphysis とに区別できる．軟骨結合では結合している軟骨が骨端軟骨のように最終的には骨に置き換えられるのが通例である．ただし肋軟骨は例外である．線維軟骨結合では２つの骨の間に線維に富んだ軟骨板が介在している．例えば，椎間円板，恥骨結合など). =junctura cartilaginea [TA]; articulatio cartilaginis; cartilaginous articulation; synarthrodial j. (2).

Charcot j. (shahr'kō). シャルコー関節. =neuropathic j.

Chopart j. (shō-pahr'). ショパール関節. =transverse tarsal j.

Clutton j.'s (klut'ŏn). クラットン関節（先天性梅毒における，特に膝関節の対称性の関節症).

coccygeal j. =sacrococcygeal j.

cochlear j. ラセン関節（ちょうつがい関節の変型．対立関節面上の隆起や陥凹がらせん状を呈する．したがって，屈曲は外側の偏位を伴う). =screw j.; spiral j.

complex j. [TA]. 複合関節（３個以上の骨が関係している関節，もしくは２つの解剖学的には区別されるが，１つの単位として働く関節をいう．例えば，距舟関節と踵立方関節が一体となって形成される横足根関節など). =articulatio composita [TA]; articulatio complexa; composite j.; compound articulation; compound j.

composite j. =complex j.

compound j. 複合関節. =complex j.

condylar j. [TA]. 楕円関節（関節の表面がのびているか，または楕円形をしている変形球窩関節．これは互いに直角をなし二運動をする二軸関節で，橈骨手根関節がこの例である). =articulatio ellipsoidea [TA]; ellipsoidal j.*; articulatio condylaris; condylar articulation.

costochondral j.'s [TA]. 肋骨肋軟骨連結（肋骨の胸骨端と肋軟骨の外側端の間の連結). =articulationes costochondrales [TA]; costochondral junctions.

costosternal j. →sternocostal j.'s. =synchondrosis costosternalis [TA].

costotransverse j. [TA]. 肋横突関節（肋骨頸・肋骨結節と脊椎横突起の間にある関節). =articulatio costotransversaria [TA].

costovertebral j.'s [TA]. 肋椎関節（肋骨と脊椎をつなぐ関節．肋骨頭関節と肋横突関節からなる). =articulationes costovertebrales [TA].

cotyloid j. 臼状関節. =ball and socket j.

cranial fibrous j.'s [TA]. 頭蓋の線維性連結（頭蓋における線維性の連結．靱帯結合，縫合，および釘植(歯歯槽関節)などがある). =juncturae fibrosae cranii [TA].

cranial synovial j.'s [TA]. 頭部の関節（頭部にみられる滑膜性関節で，側頭下顎関節(TMJ＝顎関節)と環椎後頭関節). =articulationes cranii [TA].

craniovertebral j.'s 頭蓋脊椎関節，頭関節（頭蓋と頸椎との間の可動性連結の総称．環椎後頭関節と環軸関節をさす).

cricoarytenoid j. [TA]. 輪状披裂関節（各披裂軟骨の基底と輪状軟骨板の上縁の間にある関節). =articulatio cricoarytenoidea [TA]; cricoarytenoid articulation.

cricothyroid j. [TA]. 輪状甲状関節（甲状軟骨の下角と輪状軟骨の外側の間にある関節). =articulatio cricothyroidea [TA]; cricothyroid articulation.

Cruveilhier j. (krū-vāl-yā'). クリュヴェーリエ関節. =median atlantoaxial j.

cubital j. 肘関節. =elbow j.

cuboideonavicular j. 立方舟関節（立方骨と舟状骨の隣接部の線維性結合．ときとして楔舟関節の延長としての滑液腔がみられることがある).

cuneocuboid j. 楔立方関節（外側楔状骨の外側面と立方骨の内側面の前2/3の間の滑膜性の連結).

cuneometatarsal j.'s =tarsometatarsal j.'s.

cuneonavicular j. [TA]. 楔舟関節（舟状骨前面と３つの楔状骨後面の間にある関節). =articulatio cuneonavicularis [TA]; cuneonavicular articulation.

cylindric j. [TA]. 円柱関節（１本の軸を中心に動く関節で，車軸関節と蝶番関節がある). =articulatio cylindrica [TA].

dentoalveolar j. =dento-alveolar *syndesmosis*.

diarthrodial j. =synovial j.

digital j.'s =interphalangeal j.'s of hand.

DIP j.'s =distal interphalangeal j.'s.

distal interphalangeal j.'s (DIP) 遠位指節間関節（手足の指の中節骨の末節骨を連結する関節). =DIP j.'s.

distal radioulnar j. [TA]. 下橈尺関節（尺骨頭と橈骨の尺骨切痕のピボット関節．関節円板は関節の末端部を横断している). =articulatio radioulnaris distalis [TA]; distal radioulnar articulation; inferior radioulnar j.

distal tibiofibular j. =tibiofibular *syndesmosis*.

j.'s of ear bones 耳小骨関節. =j.'s of auditory ossicles.

elbow j. [TA]. 肘関節（上腕骨と前腕骨の間の複合ちょうつがい関節．腕橈関節と腕尺関節からなる). =articulatio cubiti[TA]; elbow (2) [TA]; cubital j.

ellipsoidal j.* 楕円関節（condylar j. の公式の別名).

J

enarthrodial j. ＝ball and socket j.

facet j.'s 関節突起間関節．＝zygapophysial j.'s.

false j. 偽関節．＝pseudarthrosis.

femoropatellar j. 大腿膝蓋関節（膝関節において大腿骨内・外側顆と膝蓋骨関節面との間の関節をいう）．

femorotibial j.'s 大腿脛骨関節（膝関節において，大腿骨顆(内側顆・外側顆)と脛骨の上関節面がつくる関節）．

fibrocartilaginous j. ＝symphysis.

fibrous j. [TA]．線維性連結（2つの骨が結合組織線維によって連結され内部に関節腔がなく，実質的にはほとんど可動性はない．縫合，線維結合，釘植など）．＝junctura fibrosa [TA]; articulatio fibrosa; immovable j.; synarthrodia; synarthrodial j. (1).

flail j. 動揺関節（正常の可動域内で関節を安定させる能力を失うために関節の機能を果たさない関節）．

j.'s of foot [TA]．足の関節（距腿・足根間・足根中足・中足間・中足指節・指節間関節の総称）．＝articulationes pedis [TA]; articulations of foot.

j.'s of free inferior limb ＝synovial j.'s of free lower limb.

j.'s of free superior limb ＝synovial j.'s of free upper limb.

ginglymoid j. ちょうつがい関節．＝hinge j.

glenohumeral j. [TA]．肩関節（上腕骨頭と肩甲骨関節窩の間の球窩関節）．＝articulatio humeri [TA]; articulatio glenohumeralis*; shoulder j.*; glenohumeral articulation; humeral articulation.

gliding j. ＝plane j.

gompholic j. ＝dento-alveolar *syndesmosis.*

j.'s of hand [TA]．手の関節（橈骨手根関節または手根関節，手根間・手根中手・中手間関節，中手指節・指節間関節の総称）．＝articulationes manus [TA]; articulations of hand.

j. of head of rib [TA]．肋骨頭関節（肋骨と2つの隣接した椎体の間にある関節．関節腔は椎間板に付着している関節内靱帯により分けられている．第一・第十・第十一・第十二肋骨はただ1つの椎骨と関節をなしている）．＝articulatio capitis costae [TA]; capitular j.

hemophilic j. 血友病〔性〕関節（血友病患者における反復性関節血症の結果生じる慢性関節症）．

hinge j. [TA]．ちょうつがい関節（一方の骨の横円柱状の広い凸部分が，他方の骨の対応する凹部分にはまり込んでいる単軸関節で，肘のように一方向にのみ動く）．＝ginglymus [TA]; ginglymoid j.

hip j. [TA]．股関節（大腿骨頭と寛骨臼の間の球窩関節）．＝articulatio coxae [TA]; coxa (2); articulatio coxofemoralis*; hip (3); thigh j.

humeroradial j. [TA]．腕橈関節（上腕骨小頭と橈骨頭の間にある関節で，肘関節の一部）．＝articulatio humeroradialis [TA]; humeroradial articulation.

humeroulnar j. [TA]．腕尺関節（上腕骨滑車と尺骨滑車切痕の間にある関節で，肘関節の一部）．＝articulatio humeroulnaris [TA].

hysteric j. ヒステリー性関節（疼痛，ときに腫脹，運動障害などの徴候を伴う関節疾患の身体表現性擬態．→hysteria; somatoform *disorder*)．

immovable j. ＝fibrous j.

incudomalleolar j. [TA]．きぬた・つち関節（きぬた骨とつち骨の間の鞍関節）．＝articulatio incudomallearis [TA]; incudomalleolar articulation.

incudostapedial j. [TA]．きぬた・あぶみ関節（きぬた骨長脚の豆状突起とあぶみ骨頭の間にある関節）．＝articulatio incudostapedia [TA]; incudostapedial articulation.

j.'s of inferior limb girdle ＝j.'s of pelvic girdle.

inferior radioulnar j. 下橈尺関節．＝distal radioulnar j.

inferior tibiofibular j. 脛腓靱帯結合．＝tibiofibular *syndesmosis.*

interarticular j.'s 関節突起間関節．＝zygapophysial j.'s.

intercarpal j.'s* 手根間関節（carpal j.'s の公式の別名）．

interchondral j.'s [TA]．軟骨間関節（肋骨弓を形成する第五―第十肋軟骨の隣接面の間の関節）．＝articulationes interchondrales [TA]; interchondral articulations.

intercuneiform j.'s [TA]．楔状骨間関節（楔状骨相互の接触面間の関節．→intertarsal j.'s）．＝articulationes intercuneiformes [TA].

intermetacarpal j.'s [TA]．中手間関節（第二―第五中手骨基部の間の関節）．＝articulationes intermetacarpales [TA].

intermetatarsal j.'s [TA]．中足間関節（5つの中足骨基部の間の関節）．＝articulationes intermetatarsales [TA]; intermetatarsal articulations.

interphalangeal j.'s of foot [TA]．趾(指)節間関節（足の指節の間の滑膜性ちょうつがい関節）．＝articulationes interphalangeae pedis [TA].

interphalangeal j.'s of hand [TA]．指節間関節．＝articulationes interphalangeae manus [TA]; digital j.'s; interphalangeal articulations; phalangeal j.'s.

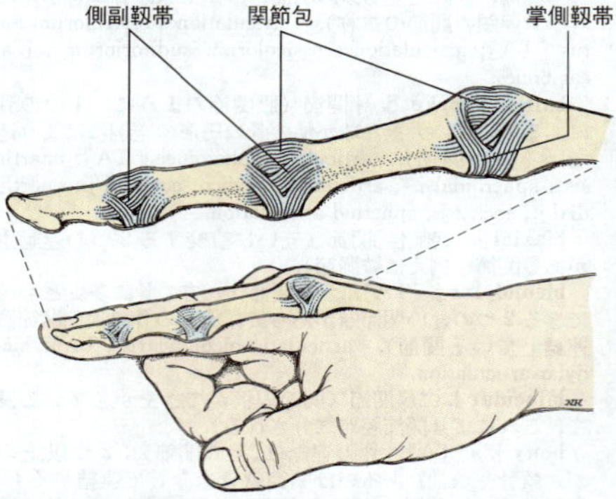

interphalangeal joint capsules and ligaments

intersternebral j.'s ＝*synchondroses intersternebrales* (→synchondrosis).

intertarsal j.'s 足根間関節（足根骨の間の関節）．＝articulationes intertarseae; intertarsal articulations; tarsal j.'s.

jaw j. 顎関節．＝temporomandibular j.

knee j. [TA]．膝関節（関節半月(半月状軟骨)が介在する大腿骨顆と脛骨顆の間にある関節，大腿骨と膝蓋骨間の関節からなる複合顆状関節）．＝articulatio genus [TA].

lateral atlantoaxial j. [TA]．外側環軸関節（環椎の下関節小窩と軸椎の上関節面の間にある顆状関節）．＝articulatio atlantoaxialis lateralis [TA]; lateral atlantoepistrophic j.

lateral atlantoepistrophic j. 外側環軸関節．＝lateral atlantoaxial j.

Lisfranc j.'s (lis-frahnk′)．リスフラン関節．＝tarsometatarsal j.'s.

lumbosacral j. [TA]．腰仙骨関節（第五腰椎と仙骨の間の関節）．＝articulatio lumbosacralis [TA]; junctura lumbosacralis.

Luschka j.'s (lūsh′kah)．ルシュカ関節．＝uncovertebral j.'s.

mandibular j. 顎関節．＝temporomandibular j.

manubriosternal j. [TA]．胸骨柄体軟骨結合（後に癒着型の結合となる，ヒアリン軟骨による，胸骨柄と胸骨体の初期結合）．＝synchondrosis manubriosternalis [TA].

median atlantoaxial j. [TA]．正中環軸関節（軸椎の歯突起と，環椎の前弓と横靱帯が形成する輪の間にあるピボット関節）．＝articulatio atlantoaxialis mediana [TA]; Cruveilhier j.; middle atlantoepistrophic j.

metacarpophalangeal j.'s [TA]．中手指節関節（中手骨頭と手の指の基節骨基部の間にある顆状もしくは楕円関節．中手骨頭は掌側からみると不完全に2分されているためこの関節は2つの顆状関節のようにみえる）．＝articulationes metacarpophalangeae [TA]; metacarpophalangeal articulations; MP j.'s (1).

metatarsophalangeal j.'s (**MTP**) ［TA］．中足趾(指)節関節（中足骨頭と足の指の基節骨基部の間にある顆状もしくは楕円関節）．＝articulationes metatarsophalangeae ［TA］; metatarsophalangeal articulations; MP j.'s (2).

midcarpal j. ［TA］．手根中央関節（手根骨の近位列と遠位列の間の関節）．＝articulatio mediocarpalis ［TA］; middle carpal j.

middle atlantoepistrophic j. 正中環軸関節．＝median atlantoaxial j.

middle carpal j. 手根中央関節．＝midcarpal j.

middle radioulnar j. ＝radioulnar *syndesmosis.*

midtarsal j. ＝transverse tarsal j.

mortise j. ＝ankle j.

movable j. ＝synovial j.

MP j.'s MP 関節（①中手基節間関節．＝metacarpophalangeal j.'s. ②中足基節間関節．＝metatarsophalangeal j.'s）.

multiaxial j. 多軸〔性〕関節（多軸の動きをする関節．→ball and socket j.）．＝polyaxial j.

neurocentral j. ＝neurocentral *synchondrosis.*

neuropathic j. 神経障害性関節症（固有感覚の減弱に起因する破壊性関節疾患．繰り返し受けた認知閾値以下の外傷により関節が漸次破壊される．通常，脊髄ろう，糖尿病性ニューロパシー，または脊髄空洞症に合併する）．＝Charcot arthropathy; Charcot j.; neuropathic arthropathy.

j.'s of pectoral girdle ［TA］．上肢帯の関節（肩甲骨と鎖骨および鎖骨と胸骨を連結して上肢帯を形成している関節群．肩鎖関節，胸鎖関節および靱帯結合(上および下肩甲横靱帯)がこれに含まれる）．＝juncturae cinguli pectoralis ［TA］; j.'s of superior limb girdle.

peg-and-socket j. ＝gomphosis.

j.'s of pelvic girdle ［TA］．下肢帯の関節（仙骨と２つの寛骨を連結して骨盤を形成している関節群(靱帯結合と滑膜性連結)．仙腸関節，恥骨結合，仙結節靱帯，仙棘靱帯）．＝juncturae cinguli pelvici ［TA］; articulationes cinguli membri inferioris; j.'s of inferior limb girdle.

petrooccipital j. 錐体後頭軟骨結合．＝petrooccipital *synchondrosis.*

phalangeal j.'s ＝interphalangeal j.'s of hand.

PIP j.'s ＝proximal interphalangeal j.'s.

pisiform j. ［TA］．豆三角関節，豆状骨関節（豆状骨と三角骨の間の関節．他の手根間関節から離れている）．＝articulatio ossis pisiformis ［TA］; articulation of pisiform bone; pisotriquetral j.

pisotriquetral j. 豆三角関節，豆状骨関節．＝pisiform j.

pivot j. ［TA］．車軸関節（上橈尺関節にみられるように，１つの骨の円柱の一部が対応する他の骨の凹窩に，ぴったりとはいる関節）．＝articulatio trochoidea ［TA］; helicoid ginglymus; lateral ginglymus; rotary j.; rotatory j.; trochoid articulation; trochoid j.

plane j. ［TA］．平面関節（対立面がほとんど平面で，中手間関節のようにわずかの滑走運動しかしない関節）．＝articulatio plana ［TA］; arthrodia; arthrodial articulation; arthrodial j.; gliding j.

polyaxial j. ＝multiaxial j.

posterior intraoccipital j. ＝posterior intraoccipital *synchondrosis.*

primary cartilaginous j.* epiphysial *cartilage* の公式の別名.

proximal interphalangeal j.'s 近位指節間関節（手足の指の基節骨と中節骨を連接する関節）．＝PIP j.'s.

proximal radioulnar j. ［TA］．上橈尺関節（橈骨頭と，尺骨の橈骨切痕と輪状靱帯が形成する輪の間のピボット関節）．＝articulatio radioulnaris proximalis ［TA］; proximal radioulnar articulation; superior radioulnar j.

proximal tibiofibular j. 近位脛腓関節．＝tibiofibular j.

radiocarpal j. 橈骨手根関節．＝wrist j.

rotary j., rotatory j. ＝pivot j.

sacrococcygeal j. ［TA］．仙尾骨結合（仙骨と尾骨の連結）．＝articulatio sacrococcygea ［TA］; coccygeal j.; junctura sacrococcygea; sacrococcygeal junction; symphysis sacrococcygea.

sacroiliac j. ［TA］．仙腸関節（仙骨関節面と腸骨関節面の間の関節）．＝articulatio sacroiliaca ［TA］; sacroiliac articulation.

saddle j. ［TA］．鞍関節（相対する両関節面の各々が一方向には凹面で，他方向には凸面であるため二運動が行われる二軸関節．例えば母指の手根中手関節）．＝articulatio sellaris ［TA］; articulatio ovoidalis.

schindyletic j. 夾結合，夾接合．＝schindylesis.

screw j. ＝cochlear j.

secondary cartilaginous j.* symphysis の公式の別名.

shoulder j.* 肩関節（glenohumeral j. の公式の別名）.

simple j. ［TA］．単関節（２つの骨だけで形成されている関節）．＝articulatio simplex ［TA］.

j.'s of skull ［TA］．頭蓋の連結（頭蓋における線維性，軟骨性，および滑膜性の連結の総称）．＝juncturae cranii ［TA］.

socket j. ＝ball and socket j.

sphenooccipital j. ＝sphenooccipital *synchondrosis.*

spheroidal j.* 球関節（ball and socket j. の公式の別名）.

spiral j. ＝cochlear j.

sternal j.'s 胸骨結合．＝sternal *synchondroses* (⇒synchondrosis).

sternoclavicular j. ［TA］．胸鎖関節（鎖骨の内側端と胸骨柄，第一肋軟骨の間にある関節．関節円板が関節腔を二分している）．＝articulatio sternoclavicularis ［TA］.

sternocostal j.'s ［TA］．胸肋関節（第一－第七肋軟骨と胸骨の間にある関節．これらの関節内には関節腔があったりなかったりする）．＝articulationes sternocostales ［TA］; sternocostal articulations.

stress-broken j. ＝nonrigid *connector.*

subtalar j. ［TA］．距骨下関節（距骨下面と踵骨の後距骨関節面の間にできる平面関節．臨床ではこれと距踵舟関節の距踵部(距骨下面と踵骨の前・中距骨関節面の間)によってできる複合関節をよぶのにも用いられる）．＝articulatio subtalaris ［TA］; articulatio talocalcanea*; talocalcaneal j.*.

j.'s of superior limb girdle ＝j.'s of pectoral girdle.

superior radioulnar j. 上橈尺関節．＝proximal radioulnar j.

superior tibiofibular j.* 脛腓関節（tibiofibular j. の公式の別名）.

suture j. ＝suture (1).

synarthrodial j. *1* ＝fibrous j. *2* ＝cartilaginous j.

synchondrodial j. ［TA］．軟骨結合．＝synchondrosis.

syndesmodial j., syndesmotic j. 靱帯結合．＝syndesmosis.

synovial j. ［TA］．滑膜性の連結（向かいあった２つの骨が硝子軟骨または線維軟骨におおわれていてその間に腔所があり，滑液を含み，腔所全体を滑膜が包んでいる連結装置で，全体は外側から靱帯や関節包で補強されている．それぞれ相当の可動性をもつ．㊟この連結のみを日本では〝関節〟とよぶ）．＝junctura synovialis ［TA］; articulatio*; diarthrosis*; articulatio synovialis; diarthrodial j.; movable j.; perarticulation.

synovial j.'s of free lower limb ［TA］．自由下肢の関節（自由下肢の骨を相互にまたは骨盤と結合している関節群．股関節，脛腓関節，足根および足の関節など）．＝articulationes membri inferioris liberi ［TA］; j.'s of free inferior limb; juncturae membri inferioris liberi ［TA］.

synovial j.'s of free upper limb ［TA］．自由上肢の関節（自由上肢の骨を結合している関節群で，肩関節，肘関節，橈尺関節，手根および手の諸関節の総称）．＝articulationes membri superioris liberi ［TA］; j.'s of free superior limb; juncturae membri superioris liberi ［TA］.

synovial j.'s of pectoral girdle ［TA］．上肢帯の滑膜性の連結（胸骨柄，鎖骨，および肩甲骨の連結．特に胸鎖関節および肩鎖関節をさす）．＝articulationes cinguli membri superioris*; articulationes cinguli pectoralis*; synovial j.'s of shoulder girdle*.

synovial j.'s of shoulder girdle* synovial j.'s of pectoral girdle の公式の別名.

synovial j.'s of thorax ［TA］．胸郭の関節（胸郭の滑膜性関節で，肋椎関節，胸肋関節，肋骨肋軟骨関節，軟骨間関節がある）．＝articulationes thoracis ［TA］.

J

talocalcaneal j.* [TA]．距骨下関節（subtalar j. の公式の別名）．

talocalcaneonavicular j. [TA]．距踵舟関節（横足根関節の内側部をなすもので，距骨頭，踵骨前部および舟状骨によって形成される球状の複合関節．この関節の距踵部は，臨床上あるいは機能上の観点から距骨下関節に含まれることがある）．＝articulatio talocalcaneonavicularis [TA]．

talocrural j. 距腿関節．＝ankle j.

talonavicular j. 距舟関節（距踵舟関節の一部で複合横足根関節の内側部を構成する）．

talotibiofibular j. ＝ankle j.

tarsal j.'s ＝intertarsal j.'s.

tarsometatarsal j.'s [TA]．足根中足関節（足根骨と中足骨の間の３つの関節で，第一楔状骨と第一中足骨間の内側関節，第二・第三楔状骨と対応する中足骨間の中間関節および立方骨と第四・第五中足骨間の外側関節からなる）．＝articulationes tarsometatarsales [TA]; cuneometatarsal j.'s; Lisfranc j.'s.

temporomandibular j. [TA]．顎関節（下顎骨頭と側頭骨の下顎窩および関節結節の間にある関節．線維軟骨性関節円板が関節腔を二分している）．＝articulatio temporomandibularis [TA]; articulatio mandibularis; jaw j.; mandibular j.; temporomandibular articulation.

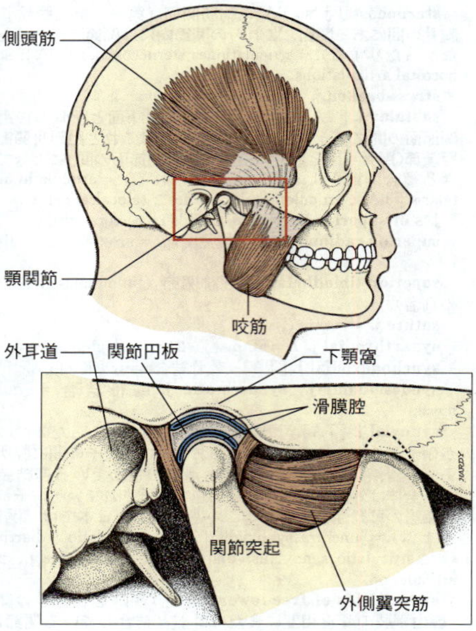

temporomandibular joint

thigh j. ＝hip j.

thoracic j.'s [TA]．胸郭の連結（胸郭を構成する骨の連結の総称．靱帯結合，軟骨結合，滑膜性の連結などが含まれる）．＝juncturae thoracis [TA]．

tibiofibular j. [TA]．〔近位〕脛腓関節（脛骨外側顆と腓骨頭の間の平面関節）．＝articulatio tibiofibularis [TA]; superior tibiofibular j.*; proximal tibiofibular j.; superior tibial articulation; tibiofibular articulation (1).

transverse tarsal j. [TA]．横足根関節（内側では距骨と舟状骨の間，外側では踵骨と立方骨の間にある関節（滑膜性連結）で，一体となって足の長軸の周りに足先を後部に対して回旋させ，全体として足の内反や外反に協力する）．＝articulatio tarsi transversa [TA]; Chopart j.; midtarsal j.; transverse tarsal articulation.

trochoid j. 車軸関節．＝pivot j.

uncovertebral j.'s 椎体鉤状関節（頸椎椎体の上面にできる外側唇（鉤状突起）とその上位椎体の下面との間に二次的に形成された小関節）．＝Luschka j.'s.

uniaxial j. 一軸〔性〕関節，単軸関節（１軸だけを中心として動く関節）．

unilocular j. 単房関節（関節内円板が不完全であるかまたは欠損している関節．１つの腔のみをもつ関節）．

j.'s of upper limb [TA]．上肢の連結（上肢帯および自由上肢における靱帯結合ならびに滑膜性の連結の総称）．＝juncturae membri superioris [TA]．

vertebral j.'s [TA]．脊椎の連結（脊柱における靱帯結合，軟骨結合，滑膜性の連結の総称）．＝juncturae columnae vertebralis [TA]．

vertebral synovial j.'s [TA]．脊柱の滑膜性の連結（隣接する脊椎の突起間を結ぶ滑膜性の連結．正中および外側環軸関節，椎間関節（関節突起間関節），腰仙関節，仙尾関節が含まれる）．＝articulationes columnae vertebralis [TA]．

wedge-and-groove j. 夾結合．＝schindylesis.

wrist j. [TA]．橈骨手根関節（関節円板と橈骨末端と豆状骨を除く手根骨の近位列との間の関節）．＝articulatio radiocarpalis [TA]; radiocarpal articulation; radiocarpal j.

xiphisternal j. [TA]．胸骨剣軟骨結合（剣状突起と胸骨体間の軟骨結合）．＝symphysis xiphosternalis [TA]; synchondrosis xiphosternalis.

zygapophysial j.'s [TA]．関節突起間関節（椎骨の関節突起の間の関節）．＝articulationes zygapophysiales [TA]; facet j.'s; interarticular j.'s; juncturae zygapophysiales.

Joint Com·mis·sion on Ac·cre·di·ta·tion of Health·care Or·ga·ni·za·tions (JCAHO) (joynt kŏ-mish′ŭn ă-kre′di-tā′shŭn helth kār ōr′ga′ni-zā′shŭn). 保健医療機関資格承認合同委員会（米国の病院および他の医療施設（例えば長期医療施設，精神保健施設，救急医療施設）に認定を与える私的任意非営利団体．以前はJCAHとよばれていた）．

Joint Committee on Infant Hearing (JCIH) (joynt kŏ-mi′tē in-fănt hēr′ing). 乳幼児聴覚に関する合同会議（乳幼児と小児の聴覚管理を促進するための専門学会によるボランティア機構およびボランティア健康機構）．

Jol·les (yol′ez), Adolf. オーストリア人化学者，1863—1944．→J. *test*.

Jol·ly (zhō-lē′), Friedrich. ドイツ人神経科医，1844—1904．→J. *reaction*.

Jol·ly (zhō-lē′), Justin. フランス人組織学者，1870—1953．→Howell-J. *bodies*; J. *bodies*.

Jones (jōnz), Henry Bence. →Bence J.

Jones (jōnz), T. Duckett. 米国人心臓病専門医，1899—1954．→J. *criteria*.

Jones (jōnz), Ernest. 英国人精神科医，1879—1958．→Ross-J. *test*.

Jo·nes·i·a den·i·tri·fi·cans (jō-nē′zē-ă den-i-tri′fi-kanz). 運動性のある，グラム陽性の細菌種で，以前には *Listeria denitrificans* として分類されていた．*Jonesia*属では唯一の菌種である．

Jon·nes·co (jō-nes′kō), Thomas. ルーマニア人外科医，1860—1926．→J. *fossa*.

Jo·seph (yō′sef), Jacques. ドイツ人外科医，1865—1934．

Jou·bert (zhū′bār), Marie. 20 世紀のカナダ人神経科医．→J. *syndrome*.

Joule (jūl), James P. 英国人物理学者，1818—1889．→joule; J. *equivalent*.

joule (J) (jūl) [James P. *Joule*]．ジュール（エネルギーの単位．１オームの抵抗に対して１秒間に流れる１アンペアの電流によって発生する熱または消費されるエネルギー．10^7 エルグまたは１ニュートンメートルに等しい．ジュールはエルグの国際単位系（SI）基本単位として認められており，いまやカロリー単位（1 cal＝4.184 J）に取って代わろうとしている）．＝unit of heat (3).

Jud·kins (jūd′kinz), Melvin P. 米国人放射線科医，1922—1985．冠状脈の血管造影および血管形成術におけるパイオニア．→J. *technique*.

ju·ga (jū′gă). jugum の複数形．

ju·gal (jū′găl) ［L. *jugalis*, yoked together＜*jugum*, a yoke］. ***1*** つながる，連結した．***2*** 頰の，頰骨の．

ju·ga·le (jū-gā′lē). ユガーレ（頭蓋計測点で，頰骨の側頭突起と前頭突起が合一する点）．＝jugal point.

ju·go·max·il·lar·y (jū′gō-mak′si-lār′ē). 頰骨上顎骨の（頰骨と上顎骨に関する）．

jug·u·lar (jŭg′yū-lăr)［L. *jugulum*, throat］. ***1***〖adj.〗頸の．***2***〖adj.〗頸静脈の．***3***〖n.〗頸静脈．

jugulo- のどの，首の，を表す，あるいは頸静脈に関する連結形．

jug·u·lum (jŭg′yū-lŭm). ジュグルム，咽頭．＝throat (2).

ju·gum, pl. **ju·ga** (jū′gŭm, -gă)［L. a yoke］［TA］. ***1*** 隆起（2点を結ぶ隆線または溝）．＝yoke［TA］. ***2*** 鉗子の一種．

juga alveolaria［TA］.＝ alveolar *yokes.*

juga cerebralia* *impressions* of cerebral gyri の公式の別名．

j. sphenoidale［TA］. 蝶形骨隆起（トルコ鞍の前の蝶形骨上の平面で，左右の小翼を連結し，前頭蓋窩を形成するが，成人以後は蝶形骨洞の最前部の天井となる）．＝planum sphenoidale［TA］; sphenoidal yoke*.

juice (jūs)［L. *jus*, broth］. 汁，液（①動植物の組織液．②消化液）．

appetite j. 食欲性胃液（食物の外見やにおい，食べる喜びなどによって分泌される胃液．条件反射の一種）．

gastric j. 胃液（胃腺によって分泌される消化液．薄い，無色の液体で酸性反応を呈する．主に塩酸，キモシン，ペプシノゲン，および内因子と粘液を含む）．

intestinal j. 腸液（腸腺によって分泌されるアルカリ性，淡黄色の液体．腸液の酵素類(ペプチダーゼ，サッカラーゼ，ヌクレアーゼ，レシチナーゼ，ホスファターゼ，リパーゼ)は，炭水化物，蛋白と脂肪を加水分解する）．

pancreatic j. 膵液（膵臓の外分泌液．透明な，アルカリ性の液で，α-アミラーゼ，ヌクレアーゼ，トリプシノゲン，キモトリプシノゲン，トリアシルグリセロールリパーゼなどの酵素を含有する）．

Jukes (jūks). 家系の大部分の者が社会不適応者，精神薄弱者，変質者である，有名な家系につけられた仮名．今では，議論の主題は遺伝的優越性の理論を信用に値しないものとした．→Kallikak.

junc·ti·o* (jŭnk′shē-o). junction の公式の別名．

j. anorectalis［TA］.＝ anorectal *junction.*

junc·tion (jŭngk′shŭn)［TA］. 連結，接合部（2つの部分，主に骨や軟骨の2つの部分が連結する点，線または面をいう）．＝juncture (2); junctura (2)［TA］; junctio*.

adherens j. 接着結合（接合部複合体の構成要素の1つで，閉鎖帯の直下に位置してそれを支持する．接着結合部の細胞間隙ではカドヘリン分子の細胞外部によって隣接する細胞同士が結合する．カドヘリン分子の細胞内部位はアクチンフィラメントによって支持される）．

adhering j.'s 接着性結合装置（主に細胞同士を物理的に結合させる働きをする接着帯，半接着斑，接着斑などの細胞間結合装置）．

amelodental j., amelodentinal j. ぞうげエナメル境を意味する，まれに用いる語．

amnioembryonic j. 胚羊膜接合部（胚盤周囲と羊膜との付着線）．

anorectal j.［TA］. 肛門直腸移行部（直腸から肛門管へと移行する部位で，会陰曲もしくは腸管が骨盤隔膜を貫通するところに相当し，ここで直腸膨大部が急に狭いスリットになる）．＝junctio anorectalis［TA］.

AV j. 房室接合部（心房筋と心室筋を含む房室結節周辺，あるいは結節自体）．

cardioesophageal j. 食道噴門結合部．＝esophagogastric j.

cementodentinal j. セメントぞうげ境（歯根のセメント質とぞうげ質とが接合した面）．＝dentinocemental j.

cementoenamel j. エナメルセメント境（歯冠部のエナメル質と，歯根部のセメント質との接合面．→cervical *line*）．

choledochoduodenal j. 総胆管十二指腸接合部（総胆管，膵管，および胆膵管膨大部が開口する十二指腸壁部分）．

communicating j. 交通性結合．＝gap j.

corneoscleral j. 角強膜接合部（強膜と重なり合う角膜血縁）．＝limbus corneae［TA］; limbus of cornea［TA］; corneal limbus*; corneal margin; sclerocorneal j.

costochondral j.'s 肋骨肋軟骨連結．＝costochondral *joints.*

dentinocemental j. ＝cementodentinal j.

dentinoenamel j. ぞうげエナメル境（歯冠のエナメル質とぞうげ質が接合した面）．

dermoepidermal j. 真皮表皮接合部．＝dermoepidermal *interface.*

duodenojejunal j. 十二指腸空腸連結部（ほぼ第二腰椎の高さで正中線から 2—3 cm 左寄りのところで鋭角をなしていて十二指腸空腸曲といわれる．十二指腸提筋(靱帯)によって固定されている．→duodenojejunal *flexure*）．

electrotonic j. 電気緊張性接合．＝gap j.

esophagogastric j. 食道胃移行部（噴門口で食道が終わり，胃が始まる部位．生理学的下食道括約筋の存在部位）．＝cardioesophageal j.

gap j. ギャップジャンクション，細隙結合（①以前は，緊密につながった膜の結合(閉鎖帯)と考えられていたが，現在では，隣接細胞膜間に 2 nm の間隙があることが判明している．この間隙は空ではなく，六角形の格子形サブユニットを含む．これは組み合わさった2個のコネクソンの細胞間の外観であり2つの細胞の細胞質間にチャネルを形成している．この結合は上皮，ある種の神経細胞の間，平滑筋，心筋でみられる．細胞から細胞へイオン電流を伝えるときに必要なエレクトロニックカップリングに関与していると考えられる．→synapse．②分娩陣痛発来を促進する筋細胞間の電気化学的結合状態の亢進した部分．→connexons）．＝communicating j.; electrotonic j.; electrotonic synapse; macula communicans; nexus.

Holiday j. (hol′ĭ-dā). ホリデー(ホリデイ連結)（相同組換えや二本鎖切断修復の際に生じる中間体で，相同な2組の二本鎖 DNA が，それぞれ二本鎖の1本ずつを交差させた構造）．

Holliday j. (hol′ĭ-dā)［R. *Holliday*］. ホリデー接合部（2個の DNA 複合体が組換え現象において交叉するときに形成される交叉鎖構造）．＝Holliday structure.

ileocecal j. 回盲連結部（胃腸管の経路中，小腸(回腸)が終わり大腸の盲腸に入りこむところ．通常は腸骨窩の中にあり，内部構造的には回盲口として認められる）．

impermeable j. 不透過性細胞間結合．＝*zonula* occludens.

intercellular j.'s 細胞間結合（特殊に分化した細胞縁で，細胞同士の接着や情報伝達に働く．この中には接着斑(デスモソーム)，接着帯，閉鎖帯，ネクサス(ギャップジャンクション)がある）．

intermediate j. 中間の結合．＝*zonula* adherens.

j. of lips ＝*commissure* of lips (of mouth).

manubriosternal j. ＝sternal *angle.*

mucocutaneous j. 粘膜皮膚移行部（表皮から粘膜上皮に移行する部位）．

muscle-tendon j. 筋腱接合部．＝muscle-tendon *attachment.*

myoneural j. 神経筋接合部（筋線維と運動ニューロン軸索とのシナプス接合部．→motor *endplate*）．＝neuromuscular j.

neuroectodermal j. 神経板(神経管)外胚葉接合部（胚子の神経板と表層外胚葉との間の境界．この部分の細胞が神経堤になる）．＝neurosomatic j.

neuromuscular j. ＝myoneural j.

neurosomatic j. ＝neuroectodermal j.

rectosigmoid j. S 状結腸直腸連結部（通常鋭角をなして連結している．外見的には腹膜垂が途切れ，結腸ひもが幅広くなって直腸では全周をおおうようになり，したがってひもの間にみられた膨起も直腸ではみられなくなる）．

right splicing j. 右スプライシング部位（イントロンの右端と隣接したエクソンの左端の間にある境界領域）．

sacrococcygeal j. 仙尾骨結合．＝sacrococcygeal *joint.*

sclerocorneal j. ＝corneoscleral j.

squamocolumnar j. 扁平円柱上皮接合部（重層扁平上皮が立方上皮に移行する部位で，例えば，胃食道接合部）．

ST j. S-T 接合部．＝J *point.*

sternomanubrial j. ＝manubriosternal *symphysis.*

tight j. 接着結合．＝*zonula* occludens.

J

tympanostapedial j. 鼓室あぶみ骨靱帯結合. =tympanostapedial *syndesmosis.*

ureteropelvic j. (**UPJ**) 腎盂尿管移行部 (腎盂から尿管に移行する接合部. 先天的あるいは後天的な閉塞の好発部位).

ureterovesical j. (**UVJ**) 尿管膀胱接合部 (尿管が膀胱にはいる部位で, 逆流を防ぐため利尿筋を斜めの角度で通過する. →vesicoureteral *reflux*).

junc·tu·ra, pl. **junc·tu·rae** (jŭngk-tū′ră, -rē) [L. a joining][TA]. 連結 (①関節をいう. =joint. ②=junction).

j. cartilaginea [TA]. 軟骨性連結. =cartilaginous *joint.*

juncturae cinguli pectoralis [TA]. =*joints* of pectoral girdle.

juncturae cinguli pelvici [TA]. =*joints* of pelvic girdle.

juncturae columnae vertebralis [TA]. =vertebral *joints.*

juncturae cranii [TA]. =*joints* of skull.

j. fibrosa [TA]. 線維性連結. =fibrous *joint.*

juncturae fibrosae cranii [TA]. =cranial fibrous *joints.*

j. lumbosacralis 腰仙骨連結. =lumbosacral *joint.*

juncturae membri inferioris liberi [TA]. 自由下肢の連結. =synovial *joints* of free lower limb.

juncturae membri superioris [TA]. =*joints* of upper limb.

juncturae membri superioris liberi [TA]. 自由上肢の連結. =synovial *joints* of free upper limb.

juncturae ossium [TA]. 骨の連結. =bony *joints.*

j. sacrococcygea 仙尾骨連結. =sacrococcygeal *joint.*

j. synovialis [TA]. 滑膜性連結. =synovial *joint.*

juncturae tendinum 腱間結合. =intertendinous *connections* of extensor digitorum.

juncturae thoracis [TA]. =thoracic *joints.*

juncturae zygapophysiales 関節突起間関節. =zygapophysial *joints.*

junc·ture (jŭngk′chūr). *1* 連接 (音節と音節のつぎ目に現れる発音上の特徴. わずかな句切り方の違いが聞き手に意味の違いを伝える). *2* =junction.

Jung (yūng), Carl Gustav. スイス人精神科医・心理学者, 1875—1961. →jungian *psychoanalysis.*

Jung (yūng), Karl G. スイス人解剖学者, 1793—1864. →J. *muscle.*

jung·i·an (yūng′ē-ăn). ユング主義の (心理学体系およびそれから導かれた精神分析的治療形態. Carl Gustav Jung により開発された).

Jüng·ling (yūng′ling), Adolph O. ドイツ人外科医, 1884—1944. →J. *disease.*

ju·ni·per (jū′ni-pĕr) [L. the juniper tree]. ネズノミ (マツ科西洋ビャクシン *Juniperus communis* の乾燥した熟果).

j. berry oil =*oil* of juniper.

j. tar ネズノミタール (*Juniperus oxycedrus* の木部を乾留して得るタール. 皮膚病外用薬に用いる). =cade oil.

jur·is·pru·dence (jūr′is-prū′dens) [L. *juris prudentia,* knowledge of law]. 法学, 法律学, 法理学 (法そのもの, その原理および概念に関する学問).

dental j. 歯科法医学, 法歯学. =forensic *dentistry.*

medical j. 法医学. =forensic *medicine.*

jus·tice (jŭs′tis) [L. *justitia* < *jus,* right, law]. 公平性 (同じような状況や状態にある人は同じように扱われるべきであるとする倫理上の原則. ときに distributive justice ともいわれる).

jus·to ma·jor (jŭs′tō mā′jŏr). 正常より大きい (→*pelvis* justo major).

jus·to mi·nor (jŭs′tō mī′nŏr). 正常より小さい (→*pelvis* justo minor).

ju·ve·nile de·lin·quent (jū′vĕ-nīl dē-lin′kwent). 未成年非行者 (両親の権威をもってしてもコントロールできず, 器物破損, 暴力, 盗みなどの反社会的ないし犯罪的行為を行う未成年者を表す古語).

juxta- [隣接する, 付近の, を意味する連結形].

jux·ta·col·ic (juks′tă-kol′ik). 傍結腸の (結腸近傍の, または結腸に隣接する).

jux·ta·crine (jŭks′tă-krin) [L. *juxta,* close to + G. *krinō,* to separate]. ジャクスタクリン (あるホルモンを産生する細胞がそのホルモン受容体を有する細胞と直接接触して作用するようなホルモンの情報伝達法).

jux·ta·ep·i·phys·i·al (jŭks′tă-ep′i-fiz′ē-ăl). 骨端近傍の.

jux·ta·e·soph·a·ge·al (juks′tă-ĕ-sof′ă-gē′ăl). 傍食道の (食道近傍の, または食道に隣接する).

jux·ta·glo·mer·u·lar (jŭks′tă-glŏ-mer′yū-lăr). 傍糸球体の, 糸球体近接の.

jux·ta·in·tes·tin·al (juks′tă-in-tes′tin-ăl). 傍腸管の (腸管近傍の, または腸管に隣接する).

jux·tal·lo·cor·tex (jŭks′tă-lō-kōr′teks). 傍異種皮膚, 中間皮膚 (同種皮膚と異種皮膚の中間部を占める大脳皮質部分を示す総称で, O. Vogt が用いた).

jux·ta·med·ul·lar·y (jŭks′tă-med′yŭ-lār′ē). 髄傍の (髄質の辺縁に近い, あるいは密接した).

jux·ta·po·si·tion (jŭks′tă-pō-zish′ŭn) [L. *juxta,* near to + *positio,* a placing < *pono,* pp. *positus,* to place]. 近位 (接近した部分. →apposition; contiguity).

JVD jugular venous distention (頸静脈怒張) の略.

K

κ カッパ（ギリシア語アルファベットの第10字 kappa）.

K ***1*** カリウムの元素記号．左の肩字の数字は同位体の質量数を示す．フィロキノン，ケルビン，リシン，リシルの記号．***2*** 眼科において，強膜硬性の係数．***3*** コンタクトレンズの適合における円錐角膜の最も平坦な経線の曲率半径．

^{39}K カリウム 39 の記号．

^{40}K potassium 40 の略．

^{42}K potassium 42 の略．

^{43}K potassium 43 の略．

K 解離定数 dissociation *constant*; 運動エネルギー kinetic *energy*; 発光効率の記号．⇀K_d.

K_a 酸の解離定数 dissociation *constant* of an acid; 結合定数 association *constant* (2)（しばしば気体で用いる）の記号．

K_b 塩基の解離定数 dissociation *constant* of a base の記号．

K_d 解離定数 dissociation *constant* の記号．

K_{eq} 平衡定数 equilibrium *constant* の記号．

K_i インヒビターの解離定数の記号．酵素速度論では，K_{ii} は二重逆数プロットの切片に対応する K_i の値を示し，K_{is} は同じプロットの傾きに対応する K_i の値を表す．

K_m Michaelis 定数(⇀constant)；Michaelis-Menten 定数(⇀constant)の記号．

K_w 水の解離定数 dissociation constant of water の記号．

k kilo- の略．SI およびメートル法で用いられる．

k 割合 rate *constants* または速度定数 velocity *constants* の記号．

k_{cat} 酵素の全触媒反応速度．代謝回転数 turnover *number* の記号．V_{max} を全酵素濃度で割ったもの．

ka·bu·re (kah-bū′rē). カブレ．＝*schistosomiasis* japonica.

Kaes (kāz), Theodor. ドイツ人神経科医，1852—1913．⇀*line* of K.; *band* of K.-Bechterew.

ka·fin·do (kă-fin′dō). ＝onyalai.

kahweol (kah′wē-awl). カーウェオール（コーヒー豆中のジテルペンの1つ）.

kai·nic ac·id (kā-in′ik as′id). カイニン酸（神経細胞に対して強力で長時間の興奮および毒性作用を示すグルタミン酸同族体で，神経生物学の研究において神経細胞の破壊およびグルタミン酸受容体の活性化のために用いられる．線虫に対する駆虫薬として用いられてきた）.

kai·ro·mone (kī′rō-mōn). カイロモン（ある種の生物から放出される，他種の生物に利益や影響を与える化学的メッセンジャー．動物の種を誘引したり忌避したりする花の香気．*cf.* pheromone; allomone）.

Kai·ser·ling (kī′zĕr-ling), Karl. ドイツ人病理学者，1869—1942．⇀K. *fixative*.

kak-, kako- (kak). ⇀caco-.

kal-, kali- (kal) [L. *kalium*, potassium]. カリウムに関する連結形．適切ではないが kalio- と書くこともある．

ka·la a·zar (kah′lah ah-zahr′) [Hind. *kala*, black + *azar*, poison]. カラアザール．＝visceral *leishmaniasis*.

ka·le·mi·a (kă-lē′mē-ă). カリウム血［症］（血液中にカリウムがある状態）.

ka·li·o·pe·ni·a (kā′lē-ō-pē′nē-ă) [Mod. L. *kalium*, potassium + G. *penia*, poverty]. カリウム欠乏（体内のカリウム欠乏．→hypokalemia）.

ka·li·o·pe·nic (kā′lē-ō-pē′nik). カリウム欠乏の．

Ka·li·scher (kah′lish-ĕr), Siegfried. 19世紀後期のドイツ人医師．⇀Sturge-K.-Weber *syndrome*.

ka·li·um (K) (kā′lē-ŭm) [Mod. L. < Ar. *quali*, potash]. カリウム．＝potassium.

ka·li·u·re·sis (ka′lē-yū-rē′sis). ＝kaluresis.

ka·li·u·ret·ic (kā′lē-yū-ret′ik). ＝kaluretic.

kal·li·din (kal′i-din). カリジン（10個のアミノ酸からなるペプチド性血管拡張薬．ブラジキニンのアミノ末端にリシル基が付加したもの．この基は血液中のアミノペプチダーゼにより脱離され，ブラジキニンを与える）．＝bradykininogen; k. 10; k. II; lysyl-bradykinin; kinin 10.

k. 9 カリジン 9．＝bradykinin.

k. 10 カリジン 10．＝kallidin.

k. I カリジン I．＝bradykinin.

k. II カリジン II．＝kallidin.

Kal·li·kak (kal′ĭ-kak). 立派な市民と社会不適応者や犯罪者という二系列の子孫をだした有名な家系につけられた仮名．→Jukes.

kal·li·kre·in (kal′i-krē′in). カリクレイン（キニノゲンを蛋白分解によりブラジキニンまたはカリジンに変換する酵素（例えば，血漿カリクレイン，組織カリクレイン，膵臓カリクレイン，尿カリクレイン，下顎骨下のカリクレイン）の総称名．トリプシン，プラスミンもこの酵素反応を起こしうる．血漿カリクレインは第XII因子を活性化したり，キニノゲンに作用する．組織カリクレインはセリンエンドペプチダーゼで，キニノーゲンからカリジンを生成させる）．＝kininogenase; kininogenin.

human glandular k. 3 (hK3) ＝prostate-specific *antigen*.

Kall·mann (kahl′mahn), Franz Josef. 米国人遺伝学者・精神科医，1897—1965．⇀K. *syndrome*.

kal·u·re·sis (kal′yū-rē′sis) [Mod. L. *kalium*, potassium + G. *ourēsis*, urination]. カリウム尿（尿中のカリウム排出量が増加すること）．＝kaliuresis.

kal·u·ret·ic (kal′yū-ret′ik). カリウム尿の．＝kaliuretic.

Kan·do·ri (kahn-dōr′ē), Fumio. 20世紀の日本人眼科医．⇀fleck *retina* of K.

Kan·ner (kahn′ĕr), Leo. 米国に在住したオーストリア人精神科医，1894—1981．⇀K. *syndrome*.

kan·yem·ba (kan-yem′bă). ＝chiufa.

ka·od·ze·ra (kah′od-ze′rā). *Trypanosoma brucei rhodesiense* による睡眠病と類似した疾患で，ジンバブエ(旧ローデシア)で流行している．→Rhodesian *trypanosomiasis*.

ka·o·lin (kā′ō-lin) [中国語 *kao lin*, 高稜(カオリンが多量に発見された中国の一地方の名前)]. カオリン（ケイ素-アルミナ水和物．粉にしてふるいにかけ，粗粒子から分けた粉状の土．保護剤，吸着剤として用いる．歯科において，陶歯に強度と不透明度を付与するために用いられる）．＝aluminum silicate.

ka·o·lin·o·sis (kā′ō-lin-ō′sis). カオリンじん(塵)肺症（陶土の粉じんを吸入することによって起こるじん肺症）.

Ka·po·si (kă-pō′zē), Moritz (旧名 Moritz Kohn). ［本名前の正しい発音は ka-pō′sē でなく kap′ō-zē である］．オーストリアに在住したハンガリー人皮膚科医，1837—1902．⇀K. varicelliform *eruption*, *sarcoma*.

kaposin B (kap-o-sin′). カポシン B（Kaposi 肉腫関連ヘルペスウイルス(ヒトヘルペスウイルス8型)のウイルス蛋白で，宿主細胞の MAP キナーゼ関連プロテインキナーゼ2を活性化することによって，宿主のサイトカイン分泌増加を誘導する）.

kap·pa (κ) (kap′ă). カッパ（①ギリシア語アルファベットの第10字．②化学では，カルボキシル基または他の官能基から第10番目の原子に位置する置換基の位置を表示する．③観察者間の作為的な一致の程度を測定，または同じ範疇に属する変数の測定）.

kap·pa·cism (kap′ă-sizm) [G. *kappa*, 文字 κ]. カ行吶（k音の誤った発音）.

Karenia brevis (kă-ren′ē-ă brev-is). 強力な神経毒を産生することで知られる渦鞭毛藻類の一種で，暖かい海域で高密度に発生すると赤潮現象を引き起こす．発生の最盛期には海水は赤色または黄金色となり，虫体密度は1リットル当たり2千万個に達する．神経毒は魚類の斃死の原因となり，貝類(特にカキ，アサリ，およびコキナ類とよばれる小型の軟体動物)および魚類での毒の濃縮は，シガテラ病(魚中毒)あるいは麻痺性の貝中毒(PSP)の原因となる．致死的な濃度が摂取されると，呼吸密および心停止により12時間以内に死亡する．海岸線に沿って虫体がアエロゾル化すると，呼吸器を刺激するため咳や喘息の悪化，および目，口腔や鼻粘膜の炎症により知覚過敏や口唇，舌の痛みを引き起こす．麻痺性の貝毒であるサキシトキシンやブレビトキシンは，渦鞭毛藻類が産生，放出するおよそ40種の毒素のうち，かなり普通にみられるものである．＝Gymnodium.

Karman can·nu·la (kar′măn). ⇀cannula.

Kar·nof·sky (kar-nof′skē), David A. 米国人医師，1914—1969. →K. *scale*.

Kar·ta·ge·ner (kahr-tag′ĕ-nĕr), Manes. スイス人医師，1897—1975. →K. *syndrome*, *triad*.

karyo- (kar′ē-ō) [G. *karyon*, nucleus]. 核に関する連結形. *cf.* nucleo-.

kar·y·o·chrome (kar′ē-ō-krōm′) [karyo- + G. *chroma*, color]. 核染性神経細胞，カリオクロム細胞（強染する核はもっているが，可視的な好色素性物質をほとんどもたない，あるいはまったくもたない神経細胞体）.

kar·y·oc·la·sis (kar′ē-ok′lă-sis) [karyo- + G. *klasis*, a breaking]. ＝karyorrhexis.

kar·y·o·cyte (kar′ē-ō-sīt) [karyo- + G. *kytos*, cell]. カリオサイト（未熟な正常赤芽球）.

kar·y·o·gam·ic (kar′ē-ō-gam′ik). カリオガミーの，核合体の.

kar·y·og·a·my (kar′ē-og′ă-mē) [karyo- + G. *gamos*, marriage]. カリオガミー，核融合，核合体（受精または真の接合の際に起こる２つの細胞核の融合）.

kar·y·o·gen·e·sis (kar′ē-ō-jen′ĕ-sis) [karyo- + G. *genesis*, production]. 核発生.

kar·y·o·gen·ic (kar′ē-ō-jen′ik). 核発生の.

kar·y·o·go·nad (kar′ē-ō-gō′nad) [karyo- + G. *gonē*, generation, descent]. 生殖核. ＝micronucleus (2).

kar·y·o·gram (kar′ē-ō-gram). ＝karyotype.

kar·y·ol·o·gy (kar′ē-ol′ŏ-jē) [karyo + -logy]. 細胞核学（細胞学の一分野で，細胞核，核内小器官核の構造と機能を扱う）.

kar·y·o·lymph (kar′ē-ō-limf) [karyo- + L. *lympha*, clear water]. 核液（核の中の液性ないしゲル状物質で，その中に染色質，核小体，その他の粒状固形成分が浮遊している）. ＝nuclear hyaloplasm; nuclear sap; nucleochylema; nucleochyme; nucleoplasm.

kar·y·ol·y·sis (kar′ē-ol′i-sis) [karyo- + G. *lysis*, dissolution]. 核溶解（[誤ったつづり karolysis および発音 karyoly′sis を避けること]. 膨潤と，核染色質の塩基性色素に対する親和性の消失とによって，細胞核が外見上溶解すること）.

kar·y·o·lyt·ic (kar′ē-ō-lit′ik). 核溶解の.

kar·y·o·mere (kar′ē-ō-mer′) [karyo- + G. *meros*, part]. 核片体（正常な核のごく一部を含んだ膜構造物で，通常，異常な有糸分裂のあとでみられる）.

kar·y·o·mi·cro·some (kar′ē-ō-mī′krō-sōm) [karyo- + G. *mikros*, small + *soma*, body]. 核ミクロソーム（細胞核物質を構成する小分子または顆粒）. ＝nucleomicrosome.

kar·y·o·mi·to·me (kar′ē-om′ī-tōm) [karyo- + mitosis + -ome]. カリオマイトム（核クロマチンネットワーク）.

kar·y·o·mor·phism (kar′ē-ō-mōr′fizm) [karyo- + G. *morphē*, form]. ***1*** 核形成（細胞核の形成）. ***2*** 核形態（細胞核，特に白血球核の形態を表す）.

kar·y·on (kar′ē-on) [G. *karyon*, a nut, kernel]. 核（[kerion と混同しないこと]）. ＝nucleus (1).

kar·y·o·phage (kar′ē-ō-fāj′) [karyo- + G. *phagō*, to devour]. カリオファージ（宿主の細胞核を食する細胞内寄生生物）.

karyopherin (kar-ē-of′ĕr-in) [karyo- + G. *pherō*, to carry + -in]. カリオフェリン（核膜孔複合体で働いている可溶性蛋白の一種）.

kar·y·o·plasm (kar′ē-ō-plazm′). nucleoplasm(核質)の意味でまれに用いる語.

kar·y·o·plas·mol·y·sis (kar′ē-ō-plaz-mol′i-sis). 核質溶解. ＝achromatolysis.

kar·y·o·plast (kar′ē-ō-plast) [karyo- + G. *plastos*, formed]. 核質（細胞質(形質)と原形質膜の狭いバンドによって取り巻かれている細胞核）.

kar·y·o·plas·tin (kar′ē-ō-plas′tin). カリオプラスチン（紡錘体を形成する無色の核物質）.

kar·y·o·pyk·no·sis (kar′ē-ō-pik-nō′sis) [karyo- + G. *pyknos*, thick, crowded + *-osis*, condition]. 核凝縮（細胞死の過程にある細胞の核が示す特徴. プログラム化された死であっても誘導された死であってもよい）.

kar·y·o·pyk·not·ic (kar′ē-ō-pik-not′ik). 核濃縮の（核濃縮に関係する，あるいは核濃縮を生じる）.

kar·y·or·rhex·is (kar′ē-ō-rek′sis) [karyo- + G. *rhexis*, rupture]. 核崩壊（染色質が細胞質中に不規則に分散されるような核の断片化. 通常，壊死状態に続いて核溶解が起こる）. ＝karyoclasis.

kar·y·o·some (kar′ē-ō-sōm) [karyo- + G. *sōma*, body]. カリオソーム，染色中心（静止期細胞核中によくみられる染色質の塊で，染色質糸状体の濃縮された部分を表す）. ＝chromatin nucleolus; chromocenter; false nucleolus; net knot.

kar·y·os·ta·sis (kar′ē-os′tă-sis) [karyo- + G. *stasis*, a standing still]. 核静止期. ＝interphase.

kar·y·o·the·ca (kar′ē-ō-thē′kă) [karyo- + G. *thēkē*, box, sheath]. 核膜. ＝nuclear *envelope*.

kar·y·o·type (kar′ē-ō-tīp) [karyo- + G. *typos*, model]. 核型（大きさの順に動原体の位置に従って並べた個体または細胞系統の染色体の特性. 通常，単一の細胞核の顕微鏡写真から，中期染色体を体系的配列として表す）. ＝idiogram (1); karyogram.

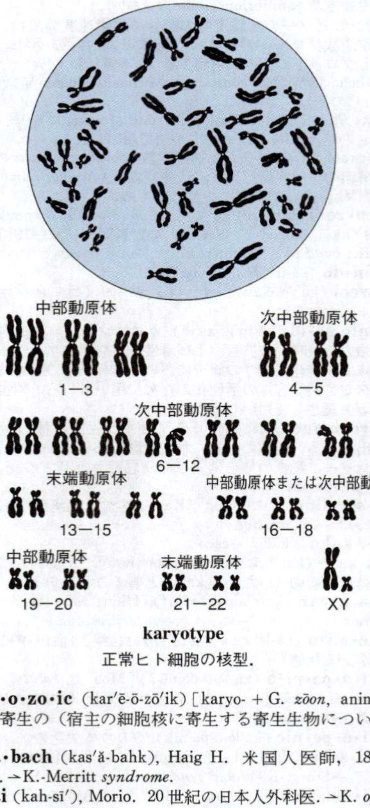

karyotype
正常ヒト細胞の核型.

kar·y·o·zo·ic (kar′ē-ō-zō′ik) [karyo- + G. *zōon*, animal]. 核内寄生の（宿主の細胞核に寄生する寄生生物についていう）.

Kas·a·bach (kas′ă-bahk), Haig H. 米国人医師，1898—1943. →K.-Merritt *syndrome*.

Ka·sai (kah-sī′), Morio. 20世紀の日本人外科医. →K. *operation*.

ka·sai (kă-sī′). カサイ（コンゴ川流域に起こる貧血の一型で，皮下組織の浮腫，皮膚脱色，胃腸障害などを示す. 栄養失調によると考えられる）. ＝Belgian Congo anemia.

Ka·shin (kah′shin), Nikolai I. ロシア人整形外科医，1825—1872. →K.-Bek *disease*.

Kas·ten (kas′tĕn), Frederick H. 20世紀の米国人組織化学・細胞生物学者. →K. fluorescent Schiff *reagents*, fluorescent Feulgen *stain*, fluorescent PAS *stain*.

kat (kat). katal の略.

kata- (kat′ă) [G. *kata*, down]. cata- ともつづる. 下へ，を

意味する連結形．

kat·al (kat) (kat′ăl). カタール，カット（①毎秒生成物（または消費する基質）1モルに相当する触媒活性の単位．②1秒間に基質1モルの転換を触媒する酵素の量）．

kat·a·ther·mom·e·ter (kat′ă-ther-mom′ĕ-tĕr). カタ温度計（環境の温度以上に加熱し冷却させられる特性をもつように設計されたアルコール温度計．特定温度間での冷却に要した時間は，温度と同様に空気流を考慮する環境の暑さの尺度である．バルブは放射効果を最小にするために銀めっきされているか，またはそれらを最大にするために黒く塗られている）．

Ka·ta·ya·ma (kat′a-yă-mă), Kunika. 日本人医師，1856—1931. →K. *fever, test.*

ka·thex·is (kă-theks′is). まれな異常で，骨髄球系の細胞が骨髄に停留し重篤な末梢好中球減少を起こす．好中球に明らかに異常な形態を示す．Gm-CSF は検出不能でこれを投与することは治療上効果的である．=myelokathexis.

Katz (katz), Bernard. ドイツ系英国人神経生理学者・ノーベル賞受賞者，1911—2003. →Goldman-Hodgkin-K. *equation.*

ka·va, kava kava (kah′vah) [トンガ語とマルケサス語, bitter]. カヴァ（①=methysticum. ②=yaqona）．

Ka·wa·sa·ki (kă′wă-să′kē), Tomisaku. 20世紀の日本人小児科医. →K. *disease, syndrome.*

Kay (kā), Herbert D. 20世紀の英国人生化学者. →Jenner-K. *unit.*

Kay·ser (kī′zĕr), Bernhard. ドイツ人医師，1869—1954. →K.-Fleischer *ring.*

Ka·zan·ji·an (kah-zahn′jē-ăn), Varaztad H. 米国に在住したアルメニア人の耳鼻咽喉科医，1879—1974. →K. *operation.*

kb kilobase の略．

K blood group, k blood group (blŭd grūp). K(k)血液型（付録 Blood Groups の Kell blood group 参照）．

kc kilocycle の略．

kcal kilogram *calorie*; kilocalorie の略．

KCLQT1 電位依存性カリウムチャネル遺伝子の遺伝子シンボル．

KCNE1 電位依存性カリウムチャネル遺伝子の遺伝子シンボル．

KCNQ4 DFNA2 遺伝子の遺伝子シンボル．

KCT kaolin clotting *time* の略．

Kearns (kernz), Thomas P. 米国人眼科医. →K.-Sayre *syndrome.*

Keat·ing-Hart (kē′ting hart), Walter V. フランス人医師，1870—1922. →K.-H. *method.*

keel (kēl). ***1*** 子ガモのパラチフス菌またはその他のサルモネラ菌感染症. ***2*** 竜骨突起，隆条（鳥類の胸骨の腹側に沿った線のことをさす解剖学用語．骨の隆起）．

Keen (kēn), William W. 米国人外科医，1837—1932. →K. *operation.*

Keg·el (keg′ĕl), A.H. 20世紀の米国人婦人科医. →K. *exercises.*

Kehr (kār), Hans. ドイツ人外科医，1862—1916. →K. *sign.*

Keith (kēth), Sir Arthur. スコットランド人解剖学者，1866—1955. →K. *bundle, node*; K. and Flack *node.*

ke·lec·tome (kē′lek-tōm) [G. *kēlē*, tumor + *ektomē*, excision]. ケレクトーム（組織切取器のように，検査のために腫瘍標本を採取するための器具）．

Kell blood group (kel blŭd grūp). ケル血液型（付録 Blood Groups 参照）．

Kel·ler (kel′ĕr), William Lordan. 米国人外科医，1874—1959. →K. *bunionectomy.*

Kel·lie (kel′ē), George. 18世紀のスコットランド人解剖学者. →Monro-K. *doctrine.*

Kel·ly (kel′ē), Howard A. 米国人婦人科医，1858—1943. →K. *clamp, operation,* rectal *speculum.*

Kel·ly (kel′ē), Adam B. 英国人耳鼻咽喉科医，1865—1941. →Paterson-K. *syndrome*; Paterson-Brown-K. *syndrome.*

ke·loid (kē′loyd) [G. *kēlē*, a tumor（または *kēlis*, a spot）+ *eidos*, appearance]. ケロイド，蟹足（かいそく）腫（結節状で硬く，可動性で皮膜をもたない，しばしば線状に配列する過形成瘢痕組織塊で，圧痛や，しばしば疼痛を伴う．膠原の幅広くかつかなり不規則に分布する束からなる．ケロイドは通常，外傷，外科手術，熱傷，嚢腫性痤瘡のような重症の皮膚病の後に真皮および隣接皮下組織中に生じる．黒人により多くみられる）．=cheloid.

acne k. 痤瘡ケロイド（深達性の毛包炎の病巣部に生じる線維性丘疹からなる慢性の発疹．通常は頸部後側の髪の生え際に生じる）．=folliculitis keloidalis.

ke·loi·do·sis (kē′loy-dō′sis). ケロイド症（多発性のケロイド）．

ke·lo·so·mi·a (kē′lō-sō′mē-ă). =celosomia.

Kel·vin (kel′vĭn), William Thomson. スコットランド人物理学者，1824—1907. →kelvin; K. *scale.*

kel·vin (K) (kel′vĭn) [Lord *Kelvin*]. ケルビン（ケルヴィン）（熱力学的温度の単位で，水の三重点を表す熱力学的温度の 273.16^{-1} に等しい. →Kelvin *scale*）．

Ken·dall (ken′dăl), Edward C. 米国人生理化学者・ノーベル賞受賞者，1886—1972. →Kendall *compound.*

Ken·dall (ken′dăl), J. 20世紀の米国人病理学者. →Abell-K. *method.*

Ken·ne·dy (ken′ĕ-dē), Edward. 20世紀初頭の米国人歯科医. →K. *classification.*

Ken·ne·dy (ken′ĕ-dē), Robert Foster. 米国人神経科医，1884—1952. →K. *syndrome*; Foster K. *syndrome.*

Ken·ne·dy (ken′ĕ-dē), William. 米国人神経科医. →K. *disease.*

Ken·ny (ken′ē), Elizabeth. オーストラリア人看護師，1886—1952. →K. *treatment.*

keno- (kē′no) [G. *kenos*, empty]. →ceno- (3).

Kent (kent), Albert F.S. イングランド人生理学者，1863—1958. →K. *bundle*; K.-His *bundle.*

keph·a·lin (kef′ă-lin). ケファリン. =cephalin.

Ker·an·del (ker-ahn-del′), Jean F. フランス人医師，1873—1934. →K. *sign.*

ker·a·sin (ker′ă-sin). glucocerebroside を表す現在では用いられない語. =cerasin.

kerat- (ker-at′). →kerato-.

ker·a·tan sul·fate (kar′ă-tan sŭl′fāt). ケラタン硫酸（ヒアルロン酸またはコンドロイチンのウロン酸の代わりに D-ガラクトースを含む硫酸ムコ多糖類の一種．非硫酸化や6-硫酸化 *N*-アセチル-D-グルコサミンも含有する．軟骨，骨，結合組織，角膜，大動脈，椎間板に存在する．Morquio 症候群で蓄積される．硫酸ケラチン I は角膜に多く，アスパラギニル基により蛋白と結合している．硫酸ケラチン II は疎結合組織でみられ，セリルやスレオニル基に結合している）．=keratosulfate.

ker·a·tec·ta·si·a (ker′ă-tek-tā′zē-ă) [kerato- + G. *ektasis*, extrusion]. 角膜拡張〔症〕. =keratoectasia.

ker·a·tec·to·my (ker′ă-tek′tŏ-mē) [kerato- + G. *ektomē*, excision]. 角膜切除〔術〕（角膜の屈折を変化させるための手術．角膜実質の弧状切除と角膜創の縫合．これは角膜曲率が強くなり，その軸方向の屈折力が強くなる. →keratotomy）．

automated lamellar k. 自動表層角膜切除（眼の屈折を変化させるために精密な装置による角膜組織の円板状切除）．

photorefractive k. (PRK) フォトリフラクティブケラテクトミー，光学的角膜屈折矯正手術（角膜の一部をレーザー光を用いて切除して形状を変え，屈折異常を変化させる手法（例えば近視を減弱））．

phototherapeutic k. (PTK) 光（レーザー光）治療的角膜切除（エキシマレーザー excimer *laser* による病的角膜組織の切除）．

ker·a·tein (ker′ă-tēn). ケラテイン（容易に消化されるケラチンの還元産物で，そのジスルフィド結合は SH 基に還元され，各々のペプチド鎖は分離している）．

ker·a·tin (ker′ă-tin) [G. *keras*(*kerat-*), horn + -in]. ケラチン，角質（上皮細胞における中間径線維を形成する蛋白の総称．分子量は40—68キロダルトンで，電気泳動法と等電位焦点法により分離できる．このように分離されたケラチンには1—20まで番号が付けられ，さらに低分子量，中間分子量，高分子量の3群に分けられる．等電点が酸性のものと塩基性のものがある．一般に，酸性のケラチンは，それと相同性の塩基性ケラチンと対をなして中間径線維を形成するが，いくつかのケラチンは単独で存在する．種々の上皮細胞はその組織に特異的なケラチンを含んでいる．ケラチンに対する抗体は腫瘍の組織学的型別分類に広く利用され，特に癌腫を肉腫，リンパ腫，黒色腫と区別するのに有用である）．＝ceratin; cytokeratin.

ker·a·tin·as·es (ker′ă-tin-ās-ēz). ケラチナーゼ，角質分解酵素（ケラチンの加水分解を触媒する加水分解酵素の一群．各々は基質特異性にわずかに違いがある）.

ker·a·tin·i·za·tion (ker′ă-tin′i-zā′shŭn). 角〔質〕化，角質生成（ケラチン形成または角質層形成．ケラチンの早熟形成をさすこともある）．＝cornification.

ker·a·tin·ized (ker′ă-ti-nīzd). 角〔質〕化した．＝cornified.

ke·rat·i·no·cyte (ke-rat′i-nō-sīt). ケラチノサイト（角層が死んで完全に角質化した細胞に至る分化の過程でケラチンを産生する，生きた表皮やある口蓋表皮の細胞）.

ke·rat·i·no·phil·ic (ke-rat′i-nō-fil′ik) [keratin + Gr. *philos*, love, attraction + -ic]. 好ケラチン性の（基質としてケラチンを利用する真菌についていう．例えば皮膚糸状菌）.

ke·rat·i·no·some (ke-rat′i-nō-sōm′). ケラチノソーム（膜に囲まれた，直径100—500 nm までの顆粒で，ある種の重層扁平上皮の有棘層上層に存在する）．＝lamellar granule; membrane-coating granule; Odland body.

ke·rat·i·nous (ke-rat′i-nŭs). ***1*** ケラチンの．***2*** 角質〔性〕の．＝horny.

ker·a·ti·tis (ker′ă-tī′tis) [kerato- + G. *-itis*, inflammation]. 角膜炎（→keratopathy）.

actinic k. 紫外線角膜炎（紫外線に対する角膜の反応）.

deep punctate k. 深在(深部)点状角膜炎（梅毒性虹彩炎に起こる境界鮮明な角膜混濁）.

dendriform k., dendritic k. 樹枝状角膜炎（ヘルペス性角膜炎の一型）.

diffuse deep k. 広汎性深在角膜炎．＝k. profunda.

diffuse lamellar k. (**DLK**) びまん性層状角膜炎（LASEK手術または他の角膜実質切除術での角膜実質の層状切開部の炎症）.

Dimmer k. (dim′ĕr). ディンマー角膜炎．＝k. nummularis.

disciform k. 円板状角膜炎（角膜中央または角膜傍中央部の角膜実質に生じる大きな円板状の細胞浸潤．この病変は深層の非化膿性で，ウイルス性，特に角膜ヘルペスでみられる）．＝k. disciformis.

k. disciformis 円板状角膜炎（ウイルス感染，特にヘルペスウイルス，および外傷後などにみられる円板状の浸潤）．＝disciform k.

exposure k. 露出性角膜炎（閉瞼ができないために起こる角膜の炎症）．＝lagophthalmic k.

fascicular k. 束状角膜炎（フリクテン性角膜炎で，角膜輪部から中心へとのびる帯状または束状の血管形成が続いて起こる）.

filamentary k. 糸状角膜炎（角膜表面に様々な大きさと長さの上皮性の糸状物の形成を特徴とする状態）．＝k. filamentosa.

k. filamentosa 糸状角膜炎．＝filamentary k.

geographic k. 地図状角膜炎（ヘルペス性角膜炎において表層病巣の癒合した状態の角膜炎）.

herpetic k. ヘルペス性角膜炎，疱疹性角膜炎（単純疱疹ウイルスによる角膜(角膜および結膜)の炎症）．＝herpes corneae; herpetic keratoconjunctivitis.

interstitial k. 角膜実質炎（角膜実質の炎症．しばしば新生血管を伴う）.

lagophthalmic k. 兎眼性角膜炎．＝exposure k.

k. linearis migrans 遊歩線状角膜炎（輪部から輪部に達する深部，線状の角膜混濁．先天梅毒と関連する）.

marginal k. 辺縁角膜炎（輪部における角膜の炎症）.

metaherpetic k. メタヘルペス性角膜炎（ヘルペス性角膜炎での感染後角膜炎症で，上皮びらんを生じる．ウイルス活動によるものではない）.

mycotic k. 真菌性角膜炎（真菌によって起こる角膜の感染）.

necrotizing k. 壊死性角膜炎（ヘルペス感染の組織反応でみられる角膜組織の強い炎症と傷害）.

neuroparalytic k. 神経麻痺性角膜炎．＝neurotrophic k.

neurotrophic k. 神経栄養性角膜炎（角膜の麻酔後に生じる角膜の炎症）．＝neuroparalytic k.

k. nummularis 貨幣状角膜炎，銭形角膜炎（直径が0.5—1.5 mm の貨幣形または円形の不連続な灰色混濁が，角膜の種々層にわたって分散している）．＝Dimmer k.

phlyctenular k. フリクテン性角膜炎（強角膜輪部付近のリンパ組織の小さい赤色結節(フリクテン)形成を伴う角膜に沿った結膜の炎症）．＝scrofulous k.

pneumococcal/suppurative k. 肺炎球菌性/化膿性角膜炎．＝serpiginous k.

polymorphic superficial k. 多形性表層角膜炎（飢餓の結果として起こる上皮性変性）.

k. profunda 深在(深部)角膜炎（後部角膜実質の炎症）．＝diffuse deep k.

punctate k., k. punctata 点状角膜炎．＝keratic *precipitates.*

sclerosing k. 硬化性角膜炎（強膜炎に合併する角膜の炎症．角膜実質の混濁を特徴とする）.

scrofulous k. 腺病性角膜炎．＝phlyctenular k.

serpiginous k. ほ行性角膜炎（重症のほ行性の角膜中央の化膿性潰瘍で，しばしば肺炎球菌によって引き起こされる）．＝pneumococcal/suppurative k.; serpent ulcer of cornea.

k. sicca ＝*keratoconjunctivitis* sicca.

superficial linear k. 表在〔性〕線状角膜炎（角膜の前境界板に上皮のびらんやひだを生じる特発性の，苦痛を伴う角膜炎）.

superficial punctate k. 表在〔性〕点状角膜炎（上皮性点状角膜炎，ウイルス性結膜炎と関係がある）．＝Thygeson disease.

trachomatous k. トラコーマ性角膜炎（→pannus; corneal *pannus*）.

vascular k. 血管性角膜炎（角膜の表層性細胞浸潤と，Bowman 膜と上皮との間の血管新生）.

vesicular k. 水疱性角膜炎（角膜上皮浮腫の融合を伴う角膜炎）.

xerotic k. 乾性角膜炎．＝keratomalacia.

kerato-, kerat- (ker′ă-tō, ker-at′) [G. *keras*, horn]. ***1*** 角膜を意味する連結形．***2*** 角質組織または角質細胞を意味する連結形．→cerat-; cerato-.

ker·a·to·ac·an·tho·ma (ker′ă-tō-ak′an-thō′mă) [kerato- + G. *akantha*, thorn + *-oma*, tumor]. 角化棘細胞腫（急速に発育する腫瘍で臍窩を有することがある．通常，年配の白人男性の皮膚の露出部に生じる．病変は真皮に及ぶが局所的であり，治療しない場合は自然消退する．顕微鏡的には小結節はよく分化した扁平上皮からなり，中央に角質塊があって皮膚表面に開口している）.

ker·a·to·an·gi·o·ma (ker′ă-tō-an′jē-ō′mă). 角化血管腫．＝angiokeratoma.

ker·a·to·cele (ker′ă-tō-sēl′) [kerato- + G. *kēlē*, hernia]. 角膜瘤（角膜外層の欠損部よりの角膜後境界板の脱出）.

ker·a·to·con·junc·ti·vi·tis (ker′ă-tō-kon-jŭngk′ti-vī′-tis). 角結膜炎（結膜と角膜の炎症）.

atopic k. 萎縮性角結膜炎（アトピー既往患者における結膜の慢性の乳頭性炎症）.

epidemic k. 流行性角結膜炎（角膜上皮下の細胞浸潤を伴う沪胞性結膜炎．アデノウイルス8型により生じるが，他の型では少ない）．＝virus k.

flash k. ＝ultraviolet k.

herpetic k. ＝herpetic *keratitis.*

microsporidian k. ミクロスポリジア角膜炎（免疫抑制された人々，エイズなどに侵された人たちに時々発生する角膜炎）.

k. sicca 乾性角結膜炎（涙液の減少を伴う角結膜炎．→Sjögren *syndrome*）．＝dry eye syndrome; keratitis sicca.

superior limbic k. 上輪部角結膜炎（上方の強角膜輪部での炎症性浮腫）.

ultraviolet k. 紫外線角結膜炎（強い紫外線の照射を受けたために起こる急性角結膜炎）．＝actinic conjunctivitis; arc-flash conjunctivitis; flash k.; ophthalmia nivalis; snow conjunctivitis; welder's conjunctivitis.

vernal k. 春季カタル．＝vernal *conjunctivitis.*

virus k. ウイルス性角結膜炎．＝epidemic k.

ker·a·to·co·nus (ker′ă-tō-kō′nŭs) [kerato- + G. *kōnos*, cone][MIM*148300]. 円錐角膜（基質の菲薄化による角膜中央の円錐形の突出で，通常は両眼性. →Fleischer *ring*; Munson *sign*）. =conic cornea.

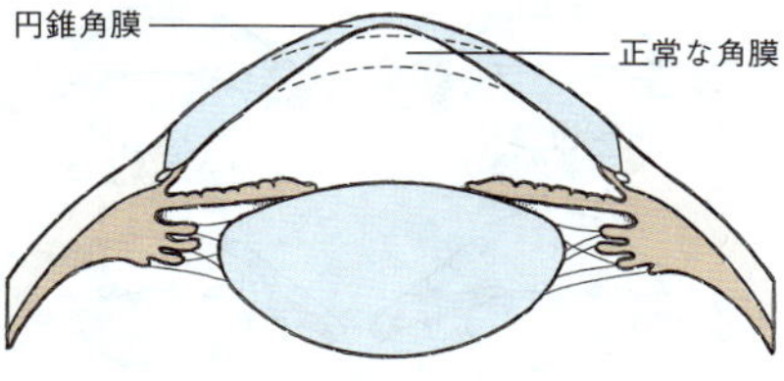

keratoconus

circumscribed posterior k. 円形後部円錐角膜（角膜後面のクレーター状欠損を特徴とする先天性角膜疾患）.

ker·a·to·cri·coid (ker′ă-tō-krī′koyd). =ceratocricoid.

ker·a·to·cyst (ker′ă-tō-sist). 角化嚢胞（歯堤残遺由来の歯原性嚢胞で，単胞性または多胞性のX線透過像を示し，顎骨の膨隆を認めることもある．この嚢胞を裏装している上皮は一様の厚さで，表層は波状の錯角化を呈し，基底層には円柱細胞の柵状配列を認める．二分肋骨を呈する基底細胞母斑症候群と関連している）.

odontogenic k. 歯原性角化嚢胞（歯堤由来の嚢胞．再発しやすく，波状に錯角化した表面，一様に薄い上皮，柵状に配列した基底層など，明らかな組織学的特徴を有する．基底細胞母斑症候群の一徴候）.

ker·a·to·cyte (ker′ă-tō-sīt). 角膜実質細胞（角膜の線維芽細胞の基質細胞）.

ker·a·to·der·ma (ker′ă-tō-der′mă) [kerato- + G. *derma*, skin]. ***1*** 角皮（角質の表在性増殖）. ***2*** 角皮症（表皮角質層の広範囲にわたる肥厚）.

k. blennorrhagica =k. blennorrhagicum.

k. blennorrhagicum 膿漏性角皮症（Reiter 症候群にみられる散在性の厚い角化性皮膚病変(例えば，膿疱，痂皮)）. =k. blennorrhagica; keratosis blennorrhagica.

lymphedematous k. リンパ浮腫性角皮症. =mossy *foot*.

mutilating k. [MIM*124500]. 断節性角皮症（四肢のびまん性角化症で，小児期に中指骨あるいは中趾骨の周りに線維性の絞扼輪を生じるもの．それより末梢が自然に脱落することがある．先天性の難聴を伴うこともある．常染色体優性遺伝．第1染色体長腕のロリクリン遺伝子(*LOR*)の変異による．ロリクリンは表皮の分化に関係している一群の物質の1つである）. =keratoma hereditarium mutilans; Vohwinkel syndrome.

k. palmare et plantare =palmoplantar k.

palmoplantar k. [MIM*148600, *244850]. 掌蹠角皮症（手掌・足蹠のびまん性あるいは限局性の対側性角質増殖．外胚葉性形成異常の1つで，種々のものが含まれる．常染色体優性あるいは劣性遺伝）. =ichthyosis palmaris et plantaris; k. palmare et plantare; k. symmetrica; keratoma plantare sulcatum; keratosis palmaris et plantaris; tylosis palmaris et plantaris.

k. plantare sulcatum 裂溝性足蹠角皮症（足底の角質増殖と裂溝形成）. =cracked heel.

punctate k. [MIM*175860]. 点状角皮症（手掌，足蹠，指趾に角化性丘疹が多発するもので，中心に(角)栓が生じる．通常，黒人にみられる．常染色体優性遺伝）. =keratoma disseminatum; keratosis punctata.

senile k. 老年(老人)性角皮症. =actinic *keratosis*.

k. symmetrica 対側性角皮症. =palmoplantar k.

type III punctate palmoplantar k. III型掌蹠点状角化症. =acrokeratoelastoidosis.

ker·a·to·der·ma·ti·tis (ker′ă-tō-der′mă-tī′tis) [kerato- + G. *derma*, skin + *-itis*, inflammation]. 角質皮膚炎，皮膚角質層炎（皮膚角質層の増殖を伴う炎症）.

ker·a·to·ec·ta·si·a (ker′ă-tō-ek-tā′zē-ă). 角膜拡張症（角膜の前方への隆起）. =corneal ectasia; keratectasia.

ker·a·to·e·las·toid·o·sis (ker′ă-tō-ē-las′toy-dō′sis) [kerato- + Mod. L. *elasticus*, elastic < G. *elastikos*, propulsive < *elaunō*, to drive + *eidos*, resemblance + *-ōsis*, condition]. 角化性類弾性線維症（真皮弾性組織の変性を伴う角化性疾患. →acrokeratoelastoidosis）.

k. marginalis [L. marginal]. 輪郭状角化性類弾性線維症（高齢者の手掌と手背の境界部に沿って線状配列をとる丘疹としてみられる．組織学的には角質増殖と日光性弾性線維変性像を認める）.

ker·a·to·ep·i·the·li·o·plas·ty (ker′ă-tō-ep′i-thē′lē-ō-plas′tē) [kerato- + epithelio- + G. *plastos*, formed]. 角膜上皮形成術（遷延性角膜上皮欠損の修復に対する手術的方法．レシピエントの角膜上皮を除去し，上皮を保持したドナー角膜小片を角膜輪部に移植する．ドナー角膜の上皮が増殖し，レシピエント角膜を被覆するべく伸展する）.

ker·a·to·gen·e·sis (ker′ă-tō-jen′ĕ-sis) [kerato- + G. *genesis*, production]. 角質形成（角質細胞あるいは角質組織の産生または生成）.

ker·a·to·ge·net·ic (ker′ă-tō-jĕ-net′ik). 角質形成の.

ker·a·tog·e·nous (ker′ă-toj′ĕ-nŭs). 角質形成〔性〕の（ケラチンを産生し，指爪，鱗屑，羽毛などの角質組織を形成する細胞を増殖させることについていう）.

ker·a·to·glo·bus (ker′ă-tō-glō′bŭs) [kerato- + L. *globus*, ball]. 球状角膜（前眼部が拡大する先天異常）. =anterior megalophthalmos; megalocornea.

ker·a·tog·ra·phy (ker′ă-tog′ra-fē) [kerato- + G. *graphō*, to write]. ケラトグラフィ（角膜の形状の記録または表現. →photokeratoscope; videokeratoscope）.

ker·a·to·hy·al (ker′ă-tō-hī′ăl). =ceratohyal.

ker·a·to·hy·a·lin (ker′ă-tō-hī′ă-lin) [kerato- + hyalin]. ケラトヒアリン（表皮顆粒層の好塩基性顆粒中にある物質．プロリンとスルフヒドリル基に富む）.

ker·a·toid (ker′ă-toyd) [kerato- + G. *eidos*, resemblance]. 角膜組織様の.

ker·a·to·lep·tyn·sis (ker′ă-tō-lep-tin′sis) [kerato- + G. *leptynsis*, a making thin]. ケラトレプティンシス，角膜削り術（①=gutter *dystrophy* of cornea. ②整容的理由で角膜の表面を除去し球結膜を移動する手術）.

ker·a·to·leu·ko·ma (ker′ă-tō-lū-kō′mă) [kerato- + G. *leukos*, white + *-ōma*, growth]. 角膜白斑，角膜白色混濁.

ker·a·tol·y·sis (ker′ă-tol′i-sis) [kerato- + G. *lysis*, loosening]. **[誤った発音 keratoly′sis を避けること]**. ***1*** 角質溶解（表皮角質層の剝離）. ***2*** 表皮剝離（特に表皮の脱落が多少規則的な間隔で反復することを特徴とする疾患）. =deciduous skin.

k. exfoliativa [MIM*270300]. 剝脱性表皮剝離（家族性に生じる非炎症性の持続性の表皮剝脱で，角質層が葉状鱗屑となって剝離することを特徴とする．手掌，足底を除く全身に生じる．常染色体劣性遺伝）. =erythema exfoliativa.

k. exfoliativa congenita 先天性剝脱性表皮剝離症（手掌足底の表在性剝脱性皮膚症．針頭大の白色斑として始まり，次第に周囲へと拡大し，炎症を伴わずに円形の薄い落屑を形成する）. =lamellar dyshidrosis; recurrent palmar peeling.

pitted k. 陥凹性角質溶解（足底表面の非炎症性のグラム陽性の細菌感染症で，角質層に小陥凹を生じる．しばしば湿気と多汗に関連する）. =k. plantare sulcatum.

k. plantare sulcatum =pitted k.

ker·a·to·lyt·ic (ker′ă-tō-lit′ik). 角質溶解性の，表皮剝離性の.

ker·a·to·ma (ker′ă-tō′mă) [kerato- + G. *-oma*, tumor]. ***1*** 角化腫. =callosity. ***2*** 角質性腫瘍.

k. disseminatum 播種状角化腫. =punctate *keratoderma*.

k. hereditarium mutilans 断節性遺伝性角化腫. =mutilating *keratoderma*.

k. plantare sulcatum =palmoplantar *keratoderma*.

senile k. 老年(老人)性角化腫. =actinic *keratosis*.

ker·a·to·ma·la·ci·a (ker′ă-tō-mă-lā′shē-ă) [kerato- + G. *malakia*, softness]. 角膜軟化〔症〕（角膜の潰瘍形成と穿孔を伴う乾燥状態で，炎症反応はなく，悪液質の小児に起こる．重度のビタミンA欠乏症から起こる）. =xerotic keratitis.

ker·a·tome (ker′ă-tōm). 角膜切開刀，槍状刀（角膜を切るために用いるナイフ）. =keratotome.

ker·a·tom·e·ter (ker′ă-tom′ĕ-tĕr) [kerato- + G. *metron*, measure]. 角膜〔曲率〕計（角膜前部表面の曲率を測定する器械）. ＝ophthalmometer.

ker·a·tom·e·try (ker′ă-tom′ĕ-trē). 角膜曲率測定〔法〕（角膜曲率を測定する方法）.

ker·a·to·mi·leu·sis (ker′ă-tō-mī-lū′sis)［恐らく造語＜G. *keras*(*kerat-*), horn, cornea + *smileusis*, carving］. 角膜曲率形成〔術〕（角膜深層の形状を変化させることにより屈折異常を変化させる手術．角膜前面を切除して冷凍し，旋盤上でその後面カーブを形成する．角膜実質は基底部をレーザーまたはナイフで切除されることもある）.

laser-assisted epithelial k. (**LASEK**) レーザー上皮角膜切除術（角膜上皮フラップ形成，角膜実質のエキシマレーザー切除，およびフラップ復位による屈折矯正手術．註 LASEK は laser-assisted subepithelial kevatomileusis(レーザー上皮下角膜切除術)として日眼用語集に収載）.

laser-assisted in situ k. (**LASIK**) レーザー角膜内切削形成〔術〕（近視矯正のための屈折手術．角膜フラップを作製し，角膜実質のエキシマレーザー excimer *laser* 切除後，角膜フラップを元の位置に戻す方法）.

ker·a·to·my·co·sis (ker′ă-tō-mī-kō′sis). 角膜真菌症（角膜の真菌感染）.

ker·a·to·no·sis (ker′ă-tō-nō′sis)［kerato- + G. *-osis*, condition］. 表皮角層異常，角化異常（皮膚角質層の非炎症性の，通常，肥厚性の病変）.

ker·a·to·pach·y·der·ma (ker′ă-tō-pak′i-der′mă)［kerato- + G. *pachys*, thick + *derma*, skin］. 角化厚皮症（小児期に生じる，手掌，足底，肘，および膝の皮膚の角質増殖症と，指の帯状の拘縮とを伴った先天性難聴の症候群）.

ker·a·to·path·i·a (ker′ă-tō-path′ē-ă). 角膜症. ＝keratopathy.

k. guttata 滴状角膜症（角膜後面の瘤状内皮細胞の隆起）.

ker·a·top·a·thy (ker′ă-top′ă-thē)［kerato- + G. *pathos*, suffering, disease］. 角膜症（機能的障害または異常を有する角膜疾患）. ＝keratopathia.

band-shaped k. 帯状角膜症（角膜瞼裂間に生じる水平灰色混濁で，輪部から始まり中心に向かい進行する．高カルシウム血症，慢性虹彩毛様体炎，Still 病に起こる）.

bullous k. 水疱性角膜症（角膜の実質と上皮の浮腫．Fuchs 角膜上皮変性症，進行した緑内障，および虹彩毛様体炎，ときに眼内レンズ移植術後に起こる）.

chronic actinic k. ＝climatic k.

climatic k. 気候性角膜症（極度の熱または寒冷に長時間さらされることにより起こる両眼性，対称性角膜ジストロフィ．結節性混濁は瞼裂域に限局し，視力は軽く侵されるのみである）. ＝chronic actinic k.; climatic droplike k.; Labrador k.; spheroidal degeneration.

climatic droplike k. 気候性滴状角膜症. ＝climatic k.

filamentary k. 糸状角膜症（炎症，浮腫，変性疾患において，角膜上皮が細い伸展物を形成すること）.

infectious crystalline k. 感染性クリスタリン(結晶状)角膜症（α 溶連菌感染 α-hemolytic *streptococci*（⇒streptococcus）を主体とする細菌性角膜炎でみられるシダ状の針状沈着）.

Labrador k. ラブラドール角膜症. ＝climatic k.

lipid k. 脂肪性角膜症（角膜の血管新生があった部位に脂質が現れること）.

neuroparalytic k. 神経麻痺性角膜炎（三叉神経の眼神経分枝の障害に伴う角膜の炎症や潰瘍）.

striate k. 線状角膜症（十字模様の線状混濁の形成を示す角膜実質の浮腫）.

vesicular k. 小胞性角膜症（角膜の上皮性浮腫で，液胞の形成を伴う）.

ker·a·to·phak·i·a (ker′ă-tō-fak′ē-ă)［kerato- + G. *phakos*, lens］. ケラトファキア（屈折異常の矯正を目的とした角膜実質内への提供移植角膜片またはプラスチックレンズの移植）. ＝keratophakic keratoplasty.

ker·a·to·plas·i·a (ker′a-to-plā′zē-ă)［kerato- + G. *plassō*, to fashion］. 角質形成（角層の形成または再生）.

ker·a·to·plas·ty (ker′ă-tō-plas′tē)［kerato- + G. *plassō*, to form］. 角膜移植〔術〕（角膜の手術的矯正法．角膜の混濁を含む部分を除去し，その場所に同じ大きさ，形の角膜を他から移植すること）. ＝corneal graft; corneal transplantation; corneal trepanation; trepanation of cornea; transplantation of cornea.

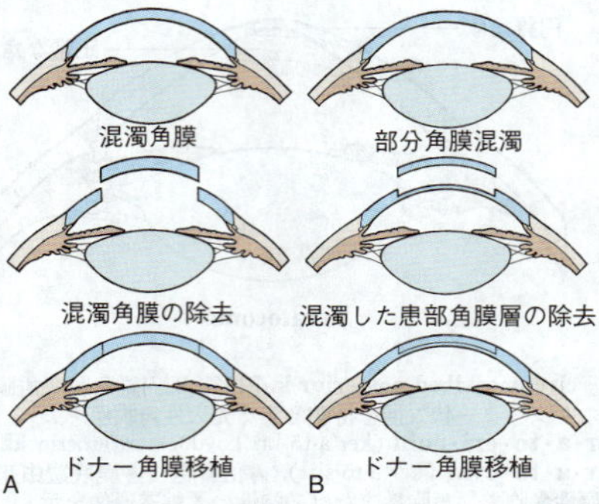

full and partial corneal transplantation

A：全層角膜移植．全層(7−8mm直径)円板状にホスト角膜から除去され，ドナーからのホスト角膜に合致するサイズの全層角膜で置換される．

B：表層角膜移植．ホスト眼から実質の一部と内皮細胞全体を残して角膜の表層が除去される．

allopathic k. 人工角膜移植（ガラス，プラスチック，その他不活性物質を提供材料とした角膜移植）.

autogenous k. 自己角膜移植（同じ個体からの提供材料を用いる角膜移植）.

conductive k. 熱伝導角膜形成術（高周波プローブを角膜周辺にあて，周辺部角膜を熱凝固し，角膜中央の曲率を増加し，遠視を矯正する角膜屈折矯正術）.

deep lamellar endothelial k. (**DLEK**) 深層層状角膜内皮移植術（角膜の内層のみを移植する術式）.

epikeratophakic k. エピケラトファキア角膜移植. ＝epikeratophakia.

heterogenous k. 異種角膜移植（他の種属からの提供材料を用いる角膜移植）.

homogenous k. 同種角膜移植（同一種属の他の個体からの提供材料を用いる角膜移植）.

keratophakic k. ケラトファキア角膜移植. ＝keratophakia.

lamellar k., layered k. 層状角膜移植. ＝nonpenetrating k.

laser-assisted epithelial k. (**LASEK**) レーザー角膜上皮形成術（角膜上皮層を除去し，設定屈折矯正に対応するエキシマレーザーで角膜実質を切除する屈折矯正手術．上皮層はその後復位される．註 LASEK の略語は日本では現在使用されていない）.

nonpenetrating k. 非全層角膜移植術（角膜の前層のみ使用される角膜移植(形成的な角膜移植ではない)）. ＝lamellar k.; layered k.

optic k. 視力補充角膜移植（視力を障害する白斑または瘢痕の部分への，透明な角膜組織の移植）.

penetrating k. 全層角膜移植（角膜の全層を置換するが周辺部角膜は残しておく角膜移植）. ＝perforating k.

perforating k. 全層角膜移植. ＝penetrating k.

refractive k. 屈折矯正角膜形成術（角膜形状を変化させて屈折異常の矯正を目的とした術式．角膜が扁平化した場合，近視は減弱する．→photorefractive *keratectomy*; keratophakia; lamellar k.; thermokeratoplasty; keratomileusis; radial *keratotomy*）. ＝keratorefractive surgery.

tectonic k. へい被角膜移植（欠損した角膜組織を取り替えるための角膜移植術）.

total k. 全角膜移植（全角膜が除去され置換される角膜移植）.

ker·a·to·pros·the·sis (ker′ă-tō-pros-thē′sis) [kerato- + G. *prosthesis*, addition]. 人工角膜移植〔術〕(混濁した角膜の中央部分を合成樹脂で置き換えること).

ker·a·to·rhex·is, ker·a·tor·rhex·is (ker′ă-tō-rek′sis) [kerato- + G. *rhexis*, a bursting]. 角膜破裂 (外傷または穿孔性潰瘍による角膜破裂).

ker·a·to·rus (ker′a-tō′rŭs) [kerat- + L. *torus*, swelling, knot, bulge]. 角膜膨隆 (高度な近視性正乱視に伴う円天井様の角膜突出).

ker·a·to·scle·ri·tis (ker′ă-tō-sklĕ-rī′tis). 角膜強膜炎.

ker·a·to·scope (ker′ă-tō-skōp′) [kerato- + G. *skopeō*, to examine]. 角膜鏡 (角膜反射像が観察できるように線または円輪を記した器械). = Placido da Costa disc.

ker·a·tos·co·py (ker′ă-tos′kŏ-pē) [kerato- + G. *skopeō*, to examine]. *1* 角膜検影法, 角膜鏡検査〔法〕(角膜乱視の性質およびその程度を測定するために角膜前面からの反射を調べる検査). *2* Cuignet の検影法に対して彼が最初に用いた語.

ker·a·to·sis, pl. **ker·a·to·ses** (ker′ă-tō′sis, -sēz) [kerato- + G. *-osis*, condition]. 角化症 (角質層の限局性発育過剰を特徴とする表皮の病変).

actinic k. 光線〔性〕角化症, 日光〔性〕角化症 (色白の高齢者の顔面や手の露光部に生じる前癌性のいぼ状病変. 角質増殖が強いと皮角を形成することがある. また治療をしていない患者では低頻度ではあるが悪性度の低い有棘細胞(扁平上皮)癌を生じることがある). = senile keratoderma; senile keratoma; senile k.; k. senilis; senile wart; solar k.; verruca plana senilis; verruca senilis.

arsenical k. ヒ素〔性〕角化症 (多発性点状角化症で, 手掌, 足底に最も好発するが, 指および四肢の近位側にもみられ, 長期にわたるヒ素摂取によるものである. 組織上は Bowen 病に類似し, そして有棘細胞癌または基底細胞癌へと変化することがある).

k. blennorrhagica 膿漏性角化症. = *keratoderma* blennorrhagicum.

k. follicularis [MIM*124200]. 毛包性角化症 (常染色体優性遺伝, 通常は幼少期後半に発症し, 毛包および毛包間表皮由来の角化性丘疹が, 体幹, 顔面, 頭皮, 腋窩に生じ, 痂皮を付着したりいぼ状になったりするのが特徴. これはしばしばかゆみが激しい. 微視的には円形体とよばれる異常角化細胞が表皮内にみられる. しばしば縦状の爪帯がみられる). = Darier disease.

inverted follicular k. 反転性毛包(毛囊)角化症 (顔面の毛包漏斗部由来の単発の良性上皮性腫瘍で, 渦巻き状, らせん状に配列した角化した表皮有棘細胞の分葉状の下方への増殖からなる).

k. labialis 口唇角化症 (口唇の角質層の肥厚).

lichenoid k. 苔癬様角化症 (日光照射部または非照射部に生じる, 扁平苔癬類似の顕微鏡的特徴を有した, 孤発性良性の丘疹または斑). = lichen planus-like k.

lichen planus-like k. 扁平苔癬様角化症. = lichenoid k.

k. obturans 閉塞性角化症 (積層した上皮性の栓塞. 外耳道における上皮堆積). = laminated epithelial plug.

k. palmaris et plantaris = palmoplantar *keratoderma*.

k. pilaris [MIM*604093]. 毛孔角化症 (毛孔性苔癬. 毛孔一致性の角化性丘疹からなるありふれた良性の皮疹. 一般的に上下肢の伸側に生じる).

k. pilaris atrophicans faciei 顔面萎縮性毛包角化症 (まゆ毛の外部の紅斑と角質栓および毛包の破壊. 乳児初期に発症).

k. punctata = punctate *keratoderma*.

seborrheic k., k. seborrheica 脂漏性角化症 (表在性, 良性のいぼ状病変でしばしば色素沈着を伴い, 油脂性である. 角質嚢腫を囲む, 基底細胞に似た表皮細胞の増殖からなる. 通常, 20 代以降に生じる). = basal cell papilloma; seborrheic verruca.

senile k., k. senilis 老年(老人)性角化症. = actinic k.

solar k. 日光性角化症. = actinic k.

tar k. タール角化症 (タールやピッチに長時間繰り返し暴露されることによって生じる顔や手のいぼ状病変. また悪性化しうる角化棘細胞腫様病変として, ことに陰嚢に生じることがある).

ker·a·to·sul·fate (ker′ă-tō-sŭl′fāt). = keratan sulfate.

ker·a·to·tome (ker′ă-tō-tōm). 角膜切開刀, 槍状刀. = keratome.

ker·a·tot·o·my (ker′ă-tot′ŏ-mē) [kerato- + G. *tomē*, incision]. 角膜切開〔術〕(①角膜を通過する何らかの切開. ②角膜を平坦化させその屈折力を弱める部分的(非穿孔性)角膜切開術).

delimiting k. 限界角膜切開〔術〕(進行中の潰瘍の縁に沿って角膜を切開する方法).

radial k. 放射状角膜切開 (角膜透明部の放射状角膜切開. 近視矯正に用いられる角膜屈折矯正手術の一法).

refractive k. 屈折矯正角膜切開 (遠視, 近視, 乱視を軽減するための角膜切開による角膜曲率の矯正).

keraunoparalysis (ker-aw′nō-pă-ral′i-sis) [G. *keraunos*, thunderbolt + paralysis]. 電撃麻痺 (落雷により生じる麻痺).

ker·au·no·pa·thol·o·gy (kĕr′ă-nō-pa-thol′ō-jē) [G. *keraunos*, thunderbolt + pathology]. 電撃病理学 (落雷により生じる病理または損傷の研究).

ke·rau·no·pho·bi·a (kĕ-raw′nō-fō′bē-ă) [G. *keraunos*, thunderbolt + *phobos*, fear]. 雷恐怖〔症〕(雷やいなずまに対する病的な恐れ).

Kerck·ring (kerk′ring), Theodor. オランダ人解剖学者, 1640—1693. ⇀K. *center*, *folds*, *ossicle*, *valves*.

ke·ri·on (kē′rē-on) [G. *kērion*, honeycomb; a skin disease < *kēros*, beeswax]. 禿瘡 ([karyon と混同しないこと]. 毛髪の真菌感染を合併した肉芽腫性二次感染病変. 典型的には隆起浸潤性病変).

Ker·ley (ker′lē), Peter J. イングランド人放射線科医, 1900—1979. ⇀K. A *lines*, B *lines*, C *lines*.

Kerma (kĕr′ma). カーマ (kinetic energy released per unit mass の頭字語. 註非荷電粒子が物質内で反応を起こし生じる荷電粒子の初期運動エネルギーの総和を物質の質量で割った量).

air K. 空気カーマ (一定量の空気内のカーマ量で, 単位はグレイ(Gy). 300 キロ電子ボルト(keV)未満のX線では 1Gy = 100rad. 空気中では 114 レントゲン(R)の照射によって 1Gy の吸収線量となる).

ker·nel (ker′nĕl) [O.E. *cyrnel*, a little corn]. カーネル (CT で使われるような, 数学的アルゴリズムをソフトウエア記述する際の中心核となる部分).

ker·nic·ter·us (ker-nik′tĕr-ŭs) [Ger. *Kern*, kernel (nucleus) + *Ikterus*, jaundice]. 核黄疸 (非抱合型のビリルビンが高値になること, あるいは低出生体重の未熟児においては, より程度の軽いビリルビン血症でも生じる黄疸. 黄色色素沈着および変性病変がレンズ核, 視床下部, Ammon 角およびその他の領域を含む, 主に大脳基底核に認められる. これらは Rh あるいは ABO 不適合による赤芽球症や G6PD 欠損症などの溶血性疾患と同様に, 新生児敗血症や Crigler-Najjar 症候群において生じうる. 後弓反張, かん高い泣き声, 嗜眠傾向, 哺乳力低下とともに Moro 反射の異常または消失や眼球の上方凝視消失が初期の症状であり, その後難聴, 脳性麻痺, その他の感覚神経の欠損や精神遅滞などをきたす). = bilirubin encephalopathy; nuclear jaundice.

Ker·nig (ker′nig), Vladimir. ロシア人医師, 1840—1917. ⇀K. *sign*.

Kernohan (kĕr′nō-han), James W. 米国人病理学者, 1896—1981. ⇀K. *notch*.

ker·o·sene (ker′ō-sēn) [G. *keros*, wax + -ene]. 灯油 (主にメタン系の石油炭化水素の混合物. 石油の分留では 5 番目に得られる. ランプやストーブの燃料, 油落とし, 汚れ落としとして, また殺虫薬にも用いる. ヒトの皮膚が触れると刺激, かぶれを起こす. 吸入により頭痛, 眠気, 昏睡を起こし, えん下により刺激, 嘔吐, 下痢を起こす. 吐物を吸引すると肺炎を起こすので, 嘔吐は避けなければならない).

Kerr (ker), Harry Hyland. 米国人外科医, 1881—1963. ⇀Parker-K. *suture*.

Kes·ten·baum (kes′tĕn-bahm), Alfred. 米国人眼科医, 1890—1961. ⇀K. *number*, *procedure*, *sign*.

ke·tal (kē′tăl). ケタール; RC(OR′)(R″)OR‴ (水和したケトンの両方の水酸基をアルコールでエステル化してつくる).

ket·a·mine (kēt′ă-mēn). 塩酸ケタミン (緊張病, 強い痛覚

K

欠如，交感神経刺激促進を引き起こし，骨格筋弛緩作用がほとんどない，非経口的に投与される麻酔薬．副作用として，唾液分泌，ときに著しい身体違和感が特に成人に起こることがある．催幻覚作用をもつフェンサイクリジン(PCP)と化学的に類似している)．

ke·tan·ser·in (kēt-an′sĕr-in). ケタンセリン（抗高血圧作用をもつ特異的なセロトニン $5HT_2$–受容体拮抗薬で，セロトニンによる血小板凝集も低下させる．レイノー現象における攣縮の重症度と頻度を軽減させる)．

ke·tene (kē′tēn). ケテン（①CH_2=C=O.非常に反応的なアセチル化剤で，化学合成に用いる．②置換ケテンの総称)．

ke·ti·mine (kē′ta-mēn). ケチミン；R–N=C(R′)(R″)（アルジミンの互変異性体．多くの酵素触媒反応で生成される．例えばアミノトランスフェラーゼでみられる)．

keto- (kē′tō) [Ger.]. ケトン基からなる化合物を表す連結形．系統的命名法においてしばしば oxo- に置き換えられる．

ke·to ac·id (kē′tō as′id). ケト酸（酸基に加えてカルボニル基(–CO–)からなる酸．*α*–ケト酸は 2–オキソ酸である．例えば，ピルビン酸．*β*–ケト酸は3–オキソ酸である．例えば，アセト酢酸)．＝oxo acid.

α-**k. a. dehydrogenase** *α*–ケト酸デヒドロゲナーゼ（数種の明確な多酵素複合体の 1 つで，*α*–ケト酸，NAD^+，および補酵素Aからアシル CoA 誘導体，CO_2 および NADH の生成反応を触媒する．カエデシロップ尿症は，ミトコンドリアの分枝鎖 *α*–ケト酸デヒドロゲナーゼ複合体の数種の異なった遺伝性欠損から生じる)．

3-**ke·to·ac·id-CoA trans·fer·ase** (kē′tō as′id trans′fĕr-ās). 3–ケト酸 CoA トランスフェラーゼ．＝3-oxoacid-CoA transferase.

ke·to·ac·id·e·mi·a (kē′tō-as′i-dē′mē-ă). ケト酸血症．＝maple syrup urine *disease*.

ke·to·ac·i·d·o·sis (kē′tō-as′i-dō′sis). ケトアシドーシス（例えば糖尿病や飢餓時にみられるアシドーシスで，ケトン体の産生増加によって起こる)．

diabetic k. (**DKA**) 糖尿病性ケトアシドーシス（エネルギーのために貯蔵されていた脂肪が分解することにより血中にケトン体が蓄積した状態．糖尿病の合併症で，未治療のままだと昏睡や死亡に至る)．

ke·to·ac·i·du·ri·a (kē′tō-as′i-dyū′rē-ă). ケト酸尿〔症〕（ケトン酸が増加している尿を排泄する状態)．

branched chain k. ＝maple syrup urine *disease*.

β-**ke·to·ac·yl-ACP re·duc·tase** (kē′tō-as′il rē-dŭk′tās). ＝3-oxoacyl-ACP reductase.

β-**ke·to·ac·yl-ACP syn·thase** (kē′tō-as′il sin′thās). ＝3-oxoacyl-ACP synthase.

3-**ke·to·ac·yl-CoA thi·o·lase** (kē′tō-as′il thī′ō-lās). 3–ケトアシル CoA チオラーゼ．＝*acetyl-CoA* acyltransferase.

2-**ke·to·a·dip·ic ac·id** (kē′tō-a-dip′ik as′id). 2–ケトアジピン酸（L–トリプトファンと L–リシンとの異化の中間体．2–ケトアジピン酸はある遺伝性疾患で蓄積するが，*α*–ケトアジピン酸デヒドロゲナーゼ複合体の蛋白の 1 つの欠損によるとみられる)．＝2-oxoadipic acid; 2-oxohexanedioic acid.

2-**k. a. dehydrogenase complex** 2–ケトアジピン酸デヒドロゲナーゼ複合体（多酵素複合体で L–リシンおよび L–トリプトファンの異化において，2–ケトアジピン酸が CoA と NAD^+ とにより，グルタリル CoA，CO_2，NADH + H^+ を生成する反応を触媒する．この複合体の蛋白の 1 つの欠損により，2–ケトアジピン酸血症になる)．

2-**ke·to·a·dip·ic ac·i·de·mi·a** (kē′tō-ă-dip′ik as′i-dē′-mē-ă). 2–ケトアジピン酸性酸血症（血清中に 2–ケトアジピン酸が上昇した状態)．

α-**ke·to·de·car·box·y·lase** (kē′tō-dē′kar-boks′i-lās). *α*–ケトデカルボキシラーゼ（NAD^+ を NADH に還元し，リポアミドとチアミンピロリン酸塩の関与により，ピルビン酸(2–オキソ酸)をアセチル CoA と CO_2 に変える酵素を以前は意味した．現在では，少なくとも 3 つの一連の酵素，すなわちピルビン酸デヒドロゲナーゼ，ジヒドロリポアミドアセチルトランスフェラーゼ，ジヒドロリポアミドデヒドロゲナーゼが関与していることが知られている．*cf. pyruvate* dehydrogenase (lipoamide))．

ke·to·gen·e·sis (kē′tō-jen′ĕ-sis). ケトン体生成（ケトンまたはケトン体の代謝による生成)．

ke·to·gen·ic (kē-tō-jen′ik). ケトン体生成の（物質代謝でケトン体を生成することについていう)．

α-**ke·to·glu·tar·am·ic ac·id** (kē′tō-glū-tār′am-ik as′id). *α*–ケトグルタルアミド酸（グルタミンアミノトランスフェラーゼの作用によって生成したグルタミンの代謝物．ある種の肝性昏睡で上昇がみられる)．＝2-oxoglutaric acid.

α-**ke·to·glu·tar·ate** (kē′tō-glū-tār′āt). *α*–ケトグルタレート（*α*–ケトグルタル酸の塩またはエステル)．

α-**k. dehydrogenase** *α*–ケトグルタル酸デヒドロゲナーゼ（2–ケトグルタル酸からスクシニルジヒドロリポ酸への酸化的脱炭酸反応を触媒する酵素．そのスクシニル基は CoA へ転移され，環元型リポ酸は NAD^+ によって酸化される．トリカルボン酸回路の一部分として働く複合体である)．＝2-oxoglutarate dehydrogenase; *α*-ketoglutarate dehydrogenase complex.

ke·to·hep·tose (kē′tō-hep′tōs). ケトヘプトース，ケト七炭糖（ケトン基をもつヘプトース)．＝heptulose.

ke·to·hex·ose (kē′tō-heks′ōs). ケトヘキソース（ケトン基を有する六炭糖．例えばフルクトース)．＝hexulose.

β-**ke·to·hy·dro·gen·ase** (kē′tō-hī-drō′jen-ās). *β*–ケトヒドロゲナーゼ．＝3-hydroxyacyl-CoA dehydrogenase.

ke·to·hy·drox·y·es·trin (kē′tō-hī-drok′sē-es′trin). ケトヒドロキシエストリン．＝estrone.

ke·tol (kē′tol). ケトール（CO 基に近接した OH 基をもつケトン．*α*–ケトールにおいて OH 基は CO 基の炭素原子と結合した炭素原子と結合している．*β*–ケトールにおいては 1 個の炭素原子が存在する)．

ke·tole (kē′tōl). ケトール．＝indole (1).

ke·tole group (kē′tōl grūp). ケトール基（2–ケトースの第 1 位，2 位の炭素を含む官能基($HOCH_2CO$–)．D–キシロース 5–リン酸からアルドースの C–1 へのケトール基の転移は，炭水化物を含む種々の代謝過程において重要である(例えば，光合成，Dickens 経路)．2 個の炭素単位体は *α*,*β*–ジヒドロキシエチルチアミンピロリン酸塩として転移される)．

ketolide (kē-tō-līdz′). ケトライド（マクロライド系抗生物質に類似する抗菌薬分類の 1 つ)．

ke·to·lyt·ic (kē′tō-lit′ik). ケトン体分解の，アセトン体分解の（ケトンまたはアセトン物質の溶解を起こすことについていう．通常はグルコースの酸化生成物およびその同類物質に関して用いる)．

ke·tone (kē′tōn). ケトン（カルボニル基(C=O)の炭素原子が 2 個の炭素原子と結合している有機化合物の一群．最も単純なケトンで医学上での最も重要なものはジメチルケトン(アセトン)である)．

ke·tone al·co·hol (kē′tōn al′kŏ-hōl). ケトンアルコール（水酸基とともにカルボニル基またはケトン基(–CO–)をもつ化合物，例えばジヒドロキシアセトンがある)．

ke·tone-al·de·hyde mu·tase (kē′tōn al′dĕ-hīd myū′tās). ケトンアルデヒドムターゼ．＝lactoylglutathione lyase.

ke·to·ne·mi·a (kē′tō-nē′mē-ă) [ketone + G. *haima*, blood]. ケトン血〔症〕（血漿中に測定可能な濃度のケトン体が存在する状態)．

ke·ton·ic (kē-tōn′ik). ケトン化合物の．

ke·to·ni·za·tion (kē′tō-ni-zā′shŭn). ケトン化（ケトンに変わること)．

ke·to·nu·ri·a (kē′tō-nyū′rē-ă). ケトン尿〔症〕（ケトン体の尿中排泄が増加する状態)．

branched chain k. ＝maple syrup urine *disease*.

ke·to·pan·to·ic ac·id (kē′tō-pan-tō′ik as′id). ケトパントイン酸（パントイン酸の酸化前駆体．*α*–ケトイソ吉草酸とパントテン酸の間の合成経路上の中間体)．

ke·to·pen·tose (kē′tō-pen′tōs). ケトペントース（五炭糖で，その中の第 2 位，3 位，または 4 位の炭素がカルボニル基を形成する．例えばリブロースなど)．

β-**ke·to·re·duc·tase** (kē′tō-rē-dŭk′tās). *β*–ケトレダクターゼ．＝3-hydroxyacyl-CoA dehydrogenase.

ke·tose (kē′tōs). ケトース（ケトンに特徴的な基であるカルボニル基をもつ炭水化物．すなわち，ポリヒドロキシケトン(例えば，フルクトース，リブロース，セドヘプツロース)．天然由来のケトースのほとんどは C2 位にカルボニル基をもつ)．

ke·tose-1-phos·phate al·dol·ase (kē′tōs-fos′fāt al′doldās). ケトース-1-リン酸アルドラーゼ. ＝fructose-bisphosphate aldolase.

ke•tose re•duc•tase (kē′tōs rē-dŭk′tās). ケトースレダクターゼ. ＝D-sorbitol-6-phosphate dehydrogenase.

ke•to•sis (kē-tō′sis) [ketone + *-osis*, condition]. ケトーシス，ケトン症（ケトン体産生の増加を特徴とする状態で，糖尿病や飢餓時などにみられる）.

bovine k. ウシのケトン症（一般に分娩後2，3週間で起こるウシの代謝障害．低血糖，ケトン血症，ケトン尿，食欲喪失，嗜眠，乳分泌の喪失，急速なるいそうを特徴とする）.

17-ke•to•ste•roids (17-KS) (kē′tō-stēr′oydz). 17-ケトステロイド（名目上は，C-17位にケトン基をもつステロイド．一般的にはこの構造的特徴を有する男性ホルモンおよび副腎皮質ホルモンの尿中にある C_{19} ステロイド代謝産物を意味する）. ＝17-oxosteroids.

α-ke•to•suc•ci•nam•ic ac•id (kē′tō-sŭk′si-nam′ik as′id). α-ケトスクシナミン酸（アスパラギンのアミノ基転移産物．ω-アミダーゼによって作用を受ける）.

ke•to•suc•ci•nic ac•id (kē-tō-sŭk′si-nik). ケトコハク酸. ＝oxaloacetic acid.

ke•to•su•ri•a (kē′tō-syū′rē-ă′). ケトン尿〔症〕（尿中にケトン体が存在すること）.

ke•to•tet•rose (kē′tō-tet′rōs). ケトテトロース（ケトン基をもつ四炭糖．例えば，エリトルロース）.

β-ke•to•thi•o•lase (kē′tō-thī′ō-lās). β-ケトチオラーゼ. ＝*acetyl-CoA* acyltransferase.

ke•tot•ic (kē-tot′ik). ケトン性の（ケトン体に関連した．コントロール不良の1型糖尿病で，ケトン体産生過剰のためアシドーシスになっているような状態をいう）.

ke•to•tri•ose (kē′tō-trī′ōs). ケトトリオース（ケトン基をもつ三炭糖．すなわちジヒドロキシアセトン）.

Kety (kē′tē), Seymour S. 米国人神経科医，1915 — 2000. → Kety-Schmidt *method*.

keV キロ電子ボルト（kiloelectron volts の略．放射線診断や核医学においてエネルギーを表す単位．1ボルトの電位差間で電子が得る運動エネルギーに等しい．註 SI 単位ではないが，特別な分野に限って他の SI 単位との併用が認められている）.

Key (kē), Ernst A.H. スウェーデン人解剖学者・医師，1832 —1901. → *foramen* of K.-Retzius; *sheath* of K. and Retzius.

key•way (kē′wā). 歯科において，ぴったり符合する2つのもののうち凹型のほうをいう. → keyway *attachment*.

kg kilogram の略.

khat (kot). カート（ニシキギ科 *Catha edulis* の低木の軟らかい新鮮な部分の地方名）. ＝African tea; Arabian tea.

khel•lin (kel′in) [Ar. *khella*]. ケリン（近東に生育するセリ科植物アンミ *Ammi visnaga* の抽出物の活性成分．狭心症，ぜん息の治療に用いる）.

KHN Knoop hardness *number* の略.

Ki 67 合成期にある細胞を認識する抗体で，免疫ペルオキシダーゼ法を用いて標識し腫瘍増殖能の指標として用いられる.

kick (kik). キック，刺激（盛んな機械的刺激）.

atrial k. 心房性収縮（前負荷を急増させて心室の駆出能率を高めるため心室収縮の駆出の直前に心房収縮することによる左心室圧の上昇）.

idioventricular k. 特発性心室刺激（最初に収縮する心室線維の収縮性が増強している状態で，後に収縮する線維を伸張することによりその収縮力を強める）.

Kidd blood group (kid blŭd grūp). キッド血液型（付録 Blood Groups 参照）.

kid•ney (kid′nē) [A.S. *cwith*, womb, belly + *neere*, kidney (L. *ren*, G. *nephros*)]. 腎〔臓〕（尿を排泄する臓器で，2つある．代謝で窒素老廃物を排出し，重要な電解質と水を再吸収する．血圧調節（レニン-アンギオテンシン系）と赤血球生成（エリトロポイエチン産生を経て）に関与する．ソラマメの形をした臓器（長さが約11 cm，幅が約5 cm，厚さが約3 cm）で，脊髄の両側，腹膜の後ろ，第十二胸椎および上部三腰椎にわたる位置にある．各種動物において，腎臓の大きさや位置は様々である）. ＝nephros; ren[TA].

amyloid k. アミロイド腎（アミロイド症が起きている状態．通常，多発性骨髄腫，結核，骨髄炎などの慢性疾患，ま

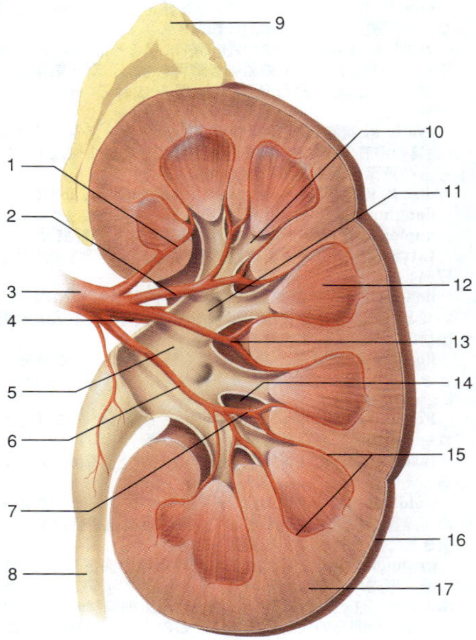

kidney

1：腎上区動脈．2：腎上前区動脈．3：腎動脈．4：腎後区動脈．5：腎盂．6：腎下区動脈．7：葉間動脈．8：尿管．9：副腎．10：小腎杯．11：大腎杯．12：髄質（錐体）．13：腎下前区動脈．14：腎洞．15：腎弓状動脈．16：被膜．17：皮質．

たは他の慢性化膿性炎症と関連がある．その場合，腎臓は中程度に腫脹し，肉眼的にろう様を呈する．アミロイドは糸球体わなと細動脈の内皮下に沈着し，明らかに基底膜肥厚病巣の始まりである）. ＝waxy k.

Armanni-Ebstein k. (ahr-mah′nē eb′stīn). アルマニ-エブスタイン腎（尿細管わなの糖原空胞化で，インスリンが用いられる以前の糖尿病患者にみられた）. ＝Armanni-Ebstein change.

arteriolosclerotic k. 細動脈硬化腎（細動脈の硬化のある腎臓，すなわち長期の良性の高血圧症から起こる細動脈腎硬化症．腎臓は淡赤褐色または灰色を呈し，中等度に縮小する．正常腎より硬い．皮膜表面は均等で微細な顆粒状を呈する．多くの細動脈は肥厚，ヒアリン化し，その結果，様々な程度に管腔狭窄，虚血，間質性組織の線維化を起こす．皮質の均等な収縮化をきたす）.

arteriosclerotic k. 動脈硬化腎（細動脈より大きい動脈の硬化を呈する腎臓．通常，腎臓の有意な縮小はみられないが正常腎と比べて蒼白色を呈する．皮膜表面には数個の，円錐形で，比較的深部に達するV形の瘢痕がみられる．これは病変血管の領域の線維症，虚血性萎縮によって生じたものである）.

artificial k. 人工腎〔臓〕. ＝hemodialyzer.

Ask-Upmark k. (ask-ŭp′mark). アスク-アップマーク腎（真性腎低形成で，腎小葉が減少し表在腎皮質に深横溝をみる）.

atrophic k. 萎縮腎（循環不全またはネフロン欠損，あるいはその両方のために小さくなった腎臓）.

cake k. 菓子状腎（奇怪な形状の不規則に分葉化した器官で，通常は骨盤内の正中線上にあり，腎原基の融合により生じたもの）.

contracted k. 萎縮腎（汎発性に瘢痕化した腎臓で，比較的大量の異常線維組織，虚血性萎縮が中等度または高度の腎臓の大きさの縮小をまねく．細動脈萎縮腎，慢性糸球体腎炎

K

においてみられるもの).

cow k. 牛腎(異常に多数の小腎杯を有する腎臓．正常なウシの腎臓の解剖学的構造に類似する).

crush k. 挫傷腎(筋肉の挫傷後に起こる急性乏尿症性腎不全．腎臓は低酸素性の尿細管障害を示し，腎尿細管内にはミオグロビンを含む色素円柱がみられる.→ crush *syndrome*).

cystic k. 嚢胞腎(多嚢性疾患，孤立嚢，多発性単純嚢，(実質の瘢痕形成に伴う)停滞嚢胞などを含む1個以上の嚢胞をもつ腎臓を意味する総称).

disc k. 円盤状腎.＝pancake k.; doughnut k.; shield k.

doughnut k. ドーナツ腎.＝disc k.

duplex k. 重複腎(2つの腎盂腎杯系をもつ腎臓).

fatty k. 脂肪腎(実質細胞の脂肪化，特に脂肪変性のある腎臓).

flea-bitten k. 小紅斑腎(細菌性心内膜炎症例の剖検においてときにみられる腎臓．巣状糸球体腎炎による広汎性点状出血により，このような外観を呈する).

floating k. 遊走腎(異常に動く腎臓で，直立姿勢をとるときにしばしば骨盤縁まで下降する．腎下垂).＝movable k.; wandering k.

Formad k. (fōr′mad). フォーマッド腎(ときに慢性アルコール中毒症にみられる拡大した奇形腎).

fused k. 融合腎(腎原基の融合により生じる単一の奇形臓器).

Goldblatt k. (gōld′blat). ゴールドブラット腎(動脈血供給が障害され，その結果として，動脈性腎血管性高血圧症を引き起こした状態にある腎臓).

granular k. 顆粒腎(皮質の間質組織の瘢痕形成(糸球体の瘢痕形成のこともある)が，びまん性で均等に分布した病巣をいう．またそれに伴い，拡張した尿細管群の軽度の突出が，微細な凹凸の面を形成する．このような腎臓は細動脈性腎硬化症または慢性糸球体腎炎にみられる).＝sclerotic k.

head k. 前腎.＝pronephros (1).

hind k. 後腎.＝metanephros.

horseshoe k. 馬蹄腎(2個の腎臓の下部，ときとして上部が脊椎を横切る組織によって帯状に結合しているもの).

L-shaped k. L型腎(交叉性融合性腎変位の解剖学的亜型で，変位腎は横位をとり，正常腎の下極に融合する).

malrotated k. 腎臓の回転異常(骨盤部からの上昇の際の回転異常．通常の腎門の位置よりも前方を向く).

medullary sponge k. 髄質海綿腎(結石形成と血尿を伴う腎錐体の嚢胞性疾患．通常，腎不全を起こさない点で腎髄質嚢胞病と異なる).

middle k. 中腎.＝mesonephros.

mortar k. しっくい腎.＝putty k.

movable k. ＝floating k.

multicystic k. 多嚢〔胞性〕腎.＝polycystic k.

pancake k. 円盤腎(両側の腎臓が融合することによってできる円盤状の腎臓).＝disc k.

pelvic k. 骨盤腎(腎臓が骨盤内にある先天異常．通常，動脈は大動脈分岐部または腸骨動脈から供給される).

polycystic k. 多発性嚢胞腎(両側腎にびまん性に散在する大小様々の多発性嚢胞形成を特徴とする進行性腎疾患であり，腎実質は圧迫，破壊され，通常，高血圧，肉眼的血尿，進行性腎不全，尿毒症を伴う．大きく2つの型に分けられ，1つは乳児期または小児期に発症し，通常は常染色体劣性遺伝[MIM*263200]．他の1つは成人で発症し，遺伝的多様性をもつ常染色体優性遺伝[MIM*173900, 173910, 600666]で，第16染色体短腕のポリシスチン-1遺伝子，または第4染色体長腕のポリシスチン-2遺伝子，またはいまだ同定されていない遺伝子の突然変異による).＝multicystic k.; polycystic disease of kidneys.

primordial k. 前腎.＝pronephros.

putty k. パテ状腎(腎結核の核性肉芽腫による尿管狭窄のために腎臓に乾酪様物質が貯留した状態).＝mortar k.

pyelonephritic k. 腎盂腎炎腎(慢性あるいは反復性感染により生じた多発性瘢痕により変形した腎臓).

Rose-Bradford k. (rōz brad′fŏrd). ローズ-ブラッドフォード腎(若年者にみられる炎症性起源による線維性腎).

sclerotic k. 硬化腎，腎臓硬化症.＝granular k.

shield k. 楯状腎.＝disc k.

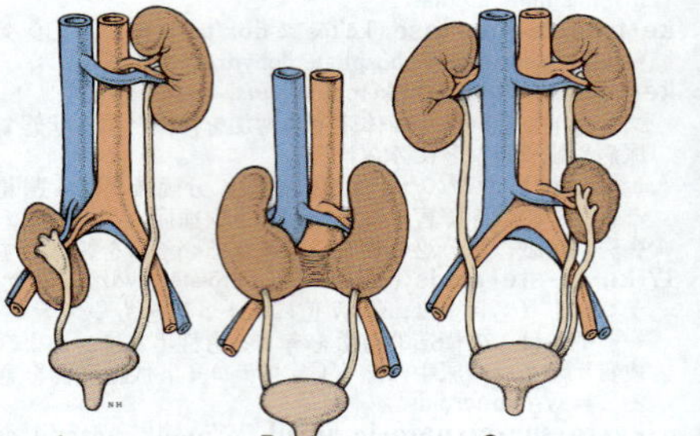

kidney anomalies

A：骨盤腎．B：馬蹄腎．C：過剰腎.

sigmoid k. S状腎臓(一側の腎臓の上部が他側の腎臓の下部に融合している腎臓).

supernumerary k. 過剰腎(通常存在する2つの腎臓以外にあるもう1つの腎臓についていう．腎形成性原芽の分離や，分離した後腎原芽から発生したもので，この中に部分的にあるいは完全に重複した尿管茎がはいり，独立した皮膜をもつ腎臓を形成する．ときには重複した器官の分離は不完全である).

tandem k. 長腎.＝L-shaped k.

thoracic k. 胸腔内腎臓(後縦隔において横隔膜より上部に一部分が位置する転位腎臓).

wandering k. ＝floating k.

waxy k. ろう様腎.＝amyloid k.

Kiel·land (kel′and). →Kjelland.

Kien (kēn), Alphonse M. J. 19世紀のドイツ人医師.→Kussmaul-K. *respiration*.

Kien·böck (kēn′bok), Robert. オーストリア人放射線科医, 1871—1953.→K. *disease*, *unit*.

Kier·nan (kēr′năn), Francis. イングランド人医師, 1800—1874.→K. *space*.

Kies·sel·bach (kē′sĕl-bahk), Wilhelm. ドイツ人咽頭科医, 1839—1902.→K. *area*.

Ki·ku·chi (kē-kū′chē), M. 20世紀の日本人血液病専門医.→K. *disease*.

Kil·i·an (kil′ē-ăn), Hermann F. ドイツ人産科婦人科医, 1800—1863.→K. *line*.

Kil·i·an·i (kil′ē-an′ē), H. 化学者, 1855—1945.→K.-Fischer *synthesis*, *reaction*.

Kil·li·an (kil′ē-ăn), Gustav J. ドイツ人咽頭科医, 1860—1921.→K. *bundle*, *operation*, *triangle*.

kilo- (k) (kil′ō) [G. *chilioi*, one thousand]. 国際単位系(SI)およびメートル法で10^3を意味する接頭語.

kil·o·base (kb) (kil′ō-bās). キロベース(核酸配列の長さを示すのに用いる単位．1 kbは，1000個のプリンあるいはピリミジン残基の配列に等しい).

kil·o·cal·o·rie (kcal) (kil′ō-kal′ō-rē). キロカロリー.＝large *calorie*.

kil·o·cy·cle (kc) (kil′ō-sī′kĕl). キロサイクル(毎秒1000サイクル).

kil·o·gram (kg) (kil′ō-gram). キログラム(質量の国際単位系(SI)．1000 g．15,432.358グレーン，常衡2.2046226ポンド，または金衡2.6792289ポンドに等しい).

kil·o·gram-me·ter (kil′ō-gram-mē′tĕr). キログラムメートル(1 kgの質量を1 mの高さに引き上げるのに必要なエネルギー，または仕事．国際単位系(SI)の9.80665ジュールに等しい).

kil·o·hertz (kil′ō-hertz). キロヘルツ(周波数の単位で，1000ヘルツに等しい).

kil·ohm (kil′ōm) [kilo + ohm]. キロオーム(電気抵抗の単位で，1000オームに等しい).

kil·o·joule (kil′ō-jūl) [kilo + joule]. キロジュール(エネ

ルギー，仕事，熱量の単位で，1000ジュールに等しい）．

kil·o·volt（kv）（kil′ō-vōlt）［kilo + volt］．キロボルト（電位，電位差，または起電力の単位．1000 ボルトに等しい）．

kil·o·volt·me·ter（kil′ō-vōlt-mē′tĕr）．キロボルト計（起電力をキロボルト単位で測るようにつくられた器械）．

Kim·mel·stiel（kim′ĕl-shtēl），Paul．米国に在住したドイツ人病理学者，1900—1970．→K.-Wilson *disease*．

Ki·mu·ra（kē-mū′rah），T．20 世紀の日本人病理学者．→K. *disease*．

kin-, kine-（kin）［G. *kineō*, to move, set in motion］．運動を意味する連結形．→cine-．

kin·an·es·the·si·a（kin′an-es-thē′zē-ă）［G. *kinēsis*, motion + *an-* 欠性辞 + *aisthēsis*, sensation］．運動［感］覚脱失（消失）（深部知覚の障害による運動の方向または範囲の知覚能力欠如．その結果運動失調となる）．＝cinanesthesia．

ki·nase（kī′nās）．キナーゼ（①プロ酵素から活性酵素への転換を触媒する酵素．例えばエンテロペプチダーゼ（エンテロキナーゼ）．ヌクレオチドの回収・再利用に重要である．ある抗ウイルス剤はウイルスや癌のキナーゼを不活性化することにより作用する．②酵素を活性化させる酵素を表すいくつかの酵素についた接尾語）．

　aurora k. オーロラキナーゼ（細胞分裂の中心的な調節物質として働く．オーロラAキナーゼとオーロラBキナーゼは紡錘体形成の調節および染色体分離の修正にかかわる）．

　Bruton tyrosine k.（Btk）［Ogden C. Bruton］．ブルトンチロシンキナーゼ（B細胞シグナル伝達に関与する細胞内酵素．Btk の先天性欠損はX連鎖無ガンマグロブリン血症（XLA）で起こっている）．

　Janus k.（JAK）［*Janus*．古代ローマの戸口の守護神．反対方向を向いた 2 つの顔を持つ］．ヤーヌスキナーゼ（サイトカインレセプタシグナル伝達に関与する特定（JAK 型）のチロシンキナーゼの一種．第 19 染色体短腕の JAK3 の変異により常染色体劣性重症複合免疫不全症［MIM*600173］を引き起こす．JAK1 と JAK2 はそれぞれ第 1 および第 9 染色体の短腕に位置する）．

　protein k. プロテインキナーゼ（その他の蛋白をリン酸化する酵素群．これらのキナーゼの多くは他のエフェクター（cAMP，cGMP，インスリン，上皮増殖因子，カルシウム，カルモジュリン，およびリン脂質）に反応する）．

　protein k.'s C プロテインキナーゼC（多くの細胞質カルシウム活性化キナーゼ群で，ホルモン結合，血小板活性化，腫瘍プロモーションなど多くのプロセスに関与する）．

　tyrosine k. チロシンキナーゼ（ある種の蛋白のチロシル残基をリン酸化する酵素．多くはウイルスのオンコジーンの産物である．多くのレセプタ（例えば，表皮成長因子やインスリンなどのレセプタ）はこの酵素活性をもつ．生理上の基質はチロシンではなく，蛋白中のチロシル残基であるので，誤称）．

ki·nase II（kī′nās）．キナーゼ II．＝peptidyl dipeptidase A．

kind·ling（kind′ling）．キンドリング（閾値以下の電気刺激を毎日大脳に与えることにより，明らかな神経損傷がないのにてんかん原性変化が長く続くこと）．

kin·dred（kin′dred）［O. E. *kynrēde* < *cyn*, kin + *rēde*, condition］．家系（遺伝的に縁続きの集団．系図でその遺伝様式を表現する）．

　degree of k. 血縁度（家系を構成する 2 人の間の血縁の度合い．2 者間を追跡したときの，最も少ないステップ数．第一度近親は兄弟，両親および子である．第二度近親はおじ，おば，甥，姪などである．用語は法的目的，例えば近親婚のために定義されており，遺伝学においては誤解を起こしやすい．性や当該の遺伝形式に関わらず，第一度近親とひっくるめていうことによって成立したり，兄弟と子を区別できないような集団について使用することは避けるべきことである）．

kin·e·mat·ics（kin′ĕ-mat′iks）［G. *kinēmatica*, things that move］．＝cinematics．***1*** 運動学（身体の各部分の運動を研究対象とする生理学の一部門）．***2*** キネマティクス（歯科用語．→kinematic *face-bow*）．

kin·e·mom·e·ter（kin′ĕ-mom′ĕ-tĕr）［G. *kinēsis*, movement + *metron*, measure］．キネモメータ（腱反射の収縮や弛緩を測定するために用いる一種の電磁装置．原理は心弾動計のそれに類似する）．

Kineret/anakinra（kin′ĕr-et-ă-nak′in-ră）．キネレット/アナキンラ（遺伝子組替えヒトインターロイキン -1（IL-1）受容体アンタゴニスト（IL-IRa）．もっぱら type1 IL-1 受容体に結合するが，細胞内反応を一切刺激しない．関節リウマチおよび他の炎症性疾患の治療に用いる）．

kinesi-, kinesio-, kineso-（ki-nē′sē, ki-nē′sē-ō, ki-nē′sō）［G. *kinēsis*］．運動に関する連結形．

ki·ne·sia（ki-nē′sē-ă, -nē′zē-）［G. *kinēsis*, movement］．動揺病，運動病，乗物酔い．＝motion *sickness*．

ki·ne·si·at·rics（ki-nē′sē-at′riks）［G. *kinēsis*, movement + *iatrikos*, relating to medicine］．＝kinesitherapy．

ki·ne·sics（ki-nē′siks）．キネシクス（コミュニケーションにおける非言語的身体動作の研究．→body *language*）．

kin·e·sim·e·ter（kin′ĕ-sim′ĕ-tĕr）［G. *kinēsis*, movement + *metron*, measure］．運動定量計，キネジメータ（運動量を測定する器械）．＝kinesiometer．

ki·ne·sin（ki-nē′sin）．キネシン（小胞や他の存在物の ATP 依存性輸送に関与する微小管と関連する運動蛋白．前方に動く軸索輸送をコントロールする）．

kinesio-（ki-nē′sē-ō）．→kinesi-．

ki·ne·si·ol·o·gy（ki-nē′sē-ol′ŏ-jē）［G. *kinēsis*, movement + *-logos*, study］．運動学，キネジオロジー（能動的および受動的構造を含めた運動の科学または研究）．

ki·ne·si·om·e·ter（ki-nē′sē-om′ĕ-tĕr）．＝kinesimeter．

kin·e·sip·a·thist（kin′ĕ-sip′ă-thist）．運動療法者（種々の運動によって疾病治療を行う正規でない医療関係者）．

ki·ne·sis（ki-nē′sis）［G.］．動性（接尾語として，運動または活性化を意味するために用いる．特に刺激によって誘発されたものに用いる）．

　protein k. プロテインキネシス（オルガネラ間での相互作用に働く蛋白の細胞内運動）．

ki·ne·si·ther·a·py（ki-nē′si-thār′ă-pē）．運動療法（運動訓練と関節可動域訓練を行う理学療法．→movement）．＝kinesiatrics．

kineso-（ki-nē′sō）．→kinesi-．

ki·ne·so·pho·bi·a（ki-nē′sō-fō′bē-ă）［G. *kinēsis*, movement + *phobos*, fear］．運動恐怖［症］（運動に対する病的な恐れ）．

kin·es·the·si·a（kin′es-thē′zē-ă）［G. *kinēsis*, motion + *aisthēsis*, sensation］．＝kinesthesis．***1*** 運動［感］覚，筋覚．***2*** キネステジー（空間を動いているという錯覚）．

kin·es·the·si·om·e·ter（kin′es-thē′zē-om′ĕ-tĕr）［kinesthesia + G. *metron*, measure］．運動感覚計，筋覚計（筋覚の度合いを測定する器械）．

kin·es·the·sis（kin′es-thē′siz）．＝kinesthesia．

kin·es·thet·ic（kin′es-thet′ik）．運動感覚性の（①筋覚についていう．②知覚可能な体験の精神像を好んで用いる人についていう．→internal *representation*）．

ki·net·ic（ki-net′ik）［G. *kinētikos*, of motion < *kinētos*, moving］．運動［性］の，速動性の．

ki·net·ics（ki-net′iks）．速度論，動態，運動学（運動，加速，または変化の度合いの研究）．

　chemical k. 化学速度論（化学反応速度に関する研究）．

　enzyme k. 酵素反応速度論（酵素触媒反応の速度や速度の変化に関する研究．人工酵素，アブザイムおよびリボザイムにより触媒される反応も含む）．

kineto-（ki-nē′tō）［G. *kinētos*, moving, movable］．運動に関する連結形．

ki·ne·to·car·di·o·gram（ki-nē′tō-kar′dē-ō-gram, ki-net-ō-）．キネトカルジオグラム（心臓の運動による胸壁の振動の図式記録）．

ki·ne·to·car·di·o·graph（ki-nē′tō-kar′dē-ō-graf, ki-net-ō-）．キネトカルジオグラフ（心臓の運動による前胸部拍動を記録する装置．横臥の患者上に固定されたある基準点からの胸壁のある点の位置の変化の実測値を記録する）．

ki·ne·to·chore（ki-nē′tō-kōr, ki-net′ō-）［kineto- + G. *chōra*, space］．動原体（微小管が結合する染色体の構造上の位置．*cf.* centromere）．

ki·ne·to·gen·ic（ki-nē′tō-jen′ik, ki-net-ō-）．運動発生の，運動惹起の（運動を引き起こす，または運動をつくり出す）．

ki·ne·to·plasm（ki-nē′tō-plazm）［kineto- + G. *plasma*, a thing formed］．運動原形質（①細胞の最も収縮性の大きい部分．②成熟期に精子の頭をおおう小滴状の細胞質）．＝cine-

K

toplasm; cinetoplasma; kinoplasm.

ki·ne·to·plast (ki-nē′tō-plast, ki-net′ō-) [kineto- + G. *plastos*, formed]. キネトプラスト（寄生性の鞭毛虫であるトリパノソーマ科においてべん毛の基部近く，生毛体の後方，およびしばしば核と直角をなして見出される強染性で棒状，円盤状または球状の核外DNA構造．光学顕微鏡でも確認でき，電子顕微鏡写真はこれが無べん毛期の細胞質のほとんどを占める巨大な1本のミトコンドリアの一部であることを示している．キネトプラストをkDNAとしてみる場合は核DNA(nDNA)とは区別される．キネトプラストは，核分裂に先行して，基底小体とともにではあるが，独立に分裂する．本用語は以前は，1つの運動器官として副基体および毛基体をも含んでいたが，現在ではほとんどのトリパノソーマ類がもつ独特な小器官であると考えられている．→parabasal *body*）.

ki·ne·to·scope (ki-ne′to-skōp) [kineto- + G. *skopeō*, to examine]. キネトスコープ（運動を記録するために連続写真を撮る装置）.

ki·net·o·some (ki-nē′tō-sōm, ki-net′ō-) [kineto- + G. *sōma*, body]. キネトソーム．＝basal *body*.

King (king), Earl J. カナダ人生化学者，1901―1962. →K. *unit*; K.-Armstrong *unit*.

king·dom (king′dŭm) [A.S. *cyningdōm* < *cyning*, king + *-dom*, state, condition]. 界（生物を分類する際の最も高い分類学的範疇で，モネラ界(細菌およびラン藻)，原生生物界(原生動物および真核藻類)，菌界(真菌)，植物界(植物)，および動物界(動物)よりなる）.

Kin·gel·la (kin-jel′ah). キンゲラ属（[誤った発音 king-el′ă を避けること]．ナイセリア科の一属．本属の菌は中形の大きさ，グラム陰性，非運動性，好気性または通性嫌気性の双菌あるいは短鎖の球菌および球杆菌で，アセトン-アルコール下では不完全に脱色する．オキシダーゼ陽性で，グルコースを発酵して酸を産生するがガスは産生しない．標準種は *K. kingae*）.

K. indologenes 以前は *Suttonella indologenes* とよばれていた細菌で，眼感染症や損傷を受けた心臓弁(特に人工弁)での心内膜炎の原因菌となる．

K. kingae ヒト心内膜炎，骨髄炎，敗血症性関節炎を起こすβ溶血性の細菌種．以前は *Moraxella kingae* とよばれた．→HACEK *group*. ＝*Moraxella kingae*.

king's e·vil (kingz ē′vĭl). 王様病（王様が触れると治ると考えられた(scrofula るいれき，あるいは腺病質とよばれた)頸部リンパ腺結核の歴史的病名．Samuel Johnson(英国の詩人)はこの病気に悩まされた）.

Kings·ley (kingz′lē), Norman W. 米国人歯科医，1829―1913. →K. *splint*.

kin·ic ac·id (kin′ik as′id). キナ酸．＝quinic acid.

ki·nin (kī′nin) [G. *kineō*, to move + -in]. キニン（特定の臓器からではなく幅広い貯蔵部位から分泌されるポリペプチドホルモン類の総称．分泌された部位において速やかに不活性化される）.

k. 9 キニン9．＝bradykinin.

k. 10 キニン10．＝kallidin.

ki·nin·o·gen (ki-nin′ō-jen′). キニノーゲン（プラスマキニンのグロブリン前駆物質）.

high molecular weight k. (**HMWK**) 高分子量キニノーゲン（分子量11万の血漿蛋白で，普通血漿中にプレカリクレインと1：1複合体として存在する．この複合体は血液凝固因子XIIの活性化の補因子である．次にこの反応生成物であるXIIaはプレカリクレインを活性化し，カリクレインを与える）．＝Fitzgerald factor; Flaujeac factor; Williams factor.

low molecular weight k. 低分子量キニノーゲン（分子量5万の蛋白．種々の正常な組織に存在し，カリクレインや他のキニノーゲンにより開裂され，カリジンを与える．次にカリジンは，ブラジキニンに変換される）.

ki·nin·o·ge·nase (ki-nin′ō-jĕ-nās′). キニノゲナーゼ．＝kallikrein.

ki·nin·o·gen·in (ki-nin′ō-jen′in). キニノゲニン．＝kallikrein.

kink (kingk). ねじれ，屈曲.

Lane k. (lān). レーン屈曲．＝Lane *band*.

kino- (kin′ō) [G. *kineō*, to move]. [本連結形を chemo- または cheno- と混同しないこと]．運動に関する連結形.

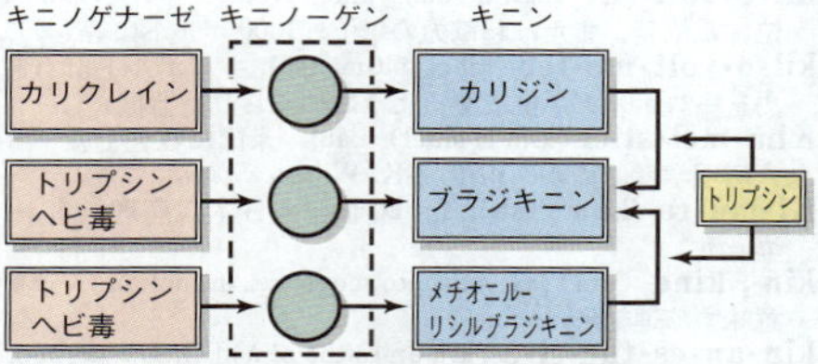

キニン分子：R-Arg-Pro-Pro-Gly-Phe-Ser-Pro-Phe-Arg-OH	
	R
ブラジキニン("キニン9")	H-
カリジン("キニン10")	H-Lys-
Met-Lys-ブラジキニン("キニン11")	H-Met-Lys-

kinins

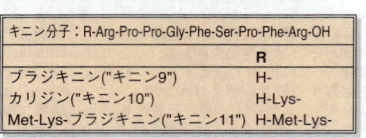

kin·o·cen·trum (kin′ō-sen′trŭm) [kino- + G. *kentron*, center]. 中心体．＝cytocentrum.

kin·o·cil·i·um (kin′ō-sil′ē-ŭm) [kino- + cilium]. 運動[線]毛（通常，運動性の線毛で，9本の周辺二重微小管と2本の単一性中央微小管をもつ）.

kin·ome (kin′ōm). キノーム（ゲノム内の糖質，脂質，および蛋白のキナーゼ群の総体）.

kin·o·mom·e·ter (kin′ō-mom′ĕ-tĕr) [kino- + G. *metron*, measure]. キノモメータ（運動の度合いを測定する器械）.

kin·o·plasm (kin′ō-plazm, kī′nō). ＝kinetoplasm.

kin·o·plas·mic (kin′ō-plas′mik, kī-nō-). 動原核の.

kin·ship (kin′ship). 血族（遺伝的に関係がある状態）.

Kin·youn (kin′yūn), Joseph J. 米国人医師，1860―1919. →K. *stain*.

ki·on (kī′on) [G. *kiōn*, pillar, the uvula]. uvula を意味する現在では用いられない語．uvula の連結形としては cion- の項を参照．＝cion.

kion-, kiono- (kī′on) [G. *kiōn*, uvula]. 垂を表す連結形．→uvul-; uvulo-.

Kirk (kĭrk), Norman Thomas. 米国人陸軍外科医，1888―1960. →K. *amputation*.

Kirk·land (kĭrk′lănd), Olin. 米国人歯周病専門歯科医，1876―1969. →K. *knife*.

Kirsch·ner (kĭrsh′nĕr), Martin. ドイツ人外科医，1879―1942. →K. *apparatus*, *wire*.

Kisch (kish), Bruno. ドイツ人生理学者，1890―1966. →K. *reflex*.

kistrin (kis′trin) [< *Agkistrodon*, species of source viper + -in]. キストリン（ヘビ毒由来のディスインテグリン(インテグリン阻害物質)）.

Ki·ta·sa·to (kit′ah-sah-tō), Shibasaburo, Baron. 日本人細菌学者，1853―1931. →K. *bacillus*.

KJ knee *jerk* の略.

Kjel·dahl (kyel′dahl), Johan G.C. デンマーク人化学者，1849―1900. →K. *apparatus*, *method*; macro-K. *method*; micro-K. *method*.

Kjel·land (**Kiel·land**) (kyel′ănd), Christian. ノルウェー人産科婦人科医，1871―1941. →K. *forceps*.

Klat·skin (klat′skin), Gerald. 20世紀の米国人内科医. →K. *tumor*.

Klebs (klebz), Theodor Albrecht Edwin. ドイツ人医師，1834―1913. →*Klebsiella*; K.-Loeffler *bacillus*.

Kleb·si·el·la (kleb′sē-el′ă) [E. *Klebs*]. クレブシエラ属（好気性，通性嫌気性，非運動性で芽胞形成をしない腸内細菌科細菌の一属で，単独，1対，または短い鎖にみられる莢膜でおおわれたグラム陰性の杆菌．これらの細菌はアセチルメチルカルビノールとリシンカルボキシル基分解酵素またはオルニチンカルボキシル基分解酵素をつくる．通常はゼラチンを液化しない．クエン酸塩とブドウ糖が通常は唯一の炭素

源として用いられる．これらの細菌は病原性または非病原性のこともある．ヒトの気道，腸管，泌尿生殖器，また土，水，穀粒の中にもみられる．標準種は *K. pneumoniae*）．

K. mobilis ＝*Enterobacter aerogenes.*

K. oxytoca クレブシエラ・オキシトカ（インドール産生能を特徴とする種．臨床的には肺炎杆菌 *K. pneumoniae* に似るが，日和見感染株は抗生剤耐性となる性質を示す傾向がある）．

K. ozaenae 臭鼻菌（臭鼻症，その他の気道の慢性疾患にみられる菌種）．＝*K. pneumoniae* subsp. *ozaenae*.

K. pneumoniae 肺炎杆菌（土や水の中，穀粒，またヒトその他の動物の腸管にみられる菌種．また尿道感染，喀痰，糞便，雌ウマの子宮筋層炎などにおいてもみられる．この菌のうち，莢膜のある1・2・3型は肺炎を起こす．以前アエロゲネス菌 *Aerobacter aerogenes* の非運動性菌株とされた菌は，現在この肺炎杆菌種に含められている．*Klebsiella*属の標準種）．＝Friedländer bacillus; pneumobacillus.

K. pneumoniae subsp. ***ozaenae*** ＝*K. ozaenae.*

K. rhinoscleromatis 鼻硬腫菌（鼻硬化症の患者にみられる細菌種）．

klee·blatt·schä·del (klā′blaht-she′dĕl) ［Ger. cloverleaf skull］．クローバーの葉形頭蓋．＝cloverleaf skull *syndrome.*

Kleff·ner (klef′nĕr), Frank. 20世紀の米国人神経科医．⇀Landau-K. *syndrome*.

Klein (klīn), Edward E. ハンガリー人組織学者，1844—1925．⇀K.-Gumprecht shadow *nuclei* (⇒nucleus)．

Kleine (klīn), Willi. 20世紀のドイツ人精神神経科医．⇀K.-Levin *syndrome*.

klep·to·ma·ni·a (klep′tō-mā′nē-ă) ［G. *kleptō*, to steal＋*mania*, insanity］．〔窃〕盗癖．

klep·to·ma·ni·ac (klep′tō-mā′nē-ak)．〔窃〕盗癖者，盗癖（盗みに対する病的な傾向を特徴とする衝動抑制障害）．

klep·to·pho·bi·a (klep′tō-fō′bē-ă) ［G. *kleptō*, to steal＋*phobos*, fear］．窃盗恐怖〔症〕（盗みに対する病的な恐れ）．

Kline·fel·ter (klīn′fel-tĕr), Harry F., Jr. 20世紀の米国人医師．⇀K. *syndrome*.

Klip·pel (klĭ-pel′), Maurice. フランス人神経科医，1858—1942．⇀K.-Feil *syndrome*; K.-Trenaunay-Weber *syndrome*.

Klump·ke (klūmp′kĕ)．⇀Dejerine-K.

Klü·ver (klē′vĕr), Heinrich. ドイツ生まれの米国人神経科医，1897—1975．⇀K.-Barrera Luxol fast blue *stain*; K.-Bucy *syndrome*.

Klu·y·ve·ra (klū′ē-ver′ă)．クルイベラ属（腸内細菌科の一属．運動性，ラクトース発酵性で，他の属からは，特異的表現型の概観およびDNA–DNA ハイブリッド形成のパラメータによって識別される．ヒトの感染症に関与する種もある．標準種は *K. ascorbata*）．

Knapp (năp), Herman J. 米国人眼科医，1832—1911．⇀K. *streaks*, *striae*.

knee (nē) ［A.S. *cneōw*］［TA］．***1*** 膝（⇀knee *joint*; anterior *region* of knee; posterior *region* of knee）．＝genu (1)．***2*** 屈した膝に似た角張った構造．

Brodie k. ブローディー膝（膝の慢性肥厚性滑膜炎）．＝Brodie disease (1).

housemaid's k. 家政婦膝（ひざまずくときに接触する部位に生じる職業性偶発粘液包炎．膝蓋滑液包炎とは異なる）．＝prepatellar bursitis.

jumper k. ジャンパー膝（ランニング，ジャンプ，登山，キックなどを繰り返して行った結果生じる膝蓋または大腿四頭筋腱炎）．

locked k. 膝ロッキング（通常，半月断裂の結果，膝内障により膝の完全伸展と屈曲ができない状態）．

runner's k. ランナーズ膝（膝前部痛を生じる使いすぎ症候群で，運動中に膝蓋骨が過度に外方に移動するため生じる）．＝patellofemoral stress syndrome.

Wilbrand k. 上耳側視野領域の下鼻側で対側の視索に至る前の反対側後部視神経への入口部である前部視交叉で交差する視神経線維束で誤って仮定された解剖学的概念．近年の研究では網膜変性によるアーチファクトであって正常な解剖では存在しないとされる．

knee·cap (nē′kap)．膝蓋骨．＝patella.

kneed (nēd)．＝geniculate (1).

Kne·mi·do·kop·tes (nē′mi-dō-kop′tēz) ［G. *knēmē*, leg＋*koptō*, to cut］．トリヒゼンダニ属（顕微鏡的大きさの穿孔性ヒゼンダニで，家禽や愛玩鳥に寄生する．*K. laevis* var. *gallinae*(depluming mite)や *K. mutans*(トリアシヒゼンダニ scary leg mite)を含む）．

KNF mod·el (mod′ĕl)．Koshland-Némethy-Filmer *model* の略．

Kniest (knēst), Wilhelm. 20世紀のドイツ人小児科医．⇀K. *syndrome*.

knife, pl. knives (nīf, nīvz) ［M. E. *knif*＜A. S. *cnif*＜O. Norse *knīfr*］．メス，小刀，ナイフ（片端をとがらせた，比較的長く細い刃と柄よりなる切断器具．様々の特殊化したナイフが外科手術および解剖で用いられる．ナイフはまた武器としても用いられ，損傷を与えたり，死亡させたりする）．

amputation k. 切断刀，切断メス（大切断術のとき，最初に大きな筋肉を横に切開する(離断する)のに用いる幅の広い刃の付いたメス）．

Beer k. (bēr)．ベール刀（三角形のナイフで，鋭い先端と片刃をもつ．以前は白内障の手術に用いた）．

cartilage k. 軟骨〔切開〕刀．＝chondrotome.

cautery k. 電気メス，焼灼刀（出血を少なくするため焼灼をしながら切るメス）．

chemical k. 化学ナイフ（しばしば制限エンドヌクレアーゼ restriction *endonuclease* に用いる語）．

electrode k. 電極ナイフ，電気メス（高周波電流によって組織を切るために用いる，刃の形をした電気器具）．

fistula k. 瘻孔切開刀．＝fistulatome.

free-hand k. デルマトームなしで分層植皮片を採取するために用いられるナイフあるいはかみそり(通常は長く広い)．例えば，Blair-Brown ナイフ，Humby ナイフ．*cf.* dermatome.

---

gamma k. ガンマナイフ（頭蓋内の良性・悪性腫瘍や動静脈奇形の治療に用いられる侵襲の最も小さい放射線手術のシステム．→radiosurgery）．

ガンマナイフは，ジョージア州アトランタの Elekta Radiosurgery の登録商標である．そのシステムはスウェーデンの Lars Leksell と Borge Larsson により1960年代後期に開発された．ガンマナイフの使用に先立ち，除去する病巣の局在を MRI，CT，PET，血管造影のような画像検査によって，正確に特定する．200コバルト-60の線源からのガンマ線はコンピュータで管理されるので病巣に集中照射される．一連の照射は約1時間かけて行われる．病巣の大きさが約3 cm を超えると治療は不可能である．装置は大がかりで経費がかかるが，動静脈奇型では施行例の85%，腫瘍では50—95% の成功率が示されている．ガンマナイフは開頭術の危険や合併症が避けられるばかりでなく，どんな手術的な除去の試みも及ばない部位の病巣でも治療が可能である．加えて患者の苦痛は最小限で，一夜だけの入院で済む．多くの患者は手術当日に帰宅したりあるいは仕事をする者もある．ガンマナイフは，眼や下垂体の腫瘍，三叉神経痛，てんかん，パーキンソン病や他の運動疾患などの治療への限定された有用性が示されている．

Goldman-Fox knives (gōld′măn fahks)．ゴールドマン－フォックスナイフ〔セット〕（歯根膜手術に用いる小刀一式）．

Graefe k. (grā′fĕ)．グレーフェ刀（角膜の切片をつくるために用いる刀身の細い小刀）．

hernia k. ヘルニア刀（刀身が細く刃の部分が短い刀で，ヘルニア嚢の頸部を締め付けている組織を切り離すのに用いる）．＝herniotome.

Kirkland k. (kĕrk′lănd)．カークランド刀（心臓の形をした小刀．歯肉の手術に用いる）．

lenticular k. レンズ形小刀（先のとがったスプーンに似た擦過器）．

Liston knives (lis′tŏn)．リストン刀（四肢の切断手術に用いる長刃の小刀で，種々の大きさがある．現在ではほとんど用いられない）．

Merrifield k. (mer′i-fēld)．メリフィールドナイフ（細長い三角形の小刀で歯肉手術に用いる）．

valvotomy k. 弁切開刀（僧帽弁切開術あるいは静脈系の

弁の手術に用いられる小刀).

knis·mo·gen·ic (nis′mō-jen′ik) ［G. *knismos*, tickling + -*gen*, production］. くすぐり感誘発の，くすぐり感発生〔性〕の.

knit·ting (nit′ing)［M. E. *knitten*, to knot < A. S. *cnyttan*］. 癒合，結合（骨折した骨片または創縁の結合を意味する非医学的用語).

knob (nob). 瘤，こぶ.

aortic k. 大動脈ノブ（胸部X線写真で前後像に認められる大動脈弓部の著明な陰影).

Engelmann basal k.'s (en′gĕl-mahn). blepharoplast の冠名で，現在では用いられない.

malarial k.'s マラリア瘤（熱帯熱マラリア原虫 *Plasmodium falciparum* に感染した赤血球の円形の突起．感染した赤血球が互いに付着し合ったり，血管内皮細胞に付着する原因となり，この結果，毛細血管の血流障害が生じ，これが悪性三日熱マラリアにおける異常の主因となる).

knock (nok). ノック（①強打，特に頭への強打を意味する口語．②コツン，コツンと打つような音).

pericardial k. 心膜膨隆（第3心音の変型で早期拡張期音であるが，明らかに早く聞こえる．運動を制限された心外膜によって流れを遮られた血流が急速に心室を満たすために発生するが，実際にノック状の性質を呈することはまれである).

knock-knee (nok′nē). 外反膝. =*genu* valgum.

knock·out, knock-out (nok′out, nok′-out). ノックアウト（ある遺伝子が欠損するように，部位特異的遺伝子組換えによってゲノムが人工的に改変された生物).

Knoll (knōl), Philipp. ボヘミア人生理学者，1841—1900. → K. *glands*.

Knoop (nūp), Hedwig. 20世紀のドイツ人医師. → K. *theory*.

Knoop hard·ness num·ber (KHN) (nūp). ⇀number.

knot (not)［A.S. *cnotta*］. ***1*** 結び目，結紮（2本のひも，テープ，縫合糸などの端と端が離れないように絡み合わせた状態，または1本のひもの両端を同様に絡み合わせること). ***2*** 結節（解剖学または病理学において，結び目を連想させるようなもの，すなわち結節，神経節，限局性の腫脹など).

false k.'s, false k.'s of umbilical cord〔臍帯の〕偽結節（臍帯局所における臍静脈の延長または静脈瘤の増加により臍帯が著しくねじれること).

granny k. 縦結び，男結び（二重結び．2つの非対称的半結びからなり，緊張がかかると緩みやすい).

Hensen k. (hen′sĕn). ヘンゼン結節. =primitive *node*.

Hubrecht protochordal k. (hū′brekt). フブレヒト原索結節. =primitive *node*.

laparoscopic k. 腹腔鏡下結紮（腹腔鏡手術器械を用いる結紮．結び目は体外でつくり，カニューレを通して体内に運ばれる場合と，操作を腹腔内ですべて行う場合がある).

net k. =karyosome.

primitive k. 原始結節. =primitive *node*.

protochordal k. 原始結節. =primitive *node*.

square k. こま結び（二重結び．2つの対称的半結びからなり，緊張がかかると，堅く締まりやすい).

surgeon's k. 外科結び，外科結紮（最初の結び目の輪は2回かける．2度目の結び目は1回かけるだけで最初の輪のように糸の両端が同一面内に残る本結びで行われる).

syncytial k. 合胞体性結節（妊娠初期において胎盤絨毛における合胞体層核の局所的集合). =syncytial bud; syncytial sprout; nuclear aggregation of chorionic villus; trophoblastic sprout.

true k., true k. of umbilical cord〔臍帯の〕真結節（臍帯の一部が実際に結び目をつくった状態．通常，循環は障害されない).

vital k. =noeud vital.

knuck·le (nŭkĕl)［M. E. *knokel*］. ***1*** 中手指節関節（こぶしを握ったときの指の関節). ***2*** ヘルニアにおけるような腸のねじれ，またはわな.

aortic k. 大動脈ナックル（胸部X線写真の前後像で縦隔から出た大動脈弓部の陰影).

cervical aortic k. 頸部大動脈わな（大動脈が頸までのびて前後に弓を形成し，舌骨の高さほどに及んだ奇形の大動脈弓．片側の総頸動脈は大動脈弓の頂から出て，もう一方の側の総頸動脈は大動脈のより近位部分から出る．拍動性の大動脈弓は動脈瘤と間違われることがあるが，橈骨動脈の脈拍は左右同じである).

Knud·son (nud′sen), Alfred G., Jr. 20世紀の米国人遺伝学者. → Knudsen *hypothesis*.

Knud·son (nŭd′sĕn), Alfred G. 20世紀の米国人遺伝学者.

Ko·belt (kō′belt), Georg L. ドイツ人医師，1804—1857. → K. *tubules*.

Ko·ber (kō′bĕr), Philip A. 20世紀の米国人化学者. → K. *test*.

Köb·ner (kēb′nĕr), Heinrich. ドイツ人皮膚科医，1838—1904. → K. *phenomenon*.

Koch (kok), Robert. ドイツ人細菌学者・ノーベル賞受賞者，1843—1910. → K. *bacillus*, *law*, old *tuberculin*, *phenomenon*, *postulates*; K.-Weeks *bacillus*.

Koch (kok), Walter. 20世紀のドイツ人外科医. → K. *node*; *triangle* of K.

Ko·cher (kō′kĕr), Emil Theodor. スイス人外科医・ノーベル賞受賞者，1841—1917. → K. *clamp*, *incision*, *sign*; K.-Debré-Sémélaigne *syndrome*.

Kock (kōk), Nils G. 20世紀のスウェーデン人外科医. → K. *pouch*.

Koe·nig (ker′nig), Franz. ドイツ人外科医，1832—1910. → K. *syndrome*.

Koer·ber (kŏr′bĕr), H. 20世紀のドイツ人眼科医. → Koerber-Salus-Elschnig *syndrome*.

Koer·te (kŏr′tĕ), Werner. ドイツ人外科医，1853—1937. → K.-Ballance *operation*.

Koett·stor·fer (kŏt′stŏr-fĕr), J. 19世紀のドイツ人化学者. → K. *number*.

Ko·goj (kō′goy), Franjo. ユーゴスラビア人医師，1894—1983. → spongiform *pustule* of K.

KOH 水酸化カリウム *potassium* hydroxide の化学式.

Köh·ler (kō′lĕr), Alban. ドイツ人放射線科医，1874—1947. → K. *disease*.

Köh·ler (kō′lĕr), August. ドイツ人顕微鏡学者，1866—1948. → K. *illumination*.

Kohl·rausch (kōl′rowsh), Otto L.B. ドイツ人医師，1811—1854. → K. *muscle*, *folds*.

Kohn (kōn), Hans N. 1900年ごろ開業したドイツ人病理学者. → K. *pores*.

Kohn·stamm (kōn′shtahm), Oskar. ドイツ人医師，1871—1917. → K. *phenomenon*.

koi·lo·cyte (koy′lō-sit)［G. *koilos*, hollow + *kytos*, cell］. 扁平上皮細胞で，しばしば2核で核周辺光輪がみられること．ヒト乳頭腫ウイルス感染に特徴的.

koi·lo·cy·to·sis (koy′lō-sī-tō′sis)［G. *koilos*, hollow + *kytos*, cell + -*osis*, condition］. 空胞細胞症，コイロサイトーシス（核周囲の空胞変性. → koilocyte).

koi·lo·nych·i·a (koy′lō-nik′ē-ă)［G. *koilos*, hollow + *onyx*(*onych*-), nail］. 匙(さじ)状爪，スプーン状爪（表面が凹形になった爪の変形．鉄欠乏症や職業的に油に接触して爪が軟化した人にしばしばみられる). =spoon nail.

koi·lo·ster·ni·a (koy′lō-ster′nē-ă)［G. *koilos*, hollow + *sternon*, chest (sternum)］. =*pectus* excavatum.

Ko·jew·ni·koff (Kozhevnikov) (kō-jūn′ĭ-kof), Aleksei Y. ロシア人神経科医，1836—1902. → K. *epilepsy*.

ko·jic ac·id (kō′jik as′id). コウジ酸；5-hydroxy-2-(hydroxymethyl)-4H-pyran-4-one（ある種のカビにおける D-グルコース異化代謝抗生物質．香味増強剤に変換できる).

Ko·ko·skin (kō-kos′kin), Evelyn. 20世紀のカナダ人病理学者. → K. *stain*.

ko·la (kō′lă). コラ（アオギリ科コーラノキ *Cola nitida* または *Cola*属の他種の乾燥子葉．カフェイン，テオブロミン，水溶性成分コラチンを含む．心臓および中枢神経系の刺激薬として用いる). =cola (1).

Köl·li·ker (kĕr′lĭ-kĕr), Rudolph A. von. スイス人組織学者，1817—1905. → K. *layer*, *reticulum*.

Koll·mann (kahl′mahn), Arthur. 19世紀のドイツ人泌尿器科医. → K. *dilator*.

Kol·mer (kōl′mĕr), John A. 米国人病理学者，1886—1962. → K. *test*.

Kolopp (kol′ŏp), P. 20世紀のフランス人皮膚科医. →

Woringer-K. *disease*.

kolp- (kōlp). ⇀colpo-.

ko·lyt·ic (kō-lit′ik) [G. *kolyō*, to hinder]. 自重自制性の，制止性の.

Kon·do·le·on (kon-dō′lā-ŏn), Emmanuel. ギリシア人外科医，1879—1939. ⇀K. *operation*.

ko·ni·o·cor·tex (kō′nē-ō-kōr′teks) [G. *konis*, dust + L. *cortex*, bark]. 顆粒性皮質，じん(塵)皮質（特に発達した顆粒層(第四層)を特徴とする大脳皮質．この型の大脳皮質は主要感覚中枢である視覚の Brodmann 第 17 野，体性感覚の Brodmann 第 1 —第 3 野，聴覚の Brodmann 第 41 野により代表される．→cerebral *cortex*).

kon·zo (kon′zō) [Yaka, tired legs]. コンゾー（アフリカでみられるシアン化物が原因の上位運動ニューロン疾患で，痙性対麻痺を呈する．不適切に調理されたカッサバ根を食べて起こる．カッサバ根はシアン化物を生成するグルコシドを大量に含む).

Kop·lik (kop′lik), Henry. 米国人医師，1858—1927. ⇀K. *spots*.

kop·o·pho·bi·a (kop′ō-fō′bē-ă) [G. *kopos*, fatigue + *phobos*, fear]. 疲労恐怖[症]（疲労に対する病的な恐れ).

kopro- (kop′rō). ⇀copro-.

Korff (kōrf), Karl von. 20 世紀のドイツ人解剖学・組織学者. ⇀K. *fibers*.

Korn·berg (kōrn′berg), Arthur. 20 世紀の米国人生化学者・ノーベル賞受賞者. ⇀K. *enzyme*; Krebs-K. *cycle*.

Korn·zweig (kōrn′zwīg), Abraham L. 20 世紀の米国人医師. ⇀Bassen-K. *syndrome*.

ko·ro (kō′rō). コロ（ある文化圏に限定され，時折発生する急性妄想性症候群．これにかかると男性ではペニスに，女性では陰唇および乳首に対する感覚に強い不安，またそれらがしなびて身体の中に引き込まれ，これによって死んでしまうという信仰．セレベス島のマカッサル人に報告されている．また南，東アジアにても報告され，西アジアは少ない). = shook jong.

ko·ro·ni·on (kŏ-rō′nē-on). = coronion.

Ko·rot·koff (kŏ-rot′kof), Nikolai S. ロシア人医師，1874—1920. ⇀K. *sounds*, *test*.

Kor·sa·koff (kōr′să-kof), Sergei S. ロシア人神経科医，1853—1900. ⇀K. *psychosis*, *syndrome*; Wernicke-K. *encephalopathy*, *syndrome*.

Kosh·land (kosh′lănd), Daniel E. 米国人生化学者，1920—？ ⇀Adair-K.-Némethy-Filmer *model*; K.-Némethy-Filmer *model*.

Kos·sa (kos′ă). ⇀von Kossa.

Koyanagi (koy-ă-nah′gē), Yosizo. 日本人眼科医，1880—1954. ⇀Vogt-K. *syndrome*.

Koy·ter (koy′ter). ⇀Coiter.

KP keratic *precipitates* の略.

Kr クリプトンの元素記号.

Krab·be (krah′bĕ), Knud H. デンマーク人神経科医，1885—1961. ⇀K. *disease*; Christensen-K. *disease*.

krait (krīt) [Hindi *karait*]. アマガサヘビ（北インドにみられるアマガサヘビ属 *Bungarus* のコブラ．これに咬まれると全身的な感覚脱失および麻痺が起こる．神経毒の症状はコブラ蛇毒の場合と同じである).

Krantz (krants), Kermit E. 20 世紀の米国人産科婦人科医. ⇀Marshall-Marchetti-K. *operation*.

Kras·ke (kras′kē), Paul. ドイツ人外科医，1851—1930. ⇀K. *operation*.

krau·ro·sis vul·vae (kraw-rō′sis vŭl′vē) [G. *krauros*, dry, brittle]. 外陰萎縮症（外陰の硬化性萎縮性苔癬を表す現在では用いられない語). = leukokraurosis.

Krause (krows), Fedor. ドイツ人外科医，1857—1937. ⇀K. *graft*; Wolfe-K. *graft*.

Krause (krows), Karl F.T. ドイツ人解剖学者，1797—1868. ⇀K. *glands*, *ligament*.

Krause (krows), Wilhelm J.F. ドイツ人解剖学者，1833—1910. ⇀K. *bone*, end *bulbs*, respiratory *bundle*, *valve*.

kre·bi·o·zen (krĕ-bī′ō-zen) [Ger. *Krebs*, crab, cancer]. クレビオゼン（ウシの心臓またはウマの血液から単離されたとされる物質．1960 年代には癌治療薬として研究された．米国 FDA の分析により，単にクレアチン一水塩であることが示された).

Krebs (krebz), Edwin G. 20 世紀の米国人生化学者，生物学的調節機構としての可逆性蛋白リン酸化反応の発見により 1992 年ノーベル賞の共同受賞者.

Krebs (krebz), Hans Adolph. イングランドに在住したドイツ人生化学者・ノーベル賞受賞者，1900—1981. ⇀K. *cycle*; K.-Henseleit *cycle*; K.-Ringer *solution*.

Kretsch·mann (krech′mahn), Friederich. ドイツ人耳科医，1858—1934. ⇀K. *space*.

Krey·sig (krī′zig), Friedrich L. ドイツ人医師，1770—1839. ⇀Heim-K. *sign*; K. *sign*.

kri·ging (krī′jing) [D. G. *Krige*, 南アフリカの技師]. クリージ化（空間的に散らばった測定データを平滑化する手法．地球科学において最初に用いられ地理疫学で利用されている).

krin·gle (krin′gĕl) [Ger. *Kringel*, curl]. クリングル（ある蛋白にみられる構造モチーフまたはドメインで，その大きなループの折りたたみ構造はジスルフィド結合によって安定化されている．血液凝固因子における重要な構造的特徴である).

Krogh (krōg), August. デンマーク人生理学者・ノーベル賞受賞者，1874—1949. ⇀K. *spirometer*.

Kro·nec·ker (krō′nek-ĕr), Karl H. スイス人生理学者，1839—1914. ⇀K. *stain*.

Krö·nig (krā′nig), Georg. ドイツ人医師，1856—1911. ⇀K. *isthmus*, *steps*.

Krön·lein (krān′līn), Rudolf U. スイス人外科医，1847—1910. ⇀K. *hernia*, *operation*.

Krue·ger in·stru·ment stop (krū′gĕr). ⇒instrument.

Kru·ken·berg (krū′kĕn-berg), Adolph. ドイツ人解剖学者，1816—1877. ⇀K. *veins*.

Kru·ken·berg (krū′kĕn-berg), Friedrich. ドイツ人病理学者，1871—1946. ⇀K. *amputation*, *spindle*, *tumor*.

Kruse (krūs), Walther. ドイツ人細菌学者，1864—1943. ⇀K. *brush*; Shiga-K. *bacillus*.

krymo-, kryo- (krī′mō). ⇀crymo-; cryo-.

kryp·ton (Kr) (krip′ton) [G. *kryptos*, concealed]. クリプトン（希ガス元素の 1 つで，大気中に少量(乾燥体積で 1.14 ppm)存在する．原子番号 36，原子量 83.80. ^{85}Kr(半減期 10.73 年)は心異常の研究に用いられてきた).

KS Kaposi *sarcoma* の略.

17-KS 17-ketosteroids の略.

KUB kidneys, ureters, bladder の略．背臥位での腹部単純 X 線写真正面像に対する古語であるが，いまだに使われている.

ku·bi·sa·ga·ri, ku·bi·sa·ga·ru (kū-bi′sah-gah′rē, kū-bi-sah-gah′roo) [Jap. *kubi*, head, neck + *sagaru*, to hang down]. 首下がり. = vestibular *neuronitis*.

Kufs (kūfs), Hugo. ドイツ人精神科医，1871—1955. ⇀K. *disease*.

Ku·gel an·a·stom·o·tic ar·ter·y (kū′gĕl). ⇒artery.

Ku·gel·berg (kū′gĕl-berg), Eric. スウェーデン人神経科医，1913—1983. ⇀K.-Welander *disease*; Wohlfart-K.-Welander *disease*.

Küh·ne (kē′ne), Wilhelm (Willy) F. ドイツ人生理・組織学者，1837—1900. ⇀K. *fiber*, *methylene blue*, *phenomenon*, *plate*, *spindle*.

Kuhnt (kūnt), Hermann. ドイツ人眼科医，1850—1925. ⇀K. *spaces*.

Kul·chit·sky (kūl-shit′skē), Nicholas. ロシア人組織学者，1856—1925. ⇀K. *cells*.

Külz (kēltz), Rudolph E. ドイツ人医師，1845—1895. ⇀K. *cylinder*.

Künt·scher (kēnt′shĕr), Gerhard. ドイツ人外科医，1902—1972. ⇀K. *nail*.

Kupf·fer (kūp′fĕr), Karl W. von. ドイツ人解剖学者，1829—1902. ⇀K. *cells*.

kur·chi bark (kŭr′chē bark). クルチ樹皮. = conessi.

Kür·stei·ner (Kuersteiner) (kēr′stīn-ĕr), W. 19 世紀のドイツ人解剖学者. ⇀K. *canals*.

kur·to·sis (kŭr-tō′sis) [G. an arching]. 尖度（単峰型分布のピークの程度．分布の裾の重さを示すと解釈されることもある).

ku·ru (kū′rū) [土語．恐れまたは寒さのために震える]．クールー（運動失調，振せん，協調運動障害，死亡を特徴とする進行性致死性海綿状脳症である．脳の病理的所見は神経細胞喪失，グリオーシス，海綿状態である．ニューギニアの高地の Fore 族のみにみられる．儀式によりヒトの脳を食べることで伝播する．以前は遅発性ウイルス疾患と考えられていたが，現在ではプリオンによることが知られている．→prion）．

Kurz·rok-Rat·ner test (kūrts′rok rat′ner)．⇒test.

Kussmaul (kūs′mowl), Adolph．ドイツ人医師，1822－1902．K. *respiration*, *coma*, *disease*, *sign*; K.-Kien *respiration*.

Küs·ter (kēs′tĕr), Herman．20 世紀初頭のドイツ人産科婦人科医．→Mayer-Rokitansky-K.-Hauser *syndrome*; Rokitansky-K.-Hauser *syndrome*.

Küst·ner (kist′nĕr), Heinz．20 世紀のドイツ人産科婦人科医．→Prausnitz-K. *antibody*, *reaction*; reversed Prausnitz-K. *reaction*.

kv kilovolt の略．

Kveim (kvīm), Morton A．ノルウェー人医師，1892－？ →K. *antigen*, *test*; K.-Siltzbach *antigen*, *test*; Nickerson-K. *test*.

kVp kilovolts *peak* の略．

KW Kimmelstiel-Wilson *disease*; Keith-Wagener (retinal *changes*) の略．

kwa·shi·or·kor (kwah-shē-ōr′kōr) [ガーナ語，赤髪の少年あるいは追い出された子供]．クワシオルコル（アフリカ人，特に１－３歳の小児において最初に認められた食事性蛋白欠乏疾患．貧血，浮腫，太鼓腹，皮膚色素脱失，脱毛あるいは毛の色の赤色への変化，未消化の食物が混ざった大量の糞便が特徴である．肝細胞の脂肪変性，膵臓の腺房細胞の萎縮，腎糸球体のヒアリン化が剖検所見でみられる）．＝infantile pellagra; malignant malnutrition.

marasmic k. 消耗性クワシオルコル（蛋白やカロリー不足による重症の栄養不良状態．著しい体重減少，全身衰弱やクワシオルコルの諸症状を呈する）．

K-wire (wīr)．Kirschner *wire* の略．

ky·mo·gram (kī′mō-gram)．キモグラム，運動記録図（キモグラフによって描かれた図形曲線）．

ky·mo·graph (kī′mō-graf) [G. *kyma*, wave + *graphō*, to record]．キモグラフ，運動記録器（波状の動きまたは変調を記録する一般的にはすでに使われていない器械で，特に血圧の変化を記録するためのもの．通常，時計仕掛けで回転し，いぶした紙でおおった円筒形部からなり，その上に細い針金または他の描画用針によって描かれる）．

ky·mog·ra·phy (kī-mog′ră-fē)．キモグラフィ，動態記録〔法〕（キモグラフを用いて行う方法）．

ky·mo·scope (kī′mō-skōp) [G. *kyma*, wave + *skopeō*, to regard]．キモスコープ（脈波または血圧の変化を測定する，かつて使われた装置）．

kyn·u·ren·ic ac·id (kin′yū-rē′nik as′id, -ren′ik)．キヌレン酸（L-トリプトファンの代謝産物で，著しいピリドキシン欠乏症においてのみヒトの尿に現れると思われる）．

ky·nu·ren·i·nase (kī-nū-ren′i-nās) [MIM*605197]．キヌレニナーゼ（L-キヌレニンの側鎖の加水分解を触媒する肝酵素で，それによりアントラニル酸と L-アラニンを生成する．L-トリプトファン代謝に関与する）．

ky·nu·ren·ine (kī′nū-ren′in)．キヌレニン（トリプトファンの代謝産物で，尿に少量排泄される．ビタミン B_6 欠乏症で増加する）．

k. formamidase キヌレニンホルマミダーゼ．＝formamidase.

k. 3-hydroxylase キヌレニン 3-ヒドロキシラーゼ．＝k. 3-monooxygenase.

k. 3-monooxygenase キヌレニン 3-モノオキシゲナーゼ（L-キヌレニンにヒドロキシル基を付加することを触媒する酵素で，NADPH の酸と O_2 が用いられる．3-ヒドロキシ L-キヌレニン，$NADP^+$，水を生成させる．L-トリプトファン代謝での一段階）．＝k. 3-hydroxylase.

kyphoplasty (kī′fō-plas′tē) [*kyphosis* + -plasty]．後弯形成〔術〕（圧潰した椎体に骨セメントを注入するなどにより後弯を治す術式）．

ky·phos (kī′fos) [G.]．こぶ（後弯症の凸状隆起）．

ky·pho·sco·li·o·sis (kī′fō-skō′lē-ō′sis) [G. *kyphōsis*, kyphosis + *scoliosis*, curved]．〔脊柱〕後側弯〔症〕（脊柱の側弯と後弯が合併したもの．晩期合併症として重篤な心肺疾患を生じる危険性がある）．＝scoliokyphosis.

ky·pho·sis (kī-fō′sis) [G. *kyphōsis*, hump-back < *kyphos*, bent, hump-backed]．円背，〔脊柱〕後弯（①脊柱の後方凸弯曲．脊柱には後弯と前弯があるが，胸椎と仙骨部の正常でみられる後弯が一次弯曲である．②脊椎の前方(屈曲)弯曲．胸椎は正常でも軽度の後弯を呈する．胸椎が高度に前方弯曲していれば病的である）．

juvenile k. 若年性後弯〔症〕．＝Scheuermann *disease*.

sacral k. [TA]．仙骨部後凸弯曲，仙後弯（仙骨つまり脊柱の仙骨部に正常にみられる前方に凹(後方に凸)の弯曲で，胎児期にみられた一次弯曲が成熟期までそのまま続いたもの）．＝k. sacralis [TA].

k. sacralis [TA]．＝ sacral k.

thoracic k. [TA]．胸部後凸弯曲，胸後弯（脊柱の胸部に正常にみられる前方に凹(後方に凸)の弯曲で，胎児期にみられた一次弯曲が成熟期までそのまま続いたもの）．＝k. thoracica [TA].

k. thoracica [TA]．＝ thoracic k.

ky·phot·ic (kī-fot′ik)．円背の，〔脊柱〕後弯〔症〕の．

Kyr·le (kir′lĕ), Josef．ドイツ人皮膚科医，1880－1926．→K. *disease*.

kyto- (kī′tō)．→cyto-.

𝔏

Λ, λ ラムダ（①ギリシア語のアルファベットの第11番目の文字 lambda．②記号λは，Avogadro 数(⇀number)，波長，放射性崩壊定数 radioactive *constant*, Ostwald 溶解度係数(⇀coefficient)を表す．記号Λは，電解質のモル電導率を表す．③化学では，カルボキシル基や他の置換基から11番目の原子にある置換基の位置を表す(λ))．

L [小文字の l は数字の 1 とよく誤解されるので，大文字の L をリットルの略号として使うことが推奨される]．***1*** left(例えば左眼 left eye)；lumbar vertebrae (L1—L5)の略．***2*** インダクタンス，リットル，ロイシン，ロイシルの記号．***3*** limes の略．小文字プラス記号，下付き文字または下付きプラス記号をつけて種々の量の毒素の記号として用いる．⇀dose.

L リンキング数 linking *number* の記号．

l [小文字の l は数字の 1 とよく誤解されるので，大文字の L をリットルの略号として使うことが推奨される]．リットル；液体；(イタリック体で)長さの記号．

***l*-** [L. *laevus*, on the left-hand side]．左旋性の化学物質を示す接頭語．*cf.* *d*-.

L- 構造的(立体的)に，L-グリセルアルデヒドに関する化学物質を示す接頭語．*cf.* D-.

LA lupus *anticoagulant* の略．

La ランタンの元素記号．

La·band (lah-band′), Peter F. 20世紀の米国人歯科医．⇀L. *syndrome*.

Lab·bé (lah-bā′), Leon. フランス人外科医，1832—1916．⇀L. *triangle*, *vein*.

Lab·bé (lah-bā′), Ernest M. フランス人医師，1870—1939.

la·bel (lā′bĕl). ***1*** 〚v.〛標識する（放射性核種のように，容易に検出され，その代謝が追跡できたり，その体内分布が検出されるような物質を化合物に導入すること）．***2*** 〚n.〛標識（そのように導入された物質）．***3*** 〚n.〛医薬品標示（州を越えた取引や販売のような場合に，医薬品に常に付ける書かれた，印刷された，または図示された標示．しばしば包装内容証明と同義に用いられる．→package *insert*）．

la belle in·dif·fér·ence (lah bel an-dif-er-ahns′) [Fr.]．善良な無関心（自分の機能障害を他人の面前において見せていても不適切に落ち着いていたり関心を示したりしないこと．患者の無邪気な様子が機能障害とは不釣合いな印象を与える．しばしば転換性障害に特徴的にみられるが，現在は転換性障害の基本的病理では考えられていない．*cf.* anosodiaphoria）．

la·bi·a (lā′bē-ă). labium の複数形．

la·bi·al (lā′bē-ăl) [L. *labium*, lip]．[labile と混同しないこと]．***1***〚adj.〛口唇の，唇の．***2***〚adj.〛唇側の．***3***〚n.〛唇音（口唇によって発音される文字の1つ）．

la·bi·al·ism (lā′bē-ăl-izm). 唇音どもり，唇音性構音障害（口唇子音の使用時に混乱がみられるどもりの型）．

la·bi·al·ly (lā′bē-ăl-ē). 唇の方へ，唇側へ．

la·bile (lā′bīl, -bil) [L. *labilis*, liable to slip < *labor*, pp. *lapsus*, to slip]．[labial と混同しないこと]．***1*** 不安定な，変わりやすい（変化または修飾に適応しやすい，すなわち比較的容易に変化あるいは再配列しうる）．***2*** 加熱により影響を受けやすい血清成分．***3*** 移動しやすい（有効電流が患部上を動き回ることをいう）．***4*** 動揺性の，不安定な（心理学や精神医学において，情動が自由で制御されない感情や行動の形で表出すること）．***5*** 不安定な（脱離しやすい．例えば，不安定水素原子）．

la·bil·i·ty (lă-bil′i-tē). 不安定性．

labio- (lā′bē-ō) [L. *labium*, lip]．唇に関する連結形．→cheilo-.

la·bi·o·cer·vi·cal (lā′bē-ō-ser′vi-kăl) [labio- + L. *cervix*, neck]．唇面歯頸部の（特に歯頸部の唇面または頬面についていう）．

la·bi·o·cli·na·tion (lā′bē-ō-kli-nā′shŭn). 唇側傾斜（正常より唇側方向へ位置が傾斜している歯についていう）．

la·bi·o·den·tal (lā′bē-ō-den′tăl) [labio- + L. *dens*, tooth]．唇歯の（唇と歯によって発音される文字そのものについていう）．

la·bi·o·gin·gi·val (lā′bē-ō-jin′ji-văl). 唇側歯肉面の（切歯の遠心面または近心面上の唇縁と歯肉線の境界についていう）．

la·bi·o·glos·so·la·ryn·ge·al (lā′bē-ō-glos′ō-lă-rin′jē-ăl) [labio- + G. *glōssa*, tongue + larynx]．口唇舌喉頭の（唇，舌，および喉頭に関する．これらの部分が侵される進行性球麻痺を表す）．

la·bi·o·glos·so·pha·ryn·ge·al (lā′bē-ō-glos′ō-fă-rin′jē-ăl) [labio- + G. *glōssa*, tongue + pharynx]．口唇舌咽頭の（唇，舌および咽頭に関する．これらの部分が侵される進行性球麻痺を表す）．

la·bi·o·graph (lā′bē-ō-graf) [labio- + G. *graphō*, to record]．唇動記録器（話すときの唇の動きを記録する装置）．

la·bi·o·men·tal (lā′bē-ō-men′tăl) [labio- + L. *mentum*, chin]．唇頤の（下唇とおとがいについていう）．

la·bi·o·na·sal (lā′bē-ō-nā′săl). 唇鼻の（①口唇鼻部についていう．②発音するときに唇と鼻の両方を用いる文字についていう）．

la·bi·o·pal·a·tine (lā′bē-ō-pal′ă-tīn). 唇口蓋の（唇と口蓋についていう）．

la·bi·o·place·ment (lā′bē-ō-plās′ment). 唇側転位（例えば，歯などが正常よりも唇側に位置すること）．

la·bi·o·plas·ty (lā′bē-ō-plas′tē) [labio- + G. *plastos*, formed]．口唇形成〔術〕．

la·bi·o·ver·sion (lā′bē-ō-ver′zhŭn). 唇側転位（前歯が咬合正常線より唇側にある不正位）．

lab·i·tome (lab′i-tōm) [G. *labis*, pincers + *tomē*, an incision]．有刃鉗子（鋭利な刃のついた切開用鉗子）．＝cutting forceps.

la·bi·um, gen. **la·bii,** pl. **la·bi·a** (lā′bē-ŭm, -bē-ē, -bē-ă) [L.][TA]．唇（[誤った複数形 labias を避けること]．①＝lip. ②唇の形をした構造）．

l. anterius ostii uteri [TA]．外子宮口前唇．＝anterior *lip* of external os of uterus.

l. externum cristae iliacae [TA]．腸骨稜外唇．＝outer *lip* of iliac crest.

l. inferius oris [TA]．下唇，したくちびる．＝lower *lip*.

l. internum cristae iliacae [TA]．腸骨稜内唇．＝inner *lip* of iliac crest.

l. laterale lineae asperae [TA]．粗線外側唇．＝lateral *lip* of linea aspera.

l. limbi tympanicum laminae spiralis ossei〔ラセン板の〕鼓室唇．＝tympanic *lip* of spiral limbus.

l. limbi tympanicum limbi spiralis ossei [TA]．〔ラセン板の〕鼓室唇．＝tympanic *lip* of spiral limbus.

l. limbi vestibulare laminae spiralis ossei ラセン板縁前庭唇．＝vestibular *lip* of spiral limbus.

l. limbi vestibulare limbi spiralis ossei [TA]．ラセン板縁前庭唇．＝vestibular *lip* of spiral limbus.

l. majus [TA]．大陰唇（[誤った語句 labium major を避けること]．陰裂の外側の境界を形成する2つの丸みのある皮膚のひだで，男性の陰嚢と相同のもの）．＝l. majus pudendi [TA]; large pudendal lip.

l. majus pudendi, pl. **labia majora** [TA]．大陰唇．＝l. majus.

l. mediale lineae asperae [TA]．粗線内側唇．＝medial *lip* of linea aspera.

l. minus [TA]．小陰唇（[誤った語句 labium minor を避けること]．大陰唇の内側を縦に走る2条の薄い皮膚ひだ．後方では次第に大陰唇と合併し陰唇小帯を形成する．前方ではそれぞれ2つの部分に分かれ，陰核亀頭の前部で反対側の小陰唇と結合し陰核包皮を形成する）．＝l. minus pudendi; small pudendal lip.

l. minus pudendi, pl. **labia minora** ＝l. minus.

labia oris [TA]．口唇，くちびる（⇀lip (1)）．＝*lips* of mouth.

l. posterius ostii uteri [TA]．外子宮口後唇．＝posterior *lip* of external os of uterus.

L

l. superius oris [TA]．上唇，うわくちびる．＝upper *lip*.

tympanic l. of limbus of spiral lamina〔ラセン板の〕鼓室唇．＝tympanic *lip* of spiral limbus.

l. urethrae 尿道唇（女性の外尿道口の２つの外側縁）．

labia uteri 子宮口唇（→anterior *lip* of external os of uterus; posterior *lip* of external os of uterus）．

vestibular l. of limbus of spiral lamina [TA]．ラセン板縁前庭唇．＝vestibular *lip* of spiral limbus.

l. vocale, pl. **labia vocalia** 声帯〔唇〕．＝vocal *fold*.

la・bor, stag・es of l. (lā′bŏr) [L. toil, suffering]．分娩，分娩期（胎児および付属物を子宮外へ排出する過程．分娩第１期(開口期)：陣痛発来から子宮口全開大までの期間．分娩第２期(娩出期)：子宮口全開大より胎児娩出までの期間．分娩第３期(後産期)：胎児娩出から胎盤および卵膜(胎児付属物)の娩出終了までの期間）．

active l. 分娩陣痛（頸管の連続的な熟化と子宮口開大を伴う陣痛）．

dry l. 乾性分娩（ほとんどすべての羊水が自然に流出した後の出産を表す現在では用いられない語）．

false l. 前駆陣痛（妊婦に肉体的不快感を生じさせる Braxton Hicks 収縮のこと．→Braxton Hicks *contraction*. *cf.* false *pains*）．

missed l. 稽留分娩（正常な娩出時期にわずかな陣痛があるが，やがてそれがやみ，胎児が長時間娩出されないもの．通常，胎児は子宮内で死亡しているか，腹腔内にある）．

precipitate l. 墜落分娩，街路分娩（胎児が急速に娩出してしまう分娩）．

premature l. 早産，早期分娩（最終月経から数えて，妊娠 20 週以上 37 週未満に分娩が開始すること．㊟日本では 22 週以降 24 週未満の分娩を未熟産として区別する）．

trial of l. after cesarean section (TOLAC)〔帝王切開後〕試験分娩（帝王切開後の妊娠で経腟分娩を試みること．瘢痕からの子宮破裂の危険性がある）．

lab・o・ra・to・ri・an (lab′ŏ-ră-tōr′ē-ăn)．実験〔室〕助手（実験室で働く人．医学関係の職業では主に診断，治療，予防のため，あるいは健康や環境衛生の基礎として，様々な化学的・生物学的物質を調べたり試験したり，またそれらの処理を管理したりする人）．

lab・o・ra・to・ry (lab′ŏ-ră-tō′rē, lab′ră-) [Mediev. L. *laboratorium*, a workplace < L. *laboro*, pp. *-atus*, to labor]．実験室，試験室，検査室，製剤室，研究所，作業所（検査や実験をしたり，手法を検討したり，試薬や治療の薬剤を調製するためなどに，準備した場所）．

personal growth l. 人物成長研究所（感受性訓練を目的とするもの．参加者の創造性，共感性，指導性についての能力開発が主として強調される．→sensitivity training *group*）．

la・bra (lā′bră) [L.]．labrum の複数形．

la・bra・le in・fe・ri・us (lă-brā′lē in-fē′rē-ŭs)．ラブラーレインフェリウス（生体計測学上の点で，下赤唇と皮膚との境界と正中矢状面との交点）．

la・bra・le su・pe・ri・us (lă-brā′lē sū-pē′rē-ŭs)．ラブラーレスーペリウス（生体計測学上の点で，上赤唇と皮膚との境界に引いた線と正中矢状面との交点）．

lab・ro・cyte (lab′rō-sīt)．＝mast *cell*.

la・brum, pl. **la・bra** (lā′brŭm, lā′bră) [L.][TA]．***1*** 口唇（顔面にある解剖学的口唇）．***2*** 唇（唇のような形をしたもの）．***3*** 関節唇（ある種の関節窩の周囲にある線維軟骨性の唇状構造物）．＝articular l.; articular lip; l. articulare.

acetabular l. [TA]．寛骨臼唇（寛骨臼縁に付着した線維軟骨輪）．＝l. acetabuli [TA]; acetabular lip; circumferential cartilage (1); cotyloid ligament; ligamentum cotyloideum.

l. acetabuli [TA]．関節唇，寛骨臼唇．＝acetabular l.

articular l. 関節唇．＝labrum (3).

l. articulare 関節唇．＝labrum (3).

glenoid l. of scapula [TA]．肩関節唇（線維軟骨環．肩甲骨の関節窩の縁に付着し，その窩を拡大させる）．＝l. glenoidale scapulae [TA]; articular margin; circumferential cartilage (2); glenoid ligament (1); glenoidal lip; ligamentum glenoidale.

l. glenoidale scapulae [TA]．肩関節唇．＝glenoid l. of scapula.

lab・y・rinth (lab′i-rinth) [TA]．***1*** 迷路（無数の相通じる小室または管をもったいくつかの解剖学的構造に適用される語．ⓘ半規管，前庭，蝸牛からなる内耳．ⓘⓘ篩骨迷路にみられるような連結した空洞の集団）．***2*** 迷〔路状試験〕管（U字形と逆U字形の管が交互に連結した一群の直立試験管．培養のとき，非運動性微生物または運動性の劣った微生物から運動性微生物(例えば，大腸菌から腸チフス菌)を分離するとき用いる．試験管内では，運動性の優れた微生物は運動性の劣ったものより，より速く，より遠くへ移動する）．

bony l. [TA]．骨迷路（蝸牛・前庭・半規管からなる一連の骨性腔所で，側頭骨錐体部にあって耳嚢を収容している．内部は外リンパで満たされ，その中に内部に内リンパを含む繊細な膜迷路が存在する．→otic *capsule*）．＝labyrinthus osseus [TA]; osseous l.

cochlear l. [TA]．蝸牛迷路（膜迷路のうち聴感覚にかかわる部分で蝸牛神経が分布する(もう１つの平衡感覚にかかわる部分は前庭迷路)．骨迷路の蝸牛部にありラセン器を含む蝸牛管からなる）．＝labyrinthus cochlearis [TA]; organ of hearing.

cortical l. [TA]．皮質迷路（腎皮質において，糸球体と曲尿細管からなる部分）．＝labyrinthus corticis [TA]; convoluted part of renal cortex; pars convoluta corticis renalis.

ethmoidal l. [TA]．篩骨迷路（篩骨の側方部．鼻腔の側壁の一部分を形成する薄い骨壁をもつ含気洞の集団．前部，中部，後部の３つに分けられ，眼窩壁を形成する眼窩板によって側方は閉ざされる）．＝labyrinthus ethmoidalis [TA]; ectethmoid; ectoethmoid; lateral mass of ethmoid bone.

Ludwig l. (lūd′vig)．ルートヴィヒ迷路．＝convoluted *part* of kidney lobule.

membranous l. [TA]．膜迷路（複雑に連絡している一連の膜性の細管と嚢．骨迷路の空洞の中にあり，内部は内リンパで満たされ，周囲は外リンパで囲まれる．主に蝸牛管，前庭迷路からなる）．＝labyrinthus membranaceus [TA].

osseous l. 骨迷路．＝bony l.

renal l. ＝convoluted *part* of kidney lobule.

Santorini l. (sahn-tō-rē′nē)．サントリーニ迷路．＝prostatic venous *plexus*.

vestibular l. [TA]．前庭迷路（膜迷路のうち平衡感覚にかかわる部分で前庭神経が分布する(もう１つの聴覚にかかわる部分は蝸牛迷路)．骨半規管内部と骨迷路の前庭部にあり球形嚢，卵形嚢，半規管，連嚢管，外リンパ管からなる）．＝labyrinthus vestibularis [TA]; vestibular organ.

lab・y・rin・thec・to・my (lab′i-rin-thek′tŏ-mē) [labyrinth + G. *ektomē*, excision]．迷路摘出〔術〕，迷路切除〔術〕（迷路機能を破壊する手術）．

lab・y・rin・thine (lab′i-rin′thīn)．迷路の，迷路状の．

lab・y・rin・thi・tis (lab′i-rin-thī′tis)．迷路炎（迷路(内耳)の炎症をいい，通常めまいと難聴を伴う）．＝otitis interna.

lab・y・rin・thot・o・my (lab′i-rin-thot′ŏ-mē) [labyrinth + G. *tomē*, incision]．迷路切開〔術〕．

lab・y・rin・thus (lab′i-rin′thŭs) [L. < G. *labyrinthos*, labyrinth]．迷路．＝convoluted *part* of kidney lobule.

l. cochlearis [TA]．蝸牛迷路．＝cochlear *labyrinth*.

l. corticis [TA]．＝cortical *labyrinth*.

l. ethmoidalis [TA]．篩骨迷路．＝ethmoidal *labyrinth*.

l. membranaceus [TA]．膜迷路．＝membranous *labyrinth*.

l. osseus [TA]．骨迷路．＝bony *labyrinth*.

l. vestibularis [TA]．前庭迷路．＝vestibular *labyrinth*.

lac, gen. **lac・tis** (lak, lak′tis) [L. milk]．乳（①＝milk (1)．②白い，乳汁のような液体）．

l. sulfuris 硫黄乳，沈降硫黄．＝precipitated *sulfur*.

l. vaccinum 牛乳．

lac・ca (lak′ă)．ラッカ．＝shellac.

lac・case (lak′ās)．ラッカーゼ（ベンゼンジオールをセミキノンに酸素分子O_2 で酸化を触媒する酵素）．＝monophenol monooxygenase (2); phenol oxidase; phenolase; polyphenol oxidase; urushiol oxidase.

lac・er・a・ble (las′ĕr-ă-bĕl) [L. *lacero*, to tear to pieces < *lacer*, mangled]．裂けやすい，裂ける．

lac・er・at・ed (las′ĕr-āt′ĕd) [L. *lacero*, pp. *-atus*, to tear to pieces]．裂傷した，裂かれた．

lac・er・a・tion (las′ĕr-ā′shŭn) [L. *lacero*, pp. *-atus*, to tear to pieces]. 裂傷，破傷，裂創（[裂創は厳密には鈍的外傷による軟部組織(皮膚，脳，肝臓)の裂けや破裂である．切創を含むすべての開放創に対して，この用語の適応を拡大することは避けること]．①引き裂かれずたずたの傷，または事故による傷．②組織を引き裂く過程や行為）．

brain l. 脳裂傷（神経組織が大量に引き裂かれること）．

scalp l. 頭皮裂傷（真皮または皮下組織と頭蓋骨の帽状腱膜の裂傷）．

through-and-through l. 貫通性裂傷（組織の２つの表面を穿通している裂創．一般的には頬部，口唇，鼻翼，耳介などの皮膚あるいは粘膜の表面に限られる）．

vaginal l. 膣壁裂傷（膣壁の裂傷）．=colporrhexis.

la·cer·tus (lă-sĕr′tŭs) [L.][TA]. ***1*** [TA]. 腱膜（筋に関連した線維の帯・束・切れ）．***2*** 本来，肩から肘に至る上肢の筋肉をいう．

l. cordis 肉柱の１つ．

l. fibrosus* bicipital *aponeurosis* の公式の別名．

l. of lateral rectus muscle 外側直筋腱膜（眼の外側直筋の起始腱の一部が総腱輪の外側で蝶形骨の大翼に付着しているものをいう．しばしば眼球の外側固定靭帯と同一と誤認されてきた）．=l. musculi recti lateralis bulbi [TA].

l. medius =anterior longitudinal *ligament*.

l. musculi recti lateralis bulbi [TA]. 外側直筋腱膜．=l. of lateral rectus muscle.

lach·ry·mal (lak′ri-măl). [本語のあまり正確といえないつづりはラテン語 lacrima とギリシア語 dakryma(ともに「涙」の意)の混同から生じた]. =lacrimal.

LACI lipoprotein-associated coagulation *inhibitor* の略．

la·cin·i·ae tu·bae (la-sin′ē-ē tū′bē) [L. *lacinia*, fringe]. 卵管采．=*fimbriae* of uterine tube (⇀fimbria).

lac·ri·mal (lak′ri-măl) [L. *lacrima*, a tear]. 涙液の（涙，涙液の分泌，分泌腺，排出器官についていう）．=lachrymal.

lac·ri·ma·tion (lak′ri-mā′shŭn) [L. *lacrimatio*]. 流涙，涙液分泌（涙の分泌，特にその過剰分泌）．

lac·ri·ma·tor (lak′ri-mā-tŏr) [L. *lacrima*, tear]. 催涙薬（催涙ガスのように，目を刺激して涙を出させる薬剤）．

lac·ri·ma·to·ry (lak′ri-mă-tō-rē). 催涙性の．

lac·ri·mot·o·my (lak′ri-mot′ŏ-mē) [L. *lacrima*, tear + G. *tomē*, incision]. 涙道切開〔術〕．

lact-, lacti-, lacto- (lakt′, lak′ti, lak′tō) [L. *lac*, *lactis*]. 乳汁に関する連結形．⇀galacto-.

lac·tac·i·de·mi·a (lak′tas-i-dē′mē-ă). =lactic acidemia.

lac·tac·i·do·sis (lak′tas-i-dō′sis). ラクトアシドーシス（乳酸の増加によるアシドーシス）．

lac·tal·bu·min (lak′tal-byū′min). ラクトアルブミン（乳汁のアルブミン分画．α-ラクトアルブミン，β-ラクトアルブミンの２種の蛋白が存在する．少数成分である α-ラクトアルブミンはガラクトシルトランスフェラーゼと相互作用し，乳生成でのグルコースと UDP-ガラクトースからラクトースの合成を行うラクトースシンターゼを生成する．β-ラクトアルブミンは牛乳中の主要な乳漿蛋白である．α-ラクトアルブミンはその乳漿蛋白で最も熱安定性が高い）．

lac·tam, lac·tim (lak′tam, lak′tim). ラクタム，ラクチム（lactoneamine と lactoneimine の短縮形．–NH–CO– と –N=C(OH)– の互変異性体に対してそれぞれ用いられ，多くのプリン，ピリミジンその他の物質中に存在する．後者の型は，尿酸が酸性である原因となる）．

β-lac·tam (lak′tam). β-ラクタム（ペニシリン類およびセファリスポリン類と構造的，薬理学的に類似した，広域スペクトルをもつ抗生物質群）．

lac·ta·mase (lak′tă-mās). =β-lactamase.

β-lac·ta·mase (lak′tă-mās). β-ラクタマーゼ（ペニシリンやセファロスポリン系抗生物質がもつ４員構造の β ラクタム環を破壊し，抗菌活性を失わせる酵素で，多くの種類の細菌が産生する．β ラクタマーゼの産生能力には生来性で染色体性のものと獲得性でプラスミド性のものとがある）．=cephalosporinase; lactamase; penicillinase (1).

lac·tase (lak′tās) [MIM*603202]. ラクターゼ，乳糖分解酵素．=β-D-galactosidase.

lac·tate (lak′tāt). ***1***《n.》乳酸塩またはエステル．***2***《v.》乳汁を分泌する，乳汁を産生する．

l. dehydrogenase (LDH) 乳酸デヒドロゲナーゼ（４つの酵素，L-乳酸デヒドロゲナーゼ(シトクロム)，D-乳酸デヒドロゲナーゼ(シトクロム)，L-乳酸デヒドロゲナーゼ，D-乳酸デヒドロゲナーゼに対する名称．初めの２つの酵素は水素をフェリシトクロム *c*（またはシトクロム b_2）に伝達し，後の２つの酵素は乳酸を酸化してピルビン酸にする反応を触媒するとき NAD^+ に伝達する．心臓や筋肉乳酸デヒドロゲナーゼのアイソザイム分布は，心筋梗塞で役立つ．サブユニットの欠損により激しい運動後にミオグロビン尿症になる）．=lactic acid dehydrogenase.

excess l. 過剰乳酸（ピルビン酸濃度の増大によって予期される以上に，乳酸濃度が増大すること．この濃度の増大は酸化還元電位の変化により生じる．嫌気性炭水化物代謝の指標に用いる）．

Ringer l. (ring′ĕr). =Ringer *solution*.

lac·tate 2-mon·o·ox·y·ge·nase (lak′tāt mon′ō-oks′i-jen-ās). 乳酸 2-モノオキシゲナーゼ（L-乳酸の(酸素による)酸化で，酢酸+CO_2 と水を発生する反応を触媒するフラビン蛋白酸化還元酵素）．=lactic acid oxidative decarboxylase.

lac·ta·tion (lak-tā′shŭn) [L. *lactatio*, suckle]. [誤った変形 lactancy を避けること]. ***1*** 乳汁分泌．***2*** 授乳期（出産後，乳房で乳汁がつくられる時期）．

lac·ta·tion·al (lak-tā′shŭn-ăl). 乳汁分泌の，授乳〔期〕の．

lac·te·al (lak′tē-ăl). [誤った発音 lacte′al を避けること]. ***1***《adj.》乳汁の，乳汁様の．***2***《n.》乳び管，乳び腔（乳びを運ぶリンパ管）．=chyle vessel; lacteal vessel.

central l. 中心乳び腔（腸絨毛の中央にある行き止まりのリンパ毛細管）．

lac·te·nin (lak′tĕ-nin). ラクテニン（牛乳から分離される連鎖球菌に有効な抗菌物質）．

lac·tes·cent (lak-tes′ent). 乳汁状の，乳汁様の．

lacti- (lak′ti). ⇀lact-.

lac·tic (lak′tik) [L. *lac* (*lact-*), milk]. 乳汁の．

lac·tic ac·id (lak′tik as′id). 乳酸（糖の発酵(酸化，代謝)での正常中間体．純品として，シロップ様の無色無臭の液体．乳汁または乳糖に乳酸菌が作用して生じる．濃縮したものは腐食薬として用い，内用としては胃腸内発酵を防ぐ．菌の培養液または乳酸を含む乳汁は通常，乳酸の代わりに用いる．L-乳酸はサルコ乳酸 sarcolactic acid として知られている）．

lac·tic ac·id de·hy·dro·gen·ase (lak′tik as′id dē′hī-drō′jen-ās). =*lactate* dehydrogenase.

lac·tic ac·i·de·mi·a (lak′tik as′i-dē′mē-ă) [lactic acid + G. *haima*, blood]. 乳酸血〔症〕（循環血液中に右旋性乳酸が存在する状態）．=lactacidemia.

lac·tic ac·id ox·i·da·tive de·car·box·yl·ase (lak′tik as′id oks′i-dā′tive dē′kar-boks′ĭl-ās). 乳酸酸化的脱炭酸酵素，乳酸酸化的デカルボキシラーゼ．=lactate 2-monooxygenase.

lac·tif·er·ous (lak-tif′ĕr-ŭs) [lacti- + L. *fero*, to bear]. 乳汁分泌性の．

lac·tif·u·gal (lak-tif′yū-găl). =lactifuge (1).

lac·ti·fuge (lak′ti-fyūj) [lacti- + L. *fugo*, to drive away]. ***1***《adj.》乳汁分泌抑制の．=lactifugal. ***2***《n.》制乳薬，乳汁分泌抑制薬（乳汁分泌を抑制する薬剤）．

lac·tig·e·nous (lak-tij′ĕ-nŭs) [lacti- + *-gen*, producing]. 乳汁産生の．

lac·tim (lak′tim). ⇀lactam.

lac·ti·mor·bus (lak′ti-mōr′bŭs) [lacti- + L. *morbus*, disease]. 牛乳病．=milk *sickness*.

lac·ti·nat·ed (lak′ti-nāt′ĕd). 乳糖の．

lacto- (lak′tō). ⇀lact-.

Lac·to·bac·il·la·ce·ae (lak′tō-bas-i-lā′sē-ē). 乳酸杆菌科（嫌気性または通性嫌気性で，通常，真菌目非運動性細菌の一科．まっすぐか，あるいは曲がったグラム陽性杆菌で，単独または連鎖でみられる．運動性の菌は周毛性である．複雑な有機栄養物を必要とし，炭水化物から乳酸をつくる．炭水化物をもつ，発酵している動物，植物の生成物中や，ヒトを含む種々の恒温動物の口，膣，腸管の中にもみられる．病原性のものはほんの一部である．標準属は *Lactobacillus*）．

lac·to·ba·cil·li (lak′tō-ba-sil′ī). lactobacillus の複数形．

lac·to·ba·cil·lic ac·id (lak′tō-ba-sil′ik as′id). ラクトバチル酸（乳酸菌の脂質の主な構成要素．分子中にシクロプロパン環をもつことで知られている）．

Lac·to·ba·cil·lus (lak′tō-ba-sil′ŭs) [lacto- + bacillus]. 乳

酸杆菌属（微好気性または嫌気性で，胞子を形成しない，通常，乳酸菌科非運動性の細菌の一属．彎曲した，あるいは直線状のグラム陽性杆菌で，細長い菌から球杆菌までである．一般に連鎖し，特に対数増殖期の後期によく連鎖する．複雑な有機栄養物を必要とし，一般的にこれはどの種にも特徴的である．代謝は発酵的であり，最終産物の少なくとも半分以上は乳酸である．酪農品，穀類や肉製品の廃水，水，下水汚物，ビール，ワイン，果物や果汁，野菜の漬物，すっぱいパン種やかゆの中にみられ，あるものはヒトを含む恒温動物の口，腸管，および膣に寄生する．正常細菌叢として存在するときには，病原細菌に対する防御能をもつバクテロサイジンを産生する．標準菌種は *L. delbrueckii*）．

L. acidophilus アシドフィルス菌（母乳を飲んでいる乳児や，乳，乳糖，デキストリンを多く含んだ食事をとっている老年者の糞便中にみられる菌種）．

L. brevis 乳酸短杆菌（自然界に広く分布する菌種で，特に動植物の生成物中にみられる．また，ヒトやラットの口や腸管にもみられる）．

L. buchneri ブーフナー〔乳酸杆〕菌（発酵物質中に広く分布している菌種）．

L. bulgaricus ブルガリア菌（ヨーグルトをつくるために用いる菌種）．

L. casei カセイ菌（乳汁やチーズの中にみられる菌種）．

L. catenaformis ヒトの腸管や肺腔中にみられる嫌気性の菌種．

L. crispatus 歯の膿瘍から採取された膿汁中から見出された菌種．

L. curvatus ウシの糞，酪農納屋の空気，乾草，乳汁の中，または心内膜炎の場合にもみられる菌種．

L. delbrueckii デルブリュック〔乳酸杆〕菌（発酵している野菜や穀類をつぶした汁の中にみられる菌種．乳酸杆菌属 *Lactobacillus* の標準菌種）．

L. fermentum 発酵乳酸杆菌（自然界に広く分布する菌種で，特に発酵した動植物の生成物中にみられる．ヒトの口中にもみられる）．

L. jensenii イエンセン〔乳酸杆〕菌（ヒトの膣排泄物や血餅から分離された菌種）．

L. plantarum 酪農産物，酪農場，発酵した植物，乾草，塩漬けキャベツ，野菜の漬物，腐敗したトマト，すっぱいパン種，ウシの糞，ヒトの口，腸管，および糞便中にみられる菌種．

L. salivarius ハムスターの口や腸管，ヒトの口，雌鶏の腸管中にみられる菌種．

L. trichodes 毛状乳酸杆菌（20%のエタノールを含むワインや，カリフォルニア，オーストラリア，フランス，スペインのワインのおりの中にみられる菌種．カリフォルニアでは一般に hair bacillus, cottony bacillus, cottony mold, Fresno mold とよばれている）．

lac·to·ba·cil·lus (lak′tō-ba-sil′ŭs). 乳酸杆菌属 *Lactobacillus* の菌種をさして用いる通称．

lac·to·be·zoar (lak′tō-bē′zōr) [lacto- + bezoar]. 乳汁結石（未熟児用人工乳に含まれている大量のカルシウムやカゼインによって起こる結石）. = inspissated milk syndrome; milk bolus obstruction.

lac·to·bu·ty·rom·e·ter (lak′tō-byū′ti-rom′ĕ-tĕr) [lacto- + G. *boutyron*, butter + *metron*, measure]. 乳脂計（乳脂比量計の一種）．

lac·to·cele (lak′tō-sēl) [lacto- + G. *kēlē*, tumor]. 乳腺嚢胞，乳瘤. = galactocele.

lac·to·chrome (lak′tō-krōm). ラクトクロム. = lactoflavin (1).

lac·to·crit (lak′tō-krit) [lacto- + G. *krinō*, to separate]. 乳脂比量計（乳汁中の乳脂肪量を測定するのに用いる器具）．

lac·to·den·sim·e·ter (lak′tō-den-sim′ĕ-tĕr) [lacto- + L. *densus*, thick + G. *metron*, measure]. 乳汁比重計（乳脂計の一種）．

lac·to·fer·rin (lak′tō-fer′in). ラクトフェリン（哺乳類の数種のミルクに見出され，赤血球に鉄分を運ぶうえで関わりがあると思われているトランスフェリン．人乳では比較的高濃度で見出される）．

lac·to·fla·vin (lak′tō-flā′vin). ラクトフラビン（①乳汁中にあるフラビン. = lactochrome. ② = riboflavin）．

lac·to·gen (lak′tō-jen) [lacto- + G. *-gen*, producing]. ラクトゲン（乳汁の産生や分泌を促進する物質）．

human placental l. (HPL) ヒト胎盤性ラクトゲン，ヒト胎盤性乳汁分泌促進因子（ヒトの胎盤から分離されるラクトゲンで，ソマトトロピンと同様の構造をもつ．生物学的活性はヒト下垂体ホルモンやプロラクチンと同じであるが弱い．母体の循環系へ分泌される．妊娠中の HPL の欠損により子宮内や生後の成長に異常がみられる子供になる）. = choriomammotropin; chorionic “growth hormone-prolactin”; human chorionic somatomammotropic hormone; human chorionic somatomammotropin; placenta protein; placental growth hormone; purified placental protein.

lac·to·gen·e·sis (lak′tō-jen′ĕ-sis) [lacto- + G. *genesis*, production]. 乳汁産生．

lac·to·gen·ic (lak′tō-jen′ik). 乳汁産生の．

lac·to·glob·u·lin (lak′tō-glob′yū-lin). ラクトグロブリン（乳汁中に存在するグロブリンの一種．ウシの乳漿蛋白の 50—60%を包含する）．

lac·tom·e·ter (lak-tom′ĕ-tĕr) [lacto- + G. *metron*, measure]. 乳脂計，乳調計. = galactometer.

lac·to·nase (lak′tō-nās). ラクトナーゼ（① = gluconolactonase. ②ラクトンをそれに対応する有機酸に変換する酵素）．

lac·tone (lak′tōn). ラクトン（–OH 基と –COOH 基から水を脱離することによりヒドロオキシン酸から生じる分子内有機無水物．環状エステル）．

lac·to·per·ox·i·dase (lak′tō-per-oks′i-dās) [MIM* 150205]. ラクトペルオキシダーゼ（乳汁から得られるペルオキシダーゼ．またヨウ化物を酸化してヨウ素を生成する反応を触媒する酵素）．

lac·to·pro·tein (lak′tō-prō′tēn). 乳汁蛋白，乳蛋白（正常な乳汁中に存在する蛋白）．

lac·tor·rhe·a (lak′tō-rē′ă) [lacto- + G. *rhoia*, a flow]. 乳汁漏出〔症〕，乳漏〔症〕. = galactorrhea.

lac·to·scope (lak′tō-skōp) [lacto- + G. *skopeō*, to view]. 検乳器. = galactoscope.

lac·tose (lak′tōs). 乳糖，ラクトース（哺乳類の乳汁中に存在する還元性の二糖類の一つで，ガラクトシル基がグルコピラノースに β1,4 結合した構造をしている．牛乳から得られ，調製乳汁の生産，小児や回復期の病人の食物，製薬に用いる．浸透圧利尿薬や緩下剤として大量投与される．人乳には 6.7%のラクトースが含まれている）. = milk sugar; saccharum lactis.

l. synthase ラクトースシンターゼ（ラクトース合成に関与する酵素．UDP–ガラクトースと D–グルコースとからラクトースと UDP とへの反応を触媒する）．

lac·to·su·ri·a (lak′tō-syū′rē-ă) [lactose + G. *ouron*, urine + -ia]. 乳糖尿〔症〕（尿中に乳糖が排泄される状態．妊娠や授乳中および新生児，特に未熟児には通常みられる所見である）．

lac·to·ther·a·py (lak′tō-thār′ă-pē). 牛乳療法，乳汁療法. = galactotherapy.

lactotroph (lak′tō-trōf) [backformation from *lactotrophic*]. プロラクチン分泌細胞（プロラクチンを産生する脳下垂体の細胞）．

lac·to·troph·ic (lak′tō-trof′ik). prolactin-producing の古語．

lac·to·tro·pin (lak′tō-trō′pin). ラクトトロピン. = prolactin.

lac·to·veg·e·tar·i·an (lak′tō-vej′ĕ-tār′ē-ăn). 牛乳菜食主義者（①乳汁，乳製品，卵，野菜を常食とし，肉を食べない人．②牛乳，乳製品は飲食するが，卵，肉，魚貝類は食べない菜食主義者）．

lac·to·yl·glu·ta·thi·one ly·ase (lak′tō-il-glū′tă-thī′ōn lī′ās). ラクトイルグルタチオンリアーゼ；glyoxalase I（*S*–D–ラクトイルグルタチオンをグルタチオンとメチルグリオキサールに開裂させるリアーゼ）. = aldoketomutase; ketone-aldehyde mutase; methylglyoxalase.

lac·tu·lose (lak′tū-lōs). ラクツロース（肝性エンセファロパシーおよび慢性便秘症の治療に用いる合成二糖類）．

***α*-lac·tyl-thi·a·min py·ro·phos·phate** (lak′til thī′ă-min pī′rō-fos′fāt). *α*–ラクチルチアミンピロリン酸. = active *pyruvate.*

la·cu·na, pl. **la·cu·nae** (lă-kū′nă, -kū′nē) [L. a pit: *lacus* (a hollow, a lake) の指小辞]. ***1*** [TA]. 裂孔（小さな空間, 空洞, またはくぼみ). ***2*** 空隙, 欠落. ***3*** 皮膚の層や細胞間の異常な間隙. ***4*** ＝corneal *space.*

cartilage l. 軟骨小腔（軟骨基質の中にあり, 軟骨細胞で占められた空洞). ＝cartilage space.

cerebral l. 脳凹窩（小貫通動脈の閉塞によって生じる脳組織の小さな限局性の欠損). ＝l. cerebri.

l. cerebri 脳凹窩. ＝cerebral l.

Howship lacunae (how′ship). ハウシップ凹窩（破骨細胞によって骨が吸収されて生じる小さなくぼみ, 落込み, または不規則な溝). ＝resorption lacunae.

intervillous l. 絨毛間裂孔（絨毛が突出している胎盤中の血液腔).

lateral lacunae [TA]. ＝lateral lacunae of superior sagittal sinus.

lacunae laterales [TA]. ＝lateral lacunae of superior sagittal sinus.

lateral lacunae of superior sagittal sinus [TA]. 外側裂孔（硬膜の上矢状静脈洞の外側方への延長. 加齢にしたがってしばしば幅が広くなり, 非常に高齢になると正中線の外側 2 cm まで膨張することがある. 小窩の内皮におおわれた管腔は, 通常, 無数のクモ膜顆粒や硬膜柱によって海綿様迷路になっている). ＝lacunae laterales [TA]; lateral lacunae [TA]; lateral lakes; lateral venous lacunae; parasinoidal sinuses.

lateral venous lacunae 外側裂孔. ＝lateral lacunae of superior sagittal sinus.

l. magna 大裂孔（陰茎の舟状窩の上壁の陥凹. 粘膜のひだ, 舟状窩弁によって形成される).

Morgagni l. (mōr-gah′nyē). モルガニー凹窩. ＝urethral l.

muscular l. 筋裂孔. ＝muscular *space* of retroinguinal compartment.

l. musculorum 筋裂孔. ＝muscular *space* of retroinguinal compartment.

l. musculorum retroinguinalis [TA]. ＝muscular *space* of retroinguinal compartment.

osseous l. 骨小窩（骨細胞によって占められた骨組織内の空洞).

pharyngeal l. 咽頭小窩（耳管の咽頭開口部付近にあるくぼみ). ＝l. pharyngis.

l. pharyngis 咽頭小窩. ＝pharyngeal l.

resorption lacunae 吸収窩. ＝Howship lacunae.

trophoblastic l. 栄養膜裂孔（絨毛形成前の絨毛膜の初期栄養膜合胞体層中にある空隙. ヒト胚では, 母親の血液が 10 日目までこの空隙にはいる. 絨毛膜が分化するに従い絨毛間の空隙になり, ときに絨毛間裂孔 intervillous lacunae とよばれる).

urethral l. [TA]. 尿道凹窩（尿道海綿体部の粘膜中にある多くの小さな陥凹. その中に尿道腺の導管が開いている). ＝l. urethralis [TA]; Morgagni l.

l. urethralis, pl. **lacunae urethrales** [TA]. 尿道凹窩. ＝urethral l.

vascular l. 血管裂孔. ＝vascular *space* of retroinguinal compartment.

l. vasorum 血管裂孔. ＝vascular *space* of retroinguinal compartment.

l. vasorum retroinguinalis [TA]. ＝vascular *space* of retroinguinal compartment.

la·cu·nar (lă-kū′năr). 裂孔の, 窩の, 空隙の.

la·cu·nule (lă-kū′nūl) [Mod. L. *lacunula*: L. *lacuna* の指小辞]. 小窩, 小裂孔.

la·cus, pl. **la·cus** (lā′kŭs) [L. lake][TA]. 湖（[誤った複数形 laci を避けること]). ＝lake (1).

l. lacrimalis [TA]. 涙湖. ＝lacrimal *lake.*

l. seminalis 精液湖. ＝seminal *lake.*

LAD leukocyte adhesion *deficiency* の略.

Ladd (lad), William E. 米国人小児外科医, 1880—1967. ⇀L. *band, operation.*

Ladd-Frank·lin (lad frank′lin), Christine. 米国人心理学者, 1847—1930. ⇀L.-F. *theory.*

Lae·laps e·chid·ni·nus (lē′laps ē′kid-nī′nŭs). ネズミトゲダニ（ラットに寄生するとげをもったダニ. 野生ノルウェーラットの世界的な外寄生虫. ときに家ネズミ, コットンラット, その他のげっ歯類にみられる. *Hepatozoon muris* の天然の媒介動物で, 実験的に野兎病の作因を伝播しうる. 南アメリカのこの種から Junin ウイルスが分離された).

Laën·nec (lah-ĕ-nek′), René T.H. フランス人医師, 1781—1826. ⇀L. *cirrhosis, pearls.*

la·e·trile (lā′ĕ-tril). レトリル（アンズの種から得られたアミグダリンが主成分で, 抗腫瘍性を有するといわれている薬物. その有効性は証明されていない).

laev- ⇀levo-.

La·fo·ra (lah-fō′rah), Gonzalo Rodriguez. スペイン人神経科医, 1887—1971. ⇀L. *body,* body *disease, disease.*

lag (lag). ***1*** 〘v.〙 遅れる, 遅滞する（通常よりゆっくり進行する. ついていけない). ***2*** 〘n.〙 遅滞, 遅れ. ***3*** 〘n.〙 ある変数の変化とそれより生じるもう 1 つの変数の変化との時間差.

anaphase l. 後期遅滞（細胞分裂後期に染色体の正常な移動が遅れたり, または停止してしまうこと. そのためこの染色体は娘細胞の 1 つから除外される).

homeostatic l. ホメオスタシスラグ（制御された特性の変化とそれに対応する応答の間でのホメオスタシスにおける時間差. これは求心性, 遠心性, 中心性成分に起因する. このラグは純粋にランダムな変数となる. 例えば, 指数関数的過程での待機時間や複数のそうした過程における合計値はゼロより大きい任意の値をとるが, その平均値はそれほど大きな値とはならない. これはしばしば決定論的, あるいはほぼ決定論に近いものであり, 最小値は解剖学的理由によりはっきりと定義され, しかも, ゼロより大きい. 例えば酸素や二酸化炭素の分圧は肺で制御されているが, その制御は頸動脈小体で得られた情報に基づいており, 2 つの部位の間の循環に 10 秒ほど要するためその情報はすでに過去のものとなっている).

la·ge·na, pl. **la·ge·nae** (lă-jē′nă, -jē-nē) [L. flask]. ***1*** 項盲端. ＝cupular *cecum* of the cochlear duct. ***2*** つぼ（下等脊椎動物の内耳の膜迷路の 3 部のうちの 1 つ. 哺乳類では蝸牛管となる).

lag·ging (lag′ing). 呼吸運動遅滞（筋肉補填による胸膜病変や, 肺の虚脱により, 患側胸部の換気運動が遅れたり減弱したりすること).

lag·o·morph (lā′gō-mōrf). ウサギ（ウサギ目の一種).

Lag·o·mor·pha (lā′gō-mōr′fă) [G. *lagōs,* hare ＋ *morphē,* form]. ウサギ〔形〕目（草食性哺乳類の一目(真獣綱). げっ歯類(げっ歯目)に似ているが, 上犬歯が前歯に並んで 2 対ある. 家兎類, 野兎類, パイカ類を含む).

lag·oph·thal·mos (lag′of-thal′mŏs) [G. *lagōs,* hare ＋ *ophthalmos,* eye]. 兎眼（眼球上への完全閉瞼が困難または不能な状態). ＝hare's eye.

La·hey (lā′hē), Frank H. 米国人外科医, 1880—1935. ⇀L. *forceps.*

LAK lymphokine activated killer cells(リンホカイン活性化キラーT細胞)の略.

lake (lāk) [A.S. *lacu* < L. *lacus,* lake][TA]. ***1*** 湖（液体の小塊). ＝lacus [TA]. ***2*** 溶血, 深紅色化（赤血球を水に懸濁させたときのように赤血球からヘモグロビンが遊出して血漿が赤くなること. →lacuna).

capillary l. 毛細〔血〕管湖（毛細血管中に含まれる血液の全量).

lacrimal l. [TA]. 涙湖（眼の内眼角における結膜の小さな槽状部位. その中に, 眼球と結膜嚢の前部表面を湿した後の涙がたまる). ＝lacus lacrimalis [TA]; lacrimal bay.

lateral l.'s 外側裂孔. ＝lateral *lacunae* of superior sagittal sinus (⇌lacuna).

seminal l. 精液湖（射精後の腟円蓋). ＝lacus seminalis.

subchorial l. 胎盤腔. ＝subchorial *space.*

venous l.'s 静脈湖（①壁の薄い拡張した血管からなる柔らかい丘疹で, 青紫を呈するが圧迫により褪色する. 通常, 耳にみられ, まれに口唇や, 太陽光線により皮膚の傷んだ年配の男性の顔や首にみられる. ②不連続性の静脈洞または導管. 例えば胎盤の辺縁静脈洞. *cf.* marginal *sinuses* of placenta. ③頭蓋骨単純 X 線写真で, 前頭骨または頭頂骨にみられ

L

る円ないし卵円形の透亮像．板間静脈の拡張によって生じる）．＝phlebectasis.

Laki-Lorand fac·tor (lā′kē lōr′and). ⇒factor.

laky (lā′kē). 溶血の，深紅色化の（血清または血漿が透明な明るい赤色にみえること．破壊された赤血球からヘモグロビンが分離することによって起こる）．

la·li·a·try (lă-lī′ă-trē) [G. *lalia*, speech, chatter + *iatria*, cure]. 言語障害学（言語障害に関する研究と治療）．

lal·i·o·pho·bi·a (lal′ē-ō-fō′bē-ă) [G. *lalia*, speech + *phobos*, fear]. 会話恐怖〔症〕（話すことやどもることに対する病的な恐れ）．

Lal·le·mand (lahl-ĕ-mahn′), Claude F. フランス人外科医，1790—1853. ⇀L. *bodies*; Trousseau-L. *bodies*.

lal·ling (lal′ing) [G. *laleō*, to chatter]. 片こと，児様語（話すことがほとんど理解できないどもりの一種）．

Lal·lou·ette (lahl-lū-et′), Pierre. フランス人医師，1711—1792. ⇀L. *pyramid*.

lal·o·che·zi·a (lal′ō-kē′zē-ă) [G. *lalia*, speech + *chezō*, to relieve oneself]. ラロケジア（行儀の悪い，またはみだらな言葉を発して感情的解放を得ること）．

lal·og·no·sis (lal′og-nō′sis) [G. *lalia*, speech + *gnosis*, knowledge]. 言語理解（話し言葉を理解し熟知すること）．

la·lo·ple·gi·a (lal′ō-plē′jē-ă) [G. *lalia*, speech + *plēgē*, a stroke]. 発語〔器官〕麻痺（発語にかかわる筋肉の麻痺）．

La·marck (lă-mark′), Jean-Baptiste P.A. フランス人植物・動物・哲学者，1744—1829. ⇀lamarckian *theory*.

La·maze (lĕ-mahz′), Fernand. フランス人産科医，1890—1957. ⇀L. *method*.

LAMB *l*entigines(黒子)，*a*trial myxoma(粘液腫)，*m*ucocutaneous myxomas(粘膜皮膚粘液腫)，および *b*lue nevi(青色母斑)の頭字語．⇀LAMB *syndrome*.

Lam B グラム陰性菌の外層膜蛋白．

lamb·da (lam′dă). ラムダ（①ギリシア語のアルファベットの 11 番目の文字 λ．②矢状縫合とラムダ縫合とが出合う頭蓋計測点）．

lamb·da·cism (lam′dă-sizm) [G. *lambda*, L の文字]. ラ行吶（① *l* 音の発音の誤り，または発音困難．② *l* 音を *r* 音と取り違えて発音すること）．

lamb·doid (lam′doyd) [lambda + G. *eidos*, resemblance]. ラムダ字形の（ギリシア語のラムダ(λ)という字に似た形のもの．例えばラムダ縫合など）．

Lam·bert (lam′bert), Edward H. 20 世紀の米国人医師．⇀L.-Eaton myasthenic *syndrome*; Eaton-L. *syndrome*.

Lam·bert (lam′bert), Johann Heinrich. ドイツ人物理・数学者，1728 — 1777. ⇀L. law; Beer-L. *law*.

lam·bert (lam′bert) [J.H. *Lambert*, ドイツ人物理・数学者，1728—1777]. ランベルト（輝度の単位．1 ルーメン/cm² の光束を放射あるいは反射する完全に散光性の表面の輝度をいう）．

Lam·bli·a in·tes·ti·na·lis (lam′blē-ă in-tes′ti-nā′lis). *Giardia lamblia* の旧名．現在でも特にロシアの原生動物学者によって頻繁に用いられている．

lam·bli·a·sis (lam-blī′ă-sis). ラムブル鞭毛虫症．＝giardiasis.

lam·bo lam·bo (lam′bō-lam′bō). ＝tropic *pyomyositis*.

Lam·bri·nu·di (lam′bri-nū′dē), Constantine. 英国人整形外科医，1890—1943. ⇀L. *operation*.

la·mel·la, pl. **la·mel·lae** (lă-mel′ă, -mel′ē) [L. *lamina* (plate, leaf) の指小辞][TA]. ***1*** [TA]. 層板（緻密骨にみられるような薄板，薄層あるいは細薄層）．***2*** ラメラ（薬物添加ゼラチン板で，溶液の代わりに結膜の局所に用いる）．＝disc (2) [TA]; discus [TA].

annulate lamellae 輪状層板（数対の平行で滑面の膜．それぞれの対は核膜に似て規則的な窓状孔がある．生殖細胞，胚細胞，および新生物細胞にみられる）．

articular l. 関節層板（骨の関節面の緻密骨の層で，その上に重なる関節軟骨に固く付着している）．

l. of bone 骨層板（同心円層板，介在層板，または環状層板）．

circumferential l. 環状層板（骨の内表面または外表面を囲む骨層板）．

concentric l. 同心円層板（1 つのオステオンの中心管を同心円状に取り囲んでいる管状の骨層）．＝haversian l.

cornoid l. 鶏眼様層板（表皮角質層の限局性縦方向の不全角化層．汗孔角化症に特徴的）．

elastic l. 弾性薄板（弾性線維からなる薄板．血管にみられるより厚い弾性板とは区別される）．

enamel l. エナメル葉板（エナメル層の有機物欠損．エナメル層の表面から歯質エナメル接合部へ向かってのびる薄い葉状構造）．

glandulopreputial l. 腺包皮層板（包皮に向かって上昇している胚上皮組織の層）．

ground l. ＝interstitial l.

haversian l. ハヴァース層板．＝concentric l.

intermediate l. ＝interstitial l.

interstitial l. 介在層板（新しくできた完全な骨単位の間にみられる，部分的に吸収された層板）．＝ground l.; intermediary system; intermediate l.

triangular l. ＝*tela* choroidea of third ventricle.

l. tympanica (laminae spiralis ossei) [TA]. ＝tympanic l. (of osseous spiral lamina).

tympanic l. (of osseous spiral lamina) [TA]. 骨ラセン板の鼓室板（蝸牛鼓室階の側壁をなす骨ラセン板が，ラセン神経節からの神経線維の通る管によって不完全に 2 枚に区分されたときの薄いほうの骨板）．＝l. tympanica (laminae spiralis ossei) [TA].

lamellae of upper and lower lids 上・下眼瞼の層構造（機能解剖レベルでの上・下眼瞼の区分．前層は顔面および血管構築を伴う皮膚と眼輪筋とからなる．後層は上眼瞼では挙筋腱膜，下眼瞼では眼瞼嚢および瞼板，結膜ライニングからなる．上および下眼瞼層と中層を形成する眼窩隔壁と脂肪の 3 つに分類することも提唱されている）．

l. vestibularis (laminae spiralis ossei) [TA]. ＝vestibular l. (of osseous spiral lamina).

vestibular l. (of osseous spiral lamina) [TA]. 骨ラセン板の前庭板（蝸牛鼓室階の側壁をなす骨ラセン板が，ラセン神経節からの神経線維の通る管によって不完全に 2 枚に区分されたときの厚いほうの骨板．蝸牛管の中で骨膜の肥厚であるラセン縁がここに付着している）．＝l. vestibularis (laminae spiralis ossei) [TA].

vitreous l. ＝*lamina* basalis choroideae.

lam·el·lar (lam′ĕ-lăr, lă-mel′ăr). 層板〔状〕の（①薄板または薄鱗屑状に配列している．＝lamellate; lamellated. ②層板についていう）．

lam·el·late, lam·el·lat·ed (lam′ĕ-lāt, -ĕd). ＝lamellar (1).

lamellipod (lă-mel′ĭ-pod). 葉状突起（アクチン，ミオシン，および他の細胞骨格からなる中心をもち，細胞の自動性を与える糸状突起よりも比較的幅をもった細胞突起）．

la·mel·li·po·di·um, pl. **la·mel·li·po·dia** (lă-mel′i-pō′dē-ŭm, -ă). ラメリポディウム（遊走多形核白血球の全周で産生される細胞形質の被膜突起）．

LAMINA

lam·i·na, pl. **lam·i·nae** (lam′i-nă, lam′i-nē) [L.][TA]. 板（→layer; stratum）．＝plate (1).

l. affixa [TA]. 付着板（発生後期には視床上面に付着して側脳室の中心部の床を形成する，胚脳の側脳室の上衣内側壁の一部．視床線条体静脈や脈絡膜静脈をおおう）．

l. alaris 翼板．＝alar l. of neural tube.

alar l. of neural tube 〔神経管の〕翼板（胚の神経管外側壁の背側部分．求心性のインパルスを中枢神経に中継するニューロンが存在する．成人では，このようなニューロンは脊椎や脳幹の知覚核を形成する）．＝alar plate of neural tube; dorsolateral plate of neural tube; l. alaris; l. dorsalis; wing plate.

laminae albae cerebelli 小脳白質板（小脳の切断面にみられる白質の層）．＝laminae medullares cerebelli.

l. anterior fasciae thoracolumbalis [TA]. ＝anterior *layer* of thoracolumbar fascia.

anterior limiting l. of cornea [TA]. 〔角膜の〕前境界板（透明で均質な無細胞層で6—9 μm の厚さがあり，角膜の固有質と重層上皮外層の基底層との間にみられる．基底膜と考えられる）. =l. limitans anterior corneae [TA]; anterior elastic layer; anterior limiting layer of cornea; anterior limiting ring; Bowman layer; Bowman membrane; l. elastica anterior; Schwalbe ring.

l. anterior vaginae musculi recti abdominis [TA]. 腹直筋鞘前葉. =anterior *layer* of rectus sheath.

l. arcus vertebrae [TA]. 椎弓板. =l. of vertebral arch.

basal l. 基底膜，基底板（①上皮細胞の底面や筋細胞・脂肪細胞・Schwann 細胞を取り囲む無構造な細胞外層構造で，選択的フィルタであるとともに構造的形態形成的機能ももつ．電子顕微鏡下では，暗調の緻密層とその両側にある明調で薄い層に分けられる．緻密層は基底膜の主要な層であり，4型コラーゲンによって形成される．→basement *membrane*; l. densa. ②=l. densa).

basal l. of choroid [TA]. 〔脈絡膜の〕基底板（網膜の色素上皮に接した脈絡膜の，透明でほとんど構造をもたない内層）. =l. basalis choroideae [TA].

basal l. of ciliary body [TA]. 毛様体基底板（脈絡膜基底板と連続している毛様体の内層で網膜毛様体部の色素上皮を支持している）. =l. basilaris corporis ciliaris [TA]; basal layer of ciliary body; l. basalis corporis ciliaris.

basal l. of cochlear duct [TA]. 〔蝸牛管の〕基底板（骨ラセン板から蝸牛の基底稜にのびた板．蝸牛管の床の大部分を形成して鼓室階との境をなし，Corti 器はこの上にのる）. =l. basilaris ductus cochlearis [TA]; basilar l.; basilar membrane of cochlear duct; l. basilaris cochleae; membrana basilaris.

l. basalis 基板. =basal l. of neural tube.

l. basalis choroideae [TA]. 〔脈絡膜の〕基底板. =basal l. of choroid; basal layer of choroid [TA]; Bruch membrane; Henle membrane; l. vitrea; vitreous lamella; vitreous membrane (3).

l. basalis corporis ciliaris 〔毛様体の〕基底板. =basal l. of ciliary body.

basal l. of neural tube 〔神経管の〕基板（胚の神経管外側壁の腹側部分．基板は体性運動性および内臓運動性ニューロンを生じる神経芽細胞からなる）. =basal plate of neural tube; l. basalis; l. ventralis; ventral plate of neural tube.

basal l. of semicircular duct =basal *membrane* of semicircular duct.

basement l. 基底板. =basement *membrane*.

basilar l. 基底板. =basal l. of cochlear duct.

l. basilaris cochleae 〔蝸牛管の〕基底板. =basal l. of cochlear duct.

l. basilaris corporis ciliaris [TA]. =basal l. of ciliary body.

l. basilaris ductus cochlearis [TA]. =basal l. of cochlear duct.

boundary l. 境界膜（基底膜に似た構造の膜で筋細胞・脂肪細胞・Schwann 細胞を包んでいるもの.→basement *membrane*; basal l.).

capillary l. of choroid [TA]. 脈絡毛細管板（眼の脈絡膜の内層あるいは深層で，密な網目状の毛細管からなる）. =l. choroidocapillaris [TA]; choriocapillaris; choriocapillary layer; entochoroidea; l. choriocapillaris; membrana choriocapillaris; Ruysch membrane.

l. cartilaginis cricoideae [TA]. 輪状軟骨板. =l. of cricoid cartilage.

l. cartilaginis thyroideae [TA]. 甲状軟骨板. =l. of thyroid cartilage.

l. choriocapillaris =capillary l. of choroid.

l. choroidea =epithelial l.

l. choroidea epithelialis =epithelial l.

l. choroidocapillaris [TA]. 脈絡毛細管板. =capillary l. of choroid.

l. cinerea 大脳終板. =l. terminalis of cerebrum.

l. cribrosa ossis ethmoidalis [TA]. 篩骨篩板. =cribriform *plate* of ethmoid bone.

l. cribrosa of sclera [TA]. 強膜篩板（視神経の線維が通る強膜の部分）. =l. cribrosa sclerae [TA]; cribrous l.; perforated layer of sclera.

l. cribrosa sclerae [TA]. 強膜篩板. =l. cribrosa of sclera.

cribrous l. =l. cribrosa of sclera.

l. of cricoid cartilage [TA]. 輪状軟骨板（輪状軟骨の後部を形成する長方形の板．輪状軟骨は印章付きの指輪に似ており，輪状軟骨板はその印章の部分に，そして輪状軟骨弓は指輪の部分に当たる）. =l. cartilaginis cricoideae [TA].

deep l. =deep *layer*.

l. densa 基底膜緻密層（①基底膜のうち電子顕微鏡で暗調にみえる部分．主として4型コラーゲンによって形成される.→basement *membrane*. ②腎糸球体にみられる著しく厚い基底膜緻密層）. =basal l. (2).

dental l. =dental *ledge*.

l. dentata ラセン板縁前庭唇. =vestibular *lip* of spiral limbus.

dentogingival l. =dental *ledge*.

l. dorsalis =alar l. of neural tube.

l. dura 硬板（歯槽に沿った硬い層）.

l. elastica anterior 前弾性膜. =anterior limiting l. of cornea.

l. elastica posterior 後弾性膜. =posterior limiting l. of cornea.

elastic laminae of arteries 〔動脈の〕弾性板（ⓘ外弾性板：中膜の平滑筋のすぐ外側をおおう弾性結合組織の層. ⓘⓘ内弾性板：内膜の有窓性の弾性組織の層）. =elastic layers of arteries; Henle fenestrated elastic membrane.

l. epiphysialis [TA]. =epiphysial *plate*.

episcleral l. 強膜上板. =episcleral *layer* of fibrous layer of eyeball.

l. episcleralis [TA]. 強膜上板. =episcleral *layer* of fibrous layer of eyeball.

epithelial l. 上皮板（脳室に面する脈絡組織の内層を形成する変化した上衣細胞の層）. =epithelial choroid layer; l. choroidea epithelialis; l. choroidea; l. epithelialis.

l. epithelialis 上皮板. =epithelial l.

l. externa calvaria [TA]. =external *table* of calvaria.

l. externa cranii 頭蓋外板. =external *table* of calvaria.

external medullary l. [TA]. ⇀medullary laminae of thalamus.

l. fibrocartilaginea interpubica 恥骨間〔線維軟骨〕板. =interpubic *disc*.

l. fibroreticularis 線維細網板（周囲の結合組織に接する基底膜の部分．しばしば非連続性で，まったく欠損する場合もある）.

l. fusca of sclera 強膜褐色板. =suprachoroid l. of sclera.

l. fusca sclerae [TA]. =suprachoroid l. of sclera.

hepatic laminae 肝細胞板（肝小葉の中心から放射状にのびる肝細胞板）.

l. horizontalis ossis palatini [TA]. 口蓋骨水平板. =horizontal *plate* of palatine bone.

l. interna calvariae [TA]. =internal *table* of calvaria.

l. interna cranii 頭蓋内板. =internal *table* of calvaria.

internal medullary l. [TA]. 〔視床〕内髄板（⇀medullary laminae of thalamus).

l. interna ossium cranii 頭蓋骨内板. =vitreous *table*.

iridopupillary l. 虹彩瞳孔板（胎生期虹彩実質前部の前駆構造で前眼房の内壁(後壁・深部壁)となる．その中心部は薄くなって瞳孔膜となる）.

labiogingival l. 口唇歯肉層（発生中の胎児の唇と歯肉隆起の間の顎の間葉中に生じる外胚葉性上皮細胞の帯．後に口唇歯肉溝を形成する）.

lateral l. of cartilage of pharyngotympanic (auditory) tube [TA]. 耳管軟骨外側板（耳管軟骨部の細い外側の部分）. =l. lateralis cartilaginis tubae auditivae [TA]; l. lateralis cartilaginis tubae auditoriae*; lateral cartilaginous plate; lateral plate of cartilaginous auditory tube.

l. lateralis cartilaginis tubae auditivae [TA]. =lateral l. of cartilage of pharyngotympanic (auditory) tube.

l. lateralis cartilaginis tubae auditoriae* lateral l. of cartilage of pharyngotympanic (auditory) tube の公式の別

名．

l. lateralis processus pterygoidei ossis sphenoidalis [TA]．〔蝶形骨の〕翼状突起外側板．＝lateral pterygoid *plate*.

lateral medullary l. [TA] of lentiform nucleus レンズ核外側髄板（淡蒼球から被殻を分ける薄い，明確な，線維の層）．＝l. medullaris lateralis nuclei lentiformis [TA].

l. of lens 水晶体の層（水晶体質を形成する水晶体線維からなる同心円状の層）．

l. limitans anterior corneae [TA]．〔角膜の〕前境界板．＝anterior limiting l. of cornea.

l. limitans posterior corneae [TA]．〔角膜の〕後境界板．＝posterior limiting l. of cornea.

l. lucida 透明板（基底膜の一部で，上皮細胞，その他基底膜で被覆されている細胞の原形質膜に接する，明るく染まる部分．主としてラミニンとインテグリン分子の細胞外の部分からなる）．

medial l. of cartilage of pharyngotympanic (auditory) tube [TA]．耳管軟骨内側板（耳管軟骨部の内側の広い部分）．＝l. medialis cartilaginis tubae auditivae [TA]; l. medialis cartilaginis tubae auditoriae*; medial cartilaginous plate; medial plate of cartilaginous auditory tube.

l. medialis cartilaginis tubae auditivae [TA]．＝medial l. of cartilage of pharyngotympanic (auditory) tube.

l. medialis cartilaginis tubae auditoriae* medial l. of cartilage of pharyngotympanic (auditory) tube の公式の別名．

l. medialis processus pterygoideus ossei [TA]．翼状突起内側板．＝medial pterygoid *plate*.

medial medullary l. [TA] of lentiform nucleus レンズ核内側髄板（淡蒼球の内節と外節を分ける線維の層）．＝l. medullaris medialis nuclei lentiformis [TA].

laminae medullares cerebelli 小脳髄板．＝laminae albae cerebelli.

laminae medullares thalami ＝medullary laminae of thalamus.

l. medullaris lateralis [TA]．→medullary laminae of thalamus.

l. medullaris lateralis nuclei lentiformis [TA]．＝lateral medullary l. [TA] of lentiform nucleus.

l. medullaris medialis [TA]．→medullary laminae of thalamus.

l. medullaris medialis nuclei lentiformis [TA]．＝medial medullary l. [TA] of lentiform nucleus.

medullary laminae of thalamus 視床髄板（視床の横断面に現れる有髄線維層．外側髄板は視床の腹側縁を形成し，視床下核や網様核との境界をなす．内側髄板は視床の背内側核と腹側核との間を走り，髄板内核（中心内側核，中心傍核，外側中心核）を包む）．＝laminae medullares thalami; medullary layers of thalamus.

l. membranacea cartilaginis tubae auditivae [TA]．＝membranous l. of cartilage of pharyngotympanic (auditory) tube.

l. membranacea cartilaginis tubae auditoriae* membranous l. of cartilage of pharyngotympanic (auditory) tube の公式の別名．

membranous l. of cartilage of pharyngotympanic (auditory) tube [TA]．耳管軟骨膜性板（外側板，内側板とともに耳管軟骨部の外側壁と下壁をなす結合組織の膜）．＝l. membranacea cartilaginis tubae auditivae [TA]; l. membranacea cartilaginis tubae auditoriae*; membranous layer.

l. of mesencephalic tectum 中脳蓋板（四丘体を形成する中脳の蓋板）．＝l. tecti [TA]; tectal plate [TA]; tectum mesencephali [TA]; l. quadrigemina; quadrigeminal l.; quadrigeminal plate; tectum of midbrain.

l. modioli cochleae [TA]．蝸牛軸板．＝l. of modiolus of cochlea.

l. of modiolus of cochlea [TA]．蝸牛軸板（骨性の板で，蝸牛頂に向かってのびた蝸牛ラセン管の骨ラセン板と蝸牛軸の延長．ラセン板鉤とともに蝸牛孔を形成する）．＝l. modioli cochleae [TA]; plate of modiolus.

l. molecularis corticis cerebri [TA]．＝molecular *layer* of cerebral cortex.

l. muscularis mucosae 粘膜筋板．＝*muscularis* mucosae.

nuclear l. 核ラミナ（間期細胞の核膜内面を裏打ちしている高蛋白性の層）．

orbital l. of ethmoid bone 篩骨眼窩板．＝orbital *plate* of ethmoid bone.

l. orbitalis ossis ethmoidalis [TA]．篩骨眼窩板．＝orbital *plate* of ethmoid bone.

osseous spiral l. [TA]．骨ラセン板（蝸牛軸の周りをラセン状に取り巻いている二重の骨の板で，蝸牛のラセン管を鼓室階と前庭階の２つの領域に不完全に分けている．２枚の板の間で蝸牛神経線維がラセン器（Corti 器）にまで達している）．＝l. spiralis ossea [TA]; spiral plate.

l. papyracea 紙様板．＝orbital *plate* of ethmoid bone.

l. parietalis [TA]．壁側板．＝parietal *layer*.

l. parietalis pericardii serosi [TA]．心膜壁側板．＝parietal *layer* of serous pericardium.

l. parietalis tunicae vaginalis testis [TA]．＝parietal *layer* of tunica vaginalis of testis.

periclaustral l. ＝external *capsule*.

l. perpendicularis [TA]．垂直板．＝perpendicular *plate*.

l. perpendicularis ossis ethmoidalis [TA]．＝perpendicular *plate* of ethmoid bone.

l. perpendicularis ossis palatini [TA]．＝perpendicular *plate* of palatine bone.

l. posterior fasciae thoracolumbalis [TA]．＝ posterior *layer* of thoracolumbar fascia.

posterior limiting l. of cornea [TA]．〔角膜の〕後境界板（透明で均質な無細胞層で，角膜の内皮層と固有質との間にみられる．非常によく発達した基底膜と考えられている）．＝Descemet membrane; Duddell membrane; entocornea; hyaloid membrane; l. elastica posterior; l. limitans posterior corneae [TA]; membrana hyaloidea; membrana vitrea; posterior elastic layer; posterior limiting layer of cornea; tunica vitrea ; vitreous membrane (1).

l. posterior (superficialis) fasciae thoracolumbalis* [TA]．胸腰筋膜の浅葉（posterior *layer* of thoracolumbar fascia の公式の別名）．

l. posterior vaginae musculi recti abdominis [TA]．腹直筋鞘後葉．＝posterior *layer* of rectus sheath.

l. pretrachealis fasciae cervicalis [TA]．頸筋膜の気管前葉．＝pretracheal *layer* of cervical fascia.

l. prevertebralis fasciae cervicalis [TA]．頸筋膜の椎前葉．＝prevertebral *layer* of cervical fascia.

primary dental l. ＝dental *ledge*.

l. profunda [TA]．深葉，深板．＝deep *layer*.

l. profunda fasciae temporalis [TA]．＝deep *layer* of temporal fascia.

l. profunda fasciae thoracolumbalis* anterior *layer* of thoracolumbar fascia の公式の別名．

l. profunda musculi levatoris palpebrae superioris [TA]．＝deep *layer* of levator palpebrae superioris.

l. propria [TA]．粘膜固有層（粘膜の上皮の下にある結合組織の層）．＝l. propria mucosae.

l. propria mucosae 粘膜固有層．＝l. propria.

pterygoid laminae 翼状突起板（→lateral pterygoid *plate*; medial pterygoid *plate*）．

l. quadrigemina 四丘板．＝l. of mesencephalic tectum.

quadrigeminal l. 四丘板．＝l. of mesencephalic tectum.

l. rara 疎性層（基底膜の緻密層の両側にある比較的電子密度の低い層）．

reticular l. 網状層（①光学顕微鏡で見える基底膜の主要な構成要素で，細網線維と基質からなる．②蝸牛管内で有毛の聴覚細胞を支持する Corti 器を収容する結合組織の膜板）．

retrorectal l. of endopelvic fascia 直腸後筋膜．＝presacral *fascia*.

retrorectal l. of hypogastric sheath 直腸後筋膜．＝presacral *fascia*.

l. retrorectalis fasciae endopelvicae 直腸後筋膜．＝presacral *fascia*.

l. of Rexed (reks′ěd)．レクセの層（脊髄灰白質を９層および中心管周囲層（Ｘ層）に細胞構築から分類したもの．後根はI—VI からなり，VII 層は中間層，前根は VIII と IX 層．

主要な核からみるとIは後辺縁核，IIは膠様質，III・IVは後固有核，V・VIはときに網様体を含むことがある，VIIはClarkeの核，中間内側および中間外側細胞柱，VIIIは交連核，介在ニューロン，IXは前根の運動核である）.

rostral l. 吻側板（脳の完全正中断面で脳梁吻と終板を結ぶ薄い橋としてみられる白っぽい線．外見とは反対に吻側板は交連線維をもたない．軟膜が一方の半球の内側面から他方の半球の内側面に折り返す線に相当する）．＝l. rostralis; rostral layer; teniola corporis callosi.

l. rostralis 吻側板．＝rostral l.

secondary spiral l. [TA]．第二ラセン板（蝸牛の第一回転の外壁の，ラセン板の反対側にある隆起）．＝l. spiralis secundaria [TA]; secondary spiral plate.

l. septi pellucidi 透明中隔板．＝l. of septum pellucidum.

l. of septum pellucidum 透明中隔板（脳梁から脳弓へのびる，透明中隔の1対の薄い板で，しばしば透明中隔腔の空隙によって左右に分けられる）．＝l. septi pellucidi.

spinal l. II* gelatinous *substance* の公式の別名.

l. spinalis II* gelatinous *substance* の公式の別名.

l. spiralis ossea [TA]．骨ラセン板．＝osseous spiral l.

l. spiralis secundaria [TA]．第二ラセン板．＝secondary spiral l.

successional l. 代生(後継)歯堤（歯堤の舌側に位置し，後に永久歯となる中胚葉性歯堤）.

superficial l. ＝superficial *layer*.

l. superficialis [TA]．浅葉，浅板．＝superficial *layer*.

l. superficialis fasciae cervicalis [TA]．＝investing *layer* of cervical fascia.

l. superficialis fasciae temporalis [TA]．＝superficial *layer* of temporal fascia.

l. superficialis musculi levatoris palpebrae superioris [TA]．＝superficial *layer* of the levator palpebrae superioris.

suprachoroid l. of choroid [TA]．〔脈絡膜の〕脈絡上板（眼球の脈絡膜外層にある脆弱な色素性の疎性結合組織．最近の知見では，強膜の褐色板と脈絡上板は単一構造の一部とみなされている）．＝l. suprachoroidea choroidea [TA]; suprachoroid layer of choroid.

l. suprachoroidea choroidea [TA]．＝suprachoroid l. of choroid.

suprachoroid l. of sclera [TA]．強膜の脈絡上板（強膜内面の色素をもった疎性結合組織の著しく薄い層．最近では，強膜の脈絡上板と脈絡膜の脈絡上板(褐色膜)を単一の脈絡上層として扱う）．＝l. fusca sclerae [TA]; brown layer; ectochoroidea; l. fusca of sclera; membrana fusca; suprachoroidea; suprachoroid layer of sclera.

l. supraneuroporica 前神経口上板（室間孔の天井を形成する第3脳室の脈絡膜の部分）.

l. tecti [TA]．中脳蓋板．＝l. of mesencephalic tectum.

l. terminalis [TA]．大脳終板．＝l. terminalis of cerebrum.

l. terminalis of cerebrum [TA]．大脳終板（視交叉から上方へ走り第3脳室の頭端の境界を形成する薄板．閉鎖された吻側神経孔の位置に存在する）．＝l. terminalis [TA]; l. cinerea; terminal plate; velum terminale.

l. of thyroid cartilage [TA]．甲状軟骨板（前部で結合し，後部では開いている甲状軟骨の(左右)対になった長方形の側板）．＝l. cartilaginis thyroideae [TA].

tragal l. [TA]．耳珠板（縦に走る曲がった軟骨の板で，外耳道軟骨部の始めの部分を構成する）．＝l. tragi [TA]; l. of tragus.

l. tragi [TA]．耳珠板．＝tragal l.

l. of tragus 耳珠板．＝tragal l.

vascular l. of choroid [TA]．脈絡膜血管板（最も大きな血管を含む脈絡膜の外層もしくは浅層）．＝l. vasculosa choroideae [TA]; Haller vascular tissue; uvaeformis; vascular layer of choroid coat of eye; vascular layer.

l. vasculosa choroideae [TA]．脈絡膜血管板．＝vascular l. of choroid.

l. ventralis ＝basal l. of neural tube.

l. of vertebral arch [TA]．椎弓板（椎弓の平らな部分で，椎弓根と正中線の間にあって脊柱管の後壁をつくっており，その正中結合部から棘突起が出ている）．＝l. arcus vertebrae [TA]; neurapophysis.

l. visceralis [TA]．臓側板．＝visceral *layer*.

l. visceralis pericardii ＝visceral *layer* of serous pericardium.

l. visceralis tunicae vaginalis testis [TA]．＝visceral *layer* of tunica vaginalis of testis.

l. vitrea ＝l. basalis choroideae.

---

lam·i·na·gram (lam′i-nă-gram)．断層写真（断層撮影法(laminagraphy 参照)によって得られた画像.→tomography).

lam·i·na·graph (lam′i-nă-graf)．断層撮影装置（断層撮影法のための装置).

lam·i·nag·ra·phy, lam·i·nog·ra·phy (lam′i-nog′ră-fē, lam′i-nog′ră-fē) [lamina + G. *graphē*, a writing]．断層撮影〔法〕（X線管球とフイルムホルダーを相対的に動かすことで対象となる面の上下の組織像をぼかしてしまい，より鮮明に目的の領域を撮影するX線撮影法.→tomography).

lam·i·nar (lam′i-nar)．***1*** 層状の（板状あるいは層状に配列されたものについていう）．＝laminated．***2*** 層の.

lam·i·na·ri·a (lam′i-nā′rē-ă) [L. *lamina*, a blade]．ラミナリア杆，コンブ杆（滅菌した海藻(コンブ)の茎でできた器具．子宮頸管内に挿入留置すると水分を吸収して膨張し，徐々に頸部を拡張させる).

lam·i·nar·in (lam-i-nār′in)．ラミナリン（コンブ科コンブ属 *Laminaria* から得られる海草の多糖類で，主に β-D-グルコース残基からなる．様々な比率のブドウ糖鎖は強力な還元性の末端位に硫酸エステル化されうる1分子のマンニトールを含む).

l. sulfate 硫酸ラミナリン（種々の程度に硫化されたラミナリン．グルコース単位に2つの硫酸基をもつものが最も安定しており，ヘパリンと同様の抗凝血活性をもつ．硫酸基の少ないラミナリンは抗脂血症活性のみをもつ).

lam·i·nat·ed (lam′i-nāt′ĕd)．＝laminar (1).

lam·i·na·tion (lam′i-nā′shŭn)．***1*** 層板構造（板状または層状に配列したもの）．***2*** 切胎〔術〕（胎児の頭を薄片にして取り除き，胎児を取り出すこと).

lam·i·nec·to·my (lam′i-nek′tŏ-mē) [L. *lamina*, layer + G. *ektomē*, excision]．椎弓切除〔術〕，ラミネクトミー（椎弓を切除すること．通常，後弓の切除に対して用いられる).

lam·i·nin (lam′i-nin)．ラミニン（基底膜の大きな多量体の糖蛋白成分で，特に透明板はインテグリン，IV型コラーゲン，およびヘパラン硫酸に対する結合部位をもっている．腎糸球体の透明板の主要蛋白成分である).

lam·i·ni·tis (lam′i-nī′tis)．板〔層〕の炎症.

lam·i·nog·ra·phy (lam′i-nog′ră-fē)．→laminagraphy.

lam·i·not·o·my (lam-i-not′ŏ-mē) [L. *lamina*, layer + G. *tomē*, incision]．椎弓切開〔術〕（脊髄神経根に対する圧迫をとる目的で椎弓の一部を切除する術式で，これにより椎間孔が拡大される）．＝rachiotomy.

lam·ins (lam′inz)．ラミン（細胞の核の内膜の核質面に結合する中間径フィラメントの線維状のネットワーク．異なる分子量(60,000—80,000)のポリペプチドからなり，物理的性質に基づいてA，B，Cと順に分類される．ラミンのリン酸化は有糸分裂や核膜の分解に関与する).

lamp (lamp)．灯（点滅する装置．光源.→light).

annealing l. 焼還灯（すすの出ない炎のアルコール灯で，歯科において，凝着性金箔の表面からアンモニアガスの保護被膜を除くのに用いる).

Edridge-Green l. (ed′rij grēn)．エドリッジ－グリーン灯（色覚を検査するのに用いるランプ．あらゆる環境状態をつくれる回転カラーフィルタで，単色光を呈す．この色覚検査方法は，Holmgren ウールテストの代わりに1915年に英国で公式に採用されたが，現在はほとんど用いられない).

heat l. 太陽灯（赤外線を放射して熱を発生するランプ．皮膚に局所的な熱を加えるのに用いる).

mercury vapor l. 水銀〔放電〕ランプ（イオン化した水銀蒸気の中でアーク放電が生じているランプ．治療あるいは診断学的光度測定に使用される紫外線が生じる).

mignon l. ミニョン灯，小豆電球（様々な内視鏡検査器具に用いる微小な電球).

slit l. 細隙灯（平行光線の細いビームと顕微鏡の組み合わ

L

せ．眼の検査に使用される）．

spirit l. アルコールランプ（アルコールを燃やすランプで，実験室で主に加熱のために用いる）．

tungsten arc l. タングステンランプ（高純度タングステンを部品に使ったランプ）．

ultraviolet l. 紫外線灯（スペクトルの紫外線帯の光線を発する灯．→ultraviolet）．

Wood l. (wud). ウッド灯（約 3,660 Å の最大波長をもつ光だけ通過させる酸化ニッケルフィルタ付きの紫外線ランプ．オードアン小胞子菌 *Microsporum audouinii*，イヌ小胞子菌 *M. canis*，歪曲小胞子菌 *M. distortum*，または鉄鏽色小胞子菌 *M. ferrugineum* に感染した毛髪では緑黄色の蛍光を，紅色陰癬ではサンゴ様の紅い蛍光を発する）．

Lamy (lah-mē), Maurice. フランス人医師，1895—1975. ⇀Maroteaux-L. *syndrome*.

la·na, gen. & pl. **la·nae** (lan′ă, lan′ē) [L.]. 羊毛. ＝wool.

la·nat·o·side D (lă-nat′ō-sīd). ラナトシドD (*Digitalis lanata* の葉から得られるジギタリス配糖体．ジギナチゲニン(12-ヒドロキシギトキシゲニン，16-ヒドロキシジゴキシゲニン)を得る)．

la·nat·o·sides A, B, and C (lă-nat′ō-sīdz). ラナトシドA，ラナトシドB，ラナトシドC；digilanide A; digilanide B; digilanide C (*Digitalis lanata* から得られる強心配糖体前駆体．アセチル基を取り除くと，デスアセチルラナトシドA，B，およびC(プルプレア配糖体A，B，およびC)が得られる．グルコースを除くと，それぞれアセチルジギトキシン，アセチルギトキシン，アセチルジゴキシンが得られる．また，グルコースとアセチル基を取り除くと，ジギトキシン，ギトキシン，ジゴキシンが得られる．→purpurea glycosides A)．

lance (lans) [L. *lancea*, a slender spear]. ***1***《v.》切開する（膿瘍または癤の部分を切開する）. ***2***《n.》ランス. ＝lancet.

Lance·field (lans′fēld), Rebecca Craighill. 米国人細菌学者，1895—1981. ⇀L. *classification*.

lan·cet (lan′set) [Fr. *lancette*]. ランセット，乱切刀（先のとがった，短くて幅の広い両刃の外科用ナイフ）．

gum l. ガムランセット（萌出中の歯冠上の歯肉を切開するのに用いる）．

spring l. 発条ランセット（ばねによって動く刃を内蔵した柄付き槍状刀）．

thumb l. 折りたたみ式ランセット（短い平らな刃をもつランセットで，折りたたむと刃は柄の2枚の板の間にはいる）．

lan·ci·nat·ing (lan′si-nāt′ing) [L. *lancino*, pp. *-atus*, to tear]. 刺すような，電撃［性］の（鋭く切るような，引き裂くような痛みについていう）．

Lan·ci·si (lahn-chē′zē), Giovanni M. イタリア人医師，1654—1720. ⇀L. *sign*; *striae* lancisi(⇒stria).

Lan·dou·zy (lahn-dū′zē), Louis T.J. フランス人神経科医，1845—1917. ⇀L.-Dejerine *dystrophy*; L.-Grasset *law*.

Lan·dry (lahn-drē′), Jean B.O. フランス人医師，1826—1865. ⇀L. *paralysis*, *syndrome*; L.-Guillain-Barré *syndrome*.

Land·schutz tu·mor (lahnd′shūtz). ⇒tumor.

Land·stei·ner (lahnd′stī-nĕr), Karl. オーストリア系米国人病理学者・ノーベル賞受賞者，1868—1943. ⇀L.-Donath *test*; Donath-L. cold *autoantibody*, *phenomenon*.

Land·ström (lahnd′strŏm), John. スウェーデン人外科医，1869—1910. ⇀L. *muscle*.

Land·zert (lahnd′zĕrt), T. 19世紀のドイツ人解剖学者. ⇀L. *fossa*; Gruber-L. *fossa*.

Lane (lān), William Arbuthnot. イングランド人外科医，1856—1943. ⇀L. *band*, *disease*.

Lange (lahng′ĕ), Carl F.A. 20世紀のドイツ人生化学者. ⇀L. *solution*, *test*.

Lange (lahng′ĕ), Cornelia de. ⇒de Lange.

Lan·gen·beck (lahng′ĕn-bek), Bernhard R.K. von. ドイツ人外科医，1810—1887. ⇀L. *triangle*.

Lan·gen·dorff (lahng′ĕn-dōrf), Oscar. ドイツ人生理学者，1853—1908. ⇀L. *method*.

Lang·e-Niel·sen (lahng′ĕ nēl′sĕn), F. 20世紀のノルウェー人心臓学者. ⇀Jervell and L.-N. *syndrome*.

Lang·er (lahng′ĕr), Carl. ハプスブルク帝国の解剖学者，1819—1887. ⇀L. *arch*, *lines*, *muscle*.

Lang·er (lahng′ĕr), Leonard O. 米国人医師. ⇀L.-Saldino *syndrome*.

Lan·ger·hans (lahng′ĕr-hahnz), Paul. ［本名前と Langhans を混同しないこと．誤った形 Langerhan および Langerhan's を避けること］．ドイツ人解剖学者，1847—1888. ⇀L. *cells*, *granule*, *islands*; *islets* of L.

Lang·hans (lahng′hahnz), Theodor. ［本名前と Langerhans を混同しないこと．誤った形 Langhan および Langhan's を避けること］．ドイツ人病理学者，1839—1915. ⇀L. *cells*, *layer*, *stria*; L.-type giant *cells*.

Lang·ley (lang′lē), John N. イングランド人生理学者，1852—1925. ⇀L. *granules*.

Lang·muir (lang′mwēr), Irving. 米国人化学者・ノーベル賞受賞者，1881—1957. ⇀L. *trough*.

lan·guage (lang′gwăj) [L. *lingua*]. 言語（話したり，手振りしたり，書いたり，あるいは他の記号を手段として表現したり，描写したり，伝達し受け取ること）．

American Sign L. (ASL) アメリカ手話（米国において，ろう(聾)者が用いる手による合図および身振り．英語とは区別され，それ独自の文法とシンタックス(統語論)をもつが文語体をもたない）．

body l. 身体言語（①非言語的手段として，身体の動き(例えば身振り)あるいは転換ヒステリー症状によって思考や感情を表現すること. ⇀kinesics. ②身体の症状で伝達すること）．

lan·i·ar·y (lan′i-ā′rē) [L. *lanio*, to tear to pieces]. 引き裂くのに適した（解剖学において，犬歯 canine teeth(すなわち laniary teeth)に対してしばしば用いる）．

lan·ka·my·cin (lăn′kă-mī′sin). ランカマイシン（スリランカの土壌中の *Streptomyces violaceoniger* により産生されるマクロライド系抗生物質）．

Lan·ne·longue (lah-nĕ-lawng′), Odilon M. フランス人外科医・病理学者，1840—1911. ⇀L. *foramina* (⇒foramen), *ligaments*.

lan·o·lin (lan′ō-lin) [L. *lana*, wool + *oleum*, oil]. ラノリン，羊毛脂. ＝*adeps* lanae; *wool* fat.

anhydrous l. 脱水ラノリン（0.25％以下の水を含むラノリン．吸水軟膏の基質として用いる）．

la·nos·ter·ol (la-nos′tĕr-ol). ラノステロール（スクワレンから合成された動物性ステロールで，コレステロールの前駆物質である）．

Lan·ter·man (lahn′tĕr-măn), A. J. ストラスブールに在住した19世紀の米国人解剖学者. ⇀L. *incisures*, *segments*; Schmidt-L. *clefts*, *incisures*.

lan·tha·nic (lan′thă-nik) [G. *lanthanō*, to lie hidden]. 潜伏性の（症状あるいは病気の臨床的証拠を出さない疾病過程をさすのに，まれに用いる語）．

lan·tha·nides (lan′thă-nīdz) [*lanthanum*, 系列の最初の元素]. ランタニド（希土類元素．化学的性質がきわめて類似している，原子番号57から71までの元素．以前は互いに分離するのが困難であった．これらの元素は4f軌道の電子数が異なる）. ＝rare earth elements.

lan·tha·num (La) (lan′thă-nŭm) [G. *lanthanō*, to lie hidden]. ランタン（金属元素．原子番号57，原子量138.9055．希土類(ランタニド)の第1番目の元素）．

l. nitrate 硝酸ランタン；$La(NO_3)_3$（電子顕微鏡による鏡検に際して，細胞外ムコ多糖体の染色に用いる）．

lan·thi·o·nine (lan-thī′ō-nēn). ランチオニン；3,3′-thiodialanine（シスチンに似たアミノ酸で羊毛から得られる．シスチンは2つの硫黄原子を含むが，これは1つしか含まない，すなわちジスルフィドではなくスルフィドである）．

lantibiotic (lan-tĭ-bī-ot′ik). ランチビオティック（抗生物質活性を有する微生物により合成される蛋白(ペプチド)の分類の1つ）．

la·nu·go (lă-nū′gō) [L. down, wooliness < *lana*, wool] [TA]. 胎毛（細く柔らかい，色素の少ない胎児の毛で，小さな毛幹と大きな毛乳頭を有する．胎生12週の終わりにみられ，胎脂を皮膚の表面に保持するのに役立つ）. ＝downy hair [TA]; primary hair*; lanugo hair.

Lanz (lahntz), Otto. アムステルダムに在住したスイス人外

科医，1865—1935. ⇀L. *line*.

LAO left anterior oblique projection（左斜位投影法）の略．心腔造影の，特に左心房と左心室容積の測定に用いる．

LAP leukocyte alkaline phosphatase（白血球アルカリ性ホスファターゼ）の略．⇀alkaline *phosphatase*.

laparo- (lap′ă-rō)［G. *lapara*, flank, loins］．［誤ったつづりまたは発音 lapro- を避けること］．腰または一般に腹（適切ではない）に関する連結形．

lap·a·ro·cele (lap′ă-rō-sēl)［laparo- + G. *kēlē*, hernia］．腹部ヘルニア．＝abdominal *hernia*.

lap·a·ro·en·do·scop·ic (lap′ă-rō-en′dō-skop′ik)．腹腔内視鏡的な，腹腔鏡的な（様々な腹腔内手技を行うために腹腔内へ内視鏡を挿入すること）．

lap·a·ro·gas·tros·co·py (lap′ă-rō-gas-tros′kŏ-pē)［laparo- + G. *gastēr*, stomach + *skopeō*, to view］．腹式胃鏡検査〔法〕（胃切開後，胃の内部を検査すること）．

lap·a·ro·my·o·si·tis (lap′ă-rō-mī′ō-sī′tis)［laparo- + G. *mys*, muscle + *-itis*, inflammation］．腹筋炎，腰筋炎．

lap·a·ror·rha·phy (lap′ă-rōr′ă-fē)．腹壁縫合〔術〕．＝celiorrhaphy.

lap·a·ro·sal·pin·go-o·oph·o·rec·to·my (lap′ă-rō-sal-ping′gō-ō′of-ŏ-rek′tŏ-mē)．腹式卵管卵巣切除〔術〕（開腹手術による卵管と卵巣の切除法）．

lap·a·ro·scope (lap′ă-rō-skōp)［laparo- + G. *skopeō*, to view］．腹腔鏡．＝peritoneoscope.

---

lap·a·ros·co·py (lap′ă-ros′kŏ-pē)．腹腔鏡検査〔法〕，ラパロスコピー（腹壁を通した腹腔鏡を用いて腹腔の内容を調べる手技．→peritoneoscopy）．＝abdominoscopy.

腹腔鏡検査は1960年代の光ファイバー技術の発展と1970年代の光度が強く低温なハロゲンランプの発展によって臨床的使用が可能になった．虫垂切除，胆嚢摘除，鼡径ヘルニア縫縮，卵巣摘除，卵巣腫瘍摘除後の再検手術，そして子宮内膜症の診断的評価と女性不妊症などの以前は開腹術を要した多くの日常の手術手技に代わって，選択された症例ではこの技術が標準化してきた．腹腔は最初炭酸ガスが送入され，腹腔鏡が腹壁の小切開創から挿入される．1ないし2か所の追加切開が問題の部位へ到達するために必要である．ある操作においては外科医が片手を挿入できるように6—8 cmの切開を行う場合もある．切開，ドレナージ，摘除，凝固，結紮，縫合，その他の処置を腹腔鏡で行うための精巧な器具が開発されている．術中・術後の合併症率，入院期間，治療に要する費用は，一般に通常の開腹術よりも腹腔鏡下手術のほうが著しく少ない．

---

closed l. クローズドラパロスコピー（皮膚を通して刺入した針（㊟気腹針）を用いて気腹することによって行う腹腔鏡検査）．

open l. オープンラパロスコピー（小皮膚切開をおき，直視下に設置したトロカールを用いて気腹することによって行う腹腔鏡検査．㊟気腹を行わない gasless laparoscopy（吊り上げ法）もオープンラパロスコピーの技術を用いる）．

lap·a·rot·o·my (lap′ă-rot′ō-mē)［laparo- + G. *tomē*, incision］．*1* 側腹切開〔術〕（腰部から切開すること）．*2* 開腹〔術〕．＝celiotomy.

La·pic·que (lah-pēk′), Louis．フランス人生理学者，1866—1952. ⇀L. *law*.

lap·i·ni·za·tion (lap′i-ni-zā′shŭn)［Fr. *lapin*, rabbit］．家兎継代（ウサギでウイルスまたはワクチンを継代すること）．

lap·i·nized (lap′i-nīzd)［Fr. *lapin*, rabbit］．家兎継代した（ウイルスをウサギで継代させることによって順代させることについていう）．

La·place (lah-plās′), Ernest．米国人外科医，1861—1924. ⇀L. *forceps*.

La·place (lah-plās′), Pierre S. de．フランス人数学者，1749—1827. ⇀L. *law*.

La·quer (lah′kĕr), Ernst．20世紀のドイツ人生理学者．⇀L. *stain* for alcoholic hyalin.

lard (lard)［L. *lardum*］．豚脂，ラード．＝adeps (2).

benzoinated l. 安息香豚脂（石けんの製造において潤滑油として，羊毛のオイリングに，および発光体として用いられる．以前は軟膏基剤として用いられていた）．

lark·spur (lark′spŭr)．ヒエンソウ．＝*Delphinium ajacis*.

La·ron (lah-ron′), Zvi．イスラエル人小児内分泌学者，1927—？ ⇀L. type *dwarfism*.

La·roy·enne (lah-roy-en′), Lucien．フランス人外科医，1831—1902. ⇀L. *operation*.

Lar·rey (lah-rā′), Dominique Jean de．フランス人外科医，1766—1842. ⇀L. *cleft*.

Lar·sen (lar′sĕn), Loren J．20世紀の米国人整形外科医．⇀L. *syndrome*.

Lars·son (lar′sŏn), Tage Konrad Leopold．20世紀のスウェーデン人科学者．⇀Sjögren-L. *syndrome*.

lar·va, pl. **lar·vae** (lar′vă, lar′vē)［L. a mask］．*1* 幼虫，仔虫（昆虫や蠕虫にみられる虫様の発育期で，成体とは明らかに異なり，引き続き変態を行う．地虫，ウジ虫，イモ虫，毛虫などと俗によばれる）．*2* 幼虫，幼ダニ（マダニの生活環上の第2段階．卵からふ化し，飽血した後，脱皮して若虫になる）．*3* 幼生（しばしば成体と外見が異なる，魚類や両生類の若い個体）．

filariform l. フィラリア型幼虫（鉤虫，回虫，その他皮膚から侵入したり，体内移動して腸に至る糸状虫などの，感染性のある線虫型の第三期幼虫）．

rhabditiform l. ラブディティス型幼虫（鉤虫類や糞線虫類のような土壌介在性線虫の幼虫の初期発育段階（1期および2期）で，その後感染能をもつ3期のフィラリア型幼虫へと発育する）．

lar·va·ceous (lar-vā′shŭs)．＝larvate.

lar·va cur·rens (lar′vă kŭr′enz)［L. *larva*, mask + *currens*, racing］．流動幼虫（皮膚の遊走虫症で，*Strongyloides stercoralis* の幼虫が急速に（10 cm/時に達する速さ）移動して生じる．典型的なものは，肛門部から大腿上方まで広がり，急速に進行する線状じんま疹状の痕跡がみられる．動物に寄生するタイプの *Strongyloides* 属の種も原因となりうる）．

lar·val (lar′văl)．*1* 幼虫の．*2* 仮性の．＝larvate.

lar·va mi·grans (lar′vă mī′granz)［L. *larva*, mask + *migro*, to transfer, migrate］．移行性幼虫，幼虫移行症（一定期間宿主の組織中を動き回るが成虫にはならない幼虫で，典型的なものは線虫類．通常，正常でない宿主の中で発生するため，寄生虫の正常な発育を阻害する）．

cutaneous l. m. 皮膚幼虫移行症（皮膚の中を掘り進む移動性の蛇行状または網状の病変で，著しいそう痒を伴う．ヒトの小腸内では成熟できない鉤虫の幼虫が動き回るために生じる．米国東部および南東部の海岸地方やその他の熱帯・亜熱帯の海岸地方に特に広くみられる．イヌやネコの鉤虫の幼虫が関係するが，主として米国の砂浜や砂場のイヌ，ネコの糞尿に存在するブラジル鉤虫 *Ancylostoma braziliense* が関係する．またイヌ鉤虫 *Ancylostoma caninum*, 狭頭鉤虫 *Uncinaria stenocephala* や *Bunostomum phlebotomum* も関係する．動物由来の諸種もヒトに感染する）．＝ancylostoma dermatitis; creeping eruption; cutaneous ancylostomiasis; ground itch; water itch (1).

ocular l. m. 眼幼虫移行症（眼を含む内臓幼虫移行症．主に年長児に生じる．視力低下と斜視を含む臨床症状）．

spiruroid l. m. 旋尾線虫幼虫移行症（ヒトの腸では成熟できない旋尾線虫目の幼虫が，腸管外で体内移行すること．日本やタイでは，主として有棘顎口虫 *Gnathostoma spinigerum* と剛棘顎口虫 *G. hispidum* が原因となり，被嚢した第三期感染性幼虫を保有した魚を生食することにより生じる．また，感染した橈脚類（第一中間宿主）に汚染された飲用水の摂取によっても生じる．体の前部にとげをもつこの幼虫は，線状トンネルを皮膚に形成したり，皮下や肺に膿瘍を形成し，また眼や脳へ侵入したりする）．

visceral l. m. 内臓幼虫移行症（イヌ回虫 *Toxocara canis* や，まれに，ヒトに寄生しない他の回虫の卵の摂取によって発生する，主として小児の疾病．幼虫は腸内でふ化し，腸壁を穿通し，内臓（主に肝臓）内を18—24か月にわたって動き回る．無症候性の場合もあるが，肝腫（肥大肝に被嚢幼虫による肉芽腫性病変を伴う），肺の浸潤，発熱，咳，高グロブリン血症，持続性高好酸球増加症が主な症候である）．

lar·vate (lar′vāt)［L. *larva*, mask］．仮性の，仮面の，潜在の（無症状の，非定型的徴候の疾病に対して用いる語）．＝larvaceous; larval (2).

lar·vi·cid·al (lar′vi-sī′dăl). 幼虫撲滅の.
lar·vi·cide (lar′vi-sīd) [larva + L. *caedo*, to kill]. 幼虫撲滅薬.
lar·vip·a·rous (lar-vip′ă-rŭs) [larva + L. *pario*, to bear]. 幼虫を産む（線虫類や昆虫類で，卵ではなく幼虫が雌の体から産み出されることをいう）.
lar·vi·phag·ic (lar′vi-fā′jik) [larva + G. *phagō*, to eat]. 幼虫を食する（幼虫を食べるある種の魚はカの制圧に用いられる）.
laryng- (lă-rinj′). →laryngo-.
la·ryn·ge·al (lă-rin′jē-ăl). 喉頭の（[誤った発音 larynge′al を避けること]）.
lar·yn·gec·to·mee (lar′in-jek′tŏ-mē). 喉頭切除患者，無喉頭者（口喉頭全摘術を施行された人）.
lar·yn·gec·to·my (lar′in-jek′tŏ-mē) [laryngo- + G. *ektomē*, excision]. 喉頭切除〔術〕，喉頭摘出〔術〕.
horizontal l. 喉頭水平切除術. = partial l.
partial l. 喉頭部分切除〔術〕（声門上部を摘出し声帯を保存する不完全喉頭切除術）. = horizontal l.; supraglottic l.
supraglottic l. 声門上喉頭切除術. = partial l.
la·ryn·ges (lă-rin′jēz) [L.]. larynx の複数形.
lar·yn·gis·mus (lar′in-jiz′mŭs) [L. < G. *larynx* + *-ismos*, -ism]. 声門痙攣（声門の痙攣性狭窄または閉塞）.
l. stridulus ぜん鳴痙攣，小児〔笛声〕喉頭痙攣（声門の痙攣性閉塞．ぜん鳴を生じる．*cf. laryngitis* stridulosa）. = pseudocroup; spasmus glottidis.
lar·yn·git·ic (lar′in-jit′ik). 喉頭炎〔性〕の.
lar·yn·gi·tis (lar′in-jī′tis) [laryngo- + G. *-itis*, inflammation]. 喉頭炎（喉頭粘膜の炎症）.
chronic posterior l. 慢性後部喉頭炎（病変の主座が披裂部にある喉頭炎のこと．胃内容物の逆流によって生じると考えられている）.
chronic subglottic l. 慢性声門下喉頭炎（声帯から下方数センチメートルまで広がる遷延化した粘膜炎）. = chorditis vocalis inferior.
croupous l. クループ性喉頭炎（気道感染や嗄声またはぜん鳴を伴う声門下喉頭の炎症）.
membranous l. 膜様喉頭炎（声帯に偽膜性滲出物を生じるもの）.
l. sicca 乾性喉頭炎（喉頭粘膜の乾燥と痂皮付着を特徴とする喉頭炎）.
spasmodic l. 痙性喉頭炎. = l. stridulosa.
l. stridulosa ぜん鳴性喉頭炎（小児の喉頭の感染による炎症．夜間に声門の痙攣性狭窄発作を起こしぜん鳴を伴う）. = spasmodic l.
laryngo-, laryng- (lă-ring′gō, lă-rinj′) [G. *larynx*]. [本連結形の誤った発音 lar-in′jo を避けること]. 喉頭を意味する連結形.
la·ryn·go·cele (lă-ring′gō-sēl) [laryngo- + G. *kēlē*, hernia]. 喉頭気腫，喉頭ヘルニア，喉頭室嚢胞(嚢腫)（喉頭室と連なる気腫で，しばしば甲状舌骨膜を通じて首の組織へ突出する．特に咳をするときや吹奏楽器を演奏するときに多い）.
la·ryn·go·fis·sure (lă-ring′gō-fish′ŭr). 喉頭切開〔術〕（喉頭の手術による開口で，通常，正中線に沿って，初期腫瘍の切除や喉頭狭窄矯正のために行われる）. = median laryngotomy; thyrofissure; thyroidotomy; thyrotomy (2).
la·ryn·go·graph (lă-ring′gō-graf) [laryngo- + G. *graphō*, to write]. 喉頭造影(撮影)器，喉頭運動描画器（声帯ひだの運動を描画するための器具）.
lar·yn·gog·ra·phy (lar′ing-gog′ră-fē). 喉頭造影（造影剤で喉頭粘膜表面をおおってから撮影するX線検査法）.
lar·yn·gol·o·gy (lar′ing-gol′ŏ-jē) [laryngo- + G. *logos*, study]. 喉頭科学，喉頭学，喉頭病学（喉頭，声およびその疾病を扱う医学の一専門分野）.
la·ryn·go·ma·la·ci·a (lă-ring′gō-mă-lā′shē-ă) [laryngo- + G. *malakia*, a softness] [MIM*150280]. 喉頭軟化症（年少小児にみられる喉頭軟骨の軟化で，特に喉頭蓋でみられ，結果として吸気時ぜん鳴を示す）. = chondromalacia of larynx.
la·ryn·go·pa·ral·y·sis (lă-ring′gō-pă-ral′i-sis). 喉頭麻痺（喉頭筋肉の麻痺）. = laryngoplegia.
la·ryn·go·pha·ryn·ge·al (lă-ring′gō-fă-rin′jē-ăl). 喉頭咽頭の（喉頭と咽頭または咽頭喉頭部についていう）.
la·ryn·go·phar·yn·gec·to·my (lă-ring′gō-far′in-jek′tŏ-mē). 喉頭〔下〕咽頭摘出〔術〕，咽喉頭切除〔術〕.
la·ryn·go·pha·ryn·ge·us (lă-ring′gō-fă-rin′jē-ŭs) [L.]. 喉頭咽頭筋. = inferior constrictor (*muscle*) of pharynx.
la·ryn·go·phar·yn·gi·tis (lă-ring′gō-far′in-jī′tis). 咽頭喉頭炎.
la·ryn·go·phar·ynx (lă-ring′gō-far′ingks) [TA]. 咽頭喉頭部（喉頭の開口より下で喉頭の背後にある咽頭部．喉頭前庭から輪状軟骨の下縁の高さで食道に続く）. = pars laryngea pharyngis [TA]; hypopharynx*; laryngeal part of pharynx; laryngeal pharynx.
la·ryn·go·phthi·sis (lă-ring′gō-thī′sis) [laryngo- + G. *phthisis*, a wasting]. 喉頭結核.
la·ryn·go·plas·ty (lă-ring′gō-plas′tē) [laryngo- + G. *plassō*, to form]. 喉頭形成〔術〕.
la·ryn·go·ple·gi·a (lă-ring′gō-plē′jē-ă) [laryngo- + G. *plēgē*, stroke]. = laryngoparalysis.
la·ryn·go·pto·sis (lă-ring′gō-tō′sis) [laryngo- + G. *ptōsis*, a falling]. 喉頭下垂〔症〕（喉頭が異常に低い位置にあること．先天性または後天性．新生児の健康は損なわれない．加齢とともにある程度の下垂はみられる）.
la·ryn·go·scope (lă-ring′gō-skōp) [laryngo- + G. *skopeō*, to inspect]. 喉頭鏡（電光装置のついた管で，口から喉頭の内部を検査したり手術するのに用いる）.
la·ryn·go·scop·ic (lă-ring′gō-skop′ik). 喉頭鏡の.
lar·yn·gos·co·pist (lar′ing-gos′kŏ-pist). 喉頭鏡の使用技術を有する人.
lar·yn·gos·co·py (lar′ing-gos′kŏ-pē). 喉頭鏡検査〔法〕（喉頭鏡を用いて喉頭を検査すること）.
direct l. 直接喉頭鏡検査〔法〕（直達鏡やファイバースコープを用いて喉頭を直接観察する検査法）.
indirect l. 間接喉頭鏡検査〔法〕（喉頭を鏡に反射させて観察する検査法）.
suspension l. 懸垂喉頭鏡検査〔法〕（咽頭腔や喉頭の最大の視野を得るため，支持物をてこに喉頭鏡を支えること）.
transnasal fiberoptic l. 経鼻的喉頭鏡検査〔法〕（自由に曲がるファイバースコープを鼻を経由して挿入することにより喉頭を観察する喉頭鏡検査法）.
la·ryn·go·spasm (lă-ring′gō-spazm). 喉頭痙攣，声門痙攣（声門の反射性閉塞）. = glottidospasm; laryngospastic reflex.
la·ryn·go·ste·no·sis (lă-ring′gō-stĕ-nō′sis) [laryngo- + G. *stenōsis*, a narrowing]. 喉頭狭窄.
lar·yn·gos·to·my (lar′ing-gos′tŏ-mē) [laryngo- + G. *stoma*, mouth]. 喉頭開口〔術〕，喉頭開窓〔術〕（首から喉頭内へ永久的な開口部を設けること）.
la·ryn·go·stro·bo·scope (lă-ring′gō-strō′bō-skōp, -strob′-ō-skōp). 喉頭ストロボスコープ（発声中の声帯の運動を断続的照明で観察する装置．照明の周波数が声帯の開閉の周波数に近づくと停止して見える）.
lar·yn·got·o·my (lar′ing-got′ŏ-mē) [laryngo- + G. *tomē*, incision]. 喉頭切開〔術〕.
inferior l. 下喉頭切開〔術〕. = cricothyrotomy.
median l. 正中喉頭切開〔術〕. = laryngofissure.
superior l. 上喉頭切開〔術〕（甲状舌骨膜を通して切開すること）.
la·ryn·go·tra·che·al (lă-ring′gō-trā′kē-ăl). 喉頭気管の（喉頭と気管についていう）.
la·ryn·go·tra·che·i·tis (lă-ring′gō-trā′kē-ī′tis). 喉頭気管炎（喉頭と気管両方の炎症）.
la·ryn·go·tra·che·o·bron·chi·tis (lă-ring′gō-trā′kē-ō-brong-kī′tis). 喉頭〔気管〕気管支炎（喉頭，気管，および気管支に起こる急性の呼吸疾患．→croup）.
lar·yn·go·tra·che·o·plas·ty (lar-ing′gō-trā′kē-ō-plas′-tē). 喉頭気管形成〔術〕（声門下狭窄を修復する手術）.
lar·ynx, pl. la·ryn·ges (lar′ingks, lă-rin′jēz) [Mod.L. < G.]. 喉頭（[誤ったつづりまたは発音 larnyx を避けること]．咽頭と気管の間にある気道の一部である発声器官．軟骨格，声帯ひだを含む弾性膜，およびこれらの位置と緊張を調節する筋肉からなる）.
Cooper-RAND artificial l. (kū′pĕr rand) [Or. Herbert

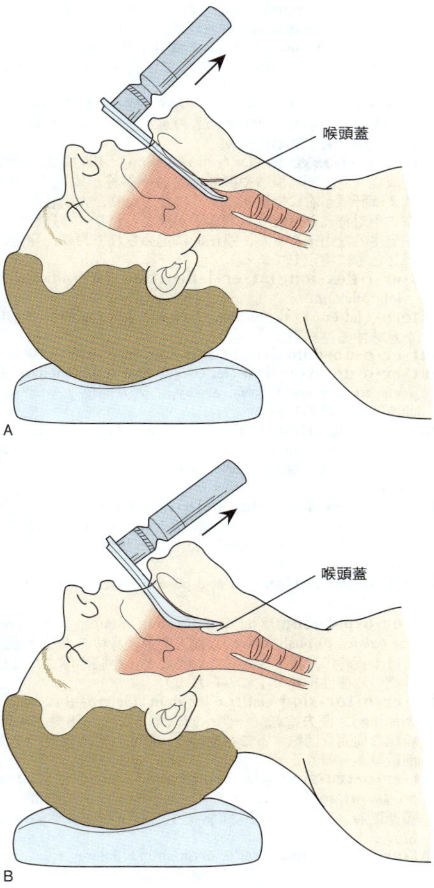

direct laryngoscopy

A：Miller直型ブレードは喉頭蓋を前に反らす．B：Machintosh曲型ブレードは喉頭蓋ではなく舌を反らす．

Cooper + RAND Corporation］. クーパー－ランド人工喉頭（喉頭全摘術後の発声リハビリテーションのための電気機器．口腔咽頭内に音を発生させ，咽頭・口蓋・舌・口唇・歯の運動により会話音に変換することができる）.

lase (lāz). レーザーカットする，レーザー処理する（レーザー光線によって物質を切断する，あるいは解剖学的構造物を処理する）.

La・sègue (lah-seg′), Ernest C. フランス人医師，1816－1883. →L. *sign, syndrome.*

LASEK (lā′sek). ラセク（laser-assisted epithelial *keratoplasty*; laser-assisted epithelial *keratomileusis* の頭字語）.

la・ser (lā′zĕr)［*l*ight *a*mplification by *s*timulated *e*mission of *r*adiation の頭文字］. ***1***〚n.〛レーザー（高電圧，高密度の光または電磁波の形でエネルギーを活性媒体(例えば，CO_2, Nd: YAG argon)に照射して，きわめて強く細い光線を発生させる装置．(両端が)鏡の管を通過させることによって，非発散(平行な)，単色(すべて同じ波長)，可干渉(同じ位相)の光線として光子は放出される．顕微鏡手術，焼灼，切除，および種々の診断目的で使用される．放出される波長は，励起された活性媒体に依存し，標的組織(発色団)は，それが吸収するレーザー光線の波長によって決まる．放出されるレーザーの光量すなわちフルエンスは，光線の単位断面積当たりの放出エネルギー(Joules/cm²)で決まる．レーザーは多数の化学種で，ガス，液体，固体などに基づいている．そのいくつかは，下記のチャートに記載されている．レーザーは，文字やX線画像のプリンタに広く使用されている)．***2***〚v.〛レーザーを用いて組織を処置する．→chromophore.

医療に用いられるレーザー

連続波長レーザー	波長(nm)	適応
アルゴン	488/514	線維柱帯形成術．歯牙表層調整
炭酸ガス	10,600	皮膚科．耳手術．喉頭手術
He-Ne	632.8	比濁法．不可視レーザーのガイド
クリプトン	647	眼光凝固術
準連続波長レーザー		
銅蒸気/臭化物	510/578	色素性または血管性皮膚病変
色素アルゴン	577/585	血管性皮膚病変
KTP	532	血管性皮膚病変．耳手術
XeCl	308	水晶体切断
パルスレーザー		
エルビウム：YAG	2,940	皮膚再表層形成．眼科手術
フラッシュランプポンプパルスダイ	585	血管性皮膚病変
ホルミウム：YAG	2,100	泌尿器手術
HF	2,900	歯牙表層調整
Qスイッチレーザー		
アレクサンドライト	755	色素性皮膚病変
Nd:YAG	1,064	皮膚科．気管内手術．気道・消化管腫瘍
ルビー	694	色素性皮膚病変

He-Ne：helium(ヘリウム)，neon(ネオン)
KTP：potassium(カリウム)，titanyl (チタニル)，phosphate(リン酸塩)
XeCl：xenon(キノン)，chlorine(塩素)
YAG：yttrium(イットリウム)，aluminum(アルミニウム)，garnet (ガーネット)
HF：hydrogen fluoride(フッ化水素)．

argon l. アルゴンレーザー（網膜光凝固，隅角線維柱帯形成術を含む眼科処置に用いられる．青(448nm)または緑(514nm)スペクトル光からなる）.

continuous wave l.〔連続波〕レーザー（エネルギー出力が一定であるレーザー）.

excimer l. エキシマレーザー（主に屈折矯正に用いられる．アルゴンとフッ素の不安定二量体から発信される紫外スペクトル光からなる．㊟正しくはエキシマレーザーは不活性ガス二量体レーザーの総称．眼科で使用されているのがArF）.

krypton l. クリプトンレーザー（赤(647nm)スペクトル光からなるレーザー．主に硝子体出血での網膜光凝固での眼科処置に用いられる）.

KTP l.［*K* (potassium) *T*itanyl *P*hosphate］. KTP レーザー（ネオジム YAG からのビームが KTP 結晶を通過する

L

ことで周波数を倍増することによって得られる青緑から緑のスペクトル(532nm)のレーザー光線．止血に用いられる)．

Nd:YAG l. [*Nd* (neodymium) + *Y*ttrium-*A*luminum-*G*arnet]．ネオジム：イットリウム－アルミニウム－ガーネットレーザー（赤外線スペクトル中(1064nm)のレーザーで他のレーザーよりも深部にまで到達する)．

pulsed l. パルスレーザー（高エネルギーの短い爆発が可能な拍動化したエネルギー出力)．

pulsed dye l. パルスダイレーザー．(ヘモグロビンに吸収される黄色の光で，焦点に超短波長パルスの光線を出し，組織を破壊する．幼児に麻酔なしで血管腫の治療を行うときに使用する)．

pumped l. 励起レーザー（エネルギーレベルが，それ自身一次レーザーとなりうる電子あるいは光子の分離された線源を応用して増大されるレーザー)．

Q-switched l. Q－スイッチレーザー（Qは quality の略．特性あるいはエネルギー貯蔵容量を非常に高い値と低い値との間で変えられるレーザー)．

quasi-continuous wave l. 準連続発振レーザー（電子制御によって，出力がミリセカンド(1/1,000 秒)あるいは同等の小さな増量での制御の可能なレーザー)．

superpulsed l. スーパーパルスレーザー（各々がきわめて短い(例えば，0.1 ミリ秒)パルスが，１秒間に 1,000 パルス程ある，二酸化炭素パルスレーザーの一種．最大出力が１パルス当たり数千ワットで，最終的に目標の近傍組織の熱障害が少ないビームとなる)．

l. trap レーザー捕捉（強く絞りこんだ絞りを通して焦点を結んだレーザービームは，顕微鏡下の粒子の位置を固定する能力をもつ．これはレーザー捕捉として知られる機構で，対象物の操作を可能にする．→optic *tweezers*)．

la·ser·ing (lā′zĕr-ing)．レーザー加工，レーザー処置（物の切断，分割，分解，または解剖学的構造物の処置のためのレーザー光線の使用)．

la·ser plume [L. *pluma*, feather]．レーザー切断での煙の産生．術者が呼吸困難を引き起こすことがある．

Lash (lash), Abraham Fae. 20 世紀の米国人産婦人科医．→L. *operation*.

lash (lash)．睫毛，まつげ．

LASIK laser-assisted in situ *keratomileusis* の頭文字．

La·si·o·he·le·a (las′ē-ō-hē′lē-ă)．ラシオヘレア属（小型のヌカカの一属)．

las·si·tude (las′i-tūd) [L. *lassitudo* < *lassus*, weary]．倦怠，疲労．

la·tah (lah′tah) [Malay, ticklish]．ラーター（病的驚愕症候群の１つ．文化と関係した疾患で，驚きや予期せぬ暗示による過度の身体的反応を特徴とする．患者は無意識に泣き声を発したり，命令に応じて行動したり他人の行為を見聞きし，それを模倣して行動したりする．→jumping *disease*)．

La·tar·get (lah-tar-zhā′), André. フランス人解剖学者，1877—1947. →L. *nerve, vein*.

lat·e·bra (lat′ē-bră) [L. hiding place]．ラテブラ（大卵黄卵(例えば鳥)の動物極から卵黄の中心近くの拡張した終末部へ広がるフラスコ形の部位．白色卵黄の大部分を含む)．

la·ten·cy (lā′ten-sē). ***1*** 潜伏．***2*** 潜伏期，潜伏時間（ある条件下，あるいは行動の実験で刺激を与えたときと反応が起こる瞬間までの，外見上の不応期間)．***3*** 精神分析において，およそ５歳頃から思春期までの時期．

la·tent (lā′tent) [L. *lateo*, pres. p. *latens*(*-ent-*), to lie hidden]．潜伏〔性〕の．

lat·er·ad (lat′ĕr-ad) [L. *latus*, side + *ad*, to]．外側へ．

lat·er·al (lat′er-ăl) [L. *lateralis*, lateral < *latus*, side][TA]．[external または outer と混同しないこと]．***1*** 外側の，側方の，横向きの（側方にある)．＝lateralis [TA]．***2*** 外側の，側方の，横向きの（正中面または正中矢状面から遠い位置にある)．＝lateralis [TA]．***3*** 外側の，側方の，横向きの（歯科において，中心矢状面から右あるいは左に位置する)．***4*** 側面像（フイルムを矢状面に置いて撮影するＸ線撮影法で，胸部の検査では正面像に次いで２枚目の撮影として行われる)．＝lateralis [TA]．

lat·er·a·lis (lat-ĕr-ā′lis) [L.][TA]．外側の（[本形容詞は男性名詞(margo lateralis，複数形 margines laterales)および女性名詞(norma lateralis，複数形 normae laterales)とともに用いられる．中性名詞では laterale の形(cornu laterale，複数形 cornua lateralia)で用いられる．laterale の最後の e は発音される])．＝lateral (1); lateral (2); lateral (4).

lat·er·al·i·ty (lat′ĕr-al′i-tē). ***1*** 側性（体や構造物の一側についていう)．***2*** 一側優位（特に左右どちらかの大脳皮質または体の優性)．

crossed l. 交差性一側優位（左右対をなす器官機能のうち，あるものが右優性で他のものが左優性である状態．例えば，左眼と右上肢が優性)．

lat·er·al·i·za·tion (lat′ĕr-al-ī-zā′shŭn)．側性成立，一側優位成立（発生期に構造や機能の左右不対称が成立する過程．例えば肝臓が右に位置するようになったり，大動脈の走行が左右不対称になったり，利き手が決まったりする過程で，系統発生的な由来をもち，遺伝的に定められており，発生の進行とともに実現してくる)．

lat·er·i·flex·ion, lat·er·i·flec·tion (lat′ĕr-i-flek′shŭn)．＝lateroflexion.

latero- (lat′ĕr-ō) [L. *lateralis*, lateral < *latus*, side]．外側の，を意味する連結形．

lat·er·o·ab·dom·i·nal (lat′ĕr-ō-ab-dom′i-năl)．側腹部の．

lat·er·o·de·vi·a·tion (lat′ĕr-ō-dē′vē-ā′shŭn) [latero- + L. *devio*, to turn aside < *via*, a way]．側方偏位（一側への屈曲あるいは移動)．

lat·er·o·duc·tion (lat′ĕr-ō-dŭk′shŭn) [latero- + L. *duco*, pp. *ductus*, to lead]．側方偏視，側方運動（一側へ引き寄せること．四肢の動きや眼球の正中から遠位への回転をいう)．＝exduction.

lat·er·o·flex·ion, lat·er·o·flec·tion (lat′ĕr-ō-flek′-shŭn) [latero- + L. *flecto*, pp. *flexus*, to bend]．側〔方〕屈〔曲〕(一側へ傾いたり曲がったりする状態)．＝lateriflexion; lateriflection.

lat·er·o·po·si·tion (lat′ĕr-ō-pō-zish′ŭn)．側〔方転〕位（一方への移動)．

lat·er·o·pul·sion (lat′ĕr-ō-pŭl′shŭn) [latero- + L. *pello*, pp. *pulsus*, to push, drive]．側方突進（身体の不随意運動または歩行時に片側へ曲がっていくこと．小脳半球または延髄外側の片側性梗塞で主にみられる)．

lat·er·o·tor·sion (lat′ĕr-ō-tōr′shŭn) [latero- + L. *torsio*, a twisting]．側方捻転（一側へ回転すること．眼球がその前後軸の周囲を回転することをいう．結果として角膜の上部は前後軸から離れる)．

lat·er·o·tru·sion (lat′ĕr-ō-trū′zhŭn) [latero- + L. *trudo*, pp. *trusus*, to thrust]．ラテロトルージョン，外側偏位（下顎運動時，そしゃく筋によって生じる下顎頭の外側への偏位)．

lat·er·o·ver·sion (lat′ĕr-ō-vĕr′shŭn) [latero- + L. *verto*, pp. *versus*, to turn]．側傾，側反，側彎屈（一側あるいは他側への回転．特に子宮の変位をいう)．

la·tex (lā′teks) [L. liquid]．ラテックス（①ある種の種子植物の産生する乳濁液または懸濁液．この液には天然ゴムの微視的な小球体が懸濁している．②ポリスチレンやポリビニルクロリドなどの類似合成物質)．

lathe (lādh)．レーズ（回転軸をもつモーター駆動の機械で，種々の型の回転砥石，研磨用のウィール，切断器具が取り付けられる．歯科器具の仕上げや研磨に用いる)．

lath·y·rism (lath′i-rizm) [L. *lathyrus*, vetch]．ラチリスム，イタチササゲ中毒（エチオピア，アルジェリア，インドにみられる疾患で，様々な神経症の発現，振せん，痙性対麻痺，感覚異常を特徴とする．ソラマメ，イタチササゲ *Lathyrus sativus*, およびそれらと近縁の種を主食とする地域に流行する．実験的には，*L. sativus* の豆あるいはそれからの抽出物，特に β-アミノプロピオニトリルの摂食によって実験動物に骨疾患型が生じる)．＝lupinosis; neurolathyrism.

lath·y·ro·gen (lath′ī-rō-jen)．ラチロゲン（自然にあるいは実験的にラチリスムを誘発できる物質または薬品)．

La·tin square (la′tin sqwār)．ラテン方格（実験のための統計的デザインで，行と列に対する２つの要因に由来する系統的な偏りを実験誤差から取り除くことができる．それぞれの行，列において，各々の処理がちょうど１回起こるよう，割り付けられる．例えば，ＡからＥの５処理に対する5×5方格デザインは次のようになる)．

A	B	C	D	E
B	A	E	C	D
C	D	A	E	B
D	E	B	A	C
E	C	D	B	A

lat·i·tude (laʹti-tūd) [L. *latitudo*, width < *latus*, wide]. 寛容度（光またはX線の露光に対する写真感光乳剤の許容範囲.→latitude *film*). =digital gray scale; gray scale.

La·tro·dec·tus (latʹrō-dekʹtŭs) [L. *latro*, servant, robber + G. *dēktēs*, a biter]. ゴケグモ属（比較的小型のクモの一属. 強い毒性のある神経毒を発し，咬まれると痛みを伴う. クモに咬まれて重篤な反応を起こすのは，たいていこの属によるかイトグモ *Loxosceles* による. 医学的に重要な種は，オーストラリア，南・北アメリカ，南アフリカ，およびニュージーランド産である. 有毒な種としては，クロゴケグモ *L. mactans*，アカアシゴケグモ *L. bishopi*，ブラジルゴケグモ *L. euracaviensis*，ハイイロゴケグモ *L. geometricus*，チチュウカイゴケグモ *L. tredecimguttatus* などがある).

L. mactans 物陰の暗い場所にいる漆黒の有毒グモ. 米国南部に特に多い. 完全に成長した雌グモ(体長1 cm 強)は腹面にキラキラ光る赤い亜鈴形，砂時計形の模様があり，咬まれると激しい痛みを生じ，急性腹症クリーゼに似た症候群を起こす. ごくまれではあるが，特に幼児には死亡例も報告されている. 雄グモには砂時計模様がなく毒性もない.

LATS long-acting thyroid *stimulator* の略.

lat·tice (latʹis). 格子（平面が，特定の型あるいは特定の相互関係にある2つの構成単位を通り抜けてできる規則正しい配列. 例えば結晶の原子配列).

la·tus, gen. **la·te·ris,** pl. **la·te·ra** (lāʹtŭs, latʹĕr-is, latʹĕr-ă) [L. side][TA]. 側腹，わきばら. =flank.

Latz·ko (lahtzʹkō), Wilhelm. オーストリア人産科医，1863—1945. →L. cesarean *section*.

lau·da·ble (lawʹdă-bĕl) [L. *laudabilis*, praiseworthy]. 健全な（膿の質に対して以前用いられた語. 濃くクリーム状で，創が肉芽形成過程により最終的に治癒することが示唆され，広がって血液中毒や死亡につながる感染を示さない).

lau·da·nine (lawʹdă-nēn). ラウダニン（モルヒネの醸造母液から誘導されるイソキノリンアルカロイドの1つ. ストリキニーネと同様の作用をもち，破傷風様痙攣を引き起こす).

lau·da·no·sine (lawʹdă-nō-sēn). ラウダノシン（モルヒネの醸造母液から得られるイソキノリンアルカロイド. 破傷風様痙攣を引き起こす).

lau·da·num (lawʹdă-nŭm) [G. *lēdanon*, a resinous gum]. アヘンチンキ（アヘンを含むチンキ剤).

Lau·gi·er (lō-zhē-āʹ), Stanislas. フランス人外科医，1799—1872. →L. *hernia*.

Lau·mo·ni·er (lō-monʹē-āʹ), Jean B.P.N.R. フランス人外科医，1749—1818. →L. *ganglion*.

Lau·nois (lō-nwahʹ), Pierre E. フランス人医師，1856—1914. →L.-Cléret *syndrome*; L.-Bensaude *syndrome*.

Lau·rence (lawʹrĕns), John Zachariah. 英国人眼科医，1830—1874. →L.-Moon *syndrome*.

Laurer (lowrʹĕr), Johann F. ドイツ人薬理学者，1798—1873. →L. *canal*.

lau·ric ac·id (lawʹrik asʹid). ラウリン酸（ろうや海産脂肪と同様に，鯨ろうや牛乳，ゲッケイジュ，ココナッツ，およびヤシの各油に含まれる脂肪酸). =*N*-dodecanoic acid.

Lauth (lōt), Charles. イングランド人化学者，1836—1913. → L. violet.

Lauth (lōt), Ernst A. ドイツ人医師，1803—1837. →L. *canal*.

Lauth (lōt), Thomas. ドイツ人解剖学者・外科医，1758—1826. →L. *ligament*.

Lauth vi·o·let (lōt vīʹŏ-let). =thionine.

LAV lymphadenopathy-associated *virus* の略.

la·vage (lă-vahzhʹ) [Fr. < L. *lavo*, to wash]. 洗浄（大量の液体を注入し排出することによって，腔または器官を洗うこと).

antral l. 洞洗浄（上顎洞を，その自然口を経由する，あるいは下鼻道の穿刺口を経由して洗浄する方法).

bronchoalveolar l. (**BAL**) 気管支肺胞洗浄（末梢気管支内へ気管支鏡あるいは他の穴空きチューブを通して食塩水を注入し排液することによって，肺胞の細胞環境(例えば，微生物，炎症細胞)を収集する方法).

Lav·dov·sky (lŏv-dovʹskē), Michail D. ロシア人組織学者，1846—1902. →L. *nucleoid*.

La·ver·an·i·a (laʹvĕr-āʹnē-ă) [C. *Laveran*. フランス人原生動物学者・ノーベル賞受賞者，1845—1922]. ラベラン原虫属（マラリア病原性その他の住血原生動物類の以前の属名. 熱帯熱マラリア原虫 *L. falciparum* は，*Plasmodium falciparum* に対する別の属名であるが，熱帯熱マラリアの原因体は，三日月形のガメトシストをしているから別の属にすべきだと信じて，こちらの属名のほうを好む人もいる. →*Plasmodium*; *Haemoproteus*).

la·veur (lă-vŭrʹ) [Fr.]. 洗浄器（灌注や洗浄に用いる器具).

Lavoisier (la-vwahʹsē-yā), Antoine Laurent. 1743 — 1794. フランス人弁護士・化学者・公務員. 彼の 1789 年の *Elements of Chemistry* は学問の新しくかつ系統的な理解を提供した. 恐怖政治時代の 1794 年にギロチンで死亡，フランス革命の犠牲者.

LAW

law (law) [A.S. *lagu*]. ***1*** 原理，法則. ***2*** 法則（ある条件において，変化する現象の過程や関係に関する詳しい記述.→principle; rule; theorem).

Alexander l. (al-ek-zanʹdĕr). アレグザンダー(アレクサンダー)の法則（急速相への注視時に増悪する律動眼振の状態).

all or none l. 全か無かの法則，悉無律. =Bowditch l.

Ångström l. (angʹstrŏm). オングストローム(オングストレーム)の法則（発光体はその放射するものと同じ波長の光を吸収する).

Arrhenius l. (ă-rēʹnē-ŭs) [Svante *Arrhenius*]. アレーニウスの法則. =Arrhenius *doctrine*.

l.'s of association 連合の法則（Aristotle によって確立された原理. 2つの概念間の機能的関係を述べている. この法則は実験心理学の面でも最も有用であることが判明し，現代のレスポンデント条件付けの研究で完成した).

l. of average localization 平均局在の法則（内臓の疼痛は最も動きの少ない臓器に正確に局在される. またその逆についてもいえる).

Avogadro l. (ah-vō-gahdʹrō) [Amadeo *Avogadro*]. アヴォガドロの法則（同温・同圧では，同体積の気体は同数の分子を含む). =Ampère postulate; Avogadro hypothesis, postulate.

Baer l. (bār). ベール(ベーア)の法則（胚形成において，ある群のすべての構成員にみられる器官の一般的な性質のほうが，群の個々の構成員を識別する特殊な性質よりも前に表れること. この法則は反覆発生説 recapitulation theory の先駆である).

Baruch l. (bar-ūkʹ). バールックの法則（水療法の効果は水温と皮膚温の差に正比例する. したがって，水温が皮膚温より高いか低いときには刺激的であり，両者が同じときには鎮静的である).

Beer l. (bēr) [August *Beer*]. ベールの法則（色あるいは光線の強さはそれが通過する液体の濃度に反比例する. すなわち光の吸収は光線が通過する通路の分子数によって決定される. *cf.* Beer-Lambert l.).

Beer-Lambert l. (bēr lamʹbert) [August *Beer*, Johann Heinrich *Lambert*]ランベルト－ベールの法則（光の吸光度は，光が通過する配位子の厚さと吸収体である発色団の濃度の積に直接比例する. すなわち，$A=\varepsilon bc$ で，A は吸光度，ε はモル吸光係数，b は溶液の厚み，c は(モル)濃度である. 註直訳すれば〝ベール－ランベルト〟だが，日本では通常〝ランベルト－ベール〟と称する).

Behring l. (bārʹing). ベーリングの法則（免疫されたヒトの血清を感受性のあるヒトに非経口的に投与すると，同一疾患に対する相対的な受動免疫を与えることになる. すなわちその病気を予防したり，経過を軽症化させることができる).

Bell l. (bel). ベルの法則（腹側脊髄根は運動神経，背側は知覚神経である). =Bell-Magendie l.; Magendie l.

Bell-Magendie l. (bel mah-zhahn-dē'). ベル－マジャンディの法則. =Bell l.

Bernoulli l. (bĕr-nū'lē) [Daniel *Bernoulli*]. ベルヌーイの法則 (摩擦を無視してよい場合，管内の気体または液体の流速は，それが管壁に与える圧力に反比例する．すなわち狭窄点では速度は最大になり，圧力は最小になる). =Bernoulli principle, theorem.

Berthollet l. (bār-tō-lā') [Claude L. *Berthollet*]. ベルトレーの法則 (溶液中の塩類は，できるかぎり可溶度の低い塩をつくるように，相互に反応する).

biogenetic l., l. of biogenesis 発生の法則. =recapitulation *theory.*

Blagden l. (blahg'dĕn) [Charles *Blagden*]. ブラグデンの法則 (希釈溶液の凝固点降下は溶質の量に比例する).

Bowditch l. (bō'dich). バウディッチ(ボーディッチ)の法則 (効果的な刺激であれば，程度にかかわらず最大応答を呈すること). =all or none l.

Boyle l. (boyl) [Robert *Boyle*]. ボイルの法則 (一定温度では，一定量の気体の体積はそれに加わる絶対圧力に反比例する). =Mariotte l.

Broadbent l. (brod'bent). ブロードベントの法則 (上部運動神経路の病変が引き起こす筋肉の麻痺では，通常，単独に反対側に働く筋肉よりも習慣的に両側を動かす筋肉のほうが軽症である).

Bunsen-Roscoe l. (bŭn'sĕn ros'kō). ブンゼン－ロスコーの法則 (写真乾板やフイルムの減光のような光化学的反応では，照明の強度と露光時間の積が一定ならば，変化する化学物質の量も一定である．短時間照射の網膜はこの法則に従う). =reciprocity l.; Roscoe-Bunsen l.

Charles l. (shahrls) [Jacques *Charles*]. シャルルの法則 (すべての気体は熱によって等しく膨張する．その値は1°Cにつき0°Cのときの体積の1/273.16である). =Gay-Lussac l.

l. of constant heat summation 総熱量不変の法則. =Hess l.

l. of constant numbers in ovulation 排卵数一定の法則 (1回の排卵時に排出される卵母細胞の数は動物種によってほぼ一定である).

l. of contiguity 接近の法則 (2つの観念または心理的出来事が，ひとたび密接に関連して生じると再び同じように起こりがちである．すなわち1つの事象に続く再発生が他方を誘発する傾向がある．この法則は条件付けや学習における最近の学説で重きをなしている).

l. of contrary innervation 反対神経支配の法則. =Meltzer l.

Coppet l. (kop'ĕt) [Louis de *Coppet*]. コペーの法則 (同一の凝固点をもつ溶液の溶質濃度は等しい).

Courvoisier l. (kūr-vwah-zē-ā'). クルヴォワジェの法則 (黄疸を伴う胆嚢の無痛拡張は総胆管の結石が原因ではなく，膵頭の癌が原因であることが多い．なぜなら，結石の際には胆嚢は通常損なわれず，拡張しないからである). =Courvoisier sign.

Dale-Feldberg l. (dāl feld'bĕrg). デール－フェルドバーグの法則 (単一のニューロンのすべての機能末端では同一の化学伝達物質が遊離される).

Dalton l. (dahl'tŏn) [John *Dalton*]. ドールトンの法則 (混合気体中の各気体の圧力はその気体の百分率に比例し，存在するその他の気体とはまったく無関係である). =l. of partial pressures.

Dalton-Henry l. (dahl'tŏn hen'rē) [John *Dalton*, Joseph *Henry*]. ドールトン－ヘンリーの法則 (混合気体を溶解するとき，溶媒は混合気体中の各気体を，その気体のみ溶解すると仮定した量だけ吸収する).

l. of definite proportions 定比例の法則 (化合物を形成する数個の化学物質の相対的な質量は一定である). =Proust l.

l. of denervation 除神経の法則，神経除去の法則 (神経切除された組織や器官は化学的因子に対する感受性が増大する．例えば，第三神経に変成があったり，それを切断したとき，瞳孔のアセチルコリン感受性が増す．また上頸神経節を切除した瞬膜はアドレナリン感受性が増す).

Descartes l. (dā-kahrt'). デカルトの法則. =l. of refraction.

Donders l. (don'dĕrz). ドンデルスの法則 (眼球の回転は正中面および水平線から対象までの距離により決定される).

Draper l. (drā'pĕr) [John William *Draper*]. ドレーパーの法則 (光化学物質に吸収される光線のみがその物質における化学反応を起こす).

Du Bois-Reymond l. (dū-bwah' rā-mohn'). デュ・ボワーレーモンの法則. =l. of excitation.

Dulong-Petit l. (dū-lon' pe-tē') [Pierre L. *Dulong*, Alexis T. *Petit*]. デューロン－プティ(プチ)の法則 (多くの固体元素の比熱は，それらの原子量に逆比例する).

Einthoven l. (in'tō-vĕn). アイントホーフェン(アイントーフェン)の法則 (心電図で，第II誘導の波や棘波の電位は第I・第III誘導の電位の合計に等しい). =Einthoven equation.

Elliott l. (el'ē-ŏt). エリオットの法則 (アドレナリンは交感神経線維に支配される組織や器官に作用する).

l. of excitation 興奮の法則 (運動神経は電流の絶対量ではなく電流量の時間変化に反応する．すなわち電流の強さの変化率がその効果を決定する要因である). =Du Bois-Reymond l.

Faraday l.'s (far'ă-dā) [Michael *Faraday*]. ファラデーの法則 (①電気分解される電解質の量は電流量に比例する．②数種の電解質を同一の電流が通過するとき，電気分解される異種の物質量はその化学当量に比例する).

Farr l.'s (far) [英国の医学統計家，William Farr の著作による]. ファーの法則 (1839年から1883年まで，William Farr によってイングランド，ウェールズ戸籍本署に提出された年次報告の中で初めて述べられた一連の数学公式，公理，法則．疾患の罹患率と有病率の関係，流行病の自然史，比較的一般的な流行病の数学的特性について論じている).

Fechner-Weber l. (fek'nĕr web'ĕr). フェヒナー－ヴェーバーの法則. =Weber-Fechner l.

Ferry-Porter l. (fār'ē pōr'tĕr). フェリー－ポーターの法則 (臨界融合頻度は網膜照度の対数に正比例する).

Fick l.'s of diffusion [Adolf *Fick*]. フィックの拡散法則 (①拡散による溶質の移動方向は，必ず高濃度側から低濃度側となる．溶質Aが点xでの断面積を通過する拡散流量 J_A は点xでのAの濃度勾配に比例する．すなわち，$J_A = -D(\partial C_A/\partial x)$．②時間当たりの溶質Aの濃度の増加量 $\partial C_A/\partial t$ は直接濃度勾配の変化に比例する．すなわち，$\partial C_A/\partial t = D(\partial^2/\partial x^2)$).

Flatau l. (flah'tow). フラタウの法則 (脊髄の長経路の位置に関する法則で，脊髄を長く縦方向に走っている神経線維は，より周囲に位置する(この原理は下行長経路では正しいが，後索の上行路では正しくない)).

Galton l. (gahl'tŏn). ガルトンの法則 (無作為に交配している集団では，極端な表現型をもつ親の子孫は，平均して極端な親の方向より集団の平均値に回帰する傾向がある). =l. of regression to mean.

Gay-Lussac l. (gā lū-sahk') [Joseph L. *Gay-Lussac*]. ゲイ・リュサックの法則. =Charles l.

Godélier l. (gō-dā-lyā'). ゴデリエの法則 (腹膜結核は常に片側または両側の胸膜結核を伴う).

Gompertz l. (gom'pĕrtz). ゴンペルツの法則 (年齢に対する死亡率の関係．35—40歳以降，年齢に対して死亡率は指数的に上昇する傾向にある).

Graham l. (grā'ăm). [Thomas *Graham*]. グレーアムの法則 (2種類の気体の相対的拡散速度はその密度(すなわち，それらの分子量)の平方根に反比例する).

Grasset l. (grah-sā'). グラセーの法則. =Landouzy-Grasset l.

l. of gravitation 重力の法則. =Newton l.

Guldberg-Waage l. (gūld'bĕrg vah'gĕ) [C. *Guldberg*, C. *Waage*]. グルトベルク－ヴァーゲの法則. =l. of mass action.

Haeckel l. (hāk'ĕl). ヘッケルの法則. =recapitulation *theory.*

Halsted l. (hahl'sted). ハルステッドの法則 (移植された組織は被移植者にその組織がないときにのみ成長する).

Hardy-Weinberg l. (har'dē wīn'bĕrg). ハーディ－ヴァインベルクの法則 (両方の性で遺伝子頻度が同一である集団に

おいて，交配が常染色体の遺伝子座のどれに関しても，無作為に行われ，遺伝子頻度を変化させる因子(突然変異，部分的選択，移住)がないか，無視しうる場合には，一世代においてすべての可能な遺伝子型頻度は，平均してその遺伝子が無作為に配列しているのと同じような割合である．この法則は2つ以上の遺伝子座に対して適用できないし，最初の遺伝子頻度が2つの性間で異なるX連鎖の形質には用いられない)．

l. of the heart 心臓の法則（心臓の収縮時に放出されるエネルギーは，心拡張期の心筋線維の長さの関数で表される)．＝Starling l.

Heidenhain l. (hī′dĕn-hān). ハイデンハインの法則（腺分泌は常に腺構造の変化を伴う)．

Hellin l. (hel′in). ヘリンの法則（双生児は89回の分娩につき1回，三つ児は 89^2 回に1回，四つ児は 89^3 回に1回の割合で生まれる．もし双胎の頻度が p であれば三胎は p^2，四胎は p^3 となる．[註]これは米国内での頻度)．

Henry l. (hen′rē) [William *Henry*]. ヘンリーの法則（平衡状態，所定の温度では，一定量の液体に溶解する気体量は気相内の気体の分圧に正比例する(これは溶媒に化学的に反応しない気体に対してだけ成り立つ))．

Herring l. (her′ing). ヘリングの法則（注視時に両眼の共動筋は等しい神経刺激を受け，拮抗筋は等しい抑制を受ける状態)．

Hess l. (hes) [Germain Henri *Hess*]. ヘスの法則（反応により産生した熱量はその反応の1段階でも数段階でも同じである．すなわち，ΔH 値(そして ΔG 値)は加算的である)．＝l.of constant heat summation.

Hilton l. (hil′tŏn). ヒルトンの法則（関節に分布する神経は，その関節を動かす筋肉およびそれらの筋肉の関節付着点をおおう皮膚にも分布している)．

Hooke l. (huk). フックの法則（物体の弾性限度を超えないかぎり，物体を伸縮させたり圧縮させる応力は，ひずみ，すなわち生じた長さの変化に比例する)．

l. of independent assortment 独立〔組合せ〕の法則（配偶子形成の際，異なる遺伝子は独立に組み合わされるという法則．連鎖遺伝子座の形質は例外である)．＝Mendel second l.

l. of intestine 腸運動の法則．＝myenteric *reflex*.

inverse square l. 逆自乗(逆2乗)の法則（点線源に関して，放射の強さは放射源からの距離の2乗に反比例して減弱する)．

isodynamic l. 等力価法則（エネルギー目的のために，個々の食品は熱量計で計測した熱量に従って相互に代用しうる)．

Jackson l. (jak′sŏn). ジャクソンの法則（疾病による精神機能の喪失は進化過程の逆コースをたどる)．

Koch l. (kok). コッホの法則．＝Koch *postulates*.

Lambert l. (lam′bert) [Johann Heinrich *Lambert*]. ランバート(ランベルト)の法則（①等しい厚さの各層はそれを横切る光を等しく吸収する．*cf.* Beer-Lambert l. ②光源からの光は光源からの距離に対応する反対側に投影する面)．

Landouzy-Grasset l. (lahn-dū′zē grah-sā′). ランドゥジー-グラセーの法則（大脳半球の病変では，痙性があるときは患者の頭は罹患筋側に傾き，麻痺があるときは大脳病変部側に傾く)．＝Grasset l.

Lapicque l. (lah-pēk′). ラピックの法則（時値は軸索の直径に反比例する)．

Laplace l. (lah-plās′). ラプラースの法則（壁の外圧と内圧との差(ΔP)，壁の張力(T)，凹面の曲率半径(R)との関係を示す．球の場合は $\Delta P=2T/R$．円柱の場合は $\Delta P=T/R$)．

Le Chatelier l. (lĕ chah-tel-ē-ā′). ル・シャトリエの法則（温度や圧力などの外的要因によって平衡が乱されると，その作用に基づく効果を最小にするような動きが起こる)．＝Le Chatelier principle.

Listing l. (lis′ting). リスティングの法則（眼球がある目標から別の目標に移動するとき，眼球は前の視線と現在の視線の双方を切る平面に垂直な軸の周りを回転する)．

Louis l. (lū-ē′). ルイの法則（いかなる器官の結核も肺結核に合併している)．

Magendie l. (mah-zhan-dē′). マジャンディの法則．＝Bell l.

Marey l. (mah-rā′). マレーの法則（脈拍数は血圧に反比例する．すなわち高血圧のとき脈拍は遅い．これは圧受容器が反射して心拍数に影響を及ぼす結果である)．

Marfan l. (mahr-fahn′). マルファンの法則（局在性の結核の治療は肺結核の続発を防止する)．

Mariotte l. (mah-rē-ot′) [Edmé *Mariotte*]. マリョットの法則．＝Boyle l.

mass l. ＝l. of mass action.

l. of mass action 質量作用の法則（化学反応の割合は反応物質の濃度に比例する．順反応速度が逆反応速度に等しい(すなわち平衡状態にある)とき，温度が一定であれば，全生成物濃度の積を全反応物濃度の積で割ると一定(K_{eq})である)．＝Guldberg-Waage l.; mass l.

Meltzer l. (melt′zĕr). メルツァーの法則（すべての生体機能は常に相反する2つの力で支配されている．その1つは増強または活動であり，もう1つは抑制である)．＝l. of contrary innervation.

Mendeléeff l. (men-dĕ-lā′ĕf). メンデレーエフの法則（元素の性質は原子量の周期的関数である．すなわち元素を原子量に従って並べると，その性質においてすべての元素は8番目前後の原子と関連性をもつ)．＝periodic l.

Mendel first l. (men′dĕl). メンデルの第1法則．＝l. of segregation.

Mendel second l. (men′dĕl). メンデルの第2法則．＝l. of independent assortment.

l. of the minimum 最少量の法則，最少律（動植物の成長および発達は最も少量に存在する必須養分の利用によって決定される)．

Müller l. (mūl′ĕr). ミュラーの法則（刺激された方法にかかわらず，各々の感覚受容器とその神経線維は1つだけの感覚の種類を受け伝達する．さらに，感覚の各々の型は異なる感覚神経の特徴によるのではなく，そのインパルスが到達する脳の部位による)．＝l. of specific nerve energies.

l. of multiple proportions 倍数比例の法則．＝l. of reciprocal proportions.

Nasse l. (nah′sĕ). ナッセの法則（最初に示されたX連鎖劣性遺伝の型．血友病では男児のみが罹患するが，母と姉妹を通して遺伝する)．

Neumann l. (noy′mahn) [Franz E. *Neumann*]. ノイマンの法則（相似化学構造をもつ化合物では，分子熱すなわち原子量と比熱の積は常に等しい)．

Newton l. (nū′tŏn). ニュートンの法則（2つの物体間に働く引力は両質量の積に比例し，両者の中心間の距離の2乗に反比例する)．＝l. of gravitation.

Nysten l. (nē-stawn′). ニスタンの法則（死体硬直は頭部の筋に始まり，足のほうへ広がる)．

Ochoa l. (ō-chō′ah). オチョアの法則（X染色体上の遺伝情報は系統発生学上，保存されやすい)．

Ohm l. (ōm) [George S. *Ohm*]. オームの法則（導線を電流が流れるとき，電流の強さ(アンペア：I)は起電力(ボルト：E)に正比例し，抵抗(オーム：R)に反比例する．$I=E/R$)．

l. of partial pressures 分圧の法則．＝Dalton l.

Pascal l. (pahs-kahl′) [Blaise *Pascal*]. パスカルの法則（静止時の流体はどの部分にも等しい圧力を及ぼす)．

periodic l. 周期律．＝Mendeléeff l.

Pflüger l. (flē′gĕr). プフリューガーの法則．＝l. of polar excitation.

Plateau-Talbot l. (plā-tō′ tal′bŏt). プラトー-トールボットの法則（光の刺激が引き続き重なり合うほど十分短い間隔で加えられると，光の明るさが双方とも失われてしまう現象)．

Poiseuille l. (pwah-swē′) [Jean Léonard Marie *Poiseuille*]. ポワズーユ(ポワセイユ)の法則（層流において，毛細血管を単位時間内に流れる均質液体の量は管の両端の圧力差と半径の4乗とに正比例し，管の長さと液体の粘度に反比例する)．

l. of polar excitation 極性興奮の法則（神経の切片は陰極電気緊張の発生と陽極電気緊張の消失によって刺激を受けるが，逆の場合に刺激されない．すなわち回路が閉じているとき，興奮は陰極で生じ，開いているときは陽極で生じる)．＝Pflüger l.

l. of priority 優先の法則（ある生物の名前が2つ以上あ

る場合，最も早く発表された名前(最古同義語)を正式の名前として用いる)．

Profeta l. (prō-fē′tă). プロフェータの法則（先天性梅毒患者は後天性梅毒に対して免疫がある)．

Proust l. (prūst) [Louis J. *Proust*]．プルスの法則．=l. of definite proportions.

Raoult l. (rah-ūl′) [François M. *Raoult*]．ラウルの法則（不揮発性非電解質溶液の蒸気圧は，純粋溶媒の蒸気圧に溶液中の溶媒のモル分率を乗じたものに等しい)．

l. of recapitulation 反復の法則．=recapitulation *theory.*

l. of reciprocal proportions 相互比例の法則（２つの物質が別個に第３の物質と化学結合するときの相対質量は，その２つが相互に結合するときの相対質量に等しいか，またはその単純倍数である．定比例の法則の直接的推論)．=l. of multiple proportions.

reciprocity l. 相互性の法則．=Bunsen-Roscoe l.

l. of referred pain 関連痛の法則（身体の表面に痛みを起こす刺激が与えられたとき，それらの刺激に対して敏感な神経が刺激されることによってのみ痛覚が発生する)．

l. of refraction 屈折の法則（２つの媒質において，入射角の正弦と屈折角の正弦は一定の比をもつ)．=Descartes l.; Snell l.

l. of regression to mean 退行の法則．=Galton l.

Ribot l. of memory (rē-bō′)．リボットの記憶法則（進行性の認知症では，遠隔記憶は保持されるのに対して近時記憶は失われる傾向にあるという法則)．

Ricco l. (rē′kō)．リッコの法則（小さい像に関していえば，光の強さと面積の積は閾値に対して一定である)．

Roscoe-Bunsen l. (ros′kō bŭn′sĕn)．ロスコー－ブンゼンの法則．=Bunsen-Roscoe l.

Rosenbach l. (rō′zĕn-bahk)．ローゼンバッハの法則（①神経幹や神経中枢の傷害では，屈筋麻痺のほうが伸筋麻痺より遅れて発生する．②律動性の機能的周期性を有する器官が異常な刺激を受けた場合，個々の反応と集合化とそれに相当する休止の延長が起こることがあるが，反応と休止の総量比はほぼ一定である)．

Rubner l.'s of growth (rūb′nĕr)．ルブナーの成長の法則（①エネルギー消費の法則：成長速度は新陳代謝の強度に比例する．②成長係数の法則：大部分の幼若哺乳類では摂取した食品の全エネルギーすなわち熱量の 24%が成長のために利用されるが，ヒトでは５%しか利用されない)．

Schütz l. (shēts) [Erich *Schütz*]．シュッツの法則．=Schütz *rule.*

second l. of thermodynamics 熱力学の第二法則（全宇宙のエントロピーは最大値に向かって動く．同様にどんなに隔離された微小宇宙(例えば化学反応)のエントロピーでもそれが増大するような方向にのみ自然に進行し，エントロピーは平衡状態において最大になる．G.N. Lewis によれば，自然に起こるすべての過程には仕事をする能力があり，その過程を逆転するには外部からの仕事の消費が必要であるという)．

l. of segregation 分離の法則（発生に影響を与える諸因子が存在し，それが世代から世代へと個体性を引き継ぎ，雑種において混合しても相互干渉をしないで，配偶子の次世代形成の際にお互い同士別々に分けられる)．=Mendel first l.

Sherrington l. (sher′ing-tŏn)．シェリングトンの法則（脊髄神経後根はすべて皮膚の特定領域(皮膚節とよばれる)に分布しているが，隣接脊髄節からの線維がその上下に重複して分布している)．

l. of similars 類症の法則（→similia similibus curantur)．

Snell l. (snel)．スネルの法則．=l. of refraction.

Spallanzani l. (spahl-ahn-zahn′ē)．スパランツァーニの法則（個体が若いほど細胞の再生力が強い)．

l. of specific nerve energies 特異的神経エネルギーの法則．=Müller l.

Starling l. (star′ling)．スターリングの法則．=l. of the heart.

Stokes l. (stōks) [William *Stokes*]．ストークスの法則（①炎症を起こした漿膜や粘膜上にある筋肉はしばしば麻痺を起こす．②粘性流体での小球体の落下速度の関係．高分子の遠心分離に応用．③蛍光物質により発せられる光の波長は，その蛍光を励起するのに用いられる光線の波長より長い)．

Tait l. (tāt)．テートの法則（生命や健康を脅かすような原因不明の骨盤または腹部の疾患では，必ず試験的開腹術を施さねばならないという説であるが，現在は認められていない)．

Thoma l.'s (tō′mah)．トーマの法則（血管の発達は血管壁に作用する次のような動的な力によって支配される．すなわち血流速度の増大により管径が拡張し，血管壁にかかる外側圧の増大により管壁が厚くなり，終末圧の増大により毛細管が形成される)．

van't Hoff l. (vahnt hof) [Jacobus H. *van't Hoff*]．ファント・ホフの法則（①立体化学において，１個以上の多価性原子を有するすべての光学活性物質は，４つの異なった原子または基と結合し，空間内で左右対称にならないように配列される．②非常に希薄な溶液の溶質による浸透圧は，その溶液と同体積の気体の浸透圧に等しい．すなわち一定温度では希釈溶液の浸透圧は溶質の濃度(モル数)に比例する．すなわち浸透圧 π は，希釈溶液では $\pi = RT\sum c_i$ で，R は気体定数，T は絶対温度，c_i は溶液 i のモル濃度である．③化学反応率は，温度が 10°C 上昇するごとに２－３倍増大する)．

Vogel l. (vō′gĕl)．フォーゲル(ヴォーゲル)の法則（ある表現型がメンデル遺伝の種々の様式で伝達された場合，優性は最も無害な表現型で，劣性は最も有害で，X連鎖はその中間の表現型である)．

wallerian l. ウォーラーの法則（末梢神経を切断すると，病変から遠位部の神経が変性し，その後に細胞体から遠位部の軸索が変性する．神経節と脊髄の間で後根を切断すると中枢神経に変性が起こる．前根を切断するとその末梢側の変性が起こる．Waller の仕事はニューロンドクトリンに先行したが，細胞体がニューロンの栄養センターであると考えた．→wallerian *degeneration*)．

Weber l. ヴェーバーの法則．=Weber-Fechner l.

Weber-Fechner l. ヴェーバー－フェヒナーの法則（刺激の強さが等比級数的に増大するとき，感覚の強さは等差級数的に変化する．連続した刺激が与えられ，各刺激がちょうど知覚しうる感覚の強さを生じるように刺激の強さが調整されるならば，各刺激の強さは一定の比率で先に起こった刺激と異なる．したがって 100 カンデラの照明に１カンデラを加えてちょうど知覚しうる視覚の変化が起こるとするならば，1,000 カンデラの照明の場合，視覚に変化を起こすには 10 カンデラが必要である)．=Fechner-Weber l.; Weber l.

Weigert l. ヴァイゲルトの法則（有機物ではある部分や構成要素が消失または破壊されると，再生あるいは修復または両方の過程で代償的に組織が置換されたり過剰に再生される．例えば，骨折した骨が治癒するときには仮骨が形成される)．=overproduction theory.

Williston l. ウィリストンの法則（脊椎動物が高等になるほど頭蓋骨の数は少ない)．

Wolff l. ヴォルフの法則（骨の形態と機能または骨の機能のみが変化すると，常にその内部構造に明確な変化が生じ，続いて外形が変化する．これらの変化は通常，体重負荷の変化に反応して変化する)．

Law·rence, Ernest Orlando. 米国人物理学者・ノーベル賞受賞者，1901－1958. →lawrencium.

Law·rence (law′rents), Robert D. イングランド人医師，1892－1968. →L.-Seip *syndrome.*

law·ren·ci·um (Lr, Lw) (law-ren′sē-ŭm) [Ernest Orlando *Lawrence*]．ローレンシウム（人工トランスプルトニウム元素，原子番号 103，原子量 262.11)．

lax·a·tion (lak-sā′shŭn) [→laxative]．便通（緩下薬によ る，あるいは緩下薬によらない腸運動)．

lax·a·tive (lak′să-tiv) [L. *laxativus* < *laxo*, pp. *-atus*, to slacken, relax]．***1*** 〚adj〛 腸を緩める作用がある．***2*** 〚n.〛 緩下薬（痛みや急激な作用を起こさずに腸管の動きをわずかに高める治療薬)．

diphenylmethane l.'s ジフェニルメタン系緩下薬（緩下薬の化学的な一分類で，フェノールフタレインおよびビサコジルなどが含まれる)．

LAYER

lay·er (lā′ĕr) [TA]．層（他の物質上に存在する物質の幅広く薄い面で，構造や色の違いにより，あるいは単に連続していないというだけで他と区別できる．→stratum; lamina)．＝panniculus.

ameloblastic l. エナメル芽細胞層（エナメル器の最内層)．＝enamel l.

anterior elastic l. ＝anterior limiting *lamina* of cornea.

anterior limiting l. of cornea〔角膜の〕前境界板＝anterior limiting *lamina* of cornea.

anterior l. of rectus sheath [TA]．腹直筋鞘前葉（腹直筋鞘のうち筋の前にあるもの．上2/3は外腹斜筋と内腹斜筋の腱膜の続きからなり，下1/3すなわち弓状線より下方は前外側の腹壁3筋すべての腱膜の続きからなる)．＝lamina anterior vaginae musculi recti abdominis [TA].

anterior l. of thoracolumbar fascia [TA]．胸腰筋膜の前葉（腰椎の肋骨突起から延びている筋膜)．＝lamina anterior fasciae thoracolumbalis [TA]; fascia musculi quadrati lumborum☆; lamina profunda fasciae thoracolumbalis☆; quadratus lumborum fascia☆.

arachnoid barrier cell l. クモ膜関門細胞層（硬膜(硬膜境界細胞層)のすぐ内側に位置するクモ膜の部分．大きな核をもつ扁平化した卵円形細胞，細胞外腔の欠如，数多くのタイトジャンクションを特徴とする)．＝barrier cell l. of arachnoid mater.

bacillary l. ＝l. of rods and cones.

barrier cell l. of arachnoid mater クモ膜の関門細胞層．＝arachnoid barrier cell l.

basal l. 基底層．＝*stratum* basale (1).

basal cell l. ＝*stratum* basale epidermidis.

basal l. of choroid [TA]．〔脈絡膜の〕基底板．＝*lamina* basalis choroideae.

basal l. of ciliary body〔毛様体の〕基底板．＝basal *lamina* of ciliary body.

l. of Bechterew (bek-tĕr′yev)．ベヒテレフ層．＝*band* of Kaes-Bechterew.

Beilby l. (bēl′bē)．ビールビー層（一連の研磨材の使用により高度に研磨された金属表面の無構造な分子層).

blastodermic l.'s 胚盤葉（端黄卵の卵黄表面にある原始細胞層．最も初期の段階では原始胚葉からなり，後に外胚葉，内胚葉および中胚葉に分化する).

Bowman l. (bō′măn)．ボーマン層．＝anterior limiting *lamina* of cornea.

brown l. ＝suprachoroid *lamina* of sclera.

cambium l. ①骨形成層（骨膜の内部の骨形成層)．②形成層（ブドウ状肉腫をおおう上皮直下の細胞密度の高い層).

l.'s of cerebellar cortex 小脳皮質の層（→cerebellar *cortex*).

l.'s of cerebral cortex 大脳皮質の層（→cerebral *cortex*).

cerebral l. of retina 網膜脳層（網膜の内層で，神経系の要素を含み，網膜の外葉または色素上皮層とは区別される)．＝pars optica retinae [TA]; neural l. of retina; stratum cerebrale retinae.

Chievitz l. (kē′vitz)．チーヴィッツ層（胚の網膜の発達段階で，一過性に現れる内外神経芽層の間にある無核の領域).

choriocapillary l. 脈絡毛細管板．＝capillary *lamina* of choroid.

circular l. of detrusor (muscle) of urinary bladder [TA]．膀胱排尿筋の輪筋層（膀胱壁を形成する3層の平滑筋層のうち縦走する内層と外層の間にある輪状の中間層であるが，各層の境界は不鮮明で線維は入り組んでいる)．＝stratum circulare musculi detrusoris vesicae [TA].

circular l. of muscle coat (of female urethra)〔女性尿道の〕輪走筋層（女性の尿道における平滑筋層の外層部分)．＝stratum circulare tunicae muscularis urethrae femininae [TA].

circular l. of muscle coat (of prostatic urethra)〔尿道前立腺部の〕輪走筋層（尿道前立腺部の平滑筋層の外層部分．前立腺の線維筋性支質と交錯する)．＝stratum circulare tunicae muscularis partis prosticae urethrae masculinae [TA].

circular l. of muscle coat of small intestine [TA]．小腸の輪筋層（小腸壁筋層のうち薄い内層で，筋線維は内腔を輪状に取り囲む．この筋層は真の意味で輪状ではなく，らせん状もしくは渦巻き状というほうが正しいとの主張もある)．＝stratum circulare tunicae muscularis intestini tenuis [TA]; short pitch helicoidal l.☆; stratum helicoidale brevis gradus☆.

circular l. of muscular coat [TA]．輪筋層（管腔臓器にみられる筋層の平滑筋のうち内方の輪状の部分．TAでは次のものの輪層があげられている．ⓘ結腸，ⓘⓘ男性の尿道前立腺部，ⓘⓘⓘ直腸，ⓘⓥ小腸，ⓥ胃，ⓥⓘ女性の尿道)．＝stratum circulare tunicae muscularis [TA].

circular l. of muscular coat (of stomach)〔胃の〕輪走筋層（胃の平滑筋層の内層部分)．＝stratum circulare tunicae muscularis gastricae [TA].

circular l.'s of muscular tunics 輪〔筋〕層（→circular l. of muscular coat).

circular l. of tympanic membrane〔鼓膜〕輪状層．＝*stratum* circulare membranae tympani.

claustral l. 前障層（外包と島あるいは最外包の白質の間にある皮質下の灰白質の層).

clear l. of epidermis〔表皮〕淡明層．＝*stratum* lucidum.

columnar l. ＝*stratum* basale epidermidis.

conjunctival l. of bulb ＝bulbar *conjunctiva*.

conjunctival l. of eyelids ＝palpebral *conjunctiva*.

corneal l. of epidermis〔表皮〕角質層．＝*stratum* corneum epidermidis.

cornified l. of nail 爪角質層．＝*stratum* corneum unguis.

cutaneous l. of tympanic membrane〔鼓膜〕皮膚層．＝*stratum* cutaneum membranae tympani.

deep l. [TA]．深層，深板（重層をなすものについて，すべての層のうちの最下方にある層．→deep l. of levator palpebrae superioris; deep l. of temporal fascia)．＝lamina profunda [TA]; deep lamina.

deep gray l. of superior colliculus [TA]．上丘深灰白層（上丘の中間白質層と深白質層の間にある脳細胞体の層)．＝stratum griseum profundum colliculis superioris [TA].

deep l. of levator palpebrae superioris 上眼瞼挙筋深板（瞼板上部に停止した上眼瞼挙筋の深部線維)．＝lamina profunda musculi levatoris palpebrae superioris [TA].

deep l. of temporal fascia 側頭筋膜深葉（頬骨弓の内側面に付着した側頭筋膜の部分)．＝lamina profunda fasciae temporalis [TA].

deep white l. of superior colliculus [TA]．上丘の深白質層（上丘の最内層の有髄線維層で灰白質層の内部にある)．＝stratum medullare profundum [TA].

l.'s of dentate gyrus [TA]．歯状回の細胞層（歯状回には表面から順に次のような細胞層がある．ⓘ分子層 molecular layer [TA]は顆粒細胞の樹状突起と貫通してきた軸索突起を含む．ⓘⓘ顆粒層 granular layer [TA]は顆粒細胞体からなる．ⓘⓘⓘ多形細胞層 multiform layer [TA](ときには polymorphic layer といわれる)は，顆粒細胞の軸索突起や脳弓からはいってくる求心性軸索突起を含む)．＝strata gyri dentati [TA].

elastic l.'s of arteries 動脈の弾性膜．＝elastic *laminae* of arteries.

elastic l.'s of cornea →anterior limiting l. of cornea; posterior limiting l. of cornea.

enamel l. エナメル層．＝ameloblastic l.

ependymal l. 上衣層（胚神経管と脳の管腔を縁どる内上皮細胞層．神経管の層化期に形成され，多少変化した形で一生残存する)．＝ependymal zone; ventricular l.

episcleral l. of fibrous layer of eyeball [TA]．強膜上板（強膜外側面と眼球鞘との間にある繊細で可動性のある結合組織層)．＝lamina episcleralis [TA]; episcleral lamina.

epithelial l.'s 上皮層（→epithelium).

epithelial choroid l. ＝epithelial *lamina*.

epitrichial l. 外毛層（明確な層化がなされる前の幼若胚の表皮面の扁平な細胞層).

external longitudinal l. of detrusor muscle [TA]. 排尿筋の外縦〔筋〕層（比較的不明瞭な３層からなる膀胱平滑筋層の最外層部分．筋線維の一部は，後方では前立腺や直腸（および女性の腟）に，前方では恥骨前立腺靱帯に達している）．= stratum longitudinale externum musculus detrusoris vesicae [TA].

external nuclear l. of retina = neuroepithelial l. of retina.

fatty l. of subcutaneous tissue [TA]. 皮下組織の脂肪層（皮下組織の浅層．脂肪蓄積能を有し，線維性の深層と比較してしばしば大量の脂肪を蓄積している(特に過栄養者で)．病的肥満では，この部分が巨大なエプロン状に下垂している．→fatty l. of subcutaneous tissue of abdomen）. = panniculus adiposus [TA].

fatty l. of subcutaneous tissue of abdomen [TA]. 腹部皮下組織の脂肪層（下腹部前壁の浅筋膜のうち表層の皮下脂肪の多い部分）. = panniculus adiposus telae subcutaneae abdominis [TA]; Camper fascia; fatty l. of superficial fascia.

fatty l. of superficial fascia〔腹部〕浅筋膜の脂肪層. = fatty l. of subcutaneous tissue of abdomen.

fibromusculocartilagenous l. of bronchi [TA]. 気管支の線維筋軟骨層（気管支壁のうち粘膜下層と外膜との間の部分．軟骨膜に包まれた軟骨，結合組織線維，平滑筋，弾性線維を含み，気管支の積極的収縮と受動的拡張を可能にしている）. = tunica fibromusculocartilaginea bronchi [TA].

fibrous l. 線維層（骨膜と軟骨膜の外側にある密な結合組織層）.

fibrous l. of articular capsule* fibrous l. of joint capsule の公式の別名.

fibrous l. in or on deep aspect of fatty layer of subcutaneous tissue [TA]. 皮下脂肪深層の線維層（皮下脂肪層の内部に散在したり深層に集中してみられる線維層．本来は脂肪が蓄積して一様な膜をなしているべきところ）. = stratum fibrosum panniculi adiposi telae subcutaneae [TA].

fibrous l. of eyeball [TA]. 眼球の線維膜（強膜と角膜からなる眼球の外層）. = tunica fibrosa bulbi [TA]; fibrous tunic of eye; tunica externa oculi.

fibrous l. of joint capsule [TA]. 〔関節包の〕線維膜（滑液関節包の外側の線維性の部分．ときに関節包の靱帯を形成するために肥厚している．）= membrana fibrosa capsulae articularis [TA]; fibrous membrane of joint capsule*; fibrous articular capsule; stratum fibrosum capsulae articularis*.

fillet l. 絨帯層. = *stratum* lemnisci.

fusiform l. 紡錘〔状〕細胞層. = multiform l. [TA] of cerebral cortex.

ganglionic l. [TA]. 神経節細胞層（網膜で神経節細胞体が集積している層で，少数のアマクリン細胞体もみられる．→ganglion *cells* of retina）. = stratum ganglionicum [TA]; ganglionic cell l. of retina.

ganglionic cell l. of retina = ganglionic l.

ganglionic l. of cerebellar cortex 小脳皮質の神経細胞層. = Purkinje cell l.

ganglionic l. of cerebral cortex 大脳皮質の神経細胞層（大脳皮質の第五層）.

ganglionic l. of optic nerve〔視〕神経細胞層（現在は用いられない語．視神経線維の基本となる比較的大きなニューロンからなる．網膜の多極ニューロンの内層を表す）. = stratum ganglionare nervi optici.

germ l. 胚葉（外胚葉，内胚葉，中胚葉の３つの原始細胞層．胚期の嚢胚形成期で形成される）.

germinative l. 胚芽層. = *stratum* basale epidermidis.

germinative l. of nail 爪胚芽層. = *stratum* germinativum unguis.

glomerular l. of olfactory bulb 嗅球糸球体層（糸球体とよばれる球体からなる層で，嗅上皮細胞に由来する嗅神経線維と僧帽細胞のシナプスによって形成される）.

granular l. [TA]. 顆粒層（→l.'s of dentate gyrus）. = stratum granulare [TA].

granular l. of cerebellar cortex [TA]. 〔小脳皮質〕顆粒層. = granular l. of cerebellum.

granular l. of cerebellum [TA]. 小脳〔皮質〕顆粒層（小脳皮質の３層のうち最も深い部分で，多数の顆粒細胞を含み，その樹状突起がはいってくる小脳糸球体の苔状線維と連絡する．糸球体の細い無髄軸索が真上にのび分子層に達し，その中で２叉に分かれて線維にはいり，小脳回の長軸と平行に進む．平行線維は Purkinje 細胞，かご細胞，星細胞の樹状突起と無数のシナプスを形成する）. = granular l. of cerebellar cortex [TA]; stratum granulosum corticis cerebelli [TA].

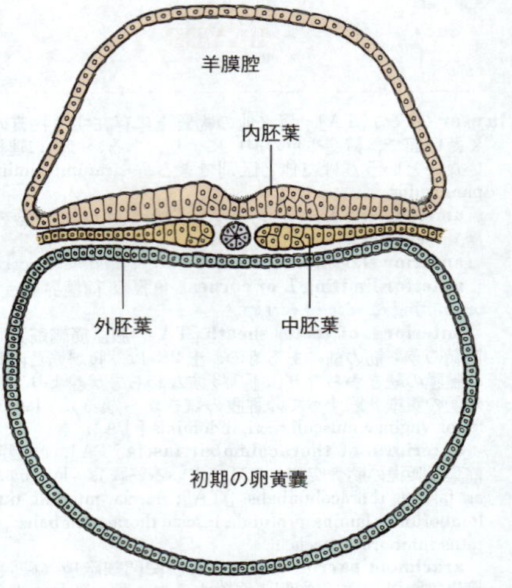

germ layers
発達胚芽の内胚葉，外胚葉，中胚葉.

granular l.'s of cerebral cortex 大脳皮質の顆粒層（第二(外)層と第四(内)層）.

granular l. of epidermis 表皮顆粒層（いくぶん扁平な細胞層で，塩基性ケラトヒアリンの顆粒を含む．表皮の有棘層の真上，淡明層に深く存在する）. = stratum granulosum epidermidis.

granular l. of a vesicular ovarian follicle〔胞状卵胞〕顆粒層. = *stratum* granulosum folliculi ovarici vesiculosi.

gray l.'s of superior colliculus 上丘灰白層（主に神経線維からなる層が交互に並んでいる上丘の灰白質の３つの主な層をさす用語．ⓘ浅上丘灰白層 superficial gray l. of superior colliculus は視索の流入線維の広い白層の上にある視神経層．ⓘⓘ中上丘灰白層 middle gray l. of superior colliculus は視神経層と線維のより深く位置する層である毛帯層との間にある．ⓘⓘⓘ深上丘灰白層 deep gray l. of superior colliculus は毛帯層と中脳水道を囲む中心灰白質との間にあり，ほとんどの小丘下行結合(視蓋延髄路，視蓋橋路，視蓋脊髄路)が起始する大きい神経細胞を含む）. = stratum cinereum colliculi superioris; stratum griseum colliculi superioris.

half-value l. (**HVL**) 半価層（放射線の強度を最初の値の半分にするのに必要な，特定の吸収物質(例えば，アルミニウム)の厚さ）.

Henle l. (hen′lē). ヘンレ層（毛包の内根鞘の外層細胞層）.

Henle fiber l. (hen′lē). ヘンレ線維層（網膜の中心窩にある内錐状体線維でつくられる層）.

Henle nervous l. (hen′lē). ヘンレ神経層. = entoretina.

l.'s of hippocampus [TA]. 海馬細胞層（海馬には白板と脳室面から順に次のような細胞層がある．ⓘ多形細胞層は錐体細胞の樹状突起と軸索側枝を含む．ⓘⓘ錐体細胞層は大錐体細胞体の配列からなる．ⓘⓘⓘ放射線維層は錐体細胞の樹状突起と回する軸索側枝を含む．ⓘⓥ網状分子層は樹状突起端末部と貫通してくる軸索突起からなる）. = strata hippocampi [TA].

horny l. of epidermis〔表皮の〕角質層. = *stratum* corneum epidermidis.

horny l. of nail 爪角質層．＝*stratum* corneum unguis.

Huxley l. (hŭks′lē). ハックスリー層（毛包の内毛根鞘のクチクラと Henle 層の間に存在する細胞層）．＝Huxley membrane, sheath.

hyaline l. of Hopewell-Smith (hōp′wel smith). ホープウェル-スミスのヒアリン層（歯根のセメント質とぞうげの間に局在する，エナメル質様物質からなる薄い層．歯根 Hertwig 上皮鞘の内エナメル上皮層により形成される．セメント質とぞうげ質の接着を促進するといわれている）．

infragranular l. 顆粒下層（発達中のヒト大脳皮質の内顆粒層の深部にある細胞帯．胎生 6 か月までに，神経細胞層と多形細胞層に分化する）．

inner l. of eyeball [TA]．眼球内層（3 層ある眼球壁層のうち最内部の層で，網膜と神経束と血管を含む）．＝tunica interna bulbi [TA]; nervous tunic of eyeball.

inner limiting l. [TA]．内境界膜（網膜の最内神経層を直接おおう膜状構造で，神経膠細胞(Müller 細胞)の突起からなる）．＝stratum limitans internum [TA]; stratum limitans internum retinae.

inner nuclear l. [TA]．内顆粒層（網膜の層の 1 つで，双極細胞体，水平細胞体，少数のアマクリン細胞を含む）．＝stratum nucleare internum [TA].

l. of inner and outer segments [TA]．杆錐状体層（網膜の外境界膜の外方にある層で，視細胞の杆状体・錐状体それぞれの内節・外節を含む．杆状体・錐状体の先端は色素層に向き合っている）．＝stratum segmentorum externorum et internorum [TA].

inner plexiform l. [TA]．内網状層（網膜の層の 1 つで，双極細胞，神経節細胞，アマクリン細胞などの突起からなりシナプスを含む）．＝stratum plexiforme internum [TA].

intermediate l. 中間層．＝mantle l.

intermediate white l. [TA] **of superior colliculus** [TA]．上丘の中間白質層（中脳上丘の中間灰白質層と深灰白質層との間にある有髄線維層）．＝stratum medullare intermedium [TA].

internal longitudinal l. of detrusor muscle [TA]．排尿筋の内縦〔筋〕層（比較的不明瞭な 3 層からなる膀胱平滑筋層(排尿筋)の最内層部分）．＝stratum longitudinale internum musculus detrusoris vesicae [TA].

investing l. [TA]．被包筋膜（特定の筋群を包み込む筋膜）．＝fascia investiens [TA].

investing l. of cervical fascia [TA]．頸筋膜浅葉（胸鎖乳突筋と僧帽筋を包み，完全に頸部を取り囲んでいる頸筋膜の部分）．＝lamina superficialis fasciae cervicalis [TA]; superficial l. of deep cervical fascia*.

Kölliker l. (kŏr′lĭ-kĕr). ケリカー層（虹彩の結合組織層）．

lacunar-molecular l. [TA]．〔海馬の〕網状分子層（→l.'s of hippocampus）．＝stratum moleculare et substratum lacunosum [TA].

Langhans l. (lahng′hahnz). ラングハンス層．＝cytotrophoblast.

latticed l. 格子層（海馬の皮質細胞層）．

limiting l.'s of cornea 〔角膜の〕境界板（→anterior limiting l. of cornea; posterior limiting *lamina* of cornea）．

longitudinal l. of the muscle coat of the small intestine [TA]．〔小腸筋層の〕縦〔筋〕層．＝stratum longitudinale tunicae muscularis intestini tenuis [TA]; stratum helicoidale longi gradus*.

longitudinal l. of muscular coat [TA]．縦〔走〕筋層（平滑筋が縦走している層．TA には以下のような縦筋層があげられている．中間尿道縦筋層，結腸縦筋層，尿道前立腺部縦筋層，直腸縦筋層，小腸縦筋層，尿道海綿体部縦筋層，胃縦筋層）．＝stratum longitudinale tunicae muscularis [TA].

longitudinal l. of muscular coat (of female urethra) 〔女性尿道の〕縦走筋層（女性の尿道における平滑筋層の内層部分）．＝stratum longitudinale tunicae muscularis urethrae femininae [TA].

longitudinal l. of muscular coat (of stomach) 〔胃の〕縦走筋層（胃の平滑筋層の外層部分）．＝stratum longitudinale tunicae muscularis gastricae [TA].

longitudinal l. of muscular layer of the intermediate part of male urethra 男性尿道中間部(隔膜部)の縦走筋層（男性尿道の中間部(隔膜部)における平滑筋層の内層部分．このすぐまわりを外尿道括約筋が輪状に走る）．＝stratum longitudinale tunicae muscularis partis intermediae urethrae masculinae [TA].

longitudinal l.'s of muscular tunics 縦〔走〕筋層（→longitudinal l. of muscular coat）．

malpighian l. マルピーギ層．＝malpighian *stratum*.

mantle l. 外套層（発生途上にある神経管の辺縁層と上衣層の間にある核帯で，中枢神経系の灰白部を形成する）．＝intermediate l.; mantle zone (1).

marginal l. 辺縁層（胚神経管の外側の無核層．その線維網の中に縦走神経線維がはいり込み，それが最後に脊髄と脳幹の白質になる）．＝marginal zone (2).

medullary l.'s of thalamus 視床髄板．＝medullary *laminae* of thalamus(⇒lamina).

membranous l. 膜性板．＝membranous *lamina* of cartilage of pharyngotympanic (auditory) tube.

membranous l. of subcutaneous tissue of abdomen [TA]．腹部皮下組織の膜状層（下腹壁の皮下組織深部の膜様あるいは層状の部分．浅会陰筋膜(Colles 筋膜)に続く）．＝membranous l. of superficial fascia of perineum (2); membranous l. of superficial fascia (2); Scarpa fascia.

membranous l. of superficial fascia ①＝subcutaneous *tissue* of perineum．②＝membranous l. of subcutaneous tissue of abdomen.

membranous l. of superficial fascia of perineum 会陰浅筋膜の膜状層（①＝subcutaneous *tissue* of perineum．②＝membranous l. of subcutaneous tissue of abdomen）．

meningeal l. of dura mater 脳硬膜の脳膜層（→cranial *dura mater*）．

Meynert l. (mī′nĕrt). マイネルト層．＝pyramidal cell l.

middle gray l. of superior colliculus 上丘の中間灰白層（→gray l.'s of superior colliculus）．

molecular l. 分子層（脳組織の層に対する用語で，神経細胞体をほとんど含まず，主に樹状突起と軸索の末端分枝からなる．著明な例としては，大脳皮質の表層(第一層)，小脳分子層がある）．＝plexiform l.; stratum moleculare.

molecular l. of cerebellar cortex [TA]．〔小脳皮質〕分子層（皮質の外側の層で，Purkinje 細胞の細胞体と樹状突起，顆粒細胞の軸索，かご細胞と星状細胞の細胞体，樹状突起，軸索，Golgi 細胞の樹状突起および小脳グリア細胞を含む）．＝stratum moleculare corticis cerebelli [TA]; molecular l. of cerebellum.

molecular l. of cerebellum 〔小脳皮質〕分子層＝molecular l. of cerebellar cortex.

molecular l. of cerebral cortex [TA]．大脳皮質の分子層（大脳皮質の第一層）．＝lamina molecularis corticis cerebri [TA]; plexiform l. of cerebral cortex.

molecular l.'s of olfactory bulb 嗅球の分子層（主に嗅球の僧帽弁細胞層の外側と内側にある神経線維により構成される層）．

molecular l. of retina 〔網膜〕分子層（網膜の網状層の各々をさして用いる名称）．＝stratum moleculare retinae.

multiform l. [TA]．多形細胞層（→l.'s of dentate gyrus）．＝stratum multiforme [TA].

multiform l. [TA] **of cerebral cortex** 大脳皮質の多形細胞層(大脳皮質の最深層，XI 層)＝fusiform l.; polymorphous l.; spindle-celled l.

muscle l. in fatty l. of subcutaneous tissue [TA]．皮下脂肪層中の筋層（皮下脂肪層中に埋もれていて皮膚の動きを起こす平滑筋や横紋筋のある層．例えば顔や頸の皮下組織内の顔面筋や男性の陰嚢肉様膜中の肉様筋など）．

muscle l. of pharynx* 咽頭筋層（pharyngeal *muscles* の公式の別名）．

muscular l. [TA]．筋層（通常は管状構造の中層で，胃腸管の大部分では外縦層と内輪層とからなる）．＝tunica muscularis [TA]; muscular coat*.

muscular l. of bronchi 〔気管支〕筋層（気管支壁の筋層）．＝tunica muscularis bronchiorum [TA]; muscular coat of bronchi*.

muscular l. of colon [TA]．結腸筋層（結腸壁の筋層）．

L

=tunica muscularis coli [TA]; muscular coat of colon*.

muscular l. of ductus deferens [TA].〔精管〕筋層（精管壁の筋層）.=tunica muscularis ductus deferentis [TA]; muscular coat of ductus deferens*.

muscular l. of esophagus [TA].〔食道〕筋層（食道壁の筋層）.=tunica muscularis esophagi [TA]; muscular coat of esophagus*.

muscular l. of fatty l. of subcutaneous tissue 皮下組織の脂肪層の筋層（皮下組織にみられる平滑筋線維網．種々の太さの平滑筋線維が脂肪組織や線維成分と交錯する）.=stratum musculosum panniculi adiposi telae subcutaneae.

muscular l. of female urethra [TA]．女の尿道の筋層（女性の尿道壁の筋層）.=tunica muscularis urethrae femininae [TA]; muscular coat of female urethra*.

muscular l. of gallbladder〔胆嚢〕筋層（胆嚢粘膜のすぐ外側にある平滑筋層）.=tunica muscularis vesicae biliaris [TA]; muscular coat of gallbladder*; tunica muscularis vesicae felleae*; muscular tunic of gallbladder.

muscular l. of intermediate part of (male) urethra [TA]．男性尿道中間部の筋層（縦走する薄い平滑筋層で，粘膜上皮とは血管を含む弾性線維層で隔てられ，上は尿道前立腺部に続き末梢は厚さを増して横紋筋が輪状に走る層に続く．この横紋筋が外尿道括約筋を形成する．→external urethral *sphincter* of male）.=tunica muscularis partis intermediae urethrae masculinae [TA].

muscular l. of large intestine [TA]．大腸の筋層（大腸のすべての箇所(盲腸，結腸，直腸，肛門)の筋層の総称）.=tunica muscularis intestini crassi [TA]; muscular coat of large intestine*.

muscular l. of male urethra [TA]．男性尿道の筋層（男性尿道の前立腺部・中間部・海綿体部の筋層）.=tunica muscularis urethrae masculinae [TA]; muscular coat of male urethra.

muscular l. of mucosa 粘膜筋板．=*muscularis* mucosae.

muscular l. of pharynx [TA]．咽頭筋層．=pharyngeal *muscles*.

muscular l. of prostatic urethra [TA]．尿道前立腺部の筋層（縦走および横走する薄い平滑筋層で，粘膜上皮とは血管を含む弾性線維層で隔てられ，下は中間部に続き末梢は厚さを増して横紋筋が輪状に走る前立腺部に続き下行して外尿道括約筋を形成する．射精管が開口する精丘の近位では，特に平滑筋層がよく発達し内尿道括約筋と連続している．→external urethral *sphincter* of male; internal urethral *sphincter*）.=tunica muscularis partis prostaticae urethrae masculinae [TA]; muscular coat of intermediate part of male urethra*; muscular coat of prostatic urethra.

muscular l. of rectum [TA]．直腸筋層（直腸壁の筋層）.=tunica muscularis recti [TA]; muscular coat of rectum*.

muscular l. of renal pelvis [TA]．腎盤(腎盂)の筋層（腎盂粘膜と外膜との間の層で，形態的にも組織化学的にも異なった２種の平滑筋層からなり，１つは尿管に続くもので，もう１つは腎盂独自のものである）.=tunica muscularis pelvis renalis [TA].

muscular l. of seminal gland [TA].〔精嚢〕筋層（精嚢粘膜と外膜との間の層で，内側の輪筋層と外側の縦筋層からなる）.=tunica muscularis glandulae vesiculosae [TA].

muscular l. of small intestine [TA].〔小腸〕筋層（小腸壁の筋層）.=tunica muscularis intestini tenuis [TA]; muscular coat of small intestine*.

muscular l. of spongy (male) urethra [TA]．男性尿道海綿体部の筋層（尿道粘膜と勃起組織である尿道海綿体の間にある，主に縦走するまばらな平滑筋層）.=tunica muscularis partis spongiosae urethrae masculinae [TA]; muscular coat of spongy part of male urethra*.

muscular l. of stomach [TA]．胃の筋層（平滑筋からなり明確な3層に区別できる．〝外縦層〟は食道の続きで噴門で２方向に分かれて小弯と大弯に沿って走り，両者の間に縦層のない部分ができる．ついで再び幽門で合流して完周層となり，十二指腸の縦筋層に続く．〝中輪層〟は最強かつ完周層で，噴門で食道の輪筋層に続き，次第に肥厚して幽門に至り，最終的には幽門括約筋を形成する．〝内斜層〟は胃に特有の層で，胃底部で最もよく発達し，小弯にはない．この欠如によって胃体管が形成される）.=tunica muscularis gastrica [TA]; muscular coat of stomach*; tunica muscularis ventriculi.

muscular l. of trachea [TA]．気管筋層（気管壁の筋層）.=muscular coat of trachea*.

muscular l. of ureter [TA].〔尿管〕筋層（尿管壁の筋層）.=tunica muscularis ureteris [TA]; muscular coat of ureter*.

muscular l. of urinary bladder [TA].〔膀胱〕筋層（膀胱壁の筋層）.=tunica muscularis vesicae urinariae [TA]; muscular coat of urinary bladder*.

muscular l. of uterine tube [TA].〔卵管〕筋層（卵管壁の筋層）.=tunica muscularis tubae uterinae [TA]; muscular coat of uterine tube*.

muscular l. of vagina [TA].〔腟〕筋層（腟壁の筋層）.=tunica muscularis vaginae [TA]; muscular coat of vagina*.

l. of nerve fibers [TA]．神経線維層（眼球網膜で神経節細胞の軸索突起で形成されている層で，視神経にまとまって眼球を出て行く）.=stratum neurofibrarum [TA].

neural l. of optic part of retina 網膜の乳頭部分の神経層（→ retina）.

neural l. of retina〔網膜〕脳層．=cerebral l. of retina.

neuroepithelial l. of retina〔網膜〕視細胞層（網膜脳層の最外層で，網膜の一次受容細胞からなる．この層はⓘ受容細胞の光感覚部である杆状体および錐状体(内節および外節)からなる外層，ⓘⓘこれらの細胞の細胞体を含む外核層，２つの亜層よりなり，外境界膜がこの２つの亜層を分ける．この名称は，網膜の受容細胞が上衣細胞(上皮性)の特殊な形であり，ある意味で他の感覚器の神経上皮細胞 neuroepithelial cell（有毛細胞など）に匹敵することから命名された）.=external nuclear l. of retina; stratum neuroepitheliale retinae.

Nitabuch l. (nē′tah-buk)．ニータブーフ層．=Nitabuch *membrane*.

nuclear l.'s of retina 網膜顆粒層（外顆粒層は網膜の第４の層で，網膜視細胞層．内顆粒層は網膜の第６の層で，網膜双極細胞層）.=strata nuclearia externa et interna retinae.

odontoblastic l. ぞうげ芽細胞層（歯髄の辺縁にある層）.

optic l. [TA]．視神経線維層（①神経細胞体が散在し，上丘の浅灰白層の直下にあり，主に網膜および有線皮質由来の有髄線維からなる白質層．②網膜の内層を表す，まれに用いる語で，神経細胞層の細胞由来の線維からなる．さらに進んだ段階で，これらの線維は結合して視神経または視索を形成する）.=stratum opticum [TA].

orbital l. of ethmoid bone〔篩骨の〕眼窩板．=orbital *plate* of ethmoid bone.

oriens l. [TA].〔海馬の〕多形細胞層（→l.'s of hippocampus）.=stratum oriens [TA].

osteogenetic l. 骨形成層（骨膜内側の骨形成層）.

outer limiting l. [TA]．外境界膜（杆錐状体層のすぐ内側にある膜状のもので，神経膠細胞(Müluer 細胞)の突起で形成されており，杆錐状体と細胞体との間で貫通されている）.=stratum limitans externum [TA]; stratum limitans externum retinae.

outer nuclear l. [TA]．外顆粒層（眼球網膜で杆錐状体細胞体が存在する層）.=stratum nucleare externum [TA].

outer plexiform l. [TA]．外網状層（眼球網膜で杆錐状体細胞・水平細胞・双極細胞の突起で構成される層）.=stratum plexiforme externum [TA].

palisade l. 柵状層．=*stratum* basale epidermidis.

papillary l.〔真皮〕乳頭層．=*stratum* papillare corii.

parietal l. [TA]．壁側板（包または嚢の外層で，通常は包み込まれている構造のはいっている腔所の壁を裏打ちしている．この構造そのものは内層もしくは臓側板で包まれている．腔所はこの２枚の間に潜在的にのみ存在する）.=lamina parietalis [TA].

parietal l. of leptomeninges =*arachnoid* mater.

parietal l. of nerves 神経の壁側板．=Raschkow *plexus*.

parietal l. of serous pericardium [TA]．心膜壁側板（線維性心膜によって支えられる漿膜性心膜の外側の部分）.=lamina parietalis pericardii serosi [TA].

parietal l. of tunica vaginalis of testis [TA]．精巣鞘

膜壁側板（内精筋膜によって支えられる精巣鞘膜の外側の部分）．＝lamina parietalis tunicae vaginalis testis［TA］．

perforated l. of sclera ＝*lamina* cribrosa of sclera.

periosteal l. of dura mater 脳硬膜の骨膜層（→cranial *dura mater*）．

pigmented l. of ciliary body 毛様体色素上皮層．＝*stratum* pigmenti corporis ciliaris.

pigmented l. of iris 虹彩色素上皮層．＝*stratum* pigmenti iridis.

pigmented l. of retina［TA］．網膜色素上皮層（網膜の外層で，色素上皮からなる）．＝ectoretina; stratum pigmenti bulbi; stratum pigmenti retinae; tapetum nigrum; tapetum oculi.

piriform neuron l. 梨状細胞層（Purkinje 細胞層を表す，現在では用いられない語）．

l. of piriform neurons 梨状細胞層．＝Purkinje cell l.

plasma l. ＝still l.

plexiform l. ＝molecular l.

plexiform l. of cerebral cortex ＝molecular l. of cerebral cortex.

plexiform l.'s of retina 網膜網状層（シナプス形成のある網膜層．外網状層においては，杆体錐体の突起が双極細胞の樹状突起と接合し，内網状層においては，双極細胞の神経突起が神経節細胞の樹状突起と接合する．→retina）．

polymorphous l. 多形細胞層．＝multiform l.［TA］of cerebral cortex.

posterior elastic l. 後境界線．＝posterior limiting *lamina* of cornea.

posterior limiting l. of cornea〔角膜の〕後境界板．＝posterior limiting *lamina* of cornea.

posterior l. of rectus sheath［TA］．腹直筋鞘後葉（腹直筋の後上方 2/3 にみられる筋鞘．内腹斜筋と腹横筋の腱膜の続きからなる．下縁は弓状線をなし，それより下方の腹直筋後面には筋鞘が欠如し，横筋筋膜と腹膜とのみにおおわれる）．＝lamina posterior vaginae musculi recti abdominis［TA］．

posterior l. of thoracolumbar fascia［TA］．胸腰筋膜の後葉（胸腰筋膜のうち，脊柱起立筋を包み，内腹斜筋および腹横筋の起始をなす部分）．＝lamina posterior fasciae thoracolumbalis［TA］; lamina posterior (superficialis) fasciae thoracolumbalis*［TA］．

pretracheal l. of cervical fascia［TA］．頸筋膜の気管前葉（横突起の前部および椎体に付着した筋や頸部椎体をおおう頸部筋膜の部分）．＝lamina pretrachealis fasciae cervicalis［TA］; middle cervical fascia; Porter fascia; pretracheal fascia.

prevertebral l. of cervical fascia［TA］．頸筋膜の椎前葉（横突起の前部および椎体に付着した筋や頸部椎体をおおう頸部筋膜の部分）．＝lamina prevertebralis fasciae cervicalis［TA］; prevertebral fascia.

prickle cell l. 有棘細胞層．＝*stratum* spinosum epidermidis.

Purkinje cell l. (pŭr-kin′jē)．プルキンエ細胞層（小脳皮質の分子層と顆粒層の間に位置する大きな神経細胞体の層．小脳の葉を横切る面で，Purkinje 細胞の樹状突起は分子層に広がり，軸索は白質に入る）．＝stratum purkinjense cortex cerebelli［TA］; ganglionic l. of cerebellar cortex; l. of piriform neurons; Purkinje cells; Purkinje corpuscles.

pyramidal l.［TA］．〔海馬の〕錐体細胞層（→l.'s of hippocampus）．＝stratum pyramidale［TA］．

pyramidal cell l. 錐体細胞層（大脳皮質の第三層）．＝Meynert l.

radiant l.［TA］．〔海馬の〕放射線維層（→l.'s of hippocampus）．＝stratum radiatum［TA］．

radiate l. of tympanic membrane〔鼓膜〕放線状層．＝*stratum* radiatum membranae tympani.

Rauber l. (row′bĕr)．ラウバー層（①肉食動物と有蹄類の発生段階において，胚盤をおおう薄くなった栄養膜層．②胚盤の形成を助ける最外部の細胞層で，胚盤葉外胚葉，始原外胚葉などとよばれる）．

reticular l. of corium〔真皮〕網状層．＝*stratum* reticulare corii.

l.'s of retina 網膜の層（→retina）．

l. of rods and cones 杆錐状体層（網膜の色素細胞層の次にくる層．視覚受容体を含む．→retina; neuroepithelial l. of retina）．＝bacillary l.

rostral l. 嘴板．＝rostral *lamina.*

Sattler elastic l. (sat′lĕr)．ザットラー弾性板（脈絡膜の中間層）．

serous l. of peritoneum 漿膜性腹膜．＝*serosa* of peritoneum.

short pitch helicoidal l.* circular l. of muscle coat of small intestine の公式の別名．

l.'s of skin 皮膚の層（→epidermis; dermis）．

sluggish l. ＝still l.

smear l. スミア層（歯の切削によって生じる削屑が，エナメル質またはぞうげ質に塗り込められてできる(厚さ約 0.5 — 1.0 μm の)薄層）．

somatic l. 体壁板，体壁層（胚期の中胚葉側板の外層．外胚葉と隣接し，ともに壁側板を形成する）．

spindle-celled l. 紡錘〔状〕細胞層．＝multiform l.［TA］of cerebral cortex.

spinous l.〔表皮〕有棘層．＝*stratum* spinosum epidermidis.

splanchnic l. 内臓板（中胚葉側板の内層．内胚葉に隣接し，ともに臓側板を形成する）．

spongy l. of female urethra［TA］．女性尿道の海綿体層（女性尿道の粘膜固有層をさす不適切な名称．ここにある壁の薄い静脈網が誤って勃起組織とみなされたところから）．＝tunica spongiosa urethrae femininae［TA］．

spongy l. of vagina［TA］．腟海綿体層（腟壁の粘膜層，筋層(腟粘膜皺が勃起組織にみえた)，外膜にある豊富な静脈網が誤って勃起組織のようにみなされて付された名称）．＝tunica spongiosa vaginae［TA］．

still l. 緩慢層（毛細管の管壁の内側にある流血層．血流は遅く，白血球が層壁に沿って流れている．中心部では血流は速く，赤血球を運搬する）．＝plasma l.; Poiseuille space; sluggish l.

subendocardial l. 心内膜下層（心内膜と心筋層とを連結している疎性結合組織．心室ではこの中を刺激伝導系の線維が走る）．

subendothelial l. 内皮下層（内皮と内弾性板との間にある薄い結合組織層）．

subpapillary l. 乳頭下層（真皮の脈管層）．

subserous l.* 漿膜下組織（subserosa の公式の別名）．

superficial l.［TA］．浅層，浅板（重層構造で最表面の部分もしくは表面に最も近い層．→superficial l. of deep cervical fascia; superficial l. of the levator palpebrae superioris; superficial l. of temporal fascia）．＝lamina superficialis［TA］; superficial lamina.

superficial l. of deep cervical fascia* investing l. of cervical fascia の公式の別名．

superficial gray l.［TA］of superior colliculus 上丘の浅灰白層（→gray l.'s of superior colliculus）．

superficial l. of the levator palpebrae superioris［TA］．上眼瞼挙筋浅板（上眼瞼の皮膚の中に停止している上眼瞼挙筋の表層の線維）．＝lamina superficialis musculi levatoris palpebrae superioris［TA］．

superficial l. of temporal fascia［TA］．側頭筋膜浅葉（頬骨弓の外側面に付着した側頭筋膜の表面の部分）．＝lamina superficialis fasciae temporalis［TA］．

suprachoroid l. of choroid ＝suprachoroid *lamina* of choroid.

suprachoroid l. of sclera ＝suprachoroid *lamina* of sclera.

synovial l. of articular capsule ＝synovial *membrane*; *stratum* synoviale capsulae articularis［TA］．

synovial l. of tendon sheath 腱鞘の滑膜層（腱鞘内面をおおう薄膜で，血管に富み，表面はひだ状を示す．臓側部と壁側部からなり，粘稠性の潤滑液を産生する）．＝stratum synoviale (vagina synovialis) vaginae tendinis［TA］; synovial sheath［TA］．

Tomes granular l. (tōmz)．トームス〔の〕顆粒層（セメント質直下のぞうげ質に認められる薄層で基底部は顆粒状を呈する．顆粒は強くらせんを描くぞうげ細管の横断画像であ

る).

vascular l. ＝vascular *lamina* of choroid.

vascular l. of choroid coat of eye 脈絡膜血管板．＝vascular *lamina* of choroid.

vascular l. of eyeball ［TA］．眼球の血管膜（眼球の脈絡層，色素層または中層で脈絡膜，毛様体，虹彩からなる)．＝tunica vasculosa bulbi［TA］; Haller tunica vasculosa; tunica vasculosa oculi; uvea; uveal tract; vascular tunic of eye.

vascular l. of testis ［TA］．精巣の血管層（精巣を包む3膜(鞘膜，白膜)のうち最内層のもので，疎性結合組織中に豊富な血管を含み白膜の内面をおおい，さらに中隔深くに延びて精巣小葉を囲む)．＝tunica vasculosa testis［TA］.

ventricular l. 脳室層．＝ependymal l.

visceral l. ［TA］．臓側板（包または嚢の内層で包み込まれている構造の表面をおおっており，外層と向きあっている．薄く繊細で遊離してはみえず，内部構造物の最表層部のようにみえる．→serosa)．＝lamina visceralis［TA］.

visceral l. of serous pericardium ［TA］．心膜臓側板（直接心臓に接している，漿膜性心膜の内層)．＝epicardium*; lamina visceralis pericardii.

visceral l. of tunica vaginalis of testis ［TA］．精巣鞘膜臓側板（精巣や精巣上体に直接接している，精巣鞘膜の内層)．＝lamina visceralis tunicae vaginalis testis［TA］.

Waldeyer zonal l. ヴァルダイアー(ワルダイエル)帯層．＝dorsolateral *fasciculus*.

Weil basal l. (vīl′)．ヴァイル基底層（歯のぞうげ芽細胞の直下の層．網様線維を含んでいるが，細胞は少ない)．＝cell-free zone; Weil basal zone.

zonular l. 帯層（①視床の上面をおおい，側脳室の床の部分を形成する白質の薄い層．②上丘の表面にある白質層)．＝stratum zonale［TA］.

---

laz·a·ret, laz·a·ret·to (laz′ă-ret, -ret′ō)［It. *lazzaretto*＜*lazzaro*, a leper］．*1* 伝染病を治療する隔離病院を表す現在では用いられない語．*2* 検疫所を表す現在では用いられない語．

lb pound の略．

LBF *Lactobacillus bulgaricus factor* の略．

LBT lupus band *test* の略．

LBW low birth weight(低出生体重，低出産体重)の略．

LC lethal concentration(致死濃度)の略．

LCA left coronary *artery* の略．

LCAT lecithin-cholesterol acyltransferase の略．

LCM lymphocytic *choriomeningitis*; left costal *margin* の略．

l-cone (kōn)．L-錐体（長波長に感受性を有する錐体．㊟赤錐体という語は使用しない)．

LCU light-curing *unit* の略．

LD lethal *dose* の略．

LDH *lactate* dehydrogenase の略．

LDL low density lipoprotein(低比重リポ蛋白)の略．→lipoprotein.

LE, L.E. left eye; *lupus* erythematosus の略．

leach·ing (lēch′ing)［A.S. *leccan*, to wet］．*1* 浸出（水を通すことによって物質の水溶性成分を除去すること)．*2* リーチング，腐食（金属類(特に貧鉱からの)の溶解．無機栄養菌を用いる)．

lead (Pb) (led)．鉛（［動詞 led(lead の過去形)と混同しないこと］．金属元素．原子番号 82，原子量 207.2.)．＝plumbum.

l. acetate 酢酸鉛（古来，下痢に対する収れん薬として，またある種の皮膚炎に対する湿性包帯として水溶液で用いられてきた)．＝sugar of l.

black l. 黒鉛．＝graphite.

l. carbonate 炭酸鉛（水に不溶性の比重の大きい白色粉末．皮膚炎の刺激を和らげるためにしばしば用いる．工業用塗料や工芸に使用され，中毒の原因となる)．＝ceruse; white l.

l. chromate 〔第二〕クロム酸塩．＝chrome yellow.

l. monoxide 一酸化鉛（単鉛硬膏のような外用薬の成分として用いられてきた)．＝l. oxide (yellow); litharge; massicot.

l. oxide (yellow) 酸化鉛．＝l. monoxide.

red l. 赤鉛．＝l. tetroxide.

red oxide of l. ＝l. tetroxide.

l. sulfide 硫化鉛；PbS（天然における鉛の通常の状態)．＝galena.

l. tetraethyl ＝tetraethyllead.

l. tetroxide 四酸化鉛（輝赤橙色の粉末で，熱によって黒変する．軟膏や硬膏に用いる)．＝red l.; red oxide of l.

white l. 鉛白，白鉛．＝l. carbonate.

lead (lēd)．誘導（身体表面の特定の点に置いた電極と測定器の間を結ぶ電線)．

ABC l.'s ABC 誘導（Arrighi の三角を利用してとるベクトル心電図記録の一種．XYZ 誘導に取って代わられた)．

augmented l. 増幅単極誘導（心電図記録の一種で，左足，左手および右手のうち1つの電極から他の2つの電極の電位差の平均を記録するための誘導法．各々 aV_F，aV_L および aV_R と称する)．

bipolar l. 双極誘導（身体の異なった部位に置かれた2つの電極により得られる記録．標準肢誘導のように，それぞれの電極はともに記録上の意味をもつ)．

CB l. CB 誘導（負極を背部に置く胸部双極誘導)．

CF l. CF 誘導（負極を左足に置く胸部双極誘導)．

chest l.'s 胸部誘導（探査電極を心臓の上またはその近辺の胸部に置く誘導)．＝precordial l.'s; semidirect l.'s.

CL l. CL 誘導（負極を左手に置く胸部双極誘導)．

CR l. CR 誘導（負極を右手に置く胸部双極誘導)．

direct l. 直接誘導（心電図において，露出した心臓の表面に直接探査電極を置いて記録する単極誘導)．

esophageal l. 食道誘導（心電図記録の一種で食道の種々のレベルで記録するために喉頭から食道へ移行させる．不整脈のある型には特に有効である．同様に超音波のトランスデューサを食道内に入れて記録する)．

indirect l. 間接誘導．＝standard limb l.

intracardiac l. 心〔臓〕内誘導（心臓の房室の1つに探査電極を置いて得られる記録．通常，心臓カテーテル法によって記録される)．

limb l. 四肢誘導（3標準誘導(l.'s I, II, III)または単極四肢誘導(aV_R，aV_L，aV_F)の1つ)．

precordial l.'s 胸部誘導．＝chest l.'s.

semidirect l.'s 半直接誘導．＝chest l.'s.

standard limb l. 標準肢誘導（臨床的心電図の3つの基本的双極肢誘導の1つ．それぞれ第I，第II，第III誘導とよばれる．第I誘導は右腕・左腕間の電位差，第II誘導は右腕・左脚間の電位差，第III誘導は左腕・左脚間の電位差を記録する)．＝indirect l.

unipolar l.'s 単極誘導（探査電極を心臓近辺の胸部または四肢の1つに置き，もう1つの電極または基準電極を結合電極に取る誘導)．

V l. V誘導，胸部誘導（基準電極として結合電極を用いる単極誘導で，Vは単極(ラテン語のU)に由来する象徴を意味する)．

leaf·let (lēf′let)．リーフレット（①リン脂質の層．脂質二重層には2つのリーフレットがある．②薄い平らな物体または構造物)．

League of Red Cross So·ci·e·ties (lēg red kros sō-sī′ĕ-tēz)．国家赤十字およびそれと類似の団体の国際的連合体．

learned help·less·ness (lĕrnd help′les-nes)．学習性無力（古典的(レスポンデント)条件付け，および道具的(オペラント)条件付けをともに含むうつの実験モデル．回避不能なショックを与え続けることによって，対処可能な他の状況にも対処できなくなること)．

learn·ing (lĕrn′ing)．学習（練習の結果，行動に現れる半永久的な変化を示す一般用語．→conditioning; forgetting; memory)．

incidental l. 偶発〔的〕学習（直接的に意図したものではない学習)．＝passive l.

insight l. 内省的学習（ほとんどの種類の学習に付随する一連の試行錯誤をわざわざ行うことなしに問題の解決法をつかむこと(例えば，柵の中で生活している猿が1本の棒で計った距離よりも遠くにあるバナナを取るのに，棒を1本だけ使ったりまた他の物を使ったりして何時間も無駄に試みることなく，2本の棒をつなぎ合わせるようなこと))．

latent l. 潜在学習（それが生じた時点においては明瞭で

はないが，その後の行動によって存在が推論されるような学習．すなわち，その後の行動で，前述した経験がない場合に比べ速やかな学習効果がみられる）．

passive l. 受動〔的〕学習．＝incidental l.

propositional l. 命題学習（抽象や象徴化といった高次認知機能を理解すること．→abstraction (5); symbolization (2). *cf.* procedural *memory*）．

rote l. 機械的学習，暗記学習（任意の関係の学習．一般に学習を反復して暗記することによるもので，関係そのものは理解していない）．

state-dependent l. 状態依存性学習（睡眠あるいは覚醒の特定の状態あるいは化学的に変化した状態での学習．そこでは学習した情報が(例えば学習反応の遂行能力で測定される)，もともとその学習が行われた状態がつくり出されない限り想起されない）．

least squares (lēst skwārz). 最小 2 乗〔法〕（Gauss によって開発された推定の原理．従属変数の観測値とモデルによる予測値の差の 2 乗和を最小にするように統計モデルのパラメータを推定する）．

Le Bel (lĕ-bel′), Joseph Achille. フランス人化学者，1847—1930. ⇀Le B.-van't Hoff *rule*.

Le·ber (lā′bĕr), Theodor. ドイツ人眼科医，1840—1917. ⇀L. idiopathic stellate *neuroretinitis*, hereditary optic *atrophy*, *plexus*; *amaurosis* congenita of L.

Le Cha·te·li·er (lĕ chan-tel-ē-ā′), Henri. フランス人物理化学者，1850—1936. ⇀Le C. *law*, *principle*.

lec·i·thal (les′i-thăl) [G. *lekithos*, egg yolk]. 卵黄を有する，卵黄の（特に接尾語として用いる）．

lec·i·thin (les′i-thin) [G. *lekithos*, egg yolk]. レシチン (1,2-diacyl-*sn*-glycero-3-phosphocholines あるいは 3-*sn*-phosphatidylcholines の慣用名．加水分解により脂肪酸 2 分子とグリセロリン酸 1 分子，コリン 1 分子を生じるリン脂質．レシチンには数種類あり，両脂肪酸とも飽和であるもの，オレイン酸，リノール酸，アラキドン酸のように不飽和脂肪酸のみ含むもの，および飽和脂肪酸と不飽和脂肪酸を 1 分子ずつ含むものとがある．レシチンは帯黄色あるいは茶色のろう様物質であり，水と混和し，顕微鏡で〝ミエリン型〟とよばれる不規則な細長い粒子を呈する．神経組織中，特に髄鞘中や卵黄中に存在し，一般に動植物細胞の必須成分である）．

l. acyltransferase レシチンアシルトランスフェラーゼ．＝lecithin-cholesterol acyltransferase.

l.-cholesterol transferase レシチンコレステロールトランスフェラーゼ（高密度リポ蛋白(LDL)により生成された中密度リポ蛋白(IDL)によるコレステロールエステルの取込みを触媒する血漿酵素）．

lec·i·thi·nase (les′i-thi-nās). レシチナーゼ．＝phospholipase.

l. A レシチナーゼ A．＝*phospholipase* A_2.

l. B レシチナーゼ B．＝lysophospholipase.

l. C レシチナーゼ C．＝*phospholipase* C.

l. D レシチナーゼ D．＝*phospholipase* D.

lec·i·thin-cho·les·ter·ol ac·yl·trans·fer·ase (LCAT) (les′i-thin-kō-les′tĕr-ōl as′ĭl-trans′fĕr-ās). レシチン－コレステロールアシルトランスフェラーゼ（レシチンからコレステロールへアシル基を転移させる酵素で，1-アシルグリセロホスホコリン(リゾレシチン)とコレステロールエステルとが生成する．この酵素の欠損により血漿中の非エステル型コレステロールが蓄積し，貧血，蛋白血症，腎不全，角膜混濁をきたす．LCAT はまた，魚眼症の患者で低値である）．＝lecithin acyltransferase.

lec·i·tho·blast (les′i-thō-blast′) [G. *lekithos*, egg yolk + *blastos*, germ]. 卵黄胚（増殖して卵黄嚢内胚葉を形成する細胞）．

lec·i·tho·pro·tein (les′i-thō-prō′tēn). レシチン蛋白（補欠分子族としてレシチンをもつ複合蛋白）．

Le·clef (lĕ-klef′). ⇀Denys-Leclef *phenomenon*.

Le·cler·ci·a (le-clār′cē-a). レクレルシア属（腸内細菌科の一属で，*Escherichia*属に似ているが，代謝や遺伝子分類によって区別される．ヒトや動物の糞便から分離され，医学的には血液，糞便，喀痰，尿，創傷から回収される．病原性については不明である）．

lec·tin (lek′tin) [L. *lego*, pp. *lectum*, to select + -in]. レクチン（主として植物(通常は種子)や動物から抽出される蛋白で，細胞表面で糖蛋白と結合し，凝集反応，沈降反応，その他特異抗体反応に類似した現象に作用する．植物性凝集素(フィトアグルチニン，フィトヘマグルチニン)，植物性沈降素，それに恐らくある種の動物性蛋白を含む．有糸分裂誘発性のものもある）．

mannan-binding l. (**MBL**) マンナン結合レクチン（循環血漿中にある肝由来の急性期蛋白で，感染に対する生得免疫反応において重要な役割を担っている．細菌表面の糖質と結合して補体経路を活性化させることで，補体のレクチン経路の活性化において重要な機能を果たしている．MBL の欠損は小児期に反復性の感染症を引き起こす．MBL には集団内での多型性があり，MBL の欠損は恐らくオリゴマーを形成できない不完全な蛋白によるものと考えられている．また，関節リウマチのような自己免疫性疾患にも関与している）．

mitogenic l. マイトジェンレクチン（ポリ核酸の複製やリンパ球の増殖を誘導するレクチン）．

Ledermann (led′ĕr-man), Sully. 20 世紀のフランス人精神科医．⇀L. *formula*.

ledge (lej). 堤（解剖学において，棚状突起物に似た構造をさす．→shelf; lamina）．

dental l. 歯堤（胚期の顎の上皮からその下にある間葉のほうに向かって成長する外胚葉細胞の帯．その歯堤から出る歯胚が歯のエナメル器の原基を生じる）．＝dental lamina; dental shelf; dentogingival lamina; enamel l.; primary dental lamina.

enamel l. ＝dental l.

Lee (lē), Robert. イングランド人医師，1793—1877. ⇀L. *ganglion*.

Lee (lē), Roger I. 米国人医師，1881—1967. ⇀L.-White *method*.

leech (lēch) [A.S. *laece*, a physician; a leech(ヒルの臨床的用途から)]. ***1***〖n.〗ヒル（ヒル綱チスイビル属 *Hirudo* の吸血性水生環形動物．以前，医学で局所しゃ血用に利用された．同属の他種については *Hirudo* の項参照）．***2***〖v.〗ヒルを用いて医学的治療を施す．

leech·ing (lēch′ing). ヒル療法（治療の目的でヒルを体にはりつけ，血を吸い出させる以前行われた方法）．

Leede (lēd), Carl S. 20 世紀初頭の米国人医師．⇀Rumpel-L. *sign*, *test*; L.-Rumpel *phenomenon*.

LEEP loop electrocautery excision *procedure*; loop electrosurgical excision *procedure* の略．

Leeu·wen·hoek (lā′wen-hūk), Anton van. オランダ人顕微鏡専門家，1632—1723. ⇀L. *canals*.

Le·fèvre (lĕ-fev′rĕ), Paul. 20 世紀のフランス人皮膚科医．⇀Papillon-L. *syndrome*.

Le Fort (lĕ fōrt′), Léon C. フランス人外科・婦人科医，1829—1893. ⇀Le F. I *fracture*, II *fracture*, III *fracture*, *sound*, *amputation*.

left-foot·ed (left fut′ĕd). 左足の，左足利きの．＝sinistropedal.

left-hand·ed (left hand′ĕd). 左利きの（字を書いたり，手を用いるほとんどの作業に習慣的に左手を用いたり，左手を用いるほうがうまく作業ができる人についていう）．＝sinistromanual.

left-sid·ed·ness (left sid′ed-nes). 左側位（脾臓や胃の大部分のように，ある種の対になっていない臓器が正常で左側に位置すること）．

bilateral l.-s. 両側左側位（正常では対になっていない臓器がより対照的に鏡像位に発育する症候群．通常，2 つの脾臓が片側に 1 つずつ存在し，心血管奇形がよくみられる）．＝polysplenia syndrome.

L

leg (leg), 脚（[医学的な発言および文書では，本語を inferior limb(下肢)の口語的意味合いで使うのを避けること]．① [TA]．膝とくるぶしの間の部分．②脚に似た構造をもつもの．口語では下肢全体をさすこともある）．＝crus (1) [TA].

l. of antihelix 対輪脚．＝*crura* of antihelix(⇌crus).

bow-l. 内反膝，O脚（⇀*genu* varum）．

elephant l. 象脚．＝elephantiasis.

restless l.'s ＝restless legs *syndrome*.

rider's l. 乗馬脚（大腿内転筋の挫傷）．

tennis l. テニス脚（腓腹筋の筋腱移行部での断裂で，ふくらはぎの筋の強力な収縮により生じる．テニスの選手によくみられるもので，すばやい停止，発進動作を頻回に行った結果生じる）．

Le·gal (la-gal′), Emmo. ドイツ人医師，1859—1922. ⇀L. *test.*

Le·gen·dre (lĕ-jahndr′), Gaston J. 20 世紀初頭のフランス人医師． ⇀L. *sign.*

Legg (leg), Arthur T. 米国人外科医，1874—1939. ⇀L.-Calvé-Perthes *disease.*

-legia (lē′jē-ă) [L. *lego*, to read]. 読むことに関する接尾語．ギリシア語由来で演説を意味する *-lexis, -lexy* と区別される．

Le·gion·el·la (lē′jŭn-el′lă). レジオネラ属（好気性，運動性，非抗酸性，無莢膜性，グラム陰性の杆菌の一属（レジオネラ科）で，非発酵性の代謝を行い，生育には L-システイン塩酸塩と鉄塩を必要とする．水中に生息し，空気伝播し，ヒトに病原性を示す．40 種以上が同定されている．標準種は *L. pneumophila*）．

L. bozemanii ヒトの肺炎を起こす細菌種．

L. dumoffii 肺炎に関与している細菌種．

L. feeleii 肺炎に関与している細菌種．

L. gormanii 肺炎に関与している細菌種．

L. longbeachae 肺炎に関与している細菌種．

L. micdadei レジオネラ症の変形であるピッツバーグ肺炎の起炎菌．レジオネラ肺炎の約 60 %はこの種以外の *Legionella*属の菌種が原因になる．= Pittsburgh pneumonia agent.

L. pneumophila レジオネラ・ニューモフィラ菌（レジオネラ症の流行原因菌であり，配管システム中あるいは換気システムの貯留水中で増殖すると考えられている．*Legionella* 属の標準種）．

L. wadsworthii 肺炎に関与している細菌種．

le·gi·o·nel·lo·sis (lē′jŭ-nel-ō′sis). = Legionnaires′ *disease.*

le·gu·min (lĕ-gū′min, leg′ū-min). レグミン．= avenin.

le·gu·mi·niv·o·rous (lĕ-gū′mi-niv′ŏ-rŭs). 豆類食性の（インゲンマメ，エンドウマメ，その他のマメ類を常食することについていう）．

Leh·mann (lā′mahn), J.O. Orla. 20 世紀のスウェーデン人医師． ⇀Börjeson-Forssman-L. *syndrome.*

Leigh (lē), Denis. 20 世紀の英国人精神科医． ⇀L. *disease.*

Lei·ner (lī′nĕr), Karl. オーストリア人小児科医，1871—1930. ⇀L. *disease.*

leio- (lī′o) [G. *leios*]. 【本連結形は lē′o ではなく lī′o と発音される】．平滑を意味する連結形．

lei·o·my·o·fi·bro·ma (lī′ō-mī′ō-fī-brō′mă). 平滑筋線維腫．= fibroleiomyoma.

lei·o·my·o·ma (lī′ō-mī-ō′mă) [leio- + G. *mys*, muscle + *-oma*, tumor]. 平滑筋腫（平滑筋から発生する良性新生物）．

l. cutis 皮膚平滑筋腫（皮膚に生じる多発性の有痛性小結節．平滑筋線維からなり，この線維の由来は毛の立毛筋である．単発性で無痛性のものには皮膚の血管や外陰部皮膚由来のものもある）．= dermatomyoma.

parasitic l. 寄生平滑筋腫（子宮から分離して他の腹膜面に癒着し，そこから血液供給を受けている子宮平滑筋腫）．

vascular l. 血管平滑筋腫（明らかに血管の平滑筋から発生し，血管に富む平滑筋腫）．= angioleiomyoma; angiomyofibroma; angiomyoma.

lei·o·my·o·ma·to·sis (lī′ō-mī′ō-mă-tō′sis). 平滑筋腫〔症〕（身体全体に平滑筋腫が多発する状態）．

l. peritonealis disseminata 播種性腹膜平滑筋腫（腹腔および骨盤腹膜にみられる多発性小結節．卵巣癌の播種性転移に間違われやすいが良性筋腫の組織的特徴をもつ）．

lei·o·my·o·mec·to·my (lī′ō-mī′ō-mek′tŏ-mē). 筋腫核出術（筋腫の外科的摘除．通常子宮筋腫）．

lei·o·my·o·sar·co·ma (lī′ō-mī′ō-sar-kō′mă) [leio- + myosarcoma]. 平滑筋肉腫（平滑筋から発生する悪性新生物）．

lei·ot·ri·chous (lī-ot′ri-kŭs) [leio- + G. *thrix*, hair]. 直毛の．

leipo- (lip′ō). ⇀lipo-.

Leip·zig yel·low (līp′zig yel′ō) [C.I. 77600]. ライプチヒイエロー．= chrome yellow.

Leish·man (lēsh′măn), Sir William B. スコットランド人外科医，1865—1926. ⇀*Leishmania*; L. chrome *cells, stain*; L.-Donovan *body.*

Leish·man·i·a (lēsh-man′ē-ă) [W.B. *Leishman*]. リーシュマニア属（【誤った発音 līshmā′nē-ă を避けること】．トリパノソーマ科に属する 2 宿主性で無性生殖を行う鞭毛虫類の一属で，脊椎動物のマクロファージ内ではアマスティゴート型として，無脊椎動物体内および培養液中ではプロマスティゴート型として存在する．形態学的には種の判別はきわめて困難であるが，臨床症状，地理的分布と疫学，サシチョウバエ体内でのプロマスティゴート型の発育パターン，***in vivo*** での単一種の病原性試験，培地中での虫体の発育に及ぼす被検血清の影響，交差免疫試験，プロマスティゴート型排泄物についての血清型検査などによって区別しうる．また種々の生化学的分析，DNA塩基配列決定法により，株も区別できる．これらの方法によって，これまでに知られていたすべての群が同定され，新世界のリーシュマニア症病原体は，2 つの種群，*L. mexicana* と *L. braziliensis* に区分されることが明らかとなった）．

L. aethiopica エチオピアリーシュマニア（ヒトの皮膚リーシュマニア症の原因となるアフリカ種．エチオピアではケープハイラックス(*Procavia capensis*)およびキボシイワハイラックス(*Heterohyrax brucei*)が，ケニアではミナミキノボリハイラックス(*Dendrohyrax arboreus*)およびジャイアントラット(*Cricetomys gambianus*)が保虫宿主として知られている．媒介動物はサシチョウバエの *Phlebotomus longpipes* および *P. pedifer* である．本種は 3 タイプの皮膚リーシュマニア症(古典型東洋瘤腫，粘膜皮膚リーシュマニア症，汎発性皮膚リーシュマニア症)を引き起こす．潰瘍形成は遅発性または出現せず，治療には 1—3 年を要する）．

L. braziliensis ブラジルリーシュマニア（南部メキシコおよび中・南アメリカにおける風土病性の粘膜皮膚リーシュマニア症の病原体となる種で，種々の *Lutzomyia*属サシチョウバエ(New World sandfly)によって媒介される．森林に住むげっ歯類およびその他の熱帯区の樹上性動物が保虫宿主である．*L. braziliensis* は現在，臨床的，疫学的，生化学的に明らかな 3 タイプの株または亜種(*L. b. braziliensis, L. b. guyanensis, L. b. panamensis*)に分けられている）．

L. braziliensis braziliensis ブラジル型ブラジルリーシュマニア（ブラジルリーシュマニア *L. braziliensis* の模式亜種で，粘膜皮膚リーシュマニア症の病原体である．自然界での保虫宿主は不明であるが，ブラジルにおける確実な媒介動物はサシチョウバエの一種 *Lutzomyia* (*Psychodopygus*) *wellcomei* である．恐らく他のサシチョウバエも感染を媒介する）．

L. braziliensis guyanensis ガイアナ型ブラジルリーシュマニア（ブラジルリーシュマニア群の一亜種で，ブラジルおよびガイアナにみられ，現地で "pian bois(森林病)" として知られる皮膚リーシュマニア症を引き起こす．ブラジルにおける保虫宿主はナマケモノの一種 *Choloepus hoffmani* で，媒介動物はサシチョウバエの一種 *Lutzomyia umbratilis* である）．

L. braziliensis panamensis パナマ型ブラジルリーシュマニア（ブラジルリーシュマニア *L. braziliensis* の一亜種で，パナマ，コロンビアおよびその周辺地域にみられる．潰瘍形成を伴う皮膚リーシュマニア症を起こし，これは自然治癒せず，しばしばリンパ組織近くまで達するが，鼻咽喉粘膜への転移はまれである．パナマ，コスタリカではナマケモノの一種 *Choloepus hoffmani* が保虫宿主となっている．サシチョウバエの一種 *Lutzomyia trapidoi* が媒介動物であることが証明されている）．

L. donovani ドノバンリーシュマニア（地中海沿岸とその隣接諸国，西アジアの南中央部，インド東部，中国北部，ケニア，エチオピア，スーダン，またブラジル，アルゼンチン，コロンビア，ベネズエラに流行する内臓リーシュマニア症の病原体．旧世界では種々の *Phlebotomus*属サシチョウバエによって媒介され，新世界での媒介者は *Lutzomyia*属の種である．ある地域ではイヌやその他の肉食動物が保虫宿主であることが知られている．細胞内アマスティゴート型虫体がマクロファージ内で増殖して，脾臓，肝臓，およびその他のリンパ系組織に重大な影響を及ぼす網内系細胞の増成を起こし，治療を怠れば通常，死に至る重篤な肝脾腫大症となる）．

L. donovani archibaldi アフリカ型ドノバンリーシュマニア（⇀*L. donovani donovani*）．

L. donovani chagasi 南米型ドノバンリーシュマニア（南アメリカ，主にブラジルにみられるリーシュマニアの一亜種で，内臓リーシュマニア症を引き起こす．本来の保虫宿主は不明であるが，家畜犬とキツネで感染がみられている．媒介動物は未発見で，本亜種の分類学的位置についても定まっていない）．

L. donovani donovani インド型ドノバンリーシュマニア（アジア，アフリカおよびインド亜大陸における内臓リーシュマニアの病原体で，ドノバンリーシュマニアの模式亜種．西アジアの南中央部，イラン，イラクおよび恐らくイエメンにもごくわずかの症例がある．イヌとジャッカルが保虫宿主となっている．アフリカ産のものはアフリカ型リーシュマニア *L. donovani archibaldi* と名付けられているが，本亜種と同じものかもしれない）．

L. donovani infantum 地中海型ドノバンリーシュマニア（地中海地方で小児の内臓リーシュマニア症を引き起こすドノバンリーシュマニアの株または亜種．保虫宿主は家畜犬である）．

L. furunculosa *L. tropica* の旧名．

L. major 森林型(農村型，湿潤型)熱帯リーシュマニア（地中海地方および小アジアの広い地域における人獣共通の皮膚リーシュマニア症の原因となる種．ロシアの一部および南部中央アジアでは，通常，*Rhombomys opimus* のようなジリスが，また北西インド，中東，北アフリカでは他のげっ歯類が保虫宿主になっている．確実な媒介動物としてのサシチョウバエに，*Phlebotomous papatasi*, *P. duboscqi*, *P. salehi* がいる）．＝*L. tropica major*.

L. mexicana メキシコリーシュマニア（様々な型の皮膚リーシュマニア症の病原体で，現在はいくつかの亜種，あるいは恐らく種が集まったものであると考えられている．これらはDNA，酵素の特徴，分布，および媒介者－保虫宿主関係によって区別でき，それぞれ別個のヒトリーシュマニア症の原因となる．保虫宿主はきわめて広範囲で，有袋類，霊長類，小型肉食動物と並んで様々な樹上性げっ歯類を含んでいる．本種によって起こる典型的な症型はチクレロ潰瘍と汎発性皮膚リーシュマニア症である．これに対して，粘膜皮膚リーシュマニア症はブラジルリーシュマニア感染で，より特徴的である）．＝*L. tropica mexicana*.

L. mexicana amazonensis アマゾン型メキシコリーシュマニア（アマゾン川流域(ボリビア，ブラジル，コロンビア，エクアドル，南部ベネズエラ)に特に広くみられるメキシコリーシュマニアの一型．そこではヒトへの感染の保虫宿主である種々の森林棲げっ歯類が感染している．ヒトでの発症はまれであるが，その場合，単一または複数の病変をつくり，自然治癒することはめったにない．散在型は普通にみられるが，鼻咽喉への侵入は起こらない．媒介動物はサシチョウバエの一種 *Lutzomyia flaviscutellata* である）．

L. mexicana garnhami ガーナム型メキシコリーシュマニア（西部ベネズエラにみられる，メキシコリーシュマニアの一亜種で，ヒトに約6か月で自然治癒する単一または複数の病変をつくる．媒介動物は恐らくサシチョウバエの一種 *Lutzomyia townsendi* である）．

L. mexicana mexicana メキシコ型メキシコリーシュマニア（メキシコ，グアテマラ，ベリーズから報告されている種で，チクル樹脂採取労働者やマホガニーの切り出し労働者にみられるチクレロ潰瘍とよばれる新世界皮膚リーシュマニア症の病原体である．新世界に生息するサシチョウバエの一種 *Lutzomyia olmeca* が本亜種の確定媒介動物である）．

L. mexicana pifanoi ピファノ型メキシコリーシュマニア（メキシコリーシュマニアの一型であるが，汎発型または散在型の皮膚リーシュマニア症の病原体と考えている人々は独立種としている．本症はベネズエラで発見，記載されたが，現在ではリーシュマニア属の複数の種および亜種が，他の広範囲の地域においても類似の散在性リーシュマニア症を起こすことが知られている(例えば *L. mexicana amazonensis*, *L. aethiopica*)．汎発性皮膚リーシュマニア症の発現においては宿主の細胞介在性免疫反応の欠除または抑制も重要な要因である）．＝*L. pifanoi*.

L. mexicana venezuelensis ベネズエラ型メキシコリーシュマニア（ベネズエラで最近記載されたメキシコリーシュマニアの一亜種．無痛性，結節性の単一病変を示す皮膚リーシュマニア症を引き起こし，それはときに治癒しうる散在性皮膚リーシュマニア症となる．ウマでも感染がみられている）．

L. peruviana ペルーリーシュマニア（ペルーおよびボリビアのアンデス山脈渓谷地方のヒトに感染するリーシュマニアの種．uta とよばれる新世界皮膚リーシュマニア症の特異な型の病原体である）．

L. pifanoi ピファノリーシュマニア．＝*L. mexicana pifanoi.*

L. tropica 熱帯リーシュマニア（皮膚リーシュマニア症の病原体である種．以前，地中海沿岸から，中東，コーカサス地方，アジアの一部に流行し，西アフリカからも報告されていた *Phlebotomus papatasi*, *P. sergenti* およびそれらと近縁のサシチョウバエによって伝播される）．

L. tropica major 森林型熱帯リーシュマニア，農村型熱帯リーシュマニア，湿潤型熱帯リーシュマニア．＝*L. major*.

L. tropica mexicana ＝*L. mexicana.*

leish·man·i·a·sis (lēsh′măn-ī′ă-sis). リーシュマニア症（伝統的に大きく以下の4型に分類されている *Leishmania*属原虫による疾患群であるが，臨床的にはこの分類には問題がある．ⓘ内臓リーシュマニア症(カラアザール)，ⓘⓘ旧世界皮膚リーシュマニア症，ⓘⓘⓘ新世界皮膚リーシュマニア症，ⓘⓥ皮膚粘膜リーシュマニア症．この4型の疾患は臨床的または地理的に明瞭に区別できる．最近，それぞれ細かく臨床的，疫学的に分類された．*Phlebotomus*属あるいは *Lutzomyia*属の種々のサシチョウバエによって媒介される．→tropical *diseases*）．＝leishmaniosis.

acute cutaneous l. 急性皮膚リーシュマニア症．＝zoonotic cutaneous l.

American l., l. americana アメリカリーシュマニア症，皮膚フランベシア．＝mucocutaneous l.

anergic l. アネルギーリーシュマニア症．＝diffuse cutaneous l.

anthroponotic cutaneous l. ヒトの皮膚リーシュマニア症（旧世界皮膚リーシュマニア症の一種で，通常は長期の潜伏期があり，また都市部に限局している）．＝chronic cutaneous l.; dry cutaneous l.; urban cutaneous l.

canine l. イヌのリーシュマニア症（イヌに起こる軽い感染症で，通常，鼻口部または耳に限定される．ヒトにリーシュマニア症を起こす種によって引き起こされる．そのためイヌは，地中海地方の内臓リーシュマニア症のようなヒトに感染するリーシュマニア症の重要な保有宿主である）．

chronic cutaneous l. 慢性皮膚リーシュマニア症．＝anthroponotic cutaneous l.

cutaneous l. 皮膚リーシュマニア症（感染した *Phlebotomus*属のスナバエ(サシチョウバエ，通常は *P. papatasii*)の刺咬により *Leishmania tropica*, *L. major* のプロマスティゴート(レプトモナス型)虫体が皮膚に接種されて感染する．小アジア，北アフリカ，インドの諸地域に流行し，熱帯瘤腫，熱帯潰瘍，地方の呼び名である(例えば，Aleppo boil, Baghdad boil, Jericho boil, Delhi boil, Aden ulcer, Biskra button など)多くの名称でよばれている．潰瘍は丘疹として始まり，次第に拡大して小結節となり，さらにそれが破れて潰瘍となる．リーシュマニア細胞はヘマトキシリン染色した組織切片の組織球内にみられる．臨床的，疫学的に区別される2つの疾患がある．より普遍的で広範にみられるのは *L. major* を病原体とする湿潤急性型の人畜共通の農村の疾患でネズミを保有宿主とする．都市にみられるのは *L. tropica* を病原体とする乾燥慢性型で保有宿主はなく，最近は大部分が制圧されている．→zoonotic cutaneous l.; anthroponotic cutaneous l. →diffuse cutaneous)．＝bouton d'Orient; bouton de Baghdad; bouton de Biskra; Old World l.

diffuse l. 汎発性リーシュマニア症．＝diffuse cutaneous l.

diffuse cutaneous l. 汎発性皮膚リーシュマニア症（新世界または旧世界の *Leishmania*属(*L. mexicana amazonensis*, *L. m. pifanoi*, *L. m. garnhami*, *L. m. venezuelensis* がエチオピアで，またナミビアやタンザニアでは，*L. aethiopica* および分類不能のリーシュマニア)により生じるリーシュマニア症．症状は免疫抑制反応と関連があり，潰瘍や壊死を伴わない皮膚病変が全身に広がる可能性がある．多数の病原体を含むマクロファージが真皮にみられる．細胞過敏性が得られなければ治癒しない→cutaneous l.）．＝anergic l.; diffuse l.; disseminated cutaneous l.; l. tegumentaria diffusa; pseudolepromatous l.

L

disseminated cutaneous l. 播種性リーシュマニア症．＝diffuse cutaneous l.

dry cutaneous l. 乾性皮膚リーシュマニア症．＝anthroponotic cutaneous l.

infantile l. 小児リーシュマニア症（*Leishmania donovani infantum* によって起こる小児の内臓リーシュマニア症）．

lupoid l. 狼瘡リーシュマニア症．＝l. recidivans.

mucocutaneous l. 皮膚粘膜リーシュマニア症（*Leishmania braziliensis*，*L.braziliensis*，および *L.braziliensis panamensis* を病原体とする重篤な疾患で，流行地は南メキシコおよびチリの北部を除く中央・南アメリカ．このリーシュマニアは内臓は侵さないので，疾患は皮膚および粘膜に限られる．病変は *L. mexicana* または *L. tropica* による皮膚リーシュマニア症のびらんに似ている．下疳性びらんは短期間で治癒するが，数か月後あるいは数年後に菌状のびらん性潰瘍が舌，頬粘膜あるいは鼻粘膜，および咽頭に出現することがある．種々の疾患があり，分布，媒介体，疫学・病理学などによって区別され，このことはいくつかの密接に関連する病原体の存在を示唆する．→espundia）．＝American l.; l. americana; bubas; nasopharyngeal l.; New World l.

nasopharyngeal l. 鼻咽頭リーシュマニア症．＝mucocutaneous l.

New World l. 新世界リーシュマニア症．＝mucocutaneous l.

Old World l. 旧世界リーシュマニア症．＝cutaneous l.

pseudolepromatous l. 偽らい腫リーシュマニア症．＝diffuse cutaneous l.

l. recidivans 再発性リーシュマニア症（*Leishmania tropica* による部分的に治癒しつつあるリーシュマニア病巣で，細胞性免疫反応の極端な表現を特徴とし，ときに数年以上続く強い肉芽腫形成，乾酪化を伴わないフィブリノイド壊死，しばしば治癒しない瘢痕および肉芽腫組織の新生を続ける周辺病巣の出現をみる．虫体をみつけるのはむずかしいが，培養は可能である）．＝lupoid l.

rural cutaneous l. 地方性皮膚リーシュマニア症．＝zoonotic cutaneous l.

l. tegumentaria diffusa 汎発性外皮リーシュマニア症．＝diffuse cutaneous l.

urban cutaneous l. 都市性皮膚リーシュマニア症．＝anthroponotic cutaneous l.

visceral l. 内臓リーシュマニア症（①インド，中国，パキスタン，地中海沿岸地域，中東，中南米，アジア，アフリカなどの各地に発生する慢性疾患．病原体は *Leishmania donovani* で，*Phlebotomus*属または *Lutzomyia*属のサシチョウバエの刺咬により伝播される．この原虫はマクロファージの中で発育増殖し，最終的に細胞を破壊すると放出されたアマスティゴート型虫体は他のマクロファージに侵入する．骨髄中のマクロファージの増殖は，赤血球および骨髄球系細胞を押し出して白血球減少と貧血をもたらす．リンパ節腫大を伴う脾腫，肝腫が特徴である．発熱，疲労，倦怠，二次感染も起こす．ユーラシア大陸では *L. infantum*，ラテンアメリカでは *L. chagasi* などの *L. donovani* の異種株もみられる．② *L. tropica* が原因の内臓リーシュマニア症は湾岸戦争に携わった軍人患者の骨髄穿刺液の培養によりみつかる）．＝Assam fever; black sickness; Burdwan fever; cachectic fever; Dumdum fever; kala azar; tropic splenomegaly.

wet cutaneous l. 湿潤性皮膚リーシュマニア症．＝zoonotic cutaneous l.

zoonotic cutaneous l. 動物寄生虫皮膚リーシュマニア症（リーシュマニアに感染したげっ歯類，特にリスより感染したヒトの例が地方に分布していることを特徴とする皮膚リーシュマニア症の一型．2－4か月の潜伏期ののち，2－8か月の経過で治癒する湿潤した壊死性の潰瘍を伴った，急速に広がる，炎症の強い真皮病変が特徴．免疫のない移民の間では，多発病変が生じ，治癒は遅く，醜い瘢痕を残す．過度の遅発性過敏性と免疫複合体の併発が，壊死に関与し，またその後の治癒過程や特異的免疫にも関与している）．＝acute cutaneous l.; rural cutaneous l.; wet cutaneous l.

leish·man·i·o·sis (lēsh′man-ē-ō′sis)．＝leishmaniasis.

leish·man·oid (lēsh′mă-noyd)．リーシュマニア様症状．

dermal l. 皮膚リーシュマニア様症状．＝post-kala azar dermal l.

post-kala azar dermal l. カラアザール後皮膚リーシュマニア様症状（この症状は，慢性・進行性・肉芽腫性・非潰瘍性・低色素性小結節の皮膚発現で，内臓リーシュマニア症（カラアザール）の自然治癒あるいは薬物治癒後6か月から5年後に発現する．インドのカラアザールの特徴を非常によく示しているものとして，インドで最初に報告された）．＝dermal l.

Lei·ter (lī′tĕr), Russell G. 20世紀の米国人心理学者． →L. International Performance *Scale*.

Le·jeune (lĕ-zhūn′), Jerôme J.L.M. フランス人細胞遺伝学者，1926―1994. →L. *syndrome*.

Lem·bert (lahm-bār′), Antoine. フランス人外科医，1802―1851. →L. *suture*; Czerny-L. *suture*.

le·mic (lē′mik) [G. *loimos*, plague]. 疫病の．

Lem·in·or·ella (lem′in-ŏ-rel′ă). レミノレラ属（*L. grimontii* と *L. richardii* の2菌種を含む腸内細菌科の一属で，臨床材料，主に糞便材料から分離されている．現在のところその病因的重要性については不明である）．

Lem·li (lem′lē), Luc. 20世紀の米国人小児科医．→Smith-L.-Opitz *syndrome*.

lem·mo·blast (lem′ō-blast) [G. *lemma*, husk + *blastos*, germ]. 髄鞘芽細胞（胚における神経堤起原の細胞．神経線維鞘細胞を形成しうる）．

lem·mo·cyte (lem′ō-sīt) [G. *lemma*, husk + *kytos*, cell]. 髄鞘細胞．

lem·nis·cus, pl. **lem·nis·ci** (lem-nis′kŭs, -nis′ī) [L. < G. *lēmniskos*, ribbon or fillet] [TA]. 毛帯（感覚核から視床へ上行する神経線維の束）．＝fillet (1).

acoustic l. ＝lateral l.

auditory l. ＝lateral l.

gustatory l. 味覚毛帯（橋頭端にあって菱脳味覚核から大脳脚傍核へ，さらに直接視床味覚核（後内側腹側核乏細胞部）へと上行する非交叉性二次知覚線維束）．

lateral l. [TA]．外側毛帯（菱脳の神経核と聴神経核に始まる上行神経線維の束．台形体にはいり，その横行線維層で半数が交叉し，脊髄視床路の外側に沿って上行する．中脳で上に曲がり，下丘へはいってそこで全線維が終わる．聴覚伝導路はここからのび，下丘腕によって視床の内側膝状体に至り，そこから聴放線が皮質の聴覚野に連絡している．いくつかの細胞群が台形体内に存在し，毛帯の上行直交切線に沿って分布する．その中で線維の一部がシナプスを形成し毛帯へ分布している）．＝l. lateralis [TA]; acoustic l.; auditory tract; lateral fillet.

l. lateralis [TA]．外側毛帯．＝lateral l.

medial l. [TA]．内側毛帯（薄束核および楔状束核に始まり延髄の下部で交叉する白い線維の束で，正中縫線近く延髄の中心を通り上行する．橋にはいると外側に広がり，橋核の上縁を越えて上行する扁平な帯になる．中脳内では，黒質の上縁を越えて赤核で外側に移る．内側膝状体まで内側を通り視床の後腹側核にはいり，そこで終わる．全行程を通じて，線維は，薄束核に始まり下肢の感覚を伝える線維が，楔状束核に始まり上肢の感覚を伝える線維の外側にあるように体性感覚の秩序を維持している．内側毛帯は触覚識別（二点識別），位置感覚，および振動感覚を伝える）．＝l. medialis [TA]; medial fillet; Reil band (2); Reil ribbon.

l. medialis [TA]．内側毛帯．＝medial l.

spinal l. [TA]．＝anterolateral *system*.

l. spinalis [TA]．脊髄毛帯．＝anterolateral *system*.

trigeminal l. [TA]．三叉神経毛帯（三叉神経節から上行する線維の総称で2つに分けられる．ⓘ三叉神経脊髄路核と主知覚核から発し対側に交叉した後，内側毛帯とともに前三叉神経視床路として上行し腹底側複合体にはいって腹側後内側核に終わる．ⓘⓘ主知覚核から起こり交叉せずに上行し中脳中央部を後三叉神経視床路として通過し腹側後内側核に終わる．三叉神経毛帯は顔面皮膚，鼻腔粘膜，口腔粘膜，および眼からの，触覚，痛覚，温度覚を伝導する．また顔面筋およびそしゃく筋からの固有感覚情報をも伝導する）．＝l. trigeminalis [TA].

l. trigeminalis [TA]．三叉神経毛帯．＝trigeminal l.

lem·on (lem′ŏn) [L. *limon*]. レモン（ミカン科レモンノキ *Citrus limon* の果実．クエン酸およびアスコルビン酸を多量に含む．熟した果実の新鮮な絞り果汁は，レモネードにして，発熱時の解熱・利尿薬として用いられる）．＝limon.

lem·on yel·low (lem′ŏn yel′ō). レモンイエロー．＝chrome yellow.

LEMS Lambert-Eaton myasthenic *syndrome* の略．

Len·drum (len′drŭm), A.C. 20 世紀のスコットランド人病理学者．→L. phloxine-tartrazine *stain*; Fraser-L. *stain* for fibrin.

Le·nèg·re (lĕ-neg′rē), Jean. 20 世紀のフランス人心臓病専門医．→L. *disease*, *syndrome*.

length (**l**) (length). 長さ（[誤った発音 lenth を避けること]．2 点間の直線距離）．

arch l. 歯列弓周長（一側の第一大臼歯の近心面から反対側の第一大臼歯の近心面までを測定するときの永久歯の配列に必要な長さ．想像上の歯列弓に沿って接触点を通るように測定する）．

available arch l. 実際の歯列弓周長．第一大臼歯から第一大臼歯まで，歯列弓に沿って永久歯の配列可能な長さ．

crown-heel (**l.**) **of fetus** (**CH, CHL**) 頭踵長（妊娠 8 週の胚の伸展された状態での全長，または胎児での頭頂から踵までの起立状態での長さ(身長に相当)．→Streeter developmental horizon(s)）．

crown-rump (**l.**) (**CR, CRL**) 頭殿長（胚(胎齢4—8週)または胎児の頭頂(最頂部)から両殿部それぞれの先端の中間点までの長さの測定値(座高に相当)．胚または胎児の胎齢の推定に用いられる）．

greatest l. 胎芽長（屈曲を始める前，すなわち胎齢3週から4週早期の胎芽の頭部より尾部までの長さの測定値）．

required arch l. 必要な歯列弓周長．永久歯の第一大臼歯から第一大臼歯までの近遠心幅径の合計．

resting l. 静止長（安静時の筋の長さで，この長さから筋は最大等尺性張力を生じる）．

spinal l. (**SL**) 脊柱長（胎児の眼球を通る遠位端平面(脊髄の上縁)から殿部へ計測される体幹長）．

Len·hos·sék (len-hos′ĕk), Michael (Mihály) von. ハンガリー人解剖学者，1863—1937．→L. *processes*.

len·i·tive (len′i-tiv) [L. *lenio*, pp. *lenitus*, to soften < *lenis*, mild]. ***1***〚adj.〛緩和性の，鎮痛性の．***2***〚n.〛緩和薬，鎮痛薬（まれに用いる語）．

Len·nert (len′ĕrt), Karl. 20 世紀のドイツ人医師．→L. *lymphoma*, *classification*.

Len·nox (len′ŏks), William G. 米国人神経科医，1884—1960．→L. *syndrome*; L.-Gastaut *syndrome*.

Le·noir (lĕn′war[h]), Camille A.H. 19 世紀後期のフランス人解剖学者．→L. *facet*.

lens (lenz) [L. a lentil][TA]. [誤ったつづり lense を避けること]．***1*** レンズ（片面あるいは両面が凹または凸に弯曲している透明な物質．電磁エネルギーの影響を受けて，光線を収束または発散させる）．***2*** [TA]．水晶体（虹彩と硝子体液の間にある両側が凸面の透明細胞屈折体で，柔らかい外部(皮質)と密な部分(核)からなり，基底膜(被膜)でおおわれている．前面には立方上皮があり，赤道では細胞が細長くなり水晶体線維になる）．＝crystalline l.

achromatic l. 色消しレンズ（色収差を少なくするために屈折度の異なる 2 種類以上のレンズを組み合わせたもの）．

acoustic l. 音響レンズ（超音波像において音波を集中あるいは拡散するために用いるレンズ．信号の電気的操作によって模擬されることもある）．

aplanatic l. 無収差レンズ（球面収差およびコマ(→coma)収差を矯正するためのレンズ）．＝periscopic meniscus.

apochromatic l. 高度色消しレンズ（球面収差および色収差を修正した複合レンズ）．

aspheric l. 非球面レンズ（球面収差を防ぐ放物面をもったレンズ）．

astigmatic l. 乱視用レンズ．＝cylindric l.

bandage contact l. バンデージコンタクトレンズ（角膜欠損部の被覆のためのコンタクトレンズ）．

biconcave l. 両凹〔面〕レンズ（両面が凹状のレンズ）．＝concavoconcave l.; double concave l.

biconvex l. 両凸〔面〕レンズ（両面が凸状のレンズ）．＝convexoconvex l.; double convex l.

bifocal l. 二重焦点レンズ（遠くを見るのに適した部分と読書や近距離の作業をするのに適した部分を併せ備えた老眼用レンズ．近距離用の部分は，レンズに接着されるか，前表面に融合されるか，または 1 つのレンズに研摩されている．このほか二重焦点レンズには，上部が平坦な Franklin 型，外観上それとはわからない混合型がある）．

cataract l. 白内障レンズ（無水晶体症用に処方されたレンズ）．

l. clock ＝Geneva lens *measure*.

compound l. 複合レンズ（2 個以上のレンズからなる光学系）．

concave l. 凹〔面〕レンズ（光を開散する負のレンズ）．＝minus l.

concavoconcave l. ＝biconcave l.

concavoconvex l. 凹凸レンズ（一面が凹で，他面で凸になっている凸メニスクスレンズ）．

contact l. コンタクトレンズ（強膜および角膜または角膜のみをおおうように装着されたレンズ．屈折異常の矯正に用いる）．

convex l. 凸〔面〕レンズ（光を収束するレンズ）．＝plus l.

convexoconcave l. 凹凸レンズ（一面が凸で他面が凹になっている凹レンズ．凹面の弯曲率のほうが大きい）．

convexoconvex l. ＝biconvex l.

corneal l. 角膜レンズ（強膜部分のないプラスチックのコンタクトレンズ）．

crystalline l. 水晶体．＝lens (2).

cylindric l. (**cyl., C**) 円柱レンズ（一方の面の主経線が反対側の面の主経線より大きく弯曲しているレンズ．ティースプーンまたはフットボール様）．＝astigmatic l.

decentered l. 非共軸レンズ（視軸がレンズ軸を通らないレンズ）．

dislocation of l. 水晶体レンズ偏位．＝*ectopia* lentis.

double concave l. ＝biconcave l.

double convex l. ＝biconvex l.

eye l. 接眼レンズ（Huygens 接眼レンズの 2 個の平凸レンズのうち眼に近いほうのレンズ）．＝ocular l.

field l. 視野レンズ（Huygens 接眼レンズの 2 個の平凸レンズのうち対物鏡側のレンズ）．

foldable intraocular l. 折りたたみ(フォルダブル)眼内レンズ（白内障除去後眼内に挿入するために 2 つに折り曲げられる，主にシリコーンまたはアクリルポリマー製のレンズ）．

Fresnel l. (frā′nel). フレスネルレンズ（強力レンズまたはプリズムの屈折力を 2 倍にする一連の同心帯からなる表面をもつ薄いレンズ）．＝lighthouse l.

Hruby l. (hrū′bē). ルビー(フルビー)レンズ（網膜検査のために細隙灯顕微鏡に装着された非接触型レンズ）．

immersion l. 油浸レンズ（検査する物体の上に置いた液体と直接接触した状態で使用するようにつくられた顕微鏡用対物レンズ．屈折指数がガラスに近似する液体を用いて，光の損失を最小限にする）．

lighthouse l. ＝Fresnel l.

meniscus l. メニスク〔ス〕レンズ（一面が球状凹面，他面が球状凸面のレンズ）．＝articular crescent; articular meniscus; intraarticular cartilage (2); meniscus articularis; meniscus (1).

minus l. 負レンズ．＝concave l.

Morgan l. (mōr′găn). モーガンレンズ（眼球表面の持続洗浄に用いられる，滅菌プラスチック製凹面レンズと接続チューブからなる器具．医療スタッフによる常時管理なしに長時間使用できる）．

multifocal l. 多焦点レンズ（度の異なる 2 つ以上の部分からなるレンズ．通常，三焦点の場合が多い）．

ocular l. ＝eye l.

omnifocal l. 全焦点レンズ（遠近両用のレンズの一種．見る位置が連続的につながり曲線をなしているもの）．

orthoscopic l. オルソスコピックレンズ（眼鏡用レンズの一種．周辺部での球面収差や像のゆがみを修正してある）．

periscopic l. 均等屈折レンズ（1.25 − D の基礎弯曲をもつレンズ）．

photochromic l. 調光レンズ（太陽光線の下ではあまり光を通さず，明るさが減少すると光をよく通す，光感受性眼鏡レンズ）．

planoconcave l. 平凹レンズ（一面が平らで他面が凹のレンズ）．

planoconvex l. 平凸レンズ（一面が平らで他面が凸のレンズ）.

plus l. 正レンズ. ＝convex l.

safety l. 安全レンズ（公的規定の衝撃抵抗度にかなったレンズ．安全レンズに要する衝撃抵抗度はイオン交換工程の強化，薄板化したレンズ，プラスチックレンズを使用することにより得られる）.

slab-off l. スラブオフレンズ（下方に基底上方のプリズム効果を有する眼鏡レンズ．不同視のある近視で読書の際に不等像を均等にするために用いられる）.

spheric l. (**S, sph.**) 球面レンズ（すべての屈折面が球状のレンズ）.

spherocylindric l. 球面円柱レンズ（球面レンズと円柱レンズを組み合わせたもので，一面が球状で他面が円柱状のレンズ）. ＝spherocylinder.

toric l. 胴丸レンズ，円環レンズ（両方の主経線がそれぞれ異なった度で彎曲したレンズ）.

trial l.'s 検眼用レンズ（視力試験用の，一連の円柱および球面レンズ）.

trifocal l. 三焦点レンズ（遠位，中間，近位の３つの焦点をもつレンズ）.

lens·ec·to·my (lenz-ek′tŏ-mē) [lens + G. *ektomē*, excision]. 水晶体切除術（注水吸引のできる截断子を用いて眼の水晶体を除去すること．しばしば硝子体切除術の過程で毛様体扁平部の切開創から行う）.

lens·om·e·ter (lenz-om′ĕ-tĕr) [lens + G. *metron*, measure]. レンズ測定計（眼鏡の拡大能と眼鏡レンズの円柱レンズ軸を測定する光学機器）. ＝focimeter; vertometer.

lens·op·a·thy (lenz-op′ă-thē) [lens + G. *pathos*, suffering]. 涙液蛋白がコンタクトレンズ上に沈着する過程.

len·ti·co·nus (len′ti-kō′nŭs) [lens + L. *conus*, cone]. 円錐水晶体（眼の水晶体が前面または後面へ円錐状に突出しているもので，発生異常として起こる）.

len·tic·u·la (len-tik′yū-lă) [L. *lens* の指小辞]. ＝lentiform *nucleus*.

len·tic·u·lar (len-tik′yū-lăr) [L. *lenticula*, a lentil]. ***1*** レンズの. ***2*** レンズ形の，レンズ状の.

len·tic·u·lo·op·tic (len-tik′ū-lō-op′tik). レンズ核視索の（レンズ核と視索についていう．特にこれらの組織に血液を供給している中大脳動脈の枝についていう）.

len·tic·u·lo·pap·u·lar (len-tik′yū-lō-pap′yū-lăr). レンズ形丘疹の（ドーム形またはレンズ形の丘疹の発疹についていう）.

len·tic·u·lo·stri·ate (len-tik′yū-lō-strī′āt). レンズ核線状体の（レンズ核と尾状核についていう．特にこれらの灰白質へ血液を供給している中大脳動脈の枝についていう）.

len·tic·u·lo·tha·lam·ic (len-tik′ū-lō-tha-lam′ik). レンズ核視床の（レンズ核と視床についていう）.

len·tic·u·lus, pl. **len·tic·u·li** (len-tik′yū-lŭs, -lī) [L. *lens, lentis*(a little lens)の指小辞]. レンチクルス（白内障摘出後，眼の前房または後房に置かれる，あるいは虹彩に取り付ける眼内レンズプロテーゼに対してまれに用いる語）. ＝prosthetophacos; pseudophacos.

len·ti·form (len′ti-fōrm). レンズ形の，レンズ状の.

len·tig·i·nes (len-tij′i-nēz) [L.]. lentigo の複数形.

len·tig·i·no·sis (len-tij′i-nō′sis). 黒子症（黒子が非常に数多く，または特徴的な配列で存在する）.

centrofacial l. [MIM*151000, *151001]. 顔面中央黒子症（１歳児の顔面の中央を横切る水平な帯として現れる小型の色素沈着斑で，10 歳までその数は増加する．まれな常染色体優性遺伝性の症候群である）.

generalized l. 汎発性黒子症（乳児期より単発または集簇して発生する黒子）.

len·ti·glo·bus (len′ti-glō′bŭs) [lens + L. *globus*, sphere]. 球形円錐水晶体（水晶体後面上に球状膨隆を呈するまれな先天性異常）.

len·ti·go, pl. **len·tig·i·nes** (len-tī′gō, len-tij′i-nēz) [L. < *lens* (*lent-*), a lentil]. ほくろ，黒子（[単数形は lentigine ではなく lentigo である]．そばかすに似た良性で後天性の褐色の斑であるが，通常，境界線は規則正しく，顕微鏡的に(註組織学的に)表皮突起の増殖があり，基底層のメラノサイトとメラニンの増加を伴う．→junction *nevus*）. ＝l. simplex.

l. maligna 悪性黒子（不規則な形を呈し，ゆっくりと増大する褐色または黒色の斑で，黒子に似る．病変部表皮では多くは異型性のあるメラノサイトが散在性に増加する．通常，高齢者の顔面に生じる．長期間の後，真皮に浸潤することがあり，そのときその病変は悪性黒子黒色腫 l. maligna melanoma とよばれる）. ＝Hutchinson freckle; melanotic freckle.

senile l. 老年(老人)性黒子（高齢の白人の露出した皮膚に生じる，種々の程度に色素沈着した黒子）. ＝liver spot; solar l.

l. simplex 単純黒子. ＝lentigo.

solar l. 日光黒子. ＝senile l.

Len·ti·vir·i·nae (len′ti-vir′i-nē) [L. *lentus*, sluggish, slow]. レンチウイルス亜科（非腫瘍形成性ウイルス(レトロウイルス科)の一亜科で，ヒツジのスローウイルス(ビスナウイルスおよびメディウイルス)および HIV1 型，２型を含むヒトＴ細胞リンパ球向性ウイルスを包含する．逆転写酵素を生じるなど，多くの点でＣ型 RNA 腫瘍ウイルス(オンコウイルス亜科)とよく似ている）.

len·ti·vi·rus (len′ti-vī′rŭs). レンチウイルス（レトロウイルス科の一属で，関連している宿主を反映する５つの血清群を含んでいる．霊長類のレンチウイルスの中にはHIV１型と２型がある）.

len·to·gen·ic (len′tō-jen′ik) [L. *lentus*, sluggish, inactive + G. *-gen*, producing]. 長い潜伏期間の後，胚子宿主には致命的感染を，また未成熟および成体宿主には不顕性感染を起こしうるウイルスの病原性についていう．この語はニューカッスル病ウイルス，特に水溶液または噴霧剤として投与されるワクチンに使う無害な菌株に対して用いられる.

len·tu·la, len·tu·lo (len′tyū-lă, -lō) [L. *lentus*, pliant, flexible]. レンツロ，充塡器（歯科において用いられる，針金をらせん状に巻いた器具で，柔軟性に富む．ペースト状の充塡材を根管内に挿入する際に，歯科用エンジンに装着して使用する）.

le·on·ti·a·sis (lē′on-tī′ă-sis) [G. *leōn* (*leont-*), lion]. 獅子(しし)顔，獅子(しし)面〔症〕（進行した結節性らい患者の顔貌．額と頰に隆線と溝がある．獅子に似た容貌となる）. ＝leonine facies.

l. ossea 骨性獅子面〔症〕. ＝megacephaly.

LEOPARD [MIM*151100]. *l*entigines (multiple)((多発性の)黒子)，*e*lectrocardiographic abnormalities(心電図異常)，*o*cular hypertelorism(両眼隔離症)，*p*ulmonary stenosis(肺動脈弁狭窄症)，*a*bnormalities of genitalia(性器異常)，*r*etardation of growth(発育不全)，および *d*eafness(常染色体優性遺伝の難聴)の頭文字.

leop·ard's bane (lep′ărdz bān). ヒョウノドク. ＝arnica.

Le·o·pold (lā′ō-pold), Christian Gerhard. ドイツ人医師，1846—1911. →L. *maneuvers*.

Le·peh·ne (le-pen′ĕ), Georg. 20 世紀初頭のドイツ人医師. →L.-Pickworth *stain*.

lep·er (lep′ĕr) [G. *lepra*]. らい患者（[本語のもつ否定的または軽蔑的な響きは，文脈によっては不快な表現になるかもしれない]）.

le·pid·ic (lĕ-pid′ik) [G. *lepis* (*lepid-*), scale, rind]. 鱗状の（うろこ，またはうろこでおおわれた層についていう）.

Lep·i·dop·ter·a (lep′i-dop′tĕr-ă) [G. *lepis*, scale + *pteron*, wing]. 鱗翅目（ガやチョウを含む昆虫の一目．細かいうろこでおおわれた羽を特徴とする）.

Lep·or·i·pox·vi·rus (lep′ō-ri-poks′vī′rŭs) [L. *leporis, lepus*(a hare)の属格 + virus]. レポリポックスウイルス属（ポックスウイルス科の属で，家兎の線維腫や粘液腫ウイルスを含む．オルソポックスウイルスと異なり，エーテル感受性である）.

lep·o·thrix (lep′ō-thriks) [G. *lepos*, rind, husk + *thrix*, hair]. 黄菌毛〔症〕. ＝*trichomycosis* axillaris.

lep·re·chaun·ism (lep′rĕ-kawn-izm) [Irish *leprechaun*, elf] [MIM*246200]. 妖精症（極度の成長遅延と内分泌異常およびるいそうを特徴とする先天的小人症で，小妖精様顔貌と低位にある大きな耳をもつ．常染色体劣性遺伝．第 19 染色体短腕のインスリン受容体遺伝子(*INSR*)の突然変異により発症する）. ＝Donohue disease; Donohue syndrome.

lep·rid (lep′rid) [G. *lepra*, leprosy + *-id* (1)]. らい疹（らいの初期の皮膚病変）.

le·pro·ma (lĕ-prō′mă) [G. *lepros*, scaly + *-oma*, tumor]. らい腫（らい菌 *Mycobacterium leprae* により生じる，かなり境界鮮明な分離した肉芽腫様炎症の病巣．腫瘤状病変は主に，細胞質が細かく空胞化している大きな単核食細胞(泡沫細胞)の蓄積からなる．マクロファージが空胞様をしているのは，多数の抗酸菌を飲み込むためである）.

lep·rom·a·tous (lep-rō′mă-tŭs). らい腫の.

lep·ro·min (lep′rō-min). レプロミン（らいの病期を類別する皮膚テストに用いる，らい菌 *Mycobacterium leprae* に感染した組織からの抽出物.→lepromin *reaction, test*）.

lep·ro·sar·i·um (lep′rō-sar′ē-ŭm). らい隔離病院（特に専門的治療を要するらい患者のために特別につくられた病院）.

lep·ro·ser·y (lep′rō-ser′ē). らい集落（らい患者を集めた施設または集落）.

lep·ro·stat·ic (lep′rō-stat′ik). ***1*** 〚adj.〛 抗らい菌性の（らい菌 *Mycobacterium leprae* の成長を抑制する）. ***2*** 〚n.〛 抗らい菌薬（***1*** の作用を有する薬剤）.

lep·ro·sy (lep′rŏ-sē) [G. *lepra* < *lepros*, scaly]. らい〔病〕（[本語のもつ否定的または軽蔑的な響きは，文脈によっては不快な表現になるかもしれない．一般的には Hansen disease という用語が望ましい]．①らい菌 *Mycobacterium leprae* により起こる慢性の肉芽腫性感染症で，温度の低い部位，特に皮膚，末梢神経，精巣などを侵す．らい腫型と類結核型の 2 型に大別され，それぞれ両極端の免疫応答を示す．②聖書の中で種々の皮膚疾患，特に慢性，伝染性のものを記述するのに用いられた名称で，乾癬や白斑を含んでいたと思われる）. ＝Hansen disease.

anesthetic l. 感覚(知覚)脱失(消失)らい（主として神経を侵す型で，知覚過敏に続発する知覚消失，麻痺，潰瘍形成，栄養障害を特徴とし，最後には壊疽や断節が生じる）. ＝Danielssen disease; Danielssen-Boeck disease; dry l.; trophoneurotic l.

borderline l. 境界域らい（免疫学的に非常に不安定な悪性型．しばしば皮膚神経かららい菌がみつかるが，レプロミン試験は通常，陰性である．皮膚病変は扁平な帯または斑からなる）. ＝dimorphous l.

dimorphous l. 二相性らい，二形性らい. ＝borderline l.

dry l. 乾燥らい. ＝anesthetic l.

histoid l. 組織球様らい（顕微鏡的に(註組織学的に)皮膚線維腫あるいは紡錘形細胞腫瘍に似た病変を有するらい腫らいの一種）.

indeterminate l. 病型不定型らい（免疫状態が成立せず，組織学的にも臨床病像も，らいの 3 型のどの特徴も備えていない時期の移行型をさす）.

lepromatous l. らい腫らい（結節性皮膚病変を伴うらいの一型で，病変は浸潤性で境界不鮮明．病変部は細菌学的に陽性であるが，レプロミン試験は陰性，すなわち免疫的機序はらい菌 *Mycobacterium leprae* 感染に反応しない）.

Lucio l. (lū′syō). ルシオらい（純型広汎性らい腫らいの急性型で，不規則な形の，強度に紅斑性の圧痛斑が特に足にみられ，潰瘍形成と瘢痕形成の傾向を呈する）. ＝Lucio leprosy phenomenon.

macular l. 斑紋らい（結核様らいの一型．病巣は小さく，無毛，乾燥している．明色皮膚では紅斑性であり，暗色皮膚では脱色性か銅色となる）.

mutilating l. 断節〔性〕らい（感覚脱失らいの晩期）.

nodular l. 結節らい. ＝tuberculoid l.

smooth l. ＝tuberculoid l.

trophoneurotic l. 栄養神経性らい. ＝anesthetic l.

tuberculoid l. 結核様らい（良性の安定した抵抗型で，レプロミン反応は強度に陽性で，病変は境界鮮明な紅斑性，無感覚性，浸潤性の斑紋を呈す）. ＝nodular l.; smooth l.

lep·rot·ic (lep-rot′ik). ＝leprous.

lep·rous (lep′rŭs). らい〔性〕の. ＝leprotic.

-lepsis, -lepsy (lep′sis) [G. *lēpsis*]. 発作に関する連結形.

lep·tan·dra (lep-tăn′dră). レプタンドラ（コマノハグサ科の植物クワガタソウの一種 *Veronicastrum virginicum* の乾燥根茎や根．北アメリカ原産．以前，下剤として用いられた）. ＝black root; Culver root.

---

lep·tin (lep′tin) [G. leptos, thin + -in] [MIM*164160]. レプチン（脂肪組織から分泌されるヘリックス構造をもつ蛋白で，視床下部の腹内側核の受容体部位に作用して食欲の抑制や体脂肪蓄積の増加に伴ってエネルギー消費を増大させる．血中レプチン濃度は女性のほうが 40 %高く，さらに初経直前に 50 %まで上昇し，その後基準濃度まで戻る．その濃度は，絶食によって低下し，炎症によって増加する）. ＝OB protein.

ヒトのレプチン(第 7 染色体長腕(7q31.3))およびレプチン受容体部位をコードしている遺伝子(第 1 染色体短腕(1p31))が同定された．そのレプチンをコードしている ob 遺伝子を変異させたマウスでは，病的肥満，糖尿病や不妊になった．これらのマウスにレプチンを投与した結果，グルコース耐性が改善され，運動能力は向上し，体重が 30 %減少し，生殖能力が回復した．レプチン受容体をコードしている db 遺伝子を変異させたマウスでもやはり肥満や糖尿病になったが，レプチン投与では改善されなかった．レプチンとレプチン受容体の両方が変異が数例，異常食事行動を示す病的肥満患者でみつかった．しかしほとんどの肥満の人にはそのような変異が認められなかったし，レプチンの血中濃度も正常値か，やや高い値を示した．レプチンは *in vitro* 実験では脂肪細胞へのインスリン介在性グルコース輸送を増強させる．比較試験において，やせた人と体重過多な人に対して減量ダイエットと連日の組換えメチオニルヒトレプチンの皮下注射をしたところ，両者においてレプチン量に比例した適度な体重減少が認められた．飢餓でみられる免疫不全はレプチン分泌の減少の結果として起こったのかもしれない．レプチンまたはレプチン受容体遺伝子のどちらかが欠損したマウスでは T 細胞の機能障害がみられたし，また実験的にはレプチンはヒト CD4 リンパ球の増殖的応答を誘導した．レプチンの増加は心血管疾患の危険因子になるようである．レプチンはアデノシンリン酸により誘導される血小板凝集への刺激効果をもっている．これまでの限られた動物実験結果からではあるが，レプチン値の増加が肥満の際に認められる血栓症の危険度を上げる役割をしている可能性が示唆されている．

---

lepto- (lep′tō) [G. *leptos*, slender, delicate, weak]. 軽い，細い，もろい，を意味する連結形.

lep·to·ceph·a·lous (lep′tō-sef′ă-lŭs) [lepto- + G. *kephalē*, head]. 狭小頭蓋の（異常に丈高で，幅の狭い頭蓋をもつことについていう）.

lep·to·ceph·a·ly (lep′tō-sef′ă-lē) [lepto- + G. *kephalē*, head]. 小頭症（異常な頭蓋の長頭化および狭小化を特徴とする奇形）.

lep·to·chro·mat·ic (lep′tō-krō-mat′ik). 軟染色質の（非常に繊細な染色質網をもつことについていう）.

lep·to·cyte (lep′tō-sīt) [lepto- + G. *kytos*, cell]. 菲薄赤血球（標的細胞またはメキシコ帽細胞．異常に薄く，平らな赤血球で，その中心に円形の着色部分があり，色素を含まない中間の透明帯があり，細胞の縁に外側着色帯がある．細胞外膜はその内容物に比べ，異常に大きい．註 leptocyte は一般的には〝菲薄赤血球〟と訳される．〝標的赤血球〟は通常 codocyte の訳に用いられる）.

lep·to·cy·to·sis (lep′tō-sī-tō′sis). 菲薄赤血球症（循環血液中に菲薄赤血球がみられる状態で，地中海貧血，ある種の黄疸(貧血のないときでもみられる)，ときに黄疸を伴わない肝疾患，脾摘した患者などにみられる）.

lep·to·dac·ty·lous (lep′tō-dak′ti-lŭs) [lepto- + G. *daktylos*, finger]. 繊柔指の（ほっそりした指をもつことについていう）.

lep·to·me·nin·ge·al (lep′tō-mĕ-nin′jē-ăl). 軟〔髄〕膜の.

lep·to·me·nin·ges, sing. **lep·to·me·ninx** (lep′tō-mĕ-nin′jēz, lep′tō-mē′ninks) [lepto- + G. *mēninx*, pl. *mēninges*, membrane] [TA]. 軟髄膜，〔広義の〕軟膜.

lep·to·men·in·gi·tis (lep′tō-men′in-jī′tis). 軟膜炎（→arachnoiditis）. ＝pia-arachnitis.

basilar l. 脳底軟膜炎（脳底のクモ膜の炎症．結核性，梅毒性，真菌性の慢性髄膜炎にしばしばみられる）.

lep·to·me·ninx (lep′tō-mē′ninks) [lepto- + G. *mēninx*, membrane] [TA]. 軟髄膜，〔広義の〕軟膜（頑丈な硬膜に対する

L

繊細な2枚の膜(クモ膜と軟膜)の総称．この概念はクモ膜と軟膜を，臓器を包む2枚の漿膜(臓側板と壁側板)になぞらえたものである．クモ膜と軟膜はクモ膜下腔で隔てられているが，クモ膜小柱で結びつけられ，神経が出入りするところや終糸のところでは両者は合体してしまう．脳脊髄液は軟髄膜に囲まれた空間にはいっている．→ *arachnoid* mater; pia mater)．＝leptomeninges［TA］; arachnoid mater and pia mater*; meninx tenuis; pia-arachnoid; piarachnoid.

lep·to·mere (lep′tō-mēr)［lepto- ＋G. *meros*, part］．微粒質(生物の微細な粒子．Asclepiades は，身体は莫大な数の微粒質の凝集からなると考えた)．

lep·to·mo·nad (lep′tō-mō′nad, lep-tom′ŏ-nad)．レプトモナス (①*Leptomonas*属の総称．②→promastigote)．

Lep·tom·o·nas (lep′tō-mō′nas, lep-tom′ŏ-nŭs)［lepto- ＋G. *monas*, unit］．レプトモナス属 (無性で，単性生殖のトリパノソーマ科寄生鞭毛虫の一属．昆虫の後腸によくみられる)．

lep·to·ne·ma (lep′tō-nē′mă)［lepto- ＋G. *nēma*, thread］．レプトネマ〔期〕，細糸〔期〕．＝leptotene.

lep·to·pho·ni·a (lep′tō-fō′nē-ă)［lepto- ＋G. *phōnē*, sound, voice］．弱声症，軟声症．＝hypophonia.

lep·to·phon·ic (lep′tō-fon′ik)．弱声の．

lep·to·po·di·a (lep′tō-pō′dē-ă)［lepto- ＋G. *pous*, foot］．繊柔足 (ほっそりした足をもつ状態)．

lep·to·pro·so·pi·a (lep′tō-prō-sō′pē-ă)［lepto- ＋G. *prosōpon*, face］．長顔症．

lep·to·pro·so·pic (lep′tō-prō-sō′pik)．長顔の (やせた細い顔をもつことについていう．*cf.* leptosomatic)．

lep·tor·rhine (lep′tō-rīn)［lepto- ＋G. *rhis*, nose］．狭鼻の (細い鼻をもつ．鼻指数 47(Frankfort 協定)，48(Broca)未満の頭蓋骨についていう)．

lep·to·scope (lep′tō-skōp)．レプトスコープ (細胞膜の厚さの測定に用いる)．

lep·to·so·mat·ic, lep·to·som·ic (lep′tō-sō-mat′ik, -tō-sō′mik)［lepto- ＋G. *sōma*, body］．やせ型の (やせた，軽いまたは厚みのない身体についていう)．

Lep·to·spi·ra (lep′tō-spī′ră)［lepto- ＋G. *speira*, a coil］．レプトスピラ属 (長さ 6−20 μm の細く，きっちり巻いたらせん状の細菌からなる運動性好気性菌属(スピロヘータ目)．軸糸を有し，一端または両端が半円形の鉤状に曲がっているものもある．Giemsa 染色，鍍銀染色以外は染色が困難である．黄疸出血熱に関与する．本属には7種の病原種と3種の非病原種が含まれる．標準種は *L. interrogans*)．

L. interrogans 多数の寄生性，病原性の血清型変種名を含む種で，レプトスピラ症の病原因子である．*Leptospira*属の標準種．

lep·to·spire (lep′tō-spīr)．レプトスピラ (*Leptospira*属に属する細菌の一般名)．

lep·to·spi·ro·sis (lep′tō-spī-rō′sis)．レプトスピラ症 (*Leptospira interrogans* による感染)．

anicteric l. 無黄疸性レプトスピラ症 (*Leptospira* 群の一種による感染．通常軽微で，Weil 病と比べて肝腎障害も限局している)．

l. icterohemorrhagica レプトスピラ黄疸出血症．＝icterohemorrhagic *fever*.

lep·to·spi·ru·ri·a (lep′tō-spīr-yū′rē-ă)．レプトスピラ尿症 (腎尿細管内のレプトスピラ症のため，尿中に *Leptospira*属の種がみられる)．

lep·to·tene (lep′tō-tēn)［lepto- ＋G. *tainia*, band, tape］．レプトテン〔期〕，細糸〔期〕(減数分裂前期の最初の時期で，染色体が収縮し，各々がよく分離した長い細糸として見える)．＝leptonema.

lep·to·thri·co·sis (lep′tō-thri-kō′sis)．*Leptothrix*属(現在は用いられていない属名)により引き起こされる疾病に対する語．現在では用いられない．

Lep·to·thrix (lep′tō-thriks)．レプトスリックス属 (淡水中に認められる *Sphaerotilus*属と非常に近縁の，鞘をもつ生物に対する現在は用いられない属名)．

Lep·to·trich·i·a (lep′tō-trik′ē-ă)［lepto- ＋G. *thrix*, hair］．レプトトリキア属 (嫌気性非運動性細菌の一属．グラム陰性の直線状またはやや彎曲した長さ 5−15 μm の杆菌で，その端は丸いものもあり，とがったものもしばしばみられる．顆粒が長軸に沿って等しく分布し，1つ以上の大顆粒が細胞端近くに局在する．分枝型や棒状はない．2つ以上の細胞が結合し，種々の長さの分離細糸を形成する．長時間培養では，200 μm に至る細糸が形成され，互いに絡み合う．細胞溶解時には大きな球状体が細糸内にみられる．至適増殖には炭酸ガスが必須である．グルコースから乳酸がつくられる．これらの細菌はヒトの口腔内に発生する．標準種は *L. buccalis*)．

L. buccalis 口腔レプトトリキア (ヒトの口腔内，まれに免疫低下患者の血液中にみられる細菌種．*Leptotrichia*属の標準種である)．

Lep·to·trom·bid·i·um (lep′tō-trom-bid′ē-ŭm)．以前は *Trombicula*属の一亜属とされていたツツガムシ科ダニの重要な一属で，ツツガムシ病(ヤブチフス scrub typhus)のすべての媒介動物が含まれる．ツツガムシ病媒介動物としての本属のダニは *L. deliense* 群に属するもので，日本においてはアカツツガムシ *L. akamushi* が古典的媒介動物である．*L. deliense* はニューギニア，オーストラリア，フィリピン，中国，東南アジアからパキスタン西部にまで分布する主要な媒介動物で，これとは別に *L. fletcheri* がマレーシア，ニューギニア，フィリピンにみられる．他の8種ほどが，より限定された地域におけるツツガムシ病に関与している．

L. akamushi アカツツガムシ (日本およびアジア各地におけるツツガムシ病の病原体である *Rickettsia tsutsugamushi* の伝播に関与する2種のうちの1種．もう一方の種は *L. deliensis*(*T. deliensis*)．これらの種の幼虫は本来げっ歯類特有の寄生虫であるので，これらのげっ歯類がヒトへの感染の病原体保有動物となる．病原リケッチアはダニの中で次の世代へ経卵巣感染をするので，ダニ自体もまた病原体保有動物である(幼虫のみが寄生生活をするので，ダニがヒトへリケッチアを伝播できるのは，一生に1度だけである))．＝*Trombicula akamushi*.

ler·go·trile (ler′gō-trīl)．レルゴトリル (ドパミン受容体作用薬としての性質を示す麦角誘導体)．

Le·ri (lā-rē′), André．フランス人整形外科医，1875−1930．→L. *pleonosteosis, sign*; L.-Weill *disease, syndrome*.

Le·riche (lĕ-rēsh′), René．フランス人外科医，1879−1955．→L. *operation, syndrome*.

Ler·mo·yez (lār-mwah′yā), Marcel．フランス人耳鼻咽喉科医，1858−1929．→L. *syndrome*.

Ler·ner (ler′nĕr), I.M．米国人集団遺伝学者，1910−1967．→L. *homeostasis*.

Le·roy (lĕ-rwah′), Edgar August．20 世紀初頭のフランス人医師．→Fiessinger-L.-Reiter *syndrome*.

LES lower esophageal *sphincter* の頭字語．

les·bi·an (lez′bē-ăn)．***1*** 女子同性愛．***2*** 女子同性愛者，レスビアン (→gay)．

les·bi·an·ism (lez′bē-ăn-izm)［G. *lesbios*, relating to the island of Lesbos］．女子同性愛．＝sapphism.

Lesch (lesh), Michael．20 世紀の米国人小児科医．→L.-Nyhan *syndrome*.

Leser (lā′zār), Edmund．ドイツ人外科医，1828−1916．→L.-Trélat *sign*.

le·sion (lē′zhŭn)［L. *laedo*, pp. *laesus*, to injure］．***1*** 外傷，損傷．***2*** 病変 (多少とも限局した組織の病理学的変化)．***3*** 病巣 (多病巣疾患の個々の病巣)．

abfraction l. アブフラクション〔病変〕(歯の構造の喪失．通常，歯頸部に認められ，クサビ状に欠損する．力の加わる部位から離れた場所に生じる．たわみおよび疲労に起因する)．

angiomatoid l. 血管腫様病変．＝pulmonary *glomangiosis*.

Baehr-Lohlein l. (bār lōh′lēn)．ベール‐ローライン病変．＝Lohlein-Baehr l.

Bankart l. バンカート病変 (関節窩縁から下関節上腕靱帯の剝離を伴う前関節窩関節唇の断裂)．

benign lymphoepithelial l. 良性リンパ上皮性病変 (耳下腺リンパ組織の良性腫瘍様の塊で，小さく，主として充実性の上皮細胞塊を散在性に含む)．＝Godwin tumor.

Bracht-Wächter l. (brankt vak′tĕr)．ブラハト‐ヴァハター病変 (細菌性心内膜炎における心筋内のリンパ球と単核細胞の限局性集簇)．

caviar l. キャビア病変 (舌下の静脈集合系内にある拡張した静脈または静脈瘤)．

coin l. of lungs〔肺の〕コインリージョン，肺の銅貨様病巣．＝nodular *opacity.*

Dieulafoy l. (dyū-lah-fwah′)．デュラフォワ(デュラフォイ)病変（胃の近位にある異常な大きい粘膜下動脈で，急性反復性の多量出血の部位になりうる）．

Duret l. (dū-rā′)．デュレー病変（第4脳室底や Sylvius 水道直下の小出血）．

Ghon primary l. (gon)．ゴーン初感染巣．＝Ghon *tubercle.*

gross l. 肉眼的病変（肉眼ではっきり見える病変）．

high-grade squamous intraepithelial l. (HSIL, HGSIL) 上皮内高度扁平上皮異型（頸部/腟細胞診の報告でベセスダ分類に用いられる用語．非浸潤の上皮異型の表現形式．中等度・高度異形成，上皮内癌，および頸部上皮内異形 2，3 度を含む．→Bethesda *system*; ASCUS; atypical glandular *cells* of undetermined significance; low-grade squamous intraepithelial l.）．

Hill-Sachs l. (hil saks)．ヒル－サックス病変．＝Hill-Sachs *defect.*

Janeway l. (jān′wā)．ジェーンウェー病変（感染性心内膜炎の徴候の1つ．平坦で無痛性の不規則な紅斑が手掌，足底，母指球および母指球下部隆起，指先，趾足底部にみられる．まれにびまん性の発疹を呈する．急性の心内膜炎では病変は出血性または紫斑性となることもある）．

Lohlein-Baehr l. (lō′lēn bār)．ローライン－ベール病変（細菌性心内膜炎に生じる巣性血栓性糸球体腎炎）．＝Baehr-Lohlein l.

lower motor neuron l. 下位運動ニューロン病変（脳幹あるいは脊髄における運動神経細胞または軸索の病変）．

low-grade squamous intraepithelial l. (LGSIL, LSIL) 軽度扁平上皮内病変（頸部/腟上皮細胞診の報告でベセスダ分類に用いられる用語．ヒトパピローマウイルスによる細胞異形および軽度異形成(頸部上皮内異形 1 度)．→Bethesda *system*; reactive *changes*; ASCUS; atypical glandular *cells* of undetermined significance）．

Mallory-Weiss l. (mal′ŏ-rē wīs)．マロリー－ヴァイス病変．＝Mallory-Weiss *syndrome.*

plexiform l. 叢状病変．＝pulmonary *glomangiosis.*

precancerous l. 前癌性病変（悪性となる恐れのある非侵襲性の病変．例えば，紫外線角化症）．

radial sclerosing l. 放射状硬化性病変（乳房の硬化性腺症の一型で，中心瘢痕形成と放射状の過形成乳管よりなる）．＝radial scar.

ring-wall l. 輪壁性病変（脳の小さい輪状出血で，膠細胞輪の増殖を促す）．

supranuclear l. 核上損傷．＝upper motor neuron l.

upper motor neuron l. 上位運動ニューロン病変（脳幹運動核または脊髄運動核より頭側の下行運動経路の障害）．＝supranuclear l.

wire-loop l. ループ状病変（腎糸球体末梢毛細血管の基底膜の肥厚で，フィブリノイド変性を伴う．全身性エリテマトーデスの腎病変に特徴的である．病変のある毛細管壁は，微生物学で用いるループに似ている）．

Less·haft (les′hahft), Potr F．ロシア人医師，1836—1909．→L. *triangle.*

LET linear energy *transfer* の略．

le·thal (lē′thăl) [L. *letalis* < *letum*, death]．致死の，致命的な（特に原因となる物質についていう）．

clinical l. 臨床的致死〔性〕疾患（最終的に寿命に達する前に死亡する疾患）．

genetic l. 遺伝性致死〔性〕疾患（有効な生殖を妨げるような遺伝性疾患．例えば Klinefelter 症候群）．

le·thal·i·ty (lē-thal′i-tē)．死亡率．

leth·ar·gy (leth′ăr-jē) [G. *lēthargia*, drowsiness]．嗜眠（注意と感知が減じる，比較的軽度の意識障害で，この状態には多くの原因があるが最終的には全般性の脳の機能障害による）．

LETS *l*arge(分子量が大きく)，*e*xternal(細胞表面に存在し)，*t*ransformation-*s*ensitive fibronectin(細胞の変形に深く関与するフィブロネクチン)の頭字語．→fibronectins.

Let·te·rer (let′ĕr-ĕr), Erich．ドイツ人病理学者，1895—？ →L.-Siwe *disease.*

Leu leucine; leucyl の略．

leuc-, leuco- (lūs) [G. *leukos*, white]．白，白血球を意味する連結形．→leuko-; leuk-.

leu·cin (lū′sin)．＝leukin.

leu·cine (Leu, L) (lū′sēn)．ロイシン；2-amino-4-methylvaleric acid（L-異性体は蛋白を構成するアミノ酸の1つで，栄養的に必須アミノ酸）．

l. aminopeptidase (LAP) ロイシンアミノペプチダー

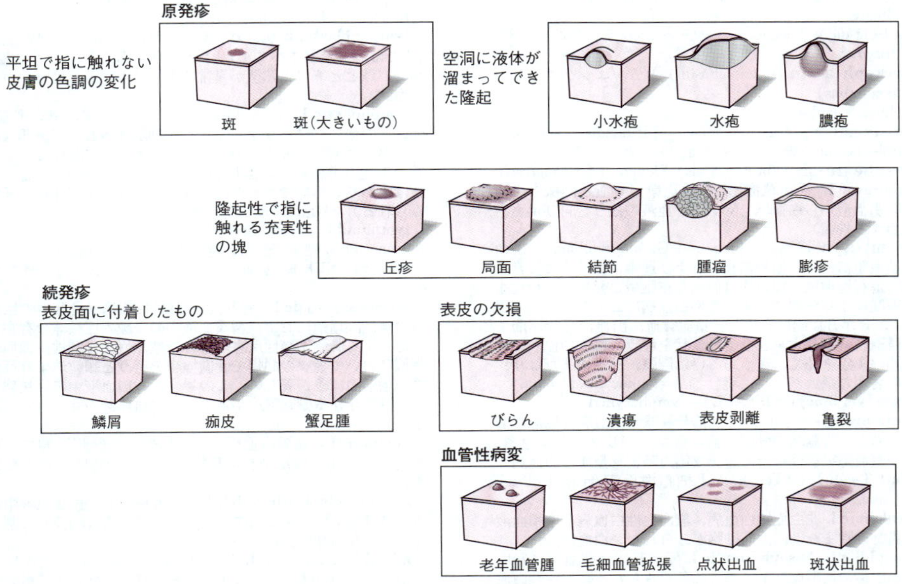

skin lesions

ゼ；aminopeptidase (cytosol).

l. dehydrogenase ロイシンデヒドロゲナーゼ（L-ロイシンが H_2O, NAD^+ とにより NADH とアンモニア，4-メチル-2-オキソペンタン酸を生成する反応を触媒する酵素．ある種の癌の治療に用いる）.

l. zipper [Zipper, orig. 2 列間を固定する歯をもった留め装置に対する商品名]．ロイシンジッパー（多数の蛋白(例えばいくつかの DNA 結合性調節蛋白)においてみられる構造的モチーフで，ロイシン残基がヘリックスの一端に並び，もう1つの蛋白分子にある同様の構造と組み合わせることができる）.

leu·ci·no·sis (lū′si-nō′sis)．ロイシン増加〔症〕（組織や体液中にロイシンが異常に多量に存在する状態）.

leu·ci·nu·ri·a (lu′si-nyū′rē-ă)．ロイシン尿〔症〕（尿中にロイシンの排泄をみる症状）.

leu·co·har·mine (lū′kō-har′mēn)．ロイコハルミン．＝harmine.

leu·co·line (lū′kō-lēn)．ロイコリン．＝quinoline (1).

leu·co·meth·yl·ene blue (lū′kō-meth′i-lēn blū)．ロイコメチレンブルー（メチレンブルーを還元した無色の染料）．＝methylene white.

Leu·co·nos·toc (lū′kō-nos′tok) [G. *leukos*, white + *nostoc*, a genus of algae(Paracelsus が命名)]．ロイコノストック属，リューコノストック属（微好気性から通性嫌気性菌の一属(乳酸菌科)で，一定条件下で長くなったりとがったり杆状にさえなるグラム陽性の球状細胞を含む．乳酸および酢酸の生成菌．植物の汁や乳汁中にみられる．標準種は *L. mesenteroides*）.

L. mesenteroides 発酵野菜，植物，および調理した肉製品中にみられる種．活性粘液(デキストラン)生成菌で，デキストランは一般に血漿増補液として用いる．*Leuconostoc* の標準種.

leu·co pa·tent blue (lū′kō pat′ent blū) [C.I.42051]．ロイコパテントブルー（亜鉛と酢酸で還元および脱色し，安定な溶液にしたスルホン化トリフェニルメタン色素．ヘモグロビンパルオキシダーゼの検出に用いる）．＝patent blue V.

leu·co·vor·in (lū′kō-vōr′in)．ロイコボリン．＝folinic acid.

l. calcium ロイコボリンカルシウム（ロイコボリン(葉酸)のカルシウム塩．葉酸拮抗体の毒性効果を打ち消すために，巨赤芽球性貧血の治療に対し使われ，また，悪性貧血におけるシアノコバラミンの補助薬としても用いられる）．＝calcium folinate.

Leu·det (lū-dā′), Théodor E.　フランス人医師，1825—1887. ⇀L. *tinnitus*.

leu·en·keph·a·lin (lū′en-kef′ă-lin)．リューエンケファリン（⇀enkephalins）.

leuk- (lūk)．⇀leuko-.

leuk·a·ne·mi·a (lūk′ă-nē′mē-ă) [leukemia + anemia]．erythroleukemia を表す，現在では用いられない語.

leuk·a·phe·re·sis (lūk′ă-fĕ-rē′sis) [leuko- + G. *aphairesis*, a withdrawal]．白血球搬出〔法〕（血漿しゃ血と同様の手順で，吸引血液から白血球を除去し，血液の残りを再び供血者に輸血する技術）.

leu·ke·mi·a (lū-kē′mē-ă) [leuko- + G. *haima*, blood]．白血病（造血組織，その他の器官，および通常，血液中の異常白血球の進行性増殖．白血病は優勢な細胞型と発症から死亡までの期間により分類される．急性白血病においては多くの場合，2，3か月以内に死亡し，重症貧血，出血，リンパ節または脾臓の軽度腫大を含む急性症状を伴う．慢性白血病の継続期間は1年を超え，貧血あるいは脾臓，肝臓，またはリンパ節の著明な腫大が徐々に現れる）．＝leukocytic sarcoma.

acute lymphocytic l. (**ALL**) ⇀lymphocytic l.

acute promyelocytic l. 急性前骨髄球性白血病（異常な前骨髄球および骨髄球の骨髄浸潤，低フィブリノーゲン血漿，および凝血障害を伴った，重篤な出血障害を呈する白血病）.

adult T-cell l. (**ATL**) 成人T細胞白血病．＝adult T-cell *lymphoma*.

aleukemic l. 非白血性白血病，無白血性白血病（末梢血液中に異常細胞または白血病細胞がみられない白血病）.

basophilic l., basophilocytic l. 好塩基球性白血病（好塩基球が組織や循環血液中に異常に多くみられる顆粒球性白血病の一型．幼若・成熟好塩基球が総白血球数の 40—80% を占める例もある）．＝mast cell l.

chronic granulocytic l. ＝chronic myelocytic l.

chronic lymphocytic l. (**CLL**) 慢性リンパ性白血病（⇀lymphocytic l.）.

chronic myelocytic l. 慢性骨髄性白血病（骨髄増殖性の疾患の雑多なグループで，晩期には急性白血病に進展(すなわち急性転化)することもある）＝chronic granulocytic l.; chronic myelogenous l.; chronic myeloid l.

chronic myelogenous l. (**CML**) ＝chronic myelocytic l.

chronic myeloid l. ＝chronic myelocytic l.

l. cutis 皮膚白血病（皮膚に白血病細胞のびまん性浸潤を伴った黄褐色，赤色，青赤色，紫色の，ときには結節性の病変．病変は，いわゆる全身性皮膚白血病のように広範囲で全身性である場合もあり，限局性皮膚白血病もある）.

embryonal l. 未分化細胞性白血病，胎生細胞性白血病．＝stem cell l.

eosinophilic l., eosinophilocytic l. 好酸球性白血病（好酸球が組織や循環血液中に著しくみられるかまたはこれらの細胞が半数以上を占める顆粒球性白血病の一型．慢性型では白血球数が 200,000—250,000/mm^3 もあり，主に成熟型の好酸球が 80—90% を占める）.

granulocytic l. 顆粒球性白血病（骨髄内外における骨髄細胞の無制限増殖および種々の組織内(および器官内)や循環血液中に多数の未熟・成熟顆粒球が存在することを特徴とする白血病の一型．総白血球数は 1 mm^3 当たり 1,000(非白血病性)から数十万個である．優勢な細胞は通常，好中球系であるが，少数例では好塩基球，好酸球，あるいは巨核細胞が主流を占めることもある．顆粒球性白血病の初期には循環血液中にすべての型の顆粒球が多数含まれる）．＝leukemic myelosis (1); myelocytic l.; myelogenic l.; myelogenous l.; myeloid l.

hairy cell l. ヘアリーセル白血病，毛様細胞性白血病（まれな，通常は慢性に経過する疾患．毛様の突起を有するヘアリーセルが細網内皮組織や血液に増殖することが特徴）.

leukemic l. 白血性白血病（循環血液中に多数の白血病細胞があることを強調するためにときに用いる冗語で，現在は用いられない．この古典的な白血病は，通例，単に白血病 leukemia とよぶ）.

leukopenic l. 白血球減少性白血病（循環血液中の総白血球数が正常範囲内または有意に正常以下に減少する，リンパ性，顆粒球性，または単球性白血病の一型）.

lymphatic l. ＝lymphocytic l.

lymphoblastic l. リンパ芽球性白血病（異常細胞が主に(またはほとんどすべてが)リンパ芽球であるか，または成熟リンパ球とともに未熟型が異常に多く発生する急性リンパ性白血病）.

lymphocytic l. リンパ性白血病（リンパ節，脾，骨髄，肺，その他におけるリンパ組織の無制限増殖および著明な腫大，および循環血液中や種々の組織と器官内におけるリンパ系の細胞の増加を特徴とする種々の白血病．慢性の場合，細胞は成熟リンパ球であるが，急性の場合はリンパ芽球が多数みられる）．＝lymphatic l.; lymphoid l.

lymphoid l. ＝lymphocytic l.

mast cell l. 肥満(肥胖)細胞性白血病．＝basophilic l.

mature cell l. 成熟細胞性白血病（慢性の顆粒球性白血病）.

megakaryocytic l. 〔骨髄〕巨核球性白血病（骨髄中の巨核球の無制限増殖，および循環血液中の多数の巨核球の存在を特徴とする骨髄増殖性疾患のまれな型．慢性骨髄性白血病の症例において種々の間隔で骨髄検査を行うと顆粒球より巨核球の増殖のほうが著しい．この場合，循環血液中に巨核球または巨核球核や細胞質片があり，総白血球数の5—6%に達する）.

meningeal l. 髄膜白血病（白血病細胞の髄膜浸潤で，白血病患者に化学療法剤を全身投与後の再発時によくみられる）.

micromyeloblastic l. 小骨髄芽球性白血病（循環血液中あるいは骨髄や他の組織中に，小骨髄芽球が比較的多くの割合を占める骨髄性白血病の一型）.

mixed l., mixed cell l. 混合型白血病（顆粒球性白血病の一型としての意味でまれに用いる語．リンパ性および単球性白血病にみられる比較的均一な形態に対して，顆粒球系の種々の細胞(例えば，好中球，好酸球，好塩基球)の出現を認めた場合に用いる).

monocytic l. 単球性白血病（単球と確認できる多数の細胞，および細網内皮組織の無制限増殖から形成された，外見上類似した大細胞による白血病の一型．これら2種類の細胞が網内系の正常部位を越え，循環血液中に多数出現したと思われる白血病で，単球性白血病の Schilling 型とよばれることが多いが，ときに真性単球性白血病とみなされる．成人では急性，亜急性の経過をとり，歯肉の腫脹，口腔内潰瘍，皮膚または粘膜の出血，二次感染，脾腫などを特徴とする).

murine l. マウスの白血病（マウスの白血性疾病で，多種のC型レトロウイルスに起因する).

myeloblastic l. 骨髄芽球性白血病（種々の組織(および器官)や循環血液中に多数の骨髄芽球が存在する顆粒球性白血病の一型．増加した総白血球数の 30—60%(またはそれ以上)を未熟型が占める．急性顆粒球性白血病と同義に用いる). ＝leukemic myelosis (2).

myelocytic l., myelogenic l., myelogenous l., myeloid l. 骨髄性白血病. ＝granulocytic l.

myelomonocytic l. 骨髄単球性白血病（末梢血液中の単球症を伴った顆粒球性白血病の異型). ＝Naegeli type of monocytic l.

Naegeli type of monocytic l. (nā′gĕ-lē). ネーゲリ型単球性白血病. ＝myelomonocytic l.

natural killer cell l. NK細胞白血病（ナチュラルキラー細胞を起源とする白血病．しばしば単クローン性の Epstein–Barr ウイルスに感染した腫瘍細胞が出現する．通常は予後不良の白血病である).

neutrophilic l. 好中球性白血病（慢性顆粒球性白血病の異型．循環血液中の増加した白血球は成熟多形核好中球で，事実上，幼若顆粒球はみられない).

plasma cell l. 形質細胞性白血病（白血球増加症および白血病を思わせる徴候や症状を特徴とするまれな疾患で，ⓘ脾臓，肝臓，骨髄，リンパ節における形質細胞のびまん性浸潤と集塊，ⓘⓘ循環血液中における多数の形質細胞の出現を伴う．ⓘⓘにおける総白血球数は正常値から8万または9万/mm^3 あり，5—90%が形質細胞である．多発性骨髄腫が形質細胞性白血病の数例にみられるが，腫瘍塊は骨中に形成されない．両者には臨床病理学的相違はあるが，基本的には同一疾患の過程にあるとみられる).

polymorphocytic l. 多形核球性白血病（特に，大半を占める細胞が成熟した分葉核顆粒球である顆粒球性白血病).

Rieder cell l. (rē′dĕr). リーダー細胞性白血病（急性顆粒球性白血病の特殊型で，病変のある組織や循環血液中に比較的多数の非典型的骨髄芽球(Rieder 細胞)を認める．この骨髄芽球は，わずかに顆粒を有するごく普通の未熟な細胞形質と，数個の広く深い陥凹(分葉にみえる)をもつ奇妙な形をした比較的成熟した核をもつ).

Schilling type of monocytic l. (shil′ing). シリング型単球性白血病（⇀monocytic l.).

smoldering l. くすぶり型白血病. ＝myelodysplastic *syndrome.*

splenic l. 脾性白血病（慢性顆粒球性白血病にしばしばみられるような，脾の異常な腫大がある白血病の一型).

stem cell l. 幹細胞性白血病（異常細胞がリンパ芽球，骨髄芽球，単芽球の前駆細胞であると考えられる白血病の一型). ＝embryonal l.

subleukemic l. 亜白血性白血病（末梢血液中に異常細胞がみられるが，総白血球数は上昇しない白血球の一型). ＝hypoleukemia; leukopenic myelosis; subleukemic myelosis; subleukemia.

leu·ke·mic (lū-kē′mik). 白血病〔性〕の.

leu·ke·mid (lū-kē′mid) [leuko- + G. *haima*, blood + *-id* (1)]. 白血病性皮疹（しばしば白血病に合併する(症候群の一面として)非特異的な皮膚病変で，限局性の白血病細胞の集積がない．例えば，点状出血，小疱，丘斑，水疱，血腫，表皮剝離性皮膚疾患や帯状疱疹の病変などの中にある).

leu·ke·mo·gen (lū-kē′mō-jen). 白血病誘発物質（白血病の因子とみなされている物質または実体．例えばベンゼン，電離放射線).

leu·ke·mo·gen·e·sis (lū-kē′mō-jen′ĕ-sis) [leukemia + G. *genesis*, production]. 白血病誘発（白血病性疾患の誘発，発生および進行).

leu·ke·mo·gen·ic (lū-kē′mō-jen′ik). 白血病誘発[性]の（白血病を引き起こすものについていう).

leu·ke·moid (lū-kē′moyd) [leukemia + G. *eidos*, resemblance]. 類白血病〔性〕の，白血病様の（種々の徴候や症状(特に循環血液中の変化)が白血病に類似する.→leukemoid reaction).

leu·ke·moid re·ac·tion (lū-kē′moyd rē-ak′shŭn). 類白血病反応（循環血液中の中等度，高度，あるいは極度の白血球増加症で，種々の白血病に起こるものと類似するが，白血病に起因するものではない．通常，白血球系のうちで1種類だけ(未熟な段階の細胞のこともある)が不均等に増加する．骨髄球，リンパ球，単球，形質球性類白血病反応の種々の例で，白血病に合併する白血球増加症と区別できないこともある．類白血病反応はときに，ⓘある種の細菌や他の生物による感染疾患(例えば，結核，ジフテリア，水痘など)，ⓘⓘ種々の型の中毒(例えば，子癇，重症熱傷，マスタードガス中毒など)，ⓘⓘⓘ悪性新生物(例えば，結腸癌，肺癌，腎癌など)，ⓘⓥ急性出血または溶血のなかの1つの病像となる).

lymphocytic l. r. リンパ性類白血病反応（成熟リンパ球と未熟リンパ球が循環血液中の総白血球数の 40%以上を数える種々な程度の白血球増加症．百日咳，伝染性単核症，淋疾，水痘，サルコイドーシスに合併してみられる).

monocytic l. r. 単球性類白血病反応（成熟単球と未熟単球が循環血液中の総白血球数の 30%以上を数える．30,000—40,000/mm^3 の白血球増加症．特に結核の一次感染(粟粒型)に合併してみられる).

myelocytic l. r. 骨髄性類白血病反応（少なくとも中等度の白血球増加症で，50,000/mm^3 以上あり，数個の未熟な細胞(1—2%の骨髄球)を伴っているが，主として多形核白血球が循環血液中に存在する．結核，慢性骨髄炎，蓄膿の種々の型，マラリア，肺炎球菌性肺炎，髄膜炎菌性髄膜炎，Hodgkin 病，癌の骨髄転移などに合併してみられる).

plasmocytic l. r. 形質球性類白血病反応（骨髄中に異常な数の形質細胞が存在する形質細胞増加症．サルコイドーシス，関節リウマチ，肝硬変，Hodgkin 病，ある種のいわゆる膠原病に合併してみられる).

leu·kin (lū′kin) [*leuk*ocyte + -in]. ロイキン，白血〔球〕素（白血球より抽出される耐熱性の殺菌力をもった物質). ＝leucin.

leuko-, leuk- (lū′ko, lūk) [G. *leukos*, white]. 白，白血球を意味する連結形．以下に記載のない語については leuc-, leuco- の項参照.

leu·ko·ag·glu·ti·nin (lū′kō-ă-glū′ti-nin). 白血球凝集素（白血球を凝集させる抗体).

leukoaraiosis (lū′kō-ahr-ī-ō′sis). リューコアライオーシス（特に脳の深部白質において，MRI または CT で血管密度の減少した状態．脱髄，グリア増生，あるいは脳血流低下が原因と推察される).

leu·ko·bil·in (lū′kō-bil′in) [leuko- + L. *bilis*, bile]. ロイコビリン. ＝white *bile.*

leu·ko·blast (lū′kō-blast) [leuko- + G. *blastos*, germ]. 白芽球，白〔血球〕芽細胞（未熟顆粒球). ＝proleukocyte.

leu·ko·blas·to·sis (lū′kō-blas-tō′sis). 白芽球症（骨髄性白血球およびリンパ性白血病に特に生じる，白血球の異常増殖に対する総称).

leu·ko·chlo·ro·ma (lū′kō-klō-rō′mă) [leuko- + G. *chlōros*, green + *-oma*, tumor]. 白血病性緑色腫．myelocytomatosis を表す，現在では用いられない語.

leu·ko·ci·din (lū′kō-sī′din, lū-kō-sī′din) [leukocyte + L. *caedo*, to kill]. ロイコチジン，白血球殺滅素（黄色ブドウ球菌 *Staphylococcus aureus*, *Streptococcus pyogenes*，肺炎球菌の多くの菌株より生成される耐熱性物質で，細胞溶解を伴ったり，または伴わずに白血球に破壊作用を現す).

leu·ko·co·ri·a (lū′ko-kō′rē-ă) [*leuko-*, white + G. *korē*, pupil]. 白色瞳孔（眼球内の白色物質からの反射で，瞳孔が白くみえる). ＝leukokoria; white pupillary reflex.

leu·ko·cy·tac·tic (lū′kō-sī-tak′tik). ＝leukocytotactic.

leu·ko·cy·tal (lū′kō-sī′tăl). ＝leukocytic.

leu·ko·cy·tax·i·a, leu·ko·cy·tax·is (lū′kō-sī-tak′sē-ă, -tak′sis). ＝leukocytotaxia.

leu·ko·cyte (lū′kō-sīt) [leuko- + G. *kytos*, cell]. 白血球

L

(身体の種々の部位にある細網内皮系の細網部，骨髄およびリンパ組織で産生され，通常，これらの部位および循環血液中(まれに他の組織中)に存在する細胞の一型．種々の異常条件下で，その総数および割合は著明に増減したりまたは不変であったりし，ときに他の組織や器官に存在する場合もある．白血球は幹細胞より発生し，骨髄性，リンパ性，単球性の3系に分化する．それらの形態を多染性の色素を用いた種々の染色法(例えばWright 染色法)でみると，骨髄系の細胞はしばしば顆粒白血球または顆粒球とよばれ，リンパ系や単球系の細胞は細胞質中に顆粒を含むが，小さく目立たず(しばしばルーチンの方法では明瞭に見えない)，しかも様々な性質があるため，ときに非顆粒性白血球あるいは無顆粒性白血球とよばれる．顆粒球は多形核球として一般に知られるが，それは成熟核が2－5個の円形または卵円形の核葉に分割され，染色質の薄い線維または小帯でつながっているためである．顆粒球は3つの異なった型すなわち好中球，好塩基球，好酸球からなり，それらは細胞質顆粒の染色反応をもとに名付けられている．リンパ系の細胞は，細胞表面の受容体によりBリンパ球，Tリンパ球，null 細胞の3種類に分けられる．形態学的には，恣意的な名称ではあるが，小リンパ球と大リンパ球の2種類が存在する．小リンパ球は普通の型で，循環血液中や正常リンパ組織に特に多く存在する．大リンパ球は正常循環血液中にもみられるが，リンパ組織の中により多くみられる．小リンパ球は濃染する(染色質が粗く大きい)核を有し，その核が，細胞の大部分を占め，核の周囲を縁どるようにわずかな細胞質があるだけである．大リンパ球は小リンパ球とほぼ同じ大きさまたはわずかに大きい核を有しているが，核の周囲の細胞質はより広く容易に観察できる．単球系の細胞は通常，他のリンパ球より大きく，比較的豊富でわずかに不透明で青白い，または青灰色の細胞質を特徴とし，きわめて微細な赤味がかった青色の顆粒を無数に含む．単球は通常，陥凹しており，腎臓状，馬蹄状であるが，ときに円形，卵形をなす．単球の核は通常，大きく中央に位置し，中心からずれていても細胞質がその周囲を取り巻いている)．＝white blood cell.

acidophilic l. ＝eosinophilic l.

agranular l. 無顆粒性白血球．＝nongranular l.

basophilic l. 好塩基球（多くの大きく粗い異染性顆粒を特徴とする多形核球．Wright 染色法などにより，暗紫色，濃紺色を呈する顆粒が細胞質を埋め，核の大部分をおおっている．これらの白血球は独特で，通常，急性感染症においても増加せず，その食作用も著明でない．顆粒はヘパリンやヒスタミンなどの多数の一次メディエイタを含有しており，過敏反応により脱顆粒し，炎症全般に重要な役割を果たしている．細胞膜でアラキドン酸前駆体から二次メディエイタを初めから合成し遊離することもできる白血球．→mast *cell*)．＝basocyte; basophilocyte.

cystinotic l. シスチン〔蓄積〕性白血球（シスチンを多く含む白血球．シスチン症の患者にみられる．白血球内で，主として非結晶形のシスチンとして存在し，電子密度の高いリソソーム粒子に含まれる)．

endothelial l. 内皮〔性白血〕球（monocyte(単球)を表す，現在では用いられない語．単球はかつて細網内皮系組織からつくられると考えられた)．

eosinophilic l. 好酸球（非常に大きくて顕著な光屈折性の細胞質顆粒を特徴とする多形核球．その顆粒の大きさはかなり均一で，Wright 染色またはその類似法により明るい黄赤色，すなわち橙色に染まる．その核は通常，好中球のものより大きく，濃く染まらず，特徴として2葉を有する(第3葉は染色質の結合線維の間にはいっていることがある)．この白血球は殺寄生虫作用をもつ運動性をもつ食細胞である．また，抗原抗体複合体を食作用により処理する)．＝acidophilic l.; eosinocyte; eosinophil; eosinophile; oxyphil (2); oxyphile; oxyphilic l.

filament polymorphonuclear l. 線条多形核球（成熟した多形核球で特に好中球をいい，その核葉は染色質の細い線維または線条で互いに結合している)．

globular l. 球状白血球（多くの動物の腸の上皮や粘膜固有層に見出される小円形の核をもつ遊走細胞の一型．その細胞質には好酸性の大型球状封入体や飛沫が存在する)．

granular l. 顆粒〔性白血〕球（多形核球，特に好中球のこと．→granulocyte; basophilic l.; eosinophilic l.)．

hyaline l. ヒアリン〔性〕白血球（単球および種々の病変におけるマクロファージを表す，現在では用いられない語)．

motile l. 運動性白血球（活発なアメーバ運動を示す白血球で特に成熟顆粒球をいう(好酸球は好中球，好塩基球より運動性が少ない)．単球は遅いが継続した波状運動を示す)．

multinuclear l. 多核〔性〕白血球．＝polymorphonuclear l.

neutrophilic l. 好中〔性白血〕球（最も多い多形核球であり，種々の白血球中で最も活発な食作用がある好中性顆粒球．Wright 染色法(または類似の染色法)により，かなり多くの細胞質はかすかにピンクになり，多数の小さい，わずかに光屈折性のある比較的明るいピンクまたは紫がかったピンクをした，広範に拡散した顆粒が細胞質内に認められる．濃く染まった青色，紫青色の核は細胞質とは明確に区別でき，明らかに分葉し，3―5個の核葉が染色質の細い線維でつなげられている)．

nonfilament polymorphonuclear l. 非線条多形核球（完全に成熟していない好中球，好塩基球，好酸球のことで，核葉が，成熟細胞では細い線維で接続しているのと対照的に，染色質の帯で接続している)．

nongranular l. 非顆粒性白血球（リンパ球，単球，形質細胞に対し通常用いる非特異的な語．リンパ球や単球の細胞質には小顆粒を含んでいるが，好中球，好塩基球，好酸球の顆粒に比較すると非顆粒性である．→leukocyte)．＝agranular l.

nonmotile l. 非運動性白血球（リンパ球，単球，形質細胞に対しときに用いる語．これらの細胞は，実際はある程度の運動性を有するが，好中球，好塩基球，好酸球の活発なアメーバ運動に比較して非運動性である)．

oxyphilic l. 好酸球．＝eosinophilic l.

polymorphonuclear l. (PMN), **polynuclear l.** 多形核〔白血〕球（顆粒球に対する一般名．好塩基球，好酸球，好中球も含まれるが，通常，好中球に対し特に用いられる)．＝multinuclear l.

segmented l. 分葉核球（成熟多形核球であるが，特に好中球をいう)．

transitional l. monocyte を表す，現在では用いられない語．

Türk l. (tĕrk)．チュルク白血球．＝Türk *cell.*

leu·ko·cy·the·mi·a (lū′kō-sī-thē′mē-ă) [leukocyte＋G. *haima*, blood]．白血球血症（白血病を表す現在では用いられない語)．

leu·ko·cyt·ic (lū′kō-sit′ik)．白血球の（白血球に関する，白血球の特徴がある)．＝leukocytal.

leu·ko·cy·to·blast (lū′kō-sī′tō-blast) [leukocyte＋G. *blastos*, germ]．白血球芽細胞（白血球になる未熟細胞に対する非特異的な名称で，リンパ芽球や骨髄芽球などを含む)．

leu·ko·cy·toc·la·sis (lū′kō-sī-tok′lă-sis) [leuko-＋G. *kytos*, cell＋*klasia*, a breaking]．白血球崩壊（白血球の核崩壊)．

leu·ko·cy·to·gen·e·sis (lū′kō-sī′tō-jen′ĕ-sis) [leukocyte＋G. *genesis*, production]．白血球生成（白血球の形成と発達)．

leu·ko·cy·toid (lū′kō-sī′toyd) [leukocyte＋G. *eidos*, resemblance]．白血球様の．

leu·ko·cy·tol·y·sin (lū′kō-sī-tol′i-sin)．白血球溶解素（白血球溶解を引き起こす物質(溶解抗体を含む))．＝leukolysin.

leu·ko·cy·tol·y·sis (lū′kō-sī-tol′i-sis) [leukocyte＋G. *lysis*, dissolution]．白血球溶解（[誤った発音 leukocytoly′sis を避けること])．＝leukolysis.

leu·ko·cy·to·lyt·ic (lū′kō-sī-tō-lit′ik)．白血球溶解の（白血球溶解に関する，を引き起こす，を現出する)．＝leukolytic.

leu·ko·cy·to·ma (lū′kō-sī-tō′mă) [leukocyte＋G. -*oma*, tumor]．白血球腫（現在では用いられない語．かなり境界鮮明な，結節性の密度の高い白血球の集積を表す)．

leu·ko·cy·tom·e·ter (lū′kō-sī-tom′ĕ-tĕr) [leukocyte＋G. *metron*, measure]．白血球計算板（正確に希釈した血液その他の検査物の測定量中の白血球を計算する目的で，適切に線を引いた標準規格のガラススライド)．

leu·ko·cy·to·pe·ni·a (lū′kō-sī′tō-pē′nē-ă)．＝leukopenia.

leu·ko·cy·to·pla·ni·a (lū′kō-sī′tō-plā′nē-ă) [leukocyte＋G. *planē*, a wandering]．白血球遊出（血管腔から漿膜を通

過する，あるいは組織内へはいる白血球の運動).

leu·ko·cy·to·poi·e·sis (lū′kō-sī-tō-poy-ē′sis) [leukocyte + G. *poiēsis*, a making]. 白血球生成．＝leukopoiesis.

leu·ko·cy·to·sis (lū′kō-sī-tō′sis) [leukocyte + G. *-osis*, condition]. 白血球増加〔症〕(急性感染症，炎症，出血，あるいは他の病態で白血球数が異常に多いこと．白血球数が１万/mm³ 以上の場合は，通常，白血球増加症である．白血球増加症の多くの例は好中球の細胞数が不均衡な増加を示し，好中球増加症 neutrophilia としばしば同じ意味で用いる．１万5,000―２万5,000/mm³ の白血球増加症はしばしば種々の病的状態にみられ，４万程度の値もまれでない．ときに類白血病反応の例では白血球数が 10万/mm³ に及ぶことがある).

absolute l. 絶対的白血球増加〔症〕(脱水症にみられる相対的増加とは区別される，循環血液中の白血球総数の実質的な増加).

agonal l. ＝terminal l.

basophilic l. 好塩基球増加〔症〕(血中の好塩基球数が異常に多いこと)．＝basocytosis.

digestive l. 消化性白血球増加〔症〕(正常状態において，食物摂取後に起こる白血球増加).

distribution l. 分布性白血球増加〔症〕(白血球のある種，または数種の白血球型の割合が異常に高くなること).

emotional l. 情動性白血球増加〔症〕(情動障害にのみ関連していると考えられる，白血球数が異常に高い状態).

eosinophilic l. 好酸球増加〔症〕(好酸球の割合が最大となる，相対的な白血球増加症の一型)．＝eosinophilia.

lymphocytic l. リンパ球増加〔症〕．＝lymphocytosis.

monocytic l. 単球増加〔症〕．＝monocytosis.

neutrophilic l. 好中球増加〔症〕．＝neutrophilia.

l. of the newborn 新生児の白血球増加〔症〕(明らかに生理的な白血球増加で，通常，新生児にみられる．白血球数は，通常，１万/mm³ 以上で，ときに４万5,000/mm³ に及ぶこともある．主に好中球(特に単葉型，二葉型)の増加により起こる．生後３，４日目に一般に白血球数は急速に減少し，数日間変動する．生後４週目の初めごろ，相対的リンパ球増加がみられ，これが通常２，３年続く).

physiologic l. 生理的白血球増加〔症〕(明らかに正常な状態で生じる白血球増加で，直接，病的状態には関係ないもの．例えば，１日のうちで，または日ごとに，新生児期だけでなく小児期，激しい運動後，発作性頻脈の発作のとき，その他種々な状態において，白血球総数が一時的に増加するもの).

relative l. 相対的白血球増加〔症〕(真の白血球総数は増加しないが，循環血液中の１つ以上の型の白血球の割合が増加すること).

terminal l. 末期白血球増加〔症〕(死の直前の人に起こる白血球増加で，特に徐々に死んでいく人にみられる)．＝agonal l.

leu·ko·cy·to·tac·tic (lū′kō-sī′tō-tak′tik). 白血球走性の．＝leukocytactic; leukotactic.

leu·ko·cy·to·tax·i·a (lū-kō-sī′tō-tak′sē-ă) [leukocyte + G. *taxis*, arrangement]. 白血球走性 (①白血球の活発なアメーバ様運動で，特に好中球でみられ，ある種の微生物やしばしば炎症組織内に形成される種々の物質に向かう(陽性白血球走性 **positive l.**)か，または離れる(陰性白血球走性 **negative l.**)．②白血球を引き付けたり追い払ったりする性質)．＝leukocytaxia; leukocytaxis; leukotaxia; leukotaxis.

leu·ko·cy·to·tox·in (lū′kō-sī′tō-tok′sin) [leukocyte + G. *toxikon*, poison]. 白血球毒素 (白血球の変性や壊死を起こす物質で，ロイコリジンやロイコチジンが含まれる)．＝leukotoxin.

leu·ko·cy·tu·ri·a (lū′kō-sīt-yū′rē-ă) [leukocyte + G. *ouron*, urine]. 白血球尿〔症〕(排泄直後の尿またはカテーテルより採取した尿中に白血球がみられるもの).

leu·ko·der·ma (lū′kō-der′mă) [leuko- + G. *derma*, skin]. 白斑 (皮膚の部分的または全体的な色素の欠如)．＝hypomelanosis; leukopathia; leukopathy.

acquired l. 後天性白斑．＝vitiligo.

l. acquisitum centrifugum 遠心性後天性白斑．＝halo *nevus*.

l. colli ＝syphilitic l.

syphilitic l. 梅毒性白斑 (二期梅毒のバラ疹の脱色で，主に側頸部に網状の脱色部分と色素沈着部分を残す)．＝l. colli; melanoleukoderma colli.

leu·ko·der·ma·tous (lū′kō-der′mă-tŭs). 白斑の.

leu·ko·don·ti·a (lū′kō-don′shē-ă) [leuko- + G. *odous*, tooth]. 白歯症.

leu·ko·dys·tro·phi·a (lū′kō-dis-trō′fē-ă). 白質萎縮〔症〕．＝leukodystrophy.

l. cerebri progressiva 進行性大脳白質萎縮〔症〕．＝leukodystrophy.

leu·ko·dys·tro·phy (lū′kō-dis′trŏ-fē) [leuko- + G. *dys*, bad + *trophē*, nourishment]. 白質萎縮〔症〕，白質ジストロフィ (白質疾患の一群の一般名で，一部は家族性で，進行性大脳障害が通例幼小児期に起こることが多い．病理学的には中枢・末梢神経系のミエリンの原発性欠損またはグリア反応を伴った変性がみられる．脂質代謝の欠損と関係があると思われる．白質ジストロフィの大部分は常染色体劣性遺伝で，いくつかはＸ連鎖劣性遺伝，ほんの少し常染色体優性遺伝である．→Canavan *disease*)．＝leukodystrophia cerebri progressiva; leukodystrophia; sclerosis of white matter.

adrenal l. 副腎白質萎縮〔症〕(青銅色の皮膚と副腎萎縮を呈する，スダン好性の白質萎縮症．若年男子の代謝性疾患であり，広範なミエリン鞘の変性と副腎機能障害を伴う．ミエリン鞘の変性は脳内のみならず脊髄にも広範に認められ，マクロファージにはミエリンの分解産物が蓄積している．副腎や精巣は萎縮しており，長鎖脂肪酸が脳や副腎で著増している．臨床的には，青銅色の皮膚，構語障害，皮質性の盲目，両側性麻痺，進行性の認知症を呈する．伴性劣性遺伝と考えられている).

globoid cell l. [MIM*245200]. 球様細胞白質萎縮〔症〕(痙直，痙攣，急速に進行する脳変性，ミエリンのかなりの喪失，星状細胞の強度のグリオーシス，白質の特徴的な多核円形細胞の浸潤を伴う乳児期または小児期早期の代謝性障害．代謝的にはセレブロシダーゼ(galactosylceramide β-galactosidase)の強度の欠乏がある．常染色体劣性遺伝．第 14 染色体長腕のグリコシルセラミダーゼ(GALC)を符号化する遺伝子の変異による)．＝diffuse infantile familial sclerosis; galactosylceramide lipoidosis; Krabbe disease.

metachromatic l. [MIM*250100, MIM*249900]. 異染性白質萎縮〔症〕(生後２年目に発症することが多く，５歳までにしばしば死亡する代謝疾患．ミエリンの欠如，異染性脂質(galactosyl sulfatides)の中枢・末梢神経系の白質内への蓄積により運動症状，麻痺，痙攣，および進行性大脳障害を呈する．常染色体劣性遺伝で，第 22 染色体長腕のアリルスルファターゼＡ遺伝子(*ARSA*)または第 10 染色体長腕のプロサポシン遺伝子(*PSAP*)の変異による．成人に起こる優性遺伝の型 [MIM*156310]もある)．＝arylsulfatase A deficiency; sulfatide lipidosis.

l. with diffuse Rosenthal fiber formation びまん性ローゼンタール線維形成を伴う白質萎縮〔症〕(幼児，思春期または成人に発症する代謝性疾患．広範な脳の脱髄があり，星状細胞や稀突起神経膠細胞が増殖している．これらの細胞の分解産物が Rosenthal 線維である．成因は不明であるが，星状神経膠細胞の代謝障害と思われる．伴性劣性遺伝).

leu·ko·en·ceph·a·li·tis (lū′kō-en-sef′ă-lī′tis). 白質脳炎 (白質に限局した脳炎).

acute epidemic l. 急性流行〔性〕白質脳炎 (発熱の急性発症，次いで起こる痙攣，せん妄，および昏睡を特徴とする疾患．中枢神経系の血管周囲脱髄および出血巣を伴う)．＝acute primary hemorrhagic meningoencephalitis; Strümpell disease (2).

acute hemorrhagic l. [MIM*606752]. 急性出血性白質脳炎．＝acute necrotizing hemorrhagic *encephalomyelitis*.

acute necrotizing hemorrhagic l. 急性壊死性出血性白質脳炎．＝acute necrotizing hemorrhagic *encephalomyelitis*.

sclerosing l. 硬化性白質脳炎．＝subacute sclerosing *panencephalitis*.

subacute sclerosing l. 亜急性硬化性白質脳炎．＝subacute sclerosing *panencephalitis*.

leu·ko·en·ceph·a·lop·a·thy (lū′kō-en-sef′ă-lop′ă-thē) [leuko- + G. *enkephalos*, brain + *pathos*, suffering]. 白質脳症 (白血病の小児で最初に記載された白質の変化で，放射線や化学療法による障害と合併し，しばしばメトトレキセート

L

と関係する．病理的には広汎性反応性星状細胞増加症を特徴とし，多数の壊死巣を伴い，炎症は伴わない）．

progressive multifocal l. (**PML**) 進行性多病巣性白質脳障害，進行性多病巣性白質脳症（ヒトポリオーマウイルスJCによるまれな無熱性致死性疾患．高次皮質機能障害，視覚異常，不全片麻痺，小脳機能障害を含む進行性広範性神経障害が臨床的特徴である．病理学的には顕著に変化した神経膠細胞に囲まれた脱髄部位が多数散在性にみられる．典型的には免疫系が障害された患者（エイズ，白血病，リンパ腫，または免疫抑制療法を受けている患者など）に発症する）．＝progressive subcortical encephalopathy.

l. with vanishing white matter 消失性白質を伴う白質脳症（白質の高度の嚢胞性変性を特徴とするまれな常染色性劣性疾患［MIM 603896］．細胞翻訳を調節する異価五価グアニンヌクレオチド交換因子である真核開始因子 2B のサブユニットの遺伝子の突然変異による）．＝childhood ataxia with diffuse central nervous system hypomyelination.

leu·ko·e·ryth·ro·blas·to·sis (lū′kō-ĕ-rith′rō-blas-tō′-sis). 白赤芽球症（骨髄の占拠病変（腫瘍，肉芽など）に起因する貧血状態をさす．循環血液中には顆粒球系の未熟細胞やしばしば貧血の割に不釣合いに多い有核赤血球が含まれる）．＝leukoerythroblastic anemia; myelophthisic anemia; myelopathic anemia.

leu·ko·ki·net·ic (lū′kō-ki-net′ik) [leukocyte + G. *kinētikos*, of motion < *kineō*, to move]. 白血球動態的な（白血球動態に関係する）．

leu·ko·ki·net·ics (lū′kō-ki-net′iks) [leukocyte + G. *kinetikos*, of or for putting in motion]. 白血球動態（白血球の生成，循環，寿命の検討．通常，放射線活性のあるトレーサを使用する）．

leu·ko·ko·ri·a (lū′kō-kō′rē-ă). 白色瞳孔．＝leukocoria.

leu·ko·krau·ro·sis (lū′kō-kraw-rō′sis). ＝kraurosis vulvae.

leu·kol·y·sin (lū-kol′i-sin). ロイコリジン．＝leukocytolysin.

leu·kol·y·sis (lū-kol′i-sis). ＝leukocytolysis.

leu·ko·lyt·ic (lū′kō-lit′ik). ＝leukocytolytic.

leu·ko·ma (lū-kō′mă) [G. whiteness, a white spot in the eye < *leukos*, white]. 〔角膜〕白斑（密で，不透明な角膜の乳白混濁）．

adherent l. 癒着性〔角膜〕白斑（虹彩の一部が付着することによって生じた角膜の瘢痕）．

leukomalacia (lū-kō-mă-lā′sha). 白質軟化症（脳白質軟化する疾患）．

cystic periventricular l. 嚢胞性脳室周囲白質軟化症（新生児にみられる片側性白質の軟化・壊死病変．向脳室性動脈と遠脳室性動脈の境界異常による灌流が原因と思われる）．

leu·ko·ma·tous (lū-kō′mă-tŭs). 白斑〔性〕の．

leu·ko·mye·li·tis (lū′kō-mī-e-lī′tis). 白質脊髄炎（脊髄白質を侵す炎症過程）．

necrotizing hemorrhage l. 壊死性出血性白質脊髄炎（臨床的に急性壊死性脊髄炎 acute necrotizing *myelitis* といわれている疾患の病理学的名称）．

leu·ko·my·e·lop·a·thy (lū′kō-mī′ĕ-lop′ă-thē) [leuko- + G. *myelos*, marrow + *pathos*, suffering]. 白質脊髄障害，白質脊髄症（脊髄の白質すなわち伝導路を侵す器官系疾患）．

leu·kon (lū′kon). ロイコン（循環白血球，およびその起源である白血球生成細胞などの細胞の全質量）．

leu·ko·ne·cro·sis (lū′kō-nĕ-krō′sis) [leuko- + G. *nekrōsis*, deadness]. 白色壊死．＝white *gangrene*.

leu·ko·nych·i·a (lū′kō-nik′ē-ă) [leuko- + G. *onyx* (*onych-*), nail]. 爪〔甲〕白斑〔症〕（爪下に平滑な白点または白斑が生じるもので，原因は不明である．脱色は全体または線状（線条爪甲白斑症），あるいは点状（点状爪甲白斑症）の形をとる）．

leu·ko·path·i·a, leu·kop·a·thy (lū′kō-path′ē-ă, lū-kop′-ă-thē) [leuko- + G. *pathos*, disease]. 白皮症，白斑．＝leukoderma.

leu·ko·pe·de·sis (lū′kō-pĕ-dē′sis) [leuko- + G. *pēdēsis*, a leaping]. 白血球漏出（白血球，特に多形核球の毛細血管壁から組織内への移動）．

leu·ko·pe·ni·a (lū′kō-pē′nē-ă) [leuko(cyte) + G. *penia*, poverty]. 白血球減少〔症〕（循環血液中の総白血球数が正常以下の状態．正常下限は 4,000—5,000/mm^3 と一般に考えられている）．＝leukocytopenia.

basophilic l. 好塩基球減少〔症〕（循環血液中に存在する好塩基球数の減少．正常では数が少なく変化しやすいので判定することが困難である）．＝basocytopenia; basopenia.

eosinophilic l. 好酸球減少〔症〕（循環血液中に正常に存在する好酸球数の減少）．

lymphocytic l. ＝lymphopenia.

monocytic l. ＝monocytopenia.

neutrophilic l. ＝neutropenia.

leu·ko·pe·nic (lū′kō-pē′nik). 白血球減少〔症〕の．

leu·ko·pla·ki·a (lū′kō-plā′kē-ă) [leuko- + G. *plax*, plate]. 白斑症，白板症（口腔または女性器の粘膜に認められる白斑のうち，剝離困難で，かつ臨床的にどの特異的疾患にも分類不可のものをさす．現在では，組織学的な意味合いを含まない臨床的な用語として用いられている）．＝smoker's patches.

hairy l. 毛髪状白斑（エイズ患者の舌，ときに頬粘膜に生じる白色病変．免疫無防備状態の宿主では Epstein-Barr ウイルス感染の症状．病変は盛り上がっており，ケラチンの突出のため表面にはしわが生じ，けば立ったあるいは〝毛のような〟変化が生じる）．

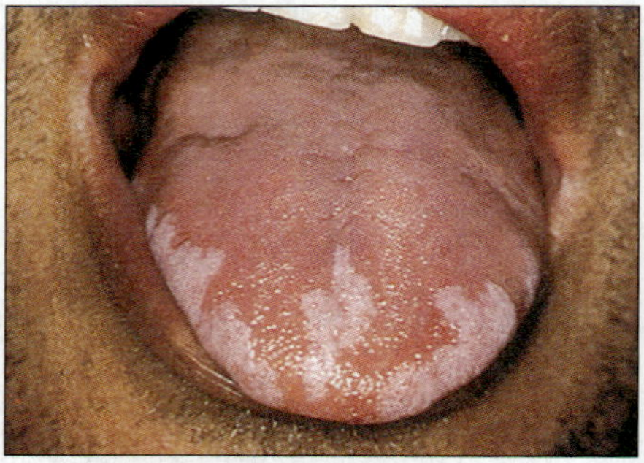

hairy leukoplakia

l. vulvae 外陰白板症（外陰上皮の過角化性の白色斑につけられた臨床病名．特異診断（㊟確定診断）には生検が必要である）．

leu·ko·poi·e·sis (lū′kō-poy-ē′sis) [leuko- + G. *poiēsis*, a making]. 白血球産生（種々の型の白血球の産生および成熟）．＝leukocytopoiesis.

leu·ko·poi·et·ic (lū′kō-poy-et′ik). 白血球産生の（骨髄，細網内皮組織やリンパ組織の一部で明らかにされている白血球産生に関連した，あるいは特徴付けられた．それぞれの組織で，顆粒球，単球，リンパ球がつくられている）．

leu·ko·pro·te·ase (lū′kō-prō′tē-ās). ロイコプロテアーゼ（炎症部分に形成される蛋白分解酵素をさす不明確な用語．死亡組織の融解を起こす，多形核球の生成物）．

leu·ko·ri·bo·fla·vin (lū′kō-rī′bō-flā-vin). ロイコリボフラビン（リボフラビンの還元により形成される無色の非蛍光性ジヒドロ化合物）．

leu·kor·rha·gi·a (lū′kō-rā′jē-ă) [leuko- + G. *rhēgnymi*, to burst forth]. ＝leukorrhea.

leu·kor·rhe·a (lū′kō-rē′ă) [leuko- + G. *rhoia*, flow]. 〔白〕帯下，こしけ（粘液や白血球を含んだ，白色または黄色で粘液性の腟からの排出物）．＝leukorrhagia.

menstrual l. 月経性〔白〕帯下（月経時またはその直前に反復する間欠性白色帯下）．

leu·kor·rhe·al (lū′kō-rē′ăl). 〔白〕帯下の．

leu·ko·tac·tic (lū′kō-tak′tik). ＝leukocytotactic.

leu·ko·tax·i·a (lū′kō-tak′sē-ă). ＝leukocytotaxia.

leu·ko·tax·ine (lū′kō-tak′sēn). ロイコタキシン（外傷，急性変性組織，炎症巣滲出物から得られる細胞外窒素性物質）．

leu·ko·tax·is (lū′kō-tak′sis). ＝leukocytotaxia.

leu·ko·tome (lū′kō-tōm). 白質切断器．

leu·kot·o·my (lū-kot′ŏ-mē) [leuko- + G. *tomē*, a cutting].

白質切断〔術〕(脳の前頭葉の白質の切開術).
prefrontal l. 前方白質切断〔術〕. =prefrontal *lobotomy.*
transorbital l. 経眼窩式白質切断〔術〕. =transorbital *lobotomy.*

leu·ko·tox·in (lū′kō-tok′sin). ロイコトキシン, 白血球毒素. =leukocytotoxin.

leu·ko·trich·i·a (lū′kō-trik′ē-ă) [leuko- + G. *thrix*, hair]. 白毛症.

leu·ko·tri·enes (LT) (lū′kō-trī′ēnz). ロイコトリエン, リューコトリエン(炎症やアレルギー反応の伝達物質としていくつかの生理活性を発揮するエイコサノイドの代謝産物(一般にはアラキドン酸). ロイコトリエンは中央環を有さないことでプロスタグランジンやトロンボキサンと異なる. 白血球より発見され, 最初に発見されたものは3個の二重結合を有するので, この名がある. これまで6つの代謝産物が続々と見出されており(A—F), 下付きの数字は二重結合の数を示している(例えば, ロイコトリエン C_4)).
peptidyl l. ペプチジルロイコトリエン(アミノ酸を含有したロイコトリエン類. 例えば, LTC_4 は *S*-置換グルタチオン誘導体であり, LTD_4 は *S*-置換システイニルグリシン, LTE_4 は *S*-置換システイン, LTF_4(γ-グルタミル LTE_4 ともよばれる)は *S*-置換 γ-グルタミルシステイン誘導体である).

Leu·ko·vi·rus (lū′kō-vī′rŭs). 以前用いられた属名で, 現在はレトロウイルス科に含めるRNA腫瘍ウイルスからなる.

LEU M1 好中球, 接着性単球, 活性化T細胞の一部に遊走するヒト組織球細胞株に対して作製されたモノクローナル抗体のエピトープ.

leu·pep·tin (lū-pep′tin). ロイペプチン(いくつかある修飾トリペプチドプロテアーゼ阻害薬の1つ. カテプシンB, パパイン, トリプシン, プラスミンおよびカテプシンDを阻害する *Streptomyces*属由来のペプチド. 最も一般的に用いられるロイペプシンは *N*-acetylleucylleucylarginal).

leu·pro·lide ac·e·tate (lū′prō-līd as′ĕ-tāt). 酢酸ロイプロリド(ゴナドトロピン放出を正常に引き起こす合成非ペプチド類似化合物. 進行性の前立腺癌の期待的治療に用いる).

leu·ro·cris·tine (lū′rō-kris′tin). リューロクリスチン. = vincristine sulfate.

Lev (lev), Maurice. 米国人病理学者, 1908—1994. →L. *disease, syndrome.*

Le·va·di·ti (lev′ă-dē′tē), Constantin. パリに在住したルーマニア人細菌学者, 1879—1928. →L. *stain.*

lev·al·lor·phan tar·trate (lev′ă-lōr′fan tar′trāt). 酒石酸レバロルファン(レボルファノールの *N*-アリル同族体で, 麻薬性鎮痛薬の作用に拮抗する. 麻薬の過剰投与による呼吸障害の治療に用いる).

le·vam·iso·le (lē-vam′ĭ-sōl). レバミゾール(以前は駆虫薬として用いられていた. 免疫反応を増強する. 免疫反応の改善および再発抑制のためにフルオロウラシルと併用される).

lev·an (lev′an). レバン. =fructosan (1).

lev·an·su·crase (lev′an-sū′krās). レバンスクラーゼ(ショ糖のフルクトース部分をポリフルクトース(レバン)へ転移させ, そしてD-グルコースを遊離させる反応を触媒する酵素).

lev·ar·ter·e·nol (lev′ar-tēr′ĕ-nol). レバルテレノール. = norepinephrine.
l. bitartrate 二酒石酸レバルテレノール. =*norepinephrine* bitartrate.

le·va·tor (le-vā′tŏr, -tōr) [L. a lifter < *levo*, pp. *-atus*, to lift < *levis*, light][TA]. ***1*** 起子, エレバトリウム(頭蓋骨折の陥凹部分を持ち上げる手術器械). ***2*** 挙筋(停止部分を持ち上げる筋肉).

Le·Veen (lĕ-vēn′), Harry H. 20世紀の米国人外科医. →LeV. *shunt.*

lev·el (lev′ĕl). ***1*** レベル, 水準(値を等級化した尺度における順位や位置). ***2*** 試験(順位や位を決めるための試験).
acoustic reference l. 聴覚基準レベル(音響測定に対する生物学的基準レベル. デシベル decibel を用いて騒音レベルを表すときは基準量を意味する. この基準値は通常, 1 m^2 当たりの20 μPa(またはμN) の音圧で表す. 基準レベルは騒音レベル目盛りの基線を0 db とする. この基線は, 非常に静かな場所で, 聴力の良い人が聞くことのできる最も静かな音とみなされる. 他にまだ用いられている同等の基準レベルには, 0.0002 μbar と 0.0002 dyn/cm^2 とがある. →sound pressure l.).
air-fluid l. 気体液面像(鏡面像)(水平入射したX線により上部の気体と下部の液体の境界面が明瞭な直線の水平線として描出される画像所見).
anatomic l. 解剖学的レベル(皮膚原発悪性黒色腫の浸潤レベルのこと).
l. of aspiration 期待水準(臨床心理学において, 患者が願望している, あるいは成功すると信じている検査時におけるできばえの程度や性質).
background l. バックグラウンド(背景)強度(濃度)(研究・調査の際に, 明白な要因なしにある時刻や空間にものや力が存在したり生じたりする濃度・強度(通常は低い). 例えば, 電離放射線の背景強度).
bass increase at low l.'s (BILL) 低入力(比較的静寂)時においてのみ適応される補聴器の音圧依存周波数反応プログラム. 高周波数音よりも低周波数音を増強する.
Clark l. (klahrk). クラークレベル(表皮原発性悪性黒色腫の浸潤レベルのこと. I：表皮内に限局したもの. II：下層の真皮乳頭層内にまで及ぶもの. III：真皮乳頭層・網状層接合部まで及ぶもの. IV：網状層内まで及ぶもの. V：皮下脂肪組織内まで及ぶもの. 浸潤レベルの増加に伴い予後不良となる).
hearing l. 聴力レベル(オージオメータの聴力損失目盛りから直接読み取った聴力状態の測定. オージオメータの0の標準値からのデシベルで表された偏差値として記載される. それは dB HL で表される).
loudness discomfort l. 不快レベル(音, 特に会話音が不快を生じる際の音の大きさ).
most comfortable l. 快適レベル(最も快適な音の大きさ).
saturation sound pressure l. (SSPL) 最大出力音圧レベル(補聴器の音響出力の最大値).
sensation l. 感覚レベル(ある刺激の大きさが聴覚閾値よりどれだけ大きいのかをデシベル量で表現したもの. それは dB SL で表される).
sensory acuity l. 感覚明瞭度レベル(気導聴力閾値測定法. マスキングのないときとあるときで前額部に骨導刺激を呈示することによって決定する. 閾値の変化量は伝音難聴の程度を示す).
sound pressure l. (SPL) 音圧レベル(0.0002 dyn/cm^2 または20 μPaを基準にした音のエネルギーの値. デシベルで表す).
uncomfortable l. 不快レベル(不快を生じる音の大きさ).
window l. ウインドウレベル(画像の白黒階調幅であるウインドウ幅の中央値を, Hounsfield 単位で示したCT値. 典型的なウインドウレベルは, 肺野条件では −500, 腹部条件では0である).

Le·ven·thal (lev′ĕn-thahl), Michael L. 米国人産科婦人科医, 1901—1971. →Stein-L. *syndrome.*

le·ver (lev′ĕr, lēv′) [Fr. *lever*, to lift]. てこ, レバー(物を持ち上げるのに用いる器械).
dental l. 歯科用てこ. =elevator (2).

lev·er·age (lev′ĕr-ăj). てこ作用, てこ率(①てこ, 起子が実際に持ち上げること, またはその挙上方向. ②①によって得られる力学的な利点).

Lev·ey (lev′ē), S. 20世紀の米国人統計学者. →L.-Jennings *chart.*

Lé·vi (lā-vē′), E. Leopold. フランス人内分泌学者, 1868—1933. →dominantly inherited L. *disease*; Lorain-L. *dwarfism, infantilism, syndrome.*

Le·vin (lĕ-vin′), Abraham L. 米国人医師, 1880—1940. →L. *tube.*

Le·vin (lĕ′vin), Max. 20世紀の米国人神経科医. →Kleine-L. *syndrome.*

Le·vine (lĕ-vīn′), Samuel A. 米国人心臓学者, 1891—1966. →Lown-Ganong-L. *syndrome.*

Le·vin·e·a (lĕ-vin′ē-ă) [Max *Levine*, 20世紀初頭の米国人細菌学者]. レビネ属(腸内菌科の以前の細菌属で, 現在では, その種は *Citrobacter*属に属する).

L. amalonatica =Citrobacter amalonaticus.
L. diversus =Citrobacter diversus.
L. malonatica =Citrobacter diversus.

lev·i·ta·tion (lev′i-tā′shŭn)［L. *levitas*, lightness］. 浮揚ベッド（患者を空気のクッションで支えること）.

Le·vi·vir·i·dae (lĕ′vi-vir′i-dē)［L. *levis*, light (not heavy)］. レヴィウイルス科（一本鎖プラスセンスRNA(分子量 1×10⁶)のゲノムをもった，小さな，エンベロープをもたない，等長性の細菌ウイルスの一科．ウイルス粒は細菌のピリ線毛の側面に吸着し，感染した細菌内に結晶の配列が形成される．標準種は enterobacteria phage M52).

levo- (lē′vō)［L. *laevus*］. 左，左方向，左側，を示す接頭語.

le·vo·bu·no·lol hy·dro·chlor·ide (lē′vō-byū′nō-lol hī′drō-klōr′īd). 塩酸レボブノロール（主に慢性開放隅角緑内障および眼内圧亢進の治療に，点眼剤として用いる β–アドレナリン作用性遮断薬).

levobupivacaine hydrochloride (lev′ō-byū-pi′vă-kān hī-drō-klōr′īd). 塩酸レボブピバカイン（塩酸ブピバカインの単一鏡像(異性)体を含んでいるが，ブピバカインより心毒性の少ないアミド型局所麻酔薬).

le·vo·car·di·a (lē′vō-kar′dē-ă)［levo- + G. *kardia*, heart］. 左胸心（他の臓器は逆の位置にあるが，心臓は正常な位置(左)にあるもの．先天性心疾患が合併していることが多い).

le·vo·car·di·o·gram (lē′vō-kar′dē-ō-gram). 左心電図（心電図の左心室にあたる部分).

le·vo·car·ni·tine (lē′vō-kar′nĭ-tēn). レボカルニチン（カルニチン欠損症の治療に使用される).

le·vo·cli·na·tion (lē′vō-kli-nā′shŭn)［levo- + L. *clino*, pp. *-atus*, to bend］. 左方回旋．=levotorsion (2).

le·vo·cy·cle·duc·tion (lē′vō-sī′klĕ-dŭk′shŭn). 左回旋．= sinistrotorsion.

le·vo·cy·clo·duc·tion (lē′vō-sī′klō-dŭk′shŭn)［levo- + cyclo- + L. *duco*, pp. *ductus*, to lead］. 左側回旋（一眼の左旋回).

le·vo·do·pa (lē′vō-dō′pă). レボドパ（ドパの生物学的活性型．パーキンソン症候群治療薬であり，ドパミンに代謝される). =L-dopa.

le·vo·duc·tion (lē′vō-dŭk′shŭn)［levo- + L. *duco*, pp. *ductus*, to lead］. 左ひき運動（一眼の左方回転．左眼の外転または右眼の内転).

le·vo·form (lē′vō-fōrm). 左旋性の（平面偏光の偏光面を光源の方向に向いた観察者によって見て，反時計方向(左)に回転させる物質の構造についていう).

le·vo·glu·cose (lē′vō-glū′kōs). レボグルコース；D– fructose (→ fructose).

le·vo·gram (lē′vō-gram). 左心造影相，左心像（左心室のみの刺激の広がりを表す，実験動物における心電図記録).

le·vo·gy·rate, le·vo·gy·rous (lē′vō-jī′rāt, -jī′rŭs)［levo- + L. *gyro*, to turn in a circle］. =levorotatory.

le·vo·pho·bi·a (lē′vō-fō′bē-ă). 左側恐怖〔症〕（左方にある事物に対する恐れ).

le·vo·ro·ta·tion (lē′vō-rō-tā′shŭn)［levo- + L. *roto*, to turn］. ***1*** 左旋（左へ，回転またはねじれること．特に，ある種の光学的活性をもつ物質の溶液は平面偏光の反時計方向に回転させる．*cf*. dextrorotation). ***2*** 左回転．=sinistrotorsion.

le·vo·ro·ta·to·ry (lē′vō-rō′tă-tō′rē). ***1*** 左旋性の（左旋または左旋しうる特定の結晶あるいは溶液についていう．化学接頭語として通常，*l*-または(−)と略記する．*cf*. dextrorotatory). =levogyrate; levogyrous. ***2*** 左側または反時計回りの回転を表現する.

le·vo·tor·sion (lē′vō-tōr′shŭn)［levo- + L. *torsio*, a twisting］. ***1*** 左回転．=sinistrotorsion. ***2*** 左方回旋（一眼または両眼の角膜の上極が左へ回転すること). =levoclination.

le·vo·ver·sion (lē′vō-ver′zhŭn)［levo- + L. *verto*, pp. *versus*, to turn］. ***1*** 左回転. ***2*** 左方偏視（眼科において両眼の左方への共同回転).

Lev·ret (lĕ-vrā′), André. フランス人産科医，1703—1780. →L. *forceps*; Mauriceau-L. *maneuver*.

lev·u·lan (lev′yū-lan). レブラン．=fructosan (1).

lev·u·lic ac·id (lev′yū-lik as′id). =levulinic acid.

lev·u·lin (lev′yū-lin). レブリン．=fructosan (1).

lev·u·lin·ate (lev′yū-lin-āt). レブリン酸塩またはエステル.

lev·u·lin·ic ac·id (lev′yū-lin′ik as′id). レブリン酸；4-oxopentanoic acid（六炭糖に熱した強酸を作用させることにより生成される．→δ-aminolevulinic acid). =levulic acid.

lev·u·lo·san (lev′yū-lō′san). レブロサン．=fructosan (1).

lev·u·lose (lev′yū-lōs). レブロース，果糖；D–fructose (→ fructose).

lev·u·lo·se·mi·a (lev′yū-lō-sē′mē-ă). 果糖血〔症〕. = fructosemia.

lev·u·lo·su·ri·a (lev′yū-lō-sū′rē-ă). 果糖尿〔症〕. =fructosuria.

Lé·vy (lā-vē′), Gabrielle. フランス人神経科医，1886—1935. →Roussy-L. *disease*, *syndrome*.

Le·wan·dow·ski (lev′ahn-dov′skē), Felix. ドイツ人皮膚科医，1879—1921. →Jadassohn-L. *syndrome*.

Le·wis (lū′wis), Ivor. ウェールズ人外科医．1946年現在では1つの処置として行われている側腹切開と右側開胸による2段階の食道切除を王立外科医会に報告した．→Ivor L. *esophagectomy*.

Le·wis (lū′wis), Gilbert N. 米国人化学者，1875—1946. →L. *acid*, *base*; second *law* of thermodynamics.

Le·wis (lū′wis), W. L. 米国人化学者，1878 — 1943. →lewisite.

Le·wis Blood Group, Le Blood Group (lū′wis blŭd grūp). ルイス血液型（付録Blood Groups 参照).

lew·is·ite (lū′i-sīt)［W. Lee *Lewis*］. ルイサイト（戦争で用いた毒ガス．マスタードガスのような発泡性の肺刺激薬．全身性毒素が肺や皮膚から循環血液中にはいり，有糸核分裂性毒素が中期の核分裂を止めてしまう．ジメルカプロールが解毒薬である).

Le·wy (Lewey) (lā′vē), Frederic H. 米国に在住したドイツ人神経科医，1885—1950. →L. *bodies*; Lewy body *dementia*; diffuse Lewy body *disease*.

lex·i·cal (leks′ĭ-kăl). 語彙の（会話あるいは言語の用語範囲を示す).

-lexis, -lexy (leks′is)［G. *lexis*, word, speech < *legō*, to say］. 接尾語で，話すことに関連しているが，しばしば -legia（ラテン語 *lego* 読むこと)と混同されるため，誤って読書と関連して用いられる.

Ley·den (lī′dĕn), Ernst V. von. ドイツ人医師，1832—1910. →L. *ataxia*, *crystals*, *neuritis*; L.-Möbius muscular *dystrophy*.

Ley·dig (lī′dig), Franz von. ドイツ人解剖学者，1821—1908. →L. *cells*, cell *tumor*; Sertoli-L. cell *tumor*.

ley·dig·ar·che (lī′dig-ar′kē)［Leydig(→Leydig cells) + G. *archē*, beginning］. 成人男子の生殖腺機能開始，例えば男性思春期を表す語．現在では用いられない.

Lf, L_f →dose.

LFA left frontoanterior position; lymphocyte function associated *antigen*; leukocyte-function-assisted *antigen* の略.

LFP left frontoposterior position の略.

LFT left frontotransverse position の略.

LGSIL low-grade squamous intraepithelial *lesion* の略.

LGV *lymphogranuloma* venereum の略.

LH luteinizing *hormone* の略.

Lher·mitte (lār-mēt′), Jean. フランス人神経科医，1877—1959. →L. *sign*.

LH/FSH-RF luteinizing hormone/follicle-stimulating hormone-releasing *factor* の略.

LH-RF luteinizing hormone-releasing *factor* の略.

LH-RH luteinizing hormone-releasing *hormone* の略.

Li, Frederick P. 20世紀の疫学学者. →L.-Fraumeni cancer *syndrome*.

Li リチウムの元素記号.

lib·er·a·tor (lib′ĕr-ā-tŏr, -tōr). 遊離促進物質（生理的，化学的，あるいは酵素的な作用を刺激または活性化させる物質).

histamine l.'s ヒスタミン遊離促進物質（肥満細胞あるいは好塩基球からヒスタミンの放出を引き起こす物質).

lib·er·ins (lib′ĕr-ins)［L. *libero*, to free + -in］. 分泌刺激因子．=releasing *factors*.

lib·er·o·mo·tor (lib′ĕr-ō-mō′tŏr)［L. *liber*, free + *motor*, mover]. 随意運動の.

li·bid·i·ni·za·tion (li-bid′i-ni-zā′shŭn). リビドー化，性愛化. =erotization.

li·bid·i·nous (li-bid′i-nŭs) [L. *libidinosus* < *libido* (*libidin-*), pleasure, desire]. 淫乱な，好色の（性的欲望あるいはエネルギーをもった，または喚起する）.

li·bi·do (li-bē′dō, -bī′dō) [L. lust]. リビド〔ー〕，性欲（[livedo と混同しないこと]．①意識的または無意識的な性欲．②情欲的な関心，あるいは生命力の現れ．③Jung の心理学においては，心的エネルギー psychic *energy* と同義に用いる）.

object l. 対象リビド〔ー〕（対象に向かうリビド．自我に向かうリビドと対照区別する意味で用いる）.

Lib·man (lib′măn), Emanuel. 米国人医師，1872—1946. ⇀ L.-Sacks *endocarditis*, *syndrome*.

Li·bo·ri·us (li-bō′rē-ŭs), Paul. 19 世紀のロシア人細菌学者. ⇀L. *method*.

li·brar·y (lī′brār-ē). ライブラリー（全ゲノムを代表するクローン化断片の集合体）.

cDNA l. cDNA ライブラリー，相補 DNA ライブラリー（特定の細胞，組織あるいは生物のメッセンジャー RNA から逆転写酵素によってつくられたコピー(cDNA)断片の集合体）.

genomic l. ゲノムライブラリー（イントロンおよびエクソン両者を代表するライブラリー．ゲノム DNA から調製されたライブラリー）.

l. screening ライブラリースクリーニング（蓄積保存されているクローンの中から目的とするクローンを選び出すこと）.

lice (līs). louse の複数形.

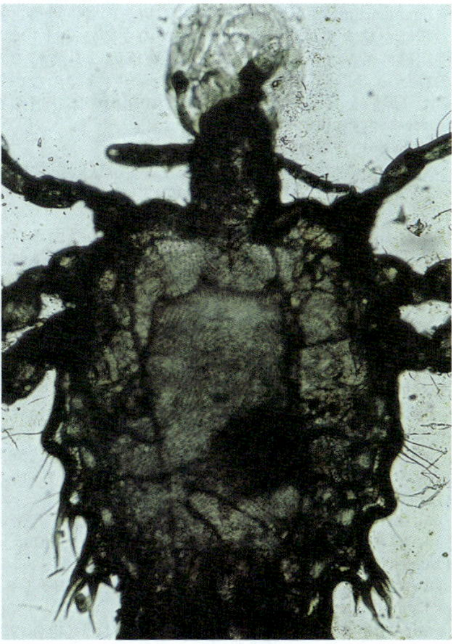

lice

外寄生．×10^3拡大のもと，ここに描写されたようにシラミあるいはシラミの卵を確認し，診断を支える．

li·chen (lī′ken) [G. *leichēn*, lichen; a lichen-like eruption]. 苔癬（孤立性の扁平丘疹あるいは丘疹の集まったもので，岩に生えているコケに似た形態を示す）.

actinic l. planus 日光扁平苔癬. =l. planus actinicus.

atrophic l. planus 萎縮性扁平苔癬. =l. planus atrophicus.

l. myxedematosus 粘液水腫性苔癬（丘疹からなる上部体幹の苔癬様皮疹．皮膚のグリコサミノグリカンの沈着により生じるムチン性浮腫と線維芽細胞の増殖による．内分泌疾患はない．単クローン性高ガンマグロブリン血症をしばしば伴う.→scleromyxedema). =papular mucinosis.

l. nitidus 光沢苔癬（微細な，無症候性の白色または淡紅色の小丘疹．丘疹の頂部は平坦で，まれに扁平苔癬を併発したり，男性性器に発生することがある）.

l. nuchae 項部苔癬（通常，女性にみられる頸部の単純性苔癬）.

l. obtusus 鈍〔頂〕性苔癬（丘疹が大形で，かつ扁平化しないで半球状に隆起する型）.

oral (erosive) l. planus〔びらん性〕口腔扁平苔癬（全身の扁平苔癬の局所症状として口腔内に発現し，口腔粘膜の表面に特有の白色線条(Wickham 線条)を認め，しばしば潰瘍を伴う．皮膚の扁平苔癬の既往を有することもある）.

l. planopilaris 毛孔性扁平苔癬（頭皮にリンパ球性の毛包周囲炎を伴った毛孔一致性の過角化を示し，他部位に扁平苔癬を併発したもの）.

l. planus 扁平苔癬（屈側部，男性性器，頬粘膜に生じる扁平な光沢のある原因不明の青紫色の丘疹からなる発疹．線状配列をなすことがある．顕微鏡的に(註組織的に)表皮下の帯状のリンパ球浸潤を特徴とする．通常，数か月から数年後に自然消退する）.

l. planus actinicus 日光扁平苔癬（太陽光線で顔や額に生じる扁平苔癬の紫から茶色の斑で，通常，皮膚色の濃い人種に生じる）. =actinic l. planus.

l. planus anularis 環状扁平苔癬（丘疹が環状に配列する型）.

l. planus atrophicus 萎縮性扁平苔癬（平滑で陥凹した萎縮性病変を特徴とする扁平苔癬の一型）. =atrophic l. planus.

l. planus follicularis 毛孔性扁平苔癬（毛包の扁平苔癬で通常，頭皮に発生する）.

l. planus hypertrophicus 肥厚性扁平苔癬（他部位の扁平苔癬に合併して下腿や大腿部に発生するいぼ状皮疹）. =l. planus verrucosus.

l. planus verrucosus いぼ状扁平苔癬. =l. planus hypertrophicus.

l. ruber moniliformis 念珠状紅色苔癬，さんご珠様紅色苔癬（じゅず状の細い帯のように配列した赤色小丘疹からなり，身体の大部分をおおうまれな皮膚病）.

l. sclerosus et atrophicus [MIM *151590]. 硬化性萎縮性苔癬（かゆみを伴う白色萎縮性の丘疹および局面からなる発疹．病変は孤立性，または融合性で，中央陥凹，あるいは黒色角栓を有することがある．顕微鏡的に表皮の角質増殖と萎縮，真皮上層の浮腫と均質化，および真皮中層の炎症がみられる．思春期前あるいは閉経後の女性に生じることが多い．女性の外陰部に生じた場合，以前は陰門萎縮症といわれていた）.

l. scrofulosorum 腺病性苔癬（結核の小児の体幹に生じる小さな無症候性の苔癬化した丘疹．抗酸菌は真皮の肉芽腫内には認められない）. =papular tuberculid.

l. simplex chronicus 限局性神経皮膚炎，ビダール苔癬（摩擦と掻爬によるそう痒性皮膚肥厚）.

l. spinulosus 棘状苔癬（固着性鱗屑性の表面を有する円錐形の丘疹からなる発疹．原因は不明．扁平苔癬と関係がある場合がある）.

l. striatus 線状苔癬（もともと小児に生じる一過性の丘疹性皮疹(一般には女性がかかる)．病変は線状に配列し，通常は，四肢のうち一肢に発生する）.

li·chen·i·fi·ca·tion (lī′ken-i-fi-kā′shŭn) [lichen + L. *facio*, to make]. 苔癬化（アトピー性皮膚炎あるいは慢性の接触皮膚炎において，掻破により生じる角質増殖を伴う皮膚の皮革様硬化と肥厚）.

li·chen·in (lī′ken-in). リケニン（アイスランドゴケから得られる多糖類の一種．粘滑薬として用いる）. =moss starch.

li·chen·oid (lī′kĕ-noyd). ***1***〚adj.〛苔癬様の. ***2***〚n.〛類苔癬（慢性湿疹の症例にみられる正常皮膚紋理の粗大化）. ***3***〚adj.〛扁平苔癬様の（病理組織学的に扁平苔癬に類似した）.

lic·o·rice (lik′ŏ-ris). カンゾウ(甘草). =glycyrrhiza.

lid (lid) [A.S. *hlid*]. 眼瞼，まぶた. =eyelid.

L

granular l.'s 顆粒状眼瞼．＝trachoma.
lower l. ＝inferior *eyelid.*
upper l. ＝superior *eyelid.*

Liddell (li-del′), Edward G.T. イングランド人神経生理学者，1895—1981. →L.-Sherrington *reflex*.

li·do·caine hy·dro·chlor·ide (lī′dō-kān hī′drō-klōr′īd). 塩酸リドカイン（抗不整脈作用，抗痙攣作用を有するアミド系の局所麻酔薬．特徴として作用の急速発現と中程度の持続時間を有する）.

lie (lī). 方向，位置（胎児の長軸が母親の長軸に対してもつ関係．*cf*. fetal *habitus*）．＝fetal attitude.
longitudinal l. 縦位（胎児の長軸が縦で，母親の長軸にほぼ平行な関係．先進部は頭部か殿部）.
oblique l. 斜位（胎児の長軸が，直角以外のある角度で母体軸と交差する関係）.
transverse l. 横位（胎児の長軸が母親の長軸を横断しているか，または直角である関係）.
unstable l. 不定胎位（胎位が横径，縦径に一致しない斜位で分娩前あるいは分娩中にいずれかに変化するもの）.

Lie·ber·kühn (lē′bĕr-kēn), Johann N. ドイツ人解剖学者，1711—1756. →*crypts* of Lieberkühn; Lieberkühn *follicles, glands*.

lie·ber·kühn (lē′ber-kēn)［J.N. *Lieberkühn*］. 凹面反射鏡（顕微鏡の対物レンズ周囲に置かれた反射鏡で，検体に光を集中させるために用いる）.

Lie·ber·mann (lē′ber-mahn), Leo von S. ハンガリー人医師，1852—1926. →L.-Burchard *reaction, test*.

Lie·ber·mei·ster (lē′ber-mī′ster), Carl von. ドイツ人医師，1833—1901. →L. *rule*.

Lie·big (lē′big), Justus von. ドイツ人化学者，1803—1873. →L. *theory*.

Lie·bow (lē-bō), Averill A. オーストリア系米国人肺病理学者，1911—1978. →usual interstitial *pneumonia* of L.

lie de·tec·tor (lī dē-tek′tŏr). うそ発見器．＝polygraph (2).

li·en* (lī′en)［L.］. 脾臓（spleen の公式の別名）.
l. accessorius* 副脾（accessory *spleen* の公式の別名）.
l. mobilis 遊走脾．＝floating *spleen.*
l. succenturiatus ＝accessory *spleen.*

lien-, lieno- (lī′en)［L. *lien*］. 脾臓に関する連結形．この接頭語のほとんどは現在では用いられないか次第にすたれつつある．→spleno-.

li·e·nal (lī′ĕ-năl). 脾〔臓〕の．＝splenic.

li·en·cu·lus (lī-en′kyū-lŭs)［Mod.L.: L. *lien*(spleen)の指小辞］．＝accessory *spleen.*

li·e·nec·to·my (lī′ĕ-nek′tŏ-mē). splenectomy を表す現在では用いられない語.

li·e·no·med·ul·lar·y (lī′ĕ-nō-med′yū-lār′ē)［lieno- ＋ G. *medulla*, marrow］. 脾骨髄〔性〕の．＝splenomyelogenous.

li·e·no·my·e·log·e·nous (lī′ĕ-nō-mī′ă-loj′ĕ-nŭs). 脾骨髄〔性〕の．＝splenomyelogenous.

li·e·no·pan·cre·at·ic (lī′ĕ-nō-pan′krē-at′ik). 脾臓の．＝splenopancreatic.

li·e·no·re·nal (lī′ĕ-nō-rē′năl)［lieno- ＋ L. *ren*, kidney］. 脾腎の．＝splenorenal.

li·en·ter·ic (lī′en-ter′ik). 不消化下痢の.

li·en·ter·y (lī′en-ter′ē)［G. *leienteria* < *leios*, smooth ＋ *enteron*, intestine］. 不消化下痢（便中に未消化食物が排出されること）.

li·en·un·cu·lus (lī′en-un′kyū-lŭs)［Mod.L.: L. *lien* (spleen)の指小辞］．＝accessory *spleen.*

Lie·se·gang (lē′sĕ-gahng), Ralph E. ドイツ人化学者，1869—1947. →L. *rings*.

Lieu·taud (lyū-tō′), Joseph. フランス人解剖・病理学者，1703—1780. →L. *body, triangle, trigone, uvula.*

life (līf)［A.S. *lif*］. ***1*** 生命，生存，生活（生きていることの根源的状態．代謝，発育，生殖，適応，刺激に対する反応などの諸機能によって特徴付けられる存在の状態）. ***2*** 生物（動物や植物のような生き物）.
disability-free l. expectancy (dis-ă-bil′i-tē frē līf eks-pek′tăn-sē). 障害のない平均余命（死亡と障害に関する現状がこのまま持続するとした場合に，障害をもたずに生存すると期待される個人の平均年数）.
intrauterine l. 子宮内生命．＝prenatal l.
postnatal l. 出生後生活〔期間〕（出生後の生存期間．ヒトでは通常，新生児期，乳児期，小児期，青年期，成人期に分けられる）.
prenatal l. 出生前生活〔期間〕（受胎から出生までの生存期間．ヒトは通常，胎芽期と胎児期に分けられる）．＝intrauterine l.
quality of l. クオリティオブライフ，生活の質（精神状態，ストレスレベル，性的機能，自己認知している健康状態などを含む患者の総合的な生活状態）.
sexual l. 性生活（精神医学および精神分析において，患者の性に関連した興味，幻想，傾向，行為をいう）.
vegetative l. 植物的生活（意識的な知的または精神的活動を欠いた，人間あるいは動物の単なる代謝活動や生殖活動のこと）.

life e·vents (līf ĕ-vents′). 生活上の出来事（ときにストレッサーとして働く日常生活上の出来事）.

life-span (līf′span). 寿命（①個体の生存期間．②ある種の個体の標準的生存期間．→longevity）.

life·style (līf′stīl). ライフスタイル（生涯にわたる社会化過程からつくられた習癖と慣習一式．アルコールや煙草などの物質の社交的な使用，食習慣，運動など健康に大きな意味をもつあるゆるものが含まれる）.

LIGAMENT

lig·a·ment (lig′ă-ment)［L. *ligamentum*, a band, bandage］［TA］.［誤ったつづりまたは発音 legament を避けること］．＝ligamentum［TA］. ***1*** 靱帯（2本以上の骨，軟骨，その他の組織を結合させたり，筋膜や筋肉の支持の役目をする線維性組織の帯，または膜）. ***2*** ひだ（腹部臓器を支持する腹膜のひだ）. ***3*** 間膜（靱帯に似ているがその機能のない構造）. ***4*** 索（原腔を失った胎児血管その他の組織の索状遺残物）.
accessory plantar l.'s ＝plantar l.'s.
accessory volar l.'s ＝palmar l.'s.
acromioclavicular l.［TA］. 肩鎖靱帯（肩甲骨の肩峰から鎖骨にのびる線維帯）．＝ligamentum acromioclaviculare［TA］.
alar l.'s［TA］. 翼状靱帯（軸椎歯突起の側面から後頭顆の内側面上の結節間へのびる1対の短い丈夫な線維帯）．＝check l.'s of odontoid; ligamenta alaria［TA］.
anococcygeal l. 肛門尾骨靱帯．＝anococcygeal *body.*
anterior atlanto-occipital l.［TA］. 前環椎後頭靱帯（ときに前環椎後頭膜の正中部にみられる肥厚．環椎の前結節から後頭骨底に向かって上行する）．＝ligamentum atlanto-occipitale anterius［TA］.
anterior costotransverse l. 前肋横突靱帯．＝superior costotransverse l.
anterior cruciate l.［TA］. 前十字靱帯（脛骨の顆間域の前部と大腿骨外側窩内側面の後部とを結ぶ靱帯）．＝ligamentum cruciatum anterius.
anterior l. of fibular head［TA］. 前腓骨頭靱帯（腓骨頭の前部を脛骨に結合する靱帯）．＝ligamentum capitis fibulae anterius［TA］.
anterior l. of Helmholtz ヘルムホルツ前靱帯（→anterior l. of malleus）.
anterior longitudinal l.［TA］. 前縦靱帯（椎体の前面を連結している靱帯で，椎体間を通る部分は椎間円板の後層と交織している）．＝ligamentum longitudinale anterius［TA］; lacertus medius.
anterior l. of malleus［TA］. 前つち骨靱帯（つち骨前突起底から錐体鼓室裂を通って蝶形骨棘に至る Meckel 靱帯と，つち骨頸の前面から鼓膜切痕の前境界にのびる Helmholtz の前靱帯の2部からなる靱帯）．＝ligamentum mallei anterius［TA］.
anterior meniscofemoral l.［TA］. 前半月大腿靱帯（後十字靱帯の前を通る靱帯で，外側半月後部と前十字靱帯上端の間にある）．＝ligamentum meniscofemorale anterius［TA］; Humphry l.

anterior sacrococcygeal l. [TA]．前仙尾靱帯（前縦靱帯の連続部で，仙骨と尾骨を結ぶ）．＝ligamentum sacrococcygeum anterius [TA]; ligamentum sacrococcygeum ventrale*; ventral sacrococcygeal l.

anterior sacroiliac l. [TA]．前仙腸靱帯（仙腸関節を前方で補強する強靱な線維帯）．＝ligamentum sacroiliacum anterius [TA]; ventral sacroiliac l.

anterior sacrosciatic l. ＝sacrospinous l.

anterior sternoclavicular l. [TA]．前胸鎖靱帯（胸鎖関節を前方から補強する）．＝ligamentum sternoclaviculare anterius [TA].

anterior talofibular l. [TA]．前距腓靱帯（外果から距骨頸までのびている線維帯）．＝ligamentum talofibulare anterius [TA].

anterior talotibial l. 前距脛靱帯（→medial l. of ankle joint）．＝anterior tibiotalar *part* of medial ligament of ankle joint.

anterior tibiofibular l. [TA]．前脛腓靱帯（脛腓靱帯結合の前面を結ぶ靱帯）．＝ligamentum tibiofibulare anterius [TA].

anterior tibiotalar l. 前脛距靱帯．＝anterior tibiotalar *part* of medial ligament of ankle joint.

anular l. [TA]．輪状靱帯（種々の部位を輪状に取り巻く靱帯．主なものはあぶみ骨，橈骨，気管の輪状靱帯である．→anular l. of radius; anular l. of stapes; anular l.'s of trachea）．＝ligamentum anulare [TA]; orbicular l.

anular l. of digits ＝anular *part* of fibrous digital sheath of digits of hand and foot.

anular l. of radius [TA]．橈骨輪状靱帯（尺骨の橈骨切痕内に橈骨頭を抱え取り巻く靱帯で，近位橈尺関節をつくり前腕の回内回外を可能にしている．橈側側副靱帯がきている）．＝ligamentum anulare radii [TA]; ligamentum orbiculare radii; orbicular l. of radius.

anular l. of stapes [TA]．あぶみ骨輪状靱帯（あぶみ骨底を前庭窓縁に付着させる弾性線維輪）．＝ligamentum anulare stapedis [TA].

anular l.'s of trachea [TA]．気管輪状靱帯（隣接気管軟骨を結ぶ線維膜）．＝ligamenta anularia trachealia [TA]; ligamenta trachealia.

apical l. of dens [TA]．歯尖靱帯（軸椎歯状突起の先端から大後頭孔前縁へのびる靱帯．背索の遺残がみられる）．＝ligamentum apicis dentis.

Arantius l. (ă-ran′shūs)．アランティウス靱帯．＝*ligamentum* venosum.

arcuate popliteal l. [TA]．弓状膝窩靱帯（上方で大腿骨外側顆に付着し，内下方へと膝関節包の後方部内を進む広い線維帯で，膝関節包後部と混じりあう．膝窩筋の腱上で弓状をなす）．＝ligamentum popliteum arcuatum [TA]; popliteal arch; posterior l. of knee.

arcuate pubic l. 恥骨弓靱帯．＝inferior pubic l.

arterial l. 動脈管索．＝*ligamentum* arteriosum.

l.'s of auditory ossicles [TA]．耳小骨靱帯（耳小骨相互間および耳小骨と鼓室壁を結ぶ靱帯）．＝ligamenta ossiculorum auditus [TA]; ligamenta ossiculorum auditorium*.

l.'s of auricle [TA]．耳介靱帯（耳介を側頭に付着させる次の3つの靱帯．ⓘ **anterior l. of auricle** 前耳介靱帯(頬骨突起から耳輪棘までのびる．＝ligamentum auriculare anterius)．ⓘⓘ **posterior l. of auricle** 後耳介靱帯(乳様突起から耳介隆起までのびる．＝ligamentum auriculare posterius)．ⓘⓘⓘ **superior l. of auricle** 上耳介靱帯(骨性外耳道の上縁から耳輪棘までのびる．＝ligamentum auriculare superius))．＝ligamenta auricularia, ligamentum auriculare anterius, ligamentum auriculare posterius, ligamentum auriculare superius [TA]; auricular l.'s; Valsalva l.'s.

auricular l.'s 耳介靱帯＝l.'s of auricle.

axis l. of malleus ＝Helmholtz axis l.

Bardinet l. (bar′di-net)．バルディネー靱帯（肘の尺骨側副靱帯の後部靱帯）．

Barkow l.'s (bar′kof)．バルコヴ靱帯（肘関節包の前面と後面の靱帯）．

Bellini l. (bĕ-lē′nē)．ベリーニ靱帯（股関節包の坐骨大腿部からの線維束で大転子に至る）．

Berry l.'s (ber′ē)．ベリー靱帯．＝lateral thyrohyoid l.

Bertin l. (bĕr-tan[h]′)．ベルタン靱帯．＝iliofemoral l.

Bichat l. (bē-shah′)．ビシャ靱帯（後仙腸靱帯の下部線維束）．

bifurcate l. [TA]．二分靱帯（足背にみられるV字形をした強力な靱帯で，踵骨から遠位方向に距骨洞に向かって立方骨と舟状骨に付着する．背側踵立方靱帯と(背側)踵舟靱帯の2つに分かれる）．＝ligamentum bifurcatum [TA]; bifurcated l.

bifurcated l. 二分靱帯．＝bifurcate l.

Bigelow l. (big′ĕ-lō)．ビゲロー靱帯．＝iliofemoral l.

Botallo l. (bō-tah′lō)．ボタロ靱帯．＝*ligamentum* arteriosum.

Bourgery l. (bū-zhĕ-rē′)．ブルジェリ靱帯．＝oblique popliteal l.

broad l. of the uterus [TA]．子宮広間膜（子宮の外側縁から両側の骨盤壁に走る腹膜ひだで，卵巣や卵管を包みこんでいる）．＝ligamentum latum uteri [TA].

Brodie l. ブローディー靱帯．＝transverse humeral l.

Burns l. (bŭrnz)．バーンズ靱帯．＝superior *horn* of falciform margin of saphenous opening.

calcaneocuboid l. [TA]．踵立方靱帯（二分靱帯の外側部）．＝ligamentum calcaneocuboideum [TA].

calcaneofibular l. [TA]．踵腓靱帯（足関節の外側側副靱帯3本のうちの中央のもので足の過剰な内反を防いでいる．残りの2本は前距腓靱帯および後距腓靱帯）．＝ligamentum calcaneofibulare [TA].

calcaneonavicular l. [TA]．踵舟靱帯（二分靱帯の内側部）．＝ligamentum calcaneonaviculare [TA].

calcaneotibial l. 踵脛靱帯（→medial l. of ankle joint）．＝tibiocalcaneal *part* of medial ligament of ankle joint.

Caldani l. (kahl-dahn′ē)．カルダーニ靱帯．＝coracoclavicular l.

Campbell l. (kam′bĕl)．キャンベル靱帯．＝suspensory l. of axilla.

Camper l. (kahm′pĕr)．カンペル靱帯．＝perineal *membrane.*

capsular l. [TA]．関節包靱帯（関節包の線維膜の肥厚部）．＝ligamentum capsulare [TA].

cardinal l. [TA]．基靱帯（子宮頸と腟の側方円蓋に付着する線維帯．骨盤血管を被包する組織に続く）．＝ligamentum cardinale [TA]; transverse cervical l.*; cervical l. of uterus; ligamentum transversale cervicis; Mackenrodt l.

caroticoclinoid l. 頸動脈床状突起靱帯（蝶形骨の前床状突起と中床状突起を接続する）．

carpometacarpal l.'s (dorsal and palmar) [TA]．手根中手靱帯（中手骨と手根骨を結合させる靱帯）．＝ligamenta carpometacarpalia (dorsalia/palmaria) [TA].

caudal l. ＝*retinaculum* caudale.

ceratocricoid l. [TA]．下角輪状靱帯（前・後・外側の3部からなり，輪状甲状関節包を補強している靱帯）．＝ligamentum ceratocricoideum [TA].

cervical l. of uterus 子宮頸靱帯．＝cardinal l.

check l.'s of eyeball, medial and lateral 内・外制動靱帯＝check l.'s of medial and lateral rectus muscles.

check l.'s of medial and lateral rectus muscles 内側・外側直筋制動靱帯（涙骨および頬骨の眼窩隆起部に各々付着する眼球の内直筋鞘と外直筋鞘の拡張部．これらの筋肉の過剰運動を防ぐ働きをする．また，他の構造とともに，ハンモックのような支持装置を形成し，眼球を眼窩内に浮遊させる働きもある）．＝check l.'s of eyeball, medial and lateral.

check l.'s of odontoid ＝alar l.'s.

chondroxiphoid l.'s ＝costoxiphoid l.'s.

ciliary l. ＝ciliary *muscle.*

Civinini l. (chē-vē′nē-nē)．チヴィニーニ靱帯．＝pterygospinous l.

Clado l. (klah-dō′)．クラド刃靱帯（右側の広間膜から虫垂にかけて走る腸間膜ひだ）．

coccygeal l.* 尾骨靱帯（dural *part* of filum terminale の公式の別名）．

collateral l.'s [TA]．側副靱帯（ちょうつがい関節の内外両側に位置する1対の靱帯で，主に関節の補強や運動範囲

L

の制限に関与する．TA では，肘関節の内側・外側側副靱帯，手関節の内側・外側側副靱帯，中手指節関節および指節間関節の側副靱帯，膝関節の内側・外側側副靱帯，足関節の内側・外側靱帯，中足指節関節および指節間関節の側副靱帯が示されている）．＝ligamentum collaterale［TA］．

Colles l. (kol′ēz). コリーズ靱帯．＝reflected inguinal l.

conoid l.［TA］．円錐靱帯（鎖骨の円錐靱帯結節に付着する烏口鎖骨靱帯の内側部分．円錐靱帯は烏口鎖骨靱帯，菱形靱帯とともに上肢が鎖骨という支柱から懸垂するのを支持している）．＝ligamentum conoideum［TA］．

Cooper l.'s (kū′pĕr). クーパー靱帯（①＝suspensory l.'s of breast. ②＝pectineal l. ③＝transverse l. of elbow）．

coracoacromial l.［TA］．烏口肩峰靱帯（肩関節上で烏口突起と肩峰間にわたる厚い弓状線維帯．こうしてできた骨と線維によるアーチ状構造が肩関節の上方への脱臼を防いでくれる）．＝ligamentum coracoacromiale［TA］．

coracoclavicular l.［TA］．烏口鎖骨靱帯（鎖骨と烏口突起とを結ぶ強力な複合靱帯．円錐靱帯と菱形靱帯に分かれる．自由上肢はこの靱帯によって鎖骨という支柱からつり下げられている．また肩鎖関節の脱臼を防ぐ働きもしている）．＝ligamentum coracoclaviculare［TA］; Caldani l.

coracohumeral l.［TA］．烏口上腕靱帯（烏口突起基部から上腕骨の大結節に至る靱帯）．＝ligamentum coracohumerale［TA］．

corniculopharyngeal l. 小角咽頭靱帯．＝cricopharyngeal l.

coronary l. of knee 膝冠状靱帯（膝関節包で脛骨顆縁と半月板の周囲を結ぶ部分）．

coronary l. of liver［TA］．肝冠状間膜（肝無漿膜部縁での肝臓から横隔膜への腹膜反転）．＝ligamentum coronarium hepatis［TA］．

costoclavicular l.［TA］．肋鎖靱帯（第一肋骨と胸骨端近くの鎖骨を結ぶ靱帯．胸鎖関節で肩の挙上を制限する）．＝ligamentum costoclaviculare［TA］; rhomboid l.

costocolic l. ＝phrenicocolic l.

costotransverse l.［TA］．肋横突靱帯（肋骨頸の背側面を，対応する横突起の前面に結合させる靱帯．→lateral costotransverse l.; superior costotransverse l.）．＝ligamentum costotransversarium［TA］; ligamentum colli costae; middle costotransverse l.

costoxiphoid l.'s［TA］．肋剣靱帯（剣状突起と第七およびしばしば第六肋軟骨を結合させる靱帯）．＝ligamenta costoxiphoidea［TA］; chondroxiphoid l.'s.

cotyloid l. ＝acetabular *labrum*.

Cowper l. (kow′pĕr). カウパー（クーパー）靱帯（大腿筋膜の一部で，恥骨筋の前方にあってこの筋の線維の一部がここから起こる）．

cricoarytenoid l.［TA］．〔後〕輪状披裂靱帯（披裂軟骨後縁から輪状軟骨板へ下る靱帯）．＝ligamentum cricoartenoideum; posterior cricoarytenoid l.

cricopharyngeal l.［TA］．輪状咽頭靱帯（Santorini の小角軟骨先端と輪状軟骨板とを結合する弾性線維帯で輪状軟骨板をおおう咽頭粘膜に続いている）．＝ligamentum cricopharyngeum［TA］; corniculopharyngeal l.; cricosantorinian l.; jugal l.; ligamentum corniculopharyngeum; ligamentum jugale.

cricosantorinian l. 輪状サントリーニ靱帯．＝cricopharyngeal l.

cricotracheal l.［TA］．輪状気管靱帯（輪状軟骨と第一気管輪を結ぶ正中線維帯）．＝ligamentum cricotracheale［TA］; cricotracheal membrane.

crucial l. 十字靱帯（①→inferior extensor *retinaculum;* superior extensor *retinaculum.* ②＝cruciate l.'s of knee. ③＝cruciate l. of the atlas. ④＝cruciform *part* of fibrous digital sheaths of hand and foot）．

cruciate l. of the atlas［TA］．環椎十字靱帯（軸椎歯突起の後にあって歯突起を環椎前弓にくくりつけている強力な靱帯．たすきがけに十字形をしている機能的に最も重要な環椎横靱帯と，これを止めるように上下方向に走る縦走線維とからなる）．＝ligamentum cruciforme atlantis［TA］; crucial l. (3); cruciform l. of atlas; ligamentum cruciatum atlantis.

cruciate l. of digits ＝cruciform *part* of fibrous digital sheaths of hand and foot.

cruciate l.'s of knee 膝十字靱帯（脛骨の顆間窩から大腿骨の顆間窩に至る 2 つの靱帯．→anterior cruciate l.; posterior cruciate l.）．＝crucial l. (2); ligamenta cruciata genus.

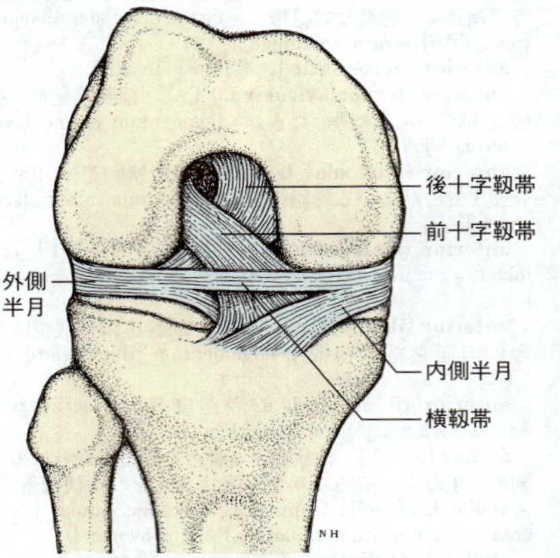

cruciate ligaments of knee

cruciate l. of leg ＝inferior extensor *retinaculum.*

cruciform l. of atlas 環椎十字靱帯．＝cruciate l. of the atlas.

Cruveilhier l.'s (krū-vāl-yā′). クリュヴェーリエ靱帯．＝plantar l.'s.

cuboideonavicular l.'s［TA］．立方舟靱帯（立方骨と舟状骨を結ぶ靱帯．→dorsal cuboideonavicular l.; plantar cuboideonavicular l.）．＝ligamenta cuboideonaviculare.

cuneocuboid l. 楔立方靱帯（外側楔状骨と立方骨とを結ぶ靱帯．→dorsal cuneocuboid l.; cuneocuboid interosseous l.; plantar cuneocuboid l.）．＝ligamentum cuneocuboideum［TA］．

cuneocuboid interosseous l.［TA］．骨間楔立方靱帯（立方骨と外側楔状骨の遠位端で隣接面を結合している）．＝interosseous cuneocuboid l.; ligamentum cuneocuboideum interosseum.

cuneometatarsal interosseous l.'s［TA］．骨間楔中足靱帯（楔状骨から中足骨へ至る靱帯で，第一楔状骨から第二中足骨への靱帯が最強である）．＝ligamenta cuneometatarsalia interossea［TA］; interosseous cuneometatarsal l.'s; Lisfranc l.'s.

cuneonavicular l.'s 楔舟靱帯（内側楔状骨と舟状骨とを結合する靱帯．→dorsal cuneonavicular l.'s; plantar cuneonavicular l.'s）．

cystoduodenal l. 胆嚢十二指腸ひだ（胆嚢から十二指腸の最初の部分に走る腹膜のひだ）．

deep dorsal sacrococcygeal l. 深後仙尾靱帯＝deep posterior sacrococcygeal l.

deep posterior sacrococcygeal l. 深後仙尾靱帯（後縦靱帯の連続部で仙骨と尾骨を結ぶ）．＝deep dorsal sacrococcygeal l.; ligamentum sacrococcygeum dorsale profundum*.

deep transverse metacarpal l.［TA］．深横中手靱帯（第二から第五中手骨骨頭の掌側面を相互連結させる靱帯で，手掌腱膜に連続する．掌側骨間筋膜面に存在する）．＝ligamentum metacarpale transversum profundum［TA］; transverse metacarpal l.

deep transverse metatarsal l.［TA］．深横中足靱帯（中足骨骨頭足底面を相互に結ぶ靱帯で，足底靱帯と連続している）．＝ligamentum metatarsale transversum profundum［TA］; transverse metatarsal l.

deltoid l.* 三角靱帯（medial l. of ankle joint の公式の別名）．

Denonvilliers l. (dĕ-non-vē-yā′). ドノンヴィーエ靱帯．＝

puboprostatic l.

dentate l. of spinal cord 脊髄の歯状靱帯（正しくは denticulate l. であるがまれにこのようにつづられることもある）.

denticulate l.［TA］. 歯状靱帯（鋸歯状かつ棚様の脊髄軟膜の伸張で，胸髄と頸髄の左右から前頭面に沿って張り出している．およそ 21 個のこの突起は外側にのびて隣接した 2 個の脊髄神経根の出口の中間でクモ膜および硬膜と癒着しているが，最上位のものは直接大後頭孔上縁に付着している）. ＝ligamentum denticulatum［TA］.

Denucé l. (dĕ-nū-sā′). ドゥニュセー靱帯. ＝quadrate l.

diaphragmatic l. of the mesonephros 中腎横隔膜靱帯（中腎から横隔膜にのびる泌尿生殖隆線の一部で，卵巣提索となる）. ＝urogenital mesentery.

dorsal calcaneocuboid l.［TA］. 背側踵立方靱帯（⇀bifurcate l.）.

dorsal calcaneonavicular l.〔背側〕踵舟靱帯（⇀bifurcate l.）.

dorsal carpal l. ＝extensor *retinaculum.*

dorsal carpometacarpal l.'s［TA］. 背側手根中手靱帯（手根骨と中手骨を背側面で結合させる線維帯）. ＝ligamenta carpometacarpalia dorsalia［TA］.

dorsal cuboideonavicular l.［TA］. 背側立方舟靱帯（足根の舟状骨と立方骨を背側面で結合している）. ＝ligamentum cuboideonaviculare dorsale［TA］.

dorsal cuneocuboid l.［TA］. 背側楔立方靱帯（立方骨と外側楔状骨を背側縁で結合している靱帯の 1 つ）. ＝ligamentum cuneocuboideum dorsale［TA］.

dorsal cuneonavicular l.'s［TA］. 背側楔舟靱帯（3 個の楔状骨と舟状骨を背側面で結合する数本の靱帯）. ＝ligamenta cuneonavicularia dorsalia［TA］.

dorsal intercuneiform l.'s［TA］. 背側楔間靱帯（足根部で楔状骨群の背面にある靱帯）.

dorsal metacarpal l.'s［TA］. 背側中手靱帯（第二一第五中手骨底を背側で連結する靱帯）. ＝ligamenta metacarpalia dorsalia［TA］.

dorsal metatarsal l.'s［TA］. 背側中足靱帯（中足骨底を背側から連結する靱帯）. ＝ligamenta metatarsalia dorsalia［TA］.

dorsal radiocarpal l.［TA］. 背側橈骨手根靱帯（橈骨遠位端から後方へ手根骨の近位列までのびる靱帯）. ＝ligamentum radiocarpale dorsale［TA］.

dorsal sacroiliac l. 後仙腸靱帯. ＝posterior sacroiliac l.

dorsal tarsal l.'s［TA］. 背側足根靱帯（以下のものの総称．距舟靱帯，二分靱帯，背側楔間靱帯，背側立方靱帯，背側立方舟靱帯，背側楔舟靱帯，背側踵立方靱帯）. ＝ligamenta tarsi dorsalia［TA］.

dorsal tarsometatarsal l.'s［TA］. 背側足根中足靱帯（縦走または斜走する平坦で強力な靱帯で，足根中足関節（中足骨と方立骨・楔状骨を連結）を背側から補強する．第一中足骨と内側楔状骨は独立した関節をつくり内側背側足根中足靱帯が補強する．残りの中足骨は多数の足根骨と共通関節をなし背面から補強されている）. ＝ligamenta tarsometatarsalia dorsalia［TA］.

dorsal ulnocarpal l.［TA］. 背側尺骨手根靱帯（尺骨の茎状突起から手根骨の背側面に至る線維性の帯状構造）. ＝ligamentum ulnocarpale dorsale［TA］.

duodenorenal l. 腎十二指腸間膜（肝十二指腸間膜の端部から発して右腎の前方にのびる破格の腸間膜）. ＝ligamentum duodenorenale.

l.'s of epididymis (inferior and superior) 精巣上体間膜（精巣と精巣上体の間にある上下 2 枚の鞘膜）. ＝ligamenta epididymidis (inferius et superius)［TA］.

epihyal l. ＝stylohyoid l.

external collateral l. of wrist 外側手根側副靱帯. ＝radial collateral l. of wrist joint.

extracapsular l.'s［TA］. 関節〔包〕外靱帯（滑膜性関節と関係するが，その関節包からは離れて外部にある靱帯）. ＝ligamenta extracapsularia［TA］.

extraperitoneal l. (of abdomen or pelvis)［TA］.〔腹部および骨盤部の〕腹膜外靱帯（腹腔および骨盤腔の腹膜外筋膜が肥厚したもの）. ＝ligamenta extraperitoneale (abdominis et pelvis)［TA］.

falciform l.〔仙結節靱帯の〕鎌状靱帯. ＝falciform *process* of sacrotuberous ligament.

falciform l. of liver［TA］. 肝鎌状間膜（横隔膜と前腹壁から肝表面にのびる腹膜の半月形ひだ．円靱帯がその遊離下縁に位置する．胎生期の腹側胃間膜に由来する）. ＝ligamentum falciforme hepatis［TA］.

fallopian l. ファローピウス靱帯. ＝inguinal l.

Ferrein l. (fer-ān′). フェラン靱帯. ＝lateral l. of temporomandibular joint.

fibular collateral l.［TA］.〔膝関節の〕外側側副靱帯（大腿骨外側上顆から腓骨頭へ至る索状靱帯）. ＝ligamentum collaterale fibulare［TA］; lateral l. of knee; Winslow l.

fibular collateral l. of ankle ＝lateral l. of ankle.

Flood l. (flŭd). フラッド靱帯（烏口上腕靱帯のうち，上腕骨小結節に付着している部分）.

fundiform l. of clitoris［TA］. 陰核提靱帯（白線から下降し恥骨結合のところで分かれて陰核体の基部を囲んだ後，陰核筋膜と癒合する線維性結合組織の肥厚）. ＝ligamentum fundiforme clitoridis［TA］.

fundiform l. of foot ＝Retzius l.

fundiform l. of penis［TA］. 陰茎わな靱帯（白線からのび，恥骨結合上で分かれて陰茎を取り囲み，陰茎筋膜に付着する浅筋膜層の弾性線維帯）. ＝ligamentum fundiforme penis［TA］.

gastrocolic l.［TA］. 胃結腸間膜（胃と横行結腸の間にのびる大網の大きなエプロン状の部分）. ＝ligamentum gastrocolicum［TA］.

gastrodiaphragmatic l. 胃横隔間膜. ＝gastrophrenic l.

gastrolienal l. 胃脾間膜. ＝gastrosplenic l.

gastrophrenic l.［TA］. 胃横隔間膜（胃の大弯から横隔膜の下面にのびる大網の部分）. ＝ligamentum gastrophrenicum［TA］; gastrodiaphragmatic l.; phrenogastric l.

gastrosplenic l.［TA］. 胃脾間膜（胃の大弯と脾門の間に位置する大網の部分）. ＝ligamentum gastrosplenicum［TA］; ligamentum gastrolienale*; gastrolienal l.; gastrosplenic omentum.

genital l. 生殖靱帯（内性器を支持する胚の間葉帯）. ＝suspensory l. of gonad.

genitoinguinal l. 生殖鼡径靱帯（精巣導帯を含む胎児の精巣間膜のひだ）. ＝ligamentum genitoinguinale; plica gubernatrix.

Gerdy l. (zher-dē′). ジェルディ靱帯. ＝suspensory l. of axilla.

Gillette suspensory l. (zhē-let′). ジレット提靱帯. ＝cricoesophageal *tendon.*

Gimbernat l. (hēm-bār-naht′). ヒンベルナト靱帯. ＝lacunar l.

gingivodental l. ＝periodontium.

glenohumeral l.'s［TA］. 関節上腕靱帯（肩関節前部を補強する 3 つの靱帯（関節包靱帯）で，肩甲骨の関節上結節で関節唇と連続し，上腕骨解剖頸に付着するところでは関節包とも連続する．関節包の内面観で顕著なひだや隆起としてみられる）. ＝ligamenta glenohumeralia［TA］.

glenoid l. ***1*** 肩関節唇. ＝glenoid *labrum* of scapula. ***2*** 底側靱帯. ＝plantar l.'s.

glossoepiglottic l. 舌喉頭蓋靱帯（中舌喉頭蓋ひだで舌底から喉頭蓋にわたる弾性の靱帯状の帯）.

Günz l. (gŭnz). ギュンツ靱帯（閉鎖膜表層の部分）.

hammock l. ハンモック靱帯（成長中の歯根端下の歯周組織部分）.

l. of head of femur［TA］. 大腿骨頭靱帯（大腿骨頭窩から寛骨臼切痕縁の寛骨臼横靱帯にのびる扁平な靱帯で，発生途上には動脈がこの靱帯に伴行して大腿骨頭に侵入していたが成人では残っているとは限らない．関節としての一部をなすとはいえず，その動きに関係しているわけでもない）. ＝ligamentum capitis femoris［TA］; ligamentum teres femoris; round l. of femur.

Helmholtz axis l. (helm′hōltz). ヘルムホルツ軸靱帯（つち骨の回転軸を形成する靱帯．鼓膜切痕の前縁と後縁からつち骨までのびる 2 部分からなる）. ＝axis l. of malleus.

Hensing l. (hen′sēn). ヘンシング靱帯（左側の上結腸間

L

膜．下行結腸上端と腹壁の間にみられることのある小さな漿膜の，横走または斜走するひだ．→phrenicocolic l.）．

hepatocolic l. [TA]．肝結腸間膜（肝十二指腸靱帯の横行結腸への不定の延長部分）．＝ligamentum hepatocolicum [TA]．

hepatoduodenal l. [TA]．肝十二指腸間膜（肝臓と十二指腸とを結ぶ小網の部分）．＝ligamentum hepatoduodenale [TA]．

hepatoesophageal l. [TA]．肝食道靱帯（肝臓と腹部食道の間にのびる小網の部分）．＝ligamentum hepatoesophageum [TA]．

hepatogastric l. [TA]．肝胃間膜（肝臓と胃の小弯間にのびる小網の部分）．＝ligamentum hepatogastricum [TA]．

hepatophrenic l. [TA]．肝横隔間膜（小網のうち横隔膜に付着する部分）．＝ligamentum hepatophrenicum [TA]．

hepatorenal l. [TA]．肝腎ひだ（冠状靱帯の右腎の上を下方にのびた部分）．＝ligamentum hepatorenale [TA]．

Hesselbach l. (hes′ĕl-bahk)．ヘッセルバッハ靱帯．＝interfoveolar l.

Hey l. (hā)．ヘイ靱帯．＝superior *horn* of falciform margin of saphenous opening.

Holl l. (hol)．ホル靱帯（尿道の前で陰核海綿体を結ぶ靱帯）．

Hueck l. (hēk)．ヒュック靱帯．＝trabecular *tissue* of sclera.

Humphry l. (hŭm′frē)．ハンフリー靱帯．＝anterior meniscofemoral l.

Hunter l. (hŭn′tĕr)．ハンター靱帯．＝round l. of uterus.

hyalocapsular l. 硝子体包靱帯（硝子体が水晶体後面に付着するところの線維群）．＝ligamentum hyaloideo-capsulare.

hyoepiglottic l. [TA]．舌骨喉頭蓋靱帯（喉頭蓋と舌骨上縁を結合させる短い線維帯）．＝ligamentum hyoepiglotticum [TA]．

hypsiloid l. Y形靱帯．＝iliofemoral l.

iliofemoral l. [TA]．腸骨大腿靱帯（先端が腸骨の前下棘と寛骨臼骨縁に，底部が大腿骨の前転子間線に付着する三角形の靱帯．強力な内側帯が転子間線の下部に付着し，強力な外側部が転子間線の上部で結節に固定される．これらの帯は開散しY字形をなし，その間に結合の弱い部分がある．人体最強の靱帯に属し股関節の伸展を制限している）．＝ligamentum iliofemorale [TA]; Bertin l.; Bigelow l.; hypsiloid l.; Y-shaped l.

iliolumbar l. [TA]．腸腰靱帯（第四および第五腰椎を腸骨に結び付ける強力な靱帯で，脊柱と腸骨翼との間の切痕の上に張られている）．＝ligamentum iliolumbale [TA]．

iliopectineal l. ＝iliopectineal *arch*.

iliotrochanteric l. 腸骨転子靱帯（Y字形の腸骨大腿靱帯のうちで外側の強靱な靱帯．転子間線上部の結節の下に付着している）．

inferior calcaneonavicular l. 底側踵舟靱帯．＝plantar calcaneonavicular l.

inferior l. of epididymis [TA]．下精巣上体間膜（精巣上体の体部と精巣との間にある精巣鞘膜の下方のひだ）．＝ligamentum epididymidis inferius [TA]．

inferior pubic l. [TA]．恥骨弓靱帯（恥骨結合下方にある弓状の靱帯）．＝ligamentum pubicum inferius [TA]; arcuate pubic l.; ligamentum arcuatum pubis.

inferior transverse scapular l. [TA]．下肩甲横靱帯（肩甲棘の外側縁から関節窩後縁まで走る不定の線維帯）．＝ligamentum transversum scapulae inferius [TA]; spinoglenoid l.

infundibuloovarian l. ＝ovarian *fimbria*.

infundibulopelvic l. ＝suspensory l. of ovary.

inguinal l. [TA]．鼡径靱帯（外腹斜筋腱膜の肥厚した下縁からなる靱帯で，上前腸骨棘から恥骨結節まで筋裂孔と血管裂孔をまたぐように走っており，鼡径管の床をなしてもいる．内腹斜筋や腹横筋の最下方の腱線維もここに終わっている．→*aponeurosis* of external oblique (muscle)）．＝ligamentum inguinale [TA]; arcus inguinalis*; crural arch; fallopian arch; fallopian l.; femoral arch; Poupart l.

inguinal l. of the kidney 腎鼡径靱帯（中腎のうち鼡径部にのびている部分）．

intercarpal l.'s [TA]．手根間靱帯（2例の手根骨をつなぐ3組の短い線維帯．位置によって，背側手根間靱帯(dorsal intercarpal l.; ligamenta intercarpalia dorsalia)，骨間手根間靱帯(interosseous intercarpal l.; ligamenta intercarpalia interossea)，掌側手根間靱帯(palmar intercarpal l.; ligamenta intercarpalia palmaria)とよばれる）．＝ligamenta intercarpalia [TA]．

interclavicular l. [TA]．鎖骨間靱帯（胸骨柄の上縁上で2個の胸鎖関節をつなぐ強力な靱帯）．＝ligamentum interclaviculare [TA]．

interclinoid l. 床突起間靱帯（蝶形骨の前床および後床突起を結ぶ硬膜の帯．骨化することもある）．

intercornual l. ＝lateral sacrococcygeal l.

intercostal l.'s ＝intercostal *membranes*.

intercuneiform l.'s [TA]．楔間靱帯（楔状骨を結合させる線維帯．背側楔間靱帯(dorsal intercuneiform l.'s; ligamenta intercuneiformia dorsalia)，骨間楔間靱帯(interosseous intercuneiform l.'s; ligamenta intercuneiformia interossea)，底側楔間靱帯(plantar intercuneiform l.'s; ligamenta intercuneiformia plantaria)の3組に分けられる）．＝ligamenta intercuneiformia [TA]．

interfoveolar l. [TA]．窩間靱帯（深鼡径輪の内側に位置し，腹横筋の下縁から裂孔靱帯と恥骨筋膜にのびる線維性，または筋肉性系状体）．＝ligamentum interfoveolare [TA]; Hesselbach l.

internal collateral l. of the wrist 内側手根側副靱帯．＝ulnar collateral l. of wrist joint.

interosseous cuneocuboid l. 骨間楔立方靱帯．＝cuneocuboid interosseous l.

interosseous cuneometatarsal l.'s 骨間楔中足靱帯．＝cuneometatarsal interosseous l.'s.

interosseous metacarpal l.'s [TA]．骨間中手靱帯（第二―第五中手骨底を連結する靱帯のうちで背側中手靱帯と掌側中手靱帯の間にあるもの）．＝ligamenta metacarpalia interossea [TA]．

interosseous metatarsal l.'s 骨間中足靱帯．＝metatarsal interosseous l.'s.

interosseous sacroiliac l. [TA]．骨間仙腸靱帯（仙・腸骨の耳介面後方の狭い裂隙中で，これらの骨の間を走る短い，斜方向の線維帯）．＝ligamentum sacroiliacum interosseum [TA]．

interosseous talocalcaneal l. 骨間距踵靱帯．＝talocalcaneal interosseous l.

interosseous tibiofibular l. 骨間脛腓靱帯（脛骨および腓骨の遠位端を結ぶ強力な靱帯を形成する骨間膜の遠位延長部分）．＝transverse tibiofibular l.

interspinous l. [TA]．棘間靱帯（隣接脊椎の棘突起を結ぶ線維組織の帯）．＝ligamentum interspinale [TA]．

intertransverse l. [TA]．横突間靱帯（隣接脊椎の横突起を結ぶ靱帯）．＝ligamentum intertransversarium [TA]．

intraarticular l. of costal head 関節内肋骨頭靱帯．＝intraarticular l. of head of rib.

intraarticular l. of head of rib [TA]．関節内肋骨頭靱帯（関節包内で，肋骨頭上の2つの小関節面間の稜線から椎間板にのびている横走線維）．＝intraarticular l. of costal head; ligamentum capitis costae intraarticulare.

intraarticular sternocostal l. [TA]．関節内胸肋靱帯（関節包内にあって肋軟骨と胸骨を結合する靱帯で，特に第二胸肋関節でよく発達している）．＝ligamentum sternocostale intraarticulare [TA]．

intracapsular l.'s [TA]．関節〔包〕内靱帯（滑膜関節包内およびこれと離れて位置する靱帯）．＝ligamenta intracapsularia [TA]．

ischiocapsular l. ＝ischiofemoral l.

ischiofemoral l. [TA]．坐骨大腿靱帯（坐骨から大腿骨頸部上を上方，外側に走る股関節包の肥厚部．何本かの線維は輪帯に続く）．＝ligamentum ischiofemorale [TA]; ischiocapsular l.; ligamentum ischiocapsulare.

jugal l. ＝cricopharyngeal l.

Krause l. (krows)．クラウゼ靱帯．＝transverse perineal l.

laciniate l. ＝flexor *retinaculum* of lower limb.

lacunar l. [TA]．裂孔靱帯（鼡径靱帯の内側端から水平に，後方へ恥骨稜線まで走る弯曲した線維帯．大腿輪の内側境界を形成する．→*aponeurosis* of external oblique (muscle)). ＝ligamentum lacunare［TA］; Gimbernat l.

Lannelongue l.'s (lah-nĕ-lawng′). ラヌローング靱帯．＝sternopericardial l.'s.

lateral l. of ankle joint［TA］. 距腿の外側靱帯（前距腓靱帯と後距腓靱帯とで距腿関節の外側を形成している靱帯）. ＝ligamentum collaterale laterale［TA］; fibular collateral l. of ankle; lateral collateral l. of ankle.

lateral arcuate l.［TA］. 外側弓状靱帯（第一腰椎横突起と横隔膜の一部に付着する両側の第十二肋骨との間の腰方形筋筋膜肥厚部）. ＝ligamentum arcuatum laterale［TA］; arcus lumbocostalis lateralis; lateral lumbocostal arch.

lateral atlanto-occipital l.［TA］. 外側環椎後頭靱帯（環椎後頭関節の関節包(線維層)の外側部が肥厚したもの．外側頭直筋の内側に位置する．対側への側屈制限に働くと考えられる）. ＝ligamentum atlanto-occipitale laterale［TA］.

lateral l. of bladder 膀胱外側靱帯（線維性網状組織の縮合したもので，膀胱の両端から出て骨盤筋膜とつながる．この組織には通常，平滑筋があり，直腸膀胱筋とよばれる）. ＝ligamentum laterale vesicae［TA］.

lateral collateral l. of ankle 足根の外側側副靱帯．＝lateral l. of ankle.

lateral costotransverse l.［TA］. 外側肋横突靱帯（肋横突関節の背面部の肥厚で，横突起先端から肋骨頸の後面まで横切る短い四角形の靱帯）. ＝ligamentum costotransversarium laterale［TA］; ligamentum costotransversarium posterius; ligamentum tuberculi costae; posterior costotransverse l.

lateral l. of elbow 肘関節の外側側副靱帯．＝radial collateral l. of elbow joint.

lateral l. of knee ＝fibular collateral l.

lateral malleolar l. 外果靱帯（⇀anterior tibiofibular l.; posterior tibiofibular l.).

lateral l. of malleus［TA］. 外側つち骨靱帯（鼓膜切痕の後半からつち骨頸へ収れんする短い扇状の靱帯）. ＝ligamentum mallei laterale［TA］.

lateral palpebral l.［TA］. 外側眼瞼靱帯（頬骨の眼窩隆起に瞼板を付着させる線維帯）. ＝ligamentum palpebrale laterale［TA］; ligamentum palpebrale externum; ligamentum tarsale externum.

lateral puboprostatic l.[*] 外側恥骨前立腺靱帯（puboprostatic l. の公式の別名．⇀puboprostatic l.). ＝ligamentum laterale puboprostaticum［TA］.

lateral pubovesical l.［TA］. 外側恥骨膀胱靱帯（女性において，恥骨体と膀胱頸の間に張る腹膜外筋膜の肥厚部分．膀胱傍陥凹の床部をなす骨盤筋膜腱弓の前縁から外側に向かって広がる）. ＝ligamentum laterale pubovesicale［TA］.

lateral sacrococcygeal l.［TA］. 外側仙尾靱帯（仙骨の外側下縁から第一尾椎の横突起までのびる靱帯）. ＝ligamentum sacrococcygeum laterale［TA］; intercornual l.

lateral talocalcaneal l.［TA］. 外側距踵靱帯（距骨滑車から踵骨の外側面に走る靱帯）. ＝ligamentum talocalcaneum laterale［TA］.

lateral temporomandibular l. 顎関節の外側靱帯．＝lateral l. of temporomandibular joint.

lateral l. of temporomandibular joint［TA］. 顎関節の外側靱帯（顎関節の外側面を斜め下後方に降下する関節包靱帯）. ＝ligamentum laterale articulationis temporomandibularis［TA］; Ferrein l.; lateral temporomandibular l.; ligamentum temporomandibulare; temporomandibular l.

lateral thyrohyoid l.［TA］. 外側甲状舌骨靱帯（甲状軟骨上角と舌骨軟骨大角尖端とを結ぶ厚い弾性線維束で，甲状舌骨膜の後縁を形成する）. ＝ligamentum thyrohyoideum laterale［TA］; Berry l.'s; ligamentum hyothyroideum laterale.

lateral umbilical l. 臍動脈索．＝*ligamentum* umbilicale laterale.

lateral l. of wrist 外側手根側副靱帯．＝radial collateral l. of wrist joint.

Lauth l. (lōt). ラウト靱帯．＝transverse l. of the atlas.

l. of left superior vena cava 左上大静脈索（左総主静脈の遺残で，左腕頭静脈から左心房斜静脈へのびる靱帯）.

left triangular l. of liver［TA］.〔肝臓の〕左三角間膜（肝左葉から横隔膜までのびる腹膜と線維組織の三角形のひだ）. ＝ligamentum triangulare sinistrum hepatis［TA］.

l. of left vena cava［TA］. 左上大静脈索（左総主静脈の遺残で左腕頭静脈から左心房斜静脈へとのびている）. ＝ligamentum venae cavae sinistrae［TA］.

lenocolic l. 脾結腸靱帯（脾下極と結腸脾弯曲間に可在する組織）.

lienophrenic l. 脾腎ひだ．＝phrenicosplenic l.

lienorenal l.[*] 脾腎ひだ．splenorenal l. の公式の別名．

Lisfranc l.'s (lis-frahnk′). リスフラン靱帯．＝cuneometatarsal interosseous l.'s.

Lockwood l. (lok′wud). ロックウッド靱帯．＝suspensory l. of eyeball.

longitudinal l.'s 縦靱帯（脊柱の全長にわたって走る線維性の帯状構造で，前縦靱帯と後縦靱帯がある．→anterior longitudinal l.; posterior longitudinal l.). ＝ligamenta longitudinalia.

long plantar l.［TA］. 長足底靱帯（足の底側面上で踵骨から立方骨と外側の中足骨にのびる強力な靱帯で，縦足弓を保持する受動的支持組織の一環をなす）. ＝ligamentum plantare longum［TA］.

lumbocostal l.［TA］. 腰肋靱帯（第十二肋骨を第一・第二腰椎の横突起の先端に結び付ける強力な帯）. ＝ligamentum lumbocostale［TA］.

Luschka l.'s (lūsh′kah). ルシュカ靱帯．＝sternopericardial l.'s.

Mackenrodt l. (mahk′en-rot). マッケンロット靱帯．＝cardinal l.

l.'s of malleus つち骨の靱帯（⇀anterior l. of malleus; lateral l. of malleus; superior l. of malleus).

Mauchart l.'s (mow′kahrt). マウハルト靱帯（⇀alar l.'s).

Meckel l. (mek′ĕl). メッケル靱帯．＝Meckel *band*.

medial l. of ankle joint［TA］. 距腿関節の内側靱帯（脛骨の内果から足根骨へ下る脛舟部，脛踵部，前脛距部，後脛距部の4部からなる複合靱帯）. ＝ligamentum collaterale mediale［TA］; deltoid l.[*]; ligamentum deltoideum[*]; ligamentum mediale articulationis talocruralis; medial l. of talocrural joint; tibial collateral l. of ankle joint.

medial arcuate l.［TA］. 内側弓状靱帯（第一腰椎体から両側の横突起にのびる腰筋筋膜の腱様肥厚部．横隔膜の一部がここから起始する）. ＝ligamentum arcuatum mediale［TA］; arcus lumbocostalis medialis; medial lumbocostal arch.

medial canthal l. ＝medial palpebral l.

medial collateral l. of elbow 肘関節の内側側副靱帯．＝ulnar collateral l. of elbow joint.

medial l. of knee ＝tibial collateral l.

medial palpebral l.［TA］. 内側眼瞼靱帯（眼窩内側縁で上顎に瞼板の内側端を付着させる線維帯）. ＝ligamentum palpebrale mediale［TA］; ligamentum tarsale internum; medial canthal l.; tendo oculi; tendo palpebrarum.

medial puboprostatic l.[*] 内側恥骨前立腺靱帯．pubovesical l. (of male)の公式の別名．

medial pubovesical l. 内側恥骨膀胱靱帯（女性において，恥骨体と膀胱頸の間に張る腹膜外筋膜の肥厚部分．男性における恥骨前立腺靱帯に相当する）. ＝ligamentum mediale pubovesicale［TA］.

medial talocalcaneal l.［TA］. 内側距踵靱帯（距骨後突起の内側結節から載距突起に走る靱帯）. ＝ligamentum talocalcaneum mediale［TA］.

medial l. of talocrural joint ＝medial l. of ankle joint.

medial l. of temporomandibular joint［TA］. 顎関節の内側靱帯（顎関節包の内側を補強している包内線維束で外側靱帯ほど明瞭ではない）. ＝ligamentum mediale articulationis temporomandibularis［TA］.

medial umbilical l. 臍動脈索．＝*cord* of umbilical artery.

medial l. of wrist 内側手根側副靱帯．＝ulnar collateral l. of wrist joint.

median arcuate l.［TA］. 正中弓状靱帯（大動脈の上部で弓状をなす横隔膜脚間の腱様結合で，大動脈裂孔の前上縁をなす）. ＝ligamentum arcuatum medianum［TA］.

L

median cricothyroid l. [TA]. 正中輪状甲状靱帯（正中部で輪状軟骨と甲状軟骨とを結ぶ強力な靱帯で，弾性円錐と連続している）. =ligamentum cricothyroideum medianum [TA].

median thyrohyoid l. [TA]. 正中甲状舌骨靱帯（甲状舌骨膜の中央肥厚部）. =ligamentum thyrohyoideum medianum [TA]; ligamentum hyothyroideum medium.

median umbilical l. [TA]. 正中臍索（正中臍ひだに含まれる臍尿管の遺残物. 膀胱尖と臍の間の正中線維索として存続する）. =ligamentum umbilicale medianum [TA]; middle umbilical l.; urachal l.

meniscofemoral l.'s [TA]. 半月大腿靱帯（外側半月の後部から内側半月の外側面にのびている靱帯で，前半月大腿靱帯と後半月大腿靱帯がある. →anterior meniscofemoral l.; posterior meniscofemoral l.）. =ligamenta meniscofemoralia [TA].

metatarsal interosseous l.'s [TA]. 骨間中足靱帯（中足骨底を連結する靱帯で，背側・底側靱帯を連絡するように走っている）. =ligamenta metatarsalia interossea [TA]; interosseous metatarsal l.'s.

middle costotransverse l. =costotransverse l.

middle umbilical l. 正中臍索. =median umbilical l.

nuchal l.* 項靱帯. *ligamentum* nuchae の公式の別名.

oblique l. of elbow joint 斜索. =oblique *cord* of interosseous membrane of forearm.

oblique popliteal l. [TA]. 斜膝窩靱帯（半膜様筋停止腱の反転したもので，膝窩の後面を通って脛骨内側顆の停止腱から大腿骨外側顆までのびている）. =ligamentum popliteum obliquum [TA]; Bourgery l.

occipitoaxial l.'s 後頭軸椎靱帯（軸椎と後頭骨を結ぶ靱帯. →alar l.'s; apical l. of dens）.

orbicular l. 輪状靱帯. =anular l.

orbicular l. of radius 橈骨輪状靱帯. =anular l. of radius.

ovarian l. 卵巣索. =l. of ovary.

l. of ovary [TA]. 卵巣索（広靱帯のひだ(卵巣間膜)の間を卵巣の下端から子宮の横に至る索状の線維束）. =ligamentum ovarii proprium [TA]; ligamentum uteroovaricum*; ovarian l.; proper l. of ovary.

palmar l.'s [TA]. 掌側靱帯（各中手指節関節および指骨間関節の前面上に位置する線維軟骨板で指節骨基部と次の近位骨頭に付着する. 長い屈筋の腱の走行に一致して溝状陥凹を示す. →palmar l.'s of interphalangeal joints of hand; palmar l.'s of metacarpophalangeal joints）. =ligamenta palmaria [TA]; accessory volar l.'s.

palmar carpal l. =antebrachial flexor *retinaculum.*

palmar carpometacarpal l.'s [TA]. 掌側手根中手靱帯（手根骨と中手骨とを掌側面上で結合させる線維帯）. =ligamenta carpometacarpalia palmaria [TA].

palmar l.'s of interphalangeal joints of hand [TA]. 手の指節間関節の掌側靱帯（手の指節間関節の掌側にある靱帯で，側副靱帯とともに関節包の掌側を補強する. 中手指節関節の掌側靱帯と形態的にも機能的にも類似している. →palmar l.'s of metacarpophalangeal joints）. =ligamenta palmaria articulationis interphalangeae manus [TA].

palmar metacarpal l.'s [TA]. 掌側中手靱帯（第二–第五中手骨底を掌側で連結する靱帯）. =ligamenta metacarpalia palmaria [TA].

palmar l.'s of metacarpophalangeal joints [TA]. 中手指節関節の掌側靱帯（中手指節関節の掌側にある靱帯で，側副靱帯とともに関節包の掌側を補強する. この靱帯には縦に長い溝があり，指の屈筋腱を通しており，溝の両側で深横中手靱帯や指の線維鞘と連結している. 中手指節関節の掌側靱帯は基節骨底にしっかり固着して関節頭と窩を接着させるが，運動可能な程度に保持している）. =ligamenta palmaria articulationis metacarpophalangeae [TA]; palmar plates.

palmar radiocarpal l. [TA]. 掌側橈骨手根靱帯（手根関節の前面で橈骨の遠位端から手根骨の近位列まで走る強力な靱帯）. =ligamentum radiocarpale palmare [TA].

palmar ulnocarpal l. [TA]. 掌側尺骨手根靱帯（尺骨茎状突起から手根骨へ走る線維帯で，手首の掌側にある）. =ligamentum ulnocarpale palmare [TA].

pancreaticocolic l. [TA]. 膵結腸間膜（大網のうち膵臓と横行結腸との間に張る部分）. =ligamentum pancreaticocolicum [TA].

pancreaticosplenic l. [TA]. 膵脾間膜（大網のうち膵臓と脾臓との間に張る部分）. =ligamentum pancreaticosplenicum [TA].

patellar l. [TA]. 膝蓋靱帯（膝蓋骨尖とその両側下縁から脛骨粗面まで走る強力な扁平線維帯. 一部の人々は膝蓋骨が種子骨として埋めこまれている大腿四頭筋の腱の一部とみなしている）. =ligamentum patellae [TA].

pectinate l.'s of iridocorneal angle =trabecular *tissue* of sclera.

pectinate l.'s of iris 虹彩櫛状靱帯. =trabecular *tissue* of sclera.

pectineal l. [TA]. 恥骨櫛靱帯（恥骨櫛状線に沿って裂孔靱帯から外側に走る太い強靱な線維帯. 骨表面にあるこの線維組織は鼡径ヘルニアの修復の際に行われる様々な手技における縫合に利用される. →*aponeurosis* of external oblique (muscle)）. =ligamentum pectineum [TA]; Cooper l.'s (2).

peridental l. =periodontal l.

periodontal l. 歯周靱帯（歯を包囲・支持し，歯槽内に固定している結合組織構造. コラーゲン線維束から構成され，歯のセメント質を歯肉，歯槽骨，並びに隣在歯のセメント質に結合している. コラーゲン線維束間には，疎性結合組織，血管，リンパ管，および神経が散在している）. =peridental l.

phrenicocolic l. [TA]. 横隔結腸ひだ（左結腸曲と横隔膜に付着している腹膜の三角ひだ. その上に脾臓の下端がのる）. =ligamentum phrenicocolicum [TA]; costocolic l.

phrenicoesophageal l. [TA]. 横隔食道靱帯（横隔膜の筋膜が食道裂孔周囲から食道壁に向かって円錐状に伸びたもの. 一部の線維束は食道の粘膜下組織に達する. 横隔膜と食道を連絡し，裂孔ヘルニアを防ぐとともに，えん下および呼吸時のゆとり保持に働く）. =ligamentum phrenicoesophagealis [TA].

phrenicolienal l. 脾腎ひだ. =phrenicosplenic l.

phrenicosplenic l. [TA]. 横隔脾ひだ（横隔膜と脾臓をつなぐ二重の腹膜(腸間膜)で大網の一部であるが，近隣の腹膜ひだ，例えば胃横隔間膜，胃脾間膜，脾腎間膜などとの区別ははっきりしない）. =ligamentum phrenicosplenicum [TA]; lienophrenic l.; ligamentum phrenicolienale; phrenicolienal l.; phrenosplenic l.; sustentaculum lienis.

phrenogastric l. 胃脾間膜. =gastrophrenic l.

phrenosplenic l. 横隔脾ひだ. =phrenicosplenic l.

pisohamate l. [TA]. 豆鉤靱帯（豆状骨から有鉤骨の鉤部へのびる強靱な線維帯）. =ligamentum pisohamatum [TA]; pisounciform l.; pisouncinate l.

pisometacarpal l. [TA]. 豆中手靱帯（豆状骨から第五中手骨底までのびる強靱な線維帯. この靱帯は豆鉤靱帯とともに尺側手根屈筋の停止を形成するが，その中で豆状骨は種子骨のような位置を占めている）. =ligamentum pisometacarpale [TA].

pisounciform l. 豆鉤靱帯. =pisohamate l.

pisouncinate l. 豆鉤靱帯. =pisohamate l.

plantar l.'s [TA]. 底側靱帯（中足指節関節と指節間関節の足底面にある線維軟骨性の靱帯で，手の掌側靱帯に対応するもの. →plantar l.'s of interphalangeal joints of foot; plantar l.'s of metatarsophalangeal joints）. =ligamenta plantaria [TA]; accessory plantar l.'s; Cruveilhier l.'s; glenoid l. (2).

plantar calcaneocuboid l. [TA]. 底側踵立方靱帯（踵骨の遠位端から前方・内側を立方骨へ至る強力な靱帯で，実質的には踵立方関節窩の一部となっている. 長足底靱帯の短い深層のものに相当する）. =ligamentum calcaneocuboideum plantare [TA].

plantar calcaneonavicular l. [TA]. 底側踵舟靱帯（載距突起から舟状骨の足底面にのびる密な線維弾性靱帯. 距骨頭の関節窩の一部を形成している）. =ligamentum calcaneonaviculare plantare [TA]; spring l.*; inferior calcaneonavicular l.

plantar cuboideonavicular l. [TA]. 底側立方舟靱帯（足根の舟状骨と立方骨を足底面で結合している）. =ligamentum cuboideonaviculare plantare [TA].

plantar cuneocuboid l. [TA]．底側楔立方靱帯（外側楔状骨の先端と立方骨足底面の内側縁とを結合している）．＝ligamentum cuneocuboideum plantare [TA]．

plantar cuneonavicular l.'s [TA]．底側楔舟靱帯（3個の楔状骨と舟状骨を足底面で結合する靱帯）．＝ligamenta cuneonavicularia plantaria [TA]．

plantar l.'s of interphalangeal joints of foot [TA]．趾節間関節の底側靱帯（趾節間関節の足底面にある靱帯で，側副靱帯とともに関節包の足底面を補強する．中足趾関節の底側靱帯と形態的にも機能的にも類似している．→plantar l.'s of metatarsophalangeal joints）．＝ligamenta plantaria articulationis interphalangeae pedis [TA]．

plantar metatarsal l.'s [TA]．底側中足靱帯（中足骨底を足底側から連結する靱帯）．＝ligamenta metatarsalia plantaria [TA]．

plantar l.'s of metatarsophalangeal joints [TA]．中足趾(指)節関節の底側靱帯（中足趾節関節の足底面にある靱帯で，側副靱帯とともに関節包の足底面を補強する．この靱帯には縦に長い溝があり，指の屈筋腱を通しており，溝の両側で深横中足靱帯や指の線維鞘と連結している．中足趾節関節の底側靱帯は基節骨底にしっかり固着して関節頭と窩を接着させるが，運動可能な程度に保持している）．＝ligamenta plantaria articulationis metatarsophalangeae [TA]．

plantar tarsal l.'s. [TA]．底側足根靱帯（足根骨を全体として包む靱帯の総称で以下のものを含む．長足底靱帯，底側踵立方靱帯，底側踵舟靱帯，底側楔舟靱帯，底側立方舟靱帯，底側楔間靱帯，底側楔立方靱帯）．＝ligamenta tarsi plantaria [TA]．

plantar tarsometatarsal l.'s [TA]．底側足根中足靱帯（縦走または斜走する平坦で強力な靱帯で，足根中足関節(中足骨と立方骨・楔状骨を連結)を足底面から補強する．内側のものは最も強力で，外側へ行くほど弱くなる）．＝ligamenta tarsometatarsalia plantaria [TA]．

posterior costotransverse l. 後肋横突靱帯．＝lateral costotransverse l.

posterior cricoarytenoid l. 後輪状披裂靱帯．＝cricoarytenoid l.

posterior cruciate l. [TA]．後十字靱帯（脛骨の顆間域の後部と大腿骨内側顆の外側面の前部とを結ぶ靱帯）．＝ligamentum cruciatum posterius [TA]．

posterior l. of fibular head [TA]．後腓骨頭靱帯（腓骨頭の後部を脛骨に結合する靱帯）．＝ligamentum capitis fibulae posterius [TA]; posterior l. of head of fibula.

posterior l. of head of fibula 後腓骨頭靱帯．＝posterior l. of fibular head.

posterior l. of incus [TA]．後きぬた骨靱帯（きぬた骨の短脚からのびている靱帯）．＝ligamentum incudis posterius [TA]．

posterior l. of knee ＝arcuate popliteal l.

posterior longitudinal l. [TA]．後縦靱帯（脊椎骨体後面を連結する線維帯で椎弓根の間を狭め，椎間板の線維輪後部と結合して脊柱管の前壁を形成するに至る）．＝ligamentum longitudinale posterius [TA]．

posterior meniscofemoral l. [TA]．後半月大腿靱帯（後十字靱帯の後を通っている靱帯で，大腿骨内側顆と外側半月の後脚との間に張っている）．＝ligamentum meniscofemorale posterius [TA]; ligamentum cruciatum tertium genus; ligamentum menisci lateralis; Wrisberg l.

posterior occipitoaxial l. 〔正中環軸関節の〕蓋膜．＝tectorial *membrane* (of median atlantoaxial joint).

posterior sacroiliac l. [TA]．後仙腸靱帯（仙腸関節後方を腸骨から仙骨まで走る太い線維帯）．＝dorsal sacroiliac l.; ligamentum sacroiliacum posterius.

posterior sacrosciatic l. ＝sacrotuberous l.

posterior sternoclavicular l. [TA]．後胸鎖靱帯（胸鎖関節を後方から補強する）．＝ligamentum sternoclaviculare posterius [TA]．

posterior talocalcaneal l. [TA]．後距踵靱帯（距踵骨間靱帯外側部のすぐ後ろで，外側距踵靱帯の前で，足根溝の最も幅の広いところにある強力な靱帯）．＝ligamentum talocalcaneum posterius [TA]．

posterior talofibular l. [TA]．後距腓靱帯（距骨の後縁から果窩までのびているほぼ水平の線維帯）．＝ligamentum talofibulare posterius [TA]．

posterior talotibial l. 後距脛靱帯（→medial l. of ankle joint）．＝tibiotalar *part* of medial ligament of ankle joint.

posterior tibiofibular l. [TA]．後脛腓靱帯（脛腓靱帯結合の後面を水平に横切る線維帯で，距骨滑車を収める関節臼の壁の形成に加わる）．＝ligamentum tibiofibulare posterius [TA]．

posterior tibiotalar l. 後脛距靱帯．＝tibiotalar *part* of medial ligament of ankle joint.

Poupart l. (pū-pahr′)．プパール靱帯．＝inguinal l.

proper l. of ovary 固有卵巣索．＝l. of ovary.

pterygomandibular l. ＝pterygomandibular *raphe*.

pterygospinal l. 翼棘靱帯．＝pterygospinous l.

pterygospinous l. [TA]．翼棘靱帯（蝶形骨棘から外側翼上板後縁の上部までのびる膜様靱帯）．＝ligamentum pterygospinale [TA]; Civinini l.; pterygospinal l.

pubocapsular l. ＝pubofemoral l.

pubocervical l. [TA]．恥骨頸靱帯（恥骨体と子宮頸とを結ぶ骨盤筋膜腱弓の一部）．＝ligamentum pubocervicale [TA]．

pubofemoral l. [TA]．恥骨大腿靱帯（恥骨の上枝から大腿骨転子間線までのびる股関節包の肥厚部）．＝ligamentum pubofemorale [TA]; ligamentum pubocapsulare; pubocapsular l.

puboprostatic l. [TA]．恥骨前立腺靱帯（両側で前立腺と膀胱頸を恥骨に固定する骨盤隔膜の上筋膜の前方への限局性肥厚．通常，平滑筋を含む）．＝ligamentum puboprostaticum [TA]; lateral puboprostatic l.*; Denonvilliers l.

pubovesical l. (of female) [TA]．恥骨膀胱靱帯（男性の恥骨前立腺靱帯に対応する女性の筋膜肥厚で内側と外側にある）．＝ligamentum pubovesicale (femininum) [TA]．

pubovesical l. (of male) [TA]．恥骨膀胱靱帯（骨盤隔膜上筋膜の最前部の腱性アーチで，恥骨結合下部と前立腺や膀胱との間にある．恥骨後(膀胱前)腔所の下面を形成している）．＝ligamentum pubovesicale (masculinum) [TA]; ligamentum mediale puboprostaticum*; medial puboprostatic l.

pulmonary l. [TA]．肺間膜（肺根の下方で縦隔胸膜が肺表面で折れ返って2枚になったひだ）．＝ligamentum pulmonale [TA]; ligamentum latum pulmonis; Teutleben l.

quadrate l. [TA]．方形靱帯（尺骨の橈骨切痕の遠位縁から橈骨頸まで走る線維）．＝ligamentum quadratum [TA]; Denucé l.

radial collateral l. 肘関節の外側側副靱帯．＝radial collateral l. of elbow joint.

radial collateral l. of elbow joint [TA]．肘関節の外側側副靱帯（上腕骨外側上顆と橈骨輪状靱帯を結ぶ靱帯）．＝ligamentum collaterale radiale articulationis cubiti [TA]; lateral l. of elbow; radial collateral l.

radial collateral l. of wrist joint [TA]．外側手根側副靱帯（橈骨の茎状突起から手根骨へと末梢にのびる靱帯）．＝ligamentum collaterale carpi radiale articulationis radiocarpalis [TA]; external collateral l. of wrist; lateral l. of wrist.

radiate l. ＝radiate l. of head of rib.

radiate carpal l. [TA]．放射状手根靱帯（手根の掌側上を有頭骨から舟状骨，月状骨，三角骨へのびる靱帯）．＝ligamentum carpi radiatum [TA]; radiate l. of wrist.

radiate l. of head of rib [TA]．放線状肋骨頭靱帯（各肋骨頭と，それと関節をつくる2個の椎体を結合する放線状，星状，または前肋骨脊椎靱帯）．＝ligamentum capitis costae radiatum [TA]; ligamentum radiatum; radiate l.; stellate l.

radiate sternocostal l.'s [TA]．放射状胸肋靱帯（胸肋関節の関節包の前面で肋軟骨から胸骨に放射状に走る靱帯）．＝ligamenta sternocostalia radiata [TA]．

radiate l. of wrist 放線状手根靱帯．＝radiate carpal l.

reflected inguinal l. [TA]．反転靱帯（外腹斜筋腱膜のいくらか強化された部分で，鼡径靱帯の内側部から起こった線維が内側やや上方に進んで浅鼡径輪の下縁を回って同側の内側脚を通過してから白線を越えて対側の腱膜線維と並走して鼡径靱帯の上方に終わる．→*aponeurosis* of external oblique (muscle)）．＝ligamentum reflexum [TA]; Colles l.; fascia triangularis abdominis; reflex l.; triangular fascia.

reflex l. 反転靱帯. =reflected inguinal l.

Retzius l. (ret′zē-ŭs). レッチウス靱帯（足根洞中の下伸筋支帯の深部付着部．足指伸筋腱の支持帯として働く）. =fundiform l. of foot.

rhomboid l. =costoclavicular l.

right triangular l. of liver [TA].〔肝臓の〕右三角間膜（肝臓の右葉から横隔膜までのびる腹膜の三角形のひだ．冠状間膜がつくったもので，これが肝臓の右側の最尖端まで達したところで無漿膜野を回って鋭く曲がることでつくられる）. =ligamentum triangulare dextrum hepatis [TA].

ring l.〔股関節の〕輪帯. =*zona* orbicularis (articulationis coxae).

round l. of elbow joint =oblique *cord* of interosseous membrane of forearm.

round l. of femur 大腿円靱帯. =l. of head of femur.

round l. of liver [TA]. 肝円索（臍静脈の遺残で肝鎌状間膜の自由縁を肝臓から臍までのびており，ここで肝円索裂の中を通って肝門の左肝門脈の起始部につながる）. =ligamentum teres hepatis [TA].

round l. of uterus [TA]. 子宮円索（卵管開口部の前下方，左右両側で子宮に付着している筋線維を含む線維带．鼡径管から大陰唇に至る．男性の精索に相当し，これも鼡径管を通り同じような被覆をもつが相同ではなく精巣導帯と相同である）. =ligamentum teres uteri [TA]; Hunter l.

sacrodural l. 仙骨硬膜靱帯（硬膜の袋の下端から後縦靱帯に向かって縦にのびる線維束）. =ligamentum sacrodurale.

sacrospinous l. [TA]. 仙棘靱帯（坐骨棘から仙骨と尾骨へ走る線維带）. =ligamentum sacrospinale [TA]; anterior sacrosciatic l.; ligamentum sacrospinosum.

sacrotuberous l. [TA]. 仙結節靱帯（坐骨結節から腸骨，仙骨，および尾骨へ走る靱帯で，これによって坐骨切痕が大坐骨孔となり，さらに仙棘靱帯によって二分される）. =ligamentum sacrotuberale [TA]; ligamentum sacrotuberosum; posterior sacrosciatic l.

scrotal l. of testis 精巣導帯索（成人の精巣の解剖では観察しえない精巣導帯の遺残）.

serous l. 漿膜ひだ（内臓同士または内臓を腹壁に付着させている腹膜のひだ）. =ligamentum serosum.

sheath l.'s →fibrous *sheaths* of digits of hand; fibrous *sheaths* of toes; fibrous tendon *sheath*.

Simonart l.'s (sē-mō-nahr′). シモナール靱帯. =amnionic *band*.

skin l.'s [TA]. 皮膚靱帯（すだれ状に配列した無数の細い線維群で，真皮深層面に付着する浅筋膜から深筋膜に走り，その下にある構造と皮膚との間の動きを左右している．特に乳房によく発達していて乳房提靱帯とよばれている．また手掌や足底にも短いがよく発達している）. =retinaculum cutis [TA]; retinaculum of skin.

Soemmering l. (sŏrm′ĕr-ing). ゼンメリング靱帯（涙腺を眼窩骨膜に付着させている小線維）.

sphenomandibular l. [TA]. 蝶下顎靱帯（蝶形骨棘から下顎小舌まで走る線維帯．振り子の軸のように働く下顎骨の支持装置で，左右の小舌を通る横軸の周りに下降や上昇を起こさせ同時に引いたり，ひっこめたりもする）. =ligamentum sphenomandibulare [TA].

spinoglenoid l. =inferior transverse scapular l.

spiral l. of cochlea 蝸牛ラセン靱帯. =spiral l. of cochlear duct.

spiral l. of cochlear duct [TA]. 蝸牛ラセン靱帯（上腕骨内側縁の遠位縁で鋭い稜をなす部分）. =ligamentum spirale ductus cochlearis [TA]; crista spiralis; ligamentum spirale cochleae; spiral crest; spiral l. of cochlea.

splenicocolic l. [TA]. 脾結腸間膜（大網のうち脾臓と横行結腸左側部とを結ぶ部分）. =ligamentum splenicocolicum [TA].

splenorenal l. [TA]. 脾腎ひだ（腹膜大網部のひだで左腎臓前面から脾面に広がっており，後腹壁から脾臓への血管を導いている）. =ligamentum splenorenale [TA]; lienorenal l.*; ligamentum lienorenale*.

spring l.* plantar calcaneonavicular l. の公式の別名.

Stanley cervical l.'s (stan′lē). スタンリー頸靱帯（大腿骨頸部に反転する股関節包の線維）.

stellate l. =radiate l. of head of rib.

sternoclavicular l.'s 胸鎖靱帯（鎖骨を胸骨枝に結びつけている靱帯．→anterior sternoclavicular l.; posterior sternoclavicular l.）. =ligamenta sternoclavicularia.

sternopericardial l.'s 胸骨心膜靱帯（心膜から胸骨へ走る線維帯）. =ligamenta sternopericardiaca [TA]; Lannelongue l.'s; Luschka l.'s.

stylohyoid l. [TA]. 茎突舌骨靱帯（茎状突起の先端から舌骨の小角まで走る線維索．しばしば骨化することがある）. =ligamentum stylohyoideum [TA]; epihyal l.

stylomandibular l. [TA]. 茎突下顎靱帯（側頭骨の茎状突起先端から下顎角の後縁までのびる深頸筋膜の肥厚部で，耳下腺鞘に放散する）. =ligamentum stylomandibulare [TA]; stylomaxillary l.

stylomaxillary l. =stylomandibular l.

superficial dorsal sacrococcygeal l. 浅後仙尾靱帯. =superficial posterior sacrococcygeal l.

superficial posterior sacrococcygeal l. [TA]. 浅後仙尾靱帯（仙骨から尾骨までの棘上靱帯の連続部）. =ligamentum sacrococcygeum posterius superficiale [TA]; ligamentum sacrococcygeum dorsale superficiale*; superficial dorsal sacrococcygeal l.

superficial transverse metacarpal l. [TA]. 浅横中手靱帯（三角形の手掌筋膜底の最遠位部の深筋膜の肥厚部）. =ligamentum metacarpale transversum superficiale [TA]; Gerdy fibers; ligamentum natatorium.

superficial transverse metatarsal l. [TA]. 浅横中足靱帯（中足骨頭あたりでの足底腱膜遠位部の肥厚）. =ligamentum metatarsale transversum superficiale [TA].

superior costotransverse l. [TA]. 上肋横突靱帯（1つの肋骨頸からその上の椎骨の横突起に向かってのびる線維帯）. =ligamentum costotransversarium superius [TA]; anterior costotransverse l.; ligamentum costotransversarium anterius.

superior l. of epididymis [TA]. 上精巣上体間膜（精巣上体の頭部と精巣との間にある鞘膜の2枚のひだのうち上方のもの）. =ligamentum epididymidis superius [TA].

superior l. of incus [TA]. 上きぬた骨靱帯（鼓室陥凹の天井部ときぬた骨体とを結ぶ靱帯）. =ligamentum incudis superius [TA].

superior l. of malleus [TA]. 上つち骨靱帯（つち骨頭から鼓室上陥凹にのびる靱帯）. =ligamentum mallei superius [TA].

superior pubic l. [TA]. 上恥骨靱帯（恥骨結合上を横走する線維）. =ligamentum pubicum superius [TA].

superior transverse scapular l. [TA]. 上肩甲横靱帯（肩甲切痕に橋をかける強力な線維帯で，これによって肩甲上神経の通過する孔が形成される．他方，肩甲上動静脈はこの靱帯の上を通過する）. =ligamentum transversum scapulae superius [TA]; suprascapular l.

suprascapular l. =superior transverse scapular l.

supraspinous l. [TA]. 棘上靱帯（脊椎の棘突起先端に付着する縦の線維帯．頸部では変化して項靱帯を形成する）. =ligamentum supraspinale [TA].

suspensory l. of axilla [TA]. 腋窩提靱帯（鎖骨胸筋筋膜に続き，下方で腋窩筋膜に付着する．腋窩の特徴的なくぼみをつくっている）. =ligamentum suspensorium axillae [TA]; Campbell l.; Gerdy l.

suspensory l.'s of breast [TA]. 乳房提靱帯（乳腺をおおう皮膚から乳腺の線維間質までのびている．よく発達した皮膚支帯）. =retinaculum cutis mammae*; suspensory retinaculum of breast*; Cooper l.'s (1); ligamenta suspensoria mammaria [TA]; suspensory l.'s of Cooper.

suspensory l. of clitoris [TA]. 陰核提靱帯（恥骨結合から陰核の深筋膜までのびている深筋膜層位での線維帯で，陰核を恥骨結合に固定している）. =ligamentum suspensorium clitoridis [TA].

suspensory l.'s of Cooper (kū′pĕr). クーパー提靱帯. =suspensory l.'s of breast.

suspensory l. of duodenum* suspensory *muscle* of duodenum の公式の別名.

suspensory l. of esophagus 食道提靱帯．＝cricoesophageal *tendon.*

suspensory l. of eyeball [TA]．眼球懸架靱帯（眼窩内の，眼を支持する眼球被包下方の肥厚．外側・内側眼窩縁間にのび，外側・内側頬靱帯を含む）．＝ligamentum suspensorium bulbi [TA]; Lockwood l.

suspensory l. of gonad 性腺提靱帯．＝genital l.

suspensory l. of lens ＝ciliary *zonule.*

suspensory l. of ovary [TA]．卵巣提索（卵巣の上極から上方にのびる腹膜帯．卵巣血管と卵巣神経叢を包有する）．＝ligamentum suspensorium ovarii [TA]; Clado band; infundibulopelvic l.

suspensory l. of penis [TA]．陰茎提靱帯（恥骨結合から陰茎の深筋膜までのびる深筋膜層位での線維帯で，陰茎背面を固定している）．＝ligamentum suspensorium penis [TA].

suspensory l. of testis 精巣提靱帯（腹部内胎児精巣の上部に付着している性尿隆腺の萎縮上部）．

suspensory l. of thyroid gland [TA]．甲状腺提靱帯（甲状腺鞘から甲状腺および輪状軟骨に至る数本の線維帯）．＝ligamentum suspensorium glandulae thyroideae [TA].

sutural l. 縫合靱帯（縫合で頭蓋骨を結合する薄い膜）．

synovial l. 滑膜ひだ（関節内の滑膜のひだ）．

talocalcaneal l. [TA]．距踵靱帯（距骨と踵骨とを結ぶ3本の靱帯．骨間距踵靱帯，外側距踵靱帯，内側距踵靱帯）．＝ligamentum talocalcaneum [TA].

talocalcaneal interosseous l. [TA]．骨間距踵靱帯（足根洞の中の強い靱帯）．＝interosseous talocalcaneal l.; ligamentum talocalcaneare interosseum.

talonavicular l. [TA]．距舟靱帯（距骨頸の背側から舟状骨の背側面に走る幅の広い帯状靱帯）．＝ligamentum talonaviculare [TA].

tarsal l.'s [TA]．足根靱帯（足根骨を相互連結する靱帯．背側足根靱帯，骨間足根靱帯，底側足根靱帯の3組に分けられ，各々付着部による名称が付けられている）．＝ligamenta tarsi [TA].

tarsal interosseous l.'s [TA]．骨間足根靱帯（足根骨を深部で連結する靱帯で，距踵靱帯，楔立方靱帯，楔間靱帯がある）．＝ligamenta tarsi interossea [TA].

tarsometatarsal l.'s [TA]．足根中足靱帯（足根骨と中足骨を結合する靱帯．背側靱帯，底側靱帯，楔中足骨間靱帯に分けられる）．＝ligamenta tarsometatarsalia [TA].

temporomandibular l. ＝lateral l. of temporomandibular joint.

Teutleben l. (toyt′lā-ben)．トイトレーベン靱帯．＝pulmonary l.

Thompson l. トムソン靱帯．＝iliopubic *tract.*

thyroepiglottic l. [TA]．甲状喉頭蓋靱帯（上甲状腺切痕の近くで喉頭蓋茎を甲状軟骨内面に結び付ける弾性帯）．＝ligamentum thyroepiglotticum [TA].

tibial collateral l. [TA]．〔膝関節の〕内側側副靱帯（大腿骨の内側上顆から脛骨の内側線および内側面へ至る幅広い線維帯．内側の関節半月はこの靱帯の内面に付着する．膝関節包の肥厚部と連続している）．＝ligamentum collaterale tibiale [TA]; medial l. of knee.

tibial collateral l. of ankle joint. ＝medial l. of ankle joint.

tibiocalcaneal l. 脛踵靱帯．＝tibiocalcaneal *part* of medial ligament of ankle joint.

tibiofibular l. 脛腓靱帯（→anterior tibiofibular l.; interosseous *membrane* of leg; posterior tibiofibular l. →tibiofibular *syndesmosis*）．

tibionavicular l. 脛舟靱帯．＝tibionavicular *part* of medial ligament of ankle joint.

transverse acetabular l. [TA]．寛骨臼横靱帯（寛骨臼切痕を横断する寛骨臼唇の部分）．＝ligamentum transversum acetabuli [TA]; transverse l. of acetabulum.

transverse l. of acetabulum 寛骨臼横靱帯．＝transverse acetabular l.

transverse atlantal l. ＝transverse l. of the atlas.

transverse l. of the atlas [TA]．環椎横靱帯（軸椎歯突起の後方でこれを抱えこんだ環椎に関節させている左右の環椎外側塊を結ぶ中央のふくらんだ厚い強力な靱帯．環椎十字靱帯の十字部を構成する．→cruciate l. of the atlas）．＝ligamentum transversum atlantis [TA]; Lauth l.; transverse atlantal l.

transverse carpal l. 横手根靱帯．＝flexor *retinaculum* of hand.

transverse cervical l.* cardinal l. の公式の別名．

transverse crural l. ＝superior extensor *retinaculum.*

transverse l. of elbow 肘横靱帯（肘頭と鉤状突起を結ぶ靱帯で尺側側副靱帯と入り組んでいる）．＝Cooper l.'s (3).

transverse genicular l. ＝transverse l. of knee.

transverse humeral l. [TA]．横上腕靱帯（結節間溝を渡り，上腕骨の大結節から小結節へやや斜めに走る線維帯）．＝ligamentum transversum humeri [TA]; Brodie l.

transverse l. of knee [TA]．膝横靱帯（膝関節の前部で外側・内側半月間を通る横帯）．＝ligamentum transversum genus [TA]; transverse genicular l.

transverse l. of leg ＝superior extensor *retinaculum.*

transverse metacarpal l. ＝deep transverse metacarpal l.

transverse metatarsal l. ＝deep transverse metatarsal l.

transverse l. of pelvis 骨盤横靱帯．＝transverse perineal l.

transverse perineal l. [TA]．会陰横靱帯（会陰膜の肥厚前縁）．＝ligamentum transversum perinei [TA]; Krause l.; ligamentum transversum pelvis; transverse l. of pelvis; transverse l. of perineum.

transverse l. of perineum 会陰横靱帯．＝transverse perineal l.

transverse tibiofibular l. 横脛腓靱帯．＝interosseous tibiofibular l.

transverse l.'s of vertebral column [TA]．脊柱の横靱帯（椎体から横突起間で，椎間孔を横切るようにほぼ水平に走る靱帯．椎間孔に出入する脊髄動脈・神経の走向に影響を及ぼす）．＝ligamenta transversa columnae vertebralis [TA].

trapezoid l. [TA]．菱形靱帯（烏口鎖骨靱帯の外側部分で，鎖骨の菱形靱帯線に付着する）．＝ligamentum trapezoideum [TA].

Treitz l. (trīts)．トライツ靱帯．＝suspensory *muscle* of duodenum.

triangular l. 三角靱帯．＝perineal *membrane.*

triangular l.'s of liver 肝臓の三角靱帯（→right triangular l. of liver; left triangular l. of liver）．

ulnar collateral l. 肘関節の内側側副靱帯．＝ulnar collateral l. of elbow joint.

ulnar collateral l. of elbow joint [TA]．肘関節の内側側副靱帯（上腕骨内側上顆から尺骨の鉤状突起と肘頭の内側までのびる三角形の靱帯）．＝ligamentum collaterale ulnare articulationis cubiti [TA]; medial collateral l. of elbow; ulnar collateral l.

ulnar collateral l. of wrist joint [TA]．内側手根側副靱帯（尺骨茎状突起から豆状骨および三角骨に至る靱帯）．＝internal collateral l. of the wrist; medial l. of wrist.

urachal l. ＝median umbilical l.

uterovesical l. 膀胱子宮ひだ（子宮から膀胱後部へのびる腹膜ひだ）．＝plica uterovesicalis; plica vesicouterina; uterovesical fold; vesicouterine l.

Valsalva l.'s (vahl-sahl′vă)．ヴァルサルヴァ靱帯．＝l.'s of auricle.

venous l. 静脈管索．＝*ligamentum* venosum.

ventral sacrococcygeal l. 前仙尾靱帯．＝anterior sacrococcygeal l.

ventral sacroiliac l. 前仙腸靱帯．＝anterior sacroiliac l.

ventricular l. 室靱帯．＝vestibular l.

vertebropelvic l.'s →iliolumbar l.; sacrospinous l.; sacrotuberous l.

vesicoumbilical l. 膀胱臍靱帯（膀胱と臍の間の靱帯．→median umbilical l.; *cord* of umbilical artery）．

vesicouterine l. 膀胱子宮ひだ．＝uterovesical l.

vestibular l. [TA]．室靱帯（喉頭の室ひだをおおう四角い膜の下縁を形成する靱帯）．＝ligamentum vestibulare [TA]; ligamentum ventriculare; ventricular l.

vocal l. [TA]．声帯靱帯（両側で甲状軟骨から披裂軟骨

L

の声帯突起へのびる帯. 喉頭の弾性円錐の肥厚した自由上縁). =ligamentum vocale [TA].

volar carpal l. =flexor *retinaculum* of hand.

Weitbrecht l. (vīt′brekt). ヴァイトブレヒト靱帯. =oblique *cord* of interosseous membrane of forearm.

Winslow l. (winz′lō). ウィンスロー靱帯. =fibular collateral l.

Wrisberg l. (vris′bĕrg). ヴリスベルク靱帯. =posterior meniscofemoral l.

yellow l.'s 黄色靱帯. =*ligamenta* flava (⇀ligamentum).

Y-shaped l. Y形靱帯. =iliofemoral l.

Zaglas l. (zăg′lăs). ザグラス靱帯 (腸骨後上棘から仙骨の第二横結節へのびる短く太い線維帯).

Zinn l. (zin). ツィン靱帯. =common tendinous *ring* of extraocular muscles.

---

lig·a·men·ta (lig′ă-men′tă) [L.]. ligamentum の複数形.

lig·a·men·to·pex·is, lig·a·men·to·pexy (lig′ă-men′-tō-pek′sis, -pek-sē) [ligament + G. *pēxis*, fixation]. 子宮索固定〔術〕(子宮索を短縮する手術).

lig·a·men·tous (lig′ă-men′tŭs). 靱帯の, 靱帯状の.

LIGAMENTUM

lig·a·men·tum, pl. **lig·a·men·ta** (lig′ă-men′tŭm, -men′tă) [L. a band, tie < *ligo*, to bind][TA]. =ligament.

l. acromioclaviculare [TA]. 肩鎖靱帯. =acromioclavicular *ligament*.

ligamenta alaria [TA]. =alar *ligaments*.

l. anococcygeum* 肛門尾骨靱帯 (anococcygeal *body* の公式の別名).

l. anulare [TA]. 輪状靱帯. =anular *ligament*.

l. anulare bulbi =trabecular *tissue* of sclera.

l. anulare digitorum〔足指の〕輪状靱帯. =anular *part* of fibrous digital sheath of digits of hand and foot.

l. anulare radii [TA]. 橈骨輪状靱帯. =anular *ligament* of radius.

l. anulare stapedis [TA]. あぶみ骨輪状靱帯. =anular *ligament* of stapes.

ligamenta anularia trachealia [TA]. 気管輪状靱帯. =anular *ligaments* of trachea.

l. apicis dentis 歯尖靱帯. =apical *ligament* of dens.

l. arcuatum laterale [TA]. 外側弓状靱帯. =lateral arcuate *ligament*.

l. arcuatum mediale [TA]. 内側弓状靱帯. =medial arcuate *ligament*.

l. arcuatum medianum [TA]. 正中弓状靱帯. =median arcuate *ligament*.

l. arcuatum pubis 恥骨弓靱帯. =inferior pubic *ligament*.

l. arteriosum [TA]. 動脈管索 (肺動脈幹と大動脈弓の間にあった胎生期動脈管の遺残である線維性のひも). =arterial ligament; Botallo ligament.

l. atlanto-occipitale anterius [TA]. =anterior atlanto-occipital *ligament*.

l. atlanto-occipitale laterale [TA]. =lateral atlanto-occipital *ligament*.

ligamenta auricularia, l. auriculare anterius, l. auriculare posterius, l. auriculare superius [TA]. 耳介靱帯. =*ligaments* of auricle.

l. bifurcatum [TA]. 二分靱帯. =bifurcate *ligament*.

l. calcaneocuboideum [TA]. 踵立方靱帯. =calcaneocuboid *ligament*.

l. calcaneocuboideum dorsale [TA]. 背側踵立方靱帯 (⇀bifurcate *ligament*).

l. calcaneocuboideum plantare [TA]. 底側踵立方靱帯. =plantar calcaneocuboid *ligament*.

l. calcaneofibulare [TA]. 踵腓靱帯. =calcaneofibular *ligament*.

l. calcaneonaviculare [TA]. 踵舟靱帯 (⇀bifurcate *ligament*). =calcaneonavicular *ligament*.

l. calcaneonaviculare plantare [TA]. 底側踵舟靱帯. =plantar calcaneonavicular *ligament*.

l. calcaneotibiale 踵脛靱帯 (→medial *ligament* of ankle joint). =tibiocalcaneal *part* of medial ligament of ankle joint.

l. capitis costae intraarticulare 関節内肋骨頭靱帯. =intraarticular *ligament* of head of rib.

l. capitis costae radiatum [TA]. 放線状肋骨頭靱帯. =radiate *ligament* of head of rib.

l. capitis femoris [TA]. 大腿骨頭靱帯. =*ligament* of head of femur.

l. capitis fibulae anterius [TA]. 前腓骨頭靱帯. =anterior *ligament* of fibular head.

l. capitis fibulae posterius [TA]. 後腓骨頭靱帯. =posterior *ligament* of fibular head.

ligamenta capitulorum transversa 横小頭靱帯 (⇀deep transverse metacarpal *ligament*; deep transverse metatarsal *ligament*).

l. capsulare [TA]. 関節包靱帯. =capsular *ligament*.

l. cardinale [TA]. =cardinal *ligament*.

l. carpi dorsale 背側手根靱帯. =extensor *retinaculum*.

l. carpi radiatum [TA]. 放線状手根靱帯. =radiate carpal *ligament*.

l. carpi transversum 横手根靱帯. =flexor *retinaculum* of hand.

l. carpi volare 掌側腕靱帯. =flexor *retinaculum* of hand.

ligamenta carpometacarpalia dorsalia [TA]. 背側手根中手靱帯. =dorsal carpometacarpal *ligaments*.

ligamenta carpometacarpalia (dorsalia/palmaria) [TA]. 手根中手靱帯. =carpometacarpal *ligaments* (dorsal and palmar).

ligamenta carpometacarpalia palmaria [TA]. 掌側手根中手靱帯. =palmar carpometacarpal *ligaments*.

l. caudale 尾靱帯. =*retinaculum* caudale.

l. ceratocricoideum [TA]. 下角輪状靱帯=ceratocricoid *ligament*.

l. collaterale, pl. ligamenta collateralia [TA]. 側副靱帯. =collateral *ligaments*.

l. collateralia articulationes interphalangeae manus [TA]. 指節間関節の側副靱帯 (⇀collateral *ligaments*).

l. collateralia articulationes interphalangeae pedis [TA]. 趾(指)節間関節の側副靱帯 (⇀collateral *ligaments*).

l. collateralia articulationes metacarpophalangeae [TA]. 中手指節関節の側副靱帯 (⇀collateral *ligaments*).

l. collateralia articulationes metatarsophalangeae [TA]. 中足趾(指)節関節の側副靱帯 (⇀collateral *ligaments*).

l. collaterale carpi radiale articulationis radiocarpalis [TA]. 外側手根側副靱帯. =radial collateral *ligament* of wrist joint.

l. collaterale fibulare [TA]. 〔膝関節の〕外側側副靱帯. =fibular collateral *ligament*.

l. collaterale laterale [TA]. =lateral *ligament* of ankle.

l. collaterale mediale [TA]. 内側側副靱帯. =medial *ligament* of ankle joint.

l. collaterale radiale articulationis cubiti [TA]. 肘関節の外側側副靱帯. =radial collateral *ligament* of elbow joint.

l. collaterale tibiale [TA]. 〔膝関節の〕内側側副靱帯. =tibial collateral *ligament*.

l. collaterale ulnare articulationis cubiti [TA]. 肘関節の内側側副靱帯. =ulnar collateral *ligament* of elbow joint.

l. colli costae 肋骨頸靱帯. =costotransverse *ligament*.

l. conoideum [TA]. 円錐靱帯. =conoid *ligament*.

l. coracoacromiale [TA]. 烏口肩峰靱帯. =coracoacromial *ligament*.

l. coracoclaviculare [TA]. 烏口鎖骨靱帯. =coracoclavicular *ligament*.

l. coracohumerale [TA]. 烏口上腕靱帯. =coracohumeral *ligament*.

l. corniculopharyngeum 小角咽頭靱帯. =cricopharyngeal *ligament*.

l. coronarium hepatis [TA]. 肝冠状間膜. =coronary *ligament* of liver.
l. costoclaviculare [TA]. 肋鎖靱帯. =costoclavicular *ligament*.
l. costotransversarium [TA]. 肋横突靱帯. =costotransverse *ligament*.
l. costotransversarium anterius 前肋横突靱帯. =superior costotransverse *ligament*.
l. costotransversarium laterale [TA]. 外側肋横突靱帯. =lateral costotransverse *ligament*.
l. costotransversarium posterius 後肋横突靱帯. =lateral costotransverse *ligament*.
l. costotransversarium superius [TA]. 上肋横突靱帯. =superior costotransverse *ligament*.
ligamenta costoxiphoidea [TA]. 肋剣靱帯. =costoxiphoid *ligaments*.
l. cotyloideum =acetabular *labrum*.
l. cricoartenoideum 輪状披裂靱帯. =cricoarytenoid *ligament*.
l. cricopharyngeum [TA]. 輪状咽頭靱帯. =cricopharyngeal *ligament*.
l. cricothyroideum medianum [TA]. =median cricothyroid *ligament*.
l. cricotracheale [TA]. 輪状気管靱帯. =cricotracheal *ligament*.
ligamenta cruciata digitorum 〔趾の〕十字靱帯. =cruciform *part* of fibrous digital sheaths of hand and foot.
ligamenta cruciata genus 膝十字靱帯. =cruciate *ligaments* of knee.
l. cruciatum anterius 前十字靱帯. =anterior cruciate *ligament*.
l. cruciatum atlantis =cruciate *ligament* of the atlas.
l. cruciatum cruris =inferior extensor *retinaculum*.
l. cruciatum posterius [TA]. 後十字靱帯. =posterior cruciate *ligament*.
l. cruciatum tertium genus =posterior meniscofemoral *ligament*.
l. cruciforme atlantis [TA]. 環椎十字靱帯. =cruciate *ligament* of the atlas.
ligamenta cuboideonaviculare 立方舟靱帯. =cuboideonavicular *ligaments*.
l. cuboideonaviculare dorsale [TA]. 背側立方舟靱帯 (→bifurcate *ligament*). =dorsal cuboideonavicular *ligament*.
l. cuboideonaviculare plantare [TA]. 底側立方舟靱帯. =plantar cuboideonavicular *ligament*.
l. cuneocuboideum [TA]. 楔立方靱帯. =cuneocuboid *ligament*.
l. cuneocuboideum dorsale [TA]. 背側楔立方靱帯. =dorsal cuneocuboid *ligament*.
l. cuneocuboideum interosseum 骨間楔立方靱帯. =cuneocuboid interosseous *ligament*.
l. cuneocuboideum plantare [TA]. 底側楔立方靱帯. =plantar cuneocuboid *ligament*.
ligamenta cuneometatarsalia interossea [TA]. 骨間楔中足靱帯. =cuneometatarsal interosseous *ligaments*.
ligamenta cuneonavicularia dorsalia [TA]. 背側楔舟靱帯. =dorsal cuneonavicular *ligaments*.
ligamenta cuneonavicularia plantaria [TA]. 底側楔舟靱帯. =plantar cuneonavicular *ligaments*.
l. deltoideum☆ 三角靱帯 (medial *ligament* of ankle joint の公式の別名).
l. denticulatum [TA]. 歯状靱帯. =denticulate *ligament*.
l. ductus venosi =l. venosum.
l. duodenorenale 十二指腸腎ひだ. =duodenorenal *ligament*.
l. epididymidis inferius [TA]. 下精巣上体間膜. =inferior *ligament* of epididymis.
ligamenta epididymidis (inferius et superius) [TA]. =*ligaments* of epididymis (inferior and superior).
l. epididymidis superius [TA]. 上精巣上体間膜. =superior *ligament* of epididymis.
ligamenta extracapsularia [TA]. 関節〔包〕外靱帯. =extracapsular *ligaments*.
ligamenta extraperitoneale (abdominis et pelvis) [TA]. =extraperitoneal *ligament* (of abdomen or pelvis).
l. falciforme 〔仙結節靱帯の〕鎌状靱帯. =falciform *process* of sacrotuberous ligament.
l. falciforme hepatis [TA]. 肝鎌状間膜. =falciform *ligament* of liver.
ligamenta flava [TA]. 黄色靱帯 (隣接椎弓を結ぶ1対の黄色弾性線維組織の靱帯. 椎体と椎弓の間の脊柱管の後面を形成する. 硬膜外または脊椎穿刺の際, 套管針が黄色靱帯を通過する際, はっきりした感覚(〝プツン〟といった感じ)があり, 施術者は針の先端が硬膜外腔にはいっていることがわかる). =yellow ligaments.
l. fundiforme clitoridis [TA]. =fundiform *ligament* of clitoris.
l. fundiforme penis [TA]. 陰茎わな靱帯. =fundiform *ligament* of penis.
l. gastrocolicum [TA]. 胃結腸間膜. =gastrocolic *ligament*.
l. gastrolienale☆ 胃脾間膜 (gastrosplenic *ligament* の公式の別名).
l. gastrophrenicum [TA]. 胃横隔間膜. =gastrophrenic *ligament*.
l. gastrosplenicum [TA]. 胃脾間膜. =gastrosplenic *ligament*.
l. genitoinguinale 生殖鼡径靱帯. =genitoinguinal *ligament*.
ligamenta glenohumeralia [TA]. 関節上腕靱帯. =glenohumeral *ligaments*.
l. glenoidale 肩関節唇. =glenoid *labrum* of scapula.
ligamenta hepatis [TA]. =peritoneal *attachments* of liver.
l. hepatocolicum [TA]. 肝結腸間膜. =hepatocolic *ligament*.
l. hepatoduodenale [TA]. 肝十二指腸間膜. =hepatoduodenal *ligament*.
l. hepatoesophageum [TA]. 肝食道間膜. =hepatoesophageal *ligament*.
l. hepatogastricum [TA]. 肝胃間膜. =hepatogastric *ligament*.
l. hepatophrenicum [TA]. =hepatophrenic *ligament*.
l. hepatorenale [TA]. 肝腎ひだ. =hepatorenal *ligament*.
l. hyaloideo-capsulare 硝子体包靱帯. =hyalocapsular *ligament*.
l. hyoepiglotticum [TA]. 舌骨喉頭蓋靱帯. =hyoepiglottic *ligament*.
l. hyothyroideum laterale 外側舌骨甲状靱帯. =lateral thyrohyoid *ligament*.
l. hyothyroideum medium 中舌骨甲状靱帯. =median thyrohyoid *ligament*.
l. iliofemorale [TA]. 腸骨大腿靱帯. =iliofemoral *ligament*.
l. iliolumbale [TA]. 腸腰靱帯. =iliolumbar *ligament*.
l. iliopectineale =iliopectineal *arch*.
l. incudis posterius [TA]. 後きぬた骨靱帯. =posterior *ligament* of incus.
l. incudis superius [TA]. 上きぬた骨靱帯. =superior *ligament* of incus.
l. inguinale [TA]. 鼡径靱帯. =inguinal *ligament*.
ligamenta intercarpalia [TA]. 手根間靱帯. =intercarpal *ligaments*.
l. intercarpalia dorsalia 背側手根間靱帯 (→intercarpal *ligaments*).
l. intercarpalia interossea 骨間手根間靱帯 (→intercarpal *ligaments*).
l. intercarpalia palmaria 掌側手根間靱帯 (→intercarpal *ligaments*).
l. interclaviculare [TA]. 鎖骨間靱帯. =interclavicular *ligament*.
ligamenta intercostalia 肋骨靱帯. =intercostal *membranes*.
ligamenta intercuneiformia [TA]. 楔間靱帯. =inter-

L

cuneiform *ligaments*.

ligamenta intercuneiformia dorsalia 背側楔間靱帯（→intercuneiform *ligaments*).

ligamenta intercuneiformia interossea 骨間楔間靱帯（→intercuneiform *ligaments*).

ligamenta intercuneiformia plantaria 底側楔間靱帯（→intercuneiform *ligaments*).

l. interfoveolare [TA]．窩間靱帯．＝interfoveolar *ligament*.

l. interspinale [TA]．棘間靱帯．＝interspinous *ligament*.

l. intertransversarium [TA]．横突間靱帯．＝intertransverse *ligament*.

ligamenta intracapsularia [TA]．関節〔包〕内靱帯．＝intracapsular *ligaments*.

l. ischiocapsulare 坐骨包靱帯．＝ischiofemoral *ligament*.

l. ischiofemorale [TA]．坐骨大腿靱帯．＝ischiofemoral *ligament*.

l. jugale ＝cricopharyngeal *ligament*.

l. laciniatum 破裂靱帯．＝flexor *retinaculum* of lower limb.

l. lacunare [TA]．裂孔靱帯．＝lacunar *ligament*.

l. laterale articulationis temporomandibularis [TA]．顎関節の外側靱帯．＝lateral *ligament* of temporomandibular joint.

l. laterale pubovesicale [TA]．＝lateral pubovesical *ligament*.

l. laterale vesicae [TA]．＝lateral *ligament* of bladder.

l. latum pulmonis ＝pulmonary *ligament*.

l. latum uteri [TA]．子宮広間膜．＝broad *ligament* of the uterus.

l. lienorenale* 脾腎ひだ（splenorenal *ligament* の公式の別名）.

l. longitudinale anterius [TA]．前縦靱帯．＝anterior longitudinal *ligament*.

l. longitudinale posterius [TA]．後縦靱帯．＝posterior longitudinal *ligament*.

ligamenta longitudinalia 縦靱帯．＝longitudinal *ligaments*.

l. lumbocostale [TA]．腰肋靱帯．＝lumbocostal *ligament*.

l. mallei anterius [TA]．前つち骨靱帯．＝anterior *ligament* of malleus.

l. mallei laterale [TA]．外側つち骨靱帯．＝lateral *ligament* of malleus.

l. mallei superius [TA]．上つち骨靱帯．＝superior *ligament* of malleus.

l. malleoli lateralis 外果靱帯（→anterior tibiofibular *ligament*; posterior tibiofibular *ligament*).

l. mediale 内側靱帯．＝anterior tibiotalar *part* of medial ligament of ankle joint.

l. mediale articulationis talocruralis ＝medial *ligament* of ankle joint.

l. mediale articulationis temporomandibularis [TA]．顎関節の内側靱帯．＝medial *ligament* of temporomandibular joint.

l. mediale puboprostaticum* pubovesical *ligament* (of male) の公式の別名.

l. mediale pubovesicale [TA]．＝medial pubovesical *ligament*.

l. menisci lateralis ＝posterior meniscofemoral *ligament*.

l. meniscofemorale anterius [TA]．前半月大腿靱帯．＝anterior meniscofemoral *ligament*.

l. meniscofemorale posterius [TA]．後半月大腿靱帯．＝posterior meniscofemoral *ligament*.

ligamenta meniscofemoralia [TA]．半月大腿靱帯．＝meniscofemoral *ligaments*.

l. metacarpale transversum profundum [TA]．深横中手靱帯．＝deep transverse metacarpal *ligament*.

l. metacarpale transversum superficiale [TA]．浅横中手靱帯．＝superficial transverse metacarpal *ligament*.

ligamenta metacarpalia dorsalia [TA]．背側中手靱帯．＝dorsal metacarpal *ligaments*.

ligamenta metacarpalia interossea [TA]．骨間中手靱帯．＝interosseous metacarpal *ligaments*.

ligamenta metacarpalia palmaria [TA]．掌側中手靱帯．＝palmar metacarpal *ligaments*.

l. metatarsale transversum profundum [TA]．深横中足靱帯．＝deep transverse metatarsal *ligament*.

l. metatarsale transversum superficiale [TA]．浅横中足靱帯．＝superficial transverse metatarsal *ligament*.

ligamenta metatarsalia dorsalia [TA]．背側中足靱帯．＝dorsal metatarsal *ligaments*.

ligamenta metatarsalia interossea [TA]．骨間中足靱帯．＝metatarsal interosseous *ligaments*.

ligamenta metatarsalia plantaria [TA]．底側中足靱帯．＝plantar metatarsal *ligaments*.

l. natatorium ＝superficial transverse metacarpal *ligament*.

ligamenta navicularicuneiformia 舟楔靱帯（→dorsal cuneonavicular *ligaments*; plantar cuneonavicular *ligaments*).

l. nuchae [TA]．項靱帯（肥厚した棘上靱帯で形成される頸の後ろの矢状面の靱帯状の帯．頭側では外後頭隆起から大後頭孔後縁まで，下方では第七頸椎棘突起までのびる)．＝nuchal ligament*; apparatus ligamentosus colli.

l. orbiculare radii ＝anular *ligament* of radius.

ligamenta ossiculorum auditorium* *ligaments* of auditory ossicles の公式の別名.

ligamenta ossiculorum auditus [TA]．耳小骨靱帯．＝*ligaments* of auditory ossicles.

l. ovarii proprium [TA]．固有卵巣索．＝*ligament* of ovary.

ligamenta palmaria [TA]．掌側靱帯．＝palmar *ligaments*.

ligamenta palmaria articulationis interphalangeae manus [TA]．＝palmar *ligaments* of interphalangeal joints of hand.

ligamenta palmaria articulationis metacarpophalangeae [TA]．＝palmar *ligaments* of metacarpophalangeal joints.

l. palpebrale externum ＝lateral palpebral *ligament*.

l. palpebrale laterale [TA]．外側眼瞼靱帯．＝lateral palpebral *ligament*.

l. palpebrale mediale [TA]．内側眼瞼靱帯．＝medial palpebral *ligament*.

l. pancreaticocolicum [TA]．＝pancreaticocolic *ligament*.

l. pancreaticosplenicum [TA]．＝pancreaticosplenic *ligament*.

l. patellae [TA]．膝蓋靱帯．＝patellar *ligament*.

l. pectinatum 櫛状靱帯（→trabecular *tissue* of sclera).

l. pectinatum anguli iridocornealis 虹彩角膜角櫛状靱帯（→trabecular *tissue* of sclera).

l. pectinatum iridis 虹彩櫛状靱帯（→trabecular *tissue* of sclera).

l. pectineum [TA]．恥骨櫛状靱帯．＝pectineal *ligament*.

l. phrenicocolicum [TA]．横隔結腸ひだ．＝phrenicocolic *ligament*.

l. phrenicoesophagealis [TA]．＝phrenicoesophageal *ligament*.

l. phrenicolienale 横隔脾ひだ．＝phrenicosplenic *ligament*.

l. phrenicosplenicum [TA]．横隔脾ひだ．＝phrenicosplenic *ligament*.

l. pisohamatum [TA]．豆鈎靱帯．＝pisohamate *ligament*.

l. pisometacarpale [TA]．豆中手靱帯．＝pisometacarpal *ligament*.

l. plantare longum [TA]．長足底靱帯．＝long plantar *ligament*.

ligamenta plantaria [TA]．底側靱帯．＝plantar *ligaments*.

ligamenta plantaria articulationis interphalangeae pedis [TA]．＝plantar *ligaments* of interphalangeal joints of foot.

ligamenta plantaria articulationis metatarsophalangeae [TA]．＝plantar *ligaments* of metatarsophalangeal

joints.
l. popliteum arcuatum [TA]．弓状膝窩靱帯．＝arcuate popliteal *ligament*.
l. popliteum obliquum [TA]．斜膝窩靱帯．＝oblique popliteal *ligament*.
l. pterygospinale [TA]．翼棘靱帯．＝pterygospinous *ligament*.
l. pubicum inferius [TA]．＝inferior pubic *ligament*.
l. pubicum superius [TA]．上恥骨靱帯．＝superior pubic *ligament*.
l. pubocapsulare 恥骨包靱帯．＝pubofemoral *ligament*.
l. pubocervicale [TA]．＝pubocervical *ligament*.
l. pubofemorale [TA]．恥骨大腿靱帯．＝pubofemoral *ligament*.
l. puboprostaticum [TA]．恥骨前立腺靱帯．＝puboprostatic *ligament*.
l. puboprostaticum laterale 外側恥骨前立腺靱帯（→puboprostatic *ligament*）．
l. puboprostaticum mediale 内側恥骨前立腺靱帯（→puboprostatic *ligament*）．
l. pubovesicale (femininum) [TA]．＝pubovesical *ligament* (of female).
l. pubovesicale (masculinum) [TA]．＝pubovesical *ligament* (of male).
l. pulmonale [TA]．肺間膜．＝pulmonary *ligament*.
l. quadratum [TA]．方形靱帯．＝quadrate *ligament*.
l. radiatum ＝radiate *ligament* of head of rib.
l. radiocarpale dorsale [TA]．背側橈骨手根靱帯．＝dorsal radiocarpal *ligament*.
l. radiocarpale palmare [TA]．掌側橈骨手根靱帯．＝palmar radiocarpal *ligament*.
l. reflexum [TA]．反転靱帯．＝reflected inguinal *ligament*.
l. sacrococcygeum anterius [TA]．前仙尾靱帯．＝anterior sacrococcygeal *ligament*.
l. sacrococcygeum dorsale profundum* deep posterior sacrococcygeal *ligament* の公式の別名．
l. sacrococcygeum dorsale superficiale* superficial posterior sacrococcygeal *ligament* の公式の別名．
l. sacrococcygeum laterale [TA]．外側仙尾靱帯．＝lateral sacrococcygeal *ligament*.
l. sacrococcygeum posterius superficiale [TA]．浅後仙尾靱帯．＝superficial posterior sacrococcygeal *ligament*.
l. sacrococcygeum ventrale* anterior sacrococcygeal *ligament* の公式の別名．
l. sacrodurale 仙硬膜靱帯．＝sacrodural *ligament*.
l. sacroiliacum anterius [TA]．前仙腸靱帯．＝anterior sacroiliac *ligament*.
l. sacroiliacum interosseum [TA]．骨間仙腸靱帯．＝interosseous sacroiliac *ligament*.
l. sacroiliacum posterius 後仙腸靱帯．＝posterior sacroiliac *ligament*.
l. sacrospinale [TA]．仙棘靱帯．＝sacrospinous *ligament*.
l. sacrospinosum ＝sacrospinous *ligament*.
l. sacrotuberale [TA]．仙結節靱帯．＝sacrotuberous *ligament*.
l. sacrotuberosum ＝sacrotuberous *ligament*.
l. serosum 漿膜ひだ．＝serous *ligament*.
l. sphenomandibulare [TA]．蝶下顎靱帯．＝sphenomandibular *ligament*.
l. spirale cochleae 蝸牛ラセン靱帯．＝spiral *ligament* of cochlear duct.
l. spirale ductus cochlearis [TA]．＝spiral *ligament* of cochlear duct.
l. splenicocolicum [TA]．＝splenicocolic *ligament*.
l. splenorenale [TA]．脾腎ひだ．＝splenorenal *ligament*.
l. sternoclaviculare anterius [TA]．前胸鎖靱帯．＝anterior sternoclavicular *ligament*.
l. sternoclaviculare posterius [TA]．後胸鎖靱帯．＝posterior sternoclavicular *ligament*.
ligamenta sternoclavicularia 胸鎖靱帯．＝sternoclavicular *ligaments*.
l. sternocostale intraarticulare [TA]．関節内胸肋靱帯．＝intraarticular sternocostal *ligament*.
ligamenta sternocostalia radiata [TA]．放線状胸肋靱帯．＝radiate sternocostal *ligaments*.
ligamenta sternopericardiaca [TA]．胸骨心膜靱帯．＝sternopericardial *ligaments*.
l. stylohyoideum [TA]．茎突舌骨靱帯．＝stylohyoid *ligament*.
l. stylomandibulare [TA]．茎突下顎靱帯．＝stylomandibular *ligament*.
l. supraspinale [TA]．棘上靱帯．＝supraspinous *ligament*.
ligamenta suspensoria mammaria [TA]．乳房提靱帯．＝suspensory *ligaments* of breast.
l. suspensorium axillae [TA]．＝suspensory *ligament* of axilla.
l. suspensorium bulbi [TA]．＝suspensory *ligament* of eyeball.
l. suspensorium clitoridis [TA]．陰核提靱帯．＝suspensory *ligament* of clitoris.
l. suspensorium duodeni* suspensory *muscle* of duodenum の公式の別名．
l. suspensorium glandulae thyroideae [TA]．＝suspensory *ligament* of thyroid gland.
l. suspensorium ovarii [TA]．卵巣提索．＝suspensory *ligament* of ovary.
l. suspensorium penis [TA]．陰茎提靱帯．＝suspensory *ligament* of penis.
l. talocalcaneare interosseum 骨間距踵靱帯．＝talocalcaneal interosseous *ligament*.
l. talocalcaneum [TA]．距踵靱帯．＝talocalcaneal *ligament*.
l. talocalcaneum laterale [TA]．外側距踵靱帯．＝lateral talocalcaneal *ligament*.
l. talocalcaneum mediale [TA]．内側距踵靱帯．＝medial talocalcaneal *ligament*.
l. talocalcaneum posterius [TA]．＝posterior talocalcaneal *ligament*.
l. talofibulare anterius [TA]．前距腓靱帯．＝anterior talofibular *ligament*.
l. talofibulare posterius [TA]．後距腓靱帯．＝posterior talofibular *ligament*.
l. talonaviculare [TA]．距舟靱帯．＝talonavicular *ligament*.
l. talotibiale anterius 前脛距靱帯（→medial *ligament* of ankle joint）．＝anterior tibiotalar *part* of medial ligament of ankle joint.
l. talotibiale posterius 後脛距靱帯（→medial *ligament* of ankle joint）．＝tibiotalar *part* of medial ligament of ankle joint.
l. tarsale externum ＝lateral palpebral *ligament*.
l. tarsale internum ＝medial palpebral *ligament*.
ligamenta tarsi [TA]．足根靱帯．＝tarsal *ligaments*.
ligamenta tarsi dorsalia [TA]．＝dorsal tarsal *ligaments*.
ligamenta tarsi interossea [TA]．＝tarsal interosseous *ligaments*.
ligamenta tarsi plantaria [TA]．＝plantar tarsal *ligaments*.
ligamenta tarsometatarsalia [TA]．足根中足靱帯．＝tarsometatarsal *ligaments*.
ligamenta tarsometatarsalia dorsalia [TA]．＝dorsal tarsometatarsal *ligaments*.
ligamenta tarsometatarsalia plantaria [TA]．＝plantar tarsometatarsal *ligaments*.
l. temporomandibulare 側頭下顎靱帯．＝lateral *ligament* of temporomandibular joint.
l. teres femoris 大腿円靱帯．＝*ligament* of head of femur.
l. teres hepatis [TA]．肝円索．＝round *ligament* of liver.
l. teres uteri [TA]．子宮円索．＝round *ligament* of uterus.
l. testis 精巣靱帯（胎性尿性器の隆線の尾部．精巣導体の上部３分の１).

l. thyroepiglotticum [TA]. 甲状喉頭蓋靱帯. ＝thyroepiglottic *ligament*.

l. thyrohyoideum laterale [TA]. 甲状舌骨靱帯. ＝lateral thyrohyoid *ligament*.

l. thyrohyoideum medianum [TA]. 正中甲状舌骨靱帯. ＝median thyrohyoid *ligament*.

l. tibiofibulare anterius [TA]. 前脛腓靱帯. ＝anterior tibiofibular *ligament*.

l. tibiofibulare medium 正中脛腓靱帯. ＝interosseous *membrane* of leg.

l. tibiofibulare posterius [TA]. 後脛腓靱帯. ＝posterior tibiofibular *ligament*.

l. tibionaviculare 脛舟靱帯. ＝tibionavicular *part* of medial ligament of ankle joint.

ligamenta trachealia 気管靱帯. ＝anular *ligaments* of trachea.

ligamenta transversa columnae vertebralis [TA]. ＝transverse *ligaments* of vertebral column.

l. transversale cervicis 頸横靱帯. ＝cardinal *ligament*.

l. transversum acetabuli [TA]. 寛骨臼横靱帯. ＝transverse acetabular *ligament*.

l. transversum atlantis [TA]. 環椎横靱帯. ＝transverse *ligament* of the atlas.

l. transversum cruris ＝superior extensor *retinaculum*.

l. transversum genus [TA]. 膝横靱帯. ＝transverse *ligament* of knee.

l. transversum humeri [TA]. ＝transverse humeral *ligament*.

l. transversum pelvis 骨盤横靱帯. ＝transverse perineal *ligament*.

l. transversum perinei [TA]. 会陰横靱帯. ＝transverse perineal *ligament*.

l. transversum scapulae inferius [TA]. 下肩甲横靱帯. ＝inferior transverse scapular *ligament*.

l. transversum scapulae superius [TA]. 上肩甲横靱帯. ＝superior transverse scapular *ligament*.

l. trapezoideum [TA]. 菱形靱帯. ＝trapezoid *ligament*.

l. triangulare 三角靱帯. ＝perineal *membrane*.

l. triangulare dextrum hepatis [TA]. 〔肝臓の〕右三角間膜. ＝right triangular *ligament* of liver.

l. triangulare sinistrum hepatis [TA]. 〔肝臓の〕左三角間膜. ＝left triangular *ligament* of liver.

l. tuberculi costae ＝lateral costotransverse *ligament*.

l. ulnocarpale dorsale [TA]. ＝dorsal ulnocarpal *ligament*.

l. ulnocarpale palmare [TA]. 掌側尺骨手根靱帯. ＝palmar ulnocarpal *ligament*.

l. umbilicale laterale l. umbilicale mediale(臍動脈索)の旧名. ＝lateral umbilical ligament.

l. umbilicale mediale 臍動脈索. ＝*cord* of umbilical artery.

l. umbilicale medianum [TA]. 正中臍索. ＝median umbilical *ligament*.

l. uteroovaricum* *ligament* of ovary の公式の別名.

l. venae cavae sinistrae [TA]. 左上大静脈索. ＝*ligament* of left vena cava.

l. venosum [TA]. 静脈管索（静脈管窩に位置し，胎児静脈管の遺残物である細い線維索). ＝Arantius ligament; l. ductus venosi; venous ligament.

l. ventriculare ＝vestibular *ligament*.

l. vestibulare [TA]. 室靱帯. ＝vestibular *ligament*.

l. vocale [TA]. 声帯靱帯. ＝vocal *ligament*.

---

lig·and (lig′and, lī′gand) [L. *ligo*, to bind]. 配位子，リガンド（①多重配位結合によって中央の金属イオンに付着している個々の原子，置換基，分子の総称．例えば，ヘムのポルフィリン部分，ビタミンB_{12}．②トレーサ元素と結合する有機分子．例えばラジオアイソトープ．③高分子と結合する分子．例えばレセプタに対するリガンドの結合．④ラジオイムノアッセイのような競合的結合検定での被検体．⑤有機分子の特定の炭素原子に共有結合した原子または置換基).

addressin l.'s アドレスリガンド（リンパ球上に存在する特異的なホーミングレセプタに対応するリガンド).

c-Mpl l. c-Mpl リガンド（巨核球を刺激し，血小板産生を調節する液性因子).

Fas l. ファスリガンド（細胞毒性T細胞の表面に存在する分子で，他の細胞の表面にあるその受容体，ファスと結合し，標的細胞のアポトーシスを引き起こす).

mpl l. Mpl リガンド（血小板産生を調節する造血因子).

OPG l. OPGリガンド. ＝TRANCE.

lig·and·in (lī-gan′din). リガンジン. ＝*glutathione S*-transferase.

li·gase (lī′gās) [EC class 6]. リガーゼ（ATP や類似の化合物のピロリン酸結合の開裂と共役した２分子の結合を触媒する酵素の総称名. →synthetase).

li·gate (lī′gāt) [L. *ligo*, pp. *-atus*, to bind]. 結紮する.

li·ga·tion (lī-gā′shŭn) [L. *ligatio* < *ligo*, to bind]. ***1*** 結紮（結紮すること．結んだり，焼還したりすること). ***2*** ライゲーション，連結反応.

blunt-end l. 平滑末端ライゲーション（平滑末端で２個のDNA 複合体を直接に結合する反応).

enzyme-catalyzed l. 酵素触媒性ライゲーション（２つのDNA あるいは RNA をホスホジエステル結合で，あるいは２つのポリペプチドをペプチド結合で酵素作用によりつなぐこと).

pole l. 極結紮（器官の根部で血流を遮断したり，減らしたりすること).

surgical l. 矯正歯科結紮（歯科において，未萌出歯を手術的に露出して歯頸部にかけた金属結紮を矯正装置に固定し，萌出を容易にすること).

tooth l. 歯牙結紮（外傷または正顎手術後あるいは歯根膜治療中に，安定と固定のためにいくつかの歯を針金で縛り合わせること).

tubal l. 卵管結紮（避妊目的で切断・焼灼，プラスチックあるいは金属クレンメで卵管の疎通性を遮断する方法).

li·ga·tor (lī′gā-tŏr, -tōr). 結紮器（深くて届かない部位の血管を結紮するための器械).

lig·a·ture (lig′ă-chūr) [L. *ligatura*, a band or tie < *ligo*, to tie]. ***1*** 結紮〔糸〕（血管，腫瘍茎，その他の構造を締め付けるためにその周囲にきつく結んだより糸，針金，ひも，またはそれらに類似した物．またはそれらにより結ぶこと). ***2*** リガチャー，結紮線（矯正歯科において，矯正用アタッチメントや歯をアーチワイヤに固定するために用いるワイヤまたは材料).

elastic l. 弾力性結紮糸（①徐々に収縮するゴム糸．②矯正歯科において，歯とアーチワイヤまたは歯と歯を結び，これらの移動を生じさせるために用いる伸展性のある糸状の材料).

intravascular l. 血管内結紮〔術〕（脳動静脈奇形の栄養血管をバルーンを用いて血管内から閉塞すること).

nonabsorbable l. 非吸収性結紮糸（絹，銅線，合成繊維などのような不活性の物質でできた永久的結紮糸．人体組織内では溶解を受けない).

occluding l. 閉塞結紮〔法〕（遠位の循環を完全に止める結紮法).

provisional l. 予備結紮（出血を予防するため手術の始めに動脈を分離せずに掛ける結紮．手術終了時に取り除く).

soluble l. 溶解性結紮糸（ヒトの組織によって吸収されうる材料の一時的な結紮糸).

Stannius l. (stahn′ē-ŭs). シュタンニウス結紮（カエルやウミガメの心臓の静脈洞と心房の間の接合部(Stannius 第一結紮)か，房室接合部に掛ける結紮(Stannius 第二結紮)．心臓の刺激は静脈洞から心房，心室へと伝導されること，洞以下の房・室はそれぞれ自動性を有して拍動し続けること，心房の拍動数は静脈洞のそれよりも遅く，心室は収縮しないかまたは心房より遅い速度で拍動することなどを実証する).

suboccluding l. 亜閉塞結紮〔法〕（血液供給を減らし，側副循環を促進する結紮).

suture l. 縫合結紮（結紮をより確かに安全にするために，糸付き針で組織を通すか，または周囲を縫って行う結紮).

light (līt) [A.S. *leōht*]. ***1***〖n.〗光，光線（電磁放射線(例えば 390 — 770nm)で，網膜が感応する部分(波長域380 —

780nm).→lamp). ***2***〖adj.〗軽い（密度が小さい固体を意味する）. ***3***〖adj.〗軽い，低い（普通以下の量，程度，強度をもつ）.

cold l. 冷光（①＝bioluminescence (1). ②白熱光に対する蛍光）.

infrared l. 赤外線（→infrared）.

invisible l. 不可視光（X線の歴史的呼称）.

minimum l. →visual *threshold*.

polarized l. 偏光（ある種の媒質で反射または透過した光．振動方向が，すべての面でなく，光線を横断する一平面に限られる）.

reflected l. 反射光〔線〕（鏡などで反射した光線）.

refracted l. 屈折光〔線〕（透明媒質から密度の異なる他の透明媒質へ通過する際に，方向が変化した光線.→refraction）.

transmitted l. 透過光〔線〕（透明媒質を通り抜けた光）.

Wood l. (wud). ウッド光〔線〕（Wood 灯により生じた紫外線）.

light·en·ing (lītʹen-ing). 下降感，軽減感（妊娠の後期に，胎児の頭部が骨盤入口に下降するため，腹部の膨満が減少したように感じること）.

light green SF yel·low·ish (līt grēn yelʹō-ish) [C.I. 42095]. ライトグリーン SF イエローイッシュ（酸性アリルメタン色素．植物や動物の組織学での細胞質染色として用いる）.

lig·ne·ous (ligʹnē-ŭs) [L. *ligneus*, wooden < *lignum*, wood]. 木質の（木質感．木のような感じ）.

lig·nin (ligʹnin) [L. *lignum*, wood]. リグニン（セルロースに伴うコニフェリルアルコールのランダムポリマー．植物の繊維および木材の細胞中に存在する．バニリン(リグニンの酸化による)の原料．リグニンの組成は植物の種類により変化する．自然界に最も多量に存在するバイオポリマーの1つ）.

lig·no·cer·ic ac·id (ligʹnō-serʹik asʹid, -sērʹik). リグノセリン酸（スフィンゴ脂質の一種や少量だけトリアシルグリセロールに存在する酸）.＝*n*-tetracosanoic acid.

like·li·hood (līkʹlē-hud). 尤度（その量が与えられたデータを説明するという前提で，現実には未知のある量が特定の値をとることのもっともらしさを示すもの．この方法の長所は種々の競合する判断を比較できる点である）.

Li·kert (līʹkĕrt), Rensis. 20 世紀の米国人社会心理学者.→L. *scale*.

Lil·lie (lilʹē), Ralph D. 米国人病理学者，1896－1979.→Glenner-L. *stain* for pituitary.

Lil·ly (lilēʹ), John C. 20 世紀の米国人生理学者.→Silverman-L. *pneumotachograph*.

limb (lim) [A.S. *lim*][TA]. ***1*** 四肢，肢（上肢または下肢）.＝member. ***2*** 肢節（関節構造の部分.→leg; crus）.

ampullary membranous l.'s of semicircular ducts [TA]. 膜半規管膨大部脚（三半規管の膨大した末端で，各々は膨大部稜として知られる特異的な上皮の厚みを有する）.＝crura membranacea ampullaria ductuum semicircularium [TA]; ampullary crura of semicircular ducts.

anacrotic l. 動脈拍動波形の上行部分.

anterior l. of internal capsule [TA]. 〔内包〕前脚（尾状核頭部と被殻の間を走る内包の部分．内包膝の前方に存在する）.＝crus anterius capsulae internae [TA].

anterior l. of stapes [TA]. あぶみ骨〔の〕前脚（あぶみ骨頭から底に続く少し彎曲した2つの脚のうち前のもの）.＝crus anterius stapedis [TA]; anterior crus of stapes.

l.'s of bony semicircular canals 骨半規管脚.＝bony l.'s of semicircular canals.

bony l.'s of semicircular canals [TA]. 骨半規管脚（骨半規管の末端部で，これに対応する膜半規管脚を入れる．骨総脚，骨単脚，骨膨大部脚とからなる）.＝crura of bony semicircular canals; crura ossea canalium semicircularium; l.'s of bony semicircular canals.

common membranous l. of membranous semicircular ducts 膜半規管総脚.＝common membranous l. of semicircular ducts.

common membranous l. of semicircular ducts [TA]. 膜半規管総脚（膨大部をもたない上半規管，後半規管の結合した末端）.＝crus membranaceum commune ductuum semicircularium [TA]; common crus of semicircular ducts; common membranous l. of membranous semicircular ducts.

l. of helix 耳輪脚.＝*crus* of helix.

inferior l. 下肢.＝lower l.

inferior l. of ansa cervicalis* inferior *root* of ansa cervicalis の公式の別名.

lateral l. 外側脚.＝lateral *crus*.

left l. of atrioventricular bundle ＝left *bundle* of atrioventricular bundle.

long l. of incus [TA]. きぬた骨〔の〕長脚（あぶみ骨と関節するきぬた骨の突起）.＝crus longum incudis [TA]; long crus of incus.

lower l. [TA]. 下肢（殿骨盤部，大腿，下腿，足根，足）.＝inferior member [TA]; membrum inferius [TA]; inferior l.; lower extremity; pelvic l.

medial l. 内側脚.＝medial *crus*.

pelvic l. 骨盤肢.＝lower l.

phantom l. 幻〔影〕肢.＝phantom limb *pain*.

posterior l. of internal capsule [TA]. 〔内包〕後脚（視床とレンズ核の間の内包膝の後方にある内包の一部分）.＝crus posterius capsulae internae [TA].

posterior l. of stapes [TA]. 〔あぶみ骨の〕後脚（あぶみ骨の2つの細い脚の後方のもの．あぶみ骨の頭部と底部をつなぐ）.＝crus posterius stapedis [TA]; posterior crus of stapes.

retrolenticular l. of internal capsule* retrolentiform l. of internal capsule の公式の別名.

retrolentiform l. of internal capsule [TA]. 内包のレンズ後脚（内包のうち後脚やレンズ核の尾側に存在する部分.→retrolenticular *part* of internal capsule）.＝pars retrolentiformis cruris posterior [TA]; retrolenticular l. of internal capsule*.

right l. of atrioventricular bundle ＝right *bundle* of atrioventricular bundle.

short l. of incus [TA]. きぬた骨〔の〕短脚（鼓室上陥凹にあるきぬた骨窩の中にはまるきぬた骨の突起）.＝crus breve incudis [TA]; short crus of incus.

simple membranous l. of semicircular duct [TA]. 膜半規管単脚（単独で卵形嚢に開く外側半規管の膨大部をもたない末端部）.＝crus membranaceum simplex ductus semicircularis [TA]; simple crus of semicircular duct.

sublenticular l. of internal capsule* レンズ下縁（sublentiform l. of internal capsule の公式の別名）.

sublentiform l. of internal capsule [TA]. 内包のレンズ下脚（内包のうち後脚やレンズ核の下方に存在する部分.→sublenticular *part* of internal capsule）.＝pars sublentiformis cruris posterioris [TA]; sublenticular l. of internal capsule*.

superior l. 上肢.＝upper l.

superior l. of ansa cervicalis* superior *root* of ansa cervicalis の公式の別名.

thoracic l. 上肢.＝upper l.

upper l. [TA]. 上肢（肩，上腕，前腕，手根，手）.＝membrum superius [TA]; superior member [TA]; superior l.; thoracic l.; upper extremity.

lim·bic (limʹbik). ***1*** 縁の. ***2*** 辺縁系の.

lim·bus, pl. **lim·bi** (limʹbŭs, limʹbī) [L. a border]. 縁（ある部分の縁，へりまたは境界）.

l. acetabuli [TA]. 寛骨臼縁.＝acetabular *margin*.

l. alveolaris 歯槽縁（①＝alveolar *arch* of mandible. ②＝alveolar *arch* of maxilla）.

l. anterior palpebrae [TA]. ＝anterior palpebral *margin*.

l. of cornea [TA]. 角膜縁.＝corneoscleral *junction*.

l. corneae [TA]. 角膜縁.＝corneoscleral *junction*.

corneal l.* 角膜輪部（corneoscleral *junction* の公式の別名）.

l. fossae ovalis [TA]. 卵円窩縁（心臓の右心房の壁にある卵円窩周囲の筋性輪）.＝border of oval fossa*; anulus ovalis; margin of fossa ovalis; Vieussens anulus; Vieussens isthmus; Vieussens l.; Vieussens ring.

l. laminae spiralis osseae 骨ラセン板縁.＝spiral l.

L

l. membranae tympani 鼓膜縁．＝l. of tympanic membrane.

l. of osseous spiral lamina［TA］．骨ラセン板縁（蝸牛管の骨ラセン板の上壁をおおう肥厚した骨膜）．

limbi palpebrales［TA］．眼瞼縁．＝palpebral *margins.*

l. penicillatus 刷子縁．＝brush *border.*

l. posterior palpebrae［TA］．＝posterior palpebral *margin.*

l. sphenoidalis［TA］．＝l. of sphenoid (bone).

l. of sphenoid (bone)［TA］．蝶形骨縁（発達程度のまちまちな蝶形骨体縁で，蝶形骨隆起の後縁や視交叉前溝の前縁をつくる）．＝l. sphenoidalis［TA］．

spiral l.［TA］．ラセン板縁（蝸牛管の骨ラセン板の上壁をおおう肥厚した骨膜）．＝l. spiralis［TA］; l. laminae spiralis osseae.

l. spiralis［TA］．ラセン板縁．＝spiral l.

l. striatus 線条縁．＝striated *border.*

l. of tympanic membrane 鼓膜縁（鼓室溝に付着する鼓膜の縁）．＝l. membranae tympani.

Vieussens l. (vyū-sŏn[h]′)．ビューサン縁．＝l. fossae ovalis.

lime (līm)［O. E. *līm*, birdlime］．***1*** 石灰；CaO（灰白色の塊に生じるアルカリ性土壌酸化物(生石灰)．空気中にさらされると水酸化カルシウムおよび炭酸カルシウムへ変化する(風化石灰)．酸化カルシウムに水を直接加えると水酸化カルシウム(消石灰)となる）．＝calcium oxide; calx (1). ***2*** ライム果（ミカン科ライム *Citrus medica* の果実．アスコルビン酸を多量に含み，抗壊血病薬として用いられる）．

air-slaked l. 風化石灰（→lime (1)）．

chlorinated l. クロル石灰（塩素と酸化カルシウムおよび水酸化カルシウムの複合体で，その比率が異なる混合物．塩素を 24—37% 含む．塩素を遊離させるために高い湿度条件で分解させる．強い刺激は塩素の蒸気による．飲料水の殺菌や下水処理などに，リネン，木材パルプ，綿，ワラ，油，石けん，および洗濯物の漂白に，酸化剤として，毛虫駆除に，およびマスタードガスや類縁物質の除去剤として使用）．＝bleaching powder.

slaked l. 消石灰（→lime (1)）．

sulfurated l. ＝crude *calcium* sulfide.

li·men, pl. **li·mi·na** (lī′men, lim′i-nă)［L.］［TA］．***1*** 限（管や空所の外口，例えば島限）．***2*** ＝threshold.

difference l. 弁別域（検出されうる刺激の強度あるいは周波数における最小変化量）．

l. insulae［TA］．島限（島の灰白質前部と前有孔質の前方との間の移行帯．外側嗅条の外側に沿った小帯状の嗅皮質によって形成される）．＝threshold of island of Reil.

l. nasi［TA］．鼻限（狭義の鼻腔と鼻前庭との境界を示す隆線）．＝threshold of nose.

lim·er·ence (lim′ĕr-ents)．愛することによる情動的興奮．

limes (L) (lī′mēz)［L.］．限界，限度，閾値（［複数形は limes ではなく lim′ites である］．→L *doses*）．

lim·i·nal (lim′i-năl)［L. *limen* (*limin-*), a threshold］．***1*** 閾値の，限界の．***2*** 閾値刺激の，限界刺激の（神経または筋肉のような組織を興奮させるのに適度な刺激についていう）．

lim·i·nom·e·ter (lim′i-nom′ĕ-tĕr)［L. *limen*, threshold + G. *metron*, measure］．閾値計，限界計（反射反応を生じるのに最小限必要な刺激の強さを測定するための器具）．

lim·it (lim′it)［L. *limes*, boundary］．限界，限度，境界，制限．

critical l. 危険限界（生命に危険が及ぶ値を示す実験検査結果の上限または下限）．

elastic l. 弾性限度（ある物質が受けうる最大の応力で，応力がそれ以下ならば，力が除かれると物質は元に戻ることができる）．

Hayflick l. (hā′flik)．ヘーフリック限度（植継ぎ培養でのヒト細胞分裂の限度．ヒトの細胞は死ぬまでに約 50 回しか分裂しない）．

permissible exposure l. 許容暴露限界（職場での危険な有害因子から労働者を守るための職業保健上の基準）．

proportional l. 比例限度（ある物質が，応力とひずみの比例関係(Hooke の法則)が成立する範囲内で耐えうる最大の応力）．

quantum l. 量子限界，極小波長（X 線スペクトルでみられる最短波長）．

Rayleigh resolution l. (rā′lē)．レーリーの分解能（光学顕微鏡の分解能．約 200 nm）．

short-term exposure l. (**STEL**) 短時間暴露限界（労働者が連続 15 分以内暴露されても，健康または労働能率や安全性に危険がない化学物質の最高濃度）．

tolerance l.'s 許容限界（ある検査法の許容できる誤差の限界値．この限界値は，誤差がその検査法の臨床的意義に与える影響と技術水準の両者によって選択されるべきものである）．

Lim·na·tis ni·lot·i·ca (lim-nā′tis nī-lot′i-kă)［G. *limnē*, pool］．ウマビル（南ヨーロッパや北アフリカのヤマビルの一種．鼻孔や食道に侵入し，粘膜に付着する．ヒルを含んだ水を飲んだウマその他の動物に出血および貧血を起こすこともある）．

lim·ne·mia (lim-nē′mē-ă)［G. *limnē*, marsh + *haima*, blood］．慢性マラリア．＝chronic *malaria.*

lim·ne·mic (lim-nē′mik)．慢性マラリアの（慢性マラリアに苦しむ）．

lim·nol·o·gy (lim-nol′ŏ-jē)［G. *limnē*, pool + *logos*, study］．陸水学（淡水における物理・化学・気象学および生物学的状況に関する研究．生態学の一分野）．

li·mon, gen. **li·mo·nis** (lī′mon, li-mō′nis)［L.］．レモン．＝lemon.

li·moph·thi·sis (lī-mof′thi-sis)［G. *limos*, hunger + *phthisis*, wasting］．飢餓衰弱（栄養摂取が十分でないことから起こるるいそうに対してまれに用いる語）．

limp (limp)．跛行（非硬直性の不自由な歩行．非対称性歩行．→claudication）．

LINAC linear *accelerator* の略．

lin·co·my·cin (lin′kō-mī′sin)．リンコマイシン（*Streptomyces lincolnensis* から生成される置換ピロリジンとオクタピラノーズ成分からなる抗菌性物質．グラム陽性菌に有効．塩酸リンコマイシンとして医療用に用いる）．

lincosamide (lin-kōs′a-mīd)．リンコサミド（蛋白合成阻害作用を有する抗生物質の分類の 1 つ）．

linc·ture, linc·tus (link′chūr, link′tŭs)［L. *lingo*, pp. *linctus*, to lick］．舐剤，リンクタス剤（糖剤などなめて服用する薬剤）．

Lin·dau (lin′dow), Arvid．スウェーデン人病理学者，1892—1958．→L. *disease, tumor*; von Hippel-L. *syndrome.*

Lind·bergh (lind′berg), Charles A．米国人飛行家，1902—1974．→Carrel-L. *pump.*

Lind·ner (lind′nĕr), Karl D．オーストリア人眼科医，1883—1961．→L. *bodies.*

Lind·qvist (lind′kvist), Johan Torsten．20 世紀のスウェーデン人医師．→Fahraeus-L. *effect.*

LINE

line (līn)［L. *linea*, a linen thread, a string, line < *linum*, flax］［TA］．＝linea［TA］．***1*** 線（印，条片）．***2*** 線（条．解剖学において，色，構造，隆起によって隣接組織から区別される長く細い線または帯．→linea）．***3*** ライン（19 世紀に組織学者の用いた測定の単位．国によって異なり，英国インチの 1/10—1/12 の誤差がある）．***4*** 系（規定した物理的条件下で維持された個体の実験株）．***5*** ライン（輸液のためのチューブや測定のために波動を伝えるワイヤのこと．例えば，静脈ライン，動脈ライン，電気ライン）．

absorption l.'s 吸収線（太陽光線スペクトルの中の暗線．太陽内部から放出された元々の波長分布に依存するが，太陽の比較的冷たい表面層および地球の大気の気体に含まれる種々の元素によって吸収されることによって生じる）．＝Fraunhofer l.'s.

accretion l.'s 成長線，付着線（エナメル質の顕微鏡切片にみられる線．付加した物質の連続的な層を示す）．＝daily imbrication l.'s.

alveolonasal l. プロスチオンナジオン線（プロスチオン

とナジオンをつなぐ線).

Amberg lateral sinus l. (am′bĕrg). アンバーグ外側〔静脈〕洞線（乳様突起の前縁と側頭線によってつくられる角を分ける線).

anocutaneous l. [TA]. 肛皮線，櫛状線（肛門櫛の下縁で重層扁平上皮が無毛の肛門上皮から典型的な皮膚に変わるところで，通常は内肛門括約筋の下縁と一致する). =linea anorectalis [TA] ;linea anocutanea [TA].

anterior axillary l. [TA]. 前腋窩線（前腋窩ひだからおろした垂線). =linea axillaris anterior [TA]; linea preaxillaris; preaxillary l.

anterior junction l. 前接合線（胸骨の後方で両側の肺上葉の間の縦隔の隔壁組織が，胸部写真に投影されたもの).

anterior median l. [TA]. 前正中線（正中矢状面が体表前面を切る線). =linea mediana anterior [TA].

arcuate l. [TA]. 弓状線（弧状の線あるいは弓形の線). =linea arcuata [TA].

arcuate l. of ilium [TA]. 腸骨弓状線（骨盤の分界線の腸骨部分). =linea arcuata ossis ilii [TA].

arcuate l. of rectus sheath [TA]. 腹直筋鞘弓状線（半月状の線だが，必ずしもはっきりとしたものではない．腹直筋鞘の後葉の下限を定める). =linea arcuata vaginae musculi recti abdominis [TA]; Douglas l.; linea semicircularis; semicircular l.

arterial l. 動脈ライン(経路)（動脈内カテーテル).

axillary l. 腋窩線（→anterior axillary l.; midaxillary l.; posterior axillary l.).

Baillarger l.'s (bī′ahr-zhā). バイヤルジェ線（大脳皮質の表面に平行に走る２層の白質線維で，髄鞘染色をして垂直断切片上で皮質第Ｖ層(外側の線)の内錐体層帯 stria of the internal pyramidal layer [TA] と第 IV 層(内側の線)の内顆粒層帯 stria of the internal granular layer [TA] としてみられる．鳥距皮質における Gennari 線はこのうち外側の線に相当する). =stria laminae granularis internae [TA]; stria laminae pyramidalis internae [TA]; Baillarger bands.

base l. 基線（→orbitomeatal *plane* (1)).

basinasal l. バジオンナジオン線（バジオンとナジオンを結ぶ線). =nasobasilar l.

Beau l.'s (bō). ボー線（重篤な熱病，栄養失調，外傷，心筋梗塞，その他の疾患の後に手指の爪に生じる横の溝).

l. of Bechterew (bek-tĕr′yev). ベヒテレフ線. =*band* of Kaes-Bechterew.

bismuth l. 蒼鉛縁，ビスマスライン（遊離歯肉に認められる黒色の線状着色で，しばしば長期にわたり蒼鉛(ビスマス)を非経口的に投与した際にみられる副作用の最初の徴候となる).

black l. 黒線. =*linea* nigra.

l.'s of Blaschko (blahs′kō). ブラシュコ線（皮膚病や色素異常の分布の１つのパターン．四肢では線状に，腹部ではＳ字形に，背部ではＶ字形になる．遺伝子のモザイク（→mosaicism)と横方向のクローンの増殖と縦方向の成長と胎児の屈曲の結果から形成されると考えられている).

blue l. 青〔色〕線，青色縁（慢性重症金属中毒で起こる歯肉の自由縁の青い線).

Brödel bloodless l. (brōr′dĕl). ブレーデル無血管野線（腎臓の前面と後面を栄養する血管領域の境界線で，腎臓の側域のやや後域に走行しており，腎動脈の前枝および後枝の分布領域を分画する線．実際上は比較的無血管であるとしかいえない).

Burton l. (bŭr′tŏn). バートン線（鉛中毒でできる歯肉の自由縁の青い線).

calcification l.'s of Retzius (ret′zē-ŭs). レッチウス石灰化線（歯の成長期において，エナメル質の石灰化層および低石灰化層が周期的に沈着してできる成長線). =l.'s of Retzius.

Camper l. (kahm′pĕr). カンペル線（鼻翼の下端から耳珠の上端へ走る線).

Cantlie l. (kant′lē). キャントリー(カントリー)線（肝臓の横隔面に想定される線で，下大静脈(肝部)，および胆嚢底が肝臓下縁と接する部位を結ぶ．右肝と左肝の境界面(中肝静脈を含む)の前縁となる).

cell l. 細胞系〔統〕，細胞株（①組織培養において，初代培養からそれ以後の継代培養中に増殖するすべての細胞.→established cell l. ②同一母細胞由来の純系培養細胞).

cement l. セメント線（骨の緻密質における骨細胞または介在層板系の屈折性境界).

cervical l. 歯頸線（歯冠とセメントエナメル境との歯頸縁を示す連続的で解剖学的な不規則な曲線).

Chamberlain l. (chām′bĕr-lin). チェーンバリン線（硬口蓋の後縁から大後頭孔の背側縁へ引かれた線．頭蓋底陥入症では，軸椎歯突起はこの線の上へ出る).

Chaussier l. (shō-sē-ā′). ショシェ線（脳の正中断面にみられる脳梁の前後線).

chilotic l. 寛骨縁線（寛骨内面に想定される人体計測線．腸恥点(恥骨と腸骨の境界線と分界線の交点)と関節面点(耳状面前縁上にあって，腸恥点に最も近い点)を結び，さらにこの直線を腸骨稜にまで延長して得られる．腸恥点から関節面点までを骨盤部，関節面点から腸骨稜までを仙骨部とよび，前者と後者の長さの比(寛骨縁比)を利用して残された人骨の性別を判定する場合がある．ただし，その結果は必ずしも正しいとは限らないようである).

choroid l. [TA]. =*tenia* choroidea.

Clapton l. (klap′tŏn). クラプトン線（慢性銅中毒でみられる歯肉縁が緑色に変色したもの).

cleavage l.'s 割線. =tension l.'s.

Conradi l. (kon-rah′dē). コンラーディ線（剣状突起基底から心尖拍動部へ引いた線．およそ心臓領域の下端に相当する).

contour l.'s of Owen (ō′wĕn). オーエン輪郭線. =Owen l.'s.

Correra l. (kōr-rer′ă). コレラ線. =pleural l.'s.

costal l. of pleural reflection 胸膜像の肋骨線（下方で横隔膜部と壁側胸膜の肋骨部が連なる明瞭な線の表面像．この線は第八肋骨の高さで中鎖骨線と交叉し，第十肋骨の高さで中腋窩線と交叉し，第十二肋骨の高さで傍脊椎線と交叉する．胸腔穿刺はこれらの線より第一肋骨上方で行われる).

costoclavicular l. =parasternal l.

costophrenic septal l.'s =Kerley B l.'s.

Crampton l. (kramp′tŏn). クランプトン線（第十二肋軟骨の先端から下前方へ腸骨稜まで至り，これと平行にさらに前方へいくと上前腸骨棘の直下へ達する線．総腸骨動脈の指標).

daily imbrication l.'s 日周鱗状線. =accretion l.'s.

Daubenton l. (dō-ban-ton[h]′). ドバントン線（オピスチオンとバジオンを通る線.→Daubenton *angle*; Daubenton *plane*).

l. of demarcation 分画線（健常組織から壊疽部分を分ける炎症反応帯).

demarcation l. of retina 網膜の境界線（未熟児網膜症での無血管，血管野の境界線．陳旧性網膜剝離の境界を示すライン).

Dennie l. (den′ē). デニー線. =Dennie-Morgan *fold*.

dentate l. 歯状線. =pectinate l.

developmental l.'s 発育線. =developmental *grooves*.

Douglas l. (dŭg′lăs). ダグラス線. =arcuate l. of rectus sheath.

Eberth l.'s (ā′berth). エーベルト線（硝酸銀で染色したとき，心筋層の細胞の間に現れる線).

Egger l. (eg′ĕr). エッガー線（硝子体と水晶体後面の癒着による輪状線を表す，まれに用いる語).

Ehrlich-Türk l. (ār′lik tĕrk). エールリッヒ‐チュルク線（ブドウ膜炎において，角膜後面に生じた垂直の薄い物質沈着線を表す，まれに用いる語).

epiphysial l. [TA]. 骨端線（長骨の骨端と骨幹の接合部の線で，骨の長軸方向の成長が起こる部分). =linea epiphysialis [TA]; synchondrosis epiphyseos.

established cell l. 株〔化〕細胞系〔統〕，〔樹立〕細胞株（試験管内で無限に培養できる可能性をもった細胞).

Farre l. (fahr). ファール線（卵巣間膜が卵巣門に付着する点を示す白線).

Feiss l. (fīs). ファイス線（内果から第一中足指節関節の足底面へ走る線).

Ferry l. (fār′ē). フェリー線（沪過胞 filtering *bleb* 前方の角膜上皮内にみられる鉄沈着線).

l. of fixation 固視線（対象あるいは固視点と中心窩を結ぶ線）.

Fleischner l.'s (flīsh′něr). フライシュナー線（胸部X線写真に見える粗な線状の影で，亜区域の板状無気肺の病巣を示す）.

Fraunhofer l.'s (frown′hō-fer). フラウンホーファー線. ＝absorption l.'s.

fulcrum l. 鉤間線（仮想上の線で，取り外しがきく局部床義歯はこの線を中心として回転しがちである）. ＝rotational axis.

l. of Gennari (jē-nah′rē). ジェンナーリ線（皮質灰白質の厚さのほぼ中央にあって，視皮質(Brodmann 第17野)の垂直面に現れる明瞭な白線．この皮質領域における特によく発達した Baillarger 外線に相当する．主として接線方向に配列した皮質内連合線維からなる）. ＝occipital stripe [TA]; stria occipitalis [TA]; occipital l.*; Gennari band; Gennari stria; stripe of Gennari.

germ l. 生殖細胞系（原始性腺の特殊細胞由来の一倍体細胞の集合）.

gluteal l.'s [TA]. 殿筋線（anterior gluteal l.(前殿筋線), inferior gluteal l.(下殿筋線), posterior gluteal l.(後殿筋線)とよばれる腸骨翼の外面上の3本の粗な曲線．これらによって区切られた2つの領域は下部で小殿筋が，上部で中殿筋が付着する）. ＝lineae gluteae [TA].

Granger l. (grān′jěr). グレンジャー線（頭蓋骨のX線写真側面像で視神経交叉あるいは前交叉溝によって生じる線）.

growth arrest l.'s 成長〔阻害〕線（長骨のX線写真上にみられる成長板に並行な濃い線で，長軸方向の一時的な成長遅延または成長停止を示す）. ＝Harris l.'s.

Gubler l. (gū-blār′). ギュブレル線（橋にある三叉神経の表面起始部の高さ．この下の部位の病変が交代性片麻痺の原因となる）.

gum l. 歯肉線(縁)（歯列弓における歯の歯肉縁の位置）.

Haller l. (hah′lěr). ハラー線. ＝*linea* splendens.

Hampton l. (hamp′tŏn). ハンプトン線（良性胃潰瘍におけるX線不透のバリウムと対比される．粘膜の浮腫を示す．*cf.* Carman *sign*）.

Harris l.'s (ha′ris). ハリス線. ＝growth arrest l.'s.

Head l.'s (hed). ヘッド線(帯)（内臓の急性または慢性炎症に伴う皮膚の知覚過敏帯）. ＝Head zones; tender l.'s; tender zones.

Hensen l. (hen′sěn). ヘンゼン線. ＝H *band*.

highest nuchal l. [TA]. 最上項線（後頭骨の外面上を，上項線の上方で平行に走る線．帽状腱膜および後頭筋が付着する）. ＝linea nuchae suprema [TA].

high lip l. 高口唇線（唇が正常に機能するときまたは大笑いしたときに上がりうる最も高い位置）.

Hilton white l. (hil′tŏn). ヒルトン白線. ＝white l. of anal canal.

His l. (hiz). ヒス線，ヒスライン（前鼻棘の先端(アカンチオン)から大後頭孔後縁の最後部の点(オピスチオン)へのばした線で，顔面を上半と下半あるいは歯の部分に分けている）.

Holden l. (hōl′děn). ホールデン線（大腿の屈曲によって生じる鼡径部の皮膚のひだまたは溝）.

Hudson-Stähli l. (hŭd′sŏn stah′lē). ハドソン－シュテーリ線（角膜の下1/3を横切る褐色の水平線．しばしば老年者に，また角膜混濁に伴ってみられることもある）.

Hunter l. (hŭn′těr). ハンター線. ＝*linea* alba.

Hunter-Schreger l.'s (hŭn′těr shrā′gěr). ハンター－シュレーガー線. ＝Hunter-Schreger *bands*.

iliopectineal l. ＝*linea* terminalis of pelvis.

imbrication l.'s of von Ebner (von eb′něr). フォン・エブナー成長線（管周ぞうげ質の中の成長線．ぞうげ質形成の1日量に対応している）. ＝incremental l.'s of von Ebner.

incremental l.'s 成長線（①エナメル質における Retzius の線条(石灰化線)．②ぞうげ質における，Owen の外形線または von Ebner の成長線）.

incremental l.'s of von Ebner (von eb′něr). ＝imbrication l.'s of von Ebner.

inferior nuchal l. [TA]. 下項線（後頭骨の外後頭稜から頸静脈突起へ向かって側方へのびる隆線）. ＝linea nuchae inferior [TA].

Head線		
器官	皮節部位	身体側
心臓	C3-4－T1-5	左前
胸部大動脈	C3-4－T1-7	両側
肋骨	T2-12	同側
胸膜	T2-10	同側
食道	T1-8	両側
胃	T(5)6-9	左
肝臓と胆嚢	T(5)6-9(10)	右
膵臓	T6-9	左前
十二指腸	T6-10	右
空腸	T8-11	左
回腸	T9-11	両側
盲腸，近位結腸	T9-10－L1	右
遠位結腸	T9－L1	左
直腸	T9－L1	左
腎臓と尿管	T9－L1(2)	同側
子宮と卵巣	T12－L1	同側
腹膜	T5-12	両側
脾臓	T6-10	左

C：頸部，T：胸部，L：腰部.

inferior temporal l. of parietal bone [TA]. 下側頭線（頭頂骨上の2本の曲線のうちの下方の線．側頭筋の付着の限界を示す）. ＝linea temporalis inferior ossis parietalis [TA]; temporal ridge.

infracostal l. ＝subcostal *plane*.

infraorbitomeatal l. (IOML) 耳眼線（眼窩下縁と外耳道を結んだ線．画像撮影時に，頭蓋を一定の位置に合わせるのに利用される）.

intercondylar l. of femur [TA]. 大腿骨顆間線（大腿骨の膝窩面から顆間窩の底部を分界するかすかな横隆線．膝の関節包の後部が付着する）. ＝linea intercondylaris femoris [TA].

intermediate l. of iliac crest 腸骨稜中間線. ＝intermediate *zone* of iliac crest.

interspinal l. 上腸骨棘線（左右の上前腸骨棘を結ぶ線で，上腸骨棘面を示す）. ＝linea interspinalis.

intertrochanteric l. [TA]. 転子間線（大腿骨の頸部と骨幹部を前方で分画する粗な線．大転子から小転子へ走る．→spiral l. of femur）. ＝linea intertrochanterica [TA].

intertubercular l. 下腸骨棘線（左右の下前腸骨棘を結ぶ水平の線で，下腸骨棘面を示す）. ＝linea intertubercularis.

iron l. 鉄沈着線（角膜上皮内の鉄沈着線）.

isoelectric l. 等電位線（心電図の基線．P波を有するリズムの TP 間隔に示される）.

l. of Kaes (kāz). ケース(ケス)線. ＝*band* of Kaes-Bechterew.

Kerley A l.'s (ker′lē). カーリーのA線（肺二次小葉隔壁の投影像で，Kerley のB線より長く，かつより中央部に位置し，通常は上葉にみられる）.

Kerley B l.'s (ker′lē). カーリーのB線（細い末梢性の小葉間隔壁による線）. ＝costophrenic septal l.'s.

Kerley C l.'s (ker′lē). カーリーのC線（胸部写真に見られる，非特異性の細かな網状陰影）.

Kilian l. (kil′ē-ăn). キーリアーン線（骨盤の岬角を示す

横線).

Langer l.'s (lahng'ĕr). ランガー線. =tension l.'s.

Lanz l. (lahntz). ランツ線. =interspinous *plane.*

lateral supracondylar l. [TA]. 外側上顆線（大腿骨膝窩面の外側縁をなす線. 外側上顆から上行し，粗線の外側唇へと連なる). =linea supracondylaris lateralis [TA].

lead l. 鉛線（歯肉の慢性炎症領域に硫化鉛が沈着したもの).

Looser l.'s (lō'zĕr). ローザー線（骨皮質にみられる透亮帯で，通常は骨軟化症の際にみられる). =Looser zones.

low lip l. 低口唇線（①笑ったり随意に収縮したときの下唇の最も低い位置. ②静止状態の上唇の最も低い位置).

M l. M線(帯)（横紋筋筋原線維の筋節のA帯の中央にある細い線). =M band; mesophragma.

Mach l. マッハ線（X線写真上の軟部組織陰影を境するみかけの濃淡線で，観察者の網膜の視覚的錯覚によるものであり，実際には存在しない).

mammary l. 乳頭間線（2つの乳首の間に引かれた横線).

mammillary l. [TA]. 乳頭線（左右各々の乳頭を通る垂直線). =linea mammillaris [TA]; nipple l.

McKee l. (măk-kē'). マッキー線（第十一肋軟骨先端から上前腸骨棘の約 3.5 cm 内側の点にまで進み，さらに下前方かつ内方へ曲がり深鼡径輪の直上へ達するように引いた線. 総腸骨動脈への指標).

medial supracondylar l. [TA]. 内側上顆線（大腿骨膝窩面の内側縁をなす線. 内側上顆から上行し，粗線の内側唇へと連なる). =linea supracondylaris medialis [TA].

median l. 正中線（→anterior median l.; posterior median l.).

Mees l.'s (mēs). ミーズ(ミース)線（慢性ヒ素中毒およびときにはらい病で，爪にみられる水平な白帯). =Mees stripes.

mercurial l. 水銀線（水銀中毒に伴い歯肉縁にみられる青褐色色素沈着(水銀口内炎)).

Meyer l. (mī'ĕr). マイヤー線（正常な母趾の長軸を通り，かかとの中点を通る線).

midaxillary l. [TA]. 腋窩中線（前後腋窩ひだ(線)の中点を通る垂直線). =linea axillaris media [TA]; linea medioaxillaris; middle axillary l.

midclavicular l. (**MCL**) [TA]. 鎖骨中線（鎖骨の中心を通る垂直線). =linea medioclavicularis [TA].

middle axillary l. 中腋窩線. =midaxillary l.

milk l. 乳線. =mammary *crests.*

Monro l. (mŏn-rō'). モンロー線. =Monro-Richter l.

Monro-Richter l. (moň-ro' rik'tĕr). モンロー－リヒター線（臍から上前腸骨棘に引いた線. McBurney の点はこの線上にある). =Monro l.; Richter-Monro l.

Muehrcke l.'s (mĕr'kĕ). ミュルケ線（爪半月と平行な白色の線で，正常のピンク色の部分によって互いに分離されている. 低アルブミン血症に伴う. 爪が成長しても外側に移動せず，血清アルブミンが正常に戻ると消失する).

mylohyoid l. [TA]. 顎舌骨筋線（おとがい棘下部尖から上方かつ後方へ，最奥にある大臼歯の後方の下顎枝へ走る下顎骨の内面上の隆線. 顎舌骨筋および上咽頭括約筋の最下部が付着する). =linea mylohyoidea [TA]; mylohyoid ridge.

nasobasilar l. =basinasal l.

Nélaton l. (nā-lah-tawn [h]'). ネラトン線（臨床的に現在では用いられない語. 上前腸骨棘から坐骨粗面へ引いた線で，通常，大転子はこの線上にある. 股関節の腸骨脱臼または大腿骨頸部の骨折の場合は，大転子はこの線の上方に触れる). =Roser-Nélaton l.

neonatal l. 新生児線（乳歯において，出生前と出生後のエナメル質の間にある境界線). =neonatal ring.

nipple l. 乳頭線. =mammillary l.

Obersteiner-Redlich l. (ō'bĕr-stī-nĕr red'lik). オーベルシュタイナー－レートリッヒ線. =Obersteiner-Redlich *zone.*

oblique l. [TA]. 斜線（斜めの線，傾斜した線. 平行でもなく直交でもなく水平でもなく垂直でもない線. →oblique l. of mandible; oblique l. of thyroid cartilage). =linea obliqua [TA].

oblique l. of mandible [TA]. 下顎骨斜線（下顎骨の外面上の線. おとがい結節から下顎枝へのび，下顎骨の歯槽部と下顎底を分ける). =linea obliqua mandibulae [TA]; external oblique ridge.

oblique l. of thyroid cartilage [TA]. 甲状軟骨斜線（甲状軟骨の外面上の隆線. 胸骨甲状筋および甲状舌骨筋が付着する). =linea obliqua cartilaginis thyroideae [TA].

occipital l.＊ 後頭線（l. of Gennari の公式の別名).

l. of occlusion 咬合線（水平面における歯の咬合面の線列. →occlusal *plane*).

Ogston l. (og'stŏn). オグストン線（大腿骨の内転筋結節から顆間切痕へ引かれた線で，現在では行われない処置. X脚の内側顆の切除に対する指標となる).

Ohngren l. (ōn'gren). オーングレン線（内眼角より下顎角を通る理論上の平面. この面により上顎洞癌を分類する. 上後部型は早期に周囲組織に進展し予後が悪く，下前部型は予後が比較的良い).

orbitomeatal l. (**OML**) 耳眼線. →orbitomeatal *plane.*

l.'s of osteosynthesis 骨接合線（下顎骨骨折において，下顎骨体部の遠位端と下顎角部との間の圧縮圧が生じる線で，張力または伸延力は下顎骨の上縁に生じる).

Owen l.'s (ō'wĕn). オーエン線（ぞうげ質の目立った成長線で，鉱化過程の障害によると考えられる). =contour l.'s of Owen.

paraspinal l. 傍脊椎線（肺と傍脊椎の軟部組織の間の界面のX線像).

parasternal l. [TA]. 胸骨傍線（胸骨線と鎖骨中線とから等距離にある線). =linea parasternalis [TA]; costoclavicular l.

paravertebral l. [TA]. 椎骨傍線（椎骨横突起の先端に対応する垂線). =linea paravertebralis [TA].

Paris l. (par'is līn). パリライン（Kölliker の *Mikroskopische Anatomie* において使用された顕微鏡下の測定の単位. 約 0.220325 cm に等しい).

Paton l.'s (pa'tŏn). パトン線. =*striae* retinae.

pectinate l. [TA]. 櫛状線（直腸の単層円柱上皮が肛門管の重層上皮に変わるところの境界線で，肛門柱底の肛門弁のある位置にあたる). =linea pectinata canalis analis [TA]; dentate l.

pectineal l. of femur [TA]. 恥骨筋線（大腿骨体の後面を，小転子から下降する稜線. 上方は転子間線に連なり，下方は粗線内側唇の延長部であるらせん状の隆起線に放散する. 恥骨筋が付着する). =linea pectinea femoris [TA].

pectineal l. of pubis =*pecten* pubis.

PICC l. PICC ライン（*p*eripherally *i*nserted *c*entral *c*atheter の頭字語. 末梢から挿入された長期型).

pleural l.'s 胸膜線（胸部写真に見られる，胸郭の含気肺と骨の間の陰影). =Correra l.; pleural stripe.

l.'s of pleural reflection 胸膜投影線（胸壁の表面に通常投影される線で，胸腔の一側壁から壁側胸膜の方向へ急に変わるもの. →vertebral l. of pleural reflection).

pleuroesophageal l. 胸膜食道線（胸部X線写真正面像において見られる，右肺と食道の境界面の像で，奇静脈食道窩の境界でもある).

Poirier l. (pwah-rē-ā'). ポワリエ線（ナジオンからラムダまでのびる線).

popliteal l. =soleal l.

postaxillary l. =posterior axillary l.

posterior axillary l. [TA]. 後腋窩線（後腋窩ひだからおろした垂線). =linea axillaris posterior [TA]; linea postaxillaris; postaxillary l.

posterior junction l. 後接合線（食道の後方，大動脈の上方における両側肺上葉間の縦隔の隔壁が，胸部写真に投影されたもの).

posterior median l. [TA]. 後正中線（正中矢状面が体表後面を切る線). =linea mediana posterior [TA].

Poupart l. (pū-pahr'). プパール線（両側の鼡径靱帯の中点を通る垂直線. 上腹部，臍部，下腹部からそれぞれ季肋部，腰部，腸骨部を分ける).

preaxillary l. =anterior axillary l.

Reid base l. (rēd). リード基線（眼窩の下縁から外耳道孔の中心へ引いた線. 後頭骨の中心に向かって後方へのびる. コンピュータ断層法(CT)において基準線として用いる).

retentive fulcrum l. 維持槓杆線（①粘膜負担義歯床に隣接している維持歯にかけられる鉤腕の維持点を結ぶ想像上の線．②鉤腕の維持点を結ぶ想像上の線で，粘着性食品の牽引力が働いた場合，義歯はこの線の周りを回転する傾向がある）．

l.'s of Retzius (ret′zē-ŭs). レッチウス線．＝calcification l.'s of Retzius.

Richter-Monro l. (rik′tĕr mŏn-rō′). リヒター－モンロー線．＝Monro-Richter l.

Roser-Nélaton l. (rō′sĕr nā-lah-ton [h]′). ローザー－ネラトン線．＝Nélaton l.

rough l. of femur ＝*linea* aspera.

sagittal l. 矢状線（正中線に平行なすべての線で，矢状面上に現れる）．

Salter incremental l.'s (sahl′tĕr). ソールター成長線（ぞうげ質にときにみられる不当なカルシウム沈着による横線）．

S-BP l. S–BP 線（セラと Bolton 点とを結ぶ線．頭部計測法で頭蓋底の後方部を示す）．

scapular l. [TA]．肩甲線（肩甲骨の下角から垂直におろした線）．＝linea scapularis [TA]．

Schreger l.'s (shrā′gĕr). シュレーガー線．＝Hunter-Schreger *bands*.

semicircular l. ＝arcuate l. of rectus sheath.

semicircular l. of Douglas (dŭg′lăs). ダグラス半月線（腹直筋鞘後葉の下端を境している半月形の線）．

semilunar l. 半月線．＝*linea* semilunaris.

septal l.'s 隔壁線（肥厚した葉間隔壁のX線像で，肺の外側において胸膜へ向かってみられることが多く，Kerley の A 線および B 線に相当し，原因としては，隔壁の浮腫，線維症，癌腫症などである）．

Sergent white l. (sār-zhon [h]′). セルジャン白線．＝white l.

Shenton l. (shen′tŏn). シェントン線（正常な股関節のX線写真の前後像でみられる閉鎖孔の上縁と大腿骨頸部の内縁によって形成される曲線．股関節亜脱臼，股関節脱臼，または股関節部骨折のような股関節病変では，この線の連続性を欠く）．

S-N l. S–N 線（トルコ鞍の中心を示す点(S)と前頭鼻骨縫合(N)とを結ぶ線．頭部計測法で頭蓋底の前方部を表す）．

soleal l. [TA]．ヒラメ筋線（腓骨の小関節面から脛骨の後部を横切って，斜め下方へのびる隆線．ヒラメ筋の起始となる）．＝linea musculi solei [TA]; l. for soleus muscle; linea poplitea; popliteal l.

l. for soleus muscle ヒラメ筋線．＝soleal l.

Spigelius l. (spi-jē′lē-ŭs). スピゲリウス線．＝*linea* semilunaris.

spiral l. of femur 恥骨筋線（上端が小転子の近傍から始まる弯曲した線．上方では転子間線にほぼ連なり，下方では粗線の内側唇へ続く．腸骨筋の遠位停止部の内側縁となる．また，ラセン線の下方部に恥骨筋線が放散する）．＝linea spiralis femoris.

stabilizing fulcrum l. 安定槓杆線（咬合面のレストを結ぶ想像上の線で，そしゃく力によって，義歯はこの線の周りを回転する傾向がある）．

sternal l. [TA]．胸骨線（胸骨の外側縁に沿っておろした垂線）．＝linea sternalis [TA]．

sternal l. of pleural reflection 胸膜投影像の胸骨線（前縦隔で前方で壁側胸膜が連続性となる表面投影するシャープなライン．左右の胸膜ラインは肋軟骨第二－第四の高さで中央面と平行となり，胸骨の後面と平行となる．肋軟骨第四の高さで左の線は外側へ沿って胸骨左縁と平行となり，左肺の心臓によるへこみよりも浅いへこみを形成し，胸膜嚢を間におかないで前胸壁が心外膜嚢と接する部位(心嚢穿刺上重要な所見)を形成する）．

Stocker l. (stok′ĕr). ストッカー線（翼状片の頭部の近くの角膜上皮における黒色色素の細い線）．

subcostal l. 肋下線（胸郭の最下縁に接する横(水平)線で肋下面を示す．→subcostal *plane*）．＝linea subcostalis.

superior nuchal l. [TA]．上項線（後頭骨の外後頭隆起から後頭側角へ側方にのびる隆線．僧帽筋，胸鎖乳突筋，および頭板状筋が付着する）．＝linea nuchae superior [TA]．

superior temporal l. of parietal bone [TA]．上側頭線（頭頂骨上の2本の曲線のうちの上方の線．側頭筋膜が付着する）．＝linea temporalis superior ossis parietalis [TA]; temporal ridge.

supracrestal l. 腸骨稜上線（左右の腸骨稜の最高位の点に接する横(水平)線で腸骨稜上面を示す．→supracristal *plane*）．＝linea supracristalis.

survey l. サベイライン（①クラスプサベーヤーによって模型上の維持歯に描く線で，義歯装着の方向に関して歯の最大豊隆部を示している．②可撤局部義歯のための種々のクラスプの適切な位置を示すのに用いる線）．＝clasp guideline; Cummer guideline.

Sydney l. (sid′nē). シドニー線．＝Sydney *crease*.

sylvian l. シルヴィウス線（大脳皮質の外側溝の後脚の線）．

temporal l. 側頭線（→inferior temporal l. of parietal bone; superior temporal l. of parietal bone）．

temporal l. of frontal bone [TA]．前頭骨の側頭線（側頭骨の下側頭線が前頭骨にまで延びて側頭筋面の輪郭を示したもの）．＝linea temporalis ossis frontalis [TA]．

tender l.'s 過敏線(帯)．＝Head l.'s.

tension l.'s [TA]．割線（死体の皮膚にピンを刺したときできる線状の孔を結んだ線で，真皮の膠原線維が，ある一定方向に主として並んでいるために生じる．体表部位によって方向が異なる）．＝lineae distractione [TA]; cleavage l.'s; Langer l.'s.

terminal l. 分界線．＝*linea* terminalis of pelvis.

Topinard l. (tō-pē-nahr′). トピナール線（グラベラとポゴニオンの間を走る線）．

tram l.'s 線路様線状陰影（胸部単純写真にみられる通常は肥厚した気管支のX線像で，末梢にみられるときは気管支拡張症，あるいは慢性気管支炎を示唆する．㊟2本の平行する線が電車の軌道に似ている．tram とは英国で，市街電車を意味する）．＝radiographic parallel line shadow.

trapezoid l. [TA]．菱形靱帯線（鎖骨の下面の外側端に近い部分で菱形靱帯が付着する）．＝linea trapezoidea [TA]; trapezoid ridge.

Ullmann l. (ūl′mahn). ウルマン線（脊椎すべり症における変位の線）．

vertebral l. of pleural reflection 胸膜投影像の脊椎線（後方での縦隔への壁側胸膜の肋骨部のゆるやかな投影像の接近）．

Vesling l. (ves′ling). ヴェスリング線．＝*raphe* of scrotum.

vibrating l. 振動線（可動組織と不動組織の境界を示し，口蓋の後方部を横切る仮想線）．

l. of vision 視線．＝visual *axis*.

Wegner l. (veg′nĕr). ヴェグナー線（やや弯曲した白っぽい細い線．長骨の骨端と骨幹の境界の予備石灰化層を示す．梅毒性骨端炎に関連する）．

white l. 白線（手指の爪で皮膚に線を付けた後 30—60 秒で現れ，数分続く蒼白の線条で，動脈圧の減少徴候とされる）．＝Sergent white l.

white l. of anal canal 肛門管白線（外肛門括約筋の皮下部と内肛門括約筋の下縁との間の間隙の高さでみられる，櫛状線の下方の肛門管粘膜の青みを帯びたピンクの波状の細い帯で，触察できるといわれている）．＝Hilton white l.

white l. of Toldt トルトの白線（①上行・下行結腸間膜上方(腹部)での後壁側胸膜の外側への反転．②壁側腹膜と Denonvillieri 筋膜との連結部）．

Z l. Z 線(帯)（横紋筋の筋原線維の I 帯を2分する境界の線で，両側の筋節のアクチンフィラメントの付着場所である）．＝intermediate disc; Z band; Z disc.

l.'s of Zahn (zahn). ツァーン線（死ぬ前にできた血栓の表面に肉眼で見える肋骨様の印．血小板の分枝状組織と凝固した血球から分離されるフィブリンから形成される）．＝striae of Zahn.

Zöllner l.'s (tsörl′nĕr). ツェルナー線（視覚の錯覚を調べるために工夫された図．一般的なものは斜めに並列した多数の短い線と交差した2組の平行線からなる．平行線は，収束，または発散しているように見える）．

LINEA

lin·e·a, gen. & pl. **lin·e·ae** (lin′ē-ă, -ē-ē) [L.][TA]. 線. = line.

l. alba [TA]. 白線（前腹壁の中央を全長にわたって縦に走る線維帯．腹斜筋と腹横筋が付着する）. = Hunter line.

l. anocutanea [TA]. = anocutaneous *line.*

l. anorectalis [TA]. = anocutaneous *line.*

l. arcuata [TA]. 弓状線. = arcuate *line.*

l. arcuata ossis ilii [TA]. = arcuate *line* of ilium.

l. arcuata vaginae musculi recti abdominis [TA]. →rectus *sheath*; posterior *layer* of rectus sheath. = arcuate *line* of rectus sheath.

l. aspera [TA]. 粗線（2つの明白な唇をもつギザギザした隆線で，大腿骨幹の後部表面を下降する．外側唇は殿筋稜に，内側唇は転子間線に続く．これに内側広筋，長内転筋，大内転筋，短内転筋，大腿二頭筋の短頭，外側広筋および筋間中隔が付着する）. = rough line of femur.

lineae atrophicae 萎縮線条. = *striae* cutis distensae.

l. axillaris anterior [TA]. 前腋窩線. = anterior axillary *line.*

l. axillaris media [TA]. 中腋窩線. = midaxillary *line.*

l. axillaris posterior [TA]. 後腋窩線. = posterior axillary *line.*

l. corneae senilis 老年期角膜線. = *arcus* senilis.

lineae distractione [TA]. = tension *lines.*

l. epiphysialis [TA]. 骨端線. = epiphysial *line.*

l. glutea anterior 前殿筋線（→gluteal *lines*).

lineae gluteae [TA]. 殿筋線. = gluteal *lines.*

l. glutea inferior 下殿筋線（→gluteal *lines*).

l. glutea posterior 後殿筋線（→gluteal *lines*).

l. intercondylaris femoris [TA]. = intercondylar *line* of femur.

l. intermedia cristae iliacae [TA]. 腸骨稜中間線. = intermediate *zone* of iliac crest.

l. interspinalis 上腸骨棘線（→interspinous *plane*). = interspinal *line.*

l. intertrochanterica [TA]. 転子間線. = intertrochanteric *line.*

l. intertubercularis 下腸骨棘線（→intertubercular *plane*). = intertubercular *line.*

l. mammillaris [TA]. 乳頭線. = mammillary *line.*

l. mediana anterior [TA]. 前正中線. = anterior median *line.*

l. mediana posterior [TA]. 後正中線. = posterior median *line.*

l. medio-axillaris = midaxillary *line.*

l. medioclavicularis [TA]. 鎖骨中線. = midclavicular *line.*

l. musculi solei [TA]. ヒラメ筋線. = soleal *line.*

l. mylohyoidea [TA]. 顎舌骨筋線. = mylohyoid *line.*

l. nigra 黒線（白線が妊娠中に着色したもの）. = black line.

l. nuchae inferior [TA]. 下項線. = inferior nuchal *line.*

l. nuchae mediana = external occipital *crest.*

l. nuchae superior [TA]. 上項線. = superior nuchal *line.*

l. nuchae suprema [TA]. 最上項線. = highest nuchal *line.*

l. obliqua [TA]. 斜線. = oblique *line.*

l. obliqua cartilaginis thyroideae [TA]. = oblique *line* of thyroid cartilage.

l. obliqua mandibulae [TA]. = oblique *line* of mandible.

l. parasternalis [TA]. 胸骨傍線. = parasternal *line.*

l. paravertebralis [TA]. 椎骨傍線. = paravertebral *line.*

l. pectinata canalis analis [TA]. = pectinate *line.*

l. pectinea femoris [TA]. = pectineal *line* of femur.

l. poplitea = soleal *line.*

l. postaxillaris = posterior axillary *line.*

l. preaxillaris = anterior axillary *line.*

l. scapularis [TA]. 肩甲線. = scapular *line.*

l. semicircularis 半環状線. = arcuate *line* of rectus sheath.

l. semilunaris [TA]. 半月線（腹直筋鞘の外側縁に平行する，外腹壁のわずかな溝）. = semilunar line; Spigelius line.

l. spiralis femoris = spiral *line* of femur.

l. splendens 輝線（脊髄の前部表面の中心線に沿った軟膜の肥厚した帯）. = Haller line.

l. sternalis [TA]. 胸骨線. = sternal *line.*

l. subcostalis 肋下線（→subcostal *plane*). = subcostal *line.*

l. supracondylaris lateralis [TA]. = lateral supracondylar *line.*

l. supracondylaris medialis [TA]. = medial supracondylar *line.*

l. supracristalis 腸骨稜上線（→supracrestal *plane*). = supracrestal *line.*

l. temporalis inferior ossis parietalis [TA]. 下側頭線. = inferior temporal *line* of parietal bone.

l. temporalis ossis frontalis [TA]. = temporal *line* of frontal bone.

l. temporalis superior ossis parietalis [TA]. 上側頭線. = superior temporal *line* of parietal bone.

l. terminalis of pelvis [TA]. 分界線（腸骨の内面上を走り恥骨へ続く斜めの隆線．腸骨窩の下方の境界をなす．大骨盤から小骨盤を分ける）. = l. terminalis pelvis [TA]; iliopectineal line; terminal line.

l. terminalis pelvis [TA]. = l. terminalis of pelvis.

lineae transversae ossis sacri [TA]. = transverse *ridges* of sacrum.

l. trapezoidea [TA]. 菱形靱帯線. = trapezoid *line.*

---

lin·e·age (lin′ē-ăj) [O. Fr. *ligne*, line of descent]. 直系（共通の先祖から直接続いている系統）.

lin·e·ar (lin′ē-ăr). 線状の，直線の（①(直)線に関連または類似した様子．②2点間を直接結ぶことを示す）.

lin·e·ar·i·ty (lin′ē-ar′ĭ-tē) [L. *linearis*, linear < *linea*, line]. 直線性（2つの数量間の一方の数量の変化により他方が正比例して変化する関係）.

line·breed·ing (līn′brēd′ing). 系統交配（ある個体またはグループの遺伝的特徴が望ましいように，あるいは科学的に興味あるように純化する目的で，連続的に近親間の交配を行うこと）.

li·ner (lī′nĕr). ライナー（保護物質の層）.

asbestos l. 石綿ライナー（歯科の鋳型を裏打ちするために用いるアスベストの層．埋没材を加熱し膨張させると，ライナーが圧縮されるために埋没材は鋳型に圧迫され過ぎずにすむ）.

cavity l. キャビティーライナー. = varnish (dental).

LINES long interspersed *elements* の略.

Line·weav·er (līn′wē-vĕr), Hans. 20世紀の米国人物理化学者. →L.-Burk *equation*, *plot*.

Ling (ling), Per Henrik. スウェーデン人衛生学者，1776―1839. →L. *method*.

Lin·gel·sheim·i·a (lin′jels-hī′mē-ă) [W. von *Lingelsheim*]. リンゲルシャイミア属. = *Acinetobacter*.

L. anitrata = *Acinetobacter calcoaceticus*.

lin·gua, gen. & pl. **lin·guae** (ling′gwă, ling′gwē) [L. tongue]. 舌，した（①= tongue (1). ②= tongue (2)).

l. cerebelli = *lingula* of cerebellum.

l. fissurata 舌裂. = fissured *tongue.*

l. frenata 短舌（非常に短い舌小帯をもつ舌で小舌を形成する）.

l. geographica 地図〔状〕舌. = geographic *tongue.*

l. nigra 黒〔色〕舌，黒毛舌. = black *tongue.*

l. plicata ひだ舌，溝状舌. = fissured *tongue.*

lin·gual (ling′gwăl). ***1*** 舌の. = glossal. ***2*** 舌側の，舌方向の.

Lin·guat·u·la (ling-gwat′yū-lă) [L. *linguatu*, tongued + *-ula*, 指小接尾辞]. 舌虫属（内部寄生性吸血節足動物舌虫綱舌虫科の一属．通常，舌虫として知られる．以前は退化したダニ目であると考えられていたが，現在は一般に小さいが，

明らかに節足動物の早期分派と考えられている．成虫は種々の宿主(例えば，は虫類，鳥類，食肉類)の肺，気道に存在する．幼虫はヒトを含む多くの様々な宿主に存在するが主として餌となる動物に存在する)．

L. rhinaria ＝*L. serrata.*

L. serrata 鼻腔舌虫（ヨーロッパにおいて最も一般的であるが，米国，南アメリカなどでもみられると考えられる種．成虫は白みを帯び，柔らかくて平たく，環と鉤があり，その鉤でイヌおよびイヌ科の動物の鼻粘膜に付着する．幼虫はげっ歯類，ブタ，ウシ，しばしばヒトや他の霊長類の肝臓やリンパ節で成長する)．＝*L. rhinaria.*

lin·guat·u·li·a·sis (ling-gwat′yū-lī′ă-sis). 舌虫症（舌虫属 *Linguatula* への感染．→halzoun)．

Lin·guat·u·li·dae (ling-gwat′yū-li′dē). 舌虫科（医学的に興味のある五口類の一科．他は Porocephalidae 科．この科は扁平な体をもつ．成虫はイヌおよびネコのような，種々の食肉類の鼻腔に住み，幼生型はげっ歯類，草食動物，他の動物の組織中に発見される．ヒトでは幼虫と成虫の両方とも報告されている)．

lin·gui·form (ling′gwi-fōrm). 舌状の．

lin·gu·la, pl. **lin·gu·lae** (ling′gyū-lă, -lē) [L. *lingua* (tongue)の指小辞][TA]．小舌（①いくつかの舌状の突起に適用される語．②限定されないときは小脳小舌)．

l. cerebelli [TA]．＝l. of cerebellum.

l. of cerebellum [TA]．小脳小舌（平らな小脳回が舌状に連続したもの．小脳虫部の前端(または上端)を形成し，2つの盛り上がる上小脳脚の間の上髄帆の表面上を前方へのびる)．＝l. cerebelli [TA]; alae lingulae cerebelli; lingua cerebelli; tongue of cerebellum.

l. of left lung [TA]．左肺小舌（左肺の上葉前面から下内側方への突出部で，下方は心圧痕と境界を接する)．＝l. pulmonis sinistri [TA]．

l. of mandible [TA]．下顎小舌（下顎孔に重なる舌状のとがった骨部．蝶下顎靱帯が付着する)．＝l. mandibulae [TA]; mandibular tongue; Spix spine.

l. mandibulae [TA]．下顎小舌．＝l. of mandible.

l. pulmonis sinistri [TA]．左肺小舌．＝l. of left lung.

sphenoidal l. [TA]．蝶形骨小舌（両側の蝶形骨体と大翼の間に後方へ突出した細長い突起．頸動脈溝外側縁からなる．晒骨では破裂孔に突出している)．＝l. sphenoidalis [TA]．

l. sphenoidalis [TA]．蝶形骨小舌．＝sphenoidal l.

lin·gu·lar (ling′gū-lăr). 小舌の．

lin·gu·lec·to·my (ling′gyū-lek′tŏ-mē). 〔肺〕舌状葉切除〔術〕(肺の左上葉舌区の切除)．

linguo- (ling′gwō) [L. *lingua*]．舌を意味する連結形．

lin·guo·cli·na·tion (ling′gwō-kli-nā′shŭn). 舌側傾斜（歯冠が正常よりも舌側に傾斜した場合の歯の軸傾斜)．

lin·guo·clu·sion (ling′gwō-klū′zhŭn). 舌側咬合（歯列弓の内側または舌の方向への歯の変位．→lingual *occlusion* (2))．＝lingual occlusion (1).

lin·guo·dis·tal (ling′gwō-dis′tăl). 舌側遠心の（歯の舌側と遠心部についていう．例えば舌側遠心咬頭など．→distolingual)．

lin·guo·gin·gi·val (ling′gwō-jin′ji-văl). 舌側歯肉の（①歯の舌面の歯肉部 1/3 についていう．②切歯の遠心または近心面上の歯肉線と，舌側縁との接合角または接合点についていう)．

lin·guo-oc·clu·sal (ling′gwō-ŏ-klū′săl). 舌面咬合面の（歯の舌面と咬合面とが接した線についていう)．

lin·guo·pap·il·li·tis (ling′gwō-pap′i-lī′tis). 舌乳頭炎（舌縁の乳頭を侵す小さい有痛性の潰瘍)．

lin·guo·plate (ling′gwō-plāt). 舌面板（部分床義歯の大連結子で，下顎前歯の基底結節をおおうように延長されたリンガルバーとしてつくられる)．＝lingual plate.

lin·guo·ver·sion (ling′gwō-ver′zhŭn). 舌側転位（正常な位置より舌側にある歯の変位)．

lin·i·ment (lin′i-ment) [L. ＜*lino*, to smear]．リニメント〔剤〕，塗布剤，擦剤（[誤ったつづり linament を避けること]．外用または歯肉に適用される液剤．透明な分散液，懸濁液，乳液で，しばしば皮膚に擦り込んで用いる．誘導刺激薬，引赤薬，鎮痛薬，または清浄薬として用いる)．

li·nin (lī′nin) [L. *linum* ＜ G. *linon*, flax]．***1*** リニン（アマ科 *Linum catharticum* から得られる苦い配糖体)．***2*** リニン（アマニ中の蛋白)．***3*** 細胞核の糸状の無色の物質を表す語で，現在では用いられない．染色質顆粒は懸濁しているとされていた．

lin·ing (līn′ing). 内張〔り〕，裏装，内層（熱刺激や化学的刺激から歯髄を保護するために修復歯科標本の歯髄壁へ適用される被覆加工．通常，賦形剤はワニス，樹脂，および(または)水酸化カルシウムを含有する)．

li·ni·tis (li-nī′tis, lī-nī′tis) [G. *linon*, flax, linen cloth + *-itis*, inflammation]．胃組織炎，胃線維炎（胃の血管周囲組織の炎症)．

l. plastica 形成性胃組織炎(胃線維炎)（元来，炎症性状態と考えられていたが，現在では，浸潤性硬癌が原因となって起こる胃壁の広範囲にわたる肥厚と認められる．leather-bottle stomach とよばれることもある)．

link (link). 関連（論理的な関係，結合)．

tip l.'s ティップリンク，先端結合（蝸牛および前庭の有毛細胞の不動毛を連結する結合織)．

link·age (lingk′ăj). ***1*** 結合（化学的等価結合)．***2*** 連鎖，リンケージ（シンテニーの遺伝子座間が十分に近接しているため，各遺伝子が独立して遺伝するより，高い頻度で子に遺伝する現象．遺伝子座の特徴で遺伝子の特徴ではない)．

genetic l. 遺伝〔子の〕連鎖（→linkage (2))．

medical record l. 病歴リンケージ，医療記録リンケージ（多数の情報源から引き出されたデータからの生涯または長期間の個人の病歴の組立て)．

record l. レコードリンケージ（2つ以上の医療記録，または医療記録と出生記録，死亡証明書などの動態統計に含まれる情報を集積し，それぞれの個人の記録を1つにまとめようとする手続きをいう．個人を正確に同定できる Hogben number のような，一意な番号付けシステムが利用できれば容易に行われる)．

sex l. 伴性（特性，性染色体またはゴノソムの遺伝．男性はすべての伴性遺伝子をその母親から受け，それをすべて娘に伝えることはできるが，息子に伝えることはできない．劣性の伴性形質は男性に現れることが圧倒的に多い．→sex *chromosomes*)．

linked (linkd). 連鎖した（連鎖を示す2つの遺伝子座をいう)．

link·er (link′ĕr). リンカー（遺伝子の継ぎ合わせに使われる制限酵素切断部位を含む合成DNA断片)．

link·er scan·ning (linkĕr skan′ing). リンカースキャニング（欠失突然変異誘発の一型で，潜在的に重要な領域の間の距離および(または)読み取り枠が既知の配列をもった合成オリゴヌクレオチドで置換することにより維持されている)．

Li·nog·na·thus (li-nog′nă-thŭs) [G. *linon*, flax, thread + *gnathos*, jaw]．ケモノホソジラミ属（[二重字 gn において，g は語頭にあるときのみ無音である]．吸血性のシラミの一属(シラミ目，ケモノホソジラミ科)で，ヒツジやヤギのアフリカ青ホソジラミ *L. africanus*，ヒツジ体幹寄生ホソジラミ *L. ovillus*，ヒツジ脚部寄生ホソジラミ *L. pedalis*，イヌや他のイヌ科の吸血ホソジラミ *L. setosus*，ヤギの吸血ホソジラミ *L. stenopsis*，ウシに寄生する長吻吸血ホソジラミあるいは青ホソジラミすなわちウシホソジラミ *L. vituli* を含む)．

li·no·le·ate (li-nō′lē-āt). リノール酸塩．

lin·o·le·ic ac·id (lin-ō-lē′ik as′id) [L. *linum*, flax + *oleum*, oil]．リノール酸；9,12-octadecadienoic acid（[linolenic acid と混同しないこと]．植物グリセリドに広く存在する哺乳類の栄養に必須な二重結合を2つもつ18炭素不飽和脂肪酸)．＝linolic acid.

lin·o·len·ic ac·id (lin-ō-len′ik as′id). リノレン酸；9,12,15-octadecatrienoic acid (別名，α-リノレン酸)（[linoleic acid と混同しないこと]．哺乳類の栄養に必須な18炭素3価不飽和脂肪酸．γ-リノレン酸は 6,9,12-オクタデカトリエン酸である)．

lin·o·lic ac·id (lin-ō′lik as′id). ＝linoleic acid.

lin·seed (lin′sēd) [G. *linon*, flax]．アマニ（アマ科 *Linum usitatissimum* の熟した種を乾燥したもの．この線維は麻布の製造に使用される．浸出液は以前は呼吸器や尿性器系のカタル罹患に保護薬として用いられた．砕いた種は湿布をつくるとき用いられる)．＝flaxseed.

l. oil アマニ油（アマの熟した種から絞り出された脂肪酸．石灰擦剤の調製に用いられる）．＝flaxseed oil.

lint (lint)［O.E. *lin*, flax］．リント（外科の創傷保護に用いる柔らかい吸収性材料．通常は粗い目で厚く織ってリント布や patent lint として用いられる）．

lio- (lī′ō). ⇀leio-.

LIP *l*ymphocytic *i*nterstitial *p*neumonia; *l*ymphoid *i*nterstitial *p*neumonia の頭字語．⇀lymphocytic interstitial *pneumonia*.

lip (lip)［A.S. *lippa*］［TA］．＝labium (1)［TA］．***1*** 唇（表面が重層扁平上皮層である表層粘膜におおわれた２つの筋肉のひだで，口の前方の境界をなす）．***2*** 唇縁（空洞または溝と境を接している唇状の構造．→labium; labrum）．

acetabular l. 寛骨臼唇．＝acetabular *labrum*.

anterior l. of external os of uterus［TA］．外子宮口前唇（子宮頸腟部のうち外子宮口の前方にある部分で，子宮口と前腟円蓋の境をなす．後唇より少し短い）．＝labium anterius ostii uteri［TA］; anterior l. of uterine os.

anterior l. of uterine os 外子宮口前唇．＝anterior l. of external os of uterus.

articular l. 関節唇．＝labrum (3).

cleft l. 口唇裂（先天性の口唇の顔面異常．通常は上口唇で，正中および外側の鼻の隆起と，上顎の隆起の融合異常から生じる．片側，両側あるいは正中部．しばしば顎裂や口蓋裂を合併がある．多くの家系や種々の形態［MIM*119300, *119500, *119530, *119540, *119550］においてＸ連鎖遺伝［MIM*303400］のような常染色体優性遺伝があると思われる．しかし一般的には常染色体劣性遺伝が想定され遺伝形式はより複雑であり，この異常はある種の症候群の種々の特徴を示すことがある）．＝harelip.

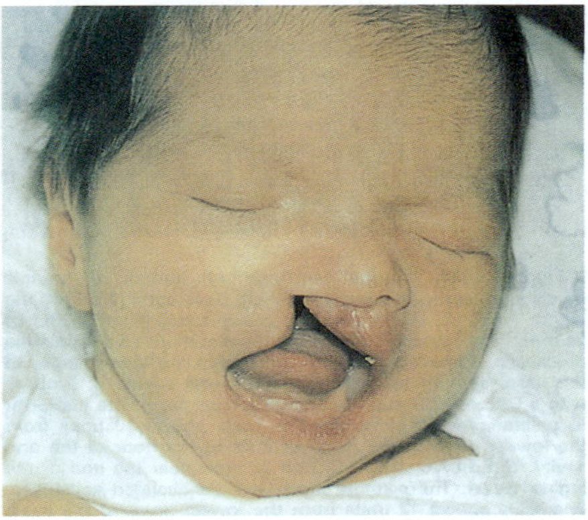

cleft lip

double l. 複唇（先天的なあるいは後天的な口唇粘膜部の過剰．Ascher 症候群の一症状の場合がある）．

external l. of iliac crest 腸骨稜外唇．＝outer l. of iliac crest.

glenoidal l. 肩関節唇．＝glenoid *labrum* of scapula.

Hapsburg l. ハプスブルク唇（⇀Hapsburg *jaw*）．

inner l. of iliac crest［TA］．腸骨稜内唇（腸骨稜のざらざらした内側縁で，ここに腹横筋，腰方形筋，および脊柱起立筋の一部が付着する）．＝labium internum cristae iliacae［TA］; internal l. of iliac crest.

internal l. of iliac crest 腸骨稜内唇．＝inner l. of iliac crest.

large pudendal l. 大陰唇．＝*labium* majus.

lateral l. of linea aspera［TA］．粗線外側唇（大腿二頭筋の短頭や外側筋間中隔が付着している大腿骨粗線の外側縁）．＝labium laterale lineae asperae［TA］．

lower l.［TA］．下唇（口裂の下方にある筋性のひだ）．＝labium inferius oris［TA］．

medial l. of linea aspera［TA］．粗線内側唇（外側広筋の一部がここから起始している大腿骨粗線の内側縁）．＝labium mediale lineae asperae［TA］．

l.'s of mouth［TA］．口唇（外側は皮膚でおおわれ内側は粘膜でおおわれた肉質のひだで口裂を囲んで口腔の前壁をなしているもの．閉じる働きをする口輪筋と各種開大筋とで消化管入り口の括約筋として働いている）．＝labia oris［TA］．

outer l. of iliac crest［TA］．腸骨稜外唇（腸骨稜のざらざらした外側縁で，ここから上に向かって外腹斜筋と広背筋が付き，下方に向かって大腿広筋膜と大腿筋膜張筋が付いている）．＝labium externum cristae iliacae［TA］; external l. of iliac crest.

posterior l. of external os of uterus［TA］．外子宮口の後唇（子宮頸のうち子宮口の後部境界を形成する部分で，子宮頸管と後腟円蓋の境をなす．前唇よりもやや長い）．＝labium posterius ostii uteri［TA］．

rhombic l. 菱唇（胚の菱脳の肥厚した翼状板）．

small pudendal l. 小陰唇．＝*labium* minus.

tympanic l. of limbus of spiral lamina〔ラセン板の〕鼓室唇．＝tympanic l. of spiral limbus.

tympanic l. of spiral limbus［TA］．〔ラセン板の〕鼓室唇（ラセン板縁の骨膜が下方に長くのびたもので，Corti のラセン器の基底板上にある）．＝labium limbi tympanicum limbi spiralis ossei［TA］; labium limbi tympanicum laminae spiralis ossei; tympanic labium of limbus of spiral lamina; tympanic l. of limbus of spiral lamina.

upper l.［TA］．上唇（口裂の上方にある筋性のひだ）．＝labium superius oris［TA］．

vestibular l. of limbus of spiral lamina ラセン板縁前庭唇．＝vestibular l. of spiral limbus.

vestibular l. of spiral limbus［TA］．ラセン板縁前庭唇（骨ラセン板縁から上に延びた骨膜性の短い板で，蓋膜の中央での付着になっている）．＝labium limbi vestibulare limbi spiralis ossei［TA］; labium limbi vestibulare laminae spiralis ossei; lamina dentata; vestibular labium of limbus of spiral lamina; vestibular l. of limbus of spiral lamina.

lip- (lip). ⇀lipo-.

li·pan·cre·a·tin (li-pan′krē-ă-tin, -krē′ă-tin). リパンクレアチン．＝pancrelipase.

lip·a·ro·cele (lip′ă-rō-sēl)［G. *liparos*, fatty ＋ *kēlē*, tumor, hernia］．脂肪含有ヘルニア（大網ヘルニアの一種）．

li·pase (lī′pās, lip′ās). リパーゼ，脂肪分解酵素（①一般にカルボキシルエステラーゼ，例えば，トリアシルグリセロールリパーゼ，ホスホリパーゼA_2，リポプロテインリパーゼなどの脂肪分解酵素をさす．②＝*triacylglycerol* lipase）．

lip·ec·to·my (lip-ek′tŏ-mē)［lipo- ＋ G. *ektomē*, excision］．脂肪組織切除〔術〕（脂肪症の場合などに行われる脂肪組織の外科的除去）．

lip·e·de·ma (lip′e-dē′mă)［lipo- ＋ G. *oidēma*, swelling］．脂肪〔性〕浮腫，脂肪〔性〕水腫（**［**lipidemia と混同しないこと**］**．通常，下肢の慢性浮腫，特に中年女性に多い．皮下脂肪および体液の広範な一様の分布によって起こる）．

li·pe·mi·a (li-pē′mē-ă)［lipid ＋ G. *haima*, blood］．脂〔肪〕血症（循環血液中に異常に多量の脂質が存在すること）．＝hyperlipoidemia; lipidemia; lipoidemia.

alimentary l. 食事性脂〔肪〕血症（大量に脂肪を含む食物を摂取した後に起こる比較的一過性の脂肪血症）．＝postprandial l.

diabetic l. 糖尿病性脂〔肪〕血症（食物脂肪の摂取による乳化血漿の成長．コントロールされていない糖尿病でまれに発現する．食物脂肪の不完全な代謝によって起こり，インスリンの投与によって回復する）．

postprandial l. ＝alimentary l.

l. retinalis 網膜脂〔肪〕血症（血液のリポイドが５％を超えると，網膜血管がクリーム状の形態を呈す）．

li·pe·mic (li-pē′mik). 脂〔肪〕血症の．

lip·id (lip′id)［G. *lipos*, fat］．脂質，リピド（無極性溶媒によって，動植物細胞から抽出された脂溶性の物質をいう．脂質は溶解特性を述べる言葉で，化学物質を示すものではない．このようにして抽出されうる物質の不均質な集合体には，脂肪酸，グリセリド，グリセリルエーテル，ホスホリピド，スフィンゴリピド，長鎖アルコール，ろう，テルペン，ステロイド，および脂溶性のビタミンA・D・Eが含まれる).

l. A 脂質A，リピドA（リポ多糖の糖脂質成分で，エンドトキシン活性発現成分である).

anisotropic l. 異方性脂質（二重の屈折性小滴型の脂質).

anular l. 輪状脂質（膜内在性蛋白と結合または包囲した脂質層).

brain l. 脳脂質（局在的にあるとき顕著な止血作用を行う不純なケファリン).

compound l.'s 複合脂質（アルカリ加水分解により，小さな成分に分解できる脂質).

isotropic l. 等方性脂質（単一屈折滴型になっている脂質).

simple l.'s 単純脂質．＝homolipids.

lip·i·de·mi·a (lip′i-dē′mē-ă). [lipedemia と混同しないこと]．＝lipemia.

lip·i·do·ly·tic (lip′i-dō-lit′ik) [lipid + G. *lysis*, loosening]. 脂質分解の（脂質の開裂を生じさせる).

lip·i·do·sis, pl. **lip·i·do·ses** (lip′i-dō′sis, -sēz) [lipid + G. *-ōsis*, condition]. リピドーシス（脂質が異常に沈着する遺伝性の脂質代謝障害．脂質代謝に重要な酵素の欠損や沈着した脂質により分類されている．リソソーム酵素の異常によることが多く，リソソーム沈着症として異常が現れる．スフィンゴリピドーシスがリピドーシスの中でも最も多く，ガングリオシド，セラミド，セレブロシドの代謝異常を伴っている).

ceramide lactoside l. セラミドラクトシドリピドーシス（セラミドラクトシダーゼ欠損のためセラミドラクトシドが蓄積するために生じる遺伝性疾患．進行性の脳障害や肝や脾腫大が生じる).

cerebral l. 脳リピドーシス．＝cerebral *sphingolipidosis.*

cerebroside l. セレブロシドリピドーシス．＝Gaucher *disease.*

ganglioside l. ガングリオシドリピドーシス．＝gangliosidosis.

glycolipid l. 糖脂質リピドーシス．＝Fabry *disease.*

sphingomyelin l. スフィンゴミエリンリピドーシス．＝Niemann-Pick *disease.*

sulfatide l. スルファチドリピドーシス．＝metachromatic *leukodystrophy.*

lipid raft (lip′id raft). 脂質ラフト（界面活性剤不溶性の膜の海に浮かぶ〝いかだ〟のようなミクロドメイン(〝島〟)のことで，スフィンゴ脂質およびコレステロールを多量に含む，細胞膜，分泌経路の最終段階，およびエンドソーム区画に存在する).

Lip·mann (lip′man), Fritz A. 米国に在住したドイツ系米国人生化学者・ノーベル賞受賞者，1899—1986. →Warburg-L.-Dickens-Horecker *shunt.*

lipo-, lip- (lip′ō, lip) [G. *lipos*, fat]. [ほとんどの語における本連結形については lĭp- という発音(短音)のみが示されるが，līp- という発音(二重母音)も広く聞かれ，等しく受け入れられている]．脂肪または脂質を意味する連結形.

lip·o·am·ide (lip′ō-am′īd, -am′id). リポアミド（→lipoic acid).

lip·o·am·ide de·hy·dro·gen·ase (lip′ō-am′īd dē′hī-drō′jen-ās). ＝dihydrolipoamide dehydrogenase.

lip·o·am·ide di·sul·fide (lip′ō-am′īd dī-sŭl′fīd). 二硫化リポアミド（ピルビン酸デヒドロゲナーゼのL-リシル残基のε-アミノ群と結合したアミド中で酸化されたリポ酸).

lip·o·am·ide re·duc·tase (NADH) (lip′ō-am′īd rē-dŭk′tās). リポアミドレダクターゼ．＝dihydrolipoamide dehydrogenase.

lip·o·ar·thri·tis (lip′ō-ar-thrī′tis) [lipo- + arthritis]. 関節脂肪組織炎（膝関節周囲の脂肪組織の炎症).

lip·o·ate (lip′ō-āt). リポ酸塩.

lip·o·ate ace·tyl·trans·fer·ase (lip′ō-āt ă-sē′tĭl-trans′fĕr-ās). リポ酸アセチルトランスフェラーゼ．＝dihydrolipoamide *S*-acetyltransferase.

lip·o·a·tro·phi·a (lip′ō-ă-trō′fē-ă). ＝lipoatrophy.

l. annularis 環状脂肪萎縮（局所的な萎縮を特徴とする原因不明のまれな状態．脂肪の硬化と萎縮を伴う上肢を中心とした陥凹した部位).

l. circumscripta 限局性脂肪組織萎縮〔症〕.

lip·o·at·ro·phy (lip-ō-at′rō-fē) [G. *lipos*, fat + *a-* 欠性辞 + *trophē*, nourishment]. 脂肪組織萎縮〔症〕（身体全体に及ぶ先天的な皮下脂肪の喪失．肝腫，骨の過剰発育，インスリン抵抗性糖尿病を伴う)．＝Lawrence-Seip syndrome; lipoatrophia; lipoatrophic diabetes.

insulin l. インスリン脂肪組織萎縮〔症〕．＝insulin *lipodystrophy.*

partial l. 部分〔的〕脂肪組織萎縮〔症〕．＝progressive *lipodystrophy.*

lip·o·blast (lip′ō-blast) [lipo- + G. *blastos*, germ]. 脂肪芽細胞（胚子脂肪細胞).

lip·o·blas·to·ma (lip′ō-blas-tō′mă). 脂肪芽細胞腫（胚の脂肪組織からなる良性の皮下腫瘍で，異なった小葉に分かれる．幼児に起こりやすい).

lip·o·blas·to·ma·to·sis (lip′ō-blas′tō-mă-tō′sis). 脂肪芽細胞腫症（局所的に浸潤するが，転移することのない脂肪芽細胞腫のびまん型).

lip·o·car·di·ac (lip′ō-kar′dē-ak) [lipo- + G. *kardia*, heart]. ***1***〖adj.〗脂肪心の．***2***〖n.〗脂肪心患者（心臓の脂肪変性に罹患した人).

lip·o·cat·a·bol·ic (lip′ō-kat′ă-bol′ik). 脂肪分解の.

lip·o·cer·a·tous (lip′ō-ser′ă-tŭs). 死ろう〔性〕の．＝adipocer-atous.

lip·o·cere (lip′ō-sēr) [lipo- + L. *cera*, wax]. 死ろう．＝adipocere.

lip·o·chon·dri·a (lip′ō-kon′drē-ă) [lipo- + mitochondria]. リポコンドリア（Golgi 装置にみられる脂質を一時的に貯留しておく空胞．→phytosterolemia).

lip·o·chon·dro·dys·tro·phy (lip′ō-kon′drō-dis′trō-fē). 脂肪軟骨ジストロフィ，脂肪軟骨異栄養〔症〕．＝Hurler *syndrome.*

lip·o·chrome (lip′ō-krōm) [lipo- + G. *chroma*, color]. リポクロム，色素類脂質（①ルテイン，カロチンなどの色素脂質．＝chromolipid. ②消耗性色素，すなわち脂褐素，ヘモフスチン，セロイドなどを表すためにときに用いる語．正確にはカロチンやキサントフィルと同一と思われる黄色色素を示し，しばしば血清，皮層，副腎皮質，黄体，動脈硬化斑，肝臓，脾臓，脂肪組織にみられる．通常の脂肪用色素では染まらない．③ある種のバクテリアがつくる色素).

li·poc·la·sis (li-pok′lă-sis) [lipo- + G. *klasis*, a breaking]. ＝lipolysis.

lip·o·clas·tic (lip′ō-klas′tik). ＝lipolytic.

lipocortin リポコルチン（コルチコステロイドにより誘導されるホスホリパーゼ A2 の阻害物質．アラキドン酸の産生を抑制し，コルチコステロイドの抗炎症作用のメディエータと考えられている).

lip·o·crit (lip′ō-krit) [lipo- + G. *krinō*, to separate]. リポクリット（血液や他の体液中の脂質を分離し，定量的に分析する器具および方法).

lip·o·cyte (lip′ō-sīt) [lipo- + G. *kytos*, cell]. 脂肪細胞．＝fat-storing *cell.*

lip·o·der·moid (lip′ō-der′moyd) [lipo- + dermoid]. 脂肪類皮腫（結膜下に発生する先天的な黄白色の脂肪性，良性の腫瘍).

lip·o·di·er·e·sis (lip′ō-dī-er′ĕ-sis) [lipo- + G. *diairesis*, division]. ＝lipolysis.

lip·o·dys·tro·phi·a (lip′ō-dis-trō′fē-ă). 脂肪異栄養〔症〕．＝lipodystrophy.

l. progressiva superior 上半身〔性〕進行性脂肪異栄養〔症〕．＝progressive *lipodystrophy.*

lip·o·dys·tro·phy (lip′ō-dis′trō-fē) [lipo- + G. *dys-*, bad, difficult + *trophē*, nourishment]. 脂肪異栄養〔症〕，リポジストロフィ（①脂肪の代謝障害．②脂肪組織の異常沈着またはその萎縮が，混在している状態．プロテアーゼ阻害薬を内服した AIDS 患者でみられる)．＝lipodystrophia; cellulite (2).

congenital total l. [MIM*269700]. 先天性全脂肪異栄養〔症〕（皮下脂肪がほぼ全身的に欠落し，3－4 歳までの間に身体の成長，骨格の発育が促進される脂肪異栄養症．筋肥大，心肥大，肝腫大，黒色表皮肥厚症，多毛症，腎腫大，過脂肪血症，代謝亢進を特徴とする．常染色体劣性遺伝)．＝Berardinelli syndrome; Seip syndrome.

Dunnigan l. [MIM* 151660]. ダニガンリポジストロフ

ィ，ダニガン脂肪異栄養〔症〕. ＝familial partial l.

familial partial l. [MIM*151660]. 家族性部分性リポジストロフィ（体幹部と末梢四肢に対称性に生じるリポジストロフィ．丸顔，黄色腫，黒色表皮症，インスリン抵抗性高血糖を呈する．脂肪組織は頸部，肩，外陰部に蓄積する）. ＝Kobberling-Dunnigan syndrome; Dunnigan l.

insulin l. インスリン〔性〕脂肪異栄養〔症〕（糖尿病患者における，しばしばインスリンを注射した部位の皮下組織の異栄養性萎縮）. ＝insulin lipoatrophy.

membranous l. 膜性脂質異栄養〔症〕（骨髄脂肪細胞が，弱オスミウム酸好性の物質を含む，厚くて回旋状のPAS陽性の膜に形態変化するまれな代謝異常症．四肢の進行性嚢胞性の骨吸収とスダン親和性大脳皮質白質萎縮症を伴う認知症をもたらす）.

progressive l. 進行性脂肪異栄養〔症〕（体幹の上部，腕，頸，および顔面の皮下脂肪の完全な消失，ときには骨盤の周囲やそれより下の組織の脂肪の増加などを特徴とする）. ＝Barraquer disease; lipodystrophia progressiva superior; partial lipoatrophy; Simons disease.

lip·o·e·de·ma (lip′ō-e-dē′mă). 皮下脂肪の浮腫，特に女性の下肢に有痛性の膨隆をきたす.

lip·o·fec·tin (lip′o-fek′tin). リポフェクチン（主にリン脂質からなる混合物で，DNA を細胞に移入するのを助けるため用いられる）.

lip·o·fec·tion (lip′o-fek′shŭn) [lipo- ＋ trans*fection*]. リポフェクション，リポ移入（脂質複合体あるいは含有 DNA を真核細胞に注入する過程）.

li·pof·er·ous (li-pof′ĕr-ŭs) [lipo- ＋ L. *fero*, to carry]. 脂肪運搬〔性〕の.

lip·o·fi·bro·ma (lip′ō-fī-brō′mă). 脂肪線維腫（著しい数の脂肪細胞を有する，線維性結合組織よりなる良性新生物）.

lipofilling (lĭp′ō-fĭl′ing). 脂肪移植（自家脂肪の移植による欠損修復の形成外科的手法(例えば，口唇の充填)）.

lip·o·fus·cin (lip′ō-fyūs′in). 脂褐素，リポフスチン（リソソームによる消化遺残物にあたる，脂質を含む褐色の色素粒．加齢または消耗色素の１つと考えられる．肝臓，腎臓，心筋，副腎や神経節細胞などにみられる）.

lip·o·fus·ci·no·sis (lip′ō-fyūs′i-nō′sis). 脂褐素〔沈着〕症，リポフスチン〔沈着〕症（一群の脂肪色素のうち，ある一つの色素の異常な蓄積．観察には蛍光顕微鏡が一番優れている）.

ceroid l. セロイド脂褐素〔沈着〕症，セロイドリポフスチン〔沈着〕症. ＝Batten *disease*.

neuronal ceroid l. 神経セロイドリポフスチノーシス（神経組織中の異常な色素の蓄積を特徴とする疾患群．以前は脳スフィンゴリピドーシスとして分類されていた．主な病型に慢性若年型または Batten 病(常染色体劣性遺伝で，緩徐進行性の行動異常と眼症状を示す)，急性晩期幼児型または Bielschowsky 病(常染色体劣性遺伝)，慢性成人型または Kufs 病(様々な遺伝形式を示す)，急性幼児型または Santavuori-Haltia 病(運動，精神機能の急激な悪化としばしばミオクローヌスてんかんを示す)がある．軽症型もいくつか記載されている）.

lip·o·gen·e·sis (lip′ō-jen′ĕ-sis) [lipo- ＋ G. *genesis*, production]. 脂質生成（脂肪変性または脂肪浸潤のどちらかによる脂肪の生成．正常な脂肪蓄積や炭水化物あるいは蛋白の脂肪への転化にも適用される語）. ＝adipogenesis.

lip·o·gen·ic (lip′ō-jen′ik). 脂質生成の. ＝adipogenic; adipogenous; lipogenous.

li·pog·e·nous (li-poj′ĕ-nŭs). ＝lipogenic.

lip·o·gran·u·lo·ma (lip′ō-gran′yū-lō′mă). 脂肪肉芽腫（組織に沈積した脂質物質を伴う肉芽腫性炎症の小結節または病巣(通常は異物型の)．ある種の油などの注射後にみられる.→paraffinoma）. ＝eleoma; oil tumor; oleogranuloma; oleoma.

lip·o·gran·u·lo·ma·to·sis (lip′ō-gran′yū-lō-mă-tō′sis). 脂肪肉芽腫症（①複数の脂肪肉芽腫が存在すること．②脂肪組織の壊死に対する局所炎症性反応）.

disseminated l. [MIM*228000]. 播種性脂肪肉芽腫症（生後すぐに生じる，セラミダーゼの欠乏によりみられるムコリピドーシスの一型．関節腫脹，皮下結節，リンパ腺腫大，およびセラミドよりなるPAS陽性脂肪が病的細胞のリソソーム内に蓄積しているのが特徴である）. ＝Farber disease; Farber syndrome.

lip·o·he·mi·a (lip′ō-hē′mē-ă). lipemia を意味する現在では用いられない語.

li·po·ic ac·id (li-pō′ik as′id). リポ酸（酵母や肝臓抽出物中に存在する細菌性成長因子．キノコ中毒の治療に用いることができる．活性アルデヒド(アセチル)の転移において，ジスルフィド(–S–S–)型アミド(リポアミド)として作用する．2炭素片がピルビン酸の脱炭酸から生じ，α–ヒドロキシエチルチアミンピロリン酸はアセチル CoA となり，それ自身はこの過程においてジチオール(–SHHS–)型(例えば，ジヒドロリポ酸など)に還元される．またリポ酸は他の α–ケト酸デヒドロゲナーゼ複合体の主要構成成分である）. ＝acetate replacement factor; ovoprotogen; protogen; protogen A; pyruvate oxidation factor; thioctic acid.

lip·oid (lip′oyd) [lipo- ＋ G. *eidos*, appearance]. ＝adipoid. ***1***〖adj.〗リポイドの，類脂〔質〕の. ***2***〖n.〗リポイド，糖脂〔質〕(lipid の旧名).

lip·oi·de·mi·a (lip′oy-dē′mē-ă). リポイド血症，類脂〔質〕血症. ＝lipemia.

lip·oi·do·sis (lip′oy-do′sis). リポイド〔沈着〕症，類脂〔質〕〔沈着〕症（細胞中に複屈折性類脂体が存在すること）.

cerebroside l. セレブロシドリピドーシス（侵された組織の細胞中に脂質が蓄積しているのを特徴とする一群のリソソーム蓄積病．一般に，中枢神経系の明らかな発達障害を伴う．例えば Gaucher 病，Krabbe 病）.

l. corneae 角膜類脂症. ＝*arcus* senilis.

l. cutis et mucosae 皮膚粘膜リポイド〔沈着〕症，皮膚粘膜類脂〔質〕〔沈着〕症. ＝lipoid *proteinosis*.

galactosylceramide l. ガラクトシルセラミドリピドーシス. ＝globoid cell *leukodystrophy*.

lip·o·in·jec·tion (lip′ō-in-jek′shun). 脂肪注入〔法〕（萎縮部位の脂肪細胞による充填法．外傷，病気や加齢による皮膚変化，声帯麻痺や瘢痕による萎縮の治療に用いる）.

lip·o·lip·oi·do·sis (lip′ō-lip′oy-dō′sis). 脂肪リポイド〔沈着〕症，脂肪類脂〔質〕〔沈着〕症（細胞に存在する中性脂肪および複屈折性類脂体の両方の脂肪浸潤.→liposis (2)）.

li·pol·y·sis (li-pol′i-sis) [lipo- ＋ G. *lysis*, dissolution]. リポリーシス，脂肪分解（[誤った発音 lipoly′sis を避けること]．脂肪の分解(水解)または化学的分解）. ＝lipoclasis; lipodieresis.

lip·o·lyt·ic (lip′ō-lit′ik). 脂肪分解の. ＝lipoclastic.

li·po·ma (li-pō′mă) [lipo- ＋ G. *-oma*, tumor]. 脂肪腫（成熟した脂肪細胞からなる，脂肪組織の良性新生物）. ＝adipose tumor.

l. annulare colli 頸部環状脂肪腫（頸部を取り巻いてカラー状に成長する脂肪腫.→Madelung *neck*）.

l. arborescens 樹状脂肪腫（関節の滑膜を侵す不規則な形の脂肪腫で，絨毛が過形成をきたし，手指状，樹木状を呈する）.

atypical l. 異型性脂肪腫（高齢者の後頸部，肩，背部などの皮下に発生する脂肪腫．良性だが，環状に重合した多数の核をもった巨細胞を含んでおり異型性が認められる）. ＝pleomorphic l.

l. capsulare 嚢状脂肪腫（乳房に隣接する脂肪組織が著しく増大してできた，境界明瞭な腫瘤）.

l. cavernosum 海綿状脂肪腫. ＝angiolipoma.

l. fibrosum 線維性脂肪腫. ＝fibrolipoma.

l. myxomatodes 粘液腫様脂肪腫. ＝myxolipoma.

l. ossificans 骨化性脂肪腫（脂肪腫に異形成が起こり，骨化した小部分が形成される）.

l. petrificans 化石性脂肪腫（脂肪腫が変性と壊死に陥り，大量の異栄養性骨化をきたしたもの）.

pleomorphic l. 多型性脂肪腫. ＝atypical l.

spindle cell l. 紡錘形細胞性脂肪腫（顕微鏡的に非常に特徴ある良性脂肪腫の一型で，脂肪組織に線維芽細胞や膠原線維が浸潤している．通常，年配者の肩または頸部にみられる）.

telangiectatic l. 末梢血管拡張性脂肪腫. ＝angiolipoma.

li·po·ma·toid (li-pō′mă-toyd). 類脂肪腫の，脂肪腫様の（脂肪腫に類似した．新生物とはいいがたい単なる脂肪組織の集積に対してもしばしば用いる）.

lip·o·ma·to·sis (lip′ō-mă-tō′sis). 脂肪腫症. ＝adiposis.

encephalocraniocutaneous l. 脳頭蓋皮膚脂肪腫症（出生時に存在する顔面，頭蓋，頸部の多発性線維脂肪腫あるいは血管線維腫であるまれな症候群．ときに頭蓋内脂肪腫の症状を示す）．

mediastinal l. 縦隔脂肪腫症（ステロイドの服用により生じる縦隔脂肪組織の増加）．

multiple symmetric l. 多発性対称性脂肪腫症（頭部，頸部，体幹上部，上腕部の皮下の脂肪組織が腫瘤形成し進行性に増大する疾患．主に成人男性で発症し原因不明）．＝Launois-Bensaude syndrome; Madelung disease; symmetric adenolipomatosis.

l. neurotica 神経性脂肪腫症．＝*adiposis* dolorosa.

li·po·ma·tous (li-pō′mă-tŭs). 脂肪腫〔性〕の（脂肪腫に関する，脂肪腫の特徴を示す，あるいは脂肪腫の存在によって特徴付けられる）．

lip·o·me·nin·go·cele (lip′ō-mĕ-ning′gō-sēl)［lipo- ＋G. *mēninx*, membrane ＋ *kēlē*, tumor］. 脂肪髄膜瘤（二分脊椎に伴う脊髄内馬尾の脂肪腫）．

lip·o·mu·co·pol·y·sac·cha·ri·do·sis (lip′ō-myū′ko-pol′ē-sak′ă-ri-dō′sis). リポムコ多糖〔体〕沈着〔症〕．＝*mucolipidosis* I.

lip·o·nu·cle·o·pro·teins (lip′ō-nū′klē-ō-prō′tēnz). リポ核蛋白（脂質，核酸，および蛋白を含む会合体または複合体）．

Lip·o·nys·sus (lip′ō-nis′ŭs)［lipo- ＋G. *nyssō*, to prick］. イエダニ属（*Ornithonyssus* の旧名）．

lipooxygenase, lipoxygenase (lip-ooks′ĭ-jen-ās, lip-oks′ĭ-jen-ās)［lipo- ＋ oxygen ＋ -ase］. リポオキシゲナーゼ，リポキシゲナーゼ（不飽和脂肪酸を過酸化物に変換する酵素群．アラキドン酸からロイコトリエンの合成に重要である）．＝carotene oxidase; lipoxidase.

5-lipooxygenase (li-pō-oks′ē-jen-ās). 5–リポキシゲナーゼ（アラキドン酸を5–ヒドロペルオキシエイコサテトラエン酸を経てロイコトリエン A_4 に変換させる反応を触媒する酵素）．

lip·o·pe·ni·a (lip′ō-pē′nē-ă)［lipo- ＋G. *penia*, poverty］. 脂肪欠乏症（身体の脂質が異常に少ないか欠乏していること）．

lip·o·pe·nic (lip′ō-pē′nik). ***1***〚adj.〛脂肪欠乏〔症〕の．***2***〚n.〛脂肪減少薬（血中脂質濃度の減少をもたらす物質または薬品）．

lip·o·pep·tid, lip·o·pep·tide (lip′ō-pep′tid). リポペプチド（脂質とアミノ酸の化合物または複合体）．

lip·o·phage (lip′ō-fāj)［G. *lipos*, fat ＋ *phagō*, to eat］. 脂肪貪食細胞（［誤った発音 lip′ō-fahzh を避けること］．脂肪を摂取する細胞）．

lip·o·pha·gic (lip′ō-fā′jik). 脂肪貪食の．

lip·oph·a·gy (lip-of′ă-jē)［lipo- ＋G. *phagō*, to eat］. 脂肪貪食（脂肪貪食細胞による脂肪の摂取）．

lip·o·phan·er·o·sis (lip′ō-fan′ĕr-ō′sis)［lipo- ＋G. *phaneros*, visible ＋ *-osis*, condition］. 脂肪顕出状態（以前は脂肪がみえなかった細胞に，スダン親和性小滴が証明しうるようになる変化．→fatty *degeneration*）．

lip·o·phil (lip′ō-fil)［lipo- ＋G. *philos*, fond of］. 脂質親和体（脂質を溶解（親和）する物質）．

lip·o·phil·ic (lip′ō-fil′ik). 脂肪親和〔性〕の（脂質を溶解または吸収しうることについていう）．

lip·o·phos·pho·di·es·ter·ase I (lip′ō-fos′fō-dī-es′tĕr-ās). リポホスホジエステラーゼ I．＝*phospholipase* C.

lip·o·phos·pho·di·es·ter·ase II (lip′ō-fos′fō-dī-es′tĕr-ās). リポホスホジエステラーゼ II．＝*phospholipase* D.

lip·o·pol·y·sac·cha·ride (LPS) (lip′ō-pol′ē-sak′ă-rīd). リポ多糖類，リポ多糖体（①脂質と炭水化物の化合物または複合体．②敗血症ショックを起こすグラム陰性菌の細胞壁から遊離されるリポ多糖(エンドトキシン)）．

---

lip·o·pro·tein (lip-ō-prō′tēn, lī-pō). リポ蛋白（脂質と蛋白とを含有する複合体または化合物の総称．リポ蛋白は生体膜やミエリンの重要構成成分である．蛋白と共役して血漿の水媒体での脂質(疎水性)を輸送しやすくする．血漿リポ蛋白は超遠心，電気泳動，免疫電気泳動により分離されうる．リポ蛋白は電気泳動上を α–グロブリンや β–グロブリンとともに移動するが，普通，比重(浮遊定数)により分類される．比重による主要グループはカイロミクロンであり，食事性コレステロールとトリグリセリドを腸管から肝臓や他の組織へ輸送する．超低比重リポ蛋白(VLDL)はトリグリセリドを腸管や肝臓から筋肉や脂肪組織へ輸送する．低比重リポ蛋白(LDL)はコレステロールを肝臓より組織へ輸送する．高比重リポ蛋白(HDL)はコレステロールを胆汁として排泄させるために肝臓へ輸送する．これらの血漿リポ蛋白の特徴は表に示した．リポ蛋白の蛋白部分はアポリポ蛋白(またはアポ蛋白)とよばれる．アポリポ蛋白には脂質を水溶中で溶解させる以外に酵素の活性化という生化学的機能をもつものがある．血漿リポ蛋白のアポリポ蛋白は肝臓および腸管の粘膜細胞によって合成され，分子量 7,000—500,000 である．蛋白が 50％以上含まれている HDL もあるが，カイロミクロンでは単に約 1％でしかない．リポ蛋白中の脂質の比率が増加すると比重は減少する．血漿リポ蛋白粒子は一般的には球状で，トリアセチルグリセロール，コレステリルエステル，親水性蛋白構造とリン脂質が周囲を囲んだ非極性アミノ酸残基から構成される疎水性コアをもつ）．

血清リポ蛋白の中にはその濃度が動脈硬化のリスクと強い相関があるものもある．食事性因子が人により重要であるが，リポ蛋白，コレステロール，トリグリセリドの基底レベルは大部分遺伝的である．若年性心血管疾患や死亡リスクに関与している家族性高リポ蛋白血症の表現型(→hyperlipoproteinemia)が同定されたものもある．HDL コレステロール 35 mg/dL(0.90 mmol/L)以下，LDL コレステロール 160 mg/dL(4.15 mmol/L)以上，絶食時のトリグリセリド 250 mg/dL(2.83 mmol/L)以上の値はすべて冠動脈疾患の独立危険因子となる．冠動脈疾患患者(心筋梗塞，狭心症，冠動脈バイパス移植や冠血管形成の既往歴がある)または別の動脈硬化疾患患者(末梢動脈症，腹大動脈動脈瘤，頸動脈症)の医療管理としては高コレステロール血症や高リポ蛋白血症の検査および治療があげられる．高い LDL コレステロール値の低下が冠動脈疾患発病のリスクを減少させる．現在脂質代謝異常症の治療において推薦されている照準となる血清レベルは，LDL コレステロール 100 mg/dL(2.6 mmol/L)以下，HDL コレステロール 40 mg/dL(1 mmol/L)以上，中性脂肪 150 mg/dL(1.7 mmol/L)以下である．高脂血症患者に推薦される食事は，全摂取カロリーの 35％以下の脂質摂取(飽和脂肪 7％未満，多不飽和脂肪 10％未満，単不飽和脂肪 20％未満)，全カロリーの 50—60％の炭水化物(ほとんどが果物ならびに野菜からの複合炭水化物)，繊維分 20—30 g/日，ならびに 200 mg/日以下のコレステロールである．食事性飽和脂肪はどの食事成分よりも(コレステロール自体も例外ではなく)，LDL コレステロール値を上昇させる．高い LDL コレステロール値をもった人の 75％は食事，減量，運動によって正常値に近づけるが，後の人は薬物治療が必要である．家族性高リポ蛋白血症以外で LDL コレステロールを上昇させる因子としては糖尿病，甲状腺機能低下症，ネフローゼ症候群，閉塞性肝疾患，薬物(プロゲステロン，同化ステロイド，コルチコステロイド，チアジド系利尿剤)がある．

α_1-l. α_1–リポ蛋白（比較的分子量が小さく，高比重，リン脂質に富むリポ蛋白分画．ヒトの血漿の α_1–グロブリン分画に見出される）．

β_1-l. β_1–リポ蛋白（比較的分子量が大きく，低比重，コレステロールに富むリポ蛋白分画．ヒトの血漿の β–グロブリン分画に見出される）．

intermediate density l. (IDL) 中間比重リポ蛋白（超低比重リポ蛋白の分解により生成するリポ蛋白群．その約半分は受容体依存性エンドサイトーシスにより血漿から肝臓へ速やかにクリアランスされる．残り半分は分解され低比重リポ蛋白になる）．

---

l. Lp(a) リポ蛋白 Lp(a)（LDL 粒子からなるリポ蛋白であり，大型の糖蛋白であるアポリポ蛋白が共有結合する．血清中にこの Lp 濃度が増加することは，冠状動脈疾患発症の危険因子である）．

血漿 Lp 濃度が 30 mg/dL 以上に増加すると冠動脈疾患

並びに恐らくは卒中の各々に対する強い危険因子になる．Lp の独特な性質はその非脂質分子であるアポリポ蛋白のプラスミノーゲンへの構造上の類似性である．この類似性により Lp は血管内皮並びに細胞膜蛋白への結合が可能である．そして Lp はプラスミノゲン結合部分と競合することにより，フィブリン融解を阻害し，脂質沈着を容易にし，平滑筋細胞の増殖を刺激しやすくする．ナイアシンとエストロゲンは Lp を低下させるが，HMG CoA 還元酵素阻害薬であるフィブレートと胆汁酸分離剤にはその作用はない．

---

malondialdehyde-modified low-density l. マロンジアルデヒド修飾低密度リポ蛋白（アポ蛋白部分にアルデヒド置換リシル残基をもつ IDL 分子で，プロスタグランジン合成や血小板凝固を伴う酸化反応生成物である）．

l.-X リポ蛋白 X（閉塞性黄疸患者で発見された異常低密度リポ蛋白）．

lip·o·pro·tein li·pase (lip′ō-prō′tēn lī′pās, lī′pō-). リポプロテイン（リポ蛋白）リパーゼ（トリアシルグリセロールから 1 つの脂肪酸を遊離させる酵素．この酵素の活性はヘパリンによって増大され，ヘパリナーゼによって不活性化する．それはアポリポ蛋白 C–II により活性化される．リポプロテインリパーゼの欠損により，Ⅰ型家族性高リポ蛋白血症になる．→familial lipoprotein lipase *inhibitor*; clearing *factors*). ＝diacylglycerol lipase; diglyceride lipase.

Lipoptena cervi シカシラミバエ．＝deer ked.

lip·o·sar·co·ma (lip′ō-sar-kō′mă) [lipo- + *sarx*, flesh + -*oma*, tumor]. 脂肪肉腫（特に後腹膜組織および大腿に発生するが，通常，筋肉間または関節周囲面の深い部位に発生する成人の悪性新生物．組織学的には，よく分化した脂肪細胞あるいは脱分化し，粘液様の，丸い細胞を有する多形性の細胞からなる大きな腫瘍で，通常は密な毛細血管網を伴う．再発はよくみられ，脱分化した脂肪肉腫は肺や漿膜表面へ転移する）．

li·po·sis (li-pō′sis) [lipo- + G. -*osis*, condition]. 脂肪症（①＝adiposis. ②脂肪が浸潤し中性脂肪が細胞中に存在すること．→lipolipoidosis)．

li·pos·i·tol (li-pos′i-tol). リポシトール．＝inositol.

lip·o·sol·u·ble (lip′ō-sol′yū-bĕl). 脂溶性の．

lip·o·some (lip′ō-sōm) [lipo- + G. *sōma*, body]. リポソーム（①組織内の水性溶媒中に懸濁された脂質の球形粒子．②懸濁している媒質のいくらかを含有した脂質二重膜構造をもつ小さな粗面球状人工小胞の総称）．

lip·o·suc·tion (lip′ō-sŭk′shŭn, lī′pō-) 脂肪吸引〔術〕（不必要な皮下脂肪の除去法．吸引管を有用な皮膚切開から体内に挿入して吸引する．体形の輪郭形成に用いられる）．

superwet l. 超加液脂肪吸引術（吸引が予測される脂肪組織に対して 1 対 1 の生理食塩水を皮下に注入する脂肪吸引の方法）．

tumescent l. テュメセント法による脂肪吸引術（以下の液体の皮下注入後の脂肪吸引術．通常，生理食塩水，リドカイン，重炭酸イオンを含む液体，炭酸水素ナトリウムを加えたあるいは加えていないエピネフリンを 1 mL の吸引量に対して 2 − 3 mL注入．組織膨満したら注入を終了）．

ultrasonic l. 超音波脂肪吸引術（吸引カニューレによる物理的動作単独よりもむしろ，超音波による脂肪の変性や液状化を事前に起こしそれを吸引する方法）．

wet-technique l. 希釈したエピネフリン液を皮下注入して行う脂肪吸引術．

lip·o·thi·am·ide py·ro·phos·phate (lip′ō-thī′ă-mīd pī′rō-fos′fāt). リポチアミドピロリン酸（ピルビン酸からアセチル CoA の形成を触媒する多酵素複合体の補酵素に対して以前与えられた名称．リポアミドおよびチアミンピロリン酸が単一化合物であると仮定すると，リポアミドとチアミン二リン酸を含む．→lipoic acid)．

lipotoxicity 脂肪毒性（脂肪が血中や組織中で増加したために器官に生じる病的変化（例えば糖尿病の肝臓））．

lip·o·troph·ic (lip-ō-trof′ik). 脂肪増加症の（[lipotropic と混同しないこと]）．

li·pot·ro·phy (li-pot′rō-fē) [lipo- + G. *trophē*, nourishment]. 脂肪増加症．

lip·o·tro·pic (lip-ō-trop′ik). [lipotrophic と混同しないこと]. ***1*** 脂肪肝防止の（コリン欠乏の脂肪肝を予防または矯正する物質についていう）．***2*** 脂肪親和〔性〕の，脂〔肪〕向性の．

lip·o·tro·pin (li′pō-trō′pin). リポトロピン（脂肪組織細胞からの脂肪の動員を行う脳下垂体ホルモン．)．＝lipid-mobilizing hormone; lipotropic hormone; lipotropic pituitary hormone.

li·pot·ro·py (li-pot′rō-pē) [lipo- + G. *tropē*, turning]. ***1*** 脂肪親和性（塩基性染料の脂肪組織への親和性）．***2*** 脂肪肝防止（肝臓における脂肪の蓄積の予防）．***3*** 疎水親和性（無極性物質の相互の親和性）．

lip·o·vac·cine (lip′ō-vak′sēn). リポワクチン，脂肪ワクチン（溶剤である植物油に懸濁したワクチン．→adjuvant *vaccine*)．

lip·o·vi·tel·lin (lip′ō-vi-tel′in). リポビテリン．＝vitellin.

li·pox·e·nous (li-pok′sĕ-nŭs). 宿主離脱の．

li·pox·e·ny (li-poks′ĕ-nē, lī-) [G. *leipō*, to leave + *xenos*, host]. 宿主離脱（寄生生物の発育が完了したときに寄生生物が宿主から脱出すること）．

li·pox·i·dase (li-poks′i-dās). ＝lipoxygenase.

lip·o·yl (lip′ō-il). リポ酸のアシル基．

lip·o·yl de·hy·dro·gen·ase (lip′ō-il dē′hī-drō′jen-ās). リポイルデヒドロゲナーゼ．＝dihydrolipoamide dehydrogenase.

lip·ping (lip′ing). 骨辺縁（骨関節炎で骨の関節端に起こるような唇状構造の形成）．

lip·pi·tude, lip·pi·tu·do (lip′i-tūd, lip-i-too′dō) [L. < *lippus*, blear-eyed]. 辺縁性眼瞼炎．＝blear *eye*.

Lip·schütz (lip′shez), Benjamin. オーストリア人内科医，1878—1931. →L. *cell*.

li·pu·ri·a (li-pyū′rē-ă) [lipo- + G. *ouron*, urine]. 脂肪尿〔症〕（尿中に脂質を排泄すること）．＝adiposuria.

li·pur·ic (li-pūr′ik). 脂肪尿〔症〕の．

liq·ue·fa·cient (lik-wĕ-fā′shĕnt) [L. *lique-facio*, pres. p. -*faciens*, to make fluid < *liqueo*, to be liquid]. ***1***〘adj.〙融解の，液化の．***2***〘n.〙融解剤，液化剤（充実性腫瘍の内容物

血漿リポ蛋白

種類	密度 (g/mL)	直径 (nm)	アポ蛋白	蛋白 (%)	トリグリセリド (%)	コレステロール（遊離型およびエステル化体）(%)
カイロミクロン	<0.95	90—1,000	A-1, A-2, B-48, C-2, C-3, E	1—2	88	4
超密度リポ蛋白	0.95—1.006	30—90	B-100, C-1, C-2, C-3, E	7—10	56	23
中密度リポ蛋白	1.006—1.019	25—30	B-100	11	43	29
低密度リポ蛋白	1.019—1.063	20—25	B-100	21	58	13
高密度リポ蛋白						
HDL$_2$	1.063—1.125	10—20	A-1, A-2, A-4, C-1, C-2, C-3, D	33	41	16
HDL$_3$	1.125—1.210	7.5—10		57	35	13

を液化することによって融解をもたらすと思われる薬剤).

liq·ue·fac·tion (lik-wĕ-fak′shŭn) [→liquefacient]. 融解，液化（固体から液体への変化).

liq·ue·fac·tive (lik-wĕ-fak′tiv). 融解の，液化の.

li·queur (li-kĕr′) [Fr.]. リキュール（砂糖および芳香剤を含むアルコール飲料).

liq·uid (l) (lik′wid) [L. *liquidus*]. ***1***〚n.〛液体（水のような非弾性流体．固体，気体のどちらでもないもの．その状態では，分子は分子間力により制限を受けているが，比較的，お互い自由に運動している). ***2***〚adj.〛液状の，液体の，流動性の.

Cotunnius l. (kō-tun′ē-ŭs). コツンニウス液. =perilymph.

li·quor, gen. **li·quor·is,** pl. **li·quo·res** (li′kŏr, -wōr-is, -wō′rēs) [L.][TA]. [英語を話す人たちは(liquor folliculi におけるように)ラテン語としての liquor を lī′kwōr と発音し，(spirituous liquor におけるように)英語としての liquor を lĭk′er と発音する]. ***1*** 液体，流体. ***2*** 液（ある種の体液に対して用いる語). ***3*** 溶液（不揮発性物質の水溶液(煎出液や浸出液ではない)や気体の水溶液に対する薬局方用語.→solution).

l. amnii 羊水. =amnionic *fluid.*

l. cerebrospinalis [TA]. 脳脊髄液. =cerebrospinal *fluid.*

l. cotunnii コツンニウス液. =perilymph.

l. entericus 腸液.

l. folliculi 卵胞液（卵胞腔内の液体).

malt l. 麦芽液（ビールやエールのような，麦芽から醸造された飲料).

Morgagni l. (mōr-gah′nyē). モルガニー液（死後，水晶体上皮と水晶体線維の間に見出される液体．生存時その部位に存在した半流動性の物質の液化によって生じる). =Morgagni humor.

mother l. 母液（結晶化または沈殿の後に残る飽和溶液).

l. puris 膿清（膿の液性部分).

Scarpa l. (skar′pah). スカルパ液. =endolymph.

spirituous l. 強酒精（ウイスキーのように，蒸留によって得られる強いアルコール液).

vinous l. ブドウ酒. =wine (1).

li·quo·rice (lik′ŏ-ris). カンゾウ(甘草)（[本つづりは英国式である]). =glycyrrhiza.

li·quor·rhe·a (li-kŏ-rē′ă) [L. *liquor,* fluid + G. *rhoia,* flow]. 液体が漏出すること(髄液漏など).

Lisch (lish), Karl. 20 世紀のオーストリア人眼科医. →L. *nodule.*

Lis·franc (lis-frahnk′), Jacques. フランス人外科医，1790—1847. →L. *amputation, joints, ligaments, operation*; scalene *tubercle* of L.

Li·son (lē-son[h]′), Lucien. 20 世紀のベルギー人科学者. →L.-Dunn *stain.*

lisp·ing (lisp′ing). 舌もつれの発音，舌足らずの発音（サ行またはザ行の発音障害で，歯擦音 *s, z* を誤って発音すること). =parasigmatism; sigmatism.

lis·sa·mine rho·da·mine B 200 (lis′să-mēn rō′dă-mēn). リサミンロダミン B200. =sulforhodamine B.

Lis·sau·er (lis′ow-ĕr), Heinrich. ドイツ人神経科医，1861—1891. →L. *bundle, column, fasciculus, tract,* marginal *zone*; *column* of Spitzka-L.

lis·sen·ce·pha·li·a (lis′en-sĕ-fā′lē-ă) [G. *lissos,* smooth + *enkephalos,* brain]. 脳回欠損，滑沢脳. =agyria.

lis·sen·ce·phal·ic (lis′en-sĕ-fal′ik). 脳回欠損の，滑沢脳の.

lis·sen·ceph·a·ly (lis′en-sef′ă-lē) [G. *lissos,* smooth + *enkephalos,* brain]. 脳回欠損，滑沢脳. =agyria.

lis·sive (lis′iv) [G. *lissos,* smooth]. 穏和の，平滑な（筋弛緩を起こさずに筋痙攣を軽減する性質をもつ).

lis·so·sphinc·ter (lis′ō-sfingk′tĕr) [G. *lissos,* smooth + sphincter]. 平滑筋性括約筋. =smooth muscular sphincter.

lis·so·trich·ic, lis·sot·ri·chous (lis′ō-trik′ik, -trik′ŭs) [G. *lissos,* smooth + *thrix* (*trich*-), hair]. 直毛の.

Lis·ter (lis′tĕr), Joseph (Lord Lister). イングランド人外科医，1827—1912. →*Listerella*; *Listeria*; listerism; L. *dressing, method, tubercle.*

Lis·ter·el·la (lis′tĕr-el′ă) [Joseph *Lister*]. 細菌学において，ときに *Listeria* の類義語として記された属名で，現在では用いられない．標準種は *L. hepatolytica.*

Lis·ter·i·a (lis-tēr′ē-ă) [Joseph *Lister*]. リステリア属（好気性から微好気性の，運動性，周毛性細菌の一属．小さい球状グラム陽性杆状菌を含む．3—5 個の細胞連鎖をつくる傾向があり，集落の表面がラフ型のときは，長くのびてフィラメント形となる．細胞は 18—24 時間で，いくつかの V 型または Y 型をもつ柵状となる．ブドウ糖から酸を生成するがガスはつくらない．ヒトおよび他の動物の糞便中，植物および保存牧草中に発見される．変温動物やヒトを含む温血動物に寄生する．標準種は *L. monocytogenes*).

L. denitrificans *Jonesia denitrificans* として再分類されている細菌種.

L. grayi チンチラの糞便中に発見される菌種.

L. monocytogenes リステリア菌（髄膜炎，脳炎，敗血症，心内膜炎，流産，膿瘍，および局所の化膿性病変を起こす細菌種．しばしば致命的である．健康なシロイタチ，昆虫，チンチラ・反すう類・ヒトの糞便中，下水，植物性腐敗物，保存牧草，土壌，肥料中にみられる．ときに免疫に障害のある宿主に感染症を起こす．周産期感染症，新生児セプシス，および敗血症の原因菌となり，最近，特に肉や乳製品による食物介在性疾病との関連も明らかにされた).

lis·ter·i·o·sis (lis-tēr′ē-ō′sis) [< organism *Listeria*]. リステリア症（リステリア科の *Listeria monocytogenes* によって起こる動物とヒト，特に免疫異常ないし妊娠中のもので散発的に認められる疾患である．しばしばヒツジやウシの中枢神経系を侵し，種々の神経性徴候を引き起こす．単胃の動物および鳥類にみられ，主な徴候は敗血症および肝臓の壊死である．髄膜炎，流産，肺炎，心内膜炎，巣状転移性疾病がリステリア症に伴って起こる．重要な食物由来疾患である．土壌，水，サイレージ，畑の野菜への糞便汚染，不適切に処理された食物(不十分な殺菌，穴のあいた缶，不適切な消毒による)に由来する．非常に抵抗性の強い病原体(塩分，酸，熱および重硝酸塩保存料に抵抗性)である．通常の冷蔵庫の安全温度において増殖可能(24°F でゆっくりと増殖)である). =listeria meningitis.

lis·ter·ism (lis′tĕr-izm). リスター法. =Lister *method.*

Lis·ting (lis′ting), Johann B. ドイツ人物理学者，1808—1882. →L. reduced *eye, law.*

Lis·ton (lis′tŏn), Robert. イングランド人外科医，1794—1847. →L. *knives* (⇒ knife), *shears.*

li·ter (L, l) (lē′tĕr) [Fr. < G. *litra,* a pound]. リットル（[容積量の SI 単位は立方メートル(m³)や拡張して立方センチメートル(1cm³=0.000001m³)であるが，臨床化学において容積量や物質の濃度を表す場合，リットルやミリリットルが立方メートルや立方センチメートルより頻用されている．実際的には 1 立方デシメートル(dm³)=1 リットル(L)である．リットルの略語としては大文字(L)を用いることが推奨されている．なぜなら，小文字の l は数字の 1 と読み間違いしやすいからである]．1,000cm³，または 1dm³ の容積量．1.056688 クオート(米国，液体)と等しい).

lit·er·a·ture (lit′tĕr-ă-chūr) [L. *literatura* < *literae,* letters, writing]. 文献（①特定のトピックに関する書かれたものの本体．②製造会社の文献のように，あるトピックに関する印刷物).

gray l. 灰色文献（例えばある住民の健康状態や疾病などに関するデータを包含する報告書で，特に非公開または配布に制限のあるものをいう．地方の衛生管理部の報告者あるいは大学図書館保管の修士/博士論文などがその一例).

lith- (lith). →litho-.

lith·a·gogue (lith′ă-gog) [litho- + G. *agōgos,* drawing forth]. 排石促進剤（[誤ったつづりまたは発音 lithogogue を避けること]．結石，特に尿路結石の移動あるいは排出を促す物質あるいは薬剤).

lith·arge (lith′arj) [litho- + G. *argyros,* silver]. リサージ，ミツダソウ(密陀僧). =*lead* monoxide.

li·thec·to·my (li-thek′tŏ-mē) [litho- + G. *ektomē,* excision]. 結石摘出[術]，摘石術. =lithotomy.

li·thi·a·sis (li-thī′ă-sis) [litho- + G. *-iasis,* condition]. 結石症（種々の種類の結石ができること．特に胆石または尿路結石).

l. conjunctivae 結膜結石症（Henle 腺での細胞変性部位

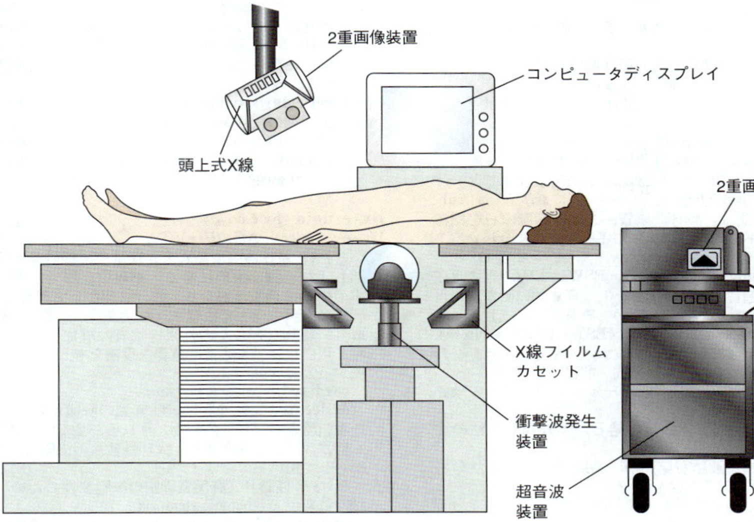

extracorporeal shock wave lithotripsy

介入なしでは通過しない最も症候的な上部尿路結石に用いられる処置．電磁石による衝撃波は腎結石の範囲一帯に集中する．高エネルギー乾燥衝撃波は皮膚を通り抜け，結石を粉々にする．

への石灰物質の沈着による硬性の結節）．

2,8-dihydroxyadenine l. 2,8–ジヒドロキシアデニン結石症（アデニンホスホリボシルトランスフェラーゼ活性の欠損または低下により生じる2,8–ジヒドロキシアデニンの結石症）．

pancreatic l. 膵石症（膵臓の結石形成．通常，慢性膵炎あるいは膵管閉塞に伴って生じる）．

lith·ic ac·id (lith′ik as′id). 尿酸. ＝uric acid.

lith·i·um (Li) (lith′ē-ŭm) [Mod. L. < G. *lithos*, a stone]. リチウム（アルカリ金属グループの元素．原子番号3，原子量6.941．多種類の塩が臨床で使用されている）．

l. bromide 臭化リチウム；LiBr（白色の潮解性粉末で，鎮静薬および催眠薬として用いる）．

l. carbonate 炭酸リチウム（双極性の情動障害の軽躁，抑うつ，躁病期の治療および予防に用いる物質）．

effervescent l. citrate 沸騰性クエン酸リチウム（クエン酸リチウム，重炭酸ナトリウム，酒石酸，クエン酸を含む製剤．用法はクエン酸カリウムまたはクエン酸ナトリウムと同じ）．

l. tungstate タングステン酸リチウム（電子顕微鏡の鏡検に際し，陰性染料として用いる）．

litho-, lith- (lith′ō, lith) [G. *lithos*]. 石，結石，石灰化，を意味する連結形．

Lith·o·bi·us (li-thō′bē-ŭs) [litho- + G. *bios*, life]. イシムカデ属（15対の脚を特徴とするムカデの一属．米国で普通にみられる種に *L. multidentatus*, *L. forficatus* がある）．

lith·o·cho·lic ac·id (lith′ō-kō′lik as′id). リトコール酸（ウシ，ウサギ，ヒツジ，ヤギやヒト胆汁から分離された胆汁酸の1つ）．

lith·o·clast (lith′ō-klast) [litho- + G. *klastos*, broken]. 砕石器. ＝lithotrite.

lith·o·gen·e·sis, li·thog·e·ny (lith′ō-jen′ĕ-sis, lith-oj′ĕ-nē) [litho- + G. *genesis*, production]. 結石生成，結石形成．

lith·o·gen·ic (lith′ō-jen′ik). 結石形成性の（結石形成を助長するような）．

lith·og·e·nous (lith-oj′ĕ-nŭs). 結石生成性の，結石形成性の．

lith·oid (lith′oyd) [litho- + G. *eidos*, resemblance]. 結石様の（結石または石に似ているものについていう）．

lith·o·kel·y·pho·pe·di·on, lith·o·kel·y·pho·pe·di·um (lith′ō-kel′i-fō-pē′dē-on, -ŭm) [litho- + G. *kelyphos*, husk, shell + *paidion*, child]. 石棺石児（周りの膜に接触している胎児部分が，その膜とともに石灰化している化石胎児）．

lith·o·kel·y·phos (lith′ō-kel′i-fos) [litho- + G. *kelyphos*, rind, shell]. 石灰卵膜，石胞（胎児膜のみ石灰化する型の化石胎児の一型）．

lith·o·labe (lith′ō-lāb) [litho- + G. *lambanō*, *labein*, to grasp]. 結石用鉗子（膀胱結石を除去するとき，それを保持する器具で，現在では用いられていない）．

li·thol·a·pax·y (li-thol′ă-pak′sē) [litho- + G. *lapaxis*, an emptying out]. 抽石〔術〕（膀胱内で結石を破砕し，その断片をカテーテルを通して洗い出す方法）．

li·thol·y·sis (li-thol′i-sis) [litho- + G. *lysis*, dissolution]. 結石溶解（［誤った発音 litholy′sis を避けること］．尿路結石を溶かすこと）．

lith·o·lyte (lith′ō-līt). 結石溶解液注入器（結石溶剤を注入する器具）．

lith·o·lyt·ic (lith′ō-lit′ik) [litho- + G. *lysis*, dissolution]. 結石溶解性の（①結石を溶解する傾向．②①の作用をもつ物質）．

lith·o·myl (lith′ō-mil) [litho- + G. *mylē*, mill]. 結石粉砕器（膀胱内で結石を粉砕する器械）．

lith·o·ne·phri·tis (lith′ō-ne-frī′tis). 結石性腎炎（結石形成を伴う間質性腎炎）．

lith·o·pe·di·on, lith·o·pe·di·um (lith′ō-pē′dē-on, -ŭm) [litho- + G. *paidion*, small child]. 〔化〕石〔胎〕児（通常は子宮外(腹部)にとどまっている石灰化した胎児をいう）．

lith·o·tome (lith′ō-tōm). 切石刀（切石術で用いるナイフ）．

li·thot·o·mist (li-thot′ŏ-mist). 切石術医．

li·thot·o·my (li-thot′ŏ-mē) [litho- + G. *tomē*, incision]. 切石術（結石，特に膀胱結石を除去するために切開すること）. ＝lithectomy.

high l. 高位切石〔術〕. ＝suprapubic l.

lateral l. 側方切石術（会陰の正中線の片側を切開する切石術を表す，現在では用いられない語）．

marian l. [L. *mas* (*mar*-), male]. 古語. ＝median l.

median l. 会陰正中切石術（会陰切開が中央縫線につくられる切石術を表す古語）. ＝marian l.

perineal l. 会陰切石術（会陰の切開により膀胱に近づく

L

切石術を表す古語).

prerectal l. 直腸前切石術（肛門前の会陰中央線を切開する切石術を表す古語).

suprapubic l. 恥骨縫合上切石術（恥骨結合の直上を腹部切開して膀胱にはいる切石術).＝high l.

vaginal l. 腟式切石術（腟を切開して膀胱または尿管へはいる切石術).

vesical l. 膀胱切石(砕石)術.＝cystolithotomy.

lith·o·tre·sis (lith′ō-trē′sis)［litho-＋G. *trēsis*, a boring］. 結石穿孔術（結石を粉砕するためにこれを穿孔すること).

lith·o·trip·sy (lith′ō-trip′sē)［litho-＋G. *tripsis*, a rubbing］. 砕石術（腎盂，腎杯，尿管，または膀胱の石を機械的，レーザー，あるいは音波エネルギーを焦点に合わせることにより粉砕すること).＝lithotrity.

electrohydraulic shock wave l. (**ESWL, EHL**) 電気水圧衝撃波砕石術（超音波変換装置を介して経皮的に衝撃波を当てることにより，結石(尿路その他)を砕石する術式).

extracorporeal shock wave l. (**ESWL**) (lith′ō-trip′sē). 体外衝撃波砕石術（目的部位に音波エネルギーの焦点を合わせて，腎・尿管結石を破砕する術式．前頁の図参照).

laser l. レーザー砕石術（レーザーによる尿路結石の破砕蒸散).

shock wave l. 衝撃波砕石術（結石の体外砕石方法の1つ).

ultrasonic l. 超音波結石穿孔術（高周波音波により結石を破壊すること).

lith·o·trip·tic (lith′ō-trip′tik). ***1***〘adj.〙砕石術の．***2***〘n.〙結石溶解薬，溶石薬.

lith·o·trip·tor (lith′ō-trip′tŏr). 砕石器（砕石術で尿路結石を破砕あるいは断片化する器具).

lith·o·trip·tos·co·py (lith′ō-trip-tos′kŏ-pē)［litho-＋G. *tribō*, to rub, crush＋*skopeō*, to view］. 砕石鏡法（砕石用内視鏡を用いて直視下で膀胱結石を破砕すること).

lith·o·trite (lith′ō-trīt)［litho-＋L. *tero*, pp. *tritus*, to rub］. 砕石器（砕石術で尿路結石を破砕する器械).＝lithoclast.

li·thot·ri·ty (li-thot′ri-tē).＝lithotripsy.

lith·o·troph (lith′ō-trof). 無機酸化生物（炭素の需要を二酸化炭素だけでまかなえる生物．*cf.* chemoautotroph).

lith·u·re·sis (lith′yū′rē-sis)［litho-＋G. *ourēsis*, urination］. 尿砂排出（尿中に結砂が排泄されること).

li·thu·ria (li-thyū′rē-ă)［lithic (acid)＋G. *ouron*, urine］. 尿酸〔塩〕尿〔症〕（尿中に多量の尿酸または尿酸塩が排泄されること).

lit·mus (lit′mŭs)［*lacmus* の訛語(＜D. *lakmoes*)］［old C.I. 1242］. リトマス（リトマスゴケ *Roccella tinctoria* および地衣類の他の種から得られる青色物質で，主要成分はアゾリトミンである．指示薬として用いられ，酸によって赤色になり，アルカリによって再び青色となる).

lit·ter (lit′ĕr)［Fr. *litière*＜*lit*, bed］. ***1*** 担架（病人や負傷者を運搬するための担架または携帯用寝いす). ***2*** 同産児，同腹子（同じ両親から同時に生まれた一群の動物).＝brood (1).

Lit·tle (lit′ĕl), William J. イングランド人外科医，1810—1894. ⇀L. *disease*.

Lit·tré (lē′trĕ), Alexis. フランス人解剖学者，1658—1726. ⇀L. *glands*, *hernia*.

Litz·mann (litz′măn), Karl K.T. ドイツ人婦人科医，1815—1890. ⇀L. *obliquity*.

live·birth, live birth (līv′-bĭrth). 生産，生児出生（出生後に生命現象の徴候を示す児の出生．→liveborn *infant*).

li·ve·do (li-vē′dō)［L. lividness＜*liveo*, to be black and blue］. 青色皮斑（［libido と混同しないこと］．青味がかった皮膚の変色で，限局性の斑として現れる場合と全身性の場合がある).

postmortem l. 死後皮斑（圧迫部以外の身体の低い部分に生じる紫色の色調変化で，死後30分から2時間で現れる．脈管内の血液がその重力によって移動することによる).＝postmortem hypostasis; postmortem lividity; postmortem suggillation.

l. reticularis 網状皮斑（持続的な紫色，網状の皮膚の変色で，下層にある血管の硝子化を含む変化やうっ滞により毛細血管および細静脈が拡張するために生じる．まれに発育不全として現れる).＝dermatopathia pigmentosa reticularis.

l. reticularis idiopathica 特発性網状皮斑（網状皮斑のうち広範囲に存在し，かつ永続する型．まれに中枢動脈疾患を合併する).

l. reticularis symptomatica 症候性網状皮斑（日焼け紅斑やある種の結核疹にみられるような，明らかな原因によって生じる皮膚の変色または斑点形成.→*cutis* marmorata).

l. telangiectatica 毛細血管拡張性皮斑（皮膚毛細血管の，恐らく先天的異常による皮膚の永続性の斑点形成．網状皮斑の一型).

liv·e·doid (liv′ĕ-doyd).〔青色〕皮斑〔様〕の.

liv·er (liv′ĕr)［A.S. *lifer*］［TA］. 肝〔臓〕（［livor と混同しないこと］．身体の中で最も大きな腺で，横隔膜の下の右季肋部および心窩部上部にある．不規則な形で，1—2 kg，体重の約1/40の重量があり，外分泌腺として胆汁を分泌する．肝臓は門脈を介して吸収された栄養素の大部分を最初に受け取り，薬物など多くの外来性物質の解毒も行う．脂質・糖質・蛋白代謝でも非常に重要な役割を有し，グリコゲンを貯蔵する).＝hepar［TA］.

cardiac l. ＝cardiac *cirrhosis*.

desiccated l. 乾燥肝末（哺乳類の肝臓からつくられた乾燥脱脂粉末で，ヒトの食物とされる．リボフラビン，ニコチン酸，コリンを含有する．大球性貧血の治療に，また栄養補給として用いる).

fatty l. 脂肪肝（肝実質細胞の細胞変性のためにみられる肝の黄変色).＝hepatic steatosis.

hobnail l. 鋲釘肝（Laënnec 肝硬変における瘢痕組織の収縮および肝細胞再生のために肝臓の表面が結節状となる).

lardaceous l. 豚脂様肝.＝waxy l.

left l.［TA］. 肝臓左半部（肝動脈左枝，門脈左枝から血液を受け，左肝管から胆汁が出ていく肝臓の部分．中肝臓静脈面が肝臓の右半と左半を分ける．その境界は内臓面では胆囊と下大静脈，横隔面では胆囊から下大静脈へ延ばした線である).＝pars hepatis sinistra［TA］; left part of liver*.

nutmeg l. ニクズク肝（肝の慢性受動充血で，小葉の紋様が赤色中央帯，黄色または褐色の門脈周囲帯により強調される).

pigmented l. 色素肝（色素を含む肝臓．Dubin-Johnson 症候群，ヘモクロマトーシス，長年にわたるマラリアなどで生じる).

polycystic l. 多囊胞肝（肝臓の胎児発生時の発生異常により肝小葉内胆管が徐々に囊胞状に拡張したもの(Meyenburg 複合体)．しばしば両側性の先天的多囊胞腎を伴う．また，ときに膵，肺などの器官の囊胞を伴う).＝polycystic liver disease.

posterior l.* posterior hepatic *segment* I の公式の別名.

right l.［TA］. 肝臓右半部（肝動脈右枝，門脈右枝から血液を受け，右肝管から胆汁が出ていく肝臓の部分．中肝臓静脈面が肝臓の右半と左半を分ける．その境界は内臓面では胆囊と下大静脈，横隔面では胆囊から下大静脈へ延ばした線である).＝pars hepatis dextra［TA］; right part of liver*.

wandering l. 遊走肝.＝hepatoptosis.

waxy l. ろう様肝（肝臓のアミロイド変性).＝lardaceous l.

liv·e·tin (liv′ĕ-tin). リベチン（卵黄の主要な3つの水溶性蛋白，**α-livetin**(血清アルブミン)，**β-livetin**(α-糖蛋白)，**γ-livetin**(血清γ-グロブリン)のいずれかをいう).

liv·id (liv′id)［L. *lividus*, being black and blue］. 青藍色の（挫傷，充血，チアノーゼなどによる変色のように，青黒い，鉛色または灰色の色調を有する).

li·vid·i·ty (li-vid′i-tē). 青藍色状態.

postmortem l. ＝postmortem *livedo*.

symmetric l. of the feet 足部対称性青藍色状態（多汗，浸軟，冷感，およびチアノーゼを特徴とする原因不明の慢性症状．手にも生じうる).

li·vor (lī′vōr)［L. a black and blue spot］. 死斑，青藍色斑（［liver と混同しないこと］．死体の下になった部分の皮膚にみられる紫色の変色).

lix·iv·i·um (lik-siv′ē-ŭm)［L. *lixivius*(made into lye)の中性形］. 灰汁.＝lye.

LLAT *lysolecithin*:lecithin acyltransferase の略.

LLETZ 子宮頸部の変換帯を広範囲に切除することの略.
LLL left lower lobe (of lung)((肺の)左下葉)の略.
Lloyd (loyd), John Uri. 米国人薬剤師, 1849—1936. 医薬品, アルカロイドおよびグルコシドへの応用に関する植物化学の研究で著名.
LLQ left lower quadrant (of abdomen) 腹部の左下四分円領域, 左下腹部の略.
LM licentiate in midwifery(助産学免許)の略.
lm lumen (2) の略.
LMA left mentoanterior position の略.
LMP ***1*** left mentoposterior position; last menstrual period(最終月経); latent membrane *protein*; low molecular weight *proteins* の略. ***2*** Epstein-Barr ウイルスの遺伝子産物(潜在性膜蛋白).
LMT left mentotransverse position の略.
L-*α*-**nar·co·tine** (nar′kō-tēn). L-*α*- ナルコチン. = noscapine.
LNPF lymph node permeability *factor* の略.
5-LO 5-lipooxygenase の略.
Lo, L$_0$ ⇀Lo *dose*.
LOA left occipitoanterior position の略.
load (lōd) [M. E. *lode* < A. S. lād,]. ***1*** 負荷 (水, 塩類, または熱が正常な体の容量からかけ離れること. positive l. は過剰な容量, negative l. は不足した容量). ***2*** 容量 (物質や生物体がもつ測定しうる実在物の量).

electronic pacemaker l. 電子ペースメーカ負荷 (出力インピーダンス, 標準的負荷は 500 オーム ± 1%).

genetic l. 遺伝的荷重 (子孫に伝授され, 病気を引き起こすが, ゲノム中ではほとんど潜伏した状態で維持される多少有害な遺伝子集団. 古典的遺伝学ダイナミックスでは, 遺伝的荷重とは, 突然変異により生じた有害な遺伝的負荷として取り扱われた. 各遺伝的荷重は表現型の重篤度にかかわらず, ただ遺伝様式だけに依存した平均致死相当量を求めることとしている).

---

plasma viral l. (**PVL**) 血漿ウイルス量 (血漿中のウイルスの RNA 量のことで, 逆転写 PCR による標的増幅法や分岐 DNA 法による信号増幅などの様々な方法によって測定する. 検出感度は方法によって変わるので, 異なった方法による検査の結果は一致しない).

HIV ウイルス量を経時的に測定することはエイズの経過観察の標準的な方法である. 血漿 1 mL 中のウイルス RNA のコピー数として報告されるウイルス量は, HIV ウイルスの活動性感染を受けているリンパ球数について重要な情報を与える. この方法は CD 4 の計数に代わって, HIV感染者の予後の指標として, また抗ウイルス療法の開始時期の決定や治療に対する反応性をみる指標となっている. しかし, CD 4 数は免疫不全の程度や日和見感染の危険性の評価に優れていると考えられているので, 両方の方法が現在も使われている. 米国保健省は血漿中の HIV-RNA 量が 1 万—2 万コピー/mLを超えたら抗レトロウイルス療法を開始することを推奨している. 一方, 国際エイズ協会は 3 万コピー/mLとしている. 治療の結果, ウイルス RNA のコピー数が標準法で検出できる濃度以下に低下すれば, HIV ウイルスの増殖が抑制されたと考えられる. しかし, 治癒したエイズ症例はこれまでに一例もなく, 抗レトロウイルス療法の中止後もウイルス増殖が停止したままの症例もない.

---

load·ing (lōd′ing). 負荷 (代謝機能を試験するための物質投与).

carbohydrate l. 炭水化物負荷 (長距離ランナーなどの競技者に普及している方法で, 競技会の前に筋肉に多量のグリコーゲンを貯蓄する方法. 競技会の直前 3 日間大量の炭水化物を摂取しても, 3 日間はそれをほとんど消費しない).

salt l. 食塩負荷 (食塩 2 g を 1 日 3 回, 定時の食事とともに 4 日間投与すること. 原発性アルドステロン症の診断のための試験で, この食塩負荷により特徴的な血漿電解質およびホルモンの変動パターンを示す).

soda l. ソーダ負荷 (運動中に産生される陽子を緩衝する試みとして多くの運動選手に炭酸水素ナトリウムを内服させる試験).

Lo·a lo·a (lō′ă lō′ă). ロア糸状虫 (オンコセルカ科(糸状虫上科)の一種. 赤道直下のアフリカ西部, 特にコンゴ川流域がその生息地で, ロア糸状虫症の原因となる. 成虫は白色または灰白色, 円柱状, 糸状であり, 雄は平均 25—35 × 0.3—0.4 mm (彎曲した尾をもつ)で, 雌は 50—60 × 0.4—0.6 mm である. ミクロフィラリアは被鞘しており, 尾の先端までのびている核がある. 生活環は糸状虫科 *Wuchereria*属の種のものと類似している. ヒトが唯一の既知の固有宿主であり, この寄生虫はアブ科メクラアブ属 *Chrysops* によって媒介される. これらのハエによって感染した幼虫は成熟までに 3 年またはそれ以上を要し, 成虫は 17 年以上にわたりヒトに寄生し続ける. →loiasis).
lo·bar (lō′bar). 葉の.

l. nephronia 葉性ネフロニア (①急性感染症に関係した巣状腎塊. ②急性巣状細菌性腎炎. ③腎蜂窩織炎(膿瘍ではない, 膿はない)).

lo·bate (lō′bāt). = lobose; lobous. ***1*** 葉に分かれた. ***2*** 葉状の (縁が深い波形をした細菌集落についていう).
lobe (lōb) [G. *lobos*, lobe][TA]. = lobus [TA]. ***1*** 葉 (臓器その他の部分の細区分の 1 つで, 裂, 結合組織中隔, その他の構造分画によって境される). ***2*** 小葉 (耳垂のような円形の突出部分. →lobule). ***3*** 葉 (歯冠の主分画の 1 つで, 石灰化の明らかな部分から形成される).

anterior l. of hypophysis☆〔下垂体の〕前葉 (adenohypophysis の公式の別名).

azygos l. of right lung 右肺の奇静脈葉 (右肺肺門上部に形成されることのある小副葉. 奇静脈を容れる深い溝で上葉から分離される). = lobus azygos pulmonis dextri.

caudate l.☆ 尾状葉 (posterior hepatic *segment* I の公式の別名).

cerebral l.'s. 大脳葉. = *lobi* cerebri (⇀ lobus).

cuneiform l. = biventer *lobule*.

ear l. 耳垂. = *lobule* of auricle.

falciform l. = cingulate *gyrus*.

flocculonodular l. [TA]. 片葉小節葉 (小脳皮質の後下方の部分で, 菱形窩の脈絡叢が第 4 脳室蓋に付着する部に接し, 左右の片葉とその間にある小節(小脳虫部をなす小脳回の最後部)からなる. その主要な求心性線維は前庭核から, また前庭神経から直接きている. 投射線維は直接かまたは室頂核を介して大部分前庭神経核に至る). = lobus flocculonodularis [TA].

frontal l. [TA]. 前頭葉. = frontal l. of cerebrum.

frontal l. of cerebrum [TA]. 大脳前頭葉 (大脳半球の中心溝より前方の部分). = frontal l. [TA]; lobus frontalis [TA].

glandular l. of hypophysis = adenohypophysis.

Home l. (hōm). ホーム葉 (前立腺の肥大した中葉).

inferior l. of (left/right) lung〔左または右肺の〕下葉 (斜裂の後下方に位置し, 5 つの気管枝肺区域を含む. すなわち, 上区 [S VI], 内側基底区 [S VII], 前底区 [S VIII], 外側底区 [S IX], 後底区 [S X]である). = lobus inferior pulmonis (dextri et sinistri) [TA]; lower l. of lung☆.

insular l.☆ *lobus* insula の公式の別名.

kidney l.'s [TA]. 腎葉 (腎臓の細区分の 1 つで, 腎錐体とそれに結合した皮質組織よりなる). = lobi renales [TA]; renal l.'s.

left l. [TA]. 左葉 (いくつかの腺の左側細区分. 例えば, 前立腺, 甲状腺, 胸腺など). = lobus sinister [TA].

left l. of liver [TA]. 〔肝臓の〕左葉 (前上方は肝鎌状靱帯と肝冠状靱帯とによって右葉と境され, 肝円索や静脈管索の収まる裂隙によって方形葉や尾状葉と境される部分. このような区分は外見的なもので機能的単位とは一致しない. 門脈, 肝動脈, 胆管の分布も肝の肉眼的葉区分と一致しない). = lobus hepatis sinister [TA]; divisio lateralis sinistra☆.

limbic l. [TA]. 辺縁葉 (Broca によって最初に定義されたように, 哺乳類の大脳半球への移行部を取り巻く閉鎖した輪状構造. 脳弓回(帯状回, 小帯回, 海馬傍回, 鉤), 海馬からなる. ⇀limbic *system*). = lobus limbicus [TA].

lingual l. = *cingulum* of tooth.

lower l. of lung☆〔肺の〕下葉 (inferior l. of (left/right) lung の公式の別名).

l.'s of mammary gland [TA]．乳腺葉（乳頭深部を中心に車軸のように放射状に配列した15—20の分離した乳腺塊で，乳腺体を構成する．各葉ごとに1本の導管(乳管)がある）．＝lobi glandulae mammariae [TA]．

middle l. of prostate [TA]．〔前立腺の〕中葉（尿道と射精管の間にある前立腺の部分．肥大しなければ明らかでない）．＝lobus medius prostatae [TA]; Morgagni caruncle.

middle l. of right lung [TA]．〔右肺の〕中葉（水平裂と斜裂の間の前方にあり，外側区［S IV］と内側区［S V］が含まれる）．＝lobus medius pulmonis dextri [TA]．

nervous l. 神経葉．＝neurohypophysis.

neural l. of hypophysis 下垂体神経葉（漏斗によって視床下部とつながっている神経性下垂体の球形の部分．下垂体細胞・血管および視索上核や室傍核からの神経線維の末端などからなる）．

occipital l. [TA]．後頭葉．＝occipital l. of cerebrum.

occipital l. of cerebrum [TA]．後頭葉（大脳半球の後方に存在し，いくぶん錐体状の部分．大脳半球外表面ではあまり明瞭でない脳溝により頭頂葉，側頭葉と分画される．しかし大脳半球内側面では頭頂後頭溝により頭頂葉と明確に区分される）．＝lobus occipitalis [TA]; occipital l. [TA]．

parietal l. [TA]．頭頂葉．＝parietal l. of cerebrum.

parietal l. of cerebrum [TA]．頭頂葉（大脳半球の中央の部分．中心溝により前頭葉から分けられる．外側溝によって前方，仮想の線によって後方が，側頭葉から分けられる．大脳内側にある頭頂後頭溝により，部分的に後頭葉から分けられる）．＝lobus parietalis [TA]; parietal l. [TA]．

placental l.'s 胎盤分葉（ヒト胎盤の分葉．母体側外観は不規則な膨隆としてみられる）．

polyalveolar l. 多肺胞葉（先天性異常の一型で，ひだが増加し，肺胞総数が増し，先天性葉性肺気腫となる）．

posterior l. of hypophysis〔下垂体の〕後葉．＝neurohypophysis.

l. of prostate [TA]．前立腺葉（前立腺の外葉(右あるいは左)，中葉，峡部．成人では，これらの葉ははっきりしない）．＝lobus prostatae [TA]．

pyramidal l. of thyroid gland [TA]．甲状腺錐体葉（甲状腺峡部上縁から上方にのびて，ときには舌骨にまで達する細長い腺葉．甲状舌管とのかつての連続を示している）．＝lobus pyramidalis glandulae thyroideae [TA]; Lallouette pyramid; Morgagni appendix; pyramid of thyroid.

quadrate l. of liver ***1*** [TA]．〔肝臓の〕方形葉（肝臓の臓側面にある長方形をした領域．左縁を臍裂，右縁を胆嚢窩，上縁(後縁)を肝門，下縁(前縁)を肝臓下縁によって境界される．この領域は伝統的に葉としてよばれるが，単なる表面上の構造にすぎない）．＝lobus quadratus hepatis [TA]．***2*** ＝quadrangular *lobule*. ***3*** ＝precuneus.

renal l.'s 腎葉．＝kidney l.'s.

Riedel l. (rē′del)．リーデル葉（胆嚢側方の肝臓の右葉から下にのびる舌状の突起で，ときにみられる．同様の突起がまれに左葉から出ることがある）．＝lobus appendicularis; lobus linguiformis.

right l. [TA]．右葉（いくつかの腺の右側細区分．例えば，前立腺，甲状腺，胸腺など）．＝lobus dexter [TA]．

right l. of liver [TA]．〔肝臓の〕右葉（肝臓の最も大きい葉．前上方は鎌状靱帯によって左葉から，また大静脈溝および胆嚢窩によって尾状葉，方形葉から分離される）．＝lobus hepatis dexter [TA]．

Spigelius l. (spi-jē′lē-ŭs)．スピゲリウス葉．＝posterior hepatic *segment* I.

superior l. of (right/left) lung〔右または左肺の〕上葉（右側は斜裂および水平裂の上方にあり，肺気管支の肺尖区［S I］，後区［S II］，前区［S III］を含む．左側は斜裂の上方にあり，肺尖後区［SI＋II］，前区［S III］，上舌区［S IV］，下舌区［S V］を含む）．＝lobus superior pulmonis (dextri et sinistri) [TA]; upper l. of lung*.

supplemental l. 補充葉（歯科解剖学において，余分な葉．典型的な歯の形成には含まれない）．

temporal l. [TA]．側頭葉（長い葉，皮質外套の主な区分のうち最も下方にあるもので，大脳半球の腹側面の後方2/3を占め，外側溝裂によりその上方の前頭葉と頭頂葉から分離され，仮想上の平面により，後方へ続く後頭葉と任意に境界される．側頭葉は一様でない組成をもち，上側・中側・下側頭回，および外側・内側後頭側頭回よりなる大きな新皮質のほかに，旧皮質(嗅葉)の鉤とその下にある扁桃体および中間皮質の海馬傍回を含む）．＝lobus temporalis [TA]; temporal cortex.

l.'s of thyroid gland [TA]．甲状腺葉（気管の右側と左側にあり，峡部によってつながる甲状腺の主要二区分．より小さい錐体葉がしばしば峡部から上方へのびていることがある）．＝lobi glandulae thyroideae [TA]．

upper l. of lung*〔肺の〕上葉（superior l. of (right/left) lung の公式の別名）．

lo·bec·to·my (lō-bek′tŏ-mē) [G. *lobos*, lobe + *ektomē*, excision]．ロベクトミー，葉摘〔手術〕，葉切除〔術〕（臓器または腺の葉の切除）．

lo·be·li·a (lō-bē′lē-ă)．ロベリア（①ミゾカクシ科 *Lobelia inflata* の葉および若芽の乾燥したもの．ロベリン，ロベラミン，ロベラニジン，ロベラニン，ノルロベラニン，ノルロベラニジン，イソロベラニンなどのアルカロイドを含有する．流エキス剤とチンキ剤はぜん息，慢性気管支炎において去痰薬として用いられている．②ロベリアから抽出されるアルカロイドの一種．③ *Lobelia*属のすべての植物）．＝asthmaweed (1); wild tobacco.

lo·be·line, lo·be·lin (lō′bĕ-lēn, lob′ĕ-lēn, -lin)．ロベリン（ピペリジルアセトフェノンの一種．ロベリアのアルカロイド．ニコチンと同じ作用をもつが，ニコチンより弱い）．

l. sulfate 硫酸ロベニン（水溶性，黄色のもろい塊として得られるロベリンの一種．百日咳，ぜん息に用いられ，喫煙の妨害薬と考えられている）．

lo·bi (lō′bī) [L.]．lobus の複数形．

lo·bi·tis (lō-bī′tis)．葉炎．

Lo·bo (lō′bō), Jorge．ブラジル人医師，1900—1979．→L. *disease*.

Lo·bo·a lo·bo·i (lō-bō′ă lō-bō′ē)．ロボ真菌（ロボ真菌症を引き起こす真菌の一種．この真菌は培地で増殖したことがない）．

lo·bo·my·co·sis (lō′bō-mī-kō′sis)．ロボ真菌症（南米で報告される皮膚の慢性限局性真菌感染症で，肉芽腫性結節やケロイドを形成する．これは直径約9μmの出芽性の壁の厚い細胞群，すなわち病原となる真菌 *Loboa loboi* の組織形からなっている．この真菌はいまだ培養されていない．イルカにも感染する）．＝Lobo disease.

lo·bo·po·di·um, pl. lo·bo·po·dia (lō′bō-pō′dē-ŭm, -dē-ă) [G. *lobos*, lobe + *pous*, foot]．葉足（厚い，葉状の偽足）．

lo·bose, lo·bous (lō′bōs, lō′bŭs)．＝lobate.

lo·bot·o·my (lō-bot′ŏ-mē) [G. *lobos*, lobe + *tomē*, a cutting]．***1*** 葉切断〔術〕，葉切り〔術〕（葉を切開すること）．***2*** ロボトミー（大脳葉にある神経路を1つ以上分断すること）．

prefrontal l. 前頭葉白質切截術（疼痛，情緒的疾患の外科的治療として，脳前頭部にある神経路を1つ以上分断すること）．＝prefrontal leukotomy.

transorbital l. 経眼窩式ロボトミー（眼窩の上縁を通して前頭洞の後方へ行うロボトミー）．＝transorbital leukotomy.

Lob·ry de Bruyn (lō′brē dĕ brūn), Cornelius A．オランダ人化学者，1857—1904．→L. de B.-van Ekenstein *transformation*.

Lob·stein (lōb′shtīn), Johann F.D．ドイツ人病理学者，1777—1840．→L. *ganglion*.

lob·u·lar (lob′yū-lăr)．小葉の．

lob·u·late, lob·u·lat·ed (lob′yū-lāt, -ed)．小葉に分かれた．

lob·ule (lob′yūl) [TA]．小葉（葉の細区分をいう）．＝lobulus [TA]．

ala central l. [TA]．中心小葉翼．＝*wing* of central lobule.

ansiform l. 係蹄小葉（小脳半球の大半を形成する小葉．その上面と下面は水平裂で隔てられており，その主要部分は第I脚(上半月小葉)と第II脚(下半月小葉)として知られている）．

anterior lunate l. ＝superior semilunar l.

l. of auricle [TA]．耳垂（耳介の最も低い部分．脂肪と線維性組織からなり，耳介軟骨で補強されていない）．＝lobu-

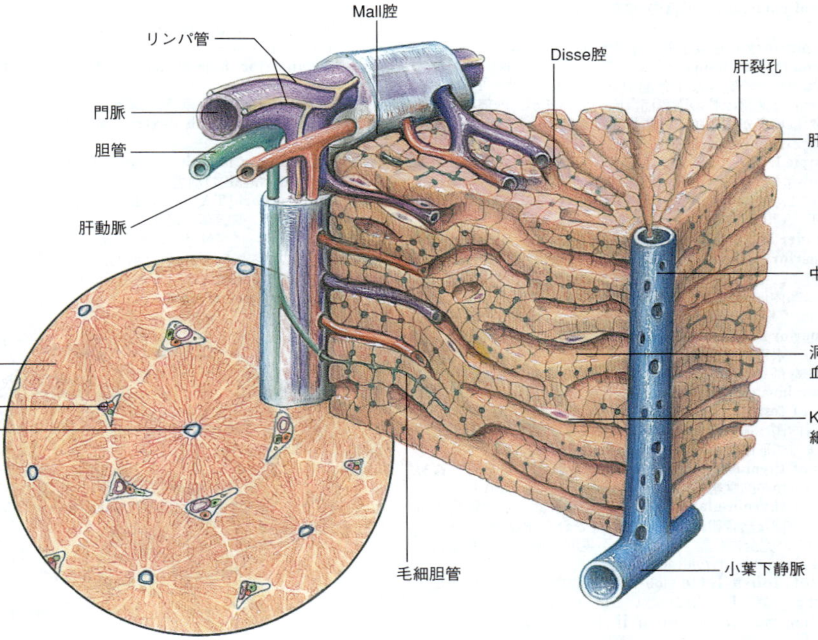

liver lobule

lus auriculae [TA]; ear lobe.

biventer l. [TA]. 二腹小葉（小脳半球の下面にある小葉で，弯曲した溝によって外側部，内側部に分けられる．虫部錐体に相応する）．=lobulus biventer [TA]; biventral l.; cuneiform lobe; lobulus biventralis; lobulus cuneiformis.

biventral l. 二腹小葉．=biventer l.

central l. [TA]. 〔小脳〕中心小葉．=central l. of cerebellum.

central l. of cerebellum 小脳中心小葉（小舌と山頂の間にある小脳上虫部の部分で，小葉 II と III に相当する）．=central l. [TA]; lobulus centralis corporis cerebelli [TA].

conical l.'s of epididymis* l.'s of epididymis の公式の別名．

cortical l.'s of kidney 腎皮質小葉（腎臓の細区分で，放線部(髄条)と，特定集合管にかかわる腎小体と曲尿細管をもつ曲部からなる）．=lobulus corticalis renalis; renal cortical l.; renculus (1); reniculus (1); renunculus (1).

crescentic l.'s of the cerebellum 小脳の半月小葉（*lobulus* semilunaris inferior; *lobulus* semilunaris superior の古語）．

l.'s of epididymis [TA]. 精巣上体小葉（輸出小管の回旋部分で，精巣上体の頭部を構成し，精巣上体管に合流する）．=lobuli epididymidis [TA]; coni epididymidis*; conical l.'s of epididymis*; coni vasculosi; Haller cones; vascular cones.

gracile l. [TA]. 薄小葉（小脳の後下小葉の前方部分．後方部分は下半月葉である．この２つの部分は虫部の結節に連続する）．=lobulus paramedianus [TA]; lobulus gracilis*; paramedian l.*; slender l.

hepatic l. 肝小葉．=l.'s of liver.

inferior parietal l. [TA]. 下頭頂小葉（頭頂間溝の下にある大脳外側面の頭頂葉の一部分．角回と縁上回を含む）．=lobulus parietalis inferior [TA]; inferior parietal gyrus.

inferior semilunar l. [TA]. 下半月小葉（水平裂の後ろにある小脳半球の上面部分）．=lobulus semilunaris inferior [TA]; crus II; posterior lunate l.

l.'s of liver [TA]. 肝小葉（肝臓の多角形の組織学的概念的単位で，肝静脈の１つの終末枝である中心静脈の周囲に存在する肝細胞集団からなり，周辺部には門脈枝，肝動脈，胆管がある．ブタやヒトの病態肝では線維性の隔膜があって解剖学的単位として実在する）．=lobulus hepatis [TA]; hepatic l.

l.'s of (right and left) lobes of prostate [TA]. 前立腺小葉（前立腺の分泌単位として提案されている概念で，右葉と左葉のそれぞれを構成する．TA では各葉に，下外側小葉，下後小葉，上内側小葉，前内側小葉を認めているが，葉と小葉の関係は組織学的には明瞭でない．一般的には，下外側・下後小葉が辺縁域，上内側小葉が中心域，前内側小葉が移行域に対応する）．=lobuli lobi prostatae (dexter et sinister) [TA].

l.'s of mammary gland [TA]. 乳腺小葉（乳腺葉の細区分）．=lobuli glandulae mammariae [TA].

paracentral l. [TA]. 中心傍小葉（大脳皮質内側面の一区分．帯状溝の上にあり，前は前中心溝により，後ろは帯状溝縁部によって境される．前中心傍回と後中心傍回とからなる）．=lobulus paracentralis [TA].

paramedian l.* gracile l. の公式の別名．

portal l. of liver 門小葉（肝臓の胆汁分泌という外分泌機能に着目した概念上の単位構造で，おおまかに横断面をしており中心に門静脈管があり，周辺に３ないし数個の中心静脈がある）．

posterior lunate l. =inferior semilunar l.

primary pulmonary l. 一次肺小葉，呼吸小葉．=pulmonary *acinus*.

quadrangular l. 四角小葉（小脳半球上部の主たる部分で，現行用語法では前四角小葉に当たる．虫部山頂に並ぶ半球部で前部と後部からなり山頂前裂と第一裂の間にある）．=lobulus quadrangularis; lobulus quadratus(1); quadrate lobe of liver (2) [TA]; quadrate l. (1).

quadrate l. 方形小葉（① =quadrangular l. ② =precuneus).

renal cortical l.〔腎臓の〕皮質小葉．＝cortical l.'s of kidney.

respiratory l. 呼吸小葉．＝pulmonary *acinus.*

secondary pulmonary l. 二次肺小葉（錐体形の肺組織塊で，境界には不完全な小葉間中隔があり，錐体の底(直径1—2 cm)は通常は肺の胸膜面に向いているが，内部に位置するものは境界が不明瞭で，類終末細気管支を伴う3—5個の肺細葉からなると考えられている）．

simple l.［TA］．単小葉（小脳半球後部の中で前方に位置する小葉で，第一裂で前は前部(四角小葉)と境し，後ろは後上裂によって大きな係蹄小葉と境している）．＝lobulus simplex［TA］．

slender l. 薄小葉．＝gracile l.

superior parietal l.［TA］．上頭頂小葉（大脳頭頂葉の凸面部分で，中心後回の後ろで，大脳縦裂と頭頂間溝の間にある．半球内側面にある楔前小葉に続く）．＝lobulus parietalis superior［TA］; superior parietal gyrus.

superior semilunar l.［TA］．上半月小葉（小脳半球上面のうち，水平裂と正中傍裂との間の部分と虫部葉と虫部隆起の一部を併せた部分）．＝lobulus semilunaris superior［TA］; anterior lunate l.; crus I.

l.'s of testis［TA］．精巣小葉（精巣実質の細区分で，白膜から内側へ通過して精巣縦隔に集まる，繊細な線維性の中隔によって形成される）．＝lobuli testis［TA］．

l.'s of thymus［TA］．胸腺小葉（皮質と髄質をもつ直径0.5—2 mmの胸腺組織の区域）．＝lobuli thymi［TA］．

l.'s of thyroid gland［TA］．甲状腺小葉（甲状腺葉の細区分．繊細な結合組織によって結合された甲状腺沪胞(20—40個)の，完全に分離していない不規則な集団からなる）．＝lobuli glandulae thyroideae［TA］．

lob·u·let, lob·u·lette (lob'yū-let')．細葉（非常に小さな小葉，また小葉よりさらに小さい細区分の1つ）．

lob·u·lus, gen. & pl. **lob·u·li** (lob'yū-lŭs, ū-lī)［Mod. L. *lobus*(lobe)の指小辞］［TA］．小葉．＝lobule.

l. auriculae［TA］．耳垂．＝*lobule* of auricle.

l. biventer［TA］．二腹小葉．＝biventer *lobule.*

l. biventralis ＝biventer *lobule.*

l. centralis corporis cerebelli［TA］．小脳中心小脳．＝central *lobule* of cerebellum.

l. clivi ＝declive.

l. corticalis renalis 腎皮質小葉．＝cortical *lobules* of kidney.

l. culminis ＝culmen.

l. cuneiformis ＝biventer *lobule.*

lobuli epididymidis［TA］．精巣上体小葉．＝*lobules* of epididymis.

l. folii 虫部葉（後上裂のすぐ後ろで斜台小葉に続いている小脳上虫部）．

l. fusiformis ＝fusiform *gyrus.*

lobuli glandulae mammariae［TA］．乳腺小葉．＝*lobules* of mammary gland.

lobuli glandulae thyroideae［TA］．甲状腺小葉．＝*lobules* of thyroid gland.

l. gracilis* 薄小葉（gracile *lobule* の公式の別名）．

l. hepatis［TA］．肝小葉．＝*lobules* of liver.

lobuli lobi prostatae (dexter et sinistri)［TA］．＝*lobules* of (right and left) lobes of prostate.

l. paracentralis［TA］．中心傍小葉．＝paracentral *lobule.*

l. paramedianus［TA］．＝gracile *lobule.*

l. parietalis inferior［TA］．下頭頂小葉．＝inferior parietal *lobule.*

l. parietalis superior［TA］．上頭頂小葉．＝superior parietal *lobule.*

l. quadrangularis 四角小葉．＝quadrangular *lobule.*

l. quadratus ***1*** ＝quadrangular *lobule.* ***2*** ＝precuneus.

l. semilunaris inferior［TA］．下半月小葉．＝inferior semilunar *lobule.*

l. semilunaris superior［TA］．上半月小葉．＝superior semilunar *lobule.*

l. simplex［TA］．単小葉．＝simple *lobule.*

lobuli testis［TA］．精巣小葉．＝*lobules* of testis.

lobuli thymi/thymici［TA］．胸腺小葉．＝*lobules* of thymus.

lo·bus, gen. & pl. **lo·bi** (lō'bŭs, lō'bī)［LL. ＜ G. *lobos*］［TA］．葉．＝lobe.

l. anterior hypophyseos［TA］．〔下垂体の〕前葉．＝adenohypophysis.

l. appendicularis 垂葉．＝Riedel *lobe.*

l. azygos pulmonis dextri 右肺の奇静脈葉．＝azygos *lobe* of right lung.

l. caudatus hepatis*〔肝臓の〕尾状葉（posterior hepatic *segment* I. の公式の別名）．

lobi cerebri［TA］．大脳葉（大脳半球の大区分で，前頭葉，頭頂葉，側頭葉，後頭葉と，それぞれをおおう頭骨の名前にしたがって名付けられた部分と辺縁葉とからなる．島も輪状溝によって前頭弁蓋，頭頂弁蓋，側頭弁蓋と境されているので島とよんでもよいであろう．回と名づけられたものからなる）．＝cerebral lobes.

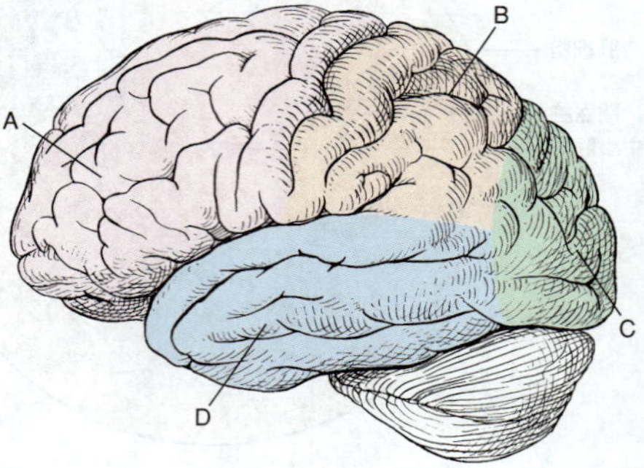

lobi cerebri (lateral view)

A：前頭葉．B：頭頂葉．C：後頭葉．D：側頭葉．

l. clivi 斜台葉（1つの葉としてみなされる小脳の小脳山腹と下半月小葉で現在では用いられない語）．

l. dexter［TA］．右葉．＝right *lobe.*

l. falciformis ＝cingulate *gyrus.*

l. flocculonodularis［TA］．＝flocculonodular *lobe.*

l. frontalis［TA］．前頭葉．＝frontal *lobe* of cerebrum.

lobi glandulae mammariae［TA］．乳腺葉．＝*lobes* of mammary gland.

lobi glandulae thyroideae［TA］．甲状腺葉．＝*lobes* of thyroid gland.

l. glandularis hypophyseos ＝adenohypophysis.

l. hepatis dexter［TA］．〔肝臓の〕右葉．＝right *lobe* of liver.

l. hepatis sinister［TA］．〔肝臓の〕左葉．＝left *lobe* of liver.

l. inferior pulmonis (dextri et sinistri)［TA］．〔右または左肺の〕下葉．＝inferior *lobe* of (left/right) lung.

l. insula［TA］．島葉（大脳半球外側溝の内部にあり，前頭弁蓋，頭頂弁蓋，側頭弁蓋におおわれ，輪状溝によって境された脳回群で，島中心溝で長回と短回に分けられている．→insula）．＝insular lobe*; l. insularis*; insular part; pars insularis.

l. insularis* l. insula の公式の別名．

l. limbicus［TA］．＝limbic *lobe.*

l. linguiformis 舌葉．＝Riedel *lobe.*

l. medius prostatae［TA］．〔前立腺の〕中葉．＝middle *lobe* of prostate.

l. medius pulmonis dextri［TA］．〔右肺の〕中葉．＝middle *lobe* of right lung.

l. nervosus［TA］．神経葉．＝neurohypophysis.

l. occipitalis［TA］．後頭葉．＝occipital *lobe* of cerebrum.

l. parietalis［TA］．頭頂葉．＝parietal *lobe* of cerebrum.

l. posterior hypophyseos*〔下垂体の〕後葉（neurohypophysis の公式の別名．→pituitary *gland*）．

l. prostatae [TA]. 前立腺葉. =*lobe* of prostate.
l. pyramidalis glandulae thyroideae [TA]. 甲状腺錐体葉. =pyramidal *lobe* of thyroid gland.
l. quadratus hepatis [TA]. 〔肝臓の〕方形葉. =quadrate *lobe* of liver.
lobi renales [TA]. 腎葉. =kidney *lobes*.
l. sinister [TA]. 左葉. =left *lobe*.
l. superior pulmonis (dextri et sinistri) [TA]. 〔右または左肺の〕上葉. =superior *lobe* of (right/left) lung.
l. temporalis [TA]. 側頭葉. =temporal *lobe*.
LOC level of consciousness(意識レベル); loss of consciousness(意識消失)の略.
LOCA low osmolar contrast *agent*(低浸透性造影剤)の略.
lo·cal (lō′kăl) [L. *localis* < *locus*, place]. 局所の (全身的または系統的ではない).
lo·cal·i·za·tion (lō′kăl-i-zā′shŭn). ***1*** 限局化 (一定の区域に限られること). ***2*** 位置確認 (感覚の発生点に関していう). ***3*** 局在, 定位 (病変の位置の決定).
auditory l. 空間位置確認 (感覚心理学において, 音の出る位置を指示することをいう).
cerebral l. 大脳局在, 大脳機能局在, 大脳局所診断 (①大脳皮質を分野に分けた脳地図, 大脳機能と各皮質部位の相関. ②患者の示す徴候や症状, または神経画像による脳の病変部位の決定).
germinal l. 胚局在. =fate *map*.
radiotherapy l. 放射線治療位置決め (治療すべき腫瘍を放射線が取り囲むように, 放射線の大きさと方向を計画する).
spatial l. 空間位置確認 (空間における視覚の局在認識).
stereotaxic l. 定位的局在決定 (脳内の解剖学的目標を基準にして脳内の核を定位的に位置決めすること).
lo·cal·ized (lō′kăl-īzd). 限局性の.
lo·cant (lō′kant). 複雑な化学薬品の物質名において, 母核分子の置換基の場所(位置)を指示するため置換基の前に付ける数字または文字. 例えば 5-methyluridine の 5 とか, *S*-adenosylmethionine の *S* など.
lo·ca·tor (lō′kā-tŏr, -tōr). 探知器 (組織中の異物の位置を探索する器械または装置).
lo·chia (lō′kē-ă) [G. *lochios*(relating to childbirth)の中性複数形 < *lochos*, childbirth]. おろ(悪露) (分娩後, 腟から排泄される粘液, 血液, および組織残屑を含む排泄物).

おろ(悪露)

名称	成分	時期(個人差あり)
赤色おろ lochia rubra	主に血液, 組織片, 脱落膜(ときに胎脂, 生毛, 胎便)	1ー3日 (1週)
褐色おろ lochia fusca	溶血増加, 血液減少, 血清分泌 (リンパ球, 白血球)	3ー7日 (2週)
血清おろ lochia serosa	白血球, 脱落膜細胞, 子宮頸からの粘液	7ー14日
黄色おろ lochia flava	主に白血球, バクテリア, 退廃物 (いわゆる生理学的子宮内膜炎)	2ー3週
白色おろ lochia alba	流量減少, 子宮内膜の上皮形成, 子宮内膜腺からの清澄な粘液の分泌	3(4)週

l. alba 白色おろ (まったく血液が混じっていない産褥後期排泄物).
l. rubra 赤色おろ (産褥期最初の血性帯下).
l. sanguinolenta 血性おろ (分娩後数日中にみられる濃い暗赤色の腟排泄物).
l. serosa 血清おろ (薄い水様のおろ).
lo·chi·al (lō′kē-ăl). おろ(悪露)の.
lo·chi·o·me·tra (lō′kē-ō-mē′tră) [G. *mētra*, womb]. おろ(悪露)滞留, おろ(悪露)子宮停滞〔症〕(滞留したおろによる子宮膨満).
lo·chi·or·rha·gi·a (lō′kē-ō-rā′jē-ă) [lochia + G. *rhēgnymi*, to burst forth]. =lochiorrhea.
lo·chi·or·rhe·a (lō′kē-ō-rē′ă) [lochia + G. *rhoia*, a flow]. おろ(悪露)過多 (おろの流出が多いこと). =lochiorrhagia.
lo·ci (lō′sī). locus の複数形.
lock (lok). 接合固定部 (鉗子を把持あるいは接合するための構造).
English l. 英国ロック (産科鉗子の鉗子柄の接合部. 片側の鉗子が他側と接合する部分の固定用ロック. Simpson 鉗子に用いられている).
sliding l. 移動性接合部 (産科鉗子(Kjelland 鉗子)の鉗子匙を上下に移動させるくぼみ. 鉗子接合部に存在する).
Locke (lok), Frank S. 英国人生理学者, 1871—1949. ⇀Cabot-L. *murmur*; L. *solutions*; L.-Ringer *solution*.
lock·jaw (lok′jaw). 開口障害. =trismus.
Lock·wood (lok′wud), Charles B. イングランド人解剖学者・外科医, 1858—1914. ⇀L. *ligament*.
LOCM low osmolar contrast *medium* の略.
lo·co·mo·tive (lō′kō-mō′tiv). =locomotor.
lo·co·mo·tor (lō′kō-mō′tŏr) [L. *locus*, place + L. *moveo*, pp. *motus*, to move]. 運動の, 移動の. =locomotive; locomotory.
lo·co·mo·to·ri·al (lō′kō-mō-tō′rē-ăl). 運動器〔官〕の.
lo·co·mo·to·ri·um (lō′kō-mō-tō′rē-ŭm) [L. *locus*, place + *motorius*, moving]. 運動器〔官〕.
lo·co·mo·to·ry (lō′kō-mō′tō-rē). =locomotor.
loc·u·lar (lok′yū-lăr). 小房の, 小胞の.
loc·u·late (lok′yū-lāt). 小房(小胞)を含む, 小房(小胞)に分かれた.
loc·u·la·tion (lok′yū-lā′shŭn). ***1*** 小房体 (器官または組織の小房を含む部分. または器官, 粘膜, 漿膜面の間に形成される小房をもつ構造). ***2*** 小房形成, 小胞形成.
loc·u·lus, pl. **loc·u·li** (lok′yū-lŭs, -lī) [L. *locus*(place)の指小辞]. 〔小〕房, 小腔.
lo·cum ten·ant (lō′kŭm ten′ănt) [*locum tenens* の部分的な英語化]. 代診, 臨床代理医師 (一時的に医師が他の医師に代わること). =locum tenens.
lo·cum ten·ens (lō′kŭm ten′ens) [L. one holding a place]. [本語句の複数形は locum tenentes(1つの場所で異なる時間に働く臨床代理医師たち)および locos tenentes(様々な場所で働く臨床代理医師たち)である]. =locum tenant.
lo·cus, pl. **lo·ci** (lō′kŭs, lō′sī) [L.]. ***1*** 位置 (通常は特殊な部位をさす). ***2*** 座 (遺伝子が染色体に占める位置). ***3*** 位置 (グラフ上の座標によって定義される点の位置).
***cis*-acting l.** シス活性座, シスアクティング座 (同じ DNA 分子にある DNA 配列の活性に影響を及ぼす DNA の部位).
l. caeruleus [TA]. 青斑 (中脳水道に近い菱形窩の最前部の外側にある浅いへこみで, 新鮮脳では青色をしている. これは第4脳室外側壁の近くにあり, 視床下部, 大脳皮質をはじめ小脳にわたって著しく広範囲に分布しているノルエピネフリン含有の軸索をもち, メラニン色素を有する約2万の神経細胞体の一群のある位置にあたる). =l. cinereus; l. ferrugineus; substantia ferruginea.
l. cinereus =l. caeruleus.
complex l. 複合座 (共通の機能をもった密接に連鎖した遺伝子座の一組. 例えば, 主要組織適合性複合座).
l. of control 制御の部位 (自己の行動に対する制御感を評価するうえで考えられた理論構成であり, ある出来事を自分で制御できると感じる場合, 〝内部にある internal〟とし, 他者が制御していると感じる場合, 〝外部にある external〟として分類する).
l. ferrugineus =l. caeruleus.
genetic l. 遺伝子座 ([各染色体は, セントロメアで結合した短腕と長腕からなる. ヒトゲノムを構成する対になった常染色体は, 長さの順に番号がついており, 1番が最も長く, 22番が最短である. 遺伝子は各染色体の両腕に沿って連続して順序に並んでいる. 特異的染色法によって, 領域, バンド, サブバンド, サブサブバンドに区別し, グループ化される. 遺伝子座の標準的命名法は以下の通り. ①染色体番

L

号，ⓘⓘ短腕がp，長腕がq，ⓘⓘⓘ2つのアラビア数字で記載された領域とバンドの番号，ⓘⓥピリオド，ⓥ2つのアラビア数字で記載されたサブバンドとサブサブバンドの番号〕．対立遺伝子により占有されているような一対の染色体の相同領域の組をさす．したがって，遺伝子座とは，一対の座位のそれぞれが集まって構成されていることになる(男性のX染色体を除く)．遺伝子座の概念は多少理想化して描写されており，不等交差，転座，逆位の結果として生じた座の複製のような減数分裂中に発生する偶発現象を考慮していない)．

marker l. 標識座（染色体上の，あるいはDNAにおける座で，それを同定することで，連鎖解析や病気の遺伝子の分離に役立てることができる．例えば制限断片長多型．→linkage *marker*)．

l. niger 黒質．＝*substantia* nigra.

l. perforatus anticus 前有孔質．＝anterior perforated *substance.*

l. perforatus posticus 後有孔質．＝posterior perforated *substance.*

sex-linked l. 伴性遺伝子座（正常核型における異形染色体上の遺伝子座．一般的にはX連鎖遺伝子座のことをいうが，正確でない)．

X-linked l. X連鎖遺伝子座（正常核型におけるX染色体上の遺伝子座)．

Y-linked l. Y連鎖遺伝子座（正常核型におけるY染色体上の(単相体)遺伝子座．既知の遺伝子はいままでのところ少ない)．

lod score (lod skōr) [*l*ogarithm＋*o*d*d*s]．ロッド値（遺伝連鎖の研究において使用される数．遺伝連鎖を支持する公算(オッズ)の常用対数)．

Loeb (lōb), Leo. 米国人病理学者，1869—1959. ⇀L. *deciduoma.*

Loef·fler (lef′lĕr), Friedrich A.J. ドイツ人細菌学者・外科医，1852—1915. ⇀L. *bacillus*, blood culture *medium*, *stain*, caustic *stain*, *methylene blue*; Klebs-L. *bacillus*.

Loe·vit (lō′vit), Moritz. ハプスブルク帝国の病理学者，1851—1918. ⇀L. *cell.*

Loe·wen·thal (lev′en-tal), Wilhelm. ドイツ人医師，1850—1894. ⇀L. *bundle*, *reaction*, *tract*.

Löf·fler (lōrf′lĕr), Wilhelm. スイス人医師，1887—1972. ⇀L. *disease*, *endocarditis*, parietal fibroplastic *endocarditis*, *syndrome* I, *syndrome* II.

log- (log). ⇀logo-.

Lo·gan (lō′găn), William H.G. 20世紀初頭の米国人形成外科医．⇀L. *bow.*

log·a·rithm (log′ă-ridhm) [G. *logos*, word, ratio＋*arithmos*, number]．対数（ある数xがある数yのべき乗で表されるとき，すなわち$x＝y^n$と書けるとき，nはyを底としたxの対数であるという．底が10であるときを常用対数という．底が定数eであるとき，自然(Napierian)対数という)．

log·e·tro·nog·ra·phy (log′ĕ-tro-nog′ră-fē)．ロゲトロノグラフィ（写真の焼付け方法の一種．微細な部分のコントラストが電子的に強調される．以前はX線画像の複製に用いられた)．

-logia (lō′je-ă). ***1*** [G. *logos*, discourse, treatise]．一般的に，その単語の語幹の意味する主題の研究または論文を表す接尾語．英語の同義語は -logy または連結母音を付けて -ology となる．***2*** [G. *legō*, to collect]．集める，摘む，を意味する接尾語．

lo·git (lōg′it)．ロジット（健康と病気のように，背反しかつすべての場合をつくす2つのカテゴリーに分類が行われるときの頻度の比の対数)．

logo-, log- (lo′gō, log) [G. *logos*, word, discourse]．言語，言葉，を意味する連結形．

log·o·pe·di·a (log′ō-pē′dē-ă)．＝logopedics.

log·o·pe·dics (log′ō-pē′diks) [logo-＋G. *pais* (*paid-*), child]．言語医学，言語治療（言語または発語器官の生理学，病理学，および言語障害の矯正を扱う科学の一分野)．＝logopedia.

log·or·rhe·a (log′ō-rē′ă) [logo-＋G. *rhoia*, a flow]．言葉漏れ（異常または病的な多弁に対してまれに用いる語)．

log·o·spasm (log′ō-spazm) [logo-＋G. *spasmos*, spasm]．痙攣性言語＝explosive *speech.*

log·o·ther·a·py (log′ō-thār′ă-pē) [logo-＋G. *therapeia*, cure]．ロゴテラピー（精神療法の一型で，患者の精神生活と〝医学的牧師 medical minister〟としての医師を非常に重要視する)．

-logy (lō′jĕ) [G. *logos*, treatise, discourse]．⇀-logia.

Lohmann (lō′mahn), Kurt. 20世紀のドイツ人生化学者．⇀Lohmann *reaction.*

lo·i·a·sis (lō-ī′ă-sis)．ロア糸状虫症（糸状虫類の線虫であるロア糸状虫 *Loa loa* によって起こる慢性疾患で，感染アブに咬まれた後約3－4年で初めて症状が現れる．感染幼虫が成熟し，成虫となり，体内の結合組織を不規則に動き回り(1分間に1 cmに達する)，皮膚や粘膜下，例えば，背，頭皮，胸，唇の内面，および特に結膜，においてしばしば眼で見えるようになる．この虫がいると充血と組織液の滲出を起こすが，これは通常，虫の分泌物に対する宿主の反応であり(Calabar swelling, fugitive swelling)重篤な障害にはならず，この寄生虫の移動後にはその急性反応は沈静する．患者は腫脹が腱や関節部にみられる場合，ときに痛みとむずがゆさに悩まされる．多くの患者は10—40％もの好酸球増加を示す)．＝Calabar swelling; fugitive swelling.

loin (loyn) [Fr. *longe*; E. *lumbus*]．腰，側腹（肋骨と骨盤の間の側部および背部)．＝lumbus.

lo·li·ism (lō′li-izm) [L. *lolium*, darnel, tares]．ドクムギ中毒〔症〕（食用粉末にしたドクムギ *Lolium temulentum* の種子が起こす中毒．めまい，振せん，緑視症，瞳孔散大，疲はいの症状を呈し，嘔吐が加わることもある)．

Lom·bard (lom′bard), Etienne. フランス人医師，1868—1920. ⇀L. voice-reflex *test.*

lo·mus·tine (lō-mŭs′tēn)．ロムスチン（抗腫瘍薬)．＝CCNU.

Long (long), John H. 米国人医師，1856—1927. ⇀L. *coefficient*, *formula*.

long-chain ac·yl-CoA de·hy·dro·gen·ase (long chān as′il dē′hī-drō-jen-ās)．長鎖アシルCoAデヒドロゲナーゼ（⇀*acyl-CoA* dehydrogenase (NADPH))．

long-chain fat·ty ac·id:CoA li·gase (long-chān fat′ē as′id lī′gās)．長鎖脂肪酸 CoAリガーゼ（脂肪酸チオキナーゼ(長鎖)，長鎖脂肪酸，ATP，CoAからアシルCoA，AMP，ピロリン酸を生成するリガーゼ)．＝acyl-activating enzyme (1); dodecanoyl-CoA synthetase.

lon·gev·i·ty (lon-jev′i-tē)．[MIM*152430]〔最長〕寿命，長寿，長命（その種族の水準を超えた個体の生存期間．→lifespan)．＝macrobiosis.

lon·gi·tu·di·nal (lon′ji-too′di-năl) [L. *longitudo*, length] [TA]. ***1*** 縦の（身体の長軸または身体部分の長軸に沿っていることをいう)．＝longitudinalis [TA]. ***2*** 縦断的（長期間にわたる通時的研究，横断的と対比していわれる．横断的研究の結果は安定性や平衡性が厳密に成立している条件でのみ，縦断的研究の結果と一致する．縦断的研究のこの厳密性は人口問題や細胞動態(例えば，赤血球や血小板)での生存率の研究にとって重要である)．

lon·gi·tu·di·na·lis (lon′ji-tū′di-nā′lis) [TA]．縦の．＝longitudinal (1).

lon·gi·type (lon′ji-tīp)．細長型．＝ectomorph.

Long·mire (long′mīr), William P., Jr. 米国人外科医，1913—1977. ⇀L. *operation.*

Loo·ney (lū′nē), Joseph M. 20世紀の米国人生化学者．⇀Folin-L. *test.*

loop (loop) [M.E. *loupe*]. ***1*** 輪，わな，係蹄，ループ（管，太いひも，その他円柱状の物体が，楕円または環状に彎曲している状態．→ansa). ***2*** 白金耳（針金(通常はプラチナかニクロム)で，一方の端にある柄に固定し，他端を円形に曲げてある．炎に当てて滅菌し微生物を移すために用いられる)．

Biebl l. (bē′bĕl)．ビーブル係蹄（腸の運動を観察するために，腹壁を貫通して皮下まで，小腸係蹄を連続性を保ったまま挙上させたもの)．

bulboventricular l. 球室係蹄（U型の胚心筒の部分で，心室および心球となる)．＝ventricular l.

capillary l. 毛細血管わな（真皮乳頭内にある小血管)．

cervical l. 頸神経わな．＝*ansa* cervicalis.

cruciform l.'s 十字形ループ（自己の相補的領域の水素結合により形成されるDNAの二次構造)．

D l. Dループ（複製中の環状 DNA の構造）．＝displacement l.

displacement l. ＝D l.

gamma l. ガンマ係蹄（小さい前角細胞と神経細胞からなる反射弓．錘内線維束に突き出たその小さな細胞線維は，錘内線維束の収縮を起こし，それが後根を通って前角細胞へいく求心性インパルスを刺激して，それが筋肉すべての反射性収縮を起こす）．＝gamma motor neurons; gamma motor system; Granit l.

Gerdy interatrial l. (zher-dē′)．ジェルディ心房間わな（心臓の心房中隔にある筋束で，房室溝から後方へ通っている）．

Granit l. (gran′it)．グラニト係蹄．＝gamma l.

hairpin l.'s ヘアピンループ（一本鎖の DNA および RNA がある種の条件下で形成する，それ自身が折り返されて不規則な二重らせん性のループ）．

Henle l. (hen′lē)．ヘンレわな．＝nephron l.

l. of hypoglossal nerve ＝*ansa* cervicalis.

Hyrtl l. (hĕr′tĕl)．ヒルトルわな（左右舌下神経間にある連絡わなで，おとがい舌骨筋とおとがい舌筋の間，またはおとがい舌骨組織の中にある．10 人に約 1 人の割合で見出される）．＝Hyrtl anastomosis.

lenticular l. レンズ核わな（輪や弓状を呈する解剖学的構造）．＝ansa lenticularis [TA]; lenticular ansa.

memory l. 記憶ループ（その時点以前にオシロスコープに蓄積・表示されたデータを後で再生表示するための電子装置．特定の乱れの直前に起こった電気的事象の見直しに用いる）．

Meyer-Archambault l. (mī′ĕr ahr′shahm-bō′)．マイアー-アーチェーンボールト係蹄（側頭角の先端の周りを回る視放線の線維）．

nephron l. [TA]．ネフロンループ（ネフロンのヘアピン状をした部分．近位尿細管から遠位尿細管に至る過程で形成される．下行脚，ループ部，上行脚からなる．腎髄質および髄放線内に存在する）．＝Henle ansa; Henle l.

peduncular l. 脚わな．＝*ansa* peduncularis.

l.'s of spinal nerves 脊髄神経わな（脊髄神経前枝初部を結ぶ神経わな）．＝ansae nervorum spinalium.

subclavian l. 鎖骨下わな．＝*ansa* subclavia.

vector l. ベクトルループ，ベクトル環（心臓周期における刻々の心臓活動の平均的方向と大きさを示す滑らかな，ときには不規則な楕円曲線．→vector (2); vectorcardiogram)．

ventricular l. 心室係蹄．＝bulboventricular l.

Vieussens l. (vyū-sŏn[h]′)．ビューサンわな．＝*ansa* subclavia.

loos·en·ing of as·so·ci·a·tion (lūs′en-ing a-sō′sē-ā′shŭn)．連合弛緩（ある考えや文節が，次の考えや文節と明らかな連関をもたない，あるいは質問と返答には連関がないことを特徴とする高度な思考障害）．

Loo·ser (lō′zĕr), Emil．スイス人医師，1877—1936．→L. *zones*.

LOP left occipitoposterior *position* の略．

lop-ear (lop′ēr)．垂耳（外耳の先天性奇形で，耳輪および対耳輪の発達が悪い）．＝bat ear.

loph·o·dont (lof′ŏ-dont) [G. *lophos*, ridge＋*odous*, tooth]．ひだ歯の（横または縦の，隆線の付いた大臼歯がある．*cf.* bunodont)．

Lo·phoph·o·ra wil·liam·si·i (lō-fof′ŏ-ră wil-yăm′sē-ī)．メキシコセンニンショウ（サボテン．サボテン科 peyote (mescal button) の原植物．12 種以上のアルカロイドを含有し，そのうちメスカリンが最も重要である．他のアルカロイドはペロチン，アンハロミン，アンハロニジン，アンハラミン，アンハリニン，アンハリジン，ロホホリンである）．

lo·phot·ri·chate (lō-fot′ri-kāt)．＝lophotrichous.

lo·phot·ri·chous (lō-fot′ri-kŭs) [G. *lophos*, crest＋*thrix*, hair]．叢毛〔性〕の（1 極または両極に 2 本以上のべん毛をもつ細菌についていう）．＝lophotrichate.

Lo·rain (lō-rān[h]′), Paul．フランス人医師，1827—1875．→L. *disease*; L.-Lévi *dwarfism*, *infantilism*, *syndrome*.

lor·do·sco·li·o·sis (lōr′dō-skō′lē-ō′sis) [G. *lordos*, bent back＋*skoliōsis*, crookedness＜*skolios*, bent, aslant]．脊柱前側弯〔症〕（脊柱の後方凹への弯曲と側方への弯曲が結合したもの）．

lor·do·sis (lōr-dō′sis) [G. *lordōsis*, a bending backward] [TA]．〔脊柱〕前弯〔症〕（脊柱の前方凸弯曲．頸椎と腰椎にみられる正常の前弯は生後に生じた二次的脊柱弯曲である）．＝hollow back; saddle back.

cervical l. [TA]．頸部前凸弯曲，頸前弯（脊柱の頸部に正常にみられる前方に凸の弯曲で，生後乳児が頭をもたげるようになると備わってくる）．＝l. cervicis [TA]; l. colli*.

l. cervicis [TA]．＝cervical l.

l. colli* cervical l. の公式の別名．

l. lumbalis [TA]．＝lumbar l.

lumbar l. [TA]．腰部前凸弯曲，腰前弯（脊柱の腰部に正常にみられる前方に凸の弯曲で，生後幼児が直立して歩行できるようになると備わってくる）．＝l. lumbalis [TA]; lumbar flexure.

lor·dot·ic (lōr-dot′ik)．〔脊柱〕前弯〔症〕の．

Lo·renz (lō-renz′), Adolf．オーストリア人外科医，1854—1946．→L. *sign*.

Lo·schmidt (lō′shmidt), Joseph (Johann)．チェコ人化学・物理学者，1821—1895．→L. *number*.

LOT left occipitotransverse position の略．

lo·tion (lō′shŭn) [L. *lotio*, a washing＜*lavo*, to wash]．ローション剤（薬局方製剤の一種で，外用の懸濁液または分散液．水に不溶の微細な粉末状固体を，懸濁剤，界面活性剤，または両者によって多少とも永久的な懸濁液にしたものと，界面活性剤により安定化した水中油型の乳剤がある）．

Lou·is (lū-ē′), Pierre C.A．フランス人医師，1787—1872．→L. *angle*, *law*.

Lou·is-Bar (lū-ē′bar), Denise．20 世紀中期のフランス人医師．→L.-B. *syndrome*.

loupe (lūp) [Fr.]．ルーペ，拡大鏡，凸レンズ（拡大用レンズ）．

binocular l. 双眼ルーペ（眼鏡または額帯に付いている拡大装置で，小さな構造物の手術をするとき視覚補助器として着用される）．

louse, pl. lice (lows, līs) [A.S. *lūs*]．シラミ（外部寄生性のシラミ目(吸血性のシラミ)およびハジラミ目(咬むシラミ)の一般名．重要なシラミには *Felicola subrostrata*, *Goniocotes gallinae*, *Goniodes dissimilis*, *Haemodipsus ventricosus*, *Lipeurus caponis*, *Menacanthus stramineus*, *Pthirus pubis*, *Polyplax serratus* がある）．

biting l., chewing l., feather l. 咬むシラミ，ハジラミ（主に鳥類にみられる外部寄生虫(ハジラミ目)で，羽，毛，表皮汚物，血液(一般的ではない)を食べて生息している．カニのはさみのような強度に硬化した下顎と特徴的な広い頭をもつ．多くの種は宿主特異性である）．

sea l. 刺胞動物門の幼生に対して提示された語．日光浴者に皮疹を起こす．

sucking l. 吸血〔性〕シラミ（吸血性の哺乳類外部寄生虫(シラミ目)で，細い頭部をもち，そこに隠された嚢の中に刺通性の吸血口器があるのが特徴)．

lousy (low′sē)．シラミの寄生した．＝pediculous.

Lo·vén (lō-vēn′), Otto C．スウェーデン人医師，1835—1904．→L. *reflex*.

Lo·vi·bond (lō′vĭ-bond), J.L．20 世紀のイングランド人皮膚科医．→L. *angle*, profile *sign*.

Lowe (lō), Charles U．20 世紀の米国人小児科医．→L. *syndrome*; L.-Terrey-MacLachlan *syndrome*.

Lö·wen·berg (lŏr′vĕn-berg), Benjamin B．フランス人喉頭病学者，1836—1905．→L. *canal*, *forceps*, *scala*.

Lo·wer (lō′wĕr), Richard．イングランド人解剖学・生理学者，1631—1691．→L. *ring*, *tubercle*.

lower ＝inferior.

Lown (lown), Bernard．20 世紀の米国人心臓学者．→L.-Ganong-Levine *syndrome*.

Low·ry (low′rē), Oliver H．20 世紀の米国人生化学者．→L.-Folin *assay*; L. protein *assay*.

Low·ry (lwo′rē), R. Brian．カナダに在住した20 世紀のアイルランド人医学遺伝学者．→Coffin-L. *syndrome*.

Lows·ley (lows′lē), Oswald S．米国人泌尿器科医，1884—1955．→L. *tractor*.

Loxosceles (loks-os′ĕ-lēz)．ロクソスセレス属，イトグモ属

（褐色の有毒グモの一属で，頭胸部にあるバイオリン形の模様と明瞭な6個の眼をもつことを特徴とし，主に南アメリカでみられる．咬んだ部位に潰瘍性の強い，拡大性の皮膚病巣をつくる(ロクソスセレス症)．重要な種には *L. laeta*(チリ)がある．またブラジルでは *L. intermedia* と *L. gaucho* がみられ，これらも重要なヒト障害者となっている．ペルーでは *L. rufipes* がみられる．北米では *L. reclusus* が最も重要で，アメリカ合衆国の南部，中央部，中西部にわたって生息している．*L. deserta*, *L. arizonica*, *L. apachea*, *L. blanda*, *L. devia* もヒトを咬む）.

lox·os·ce·lism (loks-os′ĕ-lizm). ロクソスセレス症（北アメリカの褐色のクモ *Loxosceles reclusus* によって起こる疾病．咬傷局所の壊疽性脱落，悪心，不快感，発熱，溶血，血小板減少を特徴とする）.

Lox·o·tre·ma o·va·tum (loks-ō-trē′mă ō-vā′tŭm) [G. *loxos*, slanting + *trēma*, a hole; L. *ovatus*, egg-shaped]. *Metagonimus yokogawai* の旧名.

loz·enge (loz′enj) [Fr. *losange* < *lozangé*, rhombic]. ロゼンジ，菓子錠剤，舐剤，口内錠．＝troche.

LP lumbar *puncture* の略.

LPF low-power field(〔顕微鏡の〕弱拡大視野)の略.

LPH lipotropic *hormone* の略.

LPN licensed practical *nurse* の略.

LPO X線撮影で left posterior oblique(左後斜位像)の略.

Lp-PLA2 lipoprotein-associated *phospholipase* A2 の略.

LPR laryngopharyngeal *reflux* の略.

LPS lipopolysaccharide の略.

Lr, $\mathbf{L_r}$ ローレンシウムの元素記号.

L.R.C.P. Licentiate of the Royal College of Physicians (of England)（イングランド内科医師会免許所有者）の略.

L.R.C.P.(E) Licentiate of the Royal College of Physicians (Edinburgh)（エジンバラ内科医師会免許所有者）の略.

L.R.C.P.(I) Licentiate of the Royal College of Physicians (Ireland)（アイルランド内科医師会免許所有者）の略.

L.R.C.S. Licentiate of the Royal College of Surgeons (of England)（イングランド外科医師会免許所有者）の略.

L.R.C.S.(E) Licentiate of the Royal College of Surgeons (Edinburgh)（エジンバラ外科医師会免許所有者）の略.

L.R.C.S.(I) Licentiate of the Royal College of Surgeons (Ireland)（アイルランド外科医師会免許所有者）の略.

LRF luteinizing hormone-releasing *factor* の略.

L.R.F.P.S. Licentiate of the Royal Faculty of Physicians and Surgeons（スコットランド内科・外科医師会免許所有者）の略.

LRH luteinizing *hormone*-releasing *hormone* の略.

LSA left sacroanterior *position* の略.

LSD *lysergic acid* diethylamide の略.

LSF line spread *function* の略.

LSIL low-grade squamous intraepithelial *lesion* の略.

LSP left sacroposterior *position* の略.

LST left sacrotransverse *position* の略.

LT leukotrienes の略．通常は，LTA_4，LTC_4 のように下付き数字のついた他の文字を後につける.

LTBP latent transforming growth-factor(TGF)-β binding *protein* の略.

LTH luteotropic *hormone* の略.

LTM long-term *memory* の略.

LTP laser *trabeculoplasty* の略.

LTR long terminal repeat *sequences* の略.

Lu ルテチウムの元素記号.

Lu·barsch (lū′bahrsh), Otto. ドイツ人病理学者，1860—1933. →L. *crystals*.

Luc (lūk), Henri. フランス人喉頭病学者，1855—1925. →L. *operation*; Caldwell-L. *operation*; Ogston-L. *operation*.

Lu·cas (lū′kăs), Richard C. イングランド人解剖学者・外科医，1846—1915. →L. *groove*.

lu·cen·cy (lū′sent-sē) [< L. *lucens*, shining < *luceo*, to shine]. 透過性（放射線医学において，周囲の組織よりもX線の減弱が弱い吸収体あるいは組織によりつくり出される画像上の領域．一般に opacity(不透過性，非透過性)の反対語として用いられる）.

nuchal l. 後頸部透明帯（超音波検査所見で，妊娠初期に胎児の頸部背方にみられる無エコー域．この領域の拡大している所見は Down 症候群，先天性心疾患，および他の奇形のリスクの上昇を示唆する）.

lu·cent (lū′sent) [L. *luceo*, to shine]. 淡明な，光る，透明の.

lu·cid (lū′sid) [L. *lucidus*, clear]. 清明な（はっきりしており，くもったり，混乱したりすることがない．意識清明な時間あるいは明快な言語表現のように用いる）.

lu·cid·i·fi·ca·tion (lū-sid′i-fi-kā′shŭn) [L. *lucidus*, clear + *facio*, to make]. 透徹〔法〕．＝clarification.

lu·cid·i·ty (lū-sid′i-tē). 清明，正気（明晰性，正気であること）.

lu·cif·er·as·es (lū-sif′ĕr-ās-ĕz). ルシフェラーゼ（ある種の発光性の生物に存在する酵素で，ルシフェリンを酸化させる作用がある．その過程でつくられたエネルギーは生物発光として放出される．そのような酵素は極低濃度の代謝物を検出するのに用いられる）.

lu·cif·er·ins (lū-sif′ĕr-inz) [L. *lux*, light + *fero*. to bear]. ルシフェリン（ある種の発光性の生物に存在し，ルシフェラーゼの作用により，生物発光する化学物質）.

lu·cif·u·gal (lū-sif′yū-găl) [L. *lux*, light + *fugio*, to flee from]. 光を避ける，羞明の.

Lu·cil·i·a (lū-sil′ē-ă). キンバエ属（食物につくクロバエ科クロバエの一属．一般にクロバエまたはキンバエとよばれる．幼虫は腐肉や排出物を常食とし，ときに創インフェステーションやハエウジ病を引き起こす）.

L. caesar この種の幼虫は，以前感染創の治療に用いられた.→Phormia regina.

L. illustris 北アメリカに広く分布する金属光沢のある青緑色のキンバエ．主に動物の死体に産卵する.

L. sericata ＝*Phaenicia sericata.*

Lu·cio (lū′syō), R. メキシコ人医師，1819—1866. →L. *leprosy*, leprosy *phenomenon*.

lu·cip·e·tal (lū-sip′i-tăl) [L. *lux*, light + *peto*, to seek]. 向光性の.

Luc·ké (lik′ē), Balduin. 米国人病理学者，1889—1954. →L. *virus*.

Lüc·ke (lik′ĕ), George A. ドイツ人外科医，1829—1894. →L. *test*.

lüc·ken·schä·del (lik′en-shā′dĕl) [Ger. *Lücke*, gap + *Schädel*, skull]. 凹窩頭蓋（髄膜瘤または脳ヘルニアを伴った凹窩頭蓋）.

Lud·wig (lūd′vig), Daniel. ドイツ人解剖学者，1625—1680. →L. *angle*.

Lud·wig (lŭd′vig), Karl F.W. ドイツ人解剖・生理学者，1816—1895. →depressor *nerve* of L.; L. *ganglion*, *labyrinth*, *nerve*, *stromuhr*.

Lud·wig (lūd′vig), Kurt. 20世紀のドイツ人解剖学者. →Klinger-L. acid-thionin *stain* for sex chromatin.

Lud·wig (lūd′vig), Wilhelm Friedrich von. ドイツ人外科医，1790—1865. →L. *angina*.

Lue·be·ring (lū′bĕr-ing), J. →Rapoport-L. *shunt*.

Lu·er (lū′ĕr). 20世紀初頭のドイツ人器械製作者.

lu·es (lūo′ēz) [L. pestilence]. 梅毒（感染症または悪疫．特に syphilis(梅毒)）.

l. venerea 梅毒．＝syphilis.

lu·et·ic (lū-et′ik). 梅毒〔性〕の．＝syphilitic.

lufenuron (lū-fen′yū-ron). ルフェヌロン（駆虫剤に分類されるベンゾイルフェニルウレアの昆虫成長撹乱剤．セリンプロテアーゼ阻害を通してキチン合成に干渉することで発育中の昆虫の乾燥を導く．繁殖能力を撹乱させることを除いて成体のノミには効果がない．イヌおよびネコがいる環境中のノミ駆除に有効である．ノミは宿主を刺した際に薬物を取り込む．エサとともに経口的に投与するが，ネコ用として注射剤もある）.

Luft (lūft), John H. 20世紀の米国人組織学者. →L. potassium permanganate *fixative*.

Luft (lūft), Rolf. 20世紀のスウェーデン人内分泌医. →L. *disease*.

Lu·gol (lū-gol′), Jean G.A. フランス人医師，1786—1851. →L. iodine *solution*.

Lukes (lūks), L.J. 20世紀の米国人病理学者. →L.-Collins

classification.
LUL left upper lobe (of lung)((肺の)左上葉)の略.
lu·lib·er·in (lū-lib′ĕr-in) [*lu*teinizing hormone + L. *libero*, to free + -in]. ルリベリン (gonadotropin-releasing *hormone* を表す現在では用いられない語).
lum·ba·go (lŭm-bā′gō) [L. < *lumbus*, loin]. 腰痛〔症〕(背の中央および下部の痛み. 病因が特定できない記述用語).
ischemic l. 虚血性腰痛〔症〕(虚血型の背痛で, 歩行または立位を続けることにより増強し, 安静により改善する腰部の筋肉の疼痛性痙攣を特徴とする).
lum·bar (lŭm′bar) [L. *lumbus*, a loin]. 腰〔部〕の, 腰椎の (**[誤ったつづり lumber を避けること]**. 肋骨と骨盤の間の背側部および両側部についていう).
lum·bar·i·za·tion (lŭm′bar-i-zā′shŭn). 腰椎化 (腰仙移行部の先天性奇形で, 第一仙椎が腰椎化したもの. 腰椎は正常では5個であるが, 6個となる).
lum·bi (lŭm′bī) [L.]. lumbus の複数形.
lum·bo·ab·dom·i·nal (lŭm′bō-ab-dom′i-năl). 腰腹部の (腹部の側部と前部についていう).
lum·bo·cos·tal (lŭm′bō-kos′tăl) [L. *lumbus*, loin + *costa*, rib]. 腰肋の (①腰部と下肋部についていう. ②腰椎と肋骨についていう. 第一腰椎と第十二肋骨の頸部とを結合する靱帯を意味する).
lum·bo·il·i·ac (lŭm′bō-il′ē-ak). = lumboinguinal.
lum·bo·in·gui·nal (lŭm′bō-ing′gwi-năl) [L. *lumbus*, loin + *inguen* (*inguin-*), groin]. 腰鼡径の (腰部と鼡径部についていう). = lumboiliac.
lum·bo·o·va·ri·an (lŭm′bō-ō-vā′rē-an). 腰卵巣の (卵巣と腰部についていう).
lum·bo·sa·cral (lŭm′bō-sā′krăl). 腰仙の (腰椎と仙骨についていう). = sacrolumbar.
lum·bri·cal (lŭm′bri-kăl) [L. *lumbricus*, earthworm]. = lumbricoid (1).
lum·bri·ca·lis (lŭm′bri-kā′lis). ⇀lumbricals (lumbrical *muscles*) of hand; lumbricals (lumbrical *muscles*) of foot.
lum·bri·ci·dal (lŭm′bri-sī′dăl). 回虫駆除の.
lum·bri·cide (lŭm′bri-sīd) [L. *lumbricus*, worm + *caedo*, to kill]. 回虫駆除薬.
lum·bri·coid (lŭm′bri-koyd) [L. *lumbricus*, earthworm + G. *eidos*, resemblance]. ***1*** 〖adj.〗虫の, 虫状の (特に, 回虫 *Ascaris lumbricoides* または類似の虫についていう. →scolecoid (2); vermiform). = lumbrical; lumbricus (1). ***2*** 〖n.〗回虫 *Ascaris lumbricoides* の一般名で, 現在では用いられない.
lum·bri·co·sis (lŭm′bri-kō′sis). 回虫症.
lum·bri·cus (lŭm′bri-kŭs) [L. earthworm]. ***1*** 虫の. = lumbricoid (1). ***2*** 回虫 *Ascaris lumbricoides* を表す現在では用いられない語.
lum·bus, gen. & pl. **lum·bi** (lŭm′bŭs, -bī) [L.]. 腰, こし. = loin.
lu·men, pl. **lu·mi·na, lu·mens** (loo′men, -min-ă, -menz) [L. light, window]. ***1*** 管腔, 内腔 (動脈または腸のような空洞の管状構造の内側の空間). ***2*** ルーメン (光束の単位. 記号 lm. 1カンデラの点光源から単位立体角内に放射される光束). ***3*** 腔 (ミトコンドリア膜内または小胞体膜内の空所). ***4*** カテーテルや内腔針の口径.
false l. 偽腔 (解離性大動脈瘤で, 罹患動脈壁内の異常血流路).
residual l. = residual *cleft*.
true l. 真腔 (解離性大動脈瘤で実際に血管内皮でおおわれた血流路).
lu·mi·chrome (lū′mi-krōm). ルミクロム ; 7,8-dimethylalloxazine (リビチル側鎖を失ったリボフラビンで, 酸溶液中でリボフラビンが紫外線照射を受けると生成される).
lu·mi·fla·vin (lū′mi-flā′vin). ルミフラビン ; 7,8,10-trimethylisoalloxazine (リボフラビンの黄色の光誘導体で, リビチルの位置にメチル基がある. リボフラビンのアルカリ溶液に紫外線を照射してつくられる).
lu·mi·na (lū′mi-nă) [L.]. lumen の複数形.
lu·mi·nal (lū′mi-năl) [TA]. 管腔の (血管その他の管状構造物の内腔についていう). = luminalis [TA].
lu·mi·nal·is (lū′mi-nā′lis) [TA]. = luminal.
lu·mi·nance (lū′mi-nănts) [L. *lumino*, to light up < *lumen*, light]. 輝度 (物体の単位面積, 単位立体角当たりの光束で表した物体の明るさ. ランベルトまたはカンデラ毎平方メートルで測定する. 註ランベルト(L)は SI 単位ではない).
lu·mi·nes·cence (lū′mi-nes′ents) [L. *lumen*, light]. ルミネセンス, 冷光, 発光 (化学反応の結果, 物体から光が放出されること. ⇀bioluminescence).
lu·mi·nif·er·ous (lū′mi-nif′ĕr-ŭs) [L. *lumen*, light + *fero*, to carry]. 発光の, 光を伝達する.
lu·mi·no·phore (lū′mi-nō-fōr′) [L. *lumen*, light + G. *phoros*, bearing]. 発光団, 発光原子団 (有機化合物内の原子または原子団で, 光の放出を増強する).
lu·mi·nous (lū′mi-nŭs) [L. *lumen*, light]. 発光の, 明るい (発熱の有無にかかわらず光を発することをいう).
lu·mi·rho·dop·sin (lū′mi-rō-dop′sin) [L. *lumen*, light + G. *rhodon*, rose + *opsis*, vision]. ルミロドプシン (光によってロドプシンを漂白している間に得られる, ロドプシンとオール-*trans*-レチナール + オプシンとの中間産物. バリロドプシンから生成され, 約20 μs の半減期をもつメタロドプシンⅠへ変換される).
lu·mi·ster·ol (lūm′i-stēr′ol). ルミステロール (①エルゴカルシフェロールの生合成副産物. ②ペントース一リン酸シャントでの中間体であるリブロースのリン酸誘導体).
lump·ec·to·my (lŭmp-ek′tŏ-mē) [lump + G. *ektomē*, excision]. ランペクトミー, 腫瘍摘除 (乳房の基本的な解剖構成を温存しつつ乳房から特に悪性病変を摘除する方法. 乳腺組織を含む腫瘤切除術).
Lu·na (lūn′ă), Lee G. 20世紀の米国人医療技術者. ⇀L.-Ishak *stain*.
lu·na·cy (lū′nă-sē) [L. *luna*, moon]. **[不正確で時代遅れの本語は, 医学的発言および文書では使わないのがよい. 本語のもつ否定的または軽蔑的な響きは, 文脈によっては不快な表現になるかもしれない]**. ***1*** 間欠性精神病 (正常時と精神異常の時期が交互にくることを特徴とする精神病の一型を表す, 現在では用いられない語. 以前, 月相の影響を受けると信じられた). ***2*** 精神異常 (精神障害の総称). ***3*** 法律によって種々に定義されている精神病.
lu·nar (lū′năr) [L. *luna*, moon]. ***1*** 月の. ***2*** 月状の, 三日月状の, 半月状の (→crescentic). = lunate (1) [TA]; semilunar. ***3*** 銀の (月は錬金術において銀の象徴であった).
lu·nar cau·stic (lū′năr kaw′stik). 銀腐食剤. = toughened *silver* nitrate.
lu·na·re (lū-nā′rē). 月状骨. = lunate (*bone*).
lu·nate (lū′nāt) [TA]. ***1*** = lunar (2). ***2*** 月状骨の.
lu·na·tic (lū′nă-tik) [⇀lunacy]. 精神病者を意味した現在では用いられない語.
lu·na·to·ma·la·ci·a (lū-nā′tō-mă-lā′shē-ă). 月状骨軟化〔症〕. = Kienböck *disease*.
lung (lŭng) [A.S. *lungen*][TA]. 肺 (胸肺腔を占める一対の臓器で, 血液の曝気が行われる呼吸器官. 一般に, 右肺は左肺より少し大きく3葉に分かれる(上葉, 中葉, 下葉または肺底)が, 左肺は2葉のみである(上葉, 下葉または肺底). 各葉は不規則な円錐形で, 鈍な上端(肺尖), 横隔膜面に沿う陥凹した肺底, 外凸面(肋骨面), 一般に内側または中央面(縦隔洞面)は凹面で, 薄く鋭い前縁, 丸い後縁を呈する. 次頁の図参照). = pulmo [TA].
air-conditioner l. 空調肺 (好熱性放線菌やその他の微生物によって汚染された, 強制換気によって起こる外因性アレルギー性肺胞炎).
bird-breeder's l., bird-fancier's l. 鳥飼育者肺, 愛鳥家肺 (外因性アレルギー性肺胞炎で, 鳥類がまき散らす微粒子の吸入によって起こる. しばしば鳥類の種に特異的である. 例えば, ハト飼育者肺, インコ飼育者肺). = bird-breeder's disease.
black l. 黒色肺 (炭坑夫によくみられるじん肺の一型で, 肺に炭素粒子が沈着することが特徴). = miner's l. (2).
brown l. 褐色肺 (綿塵, 亜麻, 大麻に暴露されて起こるぜん息を伴う閉塞性気道疾患. →byssinosis).
butterfly l. チョウ様肺 (黄疸出血性レプトスピラ *Leptospira interrogans* (*L. icterohaemorrhagiae*)接種後, 動物の肺に現れる出血性徴候).
cardiac l. うっ血肺 (心弁膜疾患や心疾患によくある他の循環障害による二次的な肺の解剖学的・生理学的障害).

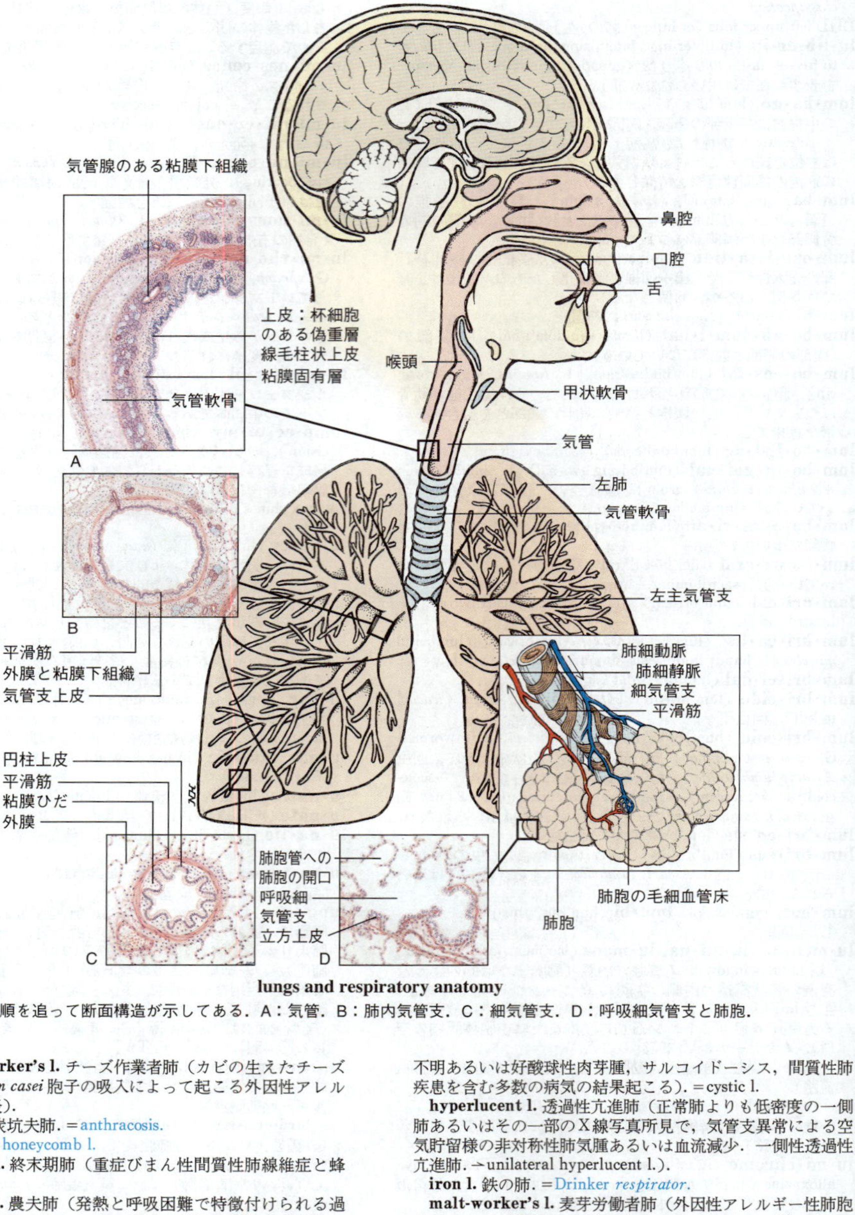

lungs and respiratory anatomy

順を追って断面構造が示してある．A：気管．B：肺内気管支．C：細気管支．D：呼吸細気管支と肺胞．

cheese worker's l. チーズ作業者肺（カビの生えたチーズの *Penicillium casei* 胞子の吸入によって起こる外因性アレルギー性肺胞炎）.

collier l. 炭坑夫肺．＝anthracosis.

cystic l. ＝honeycomb l.

endstage l. 終末期肺（重症びまん性間質性肺線維症と蜂巣肺）.

farmer's l. 農夫肺（発熱と呼吸困難で特徴付けられる過敏性肺炎．乾草の山やサイロなどの高湿で繁殖する *Micromonospora vulgaris*, *M. faeni*, *Thermopolyspora polyspora* などの好熱性の放線菌胞子を含むカビの生えた乾草からの有機じん埃の吸入で起こる．反復する暴露が肺胞での感作をもたらし，その結果重度の肺機能低下を伴う肉芽腫性肺疾患を引き起こす）．＝thresher's l.

fibroid l. 肺線維症（慢性間質性肺炎）.

honeycomb l. 蜂巣肺（間質性線維症に基づく肺のX線および肉眼的所見で細気管支および末梢気腔の嚢状拡張．原因不明あるいは好酸球性肉芽腫，サルコイドーシス，間質性肺疾患を含む多数の病気の結果起こる）．＝cystic l.

hyperlucent l. 透過性亢進肺（正常肺よりも低密度の一側肺あるいはその一部のX線写真所見で，気管支異常による空気貯留様の非対称性肺気腫あるいは血流減少．一側性透過性亢進肺．→unilateral hyperlucent l.）.

iron l. 鉄の肺．＝Drinker *respirator*.

malt-worker's l. 麦芽労働者肺（外因性アレルギー性肺胞炎で，ビール製造中に汚染したオオムギの *Aspergillus clavatus* や *A. fumigatus* の胞子を吸入することによって起こる）.

mason's l. 石工肺（石粉による珪肺症）.

miner's l. 坑夫肺（①＝anthracosis. ②＝black l.）.

mushroom-worker's l. キノコ栽培者肺（外因性アレルギー性肺胞炎で，栽培中汚染したキノコの *Thermopolyspora polyspora*, *Micromonospora vulgaris* の胞子を吸入することにより起こる）.

popcorn worker's l. (pop′kōrn wŏrk′ĕr lŭng). ポップコ

ーン製造従業員肺（電子レンジを用いたポップコーン製造所の従業員に職業病として起こる閉塞性細気管支炎）.

postperfusion l. 体外循環後肺（体外循環を用いて心臓手術を行った患者に起こる肺機能異常状態．体外循環技術と器具の進歩により，現在はまれ）.

pump l. ポンプ肺. ＝shock l.

quiet l. 静止肺（胸部手術の間，肺の動きを止めることにより外科処置を促進するための肺の虚脱）.

shock l. ショック肺（ショックにおいて，浮腫の進展，灌流障害，肺胞腔の減少によって肺胞の虚脱が起こること）. ＝pump l.; wet l.; white l.

silo-filler's l. サイロ作業者肺（サイロに貯蔵したマグサに暴露されただれかに，通常 1—4 時間後に起こる肺水腫で，恐らく二酸化窒素による．閉塞性細気管支炎に進展しうる）.

thresher's l. 脱穀者肺. ＝farmer's l.

unilateral hyperlucent l. 一側性透過性亢進肺（一側優位の慢性閉塞性細気管支炎. ⇀unilateral lobar *emphysema*.→ Swyer-James *syndrome* (2)）.

uremic l. 尿毒症性肺症（腎不全と高血圧症を併発した肺門周囲浮腫．肺の周囲には浮腫はない）. ＝uremic pneumonia (1); uremic pneumonitis.

vanishing l. 消失肺（⇀vanishing lung *syndrome*）.

welder's l. 溶接工肺（溶接と関係がある比較的良性の型のじん肺で，肺に金属性粒子が沈着することから起こる）.

wet l., white l. ***1*** ＝shock l. ***2*** ＝adult respiratory distress *syndrome*.

lung·worms (lŭng′wŏrmz). 肺虫（動物の気道に寄生する線虫で，主に Metastrongylidae 科（または Protostrongylidae 科）に属する. ⇀*Aelurostrongylus*; *Crenosoma vulpis*; *Metastrongylus*; *Muellerius capillaris*）.

lu·nu·la, pl. **lu·nu·lae** (lū′nū-lă, -lē) [L. *luna*(moon)の指小辞][TA]. 半月（①[NA]．爪板近位部の白っぽいアーチ形の領域．②小さな半月形の構造物）.

azure l. of nails アズールの爪半月（肝レンズ核変性症においてすべての爪半月が変色して青みがかること）.

l. unguis [TA]. ＝*lunule* of nail.

lu·nule (lū′nūl). ***1*** [TA]. 爪半月. ＝l. of nail. ***2*** 半月（半月形のもの）.

l. of nail 爪半月（爪板近位部の白っぽいアーチ形の領域）. ＝arcus unguium; half-moon; lunula unguis[TA]; lunule (1); selene unguium.

lu·pin·i·dine (lū-pin′i-dēn). ルピニジン. ＝sparteine.

lu·pi·no·sis (lū-pi-nō′sis) [L. *lupinus*, lupine＜*lupus*, wolf]. ハウチワマメ中毒〔症〕. ＝lathyrism.

lu·poid (lū′poyd) [L. *lupus* + G. *eidos*, resemblance]. 類狼瘡の，狼瘡様の.

lu·pu·lin (lū′pū-lin). ホップ腺，ルプリン（ホップのつる，すなわち *Humulus lupulus* の果実および苞から得られる完全な多細胞性腺毛（藻糸）からなる粘着性の黄色顆粒物質．これらの腺毛の精油および樹脂がビールやホップからつくられる薬剤の特徴的な苦味の原因である．鎮静・鎮痙薬に用いる）. ＝humulin.

lu·pus (lū′pŭs) [L. wolf]. 狼瘡（最初は咬まれたような皮膚のびらんを示す用語であったが，現在は以下のような種々の疾患を表す形容語となっている）.

chilblain l. ***1*** ＝chilblain l. erythematosus. ***2*** サルコイドーシスの一症状としての凍瘡状狼瘡.

chilblain l. erythematosus 凍瘡状エリテマトーデス（紅斑性エリテマトーデス（狼瘡）患者に認められる皮膚病変で，凍瘡とよばれる寒冷暴露部分の小硬化性結節局面に類似する）. ＝chilblain l. (1).

chronic discoid l. erythematosus 慢性円板状エリテマトーデス，慢性円板状紅斑性狼瘡. ＝discoid l. erythematosus.

cutaneous l. erythematosus 皮膚エリテマトーデス（①円板状エリテマトーデスの患者に認められる皮膚疾患．②全身性エリテマトーデスの患者に認められる様々な皮膚症状に対する術語）.

discoid l. erythematosus 円板状エリテマトーデス，円板状紅斑性狼瘡（エリテマトーデスの一型で，皮膚病変が存在するもの．顔面に最も好発し，紅斑，角質増殖，毛孔性角栓，毛細血管拡張を伴った萎縮性局面を呈する．全身性エリテマトーデスに進行することがある）. ＝chronic discoid l. erythematosus.

disseminated l. erythematosus 播種状エリテマトーデス，播種状紅斑性狼瘡. ＝systemic l. erythematosus.

drug-induced l. 薬剤誘発性エリテマトーデス（薬剤暴露により誘発された全身性エリテマトーデスの症候群．特に抗ヒストン抗体出現が特徴で，誘発薬剤としてはプロカインアミド，またはヒドララジン．通常のエリテマトーデスよりは軽症で，腎障害の発生は少ない．この症候群は原因薬剤中止後に消失する）. ＝hydralazine syndrome.

l. erythematosus (LE, L.E.) エリテマトーデス，紅斑性狼瘡（[誤ったつづり lupus erythematosis を避けること]．慢性（皮膚病変のみであるのが特徴），亜急性（慢性円板状期のものよりも臨床的，組織学的により広汎性で急性であるが，表在性で瘢痕を残さずに再発を繰り返す皮膚病変を特徴とする），全身性あるいは播種状（抗核抗体が認められ，そして通常，主要な臓器組織は侵される）のものがある疾患.→ discoid l. erythematosus; systemic l. erythematosus）.

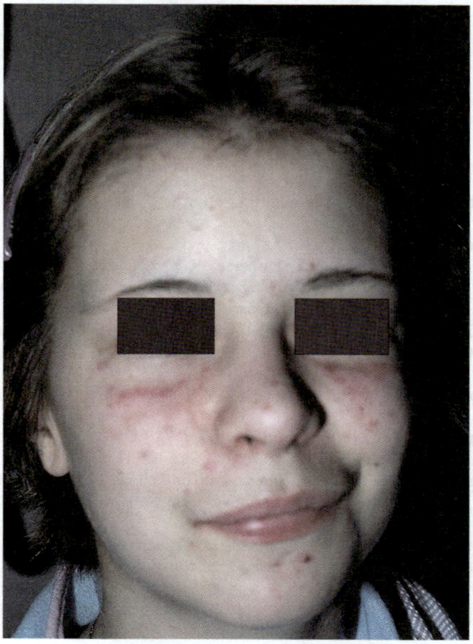

systemic lupus erythematosus
特有の頬の蝶形紅斑.

l. erythematosus, neonatal 新生児エリテマトーデス（全身性エリテマトーデスの母親から経胎盤的に自己抗体が移行した結果として，誕生時より出現するエリテマトーデス．一過性血液異常と皮膚症状，そして不可逆的心奇形を特徴とする）.

l. erythematosus profundus 深在性エリテマトーデス，深在性紅斑性狼瘡（脂肪小葉への著明なリンパ球浸潤を伴う皮下脂肪織炎で，深在性弾性硬の結節を形成し，ときに潰瘍化する．通常は顔面に生じる．全身性エリテマトーデスや限局性エリテマトーデスにみられることがある）. ＝l. profundus.

l. livedo 青色皮斑狼瘡（四肢の持続性紫藍病変．Raynaud 病の皮膚症状を伴う）.

l. miliaris disseminatus faciei 顔面播種状粟粒性狼瘡（顔面の粟粒様丘疹である．病理組織学的には結核様の毛包周囲性の浸潤を伴っているが，恐らくは結核感染よりは酒皶と関連がある）.

neonatal l. 新生児エリテマトーデス（妊娠中にエリテマトーデスに罹患していた母親より出生した新生児に発症するエリテマトーデス．抗 SSA 抗体を測定するためのスクリー

L

ニングが試みられるべきである。50% の患児は抗核抗体を有する．多様な皮膚症状を認め，それらは，消失または瘢痕を残す．症候群は通常消失するが，循環器症状の出現が致命的である．一部の患児はその後エリテマトーデスに移行する）．

l. pernio 凍瘡状狼瘡（紫色の硬結を呈する慢性の肉芽腫性皮膚サルコイドーシスの病変．臨床的に凍瘡に類似し，耳介，頬，鼻，口唇，額部に生じる．通常，胸郭内サルコイドーシスを伴う）．

l. profundus (prō-fŭn′dŭs) [L. deep]．深在性エリテマトーデス．= l. erythematosus profundus.

l. serpiginosus 蛇行状狼瘡（遠心性に拡大する皮膚の結核性病変で，中心から瘢痕治癒する）．

systemic l. erythematosus (**SLE**) [MIM*152700]．全身性エリテマトーデス，全身性紅斑性狼瘡（炎症性の結合織疾患の１つで，発熱，脱力感，易疲労性，関節リウマチに似た関節痛や関節炎のほか，顔面，頸部，上肢にびまん性の紅斑性皮膚病変をきたす．これらの皮疹は組織学的に基底層の液状変性と表皮萎縮を示す．このほか，リンパ節腫大，胸膜炎，心膜炎，腎糸球体病変，貧血，高ガンマグロブリン血症，LE 細胞テスト陽性，核蛋白・二本鎖 DNA・その他の物質に対する血清中の抗体陽性など種々の所見を示す）．= disseminated l. erythematosus.

l. vulgaris 尋常性狼瘡（顔面，特に鼻および耳の周りの特徴的な結節性病変を伴った皮膚結核）．

LUQ left upper quadrant (of abdomen)（(腹部の)左上四分円領域，左上腹部）の略．

lur·a (lur′ă) [L. the mouth of a bottle]．漏斗口（脳漏斗の収縮端）．

lur·al (lūr′ăl)．漏斗口の．

Lusch·ka (lūsh′kah), Hubert．ドイツ人解剖学者，1820—1875．→L. *bursa*, *cartilage*, *ducts*, *gland*, cystic *glands*, *joints*, *ligaments*, *sinus*, *tonsil*; *foramen* of L.

Luse (lūs), Sarah A．米国人医師，1918—1970．→L. *bodies*.

lus·i·tropic (lūs′i-trō′pik)．拡張性（心筋や心腔の拡張機能に関する）．

lus·it·ro·py (lūs-it′trō-pē)．拡張機能（心筋や心腔の拡張機能）．

lute (lūt) [L. *lutum*, mud]．封泥する（ワックスやセメントで封じる，またはしっかり留める）．

lu·te·al (lū′tē-ăl) [L. *luteus*, saffron-yellow]．黄体の（例えば，黄体ホルモン l. hormone，黄体細胞 l. cells などをいう）．= luteus.

lu·te·ci·um (lū-tē′sē-ŭm)．ルテチウム．= lutetium.

lu·te·in (lū′tē-in) [L. *luteus*, saffron-yellow]．ルテイン（① 黄体，卵黄の黄色色素または脂肪色素．② = xanthophyll．③ ブタの黄体の乾燥粉末で，以前はプロゲステロン源として用いられた）．

lu·te·in·i·za·tion (lū′tē-in-i-zā′shŭn)．黄体化，黄体形成（排卵後，卵胞とその内莢膜が黄体に転換すること．黄体組織の形成．外観が黄色を呈する）．

lu·te·i·nize (lū′tē-ĭ-nīz)．黄体を形成する．

lu·te·i·no·ma (lū′tē-i-nō′mă)．= luteoma.

Lu·tem·ba·cher (lū′tĕm-bahk-ĕr), René．フランス人心臓病専門医，1887—1916．→L. *syndrome*.

lu·te·o·gen·ic (lū′tē-ō-jen′ik)．黄体化の，黄体形成の（黄体の産生または成長をもたらすものについていう）．

lu·te·o·hor·mone (lū′tē-ō-hōr′mōn)．黄体ホルモン．= progesterone.

lu·te·ol, lu·te·ole (lū′tē-ol, -ōl)．ルテオール．= xanthophyll.

lu·te·o·lin (lū′tē-ō′lin)．ルテオリン（ガルテオリンとシナロシドのアグリコン）．= cyanidenon.

lu·te·ol·y·sin (lū′tē-ol′i-sin) [L. *luteus*, saffron-yellow + G. *lysis*, dissolution]．黄体融解素，ルテオリジン（黄体機能を消失させる天然あるいは合成剤の総称）．

lu·te·ol·y·sis (lū′tē-ol′i-sis)．黄体融解（[誤った発音 luteoly′sis を避けること]．卵巣黄体組織の変性または破壊）．

lu·te·o·lyt·ic (lū′tē-ō-lit′ik)．黄体の消退化の特徴またはその促進効果．

lu·te·o·ma (lū′tē-ō′mă)．黄体腫（顆粒膜または莢膜－黄体膜細胞起源の卵巣腫瘍で，子宮粘膜にプロゲステロン作用を及ぼす）．= luteinoma.

pregnancy l. 妊娠性黄体腫（卵巣の良性黄体細胞腫）．

lu·te·o·tro·pic, lu·te·o·tro·phic (lū′tē-ō-tro′pik, -trof′ik)．黄体刺激[性]の（黄体の発達および機能の刺激作用をもつものについていう）．

lu·te·ti·um (**Lu**) (lū-tē′shē-ŭm) [L. *Lutetia*, Paris]．ルテチウム（希土類元素．原子番号 71，原子量 174.967）．= lutecium.

lu·te·us (lū-tē′ŭs) [L.]．黄の（[本形容詞は男性名詞(Actinomyces luteus)でのみ用いられる．女性名詞では lutea の形(macula lutea)で，中性名詞では luteum の形で用いられる(corpus luteum)]）．= luteal.

Lu·ther·an Blood Group, Lu Blood Group (lū′ther-in blŭd grūp)．付録 Blood Groups 参照．

lu·tro·pin (lū′trō-pin)．ルトロピン（２種の糖蛋白ホルモンの１つであり，卵胞の最終成熟を促し，排卵を起こさせ，プロゲステロンの分泌を促進する．そして破裂した卵胞を黄体に転化させる）．= interstitial cell-stimulating hormone; luteinizing hormone; luteinizing principle.

lu·tu·trin (lū′tū-trin)．ルーツトリン（雌ブタの黄体から抽出した水溶性の蛋白様分屑．レラキシンに似ている．子宮筋弛緩作用があり，月経困難症に用いる）．

Lutz (lūtz), Alfredo．ブラジル人医師，1855—1940．→L.-Splendore-Almeida *disease*.

Lutz·o·my·ia (lūtz′ō-mī′ă)．ルツォミヤ属（新世界サシチョウバエまたは吸血性の midge の一属(チョウバエ科)で，リーシュマニア症およびオロヤ熱の媒介の役をする．以前は旧世界サシチョウバエの *Phlebotomus* 属と一緒にされていた）．

L. flaviscutellata チクレロ潰瘍の原因であるメキシコリーシュマニア *Leishmania mexicana* を媒介するスナバエ(サシチョウバエ)の一種．= *Phlebotomus flaviscutellatus*.

L. intermedius 鼻咽頭リーシュマニアの原因であるブラジルリーシュマニア *Leishmania braziliensis* を媒介するスナバエ(サシチョウバエ)の一種．

L. longipalpis ヒゲナガサシチョウバエ．= *Phlebotomus longipalpis*.

L. peruensis ペルーサシチョウバエ（ウタ症の原因であるペルーリーシュマニア *Leishmania peruviana* を媒介するスナバエ(サシチョウバエ)の一種）．

lux (**lx**) (lŭks) [L. light]．ルクス（照度の単位．１平方メートルの面を１ルーメンの光束で一様に照らしたときの照度）．= candle-meter; meter-candle.

lux·a·tio (lŭk-sā′shē-ō) [L. *luxo*, pp. *-atus*, to dislocate]．脱臼（→luxation）．

l. erecta 直立[性]脱臼（上腕骨頭の関節窩下脱臼．腕は挙上，外転して下げることができない）．

l. perinealis 会陰脱臼（大腿骨頭が会陰に脱臼している状態）．

lux·a·tion (lŭk-sā′shŭn) [L. *luxatio*]．脱臼（① = dislocation．② 歯科において，下顎関節窩における顆頭の，あるいは歯槽からの，歯の転位または移動）．

Malgaigne l. (mahl-gān′)．マルゲーニュ脱臼．= nursemaid′s *elbow*.

Lux·ol fast blue (lŭks′ol fast blū)．ルクソールファストブルー（神経線維のミエリン染色(過ヨウ素酸 Schiff，リンタングステン酸ヘマトキシリン，ヘマトキシリン，硝酸銀などを用いる)に用いる密接に関連したフタロシアニン銅染料の一群の名称）．

lux·us (lŭks′ŭs) [L. extravagance, luxury]．過剰，拡張（[複数形は luxi ではなく luxus である]）．

Lu·ys (lū-ēz′), Jules Bernard．フランス人医師，1828—1897．→L. *body*; *centre* médian de L.; *corpus* luysi; *nucleus* of L.

LV left *ventricle* の略．

LVEF left ventricular ejection *fraction* の略．

LVET left ventricular ejection *time* の略．

LVN licensed vocational *nurse*; Licensed Visiting Nurse(認定訪問看護師)の略．

Lw ローレンシウムの以前用いられた記号．

lx lux の略．

ly·ase (lī′ās)．リアーゼ（基質から非加水分解的に置換基を取り去る酵素(EC class 4)．"hydro-" および "ammonia-" の接頭語が反応の型を示すのに用いられる．リアーゼの慣用名にはシンターゼ，デカルボキシラーゼ，アルドラーゼ，デヒドラターゼがある．*cf.* synthase; synthetase).

ly·can·thro·py (lī-kan′thrŏ-pē) [G. *lykos*, wolf + *anthrōpos*, man]．狼狂，オオカミ憑(つ)き（自分がオオカミであるという病的な妄想．オオカミ男迷信に関する精神的な先祖返りであろうと考えられる）．

ly·coc·to·nine (lī-kok′tō-nēn)．リコクトニン（トリカブトの非常に毒性の強い種 *Aconitum lycoctonum* から得られるアルカロイド．*Aconitum*属および *Delphinium*属の他の種にも存在する）．

ly·co·pene (lī′kō-pēn)．リコペン；Ψ,Ψ-carotene（トマトの特徴的な赤色色素で，化学的に全天然カロチノイド色素の親物質と考えられる．不飽和炭化水素で，8つのイソプレンからなり，水素添加されたもの2つと共役二重結合を11もつ）．

ly·co·pe·ne·mi·a (lī′kō-pĕ-nē′mē-ă) [lycopene + G. *haima*, blood]．リコペン血〔症〕（血液中に高濃度のリコペンが存在する状態．皮膚にカロチノイド様の黄色色素沈着を生じ，トマトやトマトジュースまたはリコペンを含有した果実および漿果を過剰に摂取する人にみられる）．

Ly·co·per·don (lī′kō-per′don) [G. *lykos*, wolf + *perdomai*, to break wind]．ホコリタケ属（ホコリタケキノコの一属．例えば，代替医療で鼻出血の治療に鼻孔吸入するなど医薬に用いられている種もある．*L. bovista*(*L. gemmatum*, *L. caelatum*) と *L. pyriforme* の胞子はまれに，ホコリタケ症を起こす）．＝puffball.

ly·co·per·do·no·sis (lī′kō-per′don-ō′sis)．ホコリタケ症（*Lycoperdon pyriforme* と *L. bovista* の胞子を吸入して起こる持続性肺炎）．

ly·coph·o·ra (lī-kof′ō-ră)．十鉤幼虫，リコフォラ（原始的な条虫である単節条虫亜綱にみられる10個の鉤を有する幼虫）．

ly·co·po·di·um (lī′kō-pō′dē-ŭm) [G. *lykos*, wolf + *pous*, foot]．セキショウシ(石松子)（ヒカゲノカズラ科 *Lycopodium clavatum* および他の *Lycopodium*属の種の胞子．黄色い無味無臭の粉末．掃除粉として，また薬学において，箱入り錠剤の癒着を防ぐのに用いる）．＝club moss; vegetable sulfur.

lye (lī) [A.S. *leáh*]．灰汁，アルカリ液（木灰をこして得られる液体．→*potassium* hydroxide; *sodium* hydroxide)．＝lixivium.

Ly·ell (lī-yel′), Aian. →L. *disease*, *syndrome*.

Lym·nae·a (lim-nē′ă) [G. *limnē*, marsh]．モノアラガイ属（この属のある種は，肝吸虫またはヒツジ肝吸虫，つまり肝蛭 *Fasciola hepatica* および他の吸虫類の無脊椎動物宿主である）．

lymph (limf) [L. *lympha*, clear spring water][TA]．リンパ（清澄，透明，ときにわずかに黄色のやや不透明な液体で，身体中の組織から集められ，リンパ節を通してリンパ管へ流れ，静脈血循環に合流する．リンパは，清澄な液体部分，数量不定の白血球(主にリンパ球)，および若干の赤血球からなる）．＝lympha [TA].

aplastic l. 形成不全〔性〕リンパ（比較的多数の白血球を含むが，フィブリノーゲンは比較的少ないリンパ．良好な凝塊をつくらず，器質化される傾向は少ない）．＝corpuscular l.

blood l. 血液〔性〕リンパ（血管から滲出するリンパで，組織間隙にある液体に由来しないリンパ）．

corpuscular l. 血球〔性〕リンパ．＝aplastic l.

croupous l. クループリンパ（異常に多量のフィブリノーゲンを含有する炎症性リンパの一型．比較的密なマット状になったフィブリンによって偽膜が形成されやすい）．

dental l. ＝dentinal *fluid*.

euplastic l. 正常形成〔性〕リンパ（比較的少数の白血球と，比較的高濃度のフィブリノーゲンを含有するリンパで，凝塊をつくりやすく，線維組織とともに器質化される傾向をもつ）．

fibrinous l. 線維素〔性〕リンパ．＝euplastic l.; croupous l.

inflammatory l. 炎症リンパ（微黄色の，通常，凝固しうる液(すなわち正常形成性リンパ)．急性炎症を起こした膜や損傷した皮膚の表面に集まる）．

intercellular l. 細胞間リンパ（種々の器官や組織の細胞間隙にある液体）．

intravascular l. 脈管内リンパ（リンパ管中にあるリンパ．細胞間リンパや血管から滲出するリンパとは異なる）．

plastic l. 形成〔性〕リンパ（器質化する傾向のある炎症性リンパ）．

tissue l. 組織リンパ（真のリンパ．主として組織間隙の液に由来するリンパ．血液性リンパとは異なる）．

vaccine l., vaccinia l. 痘苗（種痘症の痘疱から集められ，痘瘡の能動免疫に用いるリンパ）．

lymph- (limf). →lympho-.

lym·pha (lim′fă) [L.][TA]．リンパ．＝lymph.

lym·pha·den (lim′fa-den) [lymph- + G. *adēn*, gland]．リンパ節．＝lymph node.

lymphaden- (lim′fă-den). →lymphadeno-.

lym·phad·e·nec·to·my (lim-fad′ĕ-nek′tŏ-mē) [lymphadeno- + G. *ektomē*, excision]．リンパ節切除〔術〕．

lym·phad·e·ni·tis (lim-fad′ĕ-nī′tis) [lymphadeno- + G. *-itis*, inflammation]．リンパ節炎．

dermatopathic l. 皮膚病性リンパ節炎．＝dermatopathic *lymphadenopathy*.

mesenteric l. 腸間膜リンパ腺炎．＝mesenteric *adenitis*.

paratuberculous l. 傍結核性リンパ節炎（特に結核性ではない(結核菌が証明されない)が，身体の他の部分や器官における明らかな結核性炎症に合併して起こるリンパ節の慢性炎症の古語）．

regional l. 限局性リンパ節炎（ある感染巣より流入する領域のリンパ節の炎症）．

regional granulomatous l. 局所性肉芽腫性リンパ節炎．＝catscratch *disease*.

tuberculosis l. 結核性リンパ腺炎．＝tuberculous l.

tuberculous l. 結核性リンパ節炎（ヒト結核菌 *Mycobacterium tuberculosis* の感染によって起こるリンパ節炎，リンパ腺の結核）．＝tuberculosis l.

lymphadeno-, lymphaden- (lim-fad′ĕ-nō, lim′fă-den). [L. *lympha*, spring water + G. *adēn*, gland]．リンパ節を意味する連結形．

lym·phad·e·nog·ra·phy (lim-fad′ĕ-nog′ră-fē) [lymphadeno- + G. *graphō*, to write]．リンパ節造影〔法〕（造影剤を注入してリンパ節をX線像として見る方法．リンパ管造影）．

lym·phad·e·noid (lim-fad′ĕ-noyd) [lymphadeno- + G. *eidos*, resemblance]．リンパ節様の．

lym·phad·e·no·ma (lim-fad′ĕ-nō′mă) [lymphadeno- + G. *-ōma*, tumor]．***1*** 拡張したリンパ節を表す現在では用いられない語．***2*** ＝Hodgkin *disease*.

lym·phad·e·nop·a·thy (lim-fad′ĕ-nop′ă-thē) [lymphadeno- + G. *pathos*, suffering]．***1*** リンパ節症，リンパ節腫脹〔症〕，リンパ節(腺)病（リンパ節を侵す病態の総称）．***2*** 画像上，腫大したリンパ節が出現している状態．

angioimmunoblastic l. with dysproteinemia (AILD) 異蛋白血症を伴う血管免疫芽球性リンパ節症（全身性リンパ節腫張，肝・脾腫，発熱，発汗，体重減少，皮疹，そう痒，高ガンマグロブリン血症を特徴とするリンパ増殖性疾患．主として高齢者に起こりしばしば致死的である．B細胞の増加とT細胞の減少が認められている）．＝immunoblastic l.

bulky l. ＝bulky *disease*.

dermatopathic l. 皮膚病性リンパ節症（脂肪やメラニンを含むマクロファージと淡染性の互いに嵌合した細網細胞の増殖を伴うリンパ節の腫大．種々の皮膚炎に続発する）．＝dermatopathic lymphadenitis.

immunoblastic l. ＝angioimmunoblastic l. with dysproteinemia.

persistent generalized l. 持続性全身性リンパ節腫（ヒト免疫不全ウイルスに感染した患者に認められる，リンパ節の反応性過形成を特徴とする症候群(少なくとも，1か月の期間，身体の2つ以上の部分(鼡径部は含めない)のリンパ節腫脹)．リンパ節は良性反応性過形成から混合沪胞性過形成の段階を経て，リンパ球欠如性沪胞性へと進行していく．多くは悪性非 Hodgkin 性リンパ腫へと進行する）．

lym·phad·e·no·sis (lim-fad′ĕ-nō′sis) [lymphadeno- + G. *-osis*, condition]．リンパ節症（リンパ性白血病やある種の炎症におけるリンパ節の拡大を起こす基礎的増殖過程）．

benign l. 良性リンパ節症．＝infectious *mononucleosis*.

L

lym·phad·e·no·va·rix (lim-fad′ĕ-nō-vā′riks)［lymphadeno- + L. *varix*］. リンパ節瘤（リンパ管拡張を伴うリンパ節の瘤状変形）.

lym·pha·gogue (limf′ă-gog)［lymph + G. *agōgos*, drawing forth］. 催リンパ薬，増リンパ物質（[誤ったつづり lymphogogue を避けること]．リンパの形成や流れを増加させる物質または薬剤）.

lym·phan·ge·i·tis (lim-fan′jē-ī′tis). ＝lymphangitis.

lymphangi- (lim-fan′jē). →lymphangio-.

lym·phan·gi·al (lim-fan′jē-ăl). リンパ管の.

lym·phan·gi·ec·ta·sis, lym·phan·gi·ec·ta·sia (lim-fan′jē-ek′tă-sis, -ek-tā′zē-a)［lymphangio- + G. *ektasis*, a stretching］. リンパ管拡張〔症〕（リンパ管の拡張．リンパ管腫の形成を起こす基礎的過程）．＝lymphectasia; telangiectasia lymphatica.

cavernous l. 海綿状リンパ管拡張〔症〕．＝*lymphangioma* cavernosum.

cystic l. ＝*lymphangioma* cysticum.

intestinal l.［MIM*152800］. 腸リンパ管拡張〔症〕（腸リンパ管の損傷をみる家族性のもので，リンパ球減少症や低ガンマグロブリン血症を引き起こす）.

simple l. ＝*lymphangioma* simplex.

lym·phan·gi·ec·tat·ic (lim-fan′jē-ek-tat′ik). リンパ管拡張〔症〕の.

lym·phan·gi·ec·to·my (lim-fan′jē-ek′tŏ-mē)［lymphangio- + G. *ektomē*, excision］. リンパ管切除〔術〕.

lym·phan·gi·i·tis (lim-fan-jē-ī′tis). ＝lymphangitis.

lymphangio-, lymphangi- (lim-fan′jē-ō, lim-fan′jē)［L. *lympha*, spring water + G. *angeion*, vessel］. リンパ管に関する連結形.

lym·phan·gi·o·en·do·the·li·o·ma (lim-fan′jē-ō-en′dō-thē′lē-ō′mă)［lymphangio- + endothelium + *-oma*, tumor］. リンパ管内皮腫（リンパ管静脈複合奇形の古語）.

lym·phan·gi·og·ra·phy (lim-fan′jē-og′ră-fē)［lymphangio- + G. *graphō*, to write］. リンパ管造影(撮影)〔法〕（造影剤を注入してリンパ管とリンパ節をX線撮影する方法．リンパ造影法の１つ）.

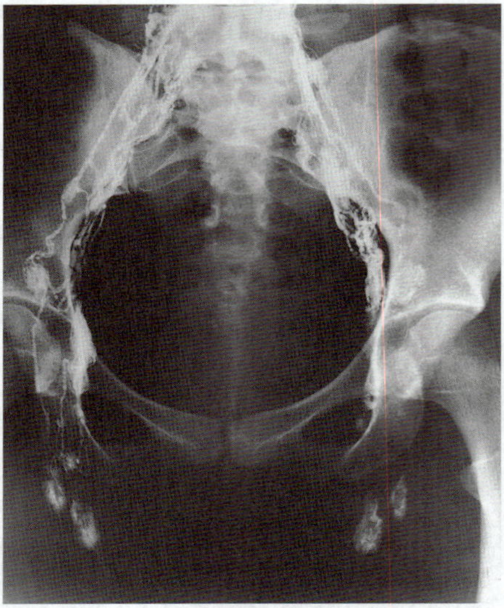

lymphangiography

A-P撮影X線写真で，造影剤は鼡径と骨盤のリンパ管およびリンパ節を示す.

lymphangiohemangioma (lim-fan′jē-ō-hē-man-jē-ō′mă). リンパ管血管腫（主としてリンパ管と血管よりなる限局性の奇形．自然退縮はまれである．血管腫が優勢であれば血管リンパ管腫（hemangiolymphangioma）とされる.→hemangiolymphangioma）.

lym·phan·gi·o·lei·o·my·o·ma·to·sis (lim-fam′jē-ō-lī′ō-nū′ō-mă-tō′sis)［MIM*606690］. リンパ脈管筋腫症（妊娠可能年齢の女性と結節性硬化症の男女を問わない患者にみられる原因不明のまれな病気．主として気管支血管構造にそって平滑筋の奇形腫様増殖に基づく肺合併症で気道の閉塞をもたらし，続発する肺嚢胞を形成する．肺移植治療が成功している）．＝lymphangiomyomatosis.

lym·phan·gi·ol·o·gy (lim-fan-jē-ol′ŏ-jē)［lymphangio- + G. *logos*, study］. リンパ管学（リンパ管に関する医学の分野）．＝lymphology.

lym·phan·gi·o·ma (lim-fan-jē-ō′mă)［lymphangio- + G. *-oma*, tumor］. リンパ管腫（奇形リンパ管またはリンパ路の塊によって形づくられた腫瘍を表す一般名．リンパ管壁は正常内皮細胞によっておおわれ，通常高度に拡張する．通常，リンパ組織は病巣の末梢部にある．リンパ管腫は出生時または出生直後に出現し，真性新生物というよりもリンパ管の異常発育を示すものと考えられる．リンパ管腫がよくできるのは頸部や腋窩だが，腕，腸間膜，後腹膜，その他の部位でみられることもある）.

l. cavernosum 海綿状リンパ管腫（かなり限局した領域におけるリンパ管の顕著な拡張の状態．しばしばリンパで充満した腔あるいは“lakes(湖)”の形成を伴う）．＝cavernous lymphangiectasis.

cavernous l. 海綿状リンパ管腫（より広範囲な単純性リンパ管腫か，リンパ管腫の範囲が表面的あるいは皮膚深部に及ぶだけではなく，皮下やときには筋膜や筋肉に及ぶリンパ管腫）.

l. circumscriptum 限局性リンパ管腫（限局性の，強度に緊張したリンパ水疱からなる先天性の母斑様病変．表面は水疱の上に肥厚したケラチン層のためにいぼ状となる）．＝l. simplex.

l. cysticum 嚢胞性リンパ管腫（数個または多数の嚢胞状の拡張したリンパ管または空間の限局集団で，管腔は内皮細胞によりおおわれ，リンパ液で充満していることを特徴とする状態）．＝cystic lymphangiectasis.

l. hygroma リンパ管腫ヒグローマ．＝cystic *hygroma*.

l. simplex 単純〔性〕リンパ管腫（皮膚にみられる，小さな，小葉を形成する，増殖する病巣．小葉は透明な液体で満たされるが，ときに間擦性の軽い感染を呈する．これらの小さな病巣の中に静脈出血が起こることもある）．＝l. circumscriptum; simple lymphangiectasis.

l. tuberosum multiplex 多発結節状リンパ管腫（かなり大きなリンパ管や間隙および増殖した内皮細胞群に起因する微赤色の多発性嚢胞様結節(主に体幹に位置する)を特徴とする皮膚病変．特徴的な好発部位を除き，汗腺腫にほぼ類似する）.

l. xanthelasmoideum 類黄色板リンパ管腫（皮膚表面からわずかに隆起している黄褐色または灰褐色の斑を特徴とし，皮膚の弾性組織の膠状変性を伴う毛細リンパ管腫）.

lym·phan·gi·o·ma·tous (lim-fan-jē-ō′mă-tŭs). リンパ管腫の.

lymph·an·gi·o·my·o·ma·to·sis (lim-fan′gē-ō-mī′ō-mă-tō′sis)［lymphangio- + myoma + *-osis*, condition］. リンパ管筋腫症．＝lymphangioleiomyomatosis.

lymph·an·gi·on (lim-fan′jē-on)［L. *lympha*, lymph + G. *angeion*, vessel］. リンパ管（→lymph *vessels*）.

lym·phan·gi·o·phle·bi·tis (lim-fan′jē-ō-flĕ-bī′tis). リンパ管静脈炎.

lym·phan·gi·o·plas·ty (lim-fan′jē-ō-plas′tē)［lymphangio- + G. *plastos*, formed］. リンパ管形成〔術〕（手術的にリンパ管を改変すること）.

lym·phan·gi·o·sar·co·ma (lim-fan′jē-ō-sar-kō′mă). リンパ管肉腫（脈管組織に由来する悪性新生物．すなわち新生物細胞がリンパ管の内皮細胞に由来する血管肉腫．通常，乳房切除根治手術の数年後に腕に発生する）.

lym·phan·gi·ot·o·my (lim-fan′jē-ot′ŏ-mē)［lymphangio- + G. *tomē*, incision］. リンパ管切開〔術〕.

lym·phan·gi·tis (lim′fan-jī′tis)［lymphangio- + G. *-itis*, inflammation］. リンパ管炎．＝lymphangeitis; lymphangiitis.

l. carcinomatosa 癌性リンパ管炎（腫瘍細胞による広範なリンパ管への浸透．周囲を線維でおおわれ，視覚的に認められる，あるいは触知できる索を形成する．特に癌をおおっている皮膚や胸膜に生じる）．

lym·pha·phe·re·sis (lim′fă-fĕ-rē′sis). リンパ球除去. ＝lymphocytapheresis.

lym·phat·ic (lim-fat′ik) [L. *lymphaticus*, frenzied; Mod. L. use, of or for lymph]. ***1*** 〚adj.〛 リンパの. ***2*** 〚n.〛 リンパを運ぶ脈管. ***3*** 〚adj.〛 リンパ質の（精神遅鈍または粘液質の意味で用いられることがある）. ＝vas lymphaticum [TA].

afferent l. 輸入リンパ管（リンパ節にはいってくるリンパ管，あるいはリンパをリンパ節へ運んでくるリンパ管）. ＝afferent vessel (3); vas lymphaticum afferens.

efferent l. 輸出リンパ管. ＝*vas* efferens (1).

lym·phat·i·cos·to·my (lim-fat′i-kos′tŏ-mē) [lymphatic + G. *stoma*, mouth]. リンパ管造瘻術（リンパ管への開口をつくること）.

lymph·at·ics (lim-fat′iks). ＝lymph *vessels*.

lym·pha·ti·tis (lim′fă-tī′tis) [lymphatic + G. *-itis*, inflammation]. リンパ組織炎（リンパ管またはリンパ節の炎症を表す現在では用いられない語）.

lym·pha·tol·o·gy (lim′fă-tol′ŏ-jē) [lymphatic + G. *logos*, study]. リンパ学（リンパ系の学問）.

lym·pha·tol·y·sis (lim′fă-tol′i-sis) [lymphatic + G. *lysis*, dissolution]. リンパ組織溶解（リンパ管，リンパ組織，またはその両方の破壊を表す，現在では用いられない語）.

lym·pha·to·lyt·ic (lim′fă-tō-lit′ik). リンパ組織破壊の.

lym·phec·ta·si·a (lim′fek-tā′zē-ă) [lymph + G. *ektasis*, a stretching]. ＝lymphangiectasis.

lymph·e·de·ma (limf′e-dē′mă) [lymph + G. *oidēma*, a swelling]. リンパ水腫(浮腫)（リンパ管またはリンパ節の閉塞と病変部位への多量のリンパの蓄積による，特に皮下組織の腫脹.→elephantiasis）.

congenital l. 先天性リンパ水腫（→hereditary l.）.

hereditary l. 遺伝性リンパ浮腫（通常，下肢に限局している押すとくぼみのできる永続性の浮腫．常染色体優性遺伝，I 型[MIM*153100]は第 5 染色体長腕にある FMS 様チロシンキナーゼ(*FLT4*)遺伝子の突然変異により生じる）.

l. praecox ＝primary l.

primary l. 原発性リンパ水腫（若い婦人や少女に主にみられる水腫の型で，下肢のびまん性腫脹が特徴）. ＝l. praecox.

lym·phe·mia (lim-fē′mē-ă) [lymph(ocyte) + G. *haima*, blood]. リンパ球血症，リンパ性白血病（異常に多数のリンパ球またはその前駆細胞，あるいはその両者が循環血液中に存在すること）.

lym·phi·za·tion (lim′fi-zā′shŭn). リンパ形成.

LYMPH NODE

lymph node (limf nōd) [TA]. リンパ節（円形，卵形，エンドウマメ形の小体で，リンパ管沿いにみられる．大きさは直径 1—25 mm と様々で，通常，リンパ節門といわれる 1 か所くぼんだところがあり，ここから血管が出入りし輸出リンパ管が出ていく．外部から包むリンパ節被膜と内部の小柱とがリンパ組織を支持している．リンパ組織は，皮質では結節状，髄質では索状をなしている．輸入リンパ管はリンパ節表面の至るところから進入する）. ＝nodus lymphoideus [TA]; lymphonodus*; nodus lymphaticus*; lymph gland; lymphaden; lymphoglandula.

abdominal l. n.'s (parietal and visceral) [TA]. 腹部リンパ節（腹壁および腹部内臓にあるリンパ節の総称.→parietal l.n.'s of abdomen; visceral l. n.'s of abdomen）. ＝nodi lymphoidei abdominis (parietales et viscerales) [TA].

l. n.'s of abdominal organs 腹部内臓リンパ節. ＝visceral l. n.'s of abdomen.

accessory l. n.'s [TA]. 伴行リンパ節（深外側頸リンパ節に属するリンパ節のうち副神経に伴行するもの．そのリンパは鎖骨上リンパ節に注ぐ）. ＝nodi lymphoidei accessorii [TA]; accessory nerve l. n.'s; companion l. n.'s of accessory nerve; nodi lymphatici comitantes nervi accessorii.

accessory nerve l. n.'s 神経伴行リンパ節. ＝accessory l. n.'s.

anorectal l. n.'s 肛門直腸リンパ節. ＝pararectal l. n.'s.

anterior axillary l. n.'s* pectoral axillary l. n.'s の公式の別名.

l. n. of anterior border of omental foramen [TA]. 網嚢孔前縁リンパ節（肝リンパ節群の中の 1 つのリンパ節で，網嚢孔の近傍にあるもの）. ＝nodus lymphoideus foraminalis [TA]; foraminal l. n.; foraminal node.

anterior cervical l. n.'s [TA]. 前頸リンパ節（前頸部にあるリンパ節群で浅群と深群に分かれる）. ＝nodi lymphoidei cervicales anteriores [TA]; nodi lymphoidei colli anteriores*.

anterior deep cervical l. n.'s 深前頸リンパ節. ＝deep anterior cervical l. n.'s.

anterior jugular l. n.'s 前頸静脈リンパ節. ＝superficial anterior cervical l. n.'s.

anterior jugulodigastric l. n. [TA]. 〔頸静脈二腹筋リンパ節の〕前リンパ節（内頸静脈に隣接し，顎二腹筋後腹の直下に位置する．外側頸リンパ節の上深リンパ節に属する）. ＝nodus lymphoideus anterior jugulodigastric [TA].

anterior jugulo-omohyoid l. n.'s [TA]. 〔頸静脈肩甲舌骨筋リンパ節の〕前リンパ節（内頸静脈に隣接し，肩甲舌骨筋の中間腱の直上に位置する．外側頸リンパ節の下深リンパ節に属する）. ＝nodi lymphoidei anteriores juguloomohyoidei [TA].

anterior mediastinal l. n.'s 前縦隔リンパ節. ＝brachiocephalic l. n's.

anterior tibial l. n. [TA]. 前脛骨リンパ節（前脛骨動脈の上部沿いに骨間膜前面にある不定の小リンパ節）. ＝nodus lymphoideus tibialis anterior [TA]; anterior tibial node.

aortic l. n.'s ＝left lumbar l. n.'s.

apical axillary l. n.'s [TA]. 腋窩頂リンパ節（他の腋窩リンパ節群からのリンパを集め鎖骨下リンパ本幹に注ぐ）. ＝nodi lymphoidei axillares apicales [TA].

appendicular l. n.'s [TA]. 虫垂リンパ節（虫垂間膜中の虫垂血管に伴行する内臓リンパ節．虫垂からのリンパを受け取り回結腸リンパ節に注ぐ）. ＝nodi lymphoidei appendiculares [TA].

l. n. of arch of azygos vein [TA]. 奇静脈弓リンパ節（後縦隔リンパ節のうち奇静脈弓の近傍にあるもの）. ＝l. n. of azygos arch; nodus lymphoideus arcus venae azygos.

l. n.'s around cardia of stomach [TA]. 噴門周囲リンパ節（胃の噴門を取り囲むリンパ節群）. ＝anulus lymphaticus cardiae [TA]; cardiac lymphatic ring; lymphatic ring of cardiac part of stomach.

axillary l. n.'s [TA]. 腋窩リンパ節（腋窩静脈の周囲のリンパ節の総称で，上腕，肩甲部，胸筋部，乳腺などからのリンパを受けとり鎖骨下リンパ本幹に注ぐ）. ＝nodi lymphoidei axillares [TA]; axillary glands.

l. n. of azygos arch 奇静脈弓リンパ節. ＝l. n. of arch of azygos vein.

bifurcation l. n.'s 気管分岐部リンパ節. ＝inferior tracheobronchial l. n.'s.

brachial l. n.'s [TA]. 上腕リンパ節（上腕の内側面に存在し，肘窩リンパ節と上腕腋窩リンパ節の間に位置する）. ＝nodi lymphoidei brachiales [TA].

brachiocephalic l. n.'s 腕頭リンパ節（大血管からみて上方の縦隔にあるリンパ節群．胸腺，心膜，心臓の右半分からのリンパを受け取り気管リンパ節を経て気管支縦隔リンパ本幹に注ぐ）. ＝nodi lymphoidei brachiocephalici [TA]; anterior mediastinal l. n.'s; nodi lymphoidei mediastinales anteriores.

bronchopulmonary l. n.'s [TA]. 気管支肺リンパ節（肺門にあるリンパ節群．肺リンパ節からのリンパを受け取り気管気管支リンパ節に注ぐ）. ＝nodi lymphoidei bronchopulmonales [TA]; hilar l. n.'s.

buccal l. n. 頰筋リンパ節（頰筋の浅層にある顔面リンパ節の連鎖）. ＝nodus lymphoideus buccinatorius [TA]; buccinator node; buccal node; nodus buccinatorius.

carinal l. n.'s 気管竜骨リンパ節. ＝inferior tracheobronchial l. n.'s.

caval l. n.'s ＝right lumbar l.n.'s.

celiac l. n.'s [TA]．腹腔〔動脈〕リンパ節（腹腔動脈に伴行する内臓リンパ節群．胃，十二指腸，膵臓，脾臓，胆管，胆嚢からのリンパを受け取り左右の腸リンパ本幹を経て乳び槽に注ぐ）．＝nodi lymphoidei coeliaci [TA].

central axillary l. n.'s [TA]．腋窩中心リンパ節（腋窩静脈の中央部の周囲にあり，外側(上腕)群・胸筋群・肩甲下群からのリンパを受け腋窩頂群に注ぐ）．＝nodi lymphoidei axillares centrales [TA].

central mesenteric l. n.'s 中心上腸間膜リンパ節（→mesenteric l. n.'s）．＝central superior mesenteric l. n.'s.

central superior mesenteric l. n.'s [TA]．中心上腸間膜リンパ節（腸間膜リンパ節のうち上腸間膜動脈の空腸枝・回腸枝に沿って存在するもの）．＝nodi lymphoidei superiores centrales [TA]; central mesenteric l. n.'s; middle group of mesenteric l. n.'s.

colic l. n.'s [TA]．結腸リンパ節（結腸に分布する動脈に沿って存在するリンパ節群．→left colic l. n.'s; middle colic l. n.'s; right colic l. n.'s）．＝nodi lymphatici colici.

common iliac l. n.'s [TA]．総腸骨リンパ節（総腸骨静脈に伴行する腹壁リンパ節群で次の５群に分けられる．ⓘ総腸骨動脈と静脈の間にある中間総腸骨リンパ節，ⓘⓘ総腸骨静脈の外側にある外側総腸骨リンパ節，ⓘⓘⓘ内側にある内側総腸骨リンパ節，ⓘⓥ仙骨岬角にある岬角総腸骨リンパ節，ⓥ腹大動脈分岐部にある大動脈下総腸骨リンパ節．内外腸骨リンパ節からのリンパを受け取り腰リンパ節に注ぐ）．＝nodi lymphoidei iliaci communes [TA].

companion l. n.'s of accessory nerve ＝accessory l. n.'s.

cubital l. n.'s [TA]．肘リンパ節（浅深２群からなり，上腕骨内側顆上方で尺側皮静脈に伴行する．前腕および手の尺側半からのリンパを受け取り上腕リンパ節に注ぐ）．＝nodi lymphoidei cubitales [TA]; l. n.'s of elbow.

cystic l. n. [TA]．胆嚢リンパ節（胆嚢の頸部にある内臓リンパ節．そのリンパは肝リンパ節に注ぐ）．＝nodus lymphoideus cysticus [TA]; cystic node.

deep anterior cervical l. n.'s [TA]．深前頸リンパ節（喉頭，気管，甲状腺の近傍にあるリンパ節群で，舌骨下リンパ節，甲状腺リンパ節，気管前リンパ節，気管傍リンパ節および咽頭後リンパ節がこれに含まれる）．＝anterior deep cervical l. n.'s; nodi lymphoidei cervicales anteriores profundi [TA].

deep inguinal l. n.'s [TA]．深鼡径リンパ節（大腿広筋膜の深部で大腿静脈の内側にある不定の近位・中間・遠位リンパ節群．下肢深部，陰茎亀頭，浅鼡径からのリンパを受け取り外腸骨リンパ節に注ぐ）．

deep lateral cervical l. n.'s [TA]．深外側頸リンパ節（後頸三角をおおう頸筋膜の内部にあり，リンパは左右の頸リンパ本幹に注がれる．上深頸リンパ節，下深頸リンパ節，副リンパ節，鎖骨上リンパ節の４個が連鎖している）．＝nodi lymphoidei cervicales laterales profundi [TA].

deep l. n.'s of upper limb [TA]．上肢の深リンパ節（上肢の深リンパ管(通常，深静脈に伴行する)に沿って存在するリンパ節群）．＝nodi lymphoidei profundi membri superioris [TA].

deep parotid l. n.'s [TA]．深耳下腺リンパ節（耳下腺咬筋筋膜の深層で耳下腺の周辺にあるリンパ節群）．＝nodi lymphoidei parotidei profundi [TA].

deltopectoral l. n.'s [TA]．三角筋胸筋リンパ節（橈側皮静脈の近位端が三角筋大胸筋溝(三角)を通過するところで，この静脈に沿って存在するリンパ節群）．＝nodi lymphoidei deltopectorales [TA].

l. n.'s of elbow ＝cubital l. n.'s.

external iliac l. n.'s [TA]．外腸骨リンパ節（外腸骨静脈に伴行する腹壁リンパ節群で次の３群に分けられる．ⓘ外腸骨動脈と同名静脈の間にある中間外腸骨リンパ節，ⓘⓘ外腸骨静脈の外側の外側外腸骨リンパ節，ⓘⓘⓘ外腸骨静脈の内側の内側外腸骨リンパ節．これらのリンパ節群は鼡径リンパ節，腹壁下部，骨盤内臓からのリンパを受け取り総腸骨リンパ節に注ぐ）．＝nodi lymphoidei iliaci externi [TA].

facial l. n.'s [TA]．顔面静脈リンパ節（顔面静脈に伴行して鎖状に連なるリンパ節．眼瞼，鼻，頬，唇，歯肉などからのリンパを受け取り顎下リンパ節に注ぐ）．＝nodi lymphoidei faciales [TA].

fibular l. n. 腓骨静脈リンパ節（腓骨静脈に伴行して，ときにみられる小リンパ節）．＝nodus lymphoideus fibularis [TA]; fibular node; peroneal l. n.

foraminal l. n. 網嚢孔リンパ節．＝l. n. of anterior border of omental foramen.

gastroduodenal l. n.'s ＝pyloric l. n.'s.

gluteal l. n.'s [TA]．殿静脈リンパ節（内腸骨リンパ節群の壁側リンパ節で，下殿静脈沿いの下殿静脈リンパ節と上殿静脈沿いの上殿静脈リンパ節とに分かれる）．＝nodi lymphoidei gluteales [TA].

l. n.'s of head and neck [TA]．頭頸部リンパ節（頭部および頸部にあるリンパ節の総称で，すべて頸リンパ本幹に流入する）．＝nodi lymphoidei capitis et colli [TA].

hepatic l. n.'s [TA]．肝リンパ節（肝動脈に伴行して肝門までみられる内臓リンパ節群．肝臓，胆嚢，胃，十二指腸，膵臓からのリンパを受け取り腹腔動脈リンパ節に注ぐ）．＝nodi lymphoidei hepatici [TA].

hilar l. n.'s 肺門リンパ節．＝bronchopulmonary l. n.'s.

humeral axillary l. n.'s [TA]．上腕腋窩リンパ節（上腕静脈に伴行するリンパ節．自由上肢の大部分のリンパを受け取り腋窩リンパ節の中心群に注ぐ）．＝nodi lymphoidei axillares humerales [TA]; lateral axillary l. n.'s*; nodi lymphoidei axillares laterales*; nodi lymphoidei humerales [TA].

ileocolic l. n.'s [TA]．回結腸リンパ節（回結腸動脈に伴行する内臓リンパ節群．上行結腸からのリンパを受け取り上腸間膜リンパ節に注ぐ）．＝nodi lymphoidei ileocolici [TA].

inferior deep lateral cervical l. n.'s [TA]．〔外側頸リンパ節の〕下深リンパ節（頸動脈鞘に沿って存在する外側頸リンパ節群の下方部）．＝nodi lymphoidei profunda inferiores cervicales laterales [TA]; nodi lymphoidei profunda inferiores colli laterales*.

inferior epigastric l. n.'s [TA]．下腹壁リンパ節（下腹壁動静脈に伴行する３，４個の腹壁リンパ節．腹部下部のリンパを受け取り外腸骨リンパ節に注ぐ）．＝nodi lymphoidei epigastrici inferiores [TA].

inferior gluteal l. n.'s [TA]．下殿リンパ節（→gluteal l. n.'s）．

inferior mesenteric l. n.'s [TA]．下腸間膜〔動脈〕リンパ節（下腸間膜動脈およびその枝に沿った内臓リンパ節で，直腸上部，Ｓ状結腸，下行結腸のリンパを集める）．＝nodi lymphoidei mesenterici inferiores [TA].

inferior pancreatic l. n.'s [TA]．下膵リンパ節（→pancreatic l. n.'s）．

inferior pancreaticoduodenal l. n.'s [TA]．下膵十二指腸リンパ節（→pancreaticoduodenal l. n.'s）．

inferior phrenic l. n.'s [TA]．下横隔リンパ節（下横隔血管に伴行する小リンパ節群）．＝nodi lymphoidei phrenici inferiores [TA].

inferior tracheobronchial l. n.'s [TA]．下気管気管支リンパ節（気管分岐部下方にある数個の大型のリンパ節．気管支肺リンパ節と心臓からのリンパを受け取り上気管気管支リンパ節および気管リンパ節に注ぐ）．＝bifurcation l. n.'s; carinal l. n.'s; nodi lymphoidei tracheobronchiales inferiores.

infraauricular deep parotid l. n.'s [TA]．耳介下深耳下腺リンパ節（耳介下方の耳下腺筋膜の深層にある数個の小リンパ節）．＝infraauricular subfascial parotid l. n.'s; nodi lymphoidei parotidei profundi infra-auriculares [TA]; nodi lymphoidei infraauriculares [TA].

infraauricular subfascial parotid l. n.'s 耳介下筋膜下耳下腺リンパ節．＝infraauricular deep parotid l. n.'s.

infrahyoid l. n.'s [TA]．舌骨下リンパ節（深前頸リンパ節群のうち，舌骨の高さと甲状軟骨の高さの間に位置するもの）．＝nodi lymphoidei infrahyoidei [TA].

intercostal l. n.'s [TA]．肋間リンパ節（肋間の後方にある１，２個の小リンパ節．壁側胸膜，肋間，後胸壁のリンパを受け取る．上位肋間のリンパ節はリンパを胸管へ注ぐが，下位肋間のリンパ節からのリンパは下行肋間リンパ本幹を経て乳び槽に注ぐ）．＝nodi lymphoidei intercostales [TA].

interiliac l. n.'s [TA]．腸骨動脈間リンパ節（内外腸骨

動脈と閉鎖動脈との間にあるリンパ節群．内側外腸骨リンパ節の一部とみなす人もいる)．＝nodi lymphoidei interiliaci [TA].

intermediate lacunar l. n. [TA]．中間裂孔リンパ節（鼡径部の血管裂孔で外腸骨動脈と静脈の間に出現する１個の不定のリンパ節で，外腸骨リンパ節群に属する)．＝nodus lymphoideus lacunaris (vasculorum) intermedius [TA]; intermediate lacunar node.

intermediate lumbar l. n.'s [TA]．中間腰リンパ節（腹大動脈と下大静脈との間に鎖状に連なるリンパ節群)．＝nodi lymphoidei lumbales intermedii [TA].

internal iliac l. n.'s [TA]．内腸骨リンパ節（内腸骨動脈およびその枝に伴行するリンパ節群．骨盤内臓，殿部，会陰深部からのリンパを受け取り総腸骨リンパ節に注ぐ)．＝nodi lymphoidei iliaci interni [TA].

interpectoral l. n.'s [TA]．胸筋間リンパ節（大胸筋と小胸筋の間にある小リンパ節群．これらの筋および乳腺からのリンパを受け取り腋窩のリンパ組織網に注ぐ)．＝nodi lymphoidei interpectorales [TA].

intraglandular deep parotid l. n.'s [TA]．腺内〔深〕耳下腺リンパ節（深耳下腺リンパ節群のうち耳下腺の内部にある小リンパ節)．＝nodi lymphoidei intraglandulares [TA]; intraglandular parotid l. n.'s; nodi lymphoidei parotidei profundi intraglandulares [TA].

intraglandular parotid l. n.'s ＝intraglandular deep parotid l. n.'s.

intrapulmonary l. n.'s [TA]．肺内リンパ節（肺内部の気管支に伴行するリンパ節群．肺の局所のリンパを受け取り，気管支肺リンパ節に注ぐ)．＝nodi lymphoidei intrapulmonales [TA]; nodi lymphoidei pulmonales; pulmonary l. n.'s.

jugulodigastric l. n. [TA]．頸静脈二腹筋リンパ節（顎二腹筋の下方で内頸静脈の前方にある１個の著明なリンパ節で，深外側頸リンパ節群に属する．咽頭，口蓋扁桃，舌からのリンパを受け取る)．＝nodus lymphoideus jugulodigastricus [TA]; jugulodigastric node; subdigastric node.

juguloomohyoid l. n. [TA]．頸静脈肩甲舌骨筋リンパ節（肩甲舌骨筋中間腱の上方で内頸静脈の前方にある１個のリンパ節で，深部側頸リンパ節に属する．おとがい下，顎下，深前頸リンパ節からリンパを受け取り他の深外側頸リンパ節に注ぐ)．＝nodus lymphoideus juguloomohyoideus [TA]; juguloomohyoid node.

juxtaesophageal l. n.'s [TA]．食道傍リンパ節（食道の両側にみられる数個のリンパ節．食道および肺からのリンパを受け取る)．＝nodi lymphoidei juxtaesophageales [TA]; nodi lymphoidei juxtaesophageales pulmonales.

juxtaintestinal mesenteric l. n.'s [TA]．小腸傍腸間膜リンパ節（腸間膜リンパ節のうち空腸および回腸に密接しているもの)．＝nodi lymphoidei juxtaintestinales [TA].

lateral aortic l. n.'s [TA]．外側大動脈リンパ節（左腰リンパ節群のうち，腹大動脈の左側に位置するもの)．＝nodi lymphoidei aortici laterales [TA].

lateral axillary l. n.'s* 外側腋窩リンパ節（humeral axillary l. n.'s の公式の別名).

lateral caval l. n.'s [TA]．外側大静脈リンパ節（右腰リンパ節群のうち，下大静脈の右側に位置するもの)．＝nodi lymphoidei cavales laterales [TA].

lateral cervical l. n.'s [TA]．外側頸リンパ節（頸部の外側にあって，胸鎖乳突筋よりも深層に位置するリンパ節群．浅・上深・下深の３群に分けられる)．＝nodi lymphoidei cervicales laterales [TA]; nodi lymphoidei colli laterales*; lateral jugular l. n.'s; nodi lymphoidei jugulares laterales.

lateral jugular l. n.'s 外側頸静脈リンパ節＝lateral cervical l. n.'s.

lateral lacunar l. n. [TA]．外側裂孔リンパ節（鼡径部の血管裂孔で外腸骨静脈の外側にある１個のリンパ節で，外腸骨リンパ節群に属する)．＝nodus lymphoideus lacunaris (vasculorum) lateralis [TA]; lateral lacunar node.

lateral pericardial l. n.'s [TA]．外側心膜リンパ節（心膜に血液を供給する心膜横隔動脈に沿ってみられる小さなリンパ節．心膜からのリンパを受け取る)．＝nodi lymphoidei pericardiaci laterales [TA].

lateral vesical l. n.'s [TA]．外側膀胱リンパ節（→paravesical l. n.'s).

left colic l. n.'s [TA]．左結腸リンパ節（左結腸動脈およびその枝に伴行する小リンパ節群．左結腸曲および下行結腸の上部からのリンパを受け取り下腸間膜リンパ節に注ぐ)．＝nodi lymphoidei colici sinistri [TA].

left gastric l. n.'s [TA]．左胃リンパ節（左胃動脈とその枝に伴行するリンパ節群．噴門傍部，上部，下部に区別できる)．＝nodi lymphoidei gastrici sinistri [TA]; superior gastric l. n.'s.

left gastroepiploic l. n.'s 左胃大網リンパ節．＝left gastroomental l. n.'s.

left gastroomental l. n.'s [TA]．左胃大網リンパ節（大網の中で左胃大網動脈に伴行するリンパ節群．胃大弯の一部および大網からのリンパを受け取る)．＝nodi lymphoidei gastroomentales sinistri [TA]; left gastroepiploic l. n.'s.

left lumbar l. n.'s [TA]．左腰リンパ節（腹大動脈に伴行して鎖状に連なるリンパ節．①大動脈外側リンパ節．腹大動脈の左側にある．②大動脈前リンパ節．腹大動脈の前方にある．③大動脈後リンパ節．腹大動脈の後方にある)．＝nodi lymphoidei lumbales sinistri [TA]; lumbar l. n.'s.

l. n. of ligamentum arteriosum [TA]．動脈管索リンパ節（動脈管索の近傍にある前縦隔リンパ節群の不定のリンパ節)．＝nodus lymphoideus ligamenti arteriosi [TA]; node of ligamentum arteriosum.

lingual l. n.'s [TA]．舌リンパ節（舌静脈の周囲のリンパ節で舌尖を除く舌からのリンパを集め顎下リンパ節に注ぐ)．＝nodi lymphoidei linguales [TA].

l. n.'s of lower limb [TA]．下肢リンパ節（下肢にあるリンパ節の総称で，鼡径リンパ節，膝窩リンパ節，脛骨リンパ節，腓骨リンパ節などがある)．＝nodi lymphoidei membri inferioris [TA].

lumbar l. n.'s 腰リンパ節（腰椎の前面に位置する腹壁リンパ節群で，下大静脈や腹大動脈を取り囲む．一般的には，これらの大血管との位置関係で，右腰リンパ節，中間腰リンパ節，左腰リンパ節の各群に分けられる)．＝nodi lymphoidei lumbales.

malar l. n. [TA]．頬リンパ節（顔面リンパ節群の１つで，小頬骨筋の近傍にあるもの)．＝nodus lymphoideus malaris [TA]; malar node.

mandibular l. n. [TA]．下顎リンパ節（顔面リンパ節群の１つで，顔面動脈が下顎骨を横切るところにあるもの)．＝nodus lymphoideus mandibularis [TA]; mandibular nodes.

mastoid l. n.'s [TA]．乳突リンパ節（乳様突起の後方にある２，３個のリンパ節．頭頂部や耳介からのリンパを受け取り深前頸リンパ節に注ぐ)．＝nodi lymphoidei mastoidei [TA]; retroauricular l. n.'s.

medial lacunar l. n. [TA]．内側裂孔リンパ節（鼡径部の血管裂孔で外腸骨静脈の内側にある１個のリンパ節で，外腸骨リンパ節群に属する)．＝nodus lymphoideus lacunaris (vasculorum) medialis [TA]; medial lacunar node.

mesenteric l. n.'s [TA]．腸間膜リンパ節（腸間膜にある３群のリンパ節群．回結腸リンパ節群と小腸傍リンパ節群と中心上リンパ節群に分かれる)．＝nodi lymphoidei mesenterici [TA].

mesocolic l. n.'s [TA]．結腸間膜リンパ節（結腸間膜にあるリンパ節群．結腸に近接している結腸傍リンパ節群と結腸に分布する動脈に伴行する結腸リンパ節群に分かれる)．＝nodi lymphoidei mesocolici [TA].

middle colic l. n.'s [TA]．中結腸リンパ節（中結腸動脈に伴行するリンパ節群．右結腸曲および横行結腸の大部分からのリンパを受け取る)．＝nodi lymphoidei colici medii [TA].

middle group of mesenteric l. n.'s 上腸間膜リンパ節の中心群．＝central superior mesenteric l. n.'s.

middle rectal l. n. 中直腸リンパ節（中直腸動脈に伴行する１個のリンパ節．直腸傍リンパ節からのリンパを受け取り内腸骨リンパ節に注ぐ)．＝middle rectal node; nodus lymphoideus rectalis medius.

nasolabial l. n. [TA]．鼻唇リンパ節（顔面リンパ節群の１つで，顔面動脈から上唇動脈が分枝する近傍にあるもの)．＝nodus lymphoideus nasolabialis [TA]; nasolabial node.

L

obturator l. n.'s [TA]．閉鎖リンパ節（内腸骨リンパ節群のうち閉鎖動脈に伴行するリンパ節群）．＝nodi lymphoidei obturatorii [TA].

occipital l. n.'s [TA]．後頭リンパ節（後頭動静脈に伴行して僧帽筋に接してみられる1，2個の小リンパ節．後頭の皮膚からのリンパを受け取り深頸リンパ節に注ぐ．これらは頭部からのリンパを受け取る頭頸部を囲むリンパ節群のうち最後部を占めているものである）．＝nodi lymphoidei occipitales [TA].

pancreatic l. n.'s [TA]．膵リンパ節（膵体および膵尾からのリンパを受け取るリンパ節群．下膵動脈沿いにある下膵リンパ節群と，膵臓枝が分枝するあたりの脾動脈沿いにある上膵リンパ節群に分かれる）．＝nodi lymphoidei pancreatici [TA].

pancreaticoduodenal l. n.'s [TA]．膵十二指腸リンパ節（上および下膵十二指腸動脈のそれぞれに伴行する上および下膵十二指腸リンパ節群の総称）．＝nodi lymphoidei pancreaticoduodenales (inferiores et superiores) [TA].

pancreaticosplenic l. n.'s 膵脾リンパ節（膵尾と脾臓のリンパ節群で両臓器と胃の大弯からのリンパを集め腹腔リンパ節に注ぐ）．＝nodi lymphoidei pancreaticosplenales; nodi lymphoidei pancreaticolienales.

paracolic l. n.'s [TA]．結腸傍リンパ節（結腸間膜内に存在するリンパ節のうち，結腸と接しているもの）．＝nodi lymphoidei paracolici.

paramammary l. n.'s [TA]．乳腺傍リンパ節（乳腺の外側にあるリンパ節群．乳腺からのリンパを受け取り腋窩リンパ節に注ぐ．通常は腋窩リンパ節の一部とみなされている）．＝nodi lymphoidei paramammarii [TA].

pararectal l. n.'s [TA]．直腸傍リンパ節（直腸の両側にあるリンパ節．そのリンパは中直腸リンパ節および上直腸リンパ節に注ぐ）．＝nodi lymphoidei pararectales [TA]; anorectal l. n.'s.; nodi lymphoidei anorectales.

parasternal l. n.'s [TA]．胸骨傍リンパ節（内胸動静脈に伴行する数個の小リンパ節．前肋間，心膜，横隔膜，乳腺内側からのリンパを受け取り上行して気管支縦隔リンパ本幹に注ぐ）．＝nodi lymphoidei parasternales [TA].

paratracheal l. n. [TA]．気管傍リンパ節（頸部および縦隔の後部で気管に沿って存在するリンパ節群．上・下気管気管枝リンパ節(食道を含む)からのリンパを受け気管支縦隔リンパ本幹および胸管に注ぐ．頸部に位置する気管傍リンパ節は深前頸リンパ節に属する）．＝nodi lymphoidei paratracheales [TA]; tracheal l. n.'s.

parauterine l. n.'s [TA]．子宮傍リンパ節（子宮の両側にあるリンパ節群．そのリンパは卵巣動脈沿いのリンパ管を経由して内腸骨リンパ節および腰リンパ節に注ぐ）．＝nodi lymphoidei parauterini [TA].

paravaginal l. n.'s [TA]．腟傍リンパ節（腟の周辺にあるリンパ節．そのリンパは内腸骨リンパ節に注ぐ）．＝nodi lymphoidei paravaginales [TA].

paravesical l. n.'s [TA]．膀胱傍リンパ節（膀胱の近傍および男性では前立腺の近傍にあるリンパ節群で膀胱前リンパ節，外側膀胱リンパ節，膀胱後リンパ節に分かれる）．＝nodi lymphoidei paravesicales [TA].

parietal l. n.'s of abdomen [TA]．腹壁リンパ節（腹壁や骨盤壁のリンパを集めるリンパ節群．腹部骨盤部内臓からのリンパは内臓リンパ節に集まる）．＝nodi lymphoidei parietales [TA]; parietal nodes.

pectoral axillary l. n.'s [TA]．胸筋腋窩リンパ節（外側胸静脈の周囲にあるリンパ節群で乳房の大部分を含む胸筋部のリンパを集める）．＝nodi lymphoidei axillares pectorales [TA]; anterior axillary l. n.'s*; nodi lymphoidei axillares anteriores.

pelvic l. n.'s [TA]．骨盤リンパ節（骨盤にあるリンパ節の総称）．＝nodi lymphoidei pelvis (parietales et viscerales) [TA].

peroneal l. n. ＝fibular l. n.

popliteal l. n.'s [TA]．膝窩リンパ節（膝窩にみられるリンパ節群．次の2群に分かれる．①浅膝窩リンパ節は，小伏在静脈が合流するあたりにあり，下腿後面および足外側面からのリンパが注ぐ．②深膝窩リンパ節は，膝窩動静脈近傍にあり，下腿深部，膝関節，浅膝窩リンパ節からのリンパが注ぐ）．＝nodi lymphoidei popliteales [TA].

postaortic l. n.'s [TA]．大動脈後リンパ節（左腰リンパ節群のうち，腹大動脈の後方に位置するもの）．＝nodi lymphoidei postaortici*; nodi lymphoidei retroaortici.

postcaval l. n.'s [TA]．大静脈後リンパ節（右腰リンパ節群のうち，下大静脈の後方に位置するもの）．＝nodi lymphoidei retrocavales [TA]; nodi lymphoidei postcavales*.

posterior axillary l. n.'s* subscapular axillary l. n.'s の公式の別名．

posterior mediastinal l. n.'s 後縦隔リンパ節．＝prevertebral l. n.'s.

posterior tibial l. n. [TA]．後脛骨リンパ節（後脛骨動脈に伴行する不定の小リンパ節）．＝nodus lymphoideus tibialis posterior [TA]; posterior tibial node.

postvesical l. n.'s [TA]．膀胱後リンパ節（→paravesical l. n.'s）．

preaortic l. n.'s [TA]．大動脈前リンパ節（左腰リンパ節群のうち，腹大動脈の前方に位置するもの）．＝nodi lymphoidei preaortici [TA]; nodi lymphatici preaortici.

preauricular deep parotid l. n.'s [TA]．耳介前深耳下腺リンパ節（耳の前方で耳下腺筋膜深部にある小リンパ節群）．＝nodi lymphoidei parotidei profundi preauriculares [TA].

precaval l. n.'s [TA]．大静脈前リンパ節（右腰リンパ節群のうち，下大静脈の前方に位置するもの）．＝nodi lymphoidei precavales [TA].

prececal l. n.'s [TA]．盲腸前リンパ節（盲腸の前方にあるリンパ節．そのリンパは回結腸リンパ節に注ぐ）．＝nodi lymphoidei precaecales [TA].

prelaryngeal l. n.'s [TA]．喉頭前リンパ節（舌骨下の深前頸リンパ節のうち喉頭の前にあるもの．そのリンパは深外側頸リンパ節に注ぐ）．＝nodi lymphoidei prelaryngeales [TA].

prepericardial l. n.'s [TA]．心膜前リンパ節（心膜と胸骨との間および前縦隔にある数個のリンパ節）．＝nodi lymphoidei prepericardiaci [TA].

pretracheal l. n.'s [TA]．気管前リンパ節（深前頸リンパ節のうち気管の前方にあるもの．そのリンパは深外側頸リンパ節または胸骨傍リンパ節に注ぐ）．＝nodi lymphoidei pretracheales [TA].

prevertebral l. n.'s [TA]．椎前リンパ節（胸大動脈に伴行するリンパ節群．食道，横隔膜，肝臓，心膜からのリンパを受け取り胸管および気管支縦隔リンパ本幹に注ぐ）．＝nodi lymphoidei prevertebrales*; nodi lymphoidei mediastinales posteriores; posterior mediastinal l. n.'s.

promontorial common iliac l. n.'s [TA]．岬角総腸骨リンパ節（総腸骨リンパ節群に属する腹壁リンパ節で，仙骨の岬骨に位置するもの）．＝nodi lymphoidei iliaci communes promontorii [TA]; nodi lymphoidei promontorii.

proximal deep inguinal l. n. [TA]．近位深鼡径リンパ節（大腿管の中，またはその隣接部にある深鼡径リンパ節の1つ．肥大すると，しばしば大腿ヘルニアと間違えられる）．＝nodus lymphoideus inguinalis profundi proximalis [TA]; node of Cloquet; Rosenmüller gland; Rosenmüller node.

pulmonary l. n.'s 肺リンパ節．＝intrapulmonary l. n.'s.

pyloric l. n.'s [TA]．幽門リンパ節（胃の幽門部の周辺にあるリンパ節群．そのリンパは右胃リンパ節または右胃大網リンパ節に注ぐ3つの小リンパ節群に分けられる．幽門上リンパ節は幽門の上方にあり，幽門下リンパ節は幽門の下方にあり，幽門後リンパ節は幽門の後方にある）．＝gastroduodenal l. n.'s; nodi lymphoidei pylorici.

regional l. n.'s [TA]．領域〔所属〕リンパ節（ある特定の解剖学的領域または区画からのリンパを受け入れるリンパ節群）．＝nodi lymphoidei regionales [TA].

retroauricular l. n.'s 耳介後リンパ節．＝mastoid l. n.'s.

retrocecal l. n.'s [TA]．盲腸後リンパ節（盲腸の後方にあるリンパ節群．そのリンパは回結腸リンパ節に注ぐ）．＝nodi lymphoidei retrocecales [TA].

retropharyngeal l. n.'s [TA]．咽頭後リンパ節（咽頭と椎前筋膜の間にあるリンパ節群で，中央と左右の3群からなる．鼻咽頭，耳管，環椎後頭関節，環軸関節からのリンパを受け取る）．＝nodi lymphoidei retropharyngeales [TA].

retropyloric l. n.'s [TA]. 幽門後リンパ節（幽門の後方にあるリンパ節群）. =nodi lymphoidei retropylorici [TA]; retropyloric nodes.

right colic l. n.'s [TA]. 右結腸リンパ節（右結腸動脈に伴行するリンパ節群. 上行結腸上部からのリンパを受け取る）. =nodi lymphoidei colici dextri [TA].

right gastric l. n.'s [TA]. 右胃リンパ節（右胃動脈に伴行する小リンパ節群. 胃小弯からのリンパを受け取る）. =nodi lymphoidei gastrici dextri [TA].

right gastroepiploic l. n.'s 右胃大網リンパ節. =right gastroomental l. n.'s.

right gastroomental l. n.'s [TA]. 右胃大網リンパ節（大網の中で右胃大網動脈に伴行するリンパ節群. 胃大弯の一部および大網からのリンパを受け取る）. =nodi lymphoidei gastroomentales dextri [TA]; right gastroepiploic l. n.'s.

right lumbar l. n.'s [TA]. 右腰リンパ節（下大静脈に伴行して鎖状に連なるリンパ節群で以下の3つに分かれる. 下大静脈の右側にある大動脈外側リンパ節. 下大静脈の前方にある大静脈前リンパ節. 下大静脈の後方にある大静脈後リンパ節）. =nodi lymphoidei lumbales dextri [TA]; lumbar l. n.'s.

sacral l. n.'s [TA]. 仙骨リンパ節（仙骨腹側の凹面にあるリンパ節群. 直腸および骨盤腔後壁からのリンパを受け取る）. =nodi lymphoidei sacrales [TA].

sentinel l. n. センチネルリンパ節（悪性腫瘍からのリンパ流を最初に受けとるリンパ節. センチネルリンパ節は腫瘍に注入された放射線核腫あるいは色素を最初に受けとるリンパ節として確認される. メラノーマや乳癌の手術により多く用いられるようになってきている. もしセンチネルリンパ節に転移が認められない場合は, さらに遠隔のリンパ節にも転移は通常認められない. →signal l. n.）. =sentinel node.

sigmoid l. n.'s [TA]. S状結腸リンパ節（S状結腸動脈に伴行する下腸間膜リンパ節群）. =nodi lymphoidei sigmoidei [TA].

signal l. n. 警報リンパ節（鎖骨上の, 特に左側鎖骨上の硬いリンパ節で, 皮膚面から十分触診できる大きさになる. 内臓の悪性腫瘍を推定する証拠として最初に認められることがあるため, このように名付けられた. 悪性腫瘍からの転移を含むことがわかっている警報リンパ節は, ときに古い冠名である Troisier *ganglion* といわれることもある. →sentinel l. n.）. =jugular gland; Virchow node.

splenic l. n.'s [TA]. 脾リンパ節（脾門近傍にあるリンパ節群. 脾臓と胃からのリンパを受け取り膵・脾後・腹腔リンパ節に注ぐ）. =nodi lymphoidei splenici [TA]; nodi lymphoidei lienales☆.

subaortic l. n.'s [TA]. 〔腹〕大動脈下リンパ節（総腸骨リンパ節に属するリンパ節のうちで腹大動脈下端分岐部にあるもの）. =nodi lymphoidei subaortici [TA].

submandibular l. n.'s [TA]. 顎下リンパ節（下顎骨と顎下腺の近くにみられる4, 5個のリンパ節. 眼より下方の顔面および舌からのリンパを受け取り深上頸リンパ節, 特に頸静脈二腹筋リンパ節に注ぐ. これらは頭部からのリンパを受け取る頭頸部を囲むリンパ節群の一部である）. =nodi lymphoidei submandibulares [TA].

submental l. n.'s [TA]. おとがい下リンパ節（おとがい舌筋の浅層にある小リンパ節群. 下唇, おとがい, 舌尖などからリンパを受け取り深外側頸リンパ筋に注ぐ. これらは頭部からのリンパを受け取る頭頸部を囲むリンパ節群の一部である）. =nodi lymphoidei submentales [TA].

subpyloric l. n.'s [TA]. 幽門下リンパ節（幽門の下方にあるリンパ節群）. =nodi lymphoidei subpylorici [TA]; subpyloric node.

subscapular axillary l. n.'s [TA]. 肩甲下腋窩リンパ節（肩甲下静脈とその枝の周囲にあるリンパ節群で胸郭背面と肩甲部のリンパを集め中央リンパ節群に注ぐ）. =nodi lymphoidei axillares subscapulares [TA]; nodi lymphoidei subscapulares [TA]; nodi lymphoidei axillares posteriores☆; posterior axillary l. n.'s☆.

superficial anterior cervical l. n.'s [TA]. 浅前頸リンパ節（前頸静脈に沿って存在する1－4個のリンパ節. 前頸部における皮膚などの表層構造からのリンパを受け入れる. 本リンパ節からの輸出リンパ管は(外側頸リンパ節群の)下深リンパ節へ流入する）. =nodi lymphoidei cervicales anteriores superficiales [TA]; nodi lymphoidei jugulares anteriores☆; anterior jugular l. n.'s.

superficial inguinal l. n.'s [TA]. 浅鼡径リンパ節（鼡径靱帯の下方で大伏在静脈の終末部沿いにある12—20個のリンパ節. 腹壁下部の皮膚および皮下組織, 会陰, 殿部, 外陰部, 下肢からのリンパを受け取る. 次の3群に分かれる. ⓘ伏在裂孔の下方にあって下肢のリンパを受け取る下(垂直)群, ⓘⓘ伏在裂孔の外側方にあって殿部外側と前腹壁下部のリンパを受け取る上外側(外側水平)群, ⓘⓘⓘ伏在裂孔の内側方にあって会陰と外性器からのリンパを受け取る上内側(内側水平)群）. =nodi lymphoidei inguinales superficiales [TA].

superficial lateral cervical l. n.'s [TA]. 浅外側頸リンパ節（外頸静脈に伴行する1－4個のリンパ節. 胸鎖乳突筋のあたりの皮膚や浅層組織からのリンパを受け取り深外側頸リンパ節に注ぐ）.

superficial parotid l. n.'s [TA]. 浅耳下腺リンパ節（耳下腺部の皮下組織にある数個の小リンパ節）. =nodi lymphoidei parotidei superficiales [TA].

superficial l. n.'s of upper limb [TA]. 上肢の浅リンパ節（上肢の浅リンパ管(通常は皮静脈に伴行する)に沿って存在するリンパ節群）. =nodi lymphoidei profundi membri superioris [TA].

superior deep lateral cervical l. n.'s [TA]. 〔外側頸リンパ節の〕上深リンパ節（頸動脈鞘に沿って存在する外側頸リンパ節群の上方部）. =nodi lymphoidei profunda superiores cervicales laterales [TA]; nodi lymphoidei profunda superiores colli laterales.

superior gastric l. n.'s 上胃リンパ節. =left gastric l. n.'s.

superior gluteal l. n.'s [TA]. 上殿リンパ節（→gluteal l. n.'s）.

superior mesenteric l. n.'s [TA]. 上腸間膜〔動脈〕リンパ節（上腸間膜動脈に沿った腸間膜内のリンパ節. 中心腸間膜リンパ節からリンパを受け腸リンパ本幹に注ぐ）. =nodi lymphoidei mesenterici superiores [TA]; nodi lymphoidei centrales.

superior pancreatic l. n.'s [TA]. 上膵リンパ節（→pancreatic l. n.'s）.

superior pancreaticoduodenal l. n.'s [TA]. 上膵十二指腸リンパ節（→pancreaticoduodenal l. n.'s）.

superior phrenic l. n.'s [TA]. 上横隔リンパ節（横隔膜上面にある小リンパ節群で, 前・中・後の3群をなす. 肝臓, 横隔膜, 肋間からのリンパを受け取り胸骨傍リンパ節および後縦隔リンパ節に注ぐ）. =nodi lymphoidei phrenici superiores [TA].

superior rectal l. n.'s [TA]. 上直腸リンパ節（上直腸動脈に伴行する下腸間膜リンパ節群）. =nodi lymphoidei rectales superiores [TA].

superior tracheobronchial l. n.'s [TA]. 上気管気管支リンパ節（後縦隔リンパ節のうち気管分岐部より上方にある数個の大型のリンパ節で, 下気管気管支リンパ節および気管支肺リンパ節からのリンパを受け気管傍リンパ節に注ぐ）. =nodi lymphoidei tracheobronchiales superiores [TA].

supraclavicular l. n.'s [TA]. 鎖骨上リンパ節（深下外側頸リンパ節のうち肩甲舌骨筋下腹と鎖骨との間にあるもの. 縦隔を含む周辺部のリンパを受け取り鎖骨下リンパ本幹に注ぐ）. =nodi lymphoidei supraclaviculares [TA].

suprapyloric l. n. [TA]. 幽門上リンパ節（幽門の上方にあるリンパ節）. =nodus lymphoideus suprapyloricus [TA]; suprapyloric node.

supratrochlear l. n.'s [TA]. 滑車上リンパ節（上腕骨内側上顆よりも近位に存在する浅リンパ節の小群. 前腕からのリンパを集め, 輸出リンパ管を上肢の深リンパ管へ送る）. =nodi lymphoidei supratrochleares.

thoracic l. n.'s [TA]. 胸部リンパ節（胸壁および胸部内臓にあるリンパ節の総称）. =nodi lymphoidei thoracis [TA].

thyroid l. n.'s [TA]. 甲状腺リンパ節（深前頸リンパ節のうち甲状腺の周囲にあるもの. そのリンパは深外側頸リンパ節に注ぐ）. =nodi lymphoidei thyroidei [TA].

tracheal l. n.'s =paratracheal l. n.

L

l. n.'s of upper limb [TA]. 上肢リンパ節（上肢にあるリンパ節の総称で，腋窩リンパ節，胸筋間リンパ節，鎖骨下リンパ節，腕リンパ節，肘リンパ節などがある）．＝nodi lymphoidei membri superioris [TA].

visceral l. n.'s [TA]. 〔腹部〕内臓リンパ節（腹部骨盤部内臓からのリンパを集めるリンパ節群．腹壁骨盤壁からのリンパは腹壁リンパ節に集まる）．＝nodi lymphoidei viscerales [TA]; visceral nodes.

visceral l. n.'s of abdomen [TA]. 腹部内臓リンパ節（腹大動脈の内臓枝に伴行し腹部内臓のリンパを受け取る多数のリンパ節の総称）．＝nodi lymphoidei abdominis viscerales [TA]; l. n.'s of abdominal organs.

---

lympho-, lymph- (lim′fō, limf) [L. *lympha*, spring water]. リンパを意味する連結形.

lym·pho·blast (lim′fō-blast) [lympho- + G. *blastos*, germ]. リンパ芽球（成熟してリンパ球になる幼若未熟細胞．リンパ芽球の特徴は，ⓘリンパ球より細胞質が多い，ⓘⓘ核のクロマチンがリンパ球より細かい（しかし骨髄芽球より粗い），ⓘⓘⓘ1つまたは2つのやや目立った核小体をもつ）．＝lymphocytoblast.

lym·pho·blas·tic (lim′fō-blas′tik). リンパ芽球の.

lym·pho·blas·to·ma (lim′fō-blas-tō′mă) [lymphoblast + G. *-oma*, tumor]. リンパ芽球腫．＝lymphoblastic *lymphoma.*

giant follicular l. 巨大沪胞性リンパ芽球腫．＝follicular *lymphoma.*

lym·pho·blas·to·sis (lim′fō-blas-tō′sis) [lymphoblast + G. *-osis*, condition]. リンパ芽球症（末梢血管にリンパ芽球が存在すること．しばしば急性リンパ性白血病と同じ意味で用いる）.

lym·pho·cele (lim′fō-sēl) [lympho- + G. *kēlē*, tumor]. リンパ嚢腫（リンパを含む嚢胞状の塊．通常，罹患したリンパ管，または損傷のあるリンパ管より起こる）．＝lymphocyst.

lym·pho·cer·as·tism (lim′fō-ser′as-tizm) [lympho- + G. *kerastos*, mixed, mingled]. リンパ系の細胞の形成過程を表す現在では用いられない語.

lym·pho·ci·ne·sis, lym·pho·ci·ne·sia (lim′fō-si-nē′-sis, nē-zē-ă). ＝lymphokinesis.

lym·pho·cyst (lim′fō-sist) [lympho- + G. *kystis*, bladder]. ＝lymphocele.

lym·pho·cy·ta·phe·re·sis (lim′fō-sīt′ă-fĕ-rē′sis) [lymphocyte + G. *aphairesis*, a withdrawal]. リンパ球除去（血液中からリンパ球を分離または除去し，残りの血液成分は供血者に再び輸注する）．＝lymphapheresis.

lym·pho·cyte (lim′fō-sīt) [limpho- + G. *kytos*, cell]. リンパ球（白血球の一種．骨髄でつくられ，全身のリンパ組織（リンパ節，脾臓，胸腺，扁桃，Peyer 板など）に運ばれて，そこで増殖する．正常の成人では循環血液中の総白血球数の約22―28％を占める．リンパ球は一般に小さい(7―8 μm)が，大型のもの(10―20 μm)もしばしばみられる．Wright 染色法で核は濃い青紫色に染まり，輪郭の明瞭な核膜内のクロマチンの密な集塊からなる．核は通常，円形であるがわずかにへこむこともあり，通常は顆粒のない比較的少量の明青色の原形質内で中心からはずれて存在する．リンパ球の中でも特に大型のものは原形質がかなり豊富で，数個の明赤紫色の小さい顆粒をもつ．骨髄系細胞の顆粒と違い，リンパ球中のそれはオキシダーゼ反応またはペルオキシターゼ反応が陽性にならない．リンパ球は，表面マーカと機能からT細胞とB細胞の2つの大きなグループに分けられる．ナチュラルキラー細胞を含むNull細胞は，リンパ球全体のごく一部である）．＝lymph cell; lympholeukocyte.

B l. Bリンパ球（免疫学的に重要なリンパ球．胸腺非依存性で，寿命が短く，鳥類の Fabricius 嚢由来のリンパ球に類似していて免疫グロブリンの産生を行う．すなわち形質細胞の前駆細胞で，細胞表面免疫グロブリン(SIGS)を発現しているが分泌はしない．細胞性免疫には直接関与しない．Bリンパ球は表現型として CD19 を表面マーカとしてもつことが免疫学的特徴である．→T l.）．＝B cell (2).

pre-B l. 前Bリンパ球（早期Bリンパ球で，骨髄では，免疫蛍光法でμ陽性，L鎖陰性として認識される）.

Rieder l. (rē′dĕr). リーダーリンパ球（大きなへこみを有し(または分葉した)，少しねじれた核をもつリンパ球の異常な型．通常，慢性リンパ性白血病でこのような細胞が認められるケースがある）.

リンパ球

	Tリンパ球	Bリンパ球
産生部位	骨髄（未分化幹細胞より）	
調節器官 分化部位	胸腺	小腸リンパ組織(Peyer板)，トリではFabricius嚢
機能	細胞性免疫	液性免疫
構成細胞	Tメモリ細胞 キラー細胞 ヘルパー細胞 サプレッサ細胞	Bメモリ細胞 抗体産生細胞 （形質細胞）
相互作用	"immunity" の項および図を参照	
細胞膜表面の性質	モノクローナル抗体によって識別される表面構造（"marker" を参照）	
	T細胞（抗原）レセプタ	補体C3レセプタ マウス赤血球レセプタ
トランスフォーメーション（芽球化，細胞分裂）促進物質	抗原（移植・組織・細菌抗原） マイトゲン（フィトヘマグルチニン[PHA]，コンカナバリンA [con A]）	抗原（間接的）， インターロイキン-2， Epstein-Barrウイルス
活性化リンパ球からの可溶性産物	リンホカイン	免疫グロブリン （抗体）
欠損	"immunodeficiency" を参照	
悪性増殖	"lymphoma" の項および図を参照 リンパ球性白血病	

T l. Tリンパ球（骨髄で形成され，そこから胸腺皮質に移動して免疫学的な反応性を獲得するリンパ球．Tリンパ球は長寿命(月から年の単位)であり，細胞性免疫で役割を果たす．ヒツジ赤血球とロゼットを形成し，形質転換物質(マイトジェン)によって分化し，細胞分裂する．Tリンパ球は，細胞表面マーカとして特徴的なT細胞受容体-CD3複合体を有し，その機能によって，〝ヘルパー〟，〝細胞傷害性〟などさらに分類される．→B l.）．＝T cell.

transformed l. 変態リンパ球（→lymphocyte *transformation*）.

tumor-infiltrating l.'s (TIL, TILS) (lim′fō-sītz). 腫瘍浸潤リンパ球（腫瘍局所より得て，細胞数を増やすために試験管内で IL-2 に暴露させたリンパ球．これらの細胞を担癌患者体内へ還元すると，由来した腫瘍細胞を特異的に殺傷する）.

lym·pho·cy·the·mi·a (lim′fō-sī-thē′mē-ă). ＝lymphocytosis.

lym·pho·cyt·ic (lim′fō-sit′ik). リンパ球〔性〕の.

lym·pho·cy·to·blast (lim′fō-sī′tō-blast) [lymphocyte + G. *blastos*, germ]. ＝lymphoblast.

lym·pho·cy·to·ma (lim′fō-sī-tō′mă) [lymphocyte + G. *-oma*, tumor]. リンパ細胞腫（成熟リンパ球の限局性結節または塊で，肉眼的には新生物に類似している）.

benign l. cutis 皮膚良性リンパ細胞腫（赤ないし紫色の柔かい皮膚結節で頭部に好発する．リンパ球と組織球とが真皮に密に浸潤することによって生じる．しばしばリンパ沪胞様構造を形成し，表皮とは浸潤のない狭い層によって隔てられる）．＝cutaneous pseudolymphoma; Spiegler-Fendt sarcoid.

lym·pho·cy·to·pe·ni·a (lim′fō-sī′tō-pē′nē-ă). ＝lymphopenia.

lym·pho·cy·to·poi·e·sis (lim′fō-sī′tō-poy-ē′sis) [lymphocyte＋ G. *poiēsis*, a making]. リンパ球産生.

lym·pho·cy·to·sis (lim′fō-sī-tō′sis). リンパ球増加〔症〕（絶対的または相対的な白血球増加症の一型で，リンパ球の数が増加する）．＝lymphocythemia; lymphocytic leukocytosis.

lym·pho·der·ma (lim′fō-der′mă) [lympho- ＋G. *derma*, skin]. 皮膚リンパ貯留症，リンパ性皮膚病（皮膚リンパ管の疾病により生じる状態）．

lym·pho·duct (lim′fō-dŭkt) [lympho- ＋L. *ductus*, a leading]. リンパ管（→lymph *vessels*）．

lym·pho·gen·e·sis (lim′fō-gen′ĕ-sis) [lympho- ＋G. *genesis*, production]. リンパ球生成，リンパ球新生．

lym·pho·gen·ic (lim′fō-jen′ik). ＝lymphogenous (1).

lym·phog·e·nous (lim-foj′ĕ-nŭs). ***1*** リンパ〔行〕性の（リンパまたはリンパ系から発生することについていう）．＝lymphogenic. ***2*** リンパ形成の．

lym·pho·glan·du·la (lim′fō-glan′dyū-lă). リンパ腺．＝lymph node.

lym·pho·gran·u·lo·ma (lim′fō-gran′yū-lō′mă). リンパ肉芽腫（結果として肉芽腫または肉芽腫様病変を特に種々のリンパ節(リンパ節の顕著な腫脹をみる)に起こす，基本的には類似していない数種の疾病に対して用いた古い非特異的な語）．

l. benignum sarcoidosis の古語．

l. inguinale 鼡径リンパ肉芽腫．＝venereal l.

l. malignum 悪性リンパ肉芽腫（Hodgkin 病の古語）．

Schaumann l. (show′mahn). シャウマンリンパ肉芽腫(sarcoidosis の古語)．

venereal l., l. venereum (**LGV**) 性病性リンパ肉芽腫(通常，トラコーマクラミジア *Chlamydia trachomatis* により生じる性病で，一般的に男性では一過性の性器潰瘍と鼡径部のリンパ節腫脹を特徴とする．女性では肛門周囲のリンパ節の感染および肛門狭窄を通例とする)．＝Favre-Durand-Nicolas disease; l. inguinale; Nicolas-Favre disease; tropic bubo.

lym·pho·gran·u·lo·ma·to·sis (lim′fō-gran′yū-lō-mă-tō′sis). リンパ肉芽腫症（多発性，広汎性のリンパ肉芽腫の発生を特徴とする症状の総称）．

lym·phog·ra·phy (lim-fog′ră-fē) [lympho- ＋*graphō*, to write]. リンパ管造影(撮影)〔法〕(油性ヨード性造影剤をリンパ管内に注入してリンパ系をX線撮影する方法(リンパ管造影法)およびリンパ節を撮影する方法(リンパ節造影法))．

lym·pho·his·ti·o·cy·to·sis (lim′fō-his′tē-ō-sī-tō′sis). リンパ組織球増多〔症〕(リンパ球と細網細胞の増殖あるいは浸潤)．

familial erythrophagocytic l. (**FEL**) 家族性血球貪食性リンパ組織球症．＝familial hemophagocytic l.

familial hemophagocytic l. (**FMLH**) 家族性血球貪食性リンパ組織球症（きわめてまれな，活性化されたリンパ球とマクロファージによる多臓器浸潤を特徴とする通常致死的な小児疾患．本疾患はしばしば家族性で常染色体劣性の遺伝形式をとる）．＝familial erythrophagocytic l.

lym·phoid (lim′foyd) [lympho- ＋G. *eidos*, appearance]. リンパ〔球〕様の，リンパ〔球〕系の．

lym·phoi·dec·to·my (lim′foy-dek′tŏ-mē) [lymphoid＋G. *ektomē*, excision]. リンパ節切除〔術〕(リンパ様組織の切除)．

lym·phoi·do·cyte (lim-foy′dō-sīt). リンパ球様細胞，類リンパ球（リンパ球，リンパ洞内皮細胞，およびリンパ節の細網細胞を含むあらゆる型のリンパ様細胞に分化しうると考えられている原始間葉細胞）．

lym·pho·kine (lim′fō-kīn) [*lympho*cyte＋G. *kineo*, to set in motion]. リンフォカイン，リンホカイン（ホルモン様のペプチド．活性化リンパ球により放出され免疫応答を調節するリンパ球由来のサイトカイン）．

lym·pho·ki·ne·sis (lim′fō-ki-nē′sis) [lympho- ＋G. *kinēsis*, movement]. ＝lymphocinesis; lymphocinesia. ***1*** リンパ循環（リンパ管およびリンパ節を通るリンパの循環）．***2*** リンパ運動（内耳の半規管内の内リンパの運動）．

lym·pho·leu·ko·cyte (lim′fō-lū′kō-sīt). ＝lymphocyte.

lym·phol·o·gy (lim-fol′ŏ-jē) [lympho- ＋G. *logos*, study]. ＝lymphangiology.

lym·pho·ma (lim-fō′mă) [lympho- ＋G. *-oma*, tumor]. リンパ腫（リンパ組織または網内系の新生物のこと．一般的には悪性リンパ腫と同義．固形腫瘍の外観を呈し，幼若な細胞またはリンパ球，形質細胞，組織球に似た細胞から構成される．好発部位はリンパ節，脾臓，その他のリンパ網内系組織で，それ以外の臓器を侵したり，白血病の形をとることもある．組織像，免疫形質，細胞遺伝学的解析により，また細胞の起源(B細胞かT細胞)，成熟度にしたがって分類される．リンパ系腫瘍の現行の WHO 分類は REAL 分類に基づいており，形態学だけに基づいた古い分類，例えば Working Formulation や Rappaport 分類より有用性が高く，代わりに用いられている．1085頁の表参照．→International Prognostic *Index*）．

adult T-cell l. (**ATL**) 成人T細胞リンパ腫（ヒトT細胞ウイルスに関連して生じる，急性から亜急性の疾患．症状は，リンパ節腫脹，肝脾腫，皮膚病変，末梢血への浸潤，および高カルシウム血症である）．＝adult T-cell leukemia.

anaplastic large cell l. 未分化大細胞リンパ腫（CD30(Ki–1 または Ber–H2)陽性の未分化な細胞が類洞に沿って増殖するのを特徴とするリンパ腫)．＝Ki-1＋l.

angioimmunoblastic T-cell l. 血管免疫芽球性T細胞リンパ腫（全身性リンパ節腫脹，強い全身性症状，発熱，体重減少，発疹，多クローン性ガンマグロブリン血症，血中の免疫複合体と自己抗体，および易感染性を特徴とするまれなリンパ腫のサブタイプ．従来は，異常蛋白血症を伴う血管免疫芽球性リンパ節症(AILD)と分類されていた．臨床病理所見が変化に富んでいるため診断が難しいことが多い．多剤併用化学療法を行っても長期間の寛解が得られる患者は1/3未満である．インターフェロンα＋サイクロスポリン併用療法後の完全寛解例が報告されている)．

benign l. of the rectum 粘膜でおおわれた沪胞性のリンパ組織からなる直腸ポリープを表す現在では用いられない語．

Burkitt l. (bŭr′kĭt) [MIM*113970]. バーキットリンパ腫（アフリカの小児に報告されている悪性リンパ腫の一種．しばしば下顎，腹部リンパ節を侵す．地理的分布がマラリアの流行地に一致しているようにみうけられる．原則的にB細胞の腫瘍で，ヘルペス科の EB ウイルスが原因と考えられており，ウイルスを培養した腫瘍細胞から分離できる．同様の特徴をもつリンパ腫がときに米国でも報告されている）．

chronic lymphocytic l. 慢性リンパ性リンパ腫（低悪性度な非 Hodgkin リンパ腫の一型．特徴としてリンパ球増加症，リンパ節腫脹があり，遅い病期では肝脾腫大が認められる．慢性のリンパ性白血病に関連する場合がある）．

cutaneous T-cell l. 皮膚T細胞性リンパ腫（→*mycosis* fungoides; Sézary *syndrome*）．

diffuse large cell l. びまん性大細胞型リンパ腫（非 Hodgkin リンパ腫の約20％を占める進行の早い悪性リンパ腫に多くみられるタイプの1つで，患者年齢の中央値は57歳．以前は組織球性リンパ腫のひとつとして分類されていたが，起源細胞はB細胞である．症例の約20％に BCL–2 遺伝子の転座がみられることは，濾胞中心細胞から生じているエビデンスを示す．転移傾向のある進行の早い悪性リンパ腫であるため，多くの症例で消化器，生殖器，皮膚，中枢神経系(脳)，あるいは骨など節外の遠隔転移を示すことが多い）．

diffuse small cleaved cell l. びまん性核切れ込み小細胞型リンパ腫（リンパ腫に関する古い Working Formulation 分類に属する用語で使われていない．現在は，リンパ系腫瘍に関する最近の拡大 WHO 分類の中で，びまん性沪胞中心リンパ腫とよばれている．びまん性未分化型リンパ球性リンパ腫．沪胞形成を欠いた，沪胞中心細胞リンパ腫．→follicular l.）．

extranodal marginal zone l. ＝MALToma.

follicular l. 沪胞性リンパ腫（以前，沪胞性発育を示す沪胞中心細胞リンパ腫とよばれていたもので，非 Hodgkin リンパ腫の一型である．B細胞起源のこの腫瘍は主に小型切れ込み核細胞か大型細胞，または両者の混合からなる．たいて

L

い t(14;18)転座があり，抗アポトーシス癌遺伝子として働く BCL-2という遺伝子の再構成や恒常的な過剰発現をもたらす．完治は望めないが自然経過は長い．腫瘍細胞の免疫形質的特徴はＢ細胞関連抗原である CD 19，CD 20 の他 CD 10が陽性であることである）．＝giant follicular lymphoblastoma; nodular l.

follicular predominantly large cell l. 沪胞性大細胞優位型リンパ腫（沪胞性リンパ腫の一型として古い Working Formulation 分類の中で以前用いられた用語．現在では使われていない）．

follicular predominantly small cleaved cell l. 沪胞性核切れ込み小細胞型悪性リンパ腫(→poorly differentiated lymphocytic l.)．

Hodgkin l. (hoj′kin)［MIM*236000］．ホジキンリンパ腫．＝Hodgkin *disease.*

immunoblastic l. 免疫芽球性リンパ腫（血管性免疫芽球性Ｔ細胞リンパ種を表す現在では用いられない語）．

Ki-1+l. Ki-1リンパ腫．＝anaplastic large cell l.

large cell l. 大細胞型リンパ腫（未分類の大単核球細胞からなるリンパ腫．以前は組織球性と分類されていた多くのリンパ腫は近年大リンパ球により構成されることが示されている．→diffuse large cell l.）．

Lennert l. (len′ĕrt)．レナートリンパ腫（類上皮細胞がびまん性に散在し，大部分を占めている悪性リンパ腫．扁桃を侵し，予知しにくい経過をたどる）．

lymphoblastic l. リンパ芽球性リンパ腫（横隔膜より上に分布し，渦巻き状になった核を有するＴリンパ球を伴う小児のびまん性リンパ腫．多くの患者が急性リンパ芽球性白血病に進展する）．＝lymphoblastoma.

lymphoplasmacytic l. リンパ形質細胞性リンパ腫（リンパ形質細胞性リンパ腫や Waldenström マクログロブリン血症の特徴として，小型成熟Ｂリンパ球，形質細胞様リンパ球，形質細胞のびまん性増殖があげられる．それらの細胞は，細胞表面免疫グロブリン(通常は IgM)，Ｂ細胞性抗原が陽性であり，CD 23 と CD 10 は陰性である．すべてのリンパ形質細胞性リンパ腫の50％に，t(9;14) 染色体転座が認められる．臨床経過は一般的に無症候性であるが，血中 IgM 濃度が高値になるため過粘稠度症候群を伴うことがある．→Waldenström *macroglobulinemia*）．＝immunocytoma.

malignant l. 悪性リンパ腫（リンパ・網内系組織の悪性新生物を表す一般用語．腫瘍は境界明瞭な固形腫瘍として存在し，未熟な細胞やリンパ球，形質細胞，細網細胞などと似た細胞より構成される．リンパ腫の発生する部位は，リンパ節，脾臓，その他リンパ様・網内系細胞の存在する部位である．全身に播種したとき，特にリンパ型のリンパ腫では，末梢血液中に現れ白血病型となる．リンパ腫は細胞の型，分化の程度，結節型かびまん型かなどによって分類される．Hodgkin 病，Burkitt リンパ腫は特殊型である）．

MALT l. MALT リンパ腫．＝MALToma.

mantle cell l. マントル細胞リンパ腫（臨床的および生物学的に他と全く異なるＢ細胞の新生物．再発性の後天性遺伝子異常で，t(11;14) の転座を示す．また，異種起源の組織像を呈し，そのため反応性あるいは他の腫瘍性リンパ増殖性疾患と混同される場合がある）．

marginal zone l. 辺縁層リンパ腫（リンパ節のＢ細胞に富んだ領域や脾臓，あるいは節外性のリンパ様組織などから発生する異種起源新生物グループ．粘膜関連のリンパ組織(MALT)から発生するものは胃に最も多く，腸，唾液腺，肺などから発生し，MALToma と称される）．

Mediterranean l. 地中海リンパ腫．＝immunoproliferative small intestinal *disease.*

nodular l. 結節型リンパ腫＝follicular l.

nodular histiocytic l. diffuse large cell lymphoma を表す現在では用いられない語．→diffuse large cell l.

non-Hodgkin l. (**NHL**) 非ホジキンリンパ腫（Hodgkin 病以外のリンパ腫．Rappaport により腫瘍のパターンにより結節性とびまん性に，また細胞の型によっても分類された．国際分類ではこれらのリンパ腫を軽度，中等度，高度悪性群に分類し，また沪胞中心細胞起源かその他の細胞起源かにより細胞学的亜群に分類した）．

peripheral T-cell l., unspecified〔不特定〕末梢Ｔ細胞リンパ腫（Ｔ細胞新生物中の異種の一群で，典型的なＴ細胞マーカのCD2，CD3，CD5，あるいはＴ細胞レセプタα/βかγ/δのいずれかを発現している）．

poorly differentiated lymphocytic l. (**PDLL**) 未分化型リンパ性リンパ腫（Ｂ細胞のリンパ腫で，大型リンパ球様細胞の結節性またはびまん性リンパ節浸潤や骨髄浸潤を伴う）．

small lymphocytic l. 小リンパ球性リンパ腫（悪性度の低い非ホジキンリンパ腫の一型で，リンパ節やその他のリンパ組織の腫大，骨髄への小リンパ球の浸潤を特徴とする．リンパ球増多，リンパ節腫大など CML の特徴を備えることもあり，進行すると肝脾腫貧血，血小板減少を呈することがある．これら２つの疾患の組織像は全く同じで，主に凝縮したクロマチンと丸い核をもった小リンパ球からなる．前リンパ球や傍免疫芽球といった明瞭な核小体と拡散したクロマチンをもった大きなリンパ球も必ず存在し，集塊を形成していることが多い．これらの細胞の免疫形質の特徴はＢ細胞関連抗原である CD 19 と CD 20 の他に，CD 5，CD 23 が陽性なことである．CD 23 はこれをもたない外套細胞リンパ腫との鑑別に有用である）．＝well-differentiated lymphocytic l.; white spot disease (1).

T-cell-rich B-cell l. Ｔリンパ球豊富Ｂ細胞リンパ腫（豊富な反応Ｔ細胞を含むモノクローナルＢ細胞リンパ腫で，細胞の 90％ がＴ細胞起源で，腫瘍性Ｂ細胞成分が形成する巨細胞を隠している状態）．

well-differentiated lymphocytic l. (**WDLL**) 分化型リンパ性リンパ腫．＝small lymphocytic l.

lym・pho・ma・toid (lim-fō′mă-toyd)．リンパ腫様の．

lym・pho・ma・to・sis (lym′fō-mă-to′sis)．リンパ腫症（多発性の広範に分布しているリンパ腫を特徴とする症状の総称）．

lym・pho・ma・tous (lim-fō′mă-tŭs)．リンパ腫の．

lym・pho・no・dus* (lim′fō-nō′dŭs)．lymph node の公式の別名．

lym・pho・path・i・a (lim′fō-path′ē-ă)．リンパ管症．＝lymphopathy.

lym・phop・a・thy (lim-fop′ă-thē)［lympho- ＋ G. *pathos*, suffering］．リンパ管症（リンパ管またはリンパ節の疾病の総称）．＝lymphopathia.

lym・pho・pe・ni・a (lim′fō-pē′nē-ă)［lympho- ＋ G. *penia*, poverty］．リンパ球減少〔症〕（循環血液中のリンパ球の数が，相対的または絶対的に減少する状態）．＝lymphocytic leukopenia; lymphocytopenia.

lym・pho・plas・ma・phe・re・sis (lim′ō-plaz′mă-fē-rē′sis)［lymphocyte ＋ plasma ＋ G. *aphairesis*, a withdrawal］．リンパ血漿除去，リンパプラスマフェレーシス（採血した血液からリンパ球と血漿を分離除去し，残留成分を本人に戻すこと）．

lym・pho・poi・e・sis (lim′fō-poy-ē′sis)［lympho- ＋ G. *poiēsis*, a making］．リンパ球産生．

lym・pho・poi・et・ic (lim′fō-poy-et′ik)．リンパ球産生〔性〕の．

lym・pho・re・tic・u・lo・sis (lim′fō-rĕ-tik′yū-lō′sis)．リンパ性〔細〕網内〔皮〕症（リンパ節の網内細胞(マクロファージ)の増殖を表す歴史的用語）．

benign inoculation l. 良性接種リンパ性〔細〕網内〔皮〕症．＝catscratch *disease.*

lym・phor・rha・gi・a (lim′fō-rā′jē-ă)［lympho- ＋ G. *rhēgnymi*, to burst forth］．＝lymphorrhea.

lym・phor・rhe・a (lim′fō-rē′ă)［lympho- ＋ G. *rhoia*, a flow］．リンパ漏，リンパ流出（破れたり，裂けたり，あるいは切れたりしたリンパ管から皮膚表面にリンパが漏れること）．＝lymphorrhagia.

lym・phor・rhoid (lim′fō-royd)［lymph ＋ *-rrhoid*, tending to leak, on the analogy of *hemorrhoid*］．リンパ管拡張（痔に類似した，リンパ管の拡張）．

lym・pho・scin・tig・ra・phy (lim′fō-sin-tig′ră-fē)．リンパシンチグラフィ（アイソトープを，直接リンパ管あるいは皮下に注射し，リンパ管あるいはリンパ節をシンチスキャナで描出する）．

lym・pho・sis (lim-fō′sis)．リンパ症（lymphocytic *leukemia*（リンパ性の白血病)を表す現在では用いられない語）．

lym・phos・ta・sis (lim-fos′tă-sis)［lympho- ＋ G. *stasis*, a standing still］．リンパうっ滞（リンパの正常の流れが閉塞すること）．

lym・pho・tax・is (lim′fō-tak′sis)［lympho- ＋ G. *taxis*, order-

ワーキングフォーミュレーション（WF）の比較および改定ヨーロッパ-アメリカリンパ腫（REAL）の分類

WF分類*	頻度† (%)	REAL分類‡ B細胞新生物	マーカ	T細胞新生物	マーカ
A. 小リンパ球性, CLLに一致 リンパ形質細胞性	4	B細胞性 CLL/SLL/PLL 辺縁層/MALT マントル細胞 リンパ形質細胞性	$CD5^+$ $CD23^+$ weak IgM^+	T細胞性 CLL/PLL LGL	
B. 沪胞性, 核切れこみ小細胞型	26	沪胞中心性，沪胞性，グレードⅠ マントル細胞 辺縁層			
C. 沪胞性，混合性 核切れ込み小細胞型 大細胞型	9	沪胞中心性，沪胞性，グレードⅡ 縁層/MALT			
D. 沪胞性，大細胞型	4	沪胞中心性，沪胞性，グレードⅢ	$CD10^+$		
E. びまん性, 核切れこみ小細胞型	8	マントル細胞 沪胞中心，びまん性小細胞型 辺縁層/MALT	IgGまたは 他のIg^+	T細胞性 CLL/PLL LGL 末梢性T細胞性，未特定 ATL/L 免疫芽球性 血管中心性	
F. びまん性，混合性 小型および大細胞型	7	大細胞B細胞型（T細胞に富む） 沪胞中心，びまん性小細胞型 リンパ形質細胞性 辺縁層/MALT マントル細胞		末梢性T細胞性，未特定 ATL/L 免疫芽球性 血管中心性	
G. びまん性，大細胞型	22	びまん性大細胞型B細胞性リンパ腫	$CD5^+$ $CD10^+$	末梢性T細胞性，未特定 ATL/L 免疫芽球性 血管中心性	
H. 大細胞型 免疫芽球性	9	びまん性大細胞型B細胞型リンパ腫		末梢性T細胞性，未特定 ATL/L 免疫芽球性 血管中心性 未分化型大細胞型	
I. リンパ芽球性	5	前駆B細胞性リンパ芽球性	TdT^+, $CD19^+$	前駆Tリンパ芽球性	$CD1^+$, TdT^+
J. 核切れこみなし小細胞型 Burkitt 非Burkitt	6	 Burkitt 高悪性度B細胞性，Burkitt様	 $CD10^+$, IgM^+	 末梢性T細胞性，未特定	

＊A—C：低悪性度(未治療で5—10年以上生存)．D—G：中悪性度(未治療で2—5年生存)．H—J：高悪性度(未治療で0.5—2年生存)．D—Hは進行性リンパ腫ともよばれる

†ATL/L：成人T細胞リンパ腫/白血病．CLI：慢性リンパ性白血病．LGL：大型顆粒リンパ性白血病．MALT：粘膜関連リンパ組織．PLL：前リンパ球白血病．SLL：小リンパ性白血病

‡リンパ腫

L

ly arrangement]．趨リンパ球性（リンパ球を引き付けたり，退けたりする作用を行うこと）．

lym·pho·tox·ic·i·ty (lim′fō-tok-sis′i-tē)．リンパ球毒性（リンパ球に対する毒性）．

lym·pho·tox·in (lim′fō-tok′sin)．リンフォトキシン，リンホトキシン（多くの細胞を溶解または破壊するTリンパ球からのリンフォカイン）．

lym·phot·ro·phy (lim-fot′rō-fē) [lympho- + G. *trophē*, nourishment]．リンパ栄養（血管のない部分に，リンパによって組織へ栄養を与えること）．

lym·phu·ri·a (lim-fū′rē-ă) [lympho- + G. *ouron*, urine]．リンパ尿〔症〕(尿中にリンパが排出されること)．

Lynch (linch), Henry T. 20世紀の米国人腫瘍学者．→L. *syndrome*.

lyo- (lī′ō) [G. *lyō*, to loosen, dissolve]．溶解に関する連結形．→lyso-．

ly·o·en·zyme (lī′ō-en′zīm)．可溶性酵素（細胞内に溶解して存在する酵素の総称）．

ly·ol·y·sis (lī-ol′i-sis)．リオリシス，加溶媒分解（[誤った発音 lyoly′sis を避けること]．加溶媒分解 solvolysis に対してまれに用いる語）．

Ly·on (lī′on), B.B. Vincent．米国人医師，1880—1953．→Meltzer-L. *test*.

Ly·on (lī′on), Mary F. 20世紀のイングランド人細胞遺伝学

者．→L. *hypothesis*; lyonization.

ly・on・i・za・tion (lī′on-i-zā′shŭn) [M. *Lyon*]．ライオニゼーション（個々の細胞について，X連鎖遺伝子の一倍体が2個以上存在する場合には，通常，1個の遺伝子を除くすべてが明らかにランダムに不活性化しており，表現型の発現がまったくないという正常な現象のこと．ライオニゼーションは通常の現象であるが，不変であるというわけではない．男性より女性においてX連鎖形質の発現が多岐にわたるのはこのランダムな現象による．ライオニゼーションはKlinefelter(XXY)核型をもつ男性に起こる．→gene dosage *compensation*)．＝Lyon hypothesis; X-inactivation; X inactivation.

X-inactivation center l. [Mary F. *Lyon*. イングランド人遺伝学者]．X染色体不活性化中心ライオニゼーション（セントロメアに位置し，転写されないX染色体上の独特な部位．そこから染色体不活性化が開始され広がっていく）．

ly・o・phil, ly・o・phile (lī′ō-fil, -fīl)．親液〔性〕物質．

ly・o・phil・ic (lī′ō-fil′ik) [lyo- ＋ G. *phileō*, to love]．親液性の，乳濁性の（①膠質化学において，分散媒に対する著しい親和力をもつ分散相を意味する．分散相が親液性であるとき，膠質は通常，可逆性である．②親液性を意味する）．＝lyotropic.

ly・oph・i・li・za・tion (lī-of′i-li-zā′shŭn)．＝freeze-drying. ***1*** 凍結乾燥〔法〕（溶液を凍結し，真空下で氷を蒸発させ溶液から固体物質を分離する過程）．***2*** 物質に親液性を付加する過程．

ly・o・phobe (lī′ō-fōb)．疎液〔性〕物質．

ly・o・pho・bic (lī′ō-fo′bik) [lyo- ＋ G. *phobos*, fear]．疎液性の，懸濁性の，疎媒性の（①膠質化学において，分散媒に対してごくわずかの親和力しかもたない分散相を意味する．分散相が疎液性のとき，膠質は通常，不可逆性である．②親液性がないか排除していること）．

ly・o・sorp・tion (lī′ō-sōrp′shŭn)．溶媒吸収（液体が固体表面に吸着すること）．

ly・o・trop・ic (lī′ō-trop′ik) [lyo- ＋ G. *tropē*, a turning]．＝lyophilic.

ly・pres・sin (lī′pres′in)．リプレシン（8位にリジンを含むバソプレッシン．抗利尿・血管収縮ホルモン）．＝8-lysine vasopressin.

ly・ra (lī′ră) [L. and G. lyre]．たて琴形の構造物．

l. davidis, lyre of David (dā′vid)．*commissura* fornicis を意味する現在では用いられない語．

l. uterina ＝palmate *folds* of cervical canal.

Lys lysine または lysyl の略．

lys- (līs)．→lyso-.

ly・sate (lī′sāt)．溶解産物（細胞溶解現象の破壊過程で生じる物質）．

lyse (līs)．溶解する，崩壊する，渙散する，消散する．

ly・se・mia (lī-sē′mē-ă) [lyso- ＋ G. *haima*, blood]．血液崩壊，溶血（赤血球の崩壊または溶解と循環血漿あるいは尿中への血色素の出現）．

ly・serg・am・ide (lī-serj′ă-mīd)．＝*lysergic acid* amide.

ly・ser・gic ac・id (lī-ser′jik)．リセルグ酸（ᴅ-異性体は麦角アルカロイドのアルカリ性加水分解産物．光沢のある結晶として生じ，水にわずかに溶解する．幻覚薬）．

l. a. amide リセルグ酸アミド（ヒルガオ科 *Rivea corymbosa*, *Ipomoea tricolor* に存在する精神興奮薬．リセルグ酸ジエチルアミドよりも幻覚作用は少ない）．＝ergine; lysergamide.

l. a. diethylamide (LSD) リセルグ酸ジエチルアミド（末梢ではセロトニン拮抗薬．体重1kg当たり1—2 μgでヒトでは聴覚性よりもむしろ視覚性の幻覚状態を引き起こす．本品の使用は精神病を促進するものと考えられる．慢性アルコール中毒や精神障害の治療にときに用いる）．＝lysergide.

l. a. monoethylamide リセルグ酸モノエチルアミド（ヒルガオ科 *Rivea corymbosa*, *Ipomoea tricolor* に存在する精神興奮薬．リセルグ酸ジエチルアミドよりも幻覚作用は少ない）．

ly・ser・gide (lī-ser′jīd)．リセルギド．＝*lysergic acid* diethylamide.

ly・ser・gol (lī′sĕr-jol)．リセルゴル（半合成麦角アルカロイド）．

ly・sin (lī′sin)．溶解素（①細胞や組織に破壊的に作用する特異的な補体固定抗体．溶解素の産生を刺激する抗原の種類によって種々の型が命名されている．例えば，溶血素，溶菌素など．②溶解を起こす物質の総称）．

ly・sine (K, Lys) (lī′sēn)．リシン，リジン；2,6-diaminohexanoic acid（ʟ-異性体は多数の蛋白中にある栄養学的に必須のα-アミノ酸である．特徴としてε-アミノ基をもつ）．

l. decarboxylase リシンデカルボキシラーゼ（ʟ-リシンの脱カルボキシル化を触媒する酵素．カダベリンと二酸化炭素の産生を伴う）．

ly・si・ne・mi・a (lī′si-nē′mē-ă)．リシン血〔症〕（→hyperlysinemia）．

8-**ly・sine va・so・pres・sin** (lī′sēn vā′sō-pres′in)．8-リシンバソプレッシン．＝lypressin.

ly・sin・i・um (lī-sin′ē-ŭm)．リシニウム（リシンのカチオン型でリシニウム(＋1)または，リシニウム(＋2)とがある）．

ly・sin・o・gen (lī-sin′ō-jen)．溶解素原（特異的溶解素の形成を刺激する抗原）．

ly・si・no・gen・ic (lī′si-nō-jen′ik)．溶解素原の．

ly・si・nu・ri・a (lī′si-nyū′rē-ă)．リシン尿〔症〕（尿中にリシンが存在すること）．

ly・sis (lī′sis) [G. dissolution or loosening]．***1*** 〔細胞〕溶解〔現象〕（赤血球，細菌，他の構造物が特異的溶解素により破壊されること．通常，破壊される構造をさしていう(例えば，溶血，溶菌，腎細胞溶解など)．直接的毒素作用による場合もあるし，あるいは，酵素活性をもつ血液内の一連の蛋白(補体系)の結合・活性化により，標的細胞表面抗原と抗体が反応するような免疫機構による場合もある)．***2*** 渙散，消散（急性の疾病の症状が徐々に減退すること．治癒過程の一型で，発症 crisis と区別される）．

bystander l. 巻き添え溶解（補体の活性化が起こっている場所の近くの細胞が補体を介した溶解を受けること）．

lyso-, lys- (lī′so, līs) [G. *lysis*, a loosening]．渙散，溶解，を意味する連結形．→lyo-.

ly・so・ceph・a・lin (lī′sō-sef′ă-lin)．リゾケファリン，リゾセファリン（セリンまたはエタノールアミンでエステル化されたリゾホスファチド酸，すなわちリゾホスファチジルセリンまたはリゾホスファチジルエタノールアミン．リゾレシチンと類似する）．

ly・so・gen (lī′sō-jen) [lysin ＋ G. *-gen*, producing]．***1*** 溶原（溶解を起こしうるもの）．***2*** 溶原菌（溶原性の状態にある細菌）．***3*** ライソジェン（リシン産生を促す抗原）．

ly・so・gen・e・sis (lī′sō-jen′ĕ-sis)．溶解素の産生．

ly・so・gen・ic (lī′sō-jen′ik)．溶原〔性〕の（①ある種の抗体や化学物質の作用のように，溶解を起こすものあるいはその能力のあるものをいう．②溶原性の状態にある細菌についていう）．

ly・so・ge・nic・i・ty (lī′sō-jĕ-nis′i-tē)．溶原性．

ly・so・ge・ni・za・tion (lī′sō-jĕn′i-zā′shŭn, lī-soj′ĕ-ni-zā′-shŭn)．溶原化（細菌が溶原性になる過程）．

ly・sog・e・ny (lī-soj′ĕ-nē)．溶原性（細菌にテンペレートバクテリオファージが感染すると，ファージDNAが宿主細菌の遺伝子に組み込まれ，細菌のDNAと共に複製されるが，潜在または発現しないままの状態でいる現象．溶菌サイクルの誘発は自然に起こり，または何らかの因子によって起こると，結果的に子孫のバクテリオファージの生成と宿主細胞の溶解を引き起こす）．

ly・so・ki・nase (lī′sō-kī′nās)．溶菌素酵素（ストレプトキナーゼ，ウロキナーゼ，スタフィロキナーゼのような賦活剤に用いる語．これらはプラスミノゲンに間接的なあるいは複雑な作用を及ぼしてプラスミンを生じさせる）．

ly・so・lec・i・thin (lī′sō-les′i-thin)．リゾレシチン（リゾホスファチジルコリン．赤血球の溶血能がある）．

l.:lecithin acyltransferase (LLAT) リゾレシチン：レシチンアシルトランスフェラーゼ（リゾレシチンと他のリン脂質(例えばホスファチジルエタノールアミン)からレシチンとリソホスファチジルエタノールアミンを与える反応を可逆的に触媒する酵素．レシチンの再生成の主経路）．

ly・so・lec・i・thin・ase (lī′sō-les′i-thin-ās)．リゾレシチナーゼ．＝lysophospholipase.

ly・so・phos・pha・tid・ic ac・id (lī′sō-fos′fă-tid′ik as′id)．リゾホスファチド酸（グリセリンリン酸の2個の水酸基の1つだけがエステル化されているホスファチド酸．多くはグリセロール部分のC-1位がエステル化されている(例えば，1-アシルグリセロール-3-リン酸))．

l. a. acyltransferase =1-acylglycerol-3-phosphate acyltransferase.

ly·so·phos·pha·ti·dyl·cho·line (lī′sō-fos′fă-tī′dil-kō′lēn). リゾホスファチジルコリン (ホスファチジルコリンで，そのグリセロール基のC2位から脂肪酸アシル部分が脱離している).

ly·so·phos·pha·ti·dyl·ser·ine (lī′sō-fos′fă-ti-dil-ser′ēn). リゾホスファチジルセリン (1つの脂肪酸アシル残基がグリセロール部分から除かれたホスファチジルセリン．*cf.* lysophosphatidic acid).

ly·so·phos·pho·li·pase (lī′sō-fos′fō-lip′ās). リゾホスホリパーゼ (リゾレシチンから1つのアシル基を除きグリセロホスホコリンと遊離脂肪酸アニオンを生成させるヒドラーゼ). =lecithinase B; lysolecithinase; phospholipase B (1).

lysophospholipids (lī′sō-fos′fō-lip′id). リゾリン脂質 (部分消化したリン脂質で脂肪酸鎖を欠く).

ly·so·some (lī′sō-sōm) [lyso- + G. *soma*, body]. リソソーム，ライソソーム，水解小体 (細胞質膜に結合した5—8 nmの厚さの小胞(一次リソソーム)でpHが酸性で活性な種々の糖蛋白性加水分解酵素をもつ，外因性物質．例えば細菌を消化したり，細胞のオルガネラを自己消化する).

definitive l.'s 恒久性リソソーム．=secondary l.'s.

primary l.'s 一次リソソーム (Golgi装置で産生される加水分解酵素を含むリソソーム．これはファゴソームやピノソームと融合して二次リソソームになる).

secondary l.'s 二次リソソーム (加水分解酵素の作用によって消化されたものを含むリソソーム．最終的に遺残体になると考えられる). =definitive l.'s; digestive vacuole.

ly·so·staph·in (lī′sō-staf′in). リソスタフィン (ある種のブドウ球菌属 *Staphylococcus* 微生物が産生するペプチダーゼでブドウ球菌に対して抗菌活性をもつ).

ly·so·type (lī′so-tīp) [lyso + type]. リソタイプ (特定のファージに対する反応によって決定される細菌種内のタイプ).

ly·so·zyme (lī′sō-zīm) [MIM*153450]. リゾチーム，ライソザイム (*N*-アセチルムラミン酸と *N*-アセチルグルコサミンの間の1,4-β 結合の加水分解を触媒する酵素で，ある種の細菌の細胞膜を破壊する．涙や体液中，卵白，ある種の植物組織中に存在する．カリエスの予防のための殺菌剤としてや乳児用処方箋の処理に用いられる). =mucopeptide glycohydrolase; muramidase.

Lys·sa·vi·rus (lis′ă-vī′rŭs). リッサウイルス属 (狂犬病ウイルス群を含むウイルスの一属(ラブドウイルス科)).

Australian bat *L.* かつてオーストラリアの女性に致命的な狂犬病様疾患を起こしたウイルスの種.

European bat *L.* ヨーロッパにおいてヒトに狂犬病様疾患を起こす2種(1および2を含む)．食虫性のコウモリの吸血によって伝播される.

ly·syl (K) (lī′sil). リシル (リシンを構成する1価の基).

l. hydroxylase リシルヒドロキシラーゼ (ある蛋白(例えばコラーゲン)中の特定のリシル基に対し α-ケトグルタル酸と O_2 を作用させ，δ-ヒドロキシリシン基，コハク酸，CO_2 を生成させる反応を触媒する酵素．この酵素は，Fe^{2+} とアスコルビン酸依存性で，Ehlers-Danlos症候群VI型で欠損している). =l. 2-oxoglutarate dioxygenase.

l. oxidase [MIM*153455]. リシルオキシダーゼ (Cu^{2+} と O_2 依存性の酵素で，コラーゲン中の特定のリシル基を酸化しアリシル基に，または，ヒドロキシリシル基をヒドロキシアリシル基にする．この反応はコラーゲン鎖の架橋(アルドール縮合やAma-dori転位反応経由の)に対して必須の段階である．この酵素活性の低下により後角症候群になる).

l. 2-oxoglutarate dioxygenase =l. hydroxylase.

ly·syl-brad·y·ki·nin (lī′sil-brad′ē-kī′nin). リシル-ブラジキニン．=kallidin.

Lyth·o·glyph·op·sis (lith′ō-glif-op′sis). リソグリフォプシス属 (イツマデガイ科(イツマデガイ亜科，前鰓亜綱)に属する水陸両生のヘタをもつ淡水性巻貝の一属．メコン河のデルタ地帯では *L. aperta* がメコン住血吸虫の中間宿主として働いている).

lyt·ic (lit′ik). 渙散の，消散の，〔細胞〕溶解〔現象〕の，崩壊の，リーシスの (osteolyticの略として口語で用いる).

lyx·i·tol (lik′si-tol). リキシトール (リキソフラビンに生じるペンチトール(還元リキソース)).

lyx·o·fla·vin (lik′sō-flā′vin). リキソフラビン (D-リキシトールがD-リビトール基の代わりに存在する以外はリボフラビン類似の化合物．心筋に少量存在する).

lyx·ose (lik′sōs). リキソース (アルドヘントース．D-リキソースはD-アラビノースやD-キシロースのエピマーである．L-リキソースはD-リボースのエピマーである).

lyx·u·lose (liks′yū-lōs). リキシュロース (リキソースの2-ケト誘導体).

lyze (līz). →lyse.

L

M

μ ミュー（[JCAHOは，ギリシア文字*μ*はしばしば m と読み違えられるので，接頭語 micro- を含む単位については，略号(*μ*g, *μ*L)ではなく，完全表記(microgram, microliter)するように指導している．以下に略号を記したのは，規範を示すためではなく説明のためである]．①ギリシア語アルファベットの第 12 文字 mu．② micro- (2), ミクロン，動粘性率 dynamic *viscosity*，分子の磁気または電気双極子モーメント，化学ポテンシャル chemical *potential* の記号．カルボキシル基や他の置換基から 12 番目の原子にある置換基の位置を表す）．

μ_B ボーア磁子 Bohr *magneton* の記号．

μ_N 核磁子 nuclear *magneton* の記号．

μμ micromicro-; micromicron.

***μμ*g** マイクロマイクログラムの記号．

M ***1*** メガ mega- (2)，モーガン，モル濃度(1L 当たりのモル数，*M*またはᴍとも書く)，近視，近視の，メチオニン，メチオニル，核酸の 6-メルカプトプリンリボヌクレオシド，ラテン語 *misce*(混合せよ)，金属の記号．***2*** 血液因子の記号．付録 Blood Groups の MNSs 血液型参照．

M. ラテン語 *misce*(混合せよ)の略．

ᴍ モル濃度 molarity の記号．Mまたは*M*とも書く．

M_r 分子量 molecular weight *ratio*，相対分子量 relative molecular *mass* の記号．

m メートル，ミリ，ミニム，質量，磁気双極子モーメント，質量モル濃度の記号．

m- *meta-* (2) の略．

MA mental *age*; mentoanterior *position*; Master of Arts (Magister Artium)(文学修士号); Medical Assistant(医療扶助)の略．

ma, mA milliampere の略．

MAA macroaggregated *albumin* の略．

MAB monoclonal *antibody* の略．

MAC ***1*** minimal anesthetic *concentration* の略．***2*** *Mycobacterium avium complex* の略．→*Mycobacterium avium-intracellulare complex*.

Mac- この形で始まる語は Mc- の項も参照．

Ma·ca·ca (mă-kah′kă) [Pg. *macaco*, monkey]．マカク属(旧世界ザルの大きな属(オナガザル上科)で，マカク，赤毛ザル，尾なしザルを含む．赤毛ザル *M. mulatta* は研究動物として使われる)．

ma·caque (mă-kahk′) [Fr.]．マカク（→*Macaca*)．

Mac·Con·key (mă-kon′kē), Alfred T．英国人細菌学者，1861—1931．→MacC. *agar*.

Mace, MACE (mās)．メース（軽油分散媒や圧縮噴射剤中の *m*ethylchloroform 2-chlor*ace*tophenone(原型の催涙薬)の頭字語)．

mac·er·ate (mas′ĕr-āt) [→maceration]．浸軟する，冷浸する，浸解する，単離する（水に浸して軟らかくする)．

mac·er·a·tion (mas′ĕr-ā′shŭn) [L. *macero*, pp. *-atus*, to soften by soaking]．***1*** 浸軟，冷浸（液体の作用によって軟らかくすること)．***2*** 浸軟，浸解（非腐敗性(無菌の)自己分解による死後の組織軟化．特に死産児にみられ，表皮が剝離する)．

Mac·ew·en (mă-kū′ĕn), William．スコットランド人外科医，1848—1924．→M. *sign, symptom, triangle*.

Mach (mahk), Ernst．ハプスブルク帝国の科学者，1838—1916．→M. *band, number*.

ma·chine (mă-shēn′) [L. *machina*, contrivance]．機械，器械．

anesthesia m. 麻酔機械，麻酔器（吸入麻酔に用いる装置．流速計，気化器，圧縮ガス源が付いているが，麻酔回路，すなわち炭酸ガスを除去する装置は付いていない)．

heart-lung m. 人工心肺（血液ポンプ(人工心臓)と血液酸素化(人工肺)を組み合わせた装置で，心臓外科での開心術において，体外循環と血液の酸素化を担うもの)．

panoramic rotating m. パノラマ回転撮影装置（管球および口外フイルムの往復運動を利用して，全歯および周辺組織の放射線写真を撮るX線機械．→tomography)．

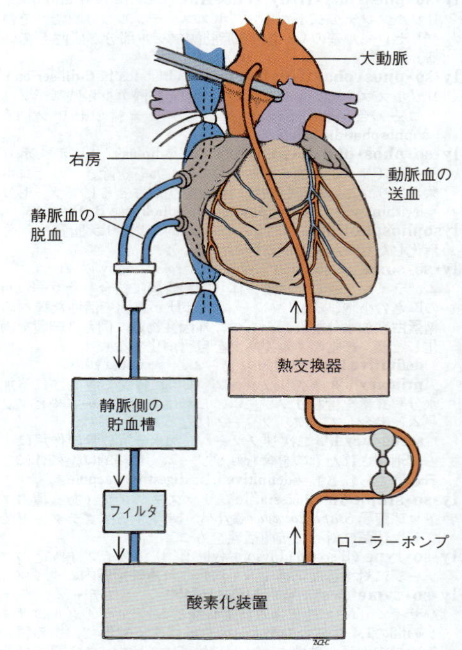

heart-lung machine

Mac·kay (mă-kā′), Ralph Stuart．20 世紀の米国人物理学者．→M.-Marg *tonometer*.

Mac·ken·rodt (mahk′en-rot), Alwin K．ドイツ人婦人科医，1859—1925．→M. *ligament*.

Mac·ken·zie (mă-ken′zē), James．スコットランド人医師，ロンドンで開業，1853—1925．→M. *polygraph*.

Mac·ken·zie (mă-ken′zē), Richard J. スコットランド人外科医，1821—1854．→M. *amputation*.

Mac·Lach·lan (măk-lahk′lăn), Elsie A．20 世紀の研究者．→Lowe-Terrey-MacL. *syndrome*.

Mac·leod (mă-klowd′), Roderick．スコットランド人医師，1795—1852．→M. *rheumatism*.

Mac·Leod (mă-klowd′), William Mathieson．英国人医師，1911 — 1977．→Macleod *syndrome*; Swyer-James-M. *syndrome*.

ma·clur·in (mă-klūr′in) [C.I. 75240]．マクルリン（モリンと会合し，フスチックから誘導された天然色素．種々の金属媒染剤とともに織物を染色するのに用いる．塩化第二鉄を付加すると深緑色に変化する)．

Mac·Neal (măk-nēl′), Ward J．米国人細菌学者，1881—1946．→M. tetrachrome blood *stain*; Novy and M. blood *agar*.

macr- →macro-.

Mac·ra·can·tho·rhyn·chus (mak′ră-kan′thō-ring′kŭs) [macro- + G. *akantha*, thorn + *rhynchos*, snout]．マクロアカントリンクス属（巨大な棘状の頭部をもつ鉤頭虫綱の一属)．

M. hirudinaceus ブタ寄生の巨大な鉤頭虫で，大きさは巨大回虫(回虫属 *Ascaris*)とほぼ同じ．腸管に住み，そこで各虫体の棘状吻が貫入した部分に結節が発生する．ときにはヒトでも報告されている．感染したブタから排出される生きた

卵を含んだ糞を食べたマグソコガネやゴキブリなどの感染昆虫の中で，ヒトを含む脊椎動物宿主に感染力のあるシストアカント幼虫段階に発達し，この感染昆虫を摂取すると伝播する．

mac·ren·ceph·a·ly, mac·ren·ce·pha·lia (mak′ren-sef′ă-lē, -sĕfā′lē-ă) [macro- + G. *enkephalos*, brain]. 大脳〔髄〕症，巨〔大〕脳〔髄〕症（脳の肥大．大きな脳をもつ状態）．

macro-, macr- (mac′rō) [G. *makros*]. 大きい，長い，を意味する連結形．→mega-; megalo-.

mac·ro·ad·e·no·ma (mak′rō-ad′ĕ-nō′mă). マクロアデノーマ，巨大腺腫（直径 10 mm 以上の下垂体腺腫）．

mac·ro·am·y·lase (mak′rō-am′i-lās). マクロアミラーゼ（血清アミラーゼの一種に用いる記述的な語．酵素アミラーゼはグロブリンと結合して錯体として存在する．酵素そのものの分子量は 50,000 であるが，錯体の分子量は 160,000 を超えると思われ，それゆえ腎臓からの排泄を測定しえない）．

mac·ro·am·y·la·se·mi·a (mak′rō-am′i-lā-sē′mē-ă) [macroamylase + G. *haima*, blood]. マクロアミラーゼ血〔症〕（血清アミラーゼの一部分がマクロアミラーゼとして存在する高アミラーゼ血症の一型）．

macroautophagy (mak′rō-aw-tŏf′a-jē). マクロオートファジー，自食作用（細胞質成分のオートファゴソームへの遊離を制御し，それをリソソーム経路へと転送するという，高度に保存された遺伝子による機能）．

mac·ro·bac·ter·i·um (mak′rō-bak-tēr′ē-ŭm). ＝megabacterium.

mac·ro·bi·o·sis (mak′rō-bī-ō′sis) [macro- + G. *bios*, life]. 長寿，長命．＝longevity.

mac·ro·bi·ote (mak′rō-bī′ōt) [macro- + G. *bios*, life]. 長寿生物（長命を保っている生体）．

mac·ro·bi·ot·ic (mak′rō-bī-ot′ik). ***1*** 長寿の．***2*** 延命の．

mac·ro·bi·ot·ics (mak′rō-bī-ot′iks). 延命学（寿命を延ばすことについての学問）．

mac·ro·blast (mak′rō-blast) [macro- + G. *blastos*, germ]. 大赤芽球．

mac·ro·ble·pha·ron (mak′rō-blef′ar-on) [macro- + G. *blepharon*, eyelid]. 大眼瞼（異常に大きな眼瞼）．

mac·ro·bra·chi·a (mak′rō-brā′kē-ă) [macro- + G. *brachiōn*, arm]. 巨腕〔症〕，長腕〔症〕（異常に太い，または長い上肢をもつ状態）．

mac·ro·car·di·a (mak′rō-kar′dē-ă). 大心〔臓〕症．＝cardiomegaly.

mac·ro·ce·phal·ic, mac·ro·ceph·a·lous (mak′rō-se-fal′ik, -sef′ă-lŭs) [macro- + G. *kephalē*, head]. 大頭〔蓋〕症の．＝megacephalic.

mac·ro·ceph·a·ly, mac·ro·ce·pha·lia (mak′rō-sef′ă-lē, -sĕ-fā′lē-ă) [macro- + G. *kephalē*, head][MIM*248000]. 大頭〔蓋〕症．＝megacephaly.

mac·ro·chei·li·a, mac·ro·chi·li·a (mak′rō-kī′lē-ă, mak′rō-kī′lē-ă) [macro- + G. *cheilos*, lip]. 大唇〔症〕（①異常に大きな唇．＝macrolabia. ②唇の海綿様リンパ管腫．非常に拡張したリンパによる唇の永久的腫脹の状態）．

mac·ro·chei·ri·a, mac·ro·chi·ria (mak′rō-kī′rē-ă) [macro- + G. *cheir*, hand]. 大手〔症〕（異常に大きな手を特徴とする状態）．＝cheiromegaly; chiromegaly; megalocheiria; megalochiria.

mac·ro·chem·is·try (mak′rō-kem′is-trē). 肉眼的化学，マクロ化学（肉眼で見ることができる化学反応(例えば，色の変化，起沸)の検査を行うこと．*cf.* microchemistry）．

mac·ro·chy·lo·mi·cron (mak′rō-kī′lō-mī′kron). マクロカイロミクロン（異常に大きなカイロミクロン）．

mac·ro·cne·mi·a (mak′rōc-nē′mē-ă) [macro- + G. *knēmē*, leg]. 大下腿症（[二重字 cn において，c は語頭にあるときのみ無音である]．下腿以下の増大を特徴とする疾患）．

mac·ro·coc·cus (mak′rō-kok′ŭs). ＝megacoccus.

mac·ro·co·lon (mak′rō-kō′lon). 大結腸〔症〕（S 状結腸が異常に長いこと）．

mac·ro·co·nid·i·um, pl. **mac·ro·co·nid·ia** (mak′rō-kō-nid′ē-ŭm, -ă) [macro- + Mod. L.(G. *konis*, dust)由来の指小辞]. 大分生子（①大型の分生子または外生胞子．②真菌において，同一種の 2 つのはっきり大きさの異なった型の分生子のうち大型のもの．厚い壁か薄い壁をもち，2 —10 個の細胞からなる．ほとんどの皮膚糸状菌，および *Histoplasma*, *Fusarium* など他のいくつかの属に特徴的である）．

mac·ro·cor·ne·a (mak′rō-kōr′nē-ă). 巨大角膜（異常に大きな角膜）．

mac·ro·cra·ni·um (mak′rō-krā′nē-ŭm). 大頭蓋（水頭症でみられるような，特に脳を入れる部分が拡大した頭蓋．顔は相対的に小さくみえる）．

mac·ro·cry·o·glob·u·lin (mak′rō-krī′ō-glob′yū-lin). マクロクリオグロブリン（クリオグロブリンの性質をもつマクログロブリン）．

mac·ro·cry·o·glob·u·li·ne·mia (mak′rō-krī-ō-glob′yū-lin-ē′mē-ă). マクロクリオグロブリン血〔症〕（末梢血液中に寒冷で沈殿するマクログロブリンが存在すること．このようなマクログロブリンはしばしば cold hemagglutinins(寒冷血球凝集素)とよばれる）．

mac·ro·cyst (mak′rō-sist). 大嚢胞（肉眼で見える大きさの嚢胞）．

mac·ro·cyte (mak′rō-sīt) [macro- + G. *kytos*, a hollow (cell)]. 大赤血球（悪性貧血でみられるような大形の赤血球）．＝macroerythrocyte.

mac·ro·cy·the·mi·a (mak′rō-sī-thē′mē-ă) [macrocyte + G. *haima*, blood]. 大赤血球症，大球症（循環血液中に異常に多数の大赤血球がみられること）．＝macrocytosis; megalocythemia; megalocytosis.

hyperchromatic m. 高色素性大赤血球症，高色素性大球症（異常に多量のヘモグロビンを含む実際には正色素性である大赤血球に対ししばしば用いる不正確な語．ヘモグロビンの総量は正常より多い(赤血球が大きいため)が，赤血球中のヘモグロビンの割合は正常より大きくはない）．

mac·ro·cy·to·sis (mak′rō-sī-tō′sis) [macrocyte + G. *-osis*, condition]. ＝macrocythemia.

mac·ro·dac·tyl·i·a, mac·ro·dac·tyl·ism, mac·ro·dac·ty·ly (mak′rō-dak-til′ē-ă, -dak′til-izm, -dak′ti-lē). ＝megadactyly.

mac·ro·dont (mak′rō-dont) [macro- + G. *odous* (*odont-*), tooth]. 巨大歯（①異常に大きく，しばしば不均衡な歯．局所的あるいは広範に生じる．②臼歯列指数 44 以上の頭蓋についていう）．＝megadont; megalodont.

mac·ro·don·ti·a, mac·ro·don·tism (mak′rō-don′shē-ă, -don′tizm). 巨大歯型（異常に大きな歯をもっている状態）．＝megadontism; megalodontia.

mac·ro·dys·tro·phi·a li·po·ma·to·sa (mak′rō-dis-trō′fē-ă lip′ō-mă-tō′să). 脂肪腫性巨大症（脂肪腫による指の腫大を特徴とするまれな非家族性疾患で，中手指節および指節間関節の有痛性変性性関節症を伴う）．

mac·ro·ele·ments (mak′rō-el′ĕ-ments). マクロ元素（毎日，比較的大量に(100 mg/日以上)摂取すべき非有機物．例えば，カルシウム，リン，ナトリウム）．＝macrominerals.

mac·ro·en·ceph·a·lon (mak′rō-en-sef′ă-lon) [macro- + G. *enkephalos*, brain]. ＝megaloencephalon.

mac·ro·e·ryth·ro·blast (mak′rō-ĕ-rith′rō-blast). 大赤芽球．＝macronormochromoblast.

mac·ro·e·ryth·ro·cyte (mak′rō-ĕ-rith′rō-sīt). ＝macrocyte.

mac·ro·es·the·si·a (mak′rō-es-thē′zē-ă) [macro- + G. *aisthēsis*, sensation]. 巨大知覚（対象物がすべて実際よりも大きいと知覚する主観的感覚）．

mac·ro·ga·mete (mak′rō-gam′ēt) [macro- + G. *gametē*, wife]. 大配偶子（異形配偶における雌性要素．2 つの性細胞のうちの大きいほうで，貯蔵物質がより多く，通常，運動性はほとんどない）．＝megagamete.

mac·ro·ga·me·to·cyte (mak′rō-gă-mē′tō-sīt). 大配偶子母細胞（異形配偶の原生動物または真菌で，大配偶子を生む生殖母細胞または母細胞）．＝macrogamont.

mac·ro·gam·ont (mak′rō-gam′ont). ＝macrogametocyte.

ma·crog·a·my (mă-krog′ă-mē) [macro- + G. *gamos*, marriage]. 成熟接合（2 つの成熟細胞あるいは配偶子の接合）．

mac·ro·gas·tri·a (mak′rō-gas′trē-ă). ＝megalogastria.

mac·ro·gen·i·to·so·mi·a (mak′rō-jen′i-tō-sō′mē-ă) [macro- + L. *genitalis*, genital + G. *sōma*, body]. 大性器症（身体と性器の過剰発達）．

M

m. praecox 早発性大性器症（性腺の成熟と身長の伸びが10歳以前に起こる症状．ゴナドトロピンの分泌を調節する視床下部にしばしば松果体腫瘍または病巣を伴う）．＝Pellizzi syndrome.

m. praecox suprarenalis 副腎性早発性大性器症（副腎皮質腫瘍による早発性身体発育と二次性徴の同性的成熟）．

ma·crog·li·a (ma-krog′lē-ă)［macro- + G. *glia*, glue］．大膠細胞（［本語は文法的に複数形である．誤った発音macrogli′aを避けること］）．＝astrocyte.

mac·ro·glob·u·lin·e·mi·a (mak′rō-glob′yū-li-nē′mē-ă). マクログロブリン血〔症〕，大グロブリン血〔症〕（循環血液中に増加したマクログロブリンが存在すること）．

Waldenström m. (vahlděn-strum). ヴァルデンストレームマクロ(大)グロブリン血〔症〕（中年後期に起こるマクログロブリン血症で，骨髄でのリンパ球系の異型細胞の増殖，貧血，血沈の亢進，約19 S単位のγ-グロブリンまたはβ_2-グロブリンのピークが狭い高グロブリン血症を特徴とする．脾臓，肝臓，リンパ節がしばしば腫脹し，紫斑，粘膜出血がよくみられる）．＝hyperglobulinemic purpura; Waldenström purpura, syndrome.

mac·ro·glob·u·lins (mak′rō-glob′yū-linz). マクログロブリン（異常に大きな分子量，例えば分子量1,000,000程度の血漿グロブリン．α_2-マクログロブリンはトロンビンをはじめとしたプロテアーゼを阻害する）．

mac·ro·glos·si·a (mak′rō-glos′ē-ă)［macro- + G. *glōssa*, tongue］［MIM*153630］．巨舌〔症〕（発生学的な原因によるか，腫瘍または血管性過誤腫による二次的な原因による舌の肥大）．＝ megaloglossia.

mac·ro·gna·thi·a (mak′rōg-nā′thē-ă)［macro- + G. *gnathos*, jaw］．大上顎〔症〕（［二重字gnにおいて，gは語頭にあるときのみ無音である］．顎の拡大または伸長）．＝megagnathia.

ma·crog·ra·phy (mă-krog′ră-fē)［macro- + G. *graphō*, to write］．大書症（非常に大きな字で書くことを表す，まれに用いる語）．＝megalographia.

mac·ro·gy·ri·a (mak′rō-jī′rē-ă)［macro- + G. *gyros*, circle (gyrus)］．大回脳〔症〕．＝pachygyria.

mac·ro·la·bi·a (mak′rō-lā′bē-ă)［macro- + L. *labium*, lip］．大唇〔症〕．＝macrocheilia (1).

mac·ro·leu·ko·blast (mak′rō-lū′kō-blast). 大白〔血球〕芽細胞（異常に大きな白芽細胞）．

mac·ro·lide (mak′rō-līd). マクロライド（14—20原子で構成される巨大な天然ラクトン環を有す化合物．マクロライド類は放線菌に見出され，抗生物質に分類される．例えば，エリスロマイシン．蛋白生合成を阻害する）．

mac·ro·lides (mak′rō-līdz). マクロライド系抗生物質（ストレプトマイセスから発見された抗生物質．大きなラクトン環からなる分子を特徴とする．例えばエリスロマイシン．多くは，蛋白の生合成を阻害する）．

mac·ro·mas·ti·a, mac·ro·ma·zia (mak′rō-mas′tē-ă, -mā′zē-ă)［macro- + G. *mastos*, breast］．巨大乳房〔症〕（異常に大きな乳房．→hypermastia (2)）．

mac·ro·mel·a·no·some (mak′rō-mel′ă-nō-sōm). 巨大メラニン顆粒．＝giant *melanosome*.

mac·ro·me·li·a (mak′rō-mē′lē-ă)［macro- + G. *melos*, limb］．大肢〔症〕（1つ以上の四肢が異常に大きいこと）．＝megalomelia.

mac·ro·mere (mak′rō-mēr)［macro- + G. *meros*, part］．大割球（例えば，両生類にみられるような大型の割球）．

mac·ro·mer·o·zo·ite (mak′rō-mer′ō-zō′īt)［macro- + G. *meros*, part + *zōon*, animal］．巨大メロゾイト．＝megamerozoite.

mac·ro·min·er·als (mak′rō-min′ĕr-ălz). マクロミネラル．＝macroelements.

mac·ro·mol·e·cule (mak′rō-mol′ĕ-kyūl). 高分子，巨大分子（コロイド型，特に，蛋白，核酸，多糖類，合成ポリマーの分子）．

mac·ro·mon·o·cyte (mak′rō-mon′ō-sīt). 大単球（異常に大きな単球）．

mac·ro·my·e·lo·blast (mak′rō-mī′ĕ-lō-blast). 大骨髄芽球（異常に大きな骨髄芽球）．

macronematous (mak-rō-nē′mă-tŭs). 分化型分生子柄の（真菌において，生長期の菌糸とは形態学的に異なる分生子柄について用いられる）．

mac·ro·nor·mo·blast (mak′rō-nōr′mō-blast). 大正赤芽球（①大きな正赤芽球．②不完全な血球素をもつ有核の大赤血球で“cart-wheel(車軸)”核を有する）．

mac·ro·nor·mo·chro·mo·blast (mak′rō-nōr′mō-krō′-mō-blast). 大正染赤芽球．＝macroerythroblast.

mac·ro·nu·cle·us (mak′rō-nū′klē-ŭs). 大核（①細胞の比較的広い部分を占める核，または1つの細胞に2つ以上の核があるとき，その大きいほうの核をいう．＝meganucleus. ②特に繊毛虫の2つの核のうちの大きいほうで，栄養代謝機能をつかさどり，生殖には関係しない．→micronucleus (2). ＝somatic nucleus; trophic nucleus; trophonucleus）．

mac·ro·nu·tri·ents (mak′rō-nū′trē-ents). 多量養素（多量に必要とされる栄養素．例えば，炭化水素，蛋白，脂肪など）．

mac·ro·nych·i·a (mak′rō-nik′ē-ă)［macro- + G. *onyx*, nail］．大爪〔症〕（手指または足指の爪が異常に大きな状態）．

mac·ro·or·chid·ism (mak′rō-ōr′kid-izm)［macro- + G. *orchis* (*orchid*-), testicle］．巨睾丸〔症〕（異常に大きな睾丸．脆弱X症候群の男子で認められる）．

mac·ro·par·a·site (mak′rō-par′ă-sīt). 大寄生生物，大寄生虫（肉眼で観察できる，シラミや腸内寄生虫のような寄生生物）．

mac·ro·pa·thol·o·gy (mak′rō-pa-thol′ŏ-jē). 肉眼的病理学，マクロ病理学（疾病の肉眼的な解剖学的変化に関する病理学）．

mac·ro·pe·nis (mak′rō-pē′nis). 巨大陰茎．＝macrophallus.

mac·ro·phage (mak′rō-fāj)［macro- + G. *phagō*, to eat］．マクロファージ，大食細胞（［誤った発音mak′ro-fahzhを避けること］．骨髄中の単球系幹細胞に由来する単核で活動性の食細胞．広く生体内に分布しており，形態的にも運動性にも多様性がある．しかし多くは球形に近い核をもつ大きな長寿命細胞であり，豊富なエンドサイトーシス小胞，エンドソーム，リソソームやファゴリソソームを含有する．食作用は通常，ある種の免疫グロブリンや補体成分などの血清中の識別因子により媒介されることが主であるが，肺胞マクロファージの場合のように，いくつかの不活性物質や細菌に対しては非特異的である場合もある．マクロファージはまた細胞性免疫反応に関与し，抗原をリンパ球に呈示し，種々の免疫調節分子を分泌し，ナチュラルキラー細胞と相互作用する）．＝macrophagocyte; rhagiocrine cell.

activated m. 活性化マクロファージ（成熟マクロファージ．代謝活性状態で，腫瘍あるいは標的細胞に傷害性を有する．通常はある種のサイトカインによって誘導される）．＝armed m.

alveolar m. 肺胞マクロファージ（肺胞上皮の表面に存在する活性化マクロファージで，外界からの塵埃や異物を細胞内に取り込む）．＝coniophage; dust cell.

armed m. 防御マクロファージ．＝activated m.

fixed m. 固定マクロファージ（休止状態にあるマクロファージ．結合組織，リンパ節，脾臓，骨髄にみられる）．＝resting wandering cell.

free m. 遊離マクロファージ（炎症部位に典型的にみられる活性化したマクロファージ）．

Hansemann m. (hahns′mahn). ハンゼマン大食細胞，ハンゼマンマクロファージ（Michaelis-Gutmann小体および1個または数個の核をもち，豊富な細胞質を有する大組織球を表す，現在では用いられない語．マラコプラキアの病変において記録されている）．

inflammatory m. 炎症性マクロファージ（炎症局所においてみられるマクロファージ）．

tangible body m. タンジブルボディーマクロファージ（リンパ球を貪食するように特殊化されたマクロファージ）．

mac·ro·phag·o·cyte (mak′rō-fag′ō-sīt). ＝macrophage.

mac·ro·phal·lus (mak′rō-fal′lŭs)［macro- + G. *phallos*, penis］．＝macropenis.

mac·roph·thal·mi·a (mak′rof-thal′mē-ă)［macro- + G. *ophthalmos*, eye］．［誤ったつづりまたは発音macropthalmiaを避けること］．＝megalophthalmos.

mac·ro·po·di·a (mak′rō-pō′dē-ă)［macro- + G. *pous*,

foot〕. 巨足〔症〕(異常に大きな足をもつ状態). =megalopodia; pes gigas.

mac·ro·pol·y·cyte (mak′rō-pol′ē-sīt) 〔macro- + G. *polys*, many + *kytos*, cell〕. 大多分葉核球 (多分葉核(例えば, 8, 10, またはそれ以上の分葉)を有する異常に大きな多形核好中球. クロマチンの配列は正常好中球より密でなく, 細胞質顆粒はより大きく, より好酸性である. このような変化は悪性貧血, その他の貧血の場合のように, しばしば赤血球の特異的変化に先行して起こる).

mac·ro·pro·my·e·lo·cyte (mak′rō-prō-mī′ĕ-lō-sīt). 大前骨髄球 (異常に大きな前骨髄球).

mac·ro·pro·so·pi·a (mak′rō-prō-sō′pē-ă) 〔macro- + G. *prosōpon*, face〕. 大顔〔症〕(頭蓋(脳頭蓋)の大きさに比べて顔が非常に大きい状態). =megaprosopia.

mac·ro·pro·so·pous (mak′rō-prō′sō-pŭs, -prō-sō′pŭs). 大顔〔症〕の. =megaprosopous.

ma·crop·si·a (mă-krop′sē-ă) 〔macro- + G. *opsis*, vision〕. 大視症 (対象物が実際よりも大きいと知覚すること).

mac·ro·rhin·i·a (mak′rō-rin′ē-ă) 〔macro- + G. *rhis* (*rhin-*), nose〕. 巨鼻症, 巨大鼻 (先天的または病的に鼻が大きいこと).

mac·ro·sce·li·a (mak′rō-sē′lē-ă) 〔macro- + G. *skelos*, leg〕. 巨脚, 長脚 (脚が異常に長い, または太いこと).

mac·ro·scop·ic (mak′rō-skop′ik). ***1*** 肉眼で見える (肉眼で, すなわち顕微鏡を使わないで見える大きさの). ***2*** 肉眼〔的〕検査の.

ma·cros·co·py (mă-kros′kŏ-pē) 〔macro- + G. *skopeō*, to view〕. 肉眼〔的〕検査 (肉眼で対象物を検査すること).

mac·ro·sig·moid (mak′rō-sig′moyd). 大S状結腸〔症〕(S状結腸の拡大や拡張). =megasigmoid.

ma·cro·sis (mă-krō′sis) 〔G.〕. 巨大症 (体積または長さの増加をいう).

mac·ros·mat·ic (mak′roz-mat′ik) 〔macro- + G. *osmē*, smell〕. 嗅覚過敏の (異常に鋭い嗅覚についていう).

mac·ro·so·mi·a (mak′rō-sō′mē-ă) 〔macro- + G. *sōma*, body〕. 巨人症. =megasomia.

mac·ro·splanch·nic (mak′rō-splangk′nik). =megalosplanchnic.

mac·ro·spore (mak′rō-spōr) 〔macro- + G. *sporos*, seed〕. 大胞子 (ある種の原生動物または真菌の2つの胞子型のうち大きいほうをいう). =megalospore; megaspore.

mac·ro·ster·e·og·no·sis (mak′rō-ster′ē-og-nō′sis) 〔macro- + G. *stereos*, solid + *gnōsis*, recognition〕. 大立体認知〔症〕, 立体性巨視〔症〕(物体が実際よりも大きく見える知覚異常).

mac·ro·sto·mi·a (mak′rō-stō′mē-ă) 〔macro- + G. *stoma*, mouth〕. 大口〔症〕, 巨口〔症〕(異常に大きな口. 胚芽期に上顎突起と下顎突起の間の融合がうまくいかないことにより生じる).

mac·ro·ti·a (mak-rō′shē-ă) 〔macro- + G. *ous*, ear〕. 大耳〔症〕, 巨耳〔症〕(耳介が先天的に極端に大きい状態).

mac·ro·tome (mak′rō-tōm) 〔macro- + G. *tomē*, cutting〕. マクロトーム (大きい解剖切片をつくるための器械).

mac·u·la, pl. **mac·u·lae** (mak′yū-lă, -ū-lē) 〔L. a spot〕. =macule; spot (1). ***1*** 〔TA〕. 斑 (周りの組織との色の違いを知覚できる直径1cm以下の丸い扁平な点). ***2*** 斑, 斑点, 斑紋 (隆起も陥凹もしていない皮膚の小さな変色した斑または点. →spot). ***3*** 平衡斑 (前庭迷路の卵形嚢および球形嚢にある神経上皮性の感覚受容器. →*neuroepithelium* of macula). =maculae utriculosaccularis 〔TA〕.

maculae acusticae 聴斑 (→m. of saccule; m. of utricle).

m. adherens =desmosome.

m. albida, pl. **maculae albidae** 白斑 (特に中年以上の人で, ときに死後の心外膜にみられる灰白色, 白色の円形または不整形の, やや不透明な斑点. 心外膜の線維性肥厚によるが, 硝子質化によることもある. 同様な病変が臓側腹膜に生じることもある). =m. lactea; m. tendinea; tache blanche; tache laiteuse (2); tendinous spot; white spot.

m. atrophica 萎縮斑 (皮膚の萎縮性で光沢のある白斑).

m. cerulea 青〔色〕斑 (ノミやシラミの刺傷, 特に外陰部毛ジラミ症で生じる皮膚の青みがかった斑点). =blue spot (1).

m. communicans =gap *junction*.

m. communis 総斑 (耳胞の内壁にある肥厚部で, 後に分化して球形嚢斑, 卵形嚢斑, 半規管の膨大部稜を形成する).

m. corneae 角膜斑 (角膜の密な混濁). =corneal spot.

m. cribrosa, pl. **maculae cribrosae** 〔TA〕. 篩状斑 (迷路の前庭壁の3部位で, 膜迷路部への神経線維の通路になる多数の孔の開いているのが特徴である. ⓘ **m. cribrosa inferior**〔TA〕(下篩状斑)は後骨膨大部にあって後膨大部神経が通っている. ⓘⓘ **m. cribrosa media**〔TA〕(中篩状斑)は蝸牛底の近くにあって球形嚢神経が通っている. ⓘⓘⓘ **m. cribrosa superior**〔TA〕(上篩状斑)は卵形嚢陥凹の上部にあって卵形嚢膨大部神経が通っている).

m. cribrosa quarta 蝸牛神経の孔を記述するのにしばしば用いられる.

m. densa 緻密斑 (遠位尿細管上皮にある, 密に集合して, 濃厚に染色される細胞群で, 傍糸球体細胞に直接接する. 傍糸球体細胞に情報を与える化学受容体または圧受容体として機能すると思われる).

false m. 偽黄斑 (偏心固視点).

m. flava 黄斑 (2つの声帯ひだが合する声門裂の前端の黄色の点).

m. gonorrhoica 淋疾斑 (周囲の粘膜より明るい赤色の斑点で, 大前庭腺開口部の充血を示す. 淋病でときにみられる).

honeycomb m. 蜂巣状黄斑 (網膜黄斑部位の浮腫).

m. lactea 乳様斑. =m. albida.

m. lutea 〔TA〕. =m. of retina.

m. pellucida 透明斑. =follicular *stigma*.

m. of retina 〔TA〕. 黄斑 (網膜の感受性の高い部位にみられる3×5mmの卵円形の部位で, 視神経円板の外側にあり眼球の後極に相当する. 中央に中心窩があり, ここに錐状体のみが含まれている). =m. lutea 〔TA〕; area centralis; m. retinae; macular area; punctum luteum; Soemmering spot; yellow spot.

m. retinae 黄斑. =m. of retina.

m. of saccule 〔TA〕. 球形嚢斑 (球形嚢の前壁の卵形の神経上皮感覚受容器. 神経上皮の有毛細胞が平衡砂膜を支え, その細胞の周囲に前庭神経線維の終末分枝がある). =m. sacculi 〔TA〕; saccular spot.

m. sacculi 〔TA〕. =m. of saccule.

m. tendinea 腱様斑. =m. albida.

m. of utricle 〔TA〕. 卵形嚢斑 (卵形嚢の下外側壁にある神経上皮性感覚受容器. 神経上皮の有毛細胞が平衡砂膜を支え, その細胞の周囲に前庭神経線維の終末分枝がある. 身体の縦軸方向の加速や重力の変動に感じる). =m. utriculi 〔TA〕; utricular spot.

m. utriculi 〔TA〕. =m. of utricle.

maculae utriculosaccularis 〔TA〕. =macula (3).

mac·u·lar, mac·u·late (mak′yū-lăr, -lāt). ***1*** 斑の, 斑状の, 斑点のある. ***2*** 黄斑の (中心網膜の斑, 特に黄斑についていう).

mac·ule (mak′yūl) 〔L. *macula*, spot〕. 斑〔点〕, 斑紋. =macula.

ash-leaf m. トネリコ葉斑 (しばしばトネリコの葉の形をした脱色素斑で結節性硬化症の患者の多くで出生時よりみられる).

mac·u·lo·ce·re·bral (mak′yū-lō-ser′ĕ-brăl). 黄斑〔大〕脳の (網膜と脳の両方の変性病変を特徴とする神経疾患についていう).

mac·u·lo·er·y·the·ma·tous (mak′yū-lō-er′i-thē′mă-tŭs). 斑紅斑の, 紅斑〔性〕の (広範な紅斑性発疹についていう).

maculopapular (mak′yū-lō-pap′yū-lăr). 斑状丘疹状 (斑と丘疹の両方からなる皮膚の発疹を形容する用語).

mac·u·lo·pap·ule (mak′yū-lō-pap′yūl). 斑〔点状〕丘疹 (中心部の丘疹を取り囲む平らな斑を有する病変).

mac·u·lop·a·thy (mak′yū-lop′ă-thē). 黄斑障害, 黄斑症. =macular retinopathy.

bull's-eye m. 標的黄斑症 (眼球後極部における感覚網膜の浮腫や変性が, あたかも標的のように明暗所見を示す眼疾患. 中毒性・炎症性・遺伝性疾患にみられる).

cystoid m. 嚢胞様黄斑症 (中心網膜の嚢胞様変性. 白内障摘出術後, 老年性黄斑変性および他の網膜異常において生じる).

familial pseudoinflammatory m. 家族性偽炎症性黄斑障害(炎症性変化に類似する家族性黄斑変性).

nicotinic acid m. ニコチン酸〔性〕黄斑障害(1日3,000 mg以上のニコチン酸を摂取する人にみられる黄斑症．投与を中止すると正常視力を回復する).

solar m. 太陽黄斑症(赤外光の熱効果による網膜の黄斑中心窩および脈絡膜の障害．太陽光の注視または十分な保護をせずに日食観察を行うことにより生じる．→photoretinopathy).＝eclipse blindness; solar blindness.

mad (mad)［A.S. *gemād*］.［不正確で時代遅れの本語は，医学的発言および文書では使わないのがよい．本語のもつ否定的または軽蔑的な響きは，文脈によっては不快な表現になるかもしれない］．***1*** rabid の非医学的・軽蔑的用語．***2*** mentally ill; insane の非医学的・軽蔑的用語．

mad·a·ro·sis (mad′ă-rō′sis)［G. a falling off of the eyelashes＜*madaō*, to fall off (of hair)］．***1*** 睫毛脱落〔症〕，眉毛脱落〔症〕．＝milphosis. ***2*** 先天性脱毛症．＝*alopecia* adnata.

mad·der (mad′ĕr)［A.S. *maedere*］．＝Turkey red. ***1*** アカネ科 *Rubia tinctorum* の根の乾燥粉末．数種の配糖体を含み，発酵で赤い染料のアリザリンとプルプリンを生じる．アカネまたはアリザリンを幼若動物に与えると，新しく沈着した骨塩，水酸化リン灰石中のカルシウムが赤く染まる．***2*** アカネ科(Rubiaceae)の植物から得られる染料．

Mad·dox (mad′ŏks), Ernest E. イングランド人眼科医，1860―1933. →M. *rod*.

Ma·de·lung (mah′dĕ-lūng), Otto W. ドイツ人外科医，1846―1926. →M. *deformity, disease, neck*.

Mad·le·ner (mahd′len-ĕr), Max. ドイツ人外科医，1868―1951. →M. *operation*.

mad·ness (mad′nes). 狂気(［不正確で時代遅れの本語は，医学的発言および文書では使わないのがよい．本語のもつ否定的または軽蔑的な響きは，文脈によっては不快な表現になるかもしれない］).

Mad·sen (mad′sĕn), Thorvald J. M. 1870―1957. →Arrhenius-M. *theory*.

Mad·u·rel·la (mad′ū-rel′ă)［*Madura*, インドの地名］．マズレラ属(菌腫の原因となる *M. grisea, M. mycetomi* などの種を含む菌類の一属).

ma·du·ro·my·co·sis (ma-dū′rō-mī-kō′sis)［*Madura*, インドの地名＋mycosis］．マズラミコーシス．＝mycetoma.

MAF macrophage-activating *factor* の略．

Maf·fuc·ci (mă-fū′chē), Angelo. イタリア人医師・解剖病理学者，1847―1903. →M. *syndrome*.

magainin マゲイニン(抗菌活性を有する，アフリカツメガエルの皮膚から発見されたペプチドの1つ).

mag·al·drate (mag′al-drāt). マガルドレート(水酸化アルミニウムと水酸化マグネシウムの化合物で制酸薬として用いる).

Ma·gen·die (mah-zhan-dē′), François. フランス人生理学者，1783―1855. →*foramen* of M.; Bell-M. *law*; M. *law, spaces*; M.-Hertwig *sign, syndrome*.

ma·gen·stras·se (ma-gĕn-stras′ĕ)［Ger. *Magen*, stomach＋*Strasse*, road］．胃道，胃街．＝gastric *canal*.

mag·got (mag′ŏt). ウジ(ハエの幼虫).

cheese m. チーズウジ．＝*Philopia casei*.

surgical m. 外科的ウジ療法(創部デブリドマンの一治療法で，殺菌したウジを用いて壊死組織を除去するもの．本療法は現在は行われていない).

Ma·gill (mă-gil′), Ivan Whiteside. 英国人麻酔科医，1888―1975. →M. *forceps*.

mag·is·tral (maj′is-trăl)［L. *magister*, master］．医師処方の(常備のものとは異なり，医師の処方に従って調合された薬品についていう).

mag·ma (mag′mă)［G. a soft mass or salve＜*massō*, to knead］．マグマ，岩漿(①活性成分を抽出した後に残る軟らかい塊．②軟膏または厚い泥膏).

m. reticulare 網状粘質(初期絨毛膜嚢である卵黄嚢と胞胚の外壁の間にある纎細な非細胞性線維).

Mag·nan (mah-nyahn′), Valentin J. J. パリの精神科医，1835―1916. →M. trombone *movement, sign*.

mag·ne·sia (mag-nē′zha)［→magnesium］．マグネシア．＝*magnesium* oxide.

calcined m. ＝*magnesium* oxide.

m. magma マグネシアマグマ．＝*milk* of magnesia.

mag·ne·si·um (**Mg**) (mag-nē′zē-ŭm)［Mod. L.＜G. *Magnēsia*, ギリシアのテッサリの一地方］．マグネシウム(アルカリ土類元素，原子番号12，原子量24.3050. マグネシアに酸化される．必須元素であり，多種類の塩が臨床使用されている).

m. benzoate 安息香酸マグネシウム(痛風や関節リウマチに以前用いられた物質).

m. carbonate 炭酸マグネシウム(胃腸の過酸症や，緩下薬として用いる物質).

m. citrate クエン酸マグネシウム(緩下薬．通常，飽和剤として適用される).

effervescent m. citrate 沸騰性クエン酸マグネシウム(炭酸マグネシウム，クエン酸，重炭酸ナトリウム，糖をアルコールで湿らせ，ふるいを通し，乾燥させて粗い顆粒状としたもの．緩下薬として用いる).

effervescent m. sulfate 沸騰性硫酸マグネシウム；effervescent Epsom salt(硫酸マグネシウム，重炭酸ナトリウム，酒石酸，クエン酸を湿らせ，ふるいを通し，乾燥させて粗い顆粒状としたもの．しゃ下薬).

m. oxide 酸化マグネシウム(制酸薬および緩下薬).＝calcined magnesia; magnesia.

m. peroxide 過酸化マグネシウム(水中で過酸化水素に分解する．歯磨き剤，消毒散布剤の一成分として用いる).

m. phytinates chlorophyll *a* と chlorophyll *b* の項参照．

m. salicylate サリチル酸マグネシウム(消炎・鎮痛・解熱作用を有するナトリウムを含有しないサリチル酸塩誘導体．軽度から中等度の疼痛の軽減に用いる).

m. stearate ステアリン酸マグネシウム(ステアリン酸，パルミチン酸を種々な割合で含んだマグネシウム化合物．錠剤製造時の滑沢剤，またはベビーパウダーの一成分として用いる).

m. sulfate (**MS**) 硫酸マグネシウム(緩下性のある天然水のほとんどの活性成分．速やかに作用するしゃ下薬で，ある種の中毒に有効である．頭蓋内圧の上昇，浮腫の治療にも用いる．(経静脈では)子かんの抗痙攣薬として，またある種の気分変調性障害および難治性のぜん息の治療に用いられる他，(局所的に用いれば)消炎作用を示す).＝Epsom salts.

tribasic m. phosphate 三塩基リン酸マグネシウム；tertiary m. phosphate(制酸薬として用いられるが，全身性アルカリ化は起こさない．1gは約0.46gの重炭酸ナトリウムの中和能に等しい).

m. trisilicate 三ケイ酸マグネシウム(酸化マグネシウムと二酸化ケイ素の化合物で，種々な割合で水を含む．自然には海泡石に，パラレピオライト，レピオライトとして存在する．制酸薬).

mag·net (mag′net)［G. *magnēs*］．***1*** 磁石(鉄，コバルト，ニッケル，その他あらゆる合金の粒子を引き付ける性質があり，自由回転できるようにつるすと，地球の両磁極の間で，ある決まった方向をとろうとする性質を有する(磁気極性)). ***2*** 人工磁石(棒状または蹄鉄状の鉄片，鉄鋼片で，他の磁石との接触，あるいは電磁石のように金属(鉄)製の芯の周囲に電流を通すことによって磁気を帯びるようになったもの). ***3*** マグネット，磁石(中心に患者を収容できるように円筒状の構造をしたMRI装置用の電磁石).

superconducting m. 超伝導(超電導)磁石(金属の電気抵抗が事実上除去されて超伝導状態になる温度まで常に冷却されているコイルをもつ磁石．通常は液体ヘリウムで冷却される).

mag·net·ic (mag-net′ik). ***1*** 磁石の．***2*** 磁性の，磁気の．

mag·ne·tism (mag′nĕ-tizm). 磁気，磁性(磁石がもつ互いに引き合ったり反発し合ったりする性質).

animal m. 動物磁石(金属の磁石が互いに引き合ったり反発したりするのに似た推定上の精神的力であり，かつては催眠の基本的な要素と信じられ，そのために動物磁石とよばれた．→hypnosis; mesmerism).

mag·ne·to·car·di·og·ra·phy (mag′nĕ-tō-kar′dē-og′ră-fē). 心磁図〔法〕(心臓の磁場を測定すること．磁場は心電図を発生させるのと同じイオン電流によってつくられる．したがって，心磁図もP，QRS，T，U波を示すことが特徴であ

る).

mag·ne·to·en·ceph·a·lo·gram (MEG) (mag-nē′tō-en-sef′ă-lō-gram). 脳磁気図（脳の磁場に関するガウス時間の記録).

mag·ne·to·en·ceph·a·log·ra·phy (mag-nē′tō-en-sef′ă-log′ră-fē). 脳磁気図記録〔法〕, 脳磁気図検査〔法〕(脳の磁場を記録する方法).

mag·ne·tom·e·ter (mag′nĕ-tom′ĕ-tĕr). 磁力計（磁場を検知し，その強さを測定する器械).

mag·ne·ton (mag′nĕ-ton). 磁子（粒子(例えば，原子または亜原子粒子)の磁気モーメントの単位).

Bohr m. (μ_B)(bōr) [Niels H. D. *Bohr*]. ボーア磁子（磁場と平行なスピンをもつ整列電子と反平行スピンをもつ整列電子とのエネルギー差を表す定式中の定数．電子スピン共鳴(ESR)スペクトロメトリで，遊離基の検出と定量に用いる．対をなさない1個の電子の正味の磁気モーメントである．磁気モーメントの最小単位．1 ステラ当たり約 9.274×10^{-24} ジュール). ＝electron m.

electron m. 電子磁子. ＝Bohr m.

nuclear m. (μ_N) 核磁子（磁場と平行なスピンをもつ整列原子核と，反平行スピンをもつ整列原子核との間のエネルギー差に関する定式中の定数．核磁気共鳴スペクトロメトリにおいて用いる．1 テスラ当たり 5.05×10^{-27} ジュール).

mag·ne·to·ther·a·py (mag-nē′tō-thār′ă-pē). 磁気療法（磁石または誘導された磁場を用いる，病気の試行的治療法).

mag·ni·fi·ca·tion (mag′ni-fi-kā′shŭn) [L. *magnifico*, pp. *-atus*, to magnify]. 倍率，拡大（①顕微鏡によって物体の見かけの大きさが増すこと．この見かけの大きさは×の次に数字を書いて表すが，それは拡大した直径が何倍になったかを示す．②筋収縮などの自動記録器の図における拡大された振幅．これは長い腕をもち，しかも支点がペン先よりも筋肉に近い所にある記録用レバーを用いるためである).

mag·ni·tude (mag′ni-tūd). 大きさ，長さ，規模.

average pulse m. 平均脈拍振幅（脈拍の継続時間中の平均脈拍波高値．矩形波および減衰のない脈拍では最大振幅に等しい).

peak m. 最大振幅（振幅の最大値).

mag·no·cel·lu·lar (mag′nō-sel′yū-lăr) [L. *magnus*, large + cellular]. 大型細胞の.

mag·num (mag′nŭm) [L. *magnus*, large]. ＝capitate (1).

Mag·nus (mag′nŭs), Rudolph. ドイツ人生理学者，1873—1927. →M. *sign*.

mag·nus (mag′nŭs) [L.]. 大きい（[本形容詞は男性名詞(adductor magnus，複数形 adductores magni)でのみ用いられる．女性名詞では magna の形(cisterna magna，複数形 cisternae magnae)で，中性名詞では magnum の形(foramen magnum，複数形 foramina magna)で用いられる]．大型の構造についていう).

Ma·haim (mă-hām′), Ivan. 20 世紀の心臓病専門医，1897—1965. →M. *fibers*.

Ma-huang (mah-hwahng′) [中国語]. マオウ(麻黄)（*Ephedra equisetina* の中国名).

MAI *Mycobacterium avium-intracellulare* の略. →*Mycobacterium avium-intracellulare complex*.

MAIC *Mycobacterium avium-intracellulare complex*(→*Mycobacterium*)の略.

mai·den·hair tree (mā′den-hār trē). イチョウ. ＝*Ginkgo biloba*.

maid·en·head (mā′den-hed). 処女膜，処女性，を表す現在では用いられない語だがまだ口語である.

mai·dism (mā′dizm) [*Zea mays*, maize]. トウモロコシ中毒〔症〕. ＝pellagra.

Mai·er (mī′ĕr), Rudolf. ドイツ人医師，1824—1888. →M. *sinus*.

main (mān) [Fr.]. 手. ＝hand.

m. succulente 嚢状手. ＝Marinesco succulent *hand*.

main·stream·ing (mān′strēm-ing). メインストリーミング，主流化（社会的，身体的，教育的に制限の少ない環境を慢性障害を有する患者に提供し，彼らを同一集団として，常に管理下にある保護環境に置くのではなく，自然環境へ導いていくこと).

main·tain·er (mān-tān′ĕr). 維持装置（歯を一定の部位に維持する装置).

space m. 保隙装置（抜歯または歯の早期欠損後に，その空隙の消失や歯の移動を防止するために用いる歯科矯正用器具). ＝space retainer.

main·te·nance (mān′te-năns) [M. E. ＜ O. Fr. ＜ Mediev. L. *manuteneo*, to hold in the hand]. 維持（①利益保持を維持する治療用規制. *cf.* compliance (2); adherence (2). ②患者が指導なしに健康でいられ，一般の生活スタイルが営める程度をいう. *cf.* compliance).

Mais·si·at (mā-sē-ah′), Jacques H. フランス人解剖学者，1805—1878. →M. *band*.

maize oil (māz oyl). トウモロコシ油. ＝corn oil.

Ma·joc·chi (mah-yok′ē), Domenico. イタリア人皮膚科医，1849—1929. →M. *granulomas*.

ma·jor (mā′jŏr) [L. *magnus*(great)の比較級]. より大きい（[本形容詞は男性名詞(sulcus major，複数形 sulci majores)および女性名詞(pelvis major，複数形 pelves majores)とともに用いられる．中性名詞では majus の形(omentum majus，複数形 omenta majora)で用いられる]．2 つの類似構造物のうち大きいものについていう).

Make·ham (māk′ăm), William Matthew. 19 世紀のイングランド人保険統計数理士. →M. *hypothesis*.

mal (mahl) [Fr. ＜ L. *malum*, an evil]. 疾患，疾病.

m. de la rosa, m. rosso [Sp. ＜ L. *malum*, an evil]. バラ色病. ＝pellagra.

m. del pinto [Sp. ＜ L. *malum*, an evil]. 斑点病. ＝pinta.

m. de Meleda [MIM*248300] メレダ病（東ヨーロッパのダルマチア海岸沖のメレダ島に発生する地方病で，四肢の対側性角皮症).

m. de mer 船酔い. ＝seasickness.

grand m. (grahn). 大発作. ＝generalized tonic-clonic *seizure*.

m. morado [Sp. ＜ L. malum, an evil + *morado*, purple]. マル・モラド（中央アメリカでの回旋糸状虫 *Onchocerca volvulus* によるオンコセルカ皮膚炎の発作でみられる紫色の皮膚色調異常).

petit m. (pĕ-tē′) [Fr. small]. 小発作（→petit mal *seizure*).

mal- (mal) [L. *malus*, bad]. 悪い，不良，を意味する連結形. eu- の対語. *cf.* dys-; caco-.

ma·la (mā′lă) [L. cheek bone]. ***1*** 頰，ほほ. ＝cheek. ***2*** 頰骨. ＝zygomatic *bone*.

mal·ab·sorp·tion (mal′ab-sōrp′shŭn). 吸収不良（胃腸の吸収が不完全なこと．次頁の表参照).

congenital selective glucose and galactose m. 先天性選択的グルコース，ガラクトース吸収不良症（遺伝性疾患で，D-グルコースと D-ガラクトースの単糖類吸収障害により，糖質の腸管腔内への蓄積と浸透圧効果が起こり，腹部膨満，腹痛，下痢をきたす).

enterocyte cobalamin m. 腸細胞コバラミン吸収不良症（コバラミンの腸管での吸収不良による遺伝性疾患．症状はビタミン B_{12} 欠乏症と同じである).

fructose m. 果糖吸収不全症（経口摂取した果糖の吸収不全による先天性代謝異常症．消化器症状と下痢を生じる).

hereditary folate m. 遺伝性葉酸吸収不全症（小腸や脈絡膜叢で葉酸の移送障害があるために生じる遺伝性疾患．大球性貧血や神経障害を生じる).

Ma·la·car·ne (mah-lah-kahr′nā), Michele V.G. イタリア人外科医，1744—1816. →M. *pyramid*, *space*.

mal·a·chite green (mal′ă-kīt grēn) [G. *malachē*, a mallow][C.I. 42000]. マラカイトグリーン（創傷の消毒薬，皮膚の真菌感染の治療薬として，また生物学において組織およびバクテリアの染色に用いる染料).

ma·la·ci·a (mă-lā′shē-ă) [G. *malakia*, a softness]. 軟化〔症〕(器官や組織の軟化，あるいは硬さ，近接性の消失．語尾に付いて連結形としても用いる). ＝mollities (2); malacosis.

ma·la·cic (mă-lā′sik). ＝malacotic.

malaco- (mal′ă-kō) [G. *malakos*, soft; *malakia*, a softness]. 柔軟な，軟化，を意味する連結形.

吸収不良
消化障害
膵酵素欠損 原発性（遺伝的欠損） 嚢胞性線維症，慢性膵炎，膵管閉塞，膵切除
胆汁欠損 実質性肝疾患，胆道閉塞，フィステル 細菌過剰増殖
吸収障害
原発性粘膜遮断 二糖類分解酵素欠損，ビタミンB12吸収不良，シスチン尿症
小腸疾患 内因性（スプルー，Crohn病，アミロイドーシス） 感染性（熱帯スプルー，Whipple病，寄生虫） 虚血 食物アレルギー 緩下薬乱用 医原性（放射性腸炎，腸手術）
複合疾患または未知のメカニズム
糖尿病 胃切除後 甲状腺機能亢進，副腎皮質欠損 カルチノイド症候群

mal·a·co·pla·kia, mal·a·ko·pla·kia (mal′ă-kō-plā′kē-ă, mal′a-kō-plā′kē-a) [malaco- + G. *plax*, plate, plaque]. マラコプラキア（膀胱などの粘膜のまれな病変で女性に多い．無数のマクロファージと細胞内バクテリア(通常，大腸菌 *Escherichia coli*)の周りに形成されることのある石炭小球(Michaelis-Guttmann 体)からなる，まだら状で黄灰色の軟らかい無数の斑ないし結節を特徴とする）.

mal·a·co·sis (mal′ă-kō′sis). ＝malacia.

mal·a·cot·ic (mal′ă-kot′ik). 軟化〔症〕の. ＝malacic.

ma·lac·tic (mă-lak′tik) [G. *malaktikos*, softening]. 緩和薬. ＝emollient.

mal·a·die (mal′ă-dē) [Fr.]. 疾患，疾病. ＝malady.

m. de Roger (rō-jā′) [Fr.]. ロジェ病. ＝Roger *disease*.

m. des jambes Louisiana の稲作者の間にみられる不明な点の多い病気.

mal·ad·just·ment (mal′ad-jŭst′ment) [mal- + *adjust* < O. Fr. *adjuster* < L. L. *adjuxto*, to put close to + -ment]. 適応障害，順応障害（精神衛生専門用語．日常生活の問題や課題に対して適応できないこと）.

social m. 社会的適応(順応)障害（顕著な精神障害を伴わない適応障害で，社会状況にうまく対処できないことによって引き起こされる）.

mal·a·dy (mal′ă-dē) [Fr. *maladie*, illness]. 疾患，疾病. ＝maladie.

royal m. [英国王室，特に George 3 世を苦しめたので，そういわれる]. 王室病. ＝variegate *porphyria*.

ma·lag·ma (mă-lag′mă) [G. a poultice]. 罨法，緩和薬.

ma·laise (mă-lāz′) [Fr. discomfort]. 倦怠〔感〕（全身に不快感がありけだるいこと．しばしば感染その他の病気の初期の徴候としてみられる）.

mal·a·lign·ment (mal′ă-līn′ment). 歯列不正（歯列弓の正常な位置からの歯の転位）.

ma·lar (mā′lăr). 頬〔部〕の，頬骨の.

MALARIA

ma·lar·i·a (mă-lār′ē-ă) [It. *malo*(女性形 *mala*), bad + *aria*, air (疾患が毒気によって起こるという古い理論に基づく)]. マラリア（ヒトまたは他の脊椎動物の赤血球に胞子虫類のマラリア原虫(*Plasmodium*属)が侵入することにより引き起こされる病気．通常，マラリア患者を吸血した雌の感染ハマダラカ属 *Anopheles* の刺咬により伝播する．ヒトの感染は肝臓の実質細胞内の赤外型サイクルで始まり，続いて一定間隔で赤内型分裂サイクルを繰り返す．別の赤血球内の生殖母体が次のカに感染すると生殖体になる．激しい悪寒と高熱，衰弱，ときに致死的な転帰をとることを特徴とする.→tropic *diseases*.→*Plasmodium*). ＝jungle fever; marsh fever; paludal fever.

acute m. 急性マラリア（間欠性または弛張性のマラリアの一型．全身症状を伴う発熱に先行する悪寒が発汗期で終わる．感染細胞からメロゾイトが遊離して起こる熱発作は，典型的には三日熱型マラリア(三日熱または卵形マラリア)では48時間ごとに，四日熱マラリアでは72時間ごとに，悪性三日熱(熱帯熱)マラリアでは不定であるが頻繁で通常はおよそ48時間ごとに起こるが，多くの場合，周期性は明瞭ではない）.

airport m. 空港マラリア（航空機によって運ばれた感染ハマダラカによる偶発的な輸入マラリア）.

algid m. 冷厥マラリア（熱帯熱マラリアの一型で，主として腸と他の腹部臓器を侵す．gastric algid m.(胃型冷厥マラリア)は，持続的嘔吐を特徴とする．dysenteric algid m.(赤痢様冷厥マラリア)は，血性下痢便を特徴とし，その中には無数の感染赤血球が見出される）.

autochthonous m. 自発性マラリア（マラリアが日常的に発生するような地域で，カの媒介によって起こるもの）.

benign tertian m. 良性三日熱〔マラリア〕. ＝vivax m.

bilious remittent m. 胆汁〔症〕性弛張性マラリア（胆汁性嘔吐，胆汁性下痢，およびその他の徴候が特徴の熱帯熱マラリアの一型）.

cerebral m. 大脳マラリア（大脳症状，すなわち高熱と頭痛を特徴とする熱帯熱マラリアで，死亡率は50%である）.

chronic m. 慢性マラリア（急性型の発作が頻繁に繰り返された後に起こる．通常は熱帯熱マラリア．高度の貧血，脾腫，やせ，抑うつ，血色の悪い顔色，くるぶしの浮腫，消化微弱，筋力低下などを特徴とする）. ＝limnemia; malarial cachexia.

m. comatosa 昏睡性マラリア（昏睡を伴う熱帯熱マラリア）.

double quartan m. 四日熱マラリア二重感染（２群の四日熱マラリア原虫が独立して感染することにより，発熱発作が２日連続で起きた後，１日発熱発作の起こらないというパターンを示す）.

double tertian m. →quotidian m.

dysenteric algid m. →algid m.

falciparum m. 熱帯熱マラリア（熱帯熱マラリア原虫 *Plasmodium falciparum* によって引き起こされる．典型的には48時間ごとに起こる重度のマラリア発作で，重症例では脳，腎臓または胃腸の症状を伴うのが特徴．発作は，主に多数の感染赤血球が粘着性を増して凝集し，毛細管を閉塞することによって起こる.→malarial *knobs*). ＝aestivoautumnal fever; falciparum fever; malignant tertian fever; malignant tertian m.; pernicious m.

gastric algid m. →algid m.

induced m. 移入マラリア（輸血，汚染注射器，マラリア療法などの人工的な方法によって誘発されるマラリア）.

intermittent m. 間欠熱マラリア（通常，三日型，四日型のマラリア熱で，発作と発作の間には症状がない完全無期がある）.

malariae m. 四日熱〔マラリア〕（典型的には熱発作の日を第１日と数えて72時間ごとあるいは４日目ごとに熱発作を繰り返すマラリア熱．この熱発作は四日熱マラリア原虫 *Plasmodium malariae* が新しい赤血球中に侵入，多数分裂

(シゾゴニー)により感染赤血球から分裂小体(メロゾイト)を放出することにより生じる). = quartan fever; quartan m.

malignant tertian m. 悪性三日熱〔マラリア〕. = falciparum m.

monkey m. = simian m.

nonan m. 九日熱〔マラリア〕(発作日を含めて9日ごと，すなわち発作の後8日目ごとに発作が現れるマラリア熱).

ovale m., ovale tertian m. 卵形マラリア，卵形三日熱〔マラリア〕(卵形マラリア原虫 *Plasmodium ovale* によるマラリア).

pernicious m. 悪性マラリア. = falciparum m.

quartan m. 四日熱〔マラリア〕. = malariae m.

quotidian m. 毎日熱〔マラリア〕(発作が毎日起こるマラリア．通常，三日熱の重複したもので，48時間ごとに交代に胞子小体を形成する三日熱マラリア原虫 *Plasmodium vivax* の異なった2群による感染がみられる．しかし三日熱マラリア原虫 *P. vivax* と熱帯熱マラリア原虫 *P. falciparum* の悪性型による感染，または熱帯熱マラリア原虫 *P. falciparum* の異なる2世代による感染によることもあり，これらは異なった日に成熟する．*P. knowlesi* の感染によることもある). = quotidian fever.

relapsing m. 再発性マラリア（最初の発作後，ある間隔をおいて起こる再発).

remittent m. 弛張性マラリア（通常は重症型の熱帯熱マラリアにみられ，発作間で熱が下がるが，平熱には戻らない).

simian m. サルのマラリア（尾のあるなしによらずサル類にみられるプラスモジウム感染で，ヒトのマラリアと同様，主にハマダラカ属 *Anopheles* のカによって媒介される．*Plasmodium*属のいくつかの種が原因となり，東南アジアとアフリカは明らかに発症の中心地である．ヒト以外の霊長類で記載されている20種のプラスモジウムのうち，あるものはヒトの *Plasmodium*属の4種に類似しており，それらに起因するマラリアと類似したマラリア感染を惹起する．このことから，ヒトのマラリア原因体はサル由来であるように思われる). = monkey m.

tertian m. = vivax m.

m. tertiana = vivax m.

therapeutic m. 治療的マラリア（意図的に移入されたマラリアで，神経梅毒やある種の麻痺性疾患に対して以前用いられた). = malariotherapy.

triple quartan m. 四日熱マラリア三重感染（3群の四日熱マラリア原虫が独立して感染することにより，熱発作が毎日起こる．これは三日熱マラリアの二重感染や毎日起こる発熱と似る).

vivax m. 三日熱〔マラリア〕(典型的には48時間ごと，すなわち隔日(発作日を第1日目と数えれば3日目ごと)に発作が起こるマラリアによる発熱．発熱は赤血球からのメロゾイトの放出およびその新しい赤血球への侵入により引き起こされる). = benign tertian fever; benign tertian m.; m. tertiana; tertian fever; tertian m.; vivax fever.

---

ma·lar·i·al (mă-lār′ē-ăl). マラリア〔性〕の，マラリア感染した．

ma·lar·i·ol·o·gy (mă-lār′ē-ol′ŏ-jē). マラリア学（特に疫学および制御と関連して，あらゆる面にわたるマラリアの研究).

ma·lar·i·o·ther·a·py (mă-lar′ē-ō-thār′ă-pē). = therapeutic *malaria*.

ma·lar·i·ous (mă-lār′ē-ŭs). マラリア性の．

mal·a·scent (mal′ă-sent′). 上昇異常（発生中の頭側への通常移動の位置異常．腎でみられる).

Ma·las·sez (mahl-ah-sā′), Louis C. フランス人生理学者，1842—1910. → *Malassezia*; M. epithelial *rests*.

Ma·las·sez·i·a (mal′ă-sēz′ē-ă) [L. C. *Malassez*]. マラセジア属（病原性の低い真菌の一属(クリプトコックス科)で，病原性中鎖と長鎖の脂肪酸を合成することができないし，皮膚でみられるように生育にはこれら脂肪の外部からの供給を必要とする).

M. furfur でん(癜)風菌（正常皮膚微生物叢を構成する真菌種であるが，でん風や毛包炎の原因となり，また静脈内脂肪をもつ患者に真菌血症を起こすこともある). = *Pityrosporum orbiculare*; *Pityrosporum ovale*.

M. ovalis 油性の皮膚の表在性鱗屑や毛包に見出される酵母菌の一種で，病原性はあるともないともいえる．免疫不全に関連して脂漏性皮膚炎を起こすことがある．

M. pachydermatis ヒトや動物の皮膚病変より時々分離される真菌．脂肪の静脈内投与を受けている患者で真菌血症を起こしたまれな例がある．

mal·as·sim·i·la·tion (mal′ă-sim′i-lā′shŭn). 同化不良（同化の不完全，欠如または吸収不良を表す，まれに用いる語).

mal·ate (mal′āt). リンゴ酸塩またはエステル．

m. dehydrogenase (MD) リンゴ酸デヒドロゲナーゼ(NAD^+ または$NADP^+$を用いてリンゴ酸のオキサロ酢酸への脱水素反応，あるいはそのピルビン酸と二酸化炭素への脱炭酸反応を触媒する酵素．少なくとも6種が知られている．これらの酵素は反応産物，NAD^+ または$NADP^+$の使用，基質特異性(1つはD-リンゴ酸，それ以外はL-リンゴ酸に作用する)によって区別される．これらの蛋白の1つはトリカルボン酸回路の酵素である). = malic acid dehydrogenase; malic dehydrogenase; malic enzyme; pyruvic-malic carboxylase.

m. synthase リンゴ酸シンターゼ（アセチル CoA とグリオキシル酸と水とからL-リンゴ酸と CoA を生成する可逆的縮合反応を触媒する酵素). = glyoxylate transacetylase; malate-condensing enzyme.

mal·a·thi·on (mal′ă-thī′on). マラチオン（殺虫薬，家畜の駆虫薬として用いる有機リン化合物．パラチオンより毒性が少ないとされている).

mal·ax·a·tion (mal′ak-sā′shŭn) [L. *malaxo*, pp. *-atus*, to soften]. ***1*** 練和（丸剤および膏剤の成分を練合すること). ***2*** 捏揉運動（マッサージでもむこと).

mal de débarquement (mal dĕ dā′bahrk-man[h]). 下船病（移動後，通常は長い距離の移動後(例えば，大海を航海する)に生じる運動に関する異常知覚).

mal·de·scent (mal′dĕ-sent′). 下降異常（発生中の尾側への通常移動の位置異常．精巣でみられる).

mal·di·ges·tion (mal′dī-jes′chŭn). 消化不良（不完全消化).

Mal·do·na·do-San Jo·se stain (mahl-dō-nah′dō san hō-zā′). ⇒stain.

male (māl) [L. *masculus* < *mas*, male]. ***1*** 雄（動物学において，精子を生産するものが属する性を示す．雄の個体). ***2*** 男性. = masculine.

genetic human m. 遺伝学的ヒト男性（①1つのY染色体を含む雄核型をもった個体．②細胞核が Barr 性クロマチン体(通常，雌に存在する)を含まない個体．Turner 症候群で性的発達が不明瞭な患者については，足りない性染色体が何であろうと，Barr 小体の存在の有無によって，遺伝学的に男性か女性かが決定される).

XX m. XX 男性（核型が46, XXであるにもかかわらず表現型が明らかに男性である場合．Y染色体の活性部位の転座によると思われるケースが知られている).

XXY m. → Klinefelter *syndrome*.

XYY m. → XYY *syndrome*.

Mal·e·cot (mal-ĕ-kō′), Achille-Etienne. 19世紀のフランス人外科医. → M. *catheter*.

ma·le·ic ac·id (mă-lē′ik as′id). マレイン酸；butenedioic acid（マレイン酸塩の調合に用いる). = toxilic acid.

mal·e·mis·sion (mal′ē-mish′ŭn) [mal- + L. *e-mitto*, pp. *missus*, to send out]. 射精不全（オルガスム時に陰茎から射精できないこと).

mal·e·rup·tion (mal′ē-rŭp′shŭn). 生歯不全（歯の萌出が不完全なこと).

mal·e·yl·ac·e·to·ac·e·tate (mal′ē-il-as′ē-tō-as′ĕ-tāt). マレイルアセトアセテート（L-フェニルアラニンおよびL-チロシンの異化代謝の中間生成物．ある種の遺伝的なチロシン代謝障害において蓄積する).

m. *cis-trans*-isomerase マレイルアセト酢酸イソメラーゼ（マレイルアセト酢酸から4-フマリルアセト酢酸の可逆反応を触媒する酵素．L-チロシンの異化に関与する酵素．この酵素欠陥によりチロシン症IB型になる).

mal·for·ma·tion (mal′fōr-mā′shŭn). 奇形，先天異常（適切あるいは正常の発生発達が失敗した状態．より明確にいえ

M

ば，局所的な形態発生の誤りから生じる一次的な構造の欠如．例えば唇裂．ほとんどの奇形は胎生期に相互に協調すべき形態形成および発生上の部位の欠損が原因であろうと考えられている．*cf.* deformation)．

Arnold-Chiari m. (ar′nōld kē-ah′rē) [MIM*207950]. アルノルト－キアーリ奇形（脊髄が束縛されることによって引き起こされる菱脳の尾方への牽引と変位を伴った後方窩の構造異常．いくつかの症例では二分脊椎や脊髄髄膜瘤を伴う場合がある．遺伝性は通常多因子にわたっている)．＝Arnold-Chiari deformity; Arnold-Chiari syndrome; cerebellomedullary malformation syndrome.

arteriovenous m.'s (AVM) 動静脈奇形（①毛細血管を通過せずに細動脈から細静脈へ血液が短絡する血管．広く arteriovenous anastomosis が用いられてきたが，実際には細動脈 arterioles と細静脈 venules の間の吻合なので改められた．②動脈または静脈に関する不適切または異常な発達)．＝arteriolovenular anastomoses [TA].

cystic adenomatoid m. 嚢胞性腺腫様奇形（まれな肺芽の発生学的な異常で，死産や新生児の急性進行性の呼吸器疾患あるいは遷延性の小児の肺炎の原因となる．過誤腫，異形成性発育，あるいは腫瘍性発育などの特徴を併せもつ．嚢胞の直径により 3 型(タイプ I：10 cm まで，タイプ II：1.2 cm 以下，タイプ III：0.5 cm 以下)に分類される)．

dancer's foot m. ダンサー足様奇形．＝ballerina-foot *pattern.*

ductal plate m. 胆管板形成異常（先天性肝線維症に合併する常染色体劣性遺伝と推定される形成異常．→dysencephalia splanchnocystica)．

mermaid m. 人魚体奇形．＝sirenomelia.

Michel m. (mē-shel′). マイケル型奇形（錐体突起の低形成と内耳の無形成を呈する奇形)．

venous m. 静脈奇形（まれに用いられる語)．＝venous *angioma.*

mal·func·tion (mal-fŭnk′shŭn). 機能不全．

Mal·gai·gne (mahl-gān′), Joseph F. フランス人外科医，1806—1865. →M. *amputation, fossa, hernia, luxation, triangle.*

Mal·her·be (mahl-ārb′ĕ), Albert. 1845—1915. →M. calcifying *epithelioma.*

mal·ic ac·id (mal′ik as′id). リンゴ酸；hydroxysuccinic acid（リンゴその他の酸味のある果物中に見出される酸．トリカルボン酸回路，グリオキシル酸回路，リンゴ酸－アスパラギン酸シャトル機構の中間物質)．＝monohydroxysuccinic acid.

mal·ic ac·id de·hy·dro·gen·ase (mal′ik as′id dē′hī-drō′jen-ās). ＝*malate* dehydrogenase.

mal·ic de·hy·dro·gen·ase (mal′ik dē′hī-drō′jen-ās). ＝*malate* dehydrogenase.

ma·lig·nan·cy (mă-lig′nant-sē). 悪性〔度〕，悪性疾患．

ma·lig·nant (mă-lig′nănt) [L. *maligno*, pres. p. *-ans*(*ant-*), to do anything maliciously]. 悪性の（①治療に対して抵抗性があることをいう．重症型でしばしば致命的．漸悪性の経過をとる．②新生物に関しては局部的浸潤性，破壊的増殖性，および転移性を有するものをいう)．

ma·lin·ger (mă-ling′gĕr). 仮病を使う，詐病を使う．

ma·lin·ger·er (mă-ling′gĕr-ĕr). 仮病者，詐病者．

ma·lin·ger·ing (mă-ling′gĕr-ing) [Fr. *malingre*, poor, weakly]. 仮病，詐病（仕事を逃れたり，同情をかき立てたり，補償を得るために，病気や能力のないふりをすること)．

mal·in·ter·dig·i·ta·tion (mal′in-tĕr-dij′i-tā′shŭn). 咬合不正（歯の咬合が不全なこと)．

Mall (mahl), Franklin Paine. 米国人解剖・発生学者，1862—1917. →M. *formula, ridges*; periportal *space* of M.

mal·le·a·ble (mal′ē-ă-bŭl) [L. *malleus*, a hammer]. 展性の（打ったり，圧力をかけたりして形づくる金や銀のような金属の性質についていう)．

mal·le·o·in·cu·dal (mal′ē-ō-ing′kū-dăl). つちきぬた骨の（鼓室のつち骨ときぬた骨に関する)．

mal·le·o·lar (mă-lē′ō-lăr). 果の，くるぶしの．

mal·le·o·lus, pl. **mal·le·o·li** (ma-lē′ō-lŭs, -lī) [L. *malleus* (hammer) の指小辞][TA]. 果，くるぶし（[誤った発音 malleo′lus を避けること]．果関節の両側にある丸い骨の突起)．

external m. 外果，そとくるぶし．＝lateral m.

inner m. 内果，うちくるぶし．＝medial m.

internal m. 内果，うちくるぶし．＝medial m.

lateral m. [TA]. 外果，そとくるぶし（腓骨下端の外側にあり，足首の外側に突出を形成する．内果より下方に位置する)．＝m. lateralis [TA]; external m.; extramalleolus; outer m.

m. lateralis [TA]. 外果，そとくるぶし．＝lateral m.

medial m. [TA]. 内果，うちくるぶし（腓骨下端内側にあり，足首内側に突出を形成する部分で，外果より高位にある)．＝m. medialis [TA]; inner m.; internal m.

m. medialis [TA]. 内果，うちくるぶし．＝medial m.

outer m. 外果，そとくるぶし．＝lateral m.

mal·le·ot·o·my (mal′ē-ot′ō-mē) [malleus + G. *tomē*, incision]. つち骨切開〔術〕．

mal·le·us, gen. & pl. **mal·lei** (mal′ē-ŭs, mal′ē-ī) [L. a hammer][TA]. ツチ(つち)骨（3 つの耳小骨中最大のもので，槌よりもむしろこん棒に似ている．つち骨頭の下につち骨頸があり，そこからつち骨柄と細長い前突起が分岐し，底部の柄から短い外側突起が出る．つち骨柄と外側突起は鼓膜に固く付着し，つち骨頭はきぬた骨体のサドル形の面と関節をなす)．＝hammer.

Mal·loph·a·ga (mă-lof′ă-gă) [G. *mallos*, wool + *phagein*, to eat]. ハジラミ目（毛，羽根，皮膚，および血液や滲出物を食べてそう痒を起こす非吸血シラミの一目．大部分の種は鳥類に寄生するが，一般の家畜にもいくつかみられる．ニワトリハジラミ科の *Menacanthus*属と *Menopon*属は，*Columbicola*属，*Chelopistes*属，*Lipeurus*属，その他の Philopteridae 科の属と同様に家禽に寄生する．イヌハジラミ科の *Bovicola* 属，*Felicola*属，*Trichodectes*属は飼育されている哺乳類に寄生する)．

Mal·lo·ry (mal′ŏ-rē), Frank B. 米国人病理学者，1862—1941. →M. *bodies*; picro-M. trichrome *stain*. stain の項参照．

Mal·lo·ry (mal′ŏ-rē), G. Kenneth. 20 世紀の米国人病理学者．→M.-Weiss *lesion, syndrome, tear.*

mal·nu·tri·tion (mal′nū-trish′ŭn). 栄養失調（吸収不良，貧弱な食事，過食から起こる栄養不全)．

malignant m. 悪性栄養失調．＝kwashiorkor.

protein m. 蛋白栄養不良（蛋白の摂取不足による栄養不良症．特徴的な症状として浮腫やクワシオルコルを生じる)．

mal·oc·clu·sion (mal′ō-klū′zhŭn). 不正咬合（①生理学的に機能しえない対合歯との咬合．②すべての正常でない咬合)．

mal·on·ate (măl′on-āt). マロネート（マロン酸の塩またはエステル)．

mal·on·ate sem·i·al·de·hyde (măl′on-āt sem′ē-al′dĕ-hīd). マロニルセミアルデヒド（β-アラニンのアミノ基転移生成物．高 β-アラニン血症で上昇する)．

ma·lo·nic ac·id (mă-lō′nik as′id). マロン酸（中間代謝で重要なジカルボン酸の 1 つ．コハク酸デヒドロゲナーゼ阻害剤)．＝propanedioic acid.

mal·o·nyl (mal′ō-nil). マロニル（マロン酸由来の 2 価の部分)．

m. transacylase マロニルトランスアシラーゼ．＝ACP-malonyltransferase.

mal·o·nyl-CoA (mal′ō-nil). マロニル CoA（マロン酸とコエンチーム A の縮合物で，脂肪酸生合成の中間体である)．＝malonylcoenzyme A.

mal·o·nyl·co·en·zyme A (mal′ō-nil-kō-en′zīm). ＝malonyl-CoA.

mal·o·nyl·u·re·a (mal′ō-nil-yū-rē′ă). マロニル尿素．＝barbituric acid.

mal·pig·hi·an (mahl-pig′ē-an). [誤った発音 mal-pij′ē-an を避けること]. Marcello Malpighi の記した，または彼に起因する．

mal·po·si·tion (mal-pō-zish′ŭn). 位置異常，偏位．＝dystopia.

alar cartilage m. 鼻翼軟骨偏位（よくみられる解剖学的変異で，鼻翼軟骨の外側突起の頭部方向への回転．その長軸は外嘴よりむしろ内嘴の方向にあるが，この異常な偏位は箱型のあるいは丸い変異．→external nasal *valve*)．

mal·prac·tice (mal-prak′tis). 不正治療，医療過誤（[誤っ

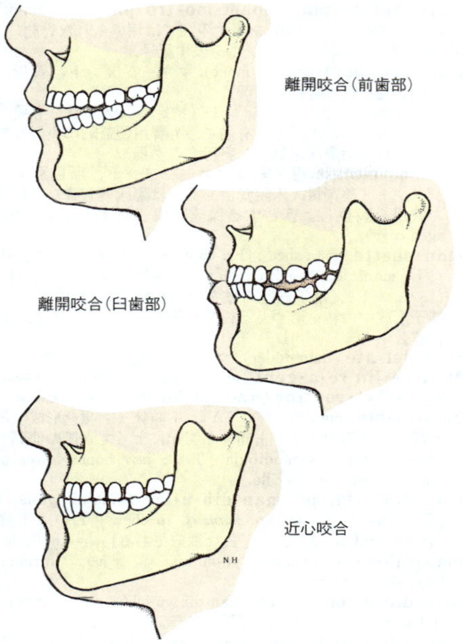

malocclusion

た発音 mal′practice を避けること]．無知，不注意，あるいは犯意などによる治療上の過失)．

mal·pre·sen·ta·tion (mal′prē-zen-tā′shŭn)．胎位(胎向)異常（後頭位以外の正常でない胎位)．

mal·ro·ta·tion (mal-rō-tā′shŭn)．異常回転（胎児発育期における中腸や腎臓などの器官あるいは系の全部または一部の回転異常)．

MALT (mălt)．マルト（mucosa-associated lymphoid *tissue* の頭字語)．

malt (mawlt) [A.S. *mealt*]．麦芽（オオムギその他の穀物の種子を人工的に発芽させ乾燥したもので，デキストリン，麦芽糖，少量のグルコース，糖類分解酵素を含む．抽出物の形で消化薬，矯味矯臭薬として用いる)．

malt·ase (mawl′tās)．マルターゼ（→α-D-glucosidase)．

acid m. 酸性マルターゼ．=exo-1,4-α-D-glucosidase.

mal·to·bi·ose (mawl′tō-bī′ōs)．マルトビオース．=maltose.

MALToma MALTのB細胞リンパ腫．=extranodal marginal zone lymphoma; MALT lymphoma.

mal·tose (mawl-tōs)．マルトース，麦芽糖（デンプンの加水分解によりできる二糖類で，1,4-α-グリコシド結合で2つのD-グルコース残基が結合してできる)．=malt sugar; maltobiose.

mal·to·tet·rose (mawl′tō-tet′rōs)．マルトテトロース（4つのD-グルコースがα-1,4結合してできた糖)．

ma·lum (mā′lŭm) [L. an evil]．疾患，疾病．

m. articulorum senilis 老年(老人)性関節症．

m. perforans pedis 足穿孔〔症〕(特定の神経障害に起こる穿孔性潰瘍)．

m. venereum 性病．=syphilis.

mal·un·ion (mal-yūn′yŭn)．変形癒合（骨折両端が変形または弯曲して癒合していること．しばしば癒合不全と混同される)．=vicious *union*.

ma·man·pi·an (mă-mon-pē-on′) [Fr. *maman*, mother + *pian*, yaw]．mother *yaw* に対して以前用いられた語．

mam·e·lon (mam′ĕ-lon) [Fr. nipple]．切縁結節（初めて萌出した切歯の切縁上の3つの丸い隆起の1つ)．

mam·e·lon·at·ed (mam′ĕ-lon-āt′ĕd) [Fr. *mamelon*, nipple]．切縁結節様の（隆起した丸い乳頭様隆起を有する)．

mam·e·lo·na·tion (mam′ĕ-lŏ-nā′shŭn)．マメロネーション（骨および他の構成組織上にできた球形の突起物または結節のこと)．

mamil-, mamilli- (mam′ĭl) [L. *mamilla*, nipple]．[mammil-, mammilli- の短縮形である本連結形は，英語ではしばしばみられる(例えば mamillary, mamilliform)が，TA では受け入れられない]．乳頭を意味する連結形．→mammil-. *cf.* thelo-.

mam·ma, gen. & pl. mam·mae (mam′ă, mam′ē) [L.] [TA]．乳房，ちぶさ（→mammary *gland*)．=breast.

m. accessoria [TA]．副乳〔房〕．=accessory *breast*.

m. erratica 迷入乳房（異常位置にある過剰乳房．すなわち乳腺堤以外の部位にあるもの)．

m. masculina [TA]．男の乳房．=male *breast*.

supernumerary m. 過剰乳房．=accessory *breast*.

m. virilis =male *breast*.

mam·mal (mam′ăl)．哺乳類（哺乳綱に属する動物)．

mam·mal·gi·a (mă-mal′jē-ă) [L. *mamma*, breast + G. *algos*, pain]．=mastodynia.

Mam·ma·li·a (mă-mā′lē-ă) [L. *mamma*, breast]．哺乳綱（生物の最上級綱で，子を哺乳し，毛を有し，(ふ卵性の単孔類を除いて)卵でなく子を産む脊椎動物(単孔類，有袋類，有胎盤亜綱)のすべてを含む．)．

mam·ma·plas·ty (mam′ă-plas′tē) [L. *mamma*, breast + G. *plastos*, formed]．乳房形成〔術〕(形態や大きさ，位置を変える乳房の形成手術．一般的には美容，先天性異常の形成，症状の緩和が目的である(例えば巨大乳房症)．あるいは，癌，熱傷，外傷による変形を治す手術)．=mammoplasty; mastoplasty.

augmentation m. 乳房増大〔術〕(乳房を大きくする形成手術．しばしばインプラントを挿入して行う)．

reconstructive m. 乳房再建〔術〕(外傷，先天性疾患で変形した，あるいは以前に病気で除去された乳房を再建したり修復する外科的手法)．

reduction m. 乳房縮小〔術〕(乳房の大きさを小さくして，形態，位置を治す手術．一般的には巨大乳房症の矯正に用いられる．美容目的もある)．

mam·ma·ry (mam′ă-rē)．乳房の．

mam·mec·to·my (ma-mek′tŏ-mē) [L. *mamma*, breast + *ektomē*, excision]．=mastectomy.

mam·mi·form (mam′i-fōrm) [L. *mamma*, breast + *forma*, form]．乳房状の．=mammose (1).

mammil-, mammilli- (mam′il) [L. *mammilla* (*mamilla*), nipple]．[mammil-, mammilli- の短縮形である本連結形は，英語でしばしばみられる(例えば mamillary, mamilliform)が，TA では認められていない]．乳頭を意味する連結形．→mamil-. *cf.* thelo-.

mam·mil·la, pl. mam·mil·lae (mă-mil′ă, mă-mil′ē) [L. nipple]．乳頭（①乳房に似た小さな丸い突起物．②=nipple)．

mam·mil·la·plas·ty (ma-mil′ă-plas′tē) [L. *mammilla*, nipple + G. *plastos*, formed]．乳頭形成〔術〕(乳首と乳輪の形成外科手術)．

mam·mil·la·re (mam′i-lā′rē) [L.][TA]．[誤ったつづり mamilare, mamillare, および mammailare を避けること]．=mammillary.

mam·mil·lar·i·a (mam′i-lār′ē-ă)．→mammillary *body*.

mam·mil·lar·y (mam′i-lār′ē) [TA]．乳頭の（[誤ったつづり mammilary を避けること]．乳首の，乳首のような形の)．=mammillare [TA].

mam·mil·late, mam·mil·lat·ed (mam′i-lāt, mam′i-lāt′ĕd)．乳頭状の（乳頭の形をした突起または隆起がある)．

mam·mil·la·tion (mam′i-lā′shŭn)．***1*** 乳頭状突起．***2*** 乳頭状状態．

mam·mil·li·form (mă-mil′i-fōrm) [L. *mamilla*, nipple + *forma*, form]．乳頭の（乳首のような形の)．

mam·mil·li·tis (mam′i-lī′tis) [L. *mammilla*, nipple + G. *-itis*, inflammation]．乳頭炎．

mammo- (mam′ŏ) [L. *mamma*, breast]．乳房に関する連結形．*cf.* masto-.

mam·mo·gram (mam′ō-gram)．乳房X線像，乳房造影図．

M

mam·mog·ra·phy (ma-mog′ră-fē) [mammo- + G. *graphō*, to write]. マンモグラフィ，乳房撮影〔法〕(癌のスクリーニング用の装置と技術による女性乳房のX線検査).

乳房撮影では，ときには触診可能となる2年前から，また多くの場合，リンパ節転移が起こる前から乳癌を検出することができる．乳房撮影における乳癌を示唆する所見は，微細石灰化，および乳腺内の辺縁不整な異常な陰影である．しかしながら，これらの所見は必ずしも癌に特徴的というわけではなく，10年間毎年乳房撮影を受けた場合，偽陽性率は50%に達する．特に50—69歳の女性において，乳房撮影の乳癌死亡率低下における有用性は多くの臨床研究に支持されていると思われる．これらの研究の妥当性に異議を唱える学者もいるが，中年女性と高齢女性の双方に対する乳房撮影の実質的な延命効果に賛成する意見が多い．核磁気共鳴画像は乳房撮影より早期の腫瘤を検出できる可能性があり，ハイリスクの女性の毎年の検査を勧めている専門家がいる．テクネチウム99 m セスタミビの静脈内投与後の乳房シンチグラフィは乳房撮影で疑わしい症例の追跡検査として施行される．PET は良性と悪性腫瘤の鑑別，新たに癌と診断された症例においてはリンパ節転移の有無の判定，さらに進行癌症例においては，遠隔転移の診断において，非常に有望視されている．検査費用が高価であるため，PET の施行は，ハイリスク患者や高濃度乳房に限られている．若年女性ほど乳房組織の濃度が高いため，40—50歳の女性では乳房撮影の癌検出能には限界があり，この場合には，腫瘤が触知されれば超音波検査のほうが優先されるべきである．まれではあるが，乳房撮影による被曝により，実際に癌発生を誘発する可能性があることが研究により示唆されている．米国癌学会，米国国立癌研究所，および米国放射線科専門医会では，すべての女性に対して，40歳までにベースラインとして一度乳房撮影を受け，50歳以後は毎年乳房撮影を受けることを勧めている．家族歴からハイリスクとされる女性は，25歳から乳房撮影を受けるべきであるとしている．触診される癌の約10%は，乳房撮影で見逃されることから，医師による毎年の触診検査も受けるべきである．ディジタルスキャン法は，微細石灰化，およびスピキュラ(辺縁に放射状に伸びる棘状突起)を伴う腫瘤の検出に有利になると思われる．しかしながら，乳房撮影はあくまでもスクリーニングのためのものであり，乳癌の診断は，医師の触診と生検によらねばならない．米国連邦法により，米国内の乳房撮影を施行するすべての施設は，検査施行後30日以内に，検査結果について，明瞭かつ簡明な文章の報告書を，さらに検査を指示した医師に対して詳細な報告書を義務づけている．→*carcinoma* of the breast.

Mam·mo·mon·o·ga·mus (mam′ō-mon-og′ă-mŭs). マンモモノガムス属 (開嘴虫(かいしちゅう)科に属する線虫の一属で，反すう動物，ときとしてヒトの呼吸器にみられる．通常，雌雄の虫体が結合してY字状になっている).

M. laryngeus 数種の哺乳類の上部気道にみられる線虫．およそ100例のヒト症例があり，その多くはカリブ海の島々でみられている．虫体は赤色ないし赤褐色で，雄と雌が結合してY字状を呈する．生活環は知られていない．

mam·mo·plas·ty (mam′ō-plas′tē) [mammo- + G. *plastos*, formed]. 乳房形成〔術〕. = mammaplasty.

mam·mose (mam′mōs). ***1*** 乳房状の. = mammiform. ***2*** 巨大乳房の.

mam·mo·so·ma·to·troph (mam′ō-sō-mat′ō-trof). プロラクチン・成長ホルモン産生細胞 (プロラクチンと成長ホルモンを産生している下垂体細胞).

mam·mot·o·my (ma-mot′ŏ-mē) [mammo- + G. *tomē*, incision]. = mastotomy.

mam·mo·troph (mam′ō-trof). 乳腺刺激ホルモン産生細胞 (プロラクチンを産生する腺性下垂体の好酸性細胞). = prolactin cell.

mam·mot·ro·pic, mam·mo·tro·phic (mam′ō-trop′ik, -trof′ik) [mammo- + G. *tropos*, a turning]. 向乳腺性の (乳腺の発達，成長，または機能を刺激する効果のあることを示す).

mam·mot·ro·pin, mam·mo·tro·phin (mam-ōt′rō-pin, -trō′fin). prolactin を表す現在では用いられない語.

Man マンノース，マンノシルを表す記号.

man·age·ment (man′ăj-ment). マネージメント，管理 (病気の状態進行の監視，管理).

case m. 症例マネージメント (特定の保健医療を必要とする対象者を明らかにし，有効で最も費用便益的に良好な結果が得られる治療法を処方し実行する過程).

component m. 個別経費マネージメント，項目別マネージメント (薬剤量，入院費，あるいは臨床検査費などの個々の費用を調整しようとする保健医療費制限の試み. →managed *care*).

man·chette (man-shet′) [Fr. cuff, *manche*(sleeve)の指小辞 < L. manicae; < manus, hand]. 尾鞘，マンチェット(マンシェット) (精子細胞の核を包む円錐形の微小管の配列. 精子形成中の核を形づくる役割を果たしていると考えられている).

man·del·ate (man′de-lāt). マンデル酸塩またはエステル.

Man·de·lin re·a·gent (man′dĕ-lin rē-ā-jent). ⇀reagent.

man·de·lyt·ro·pine (man′de-lit′rō-pēn). = homatropine.

man·di·ble (man′di-bŭl) [TA]. 下顎骨 (下顎を形成する上面観でU字形の骨で，上向きの突起によって両側の側頭骨と関節をなす). = mandibula [TA]; jaw bone; lower jaw; mandibulum; submaxilla.

man·dib·u·la, pl. man·dib·u·lae (man-dib′yū-lă, -lē) [L. a jaw < *mando*, pp. *mansus*, to chew][TA]. 下顎骨 ([mandibulum は本語の正式な別形である]). = mandible.

man·dib·u·lar (man-dib′yū-lăr). 下顎〔骨〕の. = inframaxillary; submaxillary (1).

man·dib·u·lec·to·my (man-dib′yū-lek′tŏ-mē) [mandibula + G. *ektomē*, excision]. 下顎骨切除〔術〕.

man·dib·u·lo·fa·cial (man-dib′yū-lō-fā′shăl). 下顎顔面の (下顎骨と顔面に関する).

man·dib·u·lo·oc·u·lo·fa·cial (man-dib′yū-lō-ok′yū-lō-fā′shăl). 下顎眼窩顔面の (下顎骨と顔面の眼窩部に関する).

man·dib·u·lo·pha·ryn·ge·al (man-dib′yū-lō-fa-rin′jē-ăl). 下顎咽頭の (咽頭と下顎枝の間にある部位についていう．ここに内頸動・静脈，迷走神経，舌咽神経，副神経，舌下神経が存在する).

man·dib·u·lum (man-dib′yū-lŭm). [mandibula は本語の正式な別形である]. = mandible.

man·drag·o·ra (man-drag′ō-ră) [G. *mandragoras*]. ヨーロッパに生育するナス科マンダラケ *Mandragora officinalis* または *Atropa mandragora* で，聖書に記載されているマンダラケ mandrake．性質はダツラ，ヒヨス，ベラドンナに類似する.

man·drake (man′drāk) [< L. < G. *mandragoras*]. ***1*** マンダラゲ (→mandragora). ***2*** →podophyllum.

wild m. 野生マンダラゲ. = podophyllum *resin*.

man·drel, man·dril (man′drĕl, man′drĭl) [G. *mandra*, a stable; the bed in which a ring's stone is set]. ***1*** 心軸 (器具が取り付けられている軸，心棒，または取っ手で，それによって器具が回転する). ***2*** = mandrin. ***3*** マンドレール (歯科において，切削や研磨に用いるディスク，ストーン，またはカップを保持し，ハンドピースに付けて用いる器具).

man·drill (man′drĭl). マンドリル (短い尾と丈夫なイヌ様頭蓋を有する *Cynocephalus*属のサルの一種に対する一般名).

man·drin (man′drin) [Fr. *mandrin*, mandrel]. マンドリン〔線〕(柔軟なカテーテルの腔内に挿入された硬い針金またはスタイレットで，中空の管状構造物を通す際に形と硬さを与える). = mandrel (2); mandril.

ma·neu·ver (mă-nū′vĕr) [Fr. *manoeuvre* < L. *manu operari*, to work by hand]. 操作，手技.

Adson m. (ad′sŏn). = Adson *test*.

Barlow m. (bar′lō). バーロウ手技 (股関節の不安定性を調べるテストで，股関節を屈曲，内転し，後方への力を加えると脱臼する場合を陽性とする). = Barlow test.

Bill m. (bil). ビル操作 (頭部を引き出す前に骨盤の中央部で胎児の頭を鉗子で回転させること).

Bracht m. (brahkt). ブラハト操作 (殿位の際に，胎児の下肢と体幹を母体の恥骨結合から腹壁にかけて押し付けるようにのばしながら娩出させる手技．下肢と体幹を母体の骨盤上に上げ，胎児の身体を術者がのばしていくにつれて胎児の頭部は自然に娩出される）．

Buzzard m. (bŭz′ărd). バザード操作（膝蓋反射の検査法．患者を座らせ，足指を床につけさせて行う）．

canalith repositioning m. 浮遊耳石置換法（良性発作性頭位めまい症において半規管，特に後半規管から卵形嚢に浮遊耳石を置換するための体位変換法）．＝Epley m.

Credé m.'s (krĕ-dā′). クレデー操作．＝Credé *methods*.

Dix-Hallpike m. (diks hal′pīk). ディックス－ホールパイク操作（発作性めまい，または眼振を誘発する検査．患者に座位をとらせた後，懸垂頭位をとらせて頭部を右または左側に回転させる．頭部が患側へ回転した際にめまいと眼振が誘発される）．

Ejrup m. (ej′rŭp). エジュルップ操作（筋肉活動に伴う動脈の拍動性隆起の減少と，動脈拍動量の減少による側副血行の証明）．

Epley m. (ep′lē). エプレー（エプリー）法．＝canalith repositioning m.

Hampton m. (hamp′tŏn). ハンプトン操作（胃腸の透視診断法で，幽門前庭と十二指腸のダブルコントラストX線写真を撮るために，仰臥した患者を左右に横転させる方法）．

Heimlich m. (hīm′lik). ハイムリック操作（咽喉から食物の閉塞塊を追い出すように意図された操作．臍と肋骨縁の間の腹部にこぶしを置き，背後から片方の手でそのこぶしをつかんで，空気を咽喉へ上方に追い出し，閉塞物を取り除くように内上方に向かって強く押す）．

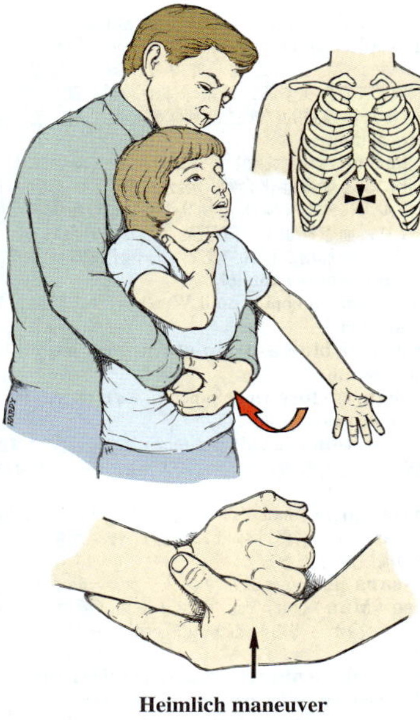

Heimlich maneuver

下図は上から見た図である．

Hillis-Müller m. (hil′is mil′ĕr). ヒリス－ミュラー操作（妊娠末期に1指を腟内に挿入し，手で子宮底を押し下げることにより児頭が骨盤内に下降陥入するかどうかを診断する手技）．

Hueter m. (hē′tĕr). ヒューター操作（胃管を通す際に，患者の舌を左手示指で前下方に押さえる方法）．

Jendrassik m. (yĕn-drah′sik). イエンドラッシク操作（膝蓋腱反射を増強する方法で，両側の手指を曲げて組み合わさせ，力いっぱい左右に牽引させる）．

LeCompte m. (lĕ-kompt′). ルコント術式（肺動脈狭窄と心室・血管関係の他の異常を伴った両大血管右室起始症と，左室が大動脈に肺動脈が右室につながる心室中隔欠損の両者を，心外導管を必要としない手技を用いて修復すること）．＝LeCompte operation.

Leopold m.'s (lā′ō-pold). レオポルト操作（胎児の位置を診断する4つの操作．ⓘ子宮底部に何があるかの診断，ⓘⓘ胎児の背中と四肢の確認，ⓘⓘⓘ恥骨結合部上にある物の触診，ⓘⓥ頭の方向と屈曲程度の決定）．

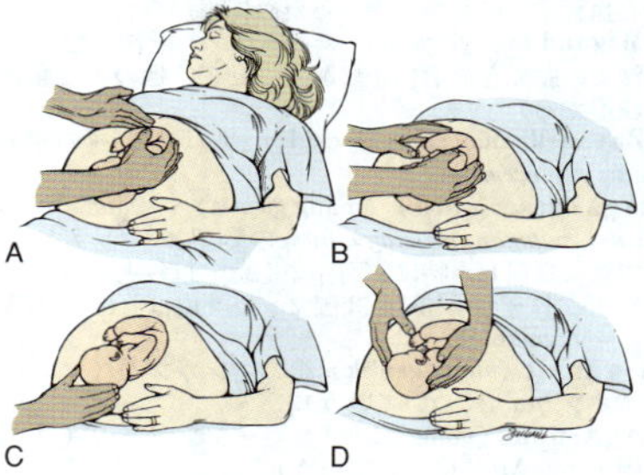

Leopold maneuvers

A：第1段操作．子宮底部の触診．B：第2段操作．子宮側方を触診し児背の向きをみる．C：第3段操作．骨盤入口部で胎児部分をみる．D：第4段操作．胎児が頭位であることを触知する．その後に胎勢(屈位の状態)を確認する．

load-and-shift m. 負荷変位手技（上腕骨頭を関節窩に向けて押し，前後に動かして肩関節の不安定性を調べるテスト）．

Mauriceau m. (mō-rē-sō′). モリソー操作（殿位分娩の介助法で，胎児の体を右前腕に騎上させ，右手中指を胎児の口に入れて胎児の体を支えつつ，左手で肩を牽引する）．＝Mauriceau-Levret m.

Mauriceau-Levret m. (mō-rē-sō′ lĕ-vrā′). モリソー－レヴレー操作．＝Mauriceau m.

McDonald m. (măk-dawn′ăld). マクドナルド操作（恥骨結合の上縁から腹部にある子宮底の接線までの高さを巻尺で測る測定法．妊娠20—34週の間では1 cmが在胎週数1週間に相当する）．

McRoberts m. (măk-rob′ĕrts). マックロバーツ法（母体殿部(大腿)を屈曲させて胎児の肩甲娩出困難を緩和する方法）．

Müller m. (mūl′ĕr). ミュラー手技（深呼息後に，口と鼻を閉じてまたは声門を閉じて吸息し，胸および肺中の陰圧を大気圧以下にすること．Valsalva m. の逆法）．

Ortolani m. (ōr′tō-lahn′ē). オルトラーニ手技（股関節脱臼の整復法．大腿骨頭を前方に引っ張って股関節を屈曲，外転する．整復時に大腿骨頭が臼蓋の元の位置に戻っていることを触って確認する）．＝Ortolani test.

Pemberton m. (pem′bĕr-tŏn). ペンバートン(ペムバートン)操作．＝Pemberton *sign*.

Phalen m. (fā′lĕn). ファーレン手技（手関節を掌屈し続ける手技で，60秒以内に正中神経支配域に感覚異常が出現すれば手根管症候群の可能性が高い）．

Pinard m. (pē-nahr′). ピナール操作（殿位分娩で，示指で膝窩を圧し，他の3指で脚を屈曲させて他側の大腿にこすり付けながら足を引き出す）．

Ritgen m. (rit′gen). リットゲン操作（胎児の頭を会陰に押し付ける分娩法で，その際，他方の手で頭を押さえながら分娩速度を調節する会陰保護法の1つ）．

Scanzoni m. (skan-zō′nē). スカンツォーニ操作（分娩時に鉗子を2度かけ直して用い，らせん状に回転牽引する方法）．

Sellick m. (sel′ik). セリック手技（麻酔した患者の気管内挿管を行う際に，逆流を防ぐために輪状軟骨に加える圧迫）．

Valsalva m. (vahl-sahl′vă). ヴァルサルヴァ(バルサルバ)手技（[この用語にはあいまいな点がある．Valsalva により述べられた手技は，口腔や鼻腔を閉じる強制呼気努力を強くし，咽頭内の圧を上げて中耳の通気をさすものであった．本手技は咽頭に影響を与えることなく，閉じた声門に対する強制呼気努力で胸郭内圧を上昇させる用手的診断法として一般的に採用されている〕．鼻と口あるいは声門のいずれかで閉塞した気道に向けられる強制呼気努力(〝ふりしぼる strain〟)で Müller m. の逆法．胸腔内圧の上昇が右心房への静脈還流を妨げるので，この手技は末梢静脈圧を上昇させたときと心臓充満と心拍出量を低下させたときと，息をふりしぼった後の心血管系への影響を調べるために用いられる)．

Wigand m. (vī′gand). ヴィーガント操作 (殿位分娩の介助法で，胎児を術者の手に騎上させて，他の手で恥骨結合部を圧迫する)．

Zavanelli m. (zah-vah-nel′lē). ザバネリーの手技．＝cephalic *replacement*.

man·ga·nese (Mn) (mang′gă-nēs) [Mod. L. *manganesium*, *manganum*: *magnesium* の変型]．マンガン (金属元素で鉄に類似し，特に鉱石中でしばしば鉄と共存する．原子番号 25，原子量 54.94．2 価マンガン塩はしばしば薬用される)．＝manganum.

man·gan·ic (mang-gan′ik). 第二マンガンの (マンガンの 3 価イオン Mn^{3+} についていう)．

man·ga·nous (mang′gă-nŭs). 第一マンガンの (マンガンの 2 価イオン Mn^{2+} についていう)．

man·ga·num (man′gă-nŭm) [L.]．マンガン．＝manganese.

mange (mānj) [Fr. *manger*, to eat]．ダニ症，疥癬 (皮膚に潜伏するダニ類による家畜と野生動物の皮膚病．ヒトでは scabies とよばれる)．

demodectic m. 毛包虫症 (毛嚢および皮脂腺のニキビダニ属 *Demodex* のダニによる感染で，ヒトおよび家畜のいくつかの種に起こる．ほとんどの種においては無症候性であるが，イヌでは重篤な広汎性皮膚炎(red mange)を引き起こすことがある．→*Demodex*)．

sarcoptic m. ヒゼンダニ症，穿孔疥癬 (ヒゼンダニ *Sarcoptes scabiei* を含む *Sarcoptes*属のダニによって起こる動物の皮膚病，疥癬)．

Man·hold (man′hōld), John H. 20 世紀の米国人歯科医．→Volpe-M. *Index*.

ma·nia (mā′nē-ă) [G. frenzy]．躁病 (→manic-depressive; manic *excitement*)．＝manic *episode* (1).

acute m. 躁的興奮 (躁病エピソードの突然の発現)．

-mania (mā′nē-ă) [G. frenzy]．何らかの特定の物，場所，行動への異常な愛あるいは病的な衝動を意味する連結形．

ma·ni·ac (mā′nē-ak). 〔不正確で，非医学的用法においては軽蔑的な響きをもつ本語は，医学的発言および文書では使わないのがよい〕．*1* 精神病にかかった人を表す現在では用いられない語．*2* 躁病患者．

ma·ni·a·cal (mă-nī′ă-kăl). 躁病の，躁病状の (→amok)．＝manic.

man·ic (man′ik, mā′nik). 躁病の．＝maniacal.

man·ic-de·pres·sive (man′ik dē-pres′iv). *1* 〘adj.〙躁うつ病の (→bipolar *disorder*)．*2* 〘n.〙躁うつ病患者 (→mania)．

manicky (man′i-kē). 躁行動，マニシー (双極性障害の躁病期に特徴的な行動)．

man·i·fes·ta·tion (man′i-fes-tā′shŭn) [L. *manifestus*, caught in the act]．〔症状〕発現 (疾病の特徴的徴候や症状の発現)．

behavioral m. 行動的発現 (不安や悩みがほとんどないという人格あるいはそれに付随する行動の欠陥を特徴とする発現で，精神障害を示す．ときに脳炎や頭部外傷によって引き起こされることがあり，より正しくは行動的発現を伴う慢性脳障害と診断される臨床像を呈する)．

neurotic m. 神経症的発現 (転換，分裂，置換，恐怖などの防衛機制や，不安に耐えるための反復性思考や行動を特徴とする発現．精神病的発現 psychotic m. と対照的に，事実の大きなゆがみ，曲解はみられず，通常，人格の大きな崩壊もない)．

psychophysiologic m. 精神生理学的発現 (感情が内臓へ影響を及ぼすこと．抑圧された感情の慢性的・誇張的生理学的発現による諸徴候．心身症に通常みられる)．

psychotic m. 精神病的発現 (種々の程度の人格崩壊，種々の事柄における事実の曲解を表す思考，感情，行動を特徴とする症状．このような症状を示す患者は対人関係や仕事の処理がうまくできない)．

man·i·kin, mann·i·kin, mann·e·quin (man′i-kin) [*man* の指小辞]．人体〔解剖〕模型 (人体または人体部分の模型で，特に取りはずし可能な部分をもつ．→phantom (2))．

man·i·pha·lanx (man′i-fā′langks) [L. *manus*, hand + *phalanx*]．手指 (手の指節．指の骨質部分．pediphalanx(足指)とは区別される)．

Mann (man), Frank C. 米国人外科医，1887－1962．→M.-Bollman *fistula*; M.-Williamson *operation*, *ulcer*.

man·na (man′ă) [L.＜G. *manna*＜Heb. *mān*]．マンナ (*Fraxinus ornus*(花をもつセイヨウトネリコで地中海沿岸に成育する高木)のサッカリン様滲出物で，緩下薬として特に小児に用いる．**m. cannellata**(薄片マンナ)，**m. in lacrimis**(涙のマンナまたは小薄片マンナ)，**m. communis** または **m. in sortis**(種々のマンナ)として用いられる)．

mannan (man′an). マンナン (一般に結合のための糖認識を含む，いくつかの蛋白からなる補体活性化経路．本質的な免疫反応の一部と考えられている．糖質認識を通じて病原体と原体と結合することによって，これらの蛋白は補体カスケードを活性化することにより宿主に重要な防御機構を与え，病原体への宿主の免疫反応を促進する)．

man·nans (man′anz). マンナン (①マンノースの多糖類で，種々のマメ科植物，ゾウゲヤシの実に存在する．②マンノースが単糖として多量に存在する多糖)．＝mannosans.

man·ner·ism (man′ĕr-izm). 衒奇(げんき)，わざとらしさ (動作や身振り，言動が奇妙であること，または普通でないこと)．

man·nite (man′īt). マンニット．＝D-mannitol.

D-man·ni·tol (man′i-tol). D-マンニトール (D-フルクトースまたは D-マンノースを還元して得られる六水酸基アルコール．植物に広く存在する．腎糸球体沪過量を測定する腎機能検査に，また経静脈的に浸透性利尿薬として用いる)．＝manna sugar; mannite.

D-m. hexanitrate 六硝酸マンニトール (マンニトールのニトロ化による爆発性化合物．炭水化物によって(六硝酸マンニトール 1 に対して炭水化物 9 の割合で)希釈すると非爆発性となり，血管拡張薬，降圧薬として用いられる．ニトログリセリンより作用が穏和である．一酸化窒素の生成を介して作用する)．＝nitromannitol.

Mann·kopf (mahn′kopt), Emil W. ドイツ人医師，1836－1918．→M. *sign*.

Mann meth·yl blue-e·o·sin stain (man meth′il blū ē′ō-sin stān). ⇒stain.

man·no·hep·tu·lose (man′ō-hep′tū-lōs). マンノヘプツロース (→D-*manno*-heptulose)．

man·no·pro·teins (man′ō-prō-tēnz). マンノ蛋白 (酵母の細胞壁構成成分で多数のマンノースが結合した蛋白である．高抗原性である)．

man·no·sa·mine (man-ō′să-mēn). マンノサミン；2-amino-2-deoxymannose (D-異性体はムコ脂質やムコ蛋白，ノイラミン酸の構成成分である)．

man·no·sans (man′o-sanz). マンノサン．＝mannans.

man·nose (Man) (man′ōs). マンノース (種々の植物源(例えばマンナン)から得られるアルドヘキソース．グルコースのエピマー)．

man·nose-1-phos·phate gua·nyl·yl·trans·fer·ase (GDP) (man′ōs-fos′fāt gwă-nil′īltrans′fĕr-ās). マンノース-1-リン酸グアニリルトランスフェラーゼ (GTP とマンノース-1-リン酸とから GDP マンノースと正リン酸を生じる反応を触媒する転移酵素)．＝GDPmannose phosphorylase.

man·nose·phos·phate i·som·er·ase (man′ōs-fos′fāt ī-som′ĕr-ās) [MIM*154550]．マンノースリン酸イソメラーゼ (D-マンノース-6-リン酸から D-フルクトース-6-リン酸への可逆反応を触媒する酵素．この反応は糖質代謝の主経路へのマンノースの代謝やマンノース誘導体の合成の重要な段階である)．

man·no·si·das·es (man′ō-si-dās′ĕs). マンノシダーゼ (マンノシド(特に糖蛋白や糖脂質中の)の末端の非還元性 D-マンノース基の加水分解を触媒する酵素群．α-マンノシダーゼは α-D-マンノシドに作用し，β-マンノシダーゼは β-D-マンノシドに作用する．α-マンノシダーゼの欠損によりマンノシドーシスになる）．

man·no·side (man′ō-sīd). マンノシド（マンノースのグリコシド）．

man·no·si·do·sis (man′ō-si-dō′sis) [MIM*248500]. マンノシドーシス（α-マンノシダーゼの先天的欠損．粗野な顔貌，舌肥大，精神遅滞，脊柱後弯，X線的な骨格異常を伴い，マンノースの蓄積した空胞化したリンパ球が組織内にみられる．第19染色体短腕にあるα-マンノシダーゼ(*MANB*)遺伝子の突然変異により生じる）．

mann·o·syl (man′ō-sil). マンノシル（ピラノース型やフラノース型マンノースからアノマーα-またはβ-ヒドロキシル基の脱離により生成されるグリコシル液体．多くの多糖類や糖蛋白の構成成分）．

man·nu·ron·ic ac·id (man′yū-ron′ik as′id). マンヌロン酸（マンノースの酸化によってできるウロン酸．アルギン酸の構成成分）．

ma·nom·e·ter (mă-nom′ĕ-tĕr) [G. *manos*, thin, scanty + *metron*, measure]. マノメータ，圧力計（[誤ったつづりまたは発音 monometer を避けること]．流体の圧力，または気体や液体の2つの流体の圧力の差を示す器械）．

aneroid m. アネロイド圧力計（圧力を受けて動く隔板または Bourdon 管によって回転針が連動し圧力を示す器械）．＝dial m.

dial m. ＝aneroid m.

differential m. 示差マノメータ（絶対圧の変化に関係なく，2つの液体間の圧力差を表示する装置）．

mercurial m. 水銀圧力計（圧力の変化が水銀柱の上下によって示される器械）．

man·o·met·ric (man′ō-met′rik). マノメータの，圧力計の（[誤ったつづりまたは発音 monometric を避けること]）．

ma·nom·e·try (mă-nom′ĕ-trē) [→manometer]. マノメトリ（[誤ったつづりまたは発音 monometry を避けること]．マノメータによる気体や流体の圧力の測定）．＝manoscopy.

esophageal m. 食道マノメトリ（内圧測定器を用いて食道内圧を測定すること）．

ma·nos·co·py (mă-nos′kŏ-pē). ＝manometry.

man. pr. ラテン語 *mane primo*(早朝，朝一番)の略．

Man·son (man′sŏn), Patrick. イングランド人熱帯医学の権威，1844—1922. →*Mansonella*; *Mansonia*; M. *disease*, *schistosomiasis*, eye *worm*; *Schistosoma mansoni*; *schistosomiasis* mansoni.

Man·son·el·la (man′sō-nel′ă). マンソネラ属（熱帯アフリカおよび南アメリカに広く分布するフィラリアの一属．被鞘のないミクロフィラリアがヒトやその他の霊長類の腹腔，漿液面，あるいは皮膚に寄生する．ヒトの寄生虫として重要な常在糸条虫 *M. perstans* と *M. streptocerca* は，以前は *Dipetalonema*属，*Acanthocheilonema*属，*Tetrapetalonema*属に分類されていた）．

M. demarquayi ＝*M. ozzardi.*

M. ozzardi ユカタン，パナマ，コロンビア，北部アルゼンチン，ガイアナ，フランス領ギアナ，セントビンセント島，ドミニカ島に発生する寄生フィラリアで，マンソネラ症を起こす．ミクロフィラリアは被鞘しておらず，とがった尾部には核がない．生活環はバンクロフト糸状虫 *Wuchereria bancrofti* のそれに類似しており，ヒトが唯一，既知の固有宿主であり，中間宿主はヌカカの *Culicoides furens* と，それに恐らく *C. paraensis* である．＝*M. demarquayi*; *M. tucumana.*

M. perstans 常在糸状虫（熱帯アフリカ，南アメリカ北部に広く分布している常在性のフィラリアで，ヒトの腹腔，その他の体腔に感染する．病原性はないかほんの軽微．特徴的なミクロフィラリアがある程度の周期性をもって末梢血中に現れる．アフリカではヌカカの *Culicoides austeni* および *C. grahami* によって媒介される）．

M. streptocerca マンソネラストレプトセルカ（ヒトに感染するフィラリアの仲間で，無鞘のミクロフィラリアが非周期性に末梢血中に見出される．皮膚に苔癬様病変や浮腫を生じることがある．西アフリカ住民の真皮中によく見出される．ヌカカの *Culicoides grahami* によって媒介される）．

M. tucumana ＝*M. ozzardi.*

man·so·nel·li·a·sis (man′sō-nel-ī′ă-sis). マンソネラ症（糸状虫の一種 *Mansonella*属の種による感染で，*Culicoides*属のヌカカによってヒトに伝播される．感染後，成虫は漿膜腔（特に腹膜腔）および腸間膜と内臓周囲の脂肪組織および皮膚に生息する）．

man·son·el·lo·sis (man-sō-nel′lō-sis). マンソネラ症（糸状虫の一種 *Mansonella ozzardi* による感染症）．

Man·so·nia (man-sō′nē-ă) [P. *Manson*]. マンソニア属（茶色または黒色の中型のカ(ナミカ族)で，しばしば腹部と脚がしま状をなす．幼虫およびさなぎは変形した呼吸管をもち，水生植物を刺すことによって空気を得る．本属のカは世界中に分布し，熱帯地方ではマレー糸状虫 *Brugia malayi* の重要な媒介昆虫であり，ある地域ではバンクロフト糸状虫 *Wuchereria bancrofti* をも媒介する）．

Man·so·noi·des (man′sō-noy′dēz). マンソノイデス亜属（*Mansonia*属の亜属）．

Man·tel (man-tel′), Nathan. 20世紀の米国人生物統計学者．→M.-Haenszel *test*.

man·tle (man′tĕl). ***1*** 被膜（外側をおおう層）．***2*** 大脳外套．＝cerebral *cortex.*

brain m. 大脳外套．＝cerebral *cortex.*

myoepicardial m. 心筋外膜（原始心外膜の背側壁で，初期体節胚子において心筋層と心外膜とになる）．

Man·toux (mahn-tū′), Charles. フランス人医師，1877—1947. →M. *pit*, *test*.

man·u·al Eng·lish (man′yū-ăl ing′glish). 手話英語（高度難聴のある人が身振り，手振り，指文字を組み合わせて英語でコミュニケーションをとる方法）．

ma·nu·bri·um, pl. **ma·nu·bria** (mă-nū′brē-ŭm, -ă) [L. handle][TA]. 柄（つち骨または胸骨の部分で刀やかなづちの柄に似ている部分）．

m. mallei [TA]. ＝m. of malleus.

m. of malleus つち骨柄（つち骨頸から下内後方へ出ている部分．全長にわたって鼓膜内に埋没している）．

m. sterni [TA]. ＝m. of sternum [TA].

m. of sternum [TA]. 胸骨柄（胸骨上端にある，ほぼ三角形をした平らな骨で，まれに胸骨体とわずかな角度(胸骨角)をなして融合する）．＝m. sterni [TA]; episternum; presternum.

man·u·dy·na·mom·e·ter (man′yū-dī′nă-mom′ĕ-tĕr) [L. *manus*, hand + G. *dynamis*, force + *metron*, measure]. マニュダイナモメータ（歯科において，器械の推進による力を測定する装置）．

ma·nus, gen. & pl. **ma·nus** (mā′nŭs) [L.][TA]. 手．＝hand.

MAO monoamine oxidase の略．

MAOI monoamine oxidase *inhibitor* の略．

MAP (map). マップ（morning-after *pill* の略）．

map (map). 地図（例えばDNAの領域あるいは構造の表示）．

choroplethic m. [G. *chōros*, district + *plēthos*, multitude + -ic]. 段彩地図（特定の管轄区(州，郡など)の死亡率などの情報を定量的に色別または濃淡で表示する地図法．次頁の図参照）．

chromosome m. 染色体地図（核型上で，遺伝子座の相対的位置を系統的・半抽象的に図示したもの．*cf.* genetic m.）．

conformational m. コンフォメーション図．＝Ramachandran *plot.*

contig m. コンティーグ地図（染色体あるいはDNAの物理的地図で，重複するクローン(コンティーグ)から構成されている）．

cytogenetic m. 細胞遺伝地図（染色体の古典的結合様式を表した地図）．

electron density m. 電気密度図（X線回折解析から算出された物質や分子の構造の三次元表示）．

fate m. 発生運命地図（ごく初期の幼若胚で特定の器官あるいは構造の細胞原基が決定されていること）．＝germinal localization.

genetic m. 遺伝子地図（遺伝子座の配列順序についての抽象図．遺伝子間の距離は代数的表現で表され，遺伝子間の交叉頻度の度合は，それらの相対的距離に比例するという仮定で作製される．例えば，地図上では，遺伝子座AとCの間の全体の距離は，遺伝子座AとB，遺伝子座BとCの距離の代数的合計である）．

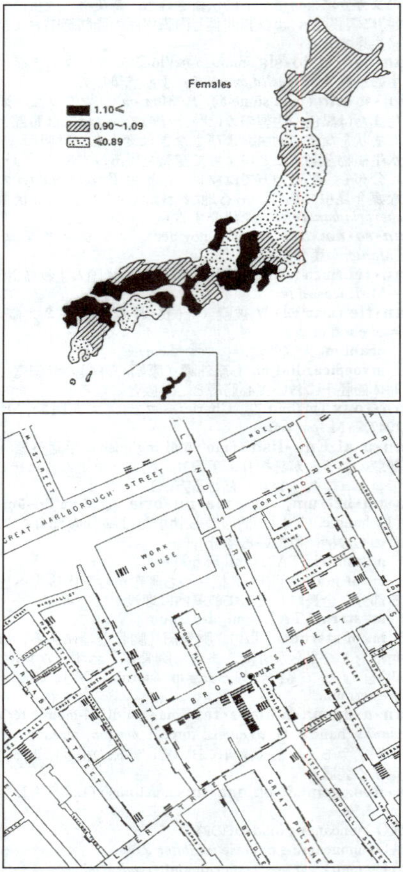

choroplethic and spot maps

段彩地図(上)は，日本の股関節骨折発生の地域差を示している．スポット地図(下)は，ロンドンのJohn Showによる地図の一部で，1849年のBroad Streetにあるポンプ周辺別のコレラ患者数の分布を示している．

isodemographic m. [iso- + G. *dēmos*, people + *graphō*, to write + -ic]. 同人口統計地図（国またはある国の行政管轄区分の人口に直接比例させて，各地区を二元的に示す表示法）.

linkage m. 連鎖地図（遺伝子座についての数学的抽象表現法．遺伝子座間の距離は代数加算的であるという理論に基づいて座の配列を決定する．一般的に，組換え頻度を地図上の距離の単位として，遺伝子座間の位置を表現する．物理的な距離が小さければ組換え率は小さくなり，距離が遠ければ遺伝子間やDNA マーカー間の組換え率は大きくなる）.

peptide m. ペプチド地図（蛋白を部分加水分解し，二次元クロマトグラフィまたは電気泳動により観測されるパターン）.

physical m. 物理的地図（お互いにわかっている距離を境界標に配列したDNA の地図．究極の物理的地図は全染色体の塩基配列であろう）.

restriction m. 制限酵素地図（染色体やプラスミド上の制限部位を整理し図示したもの）.

sequence-tagged site (STS) m. 配列タグ部位地図（DNA 内で配列タグ部位の順序と間隔を表示した地図）.

spot m. 地点地図，スポット地図（ある特定の属性の人，例えば感染症症例の地理的な場所を示す地図）.

map dis·tance (map dis′tănts). 地図距離（連鎖地図上での2 遺伝子座間の分離度．モルガンまたはセンチモルガンで表される）.

map·pine (map′ēn). = bufotenine.

map·ping (map′ing). 地図作製，マッピング（部位または要素の相対的位置を同定する過程）.

cardiac m. 心〔臓〕マッピング（局所の心臓の電位を時間(等時間地図)あるいは電位(等電位地図)として空間的に記録する方法）.

chromosome m. 染色体マッピング（染色体上の座位を決定し，各染色体について遺伝子座の相対位置を示す図を構成すること．連鎖解析を用いた家系調査，体細胞ハイブリダイゼーション，染色体欠失マッピングなどの技術が含まれる）.

gene m. →genetic *map*.

S1 nuclease m. S1 ヌクレアーゼマッピング（RNA 混合物中において転写産物の 5′ 末端の位置を決める方法）.

map·ping func·tion (map′ing fungk′shŭn). 地図関数（連鎖分析において，組換え断片の組換え率と座位間の図距離(モルガン)の関係を表す式）.

MAPs microtubule-associated *proteins* の略.

Ma·ra·ñón (mah-rahn′yon′), Gregorio. スペイン人内分泌学者，1887—1960. →M. *sign*.

ma·ran·tic (mă-ran′tik) [G. *marantikos*, wasting]. 衰弱の，消耗性の. = marasmic.

ma·ras·mic (mă-raz′mik). 消耗症の，衰弱の. = marantic.

ma·ras·moid (mă-raz′moyd) [G. *marasmos*, withering + *eidos*, resemblance]. 消耗症様の，衰弱様の.

ma·ras·mus (mă-raz′mŭs) [G. *marasmos*, withering]. 消耗症，衰弱（特に年少小児にみられる悪液質で，長期間にわたる蛋白とカロリーの不足が本質的な原因である）. = marantic atrophy; Parrot disease (2); pedatrophia; pedatrophy.

nutritional m. 栄養不良性消耗症（栄養不良による著しい全身性衰弱）.

marc (mark) [Fr. < *marcher*, to trample]. 絞りかす（薬を沪過してできる残渣）.

Mar·cac·ci (mar-kah′chē), Arturo. イタリア人生理学者，1854—1915. →M. *muscle*.

Mar·chand (mahr′shahnd), Felix J. ドイツ人病理学者，1846—1928. →M. *adrenals*, *rest*, wandering *cell*.

Mar·chant (mahr′shŏn[h]′), Gérard T. J. フランス人外科医，1850—1903. →M. *zone*.

Mar·che·sa·ni (mahr-kĕ-sah′nē), Oswald. 1900—1952. →Weill-M. *syndrome*.

Mar·chet·ti (mahr-chet′ē), Andrew A. 米国人産科婦人科医，1901—1970. →Marshall-M. *test*; Marshall-M.-Krantz *operation*.

Mar·chi (mahr′kē), Vittorio. イタリア人医師，1851—1908. →M. *fixative*, *reaction*, *stain*, *tract*.

Mar·chi·a·fa·va (mahr′kē-ă-fah′vah), Ettore. イタリア人病理学者，1847—1935. →M.-Bignami *disease*; M.-Micheli *anemia*, *syndrome*.

mar·cid (mar′sid) [L. *marcidus* < *marceo*, to wither]. 消耗〔性〕の，衰弱〔性〕の.

Mar·cil·le (mahr-sēl′), Maurice. 1871—1941. →M. *triangle*.

mar·cor (mar′kōr) [L. < *marceo*, to wither]. marasmus を意味する現在では用いられない語.

Mar·cus Gunn (mar′kŭs gŭn), Robert. →Gunn.

Marek (mah′rek), Josef. ハンガリー人獣医・病理学者，1868—1952. →M. disease *virus*.

marenostrin (mā-rĕ-nos′trin). = pyrin.

Ma·rey (mah-rā′), Étienne Jules. フランス人生理学者，1830—1904. →M. *law*.

Mar·fan (mahr-fahn′), Antoine Bernard-Jean. フランス人小児科医，1858—1942. →M. *disease*, *law*, *syndrome*.

mar·fan·oid (mar′fan-oyd). マルファン症候群様の（その表現型が Marfan 症候群と表面的に類似した患者を表す語）.

Marg (marg), Elwin. 20 世紀の米国人医師. →Mackay-M. *tonometer*.

Mar·gar·o·pus (mar-gar′ō-pŭs) [G. *margaros*, pearl oyster + *pous*, foot]. マルガロプス属（マダニ科の一属．ウシマダニ属 *Boophilus* によく似ているが，花采または縁飾をもたない．非常に大きな後肢と長い中間板が特徴）.

M. winthemi 南アメリカのウィンターホースの一回寄生性のマダニで，ときにはウシやヒツジも襲う．

mar·gin (mar′jin) [L. *margo*, border, edge][TA]. 縁（→border; edge）. =margo [TA].

acetabular m. [TA]. 寛骨臼縁（寛骨臼の周縁を形成する骨で，関節唇が付着する）. =limbus acetabuli [TA]; m. of acetabulum [TA]; margo acetabularis*.

m. of acetabulum [TA]. 寛骨臼縁. =acetabular m.

anterior m. 前縁. =anterior *border*.

anterior palpebral m. [TA]. 前眼瞼縁（眼瞼の自由縁の前縁で，これに沿って睫毛がはえている）. =limbus anterior palpebrae [TA]; anterior border of eyelids.

articular m. 肩関節唇. =glenoid *labrum* of scapula.

cavity m. 窩縁（充塡物の周縁，すなわち歯の表面と修復物間の接合線）.

cervical m. 歯頸縁（①=gingival m. ②歯肉部の修復物の辺縁）.

cervical m. of tooth 歯頸. =*neck* of tooth.

ciliary m. of iris [TA]. 虹彩の毛様体縁（毛様体に移行する虹彩の周縁）. =margo ciliaris iridis [TA]; ciliary border of iris.

corneal m. 角膜縁. =corneoscleral junction.

costal m. [TA]. 肋骨弓（胸郭下口のうち第七肋骨から第十肋骨（仮肋）の連結している軟骨によって形成されている部分）. =arcus costalis [TA]; costal arch*; arcus costarum.

m.'s of eyelids 眼瞼縁. =palpebral m.'s.

falciform m. of saphenous opening [TA]. 伏在裂孔の鎌状縁（大腿筋膜の伏在裂孔の鋭く曲がった自由縁で，内側で上角および下角をつくって終わる）. =margo falciformis hiatus sapheni [TA]; margo arcuatus hiatus sapheni*.

fibular m. of foot 足の腓側縁. =lateral *border* of foot.

m. of fossa ovalis 卵円窩縁. =*limbus* fossae ovalis.

free m. 自由縁. =free *border*.

free m. of eyelids 眼瞼の自由縁（上眼瞼の下縁および下眼瞼の上縁で，眼瞼の前面（皮膚面）が後面（結膜面）に移行するところ．上下自由縁の間が眼瞼裂で，各自由縁は前縁と後縁をもつ.→palpebral m.'s）.

frontal m. 前頭縁. =frontal *border*.

frontal m. of sphenoid [TA]. 蝶形骨前頭縁（前頭骨に連結する蝶形骨の大翼縁）. =margo frontalis ossis sphenoidalis [TA]; frontal border of sphenoid bone.

gingival m. 歯肉縁，歯頸縁（①歯を取り囲む歯肉の最も歯冠側の部分．②遊離歯肉の端）. =cervical m. (1); gingival crest.

incisal m. [TA]. 切縁（根尖から最も離れた前歯の部分）. =margo incisalis [TA]; cutting edge (2); incisal edge; incisal surface; shearing edge.

inferior m. 下縁. =inferior *border*.

inferolateral m. 下外側縁. =inferolateral m. of cerebral hemisphere.

inferolateral m. of cerebral hemisphere [TA]. 大脳の下外側縁（大脳半球の下面と上外側面の結合部における不規則な不連続縁）. =margo inferolateralis [TA]; inferolateral m.; margo inferior cerebri.

inferomedial m. of cerebral hemisphere [TA]. 大脳半球の下内側縁（大脳半球の下面と内側面の移行部における不規則な境界）. =margo inferomedialis hemispherii cerebri [TA]; margo medialis cerebri.

infraorbital m. 眼窩下縁（眼窩縁の下半分もしくは眼窩入口の下縁で，内側は上顎骨から，外側は頬骨からなる.→orbital m.）. =margo infraorbitalis.

interosseous m. 骨間縁. =interosseous *border*.

lacrimal m. of maxilla [TA]. 上顎骨涙骨縁（涙骨と連結する上顎骨鼻腔面の縁）. =margo lacrimalis maxillae [TA]; lacrimal border of maxilla.

lambdoid m. of occipital bone =lambdoid *border* of occipital bone.

lateral m. 外側縁. =lateral *border*.

left costal m. (**LCM**) 左肋骨弓（→costal m.）.

mastoid m. of occipital bone =mastoid *border* of occipital bone.

medial m. 内側縁. =medial *border*.

mesovarian m. of ovary =mesovarian *border* of ovary.

nasal m. of frontal bone [TA]. 前頭骨鼻骨縁（鼻骨と連結する前頭骨の縁）. =margo nasalis ossis frontalis [TA]; nasal border of frontal bone.

occipital m. 後頭縁. =occipital *border*.

occipital m. of temporal bone [TA]. 側頭骨後頭縁（後頭鱗と連結する側頭骨の縁）. =margo occipitalis ossis temporalis [TA]; occipital border of temporal bone.

m. of orbit =orbital m.

orbital m. [TA]. 眼窩縁（眼窩口の縁で，大部分は鋭い稜をなしピラミッド形の眼窩の底部をなす．上半を上縁，下半を下縁という．前頭骨・上顎骨・頬骨によってつくられ眼球を強力に保護している．骨折しやすい部位というのは3骨の連結部である縫合である）. =margo orbitalis [TA]; m. of orbit; orbital rim.

orbital m. of eyelids 眼瞼の眼窩縁，眼瞼の眼球縁（上下眼瞼の外側縁または末梢縁（自由縁と反対側）で，眼窩縁に付着して眼瞼の根となっている）.

palpebral m.'s [TA]. 眼瞼縁（上下眼瞼の自由縁の前縁と後縁.→anterior palpebral m.; posterior palpebral m.）. =limbi palpebrales [TA]; margo palpebrae [TA]; borders of eyelids; m.'s of eyelids.

parietal m. 頭頂縁. =parietal *border*.

parietal m. of frontal bone [TA]. 前頭骨頭頂縁（頭頂骨と連結する前頭骨の縁）. =margo parietalis ossis frontalis [TA]; parietal border of frontal bone.

parietal m. of greater wing of sphenoid [TA]. 蝶形骨大翼頭頂縁（頭頂骨と連結する蝶形骨大翼の縁）. =margo parietalis alaris majoris ossis sphenoidalis [TA]; margo parietalis ossis sphenoidalis; parietal border of sphenoid bone.

posterior palpebral m. [TA]. 後眼瞼縁（眼瞼の自由縁の後縁で結膜の縁ともなっている）. =posterior border of eyelids; limbus posterior palpebrae [TA].

psoas m. 大腰筋影（腹部X線写真において，大腰筋の外側縁が脂肪層により描出されること．描出される場合，後腹膜腔は正常であるといえる）.

pupillary m. of iris [TA]. 〔虹彩の〕瞳孔縁（瞳孔の縁を形成する虹彩の内側縁）. =margo pupillaris iridis [TA]; pupillary border of iris.

right m. of heart 〔心臓の〕右縁. =right *border* of heart.

m. of safety 安全限界（薬の最小治療量と最小致死量との境界）.

sphenoidal m. of temporal bone [TA]. 側頭骨蝶形骨縁（蝶形骨大翼と結合する側頭骨鱗部の縁）. =margo sphenoidalis ossis temporalis [TA]; sphenoidal border of temporal bone.

squamosal m. of greater wing of sphenoid [TA]. 蝶形骨大翼鱗縁（側頭骨鱗部と連結する蝶形骨大翼縁）. =margo squamosus alaris majoris ossis sphenoidalis [TA]; margo squamosus ossis sphenoidalis; squamous border of sphenoid bone.

squamous m. 鱗縁. =squamosal *border*.

superior m. of cerebral hemisphere [TA]. 大脳半球上縁（大脳半球の上外側面と内側面の移行部において曲線をなす縁）. =margo superior hemispherii cerebri [TA]; margo superomedialis; superomedial m.

superomedial m. 上内側縁. =superior m. of cerebral hemisphere.

supraorbital m. [TA]. 眼窩上縁（眼窩縁の上半分で，眼窩入口の弯曲した上縁をなし，前頭骨でつくられる.→orbital m.）. =margo supraorbitalis [TA]; supraorbital arch; supraorbital ridge.

m. of tongue [TA]. 舌縁（舌の下面と背面とを区分する縁で，左右両縁は舌先で合流する）. =margo linguae [TA].

ulnar m. of forearm =ulnar *border* of forearm.

zygomatic m. of greater wing of sphenoid bone 蝶形骨大翼の頬骨縁（蝶形骨大翼が頬骨と連結する縫合縁）. =margo zygomaticus alaris majoris ossis sphenoidalis [TA];

margo zygomaticus alae majoris; zygomatic border of greater wing of sphenoid bone.

mar·gi·nal (mar′ji-năl). 縁の，辺縁の，周縁の.

Mar·gi·nal Line Cal·cu·lus In·dex (MLC) (mar′ji-năl līn cal′kyū-lŭs in′deks). 辺縁歯肉に平行な歯頸部付近にみられる歯肉縁上歯石を表す指数.

mar·gin·a·tion (mar′ji-nā′shŭn). 辺縁趨向（炎症の比較的初期に起こる現象．毛細管の拡張と流速の低下の結果，白血球が管腔横断面の外側に集まり，血管内壁の内皮細胞に付着しやすくなる）.

m. of placenta 辺縁性胎盤（→*placenta* marginata）.

mar·gi·nes (mar′ji-nēz) [L.]. margo の複数形.

mar·go, gen. mar·gi·nis, pl. mar·gi·nes (mar′gō, mar′ji-nis, -nēz) [L.][TA]. 縁. = margin; border.

m. acetabularis* acetabular *margin* の公式の別名.

m. anterior [TA]. = anterior *border*.

m. anterior corporis pancreatis [TA]. = anterior *border* of body of pancreas.

m. anterior fibulae [TA]. 腓骨前縁. = anterior *border* of fibula.

m. anterior pancreatis 膵臓前縁. = anterior *border* of body of pancreas.

m. anterior pulmonis [TA]. 肺前縁. = anterior *border* of lung.

m. anterior radii [TA]. 橈骨前縁. = anterior *border* of radius.

m. anterior testis [TA]. 精巣前縁. = anterior *border* of testis.

m. anterior tibiae [TA]. 脛骨前縁. = anterior *border* of tibia.

m. anterior ulnae [TA]. 尺骨前縁. = anterior *border* of ulna.

m. arcuatus hiatus sapheni* falciform *margin* of saphenous opening の公式の別名.

m. ciliaris iridis [TA]. 〔虹彩の〕毛様体縁. = ciliary *margin* of iris.

m. dexter cordis [TA]. 〔心臓の〕右縁. = right *border* of heart.

m. falciformis hiatus sapheni [TA]. = falciform *margin* of saphenous opening.

m. fibularis pedis* 足の腓側縁（lateral *border* of foot の公式の別名）.

m. frontalis [TA]. 前頭縁. = frontal *border*.

m. frontalis ossis parietalis [TA]. 頭頂骨前頭縁. = frontal *border* of parietal bone.

m. frontalis ossis sphenoidalis [TA]. 蝶形骨前頭縁. = frontal *margin* of sphenoid.

m. incisalis [TA]. 切縁. = incisal *margin*.

m. inferior [TA]. 下縁. = inferior *border*.

m. inferior cerebri 大脳の下縁. = inferolateral *margin* of cerebral hemisphere.

m. inferior corporis pancreatis [TA]. = inferior *border* of body of pancreas.

m. inferior corporis splenis = inferior *border* of body of pancreas.

m. inferior hepatis [TA]. 肝臓下縁. = inferior *border* of liver.

m. inferior pancreatis 膵臓下縁. = inferior *border* of body of pancreas.

m. inferior pulmonis [TA]. 肺下縁. = inferior *border* of lung.

m. inferior splenis [TA]. 脾臓下縁. = inferior *border* of spleen.

m. inferolateralis [TA]. 下外側縁. = inferolateral *margin* of cerebral hemisphere.

m. inferomedialis hemispherii cerebri [TA]. = inferomedial *margin* of cerebral hemisphere.

m. infraorbitalis 眼窩下縁. = infraorbital *margin*.

m. interosseus [TA]. 骨間縁. = interosseous *border*.

m. interosseus fibulae [TA]. 腓骨骨間縁. = interosseous *border* of fibula.

m. interosseus radii [TA]. 橈骨骨間縁. = interosseous *border* of radius.

m. interosseus tibiae [TA]. 脛骨骨間縁. = interosseous *border* of tibia.

m. interosseus ulnae [TA]. 尺骨骨間縁. = interosseous *border* of ulna.

m. lacrimalis maxillae [TA]. = lacrimal *margin* of maxilla.

m. lambdoideus ossis occipitalis [TA]. = lambdoid *border* of occipital bone.

m. lambdoideus squamae occipitalis = lambdoid *border* of occipital bone.

m. lateralis [TA]. 外側縁. = lateral *border*.

m. lateralis antebrachii* 前腕骨外側縁（radial *border* of forearm の公式の別名）.

m. lateralis humeri [TA]. 上腕骨外側縁. = lateral *border* of humerus.

m. lateralis pedis [TA]. 足の外側縁. = lateral *border* of foot.

m. lateralis renis [TA]. 腎外側縁. = lateral *border* of kidney.

m. lateralis scapulae [TA]. 肩甲骨外側縁. = lateral *border* of scapula.

m. lateralis unguis [TA]. 爪の外側縁. = lateral *border* of nail.

m. liber [TA]. 自由縁. = free *border*.

m. liber ovarii [TA]. 卵巣自由縁. = free *border* of ovary.

m. liber unguis [TA]. 爪の自由縁. = free *border* of nail.

m. linguae [TA]. 舌縁. = *margin* of tongue.

m. mastoideus ossis occipitalis [TA]. = mastoid *border* of occipital bone.

m. mastoideus squamae occipitalis = mastoid *border* of occipital bone.

m. medialis [TA]. 内側縁. = medial *border*.

m. medialis antebrachii* 前腕骨内側縁（ulnar *border* of forearm の公式の別名）.

m. medialis cerebri 大脳の内側縁. = inferomedial *margin* of cerebral hemisphere.

m. medialis glandulae suprarenalis [TA]. 副腎内側縁. = medial *border* of suprarenal gland.

m. medialis humeri [TA]. 上腕骨内側縁. = medial *border* of humerus.

m. medialis pedis [TA]. 足の内側縁. = medial *border* of foot.

m. medialis renis [TA]. 腎臓内側縁. = medial *border* of kidney.

m. medialis scapulae [TA]. = medial *border* of scapula.

m. medialis tibiae [TA]. 脛骨内側縁. = medial *border* of tibia.

m. mesovaricus ovarii [TA]. = mesovarian *border* of ovary.

m. nasalis ossis frontalis [TA]. = nasal *margin* of frontal bone.

m. occipitalis [TA]. 後頭縁. = occipital *border*.

m. occipitalis ossis parietalis [TA]. 頭頂骨後頭縁. = occipital *border* of parietal bone.

m. occipitalis ossis temporalis [TA]. 側頭骨後頭縁. = occipital *margin* of temporal bone.

m. occultus unguis [TA]. 〔爪の〕潜入縁. = hidden *border* of nail.

m. orbitalis [TA]. = orbital *margin*.

m. palpebrae [TA]. 眼瞼縁. = palpebral *margins*.

m. parietalis [TA]. 頭頂縁. = parietal *border*.

m. parietalis alaris majoris ossis sphenoidalis [TA]. = parietal *margin* of greater wing of sphenoid.

m. parietalis ossis frontalis [TA]. 前頭骨頭頂縁. = parietal *margin* of frontal bone.

m. parietalis ossis sphenoidalis 蝶形骨頭頂縁. = parietal *margin* of greater wing of sphenoid.

m. parietalis ossis temporalis 側頭骨頭頂縁. = parietal *border* of squamous part of temporal bone.

m. parietalis partis squamosae ossis temporalis [TA].

= parietal *border* of squamous part of temporal bone.

m. posterior 後縁. = posterior *border*.

m. posterior fibulae [TA]. 腓骨後縁. = posterior *border* of fibula.

m. posterior partis petrosae ossis temporalis [TA]. 側頭骨錐体後縁. = posterior *border* of petrous part of temporal bone.

m. posterior radii [TA]. 橈骨後縁. = posterior *border* of radius.

m. posterior testis [TA]. 精巣後縁. = posterior *border* of testis.

m. posterior ulnae [TA]. 尺骨後縁. = posterior *border* of ulna.

m. pupillaris iridis [TA]. 〔虹彩の〕瞳孔縁. = pupillary *margin* of iris.

m. radialis antebrachii [TA]. = radial *border* of forearm.

m. sagittalis ossis parietalis [TA]. = sagittal *border* of parietal bone.

m. sphenoidalis ossis temporalis [TA]. = sphenoidal *margin* of temporal bone.

m. squamosus [TA]. 鱗縁. = squamosal *border*.

m. squamosus alaris majoris ossis sphenoidalis [TA]. = squamosal *margin* of greater wing of sphenoid.

m. squamosus ossis parietalis [TA]. 頭頂骨鱗縁. = squamosal *border* of parietal bone.

m. squamosus ossis sphenoidalis 蝶形骨鱗縁. = squamosal *margin* of greater wing of sphenoid.

m. superior [TA]. 上縁. = superior *border*.

m. superior corporis pancreatis [TA]. = superior *border* of body of pancreas.

m. superior glandulae suprarenalis [TA]. 副腎上縁. = superior *border* of suprarenal gland.

m. superior hemispherii cerebri [TA]. = superior *margin* of cerebral hemisphere.

m. superior pancreatis 膵臓上縁. = superior *border* of body of pancreas.

m. superior partis petrosae ossis temporalis [TA]. 側頭骨錐体上縁. = superior *border* of petrous part of temporal bone.

m. superior scapulae [TA]. 肩甲骨上縁. = superior *border* of scapula.

m. superior splenis [TA]. 脾臓上縁. = superior *border* of spleen.

m. superomedialis 上内側縁. = superior *margin* of cerebral hemisphere.

m. supraorbitalis [TA]. 眼窩上縁. = supraorbital *margin*.

m. tibialis pedis* medial *border* of foot の公式の別名.

m. ulnaris antebrachii [TA]. = ulnar *border* of forearm.

m. uteri [TA]. 子宮縁. = *border* of uterus.

m. zygomaticus alae majoris = zygomatic *margin* of greater wing of sphenoid bone.

m. zygomaticus alaris majoris ossis sphenoidalis [TA]. = zygomatic *margin* of greater wing of sphenoid bone.

Ma·rie (mah-rē′), Pierre. フランス人神経科医, 1853—1940. ⇀M. *ataxia*; Charcot-M.-Tooth *disease*; Bamberger-M. *disease*, *syndrome*; M.-Strümpell *disease*; Strümpell-M. *disease*; Brissaud-M. *syndrome*; Foix-Chavany-M. *syndrome*.

mar·i·hua·na (mar′i-wah′nǎ) [< Sp. *Maria-Juana*, Mary-Jane]. マリファナ (mariguana, marijuana ともつづる. *Cannabis sativa* の乾燥花弁の一般名で, 巻きタバコ "joints" "reefers" として吸われる. 米国では, この用語は雌株のすべての部分, またはその抽出物をも含む. →cannabis).

Ma·ri·nes·co (mah-rē-nes′kō), Georges. ルーマニア人神経科医, 1863—1938. ⇀M. succulent *hand*; M.-Garland *syndrome*; M.-Sjögren *syndrome*.

mar·i·no·bu·fo·tox·in (mar′i-nō-bū′fō-toks-in). マリノブホトキシン (中央・南アメリカに生息する大形のヒキガエル *Bufo marinus* の耳下腺でできる毒素. 熱帯の国々において昆虫の防除に用いられる).

Mar·i·on (mah-rē-awn′), Georges. フランス人泌尿器科医, 1869—1932. ⇀M. *disease*.

Mar·i·otte (mah-rē-ot′), Edmé. フランス人物理学者, 1620—1684. ⇀M. *bottle*, *experiment*, *law*, blind *spot*.

mar·i·po·si·a (mar′i-pō′zē-ǎ) [L. *mare*, the sea + G. *posis*, drinking]. 心因性の要因により異常に海水を飲むことを表す, まれに用いる語. = thalassoposia.

Mar·jo·lin (mahr-zhō-lan′), Jean N. フランス人医師, 1780—1850. ⇀M. *ulcer*.

mar·jo·ram (mar′jō-ram). マヨラマ (シソ科 *Majorana hortensis*(*Origanum majorana*). 花芽のわずかな部分を含んだ葉(花芽を含まないこともある)が香辛料として, また医薬的に刺激薬, 駆風薬, 通経薬として用いられる. sweet marjoram, leaf marjoram, garden marjoram がある).

mark (mark) [A.S. *mearc*]. マーク (皮膚または粘膜皮膚上の斑点状, 線状などの形をしたもので, 色の違い, 盛り上がり, その他の特異性によって肉眼で見えるもの).

alignment m. 線列マーク (上下に記述される2つのトレース(例えば頸部と橈骨部の脈拍)間の時間関係を示すために, 休止状態にあるキモグラフまたは他の記録装置に描かれたトレースマーク).

stretch m.'s = *striae* cutis distensae (⇒stria).

mark·er (mark′ěr). ***1*** 標識, マーカ (印を付けたり, 尺度を示すのに用いる道具). ***2*** 標識, マーカ (細胞や分子の認識あるいは同定を可能にする特徴または因子). ***3*** 遺伝標識 (無害, 共通性があり, そのため連鎖分析 linkage *analysis* を容易にする異型接合体を, 高頻度に出現させる2つ以上の対立遺伝子を含む遺伝子座).

allotypic m. = allotype.

cell m. 細胞マーカ (細胞を同定する上で決め手となる特徴. 例えば, ヒツジ赤血球とのロゼット形成はTリンパ球のマーカであり, 表面免疫グロブリンはBリンパ球のマーカである).

cell surface m. 細胞表面マーカ (ある細胞, あるいは細胞集団を, 他の細胞サブセットと区別する細胞表面蛋白, 糖蛋白, 蛋白群).

genetic m. 遺伝マーカ. = genetic *determinant*.

linkage m. 連鎖マーカ (ヘテロ接合体の可能性の高い染色体部位(連鎖分析の際, 必ず考えに入れなければいけない状態). しかしながら, 臨床的には恐らく意味をもたない部位. →marker *locus*).

oncofetal m. 腫瘍胎児マーカ (腫瘍組織あるいはそれと同種の胎児組織で産生されるが, その腫瘍が発生した成人正常組織からは分泌されない腫瘍マーカ).

polymorphic genetic m. 多型遺伝子マーカ (一定の集団内で, 2種類以上の形質として生じる遺伝的特徴).

time m. タイムマーカ (生理学的実験でキモグラフ上に, 秒または秒以下の時間単位が記録される器械).

tumor m. 腫瘍マーカ (腫瘍組織から血流中へと分泌される物質で, 血清中に検出された場合, 腫瘍の存在を示す. 次頁の表参照).

marking (mark′ing) [M.E. *mark* < O.E. *mearc* + -ing]. マーキング (①あるものに印, 記号, あるいは別の認知できる追跡物を置くことで, それをさし示したり区別したりする行為. ②配色や他の目に見える形態の様式のこと. 特にある種あるいは様々な植物または動物に特徴的な様式をさす).

keraunographic m. [G. *keraunos*, thunderbolt + -graphic]. 稲妻状模様. = filigree *burn*.

Mar·kov (mar′kōv), Andrei. ロシア人数学者, 1865—1922. ⇀M. *process*.

Marme re·a·gent (marm). ⇒reagent.

mar·mo·rat·ed (mar′mō-rāt′ěd) [L. *marmoratus*, marbled]. 大理石様の (皮膚が大理石のような縞模様になった状態についていう. →*cutis* marmorata).

mar·mot (mar′mot) [Fr. *marmotte*]. マーモット (冬眠するげっ歯類で, 北アメリカにおけるペスト菌の保有宿主となりうる).

Ma·ro·teaux (mah-rō-tō′), Pierre. 20世紀のフランス人遺伝医学者. ⇀M.-Lamy *syndrome*.

Mar·quis re·a·gent (mar-kē′ rē-ā′jent). ⇒reagent.

mar·row (ma′rō) [A.S. *mearh*][TA]. →medulla. ***1*** 骨髄 (骨の髄腔と骨端の海綿質を満たす造血細胞に富んだ結合組織. 年齢とともに脂肪に置き換わっていき, それは特に四肢

腫瘍マーカ

マーカ	主要の型または部位
抗原	
癌胎児抗原	肺，腸，膵
α-フェトプロテイン	肝細胞癌，生殖細胞
	肺，胃，腸，膵
CA125	非粘膜性卵巣癌
	胸，肺，結腸，膵
CA19-9	胃，腸，肝，膵
CA27.29	胸
前立腺特異抗原	前立線
ホルモン	
ヒト絨毛性ゴナドトロピン	妊娠性絨毛癌
	胸，肺，胃腸管
副腎皮質刺激ホルモン	肺の小細胞癌
	胸，腸，膵，甲状腺，卵巣
抗利尿ホルモン	肺
酵素	
酸性ホスファターゼ	前立腺癌
ニューロン特異性エノラーゼ	CNS，神経芽細胞腫，APUD腫瘍，肺
ガラクトシルトランスフェラーゼⅡ	腸，膵

の長骨で顕著である）．*2* 骨髄に類似したすべての軟らかいゼラチン様または脂肪様物質．

bone m. [TA]．骨髄（骨髄腔に充満する柔らかい果肉状の組織で細網線維性の基質と細胞とからなる．年齢と部位によってそれぞれ実態が異なっている．→gelatinous bone m.; red bone m.; yellow bone m.）．＝medulla ossium [TA]．

gelatinous bone m. [TA]．膠様骨髄（高齢者の頭骨にみられる退化した骨髄）．

red bone m. [TA]．赤色骨髄（基質に分化途上の赤血球，白血球，巨核球を含む骨髄．胎児期と生下時にはすべての骨に存在するが，5歳を過ぎる頃から長い骨では黄色骨髄と置き換わる）．＝medulla ossium rubra [TA]．

spinal m. 骨髄．＝spinal *cord*.

yellow bone m. [TA]．黄色骨髄（基質の線維網に大量の脂肪が沈着している骨髄．生後5歳以降，長い骨の赤色骨髄に置き換わってできたもの）．＝medulla ossium flava [TA]．

Mar·shall (mar′shăl), Don. 20世紀の米国人眼科医．→M. *syndrome*.

Mar·shall (mar′shăl), Eli K. 米国人薬理学者，1889—1966．→M. *method*.

Mar·shall (mar′shăl), John. イングランド人解剖学者，1818—1891．→M. vestigial *fold*, oblique *vein*.

Mar·shall (mar′shăl), Victor F. 20世紀の米国人泌尿器科医．→M. *test*; M.-Marchetti *test*; M.-Marchetti-Krantz *operation*.

Mar·shal·la·gi·a mar·shall·i (mar′shă-lā′jē-ă mar-shal′ī)．線虫科の線虫に属する中形の胃虫で，ヒツジ，ヤギ，ラクダ，種々の野生反すう類の第四胃中に発見される．

marsh·mal·low root (marsh′mal-ō rūt)．アルテア根．＝althea.

mar·su·pi·al (mar-sū′pē-ăl) [L. *marsupium*, a pouch]．*1* 〘n.〙有袋類（有袋目に属する哺乳類で，カンガルー，ウォンバット，バンディクート，オポッサムが含まれ，雌は子供を運ぶための腹袋を有する）．*2* 〘adj.〙有袋類の．

mar·su·pi·al·i·za·tion (mar-sū′pē-ăl-i-zā′shŭn) [L. *marsupium*, pouch]．造袋術（嚢腫あるいはその他の被包化された腔の外界への開放術．前壁を切除し，残った壁の縁を近くの皮膚縁へ縫い付けて袋をつくるようにする）．

mar·su·pi·um (mar-sū′pē-ŭm) [L. pouch]．*1* 陰嚢．＝scrotum. *2* 育児嚢（現在では用いられない語．有袋目の腹袋など）．

Mar·te·gi·a·ni (mahr-te-jē-ah′nē), J. 19世紀のイタリア人解剖学者．→M. *area*, *funnel*.

Mar·tin (mar′tin), August E. ドイツ人婦人科医，1847—1933．→M. *tube*; M.-Gruber *anastomosis*.

Mar·tin (mar′tin), Henry A. 米国人外科医，1824—1884．→M. *bandage*, *disease*.

Mar·tin (mar′tin), J.E. →Thayer-M. *medium*.

Mar·ti·not·ti (mahr-tĭ-not′tē), Giovanni. イタリア人医師，1857—1928．→M. *cell*.

mar·ti·us yel·low (marsh′ē-ŭs yel′ō) [Karl A. *Martius*. ドイツ人化学者，1920—?][C.I. 10315]．マルチウスイエロー（酸性染料で，植物および動物組織学において，染料として，また顕微鏡写真の光フィルタとして用いる）．

Mar·to·rell (mahr-tō-rel′), Fernando Otzet. スペイン人心臓学者，1906—1984．→M. *syndrome*.

mas·cha·le (mas′kăl-ē) [G.]．腋窩．＝axilla.

mas·chal·y·per·i·dro·sis (mas′kăl-i-per′i-drō′sis) [G. *maschalē*, axilla + *hyper*, over + *hidrōs*, sweat]．腋窩〔部〕多汗〔症〕．

mas·cu·line (mas′kyū-lin) [L. *masculus*, male < *mas*, male]．男性の，雄性の．＝male (2); masculinus.

mas·cu·line pro·test (mas′kyū-lin prō′test)．男性的抗議（Adler の用語で，女性的役割から脱皮したいという願望により，受身的役割から能動的役割を身につけようとする人の動き）．

mas·cu·lin·i·ty (mas′kyū-lin′i-tē)．男性特徴．

mas·cu·lin·i·za·tion (mas′kyū-lin-i-zā′shŭn) [L. *masculus*, male]．男性化〔徴候〕（ひげのような男性の特徴を備えた状態．生理学的には男性の特徴を，また病理学的には男性と女性，両方の特徴を備えている）．

mas·cu·li·nize (mas′kyū-li-nīz′)．雄性化する，男性化する．

mas·cu·li·nus (mas′kyū-lī′nŭs) [L.]．男の．＝masculine.

mask (mask)．*1* 顔の皮膚に変化または変色を起こす様々な病状．*2* 仮面状顔貌（パーキンソン病の顔貌などでみられる無表情な顔）．*3* 顔面包帯．*4* マスク（ガーゼのおおいで，無菌状態を維持するために口と鼻をおおう）．*5* マスク（麻酔その他のガスの吸入を管理するため口と鼻をおおうように考案された装置）．

aerosol m. 加湿酸素マスク（エアゾール化された生理食塩水で加湿された酸素を患者に投与するマスク）．

bag valve m. バッグバルブマスク（患者の鼻と口をマスクにておおい，酸素または空気の貯留バッグを圧縮することにより人工換気を行う器具．→ventilator）．

ecchymotic m. 斑状出血性顔貌（顔と首の色が暗黒色に変化することで，外傷性仮死のように体幹が急激かつ過度に圧迫された場合に起こる）．

Hutchinson m. (huch′ĭn-sŏn)．ハッチンソンマスク（顔に面またはクモの巣をかぶったような感覚があることで，脊髄ろう神経梅毒で経験される）．

laryngeal m. 喉頭マスク（喉頭直上にあって，ふくらませたときに密閉した弁を形成する，末端でふくらむ縁を有する管状中咽頭気道）．

nonrebreathing m. 非再呼吸式マスク（すべての呼気は大気中に排出され，吸気ガスはマスクに接続された呼吸バッグだけからくるように，吸気弁と呼気弁の両方が取り付けられたマスク）．

shovel m. (shŏv′ĕl)．シャベル型酸素マスク（顎に引っかけ，口および鼻の方に上向きに流す酸素マスク）．＝face tent.

tropic m. 熱帯顔貌．＝*chloasma* bronzinum.

Venturi m. (ven-tū′rē)．ヴェンツーリマスク（Venturi 管の原理に従って設計された酸素マスク．正確な量の酸素投与が可能である．しばしばベンチ・マスクともいう）．

masked (maskt)．*1* 隠ぺいの，仮面の．*2* 隠ぺいした，盲の（→blind *study*）．＝blind.

mask·ing (mask′ing)．*1* マスキング，隠ぺい，遮へい（1つの音の可聴度を妨げるために別の音を用いること．低音はいかなる強度においても高音より大きな隠ぺい効果を有する）．*2* マスキング，隠ぺい，遮へい（聴能学において，一方の耳の聴力を検査するために，他方の耳に騒音を聞かせる）．*3* マスキング，隠ぺい，遮へい（脳波の記録で，小さいリズム

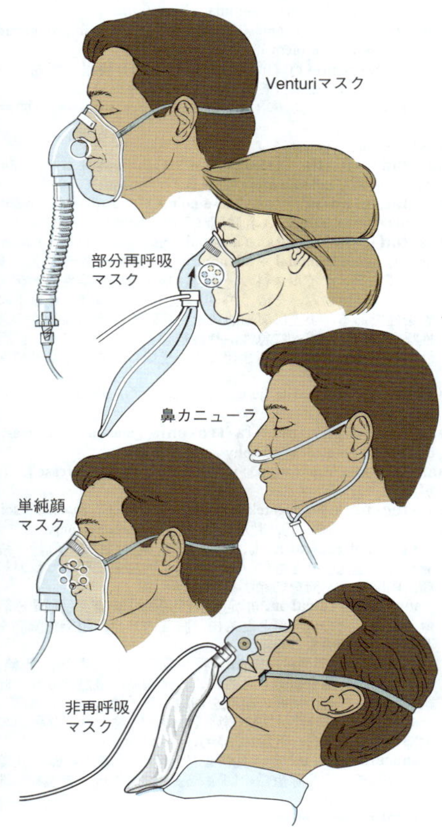

oxygen masks

が大きくてゆっくりしたリズムによって隠ぺいされ，その波形がゆがむこと）．*4* マスキング，隠ぺい，遮へい（歯科において，義歯の金属部分を隠すために用いる不透明なカバー）．*5* マスク処理（X線写真で，元のネガ画像に，手を加えたポジ画像を重ね合わせ，写真工学的に強調された複写画像をつくること．→subtraction）．

unsharp m. ぼけマスク（X線撮影において，大きな濃度差を相殺し，微細構造をよりみやすくするために，ピントのぼけた白黒反転した画像を重ねること）．

Mas·low (maz′lō), Abraham H. 米国人心理学者，1908—1970. →M. *hierarchy*.

mas·och·ism (mas′ō-kizm, maz′ō-) [Leopold von Sacher-*Masoch*. オーストリア系ハンガリー人の小説家，1836—1895]．マゾヒスム，被虐愛（①倒錯の一型で，人にたたかれたり，はずかしめられたり，虐待されることにより性的快感が高められること．*cf.* sadism．②自らを苦しめることにより罪から救われて良いことがあるという人生全般についての考え方の方向付け）．

mas·och·ist (mas′ō-kist). マゾヒスト（マゾヒスム行為における受動的な者）．

MASS (mas). *m*itral valve prolapse, *a*ortic anomalies, *s*keletal changes, and *s*kin changes の頭字語．→MASS *syndrome*.

mass (m) (mas) [L. *massa*, a doughlike mass]. *1* 塊（凝集性物質の塊または集塊）．＝massa [TA]．*2* 錬剤（薬学における活性薬剤を含有する軟らかい固形調合剤で，そのため小塊に分けて錠剤に丸められる）．*3* 質量（国際単位系(SI)の7つの基準質量の1つで，しばしば重量と混同される．その単位はキログラム(kg)で，キログラムの国際原型の塊とされ，プラチナイリジウムでつくられており，International Bureau of Weights and Measures に保管されている）．*4* 大きさ（身体や物質中の実質の量）．*5* 胸部放射線ではX線画像上の陰影から推測して直径 30 mm 以上の肺または胸膜病変．多くは新生物である．*6* tumor〝腫瘍〟あるいは neoplasm〝新生物〟と同義として常用される．

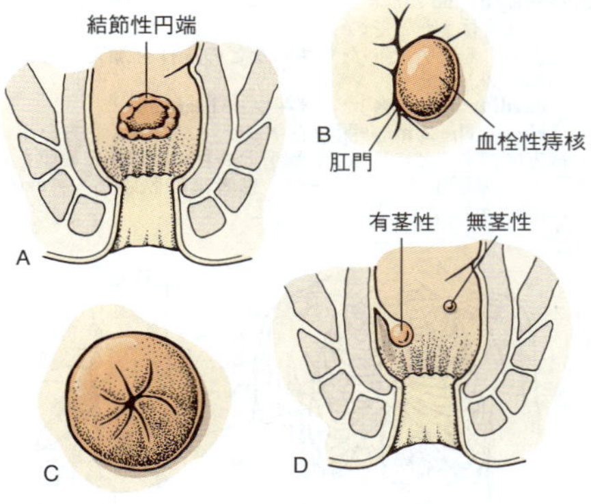

anal and rectal masses

A：直腸腫瘍．B：外痔核．C：直腸脱．D：直腸ポリープ．

apperceptive m. 統覚量（新しく知覚されたものを結び付ける，類似した領域あるいは関連した領域における既存の知的基盤）．

filar m. 糸網，糸かせ．＝reticular *substance* (1).

injection m. 注入塊，インジェクションマス（血管および血管壁を目立たせるために死体の血管系に注入する着色した溶液または懸濁液．肉眼的標本観察や清浄後の低拡大下での検索に役立つ．ほとんどの液は加温したゼラチンを含み，着色物質としてカルミン，ベルリンブルー，カーボンを用いる）．

inner cell m. 内細胞塊．＝embryoblast.

intermediate m. ＝interthalamic *adhesion*.

kinetic energy released per unit m. 比運動エネルギー（比質量，または比容積の非荷電電離放射線により生じたすべての荷電粒子の初期エネルギーの総和）．

lateral m. of atlas [TA]．環椎の外側塊（環椎の両側にあり，上部で後頭顆と関節して頭を支持し，下部で軸椎と関節をなしている厚い外側部分）．＝massa lateralis atlantis [TA].

lateral m. of ethmoid bone ＝ethmoidal *labyrinth*.

metanephric m. 後腎組織塊（永久腎の腎小体となる後腎憩室の尾方部周囲の中間中胚葉の組織塊）．＝metanephric cap; metanephric tissue cap.

molar m. →molecular *weight*.

molecular m. 分子量．＝molecular *weight*.

pilular m. 丸薬用錬剤（薬物，賦形剤および結合剤の混合物からなる適度の水分を含有した可塑性の練薬で，棒状に細長くのばして切り分けた後に丸めて丸剤を調製する）．＝pill mass.

red blood cell m. 赤血球量（循環全赤血球量．貧血で減少し，多血症で増加する．放射性同位元素で標識した赤血球を注射し，1—3時間後に採血し，標識赤血球の希釈の程度を調べることにより測定する）．

relative molecular m. (***M*r**) 相対分子質量．＝molecular *weight*.

sclerotic cemental m. 硬化性セメント質塊(腫瘤)（良性の線維骨性病変で，病因は不明である．主に中年の黒人女性に認められ，病変は顎の広い領域にわたる大きな塊として存在する．X線不透過性で無痛性である）．＝florid osseous dysplasia; cemental dysplasia.

tubular excretory m. 尿細管排泄極量（腎尿細管の最大排泄機能量で，主に尿細管分泌によって腎臓で処理される測定可能な化合物の排泄により決定される）.

mas·sa, gen. & pl. **mas·sae** (mas′să, mas′sē) [L.][TA]. 塊. = mass (1).

m. intermedia☆ 中間質（interthalamic *adhesion* の公式の別名）.

m. lateralis atlantis [TA]. 環椎の外側塊. = lateral *mass* of atlas.

mas·sage (mă-sahzh′) [Fr. < G. *massō*, to knead]. マッサージ（身体またはその一部に，こすったり，つまんだり，もんだり，軽くたたいたりするなどの操作を加える方法）. = tripsis (2).

cardiac m. 心〔臓〕マッサージ. = heart m.

closed chest m. 非開胸心マッサージ（胸骨下方を手掌で後方に押すことによって，胸骨と脊柱の間にある心臓を規則正しく加圧するマッサージ．患者は仰臥する）. = external cardiac m.

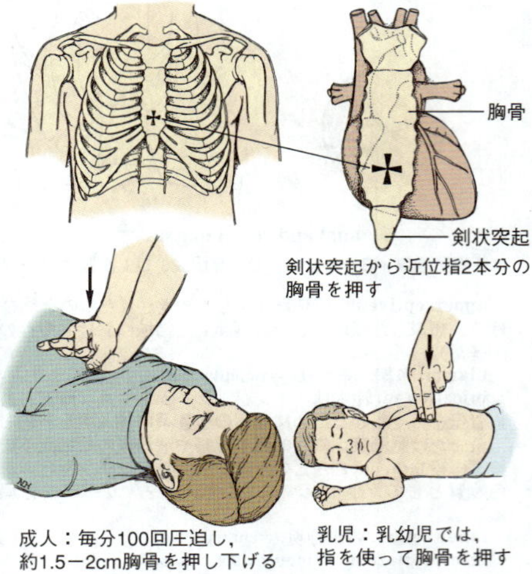
胸骨
剣状突起
剣状突起から近位指2本分の胸骨を押す
成人：毎分100回圧迫し，約1.5−2cm胸骨を押し下げる
乳児：乳幼児では，指を使って胸骨を押す

closed chest massage

external cardiac m. = closed chest m.

gingival m. 歯肉マッサージ（歯肉をこすったり押したりして，機械的に刺激すること）.

heart m. 心〔臓〕マッサージ（心蘇生術を行っている間，停止した循環を回復するために行う律動的な心臓マッサージで，開胸して行うのと胸壁を介して行うのと2つの方法がある）. = cardiac m.

open chest m. 開胸心マッサージ（胸腔内で心室を手で規則正しく圧迫すること）.

prostatic m. 前立腺マッサージ（①経直腸的手指を用いて前立腺分泌液を圧出する．②繰り返し下方へ圧迫する手法によって前立腺の小葉と管を空にすることで，いろいろなうっ滞，あるいは炎症などの前立腺の状態を治療するために行う）.

vibratory m. 振動マッサージ（軟らかく軽くたたくことのできる機器を用いて，皮膚表面を敏速に軽くたたくこと）. = seismotherapy; sismotherapy; vibrotherapeutics.

Mas·se·lon (mas′ĕ-law′), Julián. フランス人医師，1844—1917. → M. *spectacles*.

mas·se·ter (mas′ĕ-tĕr). 咬筋（→masseter (*muscle*)）.

mas·seur (mă-ser′) [Fr. →*massage*]. ***1*** マッサージ師. ***2*** 按摩器.

mas·seuse (mă-suz′). 女性マッサージ師.

mas·si·cot (mas′i-kot). マシコート. = *lead* monoxide.

Mas·son (mah-sawn[h]′), Pierre. カナダ人病理学者，1880—1959. → M.-Fontana ammoniac silver *stain*.

mas·so·ther·a·py (mas′ō-thār′ă-pē) [G. *massō*, to knead + *therapeia*, treatment]. マッサージ療法.

mass spectrometry (mas spek-trom′ĕ-trē). 質量分析法，マススペクトロメトリ（質量分析器による分析法）.

MAST (mast). マスト（military antishock trousers の頭字語）.

mast- (mast). →masto-.

mas·tad·e·ni·tis (mas′tad-ĕ-nī′tis) [masto- + G. *adēn*, gland + *-itis*, inflammation]. 乳腺炎. = mastitis.

mas·tad·e·no·ma (mas′tad-ĕ-nō′mă) [masto- + G. *adēn*, gland + *-ōma*, tumor]. 乳腺腫（乳房の腺腫）.

Mas·tad·e·no·vi·rus (mas-tad′ĕ-nō-vī′rŭs) [G. *mastos*, breast, hence mammal + adenovirus]. マストアデノウイルス属（アデノウイルス科の一属で，哺乳類に感染性のアデノウイルス類を含み，そのうち40以上の抗原型(種)がヒトに感染性である．小児に気道感染を，軍隊の新兵に流行性の急性呼吸器病を，成人に急性沪胞性結膜炎を起こすほか，流行性角結膜炎や胃腸炎を引き起こす．感染の多くは不顕性である）.

mas·tal·gi·a (mas-tal′jē-ă) [masto- + G. *algos*, pain]. = mastodynia.

mas·tat·ro·phy, mas·ta·tro·phia (mas-tat′rŏ-fē, mast-ă-trō′fē-ă) [masto- + atrophy]. 乳腺萎縮.

mas·tau·xe (mas-tawk′sē) [masto- + G. *auxē*, increase]. 乳房肥大.

mas·tec·to·my (mas-tek′tŏ-mē) [masto- + G. *ektomē*, excision]. 乳房切除〔術〕，乳房切断〔術〕. = mammectomy.

extended radical m. 拡大乳房切除〔術〕（乳頭・乳輪・皮膚を含む全乳房とともに，大小胸筋，腋窩・胸壁のリンパ組織，内胸リンパ節を切除する手術）.

modified radical m. 非定型的乳房切除〔術〕（乳頭・乳輪・皮膚を含む全乳房とともに，腋窩のリンパ組織を胸筋を温存しつつ切除する手術）.

radical m. 定型的〔根治的〕乳房切除〔術〕（乳頭，乳輪，皮膚を含む乳腺全組織とともに，大小胸筋，腋窩のリンパ節組織，およびその周囲の組織を切除する手術）.

simple m. 単純乳房切除〔術〕（乳頭，乳輪，および乳房の大部分の皮膚を含む乳房の切除）. = total m.

subcutaneous m. 皮下乳房切除〔術〕（皮膚，乳頭，乳輪は温存して行う乳腺組織の切除．通常，引き続き充塡物の埋め込みを行う）.

total m. = simple m.

Mas·ter (mas′tĕr), Arthur M. 米国人医師，1895—1973. → M. *test*, two-step exercise *test*.

Mas·ters (mas′tĕrz), William H. 20世紀の米国人婦人科医. → Allen-M. *syndrome*.

mas·tic (mas′tik) [G. *mastichē*, the resin of the mastich tree]. マスチック，乳香（地中海沿岸の低木，ウルシ科 *Pistacia lentiscus* の樹脂状滲出液．チューインガムや腸被膜剤に用いられ，また歯科においては一時的な充塡材として用いる）. = mastich; mastiche.

mas·ti·cate (mas′ti-kāt). そしゃくする（→mastication）.

mas·ti·ca·tion (mas′ti-kā′shŭn) [L. *mastico*, pp. *-atus*, to chew]. そしゃく（えん下および消化の準備として食物をかむことで，歯ですりつぶし細かく砕く行為をいう）.

mas·ti·ca·to·ry (mas′ti-kă-tō′rē). そしゃくの.

mas·tich, mas·ti·che (mas′tik, mas′ti-kē). = mastic.

Mas·ti·goph·o·ra (mas′ti-gof′ŏ-ră) [G. *mastix*(*mastig-*), a whip + *phoros*, bearing]. 鞭毛虫上綱（原生動物門の一上綱で，1本以上のべん毛と単一の胞状核をもち，対称性二分裂をする．有性生殖は，多くの群(*Volvox*属，*Trypanosoma*属，*Euglena*属など)では知られていない．葉緑素を含有し，したがって光合成を行い，完全植物性(ただし二次的にこの性質を失った群もある)の植物鞭毛虫綱(*Euglena*属がこれに属する)と，色素体を欠き従属栄養性の動物鞭毛虫綱(*Trypanosoma*属と *Leishmania*属を含む)との2綱に大別される）.

mas·ti·gote (mas′ti-gōt) [G. *mastix*, a whip]. 鞭毛虫.

mas·ti·tis (mas-tī′tis) [masto- + G. *-itis*, inflammation]. 乳腺炎，乳房炎. = mastadenitis.

chronic cystic m. 慢性嚢腫性乳腺炎（fibrocystic *disease*

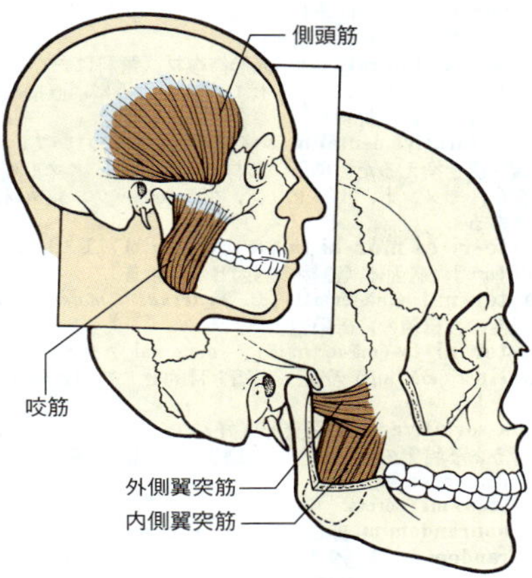

muscles of mastication

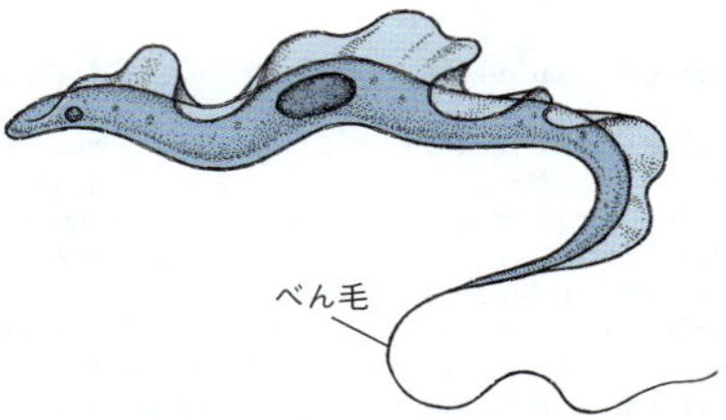

Mastigophora
べん毛をもつ鞭毛虫類.

of the breast にあたるより古い語).

gargantuan m. 腺の肥大を伴う慢性乳腺炎を表す語で，現在では用いられない.

glandular m. 実質性乳腺炎. ＝parenchymatous m.

granulomatous m. 肉芽腫性乳腺炎（乳腺組織のまれな肉芽性炎症で，多核巨細胞浸潤を伴う．サルコイドーシスとは白血球浸潤および他臓器への浸潤から鑑別される).

interstitial m. 間質性乳腺炎（乳腺の結合組織の炎症).

lactational m. ＝puerperal m.

m. neonatorum 新生児乳腺炎（分泌機能のある新生児の乳腺組織に生じた乳腺炎．多くはブドウ球菌性である).

parenchymatous m. 実質性乳腺炎（乳腺の分泌組織の炎症). ＝glandular m.

plasma cell m. 形質細胞〔性〕乳腺炎（無数の形質細胞を含んだ癌様の硬い塊を特徴とする乳房の状態．通常，乳管拡張から起こる．臨床的には悪性疾患に類似するが(皮膚への固定，腋下リンパ節の肥大)，新生物ではない).

puerperal m. 産褥〔性〕乳腺炎（産褥後期に起こる乳腺炎で，通常は化膿性). ＝lactational m.

retromammary m. 後乳腺炎. ＝submammary m.

stagnation m. うっ滞性乳腺炎（妊娠後期，授乳初日に起こり乳腺の痛みを伴う乳房の膨満).

submammary m. 乳腺下乳腺炎（乳腺底部の組織の炎症). ＝retromammary m.

suppurative m. 化膿性乳腺炎（化膿性細菌による感染で起こる乳腺炎).

masto-, mast- (mas′tō, mast) [G. *mastos*]. 乳房，乳突に関する連結形. *cf.* mammo-; mazo-.

mas·to·cyte (mas′tō-sīt). 肥満(肥胖)細胞，マスト細胞. ＝mast *cell*.

mas·to·cy·to·gen·e·sis (mas′tō-sī′tō-jen′ĕ-sis) [mastocyte + G. *genesis* production]. 肥満(肥胖)細胞形成（肥満細胞の形成と分化).

mas·to·cy·to·ma (mas′tō-sī-tō′mă) [mastocyte + G. *-oma*, tumor]. 肥満(肥胖)細胞腫（肥満細胞のかなり限局された集積または結節病巣で，腫瘍によく似ている).

mas·to·cy·to·sis (mas′tō-sī-tō′sis) [mastocyte + G. *-osis*, condition]. 肥満(肥胖)細胞症（種々の組織における肥満細胞の異常な増殖．種々の器官を侵し，全身的に生じることも皮膚にのみ生じる(色素性じんま疹)こともある).

diffuse m. びまん性肥満細胞症（肥満細胞が多数の臓器に浸潤し，発熱，体重減少，潮紅，気管支痙攣，鼻汁過多，動悸，呼吸困難，下痢，消化管出血，低血圧など多彩な臨床症状を呈する疾患). ＝systemic m.

diffuse cutaneous m. びまん性皮膚肥満細胞症（真皮上層の過剰な肥満細胞による皮膚肥満細胞症で，こすると膨疹を生じるような扁平あるいはやや隆起したかっ色丘疹で特徴づけられる慢性の発疹をみる．小児では自然消退がしばしば起こるが成人では消退することはまれで全身症状を伴うこともある).

systemic m. 全身性肥満細胞症. ＝diffuse m.

mas·to·dyn·i·a (mas′tō-din′ē-ă) [masto- + G. *odynē*, pain]. 乳房痛（→mammary *neuralgia*). ＝mammalgia; mastalgia.

mas·toid (mas′toyd) [masto- + G. *eidos*, resemblance]. ***1*** 乳頭様の. ***2*** 乳〔様〕突〔起〕の，乳〔様〕突〔起〕洞の，乳〔様〕突〔起〕蜂巣の. ＝mastoidal.

mas·toi·dal (mas-toy′dăl). ＝mastoid (2).

mas·toi·da·le (mas-toy-dā′lē). 乳様突起での外観上の最下点.

mas·toi·dec·to·my (mas′toy-dek′tŏ-mē) [mastoid (process) + G. *ektomē*, excision]. 乳〔様〕突〔起〕削開(開放)術，乳突切除〔術〕(側頭骨の乳様突起と中耳への一連の手術で感染性・炎症性・腫瘍性病変の排液，露出，摘除を行う).

canal wall down m. 後壁削除乳突蜂巣削開術（保存的中耳根本手術または中耳根本手術のように外耳道の後上壁を削除する乳突削開術).

canal wall up m. 外耳道後壁保存乳突削開術（全乳突蜂巣削開術のように外耳道の後上壁を保存する乳突削開術).

complete m. 完全乳突削開術（急性乳様突起炎に側頭骨乳様突起内の蜂巣を除去し，化膿部を排膿する手術). ＝simple m.

modified radical m. 保存的根治的乳突削開術（耳小骨から鼓膜の近傍に位置する真珠腫に対する治療として行われる手術．乳様突起内の残存蜂巣と外耳道の上壁，後壁を除去し，乳突洞と中耳上鼓室を外気へ開放し，聴力を保存する).

radical m. 乳〔様〕突〔起〕根治切除〔術〕，根治的乳突切除〔術〕(広範なコレステリン腫(真珠腫)の処置のための手術．残存する乳突蜂巣の削除，外耳道の後壁・上壁，中耳耳小骨，残存鼓膜を除去し，外耳道から中耳，乳突腔を開放する). ＝tympanomastoidectomy.

simple m. 単純乳突削開術. ＝complete m.

mas·toi·di·tis (mas′toy-dī′tis). 乳〔様〕突〔起〕炎（乳様突起の含気蜂巣への感染). ＝mastoid empyema.

sclerosing m. 硬化性乳〔様〕突〔起〕炎（小柱が非常に厚化し，蜂巣を閉塞するような慢性乳突炎).

mas·ton·cus (mas-tong′kŭs) [masto- + G. *onkos*, mass]. 乳房腫脹（乳房の腫瘍または腫脹).

mas·to·oc·cip·i·tal (mas′tok-sip′i-tăl). 乳突後頭〔骨〕の（側頭骨乳突部と後頭骨に関する．それらを結合する縫合線についていう).

mas·to·pa·ri·e·tal (mas′tō-pa-rī′ĕ-tăl). 乳突頭頂〔骨〕の（側頭骨乳突部と頭頂骨に関する．それらを結合する縫合線についていう).

mas·top·a·thy (mas-top′ă-thē) [masto- + G. *pathos*, suffering]. 乳腺症，マストパチー（乳房の病気全般).

mas·to·pex·y (mas′tō-pek′sē) [masto- + G. *pēxis*, fixation]. 乳房固定〔術〕(インプラント使用の有無にかかわらず，下垂した乳房を挙上し再構築する形成外科手術).

mas·to·pla·si·a (mas′tō-plā′zē-ă) [masto- + G. *plasis*, a molding]. 乳房肥大.

M

mas·to·plas·ty (mas′tō-plas′tē) [masto- + G. *plastos*, formed]. 乳房成形術. = mammaplasty.
mas·top·to·sis (mas′top-tō′sis) [masto- + G. *ptōsis*, a falling]. 乳房下垂〔症〕.
mas·tor·rha·gi·a (mas′tō-rā′jē-ă) [masto- + G. *rhēgnymi*, to burst forth]. 乳腺出血（乳房からの出血）.
mas·to·squa·mous (mas′tō-skwā′mŭs). 乳突側頭骨鱗状部の（乳突と，側頭骨の鱗状部に関する）.
mas·to·syr·inx (mas′tō-sir′ingks) [masto- + G. *syrinx*, tube]. 乳腺瘻.
mas·tot·o·my (mas-tot′ŏ-mē) [masto- + G. *tomē*, incision]. 乳房切開〔術〕. = mammotomy.
mas·tur·bate (mas′tŭr-bāt) [L. *masturbari*, pp. *masturbatus*]. オナニーをする，自慰を行う.
mas·tur·ba·tion (mas′tŭr-bā′shŭn). オナニー，自慰（性的快感を得るために自身の性器を刺激すること．多くはオルガスムに至る）.
MAT multifocal atrial *tachycardia* の略.
match·ing (match′ing). マッチング（疫学研究において，年齢，性，あるいは体重などの外的要因・交絡要因に関し対象集団と対照集団とを比較可能にするため行われる選択のプロセス）.
impedance m. インピーダンス整合（外気と内耳液の音響インピーダンスの差を克服するため，耳小骨のテコ作用および鼓膜と卵円窓の面積比によって，音圧を増幅し内耳に効率よく伝達する中耳の機能）.
ma·té (mah-tā′) [Sp. *maté*, a vessel in which the leaves are prepared]. マテ茶（**[**揚音符（′）は本語の英語つづりでは用いられるが，これはスペイン語では正しくない**]**．パラグアイ，ブラジルに生育する低木，モチノキ科 *Ilex paraguayensis* およびその他の *Ilex* 属の種の乾燥葉で，カフェイン，タンニンを含む．南アメリカ諸国において飲料として，また薬用として利尿，発汗，頭痛に用いる）. = Paraguay tea.
ma·ter (mā′tĕr) [L. mother]. 膜（中枢神経系の保護カバー．→*arachnoid* mater; dura mater; pia mater）.
arachnoidea m. cranialis [TA]. = cranial *arachnoid* mater.
arachnoidea m. encephali* cranial *arachnoid* mater の公式の別名.
cranial pia m. [TA]. 脳軟膜（脳を包む軟膜で，脳クモ膜とクモ膜下腔をはさんで隣接する．→pia mater）. = pia m. encephali*.
pia m. encephali* cranial pia m. の公式の別名.
pia m. spinalis [TA]. →pia mater. = spinal pia m.
spinal pia m. [TA]. 脊髄軟膜（脊髄を包む軟膜で，歯状靱帯のような特殊なものが備わっている．→pia mater）. = pia m. spinalis [TA].
ma·te·ri·a (mă-tē′rē-ă) [L. substance]. 物質，物体.
m. alba [L. white matter]. 白質（歯垢，歯，歯肉，歯科矯正装置の表面に軽く付着した細菌や剝離した上皮細胞，血液細胞，食物かすの沈着，または蓄積したもの）.
m. medica [L. medical matter]. ***1*** 薬物学（薬物の起源と調製，薬用量，投与方法を取り扱う医科学の分野を意味する古語．→pharmacognosy; pharmacology）. ***2*** 治療に用いる薬剤の総称を表す古語.
ma·te·ri·al (mă-tē′rē-ăl) [L. *materialis* < *materia*, substance]. 材料，物質.
base m. 義歯床材（義歯の製造原料となるもので，シェラック，アクリル樹脂，硬質ゴム，ポリスチレン，金属などがある）.
by-product m. 副生成物〔質〕（原子炉やそれに準ずる装置内で，核分裂や中性子照射によって生成された放射性物質）.
certified reference m. (**CRM**) 認証標準物質（名声の高いソースがドキュメント化したあるいは同ソースが発行し，かつ物質の特性値を表示した認証書または出版物が付された標準物質）.
contrast m. 造影剤. = contrast *medium*.
cross-reacting m. (**CRM**) 交差反応物質（対照物質(R)とまったく違った物質で，Rと明らかに異なった機能をもつが，Rと同様に抗体 anti-R と反応するもの）.
dental m. 歯科材料（歯科において用いる物質）.
genetic m. 遺伝物質（遺伝情報の運搬体．高等生物では二本鎖 DNA である）.
impression m. 印象材（陰型再製や印象採得に用いる材料，またはその材料の組合せ）.
plastic restoration m. 成形修復材（歯科において，アマルガム，セメント，あるいはレジンのように，直接窩洞に詰めて成形できる材料）.
restorative dental m.'s 修復材（歯科において，口腔組織を置き換えるために用いる材料．例えば，アマルガム，金合金，セメント，ポーセリン，プラスチック，義歯材料などがある）.
ma·te·ri·es mor·bi (mă-tē′rē-ēz mōr′bī) [L. the matter of disease]. 病因体（直接の病因となる物質）.
ma·ter·nal (mă-ter′năl) [L. *maternus* < *mater*, mother]. 母性の，母親の，母系の.
ma·ter·ni·ty (mă-ter′ni-tē) [→maternal]. 母性.
mat·ing (māt′ing). 交配（生殖を目的として雌と雄が対合すること）.
assortative m. 類別交配（好んで(あるいは好まないで)行うある特定の遺伝子型との選択的交配．任意でない交配）. = nonrandom m.
cross m. →cross.
nonrandom m. 非任意交配. = assortative m.
random m. 任意交配（いかなる卵子もいかなる精子によって等しく受精する機会をもつ交配行為．これにより，ある特定の位置の遺伝子と同じ位置の他の遺伝子との結合による変化がランダムとなる）. = panmixis.
mat·rass (mat′răs) [Fr. *matras*]. マトラス，卵形フラスコ（長い首をもつガラス容器で，化学処理において乾燥物を熱するのに用いる）.
mat·ri·cal (mat′ri-kăl). 子宮の，爪床の，基質の. = matricial.
mat·ri·ca·ri·a (mat′ri-kā′rē-ă) [L. *matrix*, womb]. カミツレ（キク科 *Matricaria chamomilla* の花．強壮薬として内服され，また反対刺激薬として外用される．→chamomile）.
ma·tri·ces (mā′tri-sēz, mat′rĭ-sēz) [L.]. matrix の複数形.
ma·tri·cial (mă-trish′ăl). = matrical.
mat·ri·cide (mat′ri-sīd) [L. *mater*, mother + *caedo*, to kill]. ***1*** 母親殺し（*cf.* patricide）. ***2*** 母親殺人者.
mat·ri·lin·e·al (mat′ri-lin′ē-ăl) [L. *mater*, mother + *linea*, line]. 母系線形の.
ma·trix, pl. ma·tri·ces (mā′triks, mat′riks ; mā′tri-sēz, mat′ri-sēz) [L. womb; female breeding animal]. ***1*** [TA]. 床（爪の形成部分）. ***2*** 基質（組織の細胞間物質）. ***3*** 基質（何かが含まれているか，埋まっている周囲の，物質．例えば血管やリンパ節が埋まっている脂肪組織のように，埋まっているものの母基質となっている）. ***4*** マトリックス，母型，鋳型（鋳造または型鉄で作製された鋳型．受け型．歯の窩洞を充填する材料を保持，成型するための特別な形状を有する器具．成形材料，あるいは金属製のストリップス）. ***5*** マトリックス，行列（数あるいは量的シンボルの直角的配列で冗長で複雑なものを一次的操作により遂行することを単純化する．例えば Ito 法がそれである．行列の理論は連立方程式をとく場合や集団遺伝学で広く使用されている）. ***6*** クロマトグラフィーやゾーン電気泳動における支持体または固定相.
amalgam m. アマルガムマトリックス（複雑窩洞内にアマルガム塊を充填する際用いる装置で，隔壁をつくることによってアマルガム圧接と外形付与を容易にする）.
bone m. 骨基質（骨組織の細胞外物質で，膠原線維，無定形な基質，無機塩類からなる）.
cartilage m. 軟骨基質（軟骨の細胞外物質で，線維，基質物質からなる）.
cell m. 細胞間マトリックス. = cytoplasmic m.
cytoplasmic m. 細胞質マトリックス（細胞骨格の間隙を満たしている液性の細胞質成分）. = cell m.; cytomatrix.
external m. 外基質（二重膜構造をもつ細胞小器官(例えばミトコンドリア)で二重膜の外膜と内膜との間隙に存在する物質．→intermembrane *space*）.
extracellular m. 細胞外マトリックス(基質)（細胞によって分泌される蛋白の凝集体）.
identity m. 単位行列（左上から右下までの対角成分がすべて1であり，他の要素がすべて0である正方行列）.
mitochondrial m. 糸粒体基質（ミトコンドリアの内板に

よって囲まれた空間を占める物質．DNA 細糸，顆粒，蛋白結晶，グリコゲン，および脂質の封入体を含む）．＝m. mitochondrialis.

m. mitochondrialis 糸粒体基質．＝mitochondrial m.

nail m. ［TA］．爪床（爪が乗っている部の真皮領域．きわめて鋭敏でその表面には多くの縦の隆起がある．幾人かの解剖学者によると，爪床は爪体によっておおわれた部分で，爪床は爪根の一部分である）．＝m. unguis［TA］; keratogenous membrane; nail bed; onychostroma.

nuclear m. 核基質（核内および核周辺に存在する蛋白糸の網状構造）．

square m. 正方行列（行と列の数が等しい行列）．

territorial m.〔軟骨〕小腔周囲基質．＝cartilage *capsule.*

m. unguis［TA］．爪床．＝nail m.

mat·ter (mat′ĕr)［L. *materies*, substance］．物質，物体．＝substance.

gray m.［TA］．灰白質（有髄性の線維よりも主に細胞体や樹枝状の突起でできている脳と脊髄の部分）．＝gray substance［TA］; substantia grisea［TA］; substantia cinerea.

pontine gray m. ＝pontine *nuclei*(⇀nucleus).

white m.［TA］．白質（多くは神経線維からなり，神経細胞体あるいは樹枝状の突起をほとんど，あるいはまったく含まない脳と脊髄の部位）．＝alba; substantia alba; white substance.

mat·u·rate (mat′yū-rāt)［L. *maturo*, pp. *-atus*, to make ripe < *maturus*, ripe］．成熟する．

mat·u·ra·tion (mat′yū-rā′shŭn)［L. *maturatio*, a ripening < *maturus*, ripe］．成熟（①完全に成長すること．②成熟に至るまでの発育変化．③高分子のプロセッシング．例えば RNA の転写後修飾または蛋白の翻訳後修飾．④ウイルスゲノムをカプシドへ融合し，完全なビリオンへ発達させるための総合的なプロセス）．

ma·ture (mă-chūr′, -tūr′)［L. *maturus*, ripe］．***1***〚adj.〛成熟した，完熟した．***2***〚v.〛成熟する，完熟する．

ma·tu·ri·ty (mă-chūr′i-tē). 成熟（成熟または完全に成長した状態）．

Mau·chart (Mauchard) (mow′kahrt), Burkhard D. ドイツ人解剖学者，1696—1751. ⇀M. *ligaments.*

Maur·er (mowr′ĕr), Georg. スマトラに在住した 20 世紀のドイツ人医師．⇀M. *clefts, dots.*

Mau·ri·ac (mō′rē-ahk′), Pierre. 20 世紀のフランス人医師．⇀M. *syndrome.*

Mau·ri·ceau (mō′rē-sō), François. フランス人産科医，1637—1709. ⇀M. *maneuver*; M.-Levret *maneuver.*

Mauth·ner (mowt′nĕr), Ludwig. ハプスブルク帝国の眼科医，1840—1894. ⇀M. *sheath.*

max·il·la, gen. & pl. **max·il·lae** (mak-sil′ă, mak-sil′ē)［L. jawbone］［TA］．上顎骨（不規則な形をした含気骨で，上歯を支え，眼窩，硬口蓋，鼻腔の形成に関与し，内部に上顎洞がある）．＝upper jaw bone; upper jaw.

max·il·lary (mak′si-lār-ē). 上顎〔骨〕の．

max·il·lec·to·my (mak-sil-ek′tŏ-mē)［maxilla + G. *ektomē*, excision］．上顎骨切除〔術〕．

max·il·li·tis (mak′si-lī′tis). 上顎骨炎．

max·il·lo·den·tal (mak-sil′ō-den′tăl). 上顎歯の（上顎およびその関与する歯に関する）．

max·il·lo·fa·cial (mak-sil′ō-fā′shăl).〔上〕顎顔面の（顎骨と顔面，特にこの部位における特別な手術についていう）．

max·il·lo·ju·gal (mak-sil′ō-jū′găl). 上顎頬骨の（上顎骨と頬骨に関する）．

max·il·lo·man·dib·u·lar (mak-sil′ō-man-dib′yū-lăr). 上下顎の（上顎と下顎に関する）．

max·il·lo·pal·a·tine (mak-sil′ō-pal′ă-tīn). 上顎口蓋の（上顎骨と口蓋骨に関する）．

max·il·lot·o·my (mak′si-lot′ŏ-mē)［maxilla + G. *tomē*, incision］．顎骨切開〔術〕（顎骨の一部または全部を望ましい位置に動かすために顎骨を外科的に切開すること）．

max·il·lo·tur·bi·nal (mak-sil′lō-tŭr′bi-năl). 顎甲介の（下鼻甲介に関する）．

Max·im (maks′im), A.M. 20 世紀の米国人遺伝学者．⇀Maxim-Gilbert *sequencing.*

Max·i·mow (maks′ĭ-mof), Alexander A. 米国に在住したロシア人医師，1874—1928. ⇀M. *stain* for bone marrow.

max·i·mum (mak′si-mŭm)［L. *maximus* (greatest) の中性形］．最大，最高，極大（得られた，または得ることのできる最大の量，値，程度）．

glucose transport m. グルコース最大輸送量（糸球体沪過液からのグルコース再吸収の最大速度でヒトでは約 320 mg/min である）．

transport m. (**Tm**) 尿細管最大輸送量（尿細管による物質の分泌または再吸収に関する最大速度）．＝tubular m.

tubular m. (**Tm**) 尿細管最大量．＝transport m.

May (mā), Richard. ドイツ人医師．⇀M.-Hegglin *anomaly.*

May ap·ple (mā ap′ul). ポドフィラム樹脂．＝podophyllum.

May·er (mā′ĕr), Karl. オーストリア人神経科医，1862—1932. ⇀M. *reflex.*

May·er (mā′ĕr), Karl W. ドイツ人婦人科医，1795—1868. ⇀M. *pessary*; M.-Rokitansky-Küster-Hauser *syndrome.*

May·er (mā′ĕr), Paul. ドイツ人組織学者，1848—1923. ⇀M. hemalum *stain*, mucicarmine *stain*, mucihematein *stain.*

May-Grünwald stain (mī grin′vahld). ⇀stain.

may·id·ism (mā′id-izm)［*Zea mays*, maize］．トウモロコシ〔栄養〕障害．＝pellagra.

May·o (mā′ō), Charles H. 米国人外科医，1865—1939. ⇀M. *bunionectomy.*

May·o (mā′ō), William J. 米国人外科医，1861—1939. ⇀M. *operation, vein.*

May·o-Rob·son (mā′ō rob′sŏn), Arthur W. 英国人外科医，1853—1933. ⇀M.-R. *point, position.*

Ma·you (mā-ū′), Marmaduke Stephen. 英国人眼科医，1876—1934. ⇀Batten-M. *disease.*

ma·za·mor·ra (ma′ză-mōr′ă). 皮膚有鉤虫症（鉤虫幼虫が皮膚に侵入して生じる皮膚炎であり，プエルトリコでつけられた名称）．

maze (māz)［M.E. *masen*, to confuse］．迷路（高度な神経系機能を研究するためによく用いるラットの迷路）．＝labyrinth.

mazo- (mā′zō)［G. *mazos*］．【本連結形を含む語をギリシア語 maza(胎盤)に由来する語と混同しないこと】．乳房に関する連結形．→masto-.

Maz·zo·ni (mahts-tsō′nē), Vittorio. イタリア人医師，1880—1940. ⇀M. *corpuscle*; Golgi-M. *corpuscle.*

Maz·zot·ti (mă-zot′ē), Luigi. 熱帯医学を専門とする 20 世紀中期のメキシコ人医師．⇀M. *reaction, test.*

Mb, MbCO, MbO$_2$ myoglobin, CO 結合ミオグロビン，および O_2 結合ミオグロビン(オキシミオグロビン)を表す記号．

MBC maximum breathing *capacity* の略．

MBL mannan-binding *lectin* の略．

MBP major basic *protein* の略．

M.C. *Magister Chirurgiae*(外科学修士)；Medical Corps(軍医部隊)の略．

mc millicurie の旧式な略．

mcΩ マイクロオームの記号．

MCAD medium-chain acyl-CoA dehydrogenase の略．

Mc·Ar·dle (mă-kar′dĕl), Brian. 20 世紀の英国人神経科医．⇀McA. *disease, syndrome*; McA.-Schmid-Pearson *disease.*

Mc·Bur·ney (mă-bŭr′nē), Charles. 米国人外科医，1845—1913. ⇀McB. *incision, point, sign.*

mcC マイクロクーロンの記号．

Mc·Call (mă-kahl′), M.L. 20 世紀の米国人婦人科医．⇀McC. culdoplasty *procedure.*

Mc·Car·thy (mă-kar′thē), Daniel J. 米国人神経科医，1874—1958. ⇀McC. *reflexes.*

mcCi マイクロキュリーの記号．

Mc·Crea (mă-krā′), Lowrain E. 20 世紀の米国人泌尿器科医．⇀McC. *sound.*

Mc·Cune (mă-kyūn′), Donovan James. 米国人小児科医，1902—1976. ⇀McC.-Albright *syndrome.*

Mc·Don·ald (mă-don′ăld), Ellice. 米国人婦人科医，1876—1955. ⇀McD. *maneuver.*

mcg マイクログラムの記号．

Mc·Goon (mă-gūn′), Dwight C. 20 世紀の米国人外科医．⇀McG. *technique.*

MCH mean corpuscular *hemoglobin* の略．

M.Ch. *Magister Chirurgiae*(外科学修士)の略.
MCHC mean corpuscular hemoglobin *concentration* の略.
MCI multicasualty *incident* の略.
mCi millicurie の略.
Mc·Kee (măk-kē′), George Kenneth. 20 世紀の英国人整形外科医. ⇀McK. *line*.
Mc·Kus·ick (măk-kū′sĭk), Victor Almon. 20 世紀の米国人医師. ⇀McK. metaphysial *dysplasia*.
MCL midclavicular *line* の略.
mcl, mcL マイクロリットルの記号.
Mc·Lean (măk-lēn′), Malcolm. 米国人産科医, 1848—1924. ⇀Tucker-McL. *forceps*.
mcm マイクロメートルの記号.
MCMI Millon Clinical Multiaxial *Inventory* の略.
mcmol マイクロモルの記号.
Mc·Mur·ray (măk-mŭr′ē), Thomas P. 英国人外科医, 1887—1949. ⇀McM. *test*.
m-cone (kōn). M–錐体 (中波長に感受性を有する錐体. 註緑錐体という語は使用しない).
MCP metacarpophalangeal の略.
MCP-1 monocyte chemoattractant *protein*-1 の略.
Mc·Phail (mĭk-fāl′), M.K. 20 世紀のカナダ人生理学者. ⇀McP. *test*.
MCR steroid metabolic clearance *rate* の略.
M-CSF macrophage colony-stimulating *factor* の略.
MCV mean corpuscular *volume* の略.
mcV マイクロボルトの記号.
Mc·Vay (mik-vā′), Chester B. 20 世紀の米国人外科医. ⇀McV. *operation*.
MD ラテン語 *Medicinae Doctor*(医学博士); methyldichloroarsine; *malate* dehydrogenase の略.
Md メンデレビウムの元素記号.
MDF myocardial depressant *factor* の略.
MDI metered-dose *inhaler* の略.
m. dict. ラテン語 *more dicto*(口授の通り)の略.

MDMA 中枢作用のあるフェネチルアミン誘導体で, アンフェタミンおよびメタンフェタミンと関連し, 中枢神経系興奮性および幻覚誘発性をもつ. =3,4-methylenedioxymethamphetamine.

MDMA は 20 世紀初頭にドイツで最初に合成され, 食欲抑制薬として特許権を取得したが, 重度の副作用が高頻度で発現したことから, 食欲抑制薬として市販されることは決してなかった. 1960 年代から 1970 年代の間, 精神療法での補助薬として経験的に用いられたことがある. MDMA の投与は, 治験薬としてのスケジュールを除いて, 米国では法的に認めてきていない. 現在, 医療への適応は認めていない. 1980 年代後半から, 大都市や郊外に住む中流階級の白人の若者や 10 代後半の若者の間で乱用する人口が増えてきた. 毎週 200 万錠以上がベルギー, イスラエル, オランダから米国へ密輸されている. また, 米国においても無認可の研究施設で MDMA を製造している. MDMA は〝ecstacy〟として知られているが, 他にも多くの異名(X, E, XTC, M&M, ADAM, Clarity, Lover's Speed, Hug Drug, Bean, Roll)があり, 通常, 種々のロゴを持つ圧縮錠がつくられている. 特に, 蝶, 稲妻, 四つ葉のクローバーなどである. 錠剤に含有される MDMA の濃度および純度は様々で, また, MDMA の他に混ぜ物あるいは代替物としてカフェインやデキストロメトルファンを含んでいることがある. MDMA はクラブ・ドラッグである. すなわち, MDMA は一晩中繰り広げられるダンスパーティー(〝raves〟, 〝techno parties〟, 〝trances〟ともよばれる)で売られ, そして飲まれる. ここに集まる人のすべて, あるいはほとんどがドラッグを使用し, 場所の飾り付け, 催し, 雰囲気は, 精神作用効果を高めるために意図されている. 薬理学的に MDMA はモノアミン作動のアゴニストとして作用し, 中脳において多量のセロトニン放出を促進する. MDMA 100 mgの用量を摂取すると強い高揚感が現れ, エネルギーがみなぎる感覚や親密さが増す感覚が 4—6 時間続く. 使用した人の中には, 知覚変容と幻覚, せん妄, 不安, パニック発作, 攻撃性, パラノイアあるいは痙攣を経験している. 生理学的効果として, 心拍数と血圧の上昇, 高体温, 脱水, および筋肉のスイッチングと攣縮(特に, 顎の食いしばり)があり, これはときに横紋筋融解症をもたらす結果となる. 過剰な水分摂取は水中毒につながる可能性がある. MDMA の急性的な効果が消失した後, 使用者はうつ状態, フラッシュバックあるいは健忘をきたすことがある. これらの症状のいくつかは, MDMA を中止した後も継続する. あるいは再燃する可能性がある. MDMA はよく他のドラッグ(特にマリファナ)と併用される. MDMA を連続して摂取(piggy-backing)することは, 急性精神異常, 生命を脅かす心血管系の緊急事態, 悪性高体温症の危険性が増大する. MDMA の使用により, 毎年, 5,000—6,000 人が救急部を受診している. ヒトおよび動物を対象にした研究において, MDMA はセロトニン経路への神経毒効果を有することが報告されている. 単回投与では, 長期にわたって神経系に影響を与え, 繰り返し投与では不可逆性認知障害と記憶喪失によって永続的な脳障害が現れる.

MDNCF monocyte-derived neutrophil chemotactic *factor* の略.
M'Dowel (mik-dow′ĕl), Benjamin G. アイルランド人解剖学者, 1829—1885. ⇀*frenulum* of M'D.
MDR multidrug *resistance* の略.
M.D.S. Master of Dental Surgery(口腔外科学修士)の略.
ME medical *examiner* の略.
Me メチルの記号.
Mead·ows (med′ōz), William Robert. 20 世紀の米国人心臓病専門医. ⇀M. *syndrome*.
meal (mēl). *1* 食事 (規則的間隔で, または特定の時間に食べる食物). *2* ひき割り, あらびき粉 (穀類をひいた粉).

Boyden m. (boy′dĕn). ボイデン食 (3—4 個の卵黄を牛乳と混合し, 砂糖, ワイン, およびその他の調味料で味つけしたもので, 胆嚢の排泄時間を検査するのに用いる. 正常者では 2/3—3/4 の量が 40 分以内に排泄される).

Lundh m. ルンド食 (膵機能を評価するために使用されるスキムミルクの粉にコーンオイルとブドウ糖を混合した食事).

test m. 試験食 (①分析用の胃内容物を取り出す前に胃液分泌を刺激するために与えられるトーストと紅茶, クラッカーと紅茶, オートミールなどの食事. ②アレルギー反応のように, 症状を引き起こす原因と考えられる物質を含んだ食品の摂取).

mean (mēn) [M.E. *mene* < O.Fr. < L. *medianus*, in the middle]. 平均値 (分布の中心を示す, あるいは何らかの意味で一群の数を均して得られる, 統計的な尺度. 特に断らない限り算術平均をさす).

arithmetic m. 算術平均 (平均値の一種. 一群の数の総和を取り, その総和を加えた数の総数で割ることによって求められる).

geometric m. 幾何平均 (平均値の一種. 対数の算術平均を計算し, さらにその指数を取ることによって計算される. *n* 個の数値を掛け合わせ *n* 乗根を求めることによって計算することもできる).

harmonic m. 調和平均 (平均値の一種. 逆数の算術平均を計算し, さらにその逆数を取ることによって計算される).

regression to the m. 平均値への回帰 (①値が極端だという理由で選ばれると, 再びその対象に対する測定が行われた場合, 2 回目の結果は, 平均的にみて, 1 回目より平均値により近くなる傾向をとること. ②精神医学では, 異常な親をもつ子供が特殊でない一般的な人々の特徴を示す傾向をいう).

standard error of the m. (SEM) 標準誤差 (標本がとられた元の母集団の母平均を算術平均で推定する場合のばらつきの程度(標準偏差の推定値)).

mea·sle (mē′zĕl). *1* 有鉤条虫 *Taenia solium* の幼虫(有鉤嚢尾虫 *Cysticercus cellulosae*)をさす. *C. cellulosae* という名称は有鉤条虫 *T. solium* の嚢尾虫を示すためにはそれほど頻繁には用いられない. *2* 無鉤条虫 *Taenia saginata* の幼虫(ウシ嚢尾虫 *Cysticercus bovis*)をさす. *C. bovis* という名称は無鉤条虫 *T. saginata* の嚢尾虫を示すためにはそれほど頻繁には用いられない.

mea·sles (mē′zĕlz) [D. *maselen*]. ***1*** 麻疹，はしか（パラミクソウイルス科の麻疹ウイルス(麻疹ウイルス属 *Morbillivirus*)により引き起こされる急性発疹性疾患．特徴として発熱や他の体調不良，呼吸器粘膜のカタル性炎症，暗赤色の斑点状様丘疹の発疹がある．発疹は初期に頬粘膜上に Koplik 斑とよばれる型で出現し，早期診断の目安となる．平均潜伏期間は 10—12 日間である．回復は一般に早いが，細菌の二次感染による呼吸器合併症や中耳炎を起こすことが多い．髄膜炎を起こすのはまれである．亜急性硬化性髄膜炎様症状が慢性感染に伴って後で起こることがある)．= morbilli; first disease. ***2*** 嚢〔尾〕虫（有鉤条虫 *Taenia solium* の幼虫，すなわち嚢虫(有鉤嚢虫 *Cysticercus cellulose*)の寄生によって起こるブタの疾患)．***3*** 嚢〔尾〕虫（無鉤条虫 *Taenia saginata* の幼虫，すなわち嚢虫(無鉤嚢虫 *Cysticercus bovis*)の寄生によって起こるウシの疾患)．

atypical m. 非定型性麻疹（特にホルムアルデヒド不活化ワクチンを受けた人で，ワクチンによる免疫が減衰した人が麻疹ウイルスに自然感染したときにみられる，ときに重症のもの．既往の抗体反応に基づく加速度的アレルギー反応で，高熱，Koplik 斑点の欠除，前駆期の短縮，非定型的発疹，肺炎を特徴とする)．

black m. ***1*** = hemorrhagic m. ***2*** = Rocky Mountain spotted *fever*.

German m. = rubella.

hemorrhagic m. 出血性麻疹（重症の麻疹で，血液が皮膚に滲出するために暗黒色を呈する)．= black m. (1).

three-day m. 三日ばしか．= rubella.

tropic m. 熱帯性麻疹（風疹にやや類似する特徴のはっきりしない疾病で，中国南部に発生する)．

mea·sly (mē′zlē). 嚢虫感染の（有鉤条虫 *Taenia solium* または無鉤条虫 *Taenia saginata* の嚢虫に感染したブタ肉または牛肉についていう)．

mea·sure (me′zhūr) [O.Fr. *mesure* < L. *mensura* < *metior*, to measure]. 【誤った発音 māzh′er を避けること】. ***1*** 測定（あるものの大きさや量を，標準と認められているものとの比較や計算によって決定すること)．***2*** 測定単位（測定のために定められたある物理的な量の一定の大きさ)．***3*** 測定器具（ある対象やものを測定するための目盛りのついた道具)．

Geneva lens m. [*Geneva*, Switzerland]. ジュネーブ式レンズ計（眼鏡用レンズの曲率を測る装置)．= lens clock.

mea·sure·ment (me′zhŭr-ment). 測定（大きさまたは質の決定)．

end-point m. 終点測定（化学反応が進行している間測定するのとは逆に，化学反応の終点での分析的測定)．

kinetic m. 反応速度測定（化学反応の記録の連続または反復的モニタリング)．

nasion-pogonion m. = facial *plane*.

mea·sures of cen·tral ten·den·cy (me′zhŭrz sen′trăl ten′den-sē). 代表値（ある値のまわりにばらつく一連の測定値からなる分布を特徴付ける量，あるいは数値の集合の中央や近傍の値に対する一般的な用語．主要なものに平均値 mean，中央値 median，最頻値 mode がある)．

me·a·tal (mē-ā′tăl). 道の．

meato- (mē-ā′tō) [L. *meatus*, passage]. meatus(道)を意味する連結形．

me·a·tom·e·ter (mē′ă-tom′ĕ-tĕr) [meato- + G. *metron*, measure]. 〔尿道〕口計測器（口径，特に尿道口径を測る機器)．

me·a·to·plas·ty (mē′ă-tō-plas′tē). 管形成〔術〕（外耳道や尿道などの道や管の拡大や他の外科的治療法)．

me·a·tor·rha·phy (mē′ă-tōr′ă-fē) [meato- + G. *rhaphē*, suture]. 尿道口縫合〔術〕（外尿道口の外科的修復)．

me·at·o·scope (mē-at′ō-skōp) [meato- + G. *skopeō*, to view]. 〔尿道〕口鏡（開口部，特に尿道口を検査する鏡の一型)．

me·a·tos·co·py (mē′ă-tos′kŏ-pē) [meato- + G. *skopeō*, to view]. 尿道口鏡検査〔法〕（開口部，特に尿道口を機器を用いて検査する方法)．

me·at·o·tome (mē-at′ō-tōm). 尿道口切開刀（尿道口切開手術に用いる刃の短いナイフ)．

me·a·tot·o·my (mē′ă-tot′ŏ-mē) [meato- + G. *tomē*, incision]. 〔外〕尿道口切開〔術〕（尿道口や尿管を拡大するための切開)．

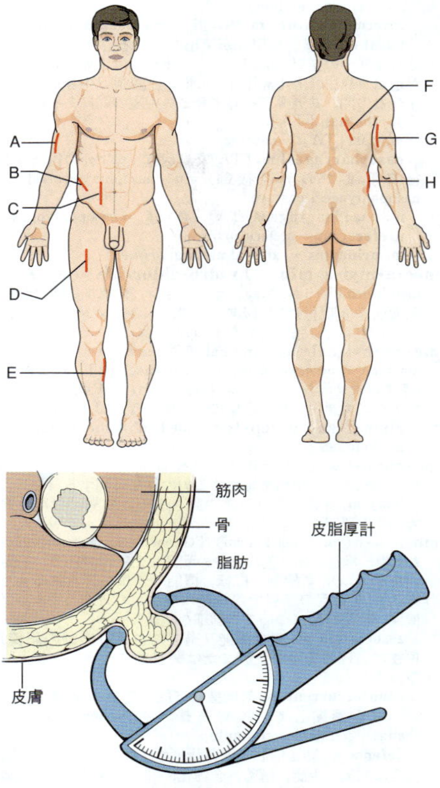

skinfold measurement sites

A：二頭筋部．B：棘上部．C：腹部．D：前部大腿部．E：内側腓腹部．F：肩甲下部．G：三頭筋部．H：腸骨稜部．測定中に，皮膚の二重層および下にある組織は圧縮される．

me·a·tus, pl. **me·a·tus** (mē-ā′tŭs) [L. a going, a passage < *meo*, pp. *meatus*, to go, pass] [TA]. 道（道，通路，特に管の外側開口)．= external opening.

acoustic m. ***1*** = external acoustic m. ***2*** = external auditory *canal*.

m. acusticus externus [TA]. 外耳道．= external acoustic m.

m. acusticus internus [TA]. 内耳道．= internal acoustic m.

external acoustic m. [TA]. 外耳道（側頭骨の鼓室部を通して耳介から鼓膜へ至る通路で，骨性(内側)部分と線維軟骨性(外側)部分すなわち軟骨性外耳道 cartilaginous external acoustic m. からなる)．= m. acusticus externus [TA]; acoustic m. (1); antrum auris; auditory canal; ear canal (1); external auditory m.

external auditory m. 外耳道．= external acoustic m.

external urinary m.* external urethral *orifice* の公式の別名．

fish-mouth m. 魚口状尿道（淋病において尿道口が赤くはれた状態)．

internal acoustic m. [TA]. 内耳道（後頭蓋窩の内耳道口から外側に側頭骨錐体部を通って，薄い骨板によって前庭と境を接する内耳道底に至る管で，迷路動脈および静脈とと

M

もに顔面神経，内耳神経が通る）．＝m. acusticus internus [TA]; internal auditory m.

internal auditory m. 内耳道．＝internal acoustic m.

nasal m. 鼻道（鼻甲介が突出していることによって形成される4つの空気の通路をいう．下鼻道は下鼻甲介の下，中鼻道は下鼻甲介と中鼻甲介との間，上鼻道は中鼻甲介と上鼻甲介との間，共通鼻道は鼻甲介と鼻中隔の間にある通路をいう）．＝m. nasi [TA].

m. nasi [TA]．＝nasal m.

nasopharyngeal m. [TA]．鼻咽道（鼻甲介の後境界から後鼻孔までの鼻腔後部）．＝m. nasopharyngeus [TA]; nasopharyngeal passage.

m. nasopharyngeus [TA]．鼻咽道．＝nasopharyngeal m.

ureteral m. ＝ureteric *orifice*.

m. urinarius ＝external urethral *orifice*.

mec·a·myl·a·mine hy·dro·chlor·ide (mek-ă-mil′ă-mēn hīdrō-klōr′īd). 塩酸メカミラミン（自律神経節における刺激伝達を阻止する二級アミンで，ヘキサメトニウムと同様の，しかもより強い効果をもつ）．

me·chan·i·cal (mĕ-kan′i-kăl) [G. *meckanikos*, relating to a machine < *mēchanē*, a contrivance, machine]. ***1*** 機械的な（手ではなく器械を用いて行われたことについていう）．***2*** 力学的な（力学用語で，現象についていう）．***3*** 自動的な．

me·chan·i·co·re·cep·tor (mĕ-kan′i-kō-rē-sep′tŏr, tōr). ＝mechanoreceptor.

me·chan·ics (mĕ-kan′iks) [→mechanical]. 力学（運動の発起・継続または平衡を維持する力の作用に関する科学）．

body m. 身体力学（身体の動きまたは姿勢における筋肉の働きを研究する学問）．

mech·a·nism (mek′ă-nizm) [G. *mēchanē*, a contrivance]. ***1*** 機構，構造（ある物の部分の配列または組分けで，一定の作用をもつ）．***2*** 機制，機転，機能（効果が得られるような方法）．***3*** 特定の過程での一連の現象．***4*** メカニズム，反応機構（反応経路についての詳細な記述）．

association m. 連合機能（過去における感動の記憶が，現在における感動と比較または関連されうるような大脳機序）．

countercurrent m. 対向機構（尿細管内を通過するに従い，尿を濃縮していく腎髄質の系．→countercurrent exchanger; countercurrent multiplier）．

defense m. 防衛機制（①葛藤または不安と対処する方法．例えば転換，否認，解離，合理化，抑圧，昇華．②抵抗戦略の下にある精神構造．③免疫機構による防御と内因性防御）．

double displacement m. 二重置換機構．＝ping-pong m.

Douglas m. (dŭg′lăs). ダグラス機序（胎児の横位からの自己娩出の機序で，胸郭側面が殿部より先に出るために脊柱が極端に側方弯曲する）．

Duncan m. (dŭng′kăn). ダンカン機転（母体面が先に出る胎盤の娩出機序）．

gating m. 通門機序（①心室筋末端の Purkinje 線維から中枢側へ約2 mm 離れた心臓の刺激伝導系細胞中で発生する最大不応期．これを越える Purkinje 細胞，移行細胞，筋細胞の中で不応期が短縮される．心室内変行伝導，二方向性頻脈，不顕性期外収縮の一因と思われる．②痛みのインパルスが脊髄にはいるのを遮断する機序．*cf.* gate-control *theory*）．

immunologic m. 免疫的機序（獲得免疫（誘導性感受性，アレルギー）を確立する際に機能する一群の細胞（主にリンパ球と細網内皮細胞））．

ordered m. 定序機構（多基質酵素における基質結合および生成物遊離の機構．定序機構で進行する2基質・2生成物酵素において，まず1つの特性の基質が酵素に結合し，続いてもう1つの基質が結合する．そして化学反応が起こり，生成物が生じ，決められた順序で酵素から遊離する．3個以上の基質をもつ酵素には，より複雑な定序機構がある．ある種のデヒドロゲナーゼはそのような機構で進行する）．＝ordered.

ordered on-random off m. 定序オン－ランダムオフ機構（多基質酵素における基質結合および生成物遊離の機構．この機構をもつ2基質・2生成物酵素に対して，それぞれの反応物は決められた順序で酵素と結合するが，しかし，生成物ができた後は，それらは，どちらからでも酵素から解離してよい．ピルビン酸キナーゼがそのような機構で進行すると推定されている．ランダムオン－定序オフ機構は，この機構のまったく逆である）．

ping-pong m. ピンポン機構（2基質－2生成物反応（すなわち2-2系）で，酵素は第1基質と反応して第1反応生成物と修飾を受けた酵素を生成し，その修飾を受けた酵素は続いて第2基質と反応して第2（最終）生成物を生成して，初めの酵素を再生する特別の多基質反応．例としては，アミノトランスフェラーゼにおいて見出される．より複雑なピンポン機構は2つ以上の基質がある酵素で見出される）．＝double displacement m.

pressoreceptive m. 圧受容機構（圧受容系 pressoreceptor system で，特に頸動脈洞および大動脈弓に存在するもの）．

proprioceptive m. 固有受容機構（位置感覚と運動感覚に関する機序で，このために筋肉運動は正確に制御し，平衡を維持することができる）．

random m. ランダム機構（多基質酵素における基質結合および生成物遊離の機構．この機構で進行する2基質・2生成物酵素では，どちらの基質が先に結合してもよく，その反応が起こった後，どちらの生成物から解離してもよい．脳ヘキソキナーゼはランダム機構で進行する．3種以上の基質をもつ酵素ではより複雑なランダム機構をとる）．

random on-ordered off m. →ordered on-random off m.

reentrant m. リエントリー機構（ほとんどの不整脈の基本的な原理と考えられ，次の3条件を要する．ループを形成する回路があること，一方向性のブロックが存在すること，および伝導の遅延が存在すること．ループに侵入した刺激は両方向に伝播するが1方向のブロックが存在するためにブロックのない回路から回旋してきた刺激がブロック部分の伝導路を逆方向に刺激してリエントリーを形成する）．

Schultze m. (shūlt′sĕ). シュルツェ機転（胎児面が先に出る胎盤の娩出機序）．

mech·a·no·car·di·og·ra·phy (mek′ă-nō-kar′dē-og′ră-fē). 心拍曲線記録法（心拍動の機械的影響を図式記録することで，頸動脈波記録，心尖部カルジオグラムなどがある．心音図は一種の心拍動記録とも考えられる）．

mech·a·no·cyte (mek′ă-nō-sīt′). 試験管内組織培養の線維芽細胞．

mech·a·no·pho·bi·a (mek′ă-nō-fō′bē-ă) [G. *mēchanē*, machine + *phobos*, fear]. 機械恐怖〔症〕（機械に対する病的な恐れ）．

mech·a·no·re·cep·tor (mek′ă-nō-rē-sep′tŏr). 機械的受容器，力学的受容器（機械的圧力やひずみに対応する受容器で，例えば頸動脈洞や皮膚の触覚受容器）．＝mechanicoreceptor.

mech·a·no·re·flex (mek′ă-nō-rē′fleks). 動き反射，圧反射（動き受容器の刺激で引き起こされる反射）．

mech·a·no·ther·a·py (mek′ă-nō-thār′ă-pē) [G. *mēchanē*, machine + *therapeia*, treatment]. 機械〔的〕療法（あらゆる種類の装置や機械を用いた治療法）．

mèche (māsh) [Fr. wick]. 外科用ガーゼ栓，タンポン（栓塞杆またはドレーンとして用いる，ガーゼその他の材料でできた帯状物）．

me·cism (mē′sizm) [G. *mēkos*, length + *-ismos*, condition]. 身体または身体のある部分が異常にのびること．

Me·cis·to·cir·rus (mē-sis′tō-sir′ŭs) [G. *mēkistos*, very long + L. *cirrus*, curl, the protruding male organ of a nematode]. メシストシルス属（毛様線虫類の一属で，これのみでメシストシルス亜科をなし，唯一種の *M. digitatus* からなる．捻転胃虫 *Haemonchus contortus* と肉眼的には識別されにくく，宿主に対しても同様の作用をもつ．この寄生虫は主にアジアに分布し，ウシ，ヒツジ，水牛，野牛，ブタの胃，ときにヒトに見出される）．

Mec·kel (mek′ĕl), Johann F. ドイツ人解剖学者・産科医，1714—1774. →M. *band, cavity, ganglion, ligament, space.*

Mec·kel (mek′ĕl), Johann F. J.F. Meckel の孫で，ドイツ人比較解剖・発生学者，1781—1833. →M. *cartilage, diverticulum, plane, scan, syndrome*; M.-Gruber *syndrome.*

Mec·ke re·a·gent (mek′ĕ rē-ā′jent). ⇒reagent.

me·com·e·ter (mē-kom′ĕ-tĕr) [G. *mēkos*, length + *metron*, measure]. メコメータ（目盛り付きカリパスに似た，新生児を容易に測定するための器械）．

mec·o·nate (mek′ŏ-nāt) [G. *mēkōn*, poppy]. メコン酸塩ま

たはエステル．

me·con·ic ac·id (me-kon′ik as′id). メコン酸（アヘンから得られる化合物．多くのアヘンアルカロイドを伴い，可溶性塩(メコン酸塩)をつくる）．

mec·o·nin (mek′ŏ-nin). メコニン（メコン酸のラクトンで，*Hydrastis canadensis* 中にもみられる．催眠薬）．＝opianyl.

me·co·ni·or·rhea (mē-kō′nē-ō-rē′ă) [meconium + G. *rhoia*, flow]. 胎便過多（新生児が異常に多量の胎便を排泄すること）．

mec·o·ni·um (mē-kō′nē-ŭm) [L. < G. *mēkōnion*: *mēkōn* (puppy)の指小辞]. ***1*** 胎便（新生児の最初の腸排泄物で，緑色がかっており，上皮細胞，粘膜，胆汁からなる）．***2*** アヘン．＝opium.

me·di·a (mē′dē-ă) [L. *medius*(middle) の女性形]. ***1*** 中膜．＝*tunica* media. ***2*** 【本語を単数動詞とともに用いないこと．誤った形 medias を避けること】． medium の複数形．

me·di·ad (mē′dē-ad). 正中方向へ．

me·di·al (mē′dē-ăl) [L. *medialis*, middle][TA]. 内側の，正中矢状面寄りの，中央の，中間の（【本語と median または mesial を混同しないこと．これらの語は意味において類似しているが，相互に入れ替えて使うことはできない．medial は一般的に〝身体の正中線近く〟を意味し，したがって内側前腕皮神経は外側前腕皮神経より正中線に近く位置する．median は一般的に〝2つの別の構造物の中間〟を意味する．したがって正中神経は前腕の橈骨神経と尺骨神経の中間に位置する．mesial はほとんど歯科においてのみ用いられ，〝歯列弓の中心線近く〟を意味する】）．＝medialis [TA].

me·di·a·lec·i·thal (mē′dē-ă-les′i-thăl) [L. *medialis*, medial + G. *lekithos*, egg yolk]. 中黄卵の（両生類の卵のように中程度の量の卵黄をもった卵についていう）．

me·di·a·lis (mē′dē-ā′lis) [L.][TA]. 内側の（【本形容詞は男性名詞(meniscus medialis，複数形 menisci mediales)で用いられる．女性名詞では mediana の形(fissura mediana，複数形 fissurae medianae)で，中性名詞では medianum の形(septum medianum，複数形 septa mediana)で用いられる．medianus 〝median〟または medius 〝middle〟と混同しないこと】）．＝medial.

med·i·al·i·za·tion (mē′dē-ăl-i-zā′shun). 正中固定術（ある部分を中間線に寄せる手術．例えば，声帯麻痺の際の披裂軟骨や声帯を中間に寄せる手術）．

me·di·an (mē′dē-ăn) [L. *medianus*, middle]. ***1*** 〚adj.〛 正中の，中央の，中心線にある（【medial または mesial と混同しないこと．mean と混同しないこと．medial 参照】）．＝medianus. ***2*** 〚n.〛 中央値，中数（一連の測定値の中央値．平均値，中心傾向に関する測定値など）．

me·di·a·nus (mē′dē-ā′nŭs) [L.]. 正中の（【本形容詞は男性名詞(nervus medianus，複数形 nervi mediani)でのみ用いられる．女性名詞では mediana の形(fissura mediana，複数形 fissurae medianae)で，中性名詞では medianum の形(septum medianum，複数形 septa mediana)で用いられる．medialis 〝medial〟または medius 〝middle〟と混同しないこと】）．＝median (1).

me·di·as·ti·nal (mē′dē-as-tī′năl). 縦隔の．

me·di·as·ti·ni·tis (mē′dē-as′ti-nī′tis). 縦隔炎（縦隔洞の細胞組織の炎症）．

fibrosing m. 線維形成性縦隔炎．＝mediastinal *fibrosis*.

fibrous m. 線維性縦隔炎（原因不明で，あるいは感染症による縦隔構造の瘢痕化）．

idiopathic fibrous m. 特発〔性〕線維性縦隔炎．＝mediastinal *fibrosis*.

me·di·as·ti·nog·ra·phy (mē′dē-as′ti-nog′ră-fē) [mediastinum + G. *graphō*, to write]. 縦隔造影(撮影)〔法〕．

gaseous m. 気体注入縦隔造影〔法〕（空気注入(人工縦隔洞充気術)後の縦隔のX線造影で，現在では行われなくなった方法）．

me·di·as·tin·o·per·i·car·di·tis (me′dē-as′tin-ō-per′i-kar-dī′tis). 縦隔心膜炎（心外膜および周囲の縦隔洞細胞組織の炎症）．

me·di·as·tin·o·scope (mē′dē-as-tin′-ō-skōp). 縦隔鏡（胸骨上切開から縦隔洞を診察するための内視鏡）．

me·di·as·ti·nos·co·py (mē′dē-as′ti-nos′kŏ-pē) [mediastinum + G. *skopeō*, to view]. 縦隔鏡検査〔法〕（胸骨上切開を通して縦隔洞を内視鏡検査することで，通常，気管傍リンパ節の生検に行われる）．

anterior m. 前縦隔鏡検査〔法〕(Chamberlain 法(⇒procedure)の変法で，縦隔鏡で前縦隔と大動脈下領域の検索をする）．

extended m. 拡大縦隔鏡検査〔法〕（標準的な気管前および傍気管の検索に加えて，縦隔鏡を腕頭動脈と大動脈弓の前方に進め，大動脈下(大動脈－肺動脈窓)と前縦隔リンパ節の視野を得る頸部縦隔鏡検査．Chamberlain 法(⇒procedure)の代わりに行われる）．

me·di·as·ti·not·o·my (mē′dē-as′ti-not′ŏ-mē) [mediastinum + G. *tomē*, incision]. 縦隔切開〔術〕．

anterior m. 前縦隔切開術．＝Chamberlain *procedure*.

me·di·as·ti·num (mē′dē-as-tī′nŭm) [Mod.L. a middle septum < Mediev.L. *mediastinus*, medial < L. *mediastinus*, a lower servant < *medius*, middle]. 縦隔（①器官または腔の2つの部分の間の隔膜．②[TA]．胸腔を中央で左右に分ける仕切り構造．左右の面は壁側胸膜の縦隔部でおおわれ内部には肺臓を除くすべての胸部内臓や諸構造が含まれる．便宜的に上下の2つに大別されている．縦隔上部は胸骨角と第四一五椎間円板を通る水平面より上方の部分で，それより下方を縦隔下部とする．縦隔下部はさらに心臓を含む縦隔中部，縦隔前部，食道や大動脈や胸管を含む縦隔後部に区分されている．＝interpleural space; interpulmonary septum; mediastinal space; septum mediastinale）．

anterior m. [TA]．縦隔前部，前縦隔（心膜と胸骨の間の狭い部位で，胸腺またはその遺残，リンパ節，血管および内胸動脈の分枝を含む）．＝m. anterius [TA].

m. anterius [TA]．＝anterior m.

inferior m. [TA]．縦隔下部（縦隔のうち前は胸骨角，後ろは第四一五椎間円板を通る水平面より下方の部分で，さらに中部，前部，後部に分けられている）．＝m. inferius [TA].

m. inferius [TA]．＝inferior m.

m. medium [TA]．＝middle m.

middle m. [TA]．縦隔中部（縦隔下部のうちの中央部分で，心膜に包まれた心臓，横隔神経とその伴行動静脈を含む）．＝m. medium [TA].

posterior m. [TA]．縦隔後部（縦隔のうち前は胸骨角，後ろは第四一五椎間円板を通る水平面より下方の部分で，前方は心膜，後ろは脊柱に囲まれた部分．下行大動脈，胸管，食道，奇静脈，迷走神経を含んでいる）．＝m. posterius [TA]; postmediastinum.

m. posterius [TA]．＝posterior m.

superior m. [TA]．縦隔上部（縦隔のうち胸骨角と第四一五椎間円板を通る水平面より上方の部分(心膜より上の方)．大動脈弓とその枝，腕頭静脈，上大静脈の上部，気管，食道，胸管，胸腺，横隔神経と動静脈，迷走神経，心臓神経，左反回神経を含む）．＝m. superius [TA].

m. superius [TA]．＝superior m.

m. testis [TA]．精巣縦隔．＝m. of testis.

m. of testis [TA]．精巣縦隔（白膜に続く線維組織塊で，精巣後縁から内部に向かって隆起する．縦隔の延長が精巣小葉を囲む）．＝m. testis [TA]; corpus highmori; corpus highmorianum; Highmore body; septum of testis.

me·di·ate (mē′dē-āt) [L. *mediatus* < *medio*, pp. *-atus*, to divide in the middle]. ***1***(mē′dē-it). 〚adj.〛 中間の，仲介の．***2***(mē′dē-āt). 〚v.〛 仲介する，介在する（補体仲介性食作用のように媒介物質を介して作用を及ぼすこと）．

me·di·a·tion (mē′dē-ā′shŭn). 仲介，介在（メディエーターの作用）．

me·di·a·tor (mē′dē-ā′tŏr, -tōr). メディエーター，媒介物〔質〕，伝達物質（中間物質または仲介するもの．生理学的影響を制御したり，引き起こしたりする，細胞から出される物質）．

pharmacologic m.'s of anaphylaxis アナフィラキシーの薬理学的伝達物質（抗原とそれに特異的な同種細胞親和性抗体が，肥満細胞などの細胞表面で反応することにより，これらの細胞から放出される物質．ヒスタミン，ロイコトリエン，ブラジキニン，およびある種の動物ではセロトニンが含まれる）．

med·i·ca·ble (med′i-kă-bĕl). 治療しうる．

med·i·cal (med′i-kăl) [L. *medicalis* < *medicus*, physician]. ***1*** 医学の，医療の，医用の．＝medicinal (2). ***2*** ＝medicinal (1).

med·i·cal corps (med′i-kăl kōr). 医療隊，医療班（米国陸軍などの軍隊領域の1つ．軍隊の医療活動を行う）．

med·i·cal tran·scrip·tion·ist (MT) 医学記録転写士（患者の医療あるいは健康管理に関する医師による口述医学報告の，機器による転写を業とする者．その記録は患者の永久的な医学記録となる．認定医学記録転写士(CMT)は米国医学転写協会 the American Association for Medical Transcription による認定を受けた者である）．

me·dic·a·ment (med′i-kă-ment, me-dik′ă-ment) [L. *medicamentum*, medicine]. 薬，薬剤，薬物（薬剤の適用．治療薬）．

med·i·ca·men·to·sus (med′i-kă-men-tō′sŭs) [L.]. 薬物性の，薬剤に起因する（［本形容詞は男性名詞(lupus erythematosus medicamentosus)でのみ用いられる．女性名詞では medicamentosa の形(rhinitis medicamentosa)で，中性名詞では medicamentosum の形(exanthema medicamentosum)で用いられる］．薬疹を意味する）．

med·i·cate (med′i-kāt) [L. *medico*, pp. *-atus*, to heal]. ***1*** 薬物で治療する．***2*** 薬物を添加する．

med·i·cat·ed (med′i-kāt-ed). ***1*** 薬物を添加した．***2*** 患者を治療した．

med·i·ca·tion (med′i-kā′shŭn). ［medicine の同義語としての隠語的使用を避けること］．***1*** 投薬〔法〕，薬物適用．***2*** 薬物，薬剤．

ionic m. イオン導入〔法〕．＝iontophoresis.

maintenance m. 維持投薬（疾患や疾患の症状を安定化するのに用いる投薬）．

nonprescription m. 処方箋不要薬．＝over-the-counter m.

over-the-counter m. 市販薬，OTC 薬（健康保健従事者 health care practitioner の処方箋なしに店頭で患者が入手できる治療薬）．＝nonprescription m.

preanesthetic m. 麻酔前投薬（麻酔前に投与される薬物で，不安を減少させ，また麻酔の導入，維持，麻酔からの回復をより円滑にさせるために用いる）．

sublingual m. 舌下製剤（舌の下に置いて使用することを意図した薬物の剤型．薬物(例えばニトログリセリン)は，一部あるいは全部が分解される胃腸管を迂回して，口腔粘膜組織から吸収される）．

med·i·ca·tor (med′i-kā′tŏr, -tōr). ***1*** 薬物適用器（深部を治療するのに用いる器具）．***2*** 投薬医（病気を治療するために薬物を与える人．どんな軽い病気にも薬を処方する人を嘲笑してときに用いる語）．

me·di·ce·phal·ic (mē′dē-se-fal′ik). 橈側正中皮の（前腕の正中および上部静脈間を結合する静脈についていう）．

me·dic·i·nal (mĕ-dis′i-năl). ***1*** 薬の，医薬の．＝medical (2). ***2*** ＝medical (1).

me·dic·i·nal scar·let red (mĕ-dis′i-năl skar′let red). ＝scarlet red.

med·i·cine (med′i-sin) [L. *medicina* < *medicus*, physician (medicus)]. ***1*** 薬剤，薬〔物〕．***2*** 医学，医療（病気を予防したり治す行為．病気に関するすべてのことを取り扱う科学）．***3*** 内科学（一般的病気または特に身体内部を侵す病気，特に通常，外科的な治療を必要としない病気に関する研究および治療）．

adolescent m. 青年期医学（約13―21歳の年齢層にある若者の治療を扱う医学の一分野）．＝hebiatrics; ephebiatrics.

aerospace m. 〔航空〕宇宙医学（航空医学と宇宙医学の両分野を結合した医学の一分野）．

aviation m. 航空医学（航空特有の生理学上の問題に応用する医学の研究と診療）．＝aeromedicine.

behavioral m. 行動医学（健康や疾病に関連する行動学や生物学的医学，およびその知見や技術を発展させ，統合するための学際的領域であり，予防，診断，治療，リハビリテーションに適用される）．

clinical m. 臨床医学（実験室で行う医学研究とは異なり，患者のケアを目的として観察研究し治療する医学）．

community m. 地域医学(医療)，コミュニティメディシン（ある特定の地域社会での健康や疾病の研究．そのような場での医療活動）．

comparative m. 比較医学（獣医学と医学間の類似性や相似性について研究する分野）．

---

complementary and alternative m. (CAM) 相補代替医療（その主義や技術が現代の科学的医学のそれと異なっている雑多な衛生，診断，および治療思想や医療グループについて用いる言葉．その中には，薬による治療や手術よりも自然な衛生学的および治療薬的手法をより多く用いるという点以外は，伝統医学と同じであるもの，古代または現代の思想的ないし宗教的体系に根ざすもの，より臨床面に基づいた批評的意見が単純で誤っており，解剖学，生理学，精神医学，病理学，薬理学とつじつまが合わないようなものに基づいたものがある．CAM は米国の一部の地域では移住者，特にアジア系やスペイン系の人々によって持ち込まれている．CAM の多くの分家に共通してみられるものは身体，心および精神の統合を強調した全体論的な健康観である）．＝holistic m. (2).

米国では CAM へ年間訪問する患者数はプライマリケア医師へのそれより多い．米国の CAM 費は年間 210 億ドルを超えている．調査した成人の約60%は過去1年間に CAM を利用しているが，それのみに頼っているのは 5%のみである．代替医療で治療を受けている人の多くは従来の主治医の診察を受け続けているか，代替医療の治療を用いることを主治医に内緒にしている人もいる．CAM を受け入れている人々は特に教育を受けた人で健康と病気における心の役割を深く信じている人や，精神や個人の精神的発達に興味をもつ人が多い．CAM を利用しやすい人々の傾向は他にも女性，白人，年長者である．CAM を利用する人は他の人より健康状態が良くない人であることが多く，またある特定の慢性疾患(不安，うつ状態，頭痛，および背痛，線維筋痛症，癌，および HIV 感染など)にかかっていることが多い．通常の医療に不満足であることよりは自分の信条や価値観と一致する医療法を好むことのほうが代替医療を選ぶのに，より大きなウエイトを占めている．伝統医学は原因を除去することなく単に症状を抑えているにすぎないことが多いとか，自然的と思われている治療法の方が人工的なものよりもより良く安全であるとかと信じる人は多い．はり療法や催眠術などの CAM は，一部の医師，特に，全体論的な医療観をもつ人に利用されている．保険によっては，はりやバイオフィードバックないしマッサージ治療をカバーしているものもある．CAM の利用は希望や必要な精神的支援を与え，プラシーボ効果をもたらし，または今のところ不明な機序によって症状を改善するなど一部の人には有益となることもあるが，多くの人に対しては適切な診断や治療の妨げとなる．さらに代替医療はより正統の治療法と悪い相互作用を示したり，あるものは本質的に健康に危険なものもある．ほとんどの代替医療療法に共通した特徴はその作用や効能，安全性の機序を示す確固たる証拠がないということである．これまで行われてきたような臨床試験は標本数が十分でなかったり，無作為化や盲検が行われていなかったためにしばしば無効とされてきた．薬草のサプリメントに関する多くの研究は，研究対象の植物の種類や植物の研究部位(根，葉，花)，また用いられた抽出法さらには抽出物の純度が多様で差が大きかったために無効となった．はり療法の対照研究は対照群の被験者に針を刺さない手段を行うことができないので，ほとんど不可能であった．国立相補代替医療センター(NCCAM)は国立衛生研究所(NIH)の一機関であるが，CAM について有用な結果を測定する厳密な科学研究を支援するため，情報の交換を行う情報センターを創設するため，そして健康に関する専門職の本流を育てるカリキュラムには通常に含まれない CAM に関する論題について訓練するために議会によって設立された．CAM の考えや方法で米国で一般的に知られているものには指圧療法，はり療法，アロマテラピー，バイオフィードバック法，キレート療法，カイロプラクティック，クリスチャンサイエンス，ハーブ医療，ホメオパシー，水治療，催眠療法，虹彩学，延命学，マッサージ療法，黙想法，大量ビタミン療法，灸療法，自然療法，整骨療法，リラックス法，ロルフィング法，指圧，太極拳，およびヨガがある．

---

defensive m. 保身医学（原則として，医療過誤，賠償責任を生じる可能性の保護手段として行われる診断あるいは治療処置）.

desmoteric m. [G. *desmōtērion*, prison < *deo*, to bind + -ic]. 刑務所医学，囚人医学（囚人で発生する健康問題を取り扱う医療の一分野）.

electrodiagnostic m. 電気診断医学（特別に訓練を受けた医師が病歴や診療のほか，生物学的電気ポテンシャルの記録や分析などの科学的方法を神経筋疾患の診断や治療に用いる診療の特別分野）.

evidence-based m. 証拠(根拠)に基づいた医療，エビデンスに基づいた医学（特定の臨床医学的問題について調査し，診断法や治療法がもつ危険性と利益を評価する臨床医学的・疫学的研究．単純な科学法則と常識を情報の妥当性に適応することと，その情報を臨床に応用することである.→Cochrane *collaboration*; clinical practice *guidelines*）.

experimental m. 実験医学（動物実験または臨床研究によって医学的問題を科学的に研究する分野）.

family m. 家庭医学（全年齢にわたるグループに対し，連続的で包括的な管理，すなわち初診からターミナルケアまでを行う専門医療．特に家庭を１つの単位として医療を行うことをいう）.

folk m. 民間療法（幾世代にもわたって継承された経験や知識に基づいて体系づけられた，臨床医学以外の投薬や簡単な処置を行い病気を治療すること）.

forensic m. 法医学（①法的問題に医学的事実を適用すること．②医学行為を規定する法律）. = legal m.; medical jurisprudence.

geriatric m. 老年(老人)医学（老人，通常65歳以上の人の疾病や健康問題を取り扱う医学の一特定分野．内科の亜特定分野と考えられている）.

holistic m. ***1*** 全体論的医学（人の健康のすべての面，特に人は健康状態に対する社会的および経済的影響のみならず，心理的影響を含めた一個体と考えるべきである，ということを強調する医療アプローチ）. ***2*** = complementary and alternative m.

hyperbaric m. 高圧療法（特別な室内で高圧下で治療する方法で，血液や組織の酸素含量を増加させる）.

internal m. (**IM**) 内科学（成人の非外科的疾病を取り扱う医学の一分野．ただし，皮膚や神経系に限局した疾病は含めない）.

legal m. = forensic m.

manual m. 徒手医学〔療法〕（例えばマッサージ治療，軟部組織の徒手整復および他の治療法など様々な技能を包含する一般用語）.

maternal-fetal m. 母子医学（産婦人科学の専門分野で，妊娠の産科的，内科的，外科的合併症の研究を専攻する分野）. = fetology.

military m. 軍事医学（軍事生活に関連した特殊な環境に適用される医学の分野）.

neonatal m. 新生児学. = neonatology.

nuclear m. 核医学（密封された放射線源も含めて放射性核種の診断，治療利用に関わる臨床分野）.

osteopathic m. 整骨医学. = osteopathy (2).

patent m. 売薬，特許医薬品（専売特許を受け，大衆に売り出された医薬品．正式名ではなく，ある期間だけに使われるが，処方箋なしに使える薬）.

perinatal m. 周産期医学. = perinatology.

physical m. 物〔理〕療〔法〕医学（主に機械的および他の物理的方法でなされる疾病の研究と処置）. = physiatry.

podiatric m. 足病学. = podiatry.

preventive m. 予防医学（医学の一分野で，疾病の病因論的，疫学的研究を通じて，疾病を予防し，身体的・精神的健康度を増進する）.

proprietary m. 専売薬（製造とその方法がメーカーの所有となっている薬物）.

psychosomatic m. 精神身体医学，心身医学（心理学的過程と反応が主要な役割を果たすと思われる病気，障害，異常状態の研究と治療）.

quack m. 特定の病気の治療薬として間違った宣伝をされている化合物. *cf.* nostrum.

social m. 社会医学（医学的事象の社会学的，文化的，あるいは経済学的影響に関する医学的知識を取り扱う専門分野）.

socialized m. 社会診療（医療の政府機関による体系組織化および統制をいい，開業医はその体系組織に雇われ，サービスに対してはその組織から報酬を受け，一般国民も通常，直接の治療費としてでなく納税の形でその組織に参加する）.

space m. 宇宙医学（宇宙旅行の諸条件から生じる生理的疾病，障害に関する医学の分野）.

sports m. スポーツ医学（スポーツやレクリエーション活動を行う患者の健康管理に対して全体論的・包括的・学際的手法を用いる医学の一分野）.

tropic m. 熱帯医学（熱帯諸国の，主として寄生生物による病気を取り扱う医学の分野）.

veterinary m. 獣医学（ヒト以外のあらゆる動物(霊長類を含んだ)の健康と疾病状態に関する医学の分野．臨床医学，動物性食品衛生学，動物原性感染症学，そして疫学のような分野を含む）.

medico- (med′i-kō) [L. *medicus*, physician]. 医学を意味する連結形. *cf.* iatro-.

med·i·co·bi·o·log·ic, med·i·co·bi·o·log·i·cal (med′i-kō-bī′ō-loj′ik, -loj′i-kăl). 医〔学〕生物学の（医学の生物学的側面についていう）.

med·i·co·chi·rur·gi·cal (med′i-kō-kī-rŭr′ji-kăl) [medico- + G. *cheirourgia*, surgery]. 内科外科学の，内科外科医の.

med·i·co·le·gal (med′i-kō-lē′găl) [medico- + L. *legalis*, legal]. 法医学の（医学と法律についていう.→forensic *medicine*）.

med·i·co·me·chan·i·cal (med′i-kō-mĕ-kan′i-kăl). 医薬機械的な（医薬療法と機械的療法についていう）.

med·i·co·phys·i·cal (med′i-kō-fiz′i-kăl). 医学理学的な（病気と全身的な身体状態についていう．全身的な身体状態に注意すると同時に，病気の有無を決定するための検査についていう）.

med·i·co·psy·chol·o·gy (med′i-kō-sī-kol′ŏ-jē). 医学的心理学（医学に関係した心理学.→medical *psychology*; health *psychology*）.

medio-, medi- (mē′dē-ō) [L. *madius*]. 中央の，中間の，を意味する連結形.

me·di·o·car·pal (mē′dē-ō-kar′păl). 中手根の. = midcarpal.

me·di·oc·cip·i·tal (mē′dē-ok-sip′i-tăl). = midoccipital.

me·di·o·dens (mē′dē-ō-dens) [medio- + L. *dens*, tooth]. 正中歯. = mesiodens.

me·di·o·dor·sal (mē′dē-ō-dōr′săl). 背側正中の，中背側の.

me·di·o·lat·er·al (mē′dē-ō-lat′ĕr-ăl). 中外側の.

me·di·o·ne·cro·sis (mē′dē-ō-nĕ-krō′sis). 中膜壊死（動脈中膜の壊死）.

m. of the aorta 大動脈中膜壊死. = cystic medial *necrosis*.

m. aortae idiopathica cystica 嚢胞性特発性大動脈中膜壊死. = cystic medial *necrosis*.

me·di·o·tar·sal (mē′dē-ō-tar′săl). 中足根の. = midtarsal.

me·di·o·tru·sion (mē′dē-ō-trū′zhŭn) [medio- + L. *trudo*, pp. *trusus*, to thrust]. メディオトルージョン，内側偏位（下顎運動時，正中線方向への下顎頭の偏位）.

me·di·o·type (mē′dē-ō-tīp). 中胚葉型. = mesomorph.

me·di·sect (mē′di-sekt) [L. *medius*, middle + *seco*, pp. *sectus*, to cut]. 正中切開する（正中線で切開する）.

me·di·um, pl. **me·di·a** (mē′dē-yŭm, -ă) [L. *medius* (middle) の中性形]. ***1*** 手段（行動を遂行する手だて）. ***2*** 媒体（刺激または影響を伝達する物質）. ***3*** 培地，培養基. = culture m. ***4*** 媒質（物質を溶液または懸濁液として保持する液体）. ***5*** クロマトグラフや電気泳動による分離に効果を及ぼす物質の総称.

***Acanthamoeba* m.** アカントアメーバ培地（大腸菌 *Escherichia coli* を重畳した無栄養寒天平板培地．*Acanthamoeba*属や *Naegleria* 属を組織標本や土壌から検出するための培地）.

Balamuth aqueous egg yolk infusion m. (bal′ă-mūth). バラマス卵黄水加培地（赤痢アメーバ *Entamoeba histolytica* を主とした腸管アメーバの検出に用いる）.

Boeck and Drbohlav Locke-egg-serum m. (bek drō′lay lok). ベック－ドロボーラフ－ロッケ卵血清培地（卵，ヒト血清，米粉からなる培地．赤痢アメーバ *Entamoeba histolyti-*

ca を主とした腸管アメーバの検出に用いる).

clearing m. 透明剤(組織学において，試料を透明または半透明にするために用いる物質).

complete m. 完全培地(基本栄養素の他に補助栄養素を含んだ培地で，栄養要求性の高い菌や変異菌の発育に必要な栄養素を供給する).

contrast m. 造影剤(X線写真やCT画像で軟部組織とは異なったX線透過性をもつ，体内投与される物質の総称．バリウムは消化管に，ヨード化合物の水溶液は血管系または泌尿生殖器系に使用される．自然に生じた，または体内に注入された空気も造影剤となる．また，MR検査では常磁性物質が造影剤として使用される)．＝contrast agent; contrast material.

culture m. 〔培養〕培地(微生物の培養，分離，同定，貯蔵に用いる固体または液体物質)．＝growth m.; medium (3); nutrient m.

Czapek-Dox m. (shah′pek doks). ツザペク－ドックス培地．＝Czapek solution *agar*.

Diamond TYM m. ダイヤモンドTYM培地(トリプチケース，酵母エキス，麦芽糖および血清からなる培地．腟トリコモナス *Trichomonas vaginalis* の検出に用いる).

dispersion m. 分散媒．＝external *phase*.

Dorset culture egg m. (dōr′set). ドーセット卵培地(結核菌 *Mycobacterium tuberculosis* 培養用の培地．4個の新鮮な卵の黄身と白身，食塩水からなる).

Eagle basal m. (ē′gĕl). イーグル基礎培地(13の天然アミノ酸，種々のビタミン，2種の抗生物質，フェノールレッドを含む種々の塩溶液で，組織培養基として用いる).

Eagle minimum essential m. (**MEM**) (ē′gĕl). イーグル最小必須培地，イーグルMEM(Eagle basal m. と類似するが，量が異なり，抗生物質，フェノールレッドなどを含まない．組織培養基として用いる).

Endo m. (en′dō). 遠藤培地．＝Endo *agar*.

external m. ＝external *phase*.

growth m. 増殖培地．＝culture m.

high osmolar contrast m. (**HOCM**) ＝high osmolar contrast *agent*.

Lash casein hydrolysate-serum m. (lash). ラッシュカゼイン血清水解物培地(腟トリコモナス *Trichomonas vaginalis* の検出に用いる).

Loeffler blood culture m. (lef′lĕr). レフラー血液培地(ウシ血清，ヒツジ血清およびペプトン，グルコース，食塩を含むウシブイヨンからなる培地．ジフテリア菌 *Corynebacterium diphtheriae* の分離に用いる).

Lowenstein-Jensen m. (lŏr′vĕn-stīn yen′sĕn). レーヴェンシュタイン－ヤンセン培地．＝Lowenstein-Jensen culture m.

Lowenstein-Jensen culture m. (lŏr′vĕn-stīn yen′sĕn). レーヴェンシュタイン－ヤンセン培地(結核菌の一次培養用培地．新鮮な卵黄と卵白，規定の塩類，グリセロール，ジャガイモの粉，マラカイトグリーン(阻害因子として)を含む)．＝Lowenstein-Jensen m.

low osmolar contrast m. (**LOCM**) 低浸透圧造影剤．＝low osmolar contrast *agent*.

McCarey-Kaufmann media (măk-kār′ē kawf′măn). マッケアリー－カウフマン溶液(角膜移植 corneal *transplantation* 用の摘出眼を保存するための培養液).

motility test m. 運動性テスト培地(普通より柔らかく，運動性細菌が発育につれ接種線より移動できるような寒天濃度の培地．細菌の種の鑑別に用いる).

mounting m. 封入剤(組織懸濁液にカバーガラスを載せるために用いる物質で，通常は樹脂製).

Mueller-Hinton m. (mū′lĕr hin′tŏn). ミュラー－ヒントン培地(寒天に肉汁，カサミノ酸，デンプンを含んだ培地．たいていの好気性菌，通性嫌気性菌の薬剤感受性試験用に推奨されている).

NNN m. NNN培地(脱フィブリンウサギ血を重畳した寒天斜面培地．*Leishmania*属や *Trypanosoma cruzi* の検出に用いる).

nutrient m. 栄養培地．＝culture m.

passive m. 被動性溶液(中にある試料に変化を与えないような溶液).

selective m. 選択培地(目的とする菌以外の雑菌の発育を抑制する成分を含んだ培地).

separating m. 分離剤(①ある表面が他の表面と付着するのを防ぐためのコーティング．②歯科において，重合後，レジン義歯床の分離を容易にするために模型に対して通常用いる物質).

Simmons citrate m. (sim′ŏnz). シモンズクエン酸培地(腸内細菌科の種の識別に用いる鑑別培地．唯一の炭素源としてクエン酸ナトリウムを用いる能力があるかに基づいて分離する).

support m. 支持体(分離を行う場となる物質．例えば，電気泳動で成分を分けるのに用いる).

Thayer-Martin m. (thā′ĕr mar′tin). セーアー－マーティン培地．＝Thayer-Martin *agar*.

transport m. 搬送培地(臨床検体を検査のため検査室へ送るのに使う培地).

TY1-S-33 m. TY1–S–33培地(ペプトン，デキストロース，各種ビタミン，ウシ血清からなる培地．赤痢アメーバ *Entamoeba histolytica* の検出に用いる).

TYSGM-9 m. TYSGM–9培地(胃ムチン，肉汁，ウシ血清，米デンプンからなる培地．赤痢アメーバ *Entamoeba histolytica* の検出に用いる).

me·di·um-chain ac·yl-CoA de·hy·dro·gen·ase (MCAD) (mē′dē-yŭm chān as′il dē′hī-drō′jen-ās). 中位鎖アシルCoAデヒドロゲナーゼ(→*acyl-CoA* dehydrogenase (NADPH)).

me·di·us (mē′dē-ŭs) [L.]. 中の([本形容詞は男性名詞(truncus medius, 複数形 trunci medii)でのみ用いられる．女性名詞では media の形(tunica media, 複数形 tunicae mediae)で，中性名詞では medium の形(ganglion medium, 複数形 ganglia media)で用いられる．medialis "medial" または medianus "median" と混同しないこと])．＝middle.

MEDLARS (mĕ′lărz). Medical Literature Analysis and Retrieval System の頭字語．U.S. National Library of Medicine のコンピュータ化された索引システムである．

MEDLINE (mĕd′līn) [MEDLARS online]. 医学文献を迅速に供給するため MEDLARS にコンピュータ電話やインターネット回線を接続したもの．

Med Tech Medical Technician(医療技術); Medical Technologist(医療技術者)の略．

me·dul·la, pl. me·dul·lae (me-dūl′ă, me-dūl′ē) [L. marrow < *medius*, middle][TA]. 髄質(特に中央部にある軟らかい骨髄様構造物．→m. oblongata)．＝substantia medullaris (1).

m. of adrenal gland* m. of suprarenal gland の公式の別名．

m. glandulae suprarenalis [TA]. 〔副腎(腎上体)の〕髄質．＝m. of suprarenal gland.

m. of hair shaft 毛髄質(毛髪の中心軸で，白髪の場合には空気の層を含む．髄質の部分は皮質で囲まれている).

m. of kidney 髄質．＝renal m.

m. of lymph node [TA]. 〔リンパ節の〕髄質(リンパ節の中心部で，細網線維の固有質中にマクロファージ・プラスマ細胞・リンパ球の髄索があり，リンパ洞によって分離されている．リンパ節門においてはリンパ節表面にまで達している)．＝m. nodi lymphoidei [TA].

m. nodi lymphoidei [TA]. 〔リンパ節の〕髄質．＝m. of lymph node.

m. oblongata [TA]. 延髄(脳幹の最下部に位置し，直接脊髄に連続する．錐体交叉の下部境界から上にのびて橋に至る．腹側表面は両側のオリーブの突出を除いて脊髄表面に類似する．上半分の背側表面は第4脳室底の一部をなす．延髄の運動神経核は，舌下神経核，背側運動核，下唾液核，迷走神経の疑核を含み，知覚神経核は後索核(薄束核と楔状束核)，蝸牛神経核，前庭神経核，三叉神経の脊髄路核の中部，弧束核を含む．→medulla)．＝myelencephalon [TA]; oblongata.

m. ossium [TA]. 骨髄．＝bone *marrow*.

m. ossium flava [TA]. ＝yellow bone *marrow*.

m. ossium rubra [TA]. ＝red bone *marrow*.

renal m. [TA]. 腎髄質(腎実質内部の暗色部分で，腎錐体よりなる)．＝m. renalis [TA]; m. of kidney.

m. renalis [TA]. ＝renal m.

m. spinalis [TA]．脊髄．＝spinal *cord.*
suprarenal m. 副腎髄質．＝m. of suprarenal gland.
m. of suprarenal gland [TA]．副腎髄質（副腎の中心部で主として索状の細胞が網状に吻合している部分．細胞中にエピネフリンやノルエピネフリンがあるためクロム親和性を示す）．＝m. glandulae suprarenalis [TA]; m. of adrenal gland☆; suprarenal m.

me·dul·lar (me-dūl′ăr)．＝medullary.

med·ul·lar·y (med′yul-lăr′ē, med′ū-lār-ē)．髄質の，骨髄の，延髄の．＝medullar.

med·ul·lat·ed (med′yŭ-lāt′ĕd, med′ū-)．*1* 有髄の（髄質を有することについていう）．*2* 有髄鞘の．＝myelinated.

med·ul·la·tion (med-yū-lā′shŭn)．*1* 髄質化，骨髄化．*2* 髄鞘形成．＝myelination.

med·ul·lec·to·my (med′ū-lek′tŏ-mē) [medulla＋G. *ektomē*, excision]．髄質切除〔術〕．

med·ul·li·za·tion (med′yŭ-li-zā′shŭn)．髄質化（種々の骨疾患の治療法として骨髄腔を拡大すること）．

medullo- (med′yū-lō) [L. *medulla*]．髄質を意味する連結形．*cf.* myel-.

me·dul·lo·ar·thri·tis (med′yū-lō-ar-thrī′tis)．関節部骨髄炎（長骨の網状組織性関節末端の炎症）．

me·dul·lo·blas·to·ma (med′yŭ-lō-blas-tō′mă) [MIM* 155255]．髄芽〔細胞〕腫（原始髄管の未分化細胞に似た腫瘍細胞からなる腫瘍．通常，小脳虫部に限局し，小脳，脳幹，脊柱表面にも散在的にまたは融合して転移することがある．頭蓋内腫瘍の約３％を占めており，小児に最も多い．腫瘍細胞は密に配列し，円形または卵形で，核は濃染し，比較的細胞質に乏しい．小さなはっきりした特徴のない細胞集団として存在する傾向があるが，ときには偽ロゼットを示すこともある(Homer-Wright ロゼット)．原始神経外胚葉腫瘍の一型）．
desmoplastic m. 線維形成髄芽腫（髄芽腫の亜型．未分化細胞が密な層と粗な部分とが交互になった２相性構造を示す．一般に成人，青年にみられ，通常の髄芽腫より予後が良い）．
melanotic m. メラニン細胞性髄芽腫（メラニン色素含有細胞の存在するまれな髄芽腫）．

me·dul·lo·cell (med′yū-lō-sel′)．骨髄球．＝myelocyte (2).

me·dul·lo·ep·i·the·li·o·ma (me′dyū-lō-ep′i-thē′lē-ō′mă) [medullo-＋epithelium＋*-oma*, tumor]．髄〔様〕上皮腫（胚芽性髄管細胞原発性と思われる未分化で成長の速いまれな頭蓋内新生物．このため，脳室上衣芽細胞腫に含める神経病理学者もいる．神経節細胞と星状神経膠細胞の成熟も報告されている．毛様体に起こるのを胎生期髄様上皮腫という）．
adult m. 成人髄〔様〕上皮腫．＝malignant ciliary *epithelioma.*
embryonal m. 毛様体の胎生期髄〔様〕上皮腫（毛様体上皮の無色素上皮層の上皮性腫瘍）．＝embryonal tumor of ciliary body.

me·dul·lo·my·o·blas·to·ma (med′yū-lō-mī′ō-blas-tō′-mă)．髄芽筋芽〔細胞〕腫（髄芽細胞腫のまれな組織学的変種で，平滑筋，横紋筋が散発して腫瘍中に混入する）．

Meeh (mē), K. 19 世紀のドイツ人生理学者．⇀M. *formula*; M.-DuBois *formula*.

Mees (mēs), R.A. 20 世紀のオランダ人医師．⇀M. *lines*, *stripes*.

Mees·mann (mēs′măn), A. ドイツ人眼科医，1888－1969．⇀M. *dystrophy*.

MEG magnetoencephalogram の略．

mega- (meg′ă) [G. *megas*, big]．*1* 巨大な，を意味する連結形．micro- の対語．→macro-; megalo-．*2* (M)．国際単位系(SI)およびメートル法において，100 万(10^6)の倍数を意味する接頭語．

meg·a·bac·te·ri·um (meg′ă-bak-tē′rē-ŭm)．巨大バクテリア（異常に大きなバクテリア）．＝macrobacterium.

meg·a·cal·y·co·sis (meg′ă-kal′ĭ-kō′sis) [mega-＋G. *kalyx*, cup of a flower, ＋*-osis*, condition]．*1* 先天的な非閉塞性の腎杯の拡大．*2* 非常に多数の腎杯があること．

meg·a·car·di·a (meg′ă-kar′dē-ă)．＝cardiomegaly.

meg·a·car·y·o·blast (meg′ă-kar′ē-ō-blast′)．＝megakaryoblast.

meg·a·car·y·o·cyte (meg′ă-kar′ē-ō-sīt′)．＝megakaryocyte.

meg·a·ce·pha·li·a (meg′ă-se-fā′lē-ă)．＝megacephaly.

meg·a·ce·phal·ic (meg′ă-se-fal′ik)．巨〔大〕頭〔蓋〕症の．＝macrocephalic; macrocephalous; megacephalous.

meg·a·ceph·a·lous (meg′ă-sef′ă-lŭs)．＝megacephalic.

meg·a·ceph·a·ly (meg′ă-sef′ă-lē) [mega-＋G. *kephalē*, head]．巨〔大〕頭〔蓋〕症（頭蓋が異常に大きい状態で，通常 1,450 mL 以上の容量をもつ成人頭蓋に対して適用される．先天性，後天性のものがある）．＝leontiasis ossea; macrocephaly; macrocephalia; megacephalia; megalocephaly; megalocephalia; Virchow disease.

meg·a·cins (meg′ă-sinz)．メガシン（巨大菌 *Bacillus megaterium* の菌株によって生成される抗菌性蛋白）．

meg·a·coc·cus, pl. **meg·a·coc·ci** (meg′ă-kok′ŭs, -kok′-sī)．巨大球菌（異常に大きな球菌）．＝macrococcus.

meg·a·co·lon (meg′ă-kō′lon)．巨大結腸（結腸が極度に拡張した状態）．＝giant colon.
acquired m. 後天性巨大結腸（後天性疾患を伴って起こる巨大結腸．炎症性腸疾患(中毒性巨大結腸)や Chagas 病(南アフリカトリパノソーマ症)に生じる）．
congenital m., m. congenitum 先天性巨大結腸〔症〕（先天的に拡張，肥大した結腸．直腸と直腸上部の種々の連続する長さの消化管の腸筋神経叢の神経節細胞が欠如(神経節細胞欠損)，または著しく減少(神経節細胞減少)するために起こる．ヒトおよびイヌにみられる）．＝Hirschsprung disease.
idiopathic m. 特発性巨大結腸〔症〕（遠心性閉塞または神経節細胞欠如を伴わない後天的な巨大結腸で，小児または成人にみられる．拡張した結腸筋肉が薄くなっている）．
toxic m. 中毒性巨大結腸〔症〕（急性非閉塞性に拡張した結腸で，劇症潰瘍性大腸炎および，Crohn 病にみられる）．

meg·a·cy·cle (meg′ă-sī-kĕl)．メガサイクル（１秒当たり 100 万サイクル）．

meg·a·cys·tis (meg′ă-sis′tis) [mega-＋*kystis*, bladder]．巨大膀胱（小児における病的に大きな膀胱）．＝megalocystis.

meg·a·dac·ty·ly, meg·a·dac·tyl·ia, meg·a·dac·tyl·ism (meg′ă-dak′ti-lē, -dak-til′ē-ă, -dak′til-izm) [mega-＋G. *daktylos*, digit]．巨指〔症〕（手足の１本以上の指が大きいことを特徴とする状態）．＝dactylomegaly; macrodactylia; macrodactylism; macrodactyly; megalodactylia; megalodactylism; megalodactyly.

meg·a·dol·i·cho·co·lon (meg′ă-dol′i-kō-kō′lon) [mega-＋G. *dolichos*, long＋*kōlon*, colon]．巨長結腸（非常に長く拡張した結腸）．

meg·a·dont (meg′ă-dont) [mega-＋G. *odous* (*odont-*), tooth]．＝macrodont.

meg·a·don·tism (meg′ă-don′tizm)．＝macrodontia.

meg·a·dyne (meg′ă-dīn)．メガダイン（100 万ダイン）．

meg·a·e·soph·a·gus (meg′ă-ē-sof′ă-gŭs, meg′ă-e-sof′)．巨大食道（噴門痙攣および Chagas 病の患者にみられるような食道下部の巨大化）．

meg·a·ga·mete (meg′ă-gam′ēt)．＝macrogamete.

meg·a·gna·thi·a (meg′ă-nā′thē-ă)．＝macrognathia.

meg·a·hertz (MHz) (meg′ă-hertz)．メガヘルツ（100 万ヘルツ）．

meg·a·kar·y·o·blast (meg′ă-kar′ē-ō-blast′)．巨核芽球（巨核球の前駆体）．＝megacaryoblast.

meg·a·kar·y·o·cyte (meg′ă-kar′ē-ō-sīt) [mega-＋G. *karyon*, nut (nucleus)＋*kytos*, hollow vessel (cell)]．巨核球，骨髄巨核球（通常，多分葉の倍数体の核をもった巨大細胞(直径 100 μm ほどもある)で，正常では骨髄に存在し，循環血液中には存在せず，血小板を生産する）．＝megacaryocyte; megalokaryocyte; thromboblast.

megal- (meg′ăl)．⇀megalo-.

meg·a·lec·i·thal (meg′ă-les′i-thăl) [mega-＋G. *lekithos*, yolk]．多黄卵（魚類，は虫類，および鳥類の卵のように，卵黄が豊富な卵についていう）．

meg·al·gi·a (meg-al′jē-ă) [megal-＋G. *algos*, pain]．激痛．

megalo-, megal- (meg′ă-lō, meg′ăl) [G. *megas* (*megal-*)]．大きいを意味する連結形．micro- の対語．→macro-; mega-.

meg·a·lo·blast (meg′ă-lō-blast′) [megalo-＋G. *blastos*＋germ, sprout]．巨〔大〕赤芽球（悪性貧血にみられる，異常

M

な赤血球造血過程における赤血球の前駆細胞である，大きな，有核の幼若細胞．その成熟の4段階は，①前巨赤芽球，ⓘ好塩基性巨赤芽球，ⓘⓘ多染性巨赤芽球，ⓘⓥ正染性巨赤芽球である．→erythroblast)．

meg·a·lo·car·di·a (meg′ă-lō-kar′dē-ă) [megalo- + G. *kardia*, heart]. ＝cardiomegaly.

meg·a·lo·ceph·a·ly, meg·a·lo·ce·pha·lia (meg′ă-lō-sef′ă-lē, -sĕfā′lē-ă). ＝megacephaly.

meg·a·lo·chei·ri·a, meg·a·lo·chi·ri·a (meg′ă-lō-kī′rē-ă) [megalo- + G. *cheir*, hand]. ＝macrocheiria.

meg·a·lo·cor·ne·a (meg′ă-lō-kōr′nē-ă) [MIM*309300, MIM*249300]. ＝keratoglobus.

meg·a·lo·cys·tis (meg′ă-lō-sis′tis) [megalo- + G. *kystis*, bladder]. 巨大膀胱. ＝megacystis.

meg·a·lo·cyte (meg′ă-lō-sīt′) [megalo- + G. *kytos*, cell]. 巨〔大〕赤血球（巨大な(10—20 μm)無核赤血球）.

meg·a·lo·cy·the·mi·a (meg′ă-lō-sī-thē′mē-ă). ＝macrocythemia.

meg·a·lo·cy·to·sis (meg′ă-lō-sī-tō′sis). ＝macrocythemia.

meg·a·lo·dac·tyl·i·a, meg·a·lo·dac·tyl·ism, meg·a·lo·dac·ty·ly (meg′ă-lō-dak-til′ē-ă, -dak′til-izm, -dak′ti-lē). ＝megadactyly.

meg·a·lo·dont (meg′ă-lō-dont). ＝macrodont.

meg·a·lo·don·ti·a (meg′ă-lō-don′shē-ă). ＝macrodontia.

meg·a·lo·en·ce·phal·ic (meg′ă-lo-en′sĕ-fal′ik). 巨〔大〕脳髄の（異常な大きさの脳についていう）.

meg·a·lo·en·ceph·a·lon (meg′ă-lō-en-sef′ă-lon) [megalo- + G. *enkephalos*, brain]. 巨〔大〕脳髄（異常な大きさの脳）. ＝macroencephalon.

meg·a·lo·en·ceph·a·ly (meg′ă-lō-en-sef′ă-lē) [megalo- + G. *enkephalon*, brain]. 巨〔大〕脳〔髄〕症（脳が異常に大きい状態）.

meg·a·lo·en·ter·on (meg′ă-lō-en′tĕr-on) [megalo- + G. *enteron*, intestine]. 巨大腸〔症〕（腸管が異常に大きい状態）. ＝enteromegaly; enteromegalia.

meg·a·lo·gas·tri·a (meg′ă-lō-gas′trē-ă) [megalo- + G. *gastēr*, stomach]. 巨大胃症（胃が異常に大きい状態）. ＝macrogastria.

meg·a·lo·glos·si·a (meg′ă-lō-glos′sē-ă) [megalo- + G. *glōssa*, tongue]. ＝macroglossia.

meg·a·lo·graph·i·a (meg′ă-lō-graf′ē-ă). ＝macrography.

meg·a·lo·kar·y·o·cyte (meg′ă-lō-kar′ē-ō-sīt). ＝megakaryocyte.

meg·a·lo·ma·ni·a (meg′ă-lō-mā′nē-ă) [megalo- + G. *mania*, frenzy]. 誇大妄想（①自分自身を偉大であるとみなす妄想の一型．彼もしくは彼女が，自らをキリスト，神，ナポレオンなどの有名人であると言ったり，弁護士，医者，聖職者，商人，皇太子，すべてのスポーツに万能な一流スポーツ選手など，すべて誰にでもなれ何でもできると信じていること．②自己または自己のある面を病的に過大評価すること）.

meg·a·lo·ma·ni·ac (meg′ă-lō-mā′nē-ak). 誇大妄想者.

meg·a·lo·me·li·a (meg′ă-lō-mē′lē-ă). ＝macromelia.

meg·a·loph·thal·mos (meg′ă-lof-thal′mŏs) [megalo- + G. *ophthalmos*, eye]. 巨大眼球（先天性の拡張眼球）. ＝macrophthalmia; megophthalmus.

anterior m. 前部大眼球. ＝keratoglobus.

meg·a·lo·po·di·a (meg′ă-lō-pō′dē-ă) [megalo- + G. *pous*, foot]. ＝macropodia.

meg·a·lo·splanch·nic (meg′ă-lō-splangk′nik) [megalo- + G. *splanchnon*, viscus]. 巨大内臓〔症〕の（異常に大きな内臓をもつものについていう）. ＝macrosplanchnic.

meg·a·lo·sple·ni·a (meg′ă-lō-splē′nē-ă). ＝splenomegaly.

meg·a·lo·spore (meg′ă-lō-spōr). ＝macrospore.

meg·a·lo·syn·dac·ty·ly, meg·a·lo·syn·dac·tyl·ia (meg′ă-lō-sin-dak′ti-lē, -dak-til′ē-ă) [megalo- + G. *syn*, together + *daktylos*, finger]. 巨合指症（大形の手指または足指にみずかきまたは融合のある状態）.

meg·a·lo·u·re·ter (meg′ă-lō-yū-rē′tĕr). 巨大尿管. ＝ureterectasia.

meg·a·lo·u·re·thra (meg′ă-lō-yū-rē′thră). 巨大尿道（尿道の先天的拡張）.

-megaly (meg′ă-lē) [G. *megas* (*megal*-)]. 大きいを意味する接尾語.

meg·a·mer·o·zo·ite (meg′ă-mer′ō-zō′īt). ＝macromerozoite.

meg·a·nu·cle·us (meg′ă-nū′klē-ŭs). ＝macronucleus (1).

meg·a·poi·e·tin (meg′ă-poy′ĕ-tin) [mega- + G. *poiētēs*, maker + -in]. メガポエチン. ＝thrombopoietin.

meg·a·poi·e·tin (meg′ă-poy′ĕ-tin). メガポイエチン，メガポエチン（巨核球の成長および血小板産生の生理的メディエーター．そのレベルは血小板がそれを循環系から除去する能力によって直接決定されるようにみえる）.

meg·a·pro·so·pi·a (meg′ă-prō-sō′pē-ă) [mega- + G. *prosōpon*, face]. ＝macroprosopia.

meg·a·pros·o·pous (meg′ă-pros′ō-pŭs). ＝macroprosopous.

meg·a·rec·tum (meg′ă-rek′tŭm). 巨大直腸（直腸の過剰な拡張）.

meg·a·seme (meg′ă-sēm) [mega- + G. *sēma*, sign]. 大眼窩の（眼窩指数89以上を示すものについていう）.

meg·a·sig·moid (meg′ă-sig′moyd). ＝macrosigmoid.

meg·a·so·mi·a (meg′ă-sō′mē-ă). ＝macrosomia.

meg·a·spore (meg′ă-spōr). ＝macrospore.

meg·a·throm·bo·cyte (meg′ă-throm′bō-sīt) [mega- + G. *thrombos*, clot + *kytos*, cell]. 巨大血小板（大きな血小板，特に新たに骨髄から放出された若い血小板）.

meg·a·u·re·ter (meg′ă-yū-rē′tĕr). 巨大尿管＝ureterectasia; wide ureter.

primary m. 原発性巨大尿管症（尿管独自の拡張．尿管は閉塞性でなく，また，先天的な下部尿管の閉塞による二次的な原因を伴わないもの）.

secondary m. 続発性巨大尿管症（尿管膀胱逆流症や遠位の尿管の閉塞による二次的な水尿管）.

meg·a·volt (meg′ă-vōlt). メガボルト（100万ボルト）.

meg·a·volt·age (meg′ă-vol′tăj). メガボルト（放射線治療において，100万ボルト以上をさす用語）.

meg·lit·in·ides (meg-lit′in-īdz). メグリチニド（経口糖尿病用薬の一種．膵臓β細胞のATP依存性カリウムチャネルを閉口することにより，カルシウムチャネルの開口を促し，インスリンを放出させる）.

meg·lu·mine (meg′lū-mēn). メグルミン（*N*-methylglucamineのUSAN承認の短縮名）.

m. acetrizoate メグルミンアセトリゾエート（X線造影剤）.

m. diatrizoate メグルミンジアトリゾエート（水溶性有機含ヨード化合物．以前は排泄性尿路造影，心臓脈管系造影，経口で腸管造影に用いられた）. ＝methylglucamine diatrizoate.

m. iothalamate メグルミンイオタラメート（ヨータラム酸の*N*–メチルグルカミン塩(60%溶液)．脈管に投与して，血管造影，尿路造影に用いる診断用のX線造影剤）.

meg·ohm (meg′ōm). メグオーム（100万オーム）.

meg·oph·thal·mus (meg′of-thal′mŭs). ＝megalophthalmos.

meg·ox·y·cyte (meg-oks′ē-sīt). ＝megoxyphil.

meg·ox·y·phil, meg·ox·y·phile (meg-oks′ē-fil, -fīl) [mega- + G. *oxys*, acid + *phileō*, to like]. 大顆粒好酸球（粗大顆粒を含む好酸性白血球）. ＝megoxycyte.

me·grim (mē′grim). migraineを意味する現在では用いられない語.

mei·bo·mi·an (mī-bō′mē-ăn). Meibomによる，または彼の記した.

mei·bo·mi·tis, mei·bo·mi·a·ni·tis (mī′bō-mī′tis, mī-bō′mē-ă-nī′tis). マイボーム腺炎（瞼板腺の炎症）.

Mei·er (mī′ĕr), Georg. 20世紀のドイツ人血清学者. →Porges-M. *test*.

Mei·ge (mezh′ĕ), Henri. フランス人医師，1866—1940. →M. *disease*.

Meigs (mīgz), Joe V. 米国人婦人科医，1892—1963. →M. *syndrome*.

Mei·nic·ke (mī′nĭ-kĕ), Ernst. ドイツ人医師，1878—1945. →M. *test*.

meio- (mī-ō′). この形で始まり，以下に記載のない語についてはmio-の項参照.

mei·o·sis (mī-ō′sis) [G. *meiōsis*, a lessening]. 減数分裂（[miosisと混同しないこと]．連続した2回の核分裂により

体細胞の半数の染色体をもった 4 つの配偶子細胞ができる特殊な細胞分裂過程). = meiotic division.

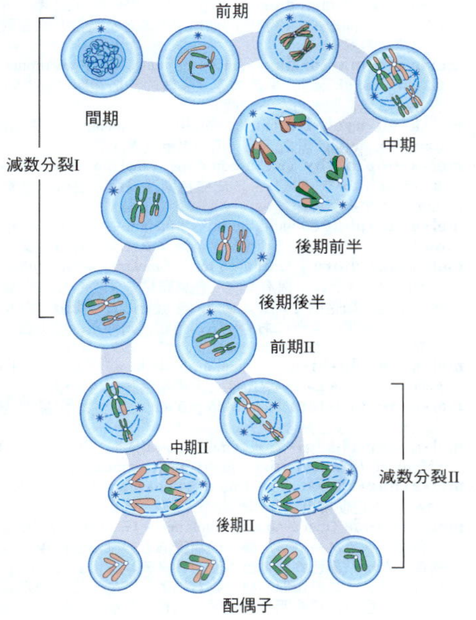

cell meiosis

mei·ot·ic (mī-ot′ik). 減数分裂の.

Meissel (mī′sĕl). ⇀Wachstein-Meissel *stain* for calcium-magnesium-ATPase.

Meiss·ner (mīs′nĕr), Georg. ドイツ人組織学者, 1829—1905. ⇀M. *corpuscle*, *plexus*.

meitnerium (mīt-ner′ē-ŭm) [Lise Meitner. オーストリア系スウェーデン人物理学者, 1878—1968]. マイトネリウム(合成超プルトニウム元素. 原子番号 109. 原子量 266. **[**以前はウンニルエンニウム Une とよばれていた**]**).

mel (mel). メル (① = honey. ②音の高さの単位. 1,000 メルの高さは, 1,000 Hz/sec の周波数で, 正常可聴閾値より 40 dB 大きな単一音によってもたらされる).

mel-, melo- (mel, mel′ō). ***1*** [G. *melos*]. 肢を意味する連結形. ***2*** [G. *mēlon*]. 頬を意味する連結形. ***3*** [L. *mel*, *mellis*, G. *meli*, *melitos*]. ハチ蜜または砂糖を意味する連結形.→meli-. ***4*** [G. *mēlon*]. ヒツジを意味する連結形.

me·lag·ra (mĕ-lag′ră) [G. *melos*, limb + *agra*, seizure]. 肢痛(上肢または下肢のリウマチ様疼痛あるいは筋痛を表す, 現在では用いられない語).

me·lal·gi·a (mĕ-lal′jē-ă) [G. *melos*, a limb + *algos*, pain]. 四肢痛(肢の痛み, 特に下腿を伸ばしてあげたときの焼けるような痛み, 大腿にも起こる).

mel·a·mine for·mal·de·hyde (mel′ă-mēn fōr-mal′dĕ-hīd). メラミンホルムアルデヒド. = melamine *resin*.

melan-, melano- (mel′ăn, mel′ă-nō) [G. *melas*]. 黒, または色相が非常に黒っぽいことを意味する連結形.

mel·an·cho·li·a (mel′ăn-kō′lē-ă) [melan- + G. *cholē*, bile. ⇀humoral *doctrine*]. メランコリー, うつ病 (①快感消失, 不眠, 精神運動の変化, 罪悪感を特徴とする重症のうつ病. ② ①以外の疾患で生じる一症候. 気分の沈み, 思考の停滞が特徴). = melancholy.

hypochondriacal m. ヒポコンドリー性メランコリー, 心気性うつ病 (しばしば根拠がないのに身体に関する病訴を伴うメランコリー).

involutional m. 退行期メランコリー, 退行期うつ病 (通常, 更年期に起こる中年のうつ状態).

mel·an·chol·ic (mel′ăn-kol′ik). メランコリック (①メランコリアに関係がある, あるいはメランコリーに特徴的である. ②かつては, 易刺激性や悲観的な外見を特徴とする気質を意味していた. ③メランコリーを呈する人).

mel·an·chol·y (mel′ăn-kol′ē). = melancholia.

mel·a·ne·mi·a (mel′ă-nē′mē-ă) [melan- + G. *haima*, blood]. 黒血症 (循環血液中に, 黒褐色または黒色の不溶性色素(メラニン)が存在するもの).

mel·a·nif·er·ous (mel′ă-nif′ĕr-ŭs) [melan- (melanin) + L. *ferro*, to carry]. メラニン含有の (メラニンまたは他の黒色色素を含むものについていう).

mel·a·nin (mel′ă-nin) [G. *melas*(*melan-*), black]. メラニン (インドール-5,6-キノンおよび(あるいは)5,6-ジヒドロキシインドール-2-カルボン酸の黒褐色または黒色の重合体. 正常では皮膚, 毛髪, 網膜の色素膜に, ときに副腎の髄質と網状層に存在する. メラニンは *in vitro* または生物学的に, L-チロシンまたは L-トリプトファンが酸化されてつくられる. 通常の機序では, モノフェノールモノオキシゲナーゼによって酸化され, L-チロシンが3,4-ジヒドロキシ-L-フェニルアラニン(ドパ)とドーパキノンになり, さらにこの中間産物が(恐らく同時に)酸化されてメラニンになる. *cf.* eumelanin; pheomelanin). = melanotic pigment.

artificial m., factitious m. 人工メラニン. = melanoid.

mel·a·nism (mel′ă-nizm). メラニン沈着 (体毛や皮膚(通常, 虹彩は侵されない)のきわめて著明な, びまん性のメラニンによる色素沈着のこと.→melanosis).

melano- ⇀melan-.

mel·a·no·ac·an·tho·ma (mel′ă-nō-ak′an-thō′mă) [melano- + G. *akantha*, thorn + *-ōma*, tumor]. メラノアカントーマ (メラニン色素沈着のある脂漏性角化症で, 表皮内のメラノサイトの増殖を伴う).

mel·a·no·am·e·lo·blas·to·ma (mel′ă-nō-am′ĕ-lō-blas-tō′mă) [melano- + ameloblastoma]. 黒色エナメル上皮腫. = melanotic neuroectodermal *tumor* of infancy.

mel·a·no·blast (mel′ă-nō-blast′) [melano- + G. *blastos*, germ, sprout]. メラニン芽細胞 (神経堤に由来する細胞. 胚芽期の早期に身体の種々の部位に移動し, メラニンを形成できる成熟メラノサイトになる).

mel·a·no·cyte (mel′ă-nō-sīt) [melano- + G. *kytos*, cell]. 色素細胞, メラノサイト, メラニン〔形成〕細胞 (表皮基底層にある色素産生細胞で, 分枝する突起を有し, これによってメラノソームが表皮細胞に運ばれて表皮の色素沈着をきたす. 口腔粘膜の基底層にも存在する). = melanodendrocyte; pigment cell of skin.

mel·a·no·cy·to·ma (mel′ă-nō-sī-tō′mă) [megalo- + cyto- + G. *-oma*, tumor]. 褐色細胞腫 (①ブドウ膜実質の色素性腫瘍. ②通例, 視神経円板の良性メラノーマをいい, 円板の縁に位置する色素の強い小腫瘍で, ときに網膜, 脈絡膜に波及している. 悪性化はまれである).

mel·a·no·den·dro·cyte (mel′ă-nō-den′drō-sīt) [melano- + G. *dendron*, tree + *kytos*, a hollow (cell)]. = melanocyte.

mel·a·no·der·ma (mel′ă-nō-der′mă) [melano- + G. *derma*, skin]. 黒皮症 (①過剰のメラニンの沈着により皮膚が異常に黒くなること. ②メラニンあるいは鉄, 銀, 薬剤代謝物のような黒い物質の沈着による皮膚の色素増加).

m. cachecticorum 悪液質性黒皮症 (悪液質者にみられる黒皮症. マラリアや結核など特定の慢性疾患でみられる黒皮症).

parasitic m. 寄生虫性黒皮症 (コロモジラミ *Pediculus corporis* に咬まれた部位を掻きむしることによって生じる表皮剝脱と黒皮症). = vagabond′s disease; vagrant′s disease.

racial m. 人種性黒皮症 (非白人種が有する正常の黒い皮膚).

senile m. 老年(老人)性黒皮症 (老年者にみられる皮膚の色素沈着). = melasma universale.

mel·a·no·der·ma·ti·tis (mel′ă-nō-der′mă-tī′tis). 黒色皮膚炎 (皮膚炎の部位にメラニンが過剰に沈着するもの).

me·la·no·gen (mĕ-lan′ō-jen, mel′ă-nō-jen) [melanin + G. *-gen*, producing]. メラノゲン (無色の物質でメラニンに転化する. 例えば, 黒色腫の広範囲にわたる転移がある患者は尿中にメラノゲンを排泄するが, その尿を 2, 3 時間空気中にさらす(すなわち酸化される)とメラニンが形成される).

mel·a·no·ge·ne·mi·a (mel′ă-nō-jĕ-nē′mē-ă) [melanogen

+ G. *haima*, blood]. メラノゲン血〔症〕(血液中にメラニン前駆体が存在するもの．転移を伴った悪性黒色腫にみられることがある)．

mel·a·no·gen·e·sis (mel′ă-nō-jen′ĕ-sis) [melanin + G. *genesis*, production]. メラニン産生（メラニンが形成されること)．

mel·a·no·glos·si·a (mel′ă-nō-glos′ē-ă) [melano- + G. *glōssa*, tongue]. 黒〔色〕舌. = black *tongue.*

mel·a·noid (mel′ă-noyd). 類メラニン（メラニン類似の黒い色素．キチン質に含まれるグルコサミンからつくられる)．= artificial melanin; factitious melanin.

mel·a·no·ker·a·to·sis (mel′ă-nō-ker′ă-tō′sis) [melano- + kerato- + G. *-osis*, condition]. 角膜メラニン沈着（結膜のメラニン芽細胞の角膜への移動)．

mel·a·no·leu·ko·der·ma (mel′ă-nō-lū′kō-der′mă) [melano- + G. *leukos*, white + *derma*, skin]. 白斑黒皮症（大理石様の斑点を有する)．

m. colli 頸部白斑黒皮症. = syphilitic *leukoderma.*

mel·an·o·li·ber·in (mel′ă-nō-lib′ĕr-in) [melanotropin + L. *libero*, to free + -in]. メラノリベリン（オキシトシン類似ヘキサペプチド．メラノトロピンの放出促進作用がある)．= melanotropin-releasing factor; melanotropin-releasing hormone.

mel·a·no·ma (mel′ă-nō′mă) [melano- + G. *-ōma*, tumor]. 黒色腫，メラノーマ（**[重複的な表現** malignant melanoma **を避けること]**．メラニン産生可能な細胞から生じる悪性新生物．身体の各部の皮膚，眼，まれに性器，肛門，口腔，その他の部位の粘膜に発生する．ほとんどの場合成人に生じ，*de novo* あるいは色素性母斑あるいは悪性黒子より生じる．初期の場合，表皮の形態は真皮表皮境界部の細胞増殖を特徴とするが，まもなく隣接組織に広範に侵入する．細胞質の容積および色素沈着は腫瘍細胞によってまちまちである．核は比較的大きく，しばしば奇異な形をしており，好酸性の核小体が目立つ．有糸分裂像が無数にみられる．黒色腫はしばしば広範囲にわたって転移し，所属リンパ節，皮膚，肝臓，肺，および脳が侵されやすい)．= malignant m.

acral lentiginous m. 末端部黒子黒色腫（悪性黒子黒色腫の一型で，手掌，足底，爪甲下に生じるもの)．

amelanotic m. メラニン欠乏性黒色腫（黒芽細胞由来であるが，メラニンを形成しない細胞からなる未分化の黒色腫)．

benign juvenile m. 良性若年性黒色腫. = Spitz *nevus.*

Cloudman m. (klowd′măn). クラウドマン黒色腫（DBA系マウスに自然発生する移植可能の黒色腫．同族系のマウスで発育し，転移する)．

desmoplastic malignant m. 線維硬化性(結合織形成性)悪性黒色腫（真皮の異型性紡錘形メラノサイトの周囲に著しい線維化を伴う悪性黒色腫の一種．小神経周囲に広く浸潤する傾向がある)．

Harding-Passey m. (har′ding pas′ē). ハーディング－パッセー黒色腫（非近親交配のマウスに自然に発生するメラニン産生腫瘍．多くの他系マウスに移植可能であるが，通常は転移しない)．

malignant m. 悪性黒色腫. = melanoma.

malignant m. ***in situ*** 表皮内悪性黒色腫（表皮内に限局した黒色腫のことで，異型メラノサイトの集塊や表皮上層に及ぶ散在性の孤立性細胞からなる．局所的な切除で治癒するが，もし治療しなければすぐに真皮へ浸潤する可能性がある．悪性黒子は表皮内悪性黒色腫のゆっくり進行する型とも考えられる)．

malignant lentigo m. 悪性黒子黒色腫（悪性黒子よりまれに発生する黒色腫)．

malignant m. of soft parts 軟部組織の悪性黒色腫. = clear cell *sarcoma* of soft tissue.

minimal deviation m. 最小偏位黒色腫（通常の黒色腫細胞よりは細胞異型性が少ない悪性黒色腫だが，真皮に非対称性に拡大浸潤したり転移する)．

nodular m. 結節性黒色腫（急速に発育する表面平滑で球状または潰瘍を形成した結節としてみられる原発性皮膚黒色腫で，顕微鏡的には腫瘍細胞が腫瘍辺縁部の正常上皮の下まで浸潤している)．

subungual m. 爪下黒色腫（爪との境または爪の下の皮膚にできる黒色腫．通常は末端部黒子黒色腫(acral lentiginous m. 参照)である)．

superficial spreading m. 表在拡大型黒色腫（皮膚の病変部が側方に向かって，表皮内増殖することを特徴とする原発性皮膚黒色腫)．

mel·a·no·ma·to·sis (mel′ă-nō′mă-tō′sis) [melanoma + G. *-osis*, condition]. 黒色腫症（多数の，広範囲にわたって存在する黒色腫からなる状態)．

mel·a·no·nych·i·a (mel′ă-nō-nik′ē-ă) [melano- + G. *onyx* (*onych-*), nail]. 黒爪〔症〕(爪の黒色色素沈着)．

mel·a·nop·a·thy (mel′ă-nop′ă-thē) [melano- + G. *pathos*, suffering]. メラノパシー，皮膚色素沈着症（皮膚の色素沈着をきたす病気の総称)．

mel·a·no·phage (mel′ă-nō-fāj′) [melano- + G. *phagein*, to eat]. メラノファージ（貪食されたメラニンをもつ組織球)．

mel·a·no·phore (mel′ă-nō-fōr′) [melano- + G. *phoros*, bearing]. メラニン保有細胞（色素顆粒を分泌しない皮膚の色素細胞．細胞内でメラノソームを凝集したり拡散したりして急速な皮膚の変色にあずかる．魚類，両性類，は虫類でよく発達しているが，ヒトでは欠如している)．

mel·a·no·pla·ki·a (mel′ă-nō-plā′kē-ă) [melano- + G. *plax*, plate, plaque]. 黒斑症（舌や頰粘膜の色素斑)．

mel·a·no·pro·tein (mal′ă-nō-prō′tēn). メラニン蛋白〔質〕(メラニンを含む複合蛋白)．

mel·a·nor·rha·gi·a (mel′ă-nō-rā′jē-ă) [melano- + G. *rhēgnymi*, to burst forth]. 黒色便排出. = melena.

mel·a·nor·rhe·a (mel′ă-nō-rē′ă) [melano- + G. *rhoia*, a flow]. 黒色便排出. = melena.

mel·a·no·sis (mel′ă-nō′sis) [melano- + G. *-osis*, condition]. 黒色症，メラノーシス（種々の組織あるいは器官に現れる黒褐色または茶黒色の異常色素沈着．メラニン，あるいはある場合にはメラニン類似の他の物質によって生じる．例えば皮膚の黒色症は，広範囲の黒色腫の転移，日焼け，妊娠，慢性的な感染により生じる)．

m. coli 結腸黒色症(メラノーシス)（固有層のマクロファージ内に組成不明の色素が蓄積することによって起こる大腸粘膜の黒色症)．

neurocutaneous m. [MIM*249400]. 神経皮膚黒色症(メラノーシス)（脳軟膜の黒皮症を伴う皮膚の巨大色素性母斑．皮膚や脳脊髄膜に悪性黒色腫が生じることがある)．

oculodermal m. 眼皮膚黒色症(メラノーシス)（強膜と眼の周りの皮膚の色素沈着．通常は片側性．特にアジア系女性にみられる)．= Ota nevus.

pustular m. 膿疱性黒皮症(メラノーシス)（新生児にみられる原因不明の一過性の良性膿疱性発疹．膿疱消退後に色素沈着を残す)．

Riehl m. (rēl). リール黒皮症(メラノーシス)（頸部および顔面の露出部皮膚にみられる，皮膚のマクロファージ中のメラニン色素による褐色沈着．化粧品の原料やいろいろな職業において接する油などの物質による光線皮膚炎から起こると考えられる)．

mel·a·no·some (mel′ă-nō-sōm′) [melano- + G. *sōma*, body]. メラノソーム（メラノサイトで産生される通常は長円形 (0.2×0.6 μm)色素顆粒)．= eumelanosome.

giant m. 巨大メラニン顆粒（カフェオレ斑や他のメラニン細胞異常における，メラニン細胞の細胞質で形成される，大きな球状のメラニン顆粒(直径 1—6μm))．= macromelanosome.

mel·an·o·sta·tin (mel′ă-nō-stat′in) [melanotropin + G. *states*, stationary + -in]. メラノスタチン（メラノトロピンの合成・放出を抑制する．ニューロペプチドY)．= melanotropin release-inhibiting hormone.

mel·a·not·ic (mel′ă-not′ik). **[melenic と混同しないこと]**. ***1*** メラニン〔性〕の. ***2*** 黒色〔症〕の.

mel·a·no·ton·in (mel′ă-nō-tōn′in). → melatonin.

mel·a·not·ri·chous (mel′ă-not′ri-kŭs) [melano- + G. *thrix* (*trich-*), hair]. 黒毛の，黒髪の.

mel·a·no·troph (mel′ă-nō-trōf′) [melano- + G. *trophē*, nourishment]. メラニン細胞刺激ホルモン産生細胞（メラニン細胞刺激ホルモンを産生する下垂体中葉の細胞)．

mel·a·no·tro·phin (mel′ă-nō-trō′fin) [melano- + G. *trophē*, nourishment + -in]. メラノトロピン. = melanotropin.

mel・a・no・tro・pin (mel′ă-nō-trōp′in). メラノトロピン，メラニン細胞刺激ホルモン（ヒトの下垂体中葉(他の種では神経下垂体)から分泌されるポリペプチドホルモン，黒色素胞のメラニンを拡散し，皮膚の暗化を引き起こす．恐らくメラニン合成を促進すると考えられる．この効果はカエルや魚類のような下等脊椎動物で容易に引き起こされる．α-メラノトロピンはアミノ酸13個からなる*N*-アセチルペプチドである．β-メラノトロピンは22個のアミノ酸からなる)．＝intermedin; melanocyte-stimulating hormone; melanophore-expanding principle; melanotrophin.

mel・a・nu・ri・a (mel′an-yū′rē-ă) [melano- + G. *ouron*, urine]. 黒色尿〔症〕（メラニンまたは他の色素の存在により，あるいはフェノール，クレオソート，レゾルシン，その他のコールタール誘導体の作用によって生じる黒色尿の排泄）．

mel・a・nu・ric (mel′ă-nyū′rik). 黒色尿〔症〕の．

MELAS メラス（*m*itochondrial myopathy(ミトコンドリアミオパシー)，*e*ncephalopathy(脳症)，*l*actic *a*cidosis(乳酸アシドーシス)，*s*trokelike episodes(脳卒中様エピソード)の頭字語．ミトコンドリア疾患の1つで遺伝性のことが多い．ミトコンドリアゲノムの3,243部位の変異が原因である）．

me・las・ma (mĕ-laz′mă) [G. a black color, a black spot]. 黒皮症（露光部に生じる斑状の色素沈着で妊娠時にみられることが多い．→chloasma）．

m. gravidarum 妊娠性黒皮症（妊娠時にみられる皮膚の色素沈着）．

m. universale 汎発性黒皮症．＝senile *melanoderma.*

---

mel・a・ton・in (mel′ă-tōn′in) [melanophore + G. *tonos*, contraction + -in]. メラトニン；*N*-acetyl-5-methoxytryptamine（哺乳類の松果体でつくられる物質．哺乳類の性腺機能を抑制し，水陸両生動物のメラニン保有細胞の収縮を起こす．セロトニンの前駆物質．メラトニンは急速に代謝され，多くの組織によって取り込まれる．概日リズムに関与する）．

メラトニンの分泌は，睡眠・覚醒サイクルや明暗サイクルに連動している．周囲が薄暗くなると感知した眼性覚が視床下部などの神経系を経由して松果腺からのメラトニン分泌の増加を促進させる．その血中濃度は睡眠直前に10倍になり，真夜中にピークに達する．24時間分泌量は夏より冬のほうが高い．加齢に伴うメラトニン分泌の低下が，高齢者の不眠症の原因といわれている．メラトニンにフリーラジカルを消去する抗酸化作用があるため，老化遅延，癌，心臓病，Alzheimer型認知症の予防薬として奨励された．またメラトニンは抗うつ剤としても提案された．それは臨床的うつ病においてその代謝異常が原因であるといわれているセロトニン(5-ヒドロキシトリプタミン)がメラトニンの化学的前駆体であることからである．その効果および安全性と至適用量に関する適切なコントロール下での大規模試験が不足している．長期投与により概日ペースメーカをリセットすることができるという実験的証拠がある．いくつかの研究よりメラトニンの時差ぼけ，特に5つ以上タイムゾーンを横切って東へ飛行している旅行者に対してのものを予防または軽減させる効果が立証された．メラトニンの直接的な催眠効果には個人差がある．メラトニンの限られた研究により，高齢者に安らぎを与える夜間睡眠の持続時間を増加させるかもしれないことが提案された．その高用量のメラトニンは血中メラトニン濃度の持続的上昇をきたし，下垂体によるプロラクチンの産生を増大させる．たいていのホルモンとは異なり，メラトニンは消化管から容易に吸収されて，ある食物成分でもある．そのため，治療用製剤は米国の薬剤規制にも純度規格にも従わない．市販のメラトニン製剤を検定した結果，効力のばらつきや有害であると思われる汚染物質の存在が認められた．

Mel・chi・or (mel′kē-ōr), J.C. デンマーク人医師．⇀Dyggve-M.-Clausen *syndrome*.

me・le・na (me-lē′nă) [G. *melaina*: *melas*(black)の女性形]. メレナ（[正しい発音は示したものだが，米国でのより一般的な発音はmel′enaである]．血液が消化液で変化して，黒色のタール便が排出されること．*cf.* hematochezia）．＝melanorrhagia; melanorrhea.

m. neonatorum 新生児メレナ（新生児に起こるメレナ）．

m. spuria 偽〔性〕メレナ（えん下された血液，特に亀裂のある乳首から授乳によってえん下された母体の血液が便とともに排泄されること）．

m. vera 真性メレナ（偽性メレナと区別される真性のメレナ）．

mel・e・nem・e・sis (mel′ĕ-nem′ĕ-sis) [G. *melas*, black + *emesis*, vomiting]. 黒吐〔症〕（黒っぽい物質を吐くこと．→black *vomit*）．

Me・len・ey (mĕ-lē′nē), Frank L. 米国人外科医，1889—1963．⇀M. *gangrene*, *ulcer*.

mel・e・tin (mel′ĕ-tin). メレチン．＝quercetin.

meli- (mel′i) [G. *meli*]. ハチ蜜または砂糖に関する連結形．→mel- (3).

mel・i・bi・ase (mel′i-bī′ās). メリビアーゼ．＝α-D-galactosidase.

mel・i・bi・ose (mel′i-bī′ōs). メリビオース（β-フルクトフラノシダーゼの触媒作用によるラフィノースの加水分解によってできる二糖類．また植物性ジュースに含まれる．グルコピラノースとα1,6結合したガラクトース残基からなる）．

mel・i・ce・ra, mel・i・ce・ris (mel′i-sē′ră, mel-i-sē′ris) [G. *meli-kēris*, a tumor < *melikēron*, honeycomb < *meli*, honey + *kēros*, wax]. 蜜ろう腫（比較的濃く粘性の強い，半流動体の物質を含む水滑液嚢腫またはその他の嚢腫）．

mel・i・oi・do・sis (mel′ē-oy-dō′sis) [G. *mēlis*, a distemper of asses + *eidos*, resemblance + *-osis*, condition]. 類鼻疽（インドおよび南アジアのげっ歯類の感染疾患で，偽鼻疽菌*Pseudomonas pseudomallei*によって起こり，ヒトにも伝播可能．特徴的病変は小さな乾酪性結節で，体中にみられ，崩れて膿瘍になる．症状は侵された経路や器官によって異なる）．＝pseudoglanders; Whitmore disease.

me・lis・sa (me-les′ă) [G. a bee]. メリッサ（オドリコソウ科メリッサ草*Melissa officinalis*の葉．南ヨーロッパに自生する植物．発汗薬）．＝sweet balm.

me・lis・sic ac・id (me-lis′ik as′id) [G. *melissa*, bee + -ic]. メリシン酸（ろう中に存在する長鎖(30)飽和脂肪酸）．

me・lis・so・pho・bi・a (mĕ-lis′ō-fō′bē-ă) [G. *melissa*, bee + *phobos*, fear]. ハチ恐怖〔症〕（ハチに対する病的な恐れ）．＝apiphobia.

me・li・tis (mē-lī′tis) [G. *mēlon*, cheek + *-itis*, inflammation]. 頬〔部〕炎．

mel・i・tose (mel′i-tōs). メリトース．＝raffinose.

mel・i・tri・ose (mel′i-trī′ōs). メリトリオース．＝raffinose.

mel・it・tin (mel′i-tin) [G. *melitta*, bee + -in]. メリチン（ハチの毒素の主成分．26個のアミノアシル残基からなるペプチドアミドで溶血素である）．

Mel・ker・sson (mel′kĕr-sŏn), Ernst G. スウェーデン人医師，1898—1932．⇀M.-Rosenthal *syndrome*.

mel・li・tum, gen. **mel・li・ti,** pl. **mel・li・ta** (me-lī′tŭm, -tī, tă) [L. *mellitus*(honeyed)の中性形]. 蜜剤（賦形剤としてハチ蜜を使用した製剤）．

Mel・nick (mel′nick), John C. 20世紀の米国人放射線科医．⇀M.-Needles *osteodysplasty*, *syndrome*.

melo- (mel′ō). ⇀mel-.

mel・o・did・y・mus (mel′ō-did′ĭ-mŭs) [melo- + G. *didymos*, twin]. 副肢奇形（副肢をもつ奇形胎児）．

mel・o・ma・ni・a (mel′ō-mā′nē-ă) [L. *melos*, song + *mania*, frenzy]. 音楽狂（音楽に異常に魅せられた，または耽溺した状態）．

mel・o・me・li・a (mel′ō-mē′lē-ă) [G. *melos*, limb]. 正常あるいは痕跡状の副足をもつ胎児奇形．*cf.* micromelia.

mel・o・plas・ty (mel′ō-plas′tē) [melo- + G. *plastos*, formed]. 頬形成術を表す古語．他にfaceliftを表すのに用いられた．

mel・o・rhe・os・to・sis (mel′ō-rē′os-tō′sis) [G. *melos*, limb + *rheos*, stream + *osteon*, bone + *-ōsis*][MIM*155950]. メロレオストーシス（[ギリシア語起源の単語では，音節の初めにある二重字rhは，接頭語または他の語彙要素がその前に置かれる場合，通常rrhに変更されるが，本語ではrを重ねない]．四肢に限局した流線状過骨症）．

me・los・chi・sis (me-los′ki-sis) [G. *mēlon*, cheek + *schisis*, a cleaving]. 頬〔披〕裂〔症〕，斜走顔裂（顔面の先天性の裂け目）．

M

me·lo·ti·a (me-lō′shē-ă) [G. *mēlon*, cheek + *ous*, ear]. 頬耳症（耳介から頬部の先天性の位置異常）.

melt (melt). メルト，融解（①変性，RNA ポリメラーゼ作用によりDNA 塩基対が開裂することを表すのに用いられる．②固体から液体へ移行すること．この過程においてイオンまたは分子は規則正しい位置を離れ，ランダム運動を獲得する．③分子や分子の部分構造がより大きなランダム運動を獲得する種々の過程のいずれかによって変化すること(例えば，生体膜内での脂質炭化水素鎖の回転運動や加熱時の核酸の塩基スタッキングの崩壊)．④溶融物質）.

Melt·zer (melt′zĕr), Samuel J. 米国人生理学者，1851―1920. ⇀M. *law*; M.-Lyon *test*.

MEM Eagle minimum essential *medium* の略.

memapsin 1 (me-maps′in). メマプシン１（Alzheimer 病におけるβ-セクレターゼ候補物質．遺伝子は第 21 染色体上にあり，ヒト乳癌で特徴的な発現が認められる）.

memapsin 2 (me-maps′in). メマプシン２（βセクレターゼ候補(candidate)の膜貫通型アスパラギン酸エンドペプチターゼであり，Alzheimer 病の有力な薬剤）.

mem·ber (mem′bĕr) [L. *membrum*]. 肢，四肢. ＝limb (1).

inferior m. [TA]. ＝lower *limb*.

superior m. [TA]. ＝upper *limb*.

virile m. penis を意味する現在では用いられない語.

mem·bra (mem′bră) [L.]. membrum の複数形.

MEMBRANA

mem·bra·na, gen. & pl. **mem·bra·nae** (mem-brā′nă, -brā′nē) [L.][TA]. 膜. ＝membrane (1).

m. abdominis 腹膜. ＝peritoneum.

m. adamantina エナメル小皮. ＝enamel *cuticle*.

m. adventitia *1* ＝adventitia. *2* ＝*decidua* capsularis.

m. atlanto-occipitalis anterior [TA]. 前環椎後頭膜. ＝anterior atlanto-occipital *membrane*.

m. atlanto-occipitalis posterior [TA]. 後環椎後頭膜. ＝posterior atlanto-occipital *membrane*.

m. basalis ductus semicircularis 半規管基底膜. ＝basal *membrane* of semicircular duct.

m. basilaris ＝basal *lamina* of cochlear duct.

m. capsularis 水晶体包膜（胚の水晶体後極周囲の硝子体血管網）.

m. capsulopupillaris 水晶瞳孔膜（胚の水晶体の血管膜の側部）.

m. carnosa 肉様膜. ＝dartos *fascia*.

m. cerebri 脳膜（脳脊髄膜）.

m. choriocapillaris ＝capillary *lamina* of choroid.

m. cordis 心膜. ＝pericardium.

m. cricothyroidea ＝cricothyroid *membrane*.

m. decidua 脱落膜. ＝deciduous *membrane*.

m. eboris ぞうげ質膜（歯の髄腔にある膜，ぞうげ芽細胞の層から構成される）. ＝ivory membrane.

m. fibroelastica laryngis [TA]. 喉頭弾性膜. ＝fibro-elastic *membrane* of larynx.

m. fibrosa capsulae articularis [TA]. 〔関節包の〕線維膜＝fibrous *layer* of joint capsule.

m. flaccida ＝flaccid *part* of tympanic membrane.

m. fusca 褐色膜. ＝suprachoroid *lamina* of sclera.

m. germinativa 胚盤葉，胞胚葉. ＝blastoderm.

m. granulosa ＝*stratum* granulosum folliculi ovarici vesiculosi.

m. hyaloidea ＝posterior limiting *lamina* of cornea.

m. hyothyroidea 舌骨甲状膜. ＝thyrohyoid *membrane*.

membranae intercostales [TA]. 肋間膜. ＝intercostal *membranes*.

m. intercostalis externa [TA]. ＝external intercostal *membrane*.

m. intercostalis interna [TA]. ＝internal intercostal *membrane*.

m. interossea antebrachii [TA]. 前腕骨間膜. ＝interosseous *membrane* of forearm.

m. interossea cruris [TA]. 下腿骨間膜. ＝interosseous *membrane* of leg.

m. limitans 境界膜（①＝limiting *membrane* of retina. ②神経実質を軟膜や脈管から切り離している膜）.

m. limitans gliae グリア境界膜. ＝glial limiting *membrane*.

m. mucosa 粘膜. ＝mucosa.

m. nictitans ＝*plica* semilunaris of conjunctiva (2).

m. obturatoria [TA]. 閉鎖膜. ＝obturator *membrane*.

m. perinei [TA]. 会陰膜. ＝perineal *membrane*.

m. pituitosa ＝*mucosa* of nose.

m. preformativa 予成膜（発育中の歯において，前エナメル芽細胞の基底膜と Korff 線維との融合によって生じた厚い膜）.

m. propria ductus semicircularis 半規管固有膜. ＝proper *membrane* of semicircular duct.

m. propria of semicircular duct ＝proper *membrane* of semicircular duct.

m. pupillaris [TA]. 瞳孔膜. ＝pupillary *membrane*.

m. quadrangularis [TA]. 四角膜. ＝quadrangular *membrane*.

m. reticularis organi spiralis [TA]. 〔ラセン器の〕網状膜. ＝reticular *membrane* of spiral organ.

m. serosa 漿膜（①＝serosa; chorion. ②＝serosa (2)）.

m. serotina *decidua* basalis の同義語で現在では用いられない語.

m. spiralis* ラセン膜（tympanic *surface* of cochlear duct の公式の別名）.

m. stapedis [TA]. あぶみ骨膜. ＝stapedial *membrane*.

m. statoconiorum [TA]. 平衡砂膜. ＝otolithic *membrane*.

m. sterni [TA]. 胸骨膜. ＝sternal *membrane*.

m. striata ＝*zona* striata.

m. succingens [L. *succingere*, to surround]. ＝pleura.

m. suprapleuralis [TA]. 胸膜上膜. ＝suprapleural *membrane*.

m. synovialis [TA]. 滑膜. ＝synovial *membrane*.

m. synovialis (stratum synoviale) capsulae articularis [TA]. 関節包の滑膜. ＝synovial *membrane*.

m. tectoria (articulationis atlantoaxialis medianae) [TA]. 〔正中環軸関節の〕蓋膜＝tectorial *membrane* (of median atlantoaxial joint).

m. tectoria ductus cochlearis [TA]. 〔蝸牛管の〕蓋膜. ＝tectorial *membrane* of cochlear duct.

m. tensa ＝tense *part* of the tympanic membrane.

m. thyrohyoidea [TA]. 甲状舌骨膜. ＝thyrohyoid *membrane*.

m. tympani [TA]. 鼓膜. ＝tympanic *membrane*.

m. tympani secundaria [TA]. 第二鼓膜. ＝secondary tympanic *membrane*.

m. versicolor ＝tapetum (2).

m. vestibularis ductus cochlearis* vestibular *surface* of cochlear duct の公式の別名.

m. vibrans ＝tense *part* of the tympanic membrane.

m. vitellina ＝yolk membrane. *1* 卵黄膜（卵黄を包む膜，特に大卵黄卵の厚い細胞膜）. ＝ovular membrane; vitelline membrane. *2* ときに哺乳類の卵の透明帯を示すために用いる語.

m. vitrea 硝子体膜. ＝posterior limiting *lamina* of cornea.

mem·bra·na·ceous (mem′bră-nā′shŭs). ＝membranous.

mem·bra·nate (mem′bră-nāt). 膜様の.

MEMBRANE

mem·brane (mem′brān) [L. *membrana*, a skin or membrane that covers parts of the body ＜ *membrum*, a member]. 膜

(①柔軟な組織の薄い層．各部をおおったり，包んだり，腔の裏打ちをしたり，隔壁となったり，2つの構造体を連結したりする．＝membrana［TA］．②＝biomembrane）．

adamantine m. エナメル小皮．＝enamel *cuticle.*

allantoid m. 尿膜．＝allantois.

alveolocapillary m. 肺胞血管膜（肺胞でのガス交換関門）．

alveolodental m. ＝periodontium.

anal m. 肛門膜（尿直腸中隔によって分割された後の胎児排泄腔膜の背側部．現在では，尿生殖中隔が排泄腔膜の位置に到達する時期にこの膜は崩壊すると考えられている．したがって，肛門膜という構造は実際には存在しない）．

anterior atlanto-occipital m.［TA］．前環椎後頭膜（環椎の前弓から後頭骨の大後頭孔の前縁までのびている線維性の膜）．＝membrana atlanto-occipitalis anterior［TA］．

apical m. 頂上部細胞膜（上皮細胞の分泌極側の細胞膜で微絨毛を有する部位）．

arachnoid m. クモ膜．＝*arachnoid* mater.

atlanto-occipital m. 環椎後頭膜（⇀anterior atlanto-occipital m.; posterior atlanto-occipital m.）．

Barkan m. (bar′kăn)．バーカン膜（線維柱帯 trabecular *meshwork* をおおう理論的組織．房水 aqueous *humor* 流出を妨げ，先天性緑内障の機序として考えられている）．

basal m. of semicircular duct 半規管基底膜（半規管の上皮の下にある基底膜）．＝basal lamina of semicircular duct; membrana basalis ductus semicircularis.

basement m. 基底膜（上皮細胞の底面や筋細胞・脂肪細胞・Schwann 細胞を取り囲む無構造な細胞外層構造で，選択的フィルタであるとともに構造的形態形成的機能ももつ．電子顕微鏡下では，透明層・緻密層・線維細網層の3層に分けられ，コラーゲン基質(特に4型コラーゲンは緻密層に特有)と数種の糖蛋白とからなる）．＝basement lamina; basilemma.

basilar m. of cochlear duct ＝basal *lamina* of cochlear duct.

Bichat m. (bē-shah′)．ビシャ膜（動脈の内弾性板）．

Bogros serous m. (bō′grō)．ボグロー漿膜（強膜外隙にある膜）．

Bowman m. (bō′măn)．ボーマン膜．＝anterior limiting *lamina* of cornea.

Bruch m. (bruk)．ブルーフ膜．＝*lamina* basalis choroideae.

Brunn m. (brūn)．ブルン膜（鼻の嗅部の上皮）．

bucconasal m. 口鼻膜（第7週の胎児で，原始鼻腔と口窩を分ける薄い一過性の上皮層）．＝oronasal m.

buccopharyngeal m. 口咽頭膜（頭蓋柱に由来する2層の膜(外胚葉と内胚葉)．胎児の頭のひだが生じた後，口窩の尾方端に位置する）．＝oral m.; oropharyngeal m.

cell m. 細胞膜（すべての細胞にある原形質の周縁部分で，透過性の調節や，飲小胞の形成による能動イオン輸送やレセプタによる抗原認識などの表面特異機能を有する．形態的には電子顕微鏡で暗くみえる内板と外板，および明るくみえる中間板の3層からなる）．＝cytolemma; cytomembrane; plasma m.; plasmalemma; plasmolemma; Wachendorf m. (2).

chorioallantoic m. 絨毛尿膜（絨毛膜と尿膜の融合によってつくられた胚体外の膜）．

choroid m.［TA］．＝*tela* choroidea.

cloacal m. 排泄腔膜（肛門陥凹と総排泄腔とを分ける胎児の尾方部分の一過性の膜．肛門膜と尿性器膜に分けられ，胎生第8週から第9週で破れて消化管と尿路性器の外部への開口部を形成する）．

closing m.'s 閉鎖膜．＝pharyngeal m.'s.

Corti m. (kōr′tē)．コルティ(コルチ)膜．＝tectorial m. of cochlear duct.

cricothyroid m. 輪状甲状膜（正中線の両側の輪状軟骨の弧状部と甲状軟骨板の下縁との間に広がる左右一対の膜で，ぶ厚い正中輪状甲状靱帯で占められている．→*conus* elasticus; median cricothyroid *ligament*）．＝membrana cricothyroidea.

cricotracheal m. ＝cricotracheal *ligament*.

cricovocal m.* *conus* elasticus の公式の別名．

croupous m. クループ性膜．＝false m.

deciduous m. 脱落膜（妊娠時における子宮内膜．排卵周期の影響を受け，胞胚の着床および成育に適した状態になっている．分娩後，これが脱ぎ捨てられることから，この名がある）．＝caduca; Hunter m.; membrana decidua.

Descemet m. (des-ĕ-mā′)．デスメ〔一〕膜．＝posterior limiting *lamina* of cornea.

diphtheritic m. ジフテリア膜（ジフテリア感染でみられる粘膜表面に形成される偽膜）．

double m. 二重膜（2枚の膜からなる生体膜層で，間に空隙を挟む．ミトコンドリアなどの細胞内小器官やその他の構造物を形成する）．

drum m. 鼓膜．＝tympanic m.

Duddell m. (dŭ′dĕl)．ダッデル膜．＝posterior limiting *lamina* of cornea.

dysmenorrheal m. 月経困難症鋳型膜（膜様月経困難症のときに排出される脱落膜に類似した膜）．

egg m. 卵膜（卵母細子を囲んでいる外膜．**primary egg m.**(一次性卵膜)は卵子の細胞質(例えば，卵黄膜)から産生され，**secondary egg m.**(二次性卵膜)は卵胞の産物(例えば，透明帯)であり，**tertiary egg m.**(三次性卵膜)は卵管の内壁(例えば，外皮)から分泌される）．

elastic m. 弾性板，弾性膜（弾性線維が密に集まって形成された膜状構造．動脈壁に存在する．より疎な弾性薄板(静脈や気道にみられる)とは区別される）．

embryonic m. ＝fetal m.

enamel m. エナメル膜（エナメル芽細胞によって形成されたエナメル器の内層）．

epipapillary m. *1* 眼杯をおおっている先天性の膜．*2* Bergmeister 乳頭(⇀papilla)の神経膠の遺残．

epiretinal m. 網膜上膜，網膜前膜（通常，後天性．網膜の一部をおおい，網膜色素細胞またはグリアの化生による線維性組織からなる）．

exocelomic m. 胚外体腔膜（胎生第2週に胞胚の栄養芽細胞層の内面と原始卵黄嚢の外被から分離された細胞の層）．＝Heuser m.

external intercostal m.［TA］．外肋間膜（肋軟骨の間にあって外肋間筋を前方へ分離している）．＝membrana intercostalis externa［TA］．

extraembryonic m. ＝fetal m.

false m. 偽膜（ジフテリアにみられるような，粘膜または皮膚の表面の厚くて硬い線維性の滲出物）．＝croupous m.; pseudomembrane.

fenestrated m. 有窓膜（大動脈のような弾性動脈の内弾性板にみられる多数の孔の開いた弾性膜）．

fertilization m. 受精膜（1個の精子の進入の後，卵細胞の細胞質から卵黄膜の内面に形成される粘性の膜で，他の精子が進入するのを阻止する）．

fetal m. 胚膜（接合体から発達した構造，または組織のうち胎児以外の部分を構成する構造）．＝embryonic m.; extraembryonic m.

fibroelastic m. of larynx［TA］．喉頭弾性膜（喉頭粘膜下にある線維性弾力性の膜で，喉頭室によって上方の四角膜と下方の弾性円錐とに分離される）．＝membrana fibroelastica laryngis［TA］．

fibrous m. of joint capsule*〔関節包の〕線維膜（fibrous *layer* of joint capsule の公式の別名）．

Fielding m. (fēld′ing)．フィールディング膜．＝tapetum (2).

flaccid m. ＝flaccid *part* of tympanic membrane.

germ m., germinal m. 胚盤葉，胞胚葉．＝blastoderm.

glassy m. 硝子膜（①胞状卵胞の顆粒層と卵胞膜内層との間にある基底膜．大きな閉鎖卵胞で顕著になる．②毛包の基底膜とこれを裏打ちする結合組織．＝hyaline m. (2)）．

glial limiting m. グリア境界膜（脳および脊髄の真性被膜をなす厚い弾力性のある膜で，星状膠細胞(マクログリア)の突起とこれが堅く付着している軟膜とからなるので，軟膜神経膠膜ともよばれる）．＝membrana limitans gliae.

Henle m. (hen′lĕ)．ヘンレ膜．＝*lamina* basalis choroideae.

Henle fenestrated elastic m. (hen′lĕ)．ヘンレ有窓弾性膜．＝elastic *laminae* of arteries.

Heuser m. (hoy′zĕr)．ホイザー膜．＝exocelomic m.

Hunter m. (hŭn′tĕr)．ハンター膜．＝deciduous m.

Huxley m. (hŭks′lē). ハックスリー膜. =Huxley *layer*.

hyaline m. 硝子膜（①ある種の上皮の下にある薄く透明な基底膜. ②=glassy m. (2)).

hyaloid m. ヒアリン膜. =posterior limiting *lamina* of cornea.

hyoglossal m. 舌骨舌膜（舌根を舌骨に結合している舌中隔後部の広がった部分で，おとがい舌筋の下方の線維がここに付着し，さらに正中線の近くの舌骨前上部までのびている).

inner m. 内膜（二重膜の内側の膜).

intercostal m.'s [TA]. 肋間膜（肋骨間の肋間筋層のうち膜状の部分). =membranae intercostales [TA]; intercostal ligaments; ligamenta intercostalia.

internal intercostal m. [TA]. 内肋間膜（肋骨角より内側で内肋間筋を後方へ分離している). =membrana intercostalis interna [TA].

interosseous m. of forearm [TA]. 前腕骨間膜（橈骨と尺骨の骨間縁同士を連結しているぶ厚い膜で，橈尺靱帯結合を形成し，両骨とともに前腕の屈側と伸側とを分けている). =membrana interossea antebrachii [TA].

interosseous m. of leg [TA]. 下腿骨間膜（腓骨と脛骨の骨間縁同士を連結しているぶ厚い膜で，脛腓靱帯結合の上部を形成し，両骨とともに筋間中隔を形成して下腿の屈側と伸側とを分けている). =membrana interossea cruris [TA]; ligamentum tibiofibulare medium.

ivory m. ぞうげ質膜. =*membrana* eboris.

Jackson m. (jak′sŏn). ジャクソン膜. =prececocolic *fascia*.

keratogenous m. =nail *matrix*.

limiting m. of retina 網膜の境界膜（網膜の２つの層. **internal limiting m.**(内境界膜)は Müller 線維の膨張した内方端からつくられ，**outer limiting m.**(外境界膜)は膜ではなくて，１列になった線維結合複合体である). =membrana limitans (1).

medullary m. 骨内膜. =endosteum.

mitochondrial m. ミトコンドリア膜（ミトコンドリアを形成している生体二重膜).

mucous m.'s* 粘膜（[誤ったつづり mucus membrane を避けること]. mucosa の公式の別名).

mucous m. of bronchus* 気管支粘膜（*mucosa* of bronchi の公式の別名).

mucous m. of ductus deferens* *mucosa* of ductus deferens の公式の別名.

mucous m. of esophagus* *mucosa* of esophagus の公式の別名.

mucous m. of female urethra* *mucosa* of female urethra の公式の別名.

mucous m. of gallbladder* *mucosa* of gallbladder の公式の別名.

mucous m. of large intestine* *mucosa* of large intestine の公式の別名.

mucous m. of larynx* *mucosa* of larynx の公式の別名.

mucous m. of male urethra =*mucosa* of male urethra.

mucous m. of nose* *mucosa* of nose の公式の別名.

mucous m. of pharyngotympanic auditory tube* *mucosa* of pharyngotympanic (auditory) tube の公式の別名.

mucous m. of pharynx [TA]. =*mucosa* of pharynx.

mucous m. of small intestine* *mucosa* of small intestine の公式の別名.

mucous m. of stomach* *mucosa* of stomach の公式の別名.

mucous m. of tongue* *mucosa* of tongue の公式の別名.

mucous m. of trachea* *mucosa* of trachea の公式の別名.

mucous m. of tympanic cavity* *mucosa* of tympanic cavity の公式の別名.

mucous m. of ureter* *mucosa* of ureter の公式の別名.

mucous m. of urinary bladder* *mucosa* of (urinary) bladder の公式の別名.

mucous m. of uterine tube* *mucosa* of uterine tube の公式の別名.

mucous m. of vagina* *mucosa* of vagina の公式の別名.

Nasmyth m. (nās′mith). ネースミス(ナスミス)膜. =enamel *cuticle*.

nictitating m. =*plica* semilunaris of conjunctiva (2).

Nitabuch m. (nē′tah-buk). ニータブーフ膜（子宮内膜緻密層の辺縁部と胎盤の栄養膜細胞層の間にできるフィブリン(フィブリン様物質)の層). =Nitabuch layer; Nitabuch stria.

nuclear m. 核膜. =nuclear *envelope*.

obturator m. [TA]. 閉鎖膜（閉鎖孔を埋めている強力な線維交織性の薄い膜で，周囲の骨とともに内外閉鎖筋の起始となっている). =membrana obturatoria [TA].

olfactory m. 嗅膜. =olfactory *region* of nose.

oral m. =buccopharyngeal m.

oronasal m. =bucconasal m.

oropharyngeal m. =buccopharyngeal m.

otolithic m. 平衡砂膜（内耳の球形嚢および卵形嚢の斑の不動毛細胞の毛によって支えられる膠様膜. 表面には，平衡砂とよばれる多数の結晶様粒子が付着している). =membrana statoconiorum [TA]; statoconial m.

outer m. 外膜（二重膜の２枚の膜のうち外側の膜).

ovular m. =*membrana* vitellina (1).

Payr m. (pīr). パイル膜（左結腸曲を横切る腹膜のひだ).

pericardiopleural m. =pleuropericardial *fold*.

peridental m. 歯根膜. =periodontium.

perineal m. 会陰膜，下尿生殖隔膜筋膜（尿道括約筋と深会陰横筋の下で，坐骨枝と恥骨下枝との間にある筋膜の層). =membrana perinei [TA]; Camper ligament; ligamentum triangulare; triangular ligament.

periodontal m.* 歯根膜（① periodontium の公式の別名. ②歯根膜の発生段階の１つ. 歯嚢と成熟した状態の間にみられる一時的な段階).

periorbital m. 眼窩骨膜. =periorbita.

pharyngeal m.'s 咽頭膜（早期胚において，咽頭嚢を咽頭溝から分離させる薄い層. 外面は外胚葉，内面は内胚葉からなる). =closing m.'s.

pial-glial m. 軟膜神経膠膜（脳と脊髄を包む２層の外膜で，神経膠性境界膜と軟膜からできている).

pituitary m. =*mucosa* of nose.

placental m. 胎盤膜（胎盤内で母体血と胎児血を分離している半透過性の胎児の組織層. (i)絨毛膜絨毛中の胎児血管内皮，(ii)絨毛間質，(iii)栄養膜細胞層(妊娠５か月以降消失する)，(iv)絨毛をおおう合胞体栄養細胞層，からなる. 胎盤膜は母体から胎児血への物質輸送を調節する選択膜として作用する). =placental barrier.

plasma m. [原]形質膜. =cell m.

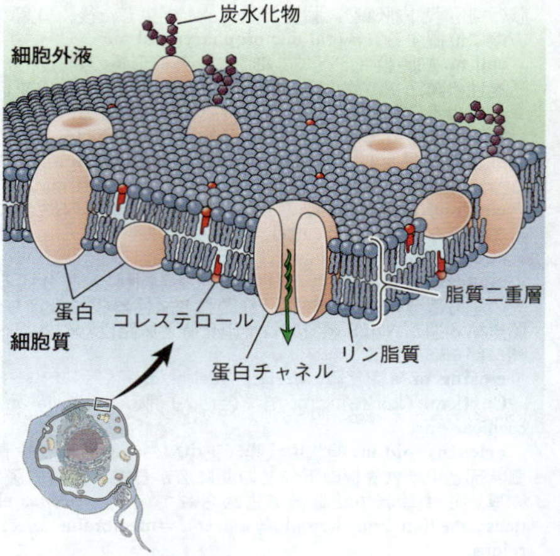

plasma membrane

pleuropericardial m. 胸腔心嚢膜. = pleuropericardial *fold.*

pleuroperitoneal m. 胸腔腹腔膜. = pleuroperitoneal *fold.*

posterior atlanto-occipital m. [TA]. 後環椎後頭膜（環椎の後弓と大後頭孔の後縁との間に付いている線維性の膜）. = membrana atlanto-occipitalis posterior [TA].

postsynaptic m. シナプス後膜（軸索終末とシナプス接合部を形成しているニューロンまたは筋線維の細胞膜の部分．多くの場合，このような小さなシナプス後膜斑は，厚さが増したり，電子密度が高まるような特徴的な形態上の変化を示し，シナプスのトランスミッタ感受性の受容器に相当するといわれている）.

premature rupture of m.'s (PROM) 前期破水（陣痛開始前に水腔が破裂すること）.

presynaptic m. シナプス前膜（軸索終末がシナプス接合部を形成するニューロンまたは筋線維の，形質膜に面した軸索終末の形質膜の部分．多くのシナプス接合部は円錐形の，電子顕微鏡で濃く見える内方への突起のような，構造上シナプス前部の特徴を示し，その他の部位の軸索形質膜と区別される．→synapse）.

primary egg m. →egg m.

proligerous m. = *cumulus* oophorus.

proper m. of semicircular duct [TA]. 半規管固有膜（半規管と骨半規管の間にある結合組織線維の交織で，外リンパの充満した一種の外リンパ間隙を埋める網工となっている）. = membrana propria ductus semicircularis; membrana propria of semicircular duct.

prophylactic m. 防衛膜. = pyogenic m.

pupillary m. 瞳孔膜（虹彩瞳孔板の薄い中央部分で，胎児期に瞳孔を閉塞している．通常，胎生7か月頃退行するが，細胞遺残の認められることもある．退行不全が先天性盲の原因となることがある）. = membrana pupillaris [TA]; Wachendorf m. (1).

pyogenic m. 〔化〕膿膜，膿瘍膜（まだ自己融解を起こしておらず膿瘍腔の内側をおおう膿細胞の層）. = prophylactic m.

quadrangular m. [TA]. 四角膜（喉頭室の上にある弾性膜の一部で下縁がやや肥厚して室靭帯とよばれ，室ひだの下にある．前は喉頭蓋に付着し後ろは披裂軟骨，小角軟骨に付着している．前部は喉頭蓋ひだの粘膜の下にあり喉頭前庭と喉頭咽頭部の梨状窩を仕切っている）. = membrana quadrangularis [TA]; Tourtual m.

Reissner m. (rīs′nĕr). ライスナー膜. = vestibular *surface* of cochlear duct.

reticular m. of spiral organ 〔ラセン器の〕網状膜（ラセン器細胞の板状構造によって形成される膜．上から見ると網状に見える）. = membrana reticularis organi spiralis [TA].

Rivinus m. (ri-vē′nŭs). リヴィヌス膜. = flaccid *part* of tympanic membrane.

round window m. 正円窓膜. = secondary tympanic m.

Ruysch m. (roysh). ライシュ膜. = capillary *lamina* of choroid.

Scarpa m. (skar′pah). スカルパ膜. = secondary tympanic m.

schneiderian m. シュナイダー膜. = *mucosa* of nose.

Schultze m. (shūlt′sĕ). シュルツェ膜. = olfactory *region* of nasal mucosa.

secondary egg m. →egg m.

secondary tympanic m. [TA]. 第二鼓膜（正円窓(蝸牛窓)をおおう膜）. = membrana tympani secundaria [TA]; round window m.; Scarpa m.

semipermeable m. 半透性膜（膜によって分離された溶液のどちらかあるいは両方において，溶液に対しては比較的透過性があるが溶質のすべてか少なくともいくつかに対しては比較的不透過である膜のこと）.

serous m. 漿膜. = serosa.

Shrapnell m. (shrap′nĕl). シュラップネル膜. = flaccid *part* of tympanic membrane.

spiral m.* tympanic *surface* of cochlear duct の公式の別名.

stapedial m. [TA]. あぶみ骨膜（あぶみ骨の脚と底の間に連結している繊細な粘膜層）. = membrana stapedis [TA].

statoconial m. 平衡砂膜. = otolithic m.

sternal m. [TA]. 胸骨膜（胸骨の前表面をおおう前肋胸骨靭帯から交錯している線維）. = membrana sterni [TA].

striated m. = *zona* striata.

suprapleural m. [TA]. 胸膜上膜（胸膜頂の上に広がり，それを補強する胸内筋膜の肥厚部分．第一肋骨の内縁と第七頸椎の横突起に付着する）. = membrana suprapleuralis [TA]; Sibson aponeurosis; Sibson fascia.

synovial m. [TA]. 滑膜（関節腔の内面に沿って存在する結合組織膜で，滑液を生産する．骨の関節軟骨の部分を除く全内面をおおっている）. = membrana synovialis [TA]; stratum synoviale; synovium; membrana synovialis (stratum synoviale) capsulae articularis [TA]; synovial layer of articular capsule.

tectorial m. of cochlear duct [TA]. 〔蝸牛管の〕蓋膜（内耳のラセン器の上にある膠様膜）. = membrana tectoria ductus cochlearis [TA]; Corti m.; tectorium (2).

tectorial m. (of median atlantoaxial joint) [TA]. 〔正中環軸関節の〕蓋膜（後縦靭帯の前半の上部にのびた部分で，後頭骨底部の表面上部と第二・第三頸椎の椎体部に付着し，環軸関節の天蓋をなしている）. = membrana tectoria (articulationis atlantoaxialis medianae) [TA]; apparatus ligamentosus weitbrechti; posterior occipitoaxial ligament.

tertiary egg m. →egg m.

thyrohyoid m. [TA]. 甲状舌骨膜（舌骨と甲状軟骨の間の間隙を埋める薄い線維性の膜）. = membrana thyrohyoidea [TA]; membrana hyothyroidea.

Toldt m. (tōlt). トルト膜（腎筋膜の前層）.

Tourtual m. (tūr′tū-ăl). ツールチュアル膜. = quadrangular m.

translocase of inner mitochondrial m. ミトコンドリア内膜の転送装置. = TIM *complexes* of protein translocators.

translocase of outer mitochondrial m. ミトコンドリア外膜の転送装置. = TOM *complex* of protein translocators.

tympanic m. [TA]. 鼓膜（鼓室の外側壁の大部分を形成し，鼓室と外耳道を分けている薄い緊張性の膜．外耳と中耳の境界を構成する．3層構造で外表面は皮膚でおおわれ，内表面は粘膜でおおわれる．両面とも上皮でおおわれ，緊張部は，外側は放射状に，内側は輪状に走る膠原線維の中間層をもつ）. = membrana tympani [TA]; drum m.; drum; drumhead; m. of tympanum; myringa; myrinx; eardrum.

m. of tympanum 鼓膜. = tympanic m.

undulating m., undulatory m. 波動膜（ある種の鞭毛虫類寄生虫(トリパノソーマとトリコモナド)の運動小器官で，限界膜がひれ状に伸びてべん毛鞘を兼ねたもの．波動膜の波状の運動は特徴のある動きを生じる）.

unit m. 単位膜（形質膜や他の細胞間の膜のもつ3層構造．電子顕微鏡横断切片でみると約2.5 nmの厚さの電顕暗調な2層が，2.5—3.5 nmの厚さのやや明るい層で隔てられている）.

urogenital m. 泌尿生殖膜（胚の排出腔膜の腹側部分）.

urorectal m. 尿直腸膜（総排出腔を泌尿生殖洞と直腸に分ける胚の泌尿直腸隔壁）. = urorectal fold.

uteroepichorial m. *decidua* parietalis に対してまれに用いる語.

vaginal synovial m. = synovial tendon *sheath.*

vestibular m.* 前庭階壁（vestibular *surface* of cochlear duct の公式の別名）.

virginal m. hymen を表す現在では用いられない語.

vitelline m. 卵黄膜. = *membrana* vitellina (1).

vitreous m. ***1*** = posterior limiting *lamina* of cornea. ***2*** 硝子体膜（硝子体の皮質にある細かい膠質線維の圧縮されたもの．以前は硝子体の周辺で被膜を形成するとされていた）. ***3*** = *lamina* basalis choroideae.

Wachendorf m. (yah′ken-dōrf). ヴァッヘンドルフ膜（① = pupillary m. ② = cell m.）.

yolk m. 卵黄膜. = *membrana* vitellina.

Zinn m. (zin). ツィン膜（虹彩の前層）.

---

mem·bra·nec·to·my (mem′bră-nek′tŏ-mē) [membrane + G. *ektomē*, excision]. 膜切除〔術〕（硬膜下血腫の膜除去）.

M

mem·bra·nelle (mem-bră-nel′). 小膜（融合した繊毛からなる小膜で，繊毛虫類の一部にみられる）.

mem·bra·ni·form (mem-brā′ni-fōrm). 膜様の. ＝membranoid.

mem·bra·no·car·ti·lag·i·nous (mem′bră-nō-kar′ti-laj′i-nŭs). 膜軟骨の（①一部は膜状で一部は軟骨状をしている. ②間葉の膜と軟骨の両者に由来したある種の骨についていう）.

mem·bra·noid (mem′bră-noyd). ＝membraniform.

mem·bra·nous (mem′bră-nŭs). 膜〔性〕の, 膜〔様〕の. ＝hymenoid (1); membranaceous.

mem·brum, pl. **mem·bra** (mem′brŭm, mem′bră) [L. member]. 体肢.

m. inferius [TA]. 下肢. ＝lower *limb*.

m. muliebre clitoris を表す現在では用いられない語.

m. superius [TA]. 上肢. ＝upper *limb*.

m. virile ＝penis.

mem·o·ry (mem′ŏ-rē) [L. *memoria*]. 記憶（①体験したり学習したことを想起することに対して用いる一般用語. ②情報刺激を受容(登録)，修飾，貯蔵，想起する心的情報処理系. コード化 encoding，貯蔵 storage，想起 retrieval の 3 段階よりなる）.

affect m. 情動記憶（重要な経験が思い出されるたびに起こる感情的要素）.

anterograde m. 前向〔性〕記憶（ある時点または急性脳障害(脳卒中や外傷など)の後の出来事，体験の想起. *cf.* anterograde *amnesia*）.

autobiographic m. 自伝的記憶（個人史や同一性に関する記憶）.

long-term m. (**LTM**) 長期記憶（情報が記銘，コード化されて短期記憶となり，さらに符号化，リハーサルを経て，将来の想起のために転移され永久に貯蔵される記憶過程. 認知能力の基礎となるのは長期記憶にある材料と情報である）.

procedural m. 手続き記憶（前意味論的な認知，視空間情報の処理，感情価を含む記憶の保持のことで，これによりADL(日常生活動作)に必要なスキルの想起が可能となる. *cf.* autobiographic m.）.

remote m. 遠隔記憶（最近の出来事とは対照的な，遠い過去の出来事に対する記憶. 老年者に特徴的にみられる）.

retrograde m. 逆向〔性〕記憶（ある時点または急性脳障害(脳卒中や外傷など)の前の出来事，体験の記憶. *cf.* retrograde *amnesia*）.

screen m. 隠ぺい記憶（精神分析的概念. 意識にのぼらせても耐えられる記憶をいい，思い出せば感情的な苦痛を伴う記憶を無意識におおい隠す役割を果たす）.

selective m. 選択記憶（体験したもののうち，ある種のものだけを受容，想起すること）.

senile m. 老年(老人)〔性〕記憶（老年者あるいは認知症の人に特徴的にみられる，遠い過去の出来事に対する記憶）.

short-term m. (**STM**) 短期記憶（認知・記銘された刺激が短期間貯蔵される記憶過程. 崩壊は急速に起こり，一般に数秒内であるが，リハーサルを行って，資料を繰り返し短期記憶に循環させることによって保持は無限となる）. ＝temporary m.

subconscious m. 下意識記憶（すぐには想起できない情報）.

temporary m. ＝short-term m.

MEN multiple endocrine *neoplasia* の略.

MEN1 multiple endocrine *neoplasia* type I の略.

MEN2 multiple endocrine *neoplasia* II の略.

MEN2A multiple endocrine *neoplasia* type IIA の略.

MEN2B multiple endocrine *neoplasia* IIB の略.

MEN3 multiple endocrine *neoplasia* III の略.

me·nac·me (me-nak′mē) [G. *mēn*, month ＋ *akmē*, prime]. 月経年齢（女性の一生で月経のある期間）.

men·a·di·ol di·ac·e·tate (men′ă-dī′ol dī-as′ĕ-tāt). メナジオール二酢酸（両方の水酸基がアセチル化されたメナジオール. プロトロンビン合成ビタミン）. ＝vitamin K_4.

men·a·di·ol so·di·um di·phos·phate (men′ă-dī′ol sō′dē-ŭm dī-fos′fāt). メナジオール二リン酸ナトリウム（メナジオンのジヒドロキシ誘導体. 同様のビタミンK活性を示す）.

men·a·di·one (men′ă-dī′ōn). メナジオン（メナジオンの 3–多重プレニル誘導体やメナキノンやビタミン K_3 として知られている化合物の基本化合物）. ＝vitamin K_3.

m. reductase メナジオンレダクターゼ. ＝*NADPH* dehydrogenase (quinone).

me·nar·che (me-nar′kē) [G. *mēn*, month ＋ *archē*, beginning]. 初経，初潮（[誤った発音 men′arche を避けること]. 月経機能の開始. 月経が始まった時期）.

me·nar·che·al, men·ar·chi·al (me-nar′kē-ăl). 初経の，初潮の.

Men·del (men′dĕl), Gregor J. オーストリア人遺伝学者，1822—1884. →mendelian *character*; mendelian *inheritance*; mendelian *ratio*; M. first *law*, second *law*.

Men·del (men′dĕl), Kurt. ドイツ人神経科医，1874—1946. →M. instep *reflex*; Bechterew-M. *reflex*.

Men·de·lé·eff (Mendeleev) (men-dĕ-lā′ĕf), Dimitri (Dmitri) I. ロシア人化学者，1834—1907. →mendelevium; M. *law*.

men·de·le·vi·um (Md) (men′dĕ-lē′vē-ŭm) [*D. Mendeléeff*]. メンデレビウム（1955 年，アインスタイニウムにアルファ粒子を衝撃して得られた元素. 原子番号 101，原子量 258.1）.

men·de·li·an (men-dēl′ē-ăn). Gregor Mendel による，または彼の記した. 通常は，単一遺伝子座に由来する形質の遺伝的伝授の挙動および機構のことをさす場合に用いられる.

Men·de·li·an In·her·i·tance in Man (**MIM**) (men-dē′lē-ăn in-her′i-tans man). ヒトメンデル遺伝カタログ（標準的，包括的で，定期的に更新されるヒトの形質に関する参照資料で，対象となる形質は，メンデル性であることが示されているか，正当な根拠に基づいてそうであると考えられているものからなる. 各記載は 6 桁のカタログ番号をもつ. (分子生物学あるいは広範囲の臨床研究によって)確立されたものは星印で印されている）.

men·del·ism (men′del-izm). メンデル説，メンデリズム（Gregor Mendel によって発表された法則に由来する，単一遺伝子形質についての遺伝法則）.

men·del·iz·ing (men′del-īz′ing). メンデル説の（各形質の遺伝様式は，表現型のうえで対立形質を支配する遺伝子が，各々独立性を保って遺伝することに因る，という説）.

Men·del·son (men′dĕl-sŏn), Curtis L. 20世紀の米国人医師.

Mén·é·tri·er (mānn′ā-trē-ā′) Pierre E. フランス人医師，1859—1935. →M. *disease*, *syndrome*.

Men·ge (men′gĕ), Karl. ドイツ人婦人科医，1864—1945. →M. *pessary*.

Mén·i·è·re (men′ē-ār′), Prosper. フランス人医師，1799—1862. →M. *disease*, *syndrome*.

men·in (men′in) [*m*ultiple *e*ndocrine *n*eoplasia ＋ *-in*]. メニン（多発性内分泌腫瘍症(MEN) 1 型で欠陥のある腫瘍抑制遺伝子(*MENIN*)の産生する蛋白）.

mening- (mĕ-ning′). →meningo-.

me·nin·ge·al (mĕ-nin′jē-ăl, men′in-jē′ăl). 〔脳 脊〕髄 膜 の（[正しい発音は menin′geal であるが，米国ではしばしば meninge′al と発音される]）.

me·nin·ge·o·cor·ti·cal (mĕ-nin′jē-ō-kōr′ti-kăl). ＝meningocortical.

me·nin·ge·or·rha·phy (mĕ-nin′jē-ōr′ă-fē) [G. *mēninx* (*mēning-*), membrane ＋ *rhaphē*, suture]. 髄膜縫合〔術〕（頭蓋または脊髄の髄膜あるいはその他の膜の縫合）.

me·nin·ges (mĕ-nin′jēz) [TA]. meninx の複数形.

me·nin·gi·o·an·gi·o·ma·to·sis (mĕ-nin′jē-ō-an′jē-ō-mă-tō′sis). 髄膜血管腫症（脳実質を障害する血管と髄膜細胞の増殖で，てんかんや神経線維腫症と合併する）.

me·nin·gi·o·ma (mĕ-nin′jē-ō′mă) [mening- ＋ G. *-oma*, tumor]. 髄膜腫（クモ膜組織から発生する良性，被包性の新生物で，成人に多発する. 最も多い型は，渦巻き状や偽小葉状の，長い紡錘状の細胞から構成され，しばしば砂腫がみられる. 好発部位は上矢状静脈洞，蝶形骨隆起に沿った部位および視神経交叉の近辺である. 髄膜上皮性髄膜腫の他に，線維性，移行性，化生性，砂粒腫性，分泌性，明細胞性，乳頭状，棒状，索状，リンパ形質細胞性，血管腫性，小嚢腫性，異型性，退形成性の種類がある）.

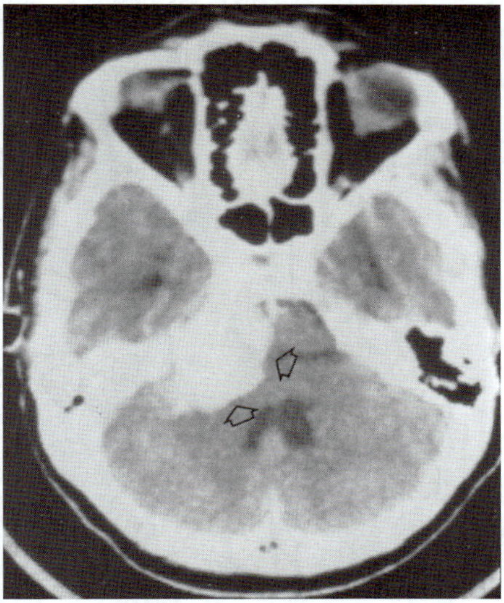

meningioma

造影増強した病巣（矢印）は，典型的な聴神経腫より錐体骨に沿ってより広がっている．

cutaneous m. 皮膚髄膜腫（髄膜上皮細胞からなる皮膚および皮下組織の病変．発生学的異常として小児に生じ，また頭蓋内髄膜腫から進展する形で成人に生じる）．

malignant m. 悪性髄膜腫（低分化で有系分裂活動が過剰であるか，転移する髄膜腫）．

meningothelial m. 髄膜細胞性髄膜腫（合胞体細胞型髄膜腫のうち最も頻繁にみられるタイプである．通常，良性で乳頭状毛渦や砂粒体が欠損している）．＝meningothelioma; meningotheliomatous m.

meningotheliomatous m. ＝meningothelial m.

psammomatous m. 砂状石灰化を伴う髄膜腫（髄膜，脈絡叢，および脳に関連する他の構造物の線維状組織に由来する小胞状の硬い新生物．多発性，散発性，周心円の層状の石灰質体の形成が特徴．ほとんどそのような新生物は組織学的に良性であるが，脳の圧迫により重篤な徴候を生じる）．＝sand tumor; Virchow psammoma.

me·nin·gi·o·ma·to·sis (mĕ-nin′jē-ō-mă-tō′sis)．髄膜腫症（多発性髄膜腫が存在すること．Recklinghausen 病にときにみられる）．

me·nin·gism (mĕ-nin′jizm)．髄膜症（症状は髄膜炎に類似するが，これらの膜に実際には炎症はない）．＝pseudomeningitis.

men·in·git·ic (men′in-jit′ik)．髄膜炎〔性〕の．

men·in·gi·tis, pl. **men·in·git·i·des** (men′in-jī′tis, -jit′i-dēz) [mening- + G. *itis*, inflammation]．髄膜炎（脳髄膜または脊髄膜の炎症．→arachnoiditis; leptomeningitis）．＝cerebrospinal m.

basilar m. 脳底髄膜炎（脳基底部の髄膜炎で，通常，結核，梅毒，または他の慢性肉芽腫性病変による．内水頭症を起こすことがある）．

cerebrospinal m. 脳脊髄膜炎．＝meningitis.

eosinophilic m. 好酸球性髄膜炎（髄膜刺激徴候が前景に出る髄膜炎の型．→angiostrongylosis）．

epidemic cerebrospinal m. 流行性〔脳脊〕髄膜炎．＝meningococcal m.

epidural m. 硬膜外髄膜炎．＝*pachymeningitis* externa.

external m. 外髄膜炎．＝*pachymeningitis* externa.

internal m. 内髄膜炎．＝*pachymeningitis* interna.

listeria m. リステリア〔性〕髄膜炎．＝listeriosis.

meningococcal m. 髄膜炎菌性〔脳脊〕髄膜炎（髄膜炎菌 *Neisseria meningitidis* によって起こり小児および若年成人がかかる急性感染症．発熱，頭痛，光恐怖，嘔吐，項部硬直，痙攣，昏睡，および紫斑を特徴とする．髄膜炎がない場合でも髄膜炎菌血症は血管炎，播種性血管内凝固，ショック，および副腎出血による Waterhouse-Friderichsen 症候群などの中毒現象を引き起こすことがある．晩発性合併症には麻痺，精神遅滞，四肢の壊疽などがある）．＝cerebrospinal fever; epidemic cerebrospinal m.

Mollaret m. (mōl-lah-rā′)．モラレー髄膜炎（再発性無菌性髄膜炎．頭痛，倦怠感，髄膜徴候，髄液単核球増加を伴う熱性疾患）．

neoplastic m. 新生物性髄膜炎（新生物細胞，特に髄芽細胞腫または転移性癌によるクモ膜下腔への浸潤）．＝neoplastic arachnoiditis.

occlusive m. 閉鎖性髄膜炎（脊髄液通路の閉塞を起こす軟膜炎）．

otitic m. 耳性髄膜炎（中耳炎または乳様突起炎に続発する髄膜の感染）．

serous m. 漿液性髄膜炎（続発性外水頭症を伴う急性髄膜炎）．

tuberculous m. 結核性髄膜炎（肉芽腫性炎症を特徴とする脳軟髄膜の炎症．通常，脳基底部に限局し(脳底髄膜炎，内水頭症)，小児の場合は脳室に脊髄液の貯留(急性水頭症)を伴う）．＝cerebral tuberculosis (1).

meningo-, mening- (mĕ-ning′gō, mĕ-ning′) [G. *mēninx*, membrane]．**[**本連結形の誤った発音 men-in′jō を避けること**]**．髄膜を意味する連結形．

me·nin·go·cele (mĕ-ning′gō-sēl) [meningo- + G. *kēlē*, tumor]．髄膜瘤，髄膜ヘルニア（頭蓋骨または脊柱欠損部から，脳膜または脊髄膜が突出すること）．

spurious m. 偽性髄膜瘤，偽性髄膜ヘルニア（髄膜の裂傷により脳脊髄液が頭蓋外または脊髄外に貯留する状態）．＝traumatic m.

traumatic m. 外傷性髄膜瘤，外傷性髄膜ヘルニア．＝spurious m.

me·nin·go·coc·ce·mi·a (mĕ-ning′gō-kok-sē′mē-ă)．髄膜炎菌血〔症〕（髄膜炎菌 *Neisseria meningitidis* が循環血液中に存在すること）．

acute fulminating m. 急性電撃性髄膜炎菌血症（急速に進行する髄膜炎菌 *Neisseria meningitidis* の全身感染．通常，髄膜炎は併発しない．発疹(通常，点状出血や紫斑)，高熱，低血圧を特徴とする．数時間以内に死亡に至ることが多い）．

me·nin·go·coc·cus, pl. **me·nin·go·coc·ci** (mĕ-ning′gō-kok′ŭs, -kok′sī) [meningo- + G. *kokkos*, berry]．髄膜炎菌．＝*Neisseria meningitidis*.

me·nin·go·cor·ti·cal (mĕ-ning′gō-kōr′ti-kăl)．髄膜皮質の（脳の髄膜と皮質に関する）．＝meningeocortical.

me·nin·go·cyte (mĕ-ning′gō-sīt) [meningo- + G. *kytos*, cell]．髄膜組織球（クモ膜下腔の間葉上皮細胞．マクロファージになる）．

me·nin·go·en·ceph·a·li·tis (mĕ-ning′gō-en-sef-ă-lī′tis) [meningo- + G. *enkephalos*, brain + *-itis*, inflammation]．髄膜脳炎（脳とその膜の炎症）．＝cerebromeningitis; encephalomeningitis.

acute primary hemorrhagic m. ＝acute epidemic *leukoencephalitis*.

biundulant m. 二波性髄膜脳炎．＝tick-borne *encephalitis* (Central European subtype).

chronic progressive syphilitic m. 慢性進行性梅毒性髄膜脳炎．＝paretic *neurosyphilis*.

eosinophilic m. 好酸球性髄膜脳炎（ラットの肺虫である広東住血線虫 *Angiostrongylus cantonensis* の感染で起こることが多い病気．この幼虫が，ナメクジやカタツムリ(または他の未確認の運搬宿主)とともに摂取され，腸管から脳の髄膜に移動し，好酸球性髄膜脳炎を起こす．症状は通常，軽症で持続期間は短く，発熱，好酸球増加，脊髄液中の白血球(まれに線虫の幼虫)増加を特徴とする．症候は髄膜と脳の両方の機能障害を示す）．

herpetic m. ヘルペス髄膜脳炎（ヘルペス 1 型に起因し，

致死率の高い髄膜脳炎の重症の型).

mumps m. 流行性耳下腺炎性髄膜脳炎（流行性耳下腺炎の活動期に起こる，通常，良性の神経系感染症).

primary amebic m. 原発〔性〕アメーバ〔性〕髄膜脳炎（土壌のアメーバ，主に *Naegleria fowleri* による侵入性で急速に致死性の脳感染．ヒトおよび他の霊長類，および実験的にげっ歯類にみられる．高熱，項部硬直，咳や嘔気のような上気道感染に伴う症状を特徴とする．この微生物は種々の臓器から培養されるが，脳が原発巣である．嗅葉と大脳皮質が特に侵され，ここは篩板を通って鼻粘膜からはいってくるアメーバによって最初に侵される．通常，症状が発現してから2－3日後に死亡する).

syphilitic m. 梅毒性髄膜脳炎（梅毒の二期または三期に発現する．致死例はまれである).

me·nin·go·en·ceph·a·lo·cele (mĕ-ning′gō-en-sef′ă-lō-sēl′) [meningo- + G. *enkephalos*, brain + *kēlē*, hernia]. 髄膜脳瘤（通常は前頭部または後頭部の頭蓋骨先天性欠損部から髄膜と脳が突出すること). = encephalomeningocele.

me·nin·go·en·ceph·a·lo·my·e·li·tis (mĕ-ning′gō-en-sef′ă-lō-mī′ĕ-lī′tis) [meningo- + G. *enkephalos*, brain + *myelos*, marrow + *-itis*, inflammation]. 髄膜脳脊髄炎（脳と脊髄および脳髄膜と脊髄膜の炎症).

me·nin·go·en·ceph·a·lop·a·thy (mĕ-ning′gō-en-sef′ă-lop′ă-thē) [meningo- + G. *enkephalos*, brain + *pathos*, suffering]. 髄膜脳障害，髄膜脳症（髄膜と脳を侵す疾患). = encephalomeningopathy.

me·nin·go·hy·dro·en·ceph·a·lo·cele (mĕ-ning′gō-en-sef′ă-lō-sēl). 髄膜脳ヘルニア性水頭症（頭蓋骨のうち，通常は後頭骨の鱗状部に生じた大きな骨化欠損．同部を通して脳の一部および脳室が髄膜腔の外側へ脱出する).

me·nin·go·my·e·li·tis (mĕ-ning′gō-mī′ĕ-lī′tis) [meningo- + G. *myelos*, marrow + *-itis*, inflammation]. 髄膜脊髄炎（脊髄およびそれを包むクモ膜と軟膜，まれに硬膜の炎症).

me·nin·go·my·e·lo·cele (mĕ-ning′gō-mī′ĕ-lō-sēl′) [meningo- + G. *myelos*, marrow + *kēlē*, tumor]. 髄膜脊髄瘤（脊柱の欠損部から脊髄とその膜が突出すること). = myelocystomeningocele; myelomeningocele.

me·nin·go-os·te·o·phle·bi·tis (mĕ-ning′gō-os′tē-ō-flĕ-bī′tis). 髄膜骨静脈炎（髄膜静脈の炎症).

me·nin·go·ra·dic·u·lar (mĕ-ning′gō-ra-dik′yū-lăr) [meningo- + L. *radix*, root]. 髄膜神経根の（脳をおおう髄膜または脊髄の神経根に関する).

me·nin·go·ra·dic·u·li·tis (mĕ-ning′gō-ra-dik′yū-lī′tis). 髄膜神経根炎（髄膜と神経根の炎症).

me·nin·gor·rha·chid·i·an (mĕ-ning′gō-ra-kid′ē-ăn) [meningo- + G. *rhachis*, spine]. 髄膜脊髄の（脊髄と脊髄膜に関する).

me·nin·gor·rha·gi·a (mĕ-ning-gō-rā′jē-ă) [meningo- + G. *rhēgnymi*, to burst forth]. 髄膜出血（脳髄膜または脊髄膜の中あるいは直下への出血).

men·in·go·sis (men′ing-gō′sis) [meningo- + G. *-ōsis*, condition]. 膜性骨癒合（新生児の頭蓋骨にみられるような骨の膜性結合).

meningothelioma = meningothelial *meningioma.*

me·nin·go·vas·cu·lar (mĕ-ning′gō-vas′kyū-lăr). 髄膜脈管の（髄膜の血管または髄膜と血管についていう).

men·in·gu·ri·a (men′ing-gū′rē-ă) [meningo- + G. *ouron*, urine]. 膜尿〔症〕（尿中に膜様の細片が排泄されること).

me·ninx, gen. **me·nin·gis,** pl. **me·nin·ges** (mē′ninks, -jēz; men′ingks, mĕ-nin′jes) [Mod.L. < G. *mēninx*, membrane][TA]. 髄膜（膜，特に脳と脊髄をおおう膜.→*arachnoid* mater; dura mater; pia mater; leptomeninx).

m. fibrosa dura mater(硬膜)に対してまれに用いる語.

m. primitiva = primordial m.

primordial m. 原始髄膜（脳と脊髄を囲む粗な胚性間葉組織で，そこから髄膜(硬膜，クモ膜，軟膜)が由来する). = m. primitiva.

m. tenuis = leptomeninx.

vascular m. pia mater に対してまれに用いる語. = m. vasculosa.

m. vasculosa = vascular m.

men·is·cec·to·my (men′i-sek′tŏ-mē) [G. *mēniskos*, crescent (meniscus) + *ektomē*, excision]. 〔膝関節〕半月〔板〕切除〔術〕（[誤ったつづり menisectomy を避けること]．半月板を通常，膝関節から切除すること).

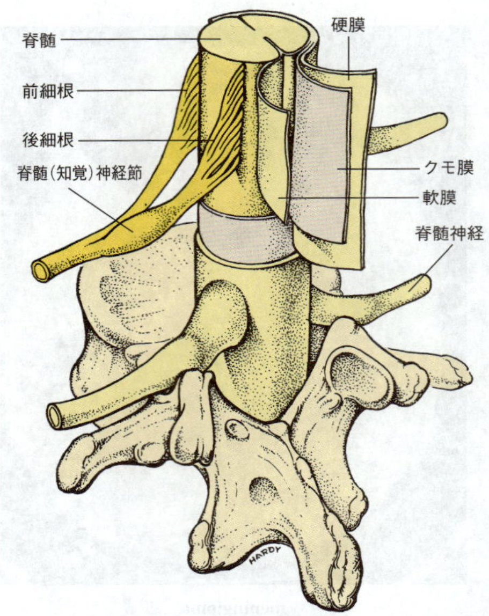

meninges of the spinal cord

正常人において生きている場合，クモ膜と硬膜の間に自然に生じるスペースはない.

me·nis·ci (mĕ-nis′sī). [誤った発音 men-is′kī を避けること]. meniscus の複数形.

men·is·ci·tis (men′i-sī′tis) [G. *mēniskos*, crescent (meniscus) + *-itis*, inflammation]. 〔膝関節〕半月〔板〕炎，〔膝関節〕半月軟骨炎（線維軟骨性炎症).

me·nis·co·cyte (mĕ-nis′kō-sīt) [G. *mēniskos*, a crescent + *kytos*, a hollow (cell)]. 鎌状〔赤〕血球. = sickle *cell.*

me·nis·co·pex·y (mĕ-nis′kō-pek′sē) [menisco- + G. *pēxis*, fixation]. 半月〔板〕固定術（内側半月板を元来の付着部に固定する手術法). = meniscorrhaphy.

men·is·cor·rha·phy (men′is-kōr′ă-fē) [menisco- + G. *rhaphē*, suture]. 半月〔板〕縫合術. = meniscopexy.

me·nis·co·tome (mĕ-nis′kō-tōm) [G. *mēniskos*, crescent (meniscus) + *tomē*, incision]. 半月板切除刀（半月板の除去に用いる器具).

me·nis·cus, pl. **me·nis·ci** (mĕ-nis′kŭs, mĕ-nis′sī) [G. *mēniskos*, crescent]. ***1*** = meniscus *lens.* ***2*** [TA]. 半月，盤（半月形の構造). ***3*** 半月〔板〕（膝，肩鎖，胸鎖，側頭下顎関節にみられる半月形の線維軟骨様構造).

articular m. 関節半月. = meniscus *lens.*

m. articularis 関節半月. = meniscus *lens.*

converging m. 収束メニスカスレンズ（凸面パワーが凹面パワーより強い凹凸レンズ). = positive m.

diverging m. 発散メニスカスレンズ（凹面パワーが凸面パワーより強い凹凸レンズ). = negative m.

lateral m. [TA]. 外側半月（脛骨の上関節面の外側に付着する半月形の線維軟骨で，大腿骨と脛骨の相接する面間の空所を埋めている). = m. lateralis [TA]; external semilunar fibrocartilage.

m. lateralis [TA]. 外側半月. = lateral m.

medial m. [TA]. 内側半月（脛骨の上関節面の内側に付着する半月形の線維軟骨で，大腿骨と脛骨の相接する面間の空所を埋めている). = m. medialis [TA]; falciform cartilage; internal semilunar fibrocartilage of knee joint.

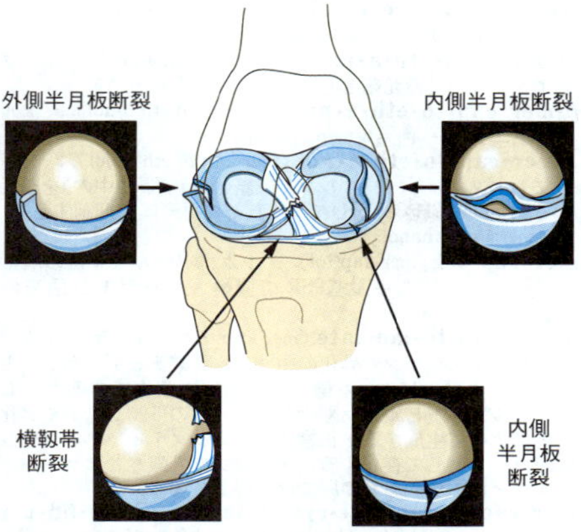

meniscal tears

各断裂の関節鏡検査像を示した膝関節の前面図．

m. medialis [TA]．内側半月．=medial m.

negative m. =diverging m.

periscopic m. =aplanatic *lens*.

positive m. =converging m.

tactile m. 触覚盤（表皮内の特殊な触覚性の感覚神経終末で，1個の Merkel 細胞の基底部に杯形の表皮内神経軸索が付いている）．=m. tactus; Merkel corpuscle; Merkel tactile cell; Merkel tactile disc; tactile disc.

m. tactus 触覚盤．=tactile m.

Men·kes (meng′kĕs), John H. 20世紀の米国人神経科医．→M. *syndrome*.

meno- [G. *mēn*, month]．月経を意味する連結形．

men·o·ce·lis (men′ō-sē′lis) [meno- + G. *kēlis*, spot]．メノケリス（無月経の場合にときに生じる，黒ずんだ斑状または点状出血様の発疹）．

men·o·me·tror·rha·gi·a (men′ō-mē′trō-rā′jē-ă) [meno- + G. *mētra*, uterus + *rhēgnymi*, to burst forth]．機能性子宮出血（月経期間中または月経と月経との間の，不規則あるいは過剰な出血）．

men·o·pau·sal (men′ō-paw′zăl)．閉経期の．

men·o·pause (men′ō-pawz) [meno- + G. *pausis*, cessation]．閉経〔期〕，月経閉止〔期〕（卵巣不全による月経の永久的停止．月経年齢の終わり）．

premature m. 早発閉経（40歳以前の周期的卵巣機能の障害）．=premature ovarian failure.

men·o·pha·ni·a (men′ō-fā′nē-ă) [meno- + G. *phainō*, to show]．月経初潮（思春期における初めての月経徴候）．

Men·o·pon (men′ō-pon)．タンカクハジラミ属（鳥類にみられる刺咬性のシラミの一属（ハジラミ目タンカクハジラミ科）．家禽に感染する重要な害虫としては，ニワトリハジラミ *M. gallinae*（*M. pallidum*）があり，これは長さ 1.7—2.0 mm の淡黄色のシラミで，ニワトリ，アヒル，ハトに見出される）．

men·or·rha·gi·a (men′ō-rā′jē-ă) [meno- + G. *rhēgnymi*, to burst forth]．月経過多．=hypermenorrhea.

men·or·rhal·gi·a (men′ō-ral′jē-ă) [meno- + G. *algos*, pain]．月経痛．=dysmenorrhea.

men·o·tro·pins (men′ō-trō′pinz)．メノトロピン（主として卵胞刺激ホルモンを含む閉経後婦人の尿からの抽出物．→human menopausal *gonadotropin*; urofollitropin）．

men·o·u·ri·a (men′ō-yū′rē-ă) [meno- + G. *ouron*, urine + *-ia*, condition]．月経尿（膀胱子宮瘻により，月経が膀胱を通して起こるもの）．

men·o·xe·ni·a (men′ō-zē′nē-ă) [meno- + G. *xenos*, strange]．月経不順，月経異常，代償月経（月経の何らかの異常）．

men·ses (men′sēz) [L. *mensis*(month)の複数形]．月経（約4週間間隔で起こり，子宮粘膜に源をもつ周期性の生理的出血．通常，出血は排卵と子宮内膜の前脱落膜変化の後に起こる．→menstrual *cycle*）．=menstrual period.

men·stru·al (men′strū-ăl) [L. *menstrualis*]．月経の（[誤ったつづりまたは発音 menstral を避けること]）．

men·stru·ant (men′strū-ănt)．月経中の女子，月経可能の女子．

men·stru·ate (men′strū-āt) [L. *menstruo*, pp. *-atus*, to be menstruant]．月経がある，月経が通じる．

men·stru·a·tion (men-strū-ā′shŭn) [→menstruate]．月経（[誤ったつづりおよび発音 menestration, menstration，および他の別形を避けること]．子宮内膜の周期的剥落と月経周期中の子宮からの血性分泌物の放出）．

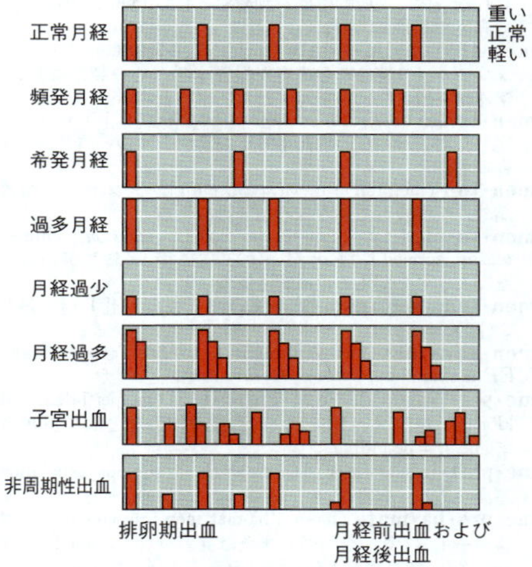

menstruation

Kaltenbachの図にみる月経異常．

anovular m. 無排卵性月経（現周期で排卵のない子宮出血．霊長類の雌にも同様に起こる）．=anovulational m.; nonovulational m.

anovulational m. =anovular m.

nonovulational m. =anovular m.

retained m. 月経貯留．=hematocolpos.

retrograde m. 逆行性月経（月経血が卵管を逆流すること．ときに子宮内膜細胞も運ばれる．子宮内膜症の原因の1つと考えられている）．

supplementary m. 補充月経（月経時に起こる子宮内膜症による，臍や尿路からの出血）．

suppressed m. 抑制月経（原因のいかんを問わず，月経の起こらないこと）．

vicarious m. 代償〔性〕月経（正常月経の起こるべきときに，子宮粘膜以外の部位から起こる出血）．

men·stru·um, pl. **men·strua** (men′strū-ŭm, -stroo-ă) [Mediev. L. menstrual fluid(これには溶解性があると考えられていた)，L. *menstruus*(monthly)の中性形]．solvent(溶媒，溶剤)の古語．

men·su·al (men′sū-ăl, -shū-ăl) [L. *mensis*, month]．月々の，月経の．

men·su·ra·tion (men′sū-rā′shŭn) [L. *mensuratio* < *mensuro*, to measure]．計量，計測．

men·tal (men′tăl)．*1* [L. *mens* (*ment-*), mind]．精神〔的〕の．*2* [L. *mentum*, chin]．おとがい(頤)の．=genial; genian.

men·ta·lis (men-tā′lis) [L.]．おとがい(頤)筋（→mentalis (*muscle*)）．

men·tal·i·ty (men-tal′i-tē)．心性．

men·ta·tion (men-tā′shŭn)．精神機能(作用)（推理と思考の

M

過程).

Men·ten (men′tĕn), Maud L. 米国に在住したカナダ人病理学者, 1879—1960. →Michaelis-M. *constant, hypothesis*.

Men·tha (men′thă) [L.]. ハッカ属（シソ科の植物の一属. セイヨウハッカ *M. piperita* はペパーミント, メグサハッカ *M. pulegium* はボレイハッカ, ミドリハッカ *M. viridis* はスペアミントである). =mint.

men·thane (men′thān). メンタン（メントール, テルペンなどのアルコールの親物質である単環式テルペン).

men·thol (men′thol). メントール, ハッカ脳（ペパーミント油または他のハッカ油から得られる, または合成されるアルコール. 止痒薬, 局所麻酔薬として, 鼻噴霧器, 咳止めドロップや吸入器に, また矯味矯臭薬として用いる). =peppermint camphor.

camphorated m. 樟脳とメントールの同量を粉砕して得られた液体. 局所的に反対刺激薬として, 薄めて噴霧剤として鼻炎や咽頭炎に用いる.

men·thyl sa·lic·y·late (men′thil să-lis′i-lāt). サリチル酸メンチル（日焼けから皮膚を保護するための製剤において, 紫外線を通さないフィルタとして用いられる).

men·to·la·bi·a·lis (men′tō-lā′bē-ā′lis) [L.]. おとがい(頤)唇筋（おとがい筋と下唇下制筋を1つの筋肉とみなす場合の名称).

men·ton (men′tŏn) [L. *mentum*, chin]. メントン（頭蓋計測の外側顎投影でみられる結合影の下点).

men·to·plas·ty (men′tō-plas′tē) [L. *mentum*, chin + G. *plastos*, formed]. おとがい(頤)形成〔術〕（おとがいの形または大きさを変える手術的治療のこと).

men·tum, gen. men·ti (men′tŭm, -tī) [L.][TA]. おとがい(頤). =chin.

men·yan·thes (men-yan′thēz). ミツガシワ. =buck bean.

MEP maximal expiratory *pressure* の略.

me·per·i·dine hy·dro·chlor·ide (mĕ-per′i-dēn hīdrō-klōr′īd). 塩酸メペリジン（麻酔薬や鎮痛薬として汎用されている). =pethidine.

me·phit·ic (mĕ-fit′ik) [L. *mephitis*, a noxious exhalation]. 悪臭のある, 有毒な. =poisonous; noxious.

me·pro·ba·mate (mĕ-prō′bă-māt mep′brō-bam′āt). メプロバメート（[誤ったつづりまたは発音 meprobromate を避けること]. 依存性および常習性を有する経口抗不安薬).

me·pyr·a·pone (me-pir′ă-pōn). =metyrapone.

mEq, meq milliequivalent の略.

-mer (mer). *1* mono-, di-, tri-, poly-, のような接頭語に付く化学の接尾語で, 反復する構造の最小単位を表す. 例えば polymer. *2* isomer, enantiomer のように, 特別のグループの一員であることを示す接尾語.

me·ral·gi·a (me-ral′jē-ă) [G. *mēros*, thigh + *algos*, pain]. 大腿痛（大腿の痛み, 特に m. paraesthetica をいう).

m. paresthetica 感覚(知覚)異常性大腿神経痛（大腿外側の大腿外側皮神経の領域に灼熱痛, 刺痛, かゆみ, 蟻走感などを呈する. 大腿外側皮神経のエントラップメントが原因である. 症状がある皮膚はしばしば感覚過敏を呈する). =Bernhardt disease; Bernhardt-Roth syndrome.

mer·bro·min (mer-brō′min). メルブロミン (2,7-dibromo-4-hydroxymercurifluorescein の二ナトリウム塩. 有機水銀消毒薬で, エオシンやフロキシンと類似した染色性を有し, 細胞質組織と強い親和性をもつ. また組織化学的に蛋白結合のチオール基やジスルフィド基を染色し, 明視野および蛍光顕微鏡での検鏡に用いる). =mercurochrome.

mer·cap·tal (mer-kap′tăl). メルカプタール（2価の酸素が2つのチオアルキル基–SR で置換されたアルデヒド由来の物質).

mer·cap·tan (mer-kap′tan). メルカプタン（①チオアルコールまたはチオール. アルコールの酸素が硫黄で置換されたもの. 例えばシステイン. →thiol. =thioalcohol. ②歯科において, ときにラバーベース印象材として用いる弾力性のある印象材).

methyl m. メチルメルカプタン（含硫蛋白に対する細菌の作用により腸内で生成する. アスパラガス(特徴的なにおいの基になる)の消化後, 尿中に存在する. また種々の含有機硫黄殺虫薬や防カビ薬の製造に用いる).

mercapto- (mer-kap′tō). チオール基–SH の存在を示す接頭語.

mer·cap·to·a·ce·tic ac·id (mer-kap′tō-ă-sē′tik as′id). メルカプト酢酸. =thioglycolic acid.

mer·cap·to·eth·a·nol (mer-kap′tō-eth′ă-nol). メルカプトエタノール（還元剤として一般的に用いられる).

β-mer·cap·to·eth·a·nol (mer-kap′tō-eth′ă-nol). β–メルカプトエタノール. =2-mercaptoethanol.

2-mer·cap·to·eth·a·nol (mer-kap′tō-eth′ă-nol). 2–メルカプトエタノール（ジスルフィド結合(特に蛋白中の)を還元する試薬($HOCH_2CH_2SH$)で, またその再形成を抑制する). =β-mercaptoethanol.

mer·cap·tol (mer-kap′tol). メルカプトール（2価の酸素が2つのチオアルキル基–SR で置換されたケトン由来の物質).

3-mer·cap·to·lac·tate (mer-kap′tō-lak′tāt). 3–メルカプト乳酸（システインの異化の中間体. 乳酸デヒドロゲナーゼの3–メルカプトピルビン酸への作用により生成する. そして3–メルカプトピルビン酸はシステインのトランスアミノ化反応によって生成する. 正常尿中に, システインとの混合ジスルフィドとして存在する. メルカプト乳酸－システインジスルフィド尿症の患者の尿では上昇している).

mer·cap·to·lac·tate-cys·te·ine di·sul·fid·u·ria (mer-kap′tō-lak′tāt-sis′tĕ-ēn dī′sul-fĭd-yū′rēa) [MIM *249650]. 尿中に 3-mercaptolactate と cysteine の混合ジスルフィドのレベルが上昇していること.

6-mer·cap·to·pu·rine (Shy) (mer-kap′tō-pyūr′ēn). メルカプトプリン（ヒポキサンチンおよびアデニンの同族体. 抗腫瘍薬).

3-mer·cap·to·py·ru·vate (mer-kap′tō-pī-rū′vāt). 3–メルカプトピルビン酸（システインのトランスアミノ化生成物. システインの異化の際生成する. 3–メルカプトピルビン酸スルファートランスフェラーゼの欠損した患者ではレベル上昇がみられる).

3-m. sulfurtransferase 3–メルカプトピルビン酸スルファートランスフェラーゼ（システインの異化経路中の酵素. 3–メルカプトピルビン酸からピルビン酸と H_2S への反応を触媒する. この酵素の欠損によって, 3–メルカプト乳酸と 3–メルカプトピルビン酸(両者ともシステインとのジスルフィド)の尿中濃度が上昇する).

mer·cap·tu·ric ac·id (mer-kap-tyūr′ik as′id). メルカプツール酸（ブロムベンゼンのような芳香族化合物と L–システインとの縮合物. 一般的にはアセチル化されている. グルタチオンによって肝臓で生物学的に形成され, 尿中に排出する. *S*–置換 *N*–アセチル L–システイン. *cf.* mercapturic acid *pathway*).

Mer·ci·er (mĕr-sē-ā′), Louis A. フランス人泌尿器科医, 1811—1882. →M. *bar, sound, valve*; median *bar* of M.

mer·co·cre·sols (mer-kō-krē′solz). メルコクレゾール（第二アミルトリクレゾールと *o*–塩化ヒドロキシフェニル水銀の等量からなる混合物. 殺真菌・殺菌・静菌作用がある).

mer·cu·ri·al (mer-kyū′rē-ăl). *1*〚adj.〛水銀の. *2*〚n.〛水銀剤, 汞剤（医薬品として用いる水銀塩. 精神状態をすみやかに変化させる作用を有する).

mer·cu·ri·a·len·tis (mer-kyū′rē-ă-len′tis). 水銀白内障（水銀で起こる水晶体前嚢の褐色の変色. 水銀中毒の初期の徴候).

mer·cu·ri·a·lism (mer-kyū′rē-ă-lizm). 水銀中毒. =mercury *poisoning*.

mer·cu·ric (mer-kyū′rik). 第二水銀（昇汞すなわち塩化第二水銀のような, 金属イオンが2価である水銀塩についていう. 塩化第一水銀は甘汞である).

mer·cu·ric chlor·ide (mer-kyū′rik klōr′īd). 塩化第二水銀（局所消毒薬, 生物以外のものに対する殺菌薬). =corrosive sublimate; mercury bichloride; mercury perchloride; corrosive mercury chloride.

ammoniated m. c. =ammoniated *mercury*.

mer·cu·ric i·o·dide, red (mer-kyū′rik ī′ō-dīd, red). 赤色ヨウ化〔第二〕水銀（消毒薬として, また生物以外のものに対する殺菌薬として用いる物質). =mercury biniodide; mercury deutoiodide.

mer·cu·ric o·le·ate (mer-kyū′rik ō′lē-āt). オレイン酸第二水銀（寄生虫皮膚疾患に用いる軟膏様製剤).

mer·cu·ric ox·ide, red (mer-kyū′rik oks′īd, red). 赤色酸化第二水銀（外用で慢性皮膚疾患や真菌感染症の消毒薬として用いる物質）. =red precipitate.

mer·cu·ric ox·ide, yel·low (mer-kyū′rik oks′īd, yel′ō). 黄色酸化第二水銀（外用で眼瞼や結膜炎症の治療に消毒薬として用いる物質）. =yellow precipitate.

mer·cu·ric sa·lic·y·late (mer-kyū′rik să-lis′i-lāt). サリチル酸水銀（寄生虫や真菌による皮膚疾患の治療に外用で用いる散剤）. =mercury subsalicylate.

mer·cu·ro·chrome (mer-kyūr′ō-krōm). マーキュロクロム. =merbromin.

mer·cu·rous (mer-kyū′rŭs, mer′kū-rŭs). 第一水銀の（甘汞すなわち塩化第一水銀 HgCl のような，金属イオンが 1 価である水銀塩についていう．塩化第二水銀は昇汞 $HgCl_2$ である）.

mer·cu·rous chlor·ide (mer-kyū′rŭs, klōr′īd). 塩化第一水銀. =calomel.

mer·cu·rous i·o·dide (mer-kyū′rŭs, ī′ō-dīd). ヨウ化第一水銀（外用で眼疾患に軟膏として用いる物質）. =mercury protoiodide; yellow mercury iodide.

mer·cu·ry (Hg) (mĕr′kyū-rē) [L. *Mercurius*, Mercury(商業の神，神々の使者); Mediev. L. quicksilver, mercury]. 水銀（比重の高い液体金属元素．原子番号 80，原子量 200.59．体温計，気圧計，圧力計，その他の科学機器に使用される．いくつかの塩類および有機水銀は医療上用いられる．取り扱いに注意を要する．^{197}Hg(半減期 2.672 日)と ^{203}Hg(半減期 46.61 日)は脳および腎の走査(スキャン)に使用されてきた）. =hydrargyrum; quicksilver.

ammoniated m. 白降汞（皮膚疾患の治療に軟膏として用いる成分）. =ammoniated mercuric chloride; white mercuric precipitate.

m. bichloride, m. perchloride, corrosive m. chloride 二塩化水銀，過塩素酸水銀，腐食性塩化水銀. =mercuric chloride.

m. biniodide 二ヨウ化水銀. =mercuric iodide, red.

m. deutoiodide 二ヨウ化水銀. =mercuric iodide, red.

ethyl m. エチル水銀（チメロサールの分解物.→thimerosal）.

m. protoiodide ヨウ化第一水銀. =mercurous iodide.

m. subsalicylate サリチル酸水銀. =mercuric salicylate.

yellow m. iodide 黄色ヨウ化水銀. =mercurous iodide.

mere-, mero- (mer′ĕ, mer′ō) [G. *mēros*, share]. 【本語幹でつくられる語とギリシア語 mēros(大腿)からつくられる語を混同しないこと】. 部分を表す連結形．一連の同じ部分のうちの 1 つを示すこともある.→ -mer.

Mer·en·di·no (mer-en-dē′nō), K. Alvin. 米国人外科医, 1914—1985. ⇀M. *technique*.

mer·e·prine (mer′ĕ-prēn). メレプリン. =doxylamine succinate.

Mer·e·to·ja (mer-ĕ-tō′yă), J. フィンランド人医師. ⇀M. *syndrome*.

me·rid·i·an (mĕ-rid′ē-an) [L. *meridianus*, pertaining to midday, on the south side, southern][TA]. ***1*** 子午線，経線（球体を囲む線で，赤道に直角に交差し両極に達する．または極から極までの半分をさす）. =meridianus [TA]. ***2*** 経絡（刺鍼術において，異なる解剖上の部位をつなぐ線をいう）.

m. of cornea 角膜経線（角膜頂点を通る各方向の経線）.

m.'s of eyeball [TA]. 眼球の経線（眼球の前極と後極の両方を通り眼球の表面を囲む線）. =meridiani bulbi oculi [TA].

me·rid·i·an·i (mĕ-rid′ē-ā′nī). meridianus の複数形.

me·rid·i·a·nus, pl. me·rid·i·an·i (mĕ-rid′ē-ā′nŭs, mĕ-rid′ē-ā′nī) [L.][TA]. 経線. =meridian (1).

meridiani bulbi oculi [TA]. 眼球の経線. =*meridians* of eyeball.

me·rid·i·o·nal (mĕ-rid′ē-ŏ-năl). 経線の.

mer·i·spore (mer′i-spōr) [G. *meros*, a part + *sporos*, seed]. 裂生胞子（二次胞子．他の(複合あるいは多室)胞子の分節によってできる胞子）.

mer·i·ste·mat·ic (mer′is-tĕ-mat′ik) [G. *merizein*, to divide]. メリステムの（(真菌において)新たに発育のみられる菌糸または特異な構造物の分部(メリステム)に関連した）.

me·ris·tic (mĕ-ris′tik) [G. *meristikos*, suitable for dividing]. 裂生の，対称の（平等に分割されうるもの．一生体の部分の配列上，両側または縦の対称についていう）.

Mer·kel (mer′kĕl), Friedrich S. ドイツ人解剖・生理学者, 1845—1919. ⇀M. cell *tumor*, *corpuscle*, tactile *cell*, tactile *disc*.

Mer·kel (mer′kĕl), Karl L. ドイツ人解剖学者・咽喉科医, 1812—1876. ⇀M. *filtrum* ventriculi, *fossa*, *muscle*.

merlin (mer′lin). マーリン（神経線維腫 2 型遺伝子にコードされている腫瘍抑制蛋白で，神経線維腫 2 型の発症に重要な働きをする）.

Mer·mis (mĕr′mis). メルミス属（細長い不透明な線虫の一属で，幼虫は昆虫，特にバッタ類の血体腔に寄生するが，成虫は土壌中で自由生活する．偶発的な摂取によりヒトへの感染が起こることがある）.

M. nigrescens 土壌中にみられる線虫の種で，卵は草の上に産卵される．通常の宿主はバッタ類．ヒトの消化管や泌尿生殖器にみられることもあるが，まれである.

mero- ⇀mere-.

mer·o·a·cra·ni·a (mer′ō-ă-krā′nē-ă) [mero- + G. *a-* 欠性辞 + *kranion*, skull]. 部分無頭〔蓋〕症（後頭骨以外の頭蓋の先天的部分欠如）.

mer·o·an·en·ceph·a·ly (mer′ō-an′en-sef′ă-lē) [mero- + G. *an-* 欠性辞 + *enkephalos*, brain]. 部分無脳症（頭蓋冠と脳の大部分(通常，前脳と中脳)が先天的に欠損）. =anencephalia; anencephaly.

mer·o·crine (mer′ō-krin, -krīn, -krēn) [mero- + G. *krinō*, to separate]. ⇀merocrine *gland*.

mer·o·di·a·stol·ic (mer′ō-dī′ă-stol′ik) [mero- + diastole]. 部分的拡張期の（心臓の拡張期の一部分についていう）.

mer·o·gas·tru·la (mer′ō-gas′trū-lă). 不完全卵割の腸胚.

mer·o·gen·e·sis (mer′ō-jen′ĕ-sis) [mero- + G. *genesis*, origin]. 分節発生，体節形成（①分節による生殖．②接合体の卵割）.

mer·o·ge·net·ic, mer·o·gen·ic (mer′ō-jĕ-net′ik, -ō-jen′ik). 分節発生の，体節形成の.

me·rog·o·ny (mĕ-rog′ō-nē) [mero- + G. *gonē*, generation]. ***1*** 卵片発生，単精発生（壊れた卵子の不完全な発育）. ***2*** メロゴニー，メロゾイト産生（無性生殖のシゾゴニーの一型．典型的なのは胞子虫類の原生動物で，細胞質が分裂する前に核が数度分裂する．生活環のこの無性生殖期に，シゾントは分裂してメロゾイトをつくる）.

mer·o·me·li·a (mer′ō-mē′lē-ă) [mero- + G. *melos*, a limb]. 肢部分欠損〔症〕（肢(肢帯部は除外)の先天性部分的欠損．例えば，半肢症，アザラシ肢症）.

mer·o·mi·cro·so·mi·a (mer′ō-mī′krō-sō′mē-ă) [mero- + G. *mikros*, small + *sōma*, body]. 部分小人症，部分小体症（身体のある部分が異常に小さいこと．局部的小人症）.

mer·o·my·o·sin (mer′ō-mī′ō-sin). メロミオシン（ミオシンのトリプシン処理によってできる産生物．2 つの型，すなわち H メロミオシンと L メロミオシンが産生される）.

H-m., heavy-m. H メロミオシン，ヘビーメロミオシン（ミオシンに対するトリプシンの作用でできる産生物のうちの重いほう．分子量約 350,000．ミオシンの ATP アーゼ活性を有する）.

L-m., light-m. L メロミオシン，ライトメロミオシン（ミオシンのトリプシン処理によってできる産生物のうちの軽いほう．分子量約 120,000）.

mer·ont (mer′ont). メロント期，メロゾイト産生期（胞子虫の生活環の一段階で，無性の多数分裂(シゾゴニー)を生じ，その結果メロゾイトがつくられる.→schizont）.

mer·o·ra·chis·chi·sis, mer·or·rha·chis·chi·sis (mer′ō-ră-kis′ki-sis) [mero- + G. *rhachis*, spine + *schisis*, fissure]. 部分的脊柱裂. =rachischisis partialis.

me·ros·mi·a (mĕ-roz′mē-ă) [mero- + G. *osmē*, smell]. 部分的無嗅覚〔症〕，部分的嗅覚消失(脱失)（色覚異常と類似した状態．特定のにおいに対する感覚が欠けている嗅覚機能障害）.

mer·o·spor·an·gi·um (mer′ō-spōr-ran′jē-ŭm) [G. *meros*, part + sporangium]. メロスポランギウム（わずかな胞子を含む円筒形で小型の胞子嚢で，ある種の接合菌類でみられる）.

M

mer·o·sys·tol·ic (mer′ō-sis-tol′ik) [mero- + systole]．部分的収縮〔期〕の（心臓の収縮期の一部分についていう）．
me·rot·o·my (mĕ-rot′ŏ-mē) [mero- + G. *tomē*, incision]．細胞切断（細胞の生存や発生の能力を研究するために，1つの細胞をいくつかの部分に切断するような，部分への切断操作）．
mer·o·zo·ite (mer′ō-zō′īt) [mero- + G. *zōon*, animal]．メロゾイト，分裂小体（シゾゴニーまたは類似した型の無性生殖，例えばエンドジオゲニーやエンドポリゲニー，に由来する胞子虫類原生動物の運動性の感染性期．メロゾイトはシゾントの表面で，原口すなわちシゾントへの陥入を形成し，寄生性胞子虫類の盛んな繁殖力の原因となる．これはヒトのマラリアでみられ，周期的なメロゾイトの産生が典型的な熱と悪感の症候群をつくり出す）．＝endodyocyte (2)．
mer·o·zy·gote (mēr′ō-zī′gōt) [mero- + *zygōtos*, yoked]．部分接合体，メロザイゴート（微生物遺伝において，それ自身のゲノム（内在性ゲノム断片，エンドゲノート）に加えて他の生体のゲノム断片（外来性ゲノム断片，エキソゲノート）を含む生体．比較的小さな内在性ゲノム断片は，限られた領域の内在性ゲノム断片のみが二倍体の状態になる）．
MERRF (mĕrf)．マーフ，エムイーアールアールエフ（*myo*clonic epilepsy with *r*agged *r*ed *f*iber myopathy（もじゃもじゃ赤色線維ミオパシーを伴うミオクローヌスてんかん）の頭文字．ミトコンドリア疾患の1つ．転移 RNA がコード化されているミトコンドリアゲノム 8344 部位の変異が原因である）．＝myoclonic epilepsy with ragged red fiber myopathy．
Mer·ri·field (mer′i-fēld), R. Bruce．20世紀の米国人生化学者・ノーベル賞受賞者．→M. *synthesis*．
Mer·ritt (mer′it), Katharine K．20世紀の米国人小児科医．→Kasabach-M. *syndrome*．
Mé·ry (mā′rē), Jean．フランス人解剖学者，1645—1722．→M. *gland*．
Merz·bach·er (mertz′bahk-ĕr), Ludwig．アルゼンチンに在住したドイツ人医師，1875—1942．→M.-Pelizaeus *disease*; Pelizaeus-M. *disease*．
mes- (mes)．→meso-．
me·sad (mē′zad, mē′sad) [G. *mesos*, middle + L. *ad*, to]．正中方向に（身体または部分の正中面を通る，に向かう）．＝mesiad．
me·sal (mē′zăl, mē′săl) [G. *mesos*, middle]．身体または部分の正中面に関してまれに用いる語．
mes·a·me·boid (mez′ă-mē′boyd) [mes- + G. *amoibē*, change (ameba) + *eidos*, resemblance]．原始血球（中胚葉，恐らく血球芽細胞に由来する原始遊走細胞 primitive wandering cell に対して Minot が用いた語）．
mes·an·gi·al (mes-an′jē-ăl)．メサンギウムの，糸球体間質の．
mes·an·gi·um (mes-an′jē-ŭm) [mes- + G. *angeion*, vessel]．メサンギウム，糸球体間質（毛細血管の間の腎糸球体の中心部分．メサンギウム細胞は食細胞性で，大部分は内皮細胞により毛細管腔と仕切られている）．
  extraglomerular m. 糸球体外メサンギウム（緻密斑と傍糸球体装置の輸入動脈および輸出動脈でつくられる三角に位置するメサンギウム細胞．→lacis *cell*）．＝polkissen of Zimmermann．
mes·a·or·ti·tis (mes′ā-ōr-tī′tis) [mes- + aortitis]．大動脈中膜炎（大動脈の中膜すなわち筋膜の炎症）．
mes·a·re·ic, mes·a·ra·ic (mes′ă-rā′ik) [G. *mesaraion*, mesentery < *mesos*, middle + *araia*, flank, belly]．腸間膜の．＝mesenteric．
mes·ar·ter·i·tis (mes′ar-tĕr-ī′tis) [mes- + arteritis]．動脈中膜炎．
me·sat·i·ce·phal·ic (mĕ-sat′i-se-fal′ik) [G. *mesatos*, midmost + *kephalē*, head]．＝mesocephalic．
me·sat·i·pel·lic, me·sat·i·pel·vic (mĕ-sat′i-pel′ik, -pel′vik) [G. *mesatos*, midmost + *pellis*, a bowl (pelvis)]．中骨盤の（骨盤指数が 90—95 度の人についていう．骨盤上部の入口は円形で，横径は前後径より 1 cm 弱長い）．
mes·ax·on (mez-ak′son, mes-)．神経軸索を取り囲んで幾重にも重なっている神経鞘の細胞膜．電子顕微鏡写真では二重の層が外見上腸間膜に類似する．
mes·ca·line (mes′kă-līn)．メスカリン；3,4,5-trimethoxyphenylethylamine（リュウゼツラン，メキシコセンニンショウ *Lophophora williamsii* の芽にある最も活性の高いアルカロイド．LSD と類似の精神異常発現作用，すなわち情緒の変動，知覚の変化，幻想，視覚性幻覚，妄想，離人症，散瞳，瞳孔動揺，そして体温と血圧の上昇を生じる．精神的依存性，耐性，LSD やプシロシビンとの交差耐性が生じる．ペヨーテの主成分）．
me·sec·to·derm (mĕ-sek′tō-derm) [mes- + ectoderm]．中外胚葉（①中胚葉および外胚葉の分化の完成途上にある原口の背縁周囲部位の細胞．②外胚葉，特に非常に幼若な胎児における頭部の神経堤由来の間葉からなる部分．＝ectomesenchyme）．
mes·en·ce·phal·ic (mez-en′se-fal′ik)．中脳の．
mes·en·ceph·a·li·tis (mes′en-sef′ă-lī′tis)．中脳炎（中脳の炎症）．
mes·en·ceph·a·lon (mes-en-sef′ă-lon) [mes- + G. *enkephalos*, brain][TA]．中脳（胎児の3つの原始脳胞（このうち尾方が菱脳胞，吻側が前脳胞）の中央部から発育する脳幹の部分．成人では中脳は肉眼解剖学上，屋根をなす板，つまり中脳蓋板，中脳視（左右の上丘と下丘よりなる）のユニークな構造および前外側（腹側外側）にある大脳脚の大きな類似する左右の突出を特徴とする．横断面では，開口している中脳の中心管，中脳水道が，灰白質（有髄線維が少ない）の突起した輪で囲まれているのがみえる．この灰白物質は，ミエリンに富む中脳被蓋につながり，背側は蓋板をおおう．中脳の突起細胞群は，滑車神経と動眼神経の運動核，赤核，および黒質を含む）．＝midbrain vesicle*; midbrain*．
mes·en·ceph·a·lot·o·my (mes′en-sef′ă-lot′ŏ-mē) [mesencephalon + G. *tomē*, incision]．中脳切開〔術〕（①中脳における構造物の切断，特に頑痛の軽減に対する脊髄視床路やジスキネジー（異常運動）に対する大脳脚の切断をいう．②中脳における脊髄視床路切断術）．
me·sen·chy·ma (mĕ-seng′ki-mă, mĕ-zeng′)．＝mesenchyme．
me·sen·chy·mal (mĕ-seng′ki-măl, mez-eng-kī′măl)．間葉の．
mes·en·chyme (mes′eng-kīm) [mes- + G. *enkyma*, infusion]．間葉（①間葉細胞または線維芽細胞様細胞の集合体．②通常は星形で，層間ゼリーで支えられた間葉細胞で構成される始原胎性結合組織）．＝mesenchyma．
  interzonal m. 帯間間葉（胎児において，隣接する骨格部分の間にある，血管のない間葉の部位．将来の関節部分）．
  synovial m. 滑膜間葉（帯間間葉を取り巻く血管性の間葉．関節の滑膜になる）．
mes·en·chy·mo·ma (mes′eng-kī-mō′mă)．間葉腫（線維組織以外の間葉組織由来の混合物からなる新生物を表すまれに用いる語．**benign m.**（良性間葉腫）は血管，筋肉，脂肪，類骨，骨，軟骨組織の病巣を含み，そのような新生物はときに複合名で分類される．例えば angioleiomyolipoma（血管平滑筋脂肪腫）など．しかし総括的な名称のほうが望ましい．**malignant m.**（悪性間葉腫）も生じることがあり，これは同様に線維組織細胞以外の2種以上の間葉細胞の混合物で悪性のものをさす）．
mes·en·ter·ic (mes′en-ter′ik)．腸間膜の．＝mesareic; mesaraic．
mes·en·ter·i·o·lum (me-sen′ter-ī′ō-lŭm) [Mod. L. *mesenterium*（mesentery）の指小辞]．間膜（［誤った発音 mesenteri-o′lum を避けること］．腸憩室の1つのような小さな腸間膜）．＝mesoenteriolum．
  m. processus vermiformis 虫垂間膜．＝mesoappendix．
mes·en·ter·i·o·pexy (mes′en-ter′ē-ō-pek′sē) [mesentery + G. *pēxis*, fixation]．腸間膜固定〔術〕（裂けた腸間膜または切開された腸間膜の固定）．＝mesopexy．
mes·en·ter·i·or·rha·phy (mes′en-ter-ē-ōr′ă-fē) [mesentery + G. *rhaphē*, suture]．腸間膜縫合〔術〕．＝mesorrhaphy．
mes·en·ter·i·pli·ca·tion (mes′en-ter′ē-plī-kā′shŭn) [mesentery + L. *plico*, pp. *-atus*, to fold]．腸間膜成襞〔術〕，腸間膜ひだ形成〔術〕（1つ以上のしわをつくることによって腸間膜の余分を減らす方法）．
mes·en·ter·i·tis (mes′en-tĕr-ī′tis)．腸間膜炎．
mes·en·ter·i·um (mes′en-ter′ē-ŭm) [Mod. L.][TA]．腸間膜．＝mesentery．

m. dorsale commune 総背側腸間膜. ＝mesentery (2).

mes·en·ter·on (mes-en′ter-on) [mes- ＋G. *enteron*, intestine]. 中腸（昆虫の消化管の中央部で，消化の行われる部位．中腸は前部の指状突起，胃部盲嚢，および管状の前中腸，続いてその後方には嚢状の腔すなわち胃を有する）.

mes·en·tery (mes′en-ter′ē) [Mod.L. *mesenterium* < G. *mesenterion* < G. *mesos*, middle ＋ *enteron*, intestine][TA]. ＝mesenterium [TA]. 腸間膜（①腹壁に付着する二重の膜になった腹膜で，そのひだの中に腹部内臓の一部または全部を包み込み，血管と神経を搬送している．②小腸(空腸と回腸)の大部分を支えていて，それを腸間膜根で後腹壁に付着させている腹膜の扇形のひだ．＝mesenterium dorsale commune; mesostenium）.

m. of appendix ＝mesoappendix.

m. of cecum 盲腸間膜. ＝mesocecum.

m. of lung ＝mesopneumonium.

m. of sigmoid colon S 状結腸間膜（⇀mesocolon）.

m. of transverse colon 横行結腸間膜（⇀mesocolon）.

urogenital m. ＝diaphragmatic *ligament* of the mesonephros.

MeSH Medical Subject Headings(医学事項索引の見出し)の略.

mesh·work (mesh′wŏrk). 網（⇀network）.

trabecular m. 小柱網. ＝trabecular *tissue* of sclera.

me·si·ad (mē′zē-ad, mes′ē-ad). ＝mesad.

me·si·al (mē′zē-ăl, mes′ē-ăl) [G. *mesos*, middle]. 近心の（[medial または median と混同しないこと．medial 参照]．歯列弓の正中線により近いことを表す.→proximal）.

mesio- (mē′zē-ō) [G. *mesos*, middle]. 近心の，を意味する(特に歯科用語の)連結形.

me·si·o·buc·cal (mē′zē-ō-bŭk′ăl). 近心面頬面の（歯の近心面と頬側面に関し，特にこれら 2 面の接合により形成される角についていう）.

me·si·o·buc·co-oc·clu·sal (mē′zē-ō-bŭk′ō-ŏ-klū′săl). 近心面頬面咬合面の（小臼歯および大臼歯の近心面，頬側面，咬合面の接合により形成される角についていう）.

me·si·o·buc·co·pul·pal (mē′zē-ō-bŭk′ō-pŭl′păl). 近心面頬面髄面の（窩洞形態で，近心面，頬面，髄面の接合により形成される角についていう）.

me·si·o·cer·vi·cal (mē′zē-ō-ser′vi-kăl). 近心面歯頸側の（①近心壁と歯頸側壁からなる窩洞の線角についていう．②近心面と歯頸部からなる歯の部分についていう）.

me·si·o·clu·sion (mē′zē-ō-klū′zhŭn). 近心咬合（上顎歯列弓に対し下顎歯列弓が正常よりも近心に咬合する不正咬合．Angle 分類でIII級不正咬合）.

me·si·o·dens (mē′zē-ō-denz) [mesio- ＋L. *dens*, tooth]. 正中歯（上顎中切歯の間で，上顎前歯部の正中線に位置する過剰歯）. ＝mediodens.

me·si·o·dis·tal (mē′zē-ō-dis′tăl). 近遠心の（歯の近心面と遠心面を切る平面または直径についていう）.

me·si·o·dis·toc·clu·sal (MOD) (mē′zē-ō-dist′ō-klū′săl, -zăl). 近心面遠心面咬合面の（小臼歯および大臼歯における三面窩洞または窩洞形態や修復(Black 分類の二級窩洞)についていう）.

me·si·o·gin·gi·val (mē′zē-ō-jin′ji-văl). 近心面歯肉側の（歯の近心面と歯肉縁の接合により形成される角に関する）.

me·si·o·gnath·ic (mē′zē-ō-nath′ik). 前突の（一顎または両顎が正常位置より前方にある不正咬合についていう）.

me·si·o·in·ci·sal (mē′zē-ō-in-sī′săl, -zăl). 近心面切端の（歯の近心面と切端面に関し，それらの接合により形成される角についていう）.

me·si·o·la·bi·al (mē′zē-ō-lā′bē-ăl). 近心面唇面の（歯の近心面と唇面に関し，特にこれら 2 面の接合により形成される角についていう）.

me·si·o·lin·gual (mē′zē-ō-ling′gwăl). 近心面舌面の（歯の近心面と舌面に関し，特にこれら 2 面の接合により形成される角についていう）.

me·si·o·lin·guo-oc·clu·sal (mē′zē-ō-ling′gwō-ŏ-klū′săl, -zăl). 近心面舌面咬合面の（小臼歯と大臼歯の近心面，舌面，咬合面により形成される角についていう）.

me·si·o·lin·guo·pul·pal (mē′zē-ō-ling′gwō-pŭl′păl). 近心面舌面髄面の（歯の窩洞形態で，近心面，舌面，髄面の接合により形成される角についていう）.

me·sio-oc·clu·sal (mē′zē-ō-ō-klū′săl). 近心面咬合面の（小臼歯と大臼歯の近心面と咬合面の接合により形成される角についていう）.

me·sio-oc·clu·sion (mē′zē-ō-ō-klū′zhŭn). 近心咬合. ＝mesial *occlusion*.

me·si·o·place·ment (mē′zē-ō-plās′ment). 近心変位. ＝mesioversion.

me·si·o·pul·pal (mē′zē-ō-pŭl′păl). 近心面髄面の（歯の近心側の窩洞の内壁または底面についていう）.

me·si·o·ver·sion (mē′zē-ō-ver′zhŭn). 近心転位（歯が正常な位置より近心位にある位置異常．歯列弓の彎曲に沿って前方に変位すること）. ＝mesial displacement; mesioplacement.

Mes·mer (mes′mer), F.A. ハプスブルク帝国の医師，1734—1815. ⇀mesmerism.

mes·mer·ism (mes′mer-izm) [F.A. *Mesmer*, オーストリア系ハンガリー人医師，1734—1815]. 動物磁気，動物電気，メスメリズム（1 つの治療体系で，そこから催眠術と暗示療法が発展した）.

mes·mer·ize (mes′mer-īz) [⇀mesmerism]. hypnotize を表す現在では用いられない語.

meso-, mes- (mes′ō, mes) [G. *mesos*]. ***1*** 中央の，平均の，中間の，を意味する接頭語．***2*** 腸間膜，腸間膜様構造物，を意味する接頭語．***3*** 2 つ以上のキラル中心をもち，内部に対称面をもつ化合物を示す接頭語．そのような化合物は光学活性を示さない．例えば *meso*- システチン.

mes·o·ap·pen·dix (mez′ō-ă-pen′diks) [TA]. 虫垂間膜（回腸末端に位置する虫垂の短い腸間膜）. ＝mesenteriolum processus vermiformis; mesentery of appendix.

mes·o·ar·i·um (mez′ō-ār′ē-ŭm). ＝mesovarium.

mes·o·bi·lane (mez′ō-bī′lān). メソビラン（ピロール環の間に二重結合がなく，無色の還元メソビリルビン．→bilirubinoid）. ＝mesobilirubinogen; urobilinogen IXα.

mes·o·bi·lene, mesobilene- (mez′ō-bī′lēn). メソビレン（bilirubinoid の一種．⇀urobilin）. ＝urobilin IXα.

mes·o·bil·i·ru·bin (mez′ō-bil′i-rū′bin). メソビリルビン（ビリルビンのビニル基がエチル基に還元された点がビリルビンと異なる化合物．→bilirubinoid）.

mes·o·bil·i·ru·bin·o·gen (mez′ō-bil′i-rū-bin′ō-jen). メソビリルビノゲン. ＝mesobilane.

mes·o·bil·i·vi·o·lin (mez′ō-bil′i-vī′ō-lin). メソビリビオリン（bilirubinoid の一種）.

mes·o·blast (mez′ō-blast) [meso- ＋G. *blastos*, germ]. 中胚葉母細胞（中胚葉(mesoderm)の同義語として用いる場合もある.→mesoderm）.

mes·o·blas·te·ma (mez′ō-blas-tē′mă) [meso- ＋G. *blastēma*, a sprout]. 中胚葉芽細胞（初期の未分化の中胚葉を構成する一群の細胞）.

mes·o·blas·tem·ic (mez′ō-blas-tēm′ik). 中胚葉芽細胞の.

mes·o·blas·tic (mez′ō-blas′tik). 中胚葉の.

mes·o·car·di·a (mez′ō-kar′dē-ă) [meso- ＋G. *kardia*, heart]. ***1*** 胸郭中央位心臓（早期胚のまだ正常位にない心臓で，胸郭の中心にある）．***2*** mesocardium の複数形.

mes·o·car·di·um, pl. **mes·o·car·di·a** (mez′ō-kar′dē-ŭm, mez′ō-kar′dē-ă) [meso- ＋G. *kardia*, heart]. 心間膜（心膜腔に胚子の心臓を支えている内臓中胚葉の二重層．出生前に消失する）.

dorsal m. 背側心間膜（胚子の心臓の背側にある心間膜の部分で，これが裂けて心膜横洞となる）.

ventral m. 腹側心間膜（胚の心管の腹側に位置する心間膜の部分．すべての脊椎動物において，ある時期にみられる．高等哺乳類ではその成分層が接触するやいなや断絶する）.

mes·o·car·pal (mez′ō-kar′păl). 中手根の，中手根骨の. ＝midcarpal.

mes·o·ce·cal (mez′ō-sē′kăl). 盲腸間膜の.

mes·o·ce·cum (mez′ō-sē′kŭm) [meso- ＋ cecum]. 盲腸間膜（盲腸を支えている腸間膜．胎児期に上行結腸が腹膜後器官であったときのものがときとして残存したもの）. ＝mesentery of cecum.

mes·o·ce·phal·ic (mez′ō-se-fal′ik) [meso- ＋G. *kephalē*, head]. 中頭の（頭指数 75—80，容積 1,350—1,450 mL の中

位の長さの頭蓋の，またそのような頭蓋をもつ人についていう）．＝mesaticephalic; mesocephalous; normocephalic.

mes·o·ceph·a·lous (mez′ō-sef′ă-lŭs)．＝mesocephalic.

Mes·o·ces·toi·des (mez′ō-ses-toy′dēz)．メソセストイデス属（キツネなどの肉食性哺乳類にみられる条虫の一属．中間宿主は恐らくダニ類(註本属の有線条虫 *M. leneatus* は糞食性甲虫(第一)と脊椎動物(第二)の２つの中間宿主をとることが知られている)．日本，米国，カナダにおいて，ごくわずかのヒト感染例が知られている）．

mes·o·col·ic (mez′ō-kol′ik)．結腸間膜の．

mes·o·co·lon (mez′ō-kō′lon)［meso- + *kolon*, colon］［TA］．結腸間膜（結腸を後腹壁に固定している腹膜のひだ．結腸の各部位に対応して，ⓘ上行結腸間膜 m. ascendens［TA］，ⓘⓘ横行結腸間膜 m. transversum［TA］，ⓘⓘⓘ下行結腸間膜 m. descendens［TA］，ⓘⓥS 状結腸間膜 m. sigmoideum［TA］に区別される．上行および下行結腸間膜は後腹壁の腹膜と癒着しているが，可動性は残されている）．

mes·o·co·lo·pexy (mez′ō-kō′lō-pek-sē)［meso- + G. *kolon*, colon + *pēxis*, fixation］．結腸間膜固定〔術〕（結腸間膜を短くする手術．結腸の過度の運動と下垂を元に戻すために行う）．＝mesocoloplication.

mes·o·co·lo·pli·ca·tion (mes′ō-kō′lō-pli-kā′shŭn)［meso- + G. *kolon*, colon + L. *plico*, pp. *-atus*, to fold］．結腸間膜成襞〔術〕，結腸間膜ひだ形成〔術〕．＝mesocolopexy.

mes·o·cord (mez′ō-kōrd)．臍帯付着ひだ（ときに臍帯の分節を胎盤に結合している羊膜のひだ）．

mes·o·cu·ne·i·form (mez′ō-kū′nē-i-fōrm)．＝intermediate cuneiform (*bone*).

mes·o·derm (mez′ō-derm)［meso- + G. *derma*, skin］．中胚葉（胚の３つの原始胚層の中層(他の２つは外胚葉と内胚葉)．結合組織，筋芽細胞，血液，心臓循環系，リンパ系の起源となり，泌尿生殖系のほとんど，心膜腔，胸腔，腹膜腔の裏打ちになる）．

branchial m. 鰓弓中胚葉．＝pharyngeal m.

cardiogenic m. 心臓中胚葉（心臓発生領域における臓側中胚葉は心内膜心筒を生じ，癒合して心筒を形成する）．

extraembryonic m. 胚外中胚葉（接合体に由来するが，胚子固有の部分からではなく，例えば羊膜などをつくる胎性膜の形成に関与する胚外細胞）．＝primary m.

gastral m. 沿腸中胚葉（下等脊椎動物の原腸または卵黄嚢の屋根から狭窄によって形成される中胚葉）．

intermediate m. 中間中胚葉（内側の分節状の沿軸中胚葉と外側の側板中胚葉との間の連続した帯状の中胚葉で，造腎索になる）．

intraembryonic m. 胚内中胚葉（原始線条に由来し，内胚葉と外胚葉の間に位置する）．＝secondary m.

lateral m. ＝lateral plate m.

lateral plate m. 側板中胚葉（胚内中胚葉の周辺の部分で，胚盤の縁を越えて胚外中胚葉に接続する．その中に胚内体腔ができる．壁側板と臓側板を形成する）．＝lateral m.

paraxial m. 沿軸中胚葉（正中位の胚性脊索の両側にある中胚葉．分節して対の体節を形成する）．

pharyngeal m. 咽頭中胚葉（原始口腔と咽頭を取り巻く中胚葉で，咽頭弓の間葉組織の芯になる）．＝branchial m.

primary m. ＝extraembryonic m.

prostomial m. 口前中胚葉（下等脊椎動物で，原口の側唇での連続した増殖によって生じる中胚葉）．

secondary m. ＝intraembryonic m.

somatic m. 壁側板（胚体内腔ができた後，早期胚で外胚葉に隣接する中胚葉．体肢，体壁の一部がここから発生する）．

somitic m. 体節中胚葉（体節中に位置する細胞あるいは体節由来の細胞から生じた筋肉）．

splanchnic m. 臓側板（側板の中胚葉のうち内胚葉に隣接した層）．

visceral m. 内臓中胚葉（臓側板または鰓弓中胚葉）．

mes·o·der·mal (mez′ō-der′mal)．中胚葉の．

mes·o·der·mic (mez′ō-der′mik)．中胚葉の．

mes·o·di·a·stol·ic (mez′ō-dī′ă-stol′ik)．拡張中期の．

mes·o·dont (mez′ō-dont)［meso- + G. *odous*, tooth］．中歯型の（中位の大きさの歯をもつこと．臼歯指数が 42—43.9 の頭蓋についていう）．

mes·o·du·o·de·nal (mez′ō-dū′ō-dē′năl)．十二指腸間膜の．

mes·o·du·o·de·num (mez′ō-dū′ō-dē′nŭm)．十二指腸間膜（十二指腸の腸間膜）．

mes·o·en·ter·i·o·lum (mez-ō-en′ter-ī′ō-lŭm)．［誤った発音 mesoenterio′lum を避けること］．＝mesenteriolum.

mes·o·ep·i·did·y·mis (mez′ō-ep-i-did′i-mis)［meso- + epididymis］．精巣上体間膜（精巣上体を精巣に結合する鞘膜にまれにみられるひだ）．

mes·o·e·soph·a·gus (mez′ō-ĕ-sof′ă-gŭs)．食道間膜（食道の腹部(噴門部)の部分の短い間膜で，患者が仰臥位になったときに，特にはっきりしてくる）．

mes·o·gas·ter (mez′ō-gas′ter)．胃間膜．＝mesogastrium.

mes·o·gas·tric (mez′ō-gas′trik)．胃間膜の．

mes·o·gas·tri·um (mez′ō-gas′trē-ŭm)［meso- + G. *gastēr*, stomach］．胃間膜（胚において，将来胃になる前腸の拡張した部分の腸間膜．ここから大網がつくりだされ，したがって網嚢の形成に加わる．脾臓と膵体はこの中に発達するので，脾腎間膜や胃脾間膜もこの背側部からつくられる）．＝dorsal m.; mesogaster.

dorsal m. 背側胃間膜．＝mesogastrium.

ventral m. 腹側胃間膜（原始正中腸間膜で，将来の胃，近位十二指腸，臍(臍静脈)より上方の前腹壁の間に張られている．肝臓はこの中で発達するので，肝冠状間膜や肝鎌状間膜もこれに由来する．臍静脈はこれの尾側縁に沿っており生後に肝円索となる）．

mes·o·gen·ic (mez′ō-jen′ik)［meso- + G. *-gen*, producing］．中間毒力の，亜病原性の（短い潜伏期後，胎児には致死感染を起こすが，幼若動物や成熟動物には不顕性感染しか起こさないウイルスの毒性を表す用語．ニューカッスル病ウイルス(特にニワトリの非経口予防接種に用いる種)の特徴を示すのに用いる語）．

me·sog·li·a (me-sog′lē-ă)［meso- + G. *glia*, glue］．メソグリア（中胚葉由来の神経膠細胞.→microglia)．＝mesoglial cells.

mes·o·glu·te·al (mez′ō-glū′tē-ăl)．中殿筋の．

mes·o·glu·te·us (mez′ō-glū′tē-ŭs)．中殿筋．＝gluteus medius (*muscle*).

mes·og·nath·ic (me-sog′nath′ik)．***1*** メソナチオンの．***2*** ＝mesognathous.

me·sog·nath·i·on (me-sog′nā′thē-on)［meso- + G. *gnathos*, jaw］．メソナチオン（［二重字 gn において，g は語頭にあるときのみ無音である］．切歯骨の外側部またはエンドナチオンに対する外側部）．

me·sog·na·thous (me-sog′nă-thŭs)．中〔程度〕顎〔指数〕の（［二重字 gn において，g は語頭にあるときのみ無音である］．顎指数 98—103 の軽度に前に突き出した下顎をもつ顔貌についていう）．＝mesognathic (2).

mes·o·il·e·um (mez′ō-il′ē-ŭm)．回腸間膜．

mes·o·je·ju·num (mez′ō-je-jū′nŭm)．空腸間膜．

me·sol·o·bus (me-sol′ō-bŭs)［meso- + L. *lobus*, lobe］．*corpus* callosum を意味する現在では用いられない語．

mes·o·lym·pho·cyte (mez′ō-lim′fō-sīt)［meso- + lymphocyte］．中型リンパ球（中型で単核の白血球でリンパ球と思われる．大型の濃染する核をもつが，大多数のリンパ球の核よりも比較的小さい）．

mes·o·me·li·a (mez′ō-mē′lē-ă)［meso- + G. *melos*, limb］．異常に短い前腕と脚を有する状態．

mes·o·mel·ic (mez′ō-mē′lik)．中脚の（比較解剖学において，自由肢骨格の第二節(前腕・下腿)の骨についていう）．

mes·o·mere (mez′ō-mēr)［meso- + G. *meros*, part］．***1*** 中割球（卵割期の大割球と小割球の中間の大きさの割球）．***2*** 中分節（筋板の上分節と下分節との間の帯状部分）．

mes·o·mer·ic (mez′ō-mer′ik)．メソメリズムの，メソメリーの．

me·som·er·ism (mĕ-som′er-izm)．メソメリズム，メソメリー（分子内の他の場所に分別電荷が生じるような分子内の電子移動や非局在化．共鳴）．

mes·o·me·tri·um (mez′ō-mē′trē-ŭm)［meso- + G. *mētra*, uterus］．子宮間膜（卵管間膜下の子宮の広靱帯）．

mes·o·morph (mez′ō-mōrf)［meso- + G. *morphē*, form］．中胚葉型（中胚葉由来の組織が優勢であるような生まれつきの体型または体格．形態学上の観点からみると，体幹の四肢の均衡がとれている．→hypermorph; hypomorph; ectomorph; endomorph)．＝mediotype.
mes・o・mor・phic (mez′ō-mōrf′ik)．中胚葉型の．
me・son (mez′on, mē′zon) [G. *mesos*(middle)の中性形]．中間子（静止質量が電子と陽子の中間にある素粒子）．
mes・o・neph・ric (mez′ō-nef′rik)．中腎の．
mes・o・neph・roi (mez′ō-nef′roy)．mesonephros の複数形．
mes・o・ne・phro・ma (mez′ō-ne-frō′mă) [mesonephros + *-oma*, tumor]．中腎腫（現在では用いられない語．比較的まれな卵巣と子宮体部の新生物で，胎生期に卵巣組織に迷入した中腎組織由来のものと考えられ，明るい細胞質をもつかあるいは hob-nail 型の上皮細胞の巣状増殖を伴う管状構造を特徴とする．いわゆる糸状体様構造が典型的である．すなわち，空隙中にのびた毛細血管を伴った小管状構造が小渦巻きまたは小房を形成している)．＝clear cell carcinoma; mesonephric adenocarcinoma; mesonephroid tumor; wolffian duct carcinoma.
mes・o・neph・ros, pl. **mes・o・neph・roi** (mez′ō-nef′ros, -roy) [meso- + G. *nephros*, kidney]．中腎（脊椎動物の進化の過程で現れる 3 排泄器官のうちの 1 つ．後腎の発達途上で，中腎は後腎と退化した前腎の間で後腎の頭位に位置する．哺乳類の幼若胚では中腎はよく発達し，恒久腎となる後腎の完成以前には機能を有する．年長胚では中腎は排泄器官としては退化するが，その管構造は男性においては精巣上体および精管として残存する)．＝middle kidney; wolffian body.
mes・o・neu・ri・tis (mez′ō-nūrī′tis)．神経中膜炎（神経またはその結合組織の炎症であるが，神経鞘は含まれない）．
nodular m. 結節性神経中膜炎（限局性の線維性肥厚をもつ神経鞘下結合組織の炎症）．
mes・o・on・to・morph (mez′ō-on′tō-mōrf) [meso- + G. *ōn*, being + *morphē*, form]．筋骨たくましく，ずんぐりした体形の人．
mes・o・pex・y (mez′ō-pek′sē)．＝mesenteriopexy.
mes・o・phil, mes・o・phile (mez′ō-fil, -fīl) [meso- + G. *philos*, fond]．中温菌（至適温度が 25—40°C で，10—45°C の限界内で発育する微生物）．
mes・o・phil・ic (mez′ō-fil′ik)．中温〔性〕の，中温菌の．
mes・o・phle・bi・tis (mez′ō-flĕ-bī′tis) [meso- + phlebitis]．静脈中膜炎．
mes・o・phrag・ma (mez′ō-frag′mă) [meso- + G. *phragma*, a fence]．＝M *line*.
mes・oph・ry・on (mez-of′rē-on) [meso- + G. *ophrys*, eyebrow]．眉間．＝glabella (2).
me・sop・ic (me-zōp′ik) [meso- + G. *opsis*, vision]．薄明視の（明所視と暗所視の間の照度についていう）．
mes・o・pneu・mo・ni・um (mez′ō-nū-mō′nē-um)．肺間膜（肺根を取り囲み下方に伸びた部分を含めて臓側胸膜が壁側胸膜に折れ返っていくところ）．＝mesentery of lung; pleural isthmus.
mes・o・por・phy・rins (mez′ō-pōr′fi-rinz)．メソポルフィリン（プロトポルフィリンのビニル側鎖がエチル側鎖に還元されている以外は，プロトポルフィリンに類似するポルフィリン化合物(例えばメソビラン)）．
mes・o・proc・ton (mez′ō-prok′ton)．＝rectosacral *fascia*.
mes・o・pro・sop・ic (mez′ō-prō-sop′ik) [meso- + G. *prosōpon*, face]．中顔の（中程度の幅の顔で，顔面指数が約 90）．
mes・o・pul・mon・um (mez′ō-pŭl′mon-ŭm) [meso- + L. *pulmo*, lung]．〔胎児肺の〕肺間膜．
me・sor・chi・al (mez-ōr′kē-ăl)．精巣間膜の．
mes・or・chi・um (mez-ōr′kē-ŭm) [meso- + G. *orchis*, testis]．精巣間膜（①胎児の中腎と発育途上の精巣を支えている精巣鞘膜のひだ．②成人にみられる精巣と精巣上体間の精巣鞘膜のひだ）．
mes・o・rec・tum (mez′ō-rek′tŭm)．直腸間膜（直腸の腹膜で，上部だけをおおっている）．
mes・or・rha・phy (mez-ōr′ă-fē)．＝mesenteriorrhaphy.
mes・or・rhine (mez′ō-rin) [meso- + G. *rhis* (*rhin-*), nose]．中鼻の（中程度の幅の鼻をもつ．鼻指数 47—51(Frankfort 指数)または 48—53(Broca 指数)の頭蓋についていう）．
mes・o・sal・pinx (mez′ō-sal′pinks) [meso- + G. *salpinx*, trumpet][TA]．卵管間膜（卵管を包む広い靱帯の部分）．
mes・o・scope (mez′ō-skōp) [meso- + G. *skopeō*, to view]．拡大鏡（顕微鏡で見るには大きいが，肉眼ではっきり見ることのできない対象物を見るのに用いる器具）．
mes・o・seme (mez′ō-sēm) [meso- + G. *sēma*, sign]．中眼窩の（眼窩指数 84—89 をいう．白人に特徴的である）．
mes・o・sig・moid (mez′ō-sig′moyd)．S 状結腸間膜（→mesocolon）．
mes・o・sig・moi・di・tis (mes′ō-sig′moy-dī′tis)．S 状結腸間膜炎．
mes・o・sig・moid・o・pex・y (mez′ō-sig-moy′dō-pek′sē)．S 状結腸間膜固定〔術〕（S 状結腸間膜の外科的固定術）．
mes・o・so・ma・tous (mez′ō-so′mă-tŭs)．中身の（中程度の身長の人をいう）．
mes・o・some (mes′ō-som) [meso + G.*soma*, body]．メソソーム（ある種の細菌類の原形質膜の巻き込みによって形成されるうず巻状の膜様体で，細胞呼吸や隔壁形成に働いている）．
mes・o・so・mi・a (mez′ō-sō′mē-ă) [meso- + G. *sōma*, body]．中身．
mes・o・ste・ni・um (mez′ō-stē′nē-ŭm)．小腸間膜．＝mesentery (2).
mes・o・ster・num (mez′ō-ster′nŭm) [meso- + G. *sternon*, chest]．＝*body* of sternum.
mes・o・sys・tol・ic (mez′ō-sis-tol′ik)．収縮中期の．
mes・o・tar・sal (mez′ō-tar′săl)．＝midtarsal.
mes・o・ten・di・ne・um (mez′ō-ten-din′ē-ŭm) [TA]．腱間膜．＝mesotendon.
mes・o・ten・don (mez′ō-ten′don) [TA]．腱間膜（腱が骨線維管内にあるような場所で，腱と腱鞘の壁をつなぐ滑膜の層で，多くの場合，退化してひもとして残っているにすぎない）．＝mesotendineum [TA].
mes・o・the・li・a (mez-ō-thē′lē-ă)．mesothelium の複数形．
mes・o・the・li・al (mez′ō-thē′lē-ăl)．中皮の．
mes・o・the・li・o・ma (mez′ō-thē′lē-ō′mă) [mesothelium + G. *-oma*, tumor][MIM*156240]．中皮腫（胸膜または腹膜の壁細胞から生じるまれな新生物．内臓をおおう厚い膜として発育し，立方形の細胞が並んだ腺様空隙を取り囲む紡錘細胞または線維組織からなる）．
benign m. 良性中皮腫．＝solitary fibrous *tumor*.
benign m. of genital tract 良性性器道中皮腫．＝adenomatoid *tumor*.
mes・o・the・li・um, pl. **mes・o・the・li・a** (mez′ō-thē′lē-ŭm, -lē-ă) [meso- + epithelium]．中皮（漿液腔壁の上皮を形成する扁平細胞の 1 層の被膜．例えば腹膜，胸膜，心膜など）．
mes・o・tho・ri・um (mez′ō-thōr′ē-ŭm)．メソトリウム（トリウムの崩壊によって生成する最初の 2 つの放射性元素．その 1 つ，メソトリウム 1 は半減期 5.75 年のベータ放射体 ^{228}Ra で，メソトリウム 2 に崩壊する．メソトリウム 2 は半減期 6.13 時間のベータ放射体 ^{228}Ac であり，さらにラジオトリウム(^{228}Th)に崩壊する）．
mes・o・tro・pic (mez′ō-trop′ik) [meso- + G. *tropē*, a turning]．正中向性の．
mes・o・tym・pan・um (mez′ō-tim′pan-um)．中鼓室（中耳内で鼓膜の内側の部分）．
mes・o・u・ran・ic (mes′ō-ū-ran′ik) [meso- + G. *ouranos*, palate]．中口蓋の（口蓋指数 110—115 をいう）．＝mesuranic.
mes・o・va・ri・um, pl. **mes・o・va・ria** (mez′ō-vā′rē-ŭm, -ă) [meso- + L. *ovarium*, ovary][TA]．卵巣間膜（子宮広間膜の一部で卵巣に反転してこれを支持する）．＝mesoarium.
Mes・o・zo・a (mez-ō-zō′ă) [meso- + G. *zōon*, animal]．中生動物（複雑な生活環をもつ，海産無脊椎動物寄生性の約 50 種からなる小さな門．分類上，後生動物亜界に含めるが，単細胞動物と多細胞動物との中間と考える人や，扁形動物の退化グループと考える人もある．中生動物は，はっきり区別できる 2 つの目，すなわち直泳目と二胚虫目とに分けられる．後者は，イカ，タコ，コウイカの腎寄生虫である）．
mes・sen・ger (mes′en-jer)．伝令，メッセンジャー（①メッセージを運ぶ者．②メッセージ伝達性質をもつこと）．
first m. 第一メッセンジャー，ファーストメッセンジャー（細胞表面のレセプタに結合して，細胞内代謝経路と情報伝達するホルモン).

second m. 第二メッセンジャー，セカンドメッセンジャー（ホルモン－レセプタ相互作用の結果として生成される中間分子. →adenosine 3′,5′-cyclic monophosphate; guanosine 3′, 5′-cyclic monophosphate; calcium; inositide).

mes·sen·ger RNA（mRNA）(mes′en-jĕr). 伝令RNA，メッセンジャー RNA（⇒ribonucleic acid).

mes·u·ran·ic (mez′ū-ran′ik). ＝mesouranic.

MET metabolic *equivalent* の略.

Met メチオニンあるいはメチオニル基の記号.

meta- (met′ă)［G. after, between, over］. 医学や生物学において，…の後，を意味する接頭語. *cf.* post-.

meta- (met′ă)［G. after, between, over］. ***1*** 化学において，共同の作用，共有を意味する接頭語. ***2***（***m-***). 化学において，１つの炭素原子によって分離しているベンゼン環(例えば，第１と第３，第２と第４の炭素原子に連結している)の２つの置換によって形成されていることを意味する接頭語. *meta-* または略字 *m-* で始まる化学用語は各々の名称参照.

met·a·anal·y·sis (met′ă-ă-nal′i-sis). メタアナリシス（統計的方法を用いて，異なった研究の結果を併合するプロセス. いくつかの異なった研究から，通常は統計表などの形式で表された情報を用いて，ある問題を系統的，体系的に評価すること).

me·tab·a·sis (mĕ-tab′ă-sis)［G. a passing over, change < *metabainō*, to pass over］. 疾病転換，病変転移（疾病の徴候または経過に生じた何らかの変化を表す，まれに用いる語).

met·a·bi·o·sis (met′ă-bī-ō′sis)［meta- ＋ G. *biōsis*, way of life］. 寄生（ある生物がその生存を他の生物に依存すること. →commensalism; mutualism; parasitism).

met·a·bol·ic (met′ă-bol′ik).〔物質〕代謝の.

met·a·bo·lim·e·ter (met′ă-bŏ-lim′ĕ-ter). 基礎代謝測定器（基礎代謝率を測定するための変型熱量計. 囲現在では用いられない).

me·tab·o·lin (mĕ-tab′ō-lin). ＝metabolite.

me·tab·o·lism (mĕ-tab′ō-lizm)［G. *metabolē*, change］.〔物質〕代謝（①組織内で起こる化学または物理的変化の全体. 同化(小さな分子を大きな分子に変える反応)と，異化(大きな分子を小さな分子に変える反応)からなる. 異化は外因性生化学物質の生物学的分解のみならず内因性の大きな分子をも含む. ②しばしば同化 anabolism または異化 catabolism の同義語として不適切に使用されている).

basal m. 基礎代謝（覚醒状態で安静時の酸素消費量. 室温 20°C で空腹時，かつ肉体的，精神的に安静にした状態での酸素消費量によって測定される. 現在では行われない検査). ＝basal metabolic rate.

carbohydrate m. 炭水化物代謝（炭水化物が組織中で受ける酸化，分解，合成反応).

electrolyte m. 電解質代謝（種々の必須ミネラル(例えば，ナトリウム，カリウム，カルシウム，マグネシウムなど)が組織中で受ける化学変化).

energy m. エネルギー代謝（エネルギーを放出あるいは供給するための代謝反応).

fat m. 脂肪代謝（脂肪が組織中で受ける酸化，分解，合成反応).

first-pass m. 初回通過代謝（経口摂取された薬物や物質が小腸や肝臓で分解や代謝を受けて，全身の循環系に入る前に血中から生物活性のある物質が除去されてしまうこと). ＝first-pass effect.

inborn error of m. 先天性代謝異常（単一の特殊な酵素の障害により発症する疾患の総称で，個々の疾患は出生後より発症し，原因となる酵素障害は遺伝子により決定されている. 発症の機序として，基質の蓄積によるもの(例えばフェニルケトン尿症)，酵素による代謝産物の欠損によるもの(例えば白皮症)，代替経路による強制的な代謝によるもの(例えばシュウ酸塩尿)などがある).

intermediary m. 中間代謝（食物の吸収から分泌物の産生にいたるまでのすべての代謝反応).

oxidative m. 酸化代謝. ＝ventilation (2).

primary m. 一次代謝（ほとんどの細胞に重要な代謝反応. 例えば，巨大分子の生合成，エネルギー産生，代謝).

protein m. 蛋白代謝（蛋白が組織中で受ける分解および合成反応). ＝proteometabolism.

respiratory m. 呼吸代謝（肺における呼吸ガスの交換，組織における栄養分の酸化，および二酸化炭素と水の産生).

secondary m. 二次代謝（色素，アルカロイド，テルペンなどのような物質がある特殊な組織や細胞でのみ合成されたり，ある特定の条件で産生されたりする代謝過程).

me·tab·o·lite (mĕ-tab′ō-līt). 代謝産物（代謝産物(例えば，養分，中間産物，老廃物)の総称，特に異化の産物). ＝metabolin.

primary m. 一次性代謝産物（一次代謝で合成される代謝産物).

secondary m. 二次性代謝産物（二次代謝で産生される代謝産物).

me·tab·o·lize (mĕ-tab′ō-līz). 代謝する（代謝の化学変化を行うこと).

me·tab·o·nom·ics (mĕt-ah-bō-nom′iks). メタボノミクス（量的または経時的に測定される病的な生理ストレスや遺伝的な変化に対する生体の代謝反応. 食物のガイドライン作成時などに用いられる).

met·a·car·pal (met′ă-kar′păl). ***1***〘adj.〙 中 手〔骨〕の. ***2***〘n.〙中手骨（中手骨のどれかをさす. →metacarpal (*bones*)［I–V］).

met·a·car·pec·to·my (met′ă-kar-pek′tō-mē)［metacarpus ＋ G. *ektomē*, excision］. 中手骨切除〔術〕（１つあるいはすべての中手骨の切除).

met·a·car·po·pha·lan·ge·al（MCP）(met′ă-kar′pō-fă-lan′jē-ăl). 中手指節関節の（中手骨と指節骨の関節に関する).

met·a·car·pus, pl. **met·a·car·pi** (met′ă-kar′pŭs, -kar′pī)［meta- ＋ G. *karpos*, wrist］. 中手（手根骨と指骨の間にある手の５つの骨).

met·a·cen·tric (met′ă-sen′trik)［meta- ＋ G. *kentron*, circle］. 中部動原体型（動原体が染色体の真ん中にある型).

met·a·cer·car·ia, pl. **met·a·cer·ca·ri·ae** (met′ă-ser-kar′ē-ă, -ē)［meta- ＋ G. *kerkos*, tail］. 被嚢幼虫，メタセルカリア，メタケルカリア（吸虫類の生活環における，セリカリア後の固有宿主に感染する前の被嚢幼虫. *Fasciola*属あるいは類縁種のように，セルカリアが草や他の植物に付着してメタセルカリアとなり，次いで草食動物に摂取されるものもある. 一方，*Clonorchis*属のように魚肉中に被嚢したり，肺吸虫属 *Paragonimus* などのようにザリガニに被嚢するものもある).

met·a·ces·tode (met′ă-ses′tōd). メタセストード（条虫類において，六鉤幼虫が生殖器をもつ成虫となり，頭節の分化および片節の形成がみられるようになるまでの期間をいう. 擬葉条虫類では前擬充尾虫，擬充尾虫が，円葉条虫類では嚢尾虫，擬嚢尾虫，および包虫期のものが含まれる).

met·a·chlo·ral (met′ă-klō′răl). メタクロラール. ＝*m*-chloral.

met·a·chro·ma·si·a (met′ă-krō-mā′zē-ă)［meta- ＋ G. *chrōma*, color］. メタクロマジー，異染〔色〕性（①細胞または組織の構成要素が染色液と異なる色を呈する状態. ＝metachromatism (2). ②ある塩基性チアジン系色素(例えばトルイジンブルーのような)の特徴的な色が変化することをさす. これは色素分子が組織中のポリアニオン系ポリマー(例えばグルコアミノグルカン)に対し，近接配列で結合した場合にみられる).

met·a·chro·mat·ic (met′ă-krō-mat′ik). 異染〔色〕性の（異染性を示す細胞または色素についていう). ＝metachromophil; metachromophile.

met·a·chro·ma·tism (met-ă-krō′mă-tizm)［meta- ＋ G. *chrōma*, color］. ***1*** 変色（自然に，または塩基性アニリン染料によって生じる色の変化). ***2*** ＝metachromasia (1).

met·a·chrom·ing (met′ă-krō′ming). メタクローミング，媒染剤処理（組織に対して染色液を用いる前に金属含有媒染剤を混ぜ合わせる工程).

met·a·chro·mo·phil, met·a·chro·mo·phile (met-ă-krō′mō-fil, -fīl)［meta- ＋ G. *chrōma*, color ＋ *philos*, fond］. ＝metachromatic.

me·tach·ro·nous (mĕ-tak′rō-nŭs)［meta- ＋ G. *chronos*, time］. 異時性の（同時性でない，別々に多発性に起こる，例えばある期間をおいて発生する多発性の癌).

met·a·chro·sis (met′ă-krō′sis) [meta- + G. *chrōsis*, a coloring]. 体色変化（ある種の動物，例えばカメレオン，にみられるように色素細胞の拡張や収縮により生じる変色）.

met·a·cone (met′ă-kōn) [meta- + G. *kōnos*, cone]. メタコーヌス（上顎の後錐．上臼歯の遠心頬側咬頭）.

met·a·co·nid (met′ă-kon′id). メタコニード（下顎の後錐．下臼歯の近心舌側咬頭）.

met·a·con·trast (met′ă-kon′trast). メタコントラスト（視野の近くに光が生じると，それまで見えていた照明の明るさが減弱されること）.

met·a·con·ule (met′ă-kon′ūl) [meta- + G. *kōnos*, a cone]. メタコニューレ（上臼歯の遠心中間咬頭）.

met·a·cre·sol (met′ă-krē′sol). メタクレゾール．= *m*-cresol.

met·a·cryp·to·zo·ite (met′ă-krip′tō-zō′īt) [meta- + G. *kryptos*, hidden + *zōon*, animal]. メタクリプトゾイト（最初の世代，あるいはクリプトゾイト世代より形成されたメロゾイトから発育した赤外型．クリプトゾイトとメタクリプトゾイト世代は赤血球内感染に先行するマラリア原虫の発育の一次赤外型の時期(発病前期)のものをさす）.

met·a·di·ox·y·a·zo·ben·zene (met′ă-dī-oks′ē-ā′zō-ben′zēn). メタジオキシアゾベンゼン．= Sudan yellow.

met·a·dys·en·ter·y (met′ă-dis′en-tār-ē). メタ赤痢（bacillary *dysentery*(細菌性赤痢)の古語）.

Met·a·gon·i·mus (met′ă-gon′i-mŭs) [meta- + G. *gonimos*, productive]. メタゴニムス属（吸虫類の一属(異形吸虫科)で，魚類において被嚢し，ヒトを含む種々の食魚性動物に感染する．ヨコガワキュウチュウ *M. yokogawai* は，極東やバルカン諸国に広く分布する腸寄生性吸虫で，ヒトに感染する吸虫では最小のものの1つであり，体長は 1—2.5 mm．この種は，カワニナ属 *Semisulcospira* の巻貝から，コイ科の魚類を経てヒトなどの食魚性哺乳類および鳥類に移る）.

met·a·ic·ter·ic (met′ă-ik′ter-ik) [meta- + G. *ikterikos*, jaundiced]. 後黄疸性の（黄疸の転帰として起こる）.

met·a·in·fec·tive (met′ă-in-fek′tiv). 後感染性の（感染に引き続いて起こる．特に感染症の回復期にときにみられる有熱状態についていう）.

met·a·ki·ne·sis, met·a·ki·ne·sia (met′ă-ki-nē′sis, -ki-nē′sē-ă) [meta- + G. *kinēsis*, movement]. 〔染色体〕変位，〔染色分体〕移動（有糸分裂の後期に，各染色体の2つの染色分体が分離し，向かい合った両極へと移動すること）.

met·al (M) (met′ăl) [L. *metallum*, a mine, a mineral < G. *metallon*, a mine, pit]. 金属（陽性元素の1つで，両性または塩基性．通常，光沢，展性，柔軟性，伝導性，および化学反応で電子を得るよりはむしろ失う傾向を特徴とする）.

alkali m. アルカリ金属（リチウム，ナトリウム，カリウム，ルビジウム，セシウム，およびフランシウムの族のアルカリ．すべて強いイオン化水酸化物をつくる）. = alkali (3).

alkali earth m. アルカリ土〔類〕金属（→alkaline earth *elements*）.

Babbitt m. (bab′it). バビット合金（アンチモン，銅，スズからなる合金．しばしば歯科において用いる）.

base m., basic m. 卑金属（酸化されやすい金属．例えば，鉄，銅）.

colloidal m. コロイド金属（蒸留水中の金属端子に，電気火花を通すことによって得られる金属のコロイド溶液）. = electrosol.

d'Arcet m. (dahr-sā′). ダルセー合金（鉛，蒼鉛，スズからなる合金．歯科において用いる）.

fusible m. 易融金属（融点の低い金属）.

heavy m. 重金属（高比重，特に5以上の金属．例えば，Fe，Co，Cu，Mn，Mo，Zn，V）.

light m. 軽金属（比重4以下の金属，例えばリチウム）.

noble m. 貴金属（熱のみでは酸化されず，また酸でも容易に溶解されない金属．例えば，金，プラチナ）. = noble element.

rare earth m. 希土類金属（→lanthanides）.

respiratory m. 呼吸金属（呼吸色素中に存在する金属．例えば，鉄，マンガン，銅，バナジウム）.

met·al·de·hyde (met-al′dĕ-hīd) [meta- + aldehyde]. メタアルデヒド（アセトアルデヒドの重合体）.

me·tal·lic (mĕ-tal′ik). 金属性の.

metallo- (mĕ-tal′ō) [→metal]. 金属，金属性の，を意味する連結形.

me·tal·lo·cy·a·nide (mĕ-tal′ō-sī′ă-nīd). 金属シアン化物（金属とシアンの化合物で，イオンをもち，塩基性元素と結合して塩を形成する．例えばフェリシアン化カリウム $K_3Fe(CN)_6$）.

me·tal·lo·en·zyme (mĕ-tal′ō-en′zīm). 金属結合酵素（活性構造上必要な部分として，金属(イオン)を含む酵素．例えば，シトクロム(鉄，銅)，アルデヒドオキシターゼ(モリブデン)，カテコールオキシダーゼ(銅)，カルボニックアンヒドラーゼ(亜鉛)）.

me·tal·lo·fla·vo·de·hy·drog·e·nase (mĕ-tal′ō-flā′vō-dē-hī′drō-jen-ās). メタロフラボデヒドロゲナーゼ（補酵素としてフラビンヌクレオチドの1つを含み，なお酵素作用に必要な金属イオンを含む酸化酵素の一種．その金属としては，鉄(コハク酸デヒドロゲナーゼの場合)，銅(尿酸オキシダーゼの場合)，モリブデン(キサンチンオキシダーゼの場合)である）.

me·tal·lo·fla·vo·en·zyme (mĕ-tal′ō-flā′vō-en′zīm). 金属フラビン酵素（1個のフラビンヌクレオチドとその活性構造を形成するのに必要な，少なくとも1個の金属イオンを含む酵素）.

me·tal·lo·fla·vo·pro·tein (mĕ-tal′ō-flā′vō-prō′tēn). 金属フラビン蛋白（フラビン体および少なくとも1個の金属イオンを含有する蛋白）.

met·al·loid (met′ă-loyd) [metal + G. *eidos*, resemblance]. メタロイド，半金属（両性の物質であって，少なくとも一方において金属に類似しているもの．例えば，半導体としてのケイ素およびゲルマニウム）.

me·tal·lo·phil·i·a (mĕ-tal′ō-fil′ē-ă) [metallo- + G. *philos*, fond]. 好金属性の（金属塩への親和力がある．例えば，細網内皮系細胞の細胞質の炭酸銀染色や金や鉄の塩についていう）.

me·tal·lo·pho·bi·a (mĕ-tal′ō-fō′bē-ă) [G. *metallon*, metal + *phobos*, fear]. 金属恐怖〔症〕（金属製のものに対する病的な恐れ）.

me·tal·lo·por·phy·rin (mĕ-tal′ō-pōr′fi-rin). 金属ポルフィリン（金属とポルフィリンの結合物．例えば，鉄(ヘマチン)，マグネシウム(葉緑素中)，銅(ヘモシアニン中)，亜鉛など）.

me·tal·lo·pro·tein (mĕ-tal-ō-prō′tēn). 金属結合蛋白（ヘモグロビンのような金属イオンが強く結合している蛋白）.

me·tal·lo·pro·tein·ase (met′a-lō-prō′tēn-āz). メタロプロテイナーゼ（蛋白を加水分解するエンドペプチダーゼ群で，活性構造部分として亜鉛イオンを含有する）.

matrix m. マトリックスメタロプロテイナーゼ（細胞内蛋白，特にコラーゲナーゼやエラスチンを加水分解するエンドペプチダーゼのサブファミリー．この酵素は細胞外マトリックスの整合性や組成を制御し，細胞増殖，分化，細胞死を制御するマトリックス分子により誘発されたシグナルのコントロールに重要な役割を果たしている）.

stromyelysin-matrix m. ストロムライシン系マトリックスメタロプロテイナーゼ（軟骨を分解する酵素）.

me·tal·lo·thi·o·nein (me′tal-ō-thī′ō-nēn). メタロチオネイン（システイニル基に富む小蛋白の一群の総称．二価のイオン(例えば，亜鉛，水銀，カドミウム，銅)の存在に対応して肝臓または腎臓で生合成され，これらのイオンと強く結合する．イオンの輸送や解毒において重要である．そのアポ蛋白はチオネイン）.

met·a·lu·et·ic (met′ă-lū-et′ik) [meta- + L. *lues*, pestilence]. ***1*** = metasyphilitic (1). ***2*** = metasyphilitic (2). ***3*** = parasyphilitic.

met·a·mer (met′ă-mĕr) [meta- + -mer]. ***1*** メタマー，同分異性体（他の実体と類似しているが，最終的に区別しうるもの）. ***2*** 構造異性体.

met·a·mere (met′ă-mēr) [meta- + G. *meros*, part]. 体節（身体における一連の相同な分節．→somite）.

met·a·mer·ic (met′ă-mer′ik). ***1*** 体節の（体節制に関する，体節制を示す，体節がみられる）. ***2*** メタマーの（メタマーあるいは同分異性体についての）.

me·tam·er·ism (me-tam′ĕr-izm). ***1*** 体節制（解剖学的構造の型．体節は類似構造(環虫類などの原始的なものではほとんど同じ構造)の連続的な繰返しである．脊椎動物では，頭

M

部のように特殊化したものでは体節は隠れて明らかでないが，連続的な繰返しがみられる脊椎，肋骨，肋間筋，脊髄神経，あるいは幼若胚では明白である）．**2** メタメリー，同分異性（化学において，まれに isomerism(異性)と同義に用いる）．

met·a·mor·phop·si·a (met′ă-mōr-fop′sē-ă) [meta- + G. *morphē*, shape + *opsis*, vision]．変視症，変形視〔症〕（像の歪み）．

met·a·mor·pho·sis (met′ă-mōr′fŏ-sis) [G. *metamorphōsis*, transformation < *meta*, beyond, over + *morphē*, form]．変態（①形態，構造，機能における変化．②ある発育ステージから他のステージへの移行）．=allaxis; transformation (1).

complete m. 完全変態（卵から幼虫各齢，さなぎを経て，成虫に至る昆虫の発生．この昆虫の最初の2形態は成虫とはまったく異なり，幼虫期は摂食を専業とし，成虫期は生殖－飛行を専業とする．鞘翅目(甲虫)，膜翅目(ハチ，アリ)，双翅目，ノミ目などのような，高等な昆虫綱の特徴である）．=holometabolous m.

fatty m. 脂肪変性（顕微鏡で見える脂肪滴が細胞質に現れること．→fatty *degeneration*）．=fatty change.

heterometabolous m. =incomplete m.

holometabolous m. =complete m.

incomplete m. 不完全変態（若虫が多くの点でそれに似ている成虫に成長すること．異翅目，直翅目(イナゴ，バッタ)，ゴキブリ目のようなより原始的な昆虫綱の特徴である）．=heterometabolous m.

retrograde m. 逆行性変態．=cataplasia; degeneration (3).

met·a·mor·phot·ic (met′ă-mōr-fot′ik)．変態の．

met·a·my·el·o·cyte (met-ă-mī′el-ō-sīt) [meta- + G. *myelos*, marrow + *kytos*, cell]．後骨髄球（成熟骨髄球(Sabin の骨髄球C)と二分葉の顆粒白血球の中間の核構造をもつ骨髄球の遷移型）．=juvenile cell.

met·a·neph·ric (met′ă-nef′rik)．後腎の（後腎についての）．

met·a·neph·rine (met-ă-nef′rin)．メタネフリン（血清，尿やある種の組織中で，ノルメタネフリンとともに見出されるエピネフリンの異化代謝産物．エピネフリンにカテコール-*O*-メチルトランスフェラーゼが作用してできる．交感神経作用はない）．=3-*O*-methylepinephrine.

met·a·neph·ro·gen·ic, met·a·ne·phrog·e·nous (met′ă-nef′rō-jen′ik, -nĕ-froj′ĕ-nŭs) [meta- + G. *nephros*, kidney + *-gen*, producing]．後腎発生の（後腎憩室の誘導作用のもとで，後腎管を形成する能力のある中間中胚葉の，より尾方の部位についていう）．

met·a·neph·ros, pl. **met·a·neph·roi** (met′ă-nef′ros, -roy) [meta- + G. *nephros*, kidney]．後腎（脊椎動物の進化中に現れる3つの排泄器官のうち，最も尾方に位置しているもの(他の2つは前腎と中腎)．哺乳類の胚では中腎が退行するにつれてその後に発育し，永久腎になる）．=hind kidney.

met·a·neu·tro·phil, met·a·neu·tro·phile (met-ă-nū′trō-fil, -fīl) [meta- + L. *neuter*, neither + G. *philos*, fond]．中性色素異染〔色〕性の（中性染料で異なった色に染まることについていう）．

met·a·nil yel·low (mĕt′ă-nil yel′ō) [C.I. 13065]．メタニルイエロー（モノアゾ酸性染料 $C_{18}H_{14}N_3O_3SNa$．細胞質と結合組織の染色に用いる）．

met·a·per·i·o·dic a·cid (met′ă-pĕr-ē-od′ik as′id)．メタ過ヨウ素酸．=periodic acid (1).

met·a·phase (met′ă-fās) [meta- + G. *phasis*, an appearance]．〔分裂〕中期（染色体が，動原体が分かれる赤道面に配列するようになる有糸分裂または減数分裂の時期．有糸分裂および二次減数分裂では，各染色体の動原体は分割し，2つの娘動原体は細胞の向かい合った両極へ向かう．一次減数分裂では，動原体は分割しないで，向かい合った両極へ分かれて移動する）．

met·a·phos·phor·ic ac·id (met′ă-fos-fōr′ik as′id)．メタリン酸．=glacial *phosphoric acid*.

met·a·phy·si·al, met·a·phy·se·al (met′ă-fiz′ē-ăl)．骨幹端の，骨端線の（[誤った発音 metaphysi′al を避けること]）．

me·taph·y·sis, pl. **me·taph·y·ses** (mĕ-taf′i-sis, -sēz) [meta- + G. *physis*, growth][TA]．骨幹端（長骨の骨端と骨幹との間の円錐形の部分）．

me·taph·y·si·tis (mĕ-taf′i-sī′tis)．骨幹端炎（骨幹端の炎症）．

met·a·pla·si·a (met′ă-plā′zē-ă) [G. *metaplasis*, transformation]．化生（成熟し，十分に分化したある種の組織が，他の種の分化した組織へと異常に変化すること．化生は異形成とは対照的に後天性である）．=metaplasis (2).

agnogenic myeloid m. 原因不明骨髄様化生．=primary myeloid m.

apocrine m. アポクリン化生（乳房の腺上皮が変化して，アポクリン汗腺に類似すること．通常，乳房の線維性囊胞性疾患でみられる）．

autoparenchymatous m. 自己実質化生（組織固有の実質細胞に起こるもの）．

Barrett m. (bar′ĕt)．バレット化生．=Barrett *syndrome*.

celomic m. 体腔上皮化生（体腔上皮がいくつかの組織細胞に分化すること）．

intestinal m. 腸上皮化生（特に胃で，通常，絨毛を欠くが，粘膜が腸の粘膜に似ている腺性粘膜に変形すること）．

myeloid m. 骨髄〔様〕化生（貧血，脾腫，循環血液中の有核赤血球と未熟顆粒球，脾臓や肝臓における顕著な髄外造血巣を特徴とする症候群．真性多血球血症の経過中にこの状態が起こることもある．骨髄性白血病へ発展する頻度が高い）．

primary myeloid m. 原発性骨髄様化生（一次的に発生した骨髄様化生で，しばしば骨髄線維症を伴う）．=agnogenic myeloid m.

secondary myeloid m. 二次性骨髄様化生（他疾患を有する患者にみられる骨髄様化生）．=symptomatic myeloid m.

squamous m. 扁平〔上皮〕化生（腺上皮または粘液上皮が重層扁平上皮に変形すること）．=epidermalization.

squamous m. of amnion 羊膜の扁平〔上皮〕化生．=*amnion* nodosum.

symptomatic myeloid m. 症候性骨髄〔様〕化生．=secondary myeloid m.

me·tap·la·sis (mĕ-tap′lă-sis) [G. a transformation]．**1** 中熟成〔期〕（個体の成長または発育が完了した時期）．**2** 化生．=metaplasia.

met·a·plas·tic (met′ă-plas′tik)．化生の．

met·a·plex·us (met′ă-plek′sŭs) [meta- + L. *plexus*, an interweaving]．第4脳室脈絡叢．

met·a·poph·y·sis (met′ă-pof′i-sis) [meta- + G. *apophysis*, a process]．乳頭突起．=mammillary *process* of lumbar vertebra.

met·a·pore (met′ă-pōr) [meta- + G. *poros*, pore]．後孔（*apertura* mediana ventriculi quarti を意味するまれに用いる語）．

met·a·pro·tein (met′ă-prō′tēn)．メタプロテイン（酸またはアルカリの作用で得られる蛋白の誘導体．希酸，希アルカリに可溶性だが，中性溶液には不溶性．例えばアルブミネート）．

met·a·psy·chol·o·gy (met′ă-sī-kol′ŏ-jē) [G. *meta*, beyond, transcending + psychology]．メタ心理学（①経験的な事実や心理学の法則を超えて存在するもの(例えば，身体と心の関係または宇宙における精神の所在に関するもの)を認識し，記述する系統的試み．②精神分析あるいは精神分析的メタ心理学において，精神についての Freud 学説の基本的仮説に関する心理学は，以下にあげる5つの明らかな視点を伴う．ⓘ力動的(心理的力に関するもの)，ⓘⓘ経済的(心理的エネルギーに関するもの)，ⓘⓘⓘ構造的(心理的構成に関するもの)，ⓘⓥ発生的(心理的起源に関するもの)．ⓥ適応的(環境と心理との関連に関するもの)）．

met·a·py·ret·ic (met′ă-pī-ret′ik) [meta- + G. *pyretos*, fever]．発熱後の．=postfebrile.

met·a·py·ro·cat·e·chase (met′ă-pī′rō-kat′ĕ-kās)．=catechol 2,3-dioxygenase.

met·a·rho·dop·sin (met′ă-rō-dop′sin)．メタロドプシン（ロドプシンの光により活性化された状態．メタロドプシンIはルミロドプシンからつくられてメタロドプシンIIに変換される．メタロドプシンIIはオール-*trans*-レチノールを放出するロドプシンの状態）．

met·ar·te·ri·ole (met′ar-tēr′ē-ōl) [meta- + arteriole]．メタ細動脈，後細動脈（真の毛細血管と細動脈との間の末梢血管で，壁に平滑筋線維が散在する）．

met・a・ru・bri・cyte (met′ă-rū′bri-sīt). 正染性正赤芽球（→normoblast).

pernicious anemia type m. 正染性巨赤芽球（→megaloblast).

met・a・sta・ble (met′ă-stā′bĕl)［meta- + L. *stabilis*, stable］. 準安定〔性〕の（①わずかの動揺で他の相へ移行する状態．例えば，水は氷点下に冷やされたときに液体にとどまりうるが，一片の氷を加えると直ちに凝結する．②核異性体転移によって，原子番号や質量数を変えずに，より低いエネルギー状態に達する核異性体の励起状態を示す語．例えば，$^{99m}_{43}Tc \rightarrow ^{99}_{43}Tc + \gamma$).

me・tas・ta・sis, pl. **me・tas・ta・ses** (mĕ-tas′tă-sis, -sēz)［G. a removing < *meta*, in the midst of + *stasis*, a placing］. 転移（①疾病が身体のある部分から他の部分へ移ること．例えば，流行性耳下腺炎で耳下腺の症候が治まったときに精巣が侵されることなどをいう．②原発腫瘍の位置から離れた身体の部位に新生物が出現すること．リンパ管あるいは血管により，または漿膜腔，クモ膜下腔，その他の間隙を通しての腫瘍細胞の播種による．③細菌が身体のある部位から他の部位へ運ばれること．その経路によって hematogenous m.（血行性転移），lymphogenous m.（リンパ行性転移）とよばれる). = secondaries (1).

biochemical m. 生化学的転移（外見上正常な器官で生じる，異常な免疫化学的特異性の輸送と誘導).

calcareous m. 石灰転移（カリエスや悪性新生物などで，骨組織が広範に吸収されるため，遠隔の組織に石灰物質が沈着すること).

hematogenous m. 血行性転移（→metastasis).

in-transit m. イントランジットメタスターシス，移動中転移巣（悪性黒色腫において初発病巣と付属リンパ節との間のリンパ管の中に存在する転移病巣).

lymphogenous m. リンパ行性転移（→metastasis).

pulsating metastases 拍動性転移巣（血管に著しく富むため拡張性拍動と連続性雑音を有する転移性骨腫瘍のこと．通常，副腎腫を原発巣とする．また，ときに甲状腺腫からの転移もある).

satellite m. 衛星転移（原発性の悪性新生物に直に近接した部分への転移．例えば，黒色腫に隣接した皮膚組織への転移).

me・tas・ta・size (mĕ-tas′tă-sīz). 転移する．

met・a・stat・ic (met′ă-stat′ik). 転移〔性〕の．

metastatin (met-ă-stat′in)［*meta*tasis + G. *istēmi*, to check, arrest + -in］. メタスタチン（癌転移抑制遺伝子 KiSS–1 の翻訳産物で，54 個のアミノ酸を含有する蛋白).

met・a・ster・num (met′ă-ster′nŭm). = xiphoid *process*.

met・a・stron・gyle (met′ă-stron′jīl). ブタ肺虫（ブタ肺虫属 *Metastrongylus* またはブタ肺虫科の一般名).

Met・a・stron・gy・lus (met′ă-stron′jĭ-lŭs)［meta- + G. *strongylos*, round］. ブタ肺虫属（擬円形線虫科の，肺に寄生する線虫類の一属で，その亜科(Metastrongylinae)の唯一の属．4 つの既知の種はブタにのみ見出され，伝播は中間宿主のミミズによる).

met・a・syph・i・lis (met′ă-sif′i-lis). ***1*** 変性梅毒（局所性病巣がない先天梅毒による体質状態). ***2*** 副梅毒. = parasyphilis.

met・a・syph・i・lit・ic (met′ă-sif′i-lit′ik). ***1*** 変性梅毒の. = metaluetic (1). ***2*** 後梅毒の（梅毒に続発する，または梅毒の転帰として起こる). = metaluetic (2). ***3*** 副梅毒の. = parasyphilitic.

met・a・tar・sal (met′ă-tar′săl). 中足〔骨〕の（①中足部についての，中足骨についての. →metatarsal (*bones*) [I–V]. ②中足骨の 1 つをさして).

met・a・tar・sal・gi・a (met′ă-tar-sal′jē-ă)［metatarsus + G. *algos*, pain］. 中足骨痛〔症〕（前足部中足骨頭部分の疼痛).

Morton m. (mōr′tŏn). モートン中足骨痛. = Morton *neuroma*.

met・a・tar・sec・to・my (met′ă-tar-sek′tŏ-mē)［metatarsus + G. *ektomē*, excision］. 中足骨切除〔術〕（中足骨の 1 つまたはすべてを切除すること).

met・a・tar・so・pha・lan・ge・al (met′ă-tar′sō-fă-lan′jē-ăl). 中足指節の（中足骨と指節骨に関する．これらの間の関節についていう).

met・a・tar・sus, pl. **me・ta・tar・si** (met′ă-tar′sŭs, -sī)［meta- + G. *tarsos*, tarsus］. 中足（足の甲の最高位と足指の間にある足の遠位部．5 本の長骨をもち，後方では立方骨と楔条骨，末梢では指節骨と関節をなす).

m. adductovarus 内反足性内転中足（足の固定化した変形．足の位置は内転および内反の両要素によって決められる).

m. adductus 内転中足〔症〕（足の固定化した変形．前足部が足の主縦軸から正中線方向に曲がる．通常，先天性である). = intoe.

m. atavicus 隔世遺伝性中足（第一中足骨が第二中足骨に比べて異常に短いこと).

m. latus 開張足，開張中足〔症〕（足の横隆起が下がることによって起こる変形). = talipes transversoplanus.

m. varus 内反中足〔症〕（足の固定化した変形．足底面が身体の正中線を向くように，前足部が足の長軸で回転する).

met・a・thal・a・mus (met′ă-thal′ă-mŭs)［meta- + G. *thalamos*, thalamus］[TA]. 視床後部（視床の尾側で腹側の部分で，内側膝状体および外側膝状体からなる).

me・tath・e・sis (me-tath′ĕ-sis)［meta- + G. *thesis*, a placing］. ***1*** 病部転位（病的産物(例えば結石)を，身体から除去することが不可能なとき，あるいはそれが得策でないとき，害の少ない他の場所に移すこと). ***2*** 置換（複分解．化学反応で，化合物 A–B が他の化合物 C–D と反応して，A–C + B–D または A–D + B–C が生じること).

met・a・troph (met′ă-trof). 複合有機栄養性生物（成長のために炭素および窒素の複雑な有機源を必要とする生物).

met・a・troph・ic (met′ă-trof′ik)［meta- + G. *trophē*, nourishment］. 複合有機栄養性の（種々の栄養源すなわち窒素および炭素性の有機物を異化し，それから栄養を入手しうる能力についていう).

met・a・trop・ic (met′ă-trop′ik)［meta- + G. *tropē*, a turning］. 遡及性の（以前の状態に戻ることについていう).

met・a・typ・i・cal (met′ă-tip′i-kăl). 変型性の（正常状態であるべき場所にある要素と同一の要素から形成されるが，種々の要素は通常の正常な型で配列されない組織についていう).

Met・a・zo・a (met′ă-zō′ă)［meta- + G. *zōon*, animal］. 後生動物亜界（動物界の一亜界．細胞が分化して組織を形成しているすべての多細胞動物を含み，原生動物亜界すなわち単細胞動物とは区別される).

met・a・zo・o・no・sis (met′ă-zō′ō-nō′sis)［meta- + G. *zōon*, animal + *nosos*, disease］. 脊椎非脊椎動物間人獣伝染病（生活環の完成に脊椎動物宿主と非脊椎動物宿主の両方を必要とする寄生動物による動物原性感染症．例えばアルボウイルスによるヒトやその他の脊椎動物の感染症).

Metch・ni・koff (mech′nĭ-kof), Elie. パリに在住したロシア人生物学者・ノーベル賞受賞者，1845—1916. →M. *theory*.

met・en・ce・phal・ic (met′en-se-fal′ik). 後脳の．

met・en・ceph・a・lon (met′en-sef′ă-lon)［meta- + G. *enkephalos*, brain］[TA]. 後脳（菱脳の主要な 2 つの部分のうち前方部分(後方は髄脳あるいは延髄)をいう．橋と小脳からなる).

met・en・keph・a・lin (met′en-kef′ă-lin). メトエンケファリン（→enkephalins).

me・te・or・ism (mē′tē-ŏ-rizm)［G. *meteōrismos*, a lifting up］. 鼓脹. = tympanites.

me・te・or・op・a・thy (mē′tē-ōr-op′ă-thē)［G. *meteōra*, things high in the air + *pathos*, suffering］. 気象病（気候状態による悪い健康状態を表す，まれに用いる語).

me・te・or・o・trop・ic (mē′tē-ōr-ō-trop′ik)［G. *meteōra*, things high in the air + G. *tropos*, a turning］. 気象向性の（天候によってその発症が影響を受ける疾病についていう).

me・ter (m) (mē′tĕr)［Fr. *metre*; G. *metron*, measure］. ***1*** メートル（国際単位系(SI)およびメートル法における基本的な長さの単位で 1 メートルは 39.37007874 インチにあたる．1/299792458 秒で真空中，光が進む経路の長さとして定義される). ***2*** メータ（それ自身の中を通過するものの量を測定する器具).

peak flow m. ピークフローメータ（ピークフロー(最大呼気流量)を測定する携帯器具．ぜん息において気道閉塞の自己監視に有用).

potential acuity m. (PAM) ポテンシャル視力測定計（白内障術後の視力を予測するために白内障を通して網膜に

Snellen 視力表(⇀test types)を投影する装置).

rate m. レートメータ（様々な時間間隔で，平均量を連続的に表示する装置).

ventilation m. 換気計（周期的にあるいは短時間の換気量を測定するために用いる計器).

Venturi m. (ven-tū′rē). ヴェンツーリ計（液体が Venturi 管のくびれを流れる際に生じる圧力の降下から，その流量を測定する装置).

me·ter·can·dle (mē′tĕr-kan′dĕl). メートル燭. ＝lux.

met·er·ga·si·a (met′ĕr-gā′zē-ă) [G. *meta*, denoting change ＋ *ergasia*, work]. 機能変化.

met·es·trus, met·es·trum (met-es′trŭs, -trŭm) [meta- ＋ estrus]. 発情後期（発情周期における発情期と発情静止期との間の時期).

meth-, metho- (meth, meth′ō). 通常，メチル基またはメトキシ基を示す化学の接頭語.

meth·a·cho·line chlor·ide (meth′ă-kō′lēn klōr′īd). 塩化メタコリン（アセチルコリンの誘導体．気管支過敏反応をテストするときの気管支収縮剤として用いる副交感神経興奮薬).

meth·a·cryl·ic ac·id (meth′ă-kril′ik as′id). メタクリル酸（ローマカミツレ油に存在する化学薬品．メタクリン酸樹脂やプラスチックの製造に用いる). ＝methylacrylic acid.

meth·a·done hy·dro·chlor·ide (meth′ă-dōn hī′drō-klōr′īd). 塩酸メタドン（合成麻薬．経口でモルヒネに似た鎮痛作用を示すが，効果はやや強く，持続時間が長い．モルヒネと同様に精神的・身体的依存を生じるが，禁断症状はいくぶんか穏やかである．モルヒネやヘロインの代わりに経口で使われる．またモルヒネやヘロイン耽溺の禁断時の治療にも用いる).

meth·am·phet·a·mine hy·dro·chlor·ide (meth′am-fet′ă-mēn hī′drō-klōr′īd). 塩酸メタンフェタミン（アンフェタミンよりも中枢神経系への刺激作用の強い交感神経興奮薬（それゆえ〝スピード speed〞とよばれる)．経口および静脈注射で，薬物乱用者により広く用いられる(静注でうつことを米俗語で mainline という)．強い精神依存性が起こることがある．遊離塩基(メタンフェタミン)に変換されるとクラックコカインのように吸引でき，様々な俗称でよばれる，例えばアイス). ＝methylamphetamine hydrochloride.

meth·ane (meth′ān). メタン；CH_4（有機物質の分解で生じる無臭性の気体．7または8容量の空気と混合すると爆発性となり，炭坑の爆発性メタンガスの構成要素である). ＝marsh gas.

Meth·a·no·bac·ter·i·a·ce·ae (meth′ă-nō-bak-tēr′ē-ā′sē-ē). メタノバクテリア科（グラム陰性と陽性，運動性または非運動性で，通性嫌気性杆菌および球菌を含む古細菌で，二酸化炭素を還元してメタンを形成するか，酢酸やメタノールのような化合物を発酵してメタンおよび二酸化炭素を産生することによってエネルギーを得る菌である．これらの菌は自然界の水中沈殿物，土壌，嫌気性の汚物分解物，および動物の消化管のような嫌気性の生息部に認められる).

meth·an·o·gen (meth-an′ō-jen). メタン産生菌（メタノバクテリア科のメタンを産生するすべての細菌).

meth·a·nol (meth′ă-nol). メタノール. ＝methyl *alcohol*.

metHb methemoglobin の略.

met·hem·al·bu·min (met′hēm-al-byū′min, -hem-al′byū-min). メトヘムアルブミン（ヘムと血漿アルブミンが結合した結果，血液中に形成される異常な化合物).

met·hem·al·bu·mi·ne·mi·a (met′hēm-al-byū′mi-nē′mē-ă). メトヘムアルブミン血症（循環血液中にメトヘムアルブミンが存在すること．急激なヘモグロビンの分解を伴う血管内溶血を示唆する．黒水熱や発作性夜間血色素尿症の患者でみられる．重症の出血性膵炎と中等症の浮腫性膵炎の鑑別法の1つといわれている．また絞扼性イレウスや腸間膜動脈閉塞症のような急性疾患でみられるともいわれている).

met·he·mo·glo·bin (metHb) (met-hē′mō-glō′bin). メトヘモグロビン（正常な Fe^{2+} が Fe^{3+} に酸化されて(ヘムがヘマチンに変換される過程)できるオキシヘモグロビンの変質したもの．メトヘモグロビンは第二鉄イオンと固く結合した水を含むため，オキシヘモグロビンとは化学的に異なっている．産瘤の滲出物や，アセトアニリド・塩素酸カリウムなどの中毒の後に循環血液中に見出される). ＝ferrihemoglobin.

m. reductase メトヘモグロビンレダクターゼ（赤血球中にあるメトヘモグロビンを，ヘモグロビンに還元する触媒作用をもつフラボ酵素).

met·he·mo·glo·bi·ne·mi·a (met-hē′mō-glō′bi-nē′mē-ă) [methemoglobin ＋ G. *haima*, blood]. メトヘモグロビン血症（循環血液中にメトヘモグロビンが存在すること．重症になると組織の酸素供給が不十分となる．メトヘモグロビンは血液を茶色に変色させるため，チアノーゼと間違えられる).

acquired m. 後天性メトヘモグロビン血症（亜硝酸塩あるいは表面麻酔のような種々の化学薬剤によって起こるメトヘモグロビン血症). ＝enterogenous m.; secondary m.

congenital m. 先天性メトヘモグロビン血症（①ヘモグロビンM群として知られている一群の異常 α 鎖 [MIM*141800]または β 鎖 [MIM*141900]へモグロビンのいずれかによって起こるメトヘモグロビン血症．暗い青味がかった灰色のチアノーゼが乳児期早期に起こるが，肺疾患や心疾患はなく，アスコルビン酸やメチレンブルー療法に抵抗性を示す．常染色体優性遺伝．②赤血球内のメトヘモグロビンを還元する酵素であるシトクロム b_5 還元酵素 [MIM*250790]またはヘモグロビン還元酵素 [MIM*250700]の欠損によって起こるメトヘモグロビン血症．チアノーゼはアスコルビン酸やメチレンブルーによって改善される．常染色体劣性遺伝). ＝hereditary m.; hereditary methemoglobinemic cyanosis; primary m.

enterogenous m. 腸性メトヘモグロビン血症. ＝acquired m.

hereditary m. ＝congenital m.

iatrogenic m. 医原性メトヘモグロビン血症（シアン化合物中毒など致死的な異常ヘモグロビン血症に対する治療の第一段階として，亜硝酸アミルなどにより誘発された一過性のメトヘモグロビン血症).

primary m. 原発性メトヘモグロビン血症. ＝congenital m.

secondary m. 続発性メトヘモグロビン血症. ＝acquired m.

met·he·mo·glo·bi·nu·ri·a (met-hē′mō-glō′bi-nyū′rē-ă) [methemoglobin ＋ G. *ouron*, urine]. メトヘモグロビン尿性（尿中にメトヘモグロビンが存在すること).

meth·en·a·mine (meth-en′ă-mēn). メテナミン，メセナミン（アンモニアとホルムアルデヒドが作用してできる縮合物．酸性尿では，分解してホルムアルデヒドを生じる．尿路防腐薬). ＝hexamine.

meth·en·a·mine-sil·ver (meth-en′ă-mēn sĭl′vĕr). メテナミン−銀（メテナミンに硝酸銀を加えてつくられたヘキサメチレンテトラミン−銀複合体．振とうによって溶解し，冷凍不安定である白色沈殿物がその溶液に生じる．種々の組織学的・組織化学的染色法に用いる.→Gomori methenamine-silver *stain*).

meth·ene (meth′ēn). メテン (=CH−という部分構造).

***N*⁵,*N*¹⁰-meth·e·nyl·tet·ra·hy·dro·fol·ic ac·id** N^5,N^{10}-メテニルテトラヒドロ葉酸. ＝anhydroleucovorin.

***N*⁵,*N*¹⁰-meth·e·nyl·tet·ra·hy·dro·fo·late** N^5,N^{10}-メテニルテトラヒドロ葉酸塩(エステル)（テトラヒドロ葉酸の1炭素原子誘導体．プリン生合成に用いられる).

meth·i·cil·lin so·di·um (meth′i-sil′in sō′dē-ŭm). メチシリンナトリウム（非経口投与のための半合成ペニシリン．耐ペニシリンGブドウ球菌による感染症だけに用いることが望ましい．溶血連鎖球菌，肺炎球菌，淋菌，ペニシリンG感受性ブドウ球菌により起こる感染症には，ペニシリンGより効力が劣る). ＝sodium methicillin.

me·thi·o·nine (Met, M) (me-thī′ō-nēn). メチオニン（その L-異性体は栄養的に必須アミノ酸である．体中の〝活性メチル〞基の最も重要な自然源で，通常，*in vivo* のメチル化に関与する．DL 型は肝臓病の治療に補助的に用いられる).

active m. 活性メチオニン. ＝S-adenosyl-L-methionine.

m. adenosyltransferase メチオニンアデノシルトランスフェラーゼ（L-メチオニンと ATP が縮合して，*S*-アデノシル-L-メチオニン，またはオルトリン酸，ピロリン酸を形成する反応を触媒する酵素．その肝酵素の欠損により，高メチオニン血症になる). ＝methionine-activating enzyme.

m. sulfoxime メチオニンスルホキシム（メチオニンを含

む蛋白が，塩化窒素で処理されるときに形成されるメチオニンの毒性のある誘導体で，$-SCH_3$ が $-SO(NH)CH_3$ に変換したもの）.

m. synthase メチオニンシンターゼ（N^5-メチルテトラヒドロ葉酸に L-ホモシステインを反応させ，テトラヒドロ葉酸と L-メチオニンを生成させる反応を触媒する酵素．コバラミン要求酵素．この酵素の欠損により，L-ホモシステインの蓄積をきたし，精神的異常を起こす）．＝tetrahydrofolate methyltransferase.

metho- (meth′ō). ⇀meth-.

METHOD

meth·od (meth′ŏd) [G. *methodos* < *meta*, after + *hodos*, way]. 方法，様式，順序（→fixative; operation; procedure; stain; technique）.

Abell-Kendall m. (ā′bel ken′dăl). アベル－ケンダル法（全血清コレステロールの測定の標準法で，コレステロールエステルを水酸イオンでけん化し，石油エーテルで抽出し，無水酢酸－硫酸で発色させる．この方法は，ビリルビン，蛋白，ヘモグロビンによる干渉を避ける）.

activated sludge m. 活性汚泥法（汚水を 15％の細菌活性液体汚泥で処理する汚水処理法で，新鮮な汚水を反復的に激しく通気させて羊毛状微片または沈殿物を生じさせる．この凝集化過程が終了すると，その活性汚泥は，多くの細菌，および有機化合物の酸化の効果を促進させる酵母菌・カビ・原生動物をも含む．この混合物は沈殿槽にパイプで送られ，ここからの流出液は完全に処理された汚水である）.

Altmann-Gersh m. (ahlt′mahn-gersh). アルトマン－ガーシュ法（組織を急速に凍らせ，真空中で脱水する方法）.

Anel m. (ah′nĕl). アネル法（動脈瘤の直上(近位側)で，動脈を結紮する方法）.

Antyllus m. (an-til′ŭs). アンティルス法（動脈瘤の上下で動脈を結紮して動脈瘤を切開し，内容物を排出させる方法）.

aristotelian m. アリストテレス法（概括的な範疇と特別な対象との関係を強調する研究方法）.

Ashby m. (ash′bē). アシュビー法（赤血球寿命を測定する分別凝集法．受血者がもっていない型因子をもつ適合性血液をその受血者へ輸血し，輸血後，その受血者の赤血球に活性のある凝集素をもつ血清を受血者の血液のサンプルに加え，非凝集赤血球を計算する．この方法を用いて健常人の赤血球寿命は 110—120 日であることがわかった）.

auxanographic m. 細菌成長検出法，オキサノグラフ法（細菌酵素の研究における方法．デンプンや牛乳のような酵素作用の指標物質を混ぜた寒天平板に細菌を接種する．細菌が，その混ぜ合わされた物質を消化する酵素を産生すれば，各細菌集落の培地に透明帯が生じる）．＝diffusion m.

Barraquer m. (bah-rah-kār′). バラケル法．＝zonulolysis.

Beck m. (bek). ベック法（大弯側から胃に永久の開口をつくること）.

Bier m. (bēr). ビール法（①＝Bier *block.* ②反応的充血により，種々の外科的状態を治療すること）.

Billings m. (bil′ingz). ビリング法（頸管粘液の性状変化で禁欲期間を決める避妊法）.

Born m. of wax plate reconstruction (bōrn). ボルンろう板再構成法（連続した切片から三次元の構造模型をつくること．再構成に必要な個々の断面を拡大して切断した一連のろう板によって構成する）.

Brasdor m. (brah′dōr). ブラスドール法（腫瘍の直下(遠位側)で動脈を結紮する動脈瘤の治療法）.

Callahan m. (kal′ă-han). キャラハン法．＝chloropercha m.

capture-recapture m. 捕獲－再捕獲法（本来，生物学者が野生の動物集団を追跡するために開発した方法．現在では，追跡が困難な人間の集団に対する疫学研究に応用されている(例えば，売春婦，10 代の家出，麻薬常用者)）.

Charters m. (char′tĕrz). チャーターズ法（［誤った形 Charter および Charter's を避けること］．歯刷毛を歯冠側に45 度の角度で当てて，狭い円運動を行う刷掃法）.

Chayes m. (shāyz). シェーエ法（［誤った形 Chaye および Chaye's を避けること］．欠損歯を補てつする方法．歯科補てつ物の固定と安定のための器械装置で，支台歯の〝機能的動き movement in function〟を可能にする）.

chloropercha m. クロロパーチャ法（歯の根管に，クロロホルム－レジンに溶解したガッタパーチャコーンを充塡する方法）．＝Callahan m.; Johnson m.

closed circuit m. 閉鎖循環法（酸素消費量を測定する方法．炭酸ガス吸収薬を通して初期量の酸素を再呼吸し，再呼吸された酸素量の減少を記録する）.

Cobb m. (kob). コッブ法（側弯症で脊椎の弯曲の程度を決めるのに用いる測定法．弯曲の上端(最も傾斜している)椎体の上部終板に沿う線と下端の椎体の下部終板に沿う線を引き，それぞれに垂直な線を引いて測定する．この 2 本の垂直線のなす角を Cobb 角といい，弯曲の程度を表す）.

combined m.'s 混合法（ろう(聾)児の教育法として，聴覚口話法や視覚手話法を組み合わせる方法．→oral auditory m.; manual visual m.; total *communication*）.

confrontation m. 対診法（視野測定法．一眼を遮閉し他眼を対応する検者の眼を固視した患者と対坐し，検者は，検者の視野と患者の視野とを比較する．検者は両者の中間に指を置き，患者にその指が見えなくなるまで異なる方向にゆっくりと動かす．毎回，指は元の位置の中心方向に向かって患者が見えるようになるまで周辺から戻される）.

cooled-knife m. 冷却ナイフ法（氷点下数度に冷却したナイフで，凍結切片を切断する法）.

copper sulfate m. 硫酸銅法（血液または血漿の比重を測定する方法．予想される範囲内で比重を 0.004 ずつ増やした硫酸銅液に，血液または血漿を滴下する．滴下した血液または血漿が浮沈しないままでいる硫酸銅液の比重が，その検体の比重となる）.

correlational m. 相関法（個人のある特質と他の特質の間に存在する関係を研究するために，臨床や心理学の応用分野などで非常によく用いる統計学的方法）.

Credé m.'s (krĕ-dā′). クレデー法（①新生児結膜炎の予防に，新生児の眼に 2％硝酸銀溶液を 1 滴滴下する方法．②出血や子宮収縮不全の場合に胎児が娩出された直後に子宮底に手を置いてさすり，胎盤がはがれたら子宮底を強く圧迫するか握るようにして娩出させる方法．③尿を排出するために，膀胱，特に麻痺した膀胱を手で圧迫する方法）．＝Credé maneuvers.

cross-sectional m. 横断的方法（発達心理学において，異なる年齢層の個人群の比較を含む人間の発達史を研究する方法．*cf.* longitudinal m.）.

Deaver m. (dē′vĕr). ディーバー法（運動再教育の方法）.

definitive m. 絶対的標準法，基準法（特定の物質中の特定の被分析物の測定のための分析方法で，被分析物の濃度の真の値を決定する）.

Dick m. (dik). ディック法．＝Dick *test.*

diffusion m. 拡散法．＝auxanographic m.

direct m. for making inlays インレー作製の直接法（歯科において，ろう原型(ワックスパターン)を直接口腔内の窩洞で採得してインレーをつくる方法）．＝direct technique.

disc sensitivity m. ディスク感受性試験（種々の抗生物質について有効性の比較をする検査．小さな沪紙(あるいは他の適当な素材)に既知の適当量の抗生物質をしみ込ませて，あらかじめ被検菌を接種しておいた寒天培地の表面上に置く．37°C で培養すると，それぞれのディスク周囲に菌発育のみられない領域が出現し，この発育阻止円の大小から，被検菌の抗生物質感受性を判定する）.

double antibody m. 二〔重〕抗体法．＝double antibody *precipitation.*

Edman m. (ed′măn)[Pehr *Edman*]. エドマン法（⇀phenylisothiocyanate）.

Eggleston m. (eg′ĕl-stŏn). エグルストン法（大量のジギタリス薬またはチンキ剤を，何度も反復して用いる急速なジギタリス飽和法を表す，現在では用いられない語）.

Eicken m. (ī′kĕn). アイケン法（喉頭探針で輪状軟骨を前方に引いて，下咽頭鏡検査を容易にする方法）.

encu m. 健常児相当量法（遺伝カウンセリングにおいて，常染色体優性形質に対する危険率の計算を単純化する方法で，すべての関連証拠を健常児相当量に換算することにより行われる）．

ensu m. 健常男子相当量法（遺伝カウンセリングにおいて，X連鎖形質に対する危険率の計算を単純化する方法で，すべての関連証拠を健常男子相当量に換算することによって行われる）．

experimental m. 実験的方法（実験心理学において，経験と行動の両面における環境因子，生理学的因子，態度因子による依存的変化を観察するために，各因子を制御する方法）．

Fick m. (fik). フィック法（1870年に A. Fick は，心臓の拍出量が全身の酸素消費量を動脈と静脈の血液含量の差で割ることによって算出されることを示した．直接 Fick 法では上記のすべての変数を測定するが，間接 Fick 法では混合静脈の酸素含量を測定する方法を避けるいくつかの方法が用いられる．Fick 法をさらに拡大して，指示物質を用いてその摂取率，消費率，そして動脈と混合静脈血の含量が測定できる場合には，心臓の拍出量のみならず組織の血流量を求めることができるが，この場合その指示物質がその組織系に特別に取り込まれたりあるいは残留しない条件が必要となる）．＝Fick principle.

flash m. 内光法（温度を急速に 178°F(81.11°C)まで上げて，短時間置き，その後急速に 40°F(4.44°C)まで下げて牛乳を滅菌する法）．

flotation m. 浮遊法（直接検査法では寄生虫卵の発見が困難な場合に，より信頼度の高い結果を得るために行われる集卵法．浮遊法の原理は，ほとんどの寄生虫が十分に高い比重（例えば約 1.180）を有する液体の表面に浮くことにある．便を約 10 倍量の飽和食塩水の中でよく混ぜると原生動物類の嚢子や沪過されない寄生虫卵が表面に浮く．→zinc sulfate flotation centrifugation m.）．

Gärtner m. (gart′nĕr). ゲルトナー法（Gärtner の静脈現象に基づく静脈圧の測定法．患者はまっすぐに座り，手背静脈を選び，右心房より十分下の位置で水平にし，ゆっくりと上げる．手背静脈が虚脱するときの位置と右心房の間の距離を測定し，ミリメートルで表す．これが静脈圧である．このように，静脈自体が右心房と連絡している圧力計として用いられるが，老齢者では特に不正確である）．

Gerota m. (gā-rō′tah). ジェロータ法（クロロホルム，エーテルには溶けるが水には溶けない染料をリンパ管に注入すること．アルカニン，赤色硫化水銀，プルシアンブルーが適するといわれている）．

glucose oxidase m. グルコースオキシダーゼ法（グルコースオキシダーゼとの反応（グルコン酸と過酸化水素を生成する）による血清または血漿中のグルコースの測定に対する高特異的方法）．

Gruber m. (grū′bĕr). グルーバー法（Politzer 法の変法で，患者はえん下せずに，袋を圧迫した瞬間に〝ホック hoc〟という）．

Hamilton-Stewart m. (ham′il-tŏn stū′ărt). ハミルトン－スチュワート法（静脈内に指示物質を投与して心拍出量を計算する方法．投与した指示物質の総量を循環中の1点で採取した色素濃度曲線の平均値で割り，これに再還流がない場合には色素が出現したときから消失するまでの曲線の濃度をかけて求める）．＝Hamilton-Stewart formula; indicator dilution m.; Stewart-Hamilton m.

Hammerschlag m. (hahm′ĕr-shlahg). ハンメルシュラーク法（比重のわかっているクロロホルムとベンゼンの混合液を含む一連の管に，1滴の血液を滴下し，血液の比重を決定する液体比重測定法．滴下した血液が浮沈せず停止したままでいる混合液の比重が検査する血液の比重に相当する）．

hexokinase m. ヘキソキナーゼ法（血清や血漿中のグルコースを測定する最も特異的な方法．ヘキソキナーゼと ATP とでグルコースをグルコース 6–リン酸と ADP に変換し，次にグルコース 6–リン酸が NADP とグルコース 6–リン酸デヒドロゲナーゼと反応し，NADP を生成させ，これを分光測定によって測定する）．

Hilton m. (hil′tŏn). ヒルトン法（潰瘍の痛みを軽減するために，その部位を支配している神経を切断する方法）．

Hirschberg m. (hĭrsh′bĕrg). ヒルシュベルク法．＝Hirschberg *test*.

Hung m. (hŭng). ハング法．＝Wilson m.

immunofluorescence m. 免疫蛍光法（抗原の存在を探ったり局在を決定したりするために，蛍光をラベルした抗体を用いる方法）．

impedance m. インピーダンス法（電流のインピーダンスを測定することによって，大脳構造の局所性を決定する）．

indicator dilution m. 色素希釈法．＝Hamilton-Stewart m.

indirect m. for making inlays インレー間接法（口腔内の歯または形成窩洞の印象からつくられた模型で，インレーが完全につくられるような方法）．＝indirect technique.

indophenol m. インドフェノール法（植物や動物組織内のビタミンCの定量法．標準インドフェノール溶液が酸性溶液中でビタミンCによって，無色の化合物に急速に還元されることに基づく）．

introspective m. 内観法，内省法（機能主義の分野で，自分自身の意識的経験の過程を熟視することにより精神現象を系統的に研究すること）．

ITO m. (ē′tō). ITO 法（単一座において，血縁者が共通の遺伝子をもたないか，1個あるいは2個をもつかによって遺伝子型分布を求める簡便マトリックス法）．

Johnson m. (jon′sŏn). ジョンソン法．＝chloropercha m.

Keating-Hart m. (kē′ting hart). ケアタン－アール法（外部癌または悪性新生物を除去した後の手術野に放電を行う方法）．

Kety-Schmidt m. (kē′tē shmit). ケティ－シュミット法（1944年に C.F. Schmidt と S.S. Kety によって開発された臓器血流量の測定法で，最初脳の血流量を求めた．これは化学的に無害な気体を測定しようとする組織と平衡化させ，次に組織から消失していく速度を求めることによって得られる．血流量は，組織と静脈血中の標識ガスの濃度は血流の速度によらず一定の拡散平衡状態にあると仮定し，標識ガスの消失速度は血流の対数減少に比例すると仮定して求める）．

Kjeldahl m. (kyel′dahl) [Johan G.C. *Kjeldahl*]. ケルダール法（→macro-Kjeldahl m.; micro-Kjeldahl m.）．

Lamaze m. (lĕ-mahz′). ラマーズ法（分娩の苦痛を和らげるために出産の準備として行う精神的予防策）．

Langendorff m. (lahng′ĕn-dōrf). ランゲンドルフ法（摘出した哺乳類の心臓で，大動脈内に圧をかけて液を注入することにより冠動脈系を灌流する方法）．

Lee-White m. (lē hwīt). リー－ホワイト法（口径が一定の標準試験管を用いて，37°C で静脈血の凝固時間を測定する方法）．

Liborius m. (li-bō′rē-ŭs). リボリウス法（嫌気性菌の培養方法．適当な寒天培地に穿刺培養を行い，他の同じ培地を液化して，この穿刺培養を行った上に流し込み，空気から効果的に遮断する）．

Ling m. (ling). リング法（装具を使用しない体操．例えばスウェーデン体操）．

Lister m. (lis′tĕr). リスター法（1867 年に Lister によって最初に提唱された無菌手術法．手術は希釈石炭酸の噴霧下で行い，器具は使用前に石炭酸液に浸し，創部は厚い石炭酸ガーゼでおおう．現在の無菌手術はこれから発展した）．＝listerism.

lod m. [logarithm of the odds]. ロッド法（組換え率が 0.5（すなわち連鎖がない）と仮定したとき，特定の組換え率の尤度の比の常用対数として表す連鎖分析法．すなわち，0.2 の組換え率においてロッドスコアが 3 であるということは，遺伝子座が連鎖せず，したがって組換え率が 0.5 であると考えるより，組換え率が 0.2 であると考えることによって，そのデータを 1,000 倍より容易に説明しうる）．

longitudinal m. 縦断的方法（発達心理学において，個人の一生を異なる年齢水準で比較することを含む人間の発達史の研究方法．*cf.* cross-sectional m.）．

macro-Kjeldahl m. (kyel′dahl) [Johan G.C. *Kjeldahl*]. マクロケルダール法（尿，血清，その他の標本中の窒素化合物の含有量を分析する方法．通常，比較的多量の窒素（例えば 20—100 mg）の決定に用いる．試験材料は硫酸銅と硫酸で処理し，十分熱し，カセイソーダ溶液でアルカリ化する．次いで混合物からアンモニアを蒸留し，ホウ酸指示液中にため，標準塩酸または硫酸で滴定する）．

manual visual m. 視覚手話法（ろう（聾）児の教育法のうち，視覚によるコミュニケーションや，英語あるいは他国語の手話を早期から継続して修得するやり方を強調した方法．

→oral auditory m.; combined m.'s; total *communication*).

Marshall m. (mar′shăl). マーシャル法（体液の遊離および抱合スルファニルアミドを測定する定量法）.

micro-Astrup m. (as′trŭp). マイクロアストラップ法（酸塩基測定のための補間法で，呼吸性アシドーシスまたはアルカローシスを示す動脈 Pco_2，代謝性アシドーシスを示す塩基欠乏を測定するために，Siggaard-Andersen 共線図表の使用と pH に基づいて行う）.

micro-Kjeldahl m. (kyel′dahl)[Johan G.C. *Kjeldahl*]. マイクロケルダール法（窒素化合物の分析法である macro-Kjeldahl 法の変法で，比較的少量，例えば窒素総量が 1 mg から数 mg の標本に用いる）.

microsphere m. ミクロスフィア法（指示物質の希釈度合によって組織血流量を測定する方法で，心拍出量や組織血流の分布を測定するために用いる．流量を測定するためには中性で浮遊性の化学的に無害なミクロスフィアを指示物質の特性として，多くは放射性の活性として測定し，心腔内あるいは動脈内に投与しその血流の割合に応じて組織に分配されると仮定する．投与するスフィアは測定する臓器の血管を閉塞するに十分な大きさのものを用いる．投与量は統計的に有意な値を得られる量とし，かつ投与しても血流状態が変わらない量とする．ミクロスフィアの分布，すなわち血流量を求めるために組織の一部を切り取り測定する．→Fick m.; Stewart-Hamilton m.）.

Moore m. (mūr). ムーア法（嚢へ銀または亜鉛の針金を入れてフィブリン沈着を起こす動脈瘤の治療法）.

Needles split cast m. (nē′dĕlz). ニードルズスプリットキャスト法. ＝split cast m.

Nikiforoff m. (nē-kē′fŏ-rof). ニキフォーロフ法（血液塗抹標本の固定法．無水アルコール，等量のアルコールとエーテルの混合物，または純エーテルに 5 —15 分浸す）.

Ochsner m. (oks′nĕr). オックスナー法（手術ができない症例で，腸管のぜん動を抑制して虫垂炎を治療する方法であるが，現在では用いられない）.

open circuit m. 開放回路法（一定時間呼気を集めてその容量と組成を測定することにより，酸素消費と炭酸ガス産生を測定する方法）.

oral auditory m. 聴覚口話法（ろう(聾)児の教育に対するアプローチで，早期聴覚訓練，読唇法，残聴覚や人工内耳初期の継続された高質な増幅を強調する．→manual visual m.; combined m.'s; total *communication*）.

Orsi-Grocco m. (ōr′sē grok′ō). オルシ－グロッコ法（心臓の触診打診法）.

Ouchterlony m. (ok′tĕr-lō-nē). オークターロニー(オクタロニー)法. ＝Ouchterlony *test*.

Pachon m. (pah-shōn[h]′). パションン法（患者を左側臥位にして行う心拍記録法）.

paracelsian m. パラセルス法（疾病の治療に化学薬剤のみ用いることを表す古語）.

parallax m. 視差法（X 線管または透視スクリーンを身体から一定の距離で動かしながらスクリーン上の映像の動く方向を観察して異物の局在を決める方法）.

Pavlov m. (pahv′lov). パヴロフ法（唾液流出反応や脳波のような運動性指標を観察することによって，条件反射活動を研究する方法）.

Politzer m. (pol′it-zĕr). ポーリツァー法（患者がえん下する瞬間，鼻孔に空気を吹き込んで，耳管と鼓室を膨張させる方法）.

Porges m. (pōr′gez). ポルゲス法（細菌の被膜を破壊する方法で，1/4 規定の塩酸で熱し，カセイソーダで中和する）.

Purmann m. (pŭr′mahn). プルマン法（嚢の摘出による動脈瘤の治療法）.

Quick m. (kwik). クウィック法. ＝prothrombin *test*.

reference m. レファレンス法，参照法（有意な確率誤差および系統誤差のない分析法で，同一の被分析物に対し提唱された新しい分析法の評価に有効）.

Rehfuss m. (rā′fus). レーフス法（胃活動の分画測定法．試験食を投与した後，有窓の金属先端をもつ細い管を胃に通し，15 分間隔で少量(6 — 8 mL)の胃内容を取り出して検査する）.

rhythm m. リズム法（月経周期で受精が予期される時期に禁欲を求める自然避妊法）. ＝rhythm (2).

Rideal-Walker m. (rid′ē-ăl wah′kĕr). ライディール－ウォーカー法（→Rideal-Walker *coefficient*）.

Roux m. (rū). ルー法（舌の切除手術を容易にするために，下顎骨を中央で分割する方法）.

Sanger m. (sang′ĕr). サンガー法（DNA 配列を決定する方法で，DNA を合成する酵素と標識ヌクレオチドを採用している）.

Scarpa m. (skar′pah). スカルパ法（嚢の上で，いくらかの間隔をおいて動脈を結紮する動脈瘤の治療法）.

Schäfer m. (shā′fĕr). シェーファー法（おぼれたり，仮死の場合の蘇生法で，現在では行われない．患者の顔を下にして寝かせ， 1 分間約 15 回の割合で下部胸郭に間欠的に軽い圧をかける，自然の呼吸に似せて行われる方法）.

Schede m. (shā′dĕ). シェーデ法（腐骨を除去した後，あるいは骨疽物質を取り除いた後，血液で腔を満たす，骨欠損の補充法．血液は器質化する(Schede 血餅)ことがある）.

Schick m. (shik). シック法. ＝Schick *test*.

Schmidt-Thannhauser m. (shmit tahn′how-zĕr)[Gerhard *Schmidt*, S. J. *Thannhauser*]. シュミット－タンハウザー法（核酸の分別法．リボ核酸はアルカリで加水分解されてヌクレオチドになるが，デオキシリボ核酸はならないということに基づいている．RNA は 2 時間前後で 0.75 規定カセイソーダで加水分解されるが，通常は 18 時間，0.3 規定カセイソーダを用いる）.

Schweninger m. (shwen′ing-ĕr). シュベーニンガー氏法（液体の摂取を制限することにより肥満を防ぐとする説）.

Shaffer-Hartmann m. (shăf′ĕr hart′măn)[A. *Shaffer*, Alexis F. *Hartmann*]. シェーファー－ハートマン法（糖の還元性基による銅の還元に基づいた生物の体液中のブドウ糖を定量する現在では用いられない方法）.

Somogyi m. (sō-mō′jē). ソモギー法（→Somogyi *unit*）.

split cast m. スプリットキャスト法（①器械の撤去や再装着を容易にするために，咬合器模型に印を付ける方法．②上下顎関係記録を採得あるいは調整するため，咬合器の能力をチェックする方法）. ＝Needles split cast m.

Stas-Otto m. (shtaz ot′ō)[Jean-Servais *Stas*, Friedrich Julius *Otto*]. スタース－オット法（動植物体からアルカロイドを抽出する方法．アルコールと酒石酸に浸漬し，次いで脂肪性・樹脂性物質を水で沈殿させ，液をアルカリで処理する．アルカロイドはエーテルまたはクロロホルムで抽出される）.

Stewart-Hamilton m. (stū′ărt ham′il-tŏn). スチュワート－ハミルトン法. ＝Hamilton-Stewart m.

Thane m. (thān). セーン法（脳の中心溝(Rolando 溝)の位置を示す方法．溝の上端は眉間からイニオンへ引いた線の中点に相当する）.

Theden m. (thē′dĕn). テーデン法（肢全体を巻軸包帯で圧迫して，動脈瘤または大量の血液性滲出を治療する方法）.

Thezac-Porsmeur m. テザック－ポルスムール法（感染創の熱療法で，布製の筒に取り付けたレンズによって太陽光線を感染している創領域に焦点を合わせるように集めて行う方法）.

thiochrome m. チオクロム法（チアミンの定量法．ビタミンがアルカリフェリチアン塩で酸化されて，蛍光化合物であるチオクロムを生じるときの，チオクロム産生に基づく方法）.

twin m. 双生児法（一般的遺伝分析法で，双生児は同じ年齢と同じ子宮内環境をもっているけれども，一卵性双生児は同じ遺伝子型をもつが，二卵性双生児は兄弟以上に似ていることはないし，性が異っているかもしれないという事実を利用している）.

ultropaque m. ウルトロパク法（超顕微鏡を用いて新鮮組織の厚い切片(1 — 3 mm)を検査する迅速な方法．反射鏡を組み入れた対物鏡を使用するので光は組織上で反射する）.

u-score m. u 値法（最尤推定値による方法より古く，簡単であるが，いくらか効果的でない連鎖分析法）.

Wardrop m. (wōr′drop). ウォードロップ法（嚢の上で，いくらか距離をおいて動脈を結紮する動脈瘤の治療法．嚢と結紮の間の 1 つ以上の動脈の分枝をそのままにしておく）.

Westergren m. (vest′ĕr-gren). ヴェステルグレン(ウェスターグレン)法（血液中の赤血球沈降速度の測定法．静脈血をクエン酸ナトリウムの水溶液と混ぜ，これを長さ 200 mm の標準ピペットの 0 目盛りまで満たし，まっすぐに立てる．

赤血球の降下を1時間後に mm 単位で観察する．男性の正常値は0—15 mm(平均4 mm)，女性は0—20 mm(平均5 mm)である)．

Wheeler m. (hwē′lĕr). ホウィーラー法（瘢痕性外反症を矯正する外科的方法)．

Wilson m. (wil′sŏn). ウィルソン法（便中の寄生虫卵を集めるための単純食塩浮遊法．⇀flotation m.)．＝Hung m.

zinc sulfate flotation centrifugation m. 硫酸亜鉛浮遊遠心法（浮遊遠心法の1つで，便標本を水道水に懸濁し，湿ったガーゼで沪過して遠心し，水道水に再懸濁して洗浄，再沈殿という操作を数回繰り返す．次いで33%硫酸亜鉛水溶液に懸濁し，最高速で45—60秒間遠心する．原生動物嚢子や扁形動物卵を含む表層を，細菌用白金耳を用いるなどして採取する)．

---

meth·od·ism (meth′ŏd-izm). 固体病因説．＝solidism.

meth·o·dol·o·gy (meth′o-dol′ŏ-jē). 方法論，方法学（方法に関する科学的な研究または論理的な分析)．

meth·or·phi·nan (meth-ōr′fi-nan). メトルフィナン（⇀dextromethorphan hydrobromide)．

meth·o·trex·ate (meth′ō-trek′sāt). メトトレキセート，メトトレキサート（抗腫瘍薬として用いる葉酸拮抗薬．乾癬や関節リウマチの治療に用いられる)．＝amethopterin.

methoxy- (me-thok′sē). メトキシ（メトキシル基の付加を意味する化学接頭語)．

4-**me·thox·y·ben·zo·ic ac·id** (me-thok′sē-ben-zō′ik as′id). 4-メトキシ安息香酸．＝anisic acid.

me·thox·y·chlor (me-thok′sē-klōr). メトキシクロル（DDT と類似した殺虫薬．外部寄生生物撲滅薬)．

3-**me·thox·y-4-hy·drox·y·man·del·ic ac·id** (me-thok′sē-hī-drok′sē-man-del′ik as′id). 3-メトキシ-4-ハイドロキシアンデリン酸（⇀vanillylmandelic acid)．

5-**me·thox·y·in·dole-3-ac·e·tate** (me-thoks′ē-in′dōl as′ĕ-tāt). 5-メトキシインドール-3-酢酸（トリプトファンやセロトニン分解の中間体で，抱合体として排泄される)．

me·thox·yl (me-thok′sĭl). メトキシル（1価の基 $-OCH_3$)．

5-**me·thox·y·trypt·a·mine** (me-thoks′ē-trip′tă-mēn). 5-メトキシトリプタミン（L-トリプトファンおよびセロトニンの分解中間体)．

meth·yl (Me) (meth′il)［G. *methy*, wine + *hylē*, wood］. メチル（1価の基 $-CH_3$)．

active m. 活性メチル（メチル基転移反応に携わることのできる第四級のアンモニウムイオン，または第三級のスルホニウムイオンに付いているメチル基．例えば，メチル基供与体であるコリンや *S*-アデノシル-L-メチオニンのメチル基)．

m. aldehyde メチルアルデヒド．＝formaldehyde.

angular m. 核間メチル（ステロイド核の C-10(A環とB環の間)または C-13(C環とD環の間)に付いているメチル基)．

m. chloride 塩化メチル．＝chloromethane.

m. cysteine hydrochloride 塩酸メチルシステイン（塩酸システインのメチルエステル．粘液溶解薬)．

m. hydroxybenzoate オキシ安息香酸メチル．＝methylparaben.

m. isobutyl ketone メチルイソブチルケトン（アルコール変性剤．高濃度で麻酔作用がある．低濃度でも目や粘膜に刺激を起こすことがある)．

m. methacrylate メタクリル酸メチル（義歯床に用いる熱可塑性の材料，および電子顕微鏡用の包埋材料)．

m. nicotinate ニコチン酸メチル（ニコチン酸のメチルエステル．引赤薬として用いる)．

2-**meth·yl·a·ce·to·a·ce·tyl-CoA thi·o·lase** (meth′il-a-sē′tō-a′sĕ-til thī′ō-lās). 2-メチルアセトアセチルCoA チオラーゼ（L-イソロイシン分解経路中の酵素．2-メチルアセトアセチル CoAをアセチルCoA とプロピオニルCoA へ変換する反応を触媒する．この酵素の欠損により，2-メチルアセトアセチルCoA の蓄積をきたし，重篤な代謝性アシドーシスおよびケトーシスを発現させる)．

meth·yl·a·cryl·ic ac·id (meth′il-ă-kril′ik as′id). メチルアクリル酸．＝methacrylic acid.

meth·yl·am·phet·a·mine hy·dro·chlor·ide (meth′il-am-fet′ă-mēn hī′drō-klōr′īd). 塩酸メチルアンフェタミン．＝methamphetamine hydrochloride.

N-**meth·yl** D-**as·par·tic ac·id** (meth′il ăs-part′ik as′id). *N*-メチル，D-アスパラギン酸．＝NMDA.

meth·yl·ate (meth′i-lāt). ***1***〘v.〙メチルアルコールと混ぜる．***2***〘v.〙メチル基を導入する．***3***〘n.〙メチルアルコールの水酸基の水素を金属で置換した化合物．

meth·yl·a·tion (meth-i-lā′shŭn). メチル化（メチル基の付加．組織化学においては，メチル化は，塩酸存在下熱メタノールで組織切片を処理することによりカルボキシシル基のエステル化および硫酸基の脱離に用いる．正味の効果は組織好塩基性を減少させたり，異染性をなくしたりすることである)．

restriction m. 制限メチル化反応（ある種の制限酵素による加水分解から保護するため，アデニンおよびシトシン基に選択的に起こる酵素的メチル基付加反応)．

meth·yl·ben·zene (meth-il-ben′zēn). メチルベンゼン．＝toluene.

meth·yl·ben·ze·tho·ni·um chlo·ride (meth′il-ben-zĕ-thō′nē-ŭm). 塩化メチルベンゼトニウム（他の陽イオン洗浄剤のような界面活性をもつ四級アミン化合物．一般的に殺菌性があるため静菌性をもつ．アンモニア皮膚炎を予防するために乳児のおむつやシーツを洗うのに用いる)．

meth·yl blue［C.I. 42780］. メチルブルー（スルホン化トリフェニルローズアニリン色素で，細胞質，コラーゲン，Negri 小体の染色，および防腐薬として用いる)．

meth·yl bro·mide 臭化メチル（電離箱で用いる．羊毛の脱脂用．ナッツ類，種子，花からの油の抽出用．製粉所，倉庫，地下貯蔵室，船，貨車などの殺虫用燻蒸剤として用いられる．土壌燻蒸剤としても用いられる)．

N-**meth·yl·car·no·sine** (meth′il-kar′nō-sēn). メチルカルノシン．＝anserine (2).

meth·yl-CCNU (meth′il). メチル-CCNU（カルムスチン(BCNU)およびロムスチン(CCNU)と類似したニトロソウレア系抗腫瘍薬)．＝semustine.

meth·yl·cel·lu·lose (meth′il-sel′yū-lōs). メチルセルロース（セルロースのメチルエーテル．水，アルコール，エーテルに溶けて無色で粘稠性の液体となる．腸の内容物量を増加して便秘の治療に，また胃の内容物量を増やして肥満の人の食欲減退に用いる．熱傷部をおおうためのスプレーおよび薬品や食品の懸濁化剤として水に溶かして用いられる)．

meth·yl·chlor·o·form (meth′il-khlōr′ō-fōrm). メチルクロロホルム．＝trichloroethane.

3-**meth·yl·chol·an·threne** (meth′il-kōl-an′thrēn). 3-メチルコラントレン（化学的にコール酸，デオキシコール酸，コレステロールからつくられる発癌性の高い炭化水素．シトクロム P-450 mRNA の合成を誘導する．メチル基の部位を3-とするか20-とするかは，炭化水素(内側)の番号に従うか，ステロイド(外側)の番号に従うかによって決まる．後者に従えば，コール酸とコレステロールについて正式な関係が明確となる)．

20-**meth·yl·cho·lan·threne** (meth′il-kō-lan′thrēn). 20-メチルコラントレン（⇀3-methylcholanthrene)．

meth·yl·cit·rate (meth′il-sit′trāt). メチルクエン酸（プロピオン酸血症患者で蓄積する微量の代謝物)．

meth·yl·co·bal·a·min (meth′il-kō-bal′ă-mēn). メチルコバラミン．＝*vitamin* B_{12}.

3-**meth·yl·cro·ton·yl-CoA** (meth′il-krō′ton-il). 3-メチルクロトニルCoA（L-ロイシンの分解中間体．3-メチルクロトンCoA カルボキシラーゼの欠損により蓄積する)．

3-m.-CoA carboxylase 3-メチルクロトニルCoA カルボキシラーゼ（L-ロイシン分解経路のビオチン依存性酵素で，3-メチルクロトニルCoA と CO_2，ATP，H_2O とにより，ADP，正リン酸，3-メチルクロトニルCoA を与える反応を触媒する．この酵素の欠損により重篤な代謝性アシドーシスを発症させる)．

5-**meth·yl·cy·to·sine** (meth′il-sī′tō-sēn). 5-メチルシトシン（細菌やヒトの DNA に存在する微量の塩基)．

meth·yl·di·chlor·o·ar·sine (MD) (meth′il-dī-klōr′ō-ar′sēn). メチルジクロロアルシン（発疱薬で，気道を刺激し，肺損傷および眼損傷を起こす．戦争で用いられてきた)．

meth·y·lene (meth′i-lēn). メチレン基（$-CH_2-$ 基)．

meth·y·lene az·ure (meth′ĭ-lēn azh′yūr). メチレンアズー

ル．＝*azure* I.

meth·y·lene blue (meth′ĭ-lēn blū) [C.I. 52015]．メチレンブルー（塩基性染料で，容易に酸化され，染料混合物のアズールになる．組織学および微生物学において，湿式貼付標本での腸内原虫類の染色や，電気泳動での RNA や RNase の追跡に用いる．メトヘモグロビン血症の解毒薬としても用いる．その酸化還元指示薬としての性質は牛乳の細菌学において有用である）．

Kühne m. b. (kē′ne)．キューネメチレンブルー（無水アルコールのフェノール溶液）．

Loeffler m. b. (lef′lĕr)．レフラーメチレンブルー（ジフテリア菌に対する染料で，少量の水酸化カリウムのはいった希エタノールにメチレンブルーを含むもの．染色液は多色性状態に熟成したとき最高の結果を与える）．

new m. b. [C.I. 52030]．新メチレンブルー（塩基性チアジン染料．血液スミアの網状赤血球の超生体染色に用いる）．

polychrome m. b. 多色性メチレンブルー（メチレンブルーのアルカリ溶液で，熟成により進行性酸化的脱メチル化が起こり，メチレンブルー，アズール，メチレンバイオレットの混合物を与える）．

meth·yl·ene chlor·ide (meth′ĭ-lēn klōr′īd)．塩化メチレン（刺激臭をもつ揮発性の液体で，蒸気は有害である．酢酸セルロースプラスチック，脱脂および洗浄液，食品加工に用いられる有機溶媒．製剤補助剤(溶媒)）．

3,4-meth·y·lene·di·oxy·meth·am·phet·a·mine (meth′ĭ-lēn-dī-ok′sē-meth′am-fet′ă-mēn)．3,4–メチレンジオキシメタンフェタミン．＝MDMA.

meth·y·lene·suc·cin·ic ac·id (meth′il-ēn-sŭk′sin-ik as′id)．メチレンコハク酸．＝itaconic acid.

N^5,N^{10}-meth·yl·ene·tet·ra·hy·dro·fo·late re·duc·tase (meth′il-ēn-tet′ră-hī′drō-fō′lāt rĕ-duk′tās)．N^5,N^{10}–メチレンテトラヒドロ葉酸レダクターゼ(N^5,N^{10}–メチレンテトラヒドロ葉酸から $NADP^+$ を用いN^5,N^{10}–メテニルテトラヒドロ葉酸に変換する酵素．この酵素の欠損によりL–ホモシステインの蓄積をきたし，重篤な神経障害を起こす）．

meth·y·lene white (meth′ĭ-lēn whīt)．白色メチレンブルー．＝leucomethylene blue.

meth·y·len·o·phil, meth·yl·en·o·phile (meth′ĭ-lēn′ō-fil, -fīl) [methylene + G. *philos*, fond]．メチレンブルー親和性の，好メチレンブルー性の（メチレンブルーに容易に染まるある種の細胞や組織構造についていう）．＝methylenophilic; methylenophilous.

meth·y·len·o·phil·ic, meth·yl·e·noph·i·lous (meth′i-lē′nō-fil′ik, meth′il-ĕ-nof′i-lŭs)．＝methylenophil.

meth·yl·glu·ca·mine (meth′il-glū′kă-mēn)．メチルグルカミン（陽イオンは通常，X線検査において水溶性のヨード造影剤として用いられる）．＝*N*-methylglucamine.

m. diatrizoate メチルグルカミンジアトリゾエート．＝*meglumine* diatrizoate.

***N*-meth·yl·glu·ca·mine** (meth′il-glū′kă-mēn)．*N*–メチルグルカミン．＝methylglucamine.

3-meth·yl·glu·ta·con·ic ac·i·du·ri·a (meth′il-glū′tă-kon′ik as′i-dyū′rē-a)．3–メチルグルタコニン酸性尿症（3–メチルグルタコニン酸の尿中排泄が亢進している遺伝性代謝疾患で，軽症型は3–メチルグルタコニン酸 CoA ヒドラターゼの欠損により，言語発育障害を呈する）．

3-meth·yl·glu·ta·con·yl-CoA hy·dra·tase (meth′il-glū′tă-kon′il hī′dră-tās)．3–メチルグルタコニルCoA ヒドラターゼ（*trans*–3–メチルグルタコニルCoA と H_2O により 3–ヒドロキシ–3–メチルグルタコニルCoA への反応を触媒する酵素．この酵素はL–ロイシン分解経路に関与する．この酵素欠損により 3–メチルグルタコン酸性尿症になる）．

meth·yl·gly·ox·al (meth′il-glī-ok′săl)．メチルグリオキサル；pyruvaldehyde（ピルビン酸のアルデヒド．ある生物の糖質代謝の中間体）．＝pyruvic aldehyde.

meth·yl·gly·ox·a·lase (meth′il-glī-oks′ă-lās)．＝lactoylglutathione lyase.

meth·yl green (meth′il grēn) [C.I. 42585]．メチルグリーン（塩基性トリフェニルメタン染料．クロマチン染料やピロニンとともにリボ核酸(赤色)とデオキシリボ核酸(緑色)を鑑別する染色に用いる．電気泳動で DNA の飛跡染色としても用いる）．

***N*-meth·yl·his·tid·ine** (meth-il-his′ti-dēn)．*N*–メチルヒスチジン（アクチン中に見出されるヒスチジンのメチル誘導体．アクチンやミオシンの損傷で，*N*–メチルヒスチジンが尿中に排出される．*N*–メチルヒスチジンの尿排出量は筋系の筋細線維の蛋白損傷速度の信頼できる指数である）．

meth·yl·ki·nase (meth′il-kī′nās)．メチルキナーゼ．＝methyltransferase.

meth·yl·mal·o·nate sem·i·al·de·hyde (meth′il-mal′on-āt sem′ē-al′dĕ-hīd)．メチルマロン酸セミアルデヒド（L–バリンの異化中間体．ある種の先天性疾患で上昇する）．

meth·yl·ma·lon·ic ac·id (meth′il-mă-lon′ik as′id)．メチルマロン酸；2-methylpropanedioic acid（脂肪酸代謝の重要中間体の1つ．ビタミン B_{12} 欠損症ではその濃度上昇がみられる．メチルマロン酸 methylmalonate は，マロン酸メチル methyl malonate(マロン酸のジメチルエステル)でないことに注意すること）．＝isosuccinic acid.

meth·yl·ma·lon·ic ac·i·de·mi·a (meth′il-mă-lon′ik as′-i-dē-mē-ă)．メチルマロン酸血症．＝ketotic *hyperglycinemia*.

meth·yl·ma·lon·ic ac·i·du·ri·a (meth′il-mă-lon′ik as′i-dyūrē-ă)．メチルマロン酸性尿症（メチルマロニル CoA 転位酵素の活性がないため，またはコバラミン還元酵素の欠損のため，尿中にメチルマロン酸が過剰に排泄される．次の2型がある．ⓘ先天性代謝異常で，生後短期間で尿中の長鎖ケトンを伴い重篤なケトアシドーシスをきたす．常染色体劣性遺伝[MIM*251000]で，第6染色体短腕のメチルマロン酸 CoA 転位酵素遺伝子(*MCM*)の突然変異によって起こる．ⓘⓘ後天性でアデノシルコバラミンの合成欠損に由来するビタミン B_{12} の欠損[MIM*251110]により生じる）．

meth·yl·mal·o·nyl-CoA (meth′il-mal′o-nil)．メチルマロニルCoA（数種の代謝物(例えば，バリン，メチオニン，奇数鎖の脂肪酸，トレオニン)の分解中間体．悪性貧血で上昇する）．

m.-CoA epimerase メチルマロニルCoA エピメラーゼ（D–メチルマロニルCoA と L–メチルマロニルCoA との相互変換を触媒する酵素）．

m. -CoA mutase メチルマロニル CoA ムターゼ（L–メチルマロニル CoA とスクシニル CoA との可逆的交換反応を触媒する酵素．コバラミン依存性酵素．この酵素の欠損によりメチルマロン酸血症になる）．

meth·yl·mer·cu·ry (meth′il-mer′kyū-rē)．メチル水銀．＝dimethylmercury.

meth·yl·mor·phine (meth′il-mōr′fēn)．メチルモルヒネ．＝codeine.

meth·y·lol (meth′ĭ-lol)．メチロール；hydroxymethyl（$-CH_2OH$という部分構造）．

meth·yl or·ange (meth′il ōre′nj)．メチルオレンジ（pH 指示薬として用いる弱酸性色素．pH 3.2 で赤色，pH 4.4 で黄色を呈する）．＝helianthine.

meth·y·lose (meth′ĭ-lōs)．メチローゼ（カルボニル基から最も離れている炭素原子がメチル(CH_3)である糖．例えばラムノース）．

meth·yl·par·a·ben (meth′il-par′ă-ben)．メチルパラベン（抗真菌性防腐薬）．＝methyl hydroxybenzoate.

meth·yl·pen·tose (meth′il-pen′tōs)．メチルペントース（C–6 がメチル基である六炭糖(6–デオキシヘキソース)．例えばラムノースやフコース）．

meth·yl red (meth′il red)．メチルレッド（pH 指示薬に用いる弱酸性色素．pH 4.8 で赤色，pH 6 で黄色を呈する．容易に還元され脱色するので，pH 読解は迅速に行わなければならない）．

5-meth·yl·res·or·cin·ol (meth′il-rē-sōr′sin-ol)．5–メチルレゾルシノール．＝orcinol.

meth·yl·ros·an·i·line chlor·ide (meth′il-rō-zan′i-lēn klōr′īd)．塩化メチルローザニリン．＝crystal violet.

meth·yl sa·lic·y·late (meth′il să-lis′ĭ-lāt)．メチルサリチレート（合成，またはツツジ科シラタマノキの一種 *Gaultheria procumbens* やカバノキ科のシラカンバ *Betula lenta* から単離されたサリチル酸のメチルエステル．リウマチ性疾患の外用・内用薬として用いられる）．＝checkerberry oil; gaultheria oil; sweet birch oil; wintergreen oil.

meth·yl-*tert*-bu·tyl eth·er (MTBE) (meth′il-tĕrt′byū′til ēth-ĕr)．メチル–*tert*–ブチルエーテル（胆石の溶解に用いる

物質).

meth·yl·tes·tos·ter·one (meth′il-tes-tos′tĕr-ōn). メチルテストステロン (テストステロンのメチル誘導体. テストステロンと同じ作用と用途をもつが, 経口または舌下で投与しても有効. 男子性腺機能不全の治療に用いられる). ＝17α-methyltestosterone.

17α-meth·yl·tes·tos·ter·one (meth′il-tes-tos′tĕr-ōn). 17α-メチルテストステロン. ＝methyltestosterone.

***N*⁵-meth·yl·tet·ra·hy·dro·fo·late** (meth′il-tet′ră-hī-drō-fōl′āt). N^5-メチルテトラヒドロ葉酸 (テトラヒドロ葉酸(塩)の活性1炭素原子誘導体で, L-ホモシステインの *S*-メチル化反応に関与する).

***N*⁵-m.: homocysteine methyltransferase** N^5-メチルテトラヒドロ葉酸：ホモシステインメチルトランスフェラーゼ (→*methionine* synthase).

meth·yl·thi·o·a·den·o·sine (meth′il-thī′ō-ă-den′ō-sēn). メチルチオアデノシン (5′ の位置に OH の代わりに $-SCH_3$ 基がついているアデノシン. $-SCH_3$ 基は数種の細菌では L-メチオニンをつくるために α-アミノ酪酸に転移される. メチルチオアデノシンはスペルミジン合成過程で *S*-アデノシル-L-メチオニンから, アラニン残基の脱離により生成する). ＝thiomethyladenosine.

meth·yl·to·col (meth′il-tō′kol). メチルトコール (トコールのメチル化誘導体. 例えば, トコトリエノール, トコフェロール).

meth·yl·trans·fer·ase (meth′il-trans′fer-ās). メチルトランスフェラーゼ (ある化合物から別の化合物へメチル基を移す酵素). ＝demethylase; methylkinase; transmethylase.

meth·yl vi·o·let (meth′il vi′ō-let) [C.I. 42535]. メチルバイオレット (テトラ-, ペンタ-, またはパラ-ローザニリンの混合物. メチル化の程度によって紫の色調が変化する(赤味がかったものをR, 青味がかったものをBとよぶ). ヘキサメチル体はクリスタルバイオレットとして, ペンタメチル体はメチルバイオレット6Bとして知られている. メチルバイオレット染料は, 多くの細菌学・組織学・細胞学的応用がある).

meth·yl·xan·thines (meth′il-zan′thinz). メチルキサンチン〔類〕(キサンチン(プリン誘導体)の誘導体である薬物の一群. テオフィリン, カフェイン, テオブロミンなどが含まれる).

meth·yl yel·low (meth′il yel′ō). メチルイエロー. ＝butter yellow.

me·thys·ti·cum (mĕ-this′ti-kŭm). メチスチクム (太平洋諸島のコショウ科 *Piper methysticum* の根. 原住民はカワカワ酒として飲用する). ＝kava (1);kava kava.

metMb metmyoglobin の略.

met·my·o·glo·bin (metMb) (met′mī-ō-glō′bin). メトミオグロビン (ヘム配合群の第一鉄イオンが酸化されて第二鉄イオンになったミオグロビン. フェリミオグロビン).

me·top·a·gus (me-top′ă-gŭs) [G. *metōpon*, forehead + *pagos*, something fixed]. 前額結合奇形〔体〕(前額で結合している接着双生児. →conjoined *twins*).

me·top·ic (me-top′ik) [G. *metōpon*, forehead]. 前額の ([誤ったつづりまたは発音 metropic を避けること]).

me·to·pi·on (me-tō′pē-on) [G. *metōpon*, forehead]. メトピオン ([誤ったつづりまたは発音 metropion を避けること]. 前頭隆起間の中央の頭蓋計測点). ＝metopic point.

met·o·pism (met′ō-pizm) [G. *metōpon*, forehead]. 前頭縫合残存〔症〕(成人になっても前頭縫合が残存していること).

met·o·po·plas·ty (me-top′ō-plas′tē, me-top′ō-plas-tē) [G. *metōpon*, forehead + *plastos*, formed]. 前頭形成〔術〕(前頭部の皮膚または骨の修復術).

met·o·pos·co·py (met′ŏ-pos′kŏ-pē) [G. *metōpon*, forehead + *skopeō*, to view]. 人相学, 観相学.

Met·or·chis (met-ōr′kis) [G. *meta*, behind + *orchis*, testicle]. 魚を食べる哺乳類や鳥類の胆嚢に寄生する吸虫類の一属で魚が伝播する. 特に北の温帯地方でよくみられる. *M. conjunctus* は北アメリカでネコやイヌにみられる種で, ときにヒトにもみられる.

M. conjunctis (met-ōr′kis kon-jŭnk′tis). 後睾吸虫科に属する肝臓寄生の吸虫で, 北米, ヨーロッパの温帯から亜北極地帯にかけてみられる. 成虫は3—4 mm × 5—8 mm で, 終宿主(例えば北米における魚食哺乳類)の胆管に寄生する. 数種の巻貝が中間宿主として働き, ここから出たセルカリアが数種の魚類(例えば *Catostoma commercialis*)に侵入し, 被嚢する. ヒトは魚肉を生あるいは不完全な調理で食べると偶発的宿主になりうる. 急性感染時の症状には発熱, 好酸球増多症, 右上半身の痛みなどがある.

me·tox·e·nous (me-tok′sĕ-nŭs) [G. *meta*, beyond + *xenos*, host]. 宿主変更の. ＝heterecious.

me·tox·e·ny (me-tok′sĕ-nē) [G. *meta*, beyond + *xenos*, host]. 宿主変更 (①異種寄生. ＝heterecism. ②寄生生物が宿主を変えること).

metr-, metra-, metro- (mē′trō) [G. *mētra*]. 子宮に関する連結形. →hystero- (1); utero-.

me·tra (mē′tră) [G. uterus]. 子宮. ＝uterus.

me·tra·to·ni·a (mē′tră-tō′nē-ă) [metra- + G. *a-* 欠性辞 + *tonos*, tension]. 子宮アトニー, 子宮弛緩〔症〕. ＝postpartum *atony*.

me·tria (mē′trē-ă) [G. *mētra*, uterus]. 産褥熱 (産褥期の骨盤蜂巣炎または他の炎症性疾患).

met·ric (met′rik) [G. *metrikos* < *metron*, measure]. 測定の, メートル〔法〕の (→metric *system*).

me·tri·fo·nate (me-trī′fō-nāt). メトリホナート. ＝trichlorfon.

met·ri·o·ce·phal·ic (met′rē-ō-se-fal′ik) [G. *metrios*, moderate < *metron*, measure + *kephalē*, head]. 中高頭の (身長に釣り合った頭高をもっていること. 長高指数 72—77 の頭蓋についていう. →orthocephalic).

me·tri·tis (mĕ-trī′tis) [G. *mētra*, uterus + *-itis*, inflammation]. 子宮〔筋層〕炎 (子宮の炎症).

me·triz·a·mide (mĕ-triz′ă-mīd). メトリザマイド. ＝metrizoate sodium.

met·ri·zo·ate so·di·um (met′-ri-zō′āt sō′dē-ŭm). メトリゾエートナトリウム (診断用X線造影剤). ＝metrizamide.

metro- (mē′trō) [G. *metra*, uterus]. →metr-.

me·tro·cyte (mē′trō-sīt) [G. *mētēr*, mother + *kytos*, a hollow (cell)]. 母細胞. ＝mother *cell*.

me·tro·dy·na·mom·e·ter (mē′trō-dī′nă-mom′ĕ-ter) [metro- + G. *dynamis*, power + *metron*, measure]. 子宮収縮計測器 (子宮収縮力を測定する器械).

me·tro·dyn·i·a (mē′trō-di′nē-ă) [metro- + G. *odynē*, pain]. 子宮痛. ＝hysteralgia.

me·tro·lym·phan·gi·tis (mē′trō-lim′fan-jī′tis) [metro- + lymphangitis]. 子宮リンパ管炎.

me·tron·o·scope (mĕ-tron′ō-skōp) [G. *metron*, measure + *skopeō*, to view]. メトロノスコープ (印刷物を短時間選択的に読ませるために露出呈示する速読器. 読書速度の検査や向上のために用いる).

me·tro·path·i·a (mē′trō-path′ē-ă) [L.]. ＝metropathy.

m. hemorrhagica 出血性メトロパチー, 出血性子宮症 (月経周期の卵胞期の存続や増強のために起こる異常で, 過多でしばしば絶えまなく起こる子宮出血. 子宮内膜は嚢腫状腺増殖を示す. →Swiss cheese *endometrium*).

me·tro·path·ic (mē′trō-path′ik). メトロパチーの (子宮疾患に関する, または起因するものについていう).

me·trop·a·thy (mĕ-trop′ă-thē) [metro- + G. *pathos*, suffering]. メトロパチー, 慢性子宮症 (子宮, 特に子宮筋層における疾患). ＝metropathia.

me·tro·per·i·to·ni·tis (mē′trō-per′i-tō-nī′tis) [metro- + peritonitis]. 子宮腹膜炎. ＝perimetritis.

me·tro·phle·bi·tis (mē′trō-flĕ-bī′tis) [metro- + G. *phleps*, vein + *-itis*, inflammation]. 子宮静脈炎 (通常, 分娩に引き続いて起こる子宮静脈の炎症).

met·ro·plas·ty (mē′trō-plas′tē). 子宮形成〔術〕. ＝uteroplasty.

me·tror·rha·gi·a (mē′trō-rā′jē-ă) [metro- + G. *rhēgnymi*, to burst forth]. 子宮出血, 不正子宮出血 (月経と月経の間に起こる子宮からの不規則な非周期性出血).

me·tror·rhe·a (mē′trō-rē′ă) [metro- + G. *rhoia*, a flow]. 子宮漏 (子宮から粘液や膿が排出されること).

me·tro·sal·pin·gi·tis (mē′trō-sal′pin-jī′tis) [metro- + G. *salpinx*, trumpet (oviduct) + *-itis*, inflammation]. 子宮卵管炎 (子宮と片方または両方の卵管の炎症).

me·tro·stax·is (mē′trō-stak′sis) [metro- + G. *staxis*, a dripping]. 子宮漏血（少量だが持続的な子宮粘膜からの出血）.

me·tro·ste·no·sis (mē′trō-ste-nō′sis) [metro- + G. *stenōsis*, a narrowing]. 子宮狭窄（子宮腔が狭くなること）.

me·trot·o·my (mē-trot′ŏ-mē) [metro- + G. *tomē*, incision]. 子宮切開〔術〕. = hysterotomy.

me·tyr·a·pone (mĕ-tir′ă-pōn). メチラポン（副腎皮質ステロイドのC–11β の水酸化を阻止する薬剤. 経口または静脈注射で投与して，下垂体腺がコルチコトロピンの分泌を増加する能力があるかどうかを診断する. メチラポン投与によって生じる 11–デオキシコルチコステロイドは下垂体のコルチコトロピン分泌抑制作用が弱いので，正常の下垂体はこのコルチコトロピンの分泌をわずかに増加させる）. = mepyrapone.

me·ty·ro·sine (mĕ-tī′rō-sin, -sēn). メチロシン（チロシンヒドロキシラーゼの阻害薬で，それにより強力なカテコールアミン合成阻害薬となる. 術前の準備あるいは外科的手術が禁忌または不完全な例において，褐色細胞腫の発現の制御に用いる）.

Mev メブ（10^6 電子ボルトすなわち 10^6eV を表す記号）.

me·va·lo·nate (mĕ-val′ō-nāt). メバロネート（メバロン酸の塩またはエステル）.

m. kinase [MIM* 251170]. メバロン酸キナーゼ（メバロン酸と ATP とから ADP とメバロン酸 5–リン酸への反応を触媒する酵素. ステロイド合成経路に関与する. この酵素欠損により，メバロン酸性尿症や発達障害を起こす）.

mev·a·lon·ic ac·id (mev′ă-lon′ik as′id). メバロン酸（スクアレン，ステロイド，テルペン，ドリコールの前駆物質）.

mev·a·lon·ic ac·i·du·ri·a (mev′ă-lon′ik as′i-dū′rē-ă). メバロン酸尿症（尿中メバロン酸排泄が高値. メバロン酸キナーゼの欠損による）.

Mey·en·burg (mī′ĕn-bŭrg), H. von. 19世紀後期のスイス人病理学者. ⇀M. *complex*, *disease*; M.-Altherr-Uehlinger *syndrome*.

Mey·er (mī′ĕr), Adolf. 米国人精神科医，1866—1950. ⇀M.-Archambault *loop*.

Mey·er (mī′ĕr), Edmund V. ドイツ人喉頭科医，1864—1931. ⇀M. *cartilages*.

Mey·er (mī′ĕr), Georg H. スイス人解剖学者，1815—1892. ⇀M. *line*, *sinus*.

Mey·er (mī′ĕr), Hans H. ドイツ人薬理学者，1853—1939. ⇀M.-Overton *rule*, *theory* of narcosis.

Mey·er (mī′ĕr), Willy. 米国人外科医，1858—1932. ⇀M. *reagent*.

Mey·er-Betz (mīĕr betz), Friedrich. 20 世紀のドイツ人医師. ⇀M.-B. *disease*, *syndrome*.

Mey·er·hof (mī′ĕr-hof), Otto F. ドイツ系米国人生化学者・ノーベル賞受賞者，1884—1951. ⇀Embden-M. *pathway*; Embden-M.-Parnas *pathway*; M. oxidation *quotient*.

Mey·nert (mī′nĕrt), Theodor H. ウィーンの神経科医，1833—1892. ⇀retroflex *bundle* of M.; M. *cells*, *commissure*, *decussation*; *fasciculus* of M.; M. *layer*.

Mg マグネシウムの元素記号.

mg ミリグラムの記号.

MGP matrix Gla *protein* の略.

MGUS monoclonal *gammopathy* of unknown significance の略.

MHC major histocompatibility *complex* ; minor histocompatibility *complex* の略.

Mhf *Mycoplasma haemofelis*(⇀*Mycoplasma*)の略.

mho (mō) [*ohm* の逆書き]. モー. = siemens.

MHSC multipotential hemopoietic stem *cell* の略.

MHz メガヘルツの記号.

MI myocardial *infarction* ; mitral *insufficiency* の略.

Mi·bel·li (mē-bel′ē), Vittorio. イタリア人皮膚科医，1860—1910. ⇀M. *angiokeratomas*, *disease*.

MIC minimal inhibitory *concentration* の略.

MIC1 macrophage inhibitory *cytokine* 1 の略.

mi·ca·to·sis (mī′kă-tō′sis). 雲母症（雲母粒子の吸入によるじん肺症）.

mi·cel·lar (mī-sel′ăr, mi-). ミセル性の（ミセルに似た性質すなわちゲルの性質をもつことをいう）.

mi·celle (mi-sel′, mī-sel′) [L. *micella*, small morsel: *mica* (morsel, grain) の指小辞]. ミセル（① Nägeli によって命名された用語. 超分子性と結晶構造をもち，水和ゲルによって検出される細形の超(または光学)顕微鏡的粒子. 最近，2 種類のコロイド粒子(多くの分子からなるものと単一の大分子よりなるもの)のうち，前者が定義された. このようにミセルはゲルの分散相における構造単位であり，三次元におけるその反復がゲルのミセル構造を構成している. 本用語は懸濁液や溶液中の個々の粒子または結晶の単位構造の意味では用いない. ②両親媒性分子から自然に可逆的に生成される水溶性会合体）.

Mi·chae·lis (mi-kā′lis), Leonor. ドイツ系米国人化学者，1875—1949. ⇀ M.-Gutmann *body*; M. *constant;* M.-Menten *constant*, *equation*, *hypothesis*.

Mi·chel (mē-shel′), Gaston. フランス人外科医，1874—1937. ⇀M. *spur*.

Mi·chel (mē-shel′), M. 19 世紀のフランス人医師. ⇀M. *malformation*.

Mi·che·li (mī-kā′lē), Ferdinando. イタリア人医師，1872—1936. ⇀Marchiafava-M. *anemia*, *syndrome*.

micr- ⇀micro-.

mi·cren·ce·pha·li·a (mī′kren-se-fā′lē-ă). = micrencephaly.

mi·cren·ceph·a·lous (mī′kren-sef′ă-lŭs). 小脳〔髄〕の.

mi·cren·ceph·a·ly (mī′kren-sef′ă-lē) [micro- + G. *enkephalos*, brain]. 小脳〔髄〕症（異常に脳が小さいこと）. = micrencephalia; microencephaly.

micro-, micr- (mī′krō) [G. *mikros*, small]. ***1*** 小さいことを意味する接頭語. ***2***(*μ*). [人もコンピュータもギリシア文字 *μ* をローマ字 m と読み違えるかもしれないので，手書き資料およびコンピュータ作業では，本接頭語を持つ単位名は完全表記するのがよい. また *μ* の代わりに略号 mc を使ってもよい. つまり，*μ*g，*μ*L，*μ*m，*μ*mol の代わりに，mcg，mcL，mcm，mcmol を使ってもよい. どんな場合でもローマ字 u を *μ* の代わりに使うべきではない]. 国際単位系(SI)およびメートル法において，その単位の 100 万分の 1 (10^{-6}) の分量単位を表すために用いられる接頭語. ***3*** 化学において，化学的試験，方法などを意味する語に付けて被検物質の最小量(例えば 1 mL 強の代わりに 1，2 滴)が用いられることを表すために用いられる接頭語. ***4*** microscopic を意味する連結形. macro-, megalo- の反意語.

mi·cro·ab·scess (mī′krō-ab′ses). 微小膿瘍（充実性組織における白血球の非常に小さな限局性の集合）.

Munro m. (mŭn-rō′). マンロー微小膿瘍（乾癬の角質層にみられる多形核白血球の顕微鏡的集合）. = Munro abscess.

Pautrier m. (pō-trē-ā′). ポトリエ微小膿瘍（菌状息肉症でみられる表皮の顕微鏡的病変，真皮に浸潤する細胞と同じ型の単核異型細胞から構成される）. = Pautrier abscess.

mi·cro·ad·e·no·ma (mī′krō-ad′ĕ-nō′mă). ミクロアデノーマ（直径 10 mm 以下の下垂体腺腫）.

mi·cro·ae·ro·bi·on (mī′krō-ā-rō′bĕ-on). 微好気性微生物.

mi·cro·aer·o·phil, mi·cro·aer·o·phile (mī′krō-ār′ō-fil, -fīl) [micro- + G. *aēr*, air + *philos*, fond]. ***1***〘n.〙微好気性菌（空気中に存在するよりも少ない酸素を必要とし，修正した大気状態で最も良好に発育する好気性細菌）. ***2***〘adj.〙微好気性の，微好気性菌の. = microaerophilic; microaerophilous.

mi·cro·aer·o·phil·ic (mī′krō-ār-ō-fil′ik). = microaerophil (2).

mi·cro·aer·oph·i·lous (mī′krō-ār-ōf′i-lŭs). = microaerophil (2).

mi·cro·aer·o·sol (mī′krō-ār′ō-sol). ミクロエーロゾル，微気膠質（空気中に浮遊している 1 *μ*m 以下の粒子. しばしば直径 1—10 *μ*m の粒子をさすこともある）.

mi·cro·al·bu·min·u·ri·a (mī′krō-al-byū′min-yū′rē-ă) [micro- + albuminuria]. ミクロアルブミン尿（通常の尿蛋白検査法では検出されず，免疫検査法で検出される尿中アルブミン排泄の増加. 糖尿病性腎症の早期マーカである）.

mi·cro·a·nal·y·sis (mī′krō-ă-nal′i-sis). 微量分析（非常に少量の検体について行う分析技術）.

mi·cro·a·nas·to·mo·sis (mī′krō-ă-nas′tō-mō′sis). 微小吻合〔術〕（手術用顕微鏡下で行われる微小構造の吻合）.

mi·cro·a·nat·o·mist (mī′krō-ă-nat′ŏ-mist). ＝histologist.
mi·cro·a·nat·o·my (mī′krō-ă-nat′ŏ-mē). ＝histology.
mi·cro·an·eu·rysm (mī′krō-an′yū-rizm). 微細動脈瘤，小動脈瘤，小血管瘤（真性糖尿病，網膜静脈障害，絶対緑内障における網膜毛細血管の巣状拡張，または血栓性血小板減少性紫斑病における多くの器官の動脈毛細血管連結）.
mi·cro·an·gi·og·ra·phy (mī′krō-an-jē-og′ră-fē) [micro- + angiography]. 細血管造影(撮影)〔法〕（造影剤を注入して器官の微細血管のX線写真をとり，できた写真を拡大すること）. ＝microarteriography.
mi·cro·an·gi·op·a·thy (mī′krō-an′jē-op′ă-thē). 細小(微小)血管症，細小(微小)血管障害. ＝capillaropathy.
　thrombotic m. 血栓性細小(微小)血管症，血栓性細小(微小)血管障害（血栓性血小板減少性紫斑病のように，微小血管内に起こる血栓症）.
mi·cro·an·gi·os·co·py (mī′krō-an′jē-os′kŏ-pē). 細小(微小)血管顕微鏡検査〔法〕. ＝capillarioscopy.
mi·cro·ar·ter·i·og·ra·phy (mī′krō-ar-tēr′ē-og′ră-fē). 微細動脈造影(撮影)〔法〕. ＝microangiography.
mi·cro·a·tel·ec·ta·sis (mī′krō-ā′tel-ek′tă-sis). 微小無気肺. ＝adhesive *atelectasis*.
mi·cro·bal·ance (mī′krō-bal′ănts). 微量天秤，ミクロ天秤（極微量の検体の重さを測定するために設計された天秤）.
mi·crobe (mī′krōb) [Fr. ＜ G. *mikros*, small ＋ *bios*, life]. 微生物（微小な生物. 元来，本用語は 19 世紀に，当時知られていたきわめて様々な微生物をさす包括的な語であった. 現在も当初の集合的な意味を保ちながら顕微鏡的および超顕微鏡的生物の両方(スピロヘータ，細菌，リケッチア，ウイルス)の意味を含んでいる. これらの生物は生物学的に特異な群を形成していると考えられており，その群では遺伝物質は核膜に囲まれておらず，複製中に有糸分裂が起こらない）.
mi·cro·bi·al (mī-krō′bē-ăl). 微生物の. ＝microbic; microbiotic (2).
mi·cro·bi·al as·so·ci·ates (mī-krō′bē-ăl ă-sō′shē-ăts). 微生物叢. ＝flora (2).
mi·cro·bic (mī-krō′bik). ＝microbial.
mi·cro·bi·ci·dal (mī-krō′bi-sī′dăl). ＝microbicide (1).
mi·cro·bi·cide (mī-krō′bi-sīd) [microbe ＋ L. *caedo*, to kill]. ***1***〘adj.〙殺菌性の. ＝microbicidal. ***2***〘n.〙殺菌薬（微生物を殺す薬物）. ＝germicide; antiseptic.
mi·cro·bi·o·log·ic (mī′krō-bī′ō-loj′ik). 微生物学の.
mi·cro·bi·ol·o·gist (mī′krō-bī-ol′ŏ-jist). 微生物学者.
mi·cro·bi·ol·o·gy (mī′krō-bī-ol′ŏ-jē) [Fr. *microbiologie*]. 微生物学（真菌類，原生動物，細菌，ウイルスなどの微生物に関する科学）.
mi·cro·bi·ot·ic (mī′krō-bī-ot′ik). ***1*** 短命の. ***2*** ＝microbial.
mi·cro·bism (mī′krō-bizm). 細菌感染〔症〕（微生物による感染）.
　latent m. 潜伏感染（体内に病原微生物が存在するが，症状が現れないこと. 保菌者の状態をいう）.
mi·cro·blast (mī′krō-blast) [micro- ＋ G. *blastos*, sprout, germ]. 小赤芽球（小さな有核の赤血球）.
mi·cro·ble·pha·ri·a (mī′krō-ble-fā′rē-ă) [micro- ＋ G. *blepharon*, eyelid ＋ *-ia*, condition]. 小眼瞼〔症〕. ＝microblepharon.
mi·cro·bleph·a·rism (mī′krō-blef′ă-rizm). ＝microblepharon.
mi·cro·bleph·a·ron (mī′krō-blef′ă-ron) [micro- ＋ G. *blepharon*, eyelid ＋ *-ia*, condition]. 小眼瞼〔症〕（垂直方向の長さが異常に短い眼瞼）. ＝microblepharia; microblepharism.
mi·cro·bod·y (mī′krō-bod′ē). マイクロボディ（単一膜に囲まれ，酸化酵素を含む細胞質内の小器官. マイクロボディにはペルオキシソーム，グリオキシソームも含まれる）.
mi·cro·bra·chi·a (mī′krō-brā′kē-ă) [micro- ＋ G. *brachiōn*, arm]. 小腕症（腕が異常に小さい状態）.
mi·cro·bren·ner (mī′krō-bren′ĕr) [micro- ＋ Ger. *Brenner*, burner]. 小焼灼器（とがった針先をもつ電気焼灼器）.
microbubble (mī′krō-buhb′bel). ミクロバブル（超音波検査用の血管造影剤. 小さい石けんの泡のように，サーファクタントのようなある種の膜の中に空気が安定化されている. 高いハーモニック周波数で強い反射シグナルを生じる. 1 ― 7μm の大きさのものは，2 ― 10 Hz の超音波診断領域でうまく働く. →pulse-inversion contrast harmonic *imaging*）.
mi·cro·cal·ci·fi·ca·tions (mī′krō-kal′si-fi-kā′shŭns) [micro- ＋ calcification]. 微小石灰化（マンモグラフィでみられるような径 1 mm 以下の石炭化. しばしば悪性病変と関連がある）.
mi·cro·car·cin·o·ma (mī-krō-kar-sĭ-nō′mă) [micro- ＋ carcinoma]. 微小癌（①組織所見のみで検出可能であり，臨床所見がないか，あるいは周囲組織への浸潤が認められない癌. ②最初の検出時の大きさが一定サイズ(例えば 1 cm)未満の癌. 良好な予後を得られる最大サイズは，腫瘍の種類により異なる）.
　papillary m. 乳頭状微小癌. ＝m. of the thyroid.
　m. of the thyroid (mī′krō-kar-si-nō′mă thī′royd). 甲状腺微小癌（顕微鏡で見てわかる程度の小さな甲状腺乳頭癌. よく被包化され，径 5 mm 未満のことが多い）. ＝occult papillary carcinoma of the thyroid; papillary m.
mi·cro·car·di·a (mī′krō-kar′dē-ă) [micro- ＋ G. *kardia*, heart]. 小心症（異常に小さい心臓）.
mi·cro·cen·trum (mī′krō-sen′trŭm) [micro- ＋ G. *kentron*, center]. 中心体. ＝cytocentrum.
mi·cro·ce·pha·li·a (mī′krō-se-fā′lē-ă). ＝microcephaly.
mi·cro·ce·phal·ic (mī′krō-se-fal′ik). 小頭〔蓋〕の（小さな頭についていう）. ＝microcephalous; nanocephalous; nanocephalic.
mi·cro·ceph·a·lism (mī′krō-sef′ă-lizm). ＝microcephaly.
mi·cro·ceph·a·lous (mī′krō-sef′ă-lŭs). ＝microcephalic.
mi·cro·ceph·a·ly (mī′krō-sef′ă-lē) [micro- ＋ G. *kephalē*, head]. 小頭〔蓋〕症（頭が異常に小さい状態. 容量が 1350 mL 以下の頭蓋. 通常，精神発達遅滞を合併する）. ＝microcephalia; microcephalism; nanocephalia; nanocephaly.
　encephaloclastic m. 脳破壊性小頭〔蓋〕症（胎児期の退行性変化の結果として起こる脳の複合的発育障害）.
　schizencephalic m. 裂脳体性小頭〔蓋〕症（局所性脳欠損を生じる胚種損傷的過程）.
mi·cro·chei·li·a, mi·cro·chi·lia (mī′krō-kī′lē-ă) [micro- ＋ G. *cheilos*, lip]. 小唇症（唇が小さい状態）.
mi·cro·chei·ri·a, mi·cro·chi·ria (mī′krō-kī′rē-ă) [micro- ＋ G. *cheir*, hand]. 小手症（手が小さい状態）.
mi·cro·chem·is·try (mī′krō-kem′is-trē). 微量化学（肉眼では見えない微量または微小反応を含む化学的プロセスを用いる分野. *cf.* macrochemistry）.
mi·cro·chim·er·ism (mī′krō-kim′ĕr-izm). マイクロキメラ（①移植レシピエントに存在するドナー細胞. ②母体循環血液中に存在する胎児細胞または子供に存在する母細胞）.
mi·cro·cide (mī′krō-sīd). ミクロシド. ＝D-*glucose* oxidase.
mi·cro·cin·e·ma·tog·ra·phy (mī′kro-sin′ĕ-mă-tog′ră-fē) [micro- ＋ G. *kinēma*, movement ＋ *graphō*, to write]. 顕微〔鏡〕映画撮影〔法〕（器官や組織の動きを研究するために拡大したレンズを使って映画を撮る方法. 例えば，生きている胎児(胎子)の循環を撮影すること）.
mi·cro·cir·cu·la·tion (mī′krō-sĭr-kyū-lā′shŭn). 微小循環（最小血管，すなわち細動脈，毛細血管，細静脈の血液の流れ）.
Mi·cro·coc·ca·ce·ae (mī′krō-kok-kā′sē-ē). ミクロコッカス科（グラム陽性の球形細胞の細菌類の一科で，単独，または対，4 つ組み，束，不規則な塊状，鎖状などの形態をとっている. これらの細菌で運動性があるのはまれで，自生性，腐生性，寄生性，病原性の種がある. 標準属は *Micrococcus* である）.
mi·cro·coc·ci (mī′krō-kok′sī). micrococcus の複数形.
Mi·cro·coc·cus (mī′krō-kok′kŭs) [micro- ＋ G. *kokkos*, berry]. ミクロコッカ(ク)ス属，〔小〕球菌属（グラム陽性の球形細胞で，不規則の塊状を呈するミクロコッカス科の細菌属. 運動性のものあるいは運動性の突然変異体を生じるものがある. これらの細菌は腐生性で通性寄生性または寄生性である. 標準種は *M. luteus*. 本属はミクロコッカス科の標準属である）.
　M. conglomeratus 感染症，ミルク，乳製品，酪農器具，水中にみられる細菌種.
　M. luteus ミルク，乳製品，ほこりの粒子にみられる腐生菌. ヒトの髄膜炎の原因菌となる. *Micrococcus*属の標準種.

M. varians *Kocuria varians* の旧名.

mi·cro·coc·cus, pl. **mi·cro·coc·ci** (mī′krō-kok′ŭs, -kok′sī). ミクロコッカス（*Micrococcus*属の種を表すのに用いる通称）.

mi·cro·co·li·tis (mī′krō-kō-lī′tis). 微小大腸炎（内視鏡では見えないが生検組織では粘膜炎症がみられる大腸炎）.

mi·cro·co·lon (mī′krō-kō′lon) [MIM* 251400]. 小結腸（管径の小さな，使用されていない結腸．注腸X線造影で新生児にみられる．腸管閉塞や胎便性腸閉塞の結果生じる）.

mi·cro·col·o·ny (mī′krō-kol′ŏ-nē). 微小コロニー（低倍率の顕微鏡下でようやく見える程度の小さな細菌のコロニー）.

mi·cro·co·nid·i·um, pl. **mi·cro·co·nid·ia** (mī′krō-kō-nid′ē-ŭm, -ă). 小分生子（真菌において，同一種の２つの明確に大きさの異なった型の分生子のうち，小型のもの．通常，１個の細胞からなり，球形，卵形，梨状形，またはこん棒状である）.

mi·cro·co·ri·a (mī′krō-kō′rē-ă) [micro- + G. *korē*, pupil]. 小瞳孔〔症〕（瞳孔が先天的に小さく拡張できない状態（縮瞳））.

mi·cro·cor·ne·a (mī′krō-kōr′nē-ă). 小角膜〔症〕（異常に小さい角膜）.

mi·cro·cou·lomb (μC, mcC) (mī′krō-kū′lom). マイクロクーロン（１クーロンの 100 万分の１）.

mi·cro·crys·tal·line (mī′krō-krys′tă-lin). 微晶質の，微晶性の（微小の結晶を生じるものについていう）.

mi·cro·cu·rie (μCi, mcCi) (mī′krō-kū′rē). マイクロキュリー（１キュリー(Ci)の 100 万分の１．核種によらず，毎秒 3.7×10^4 個の壊変を起こす放射性核種の量）.

mi·cro·cyst (mī′krō-sist). 小嚢腫（観察するために拡大レンズや顕微鏡を必要とするような小さな嚢腫）.

microcystin (mī-krō-sis′tin). ミクロシスチン（アオコ *Microcystis aeruginosa* によって産生される物質．強力な肝臓毒，かつ発癌物質の可能性もある）.

mi·cro·cyte (mī′krō-sīt) [micro- + G. *kytos*, cell]. 小赤血球（５ μm 以下の小さな無核赤血球）. ＝microerythrocyte.

mi·cro·cy·the·mi·a (mī′krō-sī-thē′mē-ă) [microcyte + G. *haima*, blood]. 小〔赤血〕球症（循環血液中に多くの小赤血球が存在する症状）. ＝microcytosis.

mi·cro·cy·to·sis (mī′krō-sī-tō′sis) [microcyte + G. *-osis*, condition]. ＝microcythemia.

mi·cro·dac·tyl·i·a (mī′krō-dak-til′ē-ă). ＝microdactyly.

mi·cro·dac·ty·lous (mī′krō-dak′ti-lŭs). 小指〔症〕の.

mi·cro·dac·ty·ly (mī′krō-dak′ti-lē) [micro- + G. *dactylos*, finger, toe]. 小指症（手足の指が小さいかあるいは短い状態）. ＝microdactylia.

microdermabrasion (mī′krō-dĕr-mă-brā′zhŭn). 微小皮膚剝削術（環境，年齢，遺伝，あるいは外傷後の皮膚変化(例えば，ざ瘡，色素沈着，顔のしわ)を，しばしば微粒子結晶(例えば，ビタミンC)を併用し，物理的な機械の力で表面を剝脱する方法．従来の剝脱術より表面的な方法であり，それゆえ通常は表皮剝脱を生じない. →dermabrasion）.

mi·cro·di·al·y·sis (mī′krō-dī-al′i-sis). 微量透析法（透析膜のついた中空の探触子を組織に刺入して，組織液を流速 1—3 μL/min で流しながら細胞外液の組成や外来物質に対する変化を調べる方法）.

mi·cro·dis·sec·tion (mī′krō-di-sek′shŭn). 顕微解剖（顕微鏡または拡大鏡下で組織を解剖すること．通常，針で組織を引き裂く）.

mi·cro·dont (mī′krō-dont) [micro- + G. *odous* (*odont-*), tooth]. 小歯型（小さな歯をもつこと．臼歯指数 41.9 以下の頭蓋についていう）.

mi·cro·don·ti·a, mi·cro·don·tism (mī′krō-don′shē-ă, -don′tizm) [micro- + G. *odous*, tooth]. 小歯症（一歯，一対の歯または歯全体が不釣合いに小さい状態）.

mi·cro·dose (mī′krō-dōs). 微量.

mi·cro·drep·a·no·cy·to·sis (mī′krō-drep′ă-nō-sī-tō′sis) [microcytosis + drepanocytosis]. 小鎌状赤血球症（鎌状赤血球貧血とサラセミアの遺伝子の相互作用に起因する慢性の溶血性貧血）.

mi·cro·dys·ge·ne·si·a (mī′krō-dis′ge-nē′sē-ă) [micro- + dys- + G. *genesis*, production]. 微小発育不全（帯層，白質，海馬，小脳皮質に軽度異所性のニューロンが増加し，皮質と皮質下白質の境界や皮質ニューロンの柱状配列が明確でなくなること．原発性全般てんかん患者にみられる）.

mi·cro·e·lec·trode (mī′krō-ē-lek′trōd). 微小電極（細い針金またはガラス製毛管(直径 10 μm— 1 mm)からできている口径の非常に小さい電極．先端は細くなり食塩またはガリウムやインジウムのような(熔融している)金属に満たされている．生理学の実験で，細胞外・細胞内から発生する活動電流を刺激したり記録したりするのに用いる）.

mi·cro·el·e·ments (mī′krō-el′ĕ-ments). 微量元素. ＝trace *elements.*

microemulsion (mī-krō′ē-muhl′shun). マイクロエマルジョン（薬物送達改善のために用いられるエマルジョンの一形）.

mi·cro·en·ceph·a·ly (mī′krō-en-sef′ă-lē). ＝micrencephaly.

mi·cro·e·ryth·ro·cyte (mī′krō-ĕ-rith′rō-sīt). ＝microcyte.

mi·cro·ev·o·lu·tion (mī′krō-ev′ŏ-lū′shŭn). 小進化（突然変異による細菌や他の微生物の進化）.

mi·cro·fi·bril (mī′krōfī′bril). 細線維（直径が 13nm 前後の微細な線維で，さらに細い微細糸の集りであることもある）.

mi·cro·fil·a·ment (mī′krō-fil′ă-ment). 細糸（細胞骨格の最も細い糸状要素で，直径約5nm，主としてアクチンからなる. →actin *filament*）.

mi·cro·fil·a·re·mi·a (mī′krō-fil′ă-rē′mē-ă). ミクロフィラリア血症（ミクロフィラリアによる血清感染症．バンクロフト糸条虫 *Wuchereria bancrofti* によるミクロフィラリア血症は，はっきりした夜間の周期性があり，明らかに媒介動物のカの夜行性の習癖と関連している．カが厳密に夜間のみ刺すとは限らない地域(例えばポリネシアの地域)では，ミクロフィラリアの周期性は変わってくるか，あるいはみられない. →periodic *filariasis*）.

mi·cro·fi·lar·i·a, pl. **mi·cro·fi·lar·i·ae** (mī′krō-fi-lar′ē-ă, -ē). ミクロフィラリア（オンコセルカ科の糸状虫類線虫の幼虫に対する名称．過去には，本名称を属名として用いたこともある(例えば，*Microfilaria bancrofti*, *M. malaya*). →*Filaria*）.

microfilaridermia (mī′krō-fi-lar-i-dĕr′mē-ă). ミクロフィラリア皮膚（ミクロフィラリアに侵された人の皮膚にミクロフィラリアが存在すること）.

mi·cro·film (mī′krō-film). ***1*** 〖n.〗マイクロフイルム（印刷物の高縮小画像を記録した写真フイルム）. ***2*** 〖v.〗マイクロフイルム化する（マイクロフイルムに記録すること）.

mi·cro·flo·ra (mī′krō-flō′ră). 微生物叢（ある空間に生息する細菌類と真菌類）.

mi·cro·ga·mete (mī′krō-gam′ēt) [micro- + G. *gametēs*, husband]. 小配偶子（不同配偶すなわち大きさが異なる細胞の接合における雄性の要素．２つの細胞のうちの小さいほうで活発に運動している）.

mi·cro·ga·me·to·cyte (mī′krō-ga-mē′tō-sīt). 小生殖母細胞（小配偶子，あるいは原生動物および菌類の有性生殖の雄性要素を産生する母細胞）. ＝microgamont.

mi·cro·gam·ont (mī′krō-gam′ont). ＝microgametocyte.

mi·crog·a·my (mī-krog′ă-mē) [micro- + G. *gamos*, marriage]. 小配偶子生殖，ミクロガミー（胞子形成または他の型の生殖で新しくできた２つの幼若細胞の接合）.

mi·cro·gas·tri·a (mī′krō-gas′trē-ă) [micro- + G. *gastēr*, stomach]. 小胃症.

mi·cro·gen·i·a (mī′krō-jēn′ē-ă) [micro- + G. *geneion*, chin]. 小下顎症（おとがいが異常に小さいこと．おとがい結合の未発達のために生じる）.

mi·cro·gen·i·tal·ism (mī′krō-jen′i-tăl-izm). 小性器症，性器矮小症（外性器が異常に小さいこと）.

mi·crog·li·a (mī-krog′lē-ă) [micro- + G. *glia*, glue]. ミクログリア（**[**本語は文法的に単数形である．誤った発音 micrógli′a を避けること**]**．中枢神経系にみられる小さな神経膠細胞で骨髄に由来する．神経損傷ないし炎症のある部位で貪食作用を発揮する）. ＝Hortega cells; microglia cells; microglial cells.

mi·crog·li·a·cyte (mī-krōg′lē-ă-sīt) [micro- + G. *glia*, glue + *kytos*, cell]. 小グリア細胞，小〔細胞〕膠細胞（小グリア細胞の胎児細胞をさすことが多い）.

mi·crog·li·o·ma (mī-krog′lē-ō′mă) [microglia + G. *-oma*, tumor]. 小〔神経〕膠細胞腫，小グリア細胞腫（小膠細胞由

来の頭蓋内新生物で，構造上はリンパ腫に似ている．現在では用いられない語）．

mi·cro·gli·o·ma·to·sis (mī′krō-gli′ō-mă-tō′sis). ミクログリオマトーシス（多発性の小グリア細胞腫の存在を特徴とする状態を表す現在では用いられない語）．

mi·crog·li·o·sis (mī′krog-lē-ō′sis) [microglia + G. *-osis*, condition]. 小〔神経〕膠細胞症（傷害に続発して起こる症状．神経組織内に小膠細胞が集まる）．

mi·cro·glob·u·lin (mī′krō-glob′yū-lin). ミクログロブリン（①分子量約 40 kDa 未満の血清や尿中グロブリン．特に，Bence Jones 蛋白がある．②しばしば 7S 免疫グロブリンを意味する用語）．

β-m. β-ミクログロブリン（主要組織適合抗原クラスⅠのL鎖を形成する 11,600 ダルトンのポリペプチドで，クラスⅠの存在するすべての細胞上にみられる．遊離型のβ-ミクログロブリンは，Wilson 病，カドミウム中毒，尿細管アシドーシスなどある種の疾患の患者血中，尿中に検出される）．

$β_2$-m. $β_2$-ミクログロブリン（主要組織適合抗原クラスⅠ分子のL鎖．Wilson 病とアルコール性肝硬変で上昇がみられる．ヒトでは 99 個のアミノアシル残基からなり，分子量 11.8 kDa である）．

mi·cro·glos·si·a (mī′krō-glos′ē-ă) [micro- + G. *glōssa*, tongue]. 小舌症（舌が小さいこと）．

mi·cro·gna·thia (mī-krog-nath′ē-ă) [micro- + G. *gnathos*, jaw]. 小顎症（[二重字 gn において，g は語頭にあるときのみ無音である]．顎全体，特に下顎骨が異常に小さいこと）．

m. with peromelia 奇肢症を合併した小顎症（下顎の発育不全で，奇形歯，欠損歯，鳥貌，手や前腕ときに足にひどい変形を伴う）．＝Hanhart syndrome.

mi·cro·gram (γ, μg, mcg) (mī′krō-gram). マイクログラム（[人もコンピュータも略号 μg を mg と，略号 γ を g と読み違えるかもしれないので，手書き資料およびコンピュータ作業では，本語を完全表記することが推奨される．また略号 mcg を用いてもよい]．1 グラムの 100 万分の 1）．

mi·cro·graph (mī′krō-graf) [micro- + G. *graphō*, to write]. ***1*** 顕微鏡写真器（光の干渉によって隔膜の顕微鏡的動きを拡大し，それを映画に記録する器械．種々の脈波，音波，隔膜を介し空気伝導される動きなどを記録するために用いる）．***2*** 顕微鏡写真．＝photomicrograph.

electron m. 電子顕微鏡写真（電子感受性乾板またはフイルム上に記録された電子顕微鏡の電子線によって得られる画像）．

light m. 光学マイクロ写真（光学顕微鏡を用いて作成した写真）．

mi·crog·ra·phy (mī-krog′ră-fē) [micro- + G. *graphō*, to write]. ***1*** 小書症，細字症（非常に小さな文字で書くこと．ときに精神病や振せん麻痺でみられる）．***2*** 顕微鏡的対象物の描写．***3*** 顕微鏡写真撮影〔法〕．＝photomicrography.

mi·cro·gy·ri·a (mī′krō-jī′rē-ă) [micro- + G. *gyros*, convolution]. 小脳回（脳回が異常に狭い状態）．

mi·cro·he·pat·i·a (mī′krō-he-pat′ē-ă) [micro- + G. *hepar* (*hepat-*), liver]. 小肝症（肝臓が異常に小さい状態）．

mi·cro·het·er·o·ge·ne·i·ty (mī′krō-het′ĕr-ō-jĕ-nē′i-tē, nĕ′i-tē). 微小不均一性（基本的には同一である分子間での構造のわずかな相違．例えば，糖蛋白の糖部分でみられる）．

mi·crohm (μΩ, mcΩ) (mī′krōm). マイクロオーム（1 オームの 100 万分の 1）．＝micro-ohm.

mi·cro·in·cin·er·a·tion (mī′krō-in-sin′er-ā′shŭn). 顕微灰化〔法〕（炉で組織切片の有機成分を燃焼させ，残った鉱物灰を顕微鏡で検査すること）．＝spodography.

mi·cro·in·cis·ion (mī′krō-in-sizh′ŭn). 微小切開（顕微鏡下で行う切開）．

mi·cro·in·jec·tor (mī′krō-in-jek′tŏr). 微量注入器（動物あるいはヒトでの，きわめて少量の液あるいは薬剤を注入するための器械）．

mi·cro·in·va·sion (mī′krō-in-vā′zhŭn). 微小浸潤（上皮内癌に直接隣接している組織浸潤で，悪性新生物浸潤の最初の段階）．

mi·cro·kat·al (mī′krō-kat′ăl). マイクロカタール（カタールの 100 万分の 1）．

mi·cro·ky·mat·o·ther·a·py (mī′krō-kī-mat′ō-thār-ă-pē) [micro- + G. *kyma*, a wave + *therapeia*, treatment]. 短波ジアテルミー（波長 10 cm，毎秒 30 億 Hz(3,000 MHz)の高周波を用いる治療）．＝microwave therapy.

mi·cro·leu·ko·blast (mī′krō-lū′kō-blast). 小白芽細胞．＝micromyeloblast.

mi·cro·li·ter (μl, mcl, μL, mcL) (mī′krō-lē′tĕr). マイクロリットル（[人もコンピュータも略号 μL を mL と読み違えるかもしれないので，手書き資料およびコンピュータ作業では，本語をスペルアウトすることが推奨される．また略号 mcL を用いてもよい]．1 リットルの 100 万分の 1）．

mi·cro·lith (mī′krō-lith) [micro- + G. *lithos*, stone]. 小結石（小さな結石で，通常は多発性，結砂とよばれる粗い砂から成り立っている．前立腺または精巣に生じることがある）．

mi·cro·li·thi·a·sis (mī′krō-li-thī′ă-sis). 微石症（小さな結石すなわち結砂の形成，存在，あるいは排出．例えば，精巣の微石症）．

pulmonary alveolar m. [MIM* 265100]. 肺胞微石症（肺中に散在しているカルシウムまたは骨の顕微鏡的顆粒）．

mi·crol·o·gy (mī-krol′ŏ-jē) [micro- + G. *logos*, study]. 微細科学，微生物学（顕微鏡的対象物に関する科学．組織学はこの一部門である）．

mi·cro·ma·nip·u·la·tion (mī′krō-mă-nip′yū-lā′shŭn). 顕微操作，極微操作（顕微鏡下で，微小構造，例えば組織細胞や単細胞生物を解剖したり，引き裂いたり，刺激したりすること）．

mi·cro·ma·nip·u·la·tor (mī′krō-mă-nip′yū-lā′tŏr). マイクロマニピュレータ（顕微操作に用いる器械．通常，顕微鏡下で微小解剖，微小注射，その他の操作を行う）．

mi·cro·ma·zi·a (mī′krō-mā′zē-ă) [micro- + G. *mazos*, breast]. 小乳房症（乳房が痕跡的で機能のない状態）．

mi·cro·me·li·a (mī′krō-mē′lē-ă) [micro- + G. *melos*, limb]. 小肢〔症〕（不均衡に短い，または小さい肢をもつ状態．→achondroplasia）．＝nanomelia.

mi·cro·mere (mī′krō-mēr) [micro- + G. *meros*, a part]. 小〔分〕割球（小形の割球．例えば両生類の卵の動物極での割球の1つをいう）．

mi·cro·mer·o·zo·ite (mī′krō-mer′ō-zō′īt). 小メロゾイト．

mi·cro·me·tas·ta·sis (mī′krō-mĕ-tas′tă-sis). 微小転移巣（転移腫瘍が微小で，臨床的に検出困難な状態の転移病巣をさす．微小転移病変にみられる）．

mi·cro·met·a·stat·ic (mī′krō-met′ă-stat′ik). 微小転移〔性〕の（微小転移の，またはそれによって特徴付けられる．例えば m. disease のように用いる）．

mi·crom·e·ter (mī-krom′ĕ-tĕr) [micro- + G. *metron*, measure]. [人もコンピュータも略号 μm を mm と読み違えるかもしれないので，手書き資料およびコンピュータ作業では，本語は完全表記することが推奨される．また略号 mcm を用いてもよい]．***1*** (**μm, mcm**). マイクロメートル（1 メートルの 100 万分の 1．以前はミクロンと称された）．***2*** マイクロメータ（精密に種々の物体を測定する装置）．***3*** 医学・生物学では，本用語は顕微鏡下に見える物体を測定するために，正確に目盛られたスライドガラスまたはレンズに対する基準として用いられる．

caliper m. 〔カリパス〕マイクロメータ（目盛り付きのマイクロメータネジが付いている計器．顕微鏡のカバーガラスやスライドのような薄い物を測定する）．

filar m. 糸線マイクロメータ（目盛り付き円筒と運動する指示細線をもち，固定平行線に対し 5 μm 以下の微動も可能な接眼マイクロメータ）．

ocular m. 接眼マイクロメータ（顕微鏡の接眼レンズに適合し，目盛りの付いているガラス板．スライドガラスマイクロメータで，目盛りを付けると顕微鏡でみる対象物を直接測定することができる）．

slide m. スライドマイクロメータ（顕微鏡用スライド上の，通常 0.01 mm 目盛りの付いた物差し．接眼マイクロメータの較正に用いる）．

mi·crom·e·try (mī-krom′ĕ-trē). 測微法（対象物をマイクロメータと顕微鏡で測定すること）．

mi·cro·mi·cro- (μμ) (mī′krō-mī′krō). micro 参照．1 兆分の 1 (10^{-12})を意味する，以前用いられた接頭語．現在の pico- にあたる．

mi·cro·mi·cro·gram (μμg) (mī′krō-mī′krō-gram). micro 参照．picogram に対して以前用いられた語．

mi·cro·mi·cron (*μμ*) (mī′krō-mī′kron). micro 参照. picometer に対して以前用いられた語.
mi·cro·min·er·als (mī′krō-min′ĕr-ălz). 微量ミネラル. = trace *elements.*
mi·cro·mo·lar (**μmol/L, mcmol/L**) (mī′krō-mō′lar). マイクロモル濃度の（1 リットル当たり 10^{-6} モルの濃度について いう).
mi·cro·mole (**μmol, mcmol**) (mī′krō-mōl). マイクロモル（[人もコンピュータも略号 μmol を mmol と読み違えるかもしれないので，手書き資料およびコンピュータ作業では，本語を完全表記することが推奨される．また略号 mcmol を用いてもよい]．1 モルの 100 万分の 1).
mi·cro·mo·to·scope (mī-krō-mō′tō-skōp) [micro- + L. *motus*, motion + G. *skopeō*, to view]. 微動映写器（アメーバや他の運動性の微小物の動きを表示するための映写機).
mi·cro·my·e·lia (mī-krō-mī-ē′lē-ă) [micro- + G. *myelos*, marrow]. 小脊髄症（脊髄が異常に小さいか短いこと).
mi·cro·my·el·o·blast (mī-krō-mī′el-ō-blast). 小骨髄芽球（小さな骨髄芽球で，しばしば骨髄芽球性白血病で多くみられる細胞). = microleukoblast.
mi·cron (*μ*) (mī′kron). ミクロン（micrometer に対して以前用いられた語).
mi·cro·nee·dle (mī′krō-nē′dĕl). 顕微針（顕微解剖操作に用いる小さなガラス針).
micronematous (mī-krō-nē′mă-tŭs). 未分化型〔分生子柄〕の（①細い菌糸をもつ真菌の．②生長期の菌糸に形態学的に類似した真菌の分生子柄に対して用いられる).
mi·cro·neme (mī′krō-nēm) [micro- + G. *nēma*, thread]. 短系（多くの胞子虫の前部にみられる小さなオスミン酸親和性のコード状にねじれた小器官．Apicomplexa 亜門を定義する助けになる特徴の 1 つである). = sarconeme.
mi·cron·ic (mī-kron′ik). 1 マイクロメートル(ミクロン)の大きさの.
micronized (mī-krō-nīzd). 微粉化（経口バイオアベイラビリティ改善のために，微小粒子を用いた錠剤製造).
mi·cro·nod·u·lar (mī′krō-nod′yū-lăr) [G. *mikros*, small]. 小結節性の（顆粒状の組織や物質よりもいくぶん粗大な外見を示す).
mi·cro·nu·cle·us (mī′krō-nū′klē-ŭs). ***1*** 小核（大きな細胞の小さな核，または 2 つ以上の核をもつ細胞において小さいほうの核). ***2*** 生殖核（特に繊毛虫類の 2 つの核のうちの小さいほう．有糸分裂で分裂し，固有の遺伝物質を含む.→ macronucleus (2)). = gametic nucleus; germ nucleus; gonad nucleus; karyogonad; reproductive nucleus.
mi·cro·nu·tri·ents (mī′krō-nū′trē-ents). 微量養分（身体にとって少量だけ必要な必須食品成分．例えば，ビタミン類，微量無機質). = trace nutrient.
mi·cro·nych·i·a (mī′krō-nik′ē-ă) [micro- + G. *onyx*, nail]. 小爪症（爪が異常に小さいこと).
mi·cro·nys·tag·mus (mī′krō-nis-tag′mŭs) [micro- + G. *nystagmos*, a nodding]. 微小眼振（通常の臨床的検査法では検出できない程度に振幅が極微な眼振). = minimal amplitude nystagmus.
mi·cro-ohm (mī′krō-ōm). = microhm.
mi·cro·or·gan·ism (mī′krō-ōr′gan-izm). 微生物（顕微鏡的な動植物).
mi·cro·par·a·site (mī′krō-par′ă-sīt). 小寄生体（寄生性の微生物).
mi·cro·par·ti·cle (mī-krō-par′tĭ-kĕl) [micro- + particle]. 微粒子（①きわめて小さい粒子であり，特に規定のメッシュサイズのフィルタを通ることができる粒子をさす．②5－100 μm のサイズ域の小胞で，細胞膜から循環血液中へ分泌される．微粒子は，免疫的には起始細胞に特有であり，抗原提示に重要な役割を果たしているといわれている．ある種の微粒子の数が増加することが，血管障害および血栓疾患における血液中で見出されている).
  endothelial m. 内皮の微粒子（障害があったりゆるんだ内皮細胞から放出された小疱).
mi·cro·pa·thol·o·gy (mī′krō-pa-thol′ŏ-jē) [micro- + G. *pathos*, suffering + *logos*, study]. 顕微病理学（病変の顕微鏡的研究を表す．現在では用いられない語).
mi·cro·pe·nis (mī′krō-pē′nis). 小陰茎〔症〕（異常に小さい陰茎). = microphallus.
mi·cro·phage (mī′krō-fāj) [micro- + phag(ocyte)]. 小食細胞，小食球，ミクロファージ（食細胞性の多核白血球.→ phagocyte). = microphagocyte.
mi·cro·phag·o·cyte (mī′krō-fāj′ō-sīt). = microphage.
mi·cro·phal·lus (mī′krō-fal′ŭs). = micropenis.
mi·cro·pho·bi·a (mī′krō-fō′bē-ă) [micro- + G. *phobos*, fear]. 細菌恐怖〔症〕，微小物恐怖〔症〕（小さな物体，微生物などに対する恐れ).
mi·cro·phone (mī′krō-fōn) [micro- + G. *phōnē*, sound]. マイクロホン，拡音器（音を電気信号に変換するための器械).
mi·cro·pho·ni·a, mi·croph·o·ny (mī′krō-fō′nē-ă, mī-krof′ŏ-nē) [micro- + G. *phōnē*, voice]. 小声症. = hypophonia.
mi·cro·pho·no·scope (mī′krō-fō′nō-skōp). マイクロフォノスコープ（音を増大させるために隔膜が付いている聴診器).
mi·cro·pho·to·graph (mī′krō-fō′tō-graf). マイクロ写真（様々な被写体の微小写真．顕微鏡写真 photomicrograph とは区別される).
mi·croph·thal·mi·a (mī′krof-thal′mē-ă) [MIM* 309700]. 小眼球症. = microphthalmos.
  colobomatous m. 組織欠損性小眼球症（小眼球に胎生裂に沿って生じる先天性欠損．しばしば嚢胞を合併する).
mi·croph·thal·mos (mī′krof-thal′mos) [micro- + G. *ophthalmos*, eye]. 小眼球〔症〕（眼が異常に小さい状態). = microphthalmia; nanophthalmia; nanophthalmos.
mi·cro·pi·pette, mi·cro·pi·pet (mī′krō-pi-pet′, -pī-pet′). 微量ピペット，微量管（非常にわずかな量を測定するよう設計されたピペット).
mi·cro·pla·ni·a (mī′krō-plā′nē-ă) [micro- + L. *planus*, flat]. ミクロプラニア（赤血球の水平直径が減少していること).
mi·cro·pla·si·a (mī′krō-plā′zē-ă) [micro- + G. *plasis*, a shaping, forming]. 小人（小人症におけるように成長が妨げられていること).
microplate (mī′krō-plāt). マイクロプレート（顔面骨骨折の整復と固定に使用されるネジによって固定するきわめて小さなプレート).
mi·cro·pleth·ys·mog·ra·phy (mī′krō-pleth′iz-mog′ră-fē). ミクロプレチスモグラフィ，微小体積〔変動〕記録法（血液の流入や流出により生じた，ある臓器の微細な変化を測定する方法).
mi·cro·po·di·a (mī′krō-pō′dē-ă) [micro- + G. *pous*, foot]. 小足症（足が異常に小さいこと).
mi·cro·pore (mī′krō-pōr) [micro- + G. *poros*, pore]. ミクロポア，微小孔（原生動物亜門の胞子虫類原生動物のすべての時期の虫の外皮に存在する小器官．また外皮内層のない発育途上の虫体にもみられる．2 つの同心性の輪から成り立ち（横断面で)，内側の輪は外側の薄膜の陥入したものである．栄養小器官としての役割を果たしているとみられる．食物をとらない発育型虫体での役割は不明である).
mi·cro·pro·my·el·o·cyte (mī′krō-prō-mī′el-ō-sīt). 小前骨髄球，小前骨髄細胞（前骨髄球に由来する細胞).
mi·cro·pro·so·pia (mī′krō-prō-sō′pē-ă) [micro- + G. *prosōpon*, face]. 小顔症（異常に小さいか不完全に発育した顔を呈する病態).
mi·crop·si·a (mī-krop′sē-ă) [micro- + G. *opsis*, sight]. 小視症（対象を実際よりも小さく知覚すること).
mi·cro·punc·ture (mī′krō-pŭnk′chūr).〔微〕小穿刺（顕微鏡下で行う穿刺).
mi·cro·pyle (mī′krō-pīl) [micro- + G. *pylē*, gate]. ***1*** 卵門，精孔（精子の侵入点として卵母細胞を包む膜に存在すると信じられている小さな開口). ***2*** micropore の古語.
mi·cro·ra·di·og·ra·phy (mī′krō-rā′dē-og′ră-fē). マイクロラジオグラフィ（組織片の X 線撮影を行い拡大像を得ること.→historadiography).
mi·cro·re·frac·tom·e·ter (mī′krō-rē′frak-tom′ĕ-tĕr). 微細屈折計（血球の研究に用いる屈折計).
mi·cro·res·pi·rom·e·ter (mī′krō-res′pi-rom′ĕ-tĕr). 微量呼吸計（分離した組織の小部分，細胞または細胞の小部分で

の酸素の使用を測定する装置).

mi·cro·sac·cades (mīʹkrō-să-kādzʹ) [micro- + Fr. *saccade*, sudden check (of a horse)]. 微小な衝動性眼球運動.

mi·cro·scin·tig·ra·phy (mīʹkrō-sin-tigʹră-fē) [micro- + scintigraphy]. マイクロシンチグラフィ(放射性核種と画像を〝拡大 magnify〟させる特殊なコリメータを使用して,解剖学的に小さな部分のラジオグラフをつくる方法. 例えば,涙腺の画像を得るためにピンホールコリメータとテクネチウム99m を用いる方法をいう).

mi·cro·scope (mīʹkrō-skōp) [micro- + G. *skopeō*, to view]. 顕微鏡(微小な,肉眼では見えない物体または物質の拡大像を与える器械. 通常,複式顕微鏡を意味し,低倍率のものは単純顕微鏡あるいは拡大鏡という).

binocular m. 双眼顕微鏡(2つの接眼レンズをもつ顕微鏡. 複式顕微鏡または立体顕微鏡をいう).

color-contrast m. 色対照顕微鏡(コンデンサの絞りの色と開口部の色とが補色になっているので,染色していない物体が別の色の視野内で着色して観察される).

comparator m. 比較顕微鏡(マイクロメータ付き接眼レンズを備えた顕微鏡1台以上からなる装置で,凝固や温度差による大きさの変化を測定するのにかつて使われていた. 同様な装置が今でも尿検査に使われている).

compound m. 複式顕微鏡(2つ以上の拡大レンズからできている顕微鏡).

confocal m. 共焦点顕微鏡(対象物を単一面焦点で観察することができる顕微鏡. 単一面焦点のため,より明瞭な像を結ぶことができる(対象物は通常,蛍光性の微粒子である). この顕微鏡の上級機種には,連続する領域を記録するために光学区分やコンピュータが使用され,三次元再構成を可能にしている).

dark-field m. 暗視野顕微鏡(光を対象から散乱させるような絞りの付いた特別なコンデンサと対物レンズとをもつ顕微鏡. 対象物は暗い背景上で明るく見える).

electron m. 電子顕微鏡(光の代わりに可視光線より数千倍短い波長の電子線を使用する顕微鏡. 大きな分解能と倍率が得られる. 直視も写真撮影も可能. この装置では,電子線は,真空中で保存され,包埋・脱水した材料の薄い切片を通ることになる).

flying spot m. フライングスポット顕微鏡(動く光点が対物面で像をつくる顕微鏡. 検体を通過した光は光電池で検出される. 光源は陰極線管,走査板,あるいは振動鏡が用いられる).

infrared m. 赤外線顕微鏡(赤外線用光学系を備えた顕微鏡で,光電管の助けを借りて微量試料の赤外線吸収を測定する. 像は像転化器またはテレビで観察される).

interference m. 干渉顕微鏡(入射光線が2つの光線に分かれて検体を通過し,映像面で再結合し,干渉作用により透明な(不可視の)屈折性対象物の細部を,光度差として目に見えるように特別に工夫した顕微鏡. この器械は光の減速,屈折率,検体の厚さや質量の測定を可能にし,生きている細胞や無染色の細胞の検査に有用である).

laser m. レーザー顕微鏡(レーザー光線が顕微鏡の視野に焦点を結び,それを蒸発させる顕微鏡. 放射線は顕微分光光度計で分析される. 強度が低いときはレーザーは干渉顕微鏡の光源として用いる).

light m. 光学顕微鏡(可視光を使用して拡大画像をつくりだす顕微鏡).

opaque m. =epimicroscope.

operating m. 手術用顕微鏡. =surgical m.

phase m., phase-contrast m. 位相差顕微鏡(位相を変える環の付いた特別のコンデンサと対物レンズを用いて,屈折率の小さな差を,像の光度あるいはコントラストの差として目に見えるように特別に工夫した顕微鏡. この器械は生きているかまたは無染色の細胞や組織のような透明な標本の構造の細部を検査するのに特に有用である).

polarizing m. 偏光顕微鏡(試料の上下に偏光フィルタを備えた顕微鏡. 偏光に対する試料の複屈折作用によって像を結ぶ. 2つのフィルタの偏光の方向は通常調節できるので,目盛りの付いた載物台とともに使えば,生物試料でも化学試料でも様々な屈折率を測定できる).

Rheinberg m. (rīnʹbĕrg). ラインベルク顕微鏡(暗視野顕微鏡の改良型. 乳白色の中心遮光板の代わりにカラーフィルタを用い,標本を際立たせるような色彩の背景とする).

scanning electron m. 走査〔型〕電子顕微鏡(真空中の試料を細い電子線によって走査する顕微鏡. 走査に同期したCRT モニター上に,試料表面から発生した反射電子または二次電子を用いてつくられた画像が得られる. この方法によって高分解能で焦点深度の深い三次元画像が得られる).

simple m., single m. 単純顕微鏡(単一の拡大レンズからできている顕微鏡).

stereoscopic m. 立体顕微鏡,実体顕微鏡(2重の接眼レンズと対物レンズをもつ顕微鏡で,光の通路が独立していて三次元の像をつくる).

stroboscopic m. ストロボスコープ顕微鏡(一定時間間隔で閃光を発する光源をもち,そのため対象物の運動を分析できるようになっている顕微鏡. 高速または低速(継時露出)の顕微鏡映画撮影で用いる).

surgical m. 外科用顕微鏡(手術で微細な構造物を明瞭に視覚化するのに用いる双眼顕微鏡. 立体型の顕微鏡では,手や足の調節器で操作される電動式ズームレンズが適当な作業距離を提供する. 頭に取り付ける型では接眼レンズを交換して必要な倍率が得られる). =operating m.

television m. テレビ〔ジョン〕顕微鏡(像がテレビカメラで観察され,テレビ画面に映るような顕微鏡. 定量的研究や多人数への供覧,スペクトルの紫外部や赤外部の検査などに用いる).

ultra-m. →ultramicroscope.

ultrasonic m. 超音波顕微鏡(音響エネルギー用に設計されたレンズをもち,超音波波長が使用できるようにした顕微鏡. 変換器によって,得られた情報は目に見えたり記録できたりする形に変えられる).

ultraviolet m. 紫外線顕微鏡(可視スペクトルよりも短い光波,すなわち 400 nm 以下の光波を伝えることのできる石英とホタル石のレンズをもつ顕微鏡. 像は写真,蛍光をもった特別のガラス,テレビによって目で見ることができる. 走査型の装置では増倍光電管が検出器である).

x-ray m. X線顕微鏡(エネルギー源としてX線を用いることによって像が得られる顕微鏡. この像は非常に細かい粒子のフイルムに記録され,交互に映写によって拡大される. フイルムを使えば,かなり高倍率で光学顕微鏡で検査できる).

mi·cro·scop·ic, mi·cro·scop·i·cal (mīʹkrō-skopʹik, -i-kăl). ***1*** 顕微鏡的の,微視的な(非常に小さい. 顕微鏡の助けを借りてのみ見ることができるものについていう). ***2*** 顕微鏡の.

mi·cros·co·py (mī-krosʹkŏ-pē). 顕微鏡検査〔法〕,鏡検(微小物を顕微鏡を用いて検査すること.→microscope).

CARS m. coherent anti-Stokes Raman scattering m.(コヒーレントアンチストークスラマン(分光散乱)顕微鏡)の略.

electron m. 電子顕微鏡検査〔法〕(電子顕微鏡を用いて微小物を検査すること).

epiluminescence m. エピルミネセンスマイクロスコープ(低倍(50—100倍)の拡大鏡で,一般にテレビ顕微鏡 television *microscope* である. 透光剤を病変皮膚の表面に塗布し,レンズで圧抵し,観察する. 例えば色素性皮膚病変での悪性化の鑑別に用いる). =surface m.

fluorescence m. 蛍光顕微鏡検査〔法〕(蛍光物質を紫外線または青紫可視光線で照射すると,可視光線が放射されることを利用する方法. ある物質はこの性質を自然に備え,他の物質は蛍光溶液で処理して(多少染色に似ている)得られる. 標本の吸収が比較的長い紫外線領域にあるときは,これらの放射線を通過するフィルタを用い,黄色フィルタが接眼レンズの上か内側に置かれる. 次いで背景視野を暗くすると黄または赤の蛍光が目に見えるようになる).

fluorescence resonance energy transfer m. (**FRET**) 蛍光共鳴エネルギー移動顕微鏡(ドナー色素からアクセプター色素への光子の放出を伴わない 1—5 nm のきわめて小距離における励起の移動. 本技術により分子距離で変化を起こす生物学的現象の可視化が容易になってきている).

immersion m. 液浸顕微鏡検査〔法〕(→immersion).

immune electron m. 免疫電子顕微鏡法,免疫電顕法(特異抗体を加えた生物学的標本に対する電子顕微鏡法).

immunofluorescence m. 免疫蛍光顕微鏡検査〔法〕(→immunofluorescence).

Nomarski interference m. (nō-mar′skē) [Georges *Nomarski*]. →Nomarski *optics*.

selective plane illumination m. 選択的平面照射顕微鏡検査法（共焦点顕微鏡検査法の改良法．迅速で光学的に安定している．単一の点光源で標本をスキャンする代わりに単一の面光源を用いる．これにより迅速に画像を取り込むことができ，共焦点法より大きな対象物を明瞭な三次元再構成像として捉えることができる）．

surface m. ＝epiluminescence m.

time-lapse m. 経時的顕微鏡検査法（同じ対象物(例えば，1つの細胞)を一定の時間間隔で数時間写真撮影をする顕微鏡検査法）．

mi·cro·seme (mī′krō-sēm) [micro- + G. *sēma*, sign]. 小頭（眼窩指数が 84 以下の頭蓋についていう）．

mi·cro·sides (mī′krō-sīdz). ミクロシド（ジフテリア菌から分離されたトレハロースとマンノースの脂肪酸エステル）．

mi·cros·mat·ic (mī′kroz-mat′ik) [micro- + G. *osmē*, sense of smell]. 嗅覚不全の．

microsmia (mī-kroz′mē-ă) [micro- + G. *osmē*, smell, + -ia]. 嗅覚減退．＝hyposmia.

mi·cro·some (mī′krō-sōm) [micro- + G. *sōma*, body]. ミクロソーム，顆粒体（細胞を破壊し，超遠心分離により得られる小胞体に由来する微小球形の小胞の一種）．

mi·cro·so·mi·a (mī′krō-sō′mē-ă) [micro- + G. *sōma*, body]. 小児や胎児で異常に身体が小さいこと．小人症．＝nanocormia.

mi·cro·spec·tro·pho·tom·e·try (mī′krō-spek′trō-fō-tom′ĕ-trē). 顕微分光測光〔法〕（単一細胞または細胞小器官中の核蛋白を，それ自体のもつ吸収スペクトル(紫外域)によって，またはDNA の Feulgen 染色のような選択的細胞化学と化学量論的に結合させて，特徴付けたり定量したりする技術.→cytophotometry）．

mi·cro·spec·tro·scope (mī-krō-spek′trō-skōp). 顕微分光計（顕微鏡的対象のスペクトルを観察する器械）．

mi·cro·sphere (mī′krō-sfēr). ミクロスフェア（約 15 μmの大きさをもつ，アルブミンの微小集合体などのような放射性標識化物質の微小球）．

mi·cro·sphe·ro·cy·to·sis (mī′krō-sfē′rō-sī-tō′sis). 小球状赤血球症．＝spherocytosis.

mi·cro·sphyg·my (mī′krō-sfig′mē) [micro- + G. *sphygmos*, pulse]. 小脈症．＝microsphyxia.

mi·cro·sphyx·i·a (mī′krō-sfik′sē-ă) [micro- + G. *sphyxis*, pulse]. ＝microsphygmy.

mi·cro·splanch·nic (mī′krō-splangk′nik) [micro- + G. *splanchna*, viscera]. 小内臓〔症〕の．

mi·cro·sple·nia (mī-krō-sple′nē-ă). 小脾〔症〕．

Mi·cro·spor·a (mī′krō-spōr′ă) [micro- + G. *sporos*, seed]. 微胞子虫門（原生動物の一門で，*Nosema*属と脳炎性胞子虫属 *Encephalitozoon* を含み，無孔の壁と極糸，極帽をもつ射出装置を有する単細胞性の胞子の存在が特徴である．ミトコンドリアはない．無脊椎動物および下等脊椎動物の細胞内に寄生し，高等脊椎動物中での例はまれである）．＝Cnidospora.

Mi·cro·spo·ra·si·da (mī′krō-spōr-as′i-dă). ＝Microsporida.

Mi·cro·spor·i·da (mī-krō-spō′ri-dă). 微胞子虫目（原生動物の微胞子虫亜門の一目で，感染性の細胞または胞子原形質を取り囲む1本の長いらせん状のフィラメントをもった微小な胞子を特徴としている．魚類やヒトを含む高等脊椎動物に感染するが，通常は無脊椎動物や下等脊椎動物の寄生虫である．本目には脳炎性胞子虫属 *Encephalitozoon* や *Nosema*属のような属が含まれる）．＝Cnidosporidia; Microsporasida.

mi·cro·spor·id·i·a (mī′krō-spōr-id′ē-ă). 微胞子虫類（微胞子虫門に属する原生動物群の一般名．脊椎動物のすべての綱と多くの無脊椎動物，特に昆虫類に寄生する約 80 属を包含している．*Encephalitozoon*, *Enterocytozoon*, *Nosema*, *Vittaforma*, *Pleistophora*, *Trachipleistophora* などいくつかの属は免疫に欠陥のあるヒトの感染症に関与している）．

mi·cro·spo·rid·i·a·sis (mī′krō-spō-ri-dī′a-sis). →microsporidiosis.

mi·cro·spo·rid·i·o·sis, mi·cro·spo·rid·i·a·sis (mī-krō-spō-rid-ē-ō′sis, mī′krō-spō-ri-dī′a-sis). 微胞子虫症（微胞子虫門(微胞子虫類)の原虫による感染症）．

Mi·cros·po·rum (mī-kros′pŏ-rŭm, mī-krō-spō′rŭm) [micro- + G. *sporos*, seed]. 小胞子菌属（皮膚糸状菌症の原因となる病原真菌類の一属．適当な培養基中で特徴的な大分生子がみられる．小分生子はほとんどの種でまれにしかみられない）．

M. audouinii オードアン小胞子菌（小児の流行性頭部白癬の原因となるヒト寄生性の真菌種）．

M. canis イヌ小胞子菌（イヌおよびネコの白癬の主要な原因となり，ヒトの散発性皮膚糸状菌症，特にイヌやネコを飼育している小児にみられる頭部白癬の原因となる動物寄生性の真菌種）．

M. canis*, var. *distortum ヒトや動物に皮膚真菌症を引き起こす動物好性の真菌種．実験動物を取り扱うヒトでみられる．

M. ferrugineum 鉄錆色小胞子菌（主に日本や極東で，皮膚糸状菌症の原因となるヒト寄生菌の一種）．

M. fulvum ヒトの皮膚糸状菌症の原因となる土壌生息性菌の一種で，*M. gypseum* 複合種に属するが，子嚢菌様状態のために，1階級上げて特別な一種としている．

M. gallinae 家禽，ときにはヒトの皮膚糸状菌症の原因となる真菌種．その大分生子は幅が広くこん棒状であることから，白癬菌属 *Trichophyton* の菌として分類されることもある．

M. gypseum 石膏状小胞子菌（イヌ，ウマ，ときにその他の動物の皮膚糸状菌症の原因となる土壌生息性の複合種で，ヒトの散発性皮膚糸状菌症の原因となる）．

M. nanum ブタの皮膚糸状菌症の主な原因となる土壌生息性真菌の一種で，まれにヒトの皮膚糸状菌症の原因となる．

M. persicolor ヤチネズミ，ハタネズミ，ときにはヒトの皮膚糸状菌症の原因となる土壌生息性真菌の一種．その子嚢菌様状態は *Nannizia persicolor* である．

M. rivalieri 現在では *M. audouni* の変異体と考えられている皮膚糸状菌の一種．頭部白癬の原因となる.→*Microsporum*.; *M. audouinii*.

M. vanbreuseghemi イヌ，リス，ときにはヒトの皮膚糸状菌症の原因となる動物寄生性真菌の一種．

mi·cro·steth·o·phone (mī′krō-steth′ō-fōn) [micro- + G. *stēthos*, chest + *phōnē*, sound]. ＝microstethoscope.

mi·cro·steth·o·scope (mī′krō-steth′ō-skōp). 微小聴診器（音を拡大する非常に小さい聴診器）．＝microstethophone.

mi·cro·sto·mi·a (mī′krō-stō′mē-ă) [micro- + G. *stoma*, mouth]. 小口症（口の開口部が小さいこと）．

mi·cro·strain (mī′krō-strān). マイクロストレイン測定法（骨皮質の微小(構造)負荷を測定するのに使うデジタル三次元画像法．2つの異なる負荷を与えた時の標本の画像を比較して測定する）．

mi·cro·sup·pos·i·tor·y (mī′krō-sŭ-poz′i-tōr-ē). 尿道挿入座薬（尿道から投与可能な小さな薬剤）．

mi·cro·sur·ger·y (mī′krō-sŭr′jĕr-ē). マイクロサージェリー，顕微手術，顕微外科（特別な外科用顕微鏡の拡大のもとで行う外科的手技）．

mi·cro·su·ture (mī′krō-sū′chūr). 微小縫合糸（針付きの極小径の縫合糸で，9–0 か 10–0 のものが多い．マイクロサージェリーで用いる）．

mi·cro·sy·ringe (mī′krō-si-rinj′). 微量注射器（ピストンにマイクロメータが付いている皮下注射器で，正確に測った微量の液を注射できる）．

mi·cro·the·li·a (mī′krō-thē′lē-ă) [micro- + G. *thēlē*, nipple]. 小乳頭症（乳頭が異常に小さいこと）．

mi·cro·ti·a (mī-krō′shē-ă) [micro- + G. *ous*, ear]. 小耳症（耳の耳介が小さいこと．外耳道の盲端や欠損を伴う）．

Mi·crot·i·nae (mī-krot′i-nē). ハタネズミ亜科（ハタネズミ，レミングを含むげっ歯類の亜科）．

mi·cro·tine (mī′krō-tēn). ハタネズミ類の（ハタネズミあるいはレミングに関する）．

mi·cro·tome (mī′krō-tōm). ミクロトーム，マイクロトーム（顕微鏡検査用に生物組織の切片をつくる器械.→ultramicrotome）．＝histotome.

mi·crot·o·my (mī-krot′ŏ-mē) [micro- + G. *tomē*, incision]. 顕微〔鏡〕切片作成法（顕微鏡検査用に組織の薄い切片をつく

ること). ＝histotomy.

mi·cro·to·nom·e·ter (mī′krō-tō-nom′ĕ-tĕr) [micro- + G. *tonos*, tone + *metron*, measure]. ミクロトノメータ，マイクロトノメータ，微量圧力計（Krogh が発明した小型のトノメータで，動脈血中の酸素と炭酸ガスの張力を測定する．最初，動物に用いていたが，後にヒトにも使われるようになった．動脈穿刺で得られた血液試料を有する気体平衡へ小さな気泡を入れる）．

Mi·cro·trom·bid·i·um (mī′krō-trom-bid′ē-ŭm) [micro- + Mod. L. *trombidium*, a timid one]. 小型アカケダニ属（ツツガムシダニあるいは収穫時ダニの一属で，その幼虫（ツツガムシ）が皮膚にいると，激しいかゆみを生じる）．

mi·cro·tro·pi·a (mī′krō-trō′pē-ă) [micro- + G. *tropē*, a turn, turning]. 微小角斜視（4 度以下の斜視，弱視，偏心固視，異常網膜対応と関連する）．

mi·cro·tu·bule (mī′krō-tū′byūl). 微小管（直径 25 nm，長さは様々の円筒状の細胞質成分で，細胞の細胞骨格，繊毛，べん毛に広く存在する．微小管は細胞の形態維持の役割を果たしており，有糸分裂や減数分裂で数が増加し，その際には核紡錘体による染色体の運動に関与している）．

subpellicular m. 薄皮下微小管（多くの原生動物の単位膜（薄皮）の下にある微小管．しばしば，細い横方向の架橋で連結した，縦方向に配列する原線維の柵状構造を示し，細胞の外形を保持する．一定の胞子虫段階においては，極環から縦方向に伸びる一定数の微小管がみられる）．＝subpellicular fibril.

mi·cro·ves·i·cle (mī′krō-ves′i-kĕl). 微小水疱（表皮内に形成される液体を満たした腔であるが，非常に小さいため臨床的には水疱にみえない）．

mi·cro·vil·lus, pl. **mi·cro·vil·li** (mī-krō-vil′ŭs, -vil′ī). 微〔小〕絨毛（細胞膜の微小突起の 1 つで，表面積を著しく増加させる．微小絨毛はある種の細胞のしま状またははけ状縁を形成する）．

Mi·cro·vir·i·dae (mī′krō-vir′i-dē). ミクロウイルス科（一本鎖 DNA のゲノム（分子量 1.7×10^6）をもった，小型球状の細菌ウイルスの一科）．

mi·cro·volt (μV, mcV) (mī′krō-vōlt). マイクロボルト（1 ボルトの 100 万分の 1）．

mi·cro·waves (mī′krō-wāvz). マイクロ波，極超短波，マイクロウェーブ（最も波長の短い電波で，1 mm から 30 cm（毎秒 1,000—300,000 メガサイクル）の波長のものをさす）．＝microelectric waves.

mi·cro·weld·ing (mī′krō-weld′ing). 微細熔接（ステンレス製の糸同士または糸を針に固定あるいは結合する方法）．

mi·crox·y·phil (mī-krok′si-fil) [micro- + G. *oxys*, acid + *philos*, fond]. 小好酸球（多核の好酸性白血球）．

mi·cro·zo·on (mī′krō-zō′on) [micro- + G. *zōon*, animal]. 動物界で顕微鏡的に小型のものをいう．＝protozoon (1).

mi·crur·gi·cal (mī-krŭr′ji-kăl) [micro- + G. *ergon*, work]. 顕微解剖の，顕微手術の（顕微鏡下で非常に小さい構造体を操作することについていう）．

mic·tion (mik′shŭn). 排尿，放尿．＝urination.

mic·tu·rate (mik′chū-rāt) [→micturition]. 放尿する．＝urinate.

mic·tu·ri·tion (mik′chū-rish′ŭn) [L. *micturio*, to desire to make water]. ［誤ったつづりまたは発音 micturation を避けること］．***1*** 排尿．＝urination. ***2*** 尿意（排尿を欲すること）．***3*** 排尿の頻度．

MID minimal infecting *dose* の略．

mid- (mid) [A.S. *mid*, *midd*]. 中央を意味する連結形．

mid·body (mid′bod-ē). 中央体（有糸分裂後期に形成され，終期に娘細胞と結合する残留中間帯紡錘糸（微小管群）やアクチン含有線維系の厚い茎状のもの．中央体は精子細胞間でよく観察される）．＝intermediate body of Flemming.

mid·brain* (mid′brān). 中脳（mesencephalon の公式の別名）．

mid·car·pal (mid′kar-păl). 中手根の（①手首の中央部に関する．②手根骨の 2 列の中間の関節についていう．＝carpocarpal）．＝mediocarpal; mesocarpal.

mid·dle (mid′ĕl) 中間の，中央の（2 つの似た構造の間にある構造，または位置的に中央にある構造についていう）．＝medius.

mid-face (mid′fās). 顔面中央（鼻および隣接構造を含む顔の中心部）．

midge (midj) [O.E. *mycg*]. ヌカカ（*Culicoides*属のきわめて小さな刺咬性双翅類．群をなしてヒトやその他の動物を襲うことがある．糸状虫の媒介者となる）．

mid·grac·ile (mid-gras′il). 薄葉溝の（小脳の薄葉を 2 つの部分に分ける破格の溝についていう）．

mid·gut (mid′gŭt). 中腸（①消化管の中央部，すなわち十二指腸遠位部，空・回腸，結腸近位部．②胎児の腸で前腸と後腸の間で，最初は卵黄嚢に開いていた部分）．

mid·men·stru·al (mid-men′strū-ăl). 月経中間期の（2 つの月経期間の間のおよそ中間の数日間についていう）．

mid·oc·cip·i·tal (mid′ok-sip′i-tăl). 後頭中央部の．＝medioccipital.

mid·pain (mid′pān). 月経中間痛．＝intermenstrual *pain* (1).

mid·plane (mid′plān). ＝pelvic *plane* of least dimensions.

mid·riff (mid′rif) [A.S. *mid*, middle + *hrif*, belly]. 横隔膜．＝diaphragm (1).

mid·sec·tion (mid′sek-shŭn). 中央切断（器官の中央を通って切断すること）．

mid·ster·num (mid-ster′nŭm). ＝*body* of sternum.

mid·tar·sal (mid-tar′săl). 中足根の（足根の中央部に関する）．＝mediotarsal; mesotarsal.

mid·wife (mid′wīf) [A.S. *mid*, with + *wif*, wife]. 助産師，産婆（助産を実践する資格を有する人．産科学ならびに育児学の専門研修を受けた人）．

mid·wife·ry (mid-wif′ĕ-rē). 助産学，助産術，助産師の業務内容（原則として正常健康婦人の妊娠・分娩・産褥における管理・治療・指導，および新生児の育児を対象とする学問で，産科的治療・管理・指導も含まれる．業務の場所は，病院，出産センター，家庭のいずれでもよく，正常分娩の介助を含む．医師の意見を聞いたり医師と協力して業務を行い，異常例は医師に依頼する．出産・育児の準備のために両親を教育指導すること，特に〝出産は正常の生理的過程で，医学的干渉を最小限度にすべきだ〟という教育に重点を置く）．

Mie·scher (mē′shĕr), Johann F. スイス人病理学者，1811—1887. →M. *elastoma*, *granuloma*, *tubes*.

MIF migration-inhibitory *factor* の略．

mife·pris·tone (mif′pris-tōn). ミフェプリストン（早期妊娠終了に用いられる抗プロゲステロン作用をもつ合成化学物質．この物質は糖質コルチコイド受容体に結合し，副腎分泌を亢進させる）．＝RU-486.

MIFT microophthalmia transcription factor *gene* の遺伝子シンボル．

mi·graine (mī′grān, mi-grān′) [< O. Fr. < G. *hēmi-krania*, pain on one side of the head < *hēmi-*, half + *kranion*, skull]. 片頭痛（閃輝暗点のような特に視覚症状に関する，神経系の種々の局所障害を伴う，通常片側の頭痛を特徴とする家族性反復性症候群．古典的片頭痛，普通片頭痛，群発性頭痛，片麻痺性片頭痛，眼筋麻痺性片頭痛，下半身麻痺性片頭痛として分類される）．＝bilious headache; blind headache; hemicrania (1); sick headache; vascular headache.

abdominal m. 腹性片頭痛（①発作性腹痛を伴う小児の片頭痛．これは手術の注意を要する類似した症状と鑑別する必要がある．②間欠性腹痛を起こす疾患で片頭痛と関係していると考えられている．片頭痛の強い家族歴，症状が睡眠で改善されるなど片頭痛の特徴をもつが頭痛は呈さないことがある．診断は腹痛を起こす他の原因を除外してつける）．

acephalgic m. 無頭痛性片頭痛（古典的片頭痛で目のチカチカはあるが頭痛のないもの）．＝m. without headache.

basilar m. 脳底動脈片頭痛（一過性脳幹症候（例えば，めまい，耳鳴，口周囲のしびれ，複視）を伴う片頭痛で，脳底動脈の血管攣縮性狭窄によると考えられている）．＝Bickerstaff m.

Bickerstaff m. (bik′ĕr-staf) [Edwin R. Bickerstaff. 現代の英国人神経科医]. ビッカースタッフ片頭痛．＝basilar m.

classic m. 古典的片頭痛（閃輝暗点が先行する片頭痛の一型）．

common m. 普通片頭痛（視覚前駆症状のない片頭痛の一型．頭の片側に限局しているわけではないが，典型的な経過，嘔吐，羞明，音響恐怖の傾向，睡眠による改善により片頭痛と認識される）．

乳

	比重（%）	蛋白（%）	脂肪（%）	炭水化物（ラクトース）（%）	灰分（%）	熱量（J/100mL）	ミネラル（mg%）							
							Na	K	Ca	Mg	Fe	Cl	P	クエン酸
人乳	1.030	1.1—1.5	2.5—4.8	6—7.1	0.20	293	14	53	30	4	0.15	30	15	120
牛乳	1.031	3.1—4.0	3.5—4.8	4—4.8	0.75	285	45	160	126	12	0.18	126	98	250
ヤギ乳	1.031	3.7—4.0	4.0—4.8	4—4.8	0.80	293	79	145	128	12	0.21	128	100	150

complicated m. 複雑片頭痛，合併片頭痛（組織の梗塞が起こる片頭痛発作）.

confusional m. 錯乱性片頭痛（複雑型片頭痛の一型で，著明な感覚障害，狂躁状態，および嗜眠を伴う）.

fulgurating m. 電撃性片頭痛（発作の急激な発症と重症度を特徴とする片頭痛）.

Harris m. (ha′ris). ハリス片頭痛. ＝periodic migrainous *neuralgia.*

hemiplegic m. 片麻痺性片頭痛（一過性の片麻痺を伴うもの）.

ocular m. 眼〔性〕片頭痛（一過性の単眼の視力喪失を伴う片頭痛. 特に若年成人にみられ，眼周囲の頭痛を合併する場合としない場合とがある）. ＝retinal m.

ophthalmoplegic m. 眼筋麻痺性片頭痛（外眼筋の麻痺を伴うもの）.

retinal m. 網膜性片頭痛. ＝ocular m.

m. without headache 頭痛のない片頭痛. ＝acephalgic m.

mi·gra·tion (mī-grā′shŭn)［L. *migro*, pp. *-atus*, to move from place to place］. 移動（①場所から場所へ移ることで，ある種の病的な過程や症候についていう. ②＝diapedesis. ③正常位からの歯の移動. ④電気泳動，遠心分離，あるいは拡散中の分子の移動）.

branch m. 分枝点移動（2つのDNAらせんが結合する位置において，交叉した結合が鎖に沿って活動するような過程）.

epithelial m. 上皮移動（歯冠をさらしている上皮付着物の先端の移動）.

m. of oocyte 卵母細胞移動（卵胞から卵管まで，卵母細胞が経腹膜移動をすること）.

MIH melanotropin release-inhibiting *hormone* の略.

Mikity (mi′ki-tē), Victor G. 20世紀の米国人放射線専門医. ⇀Wilson-M. *syndrome*.

Mi·ku·licz (mē′kū-lich), Johannes von-Radecki. ドイツに在住したポーランド人外科医，1850—1905. ⇀M. *aphthae* (⇌aphtha), *cells*, *clamp*, *disease*, *drain*, *operation*, *syndrome*; M.-Vladimiroff *amputation*; Vladimiroff-M. *amputation*; Heineke-M. *pyloroplasty*.

milbemycin (mil-be-mī′sin). ミルベマイシン（イヌ糸状虫 *Dirofilaria immitis* によるイヌ糸状虫症の予防および，イヌ糸状虫陰性のイヌにおけるイヌ回虫 *Toxacara canis*，イヌ小回虫 *Toxascaris leonina*，イヌ鞭虫 *Trichuris vulpis*，およびイヌ鉤虫 *Ancylostoma caninum* の胃腸寄生虫症の治療に用いられるマクロサイクリックラクトン(マクロライド)系抗寄生虫薬. ニキビダニ属のような外部寄生生物にも効力を有する. アベルメクチン類に属す. *Streptomyces hygroscopicus* subsp. *aureolacrimosis* より産生される5-ジデヒドロミルベマイシンより由来する. コリーにおいてはイベルメクチンより毒性が低い. 毎月経口投与する. ネコにおいてはイヌ糸状虫予防薬あるいは TOXACARA CATI およびネコ鉤虫による胃腸寄生虫症の治療薬として用いられる. シナプス前膜におけるγアミノ酪酸放出を増強することにより寄生虫の麻痺および死をもたらす. 吸虫類，条虫類には効果がない）.

Miles (mīlz), William E. 英国人外科医，1869—1947. ⇀M. *operation*.

mil·i·a (mil′ē-ă). ［本語は文法的に複数形である］. milium の複数形.

mil·i·a·ri·a (mil′ē-ā′rē-ă)［L. *miliarius*, relating to millet < *milium*, millet］. 汗疹，あせも，粟粒疹（汗腺の開口部に液が貯留して生じる細かい小水疱と丘疹からなる発疹）. ＝miliary fever (2).

m. alba 白色汗疹（乳白色液を含む小水疱をもった汗疹）.

apocrine m. アポクリン汗疹. ＝Fox-Fordyce *disease.*

m. crystallina 水晶様汗疹（非炎症性の汗疹で，破れやすい角層下水疱を呈し，直径は約1 mm，透明な液体で満たされている）. ＝crystal rash; sudamina (2).

m. profunda 深在性汗疹（白っぽく硬い丘疹が主に体幹に生じる. 無症候性であり，紅色汗疹を繰り返し生じるための汗管障害の結果として発生する. 機能しない汗腺が増加するため，温熱刺激により陥凹することがある）.

m. pustulosa 膿疱性汗疹（通常，汗管を障害する別の皮膚炎に続発して生じる毛孔に一致しない表在性で境界明瞭な無菌性膿疱のこと. このかゆみを伴う膿疱は，通常，四肢屈側，陰囊，寝たきり患者の背中などの間擦部に生じる）.

m. rubra 紅色汗疹（汗腺の開口部に生じた小水疱を中央にもつそう痒性の皮疹で，皮膚の発赤と炎症性反応を伴う）. ＝heat rash; prickly heat; summer rash; wildfire rash.

mil·i·a·ry (mil′ē-ā-rē, mil′yă-rē)［⇀miliaria］. 粟粒〔性〕の，粟粒大の（［military と混同しないこと］. ①大きさや形がアワの種くらい(約2 mmで卵形)のもの. ②表面にアワの種の大きさの結節があることを特徴とするものについていう）.

mil·ieu (mēl-yu′)［Fr. *mi* < L. *medius*, middle + *leiu* < L. *locus*, place］. 環境，ミリュー（①＝environment. ②精神医学において，精神病患者の社会的環境をいう. 例えば家庭環境や病院など）.

m. intérieur, m. interne 内〔部〕環境（多細胞動物の組織細胞を浸している液）.

mil·i·tar·y an·ti·shock trou·sers (MAST) (mil′i-tār′ē an′tē-shok trow′zĕrz). 軍用の抗ショック治療ズボン. ＝pneumatic antishock *garment*.

mil·i·um, pl. **mil·ia** (mil′ē-ŭm, -ē-ă)［L. millet］. 稗粒腫（小さな表皮下の角質嚢腫のこと. 通常は多発性であるため，一般に複数形で用いる. 原発性のものは幼児や成人の顔面に生じることが多く，二次性に貯留性嚢腫として生じるものは，瘢痕化するような疾患や付属器の上皮を侵す表皮下水疱に続発する）. ＝whitehead (1).

milk (milk)［A.S. *meolc*］. ***1***〘n.〙乳，乳汁（子のための栄養物として，乳腺から分泌される蛋白，糖，脂肪を含んだ白色の液体）. ＝lac (1). ***2***〘n.〙乳状液（白色の乳状の液体. 例えば，ココナッツの果汁や種々の金属酸化物の懸濁液）. ***3***〘n.〙乳剤（不溶性薬剤と水媒質との懸濁液である薬局方製剤で，乳剤の懸濁粒子がより大きいことでゲルと区別する）. ***4***〘v.〙搾乳する，搾り出す. ＝strip (1).

acidophilus m. アシドフィルス乳（アシドフィルス菌 *Lactobacillus acidophilus* の培養菌を接種した牛乳）.

m. of bismuth 水酸化ビスマスおよび塩基性炭酸ビスマスを水に懸濁したもの. 胃腸障害に用いる.

buddeized m. ブッデ処理乳（⇀Budde *process*）.

certified m. 保証牛乳（消費者へ配送されるまで，1 mL当たりの最大許容細菌数が10,000以下でなければならない牛乳. また10°C以下に冷やし，配送までその温度に保たねばならない）.

certified pasteurized m. 殺菌保証牛乳（低温殺菌を行う前の1mL当たりの最大許容細菌数が10,000以下で，殺菌後も1 mLにつき500以下でなければならない牛乳. また7.2°C以下に冷やし，配送までその温度を保たねばならない）.

condensed m. 練乳（牛乳を一部蒸発させてつくった濃い

液で，砂糖を添加したものとしないものがある）.

evaporated m. 無糖練乳（牛乳の水分量の半分を，加熱，減圧，あるいはその両方で濃縮したもの）.

fortified m. 強化ミルク（必須栄養素(通常はビタミンD)を添加されたミルク）.

fortified vitamin D m. ビタミンD強化乳（標準1クォート当たり400 USP単位のビタミンDを直接添加してつくった牛乳）.

irradiated vitamin D m. ビタミンD照射乳（薄いフイルムで紫外線にさらし，標準1クォート当たり400 USP単位のビタミンDを含有するようにした牛乳）.

lactobacillary m. 乳酸菌牛乳（*Lactobacillus acidophilus*, *L. bulgaricus*, または他の乳酸形成菌の培養菌を添加した牛乳）.

m. of magnesia (MOM) マグネシアミルク（水酸化マグネシウムの混合物．水酸化マグネシウムの水性懸濁液．制酸薬およびしゃ下薬）. ＝magnesia magma.

metabolized vitamin D m. 代謝ビタミンD乳（ウシに照射酵母を飼料として与えてつくった酵母乳．標準1クォート当たり400 USP単位以上のビタミンDを含有する）.

modified m. 調製乳（人乳の組成に似せて，脂肪を増やし，蛋白を減らした牛乳）.

perhydrase m. 過酸化水素加乳（過酸化水素の添加処理を受けた牛乳. ⇀Budde *process*）.

skim m., skimmed m. 脱脂乳，スキムミルク（カゼインを分離したミルクの水性(非クリーム性)部分）.

m. of sulfur 硫黄乳剤. ＝precipitated *sulfur*.

vitamin D m. ビタミンD乳（1クォート当たり400 USP単位のビタミンDを含有するように，ビタミンDを添加した牛乳）.

witch's m. 奇乳，魔乳（生後3－4日の両性の新生児の乳腺にときにみられる初乳様分泌物で，1，2週間続く．出生前の母親の内分泌刺激による）.

Milk·man (milk′man), Louis A. 米国人放射線科医，1895—1951. ⇀M. *syndrome*.

milk·pox (milk′poks). ＝alastrim.

Mil·lard (mē-yahr′), Auguste L.J. フランス人医師，1830—1915. ⇀M.-Gubler *syndrome*.

Mil·lard (mil′ard), D. Ralph, Jr. 20世紀の米国人形成外科医. ⇀rotation advancement *flap*.

Mil·ler (mil′ĕr), Thomas Grier. 20世紀初頭の米国人医師. ⇀M.-Abbott *tube*.

Mil·ler (mil′ĕr), Willoughby D. 米国人歯科医，1853—1907. ⇀M. chemicoparasitic *theory*.

mil·let seed (mil′et sēd). 粟粒（草の種子で，以前は，直径約2 mmの大きさのおよその表示に用いられた）.

milli- (m) (mil′i). [L. *mille*, one thousand]. 1,000分の1 (10^{-3})の分量単位を意味する，国際単位系(SI)およびメートル法で用いる接頭語.

mil·li·am·pere (ma, mA) (mil′i-am′pēr). ミリアンペア（1アンペアの1000分の1）.

mil·li·bar (mil′i-bar). ミリバール（1バールの1,000分の1．100N/m². 0.75006 mmHg．標準大気圧は1,013ミリバールである）.

mil·li·cu·rie (mc, mCi) (mil′i-kyū′rē). ミリキュリー（毎秒3.7×10^7の崩壊に相当する放射能の単位）.

mil·li·e·quiv·a·lent (mEq, meq) (mil′i-ē-kwiv′ă-lent). ミリグラム当量（1グラム当量の1,000分の1．10^{-3}モルを原子価で除したもの）.

mil·li·gram (mg) (mil′i-gram). ミリグラム（[誤った略号mgmを避けること]．1グラムの1,000分の1）.

mil·li·lam·bert (mil′i-lam′bĕrt). ミリランベルト（1ランベルトの1,000分の1．1平方フート当たり0.929ルーメンに等しい照度の単位．およそ1フート燭に等しい）.

mil·li·li·ter(ml, mL) (mil′i-lē′tĕr). ミリリットル（[小文字のlは数字の1と紛らわしいので，略号mLのほうがmlより好ましい]．1リットルの1,000分の1）.

mil·li·me·ter (mm) (mil′i-mē-tĕr). ミリメートル（1メートルの1,000分の1）.

millimicro- (mil′i-mī′krō). 10億分の1 (10^{-9})の分量単位を意味する，以前用いられた接頭語．現在のnano-にあたる.

mil·li·mole (mmol) (mil′i-mōl). ミリモル（1グラム分子の1,000分の1）.

mil·ling-in (mil′ing-in). 自動削合（義歯が口腔内や咬合器上で削合されるように，咬合面間に削合剤を用いて歯の咬合を改善する処置）.

mil·li·os·mole (mil′i-oz′mōl). ミリオスモル（1オスモルの1,000分の1）.

mil·li·pede (mil′i-pēd) [milli- ＋L. *pes*, *pedis*, foot]. ヤスデ（有毒性，非肉食性の倍脚綱に属する節足動物，分節ごとに2対の脚がついているのが特徴．毒は純粋に防御のためのもので，体に沿って細孔から滲出または噴出され，皮膚に刺激を起こし，目にはいった場合はひどい炎症を起こす）.

mil·li·sec·ond (ms, msec) (mil′i-sekŏnd). ミリセカンド（1秒の1,000分の1）.

mil·li·volt (mV) (mil′i-vōlt). ミリボルト（1ボルトの1,000分の1）.

Mil·lon (mē-on[h]′), Auguste N.E. フランス人科学者，1812—1867. ⇀M. *reaction*, *reagent*; M.-Nasse *test*.

mil·pho·sis (mil-fō′sis) [G. *milphōsis*]. 睫毛脱落症. ＝madarosis (1).

Mil·roy (mil′roy), William F. 米国人医師，1855—1942. ⇀M. *disease*.

MIM *Mendelian Inheritance in Man* の頭字語.

mi·me·sis (mi-mē′sis, mī-) [G. *mimēsis*, imitation < *mimeomai*, to mimic]. 擬症（①器質性疾患のヒステリー性模倣．②ある器質性疾患の症候に別の疾患の症候が似ること）.

mi·met·ic (mi-met′ik, mī-) [G. *mimētikos*, imitative]. ***1*** 擬症の. ***2*** 表情の（顔の表情に関する．顔面運動機能と関係する）.

mim·ic (mim′ik) [G. *mimikos*, imitating < *mimos*, a mimic]. 模擬の.

mim·ma·tion (mi-mā′shŭn) [Ar. *mim* 文字m]. m吃（種々の文字にmの音をつけるどもりの一型）.

min. minuteの略.

mind (mīnd) [A.S. *gemynd*]. 精神〔力〕，知力，心（①意識や認知，理性，意志，感情などの脳の高位機能をつかさどる器官または場所．②現象との関連性を重視してすべての精神過程と精神活動を統合したものをいう）.

prelogical m. 一次過程の思考を使った精神構造で，小児や心理的に退行した成人でよくみられる. ⇀prelogical *thinking*.

subconscious m. 潜在意識. ＝subliminal *self*.

mind-read·ing (mīnd′rēd-ing). 読心. ＝telepathy.

min·er·al (min′ĕr-ăl) [L. *mineralis*, pertaining to mines < *mino*, to mine]. 無機質，鉱質，無機塩類（地殻に見出される均質の無機物質）.

min·er·al·i·za·tion (min′ĕr-ăl-i-zā′shŭn). 鉱化作用（生体構造物に鉱質が取り込まれること．正常な鉱化作用には骨や歯にみられるものがあり，病的な鉱化作用には異栄養性または転移性石灰化などがある）.

min·er·al·o·coid (min′ĕr-al′ō-koyd). ミネラロコイド. ＝mineralocorticoid.

min·er·al·o·cor·ti·coid (min′ĕr-al-ō-kōr′ti-koyd). 鉱質コルチコイド，ミネラルコルチコイド（水や電解質(特にナトリウムやカリウム)代謝やそのバランスに影響を与える副腎皮質ステロイドホルモン）. ＝mineralocoid.

min·er·al oil(MO) (min′ĕr-ăr oyl). 鉱油（石油から得られる液状炭化水素の混合物．製剤で賦形剤として用いる．腸管の滑剤として用いることもある．脂溶性ビタミンの吸収を阻害する）. ＝heavy liquid petrolatum; liquid paraffin; liquid petroleum.

min·er·al·o·tro·pic (min′ĕr-al′ō-trō′pik). 鉱質コルチコイド用の（鉱質コルチコイドの作用に関連した）.

mi·ni (mi′nē) [It. *miniatura*, decoration of manuscripts < L. *minium*, red lead]. ***1*** ミニコンピュータ，ミニコン（一部門の多数の利用者に機能を提供できたり，CTやMRIのような複雑な計算を専用で行う中規模のコンピュータ．大型コンピュータよりは小規模で計算速度は遅いが，パーソナルコンピュータ(パソコン)より複雑で処理能力がある）. ***2*** 単一の神経伝達小嚢内容が放出されたときに発生する小神経電位.

mi·ni·hel·ix (min-ē-hel′iks). ミニヘリックス（RNA分子内に見られるモチーフであり，塩基対をなす5’端と3－8ヌクレオチドからなる突出3’端をもつ二重鎖ステム(14ヌクレオチド以上)を含む構造上シスに作用する輸出エレメントからなっている).

min·i·lap·a·rot·o·my (min′ē-lap-ă-rot′ŏ-mē). 小切開不妊手術，小開腹不妊手術（卵管を外科的に結紮する避妊法の一種で，恥骨上部あるいは臍下部に小切開を加えて行う).

min·im (m) (min′im) [L. *minimus*, least]. ***1*** ミニム，液（液体の測定単位で液量ドラムの 60 分の 1. 水の場合は約 1 滴). ***2*** 最小.

min·i·mum (min′i-mŭm) [L. smallest, least]. 最小量，最低限度.

min·i·my·o·sin (min′ē-mī′ō-sin). ミニミオシン（球状アクチン結合ドメインや短鎖テイルをもち，膜と結合できるが，長鎖 α-らせん状テイルが欠損しているミオシン類似蛋白. ニューロンの成長円錐体での糸状足の伸長に作用する).

miniplate (mī′ĕ-lĭ-nō′sĭs) [mini- + plate]. ミニプレート（小片あるいは格子でつくられた小部品で構成される手術用骨折固定用の金属補塡物).

Champy m. (shahm-pē′) [Maxime *Champy*, contemporary French maxillofacial surgeon]. シャンピーミニプレート（顔面骨骨折片をネジによって安定化固定する小さなプレートの一種).

miniprophylaxis (min-ē-prof′ĭ-laks-sis). ミニ(軽微)予防（定期的な月経関連頭痛，または他の疾患あるいは症状の，短期または定期的な予防).

min·i·thor·a·cot·o·my ⇀thoracotomy.

mi·nor (mī′nŏr) [L.]. 小の（[本形容詞は男性名詞(musculus teres minor，複数形 musculi teretes minores)および女性名詞(ala minor，複数形 alae minores)とともに用いられる. 中性名詞では minus の形(cornu minus，複数形 cornua minora)で用いられる]. 2 つの同じような構造のうちの小さいほうを示す).

mint (mint) [G. *mintha*]. ハッカ. ＝Mentha.

mio- (mī′ō) [G. *meiōn*]. より少ないことを意味する連結形.

mi·o·did·y·mus, mi·od·y·mus (mī′ō-did′i-mŭs, mī-od′i-mŭs) [mio- + G. *didymos*, twin]. 二頭後頭部結合奇形（不等分に結合している双生児で，小さいほうの頭が大きいほうの頭と後頭部で融合している. ⇀conjoined *twins*).

mi·o·lec·i·thal (mī′ō-les′i-thal) [mio- + G. *lekithos*, egg yolk]. 少卵黄の（卵黄がきわめて少なくて卵中に均一に分散している卵についていう).

mi·o·pra·gi·a (mī′ō-prā′jē-ă) [mio- + G. *prassō*, to do]. 機能活動力減退（機能的活動力が部分的に減少すること).

mi·o·pus (mī-ō′pŭs) [mio- + G. *ōps*, eye]. 二頭結合体（一方の顔が発育不全になるような形で頭部が結合している不等接着双生児. ⇀conjoined *twins*).

mi·o·sis (mī-ō′sis) [G. *meiōsis*, a lessening]. [meiosis と混同しないこと]. ***1*** 縮瞳（瞳孔の収縮). ***2*** meiosis(減数分裂)のつづりとして誤って用いられる.

paralytic m. 麻痺性縮瞳（瞳孔の散大筋の麻痺による縮瞳).

spastic m. 痙攣性縮瞳（瞳孔の括約筋の痙攣性収縮による縮瞳).

mi·ot·ic (mī-ot′ik). ***1***〖adj.〗縮瞳の. ***2***〖n.〗縮瞳薬（瞳孔が狭くなるように瞳孔を収縮させる薬剤).

MIP macrophage inflammatory *protein*; maximum intensity *projection* の略.

Mip (mip). *m*acrophage *i*nfectivity *p*otentiator protein(マクロファージ感染増強蛋白)の頭字語および略.

mi·ra·cid·i·um, pl. **mi·ra·cid·ia** (mī′ră-sid′ē-ŭm, -ă) [G. *meirakidion*, boy]. 吸虫類子虫，ミラシジウム，ミラキジウム（卵から発育した吸虫類の線毛をもった第 1 段階の幼生で，その生活環を続けるためには適当な中間宿主の淡水産巻貝の組織に侵入しなければならない. その後スポロシストに発育し次世代の多数の幼生を産生する. →sporocyst (1)).

mire (mēr) [L. *miror*, pp. *-atus*, to wonder at]. ミーア（角膜曲率計の検査対象物の 1 つ. 角膜表面に反射される像(マイヤーとも称される)により角膜曲率半径を算出する).

mi·rex (mī′reks). ミレックス（殺虫薬およびプラスチック，ゴム，ペンキ，紙，電化製品の延焼防止剤として用いられるベンゼン誘導体. 発癌物質の可能性がある).

Mi·riz·zi (mi-ritz′ē), P.L. 20 世紀のアルゼンチン人医師. ⇀M. *syndrome*.

miRNA microribonucleic *acid* の略.

mir·ror (mir′ŏr) [Fr. *miroir* < L. *miror*, to wonder at]. 鏡，反射鏡（その前面にある物体からの光線を反射する磨かれた表面).

concave m. 凹面鏡（球面の一部からなる鏡で，内側が反射面になっているもの).

convex m. 凸面鏡（球面の一部からなる鏡で，外側が反射面になっているもの).

head m. 額帯鏡（額帯に接してのぞくために中央に穴がある円形の凹面鏡で，検査の目的で光線を鼻や喉頭のような腔に投射して双眼視するために用いる).

mouth m. 歯鏡（歯の検査で見やすくするために用いる柄のついた小さな反射鏡).

van Helmont m. (vahn hel′mŏnt). central *tendon* of diaphragm を表す現在では用いられない語.

mir·ror-writ·ing (mir′ŏr-rīt′ing). 鏡像書法（文字を右から左へ逆向きに書くこと. 書いた文字は普通の文字を鏡で映したように見える). ＝retrography.

mir·yach·it (mēr-yach′it). ミリアチット（シベリアでみられる神経疾患. ⇀jumping *disease*).

MIS müllerian inhibiting *substance* の略.

mis·an·dry (mis′an-drē) [G. *miseō*, to hate + *anēr*, *andros*, male]. 男嫌い（男性に対する嫌悪あるいは憎悪).

mis·an·thro·py (mis-an′thrŏ-pē) [G. *miseō*, to hate + *anthrōpos*, man]. 人間嫌い（人間に対する嫌悪および憎悪).

mis·car·riage (mis-kar′ăj). 流産（妊娠の中期半ば以前に妊娠産物が自然に排出することを示す一般用語. 現在，臨床上の専門用語として用いられることはない). ＝spontaneous abortion.

mis·car·ry (mis-kar′ē). 流産する.

mis·ce·ge·na·tion (mis′e-jĕ-nā′shŭn) [L. *misceo*, to mix + *genus*, descent, race]. 雑婚，混血生殖（異なる人種間の結婚または生殖).

mis·ci·ble (mis′i-bŭl) [L. *misceo*, to mix]. 混和性の（混合することができ，混合過程の終了後もその状態でとどまる).

mis·di·ag·no·sis (mis′dī-ag-nō′sis). 誤診.

mi·sog·a·my (mi-sog′ă-mē) [G. *miseō*, to hate + *gamos*, marriage]. 結婚嫌い（[misogyny と混同しないこと]. 結婚に対する嫌悪).

mi·sog·y·ny (mi-soj′i-nē) [G. *miseō*, to hate + *gynē*, woman]. 女嫌い（[misogamy と混同しないこと]. 女性に対する嫌悪あるいは憎悪).

mis·o·pe·di·a, mis·op·e·dy (mis′ō-pē′dē-ă, -op′ĕ-dē) [G. *miseō*, to hate + *pais*(*paid-*), child]. 子供嫌い（子供に対する嫌悪あるいは憎悪).

misophonia (mis-ō-fō′nē-ă). 音を嫌がること. →decreased sound *tolerance*; phonophobia; hyperacusis.

mi·so·pros·tol (mī′sō-prost′ol). ミソプロストール（胃潰瘍および十二指腸潰瘍の予防に用いられるプロスタグランジン構造類似体. 非ステロイド性抗炎症薬を服用している患者に特に有用な抗潰瘍薬. 早期妊娠中絶のためのミフェプリストン療法にも使用される).

mis·sense (mis′ens). ミスセンス（遺伝学において使われる語で，1 個のアミノ酸残基が他に置換するような DNA 配列上の突然変異).

m. suppression ミスセンス抑圧，ミスセンスサプレッサ（トランスファー RNA の突然変異で，遺伝子産物の十分な機能を可能にするようなアミノ酸残基の取り込みができる).

mis·tle·toe (mis′ĕl-tō). ヤドリギ. ＝viscum (1).

MIT monoiodotyrosine の略.

Mitch·ell (mitch′ĕl). ⇀Weir Mitchell.

mite (mīt) [A.S.]. ダニ（ダニ目に属する小さな節足動物で，多数の寄生性および元来は自活性のダニを含む. 大部分はまだ記載されておらず，比較的少数のみが医学的，獣医学的に重要である. すなわちⓘ病原体の媒介動物または中間宿主として，ⓘⓘ直接に皮膚炎または組織障害を起こすことによって，ⓘⓘⓘ血液または組織液の喪失を起こすことによって. 6 本の脚をもったツツガムシ(ツツガムシ属 *Trombicula*)の幼虫は，ヒト，多くの哺乳類，鳥類に寄生し，ツツガムシ病の媒介動物や他のリケッチア病の病原菌媒介動物として重要. 主なダニには，*Acarus hordei*, *Demodex folliculorum*, *Dermanyssus gallinae*, *Ornithonyssus bacoti*, *m. bursa*, *m. sylvi-*

arum, *Pyemotes tritici*, *Sarcoptes scabiei* がある）.

mith·ra·my·cin (mith′ră-mī′sin). ミトラマイシン（*Streptomyces argillaceus* と *S. tanashiensis* によってつくられる抗生物質．抗腫瘍作用がある）．＝aureolic acid; mitramycin.

mith·ri·da·tism (mith′ri-dā′tizm, mith-rid′ă-tizm) [*Mithridates*: 毒物による暗殺に対して不死身になるようにと，少量の服毒を繰り返したために，毒物による自殺に失敗したと思われる Pontus の王(132—63 BCE)]. ミトリダート法（少量ずつ徐々に量を増やすことによって毒物の作用に対し免疫を得ること）.

mi·ti·ci·dal (mī′ti-sī′dăl). 殺ダニの（ダニに対して有毒なことを示す）.

mi·ti·cide (mī′ti-sīd) [mite + L. *caedo*, to kill]. 殺ダニ薬.

mit·i·gate (mit′i-gāt) [L. *mitigo*, pp. *-atus*, to make mild or gentle < *mitis*, mild + *ago*, to do, make]. 緩和する（[militate と混同しないこと]）．＝palliate.

mi·tis (mī′tis) [L.]. 温和な.

mi·to·chon·dri·a (mī′to-kon′drē-ă). mitochondrion の複数形.

mi·to·chon·dri·al (mī′tō-kon′drē-ăl). ミトコンドリアの，糸粒体の.

mi·to·chon·dri·on, pl. **mi·to·chon·dri·a** (mī′tō-kon′drē-on, mī′to-kon′drē-a) [G. *mitos*, thread + *chondros*, granule, grits]. ミトコンドリア，糸粒体（2組の膜，すなわち滑らかな連続性の外膜と，細管状またはしばしば稜 cristae とよばれる板状の二重膜を形成してひだ状に配列している内膜とから構成されている細胞質の小器官．ミトコンドリアは細胞の主なエネルギー源で，末端電子伝達のシトクロム酵素群，クエン酸サイクル，脂肪酸酸化，酸化的リン酸化反応の諸酵素群を含む）．＝Altmann granule (2).

m. of hemoflagellates 住血鞭毛虫類の糸粒体（〝母糸粒体 mother m.〞で，これから小さな糸粒体ができる）.

mitofusin (mī-tō-fyū′zhun). マイトフュージン（ミトコンドリア融合蛋白．正常な細胞でのミトコンドリアの融合過程．その過程は3段階で起こる．まずミトコンドリア自体の末端同士が連結して整列する．次に両ミトコンドリアの外膜がお互いに融合する．最後に内膜がお互いに融合し，より大きいミトコンドリアが生成する）.

mi·to·gen (mī′tō-jen) [mitosis + G. *-gen*, producing]. マイトジェン，ミトゲン，〔有糸〕分裂促進剤（有糸分裂やリンパ球幼若化を抗原-非特異的に刺激するほとんど植物由来の物質．フィトヘマグルチニン，アメリカヤマゴボウやコンカナバリンAのようなレクチンだけでなく，連鎖球菌からの物質(ストレプトリシンSを伴う)や α-トキシン産生ブドウ球菌からの物質も含む）．＝transforming agent (1).

pokeweed m. (**PWM**) アメリカヤマゴボウマイトジェン(アメリカヤマゴボウ *Phytolacca americana* から見出されたマイトジェン(レクチン)で，主にBリンパ球を刺激する).

mi·to·gen·e·sis (mī′tō-jen′ĕ-sis) [mitosis + G. *genesis*, origin]. 有糸分裂誘発（細胞に有糸分裂や形質転換を誘導する，または細胞の形質転換する過程）.

mi·to·ge·net·ic (mī′tō-jĕ-net′ik). 有糸分裂誘発性の（細胞有糸分裂を促進する因子についていう）.

mi·to·gen·ic (mī′tō-jen′ik). マイトジェンの（有糸分裂や形質転換を生じさせること）.

mi·to·my·cin (mī′tō-mī′sin). マイトマイシン（*Streptomyces caespitosus* によって産生される抗生物質で，それらの変株はマイトマイシンA，マイトマイシンBなどとよばれる．マイトマイシンCは抗腫瘍薬で抗菌作用を有する．DNA 合成を阻害する）.

mi·to·plast (mī′tō-plast). ミトプラスト（外膜を欠いたミトコンドリア）.

mi·to·sis, pl. **mi·to·ses** (mī-tō′sis, -sēz) [G. *mitos*, thread]. 有糸分裂（細胞の体細胞生殖の通常の過程で，核の一連の変化(前期，前中期，中期，後期，末期)からなる．その結果，元の細胞とまったく同じ染色体と DNA をもつ2つの娘細胞を形成する．→cell *cycle*）．＝indirect nuclear division; mitotic division.

heterotype m. 異型核分裂（半数ずつの染色体同士が，末端で結合して環を形成する有糸分裂の変型．減数分裂の第一分裂で起こる）.

multipolar m. 多極分裂（紡錘体が3つ以上の極をもち，その結果，核がその数だけできる病的な形式）.

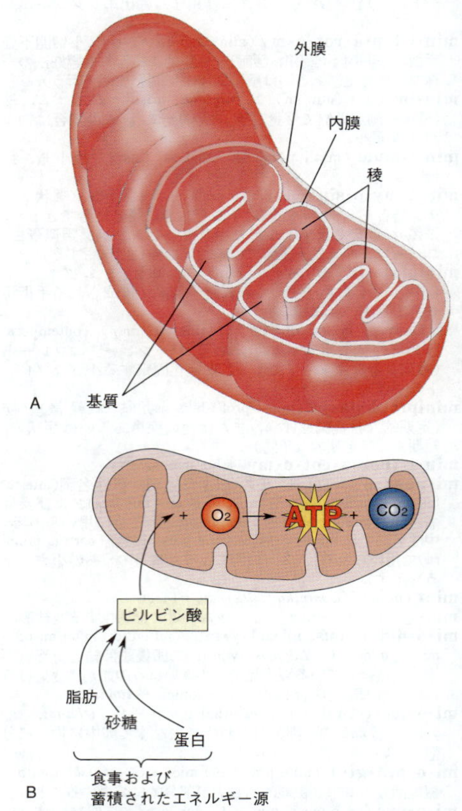

mitochondrion (A) and cellular respiration (B)

アデノシン5′-三リン酸（ATP）は細胞の生化学反応を刺激するエネルギー伝達体である.

somatic m. 体細胞分裂（規定された数の染色体を形成するのが特徴の体細胞に起こる通常の過程の有糸分裂で，染色体数は種に特有である．ヒトでは 46 である）.

mitosome (mī′tō-sōm) [*mito*chondrion + G. *sōma*, body]. マイトソーム（*Giardia*属，*Entomoeba*属，ある種のミクロスポリジウムにみられるミトコンドリア様の小さな細胞小器官）.

mi·tot·ic (mī-tot′ik). 有糸分裂の（[neoplastic または malignant の同義語としての隠語的使用を避けること]）.

mi·tral (mī′trăl) [L. *mitra*, a coif or turban]. ***1*** 僧帽弁の(僧帽弁すなわち二尖弁についていう)．***2*** 僧帽の（僧帽のような形を示す．鉢巻き，またはターバンの形に似た構造についていう）.

mi·tral·i·za·tion (mī′tră-li-zā′shŭn). 僧帽弁変化（左心耳の拡大または肺流出路の突出によって，胸部X線写真上心陰影の左縁が直線化すること．僧帽弁疾患として完全に信頼しうる基準ではない）.

mit·ra·my·cin (mit′ră-mī′sin). ミトラマイシン．＝mithramycin.

Mit·ro·fan·off (mi-trō′fă-nof), Paul. 20世紀のフランス人小児外科医．→M. *principle*.

Mit·su·da (mit′sū-dah), Kensuke. 日本人医師，1876—1964．→M. *antigen*, *reaction*.

Mit·su·o (mit′sū-ō), Gentaro. 日本人眼科医，1876—1913.

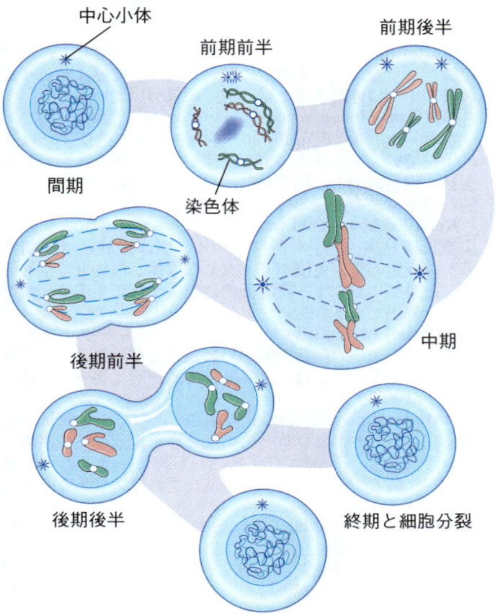

cell mitosis

⇀M. *phenomenon*.

mit·tel·schmerz (mit′el-schmärts) [Ger. Mittelschmerz, middle + pain]. 中間痛（排卵部からの出血による腹膜刺激の結果生じる排卵時の腹痛）. = intermenstrual pain (2); middle pain.

mix·ing (mik′sing). 混合（特に異なる種類の粒子や成分を混ぜること）.

phenotypic m. 表現〔型〕混合（2種類のウイルスで感染された細胞から放出されるウイルス粒子が，両方の感染主からの成分をもつがどちらか一方のゲノムをもつ非遺伝的相互作用）.

mix·o·tro·phy (miks-o′trō-fē) [G. *mixis*, mixture < *mignumi*, to mix + *trophē*, nourishment]. 混合栄養（ある種の微生物がもつ性質で，炭素源として有機物を同化することができるが，エネルギー源としては用いない）.

mix·ture (miks′chŭr) [L. *mixtura* or *mistura*]. ***1*** 混合物，混和物，合剤（2つ以上の物質が化学結合せず相互に混入していることで，各々の組成の物理的特質はそのままである．**mechanical m.**（機械的混合物）は顕微鏡または他の方法で区別できる粒子または塊の混合物である．**physical m.**（物理的混合物）は気体や多くの溶液の場合に得られるような分子のより緊密な混合物である）. ***2*** 混合（化学において，個々の特性を失うような反応を起こさずに2つ以上の物質を混合すること，すなわち永久的に電子を得たり失ったりすることがない）. ***3*** 水性懸濁剤（薬学において，不溶性の薬物をアラビアゴム，サッカロース，または他の粘着性物質を用いて懸濁状に保った液剤）.

extemporaneous m. 即時調合剤（既成製剤と違って，処方箋の指示に従って指示されたときに調合する合剤）.

Mi·ya·ga·wa (mē′yah-gah′wah), Yoneji. 日本人細菌学者，1885—1959. ⇀*Miyagawanella*; M. *bodies*.

Mi·ya·ga·wa·nel·la (mē′yă-gah-wă-nel′ă) [Y. *Miyagawa*]. ミヤガワネラ属（以前はクラミジア科の一属と考えられていたが，現在では *Chlamydia* と同義）.

ml, mL milliliter の記号.

MLC Marginal Line Calculus Index の略.

MLD, mld minimal lethal *dose* の略.

mlRNA messengerlike RNA の略.

mM, mM millimolar（ミルモル濃度）の略.

mm millimeter の略.

mmHg millimeters of mercury (torr)（水銀柱ミリメートル，ミリメートル水銀柱）の略.

MMMT malignant mixed müllerian *tumor*; malignant mixed mesodermal tumor の略.

M-mode Mモード（超音波診断におけるエコーの時間的変化の表示方法の一種．エコーを発生する境界面が，1つの軸に沿って時間(T)の経過に従って表示され，探触子に対して近づいたり遠ざかったりする境界面の動き(M)がもう1つの軸に沿って表示される）. = TM-mode.

mmol millimole の略.

MMPI Minnesota Multiphasic Personality Inventory *test* の略.

MMR measles; mumps; rubella *vaccine* の略.

MMSE Mini-Mental State *Examination* の略.

Mn マンガンの元素記号.

M'Nagh·ten (mik-naw′tĕn), Daniel. 英国人犯罪者，1843年3月に裁判にかけられた. ⇀M. *rule*.

MND motor neuron *disease* の略.

mne·me (nē′mē) [G. *mnēmē*, memory]. ムネメ，記憶能，記憶力（記憶という事実を説明するために，心の中で何かが持続しているという性質を示す．すなわち，ある特別な経験のエングラム(記憶痕跡)）.

mne·men·ic, mne·mic (nē-men′ik, nē′mik). ムネメの，記憶の.

mne·mism (nē′mizm) [G. *mnēmē*, memory]. ムネメ仮説，記憶仮説. = mnemic *hypothesis*.

mne·mon·ic (nē-mon′ik). 記憶力増進の，記憶を助ける. = anamnestic (1).

mne·mon·ics (nē-mon′iks) [G. *mnēmonikos*, mnemonic, pertaining to memory]. 記憶術（記憶を増進する技術．記憶を助ける方法）.

MNSs blood group (blŭd grūp). MNSs 血液型（付録 Blood Groups 参照）.

MO mineral oil; Medical Officer（衛生官，保健所長）の略.

Mo モリブデン（水鉛）の元素記号.

^{99}Mo モリブデン 99 の記号.

MoAb モノクロール抗体 monoclonal *antibody* の記号.

mo·bi·li·za·tion (mō′bi-li-zā′shŭn). ***1*** 授動〔術〕，可動化（動くことができるようにする，関節の駆動力を回復すること）. ***2*** 動員（動員行為．いままで静止していた過程を生理学的活動へと作用させること.→mobilize）. ***3*** 接合性プラスミドが1つの細胞から他の細胞にDNAの移行を引き起こす過程.

stapes m. あぶみ骨可動術（耳硬化症および中耳疾患によってあぶみ骨が不動性になったために起こる伝音難聴を軽減するため，あぶみ骨の足板を再び動くようにする手術）.

mo·bi·lize (mō′bi-līz) [Fr. *mobiliser*, to liberate, make ready < L. *mobilis*, movable]. 動員する（①体内に貯蔵された物質を放出する．特に組織内に貯蔵された物質を血流中に放出する．②休止物質を生理学的活性因子へと作用させる）.

Mo·bitz (mō′bitz), Woldemar. 20世紀初頭のドイツ人心臓病医. ⇀M. types of atrioventricular *block*.

Mö·bi·us (mĕr′bē-ŭs), Paul J. ドイツ人医師，1853—1907. ⇀M. *sign*, *syndrome*; Leyden-M. muscular *dystrophy*.

MOC Medical Officer on Call（オンコール医）の略.

MOD mesiodistocclusal; Medical Officer of the Day（日直医）の略.

mo·dal·i·ty (mō-dal′i-tē) [Mediev. L. *modalitas* < L. *modus*, a mode]. [method または treatment の同義語としての隠語的使用を避けること]. ***1*** 治療薬や治療法の適用または使用の様式. ***2*** 種々の感覚，例えば触覚，視覚など.

mode (mōd) [L. *modus*, a measure, quantity]. 最頻値，モード（一連の測定において最も頻繁に現れる値）.

mod·el (mod′ĕl) [It. *midello* < L. *modus*, measure, standard]. ***1*** 標準型（あるものの表現で，通常，概念的に理解しやすくするために理想化したり修正したりする）. ***2*** 模型，モデル（模倣したもの）. ***3*** 模型（歯科においての模型）. ***4*** 数理モデル（特定な現象を数学的に表現したもの）. ***5*** モデル（病的な状態をまねるために用いられる動物）.

Adair-Koshland-Némethy-Filmer m. (AKNF) (ă-dār′ kosh′lănd nem′ĕ-thē fil′mĕr) [Adair, Daniel E. *Koshland*, George *Némethy*, David L. *Filmer*]. アディア－コシュランド－ネメシー－フィルマーモデル. = Koshland-

M

Némethy-Filmer m.

additive m. 加成性モデル（数種の因子の作用の合計が，その他の因子が存在しないときの各々の因子によって起こる効果の合計となるモデル）.

animal m. 動物モデル（ヒトの群れで起こるヒトの状態に類似した動物の状態を実験動物の群れで調べる研究）.

Armitage-Doll m. (ar′mi-tăj dawl). アーミテージ－ドールモデル（リスクの変化を決定する最も重要な変数は年齢ではなく時間であることを前提とする発症モデル）.

Bingham m. (bing′ăm). ビンガムモデル（Bingham 塑性体の流動作用を理想的状況で表示する模型）.

biomedical m. 生物医学的モデル（ある患者の疾病や異常を理解するための概念的なモデルで，精神医学的または社会的要因を除いて生物学的な因子のみを含む）.

biopsychosocial m. 生物精神社会的モデル（ある患者の疾病や異常を理解するための概念的なモデルで，生物学的要因とともに精神的および社会的要因も含める）.

cloverleaf m. クローバーの葉モデル（トランスファーRNA の構造に対するモデル．構造がクローバーの葉に似ているので名付けられた）.

computer m. コンピュータモデル（系の機能を数学的に表示したもので，コンピュータプログラムの形式で示される）. ＝computer simulation.

concerted m. 協奏モデル. ＝Monod-Wyman-Changeux m.

cooperativity m. 協同モデル（ある種の酵素でみられる協同性の説明に用いられるモデル．例えば，アロステリズムまたはヒステリシス）.

Cox proportional hazard m. (koks). コックス比例ハザードモデル（生存分析に用いられる統計モデル．研究対象である複数の因子の相乗的な効果を表し，この効果は時間経過とともには変化しないことを想定している．このモデルは英国人の統計家 D.R.Cox により考案された）.

fluid mosaic m. 流動モザイクモデル（生体膜の構造モデル．このモデルでは構成成分の側方拡散をもつが，生体膜を越えてのフリップ－フロップ運動はあっても小さい）.

genetic m. 遺伝モデル（遺伝的構造様式に関する形式的な推量法でそこで用いられる用語は，経験的遺伝学の標準をなすものとして厳密な解釈のために用いられる）.

induced fit m. 誘導適合性モデル（①酵素の作用様式に対して指定されたモデルで，素質が酵素蛋白の活性部位に結合し，その蛋白とのコンフォメーションを変化させる．②＝Koshland-Némethy-Filmer m.）.

Koshland-Némethy-Filmer m. (**KNF model**) (kosh′lănd nem′ĕ-thē fil′mĕr) [Daniel E. *Koshland*, George *Némethy*, David L. *Filmer*]. コシュランド－ネメシー－フィルマーモデル，KNF モデル（アロステリック型の協同性を説明するためのモデル．リガンド非存在下，酵素蛋白は単一のコンフォメーションをもつ．基質が結合に際して，他のサブユニットへ伝達されうるコンフォメーション変化を誘導する）. ＝Adair-Koshland-Némethy-Filmer m.; induced fit m. (2).

lock-and-key m. 鍵と鍵穴モデル（酵素の作用機構について提唱されたモデル．基質は酵素蛋白の活性部位に鍵穴にはいる鍵のように合致する）.

logistic m. ロジスティックモデル（統計モデルの１つ．疫学では，リスクファクターに対する暴露の関数としてリスク(疾病の確率など)をモデル化するときに用いられる）.

mathematical m. 数学モデル（研究下のシステムやプロセスの振舞いを模式化するために，方程式を用いてシステム・プロセスあるいはそれらの関連を数式化したもの）.

medical m. 医学的モデル（行動異常を身体疾患や身体的異常と同じ枠組みの中で考えようとする一連の仮説）.

Monod-Wyman-Changeux m. (**MWC m.**) (mōn-ō′ wī′măn shahn-zhew′) [Jacques L. *Mond*, Jeffries *Wyman*, Jean-Pierre *Changeux*]. モノー－ワイマン－シャンジューモデル，MWC モデル（アロステリック型の協同性を説明するために用いられたモデル．このモデルで，オリゴマーからなる蛋白はリガンドが存在しないとき，２つのコンフォメーション状態をとりうる．これらの状態は平衡であり，より優先性の高いコンフォメーション状態のほうがリガンドに対する親和性が低い(すなわちそのリガンドは酵素蛋白と速い平衡様式で結合する)）. ＝concerted m.

multiplicative m. 複合モデル（２つ以上の原因による合併効果がそれらが単独で作用するときの効果の和になるモデル）.

multistage m. 多段階発癌説（主に発癌に関して，数学的に導かれた説で，ある特定の発癌物質は，発癌に至る多くの段階の１つに作用するという理論に基づいている）.

MWC m. Monod-Wyman-Changeux m. の略.

pathologic m. 疾病モデル，病態モデル（遺伝または人工的手技で興味ある疾患に似た疾患が起きた動物または動物の血統．直接的または間接的に疾患の病因の証拠を得たり，予防法や治療法の研究のモデルとして使用される）.

Reed-Frost m. (rēd frost). リード－フロストモデル（感染症伝播と集団免疫の数学モデル．固体接触頻度に関する様々な仮定の下，免疫あり・なしの固体が制約なく混在した閉じた集団において一定時間内に発生する新規感染者数の期待値を算出できる）.

Sartwell incubation m. (sart′wel). サートウェル潜伏期モデル（伝染病の潜伏期間が対数線形分布に従うという経験則に基づくモデル．はっきりした外的要因によるある種の癌に当てはまる）.

statistical m. 統計モデル（実験研究の結果を解析する手段を提供する，あるプロセスの集まりを定式化して表現したもの．例えば，Poisson モデル，一般線形モデルなど．個々の状況に関してそのまま解釈可能なプロセスである必要はない）.

mod·el·ing (mod′ĕl-ing). ***1*** 学習理論において，他者が行う行動を観察し，模倣することによって新しい技術を獲得し学習すること．***2*** 行動変容において，治療者あるいは深い関係のある他者を学習者が模倣し，自分のレパートリーを増やすような標的行動を提示する(モデルする)ことによる治療法の１つ．***3*** モデリング，成形機能（骨の成長の際，部位ごとに異なった割合で吸収したり新形成したりして骨の形や大きさを絶えず整えていく過程）．***4*** 実体の描写が考え出される過程.

mod·i·fi·ca·tion (mod′i-fi-kā′shŭn). ***1*** 〔一時〕変異，修飾（生体の非遺伝性の変化．例えば，それ自身の活動または環境から獲得したもの）．***2*** 修飾（分子の化学的・構造的改変）.

behavior m. 行動変容. ＝behavior *therapy*.

chemical m. 化学修飾（分子，特に蛋白などのような高分子の構造を化学的方法により改変すること．多くは，ある種の試薬による共有結合性の付加反応）.

covalent m. 共有結合修飾（高分子の構造を酵素的方法により改変すること．その結果，その高分子の性質の変化を生じさせる．しばしば，このような修飾は生理学的意味がある）.

posttranslational m. 翻訳後修飾（翻訳後に蛋白がメチル化，リン酸化，グリコシル化，硫酸化，ジスルフィド結合などの反応によりさらに分化すること. →translation）.

mod·i·fi·er (mod′i-fī′ĕr). 修飾物質（変えるあるいは限定するもの）.

biologic response m. 生物的反応修飾物質（免疫機構を増強，あるいは損なわれた免疫構造を再構成することによって，新生腫瘍に対する宿主反応を修飾する物質）. ＝immunomodulator.

leukotriene m.'s ロイコトリエン修飾剤（ロイコトリエン活性化経路を遮断するための薬理学的物質. →antileukotriene）.

mo·di·o·lus, pl. **mo·di·o·li** (mō-dī′ō-lŭs, -ō-lī) [L. the nave of a wheel]. [誤った発音 mo-dē-ō′lus を避けること]. ***1*** [TA]. 蝸牛軸（海綿状骨の中心部の円錐状の芯で，その周りを蝸牛管のらせんが取り巻く）．***2*** ＝m. of angle of mouth.

m. of angle of mouth [TA]. 口唇軸（口角近くの点で，いくつかの顔面表情筋が集まっている）. ＝m. anguli oris [TA]; columella cochleae; m. labii; modiolus (2).

m. anguli oris [TA]. ＝m. of angle of mouth.

m. labii 口唇軸. ＝m. of angle of mouth.

mod·u·la·tion (mod′yū-lā′shŭn) [L. *modulor*, to measure off properly]. ***1*** 転形（環境状態の変化に反応する細胞の機能的および形態的変動）．***2*** 変調（持続した振動特性(例えば周波数や振幅)における規則的な変動で，付加された情報を信号化するためのもの）．***3*** モジュレーション（酵素や代謝経路の反応速度の変化). ***4*** モジュレーション(モジュレーションコドンによる mRNA の翻訳速度の制御).

biochemical m. 生化学的〔効果〕修飾(ある化学療法剤を別の薬剤(それ自体,抗癌作用をもつものやもたないものもある)を併用することによる効果修飾(活性増強や毒性軽減)をさす用語).

mod·u·la·tor (mod′yū-lā′tŏr). 調節因子(様々な生物反応において調節を行う因子).

selective estrogen receptor m. (**SERM**) 選択的エストロゲン受容体モデュレータ(エストロゲン受容体に選択的な親和性を有する薬物.骨や心血管系組織に主たる効果を有し,子宮内膜,生殖器や乳房組織への作用は少ない).

mo·du·lus (moj′yū-lŭs, mod′yū-) [L. *modus*(a measure, quantity)の指小辞]. モジュラス(物理的性質の変化の大きさを数値で表したもの.係数,率).

bulk m. =m. of volume elasticity.

m. of elasticity 弾性係数,弾性率(物体を変形させせようとする単位面積当たりの応力と,その力によって生じる変形の割合との比を表す係数).

m. of volume elasticity 体積弾性係数,体積弾性率(物体に加わる圧力と,その圧力によって生じる変形の割合との比を表す係数).=bulk m.

Young m. (yŭng). ヤング率(弾性係数の1つ.加えられた力の方向に垂直な物体の断面の単位面積当たりの力の大きさを,その方向に生じた長さの変化で除したもの).

Moel·ler (mē′ler), Julius O.L. ドイツ人外科医. ⇀M. *glossitis*.

Moel·ler (mē′ler), Alfred. 19世紀のドイツ人細菌学者. ⇀M. grass *bacillus*.

moesin モエシン(バンド 4.1 スーパーファミリー蛋白の ERM グループ(すなわちエズリン,ラディキシン,モエシン)に属する蛋白で,膜直下の細胞骨格足場の構築に関与し,膜構造および機能を維持させる.モエシンは頂端膜の細胞骨格構成成分の正確な構築に必須である).

mog·i·ar·thri·a (moj′i-ar′thrē-ă) [G. *mogis*, with difficulty + *arthroō*, to articulate]. 〔協調不能性〕構音障害(筋肉の協調不能による言語障害).

mog·i·la·li·a (moj′i-lā′lē-ă) [G. *mogis*, with difficulty + *lalia*, speech]. 言語障害(吃,吶,および他のすべての構音障害).=molilalia.

mog·i·pho·ni·a (moj′i-fō′nē-ă) [G. *mogis*, with difficulty + *phōnē*, voice]. 発声困難症,モギフォニー(声を酷使したため演説者に起こる喉頭痙縮).

Moh·ren·heim (mō′ren-hīm), Joseph J. Freiherr von. オーストリア系ロシア人外科医,1755—1799. ⇀M. *fossa*, *space*.

Mohs (mōz), Frederic E. 20世紀の米国人外科医. 医学生のときに,顕微鏡的に皮膚の腫瘍を除去する方法を考案した. ⇀M. fresh tissue chemosurgery *technique*, *chemosurgery*.

Mohs (mōz), Friedrich. ドイツ人鉱物学者,1773—1839. ⇀M. *scale*.

moi·e·ty (moy′i-tē) [M.E. *moite*, a half]. ***1*** 半量,半数,折半,部分,成分(元の意味は半分,現在は漠然と何かのある部分). ***2*** 機能基.

mol mole (4) の略.

mo·lal (mō′lăl). 重量モルの([molar と混同しないこと]. 溶媒 1000 g に溶解する1モルの溶質を示す. 溶液は溶媒分子に対して溶質の割合が一定している. *cf.* molar (4)).

mo·lal·i·ty (**m**) (mō-lal′i-tē). 重量モル濃度(溶媒 1 kg 当たりの溶質のモル数. 重量モル濃度は mρ/(1tmM) に等しい. mは重量モル濃度,ρは溶液の密度,Mは溶液のモル質量である. *cf.* molarity).

mo·lar (mō′lăr). [molal と混同しないこと]. ***1*** [L. *molaris*, relating to a mill, millstone]. 〘n.〙摩砕. ***2***〘n.〙大臼歯,臼歯.=molar *tooth*. ***3*** [L. *moles*, mass]. 〘adj.〙質量の(分子に関するものではない). ***4***〘n.〙モル濃度(化学においてよく用いる濃度の単位で,溶液1L当たり1g分子量(1モル)の溶質の濃度を示す. *cf.* molal). ***5***〘adj.〙モルの(特定の量についていう. 例えばモル容積(1モルの溶積)).

first m., first permanent m. 第一大臼歯,第一永久大臼歯(歯列弓上で頭蓋の正中矢状面の両側の上顎および下顎の6番目の永久歯または4番目の乳歯).

Moon m.'s (mūn). ムーン大臼歯(先天梅毒で起こる小さ

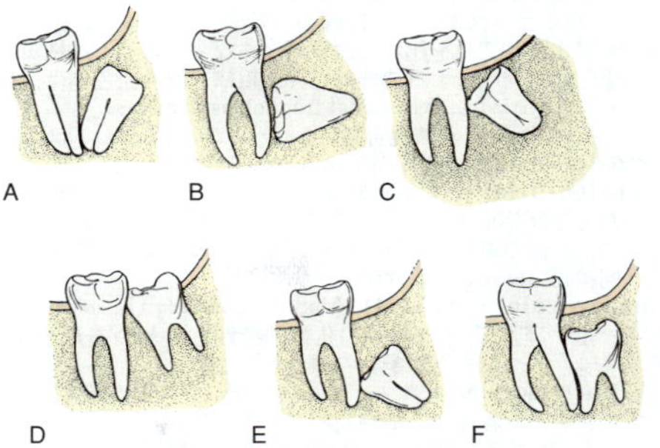

impacted mandibular third molar

A:遠心傾斜. B:水平性. C:近心傾斜. D:高位. E:低位. F:垂直性.

な円蓋状の第一大臼歯).

mulberry m. 桑実状臼歯(歯冠表面に非解剖学的なくぼみと小円形エナメル滴が交互に存在する歯で,通常は先天梅毒に伴うエナメル質形成不全による).

second m. 第二大臼歯(歯列弓上で頭蓋の正中矢状面の両側の上顎および下顎の7番目の永久歯または5番目の乳歯).

sixth-year m. 6歳臼歯(第一永久大臼歯).

third m. 第三大臼歯.=third molar *tooth*.

twelfth-year m. 12歳臼歯(第二永久大臼歯).

mo·lar·i·form (mō-lar′i-fōrm) [molar(tooth) + L. *forma*, form]. 大臼歯状の(大臼歯の形をした).

mo·lar·i·ty (**M,** м) (mō-lar′i-tē). モル濃度(溶液1L当たりの溶質のモル数(mol/L). *cf.* molality).

mold (mōld). =mould. ***1***〘n.〙カビ,糸状菌(一般に円状コロニーとして出現する繊維状の真菌で,綿様や羊毛様であったり,または無毛であったりする. しかしフィラメントでキノコのように大きな子実体を形成することはない). ***2***〘n.〙型,鋳型(鋳物をつくるとき,ろうを入れたり,液状石膏を注ぎ入れる,形づくられた容器). ***3***〘v.〙成形する(一定の型に従ってプラスチック材料を形付ける). ***4***〘v.〙応形機能する(形を変える. 特に胎児の児頭が産道に適応することを意味する). ***5***〘n.〙モールド(人工歯の形を指定するために用いる語).

pink bread m. =*Neurospora*.

mold·ing (mōld′ing). 応形機能,成形,鋳造(型によって形付けること).

border m. 縁成形(印象の縁に隣接した組織の操作や作用による印象材の形付け).=muscle-trimming; tissue m.; tissue-trimming.

compression m. 圧縮成形(①鋳型で型をつくるために圧迫または絞り出す技術. ②割れ目の陰性鋳型に圧力で可塑材を適合させること.→injection m.).

injection m. 注入成形(適当な通路を通して材料を型に押し入れ,密閉型の陰性鋳型に可塑材を適合させること.→compression m. (2)).

tissue m. 組織成形.=border m.

mole (mōl). ***1*** 母斑.=nevus (2). ***2*** [A.S. *māel* (L. *macula*), a spot]. 色素性母斑.=*nevus* pigmentosus. ***3*** [L. *moles*, mass]. 奇胎(ある程度発育した妊娠産物が変性した子宮内の塊). ***4*** (**mol**). モル(国際単位系(SI)における物質の単位. モルは 0.0120 kg の炭素 12 中の原子数と同数の〝元素単位〟を含む物質の量と定義される. 元素単位は原子,分子,イオン,または何らかの記述できる単位または単位混合物であり,使用に際し,明細に記されなければならない. 実際には1モルは 6.0221367×10^{23} 元素単位である.→Avogadro *number*).

carneous m. 肉様奇胎,肉胎.=fleshy m.

cystic m. =hydatidiform m.

fleshy m. 肉様奇胎(胎児死亡後の子宮内容物. 血塊,胎児成分,胎盤成分を含む).=carneous m.

hairy m. 有毛母斑.=*nevus* pilosus.

hydatidiform m., hydatid m. [MIM*231090]. 胞状奇胎(トロホブラストの増殖に起因する嚢胞状の塊で，絨毛膜絨毛が水胞性変性を起こし血管がなくなっている．雄性由来の染色体の発現による典型的な異常組織．雌性染色体は欠損する)．＝cystic m.; gestational trophoblastic disease.

invasive m. 破壊性奇胎．＝*chorioadenoma* destruens.

mo·lec·u·lar (mō-lek′yū-lăr). 分子の．

mo·lec·u·lar·i·ty (mō-lek′yū-lār′i-tē). 分子度（素反応における反応成分の数．反応成分が1個の反応は単分子反応で，2個の場合は二分子反応である．分子度と反応次数とは同義語ではない．*cf.* order (2))．

mol·e·cule (mol′ĕ-kyūl) [Mod. L. *molecula*: L. *moles*(mass)の指小辞]．分子（物質の化学的特性をとどめる最小量で，2つ，3つ，または多くの原子からなる）．

accessory m.'s アクセサリー分子（免疫担当細胞表面に存在する受容体で，細胞間相互作用に関与し，免疫反応の帰結を調整する．例えば，B細胞によって提示された抗原をT細胞が認識する際に，主たる相互反応は，CD3－CD4がMHCと抗原に結合することによって生じるが，付随してアクセサリー分子の結合が起こるならば(例えばCD28とB7)，この反応は増幅される)．

adhesion m.'s 接着分子（ヘルパーT細胞とアクセサリー細胞，ヘルパーT細胞とB細胞，細胞傷害性T細胞と標的細胞の相互作用に関与する分子．循環血中から白血球を引き寄せる細胞外基質蛋白）．

adhesion m. L1 (ad-hē′shŭn mole-kyūl). 接着分子L1（子宮および卵巣原発の悪性上皮性腫瘍において過剰発現している接着分子）．

cell adhesion m. (CAM) 細胞接着分子（細胞同士を接着させる蛋白，例えばウボモルリン．あるいは細胞を基質に接着させる蛋白，例えばラミニン）．

chimeric m. キメラ分子（2つの異なる遺伝子由来の配列をもつ分子(通常は，生体高分子)．特に2つの異なった種由来のもの．*cf.* chimera)．

class I m. クラスI分子（主要組織適合遺伝子複合体抗原の1つで，2本の非共有結合性ポリペプチド鎖．1本はグリコシル化した重鎖で，抗原特異的に変異する．もう1本の鎖はβ_2-ミクログロブリンである）．

class II m. クラスII分子（主要組織適合遺伝子複合体の膜貫通性抗原で，α鎖，β鎖とよばれる2個の非共有結合性ポリペプチド鎖からなる）．

costimulatory m. コスティミュラトリー分子，共起刺激分子（アクセサリー細胞の膜結合性あるいは，分泌性産物でシグナル伝達が必要なもの）．

endothelial-leukocyte adhesion m. (E-LAM) 内皮〔性白血〕球接着分子（糖蛋白で内皮細胞表面に存在し，血液中の白血球の血管から組織への移動や血管壁への接着に関与する）．

gram-m. グラム分子（分子量に相当するグラム重量をもつ物質量．例えば，水素分子の重量は2.016 gで，水は18.015 gである）．

intercellular adhesion m.-1 (ICAM-1) 細胞間接着分子−1（糖蛋白で，種々の細胞で見出されている．ICAM−1の自然リガンドはLFA−1であるが，それは呼吸器上皮においてライノウイルスの細胞表面レセプタとしても機能している）．

lectin pathway m. レクチン経路分子（マンノース結合蛋白が細菌性炭水化物へ結合することによって，補体経路の活性化をもたらす）．

synaptic cell adhesion m. (synCAM) シナプス〔細胞〕接着分子（脳特異的免疫グロブリンドメイン含有蛋白で，シナプスでの細胞接着分子として機能する．この分子の発現により，神経細胞間でのシナプス形成が誘導される）．

mol·i·la·lia (mol′i-lā′lē-ă) [G. *molis*, with difficulty(*mogis*の後期の形)＋*lalia*, talking]．＝mogilalia.

mo·lim·i·na (mo-lim′i-nă) [L. an endeavor]．モリミナ，月経付随症状，努力的機能（[本語は文法的に複数形である]．正常機能を苦心して遂行すること）．

menstrual m. 月経モリミナ．＝premenstrual *syndrome*.

Mo·lisch (mō′lish), Hans. オーストリア人化学者，1856—1937. →M. *test*.

Moll (mol), Jacob A. オランダ人眼科医，1832—1914. →M. *glands*.

mol·lit·i·es (mō-lish′i-ēz) [L. *mollis*, soft]. ***1*** 〖adj.〗 軟性の．***2*** 〖n.〗 軟化〔症〕．＝malacia.

mol·lusc (mol′ŭsk)．＝mollusk.

Mol·lus·ca (mo-lŭs′kă) [L. *mollusca*, a nut with a thin shell＜*mollis*, soft]．軟体動物門（前部の頭と背側の内臓塊と腹部の足からなる軟らかく分節のない体をもつ後生動物の一門．その多くは石灰質の保護殻でおおわれている．軟体動物門には，腹足綱(巻貝，エゾバイ，ナメクジ)，斧足綱(カキ，ハマグリ，イガイ)，頭足綱(ヤリイカ，タコ)，双神経綱(クサズリガイ)，掘足綱(ツノガイ)，および原始分節性軟体動物の単板綱(ネオピリナ)がある）．

Mol·lusc·i·pox·vi·rus (mol-lusk′e-poks-vī′rus). 伝染性軟属腫ウイルス（ポックスウイルス科に属する．水いぼ(伝染性軟属腫)の原因ウイルス）．＝molluscum contagiosum.

mol·lus·cum (mo-lŭs′kŭm) [L. *molluscus*, soft]．軟ゆう(疣)，軟属腫（皮膚に軟らかい半球状の腫瘍を生じる疾患）．

m. contagiosum 伝染性軟属腫．＝*Molluscipoxvirus*.

mol·lusk (mol′ŭsk). 軟体類（軟体動物門の種類に対する一般名．ただし，通常，腹足類と双殻類(二枚貝類)とに限っている）．＝mollusc.

Mo·lo·ney (mŏ-lō′nē), John B. 20世紀の米国人腫瘍学者．→M. *virus*.

Mo·lo·ney (mŏ-lō′nē), Paul J. カナダ人医師，1870—1939. →M. *test*.

Moloy (mŏl-oy′), Howard C. 米国人産科医，1903—1953. →Caldwell-M. *classification*.

molt (mōlt) [L. *muto*, to change]．脱け変わる，脱皮する（羽毛，毛髪，あるいはクチクラが脱け変わる，脱皮をする．→desquamate)．＝moult.

mol wt molecular *weight* の略．

mo·lyb·date (mō-lib′dāt). モリブデン酸塩．

mo·lyb·den·ic, mo·lyb·de·nous (mō-lib′den-ik, -den-ŭs). モリブデンの．

mo·lyb·de·num (Mo) (mō-lib′dĕ-nŭm) [G. *molybdaina*, a piece of lead; a metal, prob. galena＜*molybdos*, lead]．モリブデン，水鉛（銀白色の金属元素．原子番号42，原子量95.94．種々の蛋白(例えばキサンチンオキシダーゼ)に存在する生体元素．→molybdenum target *tube*)．

mo·lyb·de·num 99 (^{99}Mo) (mō-lib′dĕ-nŭm). モリブデン99（原子炉で生成されるモリブデンの放射性同位元素．半減期は2.7476日．テクネチウム99mを生成するためにラジオアイソトープジェネレータで用いられる）．

mo·lyb·dic (mō-lib′dik). 六価モリブデン酸の（MoO_3のように6＋状態のモリブデンを示す）．

mo·lyb·dic ac·id (mō-lib′dik as′id). モリブデン酸；$MoO_3 \cdot H_2O$（黄色の結晶性の酸．モリブデン酸塩を形成する．リンまたはリン酸の値の決定に用いられる）．

mo·lyb·do·en·zymes (mō-lib′dō-en′zīmz). モリブデン酵素（構成成分としてモリブデンイオンを必要とする酵素(例えばキサンチンオキシダーゼ))．

mo·lyb·do·fla·vo·pro·teins (mō-lib′dō-flā′vō-prō′tēnz). モリブデンフラビン蛋白（モリブデンイオンおよびフラビンヌクレオチドをその天然由来構造の構成成分として必須とする蛋白(例えばアルデヒドデヒドロゲナーゼ))．

mo·lyb·dop·ter·in (mō′lib-dop′tĕr-in). モリブドプテリン（種々の酵素に必須のモリブデン補因子を形成するモリブデンと複合したプテリン誘導体）．

mo·lyb·dous (mō-lib′dŭs). 四価モリブデン酸の（MoO_2のように4＋状態のモリブデンを示す）．

mo·lys·mo·pho·bi·a (mŏ-liz′mō-fō′bē-ă) [G. *molysma*, filth, infection＋*phobos*, fear]．感染恐怖〔症〕，不潔恐怖〔症〕（感染に対する病的な恐れ）．

MOM *milk* of magnesia の略．

mo·ment (mō′mĕnt) [L. *momentum* (for *movimentum*), motion, moment＜*moveo*, to move]．モーメント（ある量と距離の積）．

dipole m. 双極子モーメント（双極子の2つの電荷の一方の電気量と互いの距離の積．多くの生体分子の分極の度合いの測定量）．

mom·ism (mom′izm). モミズム，女家長主義（過度の母親中心主義に対して用いる語．特に米国文化のステレオタイプに由来するもの).

mon- (mon). →mono-.

mo·nad (mon-'ad) [G. *monas*, the number one, unity]. ***1*** 一価元素，一価基．***2*** 単細胞生物．***3*** 単染色体（減数分裂において，第1・第2成熟分裂後，四分染色体からできる単染色体).

Mo·na·kow (mō-nah′kof), Constantin von. スイス人組織学者，1853—1930. →M. *bundle, nucleus, syndrome, tract*.

mon·am·ide (mon-am′id). ＝monoamide.

mon·am·ine (mon-am′in). ＝monoamine.

mon·am·i·nu·ri·a (mon′am-i-nyū′rē-ă). ＝monoaminuria.

mon·an·gle (mon′ang-gĕl). モノアングル（屈曲を1つだけもっていること．把柄部と刃部など作業部との間に屈曲を1つだけ有する歯科用器具をさす).

mon·ar·da (mon-ar′dă). 米国ミシシッピー川東部のシソ科 *Monarda punctata* の葉．天然チモールの商業上の主原料．仙痛時の駆風薬として用いる．

mon·ar·thric (mon-ar′thrik). ＝monarticular.

mon·ar·thri·tis (mon′ar-thrī′tis). 単関節炎．

mon·ar·tic·u·lar (mon′ar-tik′yū-lăr). 単関節の．＝monarthric; uniarticular.

mon·as·ter (mon-as′tĕr) [mono- + G. *astēr*, star]. 単星（有糸分裂において，前期の終わりに単一で現れる星状体). ＝mother star.

mon·a·tom·ic (mon′ă-tom′ik). ***1*** 1原子の（1原子に関する，1原子を含む). ***2*** 一価の．＝monovalent (1).

mon·au·ral (mon-aw′răl) [mono- + L. *auris*, ear]. 単耳の．

mon·ax·on·ic (mon′aks-on′ik) [mono- + G. *axōn*, axle]. ***1*** 単軸の（軸を1個だけもつ，したがって細長い). ***2*** 単軸索の（軸索を1個もつ).

Mönc·ke·berg (mērn′kĕ-bĕrg), Johann G. ドイツ人病理学者，1877—1925. →M. *arteriosclerosis, calcification, degeneration, sclerosis*.

Mondini (mon-dē′nē), C. イタリア人医師，1729—1803. →M. *hearing impairment, dysplasia*.

Mon·do·ne·si (mon-don′ĕ-sē), Filippo. イタリア人医師．→M. *reflex*.

Mon·dor (mon′dōr), Henri. フランス人外科医，1885—1962. →M. *disease*.

-mone [Fr. hormone]. ホルモンあるいはホルモン様物質を示す接尾語．

Mo·ne·ra (mō-nē′ră) [Mod. L. *moneron* の複数形 < G. *monērēs*, solitary]. モネラ界（はっきりした核または染色体をもたないことを特徴とする原始的な微生物である原核生物からなる界．DNAは核膜に囲まれておらず，中心体，有糸分裂紡錘，微小管，およびミトコンドリアを欠いている．不明確な核域(nucleoid)での分裂は細胞膜の一部に付着した2つの塊が分かれることにより起こり，それぞれ別個のものとなる（無糸分裂型)．モネラには藍藻と細菌が含まれる．真の細胞をもたないウイルスは，真核細胞由来の〝逃避した核酸〟または〝野生の遺伝子〟に起源をもつと考えられているので，モネラには含まれない).

mo·ne·ran (mō-nē′răn). モネラ（モネラ界に属する原核生物のグループ).

mon·es·trous (mon-es′trŭs). 単発情期の（交配季節に発情期が1回だけあることについていう).

Mon·ge Med·ra·no (mon′ge mā-drah′nō), Carlos. ペルー人内科学教授・権威ある専門医，1884—1970. →M. *disease*.

mon·go·li·an (mon-gō′lē-ăn). ***1*** 蒙古人の．***2*** ダウン症候群の（[本語とmongolismは，人種差別的意味を含むため，Down症候群(21トリソミー)の同義語としてもはや用いられない]．アジア人顔貌のためDown症候群と関連づけられたが現在では用いられない).

mo·nil·e·thrix (mō-nil′ĕ-thriks) [L. *monile*, necklace + G. *thrix*, hair][MIM* 158000, MIM* 252200]. 連珠毛（常染色体優性遺伝の毛の異常で，狭窄が連続したもろい毛で，通常毛髄質を欠く．すなわち，毛髪に一定間隔をおいて紡錘状膨大部と狭窄部とが交互に生じたもの). ＝beaded hair; moniliform hair.

Mo·nil·i·a (mō-nil′ē-ă) [L. *monile*, necklace]. モニリア属（一般に果実カビとして知られる真菌類に対する属名．アカパンカビ属 *Neurospora* の有性状態．以前本属に分類されていた少数のごく近縁の病原体は現在 *Candida* 属とよばれる).

Mo·nil·i·a·ce·ae (mō-nil′ē-ā′sē-ē). モニリア科（不完全菌類の一科(モニリア目)で，スポロトリクス症の原因菌である *Sporothrix schenckii* が含まれている).

moniliaceous (mō-nil-ē-ā′shŭr). 無色の，明色の（透明あるいは薄い色素をもつ分生子，または菌糸を示す．薄い色の真菌に対して用いる).

mo·nil·i·al (mō-nil′ē-ăl). モニリア〔性〕の（厳密には *Monilia* 属の真菌についていうが，医学上ではしばしば *Candida* 属について不正確に用いられる).

mon·i·li·a·sis (mon′ĭ-lī′ă-sis). カンジダ症，モニリア疹．＝candidiasis.

mo·nil·i·form (mō-nil′i-fōrm) [L. *monile*, necklace + *forma*, appearance]. じゅず(数珠)状の．

Mo·nil·i·for·mis (mō-nil′i-fōr′mis) [L. *monile*, necklace + *forma*, appearance]. モニリフォルミス属（鉤頭動物綱(あるいは門)の鉤頭虫の一属．イエネズミに普通みられる刺頭虫の *M. dubius* は，感染したワモンゴキブリ *Periplaneta americana* により伝播される．ヒトに感染した例が2，3報告されている．*M. moniliformis* は，通常はげっ歯類にみられ，まれにはヒトに寄生することもある).

mo·nism (mō′nizm) [G. *monos*, single]. 一元論（すべての現実は一体として考えられるという形而上学的体系).

mo·nis·tic (mŏ-nis′tik). 一元論の．

mon·i·tor (mon′i-tŏr, -tōr) [L., one who warns < *moneo*, pp. *monitum*, to warn]. モニター，監視装置（一定した一連の出来事，作業，あるいは環境の特定のデータを表示および(または)記録する装置).

cardiac m. 心臓モニター（患者につなぐと点滅する光，心電図曲線あるいは音，またはその3者すべてで鼓動を示す電子モニター).

electronic fetal m. 胎児監視装置（妊娠中または分娩時に胎児の心拍数を持続的に監視する器具．次頁の図参照).

event m. 事象モニター（事象が起きた時に被検者または観察者が動作させるモニター・心臓不整脈事象モニターでは持続的に記録するのではなく，動悸がした時に患者がスイッチを押して記録する).

Holter m. ホルター監視（[誤ったつづりまたは発音Halterまたはhalterを避けること]．磁気テープに心電図信号を長時間連続的に非拘束状態で記録する技術．他の方法では認知されない可能性のある，有意であるが持続の短い変化をスキャンし，選択する).

home m. 家庭用モニター（乳幼児突然死症候群や無呼吸を起こすリスクが高いと考えられる児に対して用いられる心拍数・呼吸数のモニター).

mon·i·tor·ing (mon′i-tŏr′ing). モニタリング，監視（①環境やある人口集団の健康状態の変動を調べる目的で日常的に検査測定を行い分析すること．②保健サービスの実施状況をみること．③ある活動の実施状況を持続的に監視すること).

mon·key-paw (mŭng′kē-paw). 猿手．＝simian *hand*.

mon·key·pox (mŭng′kē-poks). サル痘（ポックスウイルス科の一種であるサル痘ウイルスに起因するサルの疾病で，まれにヒトも罹患する．ヒトの疾患は重症で臨床的には痘瘡に類似している．2003年に米国中西部で発生が報告され，ペットショップでGambian giant ratと接触したプレーリードッグを介してヒトに感染したものである).

monks·hood (mŭnks′hud). トリカブト（→aconite).

mono-, mon- (mon′ō, mon) [G. *monos*, single]. 単一要素あるいは単一部分からなることを示す接頭語．*cf.* uni-.

mon·o·ac·yl·glyc·er·ol (mon′ō-ās′il-glis′ĕr-ol). モノアシルグリセロール（1位(すなわち1-モノアシルグリセロール)または2位(すなわち2-モノアシルグリセロール)でエステル化したアシル基をもつグリセロール．脂質の分解や合成の中間体．2-モノアシルグリセロールはトリアシルグリセロール分解の主最終生成物である). ＝monoglyceride.

m. acyltransferase モノアシルグリセロールアシルトランスフェラーゼ（腸管に存在する酵素で，2-モノアシルグリセロールとアシルCoAとからCoAと1,2-ジアシルグリセロールへの生成反応を触媒する).

m. lipase モノアシルグリセロールリパーゼ（モノアシルグリセロールを加水分解し，脂肪酸のアニオンとグリセロー

M

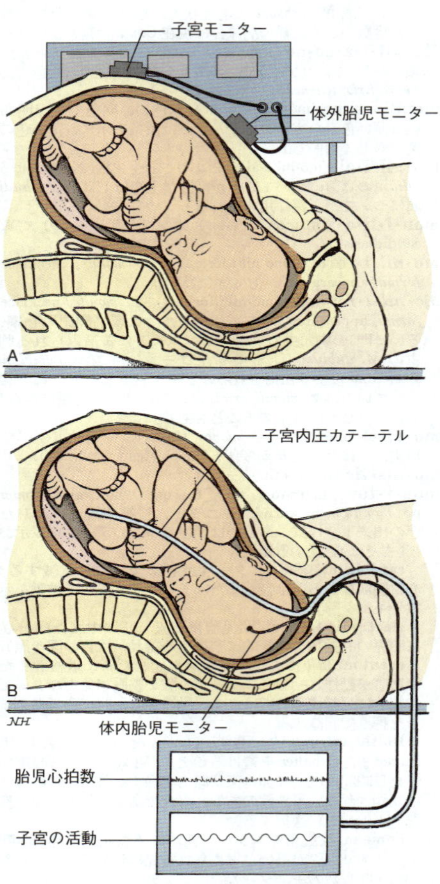

electronic fetal monitoring

ルを与える反応を触媒する酵素．脂質分解の１段階）．

mon·o·a·me·li·a (mon′ō-ă-mē′lē-ă). 一肢欠損症（１肢の欠損）．

mon·o·am·ide (mon′ō-am′īd, -id). モノアミド（アミド基を１個含む分子）．＝monamide.

mon·o·am·ine (mon′ō-am′ēn, -in). モノアミン（［正しいアクセントは最後から２番目の音節に置くが，米国の用法ではしばしば最後の音節にアクセントを置く］．アミノ基を１個含む分子）．＝monamine.

mon·o·am·ine ox·i·dase (MAO) (mon′ō-am′ēn oks′i-dās). モノアミンオキシダーゼ．＝*amine* oxidase (2).

mon·o·am·i·ner·gic (mon′ō-am′i-nĕr′jik) ［monoamine + G. *ergon*, work］. モノアミン作用(作動)〔性〕の（カテコールアミンまたはインドールアミンを媒介して神経インパルスを伝達する神経細胞または線維についていう）．

mon·o·am·i·nu·ri·a (mon′ō-am′i-nyū′rē-ă). モノアミン尿〔症〕（尿中にモノアミンが排出されること）．＝monaminuria.

mon·o·am·ni·ot·ic (mon′ō-am′nē-ot′ik). 一羊膜性の（多胎妊娠で卵膜による隔壁がなく，単一羊水腫を形成するものについていう）．

mon·o·as·so·ci·at·ed (mon′ō-ă-sō′shē-ā-ted). 単一菌種の関連した（単一菌種の微生物が定着している無菌の動物を意味する）．

mon·o·aux·o·troph (mon′ō-awks′ō-troph). 単栄養素要求株（野生型株が要求しないある特定の栄養素を要求する突然変異微生物株．*cf.* auxotroph; polyauxotroph）．

mon·o·bac·tam (mon′ō-bak′tam). モノバクタム（モノサイクリックβ–ラクタム骨格をもち，他のβ–ラクタム類と構造的に異なる抗生物質群．例えばアズトレオナム）．

mon·o·ba·sic (mon′ō-bā′sik). 単塩基の，一塩基の（置換可能な，あるいは置換された水素原子が１個だけある酸についていう）．

mon·o·blast (mon′ō-blast) ［mono- + G. *blastos*, germ］. 単芽球（単球に分化成熟する未成熟細胞）．

mon·o·bra·chi·us (mon′ō-brā′kē-ŭs) ［mono- + G. *brachiōn*, arm］. 単腕体（腕が１本だけの個体）．

mon·o·bro·mat·ed, mon·o·bro·mi·nat·ed (mon′ō-brō′māt-ed, -brō′min-āt-ĕd). モノブロムの（１分子につき臭素１原子をもつ化学物質を示す）．

mon·o·car·di·an (mon′ō-kar′dē-ăn). 単房室心臓の（単心房単心室の心臓をもっている）．

mon·o·ceph·a·lus (mon′ō-sef′ă-lŭs). 一頭二体奇形．＝syncephalus.

mon·o·cho·ri·al (mon′ō-kō-rē′ăl). ＝monochorionic.

mon·o·cho·ri·on·ic (mon′ō-kō′rē-on′ik). 単一絨毛膜性の（単一絨毛膜に関する，あるいは単一の絨毛膜を有する．一卵性双生児をさす）．＝monochorial.

mon·o·chro·ic (mon′ō-krō′ik). ＝monochromatic.

mon·o·chro·ma·sia (mon′ō-krō-mā′zē-ă). ＝achromatopsia.

mon·o·chro·ma·sy (mon′ō-krō′mă-sē). １色覚，一色型色覚．＝achromatopsia.

mon·o·chro·mat·ic (mon′ō-krō-mat′ik). ***1*** 単色の（１色だけを呈する）．***2*** 単色光の（単一波長の光についていう）．***3*** 単色の，一色性の（単色に関する，単色を特徴とする）．＝monochroic; monochromic.

mon·o·chro·ma·tism (mon-ō-krō′mă-tizm) ［mono- + G. *chrōma*, color］. ***1*** 単色性，一色性（１色だけを有する，あるいは呈する状態）．***2*** １色覚．＝achromatopsia.

blue cone m. S–錐体単色症（→incomplete *achromatopsia*）．

pi cone m. →incomplete *achromatopsia*.

rod m. 杆体１色覚．＝complete *achromatopsia*.

mon·o·chro·mat·o·phil, mon·o·chro·mat·o·phile (mon′ō-krō- mat′ō-fil, -fīl) ［mono- + G. *chrōma*, color + *philos*, fond］. ＝monochromophil; monochromophile. ***1*** 〖adj.〗好単色性の（１色だけに染まる）．***2*** 〖n.〗ある種の染料だけに染まる細胞あるいは組織．

mon·o·chro·ma·tor (mon′ō-krō′mā-tŏr, -tōr). モノクロメータ（分光測光法において，光などを狭いスペクトル幅で取り出すために用いるプリズムや回折格子）．

mon·o·chro·mic (mon′ō-krō′mik). ＝monochromatic.

mon·o·chro·mo·phil, mon·o·chro·mo·phile (mon′-ō-krō′mō-fil, -fīl). ＝monochromatophil.

mon·o·cis·tron·ic (mon′ō-sis-tron′ik). モノシストロニック（単一の蛋白をコードする mRNA で，十分に進行したものをいう）．

mon·o·cle (mon′ŏ-kĕl). 片眼用レンズ（老眼の矯正に用いる片眼用のレンズ）．

mon·o·clin·ic (mon′ō-klin′ik) ［mono- + G. *klinō*, to incline］. 単斜の（単一の斜傾向のある結晶についていう）．

mon·o·clo·nal (mon′ō-klō′năl). 単〔一〕クローン〔系〕の（免疫化学において，単一細胞クローン由来の蛋白(すべての分子は同一)をいう．例えば，Bence Jones 蛋白の免疫グロブリン鎖はすべてκかλである）．

mon·o·cra·ni·us (mon′ō-krā′nē-ŭs) ［mono- + G. *kranion*, cranium］. 頭部結合体．＝syncephalus.

mon·o·crot·ic (mon′ō-krot′ik) ［mono- + G. *krotos*, a beat］. 単拍脈の（脈拍曲線が，下向脚で切痕あるいは消退波をまったく示さない脈拍についていう）．

mon·oc·ro·tism (mon-ok′rō-tizm) ［mono- + G. *krotos*, a beat］. 単拍脈（脈拍が単脈である状態）．

mon·oc·u·lar (mon-ok′yū-lăr) ［mono- + L. *oculus*, eye］. 単眼〔性〕の，一眼の．

mon·oc·u·lus (mon-ok′yū-lŭs) ［L. a one-eyed man(G. *mon-*

os, single + L. *oculus*, eye の混成語)]. ***1*** 単眼奇形. = cyclops. ***2*** 片眼帯 (片眼だけにつける眼帯).

mon·o·cyte (mon′ō-sīt) [mono- + G. *kytos*, cell]. 単球, 単核細胞 (直径が比較的大きい(16—22 μm)単核白血球. 単球は循環血液中の白血球の 3 — 7 %を構成し, リンパ節, 脾臓, 骨髄, 疎性結合組織にみられる. 通常の方法で染色すると単球は多数の薄青あるいは青みがかった灰色の細胞質を呈する. その中には細かい, じん埃状の赤みがかった青色の顆粒が多数含まれ, 空胞がしばしばみられる. 核には通常, 陥凹あるいはわずかな折れ重なりがあり, 繊細な染色質構造を示すが, 染色糸同士が接しているところでは多少粗荒になっている. 血流から離れ, 結合織に入った単球はマクロファージとよばれる. →monocytoid *cell*; endothelial *leukocyte*).

mon·o·cy·to·pe·ni·a (mon′ō-sī′tō-pē′nē-ă) [mono- + G. *kytos*, cell + *penia*, poverty]. 単球減少〔症〕(循環血液中の単球数が減少すること). = monocytic leukopenia; monopenia.

mon·o·cy·to·sis (mon′ō-sī-tō′sis). 単球増加〔症〕(循環血液中の単球数が異常に増加すること). = monocytic leukocytosis.

Mo·nod (mo-nō′), Jacques L. フランス人生化学者・ノーベル賞受賞者, 1910—1976. ⇀M.-Wyman-Changeux *model*.

mon·o·dac·ty·ly, mon·o·dac·tyl·ism (mon′ō-dak′ti-lē, -dak′-ti-lizm) [mono- + G. *daktylos*, digit]. 単指症 (手あるいは足の指が 1 本しかないこと).

mon·o·dis·perse (mon′ō-dis-pĕrs). 均散の, 単分散の (大きさが比較的一定している. 大きさの変動が ±20%以下のエーロゾル懸濁液についていう).

mon·o·ga·met·ic (mon′ō-gă-met′ik). = homogametic.

mo·nog·a·my (mŏ-nog′ă-mē) [mono- + G. *gamos*, marriage]. 単婚, 一夫一婦婚 (各パートナーが, 相手を 1 人あるいは 1 個だけもつ結婚あるいは交配).

mon·o·gen·e·sis (mon′ō-jen′ĕ-sis) [mono- + G. *genesis*, origin, production]. ***1*** 単性世代 (各世代に同じ生体を産出すること). ***2*** 単性生殖, 無性生殖 (無性世代, 単為生殖のように単一の親のみから子が生まれること). ***3*** 一宿主性 (単一の宿主に寄生する過程. そこで寄生生物は生活環を過ごす. 例えば, アメリカオウシマダニ ***Boophilus annulatus***, 一宿主のウシダニ, あるいは単生類の特定の吸虫など).

mon·o·ge·net·ic (mon′ō-jĕ-net′ik). 一宿主性の. = monoxenous.

mon·o·gen·ic (mon′ō-jen′ik). 単一遺伝子性 (単一遺伝子座に存在する対立遺伝子により支配されている遺伝病または症候群, あるいは遺伝的特性についていう).

mo·nog·e·nous (mŏ-noj′ĕ-nŭs). 無性生殖の (分裂, 芽生, あるいは胞子形成のように, 無性的な生殖についていう).

mon·o·ger·mi·nal (mon′ō-jĕr′mi-năl). 一卵性の. = unigerminal.

mon·o·glyc·er·ide (mon′ō-glis′ĕr-īd). = monoacylglycerol.

mon·o·graph (mon′ō-graf) [mono- + G. *graphē*, a writing]. 単行本, 単行書, 集成 (特定の主題, あるいは特定の範囲の主題についての論文).

mon·o·hy·drat·ed (mon′ō-hī′drā-tĕd). 一水化の (物質 1 分子当たり水 1 分子を含む. あるいは結合している).

mon·o·hy·dric (mon′ō-hī′drik). 一水素性の (1 分子中に水素原子を 1 個だけもつ).

mon·o·hy·drox·y·suc·cin·ic ac·id (mon′ō-hī-droks′ē-sŭk-sin′ik as′id). モノヒドロキシコハク酸. = malic acid.

mon·o·i·de·ism (mon′ō-ī-dē′izm) [mono- + G. *idea*, form, idea]. 単一観念狂 (1 つの観念や主題をくどくどと言うこと. 軽症の偏執狂).

mon·o·in·fec·tion (mon′ō-in-fek′shŭn). 単一菌感染 (単一種の微生物による単純な感染).

mon·o·i·o·do·ty·ro·sine (MIT) (mon′ō-ī-ō′dō-tī′rō-sēn). モノヨードチロシン (甲状腺ホルモン合成の中間体).

mon·o·i·so·ni·tro·so·ac·e·tone (mon′ō-ī′sō-nī-trō′sō-as′e-tōn). モノイソニトロソアセトン. = isonitrosoacetone.

mon·o·kine (mon′ō-kīn) [monocyte + G. *kineō*, to set in motion]. モノカイン (単球またはマクロファージから分泌されるサイトカイン. これらは他の細胞の活性に影響を与える. ⇀cytokine).

mon·o·lay·ers (mon′ō-lā′ĕrz). 単層, 単一層 (①蛋白や脂肪酸など, 一定の物質により水上(あるいは他の表面上)にできる単分子の薄層で, それらの分子の特徴は水溶性原子団と疎水性原子団とをもつことにある. ②細胞培養において, 表面にできる単一細胞の厚さの, 細胞同士が接着し合った薄層).

mon·o·loc·u·lar (mon′ō-lok′yū-lăr) [mono- + L. *loculus*, a small place]. 単房性の (脂肪細胞のように腔が 1 つある). = unicameral; unicamerate.

mon·o·ma·ni·a (mon′ō-mā′nē-ă) [mono- + G. *mania*, frenzy]. モノマニー, 単一狂, 偏執狂 (1 つの観念や主題に固執すること, あるいは異常に極端に熱中すること. パラノイアの妄想のように, 多少とも一定の事柄に症状が限定される特徴のある精神病).

mon·o·ma·ni·ac (mon′ō-mā′nē-ak). ***1*** 〖n.〗 単一狂者, 偏執狂者. ***2*** 〖adj.〗 単一狂者の, 偏執狂者の.

mon·o·mas·ti·gote (mon′ō-mas′ti-gōt) [mono- + Roman *mastix, a whip*]. べん毛を 1 本だけもつ鞭毛虫.

mon·o·mel·ic (mon-ō-mel′ik) [mono- + G. *melos*, limb]. 単肢の.

mon·o·mer (mon′ō-mĕr) [mono- + -mer]. ***1*** モノマー, 単量体 (繰返しにより, 大型構造あるいは重合体を構成する分子単位. エチレン $H_2C{=}CH_2$ はポリエチレン $H(CH_2)_nH$ の単量体. →subunit (1)). ***2*** モノマー (莢膜の蛋白構造の単位. ⇀virion). ***3*** モノマー, 単量体 (いくつかの弱く会合した単位からなる蛋白における蛋白サブユニット. 通常, 非共有結合的に連結している).

mon·o·mer·ic (mon′ō-mer′ik) [mono- + G. *meros*, part]. ***1*** 単一の (1 つの成分からなる). ***2*** 単(一)遺伝子性の (遺伝学では, 1 つの遺伝子座に存在する遺伝子によって制御される遺伝疾患や遺伝的特徴についていう). ***3*** 単量体の.

mon·o·me·tal·lic (mon′ō-mĕ-tal′ik). 一金属原子性の (分子中に金属 1 原子だけを含む).

mon·o·meth·yl·hy·dra·zine (mon-ō-meth′il-hī-drah-zēn). モノメチルヒドラジン (いくつかのキノコに見出される揮発性の毒素. 発作の原因となりうる GABA 合成阻害剤. またピリドキシンと拮抗する).

mon·o·mi·cro·bic (mon′ō-mī-krō′bik). 一種細菌性の (単一菌感染).

mon·o·mo·lec·u·lar (mon′ō-mō-lek′yū-lăr). 単分子性の, 1 分子の (①= unimolecular. ②単一分子に関する用語).

mon·o·mor·phic (mon-ō-mōr′fik) [mono- + G. *morphē*, shape]. 単形〔態〕性の (1 形態の, あるいは形態が無変化のものをさす).

mon·om·pha·lus (mon-om′fă-lŭs) [mono- + G. *omphalos*, umbilicus]. 臍結合奇形. = omphalopagus.

mon·o·my·o·ple·gi·a (mon′ō-mī′ō-plē′jē-ă) [mono- + G. *mys*, muscle + *plēgē*, a stroke]. 単筋麻痺 (1 つの筋肉に限られた麻痺).

mon·o·my·o·si·tis (mon′ō-mī′ō-sī′tis). 単筋炎.

mon·o·neme (mon′ō-nēm). 単糸 (転写の時期にみられる対になっていない核酸のらせん構造).

mon·o·neu·ral, mon·o·neu·ric (mon′ō-nū′răl, -noo′-rik). 単神経の (①ニューロン 1 本だけをもつ. ②単一神経により供給される).

mon·o·neu·ri·tis mul·ti·plex (mon′ō-nū-rī′tis mŭl′tē-pleks). 多発単神経炎. = *mononeuropathy* multiplex.

mon·o·neu·rop·a·thy (mon′ō-nū-rop′ă-thē). モノニューロパシー, 単神経障害 (単一神経を侵す疾病).

m. multiplex 多発性単神経炎 (末梢神経系の 2 か所以上の部位(例えば, 神経根, 神経叢, 神経幹)に非外傷性障害がみられる. 順次起こることが多く, 体の異なる部位に起こり血管炎が原因のことが多い). = mononeuritis multiplex.

mon·o·nu·cle·ar (mon′ō-nū′klē-ăr). 単核〔性〕の (特に食細胞についていう).

mon·o·nu·cle·o·sis (mon′ō-nū′klē-ō′sis). 単核細胞症 (循環血液中に, 単核白血球が異常に多数存在する疾患. 特に形態が正常でないものについていう).

infectious m. 伝染(感染)性単核球症, 伝染(感染)性良性リンパ節疾患, 伝染(感染)性腺熱 (ヘルペスウイルス科の一種である Epstein-Barr ウイルスによって起こる若年者の急性の熱性疾患. しばしば唾液を介して伝播する. 特有の症状は発熱, 咽頭痛, リンパ節と脾臓の腫脹, 第 2 週目にリンパ球増加に変化する白血球減少がある．循環血液中にウイルスに感染しているのはBリンパ球であるが，多くは，単球に類似の異常大型Tリンパ球を含む．ウシ赤血球に完全に吸着され，モルモット腎臓抗原には吸収されない異種親和性抗体がある．特徴的な異常リンパ球の集団は，リンパ節や脾臓だけでなく，髄膜，脳，心筋など，その他の様々な場所にも存在する）．＝benign lymphadenosis; glandular fever.

mon·o·nu·cle·o·tide (mon′ō-nū′klē-ō-tīd). 単一核酸塩．＝nucleotide.

mon·o·oc·ta·no·in (mon′ō-ok′-tā-nō′in). モノオクタノイン（半合成のエステル化されたグリセロールで，胆嚢摘出後のX線透過性の遺残結石溶解剤として用いる）．

mon·o·ox·y·ge·na·ses (mon′ō-ok′si-jĕ-nā′sez). モノオキシゲナーゼ（O_2 からの酸素原子１個を酸化される物質に組み込み，もう１個の酸素原子を還元して水(H_2O)を生成させるオキシドレダクターゼ）．

mon·o·pa·re·sis (mon′o-pa-rē′sis, -par′ĕ-sis). 単不全麻痺（単一肢あるいは四肢の一部を侵す不全麻痺）．

mon·o·par·es·the·si·a (mon′ō-par′es-thē′zē-ă). 単感覚異常〔症〕（単一区域だけを侵す知覚異常）．

mon·o·path·ic (mon′ō-path′ik). 単一疾患の，単一部疾患の．

mo·nop·a·thy (mon-op′ă-thē) [mono- + G. *pathos*, suffering]. ***1*** 単一疾患（合併症のない単一の疾患）．***2*** 単一部疾患（単一の器官，あるいは一部だけを侵す局部的疾患）．

mon·o·pe·ni·a (mon′ō-pē′nē-ă). ＝monocytopenia.

mo·noph·a·gism (mŏ-nof′ă-jizm) [mono- + G. *phagō*, to eat]. 単食主義，一食主義（１種類の食物だけ，あるいは１日に１食だけ食べる習慣．後者は明らかに精神異常である場合に限られる）．

mon·o·pha·si·a (mon′ō-fā′zē-ă) [mono- + G. *phasis*, speech]. 単語症，一語症（１語あるいは１文の他は話せないこと）．

mon·o·pha·sic (mon′ō-fā′zik). ***1*** 単語症の，一語症の．***2*** 一時期だけに生じる，あるいは一時期だけに特徴的な．***3*** 単相性（基準線より一方向にだけ変動する）．***4*** 単相性（単一の形態学的特徴を備えた細胞構造．滑膜肉腫の記載にしばしば使われ，典型的な二相性に対し，腺様領域のないものを単相性という）．

mon·o·phe·nol mon·o·ox·y·gen·ase (mon-ō-fē′nol mon′ō-oksĭ-jen-ās′). モノフェノールモノオキシゲナーゼ（①銅を含む酸化還元酵素で，酸素によって*o*-ジフェノールの*o*-キノンへの酸化を触媒し，生成物中の２つの酸素原子の１つが取り込まれる．またL-チロシンなどのモノフェノールをジヒドロキシ-L-フェニルアラニン(ドパ)に酸化する．ドパはメラニンとエピネフリン(カテコールアミン)の前駆物質である．またカテコールオキシダーゼとしても作用する．この酵素の欠損がいくつかの種類の白皮症で明らかにされている．＝cresolase; monophenol oxidase; tyrosinase. ②＝laccase）．

mon·o·phe·nol ox·i·dase (mon′ō-fē′nol oks′i-dās). モノフェノールオキシダーゼ．＝monophenol monooxygenase (1).

mon·o·pho·bi·a (mon′ō-fō′bē-ă) [mono- + G. *phobos*, fear]. 孤独恐怖〔症〕（孤独，あるいは１人残されることに対する病的な恐れ）．

mon·oph·thal·mos (mon′of-thal′mos) [mono- + G. *ophthalmos*, eye]. 単眼症（眼組織の欠如を示す原始眼胞の発達の障害．残された眼はしばしば奇形を伴う）．

mon·oph·thal·mus (mon′of-thal′mŭs) [mono- + G. *ophthalmos*, eye]. 単眼奇形，一眼奇形．＝cyclops.

mon·o·phy·let·ic (mon′ō-fī-let′ik) [mono- + G. *phylē*, tribe]. ***1*** 単元発生の（単一の細胞型起源を有する．１系統から派生したことについていう．*cf.* polyphyletic）．***2*** 単元論の，一元論の（血液学において，単元論についていう）．

mon·o·phy·le·tism (mon′ō-fī′lĕ-tizm) [mono- + G. *phylē*, tribe]. 単元論，一元論（血液学において，あらゆる血球は１個の共通の幹細胞または多分化能性造血幹細胞から生じるという説）．＝monophyletic theory.

mon·o·phy·o·dont (mon′ō-fī′ō-dont) [mono- + G. *phyō*, to grow + *odous*(*odont-*), tooth]. 一生歯性の，一生歯型の，不換歯性の（１組の歯だけをもつ．脱落性の生歯をもたない）．

mon·o·plas·mat·ic (mon′ō-plas-mat′ik) [mono- + G. *plasma*, thing formed]. 単形質性の（１組織だけで形成されている）．

mon·o·plast (mon′ō-plast) [mono- + G. *plastos*, formed]. 単一組成細胞（生存期間中ずっと同一の構造あるいは形態を保持する単細胞生物）．

mon·o·plas·tic (mon′ō-plas′tik). 単一組成細胞の（構造がまったく変化しない，単一組成細胞についていう）．

mon·o·ple·gi·a (mon′ō-plē′jē-ă) [mono- + G. *plēgē*, a stroke]. 単麻痺（一肢の麻痺）．

m. masticatoria そしゃく単麻痺（そしゃく筋(咬筋，こめかみ筋，翼状筋)の片側麻痺）．

mon·o·ploid (mon′ō-ployd) [mono- + G. *ploides*, in form]. 一倍体の．＝haploid.

mon·o·po·di·a (mon′ō-pō′dē-ă) [mono- + G. *pous*, foot]. 単足症（外見上，足が１本しかない奇形）．

mon·ops (mon′ops) [mono- + G. *ōps*, eye]. 単眼．＝cyclops.

mon·o·pty·chi·al (mon′ō-tī′kē-ăl) [mono- + G. *ptychē*, fold]. 単層性の（ひだ状の単細胞層よりなる．胆嚢上皮または他のある種の腺組織の細胞などについていう）．

mon·or·chia (mon-ōr′kē-ă). ＝monorchism.

mon·or·chid·ic, mon·or·chid (mon′ōr-kid′ik, mon-ōr′kid). 単精巣の（①精巣を１個だけもつ．②１個の精巣が下降していないため，外見上精巣が１個しかない）．

mon·or·chid·ism (mon-ōr′ki-dizm). ＝monorchism.

mon·or·chism (mon′ōr-kizm) [mono- + G. *orchis*, testis]. 単精巣症（精巣が１個だけ明らかで，他方は欠如しているか下降していない状態）．＝monorchia; monorchidism.

mon·o·rec·i·dive (mon′o-res′i-dēv) [mono- + L. *recidivus*, relapsing]. 単発再発下疳（梅毒の後期あるいは三期に発現することについていう．以前の下疳の部位に，潰瘍を伴う丘疹の形をとる）．

mon·o·rhin·ic (mon′ō-rin′ik) [mono- + G. *rhis* (*rhin-*), nose]. 単鼻腔の（接着双生児の特徴を示す語で，一見して識別できる鼻腔は１個だけしか残されていない）．

mon·o·sac·cha·ride (mon′ō-sak′ă-rīd). 単糖類（単純な加水分解によりそれ以上単純な糖を形成できない最小単位の炭水化物．例えばペントースやヘキソース）．＝monose.

mon·o·scel·ous (mon′ō-sel′ŭs, -skel′ŭs) [mono- + G. *skelos*, leg]. 単脚の．

mon·o·sce·nism (mon′ō-sē′nizm) [mono- + G. *skēnē*, tent (stage drop)]. 懐古症（過去のある経験に病的に集中すること）．

mon·ose (mon′ōs). モノース，単糖類．＝monosaccharide.

mon·o·so·di·um glu·ta·mate (MSG) (mon′ō-sō′dē-ŭm glū′tă-māt). グルタミン酸一ナトリウム（天然のL-グルタミン酸の一ナトリウム塩．香味促進剤として用い，口語での "Chinese restaurant" 症候群の原因あるいは寄与因子である．肝疾患に関連した脳障害の治療の補助として静脈注射でも用いる）．

mon·o·some (mon′ō-sōm) [mono- + chromosome]. ***1*** モノソーム，一染色体．＝accessory *chromosome*. ***2*** リボソームを表す現在では用いられない語．***3*** 一分子の mRNA を結合した１個のリボソームからなる構造．

mon·o·so·mi·a (mon′ō-sō′mē-ă) [mono- + G. *sōma*, body]. 単軀二頭体（接着双生児で，胴体は完全に融合しているが頭部は分離している状態．→conjoined *twins*）．

mon·o·so·mic (mon′ō-sō′mik). 一染色体性の，モノソミーの．

mon·o·so·mous (mon′ō-sō′mŭs). 単軀二頭体の．

mon·o·so·my (mon′ō-sō′mē) [→monosome]. 一染色体性，モノソミー（１対の相同染色体の片方の欠損．→chromosomal *deletion*）．

mon·o·sper·my (mon′ō-sper′mē) [mono- + G. *sperma*, seed]. 単精，単精子受精（卵子の中に精子が１個だけはいって起こる受精）．

Mon·o·spo·ri·um ap·i·o·sper·mum (mon′ō-spō′rē-ŭm ap′ē-ō-sper′mŭm). *Scedosporium apiospermum* の旧名．完全世代は *Pseudallescheria boydii* である．

Mo·nos·to·ma (mō-nos′tō-mă, mon-ō-stō′mă) [mono- + G. *stoma*, mouth]. 単口吸虫属（吸盤を１つだけ有する吸虫類

の一属の旧名).

mon·o·stome (mon′ō-stōm) [mono- + G. *stoma*, mouth]. 単口吸虫類（口部と腹部の両方ではなく，いずれか一方の1個の吸着器のみをもつ，二生類吸虫類の一般名.→*Monostoma*).

mon·os·tot·ic (mon′os-tot′ik) [mono- + G. *osteon*, bone]. 単骨性の.

mon·o·stra·tal (mon′ō-strā′tăl) [mono- + L. *stratum*, layer]. 単層の.

mon·o·sub·sti·tut·ed (mon′ō-sŭb′sti-tū′tĕd). 一置換体の（化学において，置換化合物の各分子中に1原子または1単位だけある元素あるいは基を意味する).

mon·o·symp·to·mat·ic (mon′ō-simp-tō-mat′ik). 単一症状の（1つの顕著な症状だけによって明示される疾病あるいは病状についていう).

mon·o·sy·nap·tic (mon′ō-si-nap′tik). 単シナプスの（直接神経性結合(介在ニューロンを含まないもの)をいう．例えば，単シナプス反射弓を特徴付ける一次感覚神経細胞と運動ニューロンの間の直接結合).

mon·o·syph·i·lide (mon′o-sif′i-lid). 単一梅毒疹（単一の梅毒性病変が起こるのを特徴とする).

mon·o·ter·penes (mon′ō-ter′pēnz). モノテルペン（炭化水素あるいはその誘導体．イソプレン単位2個の縮合で形成され，炭素原子10個を含む，例えば樟脳．しばしば環状構造をとっている).

mon·o·ther·mi·a (mon′ō-ther′mē-ă) [mono- + G. *thermē*, heat]. 単調体温（体温が一定なこと．夕方に熱が上昇しないこと).

mo·not·o·cous (mŏ-not′ō-kŭs) [mono- + G. *tokos*, birth]. 単一分娩の（1回の分娩で1児のみを出産する).

Mon·o·tre·ma·ta (mon′ō-trē′mă-tă) [mono- + G. *trēma*, a hole]. 単孔目（卵生哺乳類の目．消化管，尿管，生殖管が開く総排出腔を有する．オーストラリアだけに存在する．*Ornithorhynchus* と *Tachyglossus*).

mon·o·treme (mon′ō-trēm). 単孔類（単孔目の動物).

mo·not·ri·chate (mŏ-not′ri-kāt). = monotrichous.

mo·not·ri·chous (mŏ-not′ri-kŭs). 単毛〔性〕の（べん毛あるいは線毛を1本有する微生物についていう). = monotrichate; uniflagellate.

mon·o·va·lence, mon·o·va·len·cy (mon′ō-vā′lens, -vā′len-sē). 一価，一原子価（水素原子1個に相当する結合力(原子価)). = univalence; univalency.

mon·o·va·lent (mon′ō-vā′lent). 一価の（①水素原子1つと結合力のある，1価を意味する. = monatomic (2); univalent. ②1つの抗原や生物に対する一価(特異)抗血清 monovalent (specific) antiserum についていう).

monovision (mon-ō-vi′shun). 単眼視（角膜屈折矯正技術を用いて，一眼は近方視，僚眼は遠方視と異なる屈折矯正).

mon·ox·e·nous (mon-oks′ĕ-nŭs) [mono- + G. *xenos*, stranger]. 一宿主性の. = monogenetic.

mon·ox·ide (mon-ok′sīd). 一酸化物（酸素原子1個だけをもつ酸化物．一酸化炭素 CO など).

mon·o·zo·ic (mon′ō-zō′ik). 単節の（単節条虫類にみられるような単一の節をもつことについていう.⇀polyzoic).

mon·o·zy·got·ic, mon·o·zy·gous (mon′ō-zī-got′ik, -zī′gŭs) [mono- + G. *zygōtos*, yoked]. 一卵〔性〕の，単一接合子の（⇀monozygotic *twins*). = unigerminal.

Mon·ro (mŏn′rō), Alexander, Jr. スコットランド人解剖学者，1733—1817.⇀M. *doctrine*, *foramen*, *line*, *sulcus*; M.-Kellie *doctrine*; M.-Richter *line*; Richter-M. *line*.

Mon·ro (mŏn′rō), Alexander, Sr. スコットランド人解剖学者・外科医，1697—1767.⇀*bursa* of M.

mons, gen. **mon·tis,** pl. **mon·tes** (monz, mon′tis, mon′tēz) [L. a mountain][TA]. 丘（表面の一般的水準を上回る解剖学的隆起あるいはわずかな高まり).

m. pubis [TA]. 恥丘（女性の恥骨結合に脂肪組織がついてできた隆起). = pubes (2) [TA]; m. veneris.

m. ureteris 尿管丘（膀胱の壁のピンクがかった隆起．両側の尿管口をつくる).

m. veneris [L. *Venus*]. ヴィーナスの丘. = m. pubis.

Mon·son (mon′sŏn), George S. 米国人歯科医，1869—1933.⇀M. *curve*; anti-M. *curve*.

mon·ster (mon′stĕr) [L. *monstrum*, an evil omen, a prodigy, a wonder]. 奇形児，奇形体（[本語は，一般語として不快な響きをもつため，医学的発言および文書では使わないのがよい]．奇形胚，奇形胎児，奇形個体をさす不適当な古語．terato- で始まる項を参照.→teras).

mon·tan·ic ac·id (mon-tan′ik as′id) [montan (wax)]. モンタン酸. = octacosanoic acid.

Mon·teg·gi·a (mon-tej′ē-ă), Giovanni B. イタリア人外科医，1762—1815.⇀M. *fracture*.

Mont·gom·er·y (mont-gŏm′ĕr-ē), William F. アイルランド人産科医，1797—1859.⇀M. *follicles*, *glands*, *tubercles*.

mon·tic·u·lus, pl. **mon·tic·u·li** (mon-tik′yū-lŭs, -lī) [L. *mons*(mountain) の指小辞]. ***1*** 小丘（表面上のわずかな円い突出). ***2*** 小山（上虫部の中心部分．小脳表面の突出を形成する．その前部と最も顕著な部分は山頂 culmen とよばれる．後部傾斜部分は山腹 declive とよばれる).

palmar monticuli 手掌小丘（浅手根横靱帯から遠位に向けて縦走する4本の筋膜が遠位端で窓状の間隙を有するために生じた3つの小さな高まり).

mood (mūd). 気分，機嫌（その人個人の感情，トーン，情動．これらが障害されたとき，実質上，その人の行動または周囲をとりまく出来事への知覚は全局面に大きく影響が与えられる).

mood swing (mūd swing), 気分変動（人間の情緒感情が上機嫌と抑うつの間を揺れ動くこと).

Moon (mūn), Henry. イングランド人外科医，1845—1892.⇀M. *molars*.

Moon (mūn), Robert C. 米国人眼科医，1844—1914.⇀Laurence-M. *syndrome*.

Moore (mōr), Charles H. イングランド人外科医，1821—1870.⇀M. *method*.

Moore (mōr), Robert Foster. 英国人眼科医，1878—1963.⇀M. lightning *streaks*.

Moo·ren (mō′rĕn), Albert. ドイツ人眼科医，1828—1899.⇀M. *ulcer*.

Moo·ser (mū′sĕr), Hermann. メキシコに在住したスイス人病理学者，1891—1971.⇀M. *bodies*.

MOPP *m*echlorethamine, *O*ncovin(vincristine), *p*rocarbazine, *p*rednisone の頭字語．Hodgkin 病の治療に使われる化学療法である.

Mor·and (mōr-ahn′), Sauveur F. フランス人外科医，1697—1773.⇀M. *foot*, *spur*.

Mor·ax·el·la (mōr′ak-sel′ă) [V. *Morax*]. モラクセラ属（偏性好気性・非運動性のバクテリアの一属(ナイセリア科)．グラム陰性球菌あるいは短杆状菌を含み，通常，対になっている．炭化水素から酸を生成しない．オキシダーゼ陽性でペニシリンに敏感．ヒトや他の哺乳類の粘膜に感染する．標準種は *M. lacunata*).

M. anatipestifer 幼ガモに呼吸器病を引き起こす細菌種.

M. catarrhalis 特に免疫的に欠陥のある宿主に上部気道感染症を引き起こす細菌種．*Moraxella*属の標準種. = *Branhamella catarrhalis*.

M. kingae = *Kingella kingae*.

M. lacunata モラックス-アクセンフェルト菌（ヒトの結膜炎を起こす細菌種．*Moraxella*属の標準種).

M. nonliquefaciens 非水解性モラクセラ（ヒトの気道，特に鼻にみられる細菌種．通常，病原性はないが，ときに副鼻腔炎を起こす).

M. osloensis 尿生殖器，血液，髄液，胸液，鼻にみられる細菌種．気道にはまれにみられる．通常，病原性はないが，ヒトの重症の病理状態から菌株が分離された.

M. phenylpyruvica フェニルピルビン酸モラクセラ（尿生殖器，血液，脳脊髄液，各種外傷の膿中にみられる細菌種．病原性は不明).

mor·bid (mōr′bid) [L. *morbidus*, ill < *morbus*, disease]. 病的な（①病気に罹患した状態についていう．②心理学において，異常な状態についていう).

mor·bid·i·ty (mōr-bid′i-tē). [disease の同義語としての隠語的使用を避けること]. ***1*** 病的状態（病気にかかっている状態). ***2*** 罹病率，罹患率（地域での健常者に対する病人の比.→morbidity *rate*). = morbility. ***3*** 外科的手技または他の治療により起こる合併症の発現頻度.

maternal m. 母体罹病，母体合併症（妊娠，分娩に伴う母体の合併疾患）.

puerperal m. 産褥合併症（産褥 10 日以内に起こる病的状態で，出産後 24 時間以内を除き，産褥 10 日以内に 38°C 以上の熱が 2 日間以上続く）.

mor·bif·ic (mōr-bif′ik) [L. *morbus*, disease + *facio*, to make]. 病原性の，病因性の. = pathogenic.

mor·big·e·nous (mor-bij′ĕ-nŭs) [L. *morbus*, disease + G. *-gen*, producing]. 病原性の，病因性の. = pathogenic.

mor·bil·i·ty (mōr-bil′i-tē). = morbidity (2).

mor·bil·li (mōr-bil′i) [Mediev. L. *morbillus*: L. *morbus*(disease) の指小辞]. 麻疹，はしか. = measles (1).

mor·bil·li·form (mōr-bil′i-fōrm) [→morbilli]. 麻疹状の.

Mor·bil·li·vi·rus (mōr-bil′i-vī′rŭs). 麻疹ウイルス属（パラミクソウイルス科の一属で，麻疹ウイルス，イヌジステンパーウイルス，牛疫ウイルスを含む）.

equine *M.* オーストラリアにおいてウマとヒトの致死的呼吸器疾患を起こす種で，ヒトの症例によっては脳炎もみられる. = Hendra virus.

mor·bil·ous (mōr-bil′ŭs) [→morbilli]. 麻疹の.

mor·bus (mōr′bŭs) [L. disease]. 疾患，疾病. = disease (1).

mor·bus Ad·di·so·nii (mōr′bŭs ad′ĭ-son′ē) [Thomas *Addison*]. アジソン病. = chronic adrenocortical *insufficiency*.

mor·cel (mor′sĕl) [Fr. *morceler*, to subdivide]. 小片を取り除く.

mor·cel·la·tion (mōr′se-lā′shŭn) [Fr. *morceler*, to subdivide]. 細切〔除去〕〔術〕（腫瘍などを分割して少しずつ除去する方法）. = morcellement.

mor·celle·ment (mōr-sel-maw′) [Fr.]. = morcellation.

mor·dant (mōr′dant) [L. *mordeo*, to bite]. ***1*** 〖n.〗 媒染剤（染料と染色される物質を結合させることができる物質．染料の親和性と結合性を増加させる．例えば，ミョウバンはヘマトキシリン染色を促進させるために一般に用いられる媒染剤）. ***2*** 〖v.〗 媒染剤で処理する.

mor. dict. ラテン語 *more dicto*(口授のとおり，指示どおり)の略.

Mo·rel (mō-rel′), Benedict A. フランス人精神科医，1809—1873. →M. *ear*; Stewart-M. *syndrome*.

Mo·re·ra·stron·gy·lus cos·tar·i·cen·sis (mo′re-ră-stron′ji-lŭs kos′tar-i-sen′sis). = *Angiostrongylus costaricensis*.

mo·res (mo′rāz) [L. *mos*(custom)の複数形]. モレズ（[本語は文法的に複数形である]．行動科学および社会科学で用いられる概念で，基本的に重要で受け入れられた習俗およびグループの基本的な道徳観を表す文化的規範をさす）.

Mor·ga·gni (mōr-gah′nyē), Giovanni B. イタリア人解剖・病理学者，1682—1771. →morgagnian *cyst*; M. *appendix*, *cartilage*, *caruncle*, *cataract*, *columns*, *concha*, *crypts*, *disease*, *foramen*, foramen *hernia*, *fossa*, *fovea*, *frenum*, *globules*, *humor*, *hydatid*, *lacuna*, *liquor*, *nodule*, *prolapse*, *retinaculum*, *sinus*, *spheres*, *syndrome*, *tubercle*, *valves*, *ventricle*; M.-Adams-Stokes *syndrome*; *frenulum* of M.

Mor·gan (mōr′găn), Harry de R. 英国人医師，1863—1931. →M. *bacillus*.

mor·gan (M) (mōr′găn) [T.H. *Morgan*, 米国人遺伝学者，1866—1945]. モルガン（遺伝地図における遺伝距離の基準単位．減数分裂当たり平均して 1 回の交叉が起こるような 2 つの遺伝子座間の距離．通常はセンチモルガン(cM, 0.01 M)を用いる）.

Mor·gan·el·la (mōr′gan-el′ah). モルガネラ属（グラム陰性，有機栄養性，通性嫌気性の直線的な杆菌の腸内細菌科の一属で，周毛性べん毛によって運動する．ヒトやその他の動物および は虫類の糞便中にみられる．ときに血液，呼吸器，傷口，尿管の日和見感染を起こすことがある）.

M. morganii *Morganella*属の標準種. = *Morgan bacillus*.

morgue (mōrg) [Fr.]. モルグ，霊安室（①病院または他の施設内の建物あるいは一室で剖検，埋葬，あるいは火葬をするまでの間死体を置く場所．②身元不明死体を身元確認のため埋葬まで安置する所. = mortuary (2)）.

Mor·i (mōr′ē), O. 20 世紀の日本人病理学者. →Harada-M. filter paper strip *culture*.

mo·ri·a (mō′rē-ă) [G. *mōria*, folly < *mōros*, stupid, dull]. ***1*** 認知症（愚かさ，理解の鈍いことを表すまれに用いる語）. = hebetude. ***2*** モリア，ふざけ症（浅薄，陽気，著しい冗談癖，何事もまじめに受け取れないことが特徴であるような精神状態を表すまれに用いる語）.

mor·i·bund (mōr′i-bŭnd) [L. *moribundus*, dying < *morior*, to die]. 瀕死の.

mor·in (mōr′in) [C.I. 75660]. モリン（オウボウや他のクワ科の植物から得られる天然黄色染料．しばしばマクルリン染料と関連する．金属，特にアルミニウムの検出に蛍光色素として用いる．また蛍光モリネートが，ベリリウム，ガリウム，インジウム，スカンジウム，トリウム，チタニウム，およびジコニウムによって生成される）.

Morison (mōr′i-sŏn), James R. 英国人外科医，1853—1939. →M. *pouch*.

Mör·ner (mĕr′nĕr), Karl A.H. スウェーデン人化学者，1855—1917. →M. *test*.

mor·ning glo·ry (mōr′ning glō′rē). アサガオ. = *Ipomoea rubrocoerulea* var. *praecox*.

Moro (mō′rō), Ernst. ドイツ人医師，1874—1951. →M. *reflex*.

mor·on (mōr′on) [G. *mōros*, stupid]. 軽愚（[時代遅れで不正確な本語は，一般語としては軽蔑的響きをもつため，医学的発言および文書では使わないのがよい]．現在では用いられない語．精神遅滞の下位分類あるいはそこに分類される人を意味した）.

morph- (mōrf). →morpho-.

mor·phe·a (mōr-fē′ă) [G. *morphē*, form, figure]. 限局性強皮症，斑状強皮症（肥厚した真皮線維組織からなるやや陥凹した硬結性の局面を特徴とする皮疹．白色あるいは黄色の色調を有し，淡紅色あるいは紫色の色調のかさに囲まれている．あらゆる年齢層にみられ，全身症状はなく，通常は数年で軽快する）. = localized scleroderma.

m. guttata 滴状限局性強皮症（小さく孤立性で白色のろう様硬結性皮疹）.

m. linearis 線状限局性強皮症. = linear *scleroderma*.

mor·pheme (mōr′fēm) [G. *morphē*, form + *-eme* < *phoneme*, G. *phēmē*, utterance]. 形態素（意味を担う最小の言語単位）.

mor·phine (mōr′fēn, mōr-fēn′) [L. *Morpheus* 夢あるいは眠りの神]. モルヒネ，モルフィン（アヘンの主要フェナントレンアルカロイド．中枢神経系と一部の末端組織に抑圧と興奮の両方を生じさせる．中枢刺激と抑圧のどちらが優勢になるかは薬の種類と量による．再三投与すると，耐性と身体的依存性，さらに乱用すると精神的依存性が進行する．鎮痛薬，鎮静薬，抗不安薬として用いる）.

m. hydrochloride 塩酸モルヒネ（苦味のある白い針晶あるいは立方晶．水の約 25 容に溶ける）.

m. sulfate (MS) 硫酸モルヒネ（痛みを緩和するために，錠剤，および注射，硬膜外，あるいは鞘内投与液に用いるモルヒネ）.

morpho-, morph- (mōr′fō, mōrf) [G. *morphē*]. 形，型，構造に関する連結形.

mor·pho·gen (mōr′fō-jen). 形態形成因子，モルフォゲン（細胞の運命を決定する標的細胞から少し離れて分泌される可溶性分子．形態形成因子(モルフォゲン)は濃度勾配をつくり，2 つ以上の細胞形態を決定しうる）.

mor·pho·gen·e·sis (mōr′fō-jen′ĕ-sis) [morpho- + G. *genesis*, production]. ***1*** 形態発生（早期胚における細胞や組織の分化で体の種々の部分や器官の形態や構造が確立される）. ***2*** 形態形成（ある形態を形づくるための分子または分子群(特に巨大分子)の能力）.

mor·pho·ge·net·ic (mōr′fō-jĕ-net′ik). 形態発生の.

mor·pho·log·ic (mōr′fō-loj′ik). 形態学的な.

mor·phol·o·gy (mōr-fol′ō-jē) [morpho- + G. *logos*, study]. 形態学（[form または appearance の同義語としての隠語的使用を避けること]．動植物の形態や構造に関する学問）.

mor·pho·met·ric (mōr′fō-met′rik). 体型測定の.

mor·phom·e·try (mōr-fom′ĕ-trē) [morpho- + G. *metron*, measure]. 体型測定（生体または生体を形成する各部分の測定）.

mor·phon (mōr′fon) [G. *morphē*, form]. 形態単位（生体を形成する個々の構造．細胞のような形態的要素）.

mor·pho·phys·i·ol·o·gy (mōr′fō-fiz′ē-ol′ō-jē). = functional *anatomy*.

mor·pho·sis (mōr-fō′sis) [G. formation, act of forming]. 形成過程，形態発生（ある部分の発達様式）.

mor·pho·syn·the·sis (mōr′fō-sin′thĕ-sis) [morpho- + synthesis]. 形態合成（大脳皮質の頭頂葉に示される，空間と身体機構の知覚）.

mor·pho·type (mōr′fō-tīp) [morpho- + G. *typos*, stamp, model]. 形態型（細菌株の一グループ(亜種以下のレベル)．形態学的特徴により，同種の他系統のものとは区別される．血清型変化と関連がある場合もある）.

Mor·qui·o (mōr′kyō), Louis. ウルグアイ人医師，1867—1935. ⇀M. *disease, syndrome*; M.-Ullrich *disease*; Brailsford-M. *disease*.

mor·rhu·ate so·di·um (mōr′rū-āt sō′dē-ŭm) [< *Gadus morrhua*, cod]. モルイン酸ナトリウム（タラ肝油の脂肪酸のナトリウム塩．局所麻酔薬と混合して拡張蛇行静脈の治療に用いる硬化薬）.

Mor·ri·son (mor′i-sŏn), Ashton B. 20 世紀の米国に在住したアイルランド人病理学者. ⇀Verner-M. *syndrome*.

mors, gen. **mor·tis** (mōrz, mōr′tis) [L.]. = death.

m. thymica 胸腺死（年少小児の突然死を表す古語．通常は感染が原因．以前は誤って胸腺の肥大が原因とされた.→sudden infant death *syndrome*）.

mor·sic·a·ti·o (mor-sik′ă-tē-ō) [L. biting < *mordeo*, to bite]. 咬癖傷（唇，舌，あるいは頬粘膜を習慣的にかむこと．しばしば粗糙な白い病変を形成する）.

mor. sol. ラテン語 *more solito*（常法で）の略.

mor·su·lus (mōr′sū-lŭs) [Mod. L.: L. *morsus*(a bite)の指小辞]. 〔糖衣〕円形錠剤. = troche.

mor·tal (mōr′tăl) [L. *mortalis* < *mors*, death]. ***1*** 致死の，致命的の. ***2*** 死ぬべき運命の.

mor·tal·i·ty (mōr-tal′i-tē) [L. *mortalitas* < *mors* (*mort-*), death]. ***1*** 死亡している状態. ***2*** 死亡率. = death *rate*. ***3*** 死亡が発生したという観察結果.

perinatal m. 周産(周生)期死亡率（出生時期の周辺での死亡．慣習的に期間は妊娠 28 週から生後 1 週までに限られる）.

mor·tar (mōr′tăr) [L. *mortarium*]. 乳鉢（内側が丸い容器．生薬やその他の物質を乳棒ですりつぶす）.

Mor·ti·e·rel·la (mōr′tē-ĕ-rel′ă). モルティエラ属（腐生性真菌の一属(接合菌綱ムーコル科)で，一般に自然界にみられる．病原性については疑わしい）.

mor·ti·fi·ca·tion (mōr′ti-fi-kā′shŭn) [L. *mors* (*mort-*), death + *facio*, to make]. 壊疽，壊死. = gangrene (1).

mor·tise (mōr′tēs) [M.E. < O.Fr. < Ar. *murtazz*, fastened]. 足関節天蓋，ほぞ穴（足関節で腓骨と脛骨の結合により形成される距骨が収まるところ）.

Morton (mōr′tŏn), Dudley J. 米国人整形外科医，1884—1960. ⇀M. *syndrome*.

Morton (mōr′tŏn), Samuel G. 米国人医師，1799—1851. ⇀M. *plane*.

Morton (mōr′tŏn), Thomas G. 米国人医師，1835—1903. ⇀M. *neuralgia, metatarsalgia*.

mor·tu·ary (mōr′chū-ār′ē) [L. *mortuus*, dead(*morior*, pp. *mortuus*, to die)由来の分詞形容詞]. ***1***〘adj.〙死の，埋葬の. ***2***〘n.〙霊安室，死体安置所. = morgue.

mor·u·la (mōr′ū-lă) [Mod.L.: L. *morus*(mulberry) の指小辞]. 桑実胚（接合体の初期卵割の結果である割球の固体塊．卵黄がほとんどない卵母細胞においては，桑実胚は回転楕円体の細胞塊である．卵黄がかなりある形態では，桑実胚期の形態は大幅に変化する）.

mor·u·la·tion (mōr′ū-lā′shŭn). 桑実胚形成.

mor·u·loid (mōr′ū-loyd). ***1*** 桑実胚様の. ***2*** クワの実のような形をした.

Mor·van (mōr-vahn′), Augustin M. フランス人医師，1819—1897. ⇀M. *chorea, disease*.

mo·sa·ic (mō-zā′ik) [Mod.L. *mosaicus*, *musaicus*, pertaining to the Muses, artistic]. ***1***〘adj.〙モザイクの，寄木細工様の. ***2***〘n.〙モザイク（遺伝学的に異なる組織が生体内で並置して存在する状態．ときに起こる現象として，通常でも(lyonization 参照)，病的状態としても見出される．原因は体細胞突然変異(遺伝子モザイク)，染色体数の異なる数種の細

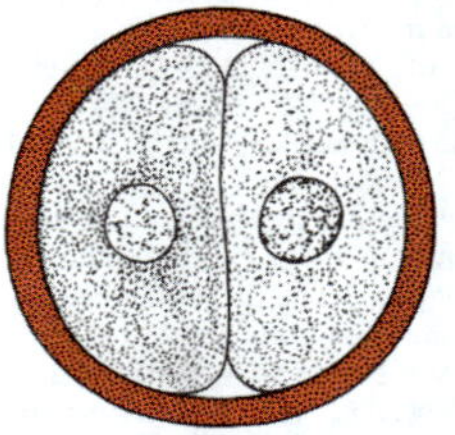

2細胞期

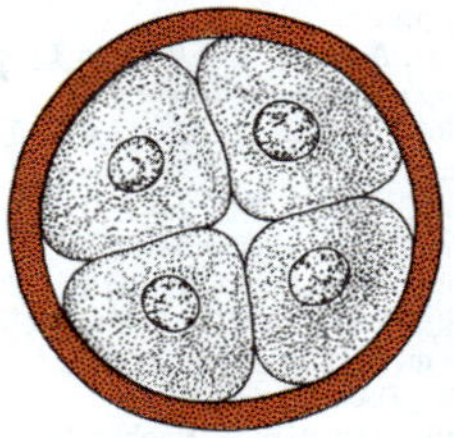

4細胞期

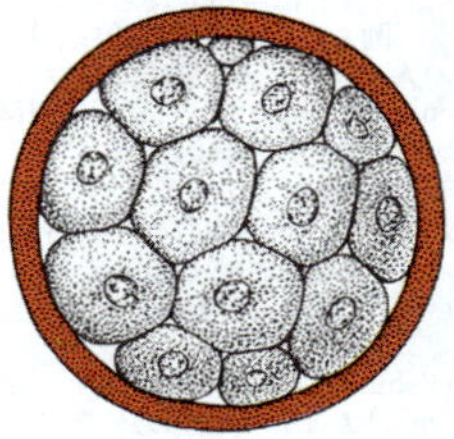

桑実胚

morula

細胞の2細胞期から後期の桑実胚段階までの接合体の発達．2細胞期は約40時間，12—16細胞期は約3日，後期の桑実胚段階は約4日．この期間に，割球は透明帯によって囲まれ，4日目の終わりに消える．

胞(染色体モザイク)を生じるような染色体分裂の異常，あるいはキメラ現象(細胞モザイク)による）.

mo·sa·i·cism (mō-zā′i-sizm) [MIM*158250]. モザイク現象（モザイクである状態. ⇀mosaic (2)）.

cellular m. 細胞モザイク（異なった接合子由来の細胞を含む組織にみられるキメラ状態）.

chromosome m. 染色体モザイク（⇀mosaic (2)）.

gene m. 遺伝子モザイク（⇀mosaic (2)）.

germinal m., gonadal m. 胚モザイク（性腺原器部位にある，ある種の胚細胞が，両親のいずれにも存在しない形をとるもので，これらの前駆細胞の変異による）.

Mosch·co·witz (mosh′kō-witz), Eli. 米国人医師，1879—1964. ⇀M. *test*.

mos·chus (mos′kŭs) [G. *moschos*, musk]. ジャコウ(麝香).

Mo·sen·thal (mō′sĕn-thahl), Herman Otto. 米国人医師，1878—1954. ⇀M. *test*.

Mos·ler (mōz′lĕr), Karl F. ドイツ人医師，1831—1911. ⇀M. *diabetes, sign*.

mos·qui·to, pl. **mos·qui·toes** (mŭs-kē′tō, -tōs) [Sp.*mosca* (fly) の指小辞 < L. *musca*, a fly]. カ(蚊)（カ科に属する吸血性双翅類昆虫．ヤブカ属 *Aedes*，ハマダラカ属 *Anopheles*，イエカ属 *Culex*，マンソニア属 *Mansonia*，シマカ属 *Stegomyia* は寄生性およびウイルス性の病原体媒介の役割を演じる多くの種を含む）.

Moss (mos), Gerald. 米国人医師，1931—1973⇀M. *tube*.

M

Moss (mos), Melvin L. 20世紀の米国人口腔病理学者.⇀Gorlin-Chaudhry-M. *syndrome*.

moss (mos) [A.S. *meōs*]. コケ(苔)(①蘚類の繊細で矮小な隠花植物. ②一般に地衣や海藻の類).

Ceylon m. (suh-lon′). セイロンゴケ(赤い海草. 寒天の原料).

club m. ヒカゲノカズラ. =lycopodium.

Iceland m. アイスランドゴケ. =cetraria.

Irish m. アイルランドゴケ. =chondrus (2).

muskeag m. =sphagnum m.

pearl m. シンジュゴケ. =chondrus (2).

peat m. 泥炭コケ, ピートモス. =sphagnum m.

sphagnum m. ミズゴケ(吸収力が大きく, 外科の包帯や衛生ナプキンとして, 脱脂綿やガーゼの代わりに用いる). =muskeag m.; peat m.

Mos·so (mos′ō), Angelo. イタリア人生理学者, 1846—1910. ⇀M. *ergograph*, *sphygmomanometer*.

Mo·tais (mō-tā′), Ernst. フランス人眼科医, 1845—1913. ⇀M. *operation*.

mote (mōt) [A.S. *mot*]. 微片, みじん.

blood m.'s 血じん. =hemoconia.

moth·er (mŭth′er) [A.S. *mōdor*]. ***1*** 母(女親). ***2*** 母体(細胞その他の組織構造で, そこから類似体が形成されるもの).

surrogate m. 代理母(他人の夫婦または婦人のために契約により妊娠を代行する女性).

mo·tile (mō′til) [⇀motion]. [mobileと混同しないこと]. ***1*** 〘adj.〙〔自発〕運動能力のある. ***2*** 〘adj.〙 運動型の(運動で感じたことを最も容易に学習し, 想起できるような表象の型についていう. 例えば運動感覚表象系統の. *cf.* audile). ***3*** 〘n.〙 運動型の人(***2***のような表象型の人).

mo·til·in (mō-til′in) [motility + -in][MIM*158270]. モチリン(正常の消化管運動の調節物質として十二指腸粘膜に生じる22個のアミノ酸よりなるポリペプチド. 微量(ng)で胃底腺部および洞嚢における強力な運動活性を増加させ, 胃腺からのペプシン分泌を増加させる).

mo·til·i·ty (mō-til′i-tē).〔自動〕運動性(自発的に運動する力).

mo·tion (mō′shŭn) [L. *motio*, movement < *moveo*, pp. *motus*, to move]. ***1*** 運動(物体の位置または場所が変化すること. *cf.* movement (1)). ***2*** 便通. =defecation. ***3*** 便. =stool.

brownian m. [Robert *Brown*]. ブラウン運動. =brownian *movement*.

continuous passive m. (**CPM**) 持続的他動運動(拘縮を予防し可動域を増大させるため関節, 通常は膝関節を運動域を変えながら絶えず動かす方法. ほとんどの場合, この目的のために特別に設計されたモーター付器具を用いて行う).

systolic anterior m. (**SAM**) 収縮期前方運動(非対称性心室中隔肥厚により僧帽弁前尖が収縮期に大動脈弁下左室流出路に異常突出する.→asymmetric septal *hypertrophy*).

mo·ti·va·tion (mō′ti-vā′shŭn) [Mediev. L. *motivus*, moving]. 動機付け(心理学において, 個人の動機や動因すべての総称. そのときどきにある個人に働き, 意志に影響を与え行動を生じさせる).

extrinsic m. 外発的(外因性)動機付け(他の人からの慰め, 安全, および安心を求めるといった, 環境の中でも仕事と関係しない部分から, または他の人の努力によって, 満足を探し求めること, また不満を避けようとすること).

intrinsic m. 内発的(内因性)動機付け(自分が始めた行動や業績を通して個人的満足を得ること).

personal m. 個人的動機付け(人格機能に意味と方向を与える個人の素因と可能性).

mo·tive (mō′tiv) [L. *moveo*, to move, to set in motion]. 動機(①目標に向けて行動を喚起, 維持し, 方向付ける個人内部の後天的な素因や要求, あるいは特異な緊張状態. =learned drive. ②ある行為に対する個人的な理由. *cf.* instinct).

achievement m. 成就動機(明らかな障害に直面していても成功したいという後天的な慢性的要求. その強さは, 通常, 患者が主題統覚テストあるいは臨床心理学者の用いるその他の評価手段の中で語る話に表れるテーマの頻度から診断される).

mastery m. 支配動機(群衆中で目立ち, 優勢でありたいとする強い要求).

mo·to·fa·cient (mō′tō-fā′shent) [L. *motus*, motion + *facio*, to make]. 運動誘発性の(実際の動きが起こる筋肉活動の第2段階についていう).

mo·to·neu·ron (mō′tō-nū′ron). 運動ニューロン. =motor *neuron*.

mo·tor (mō′ter) [L. a mover < *moveo*, to move]. 運動〔性〕の(原義は〝動きを伝えるもの〟の意で, 生体に対して用いる場合は筋肉の緊張状態の変動をいう. ⓘ解剖学・生理学的に, インパルスを発生・伝達し, 筋線維や色素細胞を収縮させたり, 腺の分泌を促したりする神経構造をいう.→motor *cortex*; motor *endplate*; motor *neuron*. ⓘⓘ心理学において, 生体が刺激に対して起こす目で見える反応(motor response)についていう).

m. oculi 動眼神経. =oculomotor *nerve* [CN III].

plastic m. 運動器成形組織(動形成切断術において, 切断端上で腱や伸筋をとめる人工の装着部で, これにより運動が義肢に伝えられる).

mo·tor·i·al (mō-tōr′ē-ăl). 運動の, 運動神経の, 運動神経核の.

mo·tor·me·ter (mō′ter-mē′ter). 運動描写器(運動の量, 力, 速度を決める器械).

MOTT (maht). マット(*Mycobacterium tuberculosis*, *M. bovis*, *M. africanum*(結核菌群)以外のマイコバクテリアを表す頭字語的用語.→atypical *mycobacteria*).

mot·tle (mot′tĕl) [< *motley* < M.E. *mot*, speck]. モトル(写真やX線写真上のほぼ均一な不透明部分に存在する微細な不均等. ノイズ).

quantum m. 量子モトル(フイルム上に光学写真をつくるための増感紙によって吸収される光子数の統計的変動によって起こるモトル. 高感度増感紙の方が多くの量子モトルを生じる).

mot·tling (mot′ling) [E. *motley*, variegated in color]. 斑点形成(様々な明度や色の斑点状の病変からなる皮膚の部分).

Motulsky dye re·duc·tion test (mō-tŭl′skē). ⇀test.

mou·lage (mū-lazh′) [Fr. a molding]. ろう型(皮膚病変, 腫瘍, その他の病理状態をろうで再現したもの).

mould (mōld). =mold.

moult (mōlt). =molt.

mound·ing (mownd′ing). 筋膨隆. =myoedema.

Mou·ni·er-Kuhn (mū-nē-ā′kūn), Pierre. 20世紀初頭のフランス人医師.⇀M.-Kuhn. *syndrome*.

mount (mownt). ***1*** 顕微鏡標本を作製する(鏡検のための標本をスライドガラスに載せる). ***2*** 背乗り(交尾の目的で背乗りになる). ***3*** 免疫学的反応を発熱として総体的に表す.

mount·ing (mownt′ing). マウンティング, 咬合器装着(歯科において, 上顎と下顎の両方, あるいは片方だけの模型を咬合器に装着する技工操作).

split cast m. スプリットキャストマウンティング(①基底部にくさび形の溝をもつ模型で, 取りはずしを容易にし, 正確に再装着するために咬合器に装着したもの. 模型に溝を付ける代わりに, スプリットマウンティングメタルプレートを用いることもある. ②咬合器調整の精度を検査する方法).

mourn (mōrn) [O. E. *murnan*]. 嘆く(喪失の結果として嘆きと悲しみを表す. 精神分析では, mourning(悲哀)とは特別な感情を与えていた対象の喪失に対応する, 外に現れない過程であることが多く, メランコリーとは対照的に, 通常は自尊心の喪失を含まない).

mouse (mows). マウス, ハツカネズミ(ハツカネズミ属 *Mus* の小型げっ歯類).

joint mice 関節ネズミ(関節滑液包内の小さな線維性, 軟骨性, または骨性の遊離体).

---

knockout m. ノックアウトマウス(マウスのゲノムから1遺伝子を人工的に欠損させたマウス).

特異的遺伝子を欠く実験動物で遺伝学, 生理学, 薬理学, 免疫学, 細胞生物学, および腫瘍学を含む医学の多くの分野における貴重な研究材料になっている. トランスジェニック動物はゲノムの中に組換えDNA技術によって異種の遺伝子が慎重に組み込まれた動物である. ゲノムの特異的な部位に組み込み遺伝子を配することが標的部位に特徴的なDNA配列に近接しているところのべクター中に結合させることで可能になっている．人工的な遺伝材料は胚子に導入され，これはキメラに発育するが，その組織には正常な細胞と変化させられた遺伝子を含んだ細胞の両者が存在する．このような動物間の交配によって，変化させられた遺伝子の同型接合性である子孫が生まれることがある．組み込まれた遺伝子が非機能性(無活性)の対立遺伝子なら，それは正常で野生の対立遺伝子を欠失ないし〝ノックアウト〟となる．欠失した遺伝子が発現されないのみならず，同型接合体の個体間の交配による子孫は純系を形成し，その群はすべてこの遺伝子を欠いている．理論的にはどの動物もノックアウト技術に用いられるが，マウスはほとんど漫然と用いられている．マウスは小さく簡単に維持され，急速に繁殖し，また一生が短かい．さらにマウスとヒトのゲノムは驚くほど類似しており，遺伝子の約75%が対応している．広く種々の遺伝子を欠くノックアウトマウスがしばしば表現形的には正常であることは，ヒトのゲノムのようにマウスのゲノムは対立遺伝子の失われた対を補うのに十分な余分なものをしばしば持ち合わせていることを示している．p53 癌抑制遺伝子を欠くノックアウトマウスが発癌性の研究に用いられており，低密度リポ蛋白(LDL)レセプタに対する遺伝子を欠くマウスはヒトの家族性高コレステロール血症の動物モデルになっている．ノックアウトマウスは，変異の系統がこれまで利用されていなかった遺伝子の機能を明らかにするのに役立つことが判明している．

multimammate m. 多乳房マウス（アフリカ産げっ歯類の *Praomys natalensis*．広く癌の研究に用いる）．

New Zealand mice ニュージーランドマウス（マウスの近交系で，黒色系(NZB)と白色系(NZW)とがある．ヒトでみられるのと同様の全身性紅斑性狼瘡を含む自然発生性免疫異常および免疫疾患傾向をもつため，実験免疫学において用いる諸系統の中で独特の位置を占める）．

nude m. ヌードマウス（胸腺が退縮し，T細胞を欠如する無毛の突然変異マウス）．

transgenic mice マウスのゲノム中に異種の DNA 断片を組み込んだマウス．

mouth (mowth)［A.S. *mūth*］．口，くち（①＝oral *cavity*．②腔あるいは管の開口部(通常は外側への開口部)．→os (2); ostium; orifice; stoma (2)）．

carp m. こい口（口角が下に垂れ下がって口がへの字になり，コイの口に似た口のこと．Cornelia de Lange 症候群や Silver-Russell 症候群でみられる）．

denture sore m. 義歯性口内炎（義歯床下粘膜の紅斑．通常，義歯不適合，口腔不衛生，*Candida albicans* により起こる炎症をいう）．

scabby m. 痂皮性口．＝orf.

sore m. →soremouth.

tapir m. バク状口(唇)（口輪筋が弱いため，唇が突出すること．いくつかのジストロフィでみられる）．＝bouche de tapir.

trench m. 塹壕口内炎．＝necrotizing ulcerative *gingivitis*.

m. of the womb ＝external *os* of uterus.

mouth guard (mowth gard)．マウスガード（上顎歯をおおうのに適した柔軟性のあるプラスチックの器具で，格闘技のときに口腔組織に対する外傷の可能性を減らすために用いる）．

mouth stick (mowth stik)．口棒（歯で保持するプロテーゼ．身体障害者がコンピュータのキーボード打ち，ペンキ塗り，または小物を持ち上げるときなどに用いる）．

mouth・wash (mowth′wash)．うがい薬，含そう薬（口を洗浄し，粘膜の病的状態を治療するための薬用液）．＝collutorium; collutory.

move・ment (mūv′ment)［L. *moveo*, pp. *motus*, to move］．***1*** 運動（全身あるいはその一部分またはいくつかの部分についていう）．***2***〔大〕便，糞〔便〕．＝stool. ***3*** 排便．＝defecation.

active m. 自動(能動)運動（①外部の力の助けを借りない生体自身による運動．②理学療法の1つで，多くの場合，理学療法士の指導のもとに行う患者の筋肉のみによる運動）．

adversive m. 振り向き運動，反対運動（身体の長軸に対する眼・頭・体幹の回転運動）．

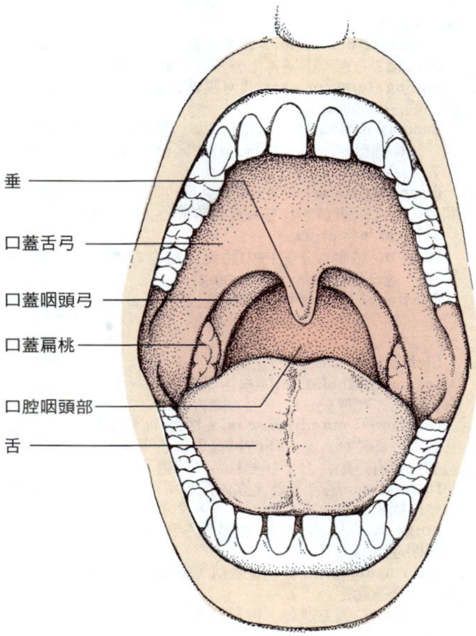

mouth

after-m. 後運動（→aftermovement）．

ameboid m. アメーバ様運動（白血球，アメーバ，その他の単細胞生物の原形質に特有の運動型．細胞の表面圧力が最小の点に向かって原形質が流動し，バルーン状の仮足を形成する．その後原形質は細胞内に戻り，仮足の収縮が起こるか，細胞内の原形質全体が仮足中に流入する．このことにより細胞は元の位置から仮足が占めていた場所まで移動する）．＝streaming m.

assistive m. 補助運動（理学療法の1つで，理学療法士による段階的補助のもとに行う運動）．

associated m.'s 連合運動，協同運動（随意運動に伴う正常な不随意性のしなやかな運動．例えば歩行中の上肢の振り）．

Bennett m. (ben′ĕt)．ベネット運動（運動中の下顎全体の側方運動あるいは移動）．

border m.'s 限界運動（骨，靱帯，または軟組織によって制限される下顎骨運動の最大限界．一般に水平方向の下顎骨の運動に対して用いる）．

border tissue m.'s 床周縁組織の機能運動（義歯に隣接する筋肉その他の組織の作用）．

bowel m. (BM) 腸運動（排便）．

brownian m.［Robert *Brown*］．ブラウン運動（不規則なジグザグ運動．ある種のコロイド溶液を限外顕微鏡で観察したり，軽粒子物質の懸濁液を顕微鏡で観察したりする．懸濁媒質の中で分子が大型粒子に突き当たることによりこの現象が起こり，持続的運動となる）．＝brownian motion; brownian-Zsigmondy m.; molecular m.; pedesis.

brownian-Zsigmondy m.［Robert *Brown*, Richard A. *Zsigmondy*］．ブラウン－ジグモンデイ運動．＝brownian m.

cardinal ocular m.'s 眼球主要向き運動（眼位診断のための，左右，左右上向き，左右下向きなど，各方向への眼球回転）．

choreic m. 舞踏病〔性〕運動（筋群の不随意痙性単収縮による，一定の目的のない運動）．

ciliary m. 線毛運動（上皮細胞あるいは繊毛虫の繊毛の掃く運動，あるいはべん毛の漕ぐ運動．収縮性の糸(筋様線維)が繊毛あるいはべん毛の一側で交互に収縮，弛緩して起こる）．

circus m. 輪回運動（筋肉の輪，つまり心壁内を絶えず輪

M

状に伝播する収縮波あるいは興奮波に対して用いる語). ＝circus rhythm.

cogwheel ocular m.'s 歯車様眼球運動（滑動性追従運動の際に起こるぎくしゃくした不定の眼球運動).

conjugate m. of eyes 共同眼球運動（両眼の同一方向への回転. →version (4)).

decomposition of m. 運動解構，運動分解（小脳疾患の症状. 筋肉運動が滑らかに行われず区分された動きの連続となる).

disconjugate m. of eyes 非共同性眼球運動（輻輳または開散の際に両眼がそれぞれ反対方向へ回転すること).

drift m.'s ＝drifts.

fetal m. 胎動（子宮内の胎児に特有の動き. 通常，妊娠16—18週に始まる. →quickening).

fixational ocular m. 眼球固視運動（目標物を随意的に固視する際の眼球回転運動. 振せん，フリック，ドリフトなどが起こる).

flick m.'s ＝flicks.

free mandibular m.'s 自由下顎運動（①歯の干渉なしに行われる下顎運動. ②下顎の障害のない運動).

functional mandibular m.'s 機能的下顎運動（会話，そしゃく，あくび，えん下時になされる下顎のすべての自然で適切な特有運動，およびそれらに関連する動き).

fusional m. 融合運動（立体視が可能になるように視軸を対象に固定するように動かそうとする反射運動).

hinge m. ちょうつがい運動（ちょうつがい軸上での下顎の開閉運動).

intermediary m.'s 中間運動（歯科において，限界下顎運動内の全運動をいう).

lateral m. 側方運動（歯科において，下顎の側方への運動をいう).

Magnan trombone m. (mah-nyahn'). マニャントロンボーン運動（舌を口から引き出したときの舌の不随意な前後運動. 基底核疾患でみられることがある).

mandibular m. 下顎運動（①下顎の運動. ②下顎のとりうるあらゆる位置変化).

mass m. ＝mass *peristalsis*.

molecular m. 分子運動. ＝brownian m.

morphogenetic m. 形態形成運動（早期胚における，組織や器官を形成するための細胞の流動).

muscular m. 筋肉運動（筋肉細胞の原形質が収縮して生じる運動).

neurobiotactic m. 神経刺激走性運動（主たる刺激を受ける方向への神経細胞の遊走).

nonrapid eye m. (**NREM**) 非 REM 眼球運動（睡眠中の眼の緩徐な振幅).

opening m. 開口運動（歯科において，顎が離開の際に行う下顎運動).

paradoxical m. of eyelids 眼瞼逆説運動，眼瞼奇異運動（外眼筋あるいはそしゃく筋(外側翼突筋)の運動に伴う眼瞼の自然に起こる不随意な上下運動. →*jaw* winking).

paradoxic vocal fold m. 奇異性声帯ひだ運動（吸気時に声帯ひだが内転し，ぜん鳴や気道狭窄を引き起こすこと).

passive m. 他動(受動)運動（①生体あるいはその一部が外部因子により与えられる運動. ②理学療法の1つで，患者が力を入れることなくすべて理学療法士により行われる運動).

pendular m. 振子運動（腸の前後運動. 推進あるいはぜん動運動がなく，内容物は激しくかき混ぜられ，腸酵素と完全に混合する).

protoplasmic m. 原形質運動（原形質本来の収縮・弛緩力が起こす運動. 筋肉運動，流動運動，線毛運動の3種がある).

rapid eye m.'s (**REM**) REM 眼球運動，急速眼球運動（一夜の睡眠中何回も起こる眼球の急速な対称性共同性運動で，5—60分ずつまとまって生じる. 夢と関連している).

reflex m. 反射運動（感覚刺激により生じる不随意運動).

resistive m. 抵抗運動（理学療法の1つで，患者が理学療法士の力に抵抗して行う運動，あるいは患者の抵抗に対して理学療法士が力を入れて動かすこと).

saccadic m. 衝動性眼球運動（①読書中，眼が一点から急速に他の点に移る回転運動. ②迷路性眼振，視運動性眼振などの際の，急速な眼球の修正運動).

streaming m. 流動運動. ＝ameboid m.

Swedish m.'s スウェーデン式運動（体幹と四肢の系統的運動を付添い人による補助で調節する運動療法). ＝Swedish gymnastics.

translatory m. 直進運動（どの瞬間においても体内のあらゆる点が同一速度，同一方向で移動する身体の運動).

vermicular m. ぜん動運動. ＝peristalsis.

mox·a (mok'să) [Jap. *moe kusa*, burning herb]. モグサ（ヨモギ葉の綿毛または他の可燃性素材を円錐あるいは円柱状にしたもので，皮膚の上に置いて，反対刺激を起こすために燃やされる. →moxibustion).

mox·a·lac·tam (moks'a-lak'tam). モキサラクタム（第3世代セファロスポリン系抗生物質. 広範な抗菌活性スペクトルを有する. 出血障害のためあまり使用されない).

mox·i·bus·tion (moks'ĭ-bŭs'chŭn). きゅう(灸)〔療法〕(疾病の治療で，反対刺激としてモグサのような薬草を皮膚の上で燃やすこと. 中国および日本の伝統的な医療の一部).

mox·is·y·lyte (mok-sĭs'i-līt). モキシシリート（末梢血管性疾患の治療に用いる α-アドレナリン作用抑制薬). ＝thymoxamine.

MP mentoposterior *position* の略.

m.p. ***1*** melting *point* の略. ***2*** ラテン語 *modo praescripto*(処方した通り)の略.

MPD maximum permissible *dose*; Master of Public Health(公衆衛生学修士)の略.

MPR mannose-6-phosphate *receptors* の略.

MPS mononuclear phagocyte *system* の略.

MPTP ヒトやサルにパーキンソン症候群の非可逆性症状を起こすピペリジン誘導体. 不法につくられたメペリジンの副産物で，パーキンソン症候群の患者が多数できた. パーキンソン症候群の研究に実験的道具として用いられる.

MR milk-ring *test*; mitral *regurgitation* の略.

MRA MR *angiography* の略.

M.R.C.P. Member of the Royal College of Physicians (of England) の略.

M.R.C.P.(E) Member of the Royal College of Physicians (Edinburgh) の略.

M.R.C.P.(I) Member of the Royal College of Physicians (Ireland) の略.

M.R.C.S. Member of the Royal College of Surgeons (England) の略.

M.R.C.S.(E) Member of the Royal College of Surgeons (Edinburgh) の略.

M.R.C.S.(I) Member of the Royal College of Surgeons (Ireland) の略.

MRD, mrd minimal reacting *dose* の略.

MRF melanotropin-releasing *factor* の略.

MRH melanotropin-releasing *hormone* の略.

MRI magnetic resonance *imaging* の略.

functional MRI functional magnetic resonance *imaging* の略.

mRNA messenger RNA の略. ribonucleic acid の項を参照.

MRSA methicillin- resistant *Staphylococcus aureus*(メチシリン耐性ブドウ球菌)の略. 多剤耐性黄色ブドウ球菌.

MS [JCAHOは，誤解を避けるために magnesium sulfate または morphine sulfate は完全表記するように指導している]. multiple *sclerosis*; *morphine* sulfate; mitral *stenosis*; myasthenic *syndrome* (Lambert-Eaton syndrome); *magnesium* sulfate の略.

ms millisecond の略.

MSA multiple system *atrophy* の略.

M.S.D. Master of Science in Dentistry の略.

msec millisecond の略.

MSG monosodium glutamate の略.

MSH melanocyte-stimulating *hormone* の略.

MS I, II, III, IV medical student(医学生)の1年，2年，3年，4年の略.

MSM men who have sex with men(男性とセックスをする男性)の略.

MSN Master of Science in Nursing(看護学修士)の略.

MT medical transcriptionist; Medical Technologist(臨床検査技

師)；Monitor Technician(モニター技術者)の略.
Mt meitnerium の略.
MTBE methyl-*tert*-butyl ether の略.
mtDNA mitochondrial DNA(⇀deoxyribonucleic acid)の略.
MTF modulation transfer *function* の略.
mtNOS (em-tē′nos). エムテノス (mitochondrial nitric oxide *synthase* の略).
MTP metatarsophalangeal *joints* の略.
Mu Mache *unit* の略.
m.u. mouse *unit* の略.
mu (mū). ミュー (ギリシア語アルファベットの第 12 字. *μ*).
mu·case (myū′kās). ムカーゼ. ＝mucinase.
Much (mūk), Hans C.R. ドイツ人医師, 1880—1932. ⇀M. *bacillus*.
Mu·cha (mū′kah), Victor. ハプスブルク帝国の皮膚科医, 1877—1919. ⇀M.-Habermann *disease*.
muci- (myū′si) [L. *mucus*]. 粘液, 粘液性の, ムチンを意味する連結形. ⇀muco-; myxo-.
mu·ci·car·mine (mū-si-kar′mīn). ムシカルミン (塩化アルミニウムとカルミンとからなる赤色染料. 上皮性ムチンやムチン分泌性腺癌の検出に用いる. また *Cryptococcus neoformans* の莢膜やその他の真菌の検出にも用いる).
mu·cid (myū′sid). ＝muciparous.
mu·cif·er·ous (myū-sif′ĕr-ŭs). ＝muciparous.
mu·ci·fi·ca·tion (myū′si-fi-kā′shŭn) [L. *mucus* + *facio*, to make]. 粘液分泌期 (卵巣除去実験動物を発情物質で刺激すると腟粘膜に生じる変化. 粘液を分泌する細長い柱状細胞が形成される).
mu·ci·form (myū′si-fōrm). 粘液状の. ＝blennoid; mucoid (2).
mu·cig·e·nous (myū-sij′ĕ-nŭs). ＝muciparous.
mu·ci·he·ma·te·in (myū′si-hē′mă-tē-in). ムシヘマテイン (塩化アルミニウムとヘマテインからなる青紫色の染色液. 結合組織性ムチンの検出に用いる).
mu·ci·lage (myū′si-lij) [L. *mucilago*]. 漿剤, 粘滑薬 (植物の粘滑性成分を水に溶かした製剤. 粘膜の鎮静, 薬局方による即時合剤の調剤に用いる).
mu·ci·lag·i·nous (myū-sĭ-laj′i-nŭs). ***1*** 粘滑性の, 粘質物様の, 粘着性の. ***2*** ＝muciparous.
mu·cin (myū′sin). ムチン, 粘素 (粘素原の水和物で, 腸の杯細胞, 顎下腺, その他の粘液腺細胞から分泌されるような炭水化物に富む糖蛋白を含む分泌物. 結合組織, 特に粘液結合組織の間質物質にも存在する. アルカリ性の水に溶け, 酢酸で沈殿する. ムチンは体腔裏を滑らかにし保護する).
　gastric m. 胃粘素 (白色あるいは黄色の粉末で, 水と混合すると粘性の蛋白光液になる. ブタの胃粘膜から, ペプシン－塩酸消化と, 60% アルコールの上澄み液沈殿で調製する. 消化性潰瘍の保護と潤滑作用に用いる).
mu·cin·ase (myū′si-nās). ムチナーゼ (特にヒアルロン酸リアーゼ, ヒアルロノグルコシダーゼ, ヒアルロノグルクロニダーゼ(ヒアルロニダーゼ)をいう. 広義にはムコ多糖類(ムチン)を加水分解する酵素もいう). ＝mucase; mucopolysaccharidase.
mu·ci·ne·mi·a (myū-si-nē′mē-ă) [mucin + G. *haima*, blood]. 粘液血症 (循環血液中にムチンが存在すること). ＝myxemia.
mu·cin·o·gen (myū-sin′ō-jen) [mucin + G. *-gen*, producing]. 粘素原 (糖蛋白. 水を吸収してムチンを形成する).
mu·ci·noid (myū′si-noyd). ***1*** ＝mucoid (1). ***2*** ムチン様の, 粘素様の.
mu·ci·no·lyt·ic (myū′si-nō-lit′ik). 粘素溶解性の (ムチナーゼのように, ムチンの加水分解をもたらす力のある).
mu·ci·no·sis (myū′si-nō′sis) [mucin + G. *-osis*, condition]. ムチン沈着症 (ムチンが皮膚に過量に存在する, あるいは異常な分布を示す状態. ⓘ**metabolic m.** 代謝性ムチン沈着症 (びまん性粘液水腫, 前脛骨粘液水腫, 粘液水腫性苔癬, ガーゴイリスム). ⓘⓘ**secondary m.** 続発性ムチン沈着症 (腫瘍にみられる変性). ⓘⓘⓘ**localized m.** 限局性ムチン沈着症 (毛包性・丘疹性・局面状・局在性のムチン沈着症, 粘液様嚢胞, 滑膜嚢胞)).
　cutaneous focal m. 限局性皮膚ムチン沈着症 (散在する線維芽細胞を伴った均一のムチンにより組成される皮膚の赤色(肉色)丘疹).
　follicular m. 毛包性ムチン沈着〔症〕(比較的まれな孤立性紅斑性の良性の発疹で, 進行すると頭あるいは顔面の脱毛を生じる. 通常は若年者に生じ, 病変部では, 毛嚢上皮の中に嚢腫状のムチン変性が認められる. 菌状息肉症になることもある).
　oral focal m. 限局性口腔ムチン沈着症 (粘液に富んだ結合織領域. 限局性皮膚ムチン沈着症に対する粘膜部病変).
　papular m. ＝*lichen* myxedematosus.
　reticular erythematous m. (**REM**) 紅色網状ムチン沈着症. ＝REM *syndrome*.
mu·ci·nous (myū′si-nŭs). ムチンの. ＝mucoid (3).
mu·ci·nu·ri·a (myū-si-nyū′rē-ă) [mucin + G. *ouron*, urine]. 粘液尿〔症〕(尿中にムチンが存在する状態).
mu·cip·a·rous (myū-sip′ă-rŭs) [mucin + L. *pario*, to bring forth, bear]. 粘液産生の, 粘液分泌の. ＝blennogenic; blennogenous; mucid; muciferous; mucigenous; mucilaginous (2).
mu·ci·tis (myū-sī′tis). 粘膜炎.
Muck·le (muk′ĕl), T. J. 20 世紀のカナダ人小児科医. ⇀M.-Wells *syndrome*.
muco- (myū′kō) [L. *mucus*]. 粘液, 粘液性の, 粘膜を意味する連結形. →muci-; myxo-.
mu·co·cele (myū′kō-sēl) [muco- + G. *kēlē*, tumor, hernia]. 粘液嚢腫, 粘液瘤 (唾液腺, 涙嚢, 副鼻腔, 虫垂, 胆嚢の貯留嚢胞). ＝mucous *cyst*.
mu·co·cil·i·ar·y (myū′kō-sil′ē-ā′rē). 粘液線毛性の (粘液と線毛上皮との相互作用に関連すること).
mu·coc·la·sis (myū-kok′lă-sis) [muco- + G. *klasis*, a breaking off]. 粘膜破壊 (粘膜表面の裸化を表す現在では用いられない語).
mu·co·co·li·tis (myū′kō-kō-lī′tis). 粘液性結腸炎. ＝mucous *colitis*.
mu·co·col·pos (myū-kō-kol′pos) [muco- + G. *kolpos*, vagina]. 腟粘液瘤 (腟内に粘液がたまること).
mu·co·cu·ta·ne·ous (myū′kō-kyū-tā′nē-ŭs). 粘膜皮膚の (粘膜と皮膚に関する. 鼻, 口, 腟口, 肛門での 2 部分の接点をいう). ＝cutaneomucosal.
mu·co·en·ter·i·tis (myū′kō-en′ter-ī′tis). 小腸粘膜炎 (① 小腸粘膜の炎症. ②＝mucomembranous *enteritis*).
mu·co·ep·i·der·moid (myū′kō-ep′i-der′moyd). 粘膜表皮の (粘液性類表皮癌にみられるような粘液分泌細胞と表皮細胞の混合についていう).
mu·co·glob·u·lin (myū-kō-glob′ū-lin). 粘〔性〕グロブリン (蛋白構成要素がグロブリンである糖蛋白あるいは粘蛋白).
mu·coid (myū′koyd) [mucus + G. *eidos*, appearance]. ***1*** 〘n.〙 ムコイド (ムチン, ムコ蛋白, または糖蛋白の一般名). ＝mucinoid (1). ***2*** 〘adj.〙 粘液状の. ＝muciform. ***3*** 〘adj.〙＝mucinous.
mu·co·lip·i·do·sis, pl. **mu·co·lip·i·do·ses** (myū′kō-lip-i-dō′sis, -sēz) [muco- + lipid + *-osis*, condition]. ムコリピドーシス (リソソーム蓄積症で, 内臓および間葉織にムコ多糖体, グリコプロテイン, オリゴ糖, または糖脂質蓄積による症状が現れる. 臨床的には一見, ムコ多糖症に類似している. 常染色体劣性遺伝).
　m. I [MIM*256550]. ムコリピドーシス I (Hurler 症候群(⇀syndrome)よりは軽微なムコリピドーシス. ノイラミニダーゼ欠損により, 粗野な顔貌, 黄斑部のサクランボ赤色斑, ミオクローヌスてんかん, 多発性の骨形成異常症, 中等度の精神遅滞を呈する. 常染色体劣性遺伝で第 6 染色体短腕のノイラミニダーゼ(NEU)遺伝子の突然変異により生じる). ＝lipomucopolysaccharidosis.
　m. II [MIM*252500]. ムコリピドーシス II (幼少時より始まる, 臨床的および X 線画像的に Hurler 症候群(⇀syndrome)に類似した代謝性疾患. 歯肉肥大, 胸郭の形成異常, 先天性股関節脱臼, 精神遅滞を特徴とする. 空胞化したリンパ球や培養線維芽細胞(I 細胞)には特異な封入体を認める. リソソーム酵素が血清, 脊髄液, 尿中に増加している. 尿中ムコ多糖類排泄量は正常である. *N*-アセチルグルコサミニル-1-ホスホトランスフェラーゼ欠損により生じる. 常染色体劣性遺伝). ＝I-cell disease; inclusion cell disease.
　m. III [MIM*252600, MIM*252605]. ムコリピドーシス

III（軽度の Hurler 病様症状，関節の動きの制限，短体，軽度の精神遅滞，特に殿部にみられる骨格の異形成変化を伴うムコリピドーシス．大動脈および僧帽弁疾患がしばしば存在する．N–アセチル–α–グルコサミニダーゼまたは N–アセチルグルコサミニル–1–ホスホトランスフェラーゼなどのライソソーム酵素欠損症により生じる．突然変異のある線維芽細胞ではライソソーム酵素やリン酸化基質を認識できない．常染色体劣性遺伝）．＝pseudo-Hurler polydystrophy; pseudopolydystrophy.

m. IV［MIM*252650］．ムコリピドーシス IV（角膜混濁と網膜変性を伴った精神運動遅滞で，培養線維芽細胞に封入細胞がみられる．病因は不明．常染色体劣性遺伝）．

mu·col·y·sis（myū-kol′i-sis）［muco- + G. *lysis*, dissolution］．粘液溶解（粘液の溶解，消化，または融解）．

mu·co·lyt·ic（myū′kō-lit′ik）．粘液溶解の．

mu·co·mem·bra·nous（mū′kō-mem′brā-nŭs）．粘膜の．

mu·co·pep·tide（myū′kō-pep′tīd）．***1*** ムコペプチド（ムラミン酸またはシアル酸を含む多糖類が結合したペプチド）．***2*** ＝peptidoglycan.

m. glycohydrolase ムコペプチドグルコヒドロラーゼ．＝lysozyme.

mu·co·per·i·os·te·al（myū′kō-per′ē-os′tē-ăl）．粘膜骨膜の．

mu·co·per·i·os·te·um（myū′kō-per′ē-os′tē-ŭm）．粘膜骨膜（粘膜と骨膜が密接に結合しており，実際には単一膜となって硬口蓋をおおう）．

mu·co·pol·y·sac·cha·ri·dase（myū′kō-pol′ē-sak′ă-ri-dās）．ムコポリサッカリダーゼ．＝mucinase; *β-d*-glucuronidase *deficiency*.

mu·co·pol·y·sac·cha·ride（myū′kō-pol′ē-sak′ă-rīd）．ムコ多糖類（プロテオグリカンから得られた蛋白－多糖類複合体の一般名．約 95%の多糖類を含む．血液型物質もこれに属する．より現代的な名称はグリコサミノグルカンである．なぜならば既知の 6 種類全部には多量の D–グルコサミンと D–ガラクトサミンが含まれるから）．

mu·co·pol·y·sac·cha·ri·do·sis, pl. **mu·co·pol·y·sac·cha·ri·do·ses**（myū′kō-pol′ē-sak′ă-ri-dō′sis, -sēz）［MIM*252700］．ムコ多糖〔体〕症，ムコ多糖〔体〕沈着〔症〕（各種のムコ多糖体の尿中排泄と結合組織中にこれらの物質が浸潤することによって証明されるムコ多糖体の代謝異常を共通にもつリソソーム蓄積症．この結果，骨格，軟骨，結合組織およびその他の器官に種々の欠陥が生じる）．

m. type IH ムコ多糖体沈着症 IH 型．＝Hurler *syndrome*.

m. type I H/S ムコ多糖体沈着症 I H/S 型．＝Hurler-Scheie *syndrome*.

m. type II ムコ多糖〔体〕〔症〕II 型．＝Hunter *syndrome*.

m. type III ムコ多糖〔体〕〔症〕III 型．＝Sanfilippo *syndrome*.

m. type IS ムコ多糖〔体〕〔症〕IS 型．＝Scheie *syndrome*.

m. type IVA, IVB ムコ多糖体沈着症 IVA, IVB 型．＝Morquio *syndrome*.

m. type V ムコ多糖〔体〕〔症〕V 型（Scheie *syndrome* の旧名）．

m. type VI ムコ多糖〔体〕〔症〕VI 型．＝Maroteaux-Lamy *syndrome*.

m. type VII ムコ多糖〔体〕〔症〕VII 型（①＝Sly *syndrome*. ②＝Di Ferrante *syndrome*）．

mu·co·pol·y·sac·cha·ri·du·ri·a（myū′kō-pol′ē-sak′ă-ri-dyū′rē-ă）．ムコ多糖〔体〕尿（尿中にムコ多糖体が排出される状態）．

mu·co·pro·tein（myū-kō-prō′tēn）．ムコ蛋白，粘〔性〕蛋白（蛋白と多糖類の複合体の一般名．通常，蛋白成分が主体であることを意味し，ムコ多糖類とは対照をなす．血清およびその他の α_1– および α_2–グロブリンを含む．ときには糖蛋白ともいわれるが，本用語は通常 4％以下の炭水化物を含有するムコ蛋白について用いる）．

Tamm-Horsfall m.（tam hōrs′fahl）．タム－ホースフォールムコ蛋白（尿細管細胞よりの分泌により生じる尿円柱の基質部分）．＝Tamm-Horsfall protein; urinary slime; uromucoid.

mu·co·pu·ru·lent（myū-kō-pū′rū-lent）．粘液膿性の，粘液膿の（膿が主体であるが，粘液性物質の割合が比較的顕著な滲出物についていう）．＝puromucous.

mu·co·pus（myū′kō-pŭs）．膿様粘液（粘液膿性排泄物．粘液性物質と膿の混合）．＝mycopus.

mucopyocele（myū-kō-pī′ō-sēl）［muco- + pyocele］．膿粘液瘤（感染した粘液瘤）．

Mu·cor（myū′kōr）．ケカビ属（菌類の一属（接合菌綱ケカビ科）で，その多くの菌種は腐生性である．数種が病原性で，ヒトに接合菌症を起こすことがある）．

Mu·co·ra·ce·ae（myū′kō-rā′sē-ē）［L. *mucor*, mold］．ケカビ科（接合菌綱の菌類の一科．地中，水中，ときには寄生植物中にある．*Mucor*属，*Absidia*属，*Rhizopus*属，*Rhizomucor* 属，*Apophysomyces*属，*Mortierella*属を含む．属の各種は普通，腐生・自由生活形態で，ヒトにムコール症を起こす種もある）．

Mu·cor·al·es（moū′kōr-al′ez）．ケカビ目（接合菌綱に属する真菌の一目で，ヒトに対してムコール症を起こすすべての種を含んでいる．*Cunninghamella*, *Rhizopus*, *Absidia*, *Rhizomucor*, *Mucor*, *Apophysomyces*, *Saksenaea*, *Syncephalastrum*, および *Cokeromyces* の各属を含む．*Mortierella*属の菌も含まれているが，本属のヒトに対する病原性は疑わしい）．

mu·cor·my·co·sis（myū′kōr-mī-kō′sis）．ムコール症（ケカビ目の真菌による感染．接合菌症とは区別される．広義にはエントモフトラ目の真菌による感染も含む）．

mu·co·sa（myū-kō′să）［L. *mucosus*(mucous)の女性形］［TA］．粘膜（管構造の内面をおおう粘性の組織で，上皮，粘膜固有層，および消化器系では平滑筋層からなる）．＝tunica mucosa［TA］; mucous membranes*; membrana mucosa; mucosal tunics; mucous tunics.

alveolar m. 歯槽粘膜（付着歯肉先端の粘膜）．

m. of bronchi［TA］．気管支粘膜（気管支の内層）．＝tunica mucosa bronchi［TA］; mucous membrane of bronchus*; bronchial m.

bronchial m. ＝m. of bronchi.

m. of colon 結腸粘膜（結腸管の内面をおおう表層部）．＝tunica mucosa coli.

m. of ductus deferens［TA］．〔精管〕粘膜（精管の内層）．＝tunica mucosa ductus deferentis［TA］; mucous membrane of ductus deferens*.

esophageal m.〔食道〕粘膜．＝m. of esophagus.

m. of esophagus［TA］．〔食道〕粘膜（食道の内層）．＝tunica mucosa esophagi［TA］; mucous membrane of esophagus*; esophageal m.

m. of female urethra［TA］．女性尿道粘膜（女性の尿道の粘膜層）．＝tunica mucosa urethrae femininae［TA］; mucous membrane of female urethra*.

m. of gallbladder［TA］．〔胆嚢〕粘膜（胆嚢の内層）．＝tunica mucosa vesicae biliaris［TA］; mucous membrane of gallbladder*; tunica mucosa vesicae felleae*.

gastric m. 胃粘膜．＝m. of stomach.

gingival m. 歯肉粘膜（歯頸部および顎の歯槽突起をおおい，かつ付着している口腔粘膜．粘膜歯肉接合を明確にする境界線により，境界粘膜と分けられる．境界粘膜とは対照的に，角化しており色はより薄い．口蓋面では歯肉は口蓋粘膜と一緒になる）．

m. of the intermediate part of the male urethra［TA］．男性尿道の隔膜部の粘膜（重層円柱上皮または偽重層円柱上皮をなす）．＝tunica mucosa partis intermediae urethrae masculinae［TA］．

m. of large intestine［TA］．大腸粘膜（大腸のすべての部位（盲腸，結腸，直腸，肛門）の粘膜性被覆（上皮，固有層，粘膜筋板）の総称）．＝tunica mucosa intestini crassi［TA］; mucous membrane of large intestine*.

laryngeal m. 喉頭粘膜．＝m. of larynx.

m. of larynx［TA］．喉頭粘膜（喉頭の粘膜層）．＝tunica mucosa laryngis［TA］; mucous membrane of larynx*; laryngeal m.

lingual m. 舌粘膜．＝m. of tongue.

m. of male urethra［TA］．男性尿道粘膜（男性尿道の最内層．尿道特有の上皮（移行上皮）が射精管開口部まで続き，次に生殖管特有の上皮（重層柱状上皮）が海綿体部をおおい舟状窩にきて重層扁平上皮に変わる．粘膜には多くの陥凹があり，枝分かれの多い管状粘液腺になっている．→m. of the intermediate part of the male urethra; m. of the prostatic part of the male urethra; m. of spongy part of the male urethra). ＝mucous membrane of male urethra.

m. of mouth [TA]. 口腔粘膜（歯肉を含む口腔の粘膜）. ＝oral m. [TA]; tunica mucosa oris [TA].

nasal m. 鼻粘膜. ＝m. of nose.

m. of nasal cavity ＝m. of nose.

m. of nose [TA]. 鼻粘膜（鼻の天蓋の皮膚，鼻咽頭，副鼻腔，鼻涙管などの粘膜につながる．杯細胞を有する．嗅部と呼吸部とに細分される）. ＝tunica mucosa nasi [TA]; mucous membrane of nose*; membrana pituitosa; nasal m.; pituitary membrane; schneiderian membrane; tunica mucosa cavitas nasi [TA]; m. of nasal cavity.

olfactory m. 嗅粘膜. ＝olfactory *region* of mucosa of nose.

oral m. [TA]. 口腔粘膜. ＝m. of mouth.

pharyngeal m. 咽頭粘膜. ＝m. of pharynx.

m. of pharyngotympanic (auditory) tube [TA]. 〔耳管〕粘膜（耳管の内面をおおう膜）. ＝tunica mucosa tubae auditivae [TA]; mucous membrane of pharyngotympanic auditory tube*; tunica mucosa tubae auditoriae.

m. of pharynx [TA]. 咽頭粘膜（咽頭の粘膜層）. ＝tunica mucosa pharyngis [TA]; mucous membrane of pharynx; pharyngeal m.

m. of the prostatic part of the male urethra [TA]. 男性尿道の前立腺部の粘膜（膀胱の粘膜から連なり，移行上皮をなす）. ＝tunica mucosa partis prosticae urethrae masculinae [TA].

m. of renal pelvis [TA]. 腎盤(腎盂)粘膜（腎盂壁３層のうちの最内層で，尿管粘膜と同じ移行上皮と粘膜固有層からなる）. ＝tunica mucosa pelvis renalis [TA].

respiratory m. 呼吸粘膜（杯細胞を含む多列線も円柱上皮と粘膜固有層からなる部分で，固有層には結合組織のほか，多数の漿粘液腺と数か所で気道をおおう壁の薄い静脈が豊富にみられる．呼吸粘膜というときは鼻粘膜の呼吸部，気管粘膜，気管支粘膜も含まれる．→respiratory *region* of mucosa of nasal cavity).

m. of seminal gland [TA]. 〔精嚢〕粘膜（精嚢の粘膜）. ＝tunica mucosa vesiculae seminalis*; m. of seminal vesicle; tunica mucosa glandulae vesiculosae [TA].

m. of seminal vesicle 〔精嚢〕粘膜. ＝m. of seminal gland.

m. of small intestine [TA]. 〔小腸〕粘膜（小腸の粘膜層）. ＝tunica mucosa intestini tenuis [TA]; mucous membrane of small intestine*.

m. of spongy part of the male urethra [TA]. 男性尿道の海綿体部の粘膜（２－３層の円柱上皮をなす．ただし，尿道舟状窩では重層扁平上皮をなす）. ＝tunica mucosa partis spongiosae urethrae masculinae [TA].

m. of stomach [TA]. 胃粘膜（胃の粘膜層）. ＝tunica mucosa gastrica [TA]; mucous membrane of stomach*; gastric m.

m. of tongue [TA]. 舌粘膜（舌背粘膜は，多数の乳頭の存在によりビロード様にみえる．下面は滑らかでより薄い）. ＝tunica mucosa linguae [TA]; mucous membrane of tongue*; lingual m.

m. of trachea [TA]. 〔気管〕粘膜（気管の粘膜層）. ＝tunica mucosa tracheae [TA]; mucous membrane of trachea*; tracheal m.

tracheal m. 〔気管〕粘膜. ＝m. of trachea.

m. of tympanic cavity [TA]. 鼓室粘膜（鼓室とその内部構造の粘膜層）. ＝tunica mucosa cavitatis tympani [TA]; mucous membrane of tympanic cavity*.

m. of ureter [TA]. 〔尿管〕粘膜（尿管の最内部粘膜層）. ＝tunica mucosa ureteris [TA]; mucous membrane of ureter*.

m. of urethra [TA]. →m. of female urethra; m. of male urethra.

m. of (urinary) bladder [TA]. 〔膀胱〕粘膜（膀胱の内層）. ＝tunica mucosa vesicae urinariae [TA]; mucous membrane of urinary bladder*.

m. of uterine tube [TA]. 〔卵管〕粘膜（卵管の最内部粘膜層）. ＝tunica mucosa tubae uterinae [TA]; mucous membrane of uterine tube*.

m. of vagina [TA]. 〔膣〕粘膜（膣の粘膜層）. ＝tunica mucosa vaginae [TA]; mucous membrane of vagina*; vaginal m.

vaginal m. 膣粘膜. ＝m. of vagina.

mu·co·sal (myū-kō′săl). 粘膜の.

mu·co·san·guin·e·ous, mu·co·san·guin·o·lent (myū′kō-sang-gwin′ē-ŭs, -ō-lent) [muco- ＋ L. *sanguis*, blood]. 粘液血様の（血液と粘液を比較的大きな割合で含む滲出物，およびその他の液体についていう）.

mu·co·sec·to·my (myū′kō-sek′tō-me) [mucosa ＋ G. *ektomē*, excision]. 粘膜抜去術（通常，回腸肛門吻合を行う前に，直腸粘膜を切除すること）.

mu·co·se·rous (myū′kō-sē′rŭs). 粘液性漿液の（粘液と血清あるいは水様物質の両方を含む滲出物，あるいは分泌物についていう）.

mucositis (myū-kō-sī′tis) [mucosa ＋ -itis]. 粘膜炎（粘膜の炎症）.

mu·co·stat·ic (myū′kō-stat′ik) [muco- ＋ G. *stasis*, a standing]. 粘液分泌抑制の（①顎をおおう粘膜組織の正常な弛緩状態についていう．②粘液の分泌を抑制することについていう）.

mu·cous (mū′kŭs) [L. *mucosus*, mucous < *mucus*]. 粘液〔性〕の（**[本形容詞と名詞 mucus を混同しないこと]**）.

mu·co·vis·ci·do·sis (myū′kō-vis′i-dō′sis) [myco- ＋ G. *toxikon*, poison ＋ *-osis*, condition]. ムコビシドーシス. ＝cystic *fibrosis*.

mu·cro, pl. **mu·cron·es** (myū′krō, myū′krō′nēz) [L. point, sword]. 尖（構造のとがった先端を表す用語）.

m. cordis *apex* of heart を表す現在では用いられない語.

m. sterni ＝xiphoid *process*.

mu·cron (myū′kron). 端房，端節（無隔板簇胞子虫類の吸着器官．先房 epimerite と似ているが，先房は虫体の残部から隔板によって仕切られている）.

mu·cro·nate (myū′krō-nāt) [L. *mucronatus*, pointed]. 剣の. ＝xiphoid.

mu·cus (myū′kŭs) [L.]. 粘液（**[本名詞と形容詞 mucous を混同しないこと]**．粘膜の透明な粘着性分泌物．ムチン，上皮細胞，白血球，水中の各種無機塩からなる）.

glairy m. 粘液. ＝pituita.

Muehr·cke (mēr′kuh), Robert C. 20 世紀の米国人腎臓病学者. →M. *bands, lines, sign*.

Mueller (myū′lĕr), 米国人外科器具製造業者. →M. electronic *tonometer*.

Muel·le·ri·us cap·il·la·ris (mū-ler′ē-ŭs kap′i-lā′ris). Protostrongylinae 亜科に属するヒツジ，ヤギ，シカの最も一般的な有毛肺虫の種．この寄生虫は *Dictyocaulus* 属より小型で，小気管支と肺実質に寄生するが，宿主に対しては比較的病原性がない.

MUGA multiple-gated acquisition *scan* の頭字語.

Muir (mūr), Edward G. 英国人外科医，1906－1973. →M.-Torre *syndrome*.

mule ミュール，麻薬運搬者. ＝body *packer*.

Mules (myūlz), Philip H. イングランド人眼科医，1843－1905. →M. *operation*.

mu·li·e·bri·a (mū′lē-ē′brē-ă) [L. *muliebris* の中性・複数形. *mulier*(a woman)に関する]. 女性性器.

Mül·ler (mūl′ĕr), Friedrich von. ドイツ人医師，1858－1941. →M. *sign*.

Mül·ler (mūl′ĕr), Heinrich. ドイツ人解剖学者，1820－1864. →M. radial *cells, fibers, muscle, trigone*.

Mül·ler (mūl′ĕr), Hermann F. ドイツ人組織学者，1866－1898. →formol-M. *fixative*; M. *fixative*.

Mül·ler (mūl′ĕr), Johannes P. ドイツ人解剖・生理・病理学者，1801－1858. →M. *capsule, duct, law, maneuver, tubercle*; müllerian *agenesis*.

Mül·ler (mūl′ĕr), Leopold. チェコ人眼科医，1862－1936.

Mül·ler, (mūl′ĕr), Peter. ドイツ人産科医，1836－1922. →Hillis-M. *maneuver*.

Mül·ler (mūl′ĕr), Walther. 20 世紀のドイツ人物理学者. →Geiger-M. *counter, tube*.

mül·le·ri·an (mil-ē′rē-an). Johannes Müller に関する，または彼の記した.

mul・ling (mŭl′ing). ムーリング（歯科において，アマルガムを混合する最終段階であり，アマルガム泥はアマルガム化を完全にするために混合される）.

mult・ang・u・lar (mŭl-tang′gū-lăr). 多角の（[誤ったつづりまたは発音 multiangular を避けること]）.

multi- (mŭl′tē) [L. *multus*, much]. 多数を示す接頭語.→pluri-. *cf.* poly-.

mul・ti・ar・tic・u・lar (mŭl′tē-ar-tik′yū-lăr) [multi- + L. *articulus*, joint]. 多関節性の. ＝polyarthric; polyarticular.

mul・ti・bac・il・lar・y (mŭl′tē-bas′i-lār′ē). 多種類の杆菌からなる，多種類の杆菌が存在する.

mul・ti・cap・su・lar (mŭl′tē-kap′sū-lăr). 多被膜性の.

mul・ti・cel・lu・lar (mŭl′tē-sel′yū-lăr). 多細胞の.

Mul・ti・ceps (mŭl′ti-seps) [multi- + L. *caput*, head]. テニア類の条虫の一属．幼虫は草食動物にコエヌルス（1つの嚢胞内に多くの頭節が陥入している）の形で存在する.

M. multiceps 成虫はイヌの腸に寄生し，コエヌルスは草食動物，特にヒツジの脳で発育する種．コエヌルスはしばしば *Coenurus cerebralis* とよばれる.

M. serialis 成虫はイヌの腸に，コエヌルスはウサギの皮下組織にみられる種.

mul・ti・col・in・e・ar・i・ty (mul′tē-kol′in-ē-ar′i-tē) [multi- + L. *col-lineo*, to line up together]. 多重共線性（重回帰分析において，少なくともいくつかの独立変数間に高い相関があるような状態）.

mul・ti-CSF (mŭl′tē). multicolony-stimulating *factor* の略.

mul・ti・cus・pid (mŭl′tē-kŭs′pid). 多咬頭歯. ＝multicuspidate (2).

mul・ti・cus・pi・date (mŭl′tē-kŭs′pi-dāt). ***1*** 〚adj.〛多咬頭の（2咬頭以上あることについていう）. ***2*** 〚n.〛多咬頭歯（歯冠に咬頭あるいは突起が3個以上ある臼歯）. ＝multicuspid.

mul・ti・en・zyme (mŭl′tē-en′zīm). 多酵素（数種の酵素のことをいう．例えば，多酵素複合体）.

mul・ti・fe・ta・tion (mŭl′tē-fe-tā′shŭn). 複〔受〕胎. ＝superfetation.

mul・ti・fid (mŭl′tē-fid) [L. *multifidus* < *multus*, much + *findo*, to cleave]. 多裂の（多数の裂け目あるいは分節に分かれた）. ＝multifidus (1).

mul・tif・i・dus (mŭl-tif′i-dŭs) [L.]. 多裂の（① ＝multifid. ②→multifidus (*muscle*)）.

mul・ti・fo・cal (mŭl′tē-fō′kăl). 多病巣性の.

mul・ti・form (mŭl′ti-fōrm). 多形の. ＝polymorphic.

mul・ti・glan・du・lar (mŭl′tē-glan′dyū-lăr). 多腺性の. ＝pluriglandular.

mul・ti・grav・i・da (mŭl′tē-grav′i-dă) [multi + L. *gravida*, pregnant]. 経妊婦（1回またはそれ以上妊娠を経験した妊婦）.

mul・ti・in・fec・tion (mŭl′tē-in-fek′shŭn). 多感染（2種以上の微生物が同時に発現する混合感染）.

mul・ti・lo・bar, mul・ti・lo・bate, mul・ti・lobed (mŭl′tē-lō′bar, -lō′bāt, -lōbd′). 多葉〔性〕の.

mul・ti・lob・u・lar (mŭl′tē-lob′yū-lăr). 多小葉〔性〕の.

mul・ti・lo・cal (mŭl′tē-lō′kăl). 多局性（複数の遺伝子座が同時に働くことに起因する形質を表す．*cf.* galtonian）.

mul・ti・loc・u・lar (mŭl′tē-lok′yū-lăr). 多房〔性〕の，多室の. ＝plurilocular.

mul・ti・mam・mae (mŭl′tē-mam′ē) [multi- + L. *mamma*, breast]. 多乳房の. ＝polymastia.

mul・ti・no・dal (mŭl′tē-nō′dăl). 多結節の.

mul・ti・nod・u・lar, mul・ti・nod・u・late (mŭl′tē-nod′yū-lăr, -ū-lāt). 多結節性の，多節〔性〕の.

mul・ti・nu・cle・ar, mul・ti・nu・cle・ate (mŭl′tē-nū′klē-ăr, -āt). 多核〔性〕の. ＝plurinuclear; polynuclear; polynucleate.

mul・ti・nu・cle・o・sis (mŭl′tē-nū′klēō′sis). 多核性血球〔増加〕症. ＝polynucleosis.

mul・tip・a・ra (mŭl-tip′ă-ră) [multi- + L. *pario*, to bring forth, to bear]. 経産婦（死産か否かにかかわらず，500 g 以上あるいは推定妊娠20週以上の新生児を2回以上出産した経験のある婦人. 註日本では22週以後）.

grand m. 多産婦，頻産婦（5回以上出産経験のある経産婦）.

mul・ti・par・i・ty (mŭl-tĭ-păr′ĭ-tē). 経産婦たること.

mul・tip・a・rous (mŭl-tip′ă-rŭs). 経産婦の.

mul・ti・par・tial (mŭl′tē-par′shăl). 多価の（抗血清についていう）.

mul・ti・ple (mŭl′ti-pul) [L. *multiplex* < *multus*, many + *plico*, pp. *-atus*, to fold]. 多発〔性〕の（[more than one(例えば multiple vitamins), various(例えば metastases at multiple site), numerous(例えば omitted multiple doses because of side-effects)の意味で multiple を隠語的に使うのを避けること]．数回繰り返される．同時に数か所で発生することについていう．例えば，多発性関節炎 m. arthritis，多発性神経炎 m. neuritis）.

mul・ti・po・lar (mŭl′tē-pō′lăr). 多極〔性〕の，多重極の（2個以上の極をもつ．数か所から枝が出ている神経細胞についていう）.

mul・ti・root・ed (mŭl′tē-rūt′ed). 多根〔性〕の（2つ以上の根をもつ）.

mul・ti・ro・ta・tion (mŭl′tē-rō-tā′shŭn). 多旋光. ＝mutarotation.

mul・ti・sub・strate (mŭl′tē-sub′strāt). 多基質（2個以上の基質を要求する酵素やレセプタ，アクセプタ，蛋白のことをいう）.

mul・ti・sy・nap・tic (mŭl′tē-si-nap′tik). 多シナプスの. ＝polysynaptic.

mul・ti・va・lence, mul・ti・va・len・cy (mŭl′tē-vā′lens, -vā′len-sē). 多価〔性〕であること.

mul・ti・va・lent (mŭl′tē-vā′lent). ＝polyvalent (1). ***1*** 〚adj.〛多価〔性〕の（化学において，2個以上の水素原子と結合する力（原子価）をもつことについていう）. ***2*** 〚adj.〛多効果の（2つ以上の方面に効果があることについていう）. ***3*** 〚n.〛多価抗体（1つの抗体分子が，1つ以上の抗原や細菌などの生体に反応性を有すること）. ***4*** 〚n.〛多価（抗原あるいは抗体が2価以上の結合力を有すること）.

mum・mi・fi・ca・tion (mŭm′i-fi-kā′shŭn) [mummy + L. *facio*, to make]. ***1*** 乾性壊疽. ＝dry *gangrene*. ***2*** ミイラ化（死体が萎縮して原型を維持すること）. ***3*** 乾屍法（歯科において，治療された歯を比較的短期間保存するために固定剤（通常はホルムアルデヒド誘導剤）で炎症性歯髄を治療すること．一般には，乳歯についてのみ受け入れられる）.

mumps (mŭmps) [Eng.(方言) *mump*, a lump or bump]. ムンプス，耳下腺炎，おたふくかぜ（*Rubulavirus*属のムンプスウイルスによる急性伝染性疾患．発熱，耳下腺やその他の唾液腺の炎症と腫脹，ときに睾丸，卵巣，膵臓，髄膜の炎症を伴う）. ＝epidemic parotitis.

metastatic m. 転移性耳下腺炎（耳下腺以下の精巣や乳房，膵臓のような臓器障害を合併する流行性耳下腺炎）.

mump・vi・rus (mŭmp-vī′rŭs). ムンプウイルス. ＝*Rubulavirus.*

Munch・hau・sen (mench-haw′zen), Karl F.H. von. ドイツ人貴族・兵士・談話家，1720—1797. →Munchausen *syndrome*; Munchausen *syndrome* by proxy.

Mun・ro (mŭn-rō′), William J. オーストラリア人皮膚科医，1863—1908. →M. *abscess*, *microabscess*.

Mun・ro (mŭn-rō′), John C. 米国人外科医，1858—1910. →M. *point*.

Mun・sell (mŭn-sel′), Albert H. 米国人技術者，1858—1918. →Farnsworth-M. color *test*.

Mun・sell (mŭn-sel′), Hazel E. 20世紀初頭の米国人化学者. →Sherman-M. *unit*.

Mun・son (mŭn-sŏn), Edward Sterling. 20世紀の米国人眼科医. →M. *sign*.

Mün・zer (mūnt′zĕr), Egmont. ハプスブルク帝国の医師，1865—1924. →*tract* of M. and Wiener.

Mur muramic acid の略.

mu・ral (myū′răl) [L. *muralis* < *murus*, wall]. 壁の，壁在〔性〕の（あらゆる空洞の壁についていう）.

mu・ram・ic ac・id (Mur) (myū-ram′ik as′id). ムラミン酸；2-amino-3-*O*-(1-carboxyethyl)-2-deoxy-D-glucose（それぞれ3と2の位置でグルコサミンと乳酸がエーテル結合したもの．細菌細胞壁のムレインの成分）.

mu・ram・i・dase (mū-ram′i-dās). ムラミダーゼ. ＝lysozyme.

mur・eins (myūr′ēnz) [L. *murus*, wall]. ムレイン（細菌の

小嚢や細胞被壁を構成するペプチドグリカン．*N*-アセチル-D-グルコサミンと *N*-アセチルムラミン酸単位が交互に結合した線状多糖類からなり，その乳酸側鎖にオリゴペプチドが結合している．独立鎖はペプチドまたは 6-OH 基(6-OH 基はリン酸基を介してテイコ酸に結合するとされる)を介して，三次元的に交差結合している)．

Mu·ret (mū-rā′), Paul-Louis. 20 世紀初頭のフランス人医師. →Quénu-M. *sign*.

mu·rex·ide (mū-rek′sīd, -sid). ムレキシド (プルプリン酸のアンモニウム塩．以前は染料として使われていたが，現在ではアニリン染料がその代わりに用いられる)．

mu·ri·ate (myū′rē-āt) [L. *muria*, brine]. chloride の古語．

mu·ri·at·ic (myū′rē-at′ik) [L. *muriaticus*, pickled in brine < *muria*, brine]. 塩化の，塩の．

mu·ri·at·ic ac·id (myū′rē-at′ as′id). 塩酸. =hydrochloric acid.

Mu·ri·dae (myū′ri-dē) [L. *mus*(*mur*-), a mouse]. ネズミ科 (旧世界マウスおよびラットを含む，げっ歯目中および哺乳類中最大の科である)．

mur·i·form (myūr′i-fōrm) [L. *murus*, wall + -form]. 多細胞性で，縦横に細胞間隔壁をもった，石垣の石のように会合している細胞の集合をさす．

mur·ine (myūr-ēn) [L. *murinus*, relating to mice < *mus* (*mur*-), a mouse]. ネズミの．

mur·mur (mer′mĕr) [L.]. 雑音 (**[**誤ったつづり murmer を避けること**]**．①心臓，肺，血管を聴診して聴取される，口を開けてやや強く息をはいたときの音に似た柔らかい音. =susurrus. ②大きな音，荒々しい音，摩擦音など柔らかい音以外の種々の音にも用いる語．例えば器質的心雑音は柔らかいことも強いことも粗いこともあり，心外膜性雑音は通常，摩擦性で，より適切には〝雑音〟よりも〝擦過音〟として表現される)．

accidental m. 偶発性雑音 (弁病変以外の原因による一過性の心雑音)．

anemic m. 貧血性雑音 (重度貧血の際に心臓や大血管を聴診して聞こえる非弁性の雑音で，血液の粘度が低下して乱流を起こすためと考えられる)．

aneurysmal m. 動脈瘤〔性〕雑音 (収縮期または収縮期と拡張期の両方に及ぶ心臓の動脈瘤の部位に聞かれる雑音)．

aortic m. 大動脈弁雑音 (閉鎖性あるいは逆流性に生じる大動脈口由来の雑音)．

arterial m. 動脈雑音 (動脈聴診で聴取される雑音)．

atriosystolic m. 心房収縮性雑音. =presystolic m.

Austin Flint m. (aw′stĭn flint). オースティン・フリント雑音 (**[**Austin と Flint をハイフンで結ばないこと**]**). =Austin Flint *phenomenon*; Flint m.

bellows m. 吹鳴性雑音．

brain m. 脳雑音 (頭蓋内動脈瘤あるいは先天性異形成血管腫における動・静脈瘤によって生じる雑音)．

Cabot-Locke m. (kab′ŏt lok), キャボット-ロック雑音 (大動脈弁閉鎖不全症の雑音に似て，重度貧血の際，胸骨左縁下部において最もよく聴取される拡張早期雑音)．

cardiac m. 心雑音 (心臓内の弁口または心室中隔を通過する血流で生じる雑音)．

cardiopulmonary m. 心肺性雑音 (良性の心外性雑音．心拍と同時に生じるが，呼吸を止めると消失する．収縮する心臓によって圧迫される肺分節内の空気の動きにより生じると考えられている). =cardiorespiratory m.

cardiorespiratory m. 心臓性呼吸雑音. =cardiopulmonary m.

Carey Coombs m. ケアリー・クームズ(カーリー・クームス)雑音 (**[**Carey と Coombs をハイフンで結ばないこと**]**．リウマチ性僧帽弁膜炎の急性期に生じる肥厚先端性の拡張中期雑音．弁膜炎が治まるにつれて消失する). =Coombs m.

Cole-Cecil m. (kōl se′sĭl). コール-セシル雑音 (大動脈弁閉鎖不全の拡張期雑音が左腋窩で最もよく聴取されるときにいう)．

continuous m. 連続性雑音 (心収縮期から拡張期にかけて間断なく聴取される雑音)．

cooing m. ハトの鳴くような雑音 (通常，僧帽弁逆流性の雑音で，ハトが鳴く声に似ている非常に高調の音)．

Coombs m. (kūmz). クームズ(クームス)雑音. =Carey Coombs m.

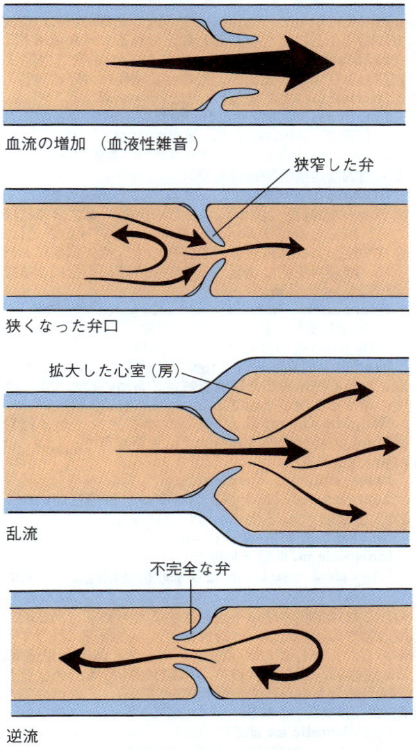

origin of cardiac murmurs

crescendo m. 漸増性心雑音 (音の強さが漸強し突然止まる雑音．僧帽弁狭窄症の際の収縮前期雑音が共通例である)．

Cruveilhier-Baumgarten m. (krū-vāl-yā′ bahm′gar-tĕn). クリュヴェーリエ-バウムガルテン雑音 (腹壁上，門脈と大静脈系をつなぐ側副静脈で聴取される静脈雑音. →Cruveilhier-Baumgarten *sign*). =Cruveilhier-Baumgarten sign.

diamond-shaped m. ダイヤモンド形雑音 (漸増漸減性心雑音．心音図上の周波数強度曲線の形から名付けられ，しばしば耳にもそのように聞こえる)．

diastolic m. (**DM**) 拡張期雑音．

Duroziez m. (dū-rō-zē-ā′). デュロジェ雑音 (末梢動脈，特に大腿動脈上で聞かれる二相性の血管雑音で，大動脈閉鎖不全症のとき，血液が急速に消退するために発生する). =Duroziez sign.

dynamic m. 力学的雑音 (貧血その他の弁病変以外の原因による心雑音)．

early diastolic m. 拡張早期雑音 (大動脈弁閉鎖不全の雑音のように II 心音とともに始まる雑音)．

ejection m. 駆出性雑音 (大動脈弁または肺動脈弁の閉鎖による II 心音が始まる前に終わるダイヤモンド形の収縮期雑音．大動脈または肺動脈への血液駆出により生じる)．

endocardial m. 心内膜性雑音．

extracardiac m. 心外性雑音 (心臓以外の臓器から発生し，前胸壁上で聴取される血管音．心外膜摩擦音や心肺性雑音もこれに含まれる)．

Flint m. (flint). フリント雑音 (僧帽弁狭窄による拡張期雑音に類似し，遊離大動脈弁閉鎖不全の場合には心尖部で聴

M

取されることがある．大動脈からの乱流性逆流が，同時に左心房から僧帽弁を経て流入する血流と衝突し，恐らくは僧帽弁の前尖に沿って一過性に血流が速くなるために，前尖が後方に動くことにより生じると考えられる)．＝Austin Flint m.

Fräntzel m. (frănt′zĕl)．フレンツェル雑音（中期よりも初期および末期が大きい，僧帽弁狭窄症における雑音)．

friction m. 摩擦〔雑〕音．＝friction *sound.*

functional m. 機能性雑音（有意な心臓病変と関連していない心雑音)．＝innocent m.; inorganic m.

Gibson m. (gib′sŏn)．ギブソン雑音（動脈管開存症における典型的な連続性機械様雑音)．

Graham Steell m. グレーアム・スティール(グラハム・スティール)雑音（[Graham と Steell をハイフンで結ばないこと．誤ったつづり steel および Steele を避けること]．僧帽弁狭窄症および肺高血を伴う各種の先天性欠損症におけるように，肺高血圧症に続発する肺動脈弁閉鎖不全による拡張初期雑音)．＝Steell m.

Hamman m. (ham′ăn)．ハマン雑音（心拍に同期して聞こえる前胸部のバリバリいう音．縦隔気腫のときに聞かれる．Hamman 性バリバリ音として知られる)．

hemic m. 血液性雑音（心臓弁膜病変のない貧血患者に聴取される心臓雑音または血管雑音．貧血の特徴である血流速度の増加と乱流が原因であると考えられる)．

Hodgkin-Key m. (hoj′kin kē)．ホジキン－ケイ雑音（大動脈弁尖の後反に伴う楽音的な拡張期雑音で，しばしば非常に強大である)．

holosystolic m. ＝pansystolic m.

hourglass m. 砂時計形雑音（２つの最強音部があり，その間で減弱しているような雑音)．

innocent m. 無害性雑音．＝functional m.

inorganic m. 非器質性雑音．＝functional m.

late apical systolic m. 心尖部収縮後期雑音（一般的に良性，さらには心外膜疾患と関連があると思われる心外性雑音．これは僧帽弁閉鎖不全を表すこともあり，局在的で中等度の強さの雑音だが，進行性細菌性心内膜炎に移行することがある．またしばしば収縮期クリックと僧帽弁免逸症(Barlow 症候群，膨らみ，波打つ僧帽弁弁尖)は，クリック音か心雑音のどちらか，または両方を生じる．これは弁尖が収縮期に左房内に逸脱するときに生じる)．

late diastolic m. 拡張後期雑音．＝presystolic m.

machinery m. 機械様雑音，機械的雑音（動脈管開存症におけるゴロゴロという長時間連続性の雑音)．

middiastolic m. 拡張中期雑音（拡張期に房室弁が開いた後に始まる雑音．すなわち僧帽弁狭窄症におけるように，第２心音のやや後に始まる)．

mill wheel m. 水車雑音（心臓の空気塞栓症によって生じる，掻き回すような心臓雑音．気液性心外膜で聞かれる)．＝waterwheel m.

mitral m. 僧帽弁雑音（僧帽弁において生じる雑音で，閉塞性あるいは逆流性である)．

musical m. 楽音様雑音，楽音的雑音（高ピッチ性の音楽的な特徴をもつ心臓または血管雑音)．

nun's m. こま(独楽)音．＝venous *hum.*

obstructive m. 閉塞性雑音（弁口の狭窄によって生じる雑音)．

organic m. 器質性雑音．

pansystolic m. 汎収縮〔期〕雑音，全収縮〔期〕雑音（１心音から２心音までの収縮期全体に及ぶ雑音)．＝ holosystolic m.

pericardial m. 心外膜雑音（心臓の動きと同時に起こる摩擦音．心膜炎の際に聴取されることがある)．

pleuropericardial m. 胸膜心膜雑音（心膜部上で聴取される複数の摩擦音．心臓の動きと同時性であり，心外膜雑音(摩擦)に類似する)．

presystolic m. 収縮前期雑音，前収縮期雑音（心室拡張の末期(洞調律の場合は心房収縮中)に聴取される雑音．通常は房室弁口の障害によって生じる)．＝atriosystolic m.; late diastolic m.

pulmonary m., pulmonic m. 肺性雑音（心臓の肺動脈口で生じる雑音で，閉塞性あるいは逆流性である)．

regurgitant m. 逆流性雑音（心臓の弁口における漏出または逆流によって生じる雑音)．

respiratory m. 呼吸雑音．＝vesicular *respiration.*

Roger m. (rō′zhā)．ロジェ雑音（胸骨左縁で最強の汎収縮期雑音．心室中隔の小欠損が原因である)．＝bruit de Roger; Roger bruit.

seagull m. カモメ雑音（カモメの鳴き声に似ている心雑音．多くの場合，大動脈狭窄または僧帽弁逆流によって起こる)．

seesaw m. シーソー雑音．＝to-and-fro m.

Steell m. (stēl)．スティール雑音．＝Graham Steell m.

stenosal m. 狭窄性雑音（圧迫や器質性変化による血管狭窄が原因の動脈雑音)．

Still m. (stil)．スティル雑音（ブーンという弦音に類似する無害性楽音様雑音で，ほとんどの場合，若年者に起こり，原因は不明だが最終的に消失する)．

systolic m. 収縮期雑音（心室収縮期に聴取される雑音)．

to-and-fro m. ブランコ様雑音，往復雑音，交互運動性雑音（心臓の収縮・拡張両期に聴取される雑音．大動脈弁狭窄症と閉鎖不全による雑音がその一例)．＝seesaw m.

tricuspid m. 三尖弁雑音（三尖弁口で生じる雑音で，閉塞性あるいは逆流性である)．

vascular m. 血管雑音（血管に由来する雑音)．

venous m. 静脈雑音（静脈上で聴取される雑音)．

vesicular m. 肺胞音，気胞音．＝vesicular *respiration.*

waterwheel m. ＝mill wheel m.

Mur·phy (mŭr′fē), John B. 米国人外科医，1857—1916．→ M. *drip*, *button*, *percussion.*

Mus (mŭs) [L. *mus* (*mur-*), a mouse]．ハツカネズミ属（約16種のマウスを含むネズミ科の一属．飼い慣らされた系統は多数あり，遺伝学的に明確に定義されている．最もなじみ深いのは白色および雑色の系統である)．

Mus·ca (mŭs′kă) [L. fly]．イエバエ属（ハエの一属(双翅目イエバエ科)で，普通のイエバエ *M. domestica* を含む．本種は全世界的に，特に非衛生的条件下で人類と共存する．汚物や有機廃物中で繁殖し，数多くの病原物の機械的伝播に関係している)．

mus·cae vol·i·tan·tes (mŭs′kē vol′i-tan′tēs) [L. *musca*(fly) の複数形；*volito*(to fly to and fro) の現在分詞複数形]．飛蚊症（眼前で点が動き回るように見える状態．硝子体中の発生上の硝子体血管系の遺残から生じる)．

mus·ca·rine (mŭs′kă-rēn, -rin)．ムスカリン（神経に作用する毒で，最初にベニテングタケ *Amanita muscaria* から単離された．*Hebeloma*属，*Inocybe*属などの数種にも存在する．2-methyl-3-hydroxy-5-(aminomethyl)tetrahydrofuran の第四級トリメチルアンモニウム塩．薬理学的効果はアセチルコリン作用および節後副交感神経刺激作用(心臓機能抑制，血管拡張，唾液分泌，流涙，気管支収縮，胃腸刺激)に類似するコリン作用物質)．

mus·ca·rin·ic (mŭs′kă-rin′ik)．***1*** 〖adj.〗ムスカリン様の(ムスカリン様作用をもつ．すなわち，節後副交感神経刺激作用に似た効果を生じることについていう)．***2*** 〖n.〗節後副交感神経レセプタを刺激する薬物．→muscarine; nicotinic.

mus·ca·rin·ism (mŭs′kă-rin-ism)．ムスカリン中毒．＝mycetism.

Mus·ci (mŭs′sī) [L. *muscus*(moss)の複数形]．コケ類を含む植物一科．

mus·ci·cide (mŭs′i-sīd) [L. *musca*, fly + *caedo*, to kill]．ハエ撲滅薬．

Mus·ci·dae (mŭs′i-dē) [L. *musca*, fly]．イエバエ科（ハエ(双翅目)の一科．イエバエ属 *Musca* やサシバエ属 *Stomoxys* を含む)．

mus·ci·mol (mus′ĭ-mol)．ムシモール；3-aminometnyl-3-hydroxyisoxazole（毒キノコのベニテングタケ *Amanita muscaria* から単離されたアルカロイド．γ-アミノ酪酸(GABA)レセプタを選択的に刺激し，GABA レセプタ研究の分子プローブとして用いられている．強力な CNS 抑制剤であるムシモールは，運動機能を阻害し精神病にさせる)．

MUSCLE

mus·cle (mŭs′ĕl) [L. *musculus*][TA]．筋，筋肉（高度に特

殊化した収縮能をもつ細胞からなる基本組織で，骨格筋，心筋，平滑筋に分類される．顕微鏡的に平滑筋には他の2筋にみられる横紋がない．身体の収縮器官の1つで種々の器官や体部が動かされる．典型的な筋肉では，筋線維の集まった筋腹の両端が腱によって骨その他の構造に付着している．両端のうち，より近位で固定しているほうを起始(→origin)，遠位で動くほうを停止(→insertion)という．筋腹が細くなって腱によって起始に付着しているとき，この部分を筋頭という．筋肉の肉眼解剖学についてはカラープレート参照)．＝musculus [TA].

m.'s of abdomen [TA]. 腹部の筋（腹壁を構成する筋．腹直筋，外腹斜筋，内腹斜筋，腹横筋，腰方形筋を含む)．＝musculi abdominis.

abdominal external oblique (m). 外腹斜筋．＝external oblique (m.).

abdominal internal oblique m. ＝internal oblique (m.).

abductor (m.) [TA]. 外転筋（正中線(体の，中手指の，第二趾の，手掌の)から遠ざける運動を起こす筋)．＝musculus abductor [TA]; abductor.

abductor digiti minimi (m.) of foot [TA]. 小趾(指)外転筋（足底筋群の最表層の筋の1つ．起始：踵骨隆起の外側および内側隆起．停止：第五趾基節骨外側．神経支配：外側足底神経．作用：小趾の外転と屈曲)．＝musculus abductor digiti minimi pedis [TA]; abductor m. of little toe; musculus abductor digiti quinti (2).

abductor digiti minimi (m.) of hand [TA]. 小指外転筋（小指球筋の表層のもの．起始：豆状骨と豆鉤靱帯．停止：小指基節骨底内側．神経支配：尺骨神経．作用：小指の外転と屈曲)．＝musculus abductor digiti minimi manus [TA]; abductor m. of little finger; musculus abductor digiti quinti (1).

abductor m. of great toe 母趾(指)外転筋．＝abductor hallucis (m.).

abductor hallucis (m.) [TA]. 母趾(指)外転筋（足底筋群第三層のもの．起始：踵骨隆起の内側突起，屈筋支帯，足底腱膜．停止：母趾の基節骨内側．神経支配：内側足底神経．作用：母趾の外転)．＝musculus abductor hallucis [TA]; abductor m. of great toe.

abductor m. of little finger 小指外転筋．＝abductor digiti minimi (m.) of hand.

abductor m. of little toe 小趾(指)外転筋．＝abductor digiti minimi (m.) of foot.

abductor pollicis brevis (m.) [TA]. 短母指外転筋（母指球筋のうち表層のもの．起始：大菱形骨隆起，屈筋支帯．停止：母指基節骨外側．神経支配：正中神経．作用：母指の外転)．＝musculus abductor pollicis brevis [TA]; short abductor m. of thumb.

abductor pollicis longus (m.) [TA]. 長母指外転筋（前腕後区(背面)の筋の1つで，その腱は手道に浮き出てみえる．起始：橈骨・尺骨・骨間膜の背面．停止：第一中手骨底外側．神経支配：橈骨神経．作用：母指の外転，母指の伸展の補助)．＝musculus abductor pollicis longus [TA]; long abductor m. of thumb; musculus extensor ossis metacarpi pollicis.

accessory flexor m. of foot ＝quadratus plantae (m.).

adductor m. [TA]. 内転筋（正中線(体の，中手指の，第二趾の，手掌の)に近づける運動を起こす筋)．＝musculus adductor [TA]; adductor.

adductor brevis (m.) [TA]. 短内転筋（大腿内側区の筋の1つ．起始：恥骨上枝．停止：粗線内側唇の上1/3．神経支配：閉鎖神経．作用：大腿の内転)．＝musculus adductor brevis [TA]; short adductor m.

adductor m. of great toe 母趾(指)内転筋．＝adductor hallucis (m.).

adductor hallucis (m.) [TA]. 母趾(指)内転筋（足底筋群第三層のもの．起始：横頭は，第二—第五趾の中足指関節の関節包．斜頭は，外側楔状骨および第三・第四中足骨底．停止：足の基節骨底の外側．神経支配：外側足底神経．作用：母趾の内転)．＝musculus adductor hallucis [TA]; adductor m. of great toe.

adductor longus (m.) [TA]. 長内転筋（大腿内側区の筋の1つ．起始：恥骨結合および恥骨稜．停止：粗線内側唇の中央1/3．神経支配：閉鎖神経．作用：大腿の内転)．＝musculus adductor longus [TA]; long adductor m.

adductor magnus (m.) [TA]. 大内転筋（大腿内側区の筋の1つ．起始：坐骨結節，坐骨恥骨枝．停止：粗線，大腿骨内転筋結節．神経支配：閉鎖神経，坐骨神経．作用：大腿の内転と伸展)．＝musculus adductor magnus [TA]; great-adductorm.

adductor minimus (m.) [TA]. 小内転筋（大腿内側区の筋の1つで大内転筋の上部を構成する小さく偏平な筋．粗線上部に付着)．＝musculus adductor minimus [TA].

adductor pollicis (m.) [TA]. 母指内転筋（手掌固有筋の1つ．起始：第三中手骨幹からの横頭と，第二中手骨底前面，小菱形骨，有頭骨からの斜頭の2頭．停止：母指基節骨底の内側縁．神経支配：尺骨神経．作用：母指の内転)．＝musculus adductor pollicis [TA]; adductor m. of thumb.

adductor m. of thumb 母指内転筋．＝adductor pollicis (m.).

Albinus m. (ahl-bē′nūs). アルビヌス筋（①＝risorius (m.). ②＝scalenus minimus (m.)).

m.'s of anal triangle [TA]. 肛門(直腸)三角の筋（会陰靱帯，浅会陰横筋より後ろで大殿筋下縁より前の部分にある筋の総称で，肛門挙筋と外肛門括約筋を含む)．＝musculi regionis analis [TA].

anconeus m. [TA]. 肘筋（起始：上腕骨の外側顆後面．停止：肘頭突起，尺骨後面．神経支配：橈骨神経．作用：前腕の伸展，腕運動時の尺骨の外転)．＝musculus anconeus [TA]; anconeus.

anoperinealis m. [TA]. 肛門会陰筋（肛門直腸会陰筋の下方部．肛門管の縦筋層から前方に向かって伸び，外尿道括約筋に混ざり込む)．＝musculus anoperinealis [TA]; musculus rectourethralis inferior☆; recto-urethralis inferior (m.)☆.

anorectoperineal m.'s [TA]. 肛門直腸会陰筋（直腸と肛門管の縦筋層から前方に伸び，外尿道括約筋に混ざり込む平滑筋線維)．＝musculi anorectoperineales [TA]; musculi rectourethrales☆; rectourethral m.'s☆.

antagonistic m.'s 対抗筋，拮抗筋（正反対の運動を起こす2つ以上の筋．理論的には一方の筋の収縮が他方の筋の収縮をいわば〝中和〟してしまうといえる．ただそのときは，運動を停止して固定するために両筋が協力筋になったともいえる)．

anterior auricular m. 前耳介筋．＝auricularis anterior (m.).

anterior cervical intertransversarii (m.'s) [TA]. 頸前横突間筋（深背筋の1つ．起始：頸椎横突起の前結節．停止：1つ上位の横突起の前結節．神経支配：頸神経の前枝．作用：頸椎の外転)．＝musculi intertransversarii anteriores cervicis/colli [TA]; anterior cervical intertransverse m.'s.

anterior cervical intertransverse m.'s ＝anterior cervical intertransversarii (m.'s).

anterior rectus m. of head 前頭直筋．＝rectus capitis anterior (m.).

anterior scalene m.☆ 前斜角筋（scalenus anterior (m.)の公式の別名)．

anterior serratus m. 前鋸筋．＝serratus anterior (m.).

anterior tibial m. 前脛骨筋．＝tibialis anterior (m.).

antigravity m.'s 抗重力筋（姿勢を保つための筋で，動物の種それぞれに特徴を有する．哺乳類，特に二足動物ではほとんどの場合伸筋である)．＝postural m.'s.

antitragicus (m.) [TA]. 対珠筋（対珠外面の横走筋線維の帯．珠間切痕より起こり，対輪および耳輪尾に付着)．＝musculus antitragicus [TA]; m. of antitragus.

m. of antitragus 対珠筋．＝antitragicus (m.).

appendicular m. 体肢筋（四肢の骨格筋)．

arrector m. of hair [TA]. 立毛筋（毛根深部に付着している平滑筋線維の束．皮脂腺に沿って走行し，真皮の乳頭層に達する．立毛作用を有し，ヒトでは鳥肌を起こさせるだけであるが，大部分の鳥や哺乳類では毛や羽を立てて厚くし保温効果を高める)．＝musculus arrector pili [TA]; arrector pili m.'s; erector m. of hair.

arrector pili m.'s 立毛筋．＝arrector m. of hair.

articular m. 関節筋（直接，関節包に付着する筋．関節が動くときに包を後引する)．＝musculus articularis.

articular m. of elbow 肘関節筋．＝articularis cubiti (m.).

articularis cubiti (m.) [TA]．肘関節筋（肘関節包に付着する上腕三頭筋の小片）．＝musculus articularis cubiti [TA]; articular m. of elbow; subanconeus m.

articularis genus (m.) [TA]．膝関節筋（中間広筋深部の遠位部．起始：大腿骨幹前面下部1/4．停止：膝関節の膝蓋上包．神経支配：大腿神経．作用：膝の伸展時に膝蓋上包の後引）．＝musculus articularis genus [TA]; articular m. of knee; Dupré m.; subcrural m.; subcruralis; subcrureus; subquadricipital m.

articular m. of knee 膝関節筋．＝articularis genus (m.).

aryepiglottic m. 披裂喉頭蓋筋．＝aryepiglottic *part* of oblique arytenoid (muscle).

m.'s of auditory ossicles [TA]．耳小骨筋（あぶみ骨筋と鼓膜張筋）．＝musculi ossiculorum auditus [TA]; musculi ossiculorum auditoriorum*.

auricular m.'s [TA]．耳介筋（耳介に関係する筋．ヒトではほとんど働かない）．＝musculi auriculares [TA].

auricularis anterior (m.) [TA]．前耳介筋（外耳の顔面筋．起始：帽状腱膜．停止：耳介軟骨．作用：耳介を上前方に引く．神経支配：顔面神経．側頭頭頂筋の前部であるとする説もある）．＝anterior auricular m.; musculus attrahens aurem; musculus attrahens auriculam; musculus auricularis anterior; zygomaticoauricularis.

auricularis posterior (m.) [TA]．後耳介筋（起始：乳様突起．停止：耳介根の後部．作用：耳介を後方へ引く．神経支配：顔面神経）．＝musculus auricularis posterior [TA]; musculus retrahens aurem; musculus retrahens auriculam; posterior auricular (m.).

auricularis superior (m.) [TA]．上耳介筋（起始：帽状腱膜．停止：耳介軟骨．作用：耳介を上後方へ引く．神経支配：顔面神経．側頭頭頂筋の後部であるという説もある）．＝musculus auricularis superior [TA]; attollens aurem; attollens auriculam; musculus attollens aurem; musculus attollens auriculam; superior auricular m.

axial m. 体軸筋（頭部を含む体幹の骨格筋）．

axillary arch m. 腋窩弓筋．＝pectorodorsalis m.

axioappendicular m.'s 軸肢筋（中軸骨格と体肢の骨格を結ぶ筋群．→inferior axioappendicular m.'s; superior axioappendicular m.'s）．

m.'s of back [TA]．背部の筋（背中の筋の総称．上肢帯を介しての体幹後部に付着する胸郭体肢筋，後鋸筋，背柱起立筋，横突棘筋を含む）．＝musculi dorsi [TA]; dorsal m.'s.

m.'s of back proper [TA]．固有背筋，深背筋（脊髄神経後枝に支配される背中の筋で，脊柱起立筋，横突棘筋，棘間筋，内側外側横突間筋を含む．表在性の筋で後枝に支配されないものは除かれる．例えば脊髄神経前枝に支配される筋や僧帽筋のように副神経に支配される筋も除かれる）．＝musculi dorsi proprii [TA]; deep m.'s of back; true m.'s of back.

Bell m. (bel)．ベル筋（膀胱壁の細いひだを形成する筋線維の束．膀胱垂から両側の尿管口に至り膀胱三角の境界を形成）．

biceps m. of arm 上腕二頭筋．＝biceps brachii (m.).

biceps brachii (m.) [TA]．上腕二頭筋（上腕前区浅層の筋．起始：肩甲骨の関節上結節からの長頭および烏口突起からの短頭．停止：橈骨粗面．神経支配：筋皮神経．作用：前腕を肘関節で屈曲，前腕の回外，第一義的な前腕回外筋）．＝musculus biceps brachii [TA]; biceps m. of arm.

biceps femoris (m.) [TA]．大腿二頭筋（大腿後区ハムストリング筋群の1つ．起始：坐骨結節からの長頭，粗線の外側唇の下半分より起こる短頭．停止：腓骨頭．神経支配：長頭は脛骨神経，短頭は腓骨神経．作用：膝の屈曲，下肢の外旋）．＝musculus biceps femoris [TA]; biceps m. of thigh; musculus biceps flexor cruris.

biceps m. of thigh 大腿二頭筋．＝biceps femoris (m.).

bipennate m. 双羽状筋．＝pennate m.

Bochdalek m. (bok′dă-lek)．ボホダレク筋．＝*musculus* triticeoglossus.

Bowman m. (bō′măn)．ボーマン筋．＝ciliary m.

brachial m. 上腕筋．＝brachialis (m.).

brachialis (m.) [TA]．上腕筋（上腕前区深層の筋．起始：上腕骨前面の下2/3．停止：尺骨の烏口突起．神経支配：筋皮神経，しばしば橈骨神経からも．作用：肘での屈曲）．＝musculus brachialis [TA]; brachial m.

brachioradial m. 腕橈骨筋．＝brachioradialis (m.).

brachioradialis (m.) [TA]．腕橈骨筋（前腕後区の筋の1つ．起始：上腕骨外側上顆．停止：橈骨茎状突起基部前面．作用：肘を曲げ回内・回外していた腕を自然の位置に戻すのを助ける．神経支配：橈骨神経）．＝musculus brachioradialis [TA]; brachioradial m.

branchiomeric m.'s 鰓弓筋（鰓弓に関する筋で顔面と頸の大部分の筋がここから発生する．これらの筋の筋芽細胞は沿軸中胚歯に由来し，神経堤は結合組織を提供する）．

Braune m. (brow′ně)．ブラウネ筋．＝puborectalis (m.).

broadest m. of back 広背筋．＝latissimus dorsi (m.).

bronchoesophageal m. 気管支食道筋．＝bronchoesophageus (m.).

bronchoesophageus (m.) [TA]．気管支食道筋（左気管支壁から起こる筋束．食道への筋組織を増強する）．＝musculus bronchoesophageus [TA]; bronchoesophageal m.

Brücke m. (brŭ′kě)．ブリュッケ筋（経線状線維よりなる毛様体筋の一部）．＝Crampton m.

buccinator (m.) [TA]．頬筋（頬の顔面筋の1つ．起始：上下顎骨の歯槽後部，翼突下顎縫線．停止：口角さらに口輪筋の水平部にも放散する．作用：頬をすぼめる，口角を後ろに引く，食物のそしゃくに際して舌や口輪筋と協力して食物を歯列の内側に保持する働きをしているので，この筋が麻痺すると(例えばBell麻痺)食物が歯列の外側にたまってしまう．神経支配：顔面神経）．＝musculus buccinator [TA]; cheek m.

bulbocavernosus m. 球海綿体筋．＝bulbospongiosus (m.).

bulbospongiosus (m.) [TA]．球海綿体筋（男性では，起始：尿道球背側会陰筋膜．停止：会陰腱中心，尿道球の遊離面の正中縫線．作用：意識的に尿を出し切るときや精液を痙攣的に射精するときの尿道球の収縮．女性では，起始：陰核背，海綿体，会陰膜．停止：会陰腱中心．神経支配：会陰神経．作用：弱い腟括約筋としての作用．発達がよいときは骨盤底の交差筋の一部をなして骨盤内臓脱を防ぐ．大前庭腺を取り囲んでいるので前庭球が勃起したときは腺を圧迫して分泌液を排出させる）．＝musculus bulbospongiosus [TA]; bulbocavernosus m.; musculus bulbocavernosus; musculus ejaculator seminis; musculus sphincter vaginae; sphincter-vaginae.

cardiac m. 心筋（心筋層，肺静脈壁，上大静脈壁にみられる不随意筋で，介在板で結合する細胞によって構成される，互いに融合した横紋をもつ筋線維からなる．1，2核が中心に位置し，軸方向の筋原線維の周囲にはかなりの筋形質がある．結合組織は細網線維および細い膠原線維に限られる．収縮は内発刺激によって規則正しく行われる）．＝m. of heart.

Casser perforated m. (kas′ěr)．カッセル貫通筋．＝coracobrachialis m.

ceratocricoid (m.) [TA]．下角輪状筋（後輪状披裂筋より起こり，甲状軟骨下角に付着する不定の筋束）．＝musculus ceratocricoideus [TA]; Merkel m.

ceratoglossus (m.) [TA]．大角舌筋（舌骨大角から起こる筋群で，舌下筋群の主たる後半部をなす）．＝musculus ceratoglossus [TA].

cervical iliocostal m. ＝iliocostalis cervicis (m.).

cervical interspinal m. 頸棘間筋．＝interspinales cervicis (m.'s).

cervical interspinales m.'s 頸棘間筋．＝interspinales cervicis (m.'s).

cervical longissimus m. ＝longissimus cervicis (m.).

cervical rotator m.'s 頸回旋筋．＝rotatores cervicis (m.'s).

cheek m. 頬筋．＝buccinator (m.).

chin m. ＝mentalis (m.).

chondroglossus m. [TA]．小角舌筋（舌骨小角からの小分束で舌骨小角から起こる筋線維．おとがい舌筋からの遊走線維によって舌骨舌筋本体から分離したもの）．＝musculus chondroglossus [TA].

ciliary m. [TA]. 毛様体筋（眼球毛様体の固有筋で輪状線維，放線状線維，経線線維，縦走線維からなる．作用：収縮すると括約筋のように水晶体の直径を減らし，緊張を緩めて厚さを増し，近いところが見えるように調節する）．＝musculus ciliaris [TA]; Bowman m.; ciliary ligament.

coccygeal m. 尾骨筋．＝coccygeus m.

coccygeus m. [TA]. 尾骨筋（起始：坐骨棘，仙棘靱帯．停止：仙骨下部と尾骨上部の面．神経支配：第三・第四仙骨神経．作用：仙棘靱帯とともに骨盤底の支持の補助，理論的には腹圧が上昇したとき特に有効）．＝musculus coccygeus [TA]; coccygeal m.; ischiococcygeus; musculus ischiococcygeus.

m.'s of coccyx 尾骨の筋（１つの群とみなされる尾骨の筋．尾骨筋およびまれに出現する前・後仙尾筋を含む）．＝musculi coccygei.

Coiter m. (koy′tĕr). コイテル筋．＝corrugator supercilii (m.).

compressor urethra (m.) [TA]. 尿道圧迫筋（女性外尿道括約筋の一部で，尿道の後方の坐骨恥骨枝から起こり，前内側に回って尿道の前方で対側の筋と癒着し，さらに他の外尿道括約筋(下方で尿道腟括約筋，上方で尿道括約筋)と混同する．→external urethral *sphincter*）．＝compressor urethrae [TA]; musculus compressor urethrae [TA].

coracobrachial m. 烏口腕筋．＝coracobrachialis m.

coracobrachialis m. [TA]. 烏口腕筋（上腕前区の筋の１つ．起始：肩甲骨の烏口突起．停止：上腕骨の内側縁の中央部．神経支配：筋皮神経．作用：上腕の内転と屈曲，肩関節の下方への脱臼を防ぐ）．＝musculus coracobrachialis [TA]; Casser perforated m.; coracobrachial m.

corrugator m. 皺眉筋．＝corrugator supercilii (m.).

corrugator cutis m. of anus 肛門皺筋（肛門三角の筋肉で，筋線維が外括約筋の表層部から肛門周囲皮膚の深部へ放射状に広がっている．これがその皮膚を縮ませる原因といわれており，肛門管が空気，水分の失禁を防ぐことに役立っている）．＝musculus corrugator cutis ani.

corrugator supercilii (m.) [TA]. 皺眉筋（前額の顔面筋の１つ．起始：眼輪筋の眼窩部，鼻隆起．停止：眉の皮膚．作用：眉の内側端を下方へ引く，額に垂直なしわを寄せ，沈思，困惑，関心などの顔の表情を表す．神経支配：顔面神経）．＝musculus corrugator supercilii [TA]; Coiter m.; corrugator m.; wrinkler m. of eyebrow.

cowl m. 僧帽筋．＝trapezius (m.).

Crampton m. (kramp′tŏn). クランプトン筋．＝Brücke m.

cremaster m. [TA]. 精巣挙筋（起始：内腹斜筋から続く線維と鼡径靱帯から遊走する線維．停止：精索の筋膜や精巣の中間膜に分散して終わる．女性では子宮円索となる．作用：精巣の挙上．神経支配：陰部大腿神経の陰部枝）．＝musculus cremaster [TA]; Riolan m. (2).

cricopharyngeus m.* 輪状咽頭筋（cricopharyngeal *part* of inferior constrictor (muscle) of pharynx の公式の別名）．

cricothyroid m. [TA]. 輪状甲状筋（喉頭筋群の１つ．起始：輪状軟骨弓前面．停止：直部は上行して甲状軟骨の翼へ．斜部は外方に走り甲状軟骨下角へ．神経支配：迷走神経の上喉頭神経の外喉頭枝．作用：輪状甲状関節のところで働き，輪状軟骨甲状軟骨をともに前方へ引き，輪状軟骨板と披裂軟骨の上部を後方へ引くことで声帯を緊張させ声を高くする．対抗筋は甲状披裂筋である）．＝musculus cricothyroideus [TA].

cruciate m. 交叉筋（筋線維がX字形に交叉配列しているような型の筋の一般名．例えば斜披裂筋）．＝musculus cruciatus.

cutaneous m. [TA]. 皮筋（皮下組織にあり，皮膚に付着している筋．骨に付着している場合とそうでない場合とがある．表情筋がヒトでの皮筋の主な例）．＝musculus cutaneus [TA].

dartos m. 肉様膜筋（陰嚢の肉様膜(浅筋膜)の中に放散する平滑筋で，環境温度の低下で収縮し陰嚢を縮める．→dartos *fascia*）．＝musculus dartos [TA].

deep m.'s of back 固有背筋，深背筋．＝m.'s of back proper.

deep flexor (m.) of fingers 深指屈筋．＝flexor digitorum profundus (m.).

deep transverse perineal m. [TA]. 深会陰横筋（起始：坐骨枝．停止：会陰部で対向する反対側の坐骨枝．作用：浅会陰横筋とともに会陰の横走筋を形成しており(縦走筋は球海綿体筋と外肛門括約筋)，会陰ならびに骨盤隔膜を支持して腹圧に対抗する．男性では尿道球をも支持する．神経支配：陰部神経(陰茎背神経，陰核背神経)）．＝musculus transversus perinei profundus [TA]; deep transverse m. of perineum.

deep transverse m. of perineum 深会陰横筋．＝deep transverse perineal m.

deltoid (m.) [TA]. 三角筋（肩関節の筋の１つ．起始：鎖骨の外側1/3の前縁，肩峰の外側から後縁，肩甲棘下縁．停止：上腕骨中央よりやや上の外側面(三角筋粗面)．作用：前部，中部，後部はそれぞれ独立に働くと外転，屈曲，伸展を行い肩関節で上腕骨を回旋させる．神経支配：第五・第六頸神経から出て上腕神経叢を経る腋窩神経）．＝musculus deltoideus [TA].

depressor anguli oris (m.) [TA]. 口角下制筋（口唇の顔面筋の１つ．起始：下顎底の前外側部．停止：口角近くの下唇で他の筋と交織する．作用：口角を下へ引く．神経支配：顔面神経）．＝musculus depressor anguli oris [TA]; musculus triangularis (2) [TA]; triangular m. (2) [TA]; musculus triangularis labii inferioris.

depressor m. of epiglottis ＝thyroepiglottic *part* of thyroarytenoid (muscle).

depressor m. of eyebrow 眉毛下制筋．＝depressor supercilii (m.).

depressor labii inferioris (m.) [TA]. 下唇下制筋（口唇の顔面筋の１つ．起始：下顎骨底前部．停止：口輪筋と交織して下唇の皮膚に終わる．作用：下唇を下制する．神経支配：顔面神経）．＝musculus depressor labii inferioris [TA]; depressor m. of lower lip; musculus quadratus labii inferioris; musculus quadratus menti.

depressor m. of lower lip 下唇下制筋．＝depressor labii inferioris (m.).

depressor septi nasi (m.) [TA]. 鼻中隔下制筋（鼻の顔面筋の１つ．中切歯の上方で上顎骨から垂直に伸びる筋束で，上唇の正中線に沿って上方に伸び鼻中隔可動部に停止する．作用：鼻筋の鼻翼部と共働して深呼吸時に鼻孔を広げ鼻中隔を下制する．神経支配：顔面神経の頬枝）．＝musculus depressor septi nasi [TA]; depressor (m.) of septum.

depressor (m.) of septum 鼻中隔下制筋．＝depressor septi nasi (m.).

depressor supercilii (m.) [TA]. 眉毛下制筋（前頭部骨鼻部から起こる顔面筋で皺眉筋の内側にあり，眉毛中央部の皮膚に停止する．作用：眉毛を下方に引く．神経支配：顔面神経）．＝musculus depressor supercilii [TA]; depressor m. of eyebrow.

detrusor (m.) [TA]. 排尿筋（膀胱の筋層で排尿の際，重力や腹圧増大に加えて収縮して膀胱をからにするのを容易にする）．＝musculus detrusor vesicae [TA].

digastric (m.) [TA]. ***1*** 顎二腹筋（中心腱で結合する２つの筋腹からなる筋．中心腱は舌骨体と連結する筋膜のループの中を通過している．起始：後腹により乳様突起内側の乳様切痕から起こる．停止：前腹により下顎結合近くの下顎骨下縁に付着．作用：下顎骨が固定されているときには舌骨を挙上し，舌骨が固定されているときには下顎骨を下制する．神経支配：後腹は顔面神経，前腹は三叉神経下顎枝の顎舌骨筋神経）．＝musculus biventer [TA]; musculus digastricus [TA]; two-bellied m. [TA]; biventer mandibulae; musculus biventer mandibulae. ***2*** 二腹筋（線維性の腱中心によって分けられる２つの腹筋をもつ筋）．

dilator m. [TA]. 開大筋，散大筋（開口部を開けるあるいは器官の管腔を拡張する筋．例えば幽門の開口成分．もう１つの成分(閉鎖成分)は括約筋）．＝musculus dilatator [TA].

dilator (m.) of ileocecal sphincter 回盲開大筋（回盲部で回腸口を拡大する縦走筋線維）．＝musculus dilator pylori ilealis.

dilator pupillae m. [TA]. 瞳孔散大筋（眼球内固有筋の１つ．虹彩後面の上皮をなす筋上皮細胞の筋性突起が放射状に配列したもので，瞳孔から毛様体縁に拡散する．交感神経刺激で収縮するが，ゆっくり瞳孔を広げて網膜に十分な光を導入する)．＝musculus dilatator pupillae [TA]; dilator iridis; dilator of pupil; musculus dilator iridis.

dilator (m.) of pylorus 幽門開大筋（胃十二指腸境界を拡大する縦走筋線維)．＝musculus dilator pylori gastroduodenalis.

dorsal m.'s 背部の筋．＝m.'s of back.

dorsal interossei (interosseous m.'s) of foot [TA]．〔足の〕背側骨間筋（足底筋群第四層の筋の1つ．起始：隣接の中足骨の側面．停止：第一筋は第二趾の基節骨の内側，第二筋は外側に付着．第三・第四筋は第三・第四趾の基節骨外側に付着．神経支配：外側足底神経．作用：第一趾と第三・第四趾を第二趾軸の両側方へ外転する)．＝musculi interossei dorsales pedis [TA].

dorsal interossei (interosseous m.'s) of hand [TA]．手の背側骨間筋（手の4つの筋からなる．起始：隣接の中手骨の側面．停止：基節骨と総指伸筋の指背腱膜．第一筋は示指の橈側，第二筋は中指の橈側，第三筋は中指の尺側，第四筋は薬指の尺側にそれぞれ付着．神経支配：尺骨神経．作用：示指と薬指を中指軸の両側方へ外転する)．＝musculi interossei dorsales manus [TA].

dorsal sacrococcygeal m. 後仙尾筋．＝dorsal sacrococcygeus m.

dorsal sacrococcygeus m. 背側仙尾筋（仙骨と尾骨の後面上にある，ときに出現する発達の悪い筋で，下等動物の尾の筋組織の一部の遺残したもの)．＝dorsal sacrococcygeal m.; musculus extensor coccygis; musculus sacrococcygeus dorsalis; musculus sacrococcygeus posterior.

Dupré m. (dū-prā′)．デュプレー筋．＝articularis genus (m.).

Duverney m. (dū-vĕr-nā′)．デュヴェルネー筋（→orbicularis oculi (m.))．＝lacrimal *part* of orbicularis oculi muscle.

elevator m. of anus ＝levator ani (m.).

elevator (m.) of prostate 前立腺挙筋．＝puboprostaticus (m.).

elevator m. of rib 肋骨挙筋．＝levatores costarum (m.'s).

elevator (m.) of scapula ＝levator scapulae (m.).

(elevator) m. of soft palate ＝levator veli palatini (m.).

elevator (m.) of thyroid gland 甲状腺挙筋．＝levator (m.) of thyroid gland.

elevator (m.) of upper eyelid 上眼瞼挙筋．＝levator palpebrae superioris (m.).

elevator m. of upper lip 上唇挙筋，眼窩下筋．＝levator labiisuperioris (m.).

elevator m. of upper lip and wing of nose 上唇鼻翼挙筋，眼角筋．＝levator labii superioris alaeque nasi (m.).

epicranial m. 頭蓋表筋．＝epicranius (m.).

epicranius (m.) [TA]．頭蓋表筋（帽状腱膜とそこに付着する筋，すなわち後頭前頭筋と側頭頭頂筋からなる複合(顔面)筋)．＝musculus epicranius [TA]; epicranial m.; scalp m.

erector m. of hair 立毛筋．＝arrector m. of hair.

erector spinae (m.'s) [TA]．脊柱起立筋（固有背筋．起始：仙骨，腸骨，腰椎棘突起．腸肋筋，最長筋，棘筋の3つの柱に分かれている．隣接する椎体のうち上位の椎体に停止する他の筋束とともに肋骨および脊椎に付着する．作用：脊柱を伸展し外側に屈曲する．神経支配：脊髄神経後枝)．＝musculus erector spinae [TA]; erector m. of spine; musculus sacrospinalis.

erector m. of spine 脊柱起立筋．＝erector spinae (m.'s).

extensor m. [TA]．伸筋（伸展の働きをする筋，すなわち真っ直ぐにするあるいは角度を大きくする)．＝musculus extensor [TA].

extensor carpi radialis brevis (m.) [TA]．短橈側手根伸筋（前腕後区の筋の1つ．起始：上腕骨内顆．停止：第三中手骨底．神経支配：橈骨神経．作用：手首を伸展し，橈側へ外転する)．＝musculus extensor carpi radialis brevis [TA]; short radial extensor m. of wrist.

extensor carpi radialis longus (m.) 長橈側手根伸筋（前腕後区の筋の1つ．起始：上腕骨外側上顆．停止：第二中手骨底後面．作用：手首で手を伸展し外転する．神経支配：橈骨神経)．＝musculus extensor carpi radialis longus [TA]; long radial extensor m. of wrist.

extensor carpi ulnaris (m.) [TA]．尺側手根伸筋（前腕後区の筋の1つ．起始：上腕骨外側上顆(上腕骨頭)および尺骨の斜線と後縁(尺骨頭)．停止：第五中手骨底．神経支配：橈骨神経(後骨間神経)．作用：手根関節で手を伸長し，尺側へ外転する)．＝musculus extensor carpi ulnaris [TA]; ulnar extensor (m.) of wrist.

extensor digiti minimi (m.) [TA]．小指伸筋（前腕後区の筋の1つ．起始：上腕骨外側上顆．停止：小指基節骨・中節骨・末節骨背面．神経支配：橈骨神経(後骨間神経)．作用：小指の伸展)．＝musculus extensor digiti minimi [TA]; extensor (m.) of little finger; musculus extensor digiti quinti proprius; musculus extensor minimi digiti.

extensor digitorum m. [TA]．〔総〕指伸筋（前腕後区の筋の1つ．起始：上腕骨外側上顆．停止：4つの腱で第二―第五指の中節骨底，末節骨底に付着．神経支配：橈骨神経(後骨間神経)．作用：手指の伸展，特に中手指節関節)．＝musculus extensor digitorum [TA]; extensor (m.) of fingers; musculus extensor digitorum communis.

extensor digitorum brevis (m.) [TA]．短趾(指)伸筋（足背筋の1つ．起始：踵骨背面．停止：長趾伸筋腱と融合する4つの腱と，母趾基節骨底に独立して停止する腱束．神経支配：深腓骨神経．作用：足の外側4趾の伸展)．＝musculus extensor digitorum brevis [TA]; musculus extensor brevis digitorum; short extensor (m.) of toes.

extensor digitorum brevis (m.) of hand 短指伸筋（まれに存在する手の短指伸筋．足の短趾伸筋に相当する)．＝musculus extensor digitorum brevis manus; Pozzi m.

extensor digitorum longus (m.) [TA]．長趾(指)伸筋（下腿前区の筋の1つ．起始：脛骨外側顆，腓骨前縁の上方2/3．停止：4つの腱で第二―第五趾の基節骨，中節骨，末節骨の各骨底背につく．神経支配：腓骨神経深枝．作用：第二―第五趾の伸展)．＝musculus extensor digitorum longus [TA]; long extensor (m.) of toes; musculus extensor longus digitorum.

extensor (m.) of fingers ＝extensor digitorum m.

extensor hallucis brevis (m.) [TA]．短母趾(指)伸筋（足底の筋の1つで解剖学者は短趾伸筋の内側部であると考えている．起始：踵骨背面．停止：母趾基節骨底．作用：足母指の伸展．神経支配：深腓骨神経)．＝musculus extensor hallucis brevis [TA]; short extensor (m.) of great toe.

extensor hallucis longus (m.) [TA]．長母趾(指)伸筋（下腿前区の筋の1つ．起始：腓骨と骨間膜の前面．停止：母趾末節骨底の背面．作用：母趾の伸展．神経支配：深腓骨神経)．＝musculus extensor hallucis longus [TA]; long extensor (m.) of great toe.

extensor indicis (m.) [TA]．示指伸筋（前腕後区の筋の1つ．起始：尺骨遠位の背面とその近くの骨間膜．停止：示指の伸筋腱．作用：独立して働けば示指を伸展するが，手首での手の伸展をも助ける．神経支配：橈骨神経後骨間枝)．＝musculus extensor indicis [TA]; index extensor (m.); musculus extensor indicis proprius.

extensor (m.) of little finger ＝extensor digiti minimi (m.).

extensor pollicis brevis (m.) [TA]．短母指伸筋（前腕後区の筋の1つ．起始：橈骨遠位の背面とその近くの骨間膜．停止：母指基節骨底背面．作用：母指を中手指節関節で伸展し外転する．神経支配：橈骨神経後骨間枝)．＝musculus extensor pollicis brevis [TA]; musculus extensor brevis pollicis; short extensor (m.) of thumb.

extensor pollicis longus (m.) [TA]．長母指伸筋（前腕後区の筋の1つ．起始：尺骨幹中央後面．停止：母指末節骨底背面．作用：母指指節骨の伸展．神経支配：橈骨神経後骨間枝)．＝musculus extensor pollicis longus [TA]; long extensor (m.) of thumb; musculus extensor longus pollicis.

external intercostal (m.) 外肋間筋（胸壁の扁平な筋で各々の筋は1本の肋骨の下縁より起こり，前下方に斜めに走り，下位の肋骨の上縁に付着．作用：吸息期に収縮して肋骨を挙上する．また肋間部の緊張を維持し，吸息時の内側方向の動きを防ぐ．神経支配：肋間神経)．＝musculus intercostales externi [TA].

external oblique (m.) [TA]．外腹斜筋（胸壁の扁平な

眼球運動と対応する外眼筋

側方（外転・内転）	垂直	斜め		回旋
右方 右眼：外直筋 左眼：内直筋	上方 外直筋 下斜筋	右上 右眼：外直筋 左眼：下斜筋	左上 左眼：外直筋 右眼：下斜筋	外方 下直筋 下斜筋
左方 右眼：内直筋 左眼：外直筋	下方 下直筋 上斜筋	右下 右眼：下直筋 左眼：上斜筋	左下 左眼：下直筋 右眼：上斜筋	内方 外直筋 上斜筋

筋の１つ．起始：第五—第 十二 肋骨外面．停止：腸骨稜外唇の前方 1/3，鼡径靱帯，腹直筋鞘前葉の一部．作用：腹部を引き締め内臓を支持する，体幹を屈曲・回旋する．神経支配：胸腹神経）．＝musculus obliquus externus abdominis［TA］; abdominal external oblique (m.).

external obturator m. ＝obturator externus (m.).

external pterygoid m. ＝lateral pterygoid (m.).

external sphincter m. of anus ＝external anal *sphincter*.

extraocular m.'s (EOM)［TA］．外眼筋（眼窩内にあって眼球の外にある筋．４つの直筋(上・下・内側・外側)，２つの斜筋(上・下)，上眼瞼挙筋を含む）．＝musculi externi bulbi oculi［TA］; extrinsic m.'s of eyeball☆; m.'s of eyeball; musculi bulbi; ocular m.'s.

extrinsic m.'s 外来筋（当該器官の外からはいってきて働きかける筋，例えば手に作用するが筋本体は前腕にあるような場合）．

extrinsic m.'s of eyeball☆ extraocular m.'s の公式の別名．

m.'s of eyeball〔外〕眼筋．＝extraocular m.'s.

facial m.'s［TA］．顔面筋（顔面神経の支配を受け，顔面の皮膚に付着してこれを動かす多数の筋の総称．TA では頬筋をも神経支配と胎生起源を理由にこれに含めているが，この筋は本来はそしゃくに関連する筋である）．＝musculi faciei［TA］; mimetic m.'s; m.'s of facial expression.

m.'s of facial expression 表情筋．＝facial m.'s.

femoral m. ＝vastus intermedius (m.).

fibularis brevis (m.)［TA］．短腓骨筋（起始：腓骨の外側面の下方 2/3．停止：第五中足骨基底部．神経支配：浅腓骨神経．作用：足の外反）．＝musculus fibularis brevis［TA］; musculus peroneus brevis☆; peroneus brevis (m.)☆; short fibular m.; short peroneal m.

fibularis longus (m.)［TA］．長腓骨筋（起始：腓骨の外側面上方 2/3 と脛骨の外側顆．停止：腱で外果の後方，足底を通り，内側楔状骨と第一中足骨基底部に付着．神経支配：浅腓骨神経．作用：足を底屈し，外反する）．＝musculus fibularis longus［TA］; musculus peroneus longus☆; peroneus longus (m.)☆; long fibular m.; long peroneal m.

fibularis tertius (m.)［TA］．第三腓骨筋（起始：一般には長指伸筋と共同．停止：第五中足骨底背部．神経支配：深腓骨神経．作用：足の背屈・外反を補助する）．＝musculus fibularis tertius［TA］; musculus peroneus tertius☆; peroneus tertius (m.)☆; third peroneal m.

fixator m. 固定筋（身体の一部が動いている間，他の部分を固定する筋）．

flat m.［TA］．平板筋（幅広く薄く敷き物状の筋，例えば側腹筋(外腹斜筋，内腹斜筋，腹横筋)）．＝musculus planus［TA］．

flexor m.［TA］．屈筋（屈曲の働きをする筋，すなわち角度を小さくする）．＝musculus flexor［TA］．

flexor accessorius (m.)☆ quadratus plantae (m.) の公式の別名．

flexor carpi radialis (m.)［TA］．橈側手根屈筋（前腕前区の筋の１つ．起始：上腕骨内顆の共通屈筋起始部．停止：第二・第三中手骨底前面．神経支配：正中神経．作用：手根を屈曲し，橈側に外転させる．この筋の腱は横手根靱帯の下の固有の管の中を通っている）．＝musculus flexor carpi radialis［TA］; radial flexor (m.) of wrist.

flexor carpi ulnaris (m.)［TA］．尺側手根屈筋（前腕前区の筋の１つ．起始：上腕骨頭は上腕骨内顆から，尺骨頭は肘頭および尺骨後縁上部 3/5 の部位より起こる．停止：豆状骨，豆中手靱帯および第五中手骨．神経支配：尺骨神経．作用：手根部で手を屈曲し，尺側に外転させる）．＝musculus flexor carpi ulnaris［TA］; ulnar flexor (m.) of wrist.

flexor digiti minimi brevis (m.) of foot［TA］．短小趾(指)屈筋（足底筋群第三層の筋の１つ．起始：小趾の中足骨底および長腓骨筋鞘．停止：小趾の基節骨底外側．神経支配：外側足底神経．作用：小趾を中足趾節関節で屈曲する）．＝musculus flexor digiti minimi brevis pedis［TA］; short flexor (m.) of little toe.

flexor digiti minimi brevis (m.) of hand［TA］．短小指屈筋（小指球筋の１つ．起始：有鉤骨鉤．停止：小指基節骨内側面．作用：小指を中手指節関節で屈曲する．神経支配：尺骨神経深枝）．＝musculus flexor digiti minimi brevis manus［TA］; short flexor (m.) of little finger.

flexor digitorum brevis (m.)［TA］．短趾(指)屈筋（足底筋群最表層の１つ．起始：踵骨の内側結節および足底腱膜の中心部．停止：第二—第五中節骨に付着する．長趾屈筋の腱が貫く．神経支配：内側足底神経．作用：第二—第五指の屈曲）．＝musculus flexor digitorum brevis［TA］; musculus flexor brevis digitorum; short flexor (m.) of toes.

flexor digitorum longus (m.)［TA］．長趾(指)屈筋（下腿後区深層の筋の１つ．起始：脛骨後面の中央 1/3．停止：短趾屈筋の腱裂孔を貫く４つの腱で，第二—第五趾の末節骨底に付着．神経支配：脛骨神経．作用：第二—第五趾の屈曲）．＝musculus flexor digitorum longus［TA］; long flexor (m.) of toes; musculus flexor longus digitorum.

flexor digitorum profundus (m.)［TA］．深指屈筋（前腕前区深層の筋の１つ．起始：尺骨の上部 1/3 の前面．停止：浅指屈筋の腱裂孔を貫く４つの腱で，各指の末節骨底に付着．神経支配：尺骨神経および正中神経(前骨間神経)．作用：各指の遠位指節間関節の屈曲）．＝musculus flexor digitorum profundus［TA］; deep flexor (m.) of fingers; musculus flexor profundus.

flexor digitorum superficialis (m.)［TA］．浅指屈筋（前腕前区中層の筋の１つ．起始：上腕尺骨頭は上腕骨内顆，鳥口突起の内側縁およびその２点間にある腱弓より起こる．橈骨頭は橈骨外側縁の斜線および中央 1/3 より起こる．停止：深指屈筋腱の両側を通る４つに分かれた腱で各指の中節骨の両側に付着．神経支配：正中神経．作用：各指の近位指節間関節の屈曲）．＝musculus flexor digitorum superficialis［TA］; musculus flexor digitorum sublimis; musculus flexor sublimis; superficial flexor (m.) of fingers.

M

flexor hallucis brevis (m.)［TA］．短母趾(指)屈筋（母指球筋の１つ．起始：立方骨内側面，中間楔状骨．停止：足の長母指屈筋の腱をはさむ２つの腱で，母趾の基節骨底の両側に付着．神経支配：内側および外側足底神経．作用：足の母指の屈曲）．＝musculus flexor hallucis brevis［TA］; musculus flexor brevis hallucis; short flexor (m.) of great toe.

flexor hallucis longus (m.)［TA］．長母趾(指)屈筋（下腿後区深層の筋の１つ．起始：腓骨後面の下部 2/3．停止：母趾の末節骨底．神経支配：内側足底神経．作用：母趾の屈

曲).＝musculus flexor hallucis longus [TA]; long flexor (m.) of great toe; musculus flexor longus hallucis.

flexor pollicis brevis (m.) [TA]. 短母指屈筋（母指球筋の1つ．起始：浅部は手根の屈筋支帯より，深部は第一中手骨の尺側より起こる．停止：母指の基節骨底掌側．神経支配：正中神経，尺骨神経．作用：母指の基部の屈曲．一部の学者は，手掌の骨間の4筋のなかでこの筋の深部が最初のものと考えている).＝musculus flexor pollicis brevis [TA]; short flexor (m.) of thumb.

flexor pollicis longus (m.) [TA]. 長母指屈筋（前腕前区深層筋の1つ．起始：橈骨前面中1/3．停止：母指末節骨掌側面．作用：指節間関節で母指を屈曲する．神経支配：正中神経前骨間枝).＝musculus flexor pollicis longus [TA]; long flexor m. of thumb; musculus flexor longus pollicis.

four-headed m. [TA]. 四頭筋（4個の頭をもつ筋で，大腿四頭筋およびふくらはぎの腓腹四頭筋をいう．後者は腓腹筋の2頭，ヒラメ筋，足底筋を合わせて4頭とするが，より一般的には下腿三頭筋とよばれ，足底筋は別個の筋肉として数える).＝quadriceps.

frontalis m. 前頭筋.＝frontal *belly* of occipitofrontalis muscle.

fusiform m. [TA]. 紡錘状筋（太い筋腹をもち，両端が細い筋).＝musculus fusiformis [TA]; spindle-shaped m.

Gantzer m. (gahnt′zĕr). ガンツァー筋（手の浅指屈筋から深指屈筋へとのびる副次的な筋).

gastrocnemius (m.) [TA]. 腓腹筋（下腿後区浅層の筋．起始：大腿骨の外側顆および内側顆からの外側頭，内側頭の2頭．停止：ヒラメ筋とともに踵骨腱で踵骨後面の下部1/2に付着．神経支配：脛骨神経．作用：足の底屈).＝musculus gastrocnemius [TA]; gastrocnemius.

Gavard m. (gĕ-vahr′). ガヴァール筋（胃の筋壁の斜筋線維).

genioglossal m. ＝genioglossus (m.).

genioglossus (m.) [TA]. おとがい舌筋（対をなす舌筋群のうちの1つ．起始：下顎骨おとがい棘．停止：粘膜下の舌筋膜および喉頭蓋．神経支配：舌下神経．作用：舌の押下げと突出).＝musculus genioglossus [TA]; genioglossal m.; genioglossus; musculus geniohyoglossus.

geniohyoid (m.) [TA]. おとがい舌骨筋（舌骨上筋の1つ．起始：下顎骨おとがい棘．停止：舌骨体．作用：舌骨を前方へ引く，あるいは舌骨が固定されたときには顎を押し下げる．神経支配：舌下神経に伴行する第一・第二頸神経前枝からの神経線維).＝musculus geniohyoideus [TA]; geniohyoid; geniohyoideus.

gluteus maximus (m.) [TA]. 大殿筋（殿部最表層の筋．起始：後殿筋線の後方の腸骨，仙骨と尾骨の後面，仙結節靱帯．停止：大腿筋膜の腸脛靱帯の浅層3/4と大腿骨大殿筋稜下方1/4．神経支配：下殿神経．作用：大腿の伸展．特に階段を上ったり，坐位から立ち上ったりするときのように屈曲位から伸展する).＝musculus gluteus maximus [TA].

gluteus medius (m.) [TA]. 中殿筋（殿部中層の筋．起始：前殿筋線と後殿筋線の間の腸骨．停止：大転子後面．神経支配：上殿神経．作用：大腿の外転と回旋).＝musculus gluteus medius [TA]; mesogluteus.

gluteus minimus (m.) [TA]. 小殿筋（殿部最深層の筋．起始：後殿筋線と下殿筋線の間の腸骨．停止：大腿骨大転子．神経支配：上殿神経．作用：大腿の外転).＝musculus gluteus minimus [TA].

gracilis (m.) [TA]. 薄筋（大腿内側区の筋の1つ．起始：恥骨結合近くの恥骨枝．停止：脛骨内顆下方の骨幹(→*pes* anserinus)．神経支配：閉鎖神経．作用：大腿の内転，膝の屈曲，下肢の内旋).＝musculus gracilis [TA]; gracilis (2).

great adductor m. 大内転筋.＝adductor magnus (m.).

greater pectoral m. 大胸筋.＝pectoralis major (m.).

greater posterior rectus m. of head ＝rectus capitis posterior major (m.).

greater psoas m. 大腰筋.＝psoas major (m.).

greater rhomboid m. 大菱形筋.＝rhomboid major (m.).

greater zygomatic m. 大頬骨筋.＝zygomaticus major (m.).

Guthrie m. (gŭth′rē). ガスリー筋.＝external urethral *sphincter*.

hamstring m.'s ハムストリング（大腿の後側の筋．大腿二頭筋の長頭，半腱様筋，半膜様筋を含む．坐骨結節から起こり，股関節と膝関節を越え脛骨神経に支配されている).

m.'s of head [TA]. 頭部の筋（表情筋，そしゃく筋，後頭下筋の総称).＝musculi capitis [TA].

m. of heart 心筋.＝cardiac m.

helicis major (m.) [TA]. 大耳輪筋（耳輪前縁にある筋線維の細い帯．外耳道上棘より起こり耳輪が横行を始める場所に付着する).＝musculus helicis major [TA]; large m. of helix.

helicis minor (m.) [TA]. 小耳輪筋（耳輪脚をおおう斜線維の帯).＝musculus helicis minor [TA]; smaller m. of helix.

Horner m. (hōr′nĕr). ホーナー筋（→orbicularis oculi (m.)).＝lacrimal *part* of orbicularis oculi muscle.

Houston m. (how′stŏn). ヒューストン筋.＝*compressor* venae dorsalis penis.

hyoglossal m. 舌骨舌筋.＝hyoglossus (m.).

hyoglossus (m.) [TA]. 舌骨舌筋（外舌筋の1つ．起始：舌骨体および舌骨大角．停止：舌の側縁．神経支配：運動は舌下神経，感覚は舌神経．作用：舌側部の後引，下引).＝musculus hyoglossus [TA]; hyoglossal m.; hyoglossus.

iliac m. 腸骨筋.＝iliacus (m.).

iliacus (m.) [TA]. 腸骨筋（起始：腸骨窩．停止：大腰筋との共同腱によって小転子前面と股関節嚢．神経支配：腰神経叢．作用：大腿の屈曲と内旋).＝musculus iliacus [TA]; iliac m.

iliacus minor (m.) 小腸骨筋（腸骨筋の一部．腸骨棘前面より起こり，腸骨大腿靱帯に付着．腸骨筋の他の部分と明確に区別されることもときにはある).＝musculus iliacus minor; musculus iliocapsularis.

iliococcygeal m. 腸骨尾骨筋.＝iliococcygeus (m.).

iliococcygeus (m.) [TA]. 腸骨尾骨筋（肛門挙筋の後方部分．起始：肛門挙筋もしくは閉鎖筋膜の腱弓．停止：尾骨と肛門尾骨靱帯．作用：骨盤内圧増大に抵抗し排便後肛門管を挙上する).＝musculus iliococcygeus [TA]; iliococcygeal m.

iliocostal m. 腸肋筋.＝iliocostalis (m.).

iliocostalis (m.) [TA]. 腸肋筋（脊柱起立筋の外側部．腰腸肋筋，胸腸肋筋，頸腸肋筋の3つの部分からなる).＝musculus iliocostalis [TA]; iliocostal m.

iliocostalis cervicis (m.) [TA]. 頸腸肋筋（深背筋の1つ．起始：上方の6本の肋骨角．停止：中部頸椎の横突起．作用：頸椎の伸展・外転・回旋．神経支配：上部胸神経の後枝).＝musculus iliocostalis cervicis/colli [TA]; cervical iliocostal m.; cervicalis ascendens (1); musculus cervicalis ascendens.

iliocostalis lumborum (m.) [TA]. 腰腸肋筋（深背筋の1つ．起始：仙骨背面と胸腰筋膜．停止：下方の6本の肋骨角．作用：腰椎の伸展・外転・回旋．神経支配：胸神経後枝，腰神経後枝).＝lumbar iliocostal m.; musculus sacrolumbalis.

iliocostalis thoracis (m.) [TA]. 胸腸肋筋.＝thoracic *part* of iliocostalis lumborum (m).

iliopsoas (m.) [TA]. 腸腰筋（腸骨筋と大腰筋からなる複合筋で，共同腱によって大腿骨小転子の前面に停止する).＝musculus iliopsoas [TA].

index extensor (m.) ＝extensor indicis (m.).

inferior axioappendicular m.'s 下軸肢筋（中軸骨格と下肢の骨格を結ぶ筋群．大腰筋などを含む).

inferior constrictor (m.) of pharynx [TA]. 下咽頭収縮筋（咽頭を輪状に囲む筋のうち最下方のもの．起始：甲状軟骨外面から起こる甲状咽頭部と，輪状軟骨・輪状咽頭筋・上咽頭収縮筋から起こる輪状咽頭部．停止：咽頭後壁の咽頭縫線．作用：えん下に際して咽頭の下方を収縮させる．輪状咽頭部は食道に対して括約筋のような作用を行い，意識的なおくびや逆流を可能にする．神経支配：咽頭神経叢(迷走神経経由の副神経の脳根)と反回神経の枝).＝musculus constrictor pharyngis inferior [TA]; laryngopharyngeus; musculus laryngopharyngeus; superior esophageal sphincter; musculus thyropharyngeus*.

inferior gemellus (m.) 下双子筋（殿部最深層の筋．起

始：坐骨結節．停止：内閉鎖筋の腱．神経支配と作用：大腿の外旋）．＝musculus gemellus inferior ［TA］; gemellus.

inferior lingual m. 下縦舌筋．＝inferior longitudinal m. of tongue.

inferior longitudinal m. of tongue ［TA］．下縦舌筋（左右両側の下面を占める円筒形の内舌筋．作用：舌の下部を短縮する．神経支配：運動は舌下神経，感覚は舌神経）．＝musculus longitudinalis inferior linguae ［TA］; inferior lingual m.

inferior oblique (m.) ［TA］．下斜筋（外眼筋の１つ．起始：涙溝外側の上顎骨の眼窩板．停止：上直筋と外側直筋の間の強膜．神経支配：動眼神経下枝．作用：眼球を上外側に向ける．外方捻転）．＝musculus obliquus inferior (bulbi) ［TA］.

inferior oblique m. of head 下頭斜筋．＝obliquus capitis inferior (m.).

inferior posterior serratus m. 下後鋸筋．＝serratus posterior inferior (m.).

inferior rectus (m.) ［TA］．下直筋（外眼筋の１つ．起始：総腱輪の下部．停止：眼の強膜下部．神経支配：動眼神経下枝．作用：眼球を下内側に向ける．内転して外方捻転）．＝musculus rectus inferior (bulbi) ［TA］.

inferior tarsal m. ［TA］．下瞼板筋（下眼瞼内の発育の悪い平滑筋．眼瞼裂を広げる）．＝musculus tarsalis inferior ［TA］.

infrahyoid m.'s ［TA］．舌骨下筋（舌骨の下方にある小さい扁平な筋．胸骨舌骨筋，肩甲舌骨筋，胸骨甲状筋，甲状舌骨筋，甲状腺挙筋を含む）．＝musculi infrahyoidei ［TA］; strap m.'s.

infraspinatus (m.) ［TA］．棘下筋（肩関節固有筋の１つで回旋腱板の形成に参加している．起始：肩甲骨の棘下窩．停止：上腕骨大結節中央．作用：腕を伸展し外側に回す．収縮を持続すれば上腕骨頭を関節窩に固定するのを助ける．神経支配：肩甲上神経(第五－六脊髄神経由来))．＝musculus infraspinatus ［TA］.

innermost intercostal (m.) ［TA］．最内肋間筋（胸郭の扁平な筋で，内肋間筋と平行にある，元来は内肋間筋の一部である筋層．肋間血管と神経によって内肋間筋と分離．internal intercostal m. の項を参照）．＝musculus intercostalis intimus ［TA］.

intermediate great m. 中間広筋．＝vastus intermedius (m.).

intermediate vastus (m.) 中間広筋．＝vastus intermedius (m.).

internal intercostal (m.) ［TA］．内肋間筋（胸郭の扁平な筋で各々の筋は１本の肋骨の下縁より起こり，後下方に斜めに走り，下位の肋骨の上縁に付着．作用：呼息期に収縮する．また肋間部の緊張を維持し，内外側方向の動きを防ぐ．神経支配：肋間神経）．＝musculus intercostalis internus ［TA］.

internal oblique (m.) ［TA］．内腹斜筋（前外側腹壁の筋の１つ．起始：鼡径靱帯の外側部の深部にある腸骨筋膜，腸骨稜の前方 1/2，および腰筋膜．停止：第十一－第十二肋骨と腹直筋鞘．鼡径靱帯より起こる線維のうち，鼡径鎌で終わるものもある．作用：腹部の容量を減少させ，腰部脊柱を屈曲させて胸を前方に曲げる．神経支配：下位胸神経）．＝musculus obliquus internus abdominis ［TA］; abdominal internal oblique m.

internal obturator m. 内閉鎖筋．＝obturator internus (m.).

internal pterygoid m. 内側翼突筋．＝medial pterygoid (m.).

internal sphincter m. of anus 内肛門括約筋．＝internal anal *sphincter*.

interosseous m.'s ［TA］．骨間筋（中手骨や中足骨の間にあってこれらを動かす筋で指の運動を起こす．→dorsal interossei (interosseous m.'s) of foot; dorsal interossei (interosseous m.'s) of hand; palmar interossei (interosseous m.'s); plantar interossei (interosseous m.'s))．＝musculi interossei ［TA］.

interspinal m.'s 棘間筋．＝interspinales (m.'s).

interspinales (m.'s) ［TA］．棘間筋（隣接の椎骨の棘突起間にある対になっている筋．頸棘間筋，胸棘間筋，腰棘間筋に区別される）．＝musculi interspinales ［TA］; interspinal m.'s.

interspinales cervicis (m.'s) ［TA］．頸棘間筋（起始：頸椎の棘突起結節．停止：その１つ上位の椎骨の棘突起結節．神経支配：頸神経の後枝．作用：首の伸展）．＝cervical interspinal m.; cervical interspinales m.'s; musculus interspinalis cervicis/colli.

interspinales lumborum (m.'s) ［TA］．腰棘間筋（起始：腰椎棘突起の上縁．停止：その１つ上方の棘突起の下縁．神経支配：腰神経後枝．作用：腰椎の伸展）．＝musculus interspinalis lumborum ［TA］; lumbar interspinal m.

interspinales thoracis (m.'s) ［TA］．胸棘間筋（胸椎の棘突起間にあり，しばしば発達が悪いか存在が認められない筋．神経支配：胸神経後枝．作用：胸椎の伸展）．＝musculus interspinalis thoracis ［TA］; thoracic interspinal m.; thoracic interspinales m.'s.

intertransversarii (m.'s) ［TA］．横突間筋（隣接椎骨の横突起間にある対になった筋．頸部には前筋と後筋，腰部には外側筋と内側筋，胸部には単一の筋がある）．＝musculi intertransversarii ［TA］; intertransverse m.'s.

intertransverse m.'s 横突間筋．＝intertransversarii (m.'s).

intrinsic m.'s 内在筋（筋の起始・筋腹・停止がすべて当該器官の内部にある筋，例えば手の骨間筋や虫様筋など）.

intrinsic m.'s of back 固有背筋（起始，筋腹，停止が背部に存在し，脊柱の運動に関与する筋の総称．背筋群のうち，最も深層に位置し，脊髄神経後枝の支配を受ける．その他の背筋群は，ほぼ外来筋であり，副神経や脊髄神経前枝の支配を受ける．固有背筋は，大きく３つの層に分けられる．つまり板状筋からなる表層部，脊柱起立筋からなる中間層部，横突棘筋からなる深層部である）.

intrinsic m.'s of foot 足の内在筋（４層に区別され，すべて橈骨神経掌枝に支配される．個々の筋はそれぞれの働きを有している(各項目下に記載されている)が，全体としてみたとき縦足弓を維持し，歩行走行時にかかる圧平しようとする力に抵抗して弓形を維持するように働いている）.

intrinsic m.'s of hand 手内筋（起始，筋腹，停止が手(手掌と指)の中にある筋の総称．３つのグループに分けられる，つまり橈側の母指球筋，手掌の中央にある手掌筋，尺側の小指球筋である．手根中手関節，中手指節関節，指節間関節の運動に直接あるいは指背腱膜を介して関与する，母指球筋のほとんどは正中神経が支配し，残りの手内筋は尺骨神経が支配する）.

involuntary m.'s 不随意筋（意志に支配されない筋．心筋以外は横紋のない平滑筋で，自律神経系に支配される）.

ischiocavernous (m.) ［TA］．坐骨海綿体筋（尿生殖三角筋の１つ．起始：坐骨枝．停止：陰茎(陰核)海綿体．神経支配：会陰神経．作用：陰茎(陰核)脚を圧迫して内部の静脈血を陰茎(陰核)海綿体の遠位へ排出する働きをする）．＝musculus ischiocavernosus ［TA］; musculus erector clitoridis; musculus erector penis.

Jung m. (yūng). ユング筋．＝pyramidal m. of auricle.

Kohlrausch m. (kōl′rowsh). コールラウシュ筋（直腸壁の縦走筋）.

Landström m. (lahnd′strŏm). ランドストレーム筋（眼球の後方および周囲の筋膜にある微視的な筋線維．前端は眼瞼および前眼窩筋膜に付着している．４つの眼筋に拮抗して，眼球を前方に眼瞼を後方に引く働きをする）.

Langer m. (lahng′ĕr). ランガー筋．＝pectorodorsalis m.

large m. of helix 大耳輪筋．＝helicis major (m.).

m.'s of larynx ［TA］．喉頭筋（声帯の長さ・位置・張力を決定してあたかも括約筋や開大筋であるかのように気道に働きかけ，披裂喉頭蓋ひだ，喉頭前庭ひだ，声帯ひだ間の開口部の大きさを調節する）．＝musculi laryngis ［TA］.

lateral cricoarytenoid (m.) ［TA］．外側輪状披裂筋（喉頭の筋の１つ．起始：輪状軟骨弓の上縁．停止：披裂筋の筋突起．神経支配：反回神経．作用：声帯ひだの内転，すなわち声門裂の狭窄）．＝musculus cricoarytenoideus lateralis ［TA］.

lateral great m. 外側広筋．＝vastus lateralis (m.).

lateral lumbar intertransversarii (m.'s) ［TA］．腰外側

横突間筋（深背筋の１つ．起始：腰椎の肋骨突起．停止：１つ上位の椎骨の肋骨突起．神経支配：腰神経の前枝．作用：腰椎の外転）．＝musculi intertransversarii laterales lumborum [TA]; lateral lumbar intertransverse m.'s.

lateral lumbar intertransverse m.'s ＝lateral lumbar intertransversarii (m.'s).

lateral posterior cervical intertransversarii m.'s [TA]. →posterior cervical intertransversarii (m.'s).

lateral pterygoid (m.) [TA]. 外側翼突筋（側頭下窩のそしゃく筋の１つ．起始：下頭は翼状突起外側板から，上頭は側頭下稜とその近くの蝶形骨大翼から．停止：下顎骨翼突窩，顎関節円板，関節包．作用：下顎を前に突き出して口を開ける．片側だけ働かせればおとがい部を左右に動かすことが可能となり，そしゃくに際してのすりつぶし運動が行える．神経支配：三叉神経下顎枝の外側翼突筋神経）．＝musculus pterygoideus lateralis [TA]; external pterygoid m.; musculus pterygoideus externus.

lateral rectus (m.) [TA]. 外側直筋（外眼筋の１つ．起始：上眼窩裂にまたがる総腱輪．停止：眼の強膜の外側部．神経支配：外転神経．作用：眼球を外側に向ける）．＝musculus rectus lateralis (bulbi) [TA]; abducens oculi; musculus rectus externus.

lateral rectus m. of the head 外側頭直筋．＝rectus capitis lateralis (m.).

lateral vastus (m.) 外側広筋．＝vastus lateralis (m.).

latissimus dorsi (m.) [TA]. 広背筋（胸郭体肢筋の１つ．起始：下部の第五または第六胸椎と腰椎の棘突起，正中仙骨稜および腸骨稜の外側唇．停止：大円筋とともに上腕骨二頭筋溝の後唇に付着．作用：上腕の外転・内旋・伸展．神経支配：胸背神経）．＝musculus latissimus dorsi [TA]; broadest m. of back.

lesser rhomboid m. 小菱形筋．＝rhomboid minor (m.).

lesser zygomatic m. 小頬骨筋．＝zygomaticus minor (m.).

levator anguli oris (m.) [TA]. 口角挙筋（上唇にある顔面筋の１つ．起始：上顎骨犬歯窩．停止：口角における口輪筋と皮膚．作用：口角を広げる．神経支配：顔面神経）．＝musculus levator anguli oris [TA]; musculus caninus; musculus triangularis labii superioris.

levator ani (m.) [TA]. 肛門挙筋（骨盤底筋の１つ．恥骨尾骨筋および腸骨尾骨筋によってつくられる．起始：恥骨背部，肛門挙筋の半腱様筋弓(閉鎖筋膜)および坐骨棘．停止：肛門尾骨靱帯，仙骨下部および尾骨の両側．神経支配：肛門挙筋神経(第四仙骨神経)．作用：排便時に肛門の反転を防ぎ上部に引き上げる．骨盤を支える）．＝musculus levator ani [TA]; elevator m. of anus.

levatores costarum (m.'s) [TA]. 肋骨挙筋（胸郭の筋の１つ．起始：C7とT1—T11椎骨の横突起先端．停止：肋骨結節と肋骨角の間．作用：深呼吸のとき肋骨を挙上する．神経支配：C8—T11脊髄神経後枝．→levatores costarum longi (m.'s); levatores costarum breves (m.'s))．＝elevator m. of rib; musculus levator costae.

levatores costarum breves (m.'s) [TA]. 短肋骨挙筋（起始：第七頸椎と11個の胸椎の横突起．停止：短肋骨挙筋は１個下位の肋骨角と肋骨結節）．＝musculi levatores costarum breves [TA]; short levatores costarum (m.'s).

levatores costarum longi (m.'s) [TA]. 長肋骨挙筋（脊柱と胸郭(肋骨)を結ぶ筋．停止：その起始の下方２つ目の肋骨．作用：肋骨の挙上．神経支配：肋間神経）．＝musculi levatores costarum longi [TA]; long levatores costarum (m.'s).

levator labii superioris (m.) [TA]. 上唇挙筋，眼窩下筋（上唇にある顔面筋の１つ．起始：眼窩下孔下の上顎骨．停止：上唇の口輪筋．作用：上唇の挙上．神経支配：顔面神経）．＝musculus levator labii superioris [TA]; caput infraorbitale quadrati labii superioris; elevator m. of upper lip.

levator labii superioris alaeque nasi (m.) [TA]. 上唇鼻翼挙筋，眼角筋（上唇と鼻にある顔面筋の１つ．起始：上顎骨の鼻突起の根．停止：鼻翼と上唇の口輪筋．作用：上唇と鼻翼の挙上．神経支配：顔面神経）．＝musculus levator labii superioris alaeque nasi [TA]; caput angulare quadrati labii superioris; elevator m. of upper lip and wing of nose.

levator palati (m.) ＝levator veli palatini (m.).

levator palpebrae superioris (m.) [TA]. 上眼瞼挙筋（外眼筋の１つ．起始：視神経管の上部と前部にある蝶形骨小翼の眼窩面．停止：停止腱膜の内側と外側への拡大により，眼瞼皮膚，瞼板，および眼窩壁に付着．神経支配：動眼神経．作用：上眼瞼の挙上）．＝musculus levator palpebrae superioris [TA]; elevator (m.) of upper eyelid; musculus orbitopalpebralis; palpebralis.

levator prostatae (m.)* 前立腺挙筋（puboprostaticus (m.) の公式の別名）．

levator scapulae (m.) [TA]. 肩甲挙筋（肩固有筋の１つ．起始：４個の上部頸椎の横突起後結節．停止：肩甲骨の上角．作用：肩甲骨の挙上．神経支配：肩甲背神経）．＝musculus levator scapulae [TA]; elevator (m.) of scapula; musculus levator anguli scapulae.

levator (m.) of thyroid gland [TA]. 甲状腺挙筋（甲状舌骨筋より起こり甲状腺峡部に達するまれにみられる筋束）．＝musculus levator glandulae thyroideae [TA]; elevator (m.) of thyroid gland; Soemmering m.

levator veli palatini (m.) [TA]. 口蓋帆挙筋（起始：側頭骨の錐体尖と耳管(Eustachio 管)軟骨．停止：口蓋帆の腱膜．神経支配：喉頭神経叢(副神経の延髄根)．作用：口蓋帆の挙上．収縮の際の筋腹の膨隆が耳管を圧平衡のために開くのを助ける）．＝musculus levator veli palatini [TA]; (elevator) m. of soft palate; levator palati (m.); musculus levator palati; musculus petrostaphylinus.

lingual m.'s. [TA]. ＝m.'s of tongue.

long abductor m. of thumb 長母指外転筋．＝abductor pollicis longus (m.).

long adductor m. 長内転筋．＝adductor longus (m.).

long extensor (m.) of great toe 長母趾(指)伸筋．＝extensor hallucis longus (m.).

long extensor (m.) of thumb 長母指伸筋．＝extensor pollicis longus (m.).

long extensor (m.) of toes 長趾(指)伸筋．＝extensor digitorum longus (m.).

long fibular m. 長腓骨筋．＝fibularis longus (m.).

long flexor (m.) of great toe 長母指屈筋．＝flexor hallucis longus (m.).

long flexor m. of thumb 長母指屈筋．＝flexor pollicis longus (m.).

long flexor (m.) of toes 長趾(指)屈筋．＝flexor digitorum longus (m.).

long m. of head 頭長筋．＝longus capitis (m.).

longissimus (m.) [TA]. 最長筋（頭最長筋，頸最長筋，胸最長筋の３区分をもつ脊柱起立筋の中間部分）．＝musculus longissimus [TA].

longissimus capitis (m.) [TA]. 頭最長筋（頸部脊柱起立筋の１つ．起始：上部胸椎の横突起．下部と中部頸椎の横および関節突起．停止：乳様突起．作用：頭部を直立させ後方または片側に動かす．神経支配：頸神経後枝）．＝musculus longissimus capitis [TA]; musculus complexus minor; musculus trachelomastoideus; musculus transversalis capitis.

longissimus cervicis (m.) [TA]. 頸最長筋（頸部脊柱起立筋の１つ．起始：上部胸椎の横突起．停止：中部と上部の頸椎の横突起．作用：頸椎をのばす．神経支配：下部頸神経と上部胸神経の後枝）．＝musculus longissimus cervicis [TA]; cervical longissimus m.; musculus transversalis cervicis; musculus transversalis colli.

longissimus thoracis (m.) [TA]. 胸最長筋（脊柱起立筋の１つ．起始：腸肋筋とともに下部胸椎の横突起から起こる．停止：外側筋束で大部分または全部の肋骨角と肋骨結節の間および上部腰椎の副突起と胸椎の横突起に付着．作用：脊柱の伸展．神経支配：胸神経と腰神経の後枝）．＝musculus longissimus thoracis [TA]; musculus longissimus dorsi; thoracic longissimus m.

long levatores costarum (m.'s) 長肋骨挙筋．＝levatores costarum longi (m.'s).

long m. of neck 頸長筋．＝longus colli (m.).

long palmar m. 長掌筋．＝palmaris longus (m.).

long peroneal m. 長腓骨筋．＝fibularis longus (m.).

long radial extensor m. of wrist ＝extensor carpi radialis longus (m.).

longus capitis (m.) [TA]．頭長筋（頸部椎前筋の１つ．起始：第三―第六頸椎の横突起の前結節．停止：後頭骨の外側部．作用：首の捻転または前屈．神経支配：頸神経叢）．＝musculus longus capitis [TA]; long m. of head; musculus rectus capitis anticus major.

longus colli (m.) [TA]．頸長筋（頸部椎前筋の１つ．内側部は第三胸椎から第五頸椎体に起始をもち，第二―第四頸椎の椎体に付着．上外側部は第三―第五頸椎の横突起の前結節より起こり環椎の前結節に付着．下外側部は第一―第三胸椎の椎体より起こり第五―第六頸椎の横突起の前結節に付着．作用：捻転と前屈．神経支配：頸神経の前枝）．＝musculus longus colli [TA]; long m. of neck.

m.'s of lower limb [TA]．下肢の筋（筋腹が下肢にあり，自由下肢の運動に関与する筋群．腸腰筋および殿部の筋も含まれる）．＝musculi membri inferioris [TA].

lumbar iliocostal m. 腰腸肋筋．＝iliocostalis lumborum (m.).

lumbar interspinal m. 腰棘間筋．＝interspinales lumborum (m.'s).

lumbar quadrate m. ＝quadratus lumborum (m.).

lumbar rotator m.'s 腰回旋筋．＝rotatores lumborum (m.'s).

lumbricals (lumbrical m.'s) of foot [TA]．〔足の〕虫様筋（足底筋群第二層の４筋．起始：第一の筋は長指屈筋の第二指に至る腱の脛側．第二・第三・第四は深指屈筋の４個すべての腱の相対する側面．停止：第二―第五指それぞれの背面にある総指伸筋腱の脛側．神経支配：外側足底神経(第二・第三・第四)と内側足底神経(第一)．作用：基節骨の屈曲，中節骨および末節骨の伸展）．＝musculus lumbricalis pedis [TA].

lumbricals (lumbrical m.'s) of hand [TA]．〔手の〕虫様筋（手掌の４個の固有筋．起始：外側の２個は示指と中指に至る深指屈筋腱の橈側．内側の２個は第二・第三および第三・第四の深指屈筋腱の相対する面．停止：４本の指の背面にある総指伸筋腱の橈側．神経支配：橈側の２個は正中神経，尺側の２個は尺骨神経．作用：中手指節関節の屈曲と近・遠位指節間関節の伸展）．＝musculus lumbricalis manus [TA].

Marcacci m. (mar-kah′chē)．マルカッチ筋（乳腺の乳輪部および乳首部の下にある平滑筋線維の層）.

masseter (m.) [TA]．咬筋（後頬部のそしゃく筋．起始：浅部は頬骨弓の前 2/3 の下縁．深部は頬骨弓の下縁と内側面．停止：下顎骨の下顎枝外側面と筋突起．作用：下顎を挙上し口を閉じる．神経支配：三叉神経の下顎枝の咬筋神経）．＝musculus masseter [TA].

m.'s of mastication そしゃく筋．＝masticatory m.'s.

masticatory m.'s [TA]．そしゃく筋（第一鰓弓(下顎弓)に由来するそしゃくの際に働く筋群で，すべて下顎神経経由で三叉神経運動根の支配を受ける．咬筋，側頭筋，外側翼突筋，内側翼突筋である）．＝m.'s of mastication; musculus masticatorii [TA]; musculi masticatorii.

medial great m. 内側広筋．＝vastus medialis (m.).

medial lumbar intertransversarii (m.'s) [TA]．腰内側横突間筋（深背筋の１つ．起始：腰椎の副突起および乳頭突起．停止：１つ上位の椎骨の対応する突起．神経支配：腰神経の後枝．作用：腰椎の外転）．＝musculi intertransversarii mediales lumborum [TA]; medial lumbar intertransverse m.'s.

medial lumbar intertransverse m.'s ＝medial lumbar intertransversarii (m.'s).

medial posterior cervical intertransversarii (m.'s) → posterior cervical intertransversarii (m.'s).

medial pterygoid (m.) [TA]．内側翼突筋（側頭下窩のそしゃく筋の１つ．起始：蝶形骨の翼突窩と上顎結節．停止：下顎骨内側面の下顎角と顎舌骨神経溝の間．作用：下顎を上げて顎を閉じる．神経支配：三叉神経下顎枝の内側翼突筋神経）．＝musculus pterygoideus medialis [TA]; internal pterygoid m.; musculus pterygoideus internus.

medial rectus (m.) [TA]．内側直筋（外眼筋の１つ．起始：総腱輪の内側部．停止：眼の強膜の内側部．神経支配：動眼神経．作用：眼球を内側に向ける）．＝musculus rectus medialis (bulbi) [TA]; musculus rectus internus.

medial vastus (m.) 内側広筋．＝vastus medialis (m.).

mentalis (m.) [TA]．おとがい筋（おとがい部の顔面筋．起始：下顎の切歯窩．停止：おとがいの皮膚．作用：おとがいの皮膚を持ち上げてしわを寄せ，下唇を挙上する．神経支配：顔面神経）．＝musculus mentalis [TA]; chin m.; musculus levator labii inferioris.

Merkel m. (mĕr′kĕl)．メルケル筋．＝ceratocricoid (m.).

middle constrictor (m.) of pharynx [TA]．中咽頭収縮筋（咽頭を輪状に囲む筋のうち中央のもの．起始：茎突舌骨靱帯，舌骨小角(小角咽頭部 pars chondropharyngeus)，舌骨大角(大角咽頭部 pars ceratopharyngeus)．停止：咽頭後壁の咽頭縫線．神経支配：咽頭神経叢．作用：えん下時の咽頭の狭窄）．＝musculus constrictor pharyngis medius [TA].

middle scalene m.* 中斜角筋（scalenus medius (m.) の公式の別名）.

mimetic m.'s 表情筋．＝facial m.'s.

Müller m. (milĕr)．ミュラー筋（①＝orbitalis (m.)．②＝circular *fibers*．③＝superior tarsal m.）.

multifidus (m.) [TA]．多裂筋（深背筋中間層の横突棘筋の１つ．起始：仙骨，仙腸骨靱帯，腰椎の乳頭突起(腰多裂筋)，胸椎の横突起(胸多裂筋)および第四―第七頸椎の関節突起(頸多裂筋)．停止：軸椎以下の全椎骨の棘突起．作用：脊柱の回旋．神経支配：脊髄神経後枝）．＝musculus multifidus (cervicis/colli,lumborum et thoracis) [TA]; musculus multifidus spinae.

multipennate m. [TA]．多羽状筋（数個の中心腱があって，そこから筋線維が鳥の羽の羽枝の場合のように放散した配列を示す筋）．＝musculus multipennatus [TA].

mylohyoid (m.) [TA]．顎舌骨筋（口腔底筋の１つ．起始：下顎骨の顎舌骨筋線．停止：舌骨の上縁と他の筋から舌骨筋を分ける縫線．作用：口底と舌の挙上．舌骨を固定した場合，顎を下げる．神経支配：三叉神経の下顎枝からの顎舌骨筋神経）．＝musculus mylohyoideus [TA]; diaphragm of mouth; diaphragma oris; mylohyoideus.

nasal m. 鼻筋．＝nasalis (m.).

nasalis (m.) [TA]．鼻筋（鼻にある顔面筋の１つ．横部(鼻孔圧迫筋)と鼻翼部(鼻孔開大筋)の複合としての呼称．横部は犬歯根上部の上顎骨から起こり腱膜をなして鼻稜を越える．鼻翼部は側切歯上部の上顎骨から起こり鼻翼に停止するが，この筋が働けば鼻孔が開く）．＝musculus nasalis [TA]; nasal m.

m.'s of neck [TA]．頸部の筋（頸の前外部の筋．広頸筋，胸鎖乳突筋，舌骨上筋，舌骨下筋，頸長筋，斜角筋を含む）．＝musculi colli [TA]; musculi cervicis*.

m. of notch of helix 耳輪切痕筋．＝m. of terminal notch.

oblique arytenoid m. [TA]．斜披裂筋（喉頭筋の１つ．起始：披裂軟骨の筋突起．停止：対側の披裂軟骨の頂，披裂喉頭蓋ひだの中の同名の筋に続いて喉頭蓋に至る．神経支配：反回神経．作用：声門裂の披裂軟骨部の狭窄または閉鎖）．＝musculus arytenoideus obliquus [TA]; arytenoideus.

oblique m. of auricle [TA]．耳介斜筋（甲介隆起の上部から耳輪凸部にのび，下対輪脚に対応する溝を横切る細い斜線維の束）．＝musculus obliquus auriculae [TA]; oblique auricular m.; Tod m.

oblique auricular m. 耳介斜筋．＝oblique m. of auricle.

obliquus capitis inferior (m.) [TA]．下頭斜筋（後頭下筋の１つであるが，その名に反して後頭骨には付着していない．起始：軸椎の棘突起．停止：環椎の横突起．作用：頭部の回旋．神経支配：後頭下神経．→suboccipital m.'s）．＝musculus obliquus capitis inferior [TA]; inferior oblique m. of head.

obliquus capitis superior (m.) [TA]．上頭斜筋（後頭下筋の１つ．起始：環椎の横突起．停止：後頭骨の下項線の外方 1/3．作用：頭部の回旋．神経支配：後頭下神経．→suboccipital m.'s）．＝musculus obliquus capitis superior [TA]; superior oblique m. of head.

obturator externus (m.) [TA]．外閉鎖筋（大腿内側区の筋の１つ．起始：閉鎖孔辺縁の下半分，閉鎖膜の外面の隣接部分．停止：大転子の転子窩．神経支配：閉鎖神経．作用：大腿の外旋）．＝musculus obturator externus [TA]; external obturator m.

obturator internus (m.) [TA]．内閉鎖筋（骨盤内筋の

1つであるが，殿部にまで伸びている．起始：閉鎖膜の骨盤面，閉鎖孔縁．停止：小坐骨孔を通って骨盤の外に出て90度折れ曲がって大転子の内側面に付く．神経支配：仙骨神経叢．作用：大腿の外旋）．＝musculus obturator internus［TA］; internal obturator m.

occipitalis m. 後頭筋．＝occipital *belly* of occipitofrontalis muscle.

occipitofrontal m. 後頭前頭筋．＝occipitofrontalis (m.).

occipitofrontalis (**m.**)［TA］．後頭前頭筋（頭蓋表筋の一部．後頭筋腹(後頭筋)は後頭骨より起こり，帽状腱膜に付着．前頭筋腹(前頭筋)は腱膜より起こり，眉毛と鼻の皮膚に付着．作用：頭皮を動かす．神経支配：顔面神経）．＝musculus occipitofrontalis［TA］; occipitofrontal m.

ocular m.'s 眼筋．＝extraocular m.'s.

Oehl m.'s (ohl). オエール筋（左房室弁の腱索にある筋線維）.

omohyoid (**m.**)［TA］．肩甲舌骨筋（舌骨下筋の１つ．中間腱で結合する２個の筋腹からなる．起始：下腹に寄り，肩甲骨上縁の上角と肩甲切痕の間．停止：上腹に寄り舌骨に．作用：舌骨を押し上げる．神経支配：頸神経わなを経る上位頸神経）．＝musculus omohyoideus［TA］; omohyoid.

opponens m.［TA］．対抗筋（母指の指球面を他の指(特に小指)の指球面と向かい合わせにするように働く筋）．＝musculus opponens［TA］.

opponens digiti minimi (**m.**)［TA］．小指対立筋（小指球筋の１つ．起始：有鉤骨鉤と手根横靱帯．停止：第五中手骨幹．神経支配：正中神経．作用：手掌の中央へ尺側部(第五指)を引き付け手掌を杯形にすぼめる）．＝musculus opponens digiti minimi［TA］; musculus opponens digiti quinti; musculus opponens minimi digiti; opposer (m.) of little finger.

opponens digiti minimi pedis (**m.**)［TA］．小趾(指)対立筋（短小趾屈筋から分かれた深部の筋束で，第五中足骨遠位半の外側に停止する．【本語は実際には存在しない足の対立という機能名を含んでしまった】）．＝musculus opponens digiti minimi pedis［TA］.

opponens pollicis (**m.**)［TA］．母指対立筋（母指球筋の１つ．起始：大菱形骨隆起と屈筋支帯(横手根靱帯)．停止：第一中手骨全長の前面．神経支配：正中神経．作用：手根中手関節に働いて，手掌を杯形にすぼめる，手の母指を他の指と対立させる）．＝musculus opponens pollicis［TA］; opposer (m.) of thumb.

opposer (**m.**) **of little finger** 小指対立筋．＝opponens digiti minimi (m.).

opposer (**m.**) **of thumb** 母指対立筋．＝opponens pollicis (m.).

orbicular m.［TA］．輪筋（口，眼裂など開口部を囲む板状の括約筋）．＝musculus orbicularis［TA］; orbicularis m.; orbicularis (2).

orbicular m. of eye 眼輪筋．＝orbicularis oculi (m.).

orbicularis m.［TA］．輪筋．＝orbicular m.

orbicularis oculi (**m.**)［TA］．眼輪筋（眼瞼にある顔面筋の１つ．次の３つの部分からなる．ⅰ眼窩部または外部は，上顎骨前頭突起と前頭骨の鼻突起より起こり，眼窩口を囲み，起始の近くに付着．ⅱ眼瞼部または内部は，内側眼瞼靱帯より起こり，眼瞼を通り，外側眼瞼縫線に付着．ⅲ涙嚢部(Duverney muscle, Horner muscle)は，後涙嚢稜より起こり，涙嚢を通り眼瞼部に結合する．作用：眼を閉じ，額に縦のしわを寄せる．神経支配：顔面神経の頬骨枝と側頭枝）．＝musculus orbicularis oculi［TA］; musculus orbicularis palpebrarum; orbicular m. of eye; sphincter oculi.

orbicularis oris (**m.**)［TA］．口輪筋（口唇にある顔面筋の１つ．起始：鼻唇帯により鼻の中隔から，上部切歯束により上顎骨切歯窩から，下部切歯束により下顎骨結合の各側から起こる．停止：線維が口の周囲を唇と頬の皮膚と粘膜間を通って囲み，他の筋と交織する．作用：唇を閉じる．神経支配：顔面神経）．＝musculus orbicularis oris［TA］; musculus sphincter oris; orbicular m. of mouth; sphincter oris.

orbicular m. of mouth 口輪筋．＝orbicularis oris (m.).

orbital m. 眼窩筋．＝orbitalis (m.).

orbitalis (**m.**)［TA］．眼窩筋（痕跡的な非横紋筋で，眼窩下溝と下眼窩裂を横切り，眼窩骨膜と結合する）．＝musculus orbitalis［TA］; Müller m. (1); orbital m.

palatoglossus (**m.**)［TA］．口蓋舌筋（扁桃窩の前口蓋弓をつくる口蓋の筋．起始：軟口蓋の口腔面．停止：舌の側部．神経支配：咽頭神経叢(副神経の延髄根)．作用：舌を後方に上げ口峡を狭くする）．＝musculus palatoglossus［TA］; glossopalatinus; musculus glossopalatinus; palatoglossus.

palatopharyngeal (**m.**) 口蓋咽頭筋．＝palatopharyngeus (m.).

palatopharyngeus (**m.**)［TA］．口蓋咽頭筋（後口蓋弓(口蓋咽頭弓)をつくる．起始：軟口蓋．停止：甲状軟骨後縁と咽頭腱膜に付着して咽頭の内縦筋層のようになる．神経支配：咽頭神経叢(副神経の延髄根)．作用：口峡を狭くして軟口蓋を下げ，咽頭および喉頭を上げる）．＝musculus palatopharyngeus［TA］; musculus pharyngopalatinus; palatopharyngeal (m.); palatopharyngeus; pharyngopalatinus; pharyngostaphylinus.

palatouvularis m. 口蓋垂筋．＝m. of uvula.

palmar interossei (**interosseous m.'s**)［TA］．掌側骨間筋（３つの筋からなる．起始：第一筋は第二中手骨の尺側，第二・第三筋は第四・第五中手骨の橈側より起こる．停止：第一筋は示指の尺側，第二・第三筋は薬指・小指の橈側に付着．神経支配：尺骨神経．作用：中指の軸の方向へ各指を内転する．→flexor pollicis brevis (m.)）．＝musculi interossei palmares［TA］; musculus interosseus volaris.

palmaris brevis (**m.**)［TA］．短掌筋（手の皮筋．起始：手掌腱膜の中心部の尺側．停止：手の尺側の皮膚．神経支配：尺骨神経．作用：手掌内側部の皮膚にしわを寄せる）．＝musculus palmaris brevis［TA］; short palmar m.

palmaris longus (**m.**)［TA］．長掌筋（前腕前区浅層の筋．起始：上腕骨内側顆．停止：手首の屈筋支帯と手掌腱膜．神経支配：正中神経．作用：手掌腱膜を緊張させて手と前腕を曲げる．約20％で欠如する．この筋が緊張すると手首で腱が鋭く隆起し正中神経より上になる）．＝musculus palmaris longus［TA］; long palmar m.

panniculus carnosus m. 皮筋（①皮膚の下にある筋層で皮膚に震えを起こす．特にウマに発達している．しばしばflyshakerとよばれる．②ヒトにおける広頸筋）.

papillary m.［TA］．乳頭筋（房室弁尖に付着し，腱索に移行する心筋束群．前乳頭筋と後乳頭筋とがあり，右心室はしばしば中隔乳頭筋をもつ）．＝musculus papillaris cordis［TA］.

pectinate m.'s［TA］．櫛状筋（右心房の大部分の内部表面と左右の心耳にある心房筋の著しい隆起）．＝musculi pectinati atrii［TA］; pectinate fibers.

pectineal m. 恥骨筋．＝pectineus (m.).

pectineus (**m.**)［TA］．恥骨筋（起始：恥骨稜．停止：大腿骨の恥骨筋線．神経支配：閉鎖神経および大腿神経．作用：大腿の内転と屈曲の補助）．＝musculus pectineus［TA］; pectineal m.

pectoralis major (**m.**)［TA］．大胸筋（胸部の胸郭体肢筋の１つ．起始：鎖骨部は鎖骨の内側1/2，胸肋部は胸骨柄と胸骨体の前面と第一—第六肋軟骨，腹部は外腹斜筋の腱膜．停止：上腕骨の大結節稜．作用：上腕の内転と内旋．神経支配：前胸神経）．＝musculus pectoralis major［TA］; greater pectoral m.

pectoralis minor (**m.**)［TA］．小胸筋（胸部の胸郭体肢筋の１つ．起始：第三—第五肋骨の肋骨肋軟骨連結部．停止：肩甲骨の烏口突起先端．作用：肩甲骨を引き下げる，または肋骨を挙上する．神経支配：内側胸筋神経）．＝musculus pectoralis minor［TA］; smaller pectoral m.

pectorodorsal m. ＝pectorodorsalis m.

pectorodorsalis m. 胸背筋（大胸筋の一部筋束が腋窩を横切って広背筋とともに上腕骨に停止する破格の筋で哺乳類の皮筋の遺残と思われる）．＝axillary arch m.; axillary arch; Langer arch; Langer m.; pectorodorsal m.

pennate m.［TA］．羽状筋（腱中心があり，そこに向かって両方から線維が鳥の羽のように収束している筋．→semipennate m.）．＝musculus pennatus［TA］; bipennate m.; musculus bipennatus［TA］.

perineal m.'s［TA］．会陰筋（会陰部にある筋群．外肛門括約筋，浅会陰横筋，坐骨海綿体筋，球海綿体筋，深会陰横筋および尿道括約筋からなる）．＝musculi perinei［TA］.

peroneus brevis (**m.**)* 短腓骨筋（fibularis brevis (m.) の公式の別名）.

peroneus longus (**m.**)* 長腓骨筋（fibularis longus (m.) の公式の別名）.

peroneus tertius (**m.**)* 第三腓骨筋（fibularis tertius (m.) の公式の別名）.

pharyngeal m.'s 咽頭筋（咽頭の筋層で，他の胃腸管筋層（肛門管を除く）とは反対に外輪層と内縦層とからなる）．＝muscular layer of pharynx [TA]; tunica muscularis pharyngis [TA]; muscle layer of pharynx *; muscular coat of pharynx *.

m.'s of pharynx 咽頭筋（外輪筋層と内縦筋層に区別できる．前者は上・中・下咽頭収縮筋の3部からなり，後者は口蓋咽頭筋，茎突咽頭筋からなる）．＝musculi pharyngis [TA].

piriform m. 梨状筋．＝piriformis (m.).

piriformis (**m.**) [TA]．梨状筋（骨盤から殿部に伸びる筋の1つ．起始：骨盤仙骨孔辺縁と腸骨の大坐骨切痕．停止：大転子の上縁．神経支配：坐骨神経叢梨状筋枝．作用：大腿の外旋）．＝musculus piriformis [TA]; musculus pyriformis; piriform m.

plantar m. 足底筋．＝plantaris (m.).

plantar interossei (**interosseous m.'s**) 底側骨間筋（足の3つの固有筋．起始：第三・第四・第五中足骨の内側．停止：同じ趾の基節骨のそれぞれ相当する側．神経支配：外側足底神経．作用：第三―第五趾の内転）．＝musculi interossei plantares [TA].

plantaris (**m.**) [TA]．足底筋（下腿後区浅層の小筋．起始：大腿骨の外側上顆稜．停止：アキレス腱内側縁と踵の深部筋膜．神経支配：脛骨神経．作用：伝統的には足の底屈とされているが，多くの研究者は第一義的には固有受容器であると信じている）．＝musculus plantaris [TA]; musculus tibialis gracilis; plantar m.

plantar quadrate m. 足底方形筋．＝quadratus plantae (m.).

platysma (**m.**) [TA]．広頸筋（頸部の顔面筋．起始：第一肋骨または第二肋骨の高さで大胸筋と三角筋をおおう皮下組織層と筋膜．停止：下顎骨下縁，笑筋，反対側の広頸筋．作用：歯を食いしばったときのように下唇を下げ，頸部および上胸部の皮膚にしわを寄せ緊張・怒りを示す．神経支配：顔面神経の頸部枝）．＝platysma [TA]; musculus platysma myoides; musculus platysma; musculus subcutaneus colli; musculus tetragonus.

pleuroesophageal (**m.**) 胸膜食道筋．＝pleuroesophageus (m.).

pleuroesophageus (**m.**) [TA]．胸膜食道筋（縦隔胸膜より起こり，食道の筋組織を強化する筋束）．＝musculus pleuroesophageus [TA]; pleuroesophageal (m.).

popliteal m. 膝窩筋．＝popliteus (m.).

popliteus (**m.**) [TA]．膝窩筋（膝窩底を形成する筋．起始：大腿骨の外側顆．停止：斜線より上方の脛骨後面．神経支配：脛骨神経．作用：膝関節を伸展して固定した状態では脛骨面で5°ほど内側に大腿骨を回旋する．関節が弛緩した状態では屈曲も起こさせられる）．＝musculus popliteus [TA]; popliteal m.; popliteus (3).

postaxial m.'s 軸後筋（体肢の軸よりも後方（背側）に位置する筋群）.

posterior auricular (**m.**) 後耳介筋．＝auricularis posterior (m.).

posterior cervical intertransversarii (**m.'s**) [TA]．頸後横突間筋（起始：外側部は頸椎横突起の後結節，内側部は横突起．停止：1つ上位の頸椎の横突起の対応部分．神経支配：外側部は頸神経の前枝．内側部は頸神経の後枝．作用：頸椎の外転）．＝musculi intertransversarii posteriores cervicis [TA]; posterior cervical intertransverse m.'s.

posterior cervical intertransverse m.'s 頸後横突間筋．＝posterior cervical intertransversarii (m.'s).

posterior cricoarytenoid (**m.**) [TA]．後輪状披裂筋（喉頭の固有筋の1つ．起始：輪状軟骨板後面の陥凹．停止：披裂筋の筋突起．神経支配：反回神経．作用：声帯ひだを外転して声門裂を開き深呼吸できるようにする）．＝musculus cricoarytenoideus posterior [TA].

posterior scalene m.* 後斜角筋（scalenus posterior (m.) の公式の別名）.

posterior tibial m. 後脛骨筋．＝tibialis posterior (m.).

postural m.'s 姿勢筋．＝antigravity m.'s.

Pozzi m. (pot'zē)．ポジ筋．＝extensor digitorum brevis (m.) of hand.

preaxial m.'s 上下肢の軸線上の頭側に位置する筋.

prevertebral m.'s 椎前筋（頸椎と上位3胸椎の前面で椎前筋膜の深層にある筋．左右対称性に位置し，頸長筋，頭長筋，前頭直筋，および側頭直筋よりなる．一部の学者は頸腕神経叢面の内側にある筋群と定義しており，そのため前斜角筋もこれに含めている．これらの筋は頭部・頸部の屈筋で，頸髄神経の前枝により支配されている）.

procerus (**m.**) [TA]．鼻根筋（前額中央の顔面筋．起始：鼻稜をおおう膜．停止：前頭筋．作用：前頭筋の補助．神経支配：顔面神経の枝）．＝musculus procerus [TA]; musculus pyramidalis nasi; procerus [TA].

pronator (**m.**) [TA]．回内筋（手掌を前方に向けていた状態（解剖学的姿勢）から手掌を後方に向けるように動かす運動を起こす筋）．＝musculus pronator [TA].

pronator quadratus (**m.**) [TA]．方形回内筋（前腕前区深層の筋の1つ．起始：尺骨前面の遠位1/4．停止：橈骨前面の遠位1/4．神経支配：前骨間神経．作用：前腕の回内）．＝musculus pronator quadratus [TA]; quadrate pronator m.

pronator teres (**m.**) [TA]．円回内筋（前腕前区浅層の筋の1つ．起始：浅頭（上腕骨頭）は上腕の内側上顆，深頭（尺骨頭）は尺骨鉤状突起の内側．停止：橈骨の外側面の中央．神経支配：正中神経．作用：前腕の回内）．＝musculus pronator teres [TA]; musculus pronator radii teres; round pronator m.

psoas major (**m.**) [TA]．大腰筋（起始：第十二胸椎から第五腰椎の椎体と椎間円板，および腰椎の横突起．停止：腸骨筋と共通腱をつくって大腿骨の小転子．神経支配：腰神経叢（第一―第三腰神経）．作用：股関節の屈曲の主力筋）．＝musculus psoas major [TA]; greater psoas m.

psoas minor (**m.**) [TA]．小腰筋（約40％で欠如するまれに出現する筋．起始：第十二胸椎と第一腰椎の椎体と，その間にある椎間円板．停止：腸恥筋膜弓を介して腸恥隆起．神経支配：腰神経叢．作用：腰部脊柱の屈曲の補助）．＝musculus psoas minor [TA]; smaller psoas (m.).

puboanalis (**m.**) [TA]．恥骨肛門筋（恥骨尾骨筋の一部で，肛門管の表面に終わっている筋線維をいう）．＝musculus puboanalis [TA].

pubococcygeal m. 恥骨尾骨筋．＝pubococcygeus (m.).

pubococcygeus (**m.**) [TA]．恥骨尾骨筋（恥骨体の前面および近くの閉鎖筋膜腱弓より起こり尾骨に付着する肛門挙筋の前方線維）．＝musculus pubococcygeus [TA]; pubococcygeal m.

puboperinealis (**m.**) [TA]．恥骨会陰筋（恥骨尾骨筋の一部で，会陰靱帯に付着する筋線維をいう）．＝musculus puboperinealis [TA].

puboprostatic (**m.**) 恥骨前立腺筋．＝puboprostaticus (m.).

puboprostaticus (**m.**) [TA]．恥骨前立腺筋（恥骨前立腺靱帯内の平滑筋線維）．＝musculus puboprostaticus [TA]; levator prostatae (m.)*; musculus levator prostatae*; elevator (m.) of prostate; puboprostatic (m.).

puborectal m. 恥骨直腸筋．＝puborectalis (m.).

puborectalis (**m.**) [TA]．恥骨直腸筋（恥骨体から肛門の後方を通り，肛門直腸移行部で筋わなを形成する肛門挙筋（恥骨尾骨筋）の内側部．収縮すると肛門直腸（会陰）曲を増大し，ぜん動の間便意を抑制する．排便時には弛緩する）．＝musculus puborectalis [TA]; Braune m.; puborectal m.

pubovaginal m. 恥骨腟筋．＝pubovaginalis (m.).

pubovaginalis (**m.**) [TA]．恥骨腟筋（女性の恥骨から腟の外側壁にのびる肛門挙筋（恥骨尾骨筋）の最も内側にある線維）．＝musculus pubovaginalis [TA]; pubovaginal m.

pubovesical m. 恥骨膀胱筋．＝pubovesicalis (m.).

pubovesicalis (**m.**) [TA]．恥骨膀胱筋（女性の恥骨膀胱靱帯内にある平滑筋線維）．＝musculus pubovesicalis [TA]; pubovesical m.

pyramidal m. 錐体筋．＝pyramidalis (m.).

pyramidal m. of auricle [TA]. 耳介錐体筋（耳珠の筋線維が耳輪棘までのびたもので，ときに現れるもの）. ＝musculus pyramidalis auriculae [TA]; Jung m.; pyramidal auricular m.

pyramidal auricular m. 耳介錐体筋. ＝pyramidal m. of auricle.

pyramidalis (m.) [TA]. 錐体筋（下腹部の筋の１つ．起始：恥骨稜．停止：白線の下部．作用：白線の緊張．神経支配：肋下神経）. ＝musculus pyramidalis [TA]; pyramidal m.

quadrate m. [TA]. 方形筋（ほぼ四角形の筋あるいは4つの縁をもつ筋）. ＝musculus quadratus [TA]; quadratus m.

quadrate m. of loins 腰方形筋. ＝quadratus lumborum (m.).

quadrate pronator m. 方形回内筋. ＝pronator quadratus (m.).

quadrate m. of sole 足底方形筋. ＝quadratus plantae (m.).

quadrate m. of thigh 大腿方形筋. ＝quadratus femoris (m.).

quadrate m. of upper lip 上唇方形筋. ＝*musculus* quadratus labii superioris.

quadratus femoris (m.)quadratus m. 方形筋. ＝quadrate m.

quadratus femoris (m.) [TA]. 大腿方形筋（下殿部深層の筋．起始：坐骨結節の外側縁．停止：転子間稜．神経支配：仙骨神経叢の大腿方形筋枝．作用：大腿の外旋）. ＝musculus quadratus femoris [TA]; quadrate m. of thigh.

quadratus lumborum (m.) [TA]. 腰方形筋（後腹壁の扁平な筋．起始：腸骨稜，腸腰靱帯と下部腰椎の横突起．停止：第十二肋骨と上部腰椎の横突起．作用：体幹の外転．神経支配：上位腰神経前枝）. ＝musculus quadratus lumborum [TA]; lumbar quadrate m.; quadrate m. of loins.

quadratus plantae (m.) [TA]. 足底方形筋（足底第二層の筋の１つ．起始：踵骨下面の外側縁および内側縁の２頭．停止：長指屈筋の腱．神経支配：外側足底神経．作用：長指屈筋の補強）. ＝musculus quadratus plantae [TA]; flexor accessorius (m.)*; musculus flexor accessorius*; accessory flexor m. of foot; caro quadrata sylvii; musculus pronator pedis; plantar quadrate m.; quadrate m. of sole.

quadriceps femoris (m.) [TA]. 大腿四頭筋（大腿前部の筋．起始：大腿直筋，外側広筋，中間広筋，内側広筋の４個の頭．停止：膝蓋骨，さらに膝蓋靱帯により脛骨粗面．神経支配：大腿神経．作用：下腿の伸展．大腿直筋の作用により大腿を曲げる）. ＝musculus quadriceps femoris [TA]; musculus quadriceps [TA]; musculus quadriceps extensor femoris; quadriceps m. of thigh.

quadriceps m. of thigh 大腿四頭筋. ＝quadriceps femoris (m.).

radial flexor (m.) of wrist 橈側手根屈筋. ＝flexor carpi radialis (m.).

rectococcygeal m. 直腸尾骨筋. ＝rectococcygeus (m.).

rectococcygeus (m.) [TA]. 直腸尾骨筋（直腸の後面から第二または第三尾椎に達する平滑筋線維束）. ＝musculus rectococcygeus [TA]; rectococcygeal m.

rectoperinealis (m.) [TA]. 直腸会陰筋（肛門直腸会陰筋の上方部．直腸の縦筋層から前方に向かって伸び，外尿道括約筋に混ざり込む）. ＝musculus rectoperinealis [TA]; musculus rectourethralis superior*; recto-urethralis superior (m.)*.

rectourethral m.'s* 直腸尿道筋（anorectoperineal m.'s の公式の別名）.

recto-urethralis inferior (m.)* anoperinealis m. の公式の別名.

recto-urethralis superior (m.)* rectoperinealis (m.) の公式の別名.

rectouterine m. 直腸子宮筋. ＝rectouterinus (m.).

rectouterinus (m.) [TA]. 直腸子宮筋（直腸子宮ひだの左右の子宮頸部と直腸間を通る線維組織と平滑筋線維束）. ＝musculus rectouterinus [TA]; rectouterine m.

rectovesical m. 直腸膀胱筋. ＝rectovesicalis (m.).

rectovesicalis (m.) [TA]. 直腸膀胱筋（男性の仙骨生殖器ひだ内の平滑筋線維．女性の直腸子宮筋に相当する）. ＝musculus rectovesicalis [TA]; rectovesical m.

rectus m. of abdomen 腹直筋. ＝rectus abdominis (m.).

rectus abdominis (m.) [TA]. 腹直筋（前腹壁の筋で白線の両脇にあり腱画によって筋腹がいくつかに仕切られているのが特徴である．起始：恥骨稜と恥骨結合．停止：剣状突起，第五—第七肋軟骨．作用：脊柱腰部を屈曲し，胸部を恥部方向に引き下げる．神経支配：下部胸神経の枝）. ＝musculus rectus abdominis [TA]; rectus m. of abdomen.

rectus capitis anterior (m.) [TA]. 前頭直筋（後頭下筋の１つ．起始：横突起，環椎の外側塊．停止：後頭骨の底部．作用：頭を回転し，かつ前方に傾ける．神経支配：第一・第二頸神経前枝）. ＝musculus rectus capitis anterior [TA]; anterior rectus m. of head; musculus rectus capitis anticus minor.

rectus capitis lateralis (m.) [TA]. 外側頭直筋（上頸部後頭下筋の１つ．起始：環椎の横突起．停止：後頭骨の頸静脈突起．作用：頭部を一方に傾ける．神経支配：第一頸神経(後頭下神経)の前枝）. ＝musculus rectus capitis lateralis [TA]; lateral rectus m. of the head.

rectus capitis posterior major (m.) [TA]. 大後頭直筋（後頭下三角の筋の１つ．起始：軸椎の棘突起．停止：後頭骨の下項線中央部．作用：頭部を回旋し後方に引く．神経支配：第一頸神経(後頭下神経)の後枝.→suboccipital m.'s）. ＝musculus rectus capitis posterior major [TA]; greater posterior rectus m. of head; musculus rectus capitis posticus major.

rectus capitis posterior minor (m.) [TA]. 小後頭直筋（後頭下三角の筋の１つ．起始：環椎の後結節．停止：後頭骨の下項線内側 1/3．作用：頭部を回旋し後方に引く．神経支配：第一頸神経(後頭下神経)の後枝.→suboccipital m.'s）. ＝musculus rectus capitis posterior minor [TA]; musculus rectus capitis posticus minor; smaller posterior rectus m. of head.

rectus femoris (m.) [TA]. 大腿直筋（大腿四頭筋の中央浅層の筋．起始：下前腸骨棘．寛骨臼の上縁．停止：大腿四頭筋の共同腱で膝蓋靱帯を経て脛骨粗面に付く）. ＝musculus rectus femoris [TA]; rectus m. of thigh.

rectus m. of thigh 大腿直筋. ＝rectus femoris (m.).

red m. 赤筋（主として小暗赤色線維からなる，ゆっくり収縮する筋で，ミオグロビンおよびミトコンドリアが多い．ゆっくりと長く収縮を持続できるのが特徴で，白筋と対照的である）.

Reisseisen m.'s (rīs′ī-sen). ライサイセン筋（最小の気管支にあり，顕微鏡レベルで見られる平滑筋線維）.

rhomboid major (m.) [TA]. 大菱形筋（胸郭体肢筋の１つ．起始：棘突起，対応する第一—第四胸椎の棘上靱帯．停止：肩甲棘より下方の肩甲骨内側縁．作用：肩甲骨を脊柱に引き寄せる．神経支配：肩甲背神経）. ＝musculus rhomboideus major [TA]; greater rhomboid m.

rhomboid minor (m.) [TA]. 小菱形筋（胸郭体肢筋の１つ．起始：第六・第七頸椎の棘突起．停止：肩甲棘より上方の肩甲骨の内側縁．作用：肩甲骨を脊柱に向かって引き寄せ，わずかに上方に上げる．神経支配：肩甲背神経）. ＝musculus rhomboideus minor [TA]; lesser rhomboid m.

rider's m.'s 乗馬筋（大腿の内転筋．乗馬によって特に発達する）.

Riolan m. (rē-ō-lŏn[h]′). リョラン(リオラン)筋（①眼輪筋の周縁にある線維．②＝cremaster m.）.

risorius (m.) [TA]. 笑筋（口部顔面筋の１つ．起始：広頸筋と咬筋筋膜．停止：口輪と口角の皮膚．作用：口角を広げる．神経支配：顔面神経）. ＝musculus risorius [TA]; Albinus m. (1); Santorini m.

rotator m. 回旋筋（①固有背筋の回旋筋をさす固有名詞．②一般的に，単独あるいは他の筋の助けをかりて体軸の回りを回旋させる運動を起こす筋）. ＝musculus rotator [TA].

rotatores (m.'s) [TA]. 回旋筋（３層ある横突棘筋のうち最深部のもので主に胸部に発達する筋．１個の脊椎の横突起より起こり隣接する上部の２，３個の脊椎の棘突起の根に付着する．作用：伝統的には脊柱を回旋させるといわれるが，多数の筋紡錘が発達しているところをみると固有受容器として働いているのかもしれない．神経支配：脊髄神経後

枝). =musculi rotatores [TA].

rotatores cervicis (m.'s) [TA]. 頸回旋筋（頸椎に付着する回旋筋). =musculi rotatores cervicis / colli [TA]; cervical rotator m.'s.

rotatores lumborum (m.'s) [TA]. 腰回旋筋（腰椎の回旋筋). =musculi rotatores lumborum [TA]; lumbar rotator m.'s.

rotatores thoracis (m.'s) [TA]. 胸回旋筋（胸椎の回旋筋). =musculi rotatores thoracis [TA]; thoracic rotator m.'s.

Rouget m. (rū-zhā'). ルジェ筋. =circular *fibers*.

round pronator m. 円回内筋. =pronator teres (m.).

Ruysch m. (roysh). ライシュ筋（子宮底の筋組織).

salpingopharyngeal m. 耳管咽頭筋. =salpingopharyngeus (m.).

salpingopharyngeus (m.) [TA]. 耳管咽頭筋（起始：耳管軟骨部の内側板. 停止：口蓋咽頭筋に関連する咽頭の縦筋層. 神経支配：咽頭神経叢. 作用：えん下時に咽頭を上げ，耳管を広げるのを助ける). =musculus salpingopharyngeus [TA]; salpingopharyngeal m.

Santorini m. (sahn-tō-rē'nē). サントリーニ筋. =risorius (m.).

sartorius (m.) [TA]. 縫工筋（大腿前部浅層の筋. 起始：上前腸骨棘. 停止：脛骨粗面の内側縁. 神経支配：大腿神経. 作用：大腿と下腿の屈曲，下腿を内旋し大腿を外旋させる). =musculus sartorius [TA]; tailor's m.

scalenus anterior (m.) [TA]. 前斜角筋（側頸部下半の筋の1つ. 起始：第三—第六頸椎の横突起の前結節. 停止：第一肋骨の斜角筋結節. 作用：第一肋骨を上げる. 神経支配：頸神経叢). =musculus scalenus anterior [TA]; anterior scalene m.*; musculus scalenus anticus.

scalenus medius (m.) [TA]. 中斜角筋（側頸部下半の筋の1つ. 起始：第二—第六頸椎の横突起の前部と後部を結ぶ薄い骨板. 停止：鎖骨下動脈の後方で第一肋骨. 作用：第一肋骨を挙上する. 神経支配：頸神経叢). =musculus scalenus medius [TA]; middle scalene m.*.

scalenus minimus (m.) [TA]. 最小斜角筋（前斜角筋と中斜角筋の間にあり，この両筋と同じ作用と神経をもつ，まれにみられる独立筋束). =musculus scalenus minimus [TA]; Albinus m. (2); Sibson m.; smallest scalene m.

scalenus posterior (m.) [TA]. 後斜角筋（側頸部下半の筋の1つ. 起始：第四—第六頸椎横突起の後結節. 停止：第二肋骨の外側面. 作用：第二肋骨を上げる. 神経支配：頸神経叢および腕神経叢). =musculus scalenus posterior [TA]; posterior scalene m.*; musculus scalenus posticus.

scalp m. 頭蓋表筋. =epicranius (m.).

scapulohumeral m.'s [TA]. 肩甲上腕筋（肩甲骨から起こって上腕骨につく筋群の総称で，肩関節の運動に関わり棘上筋，棘下筋，大円筋，小円筋，肩甲下筋などがある). =musculi scapulohumerales.

Sebileau m. (seb-i-lō'). スビロー筋（陰嚢中隔にはいり込んでいる肉様筋層の深部線維).

second tibial m. 第二脛骨筋. =*musculus* tibialis secundus.

semimembranosus (m.) [TA]. 半膜様筋（大腿後区ハムストリング筋の1つ. 起始：坐骨結節. 停止：脛骨の内側顆と，膜状になって膝関節の内側側副靱帯，膝窩筋膜，およびそれらの反回する線維である斜膝窩靱帯によって大腿骨の外側顆に付着. 神経支配：脛骨神経. 作用：下腿の屈曲と屈出時の内旋. 膝関節の関節包の緊張による膝の伸展位の安定性の維持). =musculus semimembranosus [TA].

semipennate m. [TA]. 半羽状筋（外側腱に斜めに筋線維が付着する. 羽毛を半切したような形状を呈する筋). =musculus semipennatus [TA]; musculus unipennatus*; unipennate m.*.

semispinal m. 半棘筋. =semispinalis m.

semispinal m. of head 頭半棘筋. =semispinalis capitis (m.).

semispinalis m. [TA]. 半棘筋（3層からなる横突棘筋の最浅層部. 頭半棘筋，頸半棘筋，胸半棘筋からなる). =musculus semispinalis [TA]; semispinal m.

semispinalis capitis (m.) [TA]. 頭半棘筋（起始：5，6個の上部胸椎の横突起と4個の下部頸椎の関節突起. 停止：後頭骨の上項線と下項線の間. 作用：頭部を回旋し後方に引く. 神経支配：頸神経の後枝). =musculus semispinalis capitis [TA]; musculus complexus; semispinal m. of head.

semispinalis cervicis (m.) [TA]. 頸半棘筋（胸半棘筋に続く半棘筋. 起始：第二—第五胸椎の横突起. 停止：軸椎と第三—第五頸椎の棘突起. 作用：頸椎の伸展. 神経支配：頸神経および胸神経の後枝). =musculus semispinalis cervicis [TA]; musculus semispinalis colli*; semispinal m. of neck.

semispinalis thoracis (m.) [TA]. 胸半棘筋（起始：第五—第十一胸椎の横突起. 停止：上位4個の胸椎と，第五・第七頸椎の棘突起. 作用：脊柱の伸展. 神経支配：頸神経および胸神経の後枝). =musculus semispinalis thoracis [TA]; musculus semispinalis dorsi; semispinal m. of thorax.

semispinal m. of neck 頸半棘筋. =semispinalis cervicis (m.).

semispinal m. of thorax 胸半棘筋. =semispinalis thoracis (m.).

semitendinosus (m.) [TA]. 半腱様筋（大腿後区ハムストリング筋の1つ. 起始：坐骨結節. 停止：脛骨の上部1/4の内側面. 神経支配：脛骨神経. 作用：大腿の伸展，下腿の屈曲と内転). =musculus semitendinosus [TA].

serratus anterior (m.) [TA]. 前鋸筋（胸郭体肢筋の1つ. 起始：上位8，9個の肋骨の外側面中央部. 停止：肩甲骨の上下角とその間の内側縁. 作用：肩甲骨を回転し，前方に引き，肋骨を上げる. 神経支配：腕神経叢からの長胸神経). =musculus serratus anterior [TA]; anterior serratus m.; costoscapularis; musculus serratus magnus.

serratus posterior inferior (m.) [TA]. 下後鋸筋（背筋中間層下半の筋. 起始：広背筋とともに下位2個の胸椎と上位2個の腰椎の棘突起から起こる. 停止：下位4個の肋骨の下縁. 作用：下部肋骨を後方および下方に引く. 神経支配：第九—第十二肋間神経). =musculus serratus posterior inferior [TA]; inferior posterior serratus m.

serratus posterior superior (m.) [TA]. 上後鋸筋（背筋中間層上半の筋. 起始：下位2個の頸椎と上位2個の胸椎の棘突起. 停止：第二—第五肋骨角の外側. 神経支配：第一—第四肋間神経). =musculus serratus posterior superior [TA]; superior posterior serratus m.

shawl m. trapezius (m.)を意味する，現在では用いられない語.

short abductor m. of thumb 短母指外転筋. =abductor pollicis brevis (m.).

short adductor m. 短内転筋. =adductor brevis (m.).

short extensor (m.) of great toe 短母趾(指)伸筋. =extensor hallucis brevis (m.).

short extensor (m.) of thumb 短母指伸筋. =extensor pollicis brevis (m.).

short extensor (m.) of toes 短趾(指)伸筋. =extensor digitorum brevis (m.).

short fibular m. 短腓骨筋. =fibularis brevis (m.).

short flexor (m.) of great toe 短母趾(指)屈筋. =flexor hallucis brevis (m.).

short flexor (m.) of little finger 短小指屈筋. =flexor digiti minimi brevis (m.) of hand.

short flexor (m.) of little toe 短小趾(指)屈筋. =flexor digiti minimi brevis (m.) of foot.

short flexor (m.) of thumb 短母指屈筋. =flexor pollicis brevis (m.).

short flexor (m.) of toes 短趾(指)屈筋. =flexor digitorum brevis (m.).

short levatores costarum (m.'s) 短肋骨挙筋. =levatores costarum breves (m.'s).

short palmar m. 短掌筋. =palmaris brevis (m.).

short peroneal m. 短腓骨筋. =fibularis brevis (m.).

short radial extensor m. of wrist 短橈側手根伸筋. =extensor carpi radialis brevis (m.).

shunt m. [TA]. シャント筋，脱臼回避筋（運動を起こすというよりは関節での脱臼を防ぐ働きをする筋で，例えば腕橈骨筋，上腕二頭筋の短頭，上腕三頭筋の長頭などが肩関節の脱臼を防いでいる).

Sibson m. (sib′sŏn). シブソン筋. ＝scalenus minimus (m.).

skeletal m. 骨格筋（肉眼的には一端または両端が体の骨格に結合している横紋随意筋線維の集束で，体肢筋と体幹筋に分けることもできる．組織学的には，細長く多核で横紋のある骨格筋線維からなり，結合組織，血管，神経とともに存在する．個々の筋線維は細網線維や膠原線維からなる筋内膜で包まれ，さらに筋線維の束は筋周膜といわれる不均一の結合組織で包まれている．筋腱接合部を除いて，筋全体は密な結合組織である筋上膜で包まれている）. ＝musculus skeleti.

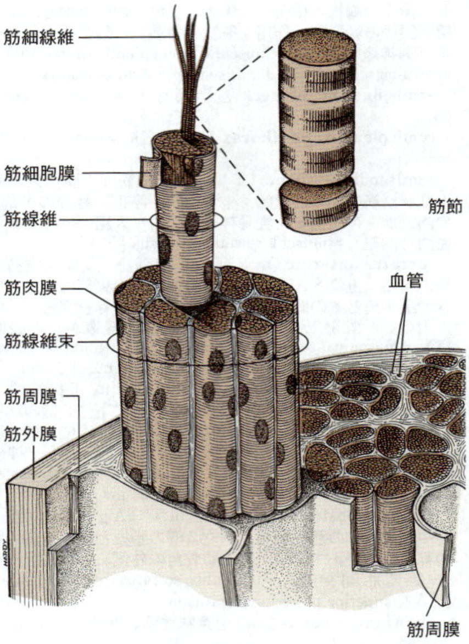

skeletal muscle

結合組織構成図．筋束，単一筋細胞(線維)，および筋細線維の間の関係も示してある．

smaller m. of helix 小耳輪筋. ＝helicis minor (m.).

smaller pectoral m. 小胸筋. ＝pectoralis minor (m.).

smaller posterior rectus m. of head 小後頭直筋. ＝rectus capitis posterior minor (m.).

smaller psoas (m.) 小腰筋. ＝psoas minor (m.).

smallest scalene m. 最小斜角筋. ＝scalenus minimus (m.).

smooth m. 平滑筋（内臓や血管など意識的な制御ができない構造に存在する不随意筋．平滑筋の伸縮単位である細胞は細長く，通常，中央部に核があり紡錘形をしている．細胞の長さは 20―200 μm で，妊娠中の子宮ではさらに長くなっていることがある．横紋はないが筋原線維はみられる．平滑筋細胞は細網線維によってまとめられて板状または束になっている．また弾性線維に富むことも多い．→involuntary m.'s）. ＝unstriated m.; unstriped m.; visceral m.

Soemmering m. (sĕrm′ĕr-ing). ゼンメリング筋. ＝levator (m.) of thyroid gland.

m.'s of soft palate and fauces [TA]. 口蓋筋（軟口蓋と口狭を形成し，その運動に関与する筋群．口蓋帆張筋，口蓋帆挙筋，口蓋垂筋，口蓋舌筋，口蓋咽頭筋からなる）. ＝musculi palati mollis et faucium [TA].

soleus (m.) [TA]. ヒラメ筋（下腿後区浅層の筋の１つ．起始：腓骨頭の後面と腓骨の上方 1/3，脛骨の斜線と内側縁の中央 1/3，および膝窩血管上を通る脛骨と腓骨間に張った腱様弓．停止：踵骨腱(アキレス腱)により，腓腹筋とともに踵骨隆起に付着．神経支配：脛骨神経．作用：足の底屈）. ＝musculus soleus [TA].

sphincter m. [TA]. 括約筋. ＝sphincter.

sphincter m. of common bile duct 総胆管括約筋. ＝*sphincter* of (common) bile duct.

sphincter m. of pancreatic duct 膵管括約筋. ＝*sphincter* of pancreatic duct.

sphincter m. of pupil 瞳孔括約筋. ＝*sphincter* pupillae.

sphincter m. of pylorus 幽門括約筋. ＝pyloric *sphincter*.

sphincter m. of urethra 尿道括約筋. ＝external urethral *sphincter*.

sphincter m. of urinary bladder 膀胱括約筋. ＝internal urethral *sphincter*.

spinal m. 棘筋. ＝spinalis (m.).

spinal m. of head 頭棘筋. ＝spinalis capitis (m.).

spinalis (m.) [TA]. 棘筋（脊柱起立筋の内側部を構成する．頭棘筋，頸棘筋，胸棘筋からなる）. ＝musculus spinalis [TA]; spinal m.

spinalis capitis (m.) [TA]. 頭棘筋（頸棘筋が後頭骨にまでのびたもので，ときに頭半棘筋と癒合することもある）. ＝musculus spinalis capitis [TA]; biventer cervicis; spinal m. of head.

spinalis cervicis (m.) [TA]. 頸棘筋（ときに出現するか，または痕跡的にみられる．起始：第六・第七頸椎の棘突起．停止：軸椎と第三頸椎の棘突起．作用：頸椎の伸展．神経支配：頸神経の後枝）. ＝musculus spinalis cervicis [TA]; musculus spinalis colli*; spinal m. of neck.

spinalis thoracis (m.) [TA]. 胸棘筋（起始：上部腰椎と下部２個の胸椎の棘突起．停止：中部および上部胸椎の棘突起．作用：脊柱を支え，のばす．神経支配：胸神経および上部腰神経の後枝）. ＝musculus spinalis thoracis [TA]; musculus spinalis dorsi; spinal m. of thorax.

spinal m. of neck 頸棘筋. ＝spinalis cervicis (m.).

spinal m. of thorax 胸棘筋. ＝spinalis thoracis (m.).

spindle-shaped m. 紡錘状筋. ＝fusiform (m.).

splenius (m.'s) [TA]. 板状筋（頭板状筋と頸板状筋の総称）. ＝musculi splenii [TA].

splenius capitis (m.) [TA]. 頭板状筋（後頸部浅層の扁平な筋で，頸板状筋とは停止が頭骨である点で区別する．起始：下位４個の頸椎と上位３個の胸椎の棘突起．停止：乳様突起と後頭骨の上項線の外側半分．作用：頭部を回旋し，両側が一緒に働くと頭を後方に引く．神経支配：第二―第八頸神経の後枝）. ＝musculus splenius capitis [TA]; splenius m. of head.

splenius cervicis (m.) [TA]. 頸板状筋（後頸部浅層の扁平な筋で，頭板状筋とは停止が頸椎である点で区別する．起始：第三―第五胸椎の棘突起および棘上靱帯．停止：第一および第二頸椎，ときに第三頸椎までのびることもある，横突起の後結節．作用：首の回転．両側が同時に働くと首をのばす．神経支配：第五―第八頸神経の後枝）. ＝musculus splenius cervicis [TA]; musculus splenius colli*; splenius m. of neck.

splenius m. of head 頭板状筋. ＝splenius capitis (m.).

splenius m. of neck 頸板状筋. ＝splenius cervicis (m.).

stapedius (m.) [TA]. あぶみ骨筋（耳小骨筋の１つ．起始：鼓室内の錐体隆起の内壁．停止：あぶみ骨の頸部．作用：強すぎる音に対する防御的反応として，あぶみ骨頭を後に引いてあぶみ骨の振動を抑制する．神経支配：顔面神経）. ＝musculus stapedius [TA]; stapedius.

sternal m. 胸骨筋. ＝sternalis (m.).

sternalis (m.) [TA]. 胸骨筋（大胸筋の胸肋部の上を交差し胸骨と平行に走る，通常，発生上出自を同じくする胸鎖乳突筋，腹直筋とつながる．ときに出現する筋）. ＝musculus sternalis [TA]; musculus rectus thoracis; sternal m.

sternochondroscapular m.sternochondroscapular m. 胸肋軟骨肩甲筋（胸骨柄と第一肋軟骨より起こり，外後方を通って肩甲骨の上縁に付着するまれにみられる筋）. ＝musculus sternochondroscapularis.

sternoclavicular m. 胸骨鎖骨筋（胸骨の上部より起こり大胸筋の下方で鎖骨に至るまれにみられる筋で，鎖骨下筋の一線維束）. ＝musculus sternoclavicularis.

sternocleidomastoid (m.) (SCM) [TA]. 胸鎖乳突筋（前側頸部浅層の筋．起始：胸骨柄の前面と鎖骨の胸骨端．

停止：乳様突起と上項線の外側半．作用：頭部を反対側に斜めに回旋する．左右が一緒に働くと，首を曲げ頭をのばす．神経支配：運動は副神経，感覚は頸神経叢）．＝musculus sternocleidomastoideus［TA］; sternomastoid m.

sternocostalis m. 胸肋筋．＝transversus thoracis (m.).

sternohyoid (m.)［TA］．胸骨舌骨筋（前頸部舌骨下筋の1つ．起始：胸骨柄の後面と第一肋軟骨．停止：舌骨体．作用：舌骨を下げる．神経支配：脊髄頸神経わなを介して上位頸神経）．＝musculus sternohyoideus［TA］.

sternomastoid m. 胸鎖乳突筋．＝sternocleidomastoid (m.).

sternothyroid (m.)［TA］．胸骨甲状筋（前頸部舌骨下筋の1つ．起始：胸骨柄の後面と第一または第二肋軟骨．停止：甲状軟骨の斜線．作用：喉頭を下方に引く．神経支配：脊髄頸神経わなを介して上位頸神経）．＝musculus sternothyroideus［TA］.

straight m.［TA］．直筋（水平・垂直その他真っ直ぐに張っている筋をいう．例えば外眼筋の直筋や後頭筋の直筋など）．＝musculus rectus［TA］.

strap m.'s ＝infrahyoid m.'s.

striated m. 横紋筋（平滑筋と対照的に太い筋細糸と細い筋細糸とが規則正しく入り組んで現れる横紋をもった骨格筋もしくは随意筋．心筋は随意筋ではないが横紋をもっているので，本語が間違って随意骨格筋の同義語として用いられる）．

styloauricular (m.) 茎突耳筋（茎状突起根部から耳道の軟骨にのびるまれにみられる小筋）．＝musculus styloauricularis.

styloglossus (m.)［TA］．茎突舌筋（外舌筋の1つ．起始：茎状突起の下端．停止：舌の外面と下表面．神経支配：舌下神経．作用：舌を引き込ませる）．＝musculus styloglossus［TA］.

stylohyoid (m.)［TA］．茎突舌骨筋（起始：側頭骨の茎状突起．停止：2本の筋束により顎二腹筋の中間腱の両側で舌骨に付着．作用：舌骨を挙上する．神経支配：顔面神経）．＝musculus stylohyoideus［TA］.

stylopharyngeal m. 茎突咽頭筋．＝stylopharyngeus (m.).

stylopharyngeus (m.)［TA］．茎突咽頭筋（起始：茎状突起の根元．停止：甲状軟骨と咽頭壁(縦層の一部となる)．神経支配：舌咽神経．作用：咽頭と喉頭を挙上する）．＝musculus stylopharyngeus［TA］; stylopharyngeal m.

subanconeus m. ＝articularis cubiti (m.).

subclavian m. 鎖骨下筋．＝subclavius (m.).

subclavius (m.)［TA］．鎖骨下筋（胸郭体肢筋の1つ．起始：第一肋軟骨．停止：鎖骨肩峰端の下面．作用：鎖骨の固定または第一肋骨の挙上．神経支配：腕神経叢からの鎖骨下筋神経）．＝musculus subclavius［TA］; subclavian m.

subcostal m.［TA］．肋下筋（内肋間筋と同一方向に走行するが，1つあるいはそれ以上先の肋骨に付着する．ときに出現する後外側胸壁の筋）．＝musculus subcostalis［TA］; subcostales［TA］; musculus infracostalis.

subcrural m. ＝articularis genus (m.).

suboccipital m.'s［TA］．後頭下筋（後頭骨直下にある筋の総称．前頭直筋，外側頭直筋，大小後頭直筋，上下頭斜筋がある．後頭下神経によって支配される．作用については様々いわれているが，多くの権威ある学者は第一義的には固有受容器であると考えている）．＝musculi suboccipitales［TA］.

subquadricipital m. ＝articularis genus (m.).

subscapular m. 肩甲下筋．＝subscapularis (m.).

subscapularis (m.)［TA］．肩甲下筋（肩関節固有筋で，その腱は回旋筋腱板の形成に加わる．起始：肩甲下窩．停止：上腕骨の小結節．神経支配：第五・第六頸神経の腕神経叢後索からの上下肩甲下神経．作用：腕の内旋．持続的に収縮すれば上腕骨頭を関節窩に固定できる）．＝musculus subscapularis［TA］; subscapular m.

superficial back m.'s 浅背筋（脊柱に起始し筋腹は背中にあるが停止は上肢の骨または肋骨であるもの．固有背筋のように脊髄神経の後枝支配ではない．僧帽筋(副神経支配)・広背筋・菱形筋・肩甲挙筋・胸筋(脊髄神経前枝またはその枝支配)）．

superficial flexor (m.) of fingers〔手の〕浅指屈筋．＝flexor digitorum superficialis (m.).

superficial lingual m. 上縦舌筋．＝superior longitudinal m. of tongue.

superficial transverse perineal m.［TA］．浅会陰横筋（尿生殖三角にみられる不定筋．起始：坐骨枝．停止：会陰の中心腱に停止して他の会陰筋とともに腹圧に抵抗する．神経支配：陰部神経会陰枝．作用：会陰の中心腱を後ろに引き固定する）．＝musculus transversus perinei superficialis［TA］; superficial transverse m. of perineum; Theile m.

superficial transverse m. of perineum 浅会陰横筋．＝superficial transverse perineal m.

superior auricular m. 上耳介筋．＝auricularis superior (m.).

superior axioappendicular m.'s 上軸付属筋（上肢の外来筋で，近位は中軸骨格(肋骨，胸骨，頸胸椎の突起)に，遠位は上肢の付属骨格に付着する筋）．

superior gemellus (m.)［TA］．上双子筋（殿部深層の筋の1つ．起始：坐骨棘および小坐骨切痕．停止：内閉鎖筋の腱．神経支配および作用：大腿の外旋）．＝musculus gemellus superior［TA］; gemellus.

superior longitudinal m. of tongue［TA］．上縦舌筋（舌背部の粘膜下を舌根から舌尖に走る内舌筋．作用：舌の上部を短縮する．神経支配：運動は舌下神経，感覚は舌神経）．＝musculus longitudinalis superior linguae［TA］; superficial lingual m.

superior oblique (m.)［TA］．上斜筋（眼窩の外眼筋の1つ．起始：視神経管の内縁上方．停止：腱が滑車を通過後に後下方と外側に反転して，上直筋と外側直筋間の強膜に付着．神経支配：滑車神経．作用：眼球を下外側に向ける．内方捻転）．＝musculus obliquus superior (bulbi)［TA］.

superior oblique m. of head 上頭斜筋．＝obliquus capitis superior (m.).

superior pharyngeal constrictor (m.)［TA］．上咽頭収縮筋（咽頭を環状に囲む外筋層のうち最上部のもの．起始：正中翼状板(翼突咽頭部 pars pterygoph aryngea)，翼突下顎縫線(頬咽頭部 pars buccopharyngea)，下顎骨の顎舌骨線(顎咽頭部 pars mylopharyngea)，口床粘膜と舌側(舌咽頭部 pars glossopharyngea)．停止：咽頭後壁の咽頭縫線．神経支配：咽頭神経叢．作用：咽頭の狭窄．えん下に際して鼻咽頭を口腔咽頭から遮断し律動的収縮を起こす）．＝musculus constrictor pharyngis superior［TA］; musculus cephalopharyngeus.

superior posterior serratus m. 上後鋸筋．＝serratus posterior superior (m.).

superior rectus (m.)［TA］．上直筋（眼窩の外眼筋の1つ．起始：総腱輪の上部．停止：眼の強膜上部．神経支配：動眼神経．作用：眼球を上内側に向ける．内転して内方捻転）．＝musculus rectus superior (bulbi)［TA］; attollens oculi.

superior tarsal m.［TA］．上瞼板筋（上眼瞼挙筋の腱膜から上瞼板にのびる平滑筋の明確な層．交感神経によって支配され，上眼瞼をその位置で支える機能をもつ．Horner 症候群での麻痺は，眼瞼下垂を生じる）．＝musculus tarsalis superior［TA］; Müller m. (3).

supinator (m.)［TA］．回外筋（①前腕後区近位部深層の筋．起始：上腕骨の外側上顆，外側側副靱帯，輪状靱帯と尺骨の回外筋稜．停止：橈骨の前面および側面．神経支配：橈骨神経(後骨間神経)．作用：前腕の回外運動．②前腕を回外する運動を起こさせる筋，すなわち前腕を縦軸回りに回旋して手の掌面が前を向くように回す運動を起こさせる筋）．＝musculus supinator［TA］; musculus supinator radii brevis.

supraclavicular m. 鎖骨上筋（胸骨柄の上端から鎖骨上部表面の中央部に向かう変則的な筋束）．＝musculus supraclavicularis.

suprahyoid m.'s［TA］．舌骨上筋（舌骨上部に付着する顎二腹筋，茎突舌骨筋，顎舌骨筋，およびおとがい舌骨筋を含む筋群）．＝musculi suprahyoidei［TA］.

supraspinalis (m.) 棘上筋（頸椎の棘突起先端間を結ぶいくつかの筋束）．＝musculus supraspinalis.

supraspinatus (m.)［TA］．棘上筋（肩関節固有筋でその腱は回旋筋腱板の形成に加わる．起始：肩甲骨の肩甲上窩．停止：上腕骨大結節．神経支配：第五・第六頸神経からの肩甲上神経．作用：上腕の外転．持続的に収縮すれば上腕骨頭を関節窩に固定できる）．＝musculus supraspinatus [TA]; supraspinous m.

supraspinous m. ＝supraspinatus (m.).

suspensory m. of duodenum [TA]．十二指腸提筋（空腸との連結部において，横隔膜の右脚と十二指腸に付着する平滑筋線維組織からなる広く平らな束）．＝musculus suspensorius duodeni [TA]; ligamentum suspensorium duodeni*; suspensory ligament of duodenum*; Treitz ligament; Treitz m.

synergistic m.'s 協力筋（同様の作用をもち，相互に協力し合うように働く筋）．

tailor's m. 縫工筋．＝sartorius (m.).

temporal m. 側頭筋．＝temporalis (m.).

temporalis (m.) [TA]．側頭筋（最上部のそしゃく筋．起始：側頭窩．停止：下顎枝前縁および筋突起の先端．作用：顎を閉じる．後方のほぼ水平に走る線維は前凸する下顎骨を引き戻すように働く．神経支配：三叉神経上顎枝の深側頭神経）．＝musculus temporalis [TA]; temporal m.; temporalis.

temporoparietal m. 側頭頭頂筋．＝temporoparietalis (m.).

temporoparietalis (m.) [TA]．側頭頭頂筋（帽状腱膜の外側より起こり耳介軟骨に停止する頭蓋表筋の1つ）．＝musculus temporoparietalis [TA]; temporoparietal m.

tensor fasciae latae (m.) [TA]．大腿筋膜張筋（大腿内側区前方にある殿部の筋の1つ．起始：上前腸骨棘付近．停止：腸脛靱帯を介して脛骨粗面外側部．神経支配：上殿神経．作用：大腿筋膜を緊張させる．大腿部の屈曲，外転および内旋）．＝musculus tensor fasciae latae [TA]; tensor (m.) of fascia lata*; musculus tensor fasciae femoris.

tensor (m.) of fascia lata* 大腿筋膜張筋（tensor fasciae latae (m.) の公式の別名）．

tensor (m.) of soft palate 口蓋帆張筋．＝tensor veli palati (m.).

tensor tarsi m. 眼瞼張筋（眼輪筋の涙嚢部．→orbicularis oculi (m.)）．

tensor tympani (m.) [TA]．鼓膜張筋（耳小骨筋の1つ．起始：耳管(Eustachio 管)の軟骨部分と骨部の真上の半管壁．停止：つち骨柄の底部．神経支配：耳神経節を通る三叉神経枝(鼓膜張筋神経)．作用：つち骨柄を内側に引き，鼓膜を緊張させて大きな音による過度の振動から守っている）．＝musculus tensor tympani [TA]; tensor (m.) of tympanic membrane; Toynbee m.

tensor (m.) of tympanic membrane 鼓膜張筋．＝tensor tympani (m.).

tensor veli palati (m.) [TA]．口蓋帆張筋（えん下の際，軟口蓋を緊張させて食塊に押し付けて口咽頭部へと押しやる働きをする筋．起始：蝶形骨の舟状窩と耳管(Eustachio 管)の軟骨性および膜性部分および蝶形骨棘．停止：硬口蓋後縁と軟口蓋腱膜．神経支配：耳神経節を通る三叉神経枝(咽頭神経)．作用：口蓋帆を緊張させる．耳管を開いて圧平衡の維持を助ける）．＝musculus tensor veli palatini [TA]; musculus palatosalpingeus; tensor (m.) of soft palate.

teres major (m.) [TA]．大円筋（肩関節の筋の1つ．起始：肩甲骨の下角と外側縁の下1/3．停止：上腕骨の結節間溝の内側縁．神経支配：腕神経叢後索すなわち第五・第六頸神経からの肩甲下神経．作用：腕の内転と伸長，および内旋）．＝musculus teres major [TA].

teres minor (m.) [TA]．小円筋（肩関節固有筋でその腱は回旋筋腱板の形成に加わる．起始：肩甲骨外側縁の上2/3．停止：上腕骨の大結節の下面．神経支配：第五・第六頸神経からの腋窩神経．作用：腕の内転と外旋．持続的に収縮すれば上腕骨頭を関節窩に固定できる）．＝musculus teres minor [TA].

m. of terminal notch [TA]．耳輪切痕筋（耳介の頭側面で対珠と耳輪との間に出現することのある破格筋）．＝musculus incisurae terminalis auriculae [TA]; musculus incisurae helicis; m. of notch of helix; musculus intertragicus.

Theile m. (tī′lĕ)．タイレ筋．＝superficial transverse perineal m.

third peroneal m. 第三腓骨筋．＝fibularis tertius (m.).

thoracic interspinal m. 胸棘間筋．＝interspinales thoracis (m.'s).

thoracic interspinales m.'s 胸棘間筋．＝interspinales thoracis (m.'s).

thoracic intertransversarii (m.'s) [TA]．胸横突間筋（深背筋上部の筋の1つ．起始：胸椎の横突起．停止：1つ上位の胸椎の横突起．神経支配：胸神経の後枝．作用：胸椎の外転）．＝musculi intertransversarii thoracis [TA]; thoracic intertransverse m.'s.

thoracic intertransverse m.'s 胸横突間筋．＝thoracic intertransversarii (m.'s).

thoracic longissimus m. 胸最長筋．＝longissimus thoracis (m.).

thoracic rotator m.'s 胸回旋筋．＝rotatores thoracis (m.'s).

thoracoappendicular m.'s 胸肢筋（体幹(肋骨，胸椎棘突起)から起こって上肢骨につく外来筋の総称．→superior axioappendicular m.'s）．＝musculi thoracoappendiculares.

m.'s of thorax [TA]．胸部の筋（胸郭を形成する肋骨に付着する筋で，胸筋，前鋸筋，鎖骨下筋，挙筋類，肋間筋，胸横筋，肋下筋，および横隔膜からなる）．＝musculi thoracis [TA].

three-headed m. [L. < *tri-*, three + *caput*, head][TA]．三頭筋（筋頭が3つに分かれているが，1つの共通腱で停止する筋で，例えば上腕三頭筋，寛骨三頭筋，下腿三頭筋などがある）．＝musculus triceps [TA]; triceps (m.) [TA].

thyroarytenoid (m.) [TA]．甲状披裂筋（喉頭の筋の1つ．起始：甲状軟骨の内面．停止：披裂軟骨の筋突起と外面．神経支配：反回神経．作用：声帯の緊張を緩め声の調子を下げる）．＝musculus thyroarytenoideus [TA]; musculus thyroarytenoideus externus.

thyroepiglottic m., thyroepiglottidean m. 甲状喉頭蓋筋．＝thyroepiglottic *part* of thyroarytenoid (muscle).

thyrohyoid (m.) [TA]．甲状舌骨筋（胸骨甲状筋の連続のようにみえる前頸部の舌骨下筋群の1つ．起始：甲状軟骨の斜線．停止：舌骨体．作用：舌骨を喉頭に近付ける．神経支配：舌下神経中を通る上部頸神経）．＝musculus thyrohyoideus [TA].

tibialis anterior (m.) [TA]．前脛骨筋（下腿前区内側の筋．起始：脛骨外側表面の上2/3，骨間膜，筋間中隔および表在筋膜．停止：内側楔状骨，および第一中足骨底．神経支配：深腓骨神経．作用：足の背屈と内反．運動時の縦足弓，横足弓の維持にも働く）．＝musculus tibialis anterior [TA]; anterior tibial m.; musculus tibialis anticus.

tibialis posterior (m.) [TA]．後脛骨筋（下腿後区深層の筋の1つ．起始：脛骨のヒラメ筋線と後表面，内側稜と骨間縁の間の腓骨の頭部と体，および骨間膜の後表面．停止：舟状骨，3個の楔状骨，立方骨，第二・第三・第四中足骨．神経支配：脛骨神経．作用：足の底屈および外反）．＝musculus tibialis posterior [TA]; musculus tibialis posticus; posterior tibial m.

Tod m. (tod)．トッド筋．＝oblique m. of auricle.

m.'s of tongue [TA]．舌筋（外舌筋にはおとがい舌筋，舌骨舌筋，小角舌筋，茎突舌筋がある．内舌筋(舌固有筋)には垂直舌筋，横舌筋，上縦舌筋，下縦舌筋がある．すべて舌下神経に支配される）．＝musculi linguae [TA]; lingual m.'s.

Toynbee m. (toyn′bē)．トインビー筋．＝tensor tympani (m.).

trachealis (m.) [TA]．気管筋（気管軟骨の後端同士を結合する線維性膜内にある平滑筋線維束．主として横走する）．＝musculus trachealis [TA].

tracheloclavicular m. 気管鎖骨筋（しばしば頸椎から起始し鎖骨の外側端に停する異常筋）．＝musculus tracheloclavicularis.

tragicus (m.) [TA]．耳珠筋（耳介筋の1つで耳珠の外表面上にある垂直筋線維束）．＝musculus tragicus [TA]; m. of tragus; Valsalva m.

m. of tragus 耳珠筋．＝tragicus (m.).

transverse m. of abdomen 腹横筋．＝transversus abdominis (m.).

transverse arytenoid (m.) [TA]．横披裂筋（喉頭の筋

の1つ．2つの披裂軟骨の後方を横走する筋線維の帯．神経支配：反回神経．作用：声門裂の軟骨間部の狭窄）．＝musculus arytenoideus transversus［TA］; arytenoideus.

transverse m. of auricle［TA］．耳介横筋（耳介の頭蓋面にあるまばらな筋線維束で，甲介隆起から舟状窩隆起にのびる）．＝musculus transversus auriculae［TA］; transverse auricular m.*.

transverse auricular m.* 耳介横筋（transverse m. of auricle の公式の別名）．

transverse m. of chin おとがい横筋．＝transversus menti (m.).

transverse m. of nape 項横筋．＝transversus nuchae (m.).

transverse m. of thorax 胸横筋．＝transversus thoracis (m.).

transverse m. of tongue［TA］．横舌筋（内舌筋の1つで，舌中隔から出て背部と側部に放射状に広がる線維．作用：舌の横幅を小さくする．神経支配：運動は舌下神経，感覚は舌神経）．＝musculus transversus linguae［TA］.

transversospinal m. 横突棘筋．＝transversospinales (m.'s).

transversospinales (m.'s)［TA］．横突棘筋（椎骨横突起に起始をもち，高位の椎骨の棘突起に停止する深背筋群．回転の機能をもち，半棘筋(頭・頸・胸半棘筋)，多裂筋，回旋筋(頸・胸・腰回旋筋)を含む．すべて脊髄神経後枝支配）．＝musculi transversospinales［TA］; transversospinal m.; transversospinales.

transversus abdominis (m.)［TA］．腹横筋（前外側腹壁の筋のうち最深層のもの．起始：第七－第十二肋軟骨，腰筋膜，腸骨稜，鼡径靱帯．停止：剣状突起と白線，および鼡径鎌を通じて，恥骨結節・櫛．作用：腹部の内容量を小さくする．体幹を回し屈曲する．神経支配：下位の胸神経）．＝musculus transversus abdominis［TA］; musculus transversalis abdominis; transverse m. of abdomen.

transversus menti (m.)［TA］．おとがい横筋（おとがいにある顔面筋．頸部に連続し顎の下と左右を横切って停止する．口角下制筋の不定線維）．＝musculus transversus menti［TA］; transverse m. of chin.

transversus nuchae (m.)［TA］．項横筋（僧帽筋と胸鎖乳突筋の腱の間に張る筋でまれに存在する．後耳介筋束と考えられる）．＝musculus transversus nuchae［TA］; transverse m. of nape.

transversus thoracis (m.)［TA］．胸横筋（胸郭内面の筋．起始：剣状突起内面と胸骨体内面の下部．停止：第二－第六肋軟骨．作用：肋骨を押し下げて胸を狭める．神経支配：肋間神経）．＝musculus transversus thoracis［TA］; musculus triangularis sterni; sternocostalis m.; transverse m. of thorax.

trapezius (m.)［TA］．僧帽筋（胸郭体肢筋の1つで肩関節の動きに関わる．起始：最上項線の内側部，外後頭隆起，項靱帯，第七頸椎と胸椎の棘突起，これらをつなぐ棘上靱帯．停止：鎖骨の後表面の外側1/3，肩峰前面，肩甲棘の上縁と内側縁．作用：肩甲骨が固定されているときは筋は部分ごとに別個の働きをする．頸部は肩甲骨を挙上し，胸部は肩甲骨を押し下げ，上部と最上部は同時に働いて関節窩を上に回す．すべての部分が働いた場合や，特に中部が働いたときは肩甲骨を中央に引き寄せる．また頭全体を片側に引くときや後に引くときも働く．神経支配：副神経と頸神経叢）．＝musculus trapezius［TA］; cowl m.

Treitz m. (trīts)．トライツ筋．＝suspensory m. of duodenum.

triangular m.［TA］．***1*** 三角筋（3つの辺縁をもつ筋）．＝musculus triangularis (1)［TA］．***2*** ＝depressor anguli oris (m.).

triceps (m.)［TA］．＝three-headed m.

triceps m. of arm 上腕三頭筋．＝triceps brachii (m.).

triceps brachii (m.)［TA］．上腕三頭筋（上腕後区の筋．起始：長頭は肩甲骨の関節下結節，外側頭は上腕骨後面，大結節下の外側方，内側頭は上腕骨後面で橈骨神経溝の内下方．停止：尺骨肘頭．神経支配：橈骨神経．作用：肘の伸展）．＝musculus triceps brachii［TA］; triceps m. of arm.

triceps (m.) of calf 下腿三頭筋．＝triceps surae (m.).

triceps coxae (m.) 寛骨三頭筋（内閉鎖筋と上下双子筋を合わせて1つの筋とみたときの呼称で，3筋の腱は合して大腿骨大転子に停止している）．＝musculus triceps coxae; triceps (m.) of hip.

triceps (m.) of hip ＝triceps coxae (m.).

triceps surae (m.)［TA］．下腿三頭筋（腓腹筋の2腹とヒラメ筋からなる筋群で，1つの筋として Achilles 腱で踵骨隆起に停止する）．＝musculus triceps surae［TA］; triceps (m.) of calf.

trigonal m.'s (superficial and deep)［TA］．〔浅・深〕膀胱三角筋（膀胱三角にみられる2層の平滑筋．深層部の平滑筋細胞は排尿筋のそれと区別がつかない．浅層部の細胞は明瞭に区別でき，小筋束を形成して尿管の壁内部へ連続する．また浅層部は，膀胱三角の辺縁では分厚く，上方では粘膜とともに尿管間ひだを形成し，下方では尿道近位部の筋層へ連なる）．＝musculi trigoni vesicae (superficialis et profunda)［TA］.

true m.'s of back ＝m.'s of back proper.

two-bellied m.［TA］．＝digastric (m.) (1).

two-headed m.［TA］．二頭筋（筋頭が2つある筋．しばしば上腕二頭筋をいう）．

ulnar extensor (m.) of wrist 尺側手根伸筋．＝extensor carpi ulnaris (m.).

ulnar flexor (m.) of wrist 尺側手根屈筋．＝flexor carpi ulnaris (m.).

unipennate m.* 半羽状筋（semipennate m. の公式の別名）．

unstriated m., unstriped m. ＝smooth m.

m.'s of the upper limb［TA］．上肢の筋（上肢に存在し，自由上肢の運動に関与する筋群．TA では肩甲骨と上腕骨を結ぶ筋を含めているが，軸肢筋は含めていない．上肢の軸肢筋は背部および胸部の筋として扱われる）．＝musculi membri superioris［TA］.

m.'s of urogenital triangle［TA］．尿生殖三角の筋（左右の坐骨恥骨枝と左右の坐骨結節を結ぶ線より前方の三角部位にある筋の総称で，球海綿体筋，坐骨海綿体筋，会陰横筋，外尿道括約筋などがある）．＝musculi regionis urogenitalis［TA］.

m. of uvula［TA］．口蓋垂筋（軟口蓋の筋の1つ．起始：後鼻棘．停止：口蓋垂の主要部分をつくる結合組織．神経支配：咽頭神経叢．作用：口蓋垂を上げる）．＝musculus uvulae［TA］; musculus azygos uvulae; palatouvularis m.; uvular m.; uvularis.

uvular m. 口蓋垂筋．＝m. of uvula.

Valsalva m. (vahl-sahl′vă)．ヴァルサルヴァ筋．＝tragicus (m.).

vastus intermedius (m.)［TA］．中間広筋（大腿前区の大腿四頭筋のうち，中央深層のもの．起始：大腿骨体前表面の上部3/4．停止：大腿四頭筋の共通腱とそれに続く膝蓋靱帯を経て脛骨粗面に停止する．作用：脚をのばす．神経支配：大腿神経）．＝musculus vastus intermedius［TA］; crureus; femoral m.; intermediate great m.; intermediate vastus (m.).

vastus lateralis (m.)［TA］．外側広筋（大腿前区の大腿四頭筋のうち，外側のもの．起始：大転子，粗線外側唇．停止：大腿四頭筋の共通腱と膝蓋靱帯を経て脛骨粗面に停止．作用：脚をのばす．神経支配：大腿神経）．＝musculus vastus lateralis［TA］; lateral great m.; lateral vastus (m.); musculus vastus externus.

vastus medialis (m.)［TA］．内側広筋（大腿前区の大腿四頭筋のうち，内側のもの．起始：粗線内側唇．停止：大腿四頭筋の共通腱と膝蓋靱帯を経て脛骨粗面に停止．作用：脚をのばす．神経支配：大腿神経）．＝musculus vastus medialis［TA］; medial great m.; medial vastus (m.); musculus vastus internus.

ventral sacrococcygeal m. 前仙尾筋．＝ventral sacrococcygeus (m.).

ventral sacrococcygeus (m.) 腹側仙尾筋（仙骨と尾骨の骨盤表面上にときおり出現する筋で，下等動物の尾の筋組織の一部が遺残したもの）．＝musculus sacrococcygeus anterior; musculus sacrococcygeus ventralis; ventral sacrococcygeal m.

vertical m. of tongue［TA］．垂直舌筋（舌背腱膜から下

表面舌腱膜へ垂直に走る筋線維からなる内舌筋．作用：舌の上下径を小さくする，すなわち舌を平らにする．神経支配：運動は舌下神経，感覚は舌神経)．＝musculus verticalis linguae［TA］．

vesicoprostaticus (m.)［TA］．膀胱前立腺筋（膀胱の外縦走筋と膀胱頸の遠位から伸びる平滑筋線維．前立腺の被膜や間質にある平滑筋に放散し，それと区別がつかなくなる)．＝musculus vesicoprostaticus［TA］．

vesicovaginalis (m.)［TA］．膀胱腟筋（膀胱後壁の外縦走筋から伸びる平滑筋線維．膀胱底の表面を通り，腟前壁の筋層に放散する)．＝musculus vesicovaginalis［TA］．

vestigial m. 痕跡筋（下等動物では一定の機能をもつが，ヒトでは不完全な構造しかもたない筋)．

visceral m. 内臓筋．＝smooth m.

vocal m. 声帯筋．＝vocalis (m.).

vocalis (m.)［TA］．声帯筋（喉頭の固有筋で，甲状披裂筋の最内側細線維のいくつかが声帯靱帯外面に直接付着したもの．起始：2枚の甲状軟骨板間にある陥凹部．停止：披裂軟骨の声帯突起と声帯靱帯．神経支配：反回神経．作用：声帯を短くしたり弛緩させたりする)．＝musculus vocalis［TA］; musculus thyroarytenoideus internus; vocal m.

voluntary m. 随意筋（意志によって調節できる筋．心筋を除くすべての横紋筋は随意筋である)．

white m. 白筋（主として白色の大型線維からなるすばやく収縮する筋で，赤筋に比べてミオグロビンもミトコンドリアも少ない．速い収縮に関わる)．

Wilson m. (wil′sŏn)．ウィルソン筋（①＝external urethral *sphincter*．②肛門挙筋の一部の線維)．

wrinkler m. of eyebrow 皺眉筋．＝corrugator supercilii (m.).

yoke m.'s 眼球共同筋（両眼共同運動の際に，同時に作用する外眼筋のセット．例えば，右方向への共同運動の場合，作用する眼球共同筋は，右の外側直筋と左の内側直筋である)．

zygomaticus major (m.)［TA］．大頬骨筋（前頬部の顔面筋で上唇まで伸びている．起始：側頭頬骨縫線前部の頬骨．停止：口角の筋．作用：上唇を上側方に引く．神経支配：顔面神経)．＝musculus zygomaticus major［TA］; greater zygomatic m.; musculus zygomaticus.

zygomaticus minor (m.)［TA］．小頬骨筋（前頬部の顔面筋で上唇まで伸びている．起始：頬骨上顎縫線後部の頬骨．停止：上唇の口輪筋．作用：上唇を上方・外方に引く．神経支配：顔面神経)．＝musculus zygomaticus minor［TA］; caput zygomaticum quadrati labii superioris; lesser zygomatic m.

---

mus·cle-bound (mŭs′ĕl-bownd)．個々の筋は過度に発達しているが，その作用に協調性がない状態をいう．

mus·cle-trim·ming (mŭs′ĕl-teim′ing)．筋圧形成法．＝border *molding*.

muscoid (myūs′koyd)［L. *musca*, fly＋-oid］．イエバエ類の（イエバエ科のハエに関する)．

mus·cone (mŭs′kōn)．ムスコン；muskone.

mus·cu·la·mine (mŭs′kyū-lă-mēn)．ムスクラミン．＝spermine.

mus·cu·lar (mŭs′kyū-lăr)．*1* 筋〔性〕の．*2* 筋系がよく発達している．

mus·cu·la·ris (mŭs′kyū-lā′ris)［Mod. L. muscular］．筋層（管腔器官あるいは管構造の筋性のおおい)．

m. mucosae 粘膜筋板（［誤ったつづりまたは発音 muscularis mucosa を避けること］．消化管の大部分にみられる平滑筋の薄い層．粘膜固有層と粘膜下組織の間にある)．＝lamina muscularis mucosae; muscular layer of mucosa.

mus·cu·lar·i·ty (mŭs′kyū-lar′i-tē)．筋肉質（十分に発達した筋を有する状態)．

mus·cu·la·ture (mŭs′kyū-lă-chūr)．筋系（身体の一部あるいは全体の筋の配列)．

mus·cu·lo·ap·o·neu·rot·ic (mŭs′kyū-lō-ap′ō-nū-rot′ik)．筋腱膜の（筋組織およびその起始部または停止部の腱膜に関する)．

mus·cu·lo·cu·ta·ne·ous (mŭs′kyū-lō-kyū-tā′nē-ŭs)．筋皮の（筋と皮膚の両方に関する)．＝myocutaneous; myodermal.

mus·cu·lo·mem·bra·nous (mŭs′kyū-lō-mem′bră-nŭs)．筋結織膜の（筋組織と膜の両方に関する．後頭前頭筋のように，そのほとんどが膜性の筋についていう)．

mus·cu·lo·phren·ic (mŭs′kyū-lō-fren′ik)．筋横隔膜の（横隔膜の筋部に関する．この部位の動脈分布についていう)．

mus·cu·lo·skel·e·tal (mŭs′kyū-lō-skel′ĕ-tăl)．筋骨格の（筋と骨格に関する．例えば骨筋系についていう)．

mus·cu·lo·spi·ral (mŭs′kū-lō-spī′răl)．橈骨神経についていう．→radial *nerve*.

mus·cu·lo·ten·di·nous (mŭs′kyū-lō-ten′di-nŭs)．筋腱の（筋組織と腱組織の両方に関する)．

mus·cu·lo·trop·ic (mŭs′kyū-lō-trop′ik)．向筋〔肉〕の（筋に影響する，働きかける，引き寄せられる，の意)．

MUSCULUS

mus·cu·lus, gen. & pl. **mus·cu·li** (mŭs′kyū-lŭs, -kū-lī)［L. a little mouse, a muscle ＜ *mus*(*mur-*), a mouse］［TA］．筋．＝muscle.

musculi abdominis 腹部の筋．＝*muscles* of abdomen.

m. abductor［TA］．＝abductor (*muscle*).

m. abductor digiti minimi manus［TA］．小指外転筋．＝abductor digiti minimi (*muscle*) of hand.

m. abductor digiti minimi pedis［TA］．小趾(指)外転筋．＝abductor digiti minimi (*muscle*) of foot.

m. abductor digiti quinti *1* ＝abductor digiti minimi (*muscle*) of hand. *2* ＝abductor digiti minimi (*muscle*) of foot.

m. abductor hallucis［TA］．母趾(指)外転筋．＝abductor hallucis (*muscle*).

m. abductor pollicis brevis［TA］．短母指外転筋．＝abductor pollicis brevis (*muscle*).

m. abductor pollicis longus［TA］．長母指外転筋．＝abductor pollicis longus (*muscle*).

m. adductor［TA］．＝adductor *muscle*.

m. adductor brevis［TA］．＝adductor brevis (*muscle*).

m. adductor hallucis［TA］．母趾(指)内転筋．＝adductor hallucis (*muscle*).

m. adductor longus［TA］．長内転筋．＝adductor longus (*muscle*).

m. adductor magnus［TA］．大内転筋．＝adductor magnus (*muscle*).

m. adductor minimus［TA］．小内転筋．＝adductor minimus (*muscle*).

m. adductor pollicis［TA］．母指内転筋．＝adductor pollicis (*muscle*).

m. anconeus［TA］．肘筋．＝anconeus *muscle*.

musculi anorectoperineales［TA］．＝anorectoperineal *muscles*.

m. antitragicus［TA］．対珠筋．＝antitragicus (*muscle*).

m. anoperinealis［TA］．＝anoperinealis *muscle*.

m. arrector pili［TA］．＝arrector *muscle* of hair.

m. articularis 関節筋．＝articular *muscle*.

m. articularis cubiti［TA］．肘関節筋．＝articularis cubiti (*muscle*).

m. articularis genus［TA］．膝関節筋．＝articularis genus (*muscle*).

m. aryepiglotticus 披裂喉頭蓋筋．＝aryepiglottic *part* of oblique arytenoid (muscle).

m. arytenoideus obliquus［TA］．斜披裂筋．＝oblique arytenoid *muscle*.

m. arytenoideus transversus［TA］．横披裂筋．＝transverse arytenoid (*muscle*).

m. aryvocalis 披裂声帯筋（声帯の外側に直接付着している声帯筋のうちの多数の深部線維)．

m. attollens aurem, m. attollens auriculam ＝auricularis superior (*muscle*).

m. attrahens aurem, m. attrahens auriculam ＝auricularis anterior (*muscle*).

musculi auriculares [TA]. =auricular *muscles*.

m. auricularis anterior 前耳介筋. =auricularis anterior (*muscle*).

m. auricularis posterior [TA]. 後耳介筋. =auricularis posterior (*muscle*).

m. auricularis superior [TA]. 上耳介筋. =auricularis superior (*muscle*).

m. azygos uvulae 口蓋垂筋. =*muscle* of uvula.

m. biceps brachii [TA]. 上腕二頭筋. =biceps brachii (*muscle*).

m. biceps femoris [TA]. 大腿二頭筋. =biceps femoris (*muscle*).

m. biceps flexor cruris =biceps femoris (*muscle*).

m. bipennatus [TA]. 双羽状筋. =pennate *muscle*.

m. biventer [TA]. =digastric (*muscle*) (1).

m. biventer mandibulae =digastric (*muscle*) (1).

m. brachialis [TA]. 上腕筋. =brachialis (*muscle*).

m. brachioradialis [TA]. 腕橈骨筋. =brachioradialis (*muscle*).

m. bronchoesophageus [TA]. 気管支食道筋. =bronchoesophageal (*muscle*).

m. buccinator [TA]. 頬筋. =buccinator (*muscle*).

m. buccopharyngeus 頬咽頭筋 (⇀superior pharyngeal constrictor (*muscle*)).

musculi bulbi 〔外〕眼筋. =extraocular *muscles*.

m. bulbocavernosus =bulbospongiosus (*muscle*).

m. bulbospongiosus [TA]. 球海綿体筋. =bulbospongiosus (*muscle*).

m. caninus 犬歯筋. =levator anguli oris (*muscle*).

musculi capitis [TA]. 頭部の筋. =*muscles* of head.

m. cephalopharyngeus =superior pharyngeal constrictor (*muscle*).

m. ceratocricoideus [TA]. 下角輪状筋. =ceratocricoid (*muscle*).

m. ceratoglossus [TA]. =ceratoglossus (*muscle*).

m. ceratopharyngeus 大角咽頭筋 (⇀middle constrictor (*muscle*) of pharynx).

m. cervicalis ascendens =iliocostalis cervicis (*muscle*).

musculi cervicis* *muscles* of neck の公式の別名.

m. chondroglossus [TA]. 小角舌筋. =chondroglossus *muscle*.

m. chondropharyngeus 小角咽頭筋 (⇀middle constrictor (*muscle*) of pharynx).

m. ciliaris [TA]. 毛様体筋. =ciliary *muscle*.

m. cleidoepitrochlearis 鎖骨滑車上筋 (三角筋の前部. 鎖骨より起こる).

m. cleidomastoideus 鎖骨乳突筋 (鎖骨と乳様突起の間を走行する胸鎖乳突筋の一部).

m. cleido-occipitalis 鎖骨後頭筋 (鎖骨と上項線の間にある胸鎖乳突筋の一部).

musculi coccygei 尾骨筋. =*muscles* of coccyx.

m. coccygeus [TA]. 尾骨筋. =coccygeus *muscle*.

musculi colli [TA]. 頸部の筋. =*muscles* of neck.

m. complexus =semispinalis capitis (*muscle*).

m. complexus minor =longissimus capitis (*muscle*).

m. compressor naris 鼻孔圧迫筋 (⇀nasalis (*muscle*)).

m. compressor urethrae [TA]. =compressor urethra (*muscle*).

m. constrictor pharyngis inferior [TA]. 下咽頭収縮筋. =inferior constrictor (*muscle*) of pharynx.

m. constrictor pharyngis medius [TA]. 中咽頭収縮筋. =middle constrictor (*muscle*) of pharynx.

m. constrictor pharyngis superior [TA]. 上咽頭収縮筋. =superior pharyngeal constrictor (*muscle*).

m. constrictor urethrae =external urethral *sphincter*.

m. coracobrachialis [TA]. 烏口腕筋. =coracobrachialis *muscle*.

m. corrugator cutis ani 肛門皺筋. =corrugator cutis *muscle* of anus.

m. corrugator supercilii [TA]. 皺眉筋. =corrugator supercilii (*muscle*).

m. cremaster [TA]. 精巣挙筋, 挙睾筋. =cremaster *muscle*.

m. cricoarytenoideus lateralis [TA]. 外側輪状披裂筋. =lateral cricoarytenoid (*muscle*).

m. cricoarytenoideus posterior [TA]. 後輪状披裂筋. =posterior cricoarytenoid (*muscle*).

m. cricopharyngeus* 輪状咽頭筋 (cricopharyngeal *part* of inferior constrictor (*muscle*) of pharynx の公式の別名).

m. cricothyroideus [TA]. 輪状甲状筋. =cricothyroid *muscle*.

m. cruciatus 交叉筋. =cruciate *muscle*.

m. cutaneus [TA]. 皮筋. =cutaneous *muscle*.

m. dartos [TA]. =dartos *muscle*.

m. deltoideus [TA]. 三角筋. =deltoid (*muscle*).

m. depressor anguli oris [TA]. 口角下制筋. =depressor anguli oris (*muscle*).

m. depressor labii inferioris [TA]. 下唇下制筋. =depressor labii inferioris (*muscle*).

m. depressor septi nasi [TA]. 鼻中隔下制筋. =depressor septi nasi (*muscle*).

m. depressor supercilii [TA]. 眉毛下制筋. =depressor supercilii (*muscle*).

m. detrusor vesicae [TA]. 排尿筋. =detrusor (*muscle*).

m. diaphragma ⇀diaphragm.

m. digastricus [TA]. 顎二腹筋. =digastric (*muscle*) (1).

m. dilatator [TA]. 【短縮形の dilator は, 正しいラテン語でなく TA では認められていない】. =dilator *muscle*.

m. dilatator pupillae [TA]. 瞳孔散大筋. =dilator pupillae *muscle*.

m. dilator iridis =dilator pupillae *muscle*.

m. dilator naris 鼻孔開大筋 (⇀nasalis (*muscle*)).

m. dilator pylori gastroduodenalis 〔胃十二指腸〕幽門開大筋. =dilator (*muscle*) of pylorus.

m. dilator pylori ilealis 回盲開大筋. =dilator (*muscle*) of ileocecal sphincter.

m. dilator tubae 耳管開大筋 (口蓋帆張筋のうち, 耳管粘膜に付いている部分を独立に扱って付けられた公式の名称).

musculi dorsi [TA]. 背部の筋. =*muscles* of back.

musculi dorsi proprii [TA]. =*muscles* of back proper.

m. ejaculator seminis =bulbospongiosus (*muscle*).

m. epicranius [TA]. 頭蓋表筋. =epicranius (*muscle*).

m. epitrochleoanconeus 滑車上肘筋 (上腕骨内側顆背面より起こり, 肘頭突起の内側に付着する筋. まれに存在する).

m. erector clitoridis =ischiocavernous (*muscle*).

m. erector penis =ischiocavernous (*muscle*).

m. erector spinae [TA]. 脊柱起立筋. =erector spinae (*muscles*).

m. extensor [TA]. =extensor *muscle*.

m. extensor brevis digitorum =extensor digitorum brevis (*muscle*).

m. extensor brevis pollicis =extensor pollicis brevis (*muscle*).

m. extensor carpi radialis brevis [TA]. 短橈側手根伸筋. =extensor carpi radialis brevis (*muscle*).

m. extensor carpi radialis longus [TA]. 長橈側手根伸筋. =extensor carpi radialis longus (*muscle*).

m. extensor carpi ulnaris [TA]. 尺側手根伸筋. =extensor carpi ulnaris (*muscle*).

m. extensor coccygis =dorsal sacrococcygeus *muscle*.

m. extensor digiti minimi [TA]. 小指伸筋. =extensor digiti minimi (*muscle*).

m. extensor digiti quinti proprius =extensor digiti minimi (*muscle*).

m. extensor digitorum [TA]. 〔総〕指伸筋. =extensor digitorum *muscle*.

m. extensor digitorum brevis [TA]. 短趾(指)伸筋. =extensor digitorum brevis (*muscle*).

m. extensor digitorum brevis manus 短指伸筋. =extensor digitorum brevis (*muscle*) of hand.

m. extensor digitorum communis 総指伸筋. =extensor

digitorum *muscle*.

m. extensor digitorum longus [TA]. 長趾(指)伸筋. =extensor digitorum longus (*muscle*).

m. extensor hallucis brevis [TA]. 短母趾(指)伸筋. =extensor hallucis brevis (*muscle*).

m. extensor hallucis longus [TA]. 長母趾(指)伸筋. =extensor hallucis longus (*muscle*).

m. extensor indicis [TA]. 示指伸筋. =extensor indicis (*muscle*).

m. extensor indicis proprius =extensor indicis (*muscle*).

m. extensor longus digitorum =extensor digitorum longus (*muscle*).

m. extensor longus pollicis =extensor pollicis longus (*muscle*).

m. extensor minimi digiti =extensor digiti minimi (*muscle*).

m. extensor ossis metacarpi pollicis =abductor pollicis longus (*muscle*).

m. extensor pollicis brevis [TA]. 短母指伸筋. =extensor pollicis brevis (*muscle*).

m. extensor pollicis longus [TA]. 長母指伸筋. =extensor pollicis longus (*muscle*).

musculi externi bulbi oculi [TA]. =extraocular *muscles*.

musculi faciei [TA]. =facial *muscles*.

m. fibularis brevis [TA]. 短腓骨筋. =fibularis brevis (*muscle*).

m. fibularis longus [TA]. 長腓骨筋. =fibularis longus (*muscle*).

m. fibularis tertius [TA]. 第三腓骨筋. =fibularis tertius (*muscle*).

m. flexor [TA]. =flexor *muscle*.

m. flexor accessorius* quadratus plantae (*muscle*) の公式の別名.

m. flexor brevis digitorum =flexor digitorum brevis (*muscle*).

m. flexor brevis hallucis =flexor hallucis brevis (*muscle*).

m. flexor carpi radialis [TA]. 橈側手根屈筋. =flexor carpi radialis (*muscle*).

m. flexor carpi ulnaris [TA]. 尺側手根屈筋. =flexor carpi ulnaris (*muscle*).

m. flexor digiti minimi brevis manus [TA]. 短小指屈筋. =flexor digiti minimi brevis (*muscle*) of hand.

m. flexor digiti minimi brevis pedis [TA]. 短小趾(指)屈筋. =flexor digiti minimi brevis (*muscle*) of foot.

m. flexor digitorum brevis [TA]. 短趾(指)屈筋. =flexor digitorum brevis (*muscle*).

m. flexor digitorum longus [TA]. 長趾(指)屈筋. =flexor digitorum longus (*muscle*).

m. flexor digitorum profundus [TA]. 深指屈筋. =flexor digitorum profundus (*muscle*).

m. flexor digitorum sublimis =flexor digitorum superficialis (*muscle*).

m. flexor digitorum superficialis [TA]. 浅指屈筋. =flexor digitorum superficialis (*muscle*).

m. flexor hallucis brevis [TA]. 短母趾(指)屈筋. =flexor hallucis brevis (*muscle*).

m. flexor hallucis longus [TA]. 長母趾(指)屈筋. =flexor hallucis longus (*muscle*).

m. flexor longus digitorum =flexor digitorum longus (*muscle*).

m. flexor longus hallucis =flexor hallucis longus (*muscle*).

m. flexor longus pollicis =flexor pollicis longus (*muscle*).

m. flexor pollicis brevis [TA]. 短母指屈筋. =flexor pollicis brevis (*muscle*).

m. flexor pollicis longus [TA]. 長母指屈筋. =flexor pollicis longus (*muscle*).

m. flexor profundus =flexor digitorum profundus (*muscle*).

m. flexor sublimis =flexor digitorum superficialis (*muscle*).

m. frontalis 前頭筋 (→occipitofrontalis (*muscle*)).

m. fusiformis [TA]. 紡錘状筋. =fusiform *muscle*.

m. gastrocnemius [TA]. 腓腹筋. =gastrocnemius (*muscle*).

m. gemellus inferior [TA]. 下双子筋. =inferior gemellus (*muscle*).

m. gemellus superior [TA]. 上双子筋. =superior gemellus (*muscle*).

m. genioglossus [TA]. おとがい舌筋. =genioglossus (*muscle*).

m. geniohyoglossus =genioglossus (*muscle*).

m. geniohyoideus [TA]. おとがい舌骨筋. =geniohyoid (*muscle*).

m. glossopalatinus 舌口蓋筋. =palatoglossus (*muscle*).

m. glossopharyngeus 舌咽頭筋 (→superior pharyngeal constrictor (*muscle*)).

m. gluteus maximus [TA]. 大殿筋. =gluteus maximus (*muscle*).

m. gluteus medius [TA]. 中殿筋. =gluteus medius (*muscle*).

m. gluteus minimus [TA]. 小殿筋. =gluteus minimus (*muscle*).

m. gracilis [TA]. 薄筋. =gracilis (*muscle*).

m. helicis major [TA]. 大耳輪筋. =helicis major (*muscle*).

m. helicis minor [TA]. 小耳輪筋. =helicis minor (*muscle*).

m. hyoglossus [TA]. 舌骨舌筋. =hyoglossus (*muscle*).

m. hypopharyngeus 咽頭下筋 (→middle constrictor (*muscle*) of pharynx).

m. iliacus [TA]. 腸骨筋. =iliacus (*muscle*).

m. iliacus minor 小腸骨筋. =iliacus minor (*muscle*).

m. iliocapsularis =iliacus minor (*muscle*).

m. iliococcygeus [TA]. 腸骨尾骨筋. =iliococcygeus (*muscle*).

m. iliocostalis [TA]. 腸肋筋. =iliocostalis (*muscle*).

m. iliocostalis cervicis/colli [TA]. 頸腸肋筋. =iliocostalis cervicis (*muscle*).

m. iliocostalis dorsi =thoracic *part* of iliocostalis lumborum (*muscle*).

m. iliopsoas [TA]. 腸腰筋. =iliopsoas (*muscle*).

m. incisivus labii inferioris 下唇切歯筋 (口輪筋の起始の下切歯束).

m. incisivus labii superioris 上唇切歯筋 (口輪筋の起始の上切歯束).

m. incisurae helicis 耳輪切痕筋. =*muscle* of terminal notch.

m. incisurae terminalis auriculae [TA]. =*muscle* of terminal notch.

m. infracostalis, pl. musculi infracostales =subcostal *muscle*.

musculi infrahyoidei [TA]. 舌骨下筋. =infrahyoid *muscles*.

m. infraspinatus [TA]. 棘下筋. =infraspinatus (*muscle*).

m. intercostales externi, pl. musculi intercostales externi [TA]. 外肋間筋. =external intercostal (*muscle*).

m. intercostalis internus, pl. musculi intercostales interni [TA]. 内肋間筋. =internal intercostal (*muscle*).

m. intercostalis intimus, pl. musculi intercostales intimi [TA]. 最内肋間筋. =innermost intercostal (*muscle*).

musculi interossei [TA]. =interosseous *muscles*.

m. interosseus dorsalis manus, pl. musculi interossei dorsales manus [TA]. 〔手の〕背側骨間筋. = dorsal interossei (interosseous *muscles*) of hand.

m. interosseus dorsalis pedis, pl. musculi interossei dorsales pedis [TA]. 〔足の〕背側骨間筋. =dorsal interossei (interosseous *muscles*) of foot.

m. interosseus palmaris, pl. musculi interossei palmares [TA]. 掌側骨間筋. =palmar interossei (interosseous *muscles*).

m. interosseus plantaris, pl. **musculi interossei plantares** [TA]. 底側骨間筋. =plantar interossei (interosseous *muscles*).

m. interosseus volaris =palmar interossei (interosseus *muscles*).

musculi interspinales [TA]. 棘間筋. =interspinales (*muscles*).

m. interspinalis cervicis/colli 頸棘間筋. =interspinales cervicis (*muscles*).

m. interspinalis lumborum [TA]. 腰棘間筋. =interspinales lumborum (*muscles*).

m. interspinalis thoracis [TA]. 胸棘間筋. =interspinales thoracis (*muscles*).

m. intertragicus =*muscle* of terminal notch.

musculi intertransversarii [TA]. 横突間筋. =intertransversarii (*muscles*).

musculi intertransversarii anteriores cervicis/colli [TA]. 頸前横突間筋. =anterior cervical intertransversarii (*muscles*).

musculi intertransversarii laterales lumborum [TA]. 腰外側横突間筋. =lateral lumbar intertransversarii (*muscles*).

musculi intertransversarii mediales lumborum [TA]. 腰内側横突間筋. =medial lumbar intertransversarii (*muscles*).

musculi intertransversarii posteriores cervicis [TA]. 頸後横突間筋. =posterior cervical intertransversarii (*muscles*).

musculi intertransversarii thoracis [TA]. 胸横突間筋. =thoracic intertransversarii (*muscles*).

m. ischiocavernosus [TA]. 坐骨海綿体筋. =ischiocavernous (*muscle*).

m. ischiococcygeus =coccygeus *muscle*.

m. keratopharyngeus 大角咽頭筋 (→middle constrictor (*muscle*) of pharynx).

musculi laryngis [TA]. 咽頭筋. =*muscles* of larynx.

m. laryngopharyngeus =inferior constrictor (*muscle*) of pharynx.

m. latissimus dorsi [TA]. 広背筋. =latissimus dorsi (*muscle*).

m. levator alae nasi 鼻翼挙筋 (上唇鼻翼挙筋の翼部で，鼻翼に停止する).

m. levator anguli oris [TA]. 口角挙筋. =levator anguli oris (*muscle*).

m. levator anguli scapulae =levator scapulae (*muscle*).

m. levator ani [TA]. 肛門挙筋. =levator ani (*muscle*).

m. levator costae, pl. **musculi levatores costarum** [TA]. 肋骨挙筋. =levatores costarum (*muscles*).

musculi levatores costarum breves [TA]. =levatores costarum breves (*muscles*).

musculi levatores costarum longi [TA]. =levatores costarum longi (*muscles*).

m. levator glandulae thyroideae [TA]. 甲状腺挙筋. =levator (*muscle*) of thyroid gland.

m. levator labii inferioris =mentalis (*muscle*).

m. levator labii superioris [TA]. 上唇挙筋，眼窩下筋. =levator labii superioris (*muscle*).

m. levator labii superioris alaeque nasi [TA]. 上唇鼻翼挙筋，眼角筋. =levator labii superioris alaeque nasi (*muscle*).

m. levator palati =levator veli palatini (*muscle*).

m. levator palpebrae superioris [TA]. 上眼瞼挙筋. =levator palpebrae superioris (*muscle*).

m. levator prostatae* 前立腺挙筋 (puboprostaticus (*muscle*) の公式の別名).

m. levator scapulae [TA]. 肩甲挙筋. =levator scapulae (*muscle*).

m. levator veli palatini [TA]. 口蓋帆挙筋. =levator veli palatini (*muscle*).

musculi linguae [TA]. 舌筋. =*muscles* of tongue.

m. longissimus [TA]. 最長筋. =longissimus (*muscle*).

m. longissimus capitis [TA]. 頭最長筋. =longissimus capitis (*muscle*).

m. longissimus cervicis [TA]. 頸最長筋. =longissimus cervicis (*muscle*).

m. longissimus dorsi =longissimus thoracis (*muscle*).

m. longissimus thoracis [TA]. 胸最長筋. =longissimus thoracis (*muscle*).

m. longitudinalis inferior linguae [TA]. 下縦舌筋. =inferior longitudinal *muscle* of tongue.

m. longitudinalis superior linguae [TA]. 上縦舌筋. =superior longitudinal *muscle* of tongue.

m. longus capitis [TA]. 頭長筋. =longus capitis (*muscle*).

m. longus colli [TA]. 頸長筋. =longus colli (*muscle*).

m. lumbricalis manus, pl. **musculi lumbricales manus** [TA]. 〔手の〕虫様筋. =lumbricals (lumbrical *muscles*) of hand.

m. lumbricalis pedis, pl. **musculi lumbricales pedis** [TA]. 〔足の〕虫様筋. =lumbricals (lumbrical *muscles*) of foot.

m. masseter [TA]. 咬筋. =masseter (*muscle*).

musculi masticatorii =masticatory *muscles*.

musculi membri inferioris [TA]. =*muscles* of lower limb.

musculi membri superioris [TA]. =*muscles* of the upper limb.

m. mentalis [TA]. おとがい筋. =mentalis (*muscle*).

m. multifidus (cervicis/colli, lumborum et thoracis) [TA]. 〔頸部・腰部・胸部〕多裂筋. =multifidus (*muscle*).

m. multifidus spinae =multifidus (*muscle*).

m. multipennatus [TA]. 多羽状筋. =multipennate *muscle*.

m. mylohyoideus [TA]. 顎舌骨筋. =mylohyoid (*muscle*).

m. mylopharyngeus 顎咽頭筋 (→superior pharyngeal constrictor (*muscle*)).

m. nasalis [TA]. 鼻筋. =nasalis (*muscle*).

m. obliquus auriculae [TA]. 耳介斜筋. =oblique *muscle* of auricle.

m. obliquus capitis inferior [TA]. 下頭斜筋. =obliquus capitis inferior (*muscle*).

m. obliquus capitis superior [TA]. 上頭斜筋. =obliquus capitis superior (*muscle*).

m. obliquus externus abdominis [TA]. 外腹斜筋. =external oblique (*muscle*).

m. obliquus inferior (bulbi) [TA]. 〔眼球の〕下斜筋. =inferior oblique (*muscle*).

m. obliquus internus abdominis [TA]. 内腹斜筋. =internal oblique (*muscle*).

m. obliquus superior (bulbi) [TA]. 〔眼球の〕上斜筋. =superior oblique (*muscle*).

m. obturator externus [TA]. 外閉鎖筋. =obturator externus (*muscle*).

m. obturator internus [TA]. 内閉鎖筋. =obturator internus (*muscle*).

m. occipitalis 後頭筋 (→occipitofrontalis (*muscle*)).

m. occipitofrontalis [TA]. 後頭前頭筋. =occipitofrontalis (*muscle*).

m. omohyoideus [TA]. 肩甲舌骨筋. =omohyoid (*muscle*).

m. opponens [TA]. =opponens *muscle*.

m. opponens digiti minimi [TA]. 小指対立筋. =opponens digiti minimi (*muscle*).

m. opponens digiti minimi pedis [TA]. =opponens digiti minimi pedis (*muscle*).

m. opponens digiti quinti =opponens digiti minimi (*muscle*).

m. opponens minimi digiti =opponens digiti minimi (*muscle*).

m. opponens pollicis [TA]. 母指対立筋. =opponens pollicis (*muscle*).

m. orbicularis [TA]. 輪筋. =orbicular *muscle*.

m. orbicularis oculi [TA]. 眼輪筋. =orbicularis oculi

(*muscle*).

m. orbicularis oris [TA]．口輪筋．＝orbicularis oris (*muscle*).

m. orbicularis palpebrarum ＝orbicularis oculi (*muscle*).

m. orbitalis [TA]．眼窩筋．＝orbitalis (*muscle*).

m. orbitopalpebralis ＝levator palpebrae superioris (*muscle*).

musculi ossiculorum auditoriorum* *muscles* of auditory ossicles の公式の別名．

musculi ossiculorum auditus [TA]．耳小骨筋．＝*muscles* of auditory ossicles.

musculi palati mollis et faucium [TA]．＝*muscles* of soft palate and fauces.

m. palatoglossus [TA]．口蓋舌筋．＝palatoglossus (*muscle*).

m. palatopharyngeus [TA]．口蓋咽頭筋．＝palatopharyngeus (*muscle*).

m. palatosalpingeus ＝tensor veli palati (*muscle*).

m. palatostaphylinus 口蓋口蓋垂筋（口蓋帆張筋より起こり口蓋垂筋に合流する筋線維束）．

m. palmaris brevis [TA]．短掌筋．＝palmaris brevis (*muscle*).

m. palmaris longus [TA]．長掌筋．＝palmaris longus (*muscle*).

m. papillaris cordis [TA]．〔心臓の〕乳頭筋．＝papillary *muscle*.

musculi pectinati atrii [TA]．〔心房の〕櫛状筋．＝pectinate *muscles*.

m. pectineus [TA]．恥骨筋．＝pectineus (*muscle*).

m. pectoralis major [TA]．大胸筋．＝pectoralis major (*muscle*).

m. pectoralis minor [TA]．小胸筋．＝pectoralis minor (*muscle*).

m. pennatus [TA]．＝pennate *muscle*.

musculi perinei [TA]．会陰筋．＝perineal *muscles*.

m. peroneocalcaneus 腓骨踵骨筋（腓骨幹より起こり踵骨に付着するまれにみられる筋）．

m. peroneus brevis* 短腓骨筋（fibularis brevis (*muscle*) の公式の別名）．

m. peroneus longus* 長腓骨筋（fibularis longus (*muscle*) の公式の別名）．

m. peroneus tertius* 第三腓骨筋（fibularis tertius (*muscle*) の公式の別名）．

m. petropharyngeus 錐体咽頭筋（まれに出現する咽頭の副挙筋で，側頭骨の錐体部の下面より起こり咽頭に付着する）．

m. petrostaphylinus ＝levator veli palatini (*muscle*).

musculi pharyngis [TA]．＝*muscles* of pharynx.

m. pharyngopalatinus ＝palatopharyngeus (*muscle*).

m. piriformis [TA]．梨状筋．＝piriformis (*muscle*).

m. plantaris [TA]．足底筋．＝plantaris (*muscle*).

m. planus [TA]．扁平筋．＝flat *muscle*.

m. platysma 広頸筋．＝platysma (*muscle*).

m. platysma myoides ＝platysma (*muscle*).

m. pleuroesophageus [TA]．胸膜食道筋．＝pleuroesophageus (*muscle*).

m. popliteus [TA]．膝窩筋．＝popliteus (*muscle*).

m. procerus [TA]．鼻根筋．＝procerus (*muscle*).

m. pronator [TA]．＝pronator (*muscle*).

m. pronator pedis ＝quadratus plantae (*muscle*).

m. pronator quadratus [TA]．方形回内筋．＝pronator quadratus (*muscle*).

m. pronator radii teres ＝pronator teres (*muscle*).

m. pronator teres [TA]．円回内筋．＝pronator teres (*muscle*).

m. prostaticus ＝muscular *tissue* of prostate.

m. psoas major [TA]．大腰筋．＝psoas major (*muscle*).

m. psoas minor [TA]．小腰筋．＝psoas minor (*muscle*).

m. pterygoideus externus ＝lateral pterygoid (*muscle*).

m. pterygoideus internus ＝medial pterygoid (*muscle*).

m. pterygoideus lateralis [TA]．外側翼突筋．＝lateral pterygoid (*muscle*).

m. pterygoideus medialis [TA]．内側翼突筋．＝medial pterygoid (*muscle*).

m. pterygopharyngeus 翼突咽頭筋（→superior pharyngeal constrictor (*muscle*)）．

m. pterygospinosus 翼突棘筋（蝶形骨棘と，外側翼突板の後縁の間を通る小筋束．まれに出現する）．

m. puboanalis [TA]．＝puboanalis (*muscle*).

m. pubococcygeus [TA]．恥骨尾骨筋．＝pubococcygeus (*muscle*).

m. puboperinealis [TA]．＝puboperinealis (*muscle*).

m. puboprostaticus [TA]．恥骨前立腺筋．＝puboprostaticus (*muscle*).

m. puborectalis [TA]．恥骨直腸筋．＝puborectalis (*muscle*).

m. pubovaginalis [TA]．恥骨膣筋．＝pubovaginalis (*muscle*).

m. pubovesicalis [TA]．恥骨膀胱筋．＝pubovesicalis (*muscle*).

m. pyramidalis [TA]．錐体筋．＝pyramidalis (*muscle*).

m. pyramidalis auriculae [TA]．耳介錐体筋．＝pyramidal *muscle* of auricle.

m. pyramidalis nasi ＝procerus (*muscle*).

m. pyriformis ＝piriformis (*muscle*).

m. quadratus [TA]．方形筋．＝quadrate *muscle*.

m. quadratus femoris [TA]．大腿方形筋．＝quadratus femoris (*muscle*).

m. quadratus labii inferioris 下唇方形筋．＝depressor labii inferioris (*muscle*).

m. quadratus labii superioris 上唇方形筋（通常は独立の筋として名付けられている3筋の総称，すなわち，内眼角頭(上唇鼻翼挙筋)，下眼窩頭(上唇挙筋)，頬骨頭(大頬骨筋)からなる）．＝quadrate *muscle* of upper lip.

m. quadratus lumborum [TA]．腰方形筋．＝quadratus lumborum (*muscle*).

m. quadratus menti ＝depressor labii inferioris (*muscle*).

m. quadratus plantae [TA]．足底方形筋．＝quadratus plantae (*muscle*).

m. quadriceps [TA]．＝quadriceps femoris (*muscle*).

m. quadriceps extensor femoris ＝quadriceps femoris (*muscle*).

m. quadriceps femoris [TA]．大腿四頭筋．＝quadriceps femoris (*muscle*).

m. rectococcygeus [TA]．直腸尾骨筋．＝rectococcygeus (*muscle*).

m. rectoperinealis [TA]．＝rectoperinealis (*muscle*).

musculi rectourethrales* 直腸尿道筋（anorectoperineal *muscles* の公式の別名）．

m. rectourethralis inferior* anoperinealis *muscle* の公式の別名．

m. rectourethralis superior* rectoperinealis (*muscle*) の公式の別名．

m. rectouterinus [TA]．直腸子宮筋．＝rectouterinus (*muscle*).

m. rectovesicalis [TA]．直腸膀胱筋．＝rectovesicalis (*muscle*).

m. rectus [TA]．＝straight *muscle*.

m. rectus abdominis [TA]．腹直筋．＝rectus abdominis (*muscle*).

m. rectus capitis anterior [TA]．前頭直筋．＝rectus capitis anterior (*muscle*).

m. rectus capitis anticus major ＝longus capitis (*muscle*).

m. rectus capitis anticus minor ＝rectus capitis anterior (*muscle*).

m. rectus capitis lateralis [TA]．外側頭直筋．＝rectus capitis lateralis (*muscle*).

m. rectus capitis posterior major [TA]．大後頭直筋＝rectus capitis posterior major (*muscle*).

m. rectus capitis posterior minor [TA]．小後頭直筋＝rectus capitis posterior minor (*muscle*).

m. rectus capitis posticus major ＝rectus capitis posterior major (*muscle*).

m. rectus capitis posticus minor =rectus capitis posterior minor (*muscle*).

m. rectus externus =lateral rectus (*muscle*).

m. rectus femoris [TA]. 大腿直筋. =rectus femoris (*muscle*).

m. rectus inferior (bulbi) [TA]. 〔眼球の〕下直筋. =inferior rectus (*muscle*).

m. rectus internus =medial rectus (*muscle*).

m. rectus lateralis (bulbi) [TA]. 〔眼球の〕外側直筋. =lateral rectus (*muscle*).

m. rectus medialis (bulbi) [TA]. 〔眼球の〕内側直筋. =medial rectus (*muscle*).

m. rectus superior (bulbi) [TA]. 〔眼球の〕上直筋. =superior rectus (*muscle*).

m. rectus thoracis =sternalis (*muscle*).

musculi regionis analis [TA]. =*muscles* of anal triangle.

musculi regionis urogenitalis [TA]. =*muscles* of urogenital triangle.

m. retrahens aurem, m. retrahens auriculam =auricularis posterior (*muscle*).

m. rhomboatloideus 菱形環椎筋 (菱形筋とともに頸椎と胸椎より起こり環椎に付着する, まれにみられる筋).

m. rhomboideus major [TA]. 大菱形筋. =rhomboid major (*muscle*).

m. rhomboideus minor [TA]. 小菱形筋. =rhomboid minor (*muscle*).

m. risorius [TA]. 笑筋. =risorius (*muscle*).

m. rotator [TA]. =rotator *muscle*.

musculi rotatores [TA]. 回旋筋. =rotatores (*muscles*).

musculi rotatores cervicis/colli [TA]. 頸回旋筋. =rotatores cervicis (*muscles*).

musculi rotatores lumborum [TA]. 腰回旋筋. =rotatores lumborum (*muscles*).

musculi rotatores thoracis [TA]. 胸回旋筋. =rotatores thoracis (*muscles*).

m. sacrococcygeus anterior =ventral sacrococcygeus (*muscle*).

m. sacrococcygeus dorsalis 後仙尾筋. =dorsal sacrococcygeus *muscle*.

m. sacrococcygeus posterior =dorsal sacrococcygeus *muscle*.

m. sacrococcygeus ventralis 前仙尾筋. =ventral sacrococcygeus (*muscle*).

m. sacrolumbalis =iliocostalis lumborum (*muscle*).

m. sacrospinalis 仙棘筋. =erector spinae (*muscles*).

m. salpingopharyngeus [TA]. 耳管咽頭筋. =salpingopharyngeus (*muscle*).

m. sartorius [TA]. 縫工筋. =sartorius (*muscle*).

m. scalenus anterior [TA]. 前斜角筋. =scalenus anterior (*muscle*).

m. scalenus anticus =scalenus anterior (*muscle*).

m. scalenus medius [TA]. 中斜角筋. =scalenus medius (*muscle*).

m. scalenus minimus [TA]. 最小斜角筋. =scalenus minimus (*muscle*).

m. scalenus posterior [TA]. 後斜角筋. =scalenus posterior (*muscle*).

m. scalenus posticus =scalenus posterior (*muscle*).

musculi scapulohumerales =scapulohumeral *muscles*.

m. semimembranosus [TA]. 半膜様筋. =semimembranosus (*muscle*).

m. semipennatus [TA]. =semipennate *muscle*.

m. semispinalis [TA]. 半棘筋. =semispinalis *muscle*.

m. semispinalis capitis [TA]. 頭半棘筋. =semispinalis capitis (*muscle*).

m. semispinalis cervicis [TA]. 頸半棘筋. =semispinalis cervicis (*muscle*).

m. semispinalis colli* semispinalis cervicis (*muscle*) の公式の別名.

m. semispinalis dorsi =semispinalis thoracis (*muscle*).

m. semispinalis thoracis [TA]. 胸半棘筋. =semispinalis thoracis (*muscle*).

m. semitendinosus [TA]. 半腱様筋. =semitendinosus (*muscle*).

m. serratus anterior [TA]. 前鋸筋. =serratus anterior (*muscle*).

m. serratus magnus =serratus anterior (*muscle*).

m. serratus posterior inferior [TA]. 下後鋸筋. =serratus posterior inferior (*muscle*).

m. serratus posterior superior [TA]. 上後鋸筋. =serratus posterior superior (*muscle*).

m. skeleti 骨格筋. =skeletal *muscle*.

m. soleus [TA]. ヒラメ筋. =soleus (*muscle*).

m. sphincter [TA]. 括約筋. =sphincter.

m. sphincter ampullae* *sphincter* of hepatopancreatic ampulla の公式の別名.

m. sphincter ampullae biliaropancreaticae* *sphincter* of hepatopancreatic ampulla の公式の別名.

m. sphincter ampullae hepatopancreaticae [TA]. 〔胆膵管〕膨大部括約筋. =*sphincter* of hepatopancreatic ampulla.

m. sphincter ani externus [TA]. 外肛門括約筋. =external anal *sphincter*.

m. sphincter ani internus [TA]. 内肛門括約筋. =internal anal *sphincter*.

m. sphincter ductus biliaris* *sphincter* of (common) bile duct の公式の別名.

m. sphincter ductus choledochi [TA]. 総胆管括約筋. =*sphincter* of (common) bile duct.

m. sphincter ductus pancreatici [TA]. 膵管括約筋. =*sphincter* of pancreatic duct.

m. sphincter inferior ductus choledochi [TA]. 下総胆管括約筋 (→*sphincter* of (common) bile duct).

m. sphincter oris =orbicularis oris (*muscle*).

m. sphincter palatopharyngeus* posterior *fascicle* of palatopharyngeus muscle の公式の別名.

m. sphincter pupillae [TA]. 瞳孔括約筋. =*sphincter* pupillae.

m. sphincter pylori [TA]. 幽門括約筋. =pyloric *sphincter*.

m. sphincter superior ductus choledochi [TA]. 上総胆管括約筋 (→*sphincter* of (common) bile duct).

m. sphincter urethrae externus =external urethral *sphincter*.

m. sphincter urethrae externus femininae [TA]. =external urethral *sphincter* of female.

m. sphincter urethrae externus masculinae [TA]. =external urethral *sphincter* of male.

m. sphincter urethrae internus* internal urethral *sphincter* の公式の別名.

m. sphincter urethrovaginalis [TA]. =urethrovaginal *sphincter*.

m. sphincter vaginae =bulbospongiosus (*muscle*).

m. sphincter vesicae 膀胱括約筋. =internal urethral *sphincter*.

m. spinalis [TA]. 棘筋. =spinalis (*muscle*).

m. spinalis capitis [TA]. 頭棘筋. =spinalis capitis (*muscle*).

m. spinalis cervicis [TA]. 頸棘筋. =spinalis cervicis (*muscle*).

m. spinalis colli* spinalis cervicis (*muscle*) の公式の別名.

m. spinalis dorsi =spinalis thoracis (*muscle*).

m. spinalis thoracis [TA]. 胸棘筋. =spinalis thoracis (*muscle*).

musculi splenii [TA]. 板状筋. =splenius (*muscles*).

m. splenius capitis [TA]. 頭板状筋. =splenius capitis (*muscle*).

m. splenius cervicis [TA]. 頸板状筋. =splenius cervicis (*muscle*).

m. splenius colli* splenius cervicis (*muscle*) の公式の別名.

m. stapedius [TA]. あぶみ骨筋. =stapedius (*muscle*).

m. sternalis [TA]. 胸骨筋. =sternalis (*muscle*).

m. sternochondroscapularis 胸肋軟骨肩甲筋. =sternochondroscapular *muscle*.

m. sternoclavicularis 胸骨鎖骨筋. =sternoclavicular *muscle*.

m. sternocleidomastoideus [TA]. 胸鎖乳突筋. =sternocleidomastoid (*muscle*).

m. sternofascialis 胸骨筋膜筋 (胸骨柄より起こり頸筋膜に付着するまれにみられる筋束).

m. sternohyoideus [TA]. 胸骨舌骨筋. =sternohyoid (*muscle*).

m. sternothyroideus [TA]. 胸骨甲状筋. =sternothyroid (*muscle*).

m. styloauricularis 茎突耳筋. =styloauricular (*muscle*).

m. styloglossus [TA]. 茎突舌筋. =styloglossus (*muscle*).

m. stylohyoideus [TA]. 茎突舌骨筋. =stylohyoid (*muscle*).

m. stylolaryngeus 茎突喉頭筋 (甲状軟骨に付着する茎突咽頭筋の一部).

m. stylopharyngeus [TA]. 茎突咽頭筋. =stylopharyngeus (*muscle*).

m. subclavius [TA]. 鎖骨下筋. =subclavius (*muscle*).

m. subcostalis, pl. **musculi subcostales** [TA]. 肋下筋. =subcostal *muscle*.

m. subcutaneus colli =platysma (*muscle*).

musculi suboccipitales [TA]. 後頭下筋. =suboccipital *muscles*.

m. subscapularis [TA]. 肩甲下筋. =subscapularis (*muscle*).

m. supinator [TA]. 回外筋. =supinator (*muscle*).

m. supinator longus brachioradialis (*muscle*) の不正確な語で, 現在は用いられない.

m. supinator radii brevis =supinator (*muscle*).

m. supraclavicularis 鎖骨上筋. =supraclavicular *muscle*.

musculi suprahyoidei [TA]. 舌骨上筋. =suprahyoid *muscles*.

m. supraspinalis 棘突上筋. =supraspinalis (*muscle*).

m. supraspinatus [TA]. 棘上筋. =supraspinatus (*muscle*).

m. suspensorius duodeni [TA]. 十二指腸提筋. =suspensory *muscle* of duodenum.

m. tarsalis inferior [TA]. 下瞼板筋. =inferior tarsal *muscle*.

m. tarsalis superior [TA]. 上瞼板筋. =superior tarsal *muscle*.

m. temporalis [TA]. 側頭筋. =temporalis (*muscle*).

m. temporoparietalis [TA]. 側頭頭頂筋 (→auricularis anterior (*muscle*); auricularis superior (*muscle*)). =temporoparietalis (*muscle*).

m. tensor fasciae femoris =tensor fasciae latae (*muscle*).

m. tensor fasciae latae [TA]. 大腿筋膜張筋. =tensor fasciae latae (*muscle*).

m. tensor tarsi →orbicularis oculi (*muscle*). =lacrimal *part* of orbicularis oculi muscle.

m. tensor tympani [TA]. 鼓膜張筋. =tensor tympani (*muscle*).

m. tensor veli palatini [TA]. 口蓋帆張筋. =tensor veli palati (*muscle*).

m. teres major [TA]. 大円筋. =teres major (*muscle*).

m. teres minor [TA]. 小円筋. =teres minor (*muscle*).

m. tetragonus =platysma (*muscle*).

musculi thoracis [TA]. 胸部の筋. =*muscles* of thorax.

musculi thoracoappendiculares =thoracoappendicular *muscles*.

m. thyroarytenoideus [TA]. 甲状披裂筋. =thyroarytenoid (*muscle*).

m. thyroarytenoideus externus =thyroarytenoid (*muscle*).

m. thyroarytenoideus internus =vocalis (*muscle*).

m. thyroepiglotticus 甲状喉頭蓋筋. =thyroepiglottic *part* of thyroarytenoid (muscle).

m. thyrohyoideus [TA]. 甲状舌骨筋. =thyrohyoid (*muscle*).

m. thyropharyngeus* 甲状咽頭筋 (inferior constrictor (*muscle*) of pharynx の公式の別名).

m. tibialis anterior [TA]. 前脛骨筋. =tibialis anterior (*muscle*).

m. tibialis anticus =tibialis anterior (*muscle*).

m. tibialis gracilis =plantaris (*muscle*).

m. tibialis posterior [TA]. 後脛骨筋. =tibialis posterior (*muscle*).

m. tibialis posticus =tibialis posterior (*muscle*).

m. tibialis secundus 第二脛骨筋 (脛骨の後面から起始し足根関節の関節包に停止する小さな不定筋). =second tibial muscle.

m. tibiofascialis anterior, m. tibiofascialis anticus 前脛骨筋膜筋 (足背の筋膜に停止する前脛骨筋の分離線維).

m. trachealis [TA]. 気管筋. =trachealis (*muscle*).

m. tracheloclavicularis 気管鎖骨筋. =tracheloclavicular *muscle*.

m. trachelomastoideus =longissimus capitis (*muscle*).

m. tragicus [TA]. 耳珠筋. =tragicus (*muscle*).

m. transversalis abdominis =transversus abdominis (*muscle*).

m. transversalis capitis =longissimus capitis (*muscle*).

m. transversalis cervicis, m. transversalis colli =longissimus cervicis (*muscle*).

m. transversalis nasi 鼻横筋 (→nasalis (*muscle*)).

musculi transversospinales [TA]. 横突棘筋. =transversospinales (*muscles*).

m. transversus abdominis [TA]. 腹横筋. =transversus abdominis (*muscle*).

m. transversus auriculae [TA]. 耳介横筋. =transverse *muscle* of auricle.

m. transversus linguae [TA]. 横舌筋. =transverse *muscle* of tongue.

m. transversus menti [TA]. おとがい横筋. =transversus menti (*muscle*).

m. transversus nuchae [TA]. 項横筋. =transversus nuchae (*muscle*).

m. transversus perinei profundus [TA]. 深会陰横筋. =deep transverse perineal *muscle*.

m. transversus perinei superficialis [TA]. 浅会陰横筋. =superficial transverse perineal *muscle*.

m. transversus thoracis [TA]. 胸横筋. =transversus thoracis (*muscle*).

m. trapezius [TA]. 僧帽筋. =trapezius (*muscle*).

m. triangularis [TA]. 三角筋 (①[NA]. =triangular *muscle* (1). ②=depressor anguli oris (*muscle*)).

m. triangularis labii inferioris =depressor anguli oris (*muscle*).

m. triangularis labii superioris =levator anguli oris (*muscle*).

m. triangularis sterni =transversus thoracis (*muscle*).

m. triceps [TA]. =three-headed *muscle*.

m. triceps brachii [TA]. 上腕三頭筋. =triceps brachii (*muscle*).

m. triceps coxae =triceps coxae (*muscle*).

m. triceps surae [TA]. 下腿三頭筋. =triceps surae (*muscle*).

musculi trigoni vesicae (superficialis et profunda) [TA]. =trigonal *muscles* (superficial and deep).

m. triticeoglossus 麦粒軟骨舌筋 (舌根と麦粒軟骨の間を通る筋線維の薄い束でまれにみられるもの). =Bochdalek muscle.

m. unipennatus* 半羽状筋 (semipennate *muscle* の公式の別名).

m. uvulae [TA]. 口蓋垂筋. =*muscle* of uvula.

m. vastus externus =vastus lateralis (*muscle*).

m. vastus intermedius [TA]. 中間広筋. =vastus intermedius (*muscle*).

m. vastus internus =vastus medialis (*muscle*).

m. vastus lateralis [TA]. 外側広筋. =vastus lateralis (*muscle*).

m. vastus medialis [TA]．内側広筋．＝vastus medialis (*muscle*).

m. ventricularis 室筋（室ひだ(偽声帯)に付着する甲状披裂筋の線維）.

m. verticalis linguae [TA]．垂直舌筋．＝vertical *muscle* of tongue.

m. vesicoprostaticus [TA]．＝vesicoprostaticus (*muscle*).

m. vesicovaginalis [TA]．＝vesicovaginalis (*muscle*).

m. vocalis [TA]．声帯筋．＝vocalis (*muscle*).

m. zygomaticus ＝zygomaticus major (*muscle*).

m. zygomaticus major [TA]．大頬骨筋．＝zygomaticus major (*muscle*).

m. zygomaticus minor [TA]．小頬骨筋．＝zygomaticus minor (*muscle*).

---

museinol (myū′sin-awl)．ムシノール（自己制限疾患を引き起こすキノコ類由来の毒素）.

mush·bite (mŭsh′bīt)．マッシュバイト法（患者の口腔内に軟らかいワックス塊を入れ，適当な時間まで咬合しているように指示して採得する上下顎の記録．一般的には受け入れられていない方法）.

mu·si·co·ther·a·py (myū′sik-ō-thār′ă-pē)．音楽療法（音楽による精神障害の補助療法）.

Mus·set (mū′sā), L.C. Alfred de．フランス人詩人，1810–1857．Musset 徴候が研究された患者．→M. *sign*.

mus·si·ta·tion (mŭs-i-tā′shŭn) [L. *mussito*, to murmur constantly < *musso*, pp. *-atus*, to mutter]．呟語，つぶやき（音声を発しないが，話しているかのように唇を動かすこと．せん妄，半昏睡，重度のパーキンソン病にみられる）.

Mus·sy (mū-sē′)．→Guéneau de Mussy.

must (mŭst) [L. *mustum*, new wine < *mustus*(fresh) の中性形]．果実汁（ブドウその他の果実の発酵前の汁）.

mus·tard (mŭs′tărd) [O. Fr. *moustarde* < L. *mustum*, must]．***1*** カラシ（アブラナ科の白ガラシ *Brassica alba* と黒ガラシ *B. nigra* の熟した種を乾燥させたもの）．***2*** ＝mustard *gas*.

black m. 黒ガラシ（黒ガラシ *Brassica nigra* または *B. juncea* の熟した種子を乾燥させたもの．イソチオシアン酸アリルの原料．シニグリン(ミロン酸カリウム)，ミロシン，チオシアン酸シナピン，エルカ酸，ベヘン酸，シナポリン酸，不揮発油を含む．即効催吐薬，引赤薬，調味料）.

nitrogen m.'s (HN-2) ナイトロジェンマスタード（$R-N(CH_2CH_2-Cl)$ の一般式で表される化合物．原型は HN-2 すなわちナイトロジェンマスタード(メクロレタミン)で，R が CH_3 である．いくつかの化合物がリンパ組織に対する破壊作用をもつので，リンパ肉腫，白血病，Hodgkin 病，その他癌などの治療に用いられてきた．ほとんどが発疱剤である）.

sulfur m. ＝mustard *gas*.

white m. 白ガラシ（白ガラシ *Brassica* hirta の種子の熟したもの．黒ガラシより刺激性は少ないが，シナルビン，ミロシン塩類，ブドウ糖及び油脂を含む．伝統的に消化刺激剤，消化促進剤と考えられている）.

mus·tard oil (mŭs′tărd oyl)．カラシ油（一般的には有機イソチオシアネートに対して用いられるが，特にイソチオシアン酸アリルに用いる．代謝がチオシアネートに変換し，甲状腺腫を起こすことがある）.

expressed m. o. 圧搾カラシ油（白ガラシ *Brassica alba* と黒ガラシ *B. nigra* の種子から圧搾した固定油．オレイン酸，アラキジン酸，その他の脂肪酸のグリセリドを含む．サラダオイルとして，またオレオマーガリンの製造に用いる）.

volatile m. o. 揮発性カラシ油．＝*allyl* isothiocyanate.

mu·ta·cism (myū′tă-sizm)．＝mytacism.

mu·ta·gen (myū′tă-jen) [L. *muto*, to change + G. *-gen*, producing]．突然変異原，〔突然〕変異誘発物質(因子)，変異原性因子（突然変異を促したり，突然変異が起こる割合を増加させる作因．例えば放射性物質，X線，またはある種の化学物質）.

frameshift m. フレームシフト〔突然〕変異誘発物質（アクリジン誘導体など，読み取り枠のずれによる突然変異を誘導する物質．コドン(三塩基)がずれて読まれ，異なったアミノ酸が利用される）.

mu·ta·gen·e·sis (myū-tă-jen′ĕ-sis)．〔突然〕変異誘発（①突然変異をつくり出すこと．②化学物質あるいは放射線照射によって遺伝変異をもたらすこと）.

cassette m. カセット式変異誘発（合成遺伝物質に設計された突然変異体からなる合成オリゴヌクレオチドを使用することにより，(しばしば特定の制限酵素部位で境を接する)領域内に突然変異体をつくること）.

insertional m. 挿入突然変異誘発（正常な遺伝子の中に新しく他の遺伝情報が組み込まれることによって起こる突然変異．特にレトロウイルスの染色体 DNA への挿入があげられる）.

site-directed m. 特定部位の突然変異誘発（DNA 分子の選択された領域に調節性の変更が起こること）.

mu·ta·gen·ic (myū-tă-jen′ik)．〔突然〕変異促進性の.

mu·tant (myūtant)．〔突然〕変異体（①突然変異が明らかな表現型．②野生型遺伝子とは対照的な，まれで，普通は有害な遺伝子のこと．以前から存在していたものが顕在してくる場合もある）.

active m. 活性突然変異体（明瞭な表現型の発現をみる突然変異体）.

amber m. アンバー突然変異体（UAG コドンをもたらす突然変異をもつ突然変異体）.

auxotrophic m. 栄養素要求性〔突然〕変異体（野生型株には存在しない栄養素要求性をもった突然変異体）．＝defective organism; deficiency m.

cold-sensitive m. 寒冷感受性〔突然〕変異体（低温では不完全であるが，常温では機能をもつ変異体．*cf.* temperature-sensitive m.）.

conditional-lethal m. 条件的致死変異体．＝conditionally lethal m.

conditionally lethal m. 条件〔的〕致死〔突然〕変異体（ある条件(許容条件)下では複製できるが，他の条件(制限条件または非許容条件)下ではできないようなウイルスの突然変異体．ただし，親(野生型)株の系統はどちらの条件下でも複製できるものとする．→suppressor-sensitive m.; temperature-sensitive m.）．＝conditional-lethal m.

deficiency m. 不完全変異体．＝auxotrophic m.

inactive m. 不活性突然変異体（表現型のうえでは変化が明らかでない突然変異体）．＝silent m.

petite m. [Fr. small]．矮小〔突然〕変異体（発育が遅延する，または小型のコロニーを形成するように変異した微生物の変異体）.

quick-stop m. 迅速停止〔突然〕変異体（温度があるレベルに達すると急速に増殖などの遺伝子発現を停止する細菌変異体．*cf.* temperature-sensitive m.）.

silent m. 沈黙突然変異体．＝inactive m.

suppressor-sensitive m. サプレッサー感受性〔突然〕変異体（条件致死性の宿主域バクテリオファージ突然変異．ナンセンスコドンを生じ，そのナンセンスコドンを〝翻訳〟できる宿主細菌中でのみ複製できる変異体．こうしたサプレッサー機構をもたない細菌中では，突然変異は致死的である(すなわちウイルスは複製できない)）.

temperature-sensitive m. 温度感受性〔突然〕変異体（親系統(野生型)は全温度域にわたって複製できるのに対し，一部の温度域でのみ複製できるが他の温度域では複製できないようなウイルスの突然変異体．通常，上昇温度域で産生されない．*cf.* cold-sensitive m.; quick-stop m.）.

uninducible m. 非誘発性〔突然〕変異体（誘発することができない変異体）.

virulent phage m. 病原性ファージ〔突然〕変異体（溶原性を起こさせることができないファージ変異体）.

mu·ta·ro·tase (myū′tă-rō-tās)．ムタロターゼ（変旋光酵素）．＝aldose 1-epimerase.

mu·ta·ro·ta·tion (myū′tă-rō-tā′shŭn)．変旋光（ある波長での比旋光度を変えていく過程．α-D-グルコースを，例えば酢酸溶液から再結晶後すぐ水に溶解したものは，$[\alpha]^{20}_{D} = +112.2°$ の旋光を示すが，(β型のように)煮沸水溶液から再結晶したものは，初期の比旋光度 $[\alpha]^{20}_{D} = +18.7°$ である．各溶液は放置するとゆっくりと変化して，比旋光度 $[\alpha]^{20}_{D} = +52.7°$ を示すようになり，D-グルコースのα型とβ型の両者の混合を表す）．＝birotation; multirotation.

M

mu・tase (myū′tās). ムターゼ，転位酵素（1個の分子内で，外見的には基の転位を触媒する酵素．例えばホスホグリセレートホスホムターゼ．ホスホグルコムターゼとホスホグリセロムターゼ(ともにリン酸転移酵素)のように，分子から分子に転位することもある)．

mu・ta・tion (myū-tā′shŭn) [L. *muto*, pp. *-atus*, to change]. 〔突然〕変異（①遺伝子の化学的構造変化をさし，その変化は細胞が分裂しても永続する．染色体分子の塩基配列の変化．②variation(変化，変異)とは異なり，ある種が突然発生することを表す De Vries の用いた語)．

adaptive m. 適応的突然変異（必要性が生じた時により頻繁に起こるような突然変異)．

addition m. ＝reading-frameshift m.

addition-deletion m. ＝reading-frameshift m.

amber m. アンバー〔突然〕変異（コドン UAG の形成を生じる突然変異のことで，ポリペプチド鎖の未完成終了をもたらす．*cf.* suppressor m.)．

back m. 復帰〔突然〕変異（突然変異遺伝子がさらに変異を起こして元の遺伝子に戻ること)．＝reverse m.

deletion m. ＝reading-frameshift m.

directed m. (dī-rek′tĕd myū-tā′shŭn). 定方向突然変異，適応的突然変異（淘汰を誘発するような特殊な環境に応じて，特定の遺伝子座に起こる突然変異)．

frameshift m. 読み枠〔突然〕変異．＝reading-frameshift m.

induced m. 誘発〔突然〕変異（突然変異誘発物質にさらされることにより生じる突然変異)．

lethal m. 致死〔突然〕変異（子孫の存続が不可能になる形質を獲得するような突然変異)．

missense m. [mis-sense by analogy with non-sense]. ミスセンス〔突然〕変異（コドン内の塩基の変化または置換により，異なったアミノ酸が合成中のポリペプチド鎖内にはいり，変種蛋白がつくられるような突然変異)．

natural m. 自然〔突然〕変異．＝spontaneous m.

neutral m. 中立突然変異（自然淘汰に有利でも不利でもない突然変異)．

new m. 新突然変異（両親のいずれにも認められず子孫にのみ存在する遺伝形質を表す用語，すなわち，遺伝された突然変異型がすでに存在するのではない)．

nonsense m. ナンセンス〔突然〕変異．＝suppressor m.

ochre m. オーカー突然変異（終止コドン UAA を生じる突然変異で，ポリペプチド鎖の未成熟終了をもたらす．*cf.* suppressor m.)．

opal m. オパール突然変異体．＝umber m.

point m. 点〔突然〕変異（1個のヌクレオチドが関与する突然変異．1個のヌクレオチドの欠失，1個のヌクレオチドの置換，または付加的ヌクレオチドの挿入によると考えられる)．

prothrombin m. G20210A プロトロンビン変異 G20210A（プロトロンビン遺伝子の突然変異．プロトロンビン(第II因子)の増加と静脈血栓発生のリスクに関連する．この変異は白人の1－3％でみられる)．

reading-frameshift m. 読み枠〔突然〕変異（正常な DNA 配列の中に，1個のヌクレオチドの挿入または欠損が起こる突然変異．遺伝暗号はヌクレオチド3個を1組として読まれるので，突然変異から後のすべてのヌクレオチドトリプレットは1段階，相がずれ，誤読され，このため異なったアミノ酸として翻訳される)．＝addition m.; addition-deletion m.; deletion m.; frameshift m.

reverse m. 復帰〔突然〕変異．＝back m.

silent m. サイレント突然変異（遺伝子レベルでは明確だが，任意の表現型レベル(臨床的，免疫学的，電気泳動的)では判別不可能な遺伝形質の存在様式)．

site-specific m. 部位特異的突然変異（特定の配列における遺伝子構造の変更で，通常，遺伝子配列に実験的に生みだされた変化についていう)．

somatic m. 体細胞〔突然〕変異（一般的な体細胞(生殖細胞に対立するものとして)に生じる突然変異のことで，この場合は子孫に変異が伝わらない)．

spontaneous m. 自然突然変異（変異誘発物質への暴露の結果ではなく，自然に起こる突然変異)．＝natural m.

suppressor m. サプレッサー〔突然〕変異，抑圧〔突然〕変異（① tRNA のアンチコドンを変化させるような2番目の変異が起こることによって，ナンセンス(停止)コドンを認識できるようになるために，アミノ酸鎖の合成終了が抑制される．*cf.* amber m.; ochre m.; umber m. ②1か所の突然変異による効果が他の部位の第2の突然変異によって遮閉されるような遺伝的変化．2つの型が存在し，遺伝子間抑圧(遺伝子間サプレッション．異なる遺伝子間で起こる)と遺伝子内抑圧(遺伝子内サプレッション．同じ遺伝子内で異なった部位で起こる)とがある)．＝nonsense m.

transition m. 塩基対置換〔突然〕変異（1個のプリンヌクレオチドが他のプリンヌクレオチドと，あるいは，1個のピリミジンヌクレオチドが他のピリミジンヌクレオチドと置換される点突然変異)．

transversion m. 塩基対転換型〔突然〕変異（塩基対置換突然変異 transition m. とは対照的に，1つのプリンヌクレオチドが1つのピリミジンヌクレオチドに，あるいはその逆の点突然変異)．

umber m. アンバー突然変異（終止コドン UGA を生みだす突然変異で，ポリペプチド鎖の早期終止をもたらす．註日本では，amber m. と区別するため〝オパール突然変異 opal m.〟と称することが多い．*cf.* suppressor m.)．＝opal m.

up promoter m. アッププロモータ性突然変異（転写開始の頻度が増加するような突然変異)．

mute (myūt) [L. *mutus*]. ***1***《adj.》唖の．***2***《n.》唖者（話すことのできない人)．

mu・tein (myū′tēn) [*mut*ation + prot*ein*]. ムテイン（突然変異，あるいは組み換え DNA 操作によって生じた蛋白)．

mu・ti・la・tion (myū-ti-lā′shŭn) [L. *mutilatio* < *mutilo*, pp. *-atus*, to maim]. 断節（身体の必要部分の除去または破壊による損傷)．

mut・ism (myū′tizm) [L. *mutus*, mute]. ***1*** 無言〔症〕（黙っている状態)．***2*** 唖（話す能力の器質的または機能的欠如)．

akinetic m. 無動無言〔症〕（持続性の意識変容．患者は間欠的に意識清明になるが(睡眠・覚醒サイクルを示す)，下行性運動神経路が正常であるにもかかわらず，反応はみられない．様々な脳病変により生じる)．＝coma vigil.

elective m. 選択的無言〔症〕（心因性の無言症)．＝voluntary m.

voluntary m. 自発的無言〔症〕．＝elective m.

mu・ton (myū′ton) [*mut*ation + -on]. ミュートン，突然変異単位（遺伝学で，突然変異が起こりうる染色体の最小単位(1塩基変化))．

mu・tu・al・ism (myū′chū-ăl-izm). 相利共生（両方の種が利益を得るような共生的関係．*cf.* commensalism; metabiosis; parasitism)．

mu・tu・al・ist (myū′chū-ăl-ist) [L. *mutuus*, in return, mutual]. 相利共生動物．＝symbion.

Mv mendelevium を表す，現在では用いられない略．

mV millivolt の略．

MVA motor vehicle accident(自動車事故)の略．

MVE Murray Valley encephalitis *virus* の略．

MVV maximum voluntary *ventilation* の略．

MW molecular *weight* の略．

my・al・gi・a (mī-al′jē-ă) [G. *mys*, muscle + *algos*, pain]. 筋〔肉〕痛（[episodes または zones of muscular aching の意味で複数形 myalgias の隠語的使用を避けること])．＝myodynia.

epidemic m. 流行性筋〔肉〕痛．＝epidemic *pleurodynia*.

m. thermica 熱性筋〔肉〕痛．＝heat *cramps*.

my・as・the・ni・a (mī′as-thē′nē-ă) [G. *mys*, muscle + *astheneia*, weakness]. 筋無力症．

m. angiosclerotica 血管硬化性筋無力症．＝intermittent *claudication*.

m. gravis [MIM* 254200]. 重症筋無力症（変動する筋力低下を特徴とする神経筋接合部の疾患．脳幹運動核が支配しているものも含む，随意筋の疲労がみられる．神経筋接合部のシナプス後膜のアセチルコリン受容体の数の顕著な減少が原因である．自己免疫機序による)．＝Goldflam disease.

my・as・then・ic (mī′as-then′ik). 筋無力症の，筋無力性の．

my・a・to・ni・a, my・at・o・ny (mī′ă-tō′nē-ă, mī-at′ō-nē) [G. *mys*, muscle + *a-* 欠性辞 + *tonos*, tone]. 筋無緊張〔症〕（筋肉の異常伸張性)．

m. congenita 先天〔性〕筋無緊張〔症〕．＝*amyotonia* congenita.

my·at·ro·phy (mī-at′rō-fē). ＝muscular *atrophy.*
my·ce·lia (mī-sē′lē-ă). mycelium の複数形.
my·ce·li·an (mī-sē′lē-an). 菌糸〔体〕の.
my·ce·li·oid (mī-sē′lē-oyd) [mycelium ＋ G. *eidos*, resemblance]. 菌糸〔体〕状の.
my·ce·li·um, pl. my·ce·li·a (mī-sē′lē-ŭm, -ă) [G. *mykēs*, fungus ＋ *hēlos*, nail, wart, excrescence on animal or plant]. 菌糸〔体〕(菌類およびいくつかの細菌種，例えば *Streptomyces*属，のコロニーをつくる菌糸の塊).
aerial m. 気〔中〕菌糸〔体〕(基質表面から上方または外方へ成長する菌糸の部分．そこから伝播胞子が種々の属性群を表す特異構造に発育する).
nonseptate m. 無隔菌糸〔体〕(菌糸の中に中隔または〝横断壁 cross-walls〟がないもの．菌糸が多数の個々の細胞に分割されないかぎり，多核原形質は管状構造を流動すると考えられる).
septate m. 有隔菌糸〔体〕(中隔または〝横断壁 cross-walls〟が菌糸を多数の無核細胞や多核細胞に分割するもの).
mycet-, myceto- (mī′sēt) [G. *mykēs*, fungus]. 真菌に関する連結形.→myco-.
my·cete (mī′sēt) [G. *mykēs*, fungus]. 真菌.
my·ce·tism, my·ce·tis·mus (mī′sē-tizm, -tiz′mŭs) [G. *mykēs*, fungus]. キノコ中毒. ＝muscarinism.
m. cerebralis 大脳性キノコ中毒 (*Psilocybe*属および *Panaeolus*属などのキノコ類を食べた後に起こる一過性の幻覚症状を特徴とする状態).
m. choliformis テングタケ中毒 (タマゴテングタケ *Amanita phalloides* その他の種の毒キノコを食することによる激しく，ときとして死に至る中毒).
m. gastrointestinalis 胃腸性キノコ中毒 (嘔気，嘔吐，下痢などを特徴とする比較的軽症のキノコ中毒で，*Boletus*属，*Lactarius*属，*Entoloma*属，*Lepiota*属などの種を食して起こる).
m. nervosa 神経性キノコ中毒 (テングタケ属 *Amanita*，アセタケ属 *Inocybe*，およびカヤタケ属 *Clitocybe* などの種を食した後に起こる副交感神経系を含むキノコ中毒で，胃腸障害を起こす).
m. sanguinareus 血液性キノコ中毒 (一過性血色素尿と黄疸．*Helvella esculenta* のキノコ類を生でもまた料理して食べても起こる).
my·ce·to·ge·net·ic, my·ce·to·gen·ic (mī-sē′tō-jĕ-net′ik, mī′sē-tō-; -jen′ik) [G. *mykēs*, fungus ＋ *gennētos*, begotten]. 真菌性の. ＝mycetogenous.
my·ce·tog·e·nous (mī′sē-toj′ĕ-nŭs). ＝mycetogenetic.
my·ce·to·ma (mī′sē-tō′mă). 菌腫，足菌腫 (皮膚，皮下組織，隣接する骨を侵す慢性感染症で，腫脹と多くの排出膿瘻を伴った限局性病変の形成を特徴とする．滲出液は原因菌により黄色，白色，赤色，褐色，黒色など様々な色の顆粒を含む．本菌腫は次の主要な２グループの微生物に起因する．ⓘ放線菌性菌腫は，*Streptomyces*, *Actinomadurae*, *Nocardia* を含む放線菌類によって起こる．ⓘⓘ真菌性菌腫は，*Madurella*, *Exophiala*, *Pseudallescheria*, *Curvularia*, *Neotestudina*, *Pyrenochaeta*, *Aspergillus*, *Leptosphaeria*, *Plemodomus*, *Polycytella*, *Fusarium*, *Phialophora*, *Corynespora*, *Cylindrocarpon*, *Pseudochaetosphaeronema*, *Bipolaris*, *Acremonium* を含む真正菌類によって起こる). ＝Madura boil; Madura foot; maduromycosis.
myco- (mī′kō) [G. *mykēs*, fungus]. 真菌に関する連結形.→mycet-.
my·co·bac·te·ri·a (mī′kō-bak-tē′rē-ă). ミコバクテリア，マイコバクテリア (*Mycobacterium*属に属する細菌).
atypical m. 非定型抗酸菌 (結核菌 *M. tuberculosis* を除くミコバクテリアをさす．健常人や免疫不全の人に感染する．例えば，*M. marinum*, *M. avium*, *M. intracellulare*, *M. fortuitum*, *M. chelonae*, *M. kansasii*, *M. ulcerans* がこれに属する). ＝nontuberculous m.
nontuberculous m. 非結核性抗酸菌. ＝atypical m.
Runyon group I m. ルニヨンのＩ群ミコバクテリア (光の存在するところで成長すると明るい黄色を生じるミコバクテリア．この群の生物は *Mycobacterium kansasii* に属している). ＝photochromogens.
Runyon group II m. ルニヨンのII群ミコバクテリア (暗所で成長しても黄色色素をつくるミコバクテリア．光の当たるところで成長すると色素は橙色になる．これらの生物はヒト体内で腐生菌のような行動をとるが，実験動物に対しては通常，非病原性である). ＝scotochromogens.
Runyon group III m. ルニヨンのIII群ミコバクテリア (光の当たるところで成長すると無色，または徐々に薄黄色の色素をつくるミコバクテリア．この群の細菌には *Mycobacterium avium* および *M. intracellulare* が含まれる). ＝nonchromogens.
Runyon group IV m. ルニヨンのIV群ミコバクテリア (急速に成長し，色素を産出しないミコバクテリア．この群の細菌は *Mycobacterium ulcerans*, *M. marinum* などの種に属する).
My·co·bac·te·ri·a·ce·ae (mī′kō-bak-tē′rē-ā′sē-ē). ミコバクテリウム科，マイコバクテリウム科 (グラム陽性で球形から杆形までの細胞を含む放線菌目の好気性バクテリアの一科．一般の培養条件下では枝分かれはみられない．たいてい抗酸性である．土壌，酪農製品中にみられ，ヒトや動物に寄生体として存在する．標準属は *Mycobacterium*).
my·co·bac·te·ri·o·sis (mī′kō-bak-tē′rē-ō′sis). ミコバクテリア症，マイコバクテリア症 (ミコバクテリアによる感染症).
My·co·bac·te·ri·um (mī′kō-bak-tē′rē-ŭm) [myco- ＋ bacterium]. ミコバクテリウム属，マイコバクテリウム属 (グラム陽性，抗酸性，細長い直線状，または少し曲がった杆体を含むミコバクテリウム科の好気性・非運動性バクテリアの一属．細い線維状のものが現れることもあるが，枝分かれはほとんど生じない．寄生種と腐生菌種もみられる．いくつかの種が免疫的障害をもつ人々，特にエイズ患者と関わりをもっている．標準種はヒト型結核菌 *M. tuberculosis*. ミコバクテリウム科の標準属).
M. abscessus ＝*M. chelonae* subsp. *abscessus*.
M. avium トリ〔型〕結核菌 (ニワトリや他の鳥類に結核を起こす細菌種．ヒトにも日和見感染症を起こす).
M. avium-intracellulare complex **(MAIC)** トリ〔型〕結核菌群 (特にエイズ患者にみられる日和見感染の一病因．*M. avium intracellulare* は多くの抗生物質に耐性を示すので，治療は困難である．さほど重くはない免疫不全患者では，肺実質に異常がある慢性の下部呼吸器感染を起こすこともある).
M. bovis ウシ〔型〕結核菌 (ウシの結核の一次病原菌となる細菌種．ヒト，その他の動物に伝染して結核を起こす). ＝tubercle bacillus (2).
M. chelonae 急速発育性のマイコバクテリウム種で(Runyon 第 IV 群)，散発性に各種の組織や臓器に感染症を起こす．ヒトでは心臓胸郭部の手術後や腹膜透析または血液透析，乳房形成術，関節形成術や免疫不全症などの患者でみられる.
M. chelonae subsp. ***abscessus*** カメ結核菌 (元来は膝部の外傷性感染にみられる細菌種). ＝*M. abscessus*.
M. fortuitum 土壌中，ヒト，ウシ，冷血動物の感染にみられる腐生菌種．皮膚膿瘍の原因となる.
M. intracellulare ヒトの肺病巣と喀痰にみられる細菌種．ウサギの骨と腱鞘病巣にもみられる．マウスに対して病原性の種もある．最近，ヒトでの日和見感染症が明らかとなった. ＝Battey bacillus.
M. kansasii 結核に似た肺の疾病を起こす細菌種．髄液，脾臓，肝臓，膵臓，精巣，腰関節，膝関節，指，手首，リンパ節内の感染を起こすことが知られている.
M. leprae らい菌 (Hansen 病(らい病)を起こす細菌種．偏性細胞内寄生性のミコバクテリアで，実験室内では培養されていないが，ココノオビアルマジロ(*Dasypus novemcinctus*)体内では生存可能である). ＝Hansen bacillus; leprosy bacillus.
M. marianum *M. scrofulaceum* の旧名.
M. marinum 海水魚に自発性結核を起こす細菌種．その他の冷血動物，水槽，水泳プール，灌漑用運河，堀，海辺にもみられ，水泳プールではヒトの皮膚感染症(→swimming pool *granuloma*)が起こることがある.
M. microti ハタネズミの一般的な結核を起こす細菌種．モルモット，ウサギ，子ウシに伝染して局部感染を起こす.

M. paratuberculosis パラ結核菌（ウシの慢性腸炎であるJohne病を起こす細菌種）.

M. phlei チモテ菌（土やほこりの中，植物の表面にみられる細菌種）. =Moeller grass bacillus.

M. scrofulaceum しばしば小児の頸部腺炎と関連する細菌種.

M. smegmatis スメグマ菌，恥垢菌（ヒトの性器および多くの下等動物の恥垢にみられる腐生性の細菌種．土やほこり，水中にも認められる）.

M. tuberculosis ヒト〔型〕結核菌（ヒトの結核を引き起こす細菌種．*Mycobacterium*属の標準種）. =Koch bacillus; tubercle bacillus (1).

M. ulcerans ヒトにBuruli潰瘍を引き起こす細菌種．通常，損傷の後に土壌から伝染する．媒介昆虫から伝染することもありうる.

M. vaccae 暗発色性に迅速に増殖する非病原性の種で，自然界に幅広く分布している.

M. xenopi 冷血動物であるアフリカツメガエル *Xenopus laevis* の皮膚病変から分離された細菌種．まれにヒトの院内肺結核感染の原因となる.

my·co·bac·tin (mī′kō-bak′tin). ミコバクチン（ヒトの血漿内におけるヒト型結核菌 *Mycobacterium tuberculosis* の成長に必要な複合脂質成分．チモテ菌 *M. phlei* から抽出される脂質成分と同一成分で *M. johnei* の成長に必要であると考えられている）.

my·co·cide (mī′kō-sīd) [myco- + L. *caedo*, to kill]. 殺菌薬. =fungicide.

my·co·der·ma·ti·tis (mī′kō-der′mă-tī′tis). 真菌皮膚炎（カビ，酵母菌，糸状菌などの真菌による発疹を表す現在では用いられない語）.

my·co·gas·tri·tis (mī′kō-gas-trī′tis) [myco- + G. *gastēr*, stomach + *-itis*, inflammation]. 糸状菌性胃炎，真菌性胃炎（真菌類による胃の炎症）.

my·col·ic ac·ids (mī-kol′ik as′idz). ミコール酸（長鎖シクロプランカルボン酸(C_{19}—C_{21})に，さらに遊離ヒドロキシル基をもつ長鎖(C_{24}—C_{30})アルカンが置換されている．ある種の細菌中に見出される．これらのろう様物質は，それを含んでいる細菌の耐酸性に関与するようである）. =mykol.

my·col·o·gist (mī-kol′ŏ-jist). 〔真〕菌学者.

my·col·o·gy (mī-kol′ō-jē) [myco- + G. *logos*, study]. 〔真〕菌学（分類，可食性，培養などを研究する）.

medical m. 医学真菌学（ヒトや他の動物に疾病を生じる真菌に関する学問および真菌が引き起こす疾病に関する学問で，生態学および疫学を含む）.

my·co·phage (mī′ko-fāj) [myco- + G. *phagō*, to eat]. マイコファージ，真菌ファージ（細菌を宿主とするバクテリオファージに対し，真菌を宿主とするウイルス．→mycovirus）.

My·co·plas·ma (mī′kō-plaz′mă) [myco- + G. *plasma*, something formed(plasm)]. マイコプラスマ属，ミコプラスマ属（真の細胞壁をもたないグラム陰性菌を含む好気性から通性嫌気性に及ぶマイコプラスマ科の細菌の一属．これらは，細胞壁または細胞壁の破片を有する菌類の状態にはならず，細胞は3層の膜によりおおわれている．これら細菌の最小増殖単位の大きさは，直径0.2—0.3 μm である．細胞は多形性であり，液体培地では，球状・環状・糸状を呈する．コロニーは，一般的には中心コアを含み，培地内に発育して周囲に表層状の発育を示す．これらは発育にステロールを必要とし，また，血清，腹水の添加を必要とする．これら細菌は，一般にヒト，動物に見出され，病原性がある．標準種は *M. mycoides*）. =Asterococcus.

M. buccale まれにヒトの中咽頭に寄生し定着する種．ヒト以外の霊長目の中咽頭に多いマイコプラスマ.

Candidata M. haemominutum (**CMhm**) ネコにおける軽度から中等度の伝染性の溶血性貧血の原因．*Mycoplasma haemofelis* との混合感染により臨床徴候が重篤になる．CMhmは細胞壁を欠き，その感染細胞の外側で複製する．*Eperythrozoon* sp.と近縁.

M. faucium ヒトの中咽頭の正常な菌叢中のまれな細菌種．ヒト以外の霊長類の中咽頭にはときにみられる.

M. fermentans 紡錘状杆菌やスピリルム属とともに，潰瘍を起こした生殖器外傷にみられる細菌種．外見上正常にみえるヒトの生殖器の粘膜にもみられる.

M. genitalium 性器マイコプラスマ（尿道炎の原因となることがある．免疫学的には *M. pneumoniae* と交叉反応があり，気道，心臓，滑液，中枢神経系，人工弁，人工関節などに重篤な感染を起こす原因となりうる）.

M. hominis 骨盤内炎症性疾患や他の泌尿生殖器系感染症の原因となる細菌種．絨毛羊膜炎，分娩熱の原因にもなりうる．中咽頭内片利共生菌になることもあり，院内創傷感染の原因菌にもなっている.

M. laidlawii = *Acholeplasma laidlawii.*

M. orale ヒトや動物の口腔，咽頭腔に関わりをもつマイコプラスマ細菌種.

M. pharyngis ヒトの中咽頭に共生的に存在する細菌種.

M. pneumoniae 肺炎マイコプラスマ（ヒトの耳炎や原発性異型肺炎を含む上部および下部呼吸器病の原因となる細菌種）. =Eaton agent.

M. salivarium ヒトの咽頭にみられる細菌種.

my·co·plas·ma, pl. **my·co·plas·ma·ta** (mī-kō-plaz′mă, -plaz′mah-tă). マイコプラスマ（*Mycoplasma*属の種にのみ用いる通称）.

My·co·plas·ma·ta·les (mī′kō-plaz′mă-tā′lēz). マイコプラスマ目（3層の膜で包まれているが，真の細胞壁をもたない細胞を含むグラム陰性菌の目．最小の増殖単位は直径0.2—0.3 μm．病原性種および腐生菌種がある．これらの菌は，分岐した線維状菌糸が分裂して球状で沪過性の基本小体をつくることで増殖する．本目はいわゆるウシ肺疫菌様微生物 pleuropneumonia-like *organisms*(PPLO) を含む）.

my·co·pus (mī′kō-pŭs). =mucopus.

my·cose (mī′kōs). ミコース. =trehalose.

my·co·sis, pl. **my·co·ses** (mī-kō′sis, -sēz) [myco- + G. *-osis*, condition]. 真菌症（真菌類(糸状菌または酵母)によって起こる疾病の総称）.

m. framboesioides =yaws.

m. fungoides [MIM* 254400]. 菌状息肉腫（皮膚に生じる慢性進行性リンパ腫の一型．初期にこの疾患は，湿疹またはその他の炎症性皮膚疾患に類似し，その局面には表皮肥厚と真皮上層の種々の細胞からなる帯状浸潤とがみられる．浸潤細胞には大きなくびれた核をもつヘルパーT細胞が含まれ，それらはまた表皮下層の明調な領域に集合する(Pautrier微小膿瘍)．進行した症例では潰瘍化した腫瘍やリンパ節への浸潤が生じることがある．→Sézary *syndrome*）.

m. intestinalis 腸〔管〕真菌症（症状として胃腸炎がみられ，毒血症と抑うつ症を伴う）.

my·co·stat·ic (mī′kō-stat′ik). 糸状菌発育抑制的な. =fungistatic.

my·cos·ter·ols (mī-kos′ter-olz). 菌類ステリン（真菌類より得られるステロール）.

my·cot·ic (mī-kot′ik). 真菌〔性〕の，糸状菌〔性〕の，真菌による.

my·co·tox·i·co·sis (mī′kō-tok′si-kō′sis) [myco- + G. *toxikon*, poison + *-osis*, condition]. マイコトキシン症（真菌の作用によって特定の食品に産生された物質を摂取することにより，あるいは真菌自身を摂取することによって起こる中毒．例えば麦角中毒など）.

my·co·tox·in (mī′kō-tok′sin). マイコトキシン（ある種の真菌によって産生される中毒性物質．ある種のものは医薬の目的に使用されている(例えば，ムスカリン，プシロシビンなど)）.

my·co·vi·rus (mī′kō-vī′rŭs). マイコウイルス（真菌に感染する一種のウイルス）.

my·da·le·ine (mī-dā′lē-ēn) [G. *mydaleos*, moldy < *mydos*, dampness]. ミダレイン（[誤った発音 mī-dal′ēn を避けること]．腐敗しつつある肝臓やその他の内臓でつくられる毒性を有するプトマイン．心臓に対して特異的に作用し，拡張期に心停止を引き起こす）.

my·da·tox·in (mī′dă-tok′sin) [G. *mydos*, dampness, decay + *toxikon*, poison]. ミダトキシン（腐敗した内臓や肉から生じるプトマイン）.

my·dri·a·sis (mi-drī′ă-sis) [G.]. 散瞳，瞳孔散大.

alternating m. 交代性散瞳（片眼ずつ交互に起こる散瞳）.

amaurotic m. 黒内障〔性〕散瞳（片眼または両眼から光の入力が障害された結果起こる両眼の(瞳孔の)中等度散瞳）.

paralytic m. 麻痺性散瞳（抗コリン製剤の局所的投与または全身投与により誘発されたり，動眼神経核や線維の病巣，眼球の打撲，緑内障の結果として起こる瞳孔括約筋の麻痺に起因する瞳孔の散大）.

spastic m. 痙性散瞳（アドレナリン作用薬または交感神経経路の刺激に誘発された瞳孔散大筋の収縮による瞳孔拡大）.

myd·ri·at·ic (mid′rē-at′ik). ***1***〚adj.〛散瞳の. ***2***〚n.〛瞳孔を拡大させる因子.

my·ec·to·my (mī-ek′tō-mē) [G. *mys*, muscle + *ektomē*, excision]. 筋切除〔術〕（筋肉の一部の切除）.

my·ec·to·py, my·ec·to·pia (mī-ek′tō-pē, mī-ek-tō′pē-ă) [G. *mys*, muscle + *ektopos*, out of place]. 筋転移を表す，まれに用いる語.

myel-, myelo- (mīel, mī′ĕ-lō) [G. *myelos*, medulla, marrow]. [本連結形を mylo- または myo- と混同しないこと]. ***1*** 骨髄を表す連結形. ***2*** 脊髄および延髄を表す連結形. *cf.* medullo-. ***3*** 神経線維の髄鞘に関係があることを示す連結形.

my·el·ap·o·plex·y (mī′el-ap′ō-plek′sē) [myel- + G. *apoplēxia*, apoplexy]. 脊髄〔内〕出血，脊髄卒中. =hematomyelia.

my·el·a·te·li·a (mī′el-ă-tē′lē-ă) [myel- + G. *ateleia*, incompleteness]. 脊髄形成不全.

my·el·aux·e (mī′el-awk′sē) [myel- + G. *auxē*, increase]. 脊髄肥大.

my·e·le·mi·a (mī′ĕ-lē′mē-ă) [myel- + G. *haima*, blood]. myelocytosis に対してまれに用いる語.

my·el·en·ceph·a·lon (mī′el-en-sef′ă-lon) [myel- + G. *enkephalos*, brain][TA]. 髄脳. =*medulla* oblongata.

my·el·ic (mī-el′ik). 脊髄の，骨髄の.

my·e·lin (mī′ĕ-lin). ミエリン（①リポ蛋白物質で，脂質ラメラ(例えば，コレステロール，リン脂質，スフィンゴリピド，ホスファチド)と蛋白との規則的な層状構造の膜よりなる，ミエリン鞘の構成成分. ②自己分解または死後の分解の過程で生成される脂質の小滴）.

my·e·li·nat·ed (mī′ĕ-li-nāt′ed). ミエリン化された（髄鞘を有する）. =medullated (2).

my·e·li·na·tion (mī′ĕ-li-nā′shŭn). 髄鞘形成，有髄化（神経線維の周囲に髄鞘を獲得，発育，形成すること）. =medullation (2); myelinization; myelinogenesis.

my·e·lin·ic (mī′ĕ-lin′ik). ミエリンの.

my·e·lin·i·za·tion (mī′ĕ-lin′ī-zā′shŭn). =myelination.

my·e·li·noc·la·sis (mī′ĕ-li-nok′lă-sis) [myelin + G. *klasis*, a breaking]. ミエリン破壊（→demyelination; dysmyelination）.

my·e·lin·o·gen·e·sis (mī′ĕ-lin′ō-jen′ĕ-sis) [myelin + G. *genesis*, production]. ミエリン生成. =myelination.

my·e·li·nol·y·sis (mī′ĕ-li-nol′i-sis) [myelin + G. *lysis*, dissolution]. ミエリン溶解（神経線維の髄鞘の溶解）. =myelinosis (1).

central pontine m. 橋中央ミエリン溶解（橋底部中央の局在性脱髄病変を特徴とする散発性疾患. 脱髄病変の大きさは患者により異なる. 大部分の症例では，他の重篤な疾患(慢性アルコール症，重度熱傷，進行性リンパ腫など)に併発する. 臨床的には病変の大きさにより，無症候性から重度の症候性まである）.

my·e·lin·op·a·thy (mī′ĕ-lin-op′ă-thē). 髄鞘障害，ミエリン障害（軸索を侵す軸索障害と異なり，末梢神経線維のミエリンを侵す疾患）.

myelinosis (mī′ĕ-lĭ-nō′sĭs) [myelin + -osis]. ミエリノーシス（①=myelinolysis. ②ミエリンの変性疾患）.

my·e·lit·ic (mī′ĕ-lit′ik). 脊髄炎の，骨髄炎の.

my·e·li·tis (mī′ĕ-lī′tis) [myel- + G. *-itis*, inflammation]. ***1*** 脊髄炎. ***2*** 骨髄炎.

acute necrotizing m. 急性壊死性脊髄炎（全年齢の男女を侵す，恐らく脱髄性の脊髄疾患. 感覚異常と上位運動ニューロン性脱力が突発またはより緩徐に出現し，まもなく反射性弛緩性運動麻痺と永続的になる膀胱直腸障害が前景に立つ. 全例ではないがある症例では，両側性または片側性の視神経炎が合併する. 髄液の蛋白濃度は上昇し，単核球がみられる. 剖検では壊死性出血性白質脊髄炎と同定される）.

acute transverse m. 急性横断性脊髄炎. =transverse m.

ascending m. 上行性脊髄炎（脊髄の上部に次第に拡大する進行性炎症）.

bulbar m. 球脊髄炎（延髄の炎症）.

concussion m. 振とう脊髄炎（外傷性ミエロパシー）.

demyelinated m. 脱髄性脊髄炎（脊髄炎として起こる急性多発性硬化症）.

Foix-Alajouanine m. (fwah ah-lah-zhū-ah-nēn′). フォワーアラジュワニーヌ脊髄炎. =subacute necrotizing m.

funicular m. 索性脊髄炎（①脊髄柱の炎症. ②=subacute combined *degeneration* of the spinal cord）.

postinfectious m. 感染後脊髄炎（ウイルス感染，通常発疹の後に起こる脊髄炎）.

postvaccinal m. ワクチン後(種痘後)脊髄炎（ワクチン接種に続いて起こる脊髄炎）.

radiation m. 放射線脊髄炎. =radiation *myelopathy*.

subacute necrotizing m. 亜急性壊死性脊髄炎（男性における下部脊髄の障害で進行性対麻痺をもたらす）. =angiodysgenetic myelomalacia; Foix-Alajouanine m.

systemic m. 系統性脊髄炎（脊髄の特別な経路に限局される炎症）.

transverse m. 横断脊髄炎（脊髄の1—3分節のほぼ全体を障害することが多い突然発症の炎症. 多くの原因があるが，ウイルス，ウイルス感染後，多発性硬化症によることが多い）. =acute transverse m.

myelo- (mī′ĕ-lō). →myel-.

my·e·lo·ar·chi·tec·ton·ics (mī′ĕ-lō-ar′ki-tek-ton′iks). 髄鞘構築学（細胞構築学と区別されるような，脳の有髄神経線維についての学問）.

my·e·lo·blast (mī′ĕ-lō-blast) [myelo- + G. *blastos*, germ]. 骨髄芽球，骨髄芽細胞，ミエロブラスト（顆粒球系の未成熟細胞(直径 10—18 μm)で正常では骨髄に生じ，(ある種の疾病を除いて)循環血液中にはない. 普通染色で用いる色素で染色すると細胞質は淡青色，非顆粒性で量は一定せず，ときには核の周囲を薄く縁どっているだけのこともある. 核は濃紫青色で細かく分かれた点状の糸状クロマチンをもち，周辺部にやや集まっている. 少数の淡青色の核小体が通常は核の中にあるが，これらは一般に，骨髄芽球が前骨髄球を経て骨髄球へと成熟するにつれ消失する. 骨髄芽球は通常，ペルオキシダーゼ反応が陽性である）.

my·e·lo·blas·te·mi·a (mī′ĕ-lō-blas-tē′mē-ă) [myeloblast + G. *haima*, blood]. 骨髄芽球血症，骨髄芽細胞血症（循環血液中に骨髄芽球が存在すること）.

my·e·lo·blas·tin (mī′ĕ-lō-blast′in). ミエロブラスチン（白血球で産生されるエンドペプチダーゼで，エラスターゼと同じ作用をもつ）.

my·e·lo·blas·to·ma (mī′ĕ-lō-blas-tō′mă) [myeloblast + G. *-oma*, tumor]. 骨髄芽球腫，骨髄芽細胞腫（急性骨髄芽球性白血病または萎黄病にみられるような骨髄芽球の小結節性病巣，またはかなり限局した蓄積がみられること）.

my·e·lo·blas·to·sis (mī′ĕ-lō-blas-tō′sis). 骨髄芽球症，骨髄芽細胞症（(急性白血病にみられるように)循環血液，または組織，あるいはその両方に，骨髄芽球が異常に多く存在すること）.

my·e·lo·cele (mī′ĕ-lō-sēl). ***1*** [myelo- + G. *kēlē*, hernia]. 脊髄瘤，脊髄ヘルニア（二分脊椎における脊髄の突出）. ***2*** [G. *myelos*, marrow + *koilia*, a hollow]. 脊髄の中央管.

my·e·lo·cyst (mī′ĕ-lō-sist) [myelo- + G. *kystis*, bladder]. 脊髄嚢胞（中枢神経系の痕跡的中心管から発育する嚢胞の総称. 通常，円柱状または立方体状の細胞が配列している）.

my·e·lo·cyst·ic (mī′ĕ-lō-sist′ik). 脊髄嚢胞の.

my·e·lo·cys·to·cele (mī′ĕ-lō-sis′tō-sēl) [myelo- + G. *kystis*, bladder + *kēlē*, tumor]. 脊髄嚢瘤，脊髄嚢ヘルニア（脊髄物質からなる二分脊椎）.

my·e·lo·cys·to·me·ning·o·cele (mī′ĕ-lō-sis′tō-mĕ-ning′gō-sēl) [myelo- + G. *kystis*, bladder + *mēninx*(*mēning*-), membrane + *kēlē*, hernia]. 脊髄嚢髄膜瘤，脊髄嚢髄膜ヘルニア. =meningomyelocele.

my·e·lo·cyte (mī′ĕ-lō-sīt) [myelo- + G. *kytos*, cell]. ***1*** 骨髄球，ミエロサイト（顆粒球系の幼若細胞で，通常，骨髄中にあり，循環血液中には(ある種の疾病を除いて)存在しない. 普通染色で用いる色素で染色すると，細胞質は明らかに好塩基性(㊟日本では一般に好塩基性の薄れたものを骨髄球とい

M

う)であり，その量は骨髄球が小型の細胞であるにもかかわらず，骨髄芽球や前骨髄球に比して多い．より成熟した骨髄球には，多種の細胞質顆粒(すなわち好中性，好酸性，好塩基性)が存在しており，前２者はペルオキシダーゼ陽性である．核クロマチンは骨髄芽球にみられるものより粗であるが，比較的淡く染色され，明確な膜はみられない．核の輪郭はかなり整っており(ぎざぎざでない)，多くの細胞質顆粒中に埋没しているようにみえる)．***2*** 髄鞘球（脳の灰白質または脊髄の神経細胞)．＝medullocell.

m. A 骨髄球Ａ（骨髄球の最も幼若な型．ニュートラルレッドを用いる染色で最も確実に証明される少数(10個以下)の細胞質顆粒を特徴とする．ミトコンドリアは無数で骨髄芽球のそれに類似する)．

m. B 骨髄球Ｂ（骨髄球の中間型．ミトコンドリア間に散在する約30—100個(またはそれ以上)の細胞質顆粒を特徴とする．ミトコンドリアの数はＡ期の骨髄球におけるより少なく，しばしば細胞周辺に押しのけられている)．

m. C 骨髄球Ｃ（骨髄球の最も成熟した型．好中性，好酸性，好塩基性として認められる多数の細胞質顆粒を特徴とする．これらはニュートラルレッドでそれぞれ，赤色，鮮黄色，濃い栗色に染色される．この骨髄球は幼若型より大きいことが多い．核が彎入している場合は，骨髄球が後骨髄球に成熟しつつあることを示す)．

my·e·lo·cy·the·mi·a (mī′ĕ-lō-sī-thē′mē-ă) [myelocyte + G. *haima*, blood]．骨髄球血症（循環血液中に，特に持続的に(骨髄性白血病のように)多数の骨髄球が存在すること)．

my·e·lo·cyt·ic (mī′ĕ-lō-sit′ik)．骨髄球の，骨髄〔球〕性の．

my·e·lo·cy·to·ma (mī′ĕ-lō-sī-tō′mă) [myelocyte + G. *-oma*, tumor]．骨髄球腫，骨髄細胞腫（骨髄性白血病患者のある種の組織にみられるような，骨髄球の小結節性病巣またはかなり限局された比較的濃厚な蓄積物)．

my·e·lo·cy·to·ma·to·sis (mī′ĕ-lō-sī′tō-mă-tō′sis)．骨髄球腫症（主として骨髄球による一種の腫瘍)．

my·e·lo·cy·to·sis (mī′ĕ-lō-sī-tō′sis) [myelocyte + G. *-osis*, condition]．骨髄球増加〔症〕（循環血液中または組織，あるいは両方に異常に多数の骨髄球が発生すること)．

my·e·lo·di·as·ta·sis (mī′ĕ-lō-dī-as′tă-sis) [myelo- + G. *diastasis*, separation]．脊髄離開（脊髄の軟化と破壊)．

my·e·lo·dys·pla·si·a (mī′ĕ-lō-dis-plā′zē-ă) [myelo- + G. *dys-*, difficult + *plasis*, a molding]．***1*** 脊髄形成異常〔症〕（脊髄，特に脊髄下部の発育の異常)．＝myelodyspoiesis. ***2*** spina bifida occulta(潜在二分脊椎)の不適当な用語．

myelodyspoiesis (mī′el-ō-dis-poy-ē′sis) [myelo- + dys- + -poiesis]．脊髄形成異常〔症〕．＝myelodysplasia (1).

my·e·lo·fi·bro·sis (mī′ĕ-lō-fī-brō′sis)．骨髄線維症（骨髄の線維症．特に全身化し，脾臓や他臓器の骨髄様異形成，白血赤芽球性貧血，血小板減少に合併する．しかし骨髄は巨核球を含むことが多い)．＝myelosclerosis; osteomyelofibrotic syndrome.

my·e·lo·gen·e·sis (mī′ĕ-lō-jen′ĕ-sis)．骨髄形成（①骨髄の発達．②中枢神経系の発達．③軸索周囲の髄鞘形成)．

my·e·lo·ge·net·ic, my·e·lo·gen·ic (mī′ĕ-lō-jĕ-net′ik, -jen′ik)．***1*** 骨髄形成の．***2*** 骨髄性の．＝myelogenous.

my·e·log·e·nous (mī′ĕ-loj′ĕ-nŭs)．＝myelogenetic (2).

my·e·lo·gone, my·e·lo·go·ni·um (mī′ĕ-lō-gōn, mī′ĕ-lo-gō′nē-ŭm) [myelo- + G. *gonē*, seed]．骨髄母細胞（骨髄球系の幼若白血球で，ⓘ青白く染まる核小体を有する比較的大型のかなり濃く染まる細網状の核，ⓘⓘ少量の円形，非顆粒状，中程度に好塩基性の細胞質，を特徴とする．骨髄母細胞は，通常，幼若型と関連するより成熟した細胞で判断しないかぎりリンパ芽球や単芽球と区別しがたい)．

my·e·lo·gram (mī′ĕ-lō-gram)．ミエログラム（脊髄のクモ膜下腔およびその内容のＸ線造影法)．

cervical m. 頸部ミエログラム，頸髄造影(撮影)像，頸髄造影(撮影)図（頸部クモ膜腔に直接造影剤を注入したり，腰部から重力を利用して造影剤を移動させたりして，頸髄や神経根を造影した図)．

lumbar m. 腰部ミエログラム，腰髄造影(撮影)像，腰髄造影(撮影)図（髄核ヘルニアや椎間板突出に最もよく用いられる検査)．

my·e·log·ra·phy (mī′ĕ-log′ră-fē) [myelo- + G. *graphē*, a drawing]．ミエログラフィ〔ー〕，脊髄造影(撮影)〔法〕（脊髄クモ膜下腔に造影剤を注入した後の脊髄および神経根のＸ線造影法)．

my·e·lo·ic (mī-ĕ-lō′ik)．骨髄球性の（好中球，好酸球，好塩基球となる組織および前駆細胞についていう)．

my·e·loid (mī′ĕ-loyd) [myel- + -oid]．***1*** 骨髄様の，骨髄性の，骨髄系の．***2*** 脊髄の．***3*** 骨髄球様の（骨髄球型の特徴についていうが，必ずしも骨髄における発生を意味するとはかぎらない)．

my·e·loi·do·sis (mī′ĕ-loy-dō′sis)．骨髄組織過形成（骨髄組織の全身的過形成)．

my·e·lo·ka·thex·is (mī′ĕ-lō-kath-eks′is)．＝kathexis.

my·e·lo·leu·ke·mi·a (mī′ĕ-lō-lū-kē′mē-ă)．骨髄球性白血病（一種の白血病で，異常細胞が骨髄造血組織から発生する)．

my·e·lo·li·po·ma (mī′ĕ-lō-li-pō′mă)．骨髄脂肪腫（副腎の血液洞中の細網内皮組織の限局性増殖に由来する細胞の結節状集塊．肉眼的に脂肪組織のようにみえるが，実際は赤血球生成細胞または骨髄性細胞を含む骨髄巣である)．

my·e·lo·lym·pho·cyte (mī′ĕ-lō-lim′fō-sīt)．骨髄性リンパ球（骨髄におけるリンパ球系の異常型を表す現在では用いられない語．骨髄で形成されると推定される)．

my·e·lol·y·sis (mī′ĕ-lol′i-sis)．ミエリン分解．

my·e·lo·ma (mī′ĕ-lō′mă) [myelo- + G. *-oma*, tumor]．骨髄腫（①骨髄の造血組織から派生する細胞からなる腫瘍．②形質細胞の腫瘍)．

Bence Jones m. (bents jōnz) [Henry *Bence Jones*]．ベンス・ジョーンズ骨髄腫（悪性プラズマ細胞が１型のＬ鎖(κまたはλ)を分泌する多発性骨髄腫．溶解性骨病変が約60%の症例でみられる．Ｌ鎖(Bence Jones 蛋白)が尿中にみられ，アミロイドーシスと重症の腎不全は多発性骨髄腫より多くみられる)．＝L-chain disease; L-chain m.

endothelial m. 内皮性骨髄腫．＝Ewing *tumor*.

giant cell m. 巨細胞骨髄腫．＝giant cell *tumor* of bone.

L-chain m. Ｌ鎖骨髄腫．＝Bence Jones m.

multiple m., m. multiplex [MIM*254500]．多発〔性〕骨髄腫（まれな疾病で，女性よりも男性に多い．貧血，溶血，反復する感染，倦怠感を伴う．骨髄に発生する悪性腫瘍とされ，主に頭蓋に罹患が多い．臨床像は罹患部位と血漿蛋白生成異常を特徴とする．本疾患は種々の骨髄，特に頭蓋骨，ときには骨格骨外部に多数の広汎性病巣または異常形質細胞の小結節性蓄積を特徴とし，そのため骨に膨隆を触知する．放射線学的には，病変が特徴的な打ち抜き像である．本骨髄腫細胞は血清および尿中に異常蛋白を産生する．多発性骨髄腫の産生する蛋白は，正常血清蛋白と異なることはもちろん，他の骨髄腫蛋白とも異なる．最も多い蛋白代謝異常としてはⓘ Bence Jones 蛋白尿の発生，ⓘⓘ血清中のγ-グロブリンの異常な増加，ⓘⓘⓘクリオグロブリンがときに形成されること，ⓘⓥ一種の原発性アミロイド症の形態をとることがある．Bence Jones 蛋白は異常血清蛋白の誘導体ではなく，アミノ酸前駆物質から新たに形成されるように思われる．→ plasma cell m.)．＝multiple myelomatosis; myelomatosis multiplex; plasma cell m. (1).

nonsecretory m. 非分泌性骨髄腫（パラプロテイン血症またはパラプロテイン尿症のみられない多発性骨髄腫)．

plasma cell m. プラズマ細胞骨髄腫，形質細胞骨髄腫（①＝multiple m. ②骨のプラズマ細胞腫で，通常，孤立性病巣を示し，Bence Jones 蛋白や，他の蛋白代謝障害(多発性骨髄腫にみられるような)の発生とは合併しない．孤立性病巣は，典型的な多発性骨髄腫の初期，または病巣が１つだけ認められる場合を表すものであるとする学者もいる)．

my·e·lo·ma·la·ci·a (mī′ĕ-lō-ma-lā′shē-ă) [myelo- + G. *malakia*, a softness]．脊髄軟化〔症〕．

angiodysgenetic m. ＝subacute necrotizing *myelitis*.

my·e·lo·ma·to·sis (mī′ĕ-lō-mă-tō′sis)．骨髄腫〔症〕（種々の部位における骨髄腫の発生を特徴とする疾患)．

multiple m., m. multiplex 多発性骨髄腫〔症〕．＝multiple *myeloma*.

my·e·lo·me·ning·o·cele (mī′ĕ-lō-mĕ-ning′gō-sēl) [myelo- + G. *mēninx*, membrane + *kēlē*, hernia]．＝meningomyelocele.

my·e·lo·mere (mī′ĕ-lō-mēr) [myelo- + G. *meros*, part]．髄節（脳または脊髄の神経分節)．

my·e·lo·mon·o·cyte (mī′ě-lō-mon′ō-sīt). 骨髄〔性〕単球（骨髄球と単球の両方に類似した白血球で，骨髄球ほど核クロマチンが凝縮せず，細胞質に好中性顆粒が乏しい．骨髄単球性白血症にみられるように，成熟障害を表している）.

my·e·lo·neu·ri·tis (mī′ě-lō-nū-rī′tis). 脊髄神経炎．＝neuromyelitis.

my·e·lon·ic (mī′ě-lon′ik) [G. *myelon* < *myelos*, marrow]. 脊髄の.

my·e·lo·pa·ral·y·sis (mī′ě-lō-pă-ral′i-sis). 脊髄麻痺．＝spinal *paralysis.*

my·e·lo·path·ic (mī′ě-lō-path′ik). ミエロパシーの，脊髄障害の.

my·e·lop·a·thy (mī′ě-lop′ă-thē) [myelo- + G. *pathos*, suffering]. ***1*** ミエロパシー，脊髄障害，脊髄症（脊髄の疾患）．***2*** 骨髄障害，骨髄症，ミエロパシー（骨髄造血組織の疾患）.

carcinomatous m. 癌性ミエロパシー（癌腫を伴う脊髄の変性または壊死）．＝paracarcinomatous m.

compressive m. 圧迫性ミエロパシー（新生物，血腫，または他の物質による脊髄組織の破壊）.

diabetic m. 糖尿病性ミエロパシー（真性糖尿病の合併症として起こる脊髄組織の変性変化）.

paracarcinomatous m. ＝carcinomatous m.

radiation m. 放射線ミエロパシー（X線または他の高エネルギー放射線にさらされたために脊髄の一部に生じる障害．頸髄に起こることが多い．発症時期と持続により，2つの型に分けられる．放射線にさらされてから6か月以内に出現し，一過性のこともある早期型と，6か月以上してから出現し典型的には慢性で進行性である後期遅延型がある）．＝radiation myelitis.

my·e·lo·per·ox·i·dase (mī′ě-lō-per-oks′i-dās) [MIM *606989]. ミエロペルオキシダーゼ（食細胞に存在するペルオキシダーゼで，ハロゲンイオン(例えばI^-)を過酸化水素で酸化してハロゲンを遊離することができる．同時に2分子の水を生成させる．ミエロペルオキシダーゼの常染色体劣性欠損により，溶菌力に障害をもたらす．旧称として緑色を呈しているためベルドペルオキシダーゼとよばれていた．*cf.* verdoperoxidase).

my·e·lop·e·tal (mī′ě-lop′ě-tăl) [myelo- + L. *peto*, to seek]. 脊髄走向性の（脊髄の方向へ進む．種々の神経インパルスについていう）.

my·e·lo·phthis·ic (mī′ě-lō-tiz′ik, -thiz′ik). 脊髄ろう(癆)〔性〕の，骨髄ろう(癆)〔性〕の.

my·e·loph·thi·sis (mī′ě-lof′thi-sis, mī′ě-lō-tī′sis, -tē′sis) [myelo- + G. *phthisis*, a wasting away]. ***1*** 脊髄ろう(癆)（脊髄の衰弱，萎縮）．***2*** 骨髄ろう(癆)（骨髄の造血組織が異常組織，通常，転移癌であることが最も多い悪性腫瘍や線維組織によって置換されること）．＝panmyelophthisis.

my·e·lo·plast (mī′ě-lō-plast′) [myelo- + G. *plastos*, formed]. 骨髄芽細胞（骨髄における白血球系の細胞，特に幼若型）.

my·e·lo·ple·gi·a (mī′ě-lō-plē′jē-ă) [myelo- + G. *plēgē*, a stroke]. 脊髄麻痺．＝spinal *paralysis.*

my·e·lo·poi·e·sis (mī′ě-lō-poy-ē′sis) [myelo- + G. *poiēsis*, a making]. 骨髄造血，骨髄発生（骨髄の組織要素，骨髄から出るすべての型の血球の形成，または両方の過程）.

my·e·lo·poi·et·ic (mī′ě-lō-poy-et′ik). 骨髄造血の，骨髄発生の.

my·e·lo·pro·lif·er·a·tive (mī′ě-lō-prō-lif′ěr-ă-tiv). 骨髄増殖性の.

my·e·lo·ra·dic·u·li·tis (mī′ě-lō-ra-dik′yū-lī′tis) [myelo- + L. *radicula*, root + G. *-itis*, inflammation]. 脊髄神経根炎（脊髄と神経根の炎症）.

my·e·lo·ra·dic·u·lo·dys·pla·sia (mī′ě-lō-ra-dik′yū-lō-dis-plā′zē-ă) [myelo- + L. *radicula*, root + dysplasia]. 脊髄神経根形成障害（脊髄と脊髄神経根の先天性発育異常）.

my·e·lo·ra·dic·u·lop·a·thy (mī′ě-lō-ră-dik′yū-lop′ă-thē) [myelo- + L. *radicula*, root + G. *pathos*, disease]. 脊髄神経根障害（脊髄と神経根を侵す疾患）．＝radiculomyelopathy.

my·e·lor·rha·gi·a (mī′ě-lō-rā′jē-ă) [myelo- + G. *rhēgnymi*, to burst forth]. 脊髄出血．＝hematomyelia.

my·e·lor·rha·phy (mī′ě-lōr′ă-fē) [myelo- + G. *rhaphē*, a seam]. 脊髄縫合〔術〕（脊髄の創の縫合）.

my·e·los·chi·sis (mī′ě-los′ki-sis) [myelo- + G. *schisis*, a cleaving]. 脊髄裂（正常では神経ひだが閉じて神経管が形成されるが，その障害の結果としての脊髄の裂け目をさす．当然その結果として二分脊椎となる）.

my·e·lo·scle·ro·sis (mī′ě-lō-sklěr-ō′sis) [myelo- + G. *sklērōsis*, induration]. 骨髄硬化〔症〕，脊髄硬化〔症〕．＝myelofibrosis.

my·e·lo·sis (mī′ě-lō′sis). ***1*** 骨髄症（骨髄の組織または細胞成分の異常増殖を特徴とする状態．例えば，多発性骨髄腫，骨髄性白血病，骨髄線維症など）．***2*** 脊髄症（グリオーマにみられるように脊髄組織の異常増殖がある状態）.

aleukemic m. 非白血性骨髄症（末梢血液中に異常細胞成分が存在しない骨髄症）.

chronic nonleukemic m. 慢性非白血性骨髄症（白血球生成組織の異常増殖があり，循環血液中に未熟白血球がみられるが，総数は正常範囲内にある状態）.

erythremic m. 赤血症性骨髄症（赤血球形成組織を侵す腫瘍過程．貧血，不整熱，巨脾，肝腫，出血性障害，循環血液中の全成熟期における多数の赤芽球(未熟形の数が不釣合いに多い)を特徴とする．検視によれば，造血器官だけでなく，腎臓，副腎，および他の部位に原始赤芽球および細網内皮細胞の存在が明らかになる．急性・慢性型が認められ，急性型は Di Guglielmo disease(または syndrome)，acute erythremia ともよばれる．慢性型では未熟細胞がそれほど顕著ではない）．＝Di Guglielmo *disease.*

funicular m. 索性脊髄症（脊髄白質の変性）.

leukemic m. 白血性骨髄症（①＝granulocytic *leukemia.* ②＝myeloblastic *leukemia*）.

leukopenic m., subleukemic m. 白血球減少性骨髄症，亜白血性骨髄症．＝subleukemic *leukemia.*

my·e·lo·spon·gi·um (mī′ě-lō-spŭn′jē-ŭm) [myelo- + G. *spongos*, sponge]. 胎児神経管壁網状組織（胎児脊髄中の線維細胞網．そこから神経膠が発達する）.

my·e·lo·syph·i·lis (mī′ě-lō-sif′i-lis). 骨髄梅毒．＝tabetic *neurosyphilis.*

my·el·o·tome (mī-ěl′ō-tōm) [myelo- + G. *tomos*, cutting]. 截髄刀（脊髄の連続切片をつくる，または脊髄を切開する器械）.

my·e·lo·to·mog·ra·phy (mī′ě-lō-tō-mog′ră-fē). 脊髄断層撮影〔法〕（造影剤を注入した脊髄クモ膜下腔の断層撮影法．現在では行われない）.

my·e·lot·o·my (mī′ě-lot′ō-mē) [myelo- + G. *tomē*, incision]. 脊髄切開〔術〕.

Bischof m. (bish′of). ビショフ脊髄切開〔術〕（下肢の痙縮の治療のために行う脊髄側索の縦切開）.

commissural m. 交連脊髄切開〔術〕．＝midline m.

midline m. 正中〔線〕脊髄切開〔術〕（頑痛の治療のための脊髄の正中線横断線維の切開）．＝commissural m.; commissurotomy (2).

T m. T脊髄切開〔術〕（前角内にはいる外側の切開を伴う正中脊髄切開術）.

my·e·lo·tox·ic (mī′ě-lō-tok′sik). 骨髄毒の（①骨髄の1つ以上の成分を阻害，抑制，破壊する．②罹患骨髄の特色についていう）.

my·en·ter·ic (mī′en-ter′ik). 腸管筋の.

my·en·ter·on (mī-en′ter-on) [G. *mys*, muscle + *enteron*, intestine]. 腸管筋層（腸の筋層または筋）.

my·es·the·si·a (mī′es-thē′zē-ă) [G. *mys*, muscle + *aisthēsis*, sensation]. 筋〔感〕覚．＝kinesthetic *sense.*

my·i·a·sis (mī-ī′ă-sis) [G. *myia*, a fly]. ハエウジ病，ハエ幼虫症（双翅目昆虫の幼虫が人体の組織あるいは体腔に侵入して生じる感染症）.

accidental m. 偶発的ハエウジ症（汚染した食物の摂取による胃腸ハエウジ症）.

African furuncular m. ＝cordylobiasis.

aural m. 耳ハエウジ病（双翅目昆虫の幼虫が外耳・中耳・内耳へ侵入するもの）.

human botfly m. ヒトウマハエウジ病．＝dermatobiasis.

intestinal m. 腸ハエウジ病（イエバエ *Musca domestica*，チーズダニ(*Acarus siro*)，ヒメイエバエ *Fannia canicularis*

M

などの双翅目昆虫の幼虫が胃腸管中にいるもの).

nasal m. 鼻ハエウジ病(ハエの幼虫が鼻腔へ侵入するもの.米国では鼻腔または耳腔で成長するアメリカオビキンバエ *Cochliomyia hominivorax* の幼虫 primary screw-worms によることが最も多い).

ocular m. 眼ハエウジ病(ウシヒフバエ *Hypoderma bovis*, キスジウシバエ *H. lineata*, *Sarcophaga*, ウマバエ *Gasterophilus intestinalis* などの幼虫が結膜嚢あるいは眼球に侵入するもの). =ophthalmomyiasis.

tumbu dermal m. ツンブバエ皮膚ハエウジ病. =cordylobiasis.

wound m. 創ハエウジ病, 外傷性ハエウジ病(ハエの幼虫が表在性の創, あるいはその他の開放性病変へ侵入するもの).

my·kol (mī′kol). ミコール. =mycolic acids.

myl·a·bris (mil′ă-bris) [G. a cockroach found in mills and bakehouses < *mylē*, mill]. マダラゲンセイ(乾燥した *Mylabris phalerata*. カンタリスのような発疱薬).

my·lo·hy·oid (mī′lō-hī′oyd) [G. *mylē*, a mill, pl. *mylai*, molar teeth]. 顎舌骨の(大臼歯あるいは下顎後部と舌骨についていう. 種々の構造をいう. →*nerve* to mylohyoid; muscle; region; sulcus).

my·lo·hy·oi·de·us (mī′lō-hī-oy′dē-ŭs). 顎舌骨筋. =mylohyoid (*muscle*).

myo- (mī′ō) [G. *mys*, muscle]. 【本連結形を myelo- または mylo- と混同しないこと】. 筋に関する連結形.

MYO7A myosin 7A 遺伝子の遺伝子シンボル.

MYO15 myosin 15 遺伝子の遺伝子シンボル.

my·o·a·den·yl·ate de·am·i·nase (mī′ō-a-den′ĭl-āt dē-am′i-nās). ミオアデニル酸デアミナーゼ(筋 AMP デアミナーゼ. →AMP deaminase).

my·o·al·bu·min (mī′ō-al-byū′min). ミオアルブミン(筋肉組織中のアルブミン. 血清アルブミンと同じとされている).

my·o·ar·chi·tec·ton·ic (mī′ō-ar′ki-tek-ton′ik) [myo- + G. *architektonikos*, relating to construction]. 筋構築の(筋肉や筋線維の全体的構造配列についていう).

my·o·at·ro·phy (mī′ō-at′rō-fē). 筋萎縮. =muscular *atrophy*.

my·o·blast (mī′ō-blast) [myo- + G. *blastos*, germ]. 筋芽細胞, 筋原細胞(後に筋線維になる原始筋細胞). =sarcoblast; sarcogenic cell.

my·o·blas·tic (mī′ō-blas′tik). 筋芽細胞の(筋芽細胞または筋肉細胞の形成様式についていう).

my·o·blas·to·ma (mī′ō-blas-tō′mă) [myo- + G. *blastos*, germ + *-oma*, tumor]. 筋原細胞腫, 筋芽細胞腫(未熟筋肉細胞の腫瘍).

granular cell m. granular cell *tumor* を表す現在では用いられない語.

my·o·bra·di·a (mī′ō-brā′dē-ă) [myo- + G. *bradys*, slow]. 筋収縮遅滞(刺激に対する筋肉の反応が緩慢なこと).

my·o·car·di·a (mī′ō-kar′dē-ă). myocardium の複数形.

my·o·car·di·al (mī′ō-kar′dē-ăl). 心筋〔層〕の.

myocardin (mī-ō-kahr′din). ミオカルディン(心筋や平滑筋の細胞で発現されている特異蛋白. 転写因子として働いたり, 血清応答因子 SRF 蛋白に結合して心筋プロモータを共活性化する).

my·o·car·di·o·graph (mī′ō-kar′dē-ō-graf) [myo- + G. *kardia*, heart + *graphō*, to record]. 心運動記録器(記録レバーのついたタンブールからなる器械. 心筋運動の記録に用いる).

my·o·car·di·op·a·thy (mī′ō-kar′dē-op′ă-thē) [myocardium + G. *pathos*, suffering]. 心筋障害, 心筋症. =cardiomyopathy.

alcoholic m. アルコール性心筋症. = alcoholic *cardiomyopathy*.

chagasic m. シャーガス心筋症(Chagas 病による心筋疾患で, *Trypanosoma cruzi* によって起こされ, 右脚ブロックが頻発する).

my·o·car·di·or·rha·phy (mī′ō-kar′dē-ōr′ă-fē) [myocardium + G. *rhaphē*, suture]. 心筋縫合〔術〕(心筋の縫合).

my·o·car·dit·ic (mī′ō-kar′dĭt′ik). 心筋炎の(心筋炎と関連のある).

my·o·car·di·tis (mī′ō-kar-dī′tis). 心筋炎(心筋壁の炎症).

acute isolated m. 急性孤立性心筋炎(原因不明の急性間質性心筋炎. 心内膜と心外膜は侵されない). =Fiedler m.

Fiedler m. (fēd′lĕr). フィードラー心筋炎. =acute isolated m.

giant cell m. 巨細胞性心筋炎(巨細胞を含む肉芽腫の浸潤を特徴とする急性孤立性心筋炎).

idiopathic m. 特発性心筋炎(原因不明の心筋細胞の炎症).

indurative m. 硬結性心筋炎(心臓の筋肉壁の硬化に至る慢性心筋炎).

toxic m. 中毒性心筋炎(アルコール, 重金属等の毒性化学物質により起こされる心筋炎).

my·o·car·di·um, pl. **my·o·car·di·a** (mī′ō-kar′dē-ŭm, -kar′dē-ă) [myo- + G. *kardia*, heart][TA]. 心筋層(心筋からなる心臓壁の中央層).

hibernating m. 冬眠心筋(数か月から数年に及ぶ虚血による心室機能不全で, 十分な血流量が得られれば元に戻る. 壊死, あるいは瘢痕性の心筋障害とは注意深く区別する必要がある).

stunned m. 気絶心筋(短時間の虚血により心筋の収縮能力が損われた状態で, 最終的には可逆的である).

my·o·cele (mī′ō-sēl). ***1*** [myo- + G. *kēlē*, hernia]. 筋脱, 筋ヘルニア(筋肉鞘内の裂口を通る筋肉の脱出). ***2*** [myo- + G. *koilia*, a cavity]. 体節腔(体節中に現れる小空洞). =somite cavity.

my·o·ce·li·al·gi·a (mī′ō-sē′lē-al′jē-ă) [myo- + G. *koilia*, the belly + *algos*, pain]. celiomyalgia を表す現在では用いられない語.

my·o·ce·li·tis (mī′ō-sē-lī′tis) [myo- + G. *koilia*, belly + *-itis*, inflammation]. 腹筋炎.

my·o·cel·lu·li·tis (mī′ō-sel-yū′lī′tis) [myo- + Mod. L. *cellularis*, cellular(tissue) + G. *-itis*, inflammation]. 筋蜂巣炎(筋肉と細胞組織の炎症).

my·o·ce·ro·sis (mī′ō-sē-rō′sis) [myo- + G. *kēros*, wax]. 筋ろう様変性. =myokerosis.

my·o·chrome (mī′ō-krōm). ミオクロム(筋組織中に見出されるシトクロムに対してまれに用いる語).

my·o·chron·o·scope (mī′ō-kron′ō-skōp) [myo- + G. *chronos*, time + *skopeō*, to examine]. ミオクロノスコープ, 筋伝導速度測定器(刺激を与えるときと, 筋がそれに反応して動くときの間隔, すなわち筋肉インパルスの時間を測定する器械).

my·o·cin·e·sim·e·ter (mī′ō-sin′ĕ-sim′ĕ-ter). = myokinesimeter.

my·o·clo·ni·a (mī′ō-klō′nē-ă) [myo- + G. *klonos*, a tumult]. 間代性筋痙攣(ミオクローヌスを特徴とする障害).

fibrillary m. 線維性間代性筋痙攣(筋肉の一部分の線維または線維群の不規則な軽度の痙攣).

my·o·clon·ic (mī′ō-klon′ik). ミオクロ〔ー〕ヌスの, 間代性筋痙攣の.

my·oc·lo·nus (mī-ok′lō-nŭs, mī-ō-klo′nŭs) [myo- + G. *klonos*, tumult]. ミオクロ〔ー〕ヌス, 筋クロ〔ー〕ヌス, 筋間代(筋群の1回または数回のショック様の収縮. 規則性, 同期性, 対称性は種々で, 通常, 中枢神経系の病変が原因).

benign m. of infancy =benign infantile m.

benign infantile m. 乳児良性ミオクロ〔ー〕ヌス(乳児期の痙攣性疾患で, 頸部, 体幹, 四肢を中心にミオクロニー様の動きを呈する. 脳波異常はなく, 発作は2歳までに消失する). =benign m. of infancy.

m. multiplex 多発性ミオクロ〔ー〕ヌス(速く広範な筋収縮を特徴とする, あいまいに定義された疾患). =paramyoclonus multiplex; polyclonia; polymyoclonus.

nocturnal m. 夜間ミオクロ〔ー〕ヌス(眠りに落ちる瞬間に発生し, 反復することが多い筋反射).

palatal m. 口蓋ミオクロ〔ー〕ヌス. =palatal *tremor*.

stimulus sensitive m. 刺激感受性ミオクロ〔ー〕ヌス(会話, 計算, 大きな音, 叩打など種々の刺激により誘発されるミオクローヌス).

my·o·col·pi·tis (mī′ō-kol-pī′tis) [myo- + G. *kolpos*, bosom (vagina) + *-itis*, inflammation]. 膣筋層炎(膣の筋肉組織の炎症).

my·o·com·ma, pl. **my·o·com·ma·ta** (mī′ō-kom′ă, -kom′ă-tă) [myo- + G. *komma*, a coin or the stamp of a coin]. 筋節中隔（隣接筋節を分離する結合組織）. = myoseptum.

my·o·cris·mus (mī′ō-kris′mŭs) [myo- + G. *krizō*, to squeak]. 筋痙縮音（収縮筋の聴診時にときに聞かれるきしんだ音）.

my·o·cu·ta·ne·ous (mī′ō-kyū-tā′nē-ŭs) [myo- + L. *cutis*, skin]. 筋皮〔神経〕の. = musculocutaneous.

my·o·cyte (mī′ō-sīt) [myo- + G. *kytos*, cell]. 筋細胞.

Anitschkow m. (ah-nich′kov). アニチコフ筋細胞. = cardiac *histiocyte*.

my·o·cy·tol·y·sis (mī′ō-sī-tol′i-sis) [myo- + G. *kytos*, cell + *lysis*, a loosening]. 筋細胞融解（筋線維が溶けること）.

m. of heart 心筋細胞融解（代謝の不均衡の結果起こる心筋合胞体の局所的消失. その程度や期間の一方あるいは両方において間質の傷害を生じたり，活動性の滲出を引き起こしたりするには至らない）.

my·o·cy·to·ma (mī′ō-sī-tō′mă). 筋細胞腫（通常，筋肉から発生する良性新生物）.

my·o·de·gen·er·a·tion (mī′ō-dē-jen′ĕr-ā′shŭn). 筋変性.

my·o·de·mi·a (mī′ō-dē′mē-ă) [myo- + G. *dēmos*, tallow]. 筋脂肪変性.

my·o·der·mal (mī′ō-der′mal) [myo- + G. *derma*, skin]. 筋皮の. = musculocutaneous.

my·o·di·as·ta·sis (mī′ō-dī-as′tă-sis) [myo- + G. *diastasis*, separation]. 筋裂（筋肉の分裂）.

my·o·dy·nam·i·a (mī′ō-dī-năm′ē-ă) [myo- + G. *dynamis*, power]. 筋力.

my·o·dy·nam·ics (mī′ō-dī-nam′iks). 筋動力学（筋作用の動力学）.

my·o·dy·na·mom·e·ter (mī′ō-dī′nă-mom′ĕ-ter) [myo- + G. *dynamis*, force + *metron*, measure]. 筋力計（筋力を測定する器械）.

my·o·dyn·i·a (mī′ō-din′ē-ă) [myo- + G. *odynē*, pain]. = myalgia.

my·o·dys·to·ny (mī′ō-dis′tō-nē) [myo- + G. *dys-*, difficult + *tonos*, tone, tension]. 筋張力障害（筋肉の電気刺激後に一連の軽度の収縮によって中断される緩慢な弛緩状態）.

my·o·dys·tro·phy, my·o·dys·tro·phia (mī′ō-dis′trō-fē, mī′ō-dis-trō′fē-ă) [myo- + G. *dys-*, difficult, poor + *trophē*, nourishment]. 筋ジストロフィ，筋異栄養〔症〕. = muscular *dystrophy*.

my·o·e·de·ma (mī′ō-e-dē′mă) [myo- + G. *oidēma*, swelling]. 筋水腫（鋭い強打点に起こる変性筋肉の限局性収縮. 神経支配とは無関係）. = idiomuscular contraction; mounding; myoidema.

my·o·e·las·tic (mī′ō-e-las′tik). 筋弾力線維性の（密接に関連する平滑筋線維と弾性結合組織についていう）.

my·o·e·lec·tric (mī′ō-ē-lek′trik). 筋電気〔性〕の（筋肉の電気性についていう）.

my·o·en·do·car·di·tis (mī′ō-en′dō-kar-dī′tis) [myo- + G. *endon*, within + *kardia*, heart + *-itis*, inflammation]. 心筋内膜炎（心臓の筋肉壁と内膜の炎症）.

my·o·ep·i·the·li·al (mī′ō-ep-i-thē′lē-ăl). 筋上皮〔性〕の.

my·o·ep·i·the·li·o·ma (mī′ō-ep′i-thē′lē-ō′mă) [myo- + epithelium + G. *-ōma*, tumor]. 筋上皮腫（筋上皮細胞の良性腫瘍）.

my·o·ep·i·the·li·um (mī′ō-ep′i-thē′lē-ŭm) [myo- + epithelium]. 筋上皮（汗腺と乳腺の分泌腺腔の周囲に縦と斜めに配列している，紡錘状で収縮性があり，上皮起原の平滑筋様細胞. 星状筋上皮細胞は涙腺といくつかの唾液腺分泌単位の周囲に発生する）. = muscle epithelium.

my·o·es·the·sis, my·o·es·the·sia (mī′ō-es-thē′sis, -thē′zē-ă). = kinesthetic *sense*.

my·o·fas·ci·al (mī′ō-fash′ē-ăl). 筋の筋膜の（筋肉を取り囲んだり，仕切ったりしている筋膜についていう）.

my·o·fas·ci·tis (mī′ō-fă-sī′tis). 筋膜炎. = *myositis* fibrosa.

macrophagic m. マクロファージ筋膜炎（広範な関節筋痛症および高度な疲労を伴う患者にみられる炎症性筋障害. 顆粒状過ヨウ素酸–Schiff 試薬陽性マクロファージおよびリンパ球の筋への浸潤を特徴とする. マクロファージに検出される封入体は，ワクチン補助液として用いられる免疫刺激化合物である水酸化アルミニウムと同一である）.

my·o·fi·bril (mī′ō-fī′bril) [myo- + Mod. L. *fibrilla*, fibril]. 筋原線維，筋細線維（骨格筋または心筋線維に発生する細い縦走線維. 規則的に重なっている多くの超顕微鏡的太さと薄さの筋フィラメントからできている）. = muscular fibril; myofibrilla.

my·o·fi·bril·la, pl. **my·o·fi·bril·lae** (mī′ō-fī-bril′ă, -bril′ē). 筋原線維，筋細線維. = myofibril.

my·o·fib·ril·lar (mī′ō-fī′bril-ar). 筋原線維の，筋細線維の（筋原〔筋細〕線維についていう）.

my·o·fi·bro·blast (mī′ō-fī′brō-blast). 筋線維芽細胞（創の収縮および歯の萌出の役割を果たすと考えられる細胞. この細胞は収縮能や筋原線維といった平滑筋の特徴のいくつかを備え，また一時的に，III 型コラーゲンを産生するとされている）.

my·o·fi·bro·blas·to·ma (mī′ō-fī′brō-blas-tō′mă). 筋線維芽細胞腫（筋線維芽細胞よりなる乳房の良性腫瘍）.

palisaded or intranodal m. 柵状またはリンパ節内筋線維芽腫（まれな良性腫瘍で，鼡径リンパ節にみられることが多い. 良性の紡錘細胞の束が交錯している. これらの細胞は免疫組織化学的ならびに超微構造的に筋線維芽細胞の特徴を備えている）. = hemorrhagic spindle cell tumor with amianthoid fibers.

my·o·fi·bro·ma (mī′ō-fī′brō-mă). 筋線維腫（主として線維性結合組織からなり，種々の数の筋細胞が腫瘍の一部分を形成している良性新生物）.

my·o·fi·bro·ma·to·sis (mī′yō-fī′brō-ma-tō′sis) [myo- + L. *fibra*, fiber + G. *-ōma*, tumor + *-osis*, condition]. 筋線維腫症（筋肉と線維組織または筋線維芽細胞の単発性または多発性の腫瘍）.

infantile m. 乳児型筋線維腫症（生下時または乳児期にみられる筋線維腫症で，多発性骨融解病変のほか軟部組織，内臓などが侵される）.

my·o·fi·bro·sis (mī′ō-fī-brō′sis). 筋線維症（筋組織を圧迫して萎縮を起こす間質性結合組織のびまん性過形成を伴う慢性筋炎）.

m. cordis 心筋線維症（心臓壁の筋線維症）.

my·o·fi·bro·si·tis (mī′ō-fī′brō-sī′tis). 筋線維膜炎，筋細合組織炎（筋周膜の炎症）.

my·o·fil·a·ments (mī′ō-fil′ă-ments). 筋フィラメント（横紋筋で筋線維をつくる超顕微鏡的フィラメント蛋白の糸状物. 太いものはミオシンを含み，薄いものは主としてアクチンを含む. 両者とも平滑筋線維にも起こるが，孤立ミオフィブリルでは規則正しい構造をしていないので，これらの細胞では横紋はない）.

my·o·func·tion·al (mī′ō-fŭnk′shŭn-ăl). 筋機能の（①筋の機能についていう. ②歯科において，歯科矯正学的問題の原因や治療において，筋機能の役割に関していう）.

my·o·gen (mī′ō-jen) [myo- + G. *-gen*, producing]. ミオゲン（冷水で骨格筋から抽出される蛋白で，主として解糖を促進する酵素. 残渣からアルカリ 0.6M KCl でアクチンとミオシンをアクトミオシンとして抽出できる. さらにミオシンはプロテイナーゼ処理によって 2 個のメロミオシンに分けられる）. = myosinogen.

my·o·gen·e·sis (mī′ō-jen′ĕ-sis) [myo- + G. *genesis*, origin]. 筋発生（胚における筋細胞や筋線維の形成）.

my·o·ge·net·ic, my·o·gen·ic (mī′ō-jĕ-net′ik, -jen′ik). = myogenous. *1* 筋〔原〕性の（筋肉から発生する，出発する）. *2* 筋組織に由来する（筋細胞や筋線維の発生についていう）.

my·og·e·nous (mī-oj′ĕ-nŭs). = myogenetic.

my·o·glo·bin (Mb, MbCO, MbO_2) (mī′ō-glō′bin) [myo- + hemoglobin] [MIM*160000]. ミオグロビン（ヘモグロビンに類似するが分子内にサブユニットとヘムを 1 つずつだけ含み（ヘモグロビンは 4 つ含む），分子量がヘモグロビンの約 1/4 である筋肉の酸素運搬・貯蔵蛋白）. = muscle hemoglobin; myohemoglobin.

carbonmonoxy m. = carboxyhemoglobin.

my·o·glo·bi·nu·ri·a (mī′ō-glō′bi-nyū′rē-ă). ミオグロビン尿〔症〕（尿中へのミオグロビンの排泄. 血中へミオグロビンを放出させる筋変性の結果生じる. 圧挫症候群，筋肉の高度のまたは持続性の虚血，原因不明で発作性に発生する場合がある）．＝idiopathic paroxysmal rhabdomyolysis; Meyer-Betz disease; Meyer-Betz syndrome.

my·o·glob·u·lin (mī′ō-glob′yū-lin). ミオグロブリン（筋組織に存在するグロブリン）.

my·o·glob·u·li·nu·ri·a (mī′ō-glob′ū-li-nyū′rē-ă). ミオグロブリン尿〔症〕（尿中にミオグロブリンが排泄されること）.

my·og·na·thus (mī-og′nă-thŭs) [myo- + G. *gnathos*, jaw]. 下顎頭結合奇形（[二重字 gn において，g は語頭にあるときのみ無音である]．筋肉と皮膚だけで，寄生体の痕跡頭部と主体の下顎が付着している不等接着双生児.→ conjoined *twins*).

my·o·gram (mī′ō-gram) [myo- + G. *gramma*, a drawing]. 筋運動〔記録〕図. ＝muscle curve.

my·o·graph (mī′ō-graf) [myo- + G. *graphō*, to write]. 筋運動記録器，ミオグラフ.

palate m. 口蓋筋運動記録器. ＝palatograph.

my·o·graph·ic (mī′ō-graf′ik). 筋運動〔記録〕図の.

my·og·ra·phy (mī-og′ră-fē). ***1*** 筋運動描記法（筋運動記録図で筋運動を記録すること）. ***2*** 筋学（筋肉に関する説明や論文）. ＝descriptive myology.

my·o·he·mo·glo·bin (mī′ō-hē′mō-glō′bin). ミオヘモグロビン. ＝myoglobin.

my·oid (mī′oyd) [myo- + G. *eidos*, appearance]. ***1*** 〚adj.〛筋様の，筋組織様の. ***2*** 〚n.〛 類筋（下等動物のある種の上皮細胞中にみられる，細かい，収縮性で，糸状の原形質成分の１つ）. ***3*** 〚n.〛 筋様体，類筋（ある種の魚や両生類の網膜錐体の収縮性部位．哺乳類においては，杆状体と錐状体の内節の内側部．微細管，Golgi 装置，小胞体，リボソームを含むが，筋原線維はない）.

my·oi·de·ma (mī′oy-dē′mă) [myo- + G. *oidēma*, swelling]. ＝myoedema.

my·o·in·o·si·tol (mī-ō-in-o′-si-tōl). →*myo*-inositol.

my·o·is·che·mi·a (mī′ō-is-kē′mē-ă). 筋乏血（筋組織中の血液供給の限局性欠乏または欠如した状態）.

my·o·ke·ro·sis (mī′ō-kē-rō′sis). ＝myocerosis.

my·o·ki·nase (mī′ō-kī′nās). ミオキナーゼ. ＝*adenylate* kinase.

my·o·kin·e·sim·e·ter (mī′ō-kin′ĕ-sim′ĕ-ter) [myo- + G. *kinesis*, movement + *metron*, measure]. 筋攣縮描画器（電気刺激に反応する下肢の大筋肉の収縮の正確な時間と程度を記録する装置）. ＝myocinesimeter.

my·o·ky·mi·a (mī′ō-kī′mē-ă) [myo- + G. *kyma*, wave] [MIM*160100]. ミオキミア，筋波動〔症〕（安静時の筋の連続性不随意性のふるえるような波うつような運動．運動単位電位の一群の連続性興奮による）. ＝fibrillary chorea; Morvan chorea.

facial m. 顔面ミオキミア，顔面筋波動症（顔面筋に起こるミオキミアで，眼瞼裂の狭小化や顔面皮膚表面の連続性波動を起こす．後者は虫の嚢のような外観を呈し，反射光でよくみえる．橋神経膠腫や多発性硬化症のような内因性脳幹病変で起こる）.

generalized m. 全身ミオキミア，全身筋波動症（多くの肢としばしば顔面にみられる広範性ミオキミア．Isaac 症候群，尿毒症，甲状腺中毒症，金中毒(金ミオキミア症候群)など種々の原因による）.

hereditary m. [MIM*160100]. 遺伝性ミオキミア（筋収縮と夜間筋痙攣を呈する症候群．常染色体優性遺伝）.

limb m. 肢ミオキミア，肢筋波動症（１肢以上にみられるミオキミア．種々の原因で起こるが，頻度の高いものの１つに以前の神経叢放射線照射がある）.

my·o·lem·ma (mī′ō-lem′ă). 筋細胞膜. ＝sarcolemma.

my·o·li·po·ma (mī′ō-li-pō′mă). 筋脂肪腫（主として脂肪細胞(脂肪組織)からなり，種々の数の筋細胞が腫瘍の一部分を形成する良性新生物）.

my·o·lo·gi·a (mī′ō-lō′jē-ă). 筋学. ＝myology.

my·ol·o·gist (mī-ol′ō-jist). 筋学者（筋肉の知識に精通している人）.

my·ol·o·gy (mī-ol′ō-jē) [myo- + G. *logos*, study]. 筋学（筋肉とその付属器である腱，腱膜，滑液包，筋膜に関する科学の分野）. ＝myologia; sarcology (1).

descriptive m. 記述的筋学. ＝myography (2).

my·ol·y·sis (mī-ol′i-sis) [myo- + G. *lysis*, dissolution]. 筋変性（脂肪浸潤，萎縮，脂肪変性などの変性がしばしば先行する筋組織の溶解あるいは液化）.

cardiotoxic m. 心毒性筋変性（発熱や種々の全身感染で起こる心筋軟化症）.

my·o·ma (mī-ō′mă) [myo- + G. *-oma*, tumor]. 筋腫（筋組織に発生する良性新生物.→leiomyoma; rhabdomyoma）.

my·o·ma·la·ci·a (mī′ō-mă-lā′shē-ă) [myo- + G. *malakia*, softness]. 筋軟化〔症〕（筋組織の病的軟化）.

my·o·ma·tous (mī-ō′mă-tŭs). 筋腫の.

my·o·mec·to·my (mī′ō-mek′tō-mē) [myoma + G. *ektomē*, excision]. 筋腫摘出(核出)〔術〕（筋腫，特に子宮筋腫の手術的切除）. ＝fibroidectomy; fibromectomy; hysteromyomectomy.

abdominal m. 腹式筋腫摘出〔術〕（経腹的に子宮筋腫を摘出する方法）.

left ventricular m. 左室筋腫摘出〔術〕（突発性大動脈下狭窄症の場合の心筋組織の切除）.

vaginal m. 膣式筋腫摘出〔術〕（経膣的に子宮筋腫を摘出する方法）. ＝colpomyomectomy.

my·o·mel·a·no·sis (mī′ō-mel′ă-nō′sis) [myo- + G. *melanōsis*, becoming black]. 筋黒色症（筋組織の異常な色素沈着.→melanosis）.

my·o·mere (mī′ō-mēr) [myo- + G. *meros*, a part]. 筋節. ＝myotome (4).

my·om·e·ter (mī-om′ĕ-ter) [myo- + G. *metron*, measure]. 筋収縮計（筋収縮の程度を測定する器械）.

my·o·me·tri·al (mī′ō-mē′trē-ăl). 子宮筋層の.

my·o·me·tri·tis (mī′ō-mē-trī′tis) [myo- + G. *mētra*, uterus + *-itis*, inflammation]. 子宮筋層炎，子宮実質炎（子宮筋の炎症）.

my·o·me·tri·um (mī′ō-mē′trē-ŭm) [myo- + G. *mētra*, uterus] [TA]. 子宮筋層（子宮の筋壁）. ＝tunica muscularis uteri [TA]; muscular coat of uterus.

my·o·mi·to·chon·dri·on, pl. **my·o·mi·to·chon·dria** (mī′ō-mī′tō-kon′drē-on, -drē-ă). 筋ミトコンドリア（筋線維のミトコンドリア）.

my·o·mot·o·my (mī′ō-mot′ō-mē) [myoma + G. *tomē*, incision]. 筋腫摘出〔術〕.

my·on (mī′on) [G. *mys*, muscle]. 筋単位，ミオン（個々の筋肉単位）.

my·o·ne·cro·sis (mī′ō-nĕ-krō′sis). 筋壊死.

clostridial m. ＝gas *gangrene*.

my·o·neme (mī′ō-nēm) [myo- + G. *nēma*, thread]. 糸筋，筋糸（①筋原線維．②ある種の原生動物の収縮性原線維の１つ．後生動物筋線維と類似の形で機能すると思われる）.

my·o·neu·ral (mī′ō-nū′răl) [myo- + G. *neuron*, nerve]. 神経筋の（筋肉と神経に関する．特に運動ニューロンと横紋筋線維とのシナプス，すなわち神経筋接合部または運動終板をいう.→neuromuscular）.

my·o·neu·ro·ma (mī′ō-nū-rō′mă) [myo- + G. *neuron*, nerve + *-oma*, tumor]. 筋神経腫（主に異常増殖する神経線維鞘細胞からなり，種々の数の筋細胞が塊の一部分を形成する腫瘍．筋神経腫は真性腫瘍よりもむしろ奇形である）.

my·on·y·my (mī-on′i-mē) [myo- + G. *onyma*, *onoma*, name]. 筋命名法.

my·o·pa·chyn·sis (mī′ō-pă-kin′sis) [myo- + G. *pachynsis*, a thickening]. 筋肥大.

my·o·pal·mus (mī′ō-pal′mŭs) [myo- + G. *palmos*, a quivering]. 〔筋〕単収縮（筋肉の不規則な軽度の攣縮）.

my·o·path·ic (mī′ō-path′ik). ミオパシー性の，筋障害性の（筋組織を侵す疾患についていう）.

my·op·a·thy (mī-op′ă-thē) [myo- + G. *pathos*, suffering]. ミオパシー，筋障害（筋組織の異常状態，または疾患．一般に骨格筋を侵す疾患を示す）.

carcinomatous m. 癌性ミオパシー，癌性筋障害. ＝Lambert-Eaton myasthenic *syndrome*.

centronuclear m. 中心核ミオパシー，中心核筋障害（小児期に発生し，緩慢に進行する全身性の筋力低下と萎縮．骨格筋の生検で，ほとんどの筋線維の核が線維の周辺よりもむしろ中心付近(10 週胎児では正常)に位置しているのがみられる．家族性発生．常染色体優性[MIM*160150]，常染色体劣性［MIM*255200］，X連鎖［310400］の諸型がある．X連鎖型はX染色体長腕28領域にある筋微小管ミオパシー遺伝子(*MTM1*)の変異によって起こる)．= myotubular m.

distal m. 遠位型ミオパシー，遠位型筋障害（四肢の遠位部を主に侵す筋障害．発病は通常40歳以後で，小手筋の筋力低下と萎縮を伴う．乳児型［MIM*160300］およびスウェーデンの晩発型［MIM*160500］は常染色体優性遺伝．日本の晩発型［MIM*254130］は劣性遺伝で，第2染色体長腕13領域にある dysferlin 遺伝子の変異で起こる)．

dysthyroid m. 甲状腺異常によるミオパシー．= thyrotoxic m.

minicore-multicore m. ミニコア・マルチコアミオパシー，ミニコア・マルチコア筋障害，微小コア・多コア筋病，微小コア・多コア筋疾患（早期の発症，近位筋脱力，低緊張を伴うまれな非進行性ミオパシー．筋線維は酸化・筋細線維アデノシン三リン酸分解酵素の局所欠損と筋細線維微細構造の解体を呈する)．

mitochondrial m. ［MIM*251900］．ミトコンドリアミオパシー，ミトコンドリア性筋障害（主として頸，肩，骨盤帯の筋力低下と筋緊張低下が乳児期から小児期にかけて始まる．生検で，巨大で異様なミトコンドリアが筋線維鞘直下の筋線維間に存在しているのがみえる．常染色体優性型［MIM*251900］と劣性型があり，ミトコンドリアDNAの欠失または重複による．劣性型のうちの1つ［MIM*252010］はミトコンドリア呼吸鎖の複合体Iの欠乏を伴う)．

myotubular m. 筋細管ミオパシー，筋細管筋障害．= centronuclear m.

nemaline m. ネマリンミオパシー，ネマリン筋障害（先天性非進行性の筋力低下で，近位筋に最も明瞭に表れる．筋細胞内にみられる特徴的なネマリン(糸状)杆状体(Z帯物質からなる)にちなんで命名された．優性型［MIM*161800］と劣性型［MIM*256030］の2つがあるが，臨床的に区別できない．優性型は第1染色体長腕の22—23領域にあるトロポミオシン3(*TPM3*)遺伝子の変異による)．= rod m.

ocular m. 眼〔性〕ミオパシー，眼〔性〕筋障害．= chronic progressive external *ophthalmoplegia*.

proximal myotonic m. (**PROMM**)［MIM*600109］．近位筋筋緊張性ミオパシー，近位筋筋緊張性筋障害（常染色体優性遺伝，青年期発症で，近位筋の筋緊張と筋力低下，筋痛，はげ，白内障，心筋伝導系障害，性腺萎縮を特徴とする多臓器疾患．筋緊張性ジストロフィと異なり，顔面筋の筋力低下，眼瞼下垂，四肢遠位筋の筋力低下と筋萎縮，および筋緊張性ジストロフィの遺伝子座におけるトリヌクレオチド反復増殖はみられない)．

ragged red fiber m. 赤色ぼろ線維ミオパシー．= Kearns-Sayre *syndrome*.

rod m. 杆状体ミオパシー，杆状体筋障害．= nemaline m.

thyrotoxic m. 甲状腺中毒性ミオパシー，甲状腺中毒性筋障害（四肢や体幹の筋肉および発声やえん下に用いる筋肉を侵す重症の甲状腺中毒症における極度の筋肉衰弱)．= dysthyroid m.

my·o·per·i·car·di·tis (mī′ō-per′i-kar-dī′tis)［myo- + pericarditis］．心筋心膜炎（心臓の筋壁とそれを包む心膜の炎症．また心膜心筋炎 perimyocarditis ともよばれるが，主病変が心膜に存在するか，心筋に存在するかによって選ばれる)．

my·o·per·i·to·ni·tis (mī′ō-per′i-tō-nī′tis)．腹筋腹膜炎（腹壁の筋炎を伴う体壁腹膜の炎症)．

my·o·phone (mī′ō-fōn)［myo- + G. *phōnē*, sound］．筋収縮音聴診器（筋収縮の雑音を聞くことのできる器械)．

my·o·phos·phor·y·lase (mī′ō-fos-fōr′i-lās)．ミオホスホリラーゼ（筋ホスホリラーゼ)．

my·o·pi·a (M) (mī-ō′pē-ă)［G. < *myo*, to shut + *ōps*, eye］．近視（眼球から有限距離の光線のみが網膜面上に焦点を結ぶような眼の状態)．= near sight; nearsightedness; short sight; shortsightedness.

axial m. 軸性近視（眼軸の延長による近視)．

curvature m. 曲面性近視，彎曲性近視（過剰角膜彎曲の結果起こる屈折異常による近視)．

degenerative m. 変性近視．= pathologic m.

index m. 屈折係数性近視（核の硬化にみられるように水晶体の増加した屈折力によって起こる近視)．

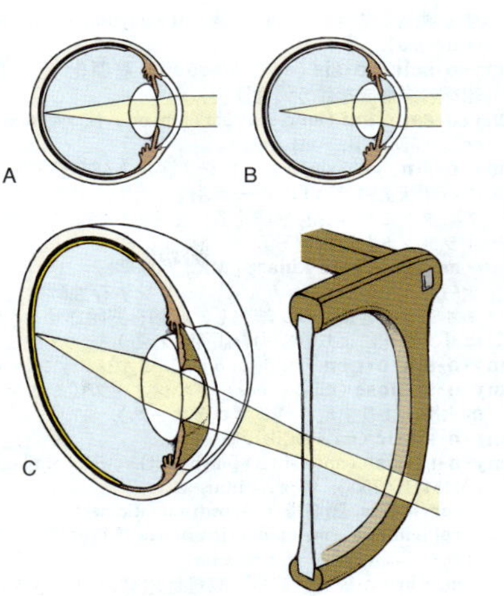

myopia

A：正視(20/20=1.0)．光線は網膜上に鮮明に焦点を結ぶ．B：近視(近目)．遠方からの光線は網膜の前方に鮮明な焦点を結ぶ．C：凹レンズによる眼鏡により矯正された近視．

malignant m. 悪性近視．= pathologic m.

night m. 夜間近視（暗順応下では眼は短波長光への感受性が高い(Purkinje シフト)．そして視力は傍中心窩の青錐体に依存している．短波長光は網膜の手前に焦点を結ぶ．この色収差は正常眼が夜間に相対的な近視を自覚する根拠の一部になっている．残りの根拠は暗所での調節の増加によるとされる)．

pathologic m. 病的近視（眼底の変化，後極ブドウ膜腫，矯正視力不良を特徴とする進行性近視)．= degenerative m.; malignant m.

prematurity m. 未熟児近視（低出生体重あるいは後水晶体線維増殖症を伴う幼児に観察される近視)．

senile lenticular m. 老年(老人)性水晶体性近視．= second *sight*.

simple m. 単純近視，単性近視（前眼部の屈折度と眼軸長との相関不全による近視)．

space m. 空間近視（網膜上に形態が投影されていないときに起こる型の近視)．

transient m. 一過性近視（虹彩毛様体炎または眼球打撲後，続発性に起こる調節痙攣性の近視)．

my·op·ic (M) (mī-op′ik, -ō′pik)．近視〔性〕の．

my·o·plasm (mī′ō-plazm)［myo- + G. *plasma*, a thing formed］．筋〔細胞〕線維質（筋形質とは区別される，筋細胞の収縮性部分)．

my·o·plas·tic (mī′ō-plas′tik)．筋形成〔術〕の（筋肉の形成手術，または欠陥を補塡するための筋組織の使用についていう)．

my·o·plas·ty (mī′ō-plas′tē)［myo- + G. *plastos*, formed］．筋形成〔術〕（筋組織の形成手術)．

my·o·po·lar (mī′ō-pō′lăr)．筋極性の，電極間の筋の．

my·o·pro·tein (mī′ō-prō′tēn)．筋蛋白（筋肉に存在する蛋白)．

myorhythmia ミオリトミー．= Holmes *tremor*.

my·or·rha·phy (mī-ōr′ă-fē)［myo- + G. *rhaphē*, seam］．筋縫合〔術〕（筋肉の縫合)．

my·or·rhex·is (mī′ō-rek′sis)［myo- + G. *rhēxis*, a rupture］．筋断裂（筋肉が引裂すること)．

my·o·sal·pin·gi·tis (mī′ō-sal′pin-jī′tis)［myosalpinx + G. *-itis*, inflammation］．卵管筋層炎（卵管の筋組織の炎症)．

my·o·sal·pinx (mī′ō-sal′pingks)［myo- + salpinx］．卵管筋層（卵管の筋肉層)．

my·o·sar·co·ma (mī′ō-sar-kō′mă)．筋肉腫（筋組織に由来

する悪性新生物の一般用語.→leiomyosarcoma; rhabdomyosarcoma).

my·o·scle·ro·sis (mī′ō-skle-rō′sis). 筋硬化〔症〕(間質結合組織の過形成を伴う慢性筋炎).

my·o·sep·tum (mī′ō-sep′tŭm) [myo- + L. *saeptum*, a barrier]. 筋節中隔. =myocomma.

my·o·sin (mī′ō-sin). ミオシン (筋および非筋細胞中に存在する球状蛋白でATPアーゼ活性を示す. アクチンと結合してアクトミオシンを形成する. ミオシンは筋肉内で, 太いフィラメントを形成する).

m. light-chain kinase [MIM*600922]. ミオシン軽鎖キナーゼ (カルシウム/カルモジュリン依存性酵素で, 平滑筋ミオシンの軽鎖をリン酸化し, 収縮を開始させる. 骨格筋ではリン酸化により収縮力を調節される).

my·o·sin·o·gen (mī′ō-sin′ō-jen). ミオシノゲン. =myogen.

my·o·si·nose (mī′ō-si′nōs). ミオシノース (ミオシンの部分的水解により生成されるプロテオース).

my·o·sit·ic (mī′ō-sit′ik). 筋炎の.

my·o·si·tis (mī′ō-sī′tis) [myo- + G. *-itis*, inflammation] [MIM*160750]. 筋炎. =initis (2).

cervical m. 頸筋炎 (→posttraumatic neck *syndrome*).

epidemic m., m. epidemica acuta 流行性筋炎, 急性流行性筋炎. =epidemic *pleurodynia*.

m. fibrosa 線維性筋炎 (線維性組織の間質性成長による筋肉の硬化). =interstitial m.; myofascitis.

inclusion body m. 封入体筋炎 (男性に多い緩徐進行性炎症性ミオパシーで, 大腿四頭筋, 指屈筋, 咽頭筋に脱力が起こることが多い. $CD8^+$T細胞優位の炎症性細胞侵潤がみられることがある).

infectious m. 感染(伝染)性筋炎 (随意筋の炎症. 腫脹と痛みが特徴. ほとんど全身が罹患することもあるが, 通常, 肩と腕を侵す).

inflammatory m. 炎症性筋炎 (左右対称性の筋力低下, 骨格筋由来酵素血清値上昇とt-RNAシンテターゼに対する自己抗体の存在を特徴とする筋の炎症性疾患. 全身性の場合は多発性筋炎, 亜急性皮膚紅斑性狼瘡によくみられる所見のいくつかを呈する光線過敏性皮膚炎を伴う場合は皮膚筋炎と分類される).

interstitial m. 間質性筋炎. =m. fibrosa.

m. ossificans 骨化性筋炎 (線維症を伴う筋肉中の骨化, または骨の沈着. 疼痛と筋の腫脹を起こす).

m. ossificans circumscripta 限局性骨化性筋炎 (通常, 遅延性の外傷に続発する筋肉での骨の限局性沈着. 例えば乗馬骨など).

m. ossificans progressiva 進行性骨化性筋炎 (年少期に発病する, まれで, しばしば致命的な変異を起こす疾患. 筋肉の進行性骨化を特徴とする. 厳密には筋炎ではなく非炎症性骨化である).

proliferative m. 増殖性筋炎 (急激に増大する良性の浸潤線維性小結節が骨格筋の中に生じるもの. 神経節細胞に似た特徴のある巨細胞をみる).

m. purulenta tropica 熱帯性化膿性筋炎. =tropic *pyomyositis*.

tropic m. 熱帯性筋炎. =tropic *pyomyositis*.

my·o·spasm, my·o·spas·mus (mī′ō-spazm, mī-ō-spaz′-mŭs). 筋痙攣 (痙攣性筋収縮).

cervical m. 頸筋痙攣 (→posttraumatic neck *syndrome*).

my·o·spher·u·lo·sis (mī′ō-sfĕr-yū-lō′sis) [myo- + L. *sphaerula*, small sphere + G. *-osis*, condition]. 筋肉球体症 (しばしば顕微鏡的嚢胞におさまっている未同定の球状構造物に対する慢性の肉芽腫性反応. 最初, 東アフリカで骨格筋の嚢状病巣で報告され, 次いで米国で鼻部の感染巣から報告された).

my·o·sthe·nom·e·ter (mī′ō-sthĕ-nom′ĕ-ter) [myo- + G. *sthenos*, strength + *metron*, measure]. 筋力計 (筋群の力を測定する器械).

my·o·stro·ma (mī′ō-strō′mă) [myo- + G. *strōma*, mattress]. 筋基質 (筋組織の支持結合組織, または外郭構造).

my·o·stro·min (mī′ō-strō′min). ミオストロミン (筋基質中にみられる蛋白).

my·o·tac·tic (mī′ō-tak′tik) [myo- + L. *tactus*, a touching]. 筋覚の.

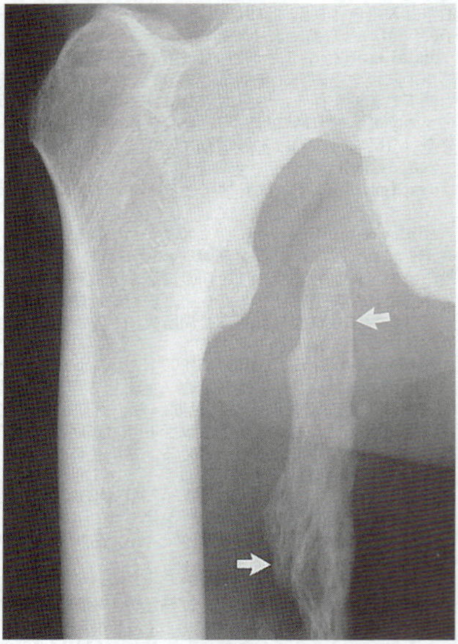

myositis ossificans
大内転筋内にみられる完全に骨化した血腫(矢印).

my·ot·a·sis (mī-ot′ă-sis) [myo- + G. *tasis*, a stretching]. 筋伸張.

my·o·tat·ic (mī′ō-tat′ik). 筋伸張の.

my·o·ten·o·si·tis (mī′ō-ten′ō-sī′tis) [myo- + G. *tenōn*, tendon + *-itis*, inflammation]. 筋腱筋炎.

my·o·te·not·o·my (mī′ō-te-not′ō-mē) [myo- + G. *tenōn*, tendon + *tomē*, incision]. 筋腱切開〔術〕(筋全体または部分を分割する筋肉の主腱の切開). =tenomyotomy; tenontomyotomy.

my·o·ther·mic (mī′ō-ther′mik) [myo- + G. *thermē*, heat]. 筋温度の (収縮による筋組織の温度上昇についていう).

my·o·tome (mī′ō-tōm) [myo- + G. *tomos*, a cut]. ***1*** 筋切開刀 (筋肉を分割する刀). ***2*** 筋板 (胚で骨格筋の原基となる体節の部分). =muscle plate. ***3*** 神経筋単位 (同一の体節から生じ同一の脊髄神経によって支配されるすべての筋肉). ***4*** 筋節 (原始脊椎動物の体節の筋肉部分). =myomere.

my·ot·o·my (mī-ot′ō-mē) [myo- + G. *tomē*, excision]. ***1*** 筋肉解剖. ***2*** 筋〔肉〕切り術.

cricopharyngeal m. 輪状咽頭筋切開術 (輪状咽頭筋の頭側での分離. 通常, Zenker 食道憩室の治療のために行われる).

Heller m. (hel′ĕr). ヘラー粘膜外筋切開術 (遠位側食道筋切開術. 通常, 食道無弛緩症の治療のための手術).

my·o·tone (mī′ō-tōn). =myotony.

my·o·to·ni·a (mī′ō-tō′nē-ă) [myo- + G. *tonos*, tension, stretching]. ミオトニー, 筋緊張〔症〕(強い収縮後の筋肉の遅延弛緩, あるいは機械的刺激(叩打のような)または短い電気刺激後の持続性収縮. 筋肉の膜, 特にイオンチャネルの異常による).

m. acquisita 後天性ミオトニー, 後天性筋緊張〔症〕(ある種の毒素にさらされた後に起こる後天性ミオトニー).

m. atrophica 萎縮性ミオトニー, 萎縮性筋緊張〔症〕. =myotonic *dystrophy*.

m. congenita [MIM*160800]. 先天性ミオトニー, 先天性筋緊張〔症〕(まれな筋疾患で, 乳児期または小児期早期に発症する. 筋肥大, ミオトニー, 非進行性の経過を特徴とする. 常染色体優性遺伝. 第7染色体長腕の骨格筋の塩素イオンチャネル遺伝子(*CLCN1*)の変異による). =Thomsen disease.

m. dystrophica 異栄養性ミオトニー，異栄養性筋緊張〔症〕.＝myotonic *dystrophy*.

m. neonatorum 新生児ミオトニー，新生児筋緊張〔症〕.＝neonatal *tetany*.

my・o・ton・ic (mī′ō-ton′ik). 筋緊張性の.

my・ot・o・noid (mī-ot′ŏ-noyd) [myo- + G. *tonos*, tone, tension + *eidos*, resemblance]. 筋緊張様の（自然または電気的に興奮した筋肉にみられる，緩慢な収縮と特に緩慢な弛緩を特徴とする筋反応についていう).

my・ot・o・nus (mī-ot′ŏ-nŭs) [myo- + G. *tonos*, tension, stretching]. 筋強直性痙攣（1つの筋あるいは筋群の強直性痙攣，または一時的硬直).

my・ot・o・ny (mī-ot′ŏ-nē) [myo- + G. *tonos*, tension]. 筋緊張.＝myotone.

my・ot・ro・phy (mī-ot′rō-fē) [myo- + G. *trophē*, nourishment]. 筋栄養.

my・o・tube (mī′ō-tūb). 筋管（筋芽細胞の融合により形成される発育段階中の骨格筋線維．数本の筋原線維が末梢に配列し，中心部は核と筋形質が占有しているので，線維は管状外観を呈する).

my・o・tu・bule (mī′ō-tū′būl). myotubeの古語.

My・o・vir・i・dae (mī′ō-vir′i-dē). ミオウイルス科（比較的大形の，複雑な収縮性の尾をもった，細菌ウイルスの一科．通常，頭部は細長いが，種によっては等長性である．ゲノムは二本鎖DNA(分子量は21—190×10^6)．T−偶数系ファージ群および恐らく他の諸属を含む).

myr・i・cin (mir′i-sin). ミリシン；myricyl palmitate（蜜ろうの主成分．ほとんど無臭の白色固体).

myring- (mi-ring′). →myringo-.

my・rin・ga (mi-ring′gă) [Mod. L. drum membrane]. 鼓膜.＝tympanic *membrane*.

myr・in・gec・to・my (mir′in-jek′tō-mē) [myring- + G. *ektomē*, excision]. 鼓膜切除〔術〕.

myr・in・gi・tis (mir′in-jī′tis) [myring- + G. *-itis*, inflammation]. 鼓膜炎.＝tympanitis.

m. bulbosa 水疱性鼓膜炎.＝myringodermatitis.

bullous m. 水疱性鼓膜炎（痛みの強い鼓膜の炎症で，水疱を伴う).

myringo-, myring- (mi-ring′ō, mi-ring′) [Mod. L. *myringa*]. 鼓膜を意味する連結形.

my・rin・go・der・ma・ti・tis (mi-ring′gō-der′mă-tī′tis). 鼓膜皮膚炎（鼓膜の外面と鼓膜に隣接した外耳道の皮膚の炎症).＝myringitis bulbosa.

my・rin・go・plas・ty (mi-ring′gō-plas′tē) [myringo- + G. *plassō*, to form]. 鼓膜形成〔術〕（損傷した鼓膜の外科的修復).

my・rin・go・scler・o・sis (mī-ring′gō-sklēr-ō′sis) [myringo- + sclerosis]. 鼓膜硬化症（鼓膜中間層の硬化．通常は聴力障害と関連しない.→tympanosclerosis).

my・rin・go・sta・pe・di・o・pex・y (mi-ring′gō-stā-pē′dē-ō-pek′sē) [myringo- + L. *stapes*, stirrup (stapes) + G. *pēxis*, fixation]. 鼓膜あぶみ骨固定〔術〕（鼓膜あるいは移植鼓膜とあぶみ骨を結合させる鼓室形成術の一技法).

my・rin・go・tome (mi-ring′gō-tōm) [myringo- + G. *tomē*, excision]. 鼓膜切開刀，鼓膜穿刺刀.

myr・in・got・o・my (mir′in-got′ŏ-mē) [myringo- + G. *tomē*, excision]. 鼓膜切開〔術〕，鼓膜穿刺〔術〕.＝tympanotomy.

my・rinx (mī′ringks, mir′ringks) [Mod. L. *myringa*, drum membrane]. 鼓膜.＝tympanic *membrane*.

my・ris・ti・ca (mi-ris′ti-kă) [G. *myrizō*, to anoint < *myron*, an unguent]. ニクズク.＝nutmeg.

m. oil ニクズク油.＝nutmeg *oil*.

my・ris・tic ac・id (mi-ris′tik as′id). ミリスチン酸（ミルク，植物脂肪，肝油，ろう中にアシルグリセロールとして存在する飽和脂肪酸($CH_3(CH_2)_{12}COOH$)).＝tetradecanoic acid.

my・ris・ti・cin (mi-ris′ti-sin). ミリスチシン（大量のニクズクの摂取によって起こる奇妙な中枢神経系症状の原因(少なくともその一部)になると思われるニクズクの成分).

my・ris・to・le・ic ac・id (mi-ris′tō-lē′ik as′id). ミリストレイン酸（C–9とC–10の間に*cis*二重結合を有する炭素14の不飽和脂肪酸．オレイン酸の炭素14の類縁化合物).

Myrmecia (mir-mē′shē-ă). ミルメシア属（オーストラリアに生息するハリアリの一属).

M. pilosula アリ毒に対するアレルギー反応の主要な原因となる南東オーストラリアに生息するハリアリ.＝jack jumper ant.

myr・me・ci・a (mĭr-mē′shē-ă) [G. *murmex*, ant]. ミルメシア（ウイルス性いぼの一型で，表面はアリ塚様のドーム状をなし，表皮細胞内に淡染性の核内封入体および両染性の細胞内封入体がみられる).＝bull ant.

my・ro・si・nase (mī-rō′si-nās). ミロシナーゼ.＝thioglucosidase.

myrrh (mer) [G. *myrrha*]. 没薬(もつやく)，ミルラ（アラビアとアフリカ東部に自生するカンラン科低木*Commiphora molmol*と*C. abyssinica*，および*Commiphora*属の他の種からとるゴム樹脂．収れん薬，強壮薬，興奮薬として，また局所的には口腔疾患や口内洗浄剤として用いる．古代エジプトにおいて医薬品や(死体の)防腐処理に用いられたと考えられる).

my・so・phil・i・a (mī′sō-fil′ē-ă) [G. *mysos*, defilement + *philos*, fond]. 不潔嗜好.＝coprophilia (2).

my・so・pho・bi・a (mī′sō-fō′bē-ă) [G. *mysos*, defilement + *phobos*, fear]. 不潔恐怖〔症〕（普通の対象物に触れても不潔になり汚れるという病的な恐れ).＝rhypophobia.

my・ta・cism (mī′tă-sizm) [G. *my* 文字 μ]. マ行吶（mの文字がしばしば他の子音に取って代わる構音障害の一種).＝mutacism.

my・ur・ous (mī-yū′rŭs) [G. *mys*, mouse + *ouros*, tail]. 鼡尾状の（ネズミの尾のように太さが徐々に減少する意味で，めったに用いられないが，ある症状が停止の方向へ向かうときや，心拍動においてしばらく弱くなり再び力強さを増すような場合に用いる).

myx・ad・e・ni・tis la・bi・a・lis (miks′ad-ĕ-nī′tis lā′bē-a′lis). 唇粘液腺炎.＝*cheilitis* glandularis.

myx・as・the・ni・a (miks′as-thē′nē-ă) [myx- + G. *astheneia*, weakness]. 粘液分泌欠乏〔症〕.

myx・e・de・ma (miks′e-dē′mă) [myx- + G. *oidēma*, swelling][MIM*255900]. 粘液水腫（皮下組織の比較的硬い水腫を特徴とする甲状腺機能低下症で，プロテオグリカンの増加を伴う．傾眠，思考力の減退，毛髪の乾燥と脱毛，心嚢液などの貯留，軽度の体温異常，嗄声，筋力低下，腱反射遅延などを特徴とする．通常，甲状腺の摘出または甲状腺組織の機能低下により起こる).

congenital m. 先天性粘液水腫.＝infantile *hypothyroidism*.

infantile m. 乳児粘液水腫.＝infantile *hypothyroidism*.

operative m. 手術性粘液水腫（甲状腺摘出術後に起こる粘液水腫).

pituitary m. 下垂体性粘液水腫（甲状腺刺激ホルモンの不十分な分泌に由来する粘液水腫．一般に他の下垂体前葉ホルモンの分泌不足に伴って発生する).

myx・e・de・ma・toid (mik′sĕ-dem′ă-toyd). 粘液水腫様の.

myx・e・dem・a・tous (mik′sĕ-dem′ă-tŭs). 粘液水腫の.

myx・e・mi・a (mik-sē′mē-ă) [myx- + G. *haima*, blood]. 粘液血〔症〕.＝mucinemia.

myxo-, myx- (mik′sō) [G. *myxa*, mucus]. 粘液に関する連結形.→muci-; muco-.

myx・o・chon・dro・fi・bro・sar・co・ma (mik′sō-kon′drō-fī′brō-sar-kō′mă) [myxo- + G. *chondros*, cartilage + L. *fibra*, fiber + G. *sarx*, flesh + *-ōma*, tumor]. 粘液軟骨線維肉腫（線維性結合組織から発生する悪性新生物．すなわち線維肉腫．軟骨および粘液腫組織に密接に関連した病巣をもつ).

myx・o・chon・dro・ma (mik′sō-kon-drō′mă) [myxo- + G. *chondros*, cartilage + *-ōma*, tumor]. 粘液軟骨腫（軟骨組織の良性腫瘍，例えば軟骨腫．支質が比較的原始間葉組織に似ている).＝myxoma enchondromatosum.

Myx・o・coc・cid・i・um steg・o・my・i・ae (mik′sō-kok-sid′ē-ŭm steg′ō-mī′ē-ē). 黄熱病患者の血液を摂取したカ*Stegomyia calopus*の体内に一度だけ発見された原生動物．その結果，この原生動物が黄熱病の原因であると誤って考えられたことがある.

myx・o・cyte (mik′sō-sīt) [myxo- + G. *kytos*, cell]. 粘液細胞（粘液組織に存在する星状細胞，または多面細胞の1つ).

myx・o・fi・bro・ma (mik′sō-fī-brō′mă) [myxo- + L. *fibra*, fiber + G. *-ōma*, tumor]. 粘液線維腫（原始間葉組織に類似する線維結合組織の良性新生物）. ＝fibroma myxomatodes; myxoma fibrosum.

myx・o・fi・bro・sar・co・ma (mik′sō-fī′brō-sar-kō′mă) [myxo- + L. *fibra*, fiber + G. *sarx*, flesh + *-ōma*, tumor]. 粘液線維肉腫（原始間葉組織に似た類粘液組織が大部分を占める悪性線維性組織球腫）.

myx・oid (mik′soyd) [myxo- + G. *eidos*, resemblance]. 粘液様の.

myx・o・li・po・ma (mik′sō-li-pō′mă) [myxo- + G. *lipos*, fat + *-ōma*, tumor]. 粘液脂肪腫（脂肪組織の良性腫瘍．腫瘍の部分は粘液様間葉組織に類似する）. ＝lipoma myxomatodes; myxoma lipomatosum.

myx・o・ma (mik-sō′mă) [myxo- + G. *-ōma*, tumor]. 粘液腫（結合組織から発生する良性新生物．主成分である多面状および星状細胞が軟らかい粘液様基質中にまばらに包埋されているため，原始間葉組織に類似する．筋肉内にしばしば発生し，肉腫と間違えられる．また顎骨にも発生する．皮膚では嚢腫を形成し，限局性ムチン沈着症や手関節背側のガングリオンとなる）.

atrial m. 心房粘液腫（左心房に最も多く発生する心臓の原発性新生物で，軟らかいポリープ様ムチンの塊として，中隔に茎を介して付着している．器質化した壁在血栓とまぎらわしいことがあり，その症状としては体位の変換とともに変わる心雑音，僧帽弁狭窄症または閉鎖不全症の徴候があげられる．腫瘍の一部または全体による塞栓の危険が絶えず存在する）.

m. enchondromatosum 内軟骨腫性粘液腫. ＝myxochondroma.

m. fibrosum 線維性粘液腫. ＝myxofibroma.

m. lipomatosum 脂肪腫性粘液腫. ＝myxolipoma.

odontogenic m. 歯原性粘液腫（顎骨に生じる良性新生物．顎骨の膨隆および多胞性のX線透過像を認める．内容物は粘液腫性の線維性結合組織よりなる．歯牙形成器官の未分化間葉組織由来と推測されている）.

m. sarcomatosum 肉腫性粘液腫. ＝myxosarcoma.

myx・o・ma・to・sis (mik′sō-mă-tō′sis). ***1*** 粘液腫症. ＝mucoid *degeneration*. ***2*** 多発性粘液腫.

myx・o・ma・tous (mik-sō′mă-tŭs). ***1*** 粘液腫〔性〕の（粘液腫の特色に関する，粘液腫を特徴とする）. ***2*** 原始間葉状の（原始間葉組織に似た組織についていう）.

myx・o・my・cete (mik′sō-mī′sēt). 粘菌類，変形菌類（変形菌綱に属するもの）.

Myx・o・my・ce・tes (mik′sō-mī-sē′tēz) [myxo- + G. *mykēs*, fungus]. 変形菌綱，粘菌綱（腐敗ゆう腫に発生し，ヒトには病原性のない菌類の綱で，粘菌を含む）.

myx・o・neu・ro・ma (mik′sō-nū-rō′mă) [myxo- + G. *neuron*, nerve + *-ōma*, tumor]. ***1*** 粘液神経腫（現在では用いられない語．神経線維鞘細胞の異常増殖に由来する腫脹で，限局性またはびまん性変性変化が原始間葉組織様の部分をつくる）. ***2*** 基質が本来粘液腫様である神経鞘腫，髄膜腫，神経膠腫を表す，現在では用いられない語.

myx・o・pap・il・lo・ma (mik′sō-pap′i-lō′mă) [myxo- + L. *papilla*, a nipple + G. *-ōma*, tumor]. 粘液乳頭腫（上皮組織の良性腫瘍．基質が原始間葉組織に似ている）.

myx・o・poi・e・sis (mik′sō-poy-ē′sis) [myxo- + G. *poiēsis*, a making]. 粘液生成，粘液産生.

myx・or・rhe・a gas・tri・ca (mik′sō-rē′ă gas-trik-kă). 胃粘液漏. ＝gastromyxorrhea.

myx・o・sar・co・ma (mik′sō-sar-kō′mă) [myxo- + G. *sarx*, flesh + *-ōma*, tumor]. 粘液肉腫（結合織性ムチンを含む原始間葉組織に似た類粘液組織を主成分とする肉腫で，通常，脂肪肉腫または悪性線維性組織球腫である）. ＝myxoma sarcomatosum.

Myx・o・spo・ra (mik′sō-spō′ră) [myxo- + G. *sporos*, seed]. 変形胞子虫亜門（原生動物門の一亜門．多細胞起源の，通常２，３個の球体と２本以上の極線維およびアメーバ状の胞子質をもった胞子の存在を特徴とする．下等脊椎動物寄生性で，特に魚類に普通にみられる．重要な属として，*Ceratomyxa*, *Hanneguya*, *Leptotheca*, *Myxidium*, *Myxobolus* の各属がある）.

Myx・o・spo・re・a (mik′sō-spō-rē′ă). 粘液胞子虫綱（ミクソゾア門の一綱で，胞子は中にコイル状に巻いた極糸を含む1—6個(通常２個)の極嚢をもつ．冷血脊椎動物，特に魚類の体腔および組織に寄生する．重要な属に*Ceratomyxa*属，*Hanneguya*属，*Leptotheca*属，*Myxidium*属，および *Myxobolus*属がある）.

myx・o・vi・rus (mik′sō-vī′rŭs). ミクソウイルス（ムチンに対し親和性をもつウイルス類に対し以前用いた名称で，現在はオルソミクソウイルス科とパラミクソウイルス科とを含む．ミクソウイルス類は，インフルエンザウイルス，パラインフルエンザウイルス，呼気器シンシチア(RS)ウイルス，麻疹ウイルス，流行性耳下腺炎ウイルスを含む）.

Myx・o・zo・a (mik′sō-zō′ă) [myxo- + G. *zōon*, animal]. ミクソゾア門（原生動物亜界の一門で，複数の細胞起源の胞子(通常，２個あるいは３個の殻をもつ)を形成すること，1—6個の極嚢あるいは刺胞(それぞれコイル状に巻いた中空の線維をもつ)をもつこと，および１個から多数の核をもつアメーバ状のスポロプラスムをつくることを特徴とする．環形動物などの無脊椎動物(放線胞子虫綱アクチノミクサ亜綱)，および下等な脊椎動物(粘液胞子虫綱)に寄生する）.

N

N

ν ニュー（①ギリシア語アルファベットの第13文字．②動粘度 kinematic *viscosity*; 周波数；化学量論数 stoichiometric *number* の記号．③化学において，カルボキシル基などの官能基から13番目の原子にある置換基の位置を示す）．

N ***1*** 窒素の元素記号．アスパラギニル，ニュートン，アスパラギン，ヌクレオシド，規定溶液，半数体の染色体数の記号． ***2*** 遺伝血液因子の名称．付録 Blood Groups の MNSs 血液型参照．

N/2 半規定の，を表す記号．

^{13}N nitrogen 13 の記号．

^{14}N nitrogen 14 の記号．

^{15}N nitrogen 15 の記号．

N_A アヴォガドロ数 Avogadro *number* の記号．

N normal *concentration* の記号．⇀normal (3).

n nano- (2), neutron reaction order の記号．

n ***1*** 科学研究で用いられる数値．標本数． ***2*** 屈折率 refractive *index* の記号．

n_0 Loschmidt *number* の略．

NA *Nomina Anatomica* の略．

N.A. numeric *aperture* の略．

Na ナトリウムの元素記号．

^{24}Na ナトリウム24の記号．

nab·i·lone (nab′i-lōn). ナビロン（癌化学療法に関連した悪心および嘔吐の治療に用いる合成カンナビノイド）．

Na·both (nā′bōth), Martin. ドイツ人解剖学者・医師，1675—1721. ⇀nabothian *cyst*, *follicle*.

na·cre·ous (nā′krē-ŭs) [Fr. *nacre*, mother-of-pearl]. 真珠光の，光沢のある（細菌のコロニーを記述する用語）．

NAD nicotinamide adenine dinucleotide の略．

N.A.D. no appreciable disease(特記すべき疾病がない)，英国で用いられる表現で nothing abnormal detected(異常なし)の略．

NAD$^+$ nicotinamide adenine dinucleotide(酸化型)の略．

NAD$^+$ nucleosidase NAD$^+$ ヌクレオシダーゼ（NAD をニコチンアミドとアデノシンジホスホリボースに加水分解を触媒する酵素）．＝NADase.

NAD$^+$ pyrophosphorylase NAD$^+$ ピロホスホリラーゼ（NAD$^+$ の合成に関与する酵素．ニコチンアミドモノヌクレオチドと ATP が反応し，NAD$^+$ とピロリン酸を与える．また，ニコチン酸モノヌクレオチドへも作用する）．

NAD$^+$ synthetase NAD$^+$ シンテターゼ（ATP，L-グルタミン，およびニコチン酸アデニンジヌクレオチドとにより NAD$^+$，ADP および L-グルタミン酸を生成する反応を触媒する酵素）．

NADase NAD アーゼ．＝*NAD$^+$* nucleosidase.

NADH nicotinamide adenine dinucleotide(還元型)の略．

NADH dehydrogenase NADH デヒドロゲナーゼ（鉄，硫黄を含むフラビン蛋白で，NADH を可逆的に酸化して NAD$^+$ にする．この複合体の遺伝的欠損により重篤なアシドーシスになる）．＝cytochrome *c* reductase.

NADH dehydrogenase (quinone) NADH デヒドロゲナーゼ(キノン)（受容体としてキノン(例えばメナキノン)を用い，NADH を酸化する酵素）．

NADH-hydroxylamine reductase NADH ヒドロキシルアミンレダクターゼ（ヒドロキシアミンと NADH とからアンモニア，NAD$^+$，水を与える反応を触媒する酵素．多くの臨床検査で用いられる）．

na·dir (nā′dēr) [M.E., Med.L., lowest point < Arabic *nazīr*, opposite (the zenith)]. 底（化学療法後の一番低い血算値）．

Nadi re·ac·tion (nā′dē). ⇀reaction.

NADP nicotinamide adenine dinucleotide phosphate の略．

NADP$^+$ nicotinamide adenine dinucleotide phosphate(酸化型)の略．

NAD(P)$^+$ nu·cle·o·si·dase (nū′klē-ō-sī′dās). NAD(P)$^+$ ヌクレオシダーゼ（NAD$^+$やNADP$^+$を加水分解し，ニコチンアミドとアデノシンジホスホリボース(phosphate)を遊離させる反応を触媒する酵素）．

NADPH nicotinamide adenine dinucleotide phosphate（還元型)の略．

NADPH-cytochrome c_2 reductase NADPH–シトクロム c_2 レダクターゼ(還元酵素)（フェリシトクロム c_2 2分子のフェロシトクロム c_2 2分子への還元を触媒する酵素．NADPH が消費される）．＝cytochrome c_2 reductase.

NADPH dehydrogenase NADPH デヒドロゲナーゼ（NADPH を NADP$^+$ に酸化するフラビン蛋白）．＝NADPH diaphorase; old yellow enzyme; Warburg old yellow enzyme.

NADPH dehydrogenase (quinone) NADPH デヒドロゲナーゼ(キノン)（フラビン蛋白で NADH または NADPH を酸化し NAD$^+$ または NADP$^+$ に変換する．水素供与体としてキノン(例えばメナジオン)を用いる）．＝DT-diaphorase; menadione reductase; phylloquinone reductase; quinone reductase.

NADPH diaphorase NADPH ジアホラーゼ．＝NADPH dehydrogenase.

NADPH-ferrihemoprotein reductase (fer′ī-hē-mō-prō′tēn, fer′ē-). NADPH–フェリヘモプロテインレダクターゼ，NADPH–フェリヘモプロテイン還元酵素（2分子のフェリシトクロムの NADPH による2分子のフェロシトクロムへの還元反応を触媒する酵素．生理的アクセプタは恐らくシトクロム P-450 である．そのため，それはステロイドのヒドロキシル化反応に働く）．＝cytochrome reductase.

Nae·ge·li (nā′gĕ-lē), Otto. スイス人医師，1871—1938. ⇀N. type of monocytic *leukemia*.

Nae·ge·li (nā′gĕ-lē), Oskar. スイス人医師，1885—1959. ⇀N. *syndrome*.

Nae·gle·ri·a (nā-glē′rē-ă). ネグレリア属（自由生活性の，土壌，水中，汚水性のアメーバの一属（Schizopyrenida目，Vahlkampfiidae科）．その一種 *N. fowleri* は，急性致死性の一次アメーバ性髄膜脳炎の原因物といわれている．感染は水泳プール(室内の塩素滅菌プールを含む)から出発し，鼻粘膜から侵入，そこからアメーバが篩板と嗅神経を通って，髄膜と脳に達する．疫学的な意義はほとんどないが病原性と思われている他の土壌性アメーバとしては，*Acanthamoeba*属および *Hartmanella*属が含まれる．このうち，後者は病原性の嫌疑はあるが証明はされていない）．

Naff·zi·ger (naf′zig-ĕr), Howard C. 米国人外科医，1884—1961. ⇀N. *operation*, *syndrome*.

NAG *N*-acetylglutamate の略．

na·ga·na (nah-gah′nah). ナガナ（ウシ，イヌ，ブタ，ウマ，ヒツジ，ヤギや熱帯地方，南アフリカの多くの野生動物にみられる急性または慢性の疾病で，熱，貧血，および悪液質が著しく，菌株や宿主によりその重篤度は変化する．原虫の *Trypanosoma brucei brucei*, *T. congolense*, *T. vivax* の感染症すべてをさす）．

Na·gel (nah′gĕl), Willibald A. ドイツ人眼科医・生理学者，1870—1911. ⇀N. *test*.

Nä·ge·le (nah′gĕ-lĕ), Franz K. ドイツ人産科医，1777—1851. ⇀N. *obliquity*, *pelvis*, *rule*.

Nä·ge·li (nā′gĕ-lē), Karl W. von. スイス人植物学者，1817—1891. ⇀micelle.

Na·ge·otte (nazh-yōt′), Jean. フランス人組織学者，1866—1948. ⇀N. *cells*.

nail (nāl) [A.S. *naegel*]. ***1*** 爪，平爪（指趾の各末節の遠位端背側面をおおう薄い角質性の透明な板．皮膚のひだに隠れた近位端にある爪根と，可視部すなわち爪体からなる．爪の下部は表皮の胚芽層から，爪の表面は透明層からつくられ，爪半月と重なり合う薄い爪小皮は角膜層を示す．次頁の図参照）．＝unguis [TA]; nail plate; onyx. ***2*** 釘（骨折のため離れた骨片を結合させるために手術で用いる金属，骨，または他の堅い物質からなる棒）．

eggshell n. 卵殻爪．＝hapalonychia.

half and half n. 横線により近位側の淡白色の部分と遠位側のピンクまたは褐色の部分に分かれる爪．尿毒症においてみられる．

hippocratic n.'s (hip-ō-krat′ik). ヒポクラテス爪（ばち指(ヒポクラテス指)に付いた粗大で弯曲した爪）．

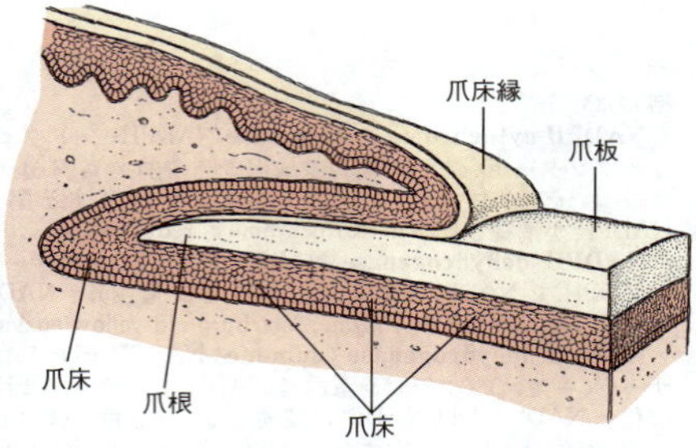

structure of the nail (unguis)

ingrown n. 嵌入爪〔甲〕，爪嵌入症，刺爪（足の爪で，その一端が爪縁部に成長しすぎて化膿性の肉芽腫となったもの．爪の切り方が悪いか，きつい靴により圧力がかかることによる）．＝ingrowing toenail; onychocryptosis; unguis aduncus; unguis incarnatus.

Küntscher n. (kēnt′shĕr). キュンチャー釘（骨折した部分の内部固定用の髄内金属）.

parrot-beak n. オウム嘴状爪（著しく弯曲した指の爪）.

pincer n. やっとこ状爪（遠位にいくにつれ横の弯曲が高度に強くなっている爪のことで，爪の外縁が軟部組織にくい込み，圧痛を生じる．発生異常や爪下外骨腫により生じる）.

racket n. ラケット状爪（先天的に親指の末節が短く幅広いために，爪が幅広く平らになった状態をいう）.

reedy n. 葦状爪（縦走する隆線と溝が目立つ爪）.

shell n. 貝殻爪（気管支拡張症にみられるばち指を伴う爪の異常栄養症で，爪板が過度に縦方向へ弯曲し，爪床とその下の骨が萎縮している爪）.

Smith-Petersen n. (smith pē′tĕr-sĕn). スミス－ピーターセン釘（大腿骨頸部骨折の内固定に用いる三翼釘．現在はまれに用いられる）.

spoon n. 匙(さじ)状爪，スプーン〔状〕爪．＝koilonychia.

Terry n. テリー爪（爪の遠位端 1－2 mm は通常のピンク色であるが，爪の残りの部分は白色調となるもの．これは爪床の変化に伴うものであり，肝硬変，慢性うっ血性心不全，糖尿病などの患者でみられる）.

yellow n. 黄色爪〔症〕（すべての爪の成長が完全にまたはほとんど完全に止まり，爪の肥厚，隆起，小皮消失，黄色化を伴う．その結果生じる爪甲剝離症は，爪の損失を起こすことがある．この疾患は，しばしば肺疾患に合併するが，軟部組織が肥厚しないので，太鼓ばち指とは異なる．リンパ浮腫を伴わない場合においてもリンパ液の灌流障害を生じていることがある）．＝yellow nail syndrome.

nail·ing (nāl′ing). 釘固定〔法〕，釘打ち法（骨折した骨の両端に釘を挿入したり，または打ち込んだりする方法）.

Naj·jar (nah′jahr), Victor A. 20 世紀の米国人医師・生化学者．→Crigler-N. *syndrome*.

Na·ka·ni·shi (nah′kā-nē′shē), Kazuhiro. 20 世紀の日本人医師．→N. *stain*.

nal·i·dix·ic ac·id (nal-i-dik′sik as′id). ナリジクス酸（経口的に効力のある抗菌物質で，尿路感染症の治療に用いる）.

nal·or·phine (nal-ōr′fēn). ナロルフィン（モルヒネおよび関連する麻薬性鎮痛薬の大部分の抑制作用および興奮作用の初期の拮抗薬．モルヒネ耽溺者に重篤な禁断症状を起こさせる．またモルヒネとその関連化合物による呼吸抑制作用に拮抗する．麻薬非存在下で投与した場合，非耽溺者において穏やかな鎮痛および呼吸抑制作用を示す．塩酸ナロキソンに代わってきている）．＝*N*-allylnormorphine.

nal·ox·one hy·dro·chlor·ide (nal-ok′sōn hī′drō-klōr′īd). 塩酸ナロキソン（オキシモルフォンの合成同族体で，エンドルフィンおよび麻薬に対する強力な拮抗薬．麻酔薬の過量投与による昏睡や呼吸抑制の治療に用いる．乱用の危険性を減らすことを目的としてペンタゾシンの製剤に含有されている）.

nal·trex·one (nal-traks′ōn). ナルトレキソン（経口投与で活性を示す麻薬拮抗薬．麻薬がない状態へ投与したとき，薬理学的作用はない）.

NAME (nām). ネイム（*n*evi, *a*trial myxoma, *m*yxoid neurofibromas, *e*phelides の頭字語．→NAME *syndrome*）.

nanaerobe (nan′ĕr-ōb)［*nano*molar＋aerobe］. ナネローブ（嫌気性環境やナノモル濃度の酸素下で増殖できる生物）.

NANDA (nan′dă). North American Nursing Diagnosis Association の略.

nan·ism (nan′izm)［G. *nanos*; L. *nanus*, dwarf］. 小人症（dwarfism を表す現在では用いられない語）.

mulibrey n.［＜*mu*scle, *li*ver, *b*rain, and *ey*es］［MIM *253250］. マリブレー小人症（［mulibrey は固有名詞ではないので，小文字の m を用いてつづる］．肝臓，脳，筋肉および眼球が欠損する常染色体劣性遺伝の疾患）.

renal n. 腎性小人症(侏儒)（乳児の腎性骨異栄養症）.

symptomatic n. 症候性小人症（骨格，歯茎，性腺に欠陥のある小人症）.

Nan·niz·zi·a (nă-niz′ē-ă). ナニジア属（子嚢菌類真菌の一属で，完全状態としては小胞子菌属 *Microsporum* の各種からなっている）.

nano-［G. *nanos*, dwarf］. ***1*** 小人症に関する連結形．***2***（**n**）．国際単位系(SI)およびメートル法で用いる接頭語．10 億分の 1(10^{-9})であることを示す.

nan·o·ce·pha·li·a (nan′ō-se-fā′lē-ă). ＝microcephaly.

nan·o·ceph·a·lous, nan·o·ce·phal·ic (nan′ō-sef′ă-lŭs, -se-fal′ik). 小頭の．＝microcephalic.

nan·o·ceph·a·ly (nan′ō-sef′ă-lē)［nano-＋G. *kephale*, head］. 小頭症．＝microcephaly.

nan·o·cor·mi·a (nan-ō-kōr′mē-ă)［nano-＋G. *kormos*, trunk］. ＝microsomia.

nanocrystal (nan-ō-kris′tăl). 超微細結晶．＝quantum *dot*.

nan·o·gram (**ng**) (nan′ō-gram). ナノグラム（1 g の 10 億分の 1(10^{-9} g)）.

nan·o·ka·tal (**nkat**) (nan′ō-kā-tal′). ナノカタール（カタールの 10 億分の 1 (10^{-9} kat)）.

nan·o·med·i·cine (nan-ō-med′i-sin). ナノメディスン（ナノテクノロジーに依拠するすべての医学分野）.

nan·o·me·li·a (nan-ō-mē′lē-ă)［nano-＋G. *melos*, limb］. 小肢症．＝micromelia.

na·nom·e·ter (**nm**) (nă-nom′ĕ-tĕr). ナノメートル（1 m の 10 億分の 1 (10^{-9} m)）.

nan·oph·thal·mi·a, nan·oph·thal·mos (nan′of-thal′mē-ă, -mos)［nano-＋G. *ophthalmos*, eye］. 小眼球〔症〕．＝microphthalmos.

Na·no·phy·e·tus sal·min·co·la (na-nō′fi-ĕ-tŭs sal-min′kō-lă). サルミンコラ住血吸虫，サケ住血吸虫（イヌ，および魚を食する哺乳類にみられる，中間宿主を魚とする矮小吸虫科の吸虫．*Neorickettsia helmintheca* の媒介動物で，サケ中毒の原因となる）．＝*Troglotrema salmincola*.

Nan·ta (nan′tă). →Gandy-N. *disease*.

na·nu·ka·ya·mi (nă′nū-kă-yah′mē). 七日病．＝nanukayami *fever*.

nape (nāp). 項〔部〕，うなじ．＝nucha.

na·pex (nā′peks). 外後頭隆起の真下の部位の頭皮.

naph·tha (naf′thă)［G.］. ナフサ．＝*petroleum* benzin.

coal tar n. ＝benzene.

wood n. 木ナフサ．＝methyl *alcohol*.

naph·tha·lene (naf′thă-lēn). ナフタリン（コールタールから得られる発癌性，毒性の炭化水素．工業的に多くの目的に利用され，また防虫薬として用いる．ナフタリンはグルコース–6–リン酸デヒドロゲナーゼ欠損者に対し，溶血性貧血を発症させる）．＝naphthalin; tar camphor.

naph·thal·e·nol (naf-thal′ĕ-nol). ＝naphthol.

naph·tha·lin (naf′thă-lin). ＝naphthalene.

naph·thol (naf′thol). ナフトール（ヒドロキシナフタリンで，次の 2 型がある．ⓘ *α*-**n.** *α*–ナフトール（細胞化学において，アルギニンの位置決定に用いる染料中間体）．ⓘⓘ *β*-**n.** *β*–ナフトール（イソナフトールとしても知られ，駆虫薬，防腐薬に用いる）．両者とも，染料，有機化学製品，およびゴム製品の製造にも用いられる）．＝naphthalenol.

naph·tho·late (naf′thō-lāt). ナフトールの OH 基の水素が塩基により置換された化合物.

naph·thol yel·low S (naf′thol yel′ō) [C.I. 10316]. ナフトールイエローS（微量分光光度測定法で，塩基性蛋白の染色剤として用いる酸性染料）.

naph·tho·quin·one (naf′thō-kwin′ōn). ナフトキノン（①ナフタリンのキノン誘導体．還元するとナフトヒドロキノンになる．1,4-ナフトキノンの誘導体はビタミンK活性(例えばメナキノン)を有する．②ナフトキノンの構造をもつ化合物群）.

naph·thyl (naf′thil). ナフチル；$C_{10}H_7$–（ナフタリンの残基）.

α-naph·thyl·thi·o·u·re·a (ANTU) (naf′thil-thī′ō-yū-rē′ă). α-ナフチルチオ尿素（チオ尿素の誘導体．特に小動物に対してきわめて毒性の強い抗甲状腺薬．肺水腫，肝臓の脂肪変性および低体温を引き起こす．殺鼡薬として用いる）.

Napier, John. スコットランド人数学者，1550 — 1617. →neper.

na·pi·er (nā′pē-ĕr) [John *Napier*]. ＝neper.

nap·syl·ate (nap′si-lāt). 2-naphthalenesulfonate の USAN 公認の短縮名.

nar·ce·ine (nar′sē-ēn). ナルセイン（アヘンに存在するアルカロイド．エチルナルセインは，麻酔薬，鎮痛薬および鎮咳薬となる）.

nar·cis·sism (nar′sis-izm, nar′si-sizm) [*Narkissos*, ギリシア神話上の人物]. 自己愛，ナルシシスム，ナルチシスム（①すべての事柄を自分自身に結び付けて解釈し，考え，他人や他のものに結び付けない状態．②自分を愛すること．自分自身に性的魅力を感じることも含む．→autoeroticism. *cf.* autosynnoia）. ＝self-love.

primary n. 一次的ナルシシスム（精神分析において，本来的に存在する精神的エネルギーが自我に向けられること）.

secondary n. 二次的ナルシシスム（精神分析において，精神エネルギーが一度外部の対象に向けられて後に，これらの対象から撤退し，再び自我に向けられること）.

narco- [G. *narkoō*, to benumb, deaden]. 麻酔，昏睡を意味する連結形.

nar·co·a·nal·y·sis (nar′kō-ă-nal′i-sis). 麻酔分析（軽度の麻酔を施して行う精神療法的処置．第二次世界大戦中，急性の戦闘関連神経症の症例で初めて用いられた．小児期の精神的ショックの治療にも用いられている．→narcotherapy）. ＝narcosynthesis.

nar·co·hyp·ni·a (nar′kō-hip′nē-ă) [narco- ＋ G. *hypnos*, sleep]. 覚醒無感覚，寝くたびれ（睡眠から覚醒したときに経験する一般的な無感覚）.

nar·co·hyp·no·sis (nar′kō-hip-nō′sis) [narco- ＋ G. *hypnos*, sleep]. 麻酔催眠（催眠によって誘導される昏迷あるいは深い睡眠）.

nar·co·lep·sy (nar′kō-lep-sē) [narco- ＋ G. *lēpsis*, seizure] [MIM*161400]. ナルコレプシー，睡眠発作（通常，若年成人期に発症する睡眠障害．昼間の睡眠発作の繰返しとしばしば，夜間の睡眠障害を呈する．脱力発作，睡眠麻痺，入眠時幻覚をしばしば伴う．遺伝的疾患）. ＝Gélineau syndrome; paroxysmal sleep.

nar·co·lep·tic (nar′kō-lep′-tik). ***1*** 睡眠薬，催眠薬．***2*** ナルコレプシー患者，睡眠発作患者，持続睡眠患者.

nar·co·sis (nar-kō′sis) [G. a benumbing]. 麻酔〔法〕，ナルコーシス（神経細胞の興奮性の一般的かつ非特異的可逆的低下についていうのに用いる．様々な物理的および化学的作用因子によってつくり出され，通常は anesthesia(麻酔，以前は narcosis が本同義語として用いられた)というよりも昏迷を意味する）.

CO_2 n. 炭酸ガス中毒．＝hypoventilation *coma*.

intravenous n. 麻薬の静脈内投与.

nitrogen n. 窒素性ナルコーシス（①ある種の尿毒症および肝性昏睡にみられるような窒素化合物により生じる意識混濁．②判断力と技術能力の喪失を特徴とする昏迷状態．潜水作業中，深海潜水夫の吸入空気中の窒素分圧の上昇によって起こる．通常，rapture of the deep(深海の狂喜)とよばれる．＝rapture of the deep）.

nar·co·syn·the·sis (nar′kō-sin′thĕ-sis). ＝narcoanalysis.

nar·co·ther·a·py (nar′kō-thār′ă-pē). 麻酔療法（鎮静薬あるいは麻酔薬の影響下で患者に行う精神療法）.

nar·cot·ic (nar-kot′ik) [G. *narkōtikos*, benumbing]. ***1*** 〖n.〗麻酔薬，麻薬（もともとアヘンやアヘン様化合物から誘導され，精神と行動の著しい変化および依存性と耐性の可能性を伴う強力な鎮痛作用をもつすべての薬物）．***2*** 〖n.〗麻酔薬，麻薬（最近は，合成あるいは天然の薬物で，メペリジンやフェンタニルとその誘導体など，アヘンやアヘン誘導体と作用が類似しているものすべてをさす）．***3*** 〖adj.〗麻酔性の，麻薬の（昏迷性無痛覚状態を誘発しやすい）.

nar·co·tism (nar′kō-tizm). ***1*** 麻薬性昏迷（麻薬によって起こる昏迷した痛覚の消失）．***2*** 麻薬中毒.

naringenin (nar-in′jen-in). ナリンゲニン（ナリンギンのアグリコン部分の名称．ナリンギン(→naringin)のヒト代謝産物で，ある種のシトクロームP450酵素の阻害剤であるといわれている）.

naringin (nar′i-jin) [Sansk. *naringa*, orange tree ＋ -in]. ナリンギン（グレープフルーツの苦味の原因となるビオフラボノイド）.

na·ris, pl. na·res (nā′ris, -res) [L.][TA]. 外鼻孔（鼻腔の前方への開口）. ＝anterior n.; external n.; nostril; prenaris.

anterior n. 外鼻孔．＝naris.

external n. ＝naris.

internal n. choana を表す現在では用いられない語.

posterior n. 後鼻孔．＝choana.

NARP (nahrp). 先天性ミトコンドリア病の1つで，*n*europathy(ニューロパシー)，*a*taxia(運動失調)，*r*etinitis *p*igmetosa syndrome(色素性網膜炎症候群)の頭文字．点変異の結果，ミトコンドリアDNA8993番の1アミノ酸が置換して起こる疾患．同じ位置の点変異のさらに重篤な表現型は臨床的には Leigh 病(⇒disease)として表れる.

nar·row·band (na′rō-band). 狭帯域（音の周波数帯域が限局されているもの．白色雑音に代表される広周波帯域の音と反対の意味で用いられる．狭帯域雑音は聴力検査時に非検側耳のマスキングに用いられる）.

na·sal (nā′zăl) [L. *nasus*, nose]. 鼻の，鼻側の，鼻骨の．＝rhinal.

nasal fin (nā′zăl fin). 鼻板（鼻が形成されると消失する外側と内側の鼻隆起間の平らなひれ状のもの）.

nas·cent (nas′ent, nā′sent) [L. *nascor*, pres. p. *nascens*, to be born]. ***1*** 生まれようとする，発生しようとする，なり始めの．***2*** 発生期の（ある元素がその化合物の1つから遊離する瞬間の状態についていう）.

NASH (năsh). ナシュ（nonalcoholic *steatohepatitis* の略）.

na·si·o·in·i·ac (nā′zē-ō-in′ē-ak). ナジオンイニオンの（前頭鼻骨縫合と外後頭隆起の間の直線距離についていう）.

na·si·on (nā′zē-on) [L. *nasus*, nose][TA]. ナジオン（前頭鼻骨縫合の中央にあたる頭蓋骨上の点）. ＝nasal point.

Nas·myth (nās′mith), Alexander. ロンドンの歯科医，1789—1849. →N. *cuticle*, *membrane*.

naso- [L. *nasus*]. 鼻に関する連結形.

na·so·an·tral (nā′zō-an′trăl). 鼻洞の（鼻と上顎洞に関する）.

na·so·cil·i·ar·y (nā′zō-sil′ē-ar-ē). 鼻毛様体の（鼻と眼瞼に関する．→nasociliary *nerve*）.

na·so·fron·tal (nā-zō-frŏn′tăl). 鼻前頭の（鼻と前頭，または鼻腔と前頭洞に関する）.

na·so·gas·tric (nā′zō-gas′trik). 経鼻胃の（経鼻胃管挿入のように鼻孔と胃に関する，あるいは鼻孔と胃を含む）.

na·so·la·bi·al (nā′zō-lā′bē-ăl) [naso- ＋ L. *labium*, lip]. 鼻唇の（鼻と上唇に関する）.

na·so·lac·ri·mal (nā′zō-lak′ri-măl). 鼻涙の（鼻骨と涙骨，または鼻腔と涙管に関する）.

na·so·o·ral (nā′zō-ō′răl). 鼻口〔腔〕の（鼻と口に関する）.

na·so·pal·a·tine (nā′zō-pal′ă-tēn, -tin). 鼻口蓋の（鼻と口蓋に関する）.

na·so·pha·ryn·ge·al (nā′zō-fă-rin′jē-ăl). 鼻咽頭の（[誤った発音 nasopharynge′al を避けること]．鼻あるいは鼻腔と咽頭，または鼻咽頭に関する）. ＝rhinopharyngeal (1).

na·so·pha·ryn·go·la·ryn·go·scope (nā′zō-fă-ring′gō-lă-ring′gō-skōp). 鼻咽頭喉頭鏡，鼻咽喉ファイバースコープ（鼻を経由して咽喉頭を可視化する軟性ファイバースコープ）.

na·so·pha·ryn·go·scope (nā′zō-fă-ring′gō-skōp). 鼻咽腔

鏡（鼻道や鼻咽腔の検査に用いる電灯付きの拡大鏡器具）.

na·so·phar·yn·gos·co·py (nā′zō-far′ing-gos′kŏ-pē) [nasopharynx + G. *skopeō*, to view]. 鼻咽頭鏡検査（屈曲可能なまたは硬性の内視鏡，あるいは鏡で行う鼻咽腔の検査）.

na·so·phar·ynx (nā′zō-far′ingks) [TA]. 鼻咽頭（咽頭のうち，軟口蓋より上方の部分．前方は後鼻孔によって鼻腔に開き，下方は口峡を経て口咽頭と連絡し，外側方は耳管によって鼓室とつながる）. =pars nasalis pharyngis [TA]; epipharynx; nasal part of pharynx; nasal pharynx; pharyngonasal cavity; rhinopharynx.

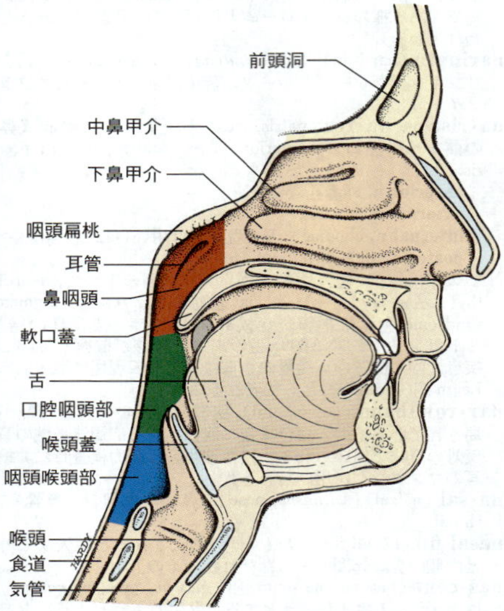

nasopharynx and surrounding structures

na·so·ros·tral (nā′zō-ros′trăl). 鼻吻の（鼻腔と蝶形骨吻に関する）.

na·so·si·nu·si·tis (nā′zō-sī′nŭ-sī′tis). 鼻洞炎，鼻副鼻腔炎. =rhinosinusitis.

Nasse (nahs), Christian Friedrich. ドイツ人医師，1788—1851.

Nasse law (nah′sĕ). ⇒law.

na·sus (nā′sŭs) [L.]. 鼻，はな（① =external *nose*. ② = nose）.

n. externus 外鼻. =external *nose*.

na·tal (nā′tăl). ***1*** [L. *natalis* < *nascor*, pp. *natus*, to be born]. 出生の，分娩の，出産の. ***2*** [L. *nates*, buttocks]. しりの.

na·tal·i·ty (nā-tal′i-tē) [→natal (1)]. 出生率，出産率（総人口に対する出生数の割合）. =birth rate.

na·ta·my·cin (nā′tă-mī′sin). =pimaricin.

na·tes (nā′tēz) [L. *natis* の複数形][TA]. 殿部，しり（[本語は文法的に複数形である]）. =buttocks.

Na·tion·al For·mu·lar·y (NF) (na′shŭn-ăl fōr′myū-lār′ē). 国民医薬品集（米国薬剤師協会によって以前に発行された公認処方集．現在は，薬剤および治療薬の品質の評価に使用できるように基準と規格とを提供するために，米国薬局方委員会によって発行されている）.

native (nā′tiv) [L. *nativus*, pertaining to birth < *nascor*, *natus*, to be born]. 本来の（移植片やバイパスが取り付けられる臓器について用いる．例えば native coronary artery（本来の冠動脈）のように）.

na·tre·mi·a, na·tri·e·mi·a (nā-trē′mē-ă, nā′trē-ē′mē-ă) [natrium, sodium + G. *haima*, blood]. ナトリウム血〔症〕（血液中にナトリウムが存在すること）.

na·trex·one hy·dro·chlor·ide (nă-treks′on hīdrō-klōr′īd). 塩酸ナトレキソン（経口で有効な麻薬拮抗薬であり，離薬後の麻薬依存症患者の維持療法に用いる）.

na·trif·er·ic (nā-trif′ĕr-ik) [natrium + L. *fero*, to carry]. ナトリウム排泄の（ナトリウム輸送を増加させること）.

na·tri·um (Na) (nā′trē-ŭm) [Ar. *natrūm* < G. *nitron*, carbonate of soda]. ナトリウム. =sodium.

na·tri·u·re·sis (nā′trē-yū-rē′sis) [natrium + G. *ouron*, urine]. ナトリウム排泄増加（ナトリウムの尿中排泄だが，通常ある種の疾患あるいは利尿薬の投与によってみられるナトリウム排泄増加をいう）.

na·tri·u·ret·ic (nā′trē-yū-ret′ik). ***1*** 〚adj.〛 ナトリウム排泄増加性の. ***2*** 〚n.〛 ナトリウム排泄増加薬（通常，糸球体沪過されたナトリウムイオンの尿細管再吸収を減少させることにより，ナトリウムの尿排泄を増加させる物質）.

Nat·tras·si·a man·gif·er·ae (na-tras′ē-ă man-gif′ĕr-ă). デマチウス科の真菌．かつて *Hendersonula toruloidea* として知られていたもので，爪真菌症や黒色真菌症の原因菌．*Scytalidium dimidiatum* は同一菌. =*Hendersonula toruloidea*.

na·tur·o·path (nā′chūr-ō-path). 自然療法医（自然療法を行使する人）.

na·tur·o·path·ic (nā′chūr-ō-path′ik). 自然療法の.

na·tur·op·a·thy (nā′chūr-op′ă-thē). 自然療法（外科的手段も薬物の力も用いずに，ただ自然の(すなわち非医薬的)力だけに頼る療法）.

nau·path·i·a (naw-path′ē-ă) [G. *naus*, ship + *pathos*, suffering]. 船酔い. =seasickness.

nau·se·a (naw′zē-ă, -zhă) [L. < G. *nausia*, seasickness < *naus*, ship]. 悪心，吐き気（嘔吐傾向から起こる症状）. = sicchasia (1).

epidemic n. 流行性悪心. =epidemic *vomiting*.

n. gravidarum 妊娠悪阻，つわり. =morning *sickness*.

nau·se·ant (naw′zē-ănt). ***1*** 〚adj.〛 催吐性の. ***2*** 〚n.〛 催吐薬（吐気を起こさせる薬）.

nau·se·ate (naw′zē-āt). 吐気を催す，吐気を催させる.

nau·se·at·ed (naw′zē-ā-tĕd). 吐気を催した. =sick (2).

nau·se·ous (naw′zē-ŭs, naw′shŭs). [純正主義者はこの非伝統的な意味に異議を唱えるが，現在ほとんどの話し手がこの意味で本語を用いる]. ***1*** 吐気を催した. ***2*** 催吐性の.

Nau·ta (nah′tă), Walle J.H. 米国人神経科医，1916—？ → N. *stain*.

na·vel (nā′vĕl) [A.S. *nafela*]. 臍，へそ. =umbilicus.

na·vic·u·la (nă-vik′yū-lă) [L. *navis*(ship)の指小辞]. 小さな船の形をした構造.

na·vic·u·lar (nă-vik′yū-lăr) [L. *navicularis*, relating to shipping][TA]. 〔足の〕舟状骨（足根部内側にある扁平な骨，すなわち後ろの面は凹面をなして距骨頭と関節し，前の面は凸面をなして3個の楔状骨と関節している骨）. =os naviculare [TA]; central bone of ankle; navicular (bone); os centrale tarsi.

navigation (nav′ĭ-gā′shŭn) [L. *navigatio* < *navigo*, to guide a ship < *navis*, ship + *ago*, to lead]. ナビゲーション，運行（船や他の乗り物の走行を調整する行為，または似たような感じで何かの走行を調節すること）.

image-guided n. 画像誘導下操作法（術前 CT または MRI により，三次元的座標を用いて外科解剖学的な構造と対応させる定位的手術法．それらの座標は描出された解剖学的な構造物の上の皮膚表面上の目印であったり，脊髄外科では，露出された外科的構造物上の指標となることもある．その手法は，術中の解剖学的な位置関係の正確性を高めるため様々の頭蓋内，脊髄，耳鼻科的，整形外科的な手技で用いられる）.

Nb ニオビウム，ニオブの元素記号.

NBT nitroblue *tetrazolium* の略.

NCV nerve conduction *velocity* の略.

Nd ネオジムの元素記号.

NDA New Drug *Application* の略.

NDP *nucleoside* diphosphate の略.

NE norepinephrine; not examined(検査せず)の略.

Ne ネオンの元素記号.

near·sight·ed·ness (nēr′sīt-ĕd-nes). 近視. =myopia.

ne·ar·thro·sis (nē′ar-thrō′sis) [G. *neos*, new + *arthrōsis*, a jointing]. 新関節〔症〕(新しい関節，例えば，癒合しない骨折により生じる偽関節，あるいは関節置換術に起因する人工関節). =neoarthrosis.

neb·ra·my·cin (neb′ră-mī′sin). ネブラマイシン (*Streptomyces tenebrarius* から産生される物質の複合体. 抗菌性がある).

nebul. nebula の略.

neb·u·la (nebul.), pl. **neb·u·lae** (neb′yū-lă, -lē) [L. fog, cloud, mist]. ***1*** 角膜白濁 (角膜がわずかに混濁して半透明になっていること). ***2*** 噴霧剤 (油性製剤. 噴霧して用いる. →spray). ***3*** スプレー.

neb·u·lar·ine (neb′yū-lār′in). ネブラリン (*Agaricus nebularis* および *Streptomyces* sp. から分離された毒性をもつヌクレオシド). =9-β-ribofuranosylpurine; purine ribonucleoside; ribosylpurine.

neb·ul·in (neb′yū-lin) [L. *nebula*, mist, fog < G. *nephelē* + -in][MIM*161650]. ネブリン (約3%の筋蛋白からなる巨大蛋白. アクチン重合化やアクチンフィラメントの構築を助ける働きをする).

neb·u·li·za·tion (neb′yū-li-zā′shŭn) [L. *nebula*, mist]. 噴霧化，噴霧療法. =vaporization.

neb·u·lize (neb′yū-līz) [L. *nebula*, mist]. 霧状にする，蒸発させる (液体を微細な噴霧または蒸気にする). =vaporize.

neb·u·liz·er (neb′yū-līz′ĕr). 噴霧器，ネブライザ (液体の薬物をきわめて微細に分離した霧状の粒子に変換する装置. 呼吸器の深部に薬物を投与するのに有用である. →atomizer; vaporizer).

jet n. ジェット噴霧器 (空気あるいはガス流を用いて液体を小さな粒子にする噴霧器).

spinning disc n. 回転盤噴霧器 (回転盤からの遠心力によって水を放出させて微粒子にする噴霧器).

ultrasonic n. 超音波噴霧器 (高周波の電力を用い，トランスデューサにエネルギーを与えて135万回/sec振動させ，噴霧室で水を0.5—3 μmの微粒子に砕く加湿器. 吸入療法に用いる).

Ne·ca·tor (nē-kā′tŏr) [L. a murderer]. アメリカ鉤虫属 (線形動物門に属する鉤虫の一属(鉤虫科アメリカ鉤虫亜科)で，口腔中の2枚のキチン質歯板と，雄の融合した交接棘により識別される. アメリカ鉤虫 *N. americanus*，いわゆる新世界鉤虫(ただし，本種はアフリカ，南アジア，ポリネシアの各熱帯地域にも流行している)を含む. 本種の成虫は，小腸絨毛に接着して吸血し，腹痛，下痢(通常，黒色便を伴う)，仙痛，食欲不振，体重減少，低色素性小赤血球性貧血を生じ，さらに病状が進行することもある. →*Ancylostoma*).

ne·ca·to·ri·a·sis (nē-kā′tō-rī′ă-sis). アメリカ鉤虫症 (アメリカ鉤虫属 *Necator* により起こる鉤虫症. 感染の結果起こる貧血は，通常，*Ancylostoma* により起こる鉤虫症の貧血より軽症である).

neck (nek) [A.S. *hnecca*][TA]. 頸〔部〕，くび (①頭部と体幹部とを結合している身体部分で頭蓋底から肩の最上部までの部位. ②解剖学において，動物の首に似ていると思われるくびれた部分の総称. ③体節あるいは片節を発達させる条虫類の成虫の発育部分をさす. 頭節の後方の条虫分節部分). =cervix (1) [TA]; collum*.

anatomical n. of humerus [TA]. 〔上腕骨の〕解剖頸 (上腕骨頭および大・小結節より下方の細くなった部分). =collum anatomicum humeri [TA].

buffalo n. 野牛頸 (中程度の後弯症に加えて厚く重い脂肪の塊が頸部にできる状態. 特にCushing症候群の患者にみられる).

bull n. 牛頸 (肥大した筋肉あるいは拡大した頸部リンパ節によって起こる肥厚した頸).

dental n. 歯頸. =n. of tooth.

n. of femur [TA]. 大腿骨頸 (間接突起における下顎頭のすぐ下の狭窄した部分). =collum femoris [TA]; collum ossis femoris; n. of thigh bone.

n. of fibula [TA]. 腓骨頸 (腓骨頭と腓骨体との間のわずかにくびれた部分). =collum fibulae [TA].

n. of gallbladder [TA]. 〔胆嚢の〕頸 (胆嚢体部と胆嚢管起始部の間の細い部分). =collum vesicae biliaris [TA]; collum vesicae felleae*.

n. of glans of penis [TA]. 〔陰茎の〕亀頭頸 (陰茎亀頭冠後方のくびれ). =collum glandis penis [TA].

n. of hair follicle 毛包頸 (毛球と皮表間にある毛包の狭窄部分). =collum folliculi pili.

n. of humerus 上腕骨頸 (→anatomical n. of humerus; surgical n. of humerus).

Madelung n. (mah′dĕ-lūng). マーデルング頸 (頸部に限局する多発性対称性脂肪腫症(Madelung病)).

n. of malleus [TA]. つち骨頸 (頭と柄の間のつち骨の狭窄した部分). =collum mallei [TA].

n. of mandible [TA]. 下顎頸 (大腿骨幹の上端から約125°の角度で突き出し，先端に骨頭を備える短い頑丈な棒状部分). =collum mandibulae [TA].

n. of pancreas [TA]. 膵頸 (膵臓の頭部と体部をつなぐ2 cmほどの部分で，前は十二指腸，上腸間膜静脈，脾静脈の合流部，後ろは門静脈の開始部に当たる). =collum pancreaticus [TA].

n. of radius [TA]. 橈骨頸 (橈骨頭直下の橈骨体の細い部分). =collum radii [TA].

n. of rib [TA]. 肋骨頸 (肋骨頭と肋骨結節間の扁平部分). =collum costae [TA].

n. of scapula [TA]. 肩甲頸 (関節窩と烏口突起からなる部分を，肩甲骨の他の部分から分けるわずかなくびれ). =collum scapulae [TA].

stiff n. 項〔部〕硬直 (首の運動制限を意味する不適切な語. しばしば筋痙攣により，痛みを伴う).

surgical n. of humerus [TA]. 〔上腕骨の〕外科頸 (上腕骨頭および大・小結節より下方の細くなった部分). =collum chirurgicum humeri [TA].

n. of talus [TA]. 距骨頸 (距骨頭または前方部分を骨体から分けるくびれ). =collum tali [TA].

n. of thigh bone 大腿骨頸. =n. of femur.

n. of tooth [TA]. 歯頸 (歯冠と歯根の間のわずかにくびれた部分). =cervix dentis [TA]; cervix of tooth*; cervical margin of tooth; cervical zone of tooth; collum dentis; dental n.

turkey gobbler n. 顎の下に垂れ下がる大きな皮膚のしわのこと.

n. of (urinary) bladder [TA]. 膀胱頸 (底および下外側面の会合によって形成される膀胱最下部). =cervix vesicae urinariae [TA]; collum vesicae*.

n. of uterus 子宮頸〔部〕. =*cervix* of uterus.

webbed n. 翼状頸 (鎖骨から頭部にまでのびた皮膚の外側のひだによる異常なほど幅が広くみえる頸. しかし，筋肉や骨やその他の構造物は含まない. Turner症候群とNoonan症候群にみられる).

n. of womb 子宮頸〔部〕. =*cervix* of uterus.

wry n. 斜頸. =torticollis.

neck·lace (nek′lăs). ネックレス (頸部の周りを取り巻くように生じる皮疹を示す用語).

Casal n. (kah-sahl′). カサルネックレス (ペラグラで，首の低い部分の周りに一部分あるいは全周にできる皮膚炎).

necr- →necro-.

ne·crec·to·my (ne-krek′tŏ-mē) [necr- + G. *ektomē*, excision]. 壊死部切除〔術〕(壊死組織を手術で除去すること).

necro-, necr- [G. *nekros*, corpse]. 死あるいは壊死に関する連結形.

nec·ro·bac·il·lo·sis (nek′rō-bas-il-ō′sis). 壊死杆菌症 (細菌 *Fusobacterium necrophorum* が分離される疾病).

nec·ro·bi·o·sis (nek′rō-bī-ō′sis) [necro- + G. *biōs*, life]. =bionecrosis. ***1*** 生理的組織変性 (発育，老化，あるいは使用に伴う変化の結果，細胞あるいは組織の生理的あるいは正常な死). ***2*** 類壊死〔症〕(組織の局所の壊死).

n. lipoidica, n. lipoidica diabeticorum リポイド類壊死〔症〕，糖尿病性リポイド類壊死〔症〕(多くの場合，糖尿病に関連し，萎縮した黄色で光沢性の病変が1つ以上下肢(特に前脛骨部)にできる状態. 組織学的に皮膚の不明瞭な壊死部を特徴とする).

nec·ro·bi·ot·ic (nek′rō-bī-ot′ik). 生理的組織変性の，類壊死〔性〕の.

nec·ro·cy·to·sis (nek′rō-sī-tō′sis) [necro- + G. *kytos*, cell + *-osis*, condition]. 細胞壊死 (異常なあるいは病理的な細胞の死をもたらす過程，あるいはそれによって特徴付けられ

る状態).

nec·ro·gen·ic (nek′rō-jen′ik) [necro- + G. *genesis*, origin]. 死物〔性〕の. = necrogenous.

ne·crog·e·nous (nĕ-kroj′ĕ-nŭs). = necrogenic.

nec·ro·gran·u·lo·ma·tous (nek′rō-gran′yū-lō′mă-tŭs). 壊死肉芽腫性の（中心壊死を有する肉芽腫の特性をもつことを表す，現在では用いられない語）.

ne·crol·o·gist (nĕ-krol′ŏ-jist). 死亡統計学者（死亡統計学の研究者あるいは専門家）.

ne·crol·o·gy (nĕ-krol′ŏ-jē) [necro- + G. *logos*, study]. 死亡統計学（死亡統計値を収集し，分類し，解釈する科学）.

ne·crol·y·sis (nĕ-krol′i-sis) [necro- + G. *lysis*, loosening]. 表皮壊死症（組織の壊死と剝離）.

toxic epidermal n. (**TEN**) 中毒性表皮壊死症（皮膚の大部分が表皮壊死を伴う強度な紅斑性となり，II 度熱傷のように皮がむける症候群．しばしば弛緩性の水疱を伴う．薬物過敏症その他の原因で起こる．皮膚剝離のレベルは表皮下であり，SSSS(staphylococcal scalded skin syndrome) が角層下で起こるのと異なる）. = Lyell syndrome.

nec·ro·ma·ni·a (nek′rō-mā′nē-ă) [necro- + G. *mania*, frenzy]. ***1*** 死亡狂（死に対するあこがれをもち続ける病的な傾向）. ***2*** 死体狂（死体に病的に惹きつけられること）.

ne·crom·e·ter (nĕ-krom′ĕ-tĕr) [necro- + G. *metron*, measure]. 検死計，死体計測器（死体あるいはその一部分または器官の測定に用いる道具）.

nec·ro·par·a·site (nek′rō-par′ă-sīt). 死物寄生体，腐生菌. = saprophyte.

ne·crop·a·thy (nĕ-krop′ă-thē) [necro- + G. *pathos*, disease]. 壊疽〔傾向〕（組織の死あるいは壊疽の傾向）.

ne·croph·a·gous (nĕ-krof′ă-gŭs) [necro- + G. *phagō*, to eat]. ***1*** 死肉食の（死肉を常食とする）. ***2*** = necrophilous.

nec·ro·phil·i·a, ne·croph·i·lism (nek′rō-fil′ē-ă, nĕ-krof′i-lizm) [necro- + G. *phileō*, to love]. ***1*** 死体〔性〕愛（死体と一緒にいたいという病的な嗜好）. ***2*** 死姦（死体と性交，あるいは類似の行為をしたいという衝動．通常，男性が女性の死体に対してもつ）.

ne·croph·i·lous (nĕ-krof′i-lŭs) [necro- + G. *philos*, fond]. 死物寄生性の，腐生〔性〕の，腐食性の（死んだ組織を好む，ある種の細菌についていう）. = necrophagous (2).

nec·ro·pho·bi·a (nek′rō-fō′bē-ă) [necro- + G. *phobos*, fear]. 死体恐怖〔症〕（死体に対する病的な恐れ）.

nec·rop·sy (nek′rop-sē) [necro- + G. *opsis*, view]. 検死，剖検. = autopsy (1).

nec·ro·sa·dism (nek′rō-sād′izm) [necro- + sadism]. 死体加虐性愛（死体を切断することによって得られる性的満足）.

ne·cros·co·py (nĕ-kros′kŏ-pē) [necro- + G. *skopeō*, to examine]. 検死，剖検（autopsy に対してまれに用いる語）

ne·crose (nĕ-krōz′). ***1*** 壊死を起こす. ***2*** 壊死になる.

nec·ro·sec·to·my (nĕ-k′rō-sek-tŏ-mē). 壊死組織切除術（壊死組織の切除）.

ne·cro·sis (nĕ-krō′sis) [G. *nekrōsis*, death < *nekroō*, to make dead]. 壊死（1つ以上の細胞，あるいは組織や器官の一部分の病理的な死．不可逆性の損傷により生じる．最初の不可逆性変化は，電子顕微鏡でみられるミトコンドリアの腫脹および顆粒性カルシウム沈積である．最もよく変化がみられるのは核である．ⓘ核濃縮，すなわち萎縮して塩基性の色素に異常に濃く染まる．ⓘⓘ核溶解，すなわち膨潤して好塩基性の色素に異常に薄く染まる．ⓘⓘⓘ核崩解，すなわち核の破壊および細分化．これらの変化の後に個々の細胞の輪郭が不明瞭になり，影響を受けた細胞が併合し，ときには粗い顆粒状の，無形の，あるいはヒアリン質の病巣を形成する）.

acute massive liver n. 急性広汎性肝壊死（肝臓実質細胞が広範にわたり急速に死滅し，ときに臓器全体が脂肪変性をきたす病変．壊死はウイルス性劇症肝炎，薬物中毒などにより生じ，黄疸を伴う）. = acute parenchymatous hepatitis; acute yellow atrophy of the liver; Rokitansky disease (1).

acute retinal n. (**ARN**) 急性網膜壊死（免疫不全症例に生じるウイルス性症候群．網膜辺縁に円周状に進展する障害を特徴とし網膜剝離 retinal *detachment* を生じる）.

aseptic n. 無菌壊死（無感染で起こる壊死）.

avascular n. 虚血壊死，乏血壊死（血液供給の欠乏による壊死）.

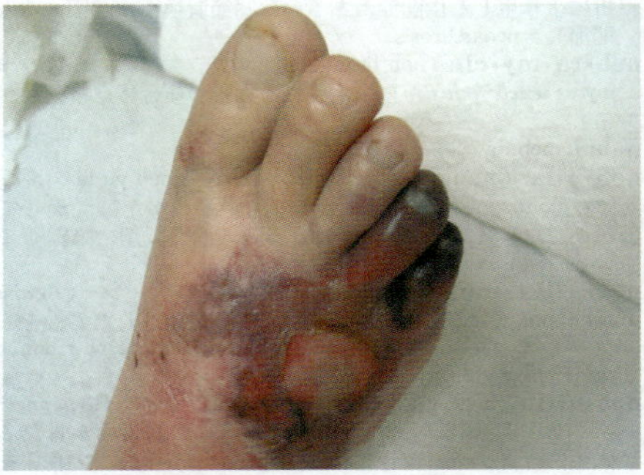

effects of diabetes on foot
趾の壊死.

bridging hepatic n. 架橋状肝壊死（隣接する門脈域と中心静脈を繋ぐ肝壊死域．引き続いて起こる壊死後性破壊と線維化から肝硬変に至ると思われる）.

caseous n., caseation n. 乾酪壊死（例えば，結核やヒストプラスマ症などのある種の炎症に特徴的な壊死．種々の細胞および組織要素からなる個々の構造の損失を伴う壊死を表す．侵された組織はチーズにみられるようにもろくて砕けやすく，光沢がない不透明な性質をもつ）. = caseous degeneration.

central n. 中心壊死（組織や器官などの，より深いあるいはより内部の部分を侵す壊死）.

coagulation n. 凝固壊死（壊死の一種で，壊死に陥った細胞あるいは組織が，梗塞中に起こるような蛋白の凝固の結果，乾燥した光沢のない，かなり均一なエオシン親和性の塊になる．核は染色されない．顕微鏡的には，この壊死の過程は主として細胞および組織要素の残遺物(例えば，弾力素，コラーゲン，筋線維)が，細胞の〝ゴースト〟や細胞膜の一部分とともに観察される．同壊死は，熱，虚血，および失活した細胞物質を変化させ続ける酵素を含む組織を破壊するその他の薬物によって起こる）.

colliquative n. liquefactive n. を表す現在では用いられない語.

contraction band n. 収縮性の帯状壊死. = contraction *band*.

cystic medial n. 嚢胞性中膜壊死（大動脈中膜の弾力線維および筋線維の消失．ときに線維間の嚢胞状の空間に起こり，ムコ多糖類の蓄積を伴う．原因不明であるが遺伝性の場合も考えられ，解離性動脈瘤にかかりやすい）. = Erdheim disease; medionecrosis aortae idiopathica cystica; medionecrosis of the aorta; mucoid medial degeneration.

epiphysial aseptic n. 骨端無菌壊死（小児または成人における骨端の無菌壊死で，虚血によると思われる．大腿骨の上端(Legg-Calvé-Perthes 病)，脛骨結節(Osgood-Schlatter 病)，足根舟状骨，膝蓋骨(Köhler 病)，第二中足骨頭部(Freiberg 病)，椎体(Scheuermann 病)，上腕骨小頭(Panner 病)を侵す）.

fat n. 脂肪〔組織〕壊死（小さく(1—4 mm)，くすんだ灰白色の病変を特徴とする．脂肪がグリセロールと脂肪酸とに加水分解されるとき壊死組織中にできる少量のカルシウム石けんにあたる）. = steatonecrosis.

fibrinoid n. 線維素様壊死（壊死組織が線維素に似たいくつかの染色反応をもち，強い好酸性，均質性，屈折性をもつ）.

focal n. 巣状壊死（無数の，比較的小さく，かなり限局された，通常，楕円体の組織の部分で，凝固性，乾酪性，ゴム腫性の壊死をさす．小さい病巣は血行性で播種される因子に特に関連している．組織片でのみ観察されることが多いが，病巣は1—3 mm の大きさで，肉眼でも観察できる．これより大きい病巣は通常，巣状壊死とはよばない）.

ischemic n. 虚血性壊死，乏血性壊死（梗塞形成によるような，血液供給の局所的妨害による低酸素症によって起こる壊死）．

laminar cortical n. 層性皮質壊死（大脳皮質中の一定の細胞層の破壊．一時的な心臓停止または周生期低酸素症の後に典型的に現れる）．

liquefactive n. 液化壊死（かなり限局された，顕微鏡的あるいは肉眼で見える病変．不透明または濁ってくすんでおり，灰白色から黄灰色で，軟らかくまたは泥状のこともあり，部分的または全体にわたり液状の組織の残遺物からなる．この残遺物が壊死となり，特に白血球崩壊により遊離する蛋白分解性の酵素によって分解される．同壊死は，膿瘍中に古くから観察され，またしばしば脳の梗塞中にみられる）．

progressive emphysematous n. 進行性気腫性壊死．＝gas *gangrene.*

progressive outer retinal n. (**PORN**) 進行性網膜外層壊死（エイズ患者に生じるウイルス性症候群．ヘルペスウイルスを原因とし辺縁網膜の破壊を特徴とする）．

renal papillary n. 腎乳頭壊死（急性腎盂腎炎，特に糖尿病患者あるいは鎮痛薬性腎症患者にみられる．腎不全を起こすことがある）．＝necrotizing papillitis.

simple n. 単純壊死（凝固壊死の一段階．細胞質中で粗顆粒あるいはヒアリン質の変化が起こり，死んだ細胞の全体的構造は比較的変化しないまま，核が認められない状態）．

subcutaneous fat n. of newborn 新生児皮下脂肪壊死（硬結した斑や結節で，生後数日から数週に出現し，数か月以内に消退する．顕微鏡的な特徴としては，複屈折する針状結晶が壊死した脂肪細胞のうちに認められる．新生児皮膚硬化症と異なり病変は限局性に留まるが，高カルシウム血症となることがある）．

suppurative n. 化膿性壊死（膿の形成を伴う液状壊死）．

total n.〔完〕全壊死（①乾酪壊死のように，組織の一部分の細胞あるいは組織の要素の完全な壊死．②器官の全体の死，または部分的な死）．

zonal n. 区域壊死（解剖学上の１つの区域に限って侵される壊死．ことに肝小葉の門脈路か肝静脈のどちらかの近位部に現れる）．

nec·ro·sper·mi·a (nek′rō-sper′mē-ă)［necro- + G. *sperma*, seed］．精子死滅〔症〕，死精子〔症〕（精液中に死んでいるか，動かない精子がいる状態）．

ne·cros·te·on, ne·cros·te·o·sis (nĕ-kros′tē-on, nĕ-kros-tē-ō′sis)［necro- + G. *osteon*, bone］．骨壊疽．

ne·crot·ic (nĕ-krot′ik)．壊死〔性〕の（［非標準の逆成語 necrosed の代わりに本語を使わないこと］）．

ne·crot·o·my (nĕ-krot′ŏ-mē)［necro- + G. *tomē*, cutting］．***1*** 死体解剖．＝dissection．***2*** 壊死組織除去〔術〕，腐骨摘出〔術〕（腐骨あるいは骨の壊死部分を除去する手術）．

osteoplastic n. 骨形成性腐骨切除〔術〕（ちょうつがいで留めたようにした骨の窓を通して腐骨を除去する手術．骨の窓は後に置き換えられる）．

nee·dle (nē′dĕl)［M. E. *nedle* < A. S. *nǣdl*］．***1***〖n.〗針（通常は鋭い先端をもつ細く，堅い道具．組織を穿刺したり，縫合したり，血管の周りに結紮糸を通すために用いる）．***2***〖n.〗針（注入または吸引，生検，あるいは血管その他の箇所にカテーテルを導入するために用いる管状針）．***3***〖v.〗切開する（小部分の解剖で，１，２本の針を用いて組織を分ける）．***4***〖v.〗切割する（針尖刀で白内障の切離を行う）．

aneurysm n., artery n. 動脈瘤針（先の鈍い，弯曲した針．取っ手が付いており先端に針孔がある．動脈の周りに結紮糸を通すために用いる）．

aspirating n. 吸引用針（窩洞から液体を吸い出すのに用いる管状針．片方の端に付けた吸引管と組み合わせてある）．

atraumatic n. 無外傷性針（針孔がない外科用縫合針．管状端に永久的に固定された縫合糸が付いている）．

biopsy n. 生検針，バイオプシー針（組織学研究の目的で組織のコアを採るのに用いる中空の針）．

cataract n. 白内障針．＝knife n.

cutting n. 切開針（丈夫な組織を穿刺するために工夫された表面が角ばっている手術用の針）．

Deschamps n. (dā-sham′)．デシャン針（深部組織に縫合糸を通すための長い軸をもった針）．

Emmet n. (em′ĕt)．エメット針（先端に針孔があり，幅広い弯曲をもち，取っ手の付いた強い針．切離されていない構造物の周囲に結紮糸を通すために用いる）．

exploring n. 診査針，探査電極針，診断用套管針（縦溝をもつ丈夫な針．液があるかどうかを調べるために腫瘍または窩洞に差し込まれ，液は縦溝に沿って外に出てくる）．

Francke n. (frahng′ke)．フランケ針（小さな槍状のバネで操作される針．少量の血液の滲出液を取り出すために用いる）．

Frazier n. (frā′zhĕr)．フレージャー針（脳の側脳室から排液するための針）．

Gillmore n. (gil′mōr)．ギルモア針（歯科用セメントの硬化時間を得るための器具）．

Hagedorn n. (hahg′ĕ-dōrn)．ハーゲドルン針（両端が平らで弯曲した外科用縫合針）．

hypodermic n. 皮下〔注射〕針（吸引針に似ているがより小さい管状針．注射器に付けて，主として注射のために用いる）．

intraosseous n. 骨髄針（骨髄内輸液を目的とした柄付きの長い金属製外套針．静脈確保が困難な小児に対する緊急輸液に用いられる）．

knife n. 針尖刀（先端に針が付いたごく細い小刀．白内障の切離術に用いる）．＝cataract n.

lumbar puncture n. 腰椎穿刺針（脊柱管または大槽に入れるためのスタイレットをもつ針．内径は１mm 以上，長さは 40 mm 以上ある）．＝spinal n.

Millner n. ミルナー針（細くて糸のためのめどのある，角ばっていない針で，しばしば皮膚の縫合に用いられる）．

Salah sternal puncture n. (sah′lah)．サラー胸骨穿刺針（胸骨から赤色骨髄の検体を得るために用いる広径針）．

spatula n. へら針（平らで表面が陥凹している小さい針．眼の手術に用いる）．

spinal n. 腰椎穿刺針．＝lumbar puncture.

stop-n. 鍔付き針（先端に針孔をもつ外科用針．軸には，組織中適当な距離を進んだとき，針を止めるための突出した鍔が付いている）．

Tuohy n. (tū′hē)．テュオヒー針（先端側方に開口している針で，内腔を通したカテーテルが 45 度の角度で側方に出るようになっている．クモ膜下腔や硬膜外腔にカテーテルを置く際に用いる）．

Veress n. (fer′es)．ヴェレス針（［誤ったつづり Verres を避けること］．腹腔鏡下手術の際，腹腔内送気前に腹腔に到達するために使用するバネのついたスタイレット）．

nee·dle-hold·er, nee·dle-car·ri·er, nee·dle-driv·er (nē′dĕl-hōld′ĕr)．持針器（縫合の際，針をつかむために用いる手に持つ器具）．＝needle forceps.

Nee·dles (nē′dĕlz), J.W. 20 世紀の米国人歯科医．→N. split cast *method*.

Nee·dles (nē′dĕlz), Carl F. 20 世紀の米国人小児科医．→Melnick-N. *osteodysplasty*, *syndrome*.

need·ling (nēd′ling)．切割，穿刺（軟性白内障あるいは二次性白内障の切割）．

Neel·sen (nēl′sen), Friedrich K.A. ドイツ人病理学者，1854—1894．→Ziehl-N. *stain*.

ne·en·ceph·a·lon (nē′en-sef′ă-lon)［G. *neos*, new + *enkephalos*, brain］．新脳（体節性神経系(旧脳)上にある高レベルの中枢神経系を示す L. Edinger の造語）．＝neoencephalon.

NEEP (nēp)．ニープ(negative end-expiratory *pressure* の略および頭字語)．

Nef·tel (nĕf′tĕl), William B. 米国人精神科医，1830—1906.

ne·ga·tion (nĕ-gā′shŭn)．否定．＝denial.

neg·a·tive (neg′ă-tiv)［L. *negativus* < *nego*, to deny］．［negative findings および negative results のように，normal の同意語として，またはあいまいになりがちな表現において，本語の隠語的使用を避けること］．***1***〖n.〗陰性，ネガティブ，正常．***2***〖adj.〗否定の，拒否の，陰性の（応答のないこと，反応のないこと，問題の状態にないことを示す）．

neg·a·tive G (neg′ă-tiv)．逆G（飛行中や逆立ちしているときに，足から頭の向きにかかる重力．positive G の対語）．

neg·a·tive S (neg′ă-tiv)．負スヴェードベリー単位．＝flotation *constant*.

neg·a·tiv·ism (neg′ă-tiv-izm)．拒絶〔症〕（頼まれたことと逆のことをしたり，理由がはっきりせず頑固に抵抗する傾向．緊張性昏迷状態やよちよち歩きの子供にみられる）．

neg·a·tron (neg′ă-tron). 陰電子（陽電子の運ぶ正の電荷に対し負の電荷を運ぶことを強調するために電子に用いる語）.

ne·glect (nĕ-glĕkt′) [L. *neglego*, to leave out of account < *nec*, not + *lego*, to choose]. ***1*** 〖v.〗 軽視する，無視する（義務を果たさない．注意や保護を怠る）．***2*** 〖n.〗 ネグレクト，無視（適切な注意力の欠如）.

color n. (kŏl′ĕr). 色失認（描出者が色を再生する領域での色に対する適切な認識の欠如による視覚失認の亜型）.

graphic n. (graf′ik). 描出失認（描出者が形状を再生する領域での輪郭または形状，またはその両者に対する適切な認識の欠如による視覚失認の亜型）.

visual n. 視覚失認（様々な大脳皮質異常により視覚刺激が認知されない状態）.

Ne·gri (nā′grē), Adelchi. イタリア人医師，1876—1912. →N. *bodies*, *corpuscles*.

Ne·gro (nā′grō), Camillo. イタリア人神経科医，1861—1927. →N. *phenomenon*.

Neis·ser (nī′sĕr), Albert L.S. ドイツ人医師，1855—1916. →*Neisseria*; N. *coccus*, *syringe*.

Neis·ser (nī′sĕr), Max. ドイツ人細菌学者，1869—1938. →N. *stain*.

Neis·se·ri·a (nī-sē′rē-ă) [A. *Neisser*]. ナイセリア属（隣接面が扁平で対になってみられるグラム陰性球菌で，好気性，のナイセリア科の細菌の一種．これらの細菌は動物の寄生体である．標準種は *N. gonorrhoeae*）.

N. catarrhalis *Moraxella catarrhalis* の旧名.

N. caviae モルモットをはじめ，他の動物の咽頭部にもみられる種.

N. flava ヒトの気道粘膜の中にみられる種．髄膜炎菌 *N. meningitidis* と区別しにくい．= *N. subflava*.

N. flavescens 髄膜炎の患者の髄液中にみられる細菌種．ヒトの気道の粘膜中に存在すると考えられる.

N. gonorrhoeae 淋菌（ヒトに淋病や他の感染症を引き起こす種．*Neisseria* の標準種）. = gonococcus; Neisser coccus.

N. haemolysans *Gemella haemolysans* の旧名.

N. meningitidis 髄膜炎菌（ヒトの鼻咽頭にみられるが，他の動物中ではみられない種．髄膜炎菌性脳脊髄膜炎および髄膜炎菌血症の原因菌．顕著な病原性をもつ菌は，強いグラム陰性を示し，単独あるいは対になって出現する．対になっている場合は，菌体はのびて長軸に平行に並び，腎臓形の側面を向かい合わせる．血清学的特異性を有する被嚢多糖体の特徴によってグループ分けをし，大文字で表記する（主たる血清学的グループはA，B，C，D））. = meningococcus; Weichselbaum coccus.

N. sicca ヒトの気道の粘膜中にみられる細菌種.

N. subflava. = *N. flava*.

neis·se·ri·a, pl. **neis·se·ri·ae** (nī-sē′rē-ă, nī-sē′rē-ē). ナイセリア類（*Neisseria*属の種をさして用いる通称）.

Né·la·ton (nā-lah-tawn[h]′), Auguste. フランス人外科医，1807—1873. →N. *catheter*, *fibers*, *line*, *sphincter*; Roser-N. *line*.

Nel·son (nel′sŏn), Don H. 20世紀の米国人内科医. →N. *syndrome*, *tumor*.

nem (nehm) [Ger. *Nahrungseinheit Milch*, milk nutrition unit]. ネム（栄養価の単位．母乳の栄養成分が2/3 cal に相当するカロリー価をもつ1gの母乳として定義される）.

nema-, nemat-, nemato- [G. *nēma*]. 糸，糸様の，を意味する連結形.

nem·a·thel·minth (nem′ă-thel′minth). 線形動物（線形動物門に属する動物）.

Nem·a·thel·min·thes (nem′ă-thel-min′thēz) [nemat- + G. *helmins*, *helminthos*, worm]. 線形動物門（以前は擬体腔をもつ動物からなる門と考えられていたが，現在はこれらは鉤頭動物門，曲形動物門，輪形動物門，腹毛動物門，動吻動物門，線形動物門，類線形動物門に区分されている）.

nem·a·ti·ci·dal, nem·a·to·ci·dal (nem′ă-ti-sī′dăl). 線虫撲滅性の.

ne·mat·i·cide, nem·a·to·cide (nĕ-mat′i-sīd) [nematode + L. *caedo*, to kill]. 抗線虫薬，線虫駆除薬（線虫類を殺す薬剤）.

nem·a·ti·za·tion (nem′ă-tī-zā′shŭn). 線虫による外寄生.

nem·a·to·blast (nem′ă-to-blast′) [G. *nēma*, thread + *blastos*, germ]. = spermatid.

nem·a·to·cyst (nem′ă-tō-sist) [nemato- + G. *kystis*, bladder]. 刺胞，刺糸胞（腔腸動物の刺す細胞．有毒な嚢と，突き出すことができ接触した動物の皮膚を刺すコイル状のさかとげのある刺糸をもつ．大きなクラゲや電気クラゲに主にみられ，それらの膨大な刺細胞は激痛をもたらし，ときには死に至らせる）. = cnida; cnidocyst.

Nem·a·to·da (nem′ă-tō′dă) [nemat- + G. *eidos*, form]. 線形動物門（線虫類．人体寄生の種とそれよりはるかに多数の植物寄生性ならびに土壌中や水中にすむ自由生活性の種からなる蠕虫の多くを含む大きな門．便宜上，寄生線虫は人体内での成虫の寄生部位により2つのグループに分けられる．ⓘ腸管内線虫：回虫属 *Ascaris*，鞭虫属 *Trichuris*，鉤虫属 *Ancylostoma*，アメリカ鉤虫属 *Necator*，糞線虫属 *Strongyloides*，*Enterobius*属，および旋毛虫属 *Trichinella*．ⓘⓘ血液，リンパ組織，および内臓に寄生する糸状虫：バンクロフト糸状虫属 *Wuchereria*，常在糸状虫属 *Mansonella*，ロア糸状虫属 *Loa*，回旋糸状虫属 *Onchocerca*，およびメジナ虫属 *Dracunculus*）.

nem·a·tode (nem′ă-tōd). 線虫（線虫門の回虫をさす一般名）.

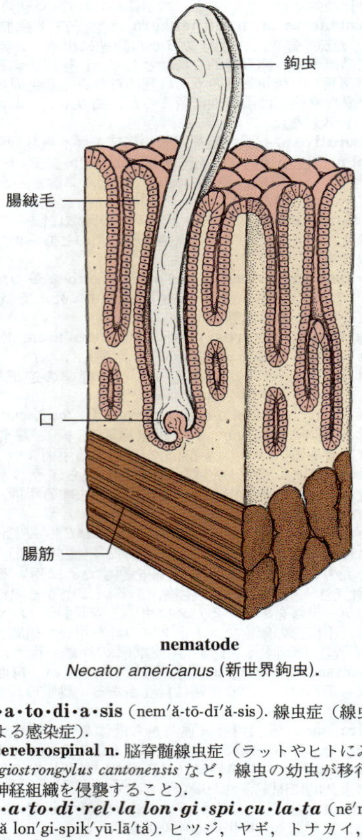

nematode
Necator americanus（新世界鉤虫）.

nem·a·to·di·a·sis (nem′ă-tō-dī′ă-sis). 線虫症（線虫寄生体による感染症）.

cerebrospinal n. 脳脊髄線虫症（ラットやヒトにみられる *Angiostrongylus cantonensis* など，線虫の幼虫が移行して中枢神経組織を侵襲すること）.

Nem·a·to·di·rel·la lon·gi·spi·cu·la·ta (nē′mă-tō-di-rel′ă lon′gi-spik′yū-lā′tă). ヒツジ，ヤギ，トナカイ，アメリカヘラジカ，ジャコウウシ，エダツノカモシカの小腸に寄生する糸状の首をもつ毛様線虫の一種.

nem·a·toid (nem′ă-toyd). 線虫の.

nem·a·tol·o·gist (nem′ă-tol′ŏ-jist). 線虫学者（線虫学の専門家）.

nem·a·tol·o·gy (nem′ă-tol′ŏ-jē) [nematode + G. *logos*, study]. 線虫学（線虫およびそれらの生物学，ヒトへの重要

性などあらゆる面を扱う科学).

nem·a·to·sper·mi·a (nem′ă-tō-sper′mē-ă) [nemat- + G. *sperma*, seed]. 線形精子（球形精子とは異なり，ヒトに存在するような長い尾をもつ精子).

Némethy (nem′ĕ-thē), George. 20 世紀のハンガリー系米国人生化学者. →Adair-Koshland-N.-Filmer *model*; Koshland-N.-Filmer *model*.

neo- [G. *neos*]. 新しい，最近の，を意味する接頭語.

ne·o·ad·ju·vant (nē′ō-ad′jū-vănt) [neo- + adjuvant]. 新補助療法（癌に対して術前に行う化学療法あるいは放射線照射).

ne·o·an·ti·gens (nē′ō-an′ti-jenz). 新生抗原（①代謝によって形成される抗原性蛋白(例えば薬物代謝). ②＝tumor *antigens*).

ne·o·ar·thro·sis (nē′ō-ar-thrō′sis). 新関節. ＝nearthrosis.

Ne·o·as·ca·ris vi·tu·lo·rum (nē′ō-as′kă-ris vi′tyū-lō′rŭm). ウシ，水牛，まれにヒツジの小腸に寄生する大きな回虫. 米国ではあまりみられないが，他の地域では重大なウシの寄生虫. げっ歯類およびヒトに実験的に感染させることができる.

ne·o·bi·o·gen·e·sis (nē′ō-bī′ō-jen′ĕ-sis) [neo- + G. *bios*, life + *genesis*, origin]. 生物新発生〔説〕（生命が無生物から由来しうるという説).

ne·o·blad·der (nē′ō-blad′ĕr). 新膀胱（手術によってつくられ膀胱の代用となる. 通常は胃または腸が用いられる).

ne·o·blas·tic (nē′ō-blas′tik) [neo- + G. *blastos*, germ, offspring]. 新生組織の（新しい組織中で成長する，あるいは新しい組織の特徴をもつことをいう).

neocartilage 新生軟骨（試験管内培養軟骨移植片で，ヒトの軟骨細胞から作成した接合物. 関節軟骨欠損の治療に用いる).

ne·o·cer·e·bel·lum (nē′ō-ser′ĕ-bel′um) [TA]. 新小脳（小脳半球の外側の大部分をさす系統発生学の用語. 主として橋核から線維が入力しているが，橋核には大脳皮質のあらゆるところから発した線維が届いている. 系統発生的には古小脳，旧小脳(→paleocerebellum)よりも新しい. 例えば新小脳はヒトを含む霊長類で最高度に発達している). ＝corticocerebellum.

ne·o·chy·mo·tryp·sin·o·gen (nē′ō-kī′mō-trip-sin′ō-jen). ネオキモトリプシノーゲン（キモトリプシノーゲンが α-キモトリプシンに，キモトリプシン開裂によって変わる際の中間体).

ne·o·cor·tex (nē′ō-kōr′teks) [TA]. 新皮質，ネオコルテックス. ＝isocortex.

ne·o·cys·tos·to·my (nē′ō-sis-tos′tŏ-mē) [neo- + G. *kystis*, bladder + *stoma*, mouth]. 新膀胱造瘻術. ＝ureteroneocystostomy.

ne·o·cy·tol·y·sis (nē′ō-sī-tol′i-sis). 新生血球崩壊（未熟な赤血球が選択的に溶血する生理的過程で，赤血球が過剰となった新しい環境に適応するためのものである. 宇宙飛行に関連した貧血患者での研究から発見された).

ne·o·dym·i·um (Nd) (nē′ō-dim′ē-ŭm) [neo-, new + G. *didymos*, twin (of lanthanum)]. ネオジム（希土元素の 1 つで，原子番号 60，原子量 144.24).

ne·o·en·ceph·a·lon (nē′ō-en-sef′ă-lon). ＝neencephalon.

ne·o·fe·tal (nē′ō-fē′tăl). 初期胎児の（胎芽期より胎児期に移行するまでの短い期間をいう).

ne·o·fe·tus (nē′ō-fē′tŭs). 初期胎児（胎芽から胎児への遷移時期にある子宮内の約 8 週の生物体).

ne·o·for·ma·tion (nē′ō-fōr-mā′shŭn). ***1*** 新生物〔形成〕（新生物の生成). ***2*** 再生組織〔形成〕（再生過程あるいは再生した組織や部分をさすことがある).

ne·o·gen·e·sis (nē′ō-jen′ĕ-sis) [neo- + G. *genesis*, origin]. 新生. ＝regeneration (1).

ne·o·ge·net·ic (nē′ō-jĕ-net′ik). 新生の.

ne·o·ki·net·ic (nē′ō-ki-net′ik) [neo- + G. *kinētikos*, relating to movement]. 新運動〔性〕の（運動系の一区分で，その機能は随意的な共同運動を伝達することである. 旧運動機能よりもずっと高度な運動形態をもつ).

ne·o·lal·lism (nē′ō-lal′izm) [neo- + G. *laleō*, to chatter]. 新語乱発〔症〕（会話の中で新語を異常に多く用いること).

ne·ol·o·gism (nē-ol′ō-jizm) [neo- + G. *logos*, word]. 言語新作，造語〔症〕（統合失調症にしばしばみられる，患者自身によってつくられた新しい単語や句(例えば，帽子を頭の靴という)，あるいはすでに存在する言葉を新たな意味に用いること. 精神医学では，そのような用語は，患者のみに意味をもつか，患者の状態を示している).

ne·o·morph, ne·o·mor·phism (nē′ō-mōrf, nē′ō-mōr′-fizm) [neo- + G. *morphē*, form]. 新形態（新しく形成されたものの意. 高等動物にみられる構造で，下等動物にはないか，あってもわずかに痕跡程度のもの).

ne·o·my·cin sul·fate (nē′ō-mī′sin sŭl′fāt). 硫酸ネオマイシン(*Streptomyces fradiae* の成長によってつくられる抗菌抗生物質の硫酸塩. 種々のグラム陽性菌・陰性菌に対して有効).

ne·on (Ne) (nē′on) [G. *neos*, new]. ネオン（大気中の不活性ガス元素. 1898 年，Ramsay と Travers によってアルゴンから分離された. 原子番号 10，原子量 20.1797).

ne·o·na·tal (nē′ō-nā′tăl) [neo- + L. *natalis*, relating to birth]. 新生児〔期〕の（分娩直後から分娩後 28 日の期間についていう). ＝newborn.

ne·o·nate (nē′ō-nāt) [neo- + L. *natus*, born < *nascor*, to be born]. 生後 1 か月以内の乳幼児. ＝newborn.

ne·o·na·tol·o·gist (nē′ō-nā-tol′ŏ-jist). 新生児科医（新生児学に携わる医師).

ne·o·na·tol·o·gy (nē′ō-nā-tol′ŏ-jē) [neo- + L. *natus*, pp. born + G. *logos*, theory]. 新生児学，新生児科学（新生児の疾病に関する小児科の一分野). ＝neonatal medicine.

ne·o·neu·rot·i·za·tion (nē′ō-nū-rot′ĭ-zā′shun). 新神経再生（顔面神経の切断後に，顔面運動機能が回復するまれな現象. 顔面筋の三叉神経による神経再支配と考えられている).

ne·o·pal·li·um (nē′ō-pal′ē-ŭm). 新外套，新皮質. ＝isocortex.

ne·o·pho·bi·a (nē′ō-fō′bē-ă) [neo- + G. *phobos*, fear]. 新奇恐怖〔症〕（新しいものや未知のものを病的に嫌ったり恐れること).

ne·o·pla·si·a (nē′ō-plā′zē-ă) [neo- + G. *plasis*, a molding]. 新形成（新生物の生成と成長を伴う病的過程).

cervical intraepithelial n. (CIN) 頸部上皮内癌（広義にとらえたもの. 前癌状態と考えられる子宮頸管の扁平円柱上皮境界に初発する異形成. grade 1：上皮層の 1/3 以下の軽度異型上皮. grade 2：上皮層 1/3—1/2 に及ぶ中等度異型上皮. grade 3：高度異型上皮あるいは上皮内癌，上皮層は 2/3 以上に及ぶ).

endometrial intraepithelial n. (EIN) 子宮内膜上皮内癌（子宮内膜腺上皮の異形成で，軽度，中等度，重度の 3 段階に分類される(EIN 1—3). EIN 3 は子宮内膜上皮癌を含む).

lobular n. 小葉新生物. ＝noninfiltrating lobular *carcinoma*.

multiple endocrine n. (MEN) 多発性内分泌腫瘍（1 つ以上の内分泌腺に存在する機能的腫瘍により特徴づけられる疾患群). ＝familial multiple endocrine adenomatosis; multiple endocrine adenomatosis.

multiple endocrine n. I (MEN1) [MIM*131100]. 多発性内分泌腫瘍 1（下垂体腺，膵島細胞，副甲状腺の腫瘍により特徴づけられる症候群. 第 11 染色体長腕の *MEN1* 遺伝子の変異による常染色体優性遺伝を示す Zollinger–Ellison 症候群と関連がある場合がある).

multiple endocrine n. II (MEN2) [MIM*171400]. 多発性内分泌腫瘍 2（褐色細胞腫，副甲状腺腺腫，甲状腺髄様癌が認められる症候群. 常染色体優性遺伝を示し，第 10 染色体長腕の RET 癌遺伝子の変異により発症する).

multiple endocrine n. IIB (MEN2B) ＝multiple endocrine n. III.

multiple endocrine n. III (MEN3) [MIM*162300]. 多発性内分泌腫瘍 3（MEN2 に認められる腫瘍. 長身でやせ型の体型，隆起した唇，舌および眼瞼の神経腫により特徴づけられる症候群. 第 10 染色体長腕に存在する RET 癌遺伝子の変異により発症する). ＝multiple endocrine n. IIB.

multiple endocrine n. type I 多発性内分泌腫瘍症 I 型. ＝multiple endocrine neoplasia *syndrome* type 1.

multiple endocrine n. type IIA (MEN2A) 多発性内分泌腺腫症 II 型. ＝multiple endocrine neoplasia *syndrome* type 2A.

prostatic intraepithelial n. (PIN) 前立腺上皮内腫瘍

(前立腺の腺体および導管の異形成性変化で，腺癌の前癌状態のことがある．悪性度の低いもの(PIN1)は異形性が軽度で，細胞が密集し，核の大きさ・形が不同であり，細胞の間隔が不規則．悪性度の高いもの(PIN2)は異形性が中—高度で細胞が密集し，核・核小体が大きく，細胞の間隔が不規則である)．

vaginal intraepithelial n. 腟上皮内新生腫瘍（腟上皮に限局した未浸潤の扁平上皮癌(上皮内癌)．外陰あるいは頸部上皮内異形と同様1—3度あるいは軽度—高度上皮内悪性に細分類される．通常，ヒトパピローマウイルス感染に関連し浸潤癌に進展する可能性がある)．

vulvar intraepithelial n. 外陰上皮内新生腫瘍（外陰上皮に限局した扁平上皮の前癌性変化．腟，頸部上皮内異形と同様，1—3度，軽度—高度悪性に細分類される．通常，ヒトパピローマウイルスに関連し浸潤癌に進展する可能性がある)．

ne·o·plasm (nē′ō-plazm) [neo- + G. *plasma*, thing formed]. 新生物（細胞増殖によって正常細胞より速く成長する異常組織で，新しい成長を開始させた刺激が終わった後にも成長し続ける．新生物は構造機構の部分的あるいは完全な欠如や，正常細胞との機能的な協調の欠如がみられ，通常，はっきりした組織の塊をつくる．良性(benign *tumor*)と悪性(cancer)の両方がある)．= new growth; tumor (2).

histoid n. 類組織〔性〕新生物（新生物細胞が，その生じた部位の組織によく似た細胞組織像をもつ新生物を表す古語)．

ne·o·plas·tic (nē′ō-plas′tik). 腫瘍性の，新〔生物〕形成の．

ne·op·ter·in (nē-op′tĕr-in) [neo- + G. *pteron*, wing + -in]. ネオプトリン（体液中に存在するプテリジンの一種．免疫系の活性化，悪性疾患，同種移殖の拒絶反応，ウイルス感染，特にエイズで上昇する)．

ne·o·ret·in·al b (nē′ō-ret′in-ăl). ネオレチナール b．= 11-*cis*-retinal.

ne·o·ret·i·nene B (nē′ō-ret′i-nēn). ネオレチニン B．= 11-*cis*-retinol.

neosphincter (nē-ō-sfink′tĕr). 新括約筋（薄筋形成術などのように，移植された筋肉により，外科的に作成された機能的括約筋)．

Ne·o·spor·a ca·ni·um (nē′ō-spōr′ă kā′nē-um). イヌの寄生原虫で，Apicomplexa 門に属し，神経その他の組織に細胞内に嚢腫を形成する病原体．その疫学や生活環は不明である．

ne·os·to·my (nē-os′tŏ-mē) [neo- + G. *stoma*, mouth]. 新口形成〔術〕（新しい開口または人工的な開口の外科的形成)．

ne·o·stri·a·tum☆ (nē′ō-strī-ā′tŭm). 新線条体（striatum の公式の別名)．

ne·ot·e·ny (nē-ot′ĕ-nē) [neo- + G. *teinō*, to stretch]. ネオテニー，幼形成熟，幼態成熟（メキシコサンショウウオ，別名アホロートルイモリ，あるいは将来女王となる幼生状態にあるシロアリの階級にみられるような，幼生状態の延長．*cf.* pedogenesis)．

Ne·o·tes·tu·di·na ro·sa·ti (nē′ō-tes′tū-dī′nă rō-sā′tī). ソマリアはじめ南アフリカの各地で，灰色菌腫の原因となっている真菌の一種．

ne·o·thal·a·mus (nē′ō-thal′ă-mŭs). 新視床（新皮質に突出した視床の部分)．

ne·o·ty·ro·sine (nē′ō-tī′rō-sēn). ネオチロシン；dimethyltyrosine（チロシンの代謝拮抗物質)．

ne·o·vas·cu·lar·i·za·tion (nē′ō-vas′kyū-lar-i-zā′shŭn). 新生血管形成（正常では血管増殖のないような組織での血管増殖，あるいは組織における通常とは異なった種の血管増殖)．

choroidal n. 脈絡膜新生血管（脈絡膜血管板から網膜下色素上皮と網膜への新生血管の侵入．外網膜に対する障害と関連するスペース)．

classic choroidal n. 古典的脈絡膜血管新生（網膜血管造影の初期相にみられる境界明瞭な過蛍光領域)．

occult choroidal n. 潜在性脈絡膜血管新生（網膜血管造影の後期相にみられる同定不能部分の漏出領域)．

Type 1 choroidal n. I 型脈絡膜血管新生（脈絡膜毛細血管から網膜色素上皮下腔への新生血管の増殖．網膜外層の障害に伴う)．

Type 2 choroidal n. II 型脈絡膜血管新生（脈絡膜毛細血管から網膜下腔への新生血管の増殖．網膜外層の障害に伴う)．

ne·per (Np) (ne′pĕr) [< *neperus*, (John) *Napier* のラテン語形]. ネーパー（通例，電力や音響などで 2 つの出力エネルギーの大きさを比較するのに使う単位．2 つの出力の比の自然対数の 1/2 で表す)．= napier.

neph·e·lom·e·ter (nef′ĕ-lom′ĕ-tĕr) [G. *nephelē*, cloud + *metron*, measure]. 比濁計，混濁計（比濁法で用いる装置)．

neph·e·lom·e·try (nef′ĕ-lom′ĕ-trē). 比濁〔法〕（溶液を通過した光線の散乱により懸濁液中の粒子の数と大きさを定量する技術)．

nephr- → nephro-.

ne·phral·gi·a (ne-fral′jē-ă) [nephr- + G. *algos*, pain]. 腎臓痛，腎疼痛に対してまれに用いる語．

ne·phral·gic (ne-fral′jik). 腎臓痛の，腎疼痛の．

ne·phrec·to·my (ne-frek′tō-mē) [nephr- + G. *ektomē*, excision]. 腎摘出〔術〕，腎摘，腎切除〔術〕．

abdominal n. 腹式腎摘出〔術〕（前腹壁を通る切開によって腎臓を摘出する)．

laparoscopic n. 腹腔鏡下腎摘出術（経皮的内視鏡手技を用いた腎摘出術)．

lumbar n. 腰式腎摘出〔術〕（側腹部，腰部，または後腰部の切開により腹腔外に腎摘出をすること)．

morcellated n. 細切腎摘出術（腎臓を分割して摘出する)．

posterior n. 後方腎摘出〔術〕（通常，患者を腹臥位にして，後方腰部筋肉の切開により後腹膜的に腎摘出を行う方法)．= lumbotomy incision.

neph·re·de·ma (nef′rĕ-dē′mă) [nephr- + G. *oidēma*, swelling]. 腎性水腫(浮腫)，腎臓水腫（腎臓病によって生じる浮腫．まれに腎臓浮腫をいう)．

neph·rel·co·sis (nef′rel-kō′sis) [nephr- + G. *helkōsis*, ulceration]. 腎臓潰瘍（腎盂腎杯の尿路上皮膜の潰瘍)．

neph·ric (nef′rik). 腎〔臓〕の．= renal.

ne·phrid·i·um, pl. ne·phrid·i·a (ne-frid′ē-ŭm, -ă) [G. *nephros*, kidney + Mod.L. *-idium*, dim. suffix < G. *-idion*]. 腎管（対をなして，体節ごとに配列する排泄管の 1 つ．環形動物などの無脊椎動物にみられる)．

ne·phrit·ic (ne-frit′ik). 腎炎の．

ne·phri·tis, pl. ne·phrit·i·des (ne-frī′tis, -frit′i-dēz) [nephr- + G. *-itis*, inflammation]. 腎炎．

acute n. 急性腎炎．= acute *glomerulonephritis*.

acute interstitial n. 急性間質性腎炎（様々な尿細管障害や多数の好中球浸潤を伴う間質性腎炎で，細菌感染や尿路閉塞，過敏反応によると思われる他の様々な原因(薬剤を含む)により起こる．腎不全，発熱，血中や組織中の好酸球増多および発疹を伴う)．

analgesic n. 鎮痛薬〔性〕腎炎（腎乳頭壊死を伴う慢性の間質性腎炎．過剰の鎮痛薬(特にフェナセチンを含むもの)を長期にわたって飲み続けてきた患者にみられる)．= analgesic nephropathy.

anti-basement membrane n. 抗基底膜抗体〔性〕腎炎（糸球体毛細管基底膜に対する自己抗体または異種抗体によってつくられる糸球体腎炎．異種抗体の場合は抗腎臓血清腎炎として知られている)．

anti-kidney serum n. 抗腎臓血清腎炎（腎臓に対する抗血清を注射してつくられる実験的な糸球体腎炎)．

chronic n. 慢性腎炎．= chronic *glomerulonephritis*.

focal n. 巣状腎炎．= focal *glomerulonephritis*.

glomerular n. 糸球体腎炎．= glomerulonephritis.

n. gravidarum 妊娠腎炎（妊娠中に起こる腎炎)．

hemorrhagic n. 出血性腎炎（血尿を伴う急性糸球体腎炎)．

hereditary n. [MIM*161900]. 遺伝性腎炎（成人で発症する家族性腎疾患で，蛋白尿，血尿，慢性腎不全に進行する高血圧を特徴とする．視覚喪失や聴力喪失はない．→ Alport *syndrome*)．

immune complex n. 免疫複合体〔性〕腎炎（全身性紅斑性狼瘡にみられるような，糸球体沈着物によって生じる免疫複合体病)．

interstitial n. 間質性腎炎（間質結合組織が主として侵さ

れる腎炎).

lupus n. ループス腎炎 (全身性エリテマトーデスの一部の患者に発症する糸球体腎炎の一型. 腎臓にのみ症状が出ることもある. 血尿か蛋白尿あるいは両者がみられることが臨床的特長で, 高血圧を伴うこともある. 進行性あるいは劇症型の経過をたどり, 腎不全に至ることもある. 一部の患者ではネフローゼ症候群を呈することもある. これらの患者の腎生検所見は世界保健機関(WHO)の基準と活動性および慢性病変で分類される. 腎生検組織像は, 明らかな異常なし(WHO クラス I), メサンギウム細胞増殖(WHO クラス II), 巣状増殖性病変(WHO クラスIII), び慢性増殖性病変(WHO クラス IV), 膜性病変(WHO クラス V), あるいは末期病変(WHO クラス VI)のいずれかである).

mesangial n. メサンギウム増殖性腎炎 (糸球体メサンギウム細胞または基質, あるいはメサンギウム沈着物の増加に伴う糸球体腎炎).

salt-losing n. 塩類喪失性腎炎 (種々の病因による腎尿細管障害の結果起こるまれな病気. 副腎皮質不全症と類似し, 腎臓からの塩化ナトリウムの異常な喪失が起こり, 低ナトリウム血症, 高窒素血症, アシドーシス, 脱水症および脈管虚脱を伴う). = salt-losing syndrome; Thorn syndrome.

scarlatinal n. 猩紅熱性腎炎 (猩紅熱の合併症として起こる急性糸球体腎炎).

serum n. 血清腎炎 (誘発糸球体腎炎. 血清病中, あるいは異種血清蛋白を注射された動物にみられる糸球体腎炎).

subacute n. 亜急性腎炎. = subacute *glomerulonephritis.*

suppurative n. 化膿性腎炎 (腎臓での膿瘍形成を伴う巣状糸球体腎炎).

syphilitic n. 梅毒性腎炎 (先天性および二期梅毒のまれな合併症. ネフローゼ症候群を伴い, 糸球体の免疫複合体沈積物に起因する).

transfusion n. 輸血腎炎 (不適合血液の輸血によって生じる腎不全および腎尿細管の破損. 溶血した赤血球のヘモグロビンが腎尿細管に血球円柱として沈着する).

tuberculous n. 結核性腎炎 (主として間質性の腎炎. 結核菌による).

tubulointerstitial n. 尿細管間質性腎炎 (腎尿細管や間質組織に形質細胞と単核球の浸潤を伴う腎炎で, ループス腎炎や同種移植拒絶反応およびメチシリン感作においてみられる).

uranium n. ウラン腎炎 (硫酸ウランを投与してつくり出す実験的腎炎).

ne·phrit·o·gen·ic (ne-frit′ō-jen′ik) [nephritis + G. *genesis*, production]. 腎炎原性 (腎炎を引き起こすこと. 腎炎を引き起こす状態や物質について用いる語).

nephro-, nephr- [G. *nephros*, kidney]. 腎臓を意味する連結形. →reno-.

neph·ro·blas·te·ma (nef′rō-blas-tē′mă) [nephro- + G. *blastēma*, a sprout]. = nephric *blastema.*

neph·ro·blas·to·ma (nef′rō-blas-tō′mă). 腎芽細胞腫. = Wilms *tumor.*

neph·ro·cal·ci·no·sis (nef′rō-kal′si-nō′sis) [nephro- + calcinosis]. 腎石灰〔症〕, 腎石灰沈着〔症〕(腎臓結石症の一種. 腎実質中に広汎に散在する病巣によって特徴付けられる. リン酸カルシウム, 一水化シュウ酸カルシウムや他の類似化合物の沈着は, 通常, X線写真上確認できる).

neph·ro·cap·sec·to·my (nef′rō-kap-sek′tŏ-mē) [nephro- + L. *capsula*, a small box + G. *ektomē*, excision]. 腎臓の皮質剝離あるいは被膜剝離術で, 現在は行われていない.

neph·ro·car·di·ac (nef′rō-kar′dē-ak) [nephro- + G. *kardia*, heart]. 腎心臓の. = cardiorenal.

neph·ro·cele (nef′rō-sēl). *1* [nephro- + G. *kēlē*, hernia]. 腎ヘルニア, 腎脱 (腎臓のヘルニア性脱出). *2* [nephro- + G. *koilōma*, a hollow(celom)]. 腎腔. = nephrotomic cavity.

neph·ro·cys·to·sis (nef′rō-sis-tō′sis) [nephro- + G. *kystis*, cyst + *-osis*, condition]. 腎〔臓〕嚢胞形成, 腎〔臓〕嚢腫形成 (腎臓嚢腫の形成).

neph·ro·ge·net·ic, neph·ro·gen·ic (nef′rō-jĕ-net′ik, -jen′ik) [nephro- + G. *genesis*, origin]. 腎形成〔性〕の (腎組織になる).

ne·phrog·e·nous (ne-froj′ĕ-nŭs). 腎原〔性〕の (腎組織に由来する).

neph·ro·gram (nef′rō-gram). ネフログラム (水溶性造影剤の静脈注射後の腎のX線撮影. 腎血流および糸球体沪過を反映する造影剤静注後の腎実質全体の濃染. ネフログラムの遷延は尿路の閉塞を示す).

ne·phrog·ra·phy (ne-frog′ră-fē) [nephro- + G. *graphō*, to write]. 腎造影(撮影)〔法〕(腎臓のX線撮影法).

neph·roid (nef′royd) [nephro- + G. *eidos*, resemblance]. 腎臓形の. = reniform.

neph·ro·lith (nef′rō-lith) [nephro- + G. *lithos*, stone]. 腎石, 腎結石. = renal *calculus.*

neph·ro·li·thi·a·sis (nef′rō-li-thī′ă-sis). 腎石症.

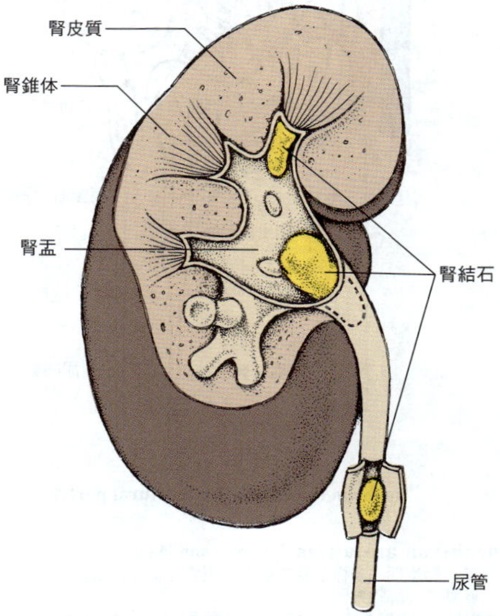

nephrolithiasis

neph·ro·li·thot·o·my (nef′rō-li-thot′ŏ-mē) [nephro- + G. *lithos*, stone + *tomē*, incision]. 腎石切り術, 腎切石〔術〕(腎石を除くためにする腎臓の切開).

ne·phrol·o·gy (ne-frol′ŏ-jē) [nephro- + G. *logos*, study]. 腎臓病学.

ne·phrol·y·sin (ne-frol′i-sin). 腎細胞溶解素, ネフロリシン (腎細胞を破壊させる抗体. 腎物質の乳剤に反応して産生される. 抗体は調節された抗原の種類によって特異的である).

ne·phrol·y·sis (ne-frol′i-sis) [nephro- + G. *lysis*, dissolution]. [誤った発音 nephroly′sis を避けること]. *1* 腎剝離〔術〕(被膜を保存したまま, 炎症性の癒着から腎臓をはがすこと). *2* 腎細胞溶解 (腎細胞の破壊).

neph·ro·lyt·ic (nef′rō-lit′ik). 腎細胞溶解〔性〕の. = nephrotoxic (2).

ne·phro·ma (ne-frō′mă) [nephro- + G. *-oma*, tumor]. 腎腫 (腎組織に由来する腫瘍).

mesoblastic n. 中胚葉〔性〕腎腫 (小児, まれに成人の腎臓にみられる, 腎尿細管を巻き込んだ紡錘細胞の腫瘍).

neph·ro·ma·la·ci·a (nef′rō-mă-lā′shĕ-ă) [nephro- + G. *malakia*, softness]. 腎軟化〔症〕.

neph·ro·meg·a·ly (nef′rō-meg′ă-lē) [nephro- + G. *megas*, great]. 腎肥大〔症〕(一方あるいは両方の腎臓の著しい肥大).

neph·ro·mere (nef′rō-mēr) [nephro- + G. *meros*, a part]. 腎節 (分節した腎尿細管をつくる中間中胚葉の一部分. → nephrotome).

neph·ron (nef′ron) [G. *nephros*, kidney]. ネフロン (腎臓にある長く彎曲した管状構造物で, 腎小体, 近位尿細管, 尿細管ループ, 遠位尿細管からなる. 次頁の図参照. →uriniferous *tubule*).

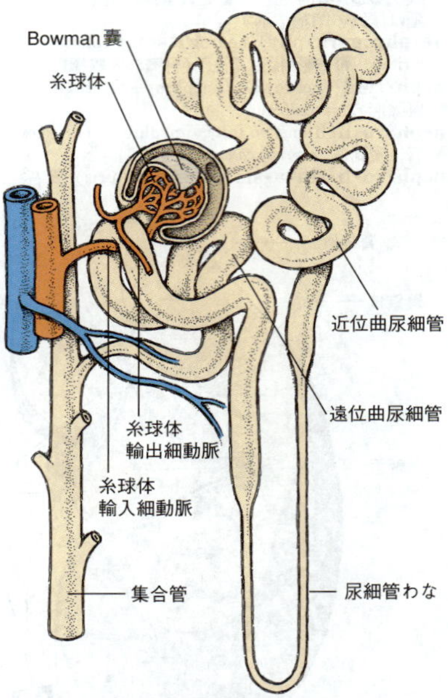

nephron (including its structural parts)

neph·ron an·lag·en (nef-ron′ ahn′lăg-gen). ネフロンの原基（胎生期に多様な腎機能を発現するように組み込まれた中胚葉性の細胞集団）.

neph·ro·path·i·a (nef′rō-path′ē-ă). 腎症. ＝nephropathy.

n. epidemica 流行性腎症（スカンジナビアで報告された流行性出血性熱で，一般には良性）.

neph·ro·path·ic (nef′rō-path′ik). 腎症の（器質的な腎疾患や腎機能障害を引き起こす）.

ne·phrop·a·thy (ne-frop′ă-thē) ［nephro- ＋G. *pathos*, suffering］. 腎症，ネフロパシー（腎臓の疾病）. ＝nephropathia; nephrosis (1).

analgesic n. 鎮痛薬〔性〕腎症，鎮痛薬〔性〕ネフロパシー. ＝analgesic *nephritis*.

Balkan n. バルカン腎症，バルカンネフロパシー（原因不明の間質性慢性腎炎．バルカン地方に流行しており，潜行性に発症し，尿所見に乏しく，貧血，アシドーシスを伴うことを特徴とする）. ＝danubian endemic familial n.

danubian endemic familial n. (dan-yū′bē-ăn)［MIM *124100］. ドナウ〔川〕地方病性家族性腎症，ドナウ〔川〕地方病性家族性ネフロパシー. ＝Balkan n.

---

diabetic n. 糖尿病性腎症（アルブミン尿，高血圧，進行性腎機能不全を特徴とする症候群である）.

糖尿病性腎症は糖尿病患者の中で罹病率および死亡率において主要な原因を占める．糖尿病患者は米国で毎年，末期腎不全のために透析療法を開始する患者の中で最大の数(50%)を占める．1 型糖尿病患者では 20 年間で末期腎不全の発生率は約 50%に達する．糖尿病性腎症の危険は男性，黒人，ラテンアメリカ人，アメリカ原住民により高い．糖尿病の診断から 3 年以内で，その組織所見は糸球体基底膜の肥厚，カプスラードロップ病変(Bowman 嚢にみられる滲出性病変の 1 つ)，メサンギウム増殖，糖尿病性糸球体硬化症(Kimmelstiel-Wilson 病)に特徴的な変化を示す．腎臓は腎実質細胞の肥大および過形成のために大きく重くなり，血清クレアチニンと尿素窒素が若干減少する結果として腎血流量と糸球体沪過率は増加する．10—15 年後には，通常の尿蛋白測定法では検出されない濃度のアルブミンの持続排泄であるミクロアルブミン尿として最初の腎障害が出現する．20— 200 μg/分 (30— 300 mg/日)のアルブミン排泄は糖尿病性腎症の発症を示し，また最後には末期腎不全が起きることを強く予言している．さらに腎障害が進むとアルブミン尿が進展し，糸球体沪過率や窒素クリアランスが下がってくる．ミクロアルブミン尿の患者では高血圧の併発が著しく多くなり，そして高血圧は腎病変の進展を加速する．糖尿病性腎症は高カリウム血症，代謝性アシドーシス，ネフローゼ症候群，腎乳頭壊死を呈するようになり，また造影剤使用後に急性腎不全になりやすい．微量アルブミン尿の発症は心血管病のリスクが増大したことを示している．微量アルブミン尿がみられる患者では，心筋梗塞や脳卒中で死亡することのほうが腎疾患で死亡することより統計的に多い．現在の糖尿病治療実施ガイドラインでは年 1 回の 24 時間アルブミン排泄量の評価，尿路感染症に対する迅速な治療，腎毒性薬物(非ステロイド系抗炎症薬や COX-2 阻害薬など)や造影剤の回避を求めている．これまで臨床的な糖尿病性腎症を回復させる手段は示されていない．しかし，前向き無作為化研究(prospective randomized study)の成績から，血糖を常時限りなく正常化するという代謝コントロールが糖尿病腎症の発症進展のみならず他の長期にわたる糖尿病性細小血管合併症(糖尿病性網膜症および神経症)を著しく減らすことが確立されている．さらに，ACE 阻害薬やアンギオテンシン II 受容体拮抗薬による高血圧の厳密な管理は血圧コントロールとは独立した機序で腎症の進展を遅延させることが示されており，また 1 日 0.8 g/体重 kg(妊娠時には適当ではない)の蛋白摂取制限は糖尿病および非糖尿病性腎疾患の進展を遅延させることが示されている．末期腎不全の治療は腎移植，血液透析，腹膜透析である．糖尿病性網膜症と神経症は腎不全の発症とともに迅速に進行するので，糖尿病性腎症では透析は早期に開始する(血清クレアチニンが約 6 mg/dL に達したとき).

---

hypokalemic n. 低カリウム性腎症，低カリウム性ネフロパシー（カリウムが著しく欠乏した患者にみられる腎臓の曲尿細管上皮細胞の空胞化．空胞は脂肪やグリコゲンを含まず，濃縮力が障害され，多尿と口渇がよくみられ，腎盂腎炎が起こることがある）. ＝vacuolar nephrosis.

IgA n. ［MIM*161950］. IgA 腎症. ＝focal *glomerulonephritis*.

IgM n. IgM 腎症. ＝mesangial proliferative *glomerulonephritis*.

reflux n. 逆流性腎症（感染尿の膀胱尿管逆流による腎実質障害）. ＝reflux-associated n.

reflux-associated n. ＝reflux n.

neph·ro·pex·y (nef′rō-pek′sē) ［nephro- ＋ G. *pēxis*, fixation］. 腎固定〔術〕（遊走腎または移動腎の固定手術. →nephrorrhaphy).

neph·roph·thi·sis (nef-rof′thĭ-sis, -tī-sis) ［nephro- ＋ G. *phthisis*, a wasting］. ***1*** 腎ろう(癆)（腎組織の消耗を伴う化膿性腎炎）. ***2*** 腎結核〔症〕.

familial juvenile n. 家族性若年性腎ろう（腎髄質の嚢胞性疾患で，多尿，煩渇，貧血，腎不全を特徴とする．次の 2 型がある．1 つは第 2 染色体長腕 13 領域の *NPHP1* 遺伝子の突然変異によって起こる常染色体劣性遺伝のもの ［MIM *256100］と，もう 1 つは常染色体優性のもの ［MIM *174000］である).

neph·rop·to·sis, neph·rop·to·si·a (nef′rop-tō′sis, -tō′sē-ă) ［nephro- ＋ G. *ptōsis*, a falling］. 腎下垂〔症〕（腎の脱出).

neph·ro·py·o·sis (nef′rō-pī-ō′sis) ［nephro- ＋ G. *pyōsis*, suppuration］. 腎化膿症. ＝pyonephrosis.

neph·ror·rha·phy (nef-rōr′ă-fē) ［nephro- ＋ G. *raphē*, a suture］. 腎縫着〔術〕（腎臓の縫合による腎臓固定).

neph·ros (nef′ros). ネフロス. ＝kidney.

neph·ro·scle·ro·sis (nef′rō-sklĕ-rō′sis) ［nephro- ＋G. *sklērōsis*, hardening］. 腎硬化〔症〕（間質結合組織の過成長

および収縮により起こる腎臓の硬化).

arterial n. 動脈性腎硬化〔症〕(腎動脈の大きな分枝の管腔が動脈硬化性の狭窄を起こすことにより，腎に斑状の萎縮性瘢痕を起こす．老人や高血圧患者にみられ，また高血圧の原因になることもある). = arterionephrosclerosis; senile n.

arteriolar n. 細動脈性腎硬化〔症〕(長期にわたる高血圧からくる，細動脈硬化症による腎臓の瘢痕．腎表面は細かい顆粒状となり，中等度に萎縮する．糸球体の輸入細動脈の血管壁は硝子化して肥厚し，糸球体は散在性に硝子瘢痕化する．慢性腎不全になることはあまりない). = arteriolonephrosclerosis; benign n.

benign n. 良性腎硬化〔症〕. = arteriolar n.

malignant n. 悪性腎硬化〔症〕(悪性の高血圧症による腎の変化．被膜下点状出血がみられ，糸球体の輸入細動脈の血管壁に散在性に壊死が起こる．尿には赤血球と血液円柱とが混ざり，尿毒症の転帰を伴うことが多い).

senile n. 老人性腎硬化〔症〕. = arterial n.

neph·ro·scle·rot·ic (nef′rō-sklĕ-rot′ik). 腎硬化〔症〕の.

neph·ro·scope (nef′rō-skōp). 腎盂鏡 (腎盂を観察するために腎盂に挿入する内視鏡．到達経路としては経皮的，外科的に露出した腎に直接，または尿管経由で逆行的に到達する経路がある).

ne·phro·sis (ne-frō′sis) [nephro- + G. *-osis*, condition]. ネフローゼ (①= nephropathy. ②尿細管上皮の変性. ③= nephrotic *syndrome*).

acute n. 急性ネフローゼ (様々な原因のネフローゼ症候群に伴う乏尿性急性腎不全の歴史的な用語(現在は使われない). *cf.* toxic n.).

acute lobar n. 重症だが局所的な腎実質の細菌感染症で，腎膿瘍のように腫瘤効果 (mass effect)を生じることがある.

amyloid n. *1* = renal *amyloidosis*. *2* 腎にアミロイドが沈着したために起こるネフローゼ症候群.

familial n. [MIM*256300]. 家族性ネフローゼ (乳児期の兄弟に出現するネフローゼ症候群で，感音難聴は伴わない．常染色体劣性で遺伝し，本症状のフィンランド型のものは第19染色体長腕のネフリン遺伝子の突然変異による).

hemoglobinuric n. ヘモグロビン尿性ネフローゼ，血色素尿性ネフローゼ (ヘモグロビン尿症を伴う急性の乏尿性腎不全．血液型不適合輸血などによる大量の血管内溶血により起こる．腎は虚血性ネフローゼの形態学的変化を示す).

hypoxic n. 低酸素性ネフローゼ (急性の乏尿性腎不全で，出血，熱傷，ショックなどの血液量減退症および腎血流の減量によって起こる．斑点状の尿細管壊死，尿細管崩壊，およびヘモグロビンの遠位尿細管円柱を伴うことがよくある).

lipoid n. リポイドネフローゼ (主に小児にみられる特発性ネフローゼ症候群で，糸球体の変化は乏しい．基底膜の肥厚はなく，尿細管上皮に脂肪空胞を示し，糸球体(上皮細胞)足突起の融合がみられる). = minimal-change disease; nil disease.

osmotic n. 浸透圧〔性〕ネフローゼ (糖およびブドウ糖の糸球体沪過に伴う腎尿細管上皮の膨潤．この膨潤は細胞吸水作用による細胞質小胞の形成によるもので，グルコースあるいはマンニトール療法により治療された時，機能障害は伴わないと思われる).

toxic n. 中毒性ネフローゼ (化学的毒物，敗血症，あるいは細菌性中毒症などによる急性の乏尿性腎不全．しばしば近位曲尿細管の広範な壊死を伴うこともある. *cf.* acute n.).

vacuolar n. 空胞性ネフローゼ. = hypokalemic *nephropathy*.

ne·phros·to·gram (ne-fros′tō-gram) [nephrostomy + G. *gramma*, writing]. 腎ろう造影 (腎ろうチューブより造影剤を注入し，腎盂を造影する腎部のX線写真).

ne·phros·to·ma, neph·ro·stome (ne-fros′tō-mă, nef′rō-stōm) [nephro- + G. *stoma*, mouth]. 腎口 (線毛をもつ漏斗形の開口部．この口によって前腎および原始中腎尿細管が体腔に通じている).

ne·phros·to·my (ne-fros′tŏ-mē) [nephro- + G. *stoma*, mouth]. 腎造ろう術，腎フィステル形成〔術〕(腎実質を通して腎の腎盂腎杯系から身体の外表面に開口を設置する手術．外科的切開または経皮的に設置される).

percutaneous n. 経皮的腎ろう造設術 (透視下に腹側部皮下よりカテーテルを腎盂に挿入し，尿をドレナージすること．通常 Seldinger 法にて行う).

neph·rot·ic (nef-rot′ik). ネフローゼの.

neph·ro·tome (nef′rō-tōm) [nephro- + G. *tomē*, a cutting]. 腎節 (分節した中間中胚葉で腎臓の原基となる).

neph·ro·tom·ic (nef-rō-tom′ik). 腎節の.

neph·ro·to·mo·gram (nef′rō-tō′mō-gram) [nephro- + G. *tomos*, a cutting + *gramma*, a writing]. ネフロトモグラム (腎実質の異常を描出しやすくするために，ヨード造影剤を静脈に注入した後の腎X線断面像).

neph·ro·to·mog·ra·phy (nef′rō-tō-mog′ră-fē). 腎断層撮影〔法〕(断層撮影法による腎臓の診断).

ne·phrot·o·my (ne-frot′ŏ-mē) [nephro- + G. *tomē*, incision]. 腎切開〔術〕.

anatrophic n. 抗萎縮性腎切開〔術〕(後外側で腎実質に切開を加え，腎動脈の前枝と後枝の間の血管の少ない部分から腎杯系に到達する方法．出血と腎実質の損傷を最小限に抑えて腎杯結石や樹枝状結石を除去するための最大の視野を得る目的で行われる). = Smith-Boyce operation.

neph·ro·tox·ic (nef′rō-tok′sik). *1* 腎〔細胞〕毒素の (腎細胞に対して毒性のある). *2* = nephrolytic.

neph·ro·tox·ic·i·ty (nef′rō-tok-sis′i-tē). 腎毒性 (腎細胞へ毒性のある性質や状態).

neph·ro·tox·in (nef′rō-tok′sin). 腎〔細胞〕毒素 (腎細胞に対して特異的な細胞毒素).

neph·ro·tro·phic (nef-rō-trof′ik). 腎〔臓〕向性の. = renotrophic.

neph·ro·tro·pic (nef-rō-trop′ik). 腎〔臓〕向性の. = renotrophic.

neph·ro·tu·ber·cu·lo·sis (nef′rō-tū-ber′kyū-lō′sis). 腎結核〔症〕.

neph·ro·u·re·ter·ec·ta·sis (nef′rō-yū-rē′tĕr-ek′tă-sis). 腎尿管拡張症. = ureterohydronephrosis.

neph·ro·u·re·ter·ec·to·my (nef′rō-yū-rē′tĕr-ek′tŏ-mē) [nephro- + ureter + G. *ektomē*, excision]. 腎尿管切除〔術〕(腎臓とその尿管の外科的切除). = ureteronephrectomy.

neph·ro·u·re·ter·o·cys·tec·to·my (nef′rō-yū-rē′tĕr-ō-sis-tek′tŏ-mē) [nephro- + ureter + G. *kystis*, bladder + *ektomē*, excision]. 腎尿管膀胱切除〔術〕(腎臓，尿管，および膀胱の一部またはすべての切除).

nep·ri·ly·sin (nep-rĭ-lī-sin). ネプリライシン (膜貫通型メタロエンドペプチダーゼ，腎刷子縁膜の主構成成分．脳にも存在する．共通性急性リンパ芽球性白血病抗原と同一).

nep·tu·ni·um (Np) (nep-tū′nē-ŭm) [惑星 *Neptune*]. ネプツニウム (放射性元素. ^{237}Np の半減期は 2.14×10^6 年．原子番号93．超ウラン系列の最初の元素(天然には見出せない)).

ne·ral (nē′răl). ネラール (*cis*-シトラール. → citral).

Né·ri (nā′rē), Vincenzo. 20世紀初頭のイタリア人神経科医. → N. *sign*.

ner·i·if·o·lin (nĕr-ī-if′ō-lin). ネリフォリン (キバナキョウチクトウ *Thevetia peruviana* 中に見出される毒性の強心配糖体).

ne·ri·ine (nē′ri-ēn). ネリイン. = conessine.

Nernst (nārnst), Walther. ドイツ人物理学者・ノーベル賞受賞者，1864—1941. → N. *equation*.

NERVE

nerve (nerv) [L. *nervus*][TA]. 神経 (有髄・無髄あるいは多くの場合，混合神経線維束の1本または数本からなる白っぽい索状構造．結合組織を伴って中枢神経系の外にある．個々の神経線維を包む神経内膜，束を包む神経周膜，全体を包み血管を含む神経上膜がある．刺激は神経によって中枢神経系から体部へ，またその逆に伝えられる．神経枝は主たる神経の個所に与えられている．多くの枝が branch の項で定義づけられている). = nervus [TA].

abdominopelvic splanchnic n.'s 腹腔骨盤内臓神経 (交感神経幹から起こる内臓枝で，椎前神経節，大動脈傍神経叢，下腹神経叢に節前線維を送り，内臓求心性線維を受け取り，横隔膜より下方の臓器を支配している．大内臓神経，小内臓神経，最下内臓神経，腰内臓神経，仙骨内臓神経がこれに含まれる）．

abducens n.* 外転神経（abducent n.［CN VI］の公式の別名）．

abducent n. [CN VI]［TA］．外転神経（第六脳神経［CN VI］．眼の外側直筋を支配する小運動神経．菱形窩面直下の橋被蓋の顔面神経丘から起こり，延髄と橋の後縁の間の裂溝（橋延髄溝）で脳から出る．斜台の硬膜にはいり，海綿静脈洞を通って進み上眼窩裂を通って眼窩にはいる）．＝nervus abducens［CN VI］［TA］; abducens n.*; abducent (2); sixth cranial n.［CN VI］．

accelerator n.'s 促進神経（心臓の交感神経支配を行っている心肺内臓神経の一部で，交感神経幹の上・中・下の各頸神経節の神経節細胞から起こり，無髄の遠心性神経でこれが刺激されると心拍数が増大する）．

accessory n. [CN XI]［TA］．副神経（第十一脳神経［CN XI］．脳と脊髄の２つの根より起こる．前者は延髄の外側から，後者は脊髄の上位５つの頸節の腹外側部から出た後，合体して副神経幹をなし，次いで再び内枝と外枝に分かれる．内枝は主に延髄根の線維を含み，頸静脈孔の中で迷走神経と合流して咽頭，喉頭，軟口蓋に分布する．外枝は独立に頸静脈孔を通り抜け，胸鎖乳突筋と僧帽筋に分布する．当初副神経には延髄根と脊髄根があるとされてきたが，最近では延髄根は迷走神経の一部と考えられるようになっている）．＝nervus accessorius［CN XI］［TA］; accessorius willisii; eleventh cranial n.［CN XI］; spinal accessory n.

accessory obturator n.［TA］．副閉鎖神経（第三・四腰神経前枝に由来し，通常の閉鎖神経とは独立して（閉鎖管を通らずに）恥骨筋や股関節に分布する）．＝nervus obturatorius accessorius［TA］．

accessory phrenic n.'s［TA］．副横隔神経（第五頸神経から起こる副次的線維．しばしば鎖骨下神経の枝として下行して横隔神経に合流する）．＝nervi phrenici accessorii［TA］．

acoustic n. 内耳神経（vestibulocochlear nerve［CN VIII］を表す古い用語．現在では，ほとんど用いない）．

afferent n. 求心性神経（末梢から中枢にインパルスを伝達する神経）．＝centripetal n.; esodic n.

Andersch n. (ahn′dĕrsh)．アンデルシュ神経．＝tympanic n.

anococcygeal n. 肛〔門〕尾〔骨〕神経（尾骨神経叢から起こる数本の小神経．尾骨の上の皮膚に分布する）．＝nervus anococcygeus.

anterior ampullary n.［TA］．前膨大部神経（卵形嚢膨大部神経の枝．前半規管の膨大部稜に分布する）．＝nervus ampullaris anterior［TA］．

anterior antebrachial n. 前前腕神経．＝anterior interosseous n.

anterior auricular n.'s［TA］．前耳介神経（耳介側頭神経の枝．耳珠と耳介の上部に分布する）．＝nervi auriculares anteriores［TA］．

anterior crural n. ＝femoral n.

anterior cutaneous n.'s of abdomen 腹部前皮神経．＝thoracoabdominal n.'s.

anterior ethmoidal n.［TA］．前篩骨神経（鼻毛様体神経の枝で，眼窩上内側縁の前篩骨孔を通って頭蓋腔にはいり，前硬膜神経を出した後，篩板を通って鼻腔にはいり上前部鼻粘膜に分布する）．＝nervus ethmoidalis anterior［TA］．

anterior femoral cutaneous n.'s 前大腿皮神経．＝anterior cutaneous *branches* of femoral nerve.

anterior interosseous n.［TA］．前骨間神経（正中神経の枝で，肘部に起こり骨間膜を通って長母指屈筋，深指屈筋の一部，方形回内筋さらに橈骨手根靱帯，手根骨間靱帯に分布する）．＝nervus interosseus antebrachii anterior［TA］; anterior antebrachial n.; nervus antebrachii anterior; volar interosseous n.

anterior labial n.'s［TA］．前陰唇神経（大陰唇，恥丘，および近くの大腿に分布する腸骨鼡径神経の枝）．＝nervi labiales anteriores［TA］．

anterior n. of lesser curvature［TA］．前小弯神経（前迷走神経幹から起こる前胃枝の枝．小弯に沿って胃に分布する）．＝nervus curvaturae minoris anterior［TA］．

anterior scrotal n.'s［TA］．前陰嚢神経（腸骨鼡径神経の枝．陰茎の基部，恥丘，およびその近くの大腿の皮膚と陰嚢の前面に分布）．＝nervi scrotales anteriores［TA］．

anterior supraclavicular n. 前鎖骨上神経．＝medial supraclavicular n.

anterior tibial n. ＝deep fibular n.

aortic n. 大動脈神経（大動脈弓と心底で終わる迷走神経枝．全体が求心性線維からなり，刺激すると脳幹反射が起こり，そのため心拍数は減少し，末梢血管が拡張して血圧は低下する）．＝Cyon n.; depressor n. of Ludwig; Ludwig n.

Arnold n. (ar′nŏld)．アルノルト神経．＝auricular *branch* of vagus nerve.

articular n. 関節神経（関節に分布する神経枝）．＝nervus articularis.

auditory n. ＝cochlear n.

augmentor n.'s 促進神経．＝cervical splanchnic n.'s.

auriculotemporal n.［TA］．耳介側頭神経（中硬膜動脈を囲み２根より起こる下顎神経の枝．耳下腺に耳神経節から分泌神経である副交感性節後線維を送った後，側頭と頭蓋の皮膚で終わる．外耳道，鼓膜，耳介にも枝を送り，また顔面神経にも交通枝を送る）．＝nervus auriculotemporalis［TA］．

autonomic n. 自律神経（中枢神経系の外部にあって自律神経系に属する，あるいは関係する神経線維束）．＝nervus autonomicus［TA］．

axillary n.［TA］．腋窩神経（腋窩において腕神経叢の後神経束から起こり，後上腕回旋動脈とともに四角隙（外側腋窩隙）を通り，腋窩の外に抜ける．小円筋枝を出した後に，上腕骨の外科頸を回って三角筋に分布し，上腕の上外側の皮膚に終わる）．＝nervus axillaris［TA］; circumflex n.

baroreceptor n. ＝pressoreceptor n.

Bell respiratory n. (bel)．ベル呼吸神経．＝long thoracic n.

buccal n.［TA］．頬神経（三叉神経下顎枝の感覚枝の１つで，下顎枝の裏側を下行して頬筋上を下前方に走り，口角付近の頬粘膜と頬の皮膚に分布する）．＝nervus buccalis［TA］; buccinator n.; long buccal n.

buccinator n. 頬神経．＝buccal n.

cardiopulmonary splanchnic n.'s 心肺内臓神経（交感神経幹からの内臓枝で交感性節後線維を横隔膜より上にある内臓に送り，ここからは内臓求心性線維を受ける．主に心臓・肺・食道神経叢を経由する．頸内臓神経，胸心臓神経は心肺内臓神経の一部である）．

caroticotympanic n.'s［TA］．頸鼓神経（内頸動脈神経叢から鼓室神経叢へ向かう２つの交感神経枝）．＝nervi caroticotympanici［TA］; small deep petrosal n.

carotid sinus n. 頸動脈洞枝．＝carotid *branch* of glossopharyngeal nerve.

n. to carotid sinus ＝carotid *branch* of glossopharyngeal nerve.

cavernous n.'s of clitoris［TA］．陰核海綿体神経（骨盤神経叢の膀胱部から起こる神経）．＝nervi cavernosi clitoridis［TA］; cavernous plexus of clitoris.

cavernous n.'s of penis［TA］．陰茎海綿体神経（骨盤神経叢の前立腺部から由来する大小２本の神経で，交感・副交感性線維をラセン動脈と海綿体の動静脈吻合に送り勃起を起こさせる）．＝nervi cavernosi penis［TA］; cavernous plexus of penis.

centrifugal n. 遠心性神経．＝efferent n.

centripetal n. 求心性神経．＝afferent n.

cervical n.'s [C1–C8] 頸神経（脊髄頸部から起始する神経［C1–C8］）．＝nervi cervicales［C1–C8］［TA］．

cervical splanchnic n.'s 頸内臓神経（上・中・下頸神経節から起こる数分節の内臓枝で上，中，下に分かれ心肺内臓神経の一部をなす）．＝augmentor n.'s.

circumflex n. ＝axillary n.

coccygeal n. [Co]［TA］．尾骨神経（脊髄神経の最下位にある小神経（Co）．尾骨神経叢にはいる）．＝nervus coccygeus［Co］［TA］．

cochlear n.［TA］．蝸牛神経（内耳神経［CN VIII］のうち蝸牛根より末梢の部分で，ラセン神経節の双極細胞の中枢性突起からなる．この神経節の末梢性突起はラセン器の４列の有毛細胞（神経上皮細胞）に分布する．→cochlear *root* of cranial nerve VIII). =nervus cochlearis [TA]; auditory n.; cochlear part of vestibulocochlear nerve; inferior part of vestibulocochlear nerve; pars cochlearis nervi vestibulocochlearis.

common fibular n. [TA]. 総腓骨神経（坐骨神経の終末枝の1つで膝窩の上端で脛骨神経と分かれ，大腿二頭筋とともに膝窩の外側を進み，腓骨頭を回ったところで浅・深腓骨神経に分かれる．総腓骨神経は腓骨頭外側の皮下にあって最も傷害を受けやすい神経で，傷害を受けると足の背屈ができなくなる(垂足)). =nervus fibularis communis [TA]; common peroneal n.*; nervus peroneus communis*.

common palmar digital n.'s [TA]. 総掌側指神経（2指の隣接した側面に固有掌側指神経を送る手掌の4神経．3本は正中神経の枝であり，1本は尺骨神経からである). =nervi digitales palmares communes [TA].

common peroneal n.* common fibular n. の公式の別名.

common plantar digital n.'s [TA]. 総底側指神経（内側足底神経に由来する3神経と外側足底神経に由来する1神経を含み，中央骨をおおう皮膚に分布し各指の両側で固有底側指神経として終わる). =nervi digitales plantares communes [TA].

cranial n.'s [TA]. 脳神経（脊髄もしくは脊柱を出入りする脊髄神経に対して頭蓋骨を出入りする神経をいう．12対の脳神経には，嗅 [CN I]，視 [CN II]，動眼 [CN III]，滑車 [CN IV]，三叉 [CN V]，外転 [CN VI]，顔面 [CN VII]，内耳 [CN VIII]，舌咽 [CN IX]，迷走 [CN X]，副 [CN XI]，舌下 [CN XII]の各神経がある). =nervi craniales [TA].

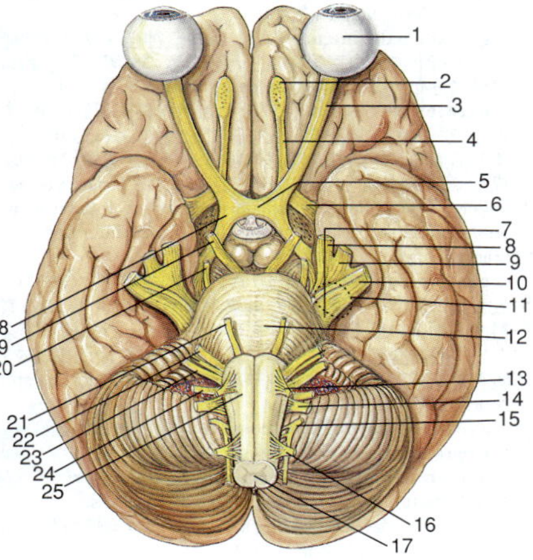

cranial nerves

1：眼球．2：嗅球．3：視神経．4：嗅索．5：視神経交叉．6：外側嗅条．7：三叉神経．8：眼神経(V1)．9：上顎神経(V2)．10：下顎神経(V3)．11：三叉神経節．12：橋．13：舌下神経(XII)．14：迷走神経(X)．15：副神経(XI)．16：第1脊髄神経の前根．17：脊髄．18：視索．19：動眼神経(III)．20：滑車神経(IV)．21：外転神経(VI)．22：顔面神経(VII)．23：内耳神経(VIII)．24：舌咽神経(IX)．25：延髄．

crural interosseous n. [TA]. 下腿骨間神経（脛骨神経の筋枝の1つから出る神経．骨間膜の後面を下行し，骨間膜の後面および下腿の2骨に分布する). =nervus interosseus cruris [TA]; interosseous n. of leg.

cubital n. =ulnar n.

cutaneous n. [TA]. 皮神経（血管，平滑筋，腺および知覚神経終末を含んで，皮膚に分布する混合領域). =nervus cutaneus [TA].

cutaneous cervical n. 頸皮神経. =transverse cervical n.

Cyon n. (sē′on). シーオン神経. =aortic n.

dead n. 失活神経（失活歯髄の誤称).

deep fibular n. [TA]. 深腓骨神経（総腓骨神経の終末枝の1つで，腓骨頭のところで起こり下腿前部に進み，前脛骨筋，長母指伸筋，長指伸筋，第三腓骨筋に分布した後，足根関節を横切って足背の筋(短母指伸筋と短指伸筋)に分布して皮枝となり，母指と第二指の皮膚に分布する). =nervus fibularis profundus [TA]; deep peroneal n.*; nervus peroneus profundus*; anterior tibial n.

deep peroneal n.* 深腓骨神経（deep fibular n. の公式の別名).

deep petrosal n. [TA]. 深錐体神経（内頸動脈神経叢の深錐体枝で翼突管の入口で大錐体神経と合流して翼突管神経となり節後線維を翼口蓋神経節に送る). =nervus petrosus profundus [TA]; sympathetic root of pterygopalatine ganglion*.

deep temporal n.'s [TA]. 深側頭神経（下顎神経から出る前枝と後枝があり側頭筋と側頭窩の骨膜に分布する). =nervi temporales profundi [TA].

dental n. 歯神経（①歯髄の俗称．②上下歯槽神経から歯に送られる枝. ⇀inferior alveolar n.; superior alveolar n.'s).

depressor n. of Ludwig (lŭd′vig). ルートヴィヒ抑制神経. =aortic n.

dorsal n. of clitoris [TA]. 陰核背神経（陰部神経の深終末枝．尿生殖隔膜の深会陰筋を通過し陰核背に沿って走り，特に陰核亀頭に分布する). =nervus dorsalis clitoridis [TA].

dorsal digital n.'s 背側指神経. =dorsal digital n.'s of hand.

dorsal digital n.'s of deep fibular nerve [TA]. 深腓骨神経の背側指枝（深腓骨神経が短指伸筋や短母指伸筋に枝を出した後の感覚性終末枝で，足の背面に分布する．第一指と第二指の間の部分にも枝を送る). =nervi digitales dorsales nervi fibularis profundi [TA].

dorsal digital n.'s of foot [TA]. 足の背側指神経（足指の基節と中節の背面の皮膚に分布する神経. ⇀dorsal digital n.'s of superficial fibular nerve; dorsal digital n.'s of deep fibular nerve). =nervi digitales dorsales pedis [TA]; dorsal n.'s of toes.

dorsal digital n.'s of hand [TA]. 背側指神経（橈骨神経，尺骨神経の終末枝で手指基節・中節の背面の皮膚に分布する神経. ⇀dorsal digital n.'s of ulnar nerve). =nervi digitales dorsales manus [TA]; dorsal digital n.'s.

dorsal digital n.'s of superficial fibular nerve [TA]. 浅腓骨神経の背側指枝（下腿外側から起こり足の背面に至り足背の大部分と指の背面に分布するが，第一指と第二指の間の部分だけは分布していない). =nervi digitales dorsales nervi fibularis superficialis [TA].

dorsal digital n.'s of ulnar nerve [TA]. 尺骨神経の背側指枝（尺骨神経の背側から起こり環指の尺側半と小指の背面および近隣の手の背面に分布する). =nervi digitales dorsales nervi ulnaris [TA].

dorsal interosseous n. 背側〔前腕〕骨間神経. =posterior interosseous n.

dorsal lateral cutaneous n. 外側足背皮神経. =lateral dorsal cutaneous n.

dorsal medial cutaneous n. 内側足背皮神経. =medial dorsal cutaneous n.

dorsal n. of penis [TA]. 陰茎背神経（陰茎背側に沿って走る陰部神経の深終末枝．尿生殖隔膜を通過中に枝を出し，ついで陰茎背に沿って走り，陰茎，包皮，海綿体，亀頭の皮膚に分布する). =nervus dorsalis penis [TA].

dorsal n. of scapula 肩甲背神経. =dorsal scapular n.

dorsal scapular n. [TA]. 肩甲背神経（第五―第七頸神経前枝から出て下行し，肩甲挙筋と大・小菱形筋に分布する). =nervus dorsalis scapulae [TA]; dorsal n. of scapula; n. to rhomboid; posterior scapular n.

dorsal n.'s of toes 足の背側指神経. =dorsal digital n.'s of foot.

efferent n. 遠心性神経（中枢から末梢にインパルスを伝達する神経). =centrifugal n.; exodic n.

eighth n. 第八脳神経. =vestibulocochlear n. [CN VIII].

eighth cranial n. [CN VIII] 第八脳神経. =vestibulocochlear n. [CN VIII].

eleventh cranial n. [CN XI] 第十一脳神経. ＝accessory n. [CN XI].

esodic n. 求心性神経. ＝afferent n.

excitor n. 刺激神経（諸機能を増大させるインパルスを伝える神経).

excitoreflex n. 興奮反射神経（内臓神経で，その固有機能が反射作用を起こす).

exodic n. 遠心性神経. ＝efferent n.

n. to external acoustic meatus [TA]. 外耳道神経（耳介側頭神経の枝. 外耳道の皮膚に分布する). ＝nervus meatus acustici externi [TA].

external carotid n.'s [TA]. 外頸動脈神経（交感神経幹から総頸動脈枝として多数の枝を発し，上頸神経節から外頸動脈に沿い上行する多数の交感神経線維. 外頸動脈神経叢を形成する). ＝nervi carotici externi [TA].

external respiratory n. of Bell (bel). ベル外呼吸神経. ＝long thoracic n.

external saphenous n. ＝sural n.

external spermatic n. ＝genital *branch* of genitofemoral nerve.

facial n. [CN VII] [TA]. 顔面神経（第七脳神経 [CN VII]. 橋下部の被蓋から起こり橋の後縁で脳を出る. 頭蓋腔を出て内耳道を通り，そこで中間神経と合流し，側頭骨錐体部の顔面神経管を通り茎乳突孔を抜けて出る. あぶみ骨筋，後頭筋，耳介筋，茎突舌骨筋，顎二腹筋の後腹に枝を送った後，耳下腺を通って耳下腺内神経叢をつくり，ここから多数の枝が出て顔面筋に至る). ＝nervus facialis [CN VII][TA]; motor n. of face; seventh cranial n. [CN VII].

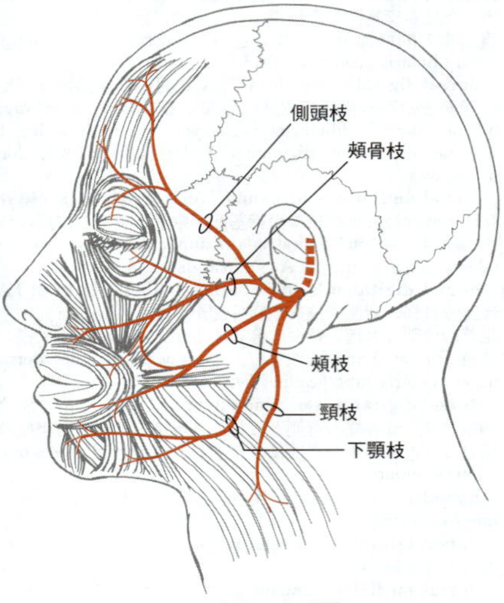

cranial nerve VII
分布.

femoral n. [TA]. 大腿神経（大腰筋の中で腰神経叢の枝として第二–第四腰神経から起こり，鼡径靱帯の下で大腿血管の外側の筋裂孔を経て大腿にはいる. 大腿三角の中で多数の筋枝に分かれ，縫工筋，恥骨筋，大腿四頭筋に分布し，前大腿皮神経を派出して大腿の前内側部の皮膚に分布する. 終末枝は伏在神経となり，下腿と足に分布する). ＝nervus femoralis [TA]; anterior crural n.

fifth cranial n. [CN V] 第五脳神経. ＝trigeminal n. [CN V].

first cranial n. [CN I] 第一脳神経. ＝olfactory n.'s. [CN I].

fourth cranial n. [CN IV] 第四脳神経. ＝trochlear n. [CN IV].

fourth lumbar n. [L4] [TA]. 第四腰神経（この神経の前枝は分岐して腰仙骨神経叢の形成に加わる). ＝furcal n.; nervus furcalis.

frontal n. [TA]. 前頭神経（眼窩内で滑車上神経と眼窩上神経に分かれる眼神経の枝). ＝nervus frontalis [TA].

furcal n. 分岐神経. ＝fourth lumbar n. [L4].

Galen n. (gā′lĕn). ガレン神経. ＝communicating *branch* of internal laryngeal branch with recurrent laryngeal nerve.

gangliated n. 交感神経を表す語.

genitocrural n. 陰部大腿神経. ＝genitofemoral n.

genitofemoral n. [TA]. 陰部大腿神経（第一・第二腰神経から起こり，大腰筋前面に沿って下行し，陰部，大腿の各枝に分かれる). ＝nervus genitofemoralis [TA]; genitocrural n.

glossopharyngeal n. [CN IX] [TA]. 舌咽神経（第九脳神経 [CN IX]. 延髄のオリーブ後溝から脳を出て頸静脈孔を抜ける. 咽頭と舌の後部 1/3 に感覚枝を送る. また運動性線維を茎突咽頭筋に，副交感神経節前線維を耳神経節に送る). ＝nervus glossopharyngeus [CN IX][TA]; ninth cranial n. [CN IX].

great auricular n. [TA]. 大耳介神経（第二・第三頸神経から起こり，耳介の皮膚，頭皮や頬および下顎角をおおう皮膚に分布する. また耳下腺被膜にも分布し，流行性耳下腺炎の際の拡張による痛みを伝える). ＝nervus auricularis magnus [TA].

greater occipital n. [TA]. 大後頭神経（第二頸神経後枝の内側枝. 頭半棘筋と頸多裂筋に枝を送るが，主に頭皮の後部に分布する. 知覚枝，後頭蓋窩へ行く硬膜枝，後頭下筋を支配する第一頸神経への痛覚・固有覚枝からなる). ＝nervus occipitalis major [TA].

greater palatine n. [TA]. 大口蓋神経（翼口蓋神経節の枝. 下行して大口蓋管を通り，硬口蓋の粘膜と腺，軟口蓋の前部に分布する). ＝nervus palatinus major [TA].

greater petrosal n. [TA]. 大錐体神経（顔面神経膝からの枝で，大錐体神経管裂孔を経て破裂孔のそばの側頭骨の錐体部前面の溝を通り，深錐体神経と合流して翼突管神経を形成し，翼突管を通って翼口蓋神経節に達する). ＝nervus petrosus major [TA]; parasympathetic root of pterygopalatine ganglion*; greater superficial petrosal n; radix intermedia ganglii pterygopalatini*.

greater splanchnic n. [TA]. 大内臓神経（胸郭内で第五または第六から第九または第十交感神経節へ起こる腹部骨盤内臓神経の最上部で，胸椎体に沿って下行し横隔膜を貫通して腹腔神経節に合流する. ここに交感性節前線維を送り，腹腔神経叢から内臓求心性線維を受ける). ＝nervus splanchnicus major [TA].

greater superficial petrosal n. ＝greater petrosal n.

great sciatic n. ＝sciatic n.

hemorrhoidal n.'s →superior rectal (nerve) *plexus*; middle rectal (nerve) *plexus*; inferior anal n.'s.

Hering sinus n. (her′ing). ヘーリング洞神経. ＝carotid *branch* of glossopharyngeal nerve.

hypogastric n. [TA]. 下腹神経（上下腹神経叢から骨盤にはいり，下下腹神経叢に加わる左右 2 本の神経幹). ＝nervus hypogastricus [TA].

hypoglossal n. [CN XII] [TA]. 舌下神経（第十二脳神経 [CN XII]. 延髄の舌下神経核から起こり，錐体とオリーブの間からオリーブ前溝を通って数根糸が出る. 舌下神経管を通り，下前方に向かい内舌筋および 4 ないし 5 の外舌筋に分布する). ＝nervus hypoglossus [CN XII][TA]; twelfth cranial n. [CN XII].

iliohypogastric n. [TA]. 腸骨下腹神経（腸骨鼡径神経とともに第一腰神経の終末枝で，腹筋と前腹壁の下部の皮膚に分布する). ＝nervus iliohypogastricus [TA]; iliopubic n.*; nervus iliopubicus*.

ilioinguinal n. [TA]. 腸骨鼡径神経（腸骨下腹神経とともに第一腰神経の終末枝で鼡径管から浅鼡径輪を通って，大腿上内側部，恥丘，陰嚢あるいは大陰唇の皮膚に分布する). ＝nervus ilioinguinalis [TA].

iliopubic n.* 腸骨下腹神経（iliohypogastric n. の公式の別名).

inferior alveolar n. [TA]. 下歯槽神経（下顎神経の終末枝. 下顎管にはいり，下顎歯および下顎骨の骨膜や歯肉に分布する．このうちおとがい神経はおとがい孔を抜け，下唇とおとがいの皮膚と粘膜に分布する）．＝nervus alveolaris inferior [TA]; inferior dental n.

inferior anal n.'s [TA]．下直腸神経（陰部神経の数枝で，外肛門括約筋と肛門部の皮膚にのびる）．＝nervi anales inferiores [TA]; inferior rectal n.'s☆; nervi rectales inferiores☆; inferior hemorrhoidal n.'s.

inferior cervical cardiac n. [TA]．下頸心臓神経（頸胸神経節から心臓神経叢に向かう神経）．＝nervus cardiacus cervicalis inferior [TA].

inferior clunial n.'s [TA]．下殿皮神経（後大腿皮神経の枝．大殿筋下縁の下から出て，下半分の殿部の皮膚に分布する）．＝nervi clunium inferiores [TA].

inferior dental n. ＝inferior alveolar n.

inferior gluteal n. [TA]．下殿神経（仙骨神経叢の枝として第五腰神経および第一・第二仙骨神経から起こり大殿筋を支配する．この神経は座業の人で圧迫，虚血により損傷を受けやすく，座位からの立ちあがりや階段をのぼることが困難となる）．＝nervus gluteus inferior [TA].

inferior hemorrhoidal n.'s 下痔神経．＝inferior anal n.'s.

inferior laryngeal n. [TA]．下喉頭神経（反回神経が下咽頭収縮筋の深層を通過するときに派出する終末枝．輪状甲状筋を除くすべての喉頭筋と声帯ひだ下方の粘膜に分布する）．＝nervus laryngeus inferior.

inferior lateral brachial cutaneous n.☆ 下外側上腕皮神経（inferior lateral cutaneous n. of arm の公式の別名）.

inferior lateral cutaneous n. of arm [TA]．下外側上腕皮神経（橈骨神経の枝．上腕の下外側面の皮膚に分布する．後前腕神経の枝であることが多い）．＝nervus cutaneus brachii lateralis inferior [TA]; inferior lateral brachial cutaneous n.☆.

inferior maxillary n. 下顎神経．＝mandibular n. [CN V3].

inferior rectal n.'s☆ 下直腸神経（inferior anal n.'s の公式の別名）.

infraorbital n. [TA]．眼窩下神経（上顎神経の延長で，蝶口蓋窩を通って眼窩にはいった後に眼窩下裂から眼窩下管を通って顔面に至る．上顎洞粘膜，上顎の切歯，犬歯，小臼歯，上顎の歯肉，下眼瞼と結膜，鼻の一部，上唇に分布する）．＝nervus infraorbitalis [TA].

infratrochlear n. [TA]．滑車下神経（鼻毛様体神経の終末枝．上斜筋滑車下を通り眼窩の前部に至り，眼瞼と鼻根の皮膚に分布する）．＝nervus infratrochlearis [TA].

inhibitory n. 抑制神経（ある部分の機能を低下させるインパルスを伝達する神経）.

intercarotid n. ＝carotid *branch* of glossopharyngeal nerve.

intercostal n.'s [TA]．肋間神経（胸神経［T1–T11］の前枝）．＝nervi intercostales [TA].

intercostobrachial n.'s [TA]．肋間上腕神経（第二・第三肋間神経の枝で，上腕内側の皮膚に向かう）．＝nervi intercostobrachiales [TA]; intercostohumeral n.'s.

intercostohumeral n.'s 肋間上腕神経．＝intercostobrachial n.'s.

intermediary n. 中間神経．＝intermediate n.

intermediate n. [TA]．中間神経（膝神経節中に細胞体があり舌の前 2/3 の味覚を伝える感覚線維と上唾液核からの副交感性節前線維からなる顔面神経の一根．感覚線維は舌神経から鼓索神経を介し，この根へはいる．また，副交感性節前線維は大錐体神経や鼓索神経へはいる）．＝nervus intermedius [TA]; intermediary n.; portio intermedia; Wrisberg n. (2).

intermediate dorsal cutaneous n. [TA]．中間足背皮神経（足背に分布する浅腓骨神経の外側終末枝で，背枝を母指，第二指の周辺を除く足指へ送る）．＝nervus cutaneus dorsalis intermedius [TA].

intermediate supraclavicular n. [TA]．中間鎖骨上神経（頸神経叢の C3—C4 部から起こる神経．肩の上を越え鎖骨を横切って下行し，肩部上面と鎖骨下部の皮膚に分布する）．＝nervus supraclavicularis intermedius [TA]; middle supraclavicular n.

internal carotid n. [TA]．内頸動脈神経（上頸神経節からの交感性節後線維のうち総頸動脈沿いに出るもので，内頸動脈に沿って上行し，内頸動脈神経叢を形成する）．＝nervus caroticus internus [TA].

internal saphenous n. ＝saphenous n.

interosseous n. of leg 下腿骨間神経．＝crural interosseous n.

Jacobson n. (jā′kob-sŏn)．ヤコブソン神経．＝tympanic n.

jugular n. [TA]．頸静脈神経（交感神経の上頸神経節，迷走神経の上神経節，舌咽神経の下神経節を結ぶ交通枝）．＝nervus jugularis [TA].

lacrimal n. [TA]．涙腺神経（眼神経［CN V1］の枝．上眼瞼外側部，結膜，涙腺に感覚枝を送る．涙腺への分泌線維は上顎神経［CN V2］の枝である頬骨神経からその交通枝を経て送られてくる）．＝nervus lacrimalis [TA].

Latarget n. (lah-tar-zhā′)．ラタルジェ神経（①＝superior hypogastric (nerve) *plexus*. ②前迷走神経幹の終末枝で，胃の小弯に沿って胃十二指腸移行部の手前数センチのところまで進むが，幽門括約筋にまでは達しない）.

lateral ampullar n. [TA]．外側膨大部神経（卵形嚢膨大部神経の枝．外側半規管の膨大部稜に分布する）．＝nervus ampullaris lateralis [TA].

lateral antebrachial cutaneous n.☆ 外側前腕皮神経（lateral cutaneous n. of forearm の公式の別名）.

lateral anterior thoracic n. 外側〔前〕胸筋神経．＝lateral pectoral n.

lateral cutaneous n. of calf 外側腓腹皮神経．＝lateral sural cutaneous n.

lateral cutaneous n. of forearm [TA]．外側前腕皮神経（筋皮神経の最終皮枝で上腕二頭筋と上腕筋の間から出て前腕の橈側の皮膚に分布する）．＝nervus cutaneus antebrachii lateralis [TA]; lateral antebrachial cutaneous n.☆.

lateral cutaneous n. of thigh [TA]．外側大腿皮神経（腰神経叢から起こり第二・第三腰神経の線維を大腿外側面と前外側面とに送る）．＝nervus cutaneus femoris lateralis [TA]; lateral femoral cutaneous n.☆.

lateral dorsal cutaneous n. [TA]．外側足背皮神経（足の腓腹神経の延長で，足背と外側縁に分布する）．＝nervus cutaneus dorsalis lateralis [TA]; dorsal lateral cutaneous n.

lateral femoral cutaneous n.☆ 外側大腿皮神経（lateral cutaneous n. of thigh の公式の別名）.

lateral pectoral n. [TA]．外側胸筋神経（腕神経叢の外側神経束から出て小胸筋の内側を通り大胸筋の鎖骨部に分布する神経）．＝nervus pectoralis lateralis [TA]; lateral anterior thoracic n.

lateral plantar n. [TA]．外側足底神経（脛骨神経の 2 終枝の 1 つ．足底の外側を通り，浅枝と深枝に分かれる．足底外側面と小指および第四指外側面の皮膚に分布し，母指外転筋と短指屈筋を除く足底部の筋を支配する．この神経の足における分布は手における尺骨神経の分布とよく似ている）．＝nervus plantaris lateralis [TA].

n. to lateral pterygoid [TA]．外側翼突筋神経（下顎神経(三叉神経第三枝)から分かれる運動枝で，外側翼突筋を支配する）．＝nervus pterygoideus lateralis [TA].

lateral supraclavicular n. [TA]．外側鎖骨上神経（頸神経叢の C3—C4 部から起こる枝．下行して肩峰と三角筋部の皮膚に分布する）．＝nervus supraclavicularis lateralis [TA]; posterior supraclavicular n.

lateral sural cutaneous n. [TA]．外側腓腹皮神経（膝窩の総腓骨神経から起こり，下腿の下外側面の皮膚に分布する）．＝nervus cutaneus surae lateralis [TA]; lateral cutaneous n. of calf.

least splanchnic n. [TA]．最小内臓神経（腹部骨盤内臓神経の 1 つで，胸郭内で起こり，横隔膜を貫通して交感性節前線維を腎神経叢へ送る．通常，小内臓神経に含まれるが，ときに独立した神経として存在する）．＝nervus splanchnicus imus [TA]; lowest splanchnic n.☆; smallest splanchnic n.

lesser internal cutaneous n. ＝medial cutaneous n. of arm.

lesser occipital n. [TA]．小後頭神経（第二・第三頸神経の前枝からなる頸神経叢から起こり，耳介の後面と隣接部の頭皮の皮膚に分布する）．＝nervus occipitalis minor [TA].

lesser palatine n.'s [TA]．小口蓋神経（通常，2 本あ

り，小口蓋孔から出て，軟口蓋と口蓋垂の粘膜と腺に分布する．翼口蓋神経節の枝で上顎神経の副交感性節後線維と感覚線維を含む)．＝nervi palatini minores［TA］.

lesser petrosal n.［TA］．小錐体神経（耳神経節の副交感神経根．鼓室神経叢から起こり，小錐体神経管を抜け鼓室を出て，頭蓋内を蝶錐体裂，卵円孔あるいは錐体孔に向かい，それを抜けて下行し耳神経節に至る．舌咽神経からの副交感性節前線維で耳下腺の分泌を支配する)．＝nervus petrosus minor［TA］; parasympathetic root of otic ganglion*; radix parasympathica ganglii otici*; lesser superficial petrosal n.

lesser splanchnic n.［TA］．小内臓神経（腹骨盤内臓神経の１つで，胸郭内で最後の２つの交感神経節から起こり，横隔膜を通過して大動脈腎神経節にはいる．交感性節前線維と内臓求心性神経を含む)．＝nervus splanchnicus minor［TA］.

lesser superficial petrosal n. 小錐体神経．＝lesser petrosal n.

lingual n.［TA］．舌神経（下顎神経［CN V3］の枝．外側翼突筋の内側を通り，内側翼突筋と下顎の間，口腔底の粘膜の下を通って舌の外側にいき，舌の前2/3と口腔底の粘膜に分布する．第二・第三大臼歯根の舌側に沿って走っているので抜去の際に傷つける恐れがある)．＝nervus lingualis［TA］.

long buccal n. ＝buccal n.

long ciliary n.［TA］．長毛様体神経（２，３の鼻毛様体神経の枝で，毛様体神経節の傍らを過ぎて交感性節後線維を瞳孔散大筋に，感覚枝を毛様体筋，虹彩，角膜に送る)．＝nervus ciliaris longus［TA］.

long saphenous n. ＝saphenous n.

long subscapular n. ＝thoracodorsal n.

long thoracic n.［TA］．長胸神経（第五・第六・第七頸神経根(腕神経叢の根)から出て，腕神経叢の後ろの頸部を下行し，前鋸筋に分布する．この神経が他の神経と異なる点は，支配している筋の表面を走行していることである．この麻痺は翼状肩甲骨症を生じる)．＝nervus thoracicus longus［TA］; Bell respiratory n.; external respiratory n. of Bell; posterior thoracic n.

lowest splanchnic n.* 最下内臓神経（least splanchnic n.の公式の別名).

Ludwig n. (lūd′vig). ルートヴィヒ神経．＝aortic n.

lumbar n.'s [L1–L5] 腰神経（脊髄腰部の両側から対をなして出る５本の神経．最初の４神経は腰神経叢にはいり，第四・第五神経は仙骨神経叢にはいる)．＝nervi lumbales.

lumbar splanchnic n.'s［TA］．腰内臓神経（交感神経幹腰部の内側面から出る神経枝で前内側方に進み，腹腔神経叢，腸間膜動脈神経叢，大動脈神経叢，上・下腹動脈神経叢に節前線維を送り内臓求心性線維を受け取る)．＝nervi splanchnici lumbales［TA］.

lumboinguinal n. 腰鼡径神経（陰部大腿神経の大腿枝．→ genitofemoral n.).

mandibular n. [CN V3]［TA］．下顎神経（第五脳神経第三枝［CN V3］．三叉神経節からの感覚線維と運動根が卵円孔で結合してできる三叉神経の第三枝．卵円孔を出て，硬膜，咬筋，深側頭，外側・内側翼突筋，頬，耳介側頭，舌，下歯槽の各神経となる．知覚枝は耳介，外耳道，鼓膜，側頭部，頬，下顎角を除く下顎骨をおおう皮膚，舌の前2/3，口底部，下顎歯と歯肉に分布する．運動枝はすべてのそしゃく筋，おとがい舌骨筋，顎二腹筋の前腹，口蓋帆張筋および鼓膜張筋に分布する)．＝nervus mandibularis［CN V3］［TA］; inferior maxillary n.

masseteric n.［TA］．咬筋神経（下顎神経［CN V3］の筋枝．下顎切痕を通って咬筋の内側面に至りその筋および顎関節に分布する)．＝nervus massetericus［TA］.

masticator n. ＝motor *root* of trigeminal nerve.

maxillary n. [CN V2] 上顎神経（第五脳神経第二枝［CN V2］．三叉神経第二枝．中頭蓋窩の三叉神経節から正円孔を抜け翼口蓋窩に至る．そこで翼口蓋神経節に神経節枝を出し，さらに前方に頬骨神経を出して眼窩にはいり，眼窩下神経となる．知覚枝は下眼瞼の皮膚と結膜，上唇と頬の皮膚と粘膜，口蓋，上顎歯と歯肉，上顎洞，鼻翼および鼻腔の後下部に分布する)．＝nervus maxillaris［CN V2］［TA］; superior maxillary n.

medial antebrachial cutaneous n.* 内側前腕皮神経（medial cutaneous n. of forearmの公式の別名).

medial anterior thoracic n. 内側胸筋神経．＝medial pectoral n.

medial brachial cutaneous n.* 内側上腕皮神経（medial cutaneous n. of armの公式の別名).

medial clunial n.'s［TA］．中殿皮神経（仙骨神経後枝の終末枝．中殿部の皮膚に分布する)．＝nervi clunium medii［TA］; middle cluneal n.'s.

medial crural cutaneous n.* medial cutaneous n. of legの公式の別名.

medial cutaneous n. of arm［TA］．内側上腕皮神経（腕神経叢の内側神経束から起こり，腋窩で第二肋間神経の外側皮枝と結合し，上腕の内側の皮膚に分布する)．＝nervus cutaneus brachii medialis［TA］; medial brachial cutaneous n.*; lesser internal cutaneous n.; Wrisberg n. (1).

medial cutaneous n. of forearm［TA］．内側前腕皮神経(腕神経叢の内側神経束から起こり，上腕動脈，次いで尺側皮静脈とともに下行し，前腕の前面と尺側面の皮膚に分布する)．＝nervus cutaneus antebrachii medialis［TA］; medial antebrachial cutaneous n.*.

medial cutaneous n. of leg［TA］．内側腓腹皮神経（伏在神経の枝で下腿内側の皮膚に分布する)．＝rami cutanei cruris mediales nervi sapheni［TA］; medial crural cutaneous n.*; medial crural cutaneous branches of saphenous nerve.

medial dorsal cutaneous n.［TA］．内側足背皮神経（足背に分布する浅腓骨神経の内側終末枝で，背枝を(第一指と第二指の対面側を除く)足指へ送る)．＝nervus cutaneus dorsalis medialis［TA］; dorsal medial cutaneous n.

medial pectoral n.［TA］．内側胸筋神経（腕神経叢の内側神経束から出て胸筋群に分布する神経．通常は小胸筋を貫通した後，主として大胸筋の胸肋部に分布する)．＝nervus pectoralis medialis［TA］; medial anterior thoracic n.

medial plantar n.［TA］．内側足底神経（脛骨神経の２終末枝の１つ．足底の内側面を通って母指外転筋と短指屈筋に分布する．総・固有の各指神経を経て足の内側面と内側三指および第四指内側面の皮膚に分布する)．＝nervus plantaris medialis［TA］.

medial popliteal n. ＝tibial n.

n. to medial pterygoid［TA］．内側翼突筋神経（下顎神経(三叉神経第三枝)から分かれる運動枝で，内側翼突筋を支配する)．＝nervus pterygoideus medialis［TA］.

medial supraclavicular n.［TA］．内側鎖骨上神経（頸神経叢のC3—C4ループから出る神経．胸郭の上内側部の皮膚に分布)．＝nervus supraclavicularis medialis［TA］; anterior supraclavicular n.

medial sural cutaneous n.［TA］．内側腓腹皮神経（膝窩の脛骨神経から起こり，腓腹筋の２頭の間を下行し，下腿の中間で総腓骨神経の交通枝と結合して腓腹神経を形成する．下腿と足首の遠位外側面の皮膚に分布する)．＝nervus cutaneus surae medialis［TA］; popliteal communicating n.; tibial communicating n.

median n.［TA］．正中神経（腕神経叢の内側幹と外側幹から由来する内側神経束と外側神経束との合流によって形成される神経．尺側手根屈筋と深指屈筋尺側半を除く前腕前面のすべての筋に分布した後，手根管を通った後の反回枝によって母指内転筋と短母指屈筋の深頭を除く手掌の筋に分布する．知覚枝は手掌の皮膚と橈側３指半の遠位背面とその近くの掌面に分布する．手根管症候群で最も傷害されやすい神経で，その結果，母指対向性が失われてサル手となり，手の橈側の感覚が失われる)．＝nervus medianus［TA］.

mental n.［TA］．おとがい神経（下歯槽神経の枝．下顎管内で分枝し，おとがい孔を経ておとがいと下唇に至る)．＝nervus mentalis［TA］.

middle cervical cardiac n.［TA］．中〔頸〕心臓神経（心肺内臓神経の１つで中頸神経節から下行する交感性節後線維束．左側の鎖骨下動脈あるいは右側の腕頭動脈に沿って心臓神経叢に加わる)．＝nervus cardiacus cervicalis medius［TA］.

middle cluneal n.'s ＝medial clunial n.'s.

middle meningeal n. ＝meningeal *branch* of maxillary nerve.

N

middle supraclavicular n. 中間鎖骨上神経．＝intermediate supraclavicular n.

mixed n. [TA]．混合神経（求心性線維と遠心性線維の両方を含む神経）．＝nervus mixtus [TA].

motor n. [TA]．運動性神経（大部分もしくはすべて遠心性神経線維からなる神経．筋収縮を起こすインパルスを伝える遠心性神経と自律神経系で腺上皮に働きかけて分泌を促す遠心性神経が含まれる）．＝nervus motorius [TA].

motor n. of face 顔面神経．＝facial n. [CN VII].

musculocutaneous n. [TA]．筋皮神経（腕神経叢外側神経束から出て烏口腕筋を抜け，上腕筋と上腕二頭筋の間を下行する．これらの３つの筋肉に分布し，末梢は前腕の外側皮神経となる）．＝nervus musculocutaneus [TA].

musculocutaneous n. of leg ＝superficial fibular n.

musculospiral n. ＝radial n.

myelinated n. 有髄神経（髄鞘を形成する Schwann 細胞の膜構造に囲まれた末梢神経．medullated n.'s ともよばれる）．

mylohyoid n. ＝n. to mylohyoid.

n. to mylohyoid [TA]．顎舌骨筋神経（下歯槽神経の小枝で，神経が下顎孔にはいる直前に後方に出る．顎二腹筋の前腹と顎舌骨筋に分布する）．＝nervus mylohyoideus [TA]; mylohyoid n.

nasal n. ＝nasociliary n.

nasociliary n. [TA]．鼻毛様体神経（上眼窩裂で分枝する眼神経［CN V1］の枝．眼窩を通り，前篩骨孔を抜けて頭蓋にはいり，鼻裂を通って鼻腔にはいる．毛様体神経節長根，長毛様体神経，前後篩骨神経を発し，滑車下神経，鼻枝に終わり，鼻の粘膜，鼻尖の皮膚，結膜に分布する）．＝nervus nasociliaris [TA]; nasal n.

nasopalatine n. [TA]．鼻口蓋神経（翼口蓋神経節からの枝．蝶口蓋孔を抜けて鼻中隔を横切った後下行し，切歯孔を抜け硬口蓋の粘膜に分布する）．＝nervus nasopalatinus [TA].

ninth cranial n. [CN IX] 第九脳神経．＝glossopharyngeal n. [CN IX].

obturator n. [TA]．閉鎖神経（腰筋中で第二・第三・第四腰神経からなる腰神経叢から起こり，骨盤縁を横切り閉鎖管を抜けて，大腿にはいる．大腿内側にあって股関節で内転を起こす筋に分布した後，皮枝として終わり，膝より上の大腿内側の小範囲に分布する）．＝nervus obturatorius [TA].

n. to obturator internus [TA]．内閉鎖筋神経（仙骨神経叢(L5 — S1)に由来する運動枝で，大坐骨孔を通り，仙棘靱帯と交差したのち，内閉鎖筋に分布する）．＝nervus musculi obturatorii interni [TA].

oculomotor n. [CN III] [TA]．動眼神経（第三脳神経［CN III］．外側直筋と上斜筋を除くすべての外眼筋に分布する第三脳神経．上眼瞼挙筋にも線維を送り，さらに副交感性節前線維を毛様体神経節に送り毛様体筋，瞳孔括約筋を支配する．中脳水道下にある核から起こり，中脳の脚間窩にある動眼神経溝から脳を出る．硬膜を突き抜け後床突起の外側に至り，海綿静脈洞外壁内を通り上眼窩裂から眼窩にはいる）．＝nervus oculomotorius [CN III][TA]; motor oculi; oculomotorius; third cranial n. [CN III].

olfactory n.'s [CN I] [TA]．嗅神経（第一脳神経［CN I］．多数ある嗅糸の総称．鼻粘膜の嗅部にある８—12本の双極性嗅受容器細胞の細い無髄軸索からなる細長い小束．嗅糸は篩骨篩板を通り嗅球にはいる．そこで僧帽弁細胞，房飾細胞，顆粒細胞とシナプス接合して終わる．→olfactory *tract*）．＝fila olfactoria [TA]; nervus olfactorii [CN I] [TA]; first cranial n. [CN I]; n. of smell; olfactory fila.

ophthalmic n. [CN V1] [TA]．眼神経（第五脳神経第一枝［CN V1］．海綿静脈洞外壁にある三叉神経節から前方に向かい，上眼窩裂を通って眼窩にはいる三叉神経の枝．その枝である前頭・涙腺・鼻毛様体神経を経て，眼窩とその内容物，鼻腔前部，鼻と額の皮膚に感覚線維を送る）．＝nervus ophthalmicus [CN V1][TA].

optic n. [CN II] [TA]．視神経（第二脳神経［CN II］．脳神経の１つとして扱われてはいるが，実は前脳胞の延長部である．網膜の神経節細胞から起こり，眼窩を出て視神経管を通り視交叉に至る．そこで線維の一部は反対側に交差し，視索を通って外側膝状体，上丘および視蓋前野に至る）．＝nervus opticus [CN II][TA]; second cranial n. [CN II].

orbital n. ＝zygomatic n.

parasympathetic n. 副交感神経．

pathetic n. 滑車神経．＝trochlear n. [CN IV].

pelvic splanchnic n.'s [TA]．骨盤内臓神経（第二—第四仙骨神経前枝の内臓枝で，下下腹神経叢と合流して骨盤神経叢を形成する．副交感性節前線維と感覚枝を含む）．＝nervi splanchnici pelvici [TA]; parasympathetic root of pelvic ganglia*; radices parasympathicae gangliorum pelvicorum* [TA]; nervi erigentes.

perforating cutaneous n. [TA]．貫通皮神経（第二・三仙骨神経前枝の後面から起こり，仙結節靱帯を貫く皮神経．大殿筋の下縁から現れ，この筋の下内側部をおおう皮膚に分布する）．＝nervus cutaneus perforans [TA].

perineal n.'s [TA]．会陰神経（陰部神経の浅終末枝．深枝は会陰筋の大部分に，浅枝は皮膚に分布する）．＝nervi perineales [TA].

peroneal communicating n. ＝sural communicating *branch* of common fibular nerve.

pharyngeal n. [TA]．〔翼口蓋神経節の〕咽頭枝（後方へ咽頭管を抜けて副交感性節後線維を鼻咽頭の粘液腺に送る）．＝nervus pharyngeus [TA]; pharyngeal branch of pterygopalatine ganglion; ramus pharyngeus ganglii pterygopalatini.

phrenic n. [TA]．横隔神経（頸神経叢，主に第四頸神経から起こる．前斜角筋の前を下行し，胸鎖関節の背後の鎖骨下動静脈の間から胸郭にはいり，肺根の前を通り横隔膜に達する．主に横隔膜の運動神経であるが，壁側縦隔胸膜，心膜，横隔胸膜，腹膜に知覚線維を送り（心膜枝），腹腔神経叢からの枝と交通する（横隔腹枝））．＝nervus phrenicus [TA].

pineal n. [TA]．松果体神経（上頸神経節から起こる無髄の交感神経節後線維．松果体の血管周囲腔や松果体細胞間に終わる，あるいは松果体細胞とシナプスを形成する）．＝nervus pinealis [TA].

n. to piriformis [TA]．梨状筋神経（仙骨神経叢［S1—S2］に由来する運動枝で，梨状筋の前面から分布する）．＝nervus musculi piriformis [TA].

pneumogastric n. 迷走神経．＝vagus n. [CN X].

popliteal communicating n. ＝medial sural cutaneous n.

posterior ampullary n. [TA]．後膨大部神経（第八脳神経の前庭神経の枝．後半規管の膨大部稜に分布する）．＝nervus ampullaris posterior [TA].

posterior antebrachial n. 後前腕神経．＝posterior interosseous n.

posterior antebrachial cutaneous n.* 後前腕皮神経（posterior cutaneous n. of forearm の公式の別名）．

posterior auricular n. [TA]．後耳介神経（顔面神経の最初の頭蓋外枝．耳の後ろを通り，後耳介筋と耳介の内筋に分布し，後頭枝を経て，後頭前頭筋の後頭膨大部を支配する）．＝nervus auricularis posterior [TA].

posterior brachial cutaneous n.* 後上腕皮神経（posterior cutaneous n. of arm の公式の別名）．

posterior cutaneous n. of arm [TA]．後上腕皮神経（上腕の後面の皮膚に分布する橈骨神経の枝）．＝nervus cutaneus brachii posterior [TA]; posterior brachial cutaneous n.*.

posterior cutaneous n. of forearm [TA]．後前腕皮神経（前腕の背面の皮膚に分布する橈骨神経の枝）．＝nervus cutaneous antebrachii posterior [TA]; posterior antebrachial cutaneous n.*.

posterior cutaneous n. of thigh [TA]．後大腿皮神経（仙骨神経の最初の３本からなる仙骨神経叢から起こり，大腿後面と膝窩部の皮膚に分布し(S1 と S2)，陰嚢または大陰唇の外側面に向かう会陰枝(S3)を出す）．＝nervus cutaneus femoris posterior [TA]; posterior femoral cutaneous n.*; small sciatic n.

posterior ethmoidal n. [TA]．後篩骨神経（鼻毛様体神経の枝で，感覚枝を蝶形骨洞と篩骨蜂巣後部に送る）．＝nervus ethmoidalis posterior [TA].

posterior femoral cutaneous n.* 後大腿皮神経（posterior cutaneous n. of thigh の公式の別名）．

posterior inferior nasal n.'s [TA]．後下鼻神経（下鼻

甲介，下鼻道の後部粘膜を含む鼻腔の後下外側壁に分布する．ときに翼口蓋神経節から直接分枝することもある）．＝rami nasales posteriores inferiores nervi palatini majoris [TA]; posterior inferior nasal branches of greater palatine nerve.

posterior interosseous n. [TA]．後骨間神経（橈骨神経の深終末枝．肘部に起こり，回外筋に分布した後これを貫いて後骨間動脈に伴行して前腕の全伸筋に分布する）．＝nervus interosseus antebrachii posterior [TA]; dorsal interosseous n.; nervus antebrachii posterior; nervus interosseus dorsalis; nervus interosseus posterior; posterior antebrachial n.

posterior labial n.'s [TA]．後陰唇神経（陰唇後部と膣前庭の皮膚に分布する浅会陰神経の終末枝．男性の後陰嚢神経に相当する）．＝nervi labiales posteriores [TA].

posterior n. of lesser curvature [TA]．後小彎神経（後迷走神経幹から起こる後胃枝の枝．小彎に沿って胃に分布する）．＝nervus curvaturae minoris posterior [TA].

posterior scapular n. 肩甲背神経．＝dorsal scapular n.

posterior scrotal n.'s [TA]．後陰嚢神経（数本の浅会陰神経終末枝．陰嚢後部の皮膚に分布し，女性の後陰唇神経に相当する）．＝nervi scrotales posteriores [TA].

posterior supraclavicular n. 後鎖骨上神経．＝lateral supraclavicular n.

posterior thoracic n. ＝long thoracic n.

presacral n.* 仙骨前神経（superior hypogastric (nerve) *plexus* の公式の別名）．

pressor n. 昇圧神経（求心性神経で，これを刺激すると反射的に血管収縮を起こし，血圧を上昇させる）．

pressoreceptor n. 圧受容器神経（求心性線維で構成される神経．その終末は機械的圧力の増加に敏感である．特に中空器官壁を支配する感覚神経をいう）．＝baroreceptor n.

proper palmar digital n.'s [TA]．固有掌側指神経（総掌側指神経に由来する手指の掌側神経．各神経は指の掌側1/4と末節の背側面の一部に分布する）．＝nervi digitales palmares proprii [TA].

proper plantar digital n.'s [TA]．固有底側指神経（総底側指神経からの10本の神経．各神経は足指の底側1/4と末節の背側面の一部に分布する）．＝nervi digitales plantares proprii [TA].

pterygoid n. 翼突筋神経（下顎神経の2本の運動枝で，三叉神経運動根から出て内側・外側翼突筋を支配する）．＝nervus pterygoideus.

n. of pterygoid canal [TA]．翼突管神経（翼口蓋神経節の交感・副交感神経根を構成する神経．浅錐体神経と深錐体神経が結合して破裂孔周辺に形成され，翼突管を抜け翼口蓋窩に至る）．＝nervus canalis pterygoidei [TA]; facial root; radix facialis; vidian n.

pterygopalatine n.'s 翼口蓋神経．＝sensory *root* of pterygopalatine ganglion.

pudendal n. [TA]．陰部神経（第二―第四仙骨神経前枝の枝で，大坐骨孔を抜けて骨盤の外に出た後，仙棘靱帯の後を通り内陰部動脈に伴行して小坐骨孔を経て会陰に分布する．下直腸神経を分枝した後，陰部神経管を通って坐骨直腸窩外側壁に分布し，陰茎または陰核背神経となって終わる）．＝nervus pudendus [TA]; plexus pudendus nervosus; pudic n.

pudic n. 陰部神経．＝pudendal n.

n. to quadratus femoris [TA]．大腿方形筋神経（仙骨神経叢［L4―S1］に由来する枝で，大坐骨孔を通り，大腿方形筋と股関節に分布する）．＝nervus musculi quadrati femoris [TA].

radial n. [TA]．橈骨神経（腕神経叢のすべての根枝を含む後神経束から起こる．上腕骨後面を回って肘窩まで下行し，浅枝と深枝の2終末枝に分かれ，上腕と前腕の背面に筋枝と皮枝を送る．橈骨神経損傷の原因として最も多いものが上腕骨中1/3の骨折で，手関節の背屈が不能(下垂手)になる）．＝nervus radialis [TA]; musculospiral n.

recurrent n. 反回神経．＝recurrent laryngeal n.

recurrent laryngeal n. [TA]．反回神経（右側は鎖骨下動脈の基部を回り，左側は大動脈弓を回って上方に反回する迷走神経の枝．総頸動脈の後方を上行し，気管と食道の間を通って喉頭に至る．心臓，気管，食道の各枝を出し下喉頭神経となって終わる）．＝nervus laryngeus recurrens [TA]; recurrent n.

recurrent meningeal n. 反回硬膜神経（下顎神経，上顎神経，眼神経，脊髄神経の硬膜枝．眼神経のそれは特にテント枝とよばれる）．

n. to rhomboid ＝dorsal scapular n.

saccular n. [TA]．球形嚢神経（球形嚢斑に分布する前庭神経下部の枝）．＝nervus saccularis [TA].

sacral n.'s [S1–S5] 仙骨神経（各側の仙骨孔から出る5本の神経［S1–S5］．初めの3本は仙骨神経叢に，次の2本は尾骨神経叢にはいる）．＝nervi sacrales [S1–S5].

sacral splanchnic n.'s [TA]．仙骨内臓神経（交感神経幹仙骨部からの枝で下下腹神経叢にはいる．交感性の腹骨盤内臓神経の一部であるが，機能は不明．骨盤内臓神経と混同されがちであるが，後者は全体像がかなり明らかにされている）．＝nervi splanchnici sacrales [TA].

saphenous n. [TA]．伏在神経（大腿三角から足に至る大腿神経の枝．膝の内側で皮神経となる．膝蓋下枝と内側下腿枝を出した後，下腿と足の皮膚に分布する）．＝nervus saphenus [TA]; internal saphenous n.; long saphenous n.

sciatic n. [TA]．坐骨神経（仙骨神経叢の多くの枝を合して起こり，大坐骨孔から骨盤を出て大腿を下行し，大腿二頭筋長頭の深部に達する．膝窩上端で総腓骨神経と脛骨神経に分岐するが，ときにはさらに高位で分岐することもある）．＝nervus ischiadicus [TA]; great sciatic n.; nervus sciaticus.

second cranial n. [CN II] 第二脳神経．＝optic n. [CN II].

secretomotor n. ＝secretory n.

secretory n. 分泌神経（腺の機能活動を刺激するインパルスを伝える神経）．＝secretomotor n.

sensory n. 感覚神経，知覚神経（中枢神経系で処理されるインパルスを伝える求心性神経．生体はそれによって自己と周囲を知覚する）．＝nervus sensorius [TA].

seventh cranial n. [CN VII] 第七脳神経．＝facial n. [CN VII].

short ciliary n. [TA]．短毛様体神経（毛様体神経節から眼球へ通じるいくつかの神経枝．毛様体筋，虹彩，眼球膜に分布する）．＝nervus ciliaris brevis [TA].

short saphenous n. ＝sural n.

sinus n. of Hering (her'ing)．ヘーリング洞神経．＝carotid *branch* of glossopharyngeal nerve.

sinuvertebral n.'s ＝meningeal *branch* of spinal nerves.

sixth cranial n. [CN VI] 第六脳神経．＝abducent n. [CN VI].

small deep petrosal n. ＝caroticotympanic n.'s.

smallest splanchnic n. 最下内臓神経．＝least splanchnic n.

small sciatic n. ＝posterior cutaneous n. of thigh.

n. of smell 嗅神経．＝olfactory n.'s [CN I].

somatic n. 体性神経（内臓の感覚，不随意運動，分泌に関わる神経から区別して，体壁の感覚，随意運動に関わる神経）．

spinal n.'s [TA]．脊髄神経（脊髄から出る神経．31対あり，それぞれ前根(運動根)，後根(知覚根)として脊髄から出る．後根には膨隆部すなわち脊髄神経節がある．2根は椎間孔で合流し混合脊髄神経となるが，すぐに前枝と後枝に分かれる．前枝は体壁の前外側部と四肢に，後枝は固有背筋と背部の皮膚に分布する）．＝nervi spinales [TA].

spinal accessory n. 副神経．＝accessory n. [CN XI].

splanchnic n. 内臓神経（内臓に分布する神経．これに3群あり，心肺内臓神経は交感神経節後線維を胸部内臓に送り，腹部骨盤内臓神経は交感神経節前線維を交感神経節に送り，骨盤内臓神経は副交感神経節前線維を骨盤神経叢に送る．これらの個々の内臓神経については各項参照）．

n. to stapedius muscle [TA]．あぶみ骨筋神経（顔面神経管内から起こり，あぶみ骨筋を支配する顔面神経の枝）．＝nervus stapedius [TA].

statoacoustic n. 内耳神経．＝vestibulocochlear n. [CN VIII].

subclavian n. [TA]．鎖骨下筋神経（腕神経叢の上神経幹からの枝．鎖骨下筋に分布する）．＝nervus subclavius [TA].

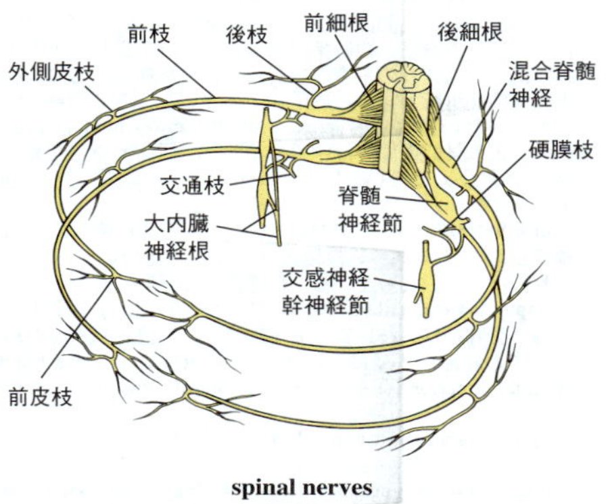

spinal nerves
脊髄根と脊髄枝を含む脊髄神経.

subcostal n. [TA]. 肋下神経 (第十二胸神経の前枝. 最下の肋骨の下を上位肋間神経と平行に通り, 腹筋の一部に分布し, 前下腹壁最下部の皮膚と殿部上外側に皮枝を送る). = nervus subcostalis [TA].

sublingual n. [TA]. 舌下部神経 (舌神経の枝. 舌下腺と口腔底の粘膜に分布). = nervus sublingualis [TA].

suboccipital n. [TA]. 後頭下神経 (第一頸神経の後枝. 後頭下三角を通り, 大・小後頭直筋, 上・下頭斜筋, 側頭直筋, 頭半棘筋に枝を送る. 第一頸神経は一般には運動性線維のみと考えられているが, 実は第二頸神経との交通枝から固有覚線維を受けている). = nervus suboccipitalis [TA].

subscapular n.'s [TA]. 肩甲下神経 (腕神経叢の後幹から出る上下2本の枝で肩甲下筋に分布する. 下枝はまた大円筋にも分布する). = nervi subscapulares [TA].

sudomotor n.'s 汗腺神経 (汗腺を支配する自律性内臓遠心性神経).

superficial cervical n. = transverse cervical n.

superficial fibular n. [TA]. 浅腓骨神経 (総腓骨神経の終末枝の1つで, 下腿外側部を下行して長・短腓骨筋に分布した後, 中間・内側背側皮神経となって終わる. この皮神経は足背と母指と第二指とを除く足指背面の皮膚に分布する). = nervus fibularis superficialis [TA]; nervus peroneus superficialis*; superficial peroneal n.*; musculocutaneous n. of leg.

superficial peroneal n.* 浅腓骨神経 (superficial fibular n. の公式の別名).

superior alveolar n.'s [TA]. 上歯槽神経 (上顎神経もしくはその続きの眼窩下神経の後枝, 中枝, 前枝の3枝で, 上顎骨にはいり, 上顎洞粘膜, 上顎歯と歯肉に分布する). = nervi alveolares superiores [TA]; superior dental n.'s.

superior anal n.'s [TA]. 上肛門神経 (下直腸神経叢から起こり, 肛門管の櫛(歯)状線より上方の部分に自律神経線維を送る. またここからの内臓求心性線維も含む). = nervi anales superiores [TA].

superior cervical cardiac n. [TA]. 上頸心臓神経 (上頸神経節下部から起こる. 心肺内臓神経の最上部で下行して迷走神経枝とともに心臓神経叢を形成する). = nervus cardiacus cervicalis superior [TA].

superior clunial n.'s [TA]. 上殿皮神経 (腰神経後枝の終末枝. 上半分の殿部の皮膚に分布する). = nervi clunium superiores [TA].

superior dental n.'s = superior alveolar n.'s.

superior gluteal n. [TA]. 上殿神経 (第四・第五腰神経と第一仙骨神経からなる仙骨神経叢から起こり, 中・小殿筋と大腿筋膜張筋(股関節の外転筋と内旋筋)を支配する. この神経が損傷されると, 片足立ちになったときにもちあげた非荷重側の骨盤が下がる(Trendelenburg 徴候)). = nervus gluteus superior [TA].

superior laryngeal n. [TA]. 上喉頭神経 (下神経節から起こる迷走神経の枝. 甲状軟骨で内枝と外枝に分かれ, 前者は感覚枝で声帯ひだ上方の喉頭粘膜に分布し, 後者は運動枝で下咽頭収縮筋と輪状甲状筋に分布する). = nervus laryngeus superior [TA].

superior lateral brachial cutaneous n.* 上外側上腕皮神経 (upper lateral cutaneous n. of arm の公式の別名).

superior maxillary n. 上顎神経. = maxillary n. [CN V2].

supraorbital n. [TA]. 眼窩上神経 (前頭神経の枝. 眼窩上孔あるいは眼窩上切痕から眼窩を出て, 数枝に分かれ, 額, 頭皮, 上眼瞼, 前頭洞に分布する). = nervus supraorbitalis [TA].

suprascapular n. [TA]. 肩甲上神経 (腕神経叢の上神経幹(第五・第六頸神経根により形成)から起こり, 腕神経叢の神経束に平行に下行し肩甲切痕を通過し, 棘上筋および棘下筋に枝を出すとともに, 肩関節に関節枝を分枝する. この神経は鎖骨中1/3の骨折で損傷されやすい. 損傷されると肩関節の外旋が不能となり, 上肢は内旋する(給仕人肢位). 初期外転力もまた減弱する). = nervus suprascapularis [TA].

supratrochlear n. [TA]. 滑車上神経 (前頭神経の枝. 上眼瞼の内側部, 額の皮膚中央部, 鼻根に分布). = nervus supratrochlearis [TA].

sural n. [TA]. 腓腹神経 (脛骨神経から出る内側腓腹皮神経と総腓骨神経の交通枝とが下腿のほぼ中間で結合してできる(変異に富む). 小伏在静脈に伴い外果を回り背外側皮神経として足背に至る). = nervus suralis [TA]; external saphenous n.; short saphenous n.

sympathetic n. 交感神経.

temporomandibular n. = zygomatic n.

n. to tensor tympani (muscle) [TA]. 鼓膜張筋神経 (三叉神経運動根の線維を運ぶ下顎神経の枝で, 耳神経節を通るがシナプスはつくらず, 鼓膜張筋に分布). = nervus musculi tensoris tympani [TA].

n. to tensor veli palatini (muscle) [TA]. 口蓋帆張筋神経 (三叉神経運動根の線維を運ぶ下顎神経の枝で, 耳神経節を通るがシナプスはつくらず, 口蓋帆張筋に分布). = nervus musculi tensoris veli palatini [TA].

tenth cranial n. [CN X] 第十脳神経. = vagus n. [CN X].

tentorial n. [TA]. テント神経 (眼神経の頭蓋内部から反回して起こる硬膜枝で, 小脳テントと大脳鎌のテント上部とに分布する). = ramus meningeus recurrens nervi ophthalmici [TA]; ramus tentorii*; nervus tentorii.

terminal n. [TA]. 終神経 (細い叢状の神経線維で, 嗅索に平行にその内側を通る. 末梢は嗅神経として分布し, 中枢は前有孔質にはいる. 自律機能をもつと考えられるが, その正確な性質は不明). = nervus terminalis [TA].

third cranial n. [CN III] 第三脳神経. = oculomotor n. [CN III].

third occipital n. [TA]. 第三後頭神経 (第三頸神経背枝の内側枝. 通常, 大後頭神経に加わるが, 頭皮や頂部に皮枝を送る独立した神経として存在することがある). = nervus occipitalis tertius [TA].

thoracic cardiac n.'s 胸心臓神経. = thoracic cardiac *branches* of thoracic ganglia.

thoracic splanchnic n.'s 胸内臓神経 (交感神経幹胸部から起こる内臓神経. 上胸内臓神経は第一—第四(五)胸椎レベルで起こり横隔膜より上方の臓器(主として心臓, 肺臓, 食道)に分布するので, 心肺内臓神経ともいう. 下胸内臓神経は大内臓神経, 小内臓神経, 最下内臓神経に分かれ, 横隔膜より下方の臓器に分布するので, 腹腔骨盤内臓神経ともいう).

thoracic n.'s [T1–T12] [TA]. 胸神経 (運動線維と感覚線維が混合する12対の脊髄神経 [T1–T12]. 胸壁と腹壁の筋および皮膚に分布). = nervi thoracici [T1–12].

thoracoabdominal n.'s 胸腹神経 (第七—第十一胸椎レベルの脊髄神経(肋間神経)の枝のうち胸壁と腹壁に分布するもの. 肋間筋, 肋下筋, 後鋸筋, 外腹斜筋, 内腹斜筋, 腹直筋, 腹横筋を支配し, 横隔膜周縁や壁側の胸膜や腹膜に感覚枝を送る). = anterior cutaneous n.'s of abdomen; rami cutanei anteriores pectoralis et abdominalis nervorum intercostalium; ramus cutaneus anterior (pectoralis et abdominalis) nervorum thoracicorum.

thoracodorsal n. [TA]. 胸背神経 (腕神経叢の後神経束

から起こり，第六・第七・第八頸神経からの線維を含み広背筋に分布する）. ＝nervus thoracodorsalis ［TA］; long subscapular n.

n. to thyrohyoid muscle 甲状舌骨筋神経. ＝thyrohyoid *branch* of ansa cervicalis.

tibial n. ［TA］. 脛骨神経（坐骨神経の２大分枝の１つ．脚の背面を下行し，内側・外側足底神経となって終わる．膝屈曲筋，脚後面の筋（足の背屈と内回旋）および足底の筋と脚後面・足底の皮膚に分布）. ＝nervus tibialis ［TA］; medial popliteal n.

tibial communicating n. ＝medial sural cutaneous n.

Tiedemann n. (te′dĕ-mahn). ティーデマン神経（視神経の網膜中心動脈に伴行する交感神経）.

transverse cervical n. ［TA］. 頸横神経（頸神経叢の枝で，前頸三角の皮膚に分布）. ＝nervus transversus colli ［TA］; nervus transversus cervicalis*; cutaneous cervical n.; nervus cervicalis superficialis; superficial cervical n.; transverse n. of neck.

transverse n. of neck 頸横神経. ＝transverse cervical n.

trifacial n. 三叉神経（第五脳神経）. ＝trigeminal n. ［CN V］.

trigeminal n. [CN V] ［TA］. 三叉神経（第五脳神経［CN V］．顔面の知覚神経とそしゃく筋の運動神経．その核は中脳，橋，延髄から脊髄頸部に及ぶ．知覚根と運動根によって橋外側面から出て，側頭骨の錐体尖で硬膜の三叉神経腔にはいる．そこで知覚根は三叉神経節を形成し，眼神経［CN V1］，上顎神経［CN V2］，下顎神経［CN V3］の３分枝を出す）. ＝nervus trigeminus ［CN V］［TA］; fifth cranial n. ［CN V］; trifacial n.

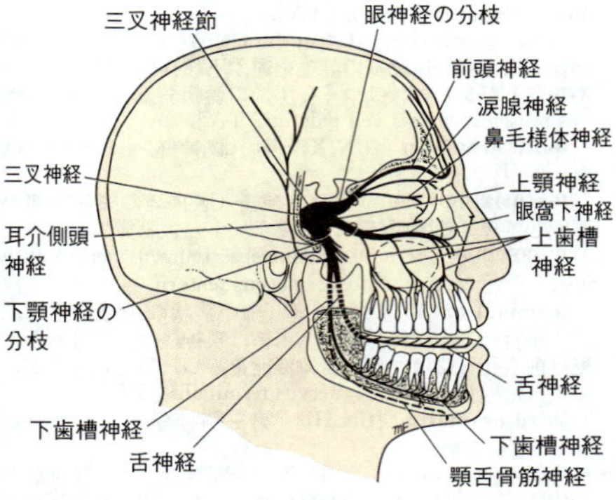

trigeminal nerve

trochlear n. [CN IV] ［TA］. 滑車神経（第四脳神経［CN IV］．眼窩にある上斜筋に分布．中脳水道下にある滑車神経核を起始とし，その線維は上髄帆で交叉して，上髄帆小帯の外側で下丘のすぐ尾側から脳を出る．脳幹背面から出る唯一の脳神経で，そのため頭蓋腔内を走る距離が最も長い．小脳テントの自由縁から硬膜内にはいり後床突起に接して海綿静脈洞の外壁内を通り，上眼窩裂を通って眼窩にはいる）. ＝nervus trochlearis ［CN IV］［TA］; fourth cranial n. ［CN IV］; pathetic n.

twelfth cranial n. [CN XII] 第十二脳神経. ＝hypoglossal n. ［CN XII］.

tympanic n. ［TA］. 鼓室神経（舌咽神経の下神経節から出る神経．鼓室小管を通って鼓室にはいり鼓室神経叢となり，鼓室，乳突蜂巣，耳管の各粘膜に分布する．副交感性節前線維も鼓室神経を経て，浅小錐体神経を通り耳神経節にはいり節後線維とシナプスした後に耳下腺に分布する）. ＝nervus tympanicus ［TA］; Andersch n.; Jacobson n.

n. of tympanic membrane ＝*branches* of auriculotemporal nerve to tympanic membrane.

ulnar n. ［TA］. 尺骨神経（腕神経叢の内側神経束（主にC8–T1）から起こり，上腕を下行し，上腕骨内側上顆の後ろを抜け，前腕の尺骨側を下り，手に至る．前腕では尺側手根屈筋，深指屈筋尺側部，手では小指球の筋，骨間筋，内側虫様筋，母指内転筋，短母指屈筋深頭に筋枝を送り，小指・薬指内側とその辺りの手掌の皮膚に知覚枝を送る．この神経は上腕骨内側上顆の後ろの皮下を通過するところで傷害を受けやすい．軽い傷害の場合は，いわゆる crazy bone 感覚を起こす．尺骨神経損傷では中手指節関節の屈曲と指節関節の伸展ができなくなる（鷲手））. ＝nervus ulnaris ［TA］; cubital n.

unmyelinated n. 無髄神経（大部分もしくは完全に無髄の線維からなる神経．その軸索は髄鞘をもたないが Schwann 細胞の中には収まっている．伝導速度の遅い神経）.

upper lateral cutaneous n. of arm ［TA］. 上外側上腕皮神経（腋窩神経の枝．三角筋下部で，その停止点を少し越えるまでの範囲の皮膚に分布する）. ＝nervus cutaneus brachii lateralis superior ［TA］; superior lateral brachial cutaneous n.*.

upper subscapular n. 上肩甲下神経（⇀subscapular n.'s）.

upper thoracic splanchnic n.'s ＝thoracic cardiac *branches* of thoracic ganglia.

utricular n. ［TA］. 卵形嚢神経（卵形嚢膨大部神経枝．卵形嚢斑に分布）. ＝nervus utricularis ［TA］.

utriculoampullar n. ［TA］. 卵形嚢膨大部神経（前庭神経の枝．卵形嚢斑に枝を送り（卵形嚢神経），また前・外側半規管膨大部稜に枝を送る（前膨大部神経，外側膨大部神経））. ＝nervus utriculoampullaris ［TA］.

vaginal n.'s ［TA］. 腟神経（子宮腟神経叢から腟へ至る数本の神経）. ＝nervi vaginales ［TA］.

vagus n. [CN X] ［TA］. 迷走神経（第十脳神経［CN X］．上方の舌咽神経，下方の副神経の間で，延髄の外側にあるオリーブ後溝から多数の小根によって起こる混合神経である．頸静脈孔より頭蓋を出て下行し，咽頭，喉頭，気管，肺，心臓，左結腸曲までの胃腸管に分布する）. ＝nervus vagus ［CN X］［TA］; pneumogastric n.; tenth cranial n. ［CN X］; vagus.

Valentin n. (val′ĕn-tin). ヴァーレンティーン神経（翼口蓋神経節と外転神経を連結する神経）.

vascular n.'s ［TA］. 脈管神経（血管壁に分布する小神経線維）. ＝nervi vasorum ［TA］.

vasomotor n. 血管運動神経（血管の拡張，収縮の働きをする運動性神経）.

vertebral n. 椎骨動脈神経（頸胸神経節から出る枝．軸椎あるいは環椎の高さまで椎骨動脈に沿い上行し，頸神経と髄膜に枝を出す）. ＝nervus vertebralis.

vestibular n. ［TA］. 前庭神経（内耳神経［CN VIII］のうち前庭根より末梢の部分．半規管膨大部・球形嚢斑・卵形嚢斑の有毛細胞に終わる神経や前庭神経節の双極細胞の突起からなる．→vestibular *root*）. ＝nervus vestibularis ［TA］; pars vestibularis nervi vestibulocochlearis; superior part of vestibulocochlear nerve; vestibular part of vestibulocochlear nerve; vestibular root of cranial nerve VIII.

vestibulocochlear n. [CN VIII] ［TA］. 内耳神経（第八脳神経［CN VIII］．膜迷路の受容器細胞を支配する複合知覚神経．解剖学的，機能的に明確な２部分，前庭神経，蝸牛神経から構成されており中枢のそれぞれ異なったところと連絡している）. ＝nervus vestibulocochlearis ［CN VIII］［TA］; eighth cranial n. ［CN VIII］; eighth n.; nervus acusticus ［CN VIII］; nervus octavus ［CN VIII］; nervus statoacusticus ［CN VIII］; octavus; statoacoustic n.

vidian n. (vid′ē-ăn). ヴィディウス神経. ＝n. of pterygoid canal.

visceral n. 内臓神経（自律性内臓遠心性神経の総称）.

volar interosseous n. 前骨間神経. ＝anterior interosseous n.

Wrisberg n. (ris′berg). ヴリスベルク神経（①＝medial cutaneous n. of arm. ②＝intermediate n.）.

zygomatic n. ［TA］. 頬骨神経（下眼窩裂にある上顎神経［CN V2］の枝．下眼窩裂を通過し，２本の感覚枝，頬骨側頭枝，頬骨顔面枝を出して側頭部と頬骨部の皮膚に分布するとともに，涙腺神経の交通枝となる）. ＝nervus zygomaticus ［TA］; orbital n.; temporomandibular n.

nerve root sleeve (nerv rūt slēv). 神経根袖，神経根スリーブ（ミエログラフィにおいて，造影された神経根を取り巻くクモ膜下腔の漏斗状の突出が，神経孔を通る際に袖のようにみえる）.
ner·vi (ner′vī) [L.]. nervus の複数形.
ner·vi·mo·til·i·ty (ner′vi-mō-til′i-tē). 神経運動性（神経刺激に反応して運動する能力）. = neurimotility.
ner·vi·mo·tion (ner-vi-mō′shŭn). 神経運動（神経刺激に反応して運動すること）.
ner·vi·mo·tor (ner-vi-mō′tŏr). 運動神経の. = neurimotor.
ner·vone (ner′vōn). ネルボン（ネルボニル基を含むセレブロシド）.
ner·von·ic ac·id (ner-von′ik as′id). ネルボン酸（C–15 と C–16 の間に *cis* 二重結合をもつ炭素 24 の直鎖状脂肪酸．ネルボンのようなセレブロシドに生じる）.
ner·vous (ner′vŭs) [L. *nervosus*]. ***1*** 神経の．***2*** 神経質な，興奮しやすい，刺激されやすい，精神的・感情的に不安定な，緊張している，不安な．***3*** 従来は精神的および身体的な過剰覚醒，頻脈，易興奮性，そしてしばしば多弁ではあるが，必ずしも目的が定まらない特徴をもつ気質をさした.
ner·vous break·down (ner′vŭs brāk′down). 神経衰弱（情動や精神の疾患を表す非医学的な用語であり，しばしば精神障害を婉曲的に表現するのに用いる）.
ner·vous·ness (ner′vŭs-nes). 神経質（不安でいらいらしている(→*nervous* (2))状態）.

NERVUS

ner·vus, gen. & pl. **ner·vi** (ner′vŭs, -vī) [L.][TA]. 神経（[nevus と混同しないこと]）. = nerve.
n. abducens [CN VI] [TA]. 外転神経（第六脳神経）. = abducent *nerve* [CN VI].
n. accessorius [CN XI] [TA]. 副神経（第十一脳神経）. = accessory *nerve* [CN XI].
n. acusticus [CN VIII] 内耳神経. = vestibulocochlear *nerve* [CN VIII].
nervi alveolares superiores [TA]. = superior alveolar *nerves*.
nervi alveolares superiores anteriores [TA]. = anterior superior alveolar *branches* of superior alveolar nerve.
n. alveolaris inferior [TA]. 下歯槽神経. = inferior alveolar *nerve*.
n. ampullaris anterior [TA]. 前膨大部神経. = anterior ampullar *nerve*.
n. ampullaris lateralis [TA]. 外側膨大部神経. = lateral ampullary *nerve*.
n. ampullaris posterior [TA]. 後膨大部神経. = posterior ampullary *nerve*.
nervi anales inferiores [TA]. = inferior anal *nerves*.
nervi anales superiores [TA]. = superior anal *nerves*.
n. anococcygeus 肛〔門〕尾〔骨〕神経. = anococcygeal *nerve*.
n. antebrachii anterior 前前腕神経. = anterior interosseous *nerve*.
n. antebrachii posterior 後前腕神経. = posterior interosseous *nerve*.
n. articularis 関節神経. = articular *nerve*.
nervi auriculares anteriores [TA]. 前耳介神経. = anterior auricular *nerves*.
n. auricularis magnus [TA]. 大耳介神経. = great auricular *nerve*.
n. auricularis posterior [TA]. 後耳介神経. = posterior auricular *nerve*.
n. auriculotemporalis [TA]. 耳介側頭神経. = auriculotemporal *nerve*.
n. autonomicus [TA]. = autonomic *nerve*.
n. axillaris [TA]. 腋窩神経. = axillary *nerve*.
n. buccalis [TA]. 頰神経. = buccal *nerve*.
n. canalis pterygoidei [TA]. 翼突管神経. = *nerve* of pterygoid canal.
nervi cardiaci thoracici 胸心臓神経. = thoracic cardiac *branches* of thoracic ganglia.
n. cardiacus cervicalis inferior [TA]. 下頸心臓神経. = inferior cervical cardiac *nerve*.
n. cardiacus cervicalis medius [TA]. 中〔頸〕心臓神経. = middle cervical cardiac *nerve*.
n. cardiacus cervicalis superior [TA]. 上〔頸〕心臓神経. = superior cervical cardiac *nerve*.
nervi carotici externi [TA]. 外頸動脈神経. = external carotid *nerves*.
nervi caroticotympanici [TA]. 頸鼓神経. = caroticotympanic *nerves*.
n. caroticus internus [TA]. 内頸動脈神経. = internal carotid *nerve*.
nervi cavernosi clitoridis [TA]. 陰核海綿体神経. = cavernous *nerves* of clitoris.
nervi cavernosi penis [TA]. 陰茎海綿体神経. = cavernous *nerves* of penis.
nervi cervicales [C1–C8] [TA]. 頸神経. = cervical *nerves* [C1–C8].
n. cervicalis superficialis = transverse cervical *nerve*.
n. ciliaris brevis, pl. **nervi ciliares breves** [TA]. 短毛様体神経. = short ciliary *nerve*.
n. ciliaris longus, pl. **nervi ciliares longi** [TA]. 長毛様体神経. = long ciliary *nerve*.
nervi clunium inferiores [TA]. 下殿皮神経. = inferior clunial *nerves*.
nervi clunium medii [TA]. 中殿皮神経. = medial clunial *nerves*.
nervi clunium superiores [TA]. 上殿皮神経. = superior clunial *nerves*.
n. coccygeus [Co] [TA]. 尾骨神経. = coccygeal *nerve* [Co].
n. cochlearis [TA]. 蝸牛神経（→cochlear *root* of cranial nerve VIII）. = cochlear *nerve*.
n. communicans fibularis = sural communicating *branch* of common fibular nerve.
n. communicans peroneus = sural communicating *branch* of common fibular nerve.
nervi craniales [TA]. 脳神経. = cranial *nerves*.
n. curvaturae minoris anterior [TA]. = anterior *nerve* of lesser curvature.
n. curvaturae minoris posterior [TA]. = posterior *nerve* of lesser curvature.
n. cutaneus [TA]. 皮神経. = cutaneous *nerve*.
n. cutaneus antebrachii lateralis [TA]. 外側前腕皮神経. = lateral cutaneous *nerve* of forearm.
n. cutaneus antebrachii medialis [TA]. 内側前腕皮神経. = medial cutaneous *nerve* of forearm.
n. cutaneus antebrachii posterior [TA]. 後前腕皮神経. = posterior cutaneous *nerve* of forearm.
n. cutaneus brachii lateralis inferior [TA]. 下外側上腕皮神経. = inferior lateral cutaneous *nerve* of arm.
n. cutaneus brachii lateralis superior [TA]. 上外側上腕皮神経. = upper lateral cutaneous *nerve* of arm.
n. cutaneus brachii medialis [TA]. 内側上腕神経. = medial cutaneous *nerve* of arm.
n. cutaneus brachii posterior [TA]. 後上腕皮神経. = posterior cutaneous *nerve* of arm.
n. cutaneus dorsalis intermedius [TA]. 中間足背皮神経. = intermediate dorsal cutaneous *nerve*.
n. cutaneus dorsalis lateralis [TA]. 外側足背皮神経. = lateral dorsal cutaneous *nerve*.
n. cutaneus dorsalis medialis [TA]. 内側足背皮神経. = medial dorsal cutaneous *nerve*.
n. cutaneus femoris lateralis [TA]. 外側大腿皮神経. = lateral cutaneous *nerve* of thigh.
n. cutaneus femoris posterior [TA]. 後大腿皮神経. = posterior cutaneous *nerve* of thigh.
n. cutaneus perforans [TA]. = perforating cutaneous

nerve.

n. cutaneus surae lateralis [TA]. 外側腓腹皮神経. = lateral sural cutaneous *nerve.*

n. cutaneus surae medialis [TA]. 内側腓腹皮神経. = medial sural cutaneous *nerve.*

nervi digitales dorsales manus [TA]. 背側指神経. = dorsal digital *nerves* of hand.

nervi digitales dorsales nervi fibularis profundi [TA]. = dorsal digital *nerves* of deep fibular nerve.

nervi digitales dorsales nervi fibularis superficialis [TA]. = dorsal digital *nerves* of superficial fibular nerve.

nervi digitales dorsales nervi ulnaris [TA]. = dorsal digital *nerves* of ulnar nerve.

nervi digitales dorsales pedis [TA]. 足の背側指神経. = dorsal digital *nerves* of foot.

nervi digitales palmares communes [TA]. 総掌側指神経. = common palmar digital *nerves.*

nervi digitales palmares proprii [TA]. 固有掌側指神経. = proper palmar digital *nerves.*

nervi digitales plantares communes [TA]. 総底側指神経. = common plantar digital *nerves.*

nervi digitales plantares proprii [TA]. 固有底側指神経. = proper plantar digital *nerves.*

n. dorsalis clitoridis [TA]. 陰核背神経. = dorsal *nerve* of clitoris.

n. dorsalis penis [TA]. 陰茎背神経. = dorsal *nerve* of penis.

n. dorsalis scapulae [TA]. 肩甲背神経. = dorsal scapular *nerve.*

nervi erigentes 勃起神経. = pelvic splanchnic *nerves.*

n. ethmoidalis anterior [TA]. 前篩骨神経. = anterior ethmoidal *nerve.*

n. ethmoidalis posterior [TA]. 後篩骨神経. = posterior ethmoidal *nerve.*

n. facialis [CN VII] [TA]. 顔面神経 (第七脳神経). = facial *nerve* [CN VII].

n. femoralis [TA]. 大腿神経. = femoral *nerve.*

n. fibularis communis [TA]. 総腓骨神経. = common fibular *nerve.*

n. fibularis profundus [TA]. 深腓骨神経. = deep fibular *nerve.*

n. fibularis superficialis [TA]. 浅腓骨神経. = superficial fibular *nerve.*

n. frontalis [TA]. 前頭神経. = frontal *nerve.*

n. furcalis 分岐神経. = fourth lumbar *nerve* [L4].

n. genitofemoralis [TA]. 陰部大腿神経. = genitofemoral *nerve.*

n. glossopharyngeus [CN IX] [TA]. 舌咽神経 (第九脳神経). = glossopharyngeal *nerve* [CN IX].

n. gluteus inferior [TA]. 下殿神経. = inferior gluteal *nerve.*

n. gluteus superior [TA]. 上殿神経. = superior gluteal *nerve.*

n. hemorrhoidalis →superior rectal (nerve) *plexus*; inferior anal *nerves.*

n. hypogastricus [TA]. 下腹神経. = hypogastric *nerve.*

n. hypoglossus [CN XII] [TA]. 舌下神経 (第十二脳神経). = hypoglossal *nerve* [CN XII].

n. iliohypogastricus [TA]. 腸骨下腹神経. = iliohypogastric *nerve.*

n. ilioinguinalis [TA]. 腸骨鼡径神経. = ilioinguinal *nerve.*

n. iliopubicus* iliohypogastric *nerve* の公式の別名.

n. impar = terminal *filum.*

n. infraorbitalis [TA]. 眼窩下神経. = infraorbital *nerve.*

n. infratrochlearis [TA]. 滑車下神経. = infratrochlear *nerve.*

nervi intercostales [TA]. 肋間神経. = intercostal *nerves.*

nervi intercostobrachiales [TA]. 肋間上腕神経. = intercostobrachial *nerves.*

n. intermedius [TA]. 中間神経. = intermediate nerve.

n. interosseus antebrachii anterior [TA]. 前骨間神経. = anterior interosseous *nerve.*

n. interosseus antebrachii posterior [TA]. = posterior interosseous *nerve.*

n. interosseus cruris [TA]. 下腿骨間神経. = crural interosseous *nerve.*

n. interosseus dorsalis 背側〔前腕〕骨間神経. = posterior interosseous *nerve.*

n. interosseus posterior 後骨間神経. = posterior interosseous *nerve.*

n. ischiadicus [TA]. 坐骨神経. = sciatic *nerve.*

n. jugularis [TA]. 頸静脈神経. = jugular *nerve.*

nervi labiales anteriores [TA]. 前陰唇神経. = anterior labial *nerves.*

nervi labiales posteriores [TA]. 後陰唇神経. = posterior labial *nerves.*

n. lacrimalis [TA]. 涙腺神経. = lacrimal *nerve.*

n. laryngeus inferior 下喉頭神経. = inferior laryngeal *nerve.*

n. laryngeus recurrens [TA]. 反回神経. = recurrent laryngeal *nerve.*

n. laryngeus superior [TA]. 上喉頭神経. = superior laryngeal *nerve.*

n. lingualis [TA]. 舌神経. = lingual *nerve.*

nervi lumbales 腰神経. = lumbar *nerves* [L1–L5].

n. mandibularis [CN V3] [TA]. 下顎神経 (第五脳神経第三枝). = mandibular *nerve* [CN V3].

n. massetericus [TA]. 咬筋神経. = masseteric *nerve.*

n. maxillaris [CN V2] [TA]. 上顎神経 (第五脳神経第二枝). = maxillary *nerve* [CN V2].

n. meatus acustici externi [TA]. 外耳道神経. = *nerve* to external acoustic meatus.

n. medianus [TA]. 正中神経. = median *nerve.*

n. mentalis [TA]. おとがい神経. = mental *nerve.*

n. mixtus [TA]. = mixed *nerve.*

n. motorius [TA]. = motor *nerve.*

n. musculi obturatorii interni [TA]. = *nerve* to obturator internus.

n. musculi piriformis [TA]. = *nerve* to piriformis.

n. musculi quadrati femoris [TA]. = *nerve* to quadratus femoris.

n. musculi tensoris tympani [TA]. = *nerve* to tensor tympani (muscle).

n. musculi tensoris veli palatini [TA]. = *nerve* to tensor veli palatini (muscle).

n. musculocutaneus [TA]. 筋皮神経. = musculocutaneous *nerve.*

n. mylohyoideus [TA]. 顎舌骨筋神経. = *nerve* to mylohyoid.

n. nasociliaris [TA]. 鼻毛様体神経. = nasociliary *nerve.*

n. nasopalatinus [TA]. 鼻口蓋神経. = nasopalatine *nerve.*

nervi nervorum 神経の神経 (神経幹鞘に分布する神経).

n. obturatorius [TA]. 閉鎖神経. = obturator *nerve.*

n. obturatorius accessorius [TA]. = accessory obturator *nerve.*

n. occipitalis major [TA]. 大後頭神経. = greater occipital *nerve.*

n. occipitalis minor [TA]. 小後頭神経. = lesser occipital *nerve.*

n. occipitalis tertius [TA]. 第三後頭神経. = third occipital *nerve.*

n. octavus [CN VIII] 第八脳神経. = vestibulocochlear *nerve* [CN VIII].

n. oculomotorius [CN III] [TA]. 動眼神経 (第三脳神経). = oculomotor *nerve* [CN III].

n. olfactorii [CN I] [TA]. 嗅神経 (第一脳神経. →olfactory *tract*). = olfactory *nerves* [CN I].

n. ophthalmicus [CN V1] [TA]. 眼神経 (第五脳神経第一枝). = ophthalmic *nerve* [CN V1].

n. opticus [CN II] [TA]. 視神経 (第二脳神経). = optic *nerve* [CN II].

nervi palatini minores [TA]. =lesser palatine *nerves*.

n. palatinus major [TA]. 大口蓋神経. =greater palatine *nerve*.

n. pectoralis lateralis [TA]. 外側胸筋神経. =lateral pectoral *nerve*.

n. pectoralis medialis [TA]. 内側胸筋神経. =medial pectoral *nerve*.

nervi perineales [TA]. 会陰神経. =perineal *nerves*.

n. peroneus communis* 総腓骨神経 (common fibular *nerve* の公式の別名).

n. peroneus profundus* 深腓骨神経 (deep fibular *nerve* の公式の別名).

n. peroneus superficialis* 浅腓骨神経 (superficial fibular *nerve* の公式の別名).

n. petrosus major [TA]. 大錐体神経. =greater petrosal *nerve*.

n. petrosus minor [TA]. 小錐体神経. =lesser petrosal *nerve*.

n. petrosus profundus [TA]. 深錐体神経. =deep petrosal *nerve*.

n. pharyngeus [TA]. =pharyngeal *nerve*.

nervi phrenici accessorii [TA]. 副横隔神経. =accessory phrenic *nerves*.

n. phrenicus [TA]. 横隔神経. =phrenic *nerve*.

n. pinealis [TA]. =pineal nerve.

n. plantaris lateralis [TA]. 外側足底神経. =lateral plantar *nerve*.

n. plantaris medialis [TA]. 内側足底神経. =medial plantar *nerve*.

n. presacralis* 仙骨前神経 (superior hypogastric (nerve) *plexus* の公式の別名).

n. pterygoideus 翼突筋神経. =pterygoid *nerve*.

n. pterygoideus lateralis [TA]. =*nerve* to lateral pterygoid.

n. pterygoideus medialis [TA]. =*nerve* to medial pterygoid.

nervi pterygopalatini 翼口蓋神経. =sensory *root* of pterygopalatine ganglion.

n. pudendus [TA]. 陰部神経. =pudendal *nerve*.

n. radialis [TA]. 橈骨神経. =radial *nerve*.

nervi rectales inferiores* 下直腸神経 (inferior anal *nerves* の公式の別名).

n. saccularis [TA]. 球形囊神経. =saccular *nerve*.

nervi sacrales [S1–S5] 仙骨神経. =sacral *nerves* [S1–S5].

n. saphenus [TA]. 伏在神経. =saphenous *nerve*.

n. sciaticus =sciatic *nerve*.

nervi scrotales anteriores [TA]. 前陰囊神経. =anterior scrotal *nerves*.

nervi scrotales posteriores [TA]. 後陰囊神経. =posterior scrotal *nerves*.

n. sensorius [TA]. =sensory *nerve*.

n. spermaticus externus =genital *branch* of genitofemoral nerve.

nervi sphenopalatini 翼口蓋神経. =sensory *root* of pterygopalatine ganglion.

nervi spinales [TA]. 脊髄神経. =spinal *nerves*.

n. spinosus* meningeal *branch* of mandibular nerve の公式の別名.

nervi splanchnici lumbales [TA]. 腰内臓神経. =lumbar splanchnic *nerves*.

nervi splanchnici pelvici [TA]. =pelvic splanchnic *nerves*.

nervi splanchnici sacrales [TA]. 仙骨内臓神経. =sacral splanchnic *nerves*.

n. splanchnicus imus [TA]. 最下内臓神経. =least splanchnic *nerve*.

n. splanchnicus major [TA]. 大内臓神経. =greater splanchnic *nerve*.

n. splanchnicus minor [TA]. 小内臓神経. =lesser splanchnic *nerve*.

n. stapedius [TA]. あぶみ骨筋神経. =*nerve* to stapedius muscle.

n. statoacusticus [CN VIII] 内耳神経. =vestibulocochlear *nerve* [CN VIII].

n. subclavius [TA]. 鎖骨下筋神経. =subclavian *nerve*.

n. subcostalis [TA]. 肋下神経. =subcostal *nerve*.

n. sublingualis [TA]. 舌下部神経. =sublingual *nerve*.

n. suboccipitalis [TA]. 後頭下神経. =suboccipital *nerve*.

nervi subscapulares [TA]. =subscapular *nerves*.

n. supraclavicularis intermedius [TA]. 中間鎖骨上神経. =intermediate supraclavicular *nerve*.

n. supraclavicularis lateralis [TA]. 外側鎖骨上神経, 後鎖骨上神経. =lateral supraclavicular *nerve*.

n. supraclavicularis medialis [TA]. 内側鎖骨上神経, 前鎖骨上神経. =medial supraclavicular *nerve*.

n. supraorbitalis [TA]. 眼窩上神経. =supraorbital *nerve*.

n. suprascapularis [TA]. 肩甲上神経. =suprascapular *nerve*.

n. supratrochlearis [TA]. 滑車上神経. =supratrochlear *nerve*.

n. suralis [TA]. 腓腹神経. =sural *nerve*.

nervi temporales profundi [TA]. 深側頭神経. =deep temporal *nerves*.

n. tentorii テント神経. =tentorial *nerve*.

n. terminalis [TA]. 終神経. =terminal *nerve*.

nervi thoracici [T1–12] 胸神経. =thoracic *nerves* [T1–T12].

n. thoracicus longus [TA]. 長胸神経. =long thoracic *nerve*.

n. thoracodorsalis [TA]. 胸背神経. =thoracodorsal *nerve*.

n. tibialis [TA]. 脛骨神経. =tibial *nerve*.

n. transversus cervicalis* transverse cervical *nerve* の公式の別名.

n. transversus colli [TA]. 頸横神経. =transverse cervical *nerve*.

n. trigeminus [CN V] [TA]. 三叉神経 (第五脳神経). =trigeminal *nerve* [CN V].

n. trochlearis [CN IV] [TA]. 滑車神経 (第四脳神経). =trochlear *nerve* [CN IV].

n. tympanicus [TA]. 鼓室神経. =tympanic *nerve*.

n. ulnaris [TA]. 尺骨神経. =ulnar *nerve*.

n. utricularis [TA]. 卵形囊神経. =utricular *nerve*.

n. utriculoampullaris [TA]. 卵形囊膨大部神経. = utriculoampullar *nerve*.

nervi vaginales [TA]. 膣神経. =vaginal *nerves*.

n. vagus [CN X] [TA]. 迷走神経 (第十脳神経). = vagus *nerve* [CN X].

nervi vasorum [TA]. 脈管神経. =vascular *nerves*.

n. vertebralis 椎骨動脈神経. =vertebral *nerve*.

n. vestibularis [TA]. 前庭神経 (→vestibular *root* of cranial nerve VIII). =vestibular *nerve*.

n. vestibulocochlearis [CN VIII] [TA]. 内耳神経 (第八脳神経. radix の項を参照). =vestibulocochlear *nerve* [CN VIII].

n. zygomaticus [TA]. 頰骨神経. =zygomatic *nerve*.

---

ne·sid·i·ec·to·my (nē-sid′ē-ek′tŏ-mē) [G. *nēsidion*, islet: *nēsos*(island)の指小辞 + *ektomē*, excision]. 〔膵〕島切除〔術〕.

ne·sid·i·o·blast (nē-sid′ē-ō-blast) [G. *nēsidion*: *nēsos*(island)の指小辞 + *blastos*, germ]. 〔膵〕島芽細胞 (膵臓の島形成細胞).

ne·sid·i·o·blas·to·sis (nē-sid′ē-ō-blas-tō′sis) [nesidioblast + G. *-osis*, tumor]. 〔膵〕島細胞症 (島細胞の増殖).

Ness·ler (nes′lĕr), A. ドイツ人化学者, 1827—1905. →N. *reagent*.

ness·ler·ize (nes′lĕr-īz). ネスラー試薬処理する (血液中および尿中の尿素窒素値を測定するのに用いる).

nest (nest) [A.S.]. 巣（類似体の集合，集団.→nidus).
Brunn n. (brūn). ブルン巣（下部尿路の表面の移行上皮が腺様に陥入すること).
cell n. 細胞巣（組織中の他の細胞とは異なる細胞の小さな塊).
epithelial n. 上皮巣. =keratin *pearl*.
isogenous n. 同一起源巣（もととなる１つの細胞から生じ，集塊をなした遺伝的に均質な軟骨細胞の集団で，最初は軟骨小窩内にできる).
NET norepinephrine *transporter* の略.
net (net). 網，網目. =network (1).
Chiari n. (kē-ah′rē). キアーリ網（右心房にある異常な線維状あるいは網目状の索．冠状静脈弁あるいは下大静脈弁の縁から広がり，分界稜線に沿い心房壁に付着する．偽中隔 septum spurium の吸収が著しく正常以下のとき生じる).
chromidial n. クロミジア網（ある種の細胞の細胞質中にある好塩基性染色物質の細網).
Neth·er·ton (neth′ĕr-tŏn), Earl W. 20世紀の米国人皮膚科医.→N. *syndrome*.
net·rin (net′trin). ネトリン（軸索に化学走性を与える拡散しうる蛋白．ネトリン-1は神経管の床平板細胞でつくられ，そこから分泌される．ネトリン-2は神経管の下部で合成される).
net·tle (net′ĕl) [A.S. *netele*]. イラクサ. =urtica.
net·work (net′wŏrk). ***1*** 網，網様構造（織物に似た構造．神経線維や小血管の網工.→reticulum). =net; rete (1). ***2*** ネットワーク，連絡網（患者の周囲にいる人．特に，疾病の経過に対して意味をもつ人). ***3*** ネットワーク（同じ解剖学，科学，または具体的分野のいくつかを含むグループや学会).
acromial arterial n. 肩峰動脈網. =acromial *anastomosis* of the thoracoacromial artery.
arteriolar n. 細動脈網. =arterial *plexus*.
articular n. →plane *joint*. =articular vascular *plexus*.
articular vascular n. 関節血管網. =articular vascular *plexus*.
articular vascular n. of elbow 肘関節動脈網. =cubital *anastomosis*.
articular vascular n. of knee 膝関節動脈網. =genicular *anastomosis*.
artificial neural n. (ar-ti-fish′ăl nū′răl net′wŏrk). 人工神経回路網，人工神経ネットワーク（生物の神経系に似せて，ノードで分岐するコンピュータを用いた決定システム).
calcaneal arterial n. 踵骨動脈網. =calcaneal *anastomosis*.
chromatin n. 染色質網（固定後，多数の細胞核に現れる好塩基性物質.→chromatin).
dorsal carpal n. 背側手根動脈網. =dorsal carpal arterial *arch*.
dorsal venous n. of foot [TA]. 足背静脈網（足の背側に広がる浅在性細静脈網). =rete venosum dorsale pedis [TA].
dorsal venous n. of hand [TA]. 手背静脈網（手の背側にある浅在性静脈網で，橈側皮静脈および尺側皮静脈に注ぐ). =rete venosum dorsale manus [TA].
lateral malleolar n. [TA]. 外果動脈網（外果上の網で，後・前外果動脈，腓骨動脈，および外側足根動脈の枝より形成される). =rete malleolare laterale [TA].
linin n. 核糸網（→linin (3)).
medial malleolar n. [TA]. 内果動脈網（内果上に広がる網で，後・前内果動脈および内側足根動脈の枝により形成される). =rete malleolare mediale [TA].
neurofibrillar n. 神経細線維網（ニューロン中の神経細線維による網状構造).
patellar n. 膝蓋動脈網. =patellar *anastomosis*.
peritarsal n. 眼瞼リンパ管網（眼瞼の縁に沿うリンパ管).
plantar venous n. [TA]. 足底静脈網（足底の浅在性細静脈網). =rete venosum plantare [TA].
Purkinje n. (pŭr-kin′jē). プルキンエ〔線維〕網（心内膜下の Purkinje 線維が形成する網状体).
subpapillary n. 乳頭下血管網（皮膚の深層にある毛細血管).
trabecular n. 小柱網. =trabecular *tissue* of sclera.
***trans* Golgi n.** (gōl′jē). トランスゴルジ網（Golgi 装置の遠位方における扁平嚢とそれに伴う小胞．ネットワークの機能は Golgi 装置で蛋白が修飾されることを確実にする．装置は小胞に包まれ，細胞内の適切な場所（例えば，リソゾーム，分泌小胞，細胞膜）に送達される.→Golgi *apparatus*).
NeuAc *N*-acetylneuraminic acid の略.
Neu·bau·er (nū′bow-ĕr), Johann E. ドイツ人解剖学者，1742—1777.→N. *artery*.
Neu·feld (nū′feld), Fred. ドイツ人細菌学者，1869—1945.→N. *reaction*; N. capsular *swelling*.
Neu·mann (noy′mahn), Ernst F.C. ドイツ人組織・解剖・病理学者，1834—1918.→Rouget-N. *sheath*.
Neu·mann (noy′mahn), Franz E. ドイツ人物理学者，1798—1895.→N. *law*.
Neu·mann (noy′mahn), Isidor. ハプスブルク帝国の皮膚科医，1832—1906.→N. *disease*.
neur-, neuri-, neuro- [G. *neuron*]. 神経を意味する，または神経系に関する連結形.
neu·ral (nū′răl) [G. *neuron*, nerve]. 神経〔性〕の（[neural foramina の代わりに neuroforamamina のような誤った合成語をつくるのを避けること]．①神経細胞またはその突起からなる構造，あるいは発育して神経細胞を生じる構造についていう．②脊髄が位置する椎体またはその前駆体の背側についていう．hemal (2) の対語).
neu·ral·gi·a (nū-ral′jē-ă) [neur- + G. *algos*, pain]. 神経痛（神経の走行路あるいは分布領域に起こる，激しく，拍動性の，刺すような痛み). =neurodynia.
atypical facial n. 異型顔面神経痛. =atypical trigeminal n.
atypical trigeminal n. 異型三叉神経痛（顔面，歯，舌，ときに後頭部または肩部のどこかの部位に起こる周期性の痛み．数分から数日持続するが，発病点や発作性の疼痛という特徴はない). =atypical facial n.
epileptiform n. てんかん様神経痛. =trigeminal n.
facial n. 顔面神経痛. =trigeminal n.
n. facialis vera 真正顔面神経痛. =geniculate n.
Fothergill n. (foth′ĕr-gil). フォザーギル神経痛. =trigeminal n.
geniculate n. 膝神経痛（耳の深部，外耳道前壁，耳介直前の小領域の激しい発作性電撃痛). =geniculate otalgia; Hunt n.; n. facialis vera.
glossopharyngeal n. 舌咽神経痛（咽喉や口蓋に生じる発作性の電撃痛). =glossopharyngeal tic.
hallucinatory n. 幻覚〔性〕神経痛（神経痛発作が鎮まった後に，現実の局所の疼痛ではなく，疼痛の幻覚が残ること).
Hunt n. (hŭnt). ハント神経痛. =geniculate n.
idiopathic n. 特発〔性〕神経痛（原因のはっきりしない神経の痛み).
intercostal n. 肋間神経痛（１本以上の肋間神経の神経痛による胸壁の痛み). =abdominal cutaneous nerve entrapment syndrome.
mammary n. 乳房神経痛（肋間神経または乳房に分布する神経の神経痛).
Morton n. (mōr′tŏn). モートン神経痛. =Morton *neuroma*.
occipital n. 後頭神経痛（→posttraumatic neck *syndrome*).
periodic migrainous n. 周期性片頭痛様神経痛（再発性の顔面痛と頭痛．女性より男性に多い). =Harris migraine.
postherpetic n. (**PHN**) 帯状疱疹後神経痛（帯状ヘルペス感染によって脊髄神経が支配する皮膚領域に生じるカウザルギーおよび知覚過敏．皮膚炎が治癒した後も持続する，典型的には中年および高齢者に生じる．数週間，数か月，数年持続する可能性がある).
sciatic n. 坐骨神経痛. =sciatica.
Sluder n. (slū′dĕr). スルーダー(スラダー)神経痛. =sphenopalatine n.
sphenopalatine n. 蝶口蓋神経痛（顔面の下半分の神経痛で，痛みは鼻根，上顎歯，眼，耳，乳様突起，および後頭に放散する．副鼻腔の感染で起こる鼻うっ血および鼻漏に合併し，蝶口蓋神経節の病変で起こる．眼充血と過度の流涙が起こることもある). =Sluder n.

stump n. 断端神経痛（欠損部分からくるように思われる痛み．断端の瘢痕組織の神経腫が刺激されることによって起こる).

suboccipital n. 後頭下神経痛（⇀posttraumatic neck *syndrome*).

supraorbital n. 眼窩上神経痛.

symptomatic n. 症候性神経痛（局所性あるいは全身性疾患の一症状として起こる神経痛で，本質的には神経構造には関係しない).

trifacial n. =trigeminal n.

trigeminal n. [MIM*190400]．三叉神経痛（1本以上の三叉神経枝に起こる激しい発作性疼痛．口内あるいは口付近の発痛帯に触れることによりしばしば引き起こされる). =epileptiform n.; facial n.; Fothergill disease (1); Fothergill n.; tic douloureux; trifacial n.

neu·ral·gic (nū-ral′jik). 神経痛〔様〕の.

neu·ral·gi·form (nū-ral′ji-fōrm). 神経痛様の.

neur·am·e·bim·e·ter (nūr′am-ĕ-bim′ĕ-tĕr) [neur- + G. *amoibē*, exchange, return, answer + *metron*, measure]．神経反応時間測定器（あらゆる刺激に対する神経の反応速度を測定する器械).

neur·a·min·ic ac·id (nūr′ă-min′ik as′id). ノイラミン酸（D-マンノサミンとピルビン酸のアルドール生成物で，D-マンノサミンのC-1とピルビン酸のC-3が結合している．ノイラミン酸の*N*-および*O*-アシル誘導体はシアル酸として知られ，ガングリオシドや，多くの組織，分泌物などにみられるムコ蛋白および糖蛋白を構成する多糖類の成分である). =prehemataminic acid.

neur·a·min·i·dase (nūr′ă-min′i-dāz). ノイラミニダーゼ. =sialidase.

α_2-**neur·a·mi·no·gly·co·pro·tein** (nūr′ă-min′ō-glī′kō-prō′tēn). α_2-ノイラミノ糖蛋白（ノイラミン酸を含み，電気泳動で血清蛋白の α_2 部分とともに移動する.→C1 esterase *inhibitor*).

neur·an·a·gen·e·sis (nūr′an-ă-jen′ĕ-sis) [neur- + G. *ana*, up, again + *genesis*, origin]．神経再生.

neur·a·poph·y·sis (nūr′ă-pof′i-sis) [neur- + G. *apophysis*, offshoot]. =*lamina* of vertebral arch.

neur·a·prax·i·a (nūr′ă-prak′sē-ă) [neur- + G. *a*- 欠性辞 + *praxis*, action]．ニューラプラクシー，ニューラプラキシー（[誤ったつづりまたは発音neuropraxiaを避けること．nerve lesion の一般的な意味で本語の隠語的使用を避けること]．臨床症状を起こす局所神経障害の最も軽症な型．神経に沿った伝導の局所的喪失で，軸索変性を伴わない．虚血性のことがあるが通常，脱髄性の局所病変により起こり，(持続が2－3時間より短い場合は)完全に回復する.→axonotmesis).

neur·ar·chy (nūr′ar-kē) [neur- + G. *archē*, dominion]．神経支配（身体の物理的過程に対する神経系の支配).

neur·as·the·ni·a (nūr′as-thē′nē-ă) [neur- + G. *astheneia*, weakness]．神経衰弱〔症〕（一般に，心身の機能低下に併発または続発する不明確な症状で，漠然とした疲労を特徴とする．心理的要因によって起こると考えられている).

angiopathic n., angioparalytic n. 血管障害性神経衰弱〔症〕，血管麻痺性神経衰弱〔症〕（軽い神経衰弱症の一形態を表す現在では用いられない語．身体全体の拍動感が主訴である).

gastric n. 胃性神経衰弱〔症〕（はっきりしない上腹部のアトニーと膨隆と軽い神経衰弱症状を特徴とする状態).

n. gravis 重症神経衰弱〔症〕（持続的で極度の神経衰弱を表す現在では用いられない語).

n. praecox 早発性神経衰弱〔症〕（青年期に現れる神経消耗の一形態を表す現在では用いられない語).

primary n. 一次性神経衰弱〔症〕を表す現在では用いられない語.

pulsating n. 拍動性神経衰弱〔症〕を表す現在では用いられない語.

sexual n. 性的神経衰弱〔症〕（性的過敏，性的衰弱，あるいは性倒錯を特徴とする神経衰弱の一形態を表す現在では用いられない語).

traumatic n. 外傷性神経衰弱〔症〕を表す現在では用いられない語.

neur·as·then·ic (nūr′as-then′ik). 神経衰弱〔症〕の.

neur·ax·is (nū-rak′sis). 脳脊髄幹，脳脊髄軸（中枢神経系で対になっていない部分．対になった大脳半球または終脳に対比して脊髄，菱脳，中脳，間脳のことをいう).

neu·rax·on, neur·ax·one (nū-rak′son, -sōn) [neur- + G. *axōn*, axis]．axon を表す現在では用いられない語.

neu·rec·ta·sis, neu·rec·ta·si·a, neur·ec·ta·sy (nū-rek′tă-sis, noor-ek-tā′zē-ă, -ek′tă-sē) [neur- + G. *ektasis*, extension]．神経伸張術（神経または神経幹をのばす手術). =neurotension.

neu·rec·to·my (nū-rek′tŏ-mē) [neur- + G. *ektomē*, excision]．神経切断〔術〕，神経切除〔術〕（神経の一部を切除すること). =neuroectomy.

occipital n. 大後頭神経切断術（後頭神経痛の治療のために行う大後頭神経の切断術).

presacral n. 仙骨前交感神経切断〔術〕（重症の月経困難を軽くするために仙骨前神経を切除(切断)すること). =Cotte operation; presacral sympathectomy.

retrogasserian n. ガッサー神経節後神経切断〔術〕. =trigeminal *rhizotomy*.

vestibular n. 前庭神経切断術（第八脳神経の前庭枝を切断する手術).

neur·ec·to·pi·a, neur·ec·to·py (nūr′ek-tō′pē-ă, -ek′tō-pē) [neur- + G. *ektopos* < *ek*, out of + *topos*, place]．神経転位〔症〕（神経が異常な走行をしている状態).

neur·ep·i·the·li·um (nūr′ep-i-thē′lē-ŭm). =neuroepithelium.

neuri- ⇀neur-.

neu·ri·dine (nū′ri-dēn). ノイリジン. =spermine.

neu·ri·lem·ma (nū′ri-lem′ă) [neuri + G. *lemma*, husk]．神経線維鞘（[別のつづりの neurilema および neurolemma を支持する語源論的主張はあるが，最も一般的なつづりは neurilemma である]．末梢神経系の1本以上の軸索を包む細胞．有髄線維では，その細胞膜がミエリン層板を形成する). =neurolemma; sheath of Schwann.

neu·ri·le·mo·ma (nū′ri-lē-mō′mă) [neurilemma + G. *-oma*, tumor]．神経鞘腫（[別のつづりの neurilemmoma および neurolemmoma を支持する語源論的主張はあるが，最も一般的なつづりは neurilemoma である]). =schwannoma.

acoustic n. 聴神経鞘腫（第八脳神経から生じる神経鞘腫).

Antoni type A n. (ahn′tō-nē). アントニA型神経鞘腫（ねじれた束状に配列され，繊細なレチクリン線維と結合したSchwann細胞からなる比較的硬い，または密に配列された腫瘍性組織．Schwann細胞核はしばしば平行な列(観兵式様配列)に区分され，核と線維はときには Verocay 小体とよばれる病的に拡大した触覚小体を形成する).

Antoni type B n. (ahn′tō-nē). アントニB型神経鞘腫（レチクリン線維とごく小さい嚢胞様の病巣の間に不規則で特徴のない形に配列された，Schwann細胞からなる比較的軟らかい，または粗に配列された腫瘍性組織．比較的大きな神経鞘腫中には，脂肪を含むマクロファージがみられるものもある).

neu·ril·i·ty (nū-ril′i-tē). 神経伝導性（神経に固有の，刺激を伝達する性質).

neu·ri·mo·til·i·ty (nū′ri-mō-til′i-tē). 神経運動性. =nervimotility.

neu·ri·mo·tor (nū′ri-mō′tŏr). =nervimotor.

neu·rine (nū′rēn). ノイリン（毒性アミン．動物性物質の分解産物(コリンの脱水したもの)，およびキノコの毒性成分).

neu·ri·no·ma (nū′ri-nō′mă). schwannoma を表す現在では用いられない語.

acoustic n. =vestibular *schwannoma*.

neu·rit·ic (nū-rit′ik). 神経炎の.

neu·ri·tis, pl. **neu·ri·ti·des** (nū-rī′tis, nū-rit′i-dēz) [neuri- + G. *-itis*, inflammation]. ***1*** 神経炎（神経の炎症). ***2*** =neuropathy.

adventitial n. 周膜性神経炎（神経鞘の炎症.→perineuritis).

ascending n. 上行性神経炎（末梢から離れる方向に，神経幹に沿って上方に進行する炎症).

axial n. 軸性神経炎. =parenchymatous n.

brachial n. 腕神経叢炎．＝neuralgic *amyotrophy.*
central n. 中心性神経炎．＝parenchymatous n.
descending n. 下行性神経炎（神経幹に沿って，末梢に向かって進行する炎症）．
Eichhorst n. (īk′hōrst). アイヒホルスト神経炎．＝interstitial n.
endemic n. 地方〔病〕性神経炎．＝beriberi.
fallopian n. (fă-lō′pē-ăn). ファローピウス神経炎．＝facial *paralysis.*
interstitial n. 間質性神経炎（神経の結合組織の炎症）．＝Eichhorst n.
intraocular n. 眼内性神経炎（視神経の網膜部分の炎症）．
Leyden n. (lī′dĕn). ライデン神経炎（罹患神経線維の脂肪変性）．
multiple n. 多発〔性〕神経炎（現在では用いられない語）．＝polyneuropathy.
occipital n. 後頭神経炎（→posttraumatic neck *syndrome*）．
optic n. 視神経炎（→*neuromyelitis* optica; retrobulbar n.; papillitis）．
parenchymatous n. 実質性神経炎（本来の神経物質である軸索とミエリンの炎症）．＝axial n.; central n.
retrobulbar n. 球後視神経炎（視神経円板の腫脹を伴わない視神経炎）．
sciatic n. 坐骨神経炎．＝sciatica.
segmental n. 分節性神経炎（①神経の走行に沿って数か所に生じる炎症．②分節性脱髄性神経障害）．
suboccipital n. 後頭下神経炎（→posttraumatic neck *syndrome*）．
toxic n. 中毒性神経炎（内因性または外因性毒素による神経炎）．
traumatic n. 外傷性神経炎（外傷後に生じる神経の病変）．
viral vestibular n. ウイルス性前庭神経炎（めまいを呈する前庭神経のウイルス感染．それは通常，蝸牛神経を欠いており，難聴も耳鳴りも伴わない）．

neuro- →neur-.

neu·ro·al·ler·gy (nū′rō-al′ĕr-jē). 神経アレルギー（神経組織内のアレルギー反応）．

neu·ro·an·as·to·mo·sis (nū′rō-ă-nas-tō-mō′sis). 神経吻合術（手術により神経間の接合を形成すること）．

neu·ro·a·nat·o·my (nū′rō-ă-nat′ō-mē). 神経解剖学（神経系，通常は特に中枢神経系の解剖学）．

neu·ro·ar·throp·a·thy (nū′rō-ar-throp′ă-thē) [neuro- + G. *arthron*, joint + *pathos*, suffering, disease]. 神経性関節症（関節の感覚喪失による関節疾患．→Charcot *joint*）．

neu·ro·aug·men·ta·tion (nū′rō-awg-men-tā′shŭn). 神経増強（神経系の活動を補うために電気刺激を使用すること）．

neu·ro·aug·men·tive (nū′rō-awg-men′tiv). 神経増強〔性〕の（神経増強に関する）．

neu·ro·bi·olo·gy (nū′rō-bī-ol′ō-jē). 神経生物学（神経系の生物学）．

neu·ro·bi·o·tax·is (nū′rō-bī′ō-tak′sis) [G. *neuron*, nerve + *bios*, life + *taxis*, arrangement]. 神経刺激走性（最大の刺激を受ける領域に向かって神経細胞が移動する，または軸索がのびることがあるとの説）．

neu·ro·blast (nū′rō-blast) [neuro- + G. *blastos*, germ]. 神経芽細胞（胎児の神経細胞）．

neu·ro·blas·to·ma (nū′rō-blas-tō′mă) [MIM*256700]. 神経芽〔細胞〕腫（未熟で，ほとんど分化していない胎児型の神経細胞すなわち神経芽細胞を特徴とする悪性新生物．典型的な細胞は，不相応に大きく濃く染色された小胞性の核と，かすかに好酸性の細胞質をもち，比較的小さい(直径 10—15 μm)．シート状，不規則な塊，または索状に群列し，また個々に存在したり，ロゼット様(中心方向を向いた細胞質の突起の周囲に，末梢へ配列された核をもつ)の形で存在することもある．通常，間質はまばらで，壊死性，出血性の病巣もまれではない．神経芽細胞腫は乳児と小児の縦隔および腹膜後腔部(約 30%は副腎を伴う)により頻繁に生じる．肝臓，肺，リンパ節，頭蓋腔，骨格への広範な転移が非常に一般的にみられる）．
olfactory n. 嗅神経芽〔細胞〕腫（通常は鼻腔の嗅覚領域から発生する，しばしば緩徐に進行する悪性のまれな原始神経細胞腫）．＝olfactory esthesioneuroblastoma.

neu·ro·bor·rel·i·o·sis (nū′rō-bōr-rel′ē-ō′sis). 神経ボレリア症（*Borrelia*属の一員による中枢神経系の感染によって起こる炎症や疾患．エイズ感染者のような免疫抑制者に特にみられ，疾病の末期にしばしばみられる）．

neu·ro·can (nū-rō-kan). ニューロカン（神経細胞付着分子に結合する神経系コンドロイチン硫酸プロテオグリカンで，発達中の神経細胞付着とニューライト発育を調節する）．＝chondroitin sulfate proteoglycan 3.

neu·ro·car·di·ac (nū′rō-kar′dē-ak) [neuro- + G. *kardia*, heart]. ***1*** 神経心臓の（心臓の神経支配に関する）．***2*** 心臓神経症の．

neu·ro·cele (nū′rō-sēl) [neuro- + G. *koilos*, hollow]. 神経腔（脳脊髄内部の腔の総称で，まれに用いる．脳室と脊髄の中心管をまとめて称したもの）．

neu·ro·chem·is·try (nū′rō-kem′is-trē). 神経化学（神経系の構造および機能の化学的側面に関する学問）．

neu·ro·chi·tin (nū′rō-kī′tin) [neuro- + G. *chitōn*, tunic]. ノイロキチン．＝neurokeratin.

neu·ro·cho·ri·o·ret·i·ni·tis (nū′rō-kōr′ē-ō-ret′in-ī′tis). 脈絡網膜神経炎（脈絡膜，網膜および視神経の炎症）．

neu·ro·cho·roi·di·tis (nū′rō-kō′roy-dī′tis). 脈絡膜視神経炎（脈絡膜と視神経の炎症）．

neu·roc·la·dism (nū-rok′lă-dizm) [neuro- + G. *klados*, a young branch]. 神経軸索再生，神経新分枝形成（切断神経の切れ目に橋をかけるように断端から軸索が成長すること）．＝odogenesis.

neu·ro·cra·ni·um (nū′rō-krā′nē-ŭm) [neuro- + G. *kranion*, skull][TA]. 脳頭蓋（顔面骨と区別して，脳を包む頭蓋骨をいう）．＝brain box*; braincase; cranial vault; cranium cerebrale; cerebral cranium.
cartilaginous n. 軟骨性脳頭蓋（胚において，初期は軟骨性で，後に骨化される頭蓋底部）．
membranous n. 膜性脳頭蓋（膜状に骨化(膜性骨)する胚期の頭蓋冠）．

neu·ro·cris·top·a·thy (nū′rō-kris-top′ă-thē) [neuro- + L. *crista*, crest + G. *pathos*, suffering]. 神経堤障害，神経堤症（神経堤細胞の発育障害による発育奇形）．

neu·ro·cyte (nū′ro-sīt) [neuro- + G. *kytos*, cell]. 神経細胞．＝neuron.

neu·ro·cy·tol·y·sis (nū′rō-sī-tol′i-sis) [neuro- + G. *kytos*, cell + *lysis*, dissolution]. 神経細胞溶解（神経細胞の破壊）．

neu·ro·cy·to·ma (nū′rō-sī-tō′mă) [neuro- + G. *kytos*, cell + *-oma*, tumor]. 神経細胞腫（神経分化を示す腫瘍で，通常，脳室内にでき，一様の核をもった細胞層からなり，ときに血管周囲に偽ロゼットを形成する）．

neu·ro·den·drite (nū′rō-den′drīt). 神経樹状突起．＝dendrite (1).

neu·ro·den·dron (nū′rō-den′dron). 神経樹状突起．＝dendrite (1).

neu·ro·der·ma·ti·tis (nū′rō-der-mă-tī′tis) [neuro- + G. *derma*, skin + *-itis*, inflammation]. 神経皮膚炎（限局性または散在性の慢性の苔癬化した皮膚病巣）．

neu·ro·dy·nam·ic (nū′rō-dī-nam′ik) [neuro- + G. *dynamis*, force]. 神経エネルギーの，神経力の．

neu·ro·dyn·i·a (nū′rō-din′ē-ă) [neuro- + G. *odynē*, pain]. 神経痛．＝neuralgia.

neu·ro·ec·to·derm (nū′rō-ek′tō-derm). 神経外胚葉（後に発達して脳，脊髄，神経堤になって神経細胞と末梢神経系の神経線維鞘または Schwann 細胞をつくる初期外胚葉の中心部分）．

neu·ro·ec·to·der·mal (nū′rō-ek-tō-der′măl). 神経外胚葉の．

neu·ro·ec·to·my (nū′rō-ek′tŏ-mē). ＝neurectomy.

neu·ro·en·ceph·a·lo·my·e·lop·a·thy (nū′rō-en-sef′ă-lō-mī-ĕ-lop′ă-thē). 神経脳脊髄障害．

neu·ro·en·do·crine (nū′rō-en′dō-krin). 神経内分泌の（①神経系と内分泌器官の解剖学的および機能的関係についていう．②神経刺激に対応して，循環血液中にホルモンを分泌する細胞を表す．神経内分泌細胞は，末梢内分泌腺，例えば，膵臓の Langerhans 島のインスリン分泌ベータ細胞と，副腎髄質のアドレナリン分泌クロム親和性細胞からなると考えられる．他は脳内のニューロン，例えば，下垂体の後葉にある軸索末端から抗利尿ホルモンを分泌する視神経上核のニューロンである）．

neuroendocrine-specific protein-like-1 (nū′rō-en′dō-krin-spĕ-sif′ik prō′tēn-līk). 神経内分泌特異蛋白様 1 遺伝子（骨格筋（特にZ帯）の蛋白をコードする新しい遺伝子）．

neu·ro·en·do·crin·ol·o·gy (nū′rō-en′dō-krin-ol′ŏ-jē). 神経内分泌学（神経系と内分泌器官の解剖学的および機能的関係に関する専門分野）．

neu·ro·ep·i·the·li·al (nū′rō-ep′i-thē′lē-ăl). 感覚上皮の．

neu·ro·ep·i·the·li·um (nū′rō-ep′i-thē′lē-ūm). 感覚上皮（外部刺激の受容のみを行う上皮細胞．ほとんどの神経上皮細胞，特に内耳の有毛細胞と味蕾の受容細胞は真のニューロンではないが，感覚神経節細胞の末端とシナプスをつくる導入細胞である．嗅覚上皮の神経上皮受容細胞は，これとは対照的に真の末梢ニューロンで，その極端に細く無髄の軸索は，脳半球の嗅覚球に導入する嗅覚線維からなる．NA では，網膜の杆状体と錐状体に対しても用いる）．＝neurepithelium; neuroepithelial cells.

n. of ampullary crest〔膨大部稜の〕感覚上皮（各半規管の膨大部稜にある特殊感覚有毛細胞）．

n. of macula〔平衡斑の〕感覚上皮（球形嚢斑上皮と卵形嚢斑上皮の特殊感覚有毛細胞．→macula）．

olfactory n. 嗅覚上皮（受容体，支持細胞，Bowman（鼻腔上部に位置する）嗅腺で構成される．受容体細胞は，粘液および軸索（嗅球の二次ニューロンへの嗅糸とシナプスとして篩板を横断する）に存在する樹状突起の伸張を伴う神経である）．＝organum olfactus［TA］; olfactory organ; organ of smell.

neu·ro·fi·bra (nūr-ō-fī′bră)［neuro- ＋ fibra］．神経線維．

neurofibrae autonomicae［TA］．自律神経線維．＝autonomic nerve *fibers*.

neurofibrae postganglionicae ＝postganglionic *fibers*.

neurofibrae preganglionicae ＝preganglionic *fibers*.

neurofibrae somaticae［TA］．＝somatic nerve *fibers*.

neurofibrae (-fī′brē). neurofibra の複数形．

neu·ro·fi·bril (nū′rō-fī′bril). 神経細線維（光学顕微鏡によって神経細胞体，樹状突起，軸索，さらにときにはシナプス末端にみられる線維構造で，多くの超微細成分（微細線維や微細管）の凝集したもの．その機能的な意味はまだ立証されていない）．

neu·ro·fi·bril·lar (nū′rō-fī′bri-lăr). 神経細線維の．

neu·ro·fi·bro·ma (nū′rō-fī-brō′mă). 神経線維腫（中程度の硬度を有する良性の被包性腫瘍で，不規則な Schwann 細胞の増殖により生じ，神経線維部分を含む．神経線維腫症においては，神経線維腫が多発する）．＝fibroneuroma.

plexiform n. 叢状神経線維腫（神経鞘の内面から Schwann 細胞の増殖が起こることにより，不規則な厚みをもって変形した，曲がりくねった構造をもつ神経線維腫の一種で，ある場合には，神経に沿ってのび，最終的には脊髄根と脊髄を侵すと考えられている．神経線維腫症によくみられる）．＝fibrillary neuroma; plexiform neuroma.

storiform n. 渦状神経線維腫．＝pigmented *dermatofibrosarcoma protuberans*.

neu·ro·fi·bro·ma·to·sis (noor′ō-fī-brō-mă-tō′sis). 神経線維腫症（この病名には，2つのはっきり異なった遺伝性疾患が含まれる．以前，末梢型と中枢型と名づけられていたもので，現在は I 型，II 型とよばれている．I 型（末梢型）［MIM *162200］は II 型よりはるかに頻度が高く，皮膚の色素沈着斑と皮膚および皮下腫瘍を臨床的特徴とする．色素沈着斑は生下時から存在し，体のいたるところにでき，大きさや色合いは様々である．褐色のものはカフェオレ斑とよばれる．神経線維腫とよばれる皮膚および皮下腫瘍が，末梢神経の走行に沿って，神経根から遠位部に至るあらゆる部位に多発性に生じる．神経線維腫は非常に大きくなることがあり，著しく容姿を損なったり，骨を浸食したり，いろいろな末梢神経組織を圧迫したりする．小さな過誤腫（Lisch 結節）がほとんどすべての患者の虹彩にみられる．I 型は von Recklinghausen 病ともよばれる．常染色体優性遺伝で，第 17 染色体長腕11 領域に遺伝子座があり，ニューロフィブロミンをコードする NF1 遺伝子の変異により生じる．II 型（中枢型）［MIM*101000］はほとんど皮膚症状がなく，主に両側性（ときに片側性）の聴神経鞘腫を生じ，聴力障害を呈する．しばしば髄膜腫や神経膠腫などの頭蓋内または傍脊柱腫瘍を伴う．やはり常染色体優性遺伝であるが，遺伝子座は第 22 染色体長腕11 領域にあり，メルリンをコードする NF2 遺伝子の変異により生じる）．

abortive n. 頓挫性神経線維腫症．＝incomplete n.

central type n. 中枢型神経線維腫症（神経線維腫症 neurofibromatosis の第 II 型．→neurofibromatosis）．

incomplete n. 不完全神経線維腫症（カフェオレ斑点に限られるとされる非常に小さい多発神経線維腫．微小の病巣をもつ人は，重い症状の子供をもつと考えられる）．＝abortive n.

neu·ro·fil·a·ment (nū′rō-fil′ă-ment). 神経糸，神経フィラメント（ニューロンの中にみられる中位のフィラメントの群）．

neu·ro·gang·li·on (nū′rō-gang′lē-on). 神経節．＝ganglion (1).

neu·ro·gas·tric (nū′rō-gas′trik). 胃神経の（胃の神経支配についていう）．

neu·ro·gen·e·sis (nū′rō-jen′ĕ-sis)［neuro- ＋ G. *genesis*, production］．神経発生，ニューロン形成．

neu·ro·gen·ic, neu·ro·ge·net·ic (nū′rō-jen′ik, -jĕ-net′ik). ***1*** 神経〔原〕性の（神経系または神経インパルス，に由来する，から発生する，によって生じる）．＝neurogenous. ***2*** 神経形成の，神経組織発生の．

neu·rog·e·nous (nū-roj′ĕ-nŭs). ＝neurogenic (1).

neu·rog·li·a (nū-rog′lē-ă)［neuro- ＋ G. *glia*, glue］．神経膠（［本語は文法的に単数形である．誤った発音 neurogli′a を避けること］．中枢および末梢神経系の非神経細胞成分．以前は単に細胞を支持するだけと考えられていたが，神経系を支配するニューロンと血管の間に一定量挿入されていることから，現在では重要な代謝機能をもつと考えられている．中枢神経組織には，乏突起神経膠細胞，星状膠細胞，上衣細胞，小膠細胞が含まれる．神経節の随伴細胞と，末梢神経線維周囲の神経線維鞘または Schwann 細胞は，末梢神経系の乏突起神経細胞であると解釈される）．＝reticulum (2)［TA］; glia; Kölliker reticulum.

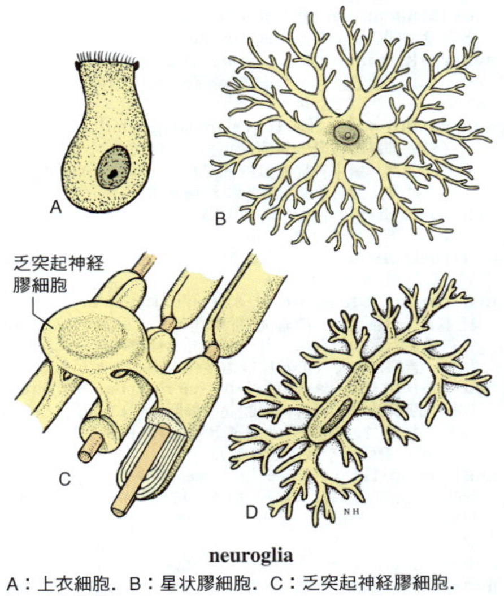

neuroglia

A：上衣細胞．B：星状膠細胞．C：乏突起神経膠細胞．D：小膠細胞．

neu·rog·li·a·cyte (nū-rog′lē-ă-sīt)［neuro- ＋ G. *glia*, glue ＋ *kytos*, cell］．神経膠細胞（→neuroglia）．

neu·rog·li·al, neu·rog·li·ar (nū-rog′lē-ăl, -lē-ăr). 神経膠の．

neu·rog·li·o·ma·to·sis (nū-rog′lē-ō-mă-tō′sis). 神経膠腫症. = gliomatosis.
neu·ro·gly·co·pe·ni·a (nū′rō-glī-kō-pē′nē-ă) [neuro- + glycopenia]. 神経糖減少〔症〕(血糖低値の神経学的結果で, 痙攣, 昏睡を含む).
neu·ro·gram (nūr′ō-gram) [neuro- + G. *gramma*, something written]. ニューログラム (精神的経験をする度に理論的に脳物質に刻まれる印象. すなわち, 精神的経験のエングラムまたは物理的記録. この刺激が原経験を回復・再生させ, それによって記憶をつくる).
neu·rog·ra·phy (nū-rog′ră-fē) [neuro- + G. *graphō*, to write]. 神経記録〔法〕, 神経検査〔法〕(末梢神経の状態を描写する方法で, 電気的記録や造影剤を用いた放射線撮影のようなもの).
neu·ro·he·mal (nū′rō-hē′măl) [neuro- + G. *haima*, blood]. 神経血管の (軸索が他のニューロンとシナプス接合せず, 軸索末端が変化して神経分泌物の貯蔵と循環内への放出が可能になった神経分泌ニューロンをもつ構造を表す).
neu·ro·his·tol·o·gy (nū′rō-his-tol′ŏ-jē). 神経組織学 (神経系の顕微鏡学的解剖学). = histoneurology.
neu·ro·hor·mone (nū′rō-hōr′mōn). 神経ホルモン (神経分泌細胞によってつくられ, 神経インパルスから放出されるホルモン. 例えばノルエピネフリン).
neu·ro·hy·po·phys·i·al (nū′rō-hī′pō-fiz′ē-ăl). 神経下垂体の.
neu·ro·hy·poph·y·sis (nū′rō-hī-pof′i-sis) [neuro- + hypophysis][TA]. 神経下垂体 (漏斗部と下垂体神経葉よりなる複合体. →pituitary *gland*). = lobus nervosus [TA]; lobus posterior hypophyseos*; pars nervosa hypophyseos*; nervous lobe; neural part of hypophysis; posterior lobe of hypophysis.
neu·roid (nū′royd) [neuro- + G. *eidos*, resemblance]. 神経様の.
neu·ro·im·mu·no·mod·u·la·tion (nū′rō-im′myū-nō-mod-yū′lā′shŭn) [*neuro-* + *immuno-* + *modulation*]. 神経免疫調節 (神経系, 内分泌系, 免疫系の間の相互調節の全体).
neu·ro·ker·a·tin (nū′rō-ker′ă-tin) [neuro- + G. *keras*, horn]. ノイロケラチン, 神経ケラチン (①脂肪物質を固定し除去した後に, 軸索の髄鞘が残った蛋白の網状構造. 網状の外見は, 固定アーチファクトと思われる. ②蛋白分解消化後, 溶媒抽出を行ったときに残る脳の不溶性蛋白. ケラチン類とは無関係である). = neurochitin.
neu·ro·ki·nins (nū-rō-kī′ninz) [neuro- + kinin]. ニューロキニン (血管活性と気管支攣縮作用をもつ神経ペプチドの一群).
neu·ro·lab·yrin·thi·tis (nū-rō′lab-rin-thiī′-tis). 神経迷路炎 (前庭神経の特発的炎症. めまい, 嘔気, バランス異常を示す. 通常, 蝸牛神経には関係がなく, 耳鳴りや難聴を示さない. 通常, 数日から数週間で治癒する).
neu·ro·lath·y·rism (nū-rō-lath′i-rizm). 神経ラチリスム, 神経イタチササゲ中毒. = lathyrism.
neu·ro·lem·ma (nū′rō-lem′ă) [neuro- + G.*lemma*, husk]. 神経線維鞘. = neurilemma.
neu·ro·lept·an·al·ge·si·a (nū′rō-lept-an′ăl-jē′zē-ă). 神経遮断無痛〔法〕, 神経遮断麻酔〔法〕(麻薬性の鎮痛薬と神経遮断薬の投与により生じさせる極度の無痛, 記憶消失状態. 意識がなく, 心肺機能も変化があることがある).
neu·ro·lept·an·es·the·si·a (nū′rō-lept-an′es-thē′zē-ah). 神経遮断麻酔〔法〕(神経遮断薬の静脈注射により行う全身麻酔法の技術で, 神経筋弛緩薬とともに(併用しなくてもよい), 弱い麻酔薬を吸入させる).
neu·ro·lep·tic (nū′rō-lep′tik) [neuro- + G. *lēpsis*, taking hold]. 精神遮断薬, 神経弛緩薬, 抗精神病薬 (精神病, 特に統合失調症の治療に用いられる向精神薬の一群. フェノチアジン, チオキサンテン, ブチロフェノン誘導体およびジヒドロインドロン酸が含まれる. →antipsychotic *agent*).
neu·ro·lin·guis·tics (nū′rō-ling-gwis′tiks). 神経言語学 (言語およびその障害の神経原性の基礎を研究する医学の部門).
neu·rol·o·gist (nū-rol′ŏ-jist). 神経学者, 神経科医 (神経筋系, 中枢, 末梢, 自律神経系, 神経筋接合部, 筋の疾患の診断および治療を行う専門家).
neu·rol·o·gy (nū-rol′ŏ-jē) [neuro- + G. *logos*, study]. 神経学 (種々の神経系(中枢, 末梢, 自律神経および神経筋接合部, 筋)とその障害を扱う医学の一分野).
neu·ro·lymph (nū′rō-limf) [neuro- + G. *lympha*, clear water]. cerebrospinal *fluid* を表す現在では用いられない語.
neu·ro·lym·pho·ma·to·sis (nū′rō-lim′fō-mă-tō′sis). 神経リンパ腫症 (神経へのリンパ芽細胞浸潤).
neu·rol·y·sin (nū-rol′i-sin). 神経溶解素 (脳物質注射によって得られる抗体で, 神経節と皮質細胞の破壊を引き起こす). = neurotoxin (1).
neu·rol·y·sis (nū-rol′i-sis) [neuro- + G. *lysis*, dissolution]. ***1*** 神経溶解 (神経組織を破壊すること). ***2*** 神経剝離〔術〕(炎症性癒着からの神経剝離または圧迫を解除するために神経上膜を切開すること). ***3*** 顔面神経剝離〔術〕(顔面神経の圧迫解除の一部として, 顔面神経の神経上膜を切開すること).
neu·ro·lyt·ic (nū′rō-lit′ik). 神経溶解の, 神経剝離〔術〕の.
neu·ro·ma (nū-ro′mă) [neuro- + G. *-oma*, tumor]. 神経腫 (神経系細胞から発生する新生物を表す一般名. 細胞学と組織学的特徴に関する新しい知識によれば, 以前は神経腫の一般分類に入れられていた様々な新生物は, 現在はよりはっきりしたカテゴリー, 例えば神経節性神経腫 ganglioneuroma, 神経鞘腫 neurilemoma, 偽神経腫 pseudoneuroma, その他に分類されている).
 acoustic n. 聴神経腫. = vestibular *schwannoma.*
 amputation n. 切断神経腫. = traumatic n.
 n. cutis 皮膚神経腫.
 false n. 偽神経腫. = traumatic n.
 fibrillary n. = plexiform *neurofibroma.*
 Morton n. (mōr′tŏn). モートン神経腫 (足の足底指間神経の1つにできた局在性腫瘤性病変で自発痛と圧痛がある. 第3と第4中足骨の間の神経が, 近くの中足骨頭で圧迫されるか深横中足骨靱帯の前縁を横切る場所で引っぱられて起こる). = Morton metatarsalgia; Morton neuralgia.
 plexiform n. 叢状神経腫. = plexiform *neurofibroma.*
 n. telangiectodes 毛細〔血〕管拡張様神経腫 (かなり多数の血管を含む神経線維腫で, (壁の厚さに比べて)異常に大きな管腔をもつものもある).
 traumatic n. 外傷〔性〕神経腫 (切断または傷害された神経の近位末端に成長する Schwann 細胞と軸索の新生物ではない増殖性の塊). = amputation n.; false n.; pseudoneuroma.
neu·ro·ma·la·ci·a (nū′rō-mă-lā′shē-ă) [neuro- + G. *malakia*, softness]. 神経軟化 (神経組織の病的軟化).
neu·ro·ma·to·sis (nū′rō-mă-tō′sis). 神経腫症 (神経線維腫症でみられるように多数の神経腫が存在すること).
neu·ro·mel·a·nin (nū′rō-mel′ă-nin). 神経メラニン (通常は神経系のあるニューロン, 特に黒質と青斑にみられるメラニン色素の変種).
neu·ro·me·nin·ge·al (nū′rō-mĕ-nin′jē-ăl). 神経髄膜の (神経組織と髄膜に関する).
neu·ro·mere (nū′rō-mēr) [neuro- + G. *meros*, part]. 神経分節 (胎生期に発生しつつある神経管の側壁に現れる隆起で, 発達しつつある脊髄を前根, 後根の出て行く部分に分ける隆起をさしたり, 発達しつつある菱脳(菱脳の神経小片)を延髄や橋にあって脳神経の運動性部分に分ける隆起をさすこともある). = encephalomere; neural segment; neurotome (2).
neu·ro·mi·met·ic (nū′rō-mi-met′ik). 神経〔様〕作用の (神経インパルスに対する効果器の反応によく似た薬物の作用についていう).
neuromodulation (nūr′ō-mod-yū-lā′shŭn). 神経調節 (植え込んだ装置により電気的または薬理学的に中枢, 末梢, 自律神経系の活動を治療的に変えること).
neuromorphometric (nūr′ō-mōr-fō-met′rik) [neuro- + morpho- + metric]. 神経形態計測的な (特異的な脳構造の形および大きさの測定に関する. →morphometric *magnetic resonance imaging.*)
neu·ro·mus·cu·lar (nū′rō-mŭs′kyū-lăr). 神経筋の (神経と筋の関係, 特に骨格筋の運動神経支配とその病理学(例えば神経筋障害)についていう. →myoneural).
neu·ro·my·as·the·ni·a (nū′rō-mī-as-thē′nē-ă) [neuro- + G. *mys*, muscle + *a-* 欠性辞 + *sthenos*, strength]. 通常, 情緒的原因による筋の衰弱を表す現在では用いられない語.
 epidemic n. 流行性神経筋無力症 (頸と背中の硬直, 頭痛，下痢，発熱，局部的な筋の衰弱を特徴とする流行性疾患．ほとんどの場合，成人に限られ，男子より女子のほうが多い．恐らくウイルスが原因である)．＝benign myalgic encephalomyelitis; epidemic myalgic encephalomyelitis; Iceland disease.

neu·ro·my·e·li·tis (nū′rō-mī-el-ī′tis) [neuro- + G. *myelos*, marrow + *-itis*, inflammation]. 神経脊髄炎（脊髄の炎症に伴う神経炎)．＝myeloneuritis.

n. optica 視神経脊髄炎（横断性脊髄障害と視神経炎からなる脱髄障害)．＝Devic disease.

neu·ro·my·op·a·thy (nū′rō-mī-op′ă-thē) [neuro- + G. *mys*, muscle + *pathos*, disease]. ニューロミオパシー，神経筋障害（神経と筋を同時に侵す疾患)．

carcinomatous n. 癌性ニューロミオパシー，癌性神経筋障害（癌患者でみられる近位筋または全般的な脱力と腱反射低下．免疫異常による悪性腫瘍の遠隔効果である傍腫瘍性症候群でみられることが多い)．

neu·ro·my·o·si·tis (nū′rō-mī′ō-sī′tis) [neuro- + G. *mys*, muscle + *-itis*, inflammation]. polymyositis を表す現在では用いられない語．

neu·ron (nū′ron) [G. *neuron*, a nerve]. ニューロン，神経単位（神経細胞体，樹状突起と軸索からなる神経系の形態的および機能的単位)．＝nerve cell; neurocyte; neurone.

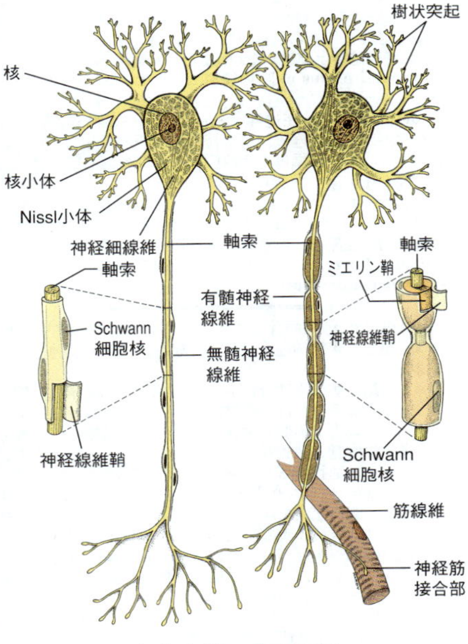

typical efferent neurons

左：無髄線維，右：有髄線維．

autonomic motor n. 自律神経運動ニューロン（→motor n.)．

bipolar n. 双極ニューロン（細胞体の反対極から 2 本の突起を出しているニューロン．次頁の図参照)．

gamma motor n.'s ガンマ運動ニューロン．＝gamma *loop*.

ganglionic motor n.〔神経〕節運動ニューロン（→motor n.)．

Golgi type I n. (gol′jē). ゴルジ I 型ニューロン（そのニューロンがある灰白質から離れる，長い軸索をもつ神経細胞)．

Golgi type II n. (gol′jē). ゴルジ II 型ニューロン（灰白質内で枝状に広がる短い軸索をもつ神経細胞)．

intercalary n. ＝internuncial (1).

internuncial n. 介在ニューロン（2つの別々のニューロンの間に介在して，それらを結合するニューロン．→internuncial (1))．

lower motor n. 下位運動ニューロン（骨格筋の神経支配を行う軸索をもつ運動ニューロンを意味するのに用いる臨床的用語で，皮質脊髄路をつくる運動皮質の上位運動ニューロンとは区別される．→motor n.)．

motor n. 運動ニューロン（中枢神経系を離れて効果器(筋または腺の)組織との機能的結合をつくる，軸索をもつことを特徴とする脊髄，菱脳，中脳内にある神経細胞．体性運動ニューロン **somatic motor n.'s** は，運動終板により横紋筋線維と直接シナプス接合する．内臓運動ニューロン **visceral motor n.'s**，または自律神経運動ニューロン(節前運動ニューロン) **autonomic motor n.'s** は，対照的に，自律神経節にある第二末梢ニューロン(節後運動ニューロン)を介して，平滑筋の神経支配を行う．→motor *endplate*; autonomic (visceral motor) *division* of nervous system)．＝anterior horn cell; motoneuron.

multipolar n. 多極ニューロン（通常は軸索と 3 個以上の樹状突起からなるニューロン．次頁の図参照)．

NANC n. nonadrenergic, noncholinergic n. の略．

nonadrenergic, noncholinergic n. (**NANC n.**) 非アドレナリン性非コリン性ニューロン，非アドレナリン性非コリン性神経細胞（アドレナリン伝達，コリン伝達を遮断しても，遮断されない伝達様式の自律神経遠心ニューロン．一酸化窒素が伝達物質である場合もあるかもしれない)．

polymorphic n. 多形性ニューロン（いろいろな形態をとるニューロン．→multipolar *cell*)．

postganglionic motor n. 節後運動ニューロン（→motor n.)．

postsynaptic n. シナプス後ニューロン（電気インパルスがシナプス前ニューロンの軸索終末から化学神経伝達物質をシナプス間隙に放出し，その化学神経伝達物質が細胞体や樹状突起に信号を伝達するニューロン)．

preganglionic motor n. 節前運動ニューロン（→motor n.)．

presynaptic n. シナプス前ニューロン（電気インパルスが軸索終末から化学神経伝達物質を放出し，シナプス間隙を横切ってシナプス後ニューロンの細胞体または樹状突起に伝達するニューロン)．

pseudounipolar n. 偽単極ニューロン．＝unipolar n.

sensory n. 感覚ニューロン，感覚神経細胞（感覚受容器または神経終末から生じる情報を伝えるニューロン．求心性ニューロン．一般感覚ニューロンと特殊感覚ニューロンがある)．

somatic motor n. 体〔性〕運動ニューロン（→motor n.)．

unipolar n. 単極ニューロン（発育の過程で 2 本の極性突起の融合によりできた 1 本の軸索突起を出す細胞体をもつニューロン．細胞体から離れた様々な地点から，この突起は末梢軸索枝と中枢軸索枝とに分かれ，前者は末梢求心性(感覚)神経線維として外にのび，後者は脊髄または脳幹のニューロンとシナプス結合する．中脳三叉神経を構成するニューロンは唯一の例外であるが，単極ニューロンは感覚神経節の唯一の神経要素．これら第一感覚ニューロンの樹状突起は外見的には欠如しているようにみえるが，末梢軸索枝の無髄末端分岐がこれにあたる．次頁の図参照)．＝pseudounipolar cell; pseudounipolar n.; unipolar cell.

upper motor n. 上位運動ニューロン（皮質脊髄路および皮質延髄路の形成に寄与する運動皮質のニューロンを意味する臨床的用語で，骨格筋の神経支配を行う下位運動ニューロンとは区別される．厳密な意味では運動ニューロンではないが，刺激することにより運動が生じ，破壊により重症運動障害が緩和されるため，これらの皮質ニューロンも口語的には運動ニューロンとして分類されるようになった．→motor n.; motor *cortex*)．

visceral motor n. 内臓運動ニューロン（→motor n.)．

neu·ro·nal (nū′rō-năl, nū-rō′năl). ニューロンの，神経単位の．

neu·rone (nū′rōn). ＝neuron.

neu·ro·neph·ric (nū′rō-nef′rik) [neuro- + G. *nephros*,

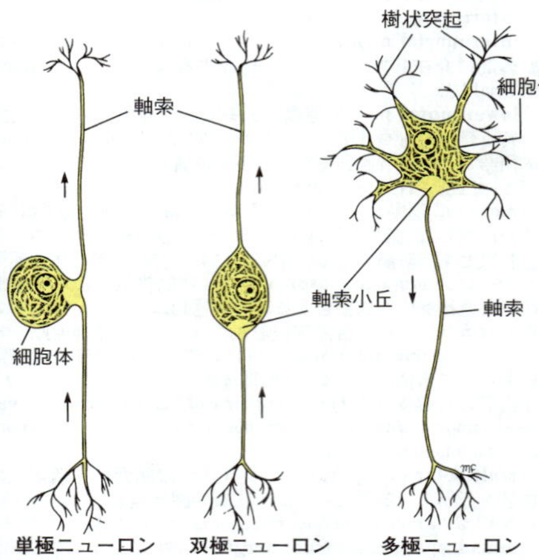

anatomic classification of neuron types
単極（例えば，感覚ニューロン）．双極（例えば，網膜の神経）．多極（例えば，骨格筋への運動神経）．矢印は神経インパルスの伝達方向を示す．

kidney］．神経腎の（腎の神経支配についていう）．

neu·ro·ne·vus (nū′rō-nē′vŭs)．神経母斑（成人にみられる真皮内母斑の一種で，真皮深部の萎縮性母斑細胞巣が硝子化し神経束に似る）．

neu·ron·i·tis (nū′rŏ-nī′tis)．ニューロン炎（神経細胞の炎症疾患）．

vestibular n. 前庭ニューロン炎（強いめまいの突発する発作で，難聴や耳鳴は伴わない．若年成人，中年成人を侵し，しばしば非特異的上気道感染に引き続いて起こる．片側の迷路機能障害による）．＝endemic paralytic vertigo; epidemic vertigo; Gerlier disease; kubisagari; kubisagaru; paralyzing vertigo.

neu·ro·nop·a·thy (nū′rō-nop′ă-thē)．神経細胞障害，ニューロン障害（ニューロンの障害で，しばしば中毒による）．

sensory n. 感覚ニューロン障害，知覚神経細胞障害（後根神経節と Gasser 神経節に限局した神経細胞障害）．

X-linked recessive bulbospinal n. X連鎖劣性球脊髄ニューロン障害．＝Kennedy *disease.*

neu·ron·o·phage (nū-ron′ō-fāj)［neuron＋G. *phagō*, to eat］．神経食細胞（ニューロン成分を摂取する食細胞．→microglia）．

neu·ron·o·pha·gi·a, neu·ro·noph·a·gy (nū′ron-ō-fā′jē-ă, nūr-ō-nof′ă-jē)［neuron＋G. *phagō*, to eat］．神経細胞侵食（神経細胞の食作用）．

neu·ro·nyx·is (nū′rō-nik′sis)［neuro-＋G. *nyxis*, pricking］．神経穿刺（神経の刺鍼術）．

neu·ro·on·col·o·gy (nū′rō-on-kol′ŏ-jē)［neuro-＋onco-＋G. *logos*, study］．神経腫瘍学（神経系，神経筋接合部，筋に対する新生物の直接および間接効果に関する医学の一部門）．

neu·ro·oph·thal·mol·o·gy (nū′rō-of′thăl-mol′ŏ-jē)．神経眼科学（視器官の神経学的問題に関する医学分野）．

neu·ro·o·tol·o·gy (nū′rō-ō-tol′ŏ-jē)．神経耳科学（聴覚，平衡器官系および関連する構造に関する医学分野）．

neu·ro·pa·ral·y·sis (nū′rō-pă-ral′i-sis)．神経麻痺（罹患部を支配する神経の疾患によって起こる麻痺）．

neu·ro·par·a·lyt·ic (nū′rō-par′ă-lit′ik)．神経麻痺の．

neu·ro·path (nū′rō-path)．神経病〔質〕者（神経系の病気にかかっている人，あるいはかかりやすい人）．

neu·ro·path·i·a (nū′rō-path′ē-ă)．＝neuropathy.

n. epidemica 流行性神経障害（腎合併症を伴う出血熱．プーマラウイルスが原因である）．

neu·ro·path·ic (nū′rō-path′ik)．ニューロパシー〔性〕の，神経障害〔性〕の．

neu·ro·path·o·gen·e·sis (nū′rō-path′ō-jen′ĕ-sis)［neuro-＋G. *pathos*, suffering＋*genesis*, origin］．神経病発生，神経病因（神経系疾患の由来あるいは原因）．

neu·ro·pa·thol·o·gy (nū′rō-pa-thol′ŏ-jē)．神経病理学（神経系を取り扱う病理学の一分野）．

neu·rop·a·thy (nū-rop′ă-thē)［neuro-＋G. *pathos*, suffering］．ニューロパシー，神経障害（①神経系のいかなる部分のいかなる障害に対しても用いられた古典的な語．②現在では，脳神経または末梢神経または自律神経系の疾病を表す）．＝neuritis (2); neuropathia.

acute motor axonal n.(AMAN) 急性運動性軸索性神経障害（多発根神経障害の急性純粋運動性の軸索変性型．Guillain-Barré 症候群の亜型．季節性(春または夏)に中国農村部の小児にみられることが多い．*Campylobacter jejuni* による下痢の流行後にみられる）．

acute sensory axonal motor n.（ASAM） 急性感覚軸索性運動性神経障害（運動線維と感覚線維の両方を侵す，急性軸索変性性多発根神経障害．Guillain-Barré 症候群の亜型）．

asymmetric motor n. 非対称性運動ニューロパシー(神経障害)（①一肢のほうが反対側の肢よりも異常が顕著である神経障害．② diabetic *amyotrophy* の表現型の１つ）．

auditory n. 聴神経障害（標準純音聴力検査で感音性難聴を呈する小児の聴力障害の１つ．標準純音聴力検査での聴力低下に比べて語音検査の低下が大きい．OAE(耳音響反射)で測定される外有毛細胞の機能は正常であるにも関わらず，ABR(聴性脳幹反応)は無反応または異常波形を示す）．

brachial plexus n. 腕神経叢ニューロパシー(神経障害)．＝neuralgic *amyotrophy.*

compression n. 圧迫性ニューロパシー(神経障害)（外部または内部から神経の局所に持続する圧迫が加えられて起こる局所神経病変．損傷の主原因は，神経のある部分と他の部分の間の圧力差である）．

dapsone n. ダプソンニューロパシー(神経障害)（ダプソン(4,4–ジアミノジフェニルスルホン)を飲んでいる患者に起こる末梢神経障害．他と異なる特徴は純粋運動ニューロパシーであることと，ときに非対称的に両手から始まることである）．＝motor dapsone n.

---

diabetic n. 糖尿病〔性〕ニューロパシー(神経障害)（糖尿病に関連した末梢神経系，自律神経系，一部の脳神経の疾患の総称）．

この糖尿病の慢性合併症で最も頻度の高い神経障害は，末梢神経系または自律神経系またはその両者を侵す．末梢神経障害は両側対称性の感覚低下，感覚過敏，異常感覚，温度覚と振動覚の消失，カウザルギーを起こすことがある．進行すると，腱反射や固有感覚が障害される．単ニューロパシー(Bell 麻痺，神経根障害)は，他の神経疾患と似た症候を起こすことがある．感覚性ニューロパシーは糖尿病患者の下肢切断の半数以上に関与し，皮膚損傷に気づかなかったり，太い血管の循環障害で損傷が治りにくかったりする．潰瘍や壊疽を起こす程度の感覚性ニューロパシーは，10-g単フィラメントで足を検査すると検出できる．自律神経障害は起立性低血圧，えん下障害，胃不全麻痺，交互に起こる下痢と便秘，インポテンスを呈することがある．慢性糖尿病性神経障害の発症機序はよくわかっていない．症状は進行する傾向があり，治療に対する反応は予見できない．それに対し，糖尿病の微小血管障害による脳神経麻痺は，しばしば自然に軽快する．

---

diphtheritic n. ジフテリア〔性〕ニューロパシー(神経障害)（ジフテリア菌 *Corynebacterium diphtheriae* が産生する毒素によって起こり，急激に進行する末梢神経障害）．

entrapment n. エントラップメントニューロパシー(神経障害)（線維性または線維骨性トンネルの中，または線維帯による神経の拘扼または機械的変形による局所性神経病変．このような病変では，障害の原因として神経の伸展と折れ曲がりが圧迫と同じ位に重要である．エントラップメント神経障害は，身体の特定部位に起こる傾向がある）．

familial amyloid n.［多数の付与された疾患の原因遺伝子

上の変異点により番号がある．例えば MIM*105120］．家族性アミロイドニューロパシー(神経障害)（種々の末梢神経にアミロイドが浸潤し，機能障害が起こる疾患．また，異常プレアルブミンが形成され，血中に存在する．特徴的には，中年で発症し，ポルトガル人家系の患者に多くみられる．常染色体優性遺伝．他のまれな臨床型もある)．＝familial amyloidosis; hereditary amyloidosis.

giant axonal n. 巨大軸索ニューロパシー(神経障害)（生後3年目以降に発症するまれな疾患で，臨床的には縮れた毛，進行性無痛性運動失調，筋力低下，筋萎縮，感覚喪失，反射消失を呈する．病理的には有髄神経線維も無髄神経線維も神経フィラメントのつまった軸索球状物を含む．散発性の性質がある)．

Graves optic n. (grāvz)．グレーヴズ視神経症（Graves 眼窩症における視神経圧迫による視力障害)．

heavy metal n. 重金属ニューロパシー(神経障害)（ヒ素，金，鉛，水銀，プラチナ，タリウムなど重金属の1つによる中毒で起こる末梢神経系疾患)．

hereditary hypertrophic n. ［MIM*145900］．遺伝性肥大性ニューロパシー(神経障害)．＝Dejerine-Sottas *disease*.

hereditary sensory radicular n. ［MIM*162400］．遺伝性感覚〔性〕根性ニューロパシー(神経障害)（神経障害に由来する重度の再発性の足の潰瘍，手足と指尖の破壊，および感覚欠如を特徴とする末梢神経障害．常染色体優性遺伝で，10代以降に発症する)．

hypertrophic interstitial n. 肥厚性間質性ニューロパシー(神経障害)（病理学的に1つ以上の神経線維の周りに同心性に並んだ Schwann 細胞突起の集りを特徴とする感覚運動多発ニューロパシー．病因として遺伝因子は知られていない．遺伝性の型については hereditary hypertrophic n. を参照)．

ischemic n. 虚血性ニューロパシー(神経障害)（神経の急性または慢性虚血によるニューロパシー)．

ischemic optic n. 虚血性視神経障害（視神経乳頭に血液を供給する圧の低い後毛様体動脈の灌流低下(非動脈炎性)，または側頭動脈炎による(動脈炎性)視神経障害)．

isoniazid n. イソニアジド〔性〕ニューロパシー(神経障害)（イソニアジドで治療された患者の一部にみられる全身性多発神経障害．軸索の喪失がみられる型である)．

lead n. 鉛ニューロパシー(神経障害)（慢性鉛中毒症にみられると報告されている末梢神経障害．手首下垂を特徴とするといわれているが，その確証を示す最近の報告はない)．

Leber optic n. (lā′ber)．レーバー視神経障害．＝Leber hereditary optic *atrophy*.

leprous n. らい性ニューロパシー(神経障害)（緩徐な発育をする肉芽腫性ニューロパシーで，一般にらい病にみられる．らい菌 *Mycobacterium leprae* によって生じる)．

motor dapsone n. 運動性ダプソンニューロパシー(神経障害)．＝dapsone n.

onion bulb n. タマネギ茎ニューロパシー(神経障害)（タマネギ形成，すなわち裸の有髄軸索を何重にも取り巻く Schwann 細胞突起により肥厚した神経がみられるいくつかの脱髄性多発神経障害の総称．例えば，進行性肥厚性多発神経障害．→hypertrophic interstitial n.)．

radial n. 橈骨神経障害．＝musculospiral *paralysis*.

symmetric distal n. 対称性遠位〔性〕ニューロパシー(神経障害)．＝polyneuropathy.

vitamin B_{12} n. ビタミン B_{12} ニューロパシー(神経障害)．＝subacute combined *degeneration* of the spinal cord.

neu·ro·pep·tide (nū′rō-pep′tīd)．神経ペプチド（神経組織で見出された種々のペプチド．例えば，エンドルフィン，エンケファリンなど)．

n. Y 神経ペプチドY［MIM*162640］．(脳や自律神経系に存在する36アミノ酸からなるペプチド性神経伝達物質．ノルアドレナリン作用性ニューロンの血管収縮効果を増強させる)．

neu·ro·phar·ma·col·o·gy (nū′rō-far′mă-kol′ŏ-jē)．神経薬理学（神経組織に影響を与える薬の研究)．

neu·ro·phil·ic (nū′rō-fil′ik)［neuro- ＋G. *philos*, fond］．神経向性の．＝neurotropic.

neu·ro·pho·ni·a (nū′rō-fō′nē-ă)［neuro- ＋G. *phōnē*, voice］．痙攣性叫声〔症〕（無意識の音や叫び声を出す，発声筋の痙攣またはチック)．

neu·ro·phy·sins (nū′rō-fiz′inz)．ニューロフィシン（視床下部で合成される蛋白で，神経分泌顆粒中ではバソプレッシンおよびオキシトシンの大きな前駆蛋白の一部である．下垂体ホルモンの運搬と貯蔵の担体としての役割を果たしている)．

neu·ro·phys·i·ol·o·gy (nū′rō-fiz′ē-ol′ŏ-jē)．神経生理学．

neu·ro·pil, neu·ro·pile (nū′rō-pil, -pīl)［neuro- ＋G. *pilos*, felt］．神経網，神経絨（中枢神経系の灰白質塊をつくり，内部に神経細胞体が埋め込まれている軸索や樹状突起とグリアの分枝のフェルト状の複雑な網)．

neu·ro·plasm (nū′rō-plazm)．神経形質（神経細胞の原形質)．

neu·ro·plas·ty (nū′rō-plas′tē)［neuro- ＋G. *plastos*, formed］．神経形成術（通常，神経縫合術(例えば，転移や神経剝離など)よりもむしろ神経全般の外科手術．*cf.* neurorrhaphy)．

neu·ro·ple·gic (nū′rō-plē′jik)［neuro- ＋G. *plēgē*, a stroke］．神経麻痺の（神経系の疾病による麻痺についていう)．

neu·ro·plex·us (nū′rō-plek′sŭs)．神経叢（［複数形は neuroplexi ではなく neuroplexus である］．神経細胞や神経線維による叢状もしくは網状の構造)．

neu·ro·po·di·a (nū′rō-pō′dē-ă)［*neuropodium*, *neuropodion* の複数形＜neuro- ＋G. *podion*, little foot］．神経足，腹肢．＝axon *terminals*.

neu·ro·pore (nū′rō-pōr)［neuro- ＋G. *poros*, pore］．神経孔（神経管の中心管から外部管に通じる胚期の開口部)．

anterior n. ＝rostral n.

caudal n. 尾側神経孔（胚期初期にみられる神経管の最尾側の一時的開口部で，25体節期に(すなわち約27日で)閉じる)．＝posterior n.

cranial n. 頭側神経孔．＝rostral n.

posterior n. ＝caudal n.

rostral n. 吻側神経孔（胚期初期にみられる前脳の最口(頭)側の一時的開口部で，20体節期に(すなわち約25日で)閉じる)．＝anterior n.; cranial n.

neu·ro·prax·i·a neurapraxia のよくあるつづりの誤り．

neu·ro·psy·chi·a·try (nū′rō-sī-kī′ă-trē)．神経精神医学，神経精神病学（［二重字 ps における p は通常は語頭にあるときのみ無音であるが，長い伝統により psyche に基づく語おける p は単語の中にあっても無音である］．神経系の器質的および精神的障害を扱う分野．精神医学 psychiatry に対する初期の用語)．

neu·ro·psy·cho·log·i·cal (nū′rō-sī′kō-loj′i-kăl)．神経心理学〔的〕の．

neu·ro·psy·chol·o·gy (nū′rō-sī-kol′ō-jē)．神経心理学（［二重字 ps における p は通常は語頭にあるときのみ無音であるが，長い伝統により psyche に基づく語における p は単語の中にあっても無音である］．心理学の一分野で，脳と行動の関連を扱い，心理テストや評価法を用いて認知障害や行動障害を診断し，機能改善のためにリハビリテーションの処方箋を示す)．

neu·ro·psy·cho·path·ic (nū′rō-sī-kō′path′ik)．神経精神病質の．

neu·ro·psy·chop·a·thy (nū′rō-sī′kop′ă-thē)．神経精神病質（神経学的原因による情動疾患)．

neu·ro·psy·cho·phar·ma·col·o·gy (nū′rō-sī′kō-far′-mă-kol′ŏ-jē)．神経精神薬理学．＝psychopharmacology.

neu·ro·ra·di·ol·o·gy (nū′rō-rā′dē-ol′ŏ-jē)．神経放射線学（脳神経および頭頸部疾患の放射線診断を行う臨床専門分野)．

neu·ro·reg·u·la·tor (nū′rō-reg′yū-lā-tŏr)．神経調節物質（ニューロンに修飾作用を及ぼす化学因子)．

neu·ro·re·lapse (nū′rō-rē′laps)．治療，特に駆梅薬による治療を始めたときに現れる神経症状の再発を表す現在では用いられない語．

neu·ro·ret·i·ni·tis (nū′rō-ret′i-nī′tis)．視神経網膜炎（視神経乳頭と網膜後極部を障害する炎症．網膜近くの硝子体中の細胞を伴い，通常，星芒状黄斑を形成する)．＝papilloretinitis.

diffuse unilateral subacute n. (**DUSN**) びまん性片側性亜急性神経網膜炎（*Baylisascaris* 属または *Ancylostoma* 属

の種のような回虫の浸潤による神経網膜の炎症).

Leber idiopathic stellate n. (lā′bĕr). ＝stellate n.

stellate n. 星芒状網膜炎(黄斑部に星芒状にみえる Henle の視神経線維層に傍黄斑滲出を伴う片眼性の網膜炎．数か月で自然寛解する)．＝Leber idiopathic stellate n.

neu·ror·rha·phy (nū-rōr′ă-fē) [neuro- ＋G. *rhaphē*, suture]. 神経縫合〔術〕(通常は縫合により，分離された神経の2部分を結合すること)．＝nerve suture; neurosuture.

neu·ro·sar·co·clei·sis (nū′rō-sar′kō-klī′sis) [neuro- ＋G. *sarx*, flesh ＋ *kleisis*, closure]. 神経筋肉剝離〔術〕(神経が横切る骨管の壁の1つを切除し，神経を軟組織へ移動させる神経痛治療の手術).

neu·ro·sar·coid·o·sis (nū′rō-sar′koy-dō′sis). 神経サルコイドーシス(中枢神経系を侵す原因不明の肉芽腫性疾患で，通常，全身症候を伴う).

neu·ro·sar·co·ma (nū′rō-sar′kō′mă). 神経肉腫(神経腫の要素をもった肉腫．神経線維肉腫，神経原性肉腫，悪性神経鞘腫などがある).

neu·ro·schwan·no·ma (nū′rō-shwah-nō′mă). 神経鞘腫．＝schwannoma.

neu·ro·sci·enc·es (nū′rō-sī′en-sĕz). 神経科学(神経系の発育・構造・機能・化学・薬理学，臨床評価，病理学に関する科学の分野).

neu·ro·se·cre·tion (nū′rō-sē-krē′shŭn). 神経分泌(脳のある神経細胞の軸索終末から循環血液中への分泌物質の放出．分泌産物は真性ホルモンであることもある．例えば，視床下部の視索上核を構成するニューロンの軸索終末から放出される抗利尿ホルモンもあるが，いわゆる視床下部の放出因子ニューロンの場合は，細胞産物は本来全身ホルモンではないが，下垂体前葉による栄養ホルモンの放出を促し，この物質が代わって末梢内分泌腺を刺激して，全身的に活性のあるホルモンを放出させる).

neu·ro·se·cre·tor·y (nū′rō-sē′krĕ-tōr′ē, -sē-krē′tōr-ē). 神経分泌の.

neuroserpin (nūr-ō-sĕr-pin). ニューロセルピン(皮質や海馬のニューロンに存在するセリンプロテアーゼインヒビターで，軸索の末端より放出される．初老期認知症のうち通常型ではニューロセルピンの変異が関与しているとされている．変異型のニューロセルピンは重合体や封入体を形成しニューロンの変性をきたす).

neu·ro·sis, pl. **neu·ro·ses** (nū-rō′sis, -sēz) [neuro- ＋G. *-osis*, condition]. 神経症，ノイローゼ(①不安を主な特徴とする心理的または行動的障害．防衛機制またはいかなる恐怖症も，根底にある不安を克服するために個人が習得した適応方法である．精神病とは対照的に，神経症の人はひどい現実検討力のゆがみや，人格解体を示すことはないが，重症の場合は精神病と同様にそれらが障害されるかもしれない．②機能的神経疾患，すなわちはっきりした病変をもたない疾患．③神経系が緊張しまたは刺激過敏になっている独特の状態．何らかの形の神経質)．＝neurotic disorder.

accident n. 災害神経症．＝traumatic n.

anxiety n. 不安神経症(パニックに至るほどの慢性的な異常な悩みと心配で，恐れている情況を避けたり，逃げだしたりする傾向を呈する．交感神経系の緊張過剰を伴う).

cardiac n. 心臓神経症(心臓病によるものでなく，動悸，胸痛，その他の徴候の結果として心臓の状態に関して不安をもつこと．心気症の一型)．＝cardioneurosis.

character n. 性格神経症(人格異常の下に分類されるもの).

combat n. 戦場ノイローゼ，戦争ノイローゼ(→battle *fatigue*; posttraumatic stress *disorder*).

compensation n. 賠償神経症(神経症の症状が発展したもので，金銭に対するまたは対人的な欲求や願望が動機であると考えられる).

compulsive n. ＝obsessive-compulsive n.

conversion n. 転換神経症．＝conversion *disorder* (1).

conversion hysteria n. 転換ヒステリー神経症．＝conversion *disorder* (1).

depressive n. 抑うつ神経症(→depression; dysthymia).

experimental n. 実験神経症(生体が，極度にむずかしいことを識別するように要求されてその過程で参ってしまうときのように，実験的につくり出される行動障害).

hypochondriacal n. 心気神経症．＝hypochondriasis.

hysteric n. ヒステリー性ノイローゼ，ヒステリー性神経症．＝conversion *disorder* (1).

noogenic n. 精神因性神経症(実存精神医学において，実存のフラストレーションに起因する神経症).

obsessional n. 強迫神経症．＝obsessive-compulsive n.

obsessive-compulsive n. 強迫神経症(自分ではどうすることもできないような不必要な思考，衝動，あるいは行動がしつこく繰り返し襲ってくることを特徴とする障害．強迫観念は，患者もばかげているとしばしば感じている単語，思考，または想念などからなる．反復する衝動や行動は単純な動きから複雑な儀礼までさまざまである．不安や苦痛は基本的な情動あるいは衝動であり，儀礼的なふるまいは不安を弱めようとして習得した方法である．→obsessive-compulsive *disorder*)．＝compulsive n.; obsessional n.

oedipal n. エディプス神経症(エディプスコンプレックスが成人まで続いたもの).

pension n. 年金神経症(賠償神経症の一種で，定年前に退職して年金を欲することがその動機となる).

posttraumatic n. 外傷後神経症．＝traumatic n.

torsion n. 捻転神経症．＝*dysbasia* lordotica progressiva.

transference n. 転移神経症(精神分析において，患者が分析者に対して強い情動的関係をもち，それが家族の一人物に対する情動的関係を象徴しているような現象．この神経症の分析は，精神分析的治療の重要な一部をなす).

traumatic n. 外傷〔性〕神経症(事故または外傷後に起こる機能性神経疾患．→posttraumatic stress *disorder*)．＝accident n.; posttraumatic n.

neu·ro·splanch·nic (nū′rō-splangk′nik) [neuro- ＋G. *splanchnon*, a viscus]. ＝neurovisceral.

neu·ro·spon·gi·um (nū′rō-spon′jē-ŭm, nūr-ō-spŏn′jē-ŭm) [neuro- ＋G. *spongion*, small sponge]. ***1*** 神経細胞内の神経細線維の叢を意味する現在では用いられない語．***2*** 網膜の網状層を意味する現在では用いられない語.

Neu·ros·por·a (nū-ros′pōr-ă) [neuro- ＋G. *spora*, seed]. アカパンカビ属(培養液内で成長し，遺伝学または細胞生物学の研究に用いる子囊菌綱の真菌の一属)．＝pink bread mold.

neu·ro·ster·oid (nū′rō-stēr′oyd). 神経ステロイド(脳内で産生されるステロイド).

neu·ro·stim·u·la·tor (nū′rō-stim′yū-lā-tŏr). 神経刺激器(中枢または末梢神経系の電気刺激装置).

neu·ro·sur·geon (nū′rō-sŭr′jŭn).〔脳〕神経外科医(脳，脊髄，脊柱，末梢神経の手術を専門とする外科医).

neu·ro·sur·gery (nūr-ō-sŭr′jĕr-ē).〔脳〕神経外科〔学〕.

functional n. 機能的脳神経外科(脳の一部を破壊または慢性的に刺激することによる，異常行動や機能的な疾患の外科的治療).

neu·ro·su·ture (nū′rō-sū′chūr). ＝neurorrhaphy.

neu·ro·syph·i·lis (nū′rō-sif′i-lis). 神経梅毒(梅毒トレポネーマ *Treponema pallidum* による中枢神経系の感染．無症候性神経梅毒，髄膜神経梅毒，髄膜血管神経梅毒，不全麻痺神経梅毒，脊髄ろう神経梅毒を含むいくつかの細区分がある).

asymptomatic n. 無症候性神経梅毒(瞳孔は異常なことがあるが，臨床的には非顕性の梅毒髄膜感染で，診断は髄液検査でつけられる．治療されないと，症候性神経梅毒のある型になることがしばしばある).

meningeal n. 髄膜神経梅毒(無熱性の臨床的髄膜炎を起こす梅毒髄膜感染で，頭痛，項部硬直，意識障害，異常髄液所見を呈する．初感染から2年以内に発症することが多い).

meningovascular n. 髄膜血管神経梅毒(クモ膜下動脈壁の炎症，線維性肥厚などの変化を伴う梅毒髄膜感染．片麻痺，失語，視覚障害などの症状の突発を呈する脳卒中と異常髄液所見がみられる).

paretic n. 不全麻痺性神経梅毒，全身不全麻痺性神経梅毒(三期梅毒後期の一型で，臨床的には進行性認知症(しばしば妄想を呈する)，痙攣，Argyll Robertson 瞳孔，構音障害，ミオクローヌス，動作時振せん，全身の腱反射亢進，Babinski 徴候を呈する．病理学的には慢性前頭側頭頭頂髄膜脳炎で，以前は精神異常の主要原因の1つであった)．＝chronic progressive syphilitic meningoencephalitis; general paresis.

tabetic n. 脊髄ろう性神経梅毒(三期梅毒後期の一型で，

男性に多い．臨床的主要症候は運動失調，尿失禁，下肢に多いが身体のどの部分にも起こりうる短い乱切痛(電撃痛)，Argyll Robertson 瞳孔，視神経萎縮，振動覚・位置覚障害，下肢腱反射消失，Romberg 徴候陽性である．病理学的には特に腰仙部の後根の顕著な萎縮，脊髄後索の変性がみられるが，この時期には活動性梅毒はみられないことが多い)．＝myelosyphilis; posterior sclerosis; posterior spinal sclerosis; tabes dorsalis.

neu·ro·tax·is (nū′rō-tak′sis) ［neuro- ＋ *taxis*, arrangement］. ニューロタキシス（神経線維が標的に向かって伸びてゆくこと）.

neu·ro·ten·di·nous (nū′rō-ten′di-nŭs). 神経腱の（神経と腱の両方に関する）.

neu·ro·ten·sin (nū′rō-ten′sin)［MIM*162650］. ニューロテンシン（視床下部，扁桃体，基底核，脊髄後角のシナプソームにみつかったアミノアシル 13 個のペプチド神経伝達物質．痛みの知覚に関与しているが，その鎮痛効果はオピオイド拮抗薬では遮断されない．下垂体ホルモン放出と胃腸機能にも影響する）.

neu·ro·ten·sion (nū′rō-ten′shŭn). ＝neurectasis.

neu·ro·the·ke·o·ma (nū′rō-thē-kē-ō′mă) ［neuro- ＋ G. *thēkē*, box, sheath ＋ *-oma*, tumor］. 神経鞘粘液腫（皮膚神経鞘由来の良性粘液腫）.

neu·ro·the·le (nū′rō-thē′lē)［neuro- ＋ G. *thēlē*, nipple］. 神経乳頭. ＝nerve *papilla*.

neu·ro·ther·a·peu·tics, neu·ro·ther·a·py (nū′rō-thār′ă-pyū′tiks, -thār′ă-pē). 神経治療，神経療法（心理疾患，精神疾患，神経疾患の治療を表す古語）.

neu·rot·ic (nū-rot′ik). 神経症の，神経性の（→neurosis）.

neu·rot·i·cism (nū-rot′i-sizm). 神経質（神経症の状態，または心理的素質）.

neu·rot·i·za·tion (nū′rōt-i-zā′shŭn). 神経植込み〔術〕，神経再生（神経物質を供給すること．神経の再生）.

neu·ro·tize (nū′rō-tīz). 神経を植え込む（神経物質を供給する）.

neu·rot·me·sis (nū′rot-mē′sis). 神経断裂〔症〕（局所末梢神経損傷による軸索切断病変の一型．損傷部では軸索とミエリンに加えて，程度の差はあるが，神経支質も障害され，遠位方向への変性が起こる．最も重症な型では，神経の連続性が断たれる．→axonotmesis; neurapraxia）.

neu·ro·tome (nū′rō-tōm) ［neuro- ＋ G. *tomē*, a cutting］. ***1*** 神経切開刀，神経切離刀（顕微解剖において神経線維を切るのに用いる非常に細い刀または針）. ***2*** ＝neuromere.

neu·rot·o·my (nū-rot′ŏ-mē)［neuro- ＋ G. *tomē*, a cutting］. 神経切断〔術〕（神経の手術的分割）.

retrogasserian n. ガッサー神経節後神経切断〔術〕. ＝trigeminal *rhizotomy*.

neu·ro·ton·ic (nū-rō-ton′ik). ***1***〘adj.〙神経伸張術の. ***2***〘adj.〙神経緊張性の（傷害された神経作用を強化または刺激する）. ***3***〘n.〙神経緊張薬（神経系の緊張または力を改善する薬物）.

neu·ro·tox·ic (nū′rō-tok′sik). 神経毒〔性〕の（神経系に対して有毒であることについていう）.

neu·ro·tox·in (nū′rō-tok′sin). 神経毒（①＝neurolysin. ②神経組織に特異的に作用する毒素）.

neu·ro·trans·mis·sion (nū′rō-trans-mish′ŭn). 神経伝達. ＝neurohumoral *transmission*.

neu·ro·trans·mit·ter (nū′rō-trans′mit-ĕr) ［neuro- ＋ L. *transmitto*, to send across］. 神経伝達物質（興奮時にシナプス前の細胞から放出され，シナプスを横切ってシナプス後の細胞を刺激または抑制する特異的化学物質(アセチルコリン，アミン 5 種，アミノ酸 5 種，プリン 2 種，ペプチド 28 種以上が知られている)．どんなシナプスでも 2 種類以上の神経伝達物質が放出されると思われる．シナプス前の細胞から放出された神経伝達物質が，シナプス前からの伝達物質の放出を調節するといわれている．一酸化窒素(NO)は逆行性神経伝達物質であり，シナプス後の細胞から放出し，シナプス前の細胞で作用する）.

adrenergic n. アドレナリン作用(作動)性神経伝達物質（交感神経節後シナプスで生成される神経伝達物質(例えばノルエピネフリン)）.

cholinergic n. コリン作用(作動)性神経伝達物質（副交感神経系の神経節前および後のシナプスで生成する神経伝達物質(例えばアセチルコリン)）.

主な神経伝達物質

主な神経伝達物質
アミノ酸
γ-アミノ酪酸（GABA）
グルタミン酸（Glu）
グリシン（Gly）
アミン
アセチルコリン（Ach）
ドパミン（DA）
エピネフリン
ヒスタミン
ノルエピネフリン（NE）
セロトニン（5-HT）
ペプチド
コレシストキニン（CCK）
ジノルフィン
エンケファリン（Enk）
N-アセチルアスパルチルグルタミン酸（NAAG）
神経ペプチドY
ソマトスタチン
甲状腺刺激ホルモン放出ホルモン
血管作動性腸管ポリペプチド（VIP）

neu·ro·trau·ma (nū′rō-traw′mă)［neuro- ＋ G. *trauma*, injury］. 神経外傷（①神経系の外傷．②神経の外傷または創傷. ＝neurotrosis）.

neu·ro·trip·sy (nū′rō-trip′sē)［neuro- ＋ G. *tripsis*, a rubbing］. 神経挫砕術（神経の手術的圧挫）.

neu·ro·troph·ic (nū′rō-trof′ik). 神経栄養の.

neu·ro·tro·phins (nū′rō-trō′finz)［*neuro-* ＋ G. *trophē*, nourishment ＋ -in］. 神経栄養物質，ニューロトロフィン（脳由来神経栄養因子，神経成長因子，神経膠由来神経栄養因子などの神経系の成長因子）.

neu·rot·ro·phy (nū-rot′rŏ-fē)［neuro- ＋ G. *trophē*, nourishment］. 神経栄養（[neurotropy と混同しないこと]．神経の影響下の組織の栄養と代謝）.

neu·ro·trop·ic (nū′rō-trop′ik). 神経親和性の，神経向性の. ＝neurophilic.

neu·rot·ro·py, neu·rot·ro·pism (nū-rot′rŏ-pē, -pizm)［neuro- ＋ G. *tropē*, a turning］. [neurotrophy と混同しないこと]. ***1*** 神経親和性（神経組織に対する塩基性色素の親和性）. ***2*** 神経向性，神経親和性（ある種の病原性微生物，毒，栄養物が神経中枢に引き付けられること）.

neu·ro·tro·sis (nū′rō-trō′sis)［neuro- ＋ G. *trōsis*, a wounding］. ＝neurotrauma (2).

neu·ro·tu·bule (nū′rō-tū′byūl). 神経細管（ニューロンの細胞体，樹状突起，軸索およびシナプス終末のあるものにある直径 10―20 nm の微細管）.

neu·ro·vac·cine (nū′rō-vak-sēn). 神経ワクチン（ウサギの脳に連続的に接種して得られる，一定の強さをもつ固定したまたは標準化したワクチンウイルス．狂犬病ワクチンを調製する旧式な方法）.

neu·ro·var·i·co·sis, neu·ro·var·i·cos·i·ty (nū′rō-vār′i-kō′sis, -var-i-kos′i-tē)［neuro- ＋ L. *varix*, varicosis］. 神経瘤（神経の走行に沿った多発性の腫脹を特徴とする状

態).

neu·ro·vas·cu·lar (nū′rō-vas′kyū-lăr). 神経血管の（神経系と血管系の両方に関する．血管壁に供給する神経，血管運動神経についていう）．

neu·ro·veg·e·ta·tive (nū′rō-vej′ĕ-tā-tiv). 自律神経の．= neurovisceral.

neu·ro·vi·rus (nū′rō-vī′rŭs). 神経ウイルス（神経組織内に入れて成長させることにより変性させたワクチンウイルス）．

neu·ro·vis·cer·al (nū′rō-vis′ĕr-ăl) [neuro- + L. *viscera*, the internal organs]. 内臓神経の（自律(内臓運動)神経系による内臓の神経支配についていう）. = neurosplanchnic; neurovegetative.

neu·ru·la, pl. **neu·ru·lae** (nū′rū-lă, -lē) [neur- + L. *-ulus*, small one]. 神経胚（神経板形成と，その閉鎖による神経管形成が顕著な過程である胚発生の段階）．

neu·ru·la·tion (nū′rū-lā′shŭn) [→neurula]. 神経胚形成（神経板の形成と，神経ひだと神経孔の閉鎖による神経管の形成）．

abnormal n. 神経胚形成異常（嚢胞性二分脊椎症のような神経管の癒合不全）．

Neus·ser (nūs′ĕr), Edmund von. ハプスブルク帝国の医師，1852—1912. →N. *granules*.

neu·tral (nū′trăl) [L. *neutralis* < *neuter*, neither]. 中性の（①明確な性質を示さないことについていう．②化学において，酸性でもアルカリ性でもないことについていう．例えば $[OH^-] = [H^+]$．③正負の電荷を同数もつこと）．

neu·tral·i·za·tion (nū′trăl-i-zā′shŭn). 中和（①アルカリ性または酸性の物質を加え，溶液を酸性またはアルカリ性から中性に変えること．②作用，過程，能力の無力化）．

viral n. ウイルス中和（特異抗体によってウイルスの感染能を失わせること）．

neu·tra·lize (nū′tră-līz). 中和させる．

neu·tral red (nū′trăl red) [C.I. 50040]. ニュートラルレッド（pH 6.8で赤色，pH 8で黄色の指示薬，生体細胞中の顆粒と空胞を染色する生体染色色素，試験食とともに与えて胃の酸分泌の試験，および一般の組織学的染色に用いる）. = toluylene red.

neutro-, neutr- [L. *neutralis* < *neuter*, neither]. **[本連結形を含む語を nutrition に基づく語と混同しないこと]**．中性の，を意味する連結形．

neu·tro·clu·sion (nū′trō-klū′zhŭn) [neutro- + occlusion]. 中性咬合（上顎と下顎が正常な前後関係を有するような不正咬合．Angle 分類ではⅠ級不正咬合）. = neutral occlusion (2).

neu·tron (n) (nū′tron) [L. *neuter*, neither]. 中性子，ニュートロン（陽子より少し大きい質量をもち，すべての原子核（水素-1 を除く）の中に存在する電気的に中性な粒子．その半減期は 10.3 分である）．

epithermal n. エピサーマル中性子，熱外中性子（熱中性子より高いエネルギー，すなわち数百分の 1 から約 100 eV の間のエネルギーをもつ中性子）．

neu·tro·pe·ni·a (nū′trō-pē′nē-ă) [neutrophil + G. *penia*, poverty]. 好中球減少〔症〕（循環血液中の好中球が異常に少なくなること）. = neutrophilic leukopenia; neutrophilopenia.

cyclic n. = periodic n.

periodic n. 周期性好中球減少〔症〕（一定の周期(14—45日)で繰り返す好中球減少症で，様々な感染症，例えば口内炎，皮膚潰瘍，フルンケル，関節炎などをそのとき合併する）. = cyclic n.

neu·tro·phil, neu·tro·phile (nū′trō-fil, -fīl) [neutro- + G. *philos*, fond]. ***1*** 好中球（顆粒球系にみられる成熟白血球．骨髄(骨髄外の場合もある)でつくられ，循環血液中に放出され，正常な場合，血中総白血球数の 54—65%を占める．通常の Romanowsky 染色法で染色した場合，ⓘ細い染色体系によって結合した 3—5 個の明確な葉に分葉され，かなり密な染色体の粗い網様構造をもつ暗紫青色の核と，ⓘⓘその核と明瞭に区別できる薄桃色の，多数の細かい桃色または紫桃色の顆粒(すなわち非好酸性で非好塩基性)をもつ細胞質がみられる．好中球の前段階の細胞としては成熟度の低いものから，ⓘ骨髄芽球，ⓘⓘ前骨髄球，ⓘⓘⓘ骨髄球，ⓘⓥ後骨髄球，および帯状型がある．neutrophilic leukocyte および neutrophilic granulocyte という用語は，好中性顆粒が認識される若い白血球を含むが，しばしば成熟白血球である neutrophil と同義に用いる．neutrophil は immature n.(未熟好中球)のように形容詞を用いない限り成熟した型を示す．→leukocyte; leukocytosis）．***2*** 好中性，中性親和〔性〕（酸性または塩基性染料に対して特別な親和性を示さない細胞または組織．例えば，細胞質はどちらの型の染料でもほとんど同程度に染色される）．

band n. = band *cell*.

hypersegmented n. 過分葉好中球（核が 6 —10 の分葉をもつと考えられる，老化して退化した好中球）．

immature n. 未熟好中球（核が陥凹しているが，明確に分割されていない好中性顆粒球すなわち杆状核好中球(その他幼若好中球)に対して通常用いる語）．

juvenile n. 幼若好中球（好中性顆粒が認識でき，核が陥凹(分割の第 1 段階)している一連の顆粒球の細胞）．

mature n. = segmented n.

segmented n. 分葉〔核〕好中球（核内が少なくとも 2 個（5 個以下)のはっきりした分葉をもち，活発なアメーバ運動を示す完全に成熟した好中球）. = mature n.

stab n. = band *cell*.

neu·tro·phil·i·a (nū′trō-fil′ē-ă). 好中球増加〔症〕（血液中または組織中の好中球の増加．白血球症が，循環血液または組織あるいはその両方の中の好中球の増加によって生じた場合に限り，しばしば leukocytosis(白血球症)と同義に用いる．好中球増加症は通常は絶対的好中球増加症で，好中球の割合増加と同様に総白血球数の増加をいう．ある場合には，好中球増加症は相対的で，好中球の割合は増加するが，各種の総白血球数は正常である場合もある）. = neutrophilic leukocytosis.

neu·tro·phil·ic (nū-trō-fil′ik). ***1*** 好中球〔性〕の（好中球に関する，または好中球によって特徴付けられることについていう．例えば，主要細胞が好中球である滲出液など）．***2*** 好中性の，中性親和〔性〕の（酸性または塩基性染料に対して親和性を示さない(すなわち両者にほとんど同程度に染色される)ことについていう）. = neutrophilous.

neu·tro·phil·o·pe·ni·a (nū′trō-fil′ō-pē′nē-ă) [neutrophil + G. *penia*, poverty]. = neutropenia.

neu·troph·i·lous (nū-trof′i-lŭs). = neutrophilic (2).

neu·tro·tax·is (nū′trō-tak′sis) [neutrophil + G. *taxis*, arrangement]. 好中球走性（白血球が，ある物質によって刺激されその方向へ移動する正好中球走性 positive neutrotaxis，または反発し反対方向へ移動する負好中球走性 negative neutrotaxis，まったく効果を示さない場合は，無好中球親和性 indifferent neutrotaxis とよばれる）．

ne·vi (nē′vī) [L.]. nevus の複数形．

ne·vo·cyte (nē′vō-sīt). = nevus *cell*.

ne·void (nē′voyd) [L. *naevus*, mole (nevus) + G. *eidos*, resemblance]. 母斑様の．

ne·vo·xan·tho·en·do·the·li·o·ma (nē′vō-zan′thō-en′-dō-thē′lē-ō′mă) [nevus + G. *xanthos*, yellow + endothelioma]. 母斑性黄色内皮腫. = juvenile *xanthogranuloma*.

ne·vus, pl. **ne·vi** (nē′vŭs, -vī) [L. *naevus*, mole, birthmark]. 母斑（**[nervus と混同しないこと]**．①皮膚の限局性奇形，特に過剰色素や血管の増加により色が付いているもの．表皮性，付属器性，メラノサイト性，血管性，または中胚葉性の増殖あるいはそれらのいくつかの増殖を主体とする. = birthmark．②誕生時，または幼少時に皮膚に現れるメラニン形成細胞の良性限局性過剰増殖. = mole (1)）．

acquired n. 後天性母斑（メラノサイト母斑で，出生時に認められず，幼児期または成人になってから現れるもの）．

n. anemicus [MIM*163050]. 貧血母斑（ガラス圧診すると周囲の正常な皮膚と区別できない，蒼白で円形または楕円形の平坦な病変を特徴とする，血流の機能的な発達異常）．

n. araneus クモ状母斑. = spider *angioma*.

balloon cell n. 気球細胞母斑（細胞の多くが大型で明るい細胞質を有する母斑）．

basal cell n. 基底細胞母斑（乳児期あるいは思春期に発症する遺伝性疾患で，眼瞼，鼻，頬，頸，腋窩に非びらん性の肉色の丘疹が多発するのを特徴とする．皮疹はときに有茎性となる．組織学的に基底細胞上皮腫と区別できない．掌蹠には点状角化症様の皮疹をみる．これらの病変は通常，ずっと良性である．しかし，いくつかの例では潰瘍形成や浸潤性変化が起こり，悪性化の徴候を示している．常染色体優性遺

N

伝．ショウジョウバエ *Drosophila* の "patched gene" に相当するヒト *PTCH* 遺伝子の変異により生じる．*PTCH* は第9染色体長腕22領域にある）．

bathing trunks n. 海水着型母斑（[不合理な変形 bathing trunk nevus を避けること]．先天性に生じる大型有毛性の色素性母斑で，体幹下半部に好発する．小児期にそこから悪性黒色腫が発生することがある）．＝giant pigmented n.

Becker n. (bek′ĕr) [MIM*604919]．ベッカー母斑（初め，肩，上胸，あるいは肩甲骨部に不規則な色素沈着として生じ，次第に不規則に拡大して肥厚性かつ有毛性となる）．＝pigmented hair epidermal n.

blue n. 青色母斑（暗青色または青黒色の母斑で，滑らかな皮膚におおわれ，真皮網状層の色素沈着の強い紡錘形または樹枝状メラノサイトにより形成される）．

blue rubber bleb nevi 青色ゴムまり様母斑（隆起性があり，圧すると容易にくぼむ壁の薄い血管腫の結節を特徴とする症候群．生下時すでに存在し，皮膚，消化管，ときにはその他の組織に広く分布する．胃腸管の病巣は穿孔または出血を起こすことがあり，患者は出血が続くことにより貧血になることもある）．

capillary n. 毛細〔血〕管性母斑（皮膚の毛細血管性血管腫）．

n. cavernosus 海綿状母斑．＝cavernous *angioma*.

cellular blue n. 細胞増殖型青色母斑（大きい，後天性の青色母斑で，メラノサイトは，しばしば明るく，大きく，色素沈着した紡錘形細胞が混在する．そして深く皮下組織にまで存在することがある．悪性化はごくまれである）．

n. comedonicus コメド母斑，面ぼう母斑（正常な毛嚢脂腺系の発育不全を伴う表皮の先天性または子供の頃に生じる線状の角質嚢腫性陥入）．

compound n. 複合母斑（メラノサイトの胞巣が表皮真皮境界部と真皮内とに存在する母斑）．

congenital n. 先天性母斑（メラノサイト母斑で，出生時より存在するものであり，しばしば後天性母斑より大型である．多くは後天性母斑より深い部位にある．径20 cm を超えるものは巨大先天性母斑とよばれ，6—12%の生涯悪性黒色腫発生危険率をもつ．→bathing trunks n.）．

dysplastic n. ディスプラスティックニーバス，異形成性母斑（径5 mm を超える大きさの母斑で，辺縁は不整で不明瞭ないし小結節状，色は淡褐色から黒色，ピンク色から赤色を混じている．組織学的には表皮基底細胞より大きな，クロマチンに富んだ核をもつメラノサイトが，表皮基底部に胞巣を形成し，あるいは表皮内に散在して認められる．このような母斑が多発して，悪性黒色腫の家族歴がある場合には，これらの母斑は悪性化の危険性が高いが，家族歴がない単発性の病変においては悪性化の危険性は低い．→malignant mole *syndrome*）．＝dysplastic nevus syndrome.

epithelioid cell n. 類上皮細胞母斑．＝Spitz n.

faun tail n. 牧神の尾状母斑（腰仙部の限局性多毛のことで，先天性脊髄破裂に合併してみられる）．

n. flammeus, flame n. 火炎状母斑（紫色の大きな先天性の血管腫．通常は頭部と頸部とにみられ，生涯を通じて存在する．→Sturge-Weber *syndrome*）．＝port-wine stain.

giant pigmented n. 巨大色素性母斑．＝bathing trunks n.

halo n. 暈状母斑（良性で単発し，ときに多発する色素性母斑で，そこに退縮を生じ，均一に色素脱失をきたした領域すなわち白暈に囲まれた中心部の褐色母斑という形を呈するもの）．＝leukoderma acquisitum centrifugum; Sutton n.

inflammatory linear verrucous epidermal n. 炎症性線状疣贅様表皮母斑（そう痒を伴う淡紅色，疣状小丘疹が集簇し，列序性に配列するまれな疾患．普通，幼少時，下肢に出現し，成人までに消失する）．

intradermal n. 真皮内母斑（メラノサイト胞巣が真皮内にみられるが，表皮－皮膚境界部にはみられない母斑．成人の良性の色素性母斑は最も一般的には真皮内母斑である）．

Ito n. (ē-tō)．伊藤母斑（上鎖骨神経の側枝と，腕の外側皮神経によって神経支配される皮膚の色素沈着．真皮内に散在する色素沈着の強い，樹枝状のメラノサイトによって生じる）．

Jadassohn n. (yah′dah-sōn)．ヤーダッソーン母斑．＝n. sebaceus.

junction n. 境界母斑，接合部母斑（基底細胞領域，すなわち表皮真皮境界におけるメラノサイト巣からなる母斑．軽度に隆起した，小さい，扁平な，無毛性の色素性(褐色または黒色)腫瘍として現れる）．

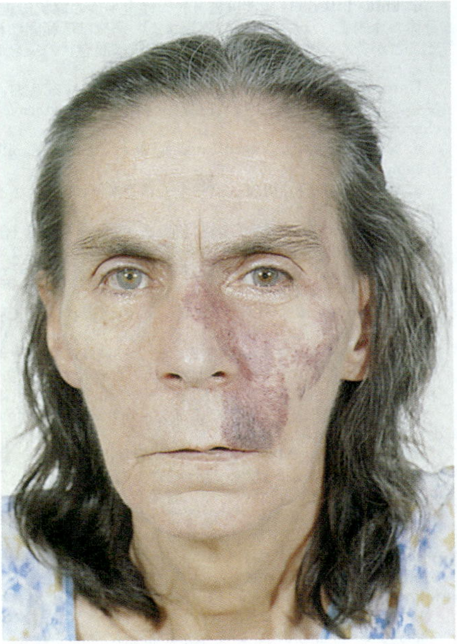

nevus flammeus
病変は，毛細血管性血管腫より濃い．

linear epidermal n. 線状表皮母斑．＝n. unius lateris.

n. lymphaticus リンパ管性母斑（皮膚のリンパ管腫）．

nape n. 項〔部〕母斑（正常な人の20—50%の項部にみられる淡い血管性母斑）．

oral epithelial n. 口腔上皮〔性〕母斑．＝white sponge n.

Ota n. (ō′tah)．太田母斑．＝oculodermal *melanosis*.

n. papillomatosus 乳頭腫性母斑（隆起したいぼ状のあざ）．

pigmented hair epidermal n. 色素性毛髪表皮〔性〕母斑．＝Becker n.

n. pigmentosus 色素性母斑（良性の色素性メラノサイトの増殖．皮膚と同じ高さか，または隆起しており，生下時存在するか，または一生のうち早期に生じる）．＝mole (2).

n. pilosus 有毛母斑（豊富な毛髪でおおわれた母斑）．＝hairy mole.

n. sebaceus 脂腺母斑（先天性に表皮が乳頭状に肥厚したもので，思春期に皮脂腺の過形成を呈し，アポクリン腺のない領域においてもアポクリン腺がみられる(通常は頭皮)．いろいろな上皮性の腫瘍が成人の脂腺母斑から生じる．最も一般的なのは，基底細胞腫である）．＝Jadassohn n.

spider n. クモ状母斑．＝spider *angioma*.

n. spilus 扁平母斑（色素性母斑(平坦な)の一種）．＝spilus.

spindle cell n. 紡錘細胞母斑．＝Spitz n.

Spitz n. (spits)．スピッツ母斑（良性で，軽度の色素沈着あるいは赤色の表在性皮膚小腫瘍．小児に最も好発するが，成人に起こることもある．異型性を示しているようにみえる紡錘形，類上皮性，および多核の細胞からなる）．＝benign juvenile melanoma; epithelioid cell n.; spindle cell n.

strawberry n. イチゴ状母斑（大きさ，形，および色がイチゴに似ている血管性小母斑(毛細血管性血管腫 capillary hemangioma)．通常，幼児期の初期に自然に消失する．→capillary *hemangioma*）．＝strawberry birthmark.

Sutton n. (sŭt′ŏn). サットン母斑．＝halo n.

n. unius lateris 片側性母斑（先天性全身性の線状母斑で，身体の片側または片側肢部に限局する．病変は広範囲にわたることが多く，体幹に波状の帯を，四肢に渦巻状の条を形成する）．＝linear epidermal n.

Unna n. (ūn′ah). ウンナ母斑（項部にみられる毛細血管拡張による母斑．項部火焔状母斑の残存型）．＝erythema nuchae.

n. vascularis, n. vasculosus 血管性母斑．＝capillary *hemangioma.*

n. venosus 静脈性母斑（拡張した静脈性の斑からなる母斑）．

verrucous n. ゆうぜい(疣贅)状母斑，いぼ状母斑（出生時あるいは小児期早期に現れる皮膚色あるいはそれよりやや色が黒いゆうぜい様，しばしば線状の母斑，大きさや位置，数などは多様である）．

white sponge n. [MIM*193900]．白色海綿状母斑（常染色体優性遺伝で，口腔内に認められ，柔らかく，かつ，白色ないし乳白色を呈する粘膜の肥厚，および波状のひだを特徴とする．他の部位の粘膜にも同時に認められることがある．第12染色体の粘膜ケラチン遺伝子 K4 または第17染色体のケラチン13遺伝子の変異による）．＝familial white folded dysplasia; oral epithelial n.

woolly hair n. [MIM*194300]．羊毛状母斑（細く，縮れた毛が限局性に生えた斑で，他は正常な頭皮である．小児期に生じ，2－3年の間拡大する．常染色体優性遺伝である．その他のものは，ほとんどが散在性であるが，恐らく常染色体劣性遺伝[MIM*278150]である）．

New·ber·ry (nū′ber-ē), J. Cosmo. 19世紀のオーストラリア人鉱物学者．→newberyite.

new·ber·y·ite (nū′ber-ē-īt) [J. Cosmo *Newberry*, オーストラリア人鉱物学者＋-ite]．ニューベライト（リン酸水素マグネシウムの三水和物．いくつかの腎石に見出される．*cf.* bobierrite; struvite).

new·born (nū′bōrn). 新生児の，新産児の．＝neonatal; neonate.

New·ton (nū′tŏn), Isaac. イングランド人物理学者，1642—1727. →newton; newtonian *aberration, flow, viscosity, constant* of gravitation; N. *disc, law.*

new·ton (N) (nū′tŏn) [Isaac *Newton*]．ニュートン（国際単位系(SI)における力の単位で，$m \cdot kg \cdot s^{-2}$ で表される．CGS 単位系における 10^5 ダインに相当する）．

new·ton-me·ter (nū′tŏn-mē′tĕr) [Isaac *Newton*]．ニュートンメートル（MKS 系単位．1m につき1ニュートンの力によって費やされたエネルギーまたは仕事量として表す．1ジュール(＝10^7 エルグ)に等しい）．

nex·ins (neks′inz) [L. *nexus*, a binding < *necto*, to bind ＋ -in]．ネキシン（繊毛や鞭毛の軸糸の周辺微小管の2本を架橋する蛋白）．

nex·us, pl. nex·us (nek′sŭs) [L. interconnection]．ネクサス，細隙結合（[誤った複数形 nexi を避けること]）．＝gap *junction.*

Ne·ze·lof (ne′zĕ-lof), C. 20世紀のフランス人病理学者．→N. *syndrome*; N. type of thymic *alymphoplasia.*

NF National Formulary の略．

NF-κB 核因子κB（サイトカイン遺伝子の転写を制御する転写因子．NF-κB はグルココルチコイド作用の標的の1つである）．

NF2 neurofibromatosis type 2 *gene* の表記．

ng nanogram(10^{-9} g)の略．

NGF nerve growth *factor* の略．

NHL non-Hodgkin *lymphoma* の略．

NHS National Health Service(国民保健サービス；英国)の略．

NH_2-ter·mi·nal (ter′mi-năl). NH_2 末端基．＝amino-terminal.

Ni ニッケルの元素記号．

ni·a·cin (nī′ă-sin). ＝nicotinic acid.

ni·a·cin·am·ide (nī′ă-sin-am′īd). ＝nicotinamide.

ni·al·a·mide (nī-al′ă-mīd). ニアルアミド（モノアミンオキシダーゼ阻害薬．うつ病の治療に用いる）．

nib (nib). ニブ（歯科において用いられる塡実(コンデンス)用器具の先端で，修復材料を塡実する部分．その表面は平滑であったり，ギザギザであったりする）．

ni·cas·trin (nī′kas-trin) [Nicastro, Italy. 家族性 Alzheimer 病の初期の研究がなされた場所]．ニカストリン（膜貫通糖蛋白で，プレセニリン複合体活性に関与する）．

niche (nitch, nēsh) [Fr]．***1*** ニッシェ（消化管および血管のX線造影検査において，造影剤で満たされたときに検出できるびらんまたは潰瘍のある領域）．***2*** ニッチ，生態学的地位（生物社会において種の占める位置，特に他の種々の競争者，捕食者，被食者，寄生種などとの関係）．

enamel n. エナメル壁龕(へきがん)．＝enamel *crypt.*

Haudek n. (haw′dek). ハウデクニッシェ（胃潰瘍を造影剤が充塡し，胃壁から突出している状態の側面像(プロフィール)を表す古語）．

nick (nik). ニック（分子生物学の用語で，二本鎖核酸のうちの一本鎖内のホスホジエステル結合の加水分解切断．*cf.* cut).

nick·el (Ni) (nik′ĕl) [Ger. *kupfer-nickel*(ニッケルが最初に分離された銅色の鉱石)の略．*nickel* はドイツ語で小鬼のこと]．ニッケル（[誤ったつづり nickle を避けること]．金属生体元素．原子番号 28，原子量 58.6934．コバルトに類似し，しばしばそれを伴っている．リボソームを熱変性から守る．ニッケルの欠損により，肝臓の超(微細)構造に変化をきたす．様々な酵素(例えばウレアーゼ)の補因子）．

nick·el·o·plas·min (nik′ĕl-ō-plas′min). ニッケルプラスミン（ヒト血清中に見出されるニッケル含有蛋白）．

nick·ing (nik′ing). 網膜血管狭窄（網膜血管の局所性狭窄）．

arteriovenous n. 網膜動静脈血管狭窄（動脈と静脈が交差する部位の網膜静脈の狭窄）．

Ni·col (nik′ŏl), William. スコットランド人物理学者，1768—1851. →N. *prism.*

Ni·co·las (nē-kō-lah′), Joseph. 20世紀初頭のフランス人医師．→N.-Favre *disease.*

Ni·colle (nē-kol′), Charles J.H. フランス人微生物学者・ノーベル賞受賞者，1866—1936. →N. *stain* for capsules.

nic·o·tin·a·mide (nik′ō-tin′ă-mīd). ニコチンアミド（生物活性のあるニコチン酸のアミド．ペラグラの予防と治療に用いる）．＝niacinamide; nicotinic acid amide.

nic·o·tin·a·mide ad·e·nine di·nu·cle·o·tide (NAD, NAD^+, $NADH$) (nik′ō-tin′ă-mīd ad′ĕ-nīn dī-nū′klē-ō-tīd). ニコチンアミドアデニンジヌクレオチド（リボシルニコチンアミド 5′−リン酸(NMN)とアデノシン 5′−リン酸(AMP)が，2個のリン酸基間でホスホ無水物結合をつくって連結したもの．補酵素として蛋白に結合し，酸化と還元を交互に繰り返し($NAD^+ \rightleftharpoons NADH$)，呼吸代謝(水素の受容体と供与体)で働く．→$NADP^+$)．

nic·o·tin·a·mide ad·e·nine di·nu·cle·o·tide phos·phate ($NADP$, $NADP^+$, $NADPH$) (nik′ō-tin′ă-mīd ad′ĕ-nīn dī-nū′klē-ō-tīd fos′fāt). ニコチンアミドアデニンジヌクレオチドリン酸（$NADP^+ + 2H \rightleftharpoons NADPH + H^+$ の反応が起こる多くの酸化酵素(デヒドロゲナーゼ)の補酵素．第三リン酸基は，NAD のアデノシン部分の 2′−ヒドロキシルをエステル化する）．

nic·o·tin·a·mide mon·o·nu·cle·o·tide (NMN) (nik′ā-tin′ă-mīd mon′ō-nū′klē-ō-tīd). ニコチンアミドモノヌクレオチド（ニコチンアミドのNをリボースの(β)C−1に結合した，ニコチンアミドとリボース−5−リン酸の縮合物．NAD^+ の場合は，環はリボース部分の 5′−ホスホリル基と AMP の 5′−ホスホリル基と結合している）．

nic·o·tin·ate (nik′ō-tin′āt). ニコチネート（ニコチン酸の塩またはエステル．ときにニコチネートは軟膏中に引赤薬として用いる）．

---

nic·o·tine (nik′ō-tēn) [*Nicotiana*, genus name of botanical source ＋ -ine]．ニコチン（タバコ(*Nicotiana*属)から分離され，タバコの多くの作用の原因となる毒性揮発性アルカロイド．自律神経節と神経筋接合部を，最初は刺激し(少量)，次に抑制する(大量)．主要代謝物はコチニンである．生理学的・薬理学的研究において重要な役割を果たし，殺虫薬および燻蒸剤としても用いる．ほとんどの酸と塩をつくる．→tobacco).

吸入されたタバコの煙または口腔粘膜あるいは鼻粘膜に付着した無煙タバコ中のニコチンは、数秒以内に循環血中にはいり，多幸感や警戒心を高め，緊張感を和らげるとともに，心拍数や心拍出量，心筋の酸素消費量を増加する．ニコチンの使用は強い中毒性があり，たやすく習慣性，耐性，依存性を導く．ニコチンからの離脱により，落ち着きがなくなり，イライラ，不安，集中困難がもたらされ，ニコチンを切望するようになる．ニコチン中毒はほとんどはタバコの使用が原因であり，疾病への罹患や致死的な結果の直接的原因となっている．

---

nic·o·tine·hy·drox·am·ic ac·id me·thi·o·dide (nik′ō-tēn-hī′drok-sam′ik as′id mĕ-thī′ō-dīd). ニコチンヒドロキサム酸メチオジド（骨格の神経筋接合部に最大の影響を与えるコリンエステラーゼ活性化物質．自律神経効果器における解毒薬としての効果はあまりなく，中枢神経系には何の影響も及ぼさない）．

nic·o·tin·ic (nik′ō-tin′ik). ニコチン〔様〕の（自律神経節，副腎髄質，および横紋筋の運動終板に対する，アセチルコリンと他のニコチン様薬物の刺激作用についていう）．

nic·o·tin·ic ac·id (nik′ō-tin′ik as′id). ニコチン酸（ビタミンB複合体の一部．ペラグラの予防や治療，血管拡張薬，および高脂血症においては，コレステロールを低下し，高比重リポプロテイン(HDL)を増加させる薬剤として用いる）．＝anti-black-tongue factor; antipellagra factor; niacin; pellagra-preventing factor; vitamin PP.

nic·o·tin·ic ac·id am·ide (nik′ō-tin′ik as′id am′īd). ニコチン酸アミド．＝nicotinamide.

nic·o·tin·o·mi·met·ic (nik′ō-tin′ō-mi-met′ik). ニコチン様作用の．

nic·ta·tion (nik-tā′shŭn). 瞬目，まばたき．＝nictitation.

nic·ti·tate (nik′ti-tāt). 瞬目する，まばたきする（→nictitation）．

nic·ti·ta·tion (nik′ti-tā′shŭn) [L. *nicto*, pp. *-atus*, to wink < *nico*, to beckon]. 瞬目，まばたき．＝nictation.

ni·dal (nī′dăl). 核の，巣の，病巣の．

ni·da·tion (nī-dā′shŭn) [L. *nidus*, nest]. 〔卵〕着床（胚盤胞が子宮内膜に埋め込まれること）．

NIDDM 現在では用いられない語である non-insulin-dependent *diabetes* mellitus の略．

ni·do·gen (nī′dō-jen) [L. *nidus*, nest + -gen][MIM*131390]. ニドジェン．＝entactin.

ni·dus, pl. ni·di (nī′dŭs, nī′dī) [L. nest]. ***1*** 巣．***2*** 核（神経が起始する中心部）．***3*** 病巣．***4*** 結晶核（結晶または同様な固形生成物の始まりである分子または小粒子の凝集）．***5*** 病巣中核（X線上にみられる類骨骨腫の中心にある濃度の減少を呈する病巣）．

n. avis [L. bird's nest]. 鳥巣（虫部垂と二腹小葉の間にある小脳下部両側の深い陥凹で，小脳扁桃が収まっている）．＝n. hirundinis.

n. hirundinis [L. swallow's nest]. ＝n. avis.

Nie·mann (nē′mahn), Albert. ドイツ人医師，1880—1921．→N.-Pick *cell*, *disease*; N. *disease*, *splenomegaly*.

Nie·wen·glow·ski (nyū′wen-glow′skē), Gaston H. 19世紀のフランス人科学者．→N. *rays*.

ni·ge·rose (nī′jĕ-rōs) [< *nigeran* 黒色アスペルギルス，*Aspergillus niger* により合成された多糖類]．ニゲロース（2分子のD-グルコピラノース残基が α1-3結合してできたアミロペクチンの加水分解中に得られた二糖類）．

night·guard (nīt′gard). ナイトガード（歯を安定させ，歯ぎしりによる外傷を減らす装置）．

Night·in·gale (nīt′in-gāl), Florence. 1820—1910. 英国人看護師．現代看護の創設者．

night·mare (nīt′mār) [A.S. *nyht*, night + *mara*, a demon]. 悪夢（助けを求めても声が出せなかったり，迫ってくる悪魔から逃げ出せないような恐ろしい夢．→incubus; succubus）．

night·shade (nīt′shād). ナス，イネホオズキ（ナス科ナス属 *Solanum* およびその他のいくつかの属に属する植物の総称）．

deadly n. ＝belladonna.

night ter·rors (nīt′ ter′ŏrz). 夜驚〔症〕（小児期の疾患で，突然，恐怖に駆られて叫び，目を覚ます．その窮迫は半無意識状態のまましばらく持続する）．＝pavor nocturnus; sleep terror.

nig·ra (nī′gră) [L. < *niger*, black]. 黒質（神経解剖学において黒質 *substantia* nigra をさす）．

ni·gri·ti·es (nī-grish′i-ēz) [L. blackness < *niger*, black]. 黒変症，黒色（黒色の色素沈着）．

n. linguae 黒〔色〕舌．＝black *tongue*.

ni·gro·sin, ni·gro·sine (nī′grō-sin, -sēn) [C.I. 50420]. ニグロシン（青黒色のアニリン色素の変わりやすい混合物．神経組織の組織染料およびバクテリアやスピロヘータの研究用に陰性染色法の染料として用いる．また，染料排除染色（レリーフ)法で生・死細胞を区別するのにも用いる）．

Ni·gros·po·ra (nī-gros′pōr-ă). 黒色胞子属（培養液中で急速に成長し，光沢のある黒色の分生子器を生成する真菌の一属．実験室培養における一般的な汚染真菌であり，ヒトに対して非病原性である）．

ni·gro·stri·a·tal (nī′grō-strī-ā′tăl). 黒色線条体の（黒質(特に緻密部)から線条体に向かう線維結合についていう．→*substantia* nigra）．

NIH 合衆国公衆衛生局所属の National Institutes of Health(国立衛生院)の略．

ni·hil·ism (nī′il-izm, nī′hi-lizm) [L. *nihil*, nothing]. ***1*** 虚無妄想（精神医学において，あらゆるもの(特に自己または自己の一部)が存在しないという妄想をいう）．***2*** 虚無主義（自分自身および自己の属する集団の目的に対し完全に破壊的な行動をとること）．

therapeutic n. 治療無用論，薬物無用論（薬剤，精神療法などの治療の効果または価値を信じないこと）．

Ni·ki·fo·roff (nē-kē′fō-rof), Mikhail. ロシア人皮膚科医，1858—1915．→N. *method*.

Ni·kol·sky (ni-kol′skē), Pyotr V. ロシア人皮膚科医，1858—1940．→N. *sign*.

Nile blue A (nīl blū) [C.I. 51180]. ナイルブルーA（塩基性オキサジン染料．脂肪と生体染色の染料として，また Kittrich 染色法で用いる．指示薬としては，pH 10—11 で青色から紫赤色に変わる）．

nin·hy·drin (nin-hī′drin). ニンヒドリン（遊離アミノ酸と反応して二酸化炭素，アンモニア，アルデヒドを生成し，生成アンモニアはさらに有色物質(ジケトヒドリンジリデン-ジケトヒドリダミン，Ruhemann 紫ともよばれるビインダジオン誘導体)をつくる物質．→ninhydrin *reaction*）．

ni·o·bi·um (Nb) (nī-ō′bē-ŭm) [*Niobe*, ギリシア神話でタンタロス Tantalus の娘]．ニオブ，ニオビウム（希金属元素．原子番号 41，原子量 92.90638．通常はタンタルとともに存在）．

nip·ple (nip′ĕl) [A.S. *neb*(beak, nose(?))の指小辞][TA]. 乳頭，乳首(ちくび)（乳房の先端にある球状あるいはボタン状突起で，表面に乳管の開口部がある．輪状の色素性部分である乳輪により囲まれる）．＝papilla mammae [TA]; mammilla (2); papilla of breast; teat (1); thele; thelium (3).

accessory n. 副乳（乳腺堤に沿って残存した余分な乳房組織）．

aortic n. 大動脈乳首（胸部X線写真において，左上肋間静脈あるいは半奇静脈が，大動脈弓の上に乳首様に突出する像をいう）．

jogger's n. 乳首ずれ（運動やジョギング時に乳首が着ている衣服との摩擦で擦れて生じる痛み）．

ni·sin (nī′sin). ナイシン（乳連鎖球菌 *Streptococcus lactis* より産生されるポリペプチド系抗生物質．特定の連鎖球菌(ヒト結核菌 *Mycobacterium tuberculosis*，ディフィシル菌 *Clostridium difficile*)や他の細菌に作用する）．

Nis·sen (nis′ĕn), Rudolf. スイス人外科医，1896—1981．→Collis-N. *fundoplication*; N. *fundoplication*, *operation*.

Niss·l (nis′ĕl), Franz. ドイツ人神経科医，1860—1919．→N. *bodies*, *degeneration*, *granules*, *substance*, *stain*.

nit (nit) [A.S. *knitu*]. ***1*** ニット（カラダジラミ，カミジラミ，ケジラミの卵あるいはふ化した卵で，それはキチン質の層によって患者の毛または衣服に付着する）．***2*** ニト（輝度の単位．垂直に見た面の 1 m^2 当たり 1 カンデラの輝度）．

Ni·ta·buch (nē′tah-buk), Raissa. 19世紀のドイツ人医師．→N. *layer*, *membrane*, *stria*.

ni·ter (nī′tĕr) [G. *nitron*, soda, 以前はカリと区別されていなかった]．硝石．＝*potassium* nitrate.

cubic n. 硝酸ナトリウム．＝*sodium* nitrate.

ni·to·gen·in (nī-toj′en-in). ＝diosgenin.

ni·ton (nī′ton). radon の古語.

ni·trate (nī′trāt). 硝酸塩.

ni·tric ac·id (nī′trik). 硝酸；HNO_3（強酸の酸化剤で，腐食性がある）.

fuming n. a. 発煙硝酸（約 91%の硝酸を含有する．腐食薬として利用される）.

---

ni·tric ox·ide (NO) (nī′trik oks′īd). 一酸化窒素（無色のフリーラジカルガス．O_2 と速やかに反応して他の酸化窒素類(例えば，NO_2，N_2O_3，N_2O_4)になり，最終的に亜硝酸塩(NO_2^-)や硝酸塩(NO_3^-)に変換される．生理学的には，内皮細胞，マクロファージ，好中球や血小板などの L-アルギニンから誘導された天然由来の血管拡張作用物質(内皮細胞由来弛緩因子)である．骨，脳，内皮，顆粒球，膵臓の β 細胞および末梢神経において，一酸化窒素シンターゼによって L-アルギニンから生成されたガス性の細胞間伝達メディエータおよび強力な血管拡張物質．肝細胞，Kupffer 細胞，マクロファージ，平滑筋では誘導型一酸化窒素シンターゼによって生成される(例えば，エンドトキシンにより誘導される)．NO は可溶性グアニル酸シクラーゼを活性化する．内皮細胞では内皮細胞由来弛緩因子(EDRF)である．陰茎勃起を起こす．また，最初に認知された逆行性神経伝達物質である）.

短寿命の NO 分子は種々の組織中で生成され，いろいろな反応に関与する．内皮で産生された NO は内皮由来血管弛緩因子の本体であるが，血管平滑筋を弛緩させることにより血管を拡張させる．冠状動脈や末梢血管系疾患の治療に用いられた亜硝酸剤はこの作用を誘発するかまたは模倣する．1998 年のノーベル医学生理学賞は，心臓血管生理学における NO の役割についての独立した発見に対して，3 人の米国の薬理学者 Robert F. Furchgott, Ferid Murad，Louis J. Ignarro に授与された．免疫系においてマクロファージは NO を細胞毒性物質として利用する．NO の欠乏や不活性化は高血圧やアテローム性動脈硬化症の原因に寄与するかもしれない．NO が過剰になるとこれ自身フリーラジカルであり，脳細胞に対し毒性を示す．NO は敗血症ショックを伴う，しばしば致命的で急激な血圧低下にも深くかかわっている．血中の遊離型 NO はヘモグロビンの鉄によって急激に減少する．

---

n. o. reductase 一酸化窒素還元酵素（一酸化窒素(NO)，還元剤から亜酸化窒素(N_2O)，酸化剤とH_2Oが生じる反応を触媒する酵素）.

n. o. synthase (NO synthase, NOS) 一酸化窒素シンターゼ，NO シンターゼ（L-アルギニンと $2O_2$ と 1.5NADPH とにより，NO，L-シトルリン，1.5NADP$^+$ および $2H_2O$ を生成する反応を触媒する酵素．この酵素には誘導型と 2 種類の構成型がある．後者はカルモジュリンを必要とする．構成型の酵素は脈音，組織血流，腎機能などの調節に対し重要な作用をもつ．骨，脳，内皮，顆粒球，膵臓 Z 細胞，および末梢神経中の構成型はカルシウム/カルモジュリン依存性による．脳内ではこの酵素はサイトゾル中に存在する．内皮ではこの酵素は膜結合性である．肝細胞，Kupffer 細胞，マクロファージ，平滑筋中の誘導型のこの酵素(例えばエンドトキシンによる誘導)はカルシウム/カルモジュリン非依存性である）.

ni·tri·da·tion (nī′tri-dā′shŭn). 窒化物形成（アンモニアの作用による窒素化合物の形成．酸化に類似）.

ni·tride (nī′trīd). 窒化物（窒素と他の 1 元素との化合物．例えば窒化マグネシウム Mg_3N_2）.

ni·tri·fi·ca·tion (nī′tri-fi-kā′shŭn). 硝化，硝酸化（①細菌が窒素化合物を硝酸塩に転換すること．②物質を硝酸で処理すること）.

ni·trile (nī′tril). ニトリル（シアン化アルキルの 1 つ．個々のニトリルは加水分解して形成される酸に対する名称である．例えば，CH_3CN はシアン化メチルではなくアセトニトリルである）.

nitrilo- 3 つの同じ基に結合している 3 価の窒素原子を意味する接頭語．例えば nitrilotriacetic acid, $N(CH_2COOH)_3$.

ni·tri·mu·ri·at·ic ac·id (nī′tri-myū′rē-at′ik as′id). ニトリロマロン酸．＝nitrohydrochloric acid.

ni·trite (nī′trīt). 亜硝酸塩.

ni·tri·tu·ri·a (nī′tri-tyū′rē-ă). 亜硝酸塩尿〔症〕（大腸菌 *Escherichia coli, Proteus vulgaris*，その他の微生物によって硝酸塩が減少し，尿中に亜硝酸塩が存在すること）.

nitro- [G. *nitron*, sodium carbonate]. $-NO_2$(ニトロ基)を意味する接頭語.

ni·tro·cel·lu·lose (nī′trō-sel′yū-lōs). ニトロセルロース．＝pyroxylin.

ni·tro·chlor·o·form (nī′trō-klōr′ō-fōrm). ニトロクロロホルム．＝chloropicrin.

ni·tro·fu·rans (nī′trō-fyū′ranz). ニトロフラン（グラム陽性・陰性菌に有効な殺菌薬．例えばニトロフラゾン）.

ni·tro·fu·ran·to·in (nī′trō-fyū-ran′tō-in). ニトロフラントイン（グラム陽性・陰性菌に対して種々の作用を及ぼす尿路殺菌薬．また，ニトロフラントインナトリウムを注射剤として用いる）.

ni·tro·gen (N) (nī′trō-jen) [L. *nitrum*, niter + *-gen*, to produce]. 窒素（①気体元素．原子番号 7，原子量 14.00674．乾燥大気の重さの約 78.084%を占める．②窒素の分子型，N_2．③薬用窒素．N_2 を容積の 99%以上含有する．薬用気体の希釈に，また製剤の空気置換に利用する）.

非蛋白性窒素の主要成分

正常値（mEq/100mL）

	全血	血漿/血清
全非蛋白性窒素	20—40	18—29
非蛋白，非尿素窒素	16—26	6—18
未確認窒素化合物	5—18	—
遊離アミノ酸（非蛋白アミノ酸）	4.6—6.8	3.4—5.9
アンモニア	0.07—0.1	0.1—0.2
クレアチン	1.0—1.6	—
クレアチニン	—	0.5—1.3
エルゴチオネイン	0.03	—
グルタチオン	4.6	—
尿酸	0.3—1.3	0.7—1.3
尿素（血中尿素窒素）	8.5—15	9.6—17.6
ヌクレオチド	4.4—7.4	—

blood urea n. (BUN) 血液尿素窒素（血液中に尿素の形で存在する窒素．血液中で最も優勢な非蛋白性窒素化合物である．正常では，100 mL につき 10—15 mg の尿素が含有される．その臨床検査は普通，腎機能測定に用いられる．→urea n.）.

filtrate n. 沪過性窒素（糸球体沪過または(蛋白沈降後)研究室の沪過器を通る種々の化合物中の非蛋白性窒素）.

heavy n. 重窒素．＝nitrogen 15.

n. monoxide 一酸化窒素．＝nitrous oxide.

nonprotein n. (NPN) 非蛋白性窒素（蛋白以外の窒素成分で，例えば，血液中の非蛋白性窒素の約半分は尿素中に含有される）．＝rest n.

rest n. 残余窒素．＝nonprotein n.

undetermined n. 非定量窒素（尿素，尿酸，アミノ酸など直接定量できる窒素以外の，血液や尿などの窒素．血液中には 100 mL 当たり約 25 mg 含まれる）.

urea n. 尿素窒素（血液や尿などのような，生物標本中の尿素成分に由来する窒素部分．→blood urea n.）.

urinary n. 尿窒素（尿素，アミノ酸，尿酸，および同種のものとして尿中に排出される窒素．尿窒素1gは 6.25 g の体内蛋白の分解に相当する．→nitrogen *equivalent*）.

ni·tro·gen 13 (^{13}N) (nī′trō-jen). サイクロトロンでつくられ，陽電子を放射する半減期 9.97 分の窒素の放射性同位元素．蛋白代謝研究および PET に利用される．

ni·tro·gen 14 (^{14}N) (nī′trō-jen). 天然窒素の 99.63%を占

める窒素同位元素.

ni·tro·gen 15 (^{15}N) (nī′trō-jen). 天然窒素の 0.37%を占める安定窒素同位元素. =heavy nitrogen.

ni·tro·ge·nase (nī′trō-jĕ-nās). ニトロゲナーゼ（以前，窒素固定菌が分子状窒素を還元し，アンモニアを生成する過程を触媒する酵素系を表した一般用語. 現在は特に，還元型フェレドキシンおよび ATP とともにこの反応を実行する酵素をさして用いられる. 一般的にはニトロゲナーゼは 2 成分からなる. 最初の成分は N_2を還元し，2 番目の成分は電子を移動させる）.

ni·tro·gen dis·tri·bu·tion (nī′trō-jen dis′tri-byū′shŭn). =nitrogen partition.

ni·tro·gen group (nī′trō-jen grūp). 窒素族（5 つの，3 価元素または 5 価元素. 窒素，リン，ヒ素，アンチモン，ビスマスで，それらの水素化合物は塩基性である. それらのオキシ酸は一塩基から四塩基までである）.

ni·tro·gen lag (nī′trō-jen lag). 窒素〔排泄〕遅延時間（蛋白を摂取後，尿中にそれと同量の窒素が排泄されるまでにかかる時間）.

ni·trog·e·nous (nī-troj′ĕ-nŭs). 窒素〔性〕の.

ni·tro·gen par·ti·tion (nī′trō-jen per-ti′shŭn). 窒素分配，窒素分布（種々の成分の間での尿中の窒素分布を決定すること）. =nitrogen distribution.

ni·tro·glyc·er·in (nī′trō-glis′ĕr-in). ニトログリセリン（グリセリンに硫酸と硝酸を作用させてできる黄色がかった油性液体. 特に狭心症の血管拡張薬として用いる. 一酸化窒素を産生する）. =glyceryl trinitrate; trinitroglycerin; 1,2,3-propanetriol trinitrate.

ni·tro·hy·dro·chlor·ic ac·id (nī′trō-hī-drō-klōr′ik as′id). 硝塩酸，王水（硝酸を 18 容，塩酸を 82 容含有する非常に腐食性のある混合物）. =aqua regia; aqua regalis; nitrimuriatic acid.

ni·tro·man·ni·tol (nī′trō-man′i-tol). ニトロマンニトール. =*mannitol* hexanitrate.

ni·trom·e·ter (nī-trom′ĕ-tĕr) [nitrogen + G. *metron*, measure]. 窒素計（化学反応時に放出される窒素を集めて測定する器械）.

ni·tron (nī′tron). ニトロン（非溶解性硝酸塩を形成する数少ない物質の 1 つであるため，硝酸，過塩素酸塩，レニウム分析の試薬として用いる）.

ni·tro·phen·yl·sul·fen·yl (Nps) (nī′trō-fēn′il-sŭl-fēn′il). ニトロフェニルスルフェニル；$O_2N–C_6H_4–S–$; nitrophenylthio（アミノ基と容易に結合する基で，ペプチド合成と蛋白化学に利用される）.

ni·tro·prus·side (nī′trō-prŭs′īd). ニトロプルシド（ニトロプルシドナトリウムにあるような陰イオン $[Fe(CN)_5NO]^{2-}$. 静脈内注射により，血管拡張剤として用いられる）.

ni·tros·a·mines (nī-trōs′am-ēnz). ニトロサミン（ニトロソ(NO)基によって置換されたアミンで，通例，窒素原子上にあり，*N*–ニトロサミンを与える. これらはアミンと亜硝酸（酸性胃液中，亜硝酸塩から生成される）との直接的結合により生成される. その中には変異原性または発癌性があるものがある）.

nitroso- [L. *nitrosus*]. ニトロシルを含有する化合物を意味する接頭語.

***S*-ni·tro·so·he·mo·glo·bin** (nī-trō′sō-hē′mō′glō′bin). *S*–ニトロソヘモグロビン（酸化窒素とヘモグロビンが結合形成された化合物. 酸化窒素類を放出，吸収することにより，血管抵抗や血流を変化させ，酸素の恒常性を助けている）.

***S*-nitrosothiol** *S*–ニトロソチオール（含硫黄有機亜硝酸塩. 硫黄基に結合することにより，一酸化窒素の生体内への輸送能を有する）.

ni·tro·so·ur·e·a (nī-trō′sō-ūr′ē-ă). ニトロソ尿素類（アルキル化剤で，各種腫瘍の治療に用いる. 例えば BCNU）.

ni·tro·syl (nī′trō-sil). ニトロシル（1 価の基 –N=O で，ニトロソ化合物を生成する）.

ni·trous (nī′trŭs). 亜硝酸の（硝酸化合物より 1 原子少ない窒素化合物を示す. 窒素は 3 価状態）.

ni·trous ac·id (nī′trŭs as′id). 亜硝酸；HNO_2（実験室で用いる生物学的，臨床的な標準試薬）.

ni·trous ox·ide (nī′trŭs oks′īd). 亜酸化窒素，笑気；N_2O（不燃性，非爆発性の気体で燃焼を助ける. 効果発現が速く，覚醒も速い，毒性のない吸入麻酔薬として，他の麻酔薬や鎮痛薬に補足して広く利用されている. 正常の大気圧でのその麻酔効力だけでは外科麻酔をするのには不十分である）. =dinitrogen monoxide; nitrogen monoxide.

ni·tro·xan·thic ac·id (nī′trō-zan′thik as′id). ニトロキサンチン酸. =picric acid.

ni·trox·y (nī-trok′sē) [contraction of nitryloxy]. ニトロキシ（$–O–NO_2$ 残基）.

ni·tryl (nī′tril). ニトリル（ニトロ化合物の $–NO_2$ 基）.

njo·ver·a (nyō-ver′ă) [Shona]. ニョヴェラ（ジンバブエの小児病. 性病ではないが梅毒と区別のつかない疾病で，病原体は明らかに梅毒トレポネーマ *Treponema pallidum* と同一である. この病気は bejel と同じものと考えられる）.

NK natural killer *cells* の略.

NK1 neurokinin-1 *antagonist* の略.

N.K. Nomenklatur Kommission(ドイツ解剖学用語委員会)の略.

NKA no known allergies(既知アレルギーなし)の略.

nkat nanokatal の略.

Nle norleucine の略.

NLM National Library of Medicine(国立医学図書館)の略.

NLN National League for Nursing(全国看護師連合会)の略.

nM nanomolar(ナノモル濃度)の略.

nm ナノメートルの記号.

NMDA *N*-methyl-D-aspartate の略. グルタミン酸(興奮性アミノ酸)レセプタの特定サブセットとして同定されている興奮毒性アミノ酸. =*N*-methyl D-aspartic acid.

NMN nicotinamide mononucleotide の略.

NMP nucleoside 5′-monophosphate の略.

NMR nuclear magnetic *resonance* の略.

NMS neuroleptic malignant *syndrome* の略.

nNOS (en′nos). エヌノス（neuronal nitric oxide *synthase* の略）.

NO 一酸化窒素の記号.

No ノーベリウムの元素記号.

No·ack (nō′ahk), M. 20 世紀のドイツ人医師. ⇀N. *syndrome*.

No·bel (nō-bel′), Alfred Bernhard. スウェーデン人化学者・エンジニア・ダイナマイトの発明者，1833 — 1896. ノーベル賞の創始は彼の遺産によって可能となった.

no·bel·i·um (No) (nō-bel′ē-ŭm) [Alfred Bernhard *Nobel*]. ノーベリウム（不安定な超ウラン元素. 原子番号 102 の元素で，炭素12 の核とキュリウムや超ウラン系の他の元素に同様な重イオンとを衝突させてつくられた）.

No·bel Prize (nō-bel′ prīz). ノーベル賞（卓越した業績に対して贈られる年に 1 度の国際的な賞で 6 つの賞からなる. すなわち，物理学，化学，生理・医学，文学，平和，経済学がそれである）.

No·ble (nō′bĕl), Robert L. 20 世紀のカナダ人生理学者. ⇀N.-Collip *procedure*.

No·ble (nō′bĕl), Charles P. 米国人婦人科医，1863—1935. ⇀N. *position*.

No·ble stain (nō′bĕl) ⇀stain.

No·card (nō-kahr′), Edmund I.E. フランス人獣医，1850—1903. ⇀*Nocardia*; *Nocardiaceae*.

No·car·di·a (nō-kar′dē-ă) [E. *Nocard*]. ノカルジア属（好気性の放線菌(放線菌目ノカルジア科)の一属. 高等な細菌で，弱い抗酸性を示し，細い杆状体または線維状で，これがしばしば膨満し，また，ときには分枝して菌糸体を形成する. これらの菌では球状ないし杆状型が形成される. 本菌は主に腐生菌であるが，菌腫あるいはノカルジア症の原因になることもある）.

N. asteroides 好気性，グラム陽性，部分的には抗酸性の種で，ヒトのノカルジア症および恐らくは菌腫症の原因となる枝分かれして成長する微生物.

N. brasiliensis *N. asteroides* に非常によく似た細菌種で，ヒトの菌腫およびノカルジア症の原因菌となる.

N. caviae *N. otitidiscaviarum* の旧名.

N. farcinica ウシの鼻疽を起こす種. *Nocardia*属の標準種.

N. gibsonii ギブソンノカルジア. =*Streptomyces gibsonii.*

N. lurida *Amycolatopsis orientalis* subsp. *lurida* の旧名.

N. madurae *Actinomadura madurae* の旧名.

N. mediterranei リファマイシンを産生する細菌種.

N. nova ヒト感染例から普通に検出される細菌種.

N. orientalis バンコマイシンを産生する細菌種.

N. otitidiscaviarum 土壌中に高密度で生息する細菌種で(以前には *Nocardia caviae* といわれていた), ノカルジア症や放線菌腫の原因の1つとなる.

N. transvalensis 好気性の放線菌で, ノカルジア症を起こす.

no・car・di・a, pl. **no・car・di・ae** (nō-kar′dē-ă, nō-kar′dē-ē). ノカルジア類 (*Nocardia*属に属する各種を表すのに用いる通称).

No・car・di・a・ce・ae (nō-kar-dē-ā′sē-ē) [E. *Nocard*]. ノカルジア科 (抗酸性のグラム陽性の好気性細菌の科(放線菌目)の菌で, *Nocardia*属を含むものである).

no・car・di・a・sis (nō-kar-dī′ă-sis). = nocardiosis.

no・car・di・o・form (nō-kar′dē-ō-fōrm). ノカルジア状の (*Nocardia*属の各種に, 形態的および培養的性状が似ている生物についていう).

No・car・di・op・sis (nō-kar-dē-op′sis). ノカルディオプシス属 (土壌中に高密度に生息する細菌属で, 通常, 免疫抑制状態の患者に亜急性あるいは慢性の肺炎, 皮下感染, あるいは播種性の疾患を引き起こす).

N. dassonvillei 好気性の放線菌で, 以前には *Nocardia dassonvillei* とよばれていた. 放線菌症の原因菌.

no・car・di・o・sis (nō-kar-dē-ō′sis). ノカルジア症 (*Nocardia asteroides*, *N. otitidiscaviarum*, *N. transvalensis*, および *N. brasiliensis* などの真菌によるヒトおよび他動物にみられる全身感染症で, 原発性の肺病変を特徴とするが, これは亜急性または慢性に経過し, 血行性に散布され, 中枢神経系を含む深部臓器を侵す. 免疫抑制患者によくみられる). = nocardiasis.

granulomatous n. 肉芽腫性ノカルジア症 (るいそう, 腹部膨満, およびリンパ節と脾臓内のリンパ系組織の肉芽腫組織による置換などを特徴とするノカルジア症).

no・ce・bo (nō-sē′bō) [L. I shall harm < *noceo*, to harm, by analogy with *placebo*, I shall please]. ノセボ (プラシーボの投与により生じた好ましくない作用).

noci- [L. *noceo*, to injure, hurt]. 損傷, 痛み, 傷害に関する連結形.

no・ci・cep・tive (nō′si-sep′tiv). 侵害受容の (痛みを受容あるいは伝達できる. ⇀nociceptor).

no・ci・cep・tor (nō′si-sep′tŏr, -tōr) [noci- + L. *capio*, to take]. 侵害受容器 (苦痛や外傷などの刺激を, 受容および伝達する末梢神経器官あるいは構造).

no・ci・fen・sor (nō-si-fen′sŏr) [noci- + L. *fendo*(only in compounds), to strike, ward off]. 侵害防衛機構 (外傷から身体を守る過程および機構. 特に血管を拡張して隣接傷害部に作用する皮膚および粘膜中の神経組織).

noct- [L. *nox*, night]. 夜間の, を意味する連結形. →nycto-.

noc・tal・bu・mi・nu・ri・a (nok′tal-byū′mi-nyū′rē-ă) [L. *nox*, night + albuminuria]. 夜間アルブミン尿〔症〕(夜間にアルブミンの尿中排泄が病的に上昇することで, まれに観察される).

noc・ti・pho・bi・a (nok-tī-fō′bē-ă) [noct- + phobia]. 暗夜恐怖〔症〕(夜およびその暗闇や沈黙に対する病的な恐れ).

noct. maneq. ラテン語 *nocte maneque*(朝晩に)の略.

noc・to・graph (nok′tō-graf) [noct- + G. *graphō*, to write]. = scotograph.

noc・tu・ri・a (nokt-yū′rē-ă) [noct- + G. *ouron*, urine]. 夜間頻尿 (夜間, 睡眠から覚醒後の意図的な排尿. 典型的には, 膀胱容量を上回る夜間尿量または下部尿路閉塞や排尿筋の不安定のため膀胱を完全に空にできないことが原因となる). = nycturia.

noc・tur・nal (nok-ter′năl) [L. *nocturnus*, of the night]. 夜行性の (diurnal (1) の対語).

no・dal (nō′dăl). 結節性の.

NODE

node (nōd) [L. *nodus*, a knot][TA]. 結節, 節 ([文脈から意味が明確でないかぎり, atrioventricular node またはlymph node の意味で, 単純な語 node を使うのを避けること]. ①限局性腫脹. 解剖学では, 限局性の組織塊. ②限局性の分化組織の塊. ③指節または指関節). = nodus [TA].

anterior tibial n. 前脛骨結節. = anterior tibial *lymph node.*

n. of Aschoff and Tawara (ash′of tah-wahr-ă). アショフ–田原結節. = atrioventricular n.

atrioventricular n. (**AV n.**) [TA]. 房室結節 (①冠状静脈洞口部の近くにみられる特殊化した心筋線維からなる小結節. 心臓刺激伝導系の房室束がここから起こる. = nodus atrioventricularis [TA]; n. of Aschoff and Tawara; Tawara n. ②房室連結部に散在するペースメーカー的細胞の輪郭不鮮明な集塊).

Babès n.'s (bah′besh). バベース結節 (狂犬病にみられる中枢神経系統内のリンパ球の集合).

buccinator n., buccal n. 頰筋リンパ節. = buccal *lymph node.*

n. of Cloquet (klō-kā′). クロケー結節. = proximal deep inguinal *lymph node.*

coronary n. 冠状結節 (房室結節の最上部).

cystic n. 胆囊結節. = cystic *lymph node.*

delphian n. デルフィのリンパ節 (甲状腺の近くの喉頭前面正中部にみられるリンパ節で, その腫脹は甲状腺癌または喉頭癌からの転移の指標とされる).

Dürck n.'s (dŭrk). デュルク結節 (大脳にみられる血管周囲性の慢性炎症性浸潤. ヒトのトリパノソーマ症で起こる).

fibular n. 腓骨動脈リンパ節. = fibular *lymph node.*

Flack n. (flak). フラック結節. = sinuatrial n.

foraminal n. 網囊孔リンパ節. = *lymph node* of anterior border of omental foramen.

Haygarth n.'s (hā′garth). ヘーガース結節 (関節面縁と骨膜, 指関節付近の骨などからの外骨腫で, 強直および尺骨側への指の外反屈になる. 関節リウマチにみられる).

Heberden n.'s (hē′bĕr-dĕn). ヘーバーデン(ヒーバーデン)結節 (変形性関節症において末節骨にみられるエンドウマメまたはそれより小さい外骨腫. この結節は末節骨の関節部の結節の肥大である). = tuberculum arthriticum (1).

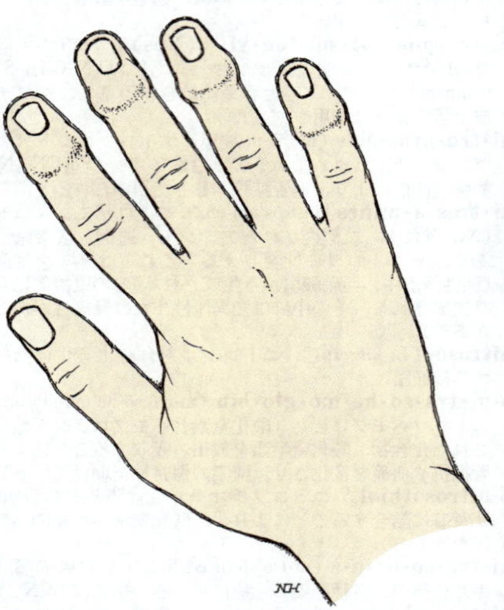

Heberden nodes

hemal n. 血リンパ節 (リンパ洞の位置に血液洞があるリンパ節様構造. 血リンパ節は反すう類, その他2, 3の哺乳類にみられるが, ヒトにあるかどうかは疑問視されている). = hemal gland; hemolymph gland; hemolymph n.; vascular gland.

hemolymph n. ＝hemal n.
Hensen n. (hen′sĕn). ヘンゼン結節. ＝primitive n.
intermediate lacunar n. 中間裂孔リンパ節. ＝intermediate lacunar *lymph node.*
jugulodigastric n. 頸静脈二腹筋リンパ節. ＝jugulodigastric *lymph node.*
juguloomohyoid n. 頸静脈肩甲舌骨筋リンパ節. ＝juguloomohyoid *lymph node.*
Keith n. (kēth). キース結節. ＝sinuatrial n.
Keith and Flack n. (kēth flak). キース－フラック結節. ＝sinuatrial n.
Koch n. (kok). コッホ結節. ＝sinuatrial n.
lateral lacunar n. 外側裂孔リンパ節. ＝lateral lacunar *lymph node.*
n. of ligamentum arteriosum 動脈管索リンパ節. ＝*lymph node* of ligamentum arteriosum.
malar n. 頬リンパ節. ＝malar *lymph node.*
mandibular n.'s 下顎リンパ節. ＝mandibular *lymph node.*
medial lacunar n. 内側裂孔リンパ節. ＝medial lacunar *lymph node.*
middle rectal n. 中直腸リンパ節. ＝middle rectal *lymph node.*
milkers' n.'s 搾乳者結節. ＝milkers' *nodules.*
nasolabial n. 鼻唇リンパ節. ＝nasolabial *lymph node.*
Osler n. (ōs′lĕr). オースラー(オスラー)結節（亜急性細菌性心内膜炎患者の手足の皮膚または皮下組織に生じるもので，数 mm までのきわめて小さい境界明瞭な有痛性紅色腫脹を呈する）. ＝Osler sign.
parietal n.'s ＝parietal *lymph nodes* of abdomen.
posterior tibial n. 後脛骨リンパ節. ＝posterior tibial *lymph node.*
primitive n. 原始結節（胚の原始線条頭端にみられる原外胚葉の局所的肥厚(この結節は胚の形成体である)）. ＝Hensen knot; Hensen n.; Hubrecht protochordal knot; primitive knot; protochordal knot.
n. of Ranvier (rahn-vē-ā′). ランヴィエ絞輪（神経線維のミエリン鞘の隣接する分節の間にみられる，ミエリン鞘の中断部．ここでは軸索は，隣接する Schwann 細胞，または中枢神経系にあっては乏突起膠細胞の短い指状突起によってのみ包まれている.→myelin *sheath*）.
retropyloric n.'s 幽門後リンパ節. ＝retropyloric *lymph nodes.*
Rosenmüller n. (rō′zĕn-mē-lĕr). ローゼンミュラー結節. ＝proximal deep inguinal *lymph node.*
n. of Rouviere (rū-vē-ār′). ルヴィエール結節（咽頭後リンパ節群のうち外側のもの.→retropharyngeal *lymph nodes*）.
S-A n. sinuatrial n. の略.
sentinel n. ＝sentinel *lymph node.*
signal n. 警報リンパ節（→signal *lymph node*）.
singer's n.'s 歌手結節. ＝vocal fold *nodules.*
sinoatrial n. (S-A n.) 洞房結節. ＝sinuatrial n.
sinuatrial n. [TA]. 洞房結節（心臓の刺激伝導系の歩調取りとして規則的に活動する特殊な心筋線維の塊．分界溝上端の心外膜の下にある）. ＝nodus sinuatrialis [TA]; atrionector; Flack n.; Keith and Flack n.; Keith n.; Koch n.; sinoatrial n.; sinus n.
sinus n. 洞房結節. ＝sinuatrial n.
subdigastric n. 顎二腹筋下リンパ節. ＝jugulodigastric *lymph node.*
subpyloric n. 幽門下リンパ節. ＝subpyloric *lymph nodes.*
suprapyloric n. 幽門上リンパ節. ＝suprapyloric *lymph node.*
Tawara n. (tah-wah-rah). 田原の結節. ＝atrioventricular n.
teacher's n.'s 教師結節. ＝vocal fold *nodules.*
Troisier n. (twah-zē-ā′). トロワジェ結節. ＝Troisier *ganglion.*
Virchow n. (fēr′kow). フィルヒョー結節. ＝signal *lymph node.*
visceral n.'s 内臓リンパ節. ＝visceral *lymph nodes.*
vital n. 生命点，生命結節. ＝noeud vital.

no·di (nō′dī) [L.]. nodus の複数形.
no·dose (nō′dōs) [L. *nodosus*]. 結節[性]の，節のある.
nod·u·la·tion (nod′yū-lā′shŭn). 小結節形成.
nod·ule (nod′yūl) [L. *nodulus*: *nodus*(knot)の指小辞] [TA]. 小[結]節（皮膚では直径 1.0 cm 以下の結節で，充実性，皮下にも触れるものをいう．X線画像上，孤立性の辺縁明瞭でほぼ円形の白い陰影を呈する肺または肋膜病変．*cf.* mass）. ＝nodulus (1) [TA].
aggregated lymphatic n.'s *1* ＝aggregated lymphoid n.'s of the small intestine. *2* ＝aggregated lymphoid n.'s of appendix.
aggregated lymphoid n.'s of appendix [TA]. 虫垂の集合リンパ小節（虫垂の粘膜固有層にあるリンパ組織の塊）. ＝noduli lymphoidei aggregati appendicis vermiformis [TA]; aggregated lymphatic follicles of vermiform appendix; aggregated lymphatic n.'s (2); folliculi lymphatici aggregati appendicis vermiformis.
aggregated lymphoid n.'s of the small intestine [TA]. 小腸の集合リンパ小節（小腸粘膜に楕円形の膨隆を形成している粘膜固有層内の多くのリンパ小節の密な集合で，腸間膜付着部の対側にある）. ＝noduli lymphoidei aggregati intestini tonuis [TA]; aggregate glands; aggregated lymphatic follicles of small intestine; aggregated lymphatic n.'s (1); agmen peyerianum; agminate glands; agminated glands; folliculi lymphatici aggregati; Peyer glands; Peyer patches.
Albini n.'s (ahl-bē′nē). アルビーニ小[結]節（新生児に胎生組織の残遺物としてときにみられる，心臓の僧帽弁と三尖弁の辺縁の細小線維性結節．Cruveilhier によって記述された．*cf.* n.'s of semilunar cusps）.
apple jelly n.'s リンゴゼリー小結節（ガラス圧診により認められるような尋常性狼瘡の丘疹性皮疹をさす用語）.
Arantius n. (ă-ran′shūs). アランティウス小[結]節. ＝n.'s of semilunar cusps.
Aschoff n.'s (ahsh′of). アショフ小[結]節. ＝Aschoff *bodies.*
benign rheumatoid n.'s 良性リウマチ結節. ＝pseudorheumatoid n.'s.
Bianchi n. (bē-ahng′kē). ビアンキ小[結]節. ＝n.'s of semilunar cusps.
Bohn n.'s (bon). ボーン小[結]節（新生児における小さな多発性の嚢胞で，歯隆起の頬部から舌部に沿った硬口蓋と軟口蓋の境界に認められ，唾液腺の上皮の残存から由来する）.
Busacca n.'s (bū-sah′kă). ブサカ結節（虹彩の瞳孔縁から離れた部位に存在する炎症性肉芽性結節）.
Caplan n.'s (kap′lăn). キャプラン小[結]節. ＝Caplan *syndrome.*
cold n. コールドノジュール，陰性像，低摂取結節（周囲の甲状腺実質より放射性ヨウ素摂取がはるかに低い甲状腺結節．約 1/4 は悪性）.
Dalen-Fuchs n.'s (dā′len fūks). ダーレン－フックス小[結]節（交感性眼炎において Bruch 膜と網膜色素上皮の間の上皮細胞の集合で，他の肉芽性眼内炎症ではまれ）.
enamel n. エナメル滴. ＝enameloma.
Gamna-Gandy n.'s (gahm′nă gan′dē). ガムナ－ガンディ小[結]節. ＝Gamna-Gandy *bodies.*
gastric lymphoid n.'s 胃リンパ小節（特に生後初期に小腸の孤立リンパ小節のようにわずかのリンパを集める胃粘膜固有層内のリンパ組織）. ＝folliculi lymphatici gastrici.
Hoboken n.'s ホボーケン小[結]節（臍動脈の外面にある拡張部.→Hoboken *valves*）. ＝Hoboken gemmules.
hot n. ホットノジュール，陽性像，高摂取結節（周囲の甲状腺実質より放射性ヨウ素の摂取が高い甲状腺結節．通常は良性であるが，ときに甲状腺機能亢進症を起こす）.
Jeanselme n.'s (zhahn-selm′). ジャンセルム小[結]節（腕や脚の関節付近に発生することを特徴とする第三期イチゴ腫の一型）. ＝juxtaarticular n.'s.
juxtaarticular n.'s ＝Jeanselme n.'s.
laryngeal lymphoid n.'s 喉頭リンパ小節（喉頭蓋後面，および喉頭室内にある粘膜下リンパ小節）. ＝folliculi lym-

phatici laryngei; laryngeal tonsils; lymphatic follicles of larynx.

Lisch n. (lish). リッシュ結節（典型例としてはI型神経線維腫症にみられる虹彩の過誤腫）. =Sakurai-Lisch n.

lymph n. リンパ小節. =lymphoid n.

lymphatic n. =lymphoid n.

lymphoid n. リンパ小節（リンパ細網組織の球状の緻密部で，しばしば明るい中心部を有する. →solitary lymphoid n.'s; aggregated lymphoid n.'s of the small intestine). =folliculus lymphaticus; lymph n.; lymphatic n.; nodulus lymphaticus.

malpighian n.'s (mal-pig′ē-ăn). マルピーギ小〔結〕節. =splenic lymph *follicles.*

milkers' n.'s 搾乳者小〔結〕節（ポックスウイルス科の偽牛痘ウイルスによる牛乳房の感染で，搾乳者の手指に伝染し，結節およびリンパ管炎を生じ，ときに広汎性の丘疹，丘疹状の小疱疹がみられる．ヒト感染から感染していない乳牛に伝播する）. =milkers' nodes; paravaccinia; pseudocowpox.

Morgagni n. (mōr-gah′nyē). モルガニー小〔結〕節. =n.'s of semilunar cusps.

picker's n.'s 結節性痒疹のうち，苔癬化した皮膚結節を生じたもの.

primary n. 一次リンパ小節（小リンパ球からなり，胚中心のないリンパ節）.

pseudorheumatoid n.'s 偽性リウマチ結節（リウマチ結節に類似しているが，リウマチ疾患に伴わない原因不明の良性皮下結節．足背，手背，肘，頭皮，前脛骨部など，あちこちに生じる．膠原血管病の血清反応は陰性である）. =benign rheumatoid n.'s.

pulp n. 歯髄結石. =endolith.

rheumatoid n.'s〔関節〕リウマチ小〔結〕節（関節リウマチ患者で，骨性突起の上に最もよく発生する皮下結節．顕微鏡的にはこの結節は線維芽細胞の柵構造で囲まれた線維素様壊死の病巣である）.

Sakurai-Lisch n. (sah′kū-rī lish). =Lisch n.

Schmorl n. (shmōrl). シュモルル(シュモール)結節，軟骨小結節（椎体終板からそれに接する椎体の海綿骨中への髄核の脱出）.

secondary n. 二次リンパ小節（胚芽中心をもつリンパ節）.

n.'s of semilunar cusps [TA]. 半月弁結節（肺動脈および大動脈起始部の半月弁の各弁の自由縁中央にみられる小結節）. =noduli valvularum semilunarium [TA]; Arantius n.; Bianchi n.; corpus arantii; Morgagni n.; n. of semilunar valve.

n. of semilunar valve 半月弁結節 =n.'s of semilunar cusps.

siderotic n.'s =Gamna-Gandy *bodies.*

singer's n.'s 歌手結節. =vocal fold n.'s.

Sister Mary Joseph n. [Sister Mary Joseph. 米国人，Dr. W. Mayo の手術助手，1856—1939]. シスター・メリー(マリー)・ジョセフ結節（臍部への転移がみられる悪性の腹腔内腫瘍）.

solitary n.'s of intestine〔腸の〕孤立リンパ小節. =solitary lymphoid n.'s.

solitary lymphoid n.'s [TA]. 孤立リンパ小節（小腸および大腸の粘膜におけるリンパ組織の微小な集まりで特に盲腸および虫垂に多い）. =noduli lymphoidei solitarii [TA]; folliculi lymphatici solitarii; solitary follicles; solitary glands; solitary lymphatic follicles; solitary n.'s of intestine.

solitary pulmonary n. (sol′i-tār-ē pul′mō-nār-ē). 孤立性肺結節（胸部正面X線写真(ときにCT写真も含む)にみられる直径3 cmより小さい，孤立性の充実した小結節陰影．空気を含む肺に完全に囲まれており，無気肺またはリンパ節腫脹に伴うものではない）.

splenic lymph n.'s 脾〔臓〕リンパ小〔結〕節. =splenic lymph *follicles.*

vocal fold n.'s 声帯ひだ結節（声帯ひだを酷使するために生じる，前方1/3と後方2/3の接触部分における両側声帯の遊離縁の小さな限局性腫脹．声音療法により，しばしば可逆性に治癒する）. =singer's nodes; singer's n.'s; teacher's nodes.

no·du·lus, pl. **no·du·li** (nod′yū-lŭs, nod′ū-lī) [L. *nodus* の指小辞][TA]. ***1*** 小節. =nodule. ***2***〔虫部〕小節（後髄帆とともに片葉小節葉をなす小脳虫部の下方後端）.

n. caroticus =carotid *body.*

n. lymphaticus リンパ小節. =lymphoid *nodule.*

noduli lymphoidei aggregati appendicis vermiformis [TA]. 虫垂の集合リンパ小節. =aggregated lymphoid *nodules* of appendix.

noduli lymphoidei aggregati intestini tonuis [TA]. =aggregated lymphoid *nodules* of the small intestine.

noduli lymphoidei solitarii [TA]. =solitary lymphoid *nodules.*

noduli valvularum semilunarium [TA]. 半月弁結節. =*nodules* of semilunar cusps.

no·dus, pl. **no·di** (nō′dŭs, -dī) [L. a knot][TA]. 〔結〕節. =node.

n. atrioventricularis [TA]. 房室結節. =atrioventricular *node.*

n. buccinatorius 頬筋リンパ節. =buccal *lymph node.*

n. lymphoideus tibialis anterior [TA]. 前脛骨リンパ節. =anterior tibial *lymph node.*

n. sinuatrialis [TA]. 洞房結節. =sinuatrial *node.*

no·dus lym·pha·ti·cus, pl. **no·di lym·pha·ti·ci*** (nō′dŭs lim-fat′i-kŭs, -no′dī lim-fat′i-kī) [lympho- + L. *nodus*, node]. lymph node の公式の別名.

nodi lymphatici colici =colic *lymph nodes.*

nodi lymphatici comitantes nervi accessorii =accessory *lymph nodes.*

nodi lymphatici iliaci communes mediales 内側総腸骨リンパ節（→common iliac *lymph nodes*）.

nodi lymphatici iliaci externi laterales →external iliac *lymph nodes.*

nodi lymphatici iliaci externi mediales 内側外腸骨リンパ節（→external iliac *lymph nodes*）.

nodi lymphatici pancreatici superiores 上膵リンパ節（→pancreatic *lymph nodes*）.

nodi lymphatici paravesiculares →paravesical *lymph nodes.*

nodi lymphatici postcavales 下大静脈後リンパ節（→right lumbar *lymph nodes*）.

nodi lymphatici postvesiculares 膀胱後リンパ節（→paravesical *lymph nodes*）.

nodi lymphatici preaortici = preaortic *lymph nodes.*

nodi lymphatici prevesiculares 膀胱前リンパ節（→paravesical *lymph nodes*）.

nodi lymphatici vesicales laterales 外側膀胱リンパ節（→paravesical *lymph nodes*）.

NODUS LYMPHOIDEUS

no·dus lym·phoi·de·us, pl. **no·di lym·phoi·de·i** (nō′dŭs lim-foy′dē-ŭs, nō′dī lim-foy′dē-ī) [TA]. =lymph node.

nodi lymphoidei abdominis (parietales et viscerales) [TA]. =abdominal *lymph nodes* (parietal and visceral).

nodi lymphoidei abdominis viscerales [TA]. =visceral *lymph nodes* of abdomen.

nodi lymphoidei accessorii [TA]. =accessory *lymph nodes.*

nodi lymphoidei anorectales =pararectal *lymph nodes.*

n. l. anterior jugulodigastric [TA]. =anterior jugulodigastric *lymph node.*

nodi lymphoidei anteriores juguloomohyoidei [TA]. =anterior jugulo-omohyoid *lymph nodes.*

nodi lymphoidei aortici laterales [TA]. =lateral aortic *lymph nodes.*

nodi lymphoidei appendiculares [TA]. =appendicular *lymph nodes.*

n. l. arcus venae azygos =*lymph node* of arch of azygos vein.

nodi lymphoidei axillares [TA]. =axillary *lymph nodes.*

nodi lymphoidei axillares anteriores =pectoral axillary *lymph nodes.*

nodi lymphoidei axillares apicales [TA]. =apical axillary *lymph nodes.*

nodi lymphoidei axillares centrales [TA]. =central axillary *lymph nodes.*

nodi lymphoidei axillares humerales [TA]. 上腕腋窩リンパ節. =humeral axillary *lymph nodes.*

nodi lymphoidei axillares laterales* 外側腋窩リンパ節(humeral axillary *lymph nodes* の公式の別名).

nodi lymphoidei axillares pectorales [TA]. =pectoral axillary *lymph nodes.*

nodi lymphoidei axillares posteriores* 後腋窩リンパ節(subscapular axillary *lymph nodes* の公式の別名).

nodi lymphoidei axillares subscapulares [TA]. =subscapular axillary *lymph nodes.*

nodi lymphoidei brachiales [TA]. 上腕リンパ節. =brachial *lymph nodes.*

nodi lymphoidei brachiocephalici [TA]. =brachiocephalic *lymph nodes.*

nodi lymphoidei bronchopulmonales [TA]. =bronchopulmonary *lymph nodes.*

n. l. buccinatorius [TA]. =buccal *lymph node.*

nodi lymphoidei capitis et colli [TA]. =*lymph nodes* of head and neck.

nodi lymphoidei cavales laterales [TA]. =lateral caval *lymph nodes.*

nodi lymphoidei centrales 中心リンパ節. =superior mesenteric *lymph nodes.*

nodi lymphoidei cervicales anteriores [TA]. =anterior cervical *lymph nodes.*

nodi lymphoidei cervicales anteriores profundi [TA]. =deep anterior cervical *lymph nodes.*

nodi lymphoidei cervicales anteriores superficiales [TA]. =superficial anterior cervical *lymph nodes.*

nodi lymphoidei cervicales laterales [TA]. =lateral cervical *lymph nodes.*

nodi lymphoidei cervicales laterales profundi [TA]. =deep lateral cervical *lymph nodes.*

nodi lymphoidei cervicales laterales superficiales [TA]. =superficial lateral cervical *lymph nodes.*

nodi lymphoidei coeliaci [TA]. =celiac *lymph nodes.*

nodi lymphoidei colici dextri [TA]. =right colic *lymph nodes.*

nodi lymphoidei colici medii [TA]. =middle colic *lymph nodes.*

nodi lymphoidei colici sinistri [TA]. =left colic *lymph nodes.*

nodi lymphoidei colli anteriores* anterior cervical *lymph nodes* の公式の別名.

nodi lymphoidei colli laterales* lateral cervical *lymph nodes* の公式の別名.

nodi lymphoidei cubitales [TA]. =cubital *lymph nodes.*

n. l. cysticus [TA]. =cystic *lymph node.*

nodi lymphoidei deltopectorales [TA]. =deltopectoral *lymph nodes.*

nodi lymphoidei epigastrici inferiores [TA]. =inferior epigastric *lymph nodes.*

nodi lymphoidei faciales [TA]. =facial *lymph nodes.*

n. l. fibularis [TA]. =fibular *lymph node.*

n. l. foraminalis [TA]. 網嚢孔リンパ節. =*lymph node* of anterior border of omental foramen.

nodi lymphoidei gastrici dextri [TA]. =right gastric *lymph nodes.*

nodi lymphoidei gastrici sinistri [TA]. =left gastric *lymph nodes.*

nodi lymphoidei gastroomentales dextri [TA]. =right gastroomental *lymph nodes.*

nodi lymphoidei gastroomentales sinistri [TA]. =left gastroomental *lymph nodes.*

nodi lymphoidei gluteales (inferiores et superiores) [TA]. →gluteal *lymph nodes.*

nodi lymphoidei hepatici [TA]. =hepatic *lymph nodes.*

nodi lymphoidei humerales [TA]. =humeral axillary *lymph nodes.*

nodi lymphoidei ileocolici [TA]. =ileocolic *lymph nodes.*

nodi lymphoidei iliaci communes [TA]. =common iliac *lymph nodes.*

nodi lymphoidei iliaci communes promontorii [TA]. 岬角総腸骨リンパ節. =promontorial common iliac *lymph nodes.*

nodi lymphoidei iliaci externi [TA]. =external iliac *lymph nodes.*

nodi lymphoidei iliaci interni [TA]. =internal iliac *lymph nodes.*

nodi lymphoidei infraauriculares [TA]. =infraauricular deep parotid *lymph nodes.*

nodi lymphoidei infrahyoidei [TA]. =infrahyoid *lymph nodes.*

nodi lymphoidei inguinales profundi (distalis, intermedius, et proximalis) →deep inguinal *lymph nodes.*

n. l. inguinalis profundi proximalis [TA]. =proximal deep inguinal *lymph node.*

nodi lymphoidei inguinales superficiales (inferiores, superolaterales, et superomediales) [TA]. →superficial inguinal *lymph nodes.*

nodi lymphoidei intercostales [TA]. =intercostal *lymph nodes.*

nodi lymphoidei interiliaci [TA]. =interiliac *lymph nodes.*

nodi lymphoidei interpectorales [TA]. =interpectoral *lymph nodes.*

nodi lymphoidei intraglandulares [TA]. =intraglandular deep parotid *lymph nodes.*

nodi lymphoidei intrapulmonales [TA]. =intrapulmonary *lymph nodes.*

nodi lymphoidei jugulares anteriores* =superficial anterior cervical *lymph nodes.* の公式の別名.

nodi lymphoidei jugulares laterales =lateral cervical *lymph nodes.*

n. l. jugulodigastricus [TA]. =jugulodigastric *lymph node.*

n. l. juguloomohyoideus [TA]. =juguloomohyoid *lymph node.*

nodi lymphoidei juxtaesophageales [TA]. =juxtaesophageal *lymph nodes.*

nodi lymphoidei juxtaesophageales pulmonales =juxtaesophageal *lymph nodes.*

nodi lymphoidei juxtaintestinales [TA]. =juxtaintestinal mesenteric *lymph nodes.*

n. l. lacunaris (vasculorum) intermedius [TA]. =intermediate lacunar *lymph node.*

n. l. lacunaris (vasculorum) lateralis [TA]. =lateral lacunar *lymph node.*

n. l. lacunaris (vasculorum) medialis [TA]. =medial lacunar *lymph node.*

nodi lymphoidei lienales* splenic *lymph nodes* の公式の別名.

n. l. ligamenti arteriosi [TA]. =*lymph node* of ligamentum arteriosum.

nodi lymphoidei linguales [TA]. =lingual *lymph nodes.*

nodi lymphoidei lumbales =lumbar *lymph nodes.*

nodi lymphoidei lumbales dextri [TA]. =right lumbar *lymph nodes.*

nodi lymphoidei lumbales intermedii [TA]. =intermediate lumbar *lymph nodes.*

nodi lymphoidei lumbales sinistri [TA]. =left lumbar *lymph nodes.*

n. l. malaris [TA]. =malar *lymph node.*

n. l. mandibularis [TA]. =mandibular *lymph node.*

nodi lymphoidei mastoidei [TA]. 乳突リンパ節. =mastoid *lymph nodes.*

nodi lymphoidei mediastinales anteriores =brachiocephalic *lymph nodes.*

nodi lymphoidei mediastinales posteriores ＝prevertebral *lymph nodes.*

nodi lymphoidei membri inferioris [TA]. ＝*lymph nodes* of lower limb.

nodi lymphoidei membri superioris [TA]. ＝*lymph nodes* of upper limb.

nodi lymphoidei mesenterici [TA]. ＝mesenteric *lymph nodes.*

nodi lymphoidei mesenterici inferiores [TA]. ＝inferior mesenteric *lymph nodes.*

nodi lymphoidei mesenterici superiores [TA]. 上腸間膜リンパ節. ＝superior mesenteric *lymph nodes.*

nodi lymphoidei mesocolici [TA]. ＝mesocolic *lymph nodes.*

n. l. nasolabialis [TA]. ＝nasolabial *lymph node.*

nodi lymphoidei obturatorii [TA]. ＝obturator *lymph nodes.*

nodi lymphoidei occipitales [TA]. ＝occipital *lymph nodes.*

nodi lymphoidei pancreatici (inferiores et superiores) [TA]. ＝pancreatic *lymph nodes.*

nodi lymphoidei pancreaticoduodenales (inferiores et superiores) [TA]. ＝pancreaticoduodenal *lymph nodes.*

nodi lymphoidei pancreaticolienales ＝pancreaticosplenic *lymph nodes.*

nodi lymphoidei pancreaticosplenales ＝pancreaticosplenic *lymph nodes.*

nodi lymphoidei paracolici ＝paracolic *lymph nodes.*

nodi lymphoidei paramammarii [TA]. ＝paramammary *lymph nodes.*

nodi lymphoidei pararectales [TA]. ＝pararectal *lymph nodes.*

nodi lymphoidei parasternales [TA]. ＝parasternal *lymph nodes.*

nodi lymphoidei paratracheales [TA]. ＝paratracheal *lymph node.*

nodi lymphoidei parauterini [TA]. ＝parauterine *lymph nodes.*

nodi lymphoidei paravaginales [TA]. ＝paravaginal *lymph nodes.*

nodi lymphoidei paravesicales [TA]. ＝paravesical *lymph nodes.*

nodi lymphoidei parietales [TA]. ＝parietal *lymph nodes* of abdomen.

nodi lymphoidei parotidei profundi [TA]. ＝deep parotid *lymph nodes.*

nodi lymphoidei parotidei profundi infra-auriculares [TA]. ＝infraauricular deep parotid *lymph nodes.*

nodi lymphoidei parotidei profundi intraglandulares [TA]. ＝intraglandular deep parotid *lymph nodes.*

nodi lymphoidei parotidei profundi preauriculares [TA]. ＝preauricular deep parotid lymph nodes.

nodi lymphoidei parotidei superficiales [TA]. ＝superficial parotid *lymph nodes.*

nodi lymphoidei pectorales ＝pectoral axillary *lymph nodes.*

nodi lymphoidei pelvis (parietales et viscerales) [TA]. ＝pelvic *lymph nodes.*

nodi lymphoidei pericardiaci laterales [TA]. ＝lateral pericardial *lymph nodes.*

nodi lymphoidei phrenici inferiores [TA]. ＝inferior phrenic *lymph nodes.*

nodi lymphoidei phrenici superiores [TA]. ＝superior phrenic *lymph nodes.*

nodi lymphoidei popliteales (profundi et superficiales) [TA]. ＝popliteal *lymph nodes.*

nodi lymphoidei postaortici* postaortic *lymph nodes* の公式の別名.

nodi lymphoidei postcavales* postcaval *lymph nodes* の公式の別名.

nodi lymphoidei preaortici [TA]. ＝preaortic *lymph nodes.*

nodi lymphoidei precaecales [TA]. ＝prececal *lymph nodes.*

nodi lymphoidei precavales [TA]. ＝precaval *lymph nodes.*

nodi lymphoidei prelaryngeales [TA]. ＝prelaryngeal *lymph nodes.*

nodi lymphoidei prepericardiaci [TA]. ＝prepericardial *lymph nodes.*

nodi lymphoidei pretracheales [TA]. ＝pretracheal *lymph nodes.*

nodi lymphoidei prevertebrales* prevertebral *lymph nodes* の公式の別名.

nodi lymphoidei prevesicales [TA]. 膀胱前リンパ節 (→paravesical *lymph nodes*).

nodi lymphoidei profunda inferiores cervicales laterales [TA]. ＝inferior deep lateral cervical *lymph nodes.*

nodi lymphoidei profunda inferiores colli laterales* inferior deep lateral cervical *lymph nodes* の公式の別名.

nodi lymphoidei profunda superiores cervicales laterales [TA]. ＝superior deep lateral cervical *lymph nodes.*

nodi lymphoidei profunda superiores colli laterales* superior deep lateral cervical *lymph nodes* の公式の別名.

nodi lymphoidei profundi membri superioris [TA]. ＝deep *lymph nodes* of upper limb.

nodi lymphoidei promontorii 岬角〔総腸骨〕リンパ節. ＝promontorial common iliac *lymph nodes.*

nodi lymphoidei pulmonales ＝intrapulmonary *lymph nodes.*

nodi lymphoidei pylorici ＝pyloric *lymph nodes.*

nodi lymphoidei rectales superiores [TA]. ＝superior rectal *lymph nodes.*

n. l. rectalis medius ＝middle rectal *lymph node.*

nodi lymphoidei regionales [TA]. ＝regional *lymph nodes.*

nodi lymphoidei retroaortici ＝postaortic *lymph nodes.*

nodi lymphoidei retrocavales [TA]. ＝postcaval *lymph nodes.*

nodi lymphoidei retrocecales [TA]. ＝retrocecal *lymph nodes.*

nodi lymphoidei retropharyngeales [TA]. ＝retropharyngeal *lymph nodes.*

nodi lymphoidei retropylorici [TA]. ＝retropyloric *lymph nodes.*

nodi lymphoidei retrovesicales [TA]. 膀胱後リンパ節 (→paravesical *lymph nodes*).

nodi lymphoidei sacrales [TA]. ＝sacral *lymph nodes.*

nodi lymphoidei sigmoidei [TA]. ＝sigmoid *lymph nodes.*

nodi lymphoidei splenici [TA]. ＝splenic *lymph nodes.*

nodi lymphoidei subaortici [TA]. ＝subaortic *lymph nodes.*

nodi lymphoidei submandibulares [TA]. ＝submandibular *lymph nodes.*

nodi lymphoidei submentales [TA]. ＝submental *lymph nodes.*

nodi lymphoidei subpylorici [TA]. ＝subpyloric *lymph nodes.*

nodi lymphoidei subscapulares [TA]. ＝subscapular axillary *lymph nodes.*

nodi lymphoidei superficiales membri superioris [TA]. ＝superficial *lymph nodes* of upper limb.

nodi lymphoidei superiores centrales [TA]. 中心上腸間膜リンパ節. ＝central superior mesenteric *lymph nodes.*

nodi lymphoidei supraclaviculares [TA]. ＝ supraclavicular *lymph nodes.*

n. l. suprapyloricus [TA]. ＝suprapyloric *lymph node.*

nodi lymphoidei supratrochleares ＝supratrochlear *lymph nodes.*

nodi lymphoidei thoracis [TA]. ＝thoracic *lymph nodes.*

nodi lymphoidei thyroidei [TA]. ＝thyroid *lymph nodes.*

n. l. tibialis anterior [TA]. ＝anterior tibial *lymph node.*

n. l. tibialis posterior [TA]. ＝posterior tibial *lymph* *node.*

nodi lymphoidei tracheobronchiales inferiores ＝inferior tracheobronchial *lymph nodes.*

nodi lymphoidei tracheobronchiales superiores [TA]. ＝superior tracheobronchial *lymph nodes.*

nodi lymphoidei vesicalis laterales [TA]. 外側膀胱リンパ節（⇀paravesical *lymph nodes*).

nodi lymphoidei viscerales [TA]. ＝visceral *lymph nodes.*

NOE nuclear Overhauser *effect* の略.

no·e·mat·ic (nō′e-mat′ik) [G. *noēma,* perception, a thought]. 思考の，精神作用の，知性の，を表すまれに用いる語.

no·e·sis (nō-ē′sis) [G. *noēsis,* thought, intelligence]. 認識，知性（直接的な，明白な知識に基づく認知).

no·et·ic (nō-et′ik). 知性の（知性作用に関連している).

noeud vi·tal (nū vē-tal′) [Fr.]. 生命点，生命結節（筆尖付近の延髄下部内の限局部で，1858 年に M. Flourens によって呼吸をつかさどる神経中枢であると発表された). ＝vital knot; vital node.

***N*-of-one study** 1 人N回研究. ＝single-patient *trial.*

No·gu·chi·a (nō-gū′chē-ă) [Hideyo *Noguchi.* 日本人細菌学者，1876—1928]. ノグチア属（小さく，細い，グラム陰性の莢膜をもつ杆菌で，好気性から通性嫌気性，運動性，周毛性の細菌の一属(ブルセラ科). この菌は沪胞性疾病のヒトや動物の結膜に存在する. 標準種は *N. granulosis*).

N. granulosis ヒトのトラコーマの原因と考えられた細菌種. サル類の顆粒性結膜炎を起こす. *Noguchia* の標準種.

noise (noyz) [M.E. < O.Fr. < L.L. *nausea,* seasickness]. 雑音，騒音，ノイズ（①不要な音のことで，音楽的な特質に欠け，含まれる多種の周波数が互いに整数比や分数比ではなく，調和の取れていないものが混ざった音. *cf.* harmony. ②ある信号に対して付加される不要な要素. 例えば心電図における 60 サイクルの波. 画像表示に現れるノイズを含む. 1980 年以降の機器では大部分除外されている. ⇀signal:noise *ratio.* ③ 1 組のデータ内の測定分布に影響する制御できない余剰変動).

structured n. 構造をもつノイズ（放射線診断における解剖学的構造物からの信号で，重要な病理診断の妨げとなるようなもの).

white n. 白色雑音（広周波数帯域の様々な周波数からなる複合音).

no·ma (nō′mă) [G. *nomē,* a spreading (sore)]. 水癌（壊疽性口内炎で，通常は口角または頬部の粘膜にできる. 次第に唇か頬(あるいは両方)にかなりの速さで広がっていき，組織の壊死や腐肉形成が起こる. 通常，貧しい下層階級の栄養不良の小児，疲労した成人に起こりやすく，しばしば黒熱病，赤痢，猩紅熱などの病気に先立って起こる. 同様の進行または過程(陰部水癌)は大陰唇にもできる. 通常，いくつかの生物が壊死物質中にみられるが，紡錘状菌，スピロヘータ，ブドウ球菌，嫌気性連鎖球菌などが最も頻繁に観察される). ＝cancrum oris; stomatonecrosis; water canker.

No·mar·ski (nō-mar′skē), Georges. 20 世紀のフランス人光学器機発明家. ⇀N. *optics.*

no·men·cla·ture (nō′men-klā′chūr, nō-men′klă-chūr) [L. *nomenclatura,* a listing of names < *nomen,* name + *calo,* to proclaim]. 命名法，学名，用語（専門の学問分野で用いる系統的にまとめられた名称. 例えば，解剖学用語，分子名，動植物の学名など).

binary n., binomial n. 二命名[法]. ＝linnaean *system* of nomenclature.

Cleland n. [W.Wallace *Cleland*]. クリーランド命名法（酵素触媒反応の結合機構を表示する命名法. この命名法では基質はA，B，Cなどの文字で表示され，生成物はP，Q，Rなどで表示する. 酵素はEで表し，修飾された酵素はF，Gなどと表記される. さらに基質または生成物の数は，uni, bi, ter などと表記される. すなわち，アミノトランスフェラーゼ反応(例えばアラニントランスアミナーゼ)は，ピンポン型 bi-bi 機構である. グルタミンシンターゼはランダム型 ter-ter 機構として知られている. mechanism の各項目を参照).

No·men·kla·tur Kom·mis·sion (N.K.) (nō-men-klah-tūr kō-mē-zē′ōn). 解剖学用語委員会（Basel 解剖学用語(1895)の改名や補足を決めるドイツの解剖学用語委員会).

***Nom·i·na An·a·tom·i·ca* (NA)** (nom′i-nă an′ă-tom′i-kă, nō′mi-nă an′ă-tō′mi-kă). 解剖学用語（BNA(Basel 解剖学用語)の改訂版で 1955 年パリの国際解剖学会議で採用された. 国際解剖学用語委員会は，1955—1985 年まで 5 年間隔で開催される国際解剖学会議で検討され採用された NA の修正に引き続き責任をもつ. 1998 年になって NA は国際解剖学連合用語委員会が提案した TA に代えられることになった).

nom·o·gram (nōm′ō-gram) [G. *nomos,* law + *gramma,* something written]. 計算図表，ノモグラム（①特定の式に含まれる変数に対応する目盛りをつけた直線図表で，そこでは各変数に対して相応する値は全目盛りの交差する直線のところに存在する. ②毒性学で使われる直線図表で，毒性のレベルの評価および治療指針のために毒物摂取以降の時間と有害物質の血中濃度の関連をみる). ＝nomograph (2).

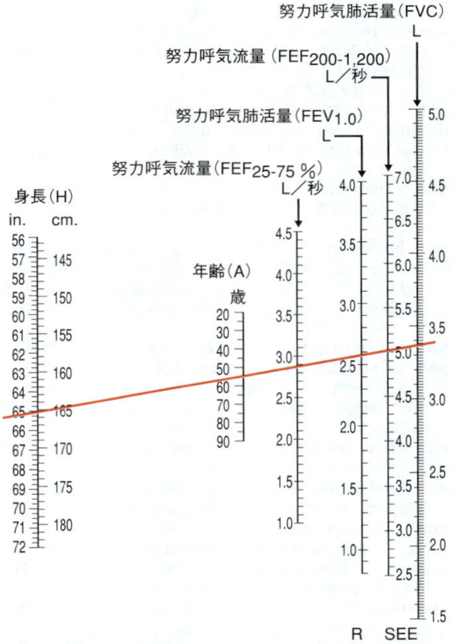

$FEF_{200-1200} = 0.145H_{in} - 0.036A - 2.532$ [0.53 1.19]

$FEF_{25-75\%} = 0.060H_{in} - 0.030A + 0.551$ [0.56 0.80]

$FEV_{1.0sec} = 0.089H_{in} - 0.025A - 1.932$ [0.73 0.47]

$FVC = 0.115H_{in} - 0.024A - 2.852$ [0.71 0.52]

nomogram

予測される呼気流(女性).

blood volume n. 血液量計算図表（ヒトの体重や身長を基礎にした血液量を表すのに用いる計算図表).

cartesian n. [< René Descartes. フランスの哲学者・数学者，1596—1650]. デカルト計算図表（2 つの変数のある直角座標による計算図表で，それぞれの変数に等値曲線が添えられている).

d'Ocagne n. (dō-kan[h]′yĕ). ドカーニュ計算図表（3 本以上の目盛りを付けた線(直線または曲線で，それぞれの線は変数値の目盛りを構成する)で，これらの目盛りと交差する直線が同時に適合値を示すような構造になっている. 2 つの変数に対する値から他の変数値が決定できる).

Done n. [A.K. *Done*]. ドーン(ダン)計算図表（サリチル

酸を過剰に服用してから一定時間(通常 6 時間)後の血中濃度から中毒の程度を表すための専用ノモグラム．よく使われているが，信頼おけないとする臨床医もいる).

Radford n. (rad′fŏrd). ラドフォード計算図表（呼吸数，体重，性別などによって人工呼吸に必要な呼吸量を示すのに用いる計算図表．行動，熱，高度，代謝性アシドーシス，死腔変化などが修正要因である).

Siggaard-Andersen n. (sig′ard an′dĕr-sĕn). シガール－アンダーセン計算図表（対数目盛り上の P_{CO_2} が pH に対して記されるときにできる緩衝線の位置や曲線によって血液の酸塩基構成を示すのに用いる計算図表).

nom·o·graph (nom′ō-graf) ［G. *nomos*, law + *graphō*, to write］. 計算図表（①同一平面内にある 3 つの曲線を含むグラフ．通常は平行で，それぞれ異なった変数に対して目盛りされているため，これら 3 つの曲線を切る直線は，各変数の関連値を結ぶことになる．②＝nomogram).

nom·o·thet·ic (nom′ō-thet′ik) ［G. *nomos*, law + *thesis*, a placing］. 法則定立的な（集団としての個人の集団行動に関する一般法則を発見すること．idiographic の対語).

no·mo·top·ic (nō′mō-top′ik) ［G. *nomos*, law, custom + *topos*, place］. 正所〔性〕の，常位の.

non·al·lele (non′ă-lēl′). 非対立遺伝子（同じ遺伝子座において，競合しない遺伝子について用いる．遺伝子がいかに独立に伝わるかは座が連鎖しているかどうかに依存する．少なくとも(例えば不等交叉の結果として)最初に形成されたとき，2 つの非対立遺伝子は同一の可能性がある).

no·nan (nō′nan) ［L. *nonus*, ninth］. 九日〔熱〕の.

***n*-non·a·no·ic ac·id** (non′ă-nō′ik as′id). *n*–ノナン酸．＝pelargonic acid.

non·a·pep·tide (non′a-pep′tīd). ノナペプチド（9 個のアミノアシル残基を含有するオリゴペプチド(例えばオキシトシン)).

non·bur·sate (non-bŭr′sāt) ［L. *non*, not + Mediev. L. *bursa*, purse］. 無嚢類〔線虫〕の（雄の交接嚢が単なる皮膚のひだであって，鉤虫類やその他の有嚢類線虫のように肉質性の肋条をもたないような線虫類を包含する非分類学的な区分についていう).

non·car·i·o·gen·ic (non-kār′ē-ō-jen′ik). 非う食性の.

non·cel·lu·lar (non-sel′yū-lăr). ***1*** 非細胞性の（原核細胞または真核細胞内でのみ複製を行いうるウイルスにみられるような，細胞の体制を欠いていること)．＝subcellular. ***2*** ＝acellular (1).

non·chro·mo·gens (non-krō′mō-jenz). 非〔光〕発色菌．＝Runyon group III *mycobacteria*.

non·com·e·do·gen·ic (non-kom′ē-dō-jen′ik). 面ぽう(皰)非形成性（面ぽうの形成を促進させる傾向のないこと).

non com·pos men·tis (non kom′pŏs men′tis) ［L. *non*, not + *compos*, participating, competent + *mens*, gen. *mentis*, mind］. 心神喪失の（健常でない精神についていう．自己に関する物事の処理が精神的な理由でできない).

non·dis·ease (non′dis-ēz′). 無病（ある特定の疾患が疑われたが発見されない場合で，病気がないことをいう).

non·dis·junc·tion (non′dis-jŭnk′shŭn) ［MIM*257300］. 〔染色体〕不分離（核分裂の減数分裂期に，1 組以上の染色体が分離せず，その結果として両方とも一方の娘細胞に運ばれ，他方にはまったく染色体がいかないこと).

primary n. 一次不分離（先に正常細胞で起こる不分離).

secondary n. 二次不分離（一次不分離の結果として異数体細胞で起こる不分離).

non·e·lec·tro·lyte (non′ē-lek′trō-līt). 非電解質（溶液中でイオンを分離しない物質．したがって電流を伝導しない).

non·es·tro·gen·ic (non′es-trō-jen′ik). ＝nonoestrogenic. ***1*** 非発情性の（動物において発情性作用を示さない). ***2*** 非エストロゲン様の（エストロゲンと類似した作用を有さない．*cf.* nonuterotropic).

non·im·mune (non′i-myūn′). 非免疫〔性〕の（免疫されていない生物，あるいはその生物の血清についていう).

non·im·mun·i·ty (non-i-myūn′i-tē). 非免疫．＝aphylaxis.

non·in·fec·tious (non′in-fek′shŭs). 非感染性の，非伝染性の（感染性でない，病気を伝染できない).

non·in·va·sive (non′in-vā′siv). 非侵襲性の（診断や治療のために機器や器具を，皮膚または身体開口部を通じ，挿入する必要のない方法のこと).

non·ion·ic (non′ī-on′ik). 非イオン性（X 線撮影造影剤の一種で，溶液中でイオン化しないため，有効容量オスモル濃度および毒性の低いもの．→low osmolar contrast *agent*).

non·ma·lef·i·cence (non′ma-lef′ĭ-sens) ［non- + L. *maleficencia*, evildoing < *male*, badly, wrongly + *facio*, to do, act］. 悪をせず，有害事不実行，悪事不行（有害なことをしないという倫理原則．Hippocrates の格言，最初に悪をせず *primum non nocere* による).

non·med·ul·lat·ed (non-med′yū-lāt-ĕd). 無髄の．＝unmyelinated.

non·my·e·li·nat·ed (non-mī′ĕ-li-nāt′ĕd). 無髄の．＝unmyelinated.

non·ne·o·plas·tic (non′nē-ō-plas′tik). 非新生物の，非腫瘍性の.

non·nu·cle·at·ed (non-nū′klē-āt-ĕd). 無核の.

non·oc·clu·sion (non′ŏ-klū′shŭn). 無咬合（歯が対合歯と接触しないこと).

non·oes·tro·gen·ic (non′es-trō-jen′ik). ＝nonestrogenic.

non·ose (non′ōs) ［L. *nonus*, ninth］. ノノース（炭素原子 9 個を含有する糖).

no·nox·y·nol 9 (nō-noks′i-nol). ノンオキシノール 9（界面活性剤の一種．発泡性避妊薬や避妊ゼリーなどの殺精子剤の調製に用いられる).

non·par·a·met·ric (non′par-ă-met′rik). ノンパラメトリック（あるタイプの統計手法の総称．例えば正規分布など，対象とする確率変数にある分布型を想定し，その分布型を記述する少数のパラメータ(例えば，平均，標準偏差)に対する推測を行うパラメトリック手法に対し，特定の分布型を想定しないアプローチをさす．順位を用いる検定など，非正規のデータに対しても感度を失うことなく適用できるものがある).

non·par·ous (non-par′ŭs). 未産婦の．＝nulliparous.

non·pen·e·trance (non-pen′ĕ-trants). 非浸透性（ある遺伝形質が，適当な遺伝子型で(優性状態と遺伝様式に則した同型接合体，半接合体，異型接合体など)存在しているにもかかわらず，修飾因子によって表現型として表出できない状態．*cf.* hypostasis).

non·pro·pri·e·tar·y name (non′prō-prī′ĕ-tār′ē nām). 非専売名（化学物質，薬物，あるいは他の物質の短い名称で，しばしば一般名でよばれる．商標(専売)権の対象ではないが，慣用名に短縮され，政府機関(例えば U.S. Food and Drug Administration) および準公的機構 (例えば，U.S. Adopted Names Council)によって，一般の公的使用のために承認，推奨されている．専売名と同様，ほとんどが使用する設定基準とは関係なくつくり出された名称である．*cf.* trivial name; proprietary name; semisystematic name; systematic name).

non·pro·te·o·gen·ic (non′prō-tē-ō-jen′ik). 非蛋白原性（蛋白合成へ誘導しない).

non·re·set no·dus si·nu·a·tri·a·lis (non′rē′set nō′dŭs sī′nū-ā′trē-ā′lis). 洞房結節非リセット（心房の早期脱分極が生じても洞房結節がリセットされないこと．心房早期収縮の連結期間隔に復原周期の長さを加えたものが完全に代償性，すなわち自発洞周期の 2 倍に等しい場合にみられる．*cf.* reset nodus sinuatrialis).

non·ro·ta·tion (non′rō-tā′shŭn). 非回旋（正常な回転の欠如).

n. of intestine 腸非回旋（発達時の異常により，小腸が腹腔の右側に，結腸が左側に位置する).

n. of kidney 腎臓の無回転（腎門部が元のままの位置で腎盂が腹側にあるという発生途上に生じた奇形).

non·sa·pon·i·fi·a·ble (non′să-pon′i-fī′a-bĕl). 非けん化性の（けん化をされない．例えば，トリアシルグリセロールはけん化されるがコレステロールは非けん化性である).

non·se·cre·tor (non′sē-krē′tŏr, -tōr). 非分泌者（唾液中に ABO 血液型の抗原を含有しない人．→secretor).

non·sense (non′sens). ナンセンス（遺伝学において使われる語で，伸長しているペプチド鎖が終止するような DNA 配列を生じる突然変異に関係し，それはしばしば数個の間違ったアミノ酸残基が取り込まれた後に起こる).

n. suppression ナンセンス抑圧，ナンセンスサプレッション（特定のアミノ酸残基を取り込むシグナルとして鎖終止コドンを読むトランスファー RNA 突然変異体).

non·un·ion (non′yūn′yŭn). 偽関節（骨折した骨が正常に治癒していないこと).

non·u·ter·o·tro·pic (non′yū′tĕr-ō-trō′pik). 非子宮収縮性の(子宮に無作用な. *cf.* nonestrogenic).

non·va·lent (non-vā′lent). 無価の（価をもたない．化学組成ができない).

non·vas·cu·lar (non-vas′kyū-lăr). ＝avascular.

non·ver·bal (non-ver′bĕl). 非言語的（言葉によらないコミュニケーションをさす．信号，象徴，顔の表情，ジェスチャー，姿勢など).

non·vi·a·ble (non-vī′ă-bul). 生育不能の，子宮外成育不能の，無成育性の（①独立して生存ができないこと．未熟で出生した児に用いることが多い．②代謝あるいは増殖が不能な微生物または寄生生物についていう).

Noo·nan (nū′năn), Jacqueline A. 米国人小児心臓病専門医，1921—？ ⇀N. *syndrome*.

no·ot·ka·tone (nō-ot′kă-tōn). ヌートカトン（柑橘臭の黄色の液体または結晶で，グレープフルーツから単離できる).

no·o·trop·ic (nō-ō-trop′ik). ヌートロピック（記憶に対する効果を有する薬物のこと).

nor- *1* ⓘ鎖からメチレン基1個を除去することを意味する接頭語で，一番大きな位置番号で位置を示す．ⓘⓘ(ステロイド)環が CH_2 単位1個だけ小さくなることを意味する接頭語で，その環を示す大文字で位置を示す．2つのメチレン基の除去は接頭語 dinor-，3つの場合は trinor- で表される．例えばノルロイシン．*2* 脂肪族化合物のノルマル(炭素原子の分枝のない鎖)を意味する接頭語で，ロイシンに対するように，同数の炭素原子の分枝に対抗する．

nor·a·dren·a·line (nor′ă-dren′ă-lin). ノルアドレナリン．＝norepinephrine.

n. acid tartrate 酒石酸ノルアドレナリン．＝*norepinephrine* bitartrate.

n. bitartrate 二酒石酸ノルアドレナリン．＝*norepinephrine* bitartrate.

nor·ep·i·neph·rine (NE) (nōr′ep-i-nef′rin). ノルエピネフリン（カテコールアミンホルモンの1つ．天然のものはD型だがL型もいくらか活性を有する．その基は神経節後のアドレナリン作用性神経の伝達物質で，αおよびβレセプタに作用すると考えられる．副腎髄質中のクロマフィン顆粒に貯えられるが，エピネフリンよりはるかに量が少なく，低血圧および身体的ストレスに反応して分泌される．エピネフリンと異なり，気管支平滑筋，代謝過程および心拍出量にほとんど影響がないが，血管収縮作用が強く，主に酒石酸水素塩として，薬理学的に昇圧薬として用いる).＝levarterenol; noradrenaline.

n. bitartrate 二酒石酸ノルエピネフリン（作用と用途については norepinephrine 参照).＝levarterenol bitartrate; noradrenaline acid tartrate; noradrenaline bitartrate.

nor·ep·i·neph·ri·ner·gic (nōr′ep-i-nef-ri-nĕr′jik) [norepinephrine + G. *grgon*, work]. ノルエピネフリン作動性の(ノルエピネフリンが，ノルエピネフリンとして直接に，または刺激伝達因子として神経系や代謝系に作動していることを示す).

nor·har·man (nōr-hahr′man). ノルハルマン（種々の他の変異原と一緒に投与される補助変異原).

nor·leu·cine (Nle) (nōr-lū′sin). ノルロイシン；α-amino-*n*-caproic acid; 2-aminohexanoic acid (α-アミノ酸で，ロイシン，イソロイシンの異性体であるが，蛋白中には存在しない．L-リシンの脱アミノ体で，コラーゲン中に結合している).＝glycoleucine.

norm (nōrm). *1* 標準値．*2* 標準（妥当な値または行動).

nor·ma, pl. **nor·mae** (nōr′mă, nōr′mē) [L. a carpenter's square]. *1* 面．＝aspect (2). *2* 側面像．＝profile (1). *3* 〔X線撮影の〕投影法．＝projection (8).

n. anterior ＝facial *aspect*.

n. basilaris ＝external *surface* of cranial base.

n. facialis [TA]. 頭蓋顔面．＝facial *aspect*.

n. frontalis☆ 頭蓋前頭面（facial *aspect* の公式の別名).

n. inferior 頭蓋下面．＝external *surface* of cranial base.

n. lateralis [TA]. 頭蓋側頭面．＝lateral *aspect*.

n. occipitalis [TA]. 頭蓋後頭面．＝occipital *aspect*.

n. posterior 頭蓋後頭面．＝occipital *aspect*.

n. sagittalis 頭蓋矢状面（頭蓋の矢状面の輪郭).

n. superior [TA]. 頭蓋上面．＝superior *aspect*.

n. temporalis 頭蓋側頭面．＝lateral *aspect*.

n. ventralis 頭蓋下面．＝external *surface* of cranial base.

n. verticalis☆ 頭蓋頭頂面（superior *aspect* の公式の別名).

nor·mal (N) (nōr′măl) [L. *normalis*, according to pattern]. [normal findings および normal results のように，意味があいまいになりがちな場合には本語の隠語的使用を避けること．生理食塩水(physiologic saline)を旧式の表現 normal saline と表現するのを避けること．1N(N>normality＝規定度)の塩化ナトリウム溶液と誤解されるかもしれない]. *1* 正常の，標準の．*2* 正常の（細菌学においては，実験的あるいは自然に微生物またはその生成物に対する免疫性をもたない動物，血清，またはそれに含まれる物質などを示す). *3* 規定の（置換可能な水素または水酸基を 1L 当たり1当量含有する溶液を示す．例えば，1モル濃度の HCl は1規定だが，1モル濃度の H_2SO_4 は2規定である). *4* 正常の（精神医学および心理学において，個人および各個人を取り巻く社会環境の両方にとって満足な効果を果す個性，認識，情動の適切な発達水準を示す). *5* 直角の，垂直の（直線(または面)が他の線(または面)に対して90度の関係にあること). *6* 正常の，健常な（病気がなく，実験的操作の被検者になっていない). *7* 枝なし炭素鎖をもつ分子体．通常 *n* で表される．

nor·mal·i·za·tion (nōr′măl-i-zā′shŭn). 正規化，規格化，基準化（①基準または正常と一致するようにすること．②溶液を薄めたり，あるいは濃くしたりして化学的に規定のものにすること．⇀normal (3). ③その場の基準で測定した数値すべてに，通常同じ数字を掛けて，他の場所での測定値と比較できるように調節すること).

nor·mal·ize (nōr′măl-īz). 正規化する，規格化する，基準化する．

nor·ma·tive (nōr′mă-tiv). 標準的な（標準または正常に関係した).

nor·me·per·i·dine (nōr′me-per′i-dēn). ノルメペリジン（*N*-メチル基が脱離したメタリジンの代謝物．痙攣性をもつ).

nor·met·a·neph·rine (nōr′met-ă-nef′rin). ノルメタネフリン（ノルエピネフリンの異化代謝産物で，血清，尿，および組織内にみられる．ノルエピネフリンに対してカテコール-*O*-メチルトランスフェラーゼが作用してできる．交感神経興奮作用はない．褐色細胞腫の診断に用いる).

normo- [L. *normalis*, according to pattern]. 正常の，普通の，を意味する連結形．

nor·mo·bar·ic (nōr′mō-bar′ik) [normo- + G. *baros*, weight]. 基準気圧の（海面上の気圧と等しい気圧であることを示す).

nor·mo·blast (nōr′mō-blast) [normo- + G. *blastos*, sprout, germ]. 正赤芽球，正常芽細胞（ヒトの正常赤血球の直接的幼若型の有核赤血球．その成長の4段階は次のとおりである．ⓘ前正赤芽球，ⓘⓘ好塩基性正赤芽球，ⓘⓘⓘ多染性正赤芽球，ⓘⓥ正染性正赤芽球．⇀erythroblast).

nor·mo·blas·to·sis (nōr′mō-blas-tō′sis). 正赤芽球症（骨髄において正赤芽球が過剰に産生した状態).

nor·mo·cap·ni·a (nōr′mō-kap′nē-ă) [normo- + G. *kapnos*, vapor]. 炭酸正常状態（[誤ったつづり normocapnea を避けること]．静脈の二酸化炭素圧が正常である，すなわち約 40 mmHg である状態．→eucapnia).

nor·mo·ce·phal·ic (nōr′mō-se-fal′ik) [normo- + G. *kephalē*, head]. [having a normal head の意味での隠語的使用を避けること]．正常の大きさの頭蓋をもつ．＝mesocephalic.

nor·mo·chro·mi·a (nōr′mō-krō′mē-ă) [normo- + G. *chrōma*, color]. 正色素性（血液の赤血球中のヘモグロビンの量が正常であること).

nor·mo·chro·mic (nōr′mō-krō′mik). 正色素性の（色が正常であることをいう．特に正常量のヘモグロビンを含有する赤血球をさす).

nor·mo·cyte (nōr′mō-sīt) [normo- + G. *kytos*, cell]. 正赤血球（正常な大きさ(平均 7.5 μm)の無核赤血球).＝normoerythrocyte.

nor·mo·cy·to·sis (nōr′mō-sī-tō′sis). 正赤血球症，血球正常〔状態〕(構成成分に関して正常な血液の状態).

nor·mo·e·ryth·ro·cyte (nōr′mō-ĕ-rith′rō-sīt). ＝normocyte.

nor·mo·gly·ce·mi·a (nōr′mō-glī-sē′mē-ă). 正常血糖〔血〕. ＝euglycemia.

nor·mo·gly·ce·mic (nōr′mō-glī-sē′mik). 血糖正常の([誤った語句 normal glycemic を避けること]). ＝euglycemic.

nor·mo·ka·le·mi·a, nor·mo·ka·li·e·mi·a (nōr′mō-kă-lē′mē-ă, -ka-lē-ē′mē-ă). 正常カリウム血(血液中のカリウム量が正常であること).

norm·os·mi·a (nōrm-oz′mē-ă) [normo- + G. *osmē*, smell + -ia]. 正常嗅覚.

norm·os·mic (norm-os′mic) [normo- + G. *osmē*, smell]. 正常嗅覚の(正常嗅覚を有する).

nor·mo·sthe·nu·ri·a (nōr′mō-sthĕn-yū′rē-ă) [normo- + G. *sthenos*, strength + *ouron*, urine]. 正張尿，正常〔排〕尿(尿の比重が正常である状態).

nor·mo·ten·sive (nōr′mō-ten′siv). 正常血圧〔性〕の([誤った語句 normal tensive を避けること]. 正常な動脈血圧をさす). ＝normotonic (2).

nor·mo·ther·mi·a (nōr′mō-ther′mē-ă) [normo- + G. *thermē*, heat]. 適温(体細胞の活動の増強や，減弱を惹起しない環境温度).

nor·mo·ton·ic (nōr′mō-ton′ik). *1* 〚adj.〛正常緊張状態の. ＝eutonic. *2* 〚adj.〛＝normotensive.

nor·mo·to·pia (nōr-mō-tō′pē-ă) [normo- + G. *topos*, place]. 正所性(正常な位置にある状態，多くは，ある器官が正常な場所に位置していることを示すときに用いる語).

nor·mo·top·ic (nōr′mō-top′ik). 正所性の.

nor·mo·vol·e·mi·a (nor′mō-vol-ē′mē-ă) [normo- + volume + G. *haima*, blood]. 正常血液量.

nor·mox·i·a (nōr-mok′sē-ă) [normo- + oxygen]. 酸素正常状態(吸入気体中の酸素分圧が，海面空気の酸素分圧に等しい状態).

nor·oph·thal·mic ac·id (nōr′of-thal-mik as′id). ノルオフタルミン酸(眼の水晶体中に見出されるトリペプチド. グルタチオン類似体(L-システチンは L-アラニンで置換されている)).

Nor·rie (nōr′ē), Gordon. デンマーク人眼科医，1855—1941. →N. *disease*.

Nor·ris (nōr′is), Richard. イングランド人生理学者，1830—1916. →N. *corpuscles*.

nor·ster·oids (nōr-stēr′oydz). ノルステロイド類(核間メチル基のないステロイド. 一般的には，A環とB環の間(C-19)のメチル基である).

nor·sym·pa·tol (nōr-sim′pă-tol). ノルシンパトル. ＝octopamine.

nor·sy·neph·rine (nōr′si-nef′rin). ノルシネフリン. ＝octopamine.

Nor·ton (nōr′tŏn), U.F. 米国人産科医. →N. *operation*.

Nor·ton (nōr′tŏn), Larry. 20世紀の米国人腫瘍学者. →N.- Simon *hypothesis*.

nor·val·ine (Nva) (nōr-val′ēn, -vā′lēn). ノルバリン；α-aminovaleric acid(バリンの直鎖化合物. 蛋白中にはない).

NOS *nitric oxide* synthase の略.

nos·ca·pine (nos′kă-pēn). ノスカピン(アヘン中に含有されるイソキノリンアルカロイド. 平滑筋に対してパパベリンのような作用をする. 咳そう反射を抑制し，鎮咳薬として用いる. 耽溺性はないようである). ＝L-α-narcotine; opianine.

nose (nōz) [A.S. *nosu*]. 鼻(加温加湿を行い，吸気浄化と嗅覚上皮が存在する，呼吸系の入口の特殊な器官. 外側鼻と鼻腔の両方を含む). ＝nasus (2).

brandy n. しゅさ(酒皶)鼻，ブランデー鼻. ＝rhinophyma.

cleft n. 外鼻裂，鼻破裂(通常なら鼻橋のあるところが溝になっている鼻. 対となる胎生期の原基の融合不全による. 軟部組織の裂け目は，通常，潜在的な骨格の裂溝の存在を示している).

copper n. 赤鼻. ＝rhinophyma.

dog n. ブルドッグ鼻. ＝goundou.

external n. 外鼻(顔の明らかな特徴を形成する，目に見える鼻の部分. 上から下へ鼻根，鼻背，鼻尖からなる. 中隔によって分けられた2つの鼻孔が下方で開く). ＝nasus externus; nasus (1).

hammer n. 槌鼻. ＝rhinophyma.

potato n. 芋鼻. ＝rhinophyma.

rum n. ＝rhinophyma.

saddle n. 鞍鼻(鼻橋が顕著に陥没した鼻で，先天性梅毒または外傷や手術あるいは鼻中隔の感染の後にみられる).

toper's n. ＝rhinophyma.

nose·bleed (nōz′blēd). 鼻出血，はなぢ. ＝epistaxis.

No·se·ma (nō-sē′mă) [G. *nosēma*, plague < *noseō*, to be sick < *nosos*, disease]. ノセマ属(原生動物の一目(微胞子虫亜門，微胞子虫目，ノセマ科)で，ある種(*N. apis*, *N. bombycis* など)は，経済的に重要な無脊椎動物(ミツバチ，カイコ)に対し病原性であり，他の種は，害虫などの標的無脊椎動物の生物学的制御の手段としての可能性を研究中である. *N. connori* は免疫不全のヒトの脂肪組織，横隔膜，心筋，肝などの組織に寄生する).

N. corneum ノセマ角膜(角結膜炎の原因の1つ. エイズ患者にみられるびまん性点状角膜症).

No·se·mat·i·dae (nō′sē-mat′i-dē). ノセマ科(微胞子虫綱の一科で，*Encephalitozoon*, *Nosema*属を含み，この属には病原性が強く，また経済的に重要な諸種が存在する).

no·se·ma·to·sis (nō-sē′ma-tō′sis). 巣状性間質性腎炎の原因となる寄生原生動物 *Encephalitozoon cuniculi* によるウサギの感染症. 本症はヒトで1例報告されている.

nose·piece (nōz′pēs). 転換器(中心枢軸を囲む数個の対物鏡からなる顕微鏡の付属物).

nos·e·ti·ol·o·gy (nōs′ē-tē-ol′ō-jē) [G. *nosos*, disease + *aitia*, cause + *logos*, study]. 病因学(疾病原因に関する学問を意味するまれに用いる語).

noso- [G. *nosos*]. 疾病に関する連結形. →path-.

no·so·ac·u·sis (nō′sō-ă-kyū′sis) [noso- + G. *akousis*, hearing]. 疾患性聴力障害(加齢によるものではなく疾患により生じた聴力障害).

nos·och·tho·nog·ra·phy (nos′ok-thō-nog′ră-fē) [noso- + G. *chthōn*, the earth + *graphē*, a description]. 疾病分布学. ＝geomedicine.

nos·o·co·mi·al (nos′ō-kō′mē-ăl) [G. *nosokomeion*, hospital < *nosos*, disease + *komeō*, to take care of]. 病院の，院内の(①病院にかかわる. ②病院で治療を受けていることにかかわる(患者のもとの状態とは無関係の)新しい病気，例えば院内感染症をさす).

nos·o·gen·e·sis, no·sog·e·ny (nos′ō-jen′ĕ-sis, no-soj′ĕ-nē) [noso- + G. *genesis*, production]. 病因を意味するまれに用いる語.

nos·o·gen·ic (nos′ō-jen′ik). 病因の. ＝pathogenic.

nos·o·ge·og·ra·phy (nos′ō-jē-og′ră-fē). 疾病地理学. ＝geomedicine.

nos·o·graph·ic (nos′ō-graf′ik). 疾病学の.

no·sog·ra·phy (nō-sog′ră-fē) [noso- + G. *graphē*, description]. *1* 疾病分類(各疾病単位を，系統的な疾病学によって分類された一群の疾病群として名称を割りつけること). *2* 疾病学(病理学または診療についての学問的論説).

no·so·hu·si·al (nō-zo-hū′zē-al) [Irreg. < nosocomial + O. E. *hus*, house]. 自宅感染の，自宅の(自宅で介護を受けている患者に起こる感染についていう).

nos·o·log·ic (nos′ō-loj′ik). 疾病分類学の.

no·sol·o·gy (nō-sol′ŏ-jē) [noso- + G. *logos*, study]. 疾病分類学(疾病の分類に関する科学). ＝nosonomy; nosotaxy.

psychiatric n. 精神医学的疾病分類学. ＝psychonosology.

nos·o·ma·ni·a (nos′ō-mā′nē-ă) [noso- + G. *mania*, insanity]. 疾病狂(何か特別な病気にかかっていると病的に信じることに対してまれに用いる語).

no·som·e·try (nō-som′ĕ-trē) [noso- + G. *metron*, measure]. 罹患率測定〔法〕(職業および社会状況における罹患率または疾病率の測定).

nos·o·my·co·sis (nos′ō-mī-kō′sis) [noso- + G. *mykēs*, fungus]. 真菌症(真菌によって生じる疾病).

no·son·o·my (nō-son′ŏ-mē) [noso- + G. *nomos*, law]. 疾病分類学. ＝nosology.

nos·o·phil·i·a (nos′ō-fil′ē-ă) [noso- + G. *phileō*, to love]. 好病症(病気でありたいと病的に望むこと).

nos・o・pho・bi・a (nos′ō-fō′bē-ă) [noso- + G. *phobos*, fear]. 疾病恐怖〔症〕(病気に対する異常なまでの恐れ). =pathophobia.

nos・o・phyte (nos′ō-fīt) [noso- + G. *phyton*, plant]. 病原性植物(植物界の病原性微生物).

nos・o・poi・et・ic (nos′ō-poy-et′ik) [noso- + G. *poiēsis*, a making]. 病原〔性〕の. =pathogenic.

Nos・o・psyl・lus (nos′ō-sil′ŭs) [noso- + G. *psylla*, flea]. ヨーロッパネズミノミ属(げっ歯類に普通にみられるノミの一属. ヨーロッパネズミノミ(北方ネズミノミ) *N. fasciatus* は, 頻度は高くないが, ヒトにペスト杆菌を伝播することがある).

nos・o・tax・y (nos′ō-tak′sē) [noso- + G. *taxis*, arrangement]. 疾病分類学. =nosology.

nos・o・tox・ic (nos′ō-tok′sik). 疾病毒素の, 疾病毒素症の.

nos・o・tox・i・co・sis (nos′ō-tok-si-kō′sis) [noso- + G. *toxikon*, poison]. 疾病毒素症(毒素によって生じる病的状態. → toxicosis).

nos・o・tox・in (nos′ō-tok′sin). 疾病毒素(疾病に関連する毒素の総称を意味するまれに用いる語).

no・sot・ro・phy (no-sot′rō-fē) [noso- + G. *trophē*, nourishment]. 看護(病人の世話についてまれに用いる語).

no・so・trop・ic (no′sō-trop′ik) [noso- + G. *tropē*, a turning]. 対症療法の, 抗疾病の(病的変化または症状に対処する治療についていう).

nos・tal・gi・a (nos-tal′jē-ă) [G. *nostos*, a return (home) + *algos*, pain]. 郷愁, 懐郷(故郷または住み慣れた環境に帰りたいという願望).

nos・to・ma・ni・a (nos′tō-mā′nē-ă) [G. *nostos*, return, homecoming + *mania*, frenzy]. 郷愁反応, 懐郷反応(強迫的で異常な懐郷で, 特にホームシックの極端な現れに対してまれに用いる語).

nos・to・pho・bi・a (nos′tō-fō′bē-ă) [G. *nostos*, return, homecoming + *phobos*, fear]. 帰郷恐怖〔症〕(帰郷への病的な恐れ).

nos・tril (nos′trĭl). 外鼻孔. =naris.

internal n. =secondary *choana*.

nos・trum (nos′trŭm) [L. *noster*(our, "our own remedy")の中性形]. 売薬, 秘密薬(あらゆる疾病に対する特効薬として一般の人に売られている治療薬の総称. ときに専売で, 通常, 組成は極秘. この語は現在, 軽蔑的な意味合いをもつ).

NO syn・thase (sin′thēs). *nitric oxide* synthase の略.

no・tal (nō′tăl) [G. *nōtos*, the back]. 背部の.

notalgia paresthetica (nō-tal′jē-ă par-es-thet′i-kă). 背部感覚異常(背中の肩甲部分に生じる原因不明の片側性でしばしば色素沈着を伴う非常にかゆい部分のこと. 治療抵抗性である). =hereditary localized pruritus.

no・tan・ce・pha・li・a (nō′tan-se-fā′lē-ă) [G. *nōtos*, back + *an-* 欠性辞 + *kephalē*, head]. 背側頭蓋の欠損(頭蓋の後頭骨部分の欠損を特徴とする胎児の奇形).

no・tan・en・ce・pha・li・a (nō′tan-en-se-fā′lē-ă) [G. *nōtos*, back + *an-* 欠性辞 + *enkephalos*, brain]. 小脳欠損.

no・ta・tin (nō-tā′tin) [< *Penicillium notatum*]. ノタチン(*Penicillium notatum* から単離されたグルコースオキシダーゼ).

NOTCH

notch (notch) [TA]. 切痕(①組織縁の切れ込み, 陥凹. ②直線的にたどったとき向きのいかんにかかわらずV字型になる短く狭い切れ込み). =incisura [TA]; emargination; incisure.

acetabular n. [TA]. 寛骨臼切痕(寛骨臼縁下部の切痕. 寛骨臼横靱帯によって塞がれているが, 閉鎖動静脈の寛骨臼枝の通路は確保されている). =incisura acetabuli [TA]; cotyloid n.

angular n. 角切痕. =angular *incisure* of stomach.

antegonial n. 下顎角前切痕(下顎枝が下顎体と連結する個所の下縁にある切痕の最下点).

anterior n. of auricle [TA]. 〔耳介の〕前切痕(珠上結節と耳輪脚の間の切痕). =anterior auricular groove; anterior n. of ear; auricular n. (1); incisura anterior auriculae [TA]; incisura anterior auris [NA]; sulcus auriculae anterior.

anterior cerebellar n. 前小脳切痕(小脳前表面の広く浅い切痕で, 上小脳脚と四丘体下部によって占められている). =anterior n. of cerebellum; incisura cerebelli anterior; semilunar n. (1).

anterior n. of cerebellum 前小脳切痕. =anterior cerebellar n.

anterior n. of ear 〔耳介の〕前切痕. =anterior n. of auricle.

aortic n. 大動脈切痕(大動脈弁閉鎖に続く反動によって起こる血圧脈波の陥凹).

n. of apex of heart 心尖切痕. =n. of cardiac apex.

auricular n. *1* 〔耳介の〕前切痕. =anterior n. of auricle. *2* 〔耳介の〕分界切痕. =terminal n. of auricle.

cardiac n. 噴門切痕. =cardial n.

n. of cardiac apex [TA]. 心尖切痕(前室間溝が横隔面に達している心尖部の近くにみられるわずかな切痕). =incisura apicis cordis [TA]; n. of apex of heart.

cardiac n. of left lung [TA]. 〔左肺の〕心切痕(左肺上葉前縁の切痕で, 心膜が収まっている). =incisura cardiaca pulmonis sinistri [TA].

cardial n. [TA]. 噴門切痕(食道と胃底部の深い切痕). =cardiac n.; incisura cardialis.

n. in cartilage of acoustic meatus [TA]. 外耳道軟骨切痕(線維組織で満たされた外耳道軟骨前部の, 通常, 2つの垂直な溝). =incisura cartilaginis meatus acustici [TA]; Duverney fissures; incisura santorini; Santorini fissures; Santorini incisures.

clavicular n. of sternum [TA]. 胸骨の鎖骨切痕(鎖骨と関節する胸骨柄の上面両側のくぼみ). =incisura clavicularis [TA]; clavicular facet.

costal n.'s [TA]. 肋骨切痕(胸骨外縁の切痕または小関節面で, 肋軟骨との関節をつくる). =incisurae costales [TA].

cotyloid n. =acetabular n.

dicrotic n. (dī-krot-ik). 重複切痕(収縮期のピークに続いて脈波下方切痕を示す. これは動脈圧の急速な低下に次ぐ上昇による).

digastric n. =mastoid n.

ethmoidal n. [TA]. 篩骨切痕(前頭骨眼窩部分間の長楕円形間隙で, 篩骨がはまり込む). =incisura ethmoidalis [TA].

fibular n. [TA]. 腓骨切痕(脛骨下端の外側面にあるくぼみで, 腓骨がはまり込む). =incisura fibularis [TA].

frontal n. [TA]. 前頭切痕(眼窩上切痕内側にある前頭骨眼窩縁の小さな切痕(ときには孔)). =incisura frontalis [TA].

greater sciatic n. [TA]. 大坐骨切痕(腸骨と坐骨の結合点における寛骨の後部縁の深い陥凹). =incisura ischiadica major [TA]; iliosciatic n.; sacrosciatic n.

hamular n. =*groove* of pterygoid hamulus.

Hutchinson crescentic n. (hŭtsh′ĭn-sŏn). ハッチンソン半月状切痕(Hutchinson 歯の切縁の半月状切痕. 先天梅毒で認められることがある).

iliosciatic n. =greater sciatic n.

inferior thyroid n. [TA]. 下甲状切痕(甲状軟骨下端の中ほどにある浅い切痕). =incisura thyroidea inferior [TA].

interarytenoid n. [TA]. 披裂間切痕(2つの披裂軟骨間にある喉頭口の後ろの切れこみ部分). =incisura interarytenoidea [TA].

interclavicular n. =jugular n. of sternum.

intercondyloid n. =intercondylar *fossa*.

intertragic n. [TA]. 珠間切痕(耳珠と対耳珠間の耳介下部の深い切痕). =incisura intertragica [TA]; incisura tragica.

intervertebral n. =vertebral n.

ischiatic n. 坐骨切痕(→greater sciatic n.; lesser sciatic n.).

jugular n. of occipital bone [TA]. 後頭骨の頸静脈切痕

(頸静脈孔の境を形成する後頭骨の切痕). =incisura jugularis ossis occipitalis [TA].

jugular n. of petrous part of temporal bone [TA]. 側頭骨錐体部の頸静脈切痕 (頸静脈孔の境をなす側頭骨錐体部の切痕). =incisura jugularis ossis temporalis [TA].

jugular n. of sternum [TA]. 頸切痕 (胸骨上縁の大きな切痕). =incisura jugularis sternalis [TA]; suprasternal n.*; interclavicular n.; presternal n.; sternal n.

Kernohan n. カーノハン(ケルノハン)切痕 (経テントヘルニアにより脳幹がテント切痕に押し付けられてできる大脳脚の切痕).

lacrimal n. [TA]. 涙骨切痕 (上顎骨前頭突起上の切痕で, 涙骨が接合する). =incisura lacrimalis [TA].

lesser sciatic n. [TA]. 小坐骨切痕 (坐骨棘下にある坐骨後縁の切痕). =incisura ischiadica minor [TA].

n. for ligamentum teres [TA]. 肝円索切痕 (肝臓下縁の切痕で, 肝円索が収まる). =incisura ligamenti teretis hepatis [TA]; incisura umbilicalis; n. for round ligament of liver; umbilical n.

mandibular n. [TA]. 下顎切痕 (下顎の関節突起と筋突起の間の深い切痕). =incisura mandibulae [TA]; sigmoid n.

marsupial n. =posterior cerebellar n.

mastoid n. [TA]. 乳突切痕. (側頭骨の乳様突起の内側にある溝で, 顎二腹筋が起始する). =incisura mastoidea [TA]; digastric groove; digastric n.; mastoid groove.

nasal n. [TA]. 鼻切痕 (上顎骨前方の内側縁にある切痕で, 反対側のそれとともに鼻腔の梨状口の大部分を形成している). =incisura nasalis [TA].

pancreatic n. [TA]. 膵切痕 (膵頭部の鉤状突起とその頸部とを分けている切痕). =incisura pancreatis [TA].

parietal n. [TA]. 頭頂切痕 (側頭骨の鱗部および錐体部の間の後方の角). =incisura parietalis [TA].

parotid n. 耳下切痕 (下顎枝と側頭骨乳様突起の間の空隙).

popliteal n. =intercondylar *fossa*.

posterior cerebellar n. 後小脳切痕 (左右小脳半球後部の狭い切れ込みで小脳鎌がはいっている). =incisura cerebelli posterior; marsupial n.; posterior n. of cerebellum.

posterior n. of cerebellum 後小脳切痕. =posterior cerebellar n.

preoccipital n. [TA]. 後頭前切痕 (大脳半球の側頭葉の腹外側縁の陥凹). =incisura preoccipitalis [TA].

presternal n. =jugular n. of sternum.

pterygoid n. [TA]. 翼突切痕 (蝶形骨の翼状突起の内側板と外側板の間の溝で, 口蓋骨の錐体突起がはまり込む). =fissura pterygoidea; incisura pterygoidea; pterygoid fissure.

pterygomaxillary n. 翼上顎裂. =*groove* of pterygoid hamulus.

radial n. [TA]. 橈骨切痕 (尺骨の鳥口突起の外側面にある陥凹面. 橈骨頭と関節をつくる). =incisura radialis [TA].

Rivinus n. (ri-vē′nŭs). リヴィヌス切痕. =tympanic n.

n. for round ligament of liver 肝円索切痕. =n. for ligamentum teres.

sacrosciatic n. 仙坐骨切痕. =greater sciatic n.

scapular n. 肩甲切痕. =suprascapular n.

semilunar n. 半月切痕 (①=anterior cerebellar n. ②=trochlear n.).

sigmoid n. =mandibular n.

sphenopalatine n. [TA]. 蝶口蓋切痕 (口蓋骨の眼窩突起および蝶形骨突起の間の深い切痕で, 蝶形骨の下面によって同名の孔に変わる). =incisura sphenopalatina [TA].

sternal n. =jugular n. of sternum.

superior thyroid n. [TA]. 上甲状切痕 (甲状軟骨上端の中ほどにある深い切痕). =incisura thyroidea superior [TA].

supraorbital n. [TA]. 眼窩上切痕 (眼窩縁の内側 1/3 と中間 1/3 の接合点に近い前頭骨の眼窩縁にある溝で, 眼窩上神経および動脈が通っている. →supraorbital *foramen*). =incisura supraorbitalis [TA].

suprascapular n. 肩甲切痕 (肩甲骨の上縁にある切痕で, 肩甲上神経が通る). =incisura scapulae; scapular n.

suprasternal n.* 頸切痕 (jugular n. of sternum の公式の別名).

tentorial n. [TA]. テント切痕 (小脳テントにある三角形の開口で, そこを通って後頭蓋窩から中頭蓋窩へと脳幹がのびる). =incisura tentorii [TA]; incisura of tentorium*; n. of tentorium.

n. of tentorium テント切痕. =tentorial n.

terminal n. of auricle [TA]. 〔耳介の〕分界切痕 (耳珠板と外耳道の軟骨とを主耳介軟骨から分けている深い溝で, 下方で峡部によって連結されている). =incisura terminalis auricularis [TA]; auricular n. (2); incisura terminalis auris.

trochlear n. [TA]. 滑車切痕 (尺骨の近位端で, 肘頭と鉤状突起の間にある大きな半円形切痕. 上腕骨の滑車と関節をなす). =incisura trochlearis [TA]; incisura semilunaris ulnae; semilunar n. (2).

tympanic n. [TA]. 鼓膜切痕 (鼓膜の弛緩部によって橋渡しされている鼓室輪の上部にある切痕). =incisura tympanica [TA]; incisura rivini; Rivinus incisure; Rivinus n.; tympanic incisure.

ulnar n. [TA]. 尺骨切痕 (橈骨の遠位端内側の陥凹面尺骨頭と関節をなす). =incisura ulnaris [TA].

umbilical n. =n. for ligamentum teres.

vertebral n. [TA]. 椎切痕 (椎弓根部の上下にある陥凹で, 隣接椎骨の切痕とで椎間板も加わって椎間孔を形成する). =incisura vertebralis [TA]; intervertebral n.

---

notched (notcht). 切痕のある, 陥凹のある. =emarginate.

no·ten·ceph·a·lo·cele (nō′ten-sef′ă-lō-sēl) [G. *nōtos*, back + *enkephalos*, brain + *kēlē*, hernia]. 背脳ヘルニア (脳実質の突出を伴う頭蓋後頭骨の奇形).

Noth·na·gel (not′nah-gĕl), C.W. Hermann. ハプスブルク帝国の医師, 1841—1905. →N. *syndrome*.

no·to·chord (nō′tō-kōrd) [G. *nōtos*, back + *chordē*, cord, string]. 脊索 (①原始的な脊椎動物において, 体の構造を支える主軸をなす構造で, 早期胚の脊索突起に由来する. 神経系統とそれに関連する構造の形態を決定する重要なオルガナイザ. ②胚においては, 線維と細胞からなる索状の軸で, その周りに椎骨原基が発生する. 成体においても, 椎間板の髄核として痕跡が残る. =chorda dorsalis).

no·to·chor·dal (nō′tō-kōr′dăl). 脊索の.

No·to·ed·res cat·i (nō-tō-ed′rēz kā′tī). ネコショウヒゼンダニ (ネコの疥癬ダニ).

nou·men·al (nū′men-ăl) [G. *nooumenos*, perceived < *noeō*, to perceive, think]. 実体の, 直観の, 本態の (感覚的, 情動的ではなく, 知的な直観, 時間や空間のあらゆる概念から離れた純粋思考の対象についていう).

nour·ish·ment (nūr′ish-ment). 食物 (食べたり, 生命体の生命や成長を維持するための物質). =aliment (1).

nous (nūs, nows) [G. mind, reason]. 精神, 知性, 理性 (Anaxagoras が最初に用いた語で, すべてを知り, すべてに広がる精神または力を意味した. 後のギリシア哲学では単に精神, 理性, または知性を意味するようになった).

No·vy (nō′vē), Frederick George. 米国人細菌学者, 1864—1957. →N. and MacNeal blood *agar*.

Nox·a (nokz′ah) [MIM*604959]. 有害なストレスにさらされた細胞での癌抑制因子 p53 などにより誘導されたアポトーシスに関与する重要なメディエータ. 本蛋白は遺伝子 Noxa の翻訳産物である(損傷に対して).

nox·a (nok′să) [L. injury < *noceo*, to injure]. 病毒 (有害な影響を及ぼすもの. 例えば, 外傷, 毒). =phorbol-12-myristate-13-acetate-induced protein.

nox·ious (nok′shŭs) [L. *noxius*, injurious < *noceo*, to injure]. 有害〔性〕の.

NP nurse practitioner の略.

Np *1* ネプツニウムの元素記号. *2* neper の略.

NPC Niemann-Pick C1 *disease* の略.

NPN nonprotein *nitrogen* の略.

NPO, npo ラテン語 *non per os*, *nil per os*(絶食)の略.

Nps nitrophenylsulfenyl の略.

NREM nonrapid eye *movement* の略.

nRNA nuclear RNA の略.
NS normal saline(生理食塩水)の略.
NSAIDs nonsteroidal antiinflammatory *drugs* の略．例えば，アスピリン，イブプロフェン．
NSF National Science Foundation(国立科学財団)の略.
NSILA nonsuppressible insulinlike *activity* の略.
NTMI nontransmural myocardial *infarction* の略.
NTNG nontoxic nodular goiter(非中毒性結節性甲状腺腫)の略.
NTP nucleoside 5′-triphosphate の略.
nu (nū). ニュー（ギリシア文字の 13 番目の文字 ν).
nu·bec·u·la (nū-bek′yū-lă) [L. *nubes*(cloud)の指小辞]. ヌベクラ，片雲，雲状浮遊物（薄雲，または曇っていること).
Nuc nucleoside の略.
nu·cha (nū′kă) [Fr. *nuque*]. 項，うなじ（頸部の後ろ). ＝nape.
nu·chal (nū′kăl). うなじの，項部の.
Nuck (nuk), Anton. オランダ人解剖学者，1650—1692. ⇀ N. *diverticulum*, *hydrocele*; *canal* of N.
nucl- ⇀nucleo-.
nu·cle·ar (nū′klē-ĕr). 核の（[誤った発音 nū′kyu-lar を避けること]．細胞または原子のいずれかの核を意味し，後者では通常，原子核から放出される α，β または γ 線といった放射線または原子分裂を表す).
Nu·cle·ar Reg·u·la·tor·y Com·mis·sion (nū′klē-ĕr reg′yū-lă-tōr′ē kŏ-mish′ŭn). 米国原子力規制委員会（商用あるいは医学上の目的での放射活性副産物の使用について監視を行う米国連邦政府委員会．米国エネルギー省の前身である米国原子力委員会から発足した後継).
nu·cle·ase (nū′klē-ās). ヌクレアーゼ（ホスホジエステル結合を開裂して，核酸をヌクレオチドまたはオリゴヌクレオチドに加水分解する酵素．以下に記載のないヌクレアーゼについては各語参照．*cf.* exonuclease; endonuclease).
　azotobacter n. 窒素菌ヌクレアーゼ．＝endonuclease (*Serratia marcescens*).
　micrococcal n. 小球菌ヌクレアーゼ．＝micrococcal *endonuclease.*
　mung bean n. 大豆ヌクレアーゼ．＝endonuclease S_1 (*Aspergillus*).
nu·cle·ate (nū′klē-āt). 核酸塩.
nu·cle·at·ed (nū′klē-āt′ĕd). 有核の（すべての真の細胞の特徴である核をもつ).
nu·cle·a·tion (nū-klē-ā′shŭn). 核形成（結晶核 nidus の生成過程).
　heterogeneous n. 異種核形成（沈着物質以外の物質からなる結晶核の形成).
　homogeneous n. 同種核形成（沈着物質と同じ物質からなる結晶核の形成).
nu·cle·i (noo′klē-ī). nucleus の複数形.
nu·cle·ic ac·id (nū-klē′ik as′id). 核酸（すべての細胞の染色体，核小体，ミトコンドリア，細胞質，あるいはウイルス中にみられる分子質量が25,000 以上の高分子物質．蛋白との複合体は核蛋白とよばれる．加水分解して，プリン，ピリミジン，リン酸，ペントースすなわち D-リボースまたは D-デオキシリボースを生じる．その糖によって，核酸はリボ核酸とデオキシリボ核酸というさらに特定された名称が付けられている．核酸はヌクレオチドの線状(分岐のない)鎖で，各構成ヌクレオチドの5′リン酸基がそれに隣接するヌクレオチドの3′水酸基とエステル結合している).
　infectious n. a. 感染性核酸（細胞に感染し，ウイルスを産生するウイルス様核酸).
nu·cle·i·form (nū′klē-i-fōrm). 核形の，核状の．＝nucleoid (1).
nucleo-, nucl- [L. *nucleus*]. 核，核の，を意味する連結形. →karyo-; caryo-.
nu·cle·o·cap·sid (nū′klē-ō-kap′sid). ヌクレオカプシド (⇀virion).
nu·cle·o·chy·le·ma (nū′klē-ō-kī-lē′mă) [nucleo- + G. *chylos*, juice]. 核液．＝karyolymph.
nu·cle·o·chyme (nū′klē-ō-kīm). 核液．＝karyolymph.
nu·cle·o·fil·a·ments (nū′klē-ō-fil′ă-ments). 核細糸，核フィラメント（低張液の中で細糸様になった染色体で，幅約 100 Å でビーズの紐状を示す).
nu·cle·o·his·tone (nū′klē-ō-his′tōn). ヌクレオヒストン（ヒストンとデオキシリボ核酸の複合体で，後者が細胞核内に存在するときは，一般にこの形で存在する．ヌクレオヒストンは塩基性蛋白と核酸の間の塩とみなされる).
nu·cle·oid (nū′klē-oyd) [nucleo- + G. *eidos*, resemblance]. ***1***〖adj.〗＝nucleiform. ***2***〖n.〗核封入体. ***3***〖n.〗＝nucleus (2).
　Lavdovsky n. (lŏv-dov′skē). ラヴドフスキー核様体．＝astrosphere.
nu·cle·o·lar (nū-klē′ō-lăr). 核小体の.
nu·cle·o·li (nū-klē′ō-lī). nucleolus の複数形.
nu·cle·o·li·form (nū-klē′ō-lē-fōrm). 核小体状の．＝nucleoloid.
nu·cle·o·loid (nū-klē′ō-loyd) [nucleolus + G. *eidos*, resemblance]. ＝nucleoliform.
nu·cle·o·lo·ne·ma (nū-klē′ō-lō-nē′mă) [nucleolus + G. *nēma*, thread]. 核小体糸（大部分の核小体を形成しているリボ核蛋白の微細顆粒または微細線維の不規則な網目または列).
nu·cle·o·lus, pl. nu·cle·o·li (nū-klē′ō-lŭs, -lī) [L. *nucleus*(a nut, kernel)の指小辞]. 核小体，仁（[誤った発音 nucleo′lus を避けること]．①細胞核内にある小球形の塊で，リボソームリボ核蛋白が産出されるところ．通常は 1 つだが，主な小体のほかに数個の膜に包まれていない副小体が存在する場合もある．微細線維および顆粒の網(核小体糸)と，現在は微細線維ももっていることがわかっている無形部とからなっている．②エンドソームはないが，1 つ以上の Feulgen 陽性(DNA＋)仁をもつ．ある種の原生動物の胞核中の多少とも中心近くに存在する小体．胞子虫類，鞭毛虫，旋毛虫，双鞭虫藻類，放散虫などの原生動物に特徴的である．エントアメーバ属のエンドソーム型の核におけるように，染色質物質は周辺ではなく，むしろ核全体に分布している).
　chromatin n. 染色質仁．＝karyosome.
　false n. 偽小核，染色仁．＝karyosome.
nu·cle·o·mi·cro·some (nū′klē-ō-mī′krō-sōm). 核ミクロソーム．＝karyomicrosome.
nu·cle·on (nū′klē-on) [nucleus + -on]. ***1*** 核子（原子核の微粒子の 1 つ．陽子または中性子). ***2*** ヌークレオン（核医学専門医の俗称).
Nu·cle·oph·a·ga (nū′klē-of′ă-gă) [nucleo- + G. *phagō*, to eat]. ヌクレオファガ（アメーバに寄生し，その核を破壊する微胞子虫).
nu·cle·o·phil, nu·cle·o·phile (nū′klē-ō-fil′, -fīl) [nucleo- + G. *philos*, fond]. ***1***〖n.〗求核〔性〕試薬（求電子試薬(物質)によって，電子対が受け取られるような，化学反応における電子対供与原子．低電子密度部位に，引きつけられる試薬または物質). ***2***〖adj.〗求核〔性〕の．＝nucleophilic (1).
nu·cle·o·phil·ic (nū′klē-ō-fil′ik). ***1*** ＝nucleophil (2). ***2*** 求核試薬が関与する反応.
nu·cle·o·phos·pha·tas·es (nū′klē-ō-fos′fă-tās′ĕz). ヌクレオホスファターゼ．＝nucleotidases.
nu·cle·o·plasm (nū′klē-ō-plazm′). 核質．＝karyolymph.
nu·cle·o·plas·min (nū′klē-ō-plas′min) [nucleo- + plasma + -in]. 核質（静止期(分裂間期)の核の内容).
nu·cle·o·pro·tein (nū′klē-ō-prō′tēn). 核蛋白（蛋白と核酸の複合体で，すべての核酸は本質的にこの形で存在する．染色体およびウイルスは本質的にはほとんど核蛋白に相当する).
nu·cle·o·re·tic·u·lum (nū′klē-ō-re-tik′yū-lŭm) [nucleo- + L. *reticulum*; *rete*(net)の指小辞]. 核網（クロマチンまたはリニンの核内網状構造).
nu·cle·or·rhex·is (nū′klē-ō-rek′sis) [nucleo- + G. *rhēxis*, rupture]. 核崩壊（細胞核の断片化).
nu·cle·o·si·das·es (nū′klē-ō-sī′dās-ĕz). ヌクレオシダーゼ（ヌクレオシドの加水分解または加リン酸分解を触媒し，プリンまたはピリミジン塩基を遊離させる酵素(EC subgroup 3.2.2)).
nu·cle·o·side (Nuc, N) (nū′klē-ō-sīd′). ヌクレオシド（糖(通常，リボースまたはデオキシリボース)とプリンまたはピリミジン塩基が *N*-グリコシド結合した化合物).

n. bisphosphate ヌクレオシドビスリン酸（2つの別々の(互いに結合していない)リン酸基をもつヌクレオシド．*cf.* n. diphosphate)．

n. diphosphate (**NDP**) ヌクレオシド二リン酸，ヌクレオシドジホスフェート（ヌクレオシドのピロリンエステル，すなわちリボースの水酸基(通常は5′位)の1個の水素がピロリン酸(二リン酸)基で置換されたもの．例えばアデノシン5′-二リン酸．*cf.* n. bisphosphate)．

n. monophosphate ヌクレオシド一リン酸，ヌクレオシドモノホスフェート（ただ1個のリン酸基をもつヌクレオチド．例えばAMP)．

n. triphosphate ヌクレオシド三リン酸，ヌクレオシドトリホスフェート（リボースの水酸基(通常は5′位)の1個の水素が三リン酸基 $-PO(OH)-O-PO(OH)-O-PO(OH)_2$ またはその相当する共役塩基で置換されたヌクレオシド．例えばアデノシン三リン酸)．

nu·cle·o·side di·phos·phate ki·nase (nū′klē-ō-sīd′ dī-fos′fāt kī′nās)．ヌクレオシド二リン酸キナーゼ（ATPの1つのリン酸基をヌクレオシド二リン酸に転移させ，ヌクレオシド三リン酸とADPを与える反応を可逆的に触媒するホスホトランスフェラーゼの1つ)．

nu·cle·o·side di·phos·phate sug·ars (nū′klē-ō-sīd′ dī-fos′fāt shug′ărz)．ヌクレオシド二リン酸糖（ヌクレオシド二リン酸の5′-二リン酸基と単糖または複合糖質とが結合したもの．例えば，GDP-マンノース，UDP-グルコース(UDPG)，dTDP-グルコサミン)．

nu·cle·o·skel·e·ton (nūk′lē-ō-skel′ĕ-tŏn)．核性スケルトン（核基質の原線維性下部構造を形成する蛋白でDNAが結合する)．

nu·cle·o·some (nū′klē-ō-sōm′) [nucleo- + G. *sōma*, body]．ヌクレオソーム（染色質が凝集していない状態のときにみられるヒストンとDNAとが局在的に凝集した構造)．＝nu body．

nu·cle·o·spin·dle (nū′klē-ō-spin′dĕl)．紡錘体（有糸核分裂における紡錘状体)．

nu·cle·o·ti·da·ses (nū′klē-ō-tī′dās-ĕz)．ヌクレオチダーゼ（ヌクレオチドをヌクレオシドとリン酸に加水分解する酵素(EC 3.1.3.x)．特異性は3′-と5′-の接頭語で示される)．＝nucleophosphatases．

nu·cle·o·tide (nū′klē-ō-tīd)．ヌクレオチド（元来は，核酸成分のプリンまたはピリミジンと1個の糖(通常，リボースまたはデオキシリボース)およびリン酸基とが結合したものをさしたが，例えば，アデノシン一リン酸やNAD^+のように，複素環化合物と，リン酸化された糖が*N*-グリコシド結合によって結合した物質をも示すようになった．個別のヌクレオチドについては各項参照)．＝mononucleotide．

cyclic n. サイクリックヌクレオチド（ヌクレオシド一リン酸で，そのリン酸基が糖部分と2か所で結合しているもの．例えば，アデノシン3′,5′-サイクリック一リン酸(cAMP))．

diphosphopyridine n. (**DPN**) ジホスホピリジンヌクレオチド（→nicotinamide adenine dinucleotide)．

flavin n. →flavin．

nu·cle·o·tid·yl·trans·fer·as·es (nū′klē-ō-tī′dĭl-trans′-fĕr-ās′ĕz)．ヌクレオチジルトランスフェラーゼ（ヌクレオチド残基をヌクレオシド二リン酸または三リン酸から二量体または多量体へと転移させるのを触媒する転移酵素(EC 2.7.7.x)．ある種の酵素は，特異的名称(アデニルトランスフェラーゼ)，または合成中に加水分解される結合を示すような通称(ピロホスホリラーゼ，ホスホリラーゼ)，または合成される物質を示す名(例えばRNAまたはDNAポリメラーゼ)をもっている)．

nu·cle·o·tox·in (nū′klē-ō-tok′sin)．核毒素（細胞核に作用する毒素)．

NUCLEUS

nu·cle·us, pl. **nu·cle·i** (nū′klē-ŭs, nū′klē-ī) [L. a little nut, the kernel, stone of fruits, the inside of a thing, *nux*(nut)の指小辞]．核（①細胞学において，植物細胞，動物細胞の細胞質の中にある原形質の(多くは)円形，卵形の塊をいう．真正染色質，異質染色質，1個以上の核小体，核液を含む核包膜で包まれ，細胞分裂中に有糸分裂を行う．＝karyon．②広義には，構造が比較的簡単で核膜をもたず，増殖時には有糸分裂を行わないが，しかし核様体と似たような機能をもつことから，微生物microbesのゲノムも核という．→virion．＝nucleoid (3)．③[TA]．神経細胞学において，異なった型の細胞，または神経線維や細胞の少ない神経網で周囲が取り囲まれているために，他と区別できるような脳，脊髄の神経細胞群をさす．④尿結石や他の結石ができるとき，その中核となる物質(例えば，異物，粘膜，結晶)．⑤原子核．原子の中心部分(陽子と中性子からなる)で，質量の大部分と正電荷のすべてが集中している．⑥結晶，液滴，泡が生成するときの基となる粒子．⑦母核．一連の分子群の特徴的原子配列．例えば，ベンゼン母核をもつものは芳香族化合物である)．

abducens n., n. abducentis, n. of abducens nerve 外転神経核（橋の下部にある運動性ニューロン群．同側の眼の外側直筋を支配する．運動性脳神経核としてはユニークなもので，明瞭に区別できる2つのニューロン群からなる．1つは外転神経根に線維を送っているもの，もう1つは核間ニューロン群で，その突起は正中線を越えて反対側の内側縦束を上行し定められた動眼神経ニューロンに終わっているもので，恐らく輻輳運動の調節機構の第一次中枢であろうと考えられている)．＝n. nervi abducentis [TA]．

nuclei accessorii tractus optici [TA]．＝accessory nuclei of optic tract．

accessory cuneate n. [TA]．副楔状束核（楔状束核の外側にある神経細胞群で，腕および手の知覚神経支配にあずかる後根線維を受ける．楔状小脳路を介通して小脳に線維を出しており，胸髄核の上肢相当部であると考えられている)．＝n. cuneatus accessorius [TA]; external cuneate n.; lateral cuneate n.; Monakow n.

n. of accessory nerve 副神経核（脊髄の上方6区域の前角の中央部と外側部を縦に連ねた運動性細胞柱で，ここから副神経が出る)．＝n. nervi accessorii [TA]．

accessory olivary nuclei 副オリーブ核（→dorsal accessory olivary n.; medial accessory olivary n.)．

accessory nuclei of optic tract [TA]．視索副核（中脳に行く視神経に沿って存在する神経細胞体の小群で，後核，内側核，外側核に分けられている(終核ともよばれる)．視索沿いのこれらの核の連結は網膜スリップに関係する副視覚系になっている)．＝nuclei accessorii tractus optici [TA]．

n. accumbens [TA]．側坐核（尾状核と被殻の融合部分で，下面から嗅結節でおおわれている．旧名中隔側坐核〝中隔によりかかった核〟は，側脳室の前角の底の下を曲がり，中隔野の腹側半部へいくらかはいり込んでいる線状体の前側部の内方の鉤状の突出に基づく．外側部(中核部)と内側部(被殻部)とからなる)．

n. acusticus 聴神経核（前庭神経核と蝸牛神経核とを併せた語．現在では用いられない)．

n. alae cinereae 灰白翼核．＝posterior n. of vagus nerve．

ambiguus n. 疑核．＝n. ambiguus．

n. ambiguus [TA]．疑核（延髄の腹外側部にある，非常に細長い運動神経細胞柱．この遠心性線維は，迷走神経および舌咽神経を経て咽頭(口蓋帆挙筋を含む)の横紋筋線維や喉頭の声帯筋を支配している)．＝ambiguus n.

n. amygdalae 扁桃核．＝amygdaloid *body*．

n. amygdalae basalis lateralis [TA]．底外側扁桃体核．＝basolateral amygdaloid n.

n. amygdalae basalis medialis [TA]．底内側扁桃体核．＝basomedial amygdaloid n.

n. amygdalae centralis [TA]．中心扁桃体核．＝central amygdaloid n.

n. amygdalae corticalis [TA]．皮質扁桃体核．＝cortical amygdaloid n.

n. amygdalae interstitialis [TA]．間質扁桃体核．＝interstitial amygdaloid n.

n. amygdalae lateralis [TA]．外側扁桃体核．＝lateral amygdaloid n.

n. amygdalae medialis [TA]．内側扁桃体核．＝medial

amygdaloid n.
amygdaloid n. 扁桃核．＝amygdaloid *body*.
n. ansae lenticularis [TA]．レンズ核わなの核（→dorsal hypothalamic *area*）．＝n. of the ansa lenticularis.
n. of the ansa lenticularis [TA]．レンズ核わなの核（→dorsal hypothalamic *area*）．＝n. ansae lenticularis [TA].
n. anterior [TA]．→anterior *horn*.
anterior n. [TA]．→anterior *horn*.
n. anterior corporis trapezoidei [TA]．台形体前核（→nuclei of trapezoid body）．＝anterior n. of trapezoid body.
nuclei anteriores thalami [TA]．視床前核．＝anterior nuclei of thalamus.
n. anterior hypothalami [TA]．前視床下部核（→anterior hypothalamic *area*）．＝anterior hypothalamic n.
anterior hypothalamic n. [TA]．前視床下部核（→anterior hypothalamic *area*）．＝n. anterior hypothalami [TA].
anterior interpositus n. [TA]．前中位核（小脳の歯状核と室頂核の間にある核）．＝n. interpositus anterior [TA].
anterior olfactory n. [TA]．前嗅覚核（嗅野の狭い動物で目立つ嗅索にある核で，嗅球から線維を受け，また線維を嗅球やその他の関係部位や対側にも送る）．＝n. olfactorius anterior [TA].
anterior periventricular n. [TA]．前室周囲核（→anterior hypothalamic *area*）．＝n. periventricularis ventralis [TA].
anterior nuclei of thalamus [TA]．視床前核（比較的大きな前腹側核，前内側核，大きな細胞からなるが小さな前背側核の3つの神経細胞群の総称で，視床前結節を形成する．これらの核は，乳頭体からの乳頭視床路のほかに脳弓からも線維を受け，ともに帯状回や海馬傍回の皮質に線維を出す）．＝nuclei anteriores thalami [TA].
anterior n. of trapezoid body [TA]．台形体前核（→nuclei of trapezoid body）．＝n. anterior corporis trapezoidei [TA].
n. anterodorsalis [TA]．前背側核（→anterior nuclei of thalamus）．＝anterodorsal n. of thalamus.
anterodorsal n. of thalamus →anterior nuclei of thalamus．＝n. anterodorsalis [TA].
n. anterolateralis [TA]．前外側核（→anterior *horn*）.
anteromedial n. [TA]．前内側核（→anterior *horn*）.
n. anteromedialis [TA]．前内側核（→anterior nuclei of thalamus）．＝anteromedial n. of thalamus.
anteromedial n. of thalamus →anterior nuclei of thalamus．＝n. anteromedialis [TA].
n. anteroventralis [TA]．前腹側核（→anterior nuclei of thalamus）．＝anteroventral n. of thalamus.
anteroventral n. of thalamus →anterior nuclei of thalamus．＝n. anteroventralis [TA].
arcuate n. [TA]．＝n. arcuatus [TA]. ***1***〔視床〕弓状核．＝n. arcuatus of intermediate hypothalamic area [TA]; n. periventricularis posterior [TA]; arcuate n. of thalamus. ***2*** 後室周囲核（正中隆起に隣接した漏斗の最下部に存在する視床下部の神経細胞群）．＝n. arcuatus of medulla oblongata [TA]; posterior periventricular n. [TA]. ***3***〔延髄〕弓状核（延髄の錐体の腹側面と後内側面にみられる種々の大きさの小神経細胞群で，恐らく橋核の一部が分離したものと思われる）.
arcuate n. of thalamus 視床弓状核（味覚毛帯線維と三叉神経路が終止する視床後内側腹側核にある小核．ここからの線維は中心後回の最下端部に投射する）．＝arcuate n. (1) [TA]; n. arcuatus thalami; semilunar n. of Flechsig; thalamic gustatory n.
n. arcuatus [TA]．→intermediate hypothalamic *area*．＝arcuate n.
n. arcuatus of intermediate hypothalamic area [TA]．〔視床〕弓状核．＝arcuate n. (1).
n. arcuatus of medulla oblongata [TA]．〔延髄〕弓状核．＝arcuate n. (2).
n. arcuatus thalami 視床弓状核．＝arcuate n. of thalamus.
auditory n. 聴神経核（→nuclei nervi vestibulocochlearis）.
autonomic (visceral motor) nuclei 自律神経核（内臓遠心性節前線維を派出する核で，脊髄(第一胸髄－第二腰髄，第二仙髄－第四仙髄)および脳幹(Edinger-Westphal 核，上下唾液核，迷走神経背側核，疑核の一部)に存在する．交感性(第一胸髄－第二腰髄)・副交感性(全長)ともにある．視床下部核が共働している）.
basal nuclei [TA]．基底核（大脳半球の核で，もともとは尾状核・レンズ核・前障・扁桃体をさしたが，機能的観点から現在では尾状核・レンズ核をさす．その周辺の基底核と関連する細胞群(視床下核・黒質・緻密部・網状部)はしばしば誤って基底核の細胞群の一部として記述されてきた．扁桃体は現在では大脳辺縁系に属するものとみなされている．→basal *ganglia*（⇒ganglion））．＝nuclei basales [TA].
nuclei basales [TA]．＝basal nuclei.
basal n. of Ganser ガンザー基底核（レンズ核の腹側で，無名質にある大型神経細胞の大きな群）．＝n. basalis of Ganser.
n. basalis of Ganser (gahn′sĕr)．ガンザー基底核．＝basal n. of Ganser.
basket n. 籠状核（ヨードアメーバ *Iodamoeba bütschlii* のシスト，またときに栄養型にみられる核の形態．染色標本では，カリオソームとクロマチン顆粒の間を線維が走っているのがみられる）.
basolateral amygdaloid n. [TA]．底外側扁桃体核（→amygdaloid *body*）．＝n. amygdalae basalis lateralis [TA].
basomedial amygdaloid n. [TA]．底内側扁桃体核（→amygdaloid *body*）．＝n. amygdalae basalis medialis [TA].
Bechterew n. (bek-tĕr′yev)．ベヒテレフ核（①前庭神経上核．→vestibular nuclei．②被蓋上中心核．＝n. centralis tegmenti superior）.
benzene n. ベンゼン核（ベンゼン環の6共役炭素原子）.
Blumenau n. (blū′mĕn-ow)．ブルーメナウ核（延髄の副楔状束核）.
branchiomotor nuclei 鰓運動核（胚期の鰓性運動性柱から発生し，鰓弓(発生段階において鰓が現れないために，ヒトに対しては一般に咽頭弓という用語が用いられる)に関係する横紋筋線維(そしゃく筋，顔面筋，咽頭および声帯筋)を支配する脳幹の運動神経核(疑核，顔面神経核，三叉神経運動核)の総称）．＝special visceral efferent nuclei; special visceral motor nuclei.
Burdach n. (bur′dahk)．ブルダッハ核．＝cuneate n.
caerulean n. [TA]．青斑核（英式 nucleus caeruleus の米式異形語法．この語形は時々米国慣用語法では "ceruleus" と短縮される．locus caeruleus のよく使用される別名．→*locus* caeruleus）.
n. caeruleus [TA]．青斑核（中脳水道に近い菱形窩の最前端の外側にある浅いくぼみで，新鮮脳では青色をしている部分．第4脳室の外側壁にも近く約2万の含メラニン顆粒細胞からなるが，そこから出るノルエピネフリン含有神経線維は広く大脳皮質，視床上部，扁桃体，海馬，中脳被蓋，小脳皮質や核，橋延髄の核，脊髄灰白質に分布する）.
n. campi dorsalis [TA]．背側野核（→nuclei of perizonal fields）．＝n. of dorsal field.
n. campi medialis [TA]．内側野核（→nuclei of perizonal fields）．＝n. of medial field.
nuclei camporum perizonalium [TA]．＝nuclei of perizonal fields.
n. campi ventralis [TA]．腹側野核（→nuclei of perizonal fields）．＝n. of ventral field.
caudal pontine reticular n. [TA]．尾側橋網様体核（→reticular nuclei of pons）．＝n. reticularis pontis caudalis [TA].
caudate n. [TA]．尾状核（灰白質の細長い曲がった塊で，側脳室前角中に突出する厚い前部すなわち頭部，側脳室の体部の床面に沿ってのびる体の部分，側頭葉内を下方，後方および前方に曲がって下行し，側脳室の後外側壁に至る細長く曲がった部分すなわち尾部とからなる）．＝n. caudatus [TA]; caudatum.
n. caudatus [TA]．尾状核．＝caudate n.
central n. [TA]．中心核（→anterior *horn*）.
central amygdaloid n. [TA]．中心扁桃体核（→amygdaloid *body*）．＝n. amygdalae centralis [TA].

n. centralis [TA]. 中心核 (→anterior *horn* (2)).

n. centralis lateralis [TA]. 視床外側中心核. =central lateral n. of thalamus.

n. centralis tegmenti superior 上被蓋中心核 (縫線核の1つ). =Bechterew n. (2).

central lateral n. of thalamus [TA]. 視床外側中心核 (視床の髄板内核の最も外側の部分). =n. centralis lateralis [TA].

centromedian n. [TA]. 中心正中核 (大きなレンズマメ状の神経細胞群で, 髄板内核中で最も大きく, 最も尾方にある. 視床の背内側核と底腹側核の間の内側水板内にある. Luysによって, ヒトの視床の前極と後極の中間の前額断における特徴的外観から, このようによばれた. 淡蒼球の内節から多数の線維を, レンズ核わなの視床束を経て受け取るほかに, 運動皮質の第4野からの線維も受ける. 遠心性の結合は主に被殻とつくっているが側副枝は大脳皮質の広い範囲に達している). =n. centromedianus [TA]; centre médian de Luys; centrum medianum.

n. centromedianus [TA]. 中心正中核. =centromedian n.

cerebellar nuclei [TA]. 小脳核 (歯状核・球状核・栓状核・室頂核など小脳の核の総称). =nuclei cerebelli [TA].

nuclei cerebelli [TA]. =cerebellar nuclei.

Clarke n. (klahrk). クラーク核. =posterior thoracic n.

cochlear nuclei [TA]. 蝸牛核. =nuclei cochleares.

nuclei cochleares [TA]. 蝸牛核 (後蝸牛核と前蝸牛核からなり, 菱形窩の外側陥凹の中で, 下小脳脚の後面および外側面に存在する. 前蝸牛核はさらに前部と後部に分けられ, 蝸牛神経から入力線維を受け, 外側毛帯または中枢聴覚路の主な起始部となっている). =cochlear nuclei [TA]; nuclei nervi cochlearis.

n. cochlearis anterior [TA]. 前蝸牛核 (→nuclei cochleares).

n. cochlearis posterior [TA]. 後蝸牛核 (→nuclei cochleares).

nuclei colliculi inferioris [TA]. 下丘核. =nuclei of inferior colliculus.

n. commissurae posterioris [TA]. =n. of posterior commissure.

convergence n. of Perlia (per′lē-ah). ペルリア輻輳核. =Perlia n.

nuclei corporis geniculati medialis [TA]. 内側膝状体核. =medial geniculate nuclei.

nuclei corporis mammillaris 乳頭体核. =nuclei of mammillary body.

n. corporis mammillaris lateralis [TA]. =nuclei of mammillary body.

n. corporis mammillaris medialis [TA]. =nuclei of mammillary body.

nuclei corporis trapezoidei [TA]. =nuclei of trapezoid body.

cortical amygdaloid n. [TA]. 皮質扁桃体核 (→amygdaloid *body*). =n. amygdalae corticalis [TA].

nuclei of cranial nerves 脳神経核 (脳神経に関係している神経細胞群で, 運動核(起始核)または知覚核(終止核)のいずれかである). =n. nervi cranialis [TA].

cuneate n. [TA]. 楔状束核 (脊髄の後索の3核の中の1つ. 閂の高さから下方にかけて延髄の後面近くに位置する. 中心部と吻側部がある. 同側の腕および手の知覚神経支配にあずかる後根線維を受けている. 内側にある薄束核とともに内側毛帯の起始の主な源となる). =n. cuneatus, pars rostralis [TA]; n. cuneatus, pars centralis [TA]; n. cuneatus [TA]; Burdach n.; n. funiculi cuneati; n. of cuneate fasciculus.

n. of cuneate fasciculus =cuneate n.

n. cuneatus [TA]. 楔状束核. =cuneate n.

n. cuneatus accessorius [TA]. 副楔状束核. =accessory cuneate n.

n. cuneatus, pars centralis [TA]. =cuneate n.

n. cuneatus, pars rostralis [TA]. =cuneate n.

cuneiform n. [TA]. 〔中脳の〕楔状核 (→reticular nuclei of mesencephalon). =n. cuneiformis [TA].

n. cuneiformis [TA]. 〔中脳の〕楔状核 (→reticular nuclei of mesencephalon). =cuneiform n.

n. of Darkschewitsch (dahrk-shā′vich). ダルクシェーヴィチ核 (動眼神経核の上方で, 中心灰白質内にある卵形細胞群. 内側縦束を介して前庭神経核からの線維を受ける. 後交連で交叉する線維を出していることはわかっているが, どこへ線維を出しているかは不明である).

Deiters n. (dē′tĕrz). ダイテルス核 (→vestibular nuclei).

dentate n. of cerebellum 小脳歯状核 (小脳核の中で最も外側にある最も大きい核. 新小脳といわれる小脳皮質外側領域から Purkinje 細胞の軸索突起を受け, 途中で小脳求心性線維の側副枝を経由して上方の小脳皮質にはいる. より内側に位置している球状核や栓状核とともに, 上小脳脚または結合腕を形成する線維の主な起始をなす). =n. dentatus [TA]; n. lateralis cerebelli*; corpus dentatum; dentatum.

n. dentatus [TA]. 小脳歯状核. =dentate n. of cerebellum.

descending n. of the trigeminus =spinal n. of trigeminal nerve.

diploid n. 二倍体核 (1個の体細胞に対して二倍体すなわち正常な2組の染色体を含む細胞核).

dorsal n. [TA]. 内側膝状体背側核 (→medial geniculate nuclei). =n. dorsalis hypothalami [TA]; n. dorsalis [TA].

dorsal accessory olivary n. 背側副オリーブ核 (オリーブ核の主要部分に対して背側に位置した, オリーブ核の分離した部分). =n. olivaris accessorius posterior [TA]; posterior accessory olivary n. [TA].

n. dorsales thalami [TA]. 視床背側核. =dorsal n. of thalamus.

n. of dorsal field [TA]. 背側野核 (→nuclei of perizonal fields). =n. campi dorsalis [TA].

n. dorsalis [TA]. 内側膝状体背側核 (→medial geniculate nuclei). =dorsal n.

n. dorsalis corporis geniculati lateralis [TA]. =dorsal lateral geniculate n.

n. dorsalis corporis trapezoidei 台形体背側核. =dorsal n. of trapezoid body.

n. dorsalis hypothalami [TA]. 視床下部背側核 (→intermediate hypothalamic *area*). =dorsal n.

n. dorsalis lateralis [TA]. 背外側核 (→dorsal n. of thalamus). =lateral dorsal n.

n. dorsalis nervi vagi* 迷走神経背側核 (posterior n. of vagus nerve の公式の別名).

dorsal lateral geniculate n. [TA]. 外側膝状体背側核 (外側膝状体 lateral geniculate *body*の主部で, 2層の大細胞層と4層の乏細胞層からなり, 眼球網膜から大脳皮質への中継点となって視索からの線維を受け, 後頭葉視覚領に膝状体鳥距放線として線維を送る). =n. dorsalis corporis geniculati lateralis [TA].

dorsal motor n. of vagus =posterior n. of vagus nerve.

dorsal premammillary n. [TA]. 背側乳頭体前核 (→posterior hypothalamic *area*). =n. premammillaris dorsalis [TA].

dorsal septal n. [TA]. 背中隔核 (→septal *area*).

dorsal n. of thalamus 視床背側核 (視床の主部をなす複合核で, 前外側核, 中間外側核, 後外側核, 視床枕を含む. 視床後半の背面をなすこれらの核からは頭頂皮質, 頭頂後頭皮質, 側頭皮質に線維が送られる. 求心性連絡はよくわかっていないが, 後外側核と視床枕が中脳上丘から線維を受けている). =n. dorsales thalami [TA].

dorsal thoracic n.* 後胸髄核 (posterior thoracic n. の公式の別名).

dorsal n. of trapezoid body 台形体背側核 (ときとして上オリーブ核をさして用いられることもある. 橋被蓋の下部で前外側部に位置し, 台形体のすぐ上方にある神経細胞群. 同側および対側の蝸牛神経核から神経線維を受け, 両側の外側(聴覚)毛帯へ線維を送っている. 音の空間的認知機能に顕著に関係していると思われる). =n. dorsalis corporis trapezoidei; oliva superior; superior olive.

dorsal vagal n. =posterior n. of vagus nerve.

dorsal n. of vagus 迷走神経背側核. =posterior n. of vagus nerve.

dorsolateral n. 背外側核（→anterior *horn*）.

dorsomedial n. [TA]．背内側核（→dorsal hypothalamic *area*）.＝n. dorsomedialis [TA].

dorsomedial hypothalamic n.〔視床下部〕背内側核．＝dorsomedial n. of hypothalamus.

dorsomedial n. of hypothalamus [TA]．〔視床下部〕背内側核（視床下核の腹内側の背側にある卵形の細胞群）.＝n. dorsomedialis hypothalami [TA]; dorsomedial hypothalamic n.

n. dorsomedialis [TA]．背内側核（→intermediate hypothalamic *area*）.＝dorsomedial n.

n. dorsomedialis hypothalami [TA]．〔視床下部〕背内側核．＝dorsomedial n. of hypothalamus.

droplet nuclei 飛沫核（直径 1—10 μm の粒子で空気感染の拡大に関与する．飛沫が乾燥してできた乾固残渣は咳やくしゃみで大気中に放出されたり，感染物質の煙霧化により形成される）.

Edinger-Westphal n.（ed′ing-er west′fahl）．エーディンガー－ヴェストファル核（中脳の動眼神経核の吻側極にある節前性副交感神経運動ニューロンの小群．これらの神経の軸索は動眼神経とともに脳を出て，瞳孔括約筋および毛様体筋を支配する毛様体神経節の神経細胞とシナプスする．この核，あるいはその遠心性線維の破壊は瞳孔の極度の麻痺性拡張を起こす．脳幹下部およびすべての脊髄レベルに線維を出していることも報告されている）.＝visceral nuclei of oculomotor nerve [TA].

emboliform n. 栓状核（歯状核と室頂核の間にある，小脳の中心白質内の小さな楔形の塊．小脳皮質中間域の Purkinje 細胞の軸索を受ける．この核の細胞の軸索は上小脳脚から小脳を出ていく）.＝n. emboliformis*; embolus (2).

n. emboliformis* 栓状核（emboliform n. の公式の別名）.

endolemniscal n. [TA]．毛帯内核（延髄内側毛帯の外側部にある少数の神経細胞体群で，ときには線維束の間に島状に割り込んでいることもある）.＝n. endolemniscalis [TA].

n. endolemniscalis [TA].＝endolemniscal n.

endopeduncular n. [TA]．脚内核（→dorsal hypothalamic *area*）.＝n. endopeduncularis [TA].

n. endopeduncularis [TA]．脚内核（→dorsal hypothalamic *area*）.＝endopeduncular n.

external cuneate n. ＝accessory cuneate n.

facial n. 顔面神経核（橋被蓋下部の前外側部にある運動ニューロン群で，顔面筋，中耳のあぶみ骨筋，顎二腹筋の後腹，茎突舌骨筋を支配している）.＝motor n. of facial nerve [TA]; n. nervi facialis [TA]; facial motor n.; n. facialis.

n. facialis ＝facial n.

facial motor n. ＝facial n.

n. fasciculi gracilis 薄束核．＝gracile n.

fastigial n. [TA]．室頂核（小脳核の中で最も内側にある核で，小脳皮質の虫部の白質中で正中線に近く，中位核の内方に位置する．虫部のあらゆる部分から Purkinje 細胞の軸索を受け，その主な線維は，前庭神経核，延髄網様体に向かう）.＝n. fastigii [TA]; n. medialis cerebelli*; fastigatum; n. tecti; roof n.; tectal nucleus.

n. fastigii [TA]．室頂核．＝fastigial n.

filiform n. ＝paraventricular n. [TA] of hypothalamus.

n. filiformis ＝paraventricular n. [TA] of hypothalamus.

n. funiculi cuneati ＝cuneate n.

n. funiculi gracilis ＝gracile n.

gametic n. ＝micronucleus (2).

n. gelatinosus ＝n. pulposus.

gelatinous n. ＝n. pulposus.

geniculatus lateralis n. →lateral geniculate *body*.

germ n. ＝micronucleus (2).

n. gigantocellularis medullae oblongatae [TA]．延髄巨大細胞核．＝gigantocellular n. of medulla oblongata.

gigantocellular n. of medulla oblongata [TA]．延髄巨大細胞核（脳幹網様体の中の主要な 3 つの核．その小さな腹内側部はアルファ部とよばれる）.＝n. gigantocellularis medullae oblongatae [TA].

n. globosus* 球状核（globosus n. の公式の別名）.

globosus n. 球状核（歯状核と室頂核の間にある 2 つの小脳核の 1 つ．小脳の中心白質にある 2－3 個の灰白質の小さな集合体．栓状核の内側にある．小脳皮質中間層の Purkinje 細胞の軸索を受け，上小脳脚を経て小脳から出ていく）.＝n. globosus*; spheric n.

n. of Goll（gol）．ゴル核．＝gracile n.

gonad n. ＝micronucleus (2).

gracile n. [TA]．薄束核（後索の 3 つの核のうち内側の核で，薄束結節に相当する．中心部，吻側部，背吻側下核に分かれる．他の 2 つは楔状束核および副楔状束核．下肢，下部体幹の知覚神経支配にあずかる後根線維を受け，内側毛帯を通じて視床の後腹側核へ線維を出す）.＝n. gracilis [TA]; n. fasciculi gracilis; n. funiculi gracilis; n. of Goll.

n. gracilis [TA]．薄束核．＝gracile n.

Gudden tegmental nuclei（gūd′en）．グッデン三叉神経核．＝tegmental nuclei.

gustatory n. 味核（→rhombencephalic gustatory n.; thalamic gustatory n.）.

habenular nuclei 手綱核（手綱の灰白質で，小型神経細胞からなる内側手綱核と，大型神経細胞からなる外側手綱核からなる．両核は，脳基底部（中隔，基底核，外側視索前核）からの神経線維を受ける．さらに外側手綱核は淡蒼球の内節からの線維も受けている．両核は反屈束を通じて脚間核および中脳被蓋の内側域へ線維を出す）.＝ganglion habenulae.

n. habenularis lateralis [TA]．外側手綱核（→habenular nuclei）.＝lateral habenular n.

n. habenularis medialis [TA]．内側手綱核（→habenular nuclei）.＝medial habenular n.

hypoglossal n. 舌下神経核（内舌筋および 5 個のうち 4 個の外舌筋を支配している運動神経核．延髄の中で，正中線に近く菱形窩の下陥凹の床のすぐ下に位置している）.＝n. nervi hypoglossi [TA]; n. of hypoglossal nerve [TA].

n. of hypoglossal nerve [TA]．舌下神経核．＝hypoglossal n.

nuclei of inferior colliculus [TA]．下丘核（下丘を形成している神経細胞群で中心核，外核，中心周囲核に分かれる）.＝nuclei colliculi inferioris [TA].

inferior olivary n. 下オリーブ核（多くの小さな密集した神経細胞で内側・外側副オリーブ核と主オリーブ核に分かれ，内方に向いた開口（門）をもった財布のような形のしわの深い灰白板をなしている．それはオリーブ内に位置し，オリーブ小脳路を通じて，対側の全小脳皮質に線維を出し小脳の登上線維の唯一の供給源であると考えられている．その求心性連絡は脊髄・歯状核・運動皮質からの線維によるが，最も重要な入力線維は中脳レベルの種々の核に始まる中心被蓋路からのもののようである）.＝n. olivaris inferior.

inferior salivary n. 下唾液核．＝inferior salivatory n.

inferior salivatory n. [TA]．下唾液核（延髄の網様体中に位置する副交感神経節前ニューロン群で，疑核の背側にある．この核の軸索は舌咽神経を通って脳を出て，耳神経節を介して耳下腺の分泌を支配している．上下唾液核の細胞は放散していて網様体の外側部では入り混ざっている）.＝n. salivatorius inferior [TA]; inferior salivary n.

inferior vestibular n. [TA]．前庭神経下核（→vestibular nuclei）.＝n. vestibularis inferior [TA].

intercalated n. [TA]．介在核（舌下核に対して外側に位置している延髄の神経細胞の小集合）.＝n. intercalatus [TA]; Staderini n.

n. intercalatus [TA]．介在核．＝intercalated n.

intermediolateral n. [TA]．中間外側核（脊髄の灰白質の側角を形成している神経細胞柱．第一胸髄から第二腰髄までのび，交感神経系の節前線維を出す自律神経性運動ニューロンを含む）.＝n. intermediolateralis [TA]; intermediolateral cell column of spinal cord.

n. intermediolateralis [TA]．中間外側核．＝intermediolateral n.

intermediomedial n. [TA]．中間内側核（脊髄の胸髄と上部の 2 つの腰髄にある胸髄核のすぐ腹方に位置する散在性の内臓運動ニューロンの小群．すべての脊髄レベルで内臓求心性線維を受けると考えられている）.＝n. intermediomedialis [TA].

n. intermediomedialis [TA]．中間内側核．＝intermediomedial n.

interpeduncular n. [TA]．脚間核（左右の大脳脚の間に

ある中脳被蓋基部の正中部で，対をなさない卵形の神経細胞群．手綱から反屈束を受け，中脳の縫線域(縫線核)および中心灰白質へ線維を出す)．＝n. interpeduncularis [TA]; ganglion isthmi; Gudden ganglion; intercrural ganglion; interpeduncular ganglion.

n. interpeduncularis [TA]．脚間核．＝interpeduncular n.

n. interpositus 中位核．＝interpositus n.

interpositus n. 中位核（小脳の球状核および栓状核の総称)．＝n. interpositus.

n. interpositus anterior [TA]．＝anterior interpositus n.

n. interpositus posterior [TA]．＝posterior interpositus n.

interstitial n. [TA]．間質核（上部中脳被蓋の背内側部で，Darkschewitsch 核のすぐ外側にある大きく広がった中型のニューロン群．Darkschewitsch 核とともに内側縦束と密接に関連し，それを介して前庭神経核から線維を受け，交叉線維が後交連を経て動眼神経核に達し，すべてのレベルの脊髄にも線維を送っている．頭と眼の運動，特に眼の垂直または斜め方向への運動の統合に関係していると思われている)．＝n. interstitialis [TA]; interstitial n. of Cajal.

interstitial amygdaloid n. [TA]．間質扁桃体核（→amygdaloid *body*)．＝n. amygdalae interstitialis [TA].

interstitial nuclei of anterior hypothalamus [TA]．前視床下部間質核（→anterior hypothalamic *area*)．＝nuclei interstitiales hypothalami anterioris [TA].

interstitial n. of Cajal (kah-hahl′)．カハル間質核．＝interstitial n.

n. interstitiales fasciculi longitudinalis medialis [TA]．＝interstitial n. of medial longitudinal fasciculus.

nuclei interstitiales hypothalami anterioris [TA]．前視床下部間質核（→anterior hypothalamic *area*)．＝interstitial nuclei of anterior hypothalamus.

n. interstitialis [TA]．間質核．＝interstitial n.

interstitial n. of medial longitudinal fasciculus [TA]．内側縦束の間質核（中脳動眼神経核領域の内側縦束に隣接する小細胞群で，動眼神経や滑車神経との連絡により眼球運動に関与する．主として同側性であるが一部対側へ行くものもある)．＝n. interstitiales fasciculi longitudinalis medialis [TA].

nuclei intralaminares thalami [TA]．視床髄板内核．＝intralaminar nuclei of thalamus.

intralaminar nuclei of thalamus [TA]．視床髄板内核（視床内髄板の中にある数個の細胞群の包括名称．すなわち中心外側核，中心傍核，中心内側核，中心正中核，索傍核．はじめの2核は大脳皮質，脳幹，網様体，小脳，脊髄からの線維を受け前頭葉，頭頂葉の広い範囲に投射する．中心正中核は淡蒼球，運動皮質からの線維を受け線条体や運動皮質に投射する．→centromedian n.)．＝nuclei intralaminares thalami [TA].

Klein-Gumprecht shadow nuclei (klīn gŭm′prekt)．クレーン－グンプレヒト陰影核（白血病における変性したリンパ球様細胞および大リンパ球の陰影核)．

lateral n. [TA]．〔視索副核の〕外側核（→accessory nuclei of optic tract)．＝n. lateralis [TA].

lateral amygdaloid n. [TA]．外側扁桃体核（→amygdaloid *body*)．＝n. amygdalae lateralis [TA].

lateral cervical n. [TA]．外側頸核（C1からC3の頸髄側索の背側にみられる散在性の核．脊髄頸視床路の中継点をなす)．

lateral cuneate n. ＝accessory cuneate n.

lateral dorsal n. [TA]．背外側核（→dorsal n. of thalamus)．＝n. dorsalis lateralis [TA].

lateral geniculate n. 外側膝状体核（→dorsal lateral geniculate n.)．

n. of lateral geniculate body 外側膝状体核（→dorsal lateral geniculate n.)．

lateral habenular n. [TA]．外側手綱核（→habenular nuclei)．＝n. habenularis lateralis [TA].

n. lateralis [TA]．〔視索副核の〕外側核（→accessory nuclei of optic tract)．＝lateral n.

n. lateralis cerebelli* 小脳外側核（dentate n. of cerebellum の公式の別名)．

n. lateralis corporis trapezoidei [TA]．台形体外側核（→nuclei of trapezoid body)．＝lateral n. of trapezoid body.

n. lateralis medullae oblongatae〔延髄〕外側核．＝lateral reticular n.

n. lateralis posterior [TA]．後外側核（→dorsal n. of thalamus)．＝lateral posterior n.

nuclei of lateral lemniscus [TA]．外側毛帯核（外側毛帯の下丘への入り口のすぐ下にある密集した細胞群で外側毛帯後核，外側毛帯中間核，外側毛帯前核に区分される)．＝nuclei lemnisci lateralis [TA].

lateral n. of mammillary body [TA]．乳頭体外側核（→posterior hypothalamic *area*)．

lateral n. of medulla oblongata〔延髄〕側索核．＝lateral reticular n.

n. of the lateral olfactory tract [TA]．外側嗅路核（→amygdaloid *body*)．＝n. tractus olfactorii lateralis [TA].

lateral parabrachial n. 外側脚傍核（橋吻側部で上小脳脚の外側にある細胞群で，外側部，内側部，後部，前部に分かれている．→parabrachial nuclei)．＝n. parabrachialis lateralis [TA].

lateral pericuneate n. [TA]．外側楔状束周囲核（楔状束核の前外側にある小細胞群で，楔状束，副楔状束核，三叉神経脊髄路の中に割り込んでいる)．＝n. pericuneatus lateralis [TA].

lateral posterior n. [TA]．→dorsal n. of thalamus. ＝n. lateralis posterior [TA].

lateral preoptic n. [TA]．外側視索前核（視索前部の外側に散在する神経細胞群．→anterior hypothalamic *area*)．＝n. preopticus lateralis [TA].

lateral reticular n. 外側網様核（延髄の下オリーブ核と三叉神経脊髄路核との間にある細胞群で，大細胞部，貧細胞部，三叉神経下部に分けられ脊髄および運動皮質からの線維を受け小脳に投射する)．＝lateral n. of medulla oblongata; n.lateralis medullae oblongatae.

lateral septal n. [TA]．外側中隔核（→septal *area*)．

lateral superior olivary n. [TA]．外側上オリーブ核（→superior olivary n.)．＝n. olivaris superior lateralis [TA].

lateral n. of thalamus〔視床〕外側核（→dorsal n. of thalamus)．

lateral n. of trapezoid body [TA]．台形体外側核（→nuclei of trapezoid body)．＝n. lateralis corporis trapezoidei [TA].

lateral tuberal nuclei [TA]．〔視床〕外側隆起核（→intermediate hypothalamic *area*)

lateral vestibular n. [TA]．前庭神経外側核（→vestibular nuclei)．＝n. vestibularis lateralis [TA].

nuclei lemnisci lateralis [TA]．外側毛帯核．＝nuclei of lateral lemniscus.

n. of lens [TA]．水晶体核．＝n. lentis.

lentiform n., lenticular n. [TA]．レンズ核（大脳半球の中核をなす大きな円錐状の灰白質．円錐体の凸面をなす底部は外側と上方に向いているが，被殻によってつくられている．この被殻は尾状核とともに，小細胞性線条体を構成する．先端部は内側と下方に向き，大細胞性の淡蒼球からなる．レンズ核は視床と尾状核の腹外方にあり，内包によって分離されている．レンズ核は尾状核とともに線条体を形成する)．＝n. lentiformis [TA]; lenticula.

n. lentiformis [TA]．＝lentiform n.

n. lentis [TA]．水晶体核（眼のレンズの中心部あるいは内部の稠密部分)．＝n. of lens [TA].

n. of Luys (lū-ē′)．リュイ核．＝subthalamic n.

nuclei of mammillary body 乳頭体核（後視床下部域にある細胞群で大型細胞からなる外側核さらに大きい内側核，背側核，腹側核，乳頭体上核で構成される．最初の2核は中脳の腹側に隆起して乳頭体を形成している)．＝n. corporis mammillaris lateralis [TA]; n. corporis mammillaris medialis [TA]; nuclei corporis mammillaris.

n. masticatorius そしゃく神経核．＝motor n. of trigeminal nerve.

masticatory n. ＝motor n. of trigeminal nerve.

medial n. [TA]．〔視索副核の〕内側核（→accessory nuclei of optic tract). = n. medialis [TA].

medial accessory olivary n. [TA]. 内側副オリーブ核(オリーブ核の主部に対して内方に位置し，オリーブ核から分離した部分で，内側毛帯および錐体路の外側面に面している). = n. olivaris accessorius medialis [TA].

medial amygdaloid n. [TA]. 内側扁桃体核 (→amygdaloid *body*). = n. amygdalae medialis [TA].

medial central n. of thalamus〔視床〕中心内側核 (視床の視床間橋(中間質)内の小さい細胞群．内側髄板の正中部を占めており，左右の中心傍核の間にある). = n. medialis centralis thalami.

medial dorsal n. [TA] **of thalamus**〔視床〕背内側核(視床の背内側部にある大きな複合核群で運動野(Brodmann4野)・運動前野(Brodmann6野)の前方の前頭葉と相互連絡を交わしており嗅皮質や扁桃体からも線維を受けている．外側貧細胞部，内側大細胞部，大細胞部，髄板傍部からなる). = mediodorsal n.; n. medialis thalami; n. mediodorsalis.

nuclei mediales thalami [TA]. = medial nuclei of thalamus.

n. of medial field [TA]. 内側野核 (→nuclei of perizonal fields). = n. campi medialis [TA].

medial geniculate nuclei 内側膝状体核 (総体として内側膝状体という表層の隆起を形成する神経細胞．内側膝状体背側核，内側膝状体腹側核および小さな大細胞性内側核を含む．この細胞は聴覚皮質への聴覚情報の中継に携わっている). = nuclei corporis geniculati medialis [TA]; n. of medial geniculate body.

n. of medial geniculate body 内側膝状体核. = medial geniculate nuclei.

medial habenular n. [TA]. 内側手綱核 (→habenular nuclei). = n. habenularis medialis [TA].

n. medialis [TA].〔視索副核の〕内側核 (→accessory nuclei of optic tract). = medial n.

n. medialis centralis thalami〔視床〕中心内側核. = medial central n. of thalamus.

n. medialis cerebelli☆ 小脳内側核 (fastigial n. の公式の別名).

n. medialis corporis trapezoidei [TA]. 台形体内側核(→nuclei of trapezoid body). = medial n. of trapezoid body.

n. medialis magnocellularis 内側大細胞核 (→medial geniculate nuclei). = medial magnocellular n.

n. medialis thalami〔視床〕内側核. = medial dorsal n. [TA] of thalamus.

medial magnocellular n. 内側大細胞核 (→medial geniculate nuclei). = n. medialis magnocellularis.

medial parabrachial n. [TA]. 内側脚傍核 (橋吻側の上小脳脚(結合腕)の内側にある細胞群で，さらに内側部と外側部に分けられる.→parabrachial nuclei). = n. parabrachialis medialis [TA].

medial pericuneate n. [TA]. 内側楔状束周囲核 (楔状束核の前内側にある小細胞群で，核周囲の基質内に散在している). = n. pericuneatus medialis [TA].

medial preoptic n. [TA]. 内側視索前核 (視索前部の内側帯を形成する神経細胞群). = n. preopticus medialis [TA].

medial septal n. [TA]. 内側中隔核 (→septal *area*).

medial superior olivary n. [TA]. 内側上オリーブ核(→superior olivary n.). = n. olivaris superior medialis [TA].

medial nuclei of thalamus [TA]. 視床内側核 (視床にある背内側核(外側核もしくは乏細胞核，内側核もしくは大細胞核，髄板傍部)と腹内側核の総称). = nuclei mediales thalami [TA].

medial n. of trapezoid body [TA]. 台形体内側核 (→nuclei of trapezoid body). = n. medialis corporis trapezoidei [TA].

medial ventral n. [TA].〔視床〕腹内側核 (→medial nuclei of thalamus). = n. medioventralis [TA].

medial vestibular n. [TA]. 前庭神経内側核 (→vestibular nuclei). = n. vestibularis medialis [TA].

median preoptic n. [TA]. 正中視索前核 (→anterior hypothalamic *area*). = n. preopticus medianus [TA].

mediodorsal n. = medial dorsal n. [TA] of thalamus.

n. mediodorsalis = medial dorsal n. [TA] of thalamus.

n. medioventralis [TA].〔視床〕腹内側核 (→medial nuclei of thalamus). = medial ventral n.

mesencephalic n. of trigeminal nerve [TA]. 三叉神経中脳路核 (中脳の全長にわたって，中心灰白質の外縁の中やそれに沿ってのびている単極神経細胞の長く幅の狭い板．一次知覚性ニューロンが，末梢知覚神経節内ではなく中枢神経内に存在することが知られている唯一の例である．この末梢への軸索は三叉神経を通って一部側枝を三叉神経運動核へ送った後そしゃく筋で終わる). = n. mesencephalicus nervi trigemini [TA].

n. mesencephalicus nervi trigemini [TA]. = mesencephalic n. of trigeminal nerve.

Monakow n. (mō-nah′kof). モナーコヴ(モナーコフ)核. = accessory cuneate n.

motor nuclei 運動核. = nuclei of origin.

motor n. of facial nerve [TA]. = facial n.

n. motorius nervi trigemini [TA]. 三叉神経運動核. = motor n. of trigeminal nerve.

motor n. of trigeminal nerve [TA]. 三叉神経運動核(そしゃく筋(咬筋，側頭筋，内側および外側翼突筋)，鼓膜張筋，口蓋帆張筋を支配する運動性ニューロン群．上部橋被蓋で三叉神経の主知覚核の内方にある). = n. motorius nervi trigemini [TA]; masticatory n.; motor n. of trigeminus; n. masticatorius.

motor n. of trigeminus 三叉神経運動核. = motor n. of trigeminal nerve.

n. nervi abducentis [TA]. 外転神経核. = abducens n.

n. nervi accessorii [TA]. = n. of accessory nerve.

nuclei nervi cochlearis = nuclei cochleares.

n. nervi cranialis [TA]. = nuclei of cranial nerves.

n. nervi facialis [TA]. 顔面神経核. = facial n.

n. nervi hypoglossi [TA]. 舌下神経核. = hypoglossal n.

n. nervi oculomotorii [TA]. 動眼神経核. = oculomotor n.

n. nervi phrenici [TA]. = n. of phrenic nerve.

n. nervi trochlearis [TA]. 滑車神経核. = n. of trochlear nerve.

nuclei nervi vestibulocochlearis 内耳神経核. = vestibulocochlear nuclei.

n. niger 黒核. = *substantia* nigra.

oculomotor n. 動眼神経核 (外側直筋および上斜筋を除き，上眼瞼挙筋を含むすべての外眼筋を支配している運動ニューロンの複合群．最も吻側の部分は Edinger-Westphal 核で，毛様体神経節を介して瞳孔括約筋，毛様体筋を支配している．動眼神経核は中脳の上半分にあり，正中線の近くで中心灰白質の最も腹側部に位置を占め，内側縦束の線維はその外側縁をなしている). = n. nervi oculomotorii [TA]; n. of oculomotor nerve [TA].

n. of oculomotor nerve [TA]. = oculomotor n.

n. olfactorius anterior [TA]. = anterior olfactory n.

n. olivaris accessorius medialis [TA]. 内側副オリーブ核. = medial accessory olivary n.

n. olivaris accessorius posterior [TA]. = dorsal accessory olivary n.

n. olivaris inferior 下オリーブ核. = inferior olivary n.

n. olivaris principalis [TA]. = principal olivary n.

n. olivaris superior [TA]. = superior olivary n.

n. olivaris superior lateralis [TA]. 外側上オリーブ核(→superior olivary n.). = lateral superior olivary n.

n. olivaris superior medialis [TA]. 内側上オリーブ核(→superior olivary n.). = medial superior olivary n.

Onuf n. (ō′nūf) [Onufrowicz Wladislaus. スイスの解剖学者]. オヌフ核 (第二仙骨神経が派出する脊髄前角にみられる運動ニューロンの小群で，膀胱直腸括約筋すなわち外肛門括約筋と尿道括約筋を支配する．ネコ，イヌ，ヒトで認められている). = n. of pudendal nerve [TA].

oral pontine reticular n. [TA]. 吻側橋網様体核 (→reticular nuclei of pons). = n. reticularis pontis oralis [TA].

nuclei of origin 起始核 (脊髄および脳神経の運動神経線維の起始をなす運動ニューロンの集合で，脊髄では一続きの柱を，延髄や橋では不連続の柱を形成している). = n. originis [TA]; motor nuclei.

n. originis [TA]. 起始核. = nuclei of origin.

parabigeminal n. [TA]. 二丘体傍核（中脳外側の脊髄視床路線維束の中にある細胞体群で，下丘の腹外側で下丘と交通する）. = n. parabigeminalis [TA].

n. parabigeminalis [TA]. = parabigeminal n.

parabrachial nuclei [TA]. 傍小脳脚核（中脳下丘の高さおよびすぐ尾側の高さで上小脳脚に接してみられる核. 孤束核から視床および視床下部に至る経路の中継核で，視床下部および扁桃体からの線維を受けている）. = nuclei parabrachiales [TA].

nuclei parabrachiales [TA]. 傍小脳脚核. = parabrachial nuclei.

n. parabrachialis lateralis [TA]. = lateral parabrachial n.

n. parabrachialis medialis [TA]. = medial parabrachial n.

n. paracentralis thalami [TA]. 視床中心傍核. = paracentral n. of thalamus.

paracentral n. of thalamus [TA]. 視床中心傍核（視床の髄板内核の1つで，外側中心核の内方にある）. = n. paracentralis thalami [TA].

paralemniscal n. [TA]. 毛帯傍核（→reticular nuclei of pons）. = n. paralemniscalis [TA].

n. paralemniscalis [TA]. 毛帯傍核（→reticular nuclei of pons）. = paralemniscal n.

paramedial reticular n. [TA]. 内側傍網様体核（→reticular nuclei of pons）.

paranigral n. [TA]. 黒質傍核（中脳腹内側部にある小細胞群で，黒質内側面と脚間核との間にある）. = n. paranigralis [TA].

n. paranigralis [TA]. = paranigral n.

parapeduncular n. [TA]. 〔中脳の〕脚傍核（→reticular nuclei of mesencephalon）. = n. parapeduncularis [TA].

n. parapeduncularis [TA]. 〔中脳の〕脚傍核（→reticular nuclei of mesencephalon）. = parapeduncular n.

paraventricular n. [TA]. 室傍核（→anterior hypothalamic *area*）.

paraventricular n. [TA] **of hypothalamus** 室傍核（視床下部の前半分の脳室周囲域にある大型神経細胞の三角形の集合. この核の細胞は，視索上核ときわめて類似している. 核中の細胞の約20％の軸索は，視索上核下垂体路の形成にあずかっている. したがって，下垂体の後葉と機能的に関連している. ここからの線維は脳幹の核(背側の運動核や孤束核)，胸部以下の脊髄の中間外側核などに達しており，また同様の下降自律神経線維は外側および後視床下部諸核からも出ている）. = filiform n.; n. filiformis; n. paraventricularis hypothalami.

n. paraventricularis hypothalami = paraventricular n. [TA] of hypothalamus.

pedunculopontine tegmental n. [TA]. 〔中脳の〕脚橋被蓋核（→reticular nuclei of mesencephalon）. = n. tegmentalis pedunculopontinus [TA].

n. pericuneatus lateralis [TA]. = lateral pericuneate n.

n. pericuneatus medialis [TA]. = medial pericuneate n.

perifornical n. [TA]. 脳弓傍核（→lateral hypothalamic *area*）. = n. perifornicalis [TA].

n. perifornicalis [TA]. 脳弓傍核. = perifornical n.

perihypoglossal nuclei [TA]. 舌下神経周囲核（舌下神経核に関連して第4脳室底にある核. 前置核・介在核・Roller の核を含む語）.

nuclei periolivares [TA]. オリーブ傍核（→superior olivary n.）. = periolivary nuclei.

periolivary nuclei [TA]. オリーブ傍核（→superior olivary n.）. = nuclei periolivares [TA].

peripeduncular n. [TA]. 脚周囲核（大脳脚の背外側面に帽子様にかぶさる小細胞群で，この細胞はアセチルコリンエステラーゼ陽性といわれている）. = n. peripeduncularis [TA].

n. peripeduncularis [TA]. = peripeduncular n.

peritrigeminal n. [TA]. 三叉傍核（主に三叉神経脊髄路線維束の外側面にある小細胞群で，ときには閂の位置もしくはその尾方で線維の間に散らばっていることもある）. = n. peritrigeminalis [TA].

n. peritrigeminalis [TA]. = peritrigeminal n.

n. periventricularis posterior [TA]. 後室周囲核（→intermediate hypothalamic *area*）. = arcuate n. (1).

n. periventricularis ventralis [TA]. 前室周囲核（→anterior hypothalamic *area*）. = anterior periventricular n.

periventricular preoptic n. [TA]. 室周囲視索前核（→anterior hypothalamic *area*）. = n. preopticus periventricularis [TA].

nuclei of perizonal fields [TA]. 不確帯傍野核（淡蒼球を出る線維に沿ってまたは線維束に割り込んで存在する小細胞群で，レンズ束(腹側野核・H_2野核)，赤核前野(内側野核・H野核)，視床束(背側野核・H_1野核)を形成する. →*fields* of Forel）. = nuclei camporum perizonalium [TA].

Perlia n. (pěr′lē-ah). ペルリア核（動眼神経核の体細胞柱間に位置している小さな細胞集団. この核が左右の内側直筋を支配する運動ニューロン群の間にあることから，眼の輻輳のための統合機構にあずかっていると考えられている）. = convergence n. of Perlia; Spitzka n.

phenanthrene n. フェナンスレン(フェナントレン)核（四環性ステロイド核に対して用いる誤称）.

phrenic n.* 横隔神経核（n. of phrenic nerve の公式の別名）.

n. of phrenic nerve [TA]. 横隔神経核（頸髄 C3—C7 の前角内側にある細胞群で，横隔神経を出して横隔膜を支配する. →phrenic n.）. = n. nervi phrenici [TA]; phrenic n.*.

pontine nuclei [TA]. 橋核（橋底に充満する多数の独立核からなる巨大灰白質. どの核もそろって同じ構成で，中小脳脚を経て対側の小脳に投射し，皮質橋路(橋縦束)を経て大脳新皮質の広い範囲から入射するので，結局は大脳半球皮質から対側小脳の後葉への情報伝達の重要な中継点となっている. 橋核は前核，外側核，正中核，正中傍核，脚核，外側後核，背外側核，後内側核からなる. 橋被蓋網様核は橋被蓋と橋底部とを結ぶ位置にあるので，ときには橋核群に含められることもある）. = nuclei pontis [TA]; pontine gray matter.

nuclei pontis [TA]. 橋核. = pontine nuclei.

pontobulbar n. [TA]. 橋延髄核（延髄中位から吻端の索状体後外側にある不規則に散在する細胞群で，延髄橋移行部で索状体腹内側に近付くにつれて広がる. 細胞は底側橋核のものに似ている）. = n. pontobulbaris [TA].

n. pontobulbaris [TA]. = pontobulbar n.

n. posterior [TA]. 〔視索副核の〕後核（→accessory nuclei of optic tract）. = posterior n.

posterior n. [TA]. 〔視索副核の〕後核（→accessory nuclei of optic tract）. = n. posterior [TA].

posterior accessory olivary n. [TA]. = dorsal accessory olivary n.

n. of posterior commissure [TA]. 後交連核（中脳間脳移行部の後交連に隣接する細胞群で，腹側部，背側部，中間部に分かれる）. = n. commissurae posterioris [TA].

n. posterior hypothalami [TA]. 〔視床下部〕後核. = posterior hypothalamic n.

posterior hypothalamic n. [TA]. 〔視床下部〕後核（乳頭体の背方に位置する大きな脳室周囲性の視床下部の核で，中脳の中心灰白質と続いている）. = n. posterior hypothalami [TA].

n. posterior hypothalamic [TA]. 視床下部後核. = posterior n. of hypothalamus.

posterior n. of hypothalamus [TA]. 視床下部後核（→posterior hypothalamic *area*）. = n. posterior hypothalamic [TA].

posterior interpositus n. [TA]. 後中位核（小脳の歯状核と室頂核の間にある核. →globosus n.）. = n. interpositus posterior [TA].

n. posterior nervi vagi [TA]. = posterior n. of vagus nerve.

posterior periventricular n. [TA]. 後室周囲核. = arcuate n. (2).

posterior thoracic n. [TA]. 後胸髄核（背核ともいう. 脊髄後柱の基部にある大きな神経細胞柱で，第一胸髄から第二胸髄までのびている. 後脊髄小脳路を同側に出す）. = n. thoracicus posterior [TA]; dorsal thoracic n.*; Clarke column; Clarke n.; Stilling column; Stilling n.

posterior n. of vagus nerve 迷走神経後核（第4脳室底の迷走神経三角(灰白翼)にある内臓運動性核．心筋，気道と消化管の腺，平滑筋を支配する迷走神経の副交感神経線維を出す）．＝n. posterior nervi vagi [TA]; n. dorsalis nervi vagi*; dorsal motor n. of vagus; dorsal n. of vagus; dorsal vagal n.; n. alae cinereae.

posterolateral n. [TA]．後外側核（→anterior *horn*）.

n. posterolateralis [TA]．後外側核（→anterior *horn*）.

posteromedial n. [TA]．後内側核（→anterior *horn*）.

n. posteromedialis [TA]．後内側核（→anterior *horn*）.

precommissural septal n. [TA]．交連前中隔核（透明中隔底の前交連の吻側に垂直に並ぶ細胞群）．＝n. septalis precommissuralis [TA].

pregeniculate n.* 膝前核（ventral lateral geniculate n. の公式の別名）.

n. premammillaris dorsalis [TA]．背側乳頭体前核．＝dorsal premammillary n.

n. premammillaris ventralis [TA]．腹側乳頭体前核．＝ventral premammillary n.

n. preopticus lateralis [TA]．外側視索前核．＝lateral preoptic n.

n. preopticus medialis [TA]．内側視索前核．＝medial preoptic n.

n. preopticus medianus [TA]．正中視索前核（→anterior hypothalamic *area*）．＝median preoptic n.

n. preopticus periventricularis [TA]．室周囲視索前核（→anterior hypothalamic *area*）．＝periventricular preoptic n.

prerubral n. 赤核前核（H_2 野の灰白質．→*fields* of Forel）.

pretectal nuclei [TA]．被蓋前核（中脳上丘吻部側の被蓋前野にある数個の副核をなす細胞集団で，網膜神経節細胞から視索を経て刺激を受け取り両側の Edinger-Westphal 核に投射する瞳孔反射の中継核となっている．被蓋前核は前被蓋前核・オリーブ被蓋前核・後被蓋前核からなる．視索核は通常被蓋前核の１つとみなされている）．＝nuclei pretectales [TA].

nuclei pretectales [TA]．＝pretectal nuclei.

n. principalis nervi trigemini [TA]．＝principal sensory n. of trigeminal nerve.

principal olivary n. [TA]．主オリーブ核（下オリーブ核複合体の最大部分で，波型の細胞層からなり背側板・腹側板とこれらを連結する外側板からなる．この細胞層の内側に向いた開口がオリーブ核門である）．＝n. olivaris principalis [TA].

principal sensory n. of trigeminal nerve [TA]．三叉神経主知覚核（一般に三叉神経橋核をさす．三叉神経運動核の外側の橋にあり感覚性線維を受けて視床の後内側腹側核に投射する）．＝n. principalis nervi trigemini [TA]; n. sensorius superior nervi trigemini; principal sensory n. of the trigeminus.

principal sensory n. of the trigeminus ＝principal sensory n. of trigeminal nerve.

n. of pudendal nerve [TA]．＝Onuf n.

n. pulposus [TA]．髄核（椎間板の中心にある軟らかい線維軟骨で，脊索の誘導物とみなされている）．＝gelatinous n.; n. gelatinosus; vertebral pulp.

pulvinar nuclei [TA]．視床枕核（外側視床核群の尾側の大きな部分で細胞構築や連絡の様子から4群に分けられる．すなわち前視床枕核，下視床枕核外側視床枕核，内側視床枕核である．機能的には視覚系に関係する）．＝nuclei pulvinares [TA].

nuclei pulvinares [TA]．＝pulvinar nuclei.

n. pyramidalis n. olivaris accessorius medialis を表す，現在では用いられない語．

pyrrole n. ピロール核（ポルフィリンについては環状テトラピロール，すなわち4個のピロール基が一方の α(2)位と他方の α′(5)位とで -CH=(メチリジン)橋で連結した環状構造で，第4番目のピロールは第1番目と連結している．→porphin; porphyrin）.

raphe nuclei [TA]．縫線核（正中面上またはこれに沿って存在する種々の細胞群の包括名称．延髄正中面には不鮮明縫線核，淡蒼球縫線核，大縫線核尾部，橋正中面には大縫線核吻側部，橋縫線核，正中縫線核，後縫線核尾部，中脳正中面には後縫線核吻側部，下線状核，中間線状核，上線状核がある．上被蓋中心核以外はインドラミン伝達物質セロトニンをもつことを特徴とするニューロンを含む．このセロトニン性軸索は視床下部，中隔，海馬，帯状回吻側にのび，脳幹，小脳，脊髄にも連絡する）．＝nuclei raphes [TA].

nuclei raphes [TA]．縫線核．＝raphe nuclei.

red n. 赤核（中脳被蓋の前方に位置し，新鮮脳では赤灰色の，大きな，やや細長い，明瞭な輪郭をした神経細胞群で，尾側の大細胞部，吻側の貧細胞部，小さい背内側部からなる．上小脳脚を通じて対側の小脳から多くの線維を受け，さらに同側の運動皮質からも線維を受ける．前介在核や運動皮質から赤核への投射は局在性を示す．対側の菱脳網様体や脊髄へ，赤核延髄路および赤核脊髄路を経て線維を出す．赤核脊髄路線維も局在性に発している）．＝n. ruber [TA].

reduction n. 退縮核（受精に付随する変化の過程で細胞内で退化する細胞核）.

reproductive n. 生殖核．＝micronucleus (2).

reticular nuclei of the brainstem 脳幹網様〔体〕核（延髄，橋，中脳の網様体の灰白質を構成する，不明瞭な輪郭をした神経細胞群．一般に，大型細胞域は，網様体の内側 2/3（例えば，延髄巨大細胞核，尾側橋被蓋核，吻側橋被蓋核）を占める．外側と傍正中部に網様体核の小さな群があり，外側核は知覚線維の一部を受け内側に線維を出し，傍正中網様体は大部分が小脳に線維を出す．→reticular *formation*）.

n. reticulares medullae oblongatae [TA]．＝reticular nuclei of medulla oblongata.

nuclei reticulares mesencephali [TA]．＝reticular nuclei of mesencephalon.

nuclei reticulares pontis [TA]．＝reticular nuclei of pons.

n. reticularis pontis caudalis [TA]．尾側橋網様体核（→reticular nuclei of pons）．＝caudal pontine reticular n.

n. reticularis pontis oralis [TA]．吻側橋網様体核（→reticular nuclei of pons）．＝oral pontine reticular n.

n. reticularis tegmenti pontis [TA]．→reticular nuclei of pons.

n. reticularis thalami [TA]．〔視床〕網様〔体〕核．＝reticular n. of thalamus.

reticular nuclei of medulla oblongata [TA]．延髄の網様体核（延髄両半それぞれのほぼ中央に集まるように存在する細胞群で，境界は不鮮明だが連絡関係はかなり明らかにされている．それらは巨細胞網様体核とその腹内側のアルファ部，前(腹側)巨細胞網様体核，外側巨細胞傍網様体核，舌下神経の束間核，中間網様体核，乏細胞網様体核，後(背側)巨細胞傍網様体核，内側網様体核である．中心網様体核は背側部と腹側部に分けられる．外側網様体核は腹外側にあって大細胞部，乏細胞部，三叉下部に分けられる．→reticular nuclei of the brainstem）．＝n. reticulares medullae oblongatae [TA].

reticular nuclei of mesencephalon [TA]．中脳の網様体核（中脳被蓋の後内側に散在する細胞群．楔状核，楔下核，脚傍核，脚橋被蓋核がある．最後のものはさらに緻密部と疎散部に分けられる）．＝nuclei reticulares mesencephali [TA].

reticular nuclei of pons [TA]．橋の網様体核（橋被蓋に存在する細胞群で，境界は不鮮明だが連絡関係はかなり明らかにされている．それらは尾側橋網様体核，吻側橋網様体核，毛帯傍核，正中傍核である．網様体被蓋核は橋の腹内側部にあり橋網様体複合体の一部で，ときに底側橋核とも連絡する）．＝nuclei reticulares pontis [TA].

reticular n. of thalamus [TA]．〔視床〕網様〔体〕核（視床の外側面，腹側面，および前極をおおっているかなり大きなニューロンの薄い層．この核を横断する視床脚の無数の神経線維束によって，網様の外観を呈している．大脳皮質から多くの神経線維を受け，下方に向かって視床内へ線維を出す）．＝n. reticularis thalami [TA].

retroposterior lateral n. →anterior *horn*.

n. reuniens [TA]．結合核（視床の正中部にある小細胞群で，左右視床間に癒着があるときはそこまで延びている）.

rhombencephalic gustatory n. 菱脳味覚核（孤束核の吻側 1/3 の部分で，味蕾を発したインパルスが顔面神経，舌咽神経，迷走神経を通って送られてくる）.

Roller n. (rol′ĕr). ローラー核（①副神経の外側核．②＝subhypoglossal n.）．

roof n. 室頂核．＝fastigial n.

n. ruber [TA]．赤核．＝red n.

n. saguli [TA]．＝sagulum n.

sagulum n. [TA]．外被核（外側毛帯と下丘尾側の中脳外側面との間にある細胞体群で，聴覚に関係する核）．＝n. saguli [TA]．

n. salivatorius inferior [TA]．下唾液核．＝inferior salivatory n.

n. salivatorius superior [TA]．上唾液核．＝superior salivatory n.

Schwalbe n. (shwahl′bĕ)．シュヴァルベ核（→vestibular nuclei）．

secondary sensory nuclei ＝terminal n.

segmentation n. 分裂核（①卵細胞と精子細胞の核，あるいは雄性前核と雌性前核の接合によって形成される受精卵中にある複合核．②第一卵割に進んでからの接合子核）．

semilunar n. of Flechsig (flek′sig)．フレクシッヒ半月核．＝arcuate n. of thalamus.

n. sensorius superior nervi trigemini ＝principal sensory n. of trigeminal nerve.

sensory nuclei 感覚核，知覚核（末梢からの求心性情報を受け取る細胞体の集団．[注]臨床領域では知覚核とすることが多く，神経科学・解剖学では感覚核が採用されている）．

n. septalis precommissuralis [TA]．＝precommissural septal n.

septofimbrial n. [TA]．→septal *area*.

shadow n. 陰影核（色素と被染色性を失った核）．

sole nuclei 足底核（筋神経接合部の骨格筋線維の核の集積）．

nuclei of solitary tract 孤束核（延髄背側を矢状方向に走る細い細胞柱で，菱形窩底の下で境界溝のすぐ外側にある．小さい独立核の集まりで一括していえば脳幹の内臓求心性の核であって迷走神経，舌咽神経，顔面神経からの線維が孤束を経てはいってくる．この核の尾方 2/3 は咽頭，喉頭，腸，気道，心臓，大血管からの投射を受け，吻側 1/3 は味蕾からの投射を受けるので菱脳味覚核として知られている．孤束核は孤束傍核，交連核，膠様孤束核，中間孤束核，間質孤束核，内側孤束核，交連傍孤束核，後孤束核，後外側孤束核，前孤束核，前外側孤束核からなる）．＝nuclei tractus solitarii [TA]．

somatic n. ＝macronucleus (2).

somatic motor nuclei 体性運動核（以下のような筋群を支配する運動神経の核の包括名称．舌筋群（舌下神経），外眼筋（外転神経，滑車神経，動眼神経），胸鎖乳突筋と僧帽筋（副神経），身体骨格筋（脊髄神経前根））．

special visceral efferent nuclei ＝branchiomotor nuclei.

special visceral motor nuclei ＝branchiomotor nuclei.

sperm n. 精子核（精子の頭部に存在する核で，卵子内にはいった後は雄性前核となる．→pronucleus）．

spheric n. 球状核．＝globosus n.

n. spinalis nervi trigemini [TA]．＝spinal n. of trigeminal nerve.

spinal trigeminal n. 三叉神経脊髄路核（→spinal n. of trigeminal nerve）．

spinal n. of trigeminal nerve [TA]．三叉神経脊髄路核（橋の三叉神経主感覚核（三叉神経橋核）下端から下方に伸びる感覚性神経核で，菱脳外側部を通って第１－３頸髄の後角に至る．神経核の外側縁を下行する三叉神経脊髄路の感覚根からの神経線維とともに，VII，IX，X脳神経から少数の線維を受ける．同神経核は尾側部（尾部，尾側亜核），中間部（中間亜核），吻側部（吻側亜核）に区分される．尾側部は，辺縁部（辺縁亜核），膠様質（膠様亜核），大細胞部（大細胞亜核）から構成される）．＝n. spinalis nervi trigemini [TA]; descending n. of the trigeminus; spinal n. of the trigeminus.

spinal n. of the trigeminus 三叉神経脊髄路核．＝spinal n. of trigeminal nerve.

Spitzka n. (spits′kă)．スピッツカ核．＝Perlia n.

Staderini n. (stādĕr-ē′nē)．スタデリーニ核．＝intercalated n.

steroid n. ＝tetracyclic steroid n.

Stilling n. (stil′ing)．シュティリング核．＝posterior thoracic n.

subcaeruleus n. [TA]．青斑下核（青斑核の腹側にあるノルアドレナリン細胞の散在性の核）．

subcuneiform n. [TA]．〔中脳の〕楔下核（→reticular nuclei of mesencephalon）．＝n. subcuneiformis [TA]．

n. subcuneiformis [TA]．〔中脳の〕楔下核（→reticular nuclei of mesencephalon）．＝subcuneiform n.

subhypoglossal n. [TA]．舌下神経下核（舌下神経のすぐ腹側にある丸く広がった細胞群で，舌下神経周囲核の１つとみられる）．＝n. subhypoglossalis [TA]; Roller n. (2).

n. subhypoglossalis [TA]．＝subhypoglossal n.

subparabrachial n. [TA]．脚傍下核（内外側の脚傍核が境を接しているところの上小脳脚の腹側にある細胞群で，吻側ではやや外側寄りに位置している．→parabrachial nuclei）．＝n. subparabrachialis [TA]．

n. subparabrachialis [TA]．＝subparabrachial n.

subthalamic n. [TA]．視床下核（凸レンズ様の境界が明瞭な核で，内包の大脳脚部背面に接して視床下部の腹側に位置し，黒質のすぐ上方にある．淡蒼球および同側運動皮質の外節から局所性に多量の線維を受けている．視床の中心内側からの求心性小線維束は視床下核の吻側部に終わっている．視床下核からは淡蒼球の内外節・黒質の網様体部として少数は同側の大脳脚橋核へ投射している）．＝n. subthalamicus [TA]; corpus luysi; Luys body; n. of Luys.

n. subthalamicus [TA]．視床下核．＝subthalamic n.

superior central tegmental n. 上中心被蓋核（→raphe nuclei）．＝median raphe nucleus.

superior olivary n. [TA]．上オリーブ核（橋被蓋下方の腹外側にある境界鮮明な細胞群で台形体のすぐ背側にある．同側および対側の蝸牛神経核から投射を受け両側の外側毛帯に線維を送る．音源定位に大きくかかわる．外側上オリーブ核，内側上オリーブ核，オリーブ前核からなるが通常は内側核と外側核に分けられている）．＝n. olivaris superior [TA]; superior olivary complex☆.

superior salivary n. 上唾液核．＝superior salivatory n.

superior salivatory n. [TA]．上唾液核（下唾液核の上外方に位置している副交感神経節前ニューロン群．顔面神経，翼口蓋神経節，顎下神経節を介して，涙腺，舌下腺，顎下腺の分泌を支配する）．＝n. salivatorius superior [TA]; superior salivary n.

superior vestibular n. [TA]．前庭神経上核（→vestibular nuclei）．＝n. vestibularis superior [TA]．

suprachiasmatic n. [TA]．視交叉上核（→anterior hypothalamic *area*）．

n. suprachiasmaticus [TA]．視交叉上核（視交叉の背側に位置する小核．網膜からの情報を受け下垂体の神経分泌機能に影響を与える．概日リズムの調節とも密接に関係する．→anterior hypothalamic *area*）．

supralemniscal n. [TA]．毛帯上核（内側毛帯の背側にある小細胞群で，橋の中央から吻側にかけての腹側三叉神経視床路線維の間に割り込んでいる）．＝n. supralemniscalis [TA]．

n. supralemniscalis [TA]．＝supralemniscal n.

n. supramammillaris [TA]．乳頭体上核．＝supramammillary n.

supramammillary n. [TA]．乳頭体上核（→posterior hypothalamic *area*）．＝n. supramammillaris [TA]．

supraoptic n. [TA]．視索上核．＝supraoptic n. [TA] of hypothalamus.

supraoptic n. [TA] **of hypothalamus** 視床下部視索上核（視索の外縁上にある視床下部の大細胞性神経分泌核．視索上核下垂体路を出す．この神経細胞はバソプレッシンを生成するが，これは視索上核下垂体路で軸索末端から体循環系に放出される．この核は背外側部，背内側部，腹内側部に区別できる）．＝n. supraopticus [TA]; supraoptic n. [TA]．

n. supraopticus [TA]．視索上核．＝supraoptic n. [TA] of hypothalamus.

tectal n. ＝fastigial n.

n. tecti 視蓋核．＝fastigial n.

tegmental nuclei 被蓋核（中脳尾側から橋の吻側から中央にかけての部位にみられる神経細胞群の総称でその１つは

乳頭体脚や乳頭体被蓋路によって乳頭体核と関係をもっている．これらの核ニューロンにはアセチルコリンエステラーゼが豊富に含まれている．前被蓋核(腹側被蓋核)は三叉神経運動核の高さで内側縦束の近くの橋被蓋にある．後被蓋核(背側被蓋核)は橋吻側の中心灰色質にある．外側後被蓋核(背側後被蓋核)は大きな細胞群で一部は中心灰色質に一部はその腹外側の橋吻側にある．脚橋被蓋核は橋吻側と中脳尾部にあり緻密部と疎散部に分かれる)．=Gudden tegmental nuclei; nuclei tegmenti.

n. tegmentalis pedunculopontinus [TA]．〔中脳の〕脚橋被蓋核（→reticular nuclei of mesencephalon)．=pedunculopontine tegmental n.

nuclei tegmenti 被蓋核．=tegmental nuclei.

terminal n., n. terminalis 終止核（脊髄および脳神経の求心性線維が終わる菱脳と脊髄の神経細胞群の総称)．=n. terminationis [TA]; secondary sensory nuclei.

n. terminationis [TA]．終止核．=terminal n.

tetracyclic steroid n. 四環性ステロイド核（ステロイドの骨格または親物質を形成する四融合環群)．=perhydrocyclopenta[*a*]phenanthrene; steroid n.

thalamic gustatory n. =arcuate n. of thalamus.

n. thoracicus posterior [TA]．後胸髄核．=posterior thoracic n.

n. tractus olfactorii lateralis [TA]．外側嗅路核．=n. of the lateral olfactory tract.

nuclei tractus solitarii [TA]．孤束核．=nuclei of solitary tract.

nuclei of trapezoid body [TA]．台形体核（台形体にある小細胞群で，台形体外側核，内側核，前(腹側)核がある．聴覚の中継核とみられる)．=nuclei corporis trapezoidei [TA].

triangular n. 三角核（medial vestibular n. に対する別名)．

triangular n. of septum [TA]．→septal *area*.

trochlear n. 滑車神経核．=n. of trochlear nerve.

n. of trochlear nerve 滑車神経核（反対側の眼の上斜筋を支配している運動ニューロン群．中脳の下半分にあり，動眼神経核より下方で正中線に近く，中心灰白質の最も腹側の部分に位置している)．=n. nervi trochlearis [TA]; trochlear n.

trophic n. 栄養核．=macronucleus (2).

tuberal nuclei 隆起核（灰白隆起の表層で，外側視床下部域に存在する 2，3 個の有髄線維に包まれた小さな円形または卵形の神経細胞集団．線維結合および機能的意義は不明)．=nuclei tuberales laterales [TA].

nuclei tuberales laterales [TA]．外側隆起核．=tuberal nuclei.

n. tuberomammillaris [TA]．隆起乳頭体核．=tuberomammillary n.

tuberomammillary n. [TA]．隆起乳頭体核（→lateral hypothalamic *area*)．=n. tuberomammillaris [TA].

ventral anterior n. [TA] **of thalamus**〔視床〕前腹側核（腹側核の中で最も前方に位置し，淡蒼球からの線維を受けて前運動皮質と前頭皮質へ線維を出す．この核は大細胞部と主部に分けることができる)．=n. ventralis anterior [TA].

nuclei ventrales thalami [TA]．=ventral nuclei of thalamus.

n. of ventral field [TA]．腹側野核（→nuclei of perizonal fields)．=n. campi ventralis [TA].

ventral intermediate n. [TA] **of thalamus**〔視床〕中間腹側核（腹側核の中間 1/3 の複合体で，対側小脳(上小脳脚を通じて)と同側の淡蒼球から特殊の線維を受ける．運動皮質へ線維を出す)．=n. ventralis intermedius [TA]; n. ventralis lateralis; ventral lateral n. of thalamus.

n. ventralis [TA]．腹側主核（→medial geniculate nuclei)．=ventral principal n.

n. ventralis anterior [TA]．〔視床〕前腹側核．=ventral anterior n. [TA] of thalamus.

n. ventralis corporis geniculi lateralis [TA]．=ventral lateral geniculate n.

n. ventralis intermedius [TA]．〔視床〕中間腹側核．=ventral intermediate n. [TA] of thalamus.

n. ventralis lateralis〔視床〕外側腹側核．=ventral intermediate n. [TA] of thalamus.

n. ventralis posterior intermedius thalami〔視床〕後中間腹側核（後腹側核複合体の中間部．→ventral posterior n. of thalamus)．=ventral posterior intermediate n. of thalamus.

n. ventralis posterior thalami〔視床〕後腹側核．=ventrobasal *complex*.

n. ventralis posterolateralis [TA]．〔視床〕後外側腹側核．=ventral posterolateral n. [TA] of thalamus.

n. ventralis posteromedialis [TA]．〔視床〕後内側腹側核．=ventral posteromedial n. [TA] of thalamus.

ventral lateral geniculate n. [TA]．腹外側膝状体核（背外側膝状体核の吻側にある小細胞群)．=n. ventralis corporis geniculi lateralis [TA]; pregeniculate n.*.

ventral lateral n. of thalamus〔視床〕外側腹側核．=ventral intermediate n. [TA] of thalamus.

ventral posterior intermediate n. of thalamus →ventral posterior n. of thalamus. =n. ventralis posterior intermedius thalami.

ventral posterior n. of thalamus〔視床〕後腹側核（→ventrobasal *complex*).

ventral posterolateral n. [TA] **of thalamus, ventral posterior lateral n. of thalamus**〔視床〕後外側腹側核（腹側基底核群の外側部．→ventrobasal *complex*)．=n. ventralis posterolateralis [TA].

ventral posteromedial n. [TA] **of thalamus, posterior medial n. of thalamus**〔視床〕後内側腹側核（腹側基底核群の内側部．→ventrobasal *complex*)．=n. ventralis posteromedialis [TA].

ventral premammillary n. [TA]．腹側乳頭体前核（→posterior hypothalamic *area*)．=n. premammillaris ventralis [TA].

ventral principal n. [TA]．腹側主核（→medial geniculate nuclei)．=n. ventralis [TA].

ventral nuclei of thalamus [TA]．〔視床〕腹側核（大きな複合性神経細胞集団で，この核の境は視床の前方の境と同様に腹方の境や外方の境の大半を形成している．間脳のこの広い範囲を占める核は前腹側核，外側腹側核，内側腹側核，中間腹側核，腹側底核，下後腹側核，貧細胞腹側後核である．前部，中間部，後部に分かれる)．=nuclei ventrales thalami [TA].

ventral tier thalamic nuclei 視床核腹側列，腹側層視床核（前腹側核，外側核，後外側核，後内側核，内側膝状体，外側膝状体など，外側核群の腹側部にある核の総称．基底腹側核複合体が視床核腹側列の尾部を形成する)．

ventral n. of trapezoid body 台形体腹側核（聴覚伝導路の主な交差部位である台形体の線維中に埋没した神経細胞群で，橋の下部にある．反対側の蝸牛核からの線維を受けており，上行性聴覚系つまり外側毛帯に線維を送っている)．

ventrobasal nuclei (complex) [TA]．腹底側核．=ventrobasal *complex*.

nuclei ventrobasales [TA]．腹底側核．=ventrobasal *complex*.

ventrolateral n. [TA]．腹外側核（→anterior *horn*)．

ventromedial n. [TA]．〔視床〕腹内側核（→intermediate hypothalamic *area*)．

ventromedial n. of hypothalamus [TA]．〔視床下部〕腹内側核（視床下部の隆起部の内側部にある小神経細胞からなる境界がはっきりした卵形の核．ラットでこの核を両側破壊すると強度の肥満症になる．分界条を通じて扁桃体から多くの線維を受ける．その遠心性連絡は不明である)．=n. ventromedialis hypothalami [TA].

n. ventromedialis hypothalami [TA]．〔視床下部〕腹内側核（→intermediate hypothalamic *area*)．=ventromedial n. of hypothalamus.

vestibular nuclei [TA]．前庭神経核（後脳外側の菱形窩底にある 4 つの主要な核からなる神経細胞群．すなわち下前庭核，内側前庭核(Schwalbe 核)，外側前庭核(Deiters 核)，上前庭核(Bechterew 核)である．下前庭核には大きな細胞からなる大細胞部またはＦ群が尾方にある．中間の大きさの神経細胞が外側前庭核の外側部にあって貧細胞部またはＩ群といわれる．前庭神経からの入力線維を受けており，室頂核および小脳の片葉小節葉と相互に結合し，また，内側縦束を経て，外転神経核，滑車神経核と動眼神経核，脊髄の前角へ線維を出す．前庭神経外側核は前庭脊髄路を介して，脊髄の前角へ同側性に線維を出す）．＝nuclei vestibulares［TA］．

nuclei vestibulares［TA］．前庭神経核．＝vestibular nuclei.

n. vestibularis inferior［TA］．⇀vestibular nuclei. ＝inferior vestibular n.

n. vestibularis lateralis［TA］．⇀vestibular nuclei. ＝lateral vestibular n.

n. vestibularis medialis［TA］．前庭神経内側核（⇀vestibular nuclei）．＝medial vestibular n.

n. vestibularis superior［TA］．⇀vestibular nuclei. ＝superior vestibular n.

vestibulocochlear nuclei 内耳神経核（脳幹にあり前庭神経核と蝸牛神経核の両者を一緒にした名称．第八脳神経の入力線維を受けている．⇀vestibular nuclei）．＝nuclei nervi vestibulocochlearis.

nuclei viscerales nervi oculomotorii 動眼神経内臓核（動眼神経の内臓運動核で，Edinger-Westphal 核ともよばれる．前内側核と後核（背側核）に分けられる．→Edinger-Westphal n.）．

visceral nuclei of oculomotor nerve［TA］．＝Edinger-Westphal n.

---

nu·clide (nū′klīd)．核種（明確な原子量，原子番号をもった特定の（原子の）核の種類．→isotope）．

Nu·el (nē-el′), Jean Pierre. ベルギー人眼科・耳科医，1847—1920. ⇀N. *space*.

NUG necrotizing ulcerative *gingivitis* の略．

Nuhn (nūn), Anton. ドイツ人解剖学者，1814—1889. ⇀N. *gland*.

nul·li·grav·i·da (nŭl-i-grav′i-dă)［L. *nullus*, none＋*gravida*, pregnant］．未妊婦（妊娠したことのない女性）．

nul·lip·a·ra (nŭ-lip′ă-ră)［L. *nullus*, none＋*pario*, to bear］．未産婦（子供を産んだことのない女性）．

nul·li·par·i·ty (nŭl′i-par′i-tē)．未〔経〕産．

nul·lip·a·rous (nŭl-ip′ă-rŭs)．未〔経〕産の．＝nonparous.

num·ber (nŭm′bĕr)．番号，数（①ある値を示す，あるいは数値を決める特殊な量の記号．②一連のものの中で各個の位置付け）．

atomic n. (**Z**) 原子番号（原子の原子核中の陽子の数．周期系中の元素の位置を示す）．

Avogadro n. (*A*, N_A) (ah-vō-gahd′rō)［Amadeo *Avogadro*］．アヴォガドロ（アボガドロ）数（あらゆる化合物の１グラム分子量（１モル）中にある分子数．純粋な炭素 12 の 0.0120 kg 中の原子数で定義され，6.0221367×10^{23} に等しい）．＝Avogadro constant.

basic reproductive n. 基本再生産数（ある疾患に罹患した人から感染する平均人数．→transmission (2); virulence）．

Brinell hardness n. (**BHN**) (bri-nel′)．ブリネル硬度〔数〕（特定寸法（通常は直径 10 mm）の球体を特定の荷重で材料表面に押し付けた際生じた永久的圧痕の大きさに関係した数で，次式で示される．

$$\mathrm{BHN}=\frac{P}{\dfrac{\pi D}{2}\left(D-\sqrt{D^2-d^2}\right)}$$

P＝荷重(kg)，D＝球の直径(mm)，d＝圧痕の直径(mm)）．

CT n. CT 値（CT 画像において計算される各ピクセル（画素）ごとの正規化Ｘ線吸収係数．Hounsfield 単位で表わされ，空気の CT 値は −1,000，水は 0 である）．＝Hounsfield n.

electronic n. 価電子数（元素の最外軌道（原子価殻）にある電子の数）．

gold n. ＝gold *equivalent*.

Hehner n. (hā′nĕr)［Otto *Hehner*］．ヘーナー（ヘーネル）数（5 g のけん化脂肪または油から得られる不揮発性脂肪酸の重量，または百分率）．＝Hehner value.

Hogben n. (hog′ben)．ホグベン数（特異な個人識別数で，生年月日，性，出生地，その他の識別性状を一連の数字を用いて示すもの．英国の数学者 Lancelot Hogben によって考案され，その名前が付けられた．Hogben 数は多くのプライマリケア機関での識別数の基本となっており，多くの記録連動システムで用いられている）．

Hounsfield n. (hownz′fēld)．ハウンスフィールド値．＝CT n.

hydrogen n. 水素数（1g の脂肪が吸収する水素量．これは脂肪中の不飽和脂肪酸の量を表す．→iodine n.）．

iodine n. ヨウ素価，ヨード価（脂肪中の不飽和脂肪酸の含量を示す指数．脂肪 100 g が吸収するヨウ素のグラム数で表す．→hydrogen n.）．＝iodine value.

Kestenbaum n. (kes′tĕn-bahm)．ケステンバウム値（片眼を遮眼状態にして明所において測定した両眼の瞳孔間距離．両眼正常な神経支配の虹彩を有する患者での相対的求心性瞳孔反応欠如の指標）．

Knoop hardness n. (**KHN**) (nūp)．ヌープ（クノープ）硬さ（特定の寸法の角錐形ダイヤモンドに加えられた荷重(kg)を，圧痕の投影面積で除した数．$\mathrm{KHN}=L/A$，ここで A＝圧痕の投射面積(mm^2)，L＝荷重(kg)．これはいかなる物質の硬度の測定にも用いられるが，特に歯のぞうげ質やエナメル質のような非常に硬くてもろい物質に用いる）．

Koettstorfer n. (kŏt′stor-fĕr)［J. *Koettstorfer*］．＝saponification n.

linking n. (***L***) リンキング数，巻数（（二本鎖 DNA のような）長いバイオポリマーの性質で，（らせんの中心軸のまわりの回転頻度に関係した）回転数とねじれ数を加えたものに等しい）．

Loschmidt n. (n_0) (lō′shmidt)［Joseph *Loschmidt*］．ロシュミット数（0°C，１気圧における理想気体 1 cm^3 中の分子数．Avogadro 数を 22,414 で除した数（すなわち $2.6868\times10^{19}\ \mathrm{cm}^3$））．

Mach n. (mahk)．マッハ数（空気などの流体媒質中を動く物体の速さと，同じ媒質中の音速との比を示す数）．

mass n. 質量数（水素１（または炭素 12 の質量の 1/12）を基準とした特定の同位元素の原子量．通常，同位元素の原子核中の陽子と中性子の合計によって表される全数にきわめて近い値となる（同位元素の記号または名前に，例えば酸素 16（^{16}O）のように表示される）．天然に一定比で存在する一定数の同位元素からなる元素の原子量と混同しないこと）．

MIM n. MIM 番号（MIM システムにおけるメンデル形質の目録指定（㊟*Mendelian Inheritance in Man*(MIM)に登録・記載された番号）．もし最初の数字が１なら形質は常染色体優性，もし２なら常染色体劣性，もし３ならＸ連鎖と考えられる．本辞典に掲載された形質が MIM 番号をもっている場合は，すべて MIM 第 12 版の番号が星印付きまたは星印なしで角括弧の中に示される（星印は遺伝様式がわかっていることを示す．番号の前の記号♯は，その表現型が２つ以上の遺伝子の変異によることを意味する）．例えば，Pelizaeus-Merzbacter 病［MIM*169500］は，十分確立された常染色体優性，メンデル性疾患である）．

Reichert-Meissl n. (rī′kĕrt)．ライヘルト−マイスル数（脂肪の揮発性酸含量指数．けん化した後，酸を加えて脂肪酸を遊離させ，次いで蒸留した脂肪5g中の可溶性揮発性脂肪酸を中和する 0.1 ɴKOH の mL 数）．＝volatile fatty acid n.

Reynolds n. (ren′ŏldz)．レイノルズ数（血液などの流体が層流から乱流へ，あるいは逆に乱流から層流に変化するときの液体特性を表す無次元の数）．

saponification n. けん化価（脂肪1g のけん化に必要な KOH の mL 数．脂肪の平均分子量はけん化価に反比例するために，その測定値にほぼ近似する）．＝Koettstorfer n.

stoichiometric n. (ν) 化学量論数（規定された化学反応に含まれる反応物または生成物に関する数）．

thiocyanogen n. チオシアン数（100 g の脂肪に取り込まれるチオシアンのグラム数．ヨウ素数に類似するが，ヨウ素と異なり，チオシアンは多飽和脂肪酸のすべての二重結合には付加しない）．＝thiocyanogen value.

transport n. 輸率（溶液中の特定のイオンによって運ばれた全電流中の割合）．

turnover n. (k_{cat}) 代謝回転数（酵素１分子当たり，単位時間に飽和条件下，酵素触媒反応において生成物へ変換する基質分子の数（例えば $k_{cat}=V_{max}/[E_{total}]$））．

volatile fatty acid n. 揮発性脂肪酸数．＝Reichert-Meissl

n.

wave n. →wavenumber.

writhing n. ねじれ数（二本鎖DNAの軸が空間においてそれ自身と交叉する回数）.

number needed to harm 有害作用確認に必要な患者数（ある薬剤を日常治療目的で用いているとき，ある特定の有害事象を1件観察するのに必要な患者集団の人数．この言葉が用いられる文脈では，〝有害事象〟は，特定の薬剤が原因で生じる死亡または重大な障害や機能喪失を意味する）.

number needed to treat 治療作用確認に必要な患者数（ある臨床の治療レジメンにおいて，その投与の目的である合併症や有害な結果の予防を1件行うためにその治療法を受けなければならない患者集団の人数）.

numb·ness (nŭm′nes). しびれ〔感〕，麻痺，無感覚（感覚異常を表す不適切用語で，異常感覚に加えて感覚の消失や低下も含む）.

num·mi·form (nŭm′i-fōrm). ＝nummular.

num·mu·lar (nŭm′yū-lăr) [L. *nummulus*, small coin, *nummus*(coin) の指小辞]. ＝nummiform. ***1*** 貨幣状の（ある種の呼吸器疾患における濃い粘液性または粘液膿性の痰についていう．貨幣状湿疹にみられる病巣，あるいは，痰が水または透明な消毒薬のはいった痰コップの底で平たくなるとき，円板状を呈するためにこうよばれる）．***2*** 連銭状の（硬貨を積み重ねたように，赤血球の平面が互いに重なり合ってつくる連銭体状形態についていう）.

num·mu·la·tion (nŭm′yū-lā′shŭn). 連銭形成.

nun·na·tion (nŭ-nā′shŭn) [Ar. *nūn*, the letter n.]. 鼻声（他の子音に *n* 音をつける言語障害）.

nurse (ners) [O. Fr. *nourice* < L. *nutrix*, wet-nurse, nurse < *nutrio*, to sucke, to tend]. ***1*** 〖v.〗 授乳する，母乳で育てる．***2*** 〖v.〗 病人の看護をする．***3*** 〖n.〗 看護師（定められた教育基準のもとで看護学の教育を受け，病気ないし健康問題の診断および治療に関与する人）.

certified registered n. anesthetist (CRNA) 有資格公認麻酔看護師（麻酔施行の特別教育を受けた公認専門ナース．米国麻酔看護師協会によって承認されたプログラムによって資格が与えられる）.

charge n. 主任看護師，〔看護師〕責任者（特定の病棟で通常8時間単位で，業務の責任をもって勤務する看護師）．＝head n. (2).

clinical n. specialist 臨床専門看護師（少なくとも修士の学位を受け，腫瘍学や精神医学などの特定の医学分野の高度の教育を受けた登録看護師．通常，病院などの所定の臨床施設に雇われる）.

community n. 地域看護師．＝public health n.

community health n. 地域保健看護師，保健師．＝public health n.

dry n. 非授乳保育士（新生児に対し授乳以外のケアを行う女性．wet n. の対語）.

n. epidemiologist 疫学専門看護師（ある施設の依頼者群の院内感染の監視や予防の特別の教育を受けた公認ナース）．＝infection control n.

flight n. フライト看護師（飛行機で輸送中の人のケアをするナース）.

general duty n. 一般病棟看護師（集中治療室以外のすべての病棟の任務につくナース）.

graduate n. (GN) 学士看護師（看護大学などから学士の学位を受けたナース）.

head n. ***1*** 看護師長（ある特定の病棟で，24時間単位で業務の責任をもって勤務する看護師）．***2*** ＝charge n.

home health n. 家庭〔保健〕看護師（家庭の場で依頼人のケアを行うナース．定期的に家庭を回り，必要なケアを行い，また家族に必要なケアを教え，病人が家庭で過ごすことができるようにする）．＝visiting n.

hospital n. 病院看護師（病院で働く公認ナース）.

infection control n. 感染予防看護師．＝n. epidemiologist.

licensed practical n. (LPN) 免許准看護師，免許専修看護師（一定の実践(職業性)看護学校を卒業し，州の免許試験に合格し，州当局より免許を与えられた看護師．教育課程は通常，1年である）．＝licensed vocational n.

licensed vocational n. (LVN) 免許職業看護師．＝licensed practical n.

practical n. (PN) 付添看護師，准看護師，専修看護師（学士看護師や公認看護師より責任の少ない看護ケアができるような教育プログラムを受けた者）.

private n. ＝private duty n.

private duty n. 付添看護師（①病院職員ではなく，患者ないしは患者の家族によって雇われ，報酬を受けて患者のケアを行う看護師．②特殊の疾病，例えば，外科症例，結核，小児の疾病などの患者の世話を専門にする看護師）．＝private n.

public health n. (PHN) 保健師，公衆衛生看護師（施設以外の地域社会で，患者個人ないし集団に対しケアを提供する看護師．通常，州や市の保健局の援助によって仕事をする）．＝community health n.; community n.

registered n. (RN) 登録〔正〕看護師（一定の看護教育課程を卒業し，州の免許試験に合格し，州当局より免許を与えられ，登録されている看護師）.

school n. 学校看護師（学校または類似の施設で働くナース．通常，公認看護師である）.

scrub n. 手術室看護師，手洗い看護師（腕と手を手ブラシで洗浄し，無菌手袋を着け，通常，無菌ガウンを着て手術中の外科医に主に器具を手渡す看護師）.

special n. 特殊看護師（ある限られた特殊な仕事をするナース．公認ナースでも付添いナースでもよい．通常，private duty n. と同義）.

student n. (SN) 学生看護師（ある看護師資格が得られる教育を受けている学生．通常，公認ナースまたは付添いナース教育中の学生に用いる）.

visiting n. (VN) 訪問看護師．＝home health n.

wet n. 乳母（自分の子供ではない子供の授乳に従事する女性）.

nurse prac·ti·tion·er (NP) (ners prak-tish′ŭ-ner). ナースプラクティショナー（少なくとも看護学の修士の学位をもち，特定の患者のプライマリケアの高度の教育を受けた登録看護師．種々の場で独立して看護医療を行うことができる）.

nurs·ing (nŭrs′ing). ***1*** 保育（授乳したり，子供の世話をしたりすること）．***2*** 看護（疾病の予防や羅患率のケアに関連したケアの原理を科学的に応用すること）.

n. assignment 看護割当て，看護指示（患者のケアの仕事をケア担当看護者に割り振る方法）.

n. audit 看護監査（ある施設で病人に対し提供される看護ケアの質を評価するのに用いられる特定の方法）.

n. model 看護モデル（患者，患者の背景，健康または看護などについての考察をまとめるための枠組みを提供するのに役立つ一連の抄録および一般的な著述）.

n. plan of care 看護ケア計画(プラン)（看護ケアを実行する指示を与える記入された枠組み）.

n. process 看護プロセス，看護過程（5つの部分よりなる体系付けられた意志決定法で，実際の，あるいは可能性のある健康異常に対する個人または集団の反応を明らかにしたり治療するのに用いられる．アセスメント，看護診断，計画(プラニング)，実施，および評価よりなる．看護プロセスの第1段階はアセスメントで，面接，診察，および観察などの方法によりデータを収集することよりなる．客観的データと主観的データを集める必要がある．第2段階は看護診断で，実際の，あるいは可能性のある健康問題や生活に対する個人，家族，または地域看護についての臨床的な判断であり，ナースに責任のある効果を達成するための看護行為の選択の基礎となるものである(NANDA, 1990)．第3段階は計画で，患者のケアの結果の判断基準(クライテリア)の設立が必要になる．第4段階は実施(看護行為)で，この段階は期待されるケアの成果を達成するため患者に行われる諸活動の実践である．評価は第5段階で最終のものである．患者の状態を期待した成果と比べ，必要により成果に到達するようケアの計画を変更する）.

nurs·ing home (nŭrs′ing hōm). ナーシングホーム（入院を必要としないが，家庭では看護できない患者の療養のための回復期保養所または個人施設）.

Nuss·baum (nūs′bowm), Johann H.R.von. ドイツ人外科医，1829—1890.

nu·ta·tion (nū-tā′shŭn) [L. *annuo*, to nod]. 点頭（うなずく行為，特に不随意的なうなずき）.

nut·crack·er (nuht-krak′ĕr). ナットクラッカー，くるみ割

り（腹部大動脈と上腸間膜動脈との間を通過する際に，左腎静脈が解剖学的に圧迫されること，あるいは膵が鉤状に屈曲すること．→nutcracker *syndrome*）．

nut·gall (nŭt′gahl)．五倍子，没食子（ブナ科 *Quercus infectoria* およびときに他の *Quercus*属（オークの木）の種の瘤．ハエ *Cynips gallae tinctorae* の卵の産み付けによって生じる．タンニンを含んでいるため，収れん性，止血性がある）．＝gall (3); galla; oak apple.

nut·meg (nŭt′meg)．ニクズク（ニクズク科ニクズクノキ *Myristica fragrans* の熟した種子を乾燥し，種皮と仮種皮を取り除いたもの．芳香性刺激物質，駆風薬，調味料で，揮発性ニクズク搾油の原料．ときに特殊な中枢神経系効果をもつ．→ myristicin; nutmeg *oil*）．＝myristica.

---

nu·tra·ceu·ti·cal (nū-trū-sū′ti-kal) [*nutr*-ient + pharm-*aceutical*]．栄養機能食品，ニュートラシューティカル（法的には栄養品としての使用目的に限定されているが，実際には疾病の予防や治療を目的に販売，使用されている化学物質またはその集まり）．

1994 年の Dietary Supplement Health and Education Act において，ビタミン，ミネラル，アミノ酸，酵素，植物(薬用ハーブ)および一部の動物食品(臓器，腺組織)の成分や誘導体などは，食事性サプリメントに分類された．この連邦法では，医療用医薬品や一般用医薬品であればその製造販売業者が満たさなければならない有効性や安全性の基準や規制(例えば，動物による前臨床試験，市販前の治験，市販後の調査など)の対象から，上述の食事性サプリメントを除外している．製品表示は，その製品が，いかなる疾病に関してもその予防，診断，治療，治癒の目的で販売されるものではないことを示す注意が伝わるようになっていなければならない．多くの栄養機能食品に関しては，その有効性，副作用，ならびに薬物相互作用に関する実験的な情報はほとんど，またはまったく得られていない．こうした製品は特許にならないために，製薬企業はそれらの有益性や有害性を検証するための研究を行う動機がほとんどない．米国の食品医薬品局(FDA)がある栄養機能食品を市場から排除するためには，それが安全でないことを示さなければならない．しかし，連邦法にはそれらに関し，過敏症，肝毒性，腎毒性，骨髄抑制，胎児毒性，薬物相互作用などの有害事象の監視や自発報告の制度がないために，栄養機能食品は連邦当局の取締りを免れている．ハーブ製品の力価や純度を監視し，監督するような連邦当局はない．抜き取り研究からは，ハーブ製品の力価はばらばらで(ときには表示された成分をまったく含んでいないこともある)，しばしば他の混ぜ物により品質を落とされていたり，農薬に汚染されていたりもする．調査によると，少なくとも時々ハーブ療法を行うという人は米国人の 10 — 30 % にものぼり，しかもその半数以上は通常の病歴・薬歴聴取(例えば手術前など)においてそれを申告しないという．半数以上のプロ，アマチュアの陸上選手やボディービルダーは，興奮薬，プロテインサプリ，ホルモンなどを使用している．ハーブ類の中で最もポピュラーなのは，エキナケア，ニンニク，イチョウ，チョウセンニンジン，カヴァ，セントジョーンズワート，カノコソウなどである．アンドロステンジオン，クレアチニン，DHEA，グルコサミン，メラトニン，プレグネノロン，ミネラル(例えば，クロム，マンガン，亜鉛)，ビタミンなどの，植物起源でない物質も広く使用されている．実質的には，これらのものはいずれも有害な副作用や他の薬物との有害な相互作用を引き起こす危険性を有している．

---

nu·tri·ceut·ic·al (nū-tri-sūt-ik-al)．栄養補助食品，栄養補給食品（有する栄養価だけでなく生物学的機能をも有すると宣伝される物質群の 1 つ）．

nu·tri·ent (nū′trē-ĕnt) [L. *nutriens* < *nutrio*, to nourish]．〔栄〕養分，栄養素（正常の生理的機能に必要な食物の成分）．

essential n.'s 必須栄養素（最良健康状態の保持に必要な栄養物質．それらは体内で代謝的に産生できないので食事により摂取されねばならない）．

trace n. 微量栄養素．＝micronutrients.

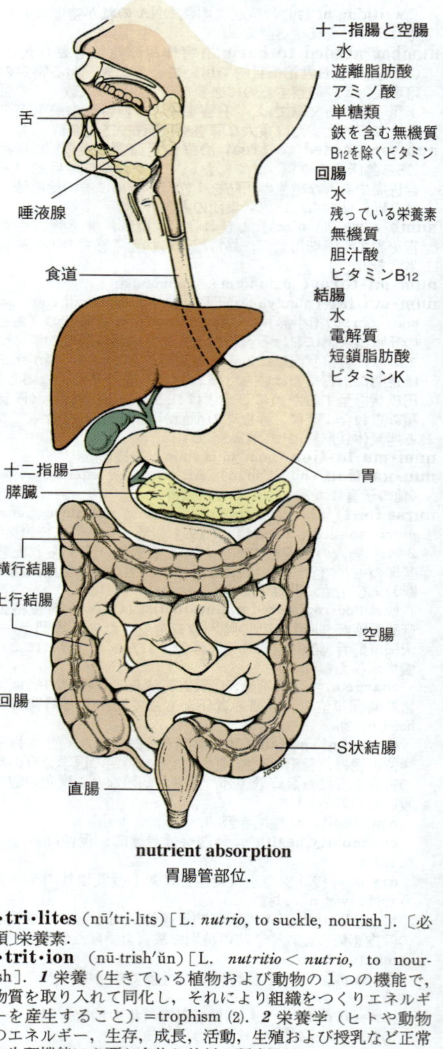

nutrient absorption
胃腸管部位．

nu·tri·lites (nū′tri-līts) [L. *nutrio*, to suckle, nourish]．〔必須〕栄養素．

nu·trit·ion (nū-trish′ŭn) [L. *nutritio* < *nutrio*, to nourish]．*1* 栄養（生きている植物および動物の 1 つの機能で，物質を取り入れて同化し，それにより組織をつくりエネルギーを産生すること）．＝trophism (2)．*2* 栄養学（ヒトや動物のエネルギー，生存，成長，活動，生殖および授乳など正常な生理機能に必要な食物と飲料の研究）．

total parenteral n. (**TPN**) 完全非経口栄養法，高カロリー輸液（中心静脈注入その他の非経口的な方法だけで栄養を維持すること）．

nu·tri·tive (nū′tri-tiv)．栄養の（①栄養に関した．②栄養のある）．＝alible.

nu·tri·ture (nū′tri-chūr) [L. *nutritura*, a nursing < *nutrio*, to nourish]．栄養状態（体の栄養具合または状況．栄養物に関した体の状態）．

Nut·tall (nut′ăl), G.H.F. 米国人生物学者，1862—1937．→ *Nuttallia*.

Nut·tal·li·a (nŭ-tal′ē-ă)．ナタリア属（*Babesia*属の旧名）．

nux vom·i·ca (nŭks vom′i-kă) [Mod. L. emetic nut < L. *nux*, nut + *vomo*, to vomit]．マチンシ，ホミカ；poison nut; Quaker button（熱帯アジアの高木，馬銭科 *Strychnos nux-vomica* の種子で，2 種のアルカロイド，すなわちスト

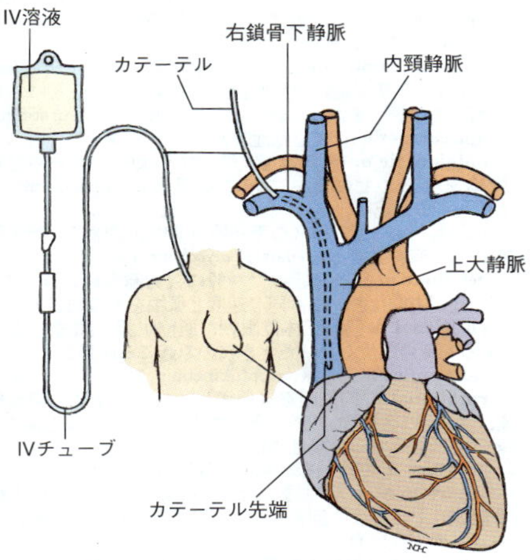

total parenteral nutrition

カテーテルは右鎖骨下静脈から循環血中にはいる．

リキニーネとブルシンを含み，苦味薬および中枢神経系興奮薬として用いる）．

Nva norvaline の略．

nyct- →nycto-.

nyc·tal·gi·a (nik-tal′jē-ă) [nyct- + G. *algos*, pain]. 夜間痛（夜間に特徴的に起こる疼痛で，梅毒患者でみられる夜間骨痛である．）．＝night pain.

nyc·ta·lo·pi·a (nik-tă-lō′pē-ă) [nyct- + G. *alaos*, obscure- + *ōps*, eye]. 夜盲〔症〕（薄明りの中で，物を見る力が減退すること．杆体機能の障害症例にみられる．しばしばビタミンA欠乏に関連する）．＝day sight; night blindness; nocturnal amblyopia; nyctanopia.

n. with congenital myopia [MIM*310500]. 先天性近視を伴う夜盲〔症〕（低視力，斜視，または眼振を特徴とする，X連鎖遺伝）．

nyc·ta·no·pi·a (nik-tă-nō′pē-ă) [nyct- + G. *an-* 欠性辞 + *opsis*, sight]. ＝nyctalopia.

nyc·ter·ine (nik′ter-īn, -in) [G. *nykterinos*]. ***1*** 夜間の．***2*** 薄暗い，不明瞭な．

nyc·ter·o·hem·er·al (nik′ter-ō-hē′mer-ăl) [G. *nykteos*, by night, nightly + *hēmera*, day]. ＝nyctohemeral.

nycto-, nyct- [G. *nyx*]. 夜を意味する連結形．→noct-.

nyc·to·hem·e·ral (nik-tō-hē′mer-ăl) [nycto- + G. *hēmera*, day]. 昼夜の．＝nycterohemeral.

nyc·to·phil·i·a (nik-tō-fil′ē-ă) [nycto- + G. *philos*, fond]. 暗所嗜好（夜または暗所を好むこと）．＝scotophilia.

nyc·to·pho·bi·a (nik-tō-fō′bē-ă) [nycto- + G. *phobos*, fear]. 暗所恐怖〔症〕（夜または暗所に対する病的な恐れ）．＝scotophobia.

Nyc·to·the·rus (nik-tō-thē′rŭs) [G. *nyktothēras*, one who hunts by night < *thēraō*, to hunt < *thēr*, wild beast]. ニクトテルス属（有毛虫門の一属で，その一種である *N. faba* が，まれにヒトの腸からも報告される．通常，両生類にみられる）．

nyc·tu·ri·a (nik-tyū′rē-ă). 夜間多尿〔症〕，夜間頻尿〔症〕．＝nocturia.

Ny·han, William L. 米国人小児科医．→Lesch-N. *syndrome*.

nymph (nimf) [G. *nymphē*, maiden]. 若虫（①不完全変態昆虫(例えばバッタ)の発生における，ふ化に続く一連の段階．若虫は多くの点で成虫に似ているが，完全な翅あるいは生殖器の発達を欠如している．順次虫齢を経て，中間段階すなわちさなぎ期を介さずに成虫すなわち成熟形へと成長する．→incomplete *metamorphosis*; complete *metamorphosis*. ②マダニの幼虫と成虫間の生活環第3期）．

nym·pha, pl. **nym·phae** (nim′fă, nim′fē) [Mod. L. < G. *nymphē*, bride]. 小陰唇．

nym·phal (nim′făl). ***1*** 若虫の．***2*** 小陰唇の．

nym·phec·to·my (nim-fek′tŏ-mē) [nympha + G. *ektomē*, excision]. 小陰唇切除〔術〕（肥大した小陰唇の切除）．

nym·phi·tis (nim-fī′tis) [nympha + G. *-itis*, inflammation]. 小陰唇炎．

nympho-, nymph- [L. *nympha*]. 小陰唇を意味する連結形．

nym·pho·la·bi·al (nim′fō-lā′bē-ăl). 陰唇〔間〕の（大陰唇と小陰唇の間の溝についていう）．

nym·pho·lep·sy (nim′fō-lep′sē) [nympho- + G. *lēpsis*, a seizure]. 恍惚（何かにとりつかれたように熱狂すること．特にエロチックな性質をもつもの）．

nym·pho·ma·ni·a (nim′fō-mā′nē-ă) [nympho- + G. *mania*, frenzy]. 女子色情〔症〕（女性の性欲に対する絶え間ない衝動．男子色情症 satyriasis に対していう）．

nym·pho·ma·ni·ac (nim′fō-mā′nē-ak). 女子色情〔症〕患者．

nym·pho·ma·ni·a·cal (nim′fō-mă-nī′ă-kăl). 女子色情〔症〕の．

nym·phon·cus (nim-fong′kŭs) [nympho- + G. *onkos*, tumor]. 小陰唇腫脹（小陰唇の一方または両方の腫脹または肥大）．

nym·phot·o·my (nim-fot′ŏ-mē) [nympho- + G. *tomē*, incision]. 小陰唇切開〔術〕（小陰唇または陰核の切開）．

nys·tag·mic (nis-tag′mik). 眼振の，眼振を患っている．

nys·tag·mi·form (nis-tag′mi-fōrm). ＝nystagmoid.

nys·tag·mo·gram (nis-tag′mō-gram). 眼振〔記録〕図（眼振計で描いた記録）．

nys·tag·mo·graph (nis-tag′mō-graf) [nystagmus + G. *graphō*, to write]. 眼振計（眼が動くときの静止電位の変化を測定することにより，眼振における眼球の動きの幅と周期性，速度を測定するための装置）．

nys·tag·mog·ra·phy (nis′tag-mog′ră-fē). 眼振〔記録〕法（眼振を記録する技法）．

nys·tag·moid (nis-tag′moyd) [nystagmus + G. *eidos*, resemblance]. 眼振様の，偽眼振の．＝nystagmiform.

nys·tag·mus (nis-tag′mŭs) [G. *nystagmos*, a nodding < *nystazō*, to be sleepy, nod]. 眼振，眼〔球〕振とう，ニスタグムス（眼球の不随意性で律動性の振動．振子型または緩・急速性を有するものがある）．

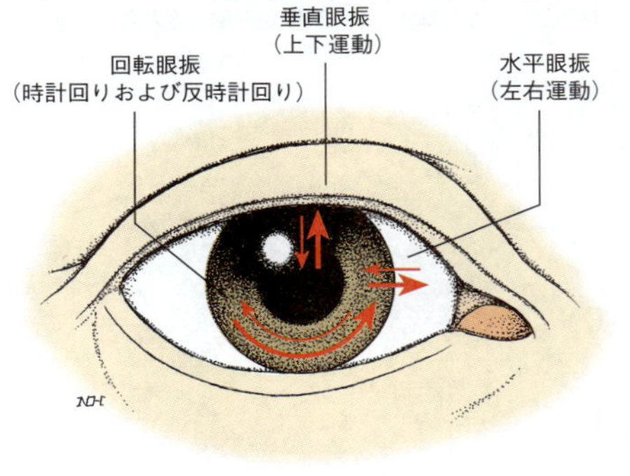

nystagmus

太い矢印は緩徐相を，細い矢印は急速相を示す．

after-n. 回転後眼振（回転眼振の反対方向への回転を突然やめた後に起こる眼振）．

amaurotic n. 黒内障〔性〕眼振．＝ocular n.

Bruns n. (brūnz). ブルンス眼振（一方向への水平注視時の細かい律動性(前庭性)眼球振とう．反対側注視において緩徐な大きな振幅(注視麻痺性)の眼球振とうを伴う．外側の脳幹の圧迫による．通常は聴神経腫のような小脳－橋角部腫瘍によって生じる).

caloric n. 温度(熱)眼振(耳に温水または冷水を注入し，迷路を刺激することによって起こる緩・急速成分を有する眼振．→Bárány *sign*).

cervical n. 頸〔部〕性眼振，頸部眼振(頸部の固有感覚器障害による眼振).

compressive n. 圧迫性眼振(律動性眼振．半器官の一側性の圧変化により生じる).

congenital n. 先天〔性〕眼振(①子宮内または出産時に受けた外傷によって起こる出生時の眼振．②遺伝性眼振，通常，性染色体性で，神経障害を伴わず進行性でない．メンデル遺伝律のすべての3型が生じうる．常染色体優性［MIM *164100, *164150］，常染色体劣性［MIM* 257400］，X連鎖劣性［MIM*310800, *310700］遺伝．③白色症，1色覚，および黄斑形成不全症に伴う眼振).

conjugate n. 共同眼振(両眼が同時に同方向に動く眼振).

convergence-retraction n. 輻輳・眼球後退眼振(眼球の眼窩内後退と輻輳を伴う不規則律動性眼振．特に上方視を行った場合に生じる).＝Koerber-Salus-Elschnig syndrome.

deviational n. 偏位眼振.＝end-point n.

dissociated n. 解離〔性〕眼振(両眼の運動の方向，振幅，周期性が異なる眼振).＝dysjunctive n.; incongruent n.; irregular n.

downbeat n. 下向〔性〕眼振(急速相が下方である垂直眼振で，脳幹下部や小脳の障害でみられる).

dysjunctive n. 分離〔性〕眼振.＝dissociated n.

end-point n. 終末位眼振(固視視野の限度の点を固視しようとした場合に正常者で生じる律動性生理的眼振).＝deviational n.

fast component of n. 眼球振とうの急速成分(内耳眼球反射での眼球の代償性運動).

fixation n. 注視眼振(視線固視に誘発される眼振で，視運動性眼振として，また中脳損傷によって生じる).

galvanic n. 電気眼振(迷路の電気刺激に伴う眼振).

gaze paretic n. 注視眼振(部分注視麻痺において，注視不全麻痺方向を注視しようとしたときにみられる眼振).

incongruent n. 不一致性眼振.＝dissociated n.

irregular n. 不規則眼振.＝dissociated n.

jerk n. 律動眼振(一般に迷路性，または神経性に起こり，一方向への緩徐相と，すぐ続く反対方向への急速相のある眼振で，急速相の方向で示される).

labyrinthine n. 迷路〔性〕眼振.＝vestibular n.

latent n. 潜伏眼振(一方の眼をおおうことで起こる律動性眼振．急速相は常に遮へい眼から離れる方向である).

miner's n. 坑夫眼振(19世紀の石炭坑夫に発現する眼振．当時，照明やその他の要素の欠如に関係すると考えられていた).＝miner's disease.

minimal amplitude n. 微小振幅眼振.＝micronystagmus.

ocular n. 眼性眼振，視性眼振(視覚の弱った人にみられる振子様眼振，またはまれに律動性眼振).＝amaurotic n.

opticokinetic n. 視運動性眼振.＝optokinetic n.

optokinetic n. 視〔線運〕動〔性〕眼振(動いている視覚の刺激物を見ることによって起こる眼振).＝opticokinetic n.; railroad n.

palatal n. 口蓋眼振(口蓋挙筋の間代性痙攣で，聞き取れるような音を発する.→palatal *myoclonus*).

pendular n. 振子様眼振(一般に視力障害により起こり，どの注視方向においても同じ速度と振幅をもつ眼振).

positional n.〔異常〕体位眼振，頭位眼振，頭位変換眼振(ある一定の頭位をとったときにのみ起こる眼振).

railroad n. 車窓眼振.＝optokinetic n.

rotational n. 回転眼振(いずれの方向であれ，頭部を回転したときに迷路の刺激によって生じる，または運動変化によって誘発される律動性眼振).

rotatory n. 回旋眼振(視軸の周囲の眼の動き).

seesaw n. シーソー眼振(他眼が下転すると一眼は上転する眼振．しばしば，回転を合併する(下と外，上と内に，シーソーのように)).

slow component of n. 眼球振とうの緩速成分(内耳眼球反射での眼球の基本的運動).

upbeat n. 上向眼振(脳幹障害にみられる上方へ急速相を有する垂直律動性眼振).

vertical n. 垂直眼振(眼の上下振動).

vestibular n. 前庭〔性〕眼振(回転・直線運動，熱，圧迫，あるいは電気などの迷路への生理的刺激によって起こる眼振．迷路障害によっても起こる.→Bárány *sign*).＝labyrinthine n.

voluntary n.［MIM*164170］．随意眼振(振子様眼振で，患者自身の眼を極端に細かく速い水平振動することができる．back-to-back 衝動性運動からなる眼振で，一度に数秒以上は生じない).

ny·stat·in (nī-stat′in, nis′tă-tin)［*N*ew *Y*ork *St*ate + -in］．ナイスタチン(*Streptomyces noursei* の培養から分離された抗生物質で，モニリア症，特に腸，皮膚，粘膜のモニリア感染症の治療に有効).

Ny·sten (nē-stan[h]′), Pierre H. フランス人医師，1771－1818. →N. *law*.

nyx·is (nik′sis)［G.］．穿刺.

O

Ω ***1*** オメガ（ギリシア語アルファベットの 24 番目，最後の文字 omega）．***2*** オームの記号．

O ***1*** 酸素の元素記号．オロチジンの記号．***2*** opening(電気反応式における開放)の略．***3*** ABO 血液型分類におけるO型．付録 Blood Groups の ABO 血液型参照．***4*** ドイツ語の言い回しである *ohne Hauch*(曇りがないこと)由来の略号で，次のことを示す．(i)べん毛中に生じるものとは対照的に，バクテリアの細胞中に生じる抗原．(ii)(i)のような菌体抗原に対する特異抗体．(iii)菌体抗原とその抗体間の凝集反応．

^{15}**O** 酸素 15 の記号．

^{16}**O** 酸素 16 の記号．

^{17}**O** 酸素 17 の記号．

^{18}**O** 酸素 18 の記号．

o- 化学において，*ortho-* (2) の略．

OA occipitoanterior *position* の略．

OAE otoacoustic *emission* の略．

oak ap·ple (ōk ap′ĕl). ＝nutgall.

oari-, oario- ［G. *ōarion*, a small egg: *ōon*(egg)の指小辞］．卵巣を示す連結形で，現在では用いられない．→oo-; oophor-; ovario-.

oath (ōth). 宣誓，誓約（神聖な証言または宣誓）．

OAV oculoauriculovertebral *dysplasia* (syndrome) の略．

OB obstetrics の略．

O'Beirne (ō-bārn), James. アイルランド人外科医，1786—1862. →O'B. *sphincter*.

o·be·li·ac (ō-bē′lē-ak). オベリオンの．

o·be·li·ad (ō-bē′lē-ad). オベリオンに向かって．

o·be·li·on (ō-bē′lē-on) ［G. *obelos*, a spit］．オベリオン（ラムダ縫合近くの左右の頭頂孔を結ぶ線が矢状縫合と交わる点．頭蓋計測点の 1 つ）．

O·ber·may·er (ō′bĕr-mī′ĕr), Friedrich. オーストリア人医師，1861—1925. →O. *test*.

O·ber·mei·er (ō′bĕr-mī′ĕr), Otto H.F. ドイツ人医師，1843—1873. →O. *spirillum*.

O·ber·stei·ner (ō′bĕr-stī′nĕr), Heinrich. オーストリア人神経科医，1847—1922. →O.-Redlich *line*, *zone*.

o·bese (ō-bēs′) ［L. *obesus*, fat, partic. adj. ＜ *ob-edo*, pp. *-esus*, to eat away, devour］．肥満の（［本語のもつ否定的または軽蔑的な響きは，文脈によっては不快な表現になるかもしれない］．極度に太った）．＝corpulent.

---

o·be·si·ty (ō-bē′si-tē) ［L. *obesus*: *obedo* (to eat up) の完了分詞 + -ity］［MIM*601665］．肥満〔症〕（体重の割には皮下脂肪が過剰な状態．過剰な脂肪沈着は，脂肪細胞のサイズが大きくなる(肥大)，または脂肪細胞数が増加する(過形成)ことにより生じる．肥満は，体重，体重－身長比，皮下脂肪の分布，社会的および感覚的規範によって定義される．身長に比例した体重の測定法には，比較的体重(RW：ある者の体重を同身長者の平均体重で割ったもの)，body mass index (BMI, kg/m^2), ponderal index (kg/m^3) などがある．しかし，これらの測定法は過剰な脂肪組織と増加した筋肉量を区別していない．これに対して肩甲骨下や上腕三頭筋の皮下脂肪の厚さの測定や腰－殿部比は脂肪の部分的な蓄積を表しており，中心性肥満と末梢性肥満を鑑別している．肥満は 1 つの原因では説明できず，究極的にはエネルギーの摂取量と消費量の不均衡により生じる．食欲を満足させるフィードバック機構が作動せず，食べ過ぎるために肥満が生じる者もあるが，大部分の肥満者では非肥満者に比較して，より多くのカロリーや脂肪の多い食事を摂取しているわけではない．肥満は下垂体，甲状腺，副腎などの代謝障害ではあまり起こらず，むしろ，高インスリン血症やインスリン抵抗性と関連している．肥満双生児での研究によると，安静時基礎代謝率，食生活，過食した際の基礎代謝率の動き，リポプロテインリパーゼ活性，脂肪分解の基礎代謝率などが遺伝子的に影響を受けているらしい．肥満と関連している環境因子としては，社会経済的地位，人種，住居地域，季節，都市生活，少子家庭などがある．肥満の頻度は夏よりも冬に体重を測定したほうが高くなる．肥満は米国の南東部に多いが，北東部や中西部にも多い．また，人種，人口密度，季節に無関係である．次頁の図参照）．＝adiposity (1); corpulence; corpulency.

肥満は社会的にも大きな健康問題となっており，米国で第一の健康問題となっている．肥満は米国で年間28万人以上の死因となっている．広く容認されている肥満の定義は，理想的な体重：身長比より20%以上あることである．この定義によれば，米国の成人の34%は肥満である．国立衛生研究所では BMI 30Kg/m^2 以上を肥満，BMI 25—30Kg/m^2 を過体重と定義している．この定義だと55%の成人は過体重または肥満となる．肥満は子供でも大人でも増加しているという着実な証拠がある．特にアフリカ系やメキシコ系米国人に増加している．40歳以上の黒人女性の80%以上は過体重であり，50%は肥満である．肥満が増えている理由として，不健康な食生活(高カロリーの食事，大食)，歩かずに自動車や公共輸送手段を利用することによる身体的活動性の減少，コンピューターなどの運動量を減らす装置や受け身の娯楽やレクレーション(テレビやコンピューターでのゲーム)などがあげられる．肥満の危険性を啓蒙する当局の努力にも関わらず，肥満は一般的に，医学的な問題よりも，外観上の問題とみなされている．肥満は，高血圧，高コレステロール血症，2 型糖尿病，心筋梗塞，ある種の癌(大腸癌，直腸癌，男性では前立腺癌，女性では乳癌，子宮頸癌，子宮内膜癌，卵巣癌)，睡眠時無呼吸症候群，低換気症候群，変形性関節症や他の整形外科的疾患，不妊症，下肢の静脈血栓症胃食道逆流，尿失禁などにおいて，独立した危険因子である．肥満は軽度でも，糖尿病，高血圧，心疾患などが合併していると大きな危険因子となる．脂肪組織の分布をみると，末梢型肥満(殿部または女性型肥満)に比べて中心性肥満(腹部または男性型肥満，腰－殿部比の大なるもの)のほうが合併症を併発しやすい．肥満者はけがをしやすく，触診しにくく，画像検査でも診断しにくく，手術では治療率が低く合併症を起こしやすい．さらに肥満による悪影響として，社会的な中傷，好ましくない自己イメージ，および精神神経的なストレスがある．体重を減少させれば，肥満による危険因子は大部分改善する．肥満症の治療は，皮下脂肪を切除するという外科的方法を除いて，カロリー摂取を減らし，運動量を増加させて，摂取エネルギーよりも消費エネルギーを多くすることである．体重を減らす基本方針は，カロリーや脂肪を抑えた食事と，できれば毎日 30 分以上持続型の運動をすることである．行動を変化させる治療，催眠術，精神神経薬，食欲減退薬(交感神経薬のシブトラミン)，リパーゼ阻害薬(オルリスタット)，胃内容を減少させて小腸での吸収を減少させる手術療法などは，症例を選べば有効であるが，患者の生活様式を変えるよう説得することがより重要である．体重減少は，妊婦，骨粗しょう症患者，胆石症患者，神経性食欲不振症などの精神疾患患者，あるいは末期症状では勧められない．

---

abdominal o. 腹部肥満．＝visceral o.

android o. 男性様肥満（主に腹壁や腸間膜に脂肪が過剰に蓄積した中心性肥満(リンゴ体型)．耐糖能異常，糖尿病，性ホルモン結合グロブリン低下，遊離テストステロン上昇，心血管障害のリスク上昇を伴う）．

gynecoid o. 女性様肥満（大腿から殿部に主に過剰の脂肪が蓄積した肥満）．

hypothalamic o. 視床下部性肥満〔症〕（視床下部の疾患によって起こる肥満）．

hypothalamic o. with hypogonadism 性腺機能低下症を伴う視床下部性肥満症．＝adiposogenital *dystrophy*.

morbid o. 病的肥満（正常な活動あるいは生理的な機能を妨げたり病的な症状を発現するほどの肥満）．

simple o. 単純肥満（カロリー摂取量が消費量を上回るために起こるもの）．

visceral o. 内臓肥満（皮下組織よりは腹部内臓や大網に脂肪が過剰に蓄積するタイプの肥満症．脂肪代謝異常(例え

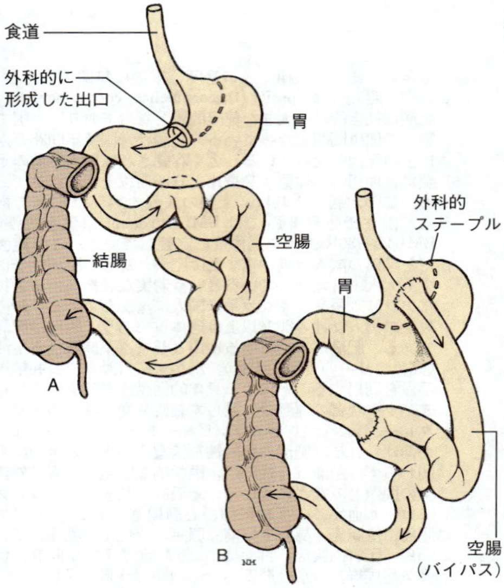

surgical procedures to control morbid obesity
A：垂直状胃形成術．B：胃バイパス(胃空腸吻合術)．
両処置において，胃容量の縮小は，早くに満腹となり，より少ない食物消費となる．

ば，中性脂肪高値，HDLコレステロール低値)があり，恐らく門脈を経由して内臓の脂肪分解と動員が亢進しているために生じる．末梢型の肥満症に比較して，糖尿病，高血圧，メタボリックシンドローム，心血管系病変を生じる危険性が大きい)．＝abdominal o.

o･bex (ō′beks)［L. barrier］[TA]．閂(かんぬき)（延髄後面の正中線上の点で，菱形窩または第4脳室の後角の境をなしている．筆尖上にかぶさっている小さな横髄条に相当する)．

ob･fus･ca･tion (ob′fus-kā′shŭn)［L. *ob-fusco*, pp. *-atus*, to darken < *fuscus*, dark, tawny］．***1*** 暗黒化，不明化，あいまい化（何かを暗くすること．不明またはあいまいにすること)．***2*** 精神錯乱（混乱させたり，理解力を妨げたりすること)．

OB/GYN obstetrics and gynecology の略．

ob･ject (ob′jekt)．対象（①思考または行為が向けられるもの．②精神分析において，本能がそれを介して作用を発揮できるような媒体．③精神分析において，しばしば人と同じ意味で用いる)．

good o. 良い対象（精神分析において，患者の生活で重要な人物，特に親または親代理の良い面あるいは支持できる面)．

sex o. 性的対象（他者が性的に引き付けられるような人．たいていは他の人格部分が無視され，男性に性交渉の対象としてしかみなされない女性に対して用いる語)．

test o. 試験用物体（①非常に細かい表面目盛り付きの物体で，スライドガラス上に装着し，顕微鏡の対物レンズの分解能を決定するのに用いる．②視野の測定のためのターゲット)．

transitional o. 移行対象（多くの小児が分離に対処するために(通常は一過性の)不在の親の代用として用いられる対象．典型的には，毛布やぬいぐるみ)．

ob･ject choice (ob′jekt choys)．対象選択（精神分析用語で，精神エネルギーが主に向けられる対象(通常は人物))．

ob･jec･tive (ob-jek′tiv)［L. *ob-jicio*, pp. *-jectus*, to throw before］．***1***〚n.〛対物レンズ，対物鏡（顕微鏡本体の管状部の検体に面した端にある1枚のレンズまたはレンズ群で，検体からくる光を焦点に集める)．＝object glass．***2***〚adj.〛客観的な（外界の出来事または現象をあるがままに，非個人的または偏見のない態度でみること．自分自身でまたは他人により自由に観察できるものについていう．*cf.* subjective)．

achromatic o. 色消し対物レンズ（2色に対する色収差および1色に対する球面収差を補正した対物レンズ)．

apochromatic o. アポクロマート対物レンズ（3色に対する色収差および2色に対する球面収差を補正した対物レンズ)．

immersion o. 液浸系対物レンズ（スライドガラス上の，検体とレンズの間を1滴の油で満たして使う高倍率顕微鏡対物レンズ．開口数をより大きくすることができる．油の代わりに水を用いるレンズもある)．

ob･li･gate (ob′li-gāt)［L. *ob-ligo*, pp. *-atus*, to bind to］．絶対の，偏性の，真正の（他に代わるべき系や経路がないことについていう)．

ob･lique (ob-lēk′)［L. *obliquus*］．斜めの，斜位の，斜傾した（身体の垂直面，水平面，矢状断面，冠状断面からずれたことについていう．X線像においては，正面像，側面像以外の像をいう)．

ob･liq･ui･ty (ob-lik′wi-tē)．不正軸進入，傾軸進入．＝asynclitism.

Litzmann o. (litz′măn)．リッツマン不正軸進入（骨盤入口平面に対して両頭頂骨径が傾斜して胎児頭が進入する状態で，後在頭頂骨が産道に位置する)．＝posterior asynclitism.

Nägele o. (nah′gĕ-lĕ)．ネーゲレ不正軸進入（扁平骨盤の場合に，骨盤入口平面に対して両頭頂径が傾斜して胎児頭が進入する状態で，前在頭頂骨が産道に位置する)．＝anterior asynclitism.

ob･li･quus (ob-lī′kwŭs)［L. slanting, oblique］．斜めの（斜方向に走る構造を示す．他の特徴とも合わせて，いくつかの筋肉についていう．→muscle)．

ob･lit･er･a･tion (ob-lit′ĕr-ā′shŭn)［L. *oblittero*, to blot out］．閉塞，遮断（特に線維症または炎症により，体腔または管腔が満たされることによって起こる閉塞．放射線学的には近接する組織が同じX線吸収を有すれば臓器の形が消失する．→silhouette *sign* of Felson)．

osteoplastic o. of the frontal sinus 前頭洞骨形成充填術（前頭洞の粘膜を含めて病変部を除去し，前頭洞の外形を変えることなく脂肪組織を充填する手術)．

ob･lon･ga･ta (ob′long-gah′tă)［L. *oblongatus* の女性形 < *oblongus*, rather long］．延髄．＝*medulla* oblongata.

ob･nu･bi･la･tion (ob-nū′bi-lā′shun)［L. *ob-nubilo*, to becloud, obscure < *nubes*, cloud］．昏蒙（(軽度の)意識混濁した精神状態)．

OBS organic brain *syndrome* の略．

ob･ser･ver (ob-zĕr′vĕr)［L. *observo*, to watch］．観察者（人間の行動科学領域の研究における研究者，またはそれに代わる人)．

nonparticipant o. 非関与的観察者（何らかの活動をしているグループについて研究するが，その活動には直接参加しない研究者．それによってより客観的に研究できる)．

participant o. 関与的観察者（何らかの活動をしているグループについて研究する際に，その活動に参加する研究者．それによって詳細で適切ではあるが客観性に少し乏しい情報を得ることができる)．

ob･ses･sion (ob-sesh′ŭn)［L. *obsideo*, pp. *-sessus*, to besiege < *sedeo*, to sit］．強迫〔観念〕（繰り返し現れ，持続し，行動を起こさせる観念，思考，衝動．これは自我異和的で，意味がないものあるいはいやなものとして体験され，意識的に抑圧することができない)．

impulsive o. 衝動的強迫観念（行動を伴うもので，ときには熱狂的，マニア的になる)．

inhibitory o. 抑制的強迫観念（行動障害を含むもので，通常は恐怖症を表す)．

ob･ses･sive-com･pul･sive (ob-ses′iv-kom-pŭl′siv) 強迫の（強迫神経症にみられるように，不安を取り除くためにある種の反復行動または儀式的振舞いを行う傾向をもつ．強迫思考と関連がある．例えば，1日の間に繰り返し強迫的，儀式的に手を洗うこと)．

ob･so･les･cence (ob′sō-les′ens)［L. *obsolesco*, to grow out of use］．廃退，退化（使われなくなる．機能がなくなることを示す)．

ob·stet·ric, ob·stet·ri·cal (ob-stet′rik, -ri-kăl). 産科〔学〕の.

ob·ste·tri·cian (ob′stĕ-trish′ŭn)［→obstetrics］. 産科医（妊産婦の診察を専門とする医師）.

ob·stet·rics (OB) (ob-stet′riks)［L. *obstetrix*, a midwife < *ob-sto*, to stand before, 以前に助産師の占めていた位置を示す］. 産科学（妊娠，分娩，および産褥時に妊婦の管理をする医学の専門分野）. = tocology.

ob·sti·nate (ob′sti-năt)［L. *obstinatus*, determined］. ***1*** 頑固な，かたくなな（たとえ間違っていても自分の目的，意見に強く固執して，論争，説得，嘆願に左右されない）. = intractable (2); refractory (2). ***2*** 難治の. = refractory (1).

ob·sti·pa·tion (ob′sti-pā′shŭn)［L. *ob*, against + *stipo*, pp. *-atus*, to crowd］. 便秘（腸の閉塞. 重症の便秘）.

ob·struc·tion (ob-strŭk′shŭn)［L. *obstructio*］. 閉塞〔症〕（閉鎖または狭窄などによるもの）.

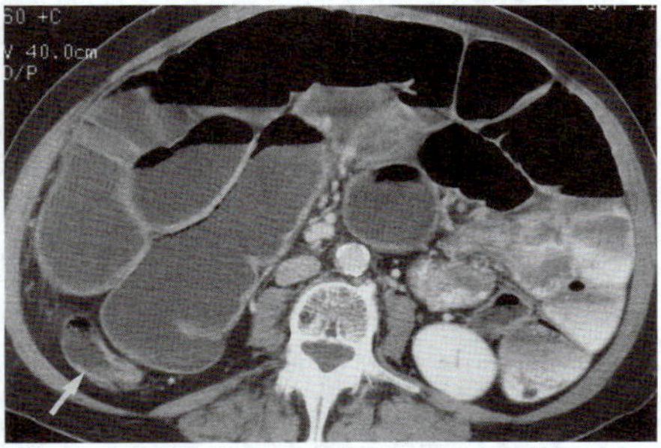

small-bowel obstruction

CTは，小腸の拡張した流体と空気で満たされたループを実証する．遠位の回腸を閉塞する癒着（矢印）が手術で発見された.

closed loop o. 閉鎖腸係蹄閉塞（ある点で捻転すること（腸捻転），あるいは癒着のところやヘルニアの中に線維性の開口部を通して脱腸することによる腸のセグメントの閉塞. しばしば血液灌流が阻害され，壊疽を生じる）.

mechanical o. 機械的閉塞〔症〕. = mechanical *ileus*.

milk bolus o. 濃縮乳による腸閉塞. = lactobezoar.

ureteropelvic junction o. 腎盂尿管移行部閉塞（腎臓からの尿の流失障害で，腎盂尿管移行部における尿流の部分的または間欠的閉塞障害）.

ureterovesical o. 尿管膀胱閉塞（膀胱の入口にあたる尿管下部の閉塞）.

ob·stru·ent (ob′strū-ĕnt)［L. *obstruo*, to build against, obstruct］. ***1***〘adj.〙閉塞する，前進を妨げる，を表すまれに用いる語. ***2***〘n.〙閉塞薬（正常な排出，特に腸からの排泄を妨げる薬物に対してまれに用いる語）.

ob·tund (ob-tŭnd′)［L. *ob-tundo*, pp. *-tusus*, to beat against, blunt］. 鈍感にする（鈍くする，特に感覚を鈍らせる，または痛みを和らげる）.

ob·tu·ra·tion (ob′tū-rā′shŭn)［→obturator］. 閉塞，閉鎖.

intermittent self-o. 間欠性自己閉鎖（管腔や道の，鈍的な物体での塞いだり拡げたりしての通過）.

ob·tu·ra·tor (ob′tū-rā′tŏr)［L. *obturo*, pp. *-atus*, to occlude or stop up］. ***1*** 栓子，栓塞子（開口部をふさぐ物）. ***2*** 閉鎖孔，閉鎖膜（閉鎖孔，閉鎖膜，あるいはこの孔に関連した部分をさす）. ***3*** 閉鎖具（硬口蓋孔，通常は口蓋裂を閉じるのに用いる補助具）. ***4*** 閉塞具（種々の管状器具の挿入時に用いるスタイレットまたは除去可能な栓）.

ob·tuse (ob-tūs′)［→obtund］. ***1*** 知能の劣った，理解の遅い. ***2*** 鈍い.

ob·tu·sion (ob-too′zhŭn). [誤った形 obtundation を避けること]. ***1*** 感受性の鈍いこと. ***2*** 感受性を弱めること，感受性を鈍くすること.

OC oral *contraceptive* の略.

Oc·cam's ra·zor (ŏk′imz rā′zŏrh). オッカムのかみそり（科学的単純性の原則. William of Occam（およそ1282—1340年）は「あることを説明するために導入する仮説は，必要以上に複雑であってはならない」と述べている）.

oc·cip·i·tal (ok-sip′i-tăl). 後頭の（後頭骨または後頭に関する）. = occipitalis.

oc·ci·pi·ta·lis (ok′sip-i-tā′lis)［L.］. 後頭の. = occipital.

oc·cip·i·tal·i·za·tion (ok-sip′i-tăl-i-zā′shŭn). 後頭骨環椎癒合（環椎骨と後頭骨間の骨性強直）.

occipito- (ok-sip′i-tō).［L. *occiput*］. 後頭または後頭の構造を示す連結形.

oc·cip·i·to·at·loid (ok-sip′i-tō-at′loyd). 後頭骨環椎の（後頭骨と環椎に関する. この２つの骨の間の関節についていう）.

oc·cip·i·to·ax·i·al, oc·cip·i·to·ax·oid (ok-sip′i-tō-ak′sē-ăl, -ak′soyd). 後頭骨軸椎の（後頭骨と軸椎に関する）.

oc·cip·i·to·breg·mat·ic (ok-sip′i-tō-breg-mat′ik). 後頭頭頂の（頭蓋計測法における後頭および頭頂に関する測定についていう）.

oc·cip·i·to·fa·cial (ok-sip′i-tō-fā′shăl). 後頭顔面の（後頭と顔面に関する）.

oc·cip·i·to·fron·tal (ok-sip′i-tō-frŏn′tăl). 後頭前頭の（①後頭と前頭に関する. ②大脳皮質の後頭葉と前頭葉およびこれらの部位を連結する連合路に関する）.

oc·cip·i·to·fron·ta·lis (ok-sip′i-tō-frŏn-tā′lis)［L.］. 後頭前頭の（→occipitofrontalis (*muscle*)）.

oc·cip·i·to·mas·toid (ok-sip′i-tō-mas′toyd). 後頭乳突の（後頭骨と乳様突起に関する）.

oc·cip·i·to·men·tal (ok-sip′i-tō-men′tăl). 後頭おとがい（頤）の（後頭とおとがいに関する）.

oc·cip·i·to·pa·ri·e·tal (ok-sip′i-tō-pă-rī′ĕ-tăl). 後頭頭頂骨の（後頭骨と頭頂骨に関する）.

oc·cip·i·to·tem·po·ral (ok-sip′i-tō-tem′pŏ-răl). 後頭側頭〔骨〕の（後頭と側頭に関する，後頭骨と側頭骨に関する）.

oc·cip·i·to·tha·lam·ic (ok-sip′i-tō-tha-lam′ik). 後頭葉視床の（大脳皮質の後頭葉から視床へ走っている神経線維についていう）.

oc·ci·put, gen. **oc·cip·i·tis** (ok′si-put, ok-sip′i-tis)［L.］［TA］. 後頭.

oc·clude (ŏ-klūd)［→occlusion］. ***1*** 咬合する，閉塞する. ***2*** 封入する（閉塞ウイルス occluded *virus* についていう）.

oc·clud·er (ŏ-klūd′ĕr). オクルダー（歯科において用いる咬合器の１つ）.

oc·clu·sal (ŏ-klū′zăl). 咬合〔側〕の，閉口の（①咬合または閉口についていう. ②歯科において，相対する咬合単位(歯または咬合堤)の接触面または臼歯のそしゃく面についていう）.

oc·clu·sion (ŏ-kloo′zhŭn)［L. *oc-cludo*, pp. *-clusus*, to shut up < *ob*, against + *claudo*, to close］. [atresia または stenosis と混同しないこと]. ***1*** 閉塞，閉鎖（閉じること，または閉じている状態）. ***2*** 吸蔵（化学において，気体が固体内に吸収されること. またはゼラチン状沈殿におけるように，ある物質が他の物質中に含まれること）. ***3*** 咬合，かみ合わせ（上下顎の歯の切縁または咬合面の間における接触）. ***4*** 咬合位（上下顎の歯列がかみ合ったときの咬合面間の位置関係）.

abnormal o. 不正咬合（正常の範囲でないと考えられるような歯の配列）.

afunctional o. 無(非)機能性〔不正〕咬合（歯列として正常に機能できないような不正咬合）.

anterior o. 近心咬合（①前歯咬合. ②= mesial o.）.

balanced o. 平衡咬合（機能的な運動の範囲内で，上下顎の歯が中心位および偏心位において調和のとれた接触をすること. 本来は口に関して用いるが，咬合器についてもいう. 義歯床が義歯支持組織に対して傾いたり回転したりするのを防ぐために発達した概念）. = balanced articulation; balanced bite.

bimaxillary protrusive o. 上下顎(両顎)前突咬合（上顎と下顎がともに突出した咬合. 上下顎中切歯歯軸交叉角が小さくなる. 骨格や歯の奇形により二次的にも生じる. 黒人に多くみられる）.

buccal o. 頬側咬合（①頬側方向への歯の位置異常. ②頬側からみた咬合）.

centric o. 中心咬合（①最大の接触面または咬頭嵌合を有するような相対する咬合面の関係. ②下顎が上顎に対して中

心位にあるときの歯の咬合).＝centric contact.

coronary o. 冠〔状〕動脈閉塞〔症〕(通常，血栓またはじゅく腫による冠状動脈の閉塞で，しばしば心筋梗塞を起こす).

distal o. 遠心咬合 (①正常よりも遠心位で咬合している歯.＝distoocclusion; postnormal o.; retrusive o. (2). ②＝distoclusion).

eccentric o. 偏心咬合 (中心咬合以外の咬合).

edge-to-edge o. 切端咬合，切縁咬合 (中心咬合位において，上下顎の前歯がその切端で嵌合する).＝edge-to-edge bite; end-to-end bite; end-to-end o.

end-to-end o. ＝edge-to-edge o.

functional o. 機能咬合 (①相対する歯の咬合面の機能範囲内での咬合. ②機能しているときの咬合).

gliding o. 咬合，咬交.＝dental *articulation*.

hyperfunctional o. 過度咬合 (正常の生理的必要性を超えた歯の咬合力).

labial o. 唇側咬合 (①唇側方向への歯の位置異常. ②唇側からみた咬合).

lateral o. 外側咬合 (正中線から一方向にずれた歯または歯列弓の位置異常).

lingual o. 舌側咬合 (①＝linguoclusion. ②内側または舌側面からみた歯の相互嵌合).

mechanically balanced o. 機械的平衡咬合 (咬合器にみられるような，生理学的な考慮がされていない平衡咬合).

mesenteric artery o. 腸間膜動脈閉塞 (塞栓または血栓による腸間膜循環の動脈性閉塞. 腹腔，上部腸間膜，下部腸間膜の3つの主内臓分岐のすべてが，アテローム性動脈狭窄を起こしうるが，通常は上部腸間膜動脈の閉塞に対して用いる).

mesial o. 近心咬合 (下顎歯が上顎歯と正常よりも前方で咬合するもの).＝anterior o. (2); mesio-occlusion.

neutral o. 正常咬合 (①上下顎の第一永久大臼歯が，正常な前後的位置関係にある歯列を有する咬合.＝normal o. (2). ②＝neutroclusion).

normal o. 正常咬合 (①健康な状態で通常はみられ，理想的または標準的な歯列および歯の支持構造を有する咬合.＝normal bite. ②＝neutral o. (1)).

pathogenic o. 病原性咬合 (支持組織に病的変化を起こしうるような咬合関係).

physiologic o. 生理的咬合 (そしゃく系の機能と調和している咬合).

physiologically balanced o. 生理的平衡咬合 (顎関節と神経筋機構とが調和している平衡咬合).

posterior o. 後方咬合 (両顎の大臼歯および小臼歯の最も能率的な接触で，正常なそしゃくと閉口に必須な顎の自然な運動のすべてを可能にする).＝posteroclusion.

postnormal o. 遠心咬合.＝distal o. (1).

protrusive o. 前方咬合 (下顎が中心位から前方に突出しているときの咬合).

o. of pupil 瞳孔閉塞 (瞳孔部を閉じる不透明膜の存在).

retrusive o. 後退咬合 (①下顎が強制的に，または習慣的に患者の中心咬合位よりもより遠心位に位置している咬合関係. ②＝distal o. (1)).

spheric form of o. 咬合の球面 (歯列の水平面より上方に中心をもつ仮想の球面(通常は直径約 20 cm)の表面上に咬合面が接するような歯の配列状態.→Monson *curve*).

torsive o. 旋軸咬合.＝torsiversion.

traumatic o. ＝traumatogenic o.

traumatogenic o. 外傷性咬合 (歯やその周囲の構造に外傷を与えるような不正咬合).＝traumatic o.

working o. 作業側咬合.＝working *contacts*.

oc·clu·sive (ŏ-klū′siv). 閉塞〔性〕の，閉鎖〔性〕の (閉じるのに役立つ. 外傷をふさぎ空気を遮断するための包帯についていう).

oc·clu·som·e·ter (ok′lū-som′ĕ-tĕr). 顎力量計，咬合力計.＝gnathodynamometer.

oc·cult (ŏ-kŭlt′, ok′ŭlt) [L. *oc-culo*, pp. *-cultus*, to cover, hide]. ***1*** 〚adj.〛 おおい隠された，潜められた，不顕性の. ***2*** 〚adj.〛 不顕性出血，つまり明確でないまたはみることのできない部位における血液の存在をいう.→occult *blood*. ***3*** 〚n.〛 腫瘍学において，転移が認められるのに臨床的に確認されない原発巣.

OCD obsessive-compulsive *disorder* の略.

O·cean·o·spi·ril·lum (ō′shen-ō-spī-ril′ŭm) [L. *oceanus*, ocean + *spirillum*, coil]. 海洋らせん菌属 (運動性，無芽胞性，好気性のらせん菌科細菌の一属で，直径 0.3—1.2 μm の硬いらせん状グラム陰性菌. 運動性細胞は両極性の線維束状のべん毛をもつ. 硝酸塩の存在下で嫌気条件では発育しない. この菌は有機栄養性で厳密な呼吸代謝系をもち，炭水化物を酸化せず発酵もさせない. 海水環境に見出される. 現在，本属には5つの種がある. 標準種は *O. linum*).

o·cel·lus, pl. **ocel·li** (ō-sel′ŭs, -lī) [L. *oculus*(eye)の指小辞]. ***1*** 単眼 (多くの無脊椎動物にみられる単眼).＝eyespot (2). ***2*** 昆虫の複眼の個眼.

och·lo·pho·bi·a (ok′lō-fō′bē-ă) [G. *ochlos*, a crowd + *phobos*, fear]. 群集恐怖〔症〕(群集に対する病的な恐れ).

O·cho·a (ō-chō′ah), Severo. スペイン系米国人の生化学者・ノーベル賞受賞者，1905—1993.→O. *law*.

o·chra·tox·in (ō-kră-toks′in). オクラトキシン (貯蔵穀粒で生育する *Aspergillus*属の真菌 *Aspergillus ochraceus* により産生されるマイコトキシン. その穀物を食べた家禽などの動物を侵す).

o. A オクラトキシンA (*Aspergillus* や *Penicillium* のある菌種が産生するオクラトキシンで，これらの真菌は主に貯蔵が不適当だと穀類や食物を汚染する. げっ歯類には癌原活性がある).

O·chro·bac·trum (ō-krō-bak′trŭm). オクロバクトラム属 (環境中や水源における分布や培養性状が *Alcaligenes*属や *Pseudomonas*属に似たグラム陰性菌の菌属. これらは多くの臨床材料から分離されており，院内感染の菌血症の原因となるようである).

o·chro·der·mi·a (ō′krō-der′mē-ă) [G. *ōchros*, pale yellow + *derma*, skin]. 皮膚黄変症.

o·chrom·e·ter (ō-krom′ĕ-ter) [G. *ōchros*, pale yellow + *metron*, measure]. 〔皮膚〕毛細管血圧計 (毛細血管圧を測定する器具. 2本の隣接する指の1本を，皮膚が白くなるまでゴム球で締め付け，この変化を起こすのに必要な圧力を水銀柱の高さ(mmHg)で読み取るもの).

o·chron·o·sis (ō′kron-ō′sis) [G. *ōchros*, pale yellow + *nosos*, disease]. 組織褐変症，オクロノーシス (常染色体劣性遺伝のまれな疾患で，軟骨やときには筋肉，上皮細胞，および稠密な結合組織などの組織の色素沈着を伴うアルカプトン尿を特徴とする. 強膜，唇の粘膜，および耳・顔・手の皮膚も侵される. 尿を放置しておくと黒変し，着色した円柱がみられることがある. 色素沈着は，酸化ホモゲンチシン酸によると考えられている. また，軟骨の変性のため，特に脊椎骨の骨関節症を生じる).

exogenous o. 外因性組織褐変症 (ヒドロキノンを含んだ漂白クリームを長期連用して生じた顔面その他の部位の皮膚の色素沈着).

o·chron·ot·ic (ō′kron-ot′ik). 組織褐変症の，オクロノーシスの.

Ochs·ner (oks′nĕr), Albert John. 米国人外科医，1858—1925.→O. *clamp*, *method*.

oc·ry·late (ok′ri-lāt). オクリレート (外科で用いる組織接着剤).

OCT optic coherence *tomography* の略.

oct-, octi-, octo-, octa- [G. *oktō*, L. *octo*]. 8を意味する連結形.

OCTA (ok′ta). オクタ (調節的役割をもつ DNA の8塩基対配列. 例えば，もしオクタがある遺伝子に人工的に付け加えられると，β-リンパ球系の細胞にその遺伝子が選択的に発現されるようになる).

oc·tac·o·san·o·ic ac·id (ok′tă-kō′sān-ō′ik as′id). オクタコサン酸 (長鎖脂肪酸. ろう中に存在する).＝montanic acid.

oc·tad (ok′tad) [L. *octo*, eight]. ***1*** 〚adj.〛 八価の.＝octavalent. ***2*** 〚n.〛 八価元素，八価の基.

cis-9, 10-octadecenoamide (sis-ok′tă-des-ĕ-nō-am′īd). ヒトを含む哺乳動物の一部における脳脊髄液中の構成要素である脂肪酸アミドで，生理的睡眠を誘発する.

oc·ta·fluor·o·pro·pane (ok′tă-flōr′ō-prō′pān). オクタフルオロプロパン (超音波検査用の造影剤).

oc·ta·meth·yl py·ro·phos·phor·a·mide (OMPA)

(ok′tă-meth′il pī′rō-fos-fōr′ă-mīd). オクタメチルピロホスホラミド．＝schradan.
oc·tan (ok′tan) [L. *octo*, eight]. 八日目ごとの（発作の起こった日を含めて8日目ごとに反復する発作，熱病に対して用いる語）.
oc·tan·di·o·ic ac·id (ok′tan-dī-ō′ik as′id). オクタン二酸．＝suberic acid.
oc·ta·no·ate (ok′tă-nō-at). ＝caprylate.
oc·ta·no·ic ac·id (ok′tă-nō-ik as′id). オクタン酸．＝caprylic acid.
oc·ta·no·yl-CoA syn·the·tase (ok′tă-nō′il sin′thĕ-tās). オクタノイルCoAシンテターゼ．＝butyrate: CoA ligase.
oc·ta·pep·tide (ok-tă-pep′tīd). オクタペプチド（8個のアミノアシル残基からなるペプチド）.
oc·ta·ploi·dy (ok′tă-ploy′dē). 八倍性（→polyploidy）.
oc·ta·pres·sin (ok′tă-pres′in). オクタプレシン．＝felypressin.
oc·ta·va·lent (ok′tă-vā′lent, ok-tav′ă-lent). 八価の（化学元素あるいは基において，8個の結合力(価)をもつことについていう）.＝octad (1).
oc·ta·vus (ok-tā′vŭs) [L.]. 第八脳神経．＝vestibulocochlear *nerve* [CN VIII].
octi- →oct-.
octo- →oct-.
Oc·to·mit·i·dae (ok′tō-mit′i-dē) [octo- ＋ G. *mitos*, thread]. オクトミタス科（原生動物の動物性鞭毛虫綱の一科で，対になった6－8本のべん毛と左右対称な体をもつ鞭毛虫．ヒトの腸に普通に寄生するランブル鞭毛虫 *Giardia lamblia* はこの科に属する）.
Oc·tom·i·tus hom·i·nis (ok-tom′i-tŭs hom′i-nis). ＝*Pentatrichomonas hominis*.
oc·to·pa·mine (ok-tō′pă-mēn). オクトパミン（交感神経興奮性アミン．モノアミンオキシダーゼ阻害薬存在下，ノルアドレナリン性ニューロンにより産生される偽神経伝達物質）.＝norsympatol; norsynephrine.
oc·tose (ok′tōs). オクトース，八炭糖（8個の炭素原子を含む糖）.
oc·tre·o·tide (ok′trē-ō-tīd). オクトレオチド（ソマトスタチン誘導体で分泌性下痢状態や消化管出血の治療に用いられる）.
oc·tu·lose (ok′tū-lōs). オクツロース（炭素8個のケトース）.
oc·tu·lo·son·ic ac·id (ok′tū-lō-son′ik as′id). オクツロソン酸（形式的にはオクツロースのC-1位の酸化によりカルボン酸基になったカルボン酸．D-アラビノースとホスホエノールピルビン酸との縮合物で，ノイラミン酸に類似している．特徴的な体細胞性オクトース抗原をもつ腸内細菌科の複合リポ多糖類の多糖類の反復単位である）.
oc·u·lar (ok′yū-lăr) [L. *oculus*, eye]. *1*〘adj.〙＝ophthalmic. *2*〘n.〙接眼レンズ，接眼鏡（顕微鏡の観察者側の1枚のレンズまたはレンズ群で，対物レンズにより焦点を結んだ像がこのレンズにより見える）.
  compensating o. 補正接眼レンズ（色収差を補正した接眼レンズ）.
  Huygens o. (hoy′genz). ハイゲンス(ハイゲンズ)接眼レンズ（顕微鏡の複合接眼レンズで，2枚の平凸レンズの各平面部を観察者の方に向けて組み合わせたもの）.
  o. motor 眼球運動の（眼球の運動に関する，または運動を生じる）.
  Ramsden o. (ramz′dĕn). ラムズデン接眼レンズ（2枚の平凸レンズを組み合わせて，各凸面が相対するようにつくった顕微鏡の接眼レンズ）.
  wide field o. 広視野接眼レンズ（通常より広い視野と高い眼点をもつもの）.
oc·u·lar·ist (ok′yū-lar′ist) [L. *oculus*, eye]. 義眼製造者（義眼の設計，製作と調整および眼の外観と機能をもった人工器官を作製するのに長じた者）.
oc·u·len·tum, pl. **oc·u·len·ta** (ok′yū-len′tŭm, -tă) [Mod. L. ＜ L. *oculus*, eye]. 眼軟膏〔剤〕，オクレントム．＝ophthalmic *ointment*.
oc·u·li (ok′yū-lī) [L.]. oculusの複数形.
oc·u·list (ok′yū-list) [L. *oculus*, eye]. 眼科医．＝ophthalmologist.
oculo- [L. *oculus*]. 眼，眼の，を意味する連結形.→ophthalmo-.
oc·u·lo·au·ric·u·lo·ver·te·bral (ok′yū-lō-aw-rik′yū-lō-vĕr′tĕ-brăl). 眼耳脊椎の（眼，耳，および脊椎に関する）.
oc·u·lo·car·di·ac (ok′yū-lō-kar′dē-ak). 眼〔球〕心〔臓〕の（眼と心臓に関する）.
oc·u·lo·cer·e·bro·re·nal (ok′yū-lō-ser′ē-brō-rē′năl). 眼脳腎〔臓〕の（眼，脳，および腎臓に関する）.
oc·u·lo·cu·ta·ne·ous (ok′yū-lō-kyū-tā′nē-ŭs). 眼皮膚の（眼と皮膚に関する）.
oc·u·lo·den·to·dig·i·tal (ok′yū-lō-den′tō-dij′i-tăl). 眼歯指の（眼，歯，指に関する）.
oc·u·lo·der·mal (ok′yū-lō-der′măl). 眼皮膚の（眼と皮膚に関する）.
oc·u·lo·dyn·i·a (ok′yū-lō-din′ē-ă) [ophthalmo- ＋ G. *algos*, pain]. 眼球痛．＝ophthalmalgia.
oc·u·lo·fa·cial (ok′yū-lō-fā′shăl). 眼顔面の（眼と顔面に関する）.
oc·u·log·ra·phy (ok′yū-log′ră-fē) [oculo- ＋ G. *graphē*, a writing]. 眼球運動記録法（眼の位置と動きを記録する方法）.
  photosensor o. 光感知式眼球運動記録法（眼球の回旋を記録するために光受容体を眼球の表面に向ける眼球運動記録法）.
oc·u·lo·gy·ri·a (ok′yū-lō-jī′rē-ă) [oculo- ＋ G. *gyros*, circle]. 動眼限界（眼球回転の限界）.
oc·u·lo·gy·ric (ok′yū-lō-jī′rik). 動眼の，注視の（眼球の回転運動についていう．動眼限界を特徴とする）.
oc·u·lo·man·dib·u·lo·dys·ceph·a·ly (ok′yū-lō-man-dib′yū-lō-dis-sef′ă-lē). 眼下顎頭蓋異常症．＝*dyscephalia* mandibulooculofacialis.
oc·u·lo·mo·tor (ok′yū-lō-mō′tŏr) [L. *oculomotorius* ＜ oculo- ＋ L. *motorius*, moving]. *1* 眼球運動の，眼球運動を起こす．*2* 動眼神経の.
o·cu·lo·mo·to·ri·us (ok′yū-lō-mō-tō′rē-ŭs) [L.]. 動眼神経．＝oculomotor *nerve* [CN III].
oc·u·lo·na·sal (ok′yū-lō-nā′săl) [oculo- ＋ L. *nasus*, nose]. 眼鼻の（眼と鼻に関する）.
oc·u·lop·a·thy (ok′yū-lop′ă-thē). 眼病．＝ophthalmopathy.
oc·u·lo·pleth·ys·mog·ra·phy (ok′yū-lō-pleth′iz-mog′ră-fē) [oculo- ＋ G. *plēthymos*, increase ＋ *graphē*, to write]. 眼動脈の分枝から伝播する，眼圧変化の患側と同側の遅延を測定することによる，眼頸動脈狭窄または閉塞の血行動態の間接的測定.
oc·u·lo·pneu·mo·pleth·ys·mog·ra·phy (ok′yū-lō-nū′mō-pleth′iz-mog′ră-fē). 内頸動脈の血圧，血流を反映する眼動脈圧の両側性測定法.→oculoplethysmography.
oc·u·lo·pu·pil·lar·y (ok′yū-lō-pū′pi-lār′ē). 眼瞳孔の（眼と瞳孔についていう）.
oc·u·lo·sym·pa·the·tic (ok′yū-lō-sim′pă-the′tik). 眼交感神経系の（眼の交感神経系に関する．その障害はHorner症候群を生じる）.
oc·u·lo·ver·te·bral (ok′yū-lō-ver′tĕ-brăl). 眼脊椎の（眼と脊椎に関する）.
oc·u·lo·zy·go·mat·ic (ok′yū-lō-zī′gō-mat′ik). 眼頬骨の（眼窩またはその縁および頬骨に関する）.
oc·u·lus, gen. & pl. **oc·u·li** (ok′yū-lŭs, -lī) [L.] [TA]. 眼，め．＝eye (1).
ocy- →oxy-.
o·cy·to·cin (ō′si-tō′sin) [G. *okytokos*, fast birth, prompt delivery]. ＝oxytocin.
OD overdose; optic *density* (→absorbance); Doctor of Optometry(検眼医); Officer of the Day(日直医)の略.
O.D. *1* [JCAHOは，類似の略号との混同を避けるためにright eyeは完全表記するように指導している]．ラテン語 *oculus dexter*(右眼)の略．*2* Doctor of Optometry(検眼医)の略.→optometrist.
o.d. ラテン語 *omni die*(毎日)の略.
o·dax·es·mus (ō′dak-sez′mŭs) [G. *odaxēsmos*, an irritation ＜ *odax*(adv.), by biting]. 咬舌感（知覚異常の一型）.
o·dax·et·ic (ō′dak-set′ik) [G. *odaxēsmos*, an irritation]. *1*

〘adj.〙蟻走感またはかゆみを起こす．*2*〘n.〙蟻走感またはかゆみを起こす物質または薬物．

ODD oculodentodigital *dysplasia* (syndrome) の略．

Od·di (od′ē), Ruggero. イタリア人医師, 1864—1913. →O. *sphincter*.

odds (odz) [pl. of *odd* < M.E. *odde* < O. Norse *oddi*, odd number]. オッズ（ある事象が起きる確率を p としたとき, p/(1−p) で与えられる指標．かけ比ともいう）．

-odes [G. *eidos*, form, resemblance]. …の形の, …に類似している意を表す接尾語．

o·do·gen·e·sis (ō′dō-jen′ĕ-sis) [G. *hodos*, path + *genesis*, source]. 神経軸索再生．＝neurocladism.

odont-, odonto- [G. *odous*(*odont-*)]. 歯を意味する連結形．

o·don·tag·ra (ō′don-tag′ră) [odonto- + G. *agra*, seizure]. 痛風が原因と考えられた歯痛を意味した語．現在では用いられない．

o·don·tal·gi·a (ō′don-tal′jē-ă) [odont- + G. *algos*, pain]. 歯痛．＝toothache.

o. dentalis 歯性耳痛（歯科疾患による耳への放散痛．通常, 耳介側頭神経により伝達される）．

o·don·tal·gic (ō′don-tal′jik). 歯痛の．

o·don·tec·to·my (ō′don-tek′tŏ-mē) [odont- + G. *ektomē*, excision]. 抜歯（抜歯のための力を加える前に歯根周囲の骨を切除し, 粘膜性骨膜弁を反転して歯を抜去する方法）．

o·don·ter·ism (ō-don′tĕr-izm) [odont- + G. *erismos*, quarrel]. 軋歯(あっし)（歯をガチガチさせること）．

o·don·ti·a·sis (ō′don-tī′ă-sis). ＝teething.

o·don·ti·noid (ō-don′ti-noyd). *1*〘adj.〙ぞうげ質様の．*2*〘n.〙オドンチノイド（歯から生じる小さな突出物．歯根または歯頸部に多く生じる）．*3*〘adj.〙歯様の．

o·don·ti·tis (ō′don-tī′tis). 歯髄炎．＝pulpitis.

odonto- →odont-.

o·don·to·am·e·lo·blas·to·ma (ō-don′tō-am′ĕ-lō-blas-tō′mă). 歯牙エナメル上皮腫．＝ameloblastic *odontoma*.

o·don·to·blast (ō-don′tō-blast) [odonto- + G. *blastos*, sprout, germ]. ぞうげ芽細胞（ぞうげ質を形成する細胞で, 神経堤由来の間葉より分化し, 歯髄腔を裏打ちする．ぞうげ芽細胞は歯髄の最表層に配列している．各ぞうげ芽細胞は, ぞうげ芽細胞突起をぞうげ細管の中途まで伸ばしている．冠部歯髄においては一般に円柱形を示すが, 根部歯髄または第三ぞうげ質に接する部においては立方形に近くなる）．

odon·to·blas·to·ma (ō-don′tō-blas-tō′mă) [odontoblast + G. *-oma*, tumor]. ぞうげ芽細胞腫, 歯牙細胞腫（①新生上皮と, 石灰化した歯様物質を生成できる細胞へと分化する間葉細胞とからなる腫瘍．②初期の歯牙腫）．

o·don·to·clast (ō-don′tō-klast) [odonto- + G. *klastos*, broken]. 破歯細胞（乳歯の根を吸収すると考えられる細胞）．

o·don·to·dyn·i·a (ō-don-tō-din′ē-ă) [odonto- + G. *odynē*, pain]. 歯痛．＝toothache.

o·don·to·dys·pla·si·a (ō-don′tō-dis-plā′zē-ă). 歯牙形成不全〔症〕（1本または隣りあう数本の歯における病因不明の発育障害．エナメル質およびぞうげ質の形成不全が特徴的であり, その結果, 異常に大きな歯髄腔を認め, X線写真上ではゴースト像を呈する．このような歯は萌出遅延を起こしやすい）．＝odontogenesis imperfecta; odontogenic dysplasia.

o·don·to·gen·e·sis (ō-don′tō-jen′ĕ-sis) [odonto- + G. *genesis*, production]. 歯牙発生, 歯牙形成．＝odontogeny; odontosis.

o. imperfecta 歯牙形成不全, 歯牙形成異常．＝odontodysplasia.

o·don·tog·e·ny (ō′don-toj′ĕ-nē). ＝odontogenesis.

o·don·toid (ō-don′toyd) [odonto- + G. *eidos*, resemblance]. 歯状の, 歯のような（①歯に類似した形についていう．＝dentoid. ②第二頸脊椎の歯突起についていう）．

o·don·tol·o·gy (ō′don-tol′ŏ-je) [odonto- + G. *logos*, study]. 歯〔科〕学．＝dentistry.

forensic o. 歯科法医学, 法歯学．＝forensic *dentistry*.

o·don·to·lox·i·a, odon·to·loxy (ō′don-tō-lok′sē-ă, ō-don-tol′ok-sē) [odonto- + G. *loxos*, slanting]. ＝odontoparallaxis.

o·don·tol·y·sis (ō′don-tol′i-sis) [odonto- + G. *lysis*, dissolution]. 歯質吸収（[誤った発音 odontoly′sis を避けること]）．

＝erosion (3).

o·don·to·ma (ō′don-tō′mă) [odonto- + G. *-oma*, tumor]. 歯牙腫（①歯の発生に由来する腫瘍．②過誤腫性の歯原性腫瘍で, エナメル質, ぞうげ質, セメント質, および歯髄組織よりなり, それらが通常の歯の形をなすものとなさないものとがある）．

ameloblastic o. エナメル上皮歯牙腫（良性混合性の歯の腫瘍で, 組織学的にはエナメル上皮腫と同定される未分化な成分と, 歯牙腫と同定される分化した成分の混合物である．X線写真上では, 透過像と不透過像が混在する．臨床的には, エナメル上皮腫と同様の症状を呈する）．＝odontoameloblastoma.

complex o. 複雑性歯牙腫（歯牙腫の一種で, 多様な歯の組織よりなるが, それらは何の一貫性もなく配列し, 通常の歯とはほど遠い様相を呈する）．

compound o. 集合性歯牙腫（歯牙腫の一種で, 歯を構成する組織からなる．異常ではあるが, 歯と類似の形態を呈する構造物の集合である）．

o·don·to·neu·ral·gi·a (ō-don′tō-nū-ral′jē-ă). 歯性神経痛（う食歯によって起こる顔面神経痛）．

o·don·ton·o·my (ō′don-ton′ŏ-mē) [odonto- + G. *onoma*, name]. 歯科命名法．

o·don·to·no·sol·o·gy (ō-don′tō-nō-sol′ŏ-jē) [odonto- + G. *nosos*, disease + *logos*, study]. 歯科〔疾病〕学．＝dentistry.

o·don·to·par·al·lax·is (ō-don′tō-par′ă-lak′sis) [odonto- + G. *parallax*, alternately]. 歯列不正（歯の配列の不正）．＝odontoloxia; odontoloxy.

o·don·top·a·thy (ō′don-top′ă-thē) [odonto- + G. *pathos*, suffering]. 歯科疾患（歯または歯槽の疾患）．

o·don·to·pho·bi·a (ō-don′tō-fō′bē-ă) [odonto- + G. *phobos*, fear]. 歯牙恐怖〔症〕, 歯科恐怖〔症〕（歯または歯科治療に対する病的な恐れ）．

o·don·to·plas·ty (ō-don′tō-plas′tē) [odonto- + G. *plassō*, to mold]. 歯冠形態修正（プラークコントロールを容易にし, 歯肉の形態を改善するために, 歯の表面を修正すること）．

o·don·top·ri·sis (ō′don-top′ri-sis) [odonto- + G. *prisis*, a sawing, a grinding]. 軋歯(あっし), 歯ぎしり（歯を相互にすり合わせること．→bruxism）．

o·don·top·to·sis (ō′don-top-tō′sis, -tō-tō′sis) [odonto- + G. *ptōsis*, a falling]. 歯牙挺出（対合する下顎歯が欠損しているために, 上顎歯が下降すること．→supereruption）．

o·don·tor·rha·gi·a (ō-don′tō-rā′jē-ă) [odonto- + G. *rhēgnymi*, to burst forth]. 抜歯後出血（抜歯後の歯槽窩からの大量出血）．

o·don·to·schism (ō-don′tō-skizm, -sizm) [odonto- + G. *schisma*, a cleft]. 歯の破折, 歯の裂傷（歯の亀裂）．

o·don·to·scope (ō-don′tō-skōp). オドントスコープ（閉鎖回路方式テレビジョンに似た光学機器で, 様々な視野から口腔内をスクリーン上に投影するもの）．

o·don·tos·co·py (ō′don-tos′kŏ-pē) [odonto- + G. *skopeō*, to view]. オドントスコープ法（①オドントスコープを用いた口腔内検査．②歯の切縁の形態の検査．指紋のように, 個人の鑑別法として用いられる）．

o·don·to·sis (ō′don-tō′sis). ＝odontogenesis.

o·don·to·ther·a·py (ō-don′tō-thar′ă-pē). 歯科治療（歯科疾患の治療）．

o·don·tot·o·my (ō′don-tot′ŏ-mē) [odonto- + G. *tomē*, incision]. 予防的歯の開削法．

prophylactic o. 予防的拡充塡法（形成不完全な発育溝, 小窩, および裂溝を歯科用バーで開拡し, さらに崩壊するのを防ぐために充塡を行う予防的術式）．

o·dor (ō′dŏr) [L.]. 香り, におい, 臭気（嗅覚受容細胞を刺激する物質からの揮発性放散物）．＝scent.

o·dor·ant (ō′dŏr-ănt). 臭気をもつ物質．

o·dor·a·tism (ō-dōr′ă-tizm) [< *Lathyrus odoratus*, sweet pea]. オドラチズム（→lathyrism）．

o·dor·if·er·ous (ō′dōr-if′ĕr-ŭs) [odor + L. *fero*, to bear]. 発香性の（香り, 芳香, または臭気をもつ）．＝odorous.

o·dor·im·e·ter (ō′dōr-im′ĕ-tĕr). 嗅覚計, 嗅気計（嗅気測定を行うための機器）．

o·do·rim·e·try (ō-dōr-im′ĕ-trē) [odor + G. *metron*, measure]．嗅気測定，嗅ぎ分け（異なる物質の嗅感覚を刺激する力の比較測定）．

o·dor·i·vec·tion (ō′dōr-i-vek′shŭn) [odor + L. *vector*, a carrier]．香気伝播（空気中におけるような香気の伝播）．

o·dor·og·ra·phy (ō-dōr-og′ră-fē) [odor + G. *graphē*, a description]．香気論（香気についての記述）．

o·dor·ous (ō′dŏr-ŭs)．＝odoriferous．

ODT optical Doppler *tomography* の略．

O'·Dwy·er (ō-dwī′ĕr), Joseph P. 米国人医師，1841—1898．→O'D. *tube*．

odyn-, odyno- [G. *odynē*]．痛みに関する連結形．

o·dyn·a·cu·sis (ō′din-ă-kū′sis) [odyn- + G. *akouō*, to hear]．騒音耳痛（聴器官の感覚過敏．したがって，音が実際の疼痛を起こす）．

o·dyn·o·pha·gi·a (ō′din-ō-fā′jē-ă) [odyno- + G. *phagō*, to eat]．えん(嚥)下痛．

o·dyn·o·pho·ni·a (ō′din-ō-fō′nē-ă) [odyno- + G. *phonē*, sound, voice]．オディノフォミア（発声時疼痛）．

Oe エルステッドの記号．

oe- この形で始まり以下に記載のない語については e- の項参照．

oed·i·pism (ed′i-pizm) [*Oedipus*．ギリシア神話上の人物]．エディピズム（① Oedipus コンプレックスの顕現．②眼に自ら傷をつけること，通常，摘出の試みに対してまれに用いる語）．

Oehl (ohl), Eusebio. イタリア人解剖学者，1827—1903．→O. *muscles*．

oe·nan·thal (ē-nan′thăl)．エナンタール．＝heptanal．

oer·sted (Oe) (er′sted) [Hans-Christian *Oersted*．デンマーク人物理学者，1777—1851]．エルステッド（磁場の強さのCGS 電磁単位．1エルステッドは単位磁極に1ダインの力を及ぼす磁場の強さ．(1,000/4π)A/m に等しい）．

oe·soph·a·go·sto·mi·a·sis (ē-sof′ă-gō-stō-mī′ă-sis) [G. *oisophagos*, gullet(esophagus) + *stoma*, mouth + *-iasis*, condition]．腸結節虫症（腸結節虫属 *Oesophagostomum* の線虫による感染症）．＝esophagostomiasis．

Oe·soph·a·gos·to·mum (ē-sof′ă-gos′tō-mŭm) [G. *oisophagos*, gullet (esophagus) + *stoma*, mouth]．腸結節虫属（腸結節虫亜科の円虫類線虫の一属で，草食動物や霊長類の腸壁に被嚢して結節性疾患を起こす．幼虫は腸壁において宿主反応を刺激し，結節を形成して(宿主が免疫性でなければ)その中で発育を完了し，次いで結節を離れ大腸腔内で成虫として生きる）．

O. apiostomum 北部ナイジェリアおよび中央アフリカで報告されている線虫種で，ヒトの腸の粘膜下組織に被嚢し，ときには下痢を起こす．野生であるなしを問わず，サルや類人猿に普通にみられる寄生虫である．

O. brevicaudum 北アメリカおよびインドにおいてブタの盲腸および結腸に見出される線虫種．

O. brumpti アフリカのサル類，ときにはヒトにも見出される線虫種．

O. columbianum コロンビア腸結節虫（ヒツジ，ヤギ，およびアフリカの野生アンテロープに見出される線虫種．多数感染でないかぎり，宿主の健康を著しく害することはない）．

O. dentatum ブタ腸結節虫（ブタの結腸に寄生する線虫種で，その病変はヒツジの病変に類似する）．

O. georgianum 米国でブタの盲腸および結腸に見出される線虫種．

O. quadrispinulatum アメリカ，ヨーロッパ，および東南アジアにおいてブタの盲腸および結腸に見出される種．

O. radiatum 世界中のウシおよび水牛に見出される種で，病変はヒツジの病変に類似する．

O. stephanostomum アフリカのチンパンジー，サル，ゴリラに見出される線虫種であるが，ブラジルのヒトおよびサルからも報告されている．

O. venulosum 世界中のウシ，ヒツジ，ヤギ，シカ，および他の多くの反すう類の盲腸および結腸に見出される種．

oest·ra·di·ol (es′tră-dī′ol)．エストラジオール．＝estradiol．

oest·rids (est′ridz) [G. *oistros*, gadfly]．ヒツジバエ属 *Oestrus* などのヒツジバエ科の寄生バエの一般名．

oes·tri·ol (es′trē-ol)．エストリオール．＝estriol．

oes·tro·gen (es′trō-jen)．エストロゲン．＝estrogen．

oes·trone (es′trōn)．エストロン．＝estrone．

oes·tro·sis (es-trō′sis)．ヒツジバエ症（ヒツジバエ *Oestrus ovis* の幼虫の感染で，小型の反すう動物とまれにヒトに認められる）．

Oes·trus (es′trŭs) [G. *oistros*, gadfly]．ヒツジバエ属（ヒツジにハエウジ病を起こす組織侵入性のハエの一属．ヒツジバエ科のうち，head botflies とよばれるものである．ヒツジバエ *O. ovis*(nose fly)は，灰褐色の頑丈な多毛のミツバチ状のハエで，ヨーロッパから移入されて，今では米国の諸地域での重要な害虫となっている．幼虫は，親バエによって，ヒツジの鼻孔に産み付けられ，2.5 cm もの長さの幼虫が副鼻腔中で発達し，多量の粘液分泌を起こさせ，老羊や弱羊を苦しめる）．

O

OFD orofaciodigital *syndrome* の略．

of·fi·cial (ŏ-fi′shăl) [L. *officialis* < *officium*, a favor, service < *opus*, work + *facio*, to do]．局方の，公定書収載の（薬局方で標準品として認められた医薬品や製剤についていう．*cf.* officinal）．

of·fic·i·nal (ŏ-fis′i-năl) [L. *officina*, shop]．常備の（薬局に備えられている化学薬品や製剤についていう．医師の処方によって一時的に調剤されたものとは対比される．officinal preparation(常備製剤)は official preparation(局方製剤)であることが多い）．

off-label (of-lā′bĕl)．適応外使用，FDA の認可外（FDA あるいは他の政府から承認されていない適応への認可薬の使用）．

off-pump (of-pŭmp)．オフポンプ（人工心肺を使用しないこと）．

O·gi·no (ō-jē′nō), Kyusaku. 20 世紀の日本人医師．→O.-Knaus *rule*．

Og·ston (og′stŏn), Alexander. スコットランド人外科医，1844—1929．→O. *line*; O.-Luc *operation*．

O·gu·chi (ō-gū′chē), Chuta. 日本人眼科医，1875—1945．→O. *disease*．

O·gu·ra (ō-gū′rah), Joseph H. 米国人耳鼻咽喉科医，1915—1983．→O. *operation*．

O'Hara (ō-har′ă), Michael, Jr. 米国人外科医，1869—1926．→O'H. *forceps*．

OHI Oral Hygiene Index の略．

OHI-S Simplified Oral Hygiene Index の略．

Ohm (ōm), Georg S. ドイツ人物理学者．1787—1854．→ohm; O. *law*．

ohm (Ω) (ōm) [George S. *Ohm*]．オーム（電気抵抗の実用単位．1V 起電力下で1A の電流を流しうる任意の導体の抵抗．[註]オームは国際単位系(SI)でも電磁抵抗の組立単位となっている）．

ohm·am·me·ter (ōm-am′ĕ-tĕr)．オームアンメータ（オーム計と電流計の組み合わさったもの）．

ohm·me·ter (ōm′ē-tĕr)．オーム計（導体の電気抵抗をオーム単位で測定するための器械）．

oh·ne Hauch (ō′nă hōwk) [Ger. without breath]．寒天培地上での無べん毛細菌の非拡散性生育を示すのに用いる語．菌体凝集反応を示すときにも用いられる．→O *antigen*．

OI *osteogenesis* imperfecta の略．

oi- この形で始まり以下に記載のない語は e- の項参照．

-oid [G. *eidos*, form, resemblance]．類似していることを表す接尾語．-form と同義．

o·id·i·a (ō-id′ē-ă)．oidium の複数形．

o·id·i·um, pl. o·id·i·a (ō-id′ē-ŭm, ō-id′ē-ă) [Mod.L.: G. *ōon*(egg) の指小辞]．分裂子（分節分生子 arthroconidium に対して以前用いられた語）．

oil (oyl) [L. *oleum*; G. *elaion*，本来はオリーブ油]．油（油状粘度をもち，滑らかな感触で水に不溶，アルコールには可溶または不溶性，エーテルには易溶性で可燃性の液体．起源に従えば動物性，植物性，および鉱物性の油に分類される(元来，鉱物油は動物および植物に由来したものと思われる)．また，脂肪油(固定油)と揮発油とに分類され，乾燥性油と非乾燥性(脂肪性)油にも分類され，前者は空気にさらしておくと次第に濃くなり，最終的には乾燥し，ワニスになる．後者は乾燥しないが，さらしておくと悪臭を放つ傾向を示す．揮発性油，不揮発性油とも医学で用いられる．個々の油については特定名を参照）．

absolute o.'s 純油（固化油から不純物を除去することに

よって得られた精油）.

o. of American wormseed アメリカアカザ油．＝o. of chenopodium.

o. of anise アニス油（アニス *Pimpinella anisum*（セリ科）や中国シキミ *Illicium verum*（モクレン科）の乾燥熟成果実から得られた精油．特徴的アニス芳香をもつ．ウイキョウに似た香りである．リキュール製造やキャンディ，クッキー，歯磨き剤の香料として用いられる．薬剤補助剤（香料）．駆風薬）.

o. of bay ゲッケイジュ油（フトモモ科の植物ヤマモモの一種 *Pimenta* (*Myrcia*) *acris* の乾燥葉の水蒸気蒸留により得られる精油．ヤマモモ油．ゲッケイジュラム製造での芳香剤として，ひげそり後ローション，また製薬補助剤として用いられる）.

o. of bergamot ベルガモット油（ベルガモット *Citrus bergamia* や *C. aurantium* の新鮮果皮から水蒸気蒸留によって得られる精油．L-リナリルアセテート，L-リナロール，D-リモネン，ジペンテン，ベルガプテンを含有する．臭気成分を含有する薬剤での脱臭剤や香水，整髪剤，ポマードの芳香剤として用いられる）.

betula o. カバノキ油（シラカンバの一種 *Betula lenta* の樹皮から蒸留して得られた精油．香料や誘導刺激剤の塗布剤に用いる．→methyl salicylate）.

o. of bitter almond 苦扁桃油（苦扁桃の乾燥成熟果実の種子やアプリコット，モモ，プラム，サクランボなどのアミグダリン含有種子から得られた精油．水蒸気蒸留により種子を水で柔らかくして得られる．昔は，抗そう痒薬として用いられた．毒性がある（シアン化水素を遊離する）．シアン化水素非含有油のみ，リキュールや食品の香料として用いられる）.

o. of bitter orange トウヒ油（ダイダイ *Citrus aurantium*（ミカン科）の新鮮果皮から水蒸気蒸留によって得られる精油．薬剤，食品，酒の香料として用いられる．また，香水にも用いられる）.

o. of cardamom カルダモン油（ショウズク *Elettaria cardamomum*（ショウガ科）の種子から水蒸気蒸留によって得られる精油．薬剤（シロップ），酒，ソース，菓子，パン類の香料．以前は駆風薬として用いられた）.

cedar leaf o. (sē′der lēf oyl)．ニオイヒバ油（ニオイヒバ *Thuja occidentalis* の新鮮な葉を水蒸気蒸留して得られる油．防虫薬，反対刺激薬，香料に用いる）．＝thuja oil.

cedar wood o. (sē′der wud oyl)．セダー油，ツェーデル油（ヒノキ科エンピツビャクシン *Juniperus virginiana* の木から得られる揮発精油．防虫薬，香料，鏡検の油浸に用いる）.

o. of chenopodium アカザ油（アメリカ産の駆虫草アリタソウ *Chenopodium ambrosioides* やマルバアカザ *C. anthelminticum* の新鮮な地上部分から得られた精油．駆虫薬として用いられる）．＝o. of American wormseed.

o. of cherry laurel セイヨウバクチノキ油（ローセラス *Prunus laurocerasus*（バラ科）から水蒸気蒸留により得られる精油．苦扁桃油と類似する．シアン化水素を含有するため猛毒である）.

o. of cinnamon 桂皮油（ニッケイ *Cinnamomum cassia*（クスノキ科）の葉や小枝から水蒸気蒸留により得られる精油．食品や香水の香料）.

o. of citronella シトロネラ油（新鮮なレモングラスから水蒸気蒸留によって得られる精油．シトラネロールを含有する．皮膚につけるか，香りとして昆虫忌避薬として用いられる．また，香水としても用いられる）.

o. of clove チョウジ油（チョウジ *Eugenia caryophyllata*（フトモモ科）の乾燥ツボミから水蒸気蒸留により得られる精油．85% がオイゲノールである．歯科で局所麻酔薬や歯の一時的充塡剤の成分として用いられる．また，食品の香料として用いる．強い刺激性臭がある）．＝clove oil.

concrete o.'s 濃厚精油（有機溶媒で抽出して得られた精油．ろうやパラフィンを含有する）.

o. of coriander コエンドロ油（コエンドロ *Coriandrum sativum*（セリ科）の乾燥成熟果実から得られる精油．食品やアルコール性飲料の香料として用いられる）.

o. of crispmint ＝o. of spearmint.

o. of cubeb ヒッチョウカ油（クベバ *Piper cubeba*（コショウ科）の未熟果実から得られる精油．以前は尿防腐薬として用いられた）.

o. of curled mint 粗製ミント油．＝o. of spearmint.

o. of dwarf pine needles 小松葉油（マツ科の *Pinus montana* の新鮮葉から得られる精油．心地よいマツの香り．製薬補助剤（香味料や香料）として用いられる．去痰薬として使用されていた）.

essential o.'s 精油，芳香油（通常，やや揮発性で，その植物に特有の芳香と味をもつ植物産物．例えば，シトラール，ピネン，樟脳，メンタン，テルペンなどのエッセンスを含んでいる．植物の水蒸気蒸留物または特定の植物の外皮を圧搾することにより得られた植物油．→volatile o.）.

ethereal o. エーテル油．＝volatile o.

o. of eucalyptus ユーカリ油（ユーカリ *Eucalyptus globulus*（フトモモ科）やその他同属の新鮮葉から得られる精油．オーストラリア原産．香気と清涼な味の刺激性油．吸入薬の香料，去痰薬，駆虫薬，局所防腐剤として用いられていた）.

fatty o. 脂肪油（動植物から得られた油．化学的には脂肪酸のグリセリドで，アルカリ性塩基によってグリセリンを置換すると石けんに変換される．脂肪酸は揮発油とは逆に永続的で，吸着表面にさびを起こす．蒸留できない．圧搾または抽出により得られる．粘度は温度により変化し，常温で液体（本来の油），半固体（脂肪），固体（獣脂）のものがある．液体や半固体状の油は冷却すると凝固し，固定状のものは加熱により液化する）．＝fixed o.

o. of fennel ウイキョウ油（ウイキョウ *Foeniculum vulgare*（セリ科）の乾燥果実から得られる精油．アニスと同様，ウイキョウの香りと味を有する芳香性油．薬剤の香料として用いる．駆風薬として用いられていた）.

fixed o. 固定油．＝fatty o.

fusel o. フーゼル油（アルコール発酵の副生物の混合物．その主成分はアルコール類（例えば，アミル，プロピル，イソプロピル，イソブチルアルコール）である）.

joint o. ＝synovial *fluid.*

jojoba o. ホホバ油（アリゾナ，カルフォルニア，北メキシコ原産の砂漠に生育する低木のホホバ *Simmondsia chinensis* や *S. californica*（ツゲ科）の粉末または圧搾した種子から抽出した液体ろうエステル混合物．多くは，皮膚を柔らかくしたり，すべすべにする性質をもつといわれている化粧品に用いられる．また，他の用途としては，潤滑油，燃料，化学原料，鯨ろう油の代用品などがある）.

o. of juniper 杜松子油（ヒノキ科のトショウ *Juniperus communis* の乾燥成熟果実（液果）から得られる精油．以前，利尿剤として用いられた．香料として用いる）．＝juniper berry oil.

o. of lavender ラベンダー油（シソ科の *Lavandula officinalis* の新鮮花穂から得られる精油．香水や香料として用いられる芳香性油．駆風薬として用いられていた）.

o. of lemon レモン油（レモン *Citrus limonum*（ミカン科）の新鮮果皮を圧搾して得られる精油．芳香性油で，薬剤，リキュール，ペストリー，食品，清涼飲料の香料に用いる．また，香水として用いる）.

o. of lemon grass レモングラス油（イネ科オガルカヤ属 *Cymbopogon* の *C. citratus* や *C. flexuosus* から得られる精油．香水製造やビタミンAの合成に用いられるシトラールの原料）.

Lorenzo o. (lō-renz′ō)［副腎脳白質ジストロフィをもつ児，Lorenzo Odone に対して，家族のこの薬剤の発見およびサポートが米国の映画 *Lorenzo's Oil*（1992）で演じられた］．ロレンツォ油（グリセリルトリオレートとグリセリルトリエルケートの 4：1 の混合物．副腎脳白質ジストロフィの治療に用いられる）.

nutmeg o. (nŭt′meg oyl)．ニクズク油（ニクズクノキ *Myristica fragrans* の熟した種子の乾燥した仁から蒸留した揮発性油．香料および駆風薬として用いる．大量では，昏睡とせん妄を起こしうる．*M. fragrans* から抽出された固定油は，発赤薬として用いられる）．＝myristica oil.

olive o. (ol′iv oyl)．オリーブ油（オリーブ *Olea europaea* の果実から得られる油．利胆薬，緩下薬，皮膚軟化薬として使用される．塗布剤の調製，料理にも使用される）.

palm o. パーム油（*Elaeis guineensis*（ヤシ科）の種子から得られる油．石けん，塗布剤，軟膏の製造に用いる．また食料としても使用される）.

peach kernel o. (pēch kĕr′nĕl oyl). 桃仁油（→persic oil）.

peanut o. (pē′nŭt oyl). 落花生油（マメ科 *Arachis hypogaea* の仁から抽出される油．筋肉注射の溶剤としておよび食物の調理に用いる）．=arachis oil.

o. of pennyroyal ペニローヤルハッカ油（アメリカやヨーロッパ産．アメリカ産のものはシソ科の植物 *Hedeoma pulegioides* の花と葉から得られる精油．プレゴンやケトン化合物を含有する．ヨーロッパ産のものはプレギューム油(oil of pulegium)で，シソ科のハッカの一種 *Mentha pulegium* から得られる精油．約85%のプレゴンを含有する．芳香性駆風薬，人工妊娠中絶薬，防虫剤として用いられていた）.

o. of peppermint セイヨウハッカ油（シソ科のハッカの一種 *Mentha piperita* の新鮮な花付きのものを水蒸気蒸留して得られたメントールを含有(50%以下)する精油．薬剤補助剤(香料)やリキュールの香料として用いられる．駆風薬）.

red o. ［C.I. 26125］．レッドオイル（弱酸性脂溶性のジアゾ色素．中性脂肪の組織学的証明に用いる）.

rock o. ロックオイル．=petroleum.

o. of rose ローズ油（バラ科の *Rosa gallica*, *R. damascena*，または同属植物の新鮮な花から得られる精油．主として香水製造用で，軟膏，化粧品に用いられる）．=attar of rose; essence of rose; otto of rose.

sandalwood o. (san′dăl-wūd oyl). ビャクダン油．=santal oil.

o. of spearmint スペアミント油（ミドリハッカ *Mentha spicata*(シソ科)の帯花部から得られる精油．薬剤補助剤(香料)や駆風薬として用いられる）．=o. of crispmint; o. of curled mint.

sweet birch o. =*methyl* salicylate.

o. of turpentine テレペンチン油（含油樹脂から蒸留によってまたはダイオウマツ *Pinus palastrus*(マツ科)や他の同属の植物から得られる精油で，テルペン油の原料である．油，樹脂，ニスの溶剤，展色剤，シンナー，油性ペイントの剝離剤．発赤薬．塗布剤の誘導刺激薬として用いられていた）.

o. of vitriol (oyl vit′rē-ōl). ビトリオール油．=sulfuric acid.

volatile o. 揮発油（油状の粘性と感触をもつ物質．植物由来でその植物の香りや味の源である物質(精油)を含む．脂肪油とは対照的に，揮発油は空気にさらされると蒸発し，蒸留できる．圧搾または抽出によっても得られる．多くの揮発油は天然油と同じかまたはきわめて類似した油で，合成により製造できる．揮発油は，興奮薬，健胃薬，矯正薬，駆風薬として医学面で使用され，さらに香料としても用いる．例えば，ハッカ油など）．=ethereal o.

wheat germ o. (wēt jerm oyl). 麦芽油（イネ科 *Triticum aestivum* の胚芽から圧出して得る油．最も豊富な天然ビタミンE源の1つ．栄養補充に用いる）.

o. of wormwood ヨモギ油（キク科の植物ニガヨモギ *Artemisia absinthium* の葉および先端部から得られる精油．ツジョールアルコールおよびそのアセテート．ツジョン(強力な痙攣薬)，ペランドレン，カジネンを含有する．また，青色油ともよばれる．ベルモットの香料およびアブサンに用いられる）.

oint·ment (oynt′ment)［O. Fr. *oignement*; L. *unguo*, pp. *unctus*, to smear］．軟膏〔剤〕（通常，医薬品を含有し，外用につくられた半固体製剤．賦形剤として用いる軟膏基剤は4群に分けられる．ⓘ疎水性基剤(油脂性軟膏基剤)は，薬物を長期間皮膚に触れるように保ち，密封包帯として働き，主として皮膚軟化薬として用いる．ⓘⓘ吸水基剤は油中水型乳濁液を形成して水溶液を取り込ませるか，水溶液をさらに余分に取り込ませる油中水型乳濁液である．このような基剤は，医薬品の吸収をよくし，皮膚軟化薬として有用である．ⓘⓘⓘ親水性基剤(クリーム)は，水中油型乳濁液であり，ワセリン，無水ラノリンまたはワックスを含む．これらは皮膚から水で洗い落とすことができ，したがって化粧品に適している．皮膚疾患時の排出分泌物の吸収に有効である．ⓘⓥ水溶性基剤(非グリース性軟膏基剤)は水溶性物質のみを含んでいる．→cerate）．=salve; uncture; unguent.

blue o. 青色軟膏（微粉化した金属水銀を20%含有する油脂性基剤の軟膏で，以前はシラミ駆除のために皮膚に局所適用していた．水銀が経皮吸収されたり，皮膚炎を起こす恐れがある）．=mild mercurial o.

eye o. =ophthalmic o.

hydrophilic o. 親水軟膏（白色ワセリン25%，ステアリルアルコール25%，プロピレングリコール12%を水37%とラウリル硫酸1%に乳化させた軟膏基剤．保存剤としてパラベン類を含有する(㊟第13改正日本薬局方での規定とは組成および組成分量が多少異なる)．局所適用を目的とした多数の薬物を混合させることに適する．水洗が可能）.

mild mercurial o. 低濃度水銀軟膏．=blue o.

ophthalmic o. 眼軟膏〔剤〕（眼に使用するための特別な軟膏．粒子を含まず，眼に非刺激性でなければならない）．=eye o.; oculentum.

O·ka·za·ki (ō-kă-ză′kē), Reiji (1930—1975) and Tuneko. 20世紀の日本人分子生物学者．→O. *fragment*.

-ol アルコールまたはフェノールであることを示す接尾語.

ol·a·mine (ōl′ă-mēn). ethanolamine の USAN 承認の短縮名.

OLAT (ō′lat). other licensed antifungal therapies(認可された他の抗真菌療法)の略.

Old·field (ōld′fēld), Michael C. 20世紀のイングランド人医師．→O. *syndrome*.

o·le·ag·i·nous (ō′lē-aj′i-nŭs)［L. *oleagineus*, pertaining to *olea*, the olive tree］．油性の.

o·le·an·der (ō′lē-an′dĕr). オレアンダー，セイヨウキョウチクトウ（東地中海のキョウチクトウ科の低木 *Nerium oleander* の樹皮と葉．利尿・強心薬として以前用いられた）.

yellow o. キバナキョウチクトウ．=Thevetia peruviana.

o·le·ate (ō′lē-āt). ***1*** オレイン酸塩またはエステル．***2*** オレイン酸剤，油酸剤（アルカロイドまたはオレイン酸の金属塩の混合物または溶液からなる米国局方製剤．塗擦剤として用いる）.

o·lec·ra·non (ō-lek′rǎ-non, ō′lē-krā′non)［G. the head or point of the elbow < *ōlenē*, ulna + *kranion*, skull, head］［TA］．肘頭（肘の端．尺骨の近位端にある，隆起して曲がっている部分．この上外側面は上腕三頭筋の腱の付着部で，腹側面は滑車切痕になっている）．=elbow bone; olecranon process; point of elbow; tip of elbow.

o·le·fin (ō′lĕ-fin). オレフィン．=alkene.

o·le·ic ac·id (ō-lē′ik as′id)［L. *oleum*, oil］．オレイン酸（自然に最も広く分布し，かつ，豊富な18炭素1価不飽和脂肪酸．オレイン酸塩およびローションの製造に商業的に用いられ，また医薬品の溶媒としても用いられる．*cf.* elaidic acid）.

o·le·in (ō′lē-in). オレイン（オレオイル基だけを含有するトリアシルグリセロール．脂肪中や油中にみられる）．=triolein.

oleo-［L. *oleum*］．油に関する連結形．→eleo-.

o·le·o·go·men·ol (ō′lē-ō-gō′men-ol). オレオゴメノール．=gomenol.

o·le·o·gran·u·lo·ma (ō′lē-ō-gran′yū-lō′mǎ). =lipogranuloma.

o·le·o·ma (ō′lē-ō′mǎ). オレオーム．=lipogranuloma.

o·le·om·e·ter (ō′lē-om′ĕ-tĕr)［oleo- + G. *metron*, measure］．油重計，検油器，油比重計（油の比重の測定に用いる液体比重計に似た器具）．=eleometer.

o·le·o·pal·mi·tate (ō′lē-ō-pal′mi-tāt). オレオパルミチン酸塩（オレイン酸とパルミチン酸の複塩）.

o·le·o·res·in (ō′lē-ō-rez′in). オレオレジン（①精油樹脂．精油と樹脂の混合物で，いくつかの植物中に存在する．②製剤の一種．→aspidium; capsicum; ginger. ③=balsam）.

o·le·o·sac·cha·rum, pl. **ole·o·sac·cha·ra** (ō′lē-ō-sak′ǎ-rŭm, -ǎ-rǎ)［oleo- + G. *saccharon*, sugar］．油糖剤（揮発油(例えば，アニス，ウイキョウ，またはレモン)を糖と混和した製剤．粉末では強烈なまたは悪い味の薬の賦形剤または矯味矯臭薬として用いる）．=oil sugar.

o·le·o·ste·a·rate (ō′lē-ō-stē′ǎ-rǎt). オレオステアリン酸塩（オレイン酸とステアリン酸の複塩）.

o·le·o·sus (ō-lē-ō′sŭs)［L. < *oleum*, oil］．油性の（脂肪器官異常についていう）．=greasy.

o·le·o·ther·a·py (ō′lē-ō-ther′ǎ-pē)［oleo- + G. *therapeia*, therapy］．油剤注入療法（油剤を内用または外用させて行う

治療法). =eleotherapy.

o·le·o·vi·ta·min (ō'lē-ō-vī'tă-min). オレオビタミン，ビタミン油剤（ビタミンを食用油に溶かしたもの）.

o. A and D ビタミンAとD油（魚の肝油または食用植物油に溶かしたビタミンAとDの溶液）.

o·le·um ter·e·bin·thin·ae (ō'lē-ŭm ter'ē-ben'thin-ī). =turpentine oil.

o·le·yl al·co·hol (ō-lē'il al'kō-hol). オレイルアルコール（脂肪族アルコールの混合物．乳化補助剤およびコールドクリームの調製に用いる．魚油中に見出される）.

ole·yl-CoA (ō-lē-il). オレイル CoA（モノ不飽和脂肪酸の生合成でのΔ^9-デサチュラーゼ(不飽和化酵素)の酵素系の生成物）. =oleyl-coenzyme A.

ole·yl-co·en·zyme A (ō-lē'il-kō-en'zīm). オレイル補酵素A. =oleyl-CoA.

ol·fac·tie, ol·fac·ty (ol-fak'tē). オルファクティー，オルファクト，嗅覚単位（嗅覚の単位．嗅覚刺激の閾値またはにおいが嗅覚計にやっと感知される点．→olfaction）.

ol·fac·tion (ol-fak'shŭn) [L. *ol-facio*, pp. *-factus*, to smell]. =osmesis; osphresis. ***1*** 嗅覚．***2*** 嗅覚作用（嗅ぐ行為）.

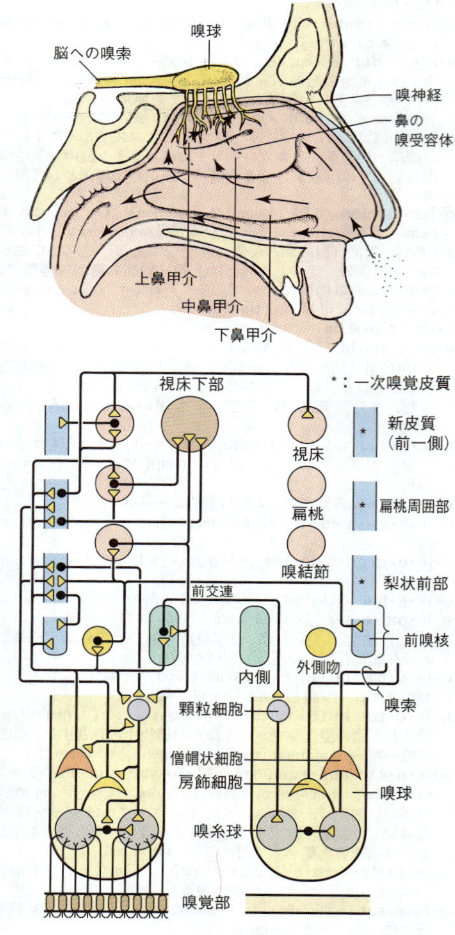

olfaction

ol·fac·tol·o·gy (ol'fak-tol'ŏ-jē) [olfaction + G. *logos*, study]. 嗅感学，嗅覚学.

ol·fac·tom·e·ter (ol'fak-tom'ĕ-tĕr) [L. *olfactus*, smell + G. *metron*, measure]. 嗅覚計（発香物質の感度を推定する器具）.

ol·fac·tom·e·try (ol'fak-tom'ĕ-trē). 嗅覚検査（発香物質に対する感度の測定）.

ol·fac·to·pho·bi·a (ol'fak-tō-fō'bē-ă) [L. *olfactus*, smell + G. *phobos*, fear]. 臭気恐怖〔症〕（臭気に対する病的な恐れ）. =osmophobia; osphresiophobia.

ol·fac·to·ry (ol-fak'tŏ-rē) [→olfaction]. 嗅覚の. =osmatic; osphretic.

o·lib·a·num (ō-lib'ă-nŭm) [Ar. *al*, the + *lubān*, frankincense]. 乳香（カンラン科*Boswellia*属のある種の木から採れるゴム樹脂で，気管支炎の去痰薬，燻蒸，または焼香に用いる）. =frankincense; thus.

olig- →oligo-.

ol·i·gam·ni·os (ol'i-gam'nē-os). =oligohydramnios.

ol·i·ge·mi·a (ol'i-gē'mē-ă) [oligo- + G. *haima*, blood]. 血液過少(減少)〔症〕，乏血〔症〕（[誤った発音 ol-i-gē'mē-ă を避けること]．全身，臓器または組織の血液量の不足）.

ol·i·ge·mic (ol'i-jē'mik). 血液過少(減少)〔症〕の，乏血〔症〕の（[誤った発音 ol-i-gē'mik を避けること]）.

ol·ig·hid·ri·a, ol·ig·id·ria (ol'ig-hid'rē-ă, -id'rē-ă) [oligo- + G. *hidrōs*, sweat]. 脱水症，乏水症.

ol·i·go (ol'i-gō). オリゴ（分子遺伝学において，オリゴヌクレオチドのこと）.

oligo-, olig- [G. *oligos*, few]. [本連結形は oli'go ではなく ol'igo と発音される]．***1*** 少数，少量を表す連結形．***2*** 化学用語において，重合体を示す poly- とは対照的に用いる．例えば oligosaccharide など.

ol·i·go·am·ni·os (ol'i-gō-am'nē-os) [oligo- + amnion]. 羊水過少〔症〕. =oligohydramnios.

ol·i·go·cho·li·a (ol'i-gō-kō'lē-ă) [oligo- + G. *cholē*, bile]. 胆汁過少〔症〕，乏胆汁症（胆汁の分泌不十分）.

ol·i·go·chy·li·a (ol'i-gō-kī'lē-ă) [oligo- + G. *chylos*, juice]. 乏乳び症（胃液の欠乏）.

ol·i·go·chy·mi·a (ol'i-gō-kī'mē-ă) [oligo- + G. *chymos*, juice]. 乏びじゅく症（びじゅくの欠乏）.

ol·i·go·cys·tic (ol'i-gō-sis'tik) [oligo- + G. *kystis*, bladder, cyst]. 寡嚢胞性の（数個の小嚢胞で構成される．通常，多数の嚢胞で構成される胞状奇胎やその他の病変でまれにみられる）.

ol·i·go·dac·ty·ly, ol·i·go·dac·tyl·ia (ol'i-gō-dak'ti-lē, -dak-til'ē-ă) [oligo- + G. *daktylos*, finger or toe]. 指(趾)不足〔症〕，乏指(趾)〔症〕（四肢のどこかの指が5本に満たない状態）.

ol·i·go·den·dri·a (ol'i-gō-den'drē-ă). =oligodendroglia.

ol·i·go·den·dro·blast (ol'i-gō-den'drō-blast). 希(乏)突起〔神経〕膠芽細胞（希突起神経膠細胞の正常前駆細胞である原始神経膠細胞）.

ol·i·go·den·dro·blas·to·ma (ol'i-gō-den'drō-blas-tō'mă) [oligo- + G. *dendron*, tree + *blastos*, germ + -oma]. 希(乏)突起〔神経〕膠芽細胞腫（oligodendroglioma を表す現在では用いられない語）.

ol·i·go·den·dro·cyte (ol'i-gō-den'drō-sīt). 希(乏)突起〔神経〕膠細胞.

ol·i·go·den·drog·li·a (ol'i-gō-den-drog'lē-ă) [oligo- + G. *dendron*, tree + *glia*, glue]. 希(乏)突起〔神経〕膠細胞（[本語は文法的に単数形である．誤った発音 oligodendrogli'a を避けること]．神経細胞とともに中枢神経系組織を構成する4型の神経膠細胞の1つ(他の3つは，星状膠細胞，上皮細胞，および小膠細胞)．特徴として種々の数のベール様またはシーツ様の突起を有し，それぞれ軸索の周囲を包み，中枢神経線維のミエリン鞘を形成する(末梢神経系の Schwann cells 参照)．したがって，灰白質より白質に多数存在する）. =oligodendria.

ol·i·go·den·dro·gli·o·ma (ol'i-gō-den'drō-glī-ō'mă) [oligo- + G. *dendron*, tree + glia + -oma]. 希(乏)突起〔神経〕膠腫（希突起神経膠細胞由来の，比較的緩慢に成長する，比較的まれな神経膠腫で，成人の大脳に最も頻繁に生じる．この新生物は肉眼的には均質であり，かなり限局され，中等

PLATE 1: ANTERIOR AND POSTERIOR VIEW OF THE SKULL

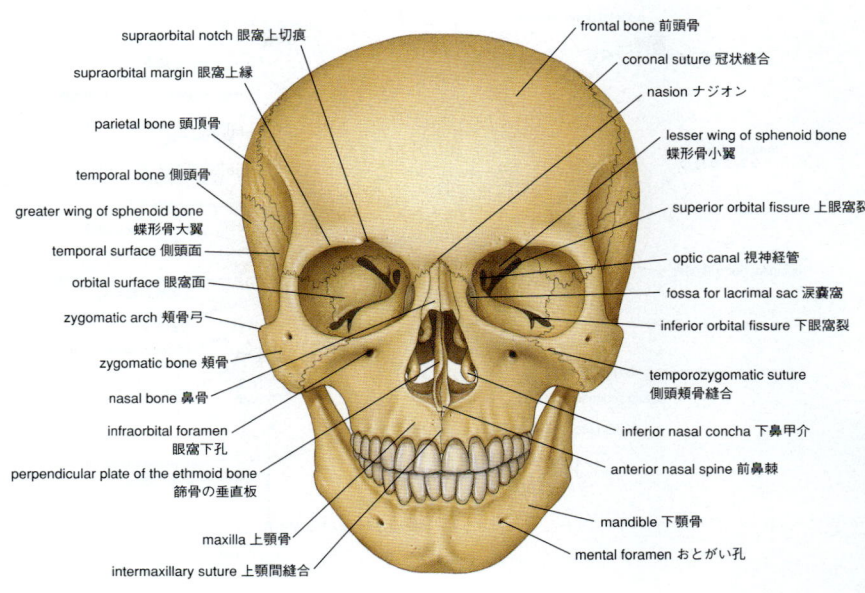

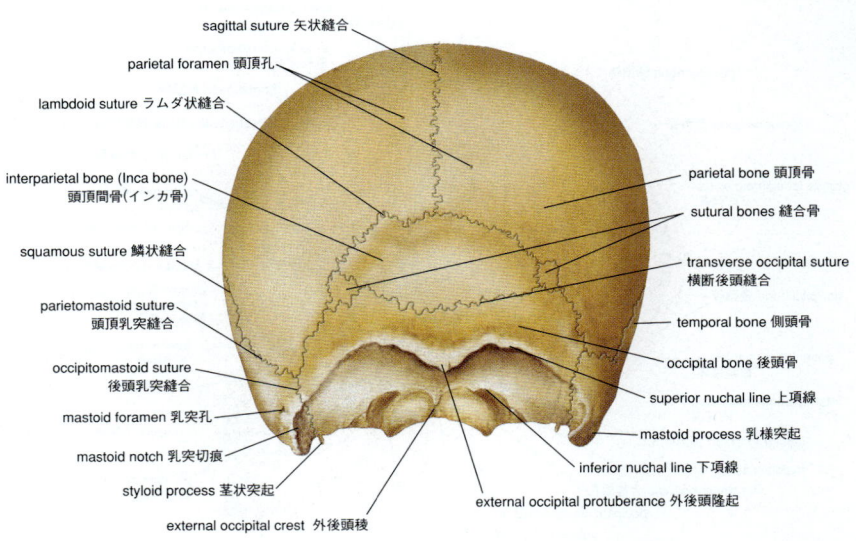

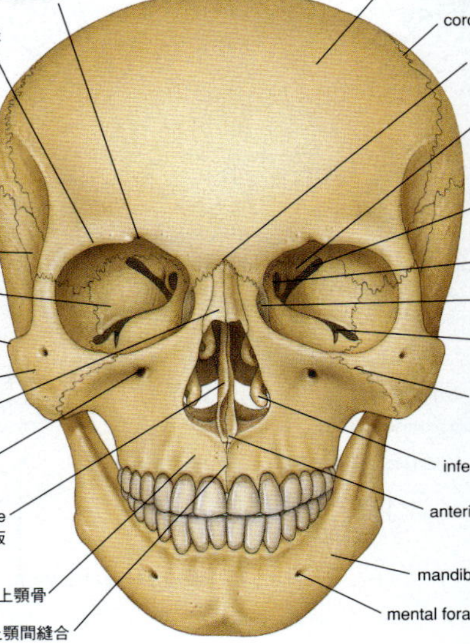

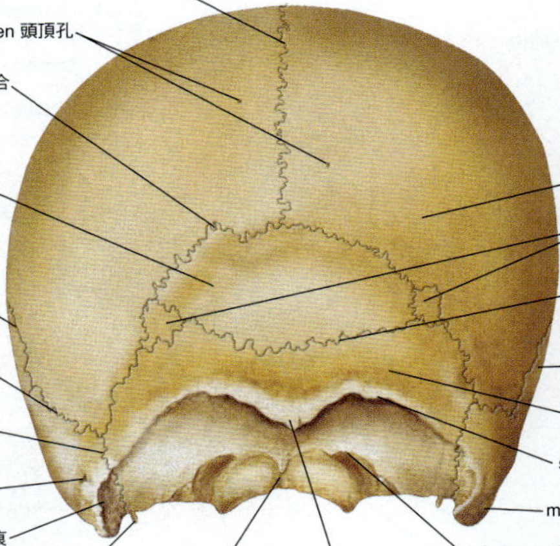

PLATE 2: LATERAL VIEW AND SAGITTAL SECTION OF THE SKULL

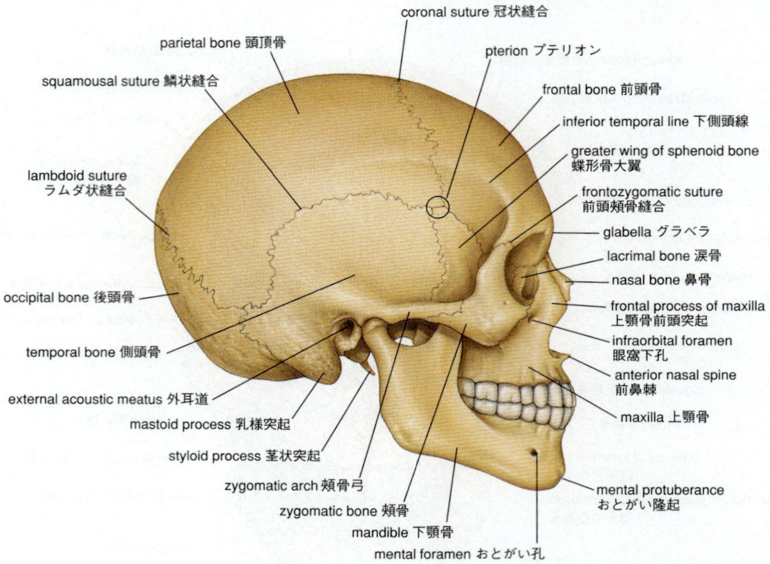

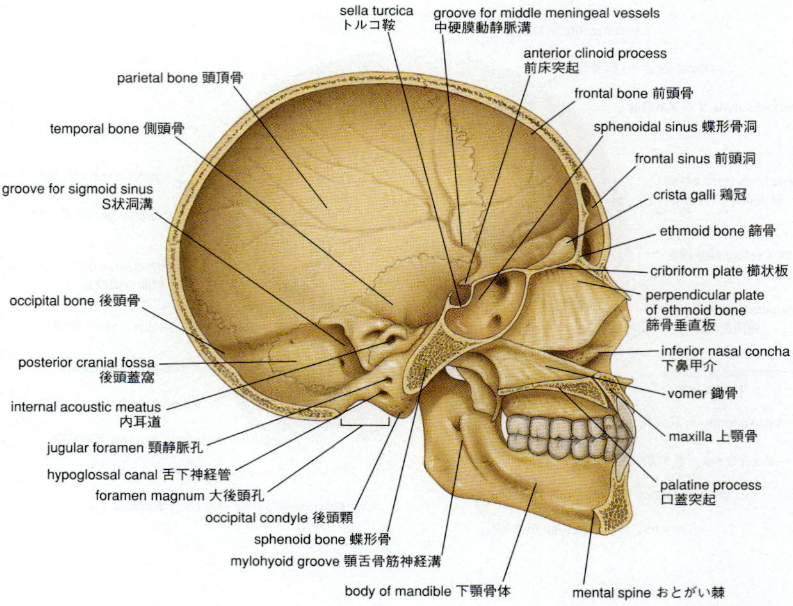

PLATE 3: MUSCULAR ANATOMY OF HEAD AND NECK

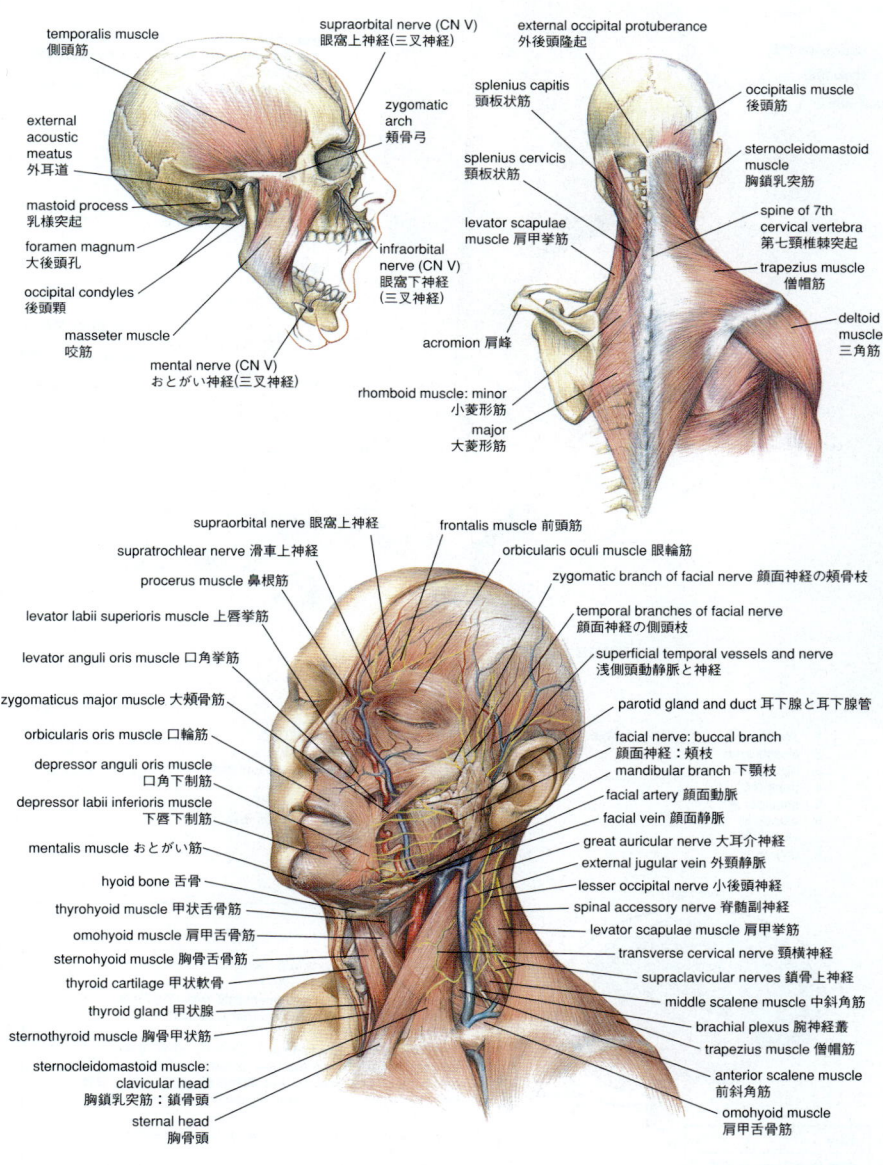

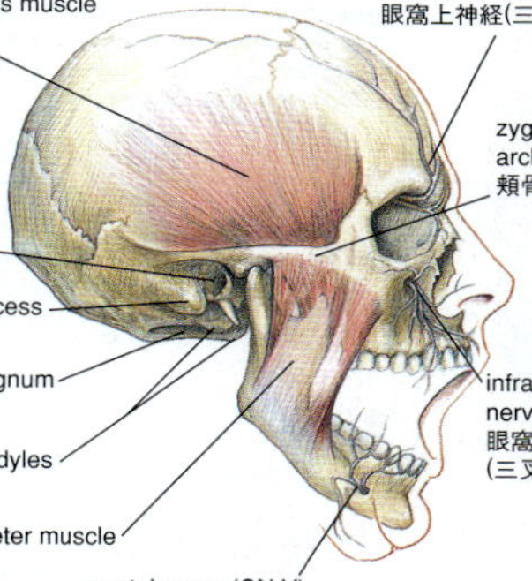

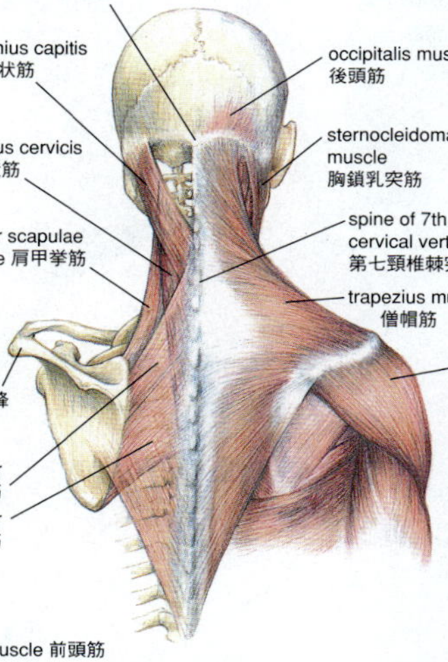

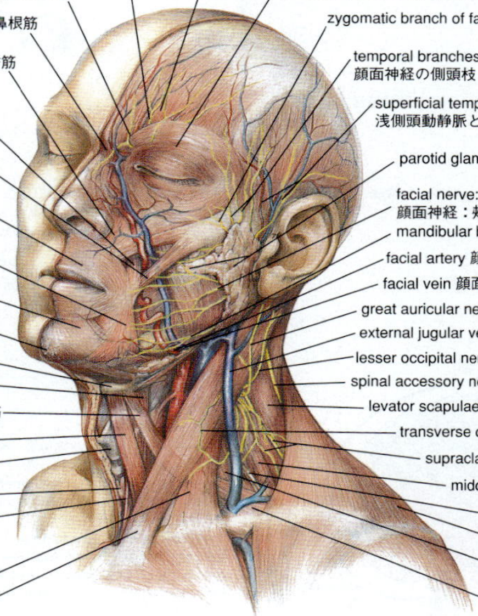

PLATE 4: CEREBRAL HEMISPHERES

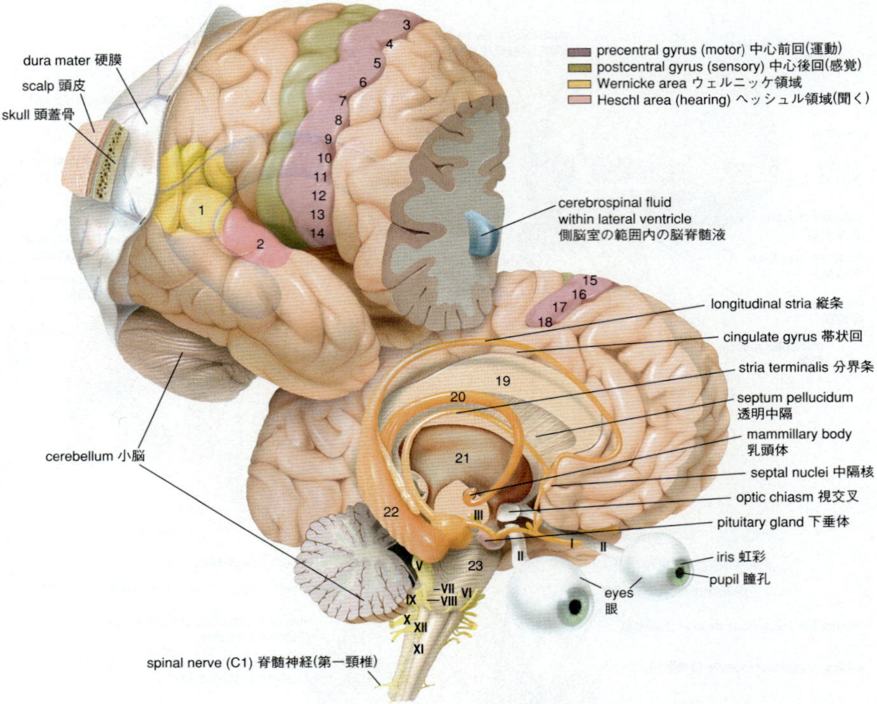

1 Wernicke area ウェルニッケ領域
2 Heschl area ヘッシュル領域
3 hip 股関節
4 trunk 体幹
5 shoulder 肩
6 elbows 肘
7 wrist 手首
8 fingers 指
9 brow 額
10 eyelid 眼瞼
11 nose 鼻
12 lips 口唇
13 tongue 舌
14 larynx 喉頭
15 hip 股関節
16 knee 膝
17 ankle 足関節
18 toes 足指
19 corpus callosum 脳梁
20 fornix 円蓋
21 thalamus 視床
22 hippocampus 海馬
23 pons 橋

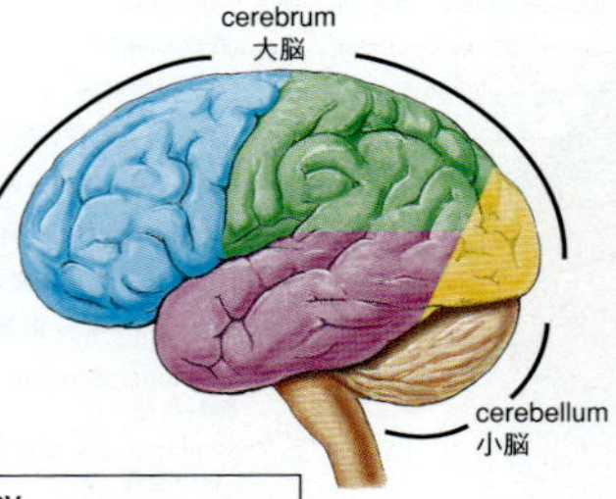

Key

- frontal lobe 前頭葉
- parietal lobe 頭頂葉
- temporal lobe 側頭葉
- occipital lobe 後頭葉

Key

Cranial nerves 脳神経

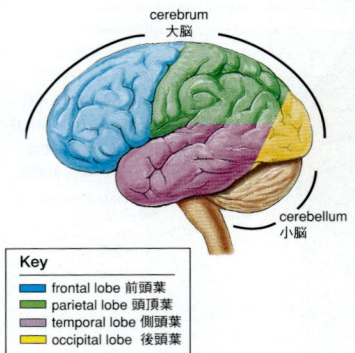

I olfactory nerve — smell 嗅神経—嗅覚
II optic nerve — sight 視神経—視力
III oculomotor nerve — eye movement 動眼神経—眼球運動
IV trochlear nerve — eye movement (not illustrated)
滑車神経—眼球運動(例示せず)
V trigeminal nerve — face (sensory) 三叉神経—顔面(感覚)
VI abducens nerve — eye movement 外転神経—眼球運動
VII facial nerve — face (motor), taste 顔面神経—顔面(運動), 味覚
VIII vestibulocochlear nerve — hearing and balance
内耳神経—聴力と平衡
IX glossopharyngeal nerve — swallowing, taste, sensation
舌咽神経—えん下, 味覚, 知覚
X vagus nerve — gastrointestinal tract, swallowing, heart rate, peristalsis
迷走神経—胃腸管, えん下, 心拍, 蠕動
XI accessory nerve — shoulder muscles 副神経—肩の筋肉
XII hypoglossal nerve — tongue 舌下神経—舌

PLATE 5: VERTEBRAL AND INTERVERTEBRAL DISC ANATOMY

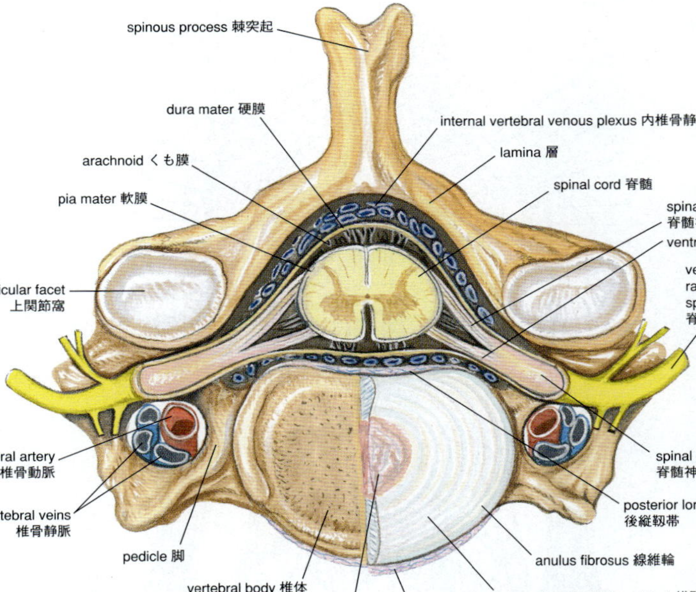

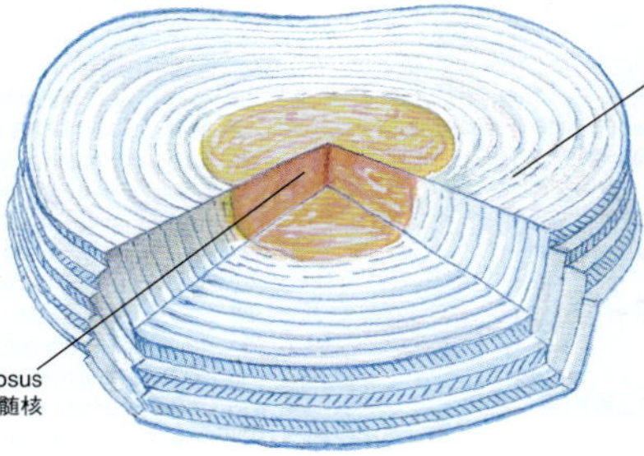

HUMAN ANATOMY

PLATE 6: NERVOUS SYSTEM OF THORAX AND UPPER LIMB, ANTERIOR VIEW

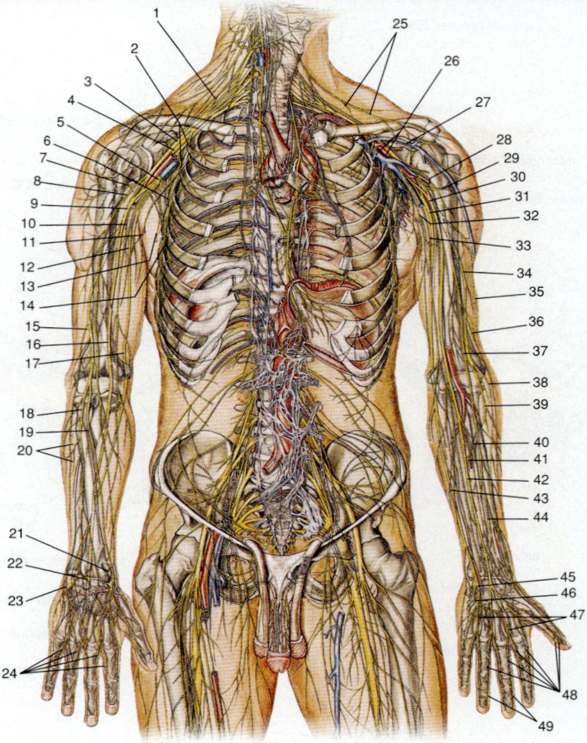

1 suprascapular nerve 肩甲上神経
2 medial and lateral pectoral nerves 中側・外側胸筋神経
3 brachial plexus: lateral cord 腕神経叢：外側索
4 brachial plexus: posterior cord 腕神経叢：後索
5 brachial plexus: medial cord 腕神経叢：内側索
6 subscapular nerve 肩甲下神経
7 axillary nerve 腋窩神経
8 musculocutaneous nerve 筋皮神経
9 median nerve 正中神経
10 radial nerve 橈骨神経
11 intercostobrachial nerve 肋間上腕神経
12 ulnar nerve 尺骨神経
13 thoracodorsal nerve 胸背神経
14 long thoracic nerve 長胸神経
15 radial nerve 橈骨神経
16 median nerve 正中神経
17 ulnar nerve 尺骨神経
18 radial nerve: deep branch 橈骨神経：深枝
19 radial nerve: superficial branch 橈骨神経：浅枝
20 radial nerve: muscular branches 橈骨神経：筋枝
21 radial nerve: superficial branch 橈骨神経：浅枝
22 median nerve 正中神経
23 ulnar nerve: dorsal branch 尺骨神経：背枝
24 dorsal digital nerves 背側指神経
25 supraclavicular nerves 鎖骨上神経
26 axillary vein and artery 腋窩静脈・動脈
27 cephalic vein 橈側皮静脈
28 musculocutaneous nerve 筋皮神経
29 axillary nerve 腋窩神経
30 median nerve 正中神経
31 ulnar nerve 尺骨神経
32 medial brachial cutaneous nerve 内側上腕皮神経
33 medial antebrachial cutaneous nerve 内側前上腕皮神経
34 radial nerve 橈骨神経
35 posterior brachial cutaneous nerve 後上腕皮神経
36 posterior antebrachial cutaneous nerve 後前腕皮神経
37 lateral antebrachial cutaneous nerve 外側前腕皮神経
38 radial nerve: superficial branch 橈骨神経：浅枝
39 radial nerve: deep branch 橈骨神経：深枝
40 anterior interosseous nerve 前骨間神経
41 posterior interosseous nerve 後骨間神経
42 median nerve 正中神経
43 ulnar nerve 尺骨神経
44 lateral antebrachial cutaneous nerve 外側前腕皮神経
45 ulnar nerve: superficial branch 尺骨神経：浅枝
46 ulnar nerve: deep branch 尺骨神経：深枝
47 common palmar digital nerves 総掌側指神経
48 proper palmar digital nerves 固有掌側指神経
49 articular branches 関節枝

PLATE 7: MUSCULAR AND SKELETAL ANATOMY OF WRIST AND HAND, PALMAR VIEW

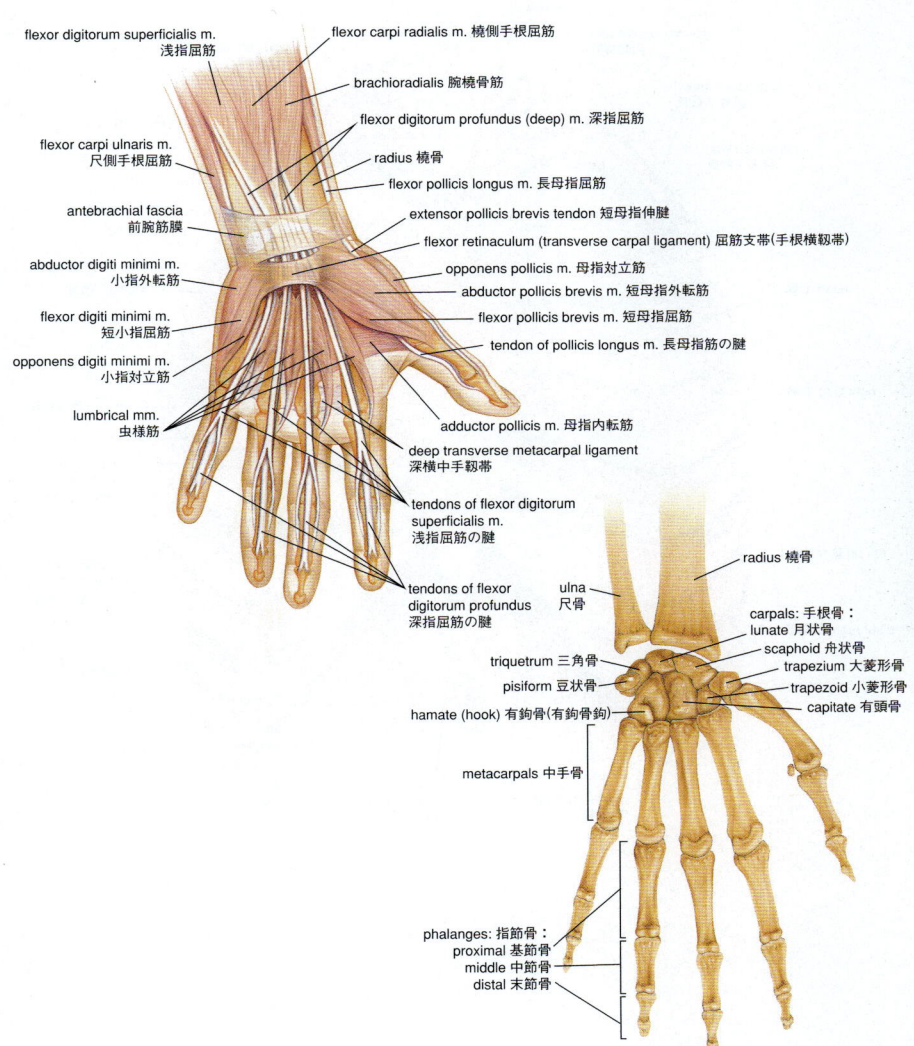

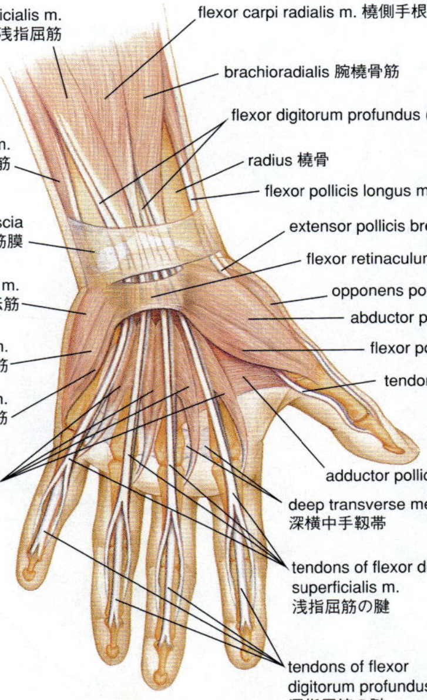

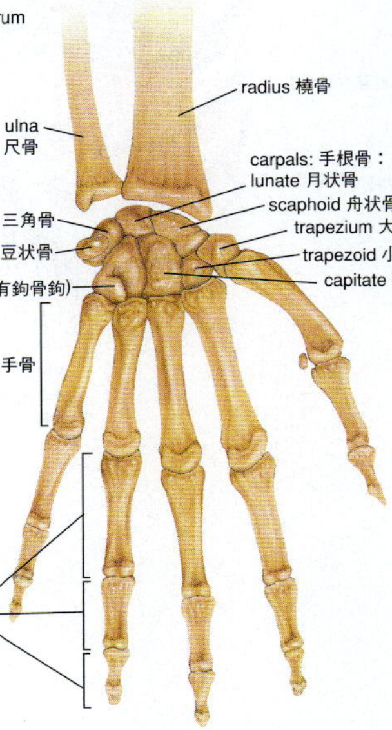

HUMAN ANATOMY

PLATE 8: VISCERA OF THORAX, ANTERIOR VIEW

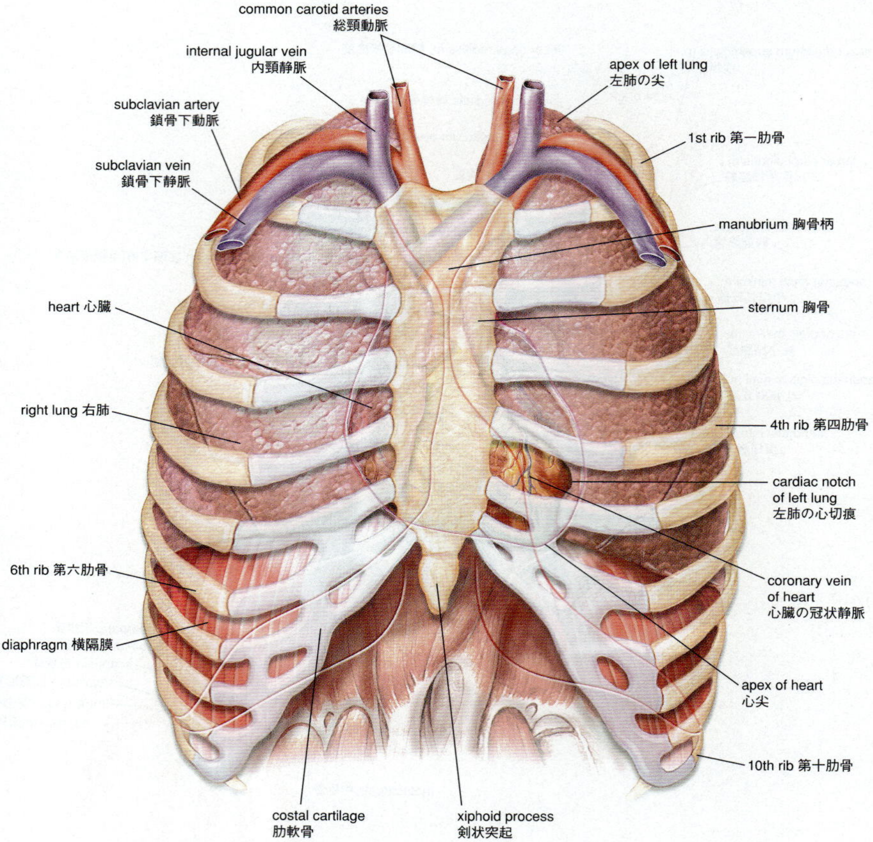

PLATE 9: ANATOMY OF HEART, ANTERIOR VIEW

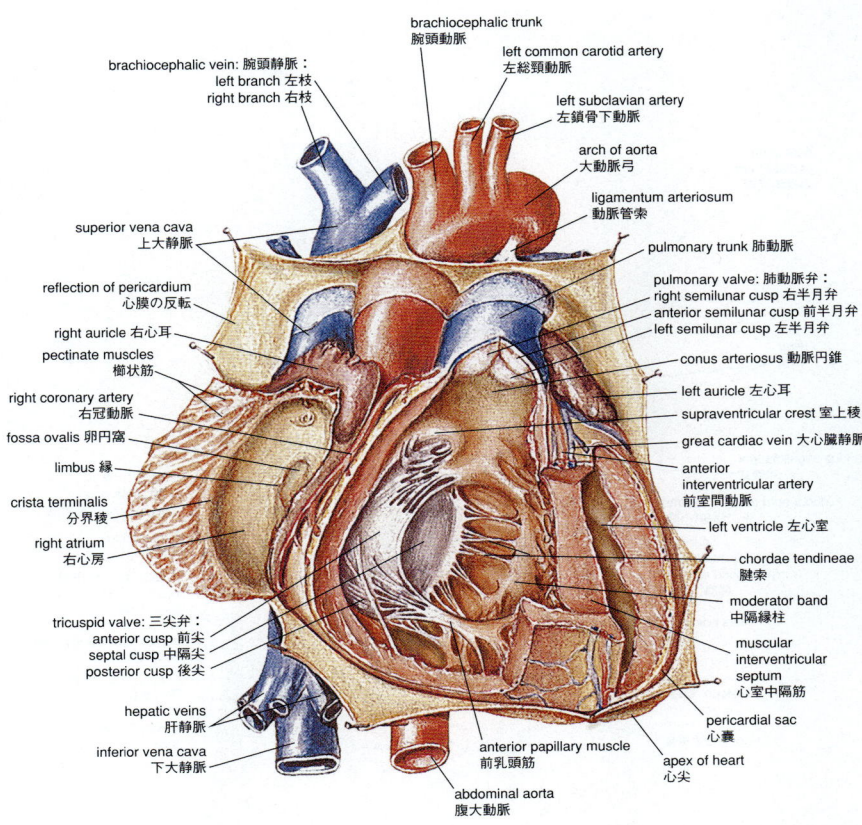

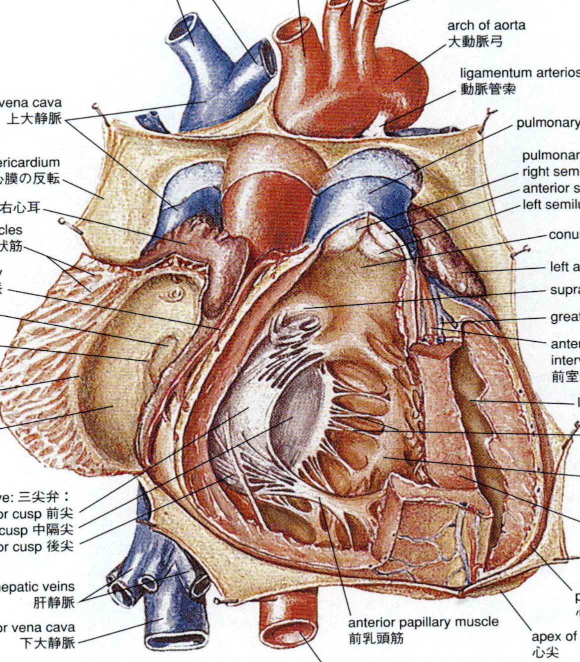

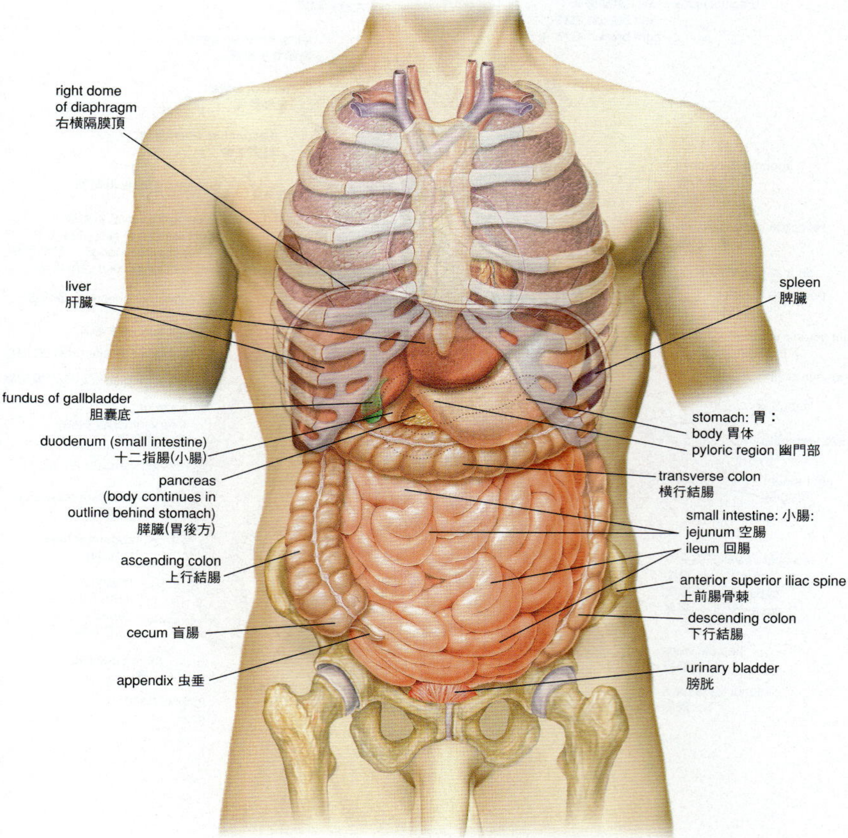
right dome
of diaphragm
右横隔膜頂
liver
肝臓
fundus of gallbladder
胆嚢底
duodenum (small intestine)
十二指腸(小腸)
pancreas
(body continues in
outline behind stomach)
膵臓(胃後方)
ascending colon
上行結腸
cecum 盲腸
appendix 虫垂
spleen
脾臓
stomach: 胃：
body 胃体
pyloric region 幽門部
transverse colon
横行結腸
small intestine: 小腸:
jejunum 空腸
ileum 回腸
anterior superior iliac spine
上前腸骨棘
descending colon
下行結腸
urinary bladder
膀胱

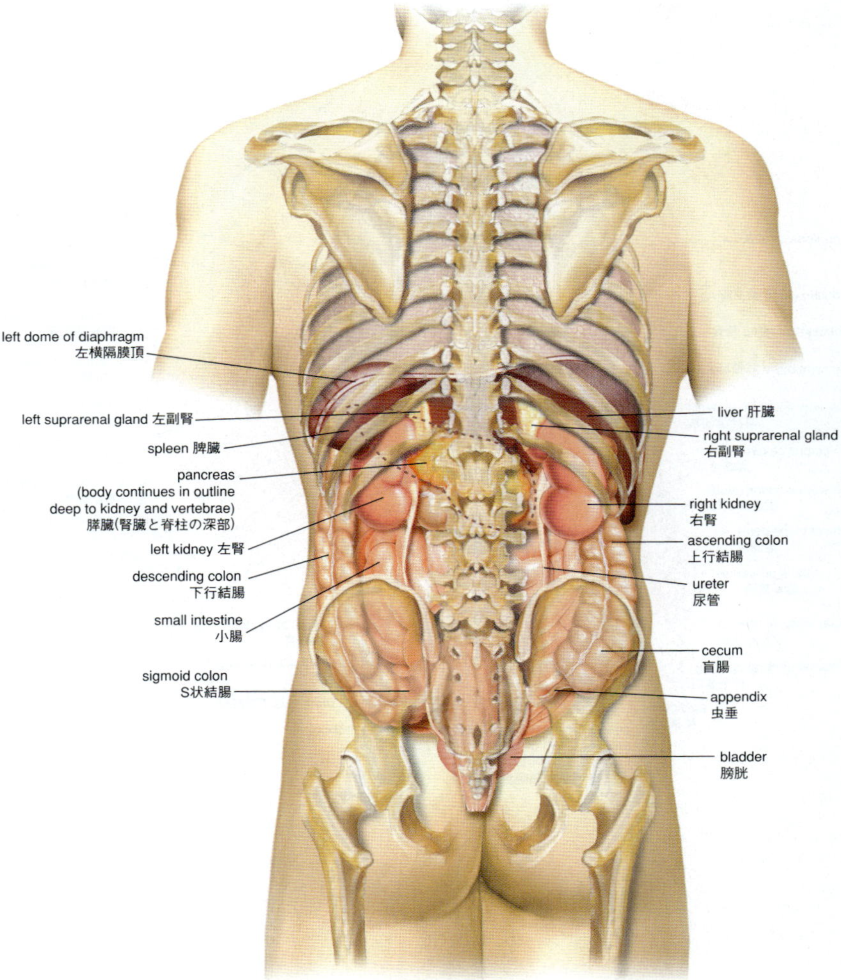
left dome of diaphragm
左横隔膜頂
left suprarenal gland 左副腎
spleen 脾臓
pancreas
(body continues in outline
deep to kidney and vertebrae)
膵臓(腎臓と脊柱の深部)
left kidney 左腎
descending colon
下行結腸
small intestine
小腸
sigmoid colon
S状結腸
liver 肝臓
right suprarenal gland
右副腎
right kidney
右腎
ascending colon
上行結腸
ureter
尿管
cecum
盲腸
appendix
虫垂
bladder
膀胱

PLATE 12: MALE UROGENITAL SYSTEM, MIDSAGITTAL VIEW

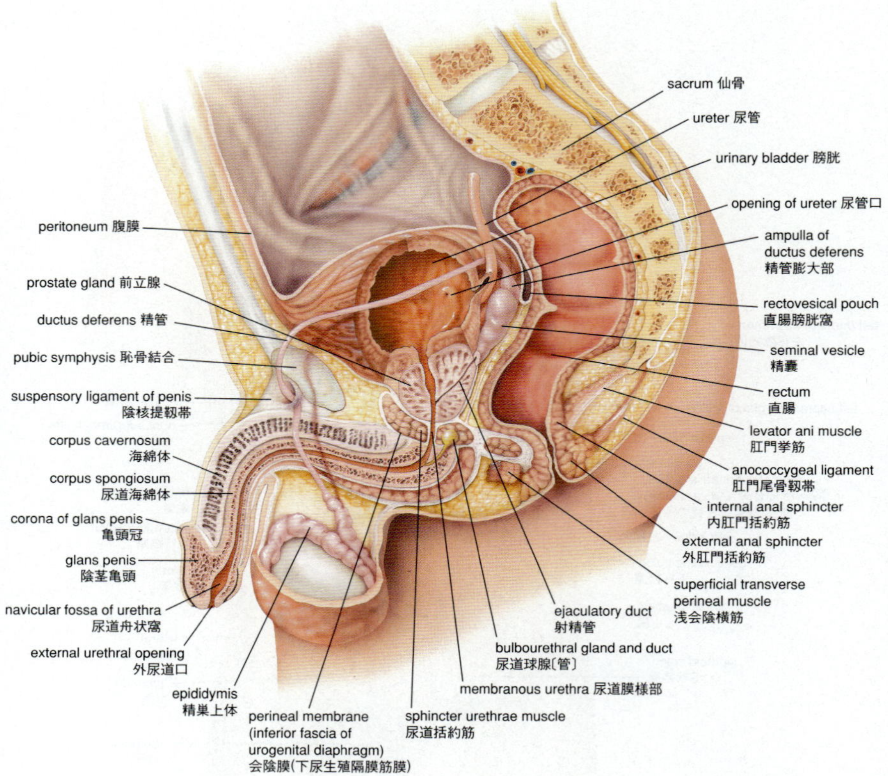

PLATE 13: FEMALE UROGENITAL SYSTEM, MIDSAGITTAL VIEW

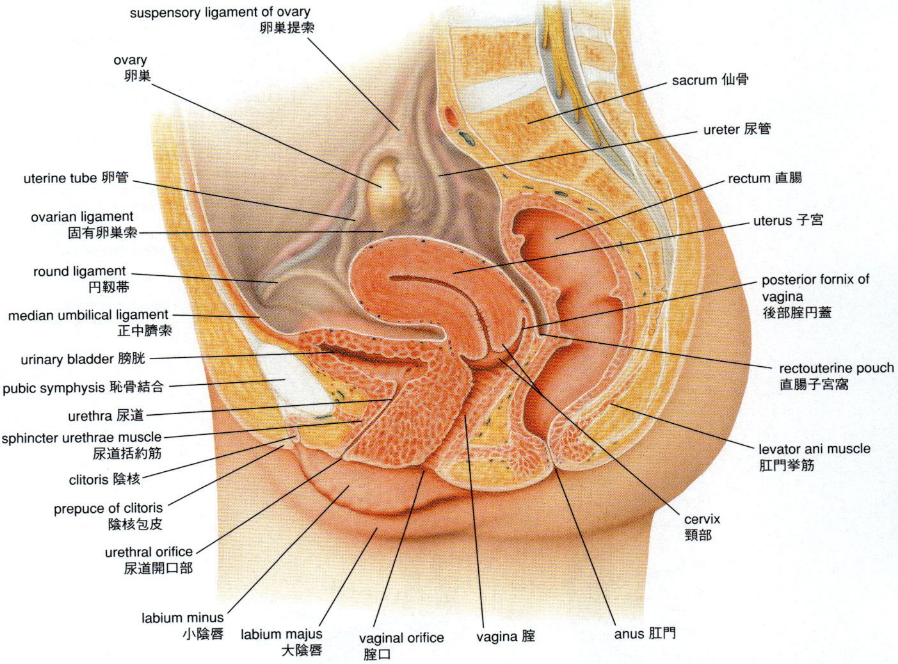

HUMAN ANATOMY

PLATE 14: NERVOUS SYSTEM OF PELVIS AND LOWER LIMB, ANTERIOR VIEW

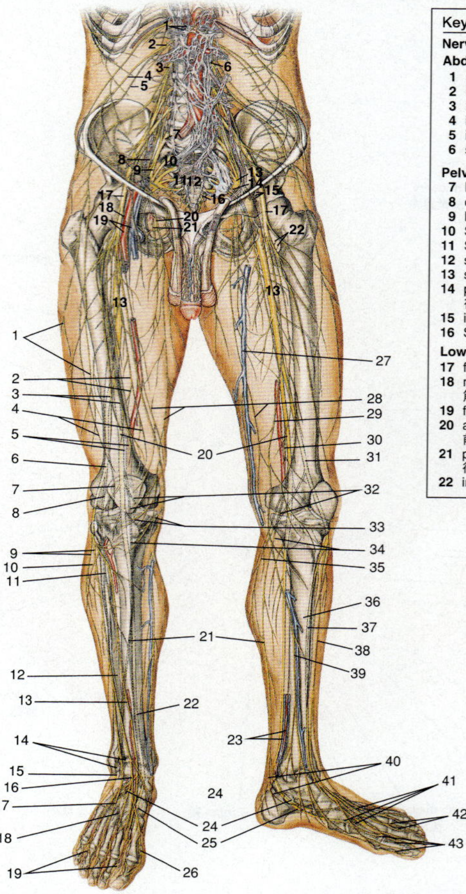

Key

Nerves of lower limb 下肢の神経

Abdomen 腹部

1 hepatic plexus 肝神経叢
2 L1 nerve L1神経
3 L2 nerve L2神経
4 iliohypogastric nerve 腸骨下腹神経
5 ilioinguinal nerve 腸骨鼡径神経
6 sympathetic trunk 交感神経幹

Pelvis and perineum 骨盤と会陰

7 L5 nerve L5神経
8 obturator nerve 閉鎖神経
9 lumbosacral trunk 腰仙骨神経幹
10 S1 nerve S1神経
11 S3 nerve S3神経
12 sympathetic trunk 交感神経幹
13 sciatic nerve 坐骨神経
14 posterior femoral cutaneous nerve 後大腿皮神経
15 inferior gluteal nerves 下殿神経
16 S5 nerve S5神経

Lower limb 下肢

17 femoral nerve 大腿神経
18 muscular branch (femoral nerve) 筋枝(大腿神経)
19 femoral artery and vein 大腿動静脈
20 anterior branch (obturator nerve) 前枝(閉鎖神経)
21 posterior branch (obturator nerve) 後枝(閉鎖神経)
22 inferior cluneal nerves 下殿皮神経

1 lateral femoral cutaneous branches 外側大腿皮枝
2 femoral nerve: muscular branches 大腿神経：筋枝
3 anterior cutaneous branches 前皮枝
4 articular branches 関節枝
5 popliteal artery and vein 膝窩動静脈
6 common fibular (peroneal) nerve 総腓骨神経
7 common fibular (peroneal) nerve: articular branch 総腓骨神経：関節枝
8 lateral sural cutaneous nerve 外側腓腹皮神経
9 peroneal nerve: muscular branches 腓骨神経：筋枝
10 superficial 浅腓骨神経
11 deep 深腓骨神経
12 fibula 腓骨
13 deep peroneal nerve (anterior) 深腓骨神経(前)
14 sural nerve: lateral calcaneal branches 腓腹神経：外側踵骨枝
15 lateral dorsal cutaneous nerve 外側足背皮神経
16 medial dorsal cutaneous nerve 内側足背皮神経
17 intermediate dorsal cutaneous nerve 中間足背皮神経
18 lateral plantar nerve: deep branch 外側足底神経：深枝
19 dorsal digital nerves 背側指神経
20 tibial nerves 脛骨神経
21 sural nerve 腓腹神経
22 tibial nerve 脛骨神経
23 posterior tibial artery and vein 後脛骨動静脈
24 lateral plantar nerves 外側足底神経
25 medial plantar nerves 内側足底神経
26 proper digital nerves 固有指神経
27 great saphenous vein 大伏在静脈
28 obturator nerve: cutaneous branches 閉鎖神経：皮枝
29 saphenous nerve 伏在神経
30 posterior femoral cutaneous nerve 後大腿皮神経
31 common peroneal nerve 総腓骨神経
32 tibial nerve: muscular branches 脛骨神経：筋枝
33 saphenous nerve: infrapatellar branches 伏在神経：膝蓋下枝
34 medial sural cutaneous nerves 内側腓腹皮神経
35 lateral sural cutaneous nerves 外側腓腹皮神経
36 tibia 脛骨
37 deep peroneal nerve 深腓骨神経
38 superficial peroneal nerve 浅腓骨神経
39 saphenous nerve 伏在神経
40 medial calcaneal branches 内側踵骨枝
41 common digital nerves 総指神経
42 dorsal digital nerves 背側指神経
43 proper digital nerves 固有指神経

PLATE 15: MUSCULAR AND SKELETAL ANATOMY OF ANKLE AND FOOT, ANTERIOR VIEW

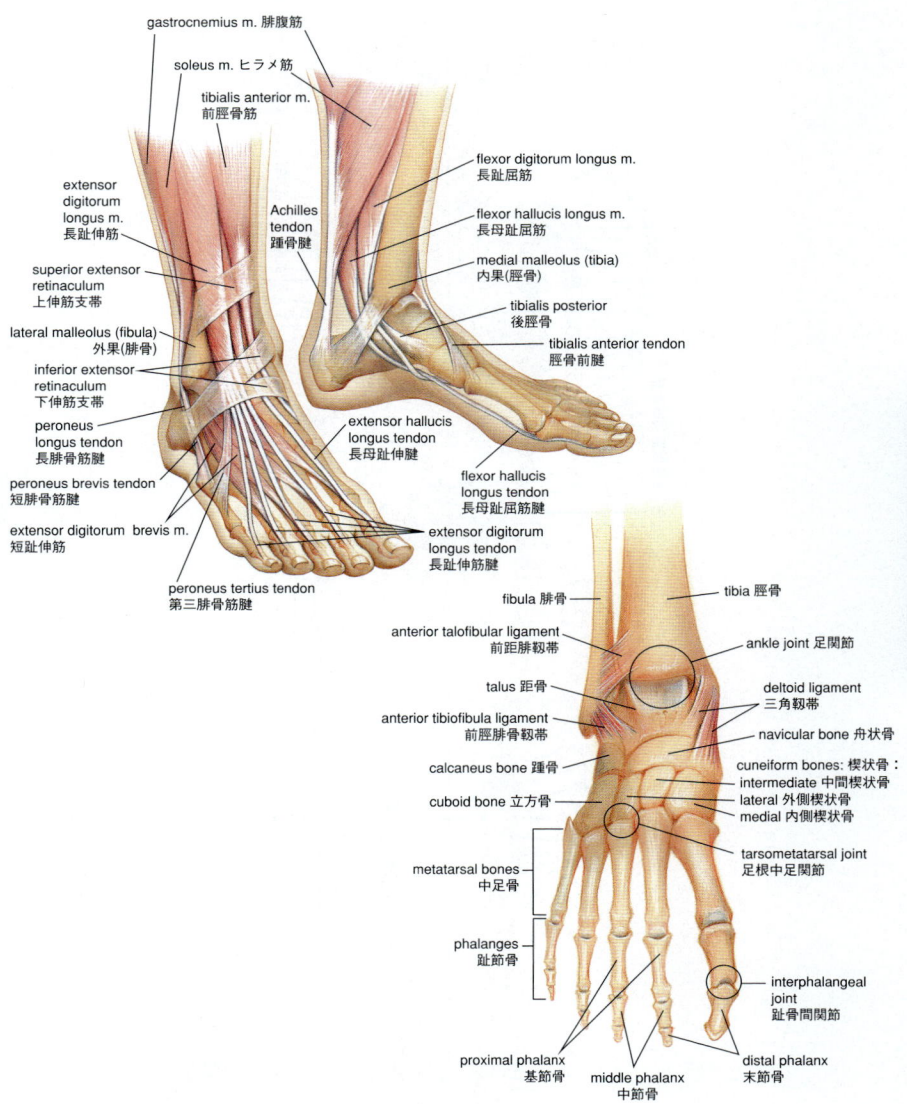

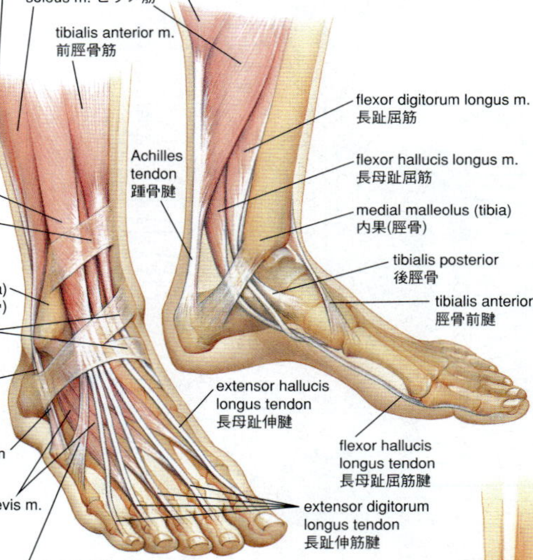

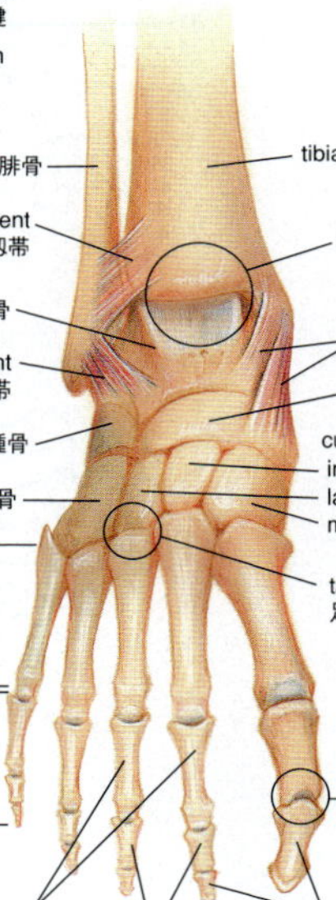

HUMAN ANATOMY

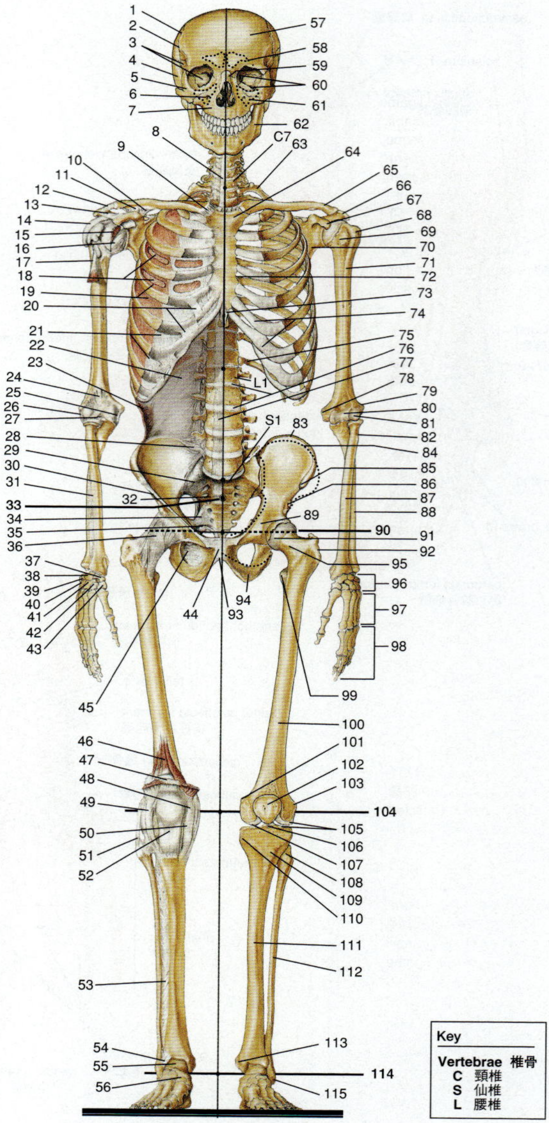
1
2
3
4
5
6
7
8
9
10
11
12
13
14
15
16
17
18
19
20
21
22
23
24
25
26
27
28
29
30
31
32
33
34
35
36
37
38
39
40
41
42
43
44
45
46
47
48
49
50
51
52
53
54
55
56
57
58
59
60
61
62
C7
63
64
65
66
67
68
69
70
71
72
73
74
75
76
77
L1
78
79
80
81
S1
83
82
84
85
86
87
88
89
90
91
92
93
94
95
96
97
98
99
100
101
102
103
104
105
106
107
108
109
110
111
112
113
114
115
Key
Vertebrae 椎骨
C 頸椎
S 仙椎
L 腰椎

1 coronal suture 冠状縫合
2 parietal 頭頂骨
3 sphenoid 蝶形骨
4 temporal 側頭部
5 zygomatic 頬骨
6 infraorbital foramen 眼窩下孔
7 maxilla 上顎骨
8 anterior longitudinal ligament 前縦靱帯
9 anterior sternoclavicular ligament 前胸鎖靱帯
10 superior transverse scapular ligament 上肩甲横靱帯
11 coracoclavicular ligament 烏口鎖骨靱帯
12 acromioclavicular ligament 肩鎖靱帯
13 coracoacromial ligament 烏口肩峰靱帯
14 subdeltoid bursa 三角筋下包
15 subscapularis muscle 肩甲下筋
16 articular capsule 関節包
17 biceps brachii muscle (long head) 上腕二頭筋(長頭)
18 internal intercostal muscles 内肋間筋
19 external intercostal muscles 外肋間筋
20 interchondral ligaments 軟骨間靱帯
21 external intercostal membranes 外肋間膜
22 thoracolumbar fascia 胸腰筋膜
23 transverse muscle of abdomen 腹横筋
24 articular capsule 関節包
25 ulnar collateral ligament 肘関節の内側側副靱帯
26 radial collateral ligament 肘関節の外側側副靱帯
27 anular ligament 輪状靱帯
28 iliolumbar ligament 腸腰靱帯
29 anterior sacroiliac ligament 前仙腸靱帯
30 inguinal ligament 鼡径靱帯
31 interosseous membrane 前腕骨間膜
32 sacrum 仙骨
33 center of gravity 重心
34 sacrospinous ligament 仙棘靱帯
35 sacrotuberal ligament 仙結節靱帯
36 iliofemoral ligament 腸骨大腿靱帯
37 scaphoid 手の舟状骨
38 lunate 月状骨
39 triquetrum 三角骨
40 hamate 有鉤骨
41 capitate 有頭骨
42 trapezoid 小菱形骨
43 trapezium 大菱形骨
44 pubic symphysis 恥骨結合
45 obturator membrane 閉鎖膜
46 articularis genus muscle 膝関節筋
47 quadriceps femoris tendon 大腿四頭筋腱
48 tibial collateral ligament 膝関節の内側側副靱帯
49 lateral patellar retinaculum 外側膝蓋支帯
50 medial patellar retinaculum 内側膝蓋支帯
51 fibular collateral ligament 膝関節の外側側副靱帯
52 patellar ligament 膝蓋靱帯
53 interosseous membrane 下腿骨間膜
54 anterior tibiofibular ligament 前脛腓靱帯
55 talus 距骨
56 medial cuneiform 内側楔状骨
57 frontal 前頭骨
58 outline of frontal sinus 前頭洞の輪郭
59 nasal 鼻骨
60 superior and inferior orbital fissures 上下眼窩裂
61 outline of maxillary sinus 上顎洞の輪郭
62 mandible 下顎骨
63 1st rib 第一肋骨
64 manubrium 胸骨柄
65 clavicle 鎖骨
66 acromion 肩峰
67 coracoid process 烏口突起
68 greater tubercle 大結節
69 lesser tubercle 小結節
70 scapula 肩甲骨
71 humerus 上腕骨
72 sternum 胸骨
73 xiphoid process 剣状突起
74 costal cartilages 肋軟骨
75 12th rib 第十二肋骨
76 intervertebral discs 椎間円板
77 anterior longitudinal ligament 前縦靱帯
78 medial epicondyle 内側上顆
79 lateral epicondyle 外側上顆
80 trochlea 滑車
81 capitulum 小頭
82 radial tuberosity 橈骨粗面
83 ilium 腸骨
84 outline of female pelvis 女性骨盤の輪郭
85 anterior superior iliac spine 上前腸骨棘
86 anterior inferior iliac spine 下前腸骨棘
87 radius 橈骨
88 ulna 尺骨
89 pubis 恥骨
90 transverse axis 横軸
91 head of femur 大腿骨頭
92 greater trochanter 大転子
93 arcuate pubic ligament 恥骨弓靱帯
94 ischium 坐骨
95 neck of femur 大腿骨頸
96 carpals 手根骨
97 metacarpals 中手骨
98 phalanges 指節骨
99 lesser trochanter 小転子
100 femur 大腿骨
101 medial epicondyle 内側上顆
102 patella 膝蓋
103 lateral epicondyle 外側上顆
104 transverse axis 横軸
105 lateral condyle of femur and tibia 大腿骨・脛骨外側顆
106 intercondylar eminence 顆間隆起
107 medial condyle of femur 大腿骨内側顆
108 head of fibula 腓骨頭
109 tibial tuberosity 脛骨粗面
110 medial condyle of tibia 脛骨内側顆
111 tibia 脛骨
112 fibula 腓骨
113 medial malleolus 内果
114 transverse axis 横軸
115 lateral malleolus 外果

PLATE 17: SKELETAL ANATOMY, POSTERIOR VIEW

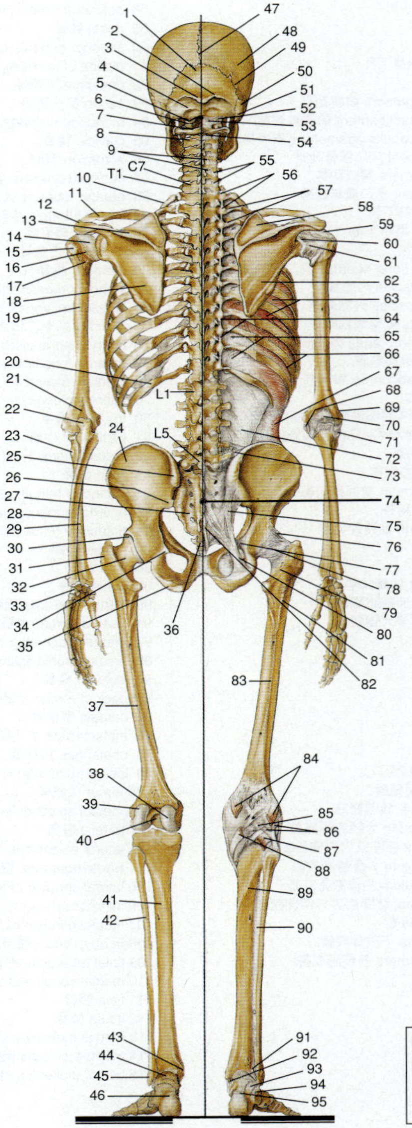

Key

Vertebrae 椎骨
C 頸椎
T 仙椎
L 腰椎

1 occipital 後頭骨
2 superior nuchal line 上項線
3 external occipital protuberance 外後頭隆起
4 inferior nuchal line 下項線
5 occipital condyle 後頭顆
6 superior articular process 上関節突起
7 atlas (C1) 環椎(第一頚椎)
8 axis (C2) 軸椎(第二頚椎)
9 ligamenta flava 黄色靱帯
10 1st rib 第一肋骨
11 clavicle 鎖骨
12 acromion 肩峰
13 spine of scapula 肩甲棘
14 head of humerus 上腕骨頭
15 greater tubercle 大結節
16 anatomic neck 解剖頚
17 surgical neck 外科頚
18 scapula 肩甲骨
19 humerus 上腕骨
20 12th rib 第十二肋骨
21 olecranon fossa 肘頭窩
22 olecranon 肘頭
23 radial tuberosity 橈骨粗面
24 ilium 腸骨
25 posterior superior iliac spine 上後腸骨棘
26 posterior inferior iliac spine 下後腸骨棘
27 sacrum 仙骨
28 ulna 尺骨
29 radius 橈骨
30 head of femur 大腿骨頭
31 greater trochanter 大転子
32 neck of femur 大腿骨頚
33 pisiform 豆状骨
34 ischial spine 坐骨棘
35 ischial tuberosity 坐骨結節
36 coccyx 尾骨
37 femur 大腿骨
38 medial condyle of femur 大腿骨内側顆
39 lateral condyle of femur 大腿骨外側顆
40 intercondylar fossa 顆間窩
41 tibia 脛骨
42 fibula 腓骨
43 medial malleolus 内果
44 talus 距骨
45 lateral malleolus 外果
46 calcaneus 踵骨
47 sagittal suture 矢状縫合
48 parietal 頭頂骨
49 lambdoid suture ラムダ状縫合
50 temporal 側頭骨
51 mastoid process 乳様突起
52 articular capsule 関節包
53 posterior atlanto-occipital membrane 後環椎後頭膜
54 posterior atlantoaxial membrane 後環軸膜
55 articular capsules 関節包
56 transverse processes 横突起
57 lateral costotransverse ligaments 外側肋横突靱帯
58 supraspinous fossa 棘上窩
59 coracohumeral ligament 烏口上腕靱帯
60 inferior transverse scapular ligament 下肩甲横靱帯
61 articular capsule 関節包
62 infraspinous fossa 棘下窩
63 internal intercostal muscles 内肋間筋
64 intertransverse ligaments 横突間靱帯
65 internal intercostal membrane 内肋間膜
66 external intercostal muscles 外肋間筋
67 transverse muscle of abdomen 腹横筋
68 ulnar collateral ligament 肘関節の内側側副靱帯
69 lateral epicondyle 外側上顆
70 articular capsule 関節包
71 radial collateral ligament 肘関節の外側側副靱帯
72 thoracolumbar fascia (anterior layer) 胸腰筋膜(前層)
73 iliolumbar ligament 腸腰靱帯
74 center of gravity 重心
75 posterior sacroiliac ligament 後仙腸靱帯
76 iliofemoral ligament 腸骨大腿靱帯
77 sacrospinous ligament 仙棘靱帯
78 ischiofemoral ligament 坐骨大腿靱帯
79 intertrochanteric crest 転子間稜
80 sacrotuberal ligament 仙結節靱帯
81 gluteal tuberosity 殿筋粗面
82 dorsal sacrococcygeal ligament 背側仙尾骨靱帯
83 linea aspera 粗線
84 gastrocnemius muscle 腓腹筋
85 oblique popliteal ligament 斜膝窩靱帯
86 arcuate popliteal ligament 弓状膝窩靱帯
87 popliteus muscle 膝窩筋
88 semimembranosus muscle 半膜様筋
89 soleal line ヒラメ筋線
90 interosseous membrane 下腿骨間膜
91 posterior tibiofibular ligament 後脛腓靱帯
92 deltoid ligament 三角靱帯
93 posterior talofibular ligament 後距腓靱帯
94 calcaneofibular ligament 踵腓靱帯
95 calcaneal tendon 踵骨腱

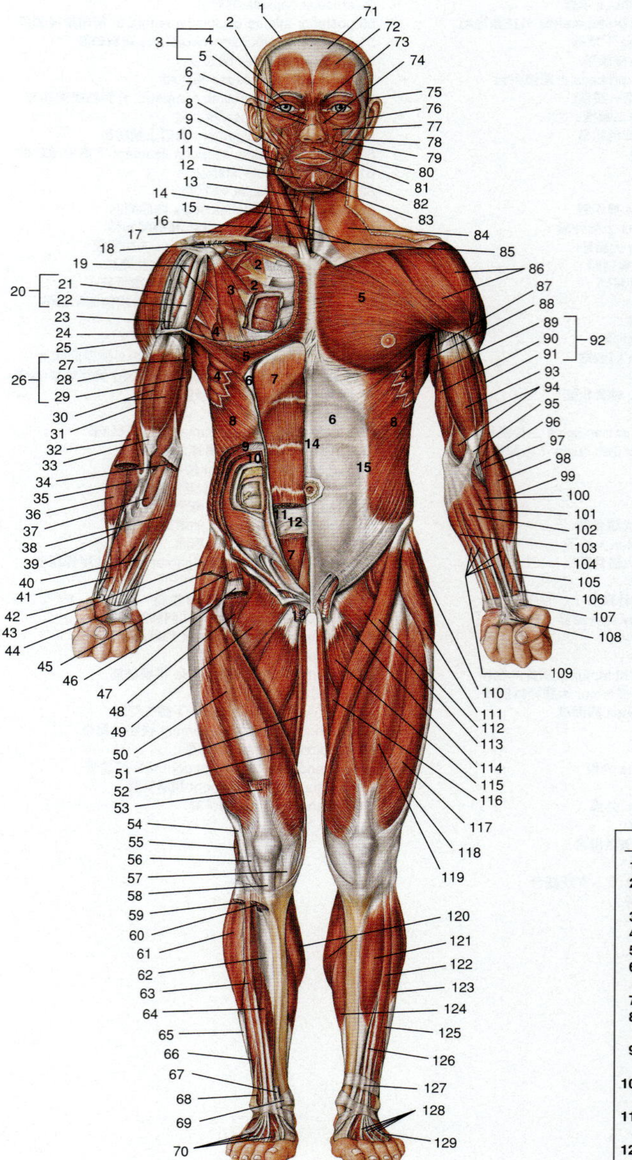

Key

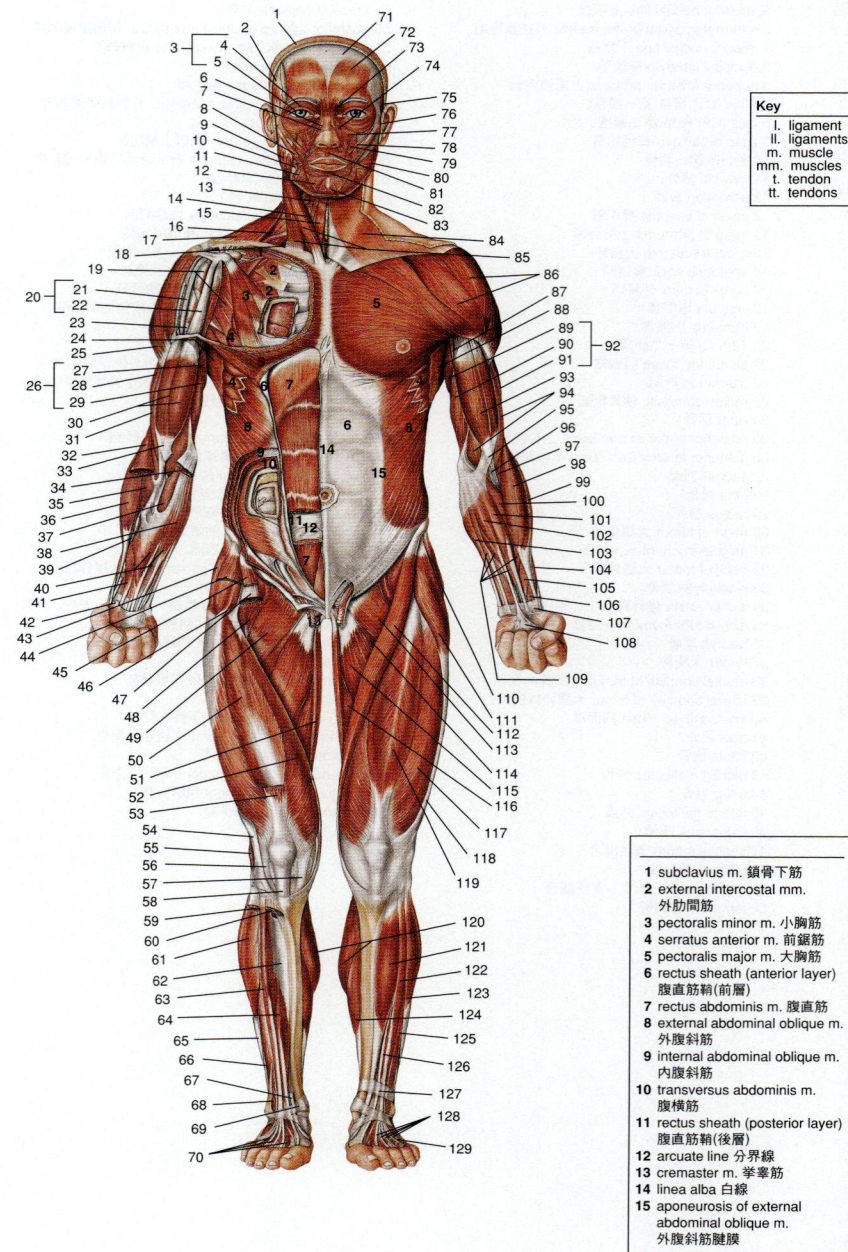

l.	ligament
ll.	ligaments
m.	muscle
mm.	muscles
t.	tendon
tt.	tendons

1 subclavius m. 鎖骨下筋
2 external intercostal mm. 外肋間筋
3 pectoralis minor m. 小胸筋
4 serratus anterior m. 前鋸筋
5 pectoralis major m. 大胸筋
6 rectus sheath (anterior layer) 腹直筋鞘(前層)
7 rectus abdominis m. 腹直筋
8 external abdominal oblique m. 外腹斜筋
9 internal abdominal oblique m. 内腹斜筋
10 transversus abdominis m. 腹横筋
11 rectus sheath (posterior layer) 腹直筋鞘(後層)
12 arcuate line 分界線
13 cremaster m. 挙睾筋
14 linea alba 白線
15 aponeurosis of external abdominal oblique m. 外腹斜筋腱膜

1 skin 皮膚
2 temporalis m. 側頭筋
3 orbicularis oculi muscle 眼輪筋
4 orbital part 眼窩部
5 palpebral part 眼瞼部
6 procerus m. 鼻根筋
7 nasalis m. 鼻筋
8 zygomaticus major m. 大頬骨筋
9 masseter m. 咬筋
10 buccinator m. 頬筋
11 depressor anguli oris m. 口角下制筋
12 depressor labii inferioris m. 下唇下制筋
13 thyrohyoid m. 甲状舌骨筋
14 omohyoid muscle (superior belly) 肩甲舌骨筋(上腹)
15 sternohyoid m. 胸骨舌骨筋
16 levator scapulae m. 肩甲挙筋
17 trapezius m. 僧帽筋
18 scalenus medius m. 中斜角筋
19 subscapular m. 肩甲下筋
20 biceps brachii muscle 上腕二頭筋
21 long head 長頭
22 short head 短頭
23 teres major m. 大円筋
24 latissimus dorsi m. 広背筋
25 deltoid m. 三角筋
26 triceps brachii muscle 上腕三頭筋
27 long head 長頭
28 lateral head 外側頭
29 medial head 内側頭
30 biceps brachii m. 上腕二頭筋
31 brachialis m. 上腕筋
32 brachioradialis m. 腕橈骨筋
33 bicipital aponeurosis 二頭筋腱膜
34 flexor carpi radialis 橈側手根屈筋
35 supinator m. 回外筋
36 extensor carpi radialis longus m. 長橈側手根伸筋
37 flexor digitorum profundus m. 深指屈筋
38 flexor carpi ulnaris m. 尺側手根屈筋
39 pronator teres m. 円回内筋
40 flexor digitorum superficialis m. 浅指屈筋
41 flexor pollicis longus m. 長母指屈筋
42 flexor carpi radialis t. 橈側手根屈筋腱
43 gluteus medius m. 中殿筋
44 tensor fasciae latae m. 大腿筋膜張筋
45 sartorius m. 縫工筋
46 gluteus minimus m. 小殿筋
47 rectus femoris m. 大腿直筋
48 iliopsoas m. 腸腰筋
49 pectineus m. 恥骨筋
50 vastus intermedius m. 中間広筋
51 gracilis m. 大腿薄筋
52 vastus medialis m. 内側広筋
53 rectus femoris m. 大腿直筋
54 iliotibial tract 腸脛靱帯
55 biceps femoris m. 大腿二頭筋
56 lateral patellar retinaculum 外側膝蓋支帯
57 medial patellar retinaculum 内側膝蓋支帯
58 patellar l. 膝蓋靱帯
59 peroneus longus m. 長腓骨筋
60 tibialis anterior m. 前脛骨筋
61 soleus m. ヒラメ筋
62 interosseous membrane 下腿骨間膜
63 extensor digitorum longus m. 長趾(指)伸筋
64 extensor hallucis longus m. 長母趾(指)伸筋
65 peroneus longus t. 長腓骨筋腱
66 peroneus brevis m. 短腓骨筋
67 tibialis anterior t. 脛骨前腱
68 peroneus tertius m. 第三腓骨筋
69 inferior extensor retinaculum 下伸筋支帯
70 extensor digitorum brevis m. 短指伸筋
71 galea aponeurotica 帽状腱膜
72 frontalis m. 前頭筋
73 corrugator supercilii m. 皺眉筋
74 levator labii superioris alaeque nasi m. 上唇鼻翼挙筋
75 auricularis muscles: superior 上耳介筋
76 auricularis muscles: anterior 前耳介筋
77 levator labii superioris m. 上唇挙筋
78 zygomaticus minor m. 小頬骨筋
79 levator anguli oris m. 口角挙筋
80 risorius m. 笑筋
81 depressor septi m. 鼻中隔下制筋
82 orbicularis oris m. 口輪筋
83 mentalis m. おとがい筋
84 platysma m. 広頸筋
85 sternocleidomastoid m. 胸鎖乳突筋
86 deltoid m. 三角筋
87 coracobrachialis m. 烏口腕筋
88 latissimus dorsi m. 広背筋
89 triceps brachii muscle 上腕三頭筋
90 long head 長頭
91 medial head 内側頭
92 lateral head 外側頭
93 biceps brachii m. 上腕二頭筋
94 brachialis m. 上腕筋
95 bicipital aponeurosis 二頭筋腱膜
96 biceps brachii t. 上腕二頭筋腱
97 supinator m. 回外筋
98 brachioradialis m. 腕橈骨筋
99 extensor carpi radialis longus m. 長橈側手根伸筋
100 pronator teres m. 円回内筋
101 flexor carpi radialis m. 橈側手根屈筋
102 flexor carpi ulnaris m. 尺側手根屈筋
103 palmaris longus m. 長掌筋
104 abductor pollicis longus m. 長母指外転筋
105 flexor pollicis longus m. 長母指屈筋
106 pronator quadratus m. 方形回内筋
107 flexor retinaculum 屈筋支帯
108 palmar aponeurosis 手掌腱膜
109 flexor digitorum superficialis m. 浅指屈筋
110 gluteus medius m. 中殿筋
111 tensor fasciae latae m. 大腿筋膜張筋
112 sartorius m. 縫工筋
113 pectineus m. 恥骨筋
114 adductor brevis muscle 短内転筋
115 adductor longus muscle 長内転筋
116 adductor magnus muscle 大内転筋
117 vastus lateralis m. 外側広筋
118 iliotibial tract 腸脛靱帯
119 rectus femoris m. 大腿直筋
120 gastrocnemius m. 腓腹筋
121 tibialis anterior m. 前脛骨筋
122 extensor digitorum longus m. 長趾(指)伸筋
123 peroneus longus m. 長腓骨筋
124 soleus m. ヒラメ筋
125 peroneus brevis m. 短腓骨筋
126 extensor hallucis longus m. 長母趾(指)伸筋
127 superior extensor retinaculum 上伸筋支帯
128 extensor digitorum longus m. 長趾(指)伸筋
129 peroneus tertius t. 第三腓骨筋腱

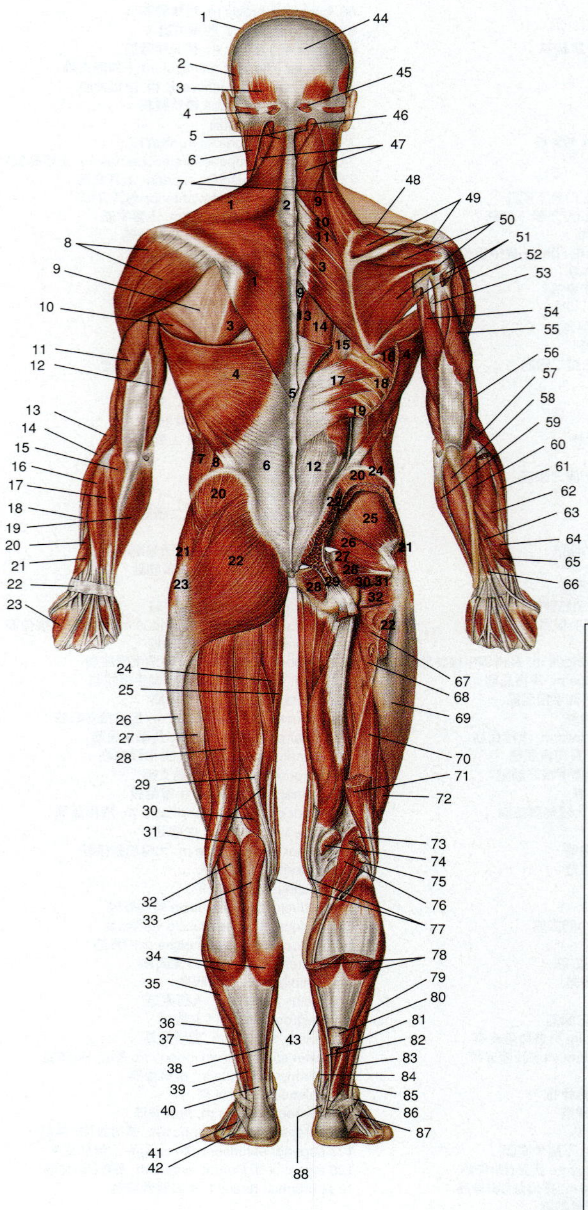

Key
l. ligament
ll. ligaments
m. muscle
mm. muscles
t. tendon
tt. tendons

1 trapezius m. 僧帽筋
2 spine of C7 第七頸椎棘突起
3 rhomboid major m. 大菱形筋
4 latissimus dorsi m. 広背筋
5 spine of T12 第十二胸椎棘突起
6 thoracolumbar fascia 胸腰筋膜
7 external abdominal oblique m. 外腹斜筋
8 internal abdominal oblique m. 内腹斜筋
9 splenius cervicis m. 頸板状筋
10 serratus posterior superior m. 上後鋸筋
11 rhomboid minor m. 小菱形筋
12 erector spinae mm. 脊柱起立筋
13 spinalis thoracis m. 胸棘筋
14 longissimus thoracis m. 胸最長筋
15 iliocostalis lumborum m. 腰腸肋筋
16 serratus anterior m. 前鋸筋
17 serratus posterior inferior m. 下後鋸筋
18 external intercostal m. 外肋間筋
19 12th rib 第十二肋骨
20 gluteus medius m. 中殿筋
21 tensor fasciae latae m. 大腿筋膜張筋
22 gluteus maximus m. 大殿筋
23 greater trochanter 大転子
24 iliac crest 腸骨稜
25 gluteus minimus m. 小殿筋
26 piriformis m. 梨状筋
27 superior gemellus m. 上双子筋
28 obturator internus m. 内閉鎖筋
29 sacrotuberal l. 仙結節靱帯
30 inferior gemellus m. 下双子筋
31 obturator externus m. 外閉鎖筋
32 quadratus femoris m. 足底方形筋

1 skin 皮膚
2 superior auricular m. 上耳介筋
3 occipitalis m. 後頭筋
4 posterior auricular m. 後耳介筋
5 trapezius m. 僧帽筋
6 sternocleidomastoid m. 胸鎖乳突筋
7 levator scapulae m. 肩甲挙筋
8 deltoid m. 三角筋
9 infraspinatus m. (covered by fascia) 棘下筋(筋膜におおわれている)
10 teres major m. 大円筋
11 triceps brachii muscle: lateral head 上腕三頭筋：外側頭
12 triceps brachii muscle: long head 上腕三頭筋：長頭
13 brachioradialis m. 腕橈骨筋
14 extensor carpi radialis longus m. 長橈側手根伸筋
15 anconeus m. 肘筋
16 extensor digitorum m. 指伸筋
17 extensor carpi ulnaris m. 尺側手根伸筋
18 extensor carpi radialis brevis m. 短橈側手根伸筋
19 flexor carpi ulnaris m. 尺側手根屈筋
20 abductor pollicis longus m. 長母指外転筋
21 extensor pollicis brevis m. 短母指伸筋
22 extensor retinaculum 伸筋支帯
23 dorsal interosseous m. 背側骨間筋
24 adductor magnus m. 大内転筋
25 gracilis m. 大腿薄筋
26 iliotibial tract 腸脛靱帯
27 vastus lateralis m. 外側広筋
28 biceps femoris m. 大腿二頭筋
29 semitendinosus m. 半腱様筋
30 semimembranosus m. 半膜様筋
31 plantaris m. 足底筋
32 gastrocnemius muscle: lateral head 腓腹筋：外側頭
33 gastrocnemius muscle: medial head 腓腹筋：内側頭
34 gastrocnemius m. 腓腹筋
35 soleus m. ヒラメ筋
36 peroneus muscles: longus 長腓骨筋
37 peroneus muscles: brevis 短腓骨筋
38 flexor digitorum longus mm. 長趾(指)屈筋
39 flexor hallucis longus m. 長母趾(指)屈筋
40 calcaneal t. 踵骨腱
41 peroneus tendons: brevis 短腓骨筋腱
42 peroneus tendons: longus 長腓骨筋腱
43 soleus mm. ヒラメ筋
44 galea aponeurotica 帽状腱膜
45 occipitalis minor m. 小後頭筋
46 semispinalis capitis m. 頭半棘筋
47 splenius capitis m. 頭板状筋
48 omohyoid muscle (inferior belly) 肩甲舌骨筋(下腹)
49 supraspinatus m. 棘上筋
50 infraspinatus m. 棘下筋
51 teres minor m. 小円筋
52 deltoid m. 三角筋
53 teres major m. 大円筋
54 triceps brachii muscle: long head 上腕三頭筋：長頭
55 triceps brachii muscle: lateral head 上腕三頭筋：外側頭
56 brachialis m. 上腕筋
57 extensor carpi radialis longus m. 長橈側手根伸筋
58 flexor digitorum profundus m. 深指屈筋
59 flexor carpi ulnaris m. 尺側手根屈筋
60 anconeus m. 肘筋
61 extensor carpi radialis brevis m. 短橈側手根伸筋
62 supinator m. 回外筋
63 extensor pollicis longus m. 長母指伸筋
64 abductor pollicis longus m. 長母指外転筋
65 extensor pollicis brevis m. 短母指伸筋
66 extensor indicis m. 示指伸筋
67 adductor muscles: minimus 小内転筋
68 adductor muscles: magnus 大内転筋
69 vastus lateralis m. 外側広筋
70 biceps femoris muscle: short head 大腿二頭筋：短頭
71 biceps femoris muscle: long head 大腿二頭筋：長頭
72 vastus lateralis m. 外側広筋
73 gastrocnemius muscle: lateral head 腓腹筋：外側頭
74 gastrocnemius muscle: medial head 腓腹筋：内側頭
75 popliteus m. 膝窩筋
76 plantaris m. 足底筋
77 sartorius mm. 縫工筋
78 gastrocnemius m. 腓腹筋
79 peroneus longus m. 長腓骨筋
80 aponeurosis of soleus m. ヒラメ筋の腱膜
81 tibialis posterior m. 後脛骨筋
82 flexor digitorum longus mm. 長趾(指)屈筋
83 peroneus brevis m. 短腓骨筋
84 tibialis posterior t. 後脛骨腱
85 flexor hallucis longus m. 長母趾(指)屈筋
86 superior peroneal retinaculum 上腓骨筋支帯
87 inferior peroneal retinaculum 下腓骨筋支帯
88 flexor retinaculum 屈筋支帯

PLATE 20: SPINAL AND CRANIAL NERVES

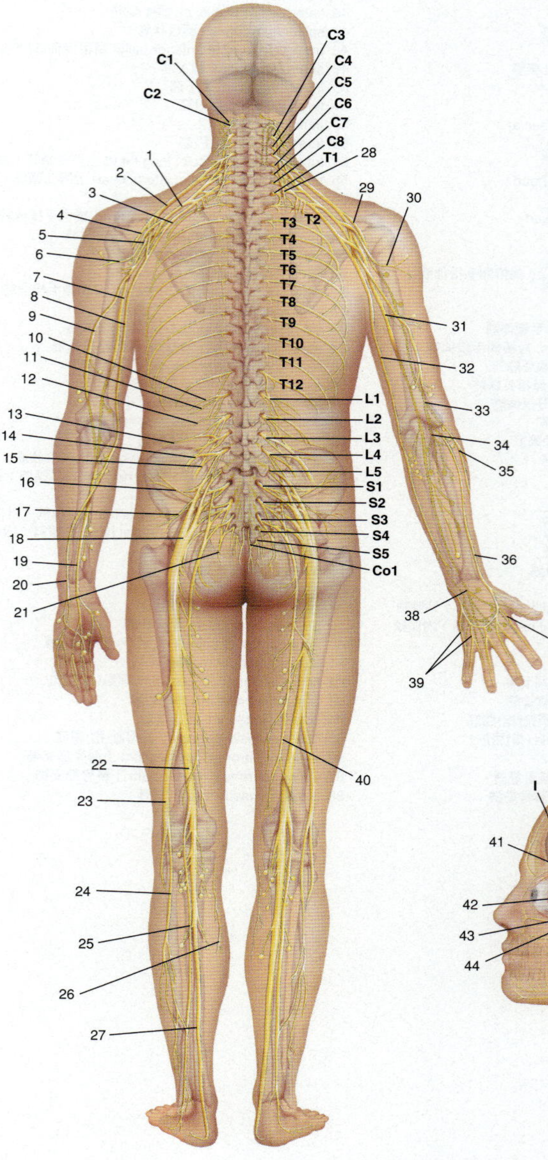

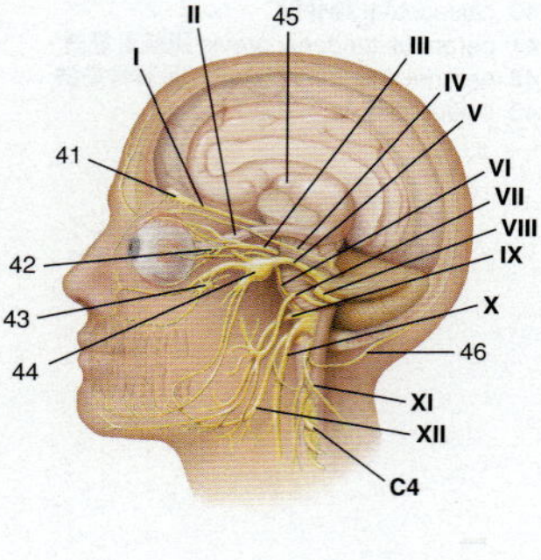

1 posterior cord 後神経束
2 lateral cord 外側神経束
3 medial cord 内側神経束
4 musculocutaneous nerve 筋皮神経
5 median nerve 正中神経
6 axillary nerve 腋窩神経
7 median nerve 正中神経
8 ulnar nerve 尺骨神経
9 radial nerve 橈骨神経
10 iliohypogastric nerve 腸骨下腹神経
11 ilioinguinal nerve 腸骨鼡径神経
12 genitofemoral nerve 陰部大腿神経
13 lateral femoral cutaneous nerve 外側大腿皮神経
14 femoral nerve 大腿神経
15 obturator nerve 閉鎖神経
16 superior gluteal nerve 上殿神経
17 inferior gluteal nerve 下殿神経
18 sciatic nerve 坐骨神経
19 median nerve 正中神経
20 ulnar nerve 尺骨神経
21 pudendal nerve 陰部神経
22 tibial nerve 脛骨神経
23 common fibular nerve (peroneal) 総腓骨神経(腓骨)
24 lateral cutaneous sural nerve 外側腓腹皮神経
25 medial cutaneous sural nerve 内側腓腹皮神経
26 saphenous nerve 伏在神経
27 tibial nerve 脛骨神経
28 long thoracic nerve 長胸神経
29 musculocutaneous nerve 筋皮神経
30 axillary nerve 腋窩神経
31 median nerve 正中神経
32 ulnar nerve 尺骨神経
33 radial nerve 橈骨神経
34 deep branch of radial nerve 橈骨神経の深枝
35 lateral cutaneous nerve of forearm 外側前腕皮神経
36 superficial branch of radial nerve 橈骨神経の浅枝
37 dorsal digital nerve 背側指神経
38 median nerve 正中神経
39 ulnar nerve 尺骨神経
40 posterior femoral cutaneous nerve 後大腿皮神経
41 olfactory bulb 嗅球
42 ciliary ganglion 毛様体神経節
43 pterygopalatine ganglion 翼口蓋神経節
44 trigeminal ganglion 三叉神経節
45 thalamus 視床
46 greater occipital nerve 大後頭神経

Key

Peripheral nerve origins 末梢神経起源

C5, C6	axillary nerve 腋窩神経
L4, L5, S1, S2	common fibular (peroneal) nerve 総腓骨神経
L2, L3, L4	femoral nerve 大腿神経
L1, L2	genitofemoral nerve 陰部大腿神経
L1	iliohypogastric nerve 腸骨下腹神経
L1	ilioinguinal nerve 腸骨鼡径神経
L5, S1, L2	inferior gluteal nerve 下殿神経
C5, C6, C7	lateral cord 外側神経束
L2, L3	lateral femoral cutaneous nerve 外側大腿皮神経
C5, C6, C7	long thoracic nerve 長胸神経
C8, T1	medial cord 内側神経束
C6, C7, C8, T1	median nerve 正中神経
C5, C6, C7	musculocutaneous nerve 筋皮神経
L2, L3, L4	obturator nerve 閉鎖神経
C5, C6, C7, C8, T1	posterior cord 後神経束
S1, S2, S3	posterior femoral cutaneous nerve 後大腿皮神経
S2, S3, S4	pudendal nerve 陰部神経
C5, C6, C7, C8	radial nerve 橈骨神経
L4, L5, S1, S2, S3	sciatic nerve 坐骨神経
C6, C7, C8	superficial branch of radial nerve 橈骨神経の浅枝
L4, L5, S1	superior gluteal nerve 上殿神経
L4, L5, S1, S2, S3	tibial nerve 脛骨神経
C8, T1	ulnar nerve 尺骨神経

Key

Cranial nerves 脳神経

I olfactory nerve 嗅神経
II optic nerve 視神経
III oculomotor nerve 動眼神経
IV trochlear nerve 滑車神経
V trigeminal nerve 三叉神経
VI abducens nerve 外転神経
VII facial nerve 顔面神経
VIII vestibulocochlear nerve 内耳神経
IX glossopharyngeal nerve 舌咽神経
X vagus nerve 迷走神経
XI accessory nerve 副神経
XII hypoglossal nerve 舌下神経

PLATE 21: ARTERIAL SYSTEM, ANTERIOR VIEW

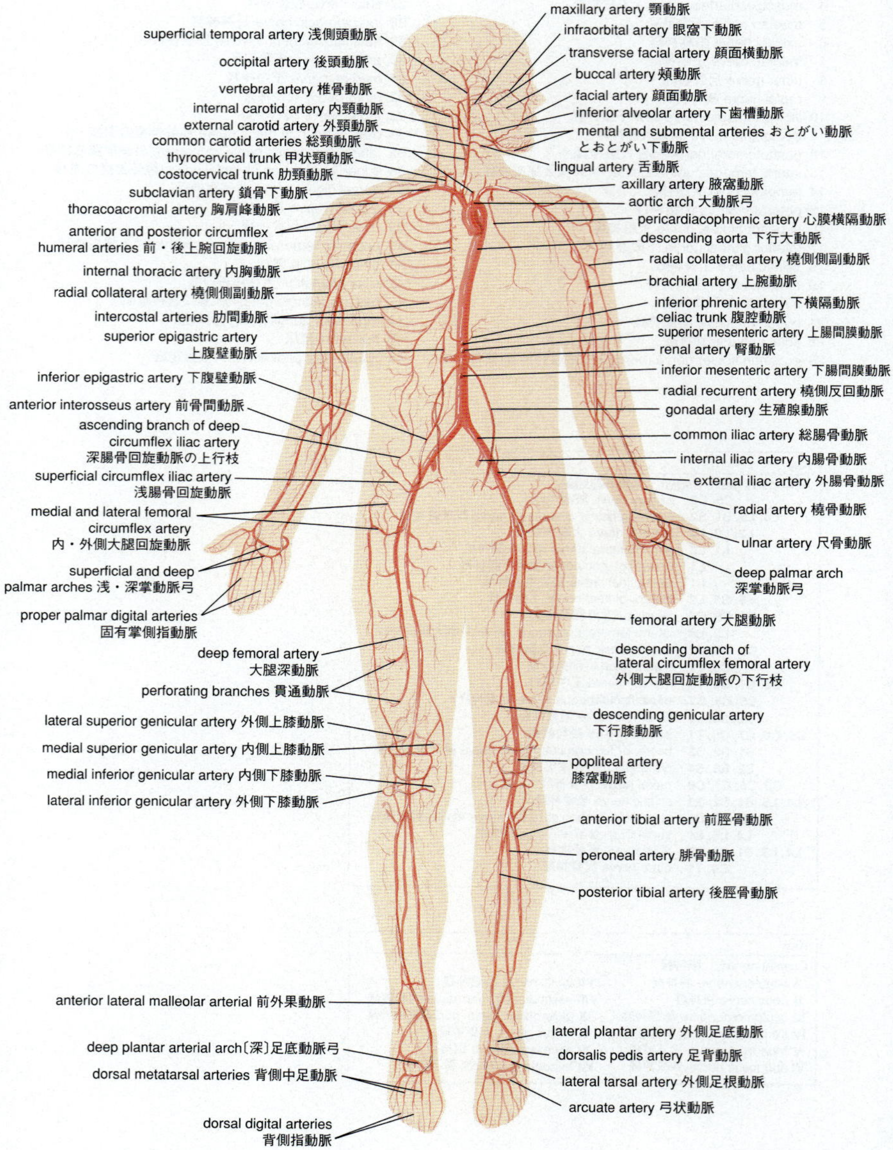
maxillary artery 顎動脈
superficial temporal artery 浅側頭動脈
infraorbital artery 眼窩下動脈
transverse facial artery 顔面横動脈
occipital artery 後頭動脈
buccal artery 頬動脈
vertebral artery 椎骨動脈
facial artery 顔面動脈
internal carotid artery 内頸動脈
inferior alveolar artery 下歯槽動脈
external carotid artery 外頸動脈
mental and submental arteries おとがい動脈
とおとがい下動脈
common carotid arteries 総頸動脈
thyrocervical trunk 甲状頸動脈
lingual artery 舌動脈
costocervical trunk 肋頸動脈
axillary artery 腋窩動脈
subclavian artery 鎖骨下動脈
aortic arch 大動脈弓
thoracoacromial artery 胸肩峰動脈
pericardiacophrenic artery 心膜横隔動脈
anterior and posterior circumflex
humeral arteries 前・後上腕回旋動脈
descending aorta 下行大動脈
internal thoracic artery 内胸動脈
radial collateral artery 橈側側副動脈
radial collateral artery 橈側側副動脈
brachial artery 上腕動脈
intercostal arteries 肋間動脈
inferior phrenic artery 下横隔動脈
celiac trunk 腹腔動脈
superior epigastric artery
上腹壁動脈
superior mesenteric artery 上腸間膜動脈
renal artery 腎動脈
inferior epigastric artery 下腹壁動脈
inferior mesenteric artery 下腸間膜動脈
radial recurrent artery 橈側反回動脈
anterior interosseus artery 前骨間動脈
gonadal artery 生殖腺動脈
ascending branch of deep
circumflex iliac artery
深腸骨回旋動脈の上行枝
common iliac artery 総腸骨動脈
internal iliac artery 内腸骨動脈
superficial circumflex iliac artery
浅腸骨回旋動脈
external iliac artery 外腸骨動脈
medial and lateral femoral
circumflex artery
内・外側大腿回旋動脈
radial artery 橈骨動脈
ulnar artery 尺骨動脈
superficial and deep
palmar arches 浅・深掌動脈弓
deep palmar arch
深掌動脈弓
proper palmar digital arteries
固有掌側指動脈
femoral artery 大腿動脈
deep femoral artery
大腿深動脈
descending branch of
lateral circumflex femoral artery
外側大腿回旋動脈の下行枝
perforating branches 貫通動脈
descending genicular artery
下行膝動脈
lateral superior genicular artery 外側上膝動脈
medial superior genicular artery 内側上膝動脈
popliteal artery
膝窩動脈
medial inferior genicular artery 内側下膝動脈
lateral inferior genicular artery 外側下膝動脈
anterior tibial artery 前脛骨動脈
peroneal artery 腓骨動脈
posterior tibial artery 後脛骨動脈
anterior lateral malleolar arterial 前外果動脈
lateral plantar artery 外側足底動脈
deep plantar arterial arch〔深〕足底動脈弓
dorsalis pedis artery 足背動脈
dorsal metatarsal arteries 背側中足動脈
lateral tarsal artery 外側足根動脈
arcuate artery 弓状動脈
dorsal digital arteries
背側指動脈

PLATE 22: VENOUS SYSTEM, ANTERIOR VIEW

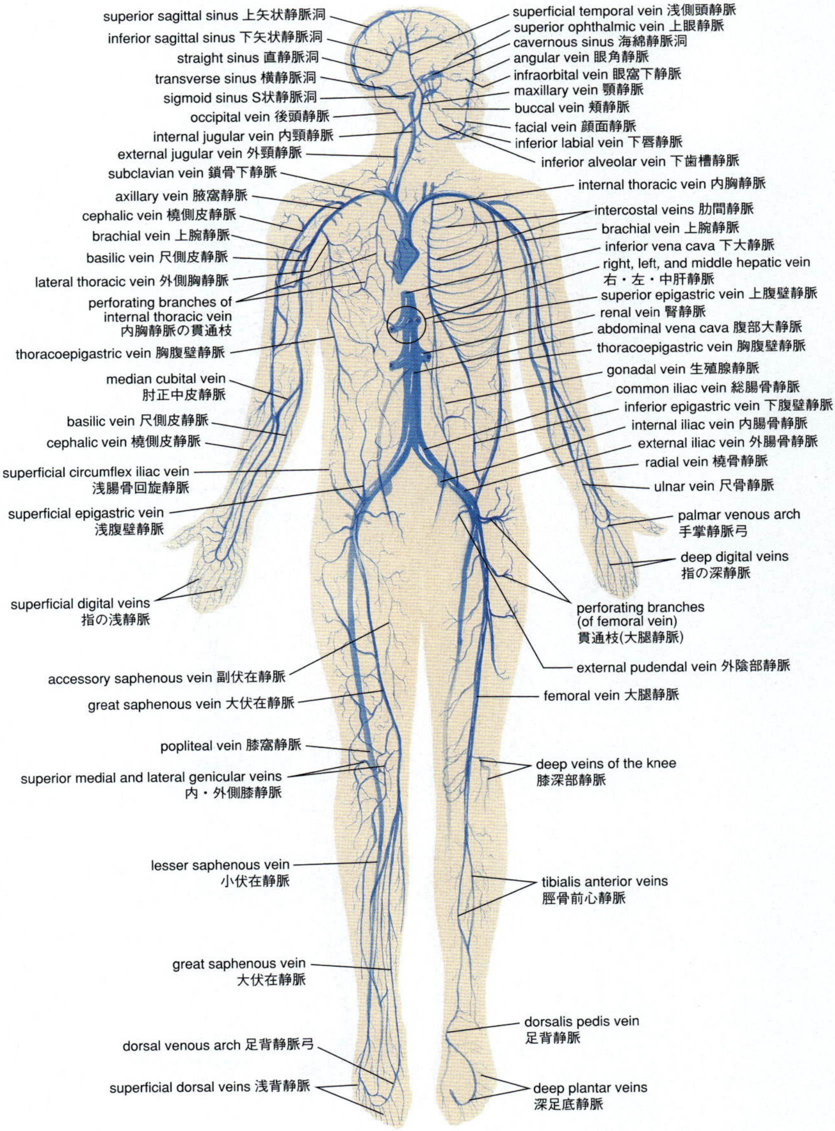
superior sagittal sinus 上矢状静脈洞
inferior sagittal sinus 下矢状静脈洞
straight sinus 直静脈洞
transverse sinus 横静脈洞
sigmoid sinus S状静脈洞
occipital vein 後頭静脈
internal jugular vein 内頸静脈
external jugular vein 外頸静脈
subclavian vein 鎖骨下静脈
axillary vein 腋窩静脈
cephalic vein 橈側皮静脈
brachial vein 上腕静脈
basilic vein 尺側皮静脈
lateral thoracic vein 外側胸静脈
perforating branches of
internal thoracic vein
内胸静脈の貫通枝
thoracoepigastric vein 胸腹壁静脈
median cubital vein
肘正中皮静脈
basilic vein 尺側皮静脈
cephalic vein 橈側皮静脈
superficial circumflex iliac vein
浅腸骨回旋静脈
superficial epigastric vein
浅腹壁静脈
superficial digital veins
指の浅静脈
accessory saphenous vein 副伏在静脈
great saphenous vein 大伏在静脈
popliteal vein 膝窩静脈
superior medial and lateral genicular veins
内・外側膝静脈
lesser saphenous vein
小伏在静脈
great saphenous vein
大伏在静脈
dorsal venous arch 足背静脈弓
superficial dorsal veins 浅背静脈
superficial temporal vein 浅側頭静脈
superior ophthalmic vein 上眼静脈
cavernous sinus 海綿静脈洞
angular vein 眼角静脈
infraorbital vein 眼窩下静脈
maxillary vein 顎静脈
buccal vein 頬静脈
facial vein 顔面静脈
inferior labial vein 下唇静脈
inferior alveolar vein 下歯槽静脈
internal thoracic vein 内胸静脈
intercostal veins 肋間静脈
brachial vein 上腕静脈
inferior vena cava 下大静脈
right, left, and middle hepatic vein
右・左・中肝静脈
superior epigastric vein 上腹壁静脈
renal vein 腎静脈
abdominal vena cava 腹部大静脈
thoracoepigastric vein 胸腹壁静脈
gonadal vein 生殖腺静脈
common iliac vein 総腸骨静脈
inferior epigastric vein 下腹壁静脈
internal iliac vein 内腸骨静脈
external iliac vein 外腸骨静脈
radial vein 橈骨静脈
ulnar vein 尺骨静脈
palmar venous arch
手掌静脈弓
deep digital veins
指の深静脈
perforating branches
(of femoral vein)
貫通枝(大腿静脈)
external pudendal vein 外陰部静脈
femoral vein 大腿静脈
deep veins of the knee
膝深部静脈
tibialis anterior veins
脛骨前心静脈
dorsalis pedis vein
足背静脈
deep plantar veins
深足底静脈

PLATE 23: LYMPHATIC SYSTEM, ANTERIOR VIEW

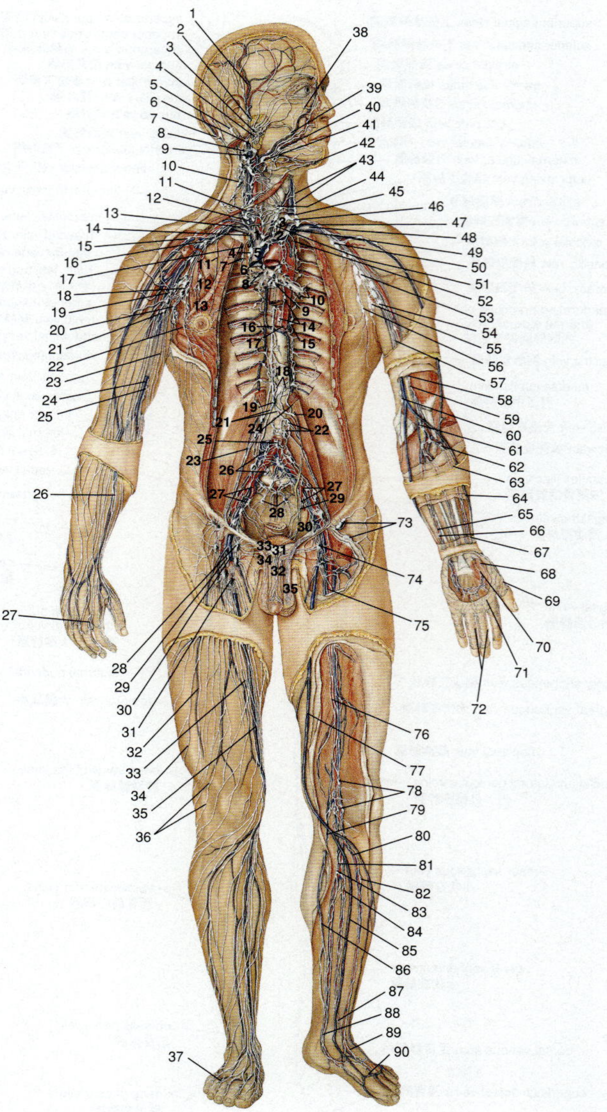

1 superficial temporal artery and vein 浅側頭動静脈
2 anterior auricular nodes 前方洞房結節
3 superficial parotid nodes 浅耳下腺リンパ節
4 deep parotid node 深耳下腺リンパ節
5 posterior auricular nodes 後部洞房結節
6 parotid salivary node 耳下腺唾液節
7 occipital nodes 後頭リンパ節
8 superior deep cervical nodes 上深頸リンパ節
9 right internal jugular vein 右内頸静脈
10 superior deep cervical nodes 上深頸リンパ節
11 inferior deep cervical nodes 下深頸リンパ節
12 right jugular trunk 右頸リンパ本幹
13 right subclavian trunk 右鎖骨下リンパ本幹
14 right bronchomediastinal trunk 右気管支縦隔リンパ本幹
15 deltopectoral nodes 三角筋胸筋リンパ節
16 subclavian axillary group 鎖骨下腋窩群
17 right internal thoracic trunk 右内胸リンパ本幹
18 central axillary group 中心腋窩群
19 pectoral axillary group 胸腋窩リンパ節群
20 subscapular axillary group 肩甲下腋窩群
21 brachial nodes 上腕結節
22 anterior axillary group 前方腋窩群
23 superficial lymph vessels 浅リンパ管
24 basilic vein 尺側皮静脈
25 supratrochlear nodes 滑車上結節
26 cephalic vein 橈側皮静脈
27 interdigital lymph vessels from palmar cutaneous plexus 手掌皮膚神経叢からの指間リンパ管
28 superficial inguinal nodes 浅鼡径リンパ節
29 deep subinguinal node 深鼡径下リンパ節
30 great saphenous vein (cut) 大伏在静脈(断面)
31 superficial subinguinal nodes 浅鼡径下リンパ節
32 anterior femoral cutaneous vein 前大腿皮静脈
33 superficial lymphatic vessels 浅リンパ管
34 lymph vessels from back of thigh 後大腿からのリンパ管
35 great saphenous vein 大伏在静脈
36 lymph vessels from back of leg 脚の後ろからのリンパ管
37 interdigital lymph vessels from plantar plexus 足底神経叢からの指間リンパ管
38 facial node 顔面静脈リンパ節
39 buccal node 頬リンパ節
40 supramandibular node 上下顎結節
41 submandibular nodes 顎下リンパ節
42 submental nodes 顎下結節
43 inferior deep cervical nodes 深下頸リンパ節
44 prelaryngeal nodes 喉頭前リンパ節
45 left jugular trunk 左頸リンパ本幹
46 thoracic duct 胸管
47 left subclavian trunk 左鎖骨下リンパ本幹
48 left subclavian artery and vein 左鎖骨下動脈と静脈
49 subclavian axillary group 鎖骨下腋窩群
50 left bronchomediastinal trunk 左気管支縦隔リンパ本幹
51 pretracheal nodes 気管前リンパ節
52 central axillary group 中心腋窩群
53 left internal thoracic trunk 左内胸リンパ本幹
54 lateral axillary group 外側腋窩リンパ節群
55 subscapular axillary group 肩甲下腋窩群
56 pectoral axillary group 胸筋腋窩リンパ節群
57 brachial artery and veins and deep lymphatic vessels 上腕動静脈と深リンパ管
58 brachial node 上腕結節
59 deep lymphatic vessels 深リンパ管
60 supratrochlear nodes 滑車上結節
61 deep cubital nodes 深肘リンパ節
62 radial node 橈骨結節
63 radial artery 橈骨動脈
64 cephalic vein 橈側皮静脈
65 ulnar artery 尺骨動脈
66 ulnar node 尺骨結節
67 radial node 橈骨結節
68 lymph vessels accompanying the palmar arches 手掌弓伴行リンパ管
69 lateral lymph vessels of the thumb 母指の横のリンパ管
70 lymphatic network リンパ・ネットワーク
71 lymph vessels passing to the network of the hand 手のネットワークに繋がるリンパ管
72 lymph vessels of the fingers 指のリンパ管
73 superficial inguinal nodes 浅鼡径リンパ節
74 deep inguinal nodes 深鼡径リンパ節
75 deep lymphatic vessels 深リンパ管
76 femoral artery and vein with deep lymphatic vessels 深リンパ管と大腿動静脈
77 great saphenous vein 大伏在静脈
78 popliteal nodes (in back of knee) 膝窩リンパ節(後膝)
79 small saphenous vein with lymph vessels リンパ管と小伏在静脈
80 anterior tibial artery and veins and lymph vessels 前脛骨動静脈とリンパ管
81 posterior tibial artery and veins and lymph vessels 後脛骨動静脈とリンパ管
82 anterior tibial node 前脛骨リンパ節
83 posterior tibial node 後脛骨リンパ節
84 peroneal artery and veins and lymph vessels 腓骨動静脈とリンパ管
85 great saphenous vein 大伏在静脈
86 small saphenous vein 小伏在静脈
87 peroneal artery and veins and lymph vessels 腓骨動静脈とリンパ管
88 posterior tibial artery and veins and lymph vessels 後脛骨動静脈とリンパ管
89 dorsalis pedis artery and vein and lymph vessels 足背動静脈とリンパ管
90 dorsal venous arch 足背静脈弓

Key

1 right brachiocephalic vein 右腕頭静脈
2 left brachiocephalic vein 左腕頭静脈
3 left common carotid artery 左総頸動脈
4 anterior superior mediastinal nodes 前上縦隔結節
5 superior vena cava 上大静脈
6 right cardiac lymph branch 右噴門リンパ分枝
7 internal thoracic node 内胸リンパ節
8 right tracheobronchial nodes 右気管気管支リンパ節
9 left tracheobronchial nodes 左気管気管支リンパ節
10 right and left bronchopulmonary nodes 右・左気管支肺リンパ節
11 internal thoracic lymph vessel ending in subclavicular nodes 鎖骨下結節で終わる内胸リンパ管
12 interpectoral nodes 胸筋間リンパ節
13 lymph vessels from deep part of breast 胸深部からのリンパ管
14 posterior mediastinal nodes 後縦隔リンパ節
15 intercostal nodes and lymph vessels 肋間リンパ節とリンパ管
16 thoracic duct 胸管
17 thoracic aorta 胸大動脈
18 descending right and left intercostal lymph trunks 下行性の右・左肋間リンパ軀幹
19 cisterna chyli 乳び槽
20 intestinal trunk 腸リンパ本幹
21 right and left lumbar trunks 右・左腰リンパ本幹
22 lumbar nodes 腰リンパ節
23 testicular lymph vessels 睾丸リンパ管
24 retroaortic node (lumbar nodes) 大動脈後リンパ節(腰リンパ節)
25 preaortic node (lumbar nodes) 大動脈前リンパ節(腰リンパ節)
26 common iliac nodes 総腸骨リンパ節
27 internal iliac artery and nodes 内腸骨動脈と結節
28 sacral nodes 仙骨リンパ節
29 lymph vessels to internal iliac nodes 内腸骨リンパ節へのリンパ管
30 obturator vessels and nerve 閉鎖動静脈と神経
31 presymphysial node 恥骨結合リンパ節
32 collecting lymph vessels from glans penis 陰茎亀頭からのリンパ管
33 superficial lymph vessels from the penis 陰茎からの浅リンパ管
34 lymph vessels from the scrotum 陰嚢からのリンパ管
35 lymph vessels of testis and epididymis 精巣と精巣上体のリンパ管

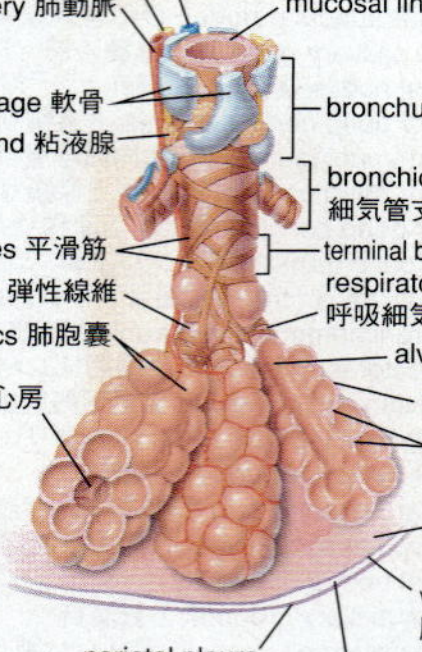
pulmonary vein 肺静脈
nerve 神経
pulmonary artery 肺動脈
mucosal lining 粘膜内層
cartilage 軟骨
bronchus 気管支
mucous gland 粘液腺
bronchiole (cartilage stops)
細気管支(軟骨はない)
smooth muscles 平滑筋
terminal bronchiole 終末細気管支
elastic fibers 弾性線維
respiratory bronchiole
呼吸細気管支
alveolar sacs 肺胞嚢
alveolar duct 肺胞管
atrium 心房
alveolar sac 肺胞嚢
interalveolar septa
槽間中隔
lung tissue
肺組織
visceral pleura
臓側胸膜
parietal pleura
壁側胸膜
pleural cavity 胸膜腔

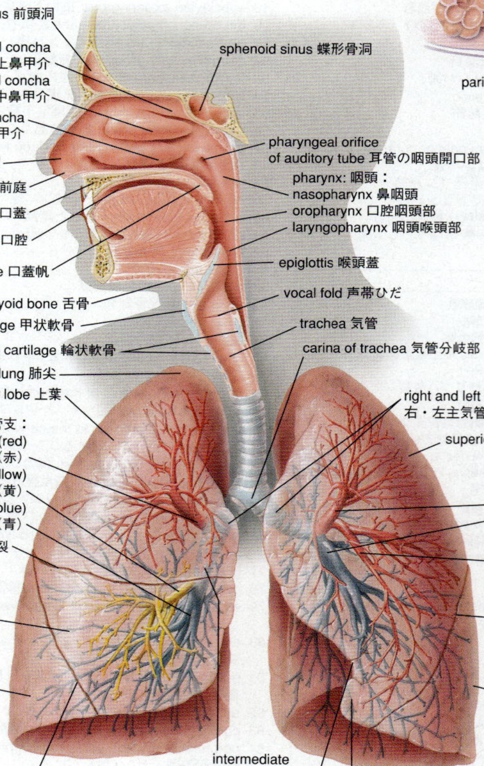
frontal sinus 前頭洞
superior nasal concha
上鼻甲介
sphenoid sinus 蝶形骨洞
middle nasal concha
中鼻甲介
inferior nasal concha
下鼻甲介
pharyngeal orifice
of auditory tube 耳管の咽頭開口部
nasal cavity 鼻腔
pharynx: 咽頭：
vestibule of nose 鼻前庭
nasopharynx 鼻咽頭
hard palate 硬口蓋
oropharynx 口腔咽頭部
laryngopharynx 咽頭喉頭部
oral cavity 口腔
soft palate 口蓋帆
epiglottis 喉頭蓋
hyoid bone 舌骨
vocal fold 声帯ひだ
thyroid cartilage 甲状軟骨
trachea 気管
cricoid cartilage 輪状軟骨
carina of trachea 気管分岐部
apex of lung 肺尖
superior lobe 上葉
right and left main bronchus
右・左主気管支
lobar bronchus: 肺葉気管支：
right superior (red)
右上葉気管支（赤）
superior lobe 上葉
right middle (yellow)
右中葉気管支（黄）
lobar bronchus: 肺葉気管支：
right inferior (blue)
右下葉気管支（青）
left superior (red) 左上葉気管支（赤）
left inferior (blue) 左下葉気管支（青）
horizontal fissure 水平裂
lingular division
bronchus
気管支の舌枝
middle lobe 中葉
oblique fissure
of left lung
左肺の斜裂
inferior lobe 下葉
inferior lobe
下葉
intermediate
bronchus
中間幹気管支
oblique fissure 斜裂
lingula of lung 肺小舌
cardiac notch
噴門切痕

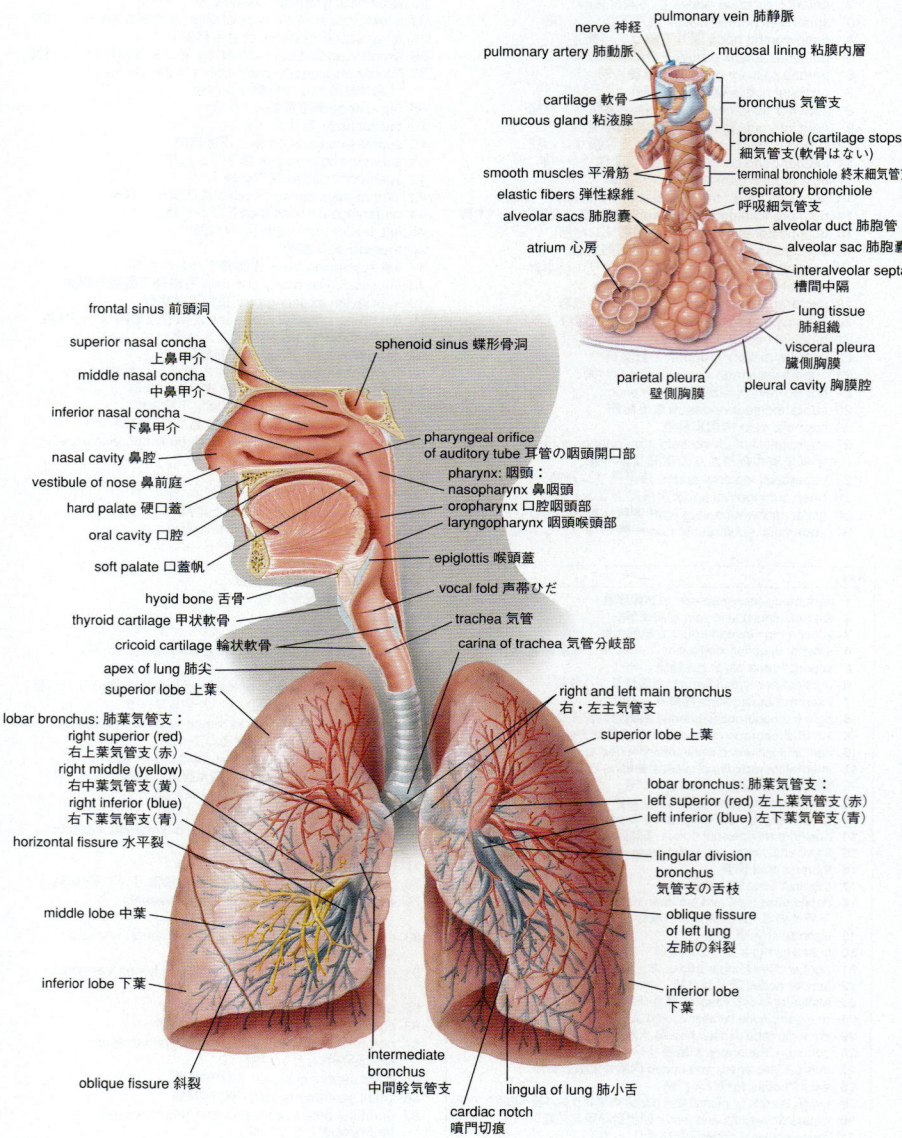

PLATE 25: DIGESTIVE SYSTEM, ANTERIOR VIEW

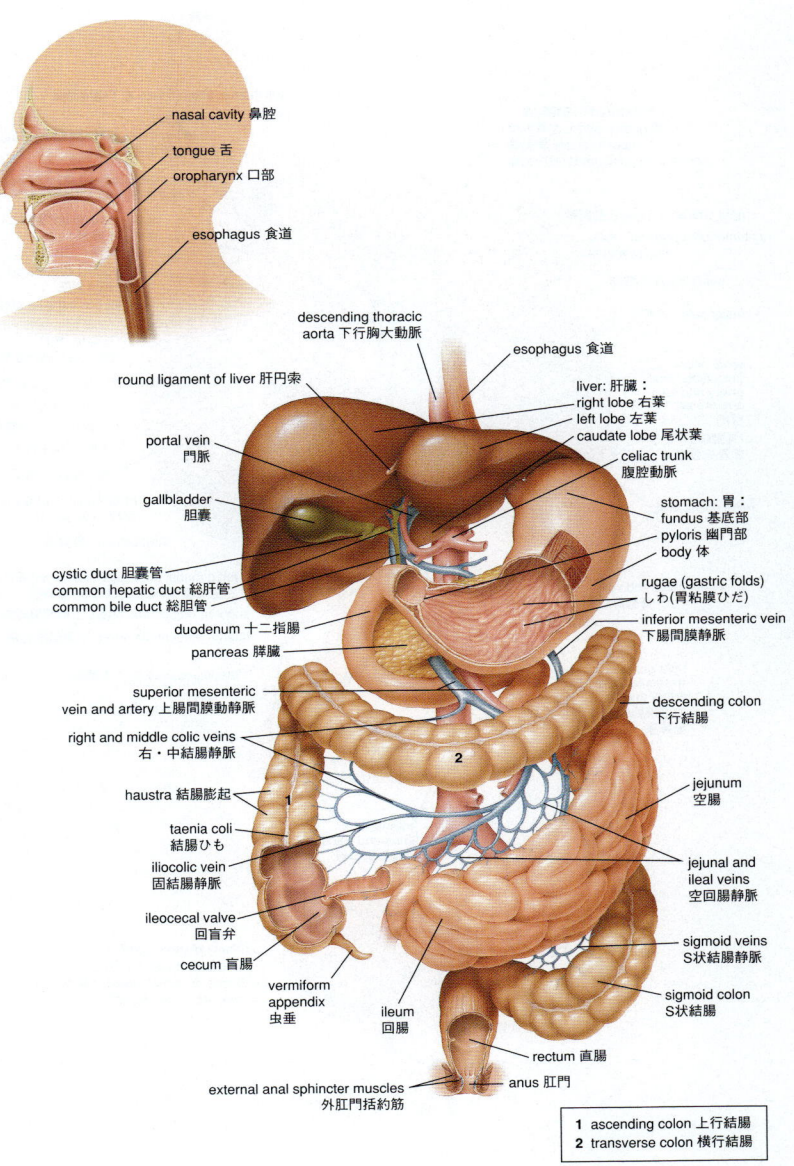

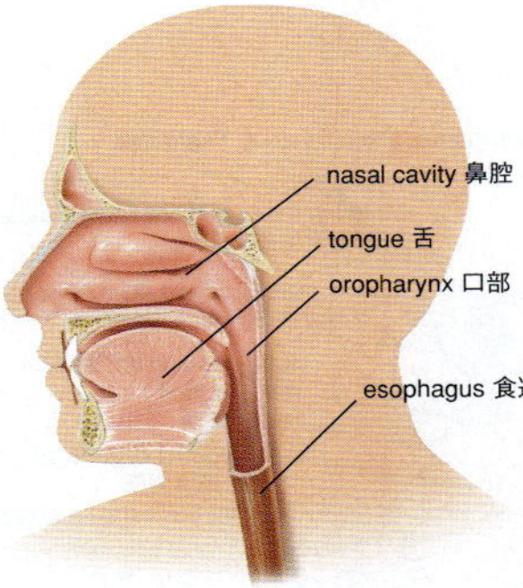

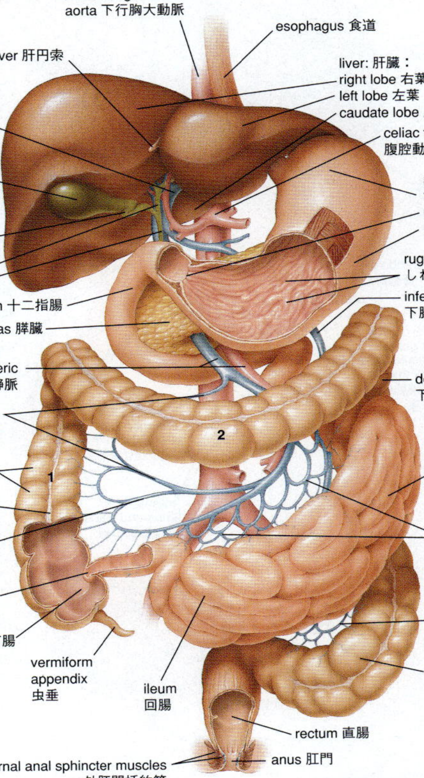

1	ascending colon 上行結腸
2	transverse colon 横行結腸

HUMAN ANATOMY

PLATE 26: URINARY SYSTEM, ANTERIOR VIEW

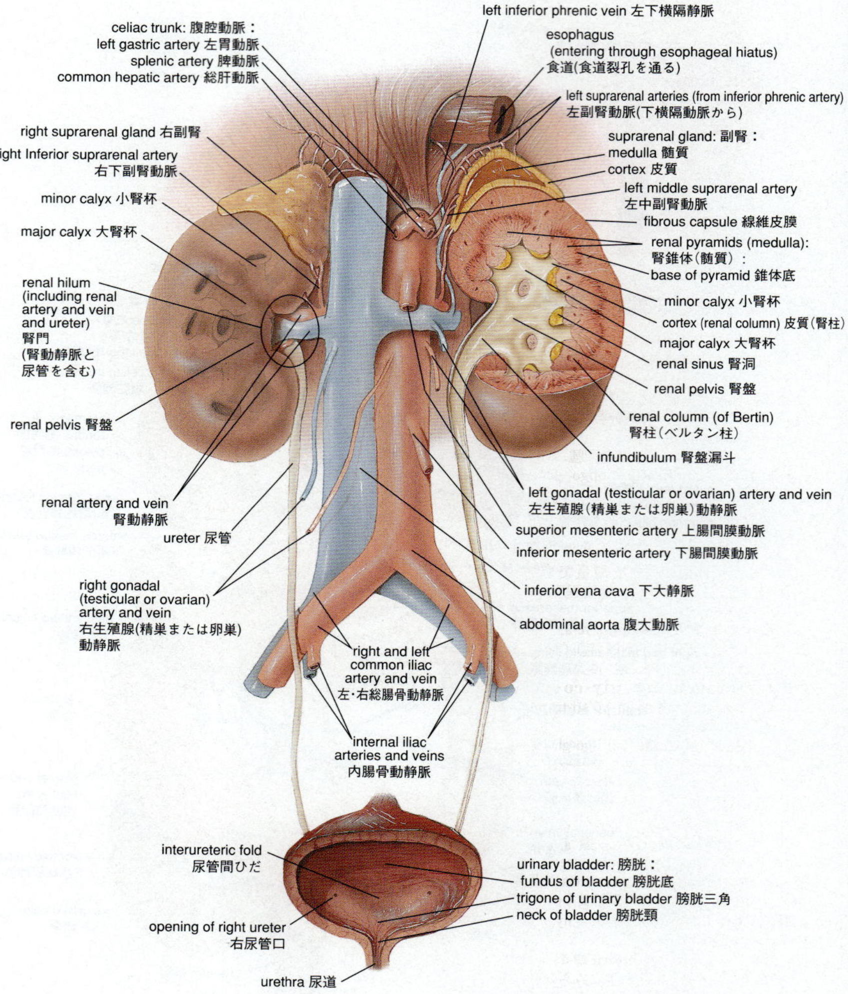

度に硬く，いくらか砂がはいっているような硬さがある．間質の石灰化の密度は高く，頭蓋のX線で検出される．顕微鏡的には，希突起神経膠腫は濃染される小さな核(有糸分裂ではめったに観察されない)と薄く染色される不明瞭な細胞質を有する多数の小さな円形または卵形の希突起神経膠細胞を特徴とする．腫瘍細胞は散在した石灰沈着としばしば顕著な弓状の脈管をもつ，まばらな原線維性間質中にかなり均等に分布する．化学反応性は，第1染色体短腕と第19染色体長腕の異型接合性の消失と関係する)．

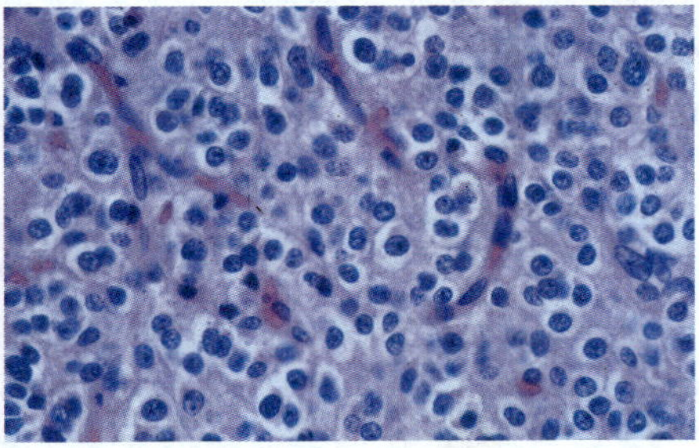

oligodendroglioma

腫瘍は正常な希乏突起神経膠細胞に似た細胞で構成されている．

anaplastic o. 退形成型希(乏)突起膠腫（侵襲性の希突起膠腫で，核の著しい多形性，有糸分裂，豊富な細胞成分を特徴とする)．＝pleomorphic o.

pleomorphic o. 多形性希(乏)突起膠腫．＝anaplastic o.

ol·i·go·dip·si·a (ol′i-gō-dip′sē-ă) [oligo- + G. *dipsa*, thirst]. 乏渇感〔症〕(渇感が異常に乏しいこと．→hypodipsia)．

ol·i·go·don·ti·a (ol′i-gō-don′shē-ă) [oligo- + G. *odous*, tooth][MIM*604625]. 乏歯〔症〕. ＝hypodontia.

ol·i·go·dy·nam·ic (ol′i-gō-dī-nam′ik) [oligo- + G. *dynamis*, power]. 微量作用の（ごく微量でも効力を有する．例えば，蒸留水中のごく希薄な(1億倍程度の)銅溶液の殺菌効果についていう)．

ol·i·go·ga·lac·ti·a (ol′i-gō-gă-lak′tē-ă, -shē-ă) [oligo- + G. *gala*, milk]. 乳汁〔分泌〕過少〔症〕（乳汁の分泌がわずかである，または不十分であること)．

ol·i·go·glu·can-branch·ing gly·co·syl·trans·fer·ase (ol′i-gō-glū′kan-branch′ing glī-kō′sĭl-trans′fĕr-ās). ＝1,4-α-D-glucan 6-α-D-glucosyltransferase.

ol·i·go-α-1,6-glu·co·si·dase (ol′i-gō-glū-kō′si-dās). オリゴ-α-1,6-グルコシダーゼ（α-アミラーゼによりデンプンおよびグリコゲンから生成されるイソマルトースおよびデキストリン中のα-1,6結合の加水分解を触媒するグルカノヒドロラーゼ．十二指腸へ分泌される．この酵素の欠損により，限定デキストリンの腸内消化が欠損する.→sucrose α-D-glucosidase)．＝isomaltase; limit dextrinase (2).

ol·i·go·hy·dram·ni·os (ol′i-gō-hī-dram′nē-os) [oligo- + G. *hydōr*, water + amnion]. 羊水過少〔症〕（羊水量が不十分な状態(満期で 300 mL 未満))．＝hypamnion; hypamnios; oligamnios; oligoamnios.

ol·i·go·hy·dru·ri·a (ol′i-gō-hī-drū′rē-ă) [oligo- + G. *hydōr*, water + *ouron*, urine]. 脱水症にみられるような尿の少量の排泄を表す語．現在では用いられない．

ol·i·go·lec·i·thal (ol′i-gō-les′i-thal) [oligo- + G. *lekithos*, yolk]. 少卵黄の，僅卵黄の（卵黄をほとんどもたない．少量の散在した卵黄質のみを有する卵についていう)．

ol·i·go·men·or·rhe·a (ol′i-gō-men′ō-rē′ă) [oligo- + menorrhea]. 希発月経，過少月経（[hypomenorrhea と混同しないこと])．

ol·i·go·mer (ol′i-gō-mĕr). オリゴマー（20個以下の反復単位からなるポリマー)．

ol·i·go·mor·phic (ol′i-gō-mōr′fik) [oligo- + G. *morphē*, form]. 乏形の，少〔数〕形〔態〕の（形の変化がほとんどない．多形でない)．

ol·i·go·neph·ron·ic (ol′i-gō-nef-ron′ik). ネフロン過少(減少)〔性〕の．

ol·i·go·nu·cle·o·tide (ol′i-gō-nū′klē-ō-tīd). オリゴヌクレオチド（少数の核酸(標準的には 20 以下)の縮合によってできた化合物．*cf.* polynucleotide)．

ol·i·go·pep·si·a (ol′i-gō-pep′sē-ă). 消化不良．＝hypopepsia.

ol·i·go·pep·tide (ol′igō-pep′tīd). オリゴペプチド（分子中に約20個までのアミノ酸残基を含有するペプチド)．

ol·i·go·phre·ni·a (ol′i-gō-frē′nē-ă). 精神薄弱．＝mental *retardation.*

phenylpyruvate o. フェニルピルビン酸性精神薄弱．＝phenylketonuria.

ol·i·go·plas·tic (ol′i-gō-plas′tik) [oligo- + G. *plassō*, to form]. 形成不全の．

ol·i·gop·ne·a (ol′i-gop-nē′ă, -gop′nē-ă) [oligo- + G. *pnoē*, breath]. 呼吸数減少．＝hypopnea.

ol·i·go·pty·a·lism (ol′i-gō-tī′ă-lizm, ol′i-gop-tī′) [oligo- + G. *ptyalon*, saliva]. 唾液過少〔症〕（唾液の分泌が乏しいこと)．＝oligosialia.

ol·i·gor·i·a (ol′i-gōr′ē-ă) [G. *oligōria*, negligence, slight esteem < *oligos*, little + *ōra*, care, regard]. 病的無関心，関心薄弱（ある種のうつ病で，人または物に対して異常に無関心または嫌悪感をもつことに対してまれに用いる語)．

ol·i·go·sac·cha·ride (ol′i-gō-sak′ă-rīd). 寡糖類，少糖，オリゴ糖（少数の単糖が縮合してできた化合物．*cf.* polysaccharide)．

ol·i·go·si·a·li·a (ol′i-gō-sī-ā′lē-ă) [oligo- + G. *sialon*, saliva]. ＝oligoptyalism.

ol·i·go·sper·mi·a, ol·i·go·sper·ma·tism (ol′i-gō-sper′mē-ă, -mă-tizm) [oligo- + G. *sperma*, seed]. ＝oligozoospermia.

ol·i·go·symp·to·mat·ic (ol′i-gō-simp′tō-mat′ik). 症状の乏しい．

ol·i·go·sy·nap·tic (ol′i-gō-si-nap′tik). 乏シナプスの（多シナプスな経路とは対照的に，ごく少数のシナプス連結のみで分断された，すなわちごく少数の神経細胞の連続からできている神経伝達経路についていう)．＝paucisynaptic.

ol·i·go·thy·mi·a (ol′i-gō-thī′mē-ă) [oligo- + -thymia]. 情性薄弱（感情が乏しいまたは消失していることに対してまれに用いる語)．

ol·i·go·trich·i·a (ol′i-gō-trik′ē-ă). 乏毛〔症〕，毛髪過少〔症〕．＝hypotrichosis.

ol·i·go·tri·cho·sis (ol′i-gō-tri-kō′sis). 乏毛〔症〕，毛髪過少〔症〕．＝hypotrichosis.

ol·i·go·tro·phi·a, ol·i·got·ro·phy (ol′i-gō-trō′fē-ă, -got′rō-fē) [oligo- + G. *trophē*, nourishment]. 栄養不良．

ol·i·go·zo·o·sper·ma·tism (ol′i-gō-zō′ō-sper′mă-tizm) [oligo- + G. *zōon*, animal + *sperma*, seed]. ＝oligozoospermia.

ol·i·go·zo·o·sper·mi·a (ol′i-gō-zō′ō-sper′mē-ă) [oligo- + G. *zōos*, living, + *sperma*, seed, semen, + -ia]. 精子過少(減少)〔症〕（陰茎射精における精子の濃度が正常以下であること)．＝oligospermia; oligospermatism; oligozoospermatism.

ol·i·gu·ri·a (ol′i-gyū′rē-ă) [oligo- + G. *ouron*, urine]. 尿量過少(減少)〔症〕，乏尿〔症〕（排尿が乏しいこと)．

o·li·va, pl. **oli·vae** (ō-lī′vă, -vē) [L.][TA]. オリーブ（延髄の前外側面，錐体路の外側にある卵形の滑らかな隆起で，下オリーブ核に当たる)．＝corpus olivare; inferior olive; olivary body; olivary eminence; olive (1).

o. inferior ＝oliva.

o. superior ＝dorsal *nucleus* of trapezoid body.

ol·i·var·y (ol′i-vār′ē). ***1*** オリーブの．***2*** オリーブ様の，オリーブ状の．

ol·ive (ol′iv) [L. *oliva*]. オリーブ（①＝oliva. ②モクセイ科*Olea*属の木またはその果実を表す一般名)．

inferior o. ＝oliva.

superior o. ＝dorsal *nucleus* of trapezoid body.

ol·ive oil (ol′iv oyl). オリーブ油（⇀oil)．

ol·i·vif·u·gal (ol′i-vif′yū-găl) [oliva + L. *fugio*, to flee]. オリーブ核から離れる．

ol·i·vip·e·tal (ol′i-vip′ĕ-tăl) [oliva + L. *peto*, to seek]. オ

リーブ核へ向かう．
ol·i·vo·coch·le·ar (ol′i-vō-kok′lē-ăr). →olivocochlear *tract*.
ol·i·vo·pon·to·cer·e·bel·lar (ol′i-vō-pon′tō-ser′ĕ-bel′-ar). オリーブ橋小脳の（オリーブ核，橋底，小脳についていう）．
Ol·len·dorf (ō′lendōrf), Helene. 20世紀初頭のドイツ人皮膚科医. →Buschke-O. *syndrome*.
Ol·li·er (ō-lē-ā′), Louis X.E.L. フランス人外科医，1830—1900. →O. *graft*, *disease*, *theory*; O.-Thiersch *graft*.
Olm·sted (ōlm′sted), H.C. 20世紀の米国人小児科医. →O. *syndrome*.
-ology →-logia.
ol·o·liu·qui (ōl′ō-lyū′kē). メキシコのアステカ族が儀式に用いる幻覚誘発薬．麦角アルカロイドおよびリセルグ酸誘導体を含有する. →*Rivea corymbosa*; *Ipomoea rubrocoerulea* var. *praecox*.
ol·o·no·scope (ōl-ŏ-nō′skōp). オロノスコープ（声帯障害を検査する臨床機器）．
ol·o·pho·ni·a (ol′ō-fō′nē-ă) [G. *oloos*, destroyed, lost + *phōnē*, voice]. オロフォニー（声帯の解剖学的異常による発声障害）．
Ols·zew·ski (ol-shev′skē), Jerzy. ポーランド系カナダ人神経病理学者，1913—1964. →Steele-Richardson-O. *disease*, *syndrome*.
-oma [G. *-ōma*, 動詞の語幹から名詞をつくる接尾辞]. 腫瘍あるいは新生物を意味する接尾語．
-omata -oma の複数形．
Om·bré·danne (om-brā-dahn′), Louis. フランス人外科医，1871—1956. →O. *operation*.
om·bro·pho·bi·a (om′brō-fō′bē-ă) [G. *ombros*, rainstorm + *phobos*, fear]. 雨恐怖〔症〕（雨に対する病的な恐れ）．
O·menn (ō′men), Gilbert S. 20世紀の米国人内科医. →O. *syndrome*.
o·men·tal (ō-men′tăl). 大網の. =epiploic.
o·men·tec·to·my (ō′men-tek′tŏ-mē) [omentum + G. *ektomē*, excision]. 大網切除〔術〕. =omentumectomy.
o·men·ti·tis (ō′men-tī′tis) [L. *omentum* + G. *-itis*, inflammation]. 大網炎（網を含む腹膜炎）．
omento-, oment- [L. *omentum*]. 網に関する連結形. →epiplo-.
o·men·to·fix·a·tion (ō-men′tō-fik-sā′shŭn). =omentopexy.
o·men·to·pex·y (ō′men′tō-pek-sē) [omento- + G. *pēxis*, fixation]. 大網固定〔術〕（①門脈の側副血行を促進するために大網を腹壁に縫合すること．②動脈血行を促すために大網を他の臓器に縫合すること. →omentoplasty）. =omentofixation.
o·men·to·plas·ty (ō′men′tō-plas-tē) [omento- + G. *plastos*, formed]. 大網形成〔術〕（欠損部を被覆または補充して，動脈や門脈の血行を促進し，または滲出液を吸収してリンパ液の排出を増加させるために行う血管柄付き大網の処置. →omentopexy）．
o·men·tor·rha·phy (ō′men-tōr′ă-fē) [omento- + G. *rhaphē*, suture]. 大網縫合〔術〕（大網における開口部の縫合）．
o·men·to·vol·vu·lus (ō-men′tō-vol′vyū-lŭs). 大網軸捻（軸上の大網のねじれ）．
o·men·tu·lum (ō-men′tū-lŭm) [Mod.L. *omentum* の指小辞]. 小網. =lesser *omentum*.
o·men·tum, pl. **omen·ta** (ō-men′tŭm, -tă) [L. 腸を取り囲む膜][TA]. 網（胃から出て腹部の他の臓器に至る腹膜のひだ）．
gastrocolic o. =greater o.
gastrohepatic o. =lesser o.
gastrosplenic o. =gastrosplenic *ligament*.
greater o. [TA]. 大網（4層の細網性の腹膜ひだで胃の背側腸間膜（背側胃間膜）が重層になって胃の大弯から下垂し折れ返って上行して横行結腸に付着したもの．この上行部と下行部が癒合して網嚢の下方部の空所をなくして4層となり小腸の前面にエプロンのように下垂することになった．以下のような腹膜性の間膜もその一部である．胃横隔間膜，胃脾間膜，脾腎間膜，胃結腸間膜）. =o. majus [TA]; caul (2); cowl; epiploon; gastrocolic o.; pileus; velum (3).
lesser o. [TA]. 小網（2層の薄い腹膜ひだで胃の腹側腸間膜（腹側胃間膜）が胃の小弯から十二指腸の近位部（幽門より2 cm 遠位）と肝臓（肝門縁と静脈管索のある裂隙深部）とに付着したもの．主たる腹膜性の間膜としては主要部分である肝胃間膜とその右縁の肥厚した胃十二指腸間膜があるが，後者はその中に肝動脈，門静脈，総胆管を包み込んでいる）. =o. minus [TA]; gastrohepatic o.; omentulum.
o. majus [TA]. 大網. =greater o.
o. minus [TA]. 小網. =lesser o.
o·men·tum·ec·to·my (ō-men-tŭm-ek′tŏ-mē). =omentectomy.
OML orbitomeatal *line* の略．
OMM ophthalmomandibulomelic *dysplasia* (syndrome) の略．
Om·ma·ya (om′ī-ă), Ayub K. 20世紀の米国人神経外科医. →O. *reservoir*.
omn. hor. ラテン語 *omni hora*（毎時）の略．
om·nip·o·tence of thought (om-nip′ō-tens thawt). 思考の全能（自分を満足させる空想や願望がすぐそこまでさし迫っていると信じるような幼児的なあるいは奇妙な思考過程）．
om·niv·o·rous (om-niv′ŏ-rŭs) [L. *omnis*, all + *voro*, to eat]. 雑食〔性〕の（動植物性のあらゆる種類の食物を食べて生きている）．
omo- [G. *ōmos*, shoulder]. 肩（ときに上腕を含む）の連結形．
o·mo·cla·vic·u·lar (ō′mō-kla-vik′yū-lăr). 肩甲鎖骨の（肩と鎖骨についていう．烏口突起または肩甲骨の上端および鎖骨に付着した異常な筋肉を示す）．
o·mo·hy·oid (ō′mō-hī′oyd). 肩甲舌骨筋. = omohyoid (*muscle*).
o·mo·pha·gi·a (ō′mō-fā′jē-ă) [G. *ōmos*, raw + *phagō*, to eat]. 生食物摂取（生の食物，特に生肉を食べること）．
o·mo·thy·roid (ō′mō-thī′royd). 肩甲甲状の（甲状軟骨の上角と肩甲舌骨筋の間にある筋線維の束についていう）．
OMP oligo-*N*-methylmorpholinium propylene oxide; orotidylic acid; orotidylate; *orotidine* 5′-monophosphate の略．
OMPA octamethyl pyrophosphoramide の略．
OMP de·car·box·yl·ase (dē′kar-boks′ĭl-ās). OMP デカルボキシラーゼ. =*orotidylic acid* decarboxylase.
omphal-, omphalo- [G. *omphalos*, navel (umbilicus)]. 臍に関する連結形．
om·pha·lec·to·my (om′fă-lek′tŏ-mē) [omphal- + G. *ektomē*, excision]. 臍切除〔術〕（臍または臍に結合した新生物の切除）．
om·phal·el·co·sis (om′fal-el-kō′sis) [omphal- + G. *helkōsis*, ulceration]. 臍潰瘍．
om·phal·ic (om-fal′ik) [G. *omphalos*, umbilicus]. 臍の. =umbilical.
om·pha·li·tis (om′fă-lī′tis). 臍炎（臍および臍周囲の炎症）．
omphalo- →omphal-.
om·pha·lo·an·gi·op·a·gus (om′fă-lō-an′jē-op′ă-gŭs) [omphalo- + G. *angeion*, vessel + *pagos*, something fixed]. 臍帯栄養児（不等接着双生児で，その寄生体は自生体の胎盤から血液供給を受ける. →conjoined *twins*）. =allantoidoangiopagus.
om·phal·o·cele (om′fal-ō-sēl, om′fă-lō-) [omphalo- + G. *kēlē*, hernia][MIM*310980, MIM*164570]. 臍ヘルニア（臍帯基部内への先天的な内臓脱出で，腹膜－羊膜の薄い膜におおわれている．臍帯はヘルニア嚢内に挿入されており，胃破裂症とはその付着の仕方で区別される. →umbilical *hernia*）. =amniocele; exomphalos (3); exumbilication (3); umbilical eventration.
om·pha·lo·en·ter·ic (om′fă-lō-en-ter′ik). 臍小腸の．
om·pha·lo·mes·en·ter·ic (om′fă-lō-mez′en-ter′ik). ***1*** 臍腸管の（胚子で中腸と卵黄嚢との関係についていう．頭部と尾部の屈曲が形成されるにつれて両者の関係は消滅し細い卵黄柄もしくは卵黄管となる）. ***2*** 卵黄管の（卵黄管に関する）．
om·pha·lop·a·gus (om′fă-lop′ă-gŭs) [omphalo- + G. *pagos*, something fixed]. 臍帯結合体（臍帯部で結合している双生児. →conjoined *twins*）. =monomphalus.
om·pha·lo·phle·bi·tis (om′fă-lō-fle-bī′tis) [omphalo- + G. *phleps*, vein + *-itis*, inflammation]. 臍静脈炎．
om·pha·lor·rha·gi·a (om′fă-lō-rā′jē-ă) [omphalo- + G.

代表的なC-オンコジーン

		由来		産生蛋白	
一般区分	オンコジーンの名称	由来するウイルス	宿主種[1]	特徴	細胞内局在
非レセプタ型チロシンキナーゼ	*src*	Rous肉腫ウイルス	ニワトリ	チロシンキナーゼ	細胞膜
	abl	Abelsonマウス白血症ウイルス	マウス		細胞膜，細胞質
	fes	STネコ肉腫ウイルス	ネコ		細胞膜，細胞質
レセプタ型チロシンキナーゼ	*fms*	McDonoughネコ肉腫ウイルス	ネコ	CSFレセプタに関連	細胞膜，小胞体
	erb-B	トリ赤芽球症ウイルス	ニワトリ	EGFレセプタ(短縮型)	細胞膜
	neu	なし	ラット(神経膠芽腫)	EGFレセプタに関連	細胞膜，小胞体
セリン/スレオニンキナーゼ	*mos*	Moloneyマウス肉腫ウイルス	マウス		細胞質
増殖因子	*sis*	サル肉腫ウイルス	ウーリーモンキー[2]	PDGF様	細胞質，分泌型
	int-2	なし	マウス	FGFに関連	
膜関連G蛋白	Ha-*ras*	Harveyマウス肉腫ウイルス	ラット	GDP/GTP結合．グアノシントリホスファターゼ	細胞膜
	Ki-*ras*	Kirstenマウス肉腫ウイルス			
	N-*ras*	なし	ヒト（神経芽腫）		
核内転写因子	*myb*	トリ骨髄芽球症ウイルス	ニワトリ	DNA結合	核
	myc	MC29骨髄芽球症ウイルス			
	fos	FBJ骨肉腫ウイルス	マウス	AP-1転写因子の一部	
	jun	トリ肉腫ウイルス17	ニワトリ	DNA結合．AP-1転写因子の一部	
	erb-A	トリ赤芽球症ウイルス	ニワトリ	変異甲状腺ホルモンレセプタ	細胞質，核

1：プロトオンコジーンの塩基配列は多くの種の間で保存されている．縦の欄はオンコジーンの最初の発見を示す
2：アマゾン森林に生息するラゴトリック属のサルの総称．

rhēgnymi, to burst forth]．臍出血．

om·pha·lor·rhe·a (om′fă-lō-rē′ă) [omphalo- + G. *rhoia*, flow]．臍リンパ液漏（臍からの漿液性漏出）．

om·pha·lor·rhex·is (om′fă-lō-rek′sis) [omphalo- + G. *rhēxis*, rupture]．臍破裂（出産時に臍帯が破裂すること）．

om·pha·los (om′fă-los) [G. navel]．臍，へそ（umbilicus を表す，まれに用いる語）．

om·pha·lo·site (om′fă-lō-sīt) [omphalo- + G. *sitos*, food]．臍帯栄養児（尿嚢膜血行の不等一卵性双生児）．= placental parasitic twin.

om·pha·lo·spi·nous (om′fă-lō-spī′nŭs)．臍〔腸骨〕棘の（McBurney 点上の臍と腸骨の前上棘を結ぶ線についていう）．

om·pha·lot·o·my (om′fă-lot′ŏ-mē) [omphalo- + G. *tomē*, incision]．臍帯切断〔術〕（出生時における臍帯の切断）．

om·pha·lo·trip·sy (om′fă-lō-trip′sē) [omphalo- + G. *tripsis*, a rubbing]．臍帯圧挫術，臍帯圧潰術（出生後，臍帯を切断しないで押しつぶすこと）．

om·pha·lo·ves·i·cal (om′fă-lō-ves′i-kăl)．膀胱臍帯の．= vesicoumbilical.

om·pha·lus (om′fă-lŭs) [G. *omphalos*, navel]．臍，へそ（umbilicus を表す，まれに用いる語）．

OMP py·ro·phos·pho·ryl·ase (pī′rō-fos-fō′rĭl-ās)．OMP ピロホスホリラーゼ．= *orotate* phosphoribosyltransferase.

OMS organic mood *syndrome* の略．

oncho- →onco-.

On·cho·cer·ca (ong′kō-ser′kă) [G. *onkos*, a barb + *kerkos*, tail]．オンコセルカ属（宿主の結合組織中に寄生する細長い糸状の線虫(オンコセルカ科)の一属で，硬い小結節中に糸球状に巻曲してみられる）．= *Oncocerca*.

O. volvulus 回旋糸状虫（オンコセルカ症の病原種）．

on·cho·cer·ci·a·sis (ong′kō-ser-kī′ă-sis)．オンコセルカ症（コイル状の寄生体を包む線維性の嚢胞(オンコセルカ腫瘤)を形成する結節状の腫脹を特徴とする，*Onchocerca*属(特に，*Simulium*属のブユによって人から人へと伝播される糸状虫である回旋糸状虫 *O. volvulus*)の感染症．ミクロフィラリアは結節から自由に移動し，真皮の細胞間リンパ液に侵入する．特にアフリカの患者では皮膚病変がしばしば発現し，強度のそう痒症，魚鱗状あるいは苔癬状皮膚，色素脱失，弾性線維の破壊を引き起こす．最も重要なのは長い慢性経過をたどって起こる眼の合併症で，進行するとしばしば失明するが，これは生存あるいは死滅したミクロフィラリアの存在によるもので，生体顕微鏡で観察できる）．= blinding disease; onchocercosis; volvulosis.

ocular o. 眼オンコセルカ症（角膜炎，虹彩毛様体炎，または球後視神経炎などのような眼の合併症．回旋糸状虫の *Onchocerca volvulus* のミクロフィラリアによって引き起こされる）．= river blindness.

on·cho·cer·cid (ong′kō-ser′kid)．オンコセルカ（オンコセルカ科の糸状虫に対する一般名）．

On·cho·cer·ci·dae (ong′kō-ser′ki-dē)．オンコセルカ科（ミクロフィラリアの産出を特徴とする寄生線虫(フィラリア上科)の一科で，*Onchocerca*, *Wuchereria*, *Brugia*, *Loa*, *Mansonella*属を含む）．

on·cho·cer·co·ma (on′kō-ser-kō′mă) [*Onchocerca*, taxonomic term + -oma]．オンコセルカ腫瘤（回旋糸状虫 *Onchocerca volvulus* の成虫がつくる腫瘤）．

on·cho·cer·co·sis (ong′kō-ser-kō′sis)．= onchocerciasis.

onco-, oncho- [G. *onkos*, bulk, mass]．腫瘍を示す連結形．

On·co·cer·ca (ong′kō-ser′kă)．= *Onchocerca*.

on·co·cyte (ong′kō-sīt) [onco- + G. *kytos*, cell]．腫瘍細胞，膨大細胞，好酸性顆粒細胞（多数のミトコンドリアを含む大

型，顆粒状の好酸性腫瘍細胞．新生好酸性細胞）．

on·co·cy·to·ma (ong′kō-sī-tō′mă) [onco- + G. *kytos*, cell + *-oma*, tumor][MIM*553000]. 膨大細胞腫，好酸性細胞腺腫，好酸性顆粒細胞腫（大型の細胞からなる腺腫で，細胞質は顆粒状を呈し，代謝を営むミトコンドリアを多く含むため好酸性を示す．腎臓，唾液腺，内分泌腺にまれにみられる）．＝oxyphil adenoma.

oncocytosis (on′kō-sī-tō′sis) [oncocyte + -osis]. oncocytoma にみられる腎組織の多様な変化．腎尿細管細胞の多源性の oncocyte 様の形質変化で，嚢胞状の形質変化や腫瘍性の oncocyte の尿細管間への浸潤などを示す．

on·co·fe·tal (ong′kō-fē′tăl). 腫瘍胎児性（胎児組織に存在する腫瘍関連物質についていう．例えば，腫瘍胎児抗原）．

---

on·co·gene (ong′kō-jēn) [onco- + gene]. オンコジーン，癌遺伝子（①通常は細胞増殖や調節(プロテインキナーゼ，GTP アーゼ，核蛋白，成長因子など)に関わる蛋白をコードしているが，レトロウイルスの感染によって変異や活性化が起こると悪性化を促進する可能性のある遺伝子ファミリー．*ras* はもともと膀胱癌で報告され，p53 は第 17 染色体上の変異型遺伝子が，すべてのヒト癌の半数以上に関わっていることが示されている．癌遺伝子は発癌と調和を保って機能できるが，その作用はレトロウイルスやジャンピング遺伝子や先天性遺伝子変異などで悪化する可能性がある．→tumor suppressor *gene*; antioncogene. ②ある種の DNA 腫瘍ウイルスにみられる遺伝子．ウイルスの複製に必要である．前頁の表参照）．＝transforming gene.

変異によって，制御不能な細胞増殖と悪性変化を誘導する遺伝子には 2 種類ある．癌原遺伝子と癌抑制遺伝子(抗癌遺伝子)である．癌原遺伝子は，ペプチド成長因子やそれらの細胞膜レセプタ，細胞膜から核へ情報を伝達するセカンドメッセンジャーカスケード蛋白，DNA に結合することによって遺伝子発現を調節する核転写因子，等の DNA 合成と細胞分裂を刺激する蛋白をコードする．増幅，転座，点変異などによって癌原遺伝子から癌遺伝子への変換が起こると勝手気ままな細胞増殖と悪性変化がもたらされる．癌原遺伝子の対立遺伝子中，1 コピーだけが変異すれば癌形成を誘導する．癌原遺伝子は多発性内分泌腫瘍でみられる RET 遺伝子以外では，遺伝性癌症候群には関与しない．癌抑制遺伝子(抗癌遺伝子)は，通常は細胞増殖を抑止する蛋白をコードしているが，点変異，欠失，発現不能によって不活化する．遺伝的に癌抑制遺伝子の 1 コピーが変異している状態は，多くの家族性癌の素因となる．残りの機能的コピーが変異や染色体の欠失によって不活化されるまでは，悪性の細胞増殖は起こらない．癌抑制遺伝子について 2 つの正常コピーをもって生まれた人は，腫瘍形成には両方の遺伝子が変異によって不活化されなければならないはずである．BRCA1 と BRCA2 は家族性弱年性乳癌と卵巣癌の素因となる癌抑制遺伝子である．

---

ras o. ras 癌遺伝子（ラット肉腫細胞でその点変異が初めて報告された遺伝子で，細胞培養でのトランスフォーメーション活性のみならず，マウス発癌モデルでも証明された．ras 遺伝子ファミリーは，3 つの異なった染色体上に存在する関連性の強い 3 遺伝子からなる．種々のヒト癌でその異常がみつかっている）．

on·co·gen·e·sis (ong′kō-jen′ĕ-sis) [onco- + G. *genesis*, production]. 腫瘍形成（新生物が発生し，増殖すること）．

on·co·gen·ic (ong′kō-jen′ik). ＝oncogenous.

on·cog·en·ous (ong-koj′ĕ-nŭs). 腫瘍形成の，腫瘍発生の（腫瘍の形成および成長を起こす，あるいはそれに適したことについていう）．＝oncogenic.

on·co·graph (ong′kō-graf) [onco- + G. *graphē*, a record]. 器官容積描写器，臓器容積描写器，体積記録器（器官容積計 oncometer の記録計器部分）．

on·cog·ra·phy (ong-kog′ră-fē). 器官容積描写法，臓器容積描写法（臓器の寸法および構造の特別の装置によるグラフ描写）．

on·coi·des (ong-koy′dēz) [onco- + G. *eidos*, resemblance]. 膨大，腫脹．

on·col·o·gist (ong-kol′ŏ-jist). 腫瘍学者．

radiation o. 放射線腫瘍学者．＝radiotherapist.

on·col·o·gy (ong-kol′ŏ-jē) [onco- + G. *logos*, study]. 腫瘍学（原因，病因，および治療を含め，腫瘍の物理的，化学的，および生物学的性質や特徴を取り扱う学問または科学）．

radiation o. 放射線腫瘍学（①電離放射線を用いて疾患を治療する医学の専門分野．②放射線治療を専門とする医学の専門分野．③新生物の治療のための放射線の使用）．＝radiotherapy; therapeutic radiology.

on·col·y·sis (ong-kol′i-sis) [onco- + G. *lysis*, dissolution]. 腫瘍崩壊（[誤った発音 oncoly′sis を避けること．onycholysis と混同しないこと]．腫瘍の崩壊．ときに腫脹または塊が縮小したことに対して用いる）．

on·co·lyt·ic (ong′kō-lit′ik). 腫瘍崩壊〔性〕の．

On·co·me·la·ni·a (ong′kō-mĕ-lā′nī-ă) [onco- + G. *melas* (*melan-*), black]. ミヤイリガイ属（イツマデガイ(オカマメタニシ)科の水陸両生淡水産有蓋巻貝類で，医学的に重要な一属(前鰓類前鰓亜綱，イツマデガイ亜科)．アジアにおいては，タテヒダニナ *O. hupensis* の数亜種が，日本住血吸虫 *Schistosoma japonicum* の中間宿主の役目をする）．

on·com·e·ter (ong-kom′ĕ-tĕr) [onco- + G. *metron*, measure]. 器官容積計，臓器容積計，体積計（①腎臓および他の臓器の寸法容積を測定する装置．②器官容積描写器 oncograph とは区別される測定部）．

on·co·met·ric (ong′kō-met′rik). 器官容積測定〔法〕の，臓器容積測定〔法〕の．

on·com·e·try (ong-kom′ĕ-trē). 器官容積測定〔法〕，臓器容積測定〔法〕．

on·co·sis (ong-kō′sis) [G. *onkōsis*, swelling < *onkos*, bulk, mass]. 腫瘍症（新生物または腫瘍が 1 つ以上できることを特徴とする症状）．

on·co·sphere (ong′kō-sfēr) [onco- + G. *sphaira*, sphere]. 六鉤幼虫，オンコスフェラ．＝hexacanth.

on·co·stat·in M (ong′kō-stat′in) [onco- + -stat + -in][MIM*165095]. オンコスタチン M（マクロファージ，T 細胞，ある種の骨髄や癌細胞から分泌されるサイトカインで，様々な分化(マクロファージにおいて)，細胞増殖(造血前駆細胞やある種の癌種)，成熟を促す）．

on·co·ther·a·py (ong′kō-ther′ă-pē). 腫瘍治療．

on·cot·ic (ong-kot′ik). 腫脹の．

on·cot·o·my (ong-kot′ŏ-mē) [onco- + G. *tomē*, incision]. 腫瘍切開〔術〕（膿瘍，嚢，またはその他の腫瘍の切開に対してまれに用いる語）．

on·co·trop·ic (ong′kō-trop′ik) [onco- + G. *tropē*, a turning]. 腫瘍親和性の（新生物または腫瘍細胞に特別な親和性を示す）．

On·co·vir·i·nae (ong-kō-vir′i-nē). オンコウイルス亜科（RNA 腫瘍ウイルスとされるウイルスの一亜科(レトロウイルス科)を記述するのに以前用いられ，現在では用いられない語．ウイルス粒子中には同一プラス鎖 RNA 分子を 2 本有する．抗原性，宿主域，誘発悪性腫瘍の種類によりいくつかのサブグループ(鳥，ネコ，ハムスター，マウスの白血病－肉腫ウイルス群，マウス乳癌ウイルス，霊長類腫瘍ウイルス)に分類される．他のレトロウイルス同様，オンコウイルスも，RNA 依存性 DNA ポリメラーゼ(逆転写酵素)をもっている．これらのウイルスの重要な点は，逆転写酵素によって，ウイルス RNA を DNA に変換して宿主染色体上に挿入し，細胞の DNA と一緒に複製することである．→retrovirus）．

on·co·vi·rus (ong′kō-vī′rŭs). オンコウイルス，腫瘍ウイルス（オンコウイルス亜科のウイルスを記述するのに以前用いられた語．→oncogenic *virus*）．

On·dine (on-dēn′). オンディーヌ(オンディネ)（ゲルマン神話の人物．→Ondine *curse*）．

-one ケトン基(–CO–)をさす接尾語．

o·nei·ric (ō-nī′rik) [G. *oneiros*, dream]. ＝oniric. ***1*** 夢の．***2*** 夢幻精神病の．

o·nei·rism (ō-nī′rizm) [G. *oneiros*, dream]. 夢幻症（覚醒時に夢想状態を呈すること）．

o·nei·ro·crit·i·cal (ō-nī′rō-krit′i-kăl) [G. *oneiros*, dream + *kritikos*, skilled in judgment]. 夢判断の（夢の論理についてまれに用いる語）．

o·nei·ro·dyn·i·a (ō-nī′rō-din′ē-ă) [G. *oneiros*, dream +

odynē, pain]. 悪夢，夢魔（不快な，あるいは苦しい夢を表すまれに用いる語）.

o. activa = somnambulism (1).

o·nei·rol·o·gy (ō′nī-rol′ŏ-jē) [G. *oneiros*, dream + *logos*, study]. 夢学（夢とその内容についての研究）.

onei·ro·phre·nia (ō-nī-rō-frē′nē-ă) [G. *oneiros*, dream + *phrēn*, mind]. 夢幻精神病（長期にわたる不眠，知覚遮断，および種々の薬物などにより引き起こされる幻覚発現状態に対してまれに用いる語）.

o·ni·o·ma·ni·a (ō′nē-ō-mā′nē-ă) [G. *ōnios*, for sale + *mania*, insanity]. 買い癖，乱買癖（必要以上に物をたくさん買ったり，買い急いだりすることに対してまれに用いる語）.

o·ni·ric (ō-nī′rik). = oneiric.

-onium オニウム（正電荷をもつ基，例えばアンモニウム(NH_4^+)を示す接尾語）.

onko- →onco-.

on·lay (on′lā). アンレー（①歯科において，前歯の舌面，臼歯の咬合面の金属(通常は金合金)鋳造修復物．その全面がぞうげ質中にあり，側壁はない．前歯の維持はピンで，臼歯の維持はピンや頬舌側にある保持溝により行われる．②整形外科において，骨の表面に用いる移植片．③泌尿器科において，尿道下裂または尿道狭窄の際，本来の尿道と皮膚との間に用いる代用物）.

O·no·di (on′ŏ-dē), Adolf. ハンガリー人喉頭科医，1857—1920. →O. *cell*.

on·o·mat·o·ma·ni·a (on′ō-mat′ō-mā′nē-ă) [G. *onoma*, name + *mania*, frenzy]. 名称強迫，命名強迫（特定の語に強くこだわり，その語に重大な意味があると考えて執着すること．また特定の語を思い出そうとして必死になるような異常な衝動）.

on·o·mat·o·pho·bi·a (on′ō-mat′ō-fō′bē-ă) [G. *onoma*, name + *phobos*, fear]. 名称恐怖〔症〕（意味を想像して，ある言葉または名前を異常に恐れること）.

on·o·mat·o·poi·e·sis (on′ō-mat′ō-poy-ē′sis) [G. *onoma*, name + *poiēsis*, making]. 言語新作，造語〔症〕（名前や言葉をつくること，特に自然音(例えば，シュッシュッ，ガラガラ，ドンドン)を表したり模倣すること．精神医学において，この種の言語新作傾向は統合失調症のある種の患者の特徴といわれる．→neologism）.

on·to·gen·e·sis (on′tō-jen′ĕ-sis). = ontogeny.

on·to·ge·net·ic, on·to·gen·ic (on′tō-jĕ-net′ik, -jen′ik). 個体発生の.

on·tog·e·ny (on-toj′ĕ-nē) [G. *ōn*, being + *genesis*, origin]. 個体発生（系統発生すなわち種の進化的発生とは区分される，個体の発生）. = ontogenesis.

on·tol·o·gy (on-tol′ŏ-jē). 存在学，存在論（思弁哲学の古くからある分野の１つで，存在，内面，抽象論などを扱う．正常性と疾病，個性，責任，および価値分析などの問題の基本となる．近年，医学の一専門分野として徐々に認められつつある）.

On·u·fro·wicz (ŏn-nū′frō′vĭts), Wladislaus. スイス人解剖学者，1836—1900. →Onuf *nucleus*.

o·ny·al·a·i (ō′nē-al′ā-ē). オニアライ（中部アフリカの住民を侵す急性疾患で，口腔および他の粘膜表面の血性水疱，血尿，メレナが特徴．栄養不良が原因と思われる）. = akembe; kafindo.

onych- →onycho-.

on·y·chal·gi·a (on′i-kal′jē-ă) [onycho- + G. *algos*, pain]. 爪痛.

on·y·cha·tro·phi·a, on·ych·at·ro·phy (on′i-kă-trō′fē-ă, on-ik-at′rō-fē) [onycho- + G. *atrophia*, atrophy]. 爪萎縮.

on·y·chaux·is (on′i-kawk′sis) [onycho- + G. *auxē*, increase]. 巨爪〔症〕（指爪または趾爪が著しく大きくなること）.

on·y·chec·to·my (on′i-kek′tŏ-mē) [onycho- + G. *ektomē*, excision]. 爪切除〔術〕（①指爪または趾爪の切除．②獣医学．ネコにおいて前肢のすべての指の末節骨を切除する手術のことで，後肢は前肢よりも実施されることが少ない．手術の際には，P2/P3 接合部の関節離断を行った後，その端に爪が生えている P3 骨全体を切除する）.

o·nych·i·a (ō-nik′ē-ă) [onycho- + G. *-ia*, condition]. 爪炎（爪床の炎症）.

o. maligna 悪性爪炎（衰弱した患者に，自然に，または軽い外傷に反応して生じる急性爪炎）.

o. sicca 乾性爪炎（もろい爪を特徴とする状態）.

onycho-, onych- [G. *onyx*, nail]. 指爪，趾爪を意味する連結形.

on·y·choc·la·sis (on′i-kok′lă-sis) [onycho- + G. *klasis*, breaking]. 爪甲破壊〔症〕（爪が破壊された状態）.

on·y·cho·cryp·to·sis (on′i-kō-krip-tō′sis) [onycho- + G. *kryptō*, to conceal]. 爪〔甲〕嵌入〔症〕. = ingrown *nail*.

on·y·cho·dys·tro·phy (on′i-kō-dis′trō-fē) [onycho- + G. *dys-*, bad + *trophē*, nourishment]. 爪ジストロフィ，爪異栄養〔症〕（先天的欠陥，または奇形爪を引き起こすような病気や傷害によって生じる爪の発育異常変化）.

on·y·cho·graph (on′i-kō-graf) [onycho- + G. *graphō*, to write]. 爪部脈波描写器（爪下の循環によって示される毛細管圧を記録する器械）.

on·y·cho·gry·po·sis (on′i-kō-gri-pō′sis) [onycho- + G. *grypōsis*, a curvature]. 爪〔甲〕鉤彎症（指爪または趾爪の肥厚と彎曲を伴う巨大化）.

on·y·cho·het·er·o·to·pi·a (on′i-kō-het′ĕr-ō-tō′pē-ă). 異所性爪甲〔症〕（爪の存在部位が異常なこと）.

on·y·choid (on′i-koyd) [onycho- + G. *eidos*, resemblance]. 爪状の，爪様の（構造または形が爪に似ている）.

on·y·chol·o·gy (on′i-kol′ŏ-jē) [onycho- + G. *logos*, treatise]. 爪学.

on·y·chol·y·sis (on′i-kol′i-sis) [onycho- + G. *lysis*, loosening]. 爪〔甲〕離床症，爪〔甲〕剝離症（[誤った発音 oncholy′sis を避けること．oncolysis と混同しないこと]．爪の剝離で，遊離端から始まり，通常は部分的なもの）.

on·y·cho·ma·de·sis (on′i-kō-mă-dē′sis) [onycho- + G. *madēsis*, a growing bald < *madaō*, to be moist, (of hair) fall off]. 爪〔甲〕脱落〔症〕（通常，全身性疾患に関連して爪が完全に脱落すること）.

on·y·cho·ma·la·ci·a (on′i-kō-mă-lā′shē-ă) [onycho- + G. *malakia*, softness]. 爪〔甲〕軟化〔症〕.

on·y·cho·my·co·sis (on′i-kō-mī-kō′sis) [onycho- + G. *mykēs*, fungus + *-ōsis*, condition]. 爪〔甲〕真菌症（爪の最も一般的な真菌感染症で，爪の肥厚，粗糙化，および断裂をきたす．しばしば，紅色白癬菌 *Trichophyton rubrum* または毛瘡白癬菌 *T. mentagrophytes*，カンジダ *Candida* により，ときには糸状菌により生じる）. = ringworm of nails.

on·y·cho·pa·thol·o·gy (on′i-kō-pă-thol′ŏ-jē). 爪病理学.

on·y·chop·a·thy (on′i-kop′ă-thē) [onycho- + G. *pathos*, suffering]. 爪障害. = onychosis.

on·y·choph·a·gy, on·y·cho·pha·gia (on′i-kof′ă-jē, on′i-kō-fā′jē-ă) [onycho- + G. *phagō*, to eat]. 爪かみ（爪をかむ習癖）.

on·y·cho·pho·sis (on′i-kō-fō′sis) [onycho- + G. *phōs*, light + *-osis*, condition]. 爪床部角質上皮増殖〔症〕.

on·y·chop·to·sis (on′i-kop-tō′sis) [onycho- + G. *ptōsis*, a falling]. 爪〔甲〕脱落〔症〕.

on·y·chor·rhex·is (on′i-kō-rek′sis) [onycho- + G. *rhēxis*, a breaking]. 爪〔甲〕縦裂〔症〕（遊離端の断裂を伴った爪の異常なぜい弱化）.

on·y·cho·schiz·i·a (on′i-kō-skiz′ē-ă) [onycho- + G. *schizō*, to divide + *-ia*, condition]. 爪甲層状分裂〔症〕（爪が層状に裂ける状態）.

on·y·cho·sis (on′i-kō′sis). = onychopathy.

on·y·cho·stro·ma (on′i-kō-strō′mă) [onycho- + G. *strōma*, bedding]. = nail *matrix*.

on·y·chot·il·lo·ma·ni·a (on′i-kot′i-lo-mā′nē-ă) [onycho- + G. *tillō*, to pluck + *mania*, insanity]. 爪甲引抜き癖.

on·y·chot·o·my (on′i-kot′ŏ-mē) [onycho- + G. *tomē*, cutting]. 爪切開〔術〕（足指または手指の爪への切開）.

on·y·chot·ro·phy (on′i-kot′rō-fē) [onycho- + G. *trophē*, nourishment]. 爪栄養.

on·yx (on′iks) [G. nail]. 爪. = nail (1).

oo- [G. *ōon*, egg]. [２つの o は別々に発音され，boot のように長母音にはならない]．卵，卵黄を意味する接頭語.→ oophor-; ovario-; ovi-; ovo-.

O

o·o·cy·e·sis (ō′ō-sī-ē′sis) [G. *ōon*, egg + *kyēsis*, pregnancy]. 卵巣妊娠. ＝ovarian *pregnancy.*

o·o·cyst (ō′ō-sist) [G. *ōon*, egg + *kystis*, bladder]. 接合子嚢，オーシスト（受精した雌性生殖細胞，すなわち接合子の被嚢した形．コクシジウム目の胞子虫類における，胞子形成がこの中で行われ，次いで，スポロゾイトの形成が行われる．スポロゾイトは胞子虫の生活環における次の段階に進むための感染体である）.

o·o·cyte (ō′ō-sīt) [G. *ōon*, egg + *kytos*, a hollow(cell)]. 卵母細胞（雌性の配偶子または生殖細胞．精子と受精することにより，その卵母細胞の由来する生物種と同一種の新しい個体へと発達することが可能となる．精子と同様に卵母細胞もその発育過程でその染色体数を半分に減じる．そのため雄性配偶子との結合により種固有の染色体数(ヒトは 46)を保つことができる．卵母細胞内に含まれる卵黄は，その量，比率とも生物種により大きな差があり，その違いが卵割のしかたに影響を与える．→egg ; ovum). ＝ovocyte.

primary o. 一次卵母細胞（一次減数分裂以前または成長期の卵母細胞).

secondary o. 二次卵母細胞（一次減数分裂が完了した卵母細胞．通常，二次減数分裂は，受精が起こらない場合には完了せずに停止する).

o·o·gen·e·sis (ō′ō-jen′ĕ-sis) [G. *ōon*, egg + *genesis*, origin]. 卵子形成，卵子発生（卵細胞の形成と成長の過程). ＝ovigenesis; ovogenesis.

o·o·ge·net·ic (ō′ō-jĕ-net′ik). 卵子形成の. ＝oogenic; oogenous; ovigenetic; ovigenic; ovigenous.

o·o·gen·ic, o·og·e·nous (ō′ō-jen′ik, ō-oj′ĕ-nŭs). ＝oogenetic.

o·o·go·ni·um, pl. **o·o·go·ni·a** (ō′ō-gō′nē-ŭm, -ă) [G. *ōon*, egg + *gonē*, generation]. ***1*** 卵原細胞（減数分裂によって増殖する．すべて出生までに原始卵胞に成長する．出生後には存在しない). ***2*** 生卵器（真菌で，1つ以上の卵胞子をもった雌性配偶子嚢).

o·o·ki·ne·sis, o·o·ki·ne·si·a (ō′ō-ki-nē′sis, -zē-ă) [G. *ōon*, egg + *kinēsis*, movement]. 卵子分裂（成熟および受精過程での卵細胞の染色体運動).

o·o·ki·nete (ō′ō-ki′nēt, -kī′net′) [G. *ōon*, egg + *kinētos*, motile]. オーキネート，オーキネット（マラリア原虫の運動性接合子で，ハマダラカの胃壁に侵入し，消化管外膜下に接合子嚢を形成する．接合子嚢の内容物は次いで分裂し，多数のスポロゾイトを形成する). ＝vermicule (2).

o·o·lem·ma (ō′ō-lem′ă) [G. *ōon*, egg + *lemma*, sheath]. 卵細胞膜（卵母細胞の原形質膜).

o·o·my·co·sis (ō′ō-mī-kō′sis). 卵菌症（卵菌綱に属する真菌による真菌症で，rhinosporidiosis などをいう).

o·o·pha·gi·a, o·oph·a·gy (ō′ō-fā′jē-ă, ō-of′ă-jē) [G. *ōon*, egg + *phagō*, to eat]. 食卵（卵を常食にすること．主として卵を食べて生きていくこと).

oophor-, oophoro- [Mod.L. *oophoron*, ovary < G. *ōophoros*, egg-bearing]. [2つの o は，別々に発音され，boot のように長母音にはならない]. 卵巣に関する連結形. →oo-; ovario-.

o·oph·or·al·gi·a (ō′of-ōr-al′jē-ă) [oophor- + G. *algos*, pain]. ＝ovarialgia.

o·oph·o·rec·to·my (ō′of-ō-rek′tŏ-mē) [G. *ōon*, egg + *phoros*, bearing + *ektomē*, excision]. ＝ovariectomy.

o·oph·or·i·tis (ō′of-ōr-ī′tis) [G. *ōon*, egg + *phoros*, a bearing + *-itis*, inflammation]. 卵巣炎. ＝ovaritis.

oophoro- →oophor-.

o·oph·or·o·cys·tec·to·my (ō-of′ōr-ō-sis-tek′tŏ-mē). 卵巣嚢腫切除〔術〕.

o·oph·or·o·cys·to·sis (ō-of′ōr-ō-sis-tō′sis). 卵巣嚢腫形成.

o·oph·or·on (ō-of′ōr-on) [G. *ōon*, egg + *phoros*, bearing]. 卵巣（ovary に対してまれに用いる語).

o·oph·or·op·a·thy (ō-of′ōr-op′ă-thē). ＝ovariopathy.

o·oph·or·o·pex·y (ō-of′ōr-ō-pek′sē) [oophoro- + G. *pēxis*, fixation]. 卵巣固定〔術〕.

o·oph·or·o·plas·ty (ō-of′ōr-ō-plas′tē) [oophoro- + G. *plastos*, formed, shaped]. 卵巣形成〔術〕.

o·oph·o·ror·rha·phy (ō-of′ō-rōr′ă-fē) [oophoro- + G. *rhaphē*, suture]. 卵巣縫合〔術〕（卵巣を骨盤壁につないで固定すること).

o·oph·or·o·sal·pin·gec·to·my (ō-of′ōr-ō-sal′pin-jek′tŏ-mē). ＝ovariosalpingectomy.

o·oph·or·o·sal·pin·gi·tis (ō-of′ōr-ō-sal′pin-jī′tis) [oophoro- + salpingitis]. ＝ovariosalpingitis.

o·oph·or·ot·o·my (ō-of′ōr-ot′ŏ-mē) [oophoro- + G. *tomē*, incision]. ＝ovariotomy.

o·oph·or·rha·gi·a (ō-of′ōr-rā′jē-ă) [oophoro- + G. *rhēgnymi*, to burst forth]. 排卵性出血（卵巣出血).

o·o·plasm (ō′ō-plazm) [G. *ōon*, egg + *plasma*, a thing formed]. 卵〔細胞〕質（卵細胞の原形質部分).

o·o·some (ō′ō-sōm) [G. *ōon*, egg + *sōma*, body]. 卵細胞質（卵子の細胞質で受精後の胚細胞に受け継がれる).

Oospora (o-os′po-rah). オースポラ属（モリニア目の不完全菌類の一属).

o·o·spo·ran·gi·um (ō′ō-spō-ran′jē-ŭm) [oospore + G. *angeion*, vessel]. oogonium (2) を表す現在では用いられない語.

o·o·spore (ō′ō-spōr). 卵胞子（膜の厚い真菌胞子で，生卵器において有性または無性生殖によって雌性配偶子からできる).

o·o·the·ca (ō-ō-thē′kă) [G. *ōon*, egg + *thēkē*, box, case]. ***1*** 卵嚢（ある種の下等動物にみられる卵の鞘). ***2*** 卵巣（ovary に対してまれに用いる語).

o·o·tid (ō′ō-tid) [G. *ōotidion*, a diminutive egg. →-id (2)]. 成熟卵，オーチッド（一次減数分裂を終えて二次にはいったばかりの，ほぼ成熟した卵．ヒトを含めほとんどの高等哺乳類では，受精が起こらなければ二次減数分裂は完成されない．受精後の成熟卵は 2 つの半量体因子を有し，それらは雌性と雄性の前核である．この 2 つの前核が結合すると成熟卵は接合子となる).

o·o·type (ō′ō-tīp) [G. *ōon*, egg + *typos*, stamp, print]. 卵形成腔（吸虫類および条虫類の卵巣複合体の中央部．この部で受精が起こり，卵黄および卵殻物質が卵をおおう．この過程は急速なスタンプ機械的順序で行われ，その後，卵は子宮を通過しながら殻がなめされ，蓄えられ，次いで生殖孔へと向かう).

OP occipitoposterior *position*; osmotic *pressure*; outpatient の略.

o·pac·i·fi·ca·tion (ō-pas′i-fi-kā′shŭn) [L. *opacus*, shady]. ***1*** 不透明化，混濁化. ***2*** 混濁形成.

o·pac·i·ty (ō-pas′i-tē) [L. *opacitas*, shadiness]. ***1*** 混濁，不透明. ***2*** 不透過性，非透過性（X 線写真において，体内の非透過性の部分が，より透明な部分としてみられる). ***3*** 遅鈍.

linear o. 線状陰影（放射線医学において，線状の陰影. 2 mm までのほぼ均一な厚さを示す陰影).

nodular o. 結節状陰影（胸部写真において肺野にみられる丸い，辺縁の明瞭な陰影で，原因としては肉芽腫，原発性あるいは転移性癌，良性腫瘤，血管奇形などがある). ＝coin lesion of lungs.

snowball o. 雪塊状混濁（硝子体融解の際に硝子体中にみられる白色の球状混濁).

o·pa·les·cent (ō-pă-les′ent) [Fr. < L. *opalus*, opal]. 蛋白光の，乳光の（種々の色の配列が蛋白石(オパール)のような色についていう．ある種の細菌培養を示す).

O·pal·ski (ō-pahl′skē), Adam. ポーランド人医師，1897—1963. →O. *cell*.

o·paque (ō-pāk′) [Fr. < L. *opacus*, shady]. 不透明な（光を通さない．透明でないか，わずかに半透明である場合にいう. *cf.* radiopaque).

o·pen (ō′pen) [A.S.]. ***1*** 〖adj.〗 開放性の，開存性の（空気にさらされた傷口についていう). ***2*** 〖v.〗 開く（創や腔に侵入したり，それらを開放すること).

o·pen·ing (ō′pen-ing) [TA]. 孔，開口〔部〕，口（器官，管，腔に開いた隙間または入口. →aperture; fossa; ostium; orifice; pore).

access o. 髄腔開口. ＝access.

aortic o. 大動脈裂孔. ＝aortic *hiatus*.

o. of aqueduct of midbrain [TA]. 中脳水道口（第 3 脳室の尾側部が中脳水道に続いて行く入り口．後交連前方(腹側)の正中位にある). ＝apertura aqueductus mesencephali

[TA]; apertura aqueductus cerebri*; o. of cerebral aqueduct*; aditus ad aqueductum cerebri.

cardiac o. 噴門口．＝cardiac *orifice*.

o.'s of carotid canal [TA]．頸動脈孔（頸動脈管の両端の開口部で，側頭骨錐体部にある．外頸動脈孔は錐体下面の一部であり，内頸動脈孔は錐体尖にある）．＝carotid foramen.

caval o. of diaphragm [TA]．大静脈孔（下大静脈および右横隔神経の枝を通している横隔膜中心腱の右葉にある孔）．＝foramen of vena cava; foramen quadratum; foramen venae cavae; vena caval foramen.

o. of cerebral aqueduct* 中脳水道開口部（o. of aqueduct of midbrain の公式の別名）．

o. of coronary sinus [TA]．冠状静脈洞口（冠状静脈洞が右心房に開く口）．＝ostium sinus coronarii [TA].

esophageal o. 食道裂孔．＝esophageal *hiatus*.

external o. ＝meatus.

o. of external acoustic meatus 外耳孔．＝external acoustic *pore*.

external o. of carotid canal [TA]．頸動脈管外口（側頭骨岩様部の下面にあるほぼ円形の孔で，ここから内頸動脈が頸動脈管へはいる）．＝apertura externa canalis carotici [TA].

external o. of cochlear canaliculus [TA]．蝸牛小管外口（側頭骨の頸静脈窩の内側にある開口）．＝apertura canaliculi cochleae [TA]; external aperture of cochlear canaliculus.

external o. of urethra 外尿道口．＝external urethral *orifice*.

femoral o. ＝adductor *hiatus*.

o. of frontal sinus [TA]．前頭洞口（前頭骨鼻部にある一対の開口で，前頭洞と篩骨漏斗との連絡通路である鼻前頭管）．＝apertura sinus frontalis [TA]; frontal sinus aperture.

ileocecal o. 回盲口．＝ileal *orifice*.

o. of inferior vena cava [TA]．下大静脈口（下大静脈の右心房への開口）．＝ostium venae cavae inferioris [TA]; orifice of inferior vena cava.

internal acoustic o. [TA]．内耳孔（側頭骨の錐体部の後面にある内耳道の内側の開口）．＝porus acusticus internus [TA]; auditory pore; internal acoustic foramen; internal acoustic pore; internal auditory foramen; o. of internal acoustic meatus; orifice of internal acoustic meatus.

o. of internal acoustic meatus 内耳孔．＝internal acoustic o.

internal o. of carotid canal [TA]．頸動脈管内口（中頭蓋窩にある不規則な孔で，側頭骨岩様部にできる．内頸動脈はこの孔から頭蓋腔へはいる）．＝apertura interna canalis carotici [TA].

internal o. of cochlear canaliculus [TA]．蝸牛小管内口（蝸牛小管のクモ膜下腔への開口部）．＝apertura interna canaliculi cochleae [TA].

internal o. of vestibular canaliculus [TA]．前庭水管内口（側頭骨岩様部の後面にある小孔．ここで内リンパ管が内リンパ嚢と連絡する）．＝apertura interna canaliculi vestibuli [TA].

internal urethral o.* 内尿道口（internal urethral *orifice* の公式の別名）．

lacrimal o. ＝lacrimal *punctum*.

o. of nasolacrimal duct 鼻涙管口（下鼻道にある開口部で，涙を鼻涙管から外へ流す）．＝apertura ductus nasolacrimalis [TA].

oral o.* oral *fissure* の公式の別名．

orbital o. [TA]．眼窩口（いくぶん四角ばった眼窩の入り口で円錐形の眼窩腔の底部をなしている．上下外側の鋭い眼窩縁と鼻上部のあまり明瞭でない内側縁とからなる）．＝aditus orbitalis [TA]; aperture of orbit.

o.'s of papillary ducts [TA]．腎臓の乳頭孔（各々の腎乳頭先端上にあって乳頭管の開口をなす多数の微小孔）．＝foramina papillaria renis [TA]; papillary foramina of kidney.

pharyngeal o. of eustachian tube 耳管咽頭口．＝pharyngeal o. of pharyngotympanic (auditory) tube.

pharyngeal o. of pharyngotympanic (auditory) tube [TA]．耳管咽頭口（耳管の鼻咽頭への開口で，1対ある．下鼻甲介の後端から1.2 cm ほど後方にある鼻咽頭の上部の開口）．＝ostium pharyngeum tubae auditivae [TA]; ostium pharyngeum tubae auditoriae*; pharyngeal o. of eustachian tube.

piriform o. 梨状口．＝piriform *aperture*.

o. of pulmonary trunk [TA]．肺動脈幹口（肺動脈の右心室からの開口で，肺動脈弁によりふさがれている）．＝ostium trunci pulmonalis [TA]; pulmonary orifice.

o.'s of pulmonary veins [TA]．肺静脈口（肺静脈の左心房への開口で，通常，左心房壁の両側に2個ずつある）．＝ostia venarum pulmonalium [TA].

saphenous o. [TA]．伏在裂孔（伏在静脈が大腿静脈へ流入する鼡径靱帯内側部下方の大腿筋膜中の孔）．＝hiatus saphenus [TA]; fossa ovalis (2); saphenous hiatus.

o.'s of smallest cardiac veins [TA]．細小静脈孔（右心房内壁にみられる多数の小孔で，微細な壁内静脈の開口）．＝foramina venarum minimarum atrium dextrum cordis [TA]; foramina of the smallest veins of heart; foramina of the venae minimae; Lannelongue foramina; thebesian foramina; Vieussens foramina.

o. of the sphenoidal sinus [TA]．蝶形骨洞口（蝶形骨体中にある対になった開口で，そこを通って蝶形骨洞が鼻腔の蝶篩陥凹につながる）．＝apertura sinus sphenoidalis [TA]; sphenoidal sinus aperture.

o. of superior vena cava [TA]．上大静脈口（上大静脈の右心房への開口）．＝ostium venae cavae superioris [TA]; orifice of superior vena cava.

tendinous o. 腱裂孔．＝adductor *hiatus*.

tympanic o. of canaliculus for chorda tympani 鼓索小管鼓室口．＝tympanic *aperture* of canaliculus for chorda tympani.

tympanic o. of eustachian tube 耳管鼓室口．＝tympanic o. of pharyngotympanic (auditory) tube.

tympanic o. of pharyngotympanic (auditory) tube [TA]．耳管鼓室口（耳管の鼓室口で，鼓膜張筋半管の下，鼓室の前部にある開口）．＝ostium tympanicum tubae auditivae [TA]; tympanic o. of eustachian tube.

ureteral o. 尿管口．＝ureteric *orifice*.

urethral o.'s 尿道口（→external urethral *orifice*; internal urethral *orifice*）．

uterine o. of uterine tubes 卵管子宮口．＝uterine *ostium* of uterine tubes.

o. of uterus 〔外〕子宮口．＝external *os* of uterus.

vaginal o. 膣口．＝vaginal *orifice*.

vertical o. ＝vertical *dimension*.

o. of vestibular canaliculus [TA]．前庭水管口（側頭骨錐体部の後面，S状静脈洞溝の近くにある開口）．＝apertura canaliculi vestibuli [TA]; external aperture of vestibular aqueduct.

op·er·a·ble (op′ĕr-ă-bĕl)．手術可能な（[operative と混同しないこと]．外科的処置によって治癒または軽減ができるような患者または状態についていう）．

op·er·ant (op′ĕr-ănt)．オペラント（条件付けの際に実験者が選択した行動あるいは特定の反応．その回数の増減は，起こる反応に強化刺激をうまく配合させて調整することができる）．＝target behavior (1); target response.

op·er·ate (op′ĕr-āt) [L. *operor*, pp. *-atus*, to work < *opus*, work]．***1*** 手術する（手や切断器具あるいは他の器具によって身体を手当する）．***2*** 外科的な操作をする．***3*** 腸のぜん動を起こす（緩下薬やしゃ下薬についていう）．***4*** 診断的あるいは治療的目標に至るために機器を用いる行為（例えば，機器を操作する）．

OPERATION

op·er·a·tion (op-ĕr-ā′shŭn, op′ĕr-ā′shŭn)．***1*** 手術（外科的処置のすべてについていう）．***2*** 施行，操作，作用（機能の

働き，方法，過程.→method; procedure; technique).

Altemeier o. (ahlt′mī-ĕr). アルトマイアー手術（脱出した直腸，結腸の輪状切除と経肛門的吻合を伴う直腸脱に対する手術）.

Arlt o. (arlt). アルルト手術（睫毛乱生を治すため，眼瞼縁から睫毛を移植する法）.

arterial switch o. 大血管転換術（完全大血管転位症のための手術．この異常を修復する最も一般的な方法は，大動脈と肺動脈を転換して，新しい大動脈(もとの肺動脈)に冠動脈を移植する）.

Ball o. (bawl). ボール手術（肛門そう痒症の治療のため，肛門につながる知覚神経幹を切断する方法）.

Barkan o. (bar′kăn). バーカン手術（先天性緑内障に対して前房隅角を直接観察しながら行う隅角切開術）.

Bassini o. (bă-sē′nē). バッシーニ手術. ＝Bassini *herniorrhaphy.*

Batista o. バティスタ手術. ＝left ventricular volume reduction *surgery.*

Belsey Mark o. (bel′sē mark). ベルセー－マーク法. ＝Belsey *fundoplication.*

Billroth I o. (bil′rōt). ビルロートＩ法手術（幽門と前庭部の切除および胃断端の一部閉鎖をして胃と十二指腸とを端端吻合する術式）.

Billroth II o. (bil′rōt). ビルロート II 法手術（幽門と前庭部を切除して，十二指腸と胃の断端を閉鎖し，胃と空腸を吻合する術式）.

Blalock-Hanlon o. (blā′lok han′lŏn). ブラロック(ブレロック)－ハンロン手術（完全大血管転位症の姑息的処置として，大きな心房中隔欠損をつくる）.

Blalock-Taussig o. (blā′lok taw′sig). ブラロック(ブレロック)－タウシグ(タウシヒ)手術（肺血流量が異常に低下した先天性心臓奇形に用いる術式．左右の鎖骨下動脈を左右の肺動脈と吻合し，体循環血液を直接肺に送る）.

bloodless o. 非観血手術，無血手術（出血がごくわずかの手術）.

Bozeman o. (bōz′măn). ボーズマン手術（子宮腟瘻の手術で，子宮頸部を膀胱に縫着し，膀胱腔内に開口させる）.

Bricker o. (brik′ĕr). ブリッカー手術（両尿管から尿を集め，皮膚表面に誘導するために回腸の一部を用いる手術）.

Brock o. (brahk′). ブロック手術（肺動脈弁狭窄を治すための経右心室肺動脈弁切開術で，現在は行われない）.

Brunschwig o. (brūn′shwĭg). ブルーンシュヴィヒ手術. ＝total pelvic *exenteration.*

Caldwell-Luc o. (kawld′wĕl lūk). コールドウェル－リュック手術（上顎の小臼歯上の歯槽上(犬歯)窩を通して上顎洞に孔を開ける口内手術）. ＝intraoral antrostomy; Luc o.

Carmody-Batson o. (kar′mŏ-dē bat′sŏn). カーモディ－バトソン手術（上顎大臼歯上方の口腔内切開により，頰骨および頰骨弓の骨折面を縮小する手術）.

cesarean o. 帝王切開〔術〕（→cesarean *section*; cesarean *hysterectomy*）.

commando o. コマンド手術. ＝commando *procedure.*

concrete o.'s 具体的操作〔期〕（Piaget 心理学において，小児が具体的状況について理論付けられるようになる 7 —11 歳ごろに起こる思考力の発達段階）.

Cotte o. (kot). コット手術. ＝presacral *neurectomy.*

cricoid split o. 輪状軟骨分割術（声門下狭窄に対する外科的修復術．輪状軟骨の前壁と後壁を縦切開する．声門下腔の再建のため皮弁を挿入する場合もある）.

Dana o. (dā′nă). デーナ手術. ＝posterior *rhizotomy.*

Dandy o. (dan′dē). ダンディ手術（→third *ventriculostomy*; trigeminal *rhizotomy*）.

Daviel o. (dah-vē-el′). ダヴィエル手術（水晶体嚢外摘出術）.

debulking o. 減量手術（完全摘除が不能な悪性腫瘍に対して，その腫瘍の主な部分を切除する手術）.

decompression o.'s 減圧〔手〕術（→decompression）.

Doppler o. (dop′lĕr). ドップラー手術（動脈周囲交感神経のフェノール局所注入による破壊.→chemocautery）. ＝chemical sympathectomy.

Doyle o. (doyl). ドイル手術（子宮傍頸部の神経を除去する手術）.

Elliot o. (el′ē-ŏt). エリオット手術（緑内障の緊張を緩和するために行う強角膜縁の眼球管錐術）.

Emmet o. (em′ĕt). エメット手術. ＝trachelorrhaphy.

endolymphatic shunt o. 内リンパ嚢開放術（Ménière 病の治療のために行う，内リンパ嚢と脳脊髄液腔との交通をつける手術）.

Estes o. (es′tēz). エスティズ手術（不妊症のための手術で，卵巣の一部を子宮角に移植する）.

fenestration o.〔内耳〕開窓術（耳硬化症による伝音難聴を改善するために乳突腔を経由して外側半規管に孔を開ける，まれに行われる手術）.

filtering o. 沪過手術（緑内障の治療において，前眼房と結膜下の間に瘻孔をつくる外科手術）.

Finney o. (fin′ē). フィニー手術（縫合法によって，胃から胃液や食物などが容易に排出できるように大きな吻合口をつくる胃十二指腸吻合術）.

flap o. *1* 皮弁切断〔術〕. ＝flap *amputation.* *2* 歯肉剝離搔爬手術（歯科において，組織におおわれた部分の視野をよくして処置しやすくするため，粘膜骨膜組織をその下の骨や埋伏歯から剝離する手術.→flap）. *3* 皮弁手術（整形外科，形成外科，再建外科において用いる術式で，ある部位の皮膚をおおうために他の部位の皮膚組織を移動する手術術式．血管吻合を必要としない局所移動皮弁と血管吻合を必要とする遠隔移動皮弁とがある）.

Fontan o. (fon-tān′). フォンタン手術. ＝Fontan *procedure.*

formal o.'s 形式的操作〔期〕（Piaget 心理学において，小児が抽象的状況について推理できるようになる 11—15 歳ごろに起こる思考力の発達段階．この段階における推理力は普通の成人のそれとほとんど同じであるが，あまり複雑ではない）.

Fothergill o. (foth′ĕr-gil op′ĕr-ā′shŭn). フォザーギル手術. ＝Manchester o.

Frazier-Spiller o. (frā′zhĕr spil′ĕr). フレージャー－スピラー手術（→trigeminal *rhizotomy*）.

Fredet-Ramstedt o. (frĕ-dā′ rahm′shtet). フルデー－ラムステット手術. ＝pyloromyotomy.

Freund o. (froynd). フロイント手術（①子宮癌の腹式子宮全摘出術．② Freund 奇形に対する軟骨切開術）.

Gilliam o. (gil′ē-ăm). ギリアム手術（円靱帯を腹壁に縫合する子宮後屈の手術）.

Gillies o. (gil′ēz). ギリース手術（側頭部，髪の生え際の上に切開を加え，頰骨および頰骨弓骨折を整復する方法）.

Gil-Vernet o. (zhēl ver-nā′). ヒル－ヴェルネット手術. ＝extended *pyelotomy.*

Glenn o. (glen). グレン手術（三尖弁閉鎖症に対して行われる姑息的再建術のことで，肺血流増加のために，上大静脈と右主肺動脈を直接吻合する手術である）.

Graefe o. (grā′fē). グレーフェ手術（①輪部切開して白内障を切除する手術で，切嚢して虹彩切除する方法．両手術法とも眼科手術分野における画期的なものである．②緑内障の虹彩切除術）.

Gritti o. (grē′tē). グリッティ切断術. ＝Gritti-Stokes *amputation.*

Halsted o. (hahl′sted). ハルステッド手術（鼡径ヘルニアの根治手術）.

Hartmann o. (hahrt′mahn). アルトマン法（腹膜翻転部およびその上方の直腸Ｓ状結腸切除，肛門側直腸断端を縫合閉鎖し，口側結腸で人工肛門を造設する術式）.

Heaney o. (hā′nē). ヒーニー手術（腟式子宮切除術）.

Heller o. (hel′ĕr). ヘラー手術（胃食道接合部の直上の食道筋切開術）.

Hill o. (hil). ヒル手術（食道裂孔ヘルニアの修復．内側弓靱帯に縫い付けることによって腹腔内で食道胃接合部を固定する）.

Hoffa o. (hof′ă). ホッファ手術（先天性股関節脱臼に対しまれに用いられる手術法で，大腿骨の上端部に付着する筋肉を切断した後に寛骨を掘削し，大腿骨骨頭を整復する方法）.

Hofmeister o. (hof′mī-stĕr). ホーフマイスター手術（小彎の一部を縫合閉鎖し，空腸へ結腸後で吻合する部分的胃切除術）.

Hummelsheim o. (hŭm′elz-hīm). フンメルシャイム手術

(麻痺した筋肉の代わりに健全な眼直筋を移植すること).

Hunter o. (hŭn′tĕr). ハンター手術（動脈瘤に対して中枢側と末梢側で動脈を結紮する手術).

interval o. 中間期手術，間欠期手術（手術を要する状態の場合，休止期または寛解期に行う手術).

Jacobaeus o. (yah′kō-bā′ŭs). ヤコベーウス手術（pleurolysis を表す現在では用いられない語).

Jansen o. (yahn′sĕn). ヤンゼン手術（前頭洞病変に対してまれに行われる前頭洞手術手技．前頭洞前壁の床と下方を切除し，粘膜は掻爬する).

Kasai o. (kah-sī′). 葛西手術．＝portoenterostomy.

Kazanjian o. (kah-zahn′jē-ăn). カザニアン手術（無歯隆線前庭溝の外科伸長術で，その溝の高さを増し義歯保持をする．→ridge *extension*).

Keen o. (kēn). キーン手術（斜頸治療のため，罹患筋を支配する脊髄神経後枝と脊髄副神経を切除する方法).

Keller-Madlener o. ケラー－マドレナー手術（胃の近位側噴門部にある潰瘍に対する手術で，3/4 胃切除を行い胃空腸吻合を行う術式).

Kelly o. (kel′ē). ケリー手術（①子宮仙骨靱帯のひだ形成による子宮後傾症の矯正術．②膀胱頸部下を経腟的に縫合することによる緊張性尿失禁の矯正術).

Killian o. (kil′ē-ăn). キリアン手術（前頭洞病変に対してまれに行われる前頭洞手術手技．前頭洞前壁は粘膜掻爬して切除する．篩骨蜂巣は上顎骨の鼻腔側から取り除き，眼窩内側壁の上部も切除する).

Koerte-Ballance o. (kŏr′tē bal′ănts). ケルテ－バランス手術（顔面神経麻痺の治療のため，顔面神経と舌下神経を吻合する手術).

Kondoleon o. (kon-dō′lā-ŏn). コンドレオン手術（象皮病治療のため，皮下結合組織を切除する手術).

Kraske o. (krahs′kĕ). クラスケ手術（癌や狭窄した直腸の切除のため，尾骨と仙骨左翼を切除する方法).

Krönlein o. (krān′līn). クレーンライン手術（眼窩外壁前部の眼窩減圧術).

Ladd o. (lad). ラッド手術（腸の異常回転で起こる十二指腸閉塞を軽減するために Ladd 帯を分離すること).

Lambrinudi o. (lam′bri-nū′dē). ランブリヌーディ手術（通常は小児麻痺に起こるような尖足を矯正するためにまれに行われる三関節固定術).

Laroyenne o. (lah-roy-en′). ラロワイエーヌ手術（骨盤内膿瘍で膿を排除し，誘導するために直腸子宮窩を穿刺する方法).

Lash o. (lash). ラッシュ手術（内子宮口を楔状に切除した後に，頸管をしっかりした管状構造に縫合する方法).

LeCompte o. (le-kompt′). ＝LeCompte *maneuver*.

Leriche o. (lĕ-rēsh′). ルリーシュ手術．＝periarterial *sympathectomy*.

Lisfranc o. (lis-frahnk′). リスフラン手術．＝Lisfranc *amputation*.

Longmire o. (long′mīr). ロングマイアー手術（胆管閉塞症の手術で，部分的に肝切除をして肝臓内の胆管と空腸を吻合する).

Luc o. (lūk). リュック手術．＝Caldwell-Luc o.

Madlener o. (mahd′len-ĕr). マドレナー手術（卵管の圧挫結紮による不妊法).

major o. 大手術（主要器官を手術対象としたり，生命の危険を伴うことのある大規模で比較的困難な外科的手術).

Manchester o. (man′chĕs-tĕr) [*Manchester*, イングランドの地名]. マンチェスター手術（子宮頸切断と子宮傍結合組織固定からなる子宮脱治療のための腟式手術). ＝Fothergill o.

Mann-Williamson o. (man wil′yăm-sŏn). マン－ウィリアムソン手術（消化性潰瘍の研究のために実験動物のイヌを使って行う手術．回腸へアルカリ液を分泌する十二指腸を移植吻合し，空腸端を幽門に吻合する．実験動物の空腸は胃液を直接受けて潰瘍が発生する).

Marshall-Marchetti-Krantz o. (mar′shăl mahr-chet′ē krants). マーシャル－マーケッティ－クランツ手術（緊張性失禁の手術で，恥骨後部に尿道をつり上げる方法).

Mayo o. (mā′ō). メーオー(メーヨー)手術（臍ヘルニアの根治手術．2つの長円切開によって嚢頸を出し，腸は腹腔に戻し，嚢および癒着した大網は切除し，開口部の縁はさし縫い縫合で重畳するようにして閉鎖する).

McIndoe o. (mak′in-dō). マックインドー手術（腟管形成で薄い皮膚皮弁でおおう術式).

McVay o. (mik-vā′). マクヴェー手術（腹横筋とそれに連続した筋膜(横層)を恥骨櫛靱帯に縫合する鼡径ヘルニアと大腿ヘルニアに対する修復法).

mika o. [オーストラリアアボリジニ語]. マイカ手術（授精不能にするために，男性の尿道球部に永久瘻孔をつくる法．オーストラリアのアボリジニ族の間にある風習といわれる).

Mikulicz o. (mē′kū-lich). ミクリッチ手術（2段階にわたる腸の切除術で，第1段階では罹患部を体外に出し，その中枢側と末梢側の腸壁を寄せて縫合し，その周囲で腹壁を閉じた後，罹患部を切除する．しばらく経ってから第2段階として腸切開刀で隔壁を切り，腸瘻を腹膜外で閉鎖する).

Miles o. (mīlz). マイルズ手術（[誤った表記 Mile および Mile's を避けること]．直腸癌に対する遠位結腸と直腸の腹会陰式合併切除術．永久型人工肛門を伴う).

minor o. 小手術（比較的軽い外科的処置で生命には別状のないもの).

morcellation o. 半截術（腟式子宮摘出術で，子宮を多数に分割して切除する方法).

Motais o. (mō-tā′). モテー手術（眼瞼下垂症の手術で，瞼板と皮膚の間の上眼瞼に眼球上直筋腱の中央 1/3 を移植して，挙筋の動きを補助する).

Mules o. (myūlz). ミュールズ手術（眼球内容除去術で，義眼台として球形のプロテーゼを強膜内に挿入する術式).

Mustard o. (mus′terd). マスタード手術（大血管転移症による異常な血行動態を，心房のレベルで修正する手術．心房内に隔壁をつくり，肺静脈血は三尖弁を通して右心室へ，全身静脈血は僧帽弁を通して左心室へ導く). ＝Mustard procedure.

Naffziger o. (naf′zig-ĕr). ナフジガー手術（上外側眼窩壁を切除して極度の悪性眼球突出症を治すこと).

Nissen o. (nis′ĕn). ニッセン手術．＝Nissen *fundoplication*.

Norton o. (nōr′tŏn). ノートン手術（膀胱の側方からはいる腹膜外帝王切開手術の術式).

Norwood o. (nōr′wud). ノーウッド手術（大動脈下狭窄と三尖弁閉鎖の乳児に対する手術で，肺動脈は分離されて両端を大動脈に吻合され，遠位端は代用血管を介する).

Ogston-Luc o. (og′stŏn lūk). オグストン－リュック手術（まれに行われる前頭洞の手術．眼窩縁内側 1/3 から皮膚切開して鼻根に達する方法．骨膜を上方および外側に牽引して前頭洞を開き，鼻前頭管，前頭洞内部，前篩骨細胞を掻爬することによって大きな孔をつくる).

Ogura o. (ō-gū′răh). オグラ手術（Graves 病における眼窩減圧のための外科的手技で，上歯窩につくられた開口部から眼窩底を除去する).

Ombrédanne o. (om-brā-dahn′). オンブルダーヌ手術（授動した精巣を陰嚢内へ導き，陰嚢隔壁を通して対側の陰嚢内へ固定する手技). ＝transseptal orchiopexy.

Payne o. (pān). ペイン手術（超肥満者に対して用いる空腸回腸バイパス吻合術．バイパスされる小腸の口側端は閉鎖して高位空腸を回腸末部に端側吻合する).

Pólya o. (pōl′yah). ポーリャ手術．＝Pólya *gastrectomy*.

Pomeroy o. (pom′ĕr-oy). ポメロイ手術（卵管の結紮した中間部を切除する方法).

Potts o. (pots). ポッツ手術（先天性心臓奇形の待機的手術として行う大動脈と肺動脈の側側吻合術). ＝Potts anastomosis; Potts shunt.

pubovaginal o. 腟恥骨式尿道吊り上げ術（尿失禁に対する術式．腹直筋の筋膜あるいは補てつ物を用い膀胱頸部および後部尿道を恥骨結合に向かって吊り上げる).

Putti-Platt o. (put′ē plat). プッティ－プラット手術（反復性肩関節前方脱臼の手術法の1つ). ＝Putti-Platt procedure.

radical o. for hernia ヘルニア根治手術（ヘルニアを還納するばかりでなく，ヘルニアの欠損も修復する手術).

Ramstedt o. (rahm′shtet). ラムステット手術．＝pyloromyotomy.

Rastelli o. (rahs-tel′ē). ラステリー手術（心室中隔欠損と

O

左室流出路障害をもつ大血管転位(心室・血管関係不一致)の〝解剖学的〟修復のために，導管は左室から大動脈へと右室から肺動脈への連続のために用いられる．すべての心室中隔欠損は以前の姑息的シャントのように遮断される)．

Récamier o. (rā-kahm-ē-ā′). レカミエ手術（子宮の掻爬術）.

Ridell o. (ri′del). リデル手術（前頭洞病変に対してまれに行われる手術手技．前頭洞の前壁と下壁を切除する).

Ripstein o. (rip′stīn). リプシュタイン手術（肛門から大腸が脱出するのを防ぐために，メッシュ帯を経腹的に遊離した直腸周囲に留置する，直腸脱に対する手術).

Roux-en-Y o. (rū unh ē). ルーＹ手術（切離した上部空腸遠位端を，胃，食道，胆管，あるいはその他の部位へ吻合し，近位端を最初の空腸吻合部より，やや肛側に端側吻合する方法).

Saenger o. (sāng′ĕr). ゼンガー手術（３層縫合により子宮切開創を閉じる帝王切開術).

Schauta vaginal o. (show′tă). シャウタ腟式手術(Schuchardt 法を用いる子宮と子宮付属器の広範囲にわたる摘出術).

Schroeder o. (shrō′dĕr). シュレーダー手術（子宮頸管粘膜の切除術).

Schuchardt o. (shū′kahrt). シューヒャルト手術（腟口の傍を直腸を避けて切開する方法．瘻孔閉鎖または腟式広範性手術のために腟上部へ到達しやすくするための外科的手技).

scleral buckling o. 強膜折込み手術（強膜壁に切込みをつくって網膜剝離を治す方法).

Scott o. (skot). スコット手術（超肥満者に対して行う空腸回腸バイパス術．上部空腸を回腸終末部に端端吻合し，バイパスされた小腸は口側端を閉鎖し肛側端を大腸に吻合する).

second-look o. セカンドルック手術（腹腔内の癌に対する治癒切除が行われた後１年以内に，再発の所見のない患者に対して潜在性の癌があるかないかを確認するために行われる開腹術).

Senning o. (sen′ing). セニング手術（大血管転位の患者のための心房内血流転換手術で，Mustard 手術のように心房中隔を切除する代わりに，中隔のフラップを用いて異物の使用を最低限にし，成長に伴うようにしている).

seton o. 串線手術（進行した緑内障の手術．前房へ串線または縫合線糸を通して排液口をつくる).

Shirodkar o. (shī-rod′kar). シロッカー手術（非吸収性縫合物質で輪状に頸管不全症を縫合すること).

Sistrunk o. シストランク手術（甲状舌管が内部または近傍を通っている舌骨の正中部の切除を合併した甲状舌嚢胞と甲状舌管の切除術式).

Smith o. (smith). スミス手術. ＝Smith-Indian o.

Smith-Boyce o. (smith boys). スミス－ボイス手術. ＝anatrophic *nephrotomy.*

Smith-Indian o. (smith-in-dē′in). スミス－インド式手術(白内障嚢内摘出手術). ＝Smith o.

Soave o. (sō-ahv′ā). ソーヴ法（先天性巨大結腸症に対する手術法の１つ．粘膜を剝離・抜去した直腸内に正常結腸を通す方法).

Spinelli o. (spē-nel′ē). スピネリ手術（脱出した子宮前壁を切開して裏返し，元の位置に戻す手術).

stapes mobilization o. あぶみ骨可動〔化〕術（現在ではほとんど行われない手術．聴力を改善するため，あぶみ骨を固定している耳硬化症の組織を破砕する).

Stoffel o. (stof′ĕl). シュトッフェル手術（痙性麻痺の治療のため，ある運動神経を切断する方法).

Stookey-Scarff o. (stūk′ē skarf). スツーキー－スカーフ手術（→third *ventriculostomy*).

Sturmdorf o. (shtūrm′dōrf). シュツルムドルフ手術（子宮頸管内膜を円錐状に切除する方法).

subcutaneous o. 皮下手術（腱の切断のように，メスで小さな孔を開ける以外は皮膚を切開せずに行う方法).

Syme o. (sīm). サイム手術. ＝Syme *amputation.*

talc o. タルク手術（現在では行われない手術で，粉状のケイ酸マグネシウム(タルク)を心外膜に付けて無菌性肉芽腫性心膜炎を起こし，冠状循環と心臓周囲の血管吻合を促進する). ＝poudrage (2).

TeLinde o. (tĕ-lind′). テリンデ手術. ＝modified radical *hysterectomy.*

Torek o. (tō′rek). トーレック手術（停留精巣を下に降ろす２段階の手術を表す現在では用いられない語).

Trendelenburg o. (tren′dĕ-lĕn-bĕrg). トレンデレンブルク手術（肺動脈の塞栓切除術).

Urban o. (ŭr′băn). アーバン手術（拡大根治乳房切断術で，内胸動脈周囲リンパ節，胸骨の一部，肋軟骨などを一塊として切除する).

Waters o. (wă′terz). ウォーターズ手術（膀胱上部から腹膜外に達する腹膜外帝王切開の１つ).

Waterston o. (wă-ter-stŭn). ウォーターストン手術（肺動脈と上行大動脈間の外科的な吻合．姑息的に成人の Fallot 四徴症に行う).

Wertheim o. (vārt′him). ヴェルトハイム手術（子宮癌の根治手術で，腟はできるかぎり切除し，リンパ節も切除する).

Whipple o. (wip′il). ホウィップル手術. ＝pancreatoduodenectomy.

Whitehead o. (wīt′hed). ホワイトヘッド手術（痔核(静脈叢)の上下を輪状に切開して痔核切除を行った後，直腸下部粘膜と肛門管の皮膚を縫合する手術法).

---

op·er·a·tive (op′ĕr-ă-tiv). ***1*** 手術の. ***2*** 効力のある.

op·er·a·tor (op′ĕr-ā-tŏr) [L. worker < *operor,* to work]. ***1*** 術者（手術をする人，あるいは手術器具を操作する人). ***2*** オペレータ（遺伝学の用語で，オペロンのリプレッサーと相互作用し，隣接する構造遺伝子の発現を制御する DNA 配列. →operator *gene*). ***3*** 演算子（数学的な演算を示す記号).

o·per·cu·lar (ō-per′kyū-lăr). 弁蓋の.

o·per·cu·lat·ed (ō-per′kyū-lāt-ĕd). 有蓋の（弁蓋を備えたもの．腹足綱(巻貝類)の前鰓亜綱(ヘタをもつ巻貝)に属する軟体動物および日本住血吸虫を除く二生類の吸虫や様々な魚類に寄生する条虫である広節裂頭条虫 *Diphyllobotrium latum* のようなある種の寄生虫の虫卵でみられる).

o·per·cu·li·tis (ō-per′kyū-lī′tis) [operculum + G. *-itis,* inflammation]. 歯冠周囲炎（歯をおおう粘膜弁下に始まる炎症). ＝pericoronitis.

o·per·cu·lum, gen. **oper·cu·li,** pl. **oper·cu·la** (ō-per′kyū-lŭm, -lī, -lă) [L. cover or lid < *operio,* pp. *opertus,* to cover]. 弁蓋，ふた（①蓋またはおおいに似たもの. ②[TA]. 特に解剖学において，外側溝を分け，島をおおう葉である前頭弁蓋，前頭頭頂弁蓋，側頭弁蓋をさす. ③寄生虫学において，前鰓亜綱に属する淡水産巻貝の殻口をおおうヘタ，およびある種の吸虫や条虫の卵にある蓋. ④網膜剝離における付属被弁. ⑤未萌出の歯を部分的に，または完全におおっている粘膜弁).

o. ilei ＝ileal *sphincter.*

occipital o. 後頭弁蓋（月状溝がヒトに存在するとき，これによって分かれる脳の後頭葉部分).

trophoblastic o. 栄養膜弁蓋（未分化胚芽細胞の着床で子宮内膜にできる進入孔を閉鎖する，マッシュルームの形をした線維素の弁蓋).

op·er·on (op′ĕr-on) [L. *operor,* to work, act + -on]. オペロン（メッセンジャー RNA の生成をつかさどる遺伝的機能単位．１つの染色体上で *cis* に配列している１つのオペレータ遺伝子と２つ以上の構造遺伝子からなる).

Lac o. (lahk). ラクトースオペロン（ラクトースの導入と代謝に必要な隣接バクテリア遺伝子の集合体．３個の酵素をコードする遺伝子を含み，発現を調節するリプレッサーとプロモータが隣接する).

OPG osteoprotegerin の略.

o·phi·a·sis (ō-fī′ă-sis) [G. < *ophis,* snake]. 蛇行状脱毛〔症〕(円形脱毛症の一型．頭皮の辺縁の帯状の脱毛が部分的に，または完全に頭を取り巻くように生じる).

O·phid·i·a (ō-fid′ē-ă) [G. *ophidion*: *ophis*(a serpent)の指小辞]. ヘビ亜目（は虫綱の一亜目ヘビ類．ヤマカガシ科，ガラガラヘビ科，コブラ科，ウミヘビ科，クサリヘビ科を含む).

o·phi·di·a·sis (ō′fī-dī′ă-sĭs) [G. *ophidion*: *ophis*(a serpent)の指小辞]. 蛇毒症（毒ヘビがかむことによって起こる中毒

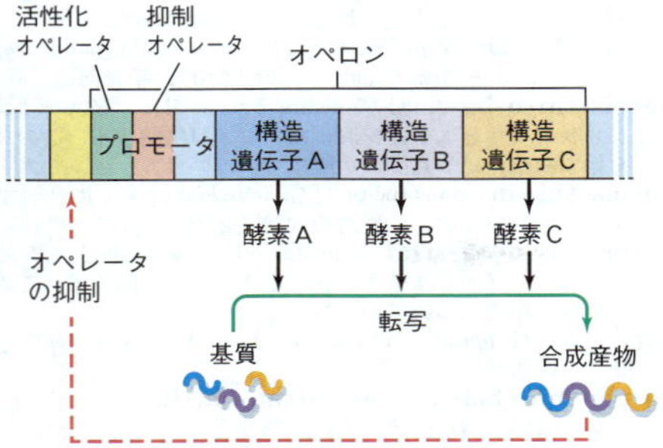

operon

合成産物はオペロンの機能を抑制するためにネガティブフィードバックを発動する．こうした方法により，産生産物自身の濃度を自動的に制御している．

症状)．＝ophidism.

o·phid·i·o·pho·bi·a (ō-fid′ē-ō-fō′bē-ă) [G. *ophidion*, a small snake＋*phobos*, fear]．ヘビ恐怖〔症〕(ヘビに対する病的な恐れ)．

o·phid·ism (ō′fid-izm)．＝ophidiasis.

oph·ri·tis (of-rī′tis) [G. *ophrys*, eyebrow＋*-itis*, inflammation]．眉毛〔部皮膚〕炎 (眉毛部分の皮膚炎)．＝ophryitis.

oph·ry·i·tis (of′rē-ī′tis)．＝ophritis.

oph·ry·og·e·nes (of′rē-ōj′ĕ-nes) [Mod.L.＜G. *ophrys*, eyebrow＋*-genēs*, arising from]．眉毛に関する．

oph·ry·on (of′rē-on) [G. *ophrys*, eyebrow]．オフリオン (眉間のやや上の前額正中点)．＝supranasal point; supraorbital point.

Oph·ry·o·sco·lec·i·dae (of′rē-ō-skō-les′i-dē) [G. *ophrys*, eyebrow＋*skōlēx*, a worm]．反すう類の第一胃や第二胃に見出される繊毛虫の一科で，口の周囲(ある属においては背部も)に，らせん状の小膜を形成する毛をもつのが特徴．最も重要な属は *Entodinium*属，*Diplodinium*属，*Epidinium*属，*Ophryoscolex*属である．これらは反すう類が摂取した植物中のセルロースを，容易に消化することのできる動物性蛋白に変換することにより，反すう類の栄養に貢献すると考えられている．

oph·ry·o·sis (of′rē-ō′sis) [G. *ophrys*, eyebrow＋*-osis*, condition]．眉毛〔部〕痙攣 (眉毛のしわ寄せを起こす眼瞼輪筋上部の痙性単収縮)．

ophthalm- →ophthalmo-.

oph·thal·mal·gi·a (of′thal-mal′jē-ă) [ophthalmo-＋G. *algos*, pain]．眼〔球〕痛．＝oculodynia.

oph·thal·mi·a (of-thal′mē-ă) [G.]．眼〔結膜〕炎 (①重症な，化膿性の結膜炎．②眼の深部の炎症)．

catarrhal o. カタル性眼炎 (粘液膿が出る軽症の粘膜炎)．

caterpillar-hair o. 毛虫眼炎．＝o. nodosa.

Egyptian o. エジプト眼炎．＝trachoma.

gonorrheal o. 淋菌性眼炎 (淋菌による急性化膿結膜炎)．＝blennophthalmia (2); gonorrheal conjunctivitis.

granular o. 顆粒性眼炎．＝trachoma.

metastatic o. 転移性眼炎 (①＝sympathetic o. ②膿血症の脈絡膜炎)．

o. neonatorum 新生児眼炎 (生後10日以内に発症する結膜炎．淋菌*Neisseria gonorrhoeae*，ブドウ球菌属*Staphylococcus*，肺炎連鎖球菌 *Streptococcus pneumoniae*，トラコーマクラミジア *Chlamydia trachomatis* が原因)．＝blennorrhea neonatorum; infantile purulent conjunctivitis; neonatal conjunctivitis.

o. nivalis 雪眼炎，雪盲．＝ultraviolet *keratoconjunctivitis.*

o. nodosa 結節性眼炎 (毛虫の毛が眼組織を貫通して結膜に結節性肥大ができること)．＝caterpillar-hair o.

phlyctenular o. フリクテン性眼炎．＝phlyctenular *conjunctivitis.*

purulent o. 化膿性眼炎 (化膿性結膜炎で，通常は淋菌による)．

spring o. 春季カタル．＝vernal *conjunctivitis.*

sympathetic o. 交感性眼炎 (ブドウ膜の穿孔傷によって起こる漿液性または増殖性のブドウ膜炎で，他眼にも同様の反応が起こり両眼とも失明することがある)．＝transferred o.

transferred o. 転移性眼炎．＝sympathetic o.

oph·thal·mic (of-thal′mik) [G. *ophthalmikos*]．眼の．＝ocular (1).

oph·thal·mic ac·id (of-thal′mik as′id)．オフタルミン酸；γ-L-glutamyl-L-α-aminobutyrylglycine (水晶体中に存在するトリペプチドで，グルタチオンに似ているが，システインが α-アミノ-*n*-酪酸で置換されている点が異なる(すなわち，CH_3 基による SH の置換)．グリオキサラーゼの強力な阻害薬．*cf.* norophthalmic acid)．

ophthalmo-, ophthalm- [G. *ophthalmos*]．【誤ったつづりまたは発音 opthalm(o) を避けること】．眼に関する連結形．→oculo-.

oph·thal·mo·dy·na·mom·e·ter (of-thal′mō-dī′nă-mom′ĕ-tĕr) [ophthalmo-＋G. *dynamis*, power＋*metron*, measure]．眼底血圧計 (網膜血管の血圧を測る器械)．

Bailliart o. バヤール眼底血圧計 (網膜中心動脈の血圧を測る器械．診断においては近位頸動脈系の閉塞がわかる)．

suction o. 吸引性眼底血圧計 (網膜動脈を検眼鏡で観察中に，眼圧を増加させる吸盤のある眼底血圧計)．

oph·thal·mo·dy·na·mom·e·try (of-thal′mō-dī′nă-mom′ĕ-trē) [ophthalmo-＋G. *dynamis*, power＋*metron*, measure]．眼底血圧測定〔法〕(眼底血圧計で網膜血管の血圧を測定すること)．

oph·thal·mo·lith (of-thal′mō-lith) [ophthalmo-＋G. *lithos*, stone]．眼結石．＝dacryolith.

oph·thal·mol·o·gist (of′thal-mol′ŏ-jist)．眼科医 (【optician または optometrist と混同しないこと】．眼科学の専門医)．＝oculist.

oph·thal·mol·o·gy (of′thal-mol′ŏ-jē) [ophthalmo-＋G. *logos*, study]．眼科学 (【誤ったつづり opthalmology, ophthamology, または opthamology を避けること】．眼病，眼の屈折異常など眼に関する医学の分野)．

oph·thal·mo·ma·la·ci·a (of-thal′mō-mă-lā′shē-ă) [ophthalmo-＋G. *malakia*, softness]．眼球軟化〔症〕(眼球が異常に軟化すること)．

oph·thal·mo·mel·a·no·sis (of-thal′mō-mel′ă-nō′sis)．眼黒色症 (結膜と隣接組織の黒色症)．

oph·thal·mom·e·ter (of′thal-mom′ĕ-tĕr) [ophthalmo-＋G. *metron*, measure]．角膜曲率計，眼球計．＝keratometer.

oph·thal·mo·my·co·sis (of-thal′mō-mī-kō′sis) [ophthalmo-＋G. *mykēs*, fungus＋*-osis*, condition]．眼糸状菌症 (真菌によって起こる眼または眼の付属器の病気)．

oph·thal·mo·my·i·a·sis (of-thal′mō-mī-ī′ă-sis)．＝ocular *myiasis.*

oph·thal·mop·a·thy (of′thal-mop′ă-thē) [ophthalmo-＋G. *pathos*, suffering]．眼障害，眼症．＝oculopathy.

endocrine o. 内分泌性眼障害．＝Graves o.

external o. 外眼疾患 (結膜，角膜，眼の付属器などの様々な病気)．

Graves o. (grāvz)．グレーヴズ眼症 (眼球後部の眼窩組織の含水率増加による眼球突出．甲状腺疾患，通常は甲状腺機能亢進に合併)．＝endocrine o.; Graves orbitopathy.

internal o. 内眼疾患 (眼球内部組織の病気)．

oph·thal·mo·ple·gia (of-thal′mō-plē′jē-ă) [ophthalmo-＋G. *plēgē*, stroke]．眼筋麻痺 (1つ以上の眼球運動神経が麻痺すること)．

chronic progressive external o. (**CPEO**) 慢性進行性外眼筋麻痺症 (外眼筋筋力低下が緩徐に増悪する特殊なタイプ．通常，色素性網膜症を合併する．→Kearns-Sayre *syndrome*; oculopharyngeal *dystrophy*)．＝ocular myopathy.

exophthalmic o. 眼球突出性眼筋麻痺 (眼窩組織の含水量の増加による眼球突出性麻痺で，甲状腺疾患，通常，甲状腺機能亢進症を伴うこともある)．

o. externa 外眼筋麻痺 (外眼筋を動かす1つ以上の神経の麻痺)．＝external o.

external o. 外眼筋麻痺症．＝o. externa.

fascicular o. 束性眼筋麻痺，脳橋眼筋麻痺（脳幹内の病変による眼筋麻痺）．

fibrotic o.［MIM*135700］．線維性眼筋麻痺（眼瞼下垂を合併する先天性眼筋麻痺．常染色体優性疾患）．

o. interna 内眼筋麻痺（瞳孔と毛様筋の括約筋のみの麻痺）．＝internal o.

internal o. 内眼筋麻痺症．＝o. interna.

internuclear o.（**INO**）核間性眼筋麻痺（内側縦束の障害による外眼筋麻痺．水平注視において内転の障害があるが，輻輳は維持されている）．

nuclear o. 核性眼筋麻痺（眼の運動神経起点核の障害による眼筋麻痺）．

orbital o. 眼窩性眼筋麻痺（眼窩内の障害による眼筋麻痺）．

Parinaud o.（pah-ri-nō′）．パリノー眼筋麻痺．＝Parinaud *syndrome.*

o. partialis 部分的眼筋麻痺（1つか2つの外眼筋または内眼筋を含む眼筋麻痺）．

o. progressiva 進行性眼筋麻痺（眼の運動神経核の変性による進行性上球麻痺）．

o. totalis 総眼筋麻痺（外眼筋と内眼筋を動かす運動神経全体の麻痺）．

wall-eyed bilateral internuclear o.（**WEBINO**）外斜視性両眼性核間眼球麻痺（外斜視に合併する核間眼球運動麻痺）．

oph·thal·mo·ple·gic (of-thal′mō-plē′jik)．眼筋麻痺の．

oph·thal·mo·scope (of-thal′mō-skōp)［ophthalmo- + G. *skopeō*, to examine］．検眼鏡（瞳孔を通して眼球内部を検査するための装置）．＝funduscope.

binocular o. 双眼検眼鏡（眼底の立体像を与える検眼鏡）．

demonstration o. 供覧検眼鏡（1人の観察者以外にも多くの人が見られる検眼鏡）．

direct o. 直像検眼鏡（眼内を観察するためにつくられた器具．器具を比較的被検眼に密着させ，検者は直立した拡大像を認める）．

indirect o. 倒像検眼鏡（眼内を観察するためにつくられた器具．器具を被検眼から腕の長さにおき，検者は被検眼と器具の間においた凸レンズを通して倒立像を認める）．

oph·thal·mo·scop·ic (of′thăl-mō-skop′ik)．眼の内部の検査に関すること．

oph·thal·mos·co·py (of′thal-mos′kŏ-pē)．検眼鏡検査〔法〕（検眼鏡による眼底検査）．＝funduscopy.

direct o. 直像眼底検査（光源と倍率変換可能なレンズ系とからなる手持ち装置による眼底検査．検査者は眼底を直接観察する）．

indirect o. 倒像眼底検査（検査者の頭部額帯光源または鏡からの光源と実像倒像を得るための手持ちの凸レンズによる眼底検査）．

o. with reflected light 反射眼底検査法（鋭く焦点を結ぶ光線によって照射された領域に隣接した眼底部分を検査する方法）．

oph·thal·mo·trope (of-thal′mō-trōp)［ophthalmo- + G. *tropos*, a turning］．オフサルモトロープ（6つの外眼筋が作用方向に引く重りの付いた索のある両眼の模型．単独または種々の組合せの眼筋作用を示すのに用いる）．

oph·thal·mo·vas·cu·lar (of-thal′mō-vas′kyū-lăr)．眼血管の．

-opia［G. *ōps*, eye］．視覚を意味する接尾語．

o·pi·a·nine (ō-pī′ă-nēn)．オピアニン．＝noscapine.

o·pi·a·nyl (ō′pī-ă-nil)．オピアニール．＝meconin.

o·pi·ate (ō′pē-āt)．アヘン〔製〕剤，アヘン誘導体．

o·pine (ō′pēn)．オピン（植物のクラウンゴール腫瘍によって産生される塩基性アミノ酸の誘導体）．

o·pi·o·cor·tin (ō′pē-ō-kōr′tin)．オピロコルチン．＝opiomelanocortin.

opi·oid (ō′pē-oyd)．オピオイド（本来，アヘン剤類似の合成および内因性麻薬類似物質の総称名だが，アヘン剤をも含めた意味で用いられる傾向にある）．

opi·o·mel·a·no·cor·tin (ō′pē-ō-mel′ă-nō-kōr′tin)．オピオメラノコルチン（下垂体由来の直鎖状ポリペプチドで，その配列中にエンドルフィン，MSH，ACTH などの配列を含み，酵素的分解により切り出される．それらのヌクレオチド配列は種々の種で決定されている）．＝opiocortin.

o·pis·the·nar (ō-pis′thē-nar)［G. back of the hand < *opisthen*, behind + *thenar*, palm of the hand］．手背部．

o·pis·thi·o·ba·si·al (ō-pis′thē-ō-bā′sē-ăl)．オピスチオンバジオンの（オピスチオンおよびバジオンに関する．この2点を結ぶ線または2点間の距離についていう）．

o·pis·thi·on (ō-pis′thē-on)［G. *opisthios*, posterior］．オピスチオン（バジオンの反対の大後頭孔後縁の中点）．

o·pis·thi·o·na·si·al (ō-pis′thē-ō-nā′zē-ăl)．オピスチオンナジオンの（オピスチオンおよびナジオンに関する．この2点を結ぶ距離についていう）．

opistho-［G. *opisthen*, at the rear, behind］．後部，背部を意味する接頭語．

o·pis·tho·chei·li·a, op·is·tho·chi·lia (ō′pis-thō-kī′lē-ă)［opistho- + G. *cheilos*, lip］．後退唇．

o·pis·tho·mas·ti·gote (ō′pis-thō-mas′ti-gōt)［opistho- + G. *mastix*, whip］．オピストマスティゴート（ある種の昆虫や植物の寄生鞭毛虫の発育段階に対して，以前にあった herpetomonad という名称が，*Herpetomonas*属あるいはその発育段階と混同されるので，これを避けるために現在用いている名称．この発育段階では，べん毛は核の後方にあるキネトプラストから生じ，虫体の前端に出現する．波動膜は欠如している）．

o·pis·thor·chi·a·sis (ō′pis-thōr-kī′ă-sis)．オピストルキス症（アジア肝蛭，*Opisthorchis viverrini*，その他のオピストルキスによる感染症）．

o·pis·thor·chid (ō′pis-thōr′kid)．オピストルキス（オピストルキス科の吸虫の一般名）．

O·pis·thor·chi·i·dae (ō′pis-thōr-kē′i-dē)．オピストルキス科（*Opisthorchis*属と *Clonorchis*属を含む吸虫の一科）．

O·pis·thor·chis (ō′pis-thōr′kis)［opistho- + G. *orchis*, testis］．オピストルキス属（魚を捕食する哺乳類，鳥類，魚類の胆管や胆嚢内に寄生する二生類吸虫(オピストルキス科)の一属）．

O. felineus ネコ肝吸虫（東ヨーロッパ，シベリア，インド，日本，東南アジアでしばしばヒトに寄生した例がみられる種．成虫は槍状で細く，比較的透明で雌雄同体である．大きさは7—12 mm × 2 — 3 mm．*Bithynia*属の淡水産巻貝中で摂取卵はふ化し，セルカリアは種々の魚に被嚢し，ヒトが魚を生食あるいは調理不十分な状態で摂取することにより感染する．本症は無症状の場合もあるが，胆管炎，胆汁性肝硬変，慢性膵炎を起こすこともある）．

O. sinensis ＝*Clonorchis sinensis.*

O. viverrini ネコ肝吸虫 *O. felineus* にきわめて近縁な種で，タイ在住の人によくみられる．オピストルキス症の原因になる．

o·pis·tho·tic (ō′pis-thot′ik)［opistho- + G. *ous* (*ōt*-), ear］．耳後の．

o·pis·thot·on·ic (ō′pis-thot′ō-nik, ō-pis′thō-ton′ik)．弓なり緊張の，強直性発作の．

o·pis·thot·o·noid (ō′pis-thot′ō-noyd)．弓なり緊張様の，強直性発作様の．

o·pis·thot·o·nos, op·is·thot·o·nus (ō′pis-thot′ō-nŭs)［opistho- + G. *tonos*, tension, stretching］．弓なり緊張，強直性発作（脊椎および四肢が前方凸に曲がり，頭と踵で体を支える姿勢になるテタヌス性痙攣）．

O·pitz (ō′pits), John M. 20世紀の米国人小児科医．→Smith-Lemli-O. *syndrome*; Opitz BBB *syndrome*; Opitz G *syndrome.*

o·pi·um (ō′pē-ŭm)［L. < G. *opion*, poppy-juice］．アヘン，オピウム（ケシ科ケシ *Papaver somniferum* または *P. album* の未熟果皮に裂け目をつけて得た乳状の滲出汁を空気乾燥したもの．これは20以上のアルカロイドを含有し，変動はあるものの約10%のモルヒネ，ノスカピン，コデイン，パパベリン，テバインを含む．下痢や痙攣性症状などの場合の鎮痛・催眠・発汗薬として用いる）．＝gum opium; meconium (2).

Boston o. ボストンアヘン（輸入後，基準に合うように希釈したアヘン）．＝pudding o.

deodorized o., denarcotized o. 脱臭アヘン（精製石油ベンジンを用いて催吐成分，臭気成分を除去したアヘン散剤）．

granulated o. 顆粒状アヘン（乾燥した粗い粉状のアヘン．乾燥モルヒネを 10—10.5% 含む）．

powdered o. アヘン散（モルヒネを 10% 含む乾燥したアヘン微粉末）．

pudding o. ＝Boston o.

opo- [G. *ōps*]. ***1***顔，眼に関する連結形．→facio-. ***2*** 汁，芳香に関する連結形．

o·po·bal·sa·mum (ō′pō-bal′să-mŭm) [G. *opobalsamon*, the juice of the balsam tree < *opos*, juice + *balsamon*]. オポバルサム．＝*balm* of Gilead.

o·po·did·y·mus (ō′pō-did′i-mŭs) [G. *ōps*, eye, face + *didymos*, twin]. 二顔単体（体は 1 つだが顔が 2 つあり，後部でつながっていて，顔の部分が分離している接着双生児．→conjoined *twins*）．

Op·pen·heim (op′en-hīm), Hermann. ベルリンの神経科医，1858—1919．→O. *disease*, *reflex*, *syndrome*; Ziehen-O. *disease*.

op·pi·la·tive (op′i-lā′tiv). 分泌を閉塞する．

op·po·nens (ŏ-pō′nens) [L. *op-pono(obp-)*, pres. p. *-ens*, to place against, oppose]. 対立筋（筋が付着している指を他の指に向かいあうようにする機能をもつ手足の指の筋．手の対立筋は手根中手関節に働いて手掌で杯を形成する．母指を小指に，小指を母指に対立させるため，対立筋は中手指節関節での屈曲も行う．足にも同様な対立筋とよばれる筋があるが，足には真の対立は起こらない）．

op·por·tu·nis·tic (op′ŏr-tū-nis′tik). 日和見〔性〕の（①例えば他の病気や薬剤によって宿主の抵抗力が弱まったときだけ，宿主に病気を起こさせる微生物をいう．②日和見感染性微生物によって起こる病気をいう）．

op·pose, op·posed (ŏ-pōz, ŏ-pōzd). 拮抗する，対立する（エストロゲンとプロゲステロンのホルモン補充療法時にみられるような，ホルモンや薬剤の併用時に生じる互いに拮抗または対立する効果）．

op·po·sure (op′ō-shūr′). 縫合時に組織をまとめること．

op·sin (op′sin). オプシン（ロドプシン分子の蛋白部分．少なくとも 3 つの別々のオプシンが錐体細胞に存在する）．

op·sin·o·gen (op-sin′ō-jen) [opsonin + -gen]. オプシノゲン（免疫用に用いる細菌懸濁液中に含まれる抗原のように，オプソニン形成を促進する物質）．＝opsogen.

op·si·u·ri·a (op′sē-yu′rē-ă) [G. *opsi*, late + *ouron*, urine]. 遅尿（満腹後よりも空腹時に排尿が多い状態）．

op·so·clo·nus (op′sō-klō′nŭs) [G. *ōps*, *ōpos*, eye + *klonos*, confused motion]. 眼球クローヌス（眼が水平，垂直方向に，不規則かつ非律動的にすばやく動くこと）．

op·so·gen (op′sō-jen). ＝opsinogen.

op·so·ma·ni·a (op′sō-mā′nē-ă) [G. *opson*, seasoning + *mania*, frenzy]. 美食狂（特定の食物，またはよく調味された食物を強く欲することを表すまれに用いる語）．

op·son·ic (op-son′ik). オプソニンの．

op·so·nin (op′sŏ-nin) [G. *opson*, boiled meat, provisions < *hepso*, to boil + -in]. オプソニン（抗原と結合し，食菌作用を高める血清蛋白の総称．例えば，補体系のC3b，特異抗体）．

common o. ＝normal o.

immune o. 免疫オプソニン．＝specific o.

normal o. 正常オプソニン（ある種の補体成分のように既知の特異抗原による刺激がなくても，正常な血液中にあるオプソニン．比較的易熱性で種々の生物に反応する）．＝common o.; thermolabile o.

specific o. 特異オプソニン（特異抗原による刺激に反応して形成される抗体をいう．病気の侵襲あるいは特定の微生物から調整された懸濁液の注射によって生じる）．＝immune o.; thermostable o.

thermolabile o. 易熱性オプソニン，熱不安定〔性〕オプソニン．＝normal o.

thermostable o. 耐熱〔性〕オプソニン，熱安定〔性〕オプソニン．＝specific o.

op·son·i·za·tion (op′sŏn-ī-zā′shŭn). オプソニン化（細菌をはじめとした細胞が，たやすく効果的に食細胞によって貪食されるように変えられていく過程）．

op·so·no·cy·to·pha·gic (op′sŏ-nō-sī′tō-fā′jik) [opsonin + G. *kytos*, a hollow(cell) + *phagō*, to eat]. オプソニン食菌の（特異オプソニンを含む血液中の白血球食菌作用の増強についていう）．

op·so·nom·e·try (op′sŏ-nom′ĕ-trē). オプソニン〔指数〕測定〔法〕（オプソニン指数またはオプソニン食菌作用の測定）．

op·so·no·phil·i·a (op′sŏ-nō-fil′ē-ă) [opsonin + G. *phileō*, to love]. オプソニン親和性（細菌がオプソニンと結合しやすい状態．その結果，細菌はより有効な食作用を受けやすくなる）．

op·so·no·phil·ic (op′sŏ-nō-fil′ik). オプソニン親和性の．

op·tic, op·ti·cal (op′tik, op′ti-kăl) [G. *optikos*]. 眼の，視覚の，光学の．

op·tic·ian (op-tish′ăn). 眼鏡士（[ophthalmologist または optometrist と混同しないこと]．眼鏡光学店を営む人）．

op·tic·ian·ry (op-tish′ăn-rē). 眼鏡光学店（眼鏡のレンズを処方し，眼鏡を調整し，コンタクトレンズをつくる専門店）．

optico- →opto-.

op·ti·co·cil·i·ar·y (op′ti-kō-sil′ē-ār′ē). 視〔神経〕毛様体の，眼毛様体の．

op·ti·co·pu·pil·lar·y (op′ti-kō-pyū′pi-lār′ē). 視神経瞳孔の．

op·tics (op′tiks) [G. *optikos* < *ōps*, eye]. 光学（光の性質，屈折，吸収，およびそれに関係した眼の屈折媒体などを扱う学問）．

Nomarski o. (nō-mar′skē). ノマルスキー光学系，ノマルスキーオプティクス（微分干渉顕微鏡に使われている光学系）．

schlieren o. シュリーレン光学（光学系の 1 つで，拡散や遠心分離の実験でしばしば用いられる．その実験で，高分子を含む溶液の屈折率勾配を測定する）．

op·ti·mism (op′ti-mizm) [L. *optimus*, best]. 楽観主義（すべてのことについて最もよい面をみる傾向，またはすべての物事にはよいことだけがあると信じること）．

therapeutic o. 治療的楽観主義（病気の治療における薬剤や他の治療薬の効能を信じること）．

op·ti·mum (op′ti-mŭm) [L. *optimus*(best) の中性・単数形]. 最適，至適（最善または最適なこと．例えば，副作用が最小でかつ最善の効果があるような薬の投与量，酵素の活性が最大であるような温度や pH についていう）．

opto-, optico- [G. *optikos*, optical < *ōps*, eye]. 眼，視覚，視力，光学を意味する連結形．

optoacoustics (op′tō-ă-kū′stiks). 視音響学．＝optoacoustic *imaging*.

op·to·ki·net·ic (op′tō-ki-net′ik) [opto- + G. *kinēsis*, movement]. 視〔線運〕動性の（→optokinetic *nystagmus*）．

op·to·me·ninx (op′tō-mē′ninks) [opto- + G. *mēninx*, membrane]. 網膜．＝retina.

op·tom·e·ter (op-tom′ĕ-tĕr) [opto- + G. *metron*, measure]. オプトメータ，眼計測計（眼の屈折状態を測定する器具）．

objective o. 他覚的眼計測計．＝refractometer.

op·tom·e·trist (op-tom′ĕ-trist). 検眼士（[ophthalmologist または optician と混同しないこと]．検眼を行う人．眼の検査，視力異常や眼異常の有無について眼および関連組織の検査を行い，眼鏡その他の器具の処方や調整，または最大限の視力を得るための視力訓練にかかわる専門職）．

op·tom·e·try (op-tom′ĕ-trē). 検眼（眼計測計を使うこと）．

op·to·my·om·e·ter (op′tō-mī-om′ĕ-tĕr) [opto- + G. *mys*, muscle + *metron*, measure]. 眼筋計（外眼筋の比較筋力を測定する器具）．

op·to·types (op′tō-tīps) [opto- + G. *typos*, type]. 視力表（→test types）．

OPV oral poliovirus *vaccine* の略．→poliovirus *vaccines*.

OR operating room(手術室)の略．

ora (ō′ră) [L.]. os の複数形．

ora, pl. **orae** (ō′ră, ō′rē) [L.]. 縁．

o. serrata retinae 鋸状縁（網膜視部の鋸状になった縁．毛様体のやや後ろにあり，網膜知覚部の境界をつくる）．

or·ad (ōr′ad) [L. *os*, mouth + *ad*, to]. aborad の対語．***1*** 口の方へ．***2*** 口に近い（特定の点との関係で口に近い方にある）．

or·al (ōr′ăl) [L. *os(or-)*, mouth]. 口の（[本語を，ほぼ同音異語である aural と混同しないこと]．口についていう）．

o·ra·le (ō-rā′lē) [Mod. L. punctum *orale*, oral point < L.

os(*or-*), mouth]. オラーレ（切歯縫合の歯槽端舌側面の点）.

Or·al Hy·giene In·dex (OHI) (ōr′ăl hī′jēn in′deks). 歯の疾患の疫学的研究に用いる指数で，菌苔と歯石とを別々に評価する.

or·al·i·ty (ōr-al′i-tē). 口愛（Freud 心理学において，精神的性発達の口愛期に由来し，そのような特徴をもつ精神構造を表すのに用いる語）.

O·ram (ō′răm), Samuel. 20 世紀のイングランド人心臓病専門医. →Holt-O. *syndrome*.

or·ange (ōr′ănj) [O.Fr. *orenge* < Ar. *nāranj* 頭文字の n はフランス語の冠詞 *une* に吸収されて消える]. ***1*** オレンジ（ミカン科ダイダイ *Citrus sinensis* あるいは *C. aurantium* の木の果実）. ***2*** 橙黄色（スペクトルにおける赤色と青色の中間色. 個々のオレンジ色染料については各々の項参照）.

bitter o. peel, dried 乾燥苦橙皮（熟した，またはほぼ熟したオレンジの果皮の乾燥した外側部分. この部分は 2.5% v/w 以上の揮発油を含有する. 強壮薬や胸焼けに用いる）.

bitter o. oil 橙花油（ダイダイの花から蒸留されて得られる油(ネロリ油). 香水および化粧品会社で用いられている. 抗真菌薬として局所的に用いられることもある）.

or·ange G (ōr′ănj) [C.I. 16230]. オレンジG（アゾ色素. 組織学的技術として細胞質の染色に用いる）.

or·ange wood (ōr′ănj wud). オレンジウッド，木契（咬合圧により架工義歯，冠，および他の構造物を装着するために歯科で用いる軟らかい木材. 歯根面を磨くためのバニッシングポイントとしても用いる）.

Or·be·li (ōr-bā′lē), Leon A. ロシア人生理学者，1882－1958. →O. *effect*.

or·bic·u·lar (or-bik′yū-lăr) [L. *orbiculus*, a small disk: *orbis*(circle)の指小辞]. 輪状の，円形の，輪筋の.

or·bic·u·la·re (ōr-bik′yū-lā′rē) [L. < *orbiculus*, a small disk]. ＝lenticular *process* of incus.

or·bic·u·la·ris (ōr-bik′yū-lā′ris) [L. < *orbiculus*, a small disk]. ***1*** 〚adj.〛 輪の（円形あるいは円盤状の構造についていう）. ***2*** 〚n.〛 輪筋. ＝orbicularis *muscle*.

or·bi·cu·lus cil·i·ar·is (ōr-bik′yū-lŭs sil′ē-ār′is) [Mod. L.][TA]. 毛様体輪（黒く着色した毛様体の後面にあり，鋸状縁で網膜と連続する）. ＝ciliary disc; ciliary ring; pars plana.

or·bit (ōr′bit) [TA]. 眼窩（眼球とその付属器からなる骨腔. 前頭骨，上顎骨，蝶形骨，涙骨，頬骨，篩骨，および口蓋骨の 7 つの骨の部分からできている）. ＝orbita [TA]; eye socket.

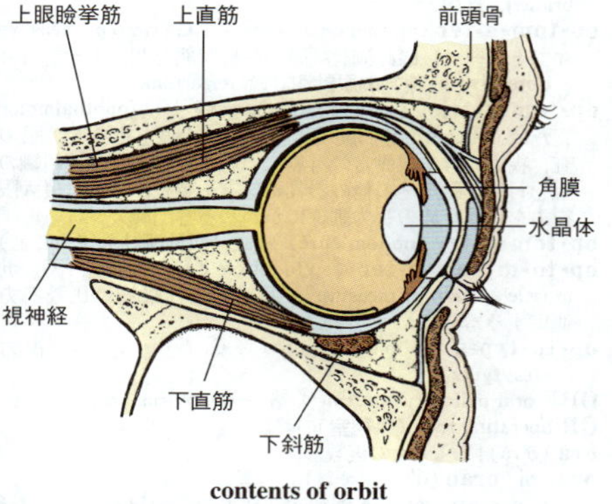

contents of orbit
眼および眼筋.

or·bi·ta, gen. **or·bi·tae** (ōr′bi-tă, -tē) [L. a wheel-track < *orbis*, circle][TA]. 眼窩. ＝orbit.

or·bi·tal (ōr′bi-tăl). 眼窩の.

or·bi·ta·le (ōr′bi-tā′lē) [L. of an orbit]. オルビターレ（頭蓋計測において，皮膚の下に感じられる眼窩下縁の最下点）.

or·bi·tog·ra·phy (ōr′bi-tog′ră-fē) [L. *orbita*, orbit + G. *grapho*, to write]. 眼窩造影法（眼窩の X 線写真による評価）.

positive contrast o. 陽性造影剤による眼窩造影（水溶性ヨード剤を眼窩の筋肉錐内に注入して撮影）.

or·bi·to·na·sal (ōr′bi-tō-nā′săl). 眼窩鼻腔の（眼窩および鼻または鼻孔についていう）.

or·bi·to·nom·e·ter (ōr′bi-tō-nom′ĕ-tĕr) [L. *orbita*, orbit + G. *metron*, measure]. 眼窩内圧計（眼球を眼窩内に圧入する力に対する抵抗を測定する器械）.

or·bi·to·nom·e·try (ōr′bi-tō-nom′ĕ-trē). 眼窩内圧測定〔法〕（眼窩内圧計を用いた測定法）.

or·bi·top·a·gus (ōr′bi-top′ă-gŭs) [L. *orbita*, orbit + G. *pagos*, something fixed]. 眼窩奇形腫（不等接着双生児で，通常，きわめて不完全に発育した寄生胎児が自生体の眼窩に付着している. →conjoined *twins*）. ＝teratoma orbitae.

or·bi·top·a·thy (ōr′bi-top′ă-thē). 眼窩疾患（眼窩およびその内容物の疾患）.

dysthyroid o. 甲状腺機能異常眼窩症（Graves 病(⇨disease)での眼窩の炎症）.

Graves o. (grāvz). グレーヴズ眼窩症. ＝Graves *ophthalmopathy*.

or·bi·to·sphe·noid (ōr′bi-tō-sfē′noyd). 眼窩蝶形骨の（眼窩および蝶形骨に関する）.

or·bi·tot·o·my (ōr′bi-tot′ŏ-mē) [L. *orbita*, orbit + *tomē*, a cutting]. 眼窩切開〔術〕.

Or·bi·vi·rus (ōr′bi-vī′rŭs) [L. *orbis*, ring + virus]. オルビウイルス属（節足動物中で増殖する脊椎動物ウイルスの一属(レオウイルス科)で，以前にアルボウイルス類に含めていたいくつかの種を含む. 抗原的に他のウイルス群と区別され，あまりはっきりしないが比較的大型のカプソメア外層が特徴で，この外層がリング状の外見を与えるのでこの名がある. この属には，ヒツジのブルータングウイルス，アフリカウマ病ウイルスなどが含まれる）.

or·ce·in (ōr′sē-in) [old C.I. 1242]. オルセイン（オルシノールを空気とアンモニアとで処理して得られる天然色素. 紫色素混合物として種々の組織学的染色法に用いる）.

or·chal·gi·a (or-kal′jē-ă). ＝orchialgia.

or·chec·to·my (ōr-kek′tŏ-mē). ＝orchiectomy.

or·chel·la (ōr-kel′ă) [old C.I. 1242]. オルセルラ. ＝archil.

orcheo- →orchio-.

orchi-, orchido-, orchio- [G. *orchis*, testis]. 精巣(睾丸)に関する連結形.

or·chi·al·gi·a (ōr′kē-al′jē-ă) [orchi- + G. *algos*, pain]. 精巣(睾丸)痛. ＝orchalgia; orchiodynia; orchioneuralgia; testalgia.

or·chi·cho·re·a (ōr′kē-kō-rē′ă) [orchi- + G. *choreia*, a dance]. 精巣(睾丸)舞踊病（精巣の不随意の上昇と下降の動き）.

or·chi·dec·to·my (ōr′ki-dek′tŏ-mē). ＝orchiectomy.

or·chid·ic (ōr-kid′ik). 精巣(睾丸)の.

or·chi·di·tis (ōr′ki-dī′tis). ＝orchitis.

orchido- →orchi-.

or·chi·dom·e·ter (ōr′ki-dom′ĕ-tĕr) [orchido- + G. *metron*, measure]. 精巣(睾丸)計測器（①精巣の大きさを測定する器具. ②精巣の発達を調べるためにつくられた様々な大きさの精巣模型のセット）.

Prader o. (prä′dĕr). プラーダー(プレーダー)精巣(睾丸)計測器. ＝orchidometer (2).

or·chi·do·pex·y (ōr-kid′ō-peks′ē). ＝orchiopexy.

or·chi·dop·to·sis (ōr′ki-dop-tō′sis) [orchido- + G. *ptōsis*, a falling]. 精巣(睾丸)下垂（男子生殖腺の下降）.

or·chi·dor·ra·phy (ōr′ki-dōr′ă-fē). ＝orchiopexy.

or·chi·ec·to·my (ōr′kē-ek′tŏ-mē) [orchi- + G. *ektomē*, excision]. 精巣(睾丸)摘除〔術〕（一方あるいは両方の精巣の除去）. ＝orchectomy; orchidectomy; testectomy.

or·chi·ep·i·did·y·mi·tis (ōr′kē-ep′i-did′i-mī′tis) [orchi- + epididymis + G. *-itis*, inflammation]. 精巣精巣上体炎，睾丸副睾丸炎（精巣と精巣上体の炎症）.

or·chil (ōr′kil) [old C.I. 1242]. ＝archil.

orchio- →orchi-.

or·chi·o·cele (ōr′kē-ō-sēl′) [orchio- + G. *kēlē*, hernia, tu-

mor]．精巣(睾丸)ヘルニア様脱出（鼡径管中に精巣が停留する状態）．
or·chi·o·dyn·i·a (ōr′kē-ō-din′ē-ă) [orchi- + G. *odynē*, pain]. ＝orchialgia.
or·chi·on·cus (ōr′kē-ong′kŭs) [orchio- + G. *onkos*, bulk, mass]．精巣(睾丸)腫瘍（精巣の新生物）．
or·chi·o·neu·ral·gi·a (ōr′kē-ō-nū-ral′jē-ă) [orchio- + G. *neuron*, nerve + *algos*, pain]. ＝orchialgia.
or·chi·op·a·thy (ōr′kē-op′ă-thē) [orchio- + G. *pathos*, suffering]．精巣(睾丸)障害．
or·chi·o·pexy (ōr′kē-ō-pek′sē) [orchio- + G. *pēxis*, fixation]．精巣(睾丸)固定〔術〕（①下降していない精巣を下ろして，陰嚢内にはめ込む精巣の外科的治療．②陰嚢内で精巣捻転を起こしやすい精巣を固定すること）．＝orchidopexy; orchidorraphy; orchiorrhaphy.
transseptal o. 経中隔精巣(睾丸)固定〔術〕．＝Ombrédanne *operation*.
or·chi·o·plas·ty (ōr′kē-ō-plas′tē) [orchio- + G. *plastos*, formed]．精巣(睾丸)形成〔術〕（精巣の手術的再建）．
or·chi·or·rha·phy (ōr′kē-ōr′ă-fē) [orchio- + G. *rhaphē*, a suture]．精巣(睾丸)縫合〔術〕．＝orchiopexy.
or·chi·o·ther·a·py (ōr′kē-ō-ther′ă-pē)．精巣(睾丸)製剤療法（精巣抽出物による治療）．
or·chi·ot·o·my (ōr′kē-ot′ŏ-mē) [orchio- + G. *tomē*, incision]．精巣(睾丸)切開〔術〕．＝orchotomy.
or·chis, pl. **or·chis·es** (ōr′kis, ōr′ki-sēz) [G. testis, an orchid]．精巣，睾丸．＝testis.
or·chit·ic (ōr-kit′ik)．精巣(睾丸)炎の．
or·chi·tis (ōr-kī′tis) [orchi- + G. *-itis*, inflammation]．精巣(睾丸)炎．＝orchiditis; testitis.
o. parotidea 耳下腺性精巣(睾丸)炎（流行性耳下腺炎に伴う精巣炎）．
traumatic o. 外傷性精巣(睾丸)炎（機械的な損傷により生じる精巣の単純な炎症）．
o. variolosa 痘瘡性精巣(睾丸)炎（痘瘡を併発する精巣炎）．
or·chot·o·my (ōr-kot′ŏ-mē)．＝orchiotomy.
or·cin (ōr′sin)．オルシン．＝orcinol.
or·cin·ol (ōr′sin-ol)．オルシノール（天然染料オルセインの親物質．沸騰水処理をしたある種の無色の地衣類(*Lecanora tinctoria*, *Rocella tinctoria*)から得られる．種々の皮膚病の外用消毒薬で，化学的には五炭糖用試薬として用いる）．＝5-methylresorcinol; orcin.
ORD optic rotatory *dispersion* の略．
Ord オロチジンの記号．
or·de·al bean (ōr′dē-ăl bēn)．カラバル豆．＝physostigma.
or·der (ōr′dĕr) [L. *ordo*, regular arrangement]. ***1*** 目(モク)（生物分類において，綱(または亜綱)のすぐ下で，科の上に位する分類群）．***2*** 次数（ある反応において，次数はその反応速度式での全反応物濃度項のベキ数の総和をいう．例えば，五酸化窒素の自然分解に対しその速度式は，$v = -d[N_2O_5]/dt = k_1[N_2O_5]$．すなわちこれは一次反応である．2つの異なった化合物が関与する反応はしばしば二次反応である（そうでない場合もある）．擬一次反応は多次反応であり，そこでは反応物の1つが化学量論的量である．*cf.* molecularity）．***3*** ヘテロ重合体の残基配列．
pecking o. つつきの順位（ある種の鳥類や霊長類において，攻撃性によって集団の構成メンバー内の優位性の序列を決めること）．
or·dered (or′dĕrd)．＝ordered *mechanism*.
or·der·ly (ōr′dĕr-lē)．オーダリ（病棟で患者の治療の手助けをする職員）．
or·di·nate (ōr′di-nāt)．縦座標（デカルト座標における垂直の軸(y)．*cf.* abscissa）．
o·rec·tic (ō-rek′tik)．食思の，食欲の．
o·rex·i·a (ō-rek′sē-ă) [G. *orexis*, appetite]. ***1*** 食思（行動の情緒的，意欲的な様子．認識的な様子に対する語）．***2*** 食欲．＝appetite.
o·rex·i·gen·ic (ō-rek′si-jen′ik)．食欲促進の．
orexin (ORX) (ō-rek′sin)．オレキシン（節食や飲水行動などの神経内分泌系に関与している神経ペプチド．A型とB型の2種類のタイプがある）．
orf (ōrf) [O.E. *orfcwealm*, murrain < *orf*, cattle + *cwealm*, destruction]．伝染性深膿痂疹（ポックスウイルス科に属するオルフウイルスに起因する，ヒツジやヤギにみられる特有な病気．本ウイルスはヒトに感染し，感染部位の水疱発生や潰瘍形成を特徴とする）．＝contagious ecthyma; scabby mouth; soremouth.
or·gan (ōr′găn) [L. *organum* < G. *organon*, a tool, instrument] [TA]．器官（呼吸，排泄，消化などの特別な機能を営む身体の部分）．＝organum [TA]; organon.
accessory o.'s ***1*** ＝accessory *structures*. ***2*** ＝supernumerary o.'s.
accessory o.'s of the eye 副眼器＝accessory visual *structures*
anulospiral o. 〔環〕ラセン〔形〕器官．＝anulospiral *ending*.
auditory o. o. of Corti; spiral o. [TA]; Corti o.; organum spirale [TA]; acoustic papilla の古語．
Chievitz o. (kē′vitz)．チーヴィッツ器官（正常の上皮性構造をもつ神経伝達物質の可能性もある頬面神経分枝として，下顎角で発見された）．
circumventricular o.'s 脳室周囲器官群（脳底部またはその周辺にある4つの小さな領域(神経下垂体，最後野，終板血管器官，脳弓下器官)で，有孔毛細血管をもち，血液脳関門の外に位置する．神経下垂体は神経血管器官である．他の3つは化学受容体で，最後野は血液の化学的変化に応じて嘔吐を引き起こし，終板血管器官は浸透圧を感知してバソプレッシンの分泌量を変化させ，脳弓下器官はアンギオテンシンIIに反応して飲水を開始させる）．
Corti o. (kōr′tē)．コルティ(コルチ)器官．＝spiral o.
o. of Corti (ōr′găn kōr′tē)．コルティ(コルチ)器．＝spiral o.
critical o. 危険臓器（投与された放射線の用量が増した際に，法的に定められた最大被曝量を最初に受ける器官あるいは生理体系．例えば，Tc–99mジメチルサクシニン酸を投与すると，腎臓はほとんどの放射能を受けるため，危険臓器となる）．
enamel o. エナメル器（歯堤から伸びた外胚葉性細胞からなる塊．杯状となり，その内面に，発育する歯のエナメル冠を形成するエナメル芽細胞層が発達する．歯の発生過程において，帽状期には3層，鐘状期には4層の構造を有する）．
end o. 終末器，終末小体（筋肉，組織，皮膚，粘膜，あるいは腺などの末梢組織中の神経線維の末端を含む特殊構造.→ending）．
external female genital o.'s 女の外生殖器．＝female external *genitalia*.
external male genital o.'s 男の外生殖器．＝male external *genitalia*.
floating o. ＝wandering o.
flower-spray o. of Ruffini (flow′ĕr)．ルフィーニ散形器官．＝flower-spray *ending*.
genital o.'s 生殖器，性器．＝genitalia.
Golgi tendon o. (gol′jē)．ゴルジ腱紡錘（腱の線維中にはめ込まれた固有感覚の知覚神経終末．筋腱連結の近くにあることが多い．対応する筋肉の能動的収縮および受動的な伸張によってでも，腱の張力が増加することで圧縮され，活性化される）．＝neurotendinous o.; neurotendinous spindle.
gustatory o. [TA]．味覚器（舌の粘膜の乳頭中，特に有郭乳頭中にある）．＝organum gustatorium [TA]; organum gustus [TA].
o. of hearing 聴〔覚〕器．＝cochlear *labyrinth*.
internal female genital o.'s 女の内生殖器．＝female internal *genitalia*.
internal male genital o.'s 男の内生殖器．＝male internal *genitalia*.
intromittent o. ＝penis.
Jacobson o. (jā′kob-sŏn)．ヤコブソン器官．＝vomeronasal o.
neurohemal o.'s 神経血液器官（特定の物質が血液中にはいっていく脳の部位．例えばオキシトシンやバソプレッシンが血液中にはいる神経性下垂体）．
neurotendinous o. ＝Golgi tendon o.
olfactory o. (ōl-fak′tō-rē ōr′găn)．嗅覚器．＝olfactory *neu-*

O

roepithelium.

otolithic o.'s 耳石器（内耳の卵形囊と球形囊の総称．内部に耳石を含み，重力を含む直線的な加速・減速に反応する）．

ptotic o. ＝wandering o.

o. of Rosenmüller (rō′zĕn-mē-lĕr). ローゼンミュラー器官．＝epoophoron.

sense o.'s [TA]．感覚器（視覚，聴覚，嗅覚，味覚器官，およびこれらの器官に関連する付属組織を含む特殊感覚をつかさどる器官）．＝organa sensuum.

o. of smell (ōr′găn smel). 嗅覚器．＝olfactory *neuroepithelium.*

spiral o. [TA]．ラセン器（蝸牛管底部の基底板上にある高度に分化した上皮の隆起．数列の円柱状細胞，すなわちCorti 円柱細胞，Hensen 細胞，Claudius 細胞によって支持される 1 列の内有毛細胞，および 3 列または 4 列の外有毛細胞，または Corti 細胞(蝸牛神経によって支配される聴覚受容器)を含む．ラセン器は日よけ棚状の蓋膜によって部分的におおわれ，その自由な辺縁部は外有毛細胞の不動線毛がはいっているゲル状物質でおおわれている）．＝organum spirale [TA]; acoustic papilla; Corti o; o. of Corti.

subcommissural o. [TA]．交連下器官（線毛をもつ円柱状の上衣細胞からなり，脳の後交連の下，中脳水道にある顕微鏡的器官．神経分泌作用をもつと思われている）．＝organum subcommissurale.

subfornical o. (**SFO**) 脳弓下器官（脳弓柱間結節．脳室周囲器官の 1 つ．有孔毛細血管を有し，血液脳関門の外にある．心血管系の調節を司る化学受容体領域と考えられている）．＝organum subfornicale [TA].

supernumerary o.'s 過剰器官（正常な数を超えて存在する器官．元来恒久的主器官よりも範囲の広い器官形成の場において，多数の器官形成の中心から発生する．これらの器官は異常ではあっても病気の原因になるとはかぎらない．主器官を治療するために除去した後，これらが身体の中に残っていると病気が存続することがある．例えば副脾）．＝accessory o.'s (2).

tactile o. ＝o. of touch.

target o. 標的器官（ホルモンが作用を及ぼす組織あるいは器官．通常は，ホルモンの受容体に関連のある組織あるいは器官）．＝target (3).

o. of taste 味覚器．＝taste *bud.*

o. of touch 触覚器（知覚神経終末器官）．＝organum tactus; tactile o.

urinary o.'s 泌尿器（尿の生成，貯蔵，排出を営む器官．→urinary *system*）．＝organa urinaria.

vascular o. of lamina terminalis [TA]．終板血管器官（→circumventricular o.'s）．＝organum vasculosum laminae terminalis [TA].

vestibular o. 前庭器．＝vestibular *labyrinth.*

vestibulocochlear o. [TA]．平衡聴覚器（外耳，中耳，内耳から構成される器官．前庭と聴覚系の末梢器官）．＝organum vestibulocochleare [TA].

vestigial o. 痕跡器官（下等動物では機能している構造あるいは器官に相当するヒトにおける不完全構造）．

o. of vision 視覚器．＝visual o.

visual o. 視覚器（眼およびその付属器）．＝o. of vision; organum visus.

vomeronasal o. [TA]．鋤鼻器（下等動物におけるフェロモンを感受器官で，ヒトでは胎生 6 か月以降に退化する．ヒトにおいて退化せずに遺残した場合の機能的意義については論争が絶えない．遺残した場合には切歯管の真後ろ上方で始まり，鼻中隔の粘膜中に盲囊となって終わる細い管となっている）．＝organum vomeronasale [TA]; Jacobson o.

wandering o. 遊走器官（緩く付着しているため，位置が変わりやすい器官）．＝floating o.; ptotic o.

Weber o. (vā′ber). ウェーバー器官．＝prostatic *utricle.*

o.'s of Zuckerkandl (tsuk′ĕr-kahn-dĕl). ツッカーカンドル器官．＝para-aortic *bodies.*

or·ga·na (ōr′gă-nă). organum の複数形．

or·gan·elle (or′găn-el) [G. *organon*, organ＋Fr. *-elle*, 指小辞＜L. *-ella*]．[細胞]小器官（原生動物や組織細胞の特殊化した部分．これらの細胞下の単位は，ミトコンドリア，Golgi 装置，細胞中心および中心粒，顆粒状および非顆粒状小胞体，小胞，ミクロソーム，リソソーム，原形質膜，ある種の原線維，および植物細胞の色素体を含む）．＝cell o.; organoid (3).

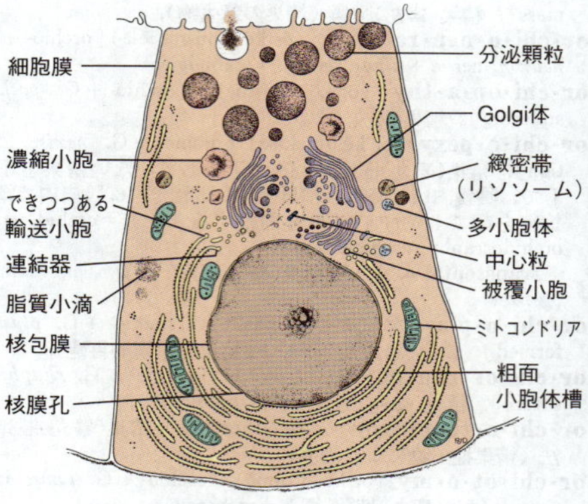

organelles

電子顕微鏡で見た分泌細胞の模式図．

cell o. ＝organelle.

paired o.'s ＝rhoptry.

or·gan·ic (ōr-gan′ik) [G. *organikos*]．***1*** 器官の．***2*** 生体の，有機体の．***3*** 有機的な，組織的な，構造上の．***4*** 有機の（→organic *compound*）．

or·gan·i·cism (ōr-gan′i-sizm). 臓器病説，器質病説（すべての疾患(特にあらゆる精神病)は器質的なものに由来するという説）．

or·gan·i·cist (ōr-gan′i-sist). 臓器病説者，器質病説者（器質病説を信じる，またはこの説に同意する人）．

or·gan·i·din (ōr-gan′i-din). オルガニジン．＝iodinated *glycerol.*

or·gan·i·fi·ca·tion (ōr-gan-i-fi-kā′shŭn). ヨウ素の有機化（無機ヨウ素を甲状腺ペルオキシダーゼによって甲状腺内でチロシン残基へ付加させること）．

or·ga·nism (ōr′gă-nizm). 生物，生体，有機体（動植物を問わず，生きている個体の総称）．

calculated mean o. (**CMO**) 計算平均生物（同じ分類集団に属する生物群の正と負の両特性の平均を特性としてもつような仮想上の生物．仮定的平均生物と対照をなす）．

defective o. 不完全体．＝auxotrophic *mutant.*

fastidious o. 選好性生物（明確な栄養・環境要求性をもつ細菌性生物）．

hypothetical mean o. (**HMO**) 仮定的平均生物（同じ分類集団に属する生物群の正の特性の平均を特性としてもつような仮想上の生物．計算平均生物と対照をなす）．

pleuropneumonialike o.'s (**PPLO**) ウシ肺疫菌様微生物（細胞壁をもたない細菌群に付けられた最初の名称．ヒト，およびその他の動物，土壌，および下水から分離されたこれらの微生物は現在 Mycoplasmatales 目に入れられている）．

or·ga·ni·za·tion (ōr′gă-ni-zā′shŭn). ***1*** 構築，構成，組織，機構（まったく別ではあるが，相互関係のある各部分の配列）．***2*** 器質化（凝固血液，溢出液，あるいは死んだ組織の線維組織への変化）．

health maintenance o. (**HMO**) 健康保持機関（包括的な前払い方式の医療で疾病の予防と早期発見，および医療の連続性に力点が置かれているもの．〝管理医療計画 managed care plan〟と同義語として用いられていることが多い）．

preferred provider o. (**PPO**) 優先提供機関（一団の有資格医師を用いる医療供給のモデル）．

pregenital o. 前性器期体制（精神分析において，性器性欲優位期以前の段階でのリビドーの体制または配列）．

or·ga·nize (ōr′găn-īz). 組織化する，器官を形成する（構造を与える，あるいは想定する）．

or·ga·niz·er (ōr′gă-nīz′ĕr). 形成体，オーガナイザー（①元来は，隣接部の成長と発生を制御しながら胚中の細胞分化を誘発する原口背唇上の一群の細胞をさした．②制御の影響力をもつ細胞群に対して用いる．この効果は喚起因子の作用を通じて引き起こされる）．

nucleolar o. 仁形成体（仁形成の際に活動する末端動原体型染色体の付随体部）．＝nucleolar zone; nucleolus o.

nucleolus o. 核小体オーガナイザー．＝nucleolar o.

primary o. 一次形成体（原口背唇部上にある形成体）．

procentriole o. ＝deuterosome.

secondary o. 二次的形成体（眼球のレンズの発達に影響をもつ，例えば眼杯のような第２段階の形成体）．

organo- [G. *organon*]. 器官あるいは器官の，を意味する連結形．

or·ga·no·ax·i·al (ōr′gă-nō-aks′ē-ăl). 臓器軸捻（臓器が長軸方向に捻れること．一種の胃捻転）．

or·ga·no·fer·ric (ōr′gă-nō-fer′ik). 有機性鉄の（分子中に鉄原子を含む有機化合物についていう）．

or·gan·o·gel (ōr-gan′ō-jel). 有機ゲル（分散剤として水の代わりに有機溶媒で満たされたヒドロゲル）．

or·ga·no·gen·e·sis (ōr′gă-nō-jen′ĕ-sis) [organo- + G. *genesis*, origin]. 器官発生，器官形成（発生段階での器官の形成）．＝organogeny.

or·ga·no·ge·net·ic, or·ga·no·gen·ic (ōr′gă-nō-jĕ-net′ik, -jen′ik). 器官発生の，器官形成の．

or·ga·nog·e·ny (ōr-gă-noj′ĕ-nē). ＝organogenesis.

or·ga·nog·ra·phy (ōr′gă-nog′ră-fē) [organo- + G. *graphē*, a writing]. 器官学（身体の器官に関する論文または記述）．

or·gan·oid (ōr′gă-noyd) [organo- + G. *eidos*, resemblance]. ***1***〚adj.〛類器官の，器官様の（外観や構造が身体の器官や腺に似ていることについていう）．***2***〚adj.〛類臓器〔性〕の（腺あるいは生体要素からなり，単一の組織ではない．ある特定の新生物(例えば腺腫)に関係したもので，正常の器官にきわめて類似するか，事実上同一の様式で配列されている細胞や組織の要素をもつ．→histoid）．***3***〚n.〛小器官．＝organelle.

or·ga·no·lep·tic (ōr′gă-nō-lep′tik) [organo- + G. *lēptikos*, disposed to accept]. ***1*** 感覚刺激〔性〕の．***2*** 感覚受容〔性〕の（感覚刺激に感受性のある）．

or·ga·nol·o·gy (ōr′gă-nol′ŏ-jē) [organo- + G. *logos*, study]. 器官学，臓器学（種々の器官の解剖，生理，発生，および機能を扱う科学の一分野．→splanchnology）．

or·ga·no·meg·a·ly (ōr′gă-nō-meg′ă-lē). 臓器巨大〔症〕（[誤った発音 organ′omeg′aly を避けること]）．＝visceromegaly.

or·gan·o·mer·cu·ri·al (ōr′gan-ō-mer-kyu′rē-ăl). 有機水銀化合物（メルブロミン，チメロサールなどについていう）．

or·ga·no·me·tal·lic (ōr′gă-nō-me-tal′ik). 有機金属化合物の（その構造に１つ以上の金属原子を含む有機化合物についていう）．

or·ga·non, pl. **or·ga·na** (ōr′gă-non, ōr′gă-nă) [G. organ]. 器官．＝organ.

or·ga·non·o·my (ōr′gă-non′ŏ-mē) [organo- + G. *nomos*, law]. 生体原則（生体の生命現象を調節する本態的法則）．

or·ga·non·y·my (ōr′gă-non′i-mē) [organo- + G. *onyma*, name]. 器官命名法（生体器官の命名法で，局所命名法とは区別される）．

or·ga·nop·a·thy (ōr′gă-nop′ă-thē) [organo- + G. *pathos*, suffering]. 臓器障害（特に身体の１器官を侵す疾病）．

or·ga·no·pex·y, or·ga·no·pex·ia (ōr′gă-nō-pek′sē, -pek′sē-ă) [organo- + G. *pēxis*, fixation]. 臓器固定〔術〕（遊走あるいは下垂器官の縫合などによる固定）．

or·ga·no·phil·ic (ōr′gă-nō-fil′ik). 有機親和性の．

or·ga·no·phi·lic·i·ty (ōr′gă-nō-fi-li′si-tē). 有機親和性（非極性物質(有機分子)相互間の親和力）．

or·ga·no·phos·phates (ōr′gă-nō-fos′fāts). 有機リン酸類（リンを含有する有機化合物で，多くの場合，コリンエステラーゼに作用するハロゲンイオンも含有する．有機リン酸類はコリンエステラーゼをリン酸化し，不可逆性に阻害する．殺虫薬として使用する．戦争中，毒ガスとして用いられた）．

or·gan·o·sol (ōr-gan′ō-sol). 有機ゾル（分散剤として水の代わりに有機溶媒で満たされたヒドロゾル）．

or·ga·no·tax·is (ōr′gă-nō-tak′sis) [organo- + G. *taxis*, orderly arrangement]. 臓器走性（ある器官に選択的に移動する傾向）．

or·ga·no·ther·a·py (ōr′gă-nō-thār′ă-pē). 臓器療法（動物の臓器からつくられた製剤による疾病の治療．今日では，腺の自然抽出物に代わって合成製剤がしばしば用いられる）．

or·ga·no·troph·ic (ōr′gă-nō-trof′ik) [organo- + G. *trophē*, nourishment]. ***1*** 臓器栄養の．***2*** 還元力の源として有機体を用いる微生物についていう．

or·ga·no·trop·ic (ōr′gă-nō-trop′ik). 臓器向性の．

or·ga·no·tro·pism (ōr′gă-no′trō-pizm) [organo- + G. *tropē*, turning]. 臓器向性（特定の薬剤，病原体，あるいは転移性腫瘍が特定の臓器またはその構成物に対して有する特殊な親和性．*cf.* parasitotropism）．＝organotropy.

or·ga·not·ro·py (ōr′gă-not′rō-pē). ＝organotropism.

or·gan-spe·cif·ic (ōr′găn-spe-sif′ik). 器官特異〔的〕の，臓器特異〔的〕の（①ある器官あるいは組織細胞の注射によって得られた血清についての記述で，他の動物に注射すると対応する器官の細胞を破壊する．②特定の器官に特異的な抗原）．

or·ga·num, pl. **or·ga·na** (ōr′gă-nŭm, ōr′gă-nă) [L. tool, instrument][TA]. 器，器官（[誤った発音 organ′um を避けること]）．＝organ.

o. auditus 聴〔覚〕器．vestibulocochlear *organ* の古語．

organa genitalia [TA]. 生殖器，性器．＝genitalia.

organa genitalia feminina externa ＝female external *genitalia.*

organa genitalia feminina interna ＝female internal *genitalia.*

organa genitalia masculina externa ＝male external *genitalia.*

organa genitalia masculina interna ＝male internal *genitalia.*

o. gustatorium [TA]. ＝gustatory *organ.*

o. gustus [TA]. 味覚器．＝gustatory *organ.*

organa oculi accessoria 副眼器．＝accessory visual *structures.*

o. olfactus [TA]. 嗅覚器．＝olfactory *neuroepithelium.*

organa sensuum 感覚器．＝sense *organs.*

o. spirale [TA]. ラセン器．＝spiral *organ.*

o. subcommissurale. ＝subcommissural *organ.*

o. subfornicale [TA]. →circumventricular *organs.* ＝subfornical *organ.*

o. tactus 触覚器．＝*organ* of touch.

organa urinaria 泌尿器．＝urinary *organs.*

o. vasculosum laminae terminalis [TA]. 終板血管器官（→circumventricular *organs*）．＝vascular *organ* of lamina terminalis.

o. vestibulocochleare [TA]. 平衡聴覚器．＝vestibulocochlear *organ.*

o. visus 視覚器．＝visual *organ.*

o. vomeronasale [TA]. 鋤鼻器．＝vomeronasal *organ.*

or·gasm (ōr′gazm) [G. *orgaō*, to swell, be excited]. オルガズム（性行為の頂点または絶頂）．＝climax (2).

or·gas·mic, or·gas·tic (ōr-gaz′mik, -gas′tik). オルガズムの（オルガズム(性的興奮絶頂感)と関係したもの，その特徴，あるいはそれを誘導するものについていう）．

or·i·en·ta·tion (ōr′ē-en-tā′shŭn) [Fr. *orienter*, 東に向けて配置する，すなわち一定の位置をとる]. ***1*** 見当識，指南〔力〕（自己の時間的，空間的，人間的関係と外界に対する認識）．***2*** 配位（１つの原子と，それが結合している原子との位置関係．すなわちそれらを結合させる原子の手の方向）．

sexual o. 性徴（体型，性的特徴，性的役割，性的優先性などの順位性を含む概念）．

O·ri·en·ti·a (ōr′ē-en′tē-ă). オリエンティア属（リケッチア科に属する細菌群）．

O. tsutsugamushi この属に含まれる唯一の種．本種はツツガムシ病の病原体で，ダニによって媒介される．以前は *Rickettsia tsutsugamushi* とよばれていた．

or·i·en·to·my·cin (or′ē-en-tō-mī′sin). オリエントマイシン．＝cycloserine.

ORIF open *reduction* and internal fixation の略．

or·i·fice (or′i-fis) [L. *orificium*][TA]. 口，開口〔部〕（[本

語の複数形の誤った発音 or′ĭ-fĭ-sēz を避けること].→aperture; opening; os; ostium; meatus).＝orificium [TA].

anal o. 肛門外口.＝anus.

aortic o. [TA]. 大動脈口（左心室から上行大動脈への開口．大動脈弁により仕切られている).＝ostium aortae [TA]; aortic ostium.

cardiac o. 噴門口.＝cardial o.

cardial o. [TA]. 噴門口（食道から胃へ通じるトランペット形の開口).＝ostium cardiacum [TA]; cardiac opening; cardiac o.; esophagogastric o.

esophagogastric o. ＝cardial o.

o. of external acoustic meatus ＝external acoustic *pore.*

external urethral o. [TA]. 外尿道口（①陰茎亀頭にある尿道の細隙状の開口．②女性では腟前庭にある尿道の外口で，通常，小隆起(尿道隆起)の上にある).＝ostium urethrae externum [TA]; external urinary meatus*; external opening of urethra; meatus urinarius; orificium urethrae externum.

filling internal urethral o. [TA]. 膨満時内尿道口（膀胱に尿が溜まり始め膀胱三角の筋が収縮し排尿筋が弛緩して膀胱が拡張しているときの内尿道口で，高まっており空虚時とは異なった粘膜層が口を囲んでいる.→voiding internal urethral o.).＝ostium urethrae internum accipiens [TA].

gastroduodenal o. ＝pyloric o.

golf-hole ureteral o. ゴルフホール状尿管口（円型でしばしば受動的に側方位尿管口となる．膀胱尿管逆流，以前に行われた膀胱手術の影響，結核などに合併することがある).

ileal o. [TA]. 回腸口（回腸が盲腸と上行結腸との間に開く口).＝ostium ileale [TA]; o. of ileal papilla*; ileocecal opening; ileocecal o.; ostium ileocecale.

o. of ileal papilla* ileal o. の公式の別名.

ileocecal o. ＝ileal o.

o. of inferior vena cava ＝*opening* of inferior vena cava.

o. of internal acoustic meatus ＝internal acoustic *opening.*

internal urethral o. [TA]. 内尿道口（尿道の内口で，膀胱三角の前下方にある).＝ostium urethrae internum [TA]; internal urethral opening*.

left atrioventricular o. [TA]. 左房室口（心臓の左心房から左心室にはいる開口部).＝ostium atrioventriculare sinistrum [TA]; mitral o.; ostium arteriosum.

mitral o. 僧帽弁口，左房室口.＝left atrioventricular o.

pulmonary o. ＝*opening* of pulmonary trunk.

pyloric o. [TA]. 幽門口（胃と十二指腸上部の間の開口).＝ostium pyloricum [TA]; gastroduodenal o.

right atrioventricular o. [TA]. 右房室口（心臓の右心房から右心室にはいる開口部).＝ostium atrioventriculare dextrum [TA]; ostium venosum cordis; tricuspid o.

root canal o. 根管口（歯根に続く髄腔の口).

o. of superior vena cava ＝*opening* of superior vena cava.

tricuspid o. 三尖弁口，右房室口.＝right atrioventricular o.

ureteric o. [TA]. 尿管口（尿管が膀胱に通じる開口で，膀胱三角の両外側角にあたり，その下方の角が尿道の内口にあたる．この口が広く開いていると，通常，膀胱尿管逆流現象を示す).＝ostium ureteris [TA]; orificium ureteris; ureteral meatus; ureteral opening.

o. of uterus〔外〕子宮口，子宮の外子宮口.＝external *os* of uterus.

vaginal o. [TA]. 腟口（腟の最も細い部分で，尿道口の後方の腟前庭に開く).＝ostium vaginae [TA]; orificium vaginae; vaginal opening.

o. of vermiform appendix [TA]. 虫垂口（虫垂の盲腸への開口).＝ostium appendicis vermiformis [TA]; ostium of vermiform appendix.

voiding internal urethral o. [TA]. 空虚時内尿道口（膀胱を空にするために膀胱三角の筋が弛緩し排尿筋が収縮しているときの内尿道口で，位置が下がっており膨満時とは異なった粘膜層が口を囲んでいる.→filling internal urethral o.).＝ostium urethrae internum evacuans [TA].

or·i·fic·ial (ōr′i-fish′ăl). 口の，開口の（あらゆる種類の開口についていう).

or·i·fic·i·um, pl. **or·i·fi·ci·a** (ōr′i-fish′ē-ŭm, -ă) [L.] [TA]. 口.＝orifice.

o. externum uteri 外子宮口.＝external *os* of uterus.

o. internum uteri 内子宮口.＝*isthmus* of uterus.

o. ureteris 尿管口.＝ureteric *orifice.*

o. urethrae externum 外尿道口.＝external urethral *orifice.*

o. vaginae 腟口.＝vaginal *orifice.*

o·rig·a·num oil (ŏ-rig′ă-nŭm oyl). マヨラナ油（カルバクロールを含む揮発油．シソ科 *Origanum*属の様々な種から得られる．引赤薬および獣医用塗膏薬の成分として，また顕微鏡技術用に用いる).

or·i·gin (ōr′i-jin) [L. *origo*, source, beginning < *orior*, to rise]. 起始，起点（①筋肉の付着する２点のうち動かないほうをいい，骨格のより固定した部分に付着する．②脳神経または脊髄神経の起点．前者は２つの起始をもつ．１つは **ental o.**(内部の起始)，**deep o.**(深部の起始)，または **real o.**(真の起始)とよばれ，神経線維が始まる脳あるいは延髄中の細胞群で，もう１つは **ectal o.**(外面の起始)，**superficial o.**(表在の起始)，または **apparent o.**(見せかけの起始)とよばれ，神経が脳から出る点である).

o. of replication 複製起点（鎖合成を引き起こすフォークの複製開始に必要なバクテリアゲノムの配列).

o·riz·a·ba ja·lap root (ŏ-riz′ă-bă jal′ap rūt).＝ipomea.

Ormond (ōr′mŏnd), John K. 20世紀初頭の米国人泌尿器科医.→O. *disease.*

Orn オルニチンまたはその基の記号.

or·nate (ōr′nāt′) [L. *ornatus*, decorated]. マダニ群で，背板の模様(黒地に灰色または白色の斑点)を表す用語.

Or·nish, Dean. 現代の米国人医師.→O. reversal *diet.*

or·ni·thine (Orn) (ōr′ni-thēn, -thin). オルニチン；2,5-diaminopentanoic acid（その L-異性体は L-アルギニンをアルギナーゼで加水分解して得られるアミノ酸．蛋白の成分ではないが，尿素サイクルの重要な中間体．ある尿素サイクル欠陥で，濃度が増加する).

o. acetyltransferase オルニチンアセチルトランスフェラーゼ.＝*glutamate* acetyltransferase.

o. δ-aminotransferase オルニチン δ-アミノトランスフェラーゼ（α-ケトグルタル酸と L-オルニチンから L-グルタミン酸と L-グルタミン酸 γ-セミアルデヒドへの反応を可逆的に触媒する酵素．この酵素欠損により脳回転状網膜脈絡膜萎縮を起こす).＝o. transaminase.

o. carbamoyltransferase オルニチンカルバモイルトランスフェラーゼ（L-オルニチンおよびカルバモイルリン酸からの L-シトルリンと正リン酸生成を触媒する酵素．尿路回路の一部．この酵素の欠損により，アンモニア中毒になったり，尿素生成の欠陥を引き起こす).＝o. transcarbamoylase.

o. decarboxylase オルニチンデカルボキシラーゼ（L-オルニチンのプトレシンと二酸化炭素への脱炭酸を触媒する酵素．ポリアミン生合成の最初の段階).

o. transaminase オルニチントランスアミナーゼ.＝o. δ-aminotransferase.

o. transcarbamoylase オルニチントランスカルバモイラーゼ.＝o. carbamoyltransferase.

or·ni·thi·ne·mi·a (ōr′ni-thi-nē′mē-ă) [ornithine＋G. *haima*, blood]. オルニチン血症（有毒な状態でしばしば限局した大脳腫脹を引き起こす．血液中のオルニチンの異常な増加によって起こる).

or·ni·thi·nu·ri·a (ōr′ni-thi-nyu′rē-ă). オルニチン尿（多量のオルニチンが尿中に排出されること).

Or·ni·thod·o·ros (ōr′ni-thod′ŏ-rŭs) [G. *ornis*(*ornith-*), bird ＋*doros*, a leather bag]. カズキダニ属（ヒメダニ科軟マダニの一属．このうち数種は種々の回帰熱の病原体の媒介動物である．頭巾の下に隠れた擬頭部，および種々の模様が背面から腹面に続いている外皮の円板と乳頭を特徴とする).

O. coriaceus カリフォルニアの山の多い海岸地方によくみられるヒメダニの一種．成虫はシカ，ウシ，およびヒトを敏速に襲い，咬まれるとかゆくて痛い．ときに有毒である．ウシへの動物流行性の流産の媒介動物.＝pajaroello.

O. erraticus アフリカ，近東，中央アジアにみられる *Borrelia crocidurae* の媒介動物である小型変種と，イベリア半島，北アフリカ近辺にみられるスペイン回帰熱ボレリア

Borrelia hispanica の媒介動物である大型変種とをもつ種．

O. hermsi げっ歯類の寄生虫で，米国西部とカナダでみられる，*Borrelia hermsii* などの回帰熱ボレリアの媒介動物．

O. lahorensis ペルシア回帰熱の原因となる *Borrelia persica* の媒介動物と考えられている種．

O. moubata complex アフリカでみられる４種のグループ．この仲間が回帰熱ボレリアの媒介動物であるため，このグループの分類学および生態学は非常に重要である．この複合種にはアフリカカズキダニ *O. moubata*(種々の宿主)，カメカズキダニ *O. compactus*(カメ)，ヤマアラシカズキダニ *O. apertus*(ヤマアラシ)，およびイボイノシシカズキダニ *O. porcinus*(イボイノシシ)がある．米国内でみられる *O. porcinus* の亜種には３系統あり，主としてヒト，家禽，およびブタに寄生する．

O. pappilipes 中央アジアおよび近東でみられる種で，ペルシアカズキダニ Persian bug. イランのペルシア回帰熱の病原体である *Borrelia persica* を媒介する．

O. parkeri パーカーカズキダニ（米国西部でみられる種で，回帰熱病原菌の一種 *Borrelia parkeri* の媒介動物）．

O. rudis 中央・南アメリカでみられる回帰熱ボレリアの重要な媒介動物である種．*O. moubata* グループに類似した他のグループとみられる．

O. savigni 東アフリカ，エジプト南部，エチオピア，南西アジアでみられる回帰熱の原因となる *Borrelia*属を媒介する種．

O. talajé メキシコ，中央・南アメリカでみられる種で，野生のげっ歯類，家畜，およびヒトに寄生する．咬まれると痛く，チクチクする．回帰熱を引き起こす *Borrelia mazzottii* の媒介動物．

O. tholozani 中東，中央アジアにおける回帰熱の原因となる *Borrelia persica* を媒介する種．

O. turicata 容易に動物やヒトを襲う種で，米国南部およびメキシコでみられる．回帰熱の原因となる *Borrelia turicatae* の媒介動物．咬まれると痛く，チクチクする．

O. venezuelensis コロンビア，ベネズエラ，および他の南アメリカの山岳地方でみられる回帰熱の原因とされている *Borrelia venezuelensis* の媒介動物．

O. verrucosus コーカサス回帰熱ボレリア *Borrelia caucasica* の媒介動物．

Or・ni・thon・ys・sus (ōr-ni-thon′i-sŭs) [G. *ornis*(*ornith-*), bird + *nyssus*, to prick]. イエダニ属（鳥類およびげっ歯類のダニの一属．熱帯性のネズミのダニで発疹熱の媒介動物であり，ヒトの皮膚炎を引き起こすと考えられているイエダニ *O. bacoti*，熱帯性のトリのダニ *O. bursa*，および北方性のトリに寄生するトリサシダニ *O. sylviarum* が含まれる）．

or・ni・tho・sis (ōr′ni-thō′sis) [G. *ornis*(*ornith-*), bird + *-osis*, condition]. オルニトーシス，鳥類病（オウム病クラミジア *Chamydophila psittaci* によって起こるオウム類以外の鳥(家禽，アヒル，ハト，シチメンチョウ，その他多くの野鳥)にみられる病気．人獣共通感染症である．多くの研究者はオウム類(例えばオウム，セキセイインコ，小型のインコ類)のクラミジア症に対してオウム病の語を選択するが，幾人かの研究者はいかなる鳥類のクラミジア症でもオルニトーシスの語を使用している）．

Oro オロチン酸，オロチン酸塩またはエステルを示す記号．

oro- *1* [L. *os, oris*, mouth]. 口に関する連結形．*2* [G. *orrhos*, whey, serum]. orrho- ともつづる．現在では用いられなくなりつつある．→sero-.

or・o・dig・i・to・fa・cial (ōr′ō-dij′i-tō-fā′shăl). 口指顔の（口，指，および顔に関する）．

or・o・fa・cial (ōr′ō-fā′shăl). 口顔の（口および顔に関する）．

or・o・lin・gual (ōr′ō-ling′gwăl). 口舌の（口および舌に関する）．

or・o・na・sal (ōr′ō-nā′săl). 口鼻の（口および鼻に関する）．

or・o・pha・ryn・ge・al (ōr′ō-fă-rin′jē-ăl). 口腔咽頭の（[誤った語句 oral pharyngeal および発音 oropharynge′al を避けること]．口腔咽頭部に関する）．

or・o・phar・ynx (ōr′ō-far′ingks) [L. *os*(*or-*), mouth][TA]. 口腔咽頭部（口腔後方にある咽頭部分．上は咽頭峡を経て咽頭鼻部に，下は咽頭喉頭部に続く）．= pars oralis pharyngis [TA]; oral part of pharynx; oral pharynx.

or・o・so・mu・coid (ōr′ō-sō-myū′koyd). オロソムコイド（血中α_1-グロブリン分画の亜群．炎症によって血漿中濃度が上昇する）．= α_1-acid glycoprotein; acid seromucoid.

or・o・tate (Oro) (ōr′ō-tāt). オロチン酸塩またはエステル．

o. phosphoribosyltransferase オロチン酸ホスホリボシルトランスフェラーゼ（オロチン酸および 5-ホスホ-α-D-リボシル-1-ピロリン酸からオロチジン酸とピロリン酸を合成するときのホスホリボシルトランスフェラーゼ．この酵素はピリミジンの生合成に働く．この酵素の欠損により，オロチン酸尿症 I 型となる．*cf. uridylic acid* synthase）．= OMP pyrophosphorylase; orotidylic acid phosphorylase; orotidylic acid pyrophosphorylase.

o・rot・ic ac・id (Oro) (ōr-ot′ik as′id). オロチン酸；6-carboxyuracil; uracil-6-carboxylic acid（ピリミジンヌクレオチド生成における重要な中間体．ある遺伝性ピリミジン生合成欠陥で上昇する）．= uracil-6-carboxylic acid.

o・rot・ic ac・i・du・ri・a (ōr-ot′ik as′i-dyu′rē-ă) [orotic acid + G. *ouron*, urine][MIM *258900]. オロチン酸尿〔症〕（まれなピリミジン代謝障害．骨髄の巨赤芽球の変化を伴う低色素性貧血，白血球減少症，発育遅延，オロチン酸の尿中排泄を特徴とする．常染色体劣性遺伝．第３染色体長腕(3q13)にあるウリジンモノホスファテートシンターゼ(*MMPS*)遺伝子の突然変異により生じる）．

o・rot・i・dine (O, Ord) (ō-rot′i-dēn). オロチジン；orotic acid-3-β-D-ribonucleoside; uridine-6-carboxylic acid（オロチジン尿症の症例で上昇する）．= 1-ribosylorotate.

o. 5′-monophosphate (OMP) オロチジン 5′-一リン酸．= orotidylic acid.

o・rot・i・di・nu・ri・a (ō-rot′i-di-nyu′rē-ă). オロチジン尿症（尿中オロチジン排泄の亢進．オロチジン酸脱炭酸酵素の欠損または障害により生じる）．

o・rot・i・dyl・ate (OMP) (ō-rot′i-dil′āt). オロチシレート（オロチジル酸塩またはエステル）．

o・rot・i・dyl・ic ac・id (OMP) (ō-rot′i-dil′ik as′id). オロチジル酸；orotidine 5′-monophosphate（核酸中に見出されるピリミジンヌクレオシド(シチジンおよびウリジン)の生合成中間体）．= orotidine 5′-monophosphate.

o. a. decarboxylase オロチジル酸デカルボキシラーゼ（OMP から UMP と CO_2 とへの変換を触媒する酵素．この酵素の欠損や阻害によりオロト酸尿症やオロチジル酸尿症になる．この酵素はピリミジンの生合成に関与する．*cf. uridylic acid* synthase）．= OMP decarboxylase.

o. a. phosphorylase オロチジル酸ホスホリラーゼ．= *orotate* phosphoribosyltransferase.

o. a. pyrophosphorylase オロチジル酸ピロホスホリラーゼ．= *orotate* phosphoribosyltransferase.

or・phan (ōr′făn) [G. *orphanos*]. → orphan *products*.

orrho- [G. *orrhos, oros*, whey, serum]. 血清を意味する連結形．→ sero-.

or・ris (ōr′is). アヤメ．= iris.

Orsi (ōr′sē), Francesco. イタリア人医師，1828—1890. → Orsi-Grocco *method*.

Orth (ōrth), Johannes J. ドイツ人病理学者，1847—1923. → O. *fixative, stain*.

orth- → ortho-.

or・the・sis (ōr-thē′sis) [ortho- + *-esis*, process]. 矯正器（整形外科的装具，副子，または装置を表す，まれに用いる語）．

or・thet・ics (ōr-thet′iks). = orthotics.

ortho-, orth- [G. *orthos*, correct]. *1* 真っすぐな，正常な，正規な，を意味する接頭語．*2* (*o-*). 化学において，ベンゼン環の隣接した炭素原子上に２つの置換基をもつ化合物をさす接頭語で，イタリック体で記される．*ortho-* または *o-* で始まる語は特定名参照．*3* 正-（オキソ酸の水和物を意味する．正リン酸，オルトリン酸 H_3PO_4）．

or・tho・ac・id (ōr′thō-as′id). オルト酸，正酸（水酸基の数が酸生成元素の価数に等しい酸．例えば$C(OH)_4$で，オルトカルボン酸とよばれる．このような酸がない場合には，この状態に最も近いものを１酸とよぶ．例えば正リン酸$OP(OH)_3$）．

or・tho・ce・phal・ic (ōr′thō-sĕ-fal′ik) [ortho- + G. *kephalē*, head]. 中頭高の（高さについて釣合いがよくとれた頭の意で，長高指数が 70—74.9 の頭蓋についていう．→ metriocephalic）．= orthocephalous.

or・tho・ceph・a・lous (ōr′thō-sef′ă-lŭs). = orthocephalic.

or·tho·chro·mat·ic (ōr′thō-krō-mat′ic) [ortho- + G. *chrōma*, color]. 正染性の（組織または細胞が，用いた染料の色，すなわちそれらを染めた染色溶液と同じ色に染まることについていう）. ＝euchromatic (1); orthochromophil; orthochromophile.

or·tho·chro·mo·phil, or·tho·chro·mo·phile (ōr′thō-krō′mō-fil, -fil) [ortho- + G. *chrōma*, color + *philos*, fond]. ＝orthochromatic.

or·tho·cra·si·a (ōr′thō-krā′sē-ă) [ortho- + G. *krasis*, a mixing, temperament]. 薬や食物などに対して正常反応を示す状態を表す，現在では用いられない語.

or·tho·cy·to·sis (ōr′thō-sī-tō′sis) [ortho- + G. *kytos*, cell + *-osis*, condition]. 成熟血球状態（種々の形の割合や総数に関係なく，循環血液中の細胞要素が成熟した形をとる状態）.

or·tho·den·tin (ōr′thō-den′tin). 真正ぞうげ質（ぞうげ細管が直線的に走行しているぞうげ質で，哺乳類の歯にみられる）.

or·tho·de·ox·i·a (ōr′thō-dē-oks′ē-ă). 体位性脱酸素現象（直立姿勢で動脈血の酸素含量が低下すること．通常，心内あるいは血管内の短絡路を通って右心系から左心系に血液が流れるために起こる）.

or·tho·dig·i·ta (ōr′tho-dij′ĭ-tă) [ortho- + L. *digitus*, finger or toe]. 指趾矯正〔術〕（手足の指の奇形を矯正する術）.

or·tho·don·ti·a (ōr′thō-don′shē-ă). ＝orthodontics.

or·tho·don·tics (ōr′thō-don′tiks) [ortho- + G. *odous*, tooth]. 歯科矯正学（歯学の一分野で，歯列不正並びや不正咬合の矯正および予防を扱う）. ＝dental orthopedics; orthodontia.

surgical o. 外科的歯科矯正術（咬合異常の矯正で，1歯から数歯をもつ上下顎部の外科的整復．あるいは機能と審美的改良のための顎全体の整復）. ＝orthognathic surgery.

or·tho·dont·ist (ōr′thō-don′tist). 矯正歯科医（歯科矯正学に従事する歯科専門医）.

or·tho·dro·mic (ōr′thō-drō′mik) [ortho- + G. *dromos*, course]. 順方向〔性〕の，順行〔性〕の（正常な方向の伝導系（神経線維など）に沿う刺激の伝達についていう．*cf.* antidromic）.

or·tho·gen·e·sis (ōr′thō-jen′ĕ-sis) [ortho- + G. *genesis*, origin]. 進化直進説，定向進化（進化は内因子によって支配され，予想できる傾向で起こるという学説）.

or·tho·gen·ic (ōr′thō-jen′ik). 進化直進説の，定向進化の.

or·tho·gen·ics (ōr′thō-jen′iks). 優生学. ＝eugenics.

or·tho·gnath·i·a (ōr′thōg-năth′ē-ă) [ortho- + G. *gnathos*, jaw]. 頬顎異常矯正学（[二重字 gn において，g は語頭にあるときのみ無音である]．顎の骨の位置異常に関連する病態の原因および治療に関する研究）.

or·tho·gnath·ic, or·thog·na·thous (ōr-thōg-nath′ik, ōr-thog′nă-thŭs) [ortho- + G. *gnathos*, jaw]. [二重字 gn において，g は語頭にあるときのみ無音である]. ***1*** 頬顎異常矯正学の. ***2*** 正顎の（顎が出っ張っていない，顎指数が 98 以下の顔についていう）.

or·tho·grade (ōr′thō-grād) [ortho- + L. *gradior*, pp. *gressus*, to walk]. 直立歩行位（直立して歩いたり立ったりすること．ヒトの姿勢を表す．pronograde の対語）.

or·tho·ker·a·tol·o·gy (ōr′thō-ker′ă-tol′ō-jē) [ortho- + G. *keras*, horn(cornea) + *logos*, science]. 角膜矯正〔術〕（コンタクトレンズで角膜をかたどり，視力を向上させる方法）.

or·tho·ker·a·to·sis (ōr′thō-ker′ă-tō′sis) [ortho- + G. *keras*, horn + *-osis*, condition]. 正常角化（正常表皮に認められる核の消失したケラチン層の形成）.

or·tho·ki·net·ics (ōr′thō-ki-net′iks) [ortho- + G. *kinētikos*, movable < *kineō*, to move]. オルトキネティックス（肥大性骨関節炎の治療に推奨される方法．罹患関節を保護するために一群の筋肉から他群の筋肉へと筋運動を変化させる）.

or·tho·me·chan·i·cal (ōr′thō-mĕ-kan′i-kăl) [ortho- + mechanical]. 整形外科的器械の（装具，補てつ物，整形外科器械，およびそれらの応用物に関係する）.

or·tho·me·chan·o·ther·a·py (ōr′thō-mĕ-kan′ō-ther′ă-pē) [ortho- + G. *mēchanē*, machine + *therapeia*, medical treatment]. 整形外科的器械による治療（装具，補てつ物，整形外科器械，およびそれらの応用物による治療）.

or·tho·me·lic (ōr′thō-mē′lik) [ortho- + G. *melos*, limb]. 四肢異常矯正の（腕や足の奇形を矯正することについていう）.

or·thom·e·ter (ōr-thom′ĕ-tĕr) [ortho- + G. *metron*, measure]. 眼球突出計. ＝exophthalmometer.

or·tho·mo·lec·u·lar (ōr′thō-mō-lek′yū-lăr). 正常生体分子の（生体機能を維持するため至適な分子環境をつくるように企画された治療法に対して Pauling により命名された用語．人体内に正常状態で存在する成分の至適濃度に対して特別基準で調べる．成分は生体内で生合成されたものや消化されたものを合わせて行う）.

Or·tho·myx·o·vir·i·dae (ōr′thō-mik′sō-vir′i-dē). オルト（オルソ）ミクソウイルス科（インフルエンザウイルスの 3 型（A，B，C型）と Thogoto 様ウイルスからなるウイルス科．ウイルス粒子はおおむね球状または線条状で，インフルエンザウイルス(より一般的な形状)は直径 80—120 nm でエーテル感受性である．エンベロープは表面突起が点在している．ヌクレオカプシドは六方相称で直径 6 — 9 nm，一本鎖の分節 RNA よりなる．各型のウイルス核蛋白抗原は，その型の全系統に共通であるが，他型のそれとは異なる．表面抗原のモザイクは各株によって異なっている．ヌクレオカプシドは感染細胞の核の中で，また血球凝集素とノイラミニダーゼは細胞質の中でつくられると思われる．細胞膜から出芽している間にウイルスが成熟する．インフルエンザウイルス A 型および B 型は突然変異を起こしやすいので大流行する．インフルエンザウイルス C 型は，A 型および B 型と相違し(例えば，ノイラミニダーゼを欠く)，別の属に属する．→Influenza virus）.

or·tho·pae·dic, or·tho·pe·dic (ōr′thō-pē′dik). 整形外科の，整形法の.

or·tho·pae·dics (ōr′thō-pē′diks) [ortho- + G. *pais(paid-)*, child]. 整形外科〔学〕. ＝orthopedics.

or·tho·pae·dist, or·tho·pe·dist (ōr′thō-pē′dist). 整形外科医.

or·tho·pe·dics 整形外科〔学〕（[これは規則と先例に基づいた正しい米国つづりであるが，米国整形外科学会は *orthopaedics* を整形外科を示す公式つづりに採用している]．薬物療法，手術療法，物理療法による筋骨格系，四肢，脊柱，および付属器官の形態・機能の保持，修復，および発達に関する医学の専門分野）. ＝orthopaedics.

dental o. 歯科矯正学. ＝orthodontics.

functional jaw o. 機能的矯正法（可撤装置を用い，顎の位置や歯列に変化を生じるような筋力を利用する）. ＝functional orthodontic therapy.

or·tho·per·cus·sion (ōr′thō-pĕr-kŭsh′ŭn). 限界〔弱〕打診〔法〕（胸部をきわめて弱くたたく打診法．縦方向(すなわち胸壁に対して前後に．垂直にではない)にたたく．心臓の大きさを測るために用い，肺の層と重なっていても心臓の部分では弱い打診音も消える）.

or·tho·phor·i·a (ōr′thō-fōr′ē-ă) [ortho- + G. *phora*, motion]. 眼球正位（斜位でないこと．融像刺激なしに視線が遠近の対象点で一致する両眼固視の状態）.

or·tho·phor·ic (ōr′thō-fōr′ik). 眼球正位の.

or·tho·phos·phate (ōr′thō-fos′fāt). 正リン酸塩またはエステル.

inorganic o. (P_i) 無機正リン酸塩（リン酸のあらゆる種類のイオンまたは塩）. ＝inorganic phosphate.

or·tho·phos·phor·ic ac·id (ōr′thō-fos-fōr′ik as′id). 正リン酸；phosphoric acid; $O=P(OH)_3$ (H_3PO_4 の無水物であるメタリン酸$(HPO_3)_n$およびピロリン酸 $OP(OH_2)OP(OH)_2O$ と区別する．最終的無水物は五酸化リン P_2O_5 である）.

or·tho·phre·ni·a (ōr′thō-frē′nē-ă) [ortho- + G. *phrēn*, mind]. 正常精神状態（①心が健全であることを表す，まれに用いる語．②正常な人間関係の状態を表す，まれに用いる語）.

or·thop·ne·a (ōr′thop-nē′ă, ōr-thop′nē-ă) [ortho- + G. *pnoē*, a breathing]. 起座呼吸（[二重字 pn において，p は語頭にあるときのみ無音である．正しい発音は orthopne′a であるが，米国では広く orthop′nea と発音される]．仰臥によって惹起あるいは増悪する呼吸困難または困難感．*cf.* platypnea）.

or·thop·ne·ic (ōr′thop-nēik). 起座呼吸の.

Or·tho·pox·vi·rus (ōr′thō-poks′vī-rŭs). オルトポックスウイルス属（ポックスウイルス科の属で，アラストリム，ワクシニア，バリオラ，牛痘，エクトロメリア，サルポックス，ウサギ痘の各ウイルスを含む）．

or·tho·pros·the·sis (ōr′thō-pros′thĕ-sis, -pros-thē′sis). 歯科補てつ物（人工歯配列に関する歯科補てつの処置に用いる装置）．

or·tho·psy·chi·a·try (ōr′thō-sī-kī′ă-trē). 矯正精神医学（[二重字 ps における p は通常は語頭にあるときのみ無音であるが，長い伝統により psyche に基づく語における p は単語の中にあっても無音である]．小児精神医学や発達精神医学，小児科学，家族ケアなどを組み込んだ学際的な科学．小児や思春期の精神的・心理的障害の発見，予防，治療に寄与する学問）．

Or·thop·ter·a (ōr-thop′tĕr-ă) [ortho- + G. *pteron*, a wing]. 直翅目（不完全変態の昆虫類の大きな一目．イナゴ，バッタ，カマキリ，ナナフシ，およびこれに関する種がこの目に属する）．

or·thop·tic (ōr-thop′tik). 視能訓練の，両眼視矯正学の．

or·thop·tics (ōr-thop′tiks) [*ortho*-, straightened + G. *optikos*, sight]. 視能矯正学（両眼視機能の欠陥，眼筋運動の障害，視力習性の障害に対する研究および治療）．

or·thop·tist (ōr-thop′tist). 視能訓練士（視能訓練の技術をもつ人）．

Or·tho·re·o·vi·rus (ōr′thō-rē′ō-vī-rus). レオウイルス科の一属で種々の呼吸器および消化器疾患でみられる．しかし，その因果関係は証明されていない．

or·tho·scope (ōr′thō-skōp) [ortho- + G. *skopeō*, to view]. オルソスコープ（頭蓋の種々の基準面での輪郭を描画できるようにつくられている器械）．

or·tho·sis, pl. or·tho·ses (ōr-thō′sis, -sēz) [G. *orthōsis*, a making straight]. 装具（装具 brace や副子 splint など整形外科で用いられる外固定具．脊椎や四肢の動きを制限または補助する道具）．

ankle-foot o. 短下肢装具（趾から足関節，ふくらはぎに至る装具）．

cervical o. 頸椎装具（頸椎の運動をある角度に制限する装具．例えば軟性頸椎カラー）．

cervicothoracic o. 頸胸椎装具（基本的頸椎装具よりも体幹上部までおおっている頸椎の運動を制限する装具）．

knee-ankle-foot o. 長下肢装具（膝と足関節の動きを制御できるよう設計された装具で，大腿上部から膝を通り，足関節，趾まで至る）．

thoracolumbosacral o. 胸腰仙椎装具（胸椎上部から骨盤にまたがる体幹につける外固定具．胸椎と胸腰椎移行部の固定に用いる）．

wrist-hand o. 手関節指装具（指から，手関節，前腕遠位部にまたがる装具．ある程度の手の麻痺に対して指の屈曲・伸展を行わせるために用いる）．

or·tho·stat·ic (ōr′thō-stat′ik). 起立〔性〕の，直立の．

or·tho·ster·e·o·scope (ōr′thō-ster′ē-ō-skōp). 正立体 X 線描写機（立体 X 線像を見るための器械で，まれに用いられる）．

or·tho·tha·na·si·a (ōr′thō-thă-na′zē-ă) [ortho- + G. *thanatos*, death]. 自然死（①正常または自然な死あるいは死に方．②生命を人工的な，または大胆な方法で維持することを，よく考えたうえでやめることを表した用語で，ときに用いる）．

or·thot·ics (ōr-thot′iks). 歯科矯正学（歯科矯正装置の製作と装着を扱う科学）．= orthetics.

or·tho·tist (ōr′thō-tist). 歯科矯正医（歯科矯正装置の作製者であり，取り付ける人でもある）．

or·tho·tol·i·dine (ōr′thō-tōl′i-dēn). オルトトリジン（便中の潜在出血の検出の *in vitro* 補助として用いられる物質）．

or·thot·o·nos, or·thot·o·nus (ōr-thot′ŏ-nos, -ŏ-nŭs) [ortho- + G. *tonos*, tension]. 真直緊張（テタヌス痙攣の一種で，首，四肢，および体幹が真っすぐに固定される）．

or·tho·top·ic (ōr′thō-top′ik) [ortho- + G. *topos*, place]. 正常位の（正常または通常の位置における）．

or·tho·trop·ic (ōr′thō-trop′ik) [ortho- + G. *tropē*, a turn]. 直伸の，垂直向性の（真っすぐな，特に垂直の方向へ伸びる，または成長することについていう）．

or·tho·vol·tage (ōr′thō-vōl′tăj). 正中電圧（放射線療法において，400—600 kV の電圧を表す用語）．

Or·to·la·ni (ōr′tō-lahn′ē), Marius. 20 世紀のイタリア人整形外科医．→O. *maneuver*, *test*.

Or·ton (ōr′tŏn), Samuel T. 米国人神経科医，1879—1975．→Wolf-O. *bodies*.

ORX orexin の略．

or·y·cen·in (ōr′ē-sen′in) [G. *oryza*, rice + -in]. オリセニン（コメのグルテリン）．

OS [JCAHO は，類似の略号との混乱を避けるために left eye は完全表記するように指導している．㊟AMA（米国医師会）による "AMA Manual of Style" では OS の略記は認めていない]．ラテン語 *oculus sinister*（左眼）の略．

Os (oz). オスミウムの元素記号．

OS

os, gen. os·sis, pl. os·sa (oz, os′is, os′ă) [L. bone][TA]. 骨（[os, oris 'mouth' と混同しないこと]．組織学的定義については bone 参照）．= bone.

o. acromiale 肩峰骨（骨結合でなく線維結合により肩甲棘に結合している肩峰）．

o. basilare 後頭骨底部．= basilar *bone*.

o. breve [TA]．短骨．= short *bone*.

o. calcis 踵骨．= calcaneus (1).

o. capitatum [TA]．有頭骨．= capitate (1).

ossa carpi [TA]．手根骨．= carpal *bones*.

o. centrale [TA]．中心骨（舟状骨・有頭骨・大菱形骨の間の手根背側部でときにみられる小骨．胎生初期には独立した軟骨として発達するが，通常，舟状骨と癒合する．ほとんどのサルの仲間では普通にみられる）．= central bone.

o. centrale tarsi 足根中心骨．= navicular.

o. clitoridis 陰核骨（多くの肉食哺乳類にみられる陰核中に存在する小骨．多くの哺乳類の雄にみられる陰茎骨と相対的である）．

o. coccygis [TA]．尾骨．= coccyx.

o. costale 肋骨．= rib [I–XII]; costa (1).

o. coxae [TA]．寛骨．= hip *bone*.

ossa cranii [TA]．頭蓋骨．= *bones* of cranium.

o. cuboideum 立方骨．= cuboid (*bone*).

o. cuneiforme intermedium [TA]．中間楔状骨．= intermediate cuneiform (*bone*).

o. cuneiforme laterale [TA]．外側楔状骨．= lateral cuneiform (*bone*).

o. cuneiforme mediale [TA]．内側楔状骨．= medial cuneiform (*bone*).

ossa digitorum* 指骨（*bones* of digits の公式の別名．→phalanx (1)）．

o. ethmoidale [TA]．篩骨．= ethmoid.

ossa faciei 顔面骨．= facial *bones*.

o. femoris* femur の公式の別名．

o. frontale [TA]．前頭骨．= frontal *bone*.

o. hamatum 有鉤骨．= hamate (*bone*).

o. hyoideum 舌骨（→hyoid *apparatus*）．= hyoid *bone*.

o. iliacum 腸骨．= ilium.

o. ilium [TA]．腸骨．= ilium.

o. incae インカ骨．= interparietal *bone*.

o. incisivum [TA]．切歯骨．= incisive *bone*.

o. innominatum = hip *bone*.

o. intermaxillare = incisive *bone*.

o. intermedium = lunate (*bone*).

o. intermetatarseum 中足間骨（第一中足骨の底，あるいは第一と第二中足骨の間にある過剰骨．通常，前記いずれかの骨または内側楔状骨と癒合する）．= intermetatarseum.

o. interparietale [TA]．頭頂間骨 = interparietal *bone*.

o. irregulare [TA]．不規則形骨．= irregular *bone*.

o. ischii [TA]．坐骨．= ischium.

o. japonicum 二分頬骨，三分頬骨（2 分裂または 3 分裂している頬骨．日本人に多くみられる）．

o. lacrimale [TA]. 涙骨. =lacrimal *bone.*
o. longum [TA]. 長骨. =long *bone.*
o. lunatum [TA]. 月状骨. =lunate (*bone*).
o. magnum =capitate (1).
o. malare =zygomatic *bone.*
ossa membri inferioris [TA]. 下肢骨. =*bones* of lower limb.
ossa membri superioris [TA]. 上肢骨. =*bones* of upper limb.
ossa metacarpalia I–V =metacarpal (*bones*) [I–V].
ossa metacarpi, pl. **ossa metacarpalia** [TA]. 中手骨. =metacarpal (*bones*) [I–V].
ossa metatarsalia I–V =metatarsal (*bones*) [I–V].
ossa metatarsi, pl. **ossa metatarsalia**[TA]. =metatarsal (*bones*) [I–V].
o. multangulum majus 大多角骨. =trapezium (*bone*).
o. multangulum minus 小多角骨. =trapezoid (*bone*).
o. nasale [TA]. 鼻骨. =nasal *bone.*
o. naviculare [TA]. 〔足の〕舟状骨. =navicular.
o. naviculare manus =scaphoid (*bone*).
o. occipitale [TA]. 後頭骨. =occipital *bone.*
o. odontoideum 歯突起骨（奇形により軸椎椎体と癒合しなかった歯突起).
o. orbiculare =lenticular *process* of incus.
o. palatinum [TA]. 口蓋骨. =palatine *bone.*
o. parietale [TA]. 頭頂骨. =parietal *bone.*
o. pisiforme [TA]. 豆状骨. =pisiform (*bone*).
o. planum [TA]. 扁平骨. =flat *bone.*
o. pneumaticum [TA]. 含気骨. =pneumatized *bone.*
o. premaxillare =incisive *bone.*
o. pterygoideum 翼状突起. =pterygoid *process* of sphenoid bone.
o. pubis 恥骨. =pubis.
o. pyramidale =triquetrum.
o. sacrum [TA]. 仙骨. =sacrum.
o. scaphoideum [TA]. 〔手の〕舟状骨. =scaphoid (*bone*).
o. sesamoideum, pl. **ossa sesamoidea** [TA]. 種子骨. =sesamoid *bone.*
o. sphenoidale [TA]. 蝶形骨. =sphenoid (*bone*).
o. subtibiale 脛骨下骨（脛骨の遠位関節末端で唯一まれにみられる，決まった形をもたない骨).
ossa suprasternalia [TA]. 胸上骨. =suprasternal *bones.*
o. suturarum [TA]. 縫合骨. =sutural *bones.*
o. sylvii (sil′vē-ē). シルヴィウス骨. =lenticular *process* of incus.
ossa tarsalia☆ tarsal *bones* の公式の別名.
ossa tarsi [TA]. 足根骨. =tarsal *bones.*
o. temporale [TA]. 側頭骨. =temporal *bone.*
o. tibiale posterius, o. tibiale posticum 後脛骨（後脛骨筋の腱中の種子骨. 舟状骨粗面と癒合することがある). =tibiale posticum.
o. trapezium [TA]. 大菱形骨. =trapezium (*bone*).
o. trapezoideum [TA]. 小菱形骨. =trapezoid (*bone*).
o. triangulare 三角骨=triquetrum.
o. tribasilare 三頭底骨（乳児期にみられる頭蓋腔の底部での後頭骨および側頭骨の癒合によってできる単一の骨).
o. trigonum [TA]. 三角骨（足根中にときに存在する独立した小骨. 通常は距骨の一部を形成し，後突起の外側結節をなす). =triangular bone.
o. triquetrum [TA]. 三角骨. =triquetrum.
o. unguis =lacrimal *bone.*
o. vesalianum ヴェサリウス骨（分離した骨として存在することもある第五中足骨粗面). =vesalianum; Vesalius bone.
o. zygomaticum [TA]. 頬骨. =zygomatic *bone.*

---

os, gen. **o·ris,** pl. **o·ra** (oz, ō′ris, ō′ră). [L. mouth]. 口（[os, ossis(骨)と混同しないこと]. ① [NA]. =mouth. ② 空洞のある器官または管の口，特に厚い縁または肉質の縁をもつものを表すのにときに用いる語.→mouth (2); ostium; orifice; opening).
anatomical internal o. of uterus [TA]. 解剖学的内子宮口（子宮頸と子宮体とを連絡する口で，子宮腔が狭まったところにあたる). =ostium anatomicum [TA].
external o. of uterus [TA]. 〔外〕子宮口（子宮腔の膣への開口). =ostium uteri [TA]; mouth of the womb; opening of uterus; orifice of uterus; orificium externum uteri; o. uteri externum; ostium uteri externum.
histological internal o. of uterus [TA]. 組織学的内子宮口（子宮体粘膜(子宮内膜)が子宮頸粘膜に移行するところ. 解剖学的内子宮口と一致することもしないこともある). =ostium histologicum [TA].
incompetent cervical o. 頸管無力症（子宮頸管が妊娠早期に開大してしまう，内子宮口の強度の欠陥).
ossa pedis [TA]. =*bones* of foot.
o. uteri externum =external o. of uterus.
o. uteri internum =*isthmus* of uterus.

OSA obstructive sleep *apnea* の略.
OSAHS obstructive sleep apnea-hypopnea *syndrome* の略.
OSAS obstructive sleep apnea *syndrome* の略.
o·sa·zone (ō′să-zōn). オサゾン（ある種の糖類(ブドウ糖，ガラクトース，果糖)と過剰のヒドラジンとから生成される化合物. 普通のヒドラゾンにみられる C–1 だけではなく，C–1 および C–2 に 2 個のヒドラゾン(RNH–N=CR′–CR″=N–NHR‴)をもつ. フェニルヒドラジン(フェニルヒドラゾン)で生成されたオサゾンは，ある糖類の同定検出に用いる). =dihydrazone.
osche-, oscheo- [G. *oschē*]. 陰嚢を意味する連結形.
os·che·al (os′kē-ăl). 陰嚢の. =scrotal.
os·che·o·plas·ty (os′kē-ō-plas′tē) [oscheo- + *plastos*, formed]. 陰嚢形成〔術〕. =scrotoplasty.
os·cil·la·tion (os′i-lā′shŭn) [L. *oscillatio* < *oscillo*, to swing]. 振動（①前後の動き. ②炎症における血管の変化の一段階. 小血管中の白血球の滞留により，血流が停止し，心臓の各収縮時に前後運動だけがある状態).
os·cil·la·tor (os′si-lā′tŏr). 発振器（①振動器様の器具. 機械的伝達を与えるために用いる. ②特定の周波数をもつ交流を発生するように設計された電子回路. ③振動を発生させる装置).
circadian o. 概日振動体（生体時計として作用する組織または細胞集合体).
os·cil·lo·graph (ŏ-sil′ō-graf). オシロ〔グラフ〕（振動を記録する器具. 通常は電気によって作動する).
os·cil·log·ra·phy (os′i-log′ră-fē). オシログラフィ（オシログラフによってつくられた記録の研究).
os·cil·lom·e·ter (os′i-lom′ĕ-tĕr) [L. *oscillo*, to swing + G. *metron*, measure]. 振動計，オシロメータ（あらゆる種類の振動を測定するための器械. 特に脈拍測定の血流の振動を測定するのに用いる.→sphygmooscillometer).
os·cil·lo·met·ric (os′i-lō-met′rik). 振動計の，オシロメータの.
os·cil·lom·e·try (os′i-lom′ĕ-trē). 振動測定〔法〕（オシロメータを用いてあらゆる種類の振動を測定する方法).
os·cil·lop·si·a (os′i-lop′sē-ă) [L. *oscillo*, to swing + G. *opsis*, vision]. 振動視，動揺視（対象が揺れて見える自覚的感覚). =oscillating vision.
os·cil·lo·scope (ŏ-sil′ō-skōp). オシロスコープ（振動の記録が連続して見られるようにしたオシログラフ).
cathode ray o. (CRO) 陰極線オシロスコープ（オシロスコープの一般的なタイプ. 蛍光スクリーンに入射する電子ビームを電気記号(y)によって垂直方向に偏向させ，また別の機能(x または時間)がビームを水平方向に偏向させるようになっている. その結果，x または時間に対して y をプロットしたグラフが得られる. この際，電子運動の慣性によって生じる画像のひずみは無視できる).
storage o. ストレージオシロスコープ（陰極線オシロスコープの一種. 蛍光スクリーン上につくられた振動像が，電気的方法によって強制的に消去するまで持続する).
os·ci·tate (os′i-tāt) [L. *oscito* < *os*, mouth + *cieo*, to put in motion]. あくびをする.
os·ci·ta·tion (os′i-tā′shŭn) [L. *oscitatio*]. あくび. =yawning.
os·cu·lum, pl. **os·cu·la** (os′kyū-lŭm, -lă) [L. *os*(mouth) の指小辞]. 細孔，小孔.

-ose *1* 化学において，通常，炭水化物をさす接尾語．*2*［L. *-osus*, full of, abounding］．-ous (2) の意味をもつ，ラテン語由来の語に付く接尾語．

-oses -osis の複数形．

Os·good (oz′gud), Robert B. 米国人整形外科医，1873—1956. ⇀O.-Schlatter *disease*.

OSHA Occupational Safety and Health Administration(米国労働省の労働安全衛生局)の略．作業環境の安全および衛生基準の作成と施行を受け持つ．

-osis, pl. **-oses**［G.］．［-osis で終わる名詞の典型的な形容詞は -otic で終わる．例えば，cyanosis—cyanotic, dyskaryosis—dyskaryotic となる］．通常，疾病の過程，状況または状態を意味する接尾語．生理的あるいは病理的産生または増加，生体内への寄生虫の侵入および増殖を意味する．後者の場合，この語はギリシア語の *-iasis* と同じ意味で用い，trichinosis(旋毛虫症)を trichiniasis とするように，しばしば換えることができる．

Os·ler (ōs′lĕr), William. 米国およびイングランドに在住したカナダ人医師，1849—1919. ⇀O. *disease, node, sign*; Rendu-O.-Weber *syndrome*.

os·mate (oz′māt). オスミウム酸塩．

os·mat·ic (oz-mat′ik)［G. *osmē*, smell］．= olfactory.

OSMED otospondylomegaepiphysial *dysplasia* の略または頭字語．= *chondrodystrophy* with sensorineural deafness.

os·me·sis (oz-mē′sis)［G. *osmēsis*, smelling］．= olfaction.

os·mic ac·id (oz′mik as′id). オスミウム酸，オスミン酸；OsO_4 (揮発性腐食性のある強力な酸化剤．無色の結晶体で，ほとんど水に不溶であるが有機溶媒には可溶．水溶液は脂肪およびミエリンの染色液であり，また電子顕微鏡のための一般的な固定液でもある)．= osmium tetroxide.

os·mi·cate (oz′mi-kāt). オスミウム酸で染色，または固定する．

os·mi·ca·tion, os·mi·fi·ca·tion (os′mi-kā′shŭn, os′mi-fi-kā′shŭn). オスミウム酸染色〔法〕(オスミウム酸溶液による組織の固定．また光学顕微鏡や電子顕微鏡用の色素として用いられる)．

os·mics (oz′miks)［G. *osmē*, smell］．嗅覚学．

os·mi·o·phil·ic (oz′mē-ō-fil′ik)［osmium + G. *phileō*, to love］．オスミウム酸親性の (オスミウム酸に易染性であることについていう)．

os·mi·o·pho·bic (oz′mē-ō-fō′bik)［osmium + G. *phobos*, fear］．オスミウム酸嫌性の (オスミウム酸に容易に染まらないことについていう)．

os·mi·um (Os) (oz′mē-ŭm)［G. *osmē*, smell，その四酸化物の臭気が激しいことから］．オスミウム (白金族の金属元素．原子番号 76，原子量 190.2)．

o. tetroxide 四酸化オスミウム．= osmic acid.

osmo- *1*［G. *ōsmos*, impulsion］．浸透を表す連結形．*2*［G. *osmē*］．におい，香りに関する連結形．

os·mo·cep·tor (oz′mō-sep′tŏr, tōr). = osmoreceptor.

os·mo·dys·phor·ia (oz′mō-dis-fōr′ē-ă)［G. *osmē*, smell + *dys-*, bad + *phora*, a carrying］．臭気嫌忌〔症〕(あるにおいを異常に嫌うこと)．

os·mo·gram (oz′mō-gram)［G. *osmē*, smell + *gramma*, a drawing］．= electroolfactogram.

os·mo·lal·i·ty (oz′mō-lal′i-tē). 重量オスモル濃度 (［osmolarity と混同しないこと］．溶媒 1 kg に対する溶質粒子のオスモルで表される溶液の濃度)．

calculated serum o. 算出血清浸透圧重量モル濃度 (血清ナトリウム，グルコース，および尿素窒素値から，種々の公式を使って出した血清浸透圧重量モル濃度の計算値．最も一般的な式としては，1.86×[Na](mmol/L) + glucose(mg/dL)/18 + BUN(mg/dL)/2.8 である)．

os·mo·lar (oz′mō′lăr). = osmotic.

os·mo·lar·i·ty (oz′mō-lār′i-tē). 容量オスモル濃度 (［osmolality と混同しないこと］．溶液 1 L 当たりの溶質粒子のオスモル数で表される溶液の浸透圧活性物質の浸透濃度)．

os·mole (oz′mōl). 浸透圧モル (溶質の分子量(g)を溶液に溶解しているイオンまたは粒子の数で除した数)．

os·mol·o·gy (oz-mol′ŏ-jē). *1* 嗅覚学，臭気学 (におい，その生成およびその効果の研究)．= osphresiology. *2* 浸透学．

os·mom·e·ter (oz-mom′ĕ-tĕr). 浸透圧計 (①浸透圧重量モル濃度を氷点降下法または気圧上昇法によって測定する装置．②嗅覚の鋭敏さを測定する装置)．

os·mom·e·try (oz-mom′ĕ-trē). 浸透圧測定〔法〕(浸透圧計を用いて重量オスモル濃度を測定すること)．

os·mo·phil, os·mo·phil·ic (oz′mō-fil, -fil′ik)［osmo(sis) + G. *phileō*, to love］．好濃の (高い浸透圧の媒質に満ちていることについていう)．

os·mo·pho·bi·a (oz′mō-fō′bē-ă)［G. *osmē*, smell + phobia］．臭気恐怖〔症〕．= olfactophobia.

os·mo·phore (oz′mō-fōr)［G. *osmē*, smell + *phonos*, bearing］．発香団 (その化合物の特徴的な香りの原因となる原子団のこと)．

os·mo·re·cep·tor (oz′mō-rē-sep′tŏr, -tōr). = osmoceptor. *1*［G. *osmos*, impulsion］．浸透圧受容器 (血液の浸透圧の変化に反応する中枢神経系(視床下部と思われる)内の受容器)．*2*［G. *osmē*, smell］．嗅〔覚〕受容器 (においの刺激を受け取る受容器)．

os·mo·reg·u·la·tor·y (oz′mō-reg′yū-lă-tōr-ē). 浸透調節の (浸透圧の程度および速度に影響することについていう)．

os·mose (os′mōs). 浸透する (浸透現象によって膜を通過する)．

os·mo·sis (os-mō′sis)［G. *ōsmos*, a thrusting, an impulsion］．浸透〔現象〕(溶媒が，膜に対し比較的不透過な溶質の低浸透圧の濃度側から高浸透圧の濃度側へ半透膜を透過する現象)．

reverse o. 逆浸透 (浸透圧，上逆方向に溶媒が動くこと，すなわち溶質を保持しようとする半透膜を通る溶媒の沪過圧．腎糸球体における毛細血管膜についていえば，通常，沪過や限外沪過により置き換えられる)．

os·mos·i·ty (os-mos′i-tē). 浸透圧度 (溶液の浸透圧の間接的尺度．塩化ナトリウム溶液での値により表示する．現在，より正確に定義された値，重量オスモル濃度のほうを用いるようになり，使われなくなった)．

os·mo·ther·a·py (oz′mō-ther′ă-pē)［osmosis + therapy］．浸透圧療法 (塩化ナトリウム，デキストラン，尿素，マンニトール，または他の浸透圧的に活性のある物質の高張液の静脈注射により，あるいはグリセリン，イソソルビド，またはグリシンの経口投与により行う脱水療法．脳浮腫，頭蓋内圧亢進の治療に用いる)．

os·mot·ic (oz-mot′ik). 浸透の．= osmolar.

osphresio- (os-frē′zē-ō)［G. *osphrēsis*, smell］．においまたは嗅覚を表す連結形．

os·phre·si·o·log·ic (os-frē′zē-ō-loj′ik). 嗅覚学の．

os·phre·si·ol·o·gy (os-frē′zē-ol′ŏ-jē)［osphresio- + G. *logos*, study］．嗅覚学．= osmology (1).

os·phre·si·o·phil·i·a (os-frē′zē-o-fil′ē-ă)［osphresio- + G. *phileō*, to love］．臭気嗜好 (臭気への異常な興味)．

os·phre·si·o·pho·bi·a (os-frē′zē-ō-fō′bē-ă)［osphresio- + G. *phobos*, fear］．臭気恐怖〔症〕(ある種のにおいに対する病的な恐れ)．= olfactophobia.

os·phre·sis (os-frē′sis)［G. *osphrēsis*, smell］．嗅覚〔作用〕．= olfaction.

os·phret·ic (os-fret′ik). 嗅覚の．= olfactory.

os·sa (os′ă)［L.］．ラテン語 *os*(骨)の複数形．

os·se·in, os·se·ine (os′ē-in)［L. *os*, bone］．オセイン，骨質．= collagen.

osseo-［L. *osseus*］．骨の，を意味する連結形．→ossi-; osteo-.

os·se·o·car·ti·lag·i·nous (os′ē-ō-kar′ti-laj′i-nŭs). 骨軟骨の (骨と軟骨との両方についていう)．= osteocartilaginous; osteochondrous.

os·se·o·mu·cin (os′ē-ō-myū′sin). オセオムチン (骨組織の間質物質)．

os·se·o·mu·coid (os′ē-ō-myū′koyd). オセオムコイド (骨質から得られるムコイド)．

os·se·ous (os′ē-ŭs)［L. *osseus*］．骨〔性〕の，骨様の．= osteal.

ossi-［L. *os*］．骨に関する連結形．→osseo-; osteo-.

os·si·cle (os′i-kĕl)［L. *ossiculum*: *os*(bone)の指小辞］［TA］．小骨 (特に鼓室(中耳)の骨)．= ossiculum［TA］; bonelet.

Andernach o.'s (ahn′dĕr-nahk). アンデルナーハ小骨．= sutural *bones*.

auditory o.'s［TA］．耳小骨 (中耳の小骨．これらの小骨は鼓膜から前庭窓へ音を伝達するために互いに関節により結び付いている). =ossicula auditus [TA]; ear bones; ossicular chain.

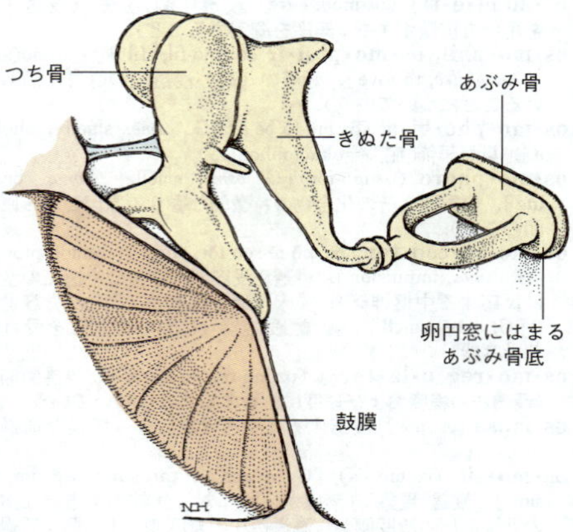

auditory ossicles

Bertin o.'s (bĕr-tan [h]'). ベルタン小骨. =sphenoidal *concha.*

epactal o.'s =sutural *bones.*

Kerckring o. (kerk'ring). ケルクリング小骨. =Kerckring *center.*

os·sic·u·la (ŏ-sik'yū-lă) [L.]. ossiculum の複数形.

os·sic·u·lar (ŏ-sik'yū-lăr). 小骨の.

os·sic·u·lec·to·my (os'i-kyū-lek'tŏ-mē) [L. *ossiculum*, ossicle + G. *ektomē*, excision]. 耳小骨摘出〔術〕, 耳小骨切除〔術〕(中耳の耳小骨の1本以上の除去).

os·si·cu·lot·o·my (os'i-kyū-lot'ŏ-mē) [L. *ossiculum*, ossicle + G. *tomē*, incision]. 耳小骨剝離〔術〕, 耳小骨切開〔術〕(中耳の小骨の1つ).

os·sic·u·lum, pl. **os·sic·u·la** (ŏ-sik'yū-lŭm, -lă) [L. *os*(bone) の指小辞] [TA]. 小骨. =ossicle.

ossicula auditus [TA]. 耳小骨. =auditory *ossicles.*

ossicula mentalia おとがい小骨 (骨の小結節. 出生の少し前におとがい結合に現れ, 出生後, 下顎骨と癒合する).

os·sif·er·ous (ŏ-sif'ĕr-ŭs) [ossi- + L. *fero*, to bear]. 骨性の.

os·sif·ic (ŏ-sif'ik). 骨化の, 骨形成の.

os·si·fi·ca·tion (os'i-fi-kā'shŭn) [L. *ossificatio* < *os*, bone + *facio*, to make]. *1* 骨形成 (骨の形成). *2* 骨化 (骨への変化).

endochondral o. 軟骨内骨化 (石灰化軟骨の置換による骨組織の形成. 長骨の長さの成長は骨端軟骨の軟骨内骨化によって営まれ, 骨芽細胞が石灰化軟骨の網工に骨梁をつくっていく).

intramembranous o. 膜性骨化, 結合組織内骨化. =membranous o.

membranous o. 膜性骨化 (軟骨から骨が形成されるのではなく, 間葉組織から骨が形成される骨化形態. 前頭骨や側頭骨などでみられる). =intramembranous o.

metaplastic o. 変形骨化 (筋肉, 肺, 脳などのような種々の軟組織や本来骨組織のないような場所に起こる不規則な点状の骨化で, ときとして骨髄も認められる).

os·si·form (os'i-fōrm) [ossi- + L. *forma*, form]. =osteoid (1).

os·si·fy (os'i-fī) [ossi- + L. *facio*, to make]. 骨化する, 骨形成する.

ost- →osteo-.

os·te·al (os'tē-ăl) [G. *osteon*, bone]. [ostial と混同しないこと]. =osseous.

os·te·al·gi·a (os'tē-al'jē-ă) [osteo- + G. *algos*, pain]. 骨痛. =osteodynia.

os·te·an·a·gen·e·sis (os'tē-an'ă-jen'ĕ-sis). =osteoanagenesis.

os·te·a·naph·y·sis (os'tē-ă-naf'i-sis) [osteo- + G. *anaphysis*, a growing again]. =osteoanagenesis.

os·tec·to·my (os-tek'tŏ-mē) [osteo- + G. *ektomē*, excision]. 骨切除〔術〕(①骨を外科的に除去すること. ②歯科において, 歯周ポケットをなくすために支持骨組織を切除すること). =osteoectomy.

os·te·in, os·te·ine (os'tē-in) [G. *osteon*, bone]. =collagen.

os·te·it·ic (os'tē-it'ik). 骨炎の. =ostitic.

os·te·i·tis (os'tē-ī'tis) [osteo- + G. *-itis*, inflammation]. 骨炎. =ostitis.

alveolar o. 歯槽骨炎. =alveoalgia.

caseous o. 乾酪性骨炎 (骨の結核性カリエス).

central o. 中心性骨炎 (①=osteomyelitis. ②=endosteitis).

o. condensans ilii (con-den'sanz il'ē-ī). 硬化性腸骨骨炎 (仙腸関節に隣接する腸骨の左右対称性良性骨硬化).

condensing o. 硬化性骨炎. =sclerosing o.

cortical o. 皮質性骨炎 (骨の表面の層が侵される骨膜炎).

o. deformans 変形性骨炎. =Paget *disease* (1).

o. fibrosa circumscripta 限局性線維性骨炎. =monostotic fibrous *dysplasia.*

o. fibrosa cystica 嚢胞性線維性骨炎 (石灰化した骨の破骨細胞の吸収が増加して線維性組織によって置換される. 主に上皮小体機能亢進症または他の原因によって無機塩が急速に移動することによる). =parathyroid osteosis; Recklinghausen disease of bone.

o. fibrosa disseminata 播種性線維性骨炎. =polyostotic fibrous *dysplasia.*

focal condensing o. 巣状硬化性骨炎. =chronic focal sclerosing *osteomyelitis.*

hematogenous o. 血行性骨炎 (血流によって運ばれる感染により起こる骨炎).

localized o. fibrosa 単発性線維性骨炎. =monostotic fibrous *dysplasia.*

multifocal o. fibrosa 多発性線維性骨炎. =polyostotic fibrous *dysplasia.*

o. pubis 恥骨骨炎 (恥骨結合部の恥骨の骨硬化. 妊娠, インストルメンテーションによるこの部への外傷により生じる).

renal o. fibrosa 腎性線維性骨炎. =renal *rickets.*

sclerosing o. 硬化性骨炎 (原因不明の骨の紡錘状肥厚または緻密化. 本疾患は慢性非化膿性骨髄炎の一種と考えられている). =condensing o.; Garré disease.

o. tuberculosa multiplex cystica 多発〔性〕嚢胞性結核性骨炎 (結核性の骨炎で, 骨組織に多数の空洞があるのが特徴). =Jüngling disease.

os·te·mi·a (os-tē'mē-ă) [osteo- + G. *haima*, blood]. 骨充血.

os·tem·py·e·sis (os'tem-pī-ē'sis) [osteo- + G. *empyēsis*, suppuration]. 骨化膿.

osteo-, ost-, oste- [G. *osteon*]. 骨に関する連結形. →osseo-; ossi-.

os·te·o·an·a·gen·e·sis (os'tē-ō-an'ă-jen'ĕ-sis) [osteo- + G. *ana*, again + *genesis*, generation]. 骨再生. =osteanagenesis; osteanaphysis.

os·te·o·ar·thri·tis (os'tē-ō-ar-thrī'tis) [MIM*165720]. 変形性関節症 ([本語は主たる病態が炎症よりも変性である疾患に誤ってつけられた用語である]. 関節軟骨のびらんを特徴とする関節炎で, 一次性のものと, 外傷や疾患による二次性のものとがある. 関節軟骨は軟化し, すりきれ, 菲薄化し, 軟骨下骨のぞうげ質化と辺縁部の骨棘形成を伴う. 疼痛と機能障害を生じる. 主に荷重関節を侵し, 老年者や年とった動物によりよくみられる). =arthrosis (2); degenerative arthritis; degenerative joint disease; osteoarthrosis.

hyperplastic o. 過形成性関節症. =hypertrophic pulmonary *osteoarthropathy.*

os·te·o·ar·throp·a·thy (os'tē-ō-ar-throp'ă-thē) [osteo- + G. *arthron*, joint + *pathos*, suffering]. 骨関節症 (骨と関節を侵す障害).

hypertrophic pulmonary o. 肥大性肺性骨関節症 (長骨

の末端，または骨全体の拡大を呈するもので，ときに関節軟骨のびらん，滑液膜の肥厚および絨毛増殖を合併することがあり，しばしばばち指を合併する．本疾患はいくつかの慢性の肺疾患，心疾患(多くは先天性)，ときには他の急性および慢性疾患において現れる)．＝Bamberger-Marie disease; Bamberger-Marie syndrome; hyperplastic osteoarthritis; pneumogenic o.; pulmonary o.

idiopathic hypertrophic o. 特発性肥大性骨関節症（肺その他の進行性病巣を伴わない骨関節症．単一で起こる(先端部疾患)か，または強皮骨膜症の症候の一部として起こる)．

pneumogenic o. 空気原性骨関節症．＝hypertrophic pulmonary o.

pulmonary o. 肺性骨関節症．＝hypertrophic pulmonary o.

os·te·o·ar·thro·sis (os′tē-ō-ar-thrō′sis) ［osteo- + G. *arthron*, joint + *-osis*, condition］．＝osteoarthritis.

os·te·o·blast (os′tē-ō-blast′) ［osteo- + G. *blastos*, germ］．骨芽細胞（間葉性骨原細胞からできた骨形成細胞．この細胞は骨基質を形成し，骨細胞としてその中に封入される)．＝osteoplast.

os·te·o·blas·tic (os′tē-ō-blas′tik)．***1*** 骨芽細胞の．***2*** X線写真上で骨濃度の上昇している部分を描写するのに用いる．特に骨芽細胞を活性化する転移についていう．

os·te·o·blas·to·ma (os′tē-ō-blas-tō′mă)．骨芽細胞腫（骨芽細胞のまれな良性腫瘍で，類骨および石灰化した組織部分がある．若い人の脊椎に起こることが最も多い)．＝giant osteoid osteoma.

os·te·o·cal·cin (os′tē-ō-kal′sin)．オステオカルシン（骨芽細胞やぞうげ質中に見出される蛋白．γ-カルボキシグルタミル残基を含有する．鉱質化やカルシウムイオンのホメオスタシスに働く)．＝bone Gla protein.

os·te·o·car·ti·lag·i·nous (os′tē-ō-kar′ti-laj′i-nŭs)．骨軟骨の．＝osseocartilaginous.

os·te·o·chon·dri·tis (os′tē-ō-kon-drī′tis) ［osteo- + G. *chondros*, cartilage + *-itis*, inflammation］．骨軟骨炎，骨端炎（関節軟骨とその下の骨の炎症)．

o. deformans juvenilis 若年性変形性骨軟骨炎．＝Legg-Calvé-Perthes *disease*.

o. deformans juvenilis dorsi 脊椎性若年性変形性骨軟骨炎．＝Scheuermann *disease*.

o. dissecans ［MIM*165800］．離断性骨軟骨炎（関節軟骨とその下の骨との完全または不完全な分離で，通常，膝関節にみられ，骨端側は無菌性壊死の状態を呈す)．

syphilitic o. 梅毒性骨軟骨炎（先天梅毒に併発する骨端線の炎症)．＝Wegner disease.

os·te·o·chon·dro·dys·pla·si·a (os′tē-ō-kon′drō-dis-plā′zē-ă)．骨軟骨異形成症．＝camptomelic *syndrome*.

os·te·o·chon·dro·dys·tro·phi·a de·for·mans (os′tē-ō-kon′drō-dis-trō′fē-ă dē-fōr′manz)．変形性骨軟骨形成異常〔症〕，変形性骨軟骨ジストロフィ．＝chondroosteodystrophy.

os·te·o·chon·dro·dys·tro·phy (os′tē-ō-kon′drō-dis′trō-fē)．骨軟骨形成異常〔症〕，骨軟骨ジストロフィ．＝chondro-osteodystrophy.

os·te·o·chon·dro·ma (os′tē-ō-kon-drō′mă) ［osteo- + G. *chondros*, cartilage + *-oma*, tumor］．骨軟骨腫（増殖性軟骨細胞の縁でおおわれた正常骨の茎(皮質から突き出ている)からなる良性軟骨性新生物．骨軟骨腫は軟骨から形成されるいずれの骨からでも発生するが，長骨端近くが最も多く，患者は10—25歳が一般的である．病巣は外傷を受けたり，または大きいものでなければ気づかれないことが多い．多発性骨軟骨腫は遺伝し，遺伝性多発性外骨腫症とみなされている)．＝solitary osteocartilaginous exostosis.

os·te·o·chon·dro·ma·to·sis (os′tē-ō-kon′drō-mă-tō′sis)．骨軟骨腫症．＝hereditary multiple *exostoses* (⇒exostosis)．

synovial o. ＝synovial *chondromatosis*.

os·te·o·chon·dro·sar·co·ma (os′tē-ō-kon′drō-sar-kō′mă) ［osteo- + G. *chondros*, cartilage + *sarx*, flesh + *-oma*, tumor］．骨軟骨肉腫（骨にできる軟骨肉腫．骨の骨肉腫とともに新生軟骨巣を含む骨の肉腫は骨原性骨肉腫として分類される)．

os·te·o·chon·dro·sis (os′tē-ō-kon-drō′sis) ［osteo- + G. *chondros*, cartilage + *-osis*, condition］．骨軟骨症，骨端症（小児における1個以上の骨化中枢の障害群で，変性または無腐性壊死に続いて再骨化の起こるのが特徴．骨端無菌壊死の種々の型が含まれる)．

os·te·o·chon·drous (os′tē-ō-kon′drŭs) ［osteo- + G. *chondros*, cartilage］．＝osseocartilaginous.

os·te·oc·la·sis, os·te·o·cla·sia (os′tē-ok′lă-sis, os′tē-ō-klā′zē-ă) ［osteo- + G. *klasis*, fracture］．骨砕き術（骨の奇形を治療するため人為的に骨折させる法)．＝diaclasis; diaclasia.

os·te·o·clast (os′tē-ō-klast′) ［osteo- + G. *klastos*, broken］．***1*** 破骨細胞（多くの好酸性細胞質をもつ単一細胞の基と考えられる大型多核細胞で，骨細胞の吸収・除去をする)．＝osteophage. ***2*** 砕骨器（奇形骨の治療のため骨を破壊する器械)．

os·te·o·clas·tic (os′tē-ō-klas′tik)．破骨の（破骨細胞，特に骨組織の吸収および除去をする細胞についていう)．

os·te·o·clas·to·ma (os′tē-ō-klas-tō′mă)．骨巨細胞腫，破骨細胞腫．＝giant cell *tumor* of bone.

o. of soft tissue 軟部破骨細胞腫．＝giant cell *tumor* of soft tissue.

os·te·o·cra·ni·um (os′tē-ō-krā′nē-ŭm) ［osteo- + G. *kranion*, skull］．骨化頭蓋（膜性頭蓋の骨化の後，胎児の頭蓋が硬くなっていること)．

os·te·o·cys·to·ma (os′tē-ō-sis-tō′mă)．骨嚢腫．＝solitary bone *cyst*.

os·te·o·cyte (os′tē-ō-sīt′) ［osteo- + G. *kytos*, cell］．骨細胞（骨小腔を埋める骨組織の細胞で，骨細管にのびる細胞形質突起をもつ．この突起はギャップジャンクションによって他の骨細胞の突起と連結している)．＝bone cell; bone corpuscle; osseous cell.

os·te·o·den·tin (os′tē-ō-den′tin) ［osteo- + L. *dens*, tooth］．骨様ぞうげ質（急速に形成された第三ぞうげ質で，その内に取り込まれた線維芽細胞あるいはぞうげ芽細胞を認め，ときにぞうげ細管が存在する．それゆえ，見かけ上は骨に類似する)．

os·te·o·der·ma·to·poi·ki·lo·sis (os′tē-ō-der′mă-tō-poy′ki-lō′sis)．［osteo- + G. *derma*, skin + *poikilos*, dappled- + *-osis*, condition］［MIM*166700］．骨皮膚斑紋症（皮膚病変を伴う骨斑紋症で，最も一般的には大腿および殿部の後面に弾性の線維性小結節を生じる．不完全な常染色体優性遺伝)．＝Buschke-Ollendorf syndrome.

os·te·o·des·mo·sis (os′tē-ō-dez-mō′sis) ［osteo- + G. *desmos*, a band (tendon) + *-osis*, condition］．靱帯骨化，靱帯骨形成（腱が骨組織に変わること)．

os·te·o·di·as·ta·sis (os′tē-ō-dī-as′tă-sis) ［osteo- + G. *diastasis*, a separation］．骨離開（例えば，頭蓋骨などの2個の隣接した骨の離開)．

os·te·o·dyn·i·a (os′tē-ō-din′ē-ă) ［osteo- + G. *odynē*, pain］．＝ostealgia.

os·te·o·dys·plas·ty (os′tē-ō-dis′plas′tē) ［osteo- + G. *dys-*, bad + *plastos*, formed］．骨異形成〔症〕＝Melnick-Needles o.

Melnick-Needles o. (mel′nick nē′dĕlz) ［MIM*309350］．メルニック－ニードルズ骨異形成〔症〕（突出した前頭部と小さな下顎を伴う全身的骨形成異常．X線写真上は，肋骨と管状骨にリボン状の不整なくびれがある．恐らくX連鎖遺伝［MIM*309350］だが，常染色体優性および劣性遺伝［MIM*249420］も示唆されている)．＝Melnick-Needles syndrome; osteodysplasty.

os·te·o·dys·tro·phi·a (os′tē-ō-dis-trō′fē-ă)．骨異栄養〔症〕，骨ジストロフィ．＝osteodystrophy.

os·te·o·dys·tro·phy (os′tē-ō-dis′trō-fē) ［osteo- + G. *dys*, difficult, imperfect + *trophē*, nourishment］．骨形成異常〔症〕，骨ジストロフィ(骨の発育不良)．＝osteodystrophia.

Albright hereditary o. (al′brīt) ［MIM*103580, MIM*300800, MIM*203330］．オールブライト遺伝性骨形成異常〔症〕，オールブライト遺伝性骨ジストロフィ（異所性石灰化・骨化，骨格異常，特に第四中手骨の短縮を伴う遺伝性上皮小体機能亢進症．知能は正常な場合と知能低下の場合とがある．遺伝型には種々あり，常染色体優性型［MIM*103580］は第20染色体長腕のグアニンヌクレオチド結合蛋白遺伝子(*GNAS1*)の突然変異によって起こる．この他に劣性型［MIM*203330］とX連鎖型［MIM*300800］とがある．→

pseudohypoparathyroidism). = Albright syndrome (2).

renal o. 腎性骨形成異常〔症〕, 腎性骨ジストロフィ（全身的骨の変化で，骨軟化症，くる病，線維性骨炎に類似する．慢性腎不全をもつ小児または成人に起こる）.

os·te·o·ec·to·my (os′tē-ō-ek′tŏ-mē). = ostectomy.

os·te·o·e·piph·y·sis (os′tē-ō-e-pif′i-sis). 骨端.

os·te·o·fi·bro·ma (os′tē-ō-fī-brō′mă). 骨線維腫（骨の良性疾患で，恐らく真性の新生物ではなく，主に，かなり密で適当に蜂窩状の線維性結合組織からなり，その中に小さな骨形成巣がある．本症例の大部分，特に上顎骨，下顎骨におけるものは線維骨異形成巣を表す．骨形成巣のある線維疾患の症例の少数例(特に椎体におけるもの)は新生物の場合もある）.

os·te·o·fi·bro·sis (os′tē-ō-fī-brō′sis). 骨線維症（主に赤色骨髄を含む骨の線維症）.

periapical o. 歯根尖〔端〕骨線維症. = periapical cemental *dysplasia.*

os·te·o·gen (os′tē-ō-jen) [osteo- + G. *-gen*, producing]. 骨形成原（骨の基質を生産する組織または層）.

os·te·o·gen·e·sis (os′tē-ō-jen′ĕ-sis) [osteo- + G. *genesis*, production]. 骨形成，骨発生. = osteogeny; osteosis (2); ostosis (2).

distraction o. 伸延骨形成〔術〕（骨を切り，脚延長用の創外固定器により肢を引っ張って骨新生を誘導する手法）.

o. imperfecta (OI) 骨形成不全〔症〕（骨ぜい弱性，ささいな外力による骨折，骨格変形，青色強膜，靱帯弛緩，難聴を特徴とするⅠ型コラーゲン障害による結合組織の疾患．臨床像，X線像，遺伝型式から分類した Silence の分類では4型に分けられる．常染色体優性遺伝で，第17染色体長腕のⅠ型コラーゲンα-1遺伝子(*COL1A1*)か第7染色体長腕のα-2遺伝子(*COL1A2*)のいずれかの突然変異により生じる）. = brittle bones.

o. imperfecta congenita [MIM*166210]. 先天性骨形成不全症（重症なもの［MIM166230］で，骨折が出生前から，または出生時に起こる）.

o. imperfecta tarda 遅発性骨形成不全症（より軽症のもので，小児期後期に起こる）.

o. imperfecta type I [MIM*166200]. 骨形成不全症Ⅰ型（骨形成不全症の軽症型で，青色強膜，聴覚障害，易溢血性，思春期の易骨折性と低身長を特徴とする）.

o. imperfecta type II [MIM*166210]. 骨形成不全症II型（骨形成不全症のうちの周産期致死性型で，死産または生存期間が1年以内である．結合組織が非常にぜい弱で，X線写真上子宮内で骨折がみられ，大きな軟かい頭蓋，小肢，管状の長い骨と数珠状の肋骨がみられる）.

o. imperfecta type III [MIM*259420]. 骨形成不全症III型（骨形成不全症のうち進行性変形型で，骨は高度にもろく，易骨折性で，相対的大頭蓋を伴う三角形顔面，側弯，胸郭変形，四肢弯曲，小人症などの骨格変形がみられる．X線写真上では縫合骨形成を伴う長骨骨幹端部の拡大がみられる．ほとんどの例は常染色体優性遺伝であるが，常染色体劣性遺伝の例も報告されている）.

o. imperfecta type IV [MIM*166220]. 骨形成不全症IV型（骨形成不全症のうちの中等度重症型で，低身長，骨ぜい弱性，歩行開始前での骨折，長骨の弯曲を特徴とする）.

os·te·o·gen·ic, os·te·o·ge·net·ic (os′tē-ō-jen′ik, -jĕ-net′ik). 骨原〔性〕の，骨形成〔性〕の. = osteogenous; osteoplastic (1).

os·te·og·e·nous (os′tē-oj′ĕ-nŭs). = osteogenic.

os·te·og·e·ny (os′tē-oj′ĕ-nē). = osteogenesis.

os·te·og·ra·phy (os′tē-og′ră-fē) [osteo- + G. *graphē*, a writing]. 骨論（骨に関する論文または著述）.

os·te·o·ha·lis·ter·e·sis (os′tē-ō-ha-lis′tĕr-ē′sis) [osteo- + G. *hals*, salt + *sterēsis*, privation]. 骨石灰脱失〔症〕（無機質の吸収または供給不足による骨の軟化）.

os·te·o·hy·per·tro·phy (os′tē-ō-hī-pĕr′trō-fē) [osteo- + G. *hyper-*, over + *trophē*, nourishment]. 骨肥大（骨の発育過度を特徴とする状態）.

os·te·oid (os′tē-oyd) [osteo- + G. *eidos*, resemblance]. ***1*** 〘adj.〙骨状の（骨に関係する，または骨に類似すること）. = ossiform. ***2*** 〘n.〙類骨（石灰化前の新しく形成された有機骨組織）.

os·te·o·lip·o·chon·dro·ma (os′tē-ō-lip′ō-kon-drō′mă) [osteo- + G. *lipos*, fat + *chondros*, cartilage + *-oma*, tumor]. 骨脂肪軟骨腫（軟骨組織の良性新生物で，異形成が起こり，脂肪細胞巣と骨組織が形成される）.

os·te·o·lo·gi·a (os′tē-ō-lō′jē-ă) [L.]. 骨学. = osteology.

os·te·ol·o·gist (os′tē-ol′ŏ-jist). 骨学者（骨学の専門家）.

os·te·ol·o·gy (os′tē-ol′ŏ-jē) [osteo- + G. *logos*, study]. 骨学（骨の解剖学，骨およびその構造を扱う科学）. = osteologia.

os·te·ol·y·sis (os′tē-ol′i-sis) [osteo- + G. *lysis*, dissolution]. 骨溶解（[誤った発音 osteoly′sis を避けること]．骨組織の軟化・吸収・破壊で，破骨細胞の一機能）.

os·te·o·lyt·ic (os′tē-ō-lit′ik). 骨溶解性の.

os·te·o·ma (os′tē-ō′mă) [osteo- + G. *-oma*, tumor]. 骨腫（成熟した，成長の遅い良性の塊．主に層板骨，通常は頭蓋または下顎骨から生じる）.

o. cutis 皮膚骨腫（皮膚の石灰化で，腫瘍中の変性部分や炎症病変の二次的石灰巣のことが多いが，まれには正常皮膚に新しい骨形成が原発性にみられることもある．Albright 遺伝性骨形成異常症にしばしば併発する）.

dental o. 歯骨腫（歯根から生じる外骨腫症）.

giant osteoid o. 巨大類骨骨腫. = osteoblastoma.

o. medullare 髄様骨腫（骨髄の種々の成分がはいった腔を含む骨腫）.

osteoid o. [MIM*259550]. 類骨骨腫（通常は下肢骨，特に10代から20代で大腿骨または脛骨に発生する有痛性の良性新生物．類骨物質，血管に富む骨形成基質，未発達の骨からなる病巣中核(通常は直径1 cm 以下)を特徴とする．病巣中核周囲に比較的広範囲の反応性の骨皮質肥厚がみられる）.

o. spongiosum 海綿様骨腫（主に海綿状骨組織からなる骨腫）.

os·te·o·ma·la·ci·a (os′tē-ō-mă-lā′shē-ă) [osteo- + G. *malakia*, softness]. 骨軟化症（様々な疼痛を伴って徐々に骨が軟化し弯曲することを特徴とする成人の病気．軟化が起こるのは，ビタミンDの欠乏または腎機能不全のために，骨が石灰化していない類骨組織を含んでいるためである．男性よりも女性に多く，しばしば妊娠中に発病する）. = adult rickets; late rickets; rachitis tarda.

骨軟化症の成因
ビタミンD欠乏症
栄養不良(開発途上国やスラム街の住民，菜食主義者，老人)
消化不良による吸収障害(胃摘出後，胆汁の分泌不全，膵機能不全)，消化吸収不全症(スプルー，小腸切除)
紫外線不足によるビタミンD_3の産生減少(小児におけるくる病)
ビタミンD代謝障害
標的組織中の1.25$(OH)_2$Dの受容器の遺伝的欠損
肝臓におけるカルシジオールの産生障害(抗痙攣剤の投与，肝硬変)
腎臓での1-水酸化障害(腎不全，偽性ビタミンD欠乏症，先天性くる病)
リン代謝障害
高リン尿症(リン酸糖尿病，先天性または後天性)
シスチノーシス(先天性または後天性)
腎尿細管アシドーシス
腫瘍誘発性(骨腫瘍や中胚葉由来の腫瘍)
ホスファターゼの障害
低ホスファターゼ血症(先天性，常染色体劣性)

infantile o., juvenile o. 乳児骨軟化症，若年性骨軟化症．＝rickets.

senile o. 老年(老人)性骨軟化症（老年者の骨粗しょう症）．

os·te·o·ma·lac·ic (os′tē-ō-mă-lā′sik). 骨軟化症の．

os·te·o·ma·toid (os′tē-ō′mă-toyd) [osteoma＋G. *eidos*, appearance, form]．類骨腫（骨の過剰発育による異常小結節または小塊．通常，両側性，左右対称で，骨端近接部，特に下肢の長骨に生じる．実際には新生物ではなく異常発育で，皮質が外側に突出している(皮質の上に重なって発育するのではない)．正確には exostosis(外骨腫症)とよばれる)．

os·te·o·mere (os′tē-ō-mēr′) [osteo-＋G. *meros*, a part]．骨節（連続した骨分節の１つ．例えば脊椎）．

os·te·om·e·try (os′tē-om′ĕ-trē) [osteo-＋G. *metron*, measurement]．骨計測〔法〕（種々の骨格の相対的大きさを扱う人体測定学の分野）．

os·te·o·my·e·li·tis (os′tē-ō-mī′ĕ-lī′tis) [osteo-＋G. *myelos*, marrow＋*-itis*, inflammation]．骨髄炎（骨髄およびその隣接骨の炎症）．＝central osteitis (1).

chronic diffuse sclerosing o. 慢性びまん性硬化性骨髄炎（顎の弱い炎症に対する，骨の増殖反応．中年，あるいは高齢の黒人女性によくみられる．しばしば上下顎に両側性のX線不透過像を認める）．

chronic focal sclerosing o. 慢性巣状硬化性骨髄炎（弱い細菌感染に対する骨の反応．組織の抵抗力が強い患者において，しばしば歯のう食病変により発症する．限局性のX線不透過像を生じる）．＝focal condensing osteitis.

Garré o. (gah-rā′). ガレー骨髄炎（増殖性骨膜炎を伴う慢性骨髄炎．中等度の感染の結果，限局性の過剰な骨膜の肥厚を生じ，末梢性に反応性の骨形成を生じる）．

Pseudomonas **o., o. of the temporal bone** ＝malignant external *otitis*.

os·te·o·my·e·lo·dys·pla·si·a (os′tē-ō-mī′ĕ-lō-dis-plā′zē-ă) [osteo-＋G. *myelos*, marrow＋dysplasia]．骨髄形成異常〔症〕，骨髄異形成〔症〕（骨髄腔の拡大，骨組織・血管壁の菲薄化，血管腔の拡大，白血球減少，不規則な発熱が特徴）．

os·te·on, os·te·one (os′tē-on, -ōn) [G. *osteon*, bone]．骨単位，オステオン（緻密骨にみられる毛細血管を含む中心管とその周囲の同心円性骨層板）．＝haversian system.

os·te·on·cus (os′tē-ong′kŭs) [osteo-＋G. *onkos*, bulk(swelling)]．骨腫瘍（骨腫．ときに骨の新生物に関して用いることもある）．

os·te·o·ne·cro·sis (os′tē-ō-nĕ-krō′sis) [osteo-＋G. *nekrōsis*, death]．骨壊死（一塊の骨の壊死で，カリエス(分子死 molecular death)，一般には骨の比較的小さな病巣の壊死をも含めた用語）．

os·te·o·nec·tin (os′tē-ō-nek′tin). オステオネクチン（骨や非鉱質化組織に見出される蛋白(分子量39,000—40,000)で鉱質化に関与する）．

os·te·o·path (os′tē-ō-path). 整骨医．＝osteopathic *physician*.

os·te·o·path·i·a (os′tē-ō-path′ē-ă). オステオパシー，骨障害，骨症．＝osteopathy (1).

o. condensans ＝osteopoikilosis.

o. hemorrhagica infantum 乳児出血性オステオパシー，乳児出血性骨障害．＝infantile *scurvy*.

o. striata 線状オステオパシー，線状骨障害（X線により長骨と扁平骨の骨幹端部にみられる線状の縞紋．オステオポイキリーの変型）．＝Voorhoeve disease.

os·te·o·path·ic (os′tē-ō-path′ik). ***1*** オステオパシーの，骨障害性の，骨症性の．***2*** 整骨治療学の．

os·te·o·pa·thol·o·gy (os′tē-ō-pa-thol′ŏ-jē). 骨病理学．

os·te·op·a·thy (os′tē-op′ă-thē) [osteo-＋G. *pathos*, suffering]．***1*** オステオパシー，骨障害，骨症．＝osteopathia. ***2*** 整骨治療学（医学の一学派で，正常な身体は正しく調整されていれば感染その他の中毒状態を自ら治しうる生きた機械であるという考えに立ち，通常の医学の診断と治療手段に加えて，触診法を用いる）．＝osteopathic medicine.

alimentary o. 食事性骨障害（食事性欠乏による骨の疾患）．

os·te·o·pe·di·on (os′tē-ō-pē′dē-on) [osteo-＋G. *paidion*: *pais*(a child) の指小辞]．lithopedion を表す現在では用いられない語．

os·te·o·pe·ni·a (os′tē-ō-pē′nē-ă) [osteo-＋G. *penia*, poverty]．オステオペニア，骨減少〔症〕（①骨のカルシウム沈着または密度の減少．このような状態のみられるすべての骨格系についていう．原因は不明．②不十分な類骨合成による骨質量の減少）．

os·te·o·per·i·os·ti·tis (os′tē-ō-per′ē-os-tī′tis). 骨骨膜炎（骨膜とその下にある骨の炎症）．

os·te·o·pe·tro·sis (os′tē-ō-pe-trō′sis) [osteo-＋G. *petra*, stone＋*-osis*, condition] [MIM*166600]．大理石骨病（長管骨に好発し，肥厚した海綿骨と石灰化軟骨の過剰生産がその病態で，骨髄腔が閉塞し貧血を惹起する．骨髄様化生および肝脾腫大を伴い，幼児期より発症する骨のぜい弱性，進行性難聴および盲を伴う．常染色体優性の遺伝形式をとるが，常染色体劣性型の遺伝形式をとる軽症型 [MIM*259710]，重症型 [MIM*259700]，致死型 [MIM*259720]，さらにはときに尿細管欠損を伴うもの [MIM*259730] がある．より軽症の，常染色体優性型は小児期に発症し，神経学的合併症は伴わない）．＝Albers-Schönberg disease; marble bone disease; marble bones.

o. acroosteolytica ＝pyknodysostosis.

o. with renal tubular acidosis [MIM*259370]．腎尿細管性アシドーシスを伴う大理石病．＝carbonic anhydrase II deficiency *syndrome*.

os·te·o·pe·trot·ic (os′tē-ō-pe-trot′ik). 大理石骨病の．

os·te·o·phage (os′tē-ō-fāj) [osteo-＋G. *phagō*, to eat]．＝osteoclast (1).

os·te·o·phle·bi·tis (os′tē-ō-fle-bī′tis) [osteo-＋G. *phleps*, vein＋*-itis*, inflammation]．骨静脈炎．

os·te·oph·o·ny (os′tē-of′ō-nē). 骨伝導．＝bone *conduction*.

os·te·o·phyte (os′tē-ō-fit) [osteo-＋G. *phyton*, plant]．骨増殖体，骨棘（骨性の突出または隆起）．

os·te·o·plaque (os′tē-ō-plak) [osteo-＋Fr. *plaque*, plate]．骨層板．

os·te·o·plast (os′tē-ō-plast) [osteo-＋G. *plastos*, formed]．＝osteoblast.

os·te·o·plas·tic (os′tē-ō-plas′tik). ***1*** 骨形成〔性〕の．＝osteogenic. ***2*** 骨形成〔術〕の．

os·te·o·plas·ty (os′tē-ō-plas′tē) [osteo-＋G. *plastos*, formed]．骨形成〔術〕（①骨の修復形成術．＝bone grafting. ②歯科において，適切な歯肉の豊隆を得るために骨組織を切除すること）．

os·te·o·poi·ki·lo·sis (os′tē-ō-poy′ki-lō′sis) [osteo-＋G. *poikilos*, dappled＋*-osis*, condition] [MIM*166700]．オステオポイキリー，骨斑紋症（斑状骨で，海綿質に広がった緻密骨の小病巣に生じる．常染色体優性遺伝．→*osteopathia* striata; dermatofibrosis lenticularis disseminata)．＝osteopathia condensans.

os·te·o·pon·in (os′tē-ō-pon′in). オステロポニン（骨芽細胞によって産生される機能の不明な蛋白）．

os·te·o·pon·tin (os′tē-ō-pon′tin). オステオポンチン（分泌リン蛋白で，多くの上皮細胞株によって生産され，高負荷電であり，しばしば鉱質化に関与している．血漿，尿，乳，胆汁中に見出される．形質転換細胞ではオステオポンチンの生成量が増加する）．＝bone sialoprotein 1.

---

os·te·o·po·ro·sis (os′tē-ō-pō-rō′sis) [osteo-＋G. *poros*, pore＋*-osis*, condition]．骨粗しょう(鬆)症，オステオポローシス（骨量の減少または骨格組織の萎縮を呈する疾患．骨折の罹患率の増加につながる骨量の減少と正常の骨微細構造の消失を特徴とする加齢性疾患．次頁の図参照）．

骨粗しょう症は 2,000 万米国人にみられ，その 80 %が女性で，米国では治療費用として年間約 138 億ドルを要している．骨粗しょう症に起因する骨折は 45 歳以上の人で毎年約 130 万件起こっており，これは 50 歳以上の女性に起こる骨折の 50 %に相当する．骨折はすべての骨にみられるが，最も多い骨折は椎体の圧迫骨折と外傷性の手関節と大腿骨頸部の骨折である．身長の減少と後弯症の出現のみが椎体圧潰の徴候であることがある．高齢者における骨折はしばしば移動能力と独立性の喪失，社会からの疎外，さらなる転倒と骨折の恐怖，うつ病を引き起こす．股関節部骨折後は，高齢者のほとんどが正常な活動性を回復することはできず，１年以内の死亡率

O

は20％に達する．骨粗しょう症は骨吸収が骨形成をしのぐ場合に生じる．骨粗しょう症を起こす根元的な機構は複雑であり，恐らく多種多様である．骨は細胞外液中のカルシウムとリン酸塩の濃度を維持するために吸収と形成を繰り返し行う，すなわち再造形を恒常的に行っている．カルシウム濃度が減少すると上皮小体ホルモンの分泌が増加し，このホルモンは血清中カルシウムレベルを正常に戻すために，破骨細胞を刺激して骨吸収を起こす．骨量は年齢とともに減少し，性，人種，閉経，体重/身長比に影響を受ける．腸管や腎機能とともに飲食物中のカルシウムとビタミンDの摂取量がカルシウムとリン酸塩のホメオスタシスに関係する．骨粗しょう症になるリスクは閉経後女性が最も高い．アジア人と白人，低体重，カルシウム摂取不足，運動不足，アルコール摂取，喫煙はそれぞれ骨粗しょう症の危険因子である．加齢に伴って起こるビタミンD_3レベルの減少はカルシウム吸収不良を生じ，続いて骨吸収を促進する．エストロゲン欠乏は骨の吸収因子への感度を上昇させることにより骨吸収を増悪させる．激しい体育活動と食事制限あるいは摂食障害の結果無月経になった女性運動選手は骨粗しょう症の危険性がある．骨の形成と吸収は体重や運動などの外的身体因子にも影響を受ける．不動と長期臥床は急激な骨量喪失をもたらし，一方，荷重，抵抗運動や高度の衝撃運動を含めた運動は骨喪失を減少させるとともに骨量を増加させることがわかっている．男性における骨粗しょう症の危険因子はアルコール症，慢性肺疾患，性腺機能低下症，関節リウマチと可動性を制限するその他の疾患である．骨粗しょう症は嚢胞性線維症の青年と長期間の甲状腺ホルモンかステロイド治療を受けている患者によくみられる．一次性骨粗しょう症の診断は，過度の骨減少の原因が明らかなものを除外した後，骨密度減少の証明により確定する．骨密度評価は現在65歳以上の女性すべてと骨粗しょう症のリスクが高い若年女性にすすめられる．X線写真は骨量減少の指標としては感度が低い．その理由はX線写真で骨量減少が認識されるには骨密度が少なくとも20—30％減少している必要があるからである．標準的診断手法は単一光子吸収法(SPA)による超遠位および骨幹部の橈骨と二重エネルギーX線吸収法(DEXA)による股関節と腰椎での骨密度測定(BMD)である．世界保健機関(WHO)は骨粗しょう症をBMDが健康閉経前女性の平均より2.5標準偏差(SD)以上低い人，骨量低下を1—2.5 SD低下している人と定義している．骨粗しょう症による骨折の予測において，定量的超音波法は近年DEXAによる骨密度測定に匹敵する．骨粗しょう症の治療の最終目標は骨折の危険性のある患者で骨折を予防することである．カルシウム，ビタミンD，エストロゲン，ビスホスホネート，カルシトニン，ラロキシフェンなどの薬剤の適切な投与時期と使用法，および運動の役割についてはたくさんの研究がなされているが，まだかなり議論のあるところで結論は出ていない．適当量のカルシウムとビタミンDの摂取と持続的な適度の体重負荷運動はあらゆる年齢の人にとって基本的な骨折予防法である．骨密度が明らかに減少している人は毎日カルシウムを1,200—1,500 mg，ビタミンDを400—800 IU摂取すべきである．閉経時および閉経後にエストロゲンを投与することは骨量減少を単に止めるのでなく，実際に骨量を増加させる．しかし，エストロゲンによるホルモン置換療法が閉経後女性の骨折の危険性を減少させるという実験的証拠は現在のところない．エストロゲン治療の考えられる利点は子宮内膜増殖症と子宮内膜癌の発症(プロゲステロンの同時投与により相殺できる)，心筋梗塞，脳卒中，浸潤性乳癌，静脈血栓塞栓症と胆嚢疾患の危険性の増加よりも重要視すべきである．エストロゲン受容体の選択的調節物質であるラロキシフェンは骨粗しょう症を予防できることが証明されている．これはエストロゲンに比べ骨量維持の点で劣るが，子宮内膜増殖症は生じない．カルシトニンは注射または鼻腔噴霧により投与されるが，骨吸収を阻害する．alendronateやetidronateなどのビスホスホネートは骨結晶体と結合し，それらの酵素による加水分解を抑え，破骨細胞の作用を抑制することにより骨密度を増加させることが証明されている．ヒト副甲状腺ホルモンの生物学的活生部分の合成物であるペソパラティドは他の薬剤と異なり，骨粗しょう症において骨形成を真に刺激する．高齢者においては転倒予防の対策が重要である．→ estrogen replacement *therapy*; raloxifene.

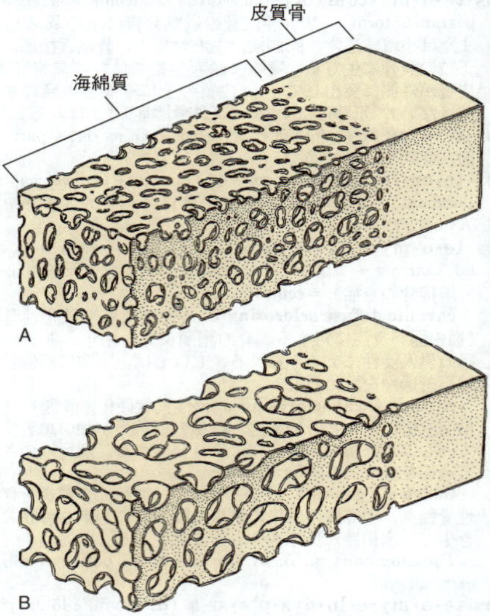

osteoporosis
A：正常．B：骨粗しょう(鬆)症の骨．

o. circumscripta cranii 頭蓋限局性骨粗しょう(鬆)症（限局性の頭蓋骨粗しょう症で，しばしばPaget病でみられる）．

juvenile o. [MIM*259750]．若年性骨粗しょう(鬆)症（本態性の骨粗しょう症で，思春期前に発症し，疼痛または骨折が起こり，2，3年のうちに自然寛解する）．

posttraumatic o. 外傷後骨粗しょう(鬆)症．＝Sudeck *atrophy*.

os·te·o·po·rot·ic (os′tē-ō-pŏ-rot′ik). 骨粗しょう(鬆)症の，オステオポローシスの．

os·te·o·pro·teg·er·in (OPG) (os′tē-ō-prō-tej′ĕr-in) [osteo- + L. *protego*, *protegere*, to protect + -in]. オステオプロテゲリン（若年性発症のPaget病で欠損している骨ミネラルの代謝回転を抑制するポリペプチド）．

os·te·o·ra·di·ol·o·gist (os′tē-ō-rā′dē-ol′ŏ-jist) [osteo- + radiologist]．骨放射線科医．

os·te·o·ra·di·ol·o·gy (os′tē-ō-rā′dē-ol′ŏ-jē). 骨放射線学（骨系統の放射線診断に携わる臨床の専門分野）．

os·te·o·ra·di·o·ne·cro·sis (os′tē-ō-rā′dē-ō-ne-krō′sis) [osteo- + radionecrosis]．骨放射線壊死（電離線により生じる骨の壊死．意図的に壊死を起こさせる場合と，結果的に生じるものとがある）．

os·te·or·rha·phy (os′tē-ōr′ă-fē) [osteo- + G. *rhaphē*, suture]．骨縫合［術］（砕けた骨の破片を集めて針金接合すること）．＝osteosuture.

os·te·o·sar·co·ma (os′tē-ō-sar-kō′mă). 骨肉腫．＝osteogenic *sarcoma*.

parosteal o. 傍骨性骨肉腫（骨表面に生じ，骨髄を侵さない悪性度の低い肉腫．20—30歳代の女性の大腿骨遠位部に高度の化骨を伴った腫瘤としてみられることが多い）．

periosteal o. 骨膜性骨肉腫（軟骨芽肉腫．骨表面に生じ，骨髄を侵さない．成人，青年に多く，骨欠損と周囲軟部組織に伸びる骨棘を呈する．組織学的に中—高度の分化を示し，軟骨組織は分葉化されている）．

os·te·o·scle·ro·sis (os′tē-ō-skle-rō′sis) [osteo- + G. *sklē-*

rōsis, hardness]. 骨硬化〔症〕(骨の異常硬化または化骨性骨炎).

os・te・o・scle・rot・ic (os′tē-ō-skle-rot′ik). 骨硬化〔性〕の.

os・te・o・sis (os′tē-ō′sis) [osteo- + G. *-osis*, condition]. ***1*** 骨化症(骨の病的隆起). = ostosis (1). ***2*** = osteogenesis.

parathyroid o. 上皮小体性骨化症. = *osteitis* fibrosa cystica.

renal fibrocystic o. = renal *rickets*.

os・te・o・spon・gi・o・ma (os′tē-ō-spŏn′jē-ō′mă) [osteo- + G. *spongos*, sponge + *-oma*, tumor]. 骨海綿腫(皮質が薄くなり細分化(軟化)する, 骨の新生物を意味する一般的な非特異的用語).

os・te・o・ste・a・to・ma (os′tē-ō-stē′ă-tō′mă) [osteo- + G. *stear*, suet, fat + *-oma*, tumor]. 骨脂肪腫(良性腫瘍で, 通常は脂肪腫や脂肪嚢腫であり, 中に骨成分の小病巣がある).

os・te・o・su・ture (os′tē-ō-sū′chur). = osteorrhaphy.

os・te・o・syn・the・sis (os′tē-ō-sin′thē′sis). 骨接合〔術〕(器材(例えば, ピン, 螺子, 棒, プレート)を用いて骨折を内固定すること).

os・te・o・throm・bo・sis (os′tē-ō-throm-bō′sis). 骨血栓症(1本以上の骨の静脈の血栓症).

os・te・o・tome (os′tē-ō-tōm) [osteo- + G. *tomē*, incision]. 骨切りのみ, 骨刀(骨を切るのに用いる器具).

os・te・ot・o・my (os′tē-ot′ŏ-mē) [osteo- + G. *tomē*, incision]. 骨切り術(通常, のこぎりや, 骨切りのみを用いて骨を切ること).

"C" sliding o. C字形スライド骨切り術(下顎後退症または開咬の矯正のため, 両側下顎枝にC字型に行われる口腔外からの骨切り術).

Dwyer o. (dwī′ĕr). ドワイヤー式骨切り術(内反足に対する手術法).

horizontal o. 水平骨切り術(おとがい形成術のために口腔内で行われる骨切り術. 固定されていない部分を移動させて下顎骨前下部を前方あるいは後方へ移動させる).

Le Fort o. (lĕ fōrt′). ル・フォール骨切り術(上顎骨の変形や偏位を矯正するために, Le Fort によって提唱された古典的な骨切り線に従って行われる骨切り術. その位置によって, Le Fort の I 型(上顎骨下部), II 型(鼻骨眼窩上顎骨錐体部), あるいは III型(上顎骨上部)に分類される).

sagittal split mandibular o. 矢状分割下顎骨切り術(下顎後退症, 開咬, および上顎前突症の矯正のため, 口腔内から行う外科的手術の1つ. 下顎枝および後方の下顎体部は矢状面で分割される).

segmental alveolar o. 分節歯槽骨切り術(歯槽と歯の配列変更のため, 歯を含む歯槽骨の分節を歯間と根尖部とで切断する口腔内の外科的手技. 下顎でも上顎でも施行されうるし, 骨切除を一緒に行うこともある).

sliding oblique o. スライド斜方骨切り術(下顎前突症の矯正において, 下顎骨の後方移動を容易にするために, S字切痕から下顎角を通る線で下顎枝を切る口腔内の外科的一手技. 口腔内からも口腔外からも行いうる. 垂直骨切り術に類似している).

vertical o. 垂直骨切り術(スライド斜方骨切り術に類似した口腔外科手技の1つ).

os・te・o・tribe (os′tē-ō-trīb′) [osteo- + G. *tribō*, to bruise, to grind down]. 骨鑷子(壊死骨または骨疽の骨片を砕くために以前用いられた器械で, 現在では用いられない).

os・te・o・trite (os′tē-ō-trīt′) [osteo- + L. *tritus*, a grinding, a wearing off]. 鋭匙(刃のある, 円錐形またはオリーブ状の先端をもつ器具で, 現在では用いられない. 歯科のバーに似ていて, 腐骨の除去に用いる).

os・te・ot・ro・phy (os′tē-ot′rŏ-fē) [osteo- + G. *trophē*, nourishment]. 骨栄養(骨組織の栄養).

os・te・o・tym・pan・ic (os′tē-ō-tim-pan′ik) [osteo- + G. *tympanon*, drum]. = otocranial.

os・ti・a (os′tē-ă) [L.]. ostium の複数形.

os・ti・al (os′tē-ăl). 口の([osteal と混同しないこと]).

os・ti・tic (os-tī′tik). = osteitic.

os・ti・tis (os-tī′tis). = osteitis.

os・ti・um, pl. **os・ti・a** (os′tē-ŭm, -ă) [L. door, entrance, mouth] [TA]. 口(特に陥凹臓器または管への開口. →orifice; opening; os; mouth (2)).

o. abdominale tubae uterinae [TA]. 卵管腹腔口. = abdominal o. of uterine tube.

abdominal o. of uterine tube [TA]. 卵管腹腔口(卵管采をもつ卵巣端の部分). = o. abdominale tubae uterinae [TA].

o. anatomicum [TA]. = anatomical internal *os* of uterus.

o. aortae [TA]. 大動脈口. = aortic *orifice*.

aortic o. 大動脈口. = aortic *orifice*.

o. appendicis vermiformis [TA]. 虫垂口. = *orifice* of vermiform appendix.

o. arteriosum 動脈口. = left atrioventricular *orifice*.

o. atrioventriculare dextrum [TA]. 右房室口. = right atrioventricular *orifice*.

o. atrioventriculare sinistrum [TA]. 左房室口. = left atrioventricular *orifice*.

o. cardiacum [TA]. 噴門口. = cardiac *orifice*.

o. histologicum [TA]. = histological internal *os* of uterus.

o. ileale [TA]. = ileal *orifice*.

o. ileocecale 回盲口. = ileal *orifice*.

o. internum 内子宮口. = uterine o. of uterine tubes.

o. pharyngeum tubae auditivae [TA]. 耳管咽頭口. = pharyngeal *opening* of pharyngotympanic (auditory) tube.

o. pharyngeum tubae auditoriae* pharyngeal *opening* of pharyngotympanic (auditory) tube の公式の別名.

o. primum 一次口. = interatrial *foramen* primum.

o. pyloricum [TA]. 幽門口. = pyloric *orifice*.

o. secundum 二次口. = interatrial *foramen* secundum.

o. sinus coronarii [TA]. = *opening* of coronary sinus.

o. trunci pulmonalis [TA]. 肺動脈口. = *opening* of pulmonary trunk.

o. tympanicum tubae auditivae [TA]. 耳管鼓室口. = tympanic *opening* of pharyngotympanic (auditory) tube.

o. ureteris [TA]. 尿管口. = ureteric *orifice*.

o. urethrae externum [TA]. 外尿道口. = external urethral *orifice*.

o. urethrae internum [TA]. 内尿道口. = internal urethral *orifice*.

o. urethrae internum accipiens [TA]. = filling internal urethral *orifice*.

o. urethrae internum evacuans [TA]. = voiding internal urethral *orifice*.

o. uteri [TA]. 〔外〕子宮口. = external *os* of uterus.

o. uteri externum = external *os* of uterus.

o. uteri internum 内子宮口. = *isthmus* of uterus.

uterine o. of uterine tubes [TA]. 卵管子宮口(卵管の子宮腔への開口). = o. uterinum tubae uterinae [TA]; o. internum; uterine opening of uterine tubes.

o. uterinum tubae uterinae [TA]. 卵管子宮口. = uterine o. of uterine tubes.

o. vaginae [TA]. 膣口. = vaginal *orifice*.

o. venae cavae inferioris [TA]. 下大静脈口. = *opening* of inferior vena cava.

o. venae cavae superioris [TA]. 上大静脈口. = *opening* of superior vena cava.

ostia venarum pulmonalium [TA]. 肺静脈口. = *openings* of pulmonary veins.

o. venosum cordis = right atrioventricular *orifice*.

o. of vermiform appendix 虫垂口(虫垂の盲腸への開口). = *orifice* of vermiform appendix.

os・to・mate (os′tō-māt) [L. *ostium*, mouth]. 人工瘻をもつ人.

os・to・my (os′tŏ-mē) [L. *ostium*, mouth]. オストミー(①尿路, 消化管, 気管などへの, 人工的な瘻孔. ②2つの中空臓器の間, あるいは気管瘻のように中空臓器と皮膚との間に永久瘻をつくる手術).

-ostomy →-stomy.

os・to・sis (os-tō′sis). ***1*** = osteosis (1). ***2*** = osteogenesis.

os・tra・ceous (os-trā′shŭs) [*Ostraeacea*, カキを含む一群]. カキ殻状の(乾癬においてみられる鱗屑の積み重なったものについていう).

os・tre・o・tox・ism (os′trē-ō-tok′sizm) [G. *ostreon*, oyster + *toxikon*, poison]. カキ中毒〔症〕(感染または汚染したカキ

O

を食べることにより起こる中毒).

Ostwald (ost′wahld), Friedrich Wilhelm. ドイツ人物理化学者・ノーベル賞受賞者，1853—1932. →O. solubility *coefficient*.

OT occupational therapist; occupational therapy; Koch old *tuberculin* の略.

ot- [G. *ous*]. 耳に関する連結形. →auri-.

Ota (ō′tah), Masao T. 日本人皮膚病理学者，1885—1945. →O. *nevus*.

o·tal·gi·a (ō-tal′jē-ă) [ot- + G. *algos*, pain]. 耳痛. =earache.

geniculate o. 膝状体性耳痛. =geniculate *neuralgia*.

reflex o. 反射性耳痛 (他の部分(最も一般的なのは歯，上顎洞，扁桃，咽頭，喉頭)における疾患からくる耳の痛み).

o·tal·gic (ō-tal′jik). ***1*** 〚adj.〛 耳痛の. ***2*** 〚n.〛 耳痛の治療薬.

OTC 処方箋なしで入手できる薬物に関する，*over the counter* の略.

oth·er-di·rect·ed (odh′ĕr-di-rek′tĕd). 外部志向の (他人の態度に容易に影響を受ける人についていう).

o·tic (ō′tik) [G. *otikos* < *ous*, ear]. 耳の.

O·tis (ō′tis), Arthur Brooks. 米国人呼吸生理学者，1913—? →Rahn-O. *sample*.

o·tit·ic (ō-tit′ik). 耳炎の.

o·ti·tis (ō-tī′tis) [ot- + G. *-itis*, inflammation]. 耳炎.

adhesive o. 癒着性中耳炎 (長期の耳管機能障害の結果，鼓膜が永続的に陥凹し，鼓室が閉塞状態になることにより生じる中耳の炎症).

o. desquamativa 落屑性耳炎 (硬くなった落屑が多量にみられる外耳炎).

o. externa 外耳炎 (外耳道の炎症). =swimmer's ear.

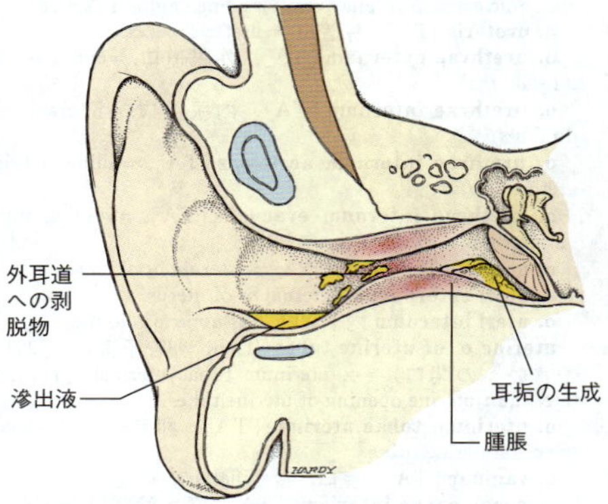

otitis externa

o. interna 内耳炎. =labyrinthitis.

malignant external o. 悪性外耳道炎 (老年者の糖尿病患者でみられる *Pseudomonas*属による側頭骨骨髄炎であり致死的となりうる. 疼痛，外耳道腫脹，外耳道からの滲出液といった症状を呈する). =*Pseudomonas* osteomyelitis; osteomyelitis of the temporal bone.

o. media 中耳炎 (中耳または鼓室の炎症).

reflux o. media 逆流性中耳炎 (耳管経由で流入する摂取された液体(通常はミルク)や鼻咽腔の分泌物によって生じる中耳炎).

secretory o. media =middle-ear *effusion*.

serous o. media 漿液性耳炎. =middle-ear *effusion*.

oto- [G. *ous*]. 耳を意味する連結形. →auri-.

o·to·a·cous·tic (ō′tō-a-kū′stik). 耳音響の (内耳より出される非常にかすかな音についていう. 蝸牛での機械的な振動を表すと考えられる).

o·to·bi·o·sis (ō′tō-bī-ō′sis). オトビウス症 (ウシ，ウマ，ネコ，イヌ，シカ，コヨーテ，その他の家畜および野生動物の外耳道にヒメダニ科に属する *Otobius megnini* の幼虫と特徴

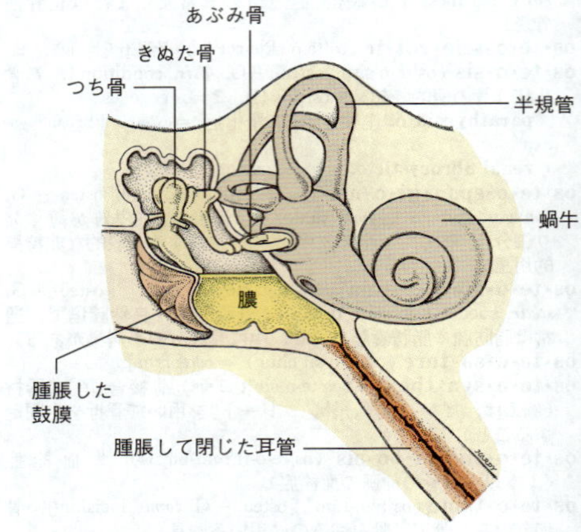

otitis media

のあるとげをもった若虫が存在する. これらは，さなぎになって成熟するまでの数か月間，耳の中にとどまっている. ヒトの感染例も報告されている).

O·to·bi·us (ō-tō′bē-ŭs). オトビウス属 (カズキダニ属 *Ornithodoros* に類似したヒメダニ科の一属. 特徴として粒状外皮，および成虫では痕跡的であるが，とげのある幼虫ではよく発達している口下片があり，また根とフードがない. *O. lagophilus*(ウサギの顔に寄生するダニ)と *O. megnini* の2種が知られている. *O. megnini* は，ウマ，ウシ，ヒツジ，イヌ，その他の野生動物にオトビウス症を起こす棘状の耳ダニである. 本属は米国南西部にみられ，重要な害虫となっているが，世界各地にも分布している).

o·to·ceph·a·ly (ō′tō-sef′ă-lē) [oto- + G. *kephalē*, head]. 耳頭症 (下顎が著しく欠損(小下顎症または無顎症)しており，頸の前面で耳が結合または接近(合耳症)している奇形).

o·to·cer·e·bri·tis (ō′tō-ser′ĕ-brī′tis). =otoencephalitis.

o·to·co·ni·a, sing. **oto·co·ni·um** (ō′to-kō′nē-ă, -ŭm). 平衡砂. =otoliths.

o·to·cra·ni·al (ō′tō-krā′nē-ăl). 頭蓋骨耳部の，耳頭蓋の. =osteotympanic.

o·to·cra·ni·um (ō′tō-krā′nē-ŭm) [oto- + G. *kranion*, cranium]. 頭蓋骨耳部，耳頭蓋 (内耳および中耳を包む骨で，側頭骨の錐体をなす部分).

o·to·cyst (ō′tō-sist) [oto- + G. *kystis*, a bladder]. ***1*** 耳胞 (胚期の耳の小胞). ***2*** 平衡胞 (ある種の無脊椎動物がもつ哺乳類の卵形嚢に似た平衡調節器官. 中に石灰性粒子(平衡石)を含む).

O·to·dec·tes (ō′tō-dek′tēz) [oto- + *dektēs*, beggar, receiver]. ミミヒゼンダニ属 (キュウセンヒゼンダニ科の一属で，イヌ，ネコ，その他の肉食動物においてミミダニの家畜疥癬の原因となる，単一種のミミヒゼンダニ *O. cynotis* からなる. この種は生存中ずっと宿主の耳の中で過ごし(体表に出ることはまれ)，表皮汚物を食べて生きている. 感染した耳の掻爬した痂皮から発見される).

o·to·dec·tic (ō′tō-dek′tik). ミミヒゼンダニ属の (ミミヒゼンダニ属 *Otodectes* に関する，またはそれによって引き起こされる).

o·to·dyn·i·a (ō′tō-din′ē-ă) [oto- + G. *odynē*, pain]. 耳痛. =earache.

o·to·en·ceph·a·li·tis (ō′tō-en-sef′ă-lī′tis) [oto- + G. *enkephalos*, brain + *-itis*, inflammation]. 耳性脳炎 (中耳および乳突蜂巣から波及した脳の炎症). =otocerebritis.

OTOF DFNB9 遺伝子の遺伝子シンボル.

o·to·gang·li·on (ō′tō-gang′glē-on). 耳神経節. =otic *ganglion*.

o·to·gen·ic, otog·e·nous (ō′tō-jen′ik, ō-toj′ĕ-nŭs) [oto- + G. *-gen*, producing]. 耳原[性]の，耳性の (耳に原因する. 耳の中，特に耳の炎症を原因とするものについていう).

o·to·lar·yn·gol·o·gist (ō′tō-lar′ing-gol′ŏ-jist). 耳鼻咽喉科医.

o·to·lar·yn·gol·o·gy (ō′tō-lar′ing-gol′ŏ-jē) [oto- + G. *larynx* + *logos*, study]. 耳鼻咽喉科学（耳・咽頭・喉頭の疾患を専門とし，上気道，および頭頸部，気管気管支系，食道の多くの疾患が含まれることが多い）.

o·to·lith·ic (ō-tō-lith′ik). 耳石の（耳石に関する）.

o·to·liths, oto·lites (ō′tō-lĭths, ō′tō-līt-is) [oto- + G. *lithos*, stone][TA]. 平衡砂（耳の卵形嚢斑および球形嚢斑のゼラチン状膜に付着する炭酸カルシウムと蛋白の結晶状粒子）. =statoconia [TA]; statoconium [TA]; ear crystals; otoconia; statoliths.

o·to·log·ic (ō′tō-loj′ik). 耳科学の.

o·tol·o·gist (ō-tol′ŏ-jist). 耳科医（耳科学の専門家）.

o·tol·o·gy (ō-tol′ŏ-jē) [oto- + G. *logos*, study]. 耳科学（耳および関連構造体の疾患の研究，診断，治療に関する医学分野）.

o·to·mu·cor·my·co·sis (ō′tō-myū′kōr-mī-kō′sis). 耳毛菌症，耳ケカビ症.

-otomy →-tomy.

o·to·my·co·sis (ō′tō-mī-kō′sis). 耳真菌症，オトミコーシス（真菌が外耳道の耳垢や脱落した細胞中にみられる感染症．通常は片側性で，初期の症状として落屑を伴うかゆみ，疼痛がある．真菌は組織に侵入せず病原性は低い）.

o·to·neu·ral·gi·a (ō′tō-nū-ral′jē-ă) [oto- + G. *neuron*, nerve + *algos*, pain]. 耳神経痛（神経痛による耳痛で，炎症によるものではない）.

o·to·pal·a·to·dig·i·tal (ō′tō-pal′ă-tō-dij′i-tăl). 耳口蓋指の（耳，口蓋，指についていう）.

o·top·a·thy (ō-top′ă-thē) [oto- + G. *pathos*, suffering]. 耳病.

o·to·pha·ryn·ge·al (ō′tō-fa-rin′jē-ăl). 耳咽頭の（中耳と咽頭に関する）.

o·to·plas·ty (ō′tō-plas′tē) [oto- + G. *plastos*, formed]. 耳形成〔術〕（耳の修復または再建）.

o·to·rhi·no·lar·yn·gol·o·gy (ō′tō-rī′nō-lar′ing-golŏ-jē) [oto- + G. *rhis*, nose + *larynx*, larynx + *logos*, study]. 耳鼻咽喉科学（耳，鼻，咽頭，喉頭の疾患を併せた学問の専門分野．頭頸部，気管気管支，食道の疾患を包括する.→otolaryngology）.

o·tor·rhe·a (ō-tō-rē′ă) [oto- + G. *rhoia*, flow]. 耳漏（耳からの排泄）.

cerebrospinal fluid o. 脳脊髄液耳漏（脳脊髄液の外耳道から，または耳管から鼻咽頭への排泄）.

o·to·sal·pinx (ō′tō-sal′pingks) [oto- + G. *salpinx*, trumpet]. 耳管. =pharyngotympanic (auditory) *tube*.

o·to·scle·ro·sis (ō′tō-sklĕ-rō′sis) [oto- + G. *sklērōsis*, hardening][MIM*166800]. 耳硬化〔症〕（耳胞(骨性迷路)の疾患で，軟らかい，血管性の骨の形成と，その結果としてあぶみ骨の固着による進行性伝音難聴と蝸牛管の障害による感音難聴を特徴とする）.

o·to·scope (ō′tō-skōp) [oto- + G. *skopeō*, to view]. 耳鏡，オトスコープ，耳聴管（耳を検査する器械）.

Siegle o. (zē′gĕl). ジーグレ耳鏡（球の付いた耳鏡で，その球により外耳道内の気圧を変えることができ，鼓膜が無傷であれば，観察しながら運動を鼓膜に伝えうる）.

o·tos·co·py (ō-tos′kŏ-pē) [oto- + G. *skopeō*, to view]. 耳鏡検査〔法〕，検耳〔法〕（耳，特に鼓膜の視診）.

pneumatic o. 気密耳鏡検査法（鼓膜に対する気圧を変化できる装置を用いた耳検査法．鼓膜の可動性は正常な中耳のコンプライアンスを示唆する．可動性の欠如は，中耳に液体がたまったようなインピーダンスの増加や鼓膜の穿孔を示す）.

o·to·spon·gi·o·sis (ō′tō-spŏn′jē-ō′sis). 耳海綿化症（耳硬化症を病理学的な変化に基づいて，より正確に表す名称）.

o·tos·te·al (ō-tos′tē-ăl) [oto- + G. *osteon*, bone]. 耳小骨の.

o·to·tox·ic (ō′tō-tok′sik). 耳毒性の.

o·to·tox·ic·i·ty (ō′tō-tok-sis′i-tē) [oto- + G. *toxikon*, poison]. 聴器毒性，耳毒性（耳に対して有害な性質）.

familial aminoglycoside o. 家族性アミノ配糖体聴器毒性（ミトコンドリア遺伝子の変異が原因で生じるアミノ配糖体投与により感音性難聴になりやすい遺伝的性質）.

Ot·to (ot′ō), Adolph W. ドイツ人外科医，1786—1845. →O. *pelvis, disease*.

Ot·to, Friedrich Julius. ドイツ人化学者，1809 — 1870. →Stas-Otto *method*.

ot·to of rose (ot′ō rōz). バラ油. =*oil* of rose.

Ot·to·son (ot′ŏ-sŏn), David. 20世紀のスウェーデン人生理学者. →O. *potential*.

O

O.U. [多くの参考書にみられる oculi unitas を表す本略号についての非文法的解説には歴史的根拠がまったくない．JCAHO は，類似した略号との混同を避けるために each eye または both eyes と完全表記するように指導している]．ラテン語 *oculus uterque*(左右眼，両眼)の略.

oua·ba·gen·in (wah′bă-jen′in). ウアバゲニン（強心配糖体であるウアバインを加水分解して得られるアグリコン．心毒性を有する）.

oua·ba·in (wah-bin, wah′bah-in). ウアバイン（*Acocanthera ouabaio* の木または *Strophanthus gratus* の種子から得られる ouabaio の配糖体．アフリカ原住民の矢毒．その作用は質的に *Strophanthus*属と *Digitalis*属の配糖体のものと同一．急速なジギタリス適用に用いる．水溶性のためしばしば薬理学的研究に用いられる）.

Ouch·ter·lo·ny, Orjan. 20世紀のスウェーデン人細菌学者. →O. *method, technique, test*.

oul- この形で始まる語は ulo- の項参照.

ounce (oz.) (owns) [L. *uncia*,（1 ポンドまたは 1 フートの)1/12，インチも意味する]．オンス（調剤度量衡法では 480 グレーン(1/12 ポンド)，常衡法では 437.5 グレーン(1/16 ポンド)．調剤オンス(USP)は 8 ドラムで，31.10349 g に相当する．常衡法オンスは 28.35 g）.

-ous *1* 化学において，原子価の低いほうの元素の名に付く接尾語. *cf*. -ic (1). *2* [L. *-osus*, full of, abounding]. 多くの量をもつことを意味する接尾語.

out·let (owt′let) [TA]. 出口，排出口（→aperture）.

pelvic o. [TA]. 骨盤下口（前方は恥骨弓，側方は坐骨板と左右の仙結節靱帯，後方はこの靱帯と尾骨尖が境界をなす小骨盤の下口）. =apertura pelvis inferior [TA]; apertura pelvis minoris; fourth parallel pelvic plane; inferior pelvic aperture; pelvic plane of outlet; plane of outlet.

thoracic o. *1* =inferior thoracic *aperture*. *2* =superior thoracic *aperture*.

out·li·er (owt′lē-ĕr). アウトライヤー，域外値（結論を正当化するにあたって，大きな誤差が生じたか，または異なった集団から得られたことにより，一集団での大部分が示す値から極端に異なった観測値）.

out·pa·tient (OP)(owt′pā′shent). 外来患者.

out of phase (owt fāz). 位相の不一致（位相がそろっていないこと．同時に反対方向に動くこと．180 度の位相の不一致．近い周波数の 2 つの同時振動で起こり得る特有現象）.

out·put (owt′put). 拍出量，排出量，出力（ある特定の時間内または単位時間に産生，排出，分泌される特定の物の量．例えば尿の塩排出量．intake, input の対語）.

cardiac o. 心拍出量（単位時間内に心臓から拍出される血液量(すなわち分時拍出量)で，通常，L/分 で表す）. =minute o.

maximum power o. 最大出力（補聴器が産生可能な最大限に増幅された音．補聴器性能の指標となる）.

minute o. 毎分心拍出量. =cardiac o.

pacemaker o. 整調出力（標準負荷(抵抗 500 オーム)に流れる電気エネルギー）.

stroke o. =stroke *volume*.

o·va (ō′vă) [L.]. ovum の複数形.

o·val (ō′văl). *1* 卵子の. *2* 卵形の，楕円形の.

o·val·bu·min (ō′văl-byū′min). オボアルブミン，卵白アルブミン（血清アルブミンに類似し，卵白に存在する主蛋白．リン酸化合物として見出される）. =albumen; egg albumin.

o·val·o·cy·to·sis (ō′val′ō-sī-tō′sis). 楕円赤血球症. =elliptocytosis.

o·var·i·al·gi·a (ō-var′ē-al′jē-ă) [ovario- + G. *algos*, pain]. 卵巣痛. =oophoralgia.

o·var·i·an (ō-var′ē-ăn). 卵巣の.

o·var·i·ec·to·my (ō-var′ē-ek′tŏ-mē) [ovario- + G. *ektomē*, excision]. 卵巣摘出〔術〕(卵巣の片方または両方の切除). =oophorectomy.

ovario-, ovari- [L. *ovarium*]. 卵巣を意味する連結形.→oo-; oophor-.

o·var·i·o·cele (ō-var′ē-ō-sēl′) [ovario- + G. *kēlē*, hernia]. 卵巣瘤, 卵巣ヘルニア.

o·var·i·o·cen·te·sis (ō-var′ē-ō-sen-tē′sis) [ovario- + G. *kentēsis*, puncture]. 卵巣穿刺〔術〕(卵巣または卵巣嚢の穿刺).

o·var·i·o·cy·e·sis (ō-var′ē-ō-sī-ē′sis) [ovario- + G. *kyēsis*, pregnancy]. 卵巣妊娠. =ovarian *pregnancy.*

o·var·i·o·dys·neu·ri·a (ō-var′ē-ō-dis-nyu′rē-ă) [ovario- + G. *dys-*, bad + *neuron*, nerve]. 卵巣神経痛.

o·var·i·o·gen·ic (ō-var′ē-ō-jen′ik) [ovario- + G. *-gen*, producing]. 卵巣性の, 卵巣発生の.

o·var·i·o·lyt·ic (ō-var′ē-ō-lit′ik) [ovario- + G. *lysis*, dissolution]. 卵巣崩壊の.

o·var·i·op·a·thy (ō-var′ē-op′ă-thē) [ovario- + G. *pathos*, suffering]. 卵巣病 (卵巣のあらゆる疾病をさす). =oophoropathy.

o·var·i·or·rhex·is (ō-var′ē-ō-rek′sis) [ovario- + G. *rhēxis*, rupture]. 卵巣破裂.

o·var·i·o·sal·pin·gec·to·my (ō-var′ē-ō-sal′pin-jek′tō-mē) [ovario- + salpingectomy]. 卵巣卵管摘除〔術〕(卵巣と同位の卵管の外科的摘出). =oophorosalpingectomy.

o·var·i·o·sal·pin·gi·tis (ō-var′ē-ō-sal′pin-jī′tis) [ovario- + salpingitis]. 卵巣卵管炎 (卵巣と卵管の炎症). =oophorosalpingitis.

o·var·i·os·to·my (ō-var′ē-os′tŏ-mē) [ovario- + G. *stoma*, mouth]. 卵巣造瘻術 (卵巣嚢の排液のために一時的な瘻孔をつくること).

o·var·i·ot·o·my (ō-var′ē-ot′ŏ-mē) [ovario- + G. *tomē*, incision]. 卵巣切開〔術〕(卵巣の切開, 例えば生検または楔状切除). =oophorotomy.

o·va·ri·tis (ō′vă-rī′tis). =oophoritis.

o·var·i·um, pl. ova·ria (ō-vār′ē-ŭm, -ă) [Mod. L. < *ovum*, egg][TA]. 卵巣. =ovary.

o. bipartitum 二分卵巣 (2分された卵巣).

o. disjunctum 分離卵巣 (部分的または完全に2分された卵巣).

o. gyratum 回卵巣 (彎曲した, または不規則な溝のある卵巣).

o. lobatum 分葉卵巣 (深い溝により, 2個以上の部分に区分された卵巣).

o. masculinum =*appendix* of testis.

o·va·ry (ō′vă-rē) [Mod. L. *ovarium* < *ovum*, egg][TA]. 卵巣 (対をなす女性の生殖腺で, 卵細胞または生殖細胞を含む. 間質は血管に富む結合組織で, 卵細胞を内部に包み込む多数の卵胞が存在する. 周囲にはより密な基質層があり, 白膜とよばれる). =ovarium [TA]; female gonad; genital gland (2).

mulberry o. 桑実状卵巣 (脳下垂体前葉抽出液を未成熟ラットに投与することにより生成される卵巣の一種. いずれの発達段階においても多くの小胞を含み, その小胞面には多数の黄体が目立ち, クワの実に類似している).

polycystic o. 多嚢胞性卵巣 (真珠色で厚く白膜があり, Stein-Leventhal 症候群を特徴とする肥大した嚢胞性卵巣. 臨床的特質は, 異常月経, 肥満症, インスリン抵抗性, 多毛性早熟症のような男性化の所見である).

third o. 第三卵巣 (副卵巣).

o·ver·bite (ō′vĕr-bīt). 被蓋咬合, オーバーバイト. =vertical *overlap.*

o·ver·clo·sure (ō′vĕr-klō′zhūr). オーバークロージャー (咬合高径の減少).

o·ver·com·pen·sa·tion (ō′vĕr-kom′pen-sā′shŭn). 代償過度, 過剰補償量, 過補償 (①個人の能力を誇張し, それにより, 実際ないし想像上の劣等感を克服すること. ②心理的欠陥が誇大な修正を生む過程. →compensation).

over·cor·rec·tion (ō′vĕr-kŏ-rek′shŭn). 過剰修正 (行動変容治療プログラムの1つで, 特に精神遅滞者を対象にしたもの. ある行動を学習した後にそれを部分的に忘れたりそれが弱まったりした場合でも, その行動が一定の基準を確実に満たし続けるように, 望まれる目標行動を決められた基準以上に強く学習させること).

o·ver·den·ture (ō′vĕr-den′chūr). =overlay *denture.*

o·ver·de·ter·mi·na·tion (o′vĕr-dē-ter′min-ā′shŭn). 重複決定 (精神分析において, 単一の行動的または感情的な, 反応, 精神症状, あるいは夢の原因を2つ以上の力に帰すること. 例えば, 情動の爆発を突発的行動とみるだけでなく, 根底には劣等感があると考えること).

o·ver·dom·i·nance (ō′vĕr-dom′i-năns). 超優性 (ヘテロ接合体がより重要な表現型としての力値をもち, 適応度が恐らくホモ接合体のそれより高いこと. *cf.* balanced *polymorphism*).

o·ver·dom·i·nant (ō′vĕr-dom′i-nănt). 超優性の (超優性を示すヘテロ接合体の状態についていう).

o·ver·drive (ō′vĕr-drīv). 過剰駆動 (①異常のペースメーカが出す心拍数を超えて過剰に電気刺激する技術で, 通常, 心房のペースメーカを制御するために用いる. ②真核細胞の RNA ポリメラーゼが休止, 停止, あるいはコドンの信号に抵抗して転写が中止しない状態.→hesitant; antitermination).

o·ver·e·rup·tion (ō′vĕr-ē-rŭp′shŭn). 過萠出 (咬合平面を越えて歯の咬合部が突出すること).

o·ver·ex·ten·sion (ō′vĕr-eks-ten′shŭn). 伸展過度, 過伸展. =hyperextension.

o·ver·graft·ing (ō′vĕr-graft′ing). 重ねばり植皮 (すでに生着した植皮片から表皮成分を切除あるいは剝削し, またはレーザーで剝脱し, 表面を強化するあるいは厚くする目的で, 再度あるいは追加に行う植皮. 以前に植皮された部位が, 通常は輪郭の改善や不完全な治癒を安定化するため用いる).

o·ver·hang (ō′vĕr-hang). オーバーハング (腔縁または正常な歯の輪郭を越える, 歯の充塡物質過剰. 二本鎖核酸の末端における一本鎖になった非対称領域).

O·ver·hau·ser (ō′ver-how′ser), Albert W. 20世紀の米国人物理学者. →nuclear Overhauser *effect.*

o·ver·head pro·jec·tor (ō′vĕr-hed prō-jek′tŏr). =epidiascope.

o·ver·hy·dra·tion (ō′vĕr-hī-drā′shŭn). 水分過剰, 過水〔症〕. =hyperhydration.

o·ver·jet, over·jut (ō′vĕr-jet, ō′ver-jŭt). オーバージェット. =horizontal *overlap.*

o·ver·lap (ō′vĕr-lap). 折り重ね, オーバーラップ (①組織層を補強するため, その上または下の層と縫合すること. ②組織が他の組織の上にのびる, または突き出すこと).

horizontal o. 水平被蓋 (水平方向で, 対合歯に対して, 上顎の前歯および(または)臼歯が突出すること). =overjet; overjut.

vertical o. 垂直被蓋 (①相対する臼歯が中心咬合で接する際, 垂直方向において上顎歯が下顎歯を越えていること. ②歯がその対合歯を垂直方向において被蓋する距離. 特に上顎の切端から下顎の切端に至る距離を表すが, 相対する歯の咬頭の垂直関係を表すこともある. ③歯の切端が中心咬合ですれ違う場合の上顎切歯と下顎切歯の関係). =overbite.

o·ver·lay (ō′vĕr-lā). 重畳 (すでにある状態に付加すること).

emotional o. 情動的加重 (器質性能力障害における情動的ないし心理的付加).

o·ver·learn·ing (ō′vĕr-lern′ing). 過剰学習 (記憶心理学において, 一定基準を超えて記憶練習を続けること. 特色として, 過剰学習後の保持は, 基準量の記憶練習による場合より長い).

o·ver·re·sponse (ō′vĕr-rē-spons′). 過剰反応 (刺激に対する異常に強い反応).

o·ver·rid·ing (ō′vĕr-rīd-ing). ***1*** 骨折した長骨の下方の骨片が基部の横に重なること. ***2*** 児頭骨盤不適合のために恥骨結合部上で触診しうる胎児頭を表す, 現在では用いられない語. ***3*** 骨重 (胎児頭蓋骨の重なり現象で, 子宮内胎児死亡後に生じる典型的なもののほか, 児頭骨盤不均衡による遷延分娩や児頭の応形が広範囲に起こった場合にも生じる).

o·ver·sens·ing (ō′vĕr-sens′ing). 過剰感知 (通常はペースメーカによって感知されない程度の微弱な電気的あるいは磁気的な刺激を感じてペースメーカが作動し, 刺激パルスを出力しなくなる現象).

o·ver·shoot (ō′vĕr-shūt). オーバーシュート（①一般的にはある因子の急激な変化に応じた初期変化である．その因子の新しいレベルに対する定常状態応答以上のもので，負のフィードバックでの慣性や遅滞が生じたダンピングより優っている系でよく起こる．逆方向の変化は時々アンダーシュートという語を使って区別される．この２つはオシロスコープ的には，初期の置換から発生した一時的振子振動のように異なることがある．②活動電位があるときの細胞膜電位の一時的逆転(内部が外部に比べて正になる)．この事実が発見されるまでは，興奮は単に膜を脱分極させ，膜電位を０にすると考えられていたので，①の一型として考えられていた）．

O·ver·ton (ōv′ren), Charles E. スウェーデンに在住したドイツ人生物学者，1865—1933. ⇀Meyer-O. *rule*, *theory* of narcosis.

o·ver·tone (ō′vĕr-tōn). 上音（最低音または基礎の音以外の複合音を構成する音）.

psychic o. 精神的上音，心的連想（すべての刺激に伴う連想）.

o·ver·ven·ti·la·tion (ō′vĕr-ven′ti-lā′shŭn). 過剰換気. ＝hyperventilation.

o·ver·win·ter·ing (ō′vĕr-win′tĕr-ing). 冬越しの（感染性生物が，媒介動物の中に一定期間，例えば寒い冬の間居続けること．その間は媒介動物は再感染することなく，また他の動物を感染させることもない）.

ovi- [L. *ovum*]. 卵に関する連結形. →oo-; ovo-.

o·vi·ci·dal (ō′vi-sī′dăl) [ovi- ＋L. *caedo*, to kill]. 殺卵子〔性〕の（卵細胞の死を起こす）.

o·vi·du·cal (ō′vi-dū′kăl). ＝oviductal.

o·vi·duct (ō′vi-dŭkt) [ovi- ＋L. *ductus*, a leading＜*duco*, pp. *ductus*, to lead]. 卵管. ＝uterine *tube*.

o·vi·duc·tal (ō′vi-dŭk′tăl). 卵管の. ＝oviducal.

o·vif·er·ous (ō-vif′ĕr-ŭs) [ovi- ＋L. *fero*, to carry]. 輸卵の（卵細胞を運ぶ，またはもっている，または生む）. ＝ovigerous.

o·vi·form (ō′vi-fōrm). ＝ovoid (2).

o·vi·gen·e·sis (ō′vi-jen′ĕ-sis). ＝oogenesis.

o·vi·ge·net·ic, ovi·gen·ic (ō′vi-jĕ-net′ik, -jen′ik). ＝oogenetic.

o·vig·e·nous (ō-vij′ĕ-nŭs). ＝oogenetic.

o·vig·er·ous (ō-vij′ĕr-ŭs). ＝oviferous.

o·vig·er·us (ō-vij′ĕr-ŭs). ＝*cumulus* oophorus.

o·vine (ō′vīn) [L. *ovinus*, relating to a sheep]. ヒツジ〔様〕の.

o·vi·par·i·ty (ō′vi-par′i-tē) [ovi- ＋L. *pario*, to bear]. 卵生.

o·vip·a·rous (ō-vip′ă-rŭs) [L. *oviparus*＜*ovum*, egg＋*pario*, to bear]. 卵生の（子が母体外の卵の中で成長する鳥類，魚類，両生類，は虫類，単孔類哺乳類，無脊椎動物を示す）.

o·vi·pos·it (ō′vi-poz′it) [ovi- ＋L. *pono*, pp. *positus*, to place]. 産卵する（卵を産み付ける．特に昆虫についていう）.

o·vi·po·si·tion (ō′vi-pō-zi′shŭn). 産卵（昆虫が卵を産むこと）.

o·vi·pos·i·tor (ō′vi-poz′i-tŏr, -tōr). 産卵管（昆虫において，産卵のため特によく発達した雌の器官）.

o·vist (ō′vist). 卵子論者（雌性細胞(卵)中にひな型があり，精液に刺激されると拡大するようになっているとする前成説を支持する人. *cf.* spermist）.

ovo- [L. *ovum*]. 卵に関する連結形. →oo-; ovi-.

o·vo·cyte (ō′vō-sīt) [ovo- ＋G. *kytos*, a hollow(cell)]. ＝oocyte.

o·vo·fla·vin (ō′vō-flā′vin). オボフラビン（卵に含まれるリボフラビン）.

o·vo·gen·e·sis (ō′vō-jen′ĕ-sis). ＝oogenesis.

o·vo·glob·u·lin (ō′vō-glob′yū-lin). オボグロブリン（卵白中のグロブリン）.

o·void (ō′voyd) [ovo- ＋G. *eidos*, resemblance]. ***1***〖n.〗卵形. ***2***〖adj.〗卵形の. ＝oviform.

fetal o. 胎児性卵形（子宮内の胎児の形状をいう．その長さは伸ばした胎児の身長の約半分）.

Manchester o. [イングランドの *Manchester* 大学]. マンチェスターオボイド（側腟円蓋に当てて用いる卵形のラジウム治療用器具）.

o·vo·lar·vip·a·rous (ō′vō-lar-vip′ă-rŭs) [ovo- ＋L. *larva*, a mask＋*pario*, to bear]. 卵が雌の体内でふ化し，幼生は子宮から脱出する適切な時期に至るまで子宮内で発育または保護されるような，ある種の線虫や無脊椎動物のことをいう.

o·vo·mu·cin (ō′vō-myū′sin). オボムチン（卵白中の糖蛋白）.

o·vo·mu·coid (ō′vō-mū′koyd). オボムコイド（卵白から得られるムコ蛋白）.

o·vo·plasm (ō′vō-plazm). 卵〔子原形〕質（未受精卵の原形質）.

o·vo·pro·to·gen (ō′vō-prō′tō-jen). オボプロトゲン. ＝lipoic acid.

o·vo·sis·ton (ō′vō-sis′tŏn). オボシストン（プロゲスチンとエストロゲンの合剤．経口避妊薬）.

o·vo·tes·tis (ō′vō-tes′tis). 卵巣精巣(睾丸)（精巣と卵巣が併存する性腺．半陰陽の一種）.

o·vo·trans·fer·rin (ō′vō-trans-fer′in). オボトランスフェリン. ＝conalbumin.

o·vo·ve·ge·tar·i·an (ō-vō′vej-ă-tar′ē-an). 卵菜食主義者（⇀ovo-*vegetarian*）.

o·vo·vi·tel·lin (ō′vō-vī-tel′in) [ovo- ＋L. *vitellus*, yolk]. オボビテリン. ＝vitellin.

o·vo·vi·vip·ar·ous (ō′vō-vi-vip′ă-rŭs) [ovo- ＋L. *viviparus*, bringing forth alive＜*vivus*, alive＋*pario*, to bear]. 卵胎生の（魚類，両生類，は虫類で，その卵が親の体内でふ化するものをさす）.

ov·u·lar (ov′yū-lăr, ō′vū-). 卵子の.

ov·u·la·tion (ov′yū-lā′shŭn, ō′vū-). 排卵（卵胞から卵子が排出すること）.

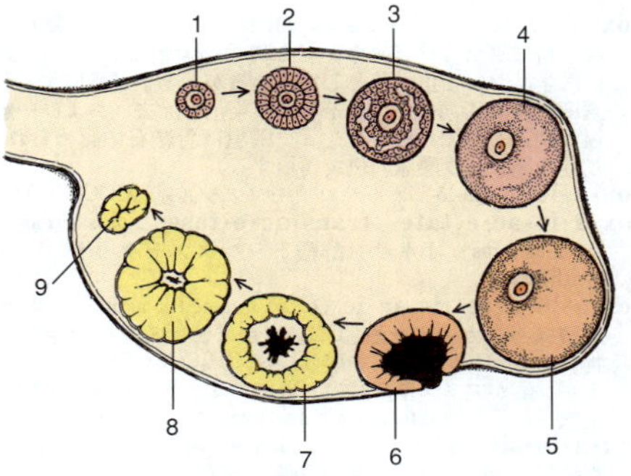

ovarian cycle of follicle

1：一次卵胞．2：二重層卵胞．3：空胞形成の始まりの卵胞．4：成熟に近づく卵胞．5：成熟卵胞．6：血体．7：若い黄体．8：黄体．9：白体．

anestrous o. 無発情排卵（発情のない動物に起こる排卵）.

paracyclic o. 不規則周期性排卵（月経周期の予定時期以外に起こる排卵を表す現在では用いられない語）.

ov·u·la·to·ry (ov′yū-lă-tō-rē, ō′vū-). 排卵の.

ov·ule (ov′yūl, ō′vū-) [Mod.L. *ovulum*: L. *ovum* (egg)の指小辞]. ＝ovulum. ***1*** 卵（哺乳類の卵細胞，特にまだ卵胞内にある場合をいう）. ***2*** 小卵（卵子に類似した，小さくてガラス玉様のもの）.

ov·u·lo·cy·clic (ov′yū-lō-sī′klik, ō′vū-). 排卵周期〔性〕の（排卵に伴って，または排卵周期内のある時期に繰り返し起こる現象をさす．例えば排卵周期性ポルフィリン症）.

ov·u·lum, pl. **ovu·la** (ov′yū-lŭm, ō′vū-; -lă). ＝ovule.

o·vum, gen. **ovi,** pl. **o·va** (ō′vŭm, -vī, -vă) [L. egg]. 卵，卵子（この用語 ovum は，一次卵母細胞から着床後の胚盤胞に至るあらゆる段階に用いられるものであり，精密な用語とはいえない. →oocyte）.

alecithal o. 無卵黄卵（卵黄がほとんどなく，数個の粒子のみからなる卵子）.

blighted o. 枯死卵（初期の段階で発育が停止した受精卵）.

centrolecithal o. 心黄卵（節足動物におけるように，大部分の卵黄が，卵の中央近くにある卵）.

fertilized o. 受精卵（→zygote）.

isolecithal o. 等黄卵（細胞質全体に均等に分離した卵黄を有する卵）.

Peters o. (pē′tĕrz). ペーテルス卵子（推定受精年齢約13日の胚．長い間この胚は，良好な状態で発見された数少ないヒト幼若胚の1つとされ，その研究から早期胚に関する多くの事実がわかった）.

telolecithal o. 端黄卵（鳥類やは虫類のように，植物極に集まった大量の卵黄をもつ卵子）.

O·wen (ō′wĕn), Richard. イングランド人解剖学者，1804—1892. ⇀O. *lines*; contour *lines* of O. ; interglobular *space* of O.

O·wren (ō-ren), Paul A. 20世紀のノルウェー人血液病専門医. ⇀O. *disease*.

oxa- [Eng. *oxygen*]. 有機化合物名に挿入される連結形で，エーテルにみられるように，鎖や環内に酸素原子の存在，付加を意味する．ケトンやアルデヒドのような場合には付けない. →hydroxy-; oxo-; oxy-.

ox·a·cil·lin so·di·um (ok′să-sil′in sō′dē-ŭm). オキサシリンナトリウム（ペニシリン耐性のブドウ球菌感染症の治療に経口的に用いる半合成ペニシリン）.

ox·al·al·de·hyde (ok′săl-al′dĕ-hīd). オキサロアルデヒド. ＝glyoxal.

ox·a·late (ok′să-lāt). シュウ酸塩.

ox·a·le·mi·a (ok′să-lē′mē-ă) [oxalate＋G. *haima*, blood]. シュウ酸塩血〔症〕（血液中に異常に大量のシュウ酸塩が存在すること）.

ox·al·ic ac·id (ok-sal′ik as′id). シュウ酸（多くの植物や野菜，特にタデ科ソバやカタバミ科*Oxalis*属に見出される酸．獣医学において止血薬として用いるが，ヒトが摂取すると高濃度では有毒．インクやその他の染色の除去，および一般的還元剤として使われる．シュウ酸塩は腎結石中認められる．初期の高シュウ酸尿の例で蓄積する）.

ox·a·lo (ok′să-lō). オキサロ（モノアシル基HOOC–C(O)–）.

ox·a·lo·ac·e·tate trans·ac·e·tase (ok′să-lō-as′ĕ-tāt trans-as′ĕ-tās). オキサロ酢酸トランスアセターゼ. ＝*citrate* synthase.

ox·a·lo·a·ce·tic ac·id (ok′să-lō-ă-sē′tik as′id). オキサロ酢酸（トリカルボン酸(TCA)回路における重要な中間生成物であるケトジカルボン酸($HOOCCH_2COCOOH$)．L-アスパラギン酸がアミノ基転移においてアミン供与体として働いて生成される）. ＝ketosuccinic acid; oxosuccinic acid.

ox·a·lo·sis (ok′să-lō′sis) [oxalate＋*-osis*, condition]. シュウ酸症（腎臓，胃，動脈の中膜，心筋にシュウ酸カルシウムの結晶が広く沈着するもので，シュウ酸の尿中への排出が増加する．シュウ酸中毒のような後天性障害または原発性高シュウ酸尿症，シュウ酸症を示す場合もある）.

ox·a·lo·suc·cin·ic ac·id (ok′să-lō-sŭk-sin′ik as′id). オキサロコハク酸（イソクエン酸がイソクエン酸デヒドロゲナーゼにより脱水素されてできる産物．トリカルボン酸回路の酵素結合体中間体）.

ox·a·lo·suc·cin·ic car·box·yl·ase (ok′să-lō-sŭk-sin′ik kar-boks′il-ăs). ＝*isocitrate* dehydrogenase.

ox·a·lo·u·re·a (ok′să-lō-yū-rē′ă). ＝oxalylurea.

ox·a·lu·ri·a (ok′săl-yu′rē-ă) [oxalate＋G. *ouron*, urine]. シュウ酸塩尿. ＝hyperoxaluria.

ox·a·lur·ic ac·id (ok-săl-yu′rik as′id). オキサルル酸（尿酸やオキサリル尿素から誘導される．シュウ酸のウレイド）.

ox·a·lyl (ok′să-lil). オキサリル（ジアシル基 –CO–CO–）.

ox·a·lyl·u·re·a (ok′să-lil-yū-rē′ă). オキサリル尿素（オキサルル酸の環状(末端から末端)アミド無水物．尿酸の酸化生成物）. ＝oxalourea; parabanic acid.

ox·a·zin (ok′să-zin). オキサジン（一連の生物学的色素のもととなる物質．例えば，ガロシアニン，ブリリアントクレシルブルー，酢酸クレシルバイオレット）.

ox·a·zole (ok′să-zōl). オキサゾール（ピラノースの環状化合物の基本となる環の1つ）.

ox·a·zo·lid·ine·di·ones (ok′să-zō-lidīn′dē-onz). オキサゾリジン－ジオン類（欠神発作(小発作)の治療に用いる抗てんかん薬であるが，現在ではあまり用いられない．例えば，トリメタジオン，パラメタジオン）.

ox·a·zo·li·di·none (oks-ā′zō-lĭ-dĭ-nōn). オキサゾリジノン（蛋白合成阻害作用を有する抗菌薬の一分類）.

ox·i·cam (ok′sĭ-kam). オキシカム（非ステロイド性抗炎症薬の1グループの名称を短くした口語体．このグループを構成する化合物はすべて，“oxicam”の接尾語で終わる名称がついている）.

ox·i·dant (ok′si-dant). 酸化剤（還元される物質で，そのため酸化還元系において他方の化合物を酸化する）.

ox·i·dase (ok′si-dās). オキシダーゼ，酸化酵素（代謝産物への酸素の添加，あるいは水素原子や1個以上の電子の除去により酸化を行う，現在は酸化還元酵素(EC class 1)と命名されている酵素群の1つ．オキシダーゼ(酸化酵素)の名称は現在，酵素が(水素原子Hまたは電子の)受容体として作用する場合に使われ，水素原子を除去するものはデヒドロゲナーゼ(脱水素酵素)と命名されている．個々のオキシダーゼについては各項参照）.

direct o. 直接オキシダーゼ（元来は，酸素の他の物質への直接転移を触媒する酸化酵素．現在はオキシゲナーゼ oxygenase とよばれる）.

indirect o. 間接オキシダーゼ（元来は，過酸化物の還元によって作用するもの．現在はペルオキシダーゼ peroxidase とよばれる）.

terminal o. ターミナルオキシダーゼ（電子伝達系，すなわち呼吸鎖の最後の蛋白．哺乳類ではシトクロム *c* オキシダーゼのこと）.

xanthine o. キサンチンオキシダーゼ（モリブデンを含むフラビン蛋白．キサンチンと O_2 と H_2O から尿酸とスーパーオキシドを生成する反応を触媒するオキシドレダクターゼ．ヒポキサンチン，他のプリンやプテリン，アルデヒドをも酸化する．モリブデン補因子欠乏症患者においては酸化の低率がみられる）. ＝hypoxanthine oxidase; Schardinger enzyme.

ox·i·da·sis (ok′si-dā′sis). 酸化酵素作用（オキシダーゼによる酸化作用）.

ox·i·da·tion (ok′si-dā′shŭn). 酸化〔作用〕（①酸素と結合すること．②鉄が第一鉄(2^+)から第二鉄(3^+)に変わる場合のように，水素あるいは1個以上の電子が奪われて陽電荷が増大し，原子価またはイオン価が大きくなること．③細菌学において，エネルギーと水との産生を伴う基質の好気的分解．発酵と対照的に，酸化過程における電子の伝達は，呼吸鎖を経由して達成され，その最終原子受容体として酸素を用いる）.

alpha-o., α-o. アルファ酸化（脂肪酸の酸化経路の1つで，炭素が CO_2 として脱離される．α-炭素はまず，ヒドロキシル化されてカルボニルへ変換される．この経路の欠損により Refsum 病になる）.

beta-o., β-o. ベータ酸化（①脂肪酸の β-炭素(C-3)が酸化されて β-ケト酸同族体を生成すること．脂肪酸代謝に重要．②偶数の炭素原子を有する飽和脂肪酸の異化を示す全代謝過程．①はこの一例である．アセチル CoA が主な代謝産物である）.

end o. 末端酸化（異化経路の最終酸化段階）. ＝terminal o.

omega-o., ω-o. オメガ酸化（カルボキシル基(C-1)から最も遠い位置にある炭素位(ω-炭素)における酸化．すなわちこの経路では，ジカルボン酸が生成する．プロスタグランジンの分解の重要な経路である）.

terminal o. 末端酸化. ＝end o.

ox·i·da·tion-re·duc·tion (ok′si-dā′shŭn-rē-dŭk′shŭn). 酸化還元（完全に酸化と還元の両方を含む化学的酸化または還元反応．すべての酸化作用をもつ酵素をオキシドレダクターゼ oxidoreductase (以前はオキシダーゼ)とよぶ．しばしば“redox”と短縮される）.

ox·i·da·tive (ok′si-dā′tiv). 酸化〔性〕の（酸化力をもつことを示す．酸化を含む過程についていう）.

ox·ide (ok′sīd). 酸化物（酸素と他の元素または基との化合物．酸化水銀 HgO など）.

acid o. 酸性酸化物（酸無水物．電気陰性元素または基の酸化物．水と結合して酸をつくる）.

basic o. 塩基性酸化物（塩基無水物．電気陽性元素または基の酸化物．水と結合して塩基を生成する）．

indifferent o. ＝neutral o.

neutral o. 中性酸化物（酸でも塩基でもない酸化物．例えば水（酸化水素）H_2O）．＝indifferent o.

ox·i·dize (ok′si-dīz). 酸化する（元素や基を酸素と結合させる，または電子を放出させる）．

ox·i·do·re·duc·tase (ok′si-dō-rē-dŭk′tās). オキシドレダクターゼ，酸素還元酵素（酸化還元反応を触媒する酵素．慣用名として，デヒドロゲナーゼ，レダクターゼ，オキシダーゼ（酸素はH受容体），オキシゲナーゼ（酸素が基質の中に取り込まれる），ペルオキシダーゼ（過酸化水素が受容体．カタラーゼは例外），ヒドロキシラーゼ（２つの供与体の共役酸化）などが含まれる．→oxidase）．

ox·ime (ok′sēm). オキシム（ヒドロキシアミン NH_2OH をケトンまたはアルデヒドに作用させ，=N–OH 基をヒドロキシアミンのカルボニルの炭素原子に結合させて生じた化合物）．

amide o.'s ＝amidoximes.

ox·im·e·ter (ok-sim′ĕ-tĕr). 酸素濃度計（血液の酸素飽和度を光電気的に測定する器械）．

cuvette o. キュベット酸素濃度計（体外に置かれたキュベットを血液が通過するとき，血液の酸素飽和度を百分率で示す酸素濃度計）．

ox·im·e·try (ok-sim′ĕ-trē). オキシメトリー，酸素測定〔法〕（血流に富んだ部位の収縮期と拡張期の吸光度の変動から酸素飽和度を求める装置を用いた方法．Beer の法則すなわち溶液中の溶質によって吸収された光の量が溶質濃度に比例するという原理に基づく）．

pulse o. パルスオキシメトリー（非侵襲的に，多くは指や耳垂を用いて，収縮期脈で光線の吸収がわずかに増加することから，酸素飽和度が計算される）．

ox·i·rane (oks′ē-rān). ＝*ethylene* oxide.

oxo- 酸素の付加を意味する接頭語．しばしば系統的命名法における keto- の代わりに用いる．→hydroxy-; oxa-; oxy- (2).

ox·o·a·ce·tic ac·id (ok′sō-a-sē′tik as′id). オキソ酢酸．＝glyoxylic acid.

o·xo ac·id (ok′sō as′id). オキソ酸．＝keto acid.

3-ox·o·ac·id-CoA trans·fer·ase (ok′sō-as′id trans′fĕr-ās). 3–オキソ酸 CoA トランスフェラーゼ（アセトアセチル CoA とコハク酸からスクシニル CoA とアセト酢酸への可逆変換を触媒する酵素．スクシニル CoA をマロニル CoA に，およびアセト酢酸をいくつかの他の 3–オキソ酸に変えることができる．ケトン体が肝臓外組織での燃料として供せられるための重要な段階である）．＝3-ketoacid-CoA transferase; acetoacetyl-succinic thiophorase.

3-ox·o·ac·yl-ACP re·duc·tase (ok′sō-as′il rē-dŭk′tās). 3–オキソアシル–ACP レダクターゼ（脂肪酸シンターゼ複合体の構成成分．3–オキソアシルACP（ACP＝アシル担体蛋白）と NADPH の反応により，D–3–ヒドロキシアシルACP と NADP$^+$ を生成する反応を可逆的に触媒する酵素）．＝β-keto-acyl-ACP reductase.

3-ox·o·ac·yl-ACP syn·thase (ok′sō-as′il sin′thās). 3–オキソアシルACP シンターゼ（マロニルACP（ACP＝アシル担体蛋白）とアシルCys 蛋白とを縮合して 3–オキソアシル ACP + Cys 蛋白 + CO_2 を生成する酵素．脂肪酸合成における段階にみられるような類似反応がある．また Cys 蛋白は脂肪酸シンターゼ複合体の構成成分である）．＝acyl-malonyl-ACP synthase; β-ketoacyl-ACP synthase.

2-ox·o·a·dip·ic ac·id (ok′zo-ă-dip′ik as′id). 2–オキソアジピン酸．＝2-ketoadipic acid.

2-ox·o·glu·tar·ate de·hy·dro·gen·ase (ok′sō-glū-tar′āt dē-hī-drō′jen-ās). 2–オキソグルタル酸デヒドロゲナーゼ．＝*α-ketoglutarate* dehydrogenase.

2-ox·o·glu·tar·ic ac·id (oks′-ō-glū-tar′ik as′id). 2–オキソグルタル酸．＝α-ketoglutaramic acid.

2-ox·o-5-guan·i·do·va·ler·ic ac·id (ok′sō-gwan′i-dō-vă-lăr′ik as′id). 2–オキソ–5–グアニドバレリン酸（アルギニンの脱アミノ誘導体）．

2-oxohexanedioic acid 2–オキソヘキサン二酸．＝2-keto-adipic acid.

5-ox·o·pro·lin·ase (ok′sō-prō′lin-ās). 5–オキソプロリナーゼ（L–5–オキソプロリンの ATP 依存性加水分解を触媒する酵素（ATP + L–5–オキソプロリン→ADP + 正リン酸 + L–グルタミン酸）．この酵素の欠損により 5–オキソプロリン尿症になる）．

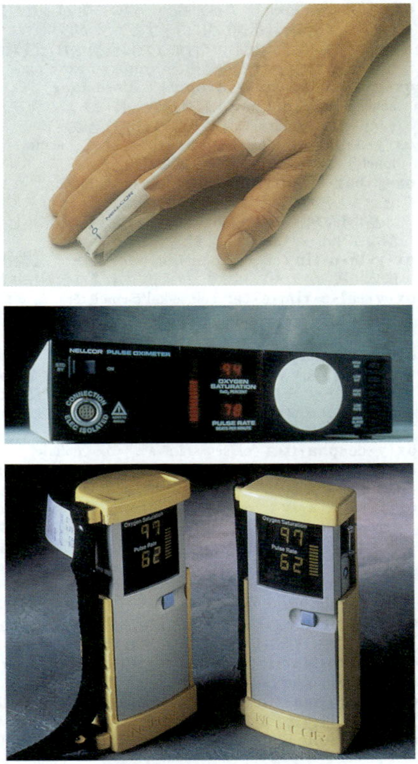

A B C

pulse oximetry monitor

この物療器具による血液酸素の測定は，酸素レベルの分析のために採血するといったような，侵襲性の処置の必要をなくす．A：パルスオキシメータセンサーは，容易に患者の指をずり落ちる．B：酸素飽和度レベルがモニターに表れる．C：携帯用パルスオキシメータは家庭使用として理想的である．

5-ox·o·pro·line (Glp) (oks′ō-prō′lēn). 5–オキソプロリン（プロリンのケト誘導体で，グルタミン酸，グルタミン，γ–グルタミル化ペプチドから非酵素的に生成される．またγ–グルタミルミクロトランスフェラーゼの作用によっても生成される．5–オキソプロリンの濃度の上昇は，グルタミンやグルタチオン代謝に問題がある場合が多い）．＝5-pyrrolidone-2-carboxylic acid; pyroglutamic acid; pyrrolidone-5-carboxylate.

4-ox·o·pro·line re·duc·tase (ok′sō-prō′lēn rē-dŭk′tās). 4–オキソプロリンレダクターゼ．＝*4-hydroxyproline* oxidase.

5-ox·o·pro·lin·ur·i·a (oks′ō-prō′lēnyu′rē-ă). 尿中の 5-oxoproline のレベルが上昇していること．

2-oxopyrrolidine 2–オキソピロリジン．＝pyrrolidone.

17-ox·o·ster·oids (ok′sō-stēr′oydz). 17–オキソステロイド．＝17-ketosteroids.

ox·o·suc·cin·ic ac·id (ok′sō-sŭk-sin′ik as′id). オキソコハク酸．＝oxaloacetic acid.

ox·o·trem·or·ine (ok′sō-trem′ŏr-ēn). オキソトレモリン（トレモリンの活性代謝物．パーキンソン病様振せんを発現させる薬理実験用試薬）．

OXT oxytocin の略.

oxy- [G. *oxys*, keen]. ***1*** かん高い，鋭い，とがった，急速な（ギリシア語 *ōkys*(迅速に)に由来する ocy- が誤用された）. ***2*** 化学においては，物質中に付加または置換された酸素が存在すること，を意味する連結形. →hydroxy-; oxa-; oxo-.

ox·y·a·coi·a, ox·y·a·koia (ok′sē-ă-koy′ă) [G. *oxys*, acute + *akoē*, hearing]. 聴覚過敏（特にあぶみ骨筋が麻痺した，顔面神経麻痺に起こる音に対する過敏症）.

ox·y·a·phi·a (ok′sē-ā′fē-ă) [G. *oxys*, acute + *haphē*, touch]. 触覚過敏. = hyperaphia.

ox·y·bar·bit·u·rates (ok′sē-bar-bit′yū-rāts). オキシバルビツール酸塩類（C–2 の原子が酸素であるようなバルビツール酸塩類の催眠薬．実際にはすべての催眠性のバルビツール酸塩がオキシバルビツール酸塩である）.

ox·y·bi·o·tin (ok′sē-bī′ō-tin). オキシビオチン（硫黄原子が酸素で置換された，ビオチンの同族体および代謝拮抗物質）.

ox·y·cal·o·rim·e·ter (ok′sē-kal′ō-rim′ĕ-tĕr). 酸素熱量計（物質のエネルギー含有量を酸素の消費量から測定する熱量計）.

ox·y·cel·lu·lose (ok′sē-sel′yū-lōs). オキシセルロース（二酸化窒素あるいはその他の酸化剤により，全部または大部分のグルコース残基がグルクロン酸残基になるまで酸化されたセルロース．クロマトグラフィまたはその他の吸着過程で，吸着剤として用いる. →oxidized *cellulose*）.

ox·y·ce·pha·li·a (ok′sē-se-fā′lē-ă). = oxycephaly.

ox·y·ce·phal·ic, ox·y·ceph·a·lous (ok′sē-se-fal′ik, -sef′ă-lŭs). 尖頭症の. = acrocephalic; acrocephalous.

ox·y·ceph·a·ly (ok′sē-sef′ă-lē) [G. *oxys*, pointed + *kephalē*, head]. 尖頭症（頭蓋骨癒合症の一種．ラムダ縫合と冠状縫合の早期閉鎖のため，異常に高くとがった，あるいは円錐形の頭蓋になる）. = acrocephalia; acrocephaly; hypsicephaly; hypsocephaly; oxycephalia; steeple skull; tower skull; turricephaly.

ox·y·chlor·ide (ok′sē-klōr′īd). 酸塩化物（金属塩化物と酸素の化合物．例えば，塩素酸塩，過塩素酸塩）.

ox·y·chro·mat·ic (ok′sē-krō-mat′ik) [G. *oxys*, sour, acid + *chrōma*, color]. = acidophilic.

ox·y·chro·ma·tin (ok′sē-krō′mă-tin). 酸染色質（間期核のように酸性色素で染色される染色質）. = oxyphil chromatin.

ox·y·co·done (ok′sē-kō′dōn). オキシコドン（麻薬性鎮痛薬で，アスピリンやアセタミノフェンとしばしば併用される）.

11-ox·y·cor·ti·coids (ok′sē-kōr′ti-koydz). 11–オキシコルチコイド（C–11 にアルコールまたはケト基をもつコルチコステロイド．例えば，コルチゾン，コルチゾール）.

ox·y·gen (O) (ok′si-jen) [G. *oxys*, sharp, acid + *genes*, forming]. 酸素（①気体元素，原子番号 8．原子量は ^{12}C = 12.0000 として 15.9994．豊富で，広く分布し，大部分の元素と結合して酸化物をつくり，動物や植物の生命に不可欠な化学元素．②酸素分子，dioxygen(O_2)ともいわれる．③O_2 を体積で 99% 以上含む医用ガス）.

heavy o. 重酸素. = oxygen 18.

hyperbaric o. (HBO), high pressure o. 高圧酸素（1 気圧以上の圧力下の酸素. →hyperbaric *oxygenation*）.

singlet o. 一重項酸素（励起状態，すなわち高エネルギー状態の酸素．正常な酸素分子の場合は電子スピンは一方向性であるが，この場合は電子対のスピンが逆向きであることが特徴．反応性が高いため，大部分の光酸化反応の中間体と考えられる．寿命は 0.1 秒以下であるが，大気汚染物質と反応してスモッグを生じ，有害な生物学的効果をもつ）.

triplet o. 三重項酸素（大気中の正常の励起状態でない酸素分子(O_2)．不対電子対が置換しているので，それらの磁場は同一方向に配向し，常磁性である．そのような状態の酸素の熱により発生したスペクトル線の各々は磁場により三重線に分裂する．*cf.* singlet o.）.

ox·y·gen 15 (^{15}O) (ok′si-jen). 酸素 15（サイクロトロンでつくられる酸素の放射性同位元素で，陽電子崩壊し半減期は 122.2 秒．呼吸機能の研究や陽電子放射断層撮影法(PET)に用いる）.

ox·y·gen 16 (^{16}O) (ok′si-jen). 酸素 16（最も普通の酸素同位元素．天然酸素の 99.76% を占める）.

ox·y·gen 17 (^{17}O) (ok′si-jen). 酸素 17（天然酸素の 0.04% を占める，酸素の安定同位元素の中で存在量の最も少ないもの）.

ox·y·gen 18 (^{18}O) (ok′si-jen). 酸素 18（天然酸素の 0.20% を占める，酸素の安定同位元素．質量分析や組織のNMR研究で用いられる）. = heavy oxygen.

ox·y·ge·nase (ok′si-jĕ-nās). オキシゲナーゼ（酸素の基質への直接の取り込みを触媒する酵素群(EC class 1.13)のうちの 1 つ．例えば，トリプトファン 2,3–ジオキシゲナーゼ(トリプトファンピロラーゼ)は，酸素と L– トリプトファンの反応の触媒となり *N*–L– ホルミルキヌレニンを生成する．*cf.* dioxygenase; monooxygenases）.

mixed function o. 混合機能オキシダーゼ（モノオキシダーゼで，AH + O_2 + DH_2→AOH + H_2O + D の反応を触媒する）.

ox·y·ge·nate (ok′si-jĕ-nāt). 酸素を付加する.

ox·y·ge·na·tion (ok′si-jĕ-nā′shŭn). 酸素付加（①あらゆる化学系，物理系への酸素添加のこと．②特に肺，したがって循環系へ高酸素供給するインターベンションのこと）.

apneic o. 拡散（酸素が換気のない状況で肺胞に到達すること）.

hyperbaric o. 高圧酸素療法（1 気圧以上の圧搾室内で酸素を吸入することにより，器官および組織の酸素量を増加させる）.

ox·y·gen·ic (ok′si-jen′ik). 酸素の.

ox·y·gen·ize (ok′si-jĕn-īz). 酸素化する（酸素で酸化させること）.

ox·y·heme (ok′si-hēm). オキシヘム. = hematin.

ox·y·he·mo·chro·mo·gen (ok′si-hēm′ō-krō′mō-jen). オキシヘモクロモゲン. = hematin.

ox·y·he·mo·glo·bin (HbO_2) (ok′sē-hē′mō-glō′bin). オキシヘモグロビン，酸化血色素（酸素を付加したヘモグロビン．動脈血にあるヘモグロビン形態で，水に溶かすと鮮紅色を呈する）. = oxygenated hemoglobin.

ox·y·i·o·dide (ok′sē-ī′ō-dīd). 酸ヨウ化物（酸素と金属性ヨウ素の化合物．例えば，ヨウ素酸塩，過ヨウ素酸塩）.

ox·y·krin·in (ok′sē-krin′in). オキシクリニン. = secretin.

ox·y·lu·cif·er·in (ok′sē-lū-sif′ĕr-in). オキシルシフェリン（生物発光で生成されるルシフェリンの活性誘導体）.

ox·y·my·o·glo·bin (MbO_2) (ok′sē-mī′ō-glō′bin). オキシミオグロビン（オキシヘモグロビンの構造に類似する酸素付加型ミオグロビン）.

ox·y·ner·vone (ok′sē-ner′vōn). オキシネルボン. = hydroxynervone.

ox·yn·tic (ok-sin′tik) [G. *oxynō*, to sharpen, make sour, acid]. 酸分泌〔性〕の（胃腺の壁細胞などのように酸を生成することについていう）.

ox·y·phil, ox·y·phile (ok′sē-fil, -fīl) [G. *oxys*, sour, acid + *philos*, fond]. ***1***〖n.〗好酸性細胞. = oxyphil *cell*. ***2***〖n.〗好酸球. = eosinophilic *leukocyte*. ***3***〖adj.〗= oxyphilic.

ox·y·phil·ic (ok′sē-fil′ik). 好酸性の，酸親和〔性〕の，酸性色素親性の（酸性色素に対して親和性をもつ，特定の細胞や組織要素についていう）. = oxyphil (3); oxyphile.

ox·y·pho·ni·a (ok-sē-fō′nē-ă) [G. *oxys*, sharp + *phōnē*, voice]. 音声高鋭（金切り声，高い声）.

ox·y·pol·y·gel·a·tin (ok′sē-pol′ē-jel′ă-tin). オキシポリゼラチン（輸液の血漿増量薬として用いる，一部変化させたゼラチン）.

ox·y·pu·rine (ok′sē-pyūr′ēn). オキシプリン（酸素を含むプリン．例えば，ヒポキサンチン，キサンチン，尿酸）.

ox·y·rhine (ok′sē-rīn) [G. *oxys*, sharp + *rhis* (*rhin-*), nose]. 高鼻の，尖鼻の（鋭くとがった鼻をもつ）.

ox·y·ryg·mi·a (ok′sē-rig′mē-ă) [G. *oxys*, acid + *erygmos*, eructation]. 酸性おくびを表す現在では用いられない語.

Ox·y·spi·ru·ra man·so·ni (ok′sē-spī-rū′ră man-sō′nī). 世界各地に分布する，シチメンチョウ，ニワトリ，クジャク，ウズラ，ライチョウの眼の瞬膜下に寄生する旋尾線虫．幼虫はゴキブリ体内で感染子虫に成長する. = Manson eye worm.

ox·yt·a·lan (ok-sit′ă-lan) [G. *oxys*, acid + *talas*, suffering, resisting. 〝酸性加水分解の阻止〟を意味していると思われる造語]. オキシタラン（エラスチン線維の形成初期に認められる結合組織線維の一種で，全身に存在する．特に歯周靱帯と歯肉に豊富に存在する）.

ox・y・thi・a・min (ok′sē-thī′ă-min). オキシチアミン（ピリミジン環のアミノ基の代わりに水酸基をもつ，チアミンに似た分子．服用によりチアミン欠乏症を誘発しうるチアミン拮抗薬．チアミン分泌を増加させる）．

ox・y・to・ci・a (ok′sē-tō′sē-ă)［G. *okytokos*, swift birth］．分娩促進．

ox・y・to・cic (ok′sē-tō′sik). ***1***〚adj.〛子宮収縮性の，分娩促進の．***2***〚n.〛分娩促進薬．＝parturifacient (2).

ox・y・to・cin (OXT) (ok′sē-tō′sin)［G. *okytokos*, swift birth］．オキシトシン（8位にロイシル残基を，3位にイソロイシル残基をもつ点がヒトのバソプレッシンと異なる下垂体後葉のノナペプチドホルモン．周期的な子宮筋の収縮を起こし，授乳期の射乳を促進し，分娩誘発または刺激，分娩後の出血と弛緩の処置，および痛みを伴う乳房のうっ滞緩和に用いる）．＝ocytocin.

arginine o. アルギニンオキシトシン（8位にアルギニル残基を有するオキシトシン．→arginine *vasopressin*）．

ox・y・u・ri・cide (ok′sē-yū′ri-sīd)［oxyurid＋L. *caedo*, to kill］．ぎょう虫駆除薬．

ox・y・u・rid (ok′sē-yū′rid)［→*Oxyuris*］．ぎょう虫（蟯虫科の寄生虫の一般名）．

Ox・y・u・ri・dae (ok′sē-yū′ri-dē). 蟯虫科（脊椎動物の大腸または盲腸，無脊椎動物，特に昆虫とヤスデの腸にみられる寄生線虫(蟯虫上科)の一科．本科には *Aspiculuris*属，*Enterobius*属，*Oxyuris*属，*Passalurus*属，*Syphacia*属，*Thelandros*属が含まれる）．

Ox・y・u・ris (ok′sē-yū′ris)［G. *oxys*, sharp＋*oura*, tail］．通常，ぎょう虫とよばれる線虫の一属．ヒトに寄生するぎょう虫は本属と近縁の *Enterobius vermicularis*．ウマギョウチュウ *O. equi* は世界中にみられ，一般にウマの寄生虫で，大腸に寄生する．

-oyl アシル基を示す接尾語．-yl を -ic とすると酸の名称になる．

oz. ounce の略．

o・ze・na (ō-zē′nă)［G. *ozaina*, a fetid polypus＜*ozō*, to smell］．臭鼻〔症〕，オツェーナ．＝atrophic *rhinitis*.

o・ze・nous (ō′zĕ-nŭs). 臭鼻〔症〕の．

o・zo・ce・rite (ō′zō-sē′rīt). ＝ozokerite.

o・zo・ker・ite (ō′zō-kēr′īt). オゾケライト，地ろう（天然に存在するパラフィンとシクロパラフィンの混合物．合成パラフィンより高い融点をもち，蜜ろうの代用品として用いる）．＝ozocerite.

purified o. ＝ceresin.

o・zo・na・tor (ō′zō-nā′tŏr, -tōr). オゾン発生器（オゾンを発生し屋内の空気中に拡散させる装置）．

o・zone (ō′zōn)［G. *ozō*, to smell］．オゾン；O_3（強力な酸化薬．放電またはリン酸の緩徐な燃焼により生成される O_3 をある程度含む空気は，Cl_2 または SO_2 のようなにおいをもつ．また，大気 O_2 に対し，太陽 UV 放射の作用で生成される）．

o・zo・nide (ō′zō-nīd). オゾニド，オゾン化物（不飽和有機化合物，特に不飽和脂肪酸とオゾンの作用により生じる不安定な中間体）．

o・zo・nol・y・sis (ō′zō-nol′ĭ-sis)［ozone＋G. *lysis*, dissolution］．オゾン分解（オゾンを用いて炭化水素鎖の二重結合を開裂し，2つの炭素含有構造，通常2個のアルデヒドを生成すること(オゾニドは不安定な中間体である)．不飽和脂肪酸の構造決定に利用される）．

o・zo・nom・e・ter (ō′zō-nom′ĕ-tĕr). オゾン測定計（オゾン観測紙を修正したもので，一連の試験紙により大気中のオゾン量を測定する）．

o・zo・no・scope (ō-zō′nō-skōp). オゾン観測紙（デンプンとヨウ化カリウム，またはリトマスとヨウ化カリウムを飽和させた沪紙．オゾンの存在により青色に変わる）．

o・zo・sto・mi・a (ō′zō-stō′mē-ă)［G. *ozō*, to smell＋*stoma*, mouth］．口臭．＝halitosis.

P

π *1* パイ（ギリシア語アルファベットの 16 番目の文字 pi）. *2* 円周率の記号，おおよそ3.14159；浸透圧 osmotic *pressure* (Π) の記号.

Π ⇀π.

Φ *1* ファイ（ギリシア語アルファベットの 21 番目の文字 phi）. *2* フェニル；量子収量 quantum *yield* (π) の記号.

φ ⇀Φ.

Ψ, Ψrd *1* プサイ（ギリシア語アルファベットの 23 番目の psi の大文字）. *2* プソイドウリジン；心理学の記号.

P *1* peta- の記号．リンの元素記号．リン酸塩，プロリン，生成物 product，ポアズ，力 power の記号．しばしば位置や化学種を示す下付き文字とともに用いられる．*2* 下付き文字が付いて，ⓘその文字に示される物質の血漿濃度，ⓘⓘ permeability *constant* を示す．*3* 血液型の名称．付録 Blood Groups の P 血液型参照．*4* 確率を表す記号．〝より小さい〟を表す符合(<)を伴う場合，カイ二乗検定などの検定統計量が偶然では起こりにくい結果を示していることを表す.

P_{CO_2} 二酸化炭素分圧(圧力)の記号. ⇀partial *pressure*.

P_i 無機正リン酸塩 inorganic *orthophosphate* の記号(他の置換基と共有結合している場合には用いるべきではない).

P_{O_2}, pO_2 酸素分圧(圧力)の記号. ⇀partial *pressure*.

P_1 parental *generation* の略.

^{32}P リン 32 の記号.

^{33}P リン 33 の記号.

P-170 ＝P-glycoprotein.

P_{700} 波長が約 700 nm の光によって漂白される，葉緑体に含まれる色素.

P_{870} 波長が約 870 nm の光によって漂白される，バクテリアの色素細胞に含まれる色素.

P *1* 核酸の用語で，リン酸残基の記号．*2* 圧力 pressure，分圧 partial *pressure* の記号.

P_B 気圧 barometric *pressure* の記号.

p *1* 瞳孔 pupil；視神経乳頭 optic *papilla* の略．*2* ポリヌクレオチドを略記するときのリン酸エステルまたはリン酸塩．*3* pico- (2)，負の常用対数，陽子，蛋白，運動量(イタリック体を用いる)を表す記号．*4*［＜Fr. *petit*, small］．細胞遺伝学で，染色体の短い腕を表す記号.

p53 p53遺伝子（第 17 染色体短腕に存在する癌抑制遺伝子で，DNAに結合し，細胞分裂を負に制御する核リン蛋白をコードする．悪性疾患のマーカとしてしばしば測定される）.

***p*-** para- (4) の略.

PA physician assistant; posteroanterior; pulmonary *artery* の略.

P.A. physician assistant の略.

Pa パスカルの記号．プロトアクチニウムの元素記号.

paan (pahn)［Hindi］．パーン（ビンロウジ(ビンロウの果実)と，恐らく他の様々な薬物や香辛料をキンマの葉で包んだ製品で，酔う目的でかんで用いる）.

Paas (pahz), H.R. 20世紀のドイツ人医師. ⇀P. *disease*.

PABA *p*-aminobenzoic acid の略.

pab·lum (pab′lŭm)［L. *pabulum*, nourishment＜*pasco*, to nourish］．パブラム（調理済みの幼児食．コムギ，カラスムギ，トウモロコシのひき割り粉，およびコムギ胚芽，ムラサキウマゴヤシの葉，ビール酵母，鉄分，塩化ナトリウムの混合物）.

pab·u·lar (pab′yū-lăr)．栄養物の，植物の.

pab·u·lum (pab′yū-lŭm)［L.］．食物，栄養物.

Pacchioni (pak′ē-ō′nē), Antonio. イタリア人解剖学者，1665 — 1726. ⇀pacchionian *bodies*, *corpuscles*, *depressions*, *glands*, *granulations*.

pac·chi·o·ni·an (pak′ē-ō′nē-ăn). Antonio Pacchioni(1665—1726)の，または彼の記した.

pace·fol·low·er (pās′fol-ō-ĕr)．ペースメーカ追従細胞（ペースメーカからの刺激に反応して興奮する組織の細胞）.

pace·mak·er (pās′māk-ĕr)［L. *passus*, step, pace］．*1* ペースメーカ，歩調取り（生物学的用語で，活動の歩調を定める律動中枢のこと）．*2* ペースメーカ（速度を人工的に調節する器械）．*3* 調節物質（化学において，その反応速度が一連の連鎖反応の速度を決定するような物質．例えば代謝経路において，その経路で最も遅い，すなわち律速反応を触媒する酵素）.

artificial p. 人工ペースメーカ（正常な刺激伝導系の代わりに器官のリズムを調節する装置．特に心臓ペースメーカは胸に植え込まれ，電極は心表面に取り付けたり，経静脈的に右心内に装着したりする）.

demand p. ディマンド〔型〕ペースメーカ，応需型ペースメーカ（通常は心臓に植え込まれる人工ペースメーカの一種で，心臓自身の電気的活動によってペースメーカからの電気的刺激の発生が抑制されるようになっている）.

diaphragmatic p. 横隔膜〔神経刺激〕ペースメーカ（横隔膜(神経)をペーシングする装置で，四肢麻痺またはある種の横隔神経機能不全を起こしている慢性の呼吸不全の患者に用いる）.

ectopic p. 異所性ペースメーカ（洞結節以外の歩調取りをする部位・細胞をいう）.

electric cardiac p. 電気〔心臓〕ペースメーカ（正常な心臓の刺激伝導系の代わりに電気刺激を与えることにより心拍を調節する）. ＝electronic p.

electronic p. 電気的ペースメーカ. ＝electric cardiac p.

external p. 体外式ペースメーカ（一定のリズムの電気的刺激を心臓に与えるペースメーカで，刺激発生装置は体外にあり，電極は心臓内にある）. ＝transthoracic p.

fixed-rate p. 固定レート〔型〕ペースメーカ（一定周期で電気的刺激を出す人工ペースメーカ）.

nuclear p. 核ペースメーカ（心臓に人工的にペーシングする目的で電流を起こすための核発電による装置．長時間作動型のニッケル－カドミウムまたは他の電源を用いる装置に取って代わられた）.

pervenous p. 経静脈式ペースメーカ（経静脈的に電極を右心内に装置する人工ペースメーカ）.

runaway p. ランナウェイペースメーカ（植え込まれたパルス発生器の回路内の不安定性(故障)により起こる，140/分以上の速い心拍）.

shifting p. ペースメーカ移動. ＝wandering p.

subsidiary atrial p. 補助的心房調律（心拍動調律をコントロールする第 2 の刺激発生源であり，洞調律ペースメーカ部位が働かない場合(洞結節不全)に心拍動をコントロールする．分界稜や下大静脈近傍右心房自由壁に存在する）.

transthoracic p. 経胸壁ペースメーカ. ＝external p.

wandering p. 遊走性ペースメーカ（通常，洞結節と房室結節の間で，1 心拍ごとに歩調取りの位置が変わる心臓リズムの障害．多くの場合心電図の同一記録中で上向きと下向きの P 波が徐々に連続する）. ＝shifting p.

pa·chom·e·ter (pa-kom′ĕ-tĕr). ＝pachymeter.

Pa·chon (pah-shōn[h]′), Michel V. フランス人生理学者，1867—1938. ⇀P. *method*, *test*.

pachy-［G. *pachys*, thick］．厚い，を意味する接頭語.

pach·y·bleph·a·ron (pak′ē-blef′ă-ron)［pachy-＋G. *blepharon*, eyelid］．瞼縁肥厚症（眼瞼の瞼板辺縁の肥厚化）. ＝tylosis ciliaris.

pach·y·ce·pha·li·a (pak′ē-se-fā′lē-ă). ＝pachycephaly.

pach·y·ce·phal·ic, pach·y·ceph·a·lous (pak′ē-se-fal′ik, -sef′ă-lŭs)．頭蓋肥厚〔症〕の.

pach·y·ceph·a·ly (pak′ē-sef′ă-lē)［pachy-＋G. *kephalē*, head］．頭蓋肥厚〔症〕（頭蓋の異常な肥厚）. ＝pachycephalia.

pach·y·chei·li·a, pach·y·chi·lia (pak′ē-kī′lē-ă)［pachy-＋G. *cheilos*, lip］．口唇肥厚〔症〕（口唇の腫脹または異常な肥厚）.

pach·y·cho·li·a (pak′ē-kō′lē-ă)［pachy-＋G. *cholē*, bile］．胆汁濃縮〔症〕.

pach·y·chro·mat·ic (pak′ē-krō-mat′ik)．濃染性の，肥厚染色体〔性〕の（粗大染色質細網を有する）.

pach·y·chy·mi·a (pak′ē-kī′mē-ă)［pachy-＋G. *chymos*, juice］．びじゅく濃縮〔症〕.

pach·y·dac·tyl·i·a (pak′ē-dak-til′ē-ă). ＝pachydactyly.

pach·y·dac·ty·lous (pak′ē-dak′ti-lŭs). 指趾肥厚の.
pach·y·dac·ty·ly (pak′ē-dak′ti-lē) [pachy- + G. *daktylos*, finger or toe]. 指趾肥厚（手指あるいは足指，特にその末端部の肥大．神経線維腫症によくみられる）. = pachydactylia.
pach·y·der·ma (pak′ē-der′mă) [pachy- + G. *derma*, skin]. 強皮症，硬皮症（異常に厚い皮膚．→elephantiasis）. = pachydermatosis.
  p. laryngis 喉頭強皮（硬皮）症（喉頭の後交連における限局性結合組織過形成）.
  p. lymphangiectatica リンパ管拡張性強皮（硬皮）症（リンパうっ滞による象皮病）.
  p. verrucosa いぼ状強皮（硬皮）症（いぼ状の慢性象皮病）.
  p. vesicae 小水疱性強皮（硬皮）症（リンパ性小水疱からなる小結節が皮膚表面にみられる象皮病）.
pach·y·der·ma·to·sis (pak′ē-der-mă-tō′sis). = pachyderma.
pach·y·der·mo·dac·ty·ly (pak′ē-der′mō-dak′ti-lē) [MIM 600356]. 指皮膚肥厚〔症〕（示・中・環指（ときに小指，まれに母指も含む）の近位指節間関節に生じるびまん性線維腫症による指の腫脹．家族性の場合もある）.
pach·y·der·mo·per·i·os·to·sis (pak′ē-der′mō-per′ē-os-tō′sis) [pachy- + G. *derma*, skin + periostosis][MIM *167100]. 肥大性皮膚骨膜症（太鼓ばち指，特に長骨の遠位端上の骨膜性新生骨形成（特発性肥大性骨関節症），顔面と前額の皮膚の肥厚・皺襞形成・油症を伴う粗大化顔貌（脳回転状皮膚）を特徴とする症候群．皮脂栓が充満して皮脂孔が大きく開いた脂漏性過形成をみる．常染色体優性遺伝といわれる．通常，男性のほうが症状が重い）. = acropachyderma.
pach·y·glos·si·a (pak′ē-glos′ē-ă) [pachy- + G. *glōssa*, tongue]. 厚舌症（肥大した厚い舌のこと）.
pa·chyg·na·thous (pă-kig′na-thŭs) [pachy- + G. *gnathos*, jaw]. 巨顎の，下顎肥大の（[二重字 gn において，g は語頭にあるときのみ無声である]）.
pach·y·gy·ri·a (pak′ē-jī′rē-ă) [pachy- + G. *gyros*, circle]. 脳回肥厚〔症〕（大脳皮質の脳回が異常に大きい状態．正常より脳回の数は少なく，脳実質の量は少し増加している症例もある）. = macrogyria.
pach·y·lep·to·men·in·gi·tis (pak′i-lep′tō-men′in-jī′tis) [G. *pachys*, thick + *leptos*, thin + *mēninx* (*mēning*-), membrane + *-itis*, inflammation]. 硬軟〔髄〕膜炎（脳または脊髄のすべての膜の炎症）.
pach·y·me·ni·a (pak′i-mē′nē-ă) [pachy- + G. *hymēn* membrane]. パキメニア（皮膚またはその他粘膜が肥厚すること）.
pach·y·men·in·gi·tis (pak′ē-men′in-jī′tis) [pachy- + G. *mēninx*, membrane + *-itis*, inflammation]. 硬〔髄〕膜炎. = perimeningitis.
  p. externa 硬〔髄〕膜外層炎（硬膜の外表面の炎症）. = epidural meningitis; external meningitis.
  hemorrhagic p. 出血性硬〔髄〕膜炎（硬膜炎を伴う硬膜下出血．→subdural *hemorrhage*）.
  hypertrophic cervical p. 肥厚性頚部硬〔髄〕膜炎（脊椎硬膜，特に頸椎部の線維性および炎症性肥厚化で，脊椎神経根障害を起こすもの．梅毒が病因とされている）.
  p. interna 硬〔髄〕膜内層炎. = internal meningitis.
  pyogenic p. 化膿性硬〔髄〕膜炎（しばしば隣接骨髄炎から広がる硬膜の化膿性炎症）.
pach·y·men·in·gop·a·thy (pak′ē-mĕ-ning-gop′ă-thē) [pachy- + G. *mēninx* (*mēning*-), membrane + *pathos*, disease]. 硬〔髄〕膜障害（[誤った発音 pak-ē-mĕ-nin-jop′ă-thē を避けること]）.
pach·y·me·ninx (pak′ē-mē′ningks) [pachy- + G. *mēninx*, membrane][TA]. 硬膜. = dura mater.
pa·chym·e·ter (pă-kim′ĕ-tĕr) [pachy- + G. *metron*, measure]. 厚度計（物体，特に骨板や膜などの薄い物体の厚さを測定する機械）. = pachometer.
  optic p. 光学厚度計（角膜の厚さを測定するレンズ）.
pach·y·ne·ma (pak′ē-nē′mă) [pachy- + G. *nēma*, thread]. パキネマ，厚糸期染色体. = pachytene.
pa·chyn·sis (pă-kin′sis) [G. a thickening]. 病的肥厚を表す現在では用いられない語.
pa·chyn·tic (pă-kin′tic). 病的肥厚の.
pach·y·o·nych·i·a (pak′ē-ō-nik′ē-ă) [pachy- + G. *onyx*, nail]. 爪肥厚〔症〕（手足の爪の異常な肥厚）.
  p. congenita [MIM*167200]. 先天性爪肥厚〔症〕（手掌と足蹠の角質増殖を伴う爪甲の異常な肥厚と隆起を起こす，外胚葉の異常の症候群．乳頭の萎縮により舌は白っぽく光沢がある．常染色体優性遺伝．第 17 染色体長腕のケラチン 16 遺伝子(KRT16)または第 12 染色体長腕のケラチン 6A 遺伝子(KRT6A)の変異による）. = Jadassohn-Lewandowski syndrome.
pach·y·o·ti·a (pak′ē-ō′shē-ă) [pachy- + G. *ous*, ear]. 巨耳症（耳介が肥厚し，きめが粗くなること）.
pach·y·per·i·os·ti·tis (pak′ē-per′ē-os-tī′tis) [pachy- + periostitis]. 肥厚性骨膜炎（炎症によって生じる骨膜の増殖性肥厚化）.
pach·y·per·i·to·ni·tis (pak′ē-per′i-tō-nī′tis) [pachy- + peritonitis]. 肥厚性腹膜炎（膜の肥厚化を伴う腹膜の炎症を表す現在では用いられない語）. = productive peritonitis.
pach·y·pleu·ri·tis (pak′ē-plū-rī′tis) [pachy- + pleura + G. *-itis*, inflammation]. 肥厚性胸膜炎（膜の肥厚化を伴う胸膜の炎症を表す現在では用いられない語）. = productive pleurisy.
pa·chyp·o·dous (pă-kip′ō-dŭs) [pachy- + G. *pous*, foot]. 巨足の（大きくて厚い足を有する）.
pach·y·so·mi·a (pak′ē-sō′mē-ă) [pachy- + G. *sōma*, body]. 軟部肥厚症（先端巨大症にみられるような身体の軟らかい部分の病的肥厚）.
pach·y·tene (pak′i-tēn) [pachy- + G. *tainia*, band, tape]. パキテン期，厚糸期，太糸期，合体期（相同染色体の対合が完成し，対になった相同染色体が短縮を続けながら互いにより合っていく減数分裂前期．各染色体に縦裂が生じ，2 本の姉妹染色体を生成するために，各相同染色体は一組の 4 本のからみ合った染色体となる）. = pachynema.
pach·y·vag·i·nal·i·tis (pak′ē-vaj′i-năl-ī′tis) [pachy- + Mod. L. (tunica), *vaginalis* + G. *-itis*, inflammation]. 肥厚性鞘膜炎（精巣鞘膜の肥厚化を伴う慢性の炎症を表す現在では用いられない語）.
pach·y·vag·i·ni·tis (pak′ē-vaj′i-nī′tis) [pachy- + vagina + G. *-itis*, inflammation]. 肥厚性腟炎（腟壁の肥厚化と硬化を伴う慢性の腟炎）.
  p. cystica 嚢胞性肥厚性腟炎. = *vaginitis* emphysematosa.
pacifier (pas′i-fī-ĕr) [pacify < M.E. *pacifien*, pacify < O.Fr. < L. *pacificare*, to pacify + -er]. おしゃぶり（あやすために乳児の口にくわえさせる物．通常，プラスチックあるいは消毒可能な素材でできている）.
Pa·ci·ni (pă-sē′nē), Filippo. イタリア人解剖学者，1812–1883. →pacinian *corpuscles*; Vater-P. *corpuscles*.
pa·cin·i·an (pa-sin′ē-ăn). Pacini の，または彼の記した.
pa·cin·i·tis (pa′sin-ī′tis, pa-chin-). パチーニ小体炎.
pack (pak) [M. E. *pak* < Germanic]. ***1*** 〖v.〗パックする，満たす，詰める. ***2*** 〖v.〗シーツ，毛布，あるいは他の物で身体をくるむ，または包む. ***3*** 〖v.〗塡入する（手術した位置に詰め物またはカバーをする）. ***4*** 〖n.〗創をおおうのに用いる物.
  cold p. 冷パック，冷罨法，冷湿布（冷水または氷につけて絞った布などによるパック）.
  dry p. 乾パック，乾罨法（多量の発汗を誘発するため，乾いた温かい布で体を包むこと）.
  hot p. 温パック，温罨法，温湿布（湯気または熱湯につけて絞った布によるパック）.
  wet p. 湿パック，湿罨法，湿布（創傷のパックで温かい湿気や冷たい湿気を与える）.
pack·er (pak′ĕr). ***1*** 挿入器（タンポンを入れるのに用いる器具）. ***2*** 塡塞器，パッカー. = plugger.
  body p. 体内詰め込み者，体内運搬者（体腔内に麻薬を隠して運ぶ人）. = courier; internal carrier; mule; swallower.
pack·ing (pak′ing). ***1*** 塡塞，挿入（腔または創を物で充塡すること）. ***2*** 詰め物，パッキング（塡塞に用いる材料）. ***3*** パックすること.
  body p. 体内パッキング（コンドームなどの容器に麻薬を入れて，えん下したり，直腸または腟に挿入して隠すこと.

P

胸痛の評価

病気	特徴，部位，放射	持続時間	悪化させる条件	回復手段
狭心症 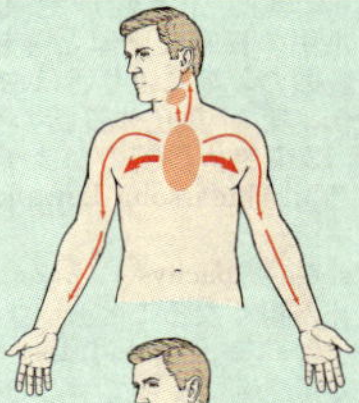	胸骨下部または胸部に放散する胸骨背部痛が前腕内側，頸部や顎部に放散する	5—15分	通常，運動，感情，食事，寒冷と関連する	安静，ニトログリセリン，酸素
心筋梗塞 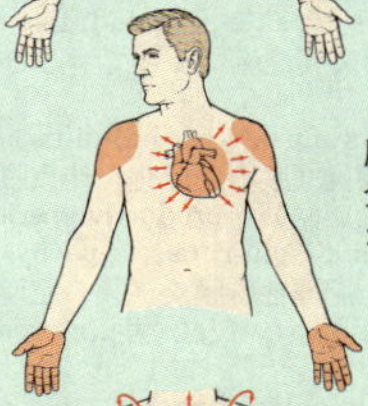	胸骨下部痛または前胸部痛が胸部全体に広範に放散し，両肩や両手が痛みで動かせないこともある	＞15分	自然に起こることも，不安定狭心症の結果起こることもある	モルヒネ，閉塞した肝動脈の再開通
心膜炎 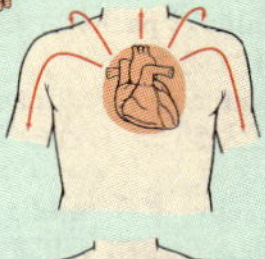	鋭い強い胸骨下部痛または胸骨左部痛．上部痛や頸部，上腕，背部に放散することもある	間欠性	突然発症し，呼吸，えん下，咳，胴の回転で痛みが増加する	起坐，鎮痛剤，抗炎症剤の投与
肺痛 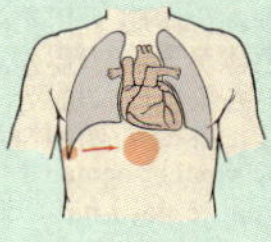	胸膜下部由来の痛みは肋骨辺縁部や上腹部に放散する．患者が痛む場所を限定できることがある	30+分	しばしば自然に起こり，痛みは呼吸で増加する	安静，基礎疾患の治療，または気管支の拡張
食道痛 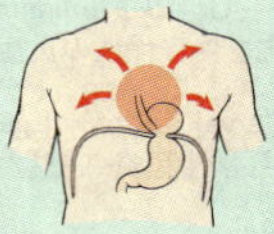 (裂孔ヘルニア，逆流性食道炎，または痙縮)	胸骨下部痛が胸部から肩に放散することがある	5—60分	臥位，冷たい飲料，運動，自然に起こることもある	食物摂取，抗酸剤，ニトログリセリンは痙縮を止める
不安 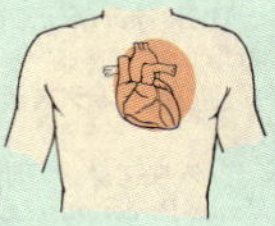 (排除の診断)	左胸部全体の痛み．変動性で放散しない．手や口のしびれとチクチク感を訴える	2—3分	ストレス，感情性頻呼吸	刺激の除去，安静

通常運搬のために行う).

denture p. 義歯塡入（フラスコの型に義歯床用材料を塡入して加圧すること).

pac·li·tax·el (pak′lĭ-taks′ĕl). パクリタキセル（微小管重合を促進することにより複製を抑制する抗癌剤．現在では卵巣の転移性癌に対するサルベージ療法に用いられる).

PACS *p*icture *a*rchive and *c*ommunication *s*ystem の頭字語．ディジタル(デジタル)化放射線画像と報告書のためのコンピュータネットワーク．

PACU postanesthesia care *unit* の略．

pad (pad). パッド，当て物，詰め物（①クッション用の柔らかい材質．圧力を一部にかけたり，圧力を緩和したり，包帯がずれないように陥凹部を充塡するのに用いる．②間隙を埋めたり，体内のクッションとして作用して，脂肪体その他の組織を多少とも被包する(すなわち足踵部)).

abdominal p. 腹〔部〕当てガーゼ，腹部パッド．＝laparotomy p.

dinner p. 腹当て（ギプスジャケットを装着する前に胃窩部の上に置く，中程度の厚みのある当て物．ギプスが固まってからこれを取り除くが，腹部膨張などの状態の変化にこの間隙が役立つ).

fat p. ⇀fat-pad.

heel p. 足踵部（踵骨の足底面に接する被膜におおわれた脂肪体．体重負荷および歩行時にクッションとなる).

knuckle p.'s [MIM*149100]. ***1*** ナックルパッド，指結節（常染色体優性遺伝で，近位指節間関節上に皮膚の硬化結節がみられる．ときとして爪白斑，難聴，または Dupuytren 拘縮と合併する). ***2*** ナックルパッド（職業性または自瀆性外傷の結果生じる胼胝様反応).

laparotomy p. 開腹パッド（ガーゼを数層に重ねて長方形に整えたパッド．腹部手術で，血液を吸収させたり，臓器を押さえておくためなどに用いる). ＝abdominal p.

Passavant p. (pahs′ă-vahn). パッサファントパッド．＝palatopharyngeal *ridge*.

periarterial p. ＝juxtaglomerular *body*.

pharyngoesophageal p.'s ＝pharyngoesophageal *cushions*.

retromolar p. 臼歯後豊隆（しばしば梨状を呈する軟組織塊で，最後方大臼歯遠心部の歯槽突起の上に存在する．特に全部床義歯の適合性と関係がある). ＝pear-shaped area.

sucking p., suctorial p. ＝buccal *fat-pad*.

threshold p.'s of anal canal 肛門管入口部パッド．＝anal *cushions*.

Pa·dy·ku·la-Her·man stain for my·o·sin ATPase

(pah′di-kū′lă her′măn). ⇀stain.
Pae·cil·o·my·ces (pē-sil′ō-mī′sēz). ペシロミセス属（*Penicillium*属の毛筆状体に表面が類似した分生子をもつ菌糸を有する非病原性不完全菌類の一属．汚染菌，ときには病原体として分離される）.
　P. lilacinus カビの一種．まれにペシロミセス症の原因となる．汚染した移植眼内レンズによるヒトの眼への感染症に関与している．＝*Penicillium lilacinum*.
pae·cil·o·my·co·sis (pē′sil-ō-mī-kō′sis). ペシロミセス症（*Paecilomyces*属の真菌によって引き起こされるヒトおよび種々の動物の全身性(主に呼吸器系の)真菌症）.
paed- この形で始まる語は ped- の項参照.
PAF platelet-aggregating *factor* の略.
PAG periaqueductal gray(中脳水道周囲灰白質)の略.→central gray *substance*.
PAGE polyacrylamide gel *electrophoresis* の略.
Pa·gen·stech·er (pah′gĕn-stek-ĕr), Alexander. ドイツ人眼科医，1828—1879. ⇀P. *circle*.
Paget (paj′ĕt), James. イングランド人外科医，1814—1899. ⇀P. *cells*, *disease*; extramammary P. *disease*; P.-von Schrötter *syndrome*.
pa·get·ic (pa-jet′ik). パジェット病性（Paget 病に関与あるいは罹患したこと）.
pag·et·oid (paj′ĕ-toyd). パジェット〔病〕様の（Paget 病に似た，または特徴的な）.
pa·go·pha·gi·a (pā′gō-fā′jē-ă) [G. *pagos*, frost + *phagō*, to eat]. 食氷（強迫観念にかられての氷の摂取．鉄欠乏性貧血に伴うこともある）.
-pagus [G. *pagos*, something fixed < *pēgnymi*, to fasten together]. 接着双生児を意味する接尾語．語の最初の部分は結合している部位を示す．→-didymus; -dymus.
PAH *p*-aminohippuric acid の略.
pain (pān) [L. *poena*, a fine, a penalty]. ***1*** 痛み，疼痛（現実のまたは潜在的な組織損傷を伴う不定で不快な感覚．特異的神経線維によって脳に伝えられ，そこでの意識的な認識は種々の要因によって修飾される）. ***2*** 陣痛（分娩時に起こる痛みを伴う子宮収縮を表す用語）.
　after-p.'s ⇀afterpains.
　bearing-down p. 共圧陣痛，娩出〔陣〕痛（反復腹圧を伴う子宮収縮．通常，分娩第 II 期に現れる）.
　expulsive p.'s 娩出〔陣〕痛（子宮筋の収縮による有効な分娩陣痛）.
　false p.'s 仮性陣痛，前駆陣痛（有効でない子宮収縮．真の陣痛に先立って生じ，それに似ていることもあるが，子宮頸管の展退や開大が起こらないのでそれと区別できる．*cf.* Braxton Hicks *contraction*; false *labor*）.
　girdle p. 帯状痛（脊髄ろうまたはその他の脊髄疾患にみられる，帯で締め付けられるような痛み）.
　growing p.'s 成長痛（小児の四肢に，しばしば夜間に生じる疼痛．原因は明らかではないが良性の疾患とされる）.
　hunger p. 空腹痛（空腹時に心窩部に感じる痛み）.
　intermenstrual p. 〔月経〕中間痛（①通常，月経周期の中間点に，排卵の時期に一致して起こる骨盤の不快感．＝midpain. ②＝mittelschmerz）.
　intractable p. 難治〔性〕疼痛，頑痛（通常の鎮痛薬では効き目の現れない痛み）.
　labor p.'s 〔分娩〕陣痛（正常な状態では，その強さ，頻度，持続時間が次第に増加し，胎児が腟を通って娩出されるとき最高頂に達する周期的な子宮収縮）.＝parodynia.
　middle p. 中間痛．＝mittelschmerz.
　night p. 夜間痛．＝nyctalgia.
　organic p. 器質〔性〕疼痛（器質的病変によって起こる痛み）.
　periodic bone p. 周期性骨痛．＝periodic *arthralgia*.
　phantom limb p. 幻〔想〕肢痛（切断された肢(幻想肢)に痛い感覚が出現することで，上肢にみられることが多い．幻想肢を動かそうと試みたり，情動が刺激となって焼けるような痛みが出現するのが典型的である）.＝phantom limb; pseudesthesia (3); pseudoesthesia (3); stump hallucination.
　pleuritic p. 胸痛，胸膜痛．＝respirophasic p.
　postprandial p. 食後痛（食後に起こる痛み．食道や胃の悪性腫瘍に典型的である）.
　psychogenic p. 心因性疼痛（心理的，感情的，行動刺激と関連しているか相関関係にある痛み）.＝psychalgia (2); somatoform p.
　referred p. 関連痛（実際の起源から遠い表面部位から発したと感じる深部構造物からの痛み．痛いと感知される部位は深部構造物と同じ脊髄分節に支配される）.＝telalgia.
　respirophasic p. [L. *respiro*, to breathe + G. *phasis*, recurring appearance, as of a star < *phaino*, to appear + -ic]. 呼吸周期性胸痛（呼吸相と同調して起こるあるいは悪化する痛みで，しばしば誤って胸膜性と命名される痛み）.＝pleuritic p.
　rest p. 休息痛（腰をかけたり，横になった姿勢で休息しているときの痛み．通常，四肢に起こる）.
　somatoform p. 身体表現性疼痛．＝psychogenic p.
paint (pānt). 塗布剤，ペイント（はけ，またはより大きな塗布器具により皮膚に塗布する 1 種以上の薬物の溶液または懸濁液．通常，広範囲に生じた発疹の治療に用いる）.
　carbol-fuchsin p. 石炭酸フクシン塗剤（ホウ酸，フェノール，レゾルシノール，フクシン，アセトン，アルコールを水に溶解したもの．表在性真菌症の治療に用いる）.＝Castellani p.
　Castellani p. (kahs-tĕ-lah′nē). カステラーニ塗布剤．＝carbol-fuchsin p.
pair (pār). 対（類似性，共通の目的，または両者の間の引き合う力により組として考えられる 2 つの物体）.
　base p. (**b.p., bp**) 塩基対（プリンとピリミジン間の水素結合によりプリンとピリミジンが結合している 2 個の複素環式核酸塩基の複合体．1953 年，J. Watson と F. Crick により提案された DNA 構造の重要な要素．通常，グアニンはシトシン(G•C)と，アデニンはチミン(A•T)またはウラシル(A•U)と対になる）.＝nucleoside p.; nucleotide p.
　buffer p. 緩衝対（酸とその共役塩基(陰イオン)）.
　chromosome p. 染色体対（完全な二倍体の核型における 2 本の染色体のことであり，2 本は，形と機能が類似であるが，量比は通常異なる．1 本は各親から遺伝し，1 本は各子孫へと受け継がれる．異形型の性(ヒトでは男性)では，一対の性染色体は，形・量・機能ともに明らかに異なる）.
　conjugate acid-base p. 共役酸－塩基対（プロトン性溶媒(例えば，酸化水素，アンモニア，酢酸)において，水素イオンの有無だけが異なる 2 個の分子．例えば，炭酸/重炭酸イオン，アンモニウムイオン/アンモニア．緩衝作用の基礎になる）.
　line p.'s 線対（X 線蛍光板や X 線フイルム，または写真フイルムの解像度の単位．判別可能な 1cm 当たりの最大本数のこと．㊟通常は LP/cm または LP/mm で解像力や空間周波数を表示する）.
　nucleoside p., nucleotide p. ヌクレオシド対．＝base p.
　p. production 〔電子〕対生成（1.02MeV より大きいエネルギーの入射光子が物質に吸収されたときに起こる陽電子と電子の生成．陽電子と電子それぞれの質量は 0.511MeV．高エネルギー放射線治療で起こる）.
pa·ja·roe·llo (pah-har-wā′ō) [Am. Sp. *pajahuello* < Sp. *paja*, straw + *huello*, undersurface of hoof]. パハロエヨ．＝*Ornithodoros coriaceus*.
Pa·lade (pă-lād′), George E. 20世紀のルーマニア生まれの米国人細胞生物学者・ノーベル賞受賞者．⇀P. *granule*; Weibel-P. *bodies*.
pal·a·tal (pal′ă-tăl). 口蓋の．＝palatine.
pal·ate (pal′ăt) [L. *palatum*, palate]. 口蓋（口腔の天井．口腔と鼻腔の間にある骨性および筋性の仕切り）.＝palatum [TA]; roof of mouth; uraniscus.
　bony p. [TA]. 骨口蓋（口腔上壁を構成し，上顎の口蓋突起と口蓋骨の水平板からなる凹状楕円形の骨板）.＝palatum osseum [TA].
　Byzantine arch p. ビザンティンアーチ口蓋（口蓋突起と鼻棘の不完全な融合）.
　cleft p. 口蓋裂（口蓋正中線の先天的な裂．しばしば口唇裂を伴っているが，必須ではない．他の頭蓋顔面の奇形や症候群(例えば変形性小人症や先天性脊椎・骨端異形成症)の一部としてみられることもある．一般的な遺伝学的発生数は，出生 750—1,000 当たり 1 で，口唇裂 cleft *lip* と同等である）.＝palatoschisis; palatum fissum.

P

falling p. 口蓋垂下垂．＝uvuloptosis.

gothic p. ゴシック口蓋（異常に高い弓状の口蓋）．

hard p.［TA］．硬口蓋（①鼻の粘膜により上部を，口腔の天井にあたる部分の粘膜により下部をおおわれた骨口蓋からなり，口蓋血管，神経，粘液腺を有する口蓋の前方部分．＝palatum durum［TA］．②頭部X線規格写真分析法において，骨口蓋の位置を表す前鼻棘と後鼻棘を結ぶ線）．

occult cleft p. ＝submucous cleft p.

pendulous p. 口蓋垂．＝*uvula* of soft palate.

primary p. 一次口蓋（初期胚子で内側口蓋突起から形成される棚状構造で，前方で下の原始口腔と上の原始鼻腔を境する）．＝primordial p.

primordial p. 原始口蓋．＝primary p.

secondary p. 二次口蓋（一次口蓋の後方にある胎生上顎骨の外側口蓋突起からつくられ，発達して硬口蓋と軟口蓋とになる胚口蓋の部分）．

soft p.［TA］．軟口蓋（口と口腔咽頭，口腔咽頭と鼻咽頭の間に不完全な中隔を形成する口蓋の後方筋肉部分）．＝palatum molle［TA］; velum palatinum*; velum pendulum palati.

submucous cleft p. 粘膜下口蓋裂（軟口蓋筋が分離すること．その軟口蓋では粘膜によって欠損をカバーする．それは硬口蓋陥凹と口蓋垂の分岐としてみえるかもしれない）．＝occult cleft p.

pa·lat·i·form (pă-lat′i-fōrm). 口蓋状の．

pa·lat·i·nase (pă-lat′i-nās). パラチナーゼ；oligo-1,6-glucosidase（パラチノーゼを加水分解する，腸粘膜にあるマルターゼ）．

pal·a·tine (pal′ă-tīn). ＝palatal.

pa·lat·i·nose (pă-lat′i-nōs). パラチノーゼ（α–1,6 結合(スクロースは α–1,2)で D–グルコースと D– フルクトースよりなる二糖類）．

pal·a·ti·tis (pal′ă-tī′tis). 口蓋炎．＝uranisconitis.

palato- [L. *palatum*, palate]. 口蓋を意味する連結形．

pal·a·to·glos·sal (pal′ă-tō-glos′ăl). 口蓋舌の（口蓋と舌，または口蓋舌筋についていう）．

pal·a·to·glos·sus (pal′ă-tō-glos′ŭs). 口蓋舌筋．＝palatoglossus (*muscle*).

pal·a·tog·na·thous (pal′ă-tog′nă-thŭs) [palato- + G. *gnathos*, jaw]. 口蓋裂の（［二重字 gn において，g は語頭にあるときのみ無声である］）．

pal·a·to·gram (pal′ă-tō-gram). 口蓋図（基礎床に柔らかいワックスまたは粉末を入れて行う口蓋に対する舌の動きの記録）．

pal·a·to·graph (pal′ă-tō-graf) [palato- + G. *graphō*, to record]. 口蓋曲線描写器（発話時や呼吸時の軟口蓋の動きを記録するのに用いる装置）．＝palate myograph; palatomyograph.

pal·a·to·max·il·lar·y (pal′ă-tō-mak′si-lār′ē). 口蓋上顎の（口蓋と上顎に関する）．

pal·a·to·my·o·graph (pal′ă-tō-mī′ō-graf) [palato- + G. *mys*, muscle + *graphō*, to record]. 口蓋筋運動描写器．＝palatograph.

pal·a·to·na·sal (pal′ă-tō-nā′sal). 口蓋鼻の（口蓋と鼻腔に関する）．

pal·a·to·pha·ryn·ge·al (pal′ă-tō-fa-rin′jē-ăl). 口蓋咽頭の（口蓋と咽頭に関する）．

pal·a·to·pha·ryn·ge·us (pal′ă-tō-fa-rin′jē-ŭs) [L.]. 口蓋咽頭筋．＝palatopharyngeus (*muscle*).

pal·a·to·pha·ryn·go·plas·ty (pal′ă-tō-fa-rin′gō-plas′tē) [palato- + pharynx + *plastos*, formed]. 口蓋咽頭形成術（睡眠時無呼吸の有無にかかわらず，いびきを訴える症例の中で，不必要な口蓋と口腔咽頭粘膜を外科的に切除する手術）．＝uvulopalatopharyngoplasty.

pal·a·to·phar·yn·gor·rha·phy (pal′ă-tō-far′in-gōr′ă-fē) [palato- + pharynx + G. *raphē*, suture]. 口蓋咽頭縫合〔術〕．＝staphylopharyngorrhaphy.

pal·a·to·plas·ty (pal′ă-tō-plas′tē) [palato- + G. *plassō*, to form]. 口蓋形成〔術〕（口蓋の形と機能を修復する形成術）．＝staphyloplasty; uraniscoplasty; uranoplasty; uvulopalatoplasty.

pal·a·to·ple·gi·a (pal′ă-tō-plē′jē-ă) [palato- + G. *plēgē*, stroke]. 軟口蓋麻痺（軟口蓋筋の麻痺）．

pal·a·tor·rha·phy (pal′ă-tōr′ă-fē) [palato- + G. *rhaphē*, suture]. 口蓋縫合〔術〕．＝staphylorrhaphy; uraniscorrhaphy; uranorrhaphy; velosynthesis.

pal·a·tos·chi·sis (pal-ă-tos′ki-sis) [palato- + G. *schisis*, fissure]. 口蓋〔披〕裂．＝cleft *palate*.

pa·la·tum, pl. **pa·la·ti** (pă-lā′tŭm,-tī) [L.][TA]. 口蓋．＝palate.

p. durum [TA]. 硬口蓋．＝hard *palate* (1).

p. fissum 口蓋裂．＝cleft *palate*.

p. molle [TA]. 軟口蓋．＝soft *palate*.

p. osseum [TA]. 骨口蓋．＝bony *palate*.

pa·le·en·ceph·a·lon (pā′lē-en-sef′ă-lon) [paleo- + G. *enkephalos*, brain]. 旧脳（体節性神経系 metameric nervous *system* に対する L. Edinger の造語．大脳皮質は除く）．

paleo-, pale- [G. *palaios*, old, ancient]. 古い，原始の，本来の，初期の，を意味する連結形．

pa·le·o·cer·e·bel·lum (pā′lē-ō-ser′ĕ-bel′ŭm) [paleo- + L. *cerebellum*][TA]. 旧小脳（虫部の大部分とその近くの小脳半球全部とをあわせていう系統発生学用語．脊髄小脳路の終わる部分と一致するところから脊髄小脳とよばれることもある．系統発生的な古さからいうと古小脳と新小脳の中間にあたると考えられている）．＝spinocerebellum [TA].

pa·le·o·cor·tex (pā′lē-ō-kōr′teks) [TA]. 旧皮質（嗅覚皮質に相当する，大脳半球の皮質の系統発生学上最古の部分）．

paleoepidemiology (pāl-ē-ō′ep-i-dēm-ē-ol′ō-jē). 古疫学（古代において，特定の疾患がどのように分布していたのかを推論するために疫学手法を用いること．その疾患がどのように，なぜ，そしてどこで初めに発症したのかを調べる．この情報を利用して，伝染病やそれ以外の疾患に起こり得る将来の状態，新しい疾患の出現に対する可能性，そして，古い疾患の再流行の可能性を予測する．最新の成果と考古学研究（例えば骨，歯，胃腸の内容物から得られた証拠）からエビデンスは得られる）．

pa·le·o·ki·net·ic (pā′lē-ō-ki-net′ik) [paleo- + G. *kinētikos*, relating to movement]. 旧運動〔性〕の（筋反射と自動常同運動の基礎をなす原始運動機序をいう）．

pa·le·o·pa·thol·o·gy (pā′lē-ō-pa-thol′ŏ-jē) [paleo- + pathology]. 古生物病理学（骨，ミイラ，および考古学的人工物にみられるような有史以前の疾病に関する科学）．

pa·le·o·stri·a·tal (pā′lē-ō-strī-ā′tăl). 旧線条体の．

pa·le·o·stri·a·tum (pā′lē-ō-strī-ā′tŭm) [paleo- + L. *striatum*]. 旧線条体（線条体の構成要素である淡蒼球を意味する用語で，新線条体 neostriatum よりも早く発生し，間脳由来であると仮定する考えからの呼称．→*globus* pallidus）．

pa·le·o·thal·a·mus (pā′lē-ō-thal′ă-mŭs). 旧視床（進化において最も早く発生した視床の構成要素と考えられる髄板内核．等皮質との相互連絡を欠く）．

Pal·fyn (Palfin) (pal′fan[h]), Jean. 現在のベルギーで活躍した外科医・解剖学者，1650—1730. →P. *sinus*.

pal·i·ki·ne·si·a, pal·i·ci·ne·sia (pal′i-ki-nē′zē-ă, -si-nē′zē-ă) [G. *palin*, again + *kinēsis*, movement]. 〔同〕運動反復〔症〕（運動の無意識的な反復）．

pal·i·nal (pal′i-năl) [G. *palin*, backward]. 後方への，後退の．

pal·in·drome (pal′in-drōm) [G. *palindromos*, a running backward]. パリンドローム（分子生物学において，自己相補的核酸配列のこと．同じ5′から3′への方向で読んだ場合，配列がその相補鎖と同じになる．あるいは対称軸のいずれの側においても，反転した繰返し配列が逆方向に(5′-AGTTGA-3′)並んでいること．パリンドロームは重要な反応が起こる部位(例えば，結合部位や制限酵素切断部位)に存在する．不完全なパリンドロームは，一部分に相補性の欠除があり，その部位でループ構造を形成する）．

pal·in·dro·mi·a (pal′in-drō′mē-ă) [G. *palindromos*, a running back + *-ia*, condition]. 再発，回帰．

pal·in·drom·ic (pal′in-drom′ik). 再発性の，回帰性の．

pa·li·nop·si·a (pa-li-nop′sē-ă). 反復視（視刺激除去後の視覚イメージの持続または反復）．

pal·i·sade (pal′i-sād) [Fr. *palissade* < L. *palus*, a pale, stake]. 観兵式状配列（病理学において，互いに平行な長方形の核の列）．

pal·la·di·um (Pd) (pă-lā′dē-ŭm) [< the asteroid, Pallas; G. *Pallas*, 知の女神]．パラジウム（白金に似た金属元素．原子番号 46，原子量 106.42）．

pal·lan·es·the·si·a (pal′an-es-thē′zē-ă) [G. *pallō*, to quiver + *anaisthēsia*, insensibility]. 振動覚脱失(消失)〔症〕. =apallesthesia.

pal·les·the·si·a (pal′es-thē′zē-ă) [G. *pallō*, to quiver + *aisthēsis*, sensation]．振動〔感〕覚（振動の感知，すなわち圧覚の一種．振動している音叉を骨隆起に当てた場合に最も鋭敏である）．=bone sensibility; pallesthetic sensibility; vibratory sensibility.

pal·les·thet·ic (pal′es-thet′ik). 振動〔感〕覚の．

pal·li·al (pal′ē-ăl). 外套の（脳の皮質についていう）．

pal·li·ate (pal′ē-āt) [L. *palliatus*(adj.), dressed in a *pallium*, cloaked]．緩和する，軽減する．=mitigate.

pal·li·a·tive (pal-ē-ă-tiv). 待機的な，姑息的な（緩和する，潜伏している疾病を治癒することなく徴候を和らげることについていう）．

pal·li·dal (pal′i-dăl). 淡蒼球の．

pal·li·dec·to·my (pal′i-dek′tŏ-mē) [pallidum + G. *ektomē*, excision]．淡蒼球切除〔術〕（通常，定位脳手術による淡蒼球の切除あるいは破壊．接頭語が付くとその方法を示す．例えば，chemopallidectomy(化学物質による破壊)，cryopallidectomy(冷却による破壊)）．

pal·li·do·a·myg·da·lot·o·my (pal′i-dō-ă-mig′dă-lot′ŏ-mē) [pallidum + amygdala (1) + G. *tomē*, a cutting]．淡蒼球扁桃核切断(切開)〔術〕（淡蒼球と扁桃核を切断する手術のこと）．

pal·li·do·an·sot·o·my (pal′i-dō-an-sot′ŏ-mē). 淡蒼球わな切断(切開)〔術〕（淡蒼球とレンズ核わなを切断する手術のこと）．

pal·li·dot·o·my (pal′i-dot′ŏ-mē) [pallidum + G. *tomē*, incision]．淡蒼球切断(切開)〔術〕（淡蒼球を破壊する手術．不随意運動や筋硬直を軽減するために行う）．

pal·li·dum (pal′i-dŭm) [L. *pallidus*, pale][TA]．淡蒼球．=*globus* pallidus.

dorsal p. [TA]．背側淡蒼球（淡蒼球のうち一般に前交連面より上部にある部分で，背側線条体とともに認識に対応する運動機能を営む．大脳基底核の一部をなす）．=p. dorsale [TA].

p. dorsale [TA]. =dorsal p.

ventral p. [TA]．腹側淡蒼球（淡蒼球のうち一般的に前交連面より下部にある部分で，無名質を含み，腹側線条体とともに強い衝動的情動的刺激に対応する運動機能を営むとみられている）．=p. ventrale [TA].

p. ventrale [TA]. =ventral p.

pal·li·um (pal′ē-ŭm) [L. cloak][TA]．外套．=cerebral *cortex*.

pal·lor (pal′ŏr) [L.]．蒼白（皮膚などにみられる）．

cachectic p. 悪液質性蒼白．=achromasia (1).

palm (pahlm) [L. *palma*][TA]．手掌，てのひら（手の平たい部分．手の屈側または前面で，手指は含まない．手背の対語）．=palma [TA]; palmar region*.

liver p. 肝性手掌紅斑（母指球部と小指球部とにみられる増強した紅斑）．

pal·ma, pl. **pal·mae** (pahl′mă, pawl′mē) [L.][TA]．手掌，てのひら（**[palmus と混同しないこと]**）．=palm.

p. manus 手掌，てのひら（→palm）．

pal·mar (pahl′măr) [L. *palmaris* < *palma*][TA]．手掌の，掌側の（**[誤ったつづり palmer を避けること]**）．=palmaris [TA].

pal·mar·is (pahl-mār′is) [L.][TA]．掌側の（**[本形容詞は男性名詞(aponeurosis palmaris，複数形 aponeuroses palmares)および女性名詞(aponeurosis palmaris，複数形 aponeuroses palmares)とともに用いられる．中性名詞では palmare の形(ligamentum palmare，複数形 ligamenta palmaria)で用いられる．palmare の最後の e は発音される]**）．=palmar.

pal·mel·lin (pal′mel-in). パルメリン（藻類 *Palmella cruenta* の産生する赤い色素）．

Palmer (pahl′mĕr), Walter L. 米国人医師，1896－？ →P. acid *test* for peptic ulcer.

pal·mic (pal′mik). 心拍の，拍動の．

pal·mi·tal·de·hyde (pal′mi-tal′dĕ-hīd). パルミチンアルデヒド；hexadecanal（パルミチン酸の炭素数 16 のアルデヒド類似体．血漿の成分）．

pal·mi·tate (pal′mi-tāt). パルミチン酸塩．

pal·mit·ic ac·id (pal-mit′ik as′id). パルミチン酸；$CH_3(CH_2)_{14}COOH$（多くの他の脂肪やワックス，ヤシ油，オリーブ油に含まれる一般的な炭素数16の飽和脂肪酸．哺乳類の脂肪酸シンターゼの最終産物）．=hexadecanoic acid.

pal·mi·tin (pal′mi-tin). パルミチン（ヤシ油に含まれるパルミチン酸のトリグリセリド）．=tripalmitin.

pal·mi·to·le·ic ac·id (pal′mi-tō-lē′ik as′id). パルミトレイン酸；9-hexadecenoic acid（炭素鎖 16 の *cis*－一価不飽和カルボン酸．ヒトの脂肪組織トリアシルグリセロールの共通成分の 1 つ）．=zoomaric acid.

pal·mi·tyl al·co·hol (pal′mi-til al′kŏ-hol). パルミチルアルコール．=*cetyl* alcohol.

pal·mod·ic (pal-mod′ik). 顔面筋痙攣の．

pal·mos·co·py (pal-mos′kŏ-pē) [G. *palmos*, pulsation + *skopeō*, to examine]．心拍検査〔法〕．

pal·mus, pl. **pal·mi** (pal′mŭs, -mī) [G. *palmos*, pulsation, quivering]．**[palma と混同しないこと]**．***1*** 顔面筋痙攣．=facial *tic*. ***2*** 筋律動性線維性収縮（→jumping *disease*）．***3*** 心拍．

pal·pa·ble (pal′pă-bĕl) [→palpation]．***1*** 触知可能の．***2*** 明白な．

pal·pate (pal′pāt). 触診する．

pal·pa·tion (pal-pā′shŭn) [L. *palpatio* < *palpo*, pp. -*atus*, to touch, stroke]．**[palpitation と混同しないこと]**．***1*** 触診〔法〕（手を用いて，身体の臓器，塊，浸潤を触知したり，心拍動，脈拍，胸部の振動などを調べること）．***2*** 触感（触覚で感じ取ること）．

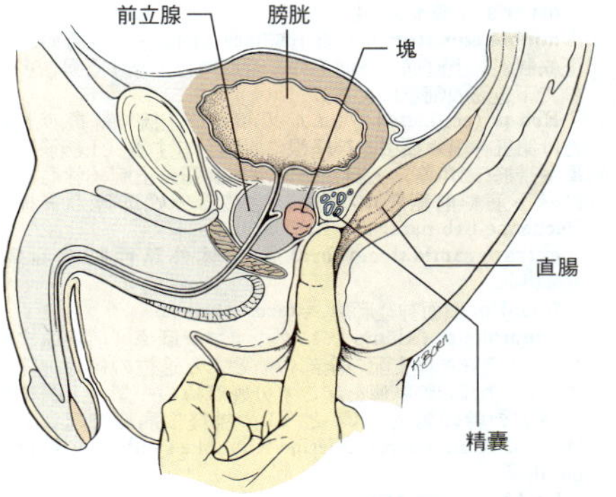

palpation of the prostate

医師の選択に基づいて，患者は膝を上げて仰臥位で横たわるか腰を曲げる．

bimanual p. 双手触診（両手を用いて臓器や腫瘤をさわること．腹部や骨盤部で特に用いられる）．

light-touch p. 軽触診〔法〕（指先で表面を軽く触診することにより，臓器または塊の輪郭を判定する方法）．

pal·pa·to·per·cus·sion (pal′pă-tō-pĕr-kŭsh′ŭn). 触打診（触診と打診を組み合わせた検査）．

pal·pe·bra, pl. **pal·pe·brae** (pal′pĕ-bră, pē′brē) [L.][TA]．眼瞼，まぶた．=eyelid.

p. III 第三眼瞼．=*plica* semilunaris of conjunctiva (2).

p. inferior [TA]．下眼瞼，したまぶた．=inferior *eyelid*.

p. superior [TA]．上眼瞼，うわまぶた．=superior *eyelid*.

p. tertia 第三眼瞼．=*plica* semilunaris of conjunctiva (2).

pal·pe·bral (pal′pĕ-brăl). 眼瞼の，まぶたの．

pal·pe·bra·lis (pal′pĕ-brā′lis) [L]．上眼瞼挙筋．=levator palpebrae superioris (*muscle*).

pal·pe·brate (pal′pĕ-brāt) [L. *palpebra*, eyelid]．***1*** 〚adj.〛

眼瞼のある．*2*〖v.〗瞬目する．

pal·pe·bra·tion (pal′pĕ-brā′shŭn) [L. *palpebratio*]．瞬目．

pal·pi·ta·ti·o cor·dis (pal′pi-tā′shē-ō kōr′dis)．動悸．

pal·pi·ta·tion (pal′pi-tā′shŭn) [L. *palptio*, to throb]．動悸，心悸亢進（[palpation と混同しないこと．〝強いまたは不規則な心臓の鼓動〟の意味で本抽象名詞の複数形を口語的および隠語的に使うのを避けること]．患者が感受しうる心臓の強力で不規則な拍動で，通常は拍動数が増加し，律動の不規則性を伴う場合と伴わない場合とがある）．＝trepidatio cordis.

PALS periarterial lymphatic *sheath* の略．

pal·sy (pawl′zē) [O. Fr. 訛語 < L. and G. *paralysis*]．麻痺（完全麻痺または不完全麻痺）．

Bell p. ベル麻痺（通常，片側性の顔面筋の不全麻痺または完全麻痺．第七脳神経の機能障害による．恐らくウイルス感染が原因で，通常，脱髄性の型である）．＝peripheral facial paralysis.

birth p. 分娩麻痺（分娩に関連して生じる神経線維の損傷の結果生じる運動・知覚障害．腕神経叢が最も好発部位とされる．Erb 麻痺や Klumpke 麻痺といった用語を含む概念である）．

brachial birth p. 上腕神経性分娩麻痺．＝obstetric p.

bulbar p. 球麻痺．＝progressive bulbar p.

cerebral p. (**CP**) 脳性〔小児〕麻痺（生下時ないしは小児期早期より発症する非進行性の様々なタイプの運動機能障害の総称．原因は先天性，後天性の双方がある．脳性麻痺は原因により，子宮内型，分娩型，分娩後型に分類される．両麻痺，片麻痺，四肢麻痺，舞踏病アテトーシス，運動失調などの運動障害を含む）．

crutch p. 松葉づえ麻痺．＝crutch *paralysis.*

Dejerine-Klumpke p. (dĕ-zhē-rēn′ klump′kĕ)．ドゥジュリーヌ-クルンプケ麻痺．＝Klumpke p.

diver's p. 潜水夫〔性〕失神発作．＝decompression *sickness.*

double elevator p. 二重上転麻痺（内転・外転時の眼球の上転制限．上直筋と下斜筋の不全麻痺を示唆するが，多くの例で下道筋の制限による）．

Erb p. (erb)．エルプ(エルブ)麻痺（上腕神経叢の上幹または第五・第六頸根の神経根に原因を有する，上腕筋および肩甲帯筋(三角筋，上腕二頭筋，上腕筋，上腕橈骨筋やときに棘下筋や前鋸筋)の麻痺を生じる分娩麻痺の一種）．＝Duchenne-Erb paralysis; Erb paralysis.

extrapyramidal cerebral p. 錐体外路性脳性麻痺．＝athetosis.

facial p. 顔面神経麻痺．＝facial *paralysis.*

Klumpke p. (klūmp′kĕ)．クルンプケ麻痺（前腕遠位と手の筋肉(尺骨神経支配の全部の筋とより遠位の橈骨神経と正中神経支配筋)の麻痺を起こす分娩麻痺の一型．上腕神経叢の下方の幹の病変や C8 と T1 の神経根病変で起こる）．＝Dejerine-Klumpke p.; Dejerine-Klumpke syndrome; Klumpke paralysis.

lead p. 鉛麻痺（鉛中毒による評判では中毒性ニューロパシーの特殊な型．両側の手首と指の伸筋の脱力を呈し，両側性橈骨神経障害によると考えられている．しばしば述べられているが，最近の医学文献に記載された確実な症例はない）．＝lead paralysis.

obstetric p. 分娩麻痺（分娩経過中に生じる胎児の頸腕神経叢麻痺．3 型に分類される．ⓘ上部麻痺(最も頻度が高い．→Erb p.)：肩甲および上腕の障害．ⓘⓘ全麻痺：全上肢の麻痺．ⓘⓘⓘ下部麻痺(→Klumpke p.)：前腕および手指の障害）．＝brachial birth p.; obstetric paralysis.

posticus p. 後筋麻痺（声帯が正中線の上，あるいは近くに固定される後輪状披裂筋の麻痺）．

pressure p. 圧迫性麻痺．＝pressure *paralysis.*

progressive bulbar p. 進行性球麻痺（運動ニューロン疾患の亜型の1つ．主に脳幹の運動ニューロンの進行性変性疾患で，種々の延髄支配筋の脱力と萎縮を起こし，構語障害とえん下障害を呈する．水分の逆流が前景に立つ症状で，誤えんを起こすことがある．舌の脱力と萎縮が通常顕著である．舌と顔面筋に線維束電位がしばしばみられる）．＝glossopalatolabial paralysis; glossopharyngeolabial paralysis; bulbar p.; bulbar paralysis; Erb disease; glossolabiolaryngeal paralysis; glossolabiopharyngeal paralysis; progressive bulbar paralysis.

progressive supranuclear p. [MIM*601104]．進行性核上性麻痺（40 歳以降で発症する緩徐進行性で最終的には致死性の神経疾患．初発症状は転倒を繰り返す平衡障害，構音障害，えん下障害で，その後体幹のジストニー，核上性眼球運動障害，偽性球麻痺，パーキンソン症候群(振せんがなく，L-ドパにあまり反応しない)などが出現する）．＝Steele-Richardson-Olszewski disease; Steele-Richardson-Olszewski syndrome.

pseudobulbar p. 仮(偽)性球麻痺（両側の上部運動ニューロンを含む脳病変が原因の，進行性球麻痺に類似した唇と舌の麻痺．感情が不安定で，発語とえん下が困難．痙性の陰気な笑いが通常みられる症状である）．＝pseudobulbar paralysis.

scrivener's p. 書痙．＝writer's *cramp.*

shaking p., trembling p. 振せん麻痺．＝parkinsonism (1).

pal·u·dal (pal′ū-dăl) [L. *palus*, marsh]．malarial を表す現在では用いられない語．

PAM (păm)．potential acuity *meter* の頭字語．

2-PAM 2-pralidoxime の略．

pam·o·ate (pam′ō-āt)．パモエート（4,4-methylenebis(3-hydroxy-2-naphthoate) の USAN 承認の短縮名）．

pam·pin·i·form (pam-pin′i-fōrm) [L. *pampinus*, a tendril + *forma*, form]．蔓状の．

pam·pin·o·cele (pam-pin′ō-sēl) [L. *pampinus*, tendril + G. *kēlē*, tumor]．精索静脈瘤．＝varicocele.

Pan (pan) [G. myth. god of forest]．チンパンジー属，クロショウジョウ属（ゴリラとチンパンジーを含む真猿類・類人猿の属．コビトチンパンジー *P. panisus* とチンパンジー *P. troglodytes* とが，生物学的実験に使われるチンパンジー種）．

pan- [G. *pas*, all]．すべての，全体の．→pant-.

pan·a·ce·a (pan′ă-sē′ă) [G. *panakeia*, universal remedy < Aesculapius の娘 Panacea]．万能薬（すべての疾病を治すといわれる薬）．

pan·ag·glu·ti·na·ble (pan′ă-glū′ti-nă-bĕl)．汎凝集性の（ヒトの全血清型と凝集しうる．この性質を有する赤血球をいう）．

pan·ag·glu·ti·nins (pan′ă-glū′ti-ninz) [pan + L. *agglutino*, to glue]．汎凝集素（すべてのヒトの赤血球と反応する凝集素）．

pan·an·gi·i·tis (pan′an-jē-ī′tis) [pan- + angiitis]．汎血管炎（血管のすべての層を侵す炎症）．

pan·ar·ter·i·tis (pan′ar-tĕr-ī′tis) [pan- + L. *arteria*, artery + G. *-itis*, inflammation]．汎動脈炎（血管の全構造層を侵すのを特徴とする動脈の炎症性疾患）．＝endoperiarteritis.

pan·ar·thri·tis (pan′ar-thrī′tis)．汎関節炎（関節の全組織を侵す炎症）．

pan·at·ro·phy (pan-at′rō-fē)．汎萎縮〔症〕（①ある構造のすべての部分が萎縮する状態．②全身性の萎縮）．＝pantatrophia; pantatrophy.

pan·blas·tic (pan-blas′tik) [pan- + G. *blastos*, germ]．全胚葉の．

pan·bron·chi·o·li·tis (pan′bron-kē-ō-lī′tis)．汎細気管支炎（細気管支の特発性炎症と閉塞で，最終的には気管支拡張症を伴う．症例は元来ほとんど全部が日本から報告されている）．＝diffuse panbronchiolitis.

diffuse p. [MIM*604809]．びまん性汎細気管支炎．＝panbronchiolitis.

pan·car·di·tis (pan′kar-dī′tis)．汎心炎．＝endoperimyocarditis.

Pan·coast (pan′kōst), Henry K. 米国人放射線科医，1875—1939．→P. *syndrome*, *tumor*.

pan·co·lec·to·my (pan′kō-lek′tŏ-mē)．結腸全摘出〔術〕．

pan·cre·as, pl. **pan·cre·a·ta** (pan′krē-as, pan-krē-ā′tă) [G. *pankreas*, the sweetbread < *pas*(*pan*), all + *kreas*, flesh][TA]．膵臓，膵（十二指腸の弯曲部から脾臓にのびる明確な被膜をもたない長い分葉腺．十二指腸曲内の平らな頭部，頭部と体部の間の頸部，腹部を横切る細長い三角柱状の体部，および脾臓と接する尾部からなる．腺は外分泌部から腸に注がれる膵液，内分泌部からインスリンとグルカゴンを分泌する）．

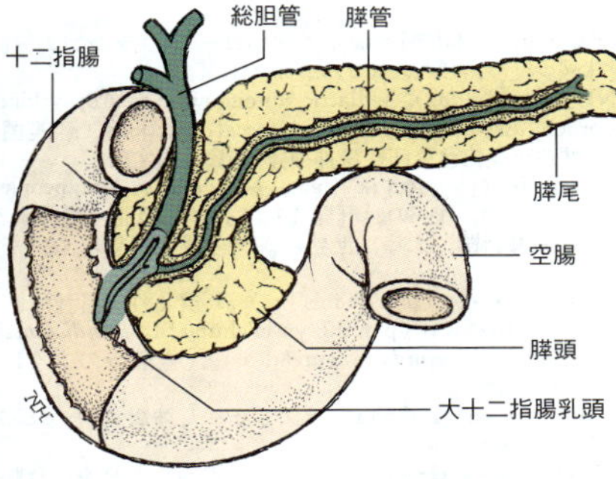

pancreas and duodenum into which it empties

p. accessorium [TA]. 副膵. ＝accessory p.

accessory p. [TA]. 副膵〔臓〕（膵臓の一部が分離しているもの．通常は鉤突起膵頭の部分が切り離されて頭部の近くに存在することが多いが，ときには胃や十二指腸の壁内にみられることもある）. ＝p. accessorium [TA].

anular p. 輪状膵（十二指腸を囲む膵臓の輪で，胎生的腹側膵芽の十二指腸右側への移動欠如によって起こる．その結果，膵は，十二指腸の周りに輪を形成する）.

Aselli p. (ă-sel′ē). アセリ膵〔臓〕. ＝Aselli *gland*.

p. divisum 分割膵（胚原基が完全に結合しえない先天的欠陥によって生じる二分膵または分割膵．各々の部位が独立した膵管を有する）.

dorsal p. 背側膵（前腸内胚葉から肝憩室上方に背側膵臓芽として生じる胎児の膵臓原基の部分）.

lesser p. ＝uncinate *process* of pancreas.

p. minus ＝uncinate *process* of pancreas.

small p. ＝uncinate *process* of pancreas.

uncinate p., unciform p. ＝uncinate *process* of pancreas.

ventral p. 腹側膵（肝憩室とともに前腸内胚葉から腹側膵臓芽として生じる膵臓の原基部分）.

Willis p. (wil′is). ウィリス膵〔臓〕. ＝uncinate *process* of pancreas.

Winslow p. (winz′lō). ウィンスロー膵〔臓〕. ＝uncinate *process* of pancreas.

pancreat-, pancreatico-, pancreato-, pancreo- [G. *pankreas*, pancreas]. 膵臓を表す連結形.

pan·cre·a·tal·gi·a (pan′krē-ă-tal′jē-ă) [pancreat- + G. *algos*, pain]. 膵〔臓〕痛を表すまれに用いる語.

pan·cre·a·tec·to·my (pan′krē-ă-tek′tŏ-mē) [pancreat- + G. *ektomē*, excision]. 膵切除〔術〕. ＝pancreectomy.

pan·cre·at·em·phrax·is (pan′krē-at-em-frak′sis) [pancreat- + G. *emphraxis*, a stoppage]. 膵管閉塞（腺の腫脹に起因する膵管の閉塞）.

pan·cre·at·ic (pan′krē-at′ik). 膵〔臓〕の.

pancreatico- →pancreat-.

pan·cre·at·i·co·du·o·de·nal (pan′krē-at′i-kō-dū′ō-dē′-năl, -dū-od′ĕ-năl). 膵十二指腸の（膵臓と十二指腸についていう）.

pan·cre·at·i·co·du·od·en·ec·to·my (pan′krē-at′ĭ-kō-dū-od′en-ek′tŏ-mē). 膵〔頭〕十二指腸切除〔術〕. ＝pancreatoduodenectomy.

pylorus-preserving p. 幽門輪温存膵〔頭〕十二指腸切除〔術〕（胃遠位側と神経支配のある幽門を温存した膵臓と十二指腸の全部または一部の切除．通常，膵頭と頸部に限局した病変で膵臓癌に対して最も多く施行される）.

pan·cre·a·tin (pan′krē-ă-tin). パンクレアチン（ウシまたはブタの膵臓から得られる酵素の混合物．消化薬として内用に，あるいは消化のよい食物の製造にペプトン化剤としても用いる．蛋白分解酵素トリプシン，デンプン分解酵素アミロプシン，脂肪分解酵素ステアプシンが含まれる）.

pan·cre·a·ti·tis (pan′krē-ă-tī′tis). 膵〔臓〕炎.

acute hemorrhagic p. 急性出血性膵炎（膵臓の急性炎症

急性膵炎：病因因子の頻度

Ⅰ．主な原因

1. 胆石症，総胆管結石症
2. アルコール症
3. 腹部手術
4. 胆管や膵管の内視鏡検査
5. 閉鎖性腹部損傷
6. 膵臓癌
7. 膵臓の分裂

Ⅱ．頻度の少ない原因

1. 内分泌疾患（多発腺腫症，上皮小体機能亢進症，Cushing症候群）
2. 妊娠，高リポ蛋白血症
3. 薬物作用（コルチコステロイド，利尿薬，産児制限ピル）
4. 免疫アレルギー
5. 神経性膵炎
6. 遺伝性膵炎
7. ウイルス性膵炎
8. 寄生虫性膵炎
9. ショックやアシドーシスによる膵炎

で，壊死と腺組織への出血を伴う．臨床的には急激な腹痛，嘔気，発熱，白血球増加が著しい．遊出した膵酵素（トリプシンとリパーゼ）の作用により，膵表面と大網上に脂肪壊死の部分がみられる）.

calcareous p. 石灰性膵炎（慢性膵炎でX線上石灰化領域を呈するもの）. ＝calcific p.

calcific p. 石灰化膵炎. ＝calcareous p.

chronic p. 慢性膵炎（膵臓の炎症性疾患の繰り返す発作で，線維化と種々の程度の外分泌機能，最終的には内分泌機能の非可逆的損失が特徴である）.

chronic fibrosing p. 慢性線維性膵炎（膵臓の炎症で線維化，腺房萎縮，石灰化よりなる．臨床的には再燃と寛解の遷延した経過をとり，通常アルコール乱用や栄養不良による）.

chronic relapsing p. 慢性再発性膵炎（膵組織の慢性炎症に伴い，患者に繰り返される膵炎の悪化．再発は通常，部分的な膵管閉塞や慢性アルコール症のように，病因因子の持続や繰返しの暴露に基づく）.

pancreato- →pancreat-.

pan·cre·at·o·cho·le·cys·tos·to·my (pan′krē-at′ō-kō′-lē-sis-tos′tŏ-mē). 膵胆嚢吻合〔術〕（膵嚢胞または膵瘻と胆嚢との手術的吻合で，まれに行われる）.

pan·cre·at·o·du·o·de·nec·to·my (pan′krē-at′ō-dū′ō-dĕnek′tō-mē). 膵〔頭〕十二指腸切除〔術〕（十二指腸と膵臓の全部または一部の合併切除．通常，胃遠位部）. ＝pancreaticoduodenectomy; Whipple operation.

pan·cre·at·o·du·o·de·nos·to·my (pan′krē-at′ō-dū′ō-dĕ-nos′tŏ-mē). 膵十二指腸吻合〔術〕（膵管，膵嚢胞，または膵瘻と十二指腸との手術的吻合．次頁の図参照）.

pan·cre·at·o·gas·tros·to·my (pan′krē-at′ō-gas-tros′tŏ-mē). 膵胃吻合〔術〕（膵嚢胞または膵瘻と胃との手術的吻合）.

pan·cre·a·to·gen·ic, pan·cre·a·tog·en·ous (pan′-krē-ă-tō-jen′ik, -toj′ĕ-nŭs) [pancreato- + G. *genesis*, origin]. 膵臓由来の，膵臓の.

pan·cre·a·tog·ra·phy (pan′krē-ă-tog′ră-fē) [pancreato- + G. *graphō*, to write]. 膵〔臓〕撮影〔術，法〕（膵管への造影剤の逆行性注入後，膵管をX線撮影で描出すること）.

pan·cre·a·to·je·ju·nos·to·my (pan-krē-at′ō-je-jū-nos′-tŏ-mē, pan′krē-ă-tō-). 膵空腸吻合〔術〕（膵管，膵嚢胞，または膵瘻と空腸との外科的吻合）.

pan·cre·at·o·lith (pan′krē-at′ō-lith) [pancreato- + G. *lithos*, stone]. 膵石（膵臓の結石）. ＝pancreatic *calculus*.

pan·cre·at·o·li·thec·to·my (pan′krē-at′ō-li-thek′tŏ-mē) [pancreato- + G. *lithos*, stone + *ektomē*, excision]. ＝pancre-

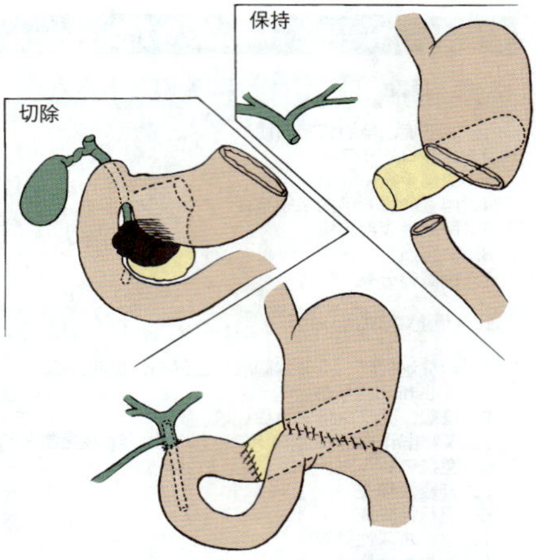

classic pancreaticoduodenectomy

左上：切除された構造は遠位の胃．前十二指腸．腫瘍（黒い部分）のある膵臓の頭部，頸部，および鉤状突起を含んでいる．胆嚢．および遠位の肝外胆管枝．右上：保持された構造は，近位の胃，膵臓の体部と尾部，近位の胆管の枝およびTreitz靱帯から遠位にある空腸，を含んでいる．下：再建は，近位の端-端膵管空腸吻合，端-側胆管空腸吻合，および遠位の胃空腸吻合として示される．

atolithotomy.

pan·cre·at·o·li·thi·a·sis (pan′krē-at′ō-li-thī′ă-sis). 膵石症（通常，膵管系にみられる膵臓内の結石）.

pan·cre·at·o·li·thot·o·my (pan′krē-at′ō-li-thot′ŏ-mē) [pancreato- + G. *lithos*, stone + *tomē*, incision]. 膵石切開〔術〕（結石を除去するために膵臓を切開すること）. = pancreatolithectomy.

pan·cre·a·tol·y·sis (pan′krē-ă-tol′i-sis) [pancreato- + G. *lysis*, dissolution]. 膵組織崩壊.

pan·cre·a·to·lyt·ic (pan′krē-ă-tō-lit′ik). 膵組織崩壊〔性〕の.

pan·cre·a·to·meg·a·ly (pan′krē-ă-tō-meg′ă-lē) [pancreato- + G. *megas*, great]. 膵腫〔脹〕（膵臓の異常な腫脹）.

pan·cre·at·o·my (pan′krē-at′ŏ-mē). = pancreatotomy.

pan·cre·a·top·a·thy (pan′krē-ă-top′ă-thē) [pancreato- + G. *pathos*, suffering]. 膵疾患. = pancreopathy.

pan·cre·a·to·pep·ti·dase E (pan′krē-ă-tō-pep′ti-dās). 膵ペプチダーゼE（→elastase）.

pan·cre·a·tot·o·my (pan′krē-ă-tot′ŏ-mē) [pancreato- + G. *tomē*, incision]. 膵切開〔術〕. = pancreatomy.

pan·cre·a·tro·pic (pan′krē-ă-trop′ik) [pancreat- + G. *tropikos*, relating to a turning]. 膵〔臓〕刺激性（向性）の.

pan·cre·ec·to·my (pan′krē-ek′tŏ-mē). = pancreatectomy.

pan·cre·li·pase (pan-krē-lī′pās). パンクレリパーゼ（リパーゼ含有量の標準となる膵酵素の濃縮物．補助治療に用いる脂肪分解薬）. = lipancreatin.

pancreo- → pancreat-.

pan·cre·o·lith (pan′krē-ō-lith) [pancreo- + G. *lithos*, stone]. = pancreatic *calculus*.

pan·cre·op·a·thy (pan′krē-op′ă-thē). = pancreatopathy.

pan·cre·o·zy·min (pan′krē-ō-zī′min). パンクレオチミン. = cholecystokinin.

pan·cu·ro·ni·um bro·mide (pan-kyū-rō′nē-ŭm brō′-mīd). 臭化パンクロニウム（クラーレに類似する非脱分極性ステロイド性神経筋遮断薬）.

pan·cy·to·pe·ni·a (pan′sī-tō-pē′nē-ă) [pan- + G. *kytos*, cell + *penia*, poverty]. 汎血球減少〔症〕（循環血液中の赤血球，全種類の白血球，血小板が極端に減少すること）.

congenital p. 先天性汎血球減少〔症〕. = Fanconi *syndrome* (1).

Fanconi p. (fahn-kō′nē). ファンコーニ（ファンコニー）汎血球減少〔症〕. = Fanconi *syndrome* (1).

PANDAS (pan′dăz). *p*ediatric *a*utoimmune *n*europsychiatric *d*isorders *a*ssociated with *s*treptococcal infections（溶連菌感染症関連小児自己免疫性精神神経疾患）の頭字語.

pan·dem·ic (pan-dem′ik) [pan- + G. *dēmos*, the people]. 汎〔発〕流行〔病，性〕の，汎発流行〔病〕（広範囲に流行する，広範な地域，国，大陸，世界の人々を侵す疾患についていう）.

pan·de·mic·i·ty (pan′dĕ-mis′i-tē). 汎〔発〕〔性〕流行性.

pan·dic·u·la·tion (pan-dik′yū-lā′shŭn) [L. *pandiculor*, to stretch oneself < *pando*, to spread out]. 覚醒時のように手足をのばす動作.

Pan·dy (pan′dē), Kalman. ハンガリー人神経科医，1868—1945. → P. *test*, *reaction*.

pan·en·ceph·a·li·tis (pan′en-sef′ă-lī′tis). 汎脳炎，全脳炎（広汎性脳炎）.

nodular p. 結節性汎脳炎，結節性全脳炎（亜急性硬化性全脳炎の一種といわれる）. = Pette-Döring disease.

subacute sclerosing p. (SSPE) [MIM*260470]. 亜急性硬化性汎脳炎，亜急性硬化性全脳炎（まれな慢性進行性脳炎で，主に小児と若年成人を侵し，麻疹ウイルスが原因．2歳以前に最初の麻疹ウイルス感染が起き，数年間の無症状期を経て，徐々に進行性の精神神経荒廃が起こり，人格変化，痙攣，ミオクローヌス，運動失調，光過敏症，眼異常，痙縮，昏睡を呈する．特徴的な周期性活動が脳波でみられ，病理的には大脳皮質に加えて大脳半球と脳幹の両方の白質が障害され，好酸性封入体が，神経細胞とグリア細胞の細胞質・核の中に存在する．3年以内に通常死亡する）. = Bosin disease; Dawson encephalitis; inclusion body encephalitis; sclerosing leukoencephalitis; subacute inclusion body encephalitis; subacute sclerosing leukoencephalitis; van Bogaert encephalitis.

pan·en·do·scope (pan-en′dō-skōp) [pan- + G. *endon*, within + *skopeō*, to view]. 万能膀胱尿道鏡（テレスコープレンズ系によって膀胱と同時に尿道内部も観察できる光源付きの器具）.

panendoscopy (pan-en-dos′kŏ-pē). 汎内視鏡検査（硬性鏡やファイバースコープによる，咽頭，喉頭，上部気管や食道の内視鏡検査．通常は全身麻酔下で施行する．→endoscopy）.

pan·es·the·si·a (pan′es-thē′zē-ă) [pan- + G. *aisthēsis*, sensation]. 全感覚，一般感覚（一個人が一度に経験するすべての感覚の総体．→cenesthesia）.

Pa·neth (pah′net), Josef. ハプスブルク帝国の医師，1857—1890. → P. granular *cells*.

pang (pang). 突発性疼痛（急激な短い痛み）.

breast p. 胸部突発性疼痛. = *angina* pectoris.

pan·hi·dro·sis (pan′hi-drō′sis). = panidrosis.

pan·hy·drom·e·ter (pan′hī-drom′ĕ-tĕr) [pan- + G. *hydōr*, water + *metron*, measure]. 万能比重計（あらゆる液体の比重測定に用いる比重計）.

pan·hy·per·e·mi·a (pan′hī-pĕr-ē′mē-ă) [pan- + G. *hyper*, over + *haima*, blood]. 全身充血（全身のうっ血または充血）.

pan·hy·po·pi·tu·i·tar·ism (**PHP**) (pan-hī′pō-pi-tū′i-tăr-izm) [MIM*312000]. 汎下垂体機能低下〔症〕（すべてあるいは大部分の下垂体前葉ホルモンの分泌が不十分，または欠如している状態．下垂体前葉のほぼ全体を破壊するか機能を失わせる種々の疾患によって起こる．まれに常染色体劣性遺伝[MIM*262600]したり，X連鎖劣性遺伝[MIM*312000]をするものもある）. = ateliotic dwarfism; hypophysial cachexia.

pan·ic (pan′ik) [< *Pan*, ギリシア神話の登場人物]. パニック，恐慌（異常で，理由のない不安と恐怖．しばしば呼吸困難や動悸，血管運動性変化，発汗，恐怖感を伴う．→anxiety）.

homosexual p. 同性愛パニック（同性愛に関する無意識の葛藤により，急激な不安に襲われること）.

pan·i·dro·sis (pan′i-drō′sis) [pan- + G. *hidros*, sweat]. 全身発汗（体の全表面の発汗）. = panhidrosis.

pan·im·mu·ni·ty (pan′i-myū′ni-tē). 汎免疫〔性〕（多くの

感染症に対する一般的な免疫).

pan·mix·is (pan-mik′sis) [pan- + G. *mixis*, intercourse]. パンミクシス，雑交. =random *mating*.

pan·my·e·loph·thi·sis (pan′mī-ĕ-lof′thi-sis). 汎骨髄ろう(癆). =myelophthisis (2).

pan·my·e·lo·sis (pan′mī-ĕ-lō′sis) [pan- + G. *myelos*, marrow + *-osis*, condition]. 汎骨髄症（骨髄線維症に伴う，脾臓および肝臓に異常な未熟血球を含む骨髄性異形成).

Pan·ner (pahn′ĕr), H.J. デンマーク人放射線専門医，1871—1930. →P. *disease*.

pan·ni (pan′ī). pannus の複数形.

pan·nic·u·lec·to·my (pă-nik′yū-lek′tŏ-mē) [panniculus + G. *ektomē*, a cutting out]. 脂肪層切除（過剰な脂肪層の，通常は腹部における外科的切除).

pan·nic·u·li·tis (pă-nik-yū-lī′tis) [panniculus + G. *-itis*, inflammation]. 皮下脂肪〔組〕織炎.

α_1-antitrypsin deficiency p. α_1-アンチトリプシン欠損性脂肪〔組〕織炎（アンチトリプシンが著明に減少した患者に生じる多発性の有痛性皮下結節．生検では好中球と泡沫状の組織球を伴った小葉性の脂肪織炎がみられる．以前はアンチトリプシンの欠損を示した Weber-Christian 病と診断したこともある).

cytophagic histiocytic p. 組織球貪食性脂肪〔組〕織炎（赤血球，白血球，血小板を貪食した組織球の浸潤による慢性小葉性脂肪織炎を表す現在では用いられない語．出血性素質またはT細胞リンパ腫により生じる).

lupus erythematosus p. 紅斑性狼瘡(エリテマトーデス)性脂肪〔組〕織炎（紅斑性狼瘡(エリテマトーデス)，特に円板状のもの(㊟円板状紅斑性狼瘡)に併発する紅斑性あるいは正常皮膚色の結節を特徴とする脂肪織炎．顔面，上肢および体幹に出現し，脂肪小葉にリンパ球や形質細胞の結節性浸潤がみられる).

poststeroid p. ステロイド後脂肪〔組〕織炎（ネフローゼ症候群やリウマチ熱の治療に投与されたコルチコステロイドの中止後1か月以内に小児に生じる皮下結節．組織的には新生児皮下脂肪壊死症と同じである．この状態は自然にあるいはステロイドの再投与により消退する).

relapsing febrile nodular nonsuppurative p. 再発性熱性結節性非化膿性脂肪〔組〕織炎（発熱を伴う再発性の皮下結節で，後に陥凹を残す．病理学的には好中球浸潤を主体とする小葉性脂肪織炎で，壊死，脂肪貪食を伴い，後に線維化を生じる．自傷行為によるものや α_1-アンチトリプシン欠損症，深在性エリテマトーデス，膵臓性(酵素性)脂肪壊死，組織球貪食性脂肪織炎などに続発するものが多い．原因がはっきりしない例は Weber-Christian 病(あるいは症候群)とよばれる). =Christian disease (2); Weber-Christian disease.

subacute migratory p. 亜急性移動性皮下脂肪〔組〕織炎（何か月もの間，片下肢または両下肢の側面に生じ，形状が変化する非瘢痕性の局面．病理学的には線維化と巨細胞を伴う隔壁性脂肪織炎である). =erythema nodosum migrans.

pan·nic·u·lus, pl. pan·nic·u·li (pă-nik′yū-lŭs, -lī) [L. *pannus*(cloth)の指小辞]. 層. =layer.

p. adiposus [TA]. 脂肪層. =fatty *layer* of subcutaneous tissue.

p. adiposus telae subcutaneae abdominis [TA]. =fatty *layer* of subcutaneous tissue of abdomen.

p. carnosus 肉様層，皮筋層（浅在性の筋膜中に横紋筋が存在する状態．例えば，ヒトでの広頸筋の状態．哺乳類ではさらに広範囲の皮下にみられる).

pan·ning (pan′ing). パニング（抗原あるいは抗体で表面をおおったプラスチックプレートを用いて，対応レセプタに対する特異的な細胞を分離あるいは濃縮すること).

pan·nus, pl. pan·ni (pan′ŭs, pan′ī) [L. cloth]. パンヌス（正常組織の表面をおおう肉芽組織の膜，ⓘ関節リウマチにかかった関節にみられる炎症性滑膜組織で，関節軟骨をおおい次第に軟骨を破壊していく．結核など他の慢性肉芽腫性疾患でもみられる，ⓘⓘトラコーマにおける角膜をおおう肉芽組織の膜．→corneal p.).

corneal p. 角膜パンヌス（炎症性角膜疾患，特に上部角膜に関係するトラコーマ，において周辺角膜の表層に増殖する線維血管性結合組織．次の3つの型がある．ⓘ肥厚パンヌス **p. crassus** は，多数の血管が侵入し混濁が強い．ⓘⓘ乾性パンヌス **p. siccus** は，乾いた光沢のある表面をもつ．ⓘⓘⓘ淡性パンヌス **p. tenuis** は，血管の侵入は少なく，混濁も少ない).

phlyctenular p. フリクテン性パンヌス（フリクテン性結膜炎のパンヌス).

trachomatous p. トラコーマ性パンヌス（トラコーマに合併した角膜上部のパンヌス).

pan·oph·thal·mi·tis (pan′of-thal-mī-tĭs) [pan- + G. *ophthalmos*, eye]. 汎眼球炎（眼のすべての組織層の化膿性炎症).

pan·op·tic (pan-op′tik) [pan- + G. *opikos*, relating to vision]. 汎視性〔染色〕の（すべてを見せる，の意で，多重染色液や鑑別染色法における効果についていう).

pan·os·te·i·tis (pan′os-tē-ī′tis). 汎骨炎（骨全体の炎症).

pan·o·ti·tis (pan′ō-tī′tis) [pan- + G. *ous*, ear + *-itis*, inflammation]. 全耳炎（耳のすべての部分全般の炎症．特に内耳炎に始まり，続いて炎症が中耳と隣接部に広がる疾病をいう).

pan·pho·bi·a (pan-fō′bē-ă) [pan- + G. *phobos*, fear]. 汎恐怖〔症〕（すべてのものに対する恐れ).

Pansch (pahnsh), Adolf. ドイツ人解剖学者，1841—1887. →P. *fissure*.

pan·scle·ro·sis (pan′sklĕ-rō′sis). 汎硬化〔症〕（器官または部分全般の硬化症).

pan·si·nu·i·tis (pan′sī-nŭ-ī′tis). =pansinusitis.

pan·si·nu·si·tis (pan-sī-nŭ-sī′tis). 汎副鼻腔炎，全副鼻腔炎，全洞炎（片側または両側のすべての副鼻腔の炎症). =pansinuitis.

pan·sper·mi·a, pan·sper·ma·tism (pan-sper′mē-ă, -sper′mă-tizm) [pan- + G. *sperma*, seed]. パンスペルミア説，胚種広布説（動植物の生命は微小な形，胚種(胞子)の形で遍在すると仮定して，それが地球外の宇宙に由来するという説．見かけ上の自然発生を説明する学説).

pan·spo·ro·blast (pan-spō′rō-blast) [pan- + G. *sporos*, seed + *blastos*, germ]. パンスポロブラスト（粘液胞子虫目(ミクソゾア門粘液胞子虫綱)における，1個以上の胞子をつくる生殖胞子母細胞).

pan·spo·ro·blas·tic (pan′spō-rō-blas′tik). 胞子母細胞の.

pan·sys·tol·ic (pan′sis-tol′ik). 汎収縮期〔性〕の，全収縮期〔性〕の（第1心音から第2心音に及ぶ収縮期間にわたって持続することについていう). =holosystolic.

pant [Fr. *panteler*, to gasp]. あえぐ，浅速呼吸する.

pant-, panto- [G. *pas*, all]. すべての，全体の（→pan-).

pan·tal·gia (pan-tal′jē-ă) [pant- + G. *algos*, pain]. 全身痛.

pan·ta·mor·phi·a (pan′tă-mōr′fē-ă) [pant- + G. *a-* 欠性辞 + *morphē*, shape]. 全身奇形.

pan·ta·mor·phic (pan-tă-mōr′fik). 全身奇形の.

pan·tan·en·ceph·a·ly, pan·tan·en·ce·pha·lia (pan′tan-en-sef′ă-lē, -se-fā′lē-ă) [pant- + G. *an-* 欠性辞 + *enkephalos*, brain]. 全脳欠如〔奇形〕（先天的な無脳症).

pan·ta·pho·bi·a (pan′tă-fō′bē-ă) [pant- + G. *a-* 欠性辞 + *phobos*, fear]. 恐怖欠如〔症〕，無恐症（恐怖感がまったく欠如していること).

pan·ta·tro·phi·a, pan·tat·ro·phy (pan′tă-trō′fē-ă, pan-tat′rō-fē) [pant- + atrophy]. 全身萎縮. =panatrophy.

pan·te·the·ine (pan′tĕ-thē′in). パンテテイン；*N*-pantothenyl-2-aminoethanethiol ([誤った発音 pan′te-thēn を避けること]. パントテン酸とアミノエタンチオールの縮合体．4′-ホスホパンテテイン(末端の $-CH_2O$ 基にホスホリルが付いている)と ATP を経由する CoA の生合成における中間体). =*Lactobacillus bulgaricus* factor.

p. kinase パンテテインキナーゼ（ATP により，パンテテインのパンテテイン 4′-リン酸へのリン酸化を触媒する酵素．CoA 生合成の段階の1つ).

p. 4′-phosphate パンテテイン 4′-リン酸. =4′-phosphopantetheine.

pan·te·thine (pan′tĕ-thin). パンテチン（2つのパンテテインよりなるジスルフィド).

pan·the·nol (pan′thĕ-nol). パンテノール. =dexpanthenol.

panto- →pant-.

pan·to·ate (pan′tō-āt). パントエート（パントイン酸の塩ま

たはエステル).

pan·to·graph (pan'tō-graf) [panto- + G. *graphō*, to record]. パントグラフ (①記録用ペンが原図の線に沿って動くようになっている，てこの原理を用いて図面を再生する装置. ②歯科において，下顎限界運動を記録し，咬合器に移し変えるのに用いる装置).

pan·to·ic ac·id (pan-tō'ik as'id). パントイン酸 (補酵素Aの前駆体. パントイン酸の *β*-アラニンアミドはパントテン酸).

pan·to·mo·gram (pan'tō-mō-gram) [pan- + tomogram]. パントモグラム (上顎および下顎歯列弓とその周囲組織のパノラマX線写真で，パントモグラフ(パノラマX線撮影装置)によって得られる).

pan·to·mo·graph (pan'tō-mō-graf). パントモグラフ (全歯牙，歯槽骨，および隣接する組織を1枚の口腔外フイルムで観察できるようにするパノラマX線写真撮影装置).

pan·to·mog·ra·phy (pan'tō-mog'ră-fē). パントモグラフィ (上下顎の歯列弓や隣接組織のX線写真(パントモグラム)が1枚のフイルム上に得られるようなX線写真撮影法).

pan·to·mor·phi·a (pan'tō-mōr'fē-ă) [panto- + G. *morphē*, shape]. 汎形態性 (①アメーバなどのように，あらゆる形をとることのできる生物の状態. ②完全な形のよさ，または対称性).

pan·to·mor·phic (pan'tō-mōr'fik). 汎形態性の (あらゆる形態をとることのできるものについていう).

pan·to·nine (pan'tō-nēn). パントニン (大腸菌 *Escherichia coli* 中のアミノ酸. パントテン酸の *α*-OH 基の位置に NH_2 をもつ，大腸菌のパントテン酸生合成の中間体と考えられるもの).

pan·to·scop·ic (pan'tō-skop'ik) [panto- + G. *skopeō*, to view]. 汎視的な (どんな距離にある対象の観察もできるものについていう. 二焦点のレンズをいう).

pan·to·then·ate (pan-tō'then-āt). パントテン酸塩またはエステル.

p. synthetase パントテン酸シンテターゼ (パントイン酸と *β*-アラニンを，ATP の AMP とピロリン酸塩への開裂を付随してパントテン酸に変える. CoA 生合成の重要段階の1つ). = pantoate-activating enzyme.

pan·to·then·ic ac·id (pan'tō-then'ik as'id). パントテン酸 (パントイン酸の *β*-アラニンアミド. 動植物組織に広く分布している成長物質. 多くの生物の成長に必須. 食事性に欠乏すると，ひなには皮膚炎を起こし，ラットには皮膚炎と毛の色素欠乏症を起こす. CoA の前駆物質). = antidermatitis factor.

pan·to·then·yl (pan'tō-then'il). パントテニル基 (パントテン酸のアシル基).

p. alcohol = dexpanthenol.

pan·to·yl (pan'tō-il). パントイル基 (パントイン酸のアシル基).

pan·to·yl·tau·rine (pan'tō-il-taw'rin, -rēn). パントイルタウリン (カルボキシル群がスルホン酸群に置換されたパントテン酸. 分子内の *β*-アラニンの代わりにタウリンがある点でビタミンとは異なる). = thiopanic acid.

Pa·num (pah'nūm), Peter L. オランダ人生理学者，1820—1885. →P. *area*.

panuveitis (pan'yū-vē-ī'tis). 汎ぶどう膜炎 (前部(虹彩と毛様体)および後部(脈絡膜)の両者を含むぶどう膜の炎症).

pan·zer·herz (pahn'tsār-hārts) [Ger. *Panzerherz*]. よろい心. = armored *heart*.

PAP (pap). *p*eroxidase *a*nti*p*eroxidase complex の頭字語. 3'-phosphoadenosine 5'-phosphate の略. →PAP *technique*.

pap (pap). パンがゆ(粥) (柔らかい食物(例えばミルクや水に浸したパンくず)).

pa·pa·in, pa·pa·in·ase (pa-pā'in, -ās). パパイン (パパイヤ乳液から得られるシステインエンドペプチダーゼまたはそれを含有する原抽出物. エステラーゼ，チオラーゼ，トランスアミラーゼ，およびトランスエステラーゼ活性を有する. 蛋白消化薬，肉軟化薬として，また癒着を防ぐのに用いる. 以前はヘルニア様椎間円板の内容物を吸引により除去するため，その内容物を溶かすのに用いられた). = papayotin.

Pa·pa·ni·co·la·ou (pa-pă-ni'kō-low), George N. ギリシア系米国人医師・解剖・細胞学者，1883—1962. →Pap *smear*; Pap *test*; P. *examination*, *smear*, smear *test*, *stain*.

Pa·pa·ver (pă-pā'vĕr, pă-pav'er) [L. poppy]. ケシ属 (ケシ科植物の一属で，その一種であるケシ *P. somniferum* はアヘンの原料). = poppy.

pa·pav·er·e·tum (pă-pav'ĕr-ē'tŭm) [L. *papaver*, poppy]. パパベレタム (50%無水モルヒネ含有の水溶性アヘンアルカロイド製剤).

pa·pav·er·ine (pă-pav'ĕr-ēn) [L. *papaver*, poppy]. パパベリン (アヘンの非麻薬性のベンジルイソキノリンアルカロイド. 緩徐な鎮痛作用と強力な鎮痙作用をもつ. 局所への注射によるインポテンスの治療に用いられる. これは平滑筋細胞のホスホジエステラーゼ阻害作用による. 塩酸パパベリンとしても用いる).

pa·paw (pă-paw'). パポー (→papaya).

pa·pa·ya (pă-pi'yăh) [Sp.]. パパイヤ，パパヤ (熱帯アメリカのパパイヤ科パパヤ *Carica papaya* (papaw, pawpaw) の果実. 蛋白分解作用をもち，パパインの原料). = carica.

pap·a·yo·tin (pap'a-yō'tin). パパオチン. = papain.

pa·per (pā'pĕr) [L. *papyrus*; G. *papyros*, a kind of rush，紙の原料となったことに由来]. 紙 (①木，古紙，その他の材料から薄いシート状に作成されたもの. ②種々の散薬を包むための正方形の包み紙. ③薬液を浸み込ませて乾燥した沪紙. ぜん息などの呼吸器疾患の治療にはこれを燃やした煙を吸収させる).

articulating p. = occluding p.

chromatography p. クロマトグラフィ紙，沪紙 (ペーパークロマトグラフィに用いられる). = high-quality filter p.

Congo red p. コンゴーレッド試験紙 (コンゴーレッドを浸み込ませた紙. pH 指示薬として用い，pH 3 の青紫色から，pH 5 で赤色に変化する).

filter p. 沪紙 (薬学や化学において，溶液の沪過に用いる紙. 各種，ペーパークロマトグラフィに用いる).

high-quality filter p. 高品質ろ紙. = chromatography p.

niter p. 硝酸紙 (喘息治療に用いる硝酸カリを滲みこませた紙で，燃やして発生する煙霧を吸入する). = potassium nitrate p.; saltpeter p.

occluding p. 咬合紙 (咬頭接触を調べるために，自然歯あるいは人工歯の間に挿入する，インクを浸み込ませた紙またはリボン). = articulating p.

potassium nitrate p. 硝酸カリ紙. = niter p.

saltpeter p. 硝酸カリ紙. = niter p.

Papez (pah-pez'), James W. 米国人解剖学者，1883—1958. →P. *circuit*.

PAPILLA

pa·pil·la, pl. **pa·pil·lae** (pă-pil'ă, -pil'ē) [L. a nipple: *papula*(pimple)の指小辞][TA]. 乳頭 (小さな乳首状の突起). = teat (3).

acoustic p. = spiral *organ*.

basilar p. 鳥類，両生類，および虫類の聴覚器官. 哺乳類の Corti 器官に相当する.

Bergmeister p. (berg-mīs'tĕr). ベルクマイスター乳頭 (胎児期において，硝子体入口部にある硝子体動脈の円錐形の外被を形成するグリア線維の小塊. その痕跡は前乳頭膜として存続することもある).

bile p. = major duodenal p.

p. of breast 乳頭，ちくび. = nipple.

circumvallate papillae 有郭乳頭. = vallate papillae.

clavate papillae = fungiform papillae.

conic papillae 円錐乳頭 (舌背部上にある多数の突起で糸状乳頭の間に散在し，糸状乳頭に類似するが，より短い). = conical papillae; papillae conicae.

papillae conicae 円錐乳頭. = conic papillae.

conical papillae 円錐乳頭. = conic papillae.

papillae corii* 真皮乳頭 (p. of dermis の公式の別名).

papillae of corium* 真皮乳頭 (p. of dermis の公式の別名)

dental p. [TA]. 歯乳頭 (発育中の顎の間葉組織の，エナメル器官陥凹部への突起．外層は，歯のぞうげ質をつくる特殊な柱状細胞，ぞうげ芽細胞になる)．＝p. dentis［TA］; dentinal p.

dentinal p. 歯乳頭．＝dental p.

p. dentis［TA］．歯乳頭．＝dental p.

dermal papillae 真皮乳頭．＝p. of dermis.

papillae dermis［TA］．真皮乳頭．＝p. of dermis.

p. of dermis［TA］．真皮乳頭（表皮に指状に突出する真皮の突起．真皮乳頭内には血管ループと特殊化した神経終末があり，稜線状に配列し，手と足に最もよく発達する)．＝papillae dermis［TA］; papillae corii*; papillae of corium*; dermal papillae.

p. ductus parotidei［TA］．＝p. of parotid duct.

p. duodeni major［TA］．大十二指腸乳頭．＝major duodenal p.

p. duodeni minor［TA］．小十二指腸乳頭．＝minor duodenal p.

filiform papillae［TA］．糸状乳頭（舌背部の多数の細長い円錐状の突起)．＝papillae filiformes［TA］.

papillae filiformes［TA］．糸状乳頭．＝filiform papillae.

papillae foliatae［TA］．葉状乳頭．＝foliate papillae.

foliate papillae［TA］．葉状乳頭（口蓋舌弓の直前の，舌の側縁上に数本の横ひだ状に配列された多数の突起)．＝papillae foliatae［TA］; folia linguae.

fungiform papillae［TA］．茸状乳頭（舌背部にある，先端が底部より広く茸に似た多数の小さな突起．この乳頭の多くの上皮には味蕾が含まれる)．＝papillae fungiformes［TA］; clavate papillae.

papillae fungiformes［TA］．茸状乳頭．＝fungiform papillae.

gingival p.［TA］．歯肉〔歯間〕乳頭（隣接する2歯間の隣接面間を埋める肥厚した歯肉)．＝p. gingivalis［TA］; interdental p.*; p. interdentalis*; gingival septum; interproximal p.

p. gingivalis［TA］．＝gingival p.

hair p. 毛乳頭（毛嚢底部の把手状のぎざぎざの陥凹で，毛根が帽子のように固定される．真皮から生じ，毛根の栄養を得るための血管わなを含む)．＝p. pili.

ileal p.［TA］．回腸乳頭（死体にみられるような盲腸結腸接合部での大腸への回腸末端の両唇性の隆起．生体では星状形の口をもつ先端を切った円錐体としてみられる)．＝p. ilealis［TA］; valva ileocecalis; Bauhin valve; ileocecal eminence; ileocecal valve; ileocolic valve; Tulp valve; Tulpius valve; valve of Varolius.

p. ilealis［TA］．＝ileal p.

p. incisiva［TA］．切歯乳頭．＝incisive p.

incisive p.［TA］．切歯乳頭（口蓋ひだの前端にある粘膜の小さな突起)．＝p. incisiva［TA］; palatine p.

interdental p.* 歯間乳頭（gingival p. の公式の別名)．

p. interdentalis* gingival p. の公式の別名．

interproximal p. 隣接面間乳頭．＝gingival p.

lacrimal p.［TA］．涙乳頭（正中交連近くの眼瞼辺縁からの小さい突起．中心部には涙点(涙管開口部)がある)．＝p. lacrimalis［TA］.

p. lacrimalis［TA］．涙乳頭．＝lacrimal p.

lenticular papillae レンズ状乳頭．＝*folliculi* linguales (⇀ folliculus).

lingual papillae 舌乳頭（①＝papillae of tongue. ②＝lingual gingival p.)．

lingual gingival p. 舌側乳頭歯肉（歯間鼓形空隙を埋めている歯肉の舌側部分．大臼歯および小臼歯部では，舌側乳頭歯肉と頬側乳頭歯肉とに分かれている)．＝lingual interdental p.; lingual papillae (2).

lingual interdental p. 舌側歯間乳頭．＝lingual gingival p.

p. lingualis, pl. **papillae linguales** 舌乳頭．＝papillae of tongue.

major duodenal p.［TA］．大十二指腸乳頭（総胆管と膵臓の十二指腸への開口部．十二指腸の下降部の後面に位置する)．＝p. duodeni major［TA］; bile p.; p. of Vater; Santorini major caruncle.

p. mammae［TA］．乳頭，ちくび．＝nipple.

minor duodenal p.［TA］．小十二指腸乳頭（副膵管の十二指腸への開口部．大十二指腸乳頭の前部やや上方に位置する)．＝p. duodeni minor［TA］; Santorini minor caruncle.

nerve p. 神経乳頭（触覚小体または他の形の神経終末器官をもつ真皮の乳頭)．＝neurothele.

p. nervi optici 視神経乳頭．＝optic *disc.*

optic p. (p) 視神経乳頭．＝optic *disc.*

palatine p. ＝incisive p.

parotid p. 耳下腺乳頭．＝p. of parotid duct.

p. of parotid duct［TA］．耳下腺乳頭（上顎第二大臼歯頸部と向かい合った口腔前庭にある耳下腺開口部の突起)．＝p. ductus parotidei［TA］; p. parotidea; parotid p.

p. parotidea 耳下腺乳頭．＝p. of parotid duct.

p. pili 毛乳頭．＝hair p.

renal p.［TA］．腎乳頭（小腎杯に突出する腎錐体の先端．先端に10—25個の導管開口部があり，篩状野をつくる)．＝p. renalis［TA］.

p. renalis, pl. **papillae renales**［TA］．腎乳頭．＝renal p.

retrocuspid p. 犬歯後部乳頭（下顎犬歯部の舌側歯肉に認められる小さなポリープ．通常，両側性に生じ，小児に認められることが多い．正常な解剖学的構造と考えられている)．

tactile p. 触乳頭（触覚細胞または小体をもつ真皮乳頭)．

papillae of tongue［TA］．舌乳頭（舌背の粘膜上にある種々の形状をもつ突起．糸状乳頭，葉状乳頭，茸状乳頭，有郭乳頭がある)．＝lingual papillae (1); p. lingualis.

urethral p., p. urethralis 尿道乳頭（尿道口を示す腟の前庭にしばしばある小さい突起)．

papillae vallatae［TA］．有郭乳頭．＝vallate papillae.

vallate papillae［TA］．有郭乳頭（分界溝の前部，またはそれと平行に列をなす舌背部から生じる12個以上の突起．各乳頭はやや隆起した外壁(郭)をもつ環状の溝(窩)によって囲まれ，乳頭の側面と外壁の内面には多数の味蕾がある)．＝papillae vallatae［TA］; circumvallate papillae.

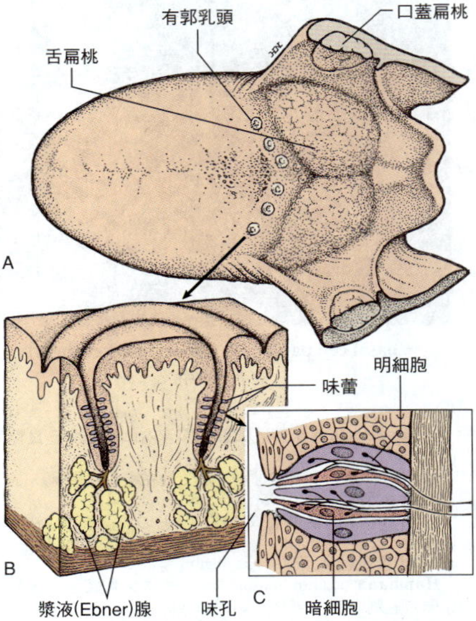

vallate papilla of tongue

A：上からみた舌．B：有郭乳頭の詳細．C：味蕾の詳細．

vascular papillae 血管乳頭（血管わなを含む真皮乳頭)．

p. of Vater (fah′ter)．ファーター乳頭．＝major duodenal p.

---

pap·il·lar·y, pap·il·late (pap′i-lār′ē, -i-lāt)．乳頭〔状〕の．

pap·il·lec·to·my (pap′i-lek′tŏ-mē) [papilla + G. *ektomē*, excision]. 乳頭切除〔術〕(乳頭様のものの外科的切除).

pa·pil·le·de·ma (păp′il-ĕ-dē′mă) [papilla + edema]. 乳頭水腫(浮腫)(視神経乳頭の水腫・浮腫. しばしば頭蓋内圧の上昇による). ＝choked disc.

pap·il·lif·er·ous (pap′i-lif′ĕr-ŭs) [papilla + L. *fero*, to bear]. 乳頭性の, 乳頭のある.

pa·pil·li·form (pă-pil′i-fōrm). 乳頭〔状〕の.

pap·il·li·tis (pap′i-lī′tis) [papilla + G. *-itis*, inflammation]. 乳頭炎 (①腫張を伴う視神経炎. ②腎乳頭の炎症).

foliate p. 葉状乳頭炎 (舌後外側の炎症性痕跡状の乳頭).

necrotizing p. 壊死〔性〕乳頭炎. ＝renal papillary *necrosis.*

papillo- [L. *papilla*]. 乳頭, 乳頭状の, を意味する連結形.

pap·il·lo·ad·e·no·cys·to·ma (pap′i-lō-ad′ĕ-nō-sis-tō′-mă). 乳頭腺嚢腫 (腺, 腺状構造, 嚢の形成, 線維性結合組織の中心部をおおう指状突起を特徴とする良性上皮新生物).

pap·il·lo·car·ci·no·ma (pap′i-lō-kar′si-nō′mă) [papilla + G. *karkinōma*, cancer]. 乳頭〔状〕癌 (支持構造の線維状間質を中心として乳頭状, 指状の突起を特徴とする癌).

pap·il·lo·ma (pap′i-lō′mă) [papilla + G. *-oma*, tumor]. 乳頭腫 (表層から突出する限局性良性上皮性腫瘍. より正確には, 新生物細胞によっておおわれた線維血管性間質が絨毛状または分枝状に成長した良性上皮性新生物). ＝papillary tumor.

basal cell p. 基底細胞乳頭腫. ＝seborrheic *keratosis.*

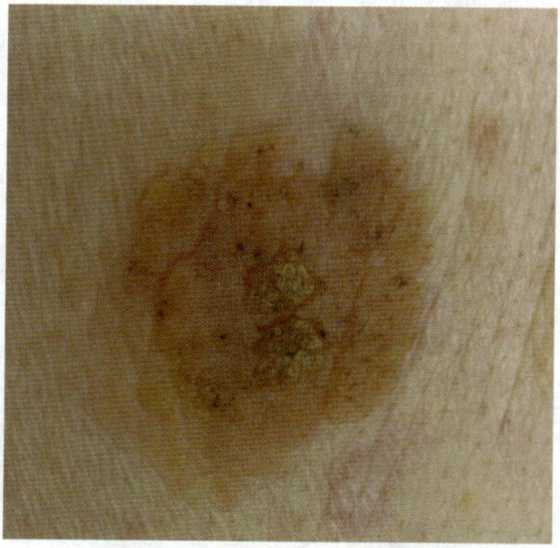

basal cell papilloma (seborrheic keratosis)
患者の背中.

p. canaliculum 小管乳頭腫 (腺管内に発生する良性乳頭腫).

p. diffusum 汎発性乳頭腫 (広く散在する乳頭腫).

duct p. 管乳頭腫. ＝intraductal p.

p. durum 硬性乳頭腫 (いぼ, うおのめ, または皮角). ＝hard p.

hard p. 硬性乳頭腫. ＝p. durum.

Hopmann p. (hop′mahn). ホップマン乳頭腫 (鼻粘膜乳頭腫の過剰増殖). ＝Hopmann polyp.

p. inguinale tropicum 熱帯性鼡径乳頭腫 (コロンビアでみられる皮膚の発疹で, 鼡径部に多数の細い桃色の乳頭腫状増殖をきたすのが特徴).

intracystic p. 嚢胞内乳頭腫 (嚢腺腫内に成長し, 分枝状上皮突起塊によって腔内を満たすもの).

intraductal p. 管内乳頭腫 (催乳管内に発生し, しばしば乳頭からの出血を起こす, 小さい, ときに触知不能の良性乳頭腫). ＝duct p.

inverted p. 内反乳頭腫 (膀胱や鼻腔の上皮性腫瘍で, 増殖中の上皮が粘膜表面下に陥入して, 普通の乳頭腫より平滑で丸くなったもの).

p. molle 軟性乳頭腫. ＝skin *tag.*

Shope p. (shōp). ショープ乳頭腫 (Shopeによって原記載されたコットンテールウサギにみられる乳頭腫瘍増殖で, パポバウイルス科のウイルスに起因し, 家兎にも伝染して同様の増殖を惹起する. これら増殖のうち悪性となる率は高い).

soft p. 軟性乳頭腫. ＝skin *tag.*

transitional cell p. 移行上皮性乳頭腫. ＝urothelial p.

urothelial p. 尿道乳頭腫 (尿路上皮の良性乳頭状腫瘍). ＝transitional cell p.

villous p. 絨毛〔性〕乳頭腫 (膀胱や大腸内または側脳室の脈絡叢に発生し, 細い指状突出物からなる乳頭腫. 結腸では通常, 無茎であるがしばしば悪性となる). ＝villous tumor.

zymotic p. 発酵性乳頭腫, 酵素性乳頭腫. ＝yaws.

pap·il·lo·ma·to·sis (pap′i-lō-mă-tō′sis). 乳頭腫症 (①多数の乳頭腫の増殖. ②波形の表面を形成する表皮の乳頭状突出).

confluent and reticulate p. 集簇性網状乳頭腫症 (胸背部中央からびまん性集簇性に発現し, ゆっくり進展する灰茶色の丘疹. *Malassezia furfur* が角質層に認められる). ＝Gougerot-Carteaud syndrome.

florid oral p. 葉状口腔乳頭腫症 (口唇, 口腔粘膜に広くひろがる良性扁平上皮性乳頭腫病変. 顕微鏡下ではいぼ状癌に似ているが, 浸潤はせず, 口腔粘膜の特定の場所に限局する).

juvenile p. 若年性乳頭腫症 (若年女性に発症する乳房の線維嚢胞腫. 進行性萎縮性腺腫, 組織的には癌を疑う).

laryngeal p. 喉頭乳頭腫症 (多発性の喉頭の扁平細胞上皮乳頭腫で, 年少小児に最も多くみられる. 通常, 誕生時母親のコンジロームより, ヒトパピローマウイルスの感染を受けることによって生じる. 再発しやすいが, 数年後に寛解する. →recurrent respiratory p.).

palatal p. 口蓋乳頭腫症. ＝inflammatory papillary *hyperplasia.*

recurrent respiratory p. 再発性呼吸器パピローマ症 (ヒトパピローマウイルスによる気道疾患. 外科的切除後にパピローマの早期再発が特徴で, 喉頭に及ぶと気道閉塞, 嗄声から声が出なくなる. →laryngeal p.).

subareolar duct p. 乳輪下乳管乳頭腫症 (臨床的にPaget病に似ているが, 開花性偽浸潤性パターンをとる円柱細胞および筋上皮細胞の乳頭状または充実性増殖をする良性腫瘍). ＝adenoma of nipple; erosive adenomatosis of nipple.

pap·il·lo·ma·tous (pap′i-lō′mă-tŭs). 乳頭腫〔性〕の.

Pap·il·lo·ma·vi·rus (pap′i-lō′mă-vī′rŭs). 乳頭腫ウイルス属 (二重鎖DNA(分子量 5×10^6)含有のウイルスの一属(パポバウイルス科)で, ウイルス粒子は直径約 55 nm. ヒトや他の哺乳類の乳頭腫および腫瘍ウイルスを含み, そのうちのいくつかは癌の誘発に関与している. 70 以上の型がヒトに感染することが知られており, DNA 相同性で区別できる). ＝papilloma virus.

---

human P. (HPV) ヒト乳頭腫ウイルス (パポバウイルス科 *Papillomavirus*属に属する直径 55 nm の正二十面体 DNA ウイルスである. 皮膚や外陰部のいぼの原因となる種や, 重篤な子宮頸部の上皮内癌や外陰から肛門部の癌, 咽頭癌に関与する種もある. DNA の配列相関性から70 以上の型が同定されている). ＝infectious papilloma virus.

HPV 感染症は, 最も良くみられるウイルス性の性感染症である. 防御なしに感染者と接触した場合, 感染の危険性は60% である. 潜伏期は3 週間から 8 か月である. 米国における年間の性器 HPV 感染者数は 350 万人と推定されており, 現在の罹患者数は 2,000 万人である. 性的成熟年齢の女性の半数以上は, 1 種あるいはそれ以上の性器 HPV に感染したことがある. 約 15% は現在感染していることが DNA によって証明され, 1 %は陰部にいぼがみられる. ほとんどの HPV 感染は不顕性, かつ一過性である. 感染期間の平均は約 8 か月で, 1 年持続する確率は 30%, 2 年持続率は 9 %である. しかしながら, ある種の HPV は, 子宮頸部上皮細胞に遺伝的突然変異を誘発し, 10—20 年の潜伏期の後に, 癌が発生することになる. 子宮頸癌は 50 歳以下の女性に最もよくみられる悪性腫瘍である. 米国における, 子宮頸癌の発生率は10万人当たり8.3人で，毎年およそ1万4,000人が罹患し，1,000人が死亡している．子宮頸癌(ほとんどは扁平上皮癌)の98％は，ほぼHPV 16，18，31，33型によって誘発されると考えられている．Papanicolaou塗抹細胞診で，意義不明異型扁平上皮細胞(ASC–US)が認められた人についてHPV型を調べると，前癌病変への変化を特に注意して監視すべき人々をみきわめることができる．外陰部のいぼ(通常HPV 6型，11型で起こる尖圭コンジローム)をもった女性でも，通常のPapanicolaou塗抹染色で陰性であれば，子宮頸癌のリスクは特になく，特別な監視も必要ではない．HIV陽性女性の約40％で，HPVによる重篤な頸部異形成が発生するが，これは多くの症例において悪性であり，致死的な癌へと進行する．こうした状況はHIV陰性女性では通常みられない．HPV感染の診断は，視覚的な検査(頸部への酢酸処理をするコルポスコピーなど)，Papanicolaou塗抹検査，組織中のウイルスDNAを検出するための細胞診，を基本とする．治療法を決定するにあたっては，病変部位とその広がりが問題となる．治療法としては，外科的摘出，液体窒素を用いた凍結療法，ジクロロ酢酸やトリクロロ酢酸の局所的投与，レーザー照射，ループ切除，インターフェロンの病変部への注入，などがあげられる．外陰部いぼの治療は，通常，ポドフィロックスゲルやイミキモッド(サイトカイン誘導物質で，患者自身で投与できる)を局所的に用いる．Papanicolaou塗抹染色などの検査をしなければわからない不顕性のHPV感染は根絶することができないかもしれない．HPVは培養できないので，治療が終了したと証明できる検査法がない．限定的な治験ではあるが，過去にHPVに暴露したことがない女性を対象にしたワクチンが，HPV–16感染と，HPVに関連した子宮頸部上皮の腫瘍を防ぐのに効果があった，という報告がある．

Pa·pil·lon (pah′pē-on[h]), M.M. 20世紀のフランス人皮膚科医．⇀P.-Lefèvre *syndrome*.

Pa·pil·lon-Lé·age (pah′pē-on[h]-lā-azh′), E. 20世紀のフランス人歯科医．⇀P.-L. and Psaume *syndrome*.

pap·il·lo·ret·i·ni·tis (pap′i-lō-ret′i-nī′tis). 乳頭網膜炎．＝neuroretinitis.

pap·il·lot·o·my (pap′i-lot′ŏ-mē) [papilla + G. *tomē*, incision]. 乳頭切開〔術〕(乳頭への切開．通常は大十二指腸乳頭に行う)．

pa·pil·lu·la, pl. **pa·pil·lu·lae** (pă-pil′yū-lă, -lē) [Mod. L.: L. *papilla* の指小辞]. 小乳頭.

Pa·po·va·vir·i·dae (pă-pō′vă-vir′i-dē) [*pa*pilloma + *po*lyoma + *va*cuolating]. パポバウイルス科(感染した細胞の核内で複製する，小型の，はっきりした抗原性をもつウイルスの一科．多くは腫瘍誘発性をもつ．ウイルス粒子は直径45—55 nm，エンベロープがなく，エーテル抵抗性．カプシドは72個のカプソメアをもった二十面体で，二重鎖DNA(分子量3—5 × 10^6)を含む．本科は，乳頭腫ウイルス属 *Papillomavirus* と *Polyomavirus* 属の2属からなる)．

pa·po·va·vi·rus (pă-pō′vă-vī′rŭs). パポバウイルス(パポバウイルス科のウイルスの総称を表す古語)．

Pap·pen·heim (pahp′ĕn-hīm), Artur. ドイツ人医師，1870—1916. ⇀P. *stain*; Unna-P. *stain*.

Pap·pen·hei·mer (pahp′ĕn-hī-mĕr), A.M. 米国人病理学者，1878—1955. その実験病理学の分野での業績は広範で，胸腺の研究，塹壕熱の伝播におけるシラミの役割の発見，くる病の実験モデルの確立，動物におけるウイルス感染の評価法などがある．⇀Pappenheimer *bodies*.

pap·pus (pap′ŭs) [G. *pappos*, down]. うぶひげ，冠毛，うぶ毛．

PAPS adenosine 3′-phosphate 5′-phosphosulfate; 3′-phosphoadenosine 5′-phosphosulfate; primary antiphospholipid *syndrome* の略．

pap·u·lar (pap′yū-lăr). 丘疹〔状〕の．

pap·ule (pap′yūl) [L. *papula*, pimple]. 丘疹(1cmまでの大きさの限局性の固い皮膚の隆起．有茎性，広基性，糸状などの形を呈することもある)．

follicular p. 毛包(毛嚢)性丘疹(毛嚢付近に生じる丘疹性皮疹．特定の状態を表すものではない)．

Gottron p. (gaht′trŏn). ガットロン(ゴットロン)丘疹(Gottron丘疹は皮膚筋炎に関連しており，骨の突出部に認められる軽度に隆起した紫色丘疹群である．特に中手指節関節，近位および遠位指関節に認められる)．

moist p., mucous p. 湿性丘疹．＝*condyloma* latum.

piezogenic pedal p. 圧迫性足部丘疹(圧迫による踵部の丘疹．脂肪織がヘルニエーションを起こし生じたもの)．

pruritic urticarial p.'s and plaques of pregnancy (PUPPP) [MIM*178995]. 妊娠性そう痒性丘疹(強度のそう痒性丘疹水疱疹で妊娠後期腹壁に初発し末梢に拡大する．分娩後急速に消退し，胎児には影響しない)．

split p.'s 亀裂性丘疹(二期梅毒にあるものにみられる口角部の丘疹)．

papulo- [L. *papula*, papule]. 丘疹を意味する連結形．

pap·u·lo·er·y·them·a·tous (pap′yū-lō-er′i-them′ă-tŭs, -thē′mă-tŭs). 丘疹紅斑〔性〕の(紅斑上の丘疹をいう)．

pap·u·lo·pus·tu·lar (pap′yū-lō-pŭs′tyū-lăr). 丘疹膿疱〔性〕の(丘疹と膿疱からなる皮疹をいう)．

pap·u·lo·pus·tule (pap′yū-lō-pŭs′tyūl). 膿疱性丘疹(速やかに膿疱を形成する半充実性の皮膚の隆起)．

pa·pu·lo·sis (pap′yū-lō′sis). 丘疹症(多数の汎発性丘疹が生じるもの)．

bowenoid p. ボーエン様丘疹症(臨床的には良性の表皮内病変であるが，組織像はBowen病あるいは表皮内癌に似る．若年男女ともに生じ，多くは茶褐色のいぼ状丘疹として外陰部または肛門周囲にみられる)．

lymphomatoid p. リンパ腫様丘疹症(急性痘瘡状苔癬状粃糠疹の慢性丘疹性および潰瘍性の亜型で，リンパ腫を思わせるような異型Tリンパ球の血管囲性浸潤を伴うのを特徴とする．通常は良性であるが，リンパ腫への変移が報告されている)．

malignant atrophic p. [MIM*602248]. 悪性萎縮性丘疹症(隆起し毛細管が拡張した輪状辺縁をもつ特徴的な臍窩を有する陶白色丘疹を特徴とする皮膚内臓症候群で，穿孔して腹膜炎を起こす腸潰瘍が続発する．病変部の小動脈は，炎症細胞を伴わない血栓により閉塞する．梗塞や進行性神経性廃疾をきたし，死に至る)．＝Degos disease; Degos syndrome.

pap·u·lo·squa·mous (pap′yū-lō-skwā′mŭs) [papulo- + L. *squamosus*, scaly(squamous)]. 丘疹鱗屑〔性〕の(丘疹と鱗屑からなる皮疹をいう)．

pap·u·lo·ves·i·cle (pap′yū-lō-ves′i-kĕl). 小水疱性丘疹(水疱にまで発展する皮膚の小隆起)．

pap·u·lo·ve·sic·u·lar (pap′yū-lō-ve-sik′yū-lăr). 丘疹小水疱〔性〕の(丘疹と小水疱からなる皮疹をいう)．

PAPVR partial anomalous pulmonary venous return(肺静脈還流の部分異常)の略．⇀anomalous pulmonary venous *connections*, total or partial.

pap·y·ra·ceous (pap-i-rā′shŭs) [L. *papyraceus*, made of *papyrus*]. 紙状の．

par (par) [L. equal]. 対(特に脳神経対．例えばp. nonum(第九対)は舌咽神経，p. vagum(迷走対または第十対)は迷走神経)．

par·a (par′ă) [L. *pario*, to bring forth]. 経産婦(1人以上の児を産んだ婦人．paraにローマ数字またはラテン語の接頭語(primi-, secundi-, terti-, quadri-など)を付けて出産回数を表す．例えば，初めて出産した婦人は**para I**(primipara)，2度目の出産をした婦人は**para II**(secundipara)，のように．*cf.* gravida)．

para- [G. alongside, near]. パラ，傍(**[本接頭語とpari-またはperi-を混同しないこと]**．①正常な個所から離れていることを意味する接頭語．②下肢対のように2個を対としてもつことを意味する接頭語．③近傍の，横側に，近くになどを意味する接頭語．④(*p*-)．化学において，ベンゼン環に対称に配置される2個の置換基によってつくられる化合物(例えば，環の反対位置の炭素原子に結合している化合物)のイタリック体の接頭語．*para-* あるいは *p-* で始まる語については特定名の項参照)．

par·a·ac·ti·no·my·co·sis (par′ă-ak′ti-nō-mī-kō′sis). パラ放線菌症(放線菌症に類似する，通常，肺の慢性感染症．通常，ノカルジア症による)．＝pseudoactinomycosis.

par·a·a·mi·no·ben·zo·ic ac·id (par′ă-ă-mē′nō-ben-zō′ik as′id). ＝*p*-aminobenzoic acid.

para-ap·pen·di·ci·tis (par′ă-ă-pen′di-sī′tis). = periappendicitis.

par·a·ban·ic ac·id (par′ă-ban′ik as′id). パラバン酸. = oxalylurea.

par·a·bi·o·sis (par′ă-bī-ō′sis) [para- + G. *biōsis*, life]. パラビオーゼ，並体結合（①卵細胞または胚全体がある種の接着双生児のように結合していること．②2つの生体の血管系の外科的結合）．

par·a·bi·ot·ic (par′ă-bī-ot′ik). パラビオーゼの，並体結合の．

par·a·bu·li·a (par′ă-bū′lē-ă) [para- + G. *boulē*, will]. 意欲錯誤（意欲または意志の錯誤．1つの衝動が抑制され，他の衝動がそれに置換される）．

par·ac·an·tho·ma (par′ak-an-thō′mă) [para- + G. *akantha*, thorn + *-oma*, tumor]. 有棘層不整増殖性腫瘍，パラアカントーム（皮膚の有棘細胞層が異常に増殖して生じる新生物）．

par·ac·an·tho·sis (par′ak-an-thō′sis). 有棘層不整増殖（①有棘層不整増殖性腫瘍が生じること．②皮膚の上皮腫を含む一群の腫瘍）．

par·a·car·mine (par′ă-kar′min). → paracarmine *stain*.

par·a·ca·se·in (par′ă-kā′sē-in). パラカゼイン（κ-カゼイン（糖蛋白を放出する）にレンニンを作用させて産生される化合物．カルシウムイオンにより不溶凝乳として沈殿する）．

Par·a·cel·sus (par-ĕ-sel′sus), Aureolus Theophrastus Bombastus von Hohenheim. スイス人医師，1493―1541. → paracelsian *method*.

par·a·ce·nes·the·si·a (par′ă-sē′nes-thē′zē-ă) [para- + G. *koinos*, common + *aisthēsis*, feeling]. 一般感覚異常（身体の健康，すなわち器官の正常機能の感覚の悪化）．

par·a·cen·te·sis (par′ă-sen-tē′sis) [G. *parakentēsis*, a tapping for dropsy < *para*, beside + *kentēsis*, puncture]. 穿刺〔術〕，穿開〔術〕（液体を除去するために，腔に，套管針とカニューレ，針または中空の器具を挿入すること．手術は，穿刺する腔に応じて種々の名称をもつ）．= tapping (2).

par·a·cen·tet·ic (par′ă-sen-tet′ik). 穿刺〔術〕の，穿開〔術〕の．

par·a·cen·tral (par′ă-sen′trăl). 中心傍の，中央部の，中心近くの．

par·a·cer·vi·cal (par′ă-ser′vi-kăl). 頸傍の（子宮頸の周辺についていう）．

par·a·cer·vix (par′ă-ser′viks) [TA]. 頸管傍組織（子宮広間膜層の間で，子宮頸部から側方に広がり骨盤底に達する結合織）．

par·ac·e·tal·de·hyde (par-as′ĕ-tal′dĕ-hīd). = paraldehyde.

par·a·cet·a·mol (par′ă-set′ă-mol). パラセタモール. = acetaminophen.

par·a·chlor·o·phe·nol (par′ă-klōr′ō-fē′nol). パラクロロフェノール（ほとんどのグラム陰性菌に有効な消毒薬．樟脳パラクロロフェノールとしても有用）．

par·a·chol·er·a (par′ă-kol′ĕr-ă). パラコレラ（臨床的にはアジアコレラに類似するが，コレラ菌 *Vibrio cholerae*(Koch菌)とは明らかに異なるビブリオ菌による疾病）．

par·a·chor·dal (par′ă-kōr′dăl) [para- + G. *chordē*, cord]. 脊索傍の（胚期の脊索前部に沿っている頭蓋底を形成する両側にある軟骨稜についていう）．

par·a·chro·ma (par′ă-krō′mă) [para- + G. *chrōma*, color]. 皮膚変色（皮膚の色の異常）．

par·a·chy·mo·sin (par′ă-kī′mō-sin). パラキモシン（キモシン(レンニン)に類似する酵素）．

par·a·ci·ne·si·a, par·a·ci·ne·sis (par′ă-si-nē′zē-ă, -nē′sis). = parakinesia.

par·ac·ma·sis (par-ak′mă-sis). = paracme.

par·ac·mas·tic (par′ak-mas′tik). 軽快期の，減退期の．

par·ac·me (par-ak′mē) [G. the point at which the prime is past < *para*, beyond + *akmē*, highest point, prime]. = paracmasis. *1* 軽快期（熱の下降期）．*2* 減退期（全盛期を過ぎた人生期，生物の衰弱または衰退期）．

Par·a·coc·cid·i·oi·des bra·sil·i·en·sis (par′ă-kok-sid′ē-oy′dēz bră-sil′ē-en′sis). ブラジルパラコクシジオイデス（パラコクシジオイデス菌症の原因となる二形性の真菌．組織内や37°Cの富栄養培地上では，1個または数個の出芽をみる大きな球形または卵形の細胞として成長し，通常，この特性で同定される．低温では，ほとんど芽胞形成のない白色のカビとしてゆっくり成長し，特徴はない）．

par·a·coc·cid·i·oi·din (par′ă-kok-sid′ē-oy′din). パラコクシジオイジン（病原性真菌 *Paracoccidioides brasiliensis* の菌糸形から調製した沪過性抗原．集団中の遅延性皮膚過敏症の検出に用いられ，異なった地理的区域における風土病地域の検出に有用である）．

par·a·coc·cid·i·oi·do·my·co·sis (par′ă-kok-sid′ē-oy′-dō-mī-kō′sis). パラコクシジオイドミコーシス（*Paracoccidioides brasiliensis* による肺に原発する慢性真菌症で，多臓器へ播種し，頬部あるいは鼻粘膜の著明な潰瘍性肉芽腫は皮膚にまで達し，全身性のリンパ管炎を伴う）．= Almeida disease; Lutz-Splendore-Almeida disease; paracoccidioidal granuloma; South American blastomycosis.

par·a·co·li·tis (par′ă-kō-lī′tis). 結腸周囲炎，結腸傍結合組織炎（結腸の腹膜の炎症）．

par·a·col·pi·tis (par′ă-kol-pī′tis) [para- + G. *kolpos*, vagina + *-itis*, inflammation]. 腟傍結合組織炎. = paravaginitis.

par·a·col·pi·um (par′ă-kol′pē-ŭm) [para- + G. *kolpos*, vagina]. 腟傍結合組織（腟周囲の組織）．

par·a·cone (par′ă-kōn) [para- + G. *kōnos*, cone]. パラコーヌス（上顎大臼歯の近心頬側咬頭）．

par·a·co·nid (par′ă-kō′nid). パラコニード（下顎大臼歯の近心頬側咬頭）．

par·a·cor·tex (par′ă-kōr′teks). 副皮質（被膜下皮質と髄索間のリンパ節部分．主として胸腺から分離される長寿命のリンパ球(T細胞)を含む）．= deep cortex; tertiary cortex; thymus-dependent zone.

par·a·cou·sis (par′ă-kū′sis). = paracusis.

par·a·crine (par′ă-krin) [para- + G. *krinō*, to separate]. パラクリン（あるホルモンの作用がその産生細胞の周辺にのみ限局して作用することを表す．*cf.* endocrine）．

par·a·cu·sis, par·a·cu·sia (par′ă-kū′sis, -koo′sē-ă) [para- + G. *akousis*, hearing]. = paracousis. *1* 聴覚障害．*2* 錯聴〔症〕，聴覚性錯覚（錯聴または幻聴）．

false p. 偽〔性〕錯聴（他人が大声で話しているために，騒がしい環境で会話している伝音難聴者の聴力が改善したように思われること）．= Willis p.

p. loci 位置錯聴（音源が近づいてくる方向を決定する能力の損失あるいは減少）．

Willis p. (wil′is). ウィリス錯聴. = false p.

par·a·cy·e·sis (par′ă-sī-ē′sis) [para- + G. *kyēsis*, pregnancy]. 子宮外妊娠. = ectopic *pregnancy*.

par·a·cys·tic (par-ă-sis′tik) [para- + G. *kystis*, bladder]. 膀胱傍結合組織の（[paracytic または parasitic と混同しないこと]．嚢，特に膀胱の付近の）．= paravesical.

par·a·cys·ti·tis (par′ă-sis-tī′tis) [para- + G. *kystis*, bladder + *-itis*, inflammation]. 膀胱傍結合組織炎（膀胱周囲の結合組織とその他の組織の炎症）．

par·a·cys·ti·um (par′ă-sis′tē-ŭm) [para- + G. *kystis*, bladder]. 膀胱傍結合組織（膀胱に隣接する組織）．

par·a·cy·tic (par′ă-sī′tik) [para- + G. *kytos*, cell]. [paracystic または parasitic と混同しないこと]. *1* 異所細胞の（正常な位置以外で見出された細胞についていう）．*2* 細胞間の（細胞の間にある，細胞とは異なるものについていう）．

par·ad·e·ni·tis (par′ad′ĕ-nī′tis) [para- + G. *adēn*, gland + *-itis*, inflammation]. 腺傍炎（腺付近の組織の炎症）．

par·a·den·tal (par′ă-den′tăl). = periodontal.

par·a·den·ti·um (par′ă-den′tē-ŭm). = periodontium.

par·a·did·y·mal (par′ă-did′i-măl). *1* 精巣傍体の．*2* 精巣傍の．

par·a·did·y·mis, pl. **par·a·did·y·mi·des** (par′ă-did′i-mis, -di-dim′i-dēz) [para- + G. *didymos*, twin, pl. *didymoi*, testes][TA]. 精巣傍体（[perididymis と混同しないこと]．精巣上体の頭部の上の，精索下部の前方に付着していることもある小体．中腎管の残遺物．女性での卵巣傍体に相当する）．= parepididymis.

par·a·dip·si·a (par′ă-dip′sē-ă) [para- + G. *dipsa*, thirst]. 異常口渇（身体の要求とは無関係に，飲料を摂取したいという異常な欲求）．

par·a·dox (par′ă-doks) [G. *paradoxos*, incredible, beyond belief < *doxa*, belief]. 逆説，パラドックス（[単に something unusual または unexpected の意味での隠語的使用を避けること]．一見，周知の事実と矛盾するか相反しているようにみえるが，実際はそうではないもの）.

Weber p. (vā′ber). ヴェーバーパラドックス（筋に収縮力よりも大きな力がかかると，筋が伸長する）.

par·aes·the·si·a (par′es-thē′zē-ă). ＝paresthesia.

par·af·fin (par′ă-fin) [L. *parum*, little＋*affinis*, neighboring, akin, 化学反応に対する親和力の弱さからこのようによばれる]. ***1*** パラフィン（非環式炭化水素のメタン系列の一種）. ***2*** ＝hard p.

chlorinated p. 塩素化パラフィン（ジクロラミン-T の溶媒として用いる）.

hard p. 固形パラフィン（石油から得られる固体炭化水素の精製混合物）. ＝paraffin (2).

liquid p. 流動パラフィン，パラフィン油. ＝mineral oil.

white soft p. 白色ワセリン. ＝white *petrolatum.*

yellow soft p. 黄色ワセリン. ＝petrolatum.

par·af·fi·no·ma (par′ă-fi-nō′mă). パラフィン腫（整形または治療の目的で組織にパラフィンを注入することにより生じる腫脹．通常は肉芽腫となる．この名称は，油，ワックス，その他類似物を注入することにより生じる類似病変についても用いられることがある．→lipogranuloma）. ＝paraffin tumor.

Par·a·fi·la·ri·a mul·ti·pap·il·lo·sa (par′ă-fi-lā′rē-ă mul′ti-pap′i-lō′să). 寄生虫性皮膚出血を起こす一般的なフィラリア科の寄生虫.

par·a·fla·gel·la (par′ă-flă-jel′ă). paraflagellum の複数形.

par·a·flag·el·late (par′ă-flaj′ĕ-lāt). ***1*** 副べん毛〔性〕の（1本以上の副べん毛をもつ）. ***2*** ＝paramastigote.

par·a·fla·gel·lum, pl. **par·a·fla·gel·la** (par′ă-flă-jel′ŭm, -ă). 副べん毛（ある種の原生動物において，普通のべん毛以外にしばしば出現する微小な補助べん毛）.

par·a·floc·cu·lus ven·tra·lis (par′ă-flok′yū-lŭs ven-trā′lis). ＝ventral paraflocculus.

par·a·fol·lic·u·lar (par′ă-fo-lik′yū-lăr). 小胞周縁の，沪胞周縁の，小胞付随性の，沪胞付随性の.

par·a·for·mal·de·hyde (par′ă-fōr-mal′dĕ-hīd). パラホルムアルデヒド（ホルムアルデヒドの重合体．殺菌燻蒸剤として用いる）. ＝trioxymethylene.

par·a·fuch·sin (par′ă-fuk′sin). パラフクシン. ＝pararosanilin.

par·a·gam·ma·cism (par′ă-gam′ă-sizm) [para-＋G. *gamma*, the letter g]. ガ行吶（g 音の発音を他の文字の発音で代用すること．→gammacism）.

par·a·gan·gli·a (par′ă-gang′glē-ă). paraganglion の複数形.

par·a·gan·gli·o·ma (par′ă-gang′glē-ō′mă). パラガングリオーマ，傍神経節腫（通常，頸動脈小体のような傍神経節の化学受容体組織または副腎髄質由来の新生物．後者がホルモンを産生するとき，通常，クロム親和性細胞腫 chromaffinoma または褐色細胞腫 pheochromocytoma とよばれる）.

nonchromaffin p. 非クロム親和性パラガングリオーマ，非クロム親和性傍神経節腫. ＝chemodectoma.

par·a·gan·gli·on, pl. **par·a·gan·gli·a** (par′ă-gang′glē-on, -ă). パラガングリオン，傍神経節（クロム親和性細胞をもつ丸い小体．多くは後腹膜に，大動脈の近くや，腎臓，肝臓，心臓，生殖腺などの器官内にみられる）. ＝chromaffin body.

par·a·gene (par′ă-jēn). ＝plasmid.

par·a·gen·i·tal (par′ă-jen′i-tăl). 性腺傍の.

par·a·geu·si·a (par′ă-gyū′sē-ă) [para-＋G. *geusis*, taste]. 錯味〔症〕，味覚錯誤. ＝dysgeusia.

par·a·geu·sic (par′ă-gyū′sik). 錯味〔症〕の，味覚錯誤の.

pa·rag·na·thus (pa-rag′na-thŭs) [para-＋G. *gnathos*, jaw]. [二重字 gn において，g は語頭にあるときのみ無声である]. ***1*** 下顎過剰症（発育上の欠陥により生じた，副下顎をもつ個体）. ***2*** 下顎結合奇形（自生体の顎に結合している寄生胎児）.

par·ag·no·men (par′ag-nō′men) [para-＋G. *gnōmēn*, *gnōmē*, judgment]. 予期しない反応.

par·a·gon·i·mi·a·sis (par′ă-gon′i-mī′ă-sis). 肺吸虫症（肺吸虫属 *Paragonimus*，特にヴェステルマン肺吸虫 *P. westermani* の感染症）. ＝pulmonary distomiasis.

Par·a·gon·i·mus (par′ă-gon′i-mŭs) [para-＋G. *gonimos*, with generative power]. 肺吸虫属（メタセルカリアを宿している甲殻類を摂取するヒトおよび多種類の哺乳類に寄生する肺吸虫の一属）.

P. kellicotti ケリコット肺吸虫（米国の五大湖地域に生息するアライグマのようなある種の野生動物に流行している吸虫の一種で，イヌにも見出される．形態学的にはヴェステルマン肺吸虫 *P. westermani* に類似している）.

P. ringeri ＝*P. westermani.*

P. westermani ヴェステルマン肺吸虫（気管支または肺の吸虫．主に日本，朝鮮，台湾，中国，フィリピン，タイに分布する肺吸虫症の原因寄生虫．卵は喀痰あるいは糞便中に見出される．ミラシジウムは *Melania* 属の淡水産巻貝に侵入し，短い尾をもつセルカリアはザリガニまたはカニの筋肉や内臓に侵入し被嚢する．ヒトでは，脱嚢して腸壁を穿通し，横隔膜を通過して肺臓内に侵入する．発育中の寄生虫は強い炎症性反応を惹起し，最終的に通常一対の成虫，滲出液，虫卵，および赤血球残渣を包含する線維壁の小結節を形成する．この線維性寄生虫小結節は連続して多房性嚢胞状構造を形成する．ある場合には，脳，肝臓，腹膜，腸，または皮膚に本虫が見出されている）. ＝*P. ringeri.*

par·a·gon·or·rhe·al (par′ă-gon′ō-rē′ăl). 副淋疾の（淋疾と間接的に関連する，または淋疾の結果生じることについていう）.

par·a·gram·ma·tism (par′ă-gram′ă-tizm). 錯文法. ＝paraphasia.

par·a·graph·i·a (par′ă-graf′ē-ă) [para-＋G. *graphō*, to write]. 錯書〔症〕，書字錯誤（①言葉を聞いたり理解することはできても，聞き取って書く能力が欠如している．②書こうとした字以外の字を書いてしまうこと）.

par·a·he·pat·ic (par′ă-he-pat′ik). 傍肝〔臓〕の.

par·a·hi·dro·sis (par′ă-hi-drō′sis). ＝paridrosis.

par·a·hor·mone (par′ă-hōr′mōn). パラホルモン（正常な代謝生成物で，特別の目的でつくられるものではなく，ホルモン様の作用で，遠隔臓器の活性を修飾する．よく知られている例は，呼吸をコントロールする二酸化炭素の作用）.

par·a·hy·poph·y·sis (par′ă-hī-pof′i-sis). 副下垂体（トルコ鞍を区切る硬膜内にまれにみられる，構造的に下垂体前葉に類似する組織，または下垂体組織の小塊）.

par·a·imm·un·o·blast (par′ă-im′myū-nō-blast). パラ免疫芽球（円形から楕円形の核と，特に目立ち，しばしば細胞の中心に位置する核小体をもった中程度の大きさの B 細胞．慢性リンパ性白血病および小リンパ球性リンパ腫の増殖領域に通常認められる）.

par·a·kap·pa·cism (par′ă-kap′ă-sizm) [para-＋G. *kappa*, the letter k]. カ行吶（k の発音を他の文字の発音で代用すること．→kappacism）.

par·a·ker·a·to·sis (par′ă-ker′ă-tō′sis). 錯角化〔症〕，不全角化（表皮角質層の細胞内に核の遺残があるもの．乾癬や亜急性または慢性皮膚炎などの多くの落屑性皮膚病にみられる）.

p. pustulosa 膿疱性不全角化症（特発性爪甲角化症で，爪甲の変形，陥凹，および指尖の膿疱性または境界鮮明な鱗屑を付着する湿疹性変化を伴う．通常，若い女性にみられる）.

p. scutularis 菌甲状錯角化〔症〕（毛を包む痂皮の形成を特徴とする頭皮の疾患）.

par·a·ki·ne·si·a, par·a·ki·ne·sis (par′ă-ki-nē′zē-ă, -ki-nē′sis) [para-＋G. *kinēsis*, movement]. 運動錯誤（すべての運動異常）. ＝paracinesia; paracinesis.

par·a·la·li·a (par′ă-lā′lē-ă) [para-＋G. *lalia*, talking]. 言語錯誤（すべての言語障害．特に，ある音が習慣的に他の音と置換するもの）.

p. literalis 字性言語錯誤. ＝stammering.

par·a·lamb·da·cism (par′ă-lam′dă-sizm) [para-＋G. *lambda*, the letter l]. ラ行吶（文字の l の誤った発音，または l の発音を他の文字の発音で代用すること．→lambdacism）.

par·al·de·hyde (par-al′dĕ-hīd). パラアルデヒド（アセトアルデヒドの環状ポリマー．経口・直腸内投与に適した，効力のある催眠・鎮静薬．しかし，不快なにおいにより使途が制限される）．＝paracetaldehyde.

par·a·le·pro·sis (par′ă-lĕ-prō′sis). 副らい症，異型らい〔病〕（らいの軽症化を示すある種の栄養性変化または神経変化が，病気が長期間存在した領域にみられるもの）.

par·a·lep·sy (par′ă-lep′sē) [para- + G. *lēpsis*, seizure]. パラレプシー（①精神的無力または絶望の一過性発作に対してまれに用いる語．②気分または情動的緊張の突然の変化）.

par·a·lex·i·a (par′ă-lek′sē-ă) [para- + G. *lexis*, speech]. 錯読〔症〕，読字錯誤（書き言葉，または印刷された言葉を間違って理解し，読むときに意味のない言葉をその代わりに用いること）.

par·al·ge·si·a (par′al-jē′zē-ă) [para- + G. *algēsis*, the sense of pain]. 痛覚異常〔症〕，錯痛覚〔症〕（痛みの感覚異常症．痛覚の障害または異常）.

par·al·gi·a (par′al′jē-ă) [para- + G. *algos*, pain]. 痛覚異常〔症〕，錯痛覚〔症〕.

par·a·lip·o·pho·bi·a (par′ă-lip′ō-fō′bē-ă) [G. *paraleipō*, to omit, pass over + *phobos*, fear]. 放置恐怖〔症〕（義務の怠慢に対する病的な恐れ）.

par·al·lac·tic (par′ă-lak′tik). 視差の.

par·al·lax (par′ă-laks) [G. alternately < *par-allassō*, to make alternate < *allos*, other]. 視差（①見る場所を変えることにより，物体がずれて見えること．②→phi *phenomenon*）.

binocular p. 両眼視差（眼からそれぞれ異なる距離にある２個の物体への視線によってつくられる角度の差．この角度差は奥行の視感覚の要素となる）．＝stereoscopic p.

heteronymous p. 異名視差（片方の眼を閉じたとき，物体が閉じた眼のほうに動いて見えること．外斜位でみられる）.

homonymous p. 同名視差（片方の眼を閉じたときに，見かけ上物体が開いた眼のほうに動いて見えること．内斜位でみられる）.

stereoscopic p. 立体視差．＝binocular p.

vertical p. 垂直視差（左右の眼をかわるがわる閉じたときの，像の相対的な垂直のずれ．垂直複視または斜位にみられる）.

par·al·lel·ism (par′ă-lel-izm) [para- + G. *allēlōn*, of one another < *allos*, other]. ***1*** 平行（構造的に平行であること）．***2*** 平行説（心理学において，２つの平行する系列の間に相互の因果関係が明言されなくても，すべての意識過程に対してはそれに対応または平行する器質的過程が存在するという心身理論）.

par·al·lel·om·e·ter (par′ă-lel-om′ĕ-tĕr). 平行測定器（固定または可撤部分床義歯の付加装置と支台歯を平行にするのに用いる器械）.

par·al·ler·gic (par′ă-ler′jik). パラレルギーの（ある特異アレルゲンによる最初の感作後，体が非特異性刺激に対して感作しやすくなるようなアレルギー状態についていう）.

par·a·lo·gi·a, pa·ral·o·gism, pa·ral·o·gy (par′ă-lō′jē-ă, pă-ral′ō-jizm, -ral′ō-jē) [G. *paralogia*, a fallacy < *para*, beside + *logos*, reason]. 錯論理〔症〕（自己欺瞞を含む誤った論理）.

thematic p. 主題狂錯論理〔症〕（主に１つのテーマに固執することによって生じる誤った論理）.

pa·ral·y·sis, pl. **pa·ral·y·ses** (pă-ral′i-sis, -sēz) [G. < para- + *lysis*, loosening]. 〔完全〕麻痺（①神経供給の損傷，または疾病による筋肉の随意運動力の喪失．②感覚，分泌または精神作用のような機能の喪失）.

acute ascending p. 急性上行性麻痺（脚から始まり，体幹，腕，首を進行性に巻き込み，１—３週間で死亡することもある急速麻痺．一般に劇症型 Guillain-Barré 症候群または上行性壊死性脊髄障害のどちらかによる）．＝ascending p.

p. agitans parkinsonism (1)を表す現在では用いられない語.

ascending p. 上行性麻痺．＝acute ascending p.

Brown-Séquard p. (brūn′ sā-kahr′). ブラウン－セカール麻痺．＝ Brown-Séquard *syndrome*.

bulbar p. 球麻痺，延髄麻痺．＝progressive bulbar *palsy*.

central p. 中枢性麻痺（脳または脊髄の病変による麻痺）.

compression p. 圧迫性麻痺（神経が外から圧迫されて起こる麻痺）.

crossed p. 交差麻痺．＝alternating *hemiplegia*.

crutch p. 松葉づえ麻痺（圧迫麻痺の一種で，松葉づえによる鎖骨下の上腕神経叢または橈骨神経の圧迫によって起こる腕の麻痺）．＝crutch palsy.

diphtheritic p. ジフテリア麻痺．＝postdiphtheritic p.

diver's p. 潜函病（decompression *sickness* の一般用語）.

Duchenne-Erb p. (dū-shen′ ārb). デュシェーヌ－エルプ(エルブ)麻痺．＝Erb *palsy*.

Erb p. (ārb). エルプ(エルブ)麻痺．＝Erb *palsy*.

facial p. 顔面神経麻痺（通常，片側性の顔面筋の不全麻痺または麻痺．核または核より末梢の顔面神経のどちらかを侵す病変(末梢性顔面麻痺)，または大脳または脳幹上部の核上性病変(中枢性顔面麻痺)のどちらかによる．後者の場合，顔面の脱力は通常部分的であり，顔面上部は両側皮質との連絡のため比較的障害されない）．＝facial palsy; facioplegia; fallopian neuritis.

familial periodic p. 家族性周期性〔四肢〕麻痺（高度の全身性脱力の再発性発作を呈する遺伝性筋疾患の１つ．→hyperkalemic periodic p.; hypokalemic periodic p.; normokalemic periodic p.）.

faucial p. 口峡麻痺．＝isthmoparalysis.

flaccid p. 弛緩性麻痺（筋緊張の消失を伴う麻痺．*cf.* spastic *diplegia*）.

generalized p. 全身麻痺．＝global p.

ginger p. ジンジャー麻痺．＝jake p.

global p. 総体麻痺（身体の両側全体の麻痺）．＝generalized p.

glossolabiolaryngeal p., glossolabiopharyngeal p. 舌唇喉頭麻痺，舌唇咽頭麻痺．＝progressive bulbar *palsy*.

glossopalatolabial p. 舌口蓋口唇麻痺．＝progressive bulbar *palsy*.

glossopharyngeolabial p. 舌咽頭口唇麻痺．＝progressive bulbar *palsy*.

Gubler p. (gū-blār′). ギュブレル麻痺．＝Gubler *syndrome*.

hyperkalemic periodic p. [type II MIM*170500]. 高カリウム血性周期性〔四肢〕麻痺（発作時に血中カリウムの上昇を認める周期性麻痺の一型．乳児期に発症し，頻回ながら比較的軽症であり，筋緊張がしばしばみられる．第 17 染色体長腕に存在するナトリウムチャネル遺伝子(*SCN4A*)の変異に起因し，常染色体優性の遺伝形式をとる）.

hypokalemic periodic p. [type I MIM*170400]. 低カリウム血性周期性〔四肢〕麻痺（発作時に低カリウム血症を認める周期性麻痺の一型．通常は７—21 歳に好発する．発作は寒冷暴露，高炭水化物食，アルコール摂取により促進され，数時間から数日間続くことがあり，呼吸麻痺の原因となることがある．第１染色体長腕に存在する，筋肉のデヒドロピリジン(DHP)感受性カルシウムチャネルアルファ-1 サブユニット(*CACNL1A3*)の変異を原因とする常染色体優性遺伝型とＸ連鎖劣性遺伝形式をとるものがある）.

hysteric p. ヒステリー性麻痺（転換に基づく麻痺の古語．→ hysteria; conversion）.

immune p. 免疫麻痺（大量の抗原を注入することによって免疫寛容状態を誘導すること．抗原はわずかしか代謝されず，麻痺状態はそれが存在する間のみ存続する．→ immunologic *tolerance*）．＝immunologic p.

immunologic p. 免疫麻痺．＝immune p.

jake p. ジェーク麻痺（triorthocresylphosphate を含む合成ジャマイカ酒(通称 jake)を飲むことによって生じるニューロパシー）．＝ginger p.

Klumpke p. (klūmp′kĕ). クルンプケ麻痺．＝Klumpke *palsy*.

Landry p. (lahn-drē′). ランドリー麻痺．＝Guillain-Barré *syndrome*.

lead p. 鉛麻痺．＝lead *palsy*.

mimetic p. 表情麻痺（顔面筋の麻痺）.

mixed p. 混合麻痺（運動と感覚の組み合わさった麻痺）.

motor p. 運動麻痺（筋収縮力の喪失）.

musculospiral p. 橈骨神経麻痺（橈骨(筋らせん状)神経の病変による前腕の伸筋の麻痺で，ときに上腕三頭筋の麻痺もみられる）．＝radial neuropathy.

normokalemic periodic p. [type III MIM 170600]. 正常

カリウム血性周期性〔四肢〕麻痺（発作時に血清カリウム濃度が正常範囲内である周期性四肢麻痺の一種．通常，2—5歳の間に発症する．しばしば重症の四肢麻痺が生じるが，通常はナトリウム塩投与で軽減する．常染色体優性遺伝）．＝sodium-responsive periodic p.

obstetric p. ＝obstetric *palsy.*

ocular p. 眼球麻痺（眼外筋と眼内筋の麻痺）.

periodic p. 周期性〔四肢〕麻痺（意識消失，言語障害，感覚障害を伴わない脱力や弛緩性麻痺の繰り返しを特徴とする3つの家族性筋疾患の総称．発作は患者が休息しているときに起こるのが典型的で，1時間から2，3日間持続する．発作間は患者は健康にみえる．第17染色体長腕(17q23)にある骨格筋のナトリウムチャネルのαサブユニットの遺伝子(高カリウム性周期性四肢麻痺，正常カリウム性周期性四肢麻痺)または第1染色体長腕(1q31—32)にあるカルシウムチャネルのαサブユニットの遺伝子(低カリウム性周期性四肢麻痺)の突然変異による．周期性四肢麻痺はイオンチャネルの異常によるので，現在ではミオトニー疾患またはチャネル疾患に分類される．→hyperkalemic periodic p.; hypokalemic periodic p.; normokalemic periodic p.）.

peripheral facial p. 末梢性顔面麻痺．＝Bell *palsy.*

postdiphtheritic p. ジフテリア後麻痺（中毒性神経炎により，口蓋垂を侵すことが最も多いが，他のどの筋にも生じる麻痺．原則的には，ジフテリア発作開始後第2，3週目に現れる）．＝diphtheritic p.

posticus p. 後筋麻痺（後輪状甲状筋の麻痺）.

Pott p. (pot). ポット麻痺．＝Pott *paraplegia.*

pressure p. 圧迫麻痺（神経，神経幹，または脊髄の圧迫による麻痺）．＝pressure palsy.

progressive bulbar p. 進行性球(延髄)麻痺．＝progressive bulbar *palsy.*

pseudobulbar p. 仮(偽)性球麻痺．＝pseudobulbar *palsy.*

psychic p. of fixation of gaze 精神的注視固視麻痺．＝ocular *apraxia.*

psychic p. of gaze 精神的注視麻痺．＝ocular *apraxia.*

psychogenic p. 心因性麻痺（心理的要因に基づく麻痺）.

sensory p. 感覚麻痺（感覚の喪失）.

sleep p. 睡眠麻痺（眠りにつくとき(入眠時睡眠麻痺)または起床時(睡眠覚醒時睡眠麻痺)に起こる随意運動の短い発作性消失．ナルコレプシー四徴の1つ）．＝sleep dissociation.

sodium-responsive periodic p. ナトリウム反応性周期性〔四肢〕麻痺．＝normokalemic periodic p.

spastic spinal p. 痙性脊髄麻痺．＝spastic *diplegia.*

spinal p. 脊髄麻痺（脊髄の病変による運動力の喪失）．＝myeloparalysis; myeloplegia; rachioplegia.

supranuclear p. 核上麻痺（一次運動ニューロンより上の病変による麻痺）.

tick p. ダニ麻痺（妊娠したカクマダニ属 *Dermacentor* とマダニ属 *Ixodes* のダニが，持続的に付着することによって起こる上行性非感染性弛緩性麻痺．北アメリカとオーストラリアで報告されている．ヒト(主に小児)と他の動物を侵す）.

Todd p. (tod). トッド麻痺（てんかんのJackson痙攣を起こした四肢に，発作が終わった後に生じる一過性の麻痺．通常，2, 3日以上続くことはない）．＝Todd postepileptic p.

Todd postepileptic p. (tod). トッドてんかん後麻痺．＝Todd p.

vasomotor p. 血管運動神経麻痺．＝vasoparesis.

Zenker p. (zen′kĕr). ツェンカー麻痺（common peroneal *nerve* *の障害を表す現在では用いられない語．通常，腓骨頸の障害）.

pa·ra·lys·sa (pa′ră-lis′ă) [paralysis + G. *lyssa*, madness (rabies)]. 麻痺性狂犬病（チスイコウモリ属 *Desmodus* 吸血コウモリの咬創に起因する狂犬病の麻痺型）.

par·a·lyt·ic (par′ă-lit′ik). 麻痺〔性〕の，麻痺患者の.

par·a·lyze (par′ă-līz). 麻痺させる.

par·a·mag·net·ic (par′ă-mag-net′ik). 常磁性の（常磁性の性質をもつこと．MR検査では，緩和時間を短縮する造影剤として，この常磁性の性質をもつものが選ばれる）.

par·a·mag·ne·tism (par′ă-mag′nĕ-tizm). 常磁性（1つ以上の不対電子に起因する強い磁気モーメントをもつ性質のことで，磁場中で配向を生じる．画像上最も重要なのは，ガドリニウム，鉄，マンガンなどのある種の遷移金属イオンや，安定な遊離基をもつ有機化合物である．酸素分子も常磁性を示す）.

par·a·mas·ti·gote (par′ă-mas′ti-gōt) [para- + G. *mastix*, whip]. 副鞭毛虫（長短1本ずつのべん毛をもつ鞭毛虫）．＝paraflagellate (2).

par·a·mas·toid (par′ă-mas′toyd). 乳突傍の.

Par·a·me·ci·um (par′ă-mē′shē-ŭm, -sē-ŭm) [G. *paramēkēs*, rather long < *mēkos*, length]. ゾウリムシ属（繊毛虫綱に属する一属で，形状はやや長く大形のものは肉眼で見える）.

par·a·me·di·an (par′ă-mē′dē-ăn). 正中傍の，近正中の（正中線の近くをいう）．＝paramesial.

par·a·med·ic (par′ă-med′ik). 救急医療士（救急医療の訓練を受け認定された者）.

par·a·med·i·cal (par′ă-med′i-kăl). パラメディカルの（①補助的な資格で医学的職業に関係する，理学療法や言語病理学のような関連保健分野の職業をいう．②救急医療士に関係する）.

par·a·me·ni·a (par′ă-mē′nē-ă) [para- + G. *mēn*, month]. 月経不順，月経障害.

par·a·me·si·al (par′ă-mē′sē-ăl). ＝paramedian.

par·a·mes·o·neph·ric (par′ă-mes′ō-nef′rik). 中腎傍の（胚中腎に沿って，またはその近くをいう．→paramesonephric *duct*）.

pa·ram·e·ter (pă-ram′ĕ-tĕr) [para- + G. *metron*, measure]. パラメータ，指標，助変数，媒介変数（[単に〝測定された，あるいは測定可能なもの〞を示すために本語を隠語的に使うのを避けること]．物体の測定または記述，あるいは主題の評価を行う種々の方法の1つ．例えば，ⓘ数表式において異なった値をとることができ，それぞれ他の式を定義しうるが，式の一般性を決定することのできない任意の定数．例えば，方程式 $y=a+bx$ では，a と b が助変数である．ⓘⓘ統計学において，母集団からの標本を対照に，母集団の特性を規定する語．例えば，全母集団の平均とその標準偏差．ⓘⓘⓘ精神分析学において，患者の進歩をさらに進めるために分析者が用いる解釈以外の手段）.

enzyme p.'s 酵素パラメータ（酵素触媒反応の速度を決定している因子や定数．例えば V_{max} や K_m）.

infection transmission p. 感染伝播パラメータ（ある特定の集団において感染例と新たな感染を起こす可能性のあるものとの間の接触機会の比率）.

practice p.'s 診療指標，診療パラメータ．＝practice *guidelines.*

par·a·me·tri·al (par′ă-mē′trē-ăl). 子宮傍〔結合〕組織の.

par·a·met·ric (par′ă-met′rik). 子宮傍〔結合〕組織の（子宮傍結合組織あるいは子宮に直接隣接する構造についていう）.

par·a·me·trit·ic (par′ă-me-trit′ik). 子宮傍〔結合〕組織炎の.

par·a·me·tri·tis (par′ă-me-trī′tis) [parametrium + G. *-itis*, inflammation]. 子宮傍〔結合〕組織炎（特に広靱帯内の蜂巣組織の炎症）．＝pelvic cellulitis.

par·a·me·tri·um, pl. **par·a·me·tria** (par′ă-mē′trē-ŭm, -ă) [para- + G. *mētra*, uterus][TA]. 子宮傍〔結合〕組織（[perimetriumと混同しないこと]．子宮の頸部より上の部分の線維性漿膜下組織外膜から，外側に広靱帯層の間に広がる骨盤床の結合組織）.

par·a·mim·i·a (par′ă-mim′ē-ă) [para- + G. *mimia*, imitation]. 表現錯誤（用いた言葉に適さない表情や身ぶりをすること）.

par·am·ne·si·a (par′am-nē′zē-ă) [para- + G. *amnēsia*, forgetfulness]. 記憶錯誤（誤った記憶．現実には起こらなかった事件を想起すること．あるいは起こったことの部分的な健忘）.

Par·a·moe·ba (par′ă-mē′bă). *Entamoeba* の旧名.

par·a·mo·lar (par′ă-mō′lăr). 臼傍歯（上顎または下顎大臼歯の間の舌側または頬側にある過剰歯）.

par·a·mor·phine (par′ă-mōr′fēn). パラモルフィン，パラモルヒネ．＝thebaine.

Par·am·phis·to·mat·i·dae (par′am-fis′tō-mat′i-dē). 双口吸虫科（大型で肉質の体をもつ寄生性吸虫類の一科で，大きな後吸盤を有する．*Paramphistomum*属，*Gastrodiscoides*属，*Watsonius*属などの属がある）.

par·am·phis·to·mi·a·sis (par′am-fis′tō-mī′ă-sis). パラムヒストミア症（双口吸口科の吸虫の動物ないしヒトへの感染症．アジアでは *Gastrodiscoides hominis*，アフリカでは *Watsonius watsoni* によるヒトの疾患）.

Par·am·phis·to·mum (par′am-fis′tō-mŭm) [para- + G. *amphistomos*, having a double mouth < *amphi*, two-sided + *stoma*, mouth]. 双口吸虫属（瘤胃吸虫．ウシの第一胃に寄生する二生類吸虫の一属．*P. microbothrioides*, *P. cervi*, *P. liorchis* を含む）.

par·a·mu·si·a (par′ă-mū′zē-ă) [para- + G. *mousa*, music + -ia]. 音律錯誤，錯音律〔症〕（音律を正しく読み，表現する能力の欠如）.

par·am·y·loi·do·sis (par-am′ĭ-loy-dō′sis). パラアミロイドーシス，パラアミロイド症（①原発性アミロイドーシスまたは特に多発性骨髄腫による非定型アミロイドーシスにおける，免疫グロブリン軽鎖に似たアミロイド様蛋白の組織沈着．②ポルトガルや米国インディアナ州の家族性アミロイドーシスなどの様々な遺伝性アミロイドーシスのこと．末梢神経・自律神経へアミロイドが沈着するために生じる，知覚異常を伴う進行性肥厚性多発性神経炎，運動失調，不全麻痺，筋萎縮を特徴とする）.

par·a·my·oc·lo·nus mul·ti·plex (par′ă-mī-ok′lō-nŭs mŭl′tē-pleks) [para- + G. *mys*, muscle + *klonos*, a tumult]. 多発〔性〕パラミオクロ〔ー〕ヌス，多発〔性〕パラ筋クロ〔ー〕ヌス. = *myoclonus* multiplex.

par·a·my·o·to·ni·a (par′ă-mī′ō-tō′nē-ă). パラミオトニア，筋緊張〔症〕（不定型の筋緊張）. = paramyotonus.

ataxic p. 失調性パラミオトニア，失調性筋緊張〔症〕（軽い不全麻痺と運動失調症を伴う，ある動きをとろうとしたときの緊張性筋痙攣を特徴とする障害）.

congenital p., p. congenita [MIM*168300]. 先天〔性〕パラミオトニア，先天〔性〕筋緊張〔症〕（筋肉を寒冷にさらすことにより誘発される筋緊張を特徴とする非進行性疾患．間欠性弛緩性麻痺のエピソードはあるが，筋の萎縮と肥大はない．常染色体優性遺伝．第17染色体長腕のナトリウムチャネル遺伝子(*SCN4A*)の変異が原因である．高カリウム血性周期性四肢麻痺 hyperkalemic periodic *paralysis* の対立遺伝子の疾患である．寒冷が誘発因子でない異型常染色体優性型[MIM*168350]もある）. = Eulenburg disease.

par·a·my·ot·o·nus (par′ă-mī-ot′ō-nŭs). 【誤った発音 paramyoto′nus を避けること】. = paramyotonia.

Par·a·myx·o·vir·i·dae (par′ă-mik′sō-vir′i-dē). パラミクソウイルス科（RNA 含有ウイルスの比較的大きな一科．一般にインフルエンザウイルス類(オルソミクソウイルス科)の大きさの約2倍あるが，形態は類似している．*Paramyxovirus*属，麻疹ウイルス属 *Morbillivirus*, *Rubulavirus*属，肺炎ウイルス属 *Pneumovirus* の4属が認められている．ウイルス粒子は直径 150—300 nm，エンベロープをかぶり，エーテル感受性．RNA 依存性の RNA ポリメラーゼを含有する．ヌクレオカプシドは六角形で，インフルエンザウイルスのものよりかなり大きい．一本鎖の非分節 RNA よりなっている．この科に含まれるウイルスすべてが，細胞融合を引き起こし，また細胞質性の好エオシン性封入体をつくる．これらのウイルスが関与する疾病には，クループおよび他の上部呼吸器感染症，麻疹，流行性耳下腺炎，肺炎などがある）.

Par·a·myx·o·vi·rus (par′ă-mik′sō-vī′rŭs). パラミクソウイルス属（パラインフルエンザウイルス(タイプ1，3)を含むウイルスの一属(パラミクソウイルス科)）.

par·an·al·ge·si·a (par′an-ăl-jē′zē-ă) [para- + analgesia]. 対痛覚脱失(消失)〔症〕，対無痛覚〔症〕（下半身の無痛覚）.

par·a·na·sal (par′ă-nā′săl). 鼻傍の（鼻の近くの，鼻に隣接した）.

par·a·ne·o·pla·si·a (par′ă-nē′ō-plā′zē-ă). 腫瘍随伴病変（悪性新生物に関連して起こる，ホルモン，神経，血液，他の臨床上ならびに生化学的異常で，原発巣の浸潤，転移巣に直接関係のないもの）.

par·a·ne·o·plas·tic (par′ă-nē′ō-plas′tik). 腫瘍随伴性の（腫瘍随伴病変に関連した，または特徴的な）.

par·a·neph·ric (par′ă-nef′rik). ***1*** 副腎の．***2*** 腎傍の. = pararenal.

par·a·neph·ros, pl. **par·a·neph·roi** (par′ă-nef′ros, -nef′roy) [para- + G. *nephros*, kidney]. 副腎. = suprarenal *gland*.

par·an·es·the·si·a (par′an-es-thē′zē-ă) [para- + anesthesia]. 対感覚(知覚)脱失(消失)，対知覚麻痺（下半身の無感覚症）.

par·a·neur·one (par′ă-nūr′ōn). パラニューロン（神経分泌顆粒をもつ腺または細胞集合体）. = neuroendocrine cell (2).

pa·ran·gi (pă-rang′gē, -ran′jē). パランジ（スリランカでみられるイチゴ腫に似た疾患）.

par·a·noi·a (par′ă-noy′ă) [G. derangement, madness < para- + *noeō*, to think]. パラノイア，妄想症，偏執狂（[the condition of being paranoid の意味での隠語的使用を避けること]．重篤だが比較的まれな精神障害で，体系妄想の存在が特徴である．しばしば妄想は，あとをつけられる，毒をもられる，あるいは別の手段でひどい目にあっているなどと被害的な特徴をもち，その他の点では人格の障害はない．→paranoid *personality*）.

acute hallucinatory p. 急性幻覚性パラノイア，急性幻覚性妄想症（妄想に加えて，幻覚期が出現するパラノイアの一型）.

litigious p. 好訴パラノイア（訴訟ばかりする妄想性障害．法的に訴える病的傾向をもつ）.

par·a·noi·ac (par′ă-noy′ak). ***1*** 【adj.】 パラノイア〔性〕の，妄想症〔性〕の．***2*** 【n.】 パラノイア患者，妄想症患者.

par·a·noid (par′ă-noyd). ***1*** 【adj.】 妄想〔性〕の，パラノイア様の．***2*** 【n.】 被害妄想をもつこと.

par·a·no·mi·a (par′ă-nō′mē-ă) [para- + G. *onoma*, name]. 錯名〔症〕（物の名前を誤ってよぶ失語症の一種）.

par·a·nu·cle·ar (par′ă-nū′klē-ăr). ***1*** = paranucleate. ***2*** 核傍の.

par·a·nu·cle·ate (par′ă-nū′klē-āt). 副核の，副核をもつ. = paranuclear (1).

par·a·nu·cle·o·lus (par′ă-nū-klē′ō-lŭs). 副仁，副核小体（→sex *chromatin*）.

par·a·nu·cle·us (par′ă-nū′klē-ŭs). 副核，小核（核の付近にある副存の核または染色質の小塊）.

par·a·om·phal·ic (par′ă-om-fal′ik) [para- + G. *omphalos*, umbilicus]. = paraumbilical.

par·a·op·er·a·tive (par′ă-op′ĕr-ă-tiv). 手術付随の. = perioperative.

par·a·o·ral (par′ă-ō′răl) [para- + L. *os*(*or*-), mouth]. 口腔傍の（口の近くの）.

par·a·o·var·i·an (par′ă-ō-var′ē-ăn). 卵巣傍の. = parovarian (2).

par·a·ox·on (par′ă-ok′son). パラオクソン（殺虫薬に用いる有機リン酸系コリンエステラーゼ阻害薬．パラチオンは肝臓内でパラオクソンに変化する）.

paraoxonase (par-ă-oks′ŏ-nās). パラオキソナーゼ（高密度リポ蛋白含合酵素で，過酸化脂質を加水分解する．蛋白多型が知られている(aryldialkylphosphatase, E. C. 3. 1. 8. 1)．2つのアイソホームが知られている．A型のアイソホームは192番目がグルタミンで，B型のアイソホームは192番目がD-アルギニンである）.

par·a·pan·cre·at·ic (par′ă-pan′krē-at′ik). 膵傍の.

par·a·pa·re·sis (par′ă-pă-rē′sis) [para- + paresis]. 不全対麻痺（下肢を侵す脱力）.

par·a·pa·ret·ic (par′ă-pă-ret′ik). ***1*** 【adj.】 不全対麻痺の．***2*** 【n.】 不全対麻痺患者.

par·a·pe·de·sis (par′ă-pĕ-dē′sis) [para- + G. *pēdēsis*, a bending, deflection]. 副路排出（異常な経路を通った排出または分泌）.

par·a·per·i·to·ne·al (par′ă-per′i-tō-nē′ăl). 腹膜傍の.

par·a·pes·tis (par′ă-pes′tis) [para- + L. *pestis*, plague]. 小ペスト. = ambulant *plague*.

par·a·pha·si·a (par′ă-fā′zē-ă) [para- + G. *phasis*, speech]. 錯語〔症〕（正しく話す能力を失う失語症の一型．会話が理解できなくなるくらいに言葉を取り違え，その結果，言葉や文章をごちゃ混ぜに使用すること．→jargon）. = paragrammatism; paraphrasia; pseudoagrammatism.

thematic p. 主題性錯語〔症〕（話しているテーマや問題から離れた一貫性のない会話）.

par·a·pha·sic (par′ă-fā′sik). 錯語〔症〕の.

par·a·phi·a (par-ā′fē-ă) [para- + G. *haphē*, touch]. 触覚

錯誤〔症〕. = pseudesthesia (1); pseudoesthesia (1).

par·a·phil·i·a (par'ă-fil'ē-ă) [para- + G. *philos*, fond]. ***1*** 性欲倒錯，パラフィリア（男性でも女性でも，通常，個人や社会が受け入れられないような外界の刺激または内面の幻想によって，性的興奮やオルガズムを得ることに強迫的になったり依存したりしている状態）. ***2*** 法律用語で，性倒錯または性的異常者.

par·a·phi·mo·sis (par'ă-fī-mō'sis) [para- + G. *phimosis*]. ***1*** 嵌頓包茎（冠の後ろに引っ込んだ包茎の包皮による陰茎の疼痛を伴う圧縮）. ***2*** 嵌頓眼瞼（→p. palpebrae).

p. palpebrae 眼瞼嵌頓（上下眼瞼の完全型攣縮性外反).

par·a·pho·ni·a (par'ă-fō'nē-ă) [para- + G. *phōnē*, voice]. 音声変調（音声の何らかの障害，特に声域の変化).

par·a·phra·si·a (par'ă-frā'zē-ă) [para- + G. *phrasis*, speech]. = paraphasia.

par·a·phys·i·al, par·a·phys·e·al (par'ă-fiz'ē-ăl). 副生体の.

pa·raph·y·sis, pl. **pa·raph·y·ses** (pă-raf'i-sis, -sēz) [G. an offshoot]. 副生体（ある種の下等脊椎動物にある間脳の頭蓋板から発達する正中器官．ヒトの胎生期にも一時的には出現する）. = paraphysial body.

par·a·pin·e·al (par'ă-pin'ē-ăl). 松果体傍の，副松果体の（松果体のそばをいう．またはある種のトカゲに存在する松果体の視覚または光覚受容体部分をさす).

par·a·plasm (par'ă-plazm) [para- + G. *plasma*, a thing formed]. ***1*** hyaloplasm を表す現在では用いられない語. ***2*** 副形質（異形質).

par·a·plas·tic (par'ă-plas'tik). 副形質の.

par·a·ple·gi·a (par'ă-plē'jē-ă) [para- + *plēgē*, a stroke]. 対麻痺（両下肢と，一般的には下体幹の麻痺).

ataxic p. 失調性対麻痺（脊髄の側索および後索の硬化症による，下肢の筋肉の進行性失調症と麻痺).

congenital spastic p. 先天性痙性対麻痺（脳性麻痺の１つで，下肢の痙直性麻痺を特徴とする）. = infantile spastic p; Little disease.

p. dolorosa 疼痛性対麻痺（強い痛みを伴う両下肢の麻痺．脊髄の癌が原因となることが多い）. = painful p.

p. in extension 伸展対麻痺（伸筋が過度に伸長した位置に固定される両脚の麻痺).

p. in flexion 屈曲対麻痺（麻痺した脚が曲がったまま固定されること．通常は脊髄離断の場合に起こる).

infantile spastic p. 乳児痙性対麻痺. = congenital spastic p.

painful p. 疼痛性対麻痺. = p. dolorosa.

Pott p. (pot). ポット対麻痺（結核性脊椎炎において，脊髄への圧力により下半身と四肢が麻痺すること）. = Pott paralysis.

spastic p. 痙性対麻痺（筋の張力の増加と痙攣性収縮を伴う下肢の麻痺）. = Erb-Charcot disease (2).

superior p. 上肢対麻痺.

par·a·ple·gic (par'ă-plē'jik). 対麻痺の（[誤った発音 par-ă-pă-lē'jik を避けること]).

Par·a·pox·vi·rus (par'ă-poks'vī'rŭs). パラポックスウイルス属（ヒツジの接触伝染性膿疱性皮膚炎ウイルス，ウシの丘疹性口内炎ウイルス，偽牛痘ウイルスよりなるウイルスの一属(ポックスウイルス科)．この科に含まれるすべてのウイルスに共通な核蛋白抗原をもつが，形態学的に他のポックスウイルス類と異なっている(例えば，ウイルス粒子は小形で外被は厚い)．また本属のウイルスは有胚卵中で増殖しない).

par·a·prax·i·a (par'ă-prak'sē-ă) [para- + G. *praxis*, a doing]. 錯行〔症〕（意図した行為を間違って行うことで，錯語症や錯書症に類似する状態．例えば，舌の滑りや，物を間違えて置くことなど).

par·a·proc·ti·tis (par'ă-prok-tī'tis) [para- + G. *prōktos*, anus + *-itis*, inflammation]. 直腸傍〔結合〕組織炎（直腸を囲む細胞組織の炎症).

par·a·proc·ti·um, pl. **par·a·proc·tia** (par'ă-prok'shē-um, -tē-ŭm ; -ă) [para- + G. *prōktos*, anus]. 直腸傍〔結合〕組織（直腸を囲む細胞組織).

par·a·pros·ta·ti·tis (par'ă-pros'tă-tī'tis) [para- + L. *prostata*, prostate + *-itis*, inflammation]. 前立腺周囲炎（前立腺の周りの組織の炎症を表す，現在では用いられない語).

par·a·pro·tein (par'ă-prō'tēn) [para- + protein < G. *protos*, first]. パラプロテイン（①血漿中に存在する単クローン性の免疫グロブリン．電気泳動上，γ，β，α領域に濃いバンドとしてみられる．１つの形質細胞が急激に異常増殖してクローンを形成し，一種類の免疫グロブリンが単独に増加するために生じる．患者血清中にパラプロテインがみられれば，免疫グロブリン産生細胞が単クローン性に増殖していることが示唆される．悪性，良性，非腫瘍性の様々な疾患でみられる．② = monoclonal *immunoglobulin*).

par·a·pro·tein·e·mi·a (par'ă-prō'tēn-ē'mē-ă). パラプロテイン血〔症〕（血液中の単クローン性ガンマグロブリン血症).

par·a·pso·ri·a·sis (par'ă-sō-rī'ă-sis). 類乾癬（苔癬状ひこう疹と小・大斑の亜型を含む乾癬とは関連のない皮膚疾患の異種グループ).

p. en plaque 斑状〔性〕類乾癬，局面状類乾癬（中年期に生じる大斑型の類乾癬で，しばしば菌状息肉症に移行する．体幹や四肢近位側に生じ，病変は直径 5cm 以上になり，しばしば左右対称性である．小斑型の局面状類乾癬は良性の亜型で，指状皮膚症 digitate dermatosis ともよばれる).

p. guttata 滴状類乾癬. = *pityriasis* lichenoides.

p. lichenoides 苔癬状類乾癬. = *poikiloderma* atrophicans vasculare.

p. lichenoides et varioliformis acuta 急性苔癬状痘瘡状類乾癬. = *pityriasis* lichenoides et varioliformis acuta.

small plaque p. 小局面型(性)類乾癬，小斑状類乾癬. = digitate *dermatosis*.

p. varioliformis 痘瘡状類乾癬. = *pityriasis* lichenoides et varioliformis acuta.

par·a·psy·chol·o·gy (par'ă-sī-kol'ŏ-jē). 超心理学，パラサイコロジー（テレパシーや千里眼などのような超感覚的知覚に関する学問).

par·a·quat (par'ă-kwaht). パラクアット（除草剤．摂取すると肝臓，腎臓，肺に遅延毒性を及ぼす．肺胞内膜細胞の拡散を伴う進行性間質性肺炎が起こることもある).

par·a·ra·ma (par'ă-rā'mă). パララマ（有痛性あるいは硬直性の指の病気．ブラジルの天然ゴム採取労働者で初めてみつかった．ガ *Premolis semirufa* の幼虫の剛毛に不用意に触れて起こる．触れた直後からそう痒症，充血，局所の浮腫がみられ，次いで慢性の腫脹が起こり，臨床的には強直と一致する像を呈して１指以上の指が機能しなくなる).

par·a·rec·tal (par'ă-rek'tăl). 直腸傍の（直腸あるいは直筋の近くをいう).

par·a·re·nal (par'ă-rē'năl). 腎傍の（腎臓の近くの）. = paranephric (2).

par·a·rho·ta·cism (par'ă-rō'tă-sizm) [para- + G. *rho*, letter r]. ラ行吶（[ギリシア語起源の単語では，音節の初めにある二重字 rh は，接頭語または他の語彙要素がその前に置かれる場合，通常 rrh に変更されるが，本語では r を重ねない]．r の発音を他の文字の発音で代用すること. →rhotacism).

par·a·ro·san·i·lin (par'ă-rō-san'i-lin) [C.I. 42500]. パラローザニリン；tri(aminophenyl)methane hydrochloride（重要な赤色の生物学的色素で，Schiff 試薬として細胞内 DNA (Feulgen 染色)，ムコ多糖類(過ヨウ素酸 Schiff 染色)，蛋白(ニンヒドリン–Schiff染色)を検出するのに用いる）. = parafuchsin.

par·ar·rhyth·mi·a (par'ă-ridh'mē-ă) [para- + G. *rhythmos*, rhythm]. 副調律（２つの独立したリズムが共存する心臓の律動不整であるが，房室ブロックによるものではない．したがって，副収縮と房室解離を含むが，完全房室ブロックは含まない).

par·a·sac·ral (par'ă-sā'krăl). 仙骨傍の（仙骨に隣接した).

par·a·sal·pin·gi·tis (par'ă-sal'pin-jī'tis) [para- + salpinx + G. *-itis*, inflammation]. 卵管傍〔結合〕組織炎，耳管傍〔結合〕組織炎（卵管または耳管周囲の組織の炎症).

Par·as·ca·ris e·quo·rum (par-as'ka-ris ē-kwō'rŭm). ウマ回虫（大型のずっしりとした体の回虫．ウマおよびその他のウマ科動物の小腸に寄生する．幼虫はヒトやマウスの体内で発育可能であるが，成熟することはない）. = *Ascaris equorum*.

par·a·scar·la·ti·na (par′ă-skar′lă-tē′nă). パラ猩紅熱. = Filatov-Dukes *disease.*

par·a·sex·u·al·i·ty (par′ă-sek′shū-al′i-tē). 性的倒錯.

par·a·sig·ma·tism (par′ă-sig′mă-tizm) [para- + G. *sigma,* the letter s]. サ行吶. = lisping.

par·a·si·noi·dal (par′ă-sī-noy′dăl). 傍静脈洞の（洞のそば，特に脳静脈洞のそばについていう）.

par·a·site (par′ă-sīt) [G. *parasitos,* a guest < *para,* beside + *sitos,* food]. [pericyte と混同しないこと]. ***1*** 寄生生物，寄生虫，寄生体（他の生物体の体表あるいは体内に住んでいてそこから栄養を得ている生物体）. ***2*** 寄生体（胎児封入あるいは接着双生児の場合に，ほぼ完全な自生体に依存する不完全な一方）.

accidental p. = incidental p.

autistic p. 内閉寄生生物（宿主組織に由来する寄生生物）. = autochthonous p.

autochthonous p. 土着性寄生生物. = autistic p.

commensal p.〔片利〕共生寄生生物（→commensal (2)）.

euroxenous p. 広宿主性寄生生物（広範な，すなわち非特異的な宿主範囲をもっている寄生生物）.

facultative p. 通性寄生生物，任意寄生生物（独立した自由生活，あるいは寄生生活のいずれかを営みうる寄生生物. *cf.* obligate p.）.

heterogenetic p. 複相性寄生生物，複世代性寄生生物（生活環の中に世代交代を含む寄生生物）.

heteroxenous p. 複数宿主性寄生生物（生活環の中に，複数の真正宿主をもっている寄生生物）.

incidental p. 付随寄生生物，偶生寄生生物（正規の宿主以外の宿主の中で正常に生活している寄生生物）. = accidental p.

inquiline p. →inquiline.

malignant tertian malarial p. 悪性三日熱マラリア寄生体. = *Plasmodium falciparum.*

obligate p. 偏性寄生生物（独立した自由生活を営むことができない寄生生物. *cf.* facultative p.）.

quartan p. 四日熱寄生体. = *Plasmodium malariae.*

specific p. 特異寄生生物（常に一定の宿主に寄生し，特に宿主種に適応している寄生生物）.

spurious p. 擬似寄生生物（他の宿主に寄生している生物をヒトが摂取して，腸管を通過し，糞便中に検出されるもの（例えば，動物の肝臓に存在していた *Capillaria* sp. の虫卵））.

stenoxous p. 狭宿主性寄生生物（宿主領域の狭い，すなわち特異的な宿主をもつ寄生生物）.

temporary p. 一時的寄生生物（偶然に取り込まれ，短期間腸内に生存する生物）.

tertian p. 三日熱寄生体. = *Plasmodium vivax.*

par·a·si·te·mi·a (păr′ă-sī-tē′mē-ă). 寄生虫血〔症〕，パラサイテミア（寄生虫が循環血液中に存在すること. この語は特にマラリア原虫，その他の原生動物，ミクロフィラリアに関して用いる）.

par·a·sit·ic (par′ă-sit′ik). [paracytic または paracystic と混同しないこと]. ***1*** 寄生生物の，寄生虫〔性〕の（寄生生物の特性に関する）. ***2*** 寄生〔性〕の（通常，宿主の生体中，あるいは生体体表上においてのみ生育する生体についていう）.

par·a·sit·i·ci·dal (par′ă-sit′i-sī′dăl). 殺寄生生物の.

par·a·sit·i·cide (par′ă-sit′i-sīd) [parasite + L. *caedo,* to kill]. 殺寄生生物薬，殺寄生虫薬，駆虫薬.

par·a·si·tism (par′ă-sī′tizm). 寄生（１つの種（寄生者）が他の種（宿主）の犠牲によって利益を得るような共生関係. *cf.* mutualism; commensalism; symbiosis; metabiosis）.

multiple p. 共寄生（別種の寄生生物が同一宿主に寄生している状態. *cf.* superparasitism (2); hyperparasitism）.

par·a·si·tize (par′ă-si-tīz). 寄生する.

par·a·si·to·ce·nose (par′ă-sī′tō-sē′nōz) [parasite + G. *koinos,* common, together]. パラサイトセノーズ（宿主と寄生生物の生態系. つまり一定の宿主とそれに寄生するすべての寄生生物との総体的な関係）. = parasite-host ecosystem.

par·a·si·to·gen·e·sis (par′ă-sī′tō-jen′ĕ-sis). 寄生関係発生〔過程〕（寄生生物と宿主の間の関係の進化）.

par·a·si·to·gen·ic (par′ă-sī′tō-jen′ik) [parasite + G. *-gen,* producing]. ***1*** 寄生生物性の，寄生虫性の（寄生生物（寄生虫）によって引き起こされる）. ***2*** 寄生誘発の.

par·a·si·toid (par′ă-sī′toyd) [parasite + G. *eidos,* appearance]. 捕食寄生性（捕食と寄生との中間的な食性的関係で，最終的には捕食者が宿主を破壊するものについていう. 特に寄生バチ（膜翅目）の場合で，母バチが産卵に先立って毒針で刺して麻酔させておいた地虫などの節足動物宿主を，幼虫はえさとして結局は破壊してしまうことをいう）.

par·a·si·tol·o·gist (par′ă-sī-tol′ŏ-jist). 寄生生物学者，寄生虫学者.

par·a·si·tol·o·gy (par′ă-sī-tol′ŏ-jē) [parasite + G. *logos,* study]. 寄生生物学，寄生虫学（寄生に関連する全事象を取り扱う生物学と医学の部門）.

par·a·si·tome (par′ă-sī′tōm) [parasite + *-ome*(< G. *-ōma*), group, mass]. パラサイトーム（ある宿主に寄生する単一寄生生物種のすべての集団すなわちすべての発育段階の個体群）.

par·a·si·to·pho·bi·a (par′ă-sī′tō-fō′bē-ă) [parasite + G. *phobos,* fear]. 寄生生物恐怖〔症〕，寄生虫恐怖〔症〕（寄生生物（寄生虫）に対する病的な恐れ）.

par·a·si·to·sis (par′ă-sī-tō′sis). 寄生生物症，寄生虫症.

par·a·si·to·trop·ic (par′ă-sī′tō-trop′ik). 寄生生物向性の，寄生生物親和性の.

par·a·si·tot·ro·pism (par′ă-sī-tot′rō-pizm) [parasite + G. *tropē,* a turning]. 寄生生物向性，寄生生物親和性（小さな寄生生物がより大きな寄生生物に感染する場合も含めて，宿主に対してよりも寄生生物に対して特定の薬剤または他の作用物質が示す特別の親和性をいう. *cf.* organotropism）. = parasitotropy.

par·a·si·tot·ro·py (par′ă-sī-tot′rō-pē). = parasitotropism.

par·a·som·ni·a (par′ă-som′nē-ă). 錯眠（夢遊症，夜驚症，夜尿，夜間痙攣など睡眠に伴う何らかの機能異常）.

par·a·sta·sis (par′ă-stā′sis) [G. standing shoulder to shoulder]. 両側性安定状態（欠損を補ったり隠したりすることができる病因間の相互関係. 遺伝学では，上位性などで分類される非対立遺伝子間の関係をいう）.

par·a·ster·nal (par′ă-ster′năl). 胸骨傍の.

Par·a·stron·gy·lus (par′a-stron′ji-lŭs). = *Angiostrongylus.*

par·a·su·bic·u·lum (par′ă-sŭ-bik′yū-lŭm). 傍鉤状回（内側嗅領と鉤状回の間に位置する狭い皮質部位）.

par·a·sym·pa·thet·ic (par′ă-sim′pă-thet′ik). 副交感神経の（自律神経系の一区分についていう. →autonomic (visceral motor) *division* of nervous system）.

par·a·sym·pa·tho·lyt·ic (par′ă-sim′pă-thō-lit′ik). 副交感神経遮断の（副交感神経の作用を無効にする薬剤についていう. 例えばアトロピン）.

par·a·sym·pa·tho·mi·met·ic (par′ă-sim′pă-thō-mi-met′-ik) [para- + G. *sympatheia,* sympathy + *mimētikos,* imitative]. 副交感神経〔様〕作用（作動）の（副交感神経の刺激により起こる作用に類似した作用を有する薬剤や化学薬品についていう. →cholinomimetic）.

par·a·sym·pa·tho·to·ni·a (par′ă-sim′pă-thō-tō′nē-ă). 副交感神経緊張〔症〕. = vagotonia.

par·a·sy·nap·sis (par′ă-si-nap′sis) [para- + G. *synapsis,* a connection, junction]. 平行接合（減数分裂過程で染色体の並び合った状態）.

par·a·sy·no·vi·tis (par′ă-si′nō-vī′tis) [para- + synovitis]. 滑液包（嚢）傍炎（関節に隣接する組織の炎症）.

par·a·syph·i·lis (par′ă-sif′i-lis). 副梅毒（梅毒が間接的な原因である疾患）. = metasyphilis (2); parasyphilosis; quaternary syphilis.

par·a·syph·i·lit·ic (par′ă-sif′i-lit′ik). 副梅毒の（梅毒が間接的な原因と想像される一定の疾患についていう. 梅毒感染による病変は認められない）. = metaluetic (3); metasyphilitic (3).

par·a·syph·i·lo·sis (par′ă-sif′i-lō′sis). = parasyphilis.

par·a·sys·to·le (par′ă-sis′tō-lē) [para- + G. *systolē,* a contracting]. 副収縮（正常な洞調律と同時に存在する第２の自律動. 副収縮中心は主調律から保護される結果，基本的なリズムは影響されない. 心電図上は基本拍動間隔の整数倍のときに示される）. = parasystolic beat.

par·a·tax·i·a (par′ă-tak′sē-ă). = parataxis.

par·a·tax·ic (par′ă-tak′sik). パラタクシスの.
par·a·tax·is (par′ă-tak′sis)［para- + G. *taxis*, orderly arrangement］. パラタクシス（人格発達の間に蓄積された態度，観念，経験の蓄えである心理的状態に対する古語．それらは人格の成長しつつあるその他の態度，観念，経験の主要部に，効果的には同化または統合されていない）．= parataxia.
par·a·te·ne·sis (par′ă-te-nē′sis)［parasite + L. *teneo*, to hold, maintain］. 運搬媒介，仮性媒介（1種または一連の運搬宿主を感染体が通過すること．感染体は運搬宿主間を運搬されるが発達はしない）.
par·a·ten·on (par′ă-ten′on)［para- + G. *tenōn*, tendon］. 腱傍〔結合〕組織（腱とその鞘の間にある脂肪あるいは滑液組織）.
par·a·ter·mi·nal (par′ă-ter′mi-năl). 終末傍の.
par·a·thi·on (par′ă-thī′on). パラチオン（動物とヒトに非常に毒性のある有機リン酸系殺虫薬．家畜類のいる場所で使用するときは細心の注意を払わなければならない．コリンエステラーゼの不可逆的阻害薬）.
par·a·thor·mone (par′ă-thōr′mōn). パラトルモン．= parathyroid *hormone*.
par·a·thy·mi·a (par′ă-thī′mē-ă)［para- + G. *thymos*, soul, mind］. 気分倒錯（感情機能の錯誤．気分の障害）.
par·a·thy·rin (par′ă-thī′rin). = parathyroid *hormone*.
par·a·thy·roid (par′ă-thī′royd). ***1***〘adj.〙甲状腺近傍にある，副甲状腺(上皮小体)の．***2***〘n.〙= parathyroid *gland*.
par·a·thy·roid·ec·to·my (par′ă-thī-royd-ek′tŏ-mē)［parathyroid + G. *ektomē*, excision］. 上皮小体摘出〔術〕，上皮小体切除〔術〕.
par·a·thy·roid III (par′ă-thī′royd). = inferior parathyroid *gland*.
par·a·thy·roid IV (par′ă-thī′royd). = superior parathyroid *gland*.
par·a·thy·ro·trop·ic, par·a·thy·ro·tro·phic (par′-ă-thī′rō-trop′ik, -trof′ik)［parathyroid + G. *tropē*, a turning; *trophē*, nourishment］. 上皮小体刺激〔性〕の（上皮小体の成長や活動に影響を与えることについていう）.
par·a·tope (par′ă-tōp)［para- + -tope］. パラトープ（抗体分子中でL鎖とH鎖の可変領域からなる部位で，抗原との結合を司る）. = antibody-combining site; antigen-binding site.
par·a·tri·cho·sis (par′ă-tri-kō′sis)［para- + G. *trichōsis*, making or being hairy < *thrix*(*trich*-), hair］. 異常発毛〔症〕（毛の成長の異常，特に量的な異常を示す疾患の総称）.
par·a·trip·sis (par′ă-trip′sis)［G. friction < *para*, beside + *tripsis*, rubbing］. 擦過.
par·a·troph·ic (par′ă-trof′ik)［para- + G. *trophē*, nourishment］. 寄生栄養の（生体有機物質から栄養を得る．→metatrophic; prototrophic）.
par·a·typh·li·tis (par′ă-tif-lī′tis)［para- + G. *typhlon*, cecum + *-itis*, inflammation］. 盲腸周囲炎（盲腸近くの結合組織の炎症）.
par·a·ty·phoid (par′ă-tī′foyd). パラチフス．= paratyphoid *fever*.
par·a·um·bil·i·cal (par′ă-ŭm-bil′i-kăl). 臍傍の．= paraomphalic; parumbilical.
par·a·u·re·thral (par′ă-yū-rē′thrăl). 尿道傍の.
par·a·vac·cin·i·a (par′ă-vak-sin′ē-ă). パラワクシニア (Pseudocowpox virus の旧名). = milkers′ *nodules*.
par·a·vag·i·nal (par′ă-vaj′i-năl). 腟の左右両側の.
par·a·vag·i·ni·tis (par′ă-vaj′i-nī′tis). 腟傍〔結合〕組織炎．= paracolpitis.
par·a·val·vu·lar (par′ă-val′vyū-lăr). 弁傍の.
par·a·ve·nous (par′ă-vē′nŭs). 静脈傍の.
par·a·ver·te·bral (par′ă-ver′tĕ-brăl). 脊椎傍の，脊柱傍の（[誤った発音 paraverte′bral を避けること]）.
par·a·ves·i·cal (par′ă-ves′i-kăl). 膀胱傍の．= paracystic.
par·ax·i·al (par-ak′sē-ăl). 軸傍の，近軸の（身体や身体部分の軸のそばをいう）.
par·ax·on (par-ak′son)［para- + G. *axōn*, axis］. パラクソン，軸索側枝（軸索の側副枝）.
Par·a·zo·a (par′ă-zō′ă). 側生動物〔亜界〕（海綿類(海綿動物門)を含む一亜界で，多くの動物学者達によって，原生動物亜界と後生動物亜界の中間とみなされている）.
par·a·zo·on (par′ă-zō′on)［para- + G. *zōon*, animal］. ***1*** 動物性寄生生物．***2*** 側生動物（側生動物亜界に属する種）.
parch·ment crack·ling (parch′ment krak′ling). 羊皮紙〔様捻髪〕音（堅い紙がパチパチいうような感覚．頭蓋ろうの頭蓋を触診した場合に認められる）.
Pa·ré (pah-rā′), Ambroïse. フランス人外科医，1510—1590. ⇀P. *suture*.
par·e·gor·ic (par′ĕ-gōr′ik)［G. *parēgorikos*, soothing］. アヘン安息香チンキ（カンフルアヘンチンキ．逆ぜん動薬，粉末状アヘン，アニス油，安息香酸，樟脳，グリセリン，希アルコールを含む）.
pa·rei·ra (pă-rā′ră)［Pg. *parreira*, vine trained against a wall］. パレイラ根（熱帯アメリカのツヅラフジ科つる植物 *Chondodendron tomentosum*，その他の *Chondodendron* 属植物の根．D-ツボクラリンの主要な原料の1つ．利尿および防腐の性質がある）.
par·e·lec·tro·nom·ic (par′ĕ-lek′trō-nom′ik)［para- + G. *ēlektron*, amber(electricity) + *nomos*, law］. 非電気法則の（電気の法則に従わない，すなわち，電気刺激で興奮しないことについていう）.
par·en·ce·pha·li·a (par′en-se-fā′lē-ă)［para- + G. *enkephalos*, brain］. 脳奇形（脳の先天性欠損）.
par·en·ceph·a·li·tis (par′en-sef′ă-lī′tis)［parencephalon + G. *-itis*, inflammation］. 小脳炎.
par·en·ceph·a·lo·cele (par′en-sef′ă-lō-sēl)［parencephalon + G. *kēlē*, hernia］. 小脳ヘルニア（頭蓋の欠損部を通り，小脳が突出する状態）.
par·en·ceph·a·lous (par′en-sef′ă-lŭs). 脳奇形〔体〕の.
pa·ren·chy·ma (pă-reng′ki-mă)［G. anything poured in beside < *parencheō*, to pour in beside］［TA］. 実質（①腺あるいは器官に特有の細胞．結合組織の枠組み，すなわち基質の中に存在しそれらに支持されている．②原生動物の内形質．③肺においてはX線写真上の血管や気管支を除いた，ガス交換部分をさす）.
  p. glandulae thyroideae［TA］. = p. of thyroid gland.
  p. of lung 肺実質（肺胞組織にのみ用いられることも多いが，細気管支，気管支，血管，間質，肺胞を含むあらゆる肺組織をさす）.
  p. prostatae［TA］. = p. of prostate.
  p. of prostate［TA］. 前立腺の実質（前立腺を構成する細胞組織）. = p. prostatae［TA］.
  p. testis［TA］. 精巣実質．= p. of testis.
  p. of testis［TA］. 精巣の実質（精巣を構成する細胞組織で，小葉内にある精細管と間質細胞(Leydig 細胞，Sertoli 細胞)からなる）. = p. testis［TA］.
  p. of thyroid gland［TA］. 甲状腺の実質（甲状腺を構成する細胞組織で沪胞を形成している）. = p. glandulae thyroideae［TA］.
pa·ren·chy·mal (pă-reng′ki-măl). = parenchymatous.
pa·ren·chy·ma·ti·tis (pă-reng′ki-mă-tī′tis). 実質炎（腺あるいは器官の実質あるいは分化した実質の炎症）.
par·en·chym·a·tous (par′eng-kim′ă-tŭs). 実質の（[誤った発音 par′eng-kī′mă-tŭs を避けること]）. = parenchymal.
par·ent (par′ĕnt)［L. *parens* < *pario*, to bring forth］. 親（①少なくとも1個体以上の子を生殖作用によって生みだした個体．②ものの本質の巧みさに関する何らかの源あるいは根拠）.
pa·ren·ter·al (pă-ren′tĕr-ăl)［para- + G. *enteron*, intestine］. 非経口の，腸管外の（胃腸管または肺を通過する以外の方法によって，特に物質を生体内に導入することについていう．すなわち静脈・皮下・筋肉・髄内注射をいう）.
Pa·ren·ti (pă-ren′tē), Gian Carlo. イタリア人医師．⇀P.-Fraccaro *syndrome*.
par·ep·i·cele (par-ep′i-sēl)［para- + G. *epi*, upon + *koilia*, a hollow］. 第4脳室外側陥凹.
par·ep·i·did·y·mis (par′ep-i-did′i-mis). = paradidymis.
par·ep·i·thy·mi·a (par′ep-i-thī′mē-ă)［para- + G. *epithymia*, desire］. 病的欲望（異常な欲求や渇望を表す古語）.
par·e·reth·i·sis (par′ĕ-rēth′i-sis)［para- + G. *erethizō*, to excite］. 病的興奮（異常な，あるいは病的な興奮を表す古語）.

pa·re·sis (pă-rē′sis, par′ĕ-sis) [G. a letting go, slackening, paralysis < *paritēmi*, to let go]. 不全麻痺（[伝統的に正しい発音は第1音節にアクセントを置くが，米国ではしばしば第2音節にアクセントを置く]．部分的な，あるいは不完全な麻痺）．

divergence p. 開散不全麻痺（近くを見たときよりも遠くを見たときに著明になる内斜視．中枢神経系疾患によることも，両側外転神経不全麻痺によることもある）．

general p. 全身不全麻痺．＝paretic *neurosyphilis.*

par·es·the·si·a (par′es-thē′zē-ă) [para- + G. *aisthēsis*, sensation]. 感覚異常〔症〕（[episodes または zones of paresthesia の意味で本抽象名詞の複数形の隠語的使用を避けること]．自発性の異常な通常痛みのない感覚（ヒリヒリする，チクチクする，など）．中枢神経系病変によることも末梢神経系病変によることもある）．＝paraesthesia.

par·es·thet·ic (par′es-thet′ik). 感覚異常〔性，症〕の（感覚異常に関する，または感覚異常を特徴とする）．

pa·ret·ic (pă-ret′ik). 麻痺〔性〕の．

pa·reu·ni·a (pă-rū′nē-ă) [G. *pareunos*, lying beside < *para*, beside + *eunē*, a bed]. 性交．＝coitus.

pareve (pă-rev′) [Yiddish]. パルヴェ（肉でも乳製品を含まない食品）．

par·i·dro·sis (par′i-drō′sis) [para- + G. *hidrōsis*, sweating]. 発汗異常〔症〕．＝parahidrosis.

par·i·es, gen. **pa·ri·e·tis,** pl. **pa·ri·e·tes** (par′i-ēz, pā′rī-ēz; pă-rī′ĕ-tēz) [L. wall][TA]. 壁．＝wall.

p. anterior gastris [TA]. ＝anterior *wall* of stomach.

p. anterior vaginae [TA]. 膣前壁．＝anterior *wall* of vagina.

p. caroticus cavi tympani [TA]. 〔鼓室〕頸動脈壁．＝carotid *wall* of tympanic cavity.

p. externus ductus cochlearis [TA]. 〔蝸牛管の〕外壁．＝external *surface* of cochlear duct.

p. inferior orbitae [TA]. 〔眼窩〕下壁．＝*floor* of orbit.

p. jugularis cavi tympani [TA]. 〔鼓室〕頸静脈壁．＝jugular *wall* of middle ear.

p. labyrinthicus cavi tympani [TA]. 〔鼓室〕迷路壁．＝labyrinthine *wall* of tympanic cavity.

p. lateralis orbitae [TA]. 〔眼窩〕外側壁．＝lateral *wall* of orbit.

p. mastoideus cavi tympani [TA]. 〔鼓室〕乳突壁．＝mastoid *wall* of tympanic cavity.

p. medialis orbitae [TA]. 〔眼窩〕内側壁．＝medial *wall* of orbit.

p. membranaceus cavi tympani [TA]. 〔鼓室〕鼓膜壁．＝membranous *wall* of tympanic cavity.

p. membranaceus tracheae [TA]. 〔気管〕膜性壁．＝membranous *wall* of trachea.

p. posterior gastris [TA]. ＝posterior *wall* of stomach.

p. posterior vaginae [TA]. 膣後壁．＝posterior *wall* of vagina.

p. superior orbitae [TA]. 〔眼窩〕上壁．＝*roof* of orbit.

p. tegmentalis cavi tympani [TA]. 鼓室蓋壁．＝tegmental *wall* of tympanic cavity.

p. tympanicus ductus cochlearis [TA]. 鼓室階壁．＝tympanic *surface* of cochlear duct.

p. vestibularis ductus cochlearis [TA]. 前庭階壁．＝vestibular *surface* of cochlear duct.

pa·ri·e·tal (pă-rī′ĕ-tăl). ***1*** 壁の，壁在の，壁側の（腔の壁に関する）．***2*** ＝somatic (1). ***3*** ＝somatic (2). ***4*** 頭頂骨の（頭頂骨に関する）．

pa·ri·e·tes (pă-rī′ĕ-tēz) [L.]. paries の複数形．

parieto- [L. *paries*, wall]. 壁（身体の．例えば，腹壁など），頭頂骨への関係を示す連結形．

pa·ri·e·to·fron·tal (pă-rī′ĕ-tō-frŭn′tăl). 頭頂前頭の（頭頂骨と前頭骨，または当該部位の大脳皮質に関する）．

pa·ri·e·tog·ra·phy (pă-rī′ĕ-tog′ră-fē) [parieto- + G. *graphē*, a writing]. 体壁撮影〔法〕（気腹術と胃の空気注入とバリウムの組合せによる胃壁のX線撮影検査で，最近ではほとんど施行されない）．

pa·ri·e·to·mas·toid (pă-rī′ĕ-to-mas′toyd). 頭頂乳突の（頭頂骨と，側頭骨の乳突部に関する）．

pa·ri·e·to·oc·cip·i·tal (pă-rī′ĕ-tō-ok-sip′i-tăl). 頭頂後頭の（頭頂骨と後頭骨，または当該部位の大脳皮質に関する）．

pa·ri·e·to·sphe·noid (pă-rī′ĕ-tō-sfē′noyd). 頭頂蝶形骨の（頭頂骨と蝶形骨に関する）．

pa·ri·e·to·splanch·nic (pă-rī′ĕ-tō-splangk′nik). ＝parietovisceral.

pa·ri·e·to·squa·mo·sal (pă-rī′ĕ-tō-skwā-mō′săl). 頭頂鱗状部の（頭頂骨と側頭骨の鱗状部に関する）．

pa·ri·e·to·tem·po·ral (pă-rī′ĕ-tō-tem′pŏ-răl). 頭頂側頭骨の（頭頂骨と側頭骨に関する）．

pa·ri·e·to·vis·cer·al (pă-rī′ĕ-tō-vis′ĕr-ăl). 体壁内臓の（体腔の壁とそれに含まれる内臓に関する）．＝parietosplanchnic.

Parinaud (pah-ri-nō′), Henri. フランス人眼科医，1844—1905. →P. *conjunctivitis*, *ophthalmoplegia*, *syndrome*, oculoglandular *syndrome.*

Par·is green (par′is grēn). パリスグリーン；cupric acetoarsenite（殺虫薬および顔料）．

Par·is yel·low (par′is yel′ō) [C.I. 77600]. パリスイエロー．＝chrome yellow.

par·i·ty (par′i-tē) [L. *pario*, to bear]. ***1*** 経産（単胎児または複数胎児を，生死にかかわらず分娩した状態）．***2*** メンタルヘルスケアの費用を第三の支払い機関が同じ割合，すなわち身体のヘルスケアの費用と同様に支払うという考え方．

Park (park), Henry. 英国人外科医，1745—1831. →P. *aneurysm.*

Park (park), William H. 米国人細菌学者，1863—1939. →P.-Williams *fixative.*

Par·ker (par′kĕr), Edward Mason. 米国人外科医，1860—1941. →P.-Kerr *suture.*

Par·kin·son (par′kin-sŏn), James. 英国人医師，1755—1824. →parkinsonism(1); P. *disease*, *facies.*

Par·kin·son (par′kin-sŏn), John. 英国人心臓学者，1885—1976. →Wolff-P.-White *syndrome.*

par·kin·so·ni·an (par-kin-sō′nē-an). 振せん麻痺の，パーキンソン症候群の．

par·kin·son·ism (par′kin-son-izm) [J. *Parkinson*]. ***1*** 振せん麻痺（通常は，基底神経節の変性性，血管性，炎症性変化により起こる神経伝達物質ドパミンの欠乏を原因とする神経の症候群．筋肉の律動的振せん，運動の硬直，加速歩行，前傾姿勢，仮面状顔貌を特徴とする）．＝Parkinson disease; shaking palsy; trembling palsy. ***2*** パーキンソン症候群（パーキンソン病に似た症候群．パーキンソン病でみられる特徴の一部は，他の疾患（進行性核上性麻痺など）や薬剤の副作用（抗精神病薬など）でみられることがある）．

Par·nas (pahr′nas), Jakob Karol. ポーランド人生化学者，1884—1955. →Embden-Meyerhof-P. *pathway.*

par·oc·cip·i·tal (par′ok-sip′i-tăl) [para- + occipital]. 後頭〔骨〕傍の．

par·o·don·ti·tis (par′ō-don-tī′tis). periodontitis を意味する現在では用いられない語．

par·o·don·ti·um (par′ō-don′shē-ŭm) [para- + G. *odous*, tooth]. 歯周組織，歯牙支持組織．＝periodontium.

par·o·dyn·i·a (par′ō-din′ē-ă) [L. *pario*, to bear + G. *odynē*, pain]. 陣痛．＝labor *pains.*

pa·role (pă-rōl′) [Fr. < L. *parabola*, discourse < G. *parabolē*]. パロール，仮退院（精神医学において，以前犯罪を犯した患者を正式に退院させる前に，条件付きで精神病院から解放すること．したがって，必要な場合には，患者は新たな法的措置がなくても病院に返されうる）．

par·ol·fac·tor·y (par′ol-fak′tōr-ē). 嗅覚系の．

par·ol·i·var·y (par-ol′i-vār′ē) [para- + L. *oliva*, olive]. オリーブ核傍の．

par·om·phal·o·cele (par′om-fal′ō-sēl) [para- + G. *omphalos*, umbilicus + *kēlē*, tumor, hernia]. ***1*** 傍臍瘤腫（臍の近くの腫瘍）．***2*** 臍ヘルニア（臍の近くの腹壁の欠損部を通るヘルニア）．

Pa·ro·na (pā-rō′nah), Francesco. 19世紀のイタリア人外科医．→P. *space.*

par·o·nych·i·a (par′ō-nik′ē-ă) [para- + G. *onyx*, nail]. 爪〔周〕囲炎，爪郭炎（[perionychia と混同しないこと]．爪甲の周囲の爪縁の化膿性の炎症．細菌や真菌によることがあり，大部分がブドウ球菌と連鎖球菌である).

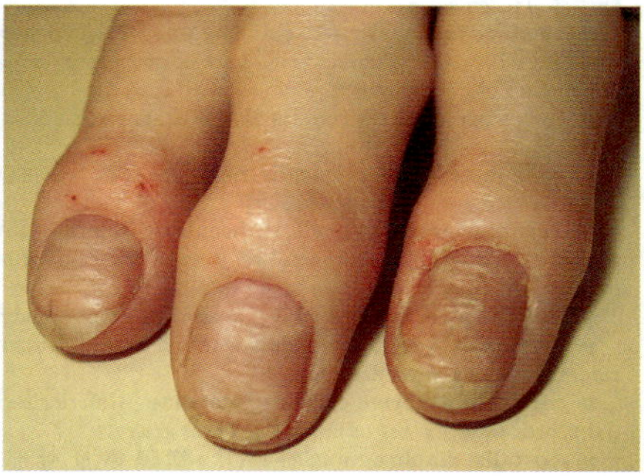

chronic paronychia

par·o·oph·o·ri·tis (par′ō-of-ō-rī′tis) [paroophoron + G. *-itis*, inflammation]. 卵巣傍組織炎，卵巣傍体炎（卵巣付近の組織の炎症).

par·o·oph·o·ron (par′ō-of′ō-ron) [para- + oophoron, ovary][TA]. 卵巣傍体（卵巣上体と子宮の間にある広間膜の中に，いくつか散在性に存在する痕跡細管．中腎下部の細管と糸球体の残遺物．男性の精巣傍体に相当する). = parovarium.

par·or·chid·i·um (par′ōr-kid′ē-ŭm) [para- + G. *orchis*, testis]. 精巣(睾丸)転位〔症〕. = testis *ectopia*.

par·or·chis (par-ōr′kis) [para- + G. *orchis*, testis]. 精巣上体. = epididymis.

par·o·rex·i·a (par′ō-rek′sē-ă) [para- + G. *orexis*, appetite]. 異物嗜好，食欲倒錯.

par·os·mi·a (par-oz′mē-ă) [para- + G. *osmē*, sense of smell]. 嗅覚錯誤. = dysosmia.

par·os·phre·si·a (par′os-frē′zē-ă) [para- + G. *osphrēsis*, smell]. = dysosmia.

par·os·te·al (par-os′tē-ăl). 骨膜傍の（骨膜に隣接する組織に関する).

par·os·te·i·tis (par′os-tē-ī′tis) [para- + G. *osteon*, bone + *-itis*, inflammation]. 骨傍炎（骨に隣接する組織の炎症). = parostitis.

par·os·te·o·sis, par·os·to·sis (par′os-tē-ō′sis, -os-tō′sis) [para- + G. *osteon*, bone + *-osis*, condition]. ***1*** 異所性化骨（骨が皮膚など異常な位置に発育すること). ***2*** 骨傍症，傍骨症（異常な，あるいは欠陥のある骨化).

par·os·ti·tis (par′os-tī′tis). = parosteitis.

pa·rot·ic (pă-rot′ik) [para- + G. *ous*, ear]. 耳傍の.

pa·rot·id (pă-rot′id) [G. *parōtis*(*parōtid-*), the gland beside the ear < *para*, beside + *ous*(*ōt-*), ear]. 耳下腺の（耳の近くにある組織についていう．通常は耳下腺をいう).

pa·rot·i·dec·to·my (pă-rot′i-dek′tŏ-mē) [parotid + G. *ektomē*, excision]. 耳下腺摘出〔術〕（耳下腺の外科的除去).

pa·rot·i·di·tis (pă-rot′i-dī′tis). 耳下腺炎. = parotitis.

pa·ro·ti·do·au·ri·cu·la·ris (pă-rot′i-dō-aw-rik′yū-lā′-ris). ***1*** 〘n.〙 耳下甲介筋（耳下腺から耳甲介に至る破格の筋肉線維). ***2*** 〘adj.〙 耳下甲介の（耳下腺と外耳についていう).

par·o·tin (par′ō-tin). パロチン（蛋白性の物質．耳下腺から得られるグロブリン．低カルシウム血症を起こし，間葉組織に作用し，最初，白血球減少症，次に白血球増加症を起こす．さらにはぞうげ質の石灰化を促進する). = salivary gland hormone.

par·o·ti·tis (par′ō-tī′tis). 耳下腺炎. = parotiditis.

epidemic p. 流行性耳下腺炎，おたふくかぜ. = mumps.

postoperative p. 術後耳下腺炎（耳下腺の急性炎症．手術後，衰弱または脱水をきたした患者に起こる．しばしば膿瘍形成と急速に拡大する蜂巣炎を引き起こし，致命的となることがある).

punctate p. 唾液管末端拡張症をきたした反復性または慢性耳下腺炎で，唾液腺造影により点状陰影を認める．腺小葉内導管の囊状拡張，腺小葉の萎縮，リンパ球浸潤がある．Sjögren 症候群(⇒syndrome)に特徴的である.

par·ous (par′ŭs) [L. *pario*, to bear]. 経産の.

par·o·var·i·an (par′ō-var′ē-ăn). ***1*** 卵巣傍体の. ***2*** 卵巣傍の. = paraovarian.

par·o·var·i·ot·o·my (par′ō-var′ē-ot′ŏ-mē) [parovarium + G. *tomē*, incision]. 副卵巣切開〔術〕（副卵巣の腫瘍の切開あるいは除去).

par·o·va·ri·tis (par′ō-var-ī′tis). 副卵巣炎.

par·o·var·i·um (par′ō-var′ē-ŭm) [para- + L. *ovarium*, ovary]. = paroophoron.

par·ox·ysm (par′ok-sizm) [G. *paroxysmos* < *paroxynō*, to sharpen, irritate < *oxys*, sharp]. ***1*** 痙攣（急な痙縮または痙攣). ***2*** 発作（症状あるいは疾病の突然の発症．特にマラリアの悪寒と硬直など，再発性の症状発現を伴うもの).

par·ox·ys·mal (par′ok-siz′măl). 発作〔性〕の（[誤った発音 parox′ysmal を避けること]).

par·ri·cide (par′i-sīd) [L. *parricidium*, killing of close kin]. ***1*** 親殺し（自分の親(父親か母親)を殺すこと). ***2*** 親殺し人（親殺しをする人).

Par·rot (pah-rō′), Jules. フランス人医師，1829—1883. ⇀P. *disease*.

Par·ry (par′ē), Caleb H. イングランド人医師，1755—1822. ⇀P. *disease*.

PARS

pars, pl. **par·tes** (pars, par′tēz) [L. *pars*(*part-*), a part] [TA]. 部. = part.

p. abdominalis aortae [TA]. 大動脈腹部. = abdominal *aorta*.

p. abdominalis ductus thoracici [TA]. = abdominal *part* of thoracic duct.

p. abdominalis esophagi [TA]. = abdominal *part* of esophagus.

p. abdominalis musculi pectoralis majoris [TA]. = abdominal *part* of pectoralis major (muscle).

p. abdominalis plexuum et gangliorum visceralium [TA]. = abdominal *part* of peripheral autonomic plexuses and ganglia.

p. abdominalis ureteris [TA]. = abdominal *part* of ureter.

p. acromialis musculi deltoidei [TA]. = acromial *part* of deltoid (muscle).

p. alaris musculi nasalis [TA]. ⇀nasalis (*muscle*). = alar *part* of nasalis muscle.

p. alveolaris mandibulae [TA]. 〔下顎骨〕歯槽部. = alveolar *part* of mandible.

p. amorpha 無形部（核小体の一部で核小体系の間にみられる不規則な間隙．微細な線維様構造がみられる．→p. granulosa).

p. anterior [TA]. 前部. = anterior *part*.

p. anterior adenohypophyseos [TA]. = p. distalis adenohypophyseos.

p. anterior commissurae anterioris [TA]. 大脳前交連の前部. = anterior *part* of anterior commissure of brain.

p. anterior commissurae rostralis 大脳前交連の前部. = anterior *part* of anterior commissure of brain.

p. anterior faciei diaphragmaticae hepatis [TA]. = anterior *part* of diaphragmatic surface of liver.

p. anterior fornicis vaginae [TA]. = anterior *part* of fornix of vagina.

p. anterior linguae [TA]. = anterior *part* of tongue.

p. anularis vaginarum fibrosarum digitorum manus et pedis [TA]. = anular *part* of fibrous digital sheath of digits of hand and foot.

p. aryepiglottica musculi arytenoidei obliqui [TA]. =

aryepiglottic *part* of oblique arytenoid (muscle).

p. ascendens aortae [TA]. 大動脈上行部. ＝ascending *aorta.*

p. ascendens duodeni [TA]. ＝ascending *part* of duodenum.

p. ascendens musculi trapezii [TA]. ＝ascending *part* of trapezius (muscle).

p. atlantica arteriae vertebralis [TA]. ＝atlantic *part* of vertebral artery.

p. autonomica systematis nervosi peripherici [TA]. ＝autonomic (visceral motor) *division* of nervous system.

p. basalis [TA]. ＝basal *part.*

p. basalis arteriarum lobarium inferiorum pulmonis sinistri et dextri [TA]. 〔左または右下肺動脈の〕肺底部. ＝basal *part* of left and right inferior pulmonary arteries.

p. basalis arteriae pulmonalis [TA]. 〔肺動脈の〕肺底動脈 (→right pulmonary *artery*; left pulmonary *artery*).

p. basilaris [TA]. ＝basal *part.*

p. basilaris ossis occipitalis [TA]. 〔後頭骨〕底部. ＝basilar *part* of occipital bone.

p. basilaris pontis [TA]. 橋底部. ＝basilar *part* of pons.

p. buccopharyngea musculi constrictoris pharyngei superioris →superior pharyngeal constrictor (*muscle*). ＝buccopharyngeal *part* of superior pharyngeal constrictor.

p. canalis nervi optici [TA]. ＝*part* of optic nerve in canal.

p. cardiaca gastricae [TA]. 〔胃の〕噴門部. ＝cardia.

p. cardiaca ventriculi 〔胃の〕噴門部. ＝cardia.

p. cartilaginea septi nasi ＝septal nasal *cartilage.*

p. cartilaginea systematis skeletalis 骨格系の軟骨部. ＝cartilaginous *part* of skeletal system.

p. cartilaginea tubae auditivae [TA]. 耳管軟骨部. ＝cartilaginous *part* of pharyngotympanic (auditory) tube.

p. cartilaginea tubae auditoriae ＝cartilaginous *part* of pharyngotympanic (auditory) tube.

p. cavernosa ＝spongy *urethra.*

p. cavernosa arteriae carotidis internae [TA]. 内頸動脈海綿洞部. ＝cavernous *part* of internal carotid artery.

p. ceca retinae 網膜盲部 (網膜毛様体部と網膜虹彩部を生じる胎児網膜の前部).

p. centralis systematis nervosi [TA]. ＝central nervous *system.*

p. centralis ventriculi lateralis [TA]. 〔側脳室〕中心部. ＝central *part* of lateral ventricle.

p. ceratopharyngea musculi constrictoris pharyngis medii [TA]. →middle constrictor (*muscle*) of pharynx. ＝ceratopharyngeal *part* of middle constrictor muscle of pharynx.

p. cerebralis arteriae carotidis internae [TA]. 内頸動脈大脳部. ＝cerebral *part* of internal carotid artery.

p. cervicalis arteriae carotidis internae [TA]. 内頸動脈頸部. ＝cervical *part* of internal carotid artery.

p. cervicalis arteriae vertebralis [TA]. ＝cervical *part* of vertebral artery.

p. cervicalis ductus thoracici [TA]. ＝cervical *part* of thoracic duct.

p. cervicalis esophagi [TA]. ＝cervical *part* of esophagus.

p. cervicalis medullae spinalis [TA]. ＝cervical *part* of spinal cord.

p. chondropharyngea musculi constrictoris pharyngei medii [TA]. →middle constrictor (*muscle*) of pharynx. ＝chondropharyngeal *part* of middle constrictor muscle of pharynx.

p. ciliaris retinae [TA]. 網膜毛様体部 (→retina). ＝ciliary *part* of retina.

p. clavicularis musculi deltoidei [TA]. ＝clavicular *part* of deltoid (muscle).

p. clavicularis musculi pectoralis majoris [TA]. →pectoralis major (*muscle*). ＝clavicular *head* of pectoralis major muscle.

p. coccygea medullae spinalis [TA]. 脊髄尾骨部. ＝coccygeal *part* of spinal cord.

p. cochlearis nervi vestibulocochlearis 前庭蝸牛神経の蝸牛部. ＝cochlear *nerve.*

p. coeliacoduodenalis musculi (ligamenti) suspensorii duodeni [TA]. ＝celiacoduodenal *part* of suspensory muscle (ligament) of duodenum.

p. convoluta corticis renalis 腎皮質曲部. ＝cortical *labyrinth.*

p. convoluta lobuli corticalis renis 〔腎皮質小葉〕曲部. ＝convoluted *part* of kidney lobule.

p. corneoscleralis reticuli trabecularis sclerae [TA]. 小柱網の角膜強膜部. ＝corneoscleral *part* of trabecular tissue of sclera.

partes corporis humani [TA]. ＝*parts* of human body.

p. corticalis 皮質部 (→middle cerebral *artery*; posterior cerebral *artery*). ＝cortical *part.*

p. corticalis arteriae cerebralis mediae →inferior terminal (cortical) *branches* of middle cerebral artery.

p. costalis diaphragmatis [TA]. 〔横隔膜〕肋骨部. ＝costal *part* of diaphragm.

p. costalis pleurae parietalis [TA]. ＝costal *part* of parietal pleura.

p. cranialis partis parasympathici divisionis autonomici systematis nervosi [TA]. ＝cranial *part* of parasympathetic part of autonomic division of nervous system.

p. craniocervicalis plexuum et gangliorum visceralium [TA]. ＝craniocervical *part* of peripheral autonomic plexuses and ganglia.

p. cricopharyngea musculi constrictoris pharyngis inferioris [TA]. →inferior constrictor (*muscle*) of pharynx. ＝cricopharyngeal *part* of inferior constrictor (muscle) of pharynx.

p. cruciformis vaginae fibrosae [TA]. 〔線維鞘〕十字部. ＝cruciform *part* of fibrous digital sheaths of hand and foot.

p. cuneiformis vomeris [TA]. ＝cuneiform *part* of vomer.

p. cupularis recessus epitympanici [TA]. ＝cupular *part* of epitympanic recess.

p. cystica 胆嚢部 (原始胚の肝芽の小尾部. 胆嚢と胆管を生じる).

p. descendens aortae [TA]. 大動脈下行部, 下行大動脈. ＝descending *aorta.*

p. descendens duodeni [TA]. 十二指腸下行部 (→duodenum). ＝descending *part* of duodenum.

p. descendens ligamenti iliofemoralis [TA]. ＝descending *part* of iliofemoral ligament.

p. descendens musculi trapezii [TA]. ＝descending *part* of trapezius (muscle).

p. dextra faciei diaphragmaticae hepatis [TA]. ＝right *part* of diaphragmatic surface of liver.

p. diaphragmatica pleurae parietalis [TA]. ＝diaphragmatic *part* of parietal pleura.

p. distalis adenohypophyseos [TA]. 〔下垂体前葉〕末端部 (腺性下垂体の大きな部分を占め, 索状の上皮性細胞からなる. これらの細胞からは全身数か所の標的器官に働きかけるそれぞれ固有の刺激ホルモンが分泌されている. これらの分泌活動は視床下部の促進・抑制因子の支配下にあるが, これらの因子は下垂体門脈系を介して腺性下垂体へ送られてくる). ＝p. anterior adenohypophyseos [TA]; distal part of anterior lobe of hypophysis.

p. distalis prostatae [TA]. ＝distal *part* of prostate.

p. distalis urethrae prostaticae [TA]. ＝distal *part* of prostatic urethra.

partes dorsales musculorum intertransversariorum lateralium lumborum [TA]. ＝dorsal *part* of intertransversarii laterales lumborum (muscles).

p. dorsalis pontis 橋背部. ＝dorsal *part* of pons.

p. duralis fili terminalis [TA]. →terminal *filum.*

p. endocrina pancreatis 膵臓内分泌部 (→pancreas). ＝endocrine *part* of pancreas.

p. exocrina pancreatis 膵臓外分泌部 (→pancreas). ＝exocrine *part* of pancreas.

p. extraocularis arteriae et venae centralis retinae [TA]. =extraocular *part* of central retinal artery and vein.

p. fetalis placentae 胎盤胎児部. =fetal *placenta*.

p. flaccida membranae tympanicae [TA]. 鼓膜弛緩部. =flaccid *part* of tympanic membrane.

p. frontalis corporis callosi =minor *forceps*.

p. funicularis ductus deferentis [TA]. =funicular *part* of ductus deferens.

partes genitales femininae externae 女の外生殖器 (external female genital *organs* の不適切な語).

partes genitales masculinae externae 男の外生殖器 (external male genital *organs* の不適切な語).

p. glossopharyngea musculi constrictoris pharyngis superioris ⇀superior pharyngeal constrictor (*muscle*). = glossopharyngeal *part* of superior pharyngeal constrictor.

p. granulosa 顆粒部 (核小体系の顆粒状線条性の部分).

p. hepatica 肝臓部 (原始胚の肝原基(芽)の大きな上方部分で，肝臓本体を生じる).

p. hepatis dextra [TA]. =right *liver*.

p. hepatis sinistra [TA]. =left *liver*.

p. horizontalis duodeni [TA]. ⇀duodenum. =inferior *part* of duodenum.

p. iliaca fasciae iliopsoaticae [TA]. 腸腰筋膜腸骨筋部. =iliac *fascia*.

p. inferior [TA]. =inferior *part*.

p. inferior alae lobuli centralis [TA]. 中心小葉翼下部. =*wing* of central lobule.

p. inferior duodeni* 十二指腸下部 (inferior *part* of duodenum の公式の別名).

p. inferior ganglii vestibularis [TA]. =inferior *part* of vestibular ganglion.

p. inferior venae lingularis venae pulmonalis superioris sinistrae [TA]. =inferior *part* of lingular vein (of left superior pulmonary vein).

p. infraclavicularis plexus brachialis [TA]. 〔腕神経叢〕鎖骨下部. =infraclavicular *part* of brachial plexus.

p. infralobaris venae posterioris venae pulmonalis superioris dextrae [TA]. =infralobar *part* of posterior vein (of right superior pulmonary vein).

p. infundibularis 漏斗部. =p. tuberalis adenohypophyseos.

p. inguinalis ductus deferentis [TA]. =inguinal *part* of ductus deferens.

p. insularis 島部. =*lobus* insula.

p. insularis arteriae cerebri mediae [TA]. ⇀middle cerebral *artery*. =insular *part* of middle cerebral artery.

p. interarticularis 関節間部 ([pars interarticularis の特別な意味で単純な単語 pars の使用をしないこと]. 骨の上下関節の間の部分，とくに腰椎棘突起についていう).

p. intercartilaginea rimae glottidis [TA]. 〔声門裂〕軟骨間部. =intercartilaginous *part* of rima glottidis.

p. intermedia [TA]. =intermediate *part*.

p. intermedia adenohypophyseos [TA]. 腺性下垂体の中間部 (下垂体前葉と神経葉の間にある部分でヒトでは発達が悪い). =intermediate part of adenohypophysis.

p. intermedia commissurae bulborum =*commissure* of bulbs (of vestibule).

p. intermedia urethrae masculinae [TA]. =intermediate *part* of male urethra.

p. intermembranacea rimae glottidis [TA]. 〔声門裂〕膜間部. =intermembranous *part* of rima glottidis.

partes intersegmentales venarum pulmonum [TA]. = intersegmental *vein*.

p. intracranialis arteriae vertebralis [TA]. 椎骨動脈頭蓋内部 (⇀vertebral *artery*). =intracranial *part* of vertebral artery.

p. intracranialis nervi optici [TA]. =intracranial *part* of optic nerve.

p. intralaminaris nervi optici intraocularis [TA]. 視神経篩板内部. =intralaminar *part* of intraocular part of optic nerve.

p. intralobaris (intersegmentalis) venae posterioris lobi superioris pulmonis dextri [TA]. =intralobar *part* of the posterior vein (of the right superior pulmonary vein).

p. intramuralis urethrae masculinae [TA]. =intramural *part* of male urethra.

p. intraocularis nervi optici [TA]. 視神経眼球〔内〕部. =intraocular *part* of optic nerve.

p. intraocularis venae centralis retinae [TA]. =intraocular *part* of central retinal vein.

p. intrasegmentalis venae pulmonum [TA]. =intrasegmental *part* of pulmonary veins.

p. iridica retinae [TA]. 網膜虹彩部 (⇀retina). =iridial *part* of retina.

p. labialis musculi orbicularis oris [TA]. =labial *part* of orbicularis oris (muscle).

p. lacrimalis musculi orbicularis oculi 〔眼輪筋〕涙嚢部 (⇀orbicularis oculi (*muscle*)). =lacrimal *part* of orbicularis oculi muscle.

p. laryngea pharyngis [TA]. 〔咽頭〕喉頭部. =laryngopharynx.

p. lateralis arcus pedis longitudinalis [TA]. 縦足弓外側部 (⇀longitudinal *arch* of foot). =lateral *part* of longitudinal arch of foot.

p. lateralis compartimenti antebrachii posterioris (extensorum) [TA]. =lateral *part* of posterior (extensor) compartment of forearm.

p. lateralis fornicis vaginae [TA]. ⇀vaginal *fornix*. = lateral *part* of fornix of vagina.

p. lateralis musculorum intertransversariorum posteriorum cervicis ⇀posterior cervical intertransversarii (*muscles*).

p. lateralis nuclei accumbentis [TA]. ⇀*nucleus* accumbens.

p. lateralis ossis occipitalis [TA]. =lateral *part* of occipital bone.

p. lateralis ossis sacri [TA]. =lateral *part* of sacrum.

p. lateralis venae lobi medii venae pulmonalis dextri superioris =lateral *part* of middle lobe vein (of right superior pulmonary vein).

p. libera membri inferioris [TA]. =free *part* of lower limb.

p. libera membri superioris [TA]. =free *part* of upper limb.

p. lumbalis diaphragmatis [TA]. 横隔膜腰部. =lumbar *part* of diaphragm.

p. lumbalis medullae spinalis [TA]. 脊髄腰部. =lumbar *part* of spinal cord.

p. marginalis musculi orbicularis oris [TA]. =marginal *part* of orbicularis oris (muscle).

p. mastoidea ossis temporalis =mastoid *process* of petrous part of temporal bone.

p. medialis arcus pedis longitudinalis [TA]. 縦足弓内側部 (⇀longitudinal *arch* of foot). =medial *part* of longitudinal arch of foot.

p. medialis musculorum intertransversariorum posteriorum cervicis ⇀posterior cervical intertransversarii (*muscles*).

p. medialis nuclei accumbentis [TA]. ⇀*nucleus* accumbens.

p. medialis venae lobi medii venae pulmonis dextri superioris [TA]. =medial *part* of middle lobe vein (of right superior pulmonary vein).

p. mediastinalis pleurae parietalis [TA]. =mediastinal *part* of parietal pleura.

p. mediastinalis pulmonis =mediastinal *surface* of lung.

p. membranacea septi interventricularis [TA]. = membranous *part* of interventricular septum.

p. membranacea septi nasi [TA]. =membranous *part* of nasal septum.

p. membranacea urethrae masculinae* intermediate *part* of male urethra の公式の別名.

p. mobilis septi nasi [TA]. 中隔可動部. =mobile *part* of nasal septum.

P

p. muscularis septi interventricularis (cordis) [TA]. ＝muscular *part* of interventricular septum (of heart).

p. mylopharyngea musculi constrictoris pharyngis superioris [TA]. →superior pharyngeal constrictor (*muscle*). ＝mylopharyngeal *part* of superior constrictor muscle of pharynx.

p. nasalis ossis frontalis [TA]. 前頭骨鼻部. ＝nasal *part* of frontal bone.

p. nasalis pharyngis [TA]. 咽頭鼻部. ＝nasopharynx.

p. nervosa hypophyseos* neurohypophysis の公式の別名.

p. nervosa retinae 網膜神経部 (→retina). ＝optic *part* of retina.

p. obliqua musculi cricothyroidei [TA]. →cricothyroid *muscle*. ＝oblique *part* of cricothyroid (muscle).

p. occipitalis corporis callosi ＝major *forceps*.

p. olfactoria tunicae mucosae nasi [TA]. ＝olfactory *region* of nasal mucosa.

p. opercularis [TA]. 弁蓋部. ＝opercular *part*.

p. optica retinae [TA]. 網膜視部 (→retina). ＝cerebral *layer* of retina.

p. oralis pharyngis [TA]. 咽頭口部. ＝oropharynx.

p. orbitalis [TA]. ＝orbital *part* [TA] of inferior frontal gyrus.

p. orbitalis glandulae lacrimalis [TA]. 涙腺眼窩部 (→lacrimal *gland*). ＝orbital *part* of lacrimal gland.

p. orbitalis musculi orbicularis oculi [TA]. →orbicularis oculi (*muscle*). ＝orbital part of orbicularis oculi (muscle) [TA].

p. orbitalis nervi optici [TA]. ＝orbital *part* of optic nerve.

p. orbitalis ossis frontalis [TA]. ＝orbital *part* of frontal bone.

p. ossea septi nasi [TA]. 鼻中隔骨部. ＝bony *part* of nasal septum.

p. ossea systematis skeletalis [TA]. 骨格系の骨部. ＝bony *part* of skeletal system.

p. ossea tubae auditivae [TA]. 耳管骨部. ＝bony *part* of pharyngotympanic (auditory) tube.

p. ossea tubae auditoriae ＝bony *part* of pharyngotympanic (auditory) tube.

p. palpebralis glandulae lacrimalis [TA]. 涙腺眼瞼部 (→lacrimal *gland*). ＝palpebral *part* of lacrimal gland.

p. palpebralis musculi orbicularis oculi [TA]. →orbicularis oculi (*muscle*). ＝palpebral *part* of orbicularis oculi (muscle).

p. parasympathica divisionis automaticae systematis nervosi peripherici [TA]. ＝parasympathetic *part* of autonomic (visceral motor) division of peripheral nervous system.

p. patens arteriae umbilicalis [TA]. ＝patent *part* of umbilical artery.

p. pelvica [TA]. 骨盤部. ＝pelvic *part*.

p. pelvica ductus deferentis [TA]. ＝pelvic *part* of ductus deferens.

p. pelvica plexuum et gangliorum visceralium [TA]. ＝pelvic *part* of peripheral autonomic plexuses and ganglia.

p. pelvica ureteris [TA]. 尿管骨盤部. ＝pelvic *part* of ureter.

p. peripherica systematis nervosi [TA]. 末梢神経系. ＝peripheral nervous *system*.

p. perpendicularis ＝perpendicular *plate*.

p. petrosa arteriae carotidis internae [TA]. →internal carotid *artery*. ＝petrous *part* of internal carotid artery.

p. petrosa ossis temporalis [TA]. →temporal *bone*. ＝petrous *part* of temporal bone.

p. phallica 〔尿生殖洞の〕生殖結節部 (尿生殖洞の下部. 生殖結節の基底と連合する).

p. pharyngea hypophyseos 下垂体咽頭部. ＝pharyngeal *hypophysis*.

p. phrenicocoeliaca musculi (ligamenti) suspensorii duodeni [TA]. ＝phrenicoceliac *part* of suspensory muscle (ligament) of duodenum.

p. pialis fili terminalis [TA]. ＝pial *part* of filum terminale.

p. pigmentosa retinae 網膜色素部(層) (→retina). ＝pigmented *part* of retina.

p. plana ＝orbiculus ciliaris.

p. postcommunicalis arteriae cerebri anterioris [TA]. 前大脳動脈の後交通部. ＝postcommunicating *part* of anterior cerebral artery.

p. postcommunicalis arteriae cerebri posterioris [TA]. ＝postcommunicating *part* of posterior cerebral artery.

p. posterior commissurae anterioris [TA]. 前交連後部. ＝posterior *part* of anterior commissure of brain.

p. posterior faciei diaphragmaticae hepatis [TA]. ＝posterior *part* of the diaphragmatic surface of the liver.

p. posterior fornicis vaginae [TA]. 膣円蓋後部. ＝posterior *part* of vaginal fornix.

p. posterior linguae [TA]. ＝posterior *part* of tongue.

p. postlaminaris nervi optici intraocularis [TA]. ＝postlaminar *part* of intraocular part of optic nerve.

p. postsulcalis linguae* 舌溝後部 (posterior *part* of tongue の公式の別名).

p. precommunicalis arteriae cerebri anterioris [TA]. 前大脳動脈の前交通部. →anterior cerebral *artery*. ＝precommunicating *part* of anterior cerebral artery.

p. precommunicalis arteriae cerebri posterioris [TA]. 後大脳動脈の連合後部. ＝precommunicating *part* of posterior cerebral artery.

p. prelaminaris nervi optici intraocularis [TA]. 視神経篩板前部. ＝prelaminar *part* of intraocular part of optic nerve.

p. preprostatica urethrae masculinae* 男性尿道の前立腺前部 (intramural *part* of male urethra の公式の別名).

p. presulcalis* 溝前部 (anterior *part* of tongue の公式の別名).

p. presulcalis linguae* 舌溝前部 (anterior *part* of tongue の公式の別名).

p. prevertebralis arteriae vertebralis [TA]. →vertebral *artery*. ＝prevertebral *part* of vertebral artery.

p. prima duodeni ＝superior *part* of duodenum.

p. profunda compartimenti antebrachii anterioris [TA]. ＝deep *part* of anterior compartment of forearm.

p. profunda compartimenti cruris posterioris [TA]. ＝deep *part* of posterior (flexor) compartment of leg.

p. profunda glandulae parotideae 耳下腺深部 (→parotid *gland*).

p. profunda glandulae parotidis [TA]. ＝deep *part* of parotid gland.

p. profunda musculi masseteri [TA]. ＝deep *part* of masseter (muscle).

p. profunda musculi sphincteri ani externi →external anal *sphincter*. ＝deep *part* of external anal sphincter.

p. profunda partis palpebralis musculi orbicularis oculi [TA]. ＝deep *part* of palpebral part of orbicularis oculi (muscle).

p. prostatica urethrae [TA]. 尿道前立腺部. ＝prostatic *urethra*.

p. proximalis prostatae [TA]. ＝proximal *part* of prostate.

p. proximalis urethrae prostaticae [TA]. ＝proximal *part* of prostatic urethra.

p. psoatica fasciae iliopsoaticae [TA]. ＝psoatic *part* of iliopsoas fascia.

p. pterygopharyngea musculi constrictoris pharyngis superioris [TA]. →superior pharyngeal constrictor (*muscle*). ＝pterygopharyngeal *part* of superior constrictor muscle of pharynx.

p. pylorica gastris [TA]. ＝pyloric *part* of stomach.

p. pylorica ventriculi 〔胃の〕幽門部. ＝pyloric *part* of stomach.

p. quadrata hepatis ＝anterior *portion* of left medial segment IV of liver.

p. radiata lobuli corticalis renis 〔腎皮質小葉〕放線部. ＝

medullary *ray*.

p. recta musculi cricothyroidei [TA]. →cricothyroid *muscle*.

p. respiratoria tunicae mucosae [TA]. =respiratory *region* of mucosa of nasal cavity.

p. retrolentiformis capsulae internae [TA]. レンズ後部. =retrolenticular *part* of internal capsule.

p. retrolentiformis cruris posterior [TA]. =retrolentiform *limb* of internal capsule.

p. sacralis medullae spinalis [TA]. 脊髄仙骨部. =sacral *part* of spinal cord.

p. scrotalis ductus deferentis [TA]. =scrotal *part* of ductus deferens.

p. secundum duodeni 十二指腸下行部. =descending *part* of duodenum.

p. sellaris 鞍部. =*sella* turcica.

p. solealis compartimenti cruris posterioris [TA]. =deep *part* of posterior (plantar flexor) compartment of leg.

p. sphenoidalis arteriae cerebralis mediae [TA]. →middle cerebral *artery*. =sphenoid *part* of middle cerebral artery.

p. spinalis fili terminalis [TA]. =spinal *part* of filum terminale.

p. spinalis musculi deltoidei [TA]. =spinal *part* of deltoid (muscle).

p. spinalis nervi accessorii* 副神経脊髄根 (spinal *root* of accessory nerve の公式の別名).

p. spongiosa urethrae masculinae [TA]. 〔男性尿道〕海綿体部. =spongy *urethra*.

p. squamosa ossis temporalis [TA]. 側頭骨鱗部. =squamous *part* of temporal bone.

p. sternalis diaphragmatis [TA]. 〔横隔膜〕胸骨部. =sternal *part* of diaphragm.

p. sternocostalis musculi pectoralis majoris [TA]. =sternocostal *head* of pectoralis major (muscle).

p. subcutanea musculi sphincteri ani externi [TA]. →external anal *sphincter*. =subcutaneous *part* of external anal sphincter.

p. sublentiformis capsulae internae [TA]. レンズ下部. =sublenticular *part* of internal capsule.

p. sublentiformis cruris posterioris [TA]. =sublentiform *limb* of internal capsule.

p. superficialis compartimenti antebrachii anterioris [TA]. =superficial *part* of anterior (flexor) compartment of forearm.

p. superficialis compartimenti cruris posterioris [TA]. =superficial *part* of posterior (plantar flexor) compartment of leg.

p. superficialis glandulae parotideae [TA]. 耳下腺浅部 (→parotid *gland*). =superficial *part* of parotid gland.

p. superficialis musculi masseteri [TA]. →masseter (*muscle*). =superficial *part* of masseter muscle.

p. superficialis musculi sphincteri ani externi [TA]. →external anal *sphincter*. =superficial *part* of external anal sphincter.

p. superior alae lobuli centralis [TA]. 中心小葉翼上部. =*wing* of central lobule.

p. superior duodeni [TA]. 十二指腸上部. =superior *part* of duodenum.

p. superior faciei diaphragmaticae hepatis [TA]. =superior *part* of diaphragmatic surface of liver.

p. superior ganglii vestibularis [TA]. =superior *part* of vestibular ganglion.

p. superior venae lingularis venae pulmonis superioris sinistri [TA]. =superior *part* of lingular vein (of left superior pulmonary vein).

p. supraclavicularis plexus brachialis [TA]. 〔腕神経叢〕鎖骨上部. =supraclavicular *part* of brachial plexus.

p. sympathica divisionis autonomicae systematis nervosi peripherici [TA]. 〔末梢神経系の自律性部分の〕交感神経系. =sympathetic *part* of autonomic (visceral motor) division of peripheral nervous system.

p. tecta 被蓋部 (現在では用いられない語. ①**p. tecta pancreatis** 膵臓被蓋部 (膵臓のうちで, 横行結腸間膜・上行結腸間膜・腸間膜などの根部でおおわれた部分). ②**p. tecta renalis** 腎臓被蓋部 (腎臓のうちで, 横行結腸間膜でおおわれた部分). ③**p. tecta ureteralis** 尿管被蓋部 (右尿管のうち腸間膜根でおおわれた部分, および左尿管のうちS状結腸間膜の根部でおおわれた部分)). =hidden part.

p. tecta duodeni [TA]. 十二指腸被蓋部. =hidden *part* of duodenum.

p. tensa membranae tympanicae [TA]. 〔鼓膜〕緊張部. =tense *part* of the tympanic membrane.

p. terminalis 終末部 (→middle cerebral *artery*; posterior cerebral *artery*). =terminal part.

p. terminalis ilei [TA]. =terminal *ileus*.

p. thoracica aortae [TA]. 大動脈胸部, 胸大動脈. =thoracic *aorta*.

p. thoracica ductus thoracici [TA]. →thoracic *duct*. =thoracic *part* of thoracic duct.

p. thoracica esophagi [TA]. =thoracic *part* of esophagus.

p. thoracica medullae spinalis [TA]. =thoracic *part* of spinal cord.

p. thoracica musculi iliocostalis lumborum [TA]. =thoracic *part* of iliocostalis lumborum (muscle).

p. thoracica plexuum et ganglionorum visceralium [TA]. =thoracic *part* of peripheral autonomic plexuses and ganglia.

p. thoracica tracheae [TA]. =thoracic *part* of trachea.

p. thyroepiglottica musculi thyroarytenoidei [TA]. =thyroepiglottic *part* of thyroarytenoid (muscle).

p. thyropharyngea musculi constrictoris pharyngis inferioris [TA]. 下咽頭収縮筋の甲状咽頭部 (→inferior constrictor (*muscle*) of pharynx). =thyropharyngeal *part* of inferior constrictor muscle of pharynx.

p. tibiocalcanea ligamenti collateralis medialis articulationis talocruralis [TA]. =tibiocalcaneal *part* of medial ligament of ankle joint.

p. tibiocalcanea ligamenti deltoidei* tibiocalcaneal *part* of medial ligament of ankle joint の公式の別名.

p. tibionavicularis ligamenti collateralis medialis articulationis talocruralis [TA]. =tibionavicular *part* of medial ligament of ankle joint.

p. tibiotalaris anterior ligamenti collateralis medialis articulationis talocruralis [TA]. =anterior tibiotalar *part* of medial ligament of ankle joint.

p. tibiotalaris posterior ligamenti collateralis medialis articulationis talocruralis [TA]. =tibiotalar *part* of medial ligament of ankle joint.

p. transversa ligamenti iliofemoralis [TA]. =transverse *part* of iliofemoral ligament.

p. transversa musculi nasalis [TA]. →nasalis (*muscle*). =transverse *part* of nasalis muscle.

p. transversa musculi trapezii [TA]. =transverse *part* of trapezius (muscle).

p. transversa rami sinistri venae portae hepatis [TA]. =transverse *part* of left branch of portal vein.

p. transversaria arteriae vertebralis 椎骨動脈横突部 (→vertebral *artery*).

p. triangularis [TA]. 三角部. =triangular *part*.

p. tricipitalis compartimenti cruris posterioris* 下腿後区画の三頭筋部 (superficial *part* of posterior (planter flexor) compartment of leg の公式の別名).

p. tuberalis adenohypophyseos [TA]. 腺下垂体隆起部 (漏斗茎に巻き付くように上方にのび出ている下垂体前葉の部分. その中に存在する細胞は大部分が性腺刺激ホルモン産生細胞であり, 索状または房状に並んでいる. 上下垂体動脈によって栄養され, ここには第1の(第一次)毛細血管床および下垂体門脈系の細静脈が含まれている. この細静脈は視床下部からの神経分泌因子を腺下垂体の第2の(第二次)毛細血管床に運び, ここでこれらの因子によりホルモン分泌が制御される. →pituitary *gland*). =infundibular part; p. infundibularis.

p. tympanica ossis temporalis [TA]. 〔側頭骨の〕鼓室部. = tympanic *plate* of temporal bone.

p. umbilicalis rami sinistri venae portae hepatis [TA]. = umbilical *part* of left branch of portal vein.

p. uterina placentae 胎盤子宮部（基底脱落膜から生じた胎盤部分. →placenta）. = maternal placenta; placenta uterina.

p. uterina tubae uterinae [TA]. = uterine *part* of uterine tube.

p. uvealis reticuli trabecularis sclerae [TA]. 〔小柱網の〕ブドウ膜部. = uveal *part* of trabecular tissue of sclera.

p. vagalis nervi accessorii* 副神経延髄根（cranial *root* of accessory nerve の公式の別名）.

p. ventralis musculi intertransversarii lateralium lumborum [TA]. = ventral *part* of intertransversarii laterales lumborum (muscles).

p. ventralis pontis 橋腹部. = basilar *part* of pons.

p. vertebralis faciei costalis pulmonis [TA]. = vertebral *part* of the costal surface of the lungs.

p. vestibularis nervi vestibulocochlearis = vestibular *nerve*.

---

pars-pla·ni·tis (parz-plā-nī′tis). 扁平部炎（網膜や扁平部の末梢結節性炎症，硝子体基部への滲出，および視神経円板および網膜の浮腫を呈する臨床的症候群）.

part (part). 部，部分. = pars [TA].

abdominal p. of descending aorta = abdominal *aorta*.

abdominal p. of esophagus [TA]. 食道腹部（食道の一部分で，ここから横隔膜を通して胃に連結する. →esophagus）. = pars abdominalis esophagi [TA]; epicardia.

abdominal p. of pectoralis major (muscle) [TA]. 大胸筋腹部（大胸筋のうち腹直筋鞘から起始する部分）. = pars abdominalis musculi pectoralis majoris [TA].

abdominal p. of peripheral autonomic plexuses and ganglia [TA]. 腹部の自律神経節と末梢自律神経叢（腸間膜内および膜後にある自律神経系の神経節と神経叢の総称. 大部分は血管や臓器の分布する遠心性自律神経だが求心性線維も含まれる）. = pars abdominalis plexuum et gangliorum visceralium [TA].

abdominal p. of thoracic duct [TA]. 胸管腹部（横隔膜の大動脈裂孔と乳び槽との間の胸管部分）. = pars abdominalis ductus thoracici [TA].

abdominal p. of ureter [TA]. 尿管腹部（腎盤(腎盂)と骨盤上縁の間にある尿管部分）. = pars abdominalis ureteris [TA].

acromial p. of deltoid (muscle) [TA]. 三角筋肩峰部（三角筋のうち肩峰から起始する部分）. = pars acromialis musculi deltoidei [TA].

alar p. of nasalis muscle [TA]. 鼻筋翼部（→nasalis (*muscle*)）. = pars alaris musculi nasalis [TA].

alveolar p. of mandible [TA]. 〔下顎骨〕歯槽部（下顎体の一部で下顎歯を取り囲み，支持する）. = pars alveolaris mandibulae [TA].

anterior p. [TA]. 前部（ある構造の最も前方にある部分，または相対的に前面に近い部分. 人体解剖学では，ある構造の腹側部をいう. →anterior p. of anterior commissure of brain; quadrangular lobule; central lobule of cerebellum; culmen; lateral parabrachial nucleus; anterior p. of diaphragmatic surface of liver; anterior p. of tongue; anterior p. of fornix of vagina）. = pars anterior [TA].

anterior p. of anterior commissure of brain [TA]. 大脳前交連の前部. = pars anterior commissurae anterioris [TA]; pars anterior commissurae rostralis.

anterior p. of diaphragmatic surface of liver [TA]. 肝臓横隔面の前部（肋骨弓や胸骨剣状突起の深部にある横隔面）. = pars anterior faciei diaphragmaticae hepatis [TA].

anterior p. of fornix of vagina [TA]. 腟円蓋前部（子宮頸の前にある腟円蓋部）. = pars anterior fornicis vaginae [TA].

anterior p. of pons = basilar p. of pons.

anterior tibiotalar p. of deltoid ligament 三角靱帯の前脛距部. = anterior tibiotalar p. of medial ligament of ankle joint.

anterior tibiotalar p. of medial ligament of ankle joint [TA]. 前脛距靱帯（内側靱帯または三角靱帯の内果から距骨頸にのびる靱帯）. = pars tibiotalaris anterior ligamenti collateralis medialis articulationis talocruralis [TA]; anterior talotibial ligament; anterior tibiotalar ligament; anterior tibiotalar p. of deltoid ligament; ligamentum mediale; ligamentum talotibiale anterius.

anterior p. of tongue [TA]. 舌前部（舌のうち分界溝より前方の部分(約2/3)で，発生的・支配神経的に後方部と異なる）. = pars anterior linguae [TA]; pars presulcalis linguae*; pars presulcalis*; presulcal p. of tongue*.

anular p. of fibrous digital sheath of digits of hand and foot [TA]. 指線維鞘輪状部（手足の基節・中節骨幹と関節包に付く線維鞘の輪状線維帯）. = pars anularis vaginarum fibrosarum digitorum manus et pedis [TA]; anular pulley; anulus of fibrous sheath; ligamentum anulare digitorum; anular ligament of digits.

aryepiglottic p. of oblique arytenoid (muscle) [TA]. 披裂喉頭蓋筋（披裂軟骨の頂から喉頭蓋の側縁に至る斜披裂筋の線維. 作用：喉頭口を狭くする）. = pars aryepiglottica musculi arytenoidei obliqui [TA]; aryepiglottic muscle; musculus aryepiglotticus.

ascending p. of aorta 大動脈上行部. = ascending *aorta*.

ascending p. of duodenum [TA]. 十二指腸上行部（十二指腸水平部から空腸に上行する十二指腸の末端第四部）. = pars ascendens duodeni [TA].

ascending p. of trapezius (muscle) [TA]. 僧帽筋の上行部（僧帽筋の下1/3部分で上行して肩甲棘に停止する. 独立に働けば肩甲骨を下制し，他の部分とともに働けば肩甲骨を後ろに回し左右を引き寄せる）= pars ascendens musculi trapezii [TA]; inferior p. of trapezius (muscle)*.

atlantic p. of vertebral artery [TA]. 椎骨動脈の環椎部（→vertebral *artery*）. = pars atlantica arteriae vertebralis [TA]; suboccipital p. of vertebral artery.

autonomic p. of peripheral nervous system* autonomic (visceral motor) *division* of nervous system の公式の別名.

basal p. [TA]. 底部（ある構造の基底部分，尖部と反対の部分，そのような部分に分布する枝などをいう. 例えば，肺底は4つの気管支肺底部と左右肺動脈の肺底枝からなる）. = basilar p.'s [TA]; pars basalis [TA]; pars basilaris [TA].

basal p. of left and right inferior pulmonary arteries [TA]. 〔左または右下肺動脈の〕肺底部（→right pulmonary *artery*; left pulmonary *artery*）. = pars basalis arteriarum lobarium inferiorum pulmonis sinistri et dextri [TA].

basal p. of occipital bone 〔後頭骨〕底部. = basilar p. of occipital bone.

basilar p.'s [TA]. = basal p.

basilar p. of occipital bone [TA]. 〔後頭骨〕底部（大後頭孔の前にあり，蝶形骨体と連結する楔形の部分）. = basilar process of occipital bone [TA]; pars basilaris ossis occipitalis [TA]; basal p. of occipital bone; basilar apophysis; basiocciput.

basilar p. of pons [TA]. 橋底部（橋のうち脳幹腹側に膨らみ出ている部分で，横断切片では内側毛帯の腹側にみえる. 皮質脊髄路，皮質橋路，皮質網様体線維などの縦走する線維と橋小脳路のような横走する線維とを含む）. = pars basilaris pontis [TA]; anterior p. of pons; pars ventralis pontis; ventral p. of pons.

bony p. of external acoustic meatus 外耳道骨部（外耳道の内側2/3を占め，側頭骨鼓室板として形成されている. 外耳道軟骨との連結部から鼓膜まで約16 mm である）.

bony p. of nasal septum [TA]. 鼻中隔骨部（鼻中隔の骨性部分. 鋤骨および篩骨垂直板に支持される鼻中隔の主要部分）. = pars ossea septi nasi [TA].

bony p. of pharyngotympanic (auditory) tube [TA]. 耳管骨部（耳管のうち側頭骨錐体を通過する部分で，鼓室腔から前内側方へ耳管半管へと続き，徐々に狭くなり錘体と鱗部の結合部で終わる）. = pars ossea tubae auditivae [TA]; pars ossea tubae auditoriae.

bony p. of skeletal system [TA]．骨格系の骨部（骨格系のうち，皮質骨，緻密骨，海綿骨の部分）．＝pars ossea systematis skeletalis [TA]; osseous p. of skeletal system.

buccopharyngeal p. of superior pharyngeal constrictor 上咽頭収縮筋の頬咽頭部（→superior pharyngeal constrictor (*muscle*)）．＝pars buccopharyngea musculi constrictoris pharyngei superioris.

cardiac p. of stomach〔胃の〕噴門部．＝cardia.

cardial p. of stomach〔胃の〕噴門部．＝cardia.

cartilaginous p. of external acoustic meatus 外耳道軟骨部（外耳道の外側1/3を占め，外側では耳介軟骨と連続しており，内側では外耳道骨部に連結する）．

cartilaginous p. of nasal septum [TA]．鼻中隔軟骨部（鼻中隔のうち軟骨の部分）．

cartilaginous p. of pharyngotympanic (auditory) tube 耳管軟骨部（軟骨に支持される耳管部．耳管骨部から前内側に続き，鼻咽頭腔に開く）．＝pars cartilaginea tubae auditivae [TA]; pars cartilaginea tubae auditoriae.

cartilaginous p. of skeletal system [TA]．骨格系の軟骨部（骨格系のうち軟骨からなる部分）．＝pars cartilaginea systematis skeletalis.

cavernous p. of internal carotid artery [TA]．内頸動脈海綿洞部（内頸動脈が海綿静脈洞の中を大きく屈曲して横切っていく部分．小動脈枝多数を分枝している）．＝pars cavernosa arteriae carotidis internae [TA].

celiacoduodenal p. of suspensory muscle (ligament) of duodenum [TA]．十二指腸提筋(靱帯)の腹腔十二指腸部（十二指腸末から空腸曲にかけての部分から腸間膜根に向かう平滑筋性・線維性の組織）．＝pars coeliacoduodenalis musculi (ligamenti) suspensorii duodeni [TA].

central p. of lateral ventricle〔側脳室〕中心部（Monroの室間孔から側脳室の房すなわち脳室の体部と下・後角との接合部に広がる側脳室の体部）．＝pars centralis ventriculi lateralis [TA]; body of lateral ventricle; cella media.

ceratopharyngeal p. of middle constrictor muscle of pharynx [TA]．中咽頭収縮筋の大角咽頭部（→middle constrictor (*muscle*) of pharynx）．＝pars ceratopharyngea musculi constrictoris pharyngis medii [TA]; ceratopharyngeal p. of middle pharyngeal constrictor (muscle) of pharynx.

ceratopharyngeal p. of middle pharyngeal constrictor (muscle) of pharynx ＝ceratopharyngeal p. of middle constrictor muscle of pharynx.

cerebral p. of arachnoid ＝cranial *arachnoid* mater.

cerebral p. of dura mater ＝cranial *dura mater*.

cerebral p. of internal carotid artery [TA]．内頸動脈大脳部（内頸動脈のうちで脳に接して走行し，以下のような大脳に分布する枝を出している部分．上下垂体，斜台，眼，前脈絡，前大脳，中大脳の各動脈）．＝pars cerebralis arteriae carotidis internae [TA].

cervical p. of esophagus [TA]．食道頸部（食道のうちで頸部にある部分．→esophagus）．＝pars cervicalis esophagi [TA].

cervical p. of internal carotid artery [TA]．内頸動脈の頸部（頸部にあって枝を出さない部分）．＝pars cervicalis arteriae carotidis internae [TA].

cervical p. of spinal cord [TA]．脊髄頸部（脊髄頸部にあって最初の8対の脊髄神経が派出する部分）．＝pars cervicalis medullae spinalis [TA]; segmenta cervicalia medullae spinalis [TA]; segmenta medullae spinalis cervicalia [C1–C8] [TA]; cervical segments of spinal cord [C1–C8]*; segmenta cervicalia [C1–C8].

cervical p. of thoracic duct [TA]．胸管頸部（第一肋骨より上方の胸管部分）．＝pars cervicalis ductus thoracici [TA].

cervical p. of vertebral artery [TA]．脊椎動脈の頸部（頸椎C1—C6の横突孔を上行する脊椎動脈の部分で，脊髄や筋に分布する）．＝pars cervicalis arteriae vertebralis [TA]; transversarial p. of vertebral artery.

chondropharyngeal p. of middle constrictor muscle of pharynx [TA]．中咽頭収縮筋の小角咽頭部（→middle constrictor (*muscle*) of pharynx）．＝pars chondropharyngea musculi constrictoris pharyngei medii [TA]; chondropharyngeal p. of middle pharyngeal constrictor (muscle) of pharynx.

chondropharyngeal p. of middle pharyngeal constrictor (muscle) of pharynx ＝chondropharyngeal p. of middle constrictor muscle of pharynx.

ciliary p. of retina [TA]．網膜毛様体部（→retina）．＝pars ciliaris retinae [TA].

clavicular p. of deltoid (muscle) [TA]．三角筋の鎖骨部（三角筋のうち鎖骨から起始する部分）．＝pars clavicularis musculi deltoidei [TA].

clavicular p. of pectoralis major (muscle) 大胸筋鎖骨部（大胸筋のうち鎖骨に起始する部分．→pectoralis major (*muscle*)）．＝clavicular *head* of pectoralis major muscle.

coccygeal p. of spinal cord [TA]．脊髄尾骨部（脊髄の最下端部で3対の尾骨セグメントからなり，3対の尾骨神経を出している部分）．＝pars coccygea medullae spinalis [TA]; segmenta coccygea medullae spinalis [TA].

cochlear p. of vestibulocochlear nerve ＝cochlear *nerve*.

convoluted p. of kidney lobule〔腎皮質小葉〕曲部（近位，遠位の曲尿細管と小葉間動脈の枝が分布する腎小体からなる）．＝labyrinthus; Ludwig labyrinth; pars convoluta lobuli corticalis renis; renal labyrinth.

convoluted p. of renal cortex 腎皮質曲部．＝cortical *labyrinth*.

corneoscleral p. of trabecular tissue of sclera [TA]．小柱網の角膜強膜部（小柱網の前部で，強膜の静脈洞，強膜棘，角膜の後限界膜の間にある部分）．＝pars corneoscleralis reticuli trabecularis sclerae [TA].

cortical p. →middle cerebral *artery*; posterior cerebral *artery*．＝pars corticalis.

cortical p. of middle cerebral artery 中大脳動脈の皮質部（→middle cerebral *artery*）．

costal p. of diaphragm [TA]．〔横隔膜〕肋骨部（下位の6肋軟骨と下位の4肋骨の内側から起こり，腱中心の前外側部に停止する横隔膜の部分）．＝pars costalis diaphragmatis [TA].

costal p. of parietal pleura [TA]．壁側胸膜の肋骨部（壁側胸膜のうち肋骨と肋間筋をおおう部分）．＝pars costalis pleurae parietalis [TA]; costal pleura; pleura costalis.

cranial p. of parasympathetic part of autonomic division of nervous system [TA]．頭部の自律神経系副交感神経（頭部にある副交感神経(毛様体神経節，蝶口蓋神経節，耳神経節，顎下神経節)の神経節とその根や線維）．＝pars cranialis partis parasympathici divisionis autonomici systematis nervosi [TA].

craniocervical p. of peripheral autonomic plexuses and ganglia [TA]．頭頸部の末梢自律神経節・叢（頭頸部の内頸動脈にまつわる交感性節後線維の網工）．＝pars craniocervicalis plexuum et gangliorum visceralium [TA].

cricopharyngeal p. of inferior constrictor (muscle) of pharynx [TA]．下咽頭収縮筋の輪状咽頭部（→inferior constrictor (*muscle*) of pharynx）．＝pars cricopharyngea musculi constrictoris pharyngis inferioris [TA]; cricopharyngeus muscle*; musculus cricopharyngeus*.

cruciform p. of fibrous digital sheaths of hand and foot [TA]．指線維鞘十字部（手足の指の線維鞘の線維．指節間関節上に3個のX字形をつくる）．＝pars cruciformis vaginae fibrosae [TA]; crucial ligament (4); cruciate ligament of digits; cruciform p. of fibrous sheath; cruciform pulley; ligamenta cruciata digitorum.

cruciform p. of fibrous sheath〔線維鞘〕十字部．＝cruciform p. of fibrous digital sheaths of hand and foot.

cuneiform p. of vomer [TA]．鋤骨楔状部（鋤骨のうち，くさび状に前方へ延び出た薄い部分）．＝pars cuneiformis vomeris [TA].

cupular p. of epitympanic recess [TA]．鼓室上陥凹の頂部（鼓室上陥凹の最高位のドーム形の部分）．＝pars cupularis recessus epitympanici [TA].

deep p. of anterior compartment of forearm [TA]．前腕前区分の深部（前腕前区分のうち，長母指屈筋，深指屈筋，方形回内筋がある区域）．＝pars profunda compartimenti antebrachii anterioris [TA].

P

deep p. of external anal sphincter [TA]. 外肛門括約筋の深部 (→external anal *sphincter*). =pars profunda musculi sphincteri ani externi.

deep p. of flexor retinaculum =flexor *retinaculum* of hand.

deep p. of masseter (muscle) [TA]. 咬筋深部 (→masseter (*muscle*)). =pars profunda musculi masseteri [TA].

deep p. of palpebral part of orbicularis oculi (muscle) [TA]. 眼輪筋眼瞼部の深部 (眼輪筋のうち, 内側眼瞼靱帯とその近くの骨から起こる部分). =pars profunda partis palpebralis musculi orbicularis oculi [TA].

deep p. of parotid gland [TA]. 耳下腺深部 (耳下腺組織のうち下顎枝の中間にあって, 下顎枝と乳様突起との間を埋めて内側は咽頭壁まで広がっている部分. →parotid *gland*). =pars profunda glandulae parotidis [TA]; processus retromandibularis glandulae parotidis; processus retromandibularis; retromandibular process of parotid gland.

deep p. of posterior (flexor) compartment of leg [TA]. 下腿後区分の深部 (下腿後区分のうち, 長指屈筋, 長母指屈筋, 後脛骨筋のある部分). =pars profunda compartimenti cruris posterioris [TA].

deep p. of posterior (plantar flexor) compartment of leg [TA]. 下腿後区分のヒラメ筋部 (下腿後部でヒラメ筋がおおっている部分). =pars solealis compartimenti cruris posterioris [TA].

descending p. of aorta =descending *aorta*.

descending p. of duodenum [TA]. 十二指腸下行部 (→duodenum). =pars descendens duodeni [TA]; pars secundum duodeni; second p. of duodenum.

descending p. of facial canal 顔面神経管の下行部 (顔面神経管の水平部に続く第二部で, 外側脚の後端から下行し始め, まっすぐに下行して茎乳突孔に終わる. 前方はあぶみ骨筋神経の通る小管によって鼓室および鼓索小管に続いている. →facial *canal*).

descending p. of iliofemoral ligament [TA]. 腸骨大腿靱帯の下行部 (逆Y字型の腸骨大腿靱帯のうち比較的垂直方向に走るもの. これに対して横部は水平方向に近い). =pars descendens ligamenti iliofemoralis [TA].

descending p. of trapezius (muscle) [TA]. 僧帽筋の下行部 (僧帽筋の上1/3で, 鎖骨と肩峰に停止する部分で独立に働くと肩甲骨を挙上する). =pars descendens musculi trapezii [TA].

diaphragmatic p. of parietal pleura [TA]. 壁側胸膜の横隔部 (壁側胸膜のうち心外膜の両側で横隔膜上面をおおう部分). =pars diaphragmatica pleurae parietalis [TA]; diaphragmatic pleura; phrenic pleura; pleura diaphragmatica; pleura phrenica.

distal p. of anterior lobe of hypophysis =*pars* distalis adenohypophyseos.

distal p. of prostate [TA]. 前立腺遠位部 (前立腺の遠位部で, 右葉, 左葉, 後葉を含む部分). =pars distalis prostatae [TA].

distal p. of prostatic urethra [TA]. 尿道前立腺部の遠位部 (尿道前立腺部のうち生殖管開口部である射精管開口部から遠位の部分). =pars distalis urethrae prostaticae [TA].

dorsal p. of intertransversarii laterales lumborum (muscles) [TA]. 腰外側横突間筋の背側部 (腰外側横突間筋のうち副突起と肋骨突起との間に張るもの). =partes dorsales musculorum intertransversariorum lateralium lumborum [TA].

dorsal p. of pons 橋背部 (両側を中脳脚, 前を橋腹部で区切られる橋部分. 中脳被蓋に続き, 内側および外側毛帯, 脳神経核, 網様体など長い路を含む). =tegmentum of pons [TA]; tegmentum pontis [TA]; pars dorsalis pontis.

dural p. of filum terminale [TA]. 終糸の硬膜部 (脊髄終糸を取り巻き, 深後仙尾靱帯に続いている脊髄硬膜の糸状の終端. S_{2-3} から Co_2 までにわたる. →terminal *filum*). =coccygeal ligament*; filum terminale externum*; filum durae matris spinalis; filum of spinal dura mater.

endocrine p. of pancreas 膵臓内分泌部 (→pancreas). =pars endocrina pancreatis.

exocrine p. of pancreas 膵臓外分泌部 (→pancreas). =pars exocrina pancreatis.

extraocular p. of central retinal artery and vein [TA]. 網膜中心動静脈の眼球外部 (網膜中心動静脈のうち眼球を出て眼窩内にある部分). =pars extraocularis arteriae et venae centralis retinae [TA].

first p. of duodenum =superior p. of duodenum.

flaccid p. of tympanic membrane [TA]. 鼓膜弛緩部 (鼓膜のうちで, つち骨ひだの間にあって三角形の弛緩した部分). =pars flaccida membranae tympanicae [TA]; flaccid membrane; membrana flaccida; Rivinus membrane; Shrapnell membrane.

free p. of lower limb [TA]. 自由下肢 (下肢のうち骨盤を除く部分). =pars libera membri inferioris [TA].

free p. of upper limb [TA]. 自由上肢 (上肢のうち肩関節より遠位の部分. 上肢帯は除外される). =pars libera membri superioris [TA].

frontal p. of corpus callosum 脳梁の前頭葉部. =minor *forceps*.

funicular p. of ductus deferens [TA]. 精管精索部 (精管のうち精索にある部分). =pars funicularis ductus deferentis [TA].

glossopharyngeal p. of superior pharyngeal constrictor 上咽頭収縮筋の舌咽頭部 (→superior pharyngeal constrictor (*muscle*)). pars glossopharyngea musculi constrictoris pharyngis superioris.

hidden p. 被蓋部. =*pars* tecta.

hidden p. of duodenum 十二指腸被蓋部 (十二指腸のうちで, 横行結腸間膜, 上行結腸間膜, 腸間膜などの根部でおおわれた部分). =pars tecta duodeni [TA].

horizontal p. of duodenum* 十二指腸水平部 (inferior p. of duodenum の公式の別名. →duodenum).

horizontal p. of facial canal 顔面神経管の水平部 (顔面神経管の最初の部分で, 内耳道端の入口に始まり下行部の開始点までの部分. 内側にあって前方を向いている内側脚と外側にあって後方を向いている外側脚とからなる. 外側脚は膝神経節のあるところで顔面神経管裂孔を経て中頭蓋窩と続いている. 顔面神経管裂孔には大錐体神経が通っている).

p.'s of human body [TA]. 人体体部 (頭, 頸, 体幹, 四肢, 体腔). =partes corporis humani [TA].

inferior p. [TA]. 下部 (他の部分に比して下方に位置する部分, 足底に近いほうの部分. →inferior p. of duodenum; inferior p. of lingular vein (of left superior pulmonary vein); inferior p. of vestibular ganglion). =pars inferior [TA].

inferior p. of duodenum [TA]. 十二指腸下部 (十二指腸の第三部で膵頭の下方にあり, 前面には上腸間動静脈, 後面には大動脈と下大静脈がある部分). =pars horizontalis duodeni [TA]; horizontal p. of duodenum*; pars inferior duodeni*; third p. of duodenum.

inferior p. of lingular vein (of left superior pulmonary vein) [TA]. 左肺静脈の肺舌静脈の下舌枝 (左肺の下舌区の血液を集める静脈). =pars inferior venae lingularis venae pulmonalis superioris sinistrae [TA].

inferior p. of trapezius (muscle)* 僧帽筋の下部 (ascending p. of trapezius (muscle) の公式の別名).

inferior p. of vestibular ganglion [TA]. 前庭神経節下部 (球形嚢斑と後半規管膨大部から線維を受け取る前庭神経節の下部). =pars inferior ganglii vestibularis [TA].

inferior p. of vestibulocochlear nerve =cochlear *nerve*.

infraclavicular p. of brachial plexus [TA]. 〔腕神経叢〕鎖骨下部 (鎖骨の高さから下方腋窩にのびる腕神経叢の部分. 神経束と枝を含む). =pars infraclavicularis plexus brachialis [TA].

infralobar p. of posterior vein (of right superior pulmonary vein) [TA]. 右肺静脈後枝の葉下部 (右肺上葉と下葉の血液の注ぐ後区静脈から始まり右上肺静脈に注ぐ). =pars infralobaris venae posterioris venae pulmonalis superioris dextrae [TA].

infrasegmental p. 区間枝. =intersegmental *vein*.

infundibular p. 漏斗部. =*pars* tuberalis adenohypophyseos.

inguinal p. of ductus deferens [TA]. 精管鼡径部 (精

管のうち胤径管内にあって深浅胤径輪に囲まれた部分). = pars inguinalis ductus deferentis [TA].

insular p. 島部. = *lobus* insula.

insular p. of middle cerebral artery [TA]. 中大脳動脈の島部 (→middle cerebral *artery*). = pars insularis arteriae cerebri mediae [TA].

intercartilaginous p. of glottic opening 〔声門裂〕軟骨間部. = intercartilaginous p. of rima glottidis.

intercartilaginous p. of rima glottidis [TA]. 〔声門裂〕軟骨間部 (披裂軟骨の声帯突起間の開口. この部分はささやき声のときは開いており, しっかり声を出すときや Valsalva 手技の際は閉じている). = pars intercartilaginea rimae glottidis [TA]; glottis respiratoria; intercartilaginous p. of glottic opening.

intermediate p. [TA]. 中間部 (中央の部分, 両端部の間に位置する部分, 間に挟まっている部分, 間に挿入されている部分. →intermediate p. of adenohypophysis; intermediate p. of male urethra). = pars intermedia [TA].

intermediate p. of adenohypophysis 腺性下垂体の中間部. = *pars* intermedia adenohypophyseos.

intermediate p. of male urethra [TA]. 男性尿道中間部 (男性の尿道のうちで前立腺直下から尿道球直下で尿道海綿体中の尿道にはいるところまでの 1cm ほどの短く狭い部分). = pars intermedia urethrae masculinae [TA]; membranous urethra*; pars membranacea urethrae masculinae*; membranous p. of male urethra.

intermediate p. of vestibular bulb = *commissure* of bulbs (of vestibule).

intermembranous p. of glottic opening 〔声門裂〕膜間部. = intermembranous p. of rima glottidis.

intermembranous p. of rima glottidis [TA]. 〔声門裂〕膜間部 (声帯靱帯に取り囲まれている披裂軟骨の声帯突起の前方の開口部. この部分はささやき声を出すときに外側輪状披裂筋が収縮して閉じられる). = pars intermembranacea rimae glottidis [TA]; glottis vocalis; intermembranous p. of glottic opening.

intersegmental p. of pulmonary vein [TA]. = intersegmental *vein*.

intracranial p. of optic nerve [TA]. 視神経管内部 (視神経のうち視神経管と視交叉の間にある部分). = pars intracranialis nervi optici [TA].

intracranial p. of vertebral artery [TA]. 椎骨動脈の頭蓋〔内〕部 (→vertebral *artery*). = pars intracranialis arteriae vertebralis [TA].

intralaminar p. of intraocular part of optic nerve [TA]. 視神経篩板内部 (視神経のうち強膜篩板を貫いている眼球内部分). = pars intralaminaris nervi optici intraocularis [TA].

intralobar p. of the posterior vein (of the right superior pulmonary vein) [TA]. 後上葉静脈の葉内枝 (右肺尖区および後区より血液を集め右上肺静脈の後枝に注ぐ). = pars intralobaris (intersegmentalis) venae posterioris lobi superioris pulmonis dextri [TA].

intramural p. of male urethra [TA]. 男性尿道の膀胱壁内部 (膀胱を出てすぐの膀胱壁内の部分). = pars intramuralis urethrae masculinae [TA]; pars preprostatica urethrae masculinae*; preprostatic p. of male urethra*.

intraocular p. of central retinal vein 網膜中心動脈の眼球内部 (網膜中心動脈の眼球内の部分). = pars intraocularis venae centralis retinae [TA].

intraocular p. of optic nerve [TA]. 視神経眼球〔内〕部 (視神経のうち眼球内を走る部分. 板内部, 板後部, 板前部に区別される). = pars intraocularis nervi optici [TA].

intrasegmental p. of pulmonary veins [TA]. 〔肺〕区内静脈 (所属する気管支肺区域からの血液を集める静脈で肺静脈の枝に注ぐ). = pars intrasegmentalis venae pulmonum [TA]; intrasegmental veins.

iridial p. of retina [TA]. 網膜虹彩部 (→retina). = pars iridica retinae [TA].

labial p. of orbicularis oris (muscle) [TA]. 口輪筋唇部 (口唇内で主要な部分). = pars labialis musculi orbicularis oris [TA].

lacrimal p. of orbicularis oculi muscle 眼輪筋涙骨部 (眼輪筋のうち涙骨から起こる部分. →orbicularis oculi (*muscle*)). = Duverney muscle; Horner muscle; musculus tensor tarsi; pars lacrimalis musculi orbicularis oculi.

laryngeal p. of pharynx 〔咽頭〕喉頭部. = laryngopharynx.

lateral p. of fornix of vagina [TA]. 腟円蓋外側部 (子宮頸の外側にある腟円蓋の部分). = pars lateralis fornicis vaginae [TA].

lateral p. of longitudinal arch of foot [TA]. 縦足弓外側部 (縦足弓のうち踵骨, 立方骨, 外側 2 本の中足骨で形成されるより浅層のもの. 通常, 足の靱帯, 内在筋, 外在筋が複合して支えとなったアーチ). = pars lateralis arcus pedis longitudinalis [TA]; arcus pedis longitudinalis pars lateralis; lateral longitudinal arch of foot.

lateral p. of middle lobe vein (of right superior pulmonary vein) [TA]. 右上肺静脈の中葉静脈の外側部 (右肺中葉の外側区の血液を集める). = pars lateralis venae lobi medii venae pulmonalis dextri superioris.

lateral p. of occipital bone [TA]. 後頭骨外側部 (大孔の両側にある後頭骨部分). = pars lateralis ossis occipitalis [TA]; exoccipital bone.

lateral p. of posterior cervical intertransversarii (muscles) 後頸横突間筋の外側部 (→posterior cervical intertransversarii (*muscles*)).

lateral p. of posterior (extensor) compartment of forearm [TA]. 前腕後区分の外側部 (前腕の外側部で俗に lateral wad muscles とよばれている腕橈骨筋や橈側伸筋のある部分). = pars lateralis compartimenti antebrachii posterioris (extensorum) [TA]; radial p. of posterior compartment of forearm*.

lateral p. of sacrum [TA]. 仙骨外側部 (仙骨孔より外側の部分で肋骨が癒合してできた部分). = pars lateralis ossis sacri [TA].

lateral p. of vaginal fornix [TA]. 腟円蓋外側部 (→vaginal *fornix*).

left p. of liver* left *liver* の公式の別名.

lumbar p. of diaphragm [TA]. 〔横隔膜〕腰部 (横隔膜のうち上部腰椎および内側・外側腰肋弓靱帯から起こる部分. →right *crus* of diaphragm; left *crus* of diaphragm; lateral arcuate *ligament*; medial arcuate *ligament*). = pars lumbalis diaphragmatis [TA]; vertebral p. of diaphragm.

lumbar p. of spinal cord [TA]. 脊髄腰部 (5 つの腰分節(L1 – L5)からなる脊髄の部分で 5 本の脊髄神経が起こる. 成人では第十胸椎(T10)から第一腰椎(L1)の脊柱管にあり, 下肢への支配神経群を出すため他の部分より膨らんでいる). = lumbar segments L1–L5 of spinal cord [TA]; pars lumbalis medullae spinalis [TA]; segmenta lumbalia [L1–L5] [TA]; segmenta lumbalia medullae spinalis.

marginal p. of orbicularis oris (muscle) [TA]. 口輪筋の自由縁部 (口輪筋のうち口唇の自由縁すなわち赤唇にある部分). = pars marginalis musculi orbicularis oris [TA].

mastoid p. of the temporal bone 側頭骨〔の〕乳突部. = mastoid *process* of petrous part of temporal bone.

medial p. of longitudinal arch of foot [TA]. 縦足弓内側部 (縦足弓のアーチのうち, 踵骨, 距骨, 舟状骨, 3 個の楔状骨, 第一～第三中足骨で形成されるより高い(深い)部分. →longitudinal *arch* of foot). = pars medialis arcus pedis longitudinalis [TA]; arcus pedis longitudinalis pars medialis; medial longitudinal arch of foot.

medial p. of middle lobe vein (of right superior pulmonary vein) [TA]. 右上肺静脈の中葉静脈の内側部 (右肺中葉の内側区の血液を集める). = pars medialis venae lobi medii venae pulmonis dextri superioris [TA].

mediastinal p. of lung = mediastinal *surface* of lung.

mediastinal p. of parietal pleura [TA]. 壁側胸膜の縦隔部 (壁側胸膜の肋骨部や横隔部の続きで, 脊柱から胸骨まで縦隔面に沿っている部分). = pars mediastinalis pleurae parietalis [TA]; mediastinal pleura; pleura mediastinalis.

membranous p. of interventricular septum [TA]. 心室中隔膜性部 (心室中隔の上端にみられる小さな丸い心筋のない結合組織性の部分. 大動脈弁の前尖と後尖を支える線維

P

輪すなわち右線維三角のすぐ下にあり，これと連続している．刺激伝導系の房室束はここを通って二分岐し右脚と左脚になる)．=pars membranacea septi interventricularis [TA]; membranous septum (2); septum membranaceum ventriculorum.

membranous p. of male urethra 男性尿道膜性部．=intermediate p. of male urethra.

membranous p. of nasal septum [TA]．鼻中隔膜性部(鼻中隔の先端のわずかな部分で，鼻中隔軟骨の前方に位置する)．=pars membranacea septi nasi [TA]; membranous septum (1).

mobile p. of nasal septum [TA]．鼻中隔可動部（鼻中隔の前方にある膜性の可動部分．左右の大鼻翼軟骨の内側脚により形成される)．=pars mobilis septi nasi [TA]; septum mobile nasi.

muscular p. of interventricular septum (of heart) [TA]．〔心臓の〕心室中隔筋性部（心室中隔の大部分を占める厚い筋性部分)．=pars muscularis septi interventricularis (cordis) [TA]; septum musculare ventriculorum.

mylopharyngeal p. of superior constrictor muscle of pharynx [TA]．上咽頭収縮筋の顎咽頭部（→superior pharyngeal constrictor (*muscle*))．=pars mylopharyngea musculi constrictoris pharyngis superioris [TA]; mylopharyngeal p. of superior pharyngeal constrictor (muscle) of pharynx.

mylopharyngeal p. of superior pharyngeal constrictor (muscle) of pharynx =mylopharyngeal p. of superior constrictor muscle of pharynx.

nasal p. of frontal bone [TA]．前頭骨鼻部（前頭骨のうち前方では左右の眼窩にはさまれた中央部をなし，鼻腔の天井の一部を形成している部分)．=pars nasalis ossis frontalis [TA].

nasal p. of pharynx 咽頭鼻部．=nasopharynx.

nervous p. of retina =optic p. of retina.

neural p. of hypophysis =neurohypophysis.

oblique p. of cricothyroid (muscle) [TA]．輪状甲状筋の斜部（→cricothyroid *muscle*)．=pars obliqua musculi cricothyroidei [TA].

occipital p. of corpus callosum 脳梁の後頭葉部．=major *forceps*.

opercular p. [TA]．弁蓋部（島部を被覆する３つの小皮質回で前頭，側頭，頭頂弁蓋よりなる)．=pars opercularis [TA].

p. of optic nerve in canal [TA]．視神経の視神経管部(視神経のうち視神経管の中を通っている部分)．=pars canalis nervi optici [TA].

optic p. of retina [TA]．網膜視部（→retina)．=nervous p. of retina; pars nervosa retinae.

oral p. of pharynx 咽頭口部．=oropharynx.

orbital p. of frontal bone [TA]．前頭骨眼窩部（前頭骨のうち眼窩を形成する部分)．=pars orbitalis ossis frontalis [TA].

orbital p. [TA] of inferior frontal gyrus 下前頭回の眼窩部（下前頭回の吻側で，やや下の部分)．=pars orbitalis [TA].

orbital p. of lacrimal gland [TA]．涙腺の眼窩部（→lacrimal *gland*)．=pars orbitalis glandulae lacrimalis [TA].

orbital p. of optic nerve [TA]．視神経眼窩部（視神経のうちで眼球と視神経管との間すなわち眼窩内の部分)．=pars orbitalis nervi optici [TA].

orbital p. of orbicularis oculi (muscle) [TA]．眼輪筋の眼窩部（→orbicularis oculi (*muscle*))．=*pars* orbitalis musculi orbicularis oculi.

osseous p. of skeletal system 骨格系の骨部．=bony p. of skeletal system.

palpebral p. of lacrimal gland [TA]．涙腺眼瞼部（→lacrimal *gland*)．=pars palpebralis glandulae lacrimalis [TA].

palpebral p. of orbicularis oculi (muscle) [TA]．眼輪筋の眼瞼部（→orbicularis oculi (*muscle*))．=pars palpebralis musculi orbicularis oculi [TA].

parasympathetic p. of autonomic (visceral motor) division of peripheral nervous system [TA]．〔末梢神経系の自律性(内臓運動性)部分の〕副交感神経系（節前線維とそれとシナプスする節後線維とからなる．節前線維の細胞体は脳にあって脳神経(III, VII, IX, X)に混じて末梢に出るものと脊髄 S2—S4 にあってそこから末梢に出るものとがある．頭部の神経節として主なものは４つある(毛様体神経節，翼口蓋神経節，耳神経節，顎舌下神経節)．体幹部内臓ではほとんどの場合内臓の内部に神経節がある．→autonomic (visceral motor) *division* of nervous system)．=pars parasympathica divisionis automaticae systematis nervosi peripherici [TA]; bulbosacral system; craniosacral division of autonomic nervous system; craniosacral nervous system.

patent p. of umbilical artery [TA]．臍動脈の特有部(臍動脈が内腸骨動脈から起こる部位と上膀胱動脈の遠位で生後閉塞する部位との間の部分)．=pars patens arteriae umbilicalis [TA].

pelvic p. [TA]．骨盤部（何らかの構造のうち，骨盤の中にある部分もしくは骨盤と関係する部分．→pelvic p. of ductus deferens; parasympathetic p. of autonomic division of peripheral nervous system; pelvic p. of ureter)．= pars pelvica [TA].

pelvic p. of ductus deferens [TA]．精管の骨盤部（精管のうち鼡径管から精管膨大部までの部分)．=pars pelvica ductus deferentis [TA].

pelvic p. of peripheral autonomic plexuses and ganglia [TA]．骨盤部の末梢自律神経節・叢（自律神経節・叢のうち，小骨盤すなわち骨盤入り口面より下方にあるものの総称．すなわち上・下下腹神経叢，骨盤内臓神経叢，中・下直腸神経叢，膀胱神経叢，子宮腟神経叢，前立腺精管神経叢で，骨盤を出て会陰の勃起器官にはいるが，陰茎や陰核の海綿体神経もこれに属する)．=pars pelvica plexuum et gangliorum visceralium [TA].

pelvic p. of ureter [TA]．尿管骨盤部（骨盤上口と膀胱の間にある尿管部分)．=pars pelvica ureteris [TA].

pelvic p. of the urogenital sinus 泌尿生殖洞の骨盤腔内部分（胎生時の泌尿生殖洞の上部骨盤部)．

peripheral p. of nervous system 末梢神経系．=peripheral nervous *system*.

petrous p. of internal carotid artery[TA]．内頸動脈錐体部（頸動脈管の中を通る内頸動脈の一部で，ここから頸動脈鼓室動脈と翼突管動脈が出ている)．=pars petrosa arteriae carotidis internae [TA].

petrous p. of temporal bone [TA]．側頭骨錐体部（側頭骨のうち内耳や内頸動脈の第二部を収容している部分．胎児期に独立した骨化の中心から発生してくる)．=pars petrosa ossis temporalis [TA]; periotic bone; petrosal bone; petrous bone; petrous pyramid.

phrenicoceliac p. of suspensory muscle (ligament) of duodenum [TA]．十二指腸提筋(靱帯)の横隔腹腔部（食道裂口の近くの横隔膜右脚から起こる骨格筋束で，腹腔十二指腸部のものと合流して十二指腸末端と十二指腸空腸曲に付着する)．=pars phrenicocoeliaca musculi (ligamenti) suspensorii duodeni [TA].

pial p. of filum terminale [TA]．終糸の軟膜部（終糸のうち脳硬膜内部にある部分で，脊髄末端の円錐から軟膜が延長したもの．→terminal *filum*)．=pars pialis fili terminalis [TA]; filum terminale internum*; pial filament*.

pigmented p. of retina →retina．=pars pigmentosa retinae.

postcommunicating p. of anterior cerebral artery [TA]．前大脳動脈の後交通部（前大脳動脈のうち前交通動脈が分枝した後の遠位部分．近年の臨床観察によれば，前大脳動脈の後交通部は A2—A5 の部分にわけられる)．=pars postcommunicalis arteriae cerebri anterioris [TA]; A2 segment of anterior cerebral artery*; segmentum A2 arteriae cerebri anterioris*.

postcommunicating p. of posterior cerebral artery [TA]．後大脳動脈の連合後部（後大脳動脈のうち後連合動脈より後方の部分)．=pars postcommunicalis arteriae cerebri posterioris [TA]; P2 segment of posterior cerebral artery*.

posterior p. [TA]．後部（脳の前交連の後部)．

posterior p. of anterior commissure of brain [TA]．前交連の後部（嗅球とその近くの前頭葉・側頭葉を連絡する

線維束の後方のもの). =pars posterior commissurae anterioris [TA].

posterior p. of the diaphragmatic surface of the liver [TA]. 肝臓の横隔面の後部 (肝臓の無漿膜野と尾状葉を含む横隔面部分). =pars posterior faciei diaphragmaticae hepatis [TA].

posterior p. of knee [TA]. 膝窩 (遠位大腿骨と近位脛骨に対する下肢後面の部位). =popliteal *fossa*; poples [TA].

posterior p. of liver* posterior hepatic *segment* [I] の公式の別名.

posterior tibiotalar p. of deltoid ligament 三角靱帯の後脛距部. =tibiotalar p. of medial ligament of ankle joint.

posterior tibiotalar p. of medial ligament of ankle joint [TA]. ⇀medial *ligament* of ankle joint.

posterior p. of tongue [TA]. 舌の後部 (舌のうち分界溝より後方の部分で, 発生的・神経的に前部とは異なる.→*dorsum* of tongue). =pars posterior linguae [TA]; pars postsulcalis linguae*; postsulcal p. of tongue*.

posterior p. of vaginal fornix [TA]. 腟円蓋後部 (腟円蓋の最深部で, 子宮頸の後方にあり, 直腸子宮窩と密接に関連している). =pars posterior fornicis vaginae [TA].

postlaminar p. of intraocular part of optic nerve [TA]. 視神経篩板後部 (眼球内視神経のうちで強膜篩板のすぐ後方にある眼球内部分). =pars postlaminaris nervi optici intraocularis [TA].

postsulcal p. of tongue* 舌の溝後部 (posterior p. of tongue の公式の別名).

precommunicating p. of anterior cerebral artery [TA]. 前大脳動脈の前交通部 (前大脳動脈のうち前交通動脈が分枝するまでの近位部分). =pars precommunicalis arteriae cerebri anterioris [TA]; A1 segment of anterior cerebral artery*; segmentum A1 arteriae cerebri anterioris*; precommunical segment of anterior cerebral artery.

precommunicating p. of posterior cerebral artery [TA]. 後大脳動脈の連合前部 (後大脳動脈のうち後連合動脈より前方の部分). =pars precommunicalis arteriae cerebri posterioris [TA]; P1 segment of posterior cerebral artery; precommunical segment of posterior cerebral artery.

prelaminar p. of intraocular part of optic nerve [TA]. 視神経篩板前部 (視神経のうち強膜篩板のすぐ前方にある眼球内部分). =pars prelaminaris nervi optici intraocularis [TA].

preprostatic p. of male urethra* 男性尿道の前立腺前部 (intramural p. of male urethra の公式の別名).

presulcal p. of tongue* 舌の溝前部 (anterior p. of tongue の公式の別名).

prevertebral p. of vertebral artery [TA]. 椎骨動脈の椎前部 (⇀vertebral *artery*). =pars prevertebralis arteriae vertebralis [TA].

proximal p. of prostate [TA]. 前立腺近位部 (前立腺のうち近位にある部分で, 前葉と中葉を含む). =pars proximalis prostatae [TA].

proximal p. of prostatic urethra [TA]. 尿道前立腺部の近位部 (尿道前立腺部のうち射精管開口部より近位の部分). =pars proximalis urethrae prostaticae [TA].

psoatic p. of iliopsoas fascia [TA]. 腸腰筋膜の腰筋部 (腸腰筋膜のうち直接腰筋をおおっている部分). =pars psoatica fasciae iliopsoaticae [TA].

pterygopharyngeal p. of superior constrictor muscle of pharynx [TA]. 上咽頭収縮筋の翼突咽頭部 (⇀superior pharyngeal constrictor (*muscle*)). =pars pterygopharyngea musculi constrictoris pharyngis superioris [TA].

pyloric p. of stomach [TA]. 〔胃の〕幽門部 (角切痕と幽門の間の胃の部分. 粘膜に幽門腺がある). =pars pylorica [TA]; pars pylorica ventriculi.

quadrate p. of liver [TA]. 肝臓の方形部. =anterior *portion* of left medial segment IV of liver.

radial p. of posterior compartment of forearm* lateral p. of posterior (extensor) compartment of forearm の公式の別名.

retrolenticular p. of internal capsule 内包のレンズ後部 (内包のうちレンズ核の後方部分で, 後頭橋線維, 後頭被蓋線維, 視放線, 膝鳥距線維, 後視床放線, その他の線維系を含む.→retrolenticular *limb* of internal capsule). =pars retrolentiformis capsulae internae [TA].

right p. of diaphragmatic surface of liver [TA]. 肝臓横隔面の右部 (下位肋骨に対応する横隔面). =pars dextra faciei diaphragmaticae hepatis [TA].

right p. of liver* right *liver* の公式の別名.

sacral p. of spinal cord [TA]. 脊髄仙骨部 (5個の仙骨セグメント(S1－S5)からなる脊髄の部分で, ここから5対の仙骨神経(S1—S5)が発出する). =pars sacralis medullae spinalis [TA]; segmenta sacralia medullae spinalis [TA].

scrotal p. of ductus deferens [TA]. 精管の陰嚢部 (精管の始まりの部分で精巣や精巣上体と平行している部分). =pars scrotalis ductus deferentis [TA].

second p. of duodenum 十二指腸第二部. =descending p. of duodenum.

soft p.'s 軟部 (骨と軟骨を除いた体組織).

sphenoid p. of middle cerebral artery [TA]. 中大脳動脈の蝶形骨部 (⇀middle cerebral *artery*). =pars sphenoidalis arteriae cerebralis mediae [TA].

spinal p. of accessory nerve* 副神経脊髄部 (spinal *root* of accessory nerve の公式の別名).

spinal p. of arachnoid =spinal *arachnoid* mater.

spinal p. of deltoid (muscle) [TA]. 三角筋肩甲棘部 (三角筋のうち肩甲棘から起始する部分). =pars spinalis musculi deltoidei [TA].

spinal p. of filum terminale [TA]. 終糸の脊髄部 (終糸のうち脊髄円錐を出たばかりのところで, なお中心管を残している部分). =pars spinalis fili terminalis [TA].

spongy p. of the male urethra 〔男性尿道〕海綿体部. =spongy *urethra*.

squamous p. of frontal bone [TA]. 前頭骨鱗部 (額を形成する前頭骨の幅広い曲面部). =squama frontalis [TA]; frontal squama.

squamous p. of occipital bone [TA]. 後頭骨鱗部 (後頭骨の板状, または鱗状の部分). =squama occipitalis; occipital squama [TA].

squamous p. of temporal bone [TA]. 側頭骨鱗部 (側頭骨前上部の広く平坦で薄い(鱗形の)部分で頭蓋の側壁をなしている部分). =pars squamosa ossis temporalis [TA]; squama temporalis; temporal squama.

sternal p. of diaphragm [TA]. 〔横隔膜〕胸骨部 (剣状突起内面から起こり, 腱中心に停止する左右側の小筋線維束). =pars sternalis diaphragmatis [TA].

sternocostal p. of pectoralis major muscle 大胸筋胸肋部 (⇀pectoralis major (*muscle*)). =sternocostal *head* of pectoralis major (muscle).

straight p. of cricothyroid muscle [TA]. 輪状甲状筋の直部 (⇀cricothyroid *muscle*).

subcutaneous p. of external anal sphincter [TA]. 外肛門括約筋の皮下部 (⇀external anal *sphincter*). =pars subcutanea musculi sphincteri ani externi [TA]; subcutaneous portion of external anal sphincter.

sublenticular p. of internal capsule 内包のレンズ下部 (内包のうちレンズ核の尾方 1/3 にある部分で, 聴放線, 皮質中脳蓋線維, 側頭橋線維, 皮質視床線維, ならびに両眼視野の対側半の上部にあたる視放線部分を含む.→sublentiform *limb* of internal capsule). =pars sublentiformis capsulae internae [TA].

suboccipital p. of vertebral artery 椎骨動脈の後頭下部. =atlantic p. of vertebral artery.

superficial p. of anterior (flexor) compartment of forearm [TA]. 前腕前区分の浅部 (前腕屈側で浅層筋, 例えば円回内筋, 橈側手根屈筋, 長掌筋, 尺側手根屈筋, 浅指屈筋などがある部分). =pars superficialis compartimenti antebrachii anterioris [TA].

superficial p. of external anal sphincter [TA]. 外肛門括約筋浅部 (⇀external anal *sphincter*). =pars superficialis musculi sphincteri ani externi [TA].

superficial p. of masseter muscle [TA]. 咬筋浅部 (⇀masseter (*muscle*)). =pars superficialis musculi masseteri

[TA].

superficial p. of parotid gland [TA]. →parotid *gland*. = pars superficialis glandulae parotideae [TA].

superficial p. of posterior (plantar flexol) compartment of leg [TA]. 下腿後区分の浅部（下腿後で腓腹筋とヒラメ筋が占めている部分で，深部とは横筋間中隔でへだてられている）. = pars superficialis compartimenti cruris posterioris [TA]; pars tricipitalis compartimenti cruris posterioris*.

superior p. of diaphragmatic surface of liver [TA]. 肝臓横隔面上部（肝臓横隔面の上凸部分）. = pars superior faciei diaphragmaticae hepatis [TA].

superior p. of duodenum 十二指腸上部（十二指腸の第一部で幽門にすぐ続く部分で，下行部の近位にあたる部分. →duodenum）. = pars superior duodeni [TA]; first p. of duodenum; pars prima duodeni.

superior p. of lingular vein (of left superior pulmonary vein) [TA]. 左肺静脈の肺舌静脈の上部（左肺上舌区の血液を集める）. = pars superior venae lingularis venae pulmonis superioris sinistri [TA].

superior p. of vestibular ganglion [TA]. 前庭神経節の上部（卵形嚢斑・球形嚢斑・前および外側半規管膨大部からの神経を受け取る）. = pars superior ganglii vestibularis [TA].

superior p. of vestibulocochlear nerve = vestibular *nerve*.

supraclavicular p. of brachial plexus [TA]. 〔腕神経叢〕鎖骨上部（根，幹，分枝を含む腕神経叢の鎖骨上部. 肩甲背，長胸，肩甲上，鎖骨下筋などの神経が出る）. = pars supraclavicularis plexus brachialis [TA].

supravaginal p. of cervix [TA]. 子宮頸の腟上部（腟の付着部分の上にある子宮頸の部分）. = portio supravaginalis cervicis [TA].

sympathetic p. of autonomic (visceral motor) division of peripheral nervous system [TA]. 〔末梢神経系の自律性(内臓運動性)部分の〕交感神経系（末梢性自律神経系の交感神経部分. →autonomic (visceral motor) *division* of nervous system）. = pars sympathica divisionis autonomicae systematis nervosi peripherici [TA]; sympathetic nervous system; thoracolumbar nervous system.

tense p. of the tympanic membrane [TA]. 鼓膜緊張部（小三角状の弛緩部と対照的な，緊張した硬い鼓膜の主要部分）. = pars tensa membranae tympanicae [TA]; membrana tensa; membrana vibrans.

terminal p. 終末部（→inferior terminal (cortical) *branches* of middle cerebral artery; posterior cerebral *artery*）. = *pars terminalis*.

third p. of duodenum = inferior p. of duodenum.

thoracic p. of aorta 大動脈胸部. = thoracic *aorta*.

thoracic p. of esophagus [TA]. 食道胸部（食道のうち胸郭上口と横隔膜との間の部分）. = pars thoracica esophagi [TA].

thoracic p. of iliocostalis lumborum (muscle) [TA]. 胸腸肋筋（深背部分の1つ. 起始：下方の6本の肋骨角の内側. 停止：上方の6本の肋骨角. 作用：胸椎の伸展・外転・回旋. 神経支配：胸神経後枝）. = iliocostalis thoracis (muscle) [TA]; pars thoracica musculi iliocostalis lumborum [TA]; musculus iliocostalis dorsi; musculus iliocostalis thoracis.

thoracic p. of peripheral autonomic plexuses and ganglia [TA]. 胸部の末梢自律神経節・叢（胸部器官に分布する自律神経節・叢の総称）. = pars thoracica plexuum et ganglionorum visceralium [TA].

thoracic p. of spinal cord [TA]. 脊髄胸部（12対の胸神経が出ていく12対の胸分節からなる脊髄の部分）. = pars thoracica medullae spinalis [TA]; segmenta thoracica medullae spinalis [TA].

thoracic p. of thoracic duct [TA]. 胸管胸部（胸管のうち胸部にある部分で，横隔膜裂口から第一胸椎の高さまでの部分）. = pars thoracica ductus thoracici [TA].

thoracic p. of trachea [TA]. 気管胸部（気管のうち胸郭内のある部分で，上胸郭口面から気管分岐部(ほぼ胸骨下角の高さ)までの部分）. = pars thoracica tracheae [TA].

thyroepiglottic p. of thyroarytenoid (muscle) [TA]. 甲状披裂筋の甲状喉頭蓋部（起始：甲状披裂筋と共通で，甲状軟骨の内表面. 停止：披裂喉頭蓋ひだと喉頭蓋辺縁. 神経支配：反回神経. 作用：喉頭蓋底を押さえる）. = pars thyroepiglottica musculi thyroarytenoidei [TA]; depressor muscle of epiglottis; musculus thyroepiglotticus; thyroepiglottic muscle; thyroepiglottidean muscle; ventricularis (2).

thyropharyngeal p. of inferior constrictor muscle of pharynx [TA]. 下咽頭収縮筋の甲状咽頭部（→inferior constrictor (*muscle*) of pharynx）. = pars thyropharyngea musculi constrictoris pharyngis inferioris [TA]; thyropharyngeal p. of inferior pharyngeal constrictor (muscle) of pharynx.

thyropharyngeal p. of inferior pharyngeal constrictor (muscle) of pharynx 下咽頭収縮筋の甲状咽頭部. = thyropharyngeal p. of inferior constrictor muscle of pharynx.

tibiocalcaneal p. of deltoid ligament* 三角靱帯の脛踵部（tibiocalcaneal p. of medial ligament of ankle joint の公式の別名）.

tibiocalcaneal p. of medial ligament of ankle joint [TA]. 脛踵靱帯（内側または三角靱帯の内果から踵骨の載距突起にのびる靱帯）. = pars tibiocalcanea ligamenti collateralis medialis articulationis talocruralis [TA]; pars tibiocalcanea ligamenti deltoidei*; tibiocalcaneal p. of deltoid ligament*; calcaneotibial ligament; ligamentum calcaneotibiale; tibiocalcaneal ligament.

tibionavicular p. of deltoid ligament 三角靱帯の脛舟部. = tibionavicular p. of medial ligament of ankle joint.

tibionavicular p. of medial ligament of ankle joint [TA]. 脛舟靱帯（内側または三角靱帯の内果から舟状骨にのびる部分. →medial *ligament* of ankle joint）. = pars tibionavicularis ligamenti collateralis medialis articulationis talocruralis [TA]; ligamentum tibionaviculare; tibionavicular ligament; tibionavicular p. of deltoid ligament.

tibiotalar p. of medial ligament of ankle joint [TA]. 脛距靱帯（内側または三角靱帯の内果から距骨後突起にのびる靱帯）. = pars tibiotalaris posterior ligamenti collateralis medialis articulationis talocruralis [TA]; ligamentum talotibiale posterius; posterior talotibial ligament; posterior tibiotalar ligament; posterior tibiotalar p. of deltoid ligament.

transversarial p. of vertebral artery 椎骨動脈横突部. = cervical p. of vertebral artery.

transverse p. of iliofemoral ligament [TA]. 腸骨大腿靱帯の横部（逆Y字形靱帯のうち水平に近い走行を示すほうのもの）. = pars transversa ligamenti iliofemoralis [TA].

transverse p. of left branch of portal vein [TA]. 門脈左枝の横部（門脈左枝の長い無分枝部分）. = pars transversa rami sinistri venae portae hepatis [TA].

transverse p. of nasalis muscle [TA]. 鼻筋横部（→nasalis (*muscle*)）. = pars transversa musculi nasalis [TA].

transverse p. of trapezius (muscle) [TA]. 僧帽筋の横行部（僧帽筋の中1/3で横走して肩甲棘につく. 収縮すると観念的肩甲胸郭関節で肩甲骨を内側に引き寄せる）. = pars transversa musculi trapezii [TA].

triangular p. [TA]. 三角部（大脳皮質の下前頭回を構成する3つの小さな脳回のうち中央のもので，他の2つは眼窩部と弁蓋部である）. = pars triangularis [TA].

tympanic p. of temporal bone 〔側頭骨の〕鼓室部. = tympanic *plate* of temporal bone.

umbilical p. of left branch of portal vein [TA]. 門脈左枝の臍静脈部（高度に分枝をもつ部分で，肝円索や静脈管索もここに付着する）. = pars umbilicalis rami sinistri venae portae hepatis [TA].

uterine p. of uterine tube [TA]. 卵管子宮部（卵管のうち子宮壁内にある部分）. = pars uterina tubae uterinae [TA].

uveal p. of trabecular reticulum 〔小柱網の〕ブドウ膜部. = uveal p. of trabecular tissue of sclera.

uveal p. of trabecular tissue of sclera [TA]. 〔小柱網の〕ブドウ膜部（小柱網の後部で強膜突起・毛様体・虹彩前面の間の部分）. = pars uvealis reticuli trabecularis sclerae

[TA]; uveal p. of trabecular reticulum.

vagal p. of accessory nerve* 副神経延髄根（cranial *root* of accessory nerve の公式の別名．→accessory *nerve* [CN XI]）．

vaginal p. of cervix [TA]．子宮頸の腟部（子宮頸部のうち腟にある部分）．＝portio vaginalis cervicis [TA]．

ventral p. of intertransversarii laterales lumborum (muscles) [TA]．腰外側横突間筋の腹側部（腰部の外側横突間筋のうち肋骨突起の間に張っているもの）．＝pars ventralis musculi intertransversarii lateralium lumborum [TA]．

ventral p. of pons 橋腹部．＝basilar p. of pons.

vertebral p. of the costal surface of the lungs [TA]．肺臓の肋骨面の椎骨部（肺内側面で椎体と接している部分）．＝pars vertebralis faciei costalis pulmonis [TA]．

vertebral p. of diaphragm ＝lumbar p. of diaphragm.

vestibular p. of vestibulocochlear nerve ＝vestibular *nerve.*

part. aeq. ラテン語 *partes aequales*(同部分，等量，同量)の略．

par·tes (par′tēz)．pars の複数形．

par·the·no·gen·e·sis (par′the-nō-jen′ĕ-sis) [G. *parthenos*, virgin + *genesis*, product]．単為生殖，処女生殖（無性生殖の一型．雌は雄による受精作用なしにその種を生殖する）．＝apogamia; apogamy; apomixia; virgin generation.

par·the·no·pho·bi·a (par′the-nō-fō′bē-ă) [G. *parthenos*, virgin + *phobos*, fear]．処女恐怖〔症〕，娘恐怖〔症〕（少女に対する病的な恐れ）．

par·ti·cle (par′ti-kĕl) [L. *particula*: *pars*(part)の指小辞]．*1* 粒子，微粒子（何かの小さな断片や部分．微粒子）．*2* 粒子（陽子や電子のような基本的粒子）．

alpha p. (α) アルファ(α)粒子（正の電荷($2e^+$)をもち，2個の陽子と2個の中性子で構成される粒子．原子番号の大きい(質量数82以上)不安定な同位元素の原子核から大きいエネルギーをもって放出される．ヘリウムの原子核に等しい）．＝alpha ray.

beta p. ベータ(β)粒子（放射性核種の放射性壊変に伴って放出される正電荷あるいは負電荷をもつ電子(陽電子(β^+)または陰電子(β^-))．→cathode *rays*）．＝beta ray.

chromatin p.'s クロマチン粒子，染色質粒子（核の残存物と思われる青みがかった微小の点．染色した赤血球にときにみられる）．

core p. コア粒子（クロマチンの部分酵素消化によって遊離する粒子）．

Dane p.'s (dān)．デーン粒子（大型球形の肝炎関連抗原．B型肝炎ウイルスのビリオンを構成し，27 nm のコアをもち，その中にはDNA依存性DNAポリメラーゼと環状二重鎖DNA が含まれる）．

defective interfering p. 不完全干渉粒子（増殖不能な不完全なウイルスで，感染性ウイルスの増殖を妨害する）．

D.I. p. defective interfering p. の略．

electron transport p.'s (ETP) 電子伝達粒子（ミトコンドリアの破片で，まだ電子を伝達できるもの）．＝submitochondrial p.'s.

elementary p. *1* 血小板．＝platelet. *2* 基本粒子（ミトコンドリアのクリスタのマトリックス側の表面に生じる単位の1つ．約9 nm の頭部が長さ5 nm の柄によってクリスタの膜に付着する．基本粒子は電子伝達系に関与すると考えられる）．

kappa p.'s カッパ(κ)粒子（遺伝可能な細胞質の共生生物で，以前はDNA の粒子と考えられていた．ゾウリムシ属 *Paramecium* のある系統に生じ，他の系統に対し致死的な物質を生産できる）．

signal recognition p. (SRP) シグナル認識粒子（新生分泌蛋白のシグナル配列と相互作用する小さなRNA–蛋白複合体．シグナル認識粒子の結合は，小胞体膜の構成成分，ドッキング蛋白と相互作用するまで翻訳停止を引き起こす）．

submitochondrial p.'s 亜ミトコンドリア粒子．＝electron transport p.'s.

Zimmermann elementary p. (zim′er-mahn)．ツィンメルマン基本粒子（platelet を表す現在では用いられない語）．

par·tic·u·late (par-tik′yū-lāt)．粒状の．

par·tic·u·lates (par-tik′yū-lăts)．微粒子物（周囲の液体，あるいは半液体物質と比較して，形のある個々の要素，例えば，細胞中の顆粒あるいはミトコンドリア）．

par·to·gram (par′tō-gram) [L. *partus*, childbirth + -gram]．分娩経過図表，パルトグラム（子宮口開大と時間的関係をグラフ表示したもの．警戒域および開大曲線が逸脱したとき直ちに対応する危険域を付加している）．＝Friedman curve; labor curve.

par·tu·ri·ent (par-tū′rē-ent) [L. *parturio*, to be in labor]．分娩の．

par·tu·ri·fa·cient (par′tū-rē-fā′shent) [L. *parturio*, to be in labor + *facio*, to make]．*1* 〖adj.〗分娩促進の．*2* 〖n.〗分娩促進薬．＝oxytocic (2).

par·tu·ri·tion (par′tū-rish′ŭn) [L. *parturitio* < *parturio*, to be in labor]．分娩，〔出〕産（[誤ったつづりまたは発音 partuition を避けること]）．＝childbirth.

part. vic. ラテン語 *partes vicibus*(分割量に)の略．

pa·ru·lis, pl. **pa·ru·li·des** (pă-rū′lis, -li-dēz) [G. *paroulis*, gumboil < *para*, beside + *oulon*, gum]．パルーリス，歯肉膿瘍．＝gingival *abscess.*

par·um·bil·i·cal (par′ŭm-bil′i-kăl)．＝paraumbilical.

par·u·re·sis (par′yū-rē′sis) [para- + G. *ourēsis*, urination]．他人の前で排尿ができないこと．＝shy bladder syndrome.

par·val·bu·min (par′val-byū′min) [L. *parvus*, small + albumin][MIM*168890]．パルブアルブミン（カルモジュリンや他のカルシウム結合蛋白とは異なる，分子量の小さい水溶性カルシウム結合蛋白群．多くの種の脳，骨格筋や網膜には存在するが，心臓，肝臓，脾臓には存在しない）．

Par·vo·bac·te·ri·a·ce·ae (par′vō-bak-tē′rē-ā′sē-ē)．パルボバクテリア科（ブルセラ科細菌に対する旧名と考えられるが，パルボバクテリア科に対しては標準属があげられたことがない）．

par·vo·cel·lu·lar (par′vō-sel′yū-lăr) [L. *parvus*, small + Mod. L. *cellularis*, cellular]．小細胞性の（小型の細胞の，小型の細胞からなる）．

par·vo·line (par′vō-lēn)．パルボリン（魚が腐敗する際に生成されるプトマインの一種）．

Par·vo·vir·i·dae (par′vō-vir′i-dē)．パルボウイルス科（一本鎖DNA よりなる小型のウイルスの一科．ウイルス粒子は直径 18—26 nm でエンベロープをかぶらず，エーテル抵抗性である．カプシドは立方対称で32個のカプソメアをもつ．複製および構築は，感染細胞の核内で行われる．パルボウイルス亜科では，*Parvovirus*属，*Erythrovirus*属，およびアデノ関連性ウイルスを含む *Dependvirus*属の3属が認められている．第2の亜科であるデンソウイルス亜科には，さらに3属が含まれ，これらはすべて節足動物に感染する）．

Par·vo·vi·rus (par′vō-vī′rŭs) [L. *parvus*, small + virus]．パルボウイルス属（適切な細胞の中で自律的に複製するウイルスの一属(パルボウイルス科)．Strain B19 はヒトに感染し，伝染性紅斑や溶血性貧血の再生不良型発症の原因となる）．

***P.* B19** パルボウイルスB19（パルボウイルス科に属する一本鎖DNA ウイルスで，伝染性紅斑(第5病)と無形成発作の原因ウイルスである）．

パルボウイルスB19は，1975年に正常人ドナー血液検体から初めて分離された．1983年に伝染性紅斑との関連が明らかにされ，第5病ともよばれていた．一般的には幼児にみられる良性の発熱性発疹を呈する．パルボウイルスB19感染は世界中であらゆる年齢層にみられる．幼児期に最もかかりやすく，成人の30—60%は感染防御抗体をもっている．20—50%は不顕性感染である．感染は通常気道分泌物による．ウイルスは骨髄で増殖する．典型的伝染性紅斑は4—15歳の小児にみられる．散発性大流行がよく起こるが冬から春にかけてが多い．4—14日の潜伏期の後に前駆症状，通常は緩やかで持続性の頭痛，発熱，寒け，関節痛，倦怠感が生じる．1週間後には顔面に鮮紅色の〝りんごほっぺ〟発疹が出現し，続く3—4日で発赤は身体の他の部位に及び(近位端，そして体幹，続いて手掌や足蹠を含む遠位端)．細網状の斑丘疹を呈する．かゆみはあっても軽度である．発疹は免疫反応の結果であり，IgM 抗体出現のあかし

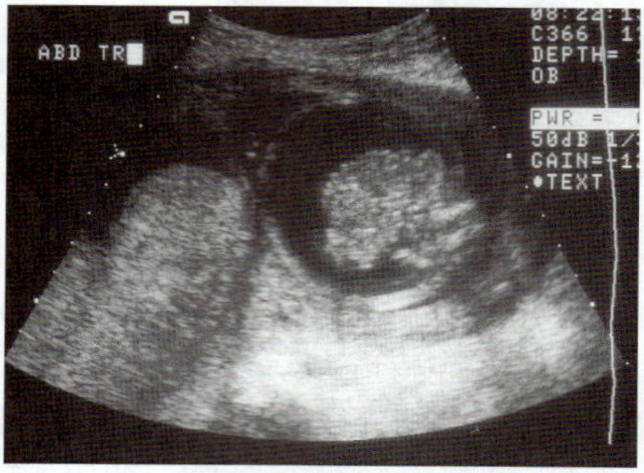

Parvovirus infection
水症胎児における腹水を示す超音波.

であり，伝染性期間の終結を意味する．疾患は概して良性の経過をたどるため，治療も単なる対症療法である(他のウイルス同様にパルボウイルス B19 は，しばしば斑丘疹－紫色手袋靴下症候群を起こす)．成人への感染では違った症状が現れる．〝りんごほっぺ〞は認められず，体幹と四肢の発赤はより緩徐で薄い．しかし成人患者の 15—20%，事実上すべて女性は重篤な関節疾患へと進行する．免疫複合体が関節膜に沈着することによって対称性の多発性関節炎が突然発症し，特に中手指関節をはじめ，近位指節関節，手根，膝を侵す．腫脹は起こったり起こらなかったりである．痛みと機能不全は重篤で，最終的には自然治癒することになっているが，症状は何週間も何か月も継続する．パルボウイルス B19 は骨髄に感染するため，ほとんどの患者は一過性の赤血球，白血球，血小板の減少を経験する．通常は起こらないことであるが，まれに一過性無形成発作へと進展し，赤血球産生が完全に停止して赤血球数が急激に減少する．この合併症のリスクは鎌状赤血球貧血症，自己免疫性溶血性貧血，免疫不全，妊娠でずっと高くなる．免疫機構によって IgG 抗体が産生されると，赤血球産生が再開し貧血が治癒するが，先天性あるいは後天性免疫不全の患者では，抗体産生ができないため貧血が長期化する．妊婦への感染では 1/3 の確率で胎児に感染し，胎児性無形成発作を誘導する．これは先天性心疾患や致死的水症へと帰結する可能性がある．通常は自然治癒するが胎児の 10% は死に至る．パルボウイルス B19 の感染によって先天性奇形は起こらない．急性パルボウイルス B19 感染は急峻な一過性の IgM 上昇で診断される．骨髄からのウイルス分離培養や ELISA による血清中の抗原検出によっても診断が確定する．パルボウイルス B19 感染症に対する治療は，すべて対症療法と補充療法である．パルボウイルス B19 感染の入院患者は隔離され，妊娠している職員は接触しないように勧告を受ける．貧血が重篤な場合，輸血を必要とする場合もある．IgM 抗体の産生ができないことにより長期に貧血が続く場合には，経静脈免疫グロブリン投与が有効な場合もある．

---

par·vule (par′vūl) [L. *parvulus*, very small < *parvus*, small]. 小丸剤，粒，顆粒剤.

par·vus (par′vŭs) [L.]. 小さい.

PAS *p*-aminosalicylic acid; periodic acid-Schiff *stain*; physician-assisted *suicide* の略.

PASA *p*-aminosalicylic acid の略.

Pas·cal (pahs-kahl′), Blaise. フランス人科学者，1623—1662. →pascal; P. *law*.

pas·cal (Pa) (pahs′kahl) [Blaise *Pascal*]. パスカル（ニュートン毎平方メートルで表される圧力の国際単位系(SI)組立単位．10^{-5} バールまたは 7.50062×10^{-3} トールに相当する).

Pa·scheff (Pa·shev) (pah′shef), Konstantin M. ブルガリア人眼科医，1873—1961. →P. *conjunctivitis*.

Pa·schen (pah′shen), Enrique. ドイツ人医師，1860—1936. →P. *bodies*.

Pa·shev (pahsh′ef). →Pascheff.

Pa·si·ni (pa-sē′nē), Augustine. 20 世紀のアルゼンチン人皮膚科医. →*atrophoderma* of P. and Pierini.

pas·pal·ism (pas′păl-izm) [G. *paspalos*, a kind of millet < *pas*, all + *palē*, meal]. スズメノヒエ中毒〔症〕(*Paspalum scrobiculatum* の種子による中毒).

pas·sage (pas′ăj) [Mediev. L. *passo*, to pass]. ***1*** 通過. ***2*** 排泄（腸からの排泄あるいは尿の排泄). ***3*** 継代〔接種〕(一連の動物に同一の病原菌株を接種すること．通常，毒性は増すが，減少する場合もある). ***4*** 通路.

blind p. 盲目継代（増殖ないし疾病の発現なしに培養を重ねたり，動物を通したりして原因体を継続して移すこと).

nasopharyngeal p. 鼻咽道. ＝nasopharyngeal *meatus*.

oropharyngeal p. ＝fauces.

serial p. 連続継代（一連の培養または実験動物を通して，通常は病原性を馴化させるためであるが，感染因子を継代して移すこと).

Pas·sal·u·rus am·big·u·us (pa-sal′yū-rŭs am-big′yū-ŭs). ウサギのぎょう虫．ウサギの盲腸および腸に多く寄生している線虫.

Pas·sa·vant (pahs′ă-vahnt), Philipp G. ドイツ人医師，1815—1893. →P. *bar, cushion, pad, ridge*.

Pas·sey (pas′ē), R.D. 20 世紀の英国人病理学者. →Harding-P. *melanoma*.

pas·si·flo·ra (pas′i-flō′ră) [L. *passio*, passion + *flos(flor-)*, flower]. トケイソウ（トケイソウ科植物 *Passiflora incarnata*. 米国南部のつる植物．花，果実をつけた上端部を乾燥させたものは神経痛，月経困難症，不眠症に，また局部的に痔や熱傷に用いられてきた).

pas·sion (pash′ŭn) [L. *passio* < *patior*, pp. *passus*, to suffer]. ***1*** 熱情，情欲. ***2*** suffering, pain を意味する現在では用いられない語.

pas·si·vate (pas′i-vāt). 不動態化する（細胞や細胞表面の活性化を低下させることにより不活性化状態にする).

pas·sive (pas′iv) [L. *passivus* < *patior*, to endure]. 受身の，受動の，消極的な.

pas·siv·ism (pas′iv-izm) [→passive]. ***1*** 受動性. ***2*** 受動性性〔的〕倒錯〔症〕(通常，双方の同意を必要とする行為(例えば肛門性交)に対し，相手に服従するだけの性的慣習. →pathic).

pas·siv·i·ty (pas-iv′i-tē). ***1*** 不動態（金属が保護酸化被膜を形成している状態．さびのない金属やアルミニウムは空気中で不動態になる). ***2*** 受動性（歯科において，可撤性局部床義歯が適切な位置にあるがそしゃく圧を受けない場合，歯，組織，さらに義歯が不活性または安静な状態).

pas·ta, gen. & pl. **pas·tae** (pas′tă, -tē) [L.]. パスタ，泥膏. ＝paste.

paste (pāst) [L. *pasta*]. パスタ（軟らかい半固形物質．パンがゆより硬いが，形をとどめるほどではなくゆっくりと流れる程度). ＝pasta.

dermatologic p. 皮膚用パスタ剤，皮膚用泥膏（デンプン，デキストリン，硫黄，炭酸カルシウムあるいは酸化亜鉛に，グリセリン，軟石けん，ワセリン，あるいは脂肪を加え，それに薬物を加えた製剤).

desensitizing p. 除痛パスタ（腐食性，凝固性，殺菌性の軟膏．露出している敏感なセメント質あるいはぞうげ質の痛みを鈍くする目的で歯頸に用いる).

past·er (pāst′ĕr). ペースタ（二焦点レンズの近用部分).

Pas·teur (pas-tur′), Louis. フランス人化学・細菌学者，1822—1895. →P. *effect, pipette, vaccine*.

Pas·teu·rel·la (pas′tū-rel′ă) [L. *Pasteur*]. パスツレラ属（好気性または通性嫌気性の非運動性細菌の一属．小形のグラム陰性球菌もしくは楕円形ないし長杆菌で，特殊な方法では二極染色性を示すことがある．標準種は *P. multocida*).

P. aerogenes ブタに認められる種で，ブタによる咬傷の結果，ヒトに創傷感染を起こすことがある.

P. multocida 家禽のコレラおよびヒツジ，ヤギの出血性敗血症，ウシの輸送熱(shipping fever)，ブタの気管支肺炎，および多くの温血動物におけるその他の型の疾病を起こす細菌種．ヒト，特に慢性疾患がある場合や免疫抑制を受けてい

るヒトでは，イヌやネコの咬傷または掻傷で感染し，蜂巣炎や敗血症を起こすことがある．イヌ，ネコの咬傷に関連する最も普通の病原菌．パスツレラ症の原因となる．ウサギでは経済的重要性をもち(鼻づまり snuffles とよばれる)，膿瘍，肺炎，化膿性鼻炎や，生殖器，眼，内耳感染などの臨床症状がみられる．ウシ，ヒツジ，鳥類やその他の動物の正常細菌叢に属することがある．*Pasteurella*属の標準種．

P. pestis ペスト菌．＝*Yersinia pestis.*

P. pseudotuberculosis 偽結核菌．＝*Yersinia pseudotuberculosis.*

P. tularensis 野兎病菌．＝*Francisella tularensis.*

pas·teu·rel·la, pl. **pas·teu·rel·lae** (pas′tū-rel′ă, pas-tūr-el′ē). パスツレラ（*Pasteurella*属の種を表すのに用いる通称).

pas·teur·el·lo·sis (pas′tūr-ĕ-lō′sis). パスツレラ症（出血性敗血症，ペスト，野兎病，偽結核症など *Pasteurella*属の菌による感染).

pas·teur·i·za·tion (pas′tūr-i-zā′shŭn) [L. *Pasteur*]. 低温殺菌〔法〕(牛乳，ブドウ酒，果物ジュースなどを 68°C (154.4°F)で約 30 分間加熱すること．これによって細菌は死滅するが，風味，芳香は保たれる．芽胞は影響を受けないが，その発育は液体を直ちに 10°C(50°F)以下に冷却して保つことにより防げる．→sterilization).

pas·teur·ize (pas′tūr-īz). 低温殺菌する（低温殺菌法で処理する).

pas·teur·iz·er (pas′tūr-ī′zĕr). 低温殺菌器（低温殺菌に用いる装置).

Pas·ti·a (pahs′tē-ah), Constantin C. ルーマニア人医師，1883—1926. →P. *sign.*

pas·til, pas·tille (pas′til, pas-tēl′) [Fr. *pastille*; L. ***pastillus***, a roll (of bread): ***panis***(bread)の指小辞]. ***1*** 香錠（燻蒸のために燃やすベンゾインその他の芳香性物質の小塊). ***2*** 錠剤．＝troche.

Sabouraud p.'s (sah-bū-rō′). サブロー錠剤（X線照射で変色する白金シアン化バリウムを含む錠剤で，以前は投与量を示すために用いられた).

past-point·ing (past′poynt′ing). 指示試験法，偏示試験法（前庭系の統合性の試験．被検者を回転いすに座らせ，両眼を閉じたまま右に 10 回回転する．腕を水平にして右人差し指で試験者の指先に触れさせる．次に被検者は腕を垂直に上げて再び水平にもってきて試験者の指に触れるよう指示される．前庭器が正常ならば，試験者の指の位置より数インチ右に被検者の指が降りてくる．左に回転した場合も同様である．小脳の疾病においては，指で正しい地点を指示する患者の試みははずれてしまう．この試験法は熱刺激と結び付けても用いられる．前庭疾患のあるものでは回転や温度刺激なしでも偏示がみられる).

pa·ta·gi·um, pl. **pa·ta·gia** (pă-tā′jē-ŭm, -ă) [L. a gold edging on a woman's gown]. 翼状（翼のような膜).

Pa·tau (pah-taw′), Klaus. 20 世紀の米国人細胞遺伝学者．→P. *syndrome.*

patch (patch). 斑（①周囲とは色や構造が異なる限局性の小領域．②皮膚科領域では，1 cm を超える大きさの扁平な領域のこと．③細胞表面上にキャップが形成される途中の段階).

butterfly p. 蝶形斑．＝butterfly (2).

p. clamping パッチクランプ法（イオンチャネルの研究に用いられる技術．単離膜の小さなパッチを通過するイオンの移動を，膜がその膜電位において分極されたり，過分極されたり，固定されることにより測定する)．＝patch clamp.

cotton-wool p.'s 綿〔花〕状白斑（網膜線維層の損傷，多くは梗塞によってできた網膜表面の白くぼやけた部分で，細胞小器官の集まりからなる)．＝cotton-wool spots.

herald p. 前駆斑，初発疹（バラ色ひこう疹の汎発疹出現の 7 —14 日前に生じる初発の急速に拡大する卵円形の紅色丘疹落屑性発疹で，通常，体幹に出る).

Hutchinson p. (hŭch′ĭn-sŏn). ハッチンソン斑．＝salmon p.

mucous p. 粘膜斑（粘膜に生じる楕円形か円形で，黄灰色ないし白色の被膜をもった病変．通常，第二期梅毒にみられる).

Peyer p.'s (pī′ĕr). パイアー(パイエル)斑(板)．＝aggregated lymphoid *nodules* of the small intestine.

salmon p. サーモンパッチ（①鎌状赤血球網膜症 sickle cell *retinopathy* でみられる網膜内出血．②結膜下腔にみられる眼窩リンパ様腫瘍の所見．③出生時または出生近傍期にみられる，頭頸部の斑状でオレンジピンクから赤色の血管形成異常で，小児期に及ぶ)．＝Hutchinson p.

shagreen p. 粒起革様斑（[shagreen は固有名詞ではないので，小文字の s を用いてつづる])．＝shagreen *skin.*

smoker's p.'s. ＝leukoplakia.

soldier's p.'s 兵士斑．＝milk *spots* (1).

Pa·tein (pă-tēn′), G. フランス人医師，1857—1928. →P. *albumin.*

pa·tel·la, gen. & pl. **pa·tel·lae** (pa-tel′ă, -ē) [L. a small plate, the kneecap: *patina*(a shallow disk)の指小辞 < *pateo*, to lie open][TA]. 膝蓋骨（大腿四頭筋の共同腱内にある大種子骨．膝前面を被覆する)．＝kneecap.

p. alta [patella + L. *alta*, high]. 膝蓋高位〔症〕(膝の X 線写真側面像で膝蓋骨の位置が通常よりもより近位にあることを表すのに用いる語).

p. baja [patella + Sp. *baja*, low]. 膝蓋低位〔症〕(膝の X 線写真側面像で膝蓋骨の位置が通常よりもより遠位にあることを表すのに用いる語).

floating p. 膝蓋跳動（膝関節内に滲出液がたまって膝蓋骨が持ち上がっている状態).

slipping p. 転位膝蓋骨（自発的あるいは容易に転位する膝蓋骨).

pa·tel·lar (pa-tel′ăr). 膝蓋骨の.

pat·el·lec·to·my (pat′ĕ-lek′tŏ-mē) [patella + G. *ektomē*, excision]. 膝蓋骨切除〔術〕.

pa·tel·li·form (pa-tel′i-fōrm). 膝蓋骨状の，皿状の.

pa·ten·cy (pā′ten-sē). 開存性，開通性（自由に開くかあるいは開口している状態).

probe p. (of oval foramen)〔卵円孔の〕開存（卵円孔の生後閉鎖における弁の不完全な線維性癒着).

pa·tent (pā′tĕnt) [L. *patens*: *pateo*(to lie open)の現在分詞]. 開存〔性〕の（[誤った発音 păt′ent を避けること])．＝patulous.

pa·tent blue V (pa′tĕnt blū). ＝leuco patent blue.

Pat·er·son (pat′ĕr-sŏn), Donald R. イングランド人耳咽喉科医，1863—1939. →P.-Kelly *syndrome*; P.-Brown-Kelly *syndrome.*

path (path) [A.S. *paeth*]. 路，道，経路（電流あるいは神経インパルスが通る経路．→pathway).

clinical p. クリニカルパス，標準診療（患者が治療およびその後の経過を通してたどるべきであろう全トラック(進路)またはパス(経路)の概要を示した経過図).

condyle p. 顆路（種々の下顎運動の際に，顎関節にある関節突起が通る経路).

generated occlusal p. 咬合路（上顎弓に付着する合成樹脂あるいは摩耗面における下顎歯の咬合面の運動経路の記録．→functional chew-in *record*).

incisal p. 切歯路．＝incisal *guidance.*

p. of insertion 着脱方向（義歯を支持組織や維持歯に装着または撤去する方向).

milled-in p.'s ミルドインパス（①反対側咬合堤にある歯あるいはスタッドにより，各種の下顎運動で咬合堤咬合面に刻み込まれた輪郭．カーブあるいは輪郭は，ワックス，モデリングプラスチック，あるいは焼石膏に刻み込まれる．②摩耗剤を含む材料で構成されている咬合堤のそしゃくあるいは滑走運動でできた咬合カーブ．→functional chew-in *record*)．＝milled-in curves.

occlusal p. 咬合路（①滑走咬合接触．②咬合面上の運動経路).

path-, -pathy, patho-, -path·ic [G. *pathos*, feeling, suffering, disease]. 病気に関する連結形.

pa·the·ma (pă-thē′mă) [G. *pathēma*, suffering]. 疾病，病的状態を表す現在では用いられない語.

path·er·gy (path′ĕr-jē) [G. *pathos*, disease + *ergon*, work]. パテルギー（アレルギー性(免疫性)と非アレルギー性の両活性が変化した状態により起こる反応を表す，現在では用いられない語).

pa·thet·ic (pă-thet′ik) [G. *pathētikos*, relating to the feel-

P

ings]. *1* 第四脳神経の（第四脳神経，すなわち滑車神経 trochlear nerve についていう）. *2* 哀れな，悲しい.

path·find·er (path′fīnd-ĕr). 開通器（狭窄部に挿入するための糸状ブジー．より大きなゾンデやカテーテルを通す先導とする）.

path·ic (path′ik) [G. *pathikos*, remaining passive]. 受動性性〔的〕倒錯者（まれにみる性行為においても受動的役割を取る人.→passivism (2)).

patho- →path-.

path·o·am·ine (path′ō-am′ēn). パトアミン（プトマインの一種．疾患の原因となる，または病的過程より生じる毒性アミン）.

path·o·bi·ol·o·gy (path′ō-bī-ol′ŏ-jē). 病理生物学（医学面よりも生物学面に重点を置く病理学）.

path·o·ci·din (path′ō-sī′din). パトシジン（8-アザグアニン）.

path·o·clis·is (path′ō-klis′is) [patho- + G. *klisis*, bending, proneness]. 特異的過敏性（特定の毒素に特異的に感受性の傾向があること．毒素が一定の器官に作用する傾向のあること）.

path·o·crin·i·a (path′ō-krin′ē-ă) [patho- + G. *krinō*, to separate]. 内分泌腺の異常を意味する現在では用いられない語.

path·o·don·ti·a (path′ō-don′shē-ă) [patho- + G. *odous*, tooth]. 歯科病理学.

path·o·for·mic (path-ō-fōr′mik) [patho- + L. *formo*, to form]. 疾病発端の（疾病の開始についていう．特に正常状態と疾病状態の間の遷移期に起こる一定の症候をさす）.

path·o·gen (path′ō-jen) [patho- + G. *-gen*, to produce]. 病原体（疾病を起こすウイルス，細菌，その他の物質）.

behavioral p. 行動的病因（疾病や身体的機能低下のリスクを増大させる個人的な習慣やライフスタイル.→risk *factor*).

opportunistic p. 日和見病原体（宿主の抵抗が他の疾病や薬剤で低下した場合のみ疾病を起こさせる微生物）.

path·o·gen·e·sis (path′ō-jen′ĕ-sis) [patho- + G. *genesis*, production]. 病因〔論〕，病原〔論〕（疾病あるいは病的過程の進行中に起こる病理学的，生理学的，または生化学的機序．*cf.* etiology）.

drug p. 薬物病原〔論〕（薬剤により病的症候が発生するという理論）.

path·o·gen·ic, path·o·ge·net·ic (path′ō-jen′ik, -jĕ-net′ik). 病原〔性〕の（病気や異常を起こす）.＝morbific; morbigenous; nosogenic; nosopoietic.

path·o·ge·nic·i·ty (path′ō-jĕ-nis′i-tē). 病原性（病気の状態あるいは性質．病気を起こす力）.

pa·thog·e·ny (pă-thoj′ĕ-nē). pathogenesis のまれに用いる類義語.

path·og·no·mon·ic (path′og-nō-mon′ik) [→pathognomy]. 〔疾病〕特有症候の（疾患に特徴的な，あるいは疾患そのものを示す症候．ある疾患に特徴的な1つ以上の症候，異常所見で，他の状態ではみられないものをいう）.

path·og·no·my (path-og′nŏ-mē) [patho- + G. *gnōmē*, a mark, a sign]. 診断学，感覚学（疾病の典型的症候あるいは患者の主観的感覚を研究して診断することを表す，まれに用いる語）.

path·og·nos·tic (path′og-nos′tik) [patho- + G. *gnōstikos*, pertaining to knowledge]. pathognomonic のまれに用いる類義語.

path·o·log·ic, path·o·log·i·cal (path′ō-loj′ik, -i-kăl). *1* 病理学の. *2* 病的の，異常の.

pa·thol·o·gist (pa-thol′ŏ-jist). 病理学者（病理学の専門家．生体または死体から採った試料を使った診断学的検査を実行，判定，あるいは監督し，臨床医に対しては検査に関するコンサルタントの役目を果たす医師．または病的変化の原因，本質をつきとめるために実験，その他の研究を行う医師）.

speech-language p. 言語病理学者（音声・発声・言語障害を有する人々の診断，リハビリテーションに関わる開業医）.

pa·thol·o·gy (pa-thol′ŏ-jē) [patho- + G. *logos*, study, treatise]. 病理学（[disease または abnormality の意味での隠語的使用を避けること]．病気のすべての面に関して，特に病気の本質，原因，異常状態の進展，病的過程による構造上および機能上の変化を取り扱う医学およびその専門的研究）.

anatomic p. 解剖病理学（生検または剖検で取り出された器官や組織の肉眼的および顕微鏡的研究と，そのような研究の結果を解釈する病理学の専門分野）.＝pathologic anatomy.

cellular p. 細胞病理学（①細胞の変化，すなわち細胞が恒常性を維持できなくなる過程から疾病を解釈すること．②ときに cytopathology (1) の類義語として用いる）.

clinical p. 臨床病理学（①患者の治療に関する病理学の臨床面すべてをいう．②病理学の専門分野において，化学，免疫血液学，微生物学，寄生虫学，免疫学，血液学および疾患の診断，患者の治療，さらには疾患予防にかかわりをもつ分野の理論面や技術面(すなわち方法や操作)を取り扱う）.

comparative p. 比較病理学（特にヒトの病理学に関連して種々の動物の病理を研究すること）.

dental p. 歯科病理学.＝oral p.

functional p. 機能病理学（構造の変化の有無にかかわらず，組織，器官，部分における機能異常に関する病理学）.

humoral p. 体液〔性〕病理学（体液，特に血液の障害が病気の基本的要因であるという考え.→humoral *doctrine*).

medical p. 内科病理学（外科的治療に適さない種々の病気に関する病理学）.

molecular p. 分子病理学（病気の基本的要素となる生化学的および生物物理学的な細胞機構に関する研究）.

oral p. 口腔病理学（口腔軟組織，歯，顎および唾液腺を含む口腔と口腔周囲の疾患の原因や病因に関して，臨床的，肉眼的，および顕微鏡的に観察する歯学の分野）.＝dental p.

speech p. 言語病理学（機能的，器質的な言語能力の欠陥や障害を扱う学問）.＝speech-language p.

speech-language p. ＝speech p.

surgical p. 外科病理学（解剖病理学の一分野で，診断の目的や患者の治療のために，生きている患者の組織を取り出して検査する病理学）.

path·o·met·ric (path′ō-met′rik). 罹患率測定〔法〕の.

pa·thom·e·try (pă-thom′ĕ-trē) [patho- + G. *metron*, measure]. 罹患率測定〔法〕（ある時期にある病気に罹患しているヒトの割合およびその数が増加または減少するに至る状態の測定を表す，まれに用いる語）.

path·o·mi·me·sis (path′ō-mi-mē′sis) [patho- + G. *mimēsis*, imitation]. 仮病，詐病（意識的または無意識的に病気または機能不全を装うこと）.＝pathomimicry.

path·o·mim·ic·ry (path′ō-mim′ik-rē).＝pathomimesis.

path·o·mi·o·sis (path′ō-mī-ō′sis) [patho- + G. *meiōsis*, a lessening]. パトミオーシス（病気を軽くしようとする患者の態度）.

path·o·mor·phism (path′ō-mōr′fizm). 異常形態，病的形態.

path·o·no·mi·a, pa·thon·o·my (path′ō-nō′mē-ă, pă-thon′ō-mē) [patho- + G. *nomos*, law]. 疾病法則学（病的変化についての法則に関する科学）.

path·o·pho·bi·a (path′ō-fō′bē-ă) [patho- + G. *phobos*, fear]. 疾病恐怖〔症〕.＝nosophobia.

path·o·phys·i·ol·o·gy (path′ō-fiz′ē-ol′ŏ-jē). 病態生理学（病気でみられる機能の乱れ，すなわち構造上の欠陥と区別される機能上の変化を扱う）.

path·o·poi·e·sis (path′ō-poy-ē′sis) [patho- + G. *poiēsis*, making]. 発病を表す，まれに用いる語.

pa·tho·sis (pă-thō′sis) [patho- + G. *-osis*, condition]. 病的状態，病的所見（病気の状態または実態を表す，まれに用いる語）.

pa·thot·ro·pism (pă-thot′rō-pizm) [patho- + G. *tropos*, a turning]. 向病巣性（薬剤が病的組織へ引き付けられること）.

path·way (path′wā). 経路（①神経細胞のある群から他の群の神経細胞への，あるいは筋肉または腺細胞からなる効果器への，神経インパルスの伝導路を形成する軸索の集り．②ある化合物から他の化合物へ導く化学反応の連鎖．生体組織中で起こる場合，通常 **biochemical p.**(生化学的経路)といわれる）.

4-aminobutyrate p. 4-アミノ酪酸経路（最終的に 4-アミノ酪酸をコハク酸へ変換する経路．コハク酸は続いてトリカ

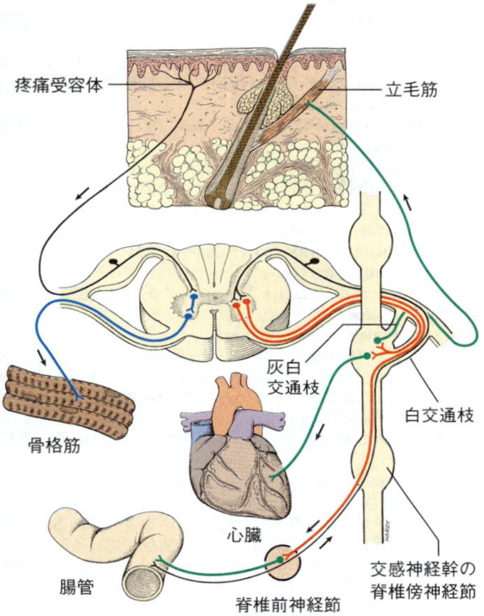

somatic and visceral reflex pathways

模式図．矢印はインパルス伝達の方向を示す．右側に示す内臓求心性ニューロンは赤線が節前で緑線が節後である．シナプスは脊椎傍神経節または脊椎前神経節のどちらかに存在する．一般内臓遠心性節前細胞体は中間外側細胞柱に位置する．

ルボン酸サイクルにより，α–ケトグルタル酸へ変換され，さらにグルタミン酸デヒドロゲナーゼの作用により，グルタミン酸は脱炭酸され，4–アミノ酪酸に再生される．この神経活性分子を生成する細胞では重要な経路である)．＝GABA p.

auditory p. 聴覚路（内耳 Corti 器の有毛細胞に始まり，第八脳神経を経ていくつかの核を経由し，大脳皮質の聴覚中枢に終わる中枢神経系の神経連絡路)．

cell-cell signaling p. 細胞間シグナル経路（成人組織において細胞の増殖を調節する細胞外シグナル．胚発生の間それらは遺伝子発現，体細胞分裂時の紡錘体の位置，細胞の形態，細胞間の相互作用，細胞移動に影響を及ぼす．これらの効力の多くは細胞骨格によって介在されていると考えられている)．

cell-death p. 細胞死経路．＝death p.

critical p. クリティカルパスウェイ（診療指針に基づき状態に適切であると思われる診断または治療の過程をドキュメント化した概要または図式)．

death p. 細胞死経路（アポトーシスとして知られる細胞死の最終段階を開始する蛋白によって特徴づけられる．アポトーシス経路を実行する蛋白の哺乳類でのファミリーは，Bcl-2，Apaf-1，および caspase-3 である．FAS 受容体－リガンドシステムはアポトーシスの細胞死を調節する)．＝cell-death p.

Embden-Meyerhof p. (em′děn mīĕr-hof)［Gustav G. *Embden*, Otto F. *Meyerhof*］．エンブデン－マイアーホフ経路（D–グルコース(筋肉で最も著明である)が乳酸に変わる嫌気的解糖経路．*cf.* glycolysis)．＝Embden-Meyerhof-Parnas p.

Embden-Meyerhof-Parnas p. (em′děn mī′ĕr-hof pahr′-nas)．エンブデン－マイアーホフ－パルナス経路．＝Embden-Meyerhof p.

Entner-Douderoff p. (ent′ner dud′er-of)．エントナー－ドゥドロフ経路（ヘキソキナーゼ，ホスホフルクトキナーゼ，グリセロアルデヒド–3–リン酸デヒドロゲナーゼを欠損しているある種の微生物(例えばシュードモナス菌 *Pseudomonas* sp.)の炭水化物の分解経路)．

GABA p. GABA 経路．＝4-aminobutyrate p.

hexose monophosphate p. ヘキソース一リン酸経路．＝pentose phosphate p.

lacrimal p.［TA］．涙河（閉じた眼瞼と眼球の間の空間でそこを通って涙が涙点に流れる)．＝rivus lacrimalis［TA］; Ferrein canal.

mercapturic acid p. メルカプツール酸経路（アレンオキシドなどの多くの化合物の解毒化のためのグルタチオン依存性経路．*S*–置換グルタチオンが生成され，最終的にはメルカプツール酸(*S*–置換 *N*–アセチル–L–システイン)へ変換され，排泄される．ある種のロイコトリエンもこの経路で分解されると考えられている)．

pentose phosphate p. ペントースリン酸経路（D–グルコース酸化の二次的経路(骨格筋には存在しない)．細胞質においての還元物質(NADPH)の生成およびペントースやいくつかの他の糖を合成する．それはペントースやいくつかの他の糖を解糖経路の中間体へ変換する経路である．D–グルコース 6–リン酸は，D–リブロースまたは D–リボースリン酸へ変換され，さらに(D–キシルロース 5–リン酸と)反応して D–セドヘプロース 7–リン酸と D–グリセルアルデヒド 3–リン酸へ変換される．二酸化炭素がグルコン酸－リブロース段階で脱離される．植物では，この経路は光合成の暗反応において二酸化炭素から D–グルコースの生成に関与する．このペントースリン酸経路は，ある遺伝性疾患(例えばグルコース－6–リン酸デヒドロゲナーゼ欠損症)で欠損している)．＝Dickens shunt; hexose monophosphate p.; hexose monophosphate shunt; pentose monophosphate shunt; pentose phosphate cycle; phosphogluconate p.; Warburg-Dickens-Horecker shunt; Warburg-Lipmann-Dickens-Horecker shunt.

phosphogluconate p. ＝pentose phosphate p.

polyol p. ポリオール経路．＝sorbitol p.

salvage p. サルベージ経路（既存のプリンやピリミジン塩基をヌクレオチドの合成に用いること)．

sorbitol p. ソルビトール経路（ソルビトールから D–フルクトース生成に関与する経路．糖尿病では，グルコース濃度の上昇に伴って活性も増大する)．＝polyol p.

ubiquitin-protease p. ユビキチン–プロテアーゼ経路（小さな蛋白補因子ユビキチンが，蛋白性基質と結合してプロテアーゼによる蛋白分解を触媒する．この経路は高選択性で強く制御を受けており，筋消耗病にみられる蛋白分解に関与する)．

visual p. 視路（網膜を起始部とし後頭葉皮質を終末とする中枢神経系内の神経経路と連絡系)．

-pathy →path-.

pa·tient (pā′shĕnt)［L. *patiens*: *patior*(to suffer)の現在分詞］．患者（何かの病気や行動障害に罹患し，その治療を受けている人．*cf.* case)．

secondary p. 二次患者（最初に受診した患者(一次患者)と医療関係者が面接している時に，同時に診療を受ける別の患者(感染症がある患者の家族など))．

target p. 標的患者（グループ治療において，他のメンバーの患者によって次々に分析されていく患者)．

pat·ri·cide (pat′ri-sīd)［L. *pater*, father＋*caedō*, to kill］．父親殺し（①自分の父親を殺すこと．②①のような行為をした人．→parricide. *cf.* matricide)．

Patrick (pat′rik), Hugh T. 米国人神経科医，1860—1938. →P. *test*.

pat·ri·lin·e·al (pat′ri-lin′ē-ăl)［L. *pater*, father ＋ *linea*, line］．父系の，父親家系の（男性系を通じた遺伝．Y 染色体性の遺伝は父系のみに遺伝する)．

pat·tern (pat′ern)．***1*** 模様（しばしば胸部 X 線所見でいわれる)．***2***〔原〕型，パターン（歯科において，インレーまたは部分的な歯の枠組みの鋳型をつくるために用いる型)．

airspace-filling p. ＝alveolar p.

airway p. 気道パターン（気管支壁肥厚，気管支拡張症，細気管支炎，あるいは細葉の硬化などの胸部写真における像)．

alveolar p. 肺胞パターン（胸部写真において，血管影を不鮮明にするぼやけた，あるいは濃い陰影)．＝airspace-filling p.

ballerina-foot p. バレリーナ足形〔収縮〕（左心室の力強

い後内側への収縮で，ときに前方凸の運動を伴う．相対する前壁の収縮が不良なために生じる．僧帽弁逸脱症候群で(正常の前壁でも)最もよくみられる収縮異常で，第一斜位における造影剤の形がバレリーナの足形に似ている)．＝dancer's foot malformation.

bat's wing p. コウモリ翼パターン（胸部正面X線写真で肺の中央部にみられる両側，対称性に合体した病的陰影)．＝butterfly p. (2).

butterfly p. *1* 蝶形陰影（胸部写真においてみられる，辺縁部には変化がない両側性の対称的な肺胞性陰影で，一般に肺水腫による)．*2* ＝bat's wing p.

ground-glass p. スリガラス像（胸部写真あるいはCTにおいてみられるぼやけた陰影で，肺血管陰影は認められる)．

honeycomb p. 蜂窩織像（胸部写真あるいはCTにおいてみられる濃く，わずかに不規則な多数の円形の陰影で，肺底部の胸膜に接する部分にみられることが多く，いろいろな原因の慢性間質性線維症による)．

hourglass p. 砂時計形〔収縮〕(血管造影上，第一斜位における左心室造影像で観察される砂時計の形に似た強い輪状の収縮で，僧帽弁逸脱症候群にみられる)．

interstitial p. 間質性パターン（間質の浸潤あるいは肥厚による胸部写真の所見の1つで，蜂窩織パターン，粟粒パターン，網状顆粒状パターン，あるいは小葉間隔壁線などがある)．

juvenile p. 若年性パターン（正常の小児にみられるのと類似した，心電図上の前胸部のT波の逆転．ときに若年性のST上昇を伴う．一部の成人，特に黒人においてV_1, V_2およびV_3誘導に正常範囲内の変化として起こる)．

miliary p. 粟粒パターン（胸部写真にみられる小粒状陰影で，結核の血行播種において特徴的で，大きさは粟粒にたとえられる)．

mosaic p. モザイクパターン（肺の高分解能CTにおいて，含気の相違による高あるいは低吸収域が入り交じった像で，慢性の肺梗塞あるいは閉塞性細気管支炎などでみられる．*cf.* oligemia)．

nodular p. 結節パターン（胸部放射線診断において，径が2—10 mmの多数の融合しない小陰影がみられるパターン)．

occlusal p. 咬合型．＝occlusal *form.*

reticulonodular p. 網状顆粒状陰影（胸部写真にみられる網状の陰影で，線状陰影の重なりの部分は結節状の肥厚として認められる．非特異的間質性陰影)．

wax p. ろう型（包んだ後に焼いたり他の方法で除去して鋳型をつくるときのろう)．＝wax form.

pat·u·lin (pat'yū-lin). パツリン（*Aspergillus*属，*Penicillium*属，*Gymnoascus*属のような菌類の代謝物から誘導される抗生物質．発癌作用をもつ)．

pat·u·lous (pat'yū-lŭs) [L. *patulus* < *pateo*, to lie open]. 開存〔性〕の．＝patent.

pau·ci·ar·ti·cu·lar (paw'sē-ar-tik'yū-lăr) [L. *pauci*, few + articular]. 少関節性の（数関節(2—4関節)が障害された状態)．

pau·ci·bac·il·lar·y (paw'sē-bas'i-lār'ē). 少数杆菌性（少数の杆菌からなる，あるいは杆菌が存在する)．

pau·ci·sy·nap·tic (paw'sē-si-nap'tik) [L. *pauci*, few + synapse]. 乏シナプスの．＝oligosynaptic.

Paul (pawl), Gustav. オーストリア人医師，1859—1935. →P. *reaction*, *test*; P.-Bunnell *test*.

Paul·i (paw'lē), Wolfgang. オーストリア生まれの米国人医師・ノーベル賞受賞者，1900—1958. →P. exclusion *principle*.

Pauling (pawl'ing), Linus C. 米国人化学者・ノーベル賞受賞者，1901—1994. →P. *theory*; P.-Corey *helix*.

pause (pawz) [G. *pausis*, cessation]. 休止〔期〕，停止，中休み（一時的停止)．

apneic p. 無呼吸〔性〕休止，無呼吸〔性〕停止（10秒以上の呼吸休止．→sleep *apnea*)．

compensatory p. 代償性休止期（期外収縮に続く休止期で，期外収縮の早発を代償するのに十分なほど長い．期外収縮に終わる短い周期と期外収縮の後の休止期を合わせると，正常の2つの周期に等しくなる)．

preautomatic p. 自動前休止（自動ペースメーカが補足する前に心臓の活動が一時的に停止すること．→escape)．

respiratory p. 呼吸休止，呼吸停止（10秒以下の呼吸休止．→sleep *apnea*)．

sinus p. 洞停止（規則的な洞調律が自然に止まり，正確な洞性周期ではない周期の休止期がある期間続くこと．→sinus *arrest*; sinus *standstill*)．

Pau·tri·er (pō-trē-ā'), Lucien M.A. フランス人皮膚科医，1876—1959. →P. *abscess*, *microabscess*.

Pau·zat (pō-ză'), Jean E. 19世紀のフランス人医師．

Pav·lov (pahv'lov), Ivan P. ロシア人生理学者・ノーベル賞受賞者，1849—1936. →pavlovian *conditioning*; P. *method*, *pouch*, *reflex*, *stomach*.

pav·or noc·tur·nus (pā'vōr nok-tĕr'nŭs) [L.]. 夜驚〔症〕，夜なき．＝night terrors.

Pa·vy (pah'vē), Frederick W. イングランド人医師，1829—1911. →P. *disease*.

paw·paw (paw'paw). →papaya.

PAX [MIM* 167410]. ペアドメインを有するヒト転写単位で，ショウジョウバエ遺伝子 paired (prd) および gooseberry (gsb) にきわめて類似している高度に保存された配列を有する．＝paired box genes.

PAX3 Waardenburg types 1 and 3 syndrome *gene* 遺伝子シンボル．

paxillin (pak'sĭl-in). パキシリン（多重ドメインをもつ68-kD細胞骨格蛋白で，細胞外マトリックスへの細胞接着部位でのアクチンと膜の接着に関与しているようである．また細胞骨格の成長および組織化の制御に関与している)．

Payne (pān), J. Howard. 20世紀の米国人外科医．→P. *operation*.

Payr (pīr), Erwin. ドイツ人外科医，1871—1946. →P. *clamp*, *membrane*, *sign*.

Pb 鉛の元素記号．

PBG porphobilinogen の略．

PBI protein-bound *iodine* の略．

p.c. ラテン語 *post cibum*(食後)の略．

PCA passive cutaneous *anaphylaxis*; patient-controlled *analgesia*; patient-controlled *anesthesia* の略．

pCa カルシウムイオン濃度の尺度．カルシウムイオン濃度の負の常用対数(10を底とする対数)の値．

PCB polychlorinated *biphenyl* の略．

PCIS *p*atient *c*are *i*nformation *s*ystem(患者医療情報システム)の略．病院内で医療記録保管に用いる相互コンピュータシステム．

PCMB, *p*CMB *p*-chloromercuribenzoate の略．

PCNA proliferating cell nuclear *antigen* の略．

pCO_2 二酸化炭素分圧を示す記号．

P con·gen·i·ta·le (kon-jen'i-tā'lē). 先天性P（[最後のeは発音される]．先天性心疾患のあるものにみられる心電図のP波で，I，II，aV_F，aV_L誘導で高いとがったP波(通常II誘導で最も大きい)と$V_{1\text{-}2}$誘導で陽性部分が優勢の二相性のP波とからなる)．

PCOS polycystic ovary *syndrome* の略．

PCP phencyclidine; plasma cell pneumonia (*Pneumocystis carinii*(現在では，*P. jiroveci*) pneumonia); primary care provider の略．

PCR polymerase chain *reaction* の略．

PCT *1* *porphyria* cutanea tarda; percutaneous transhepatic *cholangiography* の略．*2* patient care technician(患者ケア技術者，医療テクニシャン)の略．

PCV porcine *circovirus* の略．

PCWP pulmonary capillary wedge *pressure* の略．

PD phenyldichloroarsine の略．

Pd パラジウムの元素記号．

p.d. prism *diopter* の略．

PDA patent *ductus* arteriosus; posterior descending coronary *artery* の略．

PDE5 ホスホジエステラーゼ5．＝phosphodiesterase 5 *inhibitor*.

P-dex·tro·car·di·a·le (deks'trō-kar'dē-ā'lē). 右心性P（[最後のeは発音される]．右心房の過負荷を特徴とする心電図上の症候群．しばしばP-pulmonaleと誤ってよばれる．というのは，本症候群は，肺性心とは無関係に，どのような右心房の過負荷(例えば三尖弁閉鎖)からも起こりうるからである).

PDGF platelet-derived growth *factor* の略.

PDI Periodontal Disease *Index* の略.

PDL pulsed dye *laser* の略.

PDLL poorly differentiated lymphocytic *lymphoma* の略.

PDR *Physicians' Desk Reference* の略.

PDS Pendred 症候群および DFNB4 遺伝子の表記. ⇀ DFNB4 *gene*.

PDT photodynamic *therapy* の略.

PEA pulseless electrical *activity* の略.

peak (pēk) [M.E. *peke*, pike < Sp. *pico*, beak < L. *picus*, magpie]. ピーク (グラフ上の曲線, あるいは何らかの変動の最も高い点または上限値).

biclonal p. 2クローン性ピーク (電気泳動上でみられる2つの細いバンドで, 2種の細胞株由来の免疫グロブリンを示すとされる).

juxtaphrenic p. (jŭks-tă-fren′ik pēk). 傍横隔隆起 (胸部写真にみられる, 右横隔膜陰影の上にみられる三角形の陰影で, 横隔膜の上で横隔神経が胸膜上に張っている状態を表していると思われる).

kilovolts p. (**kVp**) キロボルトピーク (X線管内の瞬間的な最大電圧で, 放射されるX線の最大エネルギーに相当する).

monoclonal p. 単クローン性ピーク (電気泳動でみられる単一の細いバンド, あるいは免疫電気泳動でみられる異常な弧で, 単一細胞クローン由来の免疫グロブリンを示すとされる).

Pearl (pěrl), Raymond. 米国人生物学者, 1879—1940. ⇀P. *index*.

pearl (pěrl). 真珠, パール (①ある種の貝殻の中で1粒の砂や異物の周りに形成される凝固物. ②ぜん息の喀痰にみられる粘液のように小さな固い塊. ③=keratin p.).

Elschnig p.'s (elsh′nĭg). エルシュニッヒ真珠 (白内障囊外摘出術後にみられる水晶体囊に囲まれた増殖および変性による水晶体線維の部分的残存).

enamel p. エナメル真珠. =enameloma.

epithelial p. 上皮真珠. =keratin p.

Epstein p.'s (ep′stīn). エプスタイン真珠 (新生児で口蓋正中線上にみられる多発性の小さな白い上皮性封入囊胞).

gouty p. 痛風真珠. =tophus.

keratin p. ケラチン真珠 (異常な扁平細胞の同心円層内の中央にケラチン化の中心のあるもの. 扁平細胞癌でみられる). =epithelial nest; epithelial p.; pearl (3); squamous p.

Laënnec p.'s (lah-ĕ-nek′). ぜん息の人の痰にみられる小さな丸い透明な粘稠性の小球を表す, 現在では用いられない語. 水に浮かべると広がって Curschmann らせん体として認識される.

occlusal p. =*dens* evaginatus.

squamous p. 扁平真珠. =keratin p.

pearl-ash (pěrl-ash). 真珠灰. =potash.

Pear·son (pēr′sŏn), Karl. イングランド人数学者, 1857—1936. ⇀Poisson-P. *formula*; McArdle-Schmid-P. *disease*.

peau d'o·range (pō dŏ-rahnj′) [Fr. orange peel]. 乳癌が発生した部位の皮表が, 腫脹し点状陥凹を伴う状態. 間質への細胞浸潤と浮腫を伴うリンパ管の閉塞が起きている.

pec·cant (pek′ănt) [L. *peccans(-ant-)*: *pecco*(to sin)の現在分詞]. 病的な, 病原性の.

pec·ca·ti·pho·bi·a (pek′kă-ti-fō′bē-ă) [L. *peccatum*, sin + G. *phobos*, fear]. 犯罪恐怖〔症〕(罪を犯すことに対する病的な恐れ).

pecilo- ⇀poikilo-.

PEComa 血管周囲性類上皮細胞腫 (血管周囲性に類上皮細胞の増殖を示す類上皮細胞および紡錘細胞からなる間質性の腫瘍群. PEComa の腫瘍には, 血管筋脂肪腫, 肺および消化管その他の明細胞腫, リンパ脈管筋腫症, 鎌状間膜の明細胞性メラニン細胞腫などがある). =extrapulmonary sugar tumor; monotypic epithelioid angiomyolipoma; perivascular epithelioid cell tumor.

Pec·quet (pĕ-kā′), Jean. フランス人解剖学者, 1622—1674. ⇀P. *cistern*, *duct*, *reservoir*; *receptaculum* pecqueti.

PECT perivascular epithelioid cell *tumor* の略.

pec·tase (pek′tās). ペクターゼ (ペクチンをD-ガラクツロン酸(ペクチン酸)に変える酵素. ある種の食品の調理に用いられる). =pectinesterase.

pec·ten (pek′ten) [L. comb]. [pectin と混同しないこと]. ***1*** [TA]. 櫛 (櫛状の突起をもつ構造). ***2*** 肛門櫛. =anal p.

anal p. [TA]. 肛門櫛 (外科肛門管の中1/3部分で, 解剖肛門管の上半にあたり櫛状線と括約筋溝の間の部分で肛門上皮におおわれる). =p. analis [TA]; pecten (2).

p. analis [TA]. 肛門櫛. =anal p.

p. ossis pubis [TA]. 恥骨櫛. =p. pubis.

p. pubis [TA]. 恥骨櫛 (分界線が恥骨上枝にのびた部分で鋭い隆線を形成している). =p. ossis pubis [TA]; pectineal line of pubis.

pec·ten·i·tis (pek′ten-ī′tis) [L. *pecten*, a comb + G. *-itis*, inflammation]. 肛門櫛炎 (肛門括約筋の炎症).

pec·ten·o·sis (pek′ten-ō′sis). 肛門櫛症 (肛門櫛が肥大腫脹していること).

pec·tic (pek′tik) [G. *pēktos*, stiff, curdled]. ペクチンの.

pec·tic ac·id (pek′tik as′id). ペクチン酸. =D-galacturonic acid.

pec·tin (pek′tin). ペクチン ([pecten と混同しないこと]. ①現在より正確にはペクチン物質とよばれるものに対する広い意味の総称的用語. 特に, 長鎖のほとんどD-ガラクツロン酸単位(通常, α-1,4結合で, メチルエステルとして存在するときもある)からなり, プロトペクチン(ペクトース)として存在すると思われる果実から抽出されるゼラチン様の物質. ②市販のペクチンはしばしばペクチン酸とよばれ, かんきつ類の果物の外皮から得られた淡白色の溶解性粉末である. ジャムやゼリーのような食品の製造に用い, 通常, 他の薬品と併用して下痢の治療に, また血漿増量剤および保護剤として用いる. ペクチンはカルシウムと結合し, 高次に水和されている).

p. lyase ペクチンリアーゼ (ペクチンから 6-メチル-Δ-4,5-D-ガラクツロン酸残基の脱離反応を触媒する酵素. 解重合を引き起こす. 脱エステル化されたペクチンには作用しない. 特定の食品の処理に用いられる).

pec·tin·ase (pek′tin-ās). ペクチナーゼ. =polygalacturonase.

pec·ti·nate (pek′ti-nāt). 櫛状〔の〕(①櫛状をした, 櫛の形をした. =pectiniform. ②真菌学において, 皮膚糸状菌の培養における菌糸の分枝形成の特殊な型を表すのに用いる).

pec·tin·e·al (pek-tin′ē-ăl). 櫛の, 隆線の (恥骨または何らかの櫛様構造についていう). =pectineus (1).

pec·tin·es·ter·ase (pek′tin-es′tĕr-ās). ペクチンエステラーゼ. =pectase.

pec·ti·ne·us (pek′tin′ē-ŭs) [L.]. ***1*** =pectineal. ***2*** ⇀pectineus (*muscle*).

pec·tin·ic ac·ids (pek-tin′ik as′idz). ペクチン酸 (工業用ペクチンにときに用いる語).

pec·tin·i·form (pek-tin′i-fōrm). =pectinate (1).

pec·ti·za·tion (pek′ti-zā′shŭn) [G. *pēktikos*, curdling]. 凝膠 (膠質化学においての凝固).

pec·to·ral (pek′tō-răl) [L. *pectoralis* < *pectus*, breast bone]. 胸の, 胸筋の ([誤った発音 pector′al を避けること]).

pec·to·ral·gi·a (pek′tō-ral′jē-ă) [L. *pectus*(*pector-*), chest + G. *algos*, pain]. 胸痛.

pec·to·ril·o·quy (pek′tō-ril′ŏ-kwē) [L. *pectus*, chest + *loquor*, to speak]. 胸声 (肺組織を通して声が伝わるのが増強し, したがって胸部聴診で明瞭に聴取される. 通常, 肺実質の硬化の存在を示す). =pectorophony.

aphonic p. 無音胸声. =Baccelli *sign*.

whispered p., whispering p. 耳語(囁語)胸声 (通常の声音による胸声と同じように行う囁音による胸声). =whispered bronchophony.

pec·to·roph·o·ny (pek′tō-rof′ŏnē) [L. *pectus*, chest + G. *phōnē*, voice]. =pectoriloquy.

pec·tose (pek′tōs). ペクトース (⇀pectin; protopectin).

pec·tous (pek′tŭs). ペクチンの (①ペクチンまたはペクトースに関連するか, それらの組成をもつ. ②しばしばあるゲルで起こる硬い凝固状態をいう. これは永久的で, そのゲル状には戻らない).

pec·tus, gen. **pec·to·ris,** pl. **pec·to·ra** (pek′tŭs, pek′tō-ris, pek′tō-ră) [L.]．胸．＝chest (2).

p. carinatum 鳩胸（胸骨が前方に突出し，両側の胸は平らで，船の竜骨に似ている）．＝chicken breast; keeled chest; pigeon breast; pigeon chest.

p. excavatum [MIM*169300]．漏斗胸（**[**pectus excavatum の特別な意味で単純な単語 pectus の使用をしないこと．誤った語句 pectus excavatus を避けること**]**．剣状突起が後方に変位しているため胸の下方がくぼんでいる）．＝foveated chest; funnel chest; funnel breast; koilosternia; p. recurvatum; trichterbrust.

p. recurvatum ＝p. excavatum.

ped-, pedi-, pedo- ***1*** [G. *pais*, child]．小児に関する連結形．***2*** [L. *pes*, foot]．足に関する連結形．

ped·al (ped′ăl) [L. *pedalis* < *pes*(*ped-*), foot]．足の（**[**誤った発音 pē′dal を避けること．重複的な表現 foot pedal を避けること**]**．足または足とよばれる構造に関する）．

ped·a·tro·phi·a, pe·dat·ro·phy (ped′ă-trō′fē-ă, -at′rō-fē) [G. *pais*(*paid-*), child + atrophy]．小児衰弱，小児無栄養症．＝marasmus.

ped·er·ast (ped′ĕr-ăst)．肛門性交者．

ped·er·as·ty (ped′ĕr-as′tē) [G. *paiderastia* < *pais*(*paid-*), boy + *eraō*, to long for]．肛門性交（同性愛者の肛門性交．特に少年との肛門性交）．

Pederson spec·u·lum (pē′dĕr-sŏn)．⇒speculum.

pe·de·sis (pē-dē′sis) [G. *pēdēsis*, a leaping]．分子運動．＝brownian *movement*.

pedi- ⇀ped-.

pe·di·at·ric (pē′dē-at′rik) [G. *pais*(*paid-*), child + *iatrikos*, relating to medicine]．小児〔科学の〕．

pe·di·a·tric·ian (pē′dē-ă-trish′ăn)．小児科医．＝pediatrist.

pe·di·at·rics (pē′dē-at′riks) [G. *pais*(*paid-*), child + *iatreia*, medical treatment]．小児科学（誕生から青年期に達するまでの小児の健康と病気の研究，治療を取り扱う医学の分野）．

pe·di·at·rist (pē′dē-at′rist)．＝pediatrician.

ped·i·at·ry (pē′dē-at′rē, pē-dī′ă-trē)．pediatrics に対してまれに用いる語．

ped·i·cel (ped′i-sel) [Mod. L. *pedicellus*: L. *pes*(foot)の指小辞]．小足（**[**pedicle と混同しないこと**]**．腎小体の内臓被膜を形成するポドサイトの第二突起）．＝footplate (2); footplate☆; foot process.

ped·i·cel·late (ped′i-sel′lāt)．＝pediculate.

ped·i·cel·la·tion (ped′i-sĕ-lā′shŭn)．茎発生，脚発生（茎や脚の形成）．

ped·i·cle (ped′ĭ-kĕl) [L. *pediculus*: *pes*(foot)の指小辞] [TA]．茎（**[**pedicel と混同しないこと**]**．①狭窄部位あるいは茎．＝pediculus (1) [TA]．②固着性でない腫瘍と正常組織とをつなぐ茎．＝peduncle (2)．③皮弁，筋弁などを他所に移植する際の栄養血管を含んだ茎）．

p. of arch of vertebra [TA]．椎弓根（椎弓体から椎弓板へのびる両側の椎弓の狭窄部位で，隣接する椎弓根との間で椎間孔の上下を形成する）．＝pediculus arcus vertebrae [TA]; radix arcus vertebrae.

vascular p. 血管〔性〕茎（胸部X線写真において，動脈弓と上行大静脈レベルで縦隔の拡大部分）．

pe·dic·u·lar (pĕ-dik′yū-lăr) [L. *pedicularis*]．シラミの．

pe·dic·u·late (pĕ-dik′yū-lāt) [L. *pediculatus*]．有茎の，有柄の．＝pedicellate; pedunculate.

pe·dic·u·li (pĕ-dik′yū-lī) [L.]．pediculus の複数形．

pe·dic·u·li·cide (pĕ-dik′yū-li-sīd) [L. *pediculus*, louse + *caedo*, to kill]．殺シラミ薬．

Pe·dic·u·loi·des ven·tri·co·sus (pĕ-dik′yū-loy′dēz ven′tri-kō′sŭs) [Mod. L. < L. *pediculus*, louse + *venter*, belly]．シラミダニ．＝*Pyemotes tritici*.

pe·dic·u·lo·pho·bi·a (pĕ-dik′yū-lō-fō′bē-ă) [L. *pediculus*, louse + G. *phobos*, fear]．シラミ恐怖〔症〕（シラミが寄生することに対する病的な恐れ）．＝phthiriophobia.

pe·dic·u·lo·sis (pĕ-dik′yū-lō′sis) [L. *pediculus*, louse + G. *-osis*, condition]．シラミ寄生症（シラミが寄生している状態）．

p. capitis アタマジラミ寄生症（頭髪，頭皮にシラミがいること．特に小児にみられ，頭髪には卵がくっついている）．

p. corporis コロモジラミ寄生症（コロモジラミがいること．衣服の縫い目に生存して，シラミが咬むことによってそう痒や掻把痕を生じる）．

p. palpebrarum 眼瞼シラミ寄生症（睫毛にシラミがいること）．

p. pubis ケジラミ寄生症（ケジラミ *Pthirus pubis* による寄生．特に陰毛にみられそう痒と空色の斑を生じる）．

pe·dic·u·lous (pĕ-dik′yū-lŭs)．シラミ寄生症の．＝lousy.

Pe·dic·u·lus (pĕ-dik′yū-lŭs) [L.]．シラミ属（ヒトジラミ科の一属．毛の中に住み，人体から周期的に栄養をとっている寄生虫．重要種はヒトに感染するヒトジラミ *P. humanus*，ヒトに寄生するアタマジラミ *P. humanus* var. *capitis*，ヒトの着衣に寄生し，卵を産み，吸血するコロモジラミ *P. humanus* var. *corporis*(*P. vestimenti*, *P. corporis* ともよばれる)およびケジラミ *P. pubis* である）．

pe·dic·u·lus, pl. **pe·dic·u·li** (pĕ-dik′yū-lŭs, -lī) ***1*** [L. pedicle] [TA]．茎．＝pedicle (1). ***2*** [L.]．シラミ（⇀*Pediculus*）．

p. arcus vertebrae [TA]．椎弓根．＝*pedicle* of arch of vertebra.

ped·i·cure (ped′i-kyūr) [L. *pes*(*ped-*), foot + *cura*, treatment]．足治療．

ped·i·gree (ped′i-grē) [M.E. *pedegra* < O.Fr. *pie de grue*, foot of crane]．家系図（家系の先祖代々の系列で，特に家系歴を示すために表に図解したもの．メンデル式遺伝を分析するために遺伝学で用いる）．

pe·di·o·pho·bi·a (pē′dē-ō-fō′bē-ă) [G. *paidion*, a little child + *phobos*, fear]．小児恐怖〔症〕，人形恐怖〔症〕（小児や人形を見ることによって起こる病的な恐れ）．

ped·i·pha·lanx (ped′i-fā′langks) [L. *pes*(*ped-*), foot + phalanx]．足趾節（足の指節．手の指節とは区別される）．

pedo- ⇀ped-.

pe·do·don·ti·a (pē-dō-don′shē-ă)．＝pedodontics.

pe·do·don·tics (pē-dō-don′tiks) [G. *pais*, child + *odous*, tooth]．小児歯科〔学〕（小児の歯科治療を扱う歯科の分野）．＝pediatric dentistry; pedodontia.

pe·do·don·tist (pē-dō-don′tist)．小児歯科医．

ped·o·dy·na·mom·e·ter (ped′ō′dī′nă-mom′ĕ-tĕr) [L. *pes*(*ped-*), foot + G. *dynamis*, force + G. *metron*, measure]．足力測定器（足の筋肉の強さを測定する器械）．

pe·do·gen·e·sis (pē′dō-jen′ĕ-sis) [G. *pais*(*paid-*), child + *genesis*, origin]．幼生生殖（ある種のタマバエ(*Miastor*属)にみられる，性発達を伴った永久的幼虫期．*cf.* neoteny）．

ped·o·gram (ped′ō-gram)．足底描写図，ペドグラム（足底描写器でなされる記録）．

ped·o·graph (ped′ō-graf) [L. *pes*(ped-), foot + G. *graphō*, to write]．足底描写器，ペドグラフ（歩行状態を記録し研究する器械）．

pe·dog·ra·phy (pĕ-dog′ră-fē)．足底描写〔法〕，ペドグラフィ〔ー〕（ペドグラフで記録すること）．

pe·dom·e·ter (pĕ-dom′ĕ-tĕr) [L. *pes*(*ped-*), foot]．歩数計，ペドメータ（歩行による距離を測定するための器械）．＝podometer.

pe·do·mor·phism (pē′dō-mōr′fizm) [G. *pais*(*paid-*), child + *morphē*, form]．小児の行動を描写する用語を成人の行動について用いること．

pe·do·phil·i·a (pē′dō-fil′ē-ă) [G. *pais*, child + *philos*, fond]．小児〔性〕愛（精神医学において，性的目的をもつ成人の小児に対する異常な興味）．

pe·do·phil·ic (pē′dō-fil′ik)．小児〔性〕愛の．

pe·dun·cle (pe-dŭng′kĕl, pē′dŭng-kĕl) [Mod. L. *pedunculus*: *pes*(foot)の指小辞]．***1*** 脚（神経解剖学においては，この用語は，もっぱら白質(例えば小脳脚)または白質と灰白質(例えば大脳脚)からなる脳の種々の脚状の連絡組織に漠然と用いる）．＝pedunculus [TA]．***2*** 茎．＝pedicle (2).

cerebral p. [TA]．大脳脚（もともとは前脳と後脳を連結するやや細くなった首状部分である中脳の両半分の部分をさす名称であったが，その後，様々な意味で用いられるようになった．crus cerebri とよばれる皮質投射線維の大きな束のみをさしたり，これに被蓋を加えたものをさしたりするが，後者のほうが好ましい．脚底にある黒質は被蓋と crus cerebri とを境する構造とみなされている．→*crus* cerebri）．＝

pedunculus cerebri [TA].

p. of corpus callosum べんち体脚. =subcallosal *gyrus.*

p. of flocculus [TA]. 片葉脚（小脳の片葉と小節を連絡している線維束で，一部は第4脳室底の下髄帆にのびている）. =pedunculus flocculi [TA].

inferior cerebellar p. 下小脳脚（延髄上部の後外側面から起こり菱形窩の外側陥凹の下を通り上方に回って中小脳脚の尾内側で小脳にはいる左右1対の大線維束で，索状体という外側の大きな束と索状傍体という内側の小さな束とからなる脊髄ニューロンと延髄中継核からの線維の複合体である．大部分は下オリーブ核からの線維と交叉する．後脊髄小脳路正中傍網様体核，舌下神経周囲核などからの線維を含む．第八神経線維は下小脳脚中の内側に位置するのでしばしば切り離して索状傍体として扱われる）. =pedunculus cerebellaris inferior [TA].

inferior thalamic p. 下視床脚（視床の前部から腹側および吻側方向に出現する大きな線維束で，一部は内包の内側線維と一緒になり，内包の内側縁に沿って外側に曲がり無名質に至る．線維の多くは視床の背内側核と前頭葉の眼窩回との相互性の線維連絡をなすが，多くの他の線維は扁桃および嗅皮質から背内側核への伝導路を構成している.→*ansa* peduncularis）. =inferior thalamic radiation [TA]; radiatio inferior thalami [TA]; pedunculus thalami inferior.

lateral thalamic p. 外側視床脚（視床の後外側部から出て放線冠に合流する線維束．視床の外側核と膝状体を大脳皮質の対応する部位に相互的に連結する.→central thalamic *radiation*）. =pedunculus thalami lateralis.

p. of mammillary body 乳頭体脚（中脳の腹側面に沿って乳頭体に達する神経線維束．背側および腹側の被蓋核から始まる線維からなる）. =fasciculus pedunculomammillaris; pedunculomammillary fasciculus; pedunculus corporis mammillaris.

middle cerebellar p. [TA]. 中小脳脚（3対ある小脳脚のうち最大のもので，主として橋核から起始する線維からなり，橋底の正中線を越えて対側の後側に移り太い束となって橋被蓋の外側を乗り越えて小脳にはいる．少数の対側へ移らない線維もある．線維は主に小脳半球の皮質に分布し，少数の側副線維が小脳核に達している）. =pedunculus cerebellaris medius [TA]; brachium pontis.

olfactory p. =olfactory *tract.*

superior cerebellar p. [TA]. 上小脳脚（歯状核と中位核より起こり第4脳室の外壁に沿って頭方に向かい小脳から出ていく．神経束は脳幹の背面から中脳被蓋へ埋没する．中脳被蓋ではこの線維の多くが大きな上小脳脚の交叉となって交わる．神経束の一部は反対側の赤核に終わるが大部分は頭方に向かい視床の中間腹側核，外側側核，外側中心核に続く）. =pedunculus cerebellaris superior [TA]; brachium conjunctivum cerebelli.

ventral thalamic p. 腹側視床脚（視床の外側縁および前縁から出て内包および放線冠の一部分に連絡する大きな線維束で，視床腹側核を大脳皮質の中心前回および中心後回に相互的に連結している線維を含む）. =pedunculus thalami ventralis.

pe·dun·cu·lar (pe-dŭng′kyū-lăr). 茎の，柄の，脚の.

pe·dun·cu·late (pe-dŭng′kyū-lāt). 有茎の，柄のある. =pediculate.

pe·dun·cu·lot·o·my (pe-dŭng′kyū-lot′ŏ-mē) [peduncle + G. *tomē*, incision]. ***1*** 大脳脚切断術（大脳脚の全部または一部の切断）. ***2*** 脚切断〔術〕，脚切開〔術〕（中脳における錐体路切断術）.

pe·dun·cu·lus, pl. **pe·dun·cu·li** (pe-dŭng′kyū-lŭs, -kū-lī) [Mod. L. *pes*(foot)の指小辞][TA]. 脚. =peduncle (1).

p. cerebellaris inferior [TA]. 下小脳脚. =inferior cerebellar *peduncle.*

p. cerebellaris medius [TA]. 中小脳脚. =middle cerebellar *peduncle.*

p. cerebellaris superior [TA]. 上小脳脚. =superior cerebellar *peduncle.*

p. cerebri [TA]. 大脳脚. =cerebral *peduncle.*

p. corporis callosi べんち体脚. =subcallosal *gyrus.*

p. corporis mammillaris 乳頭体脚. =*peduncle* of mammillary body.

p. flocculi [TA]. 片葉脚. =*peduncle* of flocculus.

p. of pineal body 松果体脚（→habenula (2)）.

p. thalami inferior 下視床脚. =inferior thalamic *peduncle.*

p. thalami lateralis 外側視床脚. =lateral thalamic *peduncle.*

p. thalami ventralis 腹側視床脚. =ventral thalamic *peduncle.*

p. vitellinus yolk *stalk* を表す現在では用いられない語.

peel (pēl). はぐ（はぎとったり，むいたりして外層を除去する）.

face p. 顔面皮膚剝皮術（しわや色素異常あるいは瘢痕を改善するためにいろいろな量のトリクロル酢酸，フェノール，クロトン油やその他の化学製剤，さらには機械的製剤（例えば微小剝削剤）を用いて表皮を除去すること．また5FUなどの化学療法製剤を用いて皮膚形成異常や光線角化症などの治癒を促進することも含まれる）.

peel·ing (pēl′ing) [M.E. *pelen*]. ピーリング（熱傷や治療による剝脱などにより表皮をはがしたり，表皮がなくなること）.

chemical p. =chemexfoliation.

recurrent palmar p. 再発性手掌表皮剝脱. =*keratolysis* exfoliativa congenita.

pee·nash (pē′nash) [東インド語]. 鼻腔中に昆虫の幼虫が外寄生することによって起こる鼻炎.

PEEP (pēp). ピープ（positive end-expiratory *pressure* の頭字語）.

peer re·view (pēr rē-vyū′). 同等者(同僚)検閲（研究計画，投稿原稿，科学的会議での発表抄録などを同一分野の研究者が評価すること．同一分野の他の研究者によって技術的および科学的内容が判定される）.

PEG polyethylene glycols の略.

peg (peg). 釘，せん（円柱状の突起）.

rete p.'s =rete *ridges.*

peg- [*p*oly*e*thylene *g*lycol]. ペグ化させた(ポリエチレングリコール分子を結合させた)化合物を示す接頭語(例えばペグインターフェロン).

PEGs polyethylene glycols の略.

pegylated (peg′i-lāt-ed) [PEG(*p*oly*e*thylene *g*lycol) + *-yl*, chemical suffix + *-ated*, pp. suffix]. ペグ化（(ポリエチレン)グリコール部分を化学的に結合させた化合物).

Peif·fer (pīf′ĕr), J. 20世紀のドイツ人医師. →Hirsch-P. *stain.*

pe·jor·ism (pē′jōr-izm) [L. *pejor*, worse]. 厭世主義.

PEL permissible exposure *limit* の略.

Pel (pĕl), Pieter K. オランダ人医師，1852—1919. →P.-Ebstein *disease*, *fever*.

pe·lade (pĕ-lad′, -lahd′) [Fr. *peler*, to remove the hair from a hide]. 脱毛〔症〕. =alopecia.

pel·ar·gon·ic ac·id (pel′ar-gon′ik as′id). ペラルゴン酸（ラッカーおよびプラスチックの生成に用いる物質．オレイン酸の酸化的開裂により生成する）. =*n*-nonanoic acid.

Pel·ger (pel′gĕr), Karel. オランダ人医師，1885—1931. →P.-Huët nuclear *anomaly*.

pe·li·o·sis (pē′lē-ō′sis, pel-) [G. *peliōsis*, a livid spot, livor]. 紫斑病. =purpura.

bacterial p. 細菌性紫斑病（肝臓，脾臓，リンパ節の出血性嚢胞の細菌感染．免疫無防備状態の患者にみられる．*Bartonella henselae* により引き起こされる）.

Pe·li·zae·us (pā-lē′tsā′ūs), Friedrich. ドイツ人神経科医，1850—1917. →Merzbacher-P. *disease*; P.-Merzbacher *disease*.

pel·lag·ra (pĕ-lag′ră, pĕ-lā′gră) [It. *pelle*, skin + *agra*, rough]. ペラグラ（胃腸障害，落屑を伴う紅斑(特に露出部の)，神経および精神障害を特徴とする病気．粗食，アルコール中毒，栄養を損なう他の疾患によって起こる．トウモロコシが食事の主栄養物である場合にナイアシン欠乏をきたし，よくみられる）. =Alpine scurvy; maidism; mal de la rosa; mal rosso; mayidism; psychoneurosis maidica; Saint Ignatius itch.

infantile p. 乳児ペラグラ. =kwashiorkor.

secondary p. 続発〔性〕ペラグラ（ビタミンの必要量が増えたり利用できる供給源が減ったりすることによって栄養が

P

障害された病的状態から起こるペラグラ).

p. sine p. 無皮膚症状性ペラグラ(特徴的な皮膚病変のないペラグラ).

pel·lag·roid (pĕ-lag′royd). 類ペラグラの.

pel·lag·rous (pĕ-lag′rŭs). ペラグラの.

Pel·le·gri·ni (pel′ĕ-grē′nē), Augusto. 20世紀のイタリア人外科医. ⇀P. *disease*; P.-Stieda *disease*.

pel·let (pel′et) [Fr. *pelote*; L. *pila*, a ball]. ***1*** 小丸剤, 顆粒剤. ***2*** ペレット剤, 植込み剤(ごく小さな丸い杆状または卵形の無菌性の製剤で, 主に純粋のステロイドホルモンの圧縮形. 体組織の皮下に植え込むことを目的としているペレット剤は, 長期間ホルモンがゆっくり放出するデポ剤として作用する).

pel·li·cle (pel′i-kĕl) [L. *pellicula*: *pellis*(skin)の指小辞]. ***1*** 周皮, 薄皮, 小皮(文字どおり, 非特異的に薄い皮膚をいう). ***2*** 薄膜, 菌膜(液体表面の薄膜または浮きかす). ***3*** 外皮, 外被, 薄皮, 薄膜(Apicomplexa亜門(胞子虫綱)に属する原生動物のスポロゾイトとメロゾイトの細胞限界膜で, 単位膜性の外膜と2つの単位膜からなる内膜より構成されている).

acquired p. 獲得被膜(主として唾液のグリコプロテインに由来する薄膜(約1 μm). 清潔な歯冠が唾液にさらされたとき, その表面に生じる). = acquired cuticle; acquired enamel cuticle; brown p.; posteruption cuticle.

brown p. 褐色薄膜. = acquired p.

pel·lic·u·lar, pel·lic·u·lous (pe-lik′yū-lăr, -lŭs). 周皮の, 小皮の, 薄皮の, 薄膜の, 菌膜の, 外皮の, 外被の.

Pel·liz·za·ri (pel-ĭ-tsah′rē), Pietro. イタリア人皮膚科医, 1823—1892. ⇀Jadassohn-P. *anetoderma*.

Pellizzi (pĕ-lē′tsē), G.B. 19—20世紀のイタリア人医師. ⇀P. *syndrome*.

pe·llo·te (pā-yō′tā) [アステカ語 *peyotl*]. = peyote.

pel·lu·cid (pe-lū′sid) [L. *pellucidus*]. 透明の(光を通過させる).

pel·ma (pel′mă) [G.]. 足底. = sole.

pel·mat·ic (pel-mat′ik) [G. *pelma*, sole]. 足底の.

pel·mat·o·gram (pel-mat′ō-gram) [G. *pelma* (*pelmat-*), sole of the foot + *gramma*, picture]. 足底紋(足の裏の押印で, インキを付けた足を紙の上に置くか, 脂を塗った足をギプス泥に押し付けてつくる).

pe·lop·a·thy (pē-lop′ă-thē) [G. *pēlos*, mud + *pathos*, suffering]. = pelotherapy.

pe·lo·ther·a·py (pē′lō-thār′ă-pē) [G. *pēlos*, mud + *therapeia*, treatment]. 泥土療法(泥, 泥炭, 粘土のような治療用泥を体の一部または全体にあてがう). = pelopathy.

pel·ta (pel′tă) [L. a shield]. ペルタ(*Trichomonas*属のある種の鞭毛虫のべん毛基部前方付近に位置する, 三日月形の銀染色性の膜様小器官).

pel·ta·tion (pel-tā′shŭn) [L. *pelta*, a light shield < G. *peltē*]. 接種予防効果(抗血清またはワクチンを接種することによる予防効果).

pelvi-, pelvio-, pelvo- [L. *pelvis*, basin(pelvis)]. 骨盤を意味する連結形. *cf.* pyelo-; pelyco-.

pel·vic (pel′vik). 骨盤の.

pel·vic di·rec·tion (pel′vik dĭ-rek′shŭn). 骨盤腔の中軸の方向.

pel·vi·ceph·a·log·ra·phy (pel′vi-sef′ă-log′ră-fē) [pelvi- + G. *kephālē*, head + *graphō*, to write]. 骨盤児頭撮影〔法〕. = cephalopelvimetry.

pel·vi·ceph·a·lom·e·try (pel′vi-sef′ă-lom′ĕ-trē) [pelvi- + G. *kephalē*, head + *metron*, measure]. 骨盤児頭計測〔法〕(女性の骨盤径と児頭径の相関関係を測定すること).

pel·vi·fix·a·tion (pel′vi-fik-sā′shŭn). 骨盤臓器固定〔術〕(遊離している骨盤臓器を骨盤壁に外科的に固定すること).

pel·vi·li·thot·o·my (pel′vi-li-thot′ŏ-mē) [pelvi- + G. *lithos*, stone + *tomē*, incision]. 腎盂切石〔術〕. = pyelolithotomy.

pel·vim·e·try (pel-vim′ĕ-trē) [pelvi- + G. *metron*, measure]. 骨盤計測〔法〕(骨盤径の測定). = radiocephalpelvimetry.

CT p. CT骨盤計測(CT画像による骨産道および児頭の計測方法. 最近のより正確な画像診断法).

manual p. 用手骨盤計測〔法〕(手を用いて骨盤径の長さを測る方法).

radiographic p. X線骨盤計測(前後面および側面撮影による骨産道および児頭の計測. 径線の計測では拡大率を補正する).

pelvio- ⇀pelvi-.

pel·vi·o·li·thot·o·my (pel-vē-ō-li-thot′ŏ-mē). = pyelolithotomy.

pel·vi·o·per·i·to·ni·tis (pel′vē-ō-per′i-tō-nī′tis). 骨盤腹膜炎. = pelvic *peritonitis*.

pel·vi·o·plas·ty (pel′vē-ō-plas′tē) [pelvio- + G. *plastos*, formed]. 腎盂形成〔術〕. = pyeloplasty.

pel·vi·os·co·py (pel′vē-os′kŏ-pē) [pelvio- + G. *skopeō*, to view]. 骨盤検査〔法〕(様々な目的で骨盤を検査すること. 通常, 内視鏡検査による). = pelvoscopy.

pel·vi·per·i·to·ni·tis (pel′vē-per′i-tō-nī′tis). = pelvic *peritonitis*.

PELVIS

pel·vis, pl. **pel·ves** (pel′vis, pel′vēz) [L. basin][TA]. ***1*** 骨盤(体幹の下端に位置し, 靱帯とともに両側と前方は寛骨(恥骨, 腸骨, 坐骨), 後方は仙骨と尾骨よりできている大きな杯状の骨の環). ***2*** 杯, 盤(腎盤のような, たらい状または杯状の洞).

android p. 男性型骨盤(男性型骨盤 masculine p. または漏斗骨盤).

anthropoid p. 類人猿型骨盤(前後径が長く横径が狭い骨盤. →platypellic). = dolichopellic p.; longitudinal oval p.

assimilation p. 癒合骨盤(最後の腰椎の横突起が仙骨と癒合しているか, 仙骨下端が尾骨と癒合している奇形).

beaked p. くる病骨盤. = osteomalacic p.

brachypellic p. 短径骨盤(横径が前後径より1—3 cm長い骨盤). = transverse oval p.

caoutchouc p. 弾性ゴム状骨盤(骨軟化症にみられる骨盤). = rubber p.

contracted p. 狭骨盤(骨盤径がどの部分でも正常値より短い骨盤).

cordate p., cordiform p. 心臓形骨盤(仙骨が腸骨間で前方に突出して縁が心臓の形をした骨盤). = heart-shaped p.

Deventer p. (dĕ-ven′tĕr). デヴェンテル骨盤(前後径の短い骨盤).

dolichopellic p. 長径骨盤. = anthropoid p.

dwarf p. 小人骨盤(非常に小さな骨盤で, 骨が小児におけるように軟骨で結合している). = p. nana.

false p. = greater p.

flat p. 扁平骨盤(前後径が一様に異常に狭く, 仙骨が腸骨間で前方に変位している骨盤). = p. plana.

frozen p. 固着骨盤(小骨盤内腔が, 特に癌の浸潤によって硬化している状態). = hardened p.

funnel-shaped p. 漏斗骨盤(骨盤入口の寸法は正常であるが, 出口の横径または横径と前後径の両方が狭くなっている骨盤).

p. of gallbladder = Hartmann *pouch*.

greater p. [TA]. 大骨盤(骨盤入口より上方の拡張している部分). = p. major [TA]; false p.; large p.; p. spuria.

gynecoid p. 女性型骨盤(正常な女性型の骨盤).

hardened p. = frozen p.

heart-shaped p. 心臓形骨盤. = cordate p.

inverted p. 転向骨盤, 転倒骨盤(恥骨で分離している分離骨盤).

p. justo major 均等膨大骨盤(径がどの部分でも正常値より大きい対称性骨盤).

p. justo minor 均等狭窄骨盤(径がどの部分でも正常より狭い骨盤).

juvenile p. 幼若型骨盤(骨がほっそりしている均等狭窄骨盤).

kyphoscoliotic p. 〔脊柱〕後側弯〔性〕骨盤(通常, 重篤なくる病により起こる, 脊柱側弯を伴った脊柱の前後に著しい弯曲のある骨盤).

kyphotic p.〔脊柱〕後弯〔性〕骨盤（脊柱後弯変形により生じた変形した骨盤）.
large p. 大骨盤. ＝greater p.
lesser p. [TA]. 小骨盤（骨盤入口すなわち骨盤上口より下方の骨盤腔）. ＝p. minor [TA]; p. vera; small p.; true p.
longitudinal oval p. 縦卵形骨盤. ＝anthropoid p.
lordotic p.〔脊柱〕前弯〔性〕骨盤（脊柱前弯により生じた変形した骨盤）.
p. major [TA]. 大骨盤. ＝greater p.
masculine p. 男性型骨盤（①骨が大きくて重い均等狭窄骨盤. ②女性の軽度の漏斗骨盤で，形が男性骨盤に似ている）.
mesatipellic p. 中骨盤（前後径と横径が等しいか，横径が前後径より 1 cm 以上は長くない骨盤を表す現在では用いられない語）. ＝round p.
p. minor [TA]. 小骨盤. ＝lesser p.
Nägele p. (nā′gĕ-lĕ). ネーゲレ骨盤（斜めに狭窄または片側性に骨癒合している骨盤で，一方の仙腸骨関節の強直によってその側の仙骨の発育が停止し，仙骨は同側に曲がり，恥骨結合は反対側に偏位する）.
p. nana 小人骨盤. ＝dwarf p.
p. obtecta 有蓋骨盤，覆蓋骨盤（脊柱後弯性骨盤の一型で，脊柱の角弯曲が低位で極端なために脊柱が骨盤入口を越えて水平に突出している）.
osteomalacic p. 骨軟化〔症〕骨盤（骨軟化症における骨盤の変形．仙骨に対する体幹の圧力と大腿骨頭にかかる側方の圧力が，骨盤口を三角形またはハート形またはクローバー形にし，一方，恥骨はくちばし状になる）. ＝beaked p.; rostrate p.
Otto p. (ot′ō). オット骨盤. ＝Otto *disease*.
p. plana 扁平骨盤. ＝flat p.
platypellic p. 扁平骨盤. ＝platypelloid p.
platypelloid p. 扁平骨盤（骨盤入口部の横径が前後径よりも長い骨盤のことで，そのために骨盤入口部が扁平な楕円形にみえる. →flat p.）. ＝platypellic p.
Prague p. (prahg). プラハ骨盤. ＝spondylolisthetic p.
pseudoosteomalacic p. 偽骨軟化症性骨盤（強度のくる病骨盤で，産褥骨軟化症骨盤に類似し，骨盤腔は仙骨が前方に突出し，寛骨臼が接近して狭くなっている）.
rachitic p. くる病骨盤（狭窄し変形した骨盤で，最も一般にみられるのは年少期に骨がくる病で軟化するために起こる扁平骨盤である）.
renal p. [TA]. 腎盤，腎盂（尿管上端の扁平な漏斗状膨大部で腎杯を受け，先端は尿管に続いている）. ＝p. renalis [TA]; ureteric p.
p. renalis [TA]. 腎盤，腎盂. ＝renal p.
reniform p. 腎形骨盤（心臓形骨盤の変形で，横径が長く，骨盤入口面は腎臓形をしている）.
Robert p. (rō′bĕrt). ローベルト骨盤（仙骨翼がほとんどないため，横径が短い骨盤を表す現在では用いられない語）.
Rokitansky p. (rō-ki-tahn′skē). ロキタンスキー骨盤. ＝spondylolisthetic p.
rostrate p. ＝osteomalacic p.
round p. 円形骨盤. ＝mesatipellic p.
rubber p. ゴム状骨盤. ＝caoutchouc p.
scoliotic p. 脊柱側弯性骨盤（脊柱側弯を伴う変形骨盤）.
small p. 小骨盤. ＝lesser p.
spider p. クモ状腎盂（狭い腎杯をもつ腎盂）.
split p. 分離骨盤（恥骨結合のない骨盤で，骨盤骨は完全にある間隔で分離している．通常，膀胱外反を伴う）.
spondylolisthetic p. 脊椎すべり症骨盤（腰椎体または腰椎の 1 つが前方に変位したため骨盤入口が多少閉塞された骨盤）. ＝Prague p.; Rokitansky p.
p. spuria ＝greater p.
transverse oval p. 横卵形骨盤. ＝brachypellic p.
true p. ＝lesser p.
ureteric p. ＝renal p.
p. vera ＝lesser p.

---

pel·vi·sa·cral (pel′vi-sā′krăl). 骨盤仙骨の（骨盤または寛骨，および仙骨に関する）.

pel·vi·scope (pel′vi-skōp) [pelvi- + G. *skopeō*, to view]. 骨盤検査器，骨盤鏡（骨盤の内部を検査するための内視鏡）.
pel·vi·therm (pel′vi-therm) [pelvi- + G. *thermē*, heat]. 〔腟式〕骨盤温熱療法器（骨盤臓器へ熱を提供する器械）.
pel·vi·u·re·ter·og·ra·phy (pel′vi-yū-rē′tĕr-og′ră-fē). 腎盂尿管造影(撮影)〔法〕. ＝pyelography.
pelvo- →pelvi-.
pel·vo·cal·i·ec·ta·sis (pel′vō-kal′ē-ek′tă-sis). 腎盂腎杯拡張症. ＝hydronephrosis.
pel·vo·ceph·a·log·ra·phy (pel′vō-sef′ă-log′ră-fē). ＝ cephalopelvimetry.
pel·vos·co·py (pel-vos′kŏ-pē). ＝pelvioscopy.
pel·vo·spon·dy·li·tis os·sif·i·cans (pel′vō-spon′di-lī′tis os-if′i-kanz) [L. *pelvis*, basin + G. *spondylos*, vertebra + *-itis*; L. *os*, bone + *facio*, to make]. 骨性骨盤脊椎炎（仙骨の脊椎間に骨性物質が沈着すること）.
pelyco- [G. *pelyx*, bowl(pelvis)]. 骨盤を意味する連結形. → pelvi-.
pem·phi·goid (pem′fi-goyd) [G. *pemphix*, blister + *eidos*, resemblance]. ***1*** 《adj.》天疱瘡様の. ***2*** 《n.》類天疱瘡（天疱瘡に類似するが，有意に識別でき，組織学的には棘融解はなく，臨床的には概して良性である）.
benign mucosal p. 良性粘膜類天疱瘡. ＝ocular cicatricial p.
bullous p. 水疱性類天疱瘡（老年者に最も頻繁に起こる慢性疾患で，概して良性．緊満性の棘融解を伴わない水疱が特徴で，血清抗体が表皮基底膜のヘミデスモソームに局在し，表皮全層を剝離する原因となる）.
localized p. of Brunsting-Perry ブランスティング－ペリー型の限局性類天疱瘡（類天疱瘡の亜型．主に頭部，顔面に原発し，瘢痕を形成する）.
ocular p. 眼の類天疱瘡. ＝ocular cicatricial p.
ocular cicatricial p. [MIM*164185]. 眼瘢痕性類天疱瘡（結膜，口腔，および腟粘膜の癒着と進行性の瘢痕と萎縮をきたす慢性疾患）. ＝benign mucosal p.; ocular p.
pem·phi·gus (pem′fi-gŭs) [G. *pemphix*, ablister]. 天疱瘡（①棘融解を伴う自己免疫性水疱性疾患．②水疱形成性皮膚疾患を表す一般的用語）.
benign familial chronic p. [MIM*169600]. 良性家族性慢性天疱瘡（鱗屑や痂皮化した病変となる小水疱や水疱が繰返し出現する発疹で，境界部に小水疱を伴う．主に頸部，鼡径部および腋窩に生じる．常染色体優性遺伝で，青年後期あるいは成年早期に生じる）. ＝Hailey-Hailey disease.
Brazilian p. ブラジル天疱瘡. ＝fogo selvagem.
p. erythematosus 紅斑性天疱瘡（太陽にさらされた皮膚，特に顔面に生じる発疹．病変は落屑性の紅斑と水疱を示し，紅斑性狼瘡と尋常性天疱瘡の臨床所見を併せもつ．水疱は角層下に存在．落葉状天疱瘡の異型であるとされる．ときにペニシラミンで誘発される）. ＝Senear-Usher disease; Senear-Usher syndrome.
p. foliaceus 落葉状天疱瘡（一般的に慢性の経過をとる天疱瘡の一型で，まれに粘膜を侵す．水疱に加えて水疱形成の明らかでない広範な剝脱性皮膚炎が存在するもの．血清中の自己抗体が水疱と痂皮を形成した棘融解性の表在性上皮病変を引き起こす）.
p. gangrenosus 壊疽性天疱瘡（①＝*dermatitis* gangrenosa infantum. ②＝bullous *impetigo* of newborn）.
paraneoplastic p. 腫瘍随伴性天疱瘡（重篤な粘膜病変．多彩な皮膚病変をもち，悪性腫瘍を合併した疾患．尋常性天疱瘡と同様にすべての上皮細胞間に反応する血清自己抗体をもつ．通常短期間に死亡する）.
p. vegetans 増殖性天疱瘡（①ゆうぜい状の増殖を示す尋常性天疱瘡のまれな一型で，水疱が破れた後のびらん面にいぼ状増殖が生じる．新しい水疱が次々に形成される. ＝Neumann disease. ②慢性の良性増殖性の天疱瘡で，病変は通常，腋窩と会陰に好発する．自然寛解およびときに永久治癒となる. ＝Hallopeau disease）.
p. vulgaris 尋常〔性〕天疱瘡（以前は致命的であった重篤な疾患で，中年者に生じ，皮膚では弛緩性棘融解性の基底層直上の水疱を，口腔粘膜ではびらんを呈する．初めは限局性で，2，3 か月後に汎発化することがある．水疱は容易に破れて治りが遅い．この疾患は重層する有棘細胞上皮の細胞間に局在する自己免疫性抗体の作用によって生じる).

pen·del·luft (pen′del-lŭft′) [Ger. *Pendel*, pendulum + *Luft*, air]. 振子空気 ([本語のドイツ語のつづり Pendelluft はすべての名詞同様に大文字で始まるが, 英語の派生語は小文字の p でつづられる]. 吸気の終わりにガスの流れがちょうど止まったとき, ガスがある肺胞から一過性に出て, また別の肺胞へ移動すること. あるいはまた呼気の終わりにも, これと同じようなガスの動きが反対の方向へ移動することをいう. 肺の局所の伸展性(コンプライアンス), 気道抵抗, 不活性度などが異なるために, 経肺圧の変化に応じた肺局所の充満(または空になること)の時定数が異なるときにみられる現象である).

Pendred (pen′drĕd), Vaughan. イングランド人外科医, 1869—1946. → P. *syndrome*.

pendrin (pen′drin). ペンドリン (クロライド–ヨードトランスポータ蛋白で, Pendred 症候群原因遺伝子の翻訳産物. 甲状腺, 腎臓, 内耳の機能に重要である).

pe·nec·to·my (pē-nek′tō-mē) [L. *penis* + G. *ektomē*, excision]. 陰茎切除〔術〕. = phallectomy.

pe·nes (pē′nēz). 多陰茎体症 (陰茎が複数あること. 二陰茎体症など).

pen·e·trance (pen′ĕ-trans). 浸透度 (ある遺伝子型(劣性に対するホモ接合またはヘテロ接合, 優性に対するヘテロ接合またはホモ接合)をもつ人の中で, 表現型に影響を受けた人の出現頻度. 分数または百分率で表す. 常染色体優性疾患で, もし変異対立遺伝子をもつ人の一部のみが異常な表現型を呈した場合, その形質は不完全な浸透度を示したということができる. もし対立遺伝子を有する全員が異常な表現型を呈したなら, その形質は完全な浸透度を有するといえる. → penetration).

genetic p. 遺伝浸透度 (遺伝的に決定される状態が個人に発現する程度).

pen·e·trate (pen′ĕ-trāt). 貫通する, 貫入する, 透通する, 浸透する (深部組織または腔へ通る).

pen·e·tra·tion (pen′ĕ-trā′shŭn) [L. *penetratio* < *penetro*, pp. *-atus*, to enter]. ***1*** 穿通, 貫入. ***2*** 透徹, 洞察〔力〕(精神の鋭敏さ). ***3*** 〔レンズの〕焦点深度. = focal *depth*.

pen·e·trom·e·ter (pen′ĕ-trom′ĕ-tĕr) [penetration + G. *metron*, measure]. 硬度計 (与えられた管からの X 線の浸透力を測定する機器. 現在では用いられていない).

-penia [G. *penia*, poverty]. 欠乏を意味する連結形で, 接尾語.

pe·ni·al (pē′nē-ăl). = penile.

pe·ni·a·pho·bi·a (pē′nē-ă-fō′bē-ă)[G. *penia*, poverty + *phobos*, fear]. 貧困恐怖〔症〕(貧乏に対する病的な恐れ).

pen·i·cil·la·mine (pen′i-sil′ă-mēn). ペニシラミン (ペニシリンの分解産物. 鉛中毒や肝臓レンズ核変性症, シスチン尿症の治療および Wilson 病の過剰の銅の除去に用いられるキレート試薬). = β,β-dimethylcysteine.

pen·i·cil·la·nate (pen′i-sil′ă-nāt). ペニシラン酸塩.

pen·i·cil·lan·ic ac·id (pen′i-si-lan′ik as′id). ペニシラン酸 (特徴的 R 基のない(ROONH– が H– で置換されている) ペニシリンの 1 つ).

pen·i·cil·lar·y (pen′i-sil′ăr-ē). 筆毛動脈の.

pen·i·cil·late (pen′i-sil′āt). ***1*** 筆毛動脈の. ***2*** 毛筆状の (ふさ状の構造を有するものについていう).

pen·i·cil·lic ac·id (pen′i-sil′ik as′id). ペニシリン酸 (***Penicillium puberulum*** すなわちトウモロコシにみられるカビおよび ***P. cyclopium*** から産生される抗生物質. グラム陽性・陰性菌に有効だが, 動物組織に対しては毒性がある).

pen·i·cil·lin (pen′i-sil′in) [→ penicillus]. ペニシリン (① 元来はアオカビ ***Penicillium notatum*** または ***P. chrysogenum*** のカビの培養から得られる抗生物質. 細菌の細胞壁合成を阻害する. ②天然または種々の合成ペニシリン酸の 1 つ. 主に静菌性であるが, 特にグラム陽性菌に有効で過敏性反応を除き動物組織に毒性が特に低いのが特徴).

aluminum p. ペニシリンアルミニウム (アオカビ ***Penicillium notatum*** または ***P. chrysogenum*** のカビの発育に伴って産生される抗生物質の三価アルミニウム塩. 経口または舌下投与で用いる).

p. amidase ペニシリンアミダーゼ (ペニシリンのアミド結合の加水分解を触媒する酵素で, カルボン酸アニオンとペニシンを生成する. ペニシンは多くの合成ペニシリンの原料となる).

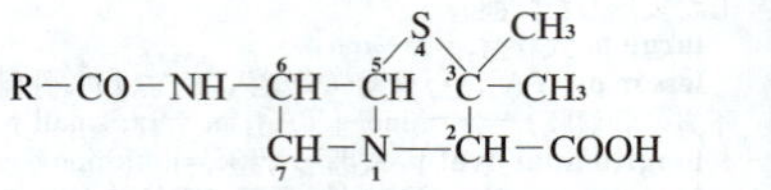

penicillin

p. B ペニシリン B. = phenethicillin potassium.

benzyl p. = p. G.

buffered crystalline p. G 緩衝結晶ペニシリン G (4—5% のクエン酸ナトリウムで緩衝された結晶ペニシリン G カリウムまたは結晶ペニシリン G ナトリウム).

chloroprocaine p. O クロロプロカインペニシリン O (2-クロロプロカインとペニシリン O の結晶塩で水に不溶. 血液中における作用は 24 時間持続する. 抗菌力はペニシリン O や G と同程度).

p. G ペニシリン G (一般に用いられているペニシリン化合物であり, ペニシリン塩(ナトリウム, カリウム, アルミニウム, プロカイン)を 85% 含むペニシリン属のカビ *Penicillium chrysogenum* から得られる抗生物質で, 経口および非経口で用いられる. 主にグラム陽性のブドウ球菌および連鎖球菌に有効. バクテリアのベータラクタマーゼにより分解される). = benzyl p.; benzylpenicillin.

p. G benzathine ベンザチンペニシリン G (比較的不溶性の非経口ペニシリン製剤で体内に 1, 2 週間とどまる).

p. G hydrabamine ヒドラバミンペニシリン G (ジペニシリン化合物. 主に二酸化塩基 *N,N′*-ビス-(ジヒドロアビエチル)エチレンジアミンからなるペニシリン G 塩の混合物).

p. G potassium ペニシリン G カリウム (85—90% のペニシリン G を含む).

p. G procaine プロカインペニシリン G (ペニシリン G のプロカイン塩. ペニシリン G より作用持続時間が長い).

p. G sodium ペニシリン G ナトリウム (ペニシリン G のナトリウム塩. 85% 以上のペニシリン G を含む).

p. N ペニシリン N. = *cephalosporin* N.

p. O ペニシリン O (アリルメルカプトメチル酢酸を含む培地中のカビの成育に伴って生じる. またカリウム, ナトリウム塩としても有効). = allylmercaptomethylpenicillin.

p. phenoxymethyl ペニシリンフェノキシメチル. = p. V.

p. V ペニシリン V(フェノキシアセチル基を有するペニシリン誘導体. *Penicillium chrysogenum* Q 176 から得られる. 結晶性・非吸湿性の酸で, 高湿度でも安定している. 胃液によって分解されない. カリウム塩は経口薬として用いる. セファロスポリン C の構造類似体の合成における前駆体). = p. phenoxymethyl; phenoxymethylpenicillin.

p. V benzathine ベンザチンペニシリン V (経口で用いるペニシリン).

p. V hydrabamine ヒドラバミンペニシリン V (ヒドラバミンペニシリン G に類似の製剤で, 同じ用途で用いる).

pen·i·cil·li·nase (pen′i-sil′i-nās). ペニシリナーゼ (① = β-lactamase. ② *Bacillus cereus* 株の培養から得られる精製酵素製剤. 以前, 緩徐型または遅延型のペニシリンアレルギー反応の治療に用いられた).

pen·i·cil·li·nate (pen′i-sil′i-nāt). ペニシリン酸塩.

pen·i·cil·li·o·sis (pen′i-sil′ē-ō′sis). ペニシリウム症 (*Penicillium* 属の菌による侵襲性感染).

Pen·i·cil·li·um (pen′i-sil′ē-ŭm) [→ penicillus]. ペニシリウム属 (子嚢菌綱のコウジカビ目カビ属に属する菌の一種で, 種々の抗生物質と生物学的薬剤を産生する. 例えば, *P. citrinum* はシトリニンを産生する. *P. claviforme*, *P expansum*, *P. patulum* はパチリンを産生する. *P. chrysogenum* はペニシリンを産生する. *P. griseofulvum* はグリセオフルビンを産生する. *P. notatum* はペニシリンおよびノタチンを産生する. *P. cyclopium* および *P. puberulum* はペニシリン酸を産生する. *P. purpurogenum* および *P. rubrum* はルブラトキシンを産生する. *P. marneffei* は東南アジアの bamboo rats における真正の病原体である).

P. lilacinum = *Paecilomyces lilacinus*.

pen·i·cil·lo·ic ac·id (pen′i-si-lō′ik as′id). ペニシロ酸（ペニシリンのアルカリや細菌による分解産物. 1,7結合を加水分解してできる).

pen·i·cil·lo·yl pol·y·ly·sine (pen′i-sil′ō-il pol′ē-lī′sēn). ペニシロイルポリリシン（ポリリシンとペニシリン酸の製剤. ペニシリン過敏性の診断に皮内で用いる. 過敏性のヒトは全身性皮膚発疹を含む全身症状反応を示すことがある).

pen·i·cil·lus, pl. **pe·ni·cil·li** (pen′i-sil′ŭs, -sil′ī) [L. paint brush] [TA]. ***1*** [NA]. 筆毛動脈（脾臓で細い動脈が相次いで分岐してできるふさ状の動脈). ***2*** 毛筆状体（真菌類において, *Penicillium*属の種の, 菌糸形成を担っている分岐系).

pe·nile (pē′nīl). 陰茎の. =penial.

pe·nil·lic ac·ids (pe-nil′ik as′idz). ペニル酸（ペニシリンの酸分解産物で, 1,7 結合の開裂によってペニシロ酸を生成し, 環外カルボニル基の炭素と N–1 とで結合が生成し, これら 2 つと環外 NH とから水が除去されたものである).

pen·in (pen′in). ペニン ; 6-aminopenicillanic acid（ペニシリン合成における中間産物).

pe·nis, pl. **pe·nes, pe·ni·ses** (pē′nis, pē′nēz, pē′nis-ez) [L. tail] [TA]. 陰茎（男性の交接および排尿器. 3 つの円柱状の勃起に関する組織からなり, 2 つの陰茎海綿体は背外側に, 1 つの尿道海綿体は正中腹側に位置する. 尿道は後者を貫く. 尖端の亀頭は尿道海綿体の膨大により形成され, 皮膚の自由ひだ(包皮)によっておおわれる). =intromittent organ; membrum virile; phallus(2); priapus; virga.

bifid p. 二裂陰茎. =diphallus.

buried p. 埋没陰茎（恥骨上の脂肪組織によって, 埋没している陰茎).

clubbed p. 彎曲陰茎（勃起時, 側方または陰嚢の方向に曲がる陰茎の変形).

concealed p. 隠ぺい亀頭（通常, 環状切開後の合併症の 1 つで, 陰茎体と包皮襟の間の縫合線が暈か瘢痕のように亀頭に被さって亀頭を隠していること(一部は埋没陰茎に同じ)).

p. femineus clitoris を表す現在では用いられない語.

gryposis p. =chordee.

p. muliebris clitoris を表す現在では用いられない語.

webbed p. 有帆陰茎（陰茎体腹側の皮膚が欠損し, 陰嚢内に陰茎が埋もれた形になっている. 尿道および海綿体は通常正常である).

pe·nis·chi·sis (pē-nis′ki-sis) [L. *penis* + G. *schisis*, fissure]. 陰茎裂（陰茎に亀裂があり, 尿道に開口する. 上方(尿道上裂), 下方(尿道下裂), 側方(尿道側裂)がある).

pen·nate (pen′āt) [L. *pennatus* < *penna*, feather]. 羽毛の, 羽毛状の, 羽の. =penniform.

pen·ni·form (pen′i-fōrm) [L. *penna*, feather + *forma*, form]. =pennate.

pen·ny·roy·al (pen′ē-roy′ăl). ボレイハッカ（シソ科メグサハッカ *Mentha pulegium*(芳香性プレギウム)または *Hedeoma pulegeoides*(アメリカプレギウム)に付けられた代替医療薬あるいは相補医療薬名. 以前は通経薬として用いられた芳香性興奮薬).

pennyweight (pen′ē-wāt). ペニーウエイト. =DWT.

pe·no·scro·tal (pē′nō-skrō′tăl). 陰茎陰嚢の（陰茎と陰嚢の両方に関する).

pe·not·o·my (pē-not′ŏ-mē) [L. *penis* + G. *tomē*, a cutting]. =phallotomy.

Pen·rose (pen′rōz), Charles B. 米国人婦人科医, 1862—1925. →P. *drain*.

penta- [G. *pente*, five]. 5 を意味する連結形.

pen·ta·ba·sic (pen′tă-bā′sik) [penta- + G. *basis*, base]. 五塩基の（5 つの置換できる水素原子をもつ酸についていう).

pen·ta·chlor·o·phe·nol (pen′tă-klōr′ō-fē′nol). ペンタクロロフェノール（シロアリ駆除の殺虫剤. 収穫前の枯葉剤. 一般的な除草剤. 材木, 木材製品, デンプン, デキストリン, 糊の保存時に広く使用されたが, 現在では用いられない. 強力な刺激作用を有する).

pen·tad (pen′tad) [G. *pentas*, the number 5]. ***1*** 5 つ組（かかわりある事物 5 個の集り). ***2*** 五価元素, 五価の基.

Reynolds p. (ren′oldz). レイノーの五徴（腹痛, 発熱, 黄疸, ショック, 中枢神経系の機能抑制. 通常, 急性化膿性胆管炎の指標となる).

pen·ta·dac·tyl, pen·ta·dac·tyle (pen′tă-dak′til) [penta- + G. *daktylos*, finger]. 五指の. =quinquedigitate.

pentadecylcatecol (pen′t-de-sil-kat′ē-kol). ペンタデシルカテコール（ツタウルシ(*Toxicodendron*属), カシュー, イチョウ, およびマンゴーに含まれるアレルゲン).

pen·tal·o·gy (pen-tal′ŏ-jē) [penta- + G. *logos*, treatise, word]. 5 つ組（同時発生する 5 つの症状のように, 5 つの要素の組合せを表す, まれに用いる語).

p. of Cantrell (kan-trel′). キャントレルの五徴（以下の特徴を含む先天性疾患. 下部胸骨裂, 前方横隔膜欠損, 壁側心膜欠損, 結合または分離した臍帯ヘルニア, 心臓の大奇形(ほとんどは Fallot 四徴 *tetraloge* of Fallot と左心室憩室)). =thoracoabdominal ectopia cordis.

p. of Fallot (fah′yō). ファロー五徴〔症〕(Fallot 四徴に卵円孔開存または心房中隔欠損の加わったもの).

pen·ta·mer (pen′tă-mĕr) [penta- + G. *meros*, part]. ペンタマー, 五量体（→virion).

pen·tam·i·dine i·se·thi·o·nate (pen-tam′i-dēn īs′ĕ-thī′ō-nāt). ペンタミジンイセチオネート（アフリカ眠り病の両タイプの初期の段階の治療と予防に用いる, 毒性はあるが有効な薬物. 血液脳関門を通過しないので, 神経症状を呈した時期には無効である. 耐性リーシュマニア症および *Pneumocystis* 肺炎の治療にも使用される).

pen·ta·no·ic ac·id (pen′tă-nō′ik as′id). ペンタン酸. =valeric acid.

pen·ta·pep·tide (pen′tă-pep′tīd). ペンタペプチド（アミノアシル残基 5 つがペプチド結合した化合物).

Pen·tas·to·ma (pen-tas′tō-mă) [penta- + G. *stoma*, mouth]. 舌虫属（舌虫綱の一属または舌虫類に対する旧名. 現在では *Linguatula* とよばれる. *P. denticulatum* は *Linguatula rhinaria* の幼虫で, ときにヒトや他の哺乳類の鼻に寄生する. 成虫はは虫類の肺に見出される).

pen·ta·sto·mi·a·sis (pen′tă-stō-mī′ă-sis). 舌虫症（草食動物, ブタあるいはヒトにみられる舌虫類幼虫の感染症. 病巣は, 主に消化管リンパ節にみられ, しばしば結核によって引き起こされるものに類似する).

Pen·ta·stom·i·da (pen′tă-stom′i-dă) [→*Pentastoma*]. 舌虫門（舌虫. 原始的な節足動物から分かれたと思われる独立した門を形成すると考えられている寄生蠕虫様動物の一群. 寄生生活により著しく変形して偽節のある細長い虫様の形態をなしており, 幼虫では 2 対または 3 対の退縮した芽状突起様の脚を, 成虫では前方に中空の牙様の鉤を有している. 成虫は通常, 脊椎動物, 一般にヘビおよびその他のは虫類の肺または呼吸器に寄生するが, 一部のものは鳥類の気嚢に, また舌虫科のものは肉食哺乳類(イヌ科およびネコ科)の肺に寄生する. 幼虫は, 終宿主の餌となる多くの宿主(昆虫, 魚類, カエルなどの両生類, げっ歯類などの哺乳類)の内臓にみられる. *Linguatula serrata* はイヌの鼻道内で感染幼虫(若虫)から成虫に発育する. 感染イヌによって排泄された虫卵の混ざった水や草からヒツジ, ウシ, あるいはウサギが感染し, それらの内臓で感染幼虫(若虫)となる. ヒトもこの感染源から幼虫の感染を受ける可能性がある. アフリカでは *Armillifer armillatus*, 中国では *A. moniliformis* の, ヒトの肝臓, 脾臓, 肺への感染が報告されており, 感染源は飲料水または野菜, あるいは感染ヘビをいじったことによる).

pent·a·tom·ic (pen′tă-tom′ik) [penta- + atomic]. 五原子の（1 分子中に 5 原子を含む元素をいう).

Pen·ta·trich·o·mon·as (pen′tă-trik′ŏ-mō′nas, pen′tă-trī-kom′ŏ-nas) [penta- + *Trichomonas*]. ペンタトリコモナス属（寄生鞭毛虫の一属で, 以前は *Trichomonas*属とされたが, 現在では 5 本の前べん毛と顆粒状の副基体の存在により別属に分類される. *P. hominis* は, ヒトや他の霊長類, イヌ, ネコ, ウシ, 種々のげっ歯類の結腸に片利共生する).

pen·ta·va·lent (pen′tă-vā′lent, pen-tav′ă-lent). 五価の（5 原子価に匹敵する結合力をもつものについていう). =quinquevalent.

pen·taz·o·cine (pen-taz′ō-sēn). ペンタゾシン（強力なアゴニスト－アンタゴニスト型鎮痛薬. 多少耽溺性を有するが, 禁断症状および耐性の発現はごくまれである. 局所への注射は組織刺激性が非常に強い).

2-pentendioic acid 2–ペンテン二酸. =glutaconic acid.

P

pen·te·tate tri·so·di·um cal·ci·um (pen′tĕ-tāt trī-sō′dē-ŭm kal′sē-ŭm). ペンテテートトリナトリウムカルシウム（ペンテト酸の三ナトリウムカルシウム塩）. = calcium trisodium pentetate.

pen·tet·ic ac·id (pen-tet′ik as′id). ペンテト酸（重金属に親和性をもつトリアミン五酢酸. カルシウムナトリウムキレートとして, 鉄貯蔵疾患および重金属や放射活性を有する金属の中毒の治療に用いる. → ethylenediaminetetraacetic acid).

pen·ti·tol (pen′ti-tol). ペンチトール（還元型ペントース. 例えば, リビトール, リキシトール, キシリトール).

pen·to·lin·i·um tar·trate (pen′tō-lin′ē-ŭm tar′trāt). 酒石酸ペントリニウム（神経節遮断作用をもつ第四級アンモニウム化合物).

pen·ton (pen′tŏn). ペントン（アデノウイルスカプシドの 12 個の頂点に位置し, ファイバーが突出した五角形のカプソメア(ペントンベース). 抗原的には, ペントンベースはファイバーと異なり, また両方とも他の(六角形の)カプソメアと異なる).

pen·to·san (pen′tō-san). ペントサン（ペントースのポリまたはオリゴ糖類).

pen·tose (pen′tōs). ペントース, 五炭糖（分子に 5 つの炭素原子をもつ単糖類. 例えば, アラビノース, リキソース, リボース, キシロース, キシルロース).

p. nucleotide ペントースヌクレオチド（糖成分としてペントースをもつヌクレオチド).

pen·to·su·ri·a (pen′tō-syū′rē-ă) [MIM*260800]. ペントース尿〔症〕, 五炭糖尿〔症〕（尿中に 1 種以上の五炭糖が過剰に排泄されること).

alimentary p. 食事性ペントース尿〔症〕, 食事性五炭糖尿〔症〕（五炭糖を含む果実を過剰に摂取したためにL-アラビノースやL-キシロースが尿中に排泄されること).

essential p. [MIM*260800]. 本態性ペントース尿〔症〕, 本態性五炭糖尿〔症〕（良性の遺伝性疾患で尿中のL-キシロースの排泄は 24 時間で 1 —4g. 主にドイツ・ポーランド地方に住むユダヤ人にみられる. 常染色体劣性遺伝). = L-xylulosuria; primary p.

primary p. 原発性ペントース尿〔症〕, 原発性五炭糖尿〔症〕. = essential p.

pen·tox·ide (pen-tok′sīd). 五酸化物（5 つの酸素原子をもつ酸化物. 例えば五酸化リン P_2O_5).

pen·tu·lose (pen′tyū-lōs). ペンツロース（ケトペントース. 例えばリブロース, キシルロース).

pen·tyl (pen′til). ペンチル（① = amyl. ② $CH_3(CH_2)_3CH_2$–部分).

pen·ty·lene·tet·ra·zol (pen′ti-lēn-tet′ră-zol). ペンチレンテトラゾール（強力な中枢神経系刺激薬. 感情的興奮状態にあるときのショック療法において全身痙攣を起こさせるために, また呼吸刺激薬として用いられてきた. 主として, 痙攣の機構を実験的に調べる, および新しい抗痙攣薬を探索する際に用いられる).

pe·num·bra (pe-nŭm′bră) [Mod. L. < L. *paene*, almost + *umbra*, shadow]. 半影（点光源(線源)ではない光源やX線源によって不完全に照明・照射された領域. 幾何学的ボケ(不鋭)ともよばれる).

ischemic p. [L. *paene*, almost + *umbra*, shadow]. 虚血半影（虚血部位の周囲の部位で, 代謝活性はあるが血流は減少している).

pep·lo·mer (pep′lō-mĕr) [→ peplos]. ペプロマー（ウイルス粒子のペプロス(外被)のノブ様のサブユニットの一部で, その配列によって完全なペプロスをつくる. ペプロスの洗剤処理によって生じる. しばしば, リポ蛋白エンベロープにある表面糖蛋白をさす).

pep·los (pep′lōs) [G. an outer garment worm by women]. ペプロス（あるウイルス粒子を包んでいるリポ蛋白の外被).

Pep·per (pep′ĕr), William, Jr. 米国人医師, 1874—1947. → P. *syndrome*.

pep·per·mint (pep′ĕr-mint). ペパーミント, ハッカ（シソ科セイヨウハッカ *Mentha piperita* の乾燥した葉と花の先端. 駆風薬, 鎮吐薬).

p. camphor ハッカ脳. = menthol.

p. oil ハッカ油（セイヨウハッカ *Mentha piperita* の花を付けた植物の新鮮な地上部分を水蒸気蒸留することにより得られる揮発性油で, 蒸留によって精製され, 部分的にも全体的にも脱メントールされていない. 香料).

pep·sic (pep′sik). = peptic.

pep·sin (pep′sin) [G. *pepsis*, digestion]. ペプシン（典型的なアスパラギン酸プロテイナーゼの一群. ペプシノゲンからつくられる胃液中の主要な消化酵素. フェニルアラニンやロイシン残基に隣接するペプチド結合を低 pH(すなわちペプシンはアルカリで不安定である)で加水分解し, 蛋白をより小さい分子(プロテオースとペプトン)にする. ペプシンB(ゼラチナーゼ)はペプシンAに類似しているが, しかしブタのペプシノゲンBからつくられ, より基質特異性が高い. ペプシンC(ガストリシンはヒトペプシンCである)もペプシンAに類似し, 構造上関連し, より基質特異性が高い).

pep·si·nate (pep′si-nāt). ペプシンで処理する, ペプシンを加える.

pep·si·nif·er·ous (pep′si-nif′ĕr-ŭs). ペプシン分泌〔性〕の. = pepsinogenous.

pep·sin·o·gen (pep-sin′ō-jen) [pepsin + G. *-gen*, producing] [MIM*169700]. ペプシノゲン（胃粘膜の主細胞でつくられ分泌されるプロ酵素あるいはチモーゲン. 胃液の酸性とペプシン自身がペプシノゲンから 42 個のアミノアシル残基を除去し, 活性ペプシンを生じる). = propepsin.

pep·sin·og·e·nous (pep′sin-oj′ĕ-nŭs). ペプシン産生〔性〕の. = pepsiniferous.

pep·si·nu·ri·a (pep′si-nyu′rē-ă) [pepsin + G. *ouron*, urine]. ペプシン尿〔症〕（ペプシンが尿中に排泄されること).

pep·sta·tin (pep-sta′tin). ペプスタチン（放線菌由来の阻害性ペプチドで, ペプシンやカテプシンDを阻害する).

pep·tic (pep′tik) [G. *peptikos* < *peptō*, to digest]. 消化〔性〕の, ペプシンの. = pepsic.

pep·ti·dase (pep′ti-dās). ペプチダーゼ（ペプチドのペプチド結合を加水分解する酵素. 例えば, カルボキシペプチダーゼ, アミノペプチダーゼなど). = peptide hydrolase.

p. D [MIM*170100]. ペプチダーゼD. = *proline* dipeptidase.

p. P ペプチダーゼP. = peptidyl dipeptidase A.

pep·tide (pep′tīd). ペプチド（2 分子以上のアミノ酸からなる化合物. 1 つのアミノ酸のカルボキシル基が, 他のアミノ酸の α-アミノ基と結合し, 水 1 分子が除去され, ペプチド結合 –CO–NH– が生じる, すなわち置換アミド. → polypeptide. *cf.* eupeptide *bond*; isopeptide *bond*).

adrenocorticotropic p. 向副腎皮質性ペプチド（下垂体抽出物から単離され, ACTH 活性をもつペプチド).

agouti-related p. (**AgRP**) アグーチ関連ペプチド（弓状核の特定のニューロンからニューロペプチドYとともに放出されるペプチド. これらのニューロンはグレリンによって促進され, ニューロペプチド PYY およびレプチンによって阻害される. アグーチ関連ペプチドとニューロペプチドYは代謝を低下させながら食欲を増進させる. → ghrelin; leptin; *neuropeptide* Y).

amyloid-β p. アミロイドβペプチド（Alzheimer 病患者にみられる細胞外沈着物の主な神経毒性物質).

anionic neutrophil-activating p. (**ANAP**) 陰イオン好中球活性化ペプチド. = interleukin-8.

antigen p.'s 抗原ペプチド（MHC 分子と結合する蛋白フラグメント).

atrial natriuretic p. (**ANP**) 心房性ナトリウム利尿ペプチド（心房より分泌されるアミノ酸 28 個からなるペプチド(α–ANP)で, α–ANP よりもやや短いフラグメント群, さらに α–ANP と心不全時に血漿中に存在するアミノ酸 56 個からなるペプチド(β–ANP)の二量体などをさす. 他の作用としては, ANP は腎臓における塩と水の排泄促進, 毛細管機能の亢進, 動脈圧の低下, レニン, アンジオテンシン, アルドステロン, 抗利尿ホルモンの分泌低下がある). = atriopeptin; cardionatrin; natriuretic p.

β-natriuretic p. (**BNP**) β–ナトリウム利尿ペプチド（心不全時に, 循環系に放出されるペプチド. → natriuretic).

bitter p.'s 苦味ペプチド（苦味で, ある食品を腐敗させるペプチド. しばしば, 高含量のロイシン, バリン, 芳香族アミノ酸残基をもつ).

bradykinin-potentiating p. ブラジキニン増強活性ペプチ

ド．＝teprotide.

B-type natriuretic p. (**BNP**) B型ナトリウム利尿ペプチド（心房性神経ホルモンで，血液量と血圧の上昇に応答して左心室から分泌され，血管拡張ならびにナトリウムおよび水分の損失をまねく）.

calcitonin gene-related p. (**CGRP**) カルシトニン遺伝子関連ペプチド（カルシトニン遺伝子から転写される二次産物．神経組織およびその他の組織中から検出される．皮膚三相反応に関係すると思われる血管拡張作用物質である）.

cyclic p. 環状ペプチド（環状構造からなるペプチド．例えば，抗生物質のチロシジンAは環状デカペプチド，またバリノマイシンは環状デプシペプチドである）.

gastric inhibitory p. (**GIP**) ＝gastric inhibitory *polypeptide.*

glucagonlike p. (**GLP-1**) グルカゴン様ペプチド（胃壁の運動を遅延させ，インスリン分泌を促進する消化管ホルモン．その利用は貼布剤，吸入剤，あるいは口腔内ペレット剤として2型糖尿病の治療で確認された）. ＝glucagonlike insulinotropic p.

glucagonlike insulinotropic p. (**GIp**) グルカゴン様インスリン親和性ペプチド．＝glucagonlike p.

heterodetic p. [hetero- + G. *detos*, bound < *deō*, to bind + -ic]. ヘテロデティックペプチド（アミノアミル残基間の非ペプチド結合型共有結合とペプチド結合を共有するペプチド．例えばバリノマイシン，オキシトシン）.

heteromeric p. ヘテロメリックペプチド（水解すると，アミノ酸に加えてアミノ酸以外の物質を生じるペプチド．例えば葉酸）.

homodetic p. [homo- + G. *detos*, bound < *deō*, to bind + -ic]. ホモデティックペプチド（構成アミノ酸の共有結合のすべてがペプチド結合であるペプチド．例えばブラジキニン）.

homomeric p. ホモメリックペプチド（①加水分解によりアミノ酸のみを与えるペプチド．例えばグルタチオン．②単一の特定のアミノ酸からなるペプチド．例えばアラニルアラニルアラニン）.

p. hydrolase ペプチドヒドロラーゼ．＝peptidase.

natriuretic p. ナトリウム利尿ペプチド．＝atrial natriuretic p.

pancreatic p. YY (**PYY**) 膵ペプチドYY（膵臓から血中へ放出されるペプチドで，迷走神経の孤束核から背側運動核への興奮性伝達を阻害することにより胃腸管への迷走神経刺激を低下させる．PYYはまたアグーチ関連ペプチド(AgRP)およびニューロペプチドYを放出する弓状核のニューロンの活性を抑制する．→agouti-related p.; *neuropeptide* Y).

parathyroid hormone-related p. (**PTHrP**) 副甲状腺ホルモン関連ペプチド（特に扁平上皮癌などの悪性腫瘍により産生されるホルモン．大量に産生されると高カルシウム血症や副甲状腺機能亢進症のような諸症状を呈する．PTHrPは，副甲状腺ホルモン(PTH)の受容体に作用し，PTHと同様の生物活性を発揮する．PTH/PTHrPの受容体は腎，骨，軟骨の成長板に大量に発現している．PTHrPは胎児期において重要な役割を果たしているが，果たして正常ヒト血中に存在しているか，また正常の成人で何らかの役割を果たしているかは不明である．ヒトPTHrPの遺伝子構造はPTHよりも複雑であり，PTHと構造の類似した141，139，173個のアミノ酸を有するPTHrPが産生される）.

phenylthiocarbamoyl p., PTC p. フェニルチオカルバモイルペプチド（フェニルイソチオシアネートとペプチドのα–アミノ基と結合して生じる．→phenylthiohydantoin).

S p. →S *protein.*

sigma p. シグマペプチド（一端が鎖上の一点，通常，システニル残基部分のジスルフィド基と結合し，他端はそのままのペプチド．ペプチド鎖がギリシア文字のシグマの形に多少似ているためこのようによばれる．例えばオキシトシン）.

p. synthetase ペプチドシンテターゼ（ヌクレオシド三リン酸の加水分解を伴ったペプチド結合の合成を触媒する酵素）.

vasoactive intestinal p. [MIM*192320]. ＝vasoactive intestinal *polypeptide.*

pep·ti·der·gic (pep′ti-der′jik) [peptide + G. *ergon*, work]. ペプチド作用(作動)〔性〕の（神経伝達物質として小ペプチド分子を用いると考えられている神経細胞または神経線維に関する）.

pep·ti·do·gly·can (pep′ti-dō-glī′kan). ペプチドグリカン（糖に結合したアミノ酸またはペプチドを含む化合物で，糖が主構成成分である．*cf.* glycopeptide). ＝mucopeptide (2).

pep·ti·doid (pep′ti-doyd). ペプチドイド（α–カルボキシル基またはα–アミノ基以外の，少なくとも1個の基で縮合した2つのアミノ酸の縮合物．例えばグルタチオン）.

pep·ti·do·lyt·ic (pep′ti-dō-lit′ik) [peptide + G. *lytikos*, solvent]. ペプチド分解の（ペプチドの開裂または消化を起こすものについていう）.

peptidome (pep-ti′dī-dōm) [peptide + *-ome*, suffix denoting a defined system or microcosm < G. *-macr*; *oma*, noun suffix]. ペプチドーム（ある特定の細胞に正常に発現している蛋白集団）.

pep·ti·dyl di·pep·ti·dase A (pep′ti-dil dī-pep′ti-dās). ペプチジルジペプチダーゼA．＝angiotensin-converting *enzyme*; carboxycathepsin; dipeptidyl carboxypeptidase; kinase II; peptidase P.

pep·tid·yl·trans·fer·ase (pep-tī′dil-trans′fĕr-ās). ペプチジルトランスフェラーゼ（蛋白の生合成でのリボソーム上のペプチド結合生成に関与する酵素．ペプチジル–$tRNA^1$ + アミノアシル–$tRNA^2$→$tRNA^1$ + ペプチジルアミノアシル–$tRNA^2$).

pep·ti·za·tion (pep′ti-zā′shŭn). 解膠〔作用〕，ペプチゼーション（コロイド化学において，分散相の均一な分布をもたらす分散度の増加）.

Pep·to·coc·ca·ce·ae (pep′tō-kok-ā′sē-ē). ペプトコッカス科（非運動性・非芽胞形成性・嫌気性細菌の一科(真正細菌目)，グラム陽性球菌(染色は不明瞭)で，直径0.5—1.6 μm．単独，2個，4個，および不規則な形状の集団で存在するが，三次元的な立体状集塊とはならない．この細菌は有機栄養要求性で，複雑な栄養要求をもつ．炭化水素はこの細菌によって発酵されることもあるが，されないこともあり，発酵する際はガスを発生する．このガスは，アミノ酸または炭化水素，またはこの両方から発生するもので，主にCO_2および通常，H_2である．ヒトおよび他の動物の口，腸管，および気道でみられる．しばしば正常または病的な女性のどちらの泌尿生殖器系でも見出される）.

Pep·to·coc·cus (pep′tō-kok′ŭs) [G. *peptō*, to digest + *kokkos*, berry]. ペプトコッカス属（ペプトコッカス科の非運動性・嫌気性・有機栄養要求性細菌の一属．グラム陽性の球形細胞で，単独，2個，4個ずつ，または不規則な塊で存在し，まれには短鎖のこともある．しばしば病的状態に関連して見出される．標準種は *P. niger*).

P. aerogenes *Peptostreptococcus asaccharolyticus* の旧名.

P. constellatus 扁桃，化膿性胸膜炎，虫垂，鼻，のど，および歯槽，まれに皮膚および腟にもみられる細菌種.

P. niger 以前に老年女性の尿中に見出された細菌種．*Peptococcus*属の標準種.

pep·to·crin·ine (pep′tō-krin′ēn). ペプトクリニン（セクレチンに類似した腸粘膜からの抽出物）.

pep·to·gen·ic, pep·tog·e·nous (pep′tō-jen′ik, pep-toj′ĕ-nŭs). ***1*** ペプトン産生〔性〕の．***2*** 消化促進〔性〕の.

pep·toid (pep′toyd). ペプトイド（1個以上の非アミノアシル基(例えば，糖，脂質)がペプチドと共有結合しているペプチド）.

pep·to·lide (pep′tō-līd). ペプトライド（①環状デプシペプチド．例えばバリノマイシン．②ヘテロメリックデプシペプチド）.

pep·tol·y·sis (pep-tol′i-sis). ペプトン分解（ペプトンの水解）.

pep·to·lyt·ic (pep′tō-lit′ik). ペプトン分解の（①ペプトン水解についていう．②ペプトンを水解する酵素または他の試薬についていう）.

pep·tone (pep′tōn). ペプトン（蛋白の部分的水解により生じる中間体ポリペプチドをさす用語．通常，水に溶解，拡散し，熱により凝固しない．細菌培養培地に用いる）.

pep·ton·ic (pep-ton′ik). ペプトン性の.

pep·ton·i·za·tion (pep′ton-i-zā′shŭn). ペプトン化（天然の蛋白を酵素の作用によって可溶性ペプトンに変換すること）.

P

Pep·to·strep·to·coc·cus (pep′tō-strep′tō-kok′ŭs) [G. *peptō*, to digest + *streptos*, curved + *kokkos*, berry]. ペプトストレプトコッカス属（ペプトコッカス科の非運動性・嫌気性・有機栄養性細菌の一属．球形または卵形のグラム陽性細胞で，2個ずつおよび短鎖または長鎖で存在する．この細菌は，正常または病的な女性の生殖器系および産褥熱における血液，正常なヒトおよび他の動物の気道および腸管，または口腔，化膿性感染，腐敗性の戦傷，および虫垂炎などに見出される．これらは病原性がある．標準種は *P. anaerobius*）．

P. anaerobius ヒトおよび他の動物の口腔，腸管，気道，および腔所，特に腟に見出される細菌種．病原性がある．*Peptostreptococcus*属の標準種．

P. asaccharolyticus ペプトストレプトコッカスアサッカロリチカス（ヒトの大腸，口腔，胸膜腔，子宮，腟に見出される細菌種で，産褥熱の際にも存在する．糖を代謝できない特徴がある．*Peptoniphilus asaccharolyticus* の旧名）．

P. evolutus ヒトの気道，口腔，および腟に見出される細菌種．

P. foetidus ヒトおよび他の動物の膿瘍，血液，腸管，腟，および口腔に見出される細菌種．しばしば致命的である．

P. intermedius ＝*Streptococcus intermedius.*

P. magnus 腐肉および虫垂炎の症例に見出される細菌種．

P. micros ヒトおよびその他の動物の体内の自然の腔所に見出される細菌種．様々な病状から分離される．

P. morbillorum 鼻，のど，目，耳の粘液性分泌物，および麻疹の際の血液に見出される細菌種．麻疹の病因と誤って考えられていた．普通に存在し，二次感染体として増殖すると考えられる．＝*Streptococcus morbillorum.*

P. paleopneumoniae ヒトの口，咽頭，および上気道に見出される細菌種．

P. parvulus *Atopobium parvulum* の旧名．

P. plagarumbelli 通常，腐敗性の戦傷に見出される細菌種．

P. productus *Ruminococcus productus* の旧名．

P. putridus ヒトの口腔および腸管にも見出されるが，特に腟に見出される細菌種．

per- [L. through, throughout, extremely]．【本接頭語と peri- を混同しないこと】．***1*** …を通して，を意味する接頭語．強烈(過度)という概念をもつ．***2*** 化学において，ⓘ化合物中の所定の元素(過塩素酸におけるように通常は酸素)または基の量に関して，より多いまたは最も多い，ⓘⓘ水素元素に対する置換の程度(過酸化水素，過ギ酸)，についていう．→peroxy-．

per·a·ceph·a·lus (per′ă-sef′ă-lŭs) [per- + G. *a-* 欠性辞 + *kephalē*, head]．上体欠如奇形（頭と上肢を欠き，不完全な胸郭をもつ臍帯栄養児．典型的なものは，体幹はわずかに骨盤と下肢のみからなる）．

per·ac·id (per′as′id)．過〔酸素〕酸，ペル酸（過酸化基(–O–OH)を含む酸．例えば過酢酸）．＝peroxy acid.

per·a·cute (per′ă-kyūt) [L. *peracutus*, very sharp]．超急性（疾病に用いられる語）．

per an·um (per ā′nŭm) [L.]．経肛門的に（肛門によって，または肛門を通して）．

per·ar·tic·u·la·tion (per′ar-tik′yū-lā′shŭn) [per- + L. *articulatio*, joint]．＝synovial *joint.*

per·a·to·dyn·i·a (per′ă-tō-din′ē-ă) [G. *peratos*, on the opposite side + *odynē*, pain]．pyrosis を意味する現在では用いられない語．

per·ax·il·lar·y (per-ak′si-lār′ē)．経腋窩的に（腋窩を通して）．

per·a·zine (per′ă-zēn)．ペラジン（抗精神病薬）．

per·cen·tile (per-sen′tīl)．百分位数，パーセンタイル（一連のデータの配列における個々の順位位置．グループ内の何パーセント以上に位置しているかという形で表示される）．

per·cept (per′sept) [L. *perceptum*, a thing perceived]．***1*** 知覚表象（対象または思考についての完全な心像で，知覚過程によってつくられたもの）．***2*** 認知（臨床心理学において，知覚の報告からなる1単位をなすものをいう．例えば Rorschach 試験において，インキのしみに対する反応の1つをいう）．

per·cep·tion (per-sep′shŭn)．知覚，認知（ある対象や思考に気づいたり，認識するようになる精神過程．その過程は感情的あるいは能動的であるというよりは，基本的にはむしろ認識的であるが，これら3つの側面が明らかに関与している）．＝esthesia (1).

concept-driven p. 概念に基づく知覚（自己の内的構造，表象システム，信念，意見，理論的認識，アジェンダ，人格的特性など，他の関連事項によって形づくられる外的世界の現象の認識）．

depth p. 奥行覚（視覚により空間の奥行または距離を判断する能力）．

extrasensory p. (ESP) 超感覚的知覚（通常の感覚器官とは別なものによってなされる知覚．例えば，テレパシー，透視，予知など）．

simultaneous p. 同時知覚（2つの異なった像が1つの型に結合すること）．

per·cep·tive (per-sep′tiv)．知覚の，知覚しうる（通常より高い知覚能力と関連した，あるいはその力をもつことをいう）．

per·cep·tiv·i·ty (per′sep-tiv′i-tē)．知覚力．

per·cep·to·ri·um (per′sep-tōr′ē-ŭm)．＝sensorium (2).

per·co·la·tion (per′kō-lā′shŭn) [L. *percolatio* < per- + *col*, to strain]．***1*** 泸過．＝filtration. ***2*** パーコレーション（液体溶媒を通過させることにより固体混合物から可溶部分を抽出すること）．***3*** 浸透（歯の構造と修復物間の間隙を唾液または他の液体が通過すること．ときに温度の変化によって引き起こされる）．

per·co·la·tor (per′kō-lā′tŏr)．パーコレータ，透水器，泸過器，抽出器（調剤の際に，泸過または抽出のために用いる漏斗形容器）．

per·co·morph oil (per′kō-mōrf oyl)．パーコモルフ油（棘鰭目の魚類の肝油．標準化されたビタミンAおよびビタミンDを含有する）．

per con·tig·u·um (per kon-tig′yū-ŭm) [per- + L. *contiguus*, touching < *tango*, to touch]．接触的に（炎症またはその他の病的過程が隣接した構造へ侵襲し拡散する形式についていう）．

per con·tin·u·um (per kon-tin′yū-ŭm) [per- + L. *continuus*, holding together, continuous < *teneo*, to hold]．連続的に（炎症またはその他の病的過程がある部分から他の部分へ連続した組織を通して拡散する形式についていう）．

per·cuss (per-kŭs′)．打診する．

per·cus·sion (per-kŭsh′ŭn) [L. *percussio* < *per-cutio*, pp. *-cussus*, to beat < *quatio*, to shake, beat]．***1*** 打診〔法〕（指または打診槌で軽くたたくことにより発生した音によってその身体部位の密度を推定するために考案された診断法．主として胸部で肺に正常な含気が存在することを診るために，あるいは腹部で小腸ループの空気や肝臓または脾臓などの実質臓器の大きさを評価するために実施する）．***2*** 軽打按摩〔法〕（力を変えて繰り返し強打または軽打することからなるマッサージの形式）．

auscultatory p. 聴診的打診〔法〕（打診により発生した音を聴取する補助として，打診がなされると同時に胸または他の部分を聴診すること）．

bimanual p. 双手打診〔法〕（一方の手の指で他方の手を軽くたたく打診法．間接打診法の1つ）．

clavicular p. 鎖骨打診〔法〕（特に肺尖部結核において，全鎖骨に沿って濁音を示す，通常は直接的打診法）．

deep p. 深部打診〔法〕（深部に位置する器官または構造に関する知識を得るための強い打診法）．

direct p. ＝immediate p.

finger p. 指打診〔法〕（一方の手の指を打診板として，他方の手の指を打診槌として用いる打診法）．

immediate p. 直接打診〔法〕（指または打診板が間にはいることなく直接検査される部分を打つこと）．＝direct p.

mediate p. 間接打診〔法〕（打つ指または槌と打診される部分の間に，指または打診板を入れて行う打診法）．

Murphy p. (mŭr′fē)．マーフィ打診〔法〕（第五指から順番に片手の指先で胸壁を叩く濁音の検査）．＝piano p.

palpatory p. 触診的打診〔法〕（引き出される音よりも，指の下の組織の反響に注意が集中される打診法）．

piano p. ＝Murphy p.

threshold p. 閾値打診〔法〕（打診槌としてガラス棒を用いて行う打診法．棒は胸または腹の壁に対して傾斜させ，一端

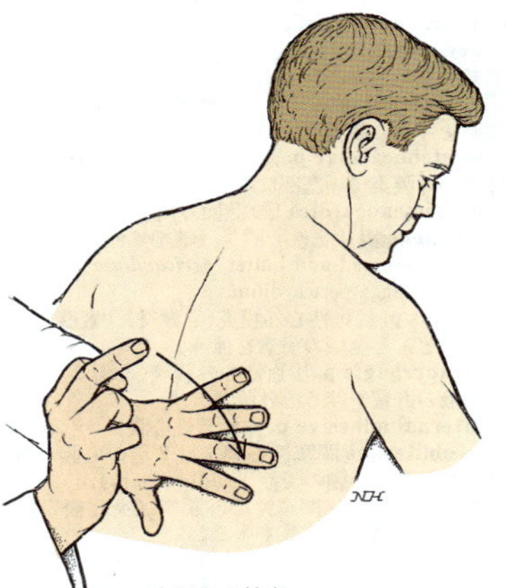

右利きの検者

percussion

左中指の遠位指節を体壁に対してしっかり固定する．曲げた指の先で，反対の手の指節間の中央，あるいは中指の遠位指節の基部を，短く，すばやい打ち方で叩く．

のみが接触する)．

per·cus·sor (per-kŭs′ŏr). 打診槌. = plessor.

per·cu·ta·ne·ous (per′kyū-tā′nē-ŭs). 経皮の（皮膚を通しての物質の経路についていう．例えば塗擦による吸収，および Seldinger 法(⇒technique)による針金やカテーテルの挿入を含めた，針による皮膚の穿孔によって通じる経路なども含む). = transcutaneous; transdermic.

per·en·ceph·a·ly (per′en-sef′ă-lē) [G. *pēra*, a purse, a wallet + *enkephalos*, brain]. 脳囊胞〔症〕（1つ以上の脳の囊胞を特徴とする状態).

Pe·rez (pā-rā′), Bernard. フランス人医師，1836—1903. → P. *reflex*.

Pe·rez (pā-rāth′), George V. 20世紀のスペイン人医師. → P. *sign*.

per·fec·tion·ism (per-fek′shŭn-izm). 完全主義（自己に対してかなり高い要求水準を保とうとする傾向).

per·fla·tion (per-flā′shŭn) [L. *per-flo*, pp. *-flatus*, to blow through]. 通気，送風（空洞または管腔に空気を吹き込み，その壁を押し離すかあるいは中の物質を放逐すること).

per·flu·bron (per-flū′bron). perfluorooctyl bromide の一般名.

perfluoro- ペルフルオロ（炭化水素の全水素原子がフッ素で置換されていることを表す接頭語).

per·fluor·o·oc·tyl bro·mide (PFOB) (per-flōr′ō-ok′til brō′mīd). 臭化ペルフルオロオクチル（臭素置換されたフッ化炭素化合物で，粒状のエマルジョンとして調製され，CT，MRI および超音波の造影剤として用いられる).

per·fo·rans (per′fō-rans) [L. perforating]. 穿孔性の，貫通の（数個の筋および神経が走行中に他の器官を穿孔する場合に適用される語).

per·fo·rat·ed (per′fō-rāt′ed) [L. *perforatus* < *per-foro* pp. *-atus*, to bore through]. 穿孔した，有孔の，貫通した.

per·fo·ra·tion (per′fō-rā′shŭn) [→perforated]. 穿孔（管腔臓器にみられる異常な開口). = tresis.

per·fo·ra·tor (per′fō-rā′tŏr). 穿頭器（頭蓋に骨性の開口部(穴)を作成する器具). = trephine (1).

per·for·in (per′fōr-in) [L. *per-foro*, to bore, pierce + -in]. パーフォリン（細胞傷害性Tリンパ球とナチュラルキラー細胞の細胞質内顆粒に貯蔵されている蛋白．標的細胞の溶解に関係する).

per·for·mic ac·id (per-fōr′mik as′id). 過ギ酸（システニル基を酸化してシステイン酸とし，ペプチドのジスルフィド結合を開裂するために用いる有機過酸(HCOOOH)). = peroxyformic acid.

per·frig·er·a·tion (per-frij′ĕr-ā′shŭn) [L. *per-frigero*, pp. *-atus*, to make cold < *frigus*, cold]. 軽症凍傷.

per·fus·ate (per′fyūz′āt) [→perfuse]. 灌流液（灌流に使われる液体．ときに広義に，多少なりとも多孔性の膜や物質を通す液体についても用いる).

per·fuse (per-fyŭs′) [L. *perfusio* < per- + *fusio*, a pouring]. 灌流する（血液や他の液体を動脈から組織の血管床や中空構造の腔内に流す(例えば分離腎尿細管). *cf.* perifuse; superfuse).

per·fu·sion (per-fyū′zhŭn). 灌流（①灌流すること．②換気血流比のように，単位組織当たりの血液や他の灌流液の流れをいう).

regional p. 局所灌流（体の一部，特に四肢の灌流．特に一次性，再発性，または転移性の悪性腫瘍の治療を目的とした化学療法薬を加えて行われる).

perfusionist (pĕr-fyū′shŭn-ist). 循環管理専門技師（外科手術における体外酸素供給装置など循環系への酸素化の専門技師).

per·hy·dro·cy·clo·pen·ta[*a*]phen·an·threne (per-hī′drō-sīklō-pen′tă-fen-an′thrēn). ペルヒドロシクロペンタ[*a*]フェナントレン. = tetracyclic steroid *nucleus*.

peri- [G. around]. 【本接頭語と para-, pari-, または per- を混同しないこと】. …の周囲の，…の周りの，…の近くの，を意味する接頭語. *cf.* circum-.

per·i·ac·cre·tio pe·ri·car·di·i (per′ē-ă-krē′shē-ō per′i-kar′dē-ī). 心膜癒着（先行する炎症のために生じた心外膜壁側またはその一部と心臓表面との癒着).

per·i·ac·i·nal, per·i·ac·i·nous (per′ē-as′i-năl, -i-nŭs). 小房周囲の.

per·i·ad·e·ni·tis (per′ē-ad′ĕ-nī′tis) [peri- + G. *adēn*, gland + *-itis*, inflammation]. 腺周囲炎（腺周囲の組織の炎症).

p. mucosa necrotica recurrens 再発性壊死性粘膜腺周囲炎. = *aphthae* major(⇒aphtha).

per·i·a·nal (per′ē-ā′năl). 肛門周囲の. = circumanal.

per·i·an·gi·o·cho·li·tis (per′ē-an′jē-ō-kō-lī′tis) [peri- + G. *angeion*, vessel + *cholē*, bile + *-itis*, inflammation]. = pericholangitis.

per·i·an·gi·tis (per′ē-an-jī′tis) [peri- + G. *angeion*, vessel + *-itis*, inflammation]. 脈管周囲炎（脈管外膜，リンパ節，または外膜周囲組織の炎症. → periarteritis; periphlebitis; perilymphangitis). = perivasculitis.

per·i·a·or·tic (per′ē-ā-ōr′tik). 大動脈周囲の，大動脈隣接の.

per·i·a·or·ti·tis (per′ē-ā′ōr-tī′tis). 大動脈周囲炎（大動脈外膜および外膜周囲組織の炎症).

per·i·a·pex (per′ē-ā′peks) [peri- + L. *apex*, tip]. 根尖周囲（歯根尖周囲の構造．特に歯根膜および隣接した骨).

per·i·ap·i·cal (per′ē-ap′i-kăl). 歯根尖〔端〕周囲の（①歯根尖またはその周囲についていう．②尖周囲についていう).

per·i·ap·pen·di·ci·tis (per′ē-ă-pen′di-sī′tis). 虫垂周囲炎（虫垂周囲の組織の炎症). = para-appendicitis.

p. decidualis 脱落細胞性虫垂周囲炎（卵管と虫垂の癒着を伴う右側の卵管妊娠の場合に，虫垂突起の腹膜に脱落細胞が存在すること).

per·i·ap·pen·dic·u·lar (per′ē-ap′en-dik′yū-lăr). 虫垂周囲の（垂の周囲，特に虫垂周囲についていう).

per·i·ar·te·ri·al (per′ē-ar-tē′rē-ăl). 動脈周囲の.

per·i·ar·te·ri·tis (per′ē-ar′tĕ-rī′tis). 動脈周囲炎（動脈外膜の炎症). = exarteritis.

p. nodosa 結節性動脈周囲炎. = *polyarteritis* nodosa.

per·i·ar·thric (per′ē-ar′thrik). 関節周囲の. = circumarticular.

per·i·ar·thri·tis (per′ē-ar-thrī′tis) [peri- + arthritis]. 関節周囲炎.

per·i·ar·tic·u·lar (per′ē-ar-tik′yū-lăr). 関節周囲の. = circumarticular.

per·i·a·tri·al (per′ē-ā′trē-ăl). 心房周囲の. = periauricular (1).

per·i·au·ric·u·lar (per′ē-aw-rik′yū-lăr). *1* ＝periatrial. *2* ＝periconchal. *3* 耳周囲の（外耳周囲についていう）.
per·i·ax·i·al (per′ē-ak′sē-ăl). 軸周囲の.
per·i·ax·il·lar·y (per′ē-ak′sē-lār′ē). 腋窩周囲の. ＝circumaxillary.
per·i·ax·o·nal (per′ē-ak′sō-năl) [peri- ＋G. *axōn*, axis]. 軸索周囲の（神経の軸索周囲についていう）.
per·i·blast (per′i-blast) [peri- ＋G. *blastos*, germ]. 周縁質（端黄卵の胚葉末端部に隣接した卵黄膜の領域）.
per·i·bron·chi·al (per′i-brong′kē-ăl). 気管支周囲の.
per·i·bron·chi·o·lar (per′i-brong′kē-ō′lăr). 細気管支周囲の.
per·i·bron·chi·o·li·tis (per′i-brong′kē-ō-lī′tis). 細気管支周囲炎（細気管支周囲の組織の炎症）.
per·i·bron·chi·tis (per′i-brong-kī′tis). 気管支周囲炎（気管支周囲の組織または気管支の炎症）.
per·i·buc·cal (per′i-bŭk′ăl). 頬周囲の.
per·i·bul·bar (per′i-bŭl′băr). 球周囲の（球，特に眼球または尿道球周囲についていう）. ＝circumbulbar.
per·i·bur·sal (per′i-bŭr′săl). 滑液嚢周囲の.
per·i·can·a·lic·u·lar (per′i-kan′ă-lik′yū-lăr). 細管周囲の.
per·i·car·dec·to·my (per′i-kar-dek′tŏ-mē). ＝pericardiectomy.
per·i·car·di·a (per′i-kar′dē-ă). pericardium の複数形.
per·i·car·di·ac, per·i·car·di·al (per-i-kar′dē-ak, -dē-ăl). *1* 心膜の. *2* 心臓周囲の.
per·i·car·di·cen·te·sis (per′i-kar′dē-sen-tē′sis). 心膜腔穿刺〔術〕. ＝pericardiocentesis.
per·i·car·di·ec·to·my (per′i-kar-dē-ek′tŏ-mē) [pericardium ＋G. *ektomē*, excision]. 心嚢(心膜)切除術（心嚢(心膜)の一部を切除すること）. ＝pericardectomy.
  radical p. 根治的心膜切除術（ほとんど完全に心膜を切除すること）.
per·i·car·di·o·cen·te·sis (per-i-kar′dē-ō-sen-tē′sis) [peri- ＋G. *kardia*, heart ＋ *kentēsis*, puncture]. 心膜穿刺〔術〕，心嚢穿刺〔術〕（心嚢からの針またはカテーテルによる排液）. ＝pericardial tap; pericardicentesis.
per·i·car·di·ol·o·gy (per′i-kar′dē-ol′ŏ-jē). 心外膜学（心外膜の生理や疾患の研究）.
per·i·car·di·o·per·i·to·ne·al (per′i-kar′dē-ō-per′i-tō-nē′ăl). 心膜腹膜の（心膜腔と腹腔に関する）.
per·i·car·di·o·phren·ic (per′i-kar′dē-ō-fren′ik) [pericardium ＋G. *phrēn*, diaphragm]. 心膜横隔の（心膜と横隔膜に関する）.
per·i·car·di·o·pleur·al (per′i-kar′dē-ō-plūr′ăl). 心膜胸膜の（心膜腔および胸腔に関する）.
per·i·car·di·or·rha·phy (per′i-kar′dē-ōr′ă-fē) [pericardium ＋G. *rhaphē*, suture]. 心嚢(心膜)縫合〔術〕.
per·i·car·di·os·to·my (per′i-kar′dē-os′tŏ-mē) [pericardium ＋G. *stoma*, mouth]. 心嚢造瘻術，心嚢開窓〔術〕（心嚢に窓をつくること）.
per·i·car·di·ot·o·my (per′i-kar′dē-ot′ŏ-mē) [pericardium ＋G. *tomē*, incision]. 心嚢(心膜)切開〔術〕. ＝pericardotomy.
per·i·car·dit·ic (per′i-kar-dit′ik). 心膜炎の.
per·i·car·di·tis (per′i-kar-dī′tis). 心膜炎，心外膜炎.
  acute fibrinous p. 急性線維素性心外膜炎(心嚢炎)（通常急性の心嚢炎で，炎症が大量のフィブリン蓄積を伴う）.
  adhesive p. 癒着性心膜炎（2層の心膜，心膜と心臓，または心膜と隣接臓器の間に癒着のある心膜炎）. ＝adherent pericardium.
  bacterial p. 細菌性心外膜炎(心嚢炎)（細菌感染による心嚢炎）.
  p. calculosa 結石性心外膜炎(心嚢炎)（先行する心外膜炎に続発する心外膜の石灰化）.
  carcinomatous p. 癌性心外膜炎(心嚢炎)（癌細胞の浸潤による心嚢炎で，通常，癌組織からの浸潤による）.
  chronic constrictive p. 慢性収縮性心膜炎（心外膜の肥厚と心腔の長期的な狭窄を伴う瘢痕化）.
  constrictive p. 梗塞性心外膜炎(心嚢炎)（炎症後の肥厚および心腔の梗塞を生じる心外膜の瘢痕化．急性，亜急性または慢性のことがある．以前は慢性梗塞性心嚢炎 chronic constrictive p. とよばれた）.
  dry p. 乾性心外膜炎(心嚢炎)（心嚢膜の炎症で，心嚢液の貯流を示さない型）.
  p. with effusion 貯留性心外膜炎(心嚢炎)（大量の心嚢液生産を伴う心嚢膜炎症）.
  epistenocardiac p. 限局性心外膜炎（貫壁性の心筋梗塞に伴う心外膜炎で梗塞部に限局する）. ＝p. epistenocardica.
  p. epistenocardica 限局性心外膜炎. ＝epistenocardiac p.
  fibrinous p. 線維性心膜炎（線維素性の滲出物を伴う急性心膜炎. →bread-and-butter *pericardium*）. ＝hairy heart; p. villosa; shaggy pericardium.
  fibrous p. 線維性心外膜炎(心嚢炎)（瘢痕化を伴い，心外膜のほとんど全域の癒着を伴う）.
  hemorrhagic p. 出血性心外膜炎(心嚢炎)（血液を含んだ心嚢液の貯留を伴う心外膜炎）.
  internal adhesive p. 内癒着性心膜炎. ＝concretio cordis.
  p. obliterans 閉塞性心膜炎（2層の心膜が癒着し，心嚢閉塞を起こす心膜の炎症. →adhesive p.）.
  obliterative p. 閉塞性心外膜炎（炎症後の癒着によって心嚢膜腔が完全に閉塞すること）.
  postmyocardial infarction p. 心筋梗塞後心外膜炎(心嚢炎)（心筋梗塞後，通常1週間の心外膜炎の急性型）.
  postpericardiotomy p. 心筋切開後心外膜炎(心嚢炎)（胸部の外傷に続発する心外膜の炎症性変化）.
  posttraumatic p. 外傷後心外膜炎（胸部外傷に続発する心外膜の炎症）.
  purulent p. 化膿性心外膜炎(心嚢炎)（通常，細菌性で，心嚢液に化膿を伴う心外膜炎）. ＝empyema of the pericardium; pyopericardium.
  rheumatic p. リウマチ性心膜炎（急性リウマチ熱の際に起こる線維性心膜炎）.
  p. sicca 乾性心膜炎（明らかな心嚢水の貯留が認められない線維性の心膜炎）.
  tuberculous p. 結核性心外膜炎(心嚢炎)（結核菌の感染による心外膜炎）.
  uremic p. 尿毒症性心膜炎（慢性腎不全の際にみられる線維性心膜炎）.
  p. villosa 絨毛性心膜炎. ＝fibrinous p.
  viral p. ウイルス性心外膜炎(心嚢炎)（ウイルス感染による心外膜炎）.
per·i·car·di·um, pl. **per·i·car·di·a** (per′i-kar′dē-ŭm, -ă) [L. < G. *pericardion*, the membrane around the heart] [TA]. 心膜（中皮と中皮下結合組織よりなる線維漿膜性の膜．心膜および大血管の起始部をおおう．2層からなる閉鎖嚢で，一方は心臓全表面を直接おおう臓側板または心外膜，他方は壁側板で，漿膜(漿膜性心膜 serous pericardium)を伴う強靱な線維性組織(線維性心膜 fibrous pericardium)よりなる．心膜を通って横隔膜に達する横隔神経は心膜を横隔神経前部と後部に分ける．また肺門は両者をさらに肺門上部，肺門部および肺門下部に分ける）. ＝capsula cordis; heart sac; membrana cordis; theca cordis.
  adherent p. 癒着性心膜. ＝adhesive *pericarditis*.
  bread-and-butter p. バター付きパン様心膜（外科手術または剖検時心外膜を分離すると，押し付けてから引き離した2枚のバター付きパンに類似した心外膜の臓側面と壁側面をもつ線維性心膜）.
  p. fibrosum [TA]. 線維性心膜（→pericardium）. ＝fibrous p.
  fibrous p. [TA]. →pericardium. ＝p. fibrosum [TA].
  p. serosum 漿膜性心膜（→pericardium）. ＝serous p.
  serous p. [TA]. 漿膜性心膜（→pericardium）. ＝p. serosum.
  shaggy p. 線維性心膜. ＝fibrinous *pericarditis*.
  visceral p. 臓側心膜（心嚢の心外膜面の層．主に中皮の1層でなる）.
per·i·car·dot·o·my (per′i-kar-dot′ŏ-mē). ＝pericardiotomy.
per·i·ce·cal (per′i-sē′kăl). 盲腸周囲の. ＝perityphlic.
per·i·cel·lu·lar (per′i-sel′yū-lăr). 細胞周囲の. ＝pericytial.
per·i·ce·men·tal (per′i-sē-men′tăl). ＝periodontal.
per·i·cen·tral (per′i-sen′trăl). 中心周囲の.

per·i·cho·lan·gi·tis (per′i-kō′lan-jī′tis) [peri- + G. *cholē*, bile + *angeion*, vessel + *-itis*, inflammation]. 胆管周囲炎（胆管周囲組織の炎症）. = periangiocholitis.

per·i·chon·dral, per·i·chon·dri·al (per′i-kon′drăl, -kon′drē-ăl). 軟骨膜の.

per·i·chon·dri·tis (per′i-kon-drī′tis). 軟骨膜炎.

peristernal p. 胸骨傍軟骨膜炎. = Tietze *syndrome*.

relapsing p. 再発性軟骨膜炎. = relapsing *polychondritis*.

per·i·chon·dri·um (per′i-kon′drē-ŭm) [peri- + G. *chondros*, cartilage][TA]. 軟骨膜（軟骨周囲の厚く不規則な結合組織膜）.

per·i·chord (per′i-kōrd). 脊索軸.

per·i·chor·dal (per′i-kōr′dăl). 脊索周囲の.

per·i·cho·roi·dal (per′i-kŏ-roy′dăl). 脈絡膜周囲の.

per·i·chrome (per′i-krōm) [peri- + G. *chrōma*, a color]. ペリクロム（色素親和性物質または染色されうる物質が細胞質中に散在する神経細胞をいう）.

per·i·col·ic (per′i-kol′ik). 結腸周囲の.

per·i·co·li·tis (per′i-kō-lī′tis). 結腸周囲炎（結腸を囲む結合組織または腹膜の炎症）. = pericolonitis; serocolitis.

p. dextra 右側結腸周囲炎（上行結腸に病変のある結腸周囲炎）.

p. sinistra 左側結腸周囲炎. = perisigmoiditis.

per·i·co·lon·i·tis (per′i-kō-lon-ī′tis). = pericolitis.

per·i·col·pi·tis (per′i-kol-pī′tis) [peri- + G. *kolpos*, bosom (vagina) + *-itis*, inflammation]. 腟周囲炎. = perivaginitis.

per·i·con·chal (per′i-kong′kăl). 〔耳〕甲介周囲の. = periauricular (2).

per·i·cor·ne·al (per′i-kōr′nē-ăl). 角膜周囲の. = circumcorneal; perikeratic.

per·i·cor·o·nal (per-i-kōr′ŏ-năl). 歯冠周囲の.

per·i·cor·o·ni·tis (per′i-kōr′ŏ-nī′tis) [peri- + L. *corona*, crown + G. *-itis*, inflammation]. 歯冠周囲炎（通常，不完全萠出の下顎第三大臼歯の歯冠周囲の炎症）.

per·i·cra·ni·al (per′i-krā′nē-ăl). 頭蓋周囲の，頭蓋骨膜の.

per·i·cra·ni·tis (per′i-krā-nī′tis). 頭蓋骨膜炎.

per·i·cra·ni·um (per′i-krā′nē-ŭm) [peri- + G. *kranion*, skull][TA]. 頭蓋骨膜. = periosteum cranii [TA].

per·i·cys·tic (per′i-sis′tik) [peri- + G. *kystis*, bladder]. = perivesical. ***1*** 膀胱周囲の. ***2*** 胆嚢周囲の. ***3*** 嚢胞周囲の.

per·i·cys·ti·tis (per′i-sis-tī′tis). 膀胱周囲炎（嚢，特に膀胱の周囲組織の炎症）.

per·i·cys·ti·um (per′i-sis′tē-ŭm) [peri- + G. *kystis*, bladder, cyst]. ***1*** 膀胱または胆嚢の周囲組織. ***2*** 嚢腫の脈管性外壁.

per·i·cyte (per′i-sīt) [peri- + G. *kytos*, cell]. 周皮細胞，血管周囲細胞（**[**parasite と混同しないこと**]**. 毛細血管壁の外側と密着している細長い間葉状細胞の一種. 比較的未分化で，線維芽細胞，内皮細胞，または平滑筋細胞になることもある）. = adventitial cell; pericapillary cell; perithelial cell.

per·i·cyt·i·al (per′i-sit′ē-ăl). 細胞周囲の. = pericellular.

per·i·dens (per′i-denz) [peri- + L. *dens*, tooth]. 過剰転位歯（歯列弓の内側あるいは外側に萠出した過剰歯）.

per·i·den·tal (per′i-den′tăl). = periodontal.

per·i·den·ti·tis (per′i-den-tī′tis). periodontitis を表す現在では用いられない語.

per·i·den·ti·um (per′i-den′tē-ŭm). 歯周組織，歯根膜. = periodontium.

per·i·derm, per·i·der·ma (per′i-derm, -i-dĕr′mă) [peri- + G. *derma*, skin]. 胎児表皮（胎生 6 か月までの胚および胎児の表皮の最外層. 脱落した胎児表皮細胞は胎脂の重要成分である）. = epitrichium.

per·i·der·mal, per·i·der·mic (per′i-der′măl, -mik). 胎児表皮の.

per·i·des·mic (per′i-dez′mik). = periligamentous. ***1*** 靱帯周囲の. ***2*** 靱帯膜の.

per·i·des·mi·tis (per′i-dez-mī′tis) [peri- + G. *desmos*, band + *-itis*, inflammation]. 靱帯膜炎（靱帯周囲の結合組織の炎症）.

per·i·des·mi·um (per′i-dez′mē-ŭm) [peri- + G. *desmion*(*desmos*), band]. 靱帯膜（靱帯周囲の結合組織膜）.

per·i·did·y·mis (per′i-did′i-mis) [G. *didymos*, twin, pl. *didymoi*, testes]. **[**paradidymis と混同しないこと**]**. = *tunica albuginea of testis*.

per·i·did·y·mi·tis (per′i-did′i-mī′tis). 精巣鞘膜炎.

pe·rid·i·um (pe-rid′ē-ŭm) [G. *pēridion*: *pēra* (leather pouch) の指小辞]. 子殻，皮殻（菌類で子嚢周囲の菌糸構造）.

per·i·di·ver·tic·u·li·tis (per′i-dī′vĕr-tik′yū-lī′tis). 憩室周囲炎（回腸憩室の周囲組織の炎症）.

per·i·du·o·de·ni·tis (per′i-dū′ō-dē-nī′tis). 十二指腸周囲炎.

per·i·du·ral (per′i-dū′răl). 硬膜上の. = epidural.

per·i·en·ceph·a·li·tis (per′ē-en-sef′ă-lī′tis) [peri- + G. *enkephalos*, brain]. 脳周囲炎（脳膜の炎症，特に軟髄膜炎または軟膜の炎症で，その下の皮質の障害を伴う）.

per·i·en·ter·ic (per′ē-en-ter′ik). 腸周囲の. = circumintestinal.

per·i·en·ter·i·tis (per′ē-en′tĕr-ī′tis). 腸周囲炎（腸管の腹膜被覆の炎症）. = seroenteritis.

per·i·e·pen·dy·mal (per′ē-e-pen′di-măl). 上衣周囲の.

per·i·e·soph·a·ge·al (per′ē-ē-sō-faj′ē-ăl). 食道周囲の（**[**誤った発音 periesophage′al を避けること**]**）.

per·i·e·soph·a·gi·tis (per′ē-ē-sof′ă-jī′tis). 食道周囲炎（食道の周囲組織の炎症）.

per·i·fo·cal (per′i-fō′kăl). 病巣周囲の（感染病巣の近くにある組織または血液についていう）.

per·i·fol·lic·u·lar (per′i-fŏ-lik′yū-lăr). 毛包周囲の（通常，毛包周囲の細胞浸潤を病理組織学的に述べるための用語）.

per·i·fol·lic·u·li·tis (per′i-fŏ-lik′yū-lī′tis). 毛包周囲炎（毛包の周囲に炎症性の細胞浸潤が存在すること. しばしば毛包炎と関連して起こる）.

p. abscedens et suffodiens 膿瘍性穿掘性毛包周囲炎（頭皮の慢性の解離性毛包炎）. = dissecting cellulitis.

per·i·fuse (per′i-fyūs) [peri- + L. *fusio*, a pouring]. 浴液中にある組織小片の全表面を新しい浴液で洗い流す. *cf.* perfuse; superfuse.

per·i·fu·sion (per′i-fyū′zhŭn). 洗い流すこと.

per·i·gan·gli·on·ic (per′i-gang′glē-on′ik). 神経節周囲の.

per·i·gas·tric (per′i-gas′trik) [peri- + G. *gastēr*, belly, stomach]. 胃周囲の.

per·i·gas·tri·tis (per′i-gas-trī′tis). 胃周囲炎（胃の腹膜被覆の炎症）.

per·i·gem·mal (per′i-jem′ăl) [peri- + L. *gemma*, bud]. 味蕾周囲の. = circumgemmal.

per·i·glan·du·li·tis (per′i-glan′dyū-lī′tis). 腺周囲炎（腺の周囲組織の炎症）.

per·i·glot·tic (per′i-glot′ik) [peri- + G. *glōssa*, *glōtta*, tongue]. 舌周囲の，声門周囲の（特に舌の基部および喉頭蓋のまわり，または声門(喉頭)，声門裂のまわりについていう）.

per·i·glot·tis (per′i-glot′is) [G. *periglōttis*, covering of the tongue]. 舌粘膜.

per·i·he·pat·ic (per′i-he-pat′ik) [peri- + G. *hēpar*, liver]. 肝周囲の.

per·i·hep·a·ti·tis (per′i-hep′ă-tī′tis) [peri- + G. *hēpar*, liver + *-itis*, inflammation]. 肝周囲炎（肝臓をおおう漿膜または腹膜の炎症）. = hepatic capsulitis; hepatitis externa; hepatoperitonitis.

per·i·her·ni·al (per′i-her′nē-ăl). ヘルニア周囲の.

per·i·im·plan·to·cla·si·a (per′ē-im-plan′tō-klā′zē-ă) [peri- + L. *im*, in + *planto*, to plant + G. *-klasis*, breaking up]. ペリーインプラント破壊症（歯科において，インプラントを伴う支持骨の疾患を意味する一般名. 本疾患は本質的に剝脱性，吸収性，外傷性，あるいは潰瘍性である）.

per·i·je·ju·ni·tis (per′i-jĕ′jū-nī′tis). 空腸周囲炎.

per·i·kar·y·on, pl. **per·i·kar·y·a** (per′i-kar′ē-on, -ă) [peri- + G. *karyon*, kernel]. ***1*** 細胞質（神経細胞の細胞体部の原形質のように核を囲む原形質）. ***2*** 核周囲部（そうげ芽細胞を除くそうげ芽細胞体）. ***3*** 神経細胞形質（軸索突起および樹状突起と区別される神経細胞の細胞体部）.

per·i·ke·rat·ic (per′i-ke-rat′ik) [peri- + G. *keras*, horn]. = pericorneal.

per·i·ky·ma·ta, sing. **per·i·ky·ma** (per′i-kī′mă-tă,

P

-kī′mă) [peri- + G. *kyma*, wave]. 周波条（歯のエナメル質表面上の横走の凹凸）.

per·i·lab·y·rin·thi·tis (per′i-lab′ĭ-rin-thī′tis). 迷路周囲炎（迷路の周囲組織の炎症）.

per·i·la·ryn·ge·al (per′i-lă-rin′jē-ăl). 喉頭周囲の.

per·i·len·tic·u·lar (per′i-len-tik′yū-lăr). 水晶体周囲の. = circumlental.

per·i·lig·a·men·tous (per′i-lig′ă-men′tŭs). = peridesmic.

per·i·lymph (per′i-limf) [TA]. 外リンパ（骨迷路の中に含まれる液体で，膜迷路を取り囲み，これを保護している．構成分は(正の電解質としてはナトリウムが優位であるが)細胞外液と似ており，外リンパ管を経て脳脊髄液と連絡している）. = perilympha [TA]; Cotunnius liquid; liquor cotunnii.

per·i·lym·pha (per′i-lim′fă) [peri- + L. *lympha*, a clear fluid(lymph)][TA]. 外リンパ. = perilymph.

per·i·lym·phan·gi·al (per′i-lim-fan′jē-ăl). リンパ管周囲の.

per·i·lym·phan·gi·tis (per′i-lim′fan-jī′tis). リンパ管周囲炎（リンパ管の周囲組織の炎症）.

per·i·lym·phat·ic (per′i-lim-fat′ik). ***1*** リンパ周囲の（リンパ節またはリンパ管などリンパ組織の周囲についていう）. ***2*** 外リンパの（内耳の膜迷路周囲の空間と組織についていう）.

per·i·men·in·gi·tis (per′i-men′in-jī′tis). 髄膜周囲炎. = pachymeningitis.

per·i·men·o·pause (per′i-men′ō-pawz). 周閉経期（エストロゲンレベルが低下し始める閉経周辺の3－5年の期間）.

pe·rim·e·ter (pĕ-rim′ĕ-tĕr) [G. *perimetros*, circumference < *peri*, around + *metron*, measure]. ***1*** 周界（周線，縁，境界）. ***2*** 〔周辺〕視野計（視野の範囲を定める器具．通常，半円形または球体である）.

arc p. 球面視野計（周辺視野を測定するために用いられる指標を移動させるための板状の半円形の枠の装置．患者は枠の中心を注視し，指標が弧状の板に沿って動く．標識が患者の視野にはいるもしくは消失した点を記録紙に記録する）.

Goldmann p. (gōlt′mahn). ゴルトマン〔周辺〕視野計（周囲の照明を制御することによってさらに正確さを増した投影視野計）.

projection p. 投影視野計（標的として，大きさ，明るさおよび色を速やかに調整でき，音を立てずに目的の速度で動くスポットライトを用いたもの）.

Tübinger p. (tū′bing-ĕr) [*Tübingen*, ドイツの都市]. チュービンガー視野計（認知できるまで静的刺激が増加する球形視野計）.

per·i·met·ric (per′i-met′rik). ***1*** [G. *peri*, around + *mētra*, uterus]. 子宮周囲の，子宮外膜の. = periuterine. ***2*** [G. *perimetros*, circumference]. 周界の（ある部分または地域の周線についていう）. ***3*** 〔周辺〕視野計測の，〔周辺〕視野測定〔法〕の.

per·i·me·trit·ic (per′i-me-trit′ik). 子宮周囲炎の.

per·i·me·tri·tis (per′i-me-trī′tis) [perimetrium + G. *-itis*, inflammation]. 子宮周囲炎（腹膜を含む子宮の炎症）. = metroperitonitis.

per·i·me·tri·um, pl. **per·i·me·tria** (per′i-mē′trē-ŭm, -ă) [peri- + G. *mētra*, uterus][TA]. 子宮外膜（[parametrium と混同しないこと]．子宮の漿膜(腹膜)性外膜）. = tunica serosa uteri [TA].

pe·rim·e·try (pĕ-rim′ĕ-trē) [G. *perimetros*, circumference]. 視野測定〔法〕（①視野の限界を測定すること．②視野の閾値等高線のマッピング）.

computed p. コンピュータ視野測定〔法〕（静的刺激をプログラム化した方法による視野の測定）.

flicker p. フリッカー視野測定〔法〕（臨界融合頻度の判定基準を用いる視野測定の技術）. = flicker fusion frequency technique.

kinetic p. 動的視野測定〔法〕（静的指標ではなく動的指標を用いる視野測定）.

mesopic p. 薄明視野測定〔法〕（薄暗い照明で視野を測定すること）.

objective p. 他覚的視野測定〔法〕（瞳孔収縮，脳波測定，あるいは眼の動きにより視野を測定すること）.

quantitative p. 量的視野測定〔法〕（等しい網膜感度の等視力線を描く視野測定）.

scotopic p. 暗所視野測定〔法〕（暗順応時の視野の測定）.

static p. 静的視野測定〔法〕（固定した標的を使用し，徐々に照明を増して可視の閾値を調べる視野の検査）.

per·i·mol·y·sis (per′i-mol′i-sis) [= perimylolysis < peri- + G. *mylos*, molar + *lysis*, loosening, dissolving < *luō*, to loosen]. 胃酸性歯牙酸蝕症（慢性的な嘔吐症の患者において，胃酸にさらされることから起こる歯の脱灰）.

per·i·my·e·lis (per′i-mī′ĕ-lis) [peri- + G. *myelos*, marrow]. 骨内膜. = endosteum.

per·i·my·e·li·tis (per′i-mī′ĕ-lī′tis). 骨髄周囲炎. = endosteitis.

per·i·my·o·car·di·tis (per′i-mī′ō-kar-dī′tis). 心外膜心筋炎（心外膜炎と心内膜炎の合併で，通常，同一原因による）.

per·i·my·o·si·tis (per′i-mī′ō-sī′tis). 筋周囲炎（筋肉の周囲の疎性蜂巣織の炎症）. = perimysiitis (2); perimysitis (2).

per·i·mys·i·al (per′i-mis′ē-ăl, -miz′ē-ăl). 筋周膜の，筋周囲の.

per·i·mys·i·i·tis, **per·i·my·si·tis** (per′i-mis′ē-ī′tis, -mī-sī′tis). ***1*** 筋周膜炎. ***2*** = perimyositis.

per·i·my·si·um, pl. **per·i·my·sia** (per′i-mis′ē-ŭm, -miz′ē-ŭm; -ē-ă) [peri- + G. *mys*, muscle][TA]. 筋周膜（骨格筋線維の各々一次束を包む線維性鞘）.

p. externum 外筋周膜. = epimysium.

p. internum 内筋周膜（二次・三次筋束および個々の線維の周囲の結合組織，または心筋層の支持外郭構造を表す，現在では用いられない語）.

per·i·na·tal (per′i-nā′tăl) [peri- + L. *natus*: *nascor*(to be born)の完了分詞]. 周産(周生)期の（分娩前期，分娩中，分娩後期に起こることについていう．すなわち，妊娠22週目から生後28日目までの期間(註日本では生後7日までを早期新生児期として区別している)）.

per·i·nate (per′i-nāt). 周産(周生)期児（周産期における児）.

per·i·na·tol·o·gist (per′i-nā-tol′ŏ-jist). ペリナトロジスト（専門分野が周産期医学の産科医）.

per·i·na·tol·o·gy (per′i-nā-tol′ŏ-jē). 周産期学（妊娠，分娩，出産の間の母親と胎児，特に母親や胎児に異常がある場合やハイリスクの場合のケアを行う産科の専門領域）. = perinatal medicine.

per·i·ne·al (per′i-nē′ăl). 会陰の（[peroneal と混同しないこと]）.

perineo- [L. < G. *perineos*, *perinaion*]. 会陰を意味する連結形.

per·i·ne·o·cele (per′i-nē′ō-sēl) [perineo- + G. *kēlē*, hernia]. 会陰ヘルニア，会陰瘤（会陰部において，直腸と膣の間，直腸と膀胱の間，または直腸に沿った部位に発生するヘルニア）.

per·i·ne·om·e·ter (per′i-nē-om′ĕ-tĕr) [perineo- + G. *metron*, measure]. 会陰圧測定器（会陰の随意筋の収縮力の強さを測定するために用いる器具）.

per·i·ne·o·plas·ty (per′i-nē′ō-plas′tē) [perineum + G. *plastos*, formed]. 会陰形成〔術〕（会陰の形成手術）.

per·i·ne·or·rha·phy (per′i-nē-ōr′ă-fē) [perineum + G. *rhaphē*, a sewing]. 会陰縫合〔術〕（会陰形成術において行う会陰の縫合）.

per·i·ne·o·scro·tal (per′i-nē′ō-skrō′tăl). 会陰陰嚢の（会陰と陰嚢に関する）.

per·i·ne·os·to·my (per′i-nē-os′tŏ-mē) [perineo- + G. *stoma*, mouth]. 会陰造瘻術（会陰を通して行う尿道造瘻術）.

per·i·ne·o·syn·the·sis (per′i-nē′ō-sin′thĕ-sis). 会陰整復〔術〕（会陰の広範囲の裂傷における会陰形成術を表す，まれに用いる語）.

per·i·ne·ot·o·my (per′i-nē-ot′ŏ-mē). 会陰切開〔術〕（分娩を容易にするように行う会陰の切開. →episiotomy）.

per·i·ne·o·vag·i·nal (per′i-nē′ō-vaj′i-năl). 会陰膣の（会陰と膣に関する）.

per·i·neph·ri·al (per′i-nef′rē-ăl). 腎周囲組織の.

per·i·neph·ric (per′i-nef′rik). 腎周の（腎臓の一部または全体の周囲についていう）. = circumrenal; perirenal.

per·i·neph·ri·tis (per′i-nef-rī′tis). 腎周囲炎.

per·i·neph·ri·um, pl. **per·i·neph·ria** (per′i-nef′rē-ŭm, -nef′rē-ă) [peri- + G. *nephros*, kidney]. 腎周囲組織（腎臓を取り巻く結合組織および脂肪）.

per·i·ne·um, pl. **per·i·ne·a** (per′i-nē′ŭm, -nē′ă) [L. < G. *perineon*, *perinaion*][TA]. ***1*** [TA]. 会陰(えいん)（尾骨から恥骨へ広がり，骨盤隔膜の下部にある両大腿の間の表層部）. ***2*** [TA]. 骨盤隔膜より下の部分で骨盤出口部を構成する骨性・線維性構造によって隔てられている．***1*** はこの表層．***3*** 会陰縫線（女性では外陰部と肛門の間．男性では陰嚢と肛門の間に位置する会陰の腱中心の外表部）.

watering-can p. じょうろ様会陰（尿道狭窄から起こる瘻孔により穴だらけになった会陰）.

per·i·neu·ral (per′i-nū′răl) [peri- + G. *neuron*, nerve]. 神経周囲の.

per·i·neu·ri·al (per′i-nū-rē-ăl). 神経周膜の.

per·i·neu·ri·tis (per′i-nū-rī′tis). 神経周膜炎（→adventitial *neuritis*）.

per·i·neu·ri·um, pl. **per·i·neu·ria** (per′i-nū′rē-ŭm, -rē-ă) [peri- + G. *neuron*, nerve]. 神経周膜（末梢神経束の支持構造の1つで，扁平な神胞層と膠原結合組織からなり，神経束を包んで主要な拡散関門を形成する．神経内膜および神経上膜とともに末梢神経の支質をなす）.

per·i·nu·cle·ar (per′i-nū′klē-ăr). 核周囲の．＝circumnuclear.

per·i·oc·u·lar (per′i-ok′yū-lăr). 眼周囲の．＝circumocular.

per·i·od (pēr′ē-ŏd) [G. *periodos*, a way round, a cycle < *peri*, around + *hodos*, way]. ***1*** 期間（ある持続期間または時間の区分）. ***2*** 周期（病気の一段階．例えば，潜伏期，回復期．→stage; phase）. ***3*** 月経（menses の口語）. ***4*** 周期（周期表の化学元素の水平列の総称）.

absolute refractory p. 絶対不応期（刺激の強さにかかわらず，いかなる反応も起こらない興奮後の期間）.

alveolar p. of lung development 肺発生の肺胞期（終末嚢の上皮が非常に薄くなり，毛細血管がこれらの肺胞に突き出す．胎児32週から8歳までの期間，成熟した肺胞は出生までは形成されない）.

amblyogenic p. 弱視惹起期間（網膜結像不良，(斜視弱視 strabismic *amblyopia* のような)両側性大脳皮質抑制またはその両者による，視覚神経系が弱視を生じやすい初期の視覚発達期間）．＝critical p. (3).

canalicular p. of lung development 肺発生の管状期（気管支および終末気管支が発達し，肺組織が高度に血管に富む，16—26週の期間）.

critical p. ***1*** 臨界期（出産後の最初の数時間における最大の刻印付け(刷り込み)のなされる時期．この時期の前後は刻印付けが困難または不可能である）. ***2*** 臨界期（動物において誕生後社会化の能力が活性化あるいは発現されつつある過程の時期）. ***3*** ＝amblyogenic p.

eclipse p. エクリプス期，暗黒期（バクテリオファージまたは他のウイルスの感染(侵入)と，細胞内への成熟ウイルスの出現までの期間．すなわち，ウイルスの感染性が発現できない期間）．＝eclipse phase.

effective refractory p. 有効不応期（インパルスが出現することはあるが，伝達するには弱すぎる期間．2番目の刺激により組織に伝播反応が引き起こされるには時間的に若干足りない刺激間の最長間隔．反応の時間的間隔ではなく刺激の時間的間隔を測定する点で機能的不応期と異なる）.

ejection p. 駆出期．＝sphygmic *interval*.

extrinsic incubation p. 外部潜伏期（媒介動物が感染性生物を取り込んでから，この媒介動物が感染性生物を他の脊椎動物宿主に感染させうるために必要な期間）.

fertile p. 妊孕期（正常月経周期の妊娠可能な時期）.

functional refractory p. 機能的不応期（組織刺激に逐次反応可能な最小間隔）.

gap$_0$ p. (G_0) 静止期，G_0 期（細胞が細胞周期からはずれている時期．少なくとも一時的に分裂できない）．＝gap$_0$ phase.

gap$_1$ p. (G_1) G_1 期（細胞分裂後 RNA と蛋白の合成が行われる細胞周期の一時期．急激に増殖している組織では2—3時間続き，神経細胞のような非再生組織では一生続く．→*gap$_1$*）．＝gap$_1$ phase; postmitotic phase.

gap$_2$ p. (G_2) G_2 期（細胞周期中，DNA 合成は完了しているが，細胞分裂は始まっていない時期．→*gap$_2$*）．＝gap$_2$ phase; premitotic phase.

incubation p. 潜伏期（①病原体が宿主に侵入してから，それによる最初の徴候や症状を発現するまでの期間．＝incubative stage; latent p. (2); latent stage; stage of invasion. ②病気の媒介動物において，病原体の侵入から，その病気が別のヒトに伝播可能になるまでの期間）.

induction p. 誘導期（ある特異な因子が疾病を引き起こすのに要する期間．放射線への曝露と白血病発症との間の時間のような，要因の作用から発症までの期間．あるいは，抗原が初めて注入されたときから，血液中に論証抗体出現が証明されるまでの期間）.

intrapartum p. 分娩期（産科において，分娩の開始から分娩第III期の終わりまでの期間）.

isoelectric p. 等電期（心電図におけるS波の終末とT波の開始の間の変則的な期間．この間，電力は互いに中和するような方向に働き，したがって電極間の電位差はなくなる）．＝abnormal ST segment.

isometric p. of cardiac cycle 心周期の等尺期（心筋が興奮し心室の圧力が高まるが筋線維が短縮しない期間．すなわち房室弁の閉鎖から半月弁の開放(等容性収縮期)または逆に半月弁の閉鎖から房室弁の開放までの期間(等容性拡張期)）．＝isovolumic p.

isometric contraction p. 等容性収縮期（房室弁の閉鎖から半月弁の開放までの時間）.

isometric relaxation p. 等容性拡張期（大動脈弁と肺動脈弁が閉鎖し，房室弁が開放するまでの心室拡張早期）.

isovolumic p. 等容性時間，等容期．＝isometric p. of cardiac cycle.

latency p. 潜伏期．＝latency *phase*.

latent p. ***1*** 潜伏時（刺激を与えてから反応(例えば筋肉の収縮)が起こるまでの経過時間）. ***2*** 潜伏期．＝incubation p. (1).

masticatory silent p. そしゃく沈黙期（そしゃく中に歯の接触に伴って生じる筋電図上の休止．歯周靱帯および筋肉中の変容器を含む下顎制御の複雑なフィードバック機構の一部）.

menstrual p. 月経周期．＝menses.

missed p. 月経停止（毎月予期した時期に月経が起こらないこと）.

mitotic p. M期，分裂期（細胞周期中，有糸分裂のすべての事象が生じる時期）．＝M phase.

oedipal p. エディプス期．＝oedipal *phase*.

off p. 休薬期間（意図的治療中断計画において，治療効果のある薬物が投与されない期間．→on p.; drug holiday）.

on p. 系統的治療中断プログラムにおける活性薬物の投与期間.

preejection p. 前駆出期，駆出前期（心電図における QRS 群と心室駆出期の間の間隔．電気機械的収縮期と駆出期との差）.

prepatent p. 潜在期（寄生虫学で用いられる語で，微生物感染の潜伏期間に同じ．寄生虫は宿主体内で発育段階が異なることから，生物学的に異なったものとして扱っている）.

prodromal p. 前駆期（疾病のプロセスは始まっているが，まだ臨床的に明確とはなっていない期間）.

pseudoglandular p. of lung development 肺発生の腺様期（発生中の肺は一部外分泌腺に似ており，この時期の胚子の排出は生存不能である）.

puerperal p. 産褥期（分娩終了から生殖器系が正常状態へ回復するまでの期間．分娩終了後6週間）.

pulse p. 脈拍間隔（反復率の逆数，例えば連続する脈拍の先頭点間の間隔）.

quarantine p. 検疫期間（感染者あるいは感染地域を非感染者と接触しないように隔離する期間．問題となる疾患によって特定の期間が決められている．本用語は，イタリア語の40に由来する．それは中世にペストが疑われる者を隔離した期間が40日であったことによる）.

refractory p. ***1*** 不応期（有効な刺激の後に続く期間．その期間の心筋および神経のような興奮組織は閾値の強さの刺激に対して反応しない，すなわち興奮性が低下する）. ***2*** オルガズムに引き続いて直ちに起こる新たな性的刺激に対する精神生理学的な抵抗期.

P

refractory p. of electronic pacemaker 電気的ペースメーカの不応期（心臓の活動を検出後またはペースメーカ刺激の伝達後，感受性を完全に回復するまでに要する時間）．

relative refractory p. 相対不応期（有効不応期と不応期の終わりまでの期間．そのとき線維は強烈な強さの刺激にのみ反応し，インパルスは正常よりゆっくり伝達される）．

run-in p. 導入期間（臨床試験において，被験者が治療を行われない場合に，試験開始前に設けられる経過時間）．

silent p. 沈黙期（①急速な負荷消失後に筋の電気活性がない時間．②電気生理学の事象の他の連続した周期内での休止）．

synthesis p. S 期，合成期（DNA とヒストンを合成する細胞周期の一時期．G_1 期と G_2 期の間の時期）．＝S phase.

terminal sac p. 終末嚢期．＝terminal saccular p. of lung development.

terminal saccular p. of lung development 肺の発達の終末嚢期（終末嚢が発生する時期．上皮は薄く，毛細血管は肺胞の上皮の中に突き出すようになり，未熟児としての胎児が生きるための十分なガス交換がなされる）．＝terminal sac p.

total refractory p. 全不応期（絶対不応期と相対不応期の和）．

vulnerable p., vulnerable p. of heart 受攻期，心臓の受攻期（心周期内で，頻脈，粗動，細動のように刺激がなくなっても持続する反復興奮を特に誘発しやすい短い時期をいう．心室では収縮後期で心電図の T 波の後半の頂点と一致する相対不応期の間にある）．

Wenckebach p. (ven-kĕ-bak′). ウェンケバッハ周期（房室ブロックにより拍動の脱落をきたす心電図上の一連の心周期．先行する心周期では PR 間隔が徐々に長くなるのがみられる．脱落拍動に続く PR 間隔は再び短くなる）．

---

window p. ウインドウ期（①決定的な期間．→window (2)．②感染，すなわち病原体が体内に入った時期と，発症あるいは臨床検査的に感染が検出できる時期との間の経過時間．→incubation p. ③血中のウイルスが感染した時期と，検査材料から特異的抗体の出現を検出することによって感染を証明できる時期との間の期間．スクリーニングの目的で無症候者から得た血液，または献血された血液や血液製剤が対象となる）．

臨床や血液バンクの現場では，ウインドウ期(上記③)とは感染症において潜伏期の初期をさす．その時期の宿主は他人への感染性を十分に有し得るにもかかわらず，感染の徴候はいまだ出現しておらず，検査でも感染を検出できない．血液を介するウイルス感染症，とりわけヒト免疫不全ウイルス(HIV-1)と C 型肝炎ウイルス(HCV)は，性行為，麻薬静注者間の注射器使い回し，母児感染，輸血や血液製剤の投与，医療従事者の針刺し事故によって感染し得る．こうした感染症のウインドウ期では，無症候患者および献血血液中の感染性ウイルスを早期に検出することが非常に重要である．これらのウイルスに感染してしまった人々は，概してウインドウ期が終わるまでに十分に他人に感染させる力をもつようになるので，最大限に鋭敏な検査を用いてウインドウ期をできるだけ短くするのが課題である．ウインドウ期を決定するにあたっては，その始まりのポイントを定めるのが困難であるために，限界が生じざるを得ない．開始点を定めるには，感染が成立した時点を正確に知ることが必要であるが，ときとしてそれは，医療従事者が針刺し事故を起こした時のように偶発的な暴露によってのみ可能である．感染を検出するための鋭敏な検査が急速に開発され，ウインドウ期の説明も進化した．初期の理解は感染成立と抗ウイルス抗体出現までの期間が基本であった．血漿中のウイルス抗原を検出できる検査が開発された結果，生体が免疫反応を起こす前に感染性ウイルスの検出が可能となり，ウインドウ期は短くなった．PCR によって検体中のウイルス DNA や RNA を増幅して検出するという核酸検査によってウインドウ期は短くなり，HCV は 82 日から 25 日，HIV は 22 日から 12 日となった．

---

per·i·od·ic (pēr′ē-od′ik). ***1*** 周期〔的〕の，周期〔性〕の（規則的な間隔をおいて再発する）．***2*** 周期〔的〕の，周期〔性〕の（周期的に起こる再燃増悪または発作を伴う疾病についていう）．***3*** 過ヨウ素酸の（ヨウ素のオキソ酸の総称）．

per·i·od·ic ac·id (pēr′ē-ō′dik as′id). 過ヨウ素酸（①溶液中に通常，水和物の形で存在する．炭水化物の検出や分析に用いられる．メタ過ヨウ素酸(HIO_4)．②七酸化二ヨウ素 I_2O_7 と水との反応で生じるヨウ素(VII)酸の総称．オルト過ヨウ素酸(H_5IO_6)）．

per·i·o·dic·i·ty (pēr′ē-ō-dis′i-tē). 周期性（規則的な間隔で再燃する傾向）．

diurnal p. 昼間周期性（一義的には昼間に発現される周期性をもつ概日リズム．例えば，ロア糸状虫 *Loa loa* のミクロフィラリアの末梢血液中への日中放出．夜間の放出はずっと少ない．これは媒介動物であるメクラアブ属 *Chrysops* のアブが昼間刺咬性であることに関連している）．

filarial p. フィラリア周期性（末梢血液中への糸状虫のミクロフィラリア出現においてみられる概日リズム．→diurnal p.; nocturnal p.）．

lunar p. 月周期性（月サイクルで起こるリズム性の現象）．

malarial p. マラリアの周期性（三日熱マラリア(*Plasmodium vivax*, *P. ovale*)では 48 時間間隔で，四日熱マラリア(*P. malariae*)では 72 時間間隔で，周期的に発熱と悪寒が繰り返される臨床的リズム．隔日あるいは 48 時間のサイクルは，しばしば悪性三日熱マラリアまたは熱帯性マラリア(*P. falciparum*)においてもみられる．赤血球中で分裂してメロゾイトが血球外へ出るのに伴うが，メロゾイトが時を同じくして赤血球外へ出る調節機構はわかっていない）．

nocturnal p. 夜間周期性（夜間に発現される周期性をもつ概日リズム．例えば，ヒト寄生バンクロフト糸状虫 *Wuchereria bancrofti* のミクロフィラリアの末梢血液中への夜間放出．この型の周期性は，媒介動物のカが夜間刺咬性種であるような地域で見出される）．

subperiodic p. 亜周期性（マレー糸状虫 *Brugia malayi* により生じるマラヤフィラリア症のある種の人畜共通系統にみられるような，周期性の明瞭でない変形した概日リズム．厳密なフィラリア周期性の場合と同様，この反応も媒介昆虫(カ)の刺咬習性に関連しているが，このミクロフィラリア反応を生じる正確な機構は，はっきり確立されていない）．

per·i·o·don·tal (per′ē-ō-don′tăl) ［peri- + G. *odous*, tooth］. 歯周の，歯根膜の．＝paradental; pericemental; peridental.

per·i·o·don·ti·a (per′ē-ō-don′shē-ă). ***1*** periodontium の複数形．***2*** ＝periodontics.

per·i·o·don·tics (per′ē-ō-don′tiks) ［peri- + G. *odous*, tooth］. 歯周病学（歯に密接している正常な組織の研究と異常な組織の治療に関する歯科の部門）．＝periodontia (2).

per·i·o·don·tist (per′ē-ō-don′tist). 歯周病専門歯科医．

per·i·o·don·ti·tis (per′ē-ō-don-tī′tis) ［periodontium + G. *-itis*, inflammation］. 歯周炎，歯根膜炎（①歯周組織の炎症．②歯周組織における慢性炎症病変で，歯垢が原因である．特徴的な所見として，歯肉炎，歯槽骨および歯根膜の破壊，上皮付着の根尖側への移動などが認められ，その結果，歯周ポケットが形成され，最終的には歯の動揺，脱落に至る）．

apical p. 根尖性歯周炎（根尖部歯周組織の炎症性病変．通常，歯髄の炎症または壊死に継続して生じる）．

p. complex 複雑性歯周炎（外傷性咬合が原因で，隣接歯間に深さが一様でないポケットを形成し，歯槽突起の垂直性吸収がみられる）．

HIV p. HIV 歯周炎（HIV 感染者にみられる重篤な歯周炎．軟組織の潰瘍，壊死，歯周組織および骨の急速な破壊を伴う HIV 性歯肉炎が特徴である．急性壊死性潰瘍性歯肉炎(ANUG)に類似しているが，ANUG が軟組織に限局しているのに対し，HIV 性歯周炎は歯槽骨頂に及ぶ）．

juvenile p. ［MIM*170650］. 若年性歯周炎（急速に破壊が進む歯周疾患で，若年者にみられる．歯周組織の破壊量が近隣の歯の局所的刺激因子の量に比して大きいのが特徴である．炎症性変化が加わることにより，骨破壊，歯の移動，挺出が認められる．この疾患には，切歯と第一大臼歯に限局している限局型，すべての歯に認められる広汎型，の 2 つの型がある）．＝periodontosis.

p. simplex 単純性歯周炎（隣接歯間に一様な深さのポケットを形成し，歯槽突起の水平式吸収がみられる．外傷性咬合が原因ではない).

suppurative p. 化膿性歯周炎（化膿性滲出液を伴う歯周炎）.

per·i·o·don·ti·um, pl. **per·i·o·don·ti·a** (per′ē-ō-don′shē-ŭm, -shē-ă) [L. < peri- + G. *odous*, tooth] [TA]. 歯根膜，歯周組織（歯根を取り囲んで骨の歯槽に固定している結合組織で，一端がセメント質に固定され他端が歯槽骨に放散する線維からなる．歯を囲んで支えている組織には歯肉を含めてセメント質，歯周靱帯，歯周線維，歯槽骨，支持骨がある）．＝periodontal membrane*; alveolar periosteum; periosteum alveolare; alveolodental membrane; gingivodental ligament; paradentium; parodontium; peridental membrane; peridentium; tapetum alveoli.

per·i·o·don·to·cla·si·a (per′ē-ō-don′tō-klā′zē-ă) [periodontium + *klasis*, breaking]. 歯周組織崩壊症（歯周組織，歯肉，歯根膜，歯槽骨，およびセメント質の破壊）．＝periodontolysis.

per·i·o·don·tol·y·sis (per′ē-ō-don-tol′i-sis) [periodontium + G. *lysis*, dissolution]. ＝periodontoclasia.

per·i·o·don·to·sis (per′ē-ō-don-tō′sis) [periodontium + G. *-osis*, condition] [MIM*311750]. 歯周症．＝juvenile *periodontitis*.

per·i·om·phal·ic (per′ē-om-fal′ik) [peri- + G. *omphalos*, umbilicus]. 臍周囲の．＝periumbilical.

per·i·o·nych·i·a (per′ē-ō-nik′ē-ă). [paronychia と混同しないこと]. ***1*** 爪囲炎．***2*** perionychium の複数形.

per·i·o·nych·i·um, pl. **per·i·o·nych·i·a** (per′ē-ō-nik′-ē-ŭm, -nik′ē-ă) [peri- + G. *onyx*, nail]. ＝eponychium (1).

per·i·on·yx (per-ē-on′iks) [peri- + G. *onyx*, nail] [TA]. 痕跡爪皮（爪半月の近位端をおおう狭いひだの中に残る胎生爪皮の遺残で，胎児発達の8か月で出現し生涯残っている）.

per·i·o·oph·o·ri·tis (per′ē-ō-f′ō-rī′tis) [peri- + Mod. L. *oophoron*, ovary + *-itis*, inflammation]. 卵巣周囲炎（卵巣をおおう腹膜の炎症）．＝periovaritis.

per·i·o·oph·o·ro·sal·pin·gi·tis (per′ē-ō-of′ō-rō-sal′pin-jī′tis) [peri- + Mod. L. *oophoron*, ovary + *salpinx*, trumpet + *-itis*, inflammation]. 卵巣卵管周囲炎（卵巣および卵管の周囲および他の組織の炎症）．＝perisalpingo-ovaritis.

per·i·op·er·a·tive (per′ē-op′ĕr-ă-tiv). 周術期の，手術時の．＝paraoperative.

per·i·oph·thal·mic (per′ē-of-thal′mik) [peri- + G. *ophthalmos*, eye]. 眼周囲の．＝circumocular.

per·i·oph·thal·mi·tis (per′ē-of′thal-mī′tis). 眼周囲炎（眼の周囲組織の炎症）.

per·i·o·ral (per′ē-ō′răl). 口周囲の．＝circumoral; peristomal; peristomatous.

per·i·or·bit (per′ē-ōr′bit). 眼窩骨膜．＝periorbita.

per·i·or·bi·ta (per′ē-ōr′bi-tă) [peri- + L. *orbita*, orbit] [TA]. 眼窩骨膜．＝periorbit; periorbital membrane.

per·i·or·bi·tal (per′ē-ōr′bi-tăl). ***1*** 眼窩骨膜の．***2*** 眼窩周囲の．＝circumorbital.

per·i·or·chi·tis (per′ē-ōr-kī′tis) [peri- + G. *orchis*, testis + *-itis*, inflammation]. 精巣周囲炎.

p. hemorrhagica 出血性精巣周囲炎（精巣鞘膜の慢性血瘤）.

per·i·ost (per′ē-ost). ＝periosteum.

per·i·os·te·a (per′ē-os′tē-ă). periosteum の複数形.

per·i·os·te·al (per′ē-os′tē-ăl). 骨膜の．＝periosteous.

per·i·os·te·i·tis (per′ē-os′tē-ī′tis). ＝periostitis.

periosteo- [Mod. L. *periosteum*]. 骨膜を意味する連結形.

per·i·os·te·o·ma (per′ē-os′tē-ō′mă). 骨膜腫（骨膜に起源を有する新生物）．＝periosteophyte; periostoma.

per·i·os·te·o·med·ul·li·tis (per′ē-os′tē-ō-med′yū-lī′tis) [periosteo- + L. *medulla*, marrow + G. *-itis*, inflammation]. ＝periosteomyelitis.

per·i·os·te·o·my·e·li·tis (per′ē-os′tē-ō-mī′ĕ-lī′tis) [periosteo- + G. *myelos*, marrow + *-itis*, inflammation]. 骨膜骨髄炎（骨膜と骨髄を含む骨全体の炎症）．＝periosteomedullitis.

per·i·os·te·op·a·thy (par′ē-os′tē-op′ă-thē). 骨膜疾患.

per·i·os·te·o·phyte (per′ē-os′te-ō-fīt) [periosteo- + G. *phyton*, growth]. 骨膜新生物．＝periosteoma.

per·i·os·te·o·sis (per′ē-os′tē-ō′sis). 骨膜症（骨膜腫の形成）．＝periostosis.

per·i·os·te·o·tome (per′ē-os′tē-ō-tōm). 骨膜刀，骨膜切開器（骨膜を切るための強力なメス形の刀）．＝periostotome.

per·i·os·te·ot·o·my (per′ē-os′tē-ot′ŏ-mē) [periosteo- + G. *tomē*, incision]. 骨膜切開〔術〕（骨膜を経て骨に達する手術）．＝periostotomy.

per·i·os·te·ous (per′ē-os′tē-ŭs). ＝periosteal.

per·i·os·te·um, pl. **per·i·os·te·a** (per′ē-os′tē-ŭm, -ă) [Mod. L. < G. *periosteon*: 形容詞 *periosteos*(around the bones) の中性形 < *peri*, around + *osteon*, bone] [TA]. 骨膜（関節軟骨および腱と靱帯に付着する部分を除く，骨の全表面をおおう厚い線維膜．幼若な骨では2層からなる．内側は新しい骨組織を形成する造骨組織層であり，外側の線維結合組織層は骨に分布する血管や神経を含む．古い骨においては造骨組織層が減少する．→perichondral *bone*）．＝periost.

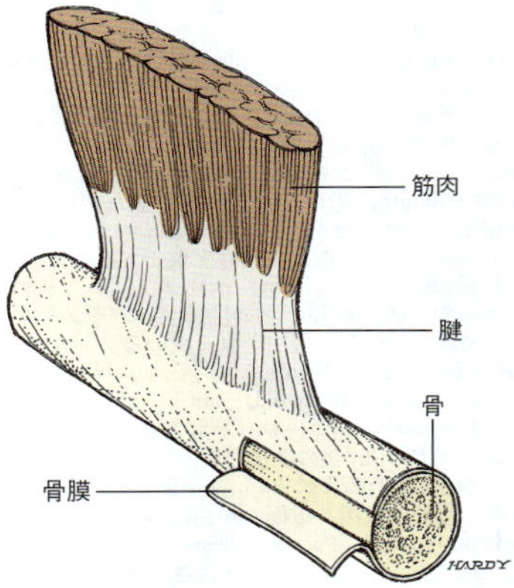

periosteum

alveolar p., p. alveolare 歯槽骨膜．＝periodontium.

p. cranii [TA]. ＝pericranium.

per·i·os·ti·tis (per′ē-os-tī′tis). 骨膜炎．＝periosteitis.

per·i·os·to·ma (per′ē-os-tō′mă). ＝periosteoma.

per·i·os·to·sis, pl. **per·i·os·to·ses** (per′ē-os-tō′sis, -sēz). ＝periosteosis.

per·i·os·tos·te·i·tis (per′ē-os′tos-tē-ī′tis) [periosteum + G. *osteon*, bone + *-itis*, inflammation]. 骨膜骨炎（骨膜を含む骨の炎症）.

per·i·os·to·tome (per′ē-os′tō-tōm). ＝periosteotome.

per·i·os·tot·o·my (per′ē-os-tot′ŏ-mē). ＝periosteotomy.

per·i·o·tic (per′ē-ō′tik, -ot′ik) [peri- + G. *ous*, ear]. 耳周囲の（内耳の周囲についていう．側頭骨の錐体部分または膜迷路を囲む骨迷路の空間および組織を示す）.

per·i·o·va·ri·tis (per′ē-ō-vă-rī′tis). ＝perioophoritis.

per·i·o·vu·lar (per′ē-ō′vyū-lăr). 卵巣周囲の.

per·i·pach·y·men·in·gi·tis (per′i-pak′ē-men′in-jī′tis) [peri- + pachymeninx (dura mater) + G. *-itis*, inflammation]. 硬膜外層炎（中枢神経系の硬膜と頭蓋骨との間の部位の炎症）.

per·i·pan·cre·a·ti·tis (per′i-pan′krē-ă-tī′tis). 膵周囲炎（膵臓の腹膜被覆の炎症）.

per·i·pap·il·lar·y (per′i-pap′i-lār′ē). 乳頭周囲の.

per·i·pa·tet·ic (per′i-pă-tet′ik) [G. *peripatēsis*, a walking about]. ***1*** 逍遙性の（軽症の，すなわち歩くことができる腸チフス患者を形容するのに以前用いられた）．***2*** 持ち込みの（症状はないが感染力をもった保菌者が非流行地域に持ち込んだ病気に関していう）.

per·i·pe·ni·al (per′i-pē′nē-ăl). 陰茎周囲の.

per·i·pha·ryn·ge·al (per′i-fă-rin′jē-ăl). 咽頭周囲の.

pe·riph·er·ad (pĕ-rif′ĕr-ad) [G. *periphereia*, periphery + L. *ad*, to]. 末梢方向へ.

pe·riph·er·al (pĕ-rif′ĕr-ăl) [TA]. 末梢〔性〕の，辺縁の，周辺の（①末梢に関する，末梢に位置する．②ある特定の基準点と比べて臓器または体の部分のより末梢側に位置する．central(centralis) の対語）．= peripheralis [TA]; eccentric (3).

pe·riph·e·ra·lis (pĕ-rif′ĕ-rā′lis) [TA]. 辺縁の．= peripheral.

per·i·pher·in (per′if′er-in) [MIM*170710]. 杆体と錐体の外節膜の形状を維持するのに必要とされる糖蛋白．本物質の欠損はある種の失明に関係することが考えられている．

pe·riph·e·ro·cen·tral (pĕ-rif′ĕ-rō-sen′trăl). 末梢中枢の（末梢および体(または各部位)の中心についていう）．

pe·riph·e·ry (pĕ-rif′ĕ-rē) [G. *periphereia* < *peri*, around + *pherō*, to carry]. ***1*** 末梢（中心から離れた体の部分，外部または表面）．***2*** = denture *border*.

per·i·phle·bit·ic (per′i-fle-bit′ik). 静脈周囲炎の．

per·i·phle·bi·tis (per′i-fle-bī′tis) [peri- + G. *phleps*, vein + *-itis*, inflammation]. 静脈周囲炎（静脈の外膜，またはその周囲の組織の炎症）．

Per·i·pla·ne·ta (per′i-pla-nē′tă) [peri- + G. *planētēs*, a roamer]. ワモンゴキブリ属（大型のゴキブリの一属で，えささえあれば，特に湿気のある隠れ場所で，至る所にみられる全世界的家庭害虫数種を含む．ワモンゴキブリ *P. americana*(アメリカゴキブリ)は非常に大型の栗茶色種で，長さは 30—40 mm，恐らくアフリカ原産だが，今では全世界に分布する．クロゴキブリ *P. fuliginosa* は，米国東部および南東部に普通にみられる家庭害虫である）．

per·i·plasm (per′i-plazm). ペリプラズム（細胞壁の内側にある細胞外膜と内膜の間の間隙で，グラム陰性菌でみられる．細胞が分泌した蛋白を含んでいる）．

pe·rip·lo·cin (pĕ-rip′lō-sin) [G. *peri-plokē*, a winding around < *plekō*, to twine, plait]. ペリプロシン；glucoperiplocymarin（南ヨーロッパ産および西アジアの *Periploca graeca*(ガガイモ科)の樹皮茎幹から得られる強心性配糖体）．

per·i·po·lar (per′i-pō′lăr). 極周囲の（身体の各部位の極の周囲，または電極，磁極の周囲についていう）．

per·i·po·le·sis (per′i-pō-lē′sis) [peri- + G. *poleomai*, to wander]. ペリポレーシス（通常，ぴったり密着している固定組織細胞間に移動細胞が浸透すること）．

per·i·por·i·tis (per′i-pōr-ī′tis) [peri- + G. *poros*, pore + *-itis*, inflammation]. 汗孔周囲炎（ブドウ球菌の感染を伴った粟粒大の丘疹および漿液性丘疹．顔面に，また幼児に最も好発する）．

per·i·por·tal (per′i-pōr′tăl). 門脈周囲の．= peripylic.

per·i·proc·tic (per′i-prok′tik) [peri- + G. *prōktos*, anus]. 肛門周囲の．= circumanal.

per·i·proc·ti·tis (per′i-prok-tī′tis). 肛門周囲炎（直腸の周りの疎性組織の炎症）．= perirectitis.

per·i·pros·tat·ic (per′i-pros-tat′ik). 前立腺周囲の．

per·i·pros·ta·ti·tis (per′i-pros′tă-tī′tis). 前立腺周囲炎（前立腺の周囲組織の炎症を表す現在では用いられない語）．

per·i·py·le·phle·bi·tis (per′i-pī′lĕ-fle-bī′tis) [peri- + G. *pylē*, gate + *phleps*, vein + *-itis*, inflammation]. 門脈周囲炎（門脈周囲組織の炎症）．

per·i·py·lic (per′i-pī′lik) [peri- + G. *pylē*, portal, gate]. = periportal.

per·i·py·lor·ic (per′i-pī-lōr′ik, -pĭ-lōr′ik). 幽門周囲の．

per·i·rec·tal (per′i-rek′tăl). 直腸周囲の．

per·i·rec·ti·tis (per′i-rek-tī′tis). = periproctitis.

per·i·re·nal (per′i-rē′năl) [peri- + L. *ren*, kidney]. = perinephric.

per·i·rhi·nal (per′i-rī′năl) [peri- + G. *rhis*, nose]. 鼻周囲の（[ギリシア語起源の単語では，音節の初めにある二重字 rh は，接頭語または他の語彙要素がその前に置かれる場合，通常 rrh に変更されるが，本語では r を重ねない]．鼻または鼻腔のまわりについていう）．

per·i·rhi·zo·cla·si·a (per′i-rī′zō-klā′zē-ă) [peri- + G. *rhiza*, root + *klasis*, destruction]. 歯根周囲組織破壊（[ギリシア語起源の単語では，音節の初めにある二重字 rh は，接頭語または他の語彙要素がその前に置かれる場合，通常 rrh に変更されるが，本語では r を重ねない]．歯根膜，セメント質，歯槽骨の表層といった，歯根周囲組織における急速な炎症性破壊）．

per·i·sal·pin·gi·tis (per′i-sal′pin-jī′tis) [peri- + G. *salpinx*, trumpet + *-itis*, inflammation]. 卵管周囲炎，卵管外膜炎（卵管をおおう腹膜の炎症）．

per·i·sal·pin·go-o·va·ri·tis (per′i-sal-ping′gō-ō′vă-rī′tis) [peri- + G. *salpinx*, trumpet + ovary + G. *-itis*, inflammation]. 卵管卵巣周囲炎．= perioophorosalpingitis.

per·i·sal·pinx (per′i-sal′pingks) [peri- + G. *salpinx*(*salping-*), trumpet]. 卵管外膜（卵管をおおう腹膜）．

per·i·scop·ic (per′i-skop′ik) [peri- + G. *skopeō*, to view]. 周辺視性の（視軸方向で物を見るのと同じように他方向の物体を見る能力があることについていう）．

per·i·sig·moi·di·tis (per′i-sig′moy-dī′tis). S 状結腸周囲炎（S 状結腸曲の周囲の結合組織の炎症．左の腸骨窩に関する症状で，右の腸骨窩における盲腸周囲炎の症状と類似する）．= pericolitis sinistra.

per·i·sin·u·ous (per′i-sin′yū-ŭs). 洞周囲の（特に硬膜静脈洞の周囲についていう）．

per·i·sper·ma·ti·tis (per′i-sper′mă-tī′tis). 精索周囲炎（精索の周囲組織の炎症）．

p. serosa 漿液性精索周囲炎（精索の水瘤）．

per·i·splanch·nic (per′i-splangk′nik) [peri- + G. *splanchna*, viscera]. 内臓周囲の（各臓器または臓器群の周囲についていう）．= perivisceral.

per·i·splanch·ni·tis (per′i-splangk-nī′tis) [peri- + G. *splanchna*, viscera + *-itis*, inflammation]. 内臓周囲炎（各臓器または臓器群の周囲の炎症）．

per·i·splen·ic (per′i-splen′ik). 脾周囲の．

per·i·sple·ni·tis (per′i-sple-nī′tis). 脾周囲炎（脾臓をおおう腹膜の炎症）．

per·i·spon·dyl·ic (per′i-spon-dil′ik) [peri- + G. *spondylos*, vertebra]. = perivertebral.

per·i·spon·dy·li·tis (per′i-spon′di-lī′tis) [peri- + G. *spondylos*, vertebra + *-itis*, inflammation]. 脊椎周囲炎（脊椎の周囲組織の炎症）．

per·i·stal·sis (per′i-stal′sis) [peri- + G. *stalsis*, constriction]. ぜん動（腸その他の管状構造の運動．管が交互に環状収縮と弛緩を繰り返し，内容物を前進させる）．= vermicular movement.

mass p. 集団ぜん動（1 日に 3 回から 4 回起こる短期間の強力なぜん動移動．大腸の内容物を上行結腸から横行結腸へというように，ある部分から他の部分へ移動させる）．= mass movement.

reversed p. 逆ぜん動（正常とは反対方向への収縮の波．それにより管の内容物は逆流を余儀なくされる）．= antiperistalsis.

per·i·stal·tic (per′i-stal′tik). ぜん動〔性〕の．

pe·ris·ta·sis (pĕ-ris′tă-sis) [peri- + G. *stasis*, a standing still]. ペリスターシス（炎症における血管弛緩の段階）．= peristatic hyperemia.

pe·ris·to·le (pĕ-ris′tō-lē) [peri- + G. *stellō*, to contract]. 胃ぜん動（胃壁の緊張性活動．その際，器官は内容物の周りで収縮する．ぜん動波と違って噴門から幽門へ通過する）．

per·i·stol·ic (per′i-stol′ik). 胃ぜん動の．

pe·ris·to·ma (pe-ris′tō-mă, per-i-stō′mă). = peristome.

per·i·sto·mal, per·i·sto·ma·tous (per′i-stō′măl, -stō′mă-tŭs). = perioral.

per·i·stome (per′i-stōm) [peri- + G. *stoma*, mouth]. 囲口部，口溝，口囲，口縁（繊毛虫類および他の型の原生動物で細胞口器に連続している溝）．= peristoma.

per·i·stru·mous (per′i-strū′mŭs) [peri- + L. *struma*, goiter]. 甲状腺〔腫〕周囲の．

per·i·syn·o·vi·al (per′i-si-nō′vē-ăl). 滑液膜周囲の．

per·i·sys·tol·ic (per′i-sis-tol′ik). 心臓収縮の直前または直後に起こる事象を記載する．

per·i·tec·to·my (per′i-tek′tŏ-mē) [peri- + G. *ektomē*, excision]. ***1*** 結膜輪状切除〔術〕（角膜の疾病除去のための結膜輪部の除去）．***2*** 乳輪切開〔術〕．= circumcision (2).

pe·ri·ten·din·e·um, pl. **pe·ri·ten·di·nea** (per′i-ten-din′ē-ŭm, -ē-ă) [L. < peri- + L. *tendo* (*tendin′*), tendon]. 腱周膜（腱の中で線維の一次束を囲む線維性鞘）．

per·i·ten·di·ni·tis (per′i-ten′di-nī′tis). 腱周囲炎，腱鞘炎．= peritenonitis; peritenontitis.

p. calcarea 石灰沈着性腱周囲炎，石灰沈着性腱鞘炎（腱の周囲に石灰またはカルシウム(チョーク様の)が沈着する）.

p. serosa 漿液性腱周囲炎，漿液性腱鞘炎．＝ganglion (2).

per·i·ten·on (per′i-ten-on) [peri- + G. *tenōn*, tendon]. 腱鞘．＝tendinous *sheath* of extensor carpi ulnaris muscle.

per·i·ten·on·i·tis (per′i-ten′on-ī′tis). 腱鞘炎．＝peritendinitis.

per·i·ten·on·ti·tis (per′i-ten′on-tī′tis). ＝peritendinitis.

per·i·the·ci·um, pl. **per·i·the·cia** (per′i-thē′sē-ŭm, -sē-ă) [peri- + G. *thēkē*, flask]. 被子器（真菌類のフラスコ形子嚢果．子嚢と(子嚢)胞子を有する構造物の多くの形のうちの１つ．真菌の判別補助に用いる）.

per·i·the·li·um, pl. **per·i·the·lia** (per′i-thē′lē-ŭm, -ă) [peri- + G. *thēlē*, nipple]. 周皮〔細胞〕，〔血管〕外皮〔細胞〕（小血管と毛細血管を囲む結合組織）.

Eberth p. (ā′berth). エーベルト周皮〔細胞〕（毛細血管を包む結合組織細胞の不完全な層）.

per·i·tho·rac·ic (per′i-thō-ras′ik). 胸郭周囲の，胸囲の（胸郭の周囲の，または胸郭を取り囲んでいる）.

per·i·thy·roi·di·tis (per′i-thī′roy-dī′tis). 甲状腺周囲炎（甲状腺の周囲の被膜または組織の炎症）.

pe·rit·o·mist (pĕ-rit′ō-mist). 包皮切開〔術〕者.

pe·rit·o·my (pĕ-rit′ŏ-mē) [G. *peritomē* < *peri*, around + *tomē*, incision]. 角膜周囲切開（結膜の切開）.

per·i·to·ne·al (per′i-tō-nē′ăl). 腹膜の.

per·i·to·ne·al·gi·a (per′i-tō′nē-al′jē-ă) [peritoneum + G. *algos*, pain]. 腹膜痛を表すまれに用いる語.

peritoneo- [L. *peritoneum*]. 腹膜を意味する連結形.

per·i·to·ne·o·cen·te·sis (per′i-tō-nē′ō-sen-tē′sis) [peritoneum + G. *kentēsis*, puncture]. 腹膜穿刺.

per·i·to·ne·oc·ly·sis (per′i-tō′nē-ok′li-sis) [peritoneum + G. *klysis*, a washing out]. 腹腔内灌注〔法〕（腹腔の洗浄）.

per·i·to·ne·op·a·thy (per′i-tō-nē-op′ă-thē) [peritoneum + G. *pathous*, suffering]. 腹膜障害（腹膜の炎症または他の疾病を表すまれに用いる語）.

per·i·to·ne·o·per·i·car·di·al (per′i-tō-nē-ō-per′i-kar′-dē-ăl). 腹膜心膜の（腹膜と心膜に関する）.

per·i·to·ne·o·pex·y (per′i-tō-nē′ō-pek′sē) [peritoneum + G. *pēxis*, fixation]. 腹膜固定〔術〕（腹膜の懸吊または固定）.

per·i·to·ne·o·plas·ty (per′i-tō-nē′ō-plas′tē) [peritoneum + G. *plastos*, formed]. 腹膜形成〔術〕（病的瘢痕の再形成を防ぐために，腹腔内癒着を分離し，その表面を腹膜でおおうこと）.

per·i·to·ne·o·scope (per′i-tō-nē′ō-skōp) [peritoneum + G. *skopeō*, to view]. 腹腔鏡．＝laparoscope.

per·i·to·ne·os·co·py (per′i-tō-nē-os′kŏ-pē). 腹腔鏡検査〔法〕（腹腔鏡による経腹壁的腹腔内容の検査．→laparoscopy）．＝celioscopy; ventroscopy.

per·i·to·ne·ot·o·my (per′i-tō-nē-ot′ŏ-mē) [peritoneum + G. *tomē*, incision]. 腹膜切開〔術〕，開腹術.

per·i·to·ne·um, pl. **pe·ri·to·nea** (per′i-tō-nē′ŭm, -ă) [Mod. L. < G. *peritonaion* < *periteinō*, to stretch over] [TA]. 腹膜（中皮と不規則な結合組織の薄い外層からなる漿膜嚢．腹骨盤腔を裏打ちし，その中に含まれる内臓の大部分をおおう．腹膜嚢(大嚢)および網嚢(小嚢)の２つの嚢よりなり，これらは網嚢孔によってつながっている）．＝membrana abdominis.

parietal p. [TA]. 壁側腹膜（腹壁を裏打ちしている腹膜の層）．＝p. parietale [TA].

p. parietale [TA]. 壁側腹膜．＝parietal p.

urogenital p. [TA]. 尿生殖腹膜（ひだや陥凹を含めた骨盤内の腹膜の総称）．＝p. urogenitale [TA].

p. urogenitale [TA]. ＝urogenital p.

visceral p. [TA]. 臓側腹膜（腹部器官を包む腹膜の層）．＝p. viscerale [TA].

p. viscerale [TA]. 臓側腹膜．＝visceral p.

per·i·to·ni·tis (per′i-tō-nī′tis). 腹膜炎.

adhesive p. 癒着性腹膜炎（線維性滲出液が生じ，腸管と種々の他器官が癒着している形態の腹膜炎）.

benign paroxysmal p. 良性発作性腹膜炎．＝familial paroxysmal *polyserositis*.

bile p. 胆汁性腹膜炎（胆汁が開放腹腔内へ漏れたため起こる腹膜の炎症）．＝choleperitonitis.

chemical p. 化学性腹膜炎（胆汁，胃腸管の内容物，または膵液が腹腔内へ漏れたために起こる腹膜炎．漏れた内容物は感染が合併してくる前に化学的傷害，ショック，腹膜滲出をもたらす）.

chyle p. 乳び性腹膜炎（腹腔内の遊離乳びによる）.

circumscribed p. ＝localized p.

p. deformans 変形性腹膜炎（膜の肥厚と収縮性癒着が，腸間膜の短縮，腸管のねじれや退縮を引き起こす慢性腹膜炎）.

diaphragmatic p. 横隔〔膜〕腹膜炎（主として横隔膜の腹膜面を侵す腹膜炎）.

diffuse p. ＝general p.

p. encapsulans 包嚢性腹膜炎（広汎性腹膜炎がほとんど消失した後も残る限局的線維性または癒着性の腹膜炎．疼痛，便秘，および触知可能な腫瘤を特徴とする）.

fibrocaseous p. 線維乾酪性腹膜炎（乾酪化および線維化を特徴とする腹膜炎．通常，結核菌によって起こる）.

gas p. ガス腹膜炎（腹腔内にガスの集積を伴う腹膜の炎症）.

general p. 広汎性腹膜炎，汎発性腹膜炎（腹腔全体に広がった腹膜炎）．＝diffuse p.

localized p. 限局性腹膜炎（腹腔の分画された区域の腹膜炎）．＝circumscribed p.

meconium p. 胎便性腹膜炎（分娩中または新生児の膵臓の先天性障害あるいは線維嚢胞性疾病に合併して起こる腹膜炎）.

pelvic p. 骨盤腹膜炎（子宮と卵管の周囲の腹膜に拡大した炎症）．＝pelvioperitonitis; pelviperitonitis.

periodic p. 周期性腹膜炎．＝familial paroxysmal *polyserositis.*

productive p. 増殖性腹膜炎．＝pachyperitonitis.

tuberculous p. 結核性腹膜炎（結核菌によって引き起こされる腹膜炎）.

per·i·ton·sil·lar (per′i-ton′si-lăr). 扁桃周囲の.

per·i·ton·sil·li·tis (per′i-ton′si-lī′tis). 扁桃周囲炎（扁桃の周囲の結合組織の炎症）.

per·i·tra·che·al (per′i-trā′kē-ăl). 気管周囲の.

pe·rit·ri·chal, pe·rit·ri·chate, per·i·trich·ic (pe-rit′ri-kăl, -rit′ri-kāt, per-i-trik′ik). ＝peritrichous (2).

Per·i·trich·i·da (per′i-trik′i-dă) [peri- + G. *thrix*, hair]. 周毛目（繊毛虫門周毛亜綱に属する繊毛虫の一目．通常，細胞口部の周囲に限局された繊毛をもつ管状形の体を特徴とする．本目に含まれるMobilina亜目は，すべての種が水産無脊椎あるいは脊椎動物の外部または内部寄生虫で，この中の*Trichodina*属は経済的に重要な魚類の鰓寄生種を含む）.

pe·rit·ri·chous (pe-rit′ri-kŭs) [peri- + G. *thrix*, hair]. ***1*** 端毛の（細胞の末端から突出している線毛または他の付属器官についていう）．***2*** 周毛〔性〕の（細胞表面に均一にべん毛があることをいう．特に細菌についていう）．＝peritrichal; peritrichate; peritrichic.

per·i·tro·chan·ter·ic (per′i-trō-kan-ter′ik). 転子周囲の.

per·i·typh·lic (per′i-tif′lik) [peri- + G. *typhlon*, cecum]. ＝pericecal.

per·i·typh·li·tis (per′i-tif-lī′tis). 盲腸周囲炎（盲腸周囲の腹膜の炎症）.

p. actinomycotica (per′ĭ-tif-lī-tis ak′ti-nō-mī-kot′ĭ-kă). 盲腸周囲放線菌症（放線菌による盲腸周囲を主体とした腹部炎症．通常，*Actinomyces israelii* による）.

per·i·um·bil·i·cal (per′ē-ŭm-bil′i-kăl). 臍周〔囲〕の．＝periomphalic.

per·i·un·gual (per′ē-ŭng′gwăl) [peri- + L. *unguis*, nail]. 爪周囲の，爪縁を侵す.

per·i·u·re·ter·al, per·i·u·re·ter·ic (per′ē-yū-rē′ter-ăl, -yū′rē-ter′ik). 尿管周囲の（尿管の一方または両方の周囲についていう）.

per·i·u·re·ter·i·tis (per′ē-yū′rē-ter-ī′tis) [peri- + ureter + G. *-itis*, inflammation]. 尿管周囲炎（尿管の周囲組織の炎症）.

p. plastica 形成性尿管周囲炎．＝retroperitoneal *fibrosis*.

per·i·u·re·thral (per′ē-yū-rē′thrăl). 尿道周囲の.

per·i·u·re·thri·tis (per′ē-yū′rē-thrī′tis) [peri- + urethra + G. *-itis*, inflammation]. 尿道周囲炎（尿道の周囲組織の炎症）.
per·i·u·ter·ine (per′ē-yū′ter-in). 子宮周囲の. = perimetric (1).
per·i·u·vu·lar (per′ē-ū′vyū-lăr). 口蓋垂周囲の.
per·i·vag·i·ni·tis (per′i-vaj′i-nī′tis). 腟周囲炎（腟の周囲の結合組織の炎症）. = pericolpitis.
per·i·vas·cu·lar (per′i-vas′kyū-lăr) [peri- + L. *vasculum*, vessel]. 脈管周囲の（血管またはリンパ管の周囲についていう）. = circumvascular.
per·i·vas·cu·li·tis (per′i-vas′kyū-lī′tis). = periangitis.
per·i·ve·nous (per′i-vē′nŭs). 静脈周囲の.
per·i·ver·te·bral (per′i-ver′tĕ-brăl). 脊椎周囲の. = perispondylic.
per·i·ves·i·cal (per′i-ves′i-kăl) [peri- + L. *vesica*, bladder]. = pericystic.
per·i·vis·cer·al (per′i-vis′ĕr-ăl). 内臓周囲の. = perisplanchnic.
per·i·vis·cer·i·tis (per′i-vis′ĕr-ī′tis) [peri- + L. *viscera*, internal organa + G.*-itis*, inflammation]. 内臓周囲炎.
per·i·vi·tel·line (per′i-vi-tel′in, -īn) [peri- + L. *vitellus*, yolk]. 卵黄周囲の, 囲卵の.
per·i·win·kle (per′i-wing′kĕl). ツルニチニチソウ（キョウチクトウ科カタランサス属 *Cathoranthus roseus* は公式には *Vinca rosea*, *Lochnera rosea*, または *Ammocallis rosea* に分類される）.
per·kin·ism (pĕr′kin-izĕm). パーキンズ療法（磁力と称するところの魔力をもつ金属を用いて疾病を治療すると称するいんちき療法の一種）.
Per·kins (per′kinz), Elisha. 米国人医師, 1741—1799. → perkinism.
perlecan パールカン（ヘパリン硫酸を多く含むプロテオグリカン(MW600,000)で, 基底膜の緻密層に存在する. 基底膜の構造的構成およびフィルタ機構に関与する）.
per·lèche (pĕr-lesh′) [Fr. *per*, intensive + *lécher*, to lick]. 口角炎. = angular *cheilitis*.
Per·li·a (per′lē-ah), Richard. 19 世紀のドイツ人眼科医. → P. *nucleus*; convergence *nucleus* of P.
per·lin·gual (per-ling′gwăl) [L. *per*, through + *lingua*, tongue]. 舌下の, 経舌の（投薬の方法についていう）.
Perls (pĕrlz), Max.ドイツ人病理学者, 1843—1881. → P. Prussian blue *stain*, *test*.
per·man·ga·nate (per-mang′gă-nāt). 過マンガン酸塩.
per·man·gan·ic ac·id (per′mang-gan′ik as′id). 過マンガン酸（マンガンから誘導される. 塩基と過マンガン酸塩を形成する. → *potassium* permanganate）.
per·me·a·bil·i·ty (per′mē-ă-bil′i-tē). 透過性, 浸透性.
per·me·a·ble (per′mē-ă-bĕl) [L. *permeabilis*(→permeate)]. 透過性の, 浸透性の（液体, 気体, 熱などの物質を膜その他の構造物を通して通過させることができる）. = pervious.
per·me·ant (per′mē-ănt) [L. *permeabilis*(→permeate)]. 滲み通る, 浸透する（特殊な半透膜を通過できる）.
per·me·ase (per′mē-ās). 透過酵素, パーミアーゼ（半透過性膜に対する溶質の運搬に作用する膜結合性担体(酵素)の一群. 本語は真核生物を述べるためには用いられない）.
per·me·ate (per′mē-āt) [L. *permeo*, to pass through]. ***1*** 〖v.〗透過する（膜や他の構造体を通常, 拡散することにより通過する）. ***2***〖n.〗透過〔物〕（***1*** のように通過できるもの）.
per·me·a·tion (per′mē-ā′shŭn) [L. *per-meo*, pp. *-meatus*, to pass through]. 浸管, 透過（細胞増殖によって悪性新生物が血管またはリンパ節に沿って連続的に広がっていくこと）.
per·nic·i·os·i·form (per-nish′ē-os′i-fōrm). 悪性様の, 悪性状の（実際は悪性ではないが, 致命的あるいは悪性にみえる状態または疾病についていうまれに用いる語）.
per·ni·cious (per-nish′ŭs) [L. *perniciosus*, destructive < *pernicies*, destruction]. 悪性の, 壊滅の（重篤な特徴をもち, 特別な治療をしなければ通常, 致命的になる疾病についていう）.
per·ni·o·sis (per′nē-ō′sis) [L. *pernio*, chilblain + G. *-osis*, condition]. 凍瘡. = chilblain.
pero- [G. *pēros*]. 不具の, または奇形の, を意味する連結形.
pe·ro·bra·chi·us (pē′rō-brā′kē-ŭs) [pero- + G. *brachiōn*, arm]. 上肢奇形体(奇形児)（先天的に片方または両方の手と上腕に奇形をもつ人）.
pe·ro·ceph·a·lus (pē′rō-sef′ă-lŭs) [pero- + G. *kephalē*, head]. 頭部奇形体(奇形児)（先天的に顔と頭に奇形をもつ人）.
pe·ro·chi·rus (pē′rō-kī′rŭs) [pero- + G. *cheir*, hand]. 手奇形体(奇形児)（先天的に片方または両方の手に奇形をもつ人）.
pe·ro·dac·ty·ly, pe·ro·dac·tyl·ia (pē′rō-dak′ti-lē, -dak-til′ē-ă) [pero- + G. *daktylos*, finger or toe]. 指趾奇形（先天的に変形した手指または足指）.
per·o·gen (per′ō-jen). ペロゲン（添加触媒と混ざる過ホウ酸塩の酸素の 10%を遊離する過ホウ酸ナトリウムの調製）.
pe·ro·me·li·a, pe·rom·e·ly (pē′rō-mē′lē-ă, pĕ-rom′ĕ-lē) [pero- + G. *melos*, limb]. 奇肢症（手または足の欠損を含む四肢の重症先天性奇形）.
peromellia 四肢奇形. = Hanhart *syndrome*.
per·o·ne (per-ō′nē) [G. *peronē*, brooch, the small bone of the arm or leg, the fibula < *peirō*, to pierce]. 腓骨. = fibula.
per·o·ne·al (per′ō-nē′ăl) [L. *peroneus* < G. *peronē*, fibula]. 腓骨の（[perineal と混同しないこと]）. = fibular (1).
per·o·ne·al·is (pē-rō-nē-al′is). = fibular (1).
per·o·ne·o·tib·i·al (per′ō-nē′ō-tib′ē-ăl). 腓骨脛骨の. = tibiofibular.
pe·ro·pus (pē′rō-pŭs) [pero- + G. *pous*, foot]. 足奇形体(奇形児)（先天的に片方または両方の足に奇形をもつ個体）.
per·o·ral (per-ō′răl) [L. *per*, through + *os(or-)*, mouth]. 経口〔的〕の（薬剤の適用方法あるいは投与方法についていう）.
per os (PO) (per os) [L.]. 経口的に（適用方法についていう）.
pe·ro·splanch·ni·a (pē′rō-splank′nē-ă) [pero- + G. *splanchnon*, viscus]. 内臓奇形症（先天的に内臓の奇形をもつ）.
per·os·se·ous (per-os′ē-ŭs) [L. *per*, through + *os*, bone]. 経骨性の.
peroxi- → peroxy-.
pe·rox·i·dase (pĕ-rok′si-dās-) ペルオキシダーゼ（過酸化水素を還元する酸化還元酵素. 過酸化水素の存在において種々の物質の脱水素(酸化)を触媒する動植物組織中の酵素. この過程で, 過酸化水素は水素受容体として働き水に交換される）.

cytochrome p. (sī′tō-krōm per-oks′i-dās). シトクロムペルオキシダーゼ（ヘム蛋白酵素で, H_2O_2 と 2 分子のフェロシトクロム *c* から 2 分子のフェリシトクロム *c* と $2H_2O$ を生成する反応を触媒する）.

horseradish p. ホースラディシュ(西洋ワサビ)ペルオキシダーゼ（免疫組織化学において, 抗原抗体複合体の標識化に用いるホースラディッシュ(西洋ワサビ)から分離された酵素）.

thyroid p. 甲状腺ペルオキシダーゼ（甲状腺酸化還元酵素で, いわゆる有機化(→organification)の過程のチロキシンの合成でのチロシン残基へのヨウ素の取り込みを触媒する. 本酵素欠損により甲状腺からヨードチロシン誘導体やヨウ素の欠乏をきたし, その結果, 甲状腺腫を形成する）. = iodide peroxidase; iodinase; iodotyrosine deiodase.

pe·rox·ide (pĕ-rok′sīd). ***1*** 過酸化物（酸化物系列で, 最大数の酸素原子を有するもの. 通常 -O-O- 結合を有する化合物に用い, 過酸化水素 H-O-O-H も, この例である. ヒドロペルオキシドは R-O-O-H である）. ***2*** O_2^{2-} イオン. ***3*** 過酸化物イオンを含有するある種の金属オキシドの総称.
pe·rox·i·some (pĕ-rok′si-sōm) [peroxide + G. *sōma*, body]. ペルオキシソーム（多くの真核細胞にみられる膜小器官で, 過酸化水素の形成と分解に関与するカタラーゼ, 尿酸オキシダーゼなどの酸化酵素を含有する電子密度の高い結晶様内容物を有する. 種々の分子の解毒および脂肪酸の分解をアセチルCoA に触媒する過程において重要と考えられている. ペルオキシソームの欠損は Zellweger 症候群の患者に見出されている）．

peroxy- 過酸化物（過酸化水素など），ペルオキシ酸（ペルオキシギ酸など）におけるような過剰酸素原子の存在を表す接頭語．しばしば per- と略される．

pe·rox·y·a·ce·tyl ni·trate (pĕʹrok-sē-ă-sēʹtil nīʹtrāt). 硝酸ペルオキシアセチル（スモッグ中に存在し，目や鼻を刺激する主要な汚染物質）．

pe·roxy ac·id (pĕ-rokʹsē asʹid). ペルオキシ酸．= peracid.

pe·rox·y·for·mic ac·id (pĕ-rok-sē-fōrʹmik asʹid). ペルオキシギ酸，過ギ酸．= performic acid.

pe·rox·yl (pĕ-rokʹsil). ペルオキシル；H–O–O（高エネルギー照射による組織被曝の結果生じると考えられる遊離基の1つ）．

per·phe·na·zine (per-fenʹă-zēn). パーフェナジン（フェノチアジン型の抗精神病薬）．

per pri·mam in·ten·ti·o·nem (per prīʹmăm in-ten'shē-ōʹnem) [L.]. 一次〔的〕〔治癒〕の（創傷の治癒段階についていう．→*healing* by first intention）．

per rec·tum(PR) (per rekʹtŭm) [L.]. 経直腸的に（適用方法についていう）．

per·salt (perʹsawlt). 過酸基塩（化学において，可能な最大数の酸基を有する塩）．

per sal·tum (per salʹtŭm) [L.]. 跳躍して（種々の段階を経ないで一飛びに）．

per·sev·er·a·tion (per-sevʹĕr-āʹshŭn) [L. *persevero*, to persist]. ***1*** 保続〔症〕，反復〔症〕（意味のない言葉や句を繰り返し言うこと）．***2*** 保続（印象の持続のこと．回転する2色の円板などで1つの印象から次の印象へ移るその速度によって測定される）．***3*** 固執（臨床心理学において，以前は正しく適当であった応答を，もはやその応答が不適当で正しくなくなった後までも，抑制できずに繰り返し続けること）．

per·sic oil (perʹsik oyl). 桃仁油，杏仁油（アンズ *Prunus armeniaca*(杏仁油)または，モモ *P. persica*(桃仁油)などの仁を圧搾して得た脂肪油．賦形剤として用いる）．

per·sis·tence (per-sisʹtĕns) [L. *persisto*, to abide, stand firm]. 存続，固執（特徴的な行動の執拗な持続．または逆境にもかかわらず存続すること）．

lactase p. 乳糖分解酵素存続（離乳後も乳糖分解酵素の減少しない遺伝形質(常染色体優性)．*cf.* lactase *restriction*）．

microbial p. 微生物存続（高濃度の殺菌物質中で，微生物が生き残る現象．これらの菌の子孫は，十分な感受性をもっているため，耐性変異株(突然変異体)ではないと考えられる）．

per·sist·er (per-sisʹtĕr). 存続生物，固執者（持続する能力をもった物あるいは生物．特に，微生物存続にかかわる細菌）．

per·so·na (per-sōʹnă) [L. *per*, through + *sonare*, to sound. 役者の発声を助ける古代劇用の面についている小さなメガホンから声が聞こえるの意]. ペルソナ（その個人全体を統合する語．その人個有の物理的，心理的，行動的属性の全体像．Jung 心理学において，パーソナリティの中で周囲に受け入れられる理想的なもの，真のパーソナリティを隠すために装われたもの．→ego; self (4). *cf.* shadow (2)）．

per·son·al·i·ty (perʹsŏn-alʹi-tē). ***1*** 人格，パーソナリティ（個の独自性，その人の意識・無意識の認知，対人行動および関連した感情的反応の総和．個人が他者とかかわる際に使われる統合・非統合された人格気質）．***2*** 独自な人格パターンをもつ個人．

affective p. 情動的性格（認知，態度，同一性を形づくる気分に対する持続的障害の結果生じる慢性の人格障害．これにより，その人のすべての精神世界と対人行動を特徴づける．→affective personality *disorder*; chronic hypomanic p.; cyclothymic p.）．= affective personality disorder (1).

antisocial p. 反社会性人格（→psychopath; sociopath; antisocial personality *disorder*; antisocial）．= psychopathic p.

asthenic p. 無力人格（低いエネルギーレベル，易疲労性，楽しめないこと，熱中することがないこと，身体的および情緒的ストレスに対する過敏性を特徴とする人格の一型の古語）．= asthenic personality disorder.

authoritarian p. 権威性人格（完全と秩序，例えば厳格さや極端な因襲性，絶対服従，犠牲などを求める願望や組織化された権威性を求める願望が反映されている一群の人格傾向）．

avoidant p. 回避性人格．= avoidant personality *disorder*.

basic p. →basic personality *type*.

borderline p. →borderline personality *disorder*.

chronic depressive p. 慢性抑うつ人格（認知，態度，自己同一性を形成する持続した抑うつ気分に由来する人格障害の1つであり，それゆえに他人に関しての精神生活や行動全体に影響を与えるもの）．

chronic hypomanic p. 慢性軽躁人格（認知，態度，自己同一性を形成する持続した軽躁病に由来する人格障害の1つであり，それゆえに他人に関しての精神生活や行動全体に影響を与えるもの）．

compulsive p. 強迫性人格．= obsessive-compulsive personality *disorder*.

cycloid p. 循環型人格．= cyclothymic p.

cyclothymic p. 循環気質性人格（個人の認知，態度，同一性，気質全体の彩り，心的生活，対他行動を形成する，やや双極的な気分変動の持続に由来するパーソナリティ障害．周囲の状況とは通常，無関係な，周期性をもった気分の発揚や抑うつ感が起こる．双極性障害よりは重篤ではない．→affective p.; cyclothymic *disorder*; cyclothymia）．= cycloid p.; cyclothymic personality disorder.

dependent p. 依存性人格．= dependent personality *disorder*.

dual p. 二重人格（ある種の精神障害で，1人の人間の中にそれぞれ異なった2つの人格が交互に現れ，互いに他方の人格を意識することはない．→multiple personality *disorder*; dissociative identity *disorder*）．= double consciousness.

hysteric p. ヒステリー性人格（histrionic personality *disorder* の古語．→histeria; conversion）．

inadequate p. 不適性人格（人格障害の1つで，個人的・社会的不適応感や情緒的・身体的不安定さを特徴とするもので，そのため生活場面で遭遇する一般的な障壁をも克服することができない）．

masochistic p. 被虐性人格（自分の興味を犠牲にして他の人に利用されるのを甘受するが，それと同時に，道徳的な優越感をもち，または道徳的に優っているふりをし，同情を誘おうとし，他者の罪悪感を引き起こそうとするような人格障害）．

multiple p. 多重人格．= dissociative identity *disorder*.

neurasthenic p. 神経衰弱性人格（以下にあげる徴候によって特徴づけられる状態を表す，現在は用いられていない用語．食欲不振または過食，不眠または過眠，低いエネルギーまたは疲労，集中力困難または決断困難，および絶望感．最も重篤なものは，上記の特徴に抑うつ気分が付随した気分変調(抑うつ神経症)とよばれる慢性的な気分の障害である）．

obsessive p. 強迫性格（→obsessive-compulsive p.; obsessive-compulsive *disorder*）．= obsessive-compulsive personality *disorder*.

obsessive-compulsive p. 強迫性人格．= obsessive-compulsive personality *disorder*.

paranoid p. 偏執性人格．= paranoid personality *disorder*.

passive-aggressive p. 受動攻撃性人格（ひねくれたり，ぐずぐずした行動パターンを特徴とする人格障害で，攻撃的感情が，横やりをいれたりすねたりするような受身的姿勢をとって現れる）．

perfectionistic p. 完全主義性格（堅さ，極端な抑制，極度のこだわりへの服従，しばしば特殊な基準に固着することなどに特徴付けられる性格）．

psychopathic p. = antisocial p.

schizoid p. 統合失調質性人格．= schizoid personality *disorder*.

schizotypal p. 統合失調型人格．= schizotypal personality *disorder*.

shut-in p. 内閉性人格（対人関係において不適切な反応を表してしまうような人に対して，まれに用いる語）．

syntonic p. 同調性人格（安定した人格をもつ人に対して，まれに用いられる語で，気質に偏りのないことを特徴とする）．

type A p., type B p. A型性格，B型性格（→type A *behavior*; type B *behavior*）．

per·son-years (perʹsŏn yērz). 人年（ある集団の各成員がある状態におかれた(例えば与えられた薬で治療された)年数の総和）．

pers·pi·ra·tion (pers′pi-rā′shŭn) [L. *per-spiro*, pp. *-atus*, to breathe everywhere]. ***1*** 発汗（皮膚の汗腺によって，液体を排泄すること.→sweat）.＝diaphoresis; sudation; sweating. ***2*** 蒸散（汗腺分泌であれ，あるいは他の皮膚構造からの発散であれ，正常な皮膚から液体が失われること）. ***3*** 汗（汗腺から排泄される液体．塩化ナトリウム，リン酸ナトリウム，尿素，アンモニア，エーテル硫酸，クレアチニン，脂肪，その他老廃物などを含んだ水からなる．1日の平均量は約1,500 g.→sweat (1)）.＝sudor.

insensible p. 不感〔性〕発汗，不感〔性〕蒸散，不感〔性〕蒸泄（皮膚上に液体として認められる前に蒸発する蒸散．この語は，ときに肺からの蒸散も含むことがある）.

sensible p. 感知性発汗，感知性蒸散（多量に排泄されたり，大気中の湿度が高いときの発汗のことで，皮膚が湿っているようにみえる）.

per·stil·la·tion (per′sti-lā′shŭn) [L. *per*, through＋*stillo*, to trickle, distil]. 透析蒸留（→pervaporation）.

per·sua·sion (per-swā′zhŭn) [L. *persuasio*＜*persuadeo*, to persuade]. 説得（権威とか論議，道理，個人的洞察を説くことによって，他人の心に影響を及ぼす行為．ほとんどの型の精神療法において，重要な要素となっている）.

per·sul·fate (per-sŭl′fāt). 過硫酸塩.

per·sul·fide (per-sŭl′fīd). ***1*** 過硫化塩（硫化物系列の化合物の1つで，他のものより多くの硫黄原子をもつもの．多硫化物）. ***2*** 過酸化物の硫黄類似体.

per·sul·fu·ric ac·id (per′sŭl-fyūr′ik as′id). 一過硫酸；H_2SO_5；peroxymonosulfuric acid.

per·tac·tin (per-tak′tin) [*pert*ussis＋act＋-in]. ペルタクチン（百日咳菌 *Bordetella pertussis* の主要なレセプタで，その抗原性は百日咳ワクチンの効果を改善するのに用いる）.

per·tech·ne·tate (per-tek′ne-tāt). 過テクネチウム酸〔イオン〕; $^{99m}TcO_4^-$（広く核医学検査で用いられるテクネチウムの陰イオン）.

Per·thes (pār′tĕs), Georg C. ドイツ人外科医，1869—1927. →P. *disease*, test; Calvé-P. *disease*; Legg-Calvé-P. *disease*.

perthio- 化合物のすべての酸素を硫黄で置換することを意味する接頭語（ペルチオカルボン酸 H_2CS_3 など）.

Per·tik (per′tik), Otto. ハンガリー人病理学者，1852—1913. →P. *diverticulum*.

per tu·bam (per tū′băm) [L.]. 経耳管的に.

per·tus·sis (per-tŭs′is) [L. *per*, very(intensive)＋*tussis*, cough]. 百日咳（百日咳菌 *Bordetella pertussis* によって起こる急性感染症．痙攣性の咳がひとしきり繰り返し起こり，息を出し尽くすまで続き，最後に喉頭の痙縮によって起こる吸息性のぜん音（フープ音 whoop）で終わる．病変は喉頭，気管，気管支の炎症によって起こる）.＝pertussis syndrome; whooping cough.

Pe·ru·vi·an bark (pĕ-rū′vē-ăn bark).＝cinchona.

peruvoside (pĕr-ū′vō-sīd). ペルヴォシド（キバナキョウチクトウ *Thevetia peruviana* がもつ毒性のある強心配糖体）.

per·vap·o·ra·tion (per′vap-ō-rā′shŭn) [L. *per*, through＋*vapor*, steam]. 透析蒸発（ホットプレート上につるして透析袋中の液体を加熱すると，膜を通して蒸発が急速に起こる．溶液中の膠質は袋の中にとどまっているが，晶質は拡散して出ていき，袋の外面上で結晶化する（透析蒸留））.

per·ver·sion (per-ver′zhŭn) [L. *perversio*＜*per-verto*, pp. *-versus*, to turn about]. 倒錯〔症〕（[本語の否定的かつ軽蔑的な響きは文脈によっては不快な表現になるかもしれない]．規範からのずれをいうが，特に性的関心や性的行動に関して用いられる）.

polymorphous p. 多形倒錯〔症〕（①精神分析学理論で用いられる場合は，小児にみられる多様な性的活動や性的関心をさす．②一般的には，成人にみられる種々の倒錯行為）.

sexual p. 性〔的〕倒錯〔症〕.＝sexual *deviation*.

per·vert (per′vert). 倒錯者，変質者（[本語の否定的かつ軽蔑的な響きは文脈によっては不快な表現になるかもしれない].→deviant (2)）.

per·vert·ed (per-ver′tĕd). 異常な（異常な，逸脱した，障害されている）.

per vi·as na·tu·ra·les (per vī′as nach′ū-rā′lēz) [L.]. 自然通路を経て（例えば，帝王切開でなく普通に分娩すること，あるいは飲み込んだ異物を外科的除去をせずに便通で出すことについていう）.

per·vi·ous (per′vē-ŭs) [L. *pervius*＜*per*, through＋*via*, a way]. 透過性の，浸透性の.＝permeable.

pes, gen. **pe·dis**, pl. **pe·des** (pes, pē′dis, -dēz) [L.]. ***1*** [TA]. 足.＝foot (1). ***2*** 足様構造，基部構造. ***3*** 奇足（この意味では，特殊な型を示す言葉によって限定される）.

p. abductus 外転（外反）足.＝*talipes* valgus.

p. adductus 内転（内反）足.＝*talipes* varus.

p. anserinus ***1*** ＝parotid *plexus* of facial nerve. ***2*** 鵞足（縫工筋，薄筋，半腱様筋の複合腱の脛骨粗面内側縁での展開）.

p. cavus 凹足.＝*talipes* cavus.

p. equinovalgus 外転（外反）尖足.＝*talipes* equinovalgus.

p. equinovarus 内転（内反）尖足.＝*talipes* equinovarus.

p. gigas 巨大足.＝macropodia.

p. hippocampi [TA]. 海馬足.＝*foot* of hippocampus.

p. planus 扁平足（縦足弓が崩されている状態で，全足底が地面に着く）.＝flatfoot; talipes planus.

p. pronatus 〔踵〕外転足，回内足.＝*talipes* valgus.

p. valgus 外転（外反）足.＝*talipes* valgus.

p. varus 内転（内反）足.＝*talipes* varus.

pes·co·veg·e·tar·i·an (pes′kō-veg′ĕ-tār′ē-ăn). 酪農品，卵，魚は食べるが他の動物肉は食べない菜食主義者.

pes·sa·ry (pes′ă-rē) [L. *passarium*＜G. *pessos*, an oval stone used in certain games]. ***1*** ペッサリー（子宮を保持したり，ずれを正すために腟内に入れるいろいろな形のもの）. ***2*** 腟坐薬.

cube p. 椀状ペッサリー（老年女性の子宮脱に用いられる椀状のゴム製あるいはプラスチック製のペッサリー）.

diaphragm p. 膜状ペッサリー（開口部をおおった環．子宮，膀胱，直腸を支持するための膜となる）.

doughnut p. ドーナツ型ペッサリー.＝ring p.

Dumontpallier p. (dū-mohn-pal-yā′). デュモンパリエペッサリー（弾力性環状ペッサリー）.＝Mayer p.

Gariel p. (gah-rē-el′). ガリエルペッサリー（膨らますことのできる中空のゴムのペッサリー．環状，西洋梨状の2型がある）.

Hodge p. (hoj). ホッジペッサリー（子宮後屈を治すための，二重曲線の長楕円形ペッサリー）.

Mayer p. (mā′ĕr). マイアーペッサリー.＝Dumontpallier p.

Menge p. (men′gĕ). メンゲペッサリー（中央に水平な横杆を付け，それに，取りはずしのできる小棒を付けた環状ペッサリー）.

ring p. 環状ペッサリー（ゴム，プラスチック，金属の輪で，中に腟管がはいるようになっている．子宮を支えたり，子宮の脱出を直す）.＝doughnut p.

pes·si·mism (pes′i-mizm) [L. *pessimus*, worst: *malus*(bad) の不規則変化最上級]. 悲観主義（暗い面ばかりをみる傾向）.

therapeutic p. 治療的悲観主義（一般的な治療法および薬物療法において，特にその治療効果に不信をいだくこと）.

pest (pest) [L. *pestis*]. ペスト.＝plague (2).

pseudofowl p. 偽家禽ペスト.＝Newcastle *disease*.

pes·ti·ce·mi·a (pes′ti-sē′mē-ă) [L. *pestis*, plague＋G. *haima*, blood]. ペスト菌血〔症〕，敗血症性ペスト（ペスト菌 *Yersinia pestis* による菌血症）.

pes·ti·cide (pes′ti-sīd). 農薬，殺虫薬（菌類，昆虫，げっ歯類，毛虫などを撲滅するための薬剤を意味する一般的用語）.

pes·tif·er·ous (pes-tif′ĕr-ŭs).＝pestilential.

pes·ti·lence (pes′ti-lens) [L. *pestilentia*]. 悪疫，伝染病（①＝plague (2). ②病気の悪疫流行，流行病）.

pes·ti·len·tial (pes′ti-len′shăl). ペストの，悪疫の，流行病の.＝pestiferous.

pes·tis (pes′tis). [L.]. ペスト.＝plague (2).

p. ambulans 軽症ペスト.＝ambulant *plague*.

p. bubonica 腺ペスト.＝bubonic *plague*.

p. fulminans 電撃性ペスト.＝bubonic *plague*.

p. major 重症ペスト.＝bubonic *plague*.

p. minor 軽症ペスト.＝ambulant *plague*.

p. siderans ＝septicemic *plague*.

Pes·ti·vi·rus (pes′ti-vī′rŭs) [L. *pestis*, plague＋virus]. ペスチウイルス属（豚コレラウイルスやその近縁のウイルスか

らなるウイルスの一属(フラビウイルス科)).

pes·tle (pes′tĕl) [L. *pistillum* < *pinso, piso,* to pound]. 乳棒(一端が丸く，重くなっている棒状の道具．乳鉢の中で，打ち砕いたり，割ったり，すりつぶしたり，混和するために用いる).

PET positron emission *tomography* の略.

peta- (P) ペタ(国際単位系(SI)およびメートル法において10^{15}を表す接頭語).

-petal [L. *peto,* to seek, strive for]. 探索すること，前に付く語の主要部分の方への動き，を意味する接尾語.

pe·te·chi·ae, sing. **pe·te·chia** (pe-tē′kē-ē, pē-tek′-; pe-tē′kē-ă) [It. *petecchie* の近代ラテン語形]. 点状出血，溢血点(針の先の大きさから針頭大の大きさの皮膚の小さな出血点で，圧診によって退色しない).

calcaneal p. 踵部の角層内での外傷性出血で，中央が黒色点として数週間存在することがある．＝black heel.

Tardieu petechiae (tar-dyu′). タルデュ点状出血．＝ Tardieu *ecchymoses*(⇒ecchymosis).

pe·te·chi·al (pe-tē′kē-ăl, pē-tek′-). 点状出血の.

Pe·ters (pā′tĕrz), Albert. ドイツ人医師，1862—1938. ⇀P. *anomaly.*

Pe·ters (pā′tĕrz), Hubert. オーストリア人産科医，1859—1934. ⇀P. *ovum.*

Petersen (pā′tĕr-sĕn), C.F. ドイツ人外科医，1845—1908.

peth·i·dine (peth′ĭ-dēn). ＝meperidine hydrochloride.

pet·i·o·late, pet·i·o·lat·ed (pet′ē-ō-lāt, -lāt-ĕd) [L. *petiolus*]. 有柄の．＝petioled.

pet·i·ole (pet′ē-ōl). ＝petiolus.

pet·i·oled (pet′ē-ōld). ＝petiolate.

pe·ti·o·lus (pe-tī′ō-lŭs) [L. *pes*(foot)の指小辞, the stalk of a fruit]. 茎，柄([誤った発音 petio′lus を避けること])．＝petiole.

p. epiglottidis 喉頭蓋茎．＝*stalk* of epiglottis.

Pe·tit (pĕ-tē′), Alexis T. フランス人物理学者，1791—1820. ⇀Dulong-P. *law.*

Pe·tit (pĕ-tē′), François du. フランス人外科医・解剖学者，1664—1741. ⇀P. *canals, sinus.*

Pe·tit (pĕ-tē′), Jean L. パリの外科医，1674—1750. ⇀P. *hernia, herniotomy,* lumbar *triangle.*

Pe·tit (pĕ-tē′), Paul. 20世紀初頭のフランス人解剖学者. ⇀P. *aponeurosis.*

Pe·tri (pā′trē), Julius. ドイツ人細胞学者，1852—1921. ⇀P. *dish,* dish *culture.*

pet·ri·fac·tion (pet′ri-fak′shŭn) [L. *petra,* rock + *facio,* to make]. 石化，化石化.

pé·tris·sage (pā-trē-sazh′) [Fr. kneading]. じゅうねつ(揉捏)法(マッサージ法の1つ．筋肉をよくもむこと).

petro- [L. *petra,* rock; G. *petros,* stone]. 石の，岩様の，を表す連結形.

pet·roc·cip·i·tal (pet′rok-sip′i-tăl). ＝petrooccipital.

pe·tro·la·tum (pet-rō-lā′tŭm). ワセリン(炭化水素の軟性パラフィン族，すなわちメタン系列の黄色味を帯びた混合物．石油蒸留の際の中間産物として得られる．皮膚の熱傷・擦傷の鎮痛薬および軟膏の基剤として用いる)．＝petroleum jelly; yellow soft paraffin.

heavy liquid p. 重流動ワセリン．＝mineral oil.

hydrophilic p. 親水性ワセリン(コレステロール 30 g，ステアリルアルコール 30 g，白ろう 80 g，白色ワセリン 860 g で，親水性ワセリン 1,000 g ができる).

light liquid p. 軽流動ワセリン.

white p. 白色ワセリン(黄色ワセリンを活性炭により化粧用に脱色したもの)．＝white soft paraffin.

pe·tro·le·um (pĕ-trō′lē-ŭm) [L. *petra,* rock + *oleum,* oil]. 石油，鉱油(地球上の各地で見出される液状炭化水素の混合物．化石化した動植物の遺物からできたといわれている．光熱源として用いる)．＝coal oil; rock oil.

p. benzin 石油ベンジン，精製ベンジン(石油蒸留の低沸点成分を精製したもの．主にメタン系列の炭化水素からなる．きわめて可燃性が大きく，蒸気が空気と混合して引火すると爆発することがある．溶剤として用いる)．＝benzin; benzine; naphtha; p. ether.

p. ether 石油エーテル．＝p. benzin.

liquid p. 流動石油．＝mineral oil.

pe·tro·le·um jel·ly (pĕ-trō′le-ūm jel′ē). ＝petrolatum.

pet·ro·mas·toid (pet′rō-mas′toyd). 錐体乳突の(側頭骨の錐体部と乳突部に関する．出生時には，通常，鱗乳頭縫合により融合している)．＝petrosomastoid.

pet·ro·oc·cip·i·tal (pet′rō-ok-sip′i-tăl). 錐体後頭の(後頭骨と側頭骨錐体部との間の頭蓋構造についていう)．＝petroccipital.

pet·ro·pha·ryn·ge·us (pet′rō-fă-ring′gē-ŭs). 錐体咽頭の(⇀*musculus* petropharyngeus).

pe·tro·sa, pl. **pe·tro·sae** (pe-trō′să, -sē) [L. < *petra,* rock]. 錐体(側頭骨の錐体部分).

pe·tro·sal (pe-trō′săl). 錐体の．＝petrous (2).

pet·ro·sal·pin·go·sta·phy·li·nus (pet′rō-sal-pin′gō-staf′i-lī′nŭs) [petrosa + G. *salpinx,* trumpet + *staphylē,* uvula]. levator veli palatini *muscle* を表す現在では用いられない語.

pet·ro·si·tis (pet′rō-sī′tis). 錐体尖炎，錐体尖化膿症(側頭骨錐体部と含気洞の炎症)．＝petrousitis.

pet·ro·so·mas·toid (pet′rō-sō-mas′toyd). ＝petromastoid.

pet·ro·sphe·noid (pet′rō-sfē′noyd). 錐体蝶形骨の(側頭骨錐体部と蝶形骨に関する).

pet·ro·squa·mo·sal, pet·ro·squa·mous (pet′rō-skwā-mō′săl, -skwā′mŭs). 錐体鱗状部の(側頭骨の錐体および鱗状部に関する)．＝squamopetrosal.

pet·ro·staph·y·li·nus (pet′rō-staf′i-lī′nŭs) [G. *petra,* stone + *staphylē,* uvula]. levator veli palatini *muscle* を表す現在では用いられない語.

pet·rous (pet′rŭs, pē′trŭs) [L. *petrosus* < *petra,* a rock]. ***1*** 岩様の(石または岩のように硬い). ***2*** 錐体の．＝petrosal.

pet·rou·si·tis (pet′rū-sī′tis). ＝petrositis.

Pet·te (pet′ĕ), H.H. ドイツ人神経病理学者，1887—1964. ⇀P.-Döring *disease.*

Pet·tit (pĕ-tē′), Auguste. フランス人医師，1869—1939. ⇀Bachman-P. *test.*

Peutz (puts), J.L.A. オランダ人医師. ⇀P.-Jeghers *syndrome*; Jeghers-P. *syndrome.*

pex (peks). 固定(動かないようにしっかり留める).

pex·in (pek′sin). ペキシン．＝chymosin.

pex·in·o·gen (pek-sin′ŏ-jen). ペキシノゲン．＝prochymosin.

pex·is (pek′sis) [G. *pēxis,* fixation]. 固定〔術〕(組織に物を固定すること).

-pexy [G. *pēxis,* fixation]. 固定を意味する接尾語．外科で用いることが多い.

Pey·er (pī′ĕr), Johann K. スイス人解剖学者，1653—1712. ⇀P. *glands*; aggregated lymphoid *nodules* of the small intestine.

pe·yo·te, pe·yo·tl (pā-yō′tē, pā-yō′tĕl) [Sp.]. ペヨーテ，ペヨートル(*Lophophora williamsii* のアステカ語名．メキシコおよび米国南西部原産の小サボテンで，アメリカ原住の部族の儀式に用いられる．トランスと幻覚を引き起こす．ペヨーテの主要活性成分はメスカリンである)．＝pellote.

Pey·ro·nie (pā-rō-nē′), François de la. フランス人外科医，1678—1747. ⇀P. *disease.*

Pey·rot (pā-rō′), Jean J. フランス人外科医，1843—1918. ⇀P. *thorax.*

Pez·zer (pĕ-zē′), O. de. ⇀de Pezzer.

16PF Sixteen Personality Factor *Questionnaire* の略.

Pfan·nen·stiel (fahn′ĕn-shtēl), Hermann Johann. ドイツ人婦人科医，1862—1909. ⇀P. *incision.*

Pfaund·ler (fownd′lĕr), Meinhard von. ドイツ人医師，1872—1947. ⇀P.-Hurler *syndrome.*

Pfeif·fer (fī′fĕr), Richard F. J. ドイツ人医師，1858—1945. ⇀ *Pfeifferella*; P. *phenomenon, syndrome.*

Pfeif·fer·el·la (fī′fĕr-el′lă) [R.F.J. *Pfeiffer*]. 標準種が鼻疽菌 *P. mallei* であった細菌の一属で，現在では用いられない．これは以前 *Actinobacillus*属にも入れられていたが，現在では *Pseudomonas*属にはいる.

Pfeisteria piscicida (fī-stē′rē-ă pis-i-sē′da). 多くの生活段階をもつ河口域にみられる渦鞭毛虫で，多くの魚種やその他の海産生物に害を及ぼす．ヒトにも多様な症状を起こす．赤潮の原因となる.

PFFD proximal femoral focal *deficiency* の略．

Pflüger (flī′gĕr), Eduard F.W. ドイツ人解剖・生理学者，1829—1910. →P. *law*.

PFOB perfluorooctyl bromide の略．

PFT pulmonary function *test* の略．

Pfuhl (fūl), Eduard. ドイツ人医師，1852—1905. →P. *sign*.

PG prostaglandin; phosphatidylglycerol; protegrin の略．

pg picogram の記号．

PGA, PGB, PGC, PGD 構造に従い，数字の記号を付けて用いる略語．しばしばプロスタグランジンを表す．A，Bなどの文字はシクロペンタン環の性質を示す(置換基，二重結合，配置)．数字の符号はアルキル鎖の二重結合の番号を示している．

PGA I polyglandular autoimmune *syndrome*, type I の略．

P-gly·co·pro·tein (glī′kō-prō′tēn). P–糖蛋白（腫瘍の多剤耐性に関連した蛋白で，多くの天然物や化学療法薬に対してエネルギーを必要とするエフラックスポンプとして使用する)．＝P-170.

PGR psychogalvanic *response* の略．

P_2Gri ジホスホグリセリン酸の記号．

1,3-P_2Gri 1,3–ジホスホグリセリン酸の記号．

2,3-P_2Gri 2,3–ジホスホグリセリン酸の記号．

Ph フェニル基の記号．

Ph1 Philadelphia *chromosome* の略．

pH [p (power or potency) of H^+]. 水素指数（水素イオン濃度(1 L 中のモル数として測定される)の負の常用対数をとった値を示す記号．溶液は 22°C，pH7.0(1 L 当たりの H^{+K} の 1×10^{-7} グラム分子量)で中性(すなわち $[H^+]=[OH^-]$)，pH 7.0 を超えるとアルカリ性，pH7.0 未満では酸性という．37°C で中性は pH6.8 である．*cf.* dissociation *constant* of water)．

blood pH 血液 pH (動脈血の pH．正常値は 7.4(範囲 7.36—7.44))．

critical pH 臨界pH（唾液がカルシウムとリン酸塩に関して飽和状態になる pH領域．臨界 pH以下では歯の無機質からカルシウムが失われる)．

optimum pH 至適水素指数（酵素反応あるいは他の反応の反応過程が，与えられた条件下において最も効果的である水素指数のこと)．

PHA phytohemagglutinin の略．

phaco- [G. *phakos*, lentil (lens), anything shaped like a lentil]. ***1*** レンズ形を意味する，あるいは水晶体に関する連結形．***2*** 母斑症の母斑を意味する連結形．

phac·o·an·a·phy·lax·is (fak′ō-an′ă-fī-lak′sis). 水晶体アナフィラキシー（水晶体蛋白に対するアナフィラキシーあるいは過敏症)．

phac·o·cele (fak′ō-sēl) [phaco- + G. *kēlē*, hernia]. 水晶体転位（強膜を通る眼の水晶体のヘルニア)．

phac·o·cyst (fak′ō-sist) [phaco- + G. *kystis*, bladder]. 水晶体嚢胞．＝*capsule* of lens.

phac·o·cys·tec·to·my (fak′ō-sis-tek′tŏ-mē) [phaco- + G. *kystis*, bladder + *ektomē*, excision]. 水晶体嚢切除〔術〕(水晶体嚢胞の部分を外科的に切除することを表すまれに用いる語)．

phac·o·don·e·sis (fak′ō-don-ē′sis) [phaco- + G. *doneō*, to shake to and fro]. 水晶体振せん（水晶体の振せん運動)．

phac·o·e·mul·si·fi·ca·tion (fak′ō-ē-mŭl′si-fi-kā′shŭn). 水晶体超音波吸引〔術〕(低周波の超音波針を用いて白内障を乳化させて吸引する方法)．

phac·o·er·y·sis (fak′ō-er′i-sis) [phaco- + G. *erysis*, pulling, drawing off]. 水晶体吸引（エリシフェークとよばれる吸引カップで，水晶体を吸引除去すること)．

phac·o·frag·men·ta·tion (fak′ō-frag′men-tā′shŭn). 水晶体破砕〔術〕(水晶体を破壊，吸引する方法)．

phac·oid (fak′oyd) [phaco- + G. *eidos*, resemblance]. 水晶体状の．

pha·col·y·sis (fă-kol′i-sis) [phaco- + G. *lysis*, dissolution]. 水晶体融解，水晶体切開（水晶体を切開して除去する手術)．

phac·o·lyt·ic (fak′ō-lit′ik). 水晶体融解の，水晶体切開の．

pha·co·ma (fa-kō′mă) [phaco- + G. *-oma*, tumor]. 水晶体腫（母斑症でみられる過誤腫．しばしば結節性硬化症での網膜過誤腫をさす)．＝phakoma.

phac·o·ma·la·ci·a (fak′ō-mă-lā′shē-ă) [phaco- + G. *malakia*, softness]. 水晶体軟化（水晶体が軟化すること．過熱白内障にみられる)．

phac·o·ma·to·sis (fak′ō-mă-tō′sis) [Van der Hoeve の造語 < G. *phakos*, mother-spot]. 母斑症（多数の組織の過誤腫を特徴とする遺伝性疾患の総称．例えば，von Hippel-Lindau 病，神経線維腫症，Sturge-Weber 症候群，結核性脳硬化症など．褐色細胞腫を合併することがある)．＝phakomatosis.

phac·o·scope (fak′ō-skōp) [phaco- + G. *skopeō*, to view]. 水晶体鏡（水晶体が調節を行うときの変化を観察するための暗室型の器機)．

Phae·ni·cia ser·i·ca·ta (fĕ-nish′ē-ŏ ser′i-kā′tă). ヒロズキンバエ（黄緑色または金属緑銅色のクロバエの普通種(双翅目クロバエ科)．全北区系界に数多くみられる．死肉や排出物の掃除役で，ヒツジのハエウジ病やその他のハエウジ病にも関係する)．＝*Lucilia sericata*.

phaeo- →pheo-.

phae·o·hy·pho·my·co·sis (fē′ō-hī′fō-mī-kō′sis) [G. *phaios*, dusky + *hyphē*, web + mycosis]. フェオヒフォミコーシス，黒色菌糸症（黒色分芽菌症や足菌腫を除く真菌感染症で，組織内に黒褐色調の菌糸や酵母様細胞を形成する，皮膚感染性真菌による表在性および深在性皮膚感染症．ヒト，ネコ，ウマでは多数の真菌種による)．

phaeoid (fē′oyd). 黒色糸状菌〔様〕の．＝dematiaceous.

phage (fāj). 〔バクテリオ〕ファージ（[誤った発音 fahzh を避けること])．＝bacteriophage.

β p. ベータ(β)ファージ．＝β *corynebacteriophage*.

defective p. 欠損ファージ．＝defective *bacteriophage*.

Lambda p. ラムダファージ（バクテリオファージで，実験系で広く用いられる)．

-phage, -phagia, -phagy [G. *phagō*, to eat]. 食べる，むさぼり食う，を意味する接尾語として用いる連結形．

phag·e·de·na (faj′ĕ-dē′nă) [G. *phagedaina*, a canker]. 侵食潰瘍（急速に周囲に広がり，組織を破壊しながら増殖する潰瘍を表す，現在は用いられない語)．

p. gangrenosa 壊疽性侵食潰瘍（腐肉形成を伴う重症の壊疽)．

p. nosocomialis 病院侵食潰瘍（病院での交差感染による壊疽)．

p. tropica 熱帯〔性〕侵食潰瘍（旧世界皮膚リーシュマニア症の熱帯性潰瘍)．

phag·e·den·ic (faj′ĕ-den′ik). 侵食〔性〕の，を表す現在は用いられない語．

phago- [G. *phagō*, to eat]. 食べる，むさぼり食う，を意味する連結形．

phag·o·cyte (fag′ō-sīt) [phago- + G. *kytos*, cell]. 〔貪〕食細胞（細菌，異物，障害を受けた細胞などを貪食する機能を有する細胞．小食細胞と大食細胞の2種に大別される．小食細胞(ミクロファージ)は主として細菌を取り込んで殺菌・消化する多核白血球をさす．大食細胞(マクロファージ)は，壊死組織や変性細胞を捕捉し，リンパ球に抗原を提示し，各種サイトカインを分泌する．単核細胞(組織球と単球)が分化したものがマクロファージである)．＝carrier cell; scavenger cell.

phag·o·cyt·ic (fag′ō-sit′ik). 食細胞の，食作用の．

phag·o·cy·tin (fag′ō-sī′tin). ファゴシチン（多形核白血球から単離される非常に不安定な殺菌性物質)．

phag·o·cy·tize (fag′ō-si-tīz). ＝phagocytose.

phag·o·cy·to·blast (fag′ō-sī′tō-blast) [phagocyte + G. *blastos*, germ]. 食芽細胞（食細胞に成長する原始細胞)．

phag·o·cy·tol·y·sis (fag′ō-sī-tol′i-sis) [phagocyte + G. *lysis*, dissolution]. 食細胞崩壊（①食細胞，白血球の破壊．血液凝固の過程において，あるいはある種の拮抗異物が体内にはいってきたときに起こる．＝phagolysis. ② Metchnikoff によれば，チターゼ，あるいは補体の遊離に先立って食細胞が自然に破壊されることをさす)．

phag·o·cy·to·lyt·ic (fag′ō-sī-tō-lit′ik). 食細胞崩壊の．＝phagolytic.

phag·o·cy·tose (fag′ō-sī′tōz). 食〔菌〕作用する，貪食する（細菌および他の異物を体内に吸収して破壊すること，食細胞の作用を表す)．＝phagocytize.

phag·o·cy·to·sis (fag′ō-sī-tō′sis) [phagocyte + G. *-osis*, condition]. 食〔菌〕作用，貪食作用〔能〕，ファゴサイトーシ

ス（細胞によって，他の細胞，細菌，壊死した組織の破片，異物粒子などの固形物を取り込み，消化する過程．→endocytosis）．

induced p. 誘発食〔菌〕作用（血中のオプソニン作用を受けた細菌が，白血球と接触したときに起こる食作用）．

spontaneous p. 自発食〔菌〕作用（培養細菌を，生理的食塩水などのような無作用溶液で洗浄した白血球と接触させたときに起こる食作用）．

phag·o·dy·na·mom·e·ter (fag′ō-dī′nă-mom′ĕ-tĕr) [phago- + G. *dynamis*, force + *metron*, measure]．そしゃく計（種々の食物をそしゃくするときに必要とされる力を測定する装置）．

pha·gol·y·sis (fa-gol′i-sis)．【誤った発音 phagoly′sis を避けること】．＝phagocytolysis (1).

phag·o·ly·so·some (fag′ō-lī′sō-sōm)．食胞融解小体，ファゴリソソーム（食胞または摂食粒子と癒合した水解小体）．

phag·o·lyt·ic (fag′ō-lit′ik)．＝phagocytolytic.

phag·o·pho·bi·a (fag′ō-fō′bē-ă) [phago- + G. *phobos*, fear]．恐食症（食べることに対する病的な恐れ）．

phag·o·some (fag′ō-sōm) [phago- + G. *sōma*, body]．食胞（食細胞が飲み込んだ顆粒(バクテリアなど)を囲んでつくられる小胞で，細胞膜から切り取られ，貯蔵顆粒と合体してその内容物(水解小体)をもらい受け，食胞融解小体 phagolysosome となり，飲み込んだ顆粒の消化を行う）．

phag·o·type (fag′ō-tīp) [phago- + G. *typos*, type]．ファージ型（微生物学において，ある種のバクテリオファージまたはバクテリオファージのセットに対する感受性によって分類した菌株の細区分）．

-phagy →-phage.

phako- この形で始まり以下に記載のない語は phaco- の項参照．

pha·ko·ma (fa-kō′mă)．＝phacoma.

phak·o·ma·to·sis (fak′ō-mă-tō′sis)．＝phacomatosis.

pha·lan·ge·al (fă-lan′jē-ăl)．指(趾)節骨の（【誤った発音 phalange′al を避けること】）．

phal·an·gec·to·my (fal′an-jek′tŏ-mē) [phalang- + G. *ektomē*, excision]．節骨切除〔術〕（指趾の 1 個あるいは数個の節骨を切除すること）．

pha·lan·ges (fă-lan′jēz) [L.]．phalanx の複数形．＝bones of digits.

pha·lanx, gen. **pha·lan·gis,** pl. **pha·lan·ges** (fā′langks, fă-langks′, fă-lan′jis, -jēz) [L. < G. *phalanx* (*-ang-*), line of soldiers, bone between two joints of fingers and toes] [TA]．【誤ったつづり phalynx を避けること．単数形は phalange ではなく phalanx である】．***1*** [TA]．指(趾)節骨（指の長骨．各手足に 14 個あり，母指に 2 個，他の 4 本の指は各 3 個ずつある．中手骨から順に，基節骨，中節骨，末節骨とよばれる）．***2*** 多数の小角状の板．数列をなし，ラセン器(Corti 器)の表面に存在する．これは外側列をなす柱細胞と支持細胞の頭であり，その間に有毛細胞の自由面がある．

distal p. of foot [TA]．足の末節骨（足指の爪床の下にある小さい平坦な骨で，先端に隆起があり，そこから靭帯線維が軟部に放散している．各骨底は外側の 4 指では中節骨と関節し，母指は基節骨と関節する）．＝p. distalis pedis [TA].

distal p. of hand [TA]．手の末節骨（手指の爪床の下にある小さい平坦な骨で，先端に隆起があり，そこから靭帯線維が軟部に放散している．各骨底は外側の 4 指では中節骨と関節し，母指は基節骨と関節する）．＝p. distalis manus [TA].

p. distalis manus [TA]．＝distal p. of hand.

p. distalis pedis [TA]．＝distal p. of foot.

p. media pedis et manus [TA]．＝middle phalanges of foot and hand.

middle phalanges of foot and hand [TA]．手足の中節骨（手足の外側 4 指の中間にある小さいやや長めの骨で，近位・遠位とも指節骨と関節している）．＝p. media pedis et manus [TA].

proximal p. of foot [TA]．足の基節骨（足指の比較的大きな骨で，近位で中足骨と関節する．遠位では外側 4 指は中節骨と，母指は末節骨と関節する）．＝p. proximalis pedis [TA].

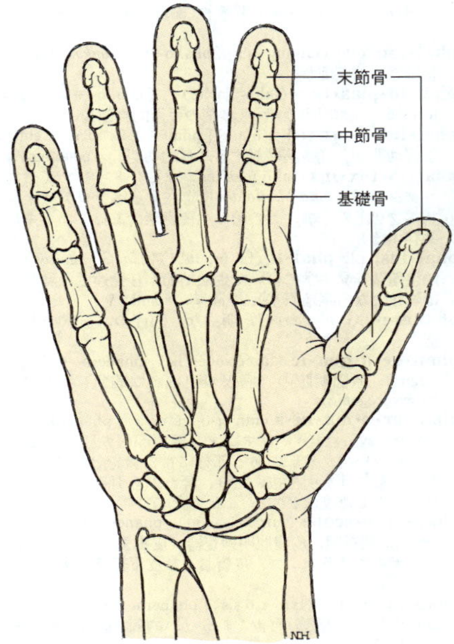

phalanges of the fingers and thumb

proximal p. of hand [TA]．手の基節骨（手指の比較的大きな骨で，近位で中足骨と関節する．遠位では外側 4 指は中節骨と，母指は末節骨と関節する）．＝p. proximalis manus [TA].

p. proximalis manus [TA]．＝proximal p. of hand.

p. proximalis pedis [TA]．＝proximal p. of foot.

tufted p. 房状指(趾)節骨（先端巨大症にみられる指趾の末節骨．末端が広がっていて，ムギの束の形に似ている）．

ungual p. 爪節骨（各指趾の末節骨のこと．末端で爪を支持する平坦な爪粗面のためにそうよばれる）．

phall-, phalli-, phallo- [G. *phallos*]．陰茎を意味する連結形．

phal·lal·gi·a (fal-al′jē-ă) [phall- + G. *algos*, pain]．＝phallodynia.

phal·lec·to·my (fal-ek′tŏ-mē) [phall- + G. *ektomē*, excision]．陰茎切除〔術〕．＝penectomy.

phal·lic (fal′ik) [G. *phallos*, penis]．***1*** 陰茎の．***2*** ファルスの，男根の（精神分析学で，陰茎に関することで，特に男根期についていう．→phallic *phase*）．

phal·li·cism (fal′i-sizm)．ファルス崇拝，男根崇拝．＝phallism.

phal·li·form (fal′i-fōrm)．＝phalloid.

phal·lism (fal′izm)．＝phallicism.

phallo- →phall-.

phal·lo·camp·sis (fal′ō-kamp′sis) [phallo- + G. *kampsis*, a bending]．陰茎彎曲勃起（→chordee）．

phal·lo·cryp·sis (fal′ō-krip′sis) [phallo- + G. *krypsis*, concealment]．陰茎陥没，潜茎（陰茎の転位と後退）．

phal·lo·dyn·i·a (fal′ō-din′ē-ă) [phallo- + G. *odynē*, pain]．陰茎痛．＝phallalgia.

phal·loid (fal′oyd) [phallo- + G. *eidos*, resemblance]．陰茎様の．＝phalliform.

phal·loi·din (fă-loy′din)．ファロイジン（毒茸といわれるタマゴテングタケ *Amanita phalloides* に存在する最もよく知られている環状ペプチド化合物．アマニチンと密接に関連する）．

phal·lol·y·sin (fă-lol′i-sin). ファロリシン（タマゴテングタケ *Amanita phalloides* の熱感性(調理で破壊される)毒素糖蛋白).

phal·lon·cus (fal-ong′kŭs) [phallo- + G. *onkos*, mass]. 陰茎腫瘤，陰茎腫脹.

phal·lo·plas·ty (fal′ō-plas′tē) [phallo- + G. *plastos*, formed]. 陰茎形成〔術〕(陰茎の手術的再建).

phal·lot·o·my (fal-ot′ŏ-mē) [phallo- + G. *tomē*, a cutting]. 陰茎切開〔術〕(陰茎に対する外科的切開). = penotomy.

phal·lo·tox·ins (fal′ō-toks′ins). フェロトキシン（タマゴテングタケ *Amanita phalloides* に存在するヘテロデティック環状ペプチドの一種．この菌の主要毒素であるアマトキシンと共存する).

phal·lus, pl. **phal·li** (fal′ŭs, fal′ī) [L.; G. *phallos*]. ***1*** 原始生殖茎（発生学において生殖結節から発達し，陰茎あるいは陰核となる生殖原基). ***2*** 陰茎. = penis.

phanero- [G. *phaneros*]. 明白な，顕性の，を意味する連結形.

phan·er·o·gen·ic (fan′ĕr-ō-jen′ik) [phanero- + G. *genesis*, origin]. 原因明瞭の（病因の明らかな病気についていう. *cf.* cryptogenic).

phan·er·o·ma·ni·a (fan′ĕr-ō-mā′nē-ă) [phanero- + G. *mania*, frenzy]. ファネロマニア，顕現部偏執狂（現在では用いられない語．外部のある部分に常に気をとられている(例えば，顎ひげを引き抜いたり，耳たぶを引っ張ったり，にきびをつぶしたりなどする)ことを表す).

phan·er·o·scope (fan′ĕr-ō-skōp) [phanero- + G. *skopeō*, to view]. 顕視鏡，皮膚照明検査器（皮膚上に，ランプからの光を集中させるレンズ．皮膚および皮下組織の病変の検査に用いる).

phan·er·o·sis (fan′ĕr-ō′sis) [phanero- + G. *-osis*, condition]. 顕出（観察可能にするための行為または手段のこと).

fatty p. 脂肪顕出（細胞質でそれまで見えなかった脂肪が出現してくると仮想した上で与えられた用語．このような激しい脂肪の変形は，細胞の脂肪含有量の絶対的な増加によるもので，したがって実際に生じているかどうか疑わしい).

phan·er·o·zo·ite (fan′ĕr-ō-zō′īt) [phanero- + G. *zōon*, animal]. ファネロゾイト（マラリア感染の初期の赤血球外発育期(クリプトゾイトとメタクリプトゾイト)以外の赤血球外組織発育期．血液感染によってつくられる分裂小体による肝臓への再感染が主である．悪性隔日熱マラリアではみられない).

phan·ta·si·a (fan-tā′zē-ă) [G. appearance]. = fantasy.

phan·tasm (fan′tazm) [G. *phantasma*, an appearance]. 幻影，幻想（空想によってつくり出される心像). = phantom (1).

phan·tas·ma·gor·i·a (fan-taz′mă-gōr′ē-ă). 幻覚連鎖（偶然に連想した心像の幻想的連鎖).

phan·tas·mol·o·gy (fan′tas-mol′ŏ-jē) [G. *phantasma*, an appearance + *logos*, study]. 幻想学（心霊現象や超自然現象について研究する学問).

phan·tas·mo·sco·pi·a, phan·tas·mos·co·py (fan-taz′mō-skō′pē-ă, -mos′kŏ-pē) [G. *phantasma*, an appearance + *skopeō*, to view]. 幻影視（幻影が見えるといった一種の妄想に対してまれに用いる語).

phan·tom (fan′tŏm) [G. *phantasma*, an appearance]. ***1*** = phantasm. ***2*** 模型（人体あるいはその一部分の模型で，特にわかりやすくつくられているもの. →manikin). ***3*** ファントム（放射線医学において，体内に照射される放射線の線量を予測する機械またはコンピュータ生成モデル).

Schultze p. (shūlt′sĕ). シャルツェ模型（女性の骨盤の模型．分娩の仕組みと，鉗子の利用法について示すのに用いる).

sensory p. 感覚幻想（実際の刺激と関係ないか異なって感じられる感覚．どの感覚でも起こりうる).

phan·tom·ize (fan′tŏm-īz). 幻影化する（精神医学において，幻影をつくり出すことをいう).

phar·ma (fahr′mă). 薬，薬の（製薬業界，全体的に口語体として使用される．名詞的あるいは形容詞的に用いられる).

pharma- ファルマ，薬学の（薬学，薬理学およびそれに類似した概念を意味する接頭語).

phar·ma·cal (far′mă-kăl). = pharmaceutic.

phar·ma·care (fahr′mă-kār′). ファーマケア（薬物療法薬剤の調達あるいは供給に関連する医療支出).

phar·ma·ceu·tic, phar·ma·ceu·ti·cal (far′mă-sū′tik, sū′ti-kăl) [G. *pharmakeutikos*, relating to drugs]. 薬学の，製薬の，薬局の，薬事の. = pharmacal.

phar·ma·ceu·tics (far′mă-sū′tiks). ***1*** = pharmacy. ***2*** 製剤学，薬剤学（薬の製剤や形態，動態などを扱う学問).

phar·ma·ceu·tist (far′mă-sū′tist). = pharmacist.

phar·ma·cist (far′mă-sist) [G. *pharmakon*, a drug]. 薬剤師（薬を製剤・調剤し，その性状についての知識を有する者). = pharmaceutist.

pharmaco- [G. *pharmakon*, medicine]. 薬剤に関する連結形.

phar·ma·co·chem·is·try (far′mă-kō-kem′is-trē). 薬化学. = pharmaceutical *chemistry*.

phar·ma·co·di·ag·no·sis (far′mă-kō-dī′ag-nō′sis). 薬物診断学.

phar·ma·co·dy·nam·ic (far′mă-kō-dī-nam′ik). 薬力(薬理)学的な.

phar·ma·co·dy·nam·ics (far′mă-kō-dī-nam′iks) [pharmaco- + G. *dynamis*, force]. 薬力(薬理)学（生体内での薬物の作用に関する学問).

phar·ma·co·en·do·crin·ol·o·gy (far′mă-kō-en′dō-krin-ol′ŏ-jē). 薬物内分泌学（内分泌機能に関する薬理学).

phar·ma·co·ep·i·dem·i·ol·o·gy (far′mă-kō-ep′i-dē′mē-ol′ŏ-jē). 薬剤疫学（集団における薬剤関連のイベントの分布や決定要因を研究し，それを効果的な薬物療法のために応用すること).

phar·ma·co·ge·net·ics (far′mă-kō-jĕ-net′iks). 薬理遺伝学，遺伝薬理学（ヒトや実験動物の薬物による変異を遺伝学的に解明する学問). = pharmacogenomics.

phar·ma·co·gen·om·ics (far′mă-kō-jĕn-om′iks). 薬理ゲノム科学，薬理ゲノミクス. = pharmacogenetics.

phar·ma·cog·no·sist (far′mă-kog′nō-sist). 生薬学者.

phar·ma·cog·no·sy (far′mă-kog′nō-sē) [pharmaco- + G. *gnōsis*, knowledge]. 生薬学（生薬の物理学的特性および動植物学的起源を明らかにする薬物学の一分野). = pharmaceutical biology.

phar·ma·cog·ra·phy (far′mă-kog′ră-fē) [pharmaco- + G. *graphē*, description]. 薬物論（薬物に関する論文・記述).

phar·ma·co·ki·net·ic (far′mă-kō-ki-net′ik). 薬物速度論の，薬物動態学の（生体内における薬物の状態，すなわちその吸収，分布，代謝および排泄に関した).

phar·ma·co·ki·net·ics (far′mă-kō-ki-net′iks) [pharmaco- + G. *kinēsis*, movement]. 薬物速度論，薬物動態〔学〕，薬物動力学（吸収，分布，代謝，排泄などによる生体内における薬物の動き，特にその速度過程を記述する学問).

phar·ma·co·log·ic, phar·ma·co·log·i·cal (far′mă-kō-loj′ik, -loj′i-kăl). 薬理学の，薬理学的な（①薬理学または薬物の構造，性質，作用に関連する．②生理的レベルよりも，より多量かまたはより効力があるため，質的に異なった作用を有するであろう用量(ホルモン，神経伝達物質，あるいは他の生理的物質，またはそれらの類似物などの化学物質の用量)に関していい，生理学の分野でときとして用いられることがある. *cf.* homeopathic (2); physiologic (4); supraphysiologic).

phar·ma·col·o·gist (far′mă-kol′ŏ-jist). 薬理学者.

clinical p. 臨床薬理学者（基礎薬理学および臨床薬理学の教育を受けた人).

phar·ma·col·o·gy (far′mă-kol′ŏ-jē) [pharmaco- + G. *logos*, study]. 薬理学，薬物学（薬物と，その起源・外観・化学・作用・適用に関する学問).

biochemical p. 生化学的薬理学（薬物作用のもとになる生化学的機序を取り扱う薬理学の一部門).

clinical p. 臨床薬理学（病気の予防・治療・管理において療法手段として薬理を取り扱う薬理学の分野).

marine p. 海洋薬理学（水生動植物に存在する薬理学的作用を有する物質に関する薬理学の一分野．その目的とするところは新しい治療薬を発見・開発していくこと).

phar·ma·co·ma·ni·a (far′mă-kō-mā′nē-ă) [pharmaco- + G. *mania*, frenzy]. 薬物狂（薬物を摂取したがる病的な衝動

傾向).

Phar·ma·co·pei·a, Phar·ma·co·poe·ia (far′mă-kō-pē′ă) [G. *pharmakopoiia* < *pharmakon*, a medicine + *poieo*, to make]. 薬局方 (治療薬の集成, その力価, 純度の基準, 調剤方の指示などが収められている書物. 多くの国の薬局方が略号で扱われているが, 次にあげたものが, 最もよく用いられる略号である. *USP*(米国薬局方), *BP*(英国薬局方), *Codex medicamentarius*(フランス薬局方), *I. C. Add.* あるいは *B.A*(インドおよび英植民地薬局方), *I.P*(国際薬局方), *Pharmacopeia Austr.*(オーストリア薬局方), *Ph.G.*(ドイツ薬局方, D.A.B.), *Pharmacopeia Helv.*(スイス薬局方). 米国薬局方の初版は, 1820 年に編集され, 1907 年 1 月の国家食物薬物条例によって, 法律上の基準が定められた).

phar·ma·co·pei·al (far′mă-kō-pē′ăl). 薬局方の, 薬局方収載の (薬局方, 薬局方収載医薬品についていう. →official).

phar·ma·co·phil·ia (far′mă-kō-fil′ē-ă) [pharmaco- + G. *phileō*, to love]. 薬物嗜好 (薬物を摂取することを病的に好むこと).

phar·ma·co·pho·bi·a (far′mă-kō-fō′bē-ă) [pharmaco- + G. *phobos*, fear]. 薬物恐怖[症] (薬物を摂取することに対する病的な恐れ).

phar·ma·co·psy·cho·sis (far′mă-kō-sī-kō′sis) [pharmaco- + psychosis]. 薬物精神病 (薬物摂取に起因する精神病に対してまれに用いる語).

phar·ma·co·ther·a·py (far′mă-kō-thār′ă-pē) [pharmaco- + G. *therapeia*, therapy]. 薬物療法 (薬物を用いて治療を行うこと. →chemotherapy).

phar·ma·co·vi·gi·lance (far′ă-kō-vij′ĭl-ănts). 医薬品安全監視 (製品回収の警告または勧告を行うために製薬企業により実施される薬関係副作用研究).

phar·ma·cy (far′mă-sē) [G. *pharmakon*, drug]. 薬局. = pharmaceutics (1).

clinical p. 臨床薬学 (薬局実務の一分野で, 調剤および投薬よりもむしろ薬剤の治療的使用を強調する).

Pharm. D. Doctor of Pharmacy の略.

pharyng- ⇀pharyngo-.

pha·ryn·ge·al (fă-rin′jē-ăl) [Mod. L. *pharyngeus*]. 咽頭の ([誤った発音 pharynge′al を避けること]). = pharyngeus.

phar·yn·gec·to·my (far′in-jek′tŏ-mē) [pharyng- + G. *ektomē*, excision]. 咽頭切除[術].

phar·yn·ge·i (far-in′jē-ī) = pharyngeal *branches*.

pha·ryn·ges (fă-rin′jēz). pharynx の複数形.

phar·yn·ge·us (far′in′jē-ŭs) [Mod. L.]. = pharyngeal.

phar·yn·gis·mus (far′in-jiz′mŭs). 咽頭痙攣 (咽頭筋の痙攣). = pharyngospasm.

phar·yn·git·ic (far′in-jit′ik). 咽頭炎の.

phar·yn·gi·tis (far′in-jī′tis) [pharyng- + G. *-itis*, inflammation]. 咽頭炎 (咽頭の粘膜, および粘膜下の炎症).

atrophic p. 萎縮性咽頭炎 (粘膜腺の萎縮と粘液分泌欠如が多かれ少なかれ起こる慢性咽頭炎). = p. sicca.

gangrenous p. 壊疽性咽頭炎, 腐敗性咽頭炎 (咽頭粘膜の壊疽性炎症).

membranous p. 膜性咽頭炎 (線維性滲出液を伴う炎症で, 非ジフテリア性偽膜を形成する).

p. sicca 乾性咽頭炎. = atrophic p.

ulcerative p. 潰瘍性咽頭炎 (粘膜の潰瘍を特徴とする咽頭の炎症. ウイルス性の可能性がある).

ulceromembranous p. 潰瘍性膜性咽頭炎 (潰瘍病変上の膜性痂皮を伴う咽頭粘膜の炎症).

pharyngo-, pharyng- [Mod. L. < G. *pharynx*]. [誤った発音 far-in′jō を避けること]. 咽頭を意味する連結形.

pha·ryn·go·cele (fă-ring′gō-sēl) [pharyngo- + G. *kēlē*, hernia]. 咽頭ヘルニア, 咽頭脱 (咽頭の憩室).

pha·ryn·go·ep·i·glot·tic, pha·ryn·go·ep·i·glot·tid·e·an (fă-ring′gō-ep′i-glot′ik, -glo-tid′ē-ăn). 咽頭喉頭蓋の (咽頭と喉頭蓋に関する).

pha·ryn·go·e·soph·a·ge·al (fă-ring′gō-es-ō-faj′ē-ăl). 咽頭食道の ([誤った発音 pharyngoesophage′al を避けること]. 咽頭と食道に関する).

pha·ryn·go·e·soph·a·go·plas·ty (fă-ring′gō-e-sof′ă-gō-plas′tē) [pharyngo- + esophago- + G. *plastos*, formed]. 咽頭食道形成[術].

pha·ryn·go·glos·sal (fă-ring′gō-glos′ăl). 咽頭舌の (咽頭と舌に関する).

pha·ryn·go·glos·sus (fă-ring′gō-glos′ŭs). ⇀ superior pharyngeal constrictor (*muscle*).

pha·ryn·go·la·ryn·ge·al (fă-ring′gō-lă-rin′jē-ăl). 咽頭の ([誤った発音 pharyngolarynge′al を避けること]).

pha·ryn·go·lar·yn·gi·tis (fă-ring′gō-lar′in-jī′tis). 咽頭喉頭炎, 咽頭炎.

pha·ryn·go·lith (fă-ring′gō-lith) [pharyngo- + G. *lithos*, stone]. 咽頭結石. = pharyngeal calculus.

pha·ryn·go·max·il·lar·y (fă-ring′gō-mak′si-lār′ē). 咽頭上顎の (咽頭と上顎に関する).

pha·ryn·go·na·sal (fă-ring′gō-nā′săl). 咽頭鼻腔の (咽頭と鼻腔に関する).

pha·ryn·go-or·al (fă-ring′gō-ō′răl) [pharyngo- + L. *os-* (*or-*), mouth]. 咽頭口腔の (咽頭と口に関する).

pha·ryn·go·pal·a·tine (fă-ring′gō-pal′ă-tīn). 咽頭口蓋の (咽頭と口蓋に関する).

pha·ryn·go·pal·a·ti·nus (fă-ring′gō-pal-ă-tī′nŭs) [L.]. = palatopharyngeus (*muscle*).

pha·ryn·go·plas·ty (fă-ring′gō-plas′tē) [pharyngo- + G. *plastos*, formed]. 咽頭形成[術] (口蓋帆咽頭機能不全を修正するための手段).

pha·ryn·go·ple·gi·a (fă-ring′gō-plē′jē-ă) [pharyngo- + G. *plēgē*, stroke]. 咽頭麻痺 (咽頭壁の麻痺).

pha·ryn·go·rhi·nos·co·py (fă-ring′gō-rī-nos′kŏ-pē) [pharyngo- + G. *rhis*, nose + *skopeō*, to view]. 咽頭鼻鏡検査[法] (鼻鏡によって, 鼻咽頭および後鼻腔を検査すること).

pha·ryn·go·scope (fă-ring′gō-skōp) [pharyngo- + G. *skopeō*, to view]. 咽頭鏡 (咽頭を検査するのに用いる器械).

phar·yn·gos·co·py (far′ing-gos′kŏ-pē) [pharyngo- + G. *skopeō*, to view]. 咽頭鏡検査[法] (咽頭の視診と検査).

pha·ryn·go·spasm (fă-ring′gō-spazm). = pharyngismus.

pha·ryn·go·staph·y·li·nus (fă-ring′gō-staf′i-lī′nŭs) [L. < pharyngo- + G. *staphylē*, uvula]. = palatopharyngeus (*muscle*).

pha·ryn·go·ste·no·sis (fă-ring′gō-ste-nō′sis) [pharyngo- + G. *stenōsis*, a narrowing]. 咽頭狭窄[症].

phar·yn·got·o·my (far′ing-got′ŏ-mē) [pharyngo- + G. *tomē*, incision]. 咽頭切開[術] (外側あるいは内側から咽頭を切開手術すること).

pha·ryn·go·ton·sil·li·tis (fă-ring′gō-ton′si-lī′tis) [pharyngo- + tonsillitis]. 咽頭扁桃炎.

phar·ynx, gen. **pha·ryn·gis**, pl. **pha·ryn·ges** (far′ingks, fă-rin′jis, fă-rin′jēz) [Mod. L. < G. *pharynx* (*pharyng-*), the throat, the joint opening of the gullet and windpipe][TA]. 咽頭 ([誤ったつづりまたは発音 pharnyx を避けること. fornix と混同しないこと]. 上方と前方は口腔と鼻腔, 下方は食道により境界づけられる消化管上方の拡大した部分. 咽頭鼻部, 咽頭口部, 咽頭喉頭部からなり, 鼻部と口部は気道にもなっている. 消化管の他の部分と違うところは, すべて随意骨格筋からつくられていることで, 外輪層と内縦層とからなる).

laryngeal p. [咽頭]喉頭部. = laryngopharynx.

nasal p. 咽頭鼻部. = nasopharynx.

oral p. 咽頭口部. = oropharynx.

phase (fāz) [G. *phasis*, an appearance]. →stage; period. ***1*** 期, 段階 (変化や成長の過程の一時期). ***2*** 相 (明確な物理的境界により他と区別される物質系の均一な部分. 例えば, 油, ゴム, 水の混合物は乳濁液の三相である). ***3*** 相 (2 つ以上の事象の間の時間的な関係). ***4*** 位相 (周期運動や波形運動における特別な部分).

anal p. 肛門愛期 (精神分析的人格理論において, 精神・性的発達の一時期. 1—3 歳の幼児の間でみられる. この時期には, すべての興味, 関心, および行動は肛門の周囲に集中する. →anality).

aqueous p. 水相 (二液相系, 1 つは水, 他の 1 つは水と不混和性の液体(例えば, ベンゼン, エーテルなど)の系における水相).

cis p. シス相 (⇀coupling p.).

continuous p. 連続相. = external p.

coupling p. 相引相（相同染色体上に存在する２つの遺伝子の物理的関係についての用語で，もし２遺伝子が同一染色体上に存在するとき，それらは〝相引相〟あるいは〝シス相〟であるといい，もし染色体対の両方に分かれて存在するならば，〝相反相 repulsion〟〝トランス相〟という）.

discontinuous p. 不連続相. ＝internal p.

dispersed p. 分散相. ＝internal p.

dispersion p. ＝external p.

eclipse p. エクリプス期，暗黒期. ＝eclipse *period.*

p. encoding 位相エンコード，位相情報付加（MRI において，位置によって(組織が出す MR 信号の)位相が異なるように，Ｘ軸またはＹ軸方向に磁場勾配を印加する技法）. ＝gradient encoding.

eruptive p. 萌出段階（歯根，歯周靭帯，および歯と歯肉との接合部の発育を伴う歯の形成の時期）.

external p. 外相（分散子が懸濁している液体や媒体）. ＝continuous p.; dispersion medium; dispersion p.; external medium.

follicular p. of endometrial menstrual cycle〔月経周期の〕卵胞期. ＝proliferative p. of endometrial menstrual cycle.

gap$_0$ p. g_0 期. ＝gap$_0$ *period.*

gap$_1$ p. g_1 期. ＝gap$_1$ *period.*

gap$_2$ p. g_2 期. ＝gap$_2$ *period.*

genital p. 性器期（精神分析的人格理論において，精神・性的発達の最終段階をいう．それは青年期に起こり，この段階では個人の精神・性的発達は非常に組織化されてくるようになり，性器と性器の接触によって性的満足が得られる．また，異性と成熟した深い愛情関係をもつ能力を有するようになる. →phallic p.）.

horizontal growth p. 水平増殖期（異型メラノサイトの表皮内拡大による皮膚黒色腫の進行の初期過程）.

internal p. 内相（コロイド溶液中に存在する粒子）. ＝discontinuous p.; dispersed p.

ischemic p. of endometrial menstrual cycle 月経周期の子宮内膜の虚血期（エストロゲンとプロゲステロンの分泌減少から起こる子宮内膜のラセン動脈の狭窄に対応し１－２日の期間．虚血は子宮内膜の退縮に一致する）.

lag p. 遅滞期，誘導期（細菌(細胞)培養の際，特に，成長が非常に遅いか，ほとんど成長がみられない最初の時期）.

latency p. 潜伏期（精神分析的人格理論において，５歳前後から青年期の始まりの 12 歳ぐらいまでの小児の精神・性的発達の時期をいう．この時期に性的なことへの関心が見かけ上停止するのは，エディプス的関係を避けるために，リビド的，性的衝動が強く積極的に封鎖されるためである．この時期の子供達は，同性の友達を選択し，同性同士のグループに参加したがる）. ＝latency period.

logarithmic p. 対数期（細菌(細胞)培養において，最大速度の増殖が幾何級数的に進行している時期．細菌(細胞)数の対数と時間を図表に表すと上昇の直線となる）.

luteal p. 黄体期（月経周期の中で，黄体形成の時期から月経発来までの約 14 日間．短黄体期 **short l. p.** は，排卵から月経開始までの期間が 10 日以下のことで，しばしば不妊と関係がある）.

luteal p. of endometrial menstrual cycle〔月経周期の〕黄体期（黄体の形成と同時期に始まり，約 13 日間続く．黄体から分泌されるプロゲステロンによって制御されている．子宮内膜が肥厚している間は内膜腺より糖を豊富に含む物質が分泌される）. ＝secretory p. of endometrial menstrual cycle.

M p. M期. ＝mitotic *period.*

meiotic p. 減数期（減数分裂中の性細胞に核変化が起きる時期．精母細胞，卵母細胞の細胞世代を包含している）. ＝reduction p.

menstrual p. 月経期（月経時に特有な子宮内膜の形態変化であり，出血像や子宮内膜細胞の剝離が特徴的である．この時期は通常４－５日間持続する）.

negative p. 陰性期，陰性相（ワクチン注射によって，オプソニン指数が下がっている時期）.

oedipal p. エディプス期（精神分析理論において，両親のうち異性の親に性愛的な愛着をもつが，同性の親に対する恐怖のために抑圧されている時期．通常３－６歳までの間に起こる）. ＝oedipal period.

oral p. 口愛期（精神分析的人格理論において，精神・性的発達の最初の時期．生後約 18 か月続くが，この時期には幼児の要求，表現，満足，性愛的な経験の喜びなどが口の周辺に集中している．これは小児の精神の組織化と発達に強い影響を及ぼす）.

phallic p. 男根期（精神分析的人格理論において，小児が２－６歳までの間に起こる精神・性的発達の一時期をいう．この時期には，興味，好奇心，快楽などが，少年では陰茎，少女では陰核に集中している. →genital p.）.

positive p. 陽性期，陽性相（陰性相に続いて起こるオプソニン指数増大期）.

postmeiotic p. 後減数期（性細胞内の染色体減数に続く時期．細胞は成熟形態となり，受精卵中の核癒合で終結する）. ＝postreduction p.

postmitotic p. 分裂後期. ＝gap$_1$ *period.*

postreduction p. ＝postmeiotic p.

poststationary p. 衰退期，死滅期（細菌培養で細菌増殖が下降状態にある時期）.

pregenital p. 前性器期（精神分析理論において，性器期の前の精神・性的発達期）.

pregnancy p. 妊娠期（受精が成立し，妊娠黄体が形成されることにより生じる子宮内膜の形態変形であり，子宮内膜の肥厚などが起こる．この変化は妊娠が継続する限り持続する）.

premeiotic p. 前減数期（染色体の減数前の，性細胞に起こる核変化の時期．精原細胞・卵原細胞期までの細胞世代を意味している）. ＝prereduction p.

premitotic p. 分裂前期. ＝gap$_2$ *period.*

pre-oedipal p. 前エディプス期（精神分析理論において，エディプス期の前の精神・性的発達期）.

prereduction p. ＝premeiotic p.

proliferative p. of endometrial menstrual cycle〔月経周期の〕増殖期（卵胞より分泌されるエストロゲンにより子宮内膜の増殖する時期で，９日間続く．この間，卵胞は発育を続ける．子宮内膜の厚さは，この期間に２倍から３倍となる）. ＝follicular p. of endometrial menstrual cycle.

radial growth p. 皮膚悪性黒色腫の発生初期の発育型．腫瘍細胞は表皮内を水平方向に発育する.

reduction p. ＝meiotic p.

S p. S期. ＝synthesis *period.*

secretory p. of endometrial menstrual cycle〔月経周期の〕分泌期. ＝luteal p. of endometrial menstrual cycle.

stationary p. *1* 定常期，静止期（細菌増殖の過程で，細菌の増殖が徐々に減少し，分裂するものと死滅するものが平衡状態にあるような時期）．*2* 固定相（分配クロマトグラフィにおいて，粒子状の固体化成分をいう）.

supernormal recovery p. 過正常回復期（病的な心筋が過剰な興奮状態にあるとき，興奮に続いて起こる心筋回復中の短い一時期．心電図のＴ波の終了期に相当する）.

synaptic p. 対合期. ＝synapsis.

trans p. トランス相（→coupling p.）.

vertical growth p. メラノーマ細胞が表皮から真皮，さらには皮下脂肪織にまで進行，浸潤すること．そしてそこから転移を生じる.

vulnerable p. 受攻期（異所性の刺激が障害を受けた心房または心室に粗動・細動のような反復性の興奮を起こしうる心周期の時相）.

phas·mid (faz′mid). ファスミド（①双腺綱(ファスミド綱)に属する線虫類の尾部にみられる１対の化学受容体．②ファスミド綱(現在は双腺綱)線虫類の一般名）.

Phas·mid·i·a (faz-mid′ē-ă) [G. *phasma*, appearance]. 双腺亜綱. ＝Secernentasida.

phas·mo·pho·bi·a (fas′mō-fō′bē-ă) [G. *phasma*, apparition + *phobos*, fear]. 幽霊恐怖〔症〕(幽霊に対する病的な恐れ).

phat·nor·rha·gi·a (fat′nō-rā′jē-ă) [G. *phatnōma*, manger (alveolus) + G. *rhēgnymi*, to burst forth]. 歯槽出血.

Ph.D. 学位 Doctor of Philosophy(哲学博士)の略.

Phe フェニルアラニンまたはその基の記号.

Phem·is·ter (fem′is-ter), Dallas B. 米国人医師，1882－1951.

phen-, pheno- [< G. *phainō*, to appear, show forth]. *1* 出現を意味する連結形．*2* 化学において，ベンゼンからの誘導体を意味する連結形.

phen·a·cet·o·lin (fen′ă-set′ō-lin). フェナセトリン（赤色粉末．指示薬として用いられる．5－6のpH領域をもち，5で黄色，6で赤色に呈色する）．

phe·nac·e·tur·ic ac·id (fĕ-nas′ĕ-tūr′ik as′id). フェナセツール酸（偶数個の炭素原子を有するフェニル化脂肪酸の代謝最終生成物）．＝phenylaceturic acid.

phe·nan·threne (fĕ-nan′thrēn). フェナントレン（コールタールから製造される，アントラセンの異性体．シクロペンタ［α］フェナントレンなどのステロイド類の主要骨格部位．種々の染料や医薬品の合成や命名の基礎となっている）．

phen·ar·sen·a·mine (fen′ar-sen′ă-mēn). フェナルセナミン．＝arsphenamine.

phen·ar·sone sulf·ox·y·late (fen-ar′sōn sŭl-fok′si-lāt). フェナルゾンスルホキシル酸塩（5価のヒ素薬．トリコモナス膣炎に用いる）．

phe·nate (fē′nāt). フェノール(石炭酸)塩またはエステル．＝carbolate (1).

phen·az·o·pyr·i·dine hy·dro·chlor·ide (fen′ā-zō-pēr′i-dēn hī′drō-klō′īd). 塩酸フェナゾピリジン（経口で用いられる尿路鎮痛薬）．

phen·cy·cli·dine (PCP) (fen-sī′kli-dēn). フェンシクリジン（乱用(嗜癖)物質で，幻覚惹起作用のために用いられ，強い心理的・行動的障害を引き起こすことができる．塩酸塩は鎮痛・麻酔作用をもつ）．

phe·neth·i·cil·lin po·tas·si·um (fĕ-neth′i-sil′in pō-tas′ē-ŭm). フェネチシリンカリウム（胃液に安定で，消化管から急速にごく部分的に吸収されるペニシリン製剤）．＝α-phenoxyethylpenicillin potassium; penicillin B.

phe·neth·yl al·co·hol (fĕ-neth′il al′kŏ-hol). フェネチルアルコール．＝phenylethyl alcohol.

phen·go·pho·bi·a (fen′gō-fō′bē-ă) [G. *phengos*, daylight + *phobos*, fear]. 昼光恐怖〔症〕（日光に対する病的な恐れ）．

phen·meth·y·lol (fen-meth′il-ol). ＝*benzyl* alcohol.

pheno- →phen-.

phe·no·bar·bi·tal (fē′nō-bar′bi-tahl). フェノバルビタール（長時間作用型の経口または非経口で用いられる催眠・鎮静・抗痙攣薬．可溶性のナトリウム塩として市販されている．また，てんかんの治療と肝ミクロゾーム酵素の誘導に用いられる）．＝phenylethylbarbituric acid; phenylethylmalonylurea.

phe·no·bu·ti·o·dil (fē′nō-byū-tī′ō-dil). フェノブチオジル（胆嚢造影法のためのX線造影剤）．

phe·no·cop·y (fē′nō-kop′ē) [G. *phainō*, to display + copy]. 表現型模写（環境の誘導により，本来はある特定の遺伝子が規定している疾患と類似形質をもつようになること）．

phe·no·din (fē′nō-din). フェノジン．＝hematin.

phe·nol (fē′nol). フェノール，石炭酸；hydroxybenzene(消毒薬，防腐薬，麻酔薬．局所腐食薬としては濃厚溶液で，神経剝離薬としては3－4％溶液で用いる．内用では，強力な腐食性毒物となる）．＝carbolic acid; phenyl alcohol.

camphorated p. 樟脳フェノール（フェノール，樟脳，流動ワセリンを成分とする樟脳石炭酸．局所麻酔薬として，歯の痛み止めに用いる）．

liquefied p. 液状フェノール（10％の水を加えて液化した石炭酸）．

p. oxidase フェノールオキシダーゼ．＝laccase.

tyrosine p.-lyase チロシンフェノールリアーゼ（L-チロシンを加水分解し，フェノール，ピルビン酸，NH_3を生成させる反応を触媒する酵素）．＝β-tyrosinase.

phe·no·lase (fē′nō-lās). フェノラーゼ．＝laccase.

phe·no·lat·ed (fē′nō-lāt′ĕd). フェノールを添加した，石炭酸を添加した．＝carbolated.

phe·nol·e·mi·a (fē′nol-ē′mē-ă) [phenol + G. *haima*, blood]. フェノール血〔症〕（血液中にフェノールが存在すること）．

phe·nol·o·gy (fe-nol′ŏ-jē) [G. *phainō*, to appear + *logos*, study]. フェノロジー，生物季節学，花暦学（動植物の生物学的リズム，特にそれらのリズムの季節変動の様子を研究する学問）．

phe·nol·phthal·e·in (fē′nol-thal′ē-in, -thal′ēn). フェノールフタレイン（フタル酸無水物と，フェノールの反応により得られる水素イオン指示薬．以前は緩下薬として用いられた）．

phe·nol red (fē′nol red). フェノールレッド．＝phenolsulfonphthalein.

phe·nol·sul·fon·phthal·e·in (PSP) (fē′nol-sŭl′fōn-thal′ē-in, -thal′ēn). フェノールスルホンフタレイン（組織培地で指示薬として用い，pH 6.8で黄色，pH 8.4で赤色を呈する．鮮紅色または暗赤色の結晶性粉末．従来，注射により腎機能検査のための試薬として用いる）．＝phenol red.

phe·nol·u·ri·a (fē′nol-yū′rē-ă). フェノール尿〔症〕（尿中にフェノールを排泄すること）．

phe·nom·e·nol·o·gy (fĕ-nom′ĕ-nol′ŏ-jē) [phenomenon + G. *logos*, study]. 現象学（①説明や解釈を避け，現象だけをとらえて，系統的に記述・分類する学問．②主観・客観の区別にかかわりなく，人間の経験について研究する学問．→existential *psychology*）．

P

PHENOMENON

phe·nom·e·non, pl. **phe·nom·e·na** (fĕ-nom′ĕ-non, -nă) [G. *phainomenon* < *phainō*, to cause to appear]. 現象，徴候（[phenomenonを複数名詞として使ったり，phenomenaを単数名詞として使ったりするのを避けること]．①症状．正常であれ異常であれ疾病に関連して起こるあらゆるもの．②異常な事実あるいは出来事）．

adhesion p. 粘着現象（抗原－抗体－補体複合体が〝指標細胞〟（微生物，血小板，白血球，または赤血球など）に粘着することによって出現する現象．反応は，複合体中の抗体および抗原に高感度かつ特異的）．＝erythrocyte adherence p.; immune adherence p.; red cell adherence p.

AFORMED p. [*a*lternating, *f*ailure *o*f *r*esponse, *m*echanical, to *e*lectrical *d*epolarization]. AFORMED現象（交互脈が進展して交代性の脱分極が血液をまったく駆出できなくなり，拡張期の充満が長くなる．次に続く心拍では大きな駆出が生じる．高心拍数の場合には心拍出量および血圧は一見正常にみえる）．

Anrep p. (ahn′rep). アンレップ現象（心臓の等尺性自己調節後負荷(収縮期壁応力)の増加に伴って，心仕事量の一時的低下が上昇に転じる現象）．

aqueous influx p. 房水流入現象（正常では血液と房水とが通る房水静脈が，房水静脈とその流入静脈が部分的に閉塞されたときに，房水で満たされること）．＝Ascher aqueous influx p.

Arias-Stella p. (ahr′yahs stel′ă). アリアス－ステヤ(アリアス－ステラ)現象（子宮内膜腺上皮における局所的異常脱落膜変化．上皮細胞は腺腔内芽胞性発育を呈し，サイトプラスマの腫大や空胞化を伴ってクロマチンに富む大型の核を有する．子宮内外妊娠に随伴する）．＝Arias-Stella effect; Arias-Stella reaction.

arm p. 腕現象．＝Pool p. (2).

Arthus p. (ahr′tūs). アルツス現象（紅斑，浮腫，出血，壊死に至る免疫複合体誘導性過敏性の一型．すでにその抗原に感作されており，特異IgG抗体を有するウサギに同一抗原を接種した際にみられる．反応は，抗原抗体複合体が組織空間，血管壁に沈着し，補体を活性化することによって起こる炎症に起因するもので，損傷の多くは，リソソーム酵素を放出する多形核白血球によるものと思われる．Arthusの記述した現象はウサギについてであったが，同じ反応(Arthus型反応)がヒトのみでなくモルモット，ラット，イヌにもみられる．→Arthus *reaction* (2)）．＝Arthus reaction (1).

Ascher aqueous influx p. (ahsh′ĕr). アッシャー房水流入現象．＝aqueous influx p.

Aschner p. (ahsh′nĕr). アシュナー現象．＝oculocardiac *reflex*.

Ashman p. (ash′măn). アッシュマン現象（最も一般的には心房細動の間，先行する長サイクルに続いて短サイクルで終わる拍動の心室内変行伝導）．

Aubert p. (ow′bert). アウベルト現象（観測者が暗室で頭を一方に傾けると，明るい垂直線が逆方向に傾斜して見えるという光学的錯覚）．

Austin Flint p. (aw′stĭn flint) オースティン・フリント現象（[Austin と Flint をハイフンで結ばないこと]．大動脈閉鎖不全のときに，僧帽弁前尖が大動脈の逆流圧により相対的に狭くなり，僧帽弁狭搾を起こして発生する雑音）．＝Austin Flint murmur.

autoscopic p. 自己仮視現象，自観現象（自己の像に出会うこと．像は錯覚，幻覚，あるいは鮮明な空想である）．＝autoscopy.

Babinski p. (bă-bin′skē). バビンスキー現象．＝Babinski *sign* (1).

Becker p. ベッカー現象（大動脈弁逆流でみられる網膜動脈拍動の増加）．＝Becker sign.

Bell p. (bel). ベル現象（閉眼しようとすると反射性に眼球が上転する現象．顔面神経障害，Guillain-Barré 症候群，重症筋無力症を含むいくつかの疾患でみられる）．

Bombay p. [*Bombay*，最初に報告されたインドの都市]．ボンベイ現象（A型，B型血液型物質の前駆体であるH物質を通常は産生している遺伝子座でみられるまれな劣性遺伝形質．突然変異体はH物質を産生できなくなり，たとえABO遺伝子座の遺伝子型がどのようになっていても表現型はOとなる．Bombay 現象はABO遺伝子座に対して上位である）．

Bordet-Gengou p. (bōr-dā′ zhahn-gū′). ボルデー－ジャングー現象（補体結合反応による現象．補体含有血清に，細菌とそれに特異的な抗体との混合物を加えると，補体は消費されてしまい(細菌と抗体との免疫複合体に結合し)，引き続いて特異抗体で感作された赤血球を加えても，それを溶かすことはできない．→Gengou p.）．＝Bordet and Gengou reaction.

breakoff p., breakaway p. 離脱現象（高度飛行中，地球や他の人々からまったく切り離された感覚が起こること）．

Brücke-Bartley p. (brŭ′ke bărt-lē). ブリュッケ－バートリー現象（連続輝点よりわずかに低い頻度で逐次刺激を与えることにより起こる，ぎらぎら光る感覚）．

Capgras p. (kăh′grah). カプグラー現象．＝Capgras *syndrome.*

centralization p. 中心化現象（自覚する痛みの部位がより末梢からより中央へと比較的急速に変化する現象．腰痛と下肢への放散痛を有する患者の初診時に通常みられる．理学療法の種類と予後を決めるのに有用）．

cervicolumbar p. 頸腰現象（脊髄の上部に病変があるとき，首の運動につれて下肢に脱力が感じられること，または脊髄の下部に病変があるとき，頸部に感覚が放散すること）．

cogwheel p. 歯車様現象，歯輪現象（通常は円滑な呼吸やその他の運動機能が，突然一時的に停止すること）．＝Negro p.

constancy p. 恒常性現象（知覚において，色，大きさ，形，または他の観察状態の実際の変化にもかかわらず，明るさ，色，大きさ，形が知覚的に比較的一定になる傾向）．

crowding p. 混み合い現象，読み分け困難（多数同時の物体提示よりも単一物体提示のほうが視力が良い弱視視力の特性）．

Cushing p. (kush′ing). クッシング現象（頭蓋内圧が，通常，収縮期血圧の50%以上に急激に上昇すると，全身の血圧が上がること）．＝Cushing effect; Cushing response.

Danysz p. (dah′nishz). ダニシ(ダーニス)現象（抗毒素に対して毒素を分割して加えると，同量の毒素を一度に加えたときより，抗毒素の中和作用が低下すること）．

dawn p. あけぼの現象（午前5時から9時の間に起こる空腹時血糖値の急激な上昇で，先行する低血糖を伴わない．インスリン療法を受けている糖尿病患者にみられる）．

Debré p. (dĕ-brā′). ドブレー現象（麻疹において，免疫血清を注射した部位には発疹が起こらないこと）．

declamping p. 脱鉗子現象，血流遮断解離後現象（大動脈のような血管床の大部分を締めていた鉗子を急にはずしたときに起こる低血圧症状，またはショックのこと．これは，それまで虚血だった所へ一時的に血液が貯留するために起こる）．＝declamping shock.

déjà vu p. 既視現象（新しい体験(例えば，情景，光景，音，行為)を以前にもあったと感じること．正常な人にも起こるが，ある種の情動障害，器質障害の人には，より頻繁に，また連続して起こる．喚起される体験や感覚によって déjà entendu(既聴)，déjà éprouvé(既経験)，déjà fait(既行為)，déjà pensé(既考)，déjà raconté(既話)，déjà vécu(既体験)，déjà voulu(既志)のように用いる）．

Dejerine hand p. (dĕ-zhĕ-rēn′). ドゥジュリーヌ手現象（手背や，手首周辺の前腕の手掌側をたたいたときに起こる手(手首)屈筋の間代性攣縮．正常な人でも起こるが，錐体路の病変がある場合，異常に大きくなる）．＝Dejerine reflex.

Denys-Leclef p. (de-nēs′ le-klef′). ドゥニー(デニース)－レクレフ現象（免疫血清の存在下で，白血球による細菌の食作用が亢進すること）．

d'Herelle p. (dĕ-rel′). デレル現象．＝Twort-d'Herelle p.

dip p. ディップ現象（興奮の終わりに心室興奮性がまったく消失する現象で，これは数マイクロ秒以内に次第に回復してくる．筋肉は，全体にいくらか不均一に再分極する．したがって，この間は外因性あるいは内因性の刺激や再入現象に対して，特別な感受性を有する）．

doll's head p. 人形の頭現象．＝oculocephalic *reflex.*

Donath-Landsteiner p. (dō′naht lahnd′stī-nĕr). ドーナト－ラントシュタイナー現象（発作性寒冷血色素尿症の血液を5°C近くまで冷却し，再び温めると起こる溶血現象）．

Doppler p. (dop′lĕr). ドップラー(ドプラ)現象．＝Doppler *effect.*

Duckworth p. (duk′wŏrth). ダックワース現象（脳内疾患による心臓停止の前にくる呼吸停止）．

Ehret p. (e-rā′). エーレット現象（血圧測定中，カフ圧を下げたとき，上腕動脈上に指で感じられる突然の拍動．拡張期圧をかなり正確に示すといわれる）．

Ehrlich p. (ār′lik). エールリッヒ現象（抗毒素1単位をちょうど中和させるジフテリア毒素の量と，抗毒素1単位に加えて1致死量を遊離させるジフテリア毒素との量差は，毒素1致死量よりも大きい．つまり毒素と抗毒素の中和混合物に対してその混合物を致死量にするには，1致死量以上の毒素を加えることが必要である．これは L_+ 投与量の基礎となる）．

erythrocyte adherence p. 赤血球粘着現象．＝adhesion p.

escape p. 逃避現象（視神経炎眼での瞳孔障害．両眼が交互に光刺激されたとき，縮瞳したままとなってしまう状態）．

facialis p. 顔面神経現象（頬骨の上の皮膚を軽くこすったり軽くたたくことによって，顔面痙攣が起こること．頬骨の上をたたいたとき，唇だけが攣縮することがときにある．テタニーのときにみられるが，眼球突出性甲状腺腫のときにみられることもある）．

finger p. 指現象（器質性片麻痺の徴候．テーブルの上に肘をつけて患者の腕を横たえ，検者がその手首をつかみ，豆状骨の橈骨側を親指で圧迫する．片麻痺が器質性であれば，患者の指の数本あるいは全部が伸展し，扇状に広がる）．＝Gordon sign.

Flynn p. (flin). フリン現象．＝paradoxic pupillary *reflex.*

Friedreich p. (frēd′rīk). フリートライヒ現象（肺空洞上の打診で聞かれる鼓音で，深い吸気のとき，音のピッチがわずかに増す現象）．

Galassi pupillary p. (gă-lahs′ē). ガラッシ瞳孔現象．＝eye-closure pupil *reaction.*

Gallavardin p. (gahl-ă-var-dan[h]′). ガラヴァルダン現象（大動脈弁狭窄症の雑音の騒音的要素と楽音的要素とが解離すること．楽音的要素は胸骨左縁と心尖部でよく聞こえ，騒音的要素は大動脈の領域でよく聞こえる．大動脈狭窄雑音が胸骨左下角の方向へ放散する）．

gap p. ギャップ現象（房室伝導あるいは心室内伝導周期において，他の場合にはブロックされるであろう興奮を通過させうる短い時相）．＝excitable gap.

Gärtner vein p. (gārt′nĕr). ゲルトナー静脈現象（心臓の位置から下の，腕や手の静脈が充満しており，心臓の位置より上では，種々の距離で虚脱していること．静脈圧のテストに用いられるがあまり信頼できない）．

generalized Shwartzman p. (shwarts′măn). 広汎性(全身性)シュワルツマン現象（内毒素含有沪液の1回目と2回目の注射を静脈内に24時間間隔で行うと，2回目の接種後24時間以内に動物は通常死亡する．ウサギの例にみられる特徴的な病変は，肺・肝・その他の臓器の広範な出血と，左右の腎臓の皮質壊死である．この反応は免疫学的な基盤をもたない）．＝Sanarelli p.; Sanarelli-Shwartzman p.

Gengou p. (zhahn-gū′). ジャングー現象（Bordet-Gengou

現象を拡大したもの．非細胞抗原が特異抗体と混ぜ合わされたとき補体と結合する）．

gestalt p. 形態現象（→gestalt）．

Glover p. (glŭv′er)．グロバー現象（医療の地域差による，例えば扁桃摘出術，子宮摘出術などの共通の選択的手続きを遂行する割合の，地域間でのランダムでない(haphazard な)ばらつき，違い）．

Grasset p. (grah-sā′)．グラセー現象（下肢の器質性麻痺にみられる現象．患者は仰臥し，脚を１脚ずつ挙げることはできるが，両脚を同時に挙げることはできない）．＝Grasset-Gaussel p.

Grasset-Gaussel p. (grah-sā′ gō-sel′)．グラセー－ゴセル現象．＝Grasset p.

Gunn p. (gŭn)．ガン現象．＝jaw-winking *syndrome.*

Hamburger p. (hahm′būr-gĕr)．ハンブルゲル現象．＝chloride *shift.*

Hill p. (hil)．ヒル現象．＝Hill *sign.*

hip p. 股現象，腰現象．＝Joffroy *reflex.*

hip-flexion p. 股屈曲現象（片麻痺患者が横臥の姿勢から起き上がろうとするとき，最初に麻痺側の股関節を屈曲する．そして再び横臥するときにも，同じ動作を行う）．

Hoffmann p. (hof′mahn)．ホフマン現象（テタニーにおける感覚神経の，電気的・機械的刺激に対する過度の興奮性）．

Houssay p. (ū′sā)．オーサイ現象（→Houssay *animal*）．

Hunt paradoxic p. (hŭnt)．ハント逆現象（変形性筋失調症において足が背側痙攣を起こしているとき，足を底屈しようと試みると，伸筋または背側痙縮の増加だけが起こる．しかし，すでに強い背屈状態にある足を患者に伸展するようにいうと，底屈の動作がすぐに起こる．これに準じた現象は，強い底屈の状態があるときにみられる）．

immune adherence p. 免疫粘着現象．＝adhesion p.

jaw-winking p. 下顎眼瞼異常運動現象．＝jaw-winking *syndrome.*

Jod-Basedow p. (bahs′ĕ-dof)．ヨードバーゼドー病，ヨードバセドウ病（[Jod は固有名詞ではなく iodine(ヨード)を表すドイツ語である]．もともと甲状腺機能正常であった者が大量のヨードに暴露されたために生じる甲状腺機能亢進症．ヨード摂取不足のため甲状腺腫大の患者の多い地域や多結節性甲状腺腫の患者に起こりやすい．診断のためヨード含有性の造影剤を使用後にも生じることがある）．＝iodine-induced hyperthyroidism.

Köbner p. (kōrb′nĕr)．ケブナー現象．＝isomorphic *response.*

Koch p. (kok)．コッホ現象（①Robert Koch によって記述された感染免疫．結核にかかっているモルモットに生きているヒト結核菌 *Mycobacterium tuberculosis* を接種した場合は再感染は起きない．もともとの結核菌感染は，悪化し続け最終的に動物を死亡させることはあっても，動物は再感染に対しては免疫がある．②ツベルクリン注射の後，結核感染者の体温が上がり，局所病変が増大すること）．

Kohnstamm p. (kōn′shtahm)．コーンスタム現象．＝after-movement.

Kühne p. (ki′ne)．キューネ現象（一定の電流が筋肉を通過するとき，波状運動が陽極から陰極へ通るのがみられること）．

LE p. LE〔細胞〕現象（播種性紅斑性狼瘡の患者の血清を加えたとき，骨髄や血液中に LE 細胞が形成されること）．

Leede-Rumpel p. (lēd rūm′pel)．レーデ－ルンペル現象．＝Rumpel-Leede p.

leg p. 脚現象．＝Pool p. (1).

Lucio leprosy p. (lū′syo)．ルシオらい現象．＝Lucio *leprosy.*

Marcus Gunn p. (mar′kŭs gŭn)［MIM*154600］．マーカス・ガン現象．＝jaw-winking *syndrome.*

misdirection p. 過誤神経支配現象．＝aberrant *regeneration.*

Mitsuo p. (mit-sū-ō)．水尾現象（Oguchi 病における暗順応時，眼底が正常の色に変化すること）．

Negro p. (nā′grō)．ネグロ現象．＝cogwheel p.

no reflow p. 無血流再開現象（再灌流後に障害された脳の部分に微小循環レベルで血流がないこと）．

nutcracker p. ナットクラッカー(くるみ割り)現象．＝nutcracker *syndrome*; left renal vein entrapment syndrome.

on-off p. オンオフ現象（パーキンソン病の L-ドパによる治療中のある状態で，無動(off)と舞踏病アテトーシス様運動(on)の急速な変動がある）．

orbicularis p. 眼輪筋現象．＝eye-closure pupil *reaction.*

paradoxic diaphragm p. 横隔膜逆運動現象（膿気胸，水気胸症，およびある種の損傷の場合に，罹患している側の横隔膜が，吸気作用中に上がり，呼気作用中に下がること）．

paradoxic pupillary p. 奇異瞳孔現象，逆説瞳孔現象．＝paradoxic pupillary *reflex.*

peroneal p. 腓骨神経現象（腓骨頭部の下方の腓骨神経を打診すると，背屈および足の外転が起こること）．

Pfeiffer p. (fī′fĕr)．プファイファー(パイフェル)現象（コレラ菌が補体の存在下で抗体によって溶菌する現象．コレラ菌と抗血清を混ぜてモルモット腹腔内に注射し，溶菌の有無をみる．以前は重要とされたコレラ菌検出法であったが，現在は用いられない）．

phi p. ファイ現象（映画およびある種のネオンサインでみられるような運動の幻覚で，1/15—1/20秒の間隔の連続した視覚像によって起こる．小間隔の光が観察される間中，一方の眼から他方の眼まで遮へい物が通過するとき，光は外斜位では遮へい物とともに動くように見えるが，内斜位では反対の方向に見える現象）．

Pool p. (pūl)．プール現象（①テタニーの際，伸展した脚を股関節部で屈曲するときの大腿四頭筋および腓腹筋の両方の痙縮．＝leg p.; Pool-Schlesinger sign; Schlesinger sign. ②テタニーの際，前腕を伸展したまま頭の上に腕を挙げることにより上腕神経叢を伸張させたときに起こる．尺骨神経刺激によるのに似た腕の筋肉の収縮．＝arm p.）．

pseudo-Graefe p. (grā′fĕ)．偽グレーフェ現象（眼球の下方運動に際して上眼瞼が上がること）．

psi p. プシー現象（念力および超感覚的知覚の両方を含む現象．本人のいうテレパシーを送ったり受けたりする能力に関わる超感覚的な精神的過程）．

Pulfrich p. (pul′frik)．プルフリッヒ現象（一眼フィルタによってカバーされた際に，楕円軌道または片側の視神経症例での前頭面での反復運動する小指標が移動する場合の両眼性の認知）．

Purkinje p. (pŭr-kin′jē)．プルキンエ現象（明順応下では，最大輝度が黄色にあり，暗順応下では，最大輝度は緑色にある）．＝Purkinje effect; Purkinje shift.

quellung p. 膨化現象．＝Neufeld capsular *swelling.*

radial p. 橈骨〔神経〕現象（指を掌側に屈曲すると，手の背屈が不随意に起こること）．

Raynaud p. (rā-nō′)．レーノー(レイノー)現象（手指の白色化，しびれ，疼痛を生じる指動脈の攣縮．しばしば寒冷によって増悪し，指が赤，白，青に変色する）．

rebound p. 跳ね返り〔現象〕，反跳〔現象〕（①＝Stewart-Holmes *sign.* ②一般に正常値より逸脱している値が，障害因子が急激に除去された場合に，正常値に戻る前に反対方向にやや動く現象．例えば，グルコース静注後にはインスリン分泌過剰が生じるので，高血糖に引き続き低血糖が生じるような現象をいう）．

reclotting p. 再凝固現象．＝thixotropy.

red cell adherence p. 赤血球粘着現象．＝adhesion p.

reentry p. 再入現象（→reentry）．

release p. 解放現象，遊離現象（筋緊張の増加および反射の過被刺激性で，錐体外路の上部の損傷によって起こる）．

reverse Koebner p. 逆ケブナー(ケブネル)現象（乾癬などの疾患で，外傷の部位に皮膚病変が生じないこと）．

Riddoch p. (rid′ok)．リドック現象（静止物に対しては盲となる視野領域での小さな移動物体を認知する能力．特に後頭葉領域の病巣と関連する）．

Ritter-Rollet p. (rit′ĕr rol′ĕt)．リッター－ロレット現象（運動神経幹に同等の電気刺激を与えると，屈筋および外転筋群が伸筋および内転筋群より容易に反応する）．

R-on-T p. R on T 現象（先行する拍動の T 波に介入する心電図中の早発の心室波群(QRS)．しばしば重篤な心室性不整脈の予兆となる）．

Rumpel-Leede p. (rūm′pĕl lēd)．ルンペル－レーデ現象（血管圧迫後その部位に生じる点状の皮下出血．通常は10分以上閉塞すると起きるが，採血のためあるいは血圧を測定す

P

るために短時間血管を圧迫しただけでも生じる場合をさす．血管脆弱性，血小板数の異常(例えば血小板減少症)あるいは血小板機能異常による)．

Rust p. (rūst)．ルスト現象（頸椎の癌またはカリエスで，患者が横臥位から坐位，またはその逆に変化する際，常に手で頭を支えること)．

Sanarelli p. (sahn-ă-rel′ē)．サナレリ現象．＝generalized Shwartzman p.

Sanarelli-Shwartzman p. (sahn-ă-rel′ē shwarts′măn)．サナレリ－シュワルツマン現象．＝generalized Shwartzman p.

Schellong-Strisower p. (shel′ŏng strī′sow-ĕr)．シェロング－ストリソワー現象（臥位から立位に移る際に起こる収縮期血圧の降下で，めまいを伴うこともある)．

Schiff-Sherrington p. (shif sher′ing-tŏn)．シッフ－シェリングトン現象（脊髄を頸髄中部または少し下の部分で切断すると，上肢の緊張および他の体位反射が強調されるようになる．切断が仙髄で行われると，下肢で同様な効果がみられる．この効果は解放現象，すなわち切断部より下方の脊髄分節が行う抑制効果からの解放現象と考えられる)．

Schüller p. (shil′ĕr)．シュラー現象（片麻痺患者が歩行するとき，機能性疾患の場合は健常側へ曲がり，器質性疾患の場合は麻痺側へ曲がる)．

Schultz-Charlton p. (shūlts kahrl′ton)．シュルツ－カルルトン(カールトン，シャルトン)現象．＝Schultz-Charlton *reaction.*

Sherrington p. (sher′ing-tŏn)．シェリングトン現象（坐骨神経への線維を含む前根を切断して，下肢の筋肉から運動神経支配を除いた後，その線維の変性が起こる時間を与えると坐骨神経の刺激により筋肉はゆっくり収縮する)．

shot-silk p. 絹様現象．＝shot-silk *retina.*

Shwartzman p. (shwarts′măn)．シュワルツマン現象（ウサギに少量のリポ多糖類(エンドトキシン)を皮内注射し，24時間後に2回目の静脈注射を行うと，初回注射部位に出血と壊死性病変が現れる．→generalized Shwartzman p.)．＝Shwartzman reaction.

Somogyi p. (sō-mō′jē)．ソモギー現象（低血糖の症状を現さないか検出できない低血糖に引き続き，反応性の高血糖が生じてしまう現象．高血糖があるとインスリンの投与量が増加するので，糖尿病のコントロールはますます悪化してしまう)．＝posthypoglycemic hyperglycemia.

Soret p. (sō-rā′)．ソレー現象（室温に保たれた長い垂直な管にはいった溶液は，上部が暖かくなればなるだけ，よりいっそう濃縮される)．

sparing p. 倹約現象．＝sparing *action.*

Splendore-Hoeppli p. (splen-dō′rē hep′lē)．スプレンドール－ヘップリ現象（組織内において真菌，蠕虫，細菌コロニーの周囲に形成される，宿主由来物質および恐らく寄生虫抗原物質からなる，放射状あるいは環状の好酸性物質の蓄積)．

staircase p. 階段現象．＝treppe.

Staub-Traugott p. (shtowb trow′got)．シュタウブ－トローゴット現象（初回のグルコース負荷後，短時間に投与されたグルコース負荷による除去速度の上昇)．

steal p. 盗血現象（→steal)．

step-down, step-up p. ステップ－ダウン，ステップ－アップ現象（心筋内を走行する冠動脈にみられる画像所見．→bridging)．

Strümpell p. (shtrim′pĕl)．シュトリュンペル現象（母趾の背屈で，ときに足全体に起こることもある．麻痺側の下肢を膝と腰の屈曲を行いながら体幹に引き寄せたときにみられる)．＝tibial p.

symbiotic fermentation p. 共生発酵現象（ある糖質中で，単独ではガス発酵を行わない2種の生物が，共生または人工的に混ぜ合わされるとガス発酵を行うこと(Castellaniの説))．

Theobald Smith p. (thē′ō-bahld smith)．シオバルド(シアボールド)・スミス現象（ジフテリア毒素をその免疫ウマ血清で中和したものをモルモットに注射した後，ウマ血清を注射するとモルモットは強い感受性を示す現象)．

tibial p. 脛骨現象．＝Strümpell p.

toe p. 母趾現象．＝Babinski *sign* (1).

tongue p. 舌現象．＝Schultze *sign.*

Tournay p. (tūr-nā′)．ツルネー現象（最大外方注視時の外転眼の散瞳．これは正常者の少数例にのみみられ，疾患との関連は報告されていない)．＝Tournay sign.

Tullio p. (tū′lē-o)．タリオ現象（内耳の瘻孔症例でよくみられる，強大音刺激により生じる瞬時の回転性めまい)．

two-dimension-three-dimension p. 二次元－三次元現象（遠隔内視鏡施行時に，内視鏡が対象物の視野から出たりはいったりする運動のために起こる，二次元像が三次元像にみえる現象)．

Twort p. (twort)．トワート現象．＝Twort-d'Herelle p.

Twort-d'Herelle p. (twort dĕ-rel′)．トワート－デレル現象（バクテリオファージによる細菌の溶菌)．＝d'Herelle p.; Twort p.

Tyndall p. (tin′dĕl)．ティンダル現象（太陽光線によって照らされたときや，照明光線に対して直角にながめたときに，気体または液体中の浮遊粒子が見えること)．＝Tyndall effect.

vacuum disc p. 椎間板の真空現象（椎間板内にX線上透過性帯がみえることで，椎間板の変性を示す．実際にはガスが存在するので誤った命名である)．

warmup p. ウォーミングアップ現象（筋の繰り返し運動により筋の筋緊張が漸次減少すること)．

Wenckebach p. (venk′ĕ-bahk)．ウェンケバッハ現象（心筋組織内のいかなる組織(房室結節または接合部で起こることが最も多い)でも起こるが，伝導時間が徐々に延長し，最終的に一心拍が脱落する現象(房室 Wenckebach)または最初の伝導時間に戻る(QRS Wenckebach)現象)．

Westphal-Piltz p. (vest′fahl pilts)．ヴェストファル－ピルツ現象．＝eye-closure pupil *reaction.*

Wever-Bray p. (wēv′er bray)．ウェーヴァー－ブレー現象．＝cochlear microphonic.

---

phe·no·thi·a·zine (fē′nō-thī′ă-zēn)．フェノチアジン（動物の消化管内線虫の治療にかつて広く用いられた化合物．それ自体には中枢神経系の抑制作用はないが，クロルプロマジン，チオリダジン，ペルフェナジン，フルフェナジンを含む様々な抗精神病薬の合成の原料化合物となる)．＝thiodiphenylamine.

phe·no·type (fē′nō-tīp) [G. *phainō*, to display + *typos*, model]．表現型（遺伝子型と環境によって規定される個人の身体的・形態的・生化学レベルでの目に見える特徴)．

phe·no·typ·ic (fē′nō-tip′ik, fen-ō-)．表現型の．

phe·nox·a·zine (fe-nok′să-zēn)．フェノキサジン（フェノチアジン誘導体で，構造中のSがOで置換されたもの．その3-オキソ誘導体(フェノキサゾン)は，アクチノマイシンの発色団である)．

phe·nox·a·zone (fe-nok′să-zōn)．→phenoxazine.

α-phe·nox·y·eth·yl·pen·i·cil·lin po·tas·si·um (fē-nok′sē-eth′il-pen′i-sil′in pō-tas′ē-ŭm)．α-フェノキシエチルペニシリンカリウム．＝phenethicillin potassium.

phe·nox·y·meth·yl·pen·i·cil·lin (fĕ-nok′sē-meth′il-pen′-i-sil′in)．フェノキシメチルペニシリン．＝*penicillin* V.

phe·no·zy·gous (fē′nō-zī′gŭs, fē-noz′i-gŭs) [G. *phainō*, to show + *zygon*, yoke]．狭頭蓋の（顔の幅に比べて狭い頭蓋をもつ．そのために頭蓋を上方から見ると頬弓が見える)．

phen·pro·pi·o·nate (fen-prō′pē-ō-nāt′)．フェンプロピオネート（3-phenylpropionate の USAN 公認の短縮名)．

phen·yl (Ph, Φ) (fen′il)．フェニル（ベンゼンを構成する1価の部分 C_6H_5–)．

p. alcohol フェニルアルコール．＝phenol.

p. aminosalicylate アミノサリチル酸フェニル（抗結核薬)．

p. salicylate サリチル酸フェニル（フェノールのサリチル酸エステル．サリチル酸のフェニルエステル．腸管の鎮痛・解熱薬．錠剤の腸溶性錠剤，および日焼け止め軟膏に用いられる)．＝salol.

phen·yl·a·ce·tic ac·id (fen′il-ă-sē′tik as′id)．フェニル酢酸（フェニルアラニン異化過程の異常生成物．フェニルケトン尿症患者の尿中にみられる)．

phen·yl·a·ce·tur·ic ac·id (fen′il-as′ĕ-tūr′ik as′id)．フェニルアセツール酸．＝phenaceturic acid.

phen·yl·a·cryl·ic ac·id (fen′il-ă-kril′ik as′id)．フェニル

アクリル酸．＝cinnamic acid.

phen·yl·al·a·nin·ase (fen′il-al′ă-nin-ās). フェニルアラニナーゼ；phenylalanine 4-monooxygenase.

phen·yl·al·a·nine (Phe, F) (fen′il-al′ă-nēn). フェニルアラニン；2-amino-3-phenylpropionic acid (L-異性体は蛋白中の一般的なアミノ酸の1つ．栄養学的必須アミノ酸).

p. ammonia-lyase フェニルアラニンアンモニア－リアーゼ (L-フェニルアラニンの *trans*- 桂皮酸とアンモニアへの変換を触媒する非哺乳類性酵素．フェニルケトン尿症の治療に用いられている).

p. 4-hydroxylase フェニルアラニン4-ヒドロキシラーゼ．＝p. 4-monooxygenase.

p. 4-monooxygenase ジヒドロプテリン還元酵素（酸素およびテトラヒドロビオプテリンによるL-フェニルアラニンのL-チロシンへの酸化を触媒する酵素．このときテトラヒドロビオプテリンはジヒドロ誘導体を形成するが，次にはこれはNADPHおよびフェニルアラニン4-モノオキシゲナーゼもしくはジヒドロプテリン還元酵素のどちらかの欠損により，フェニルケトン尿症になる)．＝p. 4-hydroxylase.

phe·nyl·a·mine (fe-nil′ă-mēn). フェニルアミン．＝aniline.

phen·yl·ben·zene (fen′il-ben′zēn). フェニルベンゼン．＝diphenyl.

phen·yl·car·bi·nol (fen′il-kar′bi-nol). フェニルカルビノール．＝*benzyl* alcohol.

phen·yl·di·chlor·o·ar·sine (PD) (fen′il-dī-klōr′ō-ar′-sēn). フェニルジクロロアルシン（過去に軍・警察がびらん剤，催吐剤として使用した毒性を有する液体．第一次世界大戦中に初めて限定的に使用された).

phen·yl·eph·rine hy·dro·chlor·ide (fen′il-ef′rin hī′drō-klōr′īd). 塩酸フェニレフリン（強力な血管収縮作用をもち，鼻充血抑制および散瞳薬として用いる).

phen·yl·eth·a·no·la·mine *N*-meth·yl·trans·fer·ase (PNMT) (fen′il-eth-ă-nō′lă-mēn meth′il-trans′fĕr-ās). フェニルエタノールアミン *N*-メチルトランスフェラーゼ（ノルエピネフリンのエピネフリンへの *S*-アデノシル-L-メチオニンを利用した変換反応を触媒するカテコールアミンの生合成の重要な酵素．副腎髄質やあるニューロンに存在する．この酵素の生合成はコルチゾールにより誘導される).

phen·yl·eth·yl al·co·hol (fen′il-eth′il al′kŏ-hol). フェニルエチルアルコール（数種の揮発性の油(バラ油，ゼラニウム油，ネロリ油)の天然の構成成分．眼科用液剤に抗菌薬として用いる)．＝benzyl carbinol; phenethyl alcohol.

phen·yl·eth·yl·bar·bi·tur·ic ac·id (fen′il-eth′il-bar′bi-ty-ūr′ik as′id). フェニルエチルバルビツール酸．＝phenobarbital.

phen·yl·eth·yl·mal·o·nyl·u·re·a (fen′il-eth′il-mal′ō-nil-yū-rē′ă). フェニルエチルマロニル尿素．＝phenobarbital.

phen·yl·gly·col·ic ac·id (fen′il-glī-kol′ik as′id). フェニルグリコール酸．＝mandelic *acid*.

phen·yl·i·so·thi·o·cy·a·nate (PITC, PhNCS) (fen′il-ī′sō-thī′ō-sī′ă-nāt). フェニルイソチオシアネート（N末端アミノ酸の種類を決定する Edman 法においてペプチド鎖の遊離N末端アミノ基と縮合してフェニルチオヒダントインを生成する試薬)．＝Edman reagent.

phen·yl·ke·to·nu·ri·a (PKU) (fen′il-kē′tōn-yu′rē-ă) [phenyl＋ketone＋G. *ouron*, urine][MIM*261600]. フェニルケトン尿〔症〕（常染色体劣性遺伝のフェニルアラニンの先天性代謝異常で，次の酵素の欠損により起こる．すなわち，ⓘ第12染色体長腕のフェニルアラニンヒドロキシラーゼ遺伝子(*PAH*)の突然変異によって起こるフェニルアラニンヒドロキシラーゼの欠損［MIM*261600]．ⓘⓘときにみられる第4染色体短腕のジヒドロプテリジン還元酵素遺伝子(*DHPR*)の突然変異によって起こるジヒドロプテリジン還元酵素の欠損［MIM*261630]．ⓘⓘⓘまれにみられる，第11染色体長腕のピルボイルテトラヒドロプテリン合成酵素遺伝子(*PTS*)の突然変異によって起こるジヒドロビオプテリン合成酵素の欠損［MIM*261640]．またⓘⓥかなりまれであるが，グアニジントリホスフェートシクロヒドロラーゼ1の欠損［MIM *233910]．この疾患はL-チロシン生成不全，血清中のL-フェニルアラニンの上昇，フェニルピルビン酸および他の誘導体の尿中排泄増加をきたす．フェニルアラニンおよびその代謝産物の蓄積を起こして脳に障害をもたらし，重篤な精神発達遅滞，しばしばてんかん発作がみられ，髄鞘形成遅延など他の神経学的異常，および皮膚の低色素症，湿疹を起こすメラニン生成欠損を伴う．*cf.* hyperphenylalaninemia)．＝Folling disease; phenylpyruvate oligophrenia.

nonclassical p. 非古典型的フェニルケトン尿症．＝malignant *hyperphenylalaninemia*.

phen·yl·lac·tic ac·id (fen′il-lak′tik as′id). フェニル乳酸（フェニルアラニン異化産物．フェニルケトン尿症患者の尿中に顕著にみられる).

phen·yl·mer·cu·ric ac·e·tate (fen′il-mĕr-kyū′rik as′ĕ-tāt). 酢酸フェニル水銀（静菌的保存薬，抗真菌薬，および(特にメヒシバ類の雑草の)除草薬).

phe·nyl·py·ru·vic ac·id (fen′il-pī-rū′vik as′id). フェニルピルビン酸（フェニルアラニンアミノトランスフェラーゼの作用によるアミノ基転移生成物．フェニルケトン尿症の患者の尿中では上昇している).

phen·yl·thi·o·car·ba·mide (fen′il-thī′ō-kar′bă-mīd). ＝phenylthiourea.

phen·yl·thi·o·car·ba·mo·yl (PTC) (fen′il-thī′ō-kar′bă-mō-il). フェニルチオカルバモイル（→phenylthiocarbamoyl *peptide*).

phen·yl·thi·o·hy·dan·to·in (PTH) (fen′il-thī′ō-hī-dan′tō-in). フェニルチオヒダントイン（蛋白分解の Edman 法においてアミノ酸から生成される化合物．フェニルイソチオシアネートがN末端アミノ酸のアミノ基と反応してフェニルチオカルバモイルペプチドまたは蛋白を生成し，弱酸によりN末端アミノ酸を含むフェニルチオヒダントインが遊離される).

phen·yl·thi·o·u·re·a (fen′il-thī′ō-yū-rē′ă). フェニルチオ尿素（ある人には苦味が感じられるが，味を感じない人もある物質．この物質の味を感じる能力は常染色体優性の特徴であると考えられる．フェニルチオ尿素は，N-C=S基を含み，味の特性は明らかにこの基にある．甲状腺腫誘発物質または抗甲状腺物質，例えば，チオ尿素およびチオウラシルもまたこの基をもち，味に関して同一の性質をもつ．→taste *deficiency*)．＝phenylthiocarbamide.

phen·y·to·in (fen′i-tō-in). フェニトイン（全身性強直性間代性てんかんまたは複雑部分てんかんの治療に用いる抗痙攣薬)．＝5,5-diphenylhydantoin.

pheo- *1* エステル残基と Mg 以外の，クロロフィル中に存在するものと同種の，phorbin または phorbide 上の置換基を示す接頭語．*2* [G. *phaios*, dusky]．灰色の，または暗色の，を意味する連結形．

phe·o·chrome (fē′ō-krōm) [G. *phaios*, dusky＋*chrōma*, color]. *1* ＝chromaffin. *2* 第二クロム塩で黒く染まっている．

phe·o·chro·mo·blast (fē′ō-krō′mō-blast) [G. *phaios*, dusky＋*chrōma*, color＋*blastos*, germ]. クロム親和〔性〕芽細胞，褐色芽細胞（未分化のクロム親和性細胞で，交感神経芽細胞とともに，副腎の形成に関与する).

phe·o·chro·mo·cyte (fē′ō-krō′mō-sīt) [pheochrome＋G. *kytos*, cell]. クロム親和〔性〕細胞（交感神経傍節，副腎髄質，または褐色細胞腫のクロム親和性細胞).

phe·o·chro·mo·cy·to·ma (fē′ō-krō′mō-sī-tō′mă) [G. *pheo*＋G. *chrōm*, color; -oma -tumor][MIM*171300]. 褐色細胞腫，クロム親和〔性〕細胞腫（副腎髄質組織の細胞に由来する，通常良性の機能性クロム親和性細胞腫で，カテコールアミンを分泌し，高血圧をきたすのが特徴である．動悸，頭痛，悪心，呼吸困難，不安，蒼白，および大量発汗を伴う発作性の高血圧を起こすことがある．しばしば遺伝性で，Hippel-Lindau 病および神経線維腫症のような母斑症や家族性内分泌腺腫瘍に合併するものばかりでなく，常染色体優性遺伝を示すものがある［MIM*171300]．→paraganglioma).

phe·o·mel·a·nin (fē′ō-mel′ă-nin) [G. *phaios*, dusky＋*melas* (*melan-*), black]. フェオメラニン（赤毛にみられるメラニンの一種．硫酸基を含み，アルカリ溶解性である．眼皮膚型白皮症の赤褐色タイプに認められる．*cf.* eumelanin).

phe·o·mel·a·no·gen·e·sis (fē′ō-mel′ă-nō-jen′ĕ-sis). フェオメラニン形成（細胞よりのフェオメラニン形成).

phe·o·mel·a·no·some (fē′ō-mel′ă-nō-sōm). フェオメラノソーム（赤毛に含まれるフェオメラニンの球状のメラニン顆粒).

phe·re·sis (fe-rē′sis) [G. *aphairesis*, a taking away, a withdrawal]. フェレーシス（[apheresis 参照．phoresis と混同しないこと]．供血者より採血して，その成分を分離し，一部を残して他をすべて供血者に返却する操作のこと．→leukapheresis; plateletapheresis; plasmapheresis）.

pher·o·mone (fer′ō-mōn) [G. *pherō*, to carry + *hormaō*, to excite, stimulate]. フェロモン（1個体から体外に分泌され，同種のもう1つの個体によって感知され，それによってその個体の性的または社会的行動に変化を起こさせる物質．*cf.* allelochemicals; allomone; kairomone）.

Ph. G. *1* *Pharmacopoeia Germanica*(ドイツ薬局方)の略．*2* 米国ではもはや提供されない学位，Graduate in Pharmacy の略．

phi (φ,Φ) (fī). ファイ（①ギリシア語アルファベットの第21字．②(Φ)．フェニル基，ポテンシャルエネルギー，磁束の記号．③(φ)．平面角，容積分率，量子収率，ペプチド結合に関与した N-Cα 結合の回転の二面角に対する記号）.

phi·al (fī′ăl) [G. *phialē*, a broad flat vessel]. 小びん．＝vial.

phi·a·lide (fī′ă-līd) [G. *phialē*, a broad, flat vessel]. フィアリド，小梗，鉢状体（真菌類の分生子形成細胞．分生子が連続的に排出されて鎖状となるが分裂する先端は変化がない）.

phi·a·lo·co·nid·i·um, pl. phi·a·lo·co·nid·i·a (fī′ă-lō-ko-nid′ē-ŭm, -e-ă). フィアロ(梗子)型分生子（フィアリドから産生される分生子）.

Phi·a·loph·o·ra (fī′ă-lof′ŏ-ră) [G. *phialē*, a broad, flat vessel + *phoreō*, to carry]. フィアロフォラ属（真菌類の一属で，そのうち少なくとも *P. verrucosa* および *P. dermatitidis*(*Exophiala dermatitidis*)の2種はクロモミコーシスを引き起こす）.

-phil, -phile, -philic, -philia [G. *philos*, fond, loving; *phileō*, to love]. …に対する好みまたはあこがれを意味する接尾語．→philo-.

phil·i·a·ter (fil′ē-ā′tĕr, fi-lī′ă-tĕr) [G. *philos*, fond + *iatreia*, practice of medicine]. 医学徒（医学研究に興味をもつ人を表す歴史的用語）.

Phil·ip (fil′ĭp), Sir Robert W. スコットランド人医師，1857—1939. ⇀P. *glands*.

Phi·lippe (fi-lēp′), Claudien. フランス人病理学者，1866—1903. ⇀P. *triangle*.

Phil·lips (fil′ēps), Charles. フランス人泌尿器科医，1809—1871. ⇀P. *catheter*.

philo- [G. *philos*, fond, loving; *phileō*, to love]. …に対する好み，またはあこがれを意味する，語頭に用いる連結形．⇀-phil.

phi·lo·mi·me·si·a (fil′ō-mi-mē′sē-ă) [philo- + G. *mimēsis*, imitation]. 模倣衝動（まねたいという病的な衝動を表すのにまれに用いる語）.

Phil·o·pi·a ca·se·i (fil-ō′pē-ă kā′sē-ī). チーズバエ（一時性の腸ハエウジ病を起こす種）．＝cheese maggot.

phil·o·pro·gen·i·tive (fil′ō-prō-jen′i-tiv) [philo- + L. *progenies*, offspring, progeny]. *1* 生殖力のある（子孫をつくる）．*2* 小児愛の（精神医学において，pedophilia を表す現在では用いられない語）.

phil·trum, pl. phil·tra (fil′trŭm, -tră) [L. < G. *philtron*, a love-charm, depression on upper lip < *phileō*, to love]. [filtrum と混同しないこと]．*1* 媚薬，ほれ薬．*2* [TA]．人中，にんちゅう（鼻の下のくぼみ，上唇の中央にある溝）.

phi·mo·sis, pl. phi·mo·ses (fī-mō′sis, -sēz) [G. a muzzling < *phimos*, a muzzle]. 包茎（包皮の亀頭上での反転を妨げるほど包皮口が小さいこと）.

p. clitoridis 包茎．

p. vaginalis 膣狭窄（膣が狭いこと）.

phi·mot·ic (fī-mot′ik). 包茎の．

phleb- ⇀phlebo-.

phle·bal·gi·a (fle-bal′jē-ă) [phlebo- + G. *algos*, pain]. 静脈瘤性神経痛（静脈に由来する痛み）.

phleb·ec·ta·si·a (fleb′ek-tā′zē-ă) [phlebo- + G. *ektasis*, a stretching]. 静脈拡張〔症〕．＝venectasia.

phle·bec·ta·sis (fle-bek′tă-sis). ＝venous *lakes*.

phle·bec·to·my (fle-bek′tō-mē) [phlebo- + G. *ektomē*, excision]. 静脈切除〔術〕（静脈の一部を切除すること．静脈瘤の治療のためにときに行う．→strip (2)）．＝venectomy.

phleb·eu·rysm (fleb′yū-rizm) [phlebo- + G. *eurys*, wide]. 静脈瘤（静脈の病的拡張）.

phle·bit·ic (fle-bit′ik). 静脈炎の．

phle·bi·tis (fle-bī′tis) [phlebo- + G. *-itis*, inflammation]. 静脈炎．

adhesive p. 癒合性静脈炎（静脈壁が癒合し，血管の閉塞を招く静脈炎の一種）.

p. nodularis necrotisans 結核性小結節が皮膚に形成される静脈炎を表す，現在では用いられない語．病変は遠心性に広がり，中心壊死を起こす．

septic p. 敗血症性静脈炎（細菌感染による静脈炎）.

phlebo-, phleb- [G. *phleps*]. 静脈に関する連結形．

phleb·o·cly·sis (flĕ-bok′li-sis) [phlebo- + G. *klysis*, a washing out]. 静脈〔内〕注射，静脈〔内〕注入（デキストロースまたは他の物質の等張液の大量静脈注射）．＝venoclysis.

drip p. 静脈〔内〕点滴（点滴法により，液体を1滴ずつ静脈注射すること）.

phleb·o·dy·nam·ics (fleb′ō-dī-nam′iks) [phlebo- + G. *dynamis*, force]. 静脈循環力学（静脈循環内の血圧および流れを支配する法則および原理）.

phleb·o·gram (fleb′ō-gram) [phlebo- + G. *gramma*, something written]. 静脈〔脈〕波〔曲線〕，静脈図（頸静脈やその他の静脈拍の追跡の記録）．＝venogram (2).

phleb·o·graph (fleb′ō-graf) [phlebo- + G. *graphō*, to write]. 静脈波計（静脈の脈波計．静脈拍の追跡を行うための器具）.

phle·bog·ra·phy (fle-bog′ră-fē) [phlebo- + G. *graphē*, a writing]. *1* 静脈波描画法（静脈拍の記録）．*2* 静脈造影(撮影)〔法〕．＝venography.

phleb·oid (fleb′oyd) [phlebo- + G. *eidos*, resemblance]. *1* 静脈様の．*2* 静脈の．＝venous. *3* 静脈性の（多数の静脈を含む）.

phleb·o·lite (fleb′ō-līt). ＝phlebolith.

phleb·o·lith (fleb′ō-lith) [phlebo- + G. *lithos*, stone]. 静脈結石（静脈壁または血栓内の石灰性の沈着．通常，腹部レントゲン写真で下部骨盤部に認められる）．＝phlebolite; vein stone.

phleb·o·li·thi·a·sis (fleb′ō-li-thī′ă-sis). 静脈結石症（静脈結石の形成）.

phle·bol·o·gy (fle-bol′ŏ-jē) [phlebo- + G. *logos*, study]. 静脈学（医学の一分野で，静脈の解剖学と疾病を扱う）.

phleb·o·ma·nom·e·ter (fleb′ō-mă-nom′ĕ-tĕr). 静脈〔血〕圧計（静脈血圧の測定のための圧力計）.

phleb·o·me·tri·tis (fleb′ō-mĕ-trī′tis) [phlebo- + G. *mētra*, uterus + *-itis*, inflammation]. 子宮静脈炎．

phleb·o·my·o·ma·to·sis (fleb′ō-mī′ō-mă-tō′sis) [phlebo- + myoma + G. *-osis*, condition]. 静脈筋層増殖（血管の軸に対して一定の関係をもたず互いに交差し，不規則に並んだ筋線維の過成長により静脈壁が厚くなること）.

phleb·o·phle·bos·to·my (fleb′ō-fle-bos′tŏ-mē). 静脈吻合〔術〕．＝venovenostomy.

phleb·o·plas·ty (fleb′ō-plas′tē) [phlebo- + G. *plastos*, formed]. 静脈形成〔術〕（静脈の修復を表すのにまれに用いる語）.

phle·bor·rha·phy (fle-bōr′ă-fē) [phlebo- + G. *rhaphē*, seam]. 静脈縫合〔術〕.

phleb·o·scle·ro·sis (fleb′ō-sklē-rō′sis) [phlebo- + G. *sklērōsis*, hardening]. 静脈硬化〔症〕（静脈壁の線維性の硬化）．＝venofibrosis; venosclerosis.

phle·bos·ta·sis (fle-bos′tă-sis) [phlebo- + G. *stasis*, a standing still]. ＝venostasis. *1* 静脈うっ滞（静脈内の血液の動きが異常に遅く，通常，静脈の拡張を伴う）．*2* 静脈血うっ滞法（四肢の近位静脈を止血帯で圧迫することによるうっ血性心不全の治療）．＝bloodless phlebotomy.

phleb·o·ste·no·sis (fleb′ō-stĕ-nō′sis) [phlebo- + G. *stenōsis*, a narrowing]. 静脈狭窄〔症〕（原因は何であれ静脈の管腔が狭くなること）.

phleb·o·throm·bo·sis (fleb′ō-throm-bō′sis) [phlebo- + thrombosis]. 静脈血栓症（一次性の炎症なしに起こる静脈中の血栓または血塊）.

phle·bot·o·mine (fle-bot′ō-mēn). *Phlebotomus*属のサシチョウバエに関する．

phle·bot·o·mist (fle-bot′ŏ-mist). しゃ(瀉)血士（しゃ血の

訓練を受け技術をもつ者).

phle·bot·o·mize (fle-bot′ŏ-mīz). しゃ(瀉)血する (①血を抜く. ②ヘモクロマトーシスのような鉄過剰を減少するために血液を繰り返し除去する).

Phle·bot·o·mus (flĕ-bot′ō-mŭs) [phlebo- + G. *tomos*, cutting]. フレボトムス属 (チョウバエ科 Phlebotominae 亜科の小型の双翅類で, 吸血性サシチョウバエの一属).

P. argentipes インドでみられるカラアザールの媒介昆虫.

P. chinensis シナサシチョウバエ (中国でみられるカラアザールの媒介昆虫).

P. flaviscutellatus キムネサシチョウバエ. = *Lutzomyia flaviscutellata.*

P. longipalpis ヒゲナガサシチョウバエ (南アメリカでみられるカラアザールの媒介昆虫). = *Lutzomyia longipalpis.*

P. major オオサシチョウバエ (地中海地方でみられるカラアザールの媒介昆虫).

P. noguchi ノグチサシチョウバエ (オロヤ熱の病原体である *Bartonella*属細菌の媒介昆虫).

P. orientalis トウヨウサシチョウバエ (スーダンでみられるカラアザールの媒介昆虫).

P. papatasii パパタシサシチョウバエ (パパタシ熱のウイルスを媒介する. 地中海地方の東洋瘤腫の病原体である熱帯リーシュマニア *Leishmania tropica* の媒介昆虫でもある).

P. perniciosus ユウガイイサシチョウバエ (地中海地方でみられるカラアザールの媒介昆虫).

P. sergenti ヒト媒介性の皮膚リーシュマニア症の原因となる熱帯リーシュマニア *Leishmania tropica* の媒介昆虫.

P. verrucarum イボサシチョウバエ (ペルーでみられる種で, オロヤ熱の病原体である *Bartonella*属細菌の媒介昆虫).

phle·bot·o·my (fle-bot′ŏ-mē) [phlebo- + G. *tomē*, incision]. 静脈切開, しゃ(瀉)血 (しゃ血のための静脈の切開または針による穿刺). = venesection; venotomy.

bloodless p. 非観血的静脈血しゃ血. = phlebostasis (2).

Phleb·o·vi·rus (fleb′ō-vī′rŭs). フレボウイルス (ブンヤウイルス科の一属で, 交差反応を示す 40 種以上のウイルスが含まれる. 主として *Phlebotomus*属のサシチョウバエによって媒介される. サシチョウバエ熱およびリフトバレー熱の原因となる).

phlegm (flem) [G. *phlegma*, inflammation]. ***1*** 粘液分泌過多 (粘液, 特に口腔から痰などとして吐きだす粘液の量が異常に多いこと). ***2*** 粘液質 (古代ギリシアの, 四体液と考えられたものの 1 つ).

phleg·ma·si·a (fleg-mā′zē-ă) [G. < *phlegma*, inflammation]. 急性で重篤な炎症を表す現在では用いられない語.

p. cerulea dolens 有痛[性]青股腫 (肢の静脈血栓症. 腫脹, チアノーゼ, 浮腫を伴った激しい痛みが突然起こり, 続いて循環の虚脱, ショックが起こる).

phleg·mat·ic (fleg-mat′ik) [G. *phlegmatikos*, relating to phlegm]. 粘液質の (古代ギリシアの四体液(→phlegm)のうち重いもので, そのため, 沈着, 無感動で, 冷静な気質を有する).

phleg·mon (fleg′mŏn) [G. *phlegmonē*, inflamed swelling < *phlegma*, flame]. 蜂巣[織]炎 (連鎖球菌による炎症で, 周辺拡大傾向があり, 皮下や筋肉に広がったり, 膿や壊疽を形成することがある).

phleg·mon·ous (fleg′mon-ŭs). フレグモーネの, 蜂巣炎の.

phlo·gis·ton (flō-jis′tŏn) [G. *phlogistos*, inflammable]. フロギストン, 燃素 (負の質量をもつ仮想上の物質. G. E. Stahl の理論によると, 物質が燃焼するときにその物質から放出されるもので, 燃える前の物質より灰の質量が増加する. Priestley と Lavoisier による酸素発見以来使われなくなった).

phlo·go·sin (flō′gō-sin) [G. *phlogōsis*, inflammation]. フロゴシン (化膿球菌の培養から分離された物質. この滅菌溶液を注射すると化膿を引き起こす).

phlo·go·ther·a·py (flō′gō-thār′ă-pē) [G. *phlogōsis*, inflammation + therapy]. 非特異的療法. = nonspecific *therapy.*

phlo·rid·zin (flō-rid′zin). フロリジン (リンゴの木の多くの部分に存在するジヒドロカルコン. 動物に実験的に糖尿を発症させるために用いる). = phlorizin.

phlo·ri·zin (flō-ri′zin). フロリジン. = phloridzin.

phlor·o·glu·cin, phlor·o·glu·cin·ol, phlor·o·glu·col (flōr′ō-glū′sin, -glū′sin-ol, -glū′kol) [phloridzin + G. *glykys*, sweet + -in]. フロログルシン, フロログルシノール, フロログルコール (ピロガロールの異性体. レゾルシノールから苛性ソーダとの融解によって得られる. バニリンとともに試薬として, 骨標本の脱石灰化剤として, また抗痙攣薬として用いられる).

phlox·ine (flok′sin) [C.I. 45405]. フロキシン (赤色の酸性染料で, 組織学において細胞質の染色に用いる).

phlyc·ten·u·la, pl. **phlyc·ten·u·lae** (flik-ten′yū-lă, -yū-lē) [Mod. L.: G. *phlyktaina*(blister)の指小辞]. 小フリクテン, 小水疱 (結膜中にみられる潰瘍尖をもつリンパ様細胞からなる小さく赤い結節). = phlyctenule.

phlyc·ten·u·lar (flik-ten′yū-lăr). 小フリクテンの, 小水疱の.

phlyc·ten·ule (flik′ten-yūl). = phlyctenula.

phlyc·ten·u·lo·sis (flik′ten-yū-lō′sis). フリクテン症 (内因性毒素による角膜および結膜の結節性感受性亢進).

PHN public health *nurse*; postherpetic *neuralgia* の略.

PhNCS phenylisothiocyanate の記号.

PHOBIA

pho·bi·a (fō′bē-ă) [G. *phobos*, fear]. 恐怖[症] (ある対象に向けられている, 客観的な根拠のない病的な恐れや心配で, パニック状態を引き起こす. 本語は恐怖を引き起こす対象をさした語(以下に列挙)と結び付けて用いられる).

alcoholism アルコール症への. → alcoholophobia.

animals 動物への. → zoophobia.

bees ハチへの. → apiphobia; melissophobia.

being beaten 激しくたたかれることへの. → rhabdophobia.

being buried alive 生き埋めへの. → taphophobia.

being dirty 汚れることへの. → automysophobia.

being locked in 閉じ込められることへの. → clithrophobia.

being stared at 見つめられることへの. → scopophobia.

birth of malformed fetus 奇形児誕生への. → teratophobia.

blood 血液や出血への. → hemophobia.

blushing 赤面することへの. → ereuthophobia.

cancer 癌への. → cancerophobia; carcinophobia.

cats ネコへの. → ailurophobia.

childbirth 出産への. → tocophobia.

children 小児への. → pediophobia.

choking 窒息への. → pnigophobia.

climbing 登山への. → climacophobia.

cold 寒さへの. → psychrophobia.

colors 色彩への. → chromatophobia; chromophobia.

confinement 閉じ込められることへの. → claustrophobia.

corpses 死体への. → necrophobia.

crossing a bridge 橋を渡ることへの. → gephyrophobia.

crowds 群集への. → ochlophobia.

dampness 湿気への. → hygrophobia.

darkness 暗闇への. → nyctophobia; scotophobia.

dawn 夜明けへの. → eosophobia.

daylight 日光への. → phengophobia.

death 死への. → thanatophobia.

deep places 深い所への. → bathophobia.

deserted places 荒涼とした所への. → eremophobia.

dirt 不潔なものへの. → mysophobia; rhypophobia.

disease 疾病への. → nosophobia; pathophobia.

disorder 不秩序への. → ataxiophobia.

dogs イヌへの. → cynophobia.

dolls 人形への. → pediophobia.

drafts 隙間風への. → aerophobia; anemophobia.

drugs 薬への. → pharmacophobia.

eating 食べることへの. → phagophobia.

electricity 電気への. →electrophobia.
enclosed space 囲まれた空間への. →claustrophobia.
error 間違いへの. →hamartophobia.
everything すべてのものへの. →panphobia.
excrement 排泄物への. →coprophobia.
fatigue 疲労への. →ponophobia; kopophobia.
fever 熱への. →pyrexiophobia.
filth 汚物への. →rhypophobia.
fire 火への. →pyrophobia.
fish 魚への. →ichthyophobia.
food 食物への. →cibophobia.
forests 森林への. →hylephobia.
fur 毛皮への. →doraphobia.
germs 細菌への. →microphobia.
ghosts 幽霊への. →phasmophobia.
girls 少女への. →parthenophobia.
glare of light まばゆい光への. →photaugiaphobia.
glass ガラスへの. →crystallophobia; hyalophobia.
God 神への. →theophobia.
hair 髪への. →trichophobia; trichopathophobia.
heart disease 心臓病への. →cardiophobia.
heat 暑さへの. →thermophobia.
heights 高さへの. →acrophobia.
home, returning to 家へ帰宅することへの. →nostophobia.
human companionship 人間関係への. →anthropophobia; phobanthropy.
ideas 観念への. →ideophobia.
infection 感染への. →molysmophobia.
insects 昆虫への. →entomophobia.
itching かゆみへの. →acarophobia.
jealousy 嫉妬への. →zelophobia.
lice シラミへの. →pediculophobia; phthiriophobia.
light 光への. →photophobia.
lightning 点灯することへの. →astrapophobia; keraunophobia.
machinery 機械への. →mechanophobia.
malignancy 悪性(腫瘍)への. →cancerophobia; carcinophobia.
many things たくさんのものへの. →polyphobia.
marriage 結婚への. →gamophobia.
men (males) 男性への. →androphobia.
metal objects 金属物への. →metallophobia.
microorganisms 微生物への. →microphobia.
minute objects 微小物への. →microphobia.
mirrors 鏡への. →spectrophobia.
missiles ミサイルへの. →ballistophobia.
moisture 湿気への. →hygrophobia.
movements 運動への. →kinesophobia.
nakedness 裸体への. →gymnophobia.
names 名前への. →nomatophobia; onomatophobia.
neglect of duty, omission of duty 責任回避または怠慢への. →paralipophobia.
night 夜への. →nyctophobia.
novelty 新しいもの(こと)への. →neophobia.
odors 臭気への. →olfactophobia; osmophobia; osphresiophobia; bromidrosiphobia.
open spaces 広い場所への. →agoraphobia.
pain 痛みへの. →algophobia.
parasites 寄生虫への. →parasitophobia.
phobias 恐怖症への. →phobophobia.
places 場所への. →topophobia.
pleasure 快楽への. →hedonophobia.
pointed objects とがった物への. →aichmophobia.
poisoning 中毒への. →toxicophobia; iophobia.
poverty 貧困への. →peniaphobia.
precipices 崖への. →cremnophobia.
pregnancy 妊娠への. →maieusiophobia.
radiation 放射能への. →radiophobia.
rain 雨への. →ombrophobia.
rectal disease 直腸疾患への. →proctophobia; rectophobia.
religious objects, sacred objects 宗教的なまたは神聖なものへの. →hierophobia.
responsibility 責任への. →hypengyophobia.
rivers 河川への. →potamophobia.
robbers 強盗への. →harpaxophobia.
school p. 学校恐怖〔症〕(児童が突然登校を嫌忌したり，恐れたりするようになることで，通常は分離不安の現れとして考えられている).
sea 海への. →thalassophobia.
self 自分自身への. →autophobia.
semen, loss of 精子喪失への. →spermatophobia.
sexual intercourse 性交への. →coitophobia; cypridophobia.
sexual love 性愛への. →erotophobia.
sharp objects 鋭利な物への. →belonephobia.
simple p. 単純恐怖. =specific p.
sin 罪悪への. →hamartophobia.
sinning 罪を犯すことへの. →peccatiphobia.
skin of animals 動物の皮への. →doraphobia.
skin diseases 皮膚病への. →dermatophobia.
sleep 眠ることへの. →hypnophobia.
snakes 蛇への. →ophidiophobia.
social p. 社会恐怖（①社交状況または活動状況に対する著しい恐怖の持続的なパターンで，その状況への暴露時またはそれを予期するときに不安またはパニックを生じ，それを当人は不合理または極端と自覚しながらも社会的機能が著しく妨げられる. ②DSM 診断の 1 つで特定の診断基準を満たせば確定する).
solitude 孤独への. →eremophobia; autophobia; monophobia.
sounds 音への. →acousticophobia; phonophobia.
speaking 話すことへの. →laliophobia.
specific p. 特定の恐怖（①特定の対象や状況に対する著しい恐怖の持続的なパターンで，その状況への暴露時またはそれを予期するときに不安またはパニックを生じ，それを当人は不合理または極端と自覚しながらも社会的機能が著しく妨げる. ②DSM 診断の 1 つで特定の診断基準を満たせば確定する). =simple p.
spiders クモへの. →arachnephobia.
stairs 階段への. →climacophobia.
stealing 盗むことへの. →kleptophobia.
strangers 他人への. →xenophobia.
stuttering どもることへの. →laliophobia.
sun 太陽への. →heliophobia.
teeth 歯に対する. →odontophobia.
thirteen 13 への. →triskaidekaphobia.
thunder 雷への. →keraunophobia; tonitrophobia; brontophobia.
time 時間への. →chronophobia.
touching, being touched 触れる，または触れられることへの. →haphephobia.
traveling 旅行への. →hodophobia.
trembling 震えることへの. →tremophobia.
uncleanliness 不潔への. →automysophobia.
vaccination 予防接種への. →vaccinophobia.
vehicles 乗物への. →amaxophobia; hamaxophobia.
venereal disease 性病への. →cypridophobia; venereophobia.
voices 声への. →phonophobia.
walking 歩行への. →basiphobia.
water 水への. →aquaphobia.
wind 風への. →anemophobia.
women (females) 女性への. →gynephobia.
work 仕事への. →ergasiophobia.
worms 虫への. →helminthophobia.
writing 書くことへの. →graphophobia.

---

pho·bic (fō′bik). 恐怖〔症〕の.
pho·bo·pho·bi·a (fō′bō-fō′bē-ă) [G. *phobos*, fear]. 恐怖症恐怖（ある恐怖症にかかりはしないかと病的に恐れている状態).

pho·co·me·li·a, pho·com·e·ly (fō′kō-mē′lē-ă, fō-kom′ĕ-lē) [G. *phōkē*, a seal + *melos*, extremity]. フォコメリー，アザラシ肢症，アザラシ状奇形（四肢部分欠損奇形の1つ．腕または脚，あるいはその両方が発達欠損し，アザラシのひれ足に似て手と脚とが体幹に近接している奇形）．

phol·co·dine (fol′kō-dēn). フォルコジン（鎮痛作用あるいは多幸感を起こす作用をほとんどもたない麻薬．主として鎮咳薬として用いる）．

Pho·ma (fō′mă). フォーマ属（実験室で普通にみられる汚染菌で，植物の病原体としても一般的な，成長が速い真菌の一属．まれに免疫抑制患者の感染症の原因となる）．

phon (fōn). ホン（音の大きさ(ラウドネス)の単位）．

phon- →phono-.

pho·nac·o·scope (fō-nak′ō-skōp) [phon- + G. *akouō*, to listen + *skopeō*, to view]. 聴打診器（打診音または声音の強さを増大させるための器具．検者の耳または聴診器は器具と反対側の胸部に置く）．

pho·na·cos·co·py (fō′nă-kos′kŏ-pē). 聴打診法（聴打診器を用いた胸の検査）．

pho·nal (fō′năl) [G. *phōnē*, voice]. 声の，音の．

phon·ar·te·ri·o·gram (fōn′ar-tēr′ē-ō-gram). 動脈音図（動脈音を記録する方法で，現在は用いられていない）．

phon·ar·ter·i·og·ra·phy (fōn′ar-tēr′ē-og′ră-fē). 動脈音図（動脈の音を記録する方法）．

phon·as·the·ni·a (fōn′as-thē′nē-ă) [phon- + G. *astheneia*, weakness]. 音声衰弱〔症〕（疲労によると思われる音声の減弱）．

pho·na·tion (fō-nā′shŭn) [G. *phōnē*, voice]. 発声（声帯の振動による発声）．

pho·na·tor·y (fō′nă-tōr′ē). 発声の．

pho·neme (fō′nēm) [G. *phōnēma*, a voice]. 音素（音声単位）．

pho·ne·mic (fō-nē′mik). 音素の．

pho·nen·do·scope (fō-nen′dō-skōp) [phon- + G. *endon*, within + *skopeō*, to view]. 拡声聴診器（2枚の平行な共鳴板により聴診音を増幅する聴診器．1枚は患者の胸部上に置くか聴診器のチューブに接続し，もう1枚はそれとともに振動する）．

pho·net·ic (fō-net′ik) [G. *phōnētikos*]. 音声の（→phonic）．

pho·net·ics (fō-net′iks). 音声学（発声および発音の科学）．＝phonology.

pho·ni·at·rics (fō′nē-at′riks) [phon- + G. *iatrikos*, of the healing art]. 音声医学，音声治療学（発声の研究．発声学）．

phon·ic (fon′ik, fō′nik). 音声の，音の（→phonetic）．

phono-, phon- [G. *phōnē*]. 音，言語，音声を意味する連結形．

pho·no·an·gi·og·ra·phy (fō′nō-an′jē-og′ră-fē) [phono- + G. *angeion*, vessel + *graphō*, to write]. 血管音図法（狭窄部位を通過する渦状動脈血流雑音の成分の周波数と強度を記録・分析する方法）．

pho·no·car·di·o·gram (fō′nō-kar′dē-ō-gram). 心音図（心音計によって測定された心音の記録）．

pho·no·car·di·o·graph (fō′nō-kar′dē-ō-graf). 心音計（マイクロホン，増幅器，フィルタを使用して心音を図式に記録するための器械で，オシロスコープ上に表示するかまたはアナグロ記録として紙に書かせる）．

linear p. 直線〔増幅型〕心音計（心活動によるすべての胸壁の振動を，低周波数の振動をフィルタ特性のために強調して記録する心音計）．

logarithmic p. 対数〔増幅型〕心音計（ヒトの聴覚器の周波数の対数値と強度反応の特性を模倣して設計されたフィルタ特性のために，より高周波に重点を置き，理論的に耳に聞こえる振動のみを記録する心音計）．

spectral p. スペクトル心音計（心音を記録する装置で，心音は，マイクロホンから，特定の周波帯に転換できる一連のフィルタを通り，電気的変化にする．各フィルタからの出力は，フィルタを通って伝わる音の強さに比例して分かれた光源を光らせる．光は周波数の低下する順に縦に並べられる．記録は光の縦の列の撮影として得られる）．

stethoscopic p. 聴診器心音計（聞こえるものも聞こえないものも聴診器によって伝えられるすべての音の振動を記録する心音計．しかし，きわめて遅い，体動の範囲内の振動はとらえない）．

pho·no·car·di·og·ra·phy (fō′nō-kar′dē-og′ră-fē) [phono- + G. *kardia*, heart + *graphō*, to record]. 心音図検査〔法〕（①心音計で心音を記録すること．②心音図の解釈に関する学問）．

pho·no·cath·e·ter (fō′nō-kath′ĕ-tĕr). 心音カテーテル（心臓および大きな血管内からの音および雑音を記録するため，その先端に小型マイクロホンを納めてある心臓カテーテル）．

pho·no·gram (fō′nō-gram) [phono- + G. *gramma*, diagram]. 音曲線（音の持続および強度をグラフ上に描写する曲線）．

pho·nol·o·gy (fō-nol′ŏ-jē) [phono- + G. *logos*, study]. 音声学．＝phonetics.

pho·no·ma·ni·a (fō′nō-mā′nē-ă) [G. *phonos*, murder + *mania*, frenzy]. 殺人狂に対してまれに用いる語．

pho·nom·e·ter (fō-nom′ĕ-tĕr) [phono- + G. *metron*, measure]. 音声計（音の周波数および強度を測定する器具）．

pho·no·my·oc·lo·nus (fō′nō-mī-ok′lŏ-nŭs) [phono- + G. *mys*, muscle + *klonos*, tumult]. フォノミオクローヌス，音性筋間代（[誤った発音 phonomyoclo′nus を避けること]．音性刺激に従って起こるクローヌス様の筋収縮）．

pho·no·my·og·ra·phy (fō′nō-mī-og′ră-fē) [phono- + G. *mys*, muscle + *graphē*, drawing]. 筋音描写〔法〕（収縮する筋組織によってつくられた種々の音の記録）．

pho·nop·a·thy (fō-nop′ă-thē) [phono- + G. *pathos*, suffering]. 発声異常（発声に影響する音声器官の病気）．

pho·no·pho·bi·a (fō′nō-fō′bē-ă) [phono- + G. *phobos*, fear]. ***1*** 音〔声〕恐怖〔症〕（自分自身の声あるいはあらゆる音に対する病的な恐れ．→decreased sound *tolerance*; misophonia; hyperacusis）． ***2*** 音恐怖（雑音に対する異常な感度，片頭痛の共通の特徴）．

pho·no·phore (fō′nō-fōr) [phono- + G. *phoros*, carrying]. 担音器（鐘形の容器部分の中に，聴診管の後屈した先端が突き出している双耳型聴診器の一種）．

pho·no·pho·tog·ra·phy (fō′nō-fō-tog′ră-fē) [phono- + photography]. 音写真〔法〕（音波により振動板へ伝達される運動を，動いている写真板上に記録すること，またはその方法）．

pho·nop·si·a (fō-nop′sē-ă) [phono- + G. *opsis*, vision]. 音視〔症〕（ある音を聞くと色の主観的な感覚が起こる状態）．

pho·no·re·cep·tor (fō′nō-rē-sep′tŏr). 音〔覚〕受容器（刺激音に対する受容器）．

pho·no·scope (fō′nō-skōp) [phono- + G. *skopeō*, to view]. 聴診的打診を記録する器具を表す現在では用いられない語．最初は心音の写真式記録に用いた．

pho·nos·co·py (fō-nos′kŏ-pē). フォノスコピー（フォノスコープによる記録）．

pho·no·sur·ger·y (fō′nō-ser′jĕr-ē). 音声手術（音声の改善や改造を目的にデザインされた一連の手術）．

phor- →phoro-.

phor·bin (fōr′bin). ホルビン（クロロフィルの主幹炭化水素．ポルフィン(ポルフィリン)とはポルフィン(ポルフィリン)の13位と15位との二炭素置換基の架橋の付加および17—18二重結合の飽和(共役二重結合の再配列で)によって形成された同元素環が存在するという点で異なっている．特定の位置に炭化水素の側鎖が付加すると接頭語によって特徴付けられたホルビン類を与える．例えばフェノホルビン）．

phor·bol (fōr′bol). ホルボール（発癌補助物質の主幹アルコールで，クロトン油にみられるホルボールの12,13 (9,9a)ジエステル．その炭化水素骨格はシクロプロパベンズアズレン．ホルボールエステルはプロテインキナーゼC活性化因子として，1,2-ジアシルグリセロールに類似している）．

pho·re·sis (fō-rē′sis) [G. *phorēsis*, a being borne]. [pheresis と混同しないこと]． ***1*** 泳動．＝electrophoresis. ***2*** 便乗（1匹の生物がもう1匹の生物によって運ばれる生物学的関係．例えばヒトヒフバエ *Dermatobia hominis* の卵がカの足にくっついたまま，このヒフバエの幼虫が成長するヒト，ウシ，または他の宿主へ運ばれる）．＝epizoic commensalism; phoresy.

phor·e·sy (for′ĕ-sē). ＝phoresis (2).

phor·i·a (fōr′ē-ă) [G. *phora*, a carrying, motion]. 斜位（適

当な融像刺激が存在しないときに，与えられた目標への注視中の眼位．→cyclophoria; esophoria; exophoria; heterophoria; hyperphoria; hypophoria; orthophoria)．

Phor·mi·a re·gi·na (fōr′mē-ă rĕ-jī′nă)．黒いキンバエ．その幼虫は死んだ組織の除去を助ける蛋白分解酵素を分泌することから，以前，感染創の治療に用いられた．羊毛の中に卵を産み付けてヒツジのハエウジ病の原因となることがしばしばあり，寒冷地帯に広く分布して，死んだ組織あるいは腐敗した組織上に卵を産む．

phoro-, phor- [G. *phoros*, carrying, bearing]．運ぶこと(人)，持つこと(人)，あるいは斜位を意味する連結形．

phor·o·zo·on (fōr′ō-zō′on) [phoro- + G. *zōon*, animal]．無性生殖期（生活環中で数段階を経る動物の生活史における無性世代)．

phos- [G. *phōs*]．光に関する連結形．

phose (fōz) [G. *phōs*, light]．光点自覚症（閃光，光または色の知覚のような，自覚的視覚)．

phos·gene (CG) (fos′jēn)．ホスゲン；carbonyl chloride (通常の温度で著しい毒性のある気体．8.2°C 以下では無色の液体．潜行性ガスであり，致死濃度を吸入したときでも，すぐには刺激しない．第一次世界大戦での化学兵器による死者の80 %以上は，ホスゲンによるものである)．

p. oxime (CX) ホスゲンオキシム（軍や一部の組織・団体が保有するびらん剤．速効的に疼痛を誘発させる強力な刺激作用を有する)．＝dichloroformoxime.

phosph-, phospho-, phosphor-, phosphoro- [G. *phōs*, light; *phoros*, carrying]．化合物中のリンの存在を示す接頭語．この接頭語の特殊用法は phospho- 参照．

phosphacan (fŏs-fah′kan)．ホスファカン，フォスファカン（ニューロンと神経細胞接着分子に結合するコンドロイチン硫酸プロテオグリカンで，神経分化に関係する神経・グリア相互作用を調節する)．

phos·pha·gen (fos′fă-jen)．ホスファゲン（高エネルギー性のグアニジンリン酸やアミジンリン酸．筋肉や脳でのエネルギー貯蔵庫として供する．例えば，哺乳類ではホスホクレアチンで，無脊椎動物ではホスホアルギニンである．他のホスファゲンとしてはホスホアグマチン，ホスホグリコシアミン，ホスホロンブリシンがある)．

phos·pha·gen·ic (fos′fă-jen′ik)．リン酸塩産生の．

phos·pham·ic ac·id (fos-fam′ik as′id)．ホスファミン酸；R–NH–PO_3H_2（高エネルギーリン酸化合物の３型のうちの１つ．他の２型は phosphophosphoric acids と phosphosulfuric acids)．

phos·pham·i·dase (fos-fam′i-dās)．ホスファミダーゼ．＝phosphoamidase.

phos·pha·stat (fos′fă-stat) [phosphate + L. *status*, a standing]．ホスファスタット（リンのレベルが正常値以上に増加するときに，上皮小体ホルモンが増加する概念的機構．現在，その存在についての確証はない)．

phos·pha·tase (fos′fă-tās) [EC 3.1.3.x]．ホスファターゼ（リン酸エステルから正リン酸を遊離させる酵素のグループ．→phosphohydrolases)．

acid p. 酸性ホスファターゼ（至適 pH 7 以下(数種のアイソザイムでは，pH 5.4 である)のホスファターゼ．前立腺に著しく存在する．Gomori 非特異的酸性ホスファターゼ染色によりリソソーム中にみられる．多くの正リン酸モノエステルを加水分解する)．

alkaline p. アルカリホスファターゼ（至適 pH 7 以上であり，遍在しているホスファターゼ．Gomori 非特異的アルカリホスファターゼ染色の変法により膜に細胞化学的に局在する．多くの正リン酸モノエステルを加水分解する．低ホスファターゼ血症ではこの酵素が低値を示す)．

phos·phate (P) (fos′fāt)．リン酸塩またはエステル．以下に記載のない個々の phosphate については，基部の名前の項参照．

bone p. 骨質リン酸塩．＝tribasic *calcium* phosphate.

codeine p. リン酸コデイン（コデインの水溶性塩で，コデインを含有する内服用水剤の調製に汎用される)．

cyclic p. 環状リン酸塩．＝adenosine 3′,5′-cyclic monophosphate.

dihydrogen p. 二水素リン酸塩（1/3 中和されたリン酸．例えば，NaH_2PO_4，KH_2PO_4)．

energy-rich p.'s エネルギー強リン酸塩．＝high-energy p.'s.

high-energy p.'s 高エネルギーリン酸塩（加水分解で，きわめて大量のエネルギーを産生するリン酸エステルやリン酸無水物．例えば ATP などのヌクレオチドポリリン酸塩，ホスホエノールピルビン酸などのエノールリン酸塩．→high-energy *compounds*)．＝energy-rich p.'s.

inorganic p. (Pi) 無機リン酸．＝inorganic *orthophosphate.*

monopotassium p. 一カリウムリン酸塩；KH_2PO_4（試薬として用いる二水素リン酸塩．通常，緩衝剤に用いる)．

monosodium p. 一ナトリウムリン酸塩（試薬として用いる二水素リン酸塩．通常，緩衝剤に用いる)．

normal p. 正リン酸塩（すべての水素原子が置換されているリン酸やピロリン酸塩．例えば，Na_3PO_4，$Na_4P_2O_7$)．

organic p. 有機リン酸塩（リン酸エステル．例えば，グリセロリン酸，アデノシンリン酸，ヘキソースリン酸)．

triple p. 三〔重〕リン酸塩（①リン酸マグネシウムアンモニウム $MgNH_4PO_4$．②リン鉱およびリン酸からの粗リン酸肥料生成物)．

trisodium p. リン酸三ナトリウム（脂肪，油，グリースを乳化するのに用いる物質．刺激性物質)．

phos·phate a·ce·tyl·trans·fer·ase (fos′fāt a-sē′til-trans′fĕr-ās)．リン酸アセチルトランスフェラーゼ（アセチル CoA から正リン酸へアセチル基を転移させ，アセチルリン酸と CoA を生成させるのを触媒する酵素)．＝phosphoacylase; ph osphotransacetylase.

phos·phat·ed (fos′fāt-ĕd)．リン酸塩含有の．

phos·pha·te·mi·a (fos′fă-tē′mē-ă) [phosphate + G. *haima*, blood]．リン酸塩血〔症〕（血液中の異常に高濃度の無機リン酸塩)．

phos·phat·ic (fos-fat′ik)．リン酸塩の．

phos·pha·ti·dal (fos′fă-tī′dăl)．ホスファチダール（alk-1-enylglycerophospholipid の古い慣用名，プラスメニル)．

phos·pha·ti·dase (fos′fă-tī′dās)．ホスファチダーゼ．＝*phospholipase* A_2.

phos·pha·ti·date (fos′fă-tī′dāt)．ホスファチジン酸塩またはエステル．

p. phosphatase ホスファチジン酸ホスファターゼ（ホスファチジン酸の加水分解により正リン酸と 1,2–ジアシルグリセロールを生成させる反応を触媒する酵素．この酵素はリン脂質とトリアシルグリセロール代謝に関与する)．

phos·pha·tide (fos′fă-tīd)．ホスファチド（①phosphatidic acid の旧名．②phosphatidate の旧名)．

phos·pha·tid·ic ac·id (fos′fă-tid′ik as′id)．ホスファチジン酸；1,2-diacylglycerol phosphate (グリセロリン酸の誘導体で，グリセロールの２個の未置換の水酸基が脂肪酸で置換される．コリンに付いたホスファチド酸類は，ホスファチジルコリン類(レシチン類)などである)．

phos·pha·ti·do·lip·ase (fos′fă-tī′dō-lip′ās)．ホスファチドリパーゼ．＝*phospholipase* A_2.

phos·pha·ti·dyl (Ptd) (fos′fă-tī′dĭl)．ホスファチジル（ホスファチジン酸の基．例えばホスファチジルコリン)．

phos·pha·ti·dyl·cho·line (PtdCho) (fos′fă-tī′dĭl-kō′lēn)．ホスファチジルコリン（→lecithin)．

phos·pha·ti·dyl·eth·a·nol·a·mine (PtdEth) (fos′-fă-tī′dĭl-eth′ă-nol′ă-mēn)．ホスファチジルエタノールアミン（ホスファチジン酸とエタノールアミンの縮合物．生体膜に存在する．→cephalin)．

p. cytidylyltransferase ホスファチジルエタノールアミンシチジリルトランスフェラーゼ（セファリンの生合成の重要酵素．ホスホエタノールアミンと CTP の反応により CDP エタノールアミンとピロリン酸を与える反応を触媒する)．

phos·pha·ti·dyl·glyc·er·ol (PG) (fos′fă-tī′dĭl-glis′ĕr-ol)．ホスファチジングリセロール（２番目のグリセロール分子が通常のコリン，あるいはエタノールアミンまたはセリンに置換されているホスファチジン酸．ヒト羊水中の成分で，妊娠末期に証明されれば胎児肺の成熟度を表す)．

phos·pha·ti·dyl·in·o·si·tol (PtdIns) (fos′fă-tī′dĭl-in-ō′si-tol)．ホスファチジルイノシトール（イノシトールと結合したホスファチジン酸．生体膜に存在し，ある種の細胞性シグナルの前駆物質である．ときに inositide とよぶ)．＝phosphoinositide.

p. 4,5-bisphosphate (**PIP$_2$, PtdIns(4,5)P$_2$**) ホスファチジルイノシトール 4,5–二リン酸（さらに 2 か所のリン酸化された部位をもつホスファチジルイノシトール．ジアセチルグリセロールやイノシトール 1,4,5–三リン酸などのセカンドメッセンジャーの前駆物質や細胞膜リン脂質の重要成分である).

p. 4-phosphate ホスファチジルイノシトール 4–リン酸（ホスファチジルイノシトールからホスファチジルイノシトール 4,5–二リン酸の生合成の中間体).

p. synthase ホスファチジルイノシトールシンターゼ（CDP ジアシルグリセロールとイノシトールとから CMP とホスファチジルイノシトールを生成する反応を触媒する酵素．小胞体中に見出される).

phos·pha·ti·dyl·ser·ine (PtdSer) (fos′fă-tī′dĭl-ser′ēn). ホスファチジルセリン（ホスファチジン酸とセリンの縮合物．生体膜に存在する．→cephalin).

phos·pha·tu·ri·a (fos′fat-yū′rē-ă) [phosphate + G. *ouron*, urine]. リン酸塩尿〔症〕（リン酸塩の尿中への過剰排泄)．＝phosphoruria; phosphuria.

phos·phene (fos′fēn) [G. *phōs*, light + *phainō*, to show]. 閃光〔感覚〕，眼〔内〕閃〔光〕（神経系の末梢あるいは中枢視覚路の機械的または電気的刺激によって生じる光感覚).

accommodation p. 調節眼閃光（調節中に起こる閃光．毛様体筋の突然の弛緩による).

phos·phide (fos′fīd). リン化物（原子価 3 のリンの化合物．例えば，sodium phosphide, Na_3P).

phos·phine (fos′fēn, -fin). ホスフィン，気体水素化リン（特徴のあるニンニク様の臭気を有する無色の毒ガス(PH_3)．殺鼡薬の有効成分．リンを含有する有機物の腐敗に伴って少量生成する)．＝hydrogen phosphide; phosphureted hydrogen.

phosphinico- 化学で，対称的に 2 重に置換されたホスフィン酸 R_2P-(O)OH を表す接頭語．

phos·phite (fos′fīt). 亜リン酸塩．

phospho- *O*-phosphono- を表す接頭語．接尾語 phosphate に相当する．例えば，glucose phosphate は *O*-phosphonoglucose または phosphoglucose である．→phosph-; phosphoryl-.

phospho-τ (fos-fō-tow). phosphorylated tau protein(リン酸化タウ蛋白)の略．

phos·pho·ac·y·lase (fos′fō-as′i-lās). ホスホアシラーゼ．＝phosphate acetyltransferase.

3′-phos·pho·a·den·o·sine 5′-phos·phate (PAP) (fos′fō-a-den′ō-sēn fos′fāt). 3′–ホスホアデノシン 5′–リン酸（スルフリル(硫酸)基転移反応の生成物).

3′-phos·pho·a·den·o·sine 5′-phos·pho·sul·fate (PAPS) (fos′fō-a-den′ō-sēn fos′fō-sŭl′fāt). →adenosine 3′-phosphate 5′-phosphosulfate.

phos·pho·am·i·dase (fos′fō-am′i-dās) ホスホアミダーゼ（リン–窒素結合の加水分解を触媒する酵素．特に *N*–ホスホクレアチンのクレアチンおよび正リン酸への加水分解を触媒する)．＝phosphamidase.

phos·pho·am·ides (fos′fō-am′īdz). ホスホアミド（リン酸のアミド類(phosphoramidic acids)および一般式 $(HO)_2P(O)–NH_2$ の塩またはエステル(phosphoramidates)．例えばクレアチンリン酸).

phos·pho·ar·gi·nine (fos′fō-ar′ji-nēn). リン酸アルギニン（L–アルギニンとリン酸との化合物(特にホスファゲン)でホスホアミド結合をもつ．無脊椎動物の筋収縮のエネルギー源．脊椎動物の筋中のクレアチンリン酸に対応する．*cf.* phosphocreatine)．＝arginine phosphate.

phos·pho·cho·line (fos′fō-kō′lēn). ホスホコリン（レシチンの生合成におけるようにコリン代謝において重要である)．＝phosphorylcholine.

p. cytidylyltransferase ホスホコリンシチジリルトランスフェラーゼ（ホスホコリンと CTP とからピロリン酸と CDP コリンを生成させる反応を触媒する酵素．レシチンの生合成の律速段階．この酵素はサイトゾル中では不活性である(リン酸化型酵素である)).

p. diacylglycerol transferase ホスホコリンジアシルグリセロールトランスフェラーゼ（レシチンの生合成の酵素で，1,2–ジアシルグリセロールと CDP コリンとの反応で，CMP とホスファチジルコリンを生成させる反応を触媒する).

phos·pho·cre·a·tine (fos′fō-krē′ă-tēn). ホスホクレアチン（クレアチンに(そのアミノ基によって)リン酸が結合した化合物．脊椎動物の筋肉の収縮でのエネルギー源．その脱離によりクレアチンキナーゼによる ADP から ATP への再合成に対してリン酸を供給する．*cf.* phosphoarginine)．＝creatine phosphate; N^{ω}–phosphonocreatine.

phos·pho·di·es·ter (fos′fō-dī-es′tĕr). ホスホジエステル（ジエステル化した正リン酸 RO–(PO_2H)–OR′ で，核酸などにみられる).

p. hydrolases ホスホジエステルヒドロラーゼ．＝phosphodiesterases.

phos·pho·di·es·ter·as·es (fos′fō-dī-es′tĕr-ās-ĕz) ホスホジエステラーゼ（cAMP や核酸のヌクレオチド間にみられるようなホスホジエステル結合を開裂し，より小さいポリヌクレオチドまたはオリゴヌクレオチド単位またはモノヌクレオチドを遊離させるが，正リン酸を遊離させない酵素)．＝phosphodiester hydrolases.

spleen p. 脾ホスホジエステラーゼ．＝micrococcal *endonuclease.*

phos·pho·dis·mu·tase (fos′fō-dis′myū-tās). ホスホジスムターゼ．＝phosphomutase.

phos·pho·*e*·*nol*·py·ru·vate car·box·y·kin·ase (fos′fō-ē′nol-pī-rū′vāt kar-boks′ē-kīn′ās). ホスホエノールピルビン酸カルボキシキナーゼ．＝*phosphoenolpyruvic acid* carboxykinase.

phos·pho·*e*·*nol*·py·ru·vic ac·id (fos′fō-ē′nol-pī-rū′vik as′id). ホスホエノールピルビン酸（エノール形のピルビン酸のリン酸エステル．D–グルコースのピルビン酸への変換の中間体で，高エネルギーリン酸エステルの一例).

p. a. carboxykinase ホスホエノールピルビン酸カルボキシキナーゼ（オキザロ酢酸と GTP とからホスホエノールピルビン酸，CO_2，GDP を生成させる反応を触媒する酵素．この酵素の生合成はインスリンによって低下する)．＝phospho*enol*pyruvate carboxykinase.

phos·pho·eth·a·no·la·mine (fos′fō-eth′a-nol′ă-mēn). ホスホエタノールアミン（セファリン生成の重要中間体．肝臓や脳においてエタノールアミンのリン酸化によって生成される).

p. cytidylyltransferase ホスホエタノールアミンシチジリルトランスフェラーゼ（セファリンの生合成の重要な酵素．ホスホエタノールアミンと CTP とから CDP エタノールアミンとピロリン酸を生成させる反応を触媒する).

1-phos·pho·fruc·tal·do·lase (fos′fō-frŭk-tal′dō-lās). 1–ホスホフルクトアルドラーゼ．＝fructose-bisphosphate aldolase.

phos·pho·fruc·to·al·do·lase (fos′fō-frŭk-tō-al′dō-lās). ホスホフルクトアルドラーゼ．＝fructose-bisphosphate aldolase.

1-phos·pho·fruc·to·ki·nase (fos′fō-frŭk′tō-kī′nās). 1–ホスホフルクトキナーゼ；fructose-1-phosphate kinase（D–フルクトース–1–リン酸の ATP(または他の NTP)などによる D–フルクトース–1,6–二リン酸および ADP(または他の NDP)へのリン酸化を触媒する酵素で，D–フルクトースの代謝の重要段階．この筋肉内酵素の欠損により糖原病 7 型になる).

6-phos·pho·fruc·to·ki·nase (fos′fō-frŭk′tō-kī′nās). 6–ホスホフルクトキナーゼ；phosphofructokinase I（D–フルクトース–6–リン酸の ATP(または他の NTP)による D–フルクトース–1,6–二リン酸および ADP(または他の NDP)へのリン酸化を触媒する酵素で，解糖の一段階を触媒する．この酵素は ATP かクエン酸のどちらかの濃度の上昇により阻害される．この酵素の欠損により溶血性貧血になる)．＝phosphohexokinase.

phos·pho·ga·lac·to·i·som·er·ase (fos′fō-gă-lak′tō-ī-som′ĕr-ās). ホスホガラクトイソメラーゼ．＝UDPglucose-hexose-1-phosphate uridylyltransferase.

phos·pho·glu·co·ki·nase (fos′fō-glū′kō-kī′nās). ホスホグルコキナーゼ（ATP の存在で，D–グルコース–1–リン酸の D–グルコース–1,6–二リン酸と ADP へのリン酸化を触媒する酵素で，酵母および筋肉中にみられる．D–グルコース–1,6–二リン酸はグリコゲン分解での酵素の 1 つの必須補因子である). ＝glucose-1-phosphate kinase.

phos·pho·glu·co·mu·tase (fos′fō-glū′kō-myū′tās). ホスホグルコムターゼ（必須補因子としてのグルコース–1,6–二リン酸の存在下で，α–D–グルコース–1–リン酸⇌α–D–グルコース–6–リン酸の可逆反応を触媒する酵素．グリコゲン分解の段階の１つ). ＝D-glucose phosphomutase.

phos·pho·glu·co·nate de·hy·dro·gen·ase (fos′fō-glū′kŏ-nāt dē-hī′drō-jen-ās). ホスホグルコン酸デヒドロゲナーゼ；6-phosphogluconic dehydrogenase（6–ホスホ–D–グルコン酸と $NAD(P)^+$ とにより 6–ホスホ–2–ケト–D–グルコン酸と NAD(P)H を生成する反応を触媒する酵素．この酵素の欠損が報告されているが，細胞破壊はみられない).

phos·pho·glu·co·nate de·hy·dro·gen·ase (de·car·box·y·lat·ing) (fos′fō-glū′kŏ-nāt dē-hī′drō-jen-ās dē′kar-boks′i-lāt′ing). ホスホグルコン酸デヒドロゲナーゼ(脱炭酸作用)（ペントースリン酸経路の１つの酵素で，6–ホスホ–D–グルコン酸と $NADP^+$ とから CO_2，NADPH，D–リブロース 5–リン酸への反応を触媒する).

6-phos·pho·glu·co·no·lac·to·nase (fos′fō-glū′kŏ-nō-lak′tō-nās). 6–ホスホグルコノラクトナーゼ（6–ホスホ–D–グルコノ–δ–ラクトンの 6–ホスホ–D–グルコン酸への加水分解を触媒するヒドロラーゼ．この酵素はペントースリン酸経路に関与する).

6-phos·pho-D-glu·co·no-δ-lac·tone (fos′fō-glū-kō′nō-lak′tōn). 6–ホスホ–D–グルコノ δ–ラクトン（ペントースリン酸経路の中間体で，D–グルコース 6–リン酸から生合成される).

phos·pho·glyc·er·ac·e·tals (fos′fō-glis′ĕr-as′ĕ-tălz). ホスホグリセロアセタール類．＝plasmalogens.

phos·pho·glyc·er·ate ki·nase (fos′fō-glis′ĕr-āt kī′nās). ホスホグリセレートキナーゼ（3–ホスホ–D–グリセリン酸と ATP から 3–ホスホ–D–グリセロイルリン酸と ADP を生成する過程を触媒する酵素．この酵素は解糖経路に関与する．この酵素の欠損(X 連鎖性疾患)により，ほとんどの細胞では解糖欠陥がみられる).

phos·pho·gly·cer·ic ac·id (fos′fō-gli-ser′ik as′id). ホスホグリセリン酸（① glyceroyl phosphoric acid; glyceroyl phosphate；グリセリン酸とリン酸との酸無水物．② 2-phosphoglyceric acid；その脱プロトン化体である 2–ホスホグリセリン酸は解糖の中間体である．③ 3-phosphoglyceric acid；その脱プロトン化体である 3–ホスホグリセリン酸は解糖の中間体である).

phos·pho·glyc·er·ides (fos′fō-glis′ĕr-īdz). ホスホグリセリド類（アシルグリセロールおよびジアシルグリセロールリン酸．神経組織の成分で，脂肪の転送や貯蔵に関与する).

phos·pho·glyc·er·o·mu·tase (fos′fō-glis′ĕr-ō-myū′tās). ホスホグリセロムターゼ（補因子としての2,3–ビスホスホグリセリン酸の存在下で，2–ホスホグリセリン酸と3–ホスホグリセリン酸の可逆的相互転換反応を触媒する異性化酵素．この酵素(解糖に関与する)の欠損は遺伝性疾患であり，激しい運動に耐えられなくなる).

phos·pho·hex·o·ki·nase (fos′fō-hek′sō-kī′nās). ホスホヘキソキナーゼ. ＝6-phosphofructokinase.

phos·pho·hex·o·mu·tase (fos-fō-hek′sō-myū′tās). ホスホヘキソムターゼ. ＝glucose-phosphate isomerase.

phos·pho·hex·ose i·som·er·ase (fos′fō-hek′sōs ī-som′ĕ-ās). ホスホヘキソースイソメラーゼ. ＝glucose-phosphate isomerase.

phos·pho·hy·dro·las·es (fos′fō-hī′drō-lās′ĕz) [EC 3.1.3.x]. ホスホヒドロラーゼ；phosphoric monoester hydrolases（リン酸エステルからリン酸(正リン酸として)を除く酵素．慣用名は通常，終わりがリン酸 phosphate となる).

phos·pho·in·o·si·tide (fos′fō-in-ō′si-tīd). ホスホイノシチド. ＝phosphatidylinositol.

phos·pho·ki·nase (fos′fō-kī′nās). ホスホキナーゼ.

phos·pho·lip·ase (fos′fō-lip′ās). ホスホリパーゼ（リン脂質の加水分解を触媒する酵素). ＝lecithinase.

p. A_1 ホスホリパーゼ A_1（レシチン(1,2–ジアシルグリセロホスホコリン)または同族リン脂質を加水分解して，2–アシルグリセロホスホコリンと脂肪酸のアニオンを生成させる酵素).

p. A_2 ホスホリパーゼ A_2（レシチン加水分解により 2–アシル基を除いてのリゾレシチンへの変換を触媒する酵素．また，他のリン脂質に働いてその２位から脂肪酸を１つ除去する．プロスタグランジンやロイコトリエンの生合成に重要な働きをする). ＝lecithinase A; phosphatidase; phosphatidolipase.

p. B ホスホリパーゼ B（①＝lysophospholipase. ②ホスホリパーゼ A_1 とホスホリパーゼ A_2 の混合物).

p. C ホスホリパーゼ C（ウェルチ菌 *Clostridium welchii* α–毒素．*Clostridium oedematiens* β–および γ–毒素．ホスファチジルコリン(および恐らく他のリン脂質)の加水分解によりコリンリン酸および 1,2–ジアセチルグリセロールを生成する反応を触媒する酵素．またスフィンゴミエリンにも作用する．イノシトール 1,4,5–三リン酸の生成における鍵酵素である．ウェルチ菌 C. *welchii* や C. *oedematiens* β および γ–毒素のほとんどはホスホリパーゼ C 活性をもつ). ＝lecithinase C; lipophosphodiesterase I.

p. D ホスホリパーゼ D（ホスファチジルコリンの加水分解によりコリンとホスファチジン酸を生成させる酵素．他のホスファチジルエステルにも作用する). ＝choline phosphatase; lecithinase D; lipophosphodiesterase II.

lipoprotein-associated p. A2 (Lp-PLA2) リポ蛋白関連ホスホリパーゼ A2（ヒト血清低密度リポ蛋白(LDL)に関連する蛋白．マクロファージによって発現し，アテローム性動脈硬化症の病巣に存在する．冠動脈疾患患者で著しく濃度が上昇する．Lp-PLA2 の酸化生成物はマクロファージを引きつけ泡沫細胞の形成を引き起こす原因となるので，アテローム性動脈硬化症の進行に重要な因子であると考えられている).

phos·pho·lip·id (fos′fō-lip′id). リン脂質（リンを含む脂質．レシチンおよび他のホスファチジル誘導体，スフィンゴミエリンおよびプラスマロゲンを含む．生体膜の基本構成成分).

phos·pho·mu·tase (fos′fō-myū′tās). ホスホムターゼ（酵素(ムターゼ)(EC 5.4.2.x)の１つで，供与体が再生されるので分子内転移を触媒すると考えられる．例えば，ホスホグリセロムターゼ，ホスホグルコムターゼ). ＝phosphodismutase.

phos·pho·ne·cro·sis (fos′fō-nĕ-krō′sis) [phosphorus ＋ G. *nekrōsis*, death(necrosis)]. リン〔骨〕壊死（リン蒸気吸入中毒によって起こる顎の骨の壊死で，特にリンを扱う労働者に多い).

phos·pho·ni·um (fos-fō′nē-ŭm). ホスホニウム（PR_4^+ 基).

phosphono- ホスホノ（他の原子と結合したリン酸基($-PO_3H_2$)を表す接頭語).

***O*-phosphono-** 酸素原子によって付いているリン酸基($-PO_3H_2$)，すなわちリン酸エステルを表す接頭語.→phospho-.

N^ω-phos·pho·no·cre·a·tine (fos′fō-nō-krē′ă-tēn). N^ω–ホスホノクレアチン. ＝phosphocreatine.

4′-phos·pho·pan·te·the·ine (fos′fō-pan′tĕ-thē′in). 4′–ホスホパンテテイン（脂肪酸シンターゼ複合体中のアシル担体蛋白の補欠分子族). ＝pantetheine 4′-phosphate.

phos·pho·pe·nia (fos′fō-pē′nē-ă) [phospho- ＋ G. *penia*, poverty]. リン酸塩低下症（血清リン酸塩値が低下した状態). ＝phosphorpenia.

phos·pho·pen·tose e·pim·er·ase (fos′fō-pen′tōs ĕ-pim′er-ās). ホスホペントースエピメラーゼ（多くのリン酸化ペントースの可逆的エピマー化反応を触媒する酵素．特にペントースリン酸経路でのリブロース 5–リン酸からキシルロース 5–リン酸へのエピマー化反応).

phos·pho·pen·tose i·som·er·ase (fos′fō-pen′tōs ī-som′ĕr-ās). ホスホペントースイソメラーゼ. ＝*ribose 5-phosphate* isomerase.

phos·pho·phen·y·toin (fos′fō-fen′i-tō-ĭn). ホスホフェニトイン（筋肉内投与が可能という目的で，最近上市されたフェニトインのリン酸化体).

phos·pho·phor·in (fos′fō-fōr′in). ホスホホリン（ぞうげ質中に認められる蛋白(分子量 155,000)で，石灰化に関与していると考えられている).

phos·pho·pro·tein (fos′fō-prō′tēn). リン蛋白（リン酸基を含む蛋白．その構成アミノ酸の側鎖，通常は L–セリンや L–スレオニン残基のヒドロキシル基に直接付いている．例えばカゼイン，ビテリンおよびオボアルブミン).

phos·pho·py·ru·vate hy·dra·tase (fos′fō-pī′rū-vāt

hī′dră-tās). ホスホピルビン酸ヒドラターゼ. ＝enolase.

phos·phor (fos′fōr) [G. *phōs*, light + *phoros*, bearing]. リン光体，蛍光体（①シンチレーションの放射能測定やラジオグラフィ増強スクリーンまたはイメージ増幅物質のように，入射する電磁気あるいは放射線エネルギーを光に転換する化学物質. ②リン光を発する物質の総称).

photostimulable p. 輝尽性蛍光体（CR システムのイメージングプレートの表面に使用される化学物質. レーザーでスキャンすることで潜像を復元する).

phosphor-, phosphoro- ⇀phosph-.

phos·phor·at·ed (fos′fŏr-āt′ĕd). リン含有の（リンを含む化合物を生成する).

phos·pho·res·cence (fos′fŏ-res′ents) [G. *phōs*, light + *phoros*, bearing]. リン光（活性燃焼または熱産生を伴わない発光の性質. 通常，放射線への前照射の結果として起こる. 誘因が除かれても発光し続ける).

phos·pho·res·cent (fos′fŏ-res′ĕnt). リン光性の.

phos·phor·hi·dro·sis (fos′fōr-hī-drō′sis) [G. *phōs*, light + *phoros*, bearing + *hidrōsis*, sweating]. リン光汗〔症〕（蛍光性の汗の分泌). ＝phosphoridrosis.

phos·pho·ri·bo·i·som·er·ase (fos′fō-rī′bō-ī-som′ĕr-ās). ホスホリボイソメラーゼ. ＝*ribose 5-phosphate* isomerase.

5-phos·pho·ri·bose 1-di·phos·phate (fos′fō-rī′bōs dī-fos′fāt). 5-ホスホリボース 1-二リン酸. ＝5-phospho-α-D-ribosyl-1-pyrophosphate.

5-phos·pho·ri·bo·syl·am·ine (fos′fō-rī′bō-sil′ă-mēn). 5-ホスホリボシルアミン（プリンの生合成の中間体).

phos·pho·ri·bo·syl·gly·cine·a·mide syn·the·tase (fos′fō-rī′bō-sil-glī-sin′ă-mīd sin′thĕ-tās). ホスホリボシルグリシンアミドシンターゼ；glycinamide ribonucleotide synthetase（プリン生合成で，グリシンとリボシルアミン 5-リン酸と ATP との反応により ADP，正リン酸，ホスホリボシルグリシンアミドを生成させる反応を触媒する酵素).

5-phos·pho-*α*-D-ri·bo·syl-1-py·ro·phos·phate (PP-Ribp, PPRP, PRPP) (fos′fō ri-bō′sil pī′rō-fos′fāt). 5-ホスホ-α-D-リボシルピロリン酸（リボースの C-5 位にリン酸基を，リボースの C-1 位にピロリン酸基をもつ D-リボース. NAD^+ やピリミジンおよびプリンヌクレオチド類の生成の中間体). ＝5-phosphoribose 1-diphosphate.

phos·pho·ri·bo·syl·trans·fer·ase (fos′fō-rī′bō-sil-trans′fĕr-ās). ホスホリボシルトランスフェラーゼ（D-リボース-5-リン酸を 5-ホスホ-α-D-リボシル－ピロリン酸から受容体であるプリン，ピリミジン，ピリジンへ転移させ，5′-ヌクレオチドおよびピロリン酸を生成させたり，さらに，D-リボシルリン酸から塩基へ D-リボースを転移させヌクレオシドを生成させたり，さらに同様のペントース転移を触媒する酵素(EC 2.4.2.x, pentosyltransferases)のグループの１つ. ヌクレオチド生合成に重要である. 特異的なホスホリボシルトランスフェラーゼは，例えば uracil p.(すなわちウラシル＋PRPP⇌UMP＋ピロリン酸)のように受容体の塩基の名称が前に付く).

phos·pho·ri·bu·lo·ki·nase (fos′fō-rī′bū-lō-kī′nās). ホスホリブロキナーゼ（ATP の存在下で，D-リブロース-5-リン酸の D-リブロース-1,5-二リン酸と ADP へのリン酸化を触媒する酵素. 光合成の二酸化炭素固定サイクルにおいて重要な反応である).

phos·pho·ri·bu·lose e·pim·er·ase (fos-fō-rī′bū-lōs). ホスホリブロースエピメラーゼ. ＝ribulose-phosphate 3-epimerase.

phos·phor·ic ac·id (fos-fōr′ik as′id). リン酸；orthophosphoric acid; H_3PO_4（工業的に重要な強酸. 融点 42.35°C. 希釈溶液は尿酸性化剤および壊死性汚物の除去のための包帯剤として使われた. 歯科においては，60%の液からなり，リン酸亜鉛セメントおよびケイ酸セメントに用いる. 種々の濃度の溶液は，種々の樹脂を塗布する前に，エナメル質やぞうげ質の表面をエッチング処理のために用いる).

cyclic p. a. 環状リン酸（①通常，α および ω 残基で同様に結合し，１つの端のない輪または環状化合物をつくる，ピロリン酸結合しているようなリン酸基の線状重合体. ②特に，１つのリン酸基が単一の炭素鎖の２つの水酸基とエステル結合している化合物に用いる一般用語. 例えば，アデノシン3′,5′-リン酸，アデノシン2′,3′-リン酸).

dilute p. a. 希リン酸（10%リン酸を含む溶媒).

glacial p. a. 氷リン酸（試薬として，また歯科用のリン酸亜鉛セメント製造に用いるリン酸無水物). ＝metaphosphoric acid.

phos·phor·i·dro·sis (fos′fōr-i-drō′sis). ＝phosphorhidrosis.

phos·phor·ism (fos′fōr-izm). リン中毒（リンによる慢性中毒).

phos·phor·ized (fos′fōr-īzd). リン含有の，リン添加の.

phos·pho·rol·y·sis (fos′fŏ-rol′i-sis). 加リン酸分解（結合を切るために，水の代わりにリン酸が加えられる以外は加水分解に類似した反応. 例えば，グリコゲンからグルコース 1-リン酸の生成). ＝phosphoroclastic cleavage.

phos·phor·ous (fos′fōr-ŭs, fos-fōr′ŭs). [phosphorus と混同しないこと]. ***1*** 亜リン酸の，リン様の. ***2*** 低い価の状態（＋3)のリンについていう.

phos·phor·ous ac·id (fos-fōr′us as′id). 亜リン酸；H_3PO_3（亜リン酸塩は phosphite とよばれる).

phos·phor·pen·i·a (fos′fōr-pē′nē-ă). ＝phosphopenia.

phos·phor·u·ria (fos-fōr-yū′rē-ă). ＝phosphaturia.

phos·pho·rus (P) (fos′fō-rŭs) [G. *phosphoros* ＜ *phōs*, light + *phoros*, bearing]. リン（[phosphorous と混同しないこと]. 非金属性元素. 原子番号 15，原子量 30.973762. 天然に広く存在するが，単体としてではなくリン酸塩，亜リン酸塩として常に結合し，すべての生きている細胞中のリン酸と結合して存在する. リンは非常に毒性が強く，強度の炎症と脂肪変性をもたらす. 繰り返しリン酸の蒸気を吸い込むと，顎の壊死(リン骨壊死)を起こす. 致死量の概値は 50—100 mg である).

amorphous p., red p. 無定形リン，赤リン（一般のリンを無酸素状態で 260°C までの加熱によってできるリンの同素体. 無定形の暗赤色の塊または粉末として存在し，毒性はなく，一般のリンに比べるとはるかに燃えにくい. 窒素ガス中で 454.4°C に加熱することにより元のリンに再変換される).

p. pentoxide 五酸化リン（正リン酸の最終無水物. 乾燥剤または脱水剤. 腐食性化合物).

phos·pho·rus 32 (^{32}P) (fos′fō-rŭs). リン 32（放射性のリンの同位元素. 半減期 14.28 日でベータ線を放出する. 代謝研究のトレーサ，および骨や造血系の疾病の治療に用いる).

phos·pho·rus 33 (^{33}P) (fos′fō-rŭs). リン 33（半減期 25.3 日のリンの放射性同位元素. 代謝研究のトレーサとして用いられる).

phos·pho·ryl (fos′fŏ-ril). ホスホリル（塩化ホスホリル $POCl_3$ などにみられる基，O＝P–).

phosphoryl- 正確な *O*-phosphono- または phospho- の代わりにリン酸(例えばホスホリルコリン)を表すのに誤って用いられる接頭語.

phos·phor·y·lase (fos-fōr′i-lās). ホスホリラーゼ（正リン酸でポリ(1,4-α-D-グルコシル)$_n$を開裂し，ポリ(1,4-α-D-グルコシル)$_{n-1}$およびα-D-グルコース 1-リン酸を生成させる酵素. この酵素の活性型はリン酸化蛋白である). ＝α-glucan p.; glycogen p.; P enzyme; p. *a*; polyphosphorylase.

p. *a* ホスホリラーゼ *a*. ＝phosphorylase.

p. *b* ホスホリラーゼ *b*（ホスホリラーゼ *a* の脱リン酸化生成物. ほとんどの条件下ではホスホリラーゼの不活性型である. AMP の存在で活性である. ⇀p. phosphatase).

p. kinase ホスホリラーゼキナーゼ（ATP を利用し，ホスホリラーゼ *b* をリン酸化して活性型ホスホリラーゼであるホスホリラーゼ *a* を再生する酵素. 活性型ホスホリラーゼキナーゼ自体はリン酸化蛋白である. ホスホリラーゼキナーゼの脱リン酸化により酵素は不活性になる. cAMP 依存性プロテインキナーゼにより再リン酸化されうる. ホスホリラーゼキナーゼはある種のグリコゲン蓄積症に欠損している).

p. phosphatase ホスホリラーゼホスファターゼ（１つのホスホリラーゼ *a* を，４つの正リン酸の遊離を伴って，２つのホスホリラーゼ *b* に転換するのを触媒する酵素). ＝phosphorylase-rupturing enzyme.

phos·phor·y·las·es (fos-fōr′i-lās′ĕz). ホスホリラーゼ（①ホスホリル基をある有機アクセプタに転移させる酵素の一般名で，転移酵素に属する. ②特にポリグルコースから D-グルコース-1-リン酸として単一のグルコース残基を放出する酵素. そのリン酸は正リン酸から供給される. 例えば phos-

P

phophorylase, sucrose p., cellobiose p.).

nucleoside p. ヌクレオシドホスホリラーゼ（ヌクレオシドのリン酸加水分解を触媒する酵素で，遊離のプリンとピリミジンとリボース(すなわちデオキシリボース 1–リン酸)とを生成する．例えば purine-nucleoside phosphorylases).

phos·phor·y·la·tion (fos′fōr-i-lā′shŭn). リン酸化〔反応〕(有機化合物へのリン酸塩の付加．ホスホトランスフェラーゼ(ホスホリラーゼ)またはキナーゼの作用によるグルコースからのグルコース－リン酸生成などにみられる).

oxidative p. 酸化的リン酸化〔反応〕(電子の O_2 への移動と種々の基質の脱水素化すなわち酸化によって放出されるエネルギーによる高エネルギーリン酸結合の生成．この脱水素化される基質の中では，特にトリカルボン酸回路中のイソクエン酸，α–ケトグルタール酸，コハク酸，リンゴ酸である脱水素化において著しい).

substrate-level p. 基質レベルのリン酸化（酸化的リン酸化や光リン酸化と共役した電子伝達系を介しない ATP(または他の NTP)の合成).

phos·phor·yl·cho·line (fos′fōr-il-kō′lēn). ホスホリルコリン．＝phosphocholine.

phos·phor·yl·eth·a·nol·a·mine glyc·er·ide·trans·fer·ase (fos′fōr-il-eth-ă-nol′ă-mēn glis′ĕr-īd-trans′fĕr-ās). ホスホリルエタノールアミングリセリドトランスフェラーゼ．＝ethanolaminephosphotransferase.

***O*-phos·pho·ser·ine** (fos′fō-ser′ēn). *O*–ホスホセリン（セリンのリン酸エステル．多くの蛋白の成分として知られている(例えばホスホリラーゼ *a* やホスホビチン)).

phos·pho·sphin·go·sides (fos′fō-sfing′gō-sīdz). ホスホスフィンゴシド．＝sphingomyelins.

phos·pho·sug·ar (fos′fō-shug′ĕr). リン糖酸（リン酸化糖類．リン酸によってエステル化されたアルコール基をもつ糖).

phos·pho·trans·a·cet·y·lase (fos′fō-trans′ă-set′i-lās). ホスホトランスアセチラーゼ．＝phosphate acetyltransferase.

phos·pho·trans·fer·as·es (fos′fō-trans′fĕr-ās-ĕz). ホスホトランスフェラーゼ（リン含有基を転移させる転移酵素の subclass(EC subclass 2.7)．リン酸をアルコール，カルボキシル基(2.7.2)，含窒素基(2.7.3)，あるいは他のリン酸基(2.7.4)へ転移させる kinases(2.7.1)をも含む．phosphomutases(5.4.2)は分子内転移を触媒する．pyrophosphokinases (2.7.6)はピロリン酸基の転移を触媒する．nucleotidyltransferase(2.7.7)はヌクレオチド(ヌクレオチジル)基(ポリリボヌクレオチド ヌクレオチジルトランスフェラーゼを含む)および他の同じような基(2.7.8)の転移を触媒する)．＝transphosphatases.

phos·pho·tri·ose i·som·er·ase (fos′fō-trī′ōs ī-som′ĕr-ās). ホスホトリオースイソメラーゼ．＝triosephosphate isomerase.

phos·pho·tung·stic ac·id (PTA) (fos-fō-tŭng′stik as′id). リンタングステン酸（リン酸とタングステン酸の混合物．アルギニン，リシン，ヒスチジン，シスチンに対する蛋白沈殿剤で，核および筋肉染色に対するヘマトキシリンとともに用いる．また，コラーゲンの染色剤または逆染色剤として電子顕微鏡検査にも用いる).

phos·pho·vi·tin (fos′fō-vi′tin). ホスホビチン．＝phosvitin.

phos·phu·re·sis (fos′fyū-rē′sis). 高リン酸尿〔症〕(尿中に過量のリン酸の排泄がみられること).

phos·phu·ri·a (fos-fyu′rē-ă). ＝phosphaturia.

phos·vi·tin (fos-vī′tin). ホスビチン（卵黄の約 7 %を構成しているリン酸化蛋白．約 60%はセリンで，主として *O*–ホスホセリンとなっている．抗凝血性を有する．抗凝固薬)．＝phosphovitin.

phot (fōt) [G. *phōs*(*phōt*-), light]. ホト（照度の単位．1 ホトは表面 $1cm^2$ についての 1 ルーメンに当たる).

phot- →photo-.

pho·tal·gia (fō-tal′jē-ă) [phot- + G. *algos*, pain]. 光痛〔症〕(光誘導性の，特に眼の痛み．例えばブドウ膜炎で光照射による虹彩の運動が痛みを生じる)．＝photodynia; photophobia.

pho·tau·gi·a·pho·bi·a (fo-taw′jē-ă-fō′bē-ă) [G. *phōtaugeia*, glare of light + *phobos*, fear]. 閃光恐怖〔症〕(まぶしい光を異常に恐れること．または過剰に反応すること).

pho·tes·the·sia (fō-tes-thē′zē-ă) [photo- + G. *aisthēsis*, sensation]. 光覚.

pho·tic (fō′tik). 光〔性〕の.

pho·tism (fō′tizm). 視覚性共感覚（聴覚，味覚，触覚などの他の感覚器官に対する刺激により光覚あるいは色覚が生じること)．＝pseudophotesthesia.

photo-, phot- [G. *phōs*(*phōt*-)]. 光を意味する連結形.

pho·to·ab·la·tion (fō′tō-ab-lā′shŭn). フォトアブレーション，光剝離（レーザー光による組織の光剝離分解の過程．例えば，光学的角膜屈折矯正手術でみられる).

pho·to·ac·tin·ic (fō′tō-ak-tin′ik) [photo- + G. *aktis*, ray]. 光と化学的効果を生じる放射線を表す.

pho·to·ag·ing (fō′tō-āj′ing) [photo- + aging]. 光加齢（日光による皮膚の老化．しわの形成が顕著).

pho·to·al·ler·gy (fō′tō-al′ĕr-jē). 光アレルギー（→photosensitization).

pho·to·au·to·troph (fō′tō-aw′tō-trōf) [photo- + G. *autos*, self + *trophē*, nourishment]. 光合成自己栄養〔性〕生物，無機光合成菌(株)（エネルギーは光に，炭素は主として炭酸ガスに依存する細菌．*cf.* photoheterotroph; photolithotroph; phototroph).

pho·to·au·to·troph·ic (fō′tō-aw′tō-trof′ik). 光合成自己栄養〔性〕生物の，無機光合成菌(株)の.

pho·to·bac·te·ri·a (fō′tō-bak-tē′rē-ă). photobacterium の複数形.

Pho·to·bac·te·ri·um (fō′tō-bak-tē′rē-ŭm). フォトバクテリウム属，発光菌属（グラム陰性球杆菌で，まれに杆状菌体を有する運動性・非運動性の好気性から通性嫌気性細菌の一属．不利な条件下では多形態性をしばしば示す．運動性細胞は極べん毛を有する．本菌の代謝は発酵性である．通常，発光性で，頭足類と深海魚の発光器官の組織，ある種の海水魚の皮膚と腸に共生的に生じる．標準種は *P. phosphoreum*).

P. phosphoreum 死魚，海水中にみられる発光菌の一種．*Photobacterium*属の標準種.

pho·to·bac·te·ri·um, pl. **pho·to·bac·te·ri·a** (fō′tō-bak-tē′rē-ŭm, -bak-tē′rē-ă). フォトバクテリウム（*Photobacterium*属の種を表すのに用いる通称).

pho·to·bi·ol·o·gy (fō′tō-bī-ol′ō-jē). 光生物学（動植物に及ぼす光線の影響に関する研究).

pho·to·bi·ot·ic (fō′tō-bī-ot′ik) [photo- + G. *bios*, life]. 好光〔性〕の（光の中でのみ生存し，繁茂するものについていう).

pho·to·bleach (fō′tō-blēch). 光退色（光の作用で退色や白色にすること．例えば高分子に共有結合した蛍光色素を脱色するのにレーザーを用いること).

pho·to·cat·a·lyst (fō′tō-kat′ă-list) [photo- + G. *katalysis*, dissolution(catalysis)]. 光〔化学〕触媒（光触媒反応を起こすのを助ける物質．例えばクロロフィル).

pho·to·cep·tor (fō′tō-sep′tŏr). ＝photoreceptor.

pho·to·chem·i·cal (fō′tō-kem′i-kăl). 光化学的な，光活性化の（光によって生じたり，発光したりする化学変化を表す).

pho·to·chem·is·try (fō′tō-kem′is-trē). 光化学（光が起こす，または光が関与する化学変化を扱う化学の分野).

pho·to·che·mo·ther·a·py (fō′tō-kē′mō-thār′ă-pē). 光化学療法．＝photoradiation.

pho·to·chro·mo·gens (fō′tō-krō′mō-jenz) [photo- + G. *chrōma*, color + *-gen*, producing]. 光発色菌．＝Runyon group I *mycobacteria*.

pho·to·co·ag·u·la·tion (fō′tō-kō-ag′yū-lā′shŭn) [photo- + L. *coagulo*, pp. *-atus*, to curdle]. 光凝固〔術〕(電磁エネルギービームを観察下で，目的とする組織に照射する方法．光エネルギーの吸収，熱変換，または組織のプラズマ(電子を失った原子)への変転の結果，局所的な凝固が生じる).

pho·to·co·ag·u·la·tor (fō′tō-kō-ag′yū-lā′tŏr). 光凝固装置.

laser p. レーザー光凝固装置（高エネルギーの電磁放射線源．→laser).

xenon-arc p. キセノン－アーク光凝固装置（キセノン－アーク球が可視範囲および赤外線付近のスペクトルからなる光線を放出する).

pho·to·der·ma·ti·tis (fō′tō-der′mă-tī′tis) [photo- + G.

derma, skin + *-itis*, inflammation]. 光線皮膚炎（太陽光線への暴露によって起こるか，あるいは誘発される皮膚炎．光毒性と光アレルギー性の場合があり，介在する光毒性，または光アレルギー性物質の局所塗布・摂取・吸入・注入の結果起こりうる．→photosensitization）．＝actinic dermatitis.

pho·to·dis·tri·bu·tion (fō'tō-dis-tri-byū'shŭn). 体表の皮膚のうち，太陽光線の暴露が最も多く，光線過敏性により皮疹を発生する領域．

pho·tod·ro·my (fō-tod'rŏ-mē) [photo- + G. *dromos*, a running]. 趨光性（ある種の懸濁液の誘発的なまたは自然な清澄化で，粒子が光に最も近い側 **positive p.**(趨光陽性)，または暗い側 **negative p.**(趨光陰性)に沈殿する）．

pho·to·dy·nam·ic (fō'tō-dī-nam'ik) [photo- + G. *dynamis*, force]. 光力学の（光がもたらすエネルギーや力について言う）．

pho·to·dyn·i·a (fō'tō-din'ē-ă) [photo- + G. *odynē*, pain]. ＝photalgia.

pho·to·dys·pho·ri·a (fō'tō-dis-fō'rē-ă) [photo- + G. *dysphoria*, extreme discomfort]. 極度の羞明．

pho·to·e·lec·tric (fō'tō-ē-lek'trik). 光電効果の（光の作用により産生される電子効果を表す．→photoelectric *effect*; photoelectric *absorption*）．

pho·to·e·lec·trom·e·ter (fō'tō-ē'lek-trom'ĕ-tĕr). 光電比色計（溶液中の物質の濃度を測定するために光電池を用いる装置）．

pho·to·e·lec·tron (fō'tō-ē-lek'tron). 光電子（光線の作用で遊離される電子）．

pho·to·er·y·the·ma (fō'tō-er'i-thē'mă) [photo- + G. *erythēma*, flush]. 光線紅斑（光線暴露によって起こる紅斑）．

pho·to·es·thet·ic (fō'tō-es-thet'ik) [photo- + G. *aisthēsis*, sensation]. 光〔感〕覚の（光に対して感受性がある）．

pho·to·flu·or·og·ra·phy (fō'tō-flūr-og'ră-fē) [photo- + L. *fluor*, a flow + G. *graphē*, a writing]. X線蛍光撮影〔法〕（透視板にフイルムを密着させて撮影したミニX線像で，かつては肺の集団検診に用いられた）．＝fluorography; fluororoentgenography.

pho·to·gas·tro·scope (fō'tō-gas'trō-skōp) [photo- + G. *gastēr*, stomach + *skopeō*, to view]. 胃カメラ（胃内部の写真を撮る装置）．

pho·to·gen (fō'tō-jen) [photo- + G. *-gen*, producing]. 発光生物（発光する微生物）．

pho·to·gen·e·sis (fō'tō-jen'ĕ-sis) [photo- + G. *genesis*, production]. 発光（バクテリア，昆虫による光の生産，またはリン光）．

pho·to·gen·ic, pho·tog·e·nous (fō'tō-jen'ik, fō-toj'ĕ-nŭs). 発光〔性〕の．

pho·to·he·mo·ta·chom·e·ter (fō'tō-hē'mō-tă-kom'ĕ-tĕr) [photo- + G. *haima*, blood + *tachos*, speed + *metron*, measure]. 写真血流速度計（血流速度を写真に記録する器具）．

pho·to·het·er·o·troph (fō'tō-het'ĕr-ō-trof) [photo- + G. *heteros*, other + *trophē*, nourishment]. 光合成従属栄養〔性〕生物，有機光合成菌(株)（エネルギーの大部分は光に，炭素は主として有機化合物に依存する細菌．*cf.* photoautotroph; photolithotroph; phototroph）．

pho·to·het·er·o·troph·ic (fō'tō-het'ĕr-ō-trof'ik). 光合成従属栄養〔性〕生物の，有機光合成菌(株)の．

pho·to·in·ac·ti·va·tion (fō'tō-in-ak'ti-vā'shŭn). 光不活化（光による不活化．例えば，単純疱疹の治療に際して局所に感光性の染料を塗布し，続いて蛍光灯を照射する，というようなもの）．

pho·to·ker·a·to·scope (fō'tō-ker'ă-tō-skōp). カメラ付角膜鏡（写真カメラを備えた角膜鏡）．

pho·to·ki·ne·sis (fō'tō-ki-nē'sis) [photo- + G. *kinēsis*, movement]. 光活動性（光に反応した運動性生物の任意運動の変化）．

pho·to·ki·net·ic (fō'tō-ki-net'ik). ***1*** 光活動性の．***2*** 光動力学の．

pho·to·ki·net·ics (fō'tō-ki-net'iks) [photo- + G. *kinētikos*, relating to movement]. 光動力学（光に反応した化学反応速度の変化）．

pho·to·ky·mo·graph (fō'tō-kī'mō-graf) [photo- + G. *kyma*, wave + *graphō*, to record]. フォトキモグラフ，運動動態撮影装置（一定の速度でフイルムを動かして生理学的事象の連続記録を得る装置．例えばフイルムに光る光束によるもの）．

pho·to·lith·o·troph (fō'tō-lith'ō-trof) [photo- + G. *lithos*, stone, mineral + *trophē*, nourishment]. 光合成無機力源生物，光合成無機酸化生物（無機化合物を要求し，ほとんどのエネルギー獲得のために光を用いる生物．*cf.* photoautotroph; photoheterotroph; phototroph）．

pho·to·lu·mi·nes·cent (fō'tō-lū'mi-nes'ĕnt) [photo- + L. *lumen*, light]. 光輝性の（可視光線に露出されると発光する）．

pho·to·ly·ase (fō'tō-lī'ās) [photo- + G. *lyo*, to loosen + -ase]. ホトリアーゼ（→deoxyribodipyrimidine photolyase）．

pho·tol·y·sis (fō-tol'i-sis) [photo- + G. *lysis*, dissolution]. 光分解（光の作用による化学物質の分解や化学結合の切断）．

pho·to·lyte (fō'tō-līt). 光分解物（光による分解でできた生成物）．

pho·to·lyt·ic (fō'tō-lit'ik). 光分解の．

pho·to·ma·crog·ra·phy (fō'tō-mă-krog'ră-fē) [photo- + G. *makros*, large + *graphō*, to write]. フォトマクログラフィ（通常は顕微鏡よりもむしろルーペで調べる小物体に関する状態や方法を研究し記録する技術）．

pho·to·ma·ni·a (fō'tō-mā'nē-ă) [photo- + G. *mania*, frenzy]. 光線狂（光に対する病的な，または誇張された欲求）．

pho·tom·e·ter (fō-tom'ĕ-tĕr) [photo- + G. *metron*, measure]. 光度計，光量測定器（光度を測定または光閾値を決定するための器械）．

flame p. 炎光光量測定器（光の強さおよび他の特性を測定するために，炎スペクトロフォトメータを用いる装置）．

flicker p. フリッカー光量測定器（点滅光の周期を調節することにより2つの可変視刺激を比較する装置）．

pho·tom·e·try (fō-tom'ĕ-trē). 光度計測〔法〕，光覚計測〔法〕，測光．

pho·to·mi·cro·graph (fō'tō-mī'krō-graf) [photo- + G. *mikros*, small + *graphē*, a record]. 顕微鏡写真（顕微鏡で見た物体の拡大写真．マイクロ写真 microphotograph とは区別される）．＝micrograph (2).

pho·to·mi·crog·ra·phy (fō'tō-mī-krog'ră-fē). 顕微鏡写真撮影〔法〕．＝micrography (3).

pho·to·my·oc·lo·nus (fō'tō-mī-ok'lō-nŭs) [photo- + G. *mys*, muscle + *klonos*, confused motion]. 光ミオクロ〔ー〕ヌス（視覚刺激に反応する筋肉の間代性痙攣）．

hereditary p. [MIM*172500]. 遺伝性光ミオクロ〔ー〕ヌス（真性糖尿病，難聴，胃疾患，脳機能障害に伴う光ミオクローヌス．常染色体優性遺伝）．

pho·ton (**h**ν, γ) (fō'ton). 光子，光量子（物理でエネルギーまたは光の粒子．光または他の電磁放射線の量子）．

pho·top·a·thy (fō-top'ă-thē) [photo- + G. *pathos*, suffering]. 光線障害，光線症（光線暴露によって生じる病気一般）．

pho·to·peak (fō'tō-pēk). 光電ピーク（放射性核種から出る光子の特徴的エネルギー．スキャン条件を設定するために用いる）．

pho·to·per·cep·tive (fō'tō-pĕr-sep'tiv). 光受容〔性〕の，光覚〔性〕の，感光能のある．

pho·to·per·i·od·ism (fō-tō-pēr'ē-ō-dizm). 光周性（光の作用によって引き起こされる動植物の周期的(季節的，日ごとの)活動，行動，変化）．

pho·to·phe·re·sis (fō'tō-fe-rē'sis). →extracorporeal p.

extracorporeal p. 体外フォトフェレーシス（体外循環で分離した血球を蛍光照射し，あらかじめ投与したソラレンなどの化学療法剤を活性化して破壊する方法）．

pho·to·pho·bi·a (fō'tō-fō'bē-ă) [photo- + G. *phobos*, fear]. 光恐怖〔症〕．＝photalgia.

pho·to·pho·bic (fō'tō-fō'bik). まぶしがり〔症〕の，羞明の，光恐怖〔症〕の．

pho·to·phore (fō'tō-fōr) [photo- + G. *phoros*, bearing]. フォトフォア（細菌学において，ある種の生物の細胞内発光器官）．

pho·to·phos·phor·y·la·tion (fō'tō-fos'fōr-i-lā'shŭn). 光リン酸化（光の吸収の結果として起こるATPの生成）．

P

pho·toph·thal·mi·a (fō′tof-thal′mē-ă) [photo- + G. *ophthalmos*, eye]. 光線眼症（紫外線のエネルギーによって起こる角結膜炎．雪盲，紫外線ランプへの露出，アーク溶接，高圧電流の短絡の場合など．→photoretinopathy）．

pho·to·pi·a (fō-tō′pē-ă) [photo- + G. *opsis*, vision]. 明所視．＝photopic *vision*.

pho·top·ic (fō-top′ik). 明所視の．

pho·top·si·a (fō-top′sē-ă) [photo- + G. *opsis*, vision]. 光視〔症〕（視覚系の電気的あるいは機械的刺激による，光，閃光，または色の主観的感覚．→Moore lightning *streaks*）．＝photopsy.

pho·top·sin (fō-top′sin). ホトプシン（網膜錐体の色素(ヨードプシン)の蛋白部分(オプシン)）．

pho·top·sy (fō-top′sē). ＝photopsia.

pho·to·ptar·mo·sis (fō′tō-tar-mō′sis) [photo- + G. *ptarmos*, a sneezing + *-osis*, condition]. 光性くしゃみ（光，特に明るい光(例えば太陽光)を見たときに生じるくしゃみ．その反射系については確定していない．常染色体優性遺伝）．＝photic-sneeze reflex.

pho·to·ra·di·a·tion (fō′tō-rā′dē-ā′shŭn). 光放射線（ヘマトポルフィリンのような光線に対して過敏になる薬剤を経静脈的に投与し，表在性腫瘍には可視光線で，また深部の腫瘍には光ファイバーを用いて光を当て，癌を治療する方法）．＝photochemotherapy; photoradiation therapy.

pho·to·re·ac·tion (fō′tō-rē-ak′shŭn). 光反応（光の作用や，その影響で起こる反応．例えば，光化学反応，光分解，光合成，屈光性，チミン二量体生成）．

pho·to·re·ac·ti·va·tion (fō′tō-rē-ak′ti-vā′shŭn). 光回復（不活性であったあるいは不活性化されていたものや過程が光によって活性化すること．例えばピリミジン二量体はUV光の作用でポリ核酸中で生成し，異なった波長のUV光でDNA光リアーゼにより，単量体化される）．

pho·to·re·cep·tive (fō′tō-rē-sep′tiv). 光受容〔体，器〕の．

pho·to·re·cep·tor (fō′tō-rē-sep′tŏr, tōr) [photo- + L. *recipio*, pp. *-ceptus*, to receive < *capio*, to take]. 光受容体（器）（光に敏感な受容体．例えば，網膜杆体や網膜錐体）．＝photoceptor.

pho·to·res·pir·a·tion (fō′tō-res′pĭr-ā′shŭn). 光呼吸（光合成生物でみられる光によって増強された呼吸．光は酸素の消費を増大させる）．

pho·to·ret·i·ni·tis (fō′tō-ret′i-nī′tis). 光網膜炎（⇀photoretinopathy）．

pho·to·ret·i·nop·a·thy (fō′tō-ret′i-nop′ă-thē) [photo- + retina + G. *pathos*, suffering]. 光網膜症（日光または他の強い光(例えば短絡路の閃光)に過度に暴露して起こる黄斑熱傷．主観的には視力減退を特徴とする．→solar *maculopathy*）．＝electric retinopathy; solar retinopathy.

pho·to·scan (fō′tō-skan). フォトスキャン．＝scintiscan.

pho·to·sen·si·tive (fō′tō-sen′si-tiv) [photo + L. *sensus*, a feeling < *sentio*, to feel]. 日光過敏（①日光への皮膚の異常な反応性増強．②光(例えば，光源由来)への応答性）．

pho·to·sen·si·tiv·i·ty (fō′tō-sen′si-tiv′i-tē). 羞明（光に対する異常な感受性で，特に眼についていう．例えば光が眼瞼，結膜，角膜，また過剰であれば網膜に刺激を生じる．白内障による散乱はグレアを生じ片頭痛，一過性の外斜視を生じる．⇀photophobia; photalgia; photesthesia）．

pho·to·sen·si·ti·za·tion (fō′tō-sen-si-ti-zā′shŭn). 光感作（①通常ある種の薬物，植物または他の物質の作用による皮膚の光に対する感作．薬物の投与後まもなく発生する(光毒性過敏症)場合と，数日から数か月にわたる潜伏期間後に初めて発生する(光アレルギー性過敏症，光アレルギー)場合がある．②＝photodynamic *sensitization*）．

pho·to·sen·sor (fō′tō-sen′sŏr, -sōr). 光センサー（光に反応し，その結果得られるインパルスを読み取り，運動，または操作コントロールに伝えるための装置．⇀sensor）．

pho·to·sta·ble (fō′tō-stā-bĕl). 光安定性の（光に暴露されても変化を受けない）．

pho·to·steth·o·scope (fō′tō-steth′ŏ-skōp). 光線聴診器（音を光波動に変換する装置．胎児心音の連続観察に用いる）．

pho·to·stress (fō′tō-stres). 光ストレス（強力な光線への暴露．→p. *test*）．

pho·to·syn·the·sis (fō′tō-sin′thĕ-sis) [photo- + G. *synthesis*, a putting together]. 光合成（①光の影響で化学物質を化合または作製すること．②緑色植物が葉緑素と日光のエネルギーを用いて水と炭酸ガスとから炭水化物をつくり，その過程で酸素分子を放出する過程）．

bacterial p. 細菌型光合成（いくつかの細菌でみられる単一の光化学系および水以外の数種の還元物質を用いた原始的な形の光合成→Cyanobacteria）．

pho·to·tax·is (fō′tō-tak′sis) [photo- + G. *taxis*, orderly arrangement]. 光走性（生きている原形質の光刺激に対する反応．また生体の刺激へ向かう(**positive p.**)あるいは刺激から離れる(**negative p.**)体運動も意味する．*cf.* phototropism）．

pho·to·ther·a·py (fō′tō-thār′ă-pē). 光線療法（光線による疾患の治療）．＝light treatment.

pho·to·ther·mal (fō′tō-ther′măl) [photo- + G. *thermē*, heat]. 輻射熱の．

pho·to·tim·er (fō′to-tīm′ĕr). 自動露光計（X線撮影に使用される電子機器で，患者を透過したX線の量を測定し，撮影に十分な量に達したときX線照射を終了させる）．

pho·to·tox·ic (fō′tō-tok′sik). 光毒〔性〕の，光毒症の．

pho·to·tox·ic·i·ty (fō′tō-tok-sis′i-tē) [photo- + G. *toxikon*, poison]. 光毒症（紫外線の過剰暴露によるか，ある波長の光線の暴露と光毒性物質との組合せで起こる状態．→photosensitization）．

pho·to·troph (fō′tō-trōf). 光合成生物（エネルギー獲得のために光を用いる生物．*cf.* photoautotroph; photoheterotroph; photolithotroph）．

pho·tot·ro·pism (fō-tot′rō-pizm) [photo- + G. *tropē*, a turning]. 光屈性，屈光性（生物の部分の光刺激へ向かう(**positive p.**)あるいは光刺激より離れる(**negative p.**)運動．*cf.* phototaxis）．

pho·tu·ri·a (fōt-yu′rē-ă) [photo- + G. *ouron*, urine]. 〔リン〕光尿〔症〕（リン光尿を排出すること）．

PHP panhypopituitarism の略．

phrag·mo·plast (frag′mō-plast) [G. *phragma*, hedge, enclosure + *plassō*, to form]. 隔膜形成体（植物細胞の終期における新細胞形成に関連する，紡錘体の樽形に拡大したもの）．

phren (fren) [G. *phrēn*, the diaphragm, mind, heart(as seat of emotions)]. ***1*** 横隔膜．＝diaphragm (1). ***2*** 精神，心．

phren- ⇀phreno-.

phre·nal·gi·a (fre-nal′jē-ă) [phren- + G. *algos*, pain]. ***1*** 精神痛．＝psychalgia (1). ***2*** 横隔痛．

phre·nec·to·my (fre-nek′tŏ-mē). ＝phrenicectomy.

phren·em·phrax·is (fren′em-frak′sis) [phren- + G. *emphraxis*, a stoppage]. 横隔神経圧挫〔術〕．＝phreniclasia.

phre·net·ic (frĕ-net′ik) [G. *phrenitikos*, frenzied]. ***1*** 〖adj.〗精神錯乱の，躁狂状の．***2*** 〖n.〗そのような行動を示す人．

phreni- ⇀phreno-.

-phrenia [G. *phrēn*, the diaphragm, mind, heart(as seat of emotions)]. ⇀phreno-. ***1*** 横隔膜を意味する接尾語．***2*** 精神を意味する接尾語．

phren·ic (fren′ik). ***1*** 横隔膜の．＝diaphragmatic. ***2*** 精神の．

phren·i·cec·to·my (fren′i-sek′tŏ-mē) [phreni- + G. *ektomē*, excision]. 横隔神経切除〔術〕（横隔神経切断術後に起こるような再結合を防ぐために，横隔神経の一部を切除すること）．＝phrenectomy; phrenicoexeresis; phreniconeurectomy.

phren·i·cla·si·a (fren′i-klā′zē-ă) [phreni- + G. *klasis*, a breaking away]. 横隔神経圧挫〔術〕（横隔神経の一部を圧挫すること．これにより，横隔膜を一時的に麻痺させる）．＝phrenemphraxis; phrenicotripsy.

phren·i·co·col·ic (fren′i-kō-kōl′ik). 横隔膜結腸の（横隔膜と結腸に関係した）．＝phrenocolic.

phren·i·co·ex·er·e·sis (fren′i-kō-ek-ser′ĕ-sis) [phrenico- + G. *exairesis*, a taking out < *haireō*, to take, grasp]. 横隔神経捻除〔術〕．＝phrenicectomy.

phren·i·co·gas·tric (fren′i-kō-gas′trik). 横隔膜胃の（横隔膜と胃に関係した）．＝phrenogastric.

phren·i·co·glot·tic (fren′i-kō-glot′ik). 横隔膜声門の（横隔膜と声門に関係した．横隔膜と声帯の痙攣についていう）．

phren·i·co·he·pa·tic (fren′i-kō-he-pa′tik). 横隔膜肝臓の（横隔膜と肝臓に関係した）．＝phrenohepatic.

phren·i·co·neu·rec·to·my (fren′i-kō-nū-rek′tŏ-mē). = phrenicectomy.
phren·i·co·splen·ic (fren′i-kō-splen′ik). 横隔膜脾臓の（横隔膜と脾臓に関係した）.
phren·i·cot·o·my (fren′i-kot′ō-mē) [phrenico- + G. *tomē*, incision]. 横隔神経切断〔術〕（横隔膜の一側性麻痺を起こすために横隔神経を切開すること．それにより横隔膜は腹部内臓に押し上げられ罹患肺を圧迫する）.
phren·i·co·trip·sy (fren′i-kō-trip′sē) [phrenico- + G. *tripsis*, a rubbing]. 横隔神経圧挫〔術〕. = phreniclasia.
phreno-, phren-, phreni-, phrenico- [G. *phrēn*, diaphragm, mind, heart(as seat of emotions)]. ***1*** 横隔膜を意味する連結形. ***2*** 心を意味する連結形. ***3*** 横隔神経を意味する連結形.
phren·o·car·di·a (fren′ō-kar′dē-ă) [phreno- + G. *kardia*, heart]. 心臓神経症（心因性の前胸痛と呼吸困難．不安神経症の症状であることが多い．→cardiac *neurosis*）. = cardiophrenia.
phren·o·col·ic (fren′ō-kol′ik) [phreno- + G. *kolon*, colon]. 横隔膜結腸の. = phrenicocolic.
phren·o·gas·tric (fren′ō-gas′trik) [phreno- + G. *gastēr*, stomach]. 横隔膜胃の. = phrenicogastric.
phren·o·graph (fren′ō-graf) [phreno- + G. *graphō*, to record]. 横隔膜運動描写器（横隔膜の運動をグラフに記録する器械）.
phren·o·he·pat·ic (fren′ō-he-pat′ik) [phreno- + G. *hepar*, liver]. 横隔膜肝の. = phrenicohepatic.
phre·nol·o·gist (frĕ-nol′ŏ-jist) [→phrenology]. 骨相学者（頭蓋骨の外形の研究から精神的・行動的特徴を診断できると主張する人）.
phre·nol·o·gy (frĕ-nol′ŏ-jē) [phreno- + G. *logos*, study]. 骨相学（古い学説で，精神能力の各々は大脳皮質の一定部に位置し，各部の大きさは相当する能力の発達と力に正比例して変化し，頭蓋骨の外形によって示される）. = craniognomy.
phren·o·ple·gi·a (fren′ō-plē′jē-ă) [phreno- + G. *plēgē*, stroke]. 横隔膜麻痺.
phren·op·to·si·a (fren′op-tō′sē-ă) [phreno- + G. *ptōsis*, a falling]. 横隔膜下垂〔症〕（横隔膜の異常な垂下）.
phren·o·sin (fren′ō-sin). フレノシン（脳の白質に豊富にあるセレブロシド．フレノシン酸，D-ガラクトース，スフィンゴシンからなる）. = cerebron.
phren·o·sin·ic ac·id (fren′ō-sin′ik as′id). フレノシン酸. = cerebronic acid.
phren·o·spasm (fren′ō-spazm) [phreno- + G. *spasmos*, spasm]. 横隔膜痙攣〔症〕（しゃっくりのような横隔膜の痙攣）.
phren·o·trop·ic (fren′ō-trop′ik) [phreno- + G. *tropē*, a turning]. 精神向性の，精神作用性の（心や脳に作用することについていう）.
phryn·o·der·ma (frin′ō-der′mă) [G. *phrynos*, toad + *derma*, skin]. ガマ皮〔症〕，フリノデルマ（ビタミンA欠乏に起因すると考えられる毛孔性角質増殖性の発疹）. = toad skin.
phry·nol·y·sin (fri-nol′i-sin) [G. *phrynos*, toad + *lysis*, solution]. フリノジン（fire-toad(*Bombinator igneus*)の毒）.
PHS Public Health Service の略.
PHSC pluripotential hemopoietic stem *cell* の略.
pH-stat pH-スタット（溶液の pH を連続的に知り，pH を一定に保つために必要に応じて酸あるいはアルカリを追加する装置．酸またはアルカリを遊離する反応の時間経過を追跡するのに用いる）.
***o*-phthal·al·de·hyde** (thal-al′dĕ-hīd). *o*-フタルアルデヒド（アミノ酸の同定または検定に用いる試薬）.
phthal·e·in (thal′ē-in). フタレイン（強力に着色させる，トリフェニルメチル骨格を基本とする一群の化合物．例えば，フェノールフタレイン）.
phthal·ic ac·id (thal′ik as′id). フタル酸 ; *o*-benzenedicarboxylic acid.
phthal·o·yl (thal′ō-il). フタロイル（フタル酸の二アシル基）.
phthal·yl (thal′il). フタリル（フタル酸の一アシル基）.
phthi·ri·o·pho·bi·a (thī′rē-ō-fō′bē-ă) [G. *phtheir*, louse + *phobos*, fear]. シラミ恐怖〔症〕. = pediculophobia.
Phthi·rus (thī′rŭs) [L. *phthir*; G. *phtheir*, a louse]. ケジラミ属（→*Pthirus*）.
phthisio- [G. *phthisis*, a wasting]. 結核，ろうを表す連結形.
phthis·i·ol·o·gist (tiz′ē-ol′ŏ-jist). 結核の専門医を表す語．現在では用いられない.
phthi·sis (tī′sis) [G. a wasting]. 消耗性疾患（特に肺結核症をさした消耗性疾患）.
phyco- [G. *phykos*]. 海草に関する連結形.
Phy·co·my·ce·tes (fī′kō-mī-sē′tēz) [phyco- + G. *mykēs*, fungus]. 藻菌類. = Zygomycetes.
phy·co·my·ce·to·sis (fī′kō-mi′sĕ-tō′sis). 接合菌症. = zygomycosis.
phy·co·my·co·sis (fī′kō-mī-kō′sis). フィコミコーシス，ムコール〔菌〕症，藻菌症（獣医学領域において，卵菌類の *Pythium insidiosum* を原因とするウマ，ウシ，ネコ，およびイヌのまれであるが重篤な慢性の化膿性肉芽腫性感染症である．米国のメキシコ湾岸地方に多いが，世界の熱帯・亜熱帯地方にも分布する）.
 subcutaneous p. 皮下深在性真菌症. = *entomophthoramycosis* basidiobolae.
phy·lac·a·gog·ic (fi-lak′ă-goj′ik) [G. *phylaxis*, a guarding, protection + *agogos*, leading]. 防御抗体産生促進〔性〕の（防御抗体の産生を刺激する）.
phy·lax·is (fī-lak′sis) [G. a guarding, protection]. 感染防御（感染に対する防御）.
phy·let·ic (fī-let′ik) [G. *phyletikos*, tribal < *phylē*, a tribe]. 系統発生の，種族発生の（単一の系統の子孫における連続変化による進化をいう．それによって1つの種が新しい種に転換する）.
phyllo- [G. *phyllon*, foliage]. 葉，葉のような，葉緑素を意味する連結形.
phyl·lode (fil′ōd) [G. *phyllōdēs*, like leaves < *phyllon*, leaf + *eidos*, resemblance]. 葉状の（扁平な葉状の葉柄．葉に似た構造，特に葉状嚢肉腫のような葉状構造を有する新生物の断面に用いられる語）.
phyl·lo·quin·one (K), phyl·lo·qui·none K (fil′ō-kwin′ōn, -kwī′-nōn). フィロキノン，フィロキノンK（植物中に見出される大部分のビタミンKで，ムラサキウマゴヤシから分離される．合成でもつくられる）= phytomenadione; phytonadione; vitamin K_1; vitamin K_1(20).
 p. reductase フィロキノンレダクターゼ. = *NADPH* dehydrogenase (quinone).
phylo- [G. *phylon*, tribe]. 種族，人種，分類学上の門 phylum に関する連結形.
phy·lo·a·nal·y·sis (fī′lō-ă-nal′i-sis) [phylo- + analysis]. 系統分析（①生物種族起源の研究．②不安定な緊張過程から生じると推定される個体および集団でみられる行動障害の調査法についてのまれな用語）.
phy·lo·gen·e·sis (fī′lō-jen′ĕ-sis) [phylo- + G. *genesis*, origin]. 系統発生. = phylogeny.
phy·lo·ge·net·ic, phy·lo·gen·ic (fī′lō-jĕ-net′ik, -jen′-ik). 系統発生〔的〕の.
phy·log·e·ny (fi-loj′ĕ-nē). 系統発生（種の進化的発生．個体発生とは区別する）. = phylogenesis.
phy·lum, pl. **phy·la** (fī′lŭm, fī′lă) [Mod. L. < G. *phylon*, tribe]. 門（分類学上の区分．界の下で綱の上に位置する）.
phy·ma (fī′mă) [G. growth < *phuō*, to grow]. 腫瘤，瘤（良性で通常小さな限局性の結節性腫瘍を表すあいまいな用語．通常は皮膚のものをさす）.
phy·ma·toid (fī′mă-toyd) [G. *phyma*, a tumor + *eidos*, resemblance]. 瘤〔腫〕様の.
phy·ma·tor·rhy·sin (fī′mă-tōr′i-sin) [G. *phyma(phymat-)*, tumor + *rhysis*, a flowing]. フィマトリシン（ある種の黒色新生物．毛髪および他の高度色素沈着部から得られるメラニンの一種）.
Phy·sa (fī′să) [G. a pair of bellows; an air bubble; bladder]. サカマキガイ属（淡水産有肺類巻貝(サカマキガイ科)の標準属で，米国に普通な数種を含む．例えば，*P. parkeri*, *P. gyrina*, *P. integra* など．これらは，多数の鳥や動物寄生性吸虫類の中間宿主であり，その吸虫の中には，ヒトの住血

吸虫性皮膚炎を引き起こすものも数種含まれる).

Phy·sal·i·a (fī-sal′ē-ă). カツオノエボシ属 (有刺胞動物門に属する無脊椎動物の一属. カツオノエボシ Portuguese man-of-war を含む).

P. physalis カツオノエボシ (個々の生物の複雑な集合体からなるクラゲ状の動物で, きわめて強い疼痛の刺傷を負わせる). =Portuguese man-of-war.

phys·a·lif·er·ous (fis′ă-lif′ĕr-ŭs). =physaliphorous.

phy·sal·i·form (fi-sal′i-fōrm) [G. *physallis*, bladder, bubble + L. *forma*, form]. 泡状の, 胞状の.

phy·sal·i·phore (fi-sal′i-fōr) [G. *physallis*, bladder, bubble + *phoros*, bearing]. 担空胞細胞 (悪性の増殖物において大きな空胞を含む巨細胞または母細胞).

phys·a·liph·or·ous (fis′ă-lif′ŏr-ŭs) [G. *physallis*, bladder, bubble + *phoros*, bearing]. 担空胞〔性〕の (泡, 空胞をもつものについていう). =physaliferous.

phys·a·lis (fis′ă-lis) [G. *physallis*, a bladder]. 〔細胞内〕空胞 (軟骨腫のようにある種の悪性腫瘍にみられる巨細胞内の空胞).

Phy·sa·lop·tera (fī′să-lop′tĕr-ă) [G. *physallis*, bladder + *pteron*, wing]. フィサロプテラ属 (脊椎動物, 特に鳥類や哺乳類の胃と十二指腸に寄生する旋尾回虫の大きな一属. 中間宿主の昆虫および環形動物を経て媒介される. しばしば病原性を示し, びらんとカタル性胃炎を起こす. *P. caucasica* はグルジア共和国, およびコーカサス地方からロシア南部にかけての他の地域のヒトから見出された種. *P. mordens* はアフリカの熱帯地域に居住するヒトの食道・胃・腸からきわめてまれに見出される種. 感染した昆虫の摂取による一時的感染と思われる).

phy·sa·lop·ter·i·a·sis (fī′să-lop′tĕr-ī′ă-sis). フィサロプテラ症, 胃虫症 (*Physaloptera*属の線虫による動物とヒトでの感染症).

physi- →physio-.

phys·i·al (fiz′ē-ăl). 骨端軟骨板の ([誤った発音 physe′al を避けること]. 成長期の骨の長骨の骨端と骨幹端の間にある成長軟骨帯についていう).

phys·i·a·tric·ian (fiz′ē-ă-trish′ŭn). 理学療法医 (物理療法医学(リハビリテーション医学)を専門とする医師).

phys·i·at·rics (fiz′ē-at′riks) [G. *physis*, nature + *iatrikos*, healing]. ***1*** 物理療法, 理学療法 (physical *therapy* の古語). ***2*** リハビリテーション管理

phys·i·a·trist (fiz-ī′ă-trist). 物理療法医, 理学療法医 (物療学を専門とする医師).

phys·i·a·try (fi-zī′ă-trē, fiz′ē-at′rē). =physical *medicine*.

phys·ic (fiz′ik) [G. *physikos*, natural, physical]. ***1*** 医学, 医術. ***2*** 薬, 医薬 (しばしばしゃ下薬の一般用語).

phys·i·cal (fiz′i-kăl) [Mod.L. *physicalis* < G. *physikos*]. 身体的な (精神とは区別され, 身体に関することについていう).

phy·si·cian (fi-zish′ŭn) [Fr. *physicien*, a natural philosopher]. ***1*** 医師 (医学の技術および科学を実行するよう教育を受け, 訓練され, かつ免許を受けた人). ***2*** 内科医 (外科医と区別するのに用い, 非外科医学の実践者をさす).

attending p. 主治医 (①ある患者の治療を責任をもって行う医師. ②インターン, レジデント, あるいは医学生による患者の治療を指導する医師).

family p. 家庭医 (家庭医学を専門とする医師).

hospital-based p. 病院医師. =hospitalist (1).

osteopathic p. 整骨医 (整骨医学を行う医師). =osteopath.

resident p. =resident.

phy·si·cian as·sis·tant (P.A., PA) 医師助手 (免許のある医師の指導のもとに, よく遭遇する疾病の病歴聴取, 診療, 診断および治療を行う訓練を受け, 認定され, 免許を受けた人. それによって, 医師の医療範囲の拡大が可能となる. 整形外科助手, スポーツ損傷助手, 小児科助手など多くの亜専門分野がある).

Phys·ick (fiz′ĭk), Philip Syng. 米国人外科医, 1768—1837. →P. *pouches*.

phys·i·co·chem·i·cal (fiz′i-kō-kem′i-kăl). 物理化学〔的〕の (物理化学の分野に関する).

phys·ics (fiz′iks) [→physic]. 物理学 (物質, エネルギー, これらの相互作用現象を扱う科学の分野).

radiation p. 放射線物理学 (放射線治療および放射線診断における物理学の応用という科学における分野で, 核医学, 超音波検査, および磁気共鳴画像法(MRI)をも含む).

physio-, physi- [G. *physis*, nature]. ***1*** 身体的な, 生理的な, を表す連結形. ***2*** 自然の(物理学に関する), を表す連結形.

phys·i·o·gen·ic (fiz′ē-ō-jen′ik) [physio- + G. *genesis*, origin]. 生理的原因の.

phys·i·og·no·my (fiz′ē-og′nō-mē) [physio- + G. *gnōmōn*, a judge]. ***1*** 人相, 相貌 (顔立ち, 顔つき, あるいは性癖. 特に性格の指標とみなされるもの). ***2*** 人相学, 相貌学 (顔や全身の他の特徴を研究することによって人の性格, 精神的特質を評価すること).

phys·i·og·no·sis (fiz′ē-og-nō′sis) [physio- + G. *gnōsis*, knowledge]. 人相診断法, 相貌診断法 (顔の表情または体型の研究に基づいて疾患を診断すること).

phys·i·o·log·ic, phys·i·o·log·i·cal (fiz′ē-ō-loj′ik, -loj′i-kăl). ***1*** 生理学の. ***2*** 生理的な (種々の生体の正常な過程を示す. pathologic の対語). ***3*** 解剖学的構造からではなく, 機能的効果が明らかなものを意味する. 例えば括約筋. ***4*** 生理〔学〕的な (生理的に存在する濃度あるいは効力の範囲内の用量(ホルモン, 神経伝達物質, あるいは他の生理的物質, またはそれらの類似物などの化学物質の用量)あるいはそのような用量における効果についていう. *cf.* homeopathic (2); pharmacologic (2); supraphysiologic).

phys·i·o·log·i·co·an·a·tom·ic, phys·i·o·log·i·co·an·a·tom·i·cal (fiz′ē-ō-loj′i-kō-an′ă-tom′i-kăl). 生理解剖学的の (生理学と解剖学の両方に関する).

phys·i·ol·o·gist (fiz′ē-ol′ŏ-jist). 生理学者 (生理学を専門とする人).

phys·i·ol·o·gy (fiz′ē-ol′ŏ-jē) [L. or G. *physiologia* < G. *physis*, nature + *logos*, study]. 生理学 (生物, 動植物の正常の生命過程を扱う科学. 特に解剖学的構造や, 生体の生化学的組成, 生体がいかに薬剤や病気によって影響を及ぼされるかより, いかに生体で物質が正常に機能しているかを扱う).

comparative p. 比較生理学 (異なる種の生物の生命過程における相違を扱う科学. 特に生命過程が種の特異的必要性に適応すること, 異なる種の間の進化上の関係の解明, または他の種との間の帰納と関係の立証などの観点に基づく).

general p. 一般生理学 (特定の動植物に固有な生理学の見解, あるいは医学, 農学など応用科学への生理学の応用とは反対に, 動植物を問わずほとんどすべての生物に共通の機能や生命過程を扱う科学).

hominal p. 人体生理学 (ヒトの正常機能の解明に応用される生理学).

pathologic p. 病態生理学 (解剖学的病変とは区別される機能障害に関する疾病の科学の分野). =physiopathology.

phys·i·o·path·o·log·ic, phys·i·o·path·o·log·i·cal (fiz′ē-ō-path′ō-loj′ik). 生理病理学〔的〕の.

phys·i·o·pa·thol·o·gy (fiz′ē-ō-pă-thol′ŏ-jē). 生理病理学. =pathologic *physiology*.

phys·i·o·psy·chic (fiz′ē-ō-sī′kik). 身体精神の (精神と身体の両方についていう).

phys·i·o·py·rex·ia (fiz′ē-ō-pī-rek′sē-ă) [physio- + G. *pyrexis*, feverishness]. 人工発熱 (物理的要因により発生する熱).

phys·i·o·ther·a·peu·tic (fiz′ē-ō-thār′ă-pyū′tik). 物理療法の, 理学療法の.

phys·i·o·ther·a·pist (fiz′ē-ō-thār′ă-pist). 理学療法士 (→physical *therapy* (2)).

phys·i·o·ther·a·py (fiz′ē-ō-thār′ă-pē) [physio- + G. *therapeia*, treatment]. 物理療法, 理学療法. =physical *therapy* (1).

oral p. 口腔の健康を維持するために, 歯ブラシ, 歯間刺激物質, 絹糸, 洗浄装置を用いること.

phy·sique (fi-zēk′) [Fr.]. 体型 (生物型, 身体的あるいは肉体的な構造. いわゆる〝体格 build〞).

phy·sis (fī′sis) [G. growth < *phyō*, to generate]. 骨端軟骨 epiphysial cartilage に対してときに用いる語.

physo- [G. *physaō*, to inflate, distend]. ***1*** 腫脹あるいは膨張

する傾向を示す連結形．*2* 空気や気体との関係を示す連結形．

phy·so·cele (fī′sō-sēl) [physo- + G. *kēlē*, tumor, hernia]. *1* 含気腫瘍（気体の存在に起因する限局性腫脹）．*2* 含気ヘルニア嚢（気体で拡張したヘルニア嚢）．

Phy·so·ceph·a·lus sex·a·la·tus (fī′sō-sef′ă-lŭs sek′să-lā′tŭs) [G. *physa*, bellows + *kephalē*, head]. ブタ，ウマ，ラクダ，家兎，野兎の胃に寄生するスピルラ科の小型の旋尾線虫．全世界に分布し，特に食用ブタに多くみられる．

phy·so·ceph·a·ly (fī′sō-sef′ă-lē) [physo- + G. *kephalē*, head]. 気頭症，頭部気腫（皮下組織への空気の導入による頭部の腫脹）．

phy·so·me·tra (fī′sō-mē′tră) [physo- + G. *mētra*, uterus]. 子宮鼓脹〔症〕（空気，ガスによる子宮腔の拡張した状態）．＝uterine tympanites.

Phy·sop·sis (fī-sop′sis) [G. *physis*, growth + *opsis*, aspect, appearance]. フィソプシス亜属（アフリカ産 *Bulinus*属の一亜属で，本亜属に属するほとんどの種は，サハラ以南のアフリカで，ヒト寄生性のビルハルツ住血吸虫 *Schistosoma haematobium* や他の動物性住血吸虫類を媒介する）．

phy·so·py·o·sal·pinx (fī′sō-pī′ō-sal′pingks) [physo- + G. *pyon*, pus + *salpinx*, trumpet]. 卵管膿気腫（卵管中の気体生成を伴う卵管留膿症）．

phy·so·stig·ma (fī′sō-stig′mă) [G. *physa*, bellows + *stigma*, a mark, spot, 斑点の形からそうよばれる]. フィゾスチグマ（西アフリカ産マメ科つる植物 *Physostigma venenosum* の乾燥種子．アルカロイドのフィゾスチグミン(eserine)，エセラミン，エセリジン(geneserine)，フィソベニンを含有する．中毒量では嘔吐，仙痛，流ぜん，下痢，痙攣，発汗，呼吸困難，めまい，遅脈，極度の疲はい(虚脱)を起こす）．＝Calabar bean; ordeal bean.

phy·so·stig·mine (fī′sō-stig′mēn). フィゾスチグミン（フィゾスチグマのアルカロイド．コリンエステラーゼの可逆的阻害薬で，アセチルコリンの破壊を防ぐ．コリン作用薬として用い，実験的には，遊離部位に関係なくアセチルコリンの作用を増加させる）．＝eserine.

p. salicylate サリチル酸フィゾスチグミン（結膜点眼で緑内障の眼圧の減少，術後腸アトニー，尿閉の治療，重症筋無力症の処置，ツボクラリンの過剰投与を抑制するのに用いる．本剤と同じように用いる硫酸フィゾスチグミンも有用である）．＝eserine salicylate.

phyt- →phyto-.

phy·tan·ate (fī′tan-āt). フィタネート（フィタン酸の陰イオン）．

p. *α*-oxidase フィタン酸 *α*−オキシダーゼ（フィタン酸を酸化し，カルボキシル基を除去する酵素）．

phy·tan·ic ac·id (fī-tan′ik as′id). フィタン酸（Refsum 病患者の血清と組織に蓄積し，フィタン酸 *α*−オキシダーゼの遺伝性欠損に起因する分枝鎖脂肪酸．フィトールから生じ，パルミチン(ヘキサデカン)酸の *α*−酸化の抑制物質として作用する．フィタン酸はある種の他の疾患，特にペルオキシソーム異常症，に際しても蓄積する）．

6-**phy·tase** (fī′tās). 6−フィターゼ；phytate 6-phosphate（フィチン酸を加水分解し，6−リン酸基を除去し，正リン酸と 1L-*myo*-1,2,3,4,5- ペンタキスリン酸を生成させる酵素）．

phy·tate (fī′tāt). フィチン酸の塩またはエステル．

phy·tic ac·id (fī′tik as′id). フィチン酸（*myo*- イノシトールの六リン酸エステル．そのマグネシウムとカルシウムの混合塩をフィチンという）．

phy·tin (fī′tin). フィチン（フィチン酸のカルシウムマグネシウム塩．食事補充物として，カルシウム，有機リン，*myo*- イノシトールの供給に用いる）．

phyto-, phyt- [G. *phyton*, a plant]. 植物を意味する連結形．

phy·to·ag·glu·ti·nin (fī′tō-ă-glū′ti-nin). 植物性凝集素，フィトアグルチニン（赤血球または白血球の凝集反応を起こすレクチンの一種）．

phy·to·be·zoar (fī′tō-bē′zōr) [phyto- + bezoar]. 植物性胃石（果実の種や皮を伴う植物線維，ときにはデンプン顆粒，脂肪滴で形成される胃の結石）．＝food ball.

phytoceutical (fī-tō-sū-tĭ-kal). 植物性製品（生理活性を有する植物由来製品の名称）．

phytochemicals (fī-tō-kem-i-kălz). 植物ケミカル（健康あるいは疾患に関連した特性を有する，植物に基因した化学物質．例えばフラボノイドやシュウ酸など．→functional *food*; designer *food*; nutraceutical; biochemopreventives）．

phy·to·chem·is·try (fī′tō-kem′is-trē). 植物化学（植物の生化学的研究．植物の化学成分の同定・生合成・代謝に関すること．特に天然物に関する分野で用いられる）．

phy·to·der·ma·ti·tis (fī′tō-der′mă-tī′tis). 植物に接触した皮膚領域に物理的，化学的な外傷，アレルギー，光線過敏症などのメカニズムが加わって起こる皮膚炎．

phytoestrogen (fī-tō-es-trō-jin). フィトエストロゲン，植物エストロゲン（エストロゲンと類似した構造を有する植物成分）．

P

Phy·to·flag·el·la·ta (fī′tō-flaj′ĕ-lā′tă) [phyto- + L. *flagellum*, a whip]. 植物性鞭毛虫亜綱（黄色または緑色色素細胞を有する植物鞭毛虫の一亜綱）．

phy·to·hem·ag·glu·ti·nin (PHA) (fī′tō-hēm′ă-glū′ti-nin). 植物性〔赤〕血球凝集素，フィトヘマグルチニン，フィトヘムアグルチニン（赤血球を凝固させる植物由来のフィトマイトジェン．本用語は，Bリンパ球よりもTリンパ球の分裂をより強く促進する分裂促進因子でもあるインゲンマメ(*Phaseolus vulgaris*)由来のレクチンを特にさして用いられる）．＝phytolectin.

phy·toid (fī′toyd) [G. *phytōdēs* < *phyton*, plant + *eidos*, resemblance]. 植物様の（植物の生物学的特徴を多く有する動物についていう）．

phy·tol (fī′tol). フィトール（クロロフィルの加水分解から誘導される不飽和一級アルコール．ビタミンEと K_1 の構成成分）．＝phytyl alcohol.

phy·to·lec·tin (fī′tō-lek′tin). フィトレクチン．＝phytohemagglutinin.

Phy·to·mas·ti·gi·na (fī′tō-mas′ti-jī′nă) [phyto- + G. *mastix*, whip]. 植物性鞭毛虫類（植物性の鞭毛虫類の旧名で，以前は亜目あるいは目として分類したが，近年の分類では植物性鞭毛虫綱 Phytomastigophorea(Phytomastigophorasida)に変わった）．

Phy·to·mas·ti·go·pho·ras·i·da (fī′tō-mas′ti-gō-fō-ras′-i-dă). ＝Phytomastigophorea.

Phy·to·mas·ti·goph·o·re·a (fī′tō-mas′ti-gof′ō-rē′ă) [phyto- + G. *mastix*, whip + *phoros*, bearing]. 植物性鞭毛虫綱（有毛根足虫門(鞭毛虫とアメーバ状原生動物亜門)に属する一綱．大多数は自由生活性の植物状の鞭毛虫類．葉緑体はもつものともたないものがある．通常，1本または2本のべん毛をもつ．*cf.* Zoomastigophorea）．＝Phytomastigophorasida.

phytomedicine (fī-tō-med′i-sin) [phyto- + medicine]. 植物療法（予防および治療を考慮した条件をふまえた種々の植物原料を使用する薬草主体の伝統的な医療行為）．

phy·to·men·a·di·one (fī′tō-men′ă-dī′ōn). フィトメナジオン．＝phylloquinone.

phy·to·mi·to·gen (fī′tō-mī′tō-jen). フィトマイトジェン（リンパ球に対して抗原刺激によって生じるものと同様の分裂増殖を伴う変化を生じさせる物質，すなわち，細胞分裂性レクチン．例えばフィトヘマグルチニンやコンカナバリンA）．

phy·to·na·di·one (fī′tō-nā-dī′ōn). フィトナジオン．＝phylloquinone.

phy·toph·a·gous (fī-tof′ă-gŭs) [phyto- + G. *phagō*, to eat]. 菜食の，菜食主義者の．

phy·to·pho·to·der·ma·ti·tis (fī′tō-fō′tō-der′mă-tī′tis). 植物性光線皮膚炎（光過敏に起因する植物性皮膚炎）．

phy·to·pneu·mo·co·ni·o·sis (fī′tō-nū′mō-kō′nē-ō′sis) [phyto- + pneumoconiosis]. 植物性じん(塵)肺〔症〕（植物性の粒子の吸入による肺の慢性線維性反応）．

phy·to·por·phy·rin (fī′tō-pōr′fĭ-rin). フィトポルフィリン（①ビニル基がエチル基で置換され，メトキシカルボニル基と2個の水素原子がなく，D環にさらに1つの二重結合がある以外は，クロロフィルのフェオフォルビドと同じポルフィリン．②植物性ポルフィリンの総称）．

phy·to·sis (fī-tō′sis). 植物寄生性疾患（真菌のような増殖性の生物が感染したために起こる疾病状態）．

phy·to·sphin·go·sine (fī′tō-sfing′gō-sēn). フィトスフィン

ゴシン（種々の植物から分離されるスフィンゴシン誘導体）.
phy·to·ste·rol (fī′tō-stē′rol). フィトステロール（植物のステロールの総称）.
phy·to·ste·ro·lem·i·a (fī′tō-stē′ro-lēm′ē-ă). フィトステロール血症（フィトステロールや甲殻類のステロールを過剰に吸収するために生じる遺伝性疾患．腱や皮下に結節性黄色腫を生じる）. ＝sitosterolemia.
phy·to·tox·ic (fī′tō-tok′sik). ***1*** 植物に有毒な．***2*** 植物毒素の.
phy·to·tox·in (fī′tō-tok′sin) [phyto- ＋ G. *toxikon*, poison]. 植物毒素（植物起源の有毒物質）. ＝plant toxin.
phy·to·trich·o·be·zoar (fī′tō-trik′ō-bē′zōr). 植物毛髪胃石. ＝trichophytobezoar.
phy·tyl (fī′til). フィチル（フィロキノン（ビタミン K_1）にみられる基．プレニル基4個のうち3個が還元されているテトラプレニル基）.
phy·tyl al·co·hol (fī′til al′kŏ-hol). フィチルアルコール. ＝phytol.
PI Periodontal *Index* の略.
Pi inorganic *phosphate* の略.
p*I* ある物質の等電点(isoelectric *point*)の pH 値.
pi (π, Π) (pī). パイ（①ギリシア文字のアルファベットの第16字．②(Π)浸透圧の記号．数学で級数の積の記号．③(π)円の円周に対する直径の比率(約 3.14159)の記号．④プロス *pros* の記号）.
pia (pī′ă, pē′ă) [L. *pius*(tender)の女性形]. 軟膜. ＝pia mater.
pi·a·a·rach·ni·tis (pī′ă-ă-rak-nī′tis). 軟膜クモ膜炎. ＝leptomeningitis.
pi·a·a·rach·noid (pī′ă-ă-rak′noyd, pē′ă-). 軟膜クモ膜. ＝leptomeninx.
pi·al (pī′ăl, pē′ăl). 軟膜の.
pi·a mat·er (pī′ă mā′tĕr, pē′ă mah′tĕr) [L. tender, affectionate mother][TA]. 軟膜（脳(脳軟膜 pia mater cranialis [TA])と脊髄(脊髄軟膜 pia mater spinalis [TA]または膠境界膜)のグリア被膜(境界膜)に固着している繊細な，血管の豊富な線維膜で，大脳の外側の凹凸，脈絡膜と神経叢の上衣に密着する．小脳をおおうが，大脳ほど密接ではなく，全小溝にはいり込んでいるわけではない．軟膜とクモ膜は併せて軟髄膜とよばれ，硬膜とは区別される）. ＝pia.
pi·an (pē-an′, pī′an) [*ulcer* を意味する Tupinamba 語から]. イチゴ腫，ピャン. ＝yaws.
　p. bois 皮膚イチゴ腫，ピャン・ボワ（新世界皮膚リーシュマニア症の一型で，アマゾン川流域で *Leishmania braziliensis guyanensis* によって起こる．鼻粘膜への転移により鼻咽頭リーシュマニア症様病変を起こす場合もある）. ＝bosch yaws; bush yaws.
pi·a·rach·noid (pī′ă-rak′noyd). 軟膜クモ膜. ＝leptomeninx.
pi·blok·to, pi·blok·tog (pi-blok′tō) [土語]. ピブロクト（解離性遁走状態で，通常，イヌイットの女性にみられ，ひどく苦悩している人が金切り声・悲鳴をあげたり，服を脱ぎ捨てたり，雪の中に走り出て行くが，後でその出来事を覚えていない）.
pi·ca (pī′kă, pē′kă) [L. *pica*, magpie]. 異食〔症〕（倒錯した食欲．粘土，乾いた絵の具，デンプン，氷のような食物に適さない物あるいは栄養的に価値のない物を食べたがること）.
PICC peripherally inserted central *catheter* の略.
Pic·chi·ni (pi-chē′nē), Luigi. 19世紀後期のイタリア人医師. →P. *syndrome*.
PICHI pulse-inversion contrast harmonic *imaging* の略.
Pick (pik), Arnold. ハプスブルク帝国の精神科医，1851―1924. →P. *atrophy*, *bundle*, *disease*.
Pick (pik), Friedel. ドイツ人医師，1867―1926. →P. *bodies*, *disease*, *syndrome*.
Pick (pik), Ludwig. ドイツ人医師，1868―1935. →P. *cell*; Niemann-P. *cell*, *disease*.
Pick·les (pik′ĕlz), William. 英国人一般医で孤立したコミュニティにおける感染の伝播についての研究者，1885―1969. →P. *chart*.
pick·ling (pik′ling). 酸洗い（歯科において，酸化生成物の金属表面や他の不純物を酸液浸によって洗浄する過程）.
Pick·worth (pik′wŏrth), Frederick.A. →Lepehne-P. *stain*.
pico- [It. *piccolo*]. ***1*** 小さいを意味する連結形．***2*** (p). 10^{-12} の分量単位の意で，国際単位系(SI)およびメートル法で用いる接頭語. ＝bicro-.
pi·co·gram (pg) (pī′kō-gram, pē′kō-gram). ピコグラム (10^{-12} g).
pi·co·kat·al (pkat) (pī′kō-kat′ăl, pē′ko-kat′ăl). ピコカタール（カタールの1兆分の1 (10^{-12} カタール)）.
pic·o·lin·ic ac·id (pik′ō-lin′ik as′id). ピコリン酸；pyridine-4-carboxylic acid（ニコチン酸の異性体）.
pic·o·li·nur·ic ac·id (pik′ō-li-nūr′ik as′id). ピコリン尿酸；*N*-picolinoylglycine（グリシンとピコリン酸のアミド．安息香酸の代わりにピコリン酸がグリシンと抱合し，排泄される馬尿酸類似体）.
pi·co·me·ter (pm) (pī′kō-mē′tĕr, pē′-). ピコメートル (10^{-12} m). ＝bicron.
pi·co·mole (pmol) (pī′kō-mōl, pē′kō-mōl). ピコモル（モルの1兆分の1 (10^{-12} モル)）.
Pi·cor·na·vir·i·dae (pī-kōr′nă-vir′i-dē) [It. *piccolo*, very small ＋ RNA ＋ -viridae]. ピコルナウイルス科（非常に小型(20―30 nm)で，エーテル抵抗性の，エンベロープをかぶらないウイルスの一科で，プラス鎖の一本鎖の感染力をもつ RNA の芯を 60 個のカプソメアをもった二十面体相称のカプシドが包む．この科には多数の種(ポリオウイルス，コクサッキーウイルス,エコーウイルスなど)が含まれる．*Enterovirus*属，*Rhinovirus*属，*Hepatovirus*属，*Cardiovirus*属，*Apthovirus*属の5属が認められている）.
pi·cor·na·vi·rus (pī-kōr′nă-vī′rŭs). ピコルナウイルス科のウイルス.
pic·ram·ic ac·id (pīk-ram′ik as′id). ピクラミン酸（ピクリン酸中毒にかかった人の血液にときにみられる赤色結晶．ピクリン酸の部分的還元により形成される）.
Pic·ras·ma (pik-raz′mă) [L.＜G. *pikrasmos*, bitterness]. ニガキ(苦木)(→quassia).
pic·ric ac·id (pik′rik as′id) [G. *pikros*, bitter]. ピクリン酸（熱傷，湿疹，丹毒，そう痒症に用いる薬物．その結晶体は潜在的に爆発性を有する）. ＝carbazotic acid; nitroxanthic acid.
pic·ro·car·mine (pik′rō-kar′min). →picrocarmine *stain*.
pic·ro·for·mol (pik′rō-fōr′mol). →picroformol *fixative*.
pic·ro·ni·gro·sin (pik′rō-nī′grō-sin). →picronigrosin *stain*.
pic·ro·tox·in (pik′rō-tok′sin) [G. *pikros*, bitter ＋ *toxicon*, poison]. ピクロトキシン（ツヅラフジ科アナミルタ *Anamirta cocculus* の果実から得られる苦みのある中性成分．中枢神経興奮薬．痙攣薬，GABA アンタゴニストとして，特に痙攣発作の研究における実験に繁用される）. ＝cocculin.
pic·ro·tox·in·in (pik′rō-toks′in-in). ピクロトキシニン（ピクロトキシンのラクトン分解生成物．薬理的性質はピクロトキシンに類似する）.
pic·ryl (pik′ril). ピクリル（水酸基の除去によってピクリン酸から得られる有機塩）.
pic·to·graph (pik′tō-graf). ピクトグラフ（読み書きのできない者用の視力検査図表）.
PID pelvic inflammatory *disease* の略.
Pid·gin Sign Eng·lish (PSE) (pij′in sin ing′glish). ピジン手話英語（手を用いた英語表現の一体系．英語の文法にしたがってアメリカ手話の記号を用いている．語尾変化をもたず，指文字が適切な名称として用いられる）.
pie·bald·ism (pī-bawld′izm) [MIM*172800]. まだら症（縞紋様を呈する毛髪の斑状色素脱失．メラノサイトの欠損のために白斑が他の部位に存在することもある．多くは第4染色体長腕の KIT プロト癌遺伝子の変異による常染色体優性遺伝であり，神経学的欠陥 [MIM*172850]あるいは眼科異常[MIM*172870]を伴うこともある．*cf.* Waardenburg *syndrome*）. ＝cutaneous albinism; piebald skin; piebaldness.
pie·bald·ness (pī-bawld′ness). まだら症. ＝piebaldism.
piece (pēs). 一部，一片.
　end p. 末端部，終片〔部〕（精子の軸糸がべん毛膜のみでおおわれている(鞘のない)部分）. ＝end-piece.
　　Fab p. ＝Fab *fragment*.
　　Fc p. ＝Fc *fragment*.
　middle p. 中部，中片〔部〕（精子の，軸糸と密ならせん状に配列したミトコンドリアの鞘とを特徴とする部分).

principal p. 主部(精子の主要部分．長さは45 μm で，軸糸を取り巻く特徴的な線維鞘をもっている).

pi·e·dra (pē-ā′drā) [Sp. a stone]. 砂毛〔症〕(毛髪の真菌疾患で，毛幹に多数のろう様，硬い，砂粒状小結節形成を特徴とする.→trichosporosis).

black p. 黒色砂毛〔症〕(頭髪に生じる砂毛で，*Piedraia hortae* が原因となる．真菌細胞の器質化した硬いセメント状の塊からなる固着性黒色の硬い砂状の多発性小結節を特徴とする．真菌の増殖は毛嚢(包)の位置より上に局在するのが常である．この疾患はアメリカ，アフリカ，およびアジアの熱帯多湿の地域にみられ，ヒトだけでなくチンパンジーやその他の霊長類にも生じる).

p. nostras 内地砂毛〔症〕(砂毛症に似ているが，ひげを侵す疾患).

white p. 白色砂毛〔症〕(頭部だけでなく，顎ひげ，口ひげおよび生殖器部に起こる．バイゲル毛芽胞菌 *Trichosporon beigelii* によって起こり，南アメリカ，ヨーロッパ，日本にみられる．軟らかい，粘滑性の，白色から明るい茶色の結節が毛髪上と毛髪内にできるのが特徴).

Pi·e·drai·a (pī-ĕ-drī′ă) [→piedra]. ピエドライア属(唯一の種と考えられる *P. hortae* に基づく真菌の一属．黒色砂毛症を起こす).

pi·eds ter·mi·naux (pē-e′ tĕr-mē-nō′) [Fr. end feet]. = axon *terminals.*

Pi·er·i·ni (pē-ār-ē′nē), Luigi. 20世紀のアルゼンチン人皮膚科医. →*atrophoderma* of Pasini and P.

Pierre Robin (pē-yār′ rō-ban[h]′). →Robin.

pi·e·sim·e·ter, pi·e·som·e·ter (pī′ĕ-sim′ĕ-tĕr, pī-ĕ-som′ĕ-tĕr) [G. *piesis*, pressure]. 圧力計(気体や液体の圧力度を測定する器械). = piezometer.

Hales p. (hālz). ヘールズ血圧計(血流に直角に動脈に挿入したガラス管で，血圧を測定する装置．血液が管中で上昇する高さで血圧が示される).

pi·e·sis (pī′ĕ-sis) [G. pressure]. 血圧. = blood *pressure.*

pi·e·zo·chem·is·try (pī′ĕ-zō-kem′is-trē). 高圧化学，圧縮化学(化学反応に対する高圧の作用を研究する学問).

pi·e·zo·e·lec·tric (pī′ĕ-zō-ē-lek′trik). ピエゾ電気の.

pi·e·zo·e·lec·tric·i·ty (pī′ĕ-zō-ē′lek-tris′i-tē) [G. *piezō*, to press, squeeze + electricity]. 圧電気，ピエゾ電気(ある種の結晶，例えば，石英，雲母，方解石に圧力を加えることによって発生する電気).

pi·e·zo·gen·ic (pī′ĕ-zō-jen′ik) [G. *piezo*, to press, squeeze + *genesis*, origin]. 圧力原性(圧力の結果生じたもの).

pi·e·zom·e·ter (pī′ĕ-zom′ĕ-tĕr). = piesimeter.

PIF prolactin-inhibiting *factor* の略.

pig (pig) [jargon]. 鉛でできた容器で，放射性物質を入れたバイアルあるいは注射器を遮へいするのに用いる.

pig·bel (pig′bĕl). ピッグベル(C型のウエルチ菌 *Clostridium perfringens* のB毒素によって生じる，パプアニューギニア高原における地方病の一種の壊死性腸炎．B毒素に対する免疫の不全と低蛋白の食事(ほとんどサツマイモ)により生じる腸の蛋白分解酵素の低下により主として小児に生じる).

pig·ment (pig′ment) [L. *pigmentum*, paint]. ***1*** 色素(赤血球，毛髪，虹彩などの色素．組織学，細菌学の研究または彩色に用いる染料). ***2*** 化粧品のように皮膚に塗布する外用剤.

bile p.'s 胆汁色素(メタン橋の断裂によりポルフィリンから得られる胆汁内の色素．例えば，ビリルビン，ビリベルジン).

chymotropic p. [G. *chymos*, juice + *tropē*, turning, inclination + -ic]. キモトロピック色素(植物細胞の液胞中に溶解している色素).

formalin p. ホルマリン色素(ホルムアルデヒドの酸性水溶液が血液を多量に含有する組織に作用するときに生成する色素．偏光面の回転によって特徴付けられる．水性または油性の溶媒では抽出できず，酸や過酸化水素で漂白される．pH 6以上で緩衝されたホルムアルデヒドで固定化された組織では生成されない).

hematogenous p. 血液由来色素(赤血球のヘモグロビンから生じる色素).

hepatogenous p. 肝由来色素(肝臓におけるヘモグロビンの破壊に由来する胆汁色素).

malarial p. マラリア色素(暗褐色の顆粒状色素で，偏光面を回転させ，またホルマリン色素の特徴ももつ．*Plasmodium malariae*(四日熱マラリア)によって起こるような寄生虫感染内，脳毛細血管の周囲，脾臓，肝臓，骨髄リンパ節内のマクロファージ内にみられる．赤血球内でのマラリア寄生体のヘモグロビン代謝により，残留した過剰の蛋白，鉄ポルフィン，ヘマチンからなる.→malarial pigment *stain*).

melanotic p. 黒色色素. = melanin.

natural p. 天然色素(天然由来の色素化合物．可視領域の電磁気スペクトルで光を吸収する．*cf.* structural *color*). = biochrome.

respiratory p.'s 呼吸色素(血液と組織中の酸素運搬(着色)物質．ヘモグロビン，ミオグロビン，ヘモシアニンなど).

visual p.'s 視覚色素(視覚過程を起こす網膜の錐体と杆体の光学色素).

wear-and-tear p. 消耗色素(リソソームの消化の残渣として，老化または萎縮細胞に蓄積するリポフスチン).

pig·men·tar·y (pig′men-tār′ē). 色素〔性〕の.

pig·men·ta·tion (pig′men-tā′shŭn). 色素沈着(皮膚または組織の正常なあるいは病的な色素沈着).

arsenic p. ヒ素性色素沈着(慢性ヒ素中毒にみられる皮膚の全身性の斑点状メラニン色素沈着).

exogenous p. 外因性色素沈着(外部からはいり込んでくる色素による皮膚または組織の変色).

pig·ment·ed (pig′men-tĕd). 色素沈着の，着色の.

pig·men·tol·y·sin (pig′men-tol′i-sin) [L. *pigmentum*, pigment + G. *lysis*, a loosening]. 色素溶解素(色素を破壊させる抗体).

pig·men·tum ni·grum (pig-men′tŭm nī′grŭm). 黒色色素(眼の脈絡膜のメラニン).

pig·my (pig′mē). = pygmy.

pi·lar, pi·la·ry (pī′lăr, pil′ă-rē) [L. *pilus*, hair]. 毛〔髪〕の. = hairy.

pile (pīl). ***1*** [L. *pīla*, pillar]. パイル，電堆，堆〔対〕(交互に重ねた一連の2種類の金属板．それぞれ希酸溶液で湿らせた1枚の物質で隔てられている．電流を起こすために用いる). ***2*** [L. *pila*, ball]. 痔〔核〕(→hemorrhoids).

sentinel p. 歩哨堆，歩哨痔核(肛門裂下端粘膜の限局性肥厚).

thermoelectric p. 熱電堆. = thermopile.

piles (pīlz) [L. *pila*, a ball]. 痔〔核〕. = hemorrhoids.

pi·le·us (pī′lē-ŭs) [L. *pileum*, *pileus*, a felt cap]. = greater *omentum.*

pi·li (pī′lī) [L.]. pilus の複数形.

pi·li·mic·tion (pī′li-mik′shŭn) [L. *pilus*, hair + *mictio*, urination]. 毛髪排尿，毛尿〔症〕(類皮腫の症例におけるように尿中に毛髪が排泄されること，または尿中に粘液糸状物質が排泄されること).

pil·in (pi′lin) [L. *pilus* (2) + -in]. ピリン(細菌が組織や容器表面にくっつきやすくする細菌の粘着性器官の蛋白成分).

pill (pil) [L. *pilula*: L. *pila*(ball)の指小辞]. 【pill は球形である．公式の発言および文書では tablet(錠剤)および capsule(カプセル)を pill(丸剤)とよぶのを避けること】. ***1*** 丸剤(経口用の薬物を含有する粘着性・可溶性物質の小さな球形の塊.→tablet). ***2*** ピル(経口避妊薬を意味する俗語).

bread p. パンくずなど薬理効果のない物質でつくられた偽薬.

---

morning-after p.(MAP) 緊急経口避妊薬(妊娠成立の可能性を小さくするために，当該性交後2—3日以内に服用する経口薬剤). = emergency hormonal contraception; postcoital contraception.

米国FDAは性交後避妊のために2つの投与法を承認している．Yuzpeの処方では，プロゲストゲン(レボノルゲストレル0.25 mg またはノルゲストレル0.5 mg)およびエストロゲン(エチニールエストラディオール100 μg)の合剤を，直ちに服用し，12時間後に再度服用する．他の処方は，エストロゲンを使用せずに，レボノルゲストレル0.75mgを2錠内服する．どちらの処方でも，性交から24時間以内に内服するのが望ましく，性交から72時間経過した後の内服は無効である．Yuzpe法で妊娠成立の可能性は，約57%低下し，レボノルゲストレル単剤で85%減少する．着床が成立しなかった場合，約50%の女性は1週間以内に，他の女性もほとんどが3週間以内に性器出血が発来する．十分早期に服用した場合は，ホルモンが卵管機能を抑える，または卵に対する毒性を発現することにより受精を阻害する可能性が考えられる．しかし，通常は受精卵の着床を阻害することで妊娠成立を妨害する．この点からみると，MAPは緊急避妊ではなく，むしろ化学的流産の誘発である．嘔気の頻度はレボノルゲストレル単独で約40%，Yuzpe法で約65%である．頭痛，浮腫，乳房痛も生じる可能性がある．この避妊法は経口避妊薬が禁忌の婦人，例えば，高血圧あるいは心筋梗塞や血栓症の既往のある例には禁忌である．すでに着床の完了した例に高用量のホルモンを短期間使用しても妊娠の継続は妨害されない．また，このような妊娠が継続した場合，胎児にも悪影響が及ぶという報告はない．しかし，すでに妊娠が成立している症例や3—10日前に別の性交渉を経験している症例には禁忌である．FDAはレボノルゲストレルの店頭での販売の申請を却下した．

---

pep p.'s 中枢神経興奮薬，特にアンフェタミンを含有する錠剤を意味する口語．

pil·lar (pil'ăr) [L. *pila*]. 柱，口蓋弓（柱に似た構造または部分）.

anterior p. of fauces* palatoglossal *arch* の公式の別名．

anterior p. of fornix ＝*column* of fornix.

Corti p.'s (kōr'tē). コルティ(コルチ)柱．＝pillar *cells*.

p.'s of fauces →palatoglossal *arch*; palatopharyngeal *arch*.

p.'s of fornix 脳弓柱および後部脳弓脚．

p. of iris ＝trabecular *tissue* of sclera.

posterior p. of fauces* palatopharyngeal *arch* の公式の別名．

posterior p. of fornix ＝*crus* fornicis.

structural p.'s of the midface 犬歯，頬骨と翼状突起．→buttress.

pil·let (pil'et). 小丸剤，ピレット剤．

pill mass ＝pilular *mass*.

pill-roll·ing (pil'rōl-ing). 丸剤作製様運動（母指とひとさし指の向かい合った先端の円運動で，振せん麻痺における振せんの一種として現れる）.

pilo- [L. *pilus*]. 毛髪に関する連結形．

pi·lo·car·pine (pī'lō-kar'pēn) [G. *pilos*, a felt hat + *karpos*, fruit]. ピロカルピン（*Pilocarpus microphyllus* または *P. jaborandi*(ミカン科)，西インド諸島および熱帯アメリカの灌木の葉から得られるアルカロイド．副交感神経作用薬で，実験的に痙攣を誘発するために用いるほか，縮瞳薬として外用で，また緑内障の治療に用いる．塩酸塩および硝酸塩として用いる）.

Pi·lo·car·pus (pil-ō-kar'pŭs). 中南米から西インド諸島にかけて分布する木で，低木の一種．ムスカリン性アセチルコリン受容体のアゴニストであるアルカロイド，ピロカルピン→pilocarpine の原植物．発汗，縮瞳作用を有する．=Jaborandi.

pi·lo·cys·tic (pī'lō-sis'tik) [pilo- + G. *kystis*, bladder]. 毛嚢腫性の（毛髪を含有する類皮嚢胞(皮様嚢腫)についていう）.

pi·lo·e·rec·tion (pī-lō-ē-rek'shŭn). 立毛，起毛（立毛筋の作用による毛髪の起立）.

pi·loid (pī'loyd) [pilo- + G. *eidos*, resemblance]. 毛様の．

pi·lo·ma·trix·o·ma (pī'lō-mā'trik-sō'mă) [pilo- + matrix + G. *-oma*, tumor] [MIM*132600]. 毛質〔性上皮〕腫（毛包の単発性良性腫瘍で，しばしば小児期に生じる．基底細胞癌に似た細胞と好酸性のゴースト細胞を形成している上皮の壊死領域からなり，線維性間質には様々な程度の石灰化と異物巨細胞反応がみられる）. ＝Malherbe calcifying epithelioma.

pi·lo·mo·tor (pī'lō-mō'tŏr) [pilo- + L. *motor*, mover]. 毛髪運動の，立毛〔筋〕の（皮膚の立毛筋とこれらの小さな平滑筋を支配する神経節後交感神経線維についていう）.

pi·lo·ni·dal (pī-lō-nī'dăl) [pilo- + L. *nidus*, nest]. 毛巣の（類皮嚢腫あるいは皮膚に開孔する洞内に認められる毛髪の存在についていう）.

pi·lose (pī'lōs) [L. *pilosus*]. 有毛の，毛様の，毛でおおわれた．＝hairy.

pi·lo·se·ba·ceous (pī'lō-sĕ-bā'shŭs) [pilo- + L. *sebum*, suet]. 毛包(毛嚢)脂腺の．

pi·lo·sis (pī-lō'sis) [pilo- + G. *-osis*, condition]. 多毛〔症〕. ＝hirsutism.

Piltz (pilts), Jan. ポーランド人神経科医，1870—1931. →P. *sign*; Westphal-P. *phenomenon*.

pil·u·la, gen. & pl. pil·u·lae (pil'yū-lă, -lē) [L. *pila* (a ball)の指小辞]. 〔小〕丸剤．

pil·u·lar (pil'yū-lăr). 丸剤の．

pil·ule (pil'yūl) [L. *pilula*]. 丸剤．

pi·lus, pl. pi·li (pī'lŭs, pī'lī) [L.]. ***1*** [TA]. 毛．＝hair (1). ***2*** ピリ線毛（べん毛と機能的にやや類似した細い糸状の付属構造で，ある種の細菌にみられる．ピリ線毛は化学的にべん毛と類似していると考えられるが，蛋白のみからなり，短く，直線的で，はるかに数が多い．特殊化したピリ線毛(F線毛，I線毛，および他の接合性線毛)は細菌の接合および感染過程での宿主細胞への細菌の接着を仲介すると考えられている．→conjugative *plasmid*）. ＝fimbria (2).

pili annulati 白輪毛．＝ringed *hair*.

F pili F〔ピリ〕線毛（→pilus (2)）.

F p. F線毛（細菌の雄個体(F^+)の雌個体(F^-)への付着に関与する構造物で，これによって接合対を形成する）.

I pili I〔ピリ〕線毛（→pilus (2)）.

pili multigemini 重複毛（単一毛包に数本の毛が存在すること）.

R pili R〔ピリ〕線毛（細菌の細胞に見出される特殊な線毛で，F線毛に類似し，Rプラスミドに関連する）.

pili torti [MIM*261900]. 捻転毛（多数の毛幹がその長軸を中心としてねじれた状態をさす．先天性あるいは後天性に瘢痕をきたす炎症性過程，機械的刺激，あるいは瘢痕性脱毛により毛嚢(毛包)が歪曲する結果生じる．毛幹は反射光によってピカピカ光ってみえ，もろく，種々の長さのところで折れ，いくつもの場所で黒っぽい切り株を伴った毛がない状態を呈する．Bjornstad, Crandall, Menkesなどの症候群の際に発生学的欠損としても生じる）. ＝twisted hairs.

pi·mar·i·cin (pi-mar'i-sin). ピマリシン（*Streptomyces natalensis* からつくる局所用抗真菌抗生物質．*Aspergillus*属，*Candida*属，*Mucor*属の各種には効果がない）. ＝natamycin.

pi·mel·ic ac·id (pĭ-mel'ik as'id). ピメリン酸；heptanedioic acid; $HOOC(CH_2)_5COOH$（油の酸化作用およびある種の微生物中の中間体．ビオチンの先駆物質）.

pimelo- [G. *pimelē*, soft fat, lard < *piar*, fat]. 脂肪，脂肪の，を意味する連結形．

pim·e·lor·rhe·a (pim'ĕ-lō-rē'ă) [pimelo- + G. *rhoia*, a flux]. 脂肪性下痢．＝fatty *diarrhea*.

pim·e·lor·thop·ne·a (pim'ĕ-lōr-thop'nē-ă, -nē'ă) [pimelo- + G. *orthos*, straight + *pnoē*, breath]. 肥満性呼吸困難（肥満症による起座呼吸，すなわち直立位以外の呼吸困難）. ＝piorthopnea.

pi·men·ta, pi·men·to (pi-men'tă, -tō) [Sp. < L. *pigmentum*, paint (Mediev.L. spice)]. ピメンタ（ジャマイカ，その他の西半球原産の高木，フトモモ科薬用ピメンタ *Pimenta officinalis* の乾燥果実．駆風薬，香辛料として用いる．乾燥果実には3—4%のピメンタ油が含まれている）.

p. oil ピメンタ油（乾燥果実には3—4.5%含まれる）. ＝allspice oil.

pim·ple (pim'pĕl). 面ぽう(皰)，丘疹，小膿疱（通常，痤瘡の炎症性病変部を意味する）.

PIN prostatic intraepithelial *neoplasia* の略．

pin (pin) [O.E. *pinn* < L. *pinna*, feather]. ピン，留め針，釘（骨折の外科治療で用いる金属挿入物．→nail）.

Steinmann p. (shtīn'mahn). シュタインマンピン（骨を牽引固定するため骨に通して用いるもの）.

pin·a·cy·a·nol (pin'ă-sī'ă-nol) [old C.I. 808]. ピナシアノール（塩基性染料．写真や白血球の生体染色で色増感物質(水中では赤紫色，アルコール中では青色)として用いる）.

Pi·nard (pē-nahr'), Adolphe. フランス人産科医，1844—1934. →P. *maneuver*.

pince·ment (pans-mon′) [Fr. pinching]. マッサージにおけるつまむ技術.

pinch (pinch). つまみ（指の遠位指節間関節部でつかむこと）.

Pind·borg (pind′bōrg), Jens J. デンマーク人口腔病理学者, 1921—1995. →P. *tumor*.

pin·do·lol (pin′dō-lol). ピンドロール（高血圧の治療に用いるβアドレナリン遮断薬. 内因性交感神経刺激活性を有する）.

pine (pīn) [L. *pinus*, a pine tree]. マツ(松)（マツ科マツ属 *Pinus* の常緑針葉樹. それらの中の多くの種はタール, テルペンチン, 樹脂, 揮発油などを産生する）.

p.-needle oil マツ葉油（*Pinus mugo* の新鮮な葉を蒸気で蒸留して得られる揮発油. 気道のカタル性疾患の吸入や噴霧に, またリウマチに局所的に用いる. 矯味矯臭薬として用い, また香水にも用いる）.

p. oil パイン油, マツ油（ダイオウマツ *Pinus palustris* の木やその他のマツ属 *Pinus* の種から採れる揮発油. 脱臭薬, 消毒薬として用いる）.

p. tar パインタール, 松根タール（ダイオウマツ *Pinus palustris* の木やその他のマツ属 *Pinus* の種を乾留して得られる物質. 去痰薬として内用に, 皮膚疾患の治療に外用で用いる）. =liquid pitch.

white p. 白マツ（*Pinus strobus* の乾燥内皮. 鎮咳用シロップの成分として用いる）.

pin·e·al (pin′ē-ăl) [L. *pineus*, relating to the pine, *pinus*]. ***1*** 松果の, 松果状の. =piniform. ***2*** 松果体の.

pin·e·al·ec·to·my (pin′ē-ăl-ek′tŏ-mē) [pineal + G. *ektomē*, excision]. 松果体切除〔術〕.

pin·e·a·lo·cyte (pin-ē-a-lō-sīt′) [pineal + G. *kytos*, cell]. 松果体細胞（松果体の実質細胞すなわち主細胞. 球状拡張に至る長突起を有する. 松果体細胞はシナプスを形成する交感神経から直接支配を受け, カニ状の松果体突起は毛細管を取り巻く脈管周囲腔で終結する）. =chief cell of corpus pineale; parenchymatous cell of corpus pineale.

pin·e·a·lo·ma (pin′ē-ă-lō′mă) [pineal + G. *-oma*, tumor]. 松果体腫（松果体の胚細胞腫 germ cell tumors, 松果体細胞腫 pineocytomas, 松果体芽腫 pineoblastomas をさして適当に使われてきた用語）.

ectopic p. 異所性松果体腫（松果体腫に似た未分化新生物で, 通常, 下垂体近くにみられるもの. 未分化の奇形腫とも考えられるが, 現在ではこの用語は用いられない）.

extrapineal p. 松果体外松果体腫（ectopic p. を表す現在では用いられない語）.

pin·e·a·lop·a·thy (pin′ē-ă-lop′ă-thē) [pineal + G. *pathos*, disease]. 松果体症.

pine·ap·ple (pīn′ap-ĕl). パイナップル（パイナップル科 *Ananas sativa* または *Bromelia ananas* の果実. ブロメライン(蛋白分解・乳汁凝固酵素)を含有する）.

Pinel (pi-nel′), Philippe. フランス人精神科医, 1745—1826. →P. *system*.

pin·e·o·blas·to·ma (pin′ē-ō-blas-tō′mă) [pineal + G. *blastos*, germ + *-oma*, tumor]. 松果体芽〔細胞〕腫（松果体の未分化腫瘍で, 30 歳以下に最もしばしばみられる. 細胞質に乏しい小さな細胞からなり, しばしば偽ロゼットを形成する. 組織学的には髄芽腫に似る. 原始神経外胚葉性腫瘍の一種）.

pin·e·o·cy·to·ma (pin′ē-ō-sī-tō′mă). 松果体腫（松果体に生じる腫瘍で, 正常の松果体実質に似た組織像を示すもの）.

ping-pong (ping′pong) [Ping-Pong, trademark for table tennis]. →ping-pong *mechanism*.

pin·guec·u·la, pin·guic·u·la (ping-gwek′yū-lă) [L. *pinguiculus*, fattish < *pinguis*, fat]. 瞼裂斑（結膜を肥厚させる結合組織の黄色斑. 老年期に起こる）.

pin·i·form (pin′i-fōrm, pī′ni-) [L. *pinus*, pine + *forma*, form]. =pineal (1).

pink·eye (pink′ī). 急性カタル性結膜炎. =acute contagious *conjunctivitis*.

pin·ledge (pin′lej). ピンレッジ（歯の修復を維持するために, 鋳物部分として平行のピンを用いる歯科用修復物またはその方法）.

pin·na, pl. **pin·nae** (pin′ă, pin′ē) [L. *pinna* or *penna*, a feather, 複数形は a wing]. ***1****** 耳介（auricle の公式の別名）. ***2*** 羽, 翼, ひれ. ***3*** 獣医解剖学では, 垂直耳道の外側に存在する可動性のある軟骨とそれに付随した厚みのある構造物のこと.

p. nasi =*ala* of nose.

pin·nal (pin′ăl). 耳介の, 羽の, 翼の, ひれの.

pin·ni·ped (pin′i-ped) [L. *pinna*, feather(wing) + *pes* (*ped-*), foot]. Pinnipedia 亜目の動物で, 水棲肉食哺乳類で四肢全部がひれ状になっている(例えば, アザラシ, 大アザラシ).

pin·o·cyte (pin′ō-sīt, pī′nō-) [G. *pineō*, to drink + *kytos*, cell]. 飲細胞, 飲み込み細胞.

pin·o·cy·to·sis (pin′ō-sī-tō′sis, pī′nō-) [pinocyte + G. *-osis*, condition]. 飲細胞運動, 飲作用, ピノサイトーシス（積極的に液体を飲み込む細胞過程. 微細な杯状陥凹あるいは陥入が細胞膜表面に形成されて, 含液小胞を形成し閉じる）.

P

pin·o·some (pin′ō-sōm, pī′nō-) [G. *pineō*, to drink + *sōma*, body]. ピノソーム, 飲作用胞（飲作用で形成された含液小胞）.

Pins (pinz), Emil. ハプスブルク帝国の医師, 1845—1913. →P. *sign*, *syndrome*.

pint (pīnt). パイント（米国の液量単位. 16 液量米オンス, 28.875 立方インチ, 473.1765 mL に相当する分量. インペリアル(英国)パイントは 20 液量英オンス, 34.67743 立方インチ, 568.2615 mL に相当する）.

pin·ta (pin′tă, pēn′tă) [Sp. painted]. ピンタ, 熱帯白斑性皮膚病（メキシコおよび中央アメリカの風土病で, *Treponema carateum* というスピロヘータによる疾患. 色が変化する(初発は小型の丘疹で始まり, その後拡大して局面を形成し二次的に播種性の斑を生じ, 最終的には白くなる)斑点からなる発疹が特徴.→nonvenereal *syphilis*）. =azul; carate; mal del pinto.

pin·tids (pin′tidz). [pinta + -id (1)]. ピンタ疹（ピンタの第 2 期にみられる局面状の発疹. 色調は様々(色素減少, 色素増強, および紅斑落屑性)であるが, 結局, 色素脱失に至る）.

pi·nus (pī′nŭs) [L. a pine tree]. 松果体. =pineal *body*.

pin·worm (pin′wŏrm). ぎょう虫（蟯虫科に属する *Enterobius* 属およびその近縁属の線虫類. 非常に様々な脊椎動物に数多く存在する. ウマギョウチュウ *Oxyuris equi*, ヒト寄生性のギョウチュウ *Enterobius vermicularis*, マウス寄生性の *Syphacia*属および *Aspiculuris*属の各種, ウサギギョウチュウ *Passalurus ambiguus*, ネズミギョウチュウ *Syphacia muris* を含む）. =seatworm.

Pi·oph·i·la ca·se·i (pī-of′i-lă kā′sē-ī) [L. < G. *piōn*, fat + *philos*, fond; L. *caseus*, cheese]. チーズバエ（このイエバエの種の卵は露出チーズ, 乾燥肉, 他の食物に産み落とされて摂取され, 下痢, 仙痛, 嘔吐を伴う一時性腸ハエウジ病を起こすことがある）.

pi·or·thop·ne·a (pī′ōr-thop′nē-ă) [G. *piōn*, fat + *orthos*, straight + *pnoē*, breath]. **[**二重字 pn において, p は語頭にあるときのみ無音である. 伝統的に正しい発音は piorthopne′a であるが, 米国ではしばしば piorthop′nea と発音される**]**. =pimelorthopnea.

PIP_2 *phosphatidylinositol* 4,5-bisphosphate の略.

pip·e·co·lic ac·id (pip′ĕ-kō′lik as′id). ピペコリン酸 ; dihydrobaikiaine; 2-piperidinecarboxylic acid; saturated picolinic acid (Δ^1- および Δ^6- デヒドロピペコール酸の L-異性体は L-リシン異化における中間産物. ペルオキソーム症で蓄積する). =homoproline; pipecolinic acid.

pip·e·co·lin·ic ac·id (pip′ĕ-kō-lin′ik as′id). ピペコリン酸. =pipecolic acid.

pip·e·cur·o·ni·um (pip′ĕ-kyūr-ō′nē-ŭm). ピペクロニウム（構造上パンクロニウムと同属で, ステロイド核をもった長時間作用性の非脱分極性筋弛緩薬）.

Pi·per (pī′pĕr), E.B. 米国人産科婦人科医, 1881—1935. →P. *forceps*.

pip·er (pī′pĕr) [L. pepper]. コショウ（東インド諸島のつた植物コショウ科コショウ *Piper nigrum* の乾燥未熟果実. 調味料, 発汗薬, 興奮薬, 駆風薬として用い, また誘導刺激薬として局所的に用いる）.

pi·per·a·cil·lin so·di·um (pi-per′ă-sil′in sō′dē-ŭm). ピペ

ラシリンナトリウム（広範囲のグラム陽性およびグラム陰性菌に対して活性のある半合成広域スペクトルペニシリン）.

pi·per·a·zine (pī-per′ă-zēn, -zin). ピペラジン（獣医学領域で使用する駆虫薬および殺フィラリア薬）. =diethylenediamine.

pi·per·a·zine di·eth·ane·sul·fon·ic ac·id (PIPES) (pī-per′ă-zēn dī-eth′ān-sŭl-fon′ik as′id). ピペラジンジエタンスルホン酸（生物用緩衝液に用いる数種のアミノスルホン酸(例えば HEPES)の１つ．使用範囲 pH 6.0—8.5).

pi·per·i·dine (pī-per′i-dēn). ***1*** ピペリジン；hexahydropyridine（これから塩酸チオリダジンやベシル酸メソリダジンのようなフェノチアジン系抗精神病薬が誘導される）. ***2*** ピペリジン（p. (1) の構造を含む一群のアルカロイド）.

PIPES piperazine diethanesulfonic acid の略.

pi·pette, pi·pet (pī-pet′, pī-pet′) [Fr. *pepe*(pipe) の指小辞]. ピペット（実験において，一定量の気体または液体を移すのに用いる(mL の)目盛り付きのチューブ）.

blowout p. 吹出しピペット（まずピペットから排水させた後，先端に残った最後の１滴を吹き出すことにより名目上の量を排出させるようにした目盛り付きピペット）.

graduated p. 目盛り付きピペット（先が単純に細く伸ばされ均一に長さを目盛ってあるピペット．目盛りマークが幹のみ(モールピペット)や先端まで伸びているもの(血清用ピペット)がある）.

Mohr p. (mōr). モールピペット．→graduated p.

Pasteur p. (pahs-tur′). パスツールピペット（綿栓した，細い先端をもつように引き伸ばしたガラス管で，小量の液体を無菌的に移すのに用いられる）.

serologic p. →graduated p.

pip·syl (Ips) (pip′sil). ピプシル（*p*-iodophenyl 基．塩化ピプシルはアミノ酸と蛋白のアミノ基と結合する）.

Pir·e·nel·la (pir′ĕ-nel′ă). ピレネラ属（海水産および汽水産の有蓋巻貝(前鰓類)の一属．*P. conica* は，異形吸虫 *Heterophyes heterophyes* の第一中間宿主であり，この吸虫は魚で運ばれ，地中海および紅海沿岸のヒトおよび食魚性の鳥類および哺乳類に寄生する）.

pi·rib·e·dil (pi-rib′ĕ-dil). ピリベジル（中枢性のドパミン受容体作動薬で，末梢性の血管拡張作用も有する）.

Pir·ie (pir′ē), George A. スコットランド人放射線科医，1864—1929. →P. *bone*.

pir·i·form (pir′i-fōrm, pī′rē-) [L. *pirum*, pear＋*forma*, form]. 梨状の．=pyriform.

Pi·ro·goff (pē′rō-gof), Nikolai I. ロシア人外科医，1810—1881. →P. *amputation, angle, triangle, aponeurosis*.

pir·o·men (pir′ō-men, pī′rō-). パイロメン（緑膿菌 *Pseudomonas aeruginosa* と *Proteus vulgaris* の非蛋白・非アナフィラキシー発現性無菌抽出物．有効成分は低毒性の細菌性多糖類．いくつかのアレルギー性・皮膚・眼科疾患の治療に用いる）. =pyromen.

Pi·ro·plas·ma (pī′rō-plaz′mă) [L. *pirum*, pear＋G. *plasma*, a thing formed]. *Babesia* の旧名.

Pi·ro·plas·mi·da (pi′rō-plaz-mī′dă). ピロプラズマ目（胞子虫綱ピロプラズマ亜綱に属する原生動物の一目で，バベシア科，タイレリア科，ダクチロソーマ科を含む．マダニによって媒介される，多宿主性の脊椎動物血液内寄生種がある．アピカルコンプレックスは退縮しており，胞子期はなく，二分裂またはシゾゴニーによる無性生殖を行う）.

pir·o·plas·mo·sis (pir′ō-plas-mō′sis). ピロプラスマ症．=babesiosis.

Pir·quet von Ces·e·nat·i·co (pēr-kvet′ fahn sā-sē-nă-ti-kō′), Clemens P. オーストリア人医師，1874—1929. →Pirquet *reaction, test*.

Pis·ces (pis′ēz, pī′sēz) [L. *piscis*(a fish)の複数形]. 魚上綱（一般に魚として知られている脊椎動物の上綱．本語はときに硬骨魚類に限定される）.

pis·i·form (pis′i-fōrm) [L. *pisum*, pea＋*forma*, appearance][TA]. 豆状の，豆粒大の.

pit (pit) [L. *puteus*]. ***1*** 〚n.〛 小窩．=fovea. ***2*** 〚n.〛 痘痕（痤瘡，水痘，天然痘の膿胞の後にできるくぼんだ瘢痕）. ***3*** 〚n.〛 穴，咬合面小窩（不完全な石灰化による歯のエナメルの表面のとがったくぼみ．２つ以上のエナメル葉の融合点によって形成される歯の表面のくぼみ）. ***4*** 〚v.〛 くぼませる，くぼむ（浮腫のある皮膚を指で押す．指で押したときくぼむ浮腫組織についていう）.

anal p. 肛門窩（胚の後腸の終末部に近接し，尾根部の下にある外胚葉性上皮でおおわれた陥凹．その底部には上皮栓子がある．この上皮栓子が破れると肛門の外口ができる）. =proctodeum (2).

articular p. of head of radius =articular *facet* of head of radius.

p. of atlas for dens =*facet* (of atlas) for dens.

auditory p.'s 耳窩．=otic p.'s.

buccal p. 頰側小窩（臼歯の頰側エナメルにみられる構造上のくぼみ）.

central p. 〔網膜の〕中心窩．=central retinal *fovea*.

coated p. 被覆小窩（細胞表面の特殊に分化した陥凹で，受容体を介した細胞内取り込みに関与する．陥凹の細胞質側の蛋白層が陥凹をおおっているようにみえる）.

commisural p.'s 口角小窩（口唇小窩に類似しているが唇交連にみられる）.

costal p. of transverse process 横突肋骨窩．=transverse costal *facet*.

gastric p. [TA]. 胃小窩（胃粘膜にある無数の小窩で，その底に胃腺が開口する）. =foveola gastrica [TA].

granular p.'s クモ膜顆粒小窩．=granular *foveolae*(⇒*fovea*).

p. of head of femur 大腿骨頭窩．=*fovea* for ligament of head of femur.

inferior articular p. of atlas 〔環椎〕下関節窩．=inferior articular *surface* of atlas.

inferior costal p. 下肋骨窩．=inferior costal *facet*.

iris p. 虹彩小窩（正常の色素上皮を有する虹彩支質の欠損）.

lens p.'s 水晶体小窩（水晶体板が眼杯の方向に沈下するとき，発生期の頭部の表層の外胚葉に形成される１対になったくぼみ．小窩の外口は水晶体胞が形成されるときに閉じられる）.

lip p.'s 口唇小窩（唇の片側あるいは両側に陥凹ないし裂溝がみられる先天異常．遺伝との関連または唇裂，口蓋裂あるいは唇顎口蓋裂との関連が考えられる）.

Mantoux p. (mahn′tū). マントーピット（基底細胞母斑症にみられる手掌や足底の 2—3 mm の浅いくぼみ）.

nail p.'s 爪の点状凹窩（爪の形成異常による爪甲表面の小さな点状のくぼみ．乾癬などでみられる．→geographic *stippling* of nails).

nasal p.'s 鼻窩（近接した鼻突起の急速な成長の結果，鼻板が発育しつつある顔面の下方に横たわるようになったときに形成される対になったくぼみ．鼻腔の吻側部の原基である）. =olfactory p.'s.

oblong p. of arytenoid cartilage 〔披裂軟骨〕楕円窩．=oblong *fovea* of arytenoid cartilage.

olfactory p.'s =nasal p.'s.

optic p. 視神経乳頭外側部の限局性陥没で，先天異常として特徴付けられている.

otic p.'s 耳窩（発生期の頭部の両側にある対になったくぼみで，将来の耳胞の位置を示す）. =auditory p.'s.

preauricular p. =preauricular *sinus*.

primitive p. 原始窩（初期胚の原始結節にみられるくぼみで，脊索管を表層外胚葉に連絡している）.

pterygoid p. 翼突筋窩．=pterygoid *fovea*.

p. of stomach =epigastric *fossa*.

sublingual p. 舌下腺窩．=sublingual *fossa*.

superior articular p. of atlas 〔環椎〕上関節窩．=superior articular *surface* of atlas.

superior costal p. 上肋骨窩．=superior costal *facet*.

suprameatal p. 道上小窩．=suprameatal *triangle*.

triangular p. of arytenoid cartilage 〔披裂軟骨〕三角窩．=triangular *fovea* of arytenoid cartilage.

trochlear p. 滑車窩．=trochlear *fovea*.

pit-1 (pit). ピットワン（正常ヒト下垂体の種々の細胞に認められる DNA 結合性の転写因子．特に成長ホルモンや TSH 陽性の下垂体腺腫に高頻度に発現している）.

PITC phenylisothiocyanate の略.

pitch (pich) [L. *pix*]. ピッチ（揮発性物質が沸騰によって除去された後にタールから得られる樹脂性物質）. =pix.

Burgundy p. バーガンディピッチ（アカハリモミまたはノルウェートウヒ *Picea excelsa* から得られる樹脂性抽出物. 硬膏の形で誘導刺激薬として用いられてきた）. =white p.

liquid p. 液体ピッチ. =*pine* tar.

white p. 白色ピッチ. =Burgundy p.

pitch·blende (pich′blend). ピッチブレンド（外観がピッチ様の鉱物. 主に酸化ウランで，ウランとその放射性崩壊の結果産生される元素すなわちラジウムの主な資源）. =uraninite.

pith (pith) [A.S. *pitha*]. ***1***〖n.〗毛髄（毛の中心）. ***2***〖n.〗脊髄と延髄. ***3***〖v.〗脳脊髄を穿刺する（動物の頭蓋基底部に挿入した針で延髄を穿刺する）.

pith·e·coid (pith′ĕ-koyd) [G. *pithēkos*, ape + *eidos*, resemblance]. 類猿の.

pith·ode (pith′ōd) [G. *pithōdēs*, like a jar < *pithos*, earthenware wine-jar + *eidos*, resemblance]. 核紡錘体（体分裂における核の紡錘体）.

Pi·tot (pē-tō′), Henri. フランス人技師, 1695—1771. ⇀P. *tube*.

Pi·tres (pē′trĕ), Jean A. フランス人医師, 1848—1927. ⇀P. *area, sign*.

Pi·tres·sin (pi-tres′in). =vasopressin.

pit·ting (pit′ing). くぼみ，点食（歯科用語で，限界のはっきりした比較的深いくぼみが表面に形成されること. 通常，表面(しばしば金，ろう着面，アマルガム)の欠損を記述するのに用いる. 臨床的にはしばしば腐食に関連して起こるが，種々の原因が考えられる. →pitting *edema*; nail *pits*）.

pi·tu·i·cyte (pi-tū′i-sīt) [pituitary + G. *kytos*, cell]. 下垂体細胞（下垂体後葉の主要な細胞で，神経膠によく似た紡錘状細胞）.

pi·tu·i·cy·to·ma (pi-tū′i-sī-tō′mă) [pituicyte + G. *-oma*, tumor]. 下垂体細胞腫（下垂体細胞に由来する膠細胞性新生物. 下垂体後葉に生じ，比較的小さな円形または卵円形の核と，細胞質の複雑な網状構造を形成する長い枝状突起をもつ細胞が特徴. 細胞中に小さな脂肪滴がたくさんみられることがある）.

pi·tu·i·ta (pi-tū′i-tă) [L. phlegm or thick mucous secretion]. 粘液，鼻汁. =glairy mucus.

pi·tu·i·tar·ism (pi-tū′i-tăr-izm′). 下垂体〔機能〕障害（⇀hyperpituitarism; hypopituitarism）.

pi·tu·i·ta·ri·um (pi-tū′i-tā′rē-ŭm) [Mod.L.]. 下垂体〔性〕の. =pituitary.

pi·tu·i·tar·y (pi-tū′i-tăr′ē) [L. *pituita*, a phlegm]. 下垂体〔性〕の. =pituitarium.

desiccated p. 乾燥脳下垂体. =posterior p.

pharyngeal p. 咽頭下垂体（腺性下垂体憩室の口端の胚期の遺残で，蝶形骨の発達によって腺性下垂体から切り離される. 主に嫌色素細胞からなり，正常状態では生理的に不活性であると考えられる. ⇀pituitary *gland*）.

posterior p. 下垂体後葉製剤（食用の家畜の下垂体後葉をきれいにして乾燥させ，粉末にしたもの. 分娩促進薬，血管収縮薬，抗利尿薬，および腸管運動刺激薬として用いる）. =desiccated p.; hypophysis sicca.

pi·tu·i·tous (pi-tū′i-tŭs). 粘液〔性〕の.

pit·y·ri·a·sis (pit-i-rī′ă-sis) [G. < *pityron*, bran, dandruff]. ひこう(粃糠)疹（糠状の落屑を特徴とする皮膚病）.

p. alba 白色ひこう疹（軽度な皮膚炎による皮膚の島状の色素脱失）.

p. alba atrophicans 萎縮性白色ひこう疹（皮膚の落屑性変化で後に萎縮を起こす）.

p. capitis 頭部ひこう疹. =dandruff.

p. circinata 連圏状ひこう疹. =p. rosea.

p. lichenoides 苔癬状ひこう疹（自然治癒傾向を示す皮膚疾患で，小児，成人に生じる. 通常，急性痘瘡状苔癬状ひこう疹と慢性苔癬状ひこう疹に分類される）. =parapsoriasis guttata.

p. lichenoides chronica [lichenoides Mod.L. < G. *leichēn*, lichen, a lichen-like eruption + *eidos*, resemblance; chronica Mod.L. chronic < G. *chronikos*, pertaining to time < *chronos*, time]. 慢性苔癬状ひこう疹（数年間持続する褐色斑から紅斑で，中央に落屑を伴い，瘢痕化せず治癒する）.

p. lichenoides et varioliformis acuta (**PLEVA**) 急性痘瘡状苔癬状ひこう疹（小児，青年に生じる急性の皮膚炎. 病変部の持続，発作の繰返しも珍しくないが，比較的軽症で，自然治癒性である）. =Mucha-Habermann disease; parapsoriasis lichenoides et varioliformis acuta; parapsoriasis varioliformis.

p. linguae 舌ひこう疹. =geographic *tongue*.

p. maculata 斑状ひこう疹. =p. rosea.

p. nigra 黒色ひこう疹. =*tinea* nigra.

p. rosea バラ色ひこう疹（[誤った発音 rose′a を避けること]. 体幹，やや頻度は少ないが四肢，頭部，顔面にも生じる斑や丘疹からなる自然治癒性の発疹. 病変は通常，卵円形で皮膚割線に沿う. 小児と若年成人に多くみられ，しばしば初発斑として知られる単発性の比較的大きい鱗屑性病変が先行する）. =p. circinata; p. maculata.

p. rubra pilaris [MIM *173200]. 毛孔性紅色ひこう疹（角栓でふさがれた硬くて赤い毛包のまれな慢性のそう痒性の発疹. しばしば融合して落屑性局面を形成する. 指背，肘，膝に最も著明に認められ，紅斑，手掌や足底の肥厚，および爪の混濁肥厚を伴う）.

p. versicolor でん(癜)風. =*tinea* versicolor.

pit·y·roid (pit′i-royd) [G. *pityrōdēs*, branlike < *pityron*, bran + *eidos*, resemblance]. ひこう(粃糠)状の. =furfuraceous.

Pit·y·ros·po·rum (pit′i-ros′pō-rŭm, pit′i-rō-spō′rŭm) [G. *pityron*, bran + *sporos*, seed]. ピチロスポルム属（病原性について論議されている真菌の一種で，ふけや脂漏性皮膚炎にみられる）.

P. orbiculare =*Malassezia furfur*.

P. ovale =*Malassezia furfur*.

piv·a·late (piv′ă-lāt). ピバレート（trimethylacetate, $(CH_3)_3C\text{–}CO_2^-$ の USAN 承認の短縮名）.

piv·ot (piv′ŏt). ピボット，合釘（ちょうつがいを動かしたり，物を回したりする心軸）.

adjustable occlusal p. 調節性咬合面ピボット（ねじ，または他の方法で垂直方向に調節できる咬合面の合釘）.

occlusal p. 咬合面ピボット（通常，臼歯部にあり，支点として作用し矢状方向の下顎骨の回転を起こすように工夫された咬合面上の隆起）.

pix, gen. **pi·cis** (piks, pī′sis) [L.]. 瀝青，タール. =pitch.

pix·el (pik′sĕl). ピクセル，画素（picture element を縮めた語. CT や MR 画像表示における体積要素(ボクセル)の 2 次元的表現で，通常はそれぞれ 512×512，256×256 ピクセルで表示される）.

PK *pyruvate* kinase の略.

p*K*a 酸のイオン化定数(K_a)の負の常用対数. ある物質(しばしば緩衝液)の酸型と共役塩基型とが等濃度で存在するときの pH に等しい.

pkat picokatal の略.

PKU phenylketonuria の略.

pkV peak kilovoltage の略. X 線装置を作動させる少電圧量.

PL placental lactogen; pyridoxal の略.

pla·ce·bo (plă-sē′bō) [L. I will please, *placeo* の未来形]. プラセボ，プラシーボ，偽薬，気休め薬（①暗示効果をねらって薬剤として与えられる不活性な物質. ②実験的研究で試験される物質と外見上同じであるが，医師あるいは患者には知らされておらず，研究中の物質の薬理作用と暗示的な効果を区別するために投与される）. =active p.

active p. =placebo.

PLACENTA

pla·cen·ta (plă-sen′tă) [L. a flat cake]. 胎盤（胎芽または胎児と母体の間の物質代謝胎児母体器官. 最外層の胎児膜(繁生絨毛膜)の高度に発育した部位に由来する胎児由来の部分と，絨毛小胞が着床した子宮粘膜(床脱落膜)の部分が変形して形成される母体側の部分とをもつ. 胎盤内で胎児内を循環した血液を運ぶ毛細血管をもつ絨毛は絨毛をもつ絨毛間腔で母体血にさらされる．胎児血と母体血は直接混合しないが，介在する組織(胎盤膜)が非常に薄いので，栄養物や酸素およびウイルスのような有害物質が胎児血に吸収され，炭酸ガスや窒素老廃物が胎児血から放出される．正常なヒトの胎盤は胎児の重さの平均 1/6—1/7 であり，円盤状で厚さ 4 cm，直径 18 cm である．胎児面は平滑で，癒着性羊膜で形成される．臍帯は正常ではほぼ中央に付いている．剝離胎盤の母体面は絨毛膜に密着している裂けた脱落膜組織のために粗で，胎盤葉とよばれる葉状の隆起を示す)．

accessory p. 副胎盤（主胎盤と区別される胎盤組織の塊)．＝succenturiate p.; supernumerary p.

p. accreta 癒着胎盤（絨毛の子宮筋層への異常癒着で，基底脱落膜，特に海綿層の一部または完全欠損を伴う．→p. percreta)．

p. accreta vera 真性癒着胎盤（絨毛が子宮筋層の近位にあるときに用いる語)．

adherent p. 付着胎盤（分娩後子宮から完全に分離されなかった胎盤)．

anular p. 環状胎盤，輪状胎盤（子宮内部をほぼ完全に囲んでいる帯を形成している胎盤)．＝ring-shaped p.; zonary p.

battledore p. 羽子板状胎盤（臍帯が胎盤の縁に付着している胎盤．バドミントンの前身である羽根突きゲームの羽子板(ラケット)に似ているための名称)．

bidiscoidal p. 二円盤状胎盤（２つの別な円盤からなる胎盤で，子宮の反対側にそれぞれ付着する．ある種のサルやトガリネズミには生理的で，ときとしてヒトにも存在する)．

p. biloba 二葉胎盤（２つの部分が狭窄によって分けられている二重胎盤)．＝p. bipartita.

p. bipartita 二裂胎盤．＝p. biloba.

central p. previa 中心前置胎盤．＝p. previa centralis.

chorioallantoic p. 絨毛膜尿膜胎盤（霊長類の胎盤のように，絨毛膜が尿膜の中胚葉と漿膜内面への血管との癒合によって形成される胎盤)．

chorioamnionic p. 絨毛膜羊膜胎盤（羊膜が絨毛内側と癒合し，母体と胎児間の水および電解質の交換が可能な胎盤)．

p. circumvallata 周郭胎盤（縁が盛り上がっている杯状の胎盤．胎盤の末梢の周りに厚い円形の白い不透明な輪がある．脱落膜の部分は胎盤の縁を絨毛板から分離している．残りの絨毛膜面は正常の外見を示すが，胎児血管は輪によって胎盤を横切る進路を制限されている．→p. marginata; p. reflexa)．

cotyledonary p. 胎盤葉胎盤（胎盤葉に分けられている胎盤)．

deciduate p. 脱落膜胎盤（脱落膜が胎児胎盤とともに出た胎盤)．

dichorionic diamnionic p. 二絨毛膜二羊膜胎盤（⇀twin p.)．

p. diffusa 散在胎盤．＝p. membranacea.

p. dimidiata ＝p. duplex.

disperse p. 分散胎盤（臍帯動脈が胎盤にはいる前に二叉に分かれている胎盤)．

Duncan p. (dŭng′kăn)．ダンカン型胎盤娩出（剝離した胎盤が絨毛面(胎児面)を外側にして娩出される様式)．

p. duplex 二重胎盤（２つの部分からなる胎盤で，ほぼ完全に離れていて，臍帯の付着部でのみ結合している．⇀p. biloba)．＝p. dimidiata.

endotheliochorial p. 内皮絨毛膜胎盤（絨毛膜組織が母体血管の内皮へはいり込んでいる胎盤)．

endothelio-endothelial p. 内皮内皮胎盤（母体血管の内皮が直接胎児血管の内皮と結合し，胎盤関門を形成している胎盤)．

epitheliochorial p. 上皮絨毛膜胎盤（絨毛膜が子宮内膜と単に接しているだけで，はいり込んではいない胎盤)．

p. extrachorales 絨毛膜外胎盤（絨毛膜板が縁で薄い膜様ひだで限られている胎盤)．

p. fenestrata 有窓胎盤（組織が薄くなっている部分をもつ胎盤で，ときには組織がまったくない場合もある)．

fetal p., p. fetalis 胎盤胎児部（胎児の血管をいれる胎盤の絨毛膜部で，ここから臍帯が出ていく．特にヒトでは絨毛膜絨毛から発育する)．＝pars fetalis placentae.

hemochorial p. 絨毛膜血腫性胎盤（母体血が直接絨毛膜に接する胎盤で，ヒトやある種のげっ歯類にみられる)．

hemoendothelial p. 内皮血腫性胎盤（ウサギの胎盤のように，栄養膜が非常に薄いために，光学顕微鏡で母体血が絨毛膜毛細血管の内皮によってのみ胎児血から分けられているようにみえる胎盤)．

horseshoe p. 馬蹄状胎盤（馬蹄の形に曲がって肥大した腎形胎盤．双胎妊娠に合併することが多い)．

incarcerated p. 嵌頓胎盤．＝retained p.

p. increta 嵌入胎盤（絨毛が子宮筋層にはいり込んでいる癒着胎盤の一型)．

labyrinthine p. 迷路胎盤（胎児合胞体栄養細胞層内で，母体血が溝を通って循環している胎盤)．

p. marginata 辺縁性胎盤（周郭胎盤ほど著明ではないが，縁の隆起している胎盤．→p. reflexa)．

maternal p. 胎盤子宮部．＝*pars* uterina placentae.

p. membranacea 膜様胎盤（基底脱落膜(子宮内層)の著しく広い部分をおおう異常に薄い胎盤)．＝p. diffusa.

monochorionic diamnionic p. 単絨毛膜二羊膜胎盤（⇀twin p.)．

monochorionic monoamnionic p. 単絨毛膜単羊膜胎盤（⇀twin p.)．

p. multiloba 多葉胎盤，分裂胎盤（胎児は１児であるが，単純な狭窄によって互いに分けられている３つ以上の葉をもつ胎盤)．＝p. multipartita.

p. multipartita 分葉胎盤．＝p. multiloba.

nondeciduous p. 非脱落膜性胎盤（胎児側胎盤が脱落した胎盤で，子宮粘膜は無傷のままである．例えば上皮絨毛膜型など)．

p. panduraformis バイオリン状胎盤（両側に半分ずつ，pandura とよばれる弦楽器を思わせる形で並んでいる半減胎盤の一型)．

p. percreta 穿孔胎盤（絨毛が子宮筋層の全層か，子宮の漿膜へはいり込み，それぞれ不完全または完全子宮破裂を起こすときに用いる語．→p. accreta)．

p. previa 前置胎盤（胎盤が子宮下部に着床し，内子宮口の辺縁に達し，内子宮口を一部または完全におおっている状態)．＝placental presentation.

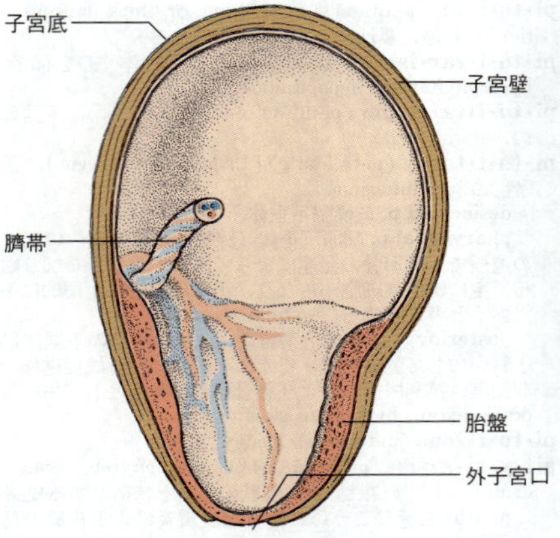

central placenta previa

胎盤は完全に内子宮口をおおう．胎児は示されていない．

p. previa centralis 全前置胎盤，中心前置胎盤（胎盤が完全に内子宮口をおおっているもの)．＝central p. previa; total p. previa.

p. previa marginalis 辺縁前置胎盤（胎盤が内子宮口辺縁まで達しているが，内子宮口をおおっていないもの)．

p. previa partialis 部分前置胎盤（内子宮口の一部が胎盤組織でおおわれているもの)．

p. reflexa 反曲胎盤（胎盤奇形で，辺縁が肥厚して反曲している．→p. circumvallata; p. marginata)．

p. reniformis 腎形胎盤.
retained p. 停留胎盤，胎盤遺残（胎盤の剝離が不完全で，胎児が娩出された後，通常の時間内に胎盤が排出されないこと）. ＝incarcerated p.
ring-shaped p. ＝anular p.
Schultze p. (shūlt′sĕ). シュルツェ胎盤（滑らかな胎児面(羊膜面)から先に娩出された胎盤）.
p. spuria 偽胎盤（主胎盤と血管の連絡のない胎盤組織の塊）.
succenturiate p. ＝accessory p.
supernumerary p. ＝accessory p.
total p. previa 全前置胎盤. ＝p. previa centralis.
p. triloba 三葉胎盤. ＝p. tripartita.
p. tripartita 三裂胎盤（胎児は１児であるが，ほぼ完全に分けられ，ただ臍帯の血管によってのみ結合している３つの部分から成り立つ胎盤）. ＝p. triloba; p. triplex.
p. triplex ＝p. tripartita.
twin p. 双胎胎盤（双胎妊娠の胎盤．二卵性なら胎盤は分離しているときと融合しているときとがあり，後者の場合２つの羊膜と２つの絨毛膜嚢をもつ(二絨毛膜二羊膜胎盤 **dichorionic diamniotic p.**)．一卵性なら胎盤は双胎が生じた時期に従って，単絨毛膜単羊膜胎盤 **monochorionic monoamniotic p.** か単絨毛膜二羊膜胎盤 **monochorionic diamniotic p.** かであり，双胎が非常に早期に起こった場合のみ２つの絨毛膜と２つの羊膜をもつ融合胎盤となる）.
p. uterina ＝*pars* uterina placentae.
p. velamentosa 臍帯卵膜付着胎盤，卵膜胎盤（臍帯が隣接膜に付着し，臍帯血管が広がって独立して胎盤にはいるもの）.
villous p. 絨毛胎盤（絨毛を形成する絨毛膜を有する胎盤）.
zonary p. 帯状胎盤. ＝anular p.

---

pla·cen·ta·go·nad·o·trop·in (plă-sen′tă-gō-nad′ō-trōp′-in). 胎盤性ゴナドトロピン. ＝chorionic *gonadotropin.*
pla·cen·tal (plă-sen′tăl). 胎盤の.
pla·cen·tal dys·ma·ture (plă-sen′tăl dis′mă-tyūr). 胎盤形成不全（正常な機能の発現しない胎盤の未熟発育）.
Pla·cen·ta·li·a (pla′sen-tā′lē-ă) [L. *placenta*]. 有胎盤亜綱（→Eutheria）.
plac·en·ta·tion (plas′en-tā′shŭn). 胎盤形成，胎盤付着様式（胎盤形成における母体組織への胎児付着の構造機構と様式．胎盤の型については placenta の項参照）.
plac·en·ti·tis (plas′en-tī′tis). 胎盤炎.
plac·en·to·ma (plas-en-tō′mă). 胎盤腫. ＝deciduoma.
pla·cen·to·ther·a·py (plă-sen′tō-thār′ă-pē). 胎盤組織療法（胎盤組織からの抽出物を治療に使用すること）.
Pla·ci·do da Cos·ta (plă′sē-dū dă kōsh′tă), Antonio. ポルトガル人眼科医，1848—1916. →P. da C. *disc.*
plac·ode (plak′ōd) [G. *plakōdēs* < *plax*, anything flat or broad + *eidos*, like]. プラコード，板，原基，母組織（胚の外胚葉層の局所的な肥厚．板の細胞は感覚器や神経節が発育する原基からなる）.
auditory p.'s 耳プラコード，耳板. ＝otic p.'s.
epibranchial p.'s 鰓プラコード，鰓上板＝epipharyngeal p.'s.
epipharyngeal p.'s 上咽頭板（胚鰓弓の背側部に結合する外胚葉性肥厚．これらの細胞は第五・七・九・十脳神経の神経節の形成に寄与する）. ＝epibranchial p.'s.
lens p.'s 水晶体プラコード，水晶体板（水晶体胞を形成するために陥入した１対の外胚葉板）. ＝optic p.'s.
nasal p.'s 鼻プラコード，鼻板（嗅窩が周囲の内側・外側鼻突起の発育によってくぼんだときに嗅窩の底に横たわる１対の外胚葉板）＝olfactory p.'s.
olfactory p.'s 嗅プラコード，嗅板. ＝nasal p.'s.
optic p.'s ＝lens p.'s.
otic p.'s 耳プラコード，耳板（表層外胚葉の普通面より下に陥入した１対の外胚葉の板で，耳胞を形成する）. ＝auditory p.'s.
pla·fond (plă-fond′) [Fr. ceiling]. プラフォン，〔距腿関節の〕天井（天井，特に足根関節の天井，すなわち脛骨遠位端の関節面）.
plagio- [G. *plagios*]. 斜め，傾斜していることを意味する連結形.
pla·gi·o·ce·phal·ic (plā′jē-ō-se-fal′ik). 斜頭〔蓋〕症の. ＝plagiocephalous.
pla·gi·o·ceph·a·lism (plā′jē-ō-sef′ă-lizm). ＝plagiocephaly.
pla·gi·o·ceph·a·lous (plā′jē-ō-sef′ă-lŭs). ＝plagiocephalic.
pla·gi·o·ceph·a·ly (plā′jē-ō-sef′ă-lē) [G. *plagios*, oblique + *kephalē*, head]. 斜頭〔蓋〕症（一側のラムダ縫合と冠状縫合が早期に閉鎖することによって起こる非対称性頭蓋狭窄症．頭蓋が斜めに変形しているのが特徴）. ＝asynclitism of the cranium; plagiocephalism.
positional p. 頭位性斜頭症，絶壁頭（長期間にわたる頭蓋骨への外圧による後天性斜頭症）. ＝flat head syndrome; flattened head syndrome.
plague (plāg) [G. plege, a stroke, a wound; L. *plaga*, a stroke, injury]. ***1*** 悪疫（罹患率が高いか，または死亡率が高い疾病）. ***2*** ペスト（ペスト菌 *Yersinia pestis* によって起こる急性伝染病．臨床的には高熱，中毒血症，疲はい，皮下出血性発疹，リンパ節腫大，肺炎，または粘膜出血を特徴とする．元来はげっ歯類の疾病で，感染した動物を刺したノミによってヒトに伝播される．ヒトでは次の４つの臨床型をとる．bubonic p.(腺ペスト)，septicemic p.(敗血性ペスト)，pneumonic p.(肺ペスト)，ambulant p.(軽症腺ペスト)）. ＝pest; pestilence (1); pestis.
ambulant p., ambulatory p. 軽症腺ペスト（軽度の熱とリンパ節炎を特徴とする腺ペストの軽症型）. ＝larval p.; parapestis; pestis ambulans; pestis minor.
black p. 黒死病（→black *death*）.
bubonic p. 腺ペスト（鼡径部，腋窩，あるいは他の部位のリンパ節の炎症性腫脹を起こすペストの通常の病型）. ＝glandular p.; pestis bubonica; pestis fulminans; pestis major; polyadenitis maligna.
glandular p. 腺ペスト. ＝bubonic p.
hemorrhagic p. 出血性ペスト（腺ペストの出血型）.
larval p. 頓挫性ペスト，軽症腺ペスト. ＝ambulant p.
Pahvant Valley p. パーヴァントバレーペスト. ＝tularemia.
pneumonic p. 肺ペスト（悪寒，側胸部痛，血痰，高熱を伴う肺硬変の炎症性腫脹を起こす．しばしば進行が早く致命的であり，ヒトからヒトへの伝播が可能である）. ＝plague pneumonia; pulmonic p.
pulmonic p. 肺ペスト. ＝pneumonic p.
septicemic p. 敗血性ペスト（重症中毒血症の症状を伴った高度の菌血症を起こす通常致命的な型）. ＝pestis siderans.
sylvatic p. 梨鼡ペスト（ネズミや他の野生動物の腺ペスト）.
plak·al·bu·min (plak′al-byū′min). プラクアルブミン（細菌の蛋白分解酵素スブチリシンが卵アルブミンに作用し，ヘキサペプチドを除去して生じる産物）.
pla·kins (plak′inz) [G. *plakoō*, to cover with plates + *-in*]. プラキン（中間径フィラメント結合蛋白の一種で，ニューロンでのニューロフィラメントのアクチンへの結合のみならず，上皮細胞でのケラチンフィラメントのヘミデスモソームへの結合にも作用する．さらに多くの細胞ではプラキンは，中間径フィラメント，アクチン，微小管を探し出し一緒にさせ，細胞骨格エレメントの三次元格子の形成を助ける．→hemidesmosomes; cytoskeleton）.
plan- →plano-.
pla·na (plā′nă) [L.]. planum の複数形.
plan·chet (plan′shet) [Fr. *planchette*: *planche*(plank) の指小辞]. プランシェット（放射能測定のための試料を載せるのに用いる小さく平らな板または皿．試料は通常，この上(または中)で蒸発する）.
Planck (plank), Max. ドイツ人物理学者・ノーベル賞受賞者，1858—1947. →P. *constant*, *theory*.

PLANE

plane (plān) [L. *planus*, flat][TA]. 平面（①二次元上の平らな表面. →planum. ②特に頭蓋計測や骨盤計測で，軸または２つの特定の点をのばして形成される想像上の面）.＝planum.

Addison clinical p.'s (ad′i-sŏn). アディソン(アジソン)臨床平面（胸腹部地形学の境界標として用いる一連の平面. 体幹は垂直には，胸骨柄の上縁から恥骨結合までの正中矢状面 median p.，両側で上前腸骨棘と正中矢状面の中点での外側矢状面lateral p.，両側で上前腸骨棘を垂直に通る棘矢状面spinous p. によって分けられる. 横(水平)には，胸骨体の下端より3.2 cm 上で胸郭を横切る胸郭横断平面 transthoracic p.，胸骨の頸切痕と恥骨結合の中点で第一・第二腰椎間の椎間板に一致する幽門横断平面 transpyloric p.，腸骨隆起を通り，通常は第五腰椎を横切る結節横断平面 intertubercular p. によって分けられる. これらの面に胸骨柄上縁と恥骨結合上縁を切る横線によって形成される平面を加えて，Addison 臨床平面を構成する）.

Aeby p. (ā′bē). アエビー平面（頭蓋計測で，ナジオンとバジオンを通って頭蓋骨の正中矢状面に垂直な平面）.

auriculoinfraorbital p. 耳眼〔平〕面. ＝orbitomeatal p.

axial p. 横断面（CT 撮影でみられるような体長軸に直交する横断面）.＝transaxial p.

axiolabiolingual p. 軸面唇舌平面（歯の長軸に平行で唇舌方向に広がっている平面）.

axiomesiodistal p. 軸面近遠心平面（歯の長軸に平行で近遠心方向に広がっている平面）.

bite p. ＝occlusal p.

Broca visual p. (brō′kă). ブロカ視軸平面（２つの視軸を通ってできた平面）.

Camper p. (kahm′pĕr). カンペル面（左右の骨外耳道の中点と前鼻棘の先端(アカンチオン)を通る面）.

canthomeatal p. 外眼角耳道面（左右の外眼角と外耳道の中心とを通る平面. 耳眼面と眼窩上縁外耳道面とのほぼ中間にあたる）.

coronal p.* 前頭面（frontal p. の公式の別名）.

cove p. 弓状平面（心電図のＰ波の部分が最初の部分は基線よりも上に曲がり，後の部分が基線よりも下がることを記載した古い表現. 通常，前半は緩く曲がり後半はシャープに曲がる）.

datum p. 基準面（頭蓋計測をする際に基本に用いる任意の面）.

Daubenton p. (dō-ban-ton[h]′). ドバントン平面（大後頭孔面.→Daubenton *angle*, *line*）.

equatorial p. 赤道面（有糸分裂の中期において，全中心体およびそれらの紡錘体アタッチメントに触れる赤道面）.

eye-ear p. 耳眼〔平〕面. ＝orbitomeatal p.

facial p. 顔面平面（顔面の輪郭の測定）. ＝nasion-pogonion measurement.

first parallel pelvic p. ＝pelvic *inlet*.

fourth parallel pelvic p. ＝pelvic *outlet*.

Frankfort p. (frank′fŏrt). フランクフォルト平面. ＝orbitomeatal p.

Frankfort horizontal p. (frank′fŏrt). フランクフォルト水平面. ＝orbitomeatal p.

frontal p. [TA]. 前頭面（矢状面に直角で体を前部と後部に分けている垂直面，またはこれに平行なすべての位置の垂直面）.＝plana frontalia [TA]; coronal p.*; plana coronalia*.

guide p. 誘導面（１歯，歯列弓の一部，または全歯列弓をよい関係に移動させるために用いる固定性または可撤性の装置）.

horizontal p.'s [TA]. 水平面（地理的水平面と平行なすべての面で，解剖学的姿勢では横断面と一致するが仰臥位や伏臥位では前頭面となる）.＝plana horizontalia [TA].

p. of incidence 入射面（入射光線を含むレンズ表面と直角をなす面）.

infraorbitomeatal p. 眼窩下縁外耳道面. ＝orbitomeatal p.

p. of inlet ＝pelvic *inlet*.

interspinal p. 腸〔骨〕棘面. ＝interspinous p.

interspinous p. [TA]. 腸〔骨〕棘面（左右の上前腸骨棘を通る水平面. 上方の側腹部，臍部と下方の鼡径部，恥骨部の境界をなす）.＝planum interspinale [TA]; interspinal p.; Lanz line.

intertubercular p. [TA]. 結節横断平面（左右の腸骨結節を通る水平面）.＝planum intertuberculare [TA].

labiolingual p. 唇舌面（歯の唇面および舌面に平行な平面）.

p. of least pelvic dimensions ＝pelvic p. of least dimensions.

mean foundation p. 平均義歯支持構造面（義歯支持構造の形や傾斜における種々の不ぞろいを平均にしたもの. 義歯を安定させるのに理想的な状態は，平均義歯支持構造面が荷重方向にほぼ直角であるときである）.

Meckel p. (mek′ĕl). メッケル平面（プロスチオンと耳孔中心点を結ぶ頭蓋計測平面）.

median p. [TA]. 正中〔矢状〕面（解剖学的姿勢で身体の正中線を通る垂直な平面で，身体を左右の半分に分ける.→Addison clinical p.'s）.＝planum medianum [TA].

p. of midpelvis ＝pelvic p. of least dimensions.

midsagittal p. median p. を表す現在では用いられない語.

Morton p. (mōr′tŏn). モートン平面（頭頂隆起と後頭隆起の頂点を通る平面）.

nasion-postcondylar p. ナジオン関節頭平面（前方はナジオン，後方は下顎骨の関節突起のすぐ後ろの点を通る平面）.

nodal p. 節面（単レンズの光学中心に対応する面.→nodal *point*）.

nuchal p. 項面（頸の後ろの筋肉が付着している上項線より下の後頭鱗の外面）.

occipital p. [TA]. 後頭平面（上項線より上の後頭骨の外面）.＝planum occipitale [TA].

occlusal p., p. of occlusion 咬合平面（解剖学上頭蓋と関連し，理論的に切歯の切端と臼歯の咬合面の尖端に触れる仮定の平面. 本当の意味の平面ではなく，表面の弯曲の平均を示す.→*curve* of occlusion）.＝bite p.

orbital p. 眼窩平面（上顎骨の眼窩面. オルビターレのところでは耳眼面に垂直になっている）.＝planum orbitale.

orbitomeatal p. 耳眼面（①側面観でほぼ頭蓋底面とみなされる線で，外耳道上縁を通り眼窩下縁から後頭骨に引いた線が表す面. この面線を水平線と一致させ左右も一致させたときを頭骨の解剖学的位置と定めている. ②左右のポリオンと左のオルビターレを通る標準頭蓋計測平面. 側面写真またはＸ線写真上で外耳孔上縁とオルビターレとを線で結ぶ）.＝auriculoinfraorbital p.; eye-ear p.; Frankfort horizontal p.; Frankfort p.; infraorbitomeatal p.

p. of outlet ＝pelvic *outlet*.

paramedian p. [TA]. 傍正中面（正中面の近傍を通り，正中面に平行な矢状面）.＝planum paramedianum [TA].

parasagittal p. 側矢状平面（sagittal p. を表す現在では用いられない語）.

p. of pelvic canal ＝*axis* of pelvis.

pelvic p. of greatest dimensions 最大骨盤面（恥骨結合の後面の中央から，第二・第三仙椎の連結部を結び，側方は寛骨臼の中央上にて坐骨を結ぶ骨盤）.＝second parallel pelvic p.; wide p.

pelvic p. of inlet ＝pelvic *inlet*.

pelvic p. of least dimensions 最小骨盤面（仙骨の末端から恥骨結合の下端に達している. 後方は仙骨の末端で，側方は坐骨棘で，前方は恥骨結合の下端で区切られている）.＝midplane; p. of least pelvic dimensions; p. of midpelvis; third parallel pelvic p.

pelvic p. of outlet ＝pelvic *outlet*.

popliteal p. of femur 〔大腿骨〕膝窩面. ＝popliteal *surface* of femur.

principal p. 主平面（複合レンズ系を構成する理論的薄肉レンズ面.→principal *point*）.

p.'s of reference 参考平面（他の平面の位置決定に役立つ平面）.

p. of regard 注視平面（眼が端から端へと移動するときに注視点が動く想像上の平面）.

sagittal p. [TA]．矢状面（正中矢状面に平行なすべての面で解剖学的姿勢では垂直面と一致する）. ＝plana sagittalia [TA].

second parallel pelvic p. ＝pelvic p. of greatest dimensions.

spectacle p. 眼鏡〔平〕面（眼鏡をかける位置の平面）.

sternal p. 胸骨面（胸骨の前面によって示される平面）. ＝planum sternale.

subcostal p. [TA]．肋下面（左右の第十肋軟骨下縁を通る横断面．上方の肋下部・上腹部と下方の側腹部・臍部の境界をなす）. ＝planum subcostale [TA]; infracostal line.

supracrestal p. 腸骨稜上面. ＝supracristal p.

supracristal p. [TA]．腸骨稜上面（左右の腸骨稜の最高点を通る横断面．通常は第四腰椎の棘突起を通る）. ＝planum supracristale [TA]; supracrestal p.

supraorbitomeatal p. 眼窩上縁外耳道面（眼窩上縁と外耳道上縁とを通る平面．耳眼面と 25—30 度傾いている．眼球への放射線被曝を少なくするために，ルーチンの脳 CT スキャンではこの面に平行に撮影が行われる）.

suprasternal p. 胸骨上平面（胸骨柄上縁の高さで身体を通る横断面）.

temporal p. [TA]．側頭平面（側頭骨，頭頂骨，蝶形骨の大翼，前頭骨の一部から形成される，下側頭線の頭蓋の側方の多少くぼんだ部位）. ＝planum temporale [TA].

third parallel pelvic p. ＝pelvic p. of least dimensions.

tooth p. 歯面（長軸平面，水平平面，垂直平面のように歯の断面の想像上の平面）.

transaxial p. 横断面. ＝axial p.

transpyloric p. [TA]．幽門横断面（胸骨柄上縁と恥骨結合上縁との中点を通る横断面で，仰臥位および伏臥位では胃の幽門がこの面に位置するが，立位では幽門は少し下方になる）. ＝planum transpyloricum [TA].

transverse p. [TA]．横断面（前頭面と矢状面とに直角で身体を横切る面で，姿勢にかかわらず体軸または体肢軸と直交する．解剖学的姿勢では水平面と一致するがそれ以外の姿勢では一致しない）. ＝plana transversalia [TA].

wide p. ＝pelvic p. of greatest dimensions.

---

plani- →plano-.

pla·nig·ra·phy (pla-nig′rǎ-fē) [L. *planum*, plane + G. *graphē*, a writing]．断層撮影〔法〕，プラニグラフィ. ＝tomography.

pla·nim·e·ter (plǎ-nim′ě-těr) [L. *planum*, plane + G. *metron*, measure]．面積計（記録用目盛り付きの継ぎ目のあるてこでできた器械で，境界線上をなぞり，その表面積を測定するのに用いる）.

pla·nim·e·try (plǎ-nim′ě-trē). 平面面積測定法（境界線をなぞって面積や周長を測定する方法．顕微鏡写真または投射影を測定して細胞の大きさを調べることができる）.

plan·i·tho·rax (plan′i-thō′raks). 胸部平面図（地球表面の Mercator 投影法のように，平面投影法で前後を示した胸部の図形）.

plank·ter (plangk′těr). プランクトン生物，プランクター（プランクトンを構成している個々の生物）.

plank·ton (plangk′tŏn) [G. *planktos*, wandering]．プランクトン，浮遊生物（多くの海洋浮遊生物を含む一般名で，大部分が顕微鏡的大きさで，風，波，潮，海流によって受動的に動く．珪藻類，藻類，橈脚類，多くの原生動物，甲殻類，軟体動物，それに蠕虫類が含まれる）.

plank·ton·ic (plangk-ton′ik). プランクトンの，プランクトン様の.

plano-, plan-, plani- *1* [L. *planum*, plane; *planus*, flat]．平面，平らな，水平の，を意味する連結形．*2* [G. *planos*, roaming]．遊走の，を意味する連結形.

pla·no·cel·lu·lar (plā′nō-sel′yū-lǎr) [L. *planus*, flat + cellular]．扁平細胞の.

pla·no·con·cave (plā′nō-kon′kāv). 平凹の（片面が平らで他面が凹形のレンズについていう）.

pla·no·con·vex (plā′nō-kon′veks). 平凸の（片面が平らで他面が凸形のレンズについていう）.

pla·nog·ra·phy (plǎ-nog′rǎ-fē). ＝tomography.

plan·o·ma·ni·a (plan′ō-mā′nē-ǎ) [G. *planos*, wandering + *mania*, frenzy]．放浪狂，逍遙狂（家を離れ社会的束縛を捨てたいという病的衝動に対してまれに用いる語）.

Plan·or·bis (plan-ōr′bis) [G. *planos*, wandering + L. *orbis*, circle, ring]．ヨーロッパヒラマキガイ属（淡水産巻貝のヨーロッパおよび北アフリカ産の一属(ヒラマキガイ科)．この属の一種，ヨーロッパヒラマキガイ *P. planorbis* は，ヒツジやウシに寄生する双口吸虫 *Paramphistoma cervi* の中間宿主である）.

pla·no·val·gus (plā′nō-val′gŭs) [plano- + L. *valgus*, turned outward]．扁平外反（足の縦アーチが扁平で後足部が外反している状態）.

plan·ta, gen. & pl. **plan·tae** (plan′tǎ, plan′tē) [L.] [TA]．足底，足の裏. ＝sole.

p. pedis [TA]．足底，足の裏. ＝*sole* of foot.

plan·tae (plan′tē). 植物界（分類のカテゴリー. →kingdom).

plan·ta·go (plan-tā′gō) [L. plantain]．普通のオオバコ科オオバコ *Plantago major*(中国からインドにかけて分布)の根と葉.

p. ovata coating *Plantago ovata* の種子から分離された外部粘質層．排出量が少ない単純性便秘に用いる.

p. seed 車前子. ＝psyllium seed.

plan·tain seed (plan-tān′ sēd). ＝psyllium seed.

plan·tal·gi·a (plan-tal′jē-ǎ) [L. *planta*, sole of foot + G. *algos*, pain]．足底痛（足底腱膜に起因する足底面の疼痛）.

plan·tar (plan′tar) [L. *plantaris*][TA]．足底の（[誤った形 planter または planter's (wart) を避けること]）. ＝plantaris [TA].

plan·tar·is (plan-tar′is) [L.][TA]．足底の. ＝plantar.

plan·ti·grade (plan′ti-grād) [L. *planta*, sole + *gradior*, to walk]．蹠行〔性〕（ヒトやクマがするように，地面に足裏と踵の全面を着けて歩くこと）.

plan·u·la, pl. **plan·u·lae** (plan′yū-lǎ, -lē) [L. *planum* (flat surface) の指小辞]．プラヌラ（外胚葉と内胚葉の２つの原始胚葉からなる腔腸動物の幼生型．Lankester が命名）.

invaginate p. 腸胚. ＝gastrula.

pla·num, pl. **pla·na** (plā′nŭm, plā′nǎ) [L. plane]．平面. ＝plane.

plana coronalia* 冠状面（frontal *plane* の公式の別名）.

plana frontalia [TA]. 前頭面. ＝frontal *plane*.

plana horizontalia [TA]. ＝horizontal *planes*.

p. interspinale [TA]．腸〔骨〕棘面（[最後の e は発音される]．→Addison clinical *planes*）. ＝interspinous *plane*.

p. intertuberculare [TA]．結節横断平面（→Addison clinical *planes*）. ＝intertubercular *plane*.

p. medianum [TA]. ＝median *plane*.

p. occipitale [TA]．後頭平面（[最後の e は発音される]）. ＝occipital *plane*.

p. orbitale 眼窩平面（[最後の e は発音される]）. ＝orbital *plane*.

p. paramedianum [TA]. ＝paramedian *plane*.

p. popliteum ＝popliteal *surface* of femur.

plana sagittalia [TA]. ＝sagittal *plane*.

p. semilunatum 半月面（膨大部稜の知覚部を境界している上皮部位）.

p. sphenoidale [TA]．蝶形骨面（[最後の e は発音される]）. ＝*jugum* sphenoidale.

p. sternale 胸骨面（[最後の e は発音される]）. ＝sternal *plane*.

p. subcostale [TA]．肋下面（[最後の e は発音される]）. ＝subcostal *plane*.

p. supracristale [TA]．腸骨稜上面（[最後の e は発音される]）. ＝supracristal *plane*.

p. temporale [TA]．側頭平面（[最後の e は発音される]）. ＝temporal *plane*.

p. transpyloricum [TA]．幽門横断平面（→Addison clinical *planes*）. ＝transpyloric *plane*.

plana transversalia [TA]. ＝transverse *plane*.

P

pla·nu·ri·a (plă-nyu′rē-ă) [G. *planos*, wandering + *ouron*, urine]. ***1*** 尿浸潤，尿溢出．***2*** 尿が正常でない開口部から排尿されること．

plaque (plak) [Fr. a plate]. ***1*** 斑，局面（体の表面(皮膚，粘膜，動脈内皮など)または脳のような臓器の切断面における，斑点あるいは分化した小さな部位．皮膚では直径 1 cm を超える表在性の丸く高まった固いもの）．***2*** プラ〔ー〕ク（細菌または組織細胞における平らで融合発育をした明瞭な部位．細菌の寒天平板培養でのバクテリオファージの溶解作用，組織細胞培養でのある種の動物ウイルスの細胞変性効果，または赤血球が存在し，補体が加えられてリンパ球が培養されたときに産生される抗体(溶血素)が原因で起こる）．***3*** 斑，プラ〔ー〕ク（多発性硬化症の特徴である境界の明瞭な脱髄帯）．***4*** →dental p.

atheromatous p. じゅく状斑（動脈内膜面の黄色の限られた領域または腫脹．内膜への脂肪沈着によって生じる）．

bacterial p. 菌苔，歯垢（歯科において，歯の表面に付着している種々の小さな形状の糸状体微生物の塊．細菌の作用と環境要因によって，う食，結石，隣接組織への炎症性変化を起こしうる）．＝dental p. (2); mucous p.; mucinous p.

bacteriophage p. バクテリオファージプラク（細菌性ウイルスによる溶菌により寒天表面に生じる，細菌の密集成長域における透明円形域）．

dental p. 歯苔（①主として口腔微生物とその産生物の非石灰化集積物．歯にしっかりと付着し，簡単には取り除けない．②＝bacterial p.）．

Hollenhorst p.'s (hol′ĕn-hōrst). ホレンホースト斑（網膜細動脈の，橙黄色の光ったじゅく状塞栓で，コレステリン結晶を有し，頸動脈ないし大血管で生じる）．

mucous p., mucinous p. 粘膜斑，粘液様斑点．＝bacterial p.

neuritic p. 神経炎性局面（主としてアミロイド線維とねじれた神経突起によってなる球状の塊で，特異的でなく例外もあるが，ひんぱんに Alzheimer 病でよく認められる）．

pleural p. 胸膜プラク（壁側胸膜の限局性線維性肥厚．アスベスト吸入で特徴的に生じる．通常，肉眼的および顕微鏡的石灰化を認める）．

Randall p.'s (ran′dăl). ランダル斑（腎乳頭のミネラル濃縮）．

senile p. 老人〔性〕斑(局面)（neuritic p. を表す現在では用いられない語）．

-plasia [G. *plassō*, to form]. 形成(とくに細胞の)を意味する接尾語．→plasma-.

plasm (plazm). ＝plasma.

plas·ma (plaz′mă) [G. something formed]. ＝plasm. ***1*** 血漿，プラスマ（循環血液の細胞を含有していない蛋白性液体成分で，凝固後に得られる血清とは異なる）．＝blood p. ***2*** プラスマ（リンパ液の液体部分）．***3*** 乳脂肪小滴が懸濁している液体．***4*** プラスマ（高温のために原子が壊れて，遊離原子およびほとんど裸になった核を形成する〝物質の第四状態〟．星はプラスマからつくられ，プラスマは実験室での水素融合(高熱による原子核反応)でつくられる）．***5*** プラズマ（ほとんどすべてがイオン化した気体）．

antihemophilic p. ヒト抗血友病血漿（新鮮血漿中の不安定抗血友病グロブリン成分が保持されているヒト血漿．血友病で止血機構が機能障害を起こしたとき，一時的に救助するために用いる）．

blood p. 血漿．＝plasma (1).

p. expander ＝plasma *substitute*.

fresh frozen p. (**FFP**) 新鮮凍結血漿（採取して 6 時間以内に凍結した分離血漿．血液量の減少時や凝固因子の欠乏時に用いる）．

p. hydrolysate 血漿水解物（ウシ血漿の，加水分解によってつくられる人工蛋白分解物．α-アミノ窒素の形で存在する全窒素量の半分以上を供給することができる．高蛋白摂取が必要であるが通常の食物では達成できない場合に用いる．→protein hydrolysate）．

p. marinum 血漿と等張になるように希釈された海水．

muscle p. 筋漿（自然に凝固することのできる筋肉中のアルカリ液で，ミオシンと筋血清に分けられる）．

normal human p. 正常ヒト血漿（輸血で病気が伝染されることはないと証明された成人 8 人以上のクエン酸塩加(すなわち，抗凝固剤を添加した)全血の液状部分をプールして得られる滅菌血漿．細菌またはウイルスによる汚染を防ぐ目的で紫外線照射で処理される）．

salted p. 塩漿（硫酸ナトリウムまたは硫酸マグネシウム溶液中に入れることによって凝固を妨げた全血の液体部分）．＝salted serum.

plasma-, plasmat-, plasmato-, plasmo- [G. *plasma*, something formed]. 形成する，組織する，血漿，プラスマを意味する連結形．

plas·ma·blast (plaz′mă-blast) [plasma + G. *blastos*, germ]. 形質芽球（形質細胞の前駆細胞）．＝plasmacytoblast.

plas·ma·crit (plaz′mă-krit) [plasma + G. *krinō*, to separate]. プラスマクリット（ヘマトクリットとは対照的に，全血液に対し血漿が占める量の百分率）．

plas·ma·cyte (plaz′mă-sīt). プラスマ細胞，形質細胞（[誤ったつづり plasmocyte を避けること]）．＝plasma *cell*.

plas·ma·cy·to·blast (plaz′mă-sī′tō-blast). ＝plasmablast.

plas·ma·cy·to·ma (plaz′mă-sī-tō′mă) [plasmacyte + G. *-oma*, tumor]. プラスマ細胞腫，形質細胞腫（骨または種々の骨髄以外の部位に発生する，離散した孤立性の腫瘍性形質細胞塊．ヒトではそのような病変は形質細胞性骨髄腫の初期の段階と考えられる）．

plas·ma·cy·to·sis (plaz′mă-sī-tō′sis) [plasmacyte + G. *-osis*, condition]. プラスマ細胞増加症，形質細胞増加症（①循環血液中に形質細胞が存在すること．②組織や滲出液中に通常大量の形質細胞が存在すること）．

plas·ma·gene (plaz′mă-jēn) [plasma + gene]. 細胞質遺伝子（細胞質内に存在する遺伝形質決定因子）．＝cytogene.

plas·ma·ki·nins (plaz′mă-kī′ninz). プラスマキニン（血管，子宮，気管支，およびその他の平滑筋に作用する血清中に見出された高活性オリゴペプチドの一群．例えば，ブラジキニン，カリジン）．

plas·ma·lem·ma (plaz′mă-lem′ă) [plasma + G. *lemma*, husk]. ＝cell *membrane*.

plas·mal·o·gens (plaz-mal′ō-jenz). プラスマロゲン（グリセロリン脂質の総称名で，グリセロールの部分に 1-アルケニルエーテル基(まれに 1-アルキルエーテル基)をもつ．例えば，alk-1-enylglycerophospholipid. プラスマロゲン合成はペルオキシソーム病で低下する）．＝phosphoglyceracetals.

plas·mals (plaz′mălz). プラスマール（プラスマロゲン中にある長鎖アルデヒドの 1 つ．ステアリン酸アルデヒドやパルミチン酸アルデヒドなど）．

plas·ma·phe·re·sis (plaz′măf-ĕ-rē′sis) [plasma + G. *aphairesis*, a withdrawal]. 血漿しゃ(瀉)血，血漿搬出，プラスマフェレーシス（全血液を生体から取り出し遠心沈殿によって分離された細胞成分を生理食塩水または他の代用血漿に懸濁して再びその生体に戻すこと．このようにして細胞成分を減らさずに自分自身の血漿蛋白を除くことができる）．

plas·ma·phe·ret·ic (plaz′mă-fĕ-ret′ik). 血漿しゃ(瀉)血の，血漿搬出の，プラスマフェレーシスの．

plasmat- →plasma-.

plas·mat·ic (plaz-mat′ik). 血漿の，プラスマの．＝plasmic.

plas·ma·tog·a·my (plaz′mă-tog′ă-mē). ＝plasmogamy.

plas·mic (plaz′mik). ＝plasmatic.

plas·mid (plaz′mid) [cyto*plasm* + -id]. プラスミド（宿主細胞(主として細菌)の染色体から物理的に離れていながら，安定して機能し複製することができる遺伝的分子で，通常は宿主細胞に何らかの恩恵を授ける．細胞の基本的な機能にとって必須ではない）．＝extrachromosomal element; extrachromosomal genetic element; paragene.

bacteriocinogenic p.'s バクテリオシン産生プラスミド（バクテリオシンの形成に関与する細菌プラスミド）．＝bacteriocin factors; bacteriocinogens.

conjugative p. 接合性プラスミド（接合により細胞間自己伝達を行う染色体外要素(プラスミド)のこと．遺伝物質は通常，特殊なピリ線毛を介して，受容菌側へと伝達される）．＝infectious p.; transmissible p.

F p. F プラスミド（大腸菌 *Escherichia coli* の K-12 系統の接合に関係する接合プラスミドの原型）．＝fertility factor; sex factor.

infectious p. 感染性プラスミド．＝conjugative p.

nonconjugative p. 非接合性プラスミド（他の細菌(細菌

株)との接合およびそれへの自己伝達を行うことができないプラスミド．伝達は他の(接合性)プラスミドの作用に依存する)．

R p.'s ＝resistance p.'s.

resistance p.'s 耐性プラスミド（細菌類(特に腸内細菌科)の抗生物質(または抗菌薬)耐性に関与する遺伝子を運ぶプラスミド．接合性プラスミドもあるし，非接合性プラスミドもある．接合性の場合は伝達遺伝子(耐性伝達因子)をもつが，非接合性ではもたない)．＝R factors; R p.'s; resistance factors; resistance-transferring episomes.

transmissible p. 伝染性プラスミド．＝conjugative p.

plas·min (plaz′min). プラスミン，線〔維素〕溶〔解〕酵素（L-アルギニンやL-リシンのペプチドとエステルを加水分解し，特にフィブリンを可溶性にするセリンプロテイナーゼ．血漿中にはプラスミノゲン(プロフィブリノリジン)の前駆物質として存在する．抑制因子を取り除く有機溶媒，およびストレプトキナーゼ，トリプシン，ウロキナーゼによってアルギニル－バニル一重結合が開裂され，(プラスミンへ)活性化される．プラスミンは血餅の溶解に働く)．＝fibrinase (2); fibrinolysin.

plas·min·o·gen (plaz-min′ō-jen)［MIM*173350］. プラスミノゲン（プラスミンの前駆物質．血栓症を助長すると考えられている常染色体優性のプラスミノゲンの欠損［MIM *173350］がある．⇀ plasmin)．

plas·min·o·ki·nase (plaz′min-ō-kī′nās). プラスミノキナーゼ．＝streptokinase.

plas·min·o·plas·tin (plaz′min-ō-plas′tin). プラスミノプラスチン（プラスミノゲンに直接作用してプラスミンを産生する賦活物質に対して提唱されている用語．例えば，スタフィロキナーゼ，プラスミノゲン賦活剤)．

plasmo- ⇀plasma-.

plas·mo·di·a (plaz-mō′dē-ă)［L.］. plasmodium の複数形．

plas·mo·di·al (plaz-mō′dē-ăl). ***1*** 形質胞体の，変形体の．***2*** マラリア原虫の．

plas·mo·di·o·tro·pho·blast (plaz-mō′dē-ō-trō′fō-blast)［plasmodium + G. *trophē*, nourishment + *blastos*, germ］. 合胞体層合胞体栄養細胞．＝syncytiotrophoblast.

Plas·mo·di·um (plaz-mō′dē-ŭm)［Mod.L. < G. *plasma*, something formed + *eidos*, appearance］. プラスモディウム属，マラリア原虫（原生動物亜界 Plasmodidae 科の一属(住血胞子虫亜目またはコクシジウム亜属)．大・小配偶子の別，運動性のオオキネート(接合子)，無脊椎動物宿主中での胞子形成，脊椎動物宿主中での無性生殖(シゾゴニー)を特徴とする脊椎動物の血液寄生生物．本属はヒトや他の動物のマラリア病原虫を含む．これは脊椎動物の肝臓および赤血球中で無性生殖を，カの体内で有性生殖を行う．有性生殖の結果，媒介カの唾液腺中に多数のスポロゾイトが形成される．霊長類のマラリアはハマダラカ属 *Anopheles* の諸種により，鳥類のマラリアはヤブカ属 *Aedes*，アカイエカ属 *Culex*，ハマダラカ属 *Anopheles*，キュリセタ属 *Culiseta* の各種により伝播される)．

P. aethiopicum ＝*P. falciparum.*

P. berghei 中央アフリカ産のげっ歯類のマラリア病原虫．実験用の非霊長類性マラリアの重要な病原種である．

P. brazilianum 南アメリカ北部とパナマのオマキザル科の新世界サルにみられる原虫の種で，ヒトに軽度なマラリアを引き起こすことがある．

P. cynomolgi 三日熱マラリア原虫 *P. vivax* 類似の一種で，天然にはマカク類のサルに生じるが，事故や実験によってヒトにも感染する．三日熱マラリア原虫 *P. vivax* 型のマラリアを引き起こす．

P. falciparum 熱帯熱マラリア原虫（熱帯熱マラリアあるいは悪性三日熱マラリアの病原種．幼若な栄養体は赤血球の約1/5の大きさであるが，感染血球を粘稠にし，それらを生命維持に必要な器官，特に脳および心臓の毛細血管中に集結させる傾向が強いため，循環血液中に赤血球発育型を見出すことはまれである．シゾントは赤血球の約1/2—2/3を占め，まばらな小顆粒をもつ(瀕死の患者の末梢血液中にのみ観察される)．感染赤血球の大きさは正常あるいは萎縮し，塩基性顆粒や赤い斑点(Maurer 裂または斑点)をもつことが多い．重複感染は非常に頻繁にみられ，原虫の増殖サイクルが通常同時的に起こらないことから，やや不規則な熱発作を起こす)．＝malignant tertian malarial parasite; *P. aethiopicum.*

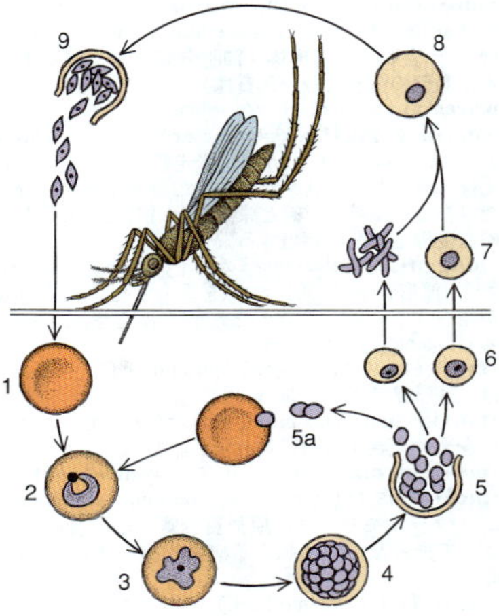

plasmodium

生活史．1：スポロゾイトが赤血球に侵入．2：輪状体(リングフォーム)に発育．3：アメーバ状体に発育．4：無性分裂．5：メロゾイトの放出を伴う細胞の破壊．5a：多くのメロゾイトは赤血球に再感染．6：一部のメロゾイトは有性生殖型に発育．7：カに吸血されたのち，雄性および雌性配偶子に発育．8：受精した細胞はオーシストに発育．9：オーシストの破裂によるスポロゾイトの放出．

P. knowlesi 東南アジア産の原虫の種で，1日(24時間)周期の熱サイクルを伴うサルのマラリアを引き起こす．赤毛ザルで致死性が高い．天然にはマレーシアでヒトに移ることがあり，実験的にもヒトに伝播される．

P. kochi 現在，*Hepatocystis kochi* として知られているマラリア原虫の種．

P. malariae 四日熱マラリア原虫（四日熱マラリアの病原種．環状期の栄養体は三角形，またはおおよそ卵形で大小様々の黒い顆粒をもち，赤血球の約1/3の大きさである．シゾントは卵形または円形でほぼ赤血球内に充満する．感染赤血球は正常の大きさまたは軽度に萎縮し，通常，斑点はないが(三日熱マラリア原虫 *P. vivax* から本種を鑑別するうえで最も重要な2大特徴)，非常に繊細な Ziemann 斑点がみられることがある．重複感染は非常にまれで，かなり規則的な72時間間隔の熱発作がみられる．また最初の感染から10年またはそれ以上経過してから再発することがある)．＝quartan parasite.

P. ovale 卵形マラリア原虫（ヒトマラリアでは最もまれな原虫の種．本虫はその初期発育段階においては三日熱マラリア原虫 *P. vivax* に似るが，しばしば血球膜を変化させ輪郭に特有な凹凸をつくり，血球はしばしば卵形を呈する．Schüffner 斑点が多数，早期に出現する．宿主血球は正常の大きさあるいは軽度に膨大し，内部には約 8—10 個のブドウ状のメロゾイトが形成される．熱発作は3日目ごと(48時間おき)に現れ，再発はまれである)．

P. vivax 三日熱マラリア原虫（最も一般的なヒトのマラリア原虫の種．ただし西アフリカでは，Duffy 抗原の型(FyFy)が三日熱マラリア原虫に対する多くの抵抗性住民をつくりあげており，この地域では三日熱マラリア原虫 *P. vivax* の代わりに卵型マラリア原虫 *P. ovale* が存在している．初期の栄養体は不定のアメーバ様形態を呈し，赤血球の1/4—1/3の大きさで，数個の小さな顆粒を含む．シゾントは不定形で，膨張した赤血球内に充満し，多数の黄褐色の色素顆粒をもつ．感染赤血球は色が淡く膨大し，発育後期には Schüffner 斑点が現れる．かなり規則正しい48時間間隔の熱発作を起こすことが特徴であるが，複合感染では不規則な熱

パターンの発生が普通にみられる). = tertian parasite.

plas·mo·di·um, pl. **plas·mo·di·a** (plaz-mō′dē-ŭm, -dē-ă) [Mod.L. < G. *plasma*, something formed + *eidos*, appearance]. 形質胞体, 変形体 (細胞分裂せずに核が増加して生じる, 数個の核を含む原形質塊).

placental p. = syncytiotrophoblast.

Plas·mo·dro·ma·ta (plaz′mō-drō′mă-tă) [plasmo- + G. *dromos*, a running, a course]. 形走類 (アメーバ状およびべん毛性の原生動物を含めたかつての分類学上の区分で, この類では核は生殖核(小核)と栄養核(大核)とに分類しない. 現在の有毛根足虫門に相当する).

plas·mog·a·my (plaz-mog′ă-mē) [plasmo- + G. *gamos*, marriage]. 原形質融合 (個々の核を保有したまま2つ以上の細胞が結合すること. すなわち形質胞体を形成すること). = plasmatogamy; plastogamy.

plas·mo·gen (plaz′mō-jen) [plasmo- + G. *-gen*, producing]. 原形質. = protoplasm.

plas·mo·ki·nin (plaz′mō-kī′nin). プラスモキニン (*factor* VIII を表す現在では用いられない語).

plas·mo·lem·ma (plaz′mō-lem′ă). = cell *membrane.*

plas·mol·y·sis (plaz-mol′i-sis) [plasmo- + G. *lysis*, dissolution]. プラスモリシス, 原形質分離 (細胞質の水分を浸透によって失ったために起こる植物細胞の萎縮). = protoplasmolysis.

plas·mo·lyt·ic (plaz′mō-lit′ik). プラスモリシスの, 原形質分離の.

plas·mo·lyze (plaz′mō-līz). 原形質分離を起こさせる.

plas·mon (plaz′mŏn) [cyto*plasm* + -on]. プラスモン (真核細胞細胞質に存在する染色体外遺伝因子の総称). = plasmotype.

plas·mor·rhex·is (plaz′mō-rek′sis). 細胞崩壊 (原形質の圧力で細胞が分裂すること).

plas·mos·chi·sis (plaz-mos′ki-sis) [plasmo- + G. *schisis*, a cleaving]. 原形質分裂, プラスモスキシス (原形質が断片に分裂すること).

plas·mo·sin (plaz′mō-sin). プラスモシン (かなり長い分離した線維をもつ細胞質中の非常に粘稠な物質で, 細胞構造の基質とみなされる核蛋白の一種).

plas·mot·o·my (plaz-mot′ŏ-mē) [plasmo- + G. *tomē*, incision]. 断裂 (多核原虫細胞の有糸分裂の一型. 原形質が2つ以上に分かれた後, ある場合には胞子形成によって増殖する).

plas·mo·trop·ic (plaz′mō-trop′ik). 造血器内溶血過度の.

plas·mot·ro·pism (plaz-mot′rō-pizm) [plasmo- + G. *tropē*, a turning]. 造血器内溶血過度 (骨髄, 脾臓, および肝臓が, 赤血球破壊の場となっている状態. 循環血液中での破壊とは異なる状態).

plas·mo·type (plaz′mō-tīp). = plasmon.

plas·mo·zyme (plaz′mō-zīm) [plasmo- + G. *zymē*, leaven]. prothrombin を表す現在では用いられない語.

plas·te·in (plas′tē-in). プラステイン (①キモトリプシンのような蛋白分解酵素の触媒下で, アミノ酸やペプチドが凝縮して形成される不溶性ポリペプチド. 分子量は500,000まで報告されている. ②蛋白の部分加水分解物をエンドペプチダーゼで処理して得られたゲル).

plas·ter (plas′tĕr) [L. *emplastrum*; G. *emplastron*, plaster or mold]. ***1*** 硬膏〔剤〕(熱すると広がる固形製剤で, 体温で粘着性になる. 損傷縁に並置して損傷面を保護するために用いられ, また薬物を添加して皮膚を発赤させたり水疱を形成したりしないよう, また全身作用を防ぐために表面に薬を塗布して用いる). ***2*** 歯科において, p. of Paris(焼石膏)の口語.

p. of Paris 焼石膏 (加熱により結晶水を除いた無水硫酸カルシウムで, 水を混ぜると泥状になり, やがて固まる).

plas·tic (plas′tik) [G. *plastikos*, relating to molding]. ***1*** 〘adj.〙 形成の, 可塑性の. ***2*** 〘n.〙 プラスチック, 可塑物 (圧力または熱を加えることにより, 窩洞や鋳型の形に成形される物質).

Bingham p. (bing′ăm). ビンガム塑性体 (理論的には, 臨界応力(降伏応力)を超えるまで流れず, 降伏応力を超えた応力の過剰に相当する割合で流れる物質. 実際の物質は大部分この理想モデルの近似にすぎない).

modeling p. モデリングプラスチック (通常, ダンマル脂ゴムと沈降石灰からつくられる熱塑性物質で, 特に歯の印象採得のために用いる). = impression compound; modeling composition; modeling compound.

plas·tic·i·ty (plas-tis′i-tē). 形成性, 〔可〕塑性, 柔軟性.

plas·tid (plas′tid) [G. *plastos*, formed + -id]. プラスチド, 色素体 (①光合成その他の細胞過程が行われる, 植物細胞の原形質中の構造物. DNA を含有し, 自己増殖する. = trophoplast. ②細胞中の異物または分化した物質の顆粒, 食物粒子, 脂肪, 老廃物, 色素体, 毛胞などの1つ. ③宿主細胞内で増殖する自己増殖性のウイルス様粒子, 例えば, ある種のゾウリムシにおける *κ* 粒子).

blood p. 血液プラスチド (血液の生物学的組成の基本的・形態学的単位. 例えば赤血球).

plas·ti·nate (plas′ti-nāt). プラスティネイト (①プラスティネーションにより作製された解剖標本. ②プラスティネーション技術により処理すること).

plas·ti·na·tion (plas-ti-nā′shŭn). プラスティネーション (脈管, 体腔, 他の空隙にポリマーを注入して解剖標本を作製すること).

plas·to·chro·man·ol-3, plas·to·chro·ma·nol $\mathbf{E_3}$ (plas′tō-krō′man-ol). プラストクロマノール-3, プラストクロマノールE_3 ; *γ*-tocotrienol (→tocotrienol).

plas·to·chro·men·ol-8 (plas′tō-krō′men-ol). プラストクロメノール-8 (プラストキノン-9のクロメノール型). = solanochromene.

plas·tog·a·my (plas-tog′ă-mē). = plasmogamy.

plas·to·quin·one (PQ) (plas′tō-kwin′ōn). プラストキノン (マルチプレニル側鎖をもつ2,3-ジメチル-1,4-ベンゾキノン. プラストキノン-9に対してときに用いる慣用名).

plas·to·quin·one-9 (PQ-9), plas·to·quin·one $\mathbf{E_9}$ (plas′tō-kwin′ōn). プラストキノン-9, プラストキノンE_9 ; 2,3-dimethyl-6-nonaprenyl-1,4-benzoquinone (ビタミンEとKの一群およびコエンチームQ. 異性体はプラストクロメノール-8. 光合成の電子伝達系の構成成分の1つ).

plas·tron (plas′tron) [Fr. a breastplate]. プラストロン (肋軟骨の付着している胸骨).

-plasty [G. *plastos*, formed, shaped]. 修復すべき身体の部分の機能や形態の欠損を形成すること, あるいは形成されたものを意味する接尾語.

plate (plāt) [O.Fr. *plat*, a flat object < G. *platys*, flat, broad]. ***1*** 〘n.〙〘TA〙. 板 (解剖学において, 板, 層板, 薄く比較的扁平な構造). = lamina [TA]. ***2*** 〘n.〙 金属板 (骨折の際, 骨端を固定するために用いる金属板). ***3*** 〘n.〙 平板 (Petri 皿や類似の容器にはいった寒天層). ***4*** 〘v.〙 平板培養する (集落として発育する個々の微生物が分離するよう, 寒天平板(通常, Petri 皿にはいっている)の表面に細菌の筋を付け, 薄い細菌培養層をつくることをいう). ***5*** 〘n.〙 分別蒸留での分留塔の構成部品である水平多孔板(または理論的同等な板).

alar p. of neural tube〔神経管の〕翼板. = alar *lamina* of neural tube.

amorphous selenium p. = selenium p.

anal p. 肛門板 (排泄腔板の肛門部).

axial p. 軸板 (胚の原始線条).

basal p. of neural tube〔神経管の〕基板. = basal *lamina* of neural tube.

base p. →baseplate.

blood p. 血小板 (platelet を表す現在では用いられない語).

bone p. 骨板 (ねじを挿入する穴の付いた金属板で, 骨折部を固定するために用いる).

buttress p. 支持プレート (骨折の内固定を維持し, 転位を予防するために用いる金属プレート).

cardiogenic p. 心臓形成板 (臓側板の厚い層で, ここから発生期の心臓心膜原基が発育する).

cell p. 細胞板 (非セルロース性の構造で, 細胞壁の前駆体である. 有糸分裂中に娘核の間に形成される).

chorionic p. 絨毛膜板 (絨毛膜壁の子宮に付着する部分であり, ここから絨毛が生じる. 絨毛小胞を裏打ちする中胚葉よりなり, 母体側では絨毛間腔層を裏打ちする栄養膜よりなる. 妊娠後半期には, 中胚葉結合組織は大部分線維素様の物質に変わり, 羊膜は絨毛膜板の胎児側に癒着する).

cloacal p. 排泄腔板（肛門管外胚葉の層と接する排泄腔内胚葉の層からなる板．やがて総排泄腔膜となり次いでこれが破れて胚子の肛門および尿生殖器の開口部となる）．

compression p. 圧迫プレート（スクリューを締めていくと骨片同士がより強固に引き寄せられるようにスクリュー用の穴が設計されている骨折内固定用プレート）．

cribriform p. of ethmoid bone［TA］．篩骨篩板（両側に篩骨迷路が垂れ下がり中央では垂直板が垂れ下がる水平位の骨板．前頭骨の篩骨切痕にはまり大脳の嗅小葉を支える．嗅神経の通路となる無数の穴が貫通する）．＝lamina cribrosa ossis ethmoidalis［TA］; cribrum; sieve bone; sieve p.

cuticular p. クチクラ板（Corti 器における硬い層構造で蝸牛有毛細胞の頂部が結合しており，これを感覚毛が貫通し突出している）．

cutis p. ＝dermatome (2).

dorsal p. of neural tube ＝roof p.

dorsolateral p. of neural tube ＝alar *lamina* of neural tube.

end p. →endplate.

epiphysial p.［TA］．骨端軟骨〔板〕（骨幹と骨端の間にある硝子質の円板で，未熟長骨の長さの成長を営む）．＝lamina epiphysialis［TA］; growth p.

equatorial p. 赤道板（有糸分裂時の染色体の集合体）．

ethmovomerine p. 篩骨鋤骨板（篩骨の中央部で，出生時には独立した骨となる）．

flat p. 単純Ｘ線写真（単純写真 plain *film* の俗語）．

floor p. 底板（胚子神経管の腹側正中の薄い部分で，両側の基底膜の延びたもの．roof plate の対語）．＝ventral p.

foot p. →footplate.

frontal p. 前頭板（胎児の，篩骨軟骨の外側部と発育中の蝶形骨との間の軟骨板）．

growth p. ＝epiphysial p.

horizontal p. of palatine bone［TA］．口蓋骨水平板（骨口蓋の後部（約 1/3）を形成する口蓋骨の水平な板）．＝lamina horizontalis ossis palatini［TA］．

Kühne p. (kē′ne). キューネ板（筋紡錘の運動神経線維の終板）．

lateral p. 外側板（胎生最初期胚盤の外側周辺部でいまだ分節していない中胚葉細胞塊で，後で壁側板と臓側板に分化していく部分）．

lateral cartilaginous p. ＝lateral *lamina* of cartilage of pharyngotympanic (auditory) tube.

lateral p. of cartilaginous auditory tube ＝lateral *lamina* of cartilage of pharyngotympanic (auditory) tube.

lateral pterygoid p.［TA］．翼状突起外側板（蝶形骨体と大翼との結合部から下方にのびる２枚の骨板のうち，外側にある大きいほうの骨板．左右１対．側頭下窩の内側壁となり翼突筋の起始となる）．＝lamina lateralis processus pterygoidei ossis sphenoidalis［TA］; lateral p. of pterygoid process.

lateral p. of pterygoid process 翼状突起外側板．＝lateral pterygoid p.

lingual p. 舌面板．＝linguoplate.

medial cartilaginous p. ＝medial *lamina* of cartilage of pharyngotympanic (auditory) tube.

medial p. of cartilaginous auditory tube ＝medial *lamina* of cartilage of pharyngotympanic (auditory) tube.

medial pterygoid p.［TA］．翼状突起内側板（蝶形骨体と大翼との結合部から下方にのびる２枚の骨板のうち，内側にある小さいほうの骨板．下方で翼突鈎に終わる）．＝lamina medialis processus pterygoideus ossei［TA］; medial p. of pterygoid process.

medial p. of pterygoid process 翼状突起内側板．＝medial pterygoid p.

medullary p. ＝neural p.

p. of modiolus 蝸牛軸板．＝*lamina* of modiolus of cochlea.

motor p. ＝motor *endplate*.

muscle p. ＝myotome (2).

nail p. 爪板．＝nail (1).

neural p. 神経板（初期胚の背面の神経外胚葉性部分で，後に発育して神経管と神経堤をつくる）．＝medullary p.

neutralization p. 中和プレート（長管骨骨折の内固定に際し，転位を生じる力を中和させるために用いられる金属プレート）．

notochordal p. 脊索板（原始卵黄嚢の内胚葉蓋に挿入されている脊索細胞の膜．→head *process*）．

oral p. 口板（胚の前腸内胚葉と口道外胚葉とが融合して形成される限局された部位．口板は初期に破れて口腔の開口部となる．→buccopharyngeal *membrane*）．

orbital p. 眼窩板．＝orbital p. of ethmoid bone.

orbital p. of ethmoid bone［TA］．篩骨眼窩板（眼窩の内側壁の一部を形成し，外側では篩骨迷路の外側壁をなす薄い骨性の板）．＝lamina orbitalis ossis ethmoidalis［TA］; lamina papyracea; orbital lamina of ethmoid bone; orbital layer of ethmoid bone; orbital p.; paper p.; papyraceous p.

palatal p. パラタルプレート（部分床義歯の大連結子で，上顎小臼歯２本よりも前後方向に幅広い）．

palmar p.'s ＝palmar *ligaments* of metacarpophalangeal joints.

paper p., papyraceous p. ＝orbital p. of ethmoid bone.

parachordal p. 側索板（脊索の頭部の両側に位置する頭蓋底の軟骨原基）．

parietal p. ***1*** 壁側板（中胚葉の２層のうち外側で，外胚葉とともに体側板を構成する）．***2*** ＝perpendicular p. of ethmoid bone.

perpendicular p.［TA］．垂直板（垂直面の中にあるか，またはこれにごく近く存在する骨板．→perpendicular p. of ethmoid bone; perpendicular p. of palatine bone）．＝lamina perpendicularis［TA］; pars perpendicularis; vertical p.

perpendicular p. of ethmoid bone［TA］．篩骨垂直板（篩骨の鶏冠から下方にのびている薄い骨性板．鼻中隔の一部をなす）．＝lamina perpendicularis ossis ethmoidalis［TA］; parietal p. (2).

perpendicular p. of palatine bone［TA］．口蓋骨垂直板（口蓋骨の一部で水平板から上方にのびる部分．鼻腔の側壁の一部をなす）．＝lamina perpendicularis ossis palatini［TA］．

phosphor p. イメージングプレート（CR システムにおいて，Ｘ線フイルムカセットの代わりに使われる被覆された板．→selenium p.; amorphous *silicon*）．

polar p.'s 極板（ある種の細胞の有糸分裂のとき，紡錘体の両端にみられる圧縮された板状体）．

prechordal p. 前索板（外胚葉と内胚葉が接する脊索板の頭端に接している口側の小部分．発育した頭部の下にはいると頬咽頭膜を形成する．→oral p.）．＝prochordal p.

prochordal p. 前索板．＝prechordal p.

pterygoid p.'s →lateral pterygoid p.; medial pterygoid p.

quadrigeminal p. 四丘板．＝*lamina* of mesencephalic tectum.

roof p. 上衣板（背方で翼板と連結する胚子神経管の薄い層）．＝dorsal p. of neural tube.

secondary spiral p. 第二ラセン板．＝secondary spiral *lamina*.

segmental p. ＝segmental *zone*.

selenium p. セレン板（直接ディジタル撮影に使用される放射性感受性物質．→digital *radiography*）．＝amorphous selenium p.

sieve p. ＝cribriform p. of ethmoid bone.

spiral p. ＝osseous spiral *lamina*.

stigmal p.'s 気門板（節足動物の幼虫にみられる，気管系が外に開口する部分．この部位の形態は様々な節足動物の幼虫の同定に用いられる．→spiracle）．

suction p. 吸着床（歯科において，大気圧で適切な位置に保持される義歯）．

tarsal p.'s 瞼板（→superior *tarsus*; inferior *tarsus*）．

tectal p.［TA］．中脳蓋板．＝*lamina* of mesencephalic tectum.

terminal p.〔大脳〕終板．＝*lamina* terminalis of cerebrum.

tympanic p. of temporal bone［TA］．側頭骨鼓室板（外耳道骨部前壁の大部分と鼓室と下顎窩の後壁とを形成する骨板）．＝pars tympanica ossis temporalis［TA］; tympanic part of temporal bone.

urethral p. 尿道板（胎生初期男児生殖器の尿道溝の内面をおおう内胚葉性の膜で後で，陰茎海綿体になっていく部分）．

P

ventral p. = floor p.
ventral p. of neural tube = basal *lamina* of neural tube.
vertical p. 垂直板．= perpendicular p.
visceral p. 内臓板（外側の２層の中胚葉のうちの内側で，内胚葉と合併する内臓中胚葉．内胚葉とともに臓側板を構成する）．
wing p. 翼板．= alar *lamina* of neural tube.

Pla·teau (plah-tō′), Joseph Antoine Ferdinand. ベルギー人物理学者，1801—1883. →P.-Talbot *law*.

pla·teau (plă-tō′) [Fr.]. プラトー（グラフ記録で高く平らな部分）．
ventricular p. 心室プラトー（グラフ上，平衡または充満終期を表す心室内血圧曲線の水平な拡張期の部位）．

plate·let (plāt′let) [→plate]. 小板，血小板（巨核球の胞体からの円板状の破片で，骨髄中でつくられ，その後末梢血中に出現し，凝固系において機能する．中心部に顆粒(顆粒質 granulomere)が，周辺部に透明な原形質(透明質 hyalomere)があるが，核はない．赤血球の約 1/3—1/2 の大きさで，ヘモグロビンはない）．= Bizzozero corpuscle; blood disc; elementary bodies (2); elementary particle (1); third corpuscle; thrombocyte; thromboplastid (1); Zimmermann corpuscle.

plate·let·a·phe·re·sis (plāt′let-af′ĕ-rē′sis) [platelet + G. *aphairesis*, a withdrawal]. 血小板フェレーシス（供血者から採取し，血小板を除く他のすべての血液成分を返却する操作）．

plat·ing (plāt′ing). ***1*** 平板培養（Petri 皿などの容器中の固形培地に細菌を植えること．平板培養をすること）．***2*** 平板締結法，平板固定〔術〕（骨折端を固定するために金属プレートを当てること）．***3*** めっき（金属の電気沈着）．
compression p. 圧迫プレート法（圧迫プレートを用いて内固定する方法）．
replica p. レプリカ平板法（細菌のコロニーを１つの寒天平板から他の平板に正確にコピーする方法）．

pla·tin·ic (pla-tin′ik). 白金の，第二白金の（原子価の高いほうの白金化合物についていう）．

plat·i·nous (plat′i-nŭs). 白金の，第一白金の（原子価の低いほうの白金化合物についていう）．

plat·i·num (Pt) (plat′i-nŭm) [Mod.L. 元来は *platina* ＜ Sp. *plata*, silver]. 白金，プラチナ（金属元素．原子番号 78，原子量 195.08．酸に対する抵抗性から化学装置の小部分をつくるのに広く用いる．粉末形(黒色白金 **p. black**)は，水素添加の重要な触媒．白金塩のあるものは梅毒の治療に用いられてきた．誘導体であるシスプラチンは抗癌剤として用いられる）．

plat·i·num foil (plat′i-nŭm foyl). 白金箔（極度に薄い板状の純白金．その高い融点は，歯科の種々のろう着操作におけるマトリックス(隔壁)として，また，陶材修復物の製作中における内型として適している）．

plat·i·num group (plat′i-nŭm grūp). 白金族（６個の両性元素のグループ．イリジウム，オスミウム，パラジウム，プラチナ，ロジウム，ルテニウム）．

Platt (plat), Harry. 20世紀初頭の英国人外科医. →Putti-P. *operation, procedure*.

platy- [G. *platys*, flat, broad]. 幅広さ，扁平を意味する連結形．

plat·y·ba·si·a (plat′i-bā′sē-ă) [platy- + G. *basis*, ground]. 扁平頭蓋底（後頭蓋窩床が大孔周辺部で膨れ上がったために起こる頭蓋の発育異常または頭蓋骨の後天的軟化）．= basilar invagination.

plat·y·ceph·a·ly (plat′i-sef′ă-lē) [platy- + G. *kephalē*, head]. 扁平頭〔蓋〕症（長高指数 70 以下の扁平な頭蓋をもつ状態）．= platycrania.

plat·yc·ne·mi·a (plat′ik-nē′mē-ă) [platy- + G. *knēmē*, leg]. 扁平脛骨（［二重字 cn において，c は語頭にあるときのみ無音である］．脛骨が異常に幅広く扁平な状態）．= platycnemism.

plat·yc·ne·mic (plat′ik-nē′mik). 扁平脛骨の（［二重字 cn において，c は語頭にあるときのみ無音である］．扁平脛骨に関する，または扁平脛骨の特徴をもつ）．

plat·yc·ne·mism (plat′ik-nē′mizm). ［二重字 cn において，c は語頭にあるときのみ無音である］. = platycnemia.

plat·y·cra·ni·a (plat′i-krā′nē-ă) [platy- + G. *kranion*, skull]. = platycephaly.

plat·y·cyte (plat′i-sīt) [platy- + G. *kytos*, cell]. 扁平細胞（結核でときに生じる比較的小さい巨細胞を表す，現在では用いられない語）．

plat·y·glos·sal (plat′i-glos′ăl) [platy- + G. *glōssa*, tongue]. 広舌の（広く平たい舌をもつ）．

plat·y·hel·minth (plat′i-hel′minth) [platy- + G. *helmins*, worm]. 扁形動物（扁形動物門の扁虫の一般名．条虫類や吸虫類）．

Plat·y·hel·min·thes (plat′i-hel-min′thēz). 扁形動物門（左右対称，扁平で，体腔のない扁虫類の門．ある種の扁形動物(条虫)には消化管はなく，また吸虫のように腸管の不完全なものもある(肛門がない)．多くは雌雄両性．３つの大きな綱があるが，医学上および獣医学上重要な寄生生物の種は条虫綱の条虫亜綱と，吸虫綱の二生類亜綱(吸虫)である）．

plat·y·hi·er·ic (plat′i-hī-er′ik) [platy- + G. *hieron*, sacrum]. 扁平仙骨の．

plat·y·me·ric (plat′i-mē′rik, -mer′ik) [platy- + G. *mēros*, thigh]. 扁平大腿骨の．

plat·y·mor·phi·a (plat′i-mōr′fē-ă) [platy- + G. *morphē*, shape]. 扁平眼球〔症〕（前後軸の短い眼についていう）．

plat·y·o·pi·a (plat′i-ō′pē-ă) [platy- + G. *ōps*, eye, face]. 広顔，扁平顔（鼻頬指数 107.5 以下の幅広い顔についていう）．

plat·y·op·ic (plat′i-op′ik, -ō′pik). 広顔の，扁平顔の．

plat·y·pel·lic (plat′i-pel′ik) [platy- + G. *pellis*, bowl(pelvis)]. 扁平骨盤の（指数 90 以下の扁平な骨盤についていう. →platypellic *pelvis*）．= platypelloid.

plat·y·pel·loid (plat′i-pel′oyd). = platypellic.

pla·typ·ne·a (plă-tip-nē′ă) [platy- + G. *pnoē*, a breathing]. 扁平呼吸（［二重字 pn において，p は語頭にあるときのみ無音である．伝統的に正しい発音は platypnea であるが，米国ではしばしば platyp′nea と発音される］．直立していると呼吸が困難で，横臥すると楽になる呼吸．*cf.* orthopnea）．

plat·yr·rhine (plat′i-rīn) [platy- + G. *rhis*, nose]. 広鼻の（①長さに比して幅の広い鼻をいう．②鼻指数が 53—58 の頭蓋についていう）．

plat·yr·rhi·ny (plat′i-rī′nē). 広鼻（長さに比して幅の広い鼻をもつ状態）．

pla·tys·ma, pl. **pla·tys·mas, pla·tys·ma·ta** (plă-tiz′mă, -tiz′mă-tă) [G. *platysma*, a flatplate][TA]. 広頸筋．= platysma (*muscle*).

plat·y·spon·dyl·i·a, plat·y·spon·dyl·i·sis (plat′i-spon-dil′ē-ă, plat′i-spon-dil′i-sis) [platy- + G. *spondylos*, vertebra]. 扁平椎．

pla·tys·ten·ceph·a·ly (plă-tis′ten-sef′ă-lē) [G. *platystos*, widest: *platys*(wide)の最上級 + *enkephalē*, brain]. 扁平頭蓋（上顎前突があって，後頭部で幅が最大で前方へ幅が狭くなる頭蓋）．

Plea·sure (ple′zhūr), Max A. 米国人歯科医，1903—1965. →P. *curve*.

plec·tin (plek′tin) [L. *plecto*, to braid, interweave + *-in*]. プレクチン（リボソーム中間径フィラメント関連蛋白で，ビメンチンと微小管を連結することによって，細胞骨格による細胞内の三次元的格子を形成する）．

plec·trid·i·um (plek-trid′ē-ŭm) [Mod.L.: G. *plēktron*(an instrument to strike with)の指小辞]. プレクトリディウム（一方の端に芽胞をもつ杆菌で，太鼓ばち形を呈する．例えば破傷風菌 *Clostridium tetani* の芽胞をもったもの）．

pled·get (plej′et). 外科用綿撒糸（毛，木綿，またはリントのふさ）．

-plegia [G. *plēgē*, stroke]. 麻痺を意味する接尾語．

pleio- pleo- と同義にまれに用いるつづり．

plei·o·trop·ic (plī′ō-trop′ik). 多面発現性，多形質発現性（多面発現あるいは多面発現の特徴があることを示す）．= polyphenic.

plei·ot·ro·py, plei·o·tro·pia (plī-ot′rō-pē, plī-ō-trō′pē-ă) [pleio- + G. *tropos*, turning]. 多面〔発現〕作用，多面発現（単一の突然変異遺伝子によって，臨床または表現型のレベルで，表面上は無関係な多くの効果を示すこと）．
functional p. 機能的多面作用（同じ対立遺伝子の変化が

多くのしかし特異的な過程へ関与するために起こる多面発現．例えば，ヘパリンは凝固や脂肪代謝を含む多くの体内反応に活性がある）．

structural p. 構造的多面作用（ポリペプチドの2か所以上の領域がまったく特異的でしかも関係のない生物学的機能をもつときに起こる多面作用で，同時に転写され翻訳されること以外その機能は共通するものがない）．

Pleis·toph·o·ra (plīs-tof′ŏ-ră). プリストフォーラ属（微胞子虫門の原生動物に属する一属で，通常魚類や昆虫類にみられ，単一核で厚い壁をもつ胞子が8個以上の集団として形成される．種の記載はされていないが，明らかにこの属の種が免疫欠陥をもつ男子における播種性微胞子虫性筋炎の原因としてあげられている）．

pleo- [G. *pleiōn*]. より多い，を意味する連結形．

ple·o·chro·ic (plē′ō-krō′ik) [pleo- + G. *chroa*, color]. = pleochromatic.

ple·och·ro·ism (plē-ok′rō-izm). = pleochromatism.

ple·o·chro·mat·ic (plē′ō-krō-mat′ik). 多色性の．= pleochroic.

ple·o·chro·ma·tism (plē′ō-krō′mă-tizm) [pleo- + G. *chrōma*, color]. 多色性（ある種の結晶や液体のように，異なる軸に沿って照明されたときに色の変化を示す性質）．= pleochroism.

ple·o·cy·to·sis (ple′ō-sī-tō′sis) [pleo- + G. *kytos*, cell + -*ōsis*, condition]. 〔髄液〕細胞増加〔症〕，プレオサイトーシス（正常よりも多くの細胞が存在すること．しばしば白血球増加，特にリンパ球増加または円形細胞浸潤についていう．元来は中枢神経系梅毒でみられる髄液のリンパ球増加に用いられた語）．

ple·o·mas·ti·a, ple·o·ma·zia (plē′ō-mas′tē-ă, -mā′zē-ă) [pleo- + G. *mastos*, breast]. = polymastia.

ple·o·mor·phic (plē′ō-mōr′fik). 多〔形〕態〔性〕の，多形〔性〕の（①= polymorphic. ②真菌類で2つ以上の胞子形をもつ．培養での変性変化に由来する不稔性の突然変異の皮膚糸状菌を記述するのにも用いる）．

ple·o·mor·phism (plē′ō-mōr′fizm) [pleo- + G. *morphē*, form]. 多〔形〕態性，多形現象．= polymorphism.

ple·o·mor·phous (plē′ō-mōr′fŭs). = polymorphic.

ple·o·nasm (plē′ō-nazm) [G. *pleonasmos*, exaggeration, excessive < *pleiōn*, more]. プレオナズム（ある部位の数が過剰なこと．大きすぎること）．

ple·on·os·te·o·sis (plē′on-os′tē-ō′sis) [pleo- + G. *osteon*, bone + -*osis*, condition]. 過剰骨化〔症〕．

Leri p. (lā-rē′) [MIM*151200]. ルリー（レリー）過剰骨化〔症〕．= dyschondrosteosis.

ple·op·tics (plē-op′tiks) [pleo- + optics]. 視力増強法，弱視矯正（特に偏心固視を伴った弱視のあらゆる治療．Bangerter によって導入された用語）．

ple·op·to·phor (plē-op′tō-fōr) [pleo- + G. *optos*, visible + *phoros*, bearing]. プレオプトファー（弱視を治療するための器械）．

ple·ro·cer·coid (plē′rō-ser′koyd) [G. *plērēs*, full, complete + *kerkos*, tail]. プレロセルコイド，擬充尾虫（条虫の発育におけるプロセルコイドの次段階で，第二または第三中間宿主動物の体内で発育する．蠕虫状の無体節の幼虫で一端に陥入した頭節をもつ．通常，被嚢せずに，魚類，は虫類，両生類の筋肉の中に存在し，その摂取によって最終宿主へと伝播される．→*Diphyllobothrium latum*）．

plesio- [G. *plēsios*, close, near]. 近接，類似を意味する連結形．

Ples·i·o·mo·nas (plē′sē-ō-mō′năs). プレシオモナス属（グラム陰性，通性嫌気性，有機栄養性で運動性をもつ杆菌の一属．腸内細菌一般抗原をもっている．この属は魚類，その他の水生動物，さらにいくつかの非水生動物にみられる．ヒトの下痢や偶発的日和見感染症に関与している）．

P. shigelloides 汚染された食物，水により，あるいは種々の動物を通してヒトに伝播される消化管の病原体で，様々な腸管外感染症の病因ともなる．この属内の単一の種．*Pseudomonas s.*, *Aeromonas s.*, C57, *Vibrio s.* と記述されることもある．

ple·si·o·mor·phic (plē′sē-ō-mōr′fik). 相似形態の．= plesiomorphous.

ple·si·o·mor·phism (plē′sē-ō-mōr′fizm) [plesio- + G. *morphē*, form]. 相似形態．

ple·si·o·mor·phous (plē′sē-ō-mōr′fŭs). = plesiomorphic.

pless-, plessi- [G. *plēssō*, to strike]. 打つこと，特に打診，を意味する連結形．

ples·ses·the·si·a (ples′es-thē′zē-ă) [G. *plēssō*, to strike + *aisthēsis*, sensation]. 触診打診〔法〕（palpatory *percussion* を表す歴史的用語）．

ples·sim·e·ter (ple-sim′ĕ-tĕr) [G. *plēssō*, to strike + *metron*, measure]. 打診板（歴史的用語．柔軟な長方形の板で，打診面に対して置き，これを打診槌で打つ間接打診に用いる）．= pleximeter; plexometer.

ples·si·met·ric (ples′i-met′rik). 打診板の．

ples·sor (ples′ŏr) [G. *plēssō*, to strike]. 打診槌（胸部その他の部位の打診において，その部位を直接または打診板を使ってたたくのに用いる，通常，柔らかいゴムの頭がついた小さな槌）．= percussor; plexor.

pleth·o·ra (pleth′ŏ-ră) [G. *plēthōrē*, fullness < *plēthō*, to become full]. [誤った発音 plethor′a を避けること]. ***1*** 多血〔症〕．= hypervolemia. ***2*** 体液過剰〔症〕．

ple·thor·ic (ple-thōr′ik, pleth′ŏ-rik). 多血〔症〕の，体液過剰〔症〕の．= sanguine (1); sanguineous (2).

ple·thys·mo·graph (ple-thiz′mō-graf) [G. *plēthysmos*, increase + *graphō*, to write]. プレチスモグラフ，体積〔変動〕記録器（部分，臓器，または身体全体の容積の変化を測定記録する装置）．

body p. 体プレチスモグラフ（一般には呼吸機能の研究に用いる全身を取り囲む箱形装置）．

digital p. 肢端容積脈波計（皮膚血流計測のために手・足末端に使用される肢体容積計）．

pressure p. 圧力プレチスモグラフ（①身体の一部，例えば肢節に対して用い，血管を空にするように一時的に十分な圧力を加えて体積を測定するもの．②体積変化をその空気圧変化によって測定する体プレチスモグラフ）．

volume-displacement p. 容積置換プレチスモグラフ（通常は体プレチスモグラフで，体積の変化を，Krogh 肺活量計または積分流速計のような応諾装置に出入する体積に対応させる）．

pleth·ys·mog·ra·phy (pleth′iz-mog′ră-fē) [G. *plēthysmos*, increase + *graphē*, a writing]. プレチスモグラフィ，体積〔変動〕記録法（プレチスモグラフを用い，器官その他の身体部分の体積変化を測定し記録すること）．

impedance p. インピーダンス・プレチスモグラフィ（流体の流れる道に沿って容積の変化を測定する方法として，身体の一部の反対側に置いた電極間の電気インピーダンスの変化を記録すること）．= dielectrography.

venous occlusion p. 静脈閉塞プレチスモグラフィ（静脈流出が突然閉塞したときの体積増加の初速度を測定して，器官または肢節への動脈流入率を測定すること）．

pleth·ys·mom·e·try (pleth-iz-mom′ĕ-trē) [G. *plēthysmos*, increase + *metron*, measure]. プレチスモメトリ，体積〔変動〕測定法（脈拍のような，中空器官または血管の充満度を測定すること）．

pleur-, pleura-, pleuro- [G. *pleura*, a rib, the side]. 肋骨，体側，または胸膜を表す連結形．

pleur·a, gen. & pl. **pleu·rae** (plūr′ă, plūr′ē) [G. *pleura*, a rib, pl. the side][TA]. 胸膜（肺を包み，肺腔の壁を裏打ちする漿膜）．= membrana succingens.

cervical p. [TA]. 胸膜頂（胸郭上口において肺尖をおおい上に広がる胸膜の円蓋）．= cupula pleurae [TA]; dome of pleura☆; pleural cupula☆.

costal p. 肋骨胸膜．= costal *part* of parietal pleura.

p. costalis 肋骨胸膜．= costal *part* of parietal pleura.

diaphragmatic p. 横隔胸膜．= diaphragmatic *part* of parietal pleura.

p. diaphragmatica 横隔胸膜．= diaphragmatic *part* of parietal pleura.

mediastinal p. 縦隔胸膜．= mediastinal *part* of parietal pleura.

p. mediastinalis 縦隔胸膜．= mediastinal *part* of parietal pleura.

parietal p. [TA]. 壁側胸膜（肺腔壁の各部分を裏打ちす

る漿膜で，内張りする部分に応じて，肋骨胸膜，横隔胸膜，縦隔胸膜とよばれる）．＝p. parietalis［TA］.

p. parietalis［TA］．壁側胸膜．＝parietal p.

p. pericardiaca, pericardial p. 心胸膜（心膜に癒合する縦隔胸膜の一部）.

phrenic p. ＝diaphragmatic *part* of parietal pleura.

p. phrenica ＝diaphragmatic *part* of parietal pleura.

p. pulmonalis* visceral p. の公式の別名.

pulmonary p.* 肺胸膜（visceral p. の公式の別名）.

visceral p.［TA］．肺胸膜（肺を包み，肺葉間では裂溝に沿って陥入している）．＝p. visceralis［TA］; p. pulmonalis*; pulmonary p.*.

p. visceralis［TA］．＝visceral p.

pleur·a·cen·te·sis (plūr′ă-sen-tē′sis)．胸膜穿刺．＝thoracentesis.

pleur·al (plūr′ăl)．胸膜の（**[**plural と混同しないこと**]**）.

pleur·al crac·kles (plūr′ăl krăk′ĕlz)．胸膜性パチパチ音（線維性滲出液を伴う胸膜の炎症の結果として胸部聴診で聞かれる音）.

pleu·ral·gi·a (plū-ral′jē-ă)［pleur- + G. *algos*, pain］．胸膜痛（pleurodynia (2) のまれに用いる同義語）.

pleur·a·poph·y·sis (plūr′ă-pof′i-sis)［pleur- + G. *apophysis*, process, offshoot］．肋骨，肋骨突起（肋骨またはそれに相当する頸椎または腰椎の突起．*cf.* superior articular *process* of vertebra）.

pleur·ec·to·my (plūr-ek′tŏ-mē)［pleur- + G. *ektomē*, excision］．胸膜切除〔術〕（通常，胸膜壁側の切除）.

pleur·i·sy (plūr′i-sē)［L. *pleurisis* < G. *pleuritis*］．胸膜炎．＝pleuritis.

adhesive p. 癒着性胸膜炎．＝dry p.

benign dry p. 良性乾性胸膜炎．＝epidemic *pleurodynia.*

bilateral p. 両側性胸膜炎（胸部両側の胸膜の炎症）．＝double p.

chronic p. 慢性胸膜炎（原因を問わず（例えば結核），胸膜に長時間続く炎症に対するはっきりしない不確定な用語）.

costal p. 肋骨胸膜炎（胸壁を裏打ちする胸膜の炎症）.

diaphragmatic p. 横隔胸膜炎．＝epidemic *pleurodynia.*

double p. 両側胸膜炎．＝bilateral p.

dry p. 乾性胸膜炎（漿液の滲出はないが線維素性滲出液を伴い，胸膜の相対する表面の癒着を招来する胸膜炎）．＝adhesive p.; fibrinous p.; plastic p.

p. with effusion 滲出性胸膜炎（漿液滲出を伴う胸膜炎）．＝serous p.; wet p.

encysted p. 被包性胸膜炎（癒着が漿液性滲出液周辺の種々の部位に現れる漿液線維素性胸膜炎の一種）.

epidemic benign dry p. 流行性良性乾性胸膜炎．＝epidemic *pleurodynia.*

epidemic diaphragmatic p. 流行性横隔胸膜炎．＝epidemic *pleurodynia.*

fibrinous p. 線維素性胸膜炎．＝dry p.

hemorrhagic p. 出血性胸膜炎（血液に染まった血清の滲出を伴う胸膜炎）.

interlobular p. 葉間胸膜炎，小葉間胸膜炎（肺葉間溝内の胸膜に限局した炎症）.

mediastinal p. 縦隔胸膜炎（肺の縦隔表面の胸膜部分の炎症）.

plastic p. ＝dry p.

productive p. 増殖性胸膜炎．＝pachypleuritis.

proliferating p. 増殖性胸膜炎（炎症性滲出液の増加傾向を示す胸膜炎）.

pulmonary p. 肺胸膜炎（肺をおおう胸膜の炎症）．＝visceral p.

purulent p. 化膿性胸膜炎（膿胸を伴う胸膜炎）．＝suppurative p.

sacculated p. 被包性胸膜炎（癒着または炎症性変化により分割され，炎症性滲出液を伴う胸膜炎）.

serofibrinous p. 漿液線維素性胸膜炎（胸膜表面上の線維素性滲出液と，胸腔内への漿液の滲出を特徴とする，一般にみられる型）.

serous p. 漿液性胸膜炎．＝p. with effusion.

suppurative p. 化膿性胸膜炎．＝purulent p.

typhoid p. チフス性胸膜炎（チフス症状（錯乱あるいは認知症）を伴う急性または亜急性胸膜炎を表す現在では用いられない語）.

visceral p. ＝pulmonary p.

wet p. 湿性胸膜炎．＝p. with effusion.

pleu·rit·ic (plū-rit′ik)．胸膜性の，胸膜炎の.

pleu·ri·tis (plū-rī′tis)［G. < *pleura*, side + *-itis*, inflammation］．＝pleurisy.

pleur·i·tog·e·nous (plūr′i-toj′ĕ-nŭs)［G. *pleuritis*, pleurisy + *genesis*, origin］．胸膜炎誘発の（胸膜炎を起こす傾向がある）.

pleuro- → pleur-.

pleur·o·cele (plūr′ō-sēl)［pleuro- + G. *kēlē*, hernia］．＝pneumonocele.

pleur·o·cen·te·sis (plūr′ō-sen-tē′sis)［pleuro- + G. *kentēsis*, puncture］．胸膜穿刺．＝thoracentesis.

pleur·o·cen·trum (plūr′ō-sen′trŭm)［pleuro- + G. *kentron*, center］．半椎体（椎体の片側半分をいう）.

pleur·oc·ly·sis (plūr-ok′li-sis)［pleuro- + G. *klysis*, a washing out］．胸膜腔洗浄.

pleur·od·e·sis (plūr-od′ĕ-sis)［pleuro- + G. *desis*, a binding together］．胸膜癒着〔術〕（胸腔をつぶすように，臓側と壁側胸膜との間に線維性癒着をつくること．外科的に胸膜を剝離したり，あるいは無菌の刺激物を胸腔管に入れる．悪性胸水，乳び胸の治療として適用される）.

pleur·o·dyn·i·a (plūr′ō-din′ē-ă)［pleuro- + G. *odynē*, pain］．胸膜痛（①胸膜性の胸部痛．②胸筋の腱付着部の痛みを伴う疾患で，通常は片側にだけ現れる）．＝costalgia.

epidemic p. 流行性胸膜痛（急性伝染性疾患で，通常は広範囲の発生で起こり，胸部の疼痛発作を特徴とする．Coxsackievirus B 型菌株による）．＝benign dry pleurisy; Bornholm disease; Daae disease; devil's grippe; diaphragmatic pleurisy; epidemic benign dry pleurisy; epidemic diaphragmatic pleurisy; epidemic myalgia; epidemic myositis; myositis epidemica acuta; epidemic transient diaphragmatic spasm; Sylvest disease.

pleur·o·gen·ic (plūr′ō-jen′ik)［pleuro- + G. *-gen*, producing］．胸膜由来の．＝pleurogenous (1).

pleur·og·e·nous (plūr-oj′ĕ-nŭs)．*1* ＝pleurogenic. *2* 側生の（真菌類において，分生子柄または菌糸の側面に発生する胞子または分生子についていう）.

pleur·og·ra·phy (plūr-og′ră-fē)［pleuro- + G. *graphō*, to write］．胸膜腔造影検査〔法〕（造影剤注入による胸腔X線撮影法）.

pleur·o·hep·a·ti·tis (plūr′ō-hep′ă-tī′tis)［pleuro- + G. *hēpar*, liver + *-itis*, inflammation］．胸膜肝炎（炎症が隣接の胸膜部分に広がる肝炎）.

pleur·o·lith (plūr′ō-lith)［pleuro- + G. *lithos*, stone］．胸腔結石．＝pleural calculus.

pleu·rol·y·sis (plūr-ol′i-sis)［pleuro- + G. *lysis*, dissolution］．胸膜剝離〔術〕（胸膜癒着の治療に内視鏡を用いて電気焼灼器で剝離する方法）.

pleur·o·per·i·car·di·al (plūr′ō-per′i-kar′dē-ăl)．胸膜心膜の（胸膜と心膜の両方に関する）.

pleur·o·per·i·car·di·tis (plūr′ō-per′i-kar-dī′tis)［pleuro- + pericardium + G. *-itis*, inflammation］．胸膜心膜炎.

pleur·o·per·i·to·ne·al (plūr′ō-per′i-tō-nē′ăl)．胸膜腹膜の（胸膜と腹膜の両方に関する）.

pleur·o·pneu·mo·nec·to·my (plūr′ō-nū′mō-nek′tŏ-mē)．胸膜肺切除〔術〕（壁側胸膜を含めた全肺切除．かつては結核で破壊された肺に対して行われた．現在は悪性中皮腫の治療法である）.

pleur·o·pul·mo·nar·y (plūr′ō-pul′mō-nār′ē)．胸膜肺の（胸膜と肺に関する）.

pleur·os·co·py (plūr-ōs′kŏ-pē)［pleuro- + G. *skopeō*, to inspect］．胸腔鏡．＝thoracoscopy.

pleu·rot·o·my (plū-rot′ŏ-mē)［pleuro- + G. *tomē*, incision］．胸膜切開〔術〕．＝thoracotomy.

pleur·o·ty·phoid (plūr′ō-tī′foyd)．胸膜腸チフス（初期には胸膜炎の身体的特徴によって隠されてしまう腸チフス）.

pleur·o·vis·cer·al (plūr′ō-vis′ĕr-ăl)．＝visceropleural.

PLEVA (plĕ′vă)．*pityriasis* lichenoides et varioliformis acuta の頭字語.

plex·al (plek′săl). 叢の.

plex·ect·o·my (plek-sek′tŏ-mē) [plexus + G. *ektomē*, excision]. 叢切除〔術〕.

plex·i·form (plek′si-fōrm) [plexus + L. *forma*, form]. 叢状の，網状の.

plex·im·e·ter (plek-sim′i-tĕr) [G. *plēxis*, stroke]. =plessimeter.

plex·i·tis (plek-sī′tis). 神経叢炎.

brachial p. 上腕神経叢炎. =neuralgic *amyotrophy*.

plex·o·gen·ic (plek′sō-jen′ik) [plexus + G. *-gen*, producing]. 網生成の，叢生成の，網化の，叢化の（網状あるいは叢状構造をつくり出す）.

plex·om·e·ter (plek-som′ĕ-tĕr). =plessimeter.

plex·op·a·thy (pleks-op′ă-thē) [plexus + G. *pathos*, disease]. 神経叢障害（頸神経叢，上腕神経叢，腰仙神経叢のどれかを障害する疾患）.

plex·or (plek′sŏr) [G. *plēxis*, a stroke]. =plessor.

PLEXUS

plex·us, pl. plex·us, plex·us·es (plek′sŭs, -sŭs-ez) [L. a braid][TA]. 叢（[誤った複数形 plexi を避けること]．神経，血管，またはリンパ管（しばしばそれらの複合）の網状構造）.

abdominal aortic (nerve) p. [TA]. 腹大動脈神経叢（腹大動脈を囲む自律神経叢で，上方は胸大動脈神経叢と直接連結し，下方は腹大動脈分岐部で上下腹神経叢につながる）. =p. nervosus aorticus abdominalis [TA].

acromial p. =acromial *anastomosis* of the thoracoacromial artery.

anterior coronary periarterial p. 前冠動脈周囲神経叢（心臓前面の冠動脈の周囲にある心臓神経叢の一部）.

anterior external vertebral venous p. 前外椎骨静脈叢（→external vertebral venous p.）.

anterior internal vertebral venous p. 前内椎骨静脈叢（→internal vertebral venous p.）.

anular p. 輪状神経叢（強膜角膜連結部付近にある神経で，ここから有髄および無髄神経が角膜に通じる）. =p. anularis.

p. anularis 輪状神経叢. =anular p.

aortic lymphatic p. 大動脈リンパ管叢（腹大動脈の下部に沿ったリンパ管およびリンパ節からなる網工）. =p. aorticus.

p. aorticus 大動脈リンパ管叢. =aortic lymphatic p.

areolar venous p. [TA]. 乳輪静脈叢（乳房の静脈よりなり，外側胸静脈に注ぐ，乳頭を囲む乳輪内の静脈叢で乳輪の勃起組織である）. =p. venosus areolaris [TA]; circulus venosus halleri; Haller circle (2); vascular circle (3); venous circle of mammary gland.

p. arteriae choroideae 脈絡膜動脈神経叢. =periarterial p. of choroid artery.

arterial p. [TA]. 細動脈網（毛細管になる直前の小動脈間の吻合により形成される血管網）. =rete arteriosum [TA]; arteriolar network.

articular vascular p. [TA]. 関節血管網（関節の周辺に存在する血管網で関節なら通常どこにでも存在する．これによって関節がどのような位置にあるかに関係なく，関節より先への血液供給が側副路によって保証される）. =rete vasculosum articulare [TA]; articular network; articular vascular circle; articular vascular network; circulus articularis vasculosus.

ascending pharyngeal (arterial) p. 上行咽頭動脈神経叢. =periarterial p. of ascending pharyngeal artery.

Auerbach p. (ow′ĕr-bahk). アウエルバッハ神経叢. =myenteric (nerve) p.

autonomic plexuses [TA]. 自律神経叢（血管と内臓を支配する神経叢で，その構成神経線維は，交感・副交感神経と知覚神経線維）. =plexus viscerales.

p. autonomicus brachialis [TA]. =brachial autonomic p.

axillary p. 腋窩リンパ管叢. =axillary lymphatic p.

axillary lymphatic p. 腋窩リンパ管叢（輸入・輸出リンパ管，リンパ節からなる腋窩内のリンパ網工）. =axillary p.; p. lymphaticus axillaris.

basilar venous p. [TA]. 脳底静脈叢（海綿静脈洞，錐体静脈洞および椎骨内(硬膜上)静脈叢に合流する蝶形骨斜台上の静脈叢）. =p. venosus basilaris [TA]; basilar sinus.

Batson p. (bat′son). バトソン〔静脈〕叢. =vertebral venous *system*.

brachial p. [TA]. 腕神経叢（第五頸神経から第一胸神経の前枝によって形成される大きな神経叢で上肢の支配にあたる．腕神経叢の形成にあたる前枝は後頸三角で根を形成し前・中斜角筋のところから派出する．根 C_5・C_6は上神経幹を，根 C_7は中神経幹を，根 C_8・T_1は下神経幹を形成する．これらの神経幹は鎖骨の下を通り，頸腋窩管を経て腋窩に進む．第一肋骨を通過するところで3神経幹は前部と後部に分かれる．前部に含まれる神経は上肢の前面を支配し，後部に含まれる神経は上肢の後面を支配する．腋窩の中で上・中神経幹の前部は外側索をつくり，下神経幹の前部が内側索をつくり，3神経幹の後部が後索をつくるが，これらの神経索の名前は腋窩動脈との関係でつけられている．これらの神経索から著名な末梢神経の大部分が派出する．外側索からは筋皮神経と正中神経の外側根が，内側索からは尺骨神経と正中神経の内側根が出ている(外側根と内側根が合して正中神経となる)．後索からは橈骨神経と腋窩神経が出る）. =p. brachialis [TA].

brachial autonomic p. [TA]. 上腕動脈神経叢（上腕動脈にまつわりついている自律神経線維の網工）. =p. autonomicus brachialis [TA].

p. brachialis [TA]. 腕神経叢. =brachial p.

cardiac (nerve) p. [TA]. 心臓神経叢（心肺内臓神経その他の内臓神経の吻合によって形成された広範囲の神経網工で，求心性および遠心性(交感・副交感)の線維を含み大動脈弓や肺動脈を囲んだ後，心房，心室，冠状動脈に分布する）. =p. (nervosus) cardiacus [TA].

p. cardiacus profundus 深心臓神経叢. =deep cardiac p.

cavernous p. of clitoris =cavernous *nerves* of clitoris.

cavernous nerve p. [TA]. 海綿静脈洞神経叢（海綿静脈洞内にある内頸動脈神経叢）. =p. nervosus cavernosus [TA]; intracavernous p.; Walther p.

cavernous p. of penis =cavernous *nerves* of penis.

cavernous (vascular) p. of conchae [TA]. 鼻甲介海綿叢（鼻腔の鼻甲介をおおう粘膜内の勃起性組織）. =p. vascularis cavernosus conchae [TA]; corpus cavernosum conchae.

celiac p. 腹腔神経叢，腹腔リンパ管叢（腹腔動脈に関連する網工. →celiac (nerve) p.; celiac (lymphatic) p.）.

celiac (lymphatic) p. 腹腔リンパ管叢（腹腔リンパ節など腹腔内のリンパ節に出入りするリンパ管の網状構造．輸入リンパ管は主として腹腔動脈の分布を受けている臓器(胃・十二指腸・膵臓・肝臓腹側部)からのもので，輸出リンパ管は乳び槽に注ぐ）.

celiac (nerve) p. [TA]. 腹腔神経叢（腹腔動脈が分枝するあたり(第十二胸椎レベル)の腹大動脈にまとわりついている神経叢のうち上方の最大のもので，その中に腹腔神経節がある．大内臓神経・迷走神経(特に後枝と右枝)・上腸間膜や腎臓の神経叢や節からの神経線維で構成される．腹腔内臓への交感性・副交感性・内臓求心性神経のほとんどはここから供給される）. =p. coeliacus [TA]; p. (nervosus) celiacus [TA]; solar p.

p. cervicalis [TA]. 頸神経叢. =cervical (nerve) p.

cervical (nerve) p. [TA]. 頸神経叢（第一から第四頸神経前枝を結び，上頸神経節からの灰白交通枝を通じる係蹄からなる．胸鎖乳突筋下にあり，多くの皮枝・節枝・交通枝を出す）. =p. cervicalis [TA].

choroid p. [TA]. 脈絡叢（第3・第4脳室および側脳室の脈絡層にみられる血管の伸び出し，またはひだで，ここから脳脊髄液が分泌されて，ある程度まで脳室内圧が調節される）. =p. choroideus; tela vasculosa.

p. choroideus 脈絡叢. =choroid p.

p. choroideus ventriculi lateralis 側脳室脈絡叢. =choroid p. of lateral ventricle.

p. choroideus ventriculi quarti 第 4 脳室脈絡叢. =choroid p. of fourth ventricle.

p. choroideus ventriculi tertii 第 3 脳室脈絡叢. =choroid p. of third ventricle.

choroid p. of fourth ventricle [TA]. 第 4 脳室脈絡叢 (第 4 脳室蓋下部から両側に突出する軟膜の血管のふさ). =p. choroideus ventriculi quarti.

choroid p. of lateral ventricle [TA]. 側脳室脈絡叢 (脈絡裂から各側脳室に突出する血管のふさ). =p. choroideus ventriculi lateralis.

choroid p. of third ventricle [TA]. 第 3 脳室脈絡叢 (脈絡組織の下面から出る 2 列の血管突出で，第 3 脳室をおおう). =p. choroideus ventriculi tertii.

ciliary ganglionic p. 毛様体神経節神経叢 (動眼神経，三叉神経，および交感神経から生じる毛様体筋上の自律神経叢). =p. gangliosus ciliaris.

coccygeal p. [TA]. 尾骨神経叢 (第五仙骨神経および尾骨神経からなる小神経叢．肛門尾骨神経が起こる). =p. coccygeus [TA].

p. coccygeus [TA]. 尾骨神経叢. =coccygeal p.

p. coeliacus [TA]. 腹腔神経叢. =celiac (nerve) p.

common carotid p. 総頸動脈神経叢. =common carotid nervous p.

common carotid nervous p. [TA]. 総頸動脈神経叢 (中頸神経節からの神経線維よりなる，総頸動脈に伴う自律神経叢). =p. (nervosus) caroticus communis [TA]; common carotid p.

p. coronarii cordis 冠状動脈神経叢. =periarterial plexuses of coronary arteries.

coronary p. 冠状動脈神経叢. =periarterial plexuses of coronary arteries.

Cruveilhier p. (krū-vāl-yā′). クリュヴェーリエ神経叢 (最初の三頸神経後枝の結合によってつくられる神経叢．頭半棘筋の深部にある).

deep cardiac p. 深心臓神経叢 (心臓神経叢の深部で大動脈弓の下方にある部分). =p. cardiacus profundus.

deferential (nerve) p. [TA]. 精管神経叢 (下腹神経叢から起こり，精嚢と精管膨大部の両側にある自律神経叢). =p. (nervosus) deferentialis [TA]; p. of ductus deferens.

p. of ductus deferens =deferential (nerve) p.

enteric (nerve) p. [TA]. 腸筋神経叢 (腸壁内の自律神経叢．粘膜下・筋層間・漿膜下神経叢の 3 部分からなる．神経節細胞は筋層間と粘膜下神経層に散在する). =p. (nervosus) entericus [TA].

epidural venous p. =internal vertebral venous p.

esophageal (nerve) p. [TA]. 食道神経叢 (食道壁の前・後部にある 2 つの神経叢の 1 つ．後部の神経叢は右迷走神経と左反回神経からの枝で，前部の神経叢は肺神経叢を出た後の迷走神経の吻合幹によってつくられる．枝は食道の粘膜および筋層に分布する). =p. (nervosus) esophageus [TA]; p. gulae.

Exner p. (eks′nĕr). エクスナー神経叢 (大脳皮質の表在層または分子層内の，水平神経線維からなる神経叢).

external carotid (nerve) p. [TA]. 外頸動脈神経叢 (外頸動脈を囲む外頸動脈神経からなり，同動脈枝と頸動脈小体への枝に沿った多くの二次神経叢の起こる自律神経叢). =p. (nervosus) caroticus externus [TA].

external iliac lymphatic p. 外腸骨リンパ管叢 (両側の外腸骨動脈に沿ったリンパ節と輸出および輸入リンパ管からつくられるリンパ管叢). =p. lymphaticus iliacus externus.

external maxillary p. 外側上顎神経叢. =periarterial p. of facial artery.

external vertebral venous p. [TA]. 外椎骨静脈叢 (脊柱の周囲にある無弁の静脈叢．椎体の前(前外椎骨静脈叢)と椎弓の後ろ(後外椎骨静脈叢)で特に静脈が密である．椎間静脈によって内椎骨静脈叢および各脊椎間にある静脈と交通する.→vertebral venous *system*). =p. venosus vertebralis externus [TA].

facial p. 顔面神経叢. =periarterial p. of facial artery.

femoral (nerve) p. [TA]. 大腿動脈神経叢 (腸骨動脈神経叢から起こり，大腿動脈を囲む自律神経叢). =p. (nervosus) femoralis [TA].

p. gangliosus ciliaris 毛様体神経節神経叢. =ciliary ganglionic p.

p. gastrici systematis autonomici 〔自律神経系の〕胃神経叢. =gastric nerve plexuses.

gastric nerve plexuses [TA]. 胃神経叢 (腹腔神経叢から生じ，胃の大・小弯に沿った神経叢．下・上神経叢としても知られる). =p. nervorum gastricorum [TA]; gastric plexuses of autonomic system; p. gastrici systematis autonomici.

gastric plexuses of autonomic system 〔自律神経系の〕胃神経叢. =gastric nerve plexuses.

p. gulae =esophageal (nerve) p.

Haller p. (hah′lĕr). ハラー神経叢 (下咽頭収縮筋面にある，交感神経線維と外喉頭神経枝の神経叢).

Heller p. (hel′ĕr). ヘラー〔動脈〕叢 (腸壁内の小動脈叢).

hemorrhoidal p. →inferior rectal (nerve) p.; middle rectal (nerve) p.; superior rectal (nerve) p. =rectal venous p.

hepatic (nerve) p. [TA]. 肝神経叢 (肝内の肝動脈とその枝の上にある，対をなさない自律神経叢). =p. (nervosus) hepaticus [TA].

iliac (nerve) p. [TA]. 腸骨動脈神経叢 (大動脈神経叢から起こり，腸骨動脈上にある自律神経叢). =p. (nervosus) iliacus [TA].

inferior dental (nerve) p. [TA]. 下歯神経叢 (歯牙に分布する前に交錯する下歯槽神経の枝によってつくられる．歯枝(下歯枝)と歯肉への枝(下歯肉枝)を出す). =p. (nervosus) dentalis inferior [TA].

inferior hemorrhoidal plexuses =inferior rectal (nerve) p.

inferior hypogastric (nerve) p. [TA]. 下下腹神経叢 (骨盤内臓に分布する骨盤内の左右の交感・副交感神経の混合した自律神経叢．下腹神経と骨盤内臓神経からなり，内臓からの求心性線維を運ぶ). =p. (nervosus) hypogastricus inferior [TA]; pelvic (nerve) p.*; p. (nervosus) pelvicus*.

inferior mesenteric (nerve) p. [TA]. 下腸間膜動脈神経叢 (腹大動脈神経叢から起こり，下腸間膜動脈を囲み，下行結腸，S 状結腸，直腸に分枝する自律神経叢). =p. (nervosus) mesentericus inferior [TA].

inferior rectal (nerve) p. [TA]. 下直腸動脈神経叢 (下下腹神経叢から起こり，肛門に沿う自律神経叢). =p. (nervosus) rectalis inferior [TA]; inferior hemorrhoidal plexuses.

inferior thyroid p. 下甲状腺動脈神経叢. =periarterial p. of inferior thyroid artery.

inferior vesical venous p. 下膀胱静脈叢 (男子の前立腺静脈叢に対応する女子の静脈叢). =p. venosus vesicalis inferior.

inguinal lymphatic p. 鼡径リンパ管叢 (大伏在静脈終末部の表面と大腿動脈と静脈に沿って深部に存在し，10—15 リンパ節と結合リンパ管からなるリンパ管叢.→superficial inguinal *lymph nodes*). =p. lymphaticus inguinalis.

intermesenteric (nerve) p. [TA]. 腸間膜動脈間神経叢 (上腸間膜動脈神経叢と下腸間膜動脈神経叢との間にある腹大動脈神経叢の一部). =p. (nervosus) intermesentericus [TA].

internal carotid (nerve) p. [TA]. 内頸動脈神経叢 (頸動脈管や海綿静脈洞内の内頸動脈周囲にみられる自律神経性の神経叢で鼓室神経叢・蝶口蓋神経節・外転神経・動眼神経・脳血管・毛様体神経節などに線維を送る). =p. (nervosus) arteriae carotidis internae.

internal carotid venous p. 頸動脈管静脈叢 (海綿静脈洞と内頸静脈とに結合する，側頭骨頸動脈管内にある内頸動脈周囲の静脈網). =p. venosus caroticus internus [TA].

internal mammary p. 内胸動脈神経叢. =periarterial p. of internal thoracic artery.

internal maxillary p. 内側上顎神経叢. =periarterial p. of maxillary artery.

internal thoracic p. 内胸動脈神経叢. =periarterial p. of internal thoracic artery.

internal thoracic lymphatic p. 内胸〔静脈〕リンパ管叢 (内胸静脈の経路に沿ってみられるリンパ管叢で，胸骨傍リンパ管叢とその血管を含む). =mammary p.; p. mammarius.

internal vertebral venous p. [TA]. 内椎骨静脈叢 (脊柱管内の硬膜上腔の脂肪内に密に分布する無弁の静脈叢. 椎体と椎間円板の後ろ(前内椎骨静脈叢)と椎弓板と黄色靱帯の前(後内椎骨静脈叢)で特に静脈が密である. 椎体静脈によって椎体からの排出を受け, 上方では硬膜静脈洞と連絡し, 全脊椎間で椎間静脈によって椎間孔の外に通じている. →vertebral venous *system*). =p. venosus vertebralis internus [TA]; epidural venous p.

intracavernous p. 海綿内神経叢. =cavernous nerve p.

p. intraparotideus nervi facialis [TA]. 顔面神経耳下腺内神経叢. =parotid p. of facial nerve.

intraparotid p. of facial nerve 顔面神経の耳下腺内神経叢. =parotid p. of facial nerve.

ischiadic p. =sacral p.

Jacobson p. (jā′kob-sŏn). ヤコブソン神経叢. =tympanic (nervous) p.

Jacques p. (zhahk). ジャーク神経叢 (卵管(Fallopius 管)筋層内の神経叢).

jugular lymphatic p. 頸リンパ管叢 (深頸リンパ節群を含み輸入・輸出リンパ管からなるリンパ管網で, 内頸静脈(頸動脈鞘)に沿って広がっている). =p. lymphaticus jugularis.

Leber p. (lā′bĕr). レーバー静脈叢 (眼の強膜の静脈洞(Schlemm 管)と虹彩角膜角(Fontana 腔)の間にある小静脈叢).

lingual p. 舌動脈神経叢. =periarterial p. of lingual artery.

lumbar lymphatic p. 腰リンパ管叢 (約 20 個のリンパ節と結合リンパ管からなり, 大動脈と総腸骨血管の下部に沿って存在するリンパ管叢). =p. lymphaticus lumbalis.

lumbar (nerve) p. 腰神経叢 (最初の 4 腰神経前枝からなる神経叢. 大腰筋の内部にある). =p. (nervorum) lumbalis [TA].

lumbosacral (nerve) p. [TA]. 腰仙骨神経叢 (腰神経と仙骨神経の前枝の結合よりなり, 腰神経叢と仙骨神経叢に分かれる). =p. (nervosus) lumbosacralis [TA].

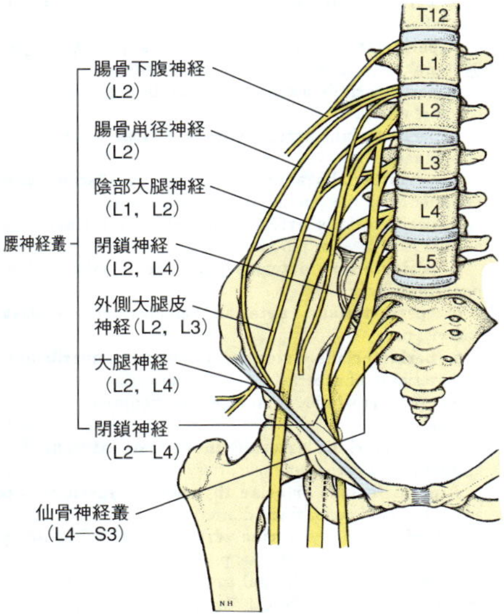

lumbosacral plexus

lymphatic p. [TA]. リンパ管叢 (1本以上の比較的大きなリンパ管にはいる, 通常は弁のないリンパ毛細管の網工). =p. lymphaticus [TA].

p. lymphaticus [TA]. リンパ管叢. =lymphatic p.

p. lymphaticus axillaris =axillary lymphatic p.

p. lymphaticus iliacus externus =external iliac lymphatic p.

p. lymphaticus inguinalis =inguinal lymphatic p.

p. lymphaticus jugularis =jugular lymphatic p.

p. lymphaticus lumbalis =lumbar lymphatic p.

p. lymphaticus sacralis medius =middle sacral lymphatic p.

p. mammarius 乳リンパ管叢. =internal thoracic lymphatic p.

p. mammarius internus 内胸動脈神経叢. =periarterial p. of internal thoracic artery.

mammary p. 乳リンパ管叢. =internal thoracic lymphatic p.

p. maxillaris externus 外側上顎神経叢. =periarterial p. of facial artery.

p. maxillaris internus 内側上顎神経叢. =periarterial p. of maxillary artery.

maxillary p. 上顎神経叢. =periarterial p. of maxillary artery.

Meissner p. (mīs′nĕr). マイスナー神経叢. =submucosal (nerve) p.

meningeal p. 髄膜神経叢 (外頸動脈神経叢から生じる脳髄膜上の神経叢). =p. meningeus.

p. meningeus 髄膜神経叢. =meningeal p.

middle hemorrhoidal plexuses =middle rectal (nerve) p.

middle rectal (nerve) p. [TA]. 中直腸動脈神経叢 (下下腹神経叢から起こり, 直腸に沿う自律神経叢). =middle hemorrhoidal plexuses; p. (nervosus) rectalis medius.

middle sacral lymphatic p. 中仙骨リンパ管叢 (主に仙骨の岬角の前下方の直腸間膜内に位置し, リンパ節と結合リンパ管からなるリンパ管叢). =p. lymphaticus sacralis medius.

myenteric (nerve) p. [TA]. 筋層間神経叢 (食道, 胃, および腸の筋層内にある無髄線維と節後自律神経細胞体の叢. 漿膜下および粘膜下神経叢, すべての腸神経叢と結合する). =p. (nervosus) myentericus [TA]; Auerbach p.

nerve p. [TA]. 神経叢 (多くの交通枝により神経が交織してできる叢). =p. nervosus [TA].

p. nervorum gastricorum [TA]. =gastric nerve plexuses.

p. (nervorum) lumbalis [TA]. =lumbar (nerve) p.

p. nervorum spinalium [TA]. 脊髄神経叢. =spinal nerve p.

p. nervosus [TA]. 神経叢. =nerve p.

p. nervosus aorticus abdominalis [TA]. =abdominal aortic (nerve) p.

p. (nervosus) aorticus thoracicus [TA]. =thoracic aortic (nervous) p.

p. (nervosus) arteriae carotidis internae =internal carotid (nerve) p.

p. (nervosus) cardiacus [TA]. =cardiac (nerve) p.

p. (nervosus) cardiacus superficialis =superficial cardiac (nervous) p.

p. (nervosus) caroticus communis [TA]. =common carotid nervous p.

p. (nervosus) caroticus externus [TA]. =external carotid (nerve) p.

p. nervosus cavernosus [TA]. =cavernous nerve p.

p. (nervosus) celiacus [TA]. =celiac (nerve) p.

p. (nervosus) cervicalis posterior [TA]. =posterior cervical (nerve) p.

p. (nervosus) deferentialis [TA]. =deferential (nerve) p.

p. (nervosus) dentalis inferior [TA]. =inferior dental (nerve) p.

p. (nervosus) dentalis superior [TA]. =superior dental (nerve) p.

p. (nervosus) entericus [TA]. =enteric (nerve) p.

p. (nervosus) esophageus [TA]. =esophageal (nerve) p.

p. (nervosus) femoralis [TA]. =femoral (nerve) p.

p. (nervosus) hepaticus [TA]. =hepatic (nerve) p.

P

p.（nervosus）hypogastricus inferior [TA]. = inferior hypogastric (nerve) p.

p.（nervosus）hypogastricus superior [TA]. = superior hypogastric (nerve) p.

p.（nervosus）iliacus [TA]. = iliac (nerve) p.

p.（nervosus）intermesentericus [TA]. = intermesenteric (nerve) p.

p.（nervosus）lienalis* splenic (nerve) p. の公式の別名.

p.（nervosus）lumbosacralis [TA]. = lumbosacral (nerve) p.

p.（nervosus）mesentericus inferior [TA]. = inferior mesenteric (nerve) p.

p.（nervosus）mesentericus superior [TA]. = superior mesenteric (nerve) p.

p.（nervosus）myentericus [TA]. = myenteric (nerve) p.

p.（nervosus）ovaricus [TA]. = ovarian (nerve) p.

p.（nervosus）pancreaticus [TA]. = pancreatic (nerve) p.

p.（nervosus）pelvicus* 骨盤神経叢（inferior hypogastric (nerve) p. の公式の別名）.

p.（nervosus）pharyngeus nervi vagi [TA]. = pharyngeal (nerve) p. of vagus nerve.

p.（nervosus）prostaticus [TA]. = prostatic (nervous) p.

p.（nervosus）pulmonalis [TA]. = pulmonary (nerve) p.

p.（nervosus）rectalis inferior [TA]. = inferior rectal (nerve) p.

p.（nervosus）rectalis medius = middle rectal (nerve) p.

p.（nervosus）rectalis superior [TA]. = superior rectal (nerve) p.

p.（nervosus）renalis [TA]. = renal (nerve) p.

p.（nervosus）splenicus [TA]. = splenic (nerve) p.

p.（nervosus）submucosus [TA]. = submucosal (nerve) p.

p.（nervosus）subserosus [TA]. = subserous (nerve) p.

p.（nervosus）suprarenalis [TA]. = suprarenal (nerve) p.

p.（nervosus）testicularis [TA]. = testicular (nerve) p.

p.（nervosus）tympanicus = tympanic (nervous) p.

p.（nervosus）uretericus [TA]. = ureteric (nervous) p.

p.（nervosus）uterovaginalis = uterovaginal (nervous) p.

p.（nervosus）vesicalis [TA]. 膀胱神経叢. = vesical (nerve) p.

occipital p. 後頭動脈神経叢. = periarterial p. of occipital artery.

ovarian (nerve) p. [TA]. 卵巣動脈神経叢（大動脈神経叢から起こり，卵巣動脈に伴い卵巣・広間膜・卵管に沿う自律神経叢）. = p. (nervosus) ovaricus [TA].

pampiniform venous p. [TA]. 蔓状静脈叢（男性において精巣(睾丸)と精巣上体(副睾丸)からの静脈によりつくられる叢で，精管の前の 8 または 10 の静脈から構成され精索の一部をなす．女性の場合は，卵巣静脈が広間膜内にこの静脈叢をつくる．男性では精巣の温度調節系の一部をなし，精巣の温度を体温よりやや低く保つ働きを補助している）. = p. venosus pampiniformis [TA].

pancreatic (nerve) p. [TA]. 膵神経叢（膵動脈に伴う自律神経叢）. = p. (nervosus) pancreaticus [TA].

parotid p. of facial nerve [TA]. 顔面神経耳下腺神経叢（耳下腺の中を通る顔面神経の分枝．多くの彎曲した吻合で結合している）. = intraparotid p. of facial nerve; pes anserinus (1); p. intraparotideus nervi facialis [TA].

pelvic (nerve) p.* 骨盤神経叢（inferior hypogastric (nerve) p. の公式の別名）.

periarterial p. of anterior cerebral artery 前大脳動脈〔動脈〕周囲神経叢（前大脳動脈に伴う自律神経叢．内頸動脈神経叢からの神経線維よりなる）. = p. periarterialis arteriae cerebri anterioris.

periarterial p. of ascending pharyngeal artery 上行咽頭動脈〔動脈〕周囲神経叢（上頸神経節からの神経線維からなる，上行咽頭動脈上の自律神経叢）. = ascending pharyngeal (arterial) p.; p. periarterialis arteriae pharyngeae ascendentis.

periarterial p. of choroid artery 脈絡動脈〔動脈〕周囲神経叢（脈絡動脈に伴い，内頸動脈神経叢から出る自律神経叢）. = p. arteriae choroideae; p. periarterialis arteriae choroideae.

periarterial plexuses of coronary arteries 冠状動脈〔動脈〕周囲神経叢（冠状動脈への心臓神経叢の続き）. = coronary p.; p. coronarii cordis.

periarterial p. of facial artery 顔面動脈〔動脈〕周囲神経叢（外頸動脈神経叢から生じる顔面動脈上の自律神経叢．顎下神経節に枝を送る）. = external maxillary p.; facial p.; p. maxillaris externus; p. periarterialis arteriae facialis.

periarterial p. of inferior phrenic artery 下横隔動脈〔動脈〕周囲神経叢（下横隔動脈を囲む自律神経叢）. = phrenic p.; p. phrenicus; p. periarterialis arteriae phrenicae inferioris.

periarterial p. of inferior thyroid artery 下甲状腺動脈〔動脈〕周囲神経叢（鎖骨下動脈神経叢から起こる下甲状腺動脈上の自律神経叢）. = inferior thyroid p.; p. thyroideus inferior.

periarterial p. of internal thoracic artery 内胸動脈〔動脈〕周囲神経叢（鎖骨下動脈神経叢から生じる内胸動脈上の自律神経叢）. = internal mammary p.; internal thoracic p.; p. mammarius internus; p. periarterialis arteriae thoracicae internae.

p. periarterialis [TA]. 動脈周囲神経叢. = periarterial (nerve) p.

p. periarterialis arteriae auricularis posterioris = periarterial p. of posterior auricular artery.

p. periarterialis arteriae cerebri anterioris = periarterial p. of anterior cerebral artery.

p. periarterialis arteriae cerebri mediae = periarterial p. of middle cerebral artery.

p. periarterialis arteriae choroideae = periarterial p. of choroid artery.

p. periarterialis arteriae facialis = periarterial p. of facial artery.

p. periarterialis arteriae lingualis = periarterial p. of lingual artery.

p. periarterialis arteriae maxillaris 上顎動脈〔動脈〕周囲神経叢. = periarterial p. of maxillary artery.

p. periarterialis arteriae occipitalis = periarterial p. of occipital artery.

p. periarterialis arteriae ophthalmicae = periarterial p. of ophthalmic artery.

p. periarterialis arteriae pharyngeae ascendentis = periarterial p. of ascending pharyngeal artery.

p. periarterialis arteriae phrenicae inferioris = periarterial p. of inferior phrenic artery.

p. periarterialis arteriae popliteae = periarterial p. of popliteal artery.

p. periarterialis arteriae subclaviae = subclavian (nerve) p.

p. periarterialis arteriae temporalis superficialis = periarterial p. of superficial temporal artery.

p. periarterialis arteriae testicularis = testicular (nerve) p.

p. periarterialis arteriae thoracicae internae = periarterial p. of internal thoracic artery.

p. periarterialis arteriae thyroideae superioris = periarterial p. of superior thyroid artery.

p. periarterialis arteriae vertebralis 椎骨動脈〔動脈〕周囲神経叢. = vertebral nervous p.

periarterial p. of lingual artery 舌動脈〔動脈〕周囲神経叢（外頸動脈神経叢から生じる，舌動脈上の自律神経叢）. = lingual p.; p. periarterialis arteriae lingualis.

periarterial p. of maxillary artery 上顎動脈周膜神経叢（外頸動脈神経叢から生じる頸動脈上の自律神経叢）. = internal maxillary p.; maxillary p.; p. maxillaris internus; p. periarterialis arteriae maxillaris.

periarterial p. of middle cerebral artery 中大脳動脈〔動脈〕周囲神経叢（中大脈動脈に伴う自律神経叢．内頸動脈

叢からの神経線維よりなる). =p. periarterialis arteriae cerebri mediae.

periarterial (nerve) p. [TA]. 動脈周囲神経叢（動脈に伴う自律神経叢で，動脈を取り囲み自律神経線維の網工を形成する). =p. periarterialis [TA].

periarterial p. of occipital artery 後頭動脈〔動脈〕周囲神経叢（外頸動脈神経叢から生じる後頭動脈上の自律神経叢). =occipital p.; p. periarterialis arteriae occipitalis.

periarterial p. of ophthalmic artery 眼動脈〔動脈〕周囲神経叢（眼動脈に伴って眼窩に入る自律神経叢．内頸動脈からの神経線維よりなる). =p. periarterialis arteriae ophthalmicae.

periarterial p. of popliteal artery 膝窩動脈〔動脈〕周囲神経叢（膝窩動脈を囲み大腿動脈神経叢から生じる神経叢). =p. periarterialis arteriae popliteae; popliteal p.; p. popliteus.

periarterial p. of posterior auricular artery 後耳介動脈〔動脈〕周囲神経叢（外頸動脈神経叢から生じる後耳介動脈上の自律神経叢). =p. periarterialis arteriae auricularis posterioris; posterior auricular p.

periarterial p. of subclavian artery 鎖骨下動脈〔動脈〕周囲神経叢. =subclavian (nerve) p.

periarterial p. of superficial temporal artery 浅側頭動脈〔動脈〕周囲神経叢（外頸動脈神経叢から起こる浅側頭動脈上の自律神経叢). =p. periarterialis arteriae temporalis superficialis; superficial temporal p.

periarterial p. of superior thyroid artery 上甲状腺動脈〔動脈〕周囲神経叢（外頸動脈神経叢から起こる上甲状腺動脈上の自律神経叢). =p. periarterialis arteriae thyroideae superioris; superior thyroid p.

periarterial p. of testicular artery 精巣動脈〔動脈〕周囲神経叢. =testicular (nerve) p.

periarterial p. of thyroid artery 甲状腺動脈〔動脈〕周囲神経叢（甲状腺動脈の周囲の自律神経叢．鎖骨下神経叢からの神経線維よりなる).

periarterial p. of vertebral artery 椎骨動脈周膜神経叢. =vertebral nervous p.

pharyngeal (nerve) p. of vagus nerve [TA]. ***1*** 迷走神経の咽頭神経叢（迷走神経の咽頭枝からなり，舌咽神経の枝と副神経の枝が合流する．咽頭の後壁に沿って走る神経叢). ***2*** [TA]. 咽頭静脈叢（咽頭静脈を通って内頸動脈にはいる咽頭の後外側壁上の静脈叢). =p. (nervosus) pharyngeus nervi vagi [TA].

phrenic p., p. phrenicus 横隔神経叢. =periarterial p. of inferior phrenic artery.

popliteal p., p. popliteus 膝窩動脈神経叢. =periarterial p. of popliteal artery.

posterior auricular p. 後耳介動脈神経叢. =periarterial p. of posterior auricular artery.

posterior cervical (nerve) p. [TA]. 後頸神経叢（伝統的にあげられてきた神経叢は脊髄神経前枝のものばかりであるが，これは後枝の上頸部に形成される神経叢で，比較的小さな網工である). =p. (nervosus) cervicalis posterior [TA].

posterior coronary p. 後冠状動脈神経叢（心臓の後下面上の冠状動脈枝に伴う心臓神経叢の一部).

posterior external vertebral verous p. [TA]. 後外椎骨静脈叢（→external vertebral venous p.).

posterior internal vertebral verous p. [TA]. 後内椎骨静脈叢（→internal vertebral venous p.).

prostatic (nervous) p. [TA]. 前立腺神経叢（前立腺被膜と密着する自律神経叢で，下下腹神経叢から起こり海綿体神経を派出して陰茎の勃起組織に分布する．この神経叢の外科的損傷はしばしば勃起不能を招く). =p. (nervosus) prostaticus [TA].

prostaticovesical venous p. 前立腺膀胱静脈叢（前立腺周囲の静脈叢と膀胱頸部周囲の静脈叢とを併せていう．膀胱と陰部静脈叢を連結し，深陰茎背静脈を受け，1つ以上の輸出血管により，内腸骨静脈(下腹静脈)に血液を運ぶ．女性の下膀胱静脈叢に対応する). =p. venosus prostaticovesicalis.

prostatic venous p. [TA]. 前立腺静脈叢（主に陰茎背静脈から起こり，膀胱底下方と前立腺の両側に位置する静脈叢.→prostaticovesical venous p.). =p. venosus prostaticus [TA]; p. pudendalis; Santorini labyrinth.

pterygoid venous p. 翼突筋静脈叢（側頭下窩にあり，顎動脈枝に伴う静脈を受け，前方は顎静脈に注いで終わり，後方は深顔面静脈を経て顔面静脈に注ぐ). =p. venosus pterygoideus [TA].

p. pudendalis =prostatic venous p.

p. pudendus nervosus =pudendal *nerve*.

pulmonary (nerve) p. [TA]. 肺神経叢（左右の肺門の前と後ろにあり，交感神経幹の心肺内臓神経と迷走神経の気管枝からつくられる2つの自律神経叢．気管と動脈に伴行して種々の枝が肺にはいる). =p. (nervosus) pulmonalis [TA].

Quénu hemorrhoidal p. (kā-nū′). ケニュ(ケヌ)痔〔核〕リンパ管叢（肛門周囲の皮膚内のリンパ叢).

Ranvier p. (rahn-vē-ā′). ランヴィエ神経叢（角膜の基底膜下固有質神経叢.→stroma p.).

Raschkow p. (rahsh′kof). ラシュコフ神経叢（歯髄の中心と細胞が多い帯の間に位置する有髄神経線維の叢．Raschkow 神経叢の軸索は細胞が多い帯および細胞が無い帯を貫通し，歯髄の歯芽細胞体またはぞうげ管内の歯芽細胞突起にシナプス結合をするが，Schwann 細胞は失わずに髄鞘を失う). =parietal layer of nerves.

rectal plexuses 直腸動脈神経叢（→inferior rectal (nerve) p.; middle rectal (nerve) p.; superior rectal (nerve) p.).

rectal venous p. [TA]. 直腸静脈叢（直腸の後・外側壁上にある静脈叢．上直腸静脈を経て門脈に，中直腸静脈を経て内腸骨静脈に，そして下直腸静脈を経て内陰部静脈に注ぐ). =p. venosus rectalis [TA]; hemorrhoidal p.

Remak p. (rā′mahk). レーマック(レマーク)神経叢. =submucosal (nerve) p.

renal (nerve) p. [TA]. 腎神経叢（腎動脈を囲み，これとともに腎組織内にはいる自律神経叢). =p. (nervosus) renalis [TA].

sacral p. [TA]. 仙骨神経叢（第四・第五腰神経(腰仙骨神経幹)と，第一・第二・第三仙骨神経からなる．骨盤後壁の内面上に通常は梨状筋に埋まって存在し，下肢に分布する．ここから出る主な神経は坐骨神経である). =p. sacralis [TA]; ischiadic p.; sciatic p.

p. sacralis [TA]. 仙骨神経叢. =sacral p.

sacral venous p. 仙骨静脈叢（外側仙骨静脈へ注ぐ静脈よりなり，仙骨の骨盤面にある静脈叢). =p. venosus sacralis [TA].

Santorini p. (sahn′tō-rē′nē). サントリーニ静脈叢（腹側および外側の前立腺表面にある静脈叢).

Sappey p. (sah-pā′). サペーリンパ管叢（乳輪内のリンパ管叢).

sciatic p. =sacral p.

solar p. =celiac (nerve) p.

spermatic p. =testicular (nerve) p.

spinal nerve p. [TA]. 脊髄神経叢（隣接脊髄神経から起こる線維束が交錯し，網目構造をなすもの．主な神経叢は頸神経叢，腕神経叢，腰仙骨神経叢である). =p. nervorum spinalium [TA]; p. of spinal nerves.

p. of spinal nerves 脊髄神経叢. =spinal nerve p.

splenic (nerve) p. [TA]. 脾神経叢（脾動脈に沿った自律神経叢). =p. (nervosus) splenicus [TA]; p. (nervosus) lienalis☆.

Stensen p. (sten′sĕn). ステンセン静脈叢（耳下腺管(Stensen 管)を囲む静脈網).

stroma p. 角膜固有質神経叢（角膜固有質内の深神経叢と，外境界板の直下にある浅神経叢からなる角膜固有質内の神経叢).

subclavian (nerve) p. 鎖骨下動脈神経叢（星状神経節からの神経線維によって形成され，鎖骨下動脈に伴行する自律神経叢で，鎖骨下動脈枝に沿って二次神経叢を形成する). =periarterial p. of subclavian artery; p. periarterialis arteriae subclaviae.

submucosal (nerve) p. [TA]. 粘膜下神経叢（主に上腸間膜動脈神経叢から起こり，腸粘膜下組織内で分枝する，無髄神経線維の神経節を備えた神経叢). =p. (nervosus) submucosus [TA]; Meissner p.; Remak p.

P

suboccipital venous p. [TA]．後頭下静脈叢（後頭下部にある広範な静脈叢）．＝p. venosus suboccipitalis [TA].

subserous (nerve) p. [TA]．漿膜下神経叢（自律神経の腸筋神経叢の漿膜下部）．＝p. (nervosus) subserosus [TA].

superficial cardiac (nervous) p. 浅心臓神経叢（心臓神経叢のうち浅層にある小さいほうで，左迷走神経と交感神経幹からくる左上心臓神経で形成されており，大動脈弓の下方の肺動脈幹の分岐部との間にある）．＝p. (nervosus) cardiacus superficialis.

superficial temporal p. 浅側頭動脈神経叢．＝periarterial p. of superficial temporal artery.

superior dental (nerve) p. [TA]．上歯神経叢（眼窩下神経の枝でつくられる．上方へ上歯枝を，歯肉へ上歯肉枝を出す）．＝p. (nervosus) dentalis superior [TA].

superior hemorrhoidal p. ＝superior rectal (nerve) p.

superior hypogastric (nerve) p. [TA]．上下腹神経叢（大動脈神経叢の大動脈分岐下方への延長で，第五腰椎をまたいで骨盤にはいり，直腸の左右へ2本の下腹神経となって進み下下腹神経叢を形成して骨盤内臓に分布する）．＝p. (nervosus) hypogastricus superior [TA]; nervus presacralis*; presacral nerve*; Latarget nerve (1).

superior mesenteric (nerve) p. [TA]．上腸間膜動脈神経叢（腹大動脈神経叢の一部で，腸に神経を送り，迷走神経とともに漿膜下，筋層間，および粘膜下神経叢を形成する自律神経叢．この動脈周囲の神経叢は非常に厚いため，超音波検査や他の画像検査で特徴的な血管周囲の〝エリマキ〟様の像を示し，上腸間膜動脈を静脈と区別することができる）．＝p. (nervosus) mesentericus superior [TA].

superior rectal (nerve) p. [TA]．上直腸動脈神経叢（下腸間膜神経叢の延長として起こる自律神経叢で，上直腸動脈に伴行する）．＝p. (nervosus) rectalis superior [TA]; superior hemorrhoidal p.

superior thyroid p. 上甲状腺動脈神経叢．＝periarterial p. of superior thyroid artery.

suprarenal (nerve) p. [TA]．副腎神経叢（主に腹腔神経節からの分枝よりなり，副腎門に位置する自律神経叢）．＝p. (nervosus) suprarenalis [TA].

sympathetic plexuses 交感神経叢（交感性節後線維を主とする自律神経叢）．

testicular (nerve) p. [TA]．精巣動脈神経叢（大動脈神経叢から起こり，精巣動脈に沿う自律神経叢）．＝p. (nervosus) testicularis [TA]; periarterial p. of testicular artery; p. periarterialis arteriae testicularis; spermatic p.

thoracic aortic (nervous) p. [TA]．胸大動脈神経叢（胸大動脈を囲み，これとともに横隔膜の大動脈孔を通って，腹大動脈神経叢に連結する自律神経叢）．＝p. (nervosus) aorticus thoracicus [TA].

p. thyroideus inferior 下甲状腺動脈神経叢．＝periarterial p. of inferior thyroid artery.

tympanic (nervous) p. 鼓室神経叢（鼓室迷路壁の岬角上にあり，鼓室神経，顔面神経の吻合枝，および内頸動脈神経叢からの交感神経枝によって形成される神経叢．中耳，乳突蜂巣，耳管に分布し，浅錐体神経を耳神経節に送る）．＝Jacobson p.; p. (nervosus) tympanicus.

unpaired thyroid venous p. [TA]．不対甲状腺静脈叢（気管下部前面の静脈網で，下喉頭静脈と甲状腺下部の静脈の吻合によってできる）．＝p. venosus thyroideus impar [TA].

ureteric (nervous) p. [TA]．尿管神経叢（腹腔神経叢から起こり，尿管に沿った自律神経叢）．＝p. (nervosus) uretericus [TA].

uterine venous p. [TA]．子宮静脈叢（子宮広間膜内で子宮の両側に沿った叢状静脈）．＝p. venosus uterinus [TA].

uterovaginal (nervous) p. [TA]．子宮腟神経叢（下下腹神経叢から起こり，子宮頸の両側にある神経節を備えた自律神経叢）．＝p. (nervosus) uterovaginalis; Frankenhäuser ganglion; Lee ganglion.

vaginal venous p. [TA]．腟静脈叢（腟を囲む静脈叢）．＝p. venosus vaginalis [TA].

vascular p. [TA]．脈管叢（身体の一部の血管(動脈または静脈)の間の多数の吻合によってつくられる脈管の網状構造）．＝p. vasculosus [TA].

p. vascularis cavernosus conchae [TA]．＝cavernous (vascular) p. of conchae.

p. vasculosus [TA]．脈管叢．＝vascular p.

p. venosus [TA]．静脈叢．＝venous p.

p. venosus areolaris [TA]．乳輪静脈叢．＝areolar venous p.

p. venosus basilaris [TA]．＝basilar venous p.

p. venosus canalis nervi hypoglossi [TA]．舌下神経管静脈叢．＝venous p. of hypoglossal canal.

p. venosus caroticus internus [TA]．頸動脈管静脈叢．＝internal carotid venous p.

p. venosus foraminis ovalis [TA]．卵円孔静脈叢．＝venous p. of foramen ovale.

p. venosus pampiniformis [TA]．＝pampiniform venous p.

p. venosus prostaticovesicalis ＝prostaticovesical venous p.

p. venosus prostaticus [TA]．前立腺静脈叢．＝prostatic venous p.

p. venosus pterygoideus [TA]．＝pterygoid venous p.

p. venosus rectalis [TA]．直腸静脈叢．＝rectal venous p.

p. venosus sacralis [TA]．仙骨静脈叢．＝sacral venous p.

p. venosus suboccipitalis [TA]．後頭下静脈叢．＝suboccipital venous p.

p. venosus thyroideus impar [TA]．＝unpaired thyroid venous p.

p. venosus uterinus [TA]．子宮静脈叢．＝uterine venous p.

p. venosus vaginalis [TA]．腟静脈叢．＝vaginal venous p.

p. venosus vertebralis [TA]．椎骨静脈叢．＝vertebral venous *system*.

p. venosus vertebralis externus [TA]．＝external vertebral venous p.

p. venosus vertebralis internus [TA]．＝internal vertebral venous p.

p. venosus vesicalis [TA]．膀胱静脈叢．＝vesicular venous p.

p. venosus vesicalis inferior ＝inferior vesical venous p.

venous p. [TA]．静脈叢（静脈間の多数の吻合からなる脈管網状構造）．＝p. venosus [TA].

venous p. of bladder 膀胱静脈叢．＝vesicular venous p.

venous p. of foramen ovale [TA]．卵円孔静脈叢（海綿静脈洞と翼突筋静脈叢を結ぶ下顎神経周囲の静脈網）．＝p. venosus foraminis ovalis [TA]; rete foraminis ovalis.

venous p. of hypoglossal canal [TA]．舌下神経管静脈叢（後頭静脈洞，下錐体静脈洞，および内頸静脈を結ぶ，舌下神経周囲の小静脈網状構造）．＝p. venosus canalis nervi hypoglossi [TA]; circellus venosus hypoglossi; rete canalis hypoglossi.

p. vertebralis 椎骨動脈神経叢．＝vertebral nervous p.

vertebral nervous p. 椎骨動脈神経叢（椎骨動脈上の自律神経叢で，迷走神経の咽頭枝からなり，鎖骨下動脈神経叢が合流する）．＝periarterial p. of vertebral artery; p. periarterialis arteriae vertebralis; p. vertebralis.

vertebral venous p. 椎骨静脈叢．＝vertebral venous *system*.

vesical (nerve) p. [TA]．膀胱神経叢（下下腹神経叢から起こり，膀胱の上にある自律神経叢）．＝p. (nervosus) vesicalis [TA].

vesicular venous p. [TA]．膀胱静脈叢（膀胱の底部と側部周囲の静脈叢）．＝p. venosus vesicalis [TA]; venous p. of bladder.

plexus viscerales 内臓神経叢．＝autonomic plexuses.

Walther p. (vahl′tĕr)．ヴァルター神経叢．＝cavernous nerve p.

PLICA

pli·ca, gen. & pl. **pli·cae** (plī′kă, plī′sē) [Mod.L. a plait or fold][TA]. ひだ ([本語の複数形の誤った発音 plī′kē を避けること]). =fold (1).

plicae adiposae pleurae 脂肪ひだ. =fatty *folds* of pleura.

plicae alares plicae synovialis infrapatellaris [TA]. =alar *folds* of infrapatellar synovial fold.

plicae ampullares tubae uterinae 卵管膨大部ひだ. =ampullary *folds* of uterine tube.

p. anterior faucium* 口峡前ひだ (palatoglossal *arch* の公式の別名).

p. aryepiglottica [TA]. 披裂喉頭蓋ひだ. =aryepiglottic *fold.*

p. axillaris 腋窩ひだ. =axillary *fold.*

plicae cecales [TA]. 盲腸ひだ. =cecal *folds.*

p. cecalis vascularis [TA]. 盲腸血管ひだ. =vascular *fold* of the cecum.

p. chordae tympani [TA]. 鼓索ひだ. =*fold* of chorda tympani.

p. choroidea 脈絡ひだ (胎生期の軟膜のひだ. ここから脈絡叢が生じる).

plicae ciliares [TA]. 毛様体ひだ. =ciliary *folds.*

plicae circulares =circular *folds* of small intestine.

plicae circulares intestini tenuis [TA]. 〔小腸の〕輪状ひだ. =circular *folds* of small intestine.

p. duodenalis inferior [TA]. 下十二指腸ひだ. =inferior duodenal *fold.*

p. duodenalis superior [TA]. 上十二指腸ひだ. =superior duodenal *fold.*

p. duodenojejunalis* 十二指腸空腸ひだ (superior duodenal *fold* の公式の別名).

p. duodenomesocolica* 十二指腸結腸間膜ひだ (inferior duodenal *fold* の公式の別名).

p. epigastrica [TA]. 腹壁動脈ひだ. =lateral umbilical *fold.*

plicae epiglotticae 喉頭蓋ひだ. =epiglottic *folds.*

p. fimbriata faciei inferioris linguae [TA]. 〔舌下面の〕采状ひだ. =fimbriated *fold* of inferior surface of tongue.

plicae gastricae [TA]. 胃粘膜ひだ. =gastric *folds.*

p. gastropancreatica [TA]. 胃膵ひだ. = gastropancreatic *fold.*

p. glossoepiglottica lateralis [TA]. 外側舌喉頭蓋ひだ. =lateral glossoepiglottic *fold.*

p. glossoepiglottica mediana [TA]. 正中舌喉頭蓋ひだ. =median glossoepiglottic *fold.*

p. gubernatrix =genitoinguinal *ligament.*

p. hepatopancreatica [TA]. =hepatopancreatic *fold.*

p. hypogastrica =medial umbilical *fold.*

p. ileocecalis [TA]. 回盲ひだ. =ileocecal *fold.*

p. incudialis [TA]. きぬた骨ひだ. =*fold* of incus.

p. inguinalis 鼡径ひだ (尿生殖稜の尾側末端を前腹壁に結合させる胚期の中胚葉膨大部. 精巣導帯は, この内部に発育する). =inguinal fold.

p. interarytenoidea [TA]. =interarytenoid *fold.*

p. interarytenoidea rimae glottidis [TA]. =interarytenoid *fold* of rima glottidis.

p. interdigitalis 指間ひだ. =*web* of fingers/toes.

p. interureterica [TA]. 尿管間ひだ. =interureteric *crest.*

plicae iridis [TA]. 虹彩ひだ. =*folds* of iris.

p. lacrimalis [TA]. 鼻涙管ひだ. =lacrimal *fold.*

p. longitudinalis duodeni [TA]. 十二指腸縦ひだ. =longitudinal *fold* of duodenum.

p. lunata =p. semilunaris of conjunctiva.

plicae malleares (anterior et posterior) [TA]. =mallear *folds.*

p. membranae tympani =mallear *folds.*

plicae mucosae vesicae biliaris [TA]. =mucosal *folds* of gallbladder.

p. nervi laryngei superioris [TA]. =*fold* of superior laryngeal nerve.

p. palatina transversa [TA]. 横口蓋ひだ. =transverse palatine *fold.*

plicae palmatae canalis cervicis uteri [TA]. =palmate *folds* of cervical canal.

p. palpebronasalis [TA]. 瞼鼻ひだ. =palpebronasal *fold.*

p. paraduodenalis [TA]. 十二指腸傍ひだ. =paraduodenal *fold.*

p. posterior faucium* 口峡後ひだ (palatopharyngeal *arch* の公式の別名).

plicae recti =transverse *folds* of rectum.

p. rectouterina [TA]. 直腸子宮ひだ. =rectouterine *fold.*

p. rectovaginalis 直腸腟ひだ. =sacrovaginal *fold.*

p. salpingopalatina [TA]. 耳管口蓋ひだ. =salpingopalatine *fold.*

p. salpingopharyngea [TA]. 耳管咽頭ひだ. =salpingopharyngeal *fold.*

plicae semilunares coli [TA]. 結腸半月ひだ. =semilunar *folds* of colon.

p. semilunaris [TA]. 半月ひだ. =semilunar *fold.*

p. semilunaris of conjunctiva [TA]. 結膜半月ひだ (① [NA]. 眼瞼結膜によってつくられる内眼角の半月ひだ. ② 多くの動物にみられる結膜粘膜のひだ. 通常, 休息時には部分的に眼の背部に隠れるが, 鳥類にみられるように, 角膜を清掃するためのウインク様の動作をすると, 広がって角膜の一部または全体をおおう. =membrana nictitans; nictitating membrane; palpebra III; palpebra tertia; third eyelid). =p. semilunaris conjunctivae [TA]; p. lunata; p. semilunaris of eye; semilunar conjunctival fold.

p. semilunaris conjunctivae [TA]. 結膜半月ひだ. =p. semilunaris of conjunctiva.

p. semilunaris of eye =p. semilunaris of conjunctiva.

p. spiralis ductus cystici [TA]. 〔胆嚢管〕ラセンひだ. =spiral *fold* of cystic duct.

p. stapedialis [TA]. =*fold* of stapedius.

p. sublingualis [TA]. 舌下ひだ. =sublingual *fold.*

p. synovialis [TA]. 滑膜ひだ. = synovial *fold.*

p. synovialis infrapatellaris [TA]. 膝蓋下滑膜ひだ. =infrapatellar synovial *fold.*

p. synovialis patellaris 膝蓋滑膜ひだ. =infrapatellar synovial *fold.*

plicae transversae recti [TA]. 直腸横ひだ. =transverse *folds* of rectum.

p. triangularis [TA]. 三角ひだ. =triangular *fold.*

plicae tubariae tubae uterinae [TA]. 卵管ひだ. =*folds* of uterine tubes.

p. tubopalatina =salpingopalatine *fold.*

p. umbilicalis lateralis [TA]. 外側臍ひだ. =lateral umbilical *fold.*

p. umbilicalis medialis [TA]. 内側臍ひだ. =medial umbilical *fold.*

p. umbilicalis mediana [TA]. 正中臍ひだ. =median umbilical *fold.*

p. urachi =median umbilical *fold.*

p. ureterica 尿管ひだ. =interureteric *crest.*

plicae urethrales 尿道ひだ. =urogenital *folds.*

p. uterovesicalis =uterovesical *ligament.*

p. venae cavae sinistrae [TA]. 左大静脈ひだ. =*fold* of left vena cava.

p. ventricularis =vestibular *fold.*

p. vesicalis transversa [TA]. 横膀胱ひだ. =transverse vesical *fold.*

p. vesicouterina =uterovesical *ligament.*

p. vestibularis [TA]. 室ひだ. =vestibular *fold.*

p. vestibuli 前庭ひだ (鼻中隔上の隆線をつくる粘膜のひだ).

p. villosa gastrica 絨毛様ひだ (幽門領域の胃粘膜の隆

線).

p. vocalis [TA]. 声帯ひだ. ＝vocal *fold.*

---

pli·cate (plī′kāt). ひだのついた.

pli·ca·tion (plī-kā′shŭn, pli-) [L. *plico*, pp. *-atus*, to fold]. ひだ形成（折りたたみ，しわを寄せること．特に壁にしわを寄せて，管腔臓器の大きさを小さくする手術).

pli·cot·o·my (plī-kot′ō-mē) [plica + G. *tomē*, incision]. ひだ切開〔術〕(つち骨ひだの切開).

PLO pluronic lecithin organogel の略.

-ploid [G. *-plo-*, -fold + *-ides*, in form; L. *-ploïdeus*]. 多形を意味する接尾語．これと組み合わせて，染色体の特定の倍数について，形容詞的・名詞的に用いる.

ploi·dy (ploy′dē) [-ploid + *-y*, condition]. 倍数性（1個の細胞に存在する染色体の数．配偶子は正常では1，体細胞は2である.→polyploidy).

plom·bage (plom-bahzh′) [Fr. lit., lead-work]. 充填〔術〕(非刺激性物質を用いて肺虚脱を行う肺結核の外科治療で，現在では用いられない).

plo·sive (plō′siv). 破裂音（空気の流れを一瞬止めてため，一気に放出して発する音).

plot (plot). ***1*** 〘n.〙 プロット（グラフ表現). ***2*** 〘v.〙 プロットする（グラフ表現をつくる).

double-reciprocal p. 二重逆数プロット（酵素反応速度実験データのグラフ的表現で，$1/v$(垂直軸上の)を基質濃度の逆数($1/[S]$)の関数としてプロットする．v は初速度). ＝Lineweaver-Burk p.; Woolf-Lineweaver-Burk p.

Eadie-Hofstee p. (ē′de hahf′stē). イーディー－ホフステープロット（酵素反応速度実験データのグラフ的表現．速度 v を水平軸の v:[S]の関数として垂直軸にプロットする．まれに，これらの軸は逆転する．時々，Eadie-Augustinsson プロットまたは Woolf-Eadie-Augustinsson-Hofstee プロットとよばれることもある).

funnel p. 漏斗状プロット法（発表の偏りを検出する図示表．メタアナリシスに用いられた一連の疫学研究に由来するリスク推定値を標本の大きさに対してプロットする．発表の偏りがなければプロット図は漏斗形となる．有意の結果を示す研究が陰性の研究よりもより発表が多いと，プロット図は非対称形となる.→metaanalysis).

Hanes p. [Charles S. *Hanes*]. ハーネスプロット（酵素反応速度実験データの1グラフ的表現で，基質濃度を速度で割った値(すなわち[S]:v)を[S]の関数として垂直軸にプロットする．時々 Hanes-Wilkinson プロットともよばれる).

Hill p. (hil) [Archibald V. *Hill*]. ヒルプロット（酵素反応速度実験データや反応系の協同性を評価する結合現象のグラフ表現．Hill プロットの垂直軸は $\log[Y/(1-Y)]$で，Yは飽和度である(酵素の場合は垂直軸は $\log[v/(V_{max}-v)]$である．この式において v は初速度，V_{max}は最高速度)．そして水平軸はリガンド濃度の対数である).

Lineweaver-Burk p. (līn′wē-vĕr bŭrk). ラインウィーヴァー－ブルク(バーク)プロット. ＝double-reciprocal p.

Ramachandran p. (rahm′a-chahn′drahn) [G.N. *Ramachandran*]. ラマチャンドランプロット（ポリペプチドのカルボニル炭素とそのα炭素原子との結合を軸とする回転の二面角を，窒素原子とそのα炭素原子との結合を軸とする回転の二面角に対してプロットするグラフ表現). ＝conformational map.

Scatchard p. (skatch′erd) [George *Scatchard*]. スキャッチャードプロット（①結合現象の分析に用いられるグラフ表現で，結合リガンド濃度を遊離リガンド濃度で割った値を結合リガンドの濃度に対してプロットする．②垂直軸を結合リガンド濃度とする以外は①と同じ).

Woolf-Lineweaver-Burk p. (wulf līn′wē-vĕr-bŭrk). ウルフ－ラインウィーバー－バークプロット. ＝double-reciprocal p.

PLP *pyridoxal* 5′-phosphate; parathyroid hormonelike *protein* の略.

plug (plŭg). 栓，栓子（穴を充填したり，開口部を閉じたりする詰め物).

anal p. 肛門栓（胎児の肛門管を一次的に閉鎖する肛門上皮細胞集団．そのまま残ると肛門閉塞症).

closing p. 閉鎖栓（着床した胚盤胞による子宮内膜上皮の欠損部を埋める線維性血液凝固物).

Dittrich p.'s (dit′rik). ディットリッヒ栓子（肺壊疽と腐敗性気管支炎の喀痰にみられる細菌と脂肪酸の，結晶が細かく，汚い灰色の悪臭を発する塊). ＝Traube p.'s.

epithelial p. 上皮栓子（胎児の開口部を一時的に閉塞する上皮細胞の塊．本語は，胎児の外鼻孔に関して最も多く用いられる).

laminated epithelial p. 層状上皮栓子. ＝*keratosis* obturans.

meconium p. 胎便栓（腸閉塞を起こす可能性がある，太くて硬い胎便).

mucous p. 粘液栓（妊娠時または中間期に子宮頸管を充填する粘液と細胞の塊．主あるいは分葉気管支を閉塞する粘液の塊).

smear p. スミアプラグ（ぞうげ細管内に1－5 μm 押し込められた切削屑により構成されるプラグ(栓)).

Traube p.'s (trow′bĕ). トラウベ栓子. ＝Dittrich p.'s.

plug·ger (plŭg′ĕr). 充填器，プラガー（窩洞に，金箔，アマルガム，または他の可塑材を充填するのに用いる器具．手または機械的方法によって扱う). ＝packer (2); plugging instrument.

automatic p. 自動充填器（アマルガムまたは金箔を窩洞内に充填するための圧縮圧を供給するのに用いる機械的，または電気的に動く装置). ＝automatic condenser.

back-action p. 逆打充填器（金箔またはアマルガム圧縮用の器具．直接には届かない部分に近づけるようにする).

foot p. 足形充填器（足に似た形をもつ金箔圧縮用の填塞器．作業面は平坦か，または踵－爪先の方向に曲がっている).

root canal p. 根管充填器（先端が丸くなった，細い円錐形の根管用器具，ガッタパーチャコーンを根管に圧縮するのに用いる).

plum·ba·go (plŭm-bā′gō) [L. *plumbago*, black lead]. 石墨，黒鉛. ＝graphite.

plum·bic (plŭm′bik) [L. *plumbum*, lead]. ***1*** 鉛の. ***2*** 四価鉛の（イオン価の高い鉛イオン Pb^{4+} をいう).

plum·bism (plŭm′bizm) [L. *plumbum*, lead]. 鉛中毒. ＝lead *poisoning*.

plum·bum (plŭm′bŭm) [L.]. 鉛. ＝lead.

Plummer (plŭm′ĕr), Henry S. 米国人医師，1874－1937.→P. *disease*; P.-Vinson *syndrome*.

plu·mose (plū′mōs) [L. *pluma*, feather]. 羽状の.

pluri- [L. *plus*, *pluris*]. [誤ったつづり pleuri- を避けること]. 多数，複数を意味する連結形.→multi-; poly-.

plur·i·cau·sal (plūr′i-kaw′zăl). 多因性の（2つ以上の原因を有するものについていう．疾病の病因学に関連して用いる．2つ以上の原因因子が同時に作用したときにのみ進行する病気を示すことが多い).

plur·i·glan·du·lar (plūr′i-glan′dyū-lăr). 多腺性の（数個の腺またはその分泌物をいう). ＝multiglandular; polyglandular.

plur·i·loc·u·lar (plūr′i-lok′yū-lăr). 多房〔性〕の. ＝multilocular.

plur·i·nu·cle·ar (plūr′i-nū′klē-ăr). 多核〔性〕の. ＝multinuclear.

plu·rip·o·tent, plu·ri·po·ten·tial (plū-rip′ŏ-tĕnt, plū′rē-pō-ten′shăl). 多能性の，多潜能力の（①2個以上の器官または組織に影響を及ぼす能力をもつことについていう．②分化方向が固定されていない.→pluripotent *cells*).

plur·i·re·sis·tant (plūr′i-rē-sis′tănt). 多抵抗性の（多面的抵抗をもつことについていう).

pluronic lecithin organogel (PLO) (plūr-on′ik les′i-thin ōr-gan′ō-jel). 胸腺由来レシチンオルガノゲル（経皮的薬剤到達システムのための溶媒．レシチン成分はしばしばアレルギー反応あるいは局所的炎症性反応を起こし，ヒトにおいては前者がより一般的である).

plu·to·ma·ni·a (plū′tō-mā′nē-ă) [G. *ploutos*, wealth + *mania*, frenzy]. 長者妄想，富豪狂（巨万の富を所有しているという妄想).

plu·ton·ism (plū′ton-izm). プルトニウム中毒〔症〕(原子炉内の放射性元素プルトニウムの照射によって実験動物などに

みられるような影響．肝障害，骨変化，毛髪の灰色化などがある）．

plu·to·ni·um (Pu) (plū-tō′nē-ŭm)［惑星 *Pluto*］．プルトニウム（人工放射性超ウラン元素，原子番号 94，原子量 244.064．最もよく知られている α 放出同位体は ^{239}Pu（半減期 2 万 4,110 年）で，^{235}U と同様に核分裂性であり原子爆弾や原子力発電所で用いることができる．^{238}Pu（半減期 87.74 年）はペースメーカのエネルギー源として用いられる．Pu イオンは親骨性で，摂取するとラジウムや放射性ストロンチウムと同様に放射線障害の危険がある）．

PM postmortem の略．

Pm プロメチウムの元素記号．

pM picomolar（ピコモル濃度）(10^{-12}M) の略．

pm ピコメートルの記号．

PMAIP1 phorbol-12-myristate-13-acetate-induced *protein* の略．

PMDD premenstrual dysphoric *disorder* の略．

PMI *point* of maximal impulse; *point* of maximum intensity の略．

P mi·tra·le (mī-trā′lē)．僧帽性 P（［最後の e は発音される］．僧帽弁疾患の特徴であると考えられる心電図の数個または多くの誘導における幅の広い，ノッチのある P 波と，V_1 誘導における顕著な遅延した陰性成分を有する P 波．本語は心電図学で広く用いられているが，実際には誤りであり，より正確には左房性 P とよばれ，原因のいかんにかかわらず左心房の過剰の負荷から生じ，僧帽弁の疾患とは別個に生じることもある）．

PML progressive multifocal *leukoencephalopathy* の略．

PMN polymorphonuclear *leukocyte* の略．

pmol picomole の略．

PMR proportional mortality ratio（特定死因死亡割合）の略．

PMS premenstrual *syndrome* の略．

PN practical *nurse* の略．

PND paroxysmal nocturnal *dyspnea*; postnasal *drip* の略．

-pnea［G. *pneō*, to breathe］．［二重字 pn において p は語頭にあるときのみ無音である．この語要素の伝統的に正しい発音は -pne′a であるが，米国では -pnea の一つ前の音節にしばしばアクセントが置かれる］．息または呼吸を意味する接尾語．

pneo-［G. *pneō*, to breathe］．息または呼吸を意味する連結形．→pneum-; pneumo-.

pneum-, pneuma-, pneumat-, pneumato-［G. *pneuma*, *pneumatos*, air, breath］．空気または気体の存在，肺または呼吸を意味する連結形．→pneo-; pneumo-.

pneu·ma (nū′mă)［G. *pneuma*, air, breath］．***1*** 霊気（古代ギリシアの哲学および医学において，万物に対し創造的で生気を与え，空気中に充満し燃える成分（今日，これは酸素であるとされている）．肺を通じて体内に取り込まれ，左心室内で固有の熱を発生また保有し，動脈により脳や体の各部分に運ばれる）．***2*** 精神，霊（古代ギリシアの哲学および医学における語）．

pneu·marth·ro·gram (nū-marth′rō-gram)．気体関節造影像，空気関節造影像（気体関節造影法の記録のためのフイルム）．

pneu·marth·rog·ra·phy (nū′marth-rog′ră-fē)．気体関節造影（撮影）〔法〕，空気関節造影（撮影）〔法〕（空気による関節の X 線造影検査．他の造影剤を用いて二重造影にすることもある）．

pneu·mar·thro·sis (nū′mar-thrō′sis)［G. *pneuma*, air + *arthron*, joint + *-osis*, condition］．関節気腫（関節中に空気が存在すること）．

pneu·mat·ic (nū-mat′ik)［G. *pneumatikos*］．***1*** 空気の，含気〔性〕の．***2*** 呼吸の．

pneu·mat·ic an·ti·shock gar·ment (nū-mat′ik an′tē-shŏk gar′ment)．ショックパンツ（末梢循環を圧迫するのに使用される空気などで膨らませることのできる着衣．ショックの場合に，中心部の血流を維持するために，組織への血液と体液の流出を減らす）．＝military antishock trousers.

pneu·mat·ics (nū-mat′iks)［G. *pneuma*, air or gas］．気学，気力学（空気または気体の物性を扱う科学）．

pneu·ma·tism (nū′mă-tizm)．霊気医学（霊気医学派に関する学説）．

pneu·ma·tists (nū′mă-tists)．霊気医学派（主に霊気を扱う生理学を信奉し，疾病の原因をこの生命力の障害であると主張する派の人々）．

pneu·ma·ti·za·tion (nū′mă-ti-zā′shŭn)［G. *pneuma*, air］．含気化，気胞化（乳突骨や篩骨などの空気を含む蜂巣の発達）．

pneu·ma·tized (nū′mă-tīzd)．空気を含んだ，含気化した．

pneumato- →pneum-.

pneu·ma·to·car·di·a (nū′mă-tō-kar′dē-ă)．気心〔症〕（空気塞栓症により，心臓の血液内に気泡または気体がはいること）．

pneu·mat·o·cele (nū-mat′ō-sēl)［G. *pneuma*, air + *kēlē*, tumor, hernia］．気瘤（①気腫性腫脹または気体性腫脹．②＝pneumonocele．③ブドウ球菌性肺炎およびニューモシスティス肺炎の特徴的続発症の 1 つである，肺の中につくられる薄い壁をもつ空洞）．

extracranial p. 頭蓋外気瘤（通常は副鼻腔への骨折により，帽状腱膜下に気体がたまること）．＝extracranial pneumocele.

intracranial p. 頭蓋内気瘤（頭蓋内の脳または髄膜の中に気体がたまること）．＝intracranial pneumocele.

pneu·ma·to·en·ter·ic (nū′mă-tō-en′tĕr-ik)．＝celomic *bay*.

pneu·ma·to·he·mi·a (nū′mă-tō-hē′mē-ă)．＝pneumohemia.

pneu·ma·tom·e·ter (nū′mă-tom′ĕ-tĕr)．spirometer を表す現在では用いられない語．

pneu·ma·tor·rha·chis (nū′mă-tōr′ă-kis)［G. *pneuma*, air + *rhachis*, spine］．脊柱気腫．＝pneumorrhachis.

pneu·mat·o·scope (nū-mat′ō-skōp)［G. *pneuma*, air + *skopeō*, to examine］．＝pneumoscope. ***1*** 呼吸運動描画器（現在では用いられない語．胸部の呼吸運動の程度を測定する器具）．***2*** 口腔聴診器（現在では用いられない語．胸の打診音が口で聞こえるような，聴診的打診法に用いる器具）．

pneu·ma·to·sis (nū′mă-tō′sis)［G. a blowing out］．気症，気腫（身体の組織，またはある部分内での気体の異常蓄積．次頁の写真参照）．

p. coli 気腫瘍（通常良性で，X 線上，腸壁内に気体がみられる状態．ときに閉塞性肺疾患に関連する）．

p. cystoides intestinalis 腸壁嚢胞状気腫（気嚢腫が腸の粘膜に存在する原因不明の状態．腸閉塞を起こすことがある）．＝intestinal emphysema.

pneu·ma·tu·ri·a (nū-mă-tyū′rē-ă)［G. *pneuma*, air + *ouron*, urine］．気尿〔症〕（感染尿，またはより一般的には腸瘻の結果，排尿中または排尿後に尿道から気体または空気が出ること）．

pneu·ma·type (nū′mă-tīp)［G. *pneuma*, breath + *typos*, type］．呼吸像（鼻から冷却ガラス板に呼出して鼻窩通気量を測定する装置）．

pneumo-, pneumon-, pneumono-［G. *pneumōn*, *pneumonos*, lung］．［二重字 pn における p は通常，語頭に位置する場合のみ，無音であるが，arthropneumoradiography, bronchopneumonia，および chylopneumothorax のように，それが連結形 pneum(o)- または pneumon(o)- の一部である場合，長い慣習によりそれは単語の途中にあっても無音である］．肺，空気，気体，呼吸，または肺炎，を意味する連結形．→aer-; pneo-; pneum-.

pneu·mo·ar·throg·ra·phy (nū′mō-ar-throg′ră-fē)［G. *pneuma*, air + *arthron*, joint + *graphō*, to write］．気体関節造影（撮影）〔法〕（空気と水溶性造影剤を注入した後の関節の X 線撮影法）．

pneu·mo·ba·cil·lus (nū′mō-bă-sil′ŭs)．肺炎杆菌．＝*Klebsiella pneumoniae*.

pneu·mo·bul·bar (nū′mō-bŭl′bar)［G. *pneumōn*, lung + L. *bulbus*, bulb］．肺延髄の（迷走神経による，肺と延髄の結び付きについていう）．

pneu·mo·car·di·al (nū′mō-kar′dē-ăl)．心肺の．＝cardiopulmonary.

pneu·mo·cele (nū′mō-sēl)．＝pneumonocele.

extracranial p. ＝extracranial *pneumatocele*.

intracranial p. 頭蓋内気瘤．＝intracranial *pneumatocele*.

pneu·mo·cen·te·sis (nū′mō-sen-tē′sis)．肺穿刺〔術〕．＝

P

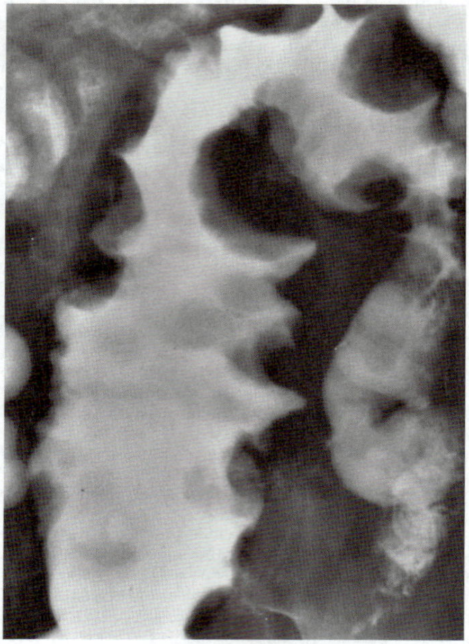

pneumatosis intestinalis
バリウム柱の縁にくぼみを作っているポリープ様の塊は，軟組織密集ではなく空気の非生理的存在から生じる．

pneumonocentesis.

pneu·mo·ceph·a·lus (nū′mō-sef′ă-lŭs) [G. *pneuma*, air + *kephalē*, head]. 気脳〔体〕，気脳〔症〕，気頭〔症〕(頭蓋内に空気または気体が存在すること).

pneu·mo·cho·le·cys·ti·tis (nū′mō-kō′lē-sis-tī′tis). ガス産生性胆嚢炎（胆嚢に気体を生じる，ガス産生性微生物による胆嚢炎).

pneu·mo·coc·cal (nū′mō-kok′ăl). 肺炎球菌の.

pneu·mo·coc·ce·mi·a (nū′mō-kok-sē′mē-ă) [pneumococcus + G. *haima*, blood]. 肺炎球菌血症（血液中に肺炎球菌が存在すること).

pneu·mo·coc·ci·dal (nū′mō-kok-sī′dăl) [pneumococcus + L. *caedo*, to kill]. 肺炎球菌殺菌性の.

pneu·mo·coc·col·y·sis (nū′mō-kok-ol′i-sis) [pneumococcus + G. *lysis*, dissolution]. 肺炎球菌溶解（肺炎球菌の溶解または破壊).

pneu·mo·coc·co·sis (nū′mō-kok-ō′sis). 肺炎球菌症を意味する，まれに用いる語.

pneu·mo·coc·co·su·ri·a (nū′mō-kok′ō-syū′rē-ă) [pneumococcus + G. *ouron*, urine]. 肺炎球菌尿症（尿中に，肺炎球菌またはそれに特有な莢膜物質が存在すること).

pneu·mo·coc·cus, pl. **pneu·mo·coc·ci** (nūmō-kok′ŭs, -kok′sī) [G. *pneumōn*, lung + *kokkos*, berry(coccus)]. 肺炎球菌（[本語の複数形の誤った発音 noo-mō-kok′ī を避けること]). ＝*Streptococcus pneumoniae.*

Fraenkel p. (freng′kĕl). フレンケル肺炎球菌. ＝*Streptococcus pneumoniae.*

pneu·mo·co·lon (nū′mō-kō′lŏn) [G. *pneuma*, air + *kolon*, colon]. 結腸内ガス貯留（結腸内または結腸壁の間質内に気体がたまること).

pneu·mo·co·ni·o·sis, pneu·mo·ko·ni·o·sis, pl. **pneu·mo·co·ni·o·ses** (nū′mō-kō′nē-ō′sis, nū′mō-kō′nē-ō′sis, -sēz) [G. *pneumōn*, lung + *konis*, dust + *-osis*, condition]. じん(塵)肺〔症〕（様々な職業の人々が，じん埃吸入により，一般的には肺の線維症を起こす炎症．徴候は，胸痛，喀痰をほとんど伴わない咳，呼吸困難，胸郭呼吸運動の減少，ときに生じるチアノーゼ，軽い運動後の疲労などを特徴とする．しばしば肺機能的に慢性拘束性肺疾患に進む．障害の程度は吸入した粒子およびそれにどの程度暴露されていたかによって決まる). ＝anthracotic tuberculosis; pneumonoconiosis; pneumonokoniosis.

bauxite p. ボーキサイトじん肺〔症〕（アルミニウム研摩剤の製造中に生じるボーキサイトの蒸気を，職業上吸入することが原因で起こる状態．その特徴は，咳，息切れ，閉塞性および拘束性の両者の混合した呼吸，拡散能力の障害である). ＝Shaver disease.

coal worker's p. 炭坑労働者のじん肺症. ＝anthracosilicosis.

collagenous p. 膠原性じん肺症（間質性肺線維症を特徴とする肺疾患で，作業場でのじん埃や毒素の吸入による).

p. siderotica 鉄じん肺症（鉄じん吸入による塵肺症). ＝pulmonary siderosis.

pneu·mo·cra·ni·um (nū′mō-krā′nē-ŭm) [G. *pneuma*, air + *kranion*, skull]. 頭蓋内気腫（頭蓋骨と硬膜の間に空気が存在すること．硬膜外と硬膜下の空気を示すときによく用いられる).

Pneumocystis (nū-mō-sis′tis). ニューモシスチス属（子嚢菌綱の真菌で，原生動物に類似した形態をもつ．*Pneumocystis carinii* はラットに呼吸器感染症を引き起こす).

P. carinii ニューモシスティスカリニ（*P. jiroveci* の旧名).

P. jiroveci [G. *pneuma*, air, breathing + *kystis*, bladder, pouch]. ニューモシスティスジロベチー（免疫不全状態の患者に間質性肺炎を惹起する真核微生物．本微生物は形態的には原虫と類似しながら，その 16S リボソーム RNA やミトコンドリア DNA は子嚢菌のいくつかの種と共通するので，その正確な分類上の位置は不明である．*P. jiroveci* は真菌培養基では生育しないが，真菌株のいくつかを取り込み，それによる感染は抗原虫剤や，抗真菌剤に反応する.→*Pneumocystis jiroveci pneumonia*).

pneu·mo·cys·tog·ra·phy (nū′mō-sis-tog′ră-fē) [G. *pneuma*, air + *kystis*, bladder + *graphō*, to write]. 気体膀胱造影(撮影)〔法〕（空気を注入した後に膀胱のX線撮影を行うこと).

pneu·mo·cys·to·sis (nū′mō-sis-tō′sis). ニューモシスティス症. ＝*Pneumocystis jiroveci pneumonia.*

pneu·mo·cyte (nū′mō-sīt) [pneumo- + G. *kytos*, cell]. 肺胞〔上皮〕細胞. ＝alveolar *cell.*

type I p. ＝squamous alveolar *cells.*

type II p. ＝great alveolar *cells.*

pneu·mo·der·ma (nū′mō-der′mă) [G. *pneuma*, air + *derma*, skin]. 皮下気腫. ＝subcutaneous *emphysema.*

pneu·mo·dy·nam·ics (nū′mō-dī-nam′iks) [G. *pneuma*, breath + *dynamis*, force]. 呼吸力学.

pneu·mo·em·py·e·ma (nū′mō-em′pī-ē′mă). pyopneumothorax を表すまれに用いる語.

pneu·mo·en·ceph·a·lo·gram (nū′mō-en-sef′ă-lō-gram). 気脳図（気脳造影の際のX線写真).

pneu·mo·en·ceph·a·log·ra·phy (nū′mō-en-sef′ă-log′ră-fē) [G. *pneuma*, air + *enkephalos*, brain + *graphō*, to write]. 気脳造影(撮影)〔法〕，気体脳造影(撮影)〔法〕，気脳写（空気などの気体を用いた脳室とクモ膜下腔のX線造影法．CT や MRI 出現以降，施行されることはなくなった).

pneu·mo·gas·tric (nū′mō-gas′trik) [G. *pneumōn*, lung + *gastēr*, stomach]. ＝gastropneumonic; gastropulmonary. ***1*** 肺胃の（肺と胃に関する). ***2*** 迷走神経を表す現在では用いられない語.

pneu·mo·gas·trog·ra·phy (nū′mō-gas-trog′ră-fē) [G. *pneuma*, air + *gastēr*, stomach + *graphō*, to write]. 気体胃造影(撮影)〔法〕（空気を注入した後の胃のX線撮影法に対してまれに用いる語).

pneu·mo·gram (nū′mō-gram) [G. *pneumōn*, lung + *gramma*, a drawing]. ***1*** 呼吸曲線（呼吸曲線記録器による記録). ***2*** 気体注入撮影図（気体撮影法のX線撮影記録).

pneu·mo·graph (nū′mō-graf) [G. *pneumōn*, lung + *graphō*, to write]. 呼吸〔曲線〕記録器（体表面の動きから呼吸運動を記録する装置の総称．例えば，インピーダンスプレチスモグラフィの原理を胸郭に応用するインピーダンス呼吸記録器などがある）.

pneu·mog·ra·phy (nū-mog′rā-fē) [G. *pneumōn*, lung + *graphō*, to write]. ***1*** 呼吸〔曲線〕記録〔法〕（呼吸曲線記録器による検査）. ***2*** 気体注入撮影〔法〕（空気を注入した後のX線撮影法を表す一般名）. ＝pneumoradiography; pneumoroentgenography.

pneu·mo·he·mi·a (nū′mō-hē′mē-ă) [G. *pneuma*, air + *haima*, blood]. 気血〔症〕（血管内の気体の存在. →air *embolism*）. ＝pneumatohemia.

pneu·mo·he·mo·per·i·car·di·um (nū′mō-hē′mō-per′i-kar′dē-ŭm). ＝hemopneumopericardium.

pneu·mo·he·mo·thor·ax (nū′mō-hē′mō-thōr′aks). 気血胸〔症〕. ＝hemopneumothorax.

pneu·mo·hy·dro·me·tra (nū′mō-hī′drō-mē′tră) [G. *pneuma*, air + *hydōr*(*hydr-*), water + *mētra*, uterus]. 子宮留気水症（子宮腔内に気体と血清が存在すること）.

pneu·mo·hy·dro·per·i·car·di·um (nū′mō-hī′drō-per′i-kar′dē-ŭm). ＝hydropneumopericardium.

pneu·mo·hy·dro·per·i·to·ne·um (nū′mō-hī′drō-per′i-tō-nē′ŭm). ＝hydropneumoperitoneum.

pneu·mo·hy·dro·thor·ax (nū′mō-hī′drō-thōr′aks). ＝hydropneumothorax.

pneu·mo·hy·po·der·ma (nū′mō-hī′pō-der′mă) [G. *pneuma*, air + *hypo*, beneath + *derma*, skin]. 皮下気腫. ＝subcutaneous *emphysema*.

pneu·mo·ko·ni·o·sis (nū′mō-kō′nē-ō′sis). ⇀pneumoconiosis.

pneu·mo·lith (nū′mō-lith) [G. *pneumōn*, lung + *lithos*, stone]. 肺石, 肺結石. ＝pulmolith.

pneu·mo·li·thi·a·sis (nū′mō-li-thī′ă-sis). 肺石症（肺内における結石の形成）.

pneu·mol·o·gy (nū-mol′ŏ-jē) [G. *pneuma*, lung + *logos*, study]. 呼吸器学（肺と気道に関する学問に対してまれに用いる語）.

pneu·mol·y·sis (nū-mol′i-sis) [G. *pneumōn*, lung + *lysis*, a loosening]. 肺剝離〔術〕（肺と肋骨胸膜を内胸筋膜から剝離する手術. かつて肺結核に対する虚脱療法に際し行われた）.

pneu·mo·ma·la·ci·a (nū′mō-mă-lā′shē-ă) [G. *pneumōn*, lung + *malakia*, softness]. 肺軟化〔症〕（肺組織の軟化）.

pneu·mo·mas·sage (nū′mō-mă-sahzh′) [G. *pneuma*, air + massage]. 空気マッサージ（外耳道内における空気の圧縮と希薄化により正常な鼓膜の運動を起こさせる療法）.

pneu·mo·me·di·as·ti·num (nū′mō-mē′dē-ă-stī′nŭm) [G. *pneuma*, air + mediastinum]. 気縦隔症（通常, 間質性気腫, または破裂した肺小気胞から, 縦隔組織内に空気が逃げること）. ＝mediastinal emphysema.

pneu·mo·mel·a·no·sis (nū′mō-mel′ă-nō′sis) [G. *pneumōn*, lung + *melanosis*, a becoming black]. 黒肺症（炭じんまたはその他の黒色粒子の吸入による肺組織の黒化. →anthracosis）. ＝pneumonomelanosis.

pneu·mo·my·co·sis (nū′mō-mī-kō′sis) [G. *pneumōn*, lung + *mykēs*, fungus]. 真菌により生じる肺の疾病を表す現在では用いられない語.

pneu·mo·my·e·log·ra·phy (nū′mō-mī′ĕ-log′ră-fē) [G. *pneuma*, air + *myelos*, marrow + *graphō*, to write]. 気体脊髄造影(撮影)〔法〕（空気または気体をクモ膜下腔へ注入した後に, 脊柱管をX線で検査することでまれに用いる）.

pneumon- ⇀pneumo-.

pneu·mo·nec·to·my (nū′mō-nek′tō-mē) [G. *pneumōn*, lung + *ektomē*, excision]. 肺切除〔術〕（一側肺の全葉切除）. ＝pulmonectomy.

pneu·mo·ni·a (nū-mō′nē-ă) [G. < *pneumōn*, lung + *-ia*, condition]. 肺炎（肺実質の炎症で, 侵された部分の硬化, 肺胞腔にみられる滲出物, 炎症細胞, フィブリンを特徴とする. 大多数の例は細菌またはウイルスの感染が原因で起こり, 化学物質の吸入や胸壁の外傷が原因で起こる例は少ない. また, リケッチア, 真菌, 酵母菌で起こる例もわずかながらみられる. 侵される範囲は, 大葉性のことも肺分節のことも肺小葉性のこともある. 肺小葉性の場合は, 気管支炎も伴うので, 気管支肺炎という言葉を用いる. →pneumonitis）.

acute interstitial p. 急性間質性肺炎（重症で通常死に至る肺炎で小児に原発し, 通常, 過敏性肺炎の一型と考えられている）.

alcoholic p. アルコール性肺炎（アルコール中毒患者に起こる肺炎で, 通常, 昏蒙を伴う中毒期間の後, 吸引の結果として起こる）.

anaerobic p. 嫌気性菌性肺炎（特に歯周病がある際に, 通常口由来の細菌による肺炎. 空洞形成が多い）.

apex p., apical p. 肺尖部肺炎.

aspiration p. 吸引性肺炎, えん下〔性〕肺炎（異物, 通常は食物片または吐物の気管支への吸引による気管支肺炎. 気道の液体, 血液, 唾液あるいは胃内容の存在に続いて発症する肺炎）. ＝deglutition p.

atypical p. 異型肺炎, 非定型肺炎（非細菌性病原体による肺炎で, 古典的には肺炎マイコプラスマ *Mycoplasma pneumoniae* によるものであるが, 一般には軽い全身症状を伴うウイルス性を含む非細菌性肺炎に用いる. ⇀primary atypical p.）.

bacterial p. 細菌性肺炎（多種の細菌のどれか, 特に肺炎球菌 *Streptococcus pneumoniae* による肺の感染症）.

bilious p. 胆汁性肺炎（胆汁を含む胃内容の吸引に引き続く肺炎）.

bronchial p. 気管支肺炎. ＝bronchopneumonia.

caseous p. 乾酪〔性〕肺炎（重症な肺結核の一種で, 結核結節は著しくはないが, びまん性の広範な細胞浸潤があり, 乾酪化が肺に広がっている）.

central p. 中心性肺炎（滲出が, しばらくは肺葉の中心または肺門部分に限定される肺炎の一種）. ＝core p.

chemical p. 化学性肺炎（ホスゲンや塩素など戦争の兵器として使われる毒ガスの吸入による肺炎. 肺胞への滲出が肺を浮腫性で出血性とする. 気道を満たす大量の液体がガス交換を妨げる. 回復するが肺の永久的障害を残し, 反復性肺感染がよく起こる）.

chronic p. 慢性肺炎（病因を問わない, 長期間持続している肺組織の炎症に対するはっきりしない不確定な用語）.

chronic eosinophilic p. 慢性好酸球性肺炎（盗汗, 労作時呼吸困難, ときとして喘鳴と末梢血好酸球増多を特徴とする疾患. X線写真は末梢で非区域性肺浸潤で, 空洞を伴う結節もありうる. 副腎ステロイド治療に反応する）. ＝Carrington disease.

community-acquired p. (**CAP**) 市中肺炎（病院外で常にみつかる微生物による肺炎. 多い菌は肺炎球菌 *Streptococcus pneumoniae*, インフルエンザ菌 *Haemophilus influenzae*, および *Mycoplasma* で院内感染性あるいは院内肺炎とは異なる）.

congenital p. 先天性肺炎（出生前から続く新生児の肺炎）.

core p. ＝central p.

deglutition p. ＝aspiration p.

desquamative p. 剝離性肺炎（肺胞気腔をマクロファージと少数のII型肺胞上皮細胞で均質性に充満し, 一部の肺胞隔壁の炎症細胞および結合織細胞による浸潤をみる比較的まれな型の肺炎. 通常は特発性であるが, ある症例は薬剤あるいは全身性結合織疾患に合併することが報告されている. 終末期肺疾患にまで進展することはまれである）.

desquamative interstitial p. (**DIP**) 剝離性間質性肺炎（肺胞上皮細胞がびまん性に増殖し, 肺胞腔内に剝脱して, 肺胞腔内にはマクロファージが充満する. 間質性の細胞浸潤や線維性増殖を伴う. 呼吸困難と乾性咳嗽が徐々に出現する）.

p. dissecans 離断性肺炎. ＝p. interlobularis purulenta.

double p. 両側肺炎（両肺を侵す大葉性肺炎）.

embolic p. 塞栓性肺炎（1本以上の肺動脈の塞栓による梗塞）.

eosinophilic p. 好酸球性肺炎. ＝Löffler *syndrome* I.

fibrous p. 線維性肺炎（間質あるいは肺胞嚢内の膠原沈着へと進む肺組織を侵す過程）.

Friedländer p. (frēd′len-dĕr). フリートレンダー肺炎（肺炎杆菌 *Klebsiella pneumoniae*(すなわち Friedländer 杆菌)の感染による重症の大葉性肺炎の一種）. ＝Friedländer bacillus p.

Friedländer bacillus p. (frēd′len-dĕr). フリートレンダー杆菌性肺炎. ＝Friedländer p.

gangrenous p. 壊疽性肺炎（肺の壊疽）.
giant cell p. 巨細胞性肺炎（まれにみられる麻疹の合併症で，死後に肺胞を取り巻いている多核巨細胞がみつかる）. ＝Hecht p.; interstitial p.
Hecht p. (hekt). ヘヒト肺炎. ＝giant cell p.
hospital-acquired p. 院内感染性肺炎（病院内あるいはリハビリ施設のような環境にいる患者の肺炎）. ＝nosocomial p.
hypostatic p. 就下性肺炎，沈下性肺炎（換気の減弱やそれによる気管支分泌物排出不全が原因で，体位で下になる領域に発生した感染による肺炎．主に老年者や疾病により衰弱している人など同じ体位で長期間横臥している人に起こる）.
influenzal p. インフルエンザ肺炎（インフルエンザに合併する肺炎）.
influenza virus p. インフルエンザウイルス性肺炎（インフルエンザ型ウイルスによる重症でしばしば致命的な肺炎．流行 epidemics や大流行 pandemic を起こす）.
p. interlobularis purulenta 化膿性小葉間性肺炎（肺小葉が化膿性滲出液の貯留により分離される肺炎）. ＝p. dissecans.
interstitial p. 間質性肺炎. ＝giant cell p.
interstitial plasma cell p. 間質形質細胞性肺炎. ＝*Pneumocystis jiroveci* p.
intrauterine p. 子宮内肺炎（子宮内で生じ，出生後まもない新生児に症状が現れる胎児性肺炎）.
lipid p., lipoid p. 脂肪肺炎（種々の油性または脂性物質，特に液体ワセリンの吸入によって肺の炎症と線維化が生じる肺の状態．または骨折の状態．または，閉塞性肺炎から生じるコレステロール，あるいは骨折の結果生じる．内因性脂肪物質の肺の中への蓄積から生じる．通常，脂肪を含む食細胞が存在する）. ＝oil p.
lobar p. 大葉性肺炎，クループ性肺炎（1つの肺葉の(2つ以上の肺葉)または肺葉の一部が侵される肺炎で，硬化がほぼ均質に起こる．しばしば肺炎連鎖球菌 *Streptococcus pneumoniae* の感染が原因で起こり，喀痰は少なく，変化した血液のため通常はさび色がかっている）.

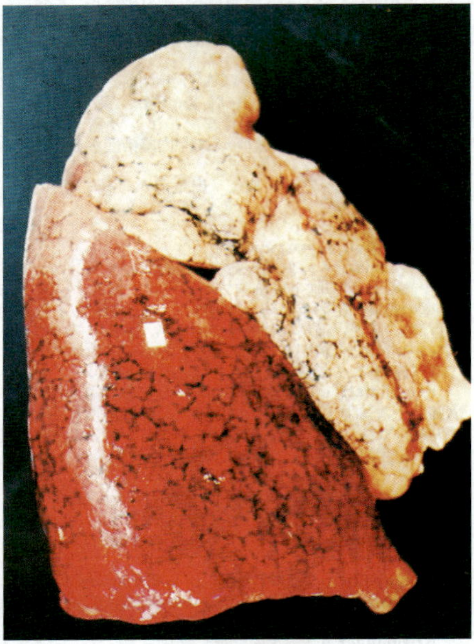

lobar pneumonia

左下葉全体は硬化し赤色肝変の段階である．上葉は正常に拡張している．

lymphocytic interstitial p. (**LIP**) リンパ球性間質性肺炎. ＝lymphocytic interstitial *pneumonitis*.
lymphoid interstitial p. (**LIP**) [MIM*247610]. リンパ〔球〕性間質性肺炎. ＝lymphocytic interstitial *pneumonitis*.
p. malleosa (ma-lē′ō-să). 鼻疽性肺炎（鼻疽に合併する肺炎）.
metastatic p. 転移性肺炎（伝染性塞栓による肺の化膿性炎症）.
migratory p. 遊走性肺炎（肺の連続した部分が侵されていく肺炎．気管支肺アスペルギルス症において起こることがある）. ＝wandering p.
nosocomial p. 院内肺炎. ＝hospital-acquired p.
obstructive p. 閉塞性肺炎（気道の閉塞による肺感染症で，狭窄は先行する疾患過程，持続性気管支収縮，濃い分泌物，あるいは異物吸引に基づく）.
oil p. 油性肺炎. ＝lipid p.
Pittsburgh p. ピッツバーグ肺炎（*Legionella micdadei* による在郷軍人病の一種）.
plague p. ペスト肺炎. ＝pneumonic *plague*.
pleuritic p. 胸膜炎性肺炎（胸膜の炎症を合併する肺炎）. ＝pneumonopleuritis.
***Pneumocystis jiroveci* p.** (**PCP**) ニューモシスティスジロベチー肺炎（ニューモシスティスイエロヴェシー感染による肺炎で，エイズ患者，副腎ステロイド治療者，高齢者，出生3か月以内の未熟児，虚弱児など免疫不全患者にしばしばみられる．エイズ患者では組織障害は肺実質に限られるが，乳児の病型では肺胞は内部に個々であるいは集合した原虫を含み，明らかにフィブリンと異なり，また銀染色されない好酸性の蜂巣様あるいは泡沫状網様物質で充満される．肺胞壁全体や喀痰にはびまん性に炎症細胞，主としてプラスマ細胞とマクロファージ，少数のリンパ球が浸潤する．患者は微熱がある(平熱の場合もある)が，衰弱が激しく，呼吸困難やチアノーゼを起こす．エイズ患者の主要な死因である．→*Pneumocystis jiroveci*）. ＝interstitial plasma cell p.; pneumocystosis.
postobstructive p. 閉塞性肺炎（気管支閉塞の末梢に発生する肺炎）.
primary atypical p. 原発性非定型性肺炎，原発性異型肺炎（肺も含めた急性の全身性疾患の1つを表すより古い語．通常，肺炎マイコプラスマ *Mycoplasma pneumoniae* によって引き起こされ，発熱，咳が著明だが，身体所見は比較的乏しく，胸部X線写真では散布性の斑状影を認める．通常，寒冷凝集素の形成と，感染微生物に対する抗体産生を伴う）.
purulent p. 化膿性肺炎（膿を産生する微生物による肺炎で，肺組織の永続的な破壊が起こりうることを意味する．通常，喀痰は膿を含む．ブドウ球菌，溶血性連鎖球菌，Friedländer 杆菌が典型的起炎菌で，これに対して肺炎球菌はまれにしか化膿性肺炎を起こさない）.
rheumatic p. リウマチ肺炎（重症急性リウマチ熱の患者の肺に起こる肺炎．リウマチ熱はよくみられるが，肺炎はまれである．硬化巣を認め，左室不全による肺水腫とともにフィブリン滲出，小出血巣を伴い，肺はゴム状硬である）.
septic p. 敗血症性肺炎. ＝suppurative p.
staphylococcal p. ブドウ球菌性肺炎（通常，黄色ブドウ球菌 *Staphylococcus aureus* が原因で起こる．気管支肺炎として始まり，肺組織の化膿・崩壊へつながることが多い）.
streptococcal p. 連鎖球菌性肺炎（化膿連鎖球菌 *Streptococcus pyogenes* による肺炎）.
suppurative p. 化膿性肺炎（肺組織に膿形成を伴う肺炎で，膿瘍を起こすことがある）. ＝septic p.
terminal p. 末期肺炎（何か他の疾患の経過中の死期近くに起こる肺炎）.
tularemic p. 野兎病菌性肺炎（肺の病変を伴う野兎病）.
typhoid p. 肺腸チフス（腸チフスを合併する肺炎）.
unresolved p. 非融解性肺炎（肺胞の滲出液が持続し，最後に線維症に罹患する肺炎）.
uremic p. 尿毒症性肺炎（①＝uremic *lung*．②尿毒症の患者に起こる末期感染性肺炎）.
usual interstitial p. of Liebow (**UIP**) リーボウ通常型間質性肺炎（びまん性肺胞傷害に始まり時間経過は様々だが線維症と蜂巣肺に至る進行性炎症状態．膠原血管病でよくみられる病態).

wandering p. ＝migratory p.

woolsorter's p. 羊毛選別者の肺炎. ＝pulmonary *anthrax*.

pneu·mon·ic (nū-mon′ik). *1* 肺〔性〕の. ＝pulmonary. *2* 肺炎の.

pneu·mo·ni·tis (nū′mō-nī′tis) [G. *pneumōn*, lung ＋ *-itis*, inflammation]. 肺〔臓〕炎，肺実質炎（肺の炎症. →pneumonia). ＝pulmonitis.

acute interstitial p. 急性間質性肺炎（通常は過敏性肺炎の一型と考えられる).

hypersensitivity p. 過敏性肺〔臓〕炎（慢性進行性の肺炎で，ぜん鳴，呼吸困難，胸部X線写真でびまん性浸潤影がみられる．多種の抗原のどれかへの暴露に引き続いて起こり，多くの病名は暴露の様式でつけられる(例えば，農夫肺，楓皮剥離者肺，鶏羽根むしり人肺，サトウキビ肺症，綿糸肺症，加湿器肺など)．生検所見は通常，リンパ球，形質細胞，その他の炎症細胞が，肺胞壁にまだらに浸潤している．肺機能で拘束性パターンを示す不可逆性の間質性線維化病変に進展しうるが，病初期に病因抗原が特定されて環境から取り除かれると，大部分の症状は可逆性である).

lymphocytic interstitial p. リンパ球性間質性肺炎（肺の間質のリンパ球浸潤とその後の線維化を特徴とするまれな病気．通常はリンパ腫によるがときとしてエイズ，特に小児でみられる．ときに自己免疫疾患でみられる). ＝lymphocytic interstitial pneumonia; lymphoid interstitial pneumonia.

radiation p. 放射線肺炎（治療量の肺への放射線照射に続発する間質性肺炎と線維症).

uremic p. 尿毒症性肺〔臓〕炎. ＝uremic *lung*.

pneumono- →pneumo-.

pneu·mon·o·cele (nū-mon′ō-sēl). 気瘤，肺ヘルニア（胸壁の欠損部を通して肺の一部が突出したもの). ＝pleurocele; pneumatocele (2); pneumocele.

pneu·mo·no·cen·te·sis (nū′mō-nō-sen-tē′sis) [G. *pneumōn*, lung ＋ *kentēsis*, puncture]. 肺穿刺〔術〕（肺の穿刺を表す，まれに用いる語). ＝pneumocentesis.

pneu·mo·no·coc·cal (nū′mō-nō-kok′ăl). *Streptococcus pneumoniae* に関する.

pneu·mo·no·coc·cus (nū′mō-nō-kok′ŭs). 肺炎球菌. ＝*Streptococcus pneumoniae*.

pneu·mo·no·co·ni·o·sis, pneu·mo·no·ko·ni·o·sis (nū′mō-nō-kō-nē-ō′sis, nū-mō′nō-kō′nē-ō′sis). ＝pneumoconiosis.

pneu·mon·o·cyte (nū-mōn′ō-sīt) [G. *pneumōn*, lung ＋ *kytos*, cell]. 肺胞細胞（肺のガス交換部である肺胞に存在する細胞をさす非特異的な用語).

granular p.'s 顆粒様肺胞〔上皮〕細胞. ＝great alveolar *cells*.

phagocytic p. 貪食性肺胞細胞（ヘモジデリン，炭粉，他の外来粒子を取り込んだ肺胞貪食細胞).

type I p. I型肺胞細胞. ＝squamous alveolar *cells*.

type II p. II型肺胞細胞. ＝great alveolar *cells*.

pneu·mo·no·ko·ni·o·sis (nū-mō′nō-kō′nē-ō′sis) →pneumonoconiosis.

pneu·mo·no·mel·a·no·sis (nū-mō′nō-mel-ă-nō′sis). ＝pneumomelanosis.

pneu·mo·nop·a·thy (nū′mō-nop′ă-thē). 肺症（肺の病気).

eosinophilic p. 好酸球性肺症. ＝Löffler *syndrome* I.

pneu·mo·no·pex·y (nū′mō-nō-pek′sē) [G. *pneumōn*, lung ＋ *pēxis*, fixation]. 肺固定〔術〕（肋骨胸膜と肺胸膜を縫合して，あるいは両方の胸膜の癒着を起こさせて行う肺の固定). ＝pneumopexy.

pneu·mo·no·pleu·ri·tis (nū-mō′nō-plū-rī′tis). 肺炎胸膜炎. ＝pleuritic *pneumonia*.

pneu·mo·nor·rha·phy (nū′mō-nōr′ă-fē) [G. *pneumōn*, lung ＋ *rhaphē*, suture]. 肺縫合〔術〕.

pneu·mo·not·o·my (nū′mō-not′ō-mē) [G. *pneumōn*, lung ＋ *tomē*, incision]. 肺切開〔術〕. ＝pneumotomy.

pneu·mo·or·bi·tog·ra·phy (nū′mō-ōr′bi-tog′ră-fē). 気体眼窩造影(撮影)〔法〕（気体，通常は空気を注入して眼窩内容をX線撮影する方法).

pneu·mo·per·i·car·di·um (nū′mō-per′i-kar′dē-ŭm) [G. *pneuma*, air ＋ pericardium]. 気心膜症，心膜気腫（心膜内に気体(通常では空気)が存在すること).

tension p. 緊張性気心嚢（心嚢腔に陽圧の空気が存在する状態で，心タンポナーデを起こしうる).

pneu·mo·per·i·to·ne·um (nū′mō-per′i-tō-nē′ŭm) [G. *pneuma*, air ＋ peritoneum]. 気腹〔症〕，気腹〔術〕（腹腔内に気体が存在すること．疾病の結果生じるものと，腹腔鏡下手術の間腹腔内を露出させるために人工的につくるものがある).

pneu·mo·per·i·to·ni·tis (nū′mō-per′i-tō-nī′tis) [G. *pneuma*, air ＋ peritonitis]. 含気性腹膜炎，気腫性腹膜炎（腹腔に気体のたまる腹膜の炎症).

pneu·mo·pex·y (nū′mō-pek′sē). ＝pneumonopexy.

pneu·mo·pha·gi·a (nū′mō-fā′jē-ă). 呑気症，空気えん(嚥)下〔症〕. ＝aerophagia.

pneu·mo·pleu·ri·tis (nū′mō-plū-rī′tis) [G. *pneuma*, air ＋ pleur- ＋ *-itis*, inflammation]. 気胸膜炎（胸腔に空気あるいは気体がある胸膜炎).

pneu·mo·py·e·log·ra·phy (nū′mō-pī′ĕ-log′ră-fē) [G. *pneuma*, air ＋ *pyelos*, pelvis ＋ *graphō*, to write]. 気体腎盂造影(撮影)〔法〕（腎盂に空気あるいは気体を注入した後の腎臓のX線検査).

pneu·mo·ra·di·og·ra·phy (nū′mō-ra′dē-og′ră-fī). ＝pneumography (2).

pneu·mo·re·sec·tion (nū′mō-rē-sek′shŭn) [G. *pneumōn*, lung ＋ resection]. 肺切除〔術〕.

pneu·mo·ret·ro·per·i·to·ne·um (nū′mō-ret′rō-per′i-tō-nē′ŭm). 後腹腔気腹〔症〕（後腹膜組織の病的な空気の存在).

pneu·mo·roent·gen·og·ra·phy (nū′mō-rent′gĕn-og′ră-fē). 気体X線撮影〔法〕. ＝pneumography (2).

pneu·mor·rha·chis (nū′mō-rā′kis, nū-mōr′ă-kis) [G. *pneuma*, air ＋ *rhachis*, spinal column]. 気脊柱〔症〕（脊柱管に気体が存在すること). ＝pneumatorrhachis.

pneu·mo·scope (nū′mō-skōp). ＝pneumatoscope.

pneu·mo·ser·o·thor·ax (nū′mō-sēr′ō-thōr′aks). 水気胸. ＝hydropneumothorax.

pneu·mo·sil·i·co·sis (nū′mō-sil′i-kō′sis). 珪〔粉〕肺〔症〕. ＝silicosis.

pneu·mo·tach·o·gram (nū′mō-tak′ō-gram) [G. *pneuma*, air ＋ *tachys*, swift ＋ *gramma*, something written]. 呼吸流量図（呼吸気流量を時間の関数として記録すること．呼吸気流計により作成される).

pneu·mo·tach·o·graph (nū′mō-tak′ō-graf). 呼吸タコメータ，呼吸気流計，呼吸流量計（呼吸気の瞬間的流れを測定する器械). ＝pneumotachometer.

Fleisch p. (flīsh). フライシュ呼吸気流計（平行に並べられた多数の毛細管でできていて，抵抗を通過するときにみられる比例した圧力低下の面から流れを測定する呼吸気流計).

Silverman-Lilly p. (sil′vĕr-măn lil′ē). シルヴァーマン－リリー呼吸気流計（非常に細かい網目スクリーンからできていて，抵抗を通過する際にみられる比例した圧力低下の面から流量を測定する呼吸気流計).

pneu·mo·ta·chom·e·ter (nū′mō-tă-kom′ĕ-tĕr) [G. *pneuma*, air ＋ *tachys*, swift ＋ *metron*, measure]. ＝pneumotachograph.

pneu·mo·ther·mo·mas·sage (nū′mō-ther′mō-mă-sahzh′) [G. *pneuma*, air ＋ *thermē*, heat ＋ Fr. *massage*]. 温気マッサージ（変化する圧力で，身体に熱い空気を当てること).

pneu·mo·thor·ax (nū′mō-thōr′aks) [G. *pneuma*, air ＋ thorax]. *1* 気胸〔症〕（胸腔に空気あるいは気体が存在すること). *2* 気胸〔術〕.

artificial p. 人工気胸（胸膜腔へ空気または窒素のような，より吸収性の遅いガスを注入してつくられる気胸．かつては結核の虚脱療法のために用いられた). ＝therapeutic p.

catamenial p. 月経周期性気胸（月経時に若い女性に起こる気胸で，通常右側に起こる).

extrapleural p. 胸膜外気胸（ガスが胸郭内の筋膜－胸膜層と隣接した胸壁の間にある気胸).

iatrogenic p. 医原性気胸（医療手技によって起こる気胸で，最も多いのは中心静脈カテーテル挿入，胸腔穿刺，経気管支あるいは経胸壁肺生検である).

open p. 開放〔性〕気胸（肺あるいは胸壁のいずれかを通

り，大気と胸腔の間に自由な交通がある気胸）．＝sucking chest wound.

pressure p. 高圧性気胸．＝tension p.

p. simplex 単純気胸（その他の点では健康な人の原因不明な気胸）．

spontaneous p.［MIM*173600］自然気胸（医原性あるいは他の外傷がなくて起こる気胸．一般に肺尖部の嚢胞をもつ若い人に起こるが，正常肺でも起こる原発性自然発生気胸．二次性自然気胸は肺疾患のある人に起こり，最も多いのは慢性閉塞性肺疾患で，次いで間質性肺疾患，肺炎，肺膿瘍，肺腫瘍である）．

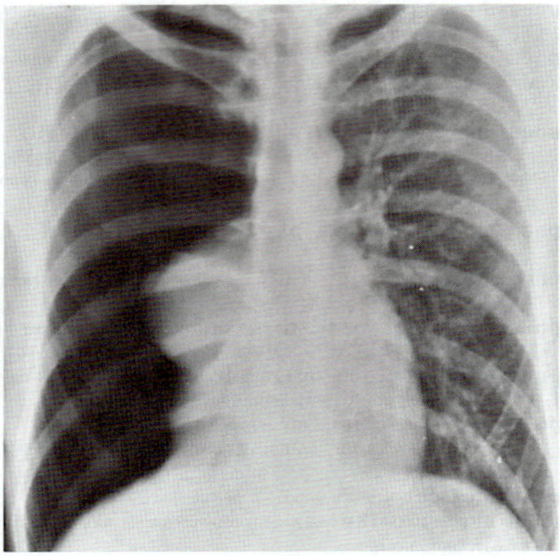

spontaneous pneumothorax

右胸部の透過性が亢進し，気管支肺および肺門塊のマーキングが欠けていることから右肺の完全虚脱がわかる．

tension p. 緊張［性］気胸（空気が胸膜腔にはいり，呼気時に閉じ込められる気胸．胸腔内圧が大気圧より高い圧を形成するので，肺を圧迫し縦隔を偏位させその構造を対側へ移すので，心肺機能障害をもたらす）．＝pressure p.

therapeutic p. 治療的気胸．＝artificial p.

traumatic p. 外傷性気胸（鈍器あるいは貫通性胸部外傷による気胸）．

pneu·mot·o·my (nū-mot′ŏ-mē)．＝pneumonotomy.

pneu·mo·ven·tri·cle (nū′mō-ven′tri-kĕl)．脳室気腫（脳室系に空気が存在すること．副鼻腔を通る頭蓋骨折の合併症として起こる）．

Pneu·mo·vi·rus (nū′mō-vī′rŭs)．肺炎ウイルス属（乳児に重篤な下部呼吸器疾患を起こす呼吸器合胞体性ウイルスを含むウイルスの一属（パラミクソウイルス科）．ヌクレオカプシドは直径 13—15 nm で，したがって他のパラミクソウイルス科とオルソミクソウイルス科との中間の大きさである．細胞質性封入体は，同科の他のウイルス類のものよりかなり密度が高い）．

pneu·sis (nū′sis)［G. *pneō*, to breathe］．呼吸．＝breathing.

pni·go·pho·bi·a (nī′gō-fō′bē-ă)［G. *pnigos*, choking + *phobos*, fear］．窒息恐怖［症］（窒息することに対する病的な恐れ）．

PNMT phenylethanolamine *N*-methyltransferase の略．

PNP psychogenic nocturnal *polydipsia*; platelet neutralization *procedure* の略．

PNPB positive-negative pressure *breathing* の略．

PNS peripheral nervous *system* の略．

PO［L. by mouth (orally)］．per os の略．

Po ポロニウムの元素記号．

pock (pok)［A.S. *poc*, a pustule］．痘疹（痘瘡の際みられる特異な膿疱性皮膚病変）．

pock·et (pok′ĕt)［Fr. *pochette*］．*1*〚n.〛嚢（盲嚢あるいは小袋状の腔）．*2*〚n.〛ポケット，歯嚢（病的歯肉付着部．炎症歯肉と歯の表面の間の空間で，その先端は付着上皮で区切られる）．*3*〚v.〛包み込む，埋没する（卵巣腫瘍などの腹部腫瘍の茎の断端を外部の創縁の間に包み込むように，限られた部位に包むこと）．*4*〚n.〛膿嚢，膿瘤（ほとんど閉じられた嚢に膿が蓄積したもの）．*5*〚v.〛表出する（破裂しそうな膿瘍の薄くなった外壁のように，限局した部位で表面に出てくること）．

gingival p. 歯肉ポケット，歯肉嚢（歯肉壁の大きさが増大するために，歯肉溝の深さが増加する病的歯肉付着）．

infrabony p., intrabony p. 骨縁下ポケット．＝subcrestal p.

periodontal p. 歯周ポケット（歯肉溝が病的に深くなったもの．歯から歯肉が離れるのが原因で起こる）．

Rathke p. (raht′kĕ)．ラトケポケット．＝adenohypophysial *diverticulum.*

retraction p.'s 内陥ポケット，リトラクションポケット（慢性的な中耳腔の除圧のために生じる鼓膜の一部の陥凹．進行すると真珠腫を形成する可能性がある）．

rheumatoid p. ＝susceptibility *cassette.*

Seessel p. (sē′sĕl)．ゼーセルポケット（頭部側へは口板の水準に伸張し，尾側へは腺性垂体憩室に伸張する胚の前腸の部分）．＝preoral gut.

subcrestal p. 隆線下ポケット（隣接歯槽骨頂の位置より根尖方向に広がるポケット）．＝infrabony p.; intrabony p.

Tröltsch p.'s (trōrlch)．トレルチュポケット．＝anterior *recess* of tympanic membrane; posterior *recess* of tympanic membrane.

pock·mark (pok′mark)．痘痕（痘瘡の膿疱治癒後に残る陥凹性小瘢痕）．

poc·u·lum (pok′yū-lŭm)［L.］．カップ，杯．＝cup (1).

p. diogenis (dī-oj′ĕ-nis)．ディオゲネス杯．＝*cup* of palm.

pod-, podo-［G. *pous, podos*］．足あるいは足形を意味する連結形．*cf.* ped-.

po·dag·ra (pō-dag′ră)［G. < *pous*, foot + *agra*, a seizure］．足部痛風（特に母趾の典型的痛風）．

pod·ag·ral, po·dag·ric, po·dag·rous (pod′ă-grăl, pō-dag′rik, pod′ă-grŭs)．足部痛風の．

po·dal·gi·a (pō-dal′jē-ă)［pod- + G. *algos*, pain］．足痛．＝pododynia; tarsalgia.

po·dal·ic (pō-dal′ik)［G. *pous*(*pod-*), foot］．足の．

pod·ar·thri·tis (pod′ar-thrī′tis)［pod- + arthritis］．足関節炎（足根関節あるいは中足関節の炎症）．

pod·e·de·ma (pod-e-dē′mă)．足部浮腫（足とくるぶしの浮腫）．

po·di·a·tric (pō-dī′ă-trik)．足病学の．

po·di·a·trist (pō-dī′ă-trist)［pod- + G. *iatros*, physician］．足痛治療医．＝chiropodist; podologist.

po·di·a·try (pō-dī′ă-trē)［pod- + G. *iatreia*, medical treatment］．足病学（ヒトの足の疾病，障害，欠陥の診断，および内科的・外科的・機械的・物理的・補助的療法に関する専門分野）．＝chiropody; podiatric medicine; podology.

po·dis·mus (pō-diz′mŭs)．＝podospasm.

po·di·tis (pō-dī′tis)［pod- + G. *-itis*, inflammation］．足炎（足の炎症疾患）．

tourniquet p. 止血帯足炎（虚血後の足の急性炎症性浮腫．止血帯の使用により循環が完全に阻害されたのが原因．薬剤の抗炎症効能を評価する手段として，動物で実験的につくられる）．

podo- →pod-.

pod·o·bro·mi·dro·sis (pod′ō-brō′mi-drō′sis)［podo- + G. *brōmos*, a foul smell + *hidrōs*, sweat］．足部臭汗症（悪臭のする足の発汗）．

pod·o·cyte (pod′ō-sīt)［podo- + G. *kytos*, a hollow(cell)］．有足突起（腎小体における糸球体嚢の臓側板にある変性した上皮細胞で，糸球体毛細管基底膜の外部表面に細胞足 pedicels により付着している．血液の限外沪過に役割を演じていると考えられる）．

pod·o·dy·na·mom·e·ter (pod′ō-dī′nă-mom′ĕ-tĕr)［podo- + G. *dynamis*, force + *metron*, measure］．足筋力計（足あるいは脚の筋力を測定する器具）．

pod·o·dyn·i·a (pod′ō-din′ē-ă)［podo- + G. *odynē*, pain］．

＝podalgia.

po·do·fil·ox (pō-dof′il-oks). ポドフィロックス（ヒノキ科植物ビャクシン *Juniperus* およびメギ科植物 *Podophyllum* から単離される細胞分裂阻止作用を有する物質．外性器ゆうぜいや肛門周囲ゆうぜいの治療に用いられる）．＝podophyllotoxin.

pod·o·gram (pod′ō-gram) [podo- ＋ G. *gramma*, written]. 足底像（足底の跡．弓の輪郭と状態または外郭線の描写を示す）．

pod·o·graph (pod′ō-graf) [podo- ＋ G. *graphō*, to write]. 足底描写器（足の外郭および足裏の跡をとる器具）．

pod·o·lite (pod′ō-līt). ＝dahllite.

po·dol·o·gist (pō-dol′ŏ-jist). ＝podiatrist.

po·dol·o·gy (pō-dol′ŏ-jē) [podo- ＋ G. *logos*, study]. ＝podiatry.

pod·o·mech·a·no·ther·a·py (pod′ō-mek′ă-nō-thār′ă-pē). 足機械療法（機械的器具，例えばアーチ支持板，矯正器で足の病的状態を治療する）．

po·dom·e·ter (pō-dom′ĕ-tĕr) [podo- ＋ G. *metron*, measure]. ＝pedometer.

pod·o·phyl·lin (pod′ō-fil′in). ポドフィリン．＝podophyllum *resin*.

pod·o·phyl·lo·tox·in (pod′ō-fil′ō-tok′sin). ポドフィロトキシン（ポドフイルムにみられるしゃ下薬的性質をもつ有毒の多環式物質．抗新生物作用がある）．

pod·o·phyl·lum (pod′ō-fil′ŭm). ポドフイルム（メギ科 *Podophyllum peltatum* の根茎．強力なしゃ下剤として用いられる）．＝May apple; vegetable calomel.

Indian p. インドポドフイルム（ヒマラヤ植物 *P. emodi* の乾燥根茎および乾燥根で，利胆薬，しゃ下薬に用いる）．

pod·o·spasm, pod·o·spas·mus (pod′ō-spazm, -spaz-mŭs) [podo- ＋ G. *spasmos*, spasm]. 足痙攣．＝podismus.

Po·do·vir·i·dae (po′dō-vir′i-dē). ポドウイルス科（短い尾と二重鎖 DNA(分子量 $12—73\times10^6$)のゲノムを有する細菌ウイルスの名称．頭部は等尺性から細長いものまである．T-7 ファージが代表的）．

POEMS (pō′emz). *p*olyneuropathy, *o*rganomegaly, *e*ndocrinopathy, *m*onoclonal gammopathy, and *s*kin changes の頭字語．→POEMS *syndrome*.

po·go·ni·a·sis (pō′gō-nī′ă-sis) [G. *pōgōn*, beard ＋ *-iasis*, condition]. 顎鬚症，婦人有髯症(女性に顎ひげが生えるもの．あるいは男性の顔面に毛が多い状態を表す，まれに用いる語．→hirsutism).

po·go·ni·on (pō-gō′ni-on) [G. *pōgōn*(beard) の指小辞]. ポゴニオン（頭蓋計測法で正中線上にある下顎の最前点，すなわち，おとがいの最前突出点）．＝mental point.

Po·go·no·myr·mex (pō-gō′nō-mir′meks, -mer′meks) [G. *pōgōn*, beard ＋ *myrmex*, ant]. 収穫アリ属（ヒトと小動物を襲うアリの一属）．＝harvester ant.

pOH OH^- 濃度(mol/L)の逆対数．

-poiesis [G. *poiēsis*, a making]. 生産を意味する連結形．

-poi·e·tin [G. *poietēs*, maker ＋ -in]. ポエチン（細胞の増殖に対して促進効果を示す物質の用語に用いる接尾語．例えばエリトロポエチンなど）．

poikilo- [G. *poikilos*, many colored, varied]. 不規則，変化に富む，を意味する連結形．

poi·ki·lo·blast (poy′ki-lō-blast′) [poikilo- ＋ G. *blastos*, germ]. 変形赤芽球（不規則形の有核赤血球）．

poi·ki·lo·cyte (poy′ki-lō-sīt′) [poikilo- ＋ G. *kytos*, cell]. 変形赤血球，奇形赤血球（不規則形の赤血球）．

poi·ki·lo·cy·the·mi·a (poy′ki-lō-sī-thē′mē-ă) [poikilocyte ＋ G. *haima*, blood]. ＝poikilocytosis.

poi·ki·lo·cy·to·sis (poy′ki-lō-sī-tō′sis) [poikilocyte ＋ G. *-osis*, condition]. 変形赤血球症，奇形赤血球[症]（末梢血液中に変形赤血球が存在する）．＝poikilocythemia.

poi·ki·lo·den·to·sis (poy′ki-lō-den-tō′sis) [poikilo- ＋ L. *dens*, tooth ＋ G. *-osis*, condition]. 点状歯（供給される水の中にフッ化物が過剰に含まれることで起こるエナメル質の形成不全あるいは斑点形成）．

poi·ki·lo·der·ma (poy′ki-lō-der′mă) [poikilo- ＋ G. *derma*, skin]. 多形皮膚萎縮症，ポイキロデルマ（皮膚の斑紋状色素沈着と毛細血管拡張で，萎縮が続発する）．

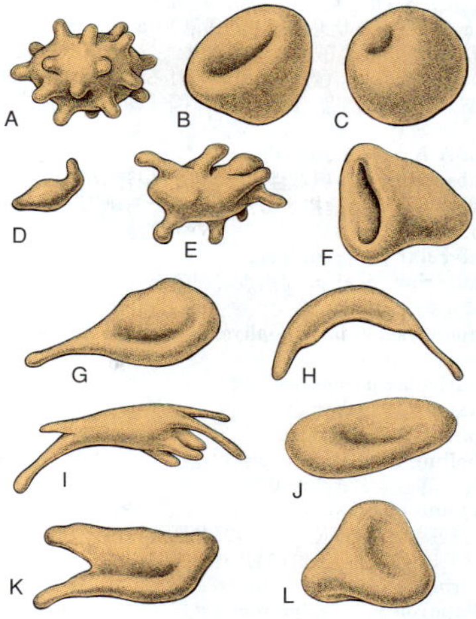

poikilocytes

A：エキノサイト．B：ストマトサイト．C：球状赤血球．D：分裂赤血球．E：有棘赤血球．F：コドサイト(標的細胞)．G：ダクリオサイト(涙滴)．H：鎌状赤血球(鎌状細胞)．I：鎌状赤血球(セイヨウヒイラギの葉)．J：楕円赤血球．K：角膜実質細胞(ヘルメット細胞)．L：クニゾサイト．

p. atrophicans and cataract 多形皮膚萎縮症と白内障．＝Rothmund *syndrome*.

p. atrophicans vasculare 血管性多形皮膚萎縮症（外見が慢性の放射線皮膚炎に似ているまれな状態．菌状息肉腫に移行することがある）．＝parapsoriasis lichenoides.

p. of Civatte (sē-vaht′). シヴァット多形皮膚萎縮症（頬部と頸部の網状色素沈着と毛細血管拡張．中年の女性に一般的にみられる）．

p. congenitale 先天性多形皮膚萎縮症．＝Rothmund *syndrome*.

poi·ki·lo·therm (poy′ki-lō-therm). 変温動物．＝allotherm; cold-blooded animal.

poi·ki·lo·ther·mic, poi·ki·lo·ther·mal, poi·ki·lo·ther·mous (poy′ki-lō-ther′mic, -măl, -mŭs) [poikilo- ＋ G. *thermē*, heat]. ＝cold-blooded; hematocryal. ***1*** 変温の（周囲環境の温度により体温が変化することについていう．は虫類，両生類などの冷血動物や植物をいう）．***2*** 温度の変化する環境の中で生存，成長できるものについていう．*cf.* heterothermic; homeothermic. ***3*** 視床下部の正常な体温制御機能を抑制することについていう．フェアノチアジンなどの薬物でみられる．

poi·ki·lo·ther·my, poi·ki·lo·ther·mism (poy′ki-lō-ther′mē, -thĕrm′izm) [poikilo- ＋ G. *thermē*, heat]. 変温性（周囲の環境の温度変化に伴い，植物や冷血動物の温度が変化する状態）．

poi·ki·lo·throm·bo·cyte (poy′ki-lō-throm′bō-sīt) [poikilo- ＋ G. *thrombos*, clot ＋ *kytos*, cell]. 変形血小板（異常形態の血小板）．

poi·ki·lo·thy·mi·a (poy′ki-lō-thī′mē-ă) [poikilo- ＋ G. *thymos*, mind]. 変気症（気分が異常に変わるのが目立つ精神状態を表すまれに用いる語）．

POINT

point (poynt) [Fr.; L. *punctum* ＜ *pungo*, pp. *punctus*, to pierce]. ***1***〖n.〗点，小さな領域．＝punctum. ***2***〖n.〗鋭い先端，尖．***3***〖n.〗軽度の隆起．***4***〖n.〗点，段階，程度（沸点のように，ある状態に至った段階）．***5***〖v.〗開きそうになる（壁が薄くなり，破裂しそうになった腫瘍や癤についていう）．***6***〖n.〗点（数学で用いられる大きさのない幾何的な要素）．***7***〖n.〗点（図，図表，図式の上の場所，位置）．***8***〖n.〗小数点．

p. A A点．＝subspinale.

absorbent p.'s 吸収性ポイント（根管治療において，薬物を乾燥あるいは維持するために用いる紙製のものまたは錐体）．

alveolar p. ＝prosthion.

anterior focal p. 前焦点（網膜から平行に発した光線が焦点を結ぶ点）．

apophysary p., apophysial p. ***1*** ＝subnasal p. ***2*** ＝Trousseau p.

auricular p. ＝auriculare.

axial p. ＝nodal p.

p. B B点．＝supramentale.

boiling p. (**BP, b.p.**) 沸点（液体の飽和蒸気圧が周囲の大気圧に等しいときの温度）．

Cannon p. (kan′ŏn). キャノン点（横行結腸の中 1/3，中腸と後腸の接合部位で上下の腸間膜神経叢の重なり合った部分．しばしば注腸造影において狭部としてみられる）．＝Cannon ring.

Capuron p.'s (ka′pŭ-ron). カピュロン点（左右の腸恥骨隆起と仙腸関節の4点で，骨盤入口を構成する）．

cardinal p.'s ***1*** 枢要点（骨盤入口にある4点．胎児の頭部が先進する場合，普通これらのうちの1点に後頭が向く．例えば寛骨臼に相当する仙腸関節2個と腸恥骨隆起2個）．***2*** 主要点（眼の6点．すなわち前焦点，後焦点，主点2個と結節点2個）．

central-bearing p. 中枢維持点（中枢維持装置の接触点）．

Clado p. (klah-dō′). クラド点（腹直筋の外側境界での，棘間線と右半月線の境界にある点．虫垂炎の場合，触診の圧力に特に敏感）．

clinical end p. クリニカルエンドポイント（診断または療法のインパクトを測る伝統的な医学的測定法．インパクトが患者に認知されるか否かは問わない）．

cold-rigor p. 冷硬直点（細胞活動が停止し，麻痺あるいは冬眠状態にある低温度）．

congruent p.'s 対応点（外的刺激に関する両眼の網膜にある点をいう）．

conjugate p. 共役点（一点の物体が他の点に結像される点に関連した点）．

contact p. 接触点．＝contact *area.*

p.'s of convergence ⇀convergence.

craniometric p.'s 頭蓋計測点（頭蓋計測のとき，指標に用いられる頭蓋上の基準点）．

critical p. 臨界点（2相が同一になる点．一定の臨界温度と臨界圧では，特定物質の液体・気体状態はもはや見分けられない）．

dew p. 露点（水蒸気が水滴になる温度）．

p. of elbow 肘頭．＝olecranon.

end p. 終点（反応の完結）．

equivalence p. 等価値．＝equivalence *zone.*

far p. 遠点（眼が調節していない状態で網膜に焦点を結ぶ点）．＝punctum remotum.

p. of fixation 注視点，凝視点（網膜上の点．直接見つめる対象物からくる光線が集束する）．＝p. of regard.

flash p. 引火点（液体の蒸気が炎で発火する最低温度）．

focal p. 焦点（⇀anterior focal p.; posterior focal p.）．

freezing p. 氷点，凝固点（液体が固体化する温度）．

fusing p. 金属融点（⇀fusion *temperature* (wire method)）．

Guéneau de Mussy p. (gā-nō′ dĕ mū-sē′). ゲノー・ド・ミュシー点（圧痛点．胸骨左縁の延長上線と第十肋骨骨部端での水平線上の交点．横隔胸膜炎の場合に存在する）．

gutta-percha p.'s ガッタパーチャポイント（セメント，ペースト，あるいはプラスチックとともに，根管充填に用いるガッタパーチャ合成物の円錐体）．

Hallé p. (ah-lā′). アレー点（腸骨前上棘を結ぶ水平線と恥骨棘からの垂直線とが交差する点．この点で尿管が最も容易に触診できる）．

heat-rigor p. 熱硬直点（原形質の凝固が起こり，細胞が死ぬ温度上昇点）．

incident p. 入射光点（光学系に光線がはいる点）．

incisal p. 切歯点（下顎中切歯の切縁間にある点，ある平面での切歯点の運動のグラフ投影は，下顎運動の動きを示すのに用いる）．

isoelectric p. (**p*I*, IEP, IP.**) 等電点（蛋白またはアミノ酸などの両性物質が電気的に中性であるときの pH 値）．

isoionic p. 等イオン点（両性イオンが陰陽電荷を同数もつときの pH 値．水中や他の溶質がない場合，等イオン点は等電点である）．

isosbestic p. 等吸収点，等濃度点（応用分光学において，互いに他のものに変わりうる2つの物質の吸光度が等しくなる波長）．

J p. J点（心電図で QRS 群の終端と S 波または T 波の開始を示す点）．＝ST junction.

jugal p. ＝jugale.

lower alveolar p. 下顎歯槽点．＝infradentale.

malar p. ジギオン（頬骨表面の最突出点）．

p. of maximal impulse (**PMI**) 最大拍動点（最大心拍動がみられる，または触診される胸壁上の点）．＝p. of maximum intensity.

p. of maximum intensity (**PMI**) 最大律動点．＝p. of maximal impulse.

maximum occipital p. オピストクラニオン（眉間から最遠の後頭鱗にある点）．

Mayo-Robson p. (mā′ō rob′sŏn). メーオー(メーヨー)-ロブソン点（臍の真上右の点．膵臓疾患の場合，圧痛がある）．

McBurney p. (măk-bŭr′nē). マックバーニー点（臍棘線上で上前腸骨棘より，4－5 cm の間にある点．急性虫垂炎の場合，圧迫すると圧痛を生じる）．

median mandibular p. 正中下顎点（正中矢状平面にある下顎骨上縁の前後的中心点）．

melting p. (**m.p.,** $\boldsymbol{T}_{\mathrm{m}}$) 融点（①固体が液体になる温度．②高分子の 50 % が変性する温度）．

mental p. ＝pogonion.

metopic p. ＝metopion.

motor p. 運動点（皮下の筋肉の終板の上方の皮膚の点．電極を用いて電気刺激を与えると筋肉の収縮が起こる）．

Munro p. (mŭn-rō′). マンロー点（直腸筋右縁，臍と腸骨の前上棘の間にある点．虫垂炎のとき，圧迫すると圧痛を生じる）．

nasal p. ＝nasion.

near p. 近点（最大に調節した状態で網膜に焦点を結ぶ点）．＝punctum proximum.

neutral p. 中性点（溶液が酸性でもアルカリ性でもない点（水は 22°C で pH7））．

nodal p. 節点（複合視覚系にある2点のうちの1つ．最初の点の方向に向けられた光線は，元の方向と平行に第2番目の点を通過したかのようにみえる）．＝axial p.

occipital p. 後頭隆起点（イニオン上方の後頭骨にある最も顕著な後点）．

p. of ossification 骨化の中心，骨化点．＝ossification *center.*

painful p. 疼痛点（⇀Valleix p.'s）．

posterior focal p. 後焦点（目にはいる平行な光線が焦点を結ぶ複合視覚系の点）．

power p. 力点（歯科において，最大そしゃく力が記される咬合高径）．

preauricular p. プレアウリクラーレ（頬骨弓後根の点．耳珠の上端直前にある）．

pressure p. 圧覚点（圧覚がある皮膚上の部位）．

primary p. of ossification 第一次骨化の中心．＝primary ossification *center.*

principal p. 主点（一点の対象が他の点に拡大も縮小も逆転も生じずに正確に結像する眼軸上の2点のうちの1つ）．

p. of proximal contact ＝contact *area.*

p. of regard 注視点．＝p. of fixation.

retention p. 維持点（直接金充填を行う場合，最初の金箔片を固定するために歯の窩洞の中につくられた装置).

secondary p. of ossification 第二次骨化の中心. =secondary ossification *center*.

silver p. シルバーポイント (セメントあるいはペーストとともに根管充塡するのに用いる銀製の硬い円錐体).

spinal p. =subnasal p.

subnasal p. スブナザーレ (前鼻棘根の中心). =apophysary p. (1); apophysial p.; spinal p.

Sudeck critical p. (sū′dek). ズーデック危険点 (結腸にある区域. S状動脈供給と上直腸動脈供給の間にある).

supraauricular p. スプラアウリクラーレ (耳孔点真上の側頭骨頬骨突起の後根上にある頭蓋計測点).

supranasal p. =ophryon.

supraorbital p. =ophryon.

sylvian p. シルヴィウス点 (外側裂へ最近点である頭蓋上の点. 前頭骨頬骨突起の背後約 30 mm にある).

tender p.'s 圧痛点. =Valleix p.'s.

trigger p. 引き金点, 発痛点 (触れたり圧力を加えると痛みを生じる身体の特有な点または部位). =dolorogenic zone; trigger area; trigger zone.

triple p. 三重点 (三相(すなわち固体, 液体, 気相)のすべてが平衡である濃度. 水の三重点(273.16K)は温度尺度での基準固定点である).

Trousseau p. (trū′sō). トルソー点 (神経痛における脊椎の棘突起にある疼痛点. その下から原因の神経が出る). =apophysary p. (2); apophysial p.

Valleix p.'s (vahl-ē′). ヴァレー点 (神経経路にある各種の点. 神経痛のとき圧力が加わると痛む. 存在する場所は, ⓘ神経が骨管から現れる点, ⓘⓘ神経が筋肉あるいは腱膜を突き抜け皮膚に至る点, ⓘⓘⓘ表在神経が加圧が容易な抵抗面にある点, ⓘⓥ神経が1本以上枝を出す点, ⓥ神経が皮膚で終わる点). =tender p.'s.

Weber p. (vā′bĕr). ヴェーバー点 (仙骨岬角の下方 1 cm にある点. 身体の重力の中心を表すと Wilhelm E. Weber が考えた).

zygomaxillary p. 頬骨と上顎骨に関係した点. =zygomaxillare.

---

poin·til·lage (pwan-tē-yazh′) [Fr. dotting, stippling]. 指圧法, 指あんま (指先を用いるマッサージ法).

point·ing (poynt′ing). 自然に開口しつつある (自然に開口する準備をする. 膿瘍や癤についていう).

point source (poynt sōrs). 点状源 (測光法では, 幾何学でいう点とみなしうるほど小さい光源のことで, 光はそこからすべての方向へ直線的に放射する).

Poi·ri·er (pwah-rē-ā′), Paul J. フランス人外科医, 1853—1907. ⇀P. *gland, line*.

poise (P) (poyz, pwahz) [J. *Poiseuille*]. ポアズ (粘性率の CGS 単位. 1 dyn・sec/cm² および 0.1 Pa・sec に相当する).

Poi·seuille (pwah-swē′), Jean Léonard Marie. フランス人生理・物理学者, 1799—1869. ⇀poise; P. viscosity *coefficient, law, space*.

poi·son (poy′zŏn) [Fr. < L. *potio*, potion, draught]. 毒, 毒物, 毒薬 (①内用または外用に用いて健康に有害なあるいは生命に危険な物質. ②化学反応を阻害する, または触媒を不活性化する物質).

acrid p. 辛らつ毒, 刺激性毒物 (破壊的局部刺激および全身的作用を起こす毒).

arrow p. 矢毒 (①=curare. ②矢, 槍, 吹き矢等に塗付して用いられる各種の自然毒. 例えば, アコニチン, ウワバイン, 強心配糖体, バトラコトキシン, クラーレを含む抽出物).

fish p. *1* 魚毒. =ichthyotoxicon. *2* =fugutoxin.

fugu p. [Jap. *fugu*, a poisonous fish]. フグ毒. =fugutoxin.

respiratory p. 呼吸毒. =respiratory *inhibitor*.

poi·son·ing (poy′zŏn-ing). *1* 毒の投与. *2* 中毒, 被毒. =intoxication (1).

ackee p. ムロクジ中毒, アッキー中毒 (中枢神経系症状と顕著な低血糖を伴う急性でしばしば致命的な嘔吐病. ジャマイカで通常みられる高木ムロクジ *Blighia spaida* の未熟なアッキー果実による食中毒). =Jamaican vomiting sickness.

bacterial food p. 細菌性食中毒 (通常, 細菌増殖自体あるいは可溶性細菌性外毒素が起こす腸炎や胃腸炎(腸熱すなわち腸チフスと赤痢を除く)に限定される症状について用いる語).

blood p. 血液中毒 (⇀septicemia; pyemia).

carbon disulfide (CS_2) p. 二硫化炭素中毒 (二硫化炭素 CS_2 による急性あるいは慢性中毒. ゴム労働者とビスコース加工による人絹(レーヨン)の製造者にみられる労働障害. 不眠症, 不安, 興奮を特徴とし, 麻痺, 視力障害, 消化性潰瘍, 精神病が続いて発症する).

carbon monoxide p. 一酸化炭素中毒 (一酸化炭素ガスの吸入により起こる致命的になりうる急性あるいは慢性中毒. 一酸化炭素は酸素よりも 210 倍の親和性でヘモグロビンと結合する(一酸化炭素ヘモグロビン血症)ので, 酸素と二酸化炭素の血液による運搬が阻害される).

crotalaria p. タヌキマメ中毒 (キオン属 *Senecio*, タヌキマメ属 *Crotalaria*, *Heliotropium*属のアルカロイドによるヒトや動物の中毒. Chiari 病に似た肝臓の静脈閉塞性疾病を起こす). =crotalism.

cyanide p. シアン化物中毒 (草食動物では珍しくない疾病. グルコシドを含むシアン植物を食べて起こる. グルコシドは加水分解されシアン化水素酸を生じる. 殺菌薬あるいは殺虫薬などの農業用化学剤も原因となりうる. シアン化水素およびその塩は吸入しても摂取しても, ヒトには非常に有毒である).

***Datura* p.** マンダラ中毒 (チョウセンアサガオ属 *Datura* の植物を摂取して起こる中毒. 症状は本質的に副交感神経遮断性であるが, 重症の中毒では中枢神経系抑制, 循環不全, 呼吸抑制もみられる).

djenkol p. ジェンコル中毒 (*Pitecolobium lobatum* という豆の過食により起こると考えられている中毒. 症状は腎部の疼痛, 排尿困難, 後には無尿となる. ジェンコル豆はビタミンB含有量が高く, それゆえ中毒性があるにもかかわらずインドネシアでは食物として用いられている).

ergot p. 麦角中毒 (種々の麦角アルカロイドを産生する麦角菌 *Claviceps purpurea* (ライ黒穂菌)によって汚染されたパン(特にライ麦)を食べることによって生じる症候群. 症状は, 壊死に至る末梢血管収縮, 灼熱痛を伴う部分麻痺, 四肢の鈍麻と激痛, ないし脈拍微弱, 不安, 昏迷またはせん妄である. 致命的なこともある).

food p. 食中毒 (摂取食物中にある活性物質による中毒).

lead p. 鉛中毒 (鉛あるいは鉛の塩による急性あるいは慢性の中毒. 急性鉛中毒 **acute lead p.** の症状は通常, 成人の胃腸炎や小児の脳症の症状と同じ. 慢性鉛中毒 **chronic lead p.** は貧血, 便秘症, 仙痛性腹痛, 前腕伸筋を侵し下垂手を伴う麻痺を呈する末梢神経障害, 歯肉の青みがかった鉛線, 間質性腎炎を主に呈する. 鉛痛風, 痙攣, 昏睡がみられることもある). =plumbism; saturnism.

mercury p. 水銀中毒 (通常, 水銀あるいは水銀化合物を摂取または吸入して起こる疾病. これらの化合物は水銀イオンをつくる能力に関連して毒性がある. 急性水銀中毒 **acute mercury p.** は通常, 口(歯がゆるくなるのを含む)と胃と腸の潰瘍形成, 加えて尿細管の毒性変化を起こし, 無尿と貧血が起こることがある. また, 吸入すると, 呼吸困難と肺炎が起こる. 慢性水銀中毒 **chronic mercury p.** は通常, 産業公害の結果起こり, 口内炎, 下痢, 頭痛, 運動失調, 振せん, 反射亢進, 感覚神経障害, 情緒不安定, ときにせん妄を伴う胃腸障害や中枢神経系障害を発現する(Mad Hatter 症候群)). =hydrargyria; hydrargyrism; mercurialism.

mushroom p. キノコ中毒 (⇀mycetism).

oxygen p. 酸素中毒. =oxygen *toxicity*.

paralytic shellfish p. 麻痺性貝中毒, 麻痺性甲殻類中毒 (サキシトキシン(⇀saxitoxin)摂取による種々の神経症候で, 口, 顔面, 他の部位の感覚異常, 吐き気・嘔吐・下痢などの胃腸症候, 脱力, 麻痺などがみられる. 死亡はまれである). =saxitoxin p.

radiation p. 放射線障害. =radiation *sickness*.

salmonella food p. サルモネラ食中毒 (*Salmonella*属の各種菌株による胃腸炎. 胃腸管内で自由に増殖するが敗血症は起こさない. 症状は通常 8—24 時間以内に出現し, 発熱, 頭痛, 吐き気, 嘔吐, 下痢, 腹痛を呈する).

saxitoxin p. サキシトキシン中毒．＝paralytic shellfish p.
scombroid p. サバ中毒（不適当な保存処理の結果，細菌の作用で耐熱性毒素が産生された，サバ目(例えば，マグロ，カツオ，サバ)の魚肉を摂取することによって起こる中毒．心窩部痛，吐き気，嘔吐，頭痛，口渇，えん下困難，じんま疹を特徴とする)．
silver p. 銀中毒．＝argyria.
***Staphylococcus* food p.** ブドウ球菌食中毒（通常，ブドウ球菌腸毒素が原因となって発生する食中毒．前もって産生された外毒素で汚染された食物を摂取した後数時間以内に，胃腸炎の症状が突然現れるのが特徴である．通常，細菌性食中毒の感染型より嘔吐は激しく下痢は軽い)．
systemic p. 全身中毒〔症〕．＝toxicosis.
tetraethyllead p. 四エチル鉛中毒（→tetraethyllead)．
thallium p. タリウム中毒（吐き気，下痢，足痛，感覚運動の多発性神経障害が特徴である．中毒の約3週間後に，一時的に広範囲に脱毛する．通常，誤って殺鼠薬を摂取した後にみられる)．
turpentine p. テレビン油中毒（テレビン油の中毒．血尿，蛋白尿，昏睡症状がみられる．尿にスミレ臭のすることがある)．＝terebinthinism.

poi·son i·vy, poi·son oak, poi·son su·mac (poy′zŏn ī′vē). ***1*** →*Toxicodendron*. ***2*** *Toxicodendron* 種と接触することにより起こる皮膚の発疹(ウルシ皮膚炎)を表す一般名．

poi·son·ous (poy′zŏn-ŭs). 有毒性の（毒をもつ，あるいは毒を含むことについていう)．＝toxic (1); toxicant (1); toxiferous; venenous.

Poisson (pwah-son[h]′), Siméon Denis. フランス人数学者，1781—1840. →P. *distribution*; P.-Pearson *formula*.

po·lar (pō′lăr) [Mod. L. *polaris* < *polus*, pole]. ***1*** 極の． ***2*** 極をもつ（極をもち，1個以上の突起を有する神経細胞についていう)．

po·lar·im·e·ter (pō′lăr-im′ĕ-tĕr) [Mod. L. *polaris*, polar + G. *metron*, measure]. 偏光計（偏光の回転角または偏光量を測定する器械)．

po·lar·im·e·try (pō′lăr-im′ĕ-trē). 旋光分析〔法〕，偏光分析〔法〕，偏光計法（偏光計による測定)．

po·lar·i·scope (pō-lar′i-skōp) [Mod. L. *polaris*, polar + G. *skopeō*, to examine]. 偏光器（光の偏光現象を研究する器械)．

po·lar·i·scop·ic (pō′lar-i-skop′ik). 偏光器の，偏光学の．

po·lar·is·co·py (pō-lar′is′kŏ-pē). 偏光学，偏光観察法（偏光の性質の研究に偏光器を用いること)．

po·lar·i·ty (pō-lar′i-tē) [Mod. L. *polaris*, polar]. 極性（①磁石のように正反対の2極を有する性質．②反対の性質または特徴を有すること．③陽性と陰性の方向．④ポリヌクレオチド鎖または生体高分子や巨大分子構造(例えば，微小管)に沿った方向．⑤溶媒のイオン化能．⑥ある生物が軸に沿って差動的に発達する傾向)．

po·lar·i·za·tion (pō′lăr-i-zā′shŭn). ***1*** 分極（電気で，電極が水素の泡の厚い層でおおわれること．その結果，電流が弱まるかまたは停止する)． ***2*** 偏光（ある種の媒質を通過する光線が受ける変化．普通の光線では横振動がすべての面で起こるが，偏光では横振動は一平面だけに起こる)． ***3*** 分極（例えば細胞壁の内側と外側というような，生物組織の2点間に電位差が生じること)．

po·lar·ize (pō′lăr-īz). 偏光させる，分極させる．

po·la·riz·er (pō′-lă-rīz′er). 偏光子（偏光器を構成している第1の要素で，光を偏光させる．第2の構成要素である検光子と区別される)．

po·lar·og·ra·phy (pō′lăr-og′ră-fē) [Mod. L. *polaris*, polar + G. *graphō*, to write]. ポーラログラフィ（電圧の変化に伴い溶液中を流れる電流の変化を扱う電気化学の分野．電流は還元可能物質のイオン濃度とともに変化するので，化学分析に使える．滴下水銀電極における還元の形で一般に用いる)．

pole (pōl) [L. *polus*, the end of an axis, pole < G. *polos*] [TA]. 極（①器官あるいは身体の軸の両端にある2つの点．②大円(赤道)から最遠である球面上の2点の一方．③磁石あるいは電池において，引力と斥力のように，反対の性質が最も大きい2点の一方．negative p. は陰極，positive p. は陽極である．④紡錘形のものの両端．⑤細胞，器官，あるいは機能的単位構造の中軸に沿ってみたとき両端の対照的に分化している部分)．＝polus [TA].
abapical p. 植物極（卵細胞で動物極の反対の極)．
abembryonic p. 胚子の反対側の極（胚結節がある胚子極の反対側の極)．
animal p. 動物極（端黄卵で卵黄の反対側の点．原形質の大部分が集中し核がある．成熟の間に極体が押し出されるのはこの部分からである)．＝germinal p.
anterior p. of eyeball [TA]. 〔眼球〕前極（眼の角膜弯曲の中心)．＝polus anterior bulbi oculi [TA].
anterior p. of lens [TA]. 〔水晶体〕前極（眼水晶体の前表面上の中心点)．＝polus anterior lentis [TA].
cephalic p. 頭極（胎芽または胎児の頭の端)．
embryonic p. 胚子極（胚結節と胚盤胞の栄養膜の間の隣接領域)．
frontal p. [TA]. 〔大脳〕前頭極．＝frontal p. [TA] of cerebrum.
frontal p. [TA] **of cerebrum** 大脳の前頭極（各大脳半球の最前部の丸く膨隆した部分)．＝frontal p. [TA]; polus frontalis [TA].
germinal p. 胚芽極．＝animal p.
inferior p. [TA]. 下極（垂直になっている長軸をもつ構造で，長軸の最下方の足底に最も近い点．ある構造表面の最下方の点．→inferior p. of kidney; lower p. of testis)．＝extremitas inferior [TA]; lower p.; inferior extremity (1)*; polus inferior*.
inferior p. of kidney [TA]. 腎〔臓〕下極（腎臓の下端)．＝extremitas inferior renis [TA]; inferior extremity of kidney*; polus inferior renis*.
inferior p. of testis* 精巣下極（lower p. of testis の公式の別名)．
lateral p. ＝tubal *extremity* of ovary.
lower p. ＝inferior p.
lower p. of testis [TA]. 精巣下極（精巣の下端)．＝extremitas inferior testis [TA]; inferior p. of testis*; polus inferior testis*.
medial p. of ovary 卵巣の内側極．＝uterine *extremity* of ovary.
occipital p. [TA]. 〔大脳〕後頭極．＝occipital p. [TA] of cerebrum.
occipital p. [TA] **of cerebrum** 大脳の後頭極（各大脳半球の最後岬角．後頭葉の先端)．＝occipital p. [TA]; polus occipitalis [TA].
pelvic p. 骨盤極（胎児の殿端)．
posterior p. of eyeball [TA]. 〔眼球〕後極（眼の後弯曲中心)．＝polus posterior bulbi oculi [TA].
posterior p. of lens [TA]. 〔水晶体〕後極（水晶体後表面の中心点)．＝polus posterior lentis [TA].
superior p. [TA]. 上極（長軸をもつ構造が垂直におかれているときの上端，足底の正反対の点，構造面の最高点，など．→superior p. of kidney; upper p. of testis)．＝extremitas superior [TA]; upper p.; polus superior*; superior extremity (1)*.
superior p. of kidney [TA]. 腎〔臓〕上極（腎臓の上端)．＝extremitas superior renis [TA]; polus superior renis*; superior extremity of kidney*.
superior p. of testis* 精巣上極（upper p. of testis の公式の別名)．
temporal p. [TA]. 〔大脳〕側頭葉極．＝temporal p. [TA] of cerebrum.
temporal p. [TA] **of cerebrum** 大脳の側頭葉極（各大脳半球の側頭葉前端で最も隆起している部分．外側溝のやや下方)．＝polus temporalis [TA]; temporal p [TA].
upper p. ＝superior p.
upper p. of testis [TA]. 精巣上極（精巣の上端)．＝extremitas superior testis [TA]; polus superior testis*; superior p. of testis*.
vegetal p., vegetative p. 植物極（卵黄の大部分が集まっている端黄卵の部分)．
vitelline p. 卵黄極（卵細胞の植物極)．

po·lice·man (pō-lēs′măn). ポリスマン（ガラス容器から固体粒を取り除くための器具．通常，先端にゴムの付いた棒)．

po·li·o (pō′lē-ō). poliomyelitis の略.

polio- [G. *polios*]. 灰色または灰白質を意味する連結形.

po·li·o·clas·tic (pō′lē-ō-klas′tik) [polio- + G. *klastos*, broken]. 灰白質破壊性の（神経系灰白質を破壊することについていう）.

po·li·o·dys·tro·phi·a (pō′lē-ō-dis-trō′fē-ă). ポリオジストロフィ，灰白異栄養〔症〕. = poliodystrophy.

p. cerebri progressiva infantilis [MIM*203700]. 乳児進行性脳灰白異栄養〔症〕（進行性認知症，てんかん発作，盲目，難聴を伴う四肢の進行性痙性不全麻痺．常染色体劣性遺伝．生後1年以内に発症し，大脳皮質神経細胞の破壊と組織崩壊を伴う）. = Alpers disease; Christensen-Krabbe disease; progressive cerebral poliodystrophy.

po·li·o·dys·tro·phy (pō′lē-ō-dis′trō-fē) [polio- + G. *dys-*, bad + *trophē*, nourishment]. ポリオジストロフィ，灰白異栄養〔症〕（神経系の灰白質の消耗）. = poliodystrophia.

progressive cerebral p. 進行性脳灰白異栄養〔症〕. = *poliodystrophia* cerebri progressiva infantilis.

po·li·o·en·ceph·a·li·tis (pō′lē-ō-en-sef′ă-lī′tis) [polio- + G. *enkephalos*, brain + *-itis*, inflammation]. 灰白脳炎（皮質あるいは中心核いずれかの脳灰白質の炎症．白質の炎症と対比される）.

p. infectiva 感染性灰白脳炎. = Economo von San Serff *disease.*

inferior p. 下部灰白脳炎（球麻痺が優勢な灰白脳炎）.

superior p. 上部灰白脳炎（眼筋麻痺のある灰白脳炎）.

superior hemorrhagic p. 上部出血〔性〕灰白脳炎. = Wernicke *syndrome.*

po·li·o·en·ceph·a·lo·me·nin·go·my·e·li·tis (pō′lē-ō-en-sef′ă-lō-mĕ-ning′gō-mī′ĕ-lī′tis) [polio- + G. *enkephalos*, brain + *mēninx*, membrane + *myelon*, marrow + *-itis*, inflammation]. 灰白脳髄膜脊髄炎（脳と脊髄の灰白質およびその部分をおおう髄膜の炎症）.

po·li·o·en·ceph·a·lo·my·e·li·tis (pō′lē-ō-en-sef′ă-lō-mī′ĕ-lī′tis). 灰白脳脊髄炎（脳と脊髄の灰白質の炎症）.

po·li·o·en·ceph·a·lop·a·thy (pō′lē-ō-en-sef′ă-lop′ă-thē) [polio- + G. *enkephalos*, brain + *pathos*, suffering]. 灰白脳症（脳の灰白質の疾患）.

po·li·o·my·e·li·tis (pō′lē-ō-mī′ĕ-lī′tis) [polio- + G. *myelos*, marrow + *-itis*, inflammation]. ポリオ，灰白髄炎（脊髄の灰白質を侵す炎症過程）.

acute anterior p. 急性灰白髄炎，急性脊髄前角炎（大脳，脳幹，脊髄の運動ニューロンの細胞死や不可逆性損傷による疾患で，ピコルナウイルス科の小さなRNAエンテロウイルスの感染が原因である．以前はポリオウイルスの3型のうちの1つが原因のことが多かったが，現在はコクサッキーウイルスA型およびB型，エコーウイルスが原因のことが多い）.

acute bulbar p. 急性延髄灰白髄炎（延髄の神経細胞を侵し，下側運動脳神経に麻痺を起こす灰白髄炎ウイルス感染）.

po·li·o·my·e·lo·en·ceph·a·li·tis (pō′lē-ō-mī′ĕ-lō-en-sef′ă-lī′tis) [polio- + G. *myelon*, marrow + *enkephalos*, brain + *-itis*, inflammation]. 灰白脳脊髄炎（顕著な大脳徴候を伴う急性前角灰白髄炎）.

po·li·o·my·e·lop·a·thy (pō′lē-ō-mī′ĕ-lop′ă-thē) [polio- + G. *myelon*, marrow + *pathos*, suffering]. 灰白脊髄障害（脊髄灰白質の疾患）.

po·li·o·sis (po′lē-ō′sis) [G. < *polios*, gray]. 白毛〔症〕（頭髪，眉毛，あるいは睫毛にメラニンの斑状の欠如または減少をみるもので，表皮の色素減少に起因する．いくつかの遺伝性の症候群にみられ，また，炎症，放射線照射，帯状疱疹のような感染症などに続発してみられることもある）. = tricho-poliosis.

ciliary p. 睫毛白毛症. = piebald *eyelash.*

po·li·o·vi·rus (pō′le-ō-vī′rŭs). ポリオウイルス（ピコルナウイルス科に属するエンテロウイルス．3つの異なる血清型があり，1型が麻痺性ポリオの症例の85%の原因で，大部分の流行も1型が原因である）.

po·li·o·vi·rus hom·i·nis (pō′lē-ō-vī′rŭs hom′i-nis). ヒトポリオウイルス. = poliomyelitis *virus.*

pol·ish·ing (pol′ish-ing). 研磨（歯科において，修復物を滑らかで光沢あるものにする動作あるいは過程）.

Po·lit·zer (pol′it-zĕr), Adam. ハプスブルク帝国の耳科医，1835—1920. →P. *bag*, *method*, luminous *cone*.

pol·itz·er·i·za·tion (pol′it-zer-i-zā′shŭn). ポーリツァー法（Politzer 法により耳管と中耳を膨張させること）.

negative p. 陰圧式ポーリツァー法（空洞内に挿入した管に圧縮した Politzer 嚢またはゴム球を付けることにより行う空洞内分泌物の吸引除去）.

pol·kis·sen of Zimmermann (pōl-kis′en zim′ĕr-man) [Ger. *Polkissen*, pole + cushion]. ツィンメルマンポールキッセン. = extraglomerular *mesangium.*

poll (pōl) [M.E. < D. *pol*, head]. 項部（ウマにおいて両耳を結ぶ背側の線上の頭と頸の間の交点における解剖学的標識構造．外傷が起こりやすい部位である．歴史的には上環椎滑液包の *Brucella* 感染から起こる，項腫(poll evil)の名の疾患が一般的であったが，現在ではまれである）.

pol·la·ki·dip·si·a (pol′ă-ki-dip′sē-ă) [G. *pollakis*, often + *dipsa*, thirst]. 煩渇多飲〔症〕（過度に頻繁なのどの渇きを表すまれに用いる語）.

pol·la·ki·u·ri·a (pol′ă-kē-yū′rē-ă) [G. *pollakis*, often + *ouron*, urine]. 頻尿〔症〕（排尿が異常に頻繁なことを表すまれに用いる語）.

pol·len (pol′ĕn) [L. fine dust, fine flour]. 花粉（風あるいは昆虫により受精に先立って運ばれる種子植物の小胞子．枯草熱やその他のアレルギーの病因学において重要）.

pol·le·no·sis (pol′ĕ-nō′sis). = pollinosis.

pol·lex, gen. **pol·li·cis,** pl. **pol·li·ces** (pol′eks, pol′i-sis, -sēz) [L.][TA]. 母指，おやゆび. = thumb.

p. pedis 母趾. = great *toe* [I].

pol·li·ci·za·tion (pol′i-si-zā′shŭn) [L. *pollex*, thumb + *-ize*, to make like + *-ation*, state]. 母指形成〔術〕，母指化（代替母指をつくること）.

pol·li·no·sis (pol′i-nō′sis) [L. *pollen*, pollen + G. *-osis*, condition]. 花粉症（各種植物の花粉が起こす枯草熱）. = pollenosis.

pol·lu·tant (pŏ-lū′tănt). 汚染物質，汚濁物質（汚染(汚濁)を引き起こす望ましくない混合物）.

pol·lu·tion (pŏ-lū′shŭn) [L. *pollutio* < *pol-luo*, pp. *-lutus*, to defile]. 汚染（有害な不純物との接触あるいは混合によって汚染されたり，使用に適さなくなることをいう）.

air p. 大気汚染（煙や有害気体による空気の汚染．主として自動車排気，工場設備，燃焼廃物などから出るような炭素，硫黄，および窒素の酸化物による. →smog）.

noise p. 騒音公害（自動車のエンジン，工場の機械，音楽の増幅などによって生み出される，生理的に傷つけられ，悩まされる環境の騒音レベル）.

po·lo·cyte (pō′lō-sīt) [G. *polos*, pole + *kytos*, cell]. 極細胞. = polar *body.*

po·lo·ni·um (Po) (pō-lō′nē-ŭm) [L. < *Polonia*, Poland, 本物質を夫(P. Curie)とともに発見した Curie 夫人の母国]. ポロニウム（ピッチブレンドから分離された放射性元素．原子番号 84，最長命同位元素は ^{209}Po(半減期 102 年). ^{210}Po はラジウムF(半減期 138.38 日)で，容易に手にはいる唯一の同位元素である）.

poloxamer (pōl-oks′a-mĕr). ポロキサマー（天然ガスおよび油から合成された界面活性剤）.

pol·ster (pōl′stĕr) [G. cushion, bolster]. 陰茎動脈・静脈内にある，血流の調整を行っていると以前は考えられていた，大量の平滑筋細胞.

po·lus, pl. **po·li** (pō′lŭs, -lī) [L. pole][TA]. 極. = pole.

p. anterior bulbi oculi [TA]. 〔眼球〕前極. = anterior *pole* of eyeball.

p. anterior lentis [TA]. 〔水晶体〕前極. = anterior *pole* of lens.

p. frontalis [TA]. = frontal *pole* [TA] of cerebrum.

p. inferior* inferior *pole* の公式の別名.

p. inferior renis* inferior *pole* of kidney の公式の別名.

p. inferior testis* lower *pole* of testis の公式の別名.

poli lienales inferior et superior 〔脾臓〕前端・後端（→anterior *extremity* of spleen; posterior *extremity* of spleen）.

p. occipitalis [TA]. = occipital *pole* [TA] of cerebrum.

p. posterior bulbi oculi [TA]. 〔眼球〕後極. = posterior *pole* of eyeball.

p. posterior lentis [TA]. 〔水晶体〕後極. = posterior

pole of lens.

poli renales inferior et superior〔腎臓〕上端・下端（→superior *pole* of kidney; inferior *pole* of kidney).

p. superior☆ superior *pole* の公式の別名.

p. superior renis☆ superior *pole* of kidney の公式の別名.

p. superior testis☆ upper *pole* of testis の公式の別名.

p. temporalis [TA].〔大脳〕側頭葉極. = temporal *pole* [TA] of cerebrum.

pol·y (pol′ē). polymorphonuclear *leukocyte* の略で口語.

poly- [G. *polys*, much, many]. ***1*** 多数を意味する接頭語. ラテン語の *multi-* に相当する. *cf.* multi-; pluri-. ***2*** 化学において, polypeptide, polysaccharide(多糖類), polynucleotide におけるように, "…の重合体" の意の接頭語. poly(adenylic acid) を poly(A), poly(L-lysine) を poly(Lys) とするように, 記号とともに用いる.

Pól·ya (pōl′yah), Jenö (Eugene). ハンガリー人外科医, 1876—1944. →P. *gastrectomy*; P. *operation*; Reichel-P. stomach *procedure*.

pol·y·(A) (pol′ē). ポリA（① poly(adenylic acid)の略. ② *Vinca*属植物ツルニチニチソウから単離されたイリドイドインドールアルカロイド. 薬理的に応用されるビンブラスチンやビンクリスチンがこの種類に属する. ③尿中のD-グリセリン酸の排泄. ④D-グリセリン酸尿症になる先天性代謝異常. ⑤塩基性抗生物質ペプチドの一種で, 好中球で見出された. 見かけ上, 膜障害を引き起こして細菌を殺す).

poly(A) polymerase ポリAポリメラーゼ（ポリアデニル酸配列の生成を触媒する酵素. ポリヌクレオチドアデニリルトランスフェラーゼ. ポリヌクレオチドとATPによりピロリン酸と新生の一端が伸長したポリヌクレオチドを生成させる反応を触媒する).

pol·y·ac·id (pol-ē-as′id) [G. *polys*, much, many + acid]. 多価酸（1モル当たり水素イオンを2個以上遊離できる酸. 例えば, 硫酸, クエン酸).

pol·y·a·cryl·a·mide (pol′ē-ă-kril′ă-mīd). ポリアクリルアミド（アクリルアミド($H_2C{=}CHCONH_2$)の分枝型ポリマーで, ゲル電気泳動に用いられる. 例えば, R–CH_2–CH(CO-NH_2)–CH(CONHR)CH(CONHR′)–R″).

pol·y·ad·e·ni·tis (pol′ē-ad′ĕ-nī′tis). 多発腺炎（多数のリンパ節の炎症, 特に頸部リンパ節に関して用いる).

p. maligna 悪性多発腺炎. = bubonic *plague*.

pol·y·ad·e·nop·a·thy (pol′ē-ad′ĕ-nop′ă-thē). 多発腺症（多数のリンパ節が罹患する腺症). = polyadenosis.

pol·y·ad·e·no·sis (pol′ē-ad′ĕ-nō′sis). = polyadenopathy.

pol·y·ad·e·nous (pol′ē-ad′ĕ-nŭs). 多発腺性の.

pol·y·ad·e·nyl·a·tion (pol′ē-ad′ĕ-nil-ā′shŭn). ポリアデニル化（①ポリアデニル酸の生成反応. ②ポリアデニリル基を高分子と共有結合して生成することによる高分子(例えばmRNA)の共有結合的修飾反応).

pol·y(ad·e·nyl·ic ac·id), pol·y·(A) (pol′ē-ad′ĕ-nil′ik as′id). ポリアデニル酸, ポリA（アデニル酸のホモポリマー. しばしば, 多くの真核生物の mRNA の 3′ 末端にみられる).

pol·y·al·co·hol (pol′ē-al′kŏ-hol) [G. *polys*, much, many + alcohol]. 多価アルコール（水酸基が2個以上ある脂肪族あるいは脂環族の分子. 例えば, グリセリン, イノシトール).

pol·y·al·lel·ism (pol′ē-ă-lēl′izm). 多対立性（1つの遺伝子座に複数の対立遺伝子が存在すること).

pol·y·am·ine (pol′ē-am′ēn) [G. *polys*, much, many + amine]. ポリアミン（[正しいアクセントは最後から2番目の音節に置くが, 米国の用法ではしばしば最後の音節にアクセントを置く]. 一般式が$H_2N(CH_2)_nNH_2$, H_2N-$(CH_2)_nNH(CH_2)_nNH_2$, $H_2N(CH_2)_nNH(CH_2)_nNH(CH_2)_nNH_2$(n=3, 4, 5)である物質の総称. 細菌の蛋白への作用によって多数のポリアミンが生じる. 多くは通常, 広く分布する身体構成要素, あるいは微生物の必須成長要素である).

p. oxidase ポリアミンオキシダーゼ（分子状酸素を利用しスペルミンを酸化しスペルミジンへ, またはスペルミジンをプトレッシンへ変換する肝臓ペルオキシソームの酵素. 両方の場合 H_2O_2 と β-アミノプロピオンアルデヒドを生成する. ポリアミンの異化経路の一部分).

pol·y(a·mi·no ac·ids) (pol′ē-a-mē′nō as′idz). ポリアミノ酸（アミノアシル基の重合体であるポリペプチド. 例えば –NH–CHR–CO–. →poly- (2)).

pol·y·an·gi·i·tis (pol′ē-an′jē-ī′tis). 多発〔性〕血管炎（2種以上の血管型, 例えば, 動脈と静脈あるいは小動脈と毛細血管などを含む多数の血管の炎症).

microscopic p. 顕微鏡的多発血管炎（全身性非肉芽腫性の小血管における血管炎. 糸状体腎炎や肺の毛細血管炎, 丘疹性紫斑, 抗好中球細胞質抗体(ANCA)を合併する).

pol·y·an·i·on (pol′ē-an′ī-on). 多価陰イオン（腎糸球体におけるプロテオグリカン上の陰イオン部位であり, これは陰性荷電分子の沪過を制限し, 陽性荷電蛋白の沪過を促進する. リポイドネフローゼにおいて, 多価陰イオンの喪失がアルブミン尿を引き起こすと考えられている).

pol·y·ar·ter·i·tis (pol′ē-ar′tĕr-ī′tis). 多発〔性〕動脈炎（多数動脈の同時炎症).

p. nodosa 結節性多発〔性〕動脈炎（中等度の大きさあるいは小さい動脈の, 好酸球による浸潤を伴う分節性炎症と壊死. 男性に多く, 腎臓, 筋肉, 胃腸管, 心臓にある動脈の病変部位に関連した各種の症候がある). = arteritis nodosa; Kussmaul disease; periarteritis nodosa.

pol·y·ar·thric (pol′ē-ar′thrik). 多関節の. = multiarticular.

pol·y·ar·thri·tis (pol′ē-ar-thrī′tis) [poly- + G. *arthron*, joint + *-itis*, inflammation]. 多発〔性〕関節炎（複数個の関節の同時炎症).

p. chronica rheumatoid *arthritis* を表す現在では用いられない語.

p. chronica villosa 慢性滑液膜多発〔性〕関節炎（多数の関節を侵し, 滑液膜に限局した慢性的炎症. 閉経期の女性と小児に起こる).

epidemic p. 伝染(流行)性多発〔性〕関節炎（トガウイルス科の Ross River ウイルスを原因とし, カによって媒介され多発関節痛と皮疹を特徴とする, オーストラリアの人々にみられる発熱性疾患). = epidemic exanthema; Murray Valley rash; Ross River fever.

p. rheumatica acuta リウマチ熱に伴う多発性関節炎を表す現在では用いられない語.

vertebral p. 椎間体性多発〔性〕関節炎（椎体が関係しない椎間円板多数の炎症).

pol·y·ar·tic·u·lar (pol′ē-ar-tik′yū-lăr) [poly- + L. *articulus*, joint]. 多関節の. = multiarticular.

pol·y·a·sple·ni·a (pol′ē-ă-splē′nē-ă) [blend of *polysplenia* and *asplenia*]. = polysplenia.

pol·y·aux·o·troph (pol′ē-awks′ō-trōf). 多栄養素要求株（野生型株が必要としない数種の栄養素を要求する突然変異株. *cf.* auxotroph; monoauxotroph).

pol·y·a·vi·ta·min·o·sis (pol′ē-ā′vī′tă-min-ō′sis). 多ビタミン欠乏症（多種のビタミンの欠乏症).

pol·y·ba·sic (pol′ē-bā′sik). 多塩基の（置換可能な水素原子を2個以上有する. 塩基性度が1より大きい酸をいう).

pol·y·blen·ni·a (pol′ē-blen′ē-ă) [poly- + G. *blennos*, mucus]. 粘液分泌過多（粘液の過剰生産).

pol·y·car·di·a (pol′ē-kar′dē-ă). 心悸亢進. = tachycardia.

pol·y·cen·tric (pol′ē-sen′trik). 多中心の, 多核心の（数個の中心をもつ).

pol·y·chei·ri·a, pol·y·chi·ria (pol′ē-kī′rē-ă) [poly- + G. *cheir*, hand]. 手過剰（手の数が過剰な状態).

pol·y·chon·dri·tis (pol′ē-kon-drī′tis) [poly- + G. *chondros*, cartilage + *-itis*, inflammation]. 多発性軟骨炎（軟骨の炎症).

chronic atrophic p. 慢性萎縮性多発性軟骨炎. = relapsing p.

relapsing p. 再発性多発性軟骨炎（軟骨の退行変性および炎症性疾患で, 耳, 鼻の軟骨部分, 気管気管支柱の圧潰を伴う関節炎を生じる. 気管気管支柱の安定性喪失による慢性炎症や窒息により死亡することがある. 常染色体性遺伝). = chronic atrophic p.; generalized chondromalacia; Meyenburg disease; Meyenburg-Altherr-Uehlinger syndrome; relapsing perichondritis; systemic chondromalacia.

pol·y·chro·ma·si·a (pol′ē-krō-mā′zē-ă). = polychromatophilia.

pol·y·chro·mat·ic (pol′ē-krō-mat′ik). 多染〔性〕の, 多色性の.

pol·y·chro·mat·o·cyte (pol′ē-krō-mat′ō-sīt). ＝polychromatophil (2).

pol·y·chro·mat·o·phil, pol·y·chro·ma·to·phile (pol′ē-krō′măt-ō-fil, -fīl) [poly- ＋G. *chrōma*, color ＋ *phileō*, to love]. ＝polychromophil. ***1***〘adj.〙多染〔性〕の（塩基性および酸性色素ともに染まる性質をもった）. ＝polychromatophilic. ***2***〘n.〙多染性細胞（酸・塩基染色親和性を示す幼若赤血球あるいは退行性赤血球）. ＝polychromatocyte.

pol·y·chro·ma·to·phil·i·a (pol′ē-krō′mă-tō-fil′ē-ă). 多染性（①悪性貧血の赤血球など，ある種の細胞の傾向．塩基性・酸性染料に染まる．②酸性，塩基性，中性の各染色法に親和性のある赤血球が多数存在している状態）. ＝polychromasia; polychromatosis; polychromophilia.

pol·y·chro·ma·to·phil·ic (pol′ē-krō′mă-tō-fil′ik). ＝polychromatophil (1).

pol·y·chro·ma·to·sis (pol′ē-krō′mă-tō′sis). ＝polychromatophilia.

pol·y·chro·me·mi·a (pol′ē-krō-mē′mē-ă). 多色素血〔症〕（血液中のヘモグロビン量が増大する状態）.

pol·y·chro·mi·a (pol′ē-krō′mē-ă). 色素形成過多，多色素性（色素沈着が増大すること）.

pol·y·chro·mo·phil (pol′ē-krō′mō-fil). ＝ polychromatophil.

pol·y·chro·mo·phil·i·a (pol′ē-krō′mō-fil′ē-ă). ＝polychromatophilia.

pol·y·chy·li·a (pol′ē-kī′lē-ă) [poly- ＋G. *chylos*, chyle ＋ *-ia*, condition]. 乳び形成過多（乳びの生産が増大すること）.

pol·y·cis·tron·ic (pol′ē-sis-tron′ik). ポリシストロニック（1個以上の蛋白を合成する情報をもつメッセンジャーRNA）.

pol·y·clin·ic (pol′ē-klin′ik) [poly- ＋G. *klinē*, bed]. 総合〔臨床〕診療所（あらゆる種類の疾病の治療や研究を行う診療所）.

pol·y·clo·nal (pol′ē-klō′năl). ポリクローン性(系)の，多クローン性(系)の（免疫化学において，単一クローン性 monoclonal に対する用語で，複数のクローンに由来する蛋白群(抗体など)についていう）.

pol·y·clo·ni·a (pol′ē-klō′nē-ă) [poly- ＋G. *klonos*, tumult]. 多間代痙攣. ＝*myoclonus* multiplex.

pol·y·co·ri·a (pol′ē-kō′rē-ă) [poly- ＋G. *korē*, pupil]. 多瞳〔孔〕〔症〕（虹彩の中に瞳孔が2個以上あること）.

pol·y·crot·ic (pol′ē-krot′ik). 多段脈症の.

pol·yc·ro·tism (pol-ik′rō-tizm) [poly- ＋G. *krotos*, a beat]. 多段脈症（脈波計の図で，下降波に数か所上方への変わり目が示される状態）.

pol·y·cy·e·sis (pol′ē-sī-ē′sis) [poly- ＋G. *kyēsis*, pregnancy]. 多胎妊〔娠〕. ＝multiple *pregnancy*.

pol·y·cys·tic (pol′ē-sis′tik). 多嚢胞の（多数の嚢胞から成り立つ）.

pol·y·cy·the·mi·a (pol′ē-sī-thē′mē-ă) [poly- ＋G. *kytos*, cell ＋ *haima*, blood]. 赤血球増加〔症〕，多血症. ＝hypercythemia; erythrocythemia.

compensatory p. 代償性赤血球増加〔症〕（例えば先天性心臓病，肺気腫，高所長期滞在などにおける酸素欠乏症の結果起こる二次性赤血球増加症）.

p. hypertonica 高血圧性赤血球増加〔症〕（高血圧が関係するが，脾腫はない）. ＝Gaisböck syndrome.

relative p. 相対的赤血球増加〔症〕（血液の液体成分が失われて，相対的に赤血球数が増加すること）.

p. rubra ＝p. vera.

p. rubra vera 真性(正)一次性赤血球増加〔症〕. ＝p. vera.

p. vera [MIM*263300]. 真性(正)赤血球増加〔症〕，真性(正)多血症（原因不明の慢性型多血症．骨髄の過形成，循環血液量および赤血球数の増加．赤味をおびた，またはチアノーゼの皮膚および脾腫を特徴とする）. ＝erythremia; Osler disease; Osler-Vaquez disease; p. rubra vera; p. rubra; Vaquez disease.

pol·y·dac·tyl·ism (pol′ē-dak′til-izm). ＝polydactyly.

pol·y·dac·tyl·ous (pol′ē-dak′til-ŭs). 多指(趾)症の.

pol·y·dac·ty·ly (pol′ē-dak′ti-lē) [poly- ＋G. *daktylos*, finger][MIM*603596]. 多指(趾)〔症〕，指(趾)過剰症（手あるいは足に指が6本以上ある状態）. ＝polydactylism.

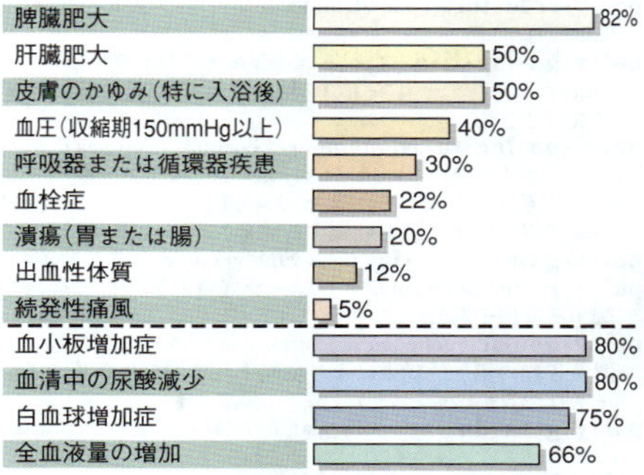

polycythemia vera
主な症状，徴候，検査所見の相対頻度.

pol·y·den·ti·a (pol′ē-den′shē-ă) [poly- ＋L. *dens*, tooth]. ＝polyodontia.

polydioxanone (pol′ē-dī-oks′ă-nōn). ポリディオキサノン（合成縫合糸材料）.

pol·y·dip·si·a (pol′ē-dip′sē-ă) [poly- ＋G. *dipsa*, thirst]. 多渇症（比較的長期間持続している激しい口渇）.

hysteric p. ヒステリー性煩渇〔症〕.（転換性障害に基づく口渇を表す古語. →conversion; hysteria）.

psychogenic p. 心因性煩渇〔症〕（明らかな器質性病変はなく，人格障害のために過剰に液体を消費すること）.

psychogenic nocturnal p. (**PNP**) 心因性夜間煩渇〔症〕（→psychogenic nocturnal polydipsia *syndrome*）.

pol·y·dis·per·soid (pol′ē-dis-per′soyd). 多分散性膠質（異なる分散度を有する粒子から成り立つ分散相のコロイド系）.

pol·y·dys·pla·si·a (pol′ē-dis-plā′zē-ă) [poly- ＋G. *dys-*, bad ＋ *plasis*, a molding]. 多発異形成，多発形成障害（いくつかの点で組織発達が異常なこと）.

pol·y·dys·troph·ic (pol′ē-dis-trof′ik). ポリジストロフィの.

pol·y·dys·tro·phy (pol′ē-dis′trŏ-fē) [poly- ＋dystrophy]. ポリジストロフィ（多くの先天性異常のある状態）.

pseudo-Hurler p. (hŭr′ler). 偽性フルラーポリジストロフィ. ＝*mucolipidosis* III.

polyelectrolyte (pol-ē-ĕ-lek-trō-līt). 高分子電解質（弾性補てつの生体内潤滑に有用であると思われている多価高分子）.

pol·y·em·bry·o·ny (pol′ē-em-brē′ō-nē) [poly- ＋G. *embryon*, embryo]. 多胚形成（2個以上の胚を生じる接合子の状態）.

pol·y·en·do·crin·op·athy (pol′ē-en′dō-krĭ-nop′ă-thē). 多発性内分泌腺症（複数の内分泌腺に機能低下を生じる疾患. →multiple endocrine deficiency *syndrome*）.

pol·y·ene (pol′ē-ēn). ポリエン（一連の共役(または交互に)二重結合を有する化合物．例えばカロチノイド）.

pol·y·e·nic ac·ids (pol′ē-ē′nik as′idz). ポリエン酸. ＝polyenoic acids.

pol·y·e·no·ic ac·ids (pol′ē-e-nō′ik as′idz). ポリエン酸（炭素鎖に二重結合が2個以上ある脂肪酸．例えば，リノール酸，リノレン酸，アラキドン酸）. ＝polyenic acids.

pol·y·er·gic (pol′ē-er′jik) [poly- ＋G. *ergon*, work]. 多動性の（多種の方法で作動できる）.

pol·y·es·the·si·a (pol′ē-es-thē′zē-ă) [poly- ＋G. *aisthēsis*, sensation]. 重複感覚（単一の接触または他の刺激が数個に感じられる感覚の障害）.

pol·y·es·trous (pol′ē-es′trŭs). 多発情の（交配期に2回以上発情サイクルがある）.

pol·y·eth·y·lene gly·cols (**PEGs, PEG**) (pol-ē-eth′i-lēn glī′kōlz). ポリエチレングリコール類（エチレンオキシドと水の縮合重合体．PEG300は粘性の液体，PEG600はろう状の固体である．PEGsは水に可溶であり，軟膏基剤に用い

る).

pol·y·fruc·tose (pol′ē-frŭk′tōs). ポリフラクトース. =fructosan (1).

pol·y·ga·lac·ti·a (pol′ē-gă-lak′tē-ă, -shē-ă) [poly- + G. *gala*, milk]. 乳汁過多〔症〕(特に離乳期に乳の分泌が過剰になること).

pol·y·ga·lac·tu·ro·nase (pol′ē-gă-lak′tū′rō-nās). ポリガラクツロナーゼ; pectin depolymerase (ペクチン酸やその他のポリガラクトツロナンの α-1,4-ガラクトシズロン酸結合の非選択的加水分解を触媒する酵素). =pectinase.

pol·y·gan·gli·on·ic (pol′ē-gang′glē-on′ik). 多神経節の.

pol·y·gene (pol′ē-jēn). ポリジーン (量的表現型の発現を制御する遺伝子群).

pol·y·gen·ic (pol′ē-jen′ik). ポリジーンの (多数の独立した遺伝子群の相加的効果により支配される遺伝性疾患あるいは正常な形質についていう).

pol·y·glan·du·lar (pol′ē-glan′dyū-lăr). 多腺の. =pluriglandular.

pol·y-β-glu·co·sa·min·i·dase (pol′ē-glū-kō′să-min′i-dās). ポリ-β-グリコサミニダーゼ. =chitinase.

pol·y·glu·ta·mate (pol′ē-glū′tă-māt). ポリグルタミン酸. =poly(glutamic acid).

pol·y(glu·tam·ic ac·id) (pol′ē-glū-tam′ik as′id). ポリ(グルタミン酸) (通常のペプチド結合(α-カルボキシルからα-アミノ)におけるグルタミン酸重合体. →poly-(2). →poly(γ-glutamic acid)). =polyglutamate.

pol·y(γ-glu·tam·ic ac·id) (pol′ē-glū-tam′ik as′id). ポリ(γ-グルタミン酸) (グルタミン酸残基から形成されるポリペプチド. 1つのグルタミン酸のγ-カルボキシル基はその隣のグルタミン酸のアミノ基に結合される. 炭疽菌の莢膜に自然に存在する).

pol·y(gly·col·ic ac·id) (pol′ē-glī-kol′ik as′id) [→poly-(2)]. ポリ(グリコール酸) (グリコール酸重合体. 被吸収性の外科用縫合糸として用いる).

po·lyg·na·thus (pō-lig′nă-thus) [poly- + G. *gnathos*, jaw]. 顎寄生重複体 ([二重字 gn において, g は語頭にあるときのみ無音である]. 寄生体が自生体の顎に付着している不等接着双生児. →conjoined *twins*).

pol·y·graph (pol′ē-graf) [poly- + G. *graphō*, to write]. ポリグラフ, 多用途〔記録〕計 (①数種の異なった発生源, 例えば橈骨動脈脈拍, 頸動脈波, 心臓の心尖拍動, 心音図や心電図を同時に描画する器械. ほとんどの場合, 時相を記録するために心電図を含める. ②人があることについて質問されたり, 関連・非関連語句の連想語を言うように求められているときに, 呼吸, 血圧, 電気皮膚反射, その他の身体的変化を記録するための器械. これら生理学的変化は感情的反応, つまりその人が真実を述べているかどうかの指標になるとされる. =lie detector).

Mackenzie p. (mă-ken′zē). マッケンジーポリグラフ (タンブールシステムと時間描画器から成り立つ器械. 頸動脈拍動, 動脈拍動, 心尖拍動を同時に記録する. 以前, 不整脈の臨床的検索に用いられた).

pol·y·gy·ri·a (pol′ē-jī′rē-ă) [poly- + G. *gyros*, circle, gyre]. 脳回過剰 (脳に過剰な回が存在する状態).

pol·y·he·dral (pol′ē-hē′drăl) [G. *polyedros*, many-sided < poly- + G. *hedra*, seat, facet]. 多面の, 多面体の.

pol·y·hex·os·es (pol′ē-heks′ōs-ēz). ポリヘキソース. =hexosans.

pol·y·hi·dro·sis (pol′ē-hī-drō′sis). 多汗症, 粟粒熱, 発汗病. =hyperhidrosis.

pol·y·hy·brid (pol′ē-hī′brid). 多性雑種 (3種以上の形質が互いに異なる両親から生まれた子孫).

pol·y·hy·dram·ni·os (pol′ē-hī-dram′nē-os) [poly- + G. *hydōr*, water + amnion]. 羊水過多〔症〕. =hydramnios.

pol·y·hy·dric (pol′ē-hī′drik). 多価の (多価アルコール(グリセリン $C_3H_5(OH)_3$), 多価酸(o-リン酸 $OP(OH)_3$)におけるように水酸基を2個以上含んでいること).

pol·y·hy·per·men·or·rhe·a (pol′ē-hī′pĕr-men′ō-rē′ă) [poly- + G. *hyper*, above + *mēn*, month + *rhoia*, flow]. 頻発過多月経 (頻発し, 量も多い月経).

pol·y·hy·po·men·or·rhe·a (pol′ē-hī′pō-men′ō-rē′ă) [poly- + G. *hypo*, below + *mēn*, month + *rhoia*, a flow]. 頻発過少月経 (頻発するが量の乏しい月経).

pol·y·i·so·pre·nes (pol′ē-ī′sō-prēnz). ポリイソプレン. =polyterpenes.

pol·y·i·so·pre·noids (pol′ē-ī′sō-prēn′oydz). ポリイソプレノイド. =polyterpenes.

pol·y·kar·y·o·cyte (pol′ē-kar′ē-ō-sīt) [poly- + G. *karyon*, kernel + *kytos*, cell]. 多核細胞 (多数の核を有する細胞, 例えば破骨細胞).

pol·y·lac·tos·a·mines (pol′ē-lak-tōs′ă-mēnz). ポリラクトサミン (糖蛋白の一種で, オリゴ糖成分としてラクトサミン単位の繰返し構造を含有する. I/i 型血液型物質はこの種類である).

pol·y·lep·tic (pol′ē-lep′tik) [poly- + G. *lēpsis*, a seizing]. 多発症性の (例えばマラリアやてんかんなど, 発作が起こる疾病についていう).

pol·y·link·er (pol′ē-link′ĕr). ポリリンカー (組換えDNAベクターの挿入DNA配列で, プラスミドは特異的な多数の制限エンドヌクレアーゼ部位の一群からなる. また制限酵素部位バンクおよびポリクローニング部位ともよばれる).

pol·y·lo·gi·a (pol′ē-lō′jē-ă) [poly- + G. *logos*, word]. 多弁症 (たて続けの一貫性のないおしゃべり).

pol·y·mas·ti·a (pol′ē-mas′tē-ă) [poly- + G. *mastos*, breast]. 多乳房〔症〕(ヒトで乳房が3つ以上ある状態). =hypermastia (1); multimammae; pleomastia; pleomazia.

pol·y·mas·ti·gote (pol′ē-mas′ti-gōt) [poly- + G. *mastix*, a whip]. 多鞭毛虫類 (束になった数本のべん毛をもつ鞭毛虫).

pol·y·meg·eth·ism (pol′ē-meg′ĕ-thizm). 多形性 (ヒト角膜内皮細胞の大小不同が正常の変動範囲より大きい状態).

pol·y·me·li·a (pol′ē-mē′lē-ă) [poly- + G. *melos*, limb]. 多肢〔症〕(手足の数, あるいは手足の一部が過剰にある発生異常).

pol·y·men·or·rhe·a (pol′ē-men′ō-rē′ă) [poly- + G. *mēn*, month + *rhoia*, flow]. 頻発月経 ([hypermenorrhea と混同しないこと]. 月経周期が通常よりも短いこと).

pol·y·mer (pol′i-mĕr) [→-mer (1)]. ポリマー, 重合体 (高分子量の物質. ときに "mers" とよばれる連続する単位鎖から成り立つ. →biopolymer).

cross-linked p. 架橋重合体 (長鎖分子が互いに付着して, 三次元の網状構造を構成している重合体). =cross-linked resin.

dendritic p. 樹状ポリマー (高度に分岐した分子を含むポリマー).

pol·ym·er·ase (pol-im′ĕr-ās). ポリメラーゼ, 重合酵素 (ヌクレオチドがポリヌクレオチドになるような重合反応を触媒する酵素についていう一般名. EC class 2, transferases に属する).

p. alpha ポリメラーゼα (哺乳類のDNA ポリメラーゼの一種で, 核内にあり染色体の複製に働く).

p. beta ポリメラーゼβ (哺乳類のDNA ポリメラーゼの一種で, 核内にあり複製には作用せず, DNA 修復に作用する).

p. gamma ポリメラーゼγ (ミトコンドリア中にある哺乳類DNA ポリメラーゼの一種. ミトコンドリアゲノムの複製に関与する).

Taq p. Taq ポリメラーゼ (好熱菌 *Thermus aquaticus* から単離された耐熱性DNA ポリメラーゼで, 高温でプライマーを伸長させることができる. PCR(ポリメラーゼ連鎖反応)で用いられる).

pol·y·mer·i·a (pol′ē-mēr′ē-ă) [poly- + G. *meros*, part]. 多節〔症〕(身体の一部, 手足, あるいは臓器が過剰にある症状).

pol·y·mer·ic (pol′i-mer′ik). *1* 重合体の. *2* 多節〔症〕の. *3* polygenic の同意語としてまれに用いる.

po·lym·er·i·za·tion (po-lim′ĕr-i-za′shŭn). 重合〔作用〕(比較的単純な化合物が引き続いて付加, あるいは縮合して, 高分子量体が生成される反応. 例えば, スチレンからポリスチレン, イソプレンからゴム, モノヌクレオチドからポリヌクレオチド, またはチューブリンから微小管が生成される).

pol·y·mer·ize (pol′i-mĕr-īz, po-lim′ĕr-īz). 重合する.

pol·y·met·a·car·pa·li·a, pol·y·met·a·car·pa·lism (pol′ē-met′ă-kar-pā′lē-ă, -kar′pă-lizm). 多中手骨症 (中手骨

が過剰にある先天性奇形).

pol·y·met·a·tar·sa·li·a, pol·y·met·a·tar·sa·lism (pol′ē-met′ă-tar-sā′lē-ă, -tar′să-lizm). 多中足骨症（中足骨が過剰にある先天性奇形).

pol·y·mi·cro·lip·o·ma·to·sis (pol′ē-mī′krō-lip′ō-mă-tō′sis) [poly- + G. *mikros*, small + lipoma + G. *-osis*, condition]. 矮小脂肪腫症（皮下結合組織に多発性の小結節状で，かなり孤立性の脂肪塊が生じること).

po·lym·i·tus (pŏ-lim′i-tŭs) [poly- + G. *mitos*, thread]. 多糸体. = exflagellation.

pol·y·morph (pol′ē-mōrf). polymorphonuclear *leukocyte* の口語.

pol·y·mor·phic (pol′ē-mōr′fik) [G. *polymorphos*, multiform]. 多型(形)〔性〕の（２種以上の形態で存在する). = multiform; pleomorphic (1); pleomorphous; polymorphous.

pol·y·mor·phism (pol′ē-mōr′fizm). 多型性（１種以上の形で発生すること．同一種あるいは他の自然集団の中に１種以上の形態の型が存在すること). = pleomorphism.

balanced p. 平衡多型（相反する方向に働く淘汰の力が平衡に達したことにより，複数の遺伝子型が１つの集団に保有されること. →overdominance).

corneal endothelial p. 角膜内皮細胞多形性（細胞の形状が正常変動範囲を超える状態).

DNA p. DNA 多型（DNA のある特定領域に存在する２本鎖のヌクレオチド配列が異なり，しかも正常な形で存在しうる状態).

genetic p. 遺伝的多型（同一集団に属する生物種について，その遺伝子を構成する DNA 配列にみられる高頻度な（通常１%以上）遺伝子型の個体差).

lipoprotein p. リポプロテイン多型（低密度β–リポプロテインでみられる遺伝性変異．変形リポプロテインは正常リポプロテインと比較すると異なる抗原性と化学性質を示す).

restriction fragment length p. (**RFLP**) 制限酵素断片長多型（集団あるいは個人間の相互関係を遺伝的に分析する場合に用いる．ヒトゲノムの中で，蛋白をコードしていない領域では，通常，反復配列のパターンに個人差があるために，２つの遺伝マーカー間での距離(染色体のヌクレオチド上の距離)が異なる).

restriction length p., fragment length p. 制限断片長多型，断片長の多型（ヌクレオチド鎖がある特定の制限酵素の作用を受けたときの断片の長さが，対立遺伝子性の形をとって存在するのが認められること．この塩基配列の突然変異によって切断部位が変化し，したがって，断片の数が変化する).

restriction-site p. 制限酸素切断部位多型性（DNA多型性のなかで，ある特定のエンドヌクレアーゼの認識部位を含むものと含まないものがあること).

single nucleotide p. (**SNP**) 一塩基多型（ある生物ゲノムのある場所に自然に発生した単一ヌクレオチド置換であり，興味深いことにこの置換により，内在性のホルモン，神経伝達物質もしくは内在性物質への生物の生理学的反応の変化を含んだ表現型の多様性を生じる).

pol·y·mor·pho·cel·lu·lar (pol′ē-mōr′fō-sel′yū-lăr) [G. *polymorphos*, multiform + L. *cellula*, cell]. 多形細胞の（いくつかの異なった種類の細胞に関する，からなる).

pol·y·mor·pho·nu·cle·ar (pol′ē-mōr′fō-nū′klē-ăr) [G. *polymorphos*, multiform + L. *nucleus*, kernel]. 多形核の（種々の形をした核をもつ．白血球の一種についていう).

pol·y·mor·phous (pol′ē-mōr′fŭs). = polymorphic.

pol·y·my·al·gi·a (pol′ē-mī-al′jē-ă) [poly- + G. *mys*, muscle + *algos*, pain]. 多〔発性〕筋痛（数個の筋集団の痛み).

p. arteritica 動脈炎性多〔発性〕筋痛（動脈炎(特に播種性巨細胞性動脈炎)に起因するリウマチ性多筋痛).

p. rheumatica リウマチ性多〔発性〕筋痛（膠原病群中の症候群．血液沈降速度が速い点で，脊椎関節炎あるいは上腕肩甲関節周囲炎とは異なる．女子のほうが男子よりはるかに多い).

pol·y·my·oc·lo·nus (pol′ē-mī-ok′lō-nŭs). 多発性筋間代痙攣. = *myoclonus* multiplex.

pol·y·my·o·si·tis (pol′ē-mī′ō-sī′tis) [poly- + G. *mys*, muscle + *-itis*, inflammation]. 多発〔性〕筋炎（数個の随意筋の同時炎症).

pol·y·myx·in (pol′ē-mik′sin). ポリミキシン（水や土壌中に存在する *Bacillus polymyxa*(*B. serosporus*)から得られる抗生物質の混合剤．結晶性塩酸塩として得られる．各種アミノ酸と有枝鎖脂肪酸，通常(+)–6–メチルオクタン酸を含むポリペプチドである．A，B_1，C，D，E，M，Tの数種があり，各々グラム陰性菌に同程度有効だが，毒性は異なり，ポリミキシンE(コリスチン)とポリミキシンBが最も少ない. →colistimethate sodium).

pol·y·ne·sic (pol′i-nē′sik) [poly- + G. *nēsos*, island]. 多病巣性の，散在性の（多数の病巣が離れて存在する．ある型の炎症や感染についていう).

pol·y·neu·ral (pol′ē-nū′răl) [poly- + G. *neuron*, nerve]. 多〔発〕神経〔性〕の.

pol·y·neu·ral·gi·a (pol′ē-nū-ral′jē-ă). 多発〔性〕神経痛（いくつかの神経に同時に起こる痛み).

pol·y·neu·ri·tis (pol′ē-nū-rī′tis). 多発〔性〕神経炎. = polyneuropathy (2).

acute idiopathic p. 急性特発性多発〔性〕神経炎. = Guillain-Barré *syndrome*.

chronic familial p. 慢性家族性多発〔性〕神経炎（アミロイドの浸潤に関連した神経の炎症).

infectious p. 感染性多発〔性〕神経炎. = Guillain-Barré *syndrome*.

postinfectious p. 感染後多発神経炎. = Guillain-Barré *syndrome*.

pol·y·neu·ro·ni·tis (pol′ē-nū′rō-nī′tis). 多発〔性〕ニューロン炎（いくつかの神経細胞団の炎症).

pol·y·neu·rop·a·thy (pol′ē-nū-rop′ă-thē) [poly- + G. *neuron*, nerve + *pathos*, disease]. 多発〔性〕神経障害，多発〔性〕ニューロパシー（①文字通り，末梢神経数本を巻き込む疾病過程．②末梢神経の非外傷性全般疾患．遠位部の線維は近位部のより高度に障害され(すなわち手よりも足の方が早期に強く障害される)，典型的には対称性である．運動線維と感覚線維はほぼ同じぐらい障害されることが多いが，片方だけまたは片方がかなり優位に障害されることがある．軸索変性(軸索性)と脱髄性に分類される．多くの原因があり，特に代謝性，中毒性が多く，家族性のものも散発性のものもある. = polyneuritis). = multiple neuritis; symmetric distal neuropathy.

acute inflammatory p. 急性炎症性多発ニューロパシー（多発神経障害). = Guillain-Barré *syndrome*.

alcoholic p. アルコール性多発ニューロパシー(多発神経障害)（慢性アルコール症に合併する栄養性軸索消失多発ニューロパシー).

arsenical p. ヒ素多発ニューロパシー(多発神経障害)（亜急性，慢性ヒ素中毒による軸索消失多発ニューロパシー．ほとんど常に胃腸症状が先行する．重金属ニューロパシーの１つ).

axonal p. 軸索性多発ニューロパシー(多発神経障害). = axon loss p.

axon loss p. 軸索消失多発ニューロパシー(多発神経障害)（軸索変性が唯一のまたは優位な所見である多発ニューロパシーの一型．多くの病因がある，特に毒性と代謝性．神経伝導速度検査では，反応の振幅に影響を与えるが，伝導速度低下やブロックは起こさない). = axonal p.

buckthorn p. ウメモドキ多発〔性〕神経障害（*Karwinskia humboldtiana* の果実の摂取が原因である上行性多発神経障害).

chronic inflammatory demyelinating p. (**CIDP**) 慢性炎症性脱髄性多発ニューロパシー(多発神経障害)（まれな後天性脱髄性感覚運動ニューロパシーで，臨床的には潜行性発症，緩徐進行(徐々または段階的)，慢性経過を特徴とする．対称性の脱力が顕著な症状で，しばしば下肢近位筋を侵し，異常感覚を伴うが痛みは伴わない．髄液検査は蛋白上昇を示し，電気診断検査ではブロックよりも主に伝導速度低下を示す脱髄病変の所見がみられる．時々，プレドニゾンに反応する).

critical illness p. 重症疾患多発ニューロパシー(多発神経障害)（集中治療室にはいっているような重症患者にみられる広範性軸索消失感覚運動多発ニューロパシー．大部分の患者は数多くの薬の投与を受けており，人工呼吸器をはずせない状態である．電気診断検査では，運動優位の軸索消失多発ニューロパシーの所見がみられる．原因不明）．

demyelinating p. 脱髄性多発ニューロパシー（多発神経障害）（末梢神経のミエリンが主に障害されている多発ニューロパシーの一型．家族性（例えば Charcot-Marie-Tooth 病 1 型）のも後天性（例えば Guillain-Barré 症候群）のもある．運動神経伝導速度検査では，伝導速度低下とブロックの所見が得られる）．＝segmental demyelinating p.

diabetic p. 糖尿病性多発ニューロパシー（多発神経障害）（糖尿病でしばしばみられる合併症で，遠位性対称性で一般的に感覚運動性である多発ニューロパシー）．

isoniazid p. イソニアジド多発ニューロパシー（多発神経障害）（イソニアジドで治療されている患者の一部にみられる軸索消失多発ニューロパシー）．

nitrofurantoin p. ニトロフラントイン多発ニューロパシー（多発神経障害）（しばしば重症な軸索消失多発ニューロパシーで，ニトロフラントインで治療されている患者の一部でみられ，特に慢性腎不全患者でみられやすい）．

nutritional p. 栄養性多発〔性〕神経障害（多数の末梢神経の障害．脚気，慢性アルコール中毒，その他のチアミン欠乏を特徴とする臨床状態においてみられる）．

progressive hypertrophic p. 進行性肥厚性多発ニューロパシー（多発神経障害）．＝Dejerine-Sottas *disease.*

segmental demyelinating p. 節性脱髄多発ニューロパシー（多発神経障害）．＝demyelinating p.

uremic p. 尿毒症性多発〔性〕神経障害（顕著な炎症のない，遠位感覚・運動性多発神経障害．慢性腎不全の代謝効果が原因）．

pol·y·nox·y·lin (pol′ē-nok′si-lin). ポリノキシリン（ホルムアルデヒドと尿素の重合体．局所抗菌・抗カビ薬として用いる）．

pol·y·nu·cle·ar, pol·y·nu·cle·ate (pol′ē-nū′klē-ăr, -klē-āt). 多核〔性〕の．＝multinuclear.

pol·y·nu·cle·o·sis (pol′ē-nū′klē-ō′sis). 多核球増加〔症〕（末梢血液中に多核細胞が多数存在すること）．＝multinucleosis.

pol·y·nu·cle·o·ti·das·es (pol′ē-nū′klē-ō′ti-dās′ĕz). ***1*** ポリヌクレオチダーゼ（ポリヌクレオチドがオリゴヌクレオチドあるいはモノヌクレオチドに加水分解するのを触媒する酵素．例えば，ホスホジエステラーゼ，ヌクレアーゼ）．***2*** 以前，ヌクレオチド連絡部を切断しない 2 つのポリヌクレオチドホスファターゼ（2′(3′) および 5′-ポリヌクレオチドホスファターゼ）に名付けられた用語．

pol·y·nu·cle·o·tide (pol′ē-nū′klē-ō-tīd). ポリヌクレオチド（ヌクレオチドの数が不定（通常は多数）である線状重合体．1 つのリボース（あるいはデオキシリボース）からリン酸残基を経て別のリボースに結合する．*cf.* oligonucleotide）．

p. methyltransferases ポリヌクレオチドメチルトランスフェラーゼ（ポリヌクレオチドのプリンおよび（または）ピリミジン塩基やポリヌクレオチドの糖のメチル化反応を触媒する酵素）．＝polynucleotide methylases.

p. phosphorylase ポリヌクレオチドホスホリラーゼ．＝polyribonucleotide nucleotidyltransferase.

p. thioltransferases ポリヌクレオチドチオールトランスフェラーゼ（ポリヌクレオチドのプリンおよび（または）ピリミジン塩基の特異的チオレーション反応を触媒する酵素）．

pol·y·nu·cle·o·tide meth·yl·as·es (pol′ē-nū′klē-ō-tīd meth′il-ās′ĕz). ポリヌクレオチドメチラーゼ．＝*polynucleotide* methyltransferases.

pol·y·o·don·ti·a (pol′ē-ō-don′shē-ă) [poly- ＋ G. *odous*, tooth]. 歯数過剰．＝polydentia.

pol·y·ol (pol′ē-ol). ポリオル（ポリヒドロキシアルコール．糖アルコールとイノシトール類のような，–OH（–ol）基を多く含む糖）．

p. dehydrogenases ポリオルデヒドロゲナーゼ（糖アルコールの単糖類への脱水素反応を触媒する酸化酵素（EC class 1.1）．例えば，L-イジトールデヒドロゲナーゼとアルドースレダクターゼをさす）．

Pol·y·o·ma·vi·rus (pol′ē-ō′mă-vī′rŭs) [poly- ＋ G. *-ōma*, tumor]. ポリオーマウイルス属（DNA（分子量 3×10^6）を有し，直径約 45 mm のビリオンがみられるウイルスの一属（パポバウイルス科）で，動物に対して腫瘍属性のウイルスが含まれている．げっ歯類のポリオーマウイルス，霊長類の空胞化ウイルス（SV 40），さらにヒトの BK ウイルスと JC ウイルスが含まれる）．

pol·y·on·co·sis, pol·y·on·cho·sis (pol′ē-ong-kō′sis) [poly- ＋ G. *onkos*, tumor ＋ *-osis*, condition]. 多発〔性〕腫瘍症，重複〔性〕腫瘍症．

pol·y·o·nych·i·a (pol′ē-ō-nik′ē-ă) [poly- ＋ G. *onyx*, nail]. 爪過剰〔症〕，多爪症（手足の指に爪が過剰にあること）．＝polyunguia.

pol·y·o·pi·a, pol·y·op·sia (pol′ē-ō′pē-ă, -op′sē-ă) [poly- ＋ G. *ōps*, eye]. 多視〔症〕（同一物体が数像見えること）．＝multiple vision.

pol·y·or·chism, pol·y·or·chid·ism (pol-ē-ōr′kizm, -ōr′kid-izm) [poly- ＋ G. *orchis*, testis]. 精巣（睾丸）過剰〔症〕，多精巣（睾丸）〔症〕（余分な精巣が 1 個以上あること）．

pol·y·os·tot·ic (pol′ē-os-tot′ik) [poly- ＋ G. *osteon*, bone]. 多骨性の（2 本以上の骨が関係する）．

pol·y·o·ti·a (pol′ē-ō′shē-ă) [poly- ＋ G. *ous*, ear]. 耳過剰〔症〕，多耳〔症〕（頭の片側あるいは両側に耳が過剰にあること）．

pol·y·ov·u·lar (pol′ē-ōv′yū-lăr). 多卵性（複数の卵細胞を含む）．

pol·y·ov·u·la·tor·y (pol′ē-ōv′yū-lă-tōr′ē). 多排卵の（一排卵期に卵細胞を数個放出する）．＝polyzygotic.

pol·y·ox·yl 40 ste·a·rate (pol′ē-ok′sil stē′ă-rāt). ステアリン酸ポリオキシル 40，ポリオキシル 40 ステアレイト（親水軟膏などの乳剤の乳化剤として用いる非イオン性表面活性剤）．

pol·yp (pol′ip) [L. *polypus*; G. *polypous*, contr. < G. *polys*, many ＋ *pous*, foot]. ポリープ（正常平面から外方あるいは上方に膨隆，突出している組織集塊の総称．肉眼的に，半球状，球状，あるいは不規則な丸い形の構造で，比較的広い基盤あるいは細長い茎から出ている．ポリープは新生物，炎症病巣，変性病変，奇形のいずれかである）．＝polypus.

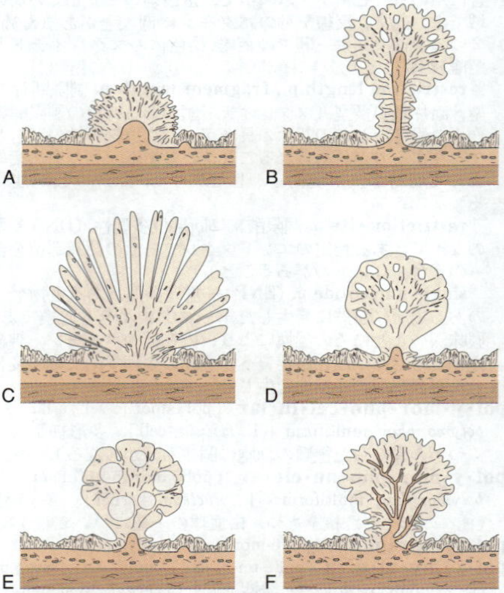

benign polyps of the large intestine

過形性ポリープ（A）は，一般的だが，臨床的に重要ではない．管状腺腫（B）は，しばしば集簇性に生じる有茎腫瘍で，悪性に変化する割合は2－3％である．絨毛腺腫（C）は，指のような突出で成り立っている広範性腫物で，悪性に変化する割合は40－50％である．若年性ポリープ（D），リンパ様ポリープ（E）およびPeutz-Jeghersポリープ（F）は，悪性に変化しない．

adenomatous p. 腺腫様ポリープ（腺上皮から由来する良

性新生物組織からなる）．＝cellular p.; polypoid adenoma.
bleeding p. 出血性ポリープ（→rhinosporidiosis）．＝vascular p.
bronchial p. 気管支ポリープ（気管支粘膜にできるポリープ）．
cardiac p. 心〔臓〕ポリープ（通常，心内膜に付着する円形血栓）．
cellular p. 小腺房性ポリープ．＝adenomatous p.
choanal p. 後鼻孔ポリープ（鼻咽腔に広がるポリープ．上顎洞に原発する）．
cystic p. 嚢胞性ポリープ（有茎性の嚢腫）．＝hydatid p.
dental p. 歯髄ポリープ．＝hyperplastic *pulpitis*.
fibroepithelial p. ＝skin *tag*.
fibrous p. 線維性ポリープ（主に小房状線維組織からなる．しばしば高密度のコラーゲン，硝子様物質あるいは両方の物質よりなる病巣を伴う）．
fleshy p. ＝myomatous p.
fundic gland p. 胃底腺ポリープ（胃底部に発生する良性のポリープ．プロトンポンプ阻害剤の使用あるいは家族性ポリポーシス症候群に伴うことが多い）．
gelatinous p. 粘液ポリープ（①繊細で疎性の水腫性結合組織．②ポリープ様粘液腫）．
Hopmann p. (hop′mahn)．ホップマンポリープ．＝Hopmann *papilloma*.
hydatid p. 嚢状ポリープ．＝cystic p.
hyperplastic p. 過形成性ポリープ（粘膜腺の伸展と嚢胞状拡張を示す大腸の良性の小さい無茎性のポリープ．胃粘膜の非腫瘍性のポリープもいう）．＝metaplastic p.
inflammatory p. 炎症性ポリープ．＝pseudopolyp.
juvenile p. 若年性ポリープ（大腸の滑らかな円形の粘膜過誤腫．多発性で直腸出血を起こすことがある．特に10歳未満の間にみられる．前癌状態ではない）．＝retention p.
laryngeal p. 喉頭ポリープ（声帯の表面から突出しているポリープ）．
lipomatous p. 脂肪腫性ポリープ（①主に脂肪組織からなるポリープ．②表面から隆起あるいは柄で付着している脂肪腫）．
lymphoid p. リンパ様ポリープ（リンパ球の集積からなる直腸の良性腫瘍）．
metaplastic p. 異形成性ポリープ．＝hyperplastic p.
mucous p. 粘液ポリープ（①著しい量の粘液が形成される腺腫様ポリープ．②粘液を含むポリープ様嚢胞）．
myomatous p. 筋腫性ポリープ（平滑筋に由来する良性新生物組織からなるポリープ）．＝fleshy p.
nasal p. 鼻ポリープ，鼻たけ（副鼻腔の入口あるいは腔から発生し，鼻腔に突出している炎症性またはアレルギー性のポリープ）．
osseous p. 骨性ポリープ（骨組織の一部にできるポリープ）．
pedunculated p. 有茎性ポリープ（細長い茎によって基底組織に付着しているポリープの形態）．
placental p. 胎盤ポリープ（遺残胎盤片から発生したポリープ）．
pulp p. ＝hyperplastic *pulpitis*.
regenerative p. 再生性ポリープ（胃粘膜の過形成性ポリープ）．
retention p. 貯留ポリープ．＝juvenile p.
sessile p. 無茎性ポリープ（比較的広い基底をもつポリープの形態）．
tooth p. ＝hyperplastic *pulpitis*.
vascular p. 血管性ポリープ（鼻粘膜の隆起した，または突出した血管腫）．＝bleeding p.

pol·y·pap·il·lo·ma (pol′ē-pap′i-lō′mă)．多発乳頭腫（多数の乳頭腫）．

pol·y·path·i·a (pol′ē-path′ē-ă) [poly- + G. *pathos*, disease]．多病（疾病または障害が多数あること）．

pol·y·pec·to·my (pol′i-pek′tŏ-mē) [polyp + G. *ektomē*, excision]．ポリープ切除〔術〕．
p. snare ポリペクトミースネア（ポリープの上からかけて引き締め，その結果，ポリープの茎を切除できるよう工夫されたワイヤの輪）．

pol·y·pep·tide (pol′ē-pep′tīd)．ポリペプチド（ペプチド結合(–NH–CO–)により不定数(通常は多数)のアミノ酸が連結されて形成されたペプチド）．
gastric inhibitory p. (**GIP**) [MIM*137240]．胃抑制性ポリペプチド（胃より分泌されるペプチドホルモン．GIPは胃酸とペプシンの分泌を抑制し，消化過程の一環としてインスリン分泌を刺激する）．＝gastric inhibitory peptide.
glucose-dependent insulinotropic p. ブドウ糖依存性インスリン分泌刺激ポリペプチド（ブドウ糖を含む食事を摂取すると，消化管から血中に放出されるインスリン分泌刺激物質）．
pancreatic p. 膵ポリペプチド（①36個のアミノ酸からなるペプチドで，食事に対応して膵臓の島細胞から分泌される．生理的機能は不明である．②胃腸ペプチドの一群で膵ポリペプチド，ニューロペプチドY，ペプチドYYが含まれる）．
trefoil p. 三葉型ポリペプチド（システイン残基に基づくジスルフィド結合によって会合した高度に安定化された3ループ構造の三葉部分からなる蛋白の一群．それらは胃腸組織で広く発現され，粘液細胞から分泌される．その機能は不明）．
vasoactive intestinal p. (**VIP**) 血管作動性腸管ポリペプチド（通常，Langerhans島の非β細胞腫により分泌されるポリペプチドホルモン．VIPはグリコゲン分解を促進し，膵の重炭酸分泌を促進する．大量に産生されると低カリウム血症や低塩酸症を伴う激しい水様下痢と便中電解質喪失を引き起こす）．＝vasoactive intestinal peptide.

pol·y·pha·gi·a (pol′ē-fā′jē-ă) [poly- + G. *phagō*, to eat]．多食〔症〕，大食性（過度の食事．大食）．

pol·y·pha·lan·gism (pol′ē-fă-lan′jizm)．多節骨〔症〕．＝hyperphalangism.

pol·y·phal·lic (pol′ē-fal′ik)．多男根〔所有〕の（多数の陰茎を所有しているという空想についていう）．

pol·y·phar·ma·cy (pol′ē-far′mă-sē)．多剤〔併用〕療法（同時に多種類の薬剤を投与すること．→shotgun *prescription*）．

pol·y·phen·ic (pol′ē-phēn′ik) [poly- + G. *phainō*, to display]．多面的．＝pleiotropic.

polyphenism (pol-ē-fē′nizm) [poly- + *pheno*type + -ism]．表現型多型（同一のゲノムであるにもかかわらず，環境要因に応答して表現型を変化させることのできる能力）．

pol·y·phe·nol ox·i·dase (pol′ē-fē′nol oks′i-dās)．ポリフェノールオキシダーゼ．＝laccase.

pol·y·pho·bi·a (pol′ē-fō′bē-ă) [poly- + G. *phobos*, fear]．汎恐怖〔症〕（種々のものに対する病的な恐れ．多くの恐怖症状態がみられることが特徴である）．

pol·y·phos·phor·y·lase (pol′ē-fos-fōr′i-lās)．ポリホスホリラーゼ．＝phosphorylase.

pol·y·phra·si·a (pol′ē-frā′zē-ă) [poly- + G. *phrasis*, speech]．多弁〔症〕（極端におしゃべりな状態．→logorrhea）．

pol·y·phy·let·ic (pol′ē-fī-let′ik)．***1*** 多元発生の（多くの源から派生する，またはいくつかの系統を引く系列をもつ．*cf.* monophyletic）．***2*** 多元論の（血液学において，多元論についていう）．

pol·y·phy·le·tism (pol′ē-fī′lĕ-tizm) [poly- + G. *phylē*, tribe]．多元論（血液学において，血球類は数個の異なった幹細胞を起源とし，特別の細胞型によるという命題に基づく理論）．＝polyphyletic theory.

pol·y·phy·o·dont (pol′ē-fī′ō-dont) [poly- + G. *phyō*, to produce + *odous*(*odont-*), tooth]．多生歯〔性〕の，多生歯形の（一生の間に連続して形成された数組の歯をもっている）．

pol·y·pi (pol′i-pī)．polypusの複数形．

po·lyp·i·form (pō-lip′i-fōrm)．＝polypoid.

pol·y·plas·mi·a (pol′ē-plaz′mē-ă)．多血漿症．＝hydremia.

pol·y·plas·tic (pol′ē-plas′tik) [poly- + G. *plastikos*, plastic]．***1*** 多構成の（数種の異なる構成物(組織)からなる）．***2*** 多変形の（いくつかの形態をとりうる）．

Pol·y·plax (pol′ē-plaks) [poly- + G. *plax*, plate, plaque]．イエネズミジラミ属（ラットまたはハツカネズミの吸血シラミ(シラミ目)．ハツカネズミジラミ *P. serratus* は実験的に野兎病を伝搬しうることが知られ，また発疹熱および *Trypanosoma lewisi* の媒介体ともなりうる）．

pol·yp·loid (pol′ē-ployd)．倍数体の（倍数性によって特徴付けられる）．

pol·y·ploi·dy (pol′ē-ploy′dē) [poly- + G. *polidēs*, in form]．

倍数性（3倍以上の一倍体を含む細胞核の状態．3倍，4倍，5倍，6倍の染色体を有する細胞は，それぞれ三倍体，四倍体，五倍体，六倍体とよばれる）．

pol·yp·ne·a (pol′ip-nē′ă) [poly- + G. *pnoia*, breath]. 多呼吸，呼吸頻発．＝tachypnea.

pol·y·po·di·a (pol′i-pō′dē-ă). 多足〔症〕（余分の足があること）．

pol·y·poid (pol′i-poyd) [polyp + G. *eidos*, resemblance]. ポリープ状の．＝polypiform.

pol·yp·or·ous (pol-ip′ōr-ŭs) [poly- + G. *poros*, pore]. 多孔性の，篩状の．＝cribriform.

pol·y·po·si·a (pol′ē-pō′zē-ă) [poly- + G. *posis*, drinking]. 多飲（過度に飲み続けることを表す，まれに用いる語）．

pol·y·po·sis (pol′i-pō′sis) [polyp + G. *-osis*, condition]. ポリポ〔ー〕シス，ポリープ症（数個のポリープが存在すること）．

adenomatous p. coli 大腸腺腫性ポリポ〔ー〕シス．＝familial adenomatous p.

cap p. キャップポリポーシス（直腸，S状結腸に多発する特異な炎症性ポリープ．隆起病変の頂部に線維性膿性滲出物の付着した肉芽組織がみられる．病因は直腸粘膜脱症候群との臨床的・病理学的類似性から下部大腸の粘膜脱や運動機能異常の関与が示唆されている）．

familial adenomatous p. (FAP) [MIM*175100]. 家族性腺腫性ポリポ〔ー〕シス（通常小児期に始まるポリポーシス．ポリープの数は増加し慢性大腸炎の症状を生じる．しばしば網膜に色素病変が認められる．治療しないと大腸癌がほとんど例外なく発生する．第5染色体長腕に存在する大腸腺腫性ポリポーシス遺伝子(*APC*)の突然変異によって生じ，常染色体優性遺伝する．FAPの対立形質であるGardner症候群では類腱腫，骨腫，顎嚢胞などの大腸外病変が認められる）．＝adenomatous p. coli; familial p. coli; multiple intestinal p. (1).

familial p. coli 大腸家族性ポリポ〔ー〕シス．＝familial adenomatous p.

lymphomatoid p. リンパ腫様ポリポ〔ー〕シス（小腸に多数のリンパ性ポリープを生じる多発性のマントル細胞リンパ腫）．

multiple intestinal p. [MIM*175100]. 多発性腸ポリポ〔ー〕シス（①＝familial adenomatous p. ②小腸や大腸の過誤腫性ポリープ，Peutz-Jeghers 症候群[MIM*175200]．口唇にメラニン沈着を認め，頻度は低い）．

po·lyp·o·tome (po-lip′ō-tōm) [polyp + G. *tomos*, cutting]. ポリープ切除刀（ポリープを切除するために用いる器具）．

pol·yp·o·trite (pol-ip′ō-trīt) [polyp + L. *tero*, pp. *tritus*, to rub]. ポリープ圧砕器（ポリープを押しつぶす器具）．

pol·y·pous (pol′i-pŭs). ポリープ性の．

pol·y·prag·ma·sy (pol′ē-prag′mă-sē) [poly- + G. *pragma*, a thing]. 多薬療法（同時に多種の治療薬を投与すること）．

pol·y·pre·nols (pol-ē-prē′nolz). ポリプレノール（非環状ポリイソプレンアルコール）．

pol·y·ptych·i·al (pol′ip-tik′ē-ăl) [G. *polyptychos*, having many folds or layers < poly- + *ptychē*, fold or layer]. 多層の（折り重なって2層以上になっている）．

pol·y·pus, pl. pol·y·pi (pol′i-pŭs, -pī) [L.]. ＝polyp.

pol·y·ra·dic·u·li·tis (pol′ē-ra-dik′yū-lī′tis). 多発〔性〕神経根炎．＝polyradiculopathy.

pol·y·ra·dic·u·lo·my·op·a·thy (pol′ē-ra-dik′yū-lō-mī-op′ă-thē). 多発神経根筋障害（多発神経根障害とミオパシーの併存）．

pol·y·ra·dic·u·lo·neu·rop·a·thy (pol′ē-ra-dik′yū-lō-nū-rop′ă-thē). 多発〔神経〕根神経障害（①神経根と末梢神経を侵す疾患．②全身の神経根と末梢神経を侵す，非外傷性で通常は散発性の疾患．運動神経線維，感覚神経線維の片方のみを侵すこともあるが通常は両方を侵す．障害の程度は同じでないことが多い．軸索変性型と脱髄型に分類される．本疾患には多くの原因があるが免疫介在性のものが多く，Guillain-Barré 症候群や慢性炎症性多発神経障害を含む）．

acute inflammatory demyelinating p. (AIDP) 急性炎症性脱髄性多発根神経障害（Guillain-Barré 症候群の古典型．神経線維の障害は主に脱髄による．→acute motor axonal *neuropathy*）．

pol·y·ra·dic·u·lop·a·thy (pol′ē-ra-dik′yū-lop′ă-thē). 多発〔神経〕根障害（広範性の神経根障害で，糖尿病性神経障害（糖尿病性多発神経根障害）や他の疾患でみられる）．＝polyradiculitis.

diabetic p. 糖尿病性多発神経根障害（多発ニューロパシー以外の糖尿病性ニューロパシーのいくつかの型の総称．糖尿病性筋萎縮症，糖尿病性胸椎神経根障害を含む．1つ以上の神経根の糖尿病性障害による．腰椎と胸椎ではしばしば髄節性で，頸椎ではたまに髄節性．主に年配の男性に起こる）．

pol·y·ri·bo·nu·cle·o·tide nu·cle·o·tid·yl·trans·fer·ase (pol′ē-rī′bō-nū′klē-ō-tīd nū′klē-o-tīd′il-trans′fĕr-ās). ポリリボヌクレオチドヌクレオチジルトランスフェラーゼ（ポリリボヌクレオチドまたはRNAの加リン酸分解を触媒し，ヌクレオシド二リン酸を生成する（またはその逆反応．発見された最初の人工的なポリヌクレオチド生成））．＝polynucleotide phosphorylase.

pol·y·ri·bo·somes (pol′ē-rī′bō-sōmz). ポリリボソーム（概念的に，1分子のメッセンジャーRNAに2個以上のリボソームが結合した状態．この概念を満たす構造は電子顕微鏡で見ることができる．それらはリボソームの集合体と一致した速度で沈降する．そうしたことから，リボソームからなる集合体が真のポリリボソームであるとしばしば仮定されるが，これは正しくない．ポリリボソームは蛋白合成の場において活性を示す）．＝polysomes.

pol·yr·rhe·a (pol′i-rē′ă) [poly- + G. *rhoia*, a flow]. 分泌過多（粘液または他の体液の多量の排出）．

pol·y·sac·char·ide (pol′ē-sak′ă-rīd). 多糖類，ポリサッカリド（多数の糖類を含む炭水化物．例えばデンプン．*cf.* oligosaccharide）．＝glycan.

pneumococcal p. 肺炎菌多糖類．＝specific capsular *substance*.

specific soluble p. 特異的可溶性多糖類．＝specific capsular *substance*.

pol·y·sce·li·a (pol′ē-sē′lē-ă) [poly- + G. *skelos*, leg]. 多脚症（脚が3本以上ある多肢症の一型）．

pol·y·scope (pol′ē-skōp). 徹照器．＝diaphanoscope.

pol·y·ser·o·si·tis (pol′ē-sēr′ō-sī′tis) [poly- + L. *serum*, serum + G. *-itis*, inflammation]. 多漿膜炎，多発性漿膜炎，汎漿膜炎（いくつかの漿膜腔において同時に滲出液の貯留する慢性炎症．線維性肥厚漿膜および収縮性心膜炎をもたらす）．＝Bamberger disease (2); Concato disease; multiple serositis.

familial paroxysmal p. [MIM*249100]. 家族性発作性多漿膜炎（腹痛，発熱，胸膜炎，関節炎，発疹の一過性再発性発作．発作と発作の間は無症状．常染色体劣性遺伝型は第16染色体長腕のマレノストリン遺伝子の変異によって起こる．常染色体優性遺伝型[MIM *134610]ではアミロイドーシスをよく合併する）．＝benign paroxysmal peritonitis; familial Mediterranean fever; familial recurrent p.; Mediterranean fever (2); periodic peritonitis; periodic p.

familial recurrent p. 家族性再発性多漿膜炎．＝familial paroxysmal p.

periodic p. 周期性多漿膜炎．＝familial paroxysmal p.

recurrent p. 再発性多発性漿膜炎（家族性地中海熱）．

pol·y·si·nu·si·tis (pol′ē-sī′nŭ-sī′tis). 多洞炎，多副鼻洞炎（2つ以上の洞で同時に起こる炎症）．

pol·y·somes (pol′ē-sōmz). ポリソーム．＝polyribosomes.

pol·y·so·mi·a (pol′ē-sō′mē-ă) [poly- + G. *sōma*, body]. 多体重複奇形（2つ以上の不完全で部分的に癒合した体を含む胎児奇形）．

pol·y·so·mic (pol′ē-sō′mik). 多染色体性の．

pol·y·som·no·gram (pol′ē-som′nō-gram) [poly- + L. *somnus*, sleep + G. *gramma*, diagram]. 睡眠ポリグラフ（睡眠ポリグラフ計で得られる生理学的機能の記録）．

pol·y·som·no·gra·phy (pol′ē-som-nog′ră-fē). 睡眠ポリグラフ計（睡眠に関連した複数の生理学的因子を計測した睡眠検査．酸素飽和度，心電図，空気流量，呼吸性努力，四肢の動き，眼・顎の筋の動き，脳の電気的活動を含む）．

pol·y·so·my (pol′ē-sō′mē) [poly- + G. *sōma*, body(chromosome)]. 多染色体性（一組の染色体の一部が二倍体以上で存在する細胞核の状態．3, 4, 5個の相同の染色体を含む細胞は，それぞれ三染色体性，四染色体性，五染色体性とよばれる．*cf.* polyploidy)．

pol·y·sor·bate 80 (pol′ē-sōr′bāt)．ポリソルベート 80（ポリオキシエチレンエーテルとソルビトール無水物の部分的オレイン酸エステルとの混合物．医薬品の調製で乳化剤として用いる）．

pol·y·sper·mi·a, pol·y·sper·mism (pol′ē-sper′mē-ă, -spĕr′mizm)．*1* ＝polyspermy．*2* 精子過多〔症〕，多精子症（異常に多量の精子の分泌）．

pol·y·sper·my (pol′ē-sper′mē)．多精子進入，多精子受精（卵母細胞中に 2 個以上の精子が進入すること）．＝polyspermia (1); polyspermism.

pol·y·sple·ni·a (pol′ē-sple′nē-ă) [poly- + G. *splēn*, spleen] [MIM*208530]．多脾症（脾臓の組織がほぼ同じ大きさの塊に分かれている，または完全に欠損した状態．通常，先天性心疾患，腹部臓器の位置異常と不完全形成を呈し，内臓逆位と関与するのかもしれない．常染色体劣性遺伝を示唆する症例もあるが，ほとんどは単発性である．→bilateral *left-sidedness*)．＝asplenia with cardiovascular anomalies; Ivemark syndrome; polyasplenia.

pol·y·ster·ax·ic (pol′ē-ster-ak′sik)．ポリステラキシックな（人を怒らせるような行動に対してまれに用いる語）．

pol·y·stich·i·a (pol′ē-stik′ē-ă) [poly- + G. *stichos*, row]．睫毛多列症（睫毛が 2 列以上並んでいること）．

pol·y·sul·fide rub·ber (pol′ē-sŭl′fīd rŭb′ĕr)．ポリスルフィドゴム（歯科の印象材として用いる合成ゴム）．

pol·y·sus·pen·soid (pol′ē-sŭs-pen′soyd)．多分散粒子性懸濁質（種々の分散度をもつ固相のコロイド系）．

pol·y·sym·brach·y·dac·ty·ly (pol′ē-sim-brak′ē-dak′ti-lē) [poly- + symbrachydactyly]．多指癒着短指症（手または足の先天性奇形で，短い指の合指および多指をいう）．

pol·y·syn·ap·tic (pol′ē-sin-ap′tik)．多シナプスの（シナプスによって連結された多数の神経細胞の連鎖によって形成される神経伝達経路についていう．乏シナプス伝達系と区別される）．＝multisynaptic.

pol·y·syn·dac·ty·ly (pol′ē-sin-dak′ti-lē)．多合指(趾)症（数本の指あるいは趾の多合指(趾)．純粋なもの [MIM*174700]と異常な頭蓋形態を伴うもの，Grieg の頭蓋多合指症候群 [MIM*175700]とがある．両方は常染色体優性形質による遺伝形態をとる．劣性形質のものは心臓の欠陥 [MIM*263630]を伴う）．

pol·y·ten·di·ni·tis (pol′ē-ten′di-nī′tis)．多発腱炎．

pol·y·tene (pol′i-tēn)．多糸〔性〕の（糸状体の分離なしに，染色糸が何度も分裂を繰り返した結果として，多数のクロマチンの糸状体からなる）．

pol·y·ten·i·za·tion (pol′ē-ten′i-zā′shŭn)．多糸形成化（分離されず多糸を形成する経路）．

pol·y·ter·penes (pol′ē-ter′pēnz)．ポリテルペン（多数のイソプレンサブユニットを含む非環状ポリマー．通常は不飽和である）．＝polyisoprenes; polyisoprenoids.

pol·y·the·lia (pol-ē-thē′lē-ă) [poly- + G. *thēlē*, nipple]．多乳頭〔症〕（胸部または体のどこかに過剰の乳頭があること）．＝hyperthelia.

po·lyt·o·cous (pŏ-lit′ŏ-kŭs) [poly- + G. *tokos*, birth]．多児分娩の（一度に大勢の子を産む）．

pol·y·to·mog·ra·phy (pol′ē-tō-mog′ră-fē)．多重断層撮影（複雑な三つ葉軌道の動きをするように特別に設計された装置を用いる体幹の断層X線撮影で，単純な直線運動あるいは円運動よりも薄い断層で撮影できる）．

pol·y·trich·i·a (pol′ē-trik′ē-ă) [poly- + G. *thrix*(*trich-*), hair]．多毛症．＝polytrichosis.

pol·y·tri·cho·sis (pol′ē-tri-kō′sis)．＝polytrichia.

pol·y·tro·phic (pol′ē-trō′fik)．多向性（多様な器官に対して親和性，向性を示すことで，通常は多種の臓器を侵すウイルスについて用いられる）．

pol·y·(U) (pol′ē)．poly(uridylic acid) の略．

pol·y·un·gui·a (pol′ē-ŭng′gwē-ă) [poly- + L. *unguis*, nail]．＝polyonychia.

pol·y·u·ri·a (pol′ē-yū′rē-ă) [poly- + G. *ouron*, urine]．多尿〔症〕（尿の過剰な排泄で，大量で頻回の排尿のこと）．

pol·y·(u·ri·dyl·ic ac·id), pol·y·(U) (pol′ē-yū′ri-dil′ik as′id)．ポリウリジル酸，ポリ U（ウリジル酸のホモポリマー）．

pol·y·u·ro·nides (pol′ē-yūr′ō-nīdz)．ポリウロニド（ウロン酸(例えば，グルクロン酸，ガラクツロン酸)のポリマー．ペクチンはポリウロニドである）．

pol·y·va·lent (pol′ē-vā′lent)．多価の（① ＝multivalent. ② polyvalent antiserum についていう）．

pol·y·vi·done (pol′ē-vī′dōn)．ポリビドン．＝povidone.

pol·y·vi·nyl (pol′ē-vī′nal)．ポリビニル（多数の重合した形のビニル基を含む化合物をさす）．

pol·y·vi·nyl chlo·ride (PVC) (pol′ē-vī′nil klōr′īd)．ポリ塩化ビニル（多くの工業上の用途でゴムの代用品として用いるポリマープラスチック．発癌性の疑いがある）．＝chlorethene homopolymer.

pol·y·vi·nyl·pyr·rol·i·done (PVP) (pol′ē-vī′nil-pi-rol′i-dōn)．ポリビニルピロリドン．＝povidone.

pol·y·vi·nyl·pyr·rol·i·done-i·o·dine com·plex (pol′ē-vī′nil-pi-rol′i-dōn ī′ō-dīn kom′pleks)．ポリビニルピロリドン－ヨウ素複合体．＝povidone *iodine*.

polyxenous (pol-iks′en-ŭs) [poly- + G. *xenos*, different, other]．多宿主性（複数の種を感染させることができる）．

pol·y·zo·ic (pol′ē-zō′ik)．多節の（条虫亜綱のような高等な条虫類にみられる分節をもつ体制．→strobila; monozoic)．

pol·y·zy·got·ic (pol′ē-zī-got′ik) [poly- + G. *zygōtos*, yoked]．＝polyovulatory.

po·made (pō-mād′, pō-mahd′) [Fr. *pomade* < L. *pomum*, apple]．ポマード（薬物を含む軟膏またはクリーム．通常，毛髪に用いる）．＝pomatum.

po·ma·tum (pō-mā′tŭm) [Mod. L.]．ポマード．＝pomade.

POMC proopiomelanocortin の略．

pome·gran·ate (pom′gran-ăt) [L. *pomum*, apple + *granatus*, many seeded < *granum*, grain or seed]．ザクロ（ザクロ科 *Punica granatum* の果実．大きなオレンジのサイズの帯赤黄色の果実で，赤色，酸味の軟塊に包まれた多数の種子を含む．収れん性があるため下痢に用いられる．樹皮および根皮はペレチエリンその他のアルカロイドを含み，殺虫薬として用いられてきた）．＝granatum.

Pom·er·oy (pom′ĕr-oy), Ralph H. 米国人産科婦人科医，1867—1925．⇀P. *operation*.

POMP (pahmp)．パンプ(purinethol (6-mercaptopurine), oncovin (vincristine sulfate), methotrexate，および prednisone を用いた癌の化学療法を表す頭字語)．

Pom·pe (pom′pĕ), J.C. 20 世紀のオランダ人医師．⇀P. *disease*.

pom·pho·lyx (pom′fō-liks) [G. a bubble < *pomphos*, a blister]．汗疱．＝dyshidrosis.

pon·ceau de xy·li·dine (pon-sō′dĕ zī′li-dēn) [C.I.16151]．ポンソーデキシリジン（もともと Masson トリクローム染色の対比染色として用いられたモノアゾ染料）．

Pon·fick (pon′fik), Emil. ドイツ人病理学者，1844—1913．⇀P. *shadow*.

pono- [G. *ponos*, toil, fatigue, pain]．肉体上の努力，疲労，過労，苦痛を意味する連結形．

po·no·graph (pō′nō-graf) [pono- + G. *graphō*, to write]．疲労計（収縮する筋肉の疲労の進行をグラフで記録する器具）．

po·no·pal·mo·sis (pō′nō-pal-mō′sis) [pono- + G. *palmos*, palpitaion]．兵士心臓，神経循環無力症（わずかな運動(労作)で動悸が引き起こされる，感じやすい心臓の状態を表すのにまれに用いる語）．

po·no·pho·bi·a (pō′nō-fō′bē-ă) [pono- + G. *phobos*, fear]．疲はい恐怖〔症〕，過労恐怖〔症〕（過労または疲れることに対する病的な恐れ）．

po·nos (pō′nos) [G. toil, fatigue, pain]．ポノス，小児カラアザール（ギリシアのいくつかの島で年少小児に起こる疾病．脾臓の肥大，出血，発熱，悪液質を特徴とする．小児の内臓リーシュマニア症と考えられる）．

pons, pl. **pon·tes** (ponz, pon′tēz) [L. bridge]．橋（① [TA]．神経解剖学において，Varolius 橋，または脳橋．脳幹のこの部分は尾側の延髄と吻側の中脳の間にあり，橋底部と橋被蓋より構成される．白質の橋の隆起である橋底部は脳の腹側面で横に走るはっきりとした溝で延髄と中脳から区別される．＝p. cerebelli; p. varolii. ②同じ構造または器官の多少離れた 2 つの部分を結合する橋のような構造）．

P

p. cerebelli 脳橋．＝pons (1).

pontes grisei caudolenticulares［TA］．＝caudolenticular gray *bridges*.

p. hepatis 肝橋（肝組織の橋．ときに下大静脈窩に重なり，これを管に変える）．＝ponticulus hepatis.

p. varolii ヴァローリウス橋．＝pons (1).

pon·tes (pon′tēz)［L.］．pons の複数形．

pon·tic (pon′tik). 架工歯，ポンティック（固定性局部床義歯上の人工歯．失損した自然歯の代わりをし，その機能を修復し，自然歯冠が占めていた空隙を占める）．＝dummy(1).

pon·ti·cu·lus (pon-tik′yū-lŭs)［L. *pons*(bridge)の指小辞］．〔小〕橋（後耳介筋が付着している甲介隆起上の垂直稜）．

p. hepatis ＝*pons* hepatis.

p. nasi 鼻稜．

p. promontorii ＝*subiculum* promontorii.

pon·tile, pon·tine (pon′tīl, -tēn; -tīn). 橋の．

pon·to·cer·e·bel·lum (pon′tō-ser′ā-bel′ŭm). 橋小脳（橋底部の核からの神経線維を受ける小脳皮質の部分．小脳半球の広い範囲を占める．小脳虫部は比較的少ない．橋小脳線維は小脳皮質にゆく途中で小脳核に側副神経線維を出す）．

Pool (pūl), Eugene H. 米国人外科医，1874－1949．→P. *phenomenon*; P.-Schlesinger *sign*.

pool (pūl)［A.S. *pōl*］．プール，貯留（①身体のある領域における血液または他の体液の集合．一部の毛細血管および静脈における循環の拡張と遅滞に基づく血液のプール．②供給源の集合体）．

abdominal p. 腹腔血液貯留（腹部内の血液量）．

gene p. 遺伝子プール（ある特定の交配集団がもっている遺伝形質を規定し得るすべての遺伝子）．

metabolic p. 代謝プール（代謝反応に関与する関連化合物類の特定の化合物または群の量をいう．これらの化合物の全体の量の一部のみを構成する）．

vaginal p. 腟円蓋部貯留（腟の後部円蓋に蓄積する分泌物および物質．原則的には前期破水の評価に用いられる）．

pop·les (pop′lēz)［L. the ham of the knee］［TA］．膝窩，ひかがみ（［複数形は poples ではなく poplites である］．膝の後部．→popliteal *fossa*）．＝posterior *part* of knee.

pop·lit·e·al (pop-lit′ē-ăl, pop-li-tē′ăl). 膝窩の（→p. *artery*; p. *fossa*; p. *lymph nodes*; p. *surface* of femur; p. *vein*）．＝popliteus (1).

pop·li·te·us (pop-lit′ē-ŭs)［L.］．***1***〚adj.〛＝popliteal. ***2***〚n.〛＝popliteal *fossa*. ***3***〚n.〛＝popliteus (*muscle*).

POPOP 1,4-bis(5-phenyloxazol-2-yl)benzene（液体シンチレータ）の略．

pop·py (pop′ē). ケシ．＝*Papaver*.

p. oil ケシ油（*Papaver somniferum* の種子から圧出された不揮発性(乾性)油．そのままリニメント剤の調製，またはヨウ素化油のヨウ素の溶媒としてときに用いる）．

pop·u·la·tion (pop′yū-lā′shŭn)［L. *populus*, a people, nation］．母集団（特定の集団における，対象物，出来事，被検者のすべてを意味する統計学用語．*cf*. sample）．

POR problem-oriented *record* の略．

por- →poro-.

por·ce·lain (pōr′sĕ-lin). 陶材，ポーセレン（粘土，シリカ，および溶剤からなる粉末．水と混合されると泥膏となり，人工歯，インレー，ジャケット冠，義歯をつくるための素材となる．加熱すると溶解し，セラミックとなる）．

por·cine (pōr′sīn, -sin)［L. *porcinus* < *porcus*, a hog］．ブタの．

pore (pōr)［G. *poros*, passageway］．→opening; meatus; foramen. ＝porus (1). ***1***［TA］．開口，孔，穿孔．***2*** ＝sweat p.

alveolar p.'s 肺胞孔（隣接する肺胞間の空気の流通を許す肺の肺胞間の空間）．＝interalveolar p.'s; Kohn p.'s.

dilated p. 毛孔拡大腫（拡大した毛孔の皮膚開口部．角栓と，ときにうぶ毛や硬毛を伴う）．

external acoustic p.［TA］．外耳孔（側頭骨の鼓室部における外耳道の口）．＝porus acusticus externus［TA］; external acoustic aperture*; external acoustic foramen; external auditory foramen; external auditory p.; opening of external acoustic meatus; orifice of external acoustic meatus.

external auditory p. ＝external acoustic p.

gustatory p. 味孔．＝taste p.

interalveolar p.'s 肺胞間孔．＝alveolar p.'s.

internal acoustic p. 内耳孔．＝internal acoustic *opening*.

Kohn p.'s (kōn). コーン孔．＝alveolar p.'s.

nuclear p. 核〔膜〕孔（直径約 70nm の八角形の孔で，内外の核膜が連続している）．

skin p. ＝sweat p.

slit p.'s 沪過細隙（腎小体足細胞の入り組んだ足の間にある細胞間隙で，腎小体の沪過関門の一部をなす）．＝filtration slits.

sweat p. 汗孔（汗腺導管の体表への開口）．＝pore (2); porus sudoriferus; porus(2); skin p.

taste p.［TA］．味孔（口腔粘膜の味蕾の微小な開口．それを通して特異性神経上皮味覚細胞の味毛が突出する）．＝porus gustatorius［TA］; gustatory p.

warble p. ＝porus.

por·en·ce·pha·li·a (pōr′en-se-fā′lē-ă). ＝porencephaly.

por·en·ce·phal·ic (pōr′en-se-fal′ik). 脳空洞症の，孔脳〔症〕の．＝porencephalous.

por·en·ceph·a·li·tis (pōr′en-sef′ă-lī′tis)［G. *poros*, pore ＋ *enkephalos*, brain ＋ *-itis*, inflammation］．孔脳炎（脳の実質に空洞形成を伴う脳の慢性炎症）．

por·en·ceph·a·lous (pōr′en-sef′ă-lŭs). ＝porencephalic.

por·en·ceph·a·ly (pōr′en-sef′ă-lē)［G. *poros*, pore ＋ *enkephalos*, brain］．脳空洞症，孔脳〔症〕（通常，側脳室と交通している脳実質中の空洞の発生）．＝porencephalia; splencephaly.

Por·ges (pōr′gez), Otto. オーストリア人細菌学者，1879－1968．→P. *method*; P.-Meier *test*.

po·ri (pō′rī). porus の複数形．

po·ri·a (pō-rē′ă). porion の複数形．

Po·rif·er·a (pō-rif′ĕr-ă)［L. *porus*, pore ＋ *fero*, to bear］．海綿動物門（海綿．後生動物の一門．内骨片およびべん毛をもつえり細胞で，裏打ちされた多くの分岐した溝道をもつ着生性の水生動物．溝道と表面との交通はたくさんの小孔，またはより大きい開口，大孔を通して行われる．→Parazoa）．

por·ins (pōr′inz)［G. *poros*, passageway ＋ -in］．ポーリン（多くの小さな分子を通過させる二重膜の外膜に存在する蛋白）．

por·i·o·ma·ni·a (pōr′ē-ō-mā′nē-ă)［G. *poreia*, a journey ＋ *mania*, frenzy］．徘徊癖（病的な衝動によって家を離れて放浪すること）．

por·i·on, pl. **po·ri·a** (pōr′ē-on, -ē-ă)［G. *poros*, a passage］．ポリオン（外耳孔上縁の中央点．X線頭蓋計測の目標点としては，セファロメータの金属杆の中央に位置する）．

PORN (pōrn). progressive outer retinal *necrosis* の頭字語．

por·no·lag·ni·a (pōr′nō-lag′nē-ă)［G. *pornē*, prostitute ＋ *lagneia*, lust］．売春婦嗜好（売春婦に性的にひかれることに対してまれに用いる語）．

poro-, por- ***1***［G. *poros*(L. *porus*), passageway］．孔，管，開口を意味する連結形．***2***［G. *poreia*, a journey, passage］．通過，通り抜けを意味する連結形．***3***［G. *poros*, a kind of marble, a stone］．べんち，あるいは硬結を意味する連結形．

po·ro·ceph·a·li·a·sis (pō′rō-sef′ă-lī′ă-sis). ポロケファリッド感染症（*Porocephalus*属の舌虫の一種による感染症）．＝porocephalosis.

Po·ro·ce·phal·i·dae (pō′rō-se-fal′i-dē)［G. *poros*, pore ＋ *kephalē*, head］．寄生性舌虫の一科(Pentastomida 門，Porocephalida 目)．口の両側に曲線状に配列した 4 個の鉤が特徴．成虫はは虫類の肺に寄生し，幼虫および若虫はヒトを含む多種類の脊椎動物の組織中に見出される．→Linguatulidae; *Armillifer*; *Linguatula*.

po·ro·ceph·a·lo·sis (pō′rō-sef-ă-lō′sis). ＝porocephaliasis.

Po·ro·ceph·a·lus (pō′rō-sef′ă-lŭs)［G. *poros*, pore ＋ *kephalē*, head］．Porocephalidae 科の一属．その成虫または幼虫は多くの動物およびヒトにポロケファリッド感染症を起こす．

P. armillatus ＝*Armillifer armillatus*.

po·ro·co·nid·i·um (pō-rō′kŏ-nid′ē-ŭm). 孔膜(ポロ)型分生子（真菌における分生子柄の微細な小孔を通して産生される胞子(分生子)）．＝porospore.

po·ro·ker·a·to·sis (pō′rō-ker′ă-tō′sis)［G. *poros*, pore ＋ keratosis］．汗孔角化〔症〕（環状の角化堤防と cornoid lamella を伴う角質増生が進行性の中央部の萎縮をとりまくような状態を示すまれな皮膚疾患で，病変内より皮膚癌の発生をみることがある）. ＝Mibelli disease.

actinic p. 光線性汗孔角化症（主として四肢の露出部に起こる病変．光線性角化症と類似点をもつが，組織像は汗孔角化症のそれである）.

po·ro·ma (pō-rō′mă) [G. *pōrōma*, callus < *pōros*, stone]. ***1*** ＝callosity. ***2*** ＝exostosis. ***3*** 炎症性硬結（蜂巣炎に続発する硬結）. ***4*** 〔汗〕孔腫（汗腺の皮膚開口部を形成する細胞の腫瘍）.

eccrine p. エクリン汗孔腫（通常は足の裏のエクリン汗腺の表皮内部分から生じる腫瘍．紅色の柔らかい腫瘤で，基底細胞様細胞と線維血管組織からなる）.

po·ro·sis, pl. po·ro·ses (pō-rō′sis, -sēz) [L. *porosus*, porous]. 小孔形成，空洞形成（有孔の状態）. ＝porosity (1).

cerebral p. 脳小孔形成（*Clostridium perfringens* または他のガス生成微生物の組織中での死後の増殖により起こる脳の有孔状態）.

po·ros·i·ty (pō-ros′i-tē) [G. *poros*, pore]. ***1*** 有孔性. ＝porosis. ***2*** 穿孔.

por·o·spore (pōr′ō-spōr). ポロスポア，小孔性胞子. ＝poroconidium.

po·rot·ic (pō-rot′ik). 骨萎縮性（多孔性の，骨粗しょう症などで用いる）.

po·rous (pō′rŭs). 多孔〔性〕の，有孔の（直接または間接に物質を通り抜ける孔があることについていう）.

por·phin, por·phine (pōr′fin). ポルフィン（置換されていないテトラピロール核．ポルフィリン類の基礎核．*cf.* chlorin; phorbin; corrin. →porphyrins）. ＝porphyrin.

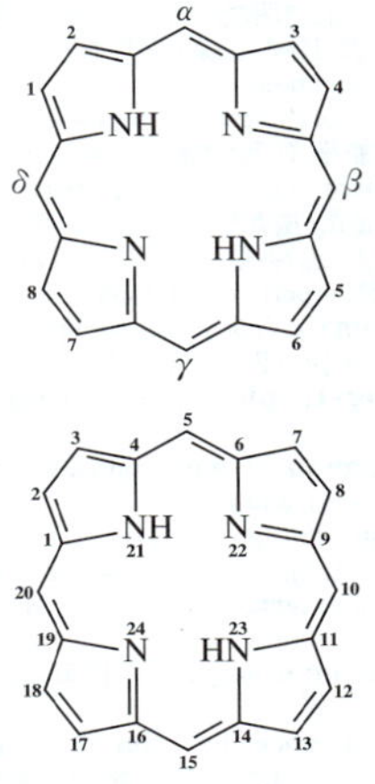

porphin

上：元のFischerの付番．下：現在の(1-24)付番．

por·pho·bi·lin (pōr′fō-bī′lin). ポルホビリン（モノピロール，ポルホビリノーゲンと，ヘムの環状テトラピロール(ポルフィン誘導体)，との中間体を意味する総称. →bilin）.

por·pho·bi·lin·o·gen (PBG) (pōr′fō-bī-lin′ō-jen). ポルホビリノーゲン（ポルフィリノーゲン，ポルフィリン，ヘムのポルフィリン前駆体．急性または先天性ポルフィリン症の症例の尿中に多量に見出される）.

p. synthase ポルホビリノーゲン合成酵素（δ–レブリン酸2分子からポルホビリノーゲンと水の生成を触媒する肝臓酵素．ポルフィリン生合成の重要な反応．鉛中毒で鉛により阻害される．この酵素の欠損により，高濃度の δ– アミノレブリン酸が生成し，その結果，精神障害を起こす）. ＝δ-aminolevulinate dehydratase.

por·phyr·i·a (pōr-fir′ē-ă). ポルフィリン症（ポルフィリンの代謝障害．ポルフィリン体や前駆物質が尿中へ大量に排泄されるのが特徴である．先天性のものやある種の化学物質(例えばヘキサクロロベンゼン)の影響による後天性のものもある）.

acute intermittent p., acute p. 急性間欠性ポルフィリン症，急性ポルフィリン症. ＝intermittent acute p.

δ-aminolevulinate dehydratase p. δ–アミノレブリン酸デヒドラターゼポルフィリア（ポルホビリノーゲン合成酵素の欠損による遺伝性疾患．δ–アミノレブリン酸は上昇しており，神経系的異常を伴う）. ＝porphobilinogen synthase p.

congenital erythropoietic p. (CEP) [MIM*263700]. 先天性造血性ポルフィリン症（骨髄の赤血球系細胞によるポルフィリン生成が高められ，重症のポルフィリン尿症が生じる．しばしば溶血性貧血および持続的な皮膚の日光過敏症を伴う．ウロポルフィリノーゲン III コシンテターゼの欠乏によって起こる．常染色体劣性遺伝．第10染色体長腕のウロポルフィリノーゲン III シンターゼ(*UROS*)遺伝子の突然変異により生じる．I 型ポルフィリン異性体の産生過剰がある）.

p. cutanea tarda (PCT) [MIM*176090, MIM*176100]. 晩発性皮膚ポルフィリン症（肝機能障害や日光過敏症，皮膚の色素沈着，皮質硬化症様変化，尿中ウロポルフィリン排泄亢進を特徴とする家族性または散発性のポルフィリン症．散発性の症例では慢性アルコール中毒のためウロポルフィリノーゲン脱炭酸酵素活性が減少するために生じる．家族性のものでは常染色体優性遺伝）. ＝symptomatic p.

p. cutanea tarda hereditaria 遺伝性遅発性皮膚ポルフィリン症（→p. cutanea tarda）.

p. cutanea tarda symptomatica 症候性遅発性皮膚ポルフィリン症（→p. cutanea tarda）.

erythropoietic p. 造血性ポルフィリン症（先天性造血性ポルフィリン症と造血性プロトポルフィリン症を含むポルフィリン症）.

hepatic p. [MIM*176100.0002]. 肝性ポルフィリン症（遅発性皮膚ポルフィリン症，異型性ポルフィリン症，遺伝性コプロポルフィリン症を含むポルフィリン症）. ＝p. hepatica.

p. hepatica 肝性ポルフィリア. ＝hepatic p.

hepatoerythropoietic p. 肝造血性ポルフィリン症（ウロポルフィリン脱炭酸酵素の不足または欠損により生じる常染色体劣性遺伝疾患．日光過敏症と肝での 7–および 8–carboxylate porphyrin の合成過剰を生じる）.

intermittent acute p. (IAP) [MIM*176000]. 急性間欠性ポルフィリン症（先天的な肝臓の δ–アミノレブリン酸産生過剰によって起こる．ポルホビリノーゲンデアミナーゼの欠乏により δ–アミノレブリン酸およびポルホビリノーゲンの尿排泄は著しく亢進し，尿中ウロポルフィリン排泄も増加する．本疾患は，反復する高血圧の急性発作，腹部仙痛，精神異常，神経障害，多発性神経炎を特徴とするが，光線過敏症は伴わない．常染色体優性遺伝．第11染色体長腕24領域にあるポルホビリノーゲンデアミナーゼ遺伝子の突然変異により生じる．ある種の薬剤(例えばバルビツール剤)の内服により悪化する）. ＝acute intermittent p.; acute p.

ovulocyclic p. 排卵周期性ポルフィリン症（月経前期に起こるポルフィリン症の急性発作性病勢悪化）.

porphobilinogen synthase p. ポルホビリノーゲン合成酵素ポルフィリア. ＝δ-aminolevulinate dehydratase p.

South African type p. 南アフリカ型ポルフィリン症. ＝variegate p.

symptomatic p. 症候性ポルフィリン症. ＝p. cutanea tarda.

variegate p. (VP) [MIM*176200]. 異型ポルフィリン症（腹痛や神経精神異常，光および機械的外傷に対する皮膚の過敏性，およびプロトポルフィリンとコプロポルフィリンの糞便中排泄の増加を特徴とするポルフィリン症．δ–アミノレブリン酸，ポルホビリノーゲン，ポルフィリンの尿中排泄が増加する．プロトポルフィリノーゲン酸化酵素の欠損により生じる．常染色体優性遺伝．第1染色体長腕のプロトポルフィリノーゲン酸化酵素(*PPOX*)遺伝子の突然変異により生じる）. ＝protocoproporphyria hereditaria; royal malady; South African type p.

por·phy·rin (pōr′fi-rin). ポルフィリン. ＝porphin.

por·phy·rin·o·gens (pōr′fi-rin′ō-jenz). ポルフィリノーゲン（次のようなヘムの中間体，4つのポルホビリノーゲン類はウロポルフィリノーゲンの I 型および III 型となる(副産物ウロポルフィリンの I 型と III 型を生じる). それはコプロポルフィリノーゲンの I 型, III 型へ脱炭酸される(副産物コプロポルフィリン I 型, III 型を生じる). プロトポルフィリノーゲン III(IX)は酸化され, プロトポルフィリン III(IX)を生成する(この最終中間体は第一鉄イオンを付加し, ヘムを与える). ある種のポルフィリノーゲンはある種のポルフィリン症で上昇する).

por·phy·r·in·op·a·thy (por′fir-in-op′ă-thē) [porphyrin + G. *pathos*, disease]. ポルフィリン異常症 (急性ポルフィリン症のようにポルフィリン代謝障害に起因する疾患の総称). ＝porphyrism.

por·phy·rins (pōr′fi-rinz). ポルフィリン (自然界全体に広く分布している色素(例えば, ヘム, 胆汁, シトクロム). 環状に結合した 4 個のピロール核(ポルフィン)よりなる. ポルフィン(ポルフィリン)の置換生成物であり, 大部分ピロール環の利用しうる 8 個の位置にある側鎖(例えば, メチル, エチル, ビニル, ホルミル, カルボキシエチル, カルボキシメチル)が異なる数種類を含む. 側鎖の性質に従って, 接頭語 etio-, meso-, proto-, copro-, uro-, deutero-, hemato- がポルフィリンに付けられる. 7 種類の各々は, I, II, III, IV, の各型に分けられる. ポルフィリンは種々の金属(例えば, 鉄, 銅, マグネシウム)と結合して金属ポルフィリンを形成する. また窒素化合物とも結合する).

por·phyr·i·nu·ri·a (pōr′fir-i-nyū′rē-ă). ポルフィリン尿〔症〕(ポルフィリンおよび関連化合物の尿中への排泄). ＝porphyruria; purpurinuria.

por·phy·rism (pōr′fi-rizm). ポルフィリン異常症. ＝porphyrinopathy.

por·phy·ri·za·tion (pōr′fi-ri-zā′shŭn). 粉砕 (乳鉢(以前は斑岩の石板の上)ですること).

Por·phyr·o·mon·as (pōr′fir-om′ō-năs). ポルフィロモナス属 (グラム陰性, 非運動性で小型の嫌気性球菌, しばしば単杆菌の一属で, スムースで灰色から黒に着色したコロニーを形成し, そのサイズは菌種によって異なる. ヒトにおいてはこれらは歯肉裂を含む口腔咽頭, 膣や腸管の正常細菌叢の一部として認められる. 標準種は *P. asaccharolytica*).

P. asaccharolytica まれに非依存的感染を起こすが, 循環器障害や糖尿病性壊疽に関連した感染症と同様に, 口腔, 泌尿生殖器, 腹腔内膿瘍と関連した混合感染の重要な構成菌種となる.

por·phy·ru·ri·a (pōr′fir-yū′rē-ă). ＝porphyrinuria.

Por·ro (pōr′ō), Edoardo. イタリア人産科医, 1842—1902. →P. *hysterectomy*.

port (pōrt). ＝portal.

ancillary p.'s 補助孔 (内視鏡検査において内視鏡を介して器具を挿入するための補助孔).

por·ta, pl. **por·tae** (pōr′tă, -tē) [L. gate]. ***1*** 門. ＝hilum (1). ***2*** ＝interventricular *foramen*.

p. hepatis [TA]. 肝門 (尾状葉および方形葉の間にある肝臓の下面上の横裂. 門脈, 肝動脈, 肝神経叢, 肝管, リンパ管が通っている). ＝caudal transverse fissure; portal fissure.

p. lienis ＝splenic *hilum*.

p. pulmonis ＝*hilum* of lung.

p. renis ＝*hilum* of kidney.

por·ta·ca·val, portocaval (pōr′tă-kā′văl). 門脈大静脈の (門脈と下大静脈に関する).

por·tal (pōr′tăl) [L. *portalis*, pertaining to a porta (gate)]. ＝port. ***1*** 〚adj.〛 門脈の, 門の (門に関する, 特に肝門および門脈に関する). ***2*** 〚n.〛〔侵入〕門戸 (病原微生物の体内への侵入点).

anterior intestinal p. ＝*fovea* cardiaca.

posterior intestinal p. 後腸門 (若い胚子で中腸から後腸への連絡部).

Por·ter (pōr′tĕr), Curt C. 20世紀の米国人生化学者. →P.-Silber *chromogens*, *reaction*, chromogens *test*.

Por·ter (pōr′tĕr), Thomas C. 英国人科学者, 1860—1933. →Ferry-P. *law*.

Por·ter (pōr′tĕr), William H. アイルランド人外科医, 1790—1861. →P. *fascia*.

por·ti·o, pl. **por·ti·o·nes** (pōr′shē-ō, -ō′nēz) [L. portion]. 部 ([portio vaginalis cervicis の特別な意味で単純な単語 portio の使用を避けること]).

p. intermedia 中間部. ＝intermediate *nerve*.

p. major nervi trigemini 〔三叉神経〕大部. ＝sensory *root* of trigeminal nerve.

p. minor nervi trigemini〔三叉神経〕小部. ＝motor *root* of trigeminal nerve.

p. supravaginalis cervicis [TA]. 子宮頸の腟上部. ＝supravaginal *part* of cervix.

p. vaginalis cervicis [TA]. 子宮頸の腟部. ＝vaginal *part* of cervix.

por·tion (pōr′shŭn). 部分, 区分.

accessory p. of spinal accessory nerve 副神経延髄根. ＝cranial *root* of accessory nerve.

anterior p. of left medial segment IV of liver 左肝内側区IV (方形葉を含む内側部の一部). ＝quadrate part of liver [TA]; pars quadrata hepatis.

mesenteric p. of small intestine 小腸腸間膜部 (腸間膜を有し, 可動性のある小腸で, 空腸と回腸からなる). ＝intestinum tenue mesenteriale.

subcutaneous p. of external anal sphincter →external anal *sphincter*. ＝subcutaneous *part* of external anal sphincter.

por·ti·plex·us (pōr′ti-plek′sŭs). 室間孔(Monro 孔)での側脳室脈絡叢と第 3 脳室脈絡叢との連絡.

porto- [L. *porta*, gate]. 門脈の, を意味する連結形.

por·to·bil·i·o·ar·te·ri·al (pōr′tō-bil′ē-ō-ar-tē′rē-ăl). 門脈胆管血管系の (分布が類似している, 門脈, 胆管, および肝動脈に関する. →portal *triad*).

por·to·en·ter·os·to·my (pōr′tō-en′tĕr-os′tō-mē). 肝門部空腸吻合〔術〕(胆道閉鎖に対する手術. 空腸のルーY係蹄を分離させた血管以外の痕跡上の胆管を含んだ肝門部に吻合する). ＝Kasai operation.

por·to·gram (pōr′tō-gram) [porto- + G. *gramma*, a writing]. 門脈造影像 (門脈造影の X 線写真による記録).

por·tog·ra·phy (pōr-tog′ră-fē) [porto- + G. *graphō*, to write]. 門脈造影(撮影)〔法〕(通常, 手術の際に脾臓または門脈に注入された放射線不透物質を用いる X 線撮影による門脈循環の造影). ＝portovenography.

por·to·sys·tem·ic (pōr′tō-sis-tem′ik). 門脈体静脈の (門脈系と体循環静脈系の間の連結に関する).

por·to·ve·nog·ra·phy (pōr′tō-vē-nog′ră-fē). ＝portography.

Por·tu·guese man-of-war (porch′yū-gēz man wăr). カツオノエボシ. ＝*Physalia physalis*.

po·rus, pl. **po·ri** (pō′rŭs, -rī) [L. < G. *poros*, passageway]. ***1*** [TA]. 孔. ＝pore. ***2*** ＝sweat *pore*.

p. acusticus externus [TA]. 外耳孔. ＝external acoustic *pore*.

p. acusticus internus [TA]. 内耳孔. ＝internal acoustic *opening*.

p. crotaphyticobuccinatorius 蝶形骨頬筋孔 (蝶形骨にときとしてみられる孔で, 三叉神経の運動根が通っている. 卵円孔の下外方の靱帯の骨化によって形成される). ＝Hyrtl foramen.

p. gustatorius [TA]. 味孔. ＝taste *pore*.

p. opticus ＝optic *disc*.

p. sudoriferus 汗孔. ＝sweat *pore*.

porus ＝warble *pore*.

Po·sa·das (pō-sah′das), Alejandro. アルゼンチン人寄生虫学者, 1870—1920. →P. *disease*.

POSITION

po·si·tion (pŏ-zish′ŭn) [L. *positio*, a placing, position < *pono*, to place]. ***1*** 位置 (姿勢, 体位, または占拠している場所). ***2*** 体位, 姿勢 (患者が楽になるために, あるいは診断・外科手術・治療処置を容易にするために取る体位または姿勢). ***3*** 胎向 (産科において, 胎児が母体の右あるいは左

を任意に選ぶ位置関係．頭位，顔位，骨盤位のそれぞれについて後頭部，頤部，仙骨をそれぞれ基準点として右か左かの胎向がある．*cf.* presentation)．

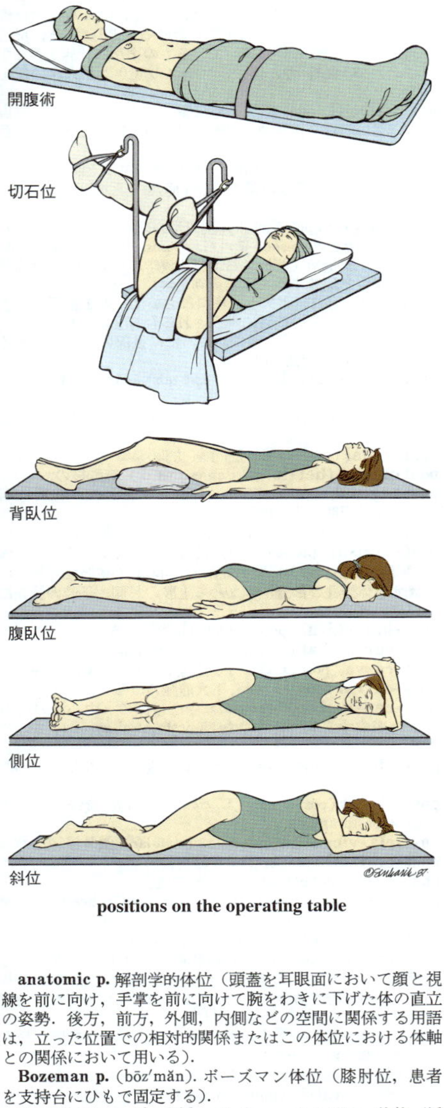

positions on the operating table

anatomic p. 解剖学的体位（頭蓋を耳眼面において顔と視線を前に向け，手掌を前に向けて腕をわきに下げた体の直立の姿勢．後方，前方，外側，内側などの空間に関係する用語は，立った位置での相対的関係またはこの体位における体軸との関係において用いる）．

Bozeman p. (bōz′măn). ボーズマン体位（膝肘位，患者を支持台にひもで固定する）．

Casselberry p. (kas′ĕl-ber-ē). キャッセルベリー体位（挿管後，えん下時に液体が気管にはいる危険を防ぐための腹臥位）．

centric p. 下顎中心位（上顎骨との関係で，下顎骨が最も後退し，また緊張していない位置．→centric jaw *relation*）．

condylar hinge p. 顆ちょうつがい位（①下顎のちょうつがい運動を可能にする顎関節内の下顎顆の位置．②意識的に正しいちょうつがい運動が行えるような上下顎骨の位置的関係）．

dorsal p. 背〔臥〕位，仰臥位．＝supine p.

dorsosacral p. 背仙位．＝lithotomy p.

eccentric p. 偏位．＝eccentric *relation.*

electrical heart p. 電気的心臓軸位（前頭面における心臓の仮想的な電気軸の図．しばしば aV_L，aV_F，V_1 および V_6 誘導における QRS 群の形に基づく．ときにあいまいに(かつ不正確に)前頭面における電気軸を記載するために用いられる）．＝heart p.

Elliot p. (el′ē-ŏt). エリオット体位（腹部手術を容易にするために用いる．２斜面または１斜面の手術台の上に背位で寝て，クッションを肝臓の位置で背中に置く）．

English p. 英国位．＝Sims p.

flank p. 側腹位（側横臥位，しかし下になった脚は曲げ，上になった脚はのばし，上方になった身体が上に向かって凸になるようにする．腎摘出術に用いる）．

Fowler p. (fow′lĕr). フォーラー体位（腹腔内液体を下腹部に集めるためにベッドの頭部を 50—75 cm 上げる傾斜位）．

frog-leg p. 蛙足体位（仰臥位で足蹠を合わせ膝を開いて会陰部を露出する体位）．

frontoanterior p. 頭位分娩で，胎児の前頭が母体の寛骨臼(骨盤軸)の右(**right frontoanterior, RFA**)または左(**left frontoanterior, LFA**)に向かう胎向．

frontoposterior p. 頭位分娩で，胎児の前頭部が母体の腸仙骨部の右(**right frontoposterior, RFP**)または左(**left frontoposterior, LFP**)に向かう胎向．

frontotransverse p. 頭位分娩で，胎児の前頭部が母体骨盤の右(**right frontotransverse, RFT**)または左(**left frontotransverse, LFT**)に向かう胎向．

genucubital p. ＝knee-elbow p.

genupectoral p. ＝knee-chest p.

heart p. 心臓軸位．＝electrical heart p.

hinge p. ちょうつがい位（歯科において，ちょうつがい運動を可能にする頭蓋と下顎の位置関係）．

intercuspal p. 咬合位（上顎歯および下顎歯の咬頭と溝が最も密に接触し，下顎骨が最も閉じた位置にあるときの下顎骨の位置）．

knee-chest p. 膝胸位（婦人科の検査または直腸検査のためにとられる，膝と胸の上部をついたうつぶせの姿勢）．＝genupectoral p.

knee-elbow p. 膝肘位（直腸や婦人科の検査または手術のためにとられる，膝と肘をついたうつぶせの姿勢）．＝genucubital p.

lateral recumbent p. 側横臥位．＝Sims p.

leapfrog p. カエル跳び体位（直腸検査のためにとられる，小児がカエル跳びをするようなかがみこんだ体位）．

lithotomy p. 切石位，砕石位（[重複的な表現 dorsal lithotomy position を避けること]．背臥位で，手術台の端に殿部を載せて，股関節と膝は十分に曲げ，足は革ひもで固定する）．＝dorsosacral p.

mandibular hinge p. 下顎ちょうつがい位（開閉運動がちょうつがい軸上でできるように，下顎顆が顎関節内にあるときの下顎骨の位置）．

Mayo-Robson p. (mā′ō rob′sŏn). メーオー(メーヨー)－ロブソン体位（背臥位で，腰の下に厚い当て物を入れる．それにより著しい脊椎前弯がもたらされる．胆嚢の手術の際に用いる）．

mentoanterior p. (**MA**) 頭位分娩で，胎児の頸部が母体の恥骨結合あるいは寛骨臼の右(**right mentoanterior, RMA**)または左(**left mentoanterior, LMA**)に向かう胎向．

mentoposterior p. (**MP**) 頭位分娩で，胎児の頸部が母体の仙骨あるいは右(**right mentoposterior, RMP**)または左(**left mentoposterior, LMP**)の腸仙骨部に向かう胎向．

mentotransverse p. 頭位分娩で，胎児の頸部が母体骨盤の右(**right mentotransverse, RMT**)または左(**left mentotransverse, LMT**)に向かう胎向．

Noble p. (nō′bĕl). ノーブル体位（患者は立体で少し前にかがむ．腎盂腎炎に伴って生じる腰部の腫脹の検査に有用）．

obstetric p. 分娩位（分娩時の女性のとる体位．仰向けと横向きがある）．

occipitoanterior p. (**OA**) 頭位分娩で，胎児の後頭部が母体の恥骨結合あるいは寛骨臼の右(**right occipitoanterior, ROA**)または左(**left occipitoanterior, LOA**)に向かう

胎向.

occipitoposterior p. (**OP**) 頭位分娩で，胎児の後頭部が母体の仙骨あるいは右(**right occipitoposterior, ROP**)または左(**left occipitoposterior, LOP**)の腸仙骨部に向かう胎向.

occipitotransverse p. 頭位分娩で，胎児の後頭部が母体骨盤の右(**right occipitotransverse, ROT**)または左(**left occipitotransverse, LOT**)に向かう胎向.

occlusal p. 咬合位（顎を閉じ歯を咬合したときの下顎骨と上顎骨の関係．これは中心咬合と一致する場合としない場合とがある）.

orthopnea p. 起座呼吸姿勢．＝orthopneic p.

orthopneic p. 起座〔位〕呼吸姿勢（起座呼吸をする患者のとる姿勢で，ベットに枕をいくつか積みあげたものに支えられて座る姿勢）．＝orthopnea p.

physiologic rest p. 生理的安静位（患者が直立の姿勢で安静にして，下顎顆が下顎窩内の自然の中間位置にあるときの下顎骨の通常の位置．→rest *relation*）．＝postural p.; postural resting p.; rest p.

postural p., postural resting p. ＝physiologic rest p.

prone p. 腹〔臥〕位，回前位（顔を下にして横たわること）.

protrusive p. 突出位（筋力によって下顎骨の突出した位置）.

rest p. 安静位．＝physiologic rest p.

reverse Trendelenburg p. 逆トレンデレンブルク体位（頭が足より高い位置にあり，屈曲したり，伸展したりしない背臥位）.

Rose p. (rōz). ローズ体位（頭と頸部を伸展させた仰臥位．口腔内あるいは咽頭の手術に用いる）.

sacroanterior p. (**SA**) 骨盤位で，胎児仙骨部が母体の恥骨結合あるいは寛骨臼の右(**right sacroanterior, RSA**)または左(**left sacroanterior, LSA**)に向かう胎向.

sacroposterior p. (**SP**) 骨盤位で，胎児仙骨部が母体の仙骨あるいは仙腸骨関節の右(**right sacroposterior, RSP**)または左(**left sacroposterior, LSP**)に向かう胎向.

sacrotransverse p. 骨盤位で，胎児仙骨部が母体の寛骨臼関節の右(**right sacrotransverse, RST**)または左(**left sacrotransverse, LST**)に向かう胎向.

Scultetus p. (skŭl-tē′tŭs). スクルテーツス体位（ヘルニア切開術および去勢術のために Scultetus が推奨した体位で，背臥位で斜面台に頭を低くして横たわる）.

semi-Fowler p. (fowl′ĕr). 半フォーラー体位（頭を25—40 cm 挙上，殿部を固定し，膝下に支持を置いて約 90 度屈曲させることによって得られる傾斜体位．これによって腹腔内の液を小骨盤内に集めることができる）.

semiprone p. 半腹臥位．＝Sims p.

Simon p. (sī′mŏn). ジーモン体位（膣検査のための体位で，背臥位で女性の殿部を上げ，大腿および下腿を曲げて大腿を大きく開く）.

Sims p. (simz). シムズ体位（膣検査を容易にするための体位で，患者が下側の腕を後ろにし，上側の大腿を下側の大腿よりも深く曲げて横向きに横たわる）．＝English p.; lateral recumbent p.; semiprone p.

supine p. 背〔臥〕位，仰臥位（背を下にして横たわること）．＝dorsal p.

terminal hinge p. 終末ちょうつがい位（下顎をさらに開くと，ちょうつがい運動というより並進運動が起こるような下顎骨顆の位置）.

Trendelenburg p. (tren′dĕ-lĕn-bĕrg). トレンデレンブルク体位（背臥位で頭より足を高くした体位．急性に低血圧になった場合に用いる）.

Valentine p. (val′ĕn-tīn). ヴァレンタイン体位（殿部が屈曲するように２重に傾斜した台上での背臥位．尿道の洗浄を容易にするために用いる）.

Walcher p. (vălk′ĕr). ヴァルヒャー体位（下肢を分娩台の縁から落とした分娩時の女性の背臥位を表す，現在では用いられない語）.

---

po·si·tion·er (pŏ-zish′ŭn-ĕr). ポジショナー（歯の咬合面に適合している弾力のある弾性プラスチックまたはゴムでできた可撤装置で，歯のわずかな移動や保定を行い，通常，矯正治療の仕上げに用いる）.

pos·i·tive (poz′i-tiv) [L. *positivus*, settled by arbitrary agreement ＜ *pono*, pp. *positus*, to set, place]. ***1*** 陽〔性〕の，正の（肯定的な，確定的な，陰性でない）. ***2*** 陽〔性〕の，正の（[positive response および positive findings のように，abnormal の同意語として，またはあいまいになりがちな表現において，本語の隠語的使用を避けること]．反応，反応が起きたこと，あるいは調べているものまたは状態が存在すること）. ***3*** 陽〔性〕の，正の，プラスの（０より大きい値を示すこと）.

pos·i·tive G (poz′i-tiv). 正G（重力，または飛行中や垂直に立っている場合，普通，頭から足の方に向いた加速度．負Gの逆）.

pos·i·tron (**β^+**) (poz′i-tron). 陽電子（電子と同じ質量，電荷だが，反対符号の電荷(正電荷)をもつ粒子）．＝positive electron.

po·so·log·ic (pō-sō-loj′ik). 薬量学の.

po·sol·o·gy (pō-sol′ŏ-jē) [G. *posos*, how much＋*logos*, study]. 薬量学（薬物学および治療学の一分野で，治療薬の用量決定と関連する．投薬量判定学）.

post (pōst). 合釘，ポスト（歯科において，人工歯冠を付着するために自然歯の根管に挿入される合釘またはピン）.

post- [L. *post*, after]. 後に，後ろに，後部の，を意味する接頭語．ante- の対語．*cf.* meta-.

post·ac·e·tab·u·lar (pōst′as-ĕ-tab′yū-lăr). 寛骨臼後〔方〕の.

post·ad·o·les·cence (pōst′ad-ō-les′ĕns). 青年期後，青春期後.

post·a·nal (pōst-ā′năl). 肛門後〔方〕の.

post·an·es·thet·ic (pōst′an-es-thet′ik). 麻酔後の.

postanginal (pōst-an-jī′năl). アンギナ続発性（化膿性咽頭炎や扁桃周囲膿瘍に続発する）.

post·ap·o·plec·tic (pōst′ap-ŏ-plek′tik). 〔脳〕卒中後の.

post·ax·i·al (pōst-ak′sē-ăl). 軸後〔方〕の（①体幹または体肢(解剖学的正位において)の軸の方向の．②体肢軸の尾方に位置する体肢芽の部分，すなわち上肢の尺側，下肢の腓側についていう）.

post·bra·chi·al (pōst-brā′kē-ăl). 上腕後部の.

post·car·di·nal (pōst-kar′di-năl). 後主静脈の.

post·ca·va (pōst-kā′vă). 下大静脈．＝*vena* cava, inferior.

post·ca·val (pōst-kā′văl). 下大静脈の.

post·cen·tral (pōst-sen′trăl). 中心後回の（中心溝の後方脳堤を形成する脳回，中心後回 postcentral gyrus についていう）.

post·chrom·ing (pōst-krōm′ing). 後クロム処理．＝afterchroming.

post·ci·bal (pōst-sī′băl) [L. *cibum*, food]. 食後の，食後性の．＝postprandial.

post·cla·vic·u·lar (pōst′kla-vik′yū-lăr). 鎖骨後〔方〕の.

post·co·i·tal (pōst-kō′i-tăl). 性交後の.

post·co·i·tus (pōst-kō′i-tŭs). 性交後.

post·cor·dial (pōst-kōr′jăl) [L. *cor*(*cord-*), heart]. 心臓後〔方〕の.

post·cos·tal (pōst-kos′tăl). 肋骨後〔方〕の.

post·crown (pōst-krown′). 継続歯，ポストクラウン（自然歯冠の代わりをする歯冠．歯髄を除去された歯の歯根基部に，歯冠を有する合釘またはピンによって保持され，治療された根管にセメントで装着される）.

post·cu·bi·tal (pōst-kyū′bi-tăl). 前腕背側の（前腕の後方または背側の部分や部分の上についていう）.

post·dam (post′dam). 後堤．＝posterior palatal *seal*.

post·di·a·stol·ic (pōst′dī-ă-stol′ik). 拡張後期の，後拡張期の（拡張期に続くことについていう）.

post·di·crot·ic (pōst′dī-krot′ik). 重拍〔脈波〕後の（脈波曲線の重拍脈波に続く．脈波の下行線によぶんな波が加わったことを意味する）.

post·diph·the·rit·ic (pōst′dif-the-rit′ik). ジフテリア後の.

post·dor·mi·tal (pōst-dōr′mi-tăl). 睡眠後期の，後睡眠期の.

post·dor·mi·tum (pōst-dōr′mi-tŭm) [L. *dormio*, to sleep]. 睡眠後期，後睡眠期（熟眠と覚醒との間で意識が増大してく

る時期).
post·duc·tal (pōst-dŭk′tăl). 管後〔性〕の(動脈管の大動脈開口部より末梢側大動脈の部分に関する).
post·en·ceph·a·lit·ic (pōst′en-sef′ă-lit′ik). 脳炎後の.
post·ep·i·lep·tic (pōst′ep-i-lep′tik). てんかん後の.
pos·ter·i·or (pos-tēr′ē-ŏr) [L. *posterus*(following)の比較級]. 後(①[TA]. 人体解剖学において, 体の背部表面を示す. ある構造物の位置を他に対比して示すのにしばしば用いる. すなわち体の背側に近い方. = dorsal (2) [TA]; dorsalis [TA]; posticus. ②時間や空間に関連して, 後. ③獣医解剖学では眼と耳の構造のみに用いられる. それ以外の部位に関しては, この用語は四足動物の解剖学においては曖昧な意味しかもたず, 〝尾側の〟(*caudal*)という用語が用いられる).
pos·ter·i·us (pos-tēr′ē-ŭs) [L.]. posterior の中性形.
postero- [L. *posterior*]. 後方の, …の後ろに, を意味する連結形.
pos·ter·o·an·ter·i·or(PA) (pos′tĕr-ō-an-tēr′ē-ŏr). 後前の, 背腹の(ある部分を通して後ろから前へと見る, または進行する向きを指示する語).
pos·ter·o·clu·sion (pos′tĕr-ō-klū′shŭn). 遠心咬合. = posterior *occlusion*.
pos·ter·o·ex·ter·nal (pos′tĕr-ō-ek-ster′năl). = posterolateral.
pos·ter·o·in·ter·nal (pos′tĕr-ō-in-ter′năl). = posteromedial.
pos·ter·o·lat·er·al (pos′tĕr-ō-lat′er-ăl). 後外側の(後方で外側方向へ). = posteroexternal.
pos·ter·o·me·di·al (pos′tĕr-ō-mē′dē-ăl). 後内側の(後方で内側方向へ). = posterointernal.
pos·ter·o·me·di·an (pos′tĕr-ō-mē′dē-ăn). 後正中の(後方の中央位を占める).
pos·ter·o·pa·ri·e·tal (pos′tĕr-ō-pă-rī′ĕ-tăl). 頭頂葉後部の(大脳の頭頂葉の後方部分についていう).
pos·ter·o·su·per·i·or (pos′tĕr-ō-sū-pēr′ē-ŏr). 後上〔方〕の(後方上部に位置する).
pos·ter·o·tem·po·ral (pos′tĕr-ō-tem′pŏ-răl). 側頭葉後部の(大脳の側頭葉の後方部分に関する, または位置する).
post·e·soph·a·ge·al (pōst′ē-sof′ă-jē′ăl, ē-sŏ-faj′ē-ăl). 食道後〔方〕の.
post·es·trus, post·es·trum (pōst-es′trŭs, -trŭm). 発情後期(発情期に続く発情周期の期間. 黄体の成長およびプロゲステロンの産生に関係する生理的変化によって特徴付けられる).
post·fe·brile (pōst-fē′brĭl). 発熱後の. = metapyretic.
post·gan·gli·on·ic (pōst′gang-glē-on′ik). 〔神経〕節後の(神経節より遠位を意味する. 自律神経節の細胞から起始する無髄神経線維をさす).
post·hem·i·ple·gic (pōst′hem-i-plē′jik). 片麻痺後の.
post·hem·or·rhag·ic (pōst′hem-ŏ-raj′ik). 出血後の.
post·he·pat·ic (pōst′he-pat′ik). 肝後〔方〕の(肝臓の後方にある).
pos·thet·o·my (pos-thet′ŏ-mē) [G. *posthē*, prepuce + *tomē*, incision]. 包皮〔環状〕切除〔術〕, 環状切除〔術〕(包皮の背切開).
pos·thi·o·plas·ty (pos′thē-ō-plas′tē) [G. *posthion*: *posthē* (prepuce)の指小辞 + *plastos*, formed]. 包皮形成〔術〕(包皮の手術的再建).
pos·thi·tis (pos-thī′tis) [G. *posthē*, prepuce + *-itis*, inflammation]. 包皮炎([誤った発音 post-hī′tis を避けること]).
pos·tho·lith (pos′thō-lith) [G. *posthē*, prepuce + *lithos*, stone]. 包皮結石. = preputial *calculus*.
post·hy·oid (pōst-hī′oyd). 舌骨後〔方〕の(舌骨の後方にある).
post·hyp·not·ic (pōst′hip-not′ik). 催眠に引き続いて(催眠をかけられた者が醒めた後で行うように催眠中に暗示された行為をさす).
post·ic·tal (pōst-ik′tăl). 発作後の(てんかん性などの急発作に続くことについていう).
pos·ti·cus (pos-tī′kŭs) [L. < *post*, after]. 後〔部〕([誤った発音 post′icus を避けること]). = posterior (1).
post·in·flu·en·zal (post′in-flū-en′zăl). インフルエンザ後の.
post·is·chi·al (pōst-is′kē-ăl). 坐骨後〔方〕の(坐骨の後方にある).
post·ma·lar·i·al (pōst′mă-lār′ē-ăl). マラリア後の(マラリアに引き続き起こる).
post·mas·toid (pōst-mas′toyd). 乳突後〔方〕の(乳様突起の後方にある).
post·ma·ture (pōst′mă-tūr′, mă-tyūr′). 過熟, 発育過度(胎児が通常の妊娠期間よりも長く子宮内にとどまること. すなわち, ヒトでは 42 週間(288 日)以上).
post·me·di·an (pōst-mē′dē-ăn). 正中後〔方〕の(正中平面の後方にある).
post·me·di·as·ti·nal (pōst′mē-dē-as′ti-năl, -mē′dē-ă-stī′-năl). ***1*** 縦隔洞後〔方〕の(縦隔の後方にある). ***2*** 縦隔後部の(縦隔の後部に関する).
post·me·di·as·ti·num (pōst′mē-dē-as-tī′nŭm). 縦隔後部. = posterior *mediastinum*.
post·men·o·pau·sal (pōst′men-ō-paw′săl). 閉経後の(月経閉止後の時期に関する).
post·min·i·mus (pōst-min′i-mŭs) [post- + L. *minimus*, smallest (finger)]. 副指(趾)(手または足の第五指のわきに付いた小さい副付属器. 正常の指に類似しているか, まれには肉の塊をなす).
postmitotic (pōst-mī-tot′ik). 有糸分裂後の(胎児の発達が完成すると, 細胞は有糸分裂と細胞分裂を起こさない).
post·mor·tem (PM) (pōst-mōr′tĕm) [post- + L. acc. case of *mors* (*mort-*), death]. ***1***〘adj.〙死後の(死に関する, あるいは死後に生じた). ***2***〘n.〙剖検(→autopsy (1)).
post·na·ri·al (pōst-nā′rē-ăl). 後鼻孔の(後鼻孔に関する).
post·na·ris (pōst-nā′ris). 後鼻孔. = choana.
post·na·sal (pōst-nā′săl). ***1*** 鼻後〔方〕の(鼻腔の後方にある). ***2*** 後鼻腔の(鼻腔の後方部分に関する).
post·na·tal (pōst-nā′tăl) [L. *natus*, birth]. 生後の(出生後に起こる).
post·ne·crot·ic (pōst′nĕ-krot′ik). 壊死後の(身体の組織あるいは部分の死に伴って起こる).
post·neu·rit·ic (pōst′nū-rit′ik). 神経炎後の.
post·oc·u·lar (pōst-ok′yū-lăr) [L. *oculus*, eye]. 眼後〔方〕の(眼球の後方にある).
post·op·er·a·tive (pōst-op′ĕr-ă-tiv). 術後〔性〕の, 〔手〕術後の.
post·o·ral (post-ō′răl) [L. *os*(*or-*), mouth]. 口後の(口の後方部分, あるいは口の後方にある).
post·or·bi·tal (pōst-ōr′bi-tăl). 眼窩後〔方〕の(眼窩の後方にある).
post·pal·a·tine (pōst-pal′ă-tīn). 口蓋骨後〔方〕の(口蓋骨の後方にある. 通常, 口蓋帆をさすのに用いる).
post·par·a·lyt·ic (pōst′par-ă-lit′ik). 麻痺後の(麻痺に引き続く, あるいは麻痺の結果である).
post·par·tum (pōst-par′tŭm) [L. *partus*, birth(noun) < *pario*, pp. *partus*, to bring forth]. 分娩後に, 産後に([形容詞として用いる場合は 1 語に(postpartum hemorrhage)書くが, 副詞句として用いる場合は 2 語に書く(hemorrhage occurring post partum)]. 分娩の後. *cf.* antepartum; intrapartum).
post·pha·ryn·ge·al (pōst′fă-rin′jē-ăl). 咽頭後〔方〕の(咽頭の後方にある).
post·pneu·mon·ic (pōst′nū-mon′ik). 肺炎後の(肺炎の結果として起こる).
post·pran·di·al (pōst-pran′dē-ăl) [L. *prandium*, breakfast]. 食後の, 食後に起こる. = postcibal.
post·pu·ber·al, post·pu·ber·tal (pōst-pyū′bĕr-ăl, -ber-tăl). = postpubescent.
post·pu·ber·ty (pōst-pyū′bĕr-tē). 思春期後(思春期後の期間).
post·pu·bes·cent (pōst′pyū-bes′ĕnt). 思春期後の. = postpuberal; postpubertal.
post·pyk·not·ic (pōst′pik-not′ik). 核濃縮後の(赤血球の核濃縮の段階に続く. 核の消失(クロマチン融解)についていう).
post·ro·lan·dic (post′rō-lan′dik). ロランド裂後〔方〕の(Rolando 裂溝すなわち中心溝の後ろ. →postcentral).

P

post·sa·cral (pōst-sā′krăl). 仙骨後〔方〕の（尾骨をさす）.

post·scap·u·lar (pōst-skap′yū-lăr). 肩甲骨後〔方〕の（肩甲骨の後方にある）.

post·scar·la·ti·nal (pōst′skar-lă-tē′năl). 猩紅熱後の（猩紅熱の結果として引き起こされる）.

post·sphyg·mic (pōst-sfig′mik) [G. *sphygmos*, pulse]. 拍動後の（脈波の後に起こることについていう）.

post·splen·ic (pōst-splen′ik). 脾後〔方〕の（脾臓の後方にある）.

post·syn·ap·tic (pōst′sin-ap′tik). シナプス後〔部〕の（シナプス間隙の末梢側の区域についていう）.

post·tar·sal (pōst-tar′săl). 瞼板後部の（瞼板の後方部分に関する）.

post·tec·ta (pōst-tek′tă). 十二指腸の，後腹膜に隠れた部分より肛門側の.

post·tib·i·al (pōst-tib′ē-ăl). 脛骨後〔方〕の（脛骨の後方にある．脚の後方部分に位置する）.

post·tran·scrip·tion·al (pōst′tran-skrip′shŭn-ăl). 転写後の（転写後に起こるできごとについていう）.

post·trans·la·tion·al (pōst′trans-lā′shŭn-ăl). 翻訳後の（翻訳後に起こるできごとについていう）.

post·trans·verse (pōst-tranz′vĕrs). 横突起後〔方〕の（椎骨の横突起の後ろ）.

post·trau·mat·ic (pōst′traw-mat′ik). 外傷後の（外傷の後に起こる，外傷と関連した，外傷が原因で起こることについていう）.

post·tre·mat·ic (pōst′trē-mat′ik) [post- + G. *trēma*, perforation]. 鰓裂後部の（咽頭溝の後表面についていう）.

post·tus·sis (pōst-tŭs′is) [L. *tussis*, cough]. 咳後の（咳の後に．通常，特定の聴診音に対して用いる語）.

post·ty·phoid (pōst-tī′foyd). 腸チフス後の（腸チフスの結果として起こる）.

pos·tu·late (pos′tyū-lāt) [L. *postulo*, pp. *-atus*, to demand]. 仮定，仮説（解析を進めるうえでの基礎として証明がなくとも自明であるか，または仮定されているものとして考えられる命題.→hypothesis; theory).

Ampère p. (ahm-pār′). アンペール仮説．＝Avogadro *law*.

Avogadro p. (ah-vō-gahd′rō). アヴォガドロ仮説．＝Avogadro *law*.

Ehrlich p. (ār′lik). エールリッヒ仮説．＝side-chain *theory*.

Koch p.'s (kok). コッホ仮説（病原微生物がその病気の原因となっていることを証明するための4条件．ⓘ同じ微生物がすべての症例で検出される．ⓘⓘその病気に罹患した宿主から分離できて純培養ができる．ⓘⓘⓘこのようにして培養した微生物で新しい宿主に同じ病気を起こさせる．ⓘⓥその宿主から同じ微生物が分離培養できる)．＝Koch law.

pos·tur·al (pos′tyūr-ăl, pos′cher-ăl). 体位の，体位性の（体位に関する，体位によって影響される）.

pos·ture (pos′tyūr, pos′cher) [L. *positura* < *pono*, pp. *positus*, to place]. 体位，姿勢（四肢の位置，または全体としての体の姿勢など）.

Stern p. (stĕrn). スターン体位（背臥位で頭をのばし台の端に垂れると，三尖弁閉鎖不全症の場合には，雑音が出現するか，より明瞭になる）.

pos·tur·ing (pos-chūr′ing). 姿勢診断，体位，肢位（体幹，頭，四肢をある位置にすること．状態や疾患の診断に役立つことがある）.

decerebrate p. 除脳姿勢（大脳全体に障害をきたした患者が疼痛刺激に反応して示す姿勢．肘関節は体幹より外方へ伸展し，手関節は屈曲させる.→coma *scale*)．＝extensor response.

decorticate p. 除皮質姿勢（大脳皮質に障害をきたした患者が疼痛刺激に反応して示す姿勢．体幹の中心へと肘関節および手関節を屈曲させる.→coma *scale*)．＝flexor response.

pos·tur·og·ra·phy (pos′tyūr-og′ra-fē) [posture + G. *graphō*, to write]. 姿勢図検査〔法〕，重心計検査〔法〕．＝dynamic p.

dynamic p. 動的姿勢図検査〔法〕，動的重心計検査〔法〕（視覚入力や固有感覚入力を変化させて，姿勢の安定性を測定する検査法)．＝posturography.

post·u·ter·ine (pōst-yū′tĕr-in). 子宮後〔方〕の（子宮の後方にある）.

post·vac·ci·nal (pōst-vak′si-năl). ワクチン後の.

post·val·var, post·val·vu·lar (pōst-val′văr, -val′vū-lăr). 弁後部の（肺動脈弁または大動脈弁より末梢の部分についていう）.

po·ta·ble (pō′tă-bĕl) [L. *potabilis* < *poto*, to drink]. 飲用の.

Po·tain (pō-tăn[h]′), Pierre C.E. フランス人医師，1825—1901.→P. *sign*.

pot·a·mo·pho·bi·a (pot′ă-mō-fō′bē-ă) [G. *potamos*, river + *phobos*, fear]. 河川恐怖〔症〕，流水恐怖〔症〕（川または流水を見ることや考えることによって引き起こされる病的な恐れ）.

pot·ash (pot′ash) [E. pot-ashes]. カリ（不純な炭酸カリウム)．＝pearl-ash.

caustic p. 苛性カリ．＝*potassium* hydroxide.

sulfurated p. 含硫カリ（主として多硫化カリウムやチオ硫酸カリウムからなる混合物．通常，外用として疥癬，痤瘡，乾癬に用いる．〝白色ローション white losion classic（皮膚科の薬物療法に使用される，含硫カリと硫酸亜鉛の合剤)〟の製造に用いられる)．＝liver of sulfur.

po·tas·sic (pō-tas′ik). カリウムの（カリウムに関する，カリウムを含む）.

po·tas·si·um (K) (pō-tas′ē-ŭm) [Mod. L. < Eng. potash(< pot + ashes) + *-ium*]. カリウム（アルカリ金属元素，原子番号19，原子量39.0983．天然に豊富に産するが，常に化合物として存在する．その塩は主に薬として使用される．以下に記載のない有機カリウム塩については，陰イオンの名称参照)．＝kalium.

p. acetate 酢酸カリウム（利尿薬，発汗薬，全身および尿のアルカリ化剤)．＝sal diureticum.

p. acid tartrate 酸性酒石酸カリウム．＝p. bitartrate.

p. alum カリ〔ウム〕ミョウバン．＝*aluminum* potassium sulfate.

p. aminosalicylate アミノサリチル酸カリウム（→*p*-aminosalicylic acid）.

p. antimonyltartrate 酒石酸アンチモニルカリウム．＝*antimony* potassium tartrate.

p. bicarbonate 炭酸水素カリウム（利尿薬として尿の酸性を減少させるため，および電解質補充薬として用いる）.

p. bitartrate 重酒石酸カリウム（利尿薬，緩下薬)．＝cream of tartar; p. acid tartrate.

p. bromide 臭化カリウム（現在は使われなくなった催眠鎮静薬）.

p. chlorate 塩素酸カリウム（口内炎および沪胞性咽頭炎において用いる含そう剤．乾燥状態においては，酸化しやすいいかなる物質とも適合しない）.

p. chloride 塩化カリウム（カリウム欠乏症の治療に用いる）.

p. citrate クエン酸カリウム（潮解性の粉末，水溶性．利尿・発汗・去痰薬，および全身と尿のアルカリ化薬として用いる)．＝Rivière salt.

p. cyanide シアン化カリウム（燻蒸消毒薬として販売されている）.

dibasic p. phosphate 二塩基性リン酸カリウム．＝p. phosphate.

p. dichromate, p. bichromate 重クロム酸カリウム（収れん薬，消毒薬，腐食薬として外用される．強い酸化物質）.

effervescent p. citrate 沸騰クエン酸カリウム（クエン酸カリウム，クエン酸，重炭酸ナトリウム，および酒石酸の混合物．胃の制酸薬，尿のアルカリ化薬として用いる）.

p. ferrocyanide フェロシアン化カリウム（種々のシアン化合物の調製に，および薬剤，硫酸銅の分析試薬として用いる）.

p. gluconate グルコン酸カリウム（低カリウム血症にカリウム補充薬として用いる）.

p. hydroxide (KOH) 水酸化カリウム；KOH（強力で，浸透性のある腐食剤)．＝caustic potash.

p. hypophosphite 亜リン酸カリウム（以前は神経系に強壮作用があるといわれていた．粉砕されたりまたは酸化剤とともに加熱されると爆発する）.

p. nitrate 硝酸カリウム（ときに利尿薬および発汗薬とし

て用いる．以前はダツラ葉を含むぜん息薬に含まれた)．＝niter; saltpeter.

p. perchlorate 過塩素酸カリウム（チオウラシル誘導体の代用薬として，甲状腺機能亢進症の治療にときに用いる)．

p. permanganate 過マンガン酸カリウム（強力な酸化剤．液剤で，悪臭のある病巣に対する防腐薬および脱臭薬として，およびモルヒネ，ストリキニーネ，アコニット，ピクロトキシンの中毒における胃洗浄に用いる．電子顕微鏡検査においては，形質膜をよく染める染色剤で，水酸化鉛染色と同様の結果を示す．また固定液(Luft 過マンガン酸カリウム固定液)として用いる)．

p. phosphate リン酸水素二カリウム，二塩基性リン酸カリウム（緩やかな塩類しゃ下・利尿薬)．＝dibasic p. phosphate; dipotassium phosphate.

p. rhodanate ロダン酸カリウム．＝p. thiocyanate.

p. sodium tartrate 酒石酸カリウムナトリウム（緩やかな塩類しゃ下薬．複合沸騰散の成分として用いる)．＝Rochelle salt; Seignette salt; sodium p. tartrate.

p. sorbate ソルビン酸カリウム（カビおよび酵母の抑制薬，防腐薬として用いる)．

p. sulfocyanate スルホシアン酸カリウム．＝p. thiocyanate.

p. tartrate 酒石酸カリウム（緩やかなしゃ下・利尿薬)．＝soluble tartar.

p. thiocyanate チオシアン酸カリウム（本態性高血圧症の治療に，また，銅，鉄，銀の検出試薬として以前用いられた)．＝p. rhodanate; p. sulfocyanate.

po·tas·si·um 39 (**^{39}K**) (pō-tas′ē-ŭm)．カリウム39（カリウムの最大存在量の非放射性同位元素．天然カリウム中に，93.1 %含有している)．

po·tas·si·um 40 (**^{40}K**) (pō-tas′ē-ŭm)．カリウム 40（天然に産する(0.0117%)カリウムの放射性同位元素．12.6 億年の半減期で β 放射体．生体組織中の天然放射能の主な源)．

po·tas·si·um 42 (**^{42}K**) (pō-tas′ē-ŭm)．カリウム 42（カリウムの人工放射性同位元素．半減期 12.36 時間の β 放射体．体液中のカリウム分布検査や脳腫瘍の位置の特定に，トレーサとして用いる)．

po·tas·si·um 43 (**^{43}K**) (pō-tas′ē-ŭm)．カリウム 43（人工放射性同位元素．22.3 時間の半減期で β 放射体．心筋灌流の研究においてトレーサとして用いる)．

po·ten·cy (pō′tĕn-sē) [L. *potentia*, power]．***1*** 潜在能〔力〕(力，勢力，強さ．力のある状態および性質)．***2*** 性交能〔力〕．＝sexual p. ***3*** 効力（治療学における，化合物の相対的薬理活性，すなわち，一つの化合物がある用量で，他の化合物と同じ効果を生み出すこと．例えば，アスピリンとアセトアミノフェンは頭痛の軽減に同一の効力を有する(同量が必要)が，ケトロラクは20mgでイブプロフェン400mgと同等の効果を生み出し，より大きな効力を有している)．

sexual p. 性交能〔力〕（性行を遂行し完了しうる能力．主として男性の場合に用いる語)．

po·tent (pō′tĕnt)．能力ある，効力ある（①力，能力，強さをもっている．②原始細胞が分化する能力をもっていることをさす．→totipotent; pluripotent; unipotent．③精神医学において，性的能力を示す)．

po·ten·tial (pō-tent′shăl) [L. *potentia*, power, potency]．[potential danger および potential hazard のように，可能性の概念を含む意味の名詞に伴う本形容詞の無駄な使用を避けること]．***1***〚adj.〛潜在〔性〕の，潜能の（まだ行われたり，存在していないが，その可能性がある)．***2***〚n.〛電位〔差〕，ポテンシャル（適当な条件下で仕事をすることができる電源の電圧．電気とポテンシャルとの関係は，熱と温度の関係に類似している)．

action p. 活動電位（興奮が起こるとき，神経，筋肉，または他の興奮組織に起こる膜電位の変化)．

after-p. →afterpotential.

bioelectric p. 生体電気性電位，生物電気性電位（生きている生物体に起こる電位)．

biotic p. 生物繁栄能力（生物種が生き残ることのできる能力あるいは競争する能力の理論的定量)．

brain p. 脳電位（身体の一点と比較した脳の電気的荷電．電位は一定(DC 電位)であることもあるし，時間に対して記録すると特異的な周波数を変動し脳波を生じることもある)．

brainstem auditory evoked p. (**BAEP**) 脳幹聴性誘発電位．＝auditory brainstem *response*.

chemical p. (μ) 化学ポテンシャル（ある相の Gibbs 自由エネルギーのその相の構成成分の変化による変化量)．

cochlear p. 蝸牛電位．＝cochlear microphonic.

compound action p. 複合活動電位（第八脳神経の聴覚線維の活動による複合電位などをいう)．

demarcation p. 限界電位（1つの電極を無傷の神経線維または筋肉線維上に置き，もう1つの電極を同じ線維の損傷した端に置くとき示された電位差．無傷の部分は損傷した部分に対して正となる)．＝injury p.

early receptor p. (**ERP**) 早期視細胞電位（強い刺激光により視細胞内色素から生じる電位)．

endocochlear p. 内リンパ腔電位，蝸牛内〔直流〕電位（内リンパの静止電位で，外リンパと比べて，+ 80 mV である)．＝endolymphatic p.

endolymphatic p. 内リンパ管電位．＝endocochlear p.

evoked p. 誘発電位（刺激によって起こり，時間固定した事象関連電位．→evoked *response*)．

excitatory junction p. (**EJP**) 興奮性接合部電位（興奮性神経の刺激によって生じる平滑筋の互いに分離した部分的脱分極電位．微小終板電位に相当．繰り返す刺激により加重を起こす)．

excitatory postsynaptic p. (**EPSP**) 興奮性シナプス後電位（興奮性の影響をもつインパルスがシナプスに到達したとき，次のニューロンの膜に生じる電位の変化で，これは脱分極の方向への局所的変化である．この電位が加重すると，ニューロンによるインパルスの発射につながる)．

generator p. 発生器電位，ジェネレータ電位（Pacini 小体のような受容器に加えられた刺激の強さに対応した，感覚ニューロン終末の膜電位の局所的脱分極．ジェネレータ電位が十分大きくなると(刺激が閾値以上の強さである)，一番近くの Ranvier 絞輪を興奮させ，活動電位が伝播する)．

inhibitory junction p. (**IJP**) 抑制性接合部電位（抑制性神経の刺激によって生じる平滑筋の過分極)．

inhibitory postsynaptic p. (**IPSP**) 抑制性シナプス後電位（抑制性影響をもつインパルスがシナプスに到着したとき，次のニューロンの膜に生じる電位の変化で，これは過分極の方向への局所的変化である．あるニューロンの発射頻度は，興奮性シナプス後電位を導くインパルスが，抑制性シナプス後電位の原因となるインパルスを卓越する程度によって決定される)．

injury p. 損傷電位．＝demarcation p.

membrane p. 膜電位（すぐ外側にある液体と比較して測定された細胞膜内の電位．静止している状態では負で，活動電位の間は正となる)．＝transmembrane p.

myogenic p. 筋〔原〕電位（筋の活動電位)．

oscillatory p. 律動様小波（アマクリン細胞から発生する暗順応状態での網膜電図の陽性成分(β 波)の変動する電位)．

Ottoson p. (ot′ŏ-sŏn)．オットソン電位．＝electroolfactogram.

oxidation-reduction p. (**E_0^+**) 酸化還元電位（任意に選ばれた[酸化剤]の[還元剤]に対する比をもつ系において測定された非活性金属電極の電位(ボルト)で，絶対温度での標準水素電極と関連付けられ，下記の式から算出される．

$$E_h = E_0 + \frac{RT}{nF} \ln \frac{[\text{酸化剤}]}{[\text{還元剤}]}$$

R：電気単位で表した気体定数，T：絶対温度(Kelvin)，n：移動した電子の数，F：ファラデー定数，E_0：pH 0 における系の標準電位．生体系では E_0' が汎用される(pH＝7 において)．*cf.* Nernst *equation*)．＝redox p.

pacemaker p. ペースメーカ電位（人工のペースメーカから発生する電位)．

redox p. レドックス電位．＝oxidation-reduction p.

S p. S 電位（照明に対する，遅い脱分極または過分極の反応．網膜の光受容体と神経節細胞層の間で起こる)．

somatosensory evoked p. 体性感覚誘発電位（末梢神経感覚線維に反復刺激を与え，皮質や皮質下の反応をコンピュータで加算平均したもの)．

spike p. 棘波電位（神経の活動電位における主な波．負および正の後電位が後に続く)．

summating p.'s 加重電位（音刺激に対する Corti 器官の交流電流反応）.

thermodynamic p. 熱力学的ポテンシャル（→free *energy*）.

transmembrane p. 膜内外電位差. ＝membrane p.

ventricular late p. 心室性遅延電位（QRS 波の最後に表れる高周波の μV 程度の心電図）.

visual evoked p. 視覚誘発電位（1/4 秒間隔での閃光によって網膜を刺激して，頭皮の後頭部から記録される電位変化で，通常，コンピュータで加算平均される）.

zeta p. ゼータ電位（赤血球表面の陰性電荷の程度．すなわち，赤血球の陰性電荷と血液の液体成分中の陽イオン間の電位差）.

zoonotic p. 人獣共通感染能（ヒト以下の動物の感染症で，ヒトに感染する能力）.

po·ten·ti·a·tion (pō-ten′shē-ā′shŭn). 相乗作用（2 種以上の薬物あるいは化合物の相互作用により，それぞれの薬物あるいは化合物の個々の反応の総計より大きな薬理反応を生じること）.

po·ten·ti·a·tor (pō-ten′shē-ā-tŏr, -tōr). 増強剤（化学療法で意図した薬効を引き出すために他の薬剤と組み合わせて用いる薬剤）.

po·ten·ti·om·e·ter (pō-ten′shē-om′ĕ-tĕr)［L. *potentia*, power ＋ G. *metron*, measure］. 電位差計（①電位の微小な差を測定する装置．②全抵抗を 2 つの端子間に固定した電気抵抗器であるが，抵抗上任意の点に動かすことができるスライド板付きの第 3 の端子をもつ）.

po·tion (pō′shŭn)［L. *potio* ＜ *poto*, to drink］. 頓服水剤.

Pott (pot), Percivall. イングランド人外科医，1714—1788. →P. *abscess, aneurysm, curvature, disease, fracture, paralysis, paraplegia*.

Pot·ter (pot′ĕr), Edith L. 20 世紀初頭の米国人周産期病理学者. →P. *disease, facies, syndrome*.

Pot·ter (pot′ĕr), Irving White. 米国人産科医，1868—1956.

Potts (pots), Willis J. 米国人小児外科医，1895—1968. →P. *anastomosis, clamp, operation*.

POU3F4 DFN3 遺伝子の遺伝子シンボル.

POU4F3 DFNA15 遺伝子の遺伝子シンボル.

pouch (powch). 嚢，窩（→fossa; recess; sac）.

adenohypophysial p. 腺性下垂体嚢. ＝adenohypophysial *diverticulum*.

antral p. 洞嚢（実験動物の胃洞につくった嚢）.

branchial p.'s 鰓嚢. ＝pharyngeal p.'s.

Broca p. (brō′kă). ブロカ嚢. ＝pudendal *sac*.

deep perineal p. 深会陰隙（会陰膜直上の領域で尿道の隔膜部，男性では尿道球腺，深会陰横筋と尿道括約筋，陰茎または陰核への背神経および背動脈によって占められる）. ＝deep perineal *space**.

Denis Browne p. (den′is brown). デニス・ブラウン嚢（Scarpa 筋膜と外鼡径筋膜の間の間隙で外鼡径輪に隣接する．停留精巣の好発部位）. ＝superficial inguinal p.

p. of Douglas (dŭg′lăs). ダグラス窩. ＝rectouterine p.

Douglas p. (dŭg′lăs). ダグラス窩. ＝rectouterine p.

endodermal p.'s ＝pharyngeal p.'s.

Hartmann p. (hahrt′mahn). アルトマン嚢（胆嚢頸部と胆嚢管との結合部にある球形または円錐形の嚢）. ＝ampulla of gallbladder; fossa provesicalis; pelvis of gallbladder.

Heidenhain p. (hī′dĕn-hīn). ハイデンハイン嚢（胃の主腔からは分離しているが，腹壁に開口している胃の小さな嚢．迷走神経の支配を受けていない．生理学の実験で，胃液を採取して胃分泌を研究する目的でつくられる）.

hepatorenal p. ＝hepatorenal *recess* of subhepatic space.

hypophysial p. 下垂体嚢. ＝pituitary *diverticulum*.

ileoanal p. 回腸嚢（大腸切除後に失禁しないように，回腸から作成し肛門の近位に吻合する嚢）.

Kock p. (kōk). コック嚢（回腸瘻造設術の 1 つ．回腸を重積する形で貯留部 reservoir と弁を形成するもの）. ＝Kock ileostomy.

laryngeal p. ＝laryngeal *saccule*.

Morison p. (mōr′i-sŏn). モリソン窩. ＝hepatorenal *recess* of subhepatic space.

paracystic p. 膀胱外側嚢. ＝paravesical *fossa*.

pararectal p. 直腸外側嚢. ＝pararectal *fossa*.

paravesical p. 膀胱外側嚢. ＝paravesical *fossa*.

Pavlov p. (pahv′lov). パヴロフ嚢（イヌの胃の一部分で，迷走神経の支配を受けているが，胃の主部とのすべての連絡を遮断し，外部とは瘻孔で連絡する．胃分泌の研究に用いる）. ＝miniature stomach; Pavlov stomach.

pharyngeal p.'s 咽頭嚢（鰓弓の間にみられる胚子咽頭内胚葉の対をなす陥凹で，外胚葉性細胞でおおわれた対応する咽頭溝の方にのび出ている．発生が進むにつれて上皮様組織となり胸腺や甲状腺が発生してくる）. ＝branchial p.'s; endodermal p.'s.

Physick p.'s (fiz′ĭk). フィジック嚢（粘液分泌と灼熱痛を伴う直腸肛門炎．特に直腸弁の間に小嚢形成を併発する）.

Prussak p. (prū′sahk). プルサク嚢. ＝superior *recess* of tympanic membrane.

Rathke p. (raht′kĕ). ラトケ嚢. ＝adenohypophysial *diverticulum*.

rectouterine p.［TA］. 直腸子宮窩（腹膜が直腸から子宮にかけて反転してつくられる窩）. ＝excavatio rectouterina［TA］; cavum douglasi; cul-de-sac (2); Douglas cul-de-sac; Douglas p.; p. of Douglas; rectovaginouterine p.

rectovaginouterine p. ＝rectouterine p.

rectovesical p.［TA］. 直腸膀胱窩（男性で，腹膜が直腸から膀胱にかけて反転してつくられる窩）. ＝excavatio rectovesicalis［TA］; Proust space.

Seessel p. (sē′sĕl). ゼーセル嚢（→Seessel *pocket*）.

superficial inguinal p. 鼡径部表層嚢. ＝Denis Browne p.

superficial perineal p.［TA］. 浅会陰隙（上は会陰膜(かつて用いられた下尿生殖隔の膜筋膜)と下は浅会陰筋膜によって分けられた間隙．陰茎または陰核の根部と関連する筋群，浅会陰横筋そして女性では大前庭腺が含まれる）. ＝spatium perinei superficiale［TA］; spatium superficiale perinei［TA］; superficial perineal space*［TA］; Colles space.

ultimopharyngeal p. 後鰓嚢，鰓後嚢（一過性に出現する第五鰓嚢．現在では尾方咽頭複合体に合したものと考えられている．その細胞は甲状腺の沪胞傍細胞(C 細胞)になる）.

uterovesical p. 膀胱子宮窩. ＝vesicouterine p.

vesicouterine p.［TA］. 膀胱子宮窩（女性で，腹膜が膀胱から子宮体にかけて反転してつくられる窩）. ＝excavatio vesicouterina［TA］; cavum vesicouterinum; uterovesical p.

pouch·i·tis (powch-ī′tis)［pouch ＋ *-itis*, inflammation］. 回腸嚢炎（外科的に作成した回腸嚢粘膜の急性炎症．通常，炎症性腸疾患やポリポーシスに対し全大腸切除を行った後に生じる）.

pou·drage (pū-drahzh′)［Fr.］. ***1*** 散剤散布〔法〕. ***2*** ＝talc *operation*.

pleural p. 胸膜散剤散布〔法〕（癒着の治療のために，わずかに刺激性を有する粉剤で反対側の胸膜面をおおうこと）.

poul·tice (pōl′tis)［L. *puls(pult-)*, a thick pap; G. *poltos*］. 湿布，パップ〔剤〕（種々の粉末やその他の吸収性物質を油性または水性の液体で湿した泥膏，あるいはかゆ状物質．薬物を混ぜることもあり，通常，温かいうちに皮膚表面に直接貼布して使用する．軟化剤，緩和剤，または刺激薬を用い，皮膚や皮下組織に対し逆刺激効果を有する）. ＝cataplasm.

pound (pownd)［A.S. *pund*; L. *pondus*, weight］. ポンド（重さの単位．薬剤量における 12 オンス，常衡量の 16 オンスに相当する）.

pound·al (pownd′ăl). ポンダル（1 ポンドの質量に 1 フート/s^2の加速度を与えるのに必要な力．0.138255 ニュートンに等しい）.

Pou·part (pū-pahr′), François. フランス人解剖学者，1616—1708. →P. *ligament, line*.

po·vi·done (pō′vi-dōn). ポビドン（主に線状の 1-vinyl-2-pyrrolidone 群からなる合成重合体．分子量は 10,000 — 70,000．分散剤および懸濁化剤として用いる．分子量が 20,000 — 40,000 のポビドンは血漿増量薬として用いられてきた．代謝されずに腎臓でそのまま排出される）. ＝polyvidone; polyvinylpyrrolidone.

po·vi·done-i·o·dine (pō′vi-dōn-ī′ō-dīn). ポビドンヨード. ＝povidone *iodine*.

pow·der (pow′dĕr)［Fr. *poudre*; L. *pulvis*］. ***1***〚n.〛粉末（ある物質の細粒の乾燥した集まり）. ***2***〚n.〛散剤（製薬学

用語．1つ以上の物質からなる細かく砕いた，やや乾燥した粒状物質を均等に混和したもの）．*3*〖n.〗粉剤（粉末状の薬物の一服．薬包紙に包まれている）．*4*〖v.〗粉末にする（硬い物質を細かく砕く）．

bleaching p. 漂白剤，さらし粉．＝chlorinated *lime*.

Goa p. ゴア末（ブラジル産のマメ科大型樹木 *Andira araroba* より得られる褐色の粉末．クリサロビン(→chrysarobin)の原料）．

pow·er (pow′ĕr). *1* 拡大能（光学において，レンズ屈折能）．*2* 仕事率（物理学および工学において，仕事がなされる割合）．*3* 冪(べき)，累乗（数の指数，自分自身の数を何回積算するかを表す式）．

back vertex p. 後頂点屈折力（レンズ表面から眼の方向へ測定したときのレンズの屈折力．眼鏡レンズを測定する基準）．

carbon dioxide combining p. 二酸化炭素結合能（血清，血漿または全血による 25°C の 40 mmHg の P_{CO_2} での HCO_2 として結合されることができる全 CO_2 の量）．

equivalent p. 等度屈折力（光学ベンチで測定したときに，きわめて薄いレンズの度に等しい）．

resolving p. 分解能（①レンズの解像力．顕微鏡の対物レンズでは，使用される光線の波長を対物レンズの開口数の2倍で除して算出される．→definition．②神経学的検査における2点識別など他の方式への類似．無作為誤差 random error とは関係ないが，よく無作為誤差と混同される．③＝resolution (2)）．

statistical p. 統計的検出力（Neyman-Pearson 流の仮説検定において，帰無仮説が偽であるときにそれを棄却する確率．第二種の過誤 *error* of the second kind を1から引いたもの）．

pox (poks) [pock の複数形の異形]．*1* 痘（発疹の出る疾病．通常，痘瘡，牛痘，水痘のように，説明的な用語を付けて限定される．各語参照）．*2* syphilis(梅毒)の古語あるいは口語．

Pox·vir·i·dae (poks-vir′i-dē). ポックスウイルス科（大型で複雑なウイルスの一科．皮膚組織に顕著な親和性を示し，ヒトや他の動物に対し病原性である．ウイルス粒子は大型で 250×400 mm 以上に達し，エンベロープ(二重膜)をもつ．複製はすべて感染細胞の細胞質中で起こる．カプシドは複合相称で二重鎖 DNA(分子量 160×10^6)を有する．核蛋白抗原は，この科の全種に共通である．*Orthopoxvirus*属，*Avipoxvirus*属，*Capripoxvirus*属，*Leporipoxvirus*属，*Parapoxvirus*属を含むいくつかの属が認められている）．

pox·vi·rus (poks′vī-rŭs). ポックスウイルス（ポックスウイルス科のウイルス）．

p. officinalis ＝vaccinia *virus*.

Poz·zi (pot′sē), Samuel J. フランス人婦人科医・解剖学者，1846—1918. →P. *muscle*.

PP pyrophosphate の略．

PP_i inorganic pyrophosphate (diphosphate) の略．

P.p. *punctum* proximum の略．

ppb parts per billion(十億分率)の略．

PPCA proserum prothrombin conversion *accelerator* の略．

PPCF plasmin prothrombin conversion *factor* の略．

PPD purified protein derivative of *tuberculin* の略．

PPLO pleuropneumonialike *organisms* の略．

ppm parts per million(百万分率)の略．

PPO 2,5-diphenyloxazole (液体シンチレータ)；preferred provider *organization* の略．

PPPPP pain(疼痛)，pallor(蒼白)，pulselessness(脈なし)，paresthesia(感覚異常)，paralysis(完全麻痺)の略．

PPPPPP 急性動脈閉塞時にみられる症候(pain, pallor, pulselessness, paresthesia, paralysis, prostration)を記憶しやすいようにした略語．

PPRibp, PPRP 5-phospho-α-D-ribosyl-1-pyrophosphate の略．

P pul·mo·na·le (pul′mō-nā′lē). 肺性 P（[最後の e は発音される]．II，III，aV_F 誘導体に高くとがった細い P 波がみられ，しばしば V_1 誘導では P 波の初期の正成分が著明で，心電図上に現れ，肺性心の特徴であると考えられている(この用語は心電図学上に広く用いられているが，実際は誤りであり P-dextrocardiale とよぶ方が適切である．これは三尖弁狭窄底にもみられるように，原因に関係なく，右心房の過負荷によるものであり，肺性心と関係なく発生するためである）．肺疾患，通常はぜん息，では増悪期に一過性に現れる）．

PPV positive pressure *ventilation* の略．

PQ plastoquinone の略．

PQ-9 plastoquinone-9 の略．

PR per rectum の略．

P.r. *punctum* remotum の略．

Pr *1* presbyopia の略．*2* プラセオジミウムの元素記号；プロピルの記号．

PRA plasma renin *activity*; phosphoribosylamine の略．

prac·tice (prak′tis) [Mediev. L. *practica*, business, G. *praktikos*, pertaining to action]．診療，開業（医学または医学に関連した職務を行うこと）．

extramural p. 域外診療，学外診療（大学医学部ないし病院の常勤スタッフが，自らの医学センター内だけに限らずにその外部に対して行う保健サービス行為）．

family p. 家庭医学，家庭医療（医師がある家族の全員について年齢や性に関係なく保健と医療の責任をもつ医学の一専門分野．ただし通常，産科や外科を行うことは少ない）．

general p. 一般医療（広範囲の医学的問題に対処する(通常は)専門医とは認定されない医師のプロフェッショナルな活動．この分野には従来の医師に代わり，より積極的に修練を積んだ家庭医が徐々に増加しつつある）．

group p. 集団開業（医師集団による協同の開業で，それぞれが一般にある特定領域のみ(の診療)に限定する．このような集団はしばしば，ある建物の一連の診察室や検査室，スタッフ，および装置を共有する）．

intramural p. 学内診療，域内診療（大学医学部ないし病院の常勤スタッフが，自らの医学センター内に限って行う保健サービス行為）．

prac·ti·tion·er (prak-ti′shŭn-ĕr). 開業医（[誤ったつづり practioner を避けること]．医学または医学に関連した職務を行う人）．

Pra·der (prä′dĕr), Andrea. スイス人小児科医，1919—？ →P.-Willi *syndrome*.

prae- →pre-.

prag·mat·ics (prag-mat′iks) [G. *pragmatikos* < *pragma*, thing done]．語用論（記号論の一部門．記号とその使用者(送り手と受け手)の間の関係を扱う理論）．

prag·ma·tism (prag′mă-tizm) [G. *pragma*(*pragmat*-), thing done]．実用主義，実践哲学（実際的な適用を重視し，その結果，概念や事物の価値は現実的な世界にいかに適用するかに由来するという信念および理論をもつ哲学）．

2-pra·li·dox·ime (2-PAM) (pral′i-dok′sēm, prā-lī′). 2-プラリドキシム（有機リン系薬剤によるコリンエステラーゼの阻害からの回復に有効なオキシムの一種．2-PAM はリン酸化された酵素の水解を促進し，コリンエステラーゼの活性を回復させる）．

pral·i·dox·ime chlor·ide (pral′i-dok′sēm klōr′īd, prā-li-). 塩化プラリドキシム（有機リン酸中毒によるコリンエステラーゼの不活性化を回復させるために用いる．重症筋無力症の治療に用いるコリンエステラーゼ抑制因子のカルバミン酸塩に対する拮抗物質としてやや限定された効力を有する.）．

pran·di·al (pran′dē-ăl) [L. *prandium*, breakfast]．食事の．

pra·se·o·dym·i·um (Pr) (prā′sē-ō-dim′ē-ŭm) [G. *prasios*, leekgreen < *prason*, a leek + *didymos*, twin]．プラセオジミウム（ランタニド元素または希土類元素，原子番号 59，原子量 140.90765）．

Pratt (prat), Joseph H. 米国人医師，1872—1956. →P. *symptom*.

Praus·nitz (prows′nits), Otto Carl. ドイツ人衛生学者，1876—1963. →P.-Küstner *antibody*, *reaction*; reversed P.-Küstner *reaction*.

prax·i·ol·o·gy (prak′sē-ol′ŏ-jē) [G. *praxis*, action + *logos*, study]．行動学（これには意識と，それと同様の抽象的・形而上学的概念についての学問は含まない）．

prax·is (prak′sis) [G. *praxis*, action]．実行．

pre- [L. *prae*]．(時間的，空間的な)前方，前，を意味する接頭語．→ante-; pro- (1).

pre·ag·o·nal (prē-ag′ō-năl) [pre- + G. *agōn*, struggle(agony)]. 死直前の.

pre·al·bu·min (prē′al-byū′min). プレアルブミン (①血漿の蛋白成分. 分子量約 55,000で, 1.3% の炭水化物を含む. 血漿内含有量は 15—30 mg/100 mL. 異常濃度のプレアルブミンは家族性アミロイドーシスでみられる. =transthyretin. ②血清のゾーン電気泳動で観察される, 血清アルブミンより速く移動する蛋白帯).

thyroxine-binding p. (**TBPA**) サイロキシン結合プレアルブミン (血漿蛋白の電気泳動分析における〝プレアルブミン〟分画にある蛋白. サイロキシン結合親和性はサイロキシン結合グロブリンより小さいが, アルブミンよりは大きい). =thyroxine-binding protein (2).

pre·a·nal (prē-ā′năl). 肛門前〔方〕の (肛門の前方にある).

pre·an·es·thet·ic (prē′an-es-thet′ik). ***1***〚adj.〛麻酔前の. ***2***〚n.〛主麻酔薬の前に投与される薬物.

pre·an·ti·sep·tic (prē′an-ti-sep′tik). 殺菌法採用以前の (特に手術法に関して, 殺菌理論採用以前の時代についていう). =preaseptic.

pre·a·or·tic (prē′ā-ōr′tik). 大動脈前〔方〕の (大動脈の前に位置するリンパ節をさす).

pre·a·sep·tic (prē′ă-sep′tik). 無菌法採用以前の. =preantiseptic.

pre·au·ric·u·lar (prē′aw-rik′yū-lăr). 耳介前〔方〕の (耳介の前に位置するリンパ節をいう).

preauthorization (prē′aw-thōr-i-zā′shŭn). 事前認可, 事前認定 (被保険者である患者が介護や治療を受ける場合に, 高額な手技などを行う医師が保険会社から事前にそれを行ってよいという認可を受けること. 開業医は保険会社が定める係(事務員のことが多いが, 場合によっては医療専門家)に書類と電話で連絡し, 行う予定である治療や手技が被保険者の健康などに医学的に必要であることを認定してもらう.→benefit; health maintenance *organization*; managed *care*; fee-for-service *insurance*; traditional indemnity *insurance*).

pre·ax·i·al (prē-ak′sē-ăl). 軸前〔方〕の (①体幹または(解剖学的体位において)体肢の軸より前方の. ②体肢の軸より頭方にある体肢芽の部位, すなわち上肢の橈側, 下肢の脛側についていう).

pre·cal·cif·er·ol (prē′kal-sif′ĕr-ol). プレカルシフェロール (エルゴカルシフェロールとルミステロールの中間前駆物質).

pre·can·cer (prē-kan′sĕr). 前癌, 前癌状態 (ほとんどの例で悪性新生物の発生が起こると考えられる病変についていう. 前癌病変は臨床的に, または病理組織の顕微鏡的変化によって認められる場合も, 認められない場合もある).

pre·can·cer·ous (prē-kan′sĕr-ŭs). 前癌の (前癌と判断されるすべての病変についていう). =premalignant.

pre·cap·il·lar·y (prē-kap′i-lār′ē). 毛細血管前の (細動脈あるいは細静脈についていう).

pre·car·di·ac (prē-kar′dē-ak). 心臓前〔方〕の (心臓の前方にある).

pre·car·di·nal (prē-kar′di-năl). 前主静脈の (前主静脈に関する).

pre·car·ti·lage (prē-kar′ti-lăj). 前軟骨 (密に詰まった間葉細胞の集合. 胚期軟骨へ分化していく直前の状態).

pre·cau·tions (prē-kaw′shŭnz). 予防策 (有害な結果を予防あるいは回避するための方法または処置).

pre·ca·va (prē-kā′vă). 上大静脈. =*vena* cava, superior.

pre·cen·tral (prē-sen′trăl). 中心前の (中心溝の前にある大脳回(中心前回)についていう).

pre·chor·dal (prē-kōr′dăl). 脊索前方の (脊索の頭方に位置することについていう). =prochordal.

pre·chrom·ing (prē-krōm′ing). 前クロム処理 (組織や織物を, まず金属媒染剤で, 続いて染料で処理すること).

pre·cip·i·ta·ble (prē-sip′i-tă-bĕl). 沈殿可能の (析出・沈殿されうることについていう).

pre·cip·i·tant (prē-sip′i-tănt). 沈殿剤 (溶液から沈殿物を生じさせる物質).

pre·cip·i·tate (prē-sip′i-tāt) [L. *praecipito*, pp. *-atus*, to cast headlong]. ***1***〚v.〛沈殿する (溶液中の物質を固体として分離させる). ***2***〚n.〛沈殿〔物〕, 沈降物, 沈着物 (溶液あるいは懸濁液から分離される固体. 特異抗原とその抗体との混合したものから生じるような小片あるいは塊). ***3***〚n.〛沈着物 (ブドウ膜炎で角膜内皮層への炎症性細胞の集積(角膜後面沈着)).

keratic p.'s (**KP**) 角膜後面沈着物 (角膜内皮の炎症細胞). =punctate keratitis; keratitis punctata.

mutton-fat keratic p.'s 豚脂様角膜後面沈着物 (次第に半透明になっていく小さな斑点を形成する融合角膜裏面沈降

前癌状態

器官・組織	前癌	癌
	A) 慢性刺激	
皮膚	光線皮膚炎	"光線癌"
	X線皮膚炎	X線癌
	タール皮膚炎	ピッチ作業員癌
	ヒ素皮膚炎	ヒ素癌
	ループス皮膚炎	ループス癌
	老人性角化症 Paget病 コンジローム	皮膚癌
瘢痕	火熱瘢痕 梅毒瘢痕 瘻孔瘢痕 下腿潰瘍瘢痕	瘢痕癌
潰瘍	慢性潰瘍 静脈瘻潰瘍	潰瘍癌
	骨瘻 直腸瘻	瘻孔癌
食道	Barrett食道	食道腺癌
胃	胃潰瘍 胃炎	潰瘍癌
肝, 胆嚢	胆石症	腺癌 硬癌 胆嚢癌
腟	外陰萎縮症	外陰部癌
	B) 全身疾患, 組織異常, 良性腫瘍	
皮膚	色素性母斑	悪性黒色腫
	Bowen病 色素性乾皮症 赤色肥厚症	皮膚癌および肉腫
粘膜	白板症	舌癌, 頰粘膜癌 口蓋癌, 陰茎癌
骨	Paget病	骨肉腫
	外骨腫	軟骨肉腫
	外軟骨腫	軟骨肉腫
	線維性骨炎	骨肉腫
	骨性獅子面症	骨肉腫
神経系	神経線維腫症	線維肉腫
胃・腸	ポリポーシス	腺癌
子宮	胞状奇胎	絨毛上皮腫
	腺腫様過形成 上皮内癌	子宮癌および 子宮頸部癌
甲状腺	結節性甲状腺癌	甲状腺癌

物).

pigmented keratic p.'s 色素性角膜後面沈着物（茶色の虹彩をもつ眼や，あるいは長期の炎症後の眼に生じる沈降物).

red p. 赤降汞. = mercuric oxide, red.

sweet p. 甘汞. = calomel.

white mercuric p. = ammoniated *mercury*.

yellow p. 黄降汞. = mercuric oxide, yellow.

pre·cip·i·ta·tion (prē-sip′i-tā′shŭn) [→precipitate]. ***1***〔沈殿〕析出（溶液や懸濁液に含まれていたものが，固体として形成される過程). ***2*** 沈降〔反応〕（特異的な沈降素を加えることによって血清中の蛋白が集合する現象).

double antibody p. 二重抗体沈降〔反応〕（免疫グロブリンに特異的な抗体を作用させて沈降反応を起こすことにより，抗体‐結合抗原(例えばインスリン)と遊離の抗原とを分離する方法). = double antibody immunoassay; double antibody method.

immune p. 免疫沈降〔反応〕. = immunoprecipitation.

pre·cip·i·tin (prē-sip′i-tin). 沈降素（適当な条件下でそれに特異的な可溶性抗原と結合し，それを溶液中で沈降させる抗体). = precipitating antibody.

pre·cip·i·tin·o·gen (prē-sip-i-tin′ō-jen) [precipitin + G. *-gen*, producing]. 沈降原（①動物に接種したときに特異沈降素の形成を促進する抗原．②沈降しうる可溶性の抗原). = precipitogen.

pre·cip·i·tin·og·e·noid (prē-sip-i-tin′ŏjĕ-noyd). 類沈降原（加熱によって変成した沈降原．その結果，特異沈降素と結合しうるが沈降物を形成しない物質のこと).

pre·cip·i·to·gen (prē-sip′i-tō-jen). = precipitinogen.

pre·cip·i·toid (prē-sip′i-toyd) [precipitin + G. *eidos*, resemblance]. 類沈降素（加熱処理された沈降素．特異沈降原と混ぜると沈降を起こさず，また，加熱されない沈降素をさらに加えたときにその沈降効果を阻止する).

pre·cip·i·to·phore (prē-sip′i-tō-fōr′) [precipitin + G. *phoros*, bearing]. 沈降体（Ehrlich 側鎖理論において，沈降素分子の中で沈降を形成するのに必要な部位をさし，付着部分とは区別される).

pre·ci·sion (prē-si′zhŭn). 精度，精確度（[accuracy と混同しないこと]．①どれだけ明確に定義できるか，規定できるかという質の程度．精度の１つの指標は測定結果としてどれだけの数の値を選ぶことができるか(あるいは測定結果の桁数)である．②統計学的には測定値あるいは推定値の分散の逆数をさす．③定量的な結果の再現性．確率誤差によって示される).

pre·clin·i·cal (prē-klin′i-kăl). ***1*** 症状発現前の．***2*** 前臨床〔医学〕の（医学教育で，学生が患者や臨床業務に携わる前の期間についていう).

pre·co·cious (prē-kō′shŭs) [L. *praecox*, premature]. 早熟の，早発の.

pre·coc·i·ty (prē-kos′i-tē) [→precocious]. 早熟（精神的・肉体的特徴が異常に早期にあるいは急速に発達すること).

pre·cog·ni·tion (prē′kog-nish′ŭn) [L. *praecogito*, to ponder before]. 予知（未来の出来事について正常な感覚とは異なる手段で前もって知ること．超感覚的な知覚).

pre·con·scious (prē-kon′shŭs). 前意識（精神分析においては，Freud の局所論的心理学による精神の３区分のうちの１つに属する．他の２つは意識と無意識．前意識には努力することにより意識され想起されうるあらゆる観念・思考・過去の体験および他の記憶刻印が含まれている．*cf.* foreconscious).

pre·con·vul·sive (prē′kon-vŭl′siv). 痙攣前の（てんかん発作における，痙攣に先立つ段階をさす．例えばアウラ).

pre·cor·di·a (prē-kōr′dē-ă) [L. *praecordia*(中性・複数形のみ), the diaphragm, the entrails < *prae*, before + *cor* (*cord*-), heart]. 前胸部（心窩部および胸郭下部の前面). = antecardium.

pre·cor·di·al (prē-kōr′dē-ăl). 前胸部の（前胸部に関する).

pre·cor·di·al·gi·a (prē′kōr-dē-al′jē-ă) [precordia + G. *algos*, pain]. 前胸部痛.

pre·cor·di·um (prē-kōr′dē-ŭm). precordia の単数形.

pre·cos·tal (prē-kos′tăl) [pre- + L. *costa*, rib]. 肋骨前〔方〕の（肋骨の前方にある).

pre·crit·i·cal (prē-krit′i-kăl). 発症前の，分利前の（発症以前の段階に関する).

pre·cu·ne·al (prē-kū′nē-ăl). 楔前部の（大脳半球楔部の前方の).

pre·cu·ne·ate (prē-kū′nē-āt). 楔前部の（楔前部に関する).

pre·cu·ne·us (prē-kū′nē-ŭs) [pre- + L. *cuneus*, a wedge] [TA]. 楔前部（楔部と中心傍小葉の間にある各大脳半球の内側面の一部．頭頂下溝より上に位置し，前方は帯状溝の辺縁部，後方は頭頂後頭溝で区分される). = quadrate lobe of liver (3) [TA]; lobulus quadratus (2); quadrate lobule (2).

pre·cur·sor (prē-kūr′sŏr) [L. *praecursor* < *prae*-, pre- + *curro*, to run]. 前駆体，前駆物質（何かに先立つもの，あるいは何かが起こる起源となっているもの．特に生理学的には，活性型酵素，ビタミン，ホルモンなどに変化する前の不活性物質，あるいは，合成過程を通してより大きな構造に組み立てられていく化学物質を示す).

pre·den·tin (prē-den′tin). ぞうげ前質，予成ぞうげ質，プレデンチン（石灰化する前のぞうげ質の有機原線維基質).

pre·di·a·be·tes (pre′dī-ă-bē′tēz). 糖尿病前症，前糖尿病（耐糖能は正常であるが，将来２型糖尿病を発症する危険性の高い病態(例えば家族歴などから)).

pre·di·as·to·le (prē′dī-as′tō-lē). 拡張前期，前拡張期（心臓拍動の拡張期の直前にある休止期). = late systole.

pre·di·a·stol·ic (prē′dī-ă-stol′ik). 拡張前期の，前拡張期の（心臓拡張期の前にある末期収縮期についていう).

pre·di·crot·ic (prē′dī-krot′ik). 重複隆起前の（重複切痕の前の).

pre·di·ges·tion (prē′dī-jes′chŭn). 前消化（食物として摂取する前に蛋白(蛋白分解)やデンプン(デンプン分解)を人工的に消化しておくこと).

pre·di·lec·tion (pred′i-lek′shŭn). 好発（特に起こりやすいこと．好発部位とは，疾病・疾患・寄生虫の症状発現に関して，最も発現が起こりやすい部位のことである).

pre·dis·pose (prē′dis-pōz′). 素因を与える，罹患しやすくする.

pre·dis·po·si·tion (prē′dis-pō-zish′ŭn). 素因，疾病素質（ある疾病に対し特別な感受性を有する状態).

pred·nis·o·lone (pred-nis′ō-lōn). プレドニゾロン（コルチゾールの脱水素化された類似化合物(アナログ)．コルチゾールと同じ作用と用途をもつ強力な糖質コルチコイド．いくつかの塩として市販されている).

pred·ni·sone (pred′ni-sōn). プレドニゾン（コルチゾンと同じ作用と用途をもつ，脱水素化された類似体．作用を発現するにはプレドニゾロンに変換されねばならない．リンパ球の増殖を阻害する).

pre·dor·mi·tal (prē-dōr′mi-tăl). 睡眠前期の，前睡眠期の.

pre·dor·mi·tum (prē-dōr-mi-tŭm) [pre- + L. *dormio*, to sleep]. 睡眠前期，前睡眠期（覚醒と睡眠の間の移行段階を意味する，意識が低下していく段階).

pre·duc·tal (prē-dŭk′tăl). 管前〔性〕の（動脈管の大動脈開口部より中枢側大動脈の部分に関する).

pre·e·clamp·si·a (prē′ē-klamp′sē-ă) [pre- + G. *eklampsis*, a shining forth (eclampsia)]. 子かん(癇)前症（蛋白尿か浮腫，あるいはその両方を伴う高血圧症が，妊娠によりあるいは最近の妊娠の影響により発現すること．妊娠 20 週以後に発現するのが普通だが，栄養膜に疾患があるときにはそれより早く発現することもある).

superimposed p. 混合型子かん前症（慢性高血圧症あるいは腎臓疾患の患者にみられる子かん前症の発現．高血圧症が以前の血圧測定によって妊娠前より認められている場合には，その診断を下すには妊娠中に収縮期血圧の 30 mmHg 上昇，拡張期血圧の 15 mmHg 上昇，および蛋白尿か浮腫あるいはその両方が認められなければならない).

pre·ep·i·glot·tic (prē′ep-i-glot′ik). 喉頭蓋前〔方〕の（喉頭蓋の前方にある).

pre·e·rup·tive (prē′ē-rŭp′tiv). 発疹前の（発疹性疾患における発疹出現前の段階を示す).

pre·ex·ci·ta·tion (prē′ek-sī-tā′shŭn). 異常早期興奮（心室心筋部分の早発活性化．異常通路を通るために房室結節における生理学的遅延を受けないインパルスによって生じる．Wolff-Parkinson-White 症候群の特徴である).

ventricular p. → Wolff-Parkinson-White *syndrome*.

preference (pref′er-ents). 選択，優先，好み（治療，手術な

どの健康介護オプションにおける優先).

delayed-phase p. 睡眠相遅延選好（1日の後半に活動がより行いやすい，また気分がよりよいという傾向で，思春期にしばしばみられる(成人にもある)．睡眠パターンの生理学的な変化との関連が考えられている).

pre·for·ma·tion (prē′fōr-mā′shŭn). 前成〔説〕(→preformation *theory*).

pre·fron·tal (prē-frŏn′tăl). 前頭葉前部の（①大脳皮質前頭葉の前方部を示す．②前運動野より吻側の顆粒前頭葉皮質についていう).

pre·gan·gli·on·ic (prē′gang-glē-on′ik).〔神経〕節前の（神経節より近位あるいは直前に位置する．特に，自律神経系の節前ニューロン(脊髄および脳幹に位置する)，およびそれと自律神経節を連結している節前の有髄神経線維についていう).

preg·nan·cy (preg′năn-sē) ［L. *praegnans* (*praegnant-*), pregnant < *prae*, before + *gnascor*, pp. *natus*, to be born］. 妊娠（受胎から妊娠の終了までの間の女性の状態).＝fetation; gestation; gravidism; graviditas.

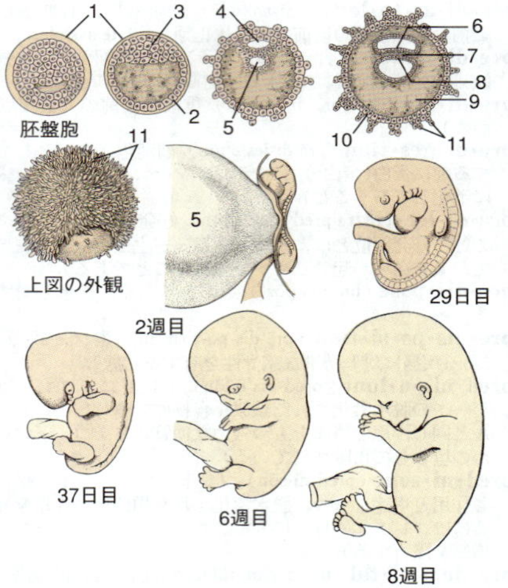

development of fetus during pregnancy

1：透明帯．2：栄養外胚葉．3：内細胞塊．4：羊膜腔．5：卵黄嚢．6：外胚葉．7：中胚葉．8：内胚葉．9：中胚葉．10：栄養外胚葉．11：絨毛膜絨毛.

abdominal p. 腹腔妊娠（腹腔内に卵子が着床し発育すること．通常は卵管妊娠の早期の破裂により二次的に生じる．ごくまれに最初から腹腔内に着床することもある．腹腔妊娠で胚盤胞が着床する位置は，通常，直腸子宮窩の腹膜である).＝abdominocyesis (1); intraperitoneal p.

aborted ectopic p. 子宮外妊娠流産，流産型子宮外妊娠.＝tubal *abortion*.

ampullar p. 膨大部妊娠（卵管の中央部近辺での卵管妊娠).

cervical p.〔子宮〕頸管妊娠（頸管の粘膜内層に胚盤胞が着床し，成育すること．子宮への妊娠と分類されているが，子宮外妊娠の1つとみなされることが多い).

chemical p. 化学的妊娠（軽度で一過性の HCG レベルの上昇).

combined p. 重複妊娠（子宮内妊娠と子宮外妊娠の併存).

compound p. 複合妊娠（すでに子宮外妊娠(通常，石児であるが)をしているのにさらに子宮内妊娠が発生すること).

cornual p. [*cornu* + *al*, adj. suffix]. 副角妊娠，一角妊娠，単角妊娠（子宮角の一方の角に胚盤胞が着床し発育すること).

ectopic p. 異所〔性〕妊娠（子宮腔外で胚盤胞が着床し発育すること).＝eccyesis; extrauterine p.; heterotopic p.; paracyesis.

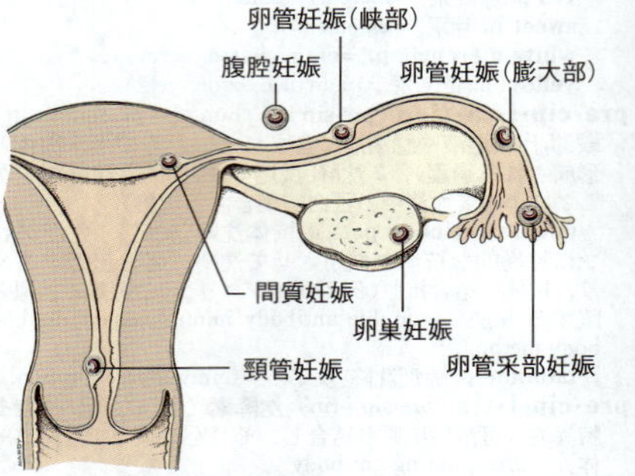

sites of ectopic pregnancy

extraamniotic p. 羊膜外妊娠（絨毛膜は無傷だが羊膜が破裂し萎縮している妊娠).＝graviditas examnialis.

extrachorial p. 絨毛膜外妊娠（絨毛膜が破裂し萎縮している妊娠．胎児は子宮内にいるが絨毛膜袋の外で発育するようになる).＝graviditas exochorialis.

extramembranous p. 膜外妊娠（妊娠期間中に胎児が被包膜を破り直接子宮壁と接触しているような妊娠).

extrauterine p. 子宮外妊娠.＝ectopic p.

fallopian p. 卵管妊娠.＝tubal p.

false p. 偽妊娠（妊娠していないのに，妊娠の徴候と症状がみられる状態).＝pseudocyesis; pseudopregnancy (1); spurious p.

heterotopic p. 異所妊娠.＝ectopic p.

heterotropic p.'s 異所性同時妊娠（異なった部位での同時妊娠．例えば子宮内と卵管膨大部妊娠).

higher order p. 超多胎妊娠（3胎(品胎)以上の妊娠).

hydatid p. 奇胎妊娠（妊娠子宮内に胞状奇胎が存在すること).

hysteric p. 想像妊娠（①偽妊娠．②転換ヒステリーをベースにした妊娠徴候を表す旧語.→hysteria; conversion).

interstitial p.〔卵管〕間質妊娠.＝intramural p.

intraligamentary p. 子宮広間膜〔内〕妊娠（広靱帯内の妊娠).

intramural p. 壁内妊娠，間質部妊娠（卵管の間質部における受精卵の着床および発育).＝interstitial p.; tubouterine p.

intraperitoneal p. 腹腔内妊娠，腹膜内妊娠.＝abdominal p.

molar p. 奇胎妊娠（子宮内の新生物を特徴とする妊娠．その際，絨毛膜の一部または全部が透明な小胞の塊に変化している).

multiple p. 多胎妊娠（同時に2人以上の胎児を妊娠している状態).＝polycyesis.

mural p. 間質妊娠（子宮筋層内における妊娠).

ovarian p. (ō-var′ē-an pneg′nan-sē). 卵巣妊娠（卵巣内で受精卵が着床し発育すること).＝oocyesis; ovariocyesis.

ovarioabdominal p. 卵巣腹腔妊娠（胎児の成長につれて腹腔妊娠に移行する卵巣妊娠).

persistent ectopic p. 存続子宮外妊娠（子宮外妊娠の保存療法で活性絨毛が存在するためにヒト絨毛性ゴナドトロピンの分泌が持続する状態).

postdate p. 予定日超過妊娠（294日または満42週以上の妊娠).＝prolonged p.

prolonged p. ＝postdate p.

secondary abdominal p. 続発〔性〕腹腔妊娠（初期に卵管内やその他において発育していた胎芽または胎児が，そこから排出された後に腹腔内で成長を続けている状態).＝abdominocyesis (2).

spurious p. 偽妊娠，想像妊娠.＝false p.

tubal p. 卵管妊娠（受精卵が卵管内で着床し発育すること）. = fallopian p.; salpingocyesis.

tuboabdominal p. 卵管腹腔妊娠（卵管采末端に生じた子宮外妊娠で，一部が腹腔内に露出しているもの）.

tuboovarian p. 卵管卵巣妊娠（子宮外妊娠の１つで，卵管妊娠が卵巣を巻き込んでいるもの）.

tubouterine p. 卵管子宮〔部〕妊娠. = intramural p.

twin p. 双胎妊娠（同時に２つの胎芽を子宮内に認める妊娠のこと．二卵性多胎は２つの受精卵から成長した２つの個体から得られる．一卵性多胎は１つの受精卵から成長した１つの接合子から得られるものだが，初期の段階で２つの胎芽が生じるように分割したものである）.

uterine p. 子宮妊娠（胎児が子宮内で発育すること）.

uteroabdominal p. 子宮腹腔妊娠（卵が初期には子宮で発育し，子宮破裂の結果，後期には腹腔内で発育すること）.

preg·nane (preg′nān). プレグナン（２つの系統のステロイドの親炭化水素．5α-プレグナン(元来はアロプレグナン)と5β-プレグナン(17β-エチルエチオコラン)からなる．5β-プレグナンはプロゲステロン，プレグナンアルコール，ケトン類，および数種の副腎皮質ホルモンの核である．5α-プレグナンは5β-プレグナン化合物の代謝産物として主に尿中にみられる）.

preg·nane·di·ol (preg′nān-dī′ol). プレグナンジオール（生物学的には不活性で，尿中にグルクロン酸抱合プレグナンジオールとして現れるプロゲステロンの主要ステロイド代謝産物）.

preg·nane·di·one (preg-nān-dī′ōn). プレグナンジオン；5β-pregnane-3,20-dione（プロゲステロンの代謝産物．比較的少量形成され，5α または 5β の異性体として存在する）.

preg·nane·tri·ol (preg-nān-trī′ol). プレグナントリオール（17-ヒドロキシプロゲステロンの尿代謝産物およびコルチゾールの生合成における前駆物質．ある種の副腎皮質疾患において，またコルチコトロピン投与後その排出は増大する）.

preg·nant (preg′nănt) [→pregnancy]. 妊娠した女性を称する. = gravid.

preg·nene (preg′nēn). プレグネン（主として用語学的に重要な不飽和ステロイド．炭素 21 個を有する特定のステロイドの系統的命名に用いる）.

preg·nen·o·lone (preg-nēn′ō-lōn). プレグネノロン（多くのホルモン(プロゲステロンを含む)の生合成において中間物質として作用するステロイド．血清中濃度は先天性副腎過形成の珍しい型で高値である）.

pre·hal·lux (prē-hal′ŭks) [pre- + Mod. L. *hallux*, great toe]. 前母趾（通常，不完全な母趾の内側縁に付着している余分な趾）.

pre·hel·i·cine (prē-hel′i-sēn). 耳輪前〔方〕の（耳介の耳輪の正面に）.

pre·he·ma·ta·min·ic ac·id (prē′hēm-tă-min′ik as′id). プレヘマタミン酸. = neuraminic acid.

pre·hen·sile (prē-hen′sil) [L. *prehendo*, pp. *-hensus*, to lay hold of, seize]. つかむに適した.

pre·hen·sion (prē-hen′shŭn). 把握，捕捉.

Prehn (prān), Douglas T. 20 世紀の米国人泌尿器科医.

pre·hor·mone (prē-hōr′mōn). プレホルモン，前駆体ホルモン（腺分泌物質で，固有の生理活性はなく，あってもごくわずかである．末梢において活性なホルモンになる．*cf.* prohormone (1)）.

pre·hy·oid (prē-hī′oyd). 舌骨前〔方〕の（舌骨の前方あるいは上方についていい，顎舌骨筋上方にある副甲状腺をさす）.

pre·ic·tal (prē-ik′tăl) [pre- + L. *ictus*, a stroke]. 発作前の（痙攣や発作の前に起こることについていう）.

pre·in·duc·tion (prē′in-dŭk′shŭn) [L. *prae*, before + *inductio*, a bringing < *in-duco*, to lead in]. 前誘発（祖先の生殖細胞に対する環境作用が孫に与える影響）.

Preisz (pris), Hugo von. ハンガリー人細菌学者，1860—1940.

pre·kal·li·kre·in (prē′kal-ĭ-krē′in). プレカリクレイン（血漿糖蛋白で，キニノーゲンと複合体として因子 XII の活性化での補因子として作用する．プレカリクレインはまた，血漿カリクレインのプロ酵素としても働く）. = Fletcher factor.

pre·lac·ri·mal (prē-lak′ri-măl). 涙嚢前〔方〕の（涙嚢の前方にある）.

pre·la·ryn·ge·al (prē′lă-rin′jē-ăl). 喉頭前〔方〕の（［誤った発音 prelarynge′al を避けること］．特に喉頭の前方にある 1, 2 個の小リンパ節を示す）.

pre·lep·to·tene (prē-lep′tō-tēn) [pre- + leptotene < G. *leptos*, slender + *tainia*, band]. 前細糸期，細糸前期（減数分裂前期の最初の段階．細胞質と核質の生理化学的変化と，染色体の凝集開始を特徴とする）.

pre·leu·ke·mi·a (prē′lū-kē′mē-ă). 前白血病. = myelodysplastic syndrome.

pre·lim·bic (prē-lim′bik). 縁前〔方〕の（卵円窩縁の前方にある）.

pre·load (prē′lōd). ***1*** 前負荷（筋が収縮する前に負っている負荷）. ***2*** = ventricular p.

ventricular p. 心室前負荷（以前は心室壁を引き伸ばす収縮末期圧のことをさしていた．これは心室収縮開始時の拡張末期の線維の長さやあるいは収縮前の筋線維におけるこの負荷の程度を決定している．しかし最近ではより厳密に心室筋線維の断面積当たりのその瞬間の壁張力と関連して表され（内径と壁厚によって修飾される内圧から Laplace の法則で計算される），これは収縮開始前の時点での貫壁性の圧力と釣合っている）. = preload (2).

pre·ma·lig·nant (prē′mă-lig′nănt). 前悪性の. = precancerous.

pre·ma·ni·a·cal (prē′mă-nī′ă-kăl). 前躁病の，躁病前の（躁状態に先立つ）.

pre·ma·ture (prē′mă-tūr′, -tyūr) [L. *praematurus*, too early < *prae-*, pre- + *maturus*, ripe(mature)]. ***1*** 早熟の，早発の（一般的なまたは予定されたときより早く発生することについていう）. ***2*** 早産の，未熟の（妊娠 37 週未満で生まれた児についていう．本語を使うときには出生時体重は判定基準にならない）.

pre·ma·tu·ri·ty (prē′mă-tū′ri-tē). ***1*** 早熟. ***2*** 早期接触（歯科において，偏位性咬合接触 deflective occlusal *contact* のこと）.

pre·max·il·la (prē′mak-sil′ă) [pre- + L. *maxilla*, jawbone]. ***1*** *切歯骨（incisive *bone* の公式の別名）. ***2*** 顎前骨（両側完全唇裂における中央の遊離した骨部）.

pre·max·il·lar·y (pre-mak′si-lār′ē). ***1*** 顎骨前〔方〕の（顎骨の前方にある）. ***2*** 顎前骨の，切歯骨の.

pre·med·i·ca·tion (prē′med-i-kā′shŭn). ***1*** 前投薬，プレメディケイション，準備投薬（麻酔前に，不安の緩和，鎮静，および麻酔を容易にするために患者に薬を投与すること）. ***2*** ***1*** のような目的に用いる薬.

pre·mel·a·no·some (prē-mel′ă-nō-sōm). プレメラノソーム（メラノサイト中の色素沈着していない膜結合小胞のことをいう．そのメラノサイトはチロシンを含有し，成熟してメラニンで充満したメラノソームになる．白子のメラノサイトに顕著である）.

pre·men·stru·al (prē-men′strū-ăl). 月経前の.

pre·men·stru·um (prē-men′strū-ŭm) [pre- + L. *menstruum*: *menstruus*(monthly, pertaining to menstruation)の中性形]. 月経前期（月経前の数日間）.

pre·mi·to·chon·dri·a (prē′mī-tō-kon′drē-ă). プレミトコンドリア. = promitochondria.

pre·mo·lar (prē-mō′lăr). ***1***〘adj.〙大臼歯の前方の. ***2***〘n.〙小臼歯.

pre·mon·o·cyte (prē-mon′ō-sīt). 前単球（正常では循環血液中にみられない未成熟の単球）. = promonocyte.

pre·mor·bid (prē-mōr′bid) [pre- + L. *morbidus*, ill < *morbus*, disease]. 〔発〕病前の（疾病の発症に先立つ）.

pre·mu·ni·tion (pre′mū-nish′ŭn) [L. *praemunitio*, fortification in advance < *prae-* + *munio*, to fortify]. 相関免疫（寄生虫の感染あるいは再感染に対して，宿主に抵抗力のある状態．特にマラリアの疫学研究で用いられる）.

pre·mu·ni·tive (prē-mū′ni-tiv). 相関免疫の.

pre·my·e·lo·blast (prē-mī′ĕ-lō-blast′). 前骨髄芽球（骨髄芽球の確認されうる最早期の前駆細胞）.

pre·my·e·lo·cyte (prē-mī′ĕ-lō-sīt′). 前骨髄球. = promyelocyte.

pre·na·ris, pl. **pre·na·res** (prē-nā′ris, -nā′rēz). 前鼻孔. = naris.

pre·na·tal (prē-nā′tăl) [pre- + L. *natus*, born]. 出生前の.

P

=antenatal.

pre·ne·o·plas·tic (prē′nē-ō-plas′tik) [pre- + G. *neos*, new + *plastikos*, formative]. 新生物発生前の，前新生物の（すべての新生物，すなわち良性あるいは悪性の新生物形成に先立つことについていう．しばしば誤用されるが，新生物発生前の状態は必ずしも前癌状態というわけではない）.

Pren·tice (pren′tis), Charles F. 米国人光学器製作者，1854—1946. →P. *rule*.

pren·yl (pren′il). プレニル（ポリプレニルまたはマルチプレニル残基あるいはその誘導体．イソプレン分子の重合により形成されるものと思われる．天然には，イソプレノイド中に存在する）.

pre·nyl·a·tion (pre′nil-ā′shŭn). プレニル化（高分子にプレニル基やポリプレニル基を共有結合で付加すること）.

pre·op·er·a·tive (prē-op′ĕr-ă-tiv).〔手〕術前の（手術に先立つ）.

pre·op·tic (prē-op′tik). 視索前〔方〕の（視索前部 preoptic *region* に関する）.

pre·o·ral (prē-ō′răl) [pre- + L. *os*(*or-*), mouth]. 口前の（口の正面の）.

pre·os·te·o·blast (prē-os′tē-ō-blast′). 前骨芽細胞. =osteogenic *cell*.

pre·ox·y·gen·a·tion (prē′ok-sĕ-jĕn-ā′shŭn). プレオキシゲネーション（全身麻酔の導入前に 100% 酸素で脱窒素を行うこと）.

prep (prep) [preparation または prepare の俗語]. プレプ（皮膚あるいはその他の体表を手術のために準備すること．通常は清拭と抗生剤溶液の塗布による）.

pre·pal·a·tal (prē-pal′ă-tăl). 口蓋〔骨〕前〔方〕の，口蓋前部の（口蓋の前方部に関する，あるいは口蓋骨の前方にある）.

prep·a·ra·tion (prep′ă-rā′shŭn) [L. *praeparatio* < *prae*, before + *paro*, pp. *-atus*, to get ready]. ***1*** 準備，調製法. ***2*** 製剤（すぐ使用できるよう用意された薬剤または他の合剤）. ***3*** プレパラート，組織標本，試料.

cavity p. 窩洞形成（①う食を取り除き，修復ができるように残存歯質を外科的に形成すること．②このような形成によってできた歯の切削の最終形態）.

corrosion p. 腐食標本（導管，脈管，肺胞のような空洞を，消化によって組織を溶解しても，固形で残存する物質で満たしている標本）.

cytologic filter p. 細胞学的沪過標本（濃縮するために細胞物質よりも小さな一定の大きさの細孔が開いているフィルタの上に，試料液(多くの身体部位から種々の方法によって得られる)を置いてつくる細胞学標本．次いで固定染色を行い，通常 95% エチルアルコールと Papanicolaou 染色を用いる）.

heart-lung p. 心肺標本（非凝固性にした血液が心臓，肺，体循環に似せた人工的血管系を循環している動物標本．人工管の一方は切断された大動脈に接続し他方は上大静脈に接続される．心臓と血液循環の生理学的研究に使用される）.

pre·par·tu·ri·ent (prē′par-tū′rē-ent). 分娩前（分娩開始前の期間に関する）.

pre·pa·tel·lar (prē′pă-tel′ăr). 膝蓋骨前〔方〕の（膝蓋骨の前方にある）.

pre·per·i·to·ne·al (prē′per-i-tō-nē′ăl). 腹膜前の（前下方腹壁で腹膜と腹横筋膜との間にある脂肪層をさす）.

pre·phe·nic ac·id (prē-fē′nik as′id). プレフェン酸（シキミ酸が微生物により L-フェニルアラニンと L-チロシンに転換される過程における中間物質）.

pre·pla·cen·tal (prē′plă-sen′tăl). 胎盤形成前の.

pre·pon·der·ance (prē-pon′dĕr-ăns). 優位性（一方に片寄っていること，または程度や重要性が過度であること）.

directional p. 方向優位性（眼振の右または左優位性．両側耳の 2 種の温度によるカロリー検査の反応から計算される）.

pre·po·ten·tial (prē′pō-ten′shăl). 前電位（細胞膜の電気的活動の際にみられる位相の揺れとして活動電位相互間に電位が徐々に上昇すること．これによって尿管や心臓のペースメーカにみられるように自動活動の数が決まる）.

pre·pro·col·la·gen (prē′prō-kol′ă-jen). プレプロコラーゲン（コラーゲンの前駆物質でリボソームで合成される．リーダーまたはシグナル配列をもつプロコラーゲン．この配列はそのポリペプチド鎖を小胞体の小胞腔へ導く）.

pre·pro·in·su·lin (prē′prō-in′sū-lin). プレプロインスリン（プロインスリンの前駆体蛋白. →preprotein）.

pre·pro·pro·tein (prē′prō-prō′tēn). プレプロ蛋白（不活性分泌蛋白の前駆物質）.

pre·pro·tein (prē-prō′tēn). プレ蛋白（シグナルペプチド領域をもつ分泌蛋白）.

pre·psy·chot·ic (prē′sī-kot′ik). 精神病前の（①精神病の発症に先立つ時期についていう．②精神病的挿話の生じる可能性をもっていることをいう．例えば，ストレスが持続しているため緊迫感が生じてきたような状態）.

pre·pu·ber·al, pre·pu·ber·tal (prē-pyū′bĕr-ăl, -ber-tăl). 思春期前の.

pre·pu·bes·cent (prē′pyū-bes′ĕnt). 思春期直前の.

pre·puce (prē′pūs) [L. *praeputium*, foreskin][TA]. 包皮（陰茎亀頭および陰核をおおう遊離皮膚片）. =preputium [TA]; foreskin*.

p. of clitoris [TA]. 陰核包皮（小陰唇の外側のひだ．陰核をおおう鞘を形成する）. =preputium clitoridis [TA].

hooded p. フード状包皮（背側の包皮は正常だが腹側の包皮が不完全あるいは欠損していること．典型例は尿道下裂あるいは索状組織の残存する男児にみられる．まれに尿道上裂にその不完全な部分としてみられることがある）.

p. of penis [TA]. 陰茎包皮（割礼を受けていない陰茎亀頭を完全にまたは不完全におおう皮膚のひだ）. =foreskin of penis*; preputium penis [TA].

ventral apron p. 腹側エプロン包皮（尿道上裂の患者にみられる未完成の包皮で，典型的には腹側にエプロン(前掛け)状にみられる．㊟エプロンのようにみえる過剰な包皮のこと）.

pre·pu·ti·al (pre-pyū′shē-ăl). 包皮の.

pre·pu·ti·ot·o·my (prē-pyū′shē-ot′ŏ-mē) [preputium + G. *tomē*, incision]. 包皮切開〔術〕.

pre·pu·ti·um, pl. **pre·pu·tia** (prē-pyū′shē-ŭm, shē-ă) [L. *praeputium*][TA]. 包皮. =prepuce.

p. clitoridis [TA]. 陰核包皮. =*prepuce* of clitoris.

p. penis [TA]. =*prepuce* of penis.

pre·py·lor·ic (prē′pī-lōr′ik). 幽門前〔方〕の（幽門の前方，あるいは幽門に先立つことについていう．消化のときに前庭部と胃底部とを分ける胃壁の一時的な狭窄をさす）.

pre·rec·tal (prē-rek′tăl). 直腸前〔方〕の（直腸の前方にある，あるいは先立つ）.

pre·re·duced (prē′rē-dūst′). 前還元の（煮沸し，無酸素気体の下で化学的還元剤と酸化還元比色指示薬とともにふたをした管あるいはびんに詰め，その後で滅菌するという細菌学的培地についていう）.

pre·re·nal (prē-rē′năl) [L. *ren*, kidney]. 腎前〔方〕の（腎臓の前方にある）.

pre·ret·i·nal (prē-ret′i-năl). 網膜前〔方〕の（網膜の前方にある）.

pre·sa·cral (prē-sā′krăl). 仙骨前〔方〕の（仙骨の前方にある，あるいは手前にある）.

presby-, presbyo- [G. *presbys*, old man]. 老年を意味する連結形. →gero-.

pres·by·a·cou·si·a (prez′bē-ă-kū′sē-ă). =presbyacusis.

pres·by·a·cu·sis, pres·by·a·cu·sia (prez′bē-ă-kū′sis, -kū′sē-ă) [presby- + G. *akousis*, hearing]. 老年(老人)性難聴（加齢に伴う聴力の損失．音源を知覚または識別する能力の低下が明白になる．発現のパターンや年齢は様々である. →phonemic *regression*）. =presbyacousia; presbycusis.

pres·by·a·sta·sis (prez′bē-ă-stā′sis) [presby- + G. *a-* 欠性辞 + *stasis*, satanding]. 老人性平衡障害（加齢に伴う前庭機能障害）.

pres·by·at·rics (prez′bē-at′riks) [presby- + G. *iatreia*, medical treatment]. 老年(老人)医学を表すのにまれに用いる語.

pres·by·cu·sis (prez′bē-kū′sis). =presbyacusis.

presbylaryngitis (pres′bē-lar-in-jī′tis). 老人性喉頭炎（加齢に伴う発声力損失）.

pres·by·o·pi·a (Pr) (prez′bē-ō′pē-ă) [presby- + G. *ōps*, eye]. 老視，老眼（老年期に眼の調節力が生理的に減損すること．近点が 22 cm(9 インチ)以上になったときがその始まりだといわれている).

pres·by·op·ic (prez′bē-op′ik). 老視の，老眼の.

presbyosmia (pres-bē-oz′mē-ă) [presby- + G. *osmē*, smell + -ia]. 老年性嗅覚鈍麻，老年性嗅覚減退（老化に伴う嗅覚の減退または消失).

pre·scribe (prē-skrīb′) [L. *prae-scribo*, pp. *-scriptus*, to write before]. 処方する（治療に用いる薬剤の調剤と施薬について口頭あるいは書面で指示を与える).

pre·scrip·tion (prē-skrip′shŭn) [L. *praescriptio*; →prescribe]. ***1*** 処方箋（治療薬の調剤と施薬について書かれたもの). ***2*** 処方，処方箋調剤（処方箋に書かれた指示に従って調合される調剤．正統的な処方箋の記述方法は次の 4 つの部分からなるといわれている．(i)前文 *superscription* は，処方 *recipe* あるいはそれを表す記号℞を書く．(ii)本文 *inscription* は，処方箋の主部であり薬剤の名称と量を書く．(iii)副文 *subscription* は，成分の混合および薬を作成する形状(錠剤，散剤，液剤など)を指示する．通常，*misce*(調合せよ)という語かMという略号で始まる．(iv)用法指示 *signature* は，薬の用法と投与時間を患者に指示する．*signa*(指示する)という語かSまたはSigという略号が前に置かれる).

shotgun p. 散弾銃処方（必要となるすべてのタイプの治療をカバーしようとして，多くの薬を含む処方．そのうちの一部は不必要なものもある．軽蔑語).

pre·se·nile (prē-sē′nīl). 早老〔性〕の，初老期の.

pre·se·nil·i·ty (prē′sĕ-nil′i-tē) [pre- + L. *senilis*, old]. 早老，初老（実際に年はとっていないのに，初老期の身体的・精神的特徴を呈する状態で，老年期まではいっていない).

pre·se·ni·um (prē-sē′nē-ūm). 初老〔期〕（老年期に先立つ期間).

pre·sent (prē-zent′) [L. *praesens*(*-sent-*): *praesum*(to be before, be at hand) の現在分詞]. ***1*** 先進する（最初に子宮口に先進あるいは出現する．内診で最初に触れる胎児の部分，つまり先進部についていう). ***2*** 検査や治療のために現れる．患者についていう.

pre·sen·ta·tion (prē′zen-tā′shŭn, prez-) [→present]. ***1*** 先進部（出産時に先進する胎児の部分). ***2*** 胎位（後頭部，おとがい部，仙骨はそれぞれ頭位，顔位，骨盤位の基準となる．position (3) および position の各項参照).

acromion p. ＝shoulder p.

breech p. 殿位（胎児の殿部，膝，足など骨盤以下のすべての部位が先進部である胎位をいうが，殿部が先進部であるものだけをいうほうがより適切である．胎児が骨盤以下の部分から先進してくるものとしては，**frank breech p.** 単殿位(大腿が屈曲し下腿が身体前面に伸展するもの)，**full breech p.** 複殿位(大腿が腹部上で屈曲し下腿が大腿に重なるもの)，**footling p., foot p.** 全足位(足が最下方にくるもの)，**incomplete foot p., incomplete knee p.** 不全足位，膝位(一方の下腿が単殿位または複殿位にみられる位置をとるが，他方の足または膝から先進するもの)，などがある). ＝pelvic p.

brow p. 額位（→cephalic p.).

cephalic p. 頭位（通常，頭部は鋭く屈曲し顎が胸に接触している(後頭位 vertex p.)．しかし，まれには屈曲の度合いが様々に異なり，先進部が大泉部(頭頂位 sincipital p.)，または額(額位 brow p.)であったり，顔(顔位 face p.)であったりする場合がある). ＝head p.

compound p. 複合胎位（先進部に伴う四肢，通常上肢の脱出．骨盤内で同時に下降する(肩甲位の一種)).

face p. 顔位（→cephalic p.).

footling p. 足位（→breech p.).

frank breech p. 単殿位（→breech p.).

head p. 頭位. ＝cephalic p.

incomplete foot p. 不全足位（→breech p.).

knee p. 膝位（→breech p.).

pelvic p. 骨盤位. ＝breech p.

placental p. ＝*placenta* previa.

polar p. 極位（胎卵形のどちらかの極の胎位．頭位あるいは殿位，または縦位).

shoulder p. 肩甲位（肩甲部が先進部となる横位). ＝acromion p.

sincipital p. 頭頂位（→cephalic p.).

transverse p. 横位（胎児が，頭位でも殿位でもなく，子

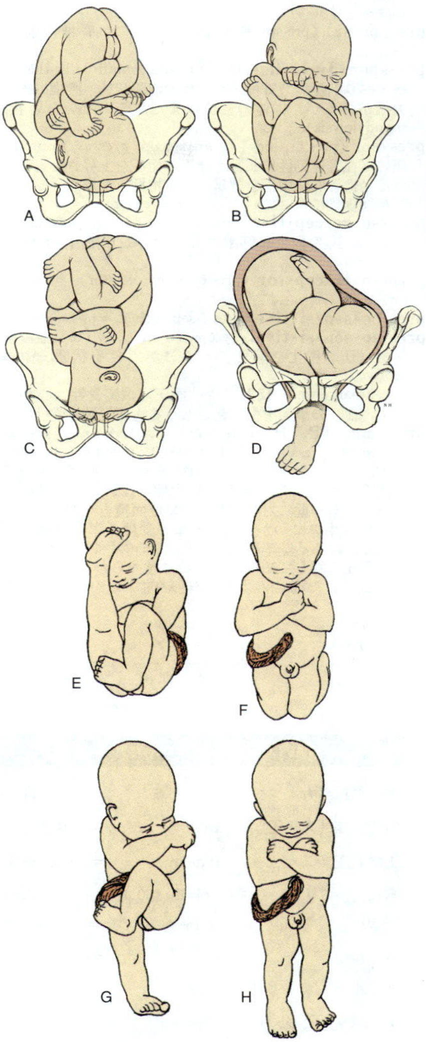

fetal presentations

A：頭位．B：殿位．C：顔位．D：横位．E：単殿位．F：全膝位．G：片足位．H：全足位.

宮の中で産道の軸を横断して横たわっている異常な胎位).

vertex p. 頭位（→cephalic p.).

pre·ser·va·tive (prē-zer′vă-tiv). 保存薬，防腐薬（化学的変化や細菌活動を防止するために食品や有機溶液に加える物質).

pre·so·mite (prē-sō′mīt). 前原体節期の（原体節出現前(ヒト胚では 19 日より前)の胚の段階についていう).

pre·sphe·noid (prē-sfē′noyd). 蝶形骨前〔方〕の（蝶形骨または軟骨の前方についていう).

pre·sphyg·mic (prē-sfig′mik) [pre- + G. *sphygmos*, pulse].

拍動前の（脈拍に先立つ．心室が血液で満たされ，心室の収縮力が半月弁を開く前の間で，等容性収縮期に対応する短い期間をさす）．

pre·spi·nal (prē-spī′năl). 脊椎前〔方〕の（脊椎の前方にある）．

pre·spon·dy·lo·lis·the·sis (prē-spon′di-lō-lis-thē′sis). 脊椎すべり前駆症（脊椎すべり症の前駆状態．腰椎の椎弓板の欠損があるが，椎体の変位はまだ起こっていない状態．→ spondylolysis）．

pres·sor (pres′ŏr, -ōr) [L. *premo*, pp. *pressus*, to press]. 昇圧の（血管運動性を興奮させる．血圧を上昇させる．刺激されると血管収縮中枢を興奮させ末梢抵抗を増大させる求心性の神経線維についていう）．＝hypertensor.

pres·so·re·cep·tive (pres′ō-rē-sep′tiv). 圧受容〔体〕の（圧（特に血圧）の変化を刺激として受容しうる）．＝pressosensitive.

pres·so·re·cep·tor (pres′ō-rē-sep′tŏr, -tōr). ＝ baroreceptor.

pres·so·sen·si·tive (pres′ō-sen′si-tiv). ＝pressoreceptive.

pres·so·sen·si·tiv·i·ty (pres′ō-sen′si-tiv′i-tē). 血圧変調感受性（圧の変化を感受することができる状態．→pressoreceptive）．

reflexogenic p. 反射発生性血圧変調感受性（心拍，血管張力，血圧の調節を引き起こしうる血圧変調感受性）．

pres·sure (**P**, ***P***) (presh′ŭr) [L. *pressura* < *premo*, pp. *pressus*, to press]. 圧，圧力，圧迫（①抵抗に対してすべての方向で作用する応力，力．②(記号Ｐ．しばしば場所を表す添字が付く)．物理学および生理学において，気体や液体がその容器の壁に対して及ぼす単位面積当たりの力．あるいは流体の中央につかっている壁が受ける単位面積当たりの力．圧力はある基準圧力，例えば(壁の片側が接している)周囲大気圧に対して相対的なものと考えられるし，(完全真空中に置かれた場合のように)絶対的なものとなることもある）．

$$P = \frac{\text{力}}{\text{単位面積}}$$

他の測定単位のパスカル等量

ポンド毎平方インチ	1psi	＝	6,894.76Pa
気圧（標準大気圧）	1atm	＝	101,325.0 Pa
工学気圧	1kg/cm²	＝	98,066.5 Pa
水柱	1inH₂O（60°F）	＝	248.84 Pa
水銀柱	1mmHg（0°C）	＝	133.32 Pa
トール	1torr	＝	133.32 Pa
バール	1bar	＝	100,000 Pa
ダイン毎平方センチメートル	1dyn/cm²	＝	0.10 Pa

abdominal p. 腹圧（膀胱周囲の圧．直腸圧，胃圧，または腹腔圧により定量される）．

absolute p. 絶対圧（圧力ゼロを基準にして計られた圧力．*cf.* gauge p.）．

acoustic p. 音圧（超音波において，全圧力から周囲圧を差し引いた瞬時値．単位はパスカル(Pa)．㊟有音時の最大圧力から無音時の圧力を差し引いたもの）．

atmospheric p. ＝barometric p.

back p. 後方圧（血流の前方への障害の結果，循環において上流に向かう血液に及ぼす圧力．例えば，僧帽弁狭窄や左心室不全の結果生じる肺循環のうっ血などの場合に発生する）．

barometric p. (***P***B) 気圧（周辺大気の絶対圧力．その値は天候や標高などによって変わる．ミリバール(気象学)，mmHg，あるいはトール(呼吸生理学)によって表される．海水面における１気圧(atm，760 mmHg，または 760 トール）は 14.69595 lb/in²，1,013.25 ミリバール，1,013.25×10⁶ ダイン/cm²．国際単位系(SI)では 101,325 パスカル(Pa)である）．＝atmospheric p.

biting p. ＝occlusal p.

blood p. (**BP**) 血圧（大循環の動脈血の圧力あるいは緊張度．血液の粘度および容積をはじめ，左心室の収縮，動脈と毛細血管の抵抗，動脈壁の弾性によって維持される．血圧は常に環境大気圧との相対によって表される）．＝piesis.

central venous p. (**CVP**) 中心静脈圧（上大静脈および横隔膜よりは頭部側の下大静脈の静脈系内部の血液の圧力で，正常値は 4 －10 cmH_2O．ショックや循環血液量減少の際に低下し，心不全や静脈にうっ血があると高くなる）．

cerebrospinal p. 脳脊髄液圧（脳脊髄液の圧．環境大気圧との相対によって表され，一般に 100－150 mmH_2O である）．

continuous positive airway p. (**CPAP**) 持続陽圧気道圧（自発呼吸あるいは機械呼吸下の患者に，呼吸周期の全過程で換気回路に加圧して，気道内圧を大気圧より高く保つ呼吸管理の一方法）．

coronary perfusion p. 冠動脈灌流圧（冠循環を起こす圧力で，通常，拡張期の圧力に相当する）．

critical p. 臨界圧力（臨界温度で気体が液化するのに必要な最低圧力）．

detrusor p. 排尿筋圧（膀胱壁に対する力(自動と受動)によってつくられる膀胱内圧の分力．経壁圧は膀胱内圧から腹圧を減じることによって定量される）．

diastolic p. 拡張期血圧（心室の拡張弛緩期あるいは弛緩による心腔内血圧．あらゆる心室周期中における最低動脈血圧）．

differential blood p. 示差血圧（身体の両面の対応点における動脈血圧）．

Donders p. (don′dĕrz). ドンデルス圧（死体を開胸し，気管に圧力計を接続したときに得られるおよそ 6 mmHg の圧の上昇．胸郭に空気がはいり肺が虚脱することにより発生する）．

effective osmotic p. 実効浸透圧（溶液の総浸透圧のうち，溶媒が通常は半透膜である境界面を通過する傾向を左右する分圧．一般的には，溶液の総浸透圧と溶液中の総分子数に対する，境界膜を通過しない溶解している粒子数の比(活動度に補正して)との積によって表される．一般的には圧それ自体というよりも，浸透性の単位と同じ単位によって表される）．

expiratory positive airway p. (**EPAP**) 呼気陽圧（機械補助呼吸装置で呼気相を通して陽圧をかけること）．

gauge p. ゲージ圧力（周囲の大気圧に対して相対的に計測される圧力．海面上では，ゲージ圧力は絶対圧力より１気圧だけ低い．*cf.* absolute p.）．

hydrostatic p. 静水圧（液体がポテンシャルエネルギーをもつことによって示す圧力で，したがって運動のエネルギーは考慮されない．真の圧力と浸透圧の区別や，重力による液柱の圧力の変化を強調するときによく用いられる）．

inspiratory positive airway p. (**IPAP**) 吸気陽圧（機械補助呼吸装置で吸気相を通して陽圧をかけること）．

intracranial p. (**ICP**) 頭蓋内圧．

intrafunicular p. 神経束内圧（神経束内または神経束周囲の圧）．

intraocular p. 眼内圧（圧力計で計った眼内液の圧．通常，mmHg で表す）．

leak point p. 尿漏出圧（尿の漏出が起こる膀胱内圧．通常，神経因性膀胱の患者にみられる）．

maximal expiratory p. (**MEP**) 最大呼気圧（閉システムに吐き出す患者の努力上，達成可能な最大の静的呼気圧の測定）．

negative p. 陰圧（周囲の大気圧よりも低い圧力）．

negative end-expiratory p. (**NEEP**) 陰性呼気終圧（呼気の終わりにおける気道内の大気圧以下の圧）．

occlusal p. 咬合圧（歯の咬合面上にかかるあらゆる力）．＝biting p.

oncotic p. コロイド浸透圧，膨張圧（溶液中のコロイドによってもたらされる浸透圧）．

osmotic p. (**OP**, Π) 浸透圧（溶液と純溶媒が完全な半透膜により隔てられているときに，溶液が溶媒に向かって通過するのを妨げるようにかかる圧力．半透膜を通して溶液が溶媒を引き付ける力であるという不正確な見解がとられることがある）．

partial p. (**P**) 分圧（混合気体中の１つの構成要素によって示される圧．通常，mmHg あるいはトールで表す．液体中に溶解している気体の場合は，溶解気体と平衡状態にある気体の圧がその分圧である．記号は以前は，pCO_2，pO_2 などのように小文字の p の後に大文字の化学記号を付けて表した．現在の呼吸生理学においては，Pco_2，Po_2，$Paco_2$ などのように大文字の P の後に位置とともに(あるいは単独に)化学種を示す添字を付けて表している）．

pleural p. 胸腔内圧（肺胸膜と壁側胸膜間の胸膜部における圧）．

positive end-expiratory p. (**PEEP**) 呼気終末陽圧（呼気に機械的インピーダンス(抵抗)を導入して，気道圧を大気圧より高くする呼吸療法で使われる技法．自己 PEEP は機械的換気時に呼気の時間が長くなったときに起こり，その呼気がシステム圧が 0 になる前に行われる．これは危険な現象で肺損傷や低気圧をまねきうる）．

pulmonary p. 肺動脈圧．

pulmonary capillary wedge p. (**PCWP**) 肺毛細管楔入圧（カテーテルが右心から肺動脈に至り，終末動脈にウェッジされた際に得られる圧．肺毛細管楔入圧は肺血流がバルーンカテーテルを細い肺終末動脈へ運ぶことで測定される．ウェッジされたカテーテルより末梢の圧は左心室拡張終末期圧にほぼ等しい．バルーンのガスを抜いたときに記録される圧は肺動脈圧である）．

pulp p. 歯髄圧（細胞以外の組織液の圧力による歯髄腔の圧力で，歯髄が歯に取り囲まれているため，心周期に従って脈動性変化を示す）．

pulse p. 脈圧（心周期の間に動脈中に起こる血圧の変化．収縮期血圧すなわち最高血圧と，拡張期血圧すなわち最低血圧との差である）．

selection p. 淘汰圧（環境変化による有効な生殖の表現型への影響）．

solution p. 溶〔液〕圧（原子あるいは分子を固体から溶液中へ遊離させる，すなわち溶解する力）．

standard p. 標準圧力（標準状態(STPD)における気体の絶対圧力．すなわち，760 mmHg または 760 トール，あるいは 101,325 ニュートン/m^2(101.325 パスカル)）．

systolic p. 収縮期血圧（心室の収縮期の，あるいはその結果による心腔内血圧．全心周期中の最高動脈血圧）．

心腔内圧の正常値(mmHg)

	A波	X谷	V波	Y谷	平均
右心房	5以下	0	5以下	0	4以下
左心房	約8	0	約10	0	約6−8
	収縮期		拡張早期		拡張末期
右心室	20−30		0		5以下
左心室	約120		0		約7−10

transmural p. 経壁圧（心腔または血管の壁を隔てた圧力．心臓では経壁圧は心腔内圧から腔外圧(すなわち心嚢圧)を差し引いた値で，測定を拡張期に行えば，測定する心腔の真の充満圧となる．通常，心嚢圧がほぼ 0 であることを考えると，充満圧は通常，心室平均拡張期圧と等しく，心嚢圧を測定する必要がない）．

transpulmonary p. 経肺圧（口内の呼吸気圧と肺周囲の胸膜間圧との差．気道が開いているときに計測する．肺の経壁圧だけではなく，気管気管支を流れるときの圧の落差をも含む）．

transthoracic p. 経胸腔圧（胸部外側の環境大気圧と相対させて測定する胸膜腔内の圧．胸壁を隔てる壁圧である）．

vapor p. 蒸気圧（液体の蒸気相による分圧）．

ventricular filling p. 心室充満圧（心室が血液で充満する際の心室圧で，房室弁間に圧較差が存在しなければ，通常は平均心房圧に等しい．通常，心外膜圧は −2 から ＋2mmHg 程度で無視できるため，壁内外の圧の代わりに心房圧を代用できる．しかし心タンポナーデのときは心外膜圧と心房圧は等しくなり，壁内外の圧差は 0 となり，高い心房圧は充満圧として代用できない）．

wedge p. 楔入圧（細いカテーテルを血管内に進めていき，小血管を完全に閉塞したり，または小さいカフを膨らませて動脈側からの圧を遮断したときに得られる血管内圧の値．一般に肺(肺動脈)内でおおよその左房圧を測定するのに用いる）．

zero end-expiratory p. (**ZEEP**) 呼気終末平圧〔換気〕(呼気終末気道内圧が大気圧に等しい状態)．

pre·ster·num (prē-ster′nŭm). ＝*manubrium* of sternum.

pre·sup·pu·ra·tive (prē-sŭp′yū-rā-tiv). 化膿前の（炎症において膿形成に先立つ初期段階をいう）．

pre·syn·ap·tic (prē′sin-ap′tik). シナプス前〔部〕の，接合部前〔部〕の（シナプス間隙の近位側の領域についていう）．

pre·sys·to·le (prē-sis′tō-lē). 収縮前期，前収縮期（収縮期直前の拡張期）．＝late diastole.

pre·sys·tol·ic (prē′sis-tol′ik). 収縮直前に関連した末期拡張期の．

pre·tar·sal (prē-tar′săl). 瞼板前部の（瞼板の前方部または下方部をさす）．

pre·tec·ta (prē-tek′tă). 十二指腸の隠れた部分より口側の．

pre·tec·tum (prē-tek′tŭm). ＝pretectal *area*.

pre·thy·roid, pre·thy·roi·de·al, pre·thy·roi·de·an (prē-thī′royd, -thī-roy′dē-ăl, -thī-roy′dē-an). 甲状腺前〔方〕の，甲状軟骨前〔方〕の（甲状腺または甲状軟骨の前方にある，あるいは手前にある）．

pre·tib·i·al (prē-tib′ē-ăl). 脛骨前〔部〕の（下腿の前方部に関する．特にある種の筋を示す）．

pre·tra·che·al (prē-trā′kē-ăl). 気管前の（気管の前にあるの意．特に深頸筋膜の中層についていう）．

pre·tre·mat·ic (prē′trē-mat′ik) [pre- ＋ G. *trēma*, perforation]. 鰓裂前〔方〕の（鰓裂の頭側面についていう）．

pre·tym·pan·ic (prē′tim-pan′ik). 鼓膜前〔方〕の（咽頭溝の前方にある）．

prev·a·lence (prev′ă-lĕns). 有病率，有病割合（[incidence と混同しないこと]．ある集団を，ある期間観察したとき(期間有病率)，あるいはある一時点で観察したとき(点有病率)，ある疾患に罹患している患者の割合）．

prevention (prē-ven′shŭn). 予防（ある出来事，結果，現象を防止したり，阻止したり，回避するための行動(例えば疾病予防)）．

primary p. 一次予防（疾患発生を防止すること）．

secondary p. 二次予防（疾患の徴候や異常の診断所見が出現する前に，なんらかの疾患プロセスを遮ること）．

tertiary p. 三次予防（疾患プロセスの進行を防止すること）．

pre·ven·tive (prē-ven′tiv) [L. *prae-venio*, pp. *-ventus*, to come before, prevent]. 予防の，予防的な．＝prophylactic (1).

pre·ver·te·bral (prē-ver′tĕ-brăl). 〔脊〕椎前の（椎体あるいは脊柱の前方にあることを表す．特に深頸筋膜の最深層や脊柱前面にある筋についていう）．

pre·ves·i·cal (prē-ves′i-kăl) [pre- ＋ L. *vesica*, bladder]. 膀胱前〔方〕の（膀胱の前方にあることを表す．特に恥骨後部間隙についていう）．

Prev·o·tel·la (prev′ō-tel′ă). プレボテラ属（グラム陰性，非運動性，非芽胞形成性，偏性嫌気性，有機栄養性の多形性杆菌である属．以前に *Bacteroides* 属に分類されていた多くの種を含む．標準種は *P. melaninogenica*）．

P. bivia ヒト膣内に高濃度に存在する *Prevotella* 属の種．

P. denticola ヒト口腔内にみられる細菌種．口腔および近傍組織の感染源となる．

P. disiens 主としてヒトの雌性生殖器感染症に関与する細菌種．＝*Bacteroides disiens*.

P. heparinolytica ヒト歯周疾患に関与する細菌種．

P. intermedia 特に歯肉炎および他の口腔感染症に関連

し，歯肉溝にみられる細菌種．

P. melaninogenica 口腔や糞便にみられる種で，口腔，軟組織，呼吸器，泌尿生殖器，消化管に感染する．歯周病に関与している．吸引物中からも分離される．*Prevotella*属の標準種．＝*Bacteroides melaninogenicus*.

P. oralis ヒトの歯肉溝や，口腔，上気道，生殖器の感染症にみられる菌種．

P. oris 歯肉溝，全身感染，顔面，頸部および胸部膿瘍，外傷瘻分泌物，血液や各種体液から分離される菌種．

pre·zone (prē′zōn). プレゾーン．＝prozone.

PRF prolactin-releasing *factor* の略．

pri·a·pism (prī′ă-pizm)［⇀priapus］. プリアピスム，〔有痛性〕持続勃起〔症〕，陰茎強直〔症〕（陰茎の持続的な勃起．自発痛，圧痛を伴う．性欲よりも病的状態に起因する．異常性欲症によるものと混同されることがある）．

pri·a·pus (prī′ă-pŭs)［L.＜ *Priapus*(G. *Priapos*), god of procreation］. 陰茎．＝penis.

Prib·now (prib′now), David. 20 世紀の米国の分子生物学者．⇀P. *box*.

Price (prīs), Ernest Arthur. 20 世紀初頭のイングランド人生化学者．⇀Carr-P. *reaction*.

Price-Jones (prīs jōnz), Cecil. イングランド人血液学者，1863—1943．⇀P.-J. *curve*.

Priest·ley (prēst′lē), John Gillies. 英国人生理学者，1880—1941．⇀Haldane-P. *sample*.

pri·ma·cy (prī′mă-sē)［⇀primary］. 第一位，首位（序列や重要度において第 1 である状態）．

genital p. 性器性欲の優位（精神分析における精神・性的発達段階で，性器期 genital phase が他の期に対して優位に立つこと．リビドーがペニスに集中する）．

oral p. 口愛性欲の優位（精神分析における精神・性的発達段階で，口愛期 oral phase が他の期に対して優位に立つこと．リビドーが口唇部に集中する）．

pri·mal (prī′măl). ***1*** 最初の，第一の，一次〔性〕の，始原の．***2*** ＝primordial (2).

pri·ma·quine phos·phate (prī′mă-kwin fos′fāt). リン酸プリマキン（抗マラリア薬．三日熱マラリア原虫 *Plasmodium vivax* に対する特効があり，三日熱の再発を阻止する．通常，クロロキンとともに服用する）．

p. p. sensitivity リン酸プリマキン過敏（グルコース-6-リン酸デヒドロゲナーゼ欠損患者にみられるリン酸プリマキンに対する過敏性）．

pri·mar·y (prī′mār-ē)［L. *primarius* ＜ *primus*, first］. ***1*** 一次〔性〕の，原発〔性〕の（他の疾患が二次的に生じたり，併発したりする原疾患や症状）．***2*** 始原の（成長や発達の第 1 段階についていう．⇀primordial）．

pri·mar·y re·nin·ism (prī′mār-ē re′nin-izm). 原発性レニン症（刺激(例えば腎血流量の低下)がないのに傍糸球体細胞がレニンを過剰に産生する病態．高アルドステロン血症，高血圧，低カリウム血症や浮腫を生じる）．

pri·mase (prī′māz)［*primer* ＋ -ase］. プライマーゼ（テンプレートDNA鎖に働き，RNA を合成するポリメラーゼで，それにより DNA 複製に必要な RNA プライマーを生成することになる）．＝dnaG.

pri·mate (prī′māt)［L. *primus*, first］. 霊長類（霊長目に属する個体）．

Pri·ma·tes (prī-mātēz)［L. *primus*, first］. 霊長目（ヒト，サル，キツネザルを含む，哺乳類中最高に進化した目）．

prim·er (prī′mĕr). プライマー（①高分子構造の合成を開始する分子(普通小さなポリマー)．＝starter．②長期的な生理的変化を生じる現象）．

pri·mer·ite (prī′mer-īt)［L. *primus*, first ＋ G. *meros*, part］. ＝protomerite.

pri·mi·grav·i·da (prī′mi-grav′i-dă)［L.＜ *primus*, first ＋ *gravida*, a pregnant woman］. 初妊婦（⇀gravida）．

elderly p. 高年初産〔妊〕婦（初回妊娠が 35 歳以上の妊婦）．

pri·mip·a·ra (prī-mip′ă-ră)［L.＜ *primus*, first ＋ *pario*, to bring forth］. 初産婦（⇀para）．

pri·mi·par·i·ty (prī′mi-par′i-tē). 初産．

pri·mip·a·rous (prī-mip′ă-rŭs). 初産の．

pri·mite (prī′mīt). 前虫（対合している 1 対の簇虫類のガモントのうち前方にいる個体）．

prim·i·tive (prim′i-tiv)［L. *primitivus* ＜ *primus*, first］. 初期の，始原の（発生学上，原始に代わる現在では用いられない語）．

pri·mor·di·a (prī-mōr′dē-ă). primordium の複数形．

pri·mor·di·al (prī-mōr′dē-ăl). ***1*** 原基の．***2*** 始原の（発生の第 1 段階または初期段階における胚の構造についていう）．＝primal (2).

pri·mor·di·um (prī-mōr′dē-ŭm)［L. origin ＜ *primus*, first ＋ *ordior*, to begin］. 原基（器官初期形成における痕跡的構造をなす胚細胞群）．＝anlage (1).

forebrain p. 前脳原基（胚子の一次脳胞は前脳を形成する）．

genital p. 生殖原基（①雌の胎仔において大陰唇を形成する生殖器の隆起で，雄の胎仔では陰嚢を形成するために癒合する．②雌の胎仔では陰核に，雄の胎仔では陰茎となる生殖器の隆起部．③糞線虫 *Strongyloides stercoralis* および鉤虫のラブディティス型幼虫にみられる卵形の細胞塊で，将来生殖器系となる）．

heart p. 心臓の原基（胚子第 3 週に最初の心発生の指標を示す血管芽細胞の凝集）．

hindbrain p. 後脳原基（胚子の一次脳胞は後脳(菱脳)を形成する）．

midbrain p. 中脳原基（中脳を形成する胚子の一次脳胞．胚子の一次脳胞は中脳を形成する）．

respiratory p. 呼吸器系の原基．＝respiratory *diverticulum*.

uterovaginal p. 子宮腟原基（中腎傍管の尾部の癒合により，正中で管状構造物を形成し，子宮と腟上部となる）．＝uterovaginal canal.

pri·mo·some (prī′mō-sōm)［*primer* ＋ -some］. プライモソーム（特異的な DNA 配列においてプライマーゼと結合する蛋白複合体で，その配列は RNA プライマーの形成に必要な部位として働く．レプリソームの一部）．

prim·u·la (prim′yū-lă)［Mediev. L. primrose: L. *primulus*(first)の女性形］. サクラソウ（サクラソウ科 *Primula* の多くの種，サクラソウやキバナクリンザクラの根茎および根．過敏な人が触れると皮疹を生じる．去痰薬，利尿薬，駆虫薬として用いられてきた）．

pri·mu·lin (prī′myū-lin)［C.I. 49000］. プリムリン（ナフトールイエローチアゾール色素．蛍光生体染色として用いる）．

pri·mus (prī′mŭs)［L.］. 第一の（［本形容詞は男性名詞(digitus primus，複数形 digiti primi)でのみ用いられ，女性名詞では prima の形(phalanx prima，複数形 phalanges primae)で，中性名詞では primum の形(septum primum，複数形 septa prima)で用いられる］．連続する同様な構造の第 1 番目をさす）．

prin·ceps, pl. **prin·ci·pes** (prin′seps, -si-pēz)［L. chief ＜ *primus*, first ＋ *capio*, to take, choose］. 主の（解剖学で数種の動脈のうち，最も大きく重要なものを区別する用語）．

p. cervicis ＝descending *branch* of occipital artery.

p. pollicis ＝princeps pollicis *artery*.

Prince·teau (prans-tō′), L.R. 20 世紀初頭のフランス人医師．⇀P. *tubercle*.

prin·ci·ple (prin′si-pĕl)［L. *principium*, a beginning ＜ *princeps*, chief］.［principal と混同しないこと］. ***1*** 原理，原則（一般的または基本的な学説や教義．→law; rule; theorem）．***2*** 成分（ある物質における基本的成分．特にその特徴的性質や効果を与える成分）．

active p. 有効成分（薬の成分，通常はアルカロイドかグリコシドで，治療上の性質を与える主要な要因となる）．

antianemic p. 抗貧血因子（肝臓(その他特定の組織)にある物質で，悪性貧血のときに造血を促す．実際には，そのような組織からの抽出物の抗貧血効果はビタミン B_{12} 含有量に相当する）．

Bernoulli p. (bĕr-nū′lē). ベルヌーイの原理．＝Bernoulli *law*.

bitter p.'s 苦味成分（苦味性植物成分の一種で，消化液の分泌や唾液分泌を反射的に増大させる）．

closure p. 閉合原則（心理学において，完全に近い形態(例えば不完全な長方形)の断片的な刺激をみたときに，欠けた部分を無視して全体としての形態を知覚する傾向があるという原則. ⇀gestalt).

consistency p. 一貫性の原則（心理学において，人間が特に態度や信念において一貫したものでありたいという欲求．この原則に基づく態度形成や変更の理論はバランス理論をも含む．バランス理論とは，人はその多様な態度において不調和を避けようとしていることを示す.→cognitive dissonance *theory*).

Fick p. (fik). フィックの原理. ＝Fick *method.*

follicle-stimulating p. 卵胞刺激成分. ＝follitropin.

founder p. 創始者の原理（いかなるときにおいても，遺伝子セットの発現可能性の頻度は，その集団の創始者の初期構成に依存し，一般的には，創始者自身が出た集団に先祖返りする傾向はない).

hematinic p. 抗貧血因子（食物中の外因子にCastle内因子が作用して産生されると以前考えられていた成分．現在ではビタミンB_{12}であることが知られている).

Huygens p. (hoy′genz). ハイゲンス(ハイゲンズ)の原理（超音波技術で用いる．いかなる波動現象も位相と振幅を適切に選んだ多くの単純な波源の集合として解析できるという原理).

p. of inertia 慣性の原理. ＝repetition-compulsion p.

Le Chatelier p. (lĕ chah-tel-ē-ā′). ル・シャトリエの原理. ＝Le Chatelier *law.*

luteinizing p. 黄体形成成分. ＝lutropin.

mass action p. 集団作用の原則（流行病の基本的な考え方で，ある集団における流行病の有病率を現在の患者数，感受性をもつ人の数，および感染伝播の因子とに関連づけるもの).

melanophore-expanding p. 黒色素細胞拡張成分. ＝melanotropin.

Mitrofanoff p. (mi-trō′fă-nof). ミトロファノフの原理（カテーテルを通すことが可能な管状構造物(虫垂，腸，尿管)を用いて膀胱から尿道へ新たに尿を流出させる方法.→appendicovesicostomy).

nirvana p. ねはん(涅槃)原則（精神分析において，苦痛や不安から解き放たれ，まったく葛藤のない状態に到達する傾向を表す原則).

organic p. 有機成分. ＝proximate p.

pain-pleasure p. 苦痛・快感原則（人間の精神機能において，快楽を追求して苦痛を避ける傾向があるという精神分析学の概念．学習環境にある動物と同じ傾向を示すために，実験心理学から借用した語). ＝pleasure p.

Pauli exclusion p. (paw′lē). パウリの排他原理（原子の軌道や殻に存在する電子の数を制限する理論．どの2つの電子も4つのまったく同一の量子数をもつことはできない).

pleasure p. 快感原則. ＝pain-pleasure p.

precautionary p. 用心原理，警戒原則（昔からの医学原則である「まずは害するな」を，健康ケア対策に取り入れたもの).

proximate p. 近成分，直接要素（化学において，他のより複雑な物質の一部としてすでに形成されて存在している可能性のある有機化合物．種々の糖，デンプン，アルブミンなど). ＝organic p.

reality p. 現実原則（人格の発達における快感原則は外的現実の要求によって修正されるという概念．成長しつつある小児に外的現実の要求に適応することを強いる原則).

repetition-compulsion p. 反復強迫の原則（精神分析において，以前の感情的な経験や状況を再現または再演しようとする衝動). ＝p. of inertia.

ultimate p. 化学元素.

Prin·gle (pring′gĕl), John J. イングランド人皮膚科医，1855—1922. ⇀P. *disease*; Bourneville-P. *disease*.

Prinz·met·al (prins′me′tal), Myron. 米国人心臓病専門医，1908—1994. ⇀P. *angina*.

pri·on (prī′on) [proteinaceous infectious particle]. プリオン（感染能力をもった蛋白性の粒子で，核酸成分を欠く．動物およびヒトで神経変性疾患の病原因子．散発性，遺伝性，感染性のいずれかの発症様式をとる．ヒトのものにはクールー(海綿状脳症)，Creutzfeldt-Jakob 病(CJD)，Gerstmann-Sträussler-Scheinker(GSS)症候群，致死性家族性不眠症がある．プリオン蛋白(PrP)をコードする遺伝子は第20染色体にある). ＝prion protein.

プリオンの発見に対し，1997年度ノーベル医学生理学賞がStanley B. Prusiner博士に与えられた．Prusiner博士はCJDの感染因子を突き止めようとして1972年に研究を始めた．1982年，共同研究者とともに感染性の蛋白を分離したが，既知の病原因子と異なりDNAもRNAも含んでいなかった．彼はこの蛋白をプリオン *prion* と命名したが，これは *proteinaceous infectious particle* という言葉に由来する．この蛋白をコードする遺伝子は，これまでに検査したヒトを含むすべての哺乳類でみつかっている．プリオン蛋白の立体構造には2つある．1つは正常型(機能は不明)でPrPcと表し，もう1つは病気を起こすものでPrPScとよばれる．PrPcはリンパ球およびその他の細胞の成分で，ことに中枢神経系(CNS)の神経細胞の細胞膜に豊富に存在する．PrPScはきわめて安定な蛋白で，蛋白分解酵素，有機溶媒，高温に抵抗性である．感受性のある宿主によって産生ないし獲得されたPrPScは連鎖反応を起こし，PrPcを安定なPrPScに転換する．無症状の長い潜伏期をかけてPrPScの蓄積は，神経毒性を発揮するレベルに達する．プリオン病の症状は侵される脳の部位によって異なる．これまでに知られているプリオン病はすべて死に至る．プリオン病が海綿状脳症とよばれるのは侵された大脳皮質と小脳の組織像がたくさんの大きな空胞を示すためである．おそらくほとんどの哺乳類がこの病気にかかる．プリオンには生命はなく，ウイルスより小さく，またPrPcもPrPScも免疫反応を引き起こすことはない．CJD以外のプリオン病にクールー(かつて人肉を食す風習のあったニューギニアのフォア族の人々に多くみられた)，ウシ海綿状脳症(BSE，狂牛病)，スクラピー(ヒツジの病気)がある．BSEに感染した家畜からヒトにプリオンが伝播し，CJDの新しい変異型が生じた可能性がある．プリオン病は感染性であると同時に遺伝性であるという点でユニークな病気である．遺伝型はヒトでは第20染色体にあるプリオン遺伝子の変異によって伝わる．GSSはこの遺伝子の変異による遺伝性認知症である．GSSの変異をもった約50家系が確認されている．CJDの10—15%が変異したプリオン蛋白遺伝子を受け継いで起こっている．この遺伝子をノックアウトしたマウスはプリオン病にかからない. ⇀Creutzfeldt-Jakob *disease*; bovine spongiform *encephalopathy*.

prism (prizm) [G. *prisma*]. プリズム，三稜鏡，角柱（透明体で一定の斜めの角度を有する面をもつ．光線を最も厚い部(基底部)に向かって屈折し，白色光を，その構成色調に分離する．眼鏡においては眼筋の不均衡を矯正する).

enamel p.'s エナメル小柱. ＝*prismata* adamantina (⇀prisma).

Fresnel p. フレスネルプリズム（同心の輪よりなるプリズム).

Nicol p. (nik′ŏl). ニコルプリズム（偏光した光だけが通過する).

Risley rotary p. (riz′lē). リスレー回転プリズム（目盛りを付けた金属性の縁の中で回転可能な円形底面のプリズム．眼筋不均衡の検査に用いる).

pris·ma, pl. pris·ma·ta (priz′mă, priz′mah-tă) [G. something sawed, a prism]. プリズムに似た構造.

prismata adamantina エナメル小柱（エナメルぞうげ境から放射状にのびている石灰化した極微の鍵穴形の小柱．歯のエナメル質を形成する). ＝enamel fibers; enamel prisms; enamel rods.

pris·mat·ic (priz-mat′ik). 小柱の，プリズム状の.

pri·va·cy (prī′vă-sē). プライバシー（①他人と離れていること．隔離，秘密．②特に精神医学と臨床心理学において，治療者－患者関係の秘密を守る信頼性を尊重すること).

PRK photorefractive *keratectomy* の頭字語.

PRL prolactin の略.

PRN ラテン語 *pro re nata*(必要に応じて，臨機応変に)の略.

Pro プロリンまたはプロリルを表す記号.

pro- [L. and G. *pro*]. ***1*** 前，前方を意味する接頭語.→ante-; pre-. ***2*** 化学において，…の前駆物質を表す接頭語.→-gen.

P

pro·ac·cel·er·in (prō′ak-sel′ĕr-in). プロアクセレリン．= *factor* V.

pro·ac·ro·sin (prō-ak′rō-sin). プロアクロシン（アクロシンの前駆体蛋白）．

pro·ac·ro·so·mal (prō′ak-rō-sō′măl). 前先体の（先体の発育における初期段階についていう）．

pro·ac·tin·i·um (prō′ak-tin′ē-ŭm). プロアクチニウム．= protactinium.

pro·ac·ti·va·tor (prō′ak′ti-vā-tŏr). 前駆賦活体，プロアクチベータ（化学分解して，他の物質に酵素活性を与えうるフラグメント〔賦活体〕を産生する物質）．

pro·al (prō′ăl). 前進〔性〕の．

pro·am·ni·on (prō-am′nē-on). 原始羊膜（中胚葉形成前の若い胚子の頭の下方および前方にある胚体外膜の一部）．

prob·a·bil·i·ty (P) (prob′ă-bil′i-tē). 確率（①仮説や命題のもっともらしさの程度を表す，0—1の範囲にある指標．②一連の*N*回のランダム試行の中でのあるイベントの相対頻度の，*N*を無限に近づけたときの極限）．

conditional p. 条件確率（認められた選択の範囲が制限されるとき，つまり条件付きのときに引用される確率．例えば，色覚異常の男性の子供がその遺伝子を受け継ぐ確率は，子供が女児であるなら1/2で，男児であるならほとんど0である）．

joint p. 複合確率（2種類以上の結果が一緒に現実化する確率）．

objective p. 否定できないような理論やまったく同じ状況の組合せからの多くの経験を基にした，ある結果の生起する確率．概念的には，関心のある実現値は結果として生じたものではなく，それゆえ原理的にも確実に既知のものではないということを意味している．

personal p. ある事象の成起に対する個人的な判断．主観確率においてあまりに瑣末で考慮されないようなものも含めている．

posterior p. 事後確率（確立した知識を基にして最も合理的にある結果の起こる確率を査定したものに対し，修正を加え，更新したもの．→prior p.; Bayes *theorem*）．

prior p. 事前確率（実際に実験を行う前に，すでに確立した知識を基にして最も合理的に，ある結果の起こる確率を見積ったもの．例えば，血友病のキャリアから生まれた娘が血友病のキャリアである事前確率は1/2である．しかし，もし彼女が一子を設け，それが血友病の男子であれば，彼女がキャリアである事後確率は1であり，もし子供が正常である場合，彼女がキャリアである事後確率は1/3となる．→Bayes *theorem*）．

subjective p. 主観確率（ある実験の結果に対し，合理的で熟知した人間が下すであろうオッズに対する公平な判断．実験は一度きりで，合理的な理解はされていない（理論的な予測や経験によるものが事前にない）．定式化は，既に行われたが結果は未知であるような実験に対して行われる（例えば，妊娠初期の胎児の性に関してある程度のことはいえるが，羊水穿刺をするまでは，それは受け入れられない）．personal p. と異なり，主観確率は同じ証拠をもった人からはすべて同じものが得られなければならない）．

pro·bac·te·ri·o·phage (prō′bak-tē′rē-ō-fāj′). プロ〔バクテリオ〕ファージ（テンペレートファージのゲノムが細菌宿主の染色体に組み込まれている状態）．= prophage.

defective p. 欠損プロ〔バクテリオ〕ファージ（→defective *bacteriophage*）．

pro·band (prō′band) [L. *probo*, to test, prove]. 発端者（人類遺伝学において，ある家族を研究する発端となる患者またはその家族の成員）．= index case.

pro·bang (prō-bang′) [発明家 Walter Rumsey によってつくり出された語源不明の言葉 *provang* を *probe* からもじったもの]．プロバング（食道の異物を除去するために使用される先端が軟性の物質でつくられた柔軟な消息子であるが，使用には危険がある）．

---

probe (prōb) [L. *probo*, to test]. ***1***〖n.〗消息子，探針，ゾンデ（硬い，または柔軟性のある材質でできた先の丸まった細い棒．洞，瘻孔，その他の空洞，あるいは創を探査するのに用いる）．***2***〖n.〗プローブ（ある物質を見出したり，測定するための器具または薬物．例えば，特定のDNAまたはRNA断片あるいは特定の細菌コロニーの存在を検出するのに使う分子）．***3***〖v.〗消息子などを使って探りを入れる．

（語義*2*）プローブはDNA解析になくてはならない道具である．すべてのDNAは，他のすべてのDNA分子と区別できる特有な塩基配列をいくつかもっている．探索対象に特有な塩基配列と鍵と鍵穴のように適合するようにつくられた比較的短いDNA断片をプローブという．プローブは，細菌または酵母中のクローン化した遺伝子の存在，DNAサンプル中の特定の塩基配列，染色体上の特定の遺伝子を調べるのに使われている．

Bowman p. (bō′măn). ボーマン消息子（涙管用の先端が2つある探針）．

gamma p. Geiger-Muller 計数管やシンチレーション計数管で使用する携帯用装置．自然環境で放射性物質を検出したり，手術時に放射性核種を組織内注射し，その放射能により局所リンパ節の位置付けをするのに使用される．→gamma.

nucleic acid p. 核酸プローブ（他の核酸〔断片〕と相補的な塩基配列を有した核酸断片で，放射性同位元素やビオチンで標識されているため，他方と水素結合することによってその局在証明と同定が可能になる．すべての微生物は，他と自己とを区別する何らかの特異的な塩基配列を有するという事実に基づいた識別方法では，同定のためのマーカやフィンガープリントとして用いられる）．

periodontal p. 歯肉消息子（歯肉ポケットの深さや形態を検査するための目盛り付き器具）．

radioactive p. →nucleic acid p.

vertebrated p. 脊鎖消息子（ちょうつがいで連結された切片の鎖でできている消息子．屈曲する経路を通過するように柔軟性をもっている）．

viral p. →nucleic acid p.

pro·ben·e·cid (prō-ben′ĕ-sid). プロベネシド（腎尿細管におけるペニシリンやパラアミノ馬尿酸の分泌を競合的に抑制する．尿酸排泄薬）．

pro·bil·i·fus·cin (prō′bil-i-fŭs′in). プロビリフスシン（→bilirubinoid）．

pro·bi·o·sis (prō′bī-ō′sis) [pro- + G. *biōsis*, life]. 共生（抗生作用とは対照的に，双方の生命過程を強める2つの生物の関係．*cf.* antibiosis (1); symbiosis; mutualism）．

pro·bi·ot·ic (prō′bī-ot′ik). プロバイオティック（①共生の．②獣医臨床において用いられる治療用製剤で，細菌を経口投与することにより腸を正常化させる効果を示す．適応としては，抗生物質治療後における正常腸内細菌叢の乱れおよび感染性下痢がある．乳菌酸および他の細菌が経口投与剤として用いられ，しばしばペースト状またはゲル状製剤として使用される．③健康に有益な微生物の使用を示す）．

prob·lem (prob′lĕm) [G. *problēma*, proposition, topic < *proballo*, to put forward]. 問題（精神衛生にかかわる人たちの間で，生活の困難や挑戦を示すのにしばしば用いる語．ときに精神病や精神障害という用語より優先的に用いることがある）．

pro·bos·cis, pl. **pro·bos·ci·des, pro·bos·ci·ses** (prō-bos′is, prō-bos′i-dēz, -sĕz) [G. *proboskis*, a means of providing food < pro- + *boskein*, to feed]. ***1*** 長鼻，長吻（バクとかゾウの鼻のような長くて柔軟性のある鼻）．***2*** 奇形学において，単眼症や漏斗頭症の際に鼻に相当する顔面の円柱状の隆起．

Prob·sty·may·ri·a vi·vip·a·ra (prob′sti-mā′rē-ă vi-vip′ă-ră). Atractidae 科の線虫であるが，蟯虫科の真の蟯虫に近縁な線虫であることから，いまだに一般的にはウマの蟯虫と考えられている．世界中に分布し，しばしばウマ，その他のウマ科の動物の結腸にみられ，内性の自己再感染のために多数観察される．

pro·cain·a·mide hy·dro·chlor·ide (pro-kān′ă-mīd hī′dro-klōr′id). 塩酸プロカインアミド（心房細動，心房粗動，発作性心房頻拍，心室頻拍の治療に用いられる強力な抗不整脈薬．プロカインの誘導体）．

pro·caine hy·dro·chlor·ide (prō′kān hī′drō-klōr′īd). 塩酸プロカイン（表面麻酔の作用はないが，浸潤麻酔・脊椎麻酔用の局所麻酔薬．エステル型局所麻酔薬で，アミド型局所麻酔薬と比べ過敏反応を起こしやすい）．

pro·cap·sid (prō-kap′sid). プロカプシド，プロキャプシド

(ゲノムをもたないウイルスの外殻蛋白).

pro·car·ba·zine hy·dro·chlor·ide (prō-kar′bă-zēn hī′drō-klōr′īd). 塩酸プロカルバジン（抗腫瘍薬）.

pro·car·box·y·pep·ti·dase (prō′kar-bok′sē-pep′ti-dās). プロカルボキシペプチダーゼ（カルボキシペプチダーゼの不活性前駆体）.

pro·car·cin·o·gens (prō′kar-sin′ō-jens). 前発癌物質（不活性な外因性物質で生体内で発癌物質へ変換される）.

Pro·car·y·o·tae (pro′kar-ē-ō′tē) [pro- + G. *karyon*, kernel, nut]. 原核生物界. = Prokaryotae.

pro·car·y·ote (pro-kar′ē-ōt) [pro- + G. *karyon*, kernel, nut]. 原核生物. = prokaryote.

pro·car·y·ot·ic (prō′kar-ē-ot′ik). 原核生物の. = prokaryotic.

procaspases (prō′kas-pās-ĕz). プロカスパーゼ（カスパーゼの不活性前駆体）.

pro·ca·tarc·tic (prō′kă-tark′tik) [G. *prokatarktikos*, beginning beforehand]. 素因の(疾病を起こす原因についていう), を表すまれに用いる語.

pro·ca·tarx·is (prō′kă-tark′sis) [G. a beginning beforehand < *prokatararchomi*, to begin first < *pro*, before + *kata*, upon + *archō*, to begin]. 素因（①疾病を起こす原因. = exciting *cause*. ②疾病を起こす原因の影響を受けて疾病が生じること. 疾病素質はすでに存在している）.

pro·ce·dure (prō-sē′jŭr). 手技, 処置, 方法, 〔手〕法（治療や手術の行為, 手法. →method; operation; technique）.

back table p. 置換前操作（患者から摘出した臓器に, 置換する前に行う操作）.

Batista p. (bah-tēs′tă). バティスタ手術（過度に拡大している一方または両心室の外科的な削減）. = ventricular reduction surgery.

Belsey p. (bel′sē). ベルセー法. = Belsey *fundoplication*.

Beverly Douglas p. (bev′er-lē dŭg′lăs). ビヴァーリー・ダグラス法（気道確保のために舌と口唇を縫合する Pierre Robin 症候群における初期治療法）.

biotin-avidin p. ビオチン－アビジン法（ビオチンを結合させた一次抗体にアビジン－ペルオキシダーゼ結合物を加える免疫ペルオキシダーゼ法）.

Chamberlain p. (chām′ber-lin). チェンバーレイン法（頸部縦隔鏡検査で届かない縦隔リンパ節を生検するための限局的左前開胸術. →anterior *mediastinoscopy*）. = anterior mediastinotomy.

Clagett p. for empyema (klag′et). 膿胸に対するクラゲット法（気管支胸腔瘻のない肺切除後膿胸に対して行われる二期的手術）.

Collis-Belsey p. (kol′is bel′sē). コリス－ベルセー法. = Collis-Nissen *fundoplication*.

commando p. コマンド手術（口腔底部の悪性腫瘍の手術法で, 口腔病変に連続した下顎骨の部分切除および頸部郭清手術を含む）. = commando operation.

Damus-Kaye-Stancel p. (dā′mŭs kā stan′sĭl). ダムス－ケイ－スタンセル法（大動脈下狭窄のための手技で, 端側の肺動脈幹/大動脈吻合の作成を伴い, 特に両房室弁左室結合の患者に, Fontan 法に基づいてなされる）. = Damus-Stancel-Kaye anastomosis.

Dor p. (dōr). = Jatene p.

Eloesser p. (el-es′ĕr). エレッサー法（胸壁の切開創から膿胸あるいは末梢の肺膿瘍にまで通じるように有茎皮弁を移すこと. 長期に強制的に持続ドレナージを確保し, 瘻孔の瘢痕による閉鎖を防止するために用いる. →Eloesser *flap*）.

endorectal pull-through p. 直腸貫通法, 重積法（下部結腸とともに病変部の直腸粘膜除去後, 肛門機能を保持するために口側結腸を肛門内腔より引き出して吻合する方法）.

Ewart p. (yū′ărt). ユーアルト法（気管牽引を誘発するために喉頭を親指と人指し指の間にはさんで挙上すること）.

EXIT p. EXIT 法. = ex utero intrapartum therapy p.

ex utero intrapartum therapy p. EXIT 法, 子宮外胎児手術（帝王切開術施行時に, 胎児の一部が娩出した後, 児全身の娩出および臍帯結紮を行う前に, 児への治療的介入を行うこと）. = EXIT p.

Fontan p. (fon-tān′). フォンタン法（三尖弁閉鎖のときのように, 右室低形成に対するバイパスとして右房から肺動脈幹, 通常, 弁付きの導管を置くこと）. = Fontan operation.

Girdlestone p. (gĭr′dĕl-stōn). ガードルストーン法（大腿骨頭と大腿骨頸を完全に切除し, 大腿骨近位部と寛骨臼を対向させる手術法）.

Harada-Ito p. (hah-rah′dă ē′tō). 上斜筋腱の前部線維を選択的に強めることにより第四脳神経麻痺による外転眼の矯正を行う方法.

Hummelsheim p. (hŭm′elz-hīm). フンメルシャイム法（上・下直筋の腱を分割し外側に移動させることにより, 第六脳神経麻痺による眼球偏位を矯正する術式）.

Jatene p. (jā-tēn′). ジャテーネ(ジャテン)法（先天的トンネル型大動脈下狭窄と左室大動脈結合部狭窄を, 大動脈左室形成と人工弁置換により修復する方法）. = Dor p.

Kestenbaum p. (kes′tĕn-bom). ケステンバウム法（眼球振とうを合併する斜頸症例に適応になる, 外眼筋に対する術式）.

Konno p. (kon′ō). 今野法（先天的なトンネル型の大動脈下狭窄と左室－大動脈結合部の狭窄を, 大動脈左室形成と人工弁置換により修復する方法）.

Konno-Rastan p. (kon′ō ras′tăn). 今野－ラスタン法（大動脈弁輪サイズ拡大のための大動脈左室形成術. 特に大動脈下線維性筋性狭窄があるとき用いる）.

lateral tarsal strip p. 外側瞼板柵状法（水平方向の眼瞼弛緩による下眼瞼異常を外眼角端で強めることにより矯正する術式）.

loop electrocautery excision p. (**LEEP**) 異常な頸部組織を電気メスにより切除生検すること.

loop electrosurgical excision p. (**LEEP**) ループ切除. = loop *excision*.

McCall culdoplasty p. (măk-kahl′). マックコール腟円蓋形成法（経腟子宮全摘術の際, 仙骨子宮靱帯および基靱帯を腹膜に縫合し, 結紮時, 中央部に牽引して Douglas 窩閉鎖を行う）.

Mitchell p. (mitch′ĕl). ミッチェル法（外反母趾を矯正する手術法で, 第 1 中足骨近位部での骨切りとバニオン切除および母趾中足指節関節の軟部組織矯正との合併手術）.

Mustard p. (mus′tărd). = Mustard *operation*.

Nick p. (nik). ニック法（大動脈の無冠動脈尖と左房の天井に切り込み, 大動脈弁輪を拡大すること）.

Noble-Collip p. (nō′bĕl kol′ĭp). ノーブル－コリップ法（ラットをドラムに入れて回転させることによりショックを誘発する現在では行われない方法）.

Norwood p. (nōr′wud). ノーウッド法（左室低形成症候群を伴った大動脈閉鎖を治療するための複雑な手技. 2 段階で行うこともある）.

platelet neutralization p. (**PNP**) 血小板中和法（種々のリン脂質依存性検査において, 凝固時間の延長を補正し, ループスアンチコアグラントの影響をバイパスする血小板の活性に基づいた検査法. 血小板浮遊液の凍結融解でできる破砕血小板膜は, ループスアンチコアグラントを有する患者血漿中の抗リン脂質抗体を中和する. 患者血漿を凍結融解した血小板浮遊液と混合すると, 活性化部分トロンボプラスチン時間がベースラインの値と比較して補正される）.

Puestow p. (pwes′tō). ピュエストー手術（慢性膵炎に対する術式の 1 つで, 膵管を縦切開し空腸と側側吻合を行うもの）.

push-back p. プッシュバック法（軟口蓋を後方へ戻し, 口蓋咽頭閉鎖機能を再び確立するための外科的手技）.

Putti-Platt p. (put′ē plat). プッティ－プラット法. = Putti-Platt *operation*.

Reichel-Pólya stomach p. (rē′kel pōl′yah). ライヘル－ポーリャ胃手術（胃全周と空腸, 後結腸吻合）.

Rittenhouse-Manogian p. (rit′ĕn-hows mă-nō′jē-ăn). リッテンハウス－マノジャイアン(マヌリアン, マノギアン)法（左冠動脈尖－無冠動脈尖交連を僧帽弁前尖に切り込み, 大動脈弁輪を拡大すること）.

Ross p. (ros). ロス手術（大動脈弁狭窄症または閉鎖不全症のための手技. 大動脈弁を患者自身の肺動脈弁で置換し（自家移植）, 肺動脈弁は同種移植弁で置換する）.

sacrocolpopexy p. 仙骨腟固定法（子宮全摘術後に仙骨骨膜と腟円蓋を固定する術式）.

P

sacrospinous vaginal vault suspension p. 仙棘靱帯固定法（膣円蓋下垂の外科的修復法．腹式または膣式に膣円蓋と仙棘靱帯を縫合する）．

shelf p. 臼蓋形成術（股関節発育性形成不全症(先天性股関節脱臼)に対し，形成不全の臼蓋を拡大するために腸骨からの移植片を臼蓋に挿入する手術）．

Sugiura p. (sū-jē-yū′rah). 杉浦法（食道周囲の血行遮断を伴う食道離断．食道静脈瘤に対する手技）．

Thal p. (thal). サール法（下部食道の良性狭窄を補修するための手術．狭窄部位を縦軸に沿って切開し，近傍の胃の外壁をパッチとして切開欠損部に縫い付ける）．

Vineberg p. ヴァインバーグ法（心臓への血流を改善するために内胸動脈を心筋層へ植え込む，現在は用いられていない手技方法）．

Walsh p. (walsh). ウォルシュ手技（解剖学的な(神経保存の)根治的後恥骨前立腺摘出術）．

pro·ce·li·a (prō-sē′lē-ă) [pro- + G. *koilia*, a hollow]. 側脳室（脳の側脳室．前脳の凹部）．

pro·ce·lous (prō-sē′lŭs) [pro- + G. *koilos*, hollow]. 前へこみの．

pro·cen·tri·ole (prō-sen′trē-ōl). 前中心子（中心体から中心子あるいは基底体が全合成される初期の状態．ジューテロソーム(p. organizers)との関係下に形成される）．

pro·ce·phal·ic (prō′se-fal′ik) [pro- + G. *kephalē*, head]. 前脳の，前頭の．

pro·cer·coid (prō-ser′koyd) [pro- + G. *kerkos*, tail + *eidos*, resemblance]. プロセルコイド，前擬尾虫（擬葉条虫(Diphyllobothriidae 科)のようなある種の条虫の水生生活環の最初の段階．新しくふ化した幼虫(コラシジウム)が，橈脚類(ケンミジンコ)に摂取されて生じる．この甲殻類第一中間宿主の体腔内で，プロセルコイドは有尾の幼虫へと発育する．プロセルコイドとその宿主とが魚に摂取されると，プロセルコイドは新しい宿主の組織内にはいってプレロセルコイド(擬尾虫)になる．→*Diphyllobothrium latum*; Pseudophyllidea）．

pro·ce·rus (prō-sē′rŭs) [L. long, stretched out][TA]. 鼻根筋．＝procerus (*muscle*).

PROCESS

pro·cess (prō′ses, pros′es) [L. *processus*, an advance, progress, process < *pro-cedo*, pp. *-cessus*, to go forward]. [本語の複数形の誤った発音 prŏs′ĕ-sēz を避けること]. ***1*** 突起(解剖学的な突起物，隆起物)．＝processus [TA]. ***2*** 過程，工程（ある結果に到達するためにとる方法または行動様式）．***3*** 病気などの進行，経過，過程．***4*** 病的状態または病気のこと．***5*** 重合（歯科において，例えば，ろう義歯床を他のより硬い材料の義歯床に換える一連の操作．→dental *curing*）．

A.B.C. p. A.B.C. 法（ミョウバン *a*lum と血液 *b*lood と木炭 *c*harcoal の混合物を使用する浄水法や下水の脱臭法）．

accessory p. of lumbar vertebra [TA]. 〔腰椎の〕副突起（腰椎の横突起の根部の後部にある小さな骨突起）．＝processus accessorius vertebrae lumbalis [TA]; accessory tubercle (1).

acromial p. 肩峰．＝acromion.

agene p. アゲーネ工程（三塩化窒素で穀粉を漂白すること．米国では禁止されている）．

alar p. ＝*ala* of crista galli.

alveolar p. of maxilla [TA]. 〔上顎骨の〕歯槽突起（上顎骨体部の下面にある突出で歯槽を含む．また下顎骨体部の歯槽を含む上面を示す）．＝processus alveolaris maxillae [TA]; alveolar body; alveolar bone (1); alveolar border (2); alveolar ridge; basal ridge (1); dental p.

anterior clinoid p. [TA]. 前床突起（蝶形骨小翼内側端から後方へ突出する突起で，小脳テントの自由縁が付着する）．＝processus clinoideus anterior [TA].

anterior p. of malleus [TA]. 〔つち骨〕前突起（つち骨の頸から錐体鼓室裂に向かって前方に走っている細長い突起）．＝processus anterior mallei [TA]; Folli p.; follian p.; long p. of malleus; processus gracilis; processus ravii; Rau p.; Ravius p.; slender p. of malleus.

apical p. 先端突起（大脳皮質の錐体細胞の先端から表面にのびている樹状突起）．＝apical dendrite.

articular p. [TA]. 関節突起（椎弓の上面および下面にある小さな扁平突出で，両側の椎弓根と椎弓板が結合する所にあたり，椎間関節面を形成する．上関節突起(横突起)は椎弓の上面にある関節突起）．＝processus articularis [TA]; zygapophysis.

ascending p. 上行突起．＝*processus* ascendens.

auditory p. 聴突起（外耳道の軟骨部が付着している鼓室板の粗い縁）．

axillary p. of breast 乳房の腋窩突起（乳腺の上外側部で，腋窩へ向かって伸び，前腋窩ひだと融合する）．＝processus axillaris glandulae mammariae [TA]; processus lateralis glandulae mammariae [TA]; axillary tail of breast*; tail of Spence.

basilar p. of occipital bone [TA]. ＝basilar *part* of occipital bone.

binary p. 二値過程（結果として互いに排反な2つの事柄しか取り得ない，確率的な事象．Bernoulli 過程）．

Budde p. (bud′ĕ). ブッデ工程（牛乳の殺菌法．新鮮牛乳に1L当たり3% の過酸化水素溶液 15 mL を加え，52°C (124°F)で3時間加熱する．過酸化物が分解し発生した酸素が有効な殺菌薬として作用する．この後，牛乳を急速に冷やし，びんを密封する）．

Burns falciform p. (bŭrnz). バーンズ鎌状突起．＝superior *horn* of falciform margin of saphenous opening.

calcaneal p. of cuboid [TA]. 方形骨踵骨突起（方形骨の足底面にあって後方に出ている突起．踵骨の前端と連結している）．＝processus calcaneus ossis cuboidei [TA].

caudate p. of caudate lobe of liver [TA]. 〔肝臓の尾状葉の〕尾状突起（肝門の後方にある肝臓の尾状葉と右葉をつなぐ肝組織の狭い帯）．＝processus caudatus lobi caudati hepatis [TA].

ciliary p. [TA]. 毛様体突起（毛様体の内面にある通常70の放射状の色素をもった隆起．毛様体輪から虹彩の外側縁にかけて厚さが増す．毛様体突起間の溝(毛様体ひだ)と突起がともに毛様体冠をつくる）．＝processus ciliaris [TA].

Civinini p. (chē-vē-nē′nē). チヴィニーニ突起．＝pterygospinous p.

clinoid p. [TA]. 床包皮（蝶形骨から突出している3対(前，中，後)の骨の突起．そのうちの前床突起1対と後床突起1対はあたかも寝台の四隅の柱のように下垂体窩を囲んでいる）．＝processus clinoideus [TA]; clinoid (2).

cochleariform p. さじ状突起．＝*processus* cochleariformis.

complex learning p.'s 複合学習過程（推論におけるような象徴的操作の使用を必要とする過程）．

condylar p. of mandible [TA]. 〔下顎骨の〕関節突起（下顎枝の関節突起．下顎頭，下顎頸，翼突筋窩を含む）．＝processus condylaris mandibulae [TA]; condyloid p.; mandibular condyle.

condyloid p. 関節突起．＝condylar p. of mandible.

conoid p. ＝conoid *tubercle* (of clavicle).

coracoid p. [TA]. 烏口突起（肩甲頸より出る指を曲げたような長い曲がった突起で，関節窩におおいかぶさっている．上腕二頭筋の短頭，烏口腕筋，小胸筋，円錐靱帯，烏口肩峰靱帯が付着する）．＝ processus coracoideus [TA].

coronoid p. 筋突起，鉤状突起（骨からの鋭い三角形の突出）．＝processus coronoideus [TA].

coronoid p. of the mandible [TA]. 下顎骨節突起（下顎骨下顎枝の三角形をした前方の突起で，側頭筋が付着する）．＝processus coronoideus mandibulae [TA].

coronoid p. of the ulna [TA]. 尺骨鉤状突起（尺骨近位端にあるかぎのて状の突起で，前面には上腕筋が付着し，近位面は滑車切痕の形成に加わる）．＝processus coronoideus ulnae [TA].

costal p. of lumbar vertebra [TA]. 〔腰椎の〕肋骨突起（腰椎の横突起から外側に突出している骨突起．肋骨に相当する）．＝processus costiformis vertebrae lumbalis [TA]; processus costalis *[TA].

dendritic p. 樹状突起. ＝dendrite (1).
dental p. 歯槽突起. ＝alveolar p. of maxilla.
ensiform p. ＝xiphoid p.
ethmoidal p. of inferior nasal concha [TA]. 〔下鼻甲介の〕篩骨突起（下鼻甲介の突出で，涙骨突起の後ろに位置し，篩骨の鉤状突起と連結する）. ＝processus ethmoidalis conchae nasalis inferioris [TA].
falciform p. of sacrotuberous ligament [TA]. 仙結節靱帯の鎌状突起（仙結節靱帯内側縁の続きが上前方に進んで，坐骨枝内面までのびたものをいう）. ＝processus falciformis ligamenti sacrotuberalis [TA]; falciform ligament; ligamentum falciforme.
Folli p. (fol′ē). フォリ突起. ＝anterior p. of malleus.
follian p. フォリ突起. ＝anterior p. of malleus.
foot p. ＝pedicel.
frontal p. of maxilla [TA]. 上顎骨前頭突起（上顎骨体から上方へ出る突出で，前頭骨と連結する）. ＝processus frontalis maxillae [TA]; nasal p.
frontal p. of zygomatic bone [TA]. 頬骨前頭突起（頬骨から出る突起で，上方へ突出して眼窩の外側縁を形成し，前頭骨および蝶形骨大翼と連結する）. ＝processus frontalis ossis zygomatici [TA]; frontosphenoidal p.
frontonasal p. 前頭鼻突起. ＝frontonasal *prominence*.
frontosphenoidal p. ＝frontal p. of zygomatic bone.
funicular p. 精索突起（精索を取り囲んでいる鞘膜）.
globular p. 球状突起（intermaxillary *segment*（上顎の顎間部）を表す現在では用いられない語）.
hamular p. of lacrimal bone ＝lacrimal *hamulus*.
hamular p. of sphenoid bone ＝pterygoid *hamulus*.
head p. 頭突起（脊索の原基. →notochordal p.）.
inferior articular p. [TA]. 下関節突起（椎骨の下面にある関節のための隆起）. ＝zygapophysis inferior [TA]; processus articularis inferior [TA].
Ingrassia p. (in-grah′sē-ah). ＝lesser *wing* of sphenoid (bone).
intrajugular p. [TA]. 〔頸静脈〕孔内突起（後頭骨および側頭骨の頸静脈切痕中央から出る小さな，先のとがった骨性突起. この２つの骨は靱帯により結合し頸静脈孔を２つの部分に分ける）. ＝processus intrajugularis [TA].
jugular p. of occipital bone [TA]. 〔後頭骨の〕頸静脈突起（後頭骨顆の後部から突き出ている突起で，その前縁は頸静脈孔の後ろの境界になる）. ＝processus jugularis ossis occipitalis.
lacrimal p. of inferior nasal concha [TA]. 下鼻甲介の涙骨突起（下鼻甲介前端からの突出で，涙骨下縁と連結する）. ＝processus lacrimalis conchae nasalis inferioris [TA].
lateral p. of calcaneal tuberosity [TA]. 踵骨隆起外側突起（踵骨後部から出る外側への突出）. ＝processus lateralis tuberis calcanei [TA].
lateral p. of malleus [TA]. 〔つち骨〕外側突起（つち骨柄の基底部から出る短い突出で，鼓膜に密着している）. ＝processus lateralis mallei [TA]; processus brevis; short p. of malleus; tuberculum mallei.
lateral nasal p. 外側鼻突起. ＝lateral nasal *prominence*.
lateral palatine p.'s 外側口蓋突起（上顎原基からの内側への突起. 正中面で癒合し二次口蓋となる）.
lateral p. of septal nasal cartilage [TA]. 鼻中隔軟骨の外側突起（鼻翼軟骨の上方の鼻腔側壁にある平らな軟骨性突起）. ＝cartilago nasi lateralis; lateral cartilage of nose; processus lateralis cartilaginis septi nasi [TA].
lateral p. of talus [TA]. 距骨外側突起（顆関節面下の距骨の外側の突出）. ＝processus lateralis tali [TA].
Lenhossék p.'s (len-hos′ĕk). レンホッシェーク突起（ある種の神経節細胞がもつ短い突起（不全軸索 aborted axons））.
lenticular p. of incus [TA]. 豆状突起（きぬた骨長脚の先端にみられるドアの把手形の部分で，あぶみ骨と関節している）. ＝processus lenticularis incudis [TA]; lenticular apophysis; lenticular bone; orbicular bone; orbicular p.; orbiculare; os orbiculare; os sylvii.
long p. of malleus ＝anterior p. of malleus.
malar p. ＝zygomatic p. of maxilla.
mammillary p. of lumbar vertebra [TA]. 〔腰椎の〕乳頭突起（腰椎（および第十二胸椎でも普通は存在しているが），上関節突起の背側縁にある小さな骨突起または結節）. ＝processus mammillaris vertebrae lumbalis [TA]; mammillary tubercle; metapophysis.
mandibular p. 下顎突起. ＝mandibular *prominence*.
Markov p. (mar′kof). マルコフ過程（現在の状態が与えられれば，未来の任意の瞬間の状態の条件つき確率分布もそれで決定されてしまい，過去の履歴に関する追加情報に影響されないような確率過程）.
mastoid p. [TA]. 乳様突起（側頭骨錐体部にある乳頭様の突起）. ＝processus mastoideus [TA]; mastoid bone; temporal apophysis.
mastoid p. of petrous part of temporal bone [TA]. 側頭骨錐体部の乳突部（側頭骨錐体部のうち乳様突起を出している部分）. ＝processus mastoideus partis petrosae ossis temporalis [TA]; mastoid part of the temporal bone; pars mastoidea ossis temporalis.
maxillary p. 上顎隆起. ＝maxillary *prominence*.
maxillary p. of embryo 胎芽の上顎突起. ＝mandibular *prominence*.
maxillary p. of inferior nasal concha [TA]. 〔下鼻甲介の〕上顎突起（下鼻甲介上縁の中央から突出している不規則な形の薄い板. 上顎骨と連結し，上顎洞口の一部を閉鎖している）. ＝processus maxillaris conchae nasalis inferioris [TA].
medial p. of calcaneal tuberosity [TA]. 踵骨隆起内側突起（踵骨の後部から内側への突起）. ＝processus medialis tuberis calcanei [TA].
medial nasal p. 内側鼻突起. ＝medial nasal *prominence*.
mental p. ＝mental *protuberance*.
middle clinoid p. [TA]. 中床突起（蝶形骨トルコ鞍結節の後外側に不定にみられる骨の突起で，内頸動脈が大脳動脈輪に合流するために前から後ろへ180度方向転換する曲がり角のところにある）. ＝processus clinoideus medius [TA].
muscular p. of arytenoid cartilage [TA]. 〔披裂軟骨〕筋突起（喉頭の外側・後輪状披裂筋が付着する鈍な外側突起）. ＝processus muscularis cartilaginis arytenoideae [TA].
nasal p. ＝frontal p. of maxilla.
notochordal p. 脊索突起（胚において，原始結節の吻側にある正中部の細胞柱で脊索を形成する. →head p.）.
odontoblastic p.'s ぞうげ芽細胞. ＝dentinal *fibers* (1).
odontoid p. 歯突起. ＝dens (2).
odontoid p. of epistropheus 〔軸椎〕歯突起. ＝dens (2).
olecranon p. 肘頭突起. ＝olecranon.
orbicular p. ＝lenticular p. of incus.
orbital p. of palatine bone [TA]. 〔口蓋骨の〕眼窩突起（口蓋骨垂直板の上端にある２つの突起のうち前方の大きいほうで，上顎骨，篩骨，蝶形骨と連結する）. ＝processus orbitalis ossis palatini [TA].
packing p. 填入法（重合用フラスコに義歯床用材料を入れる方法）.
palatine p. of maxilla [TA]. 〔上顎骨の〕口蓋突起（上顎骨から内側方に棚状に出た突起で，口蓋骨の水平板とともに骨口蓋を形成する）. ＝processus palatinus maxillae [TA].
papillary p. of caudate lobe of liver [TA]. 〔肝尾状葉の〕乳頭突起（肝臓の尾状葉の左下角にあり，尾状突起の反対側にある）. ＝processus papillaris lobi caudati hepatis [TA].
paramastoid p. [TA]. 乳突傍突起（まれにみられる骨の突出で，ヒトの後頭骨の頸静脈突起から下方にのびる）. ＝processus paramastoideus [TA]; paroccipital p.
paroccipital p. ＝paramastoid p.
posterior clinoid p. [TA]. 後床突起（トルコ鞍背の鋭い上外側角で，小脳テントに放散する線維が付着する）. ＝processus clinoideus posterior [TA].
posterior p. of septal cartilage [TA]. 〔鼻中隔軟骨〕後突起（篩骨の垂直板と鋤骨の間にある中隔軟骨の先細りの突出）. ＝processus posterior cartilaginis septi nasi [TA]; sphenoid p. of septal nasal cartilage [TA]; processus sphenoidalis cartilaginis septi nasi☆.
posterior p. of talus [TA]. 距骨後突起（内側結節と外

P

側結節をもつ距骨の突起で滑車の後下方にある)．＝processus posterior tali［TA］; Stieda p.

primary p. 一次過程（精神分析において，エスと関連した原始的な生命力の機能に直接関係する精神過程．無意識の精神活動を特徴とする．組織されていない非論理的思考を特徴とし，本能的欲求を直接に放出し満足させようとする傾向がある．*cf.* secondary p.).

progressive p.'s 進行性過程（もはや生体の要求に役に立たず，その過程を誘発した刺激がやんだ後も続いている過程).

pterygoid p. of sphenoid bone［TA]．〔蝶形骨の〕翼状突起（蝶形骨の両側で体部と大翼の結合部から下方にのびている長い突起．2つの板(外側と内側)から形成され，前方で結合しているが下方で分離し翼突切痕をつくる．翼突窩は後方でこれら2つの板の広がりによって形成される)．＝processus pterygoideus ossis sphenoidalis［TA］; os pterygoideum.

pterygospinous p.［TA]．翼棘突起（蝶形骨の翼状突起外側板の後端から出る鋭い突起)．＝processus pterygospinosus［TA］; Civinini p.

pyramidal p. of palatine bone［TA]．〔口蓋骨の〕錐体突起（口蓋骨の垂直板と水平板によってできる角から外側および後方へのびている口蓋骨の部分)．＝processus pyramidalis ossis palatini［TA].

Rau p. (row)．ラウ突起．＝anterior p. of malleus.

Ravius p. (rā′vē-ŭs)．ラヴィウス突起．＝anterior p. of malleus.

retromandibular p. of parotid gland 耳下腺の顎後突起．＝deep *part* of parotid gland.

secondary p. 二次過程（精神分析において，自我の学習し，獲得した機能に直接関係し，意識的・前意識的精神活動を特徴とする精神過程．論理的思考を特徴とし，本能的欲求の放出を調節して満足を遅延させようとする傾向がある．*cf.* primary p.).

sheath p. of sphenoid bone〔蝶形骨〕鞘状突起．＝vaginal p. of sphenoid bone.

short p. of malleus ＝lateral p. of malleus.

slender p. of malleus ＝anterior p. of malleus.

sphenoid p. 蝶形骨突起．＝sphenoidal p. of palatine bone.

sphenoidal p. of palatine bone［TA]．〔口蓋骨の〕蝶形骨突起（口蓋骨垂直板の末端の2つの突起のうち，後方の小さいほうの突起)．＝processus sphenoidalis ossis palatini［TA］; sphenoid p.

sphenoid p. of septal nasal cartilage［TA]．＝posterior p. of septal cartilage.

spinous p. of sphenoid 蝶形骨棘．＝*spine* of sphenoid bone.

spinous p. of tibia ＝intercondylar *eminence*.

spinous p. of vertebra［TA]．椎骨の棘突起（椎骨椎弓の中央から後方への突出部分)．＝processus spinosus vertebrae［TA].

Stieda p. (shtē′dah)．シュティーダ突起．＝posterior p. of talus.

stochastic p.［G. *stochastikos*, pertaining to guessing < *stochazomai*, to guess]．確率過程（確率的な要素が含まれているプロセス).

styloid p. of fibula 腓骨茎状突起．＝*apex* of head of fibula.

styloid p. of radius［TA]．橈骨茎状突起（橈骨遠位端の外側にある厚い先のとがった触察できる突起)．＝processus styloideus radii［TA].

styloid p. of temporal bone［TA]．〔側頭骨〕茎状突起(側頭骨錐体部の基底部(鼓室部と連結する)の下面からやや前方に曲がりながら下方にのびる細長い針状の先のとがった突出．茎突舌筋，茎突舌骨筋，茎突咽頭筋，茎突舌骨靱帯，茎突下顎靱帯が付着する)．＝processus styloideus ossis temporalis［TA].

styloid p. of third metacarpal bone［TA]．〔第三中手骨〕茎状突起（第三中手骨基底部の後外側角から出る先のとがった突起．ときには分離した小骨として存在する)．＝processus styloideus ossis metacarpalis tertii (III)［TA].

styloid p. of ulna［TA]．尺骨茎状突起（尺骨頭の内側後面にある円柱状のとがった突起．その先端には手首の橈側側副靱帯が付着する)．＝processus styloideus ulnae［TA].

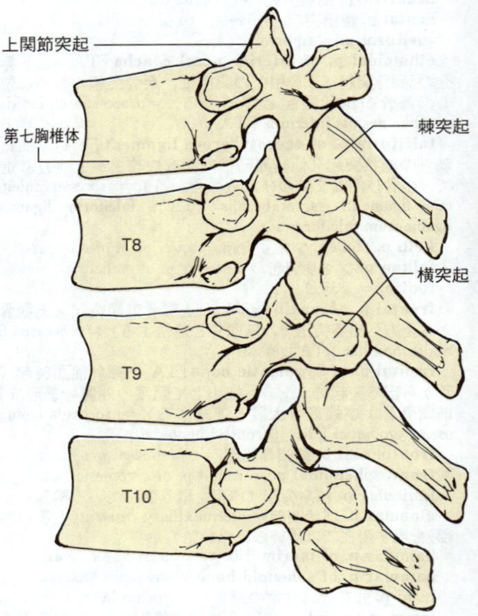

vertebral processes
4つの胸椎.

superior articular p. of sacrum［TA]．〔仙骨〕上関節突起（仙骨後面の両側にある大突起で，第五腰椎の下関節突起と連結する)．＝processus articularis superior ossis sacri［TA].

superior articular p. of vertebra［TA]．〔椎骨の〕上関節突起（椎弓の上面にある関節のための隆起)．＝processus articularis superior vertebrae［TA］; zygapophysis superior［TA］; diapophysis.

supracondylar p. of humerus［TA]．上腕骨顆上突起(まれに内側上顆の約5 cm 上の上腕骨前内側面から突出する小突起で，線維帯で内側上顆と結合している．こうしてできた顆上窩を上腕動脈と正中神経が通る)．＝processus supracondylaris humeri［TA］; supraepicondylar p.

supraepicondylar p.〔上腕骨〕上顆上突起．＝supracondylar p. of humerus.

temporal p. of zygomatic bone［TA]．〔頬骨の〕側頭突起（頬骨の後方への突起で，側頭骨の頬骨突起と連結して頬骨弓を形成している)．＝processus temporalis ossis zygomatici［TA].

Tomes p.'s (tōmz)．トームズ突起（エナメル芽細胞の不定の尖端のある突起).

transverse p. of vertebra［TA]．横突起（椎弓の両側で椎弓根と椎弓板の間から突出する骨塊で，付着する筋のてこのように働いている)．＝processus transversus vertebrae［TA].

trochlear p. 滑車突起．＝fibular *trochlea* of calcaneus.

uncinate p. of cervical vertebra［TA]．頸椎の鉤状突起（頸椎体上面の外側縁の高まりで，高齢でさらに上方へ延びて上に隣接する椎体との間に椎体鉤状関節(Luschka 関節)を形成することもある)．＝processus uncinatus vertebrae cervicalis［TA].

uncinate p. of ethmoid bone［TA]．〔篩骨〕鉤状突起(中鼻甲介の下にある篩骨迷路の内側壁から出る骨の鎌状突起．下鼻甲介の篩骨突起と連結して上顎洞口の一部を閉鎖する)．＝processus uncinatus ossis ethmoidalis［TA].

uncinate p. of first thoracic vertebra［TA]．胸椎の鉤状突起（胸椎体上面の外側縁の高まり．→uncinate p. of cervical vertebra). =processus uncinatus vertebrae thoracicae primae [TA].

uncinate p. of pancreas [TA]. 膵臓の鉤状突起（上腸管膜動静脈の後方に回り込んでいる膵頭の部分．ときとして上腸間膜動脈と腹大動脈が形成するくるみ割り器(→nutcracker)にはいり込んでいる). =processus uncinatus pancreatis [TA]; lesser pancreas; pancreas minus; small pancreas; uncinate pancreas; unciform pancreas; Willis pancreas; Winslow pancreas.

vaginal p. 鞘状突起. =*sheath* of styloid process.

vaginal p. of peritoneum 腹膜鞘状突起. =*processus* vaginalis of peritoneum.

vaginal p. of sphenoid bone [TA]. 蝶形骨鞘状突起（翼状突起の内側板から出て蝶形骨体部の下を内側にのびている骨の薄い板．鋤骨と口蓋骨と連結する). =processus vaginalis ossis sphenoidalis [TA]; sheath p. of sphenoid bone.

vaginal p. of testis =*processus* vaginalis of peritoneum.

vermiform p. 虫垂. =appendix (2).

vocal p. 声帯突起. =vocal p. of arytenoid cartilage.

vocal p. of arytenoid cartilage [TA]. 〔披裂軟骨〕声帯突起（披裂軟骨前端の下端で声帯が付着している). =processus vocalis cartilaginis arytenoideae [TA]; vocal p.

xiphoid p. [TA]. 剣状突起（胸骨下端の軟骨). =processus xiphoideus [TA]; ensiform p.; ensisternum; metasternum; mucro sterni; xiphisternum; xiphoid cartilage.

zygomatic p. of frontal bone [TA]. 前頭骨頬骨突起（前頭骨の大きな突起で，頬骨と連結して眼窩の外側縁を形成する). =processus zygomaticus ossis frontalis [TA].

zygomatic p. of maxilla [TA]. 〔上顎骨〕頬骨突起（上顎から出る粗な突起で，頬骨と連結する). =processus zygomaticus maxillae [TA]; malar p.

zygomatic p. of temporal bone [TA]. 側頭骨頬骨突起（側頭骨の前方への突起で，頬骨の側頭突起と連結して頬骨弓を形成する). =processus zygomaticus ossis temporalis [TA].

---

pro·cess·ing (prō′ses-ing). プロセシング（①蛋白，特に分泌蛋白や膜あるいは特定の細胞部位へ運ばれる蛋白の翻訳後修飾. =trafficking. ②ポリヌクレオチドの転写後修飾).

pro·ces·sor (prō′ses-sŏr). プロセッサー（エネルギーの形状を別の形状に変換する装置，または物質の形状を別の形状に変換する装置).

speech p. スピーチプロセッサー（人工内耳の一部．会話音を電気信号へ変換する．その信号により第八脳神経の聴神経を刺激する).

PROCESSUS

pro·ces·sus, pl. **pro·ces·sus** (prō-ses′ŭs) [L. →process] [TA]. 突起（[誤った複数形 processi を避けること]). =process (1).

p. accessorius vertebrae lumbalis [TA]. 〔腰椎の〕副突起. =accessory *process* of lumbar vertebra.

p. alveolaris maxillae [TA]. 〔上顎骨の〕歯槽突起（→alveolar *bone* (2)). =alveolar *process* of maxilla.

p. anterior mallei [TA]. 〔つち骨〕前突起. =anterior *process* of malleus.

p. articularis [TA]. 関節突起. =articular *process*.

p. articularis inferior [TA]. =inferior articular *process*.

p. articularis superior ossis sacri [TA]. 〔仙骨〕上関節突起. =superior articular *process* of sacrum.

p. articularis superior vertebrae [TA]. 椎骨上関節突起. =superior articular *process* of vertebra.

p. ascendens 上行突起（胚の翼突方形軟骨の上方突出．蝶形骨の大蝶になる). =ascending process.

p. axillaris glandulae mammariae [TA]. =axillary *process* of breast.

p. brevis 短突起. =lateral *process* of malleus.

p. calcaneus ossis cuboidei [TA]. 方形骨踵骨突起. =calcaneal *process* of cuboid.

p. caudatus lobi caudati hepatis [TA]. =caudate *process* of caudate lobe of liver.

p. ciliaris [TA]. 毛様体突起. =ciliary *process*.

p. clinoideus [TA]. 床突起. =clinoid *process*.

p. clinoideus anterior [TA]. =anterior clinoid *process*.

p. clinoideus medius [TA]. =middle clinoid *process*.

p. clinoideus posterior [TA]. =posterior clinoid *process*.

p. cochleariformis [TA]. さじ状突起（前庭窓前端の上にある骨性のとがった突起(耳管中隔の終末)で，鼓膜張筋の腱が通る滑車を形成する). =cochleariform process; p. trochleariformis.

p. condylaris mandibulae [TA]. 〔下顎骨の〕関節突起. =condylar *process* of mandible.

p. coracoideus [TA]. 烏口突起. =coracoid *process*.

p. coronoideus [TA]. =coronoid *process*.

p. coronoideus mandibulae [TA]. =coronoid *process* of the mandible.

p. coronoideus ulnae [TA]. =coronoid *process* of the ulna.

p. costalis* [TA]. 肋骨突起（costal *process* of lumbar vertebra の公式の別名).

p. costiformis vertebrae lumbalis [TA]. =costal *process* of lumbar vertebra.

p. ethmoidalis conchae nasalis inferioris [TA]. 〔下鼻甲介の〕篩骨突起. =ethmoidal *process* of inferior nasal concha.

p. falciformis ligamenti sacrotuberalis [TA]. 仙結節靱帯の鎌状突起. =falciform *process* of sacrotuberous ligament.

p. ferreini フェラン突起. =medullary *ray*.

p. frontalis maxillae [TA]. 上顎骨前頭突起. =frontal *process* of maxilla.

p. frontalis ossis zygomatici [TA]. =frontal *process* of zygomatic bone.

p. gracilis =anterior *process* of malleus.

p. intrajugularis [TA]. 〔頸静脈〕孔内突起. =intrajugular *process*.

p. jugularis ossis occipitalis 〔後頭骨の〕頸静脈突起. =jugular *process* of occipital bone.

p. lacrimalis conchae nasalis inferioris [TA]. 下鼻甲介の涙骨突起. =lacrimal *process* of inferior nasal concha.

p. lateralis cartilaginis septi nasi [TA]. =lateral *process* of septal nasal cartilage.

p. lateralis glandulae mammariae [TA]. =axillary *process* of breast.

p. lateralis mallei [TA]. 〔つち骨〕外側突起. =lateral *process* of malleus.

p. lateralis tali [TA]. 距骨外側突起. =lateral *process* of talus.

p. lateralis tuberis calcanei [TA]. 踵骨隆起外側突起. =lateral *process* of calcaneal tuberosity.

p. lenticularis incudis [TA]. 〔きぬた骨〕豆状突起. =lenticular *process* of incus.

p. mammillaris vertebrae lumbalis [TA]. 〔腰椎の〕乳頭突起. =mammillary *process* of lumbar vertebra.

p. mastoideus [TA]. 乳様突起. =mastoid *process*.

p. mastoideus partis petrosae ossis temporalis [TA]. =mastoid *process* of petrous part of temporal bone.

p. maxillaris conchae nasalis inferioris [TA]. 〔下鼻甲介の〕上顎突起. =maxillary *process* of inferior nasal concha.

p. medialis tuberis calcanei [TA]. 踵骨隆起内側突起. =medial *process* of calcaneal tuberosity.

p. muscularis cartilaginis arytenoideae [TA]. 〔披裂軟骨〕筋突起. =muscular *process* of arytenoid cartilage.

p. orbitalis ossis palatini [TA]. 〔口蓋骨の〕眼窩突起. =orbital *process* of palatine bone.

p. palatinus maxillae [TA]. 〔上顎骨の〕口蓋突起. =palatine *process* of maxilla.

p. papillaris lobi caudati hepatis [TA]. 〔肝尾状葉の〕乳頭突起. =papillary *process* of caudate lobe of liver.

p. paramastoideus [TA]．乳突傍突起．＝paramastoid *process*.

p. posterior cartilaginis septi nasi [TA]．〔鼻中隔軟骨〕後突起．＝posterior *process* of septal cartilage.

p. posterior tali [TA]．距骨後突起．＝posterior *process* of talus.

p. pterygoideus ossis sphenoidalis [TA]．〔蝶形骨の〕翼状突起．＝pterygoid *process* of sphenoid bone.

p. pterygospinosus [TA]．翼棘突起．＝pterygospinous *process*.

p. pyramidalis ossis palatini [TA]．〔口蓋骨の〕錐体突起．＝pyramidal *process* of palatine bone.

p. ravii ＝anterior *process* of malleus.

p. retromandibularis 顎後突起．＝deep *part* of parotid gland

p. retromandibularis glandulae parotidis ＝deep *part* of parotid gland.

p. sphenoidalis cartilaginis septi nasi* posterior *process* of septal cartilage の公式の別名．

p. sphenoidalis ossis palatini [TA]．〔口蓋骨の〕蝶形骨突起．＝sphenoidal *process* of palatine bone.

p. spinosus〔蝶形骨〕棘．＝*spine* of sphenoid bone.

p. spinosus vertebrae [TA]．椎骨の棘突起．＝spinous *process* of vertebra.

p. styloideus ossis metacarpalis tertii (III) [TA]．〔第三中手骨〕茎状突起．＝styloid *process* of third metacarpal bone.

p. styloideus ossis temporalis [TA]．〔側頭骨〕茎状突起．＝styloid *process* of temporal bone.

p. styloideus radii [TA]．橈骨茎状突起．＝styloid *process* of radius.

p. styloideus ulnae [TA]．尺骨茎状突起．＝styloid *process* of ulna.

p. supracondylaris humeri [TA]．上腕骨顆上突起．＝supracondylar *process* of humerus.

p. temporalis ossis zygomatici [TA]．〔頬骨の〕側頭突起．＝temporal *process* of zygomatic bone.

p. transversus vertebrae [TA]．〔椎骨の〕横突起．＝transverse *process* of vertebra.

p. trochleariformis 滑車状突起．＝p. cochleariformis.

p. trochlearis 滑車突起．＝fibular *trochlea* of calcaneus.

p. uncinatus ossis ethmoidalis [TA]．〔篩骨〕鉤状突起．＝uncinate *process* of ethmoid bone.

p. uncinatus pancreatis [TA]．〔膵臓〕鉤状突起．＝uncinate *process* of pancreas.

p. uncinatus vertebrae cervicalis [TA]．＝uncinate *process* of cervical vertebra.

p. uncinatus vertebrae thoracicae primae [TA]．＝uncinate *process* of first thoracic vertebra.

p. vaginalis ossis sphenoidalis [TA]．〔蝶形骨〕鞘状突起．＝vaginal *process* of sphenoid bone.

p. vaginalis peritonei 腹膜鞘状突起．＝p. vaginalis of peritoneum.

p. vaginalis of peritoneum 腹膜の鞘状突起（胚期の下前腹壁の腹膜憩室で鼡径管を横切っている．男性においては精巣鞘膜となって通常は腹膜と連絡が切れる．女性において鞘状突起が残存したものは Nuck 管として知られる）．＝Nuck diverticulum; p. vaginalis peritonei; vaginal process of peritoneum; vaginal process of testis.

p. vermiformis 虫垂．＝appendix (2).

p. vocalis cartilaginis arytenoideae [TA]．〔披裂軟骨〕声帯突起．＝vocal *process* of arytenoid cartilage.

p. xiphoideus [TA]．剣状突起．＝xiphoid *process*.

p. zygomaticus maxillae [TA]．〔上顎骨〕頬骨突起．＝zygomatic *process* of maxilla.

p. zygomaticus ossis frontalis [TA]．＝zygomatic *process* of frontal bone.

p. zygomaticus ossis temporalis [TA]．＝zygomatic *process* of temporal bone.

---

pro·chei·li·a, pro·chi·lia (prō-kī′lē-ă) [pro- + G. *cheilos*, lip]．異常な口唇の突出．

pro·chei·lon, pro·chi·lon (prō-kī′lon)．プロケイリオン．＝*tubercle* of upper lip.

pro·chi·ral (prō-kī′răl)．プロキラル（もしこの同一置換基の1つが新しい原子(団)によって置換されるならキラルになることができる分子中の原子(通常は炭素原子)のこと．すなわち，結合した2つのエナンチオトピックな置換基をもつ原子．例えば，エタノールの C1 位はプロキラル炭素である）．

pro·chi·ral·i·ty (prō′ki-ral′i-tē)．プロキラリティー（プロキラルである性質）．

pro·chon·dral (prō-kon′drăl) [pro- + G. *chondros*, cartilage]．軟骨形成前の（軟骨の形成前の発育段階についていう）．

pro·chor·dal (prō-kōr′dăl)．脊索前方の．＝prechordal.

pro·chy·mo·sin (prō-ki′mō-sin)．プロキモシン（キモシン(レニン)の前駆物質）．＝chymosinogen; pexinogen; prorennin; renninogen; rennogen.

pro·ci·den·ti·a (prō′si-den′shē-ă) [L. a falling forward < *procido*, to fall forward]．脱出（臓器またはその部分が沈下あるいは脱出すること．通常，子宮脱に随伴して発生する）．

p. uteri 子宮〔全〕脱〔出〕(→*prolapse* of the uterus)．

procognitive (prō-kog-nĭ-tiv)．プロコグニティブ（せん妄状態または見当識障害症状を緩和させる薬物の総称）．

pro·col·la·gen (prō-kol′ă-jen)．プロコラーゲン，前膠原質（トラポコラーゲンの溶解性前駆物質．膠原質合成の過程で線維芽細胞と他の細胞によって形成されると考えられる．不安定な III 型プロコラーゲンは Ehlers-Danlos 症候群 IV 型に関与する）．

p. aminoproteinase プロコラーゲンアミノプロテイナーゼ（コラーゲンのプロセシングに関与し，プロコラーゲンのアミノ末端でエクステンションペプチドを切除する細胞外酵素）．

p. carboxyproteinase プロコラーゲンカルボキシプロテイナーゼ（コラーゲンのプロセシングに関与しプロコラーゲンのカルボキシル末端でエクステンションペプチドを切除する細胞外酵素）．

---

pro·con·ver·tin (prō′kon-ver′tin)．プロコンベルチン．＝*factor* VII.

pro·cre·ate (prō′krē-āt) [L. *pro-creo*, pp. *-creatus*, to beget]．生殖する（通常，男親についていわれる言葉）．

pro·cre·a·tion (prō′krē-ā′shŭn)．生殖．＝reproduction (1).

pro·cre·a·tive (prō′krē-ā-tiv)．生殖の，生殖力のある．

proct- →procto-.

proc·tal·gia (prok-tal′jē-ă) [proct- + G. *algos*, pain]．直腸〔神経〕痛（肛門または直腸の痛み）．＝proctodynia; rectalgia.

p. fugax 一過性直腸〔神経〕痛（原因不明の肛門周囲の筋肉の疼痛性痙縮．恐らく神経症）．＝anorectal spasm.

proc·ta·tre·si·a (prok′tă-trē′zē-ă) [proct- + G. *a-* 欠性辞 + *trēsis*, a boring]．肛門閉塞症，鎖肛．＝anal *atresia*.

proc·tec·ta·si·a (prok′tek-tā′zē-ă) [proct- + G. *ektasis*, extension]．直腸拡張〔症〕，肛門拡張〔症〕（肛門または直腸の拡張症を表す現在では用いられない語）．

proc·tec·to·my (prok-tek′tŏ-mē) [proct- + G. *ektomē*, excision]．直腸切除〔術〕．＝rectectomy.

proc·ti·tis (prok-tī′tis) [proct- + G. *-itis*, inflammation]．直腸炎（直腸粘膜の炎症）．＝rectitis.

chronic ulcerative p. 慢性潰瘍性直腸炎．＝idiopathic p.

epidemic gangrenous p. 流行性壊疽性直腸炎（熱帯地方で主に小児を侵す一般に致命的な病気．直腸および肛門の壊疽性潰瘍を特徴とし，頻発する水様便としぶりを伴う）．＝bicho; caribi; Indian sickness.

idiopathic p. 特発性直腸炎（潰瘍性大腸炎の異型と思われ，ある場合には進行して結腸も侵す）．＝chronic ulcerative p.

procto-, proct- [G. *prōktos*]．肛門，あるいはより頻繁に直腸を意味する連結形．*cf.* recto-.

proc·to·cele (prok′tō-sēl) [procto- + G. *kēlē*, tumor]．直腸脱（直腸の脱出またはヘルニア形成）．＝rectocele.

proc·toc·ly·sis (prok-tok′li-sis) [procto- + G. *klysis*, a washing out]．直腸灌注（直腸とS状結腸に点滴注入によって食塩水をゆっくりと持続投与すること）．＝Murphy drip; rectoclysis.

proc·to·coc·cy·pex·y (prok′tō-kok′si-pek′sē) [procto- + G. *kokkyx*, coccyx + *pēxis*, fixation]. 直腸尾骨固定〔術〕(脱出した直腸を尾骨前面の組織へ縫合すること). =rectococcypexy.

proc·to·co·lec·to·my (prok′tō-kō-lek′tŏ-mē) [procto- + G. *kolon*, colon + *ektomē*, excision]. 直腸結腸切除〔術〕(結腸の一部あるいは全部と直腸の切除).

proc·to·co·li·tis (prok′tō-kō-lī′tis). 直腸結腸炎. =colo-proctitis.

proc·to·co·lo·nos·co·py (prok′tō-kō′lō-nos′kŏ-pē) [procto- + G. *kolon*, colon + *skopeō*, to view]. 直腸結腸鏡検査〔法〕(直腸と結腸内面の視診).

proc·to·col·po·plas·ty (prok′tō-kol′pō-plas′tē) [procto- + G. *kolpos*, bosom(vagina) + *plastos*, formed]. 直腸腟形成〔術〕(直腸腟瘻を形成して閉鎖すること).

proc·to·cys·to·cele (prok′tō-sis′tō-sēl) [procto- + G. *kystis*, bladder + *kēlē*, hernia]. 直腸膀胱脱出 (直腸へ膀胱が脱出すること).

proc·to·cys·to·plas·ty (prok-tō-sis′tō-plas-tē) [procto- + G. *kystis*, bladder + *plastos*, formed]. 直腸膀胱形成〔術〕(直腸膀胱瘻の外科的縫合).

proc·to·cys·tot·o·my (prok′tō-sis-tot′ŏ-mē) [procto- + G. *kystis*, bladder + *tomē*, incision]. 直腸膀胱切開〔術〕(直腸から膀胱への切開).

proc·to·de·al (prok′tō-dē′ăl). 肛門陥の, 肛門道の.

proc·to·de·um, pl. **proc·to·dea** (prok′tō-dē′ŭm, -dē′ă) [L. < G. *prōktos*, anus + *hodaios*, on the way < *hodos*, a way]. *1* 肛門陥, 肛門道, 肛門窩 (昆虫の消化管の終末部. 幽門(Malpighi 管付着部)から肛門口までのびている. ある種の双翅目(ハエ)と他の昆虫では, 管状前腸管と肛門に終わる拡大した後腸管あるいは直腸とに分かれる). *2* =anal pit.

proc·to·dyn·i·a (prok′tō-din′ē-ă) [procto- + G. *odynē*, pain]. 直腸周囲痛, 肛門周囲痛. =proctalgia.

proc·to·log·ic (prok-tō-loj′ik). 直腸病学の, 肛門病学の.

proc·tol·o·gist (prok-tol′ŏ-jist). 直腸病専門医, 肛門病専門医.

proc·tol·o·gy (prok-tol′ŏ-jē) [procto- + G. *logos*, study]. 直腸病学, 肛門病学 (肛門と直腸およびそれらの病気に関する外科学の専門分野).

proc·to·pa·ral·y·sis (prok′tō-pă-ral′i-sis). 肛門括約筋麻痺 (肛門の麻痺で, 便失禁を起こす).

proc·to·per·i·ne·o·plas·ty (prok′tō-per′i-nē′ō-plas′tē) [procto- + perineum + G. *plastos*, formed]. 肛門会陰形成〔術〕, 直腸会陰形成〔術〕(肛門と会陰の形成手術). =recto-perineorrhaphy.

proc·to·pex·y (prok′tō-pek′sē) [procto- + G. *pēxis*, fixation]. 直腸固定〔術〕(脱出した直腸の外科的固定). =rectopexy.

proc·to·pho·bi·a (prok′tō-fō′bē-ă) [procto- + G. *phobos*, fear]. 直腸病恐怖〔症〕(直腸病に対する病的な恐れ). =rectophobia.

proc·to·plas·ty (prok′tō-plas′tē) [procto- + G. *plastos*, formed]. 直腸形成〔術〕, 肛門形成〔術〕(肛門または直腸の修復あるいは形成手術). =rectoplasty.

proc·to·ple·gi·a (prok-tō-plē′jē-ă) [procto- + G. *plēgē*, stroke]. 肛門括約筋麻痺 (対麻痺に伴う肛門と直腸の麻痺).

proc·to·pol·y·pus (prok′tō-pol′i-pŭs). 直腸ポリープ.

proc·top·to·si·a, **proc·top·to·sis** (prok′top-tō′sē-ă, -tō′sis) [procto- + G. *ptōsis*, a falling]. 脱肛, 肛門脱〔出症〕, 直腸脱.

proc·tor·rha·gi·a (prok′tō-rā′jē-ă)[procto- + G. *rhēgnymi*, to burst forth]. 直腸出血, 肛門出血 (肛門からの出血を特徴とする状態).

proc·tor·rha·phy (prok-tōr′ă-fē) [procto- + G. *rhaphē*, suture]. 直腸縫合〔術〕, 肛門縫合〔術〕(裂けた直腸または肛門を縫合して修復すること). =rectorrhaphy.

proc·tor·rhe·a (prok′tō-rē′ă) [procto- + G. *rhoia*, a flow]. 肛門粘液漏 (直腸からの粘液の分泌).

proc·to·scope (prok′tō-skōp) [procto- + G. *skopeō*, to view]. 直腸鏡. =rectoscope.

Tuttle p. (tŭt′ĕl). タットル直腸鏡 (末端に電灯のついた管状鏡. 挿入後内栓子を抜去し, ガラス窓を近位端に挿入し, 直腸鏡についているゴム球と管で直腸膨大部を膨らませる).

proc·tos·co·py (prok-tos′kŏ-pē). 直腸鏡検査〔法〕(直腸鏡を用いて行う直腸と肛門の視覚的検査法). =rectoscopy.

proc·to·sig·moid (prok′tō-sig′moyd). 直腸 S 状結腸 (肛門管から S 状結腸の領域で, しばしば S 状結腸ファイバーで観察される範囲を示すのに使われる).

proc·to·sig·moi·dec·to·my (prok′tō-sig′moy-dek′tŏ-mē) [procto- + sigmoid + G. *ektomē*, excision]. 直腸 S 状結腸切除〔術〕.

proc·to·sig·moi·di·tis (prok′tō-sig′moy-dī′tis) [procto- + sigmoid + G. *-itis*, inflammation]. 直腸 S 状結腸炎.

proc·to·sig·moi·do·scope (prok′tō-sig-moid′ō-skōp). 直腸 S 状結腸鏡 (S 状結腸と直腸を検査するために用いる器具).

proc·to·sig·moi·dos·co·py (prok′tō-sig′moy-dos′kŏ-pē) [procto- + sigmoid + G. *skopeō*, to view]. 直腸 S 状結腸鏡検査〔法〕(S 状結腸鏡を通して, 直腸と S 状結腸を直接視診すること).

proc·to·spasm (prok′tō-spazm) [procto- + G. *spasmos*, spasm]. *1* 肛門痙攣 (肛門の痙攣性収縮). *2* 直腸痙攣 (直腸の痙攣性収縮).

proc·tos·ta·sis (prok-tos′tă-sis) [procto- + G. *stasis*, a standing]. 直腸麻痺性便秘 (直腸のうっ滞を伴う便秘).

proc·to·stat (prok′tō-stat) [procto- + G. *statos*, standing]. 直腸挿入用ラジウム管 (直腸癌の治療で肛門を通して挿入するラジウムを入れた管. 現在では用いられない).

proc·to·ste·no·sis (prok′tō-stĕ-nō′sis) [procto- + G. *stenōsis*, a narrowing]. 直腸狭窄〔症〕, 肛門狭窄〔症〕. =rectostenosis.

proc·tos·to·my (prok-tos′tŏ-mē) [procto- + G. *stoma*, mouth]. 直腸造瘻術, 人工肛門形成〔術〕, 直腸フィステル形成〔術〕(直腸への人工的開口の形成). =rectostomy.

proc·to·tome (prok′tō-tōm). 直腸刀 (直腸切開に用いる器具). =rectotome.

proc·tot·o·my (prok-tot′ŏ-mē) [proct- + G. *tomē*, incision]. 直腸切開〔術〕(直腸を切開すること). =rectotomy.

proc·to·tre·si·a (prok′tō-trē′zē-ă) [procto- + G. *trēsis*, a boring]. 直腸開口〔術〕, 肛門開口〔術〕(鎖肛の矯正手術).

proc·to·val·vot·o·my (prok′tō-val-vot′ŏ-mē). 直腸弁切開〔術〕.

pro·cum·bent (prō-kŭm′bĕnt) [L. *procumbens*, falling or leaning forward]. 腹臥〔位〕の, うつ伏せの (顔を下にして横たわることを示す, まれに用いる語).

pro·cur·va·tion (prō′kŭr-vā′shŭn) [L. *pro-curvo*, to bend forward]. 前屈 (前方に曲げることを表す, まれに用いる語).

pro·dig·i·o·sin (prō-dij′ē-ō′sin). プロジギオシン (バクテリア *Serratia marcescens* により産生される赤色の色素. 抗真菌薬).

pro·dro·mal (prō-drō′măl, prod′rō-măl). 前駆の. =prodromic; prodromous; proemial.

pro·drome (prō′drōm) [G. *prodromos*, a running before < pro- + *dromos*, a running, a course]. 前駆症〔状〕, 前徴 ([本語の正しい複数形は prodromata ではなく prodromes である]. 病気の初期のまたは先立つ症状). =prodromus.

pro·dro·mic, **pro·dro·mous** (prō-drō′mik, prod′rō-; -mŭs). =prodromal.

prod·ro·mus, pl. **prod·ro·mi** (prod′rō-mŭs, -mī). =prodrome.

pro·drug (prō′drŭg). プロドラッグ (生体内での代謝過程で変換されること(生物変換)により薬理作用を表す薬物群).

prod·uct (prod′ŭkt) [L. *productus* < *pro-duco*, pp. *-ductus*, to lead forth]. *1* 産物, 生成物 (天然にまたは人工的に産生, またはつくられるもの). *2* 積 (数学における乗法の解).

advanced glycation end-p.'s 高次グリコシル化最終産物 (加齢により生じるコラーゲン架橋に関与する糖や蛋白のグリコシル化付加物のこと).

cleavage p. 分解産物 (分子が分割して 2 つ以上のより簡

P

単な分子になってできる物質).

double p. 二重積，圧－心拍数積（収縮期圧と心拍数の積．心仕事量の指標．⇀Robinson *index*).

end p. 最終生成物（代謝経路の最終生成物).

fibrin/fibrinogen degradation p.'s (FDP) フィブリン/フィブリノ〔ー〕ゲン分解生成物（数種のはっきりとは同定されていない小ペプチドで，X, Y, D, E と命名されている．フィブリン溶解過程で，プラスミンの作用によってフィブリノーゲンとフィブリンから生じる).

fission p. 核分裂生成元素（ウラン 235 のような大質量原子の核分裂の経過中に産生される原子の種類).

natural p.'s 天然物（天然由来の化合物で，二次代謝物の最終生成物である．しばしば，それらは特定の生物またはある種の生物に対して独特の化合物である).

orphan p.'s オーファン(みなしご)製品，見捨てられた良薬（薬，生物製剤，医療器具(体外診断薬も含む)などで，ありふれた病気あるいはまれな病気に役立つ可能性はあるが，商品的価値がないとされたもの). ＝orphan drugs.

spallation p. 分裂産物（原子を破砕する経過中に産生される原子の種類).

substitution p. 置換産物（分子のなかの原子または基を他の原子または基で置換して得られる物質).

pro·duc·tive (prō-dŭk′tiv)［⇀product］. 増殖〔性〕の，増殖的の（特に滲出物の有無にかかわらず新しい組織の産生を起こす炎症についていう).

pro·e·las·tase (prō′ĕ-las′tās). プロエラスターゼ（エラスターゼの前駆体蛋白．(脊椎動物での)膵臓で生成され，トリプシンの作用によりエラスターゼに変換される).

pro·e·mi·al (prō-ē′mē-ăl)［L. *prooemium* ＜ G. *prooimion*, prelude］. 前駆の. ＝prodromal.

pro·en·ceph·a·lon (prō′en-sef′ă-lon). ＝prosencephalon.

pro·en·keph·a·lin (prō′en-kef′ă-lin)［MIM*131330］. プロエンケファリン（数種のエンケファリン配列を含む前駆体蛋白．*cf.* propiocortin).

pro·en·zyme (prō-en′zīm). 前酵素，プロ酵素（酵素の前駆物質で，活性にするには何らかの変化(通常，活性基を妨げている抑制部分の加水分解)を必要とする．例えば，ペプシノゲン，トリプシノゲン，プロフィブロリジン). ＝zymogen.

pro·e·ryth·ro·blast (prō′ĕ-rith′rō-blast). 前赤芽球. ＝pronormoblast.

pro·e·ryth·ro·cyte (prō′ĕ-rith′rō-sīt). 前赤血球（赤血球の前駆細胞．核をもった未熟赤血球).

pro·es·tro·gen (prō-es′trō-jen). プロエストロゲン（体内で活性のある化合物に代謝された後でのみ作用するエストロゲン).

pro·es·trum (prō-es′trŭm). ＝proestrus.

pro·es·trus (prō-es′trŭs). 発情前期（発情前の周期の期間．胞状卵胞の発育とエストロゲン産生に関係する生理的変化を特徴とする). ＝proestrum.

Pro·fe·ta (prō-fā′tă), Giuseppe. イタリア人皮膚科医，1840—1910. ⇀P. *law*.

pro·fi·bri·nol·y·sin (prō′fī-bri-nol′i-sin). プロフィブリノリジン（⇀plasmin).

pro·fi·lac·tin (prō-fi-lak′tin). プロフィラクチン（アクチンとプロフィリンの複合体．*cf.* profilin).

pro·file (prō′fīl)［It. *profilo* ＜ L. *pro*, forward ＋ *filum*, thread, line(contour)］. ***1*** 側面像，横顔，プロフィール（外形または輪郭，特に人間の頭の側面像を示す輪郭). ＝norma (2). ***2*** 概要，大略，プロフィール（要約，短い説明，または記録).

biochemical p. 血液生化学的プロフィール. ＝test p.

biophysical p. 児心拍数，羊水，胎動，胎児呼吸様運動の超音波計測による胎児 well being の評価法.

facial p. 顔の側面像（①横から見た顔の輪郭．②顔の矢状方向の輪郭).

personality p. パーソナリティプロフィール（①心理学的検査の結果をグラフで表現する方法．②簡潔な人格描写).

test p. 検査プロフィール（病院や診療所に患者が入院した際，自動的な方法で通常行われる臨床検査の組合せで，器官系を検査するように設定される). ＝biochemical p.

urethral pressure p. 尿道側圧（膀胱内のある点から膀胱頸部を通過し，尿道の全長にわたって小型のカテーテルを引き出すとき(水またはガスがその穴を通って浸出するにもかかわらず，一定の率で)，そのカテーテルの側孔を通して圧を連続的に記録する．これは抵抗測定の一種で機能的尿道の長さをトレース表示し，かつ尿道の最大抵抗の位置が示される).

pro·fil·in (prō-fil′in). プロフィリン（モノメリックアクチンと結合する小さな蛋白(すなわちプロフィラクチンになる)で，アクチンの未成熟重合を防ぐ．またホスホリパーゼCの1つのアイソフォームの阻害に関与する).

pro·fi·lom·e·ter (prō′fi-lom′ĕ-tĕr). 側面計（歯のような表面の粗面を測定する器械).

pro·fun·da (prō-fŭn′dă)［L. *profundus*(deep)の女性形］. 深在の（筋・神経・静脈・動脈などが組織の深いところにあること．特に同様のものが浅いところにもあるとき対比的にいう).

pro·fun·dus (prō-fŭn′dŭs)［L.］［TA］. 深い（［本形容詞は男性名詞(ramus profundus，複数形 rami profundi)でのみ用いられる．女性名詞では profunda の形(arteria profunda，複数形 arteriae profundae)で，中性名詞では profundum の形(spatium profundum，複数形 spatia profunda)で用いられる］). ＝deep.

pro·fu·sion (prō-fyū′zhŭn)［L. *profusio*, a pouring forth ＜ *profundo*, to pour forth］. どしゃぶり度（塵肺の患者の胸部X線写真上の病巣の可視病巣の数値を反映するスコア. ⇀International *Classification* of Radiographs of the Pneumoconioses).

pro·gas·trin (prō-gas′trin). プロガストリン（胃の粘膜のガストリン分泌の前駆物).

pro·ge·ni·a (prō-jē′nē-ă)［pro- ＋ L. *gena*, cheek］. ＝prognathism.

pro·gen·i·ta·lis (prō′jen-i-tā′lis)［L. prefix *pro-*, before, in front of ＋ *genitalis*, pertaining to the reproductive organs ＜ *gigno*, to bear］. 外陰部表面の.

pro·gen·i·tor (prō-jen′i-tŏr, -tōr)［L.］. 先祖（子をもうけるもの).

prog·e·ny (proj′ĕ-nē)［L. *progenies* ＜ *progigno*, to beget］. 子孫.

pro·ge·ri·a (prō-jē′rē-ă)［pro- ＋ G. *gēras*, old age］［MIM *176670］. 早老〔症〕(出生児または小児期早期に老化現象をきたす疾患．成長障害，乾燥したしわの多い老人様顔貌，完全脱毛，鳥様の顔，早期に発症する動脈硬化，冠動脈疾患による胎児死亡を特徴とする．遺伝性は不明). ＝Hutchinson-Gilford disease; Hutchinson-Gilford syndrome; premature senility syndrome.

p. with cataract, p. with microphthalmia 白内障を伴う早老症，小眼球症を伴う早老症. ＝*dyscephalia* mandibulo-oculofacialis.

progeroid (prō-jĕr′oyd). 早老性，早老症様（早老症に関与する．早すぎる加齢状態に関係がある).

pro·ges·ta·tion·al (prō′jes-tā′shŭn-ăl). ***1*** 妊娠のための（妊娠を促進または誘発する．受精卵の着床と成長に必要な子宮の変化(子宮内膜分泌期)に対する刺激的効果をもつことを示す). ***2*** プロゲステロンの（プロゲステロンに関する，あるいはプロゲステロン類似の性質をもつ薬の).

pro·ges·ter·one (prō-jes′tĕr-ōn). プロゲステロン，黄体ホルモン（プロゲスチンの一種．黄体分泌の主成分と考えられている抗エストロゲン性ステロイドで，黄体や胎盤から分離されるか，合成でつくられる．避妊，習慣性流産，月経周期の異常の治療に用いる). ＝luteohormone; pregnancy hormone; progestational hormone.

pro·ges·tin (prō-jes′tin)［pro- ＋ gestation ＋ -in］. プロゲスチン（①黄体ホルモン．②プロゲステロンによって引き起こされるいくつかのまたはすべての生物学的変化を生じさせる，天然あるいは合成の物質に対する総称．③＝gestagen).

pro·ges·to·gen (prō-jes′tō-jen)［pro- ＋ gestation ＋ G.-*gen*, producing］. プロゲストゲン（①プロゲステロンの作用に類似する生物学的作用を生じさせることができる物質の総称．大部分のプロゲストゲンは天然ホルモンのようなステロイドである．②プロゲステロンの生理的活性および薬物的作用のいくつかをもつテストステロンまたはプロゲステロンからの合成誘導体．プロゲステロンはエストロゲンの作用に拮抗するが，いくつかのプロゲストゲンはプロゲステロン作用に加えて，エストロゲン様またはアンドロゲン様の作用をもつ)．

pro·glos·sis (prō-glos′is) [pro- + G. *glōssa*, tongue]. 舌尖部（舌の前部または先端).

pro·glot·tid (prō-glot′id) [pro- + G. *glōssa*, tongue]. 片節（生殖器官を含む条虫の分節). = proglottis.

pro·glot·tis, pl. **pro·glot·ti·des** (prō-glot′is, -i-dēz). = proglottid.

prog·nath·ic (prog-nath′ik, -nā′thik) [pro- + G. *gnathos*, jaw]. 顎前突の（**[**二重字 gn において，g は語頭にあるときのみ無音である**]**．①顎指数が 103 以上の突出した顎をもつ．②頭部顔面の骨格に対して上下顎の一方あるいは両方が前突していることを表す). = prognathous.

prog·na·thism (prog′nă-thizm). 顎前突〔症〕（**[**二重字 gn において，g は語頭にあるときのみ無音である**]**．顎前突である状態．頭蓋底との正常な位置関係を越えて片顎または両顎が異常に前方に突出していること．下顎頭は下顎関節に対し正常な位置関係にある). = progenia.

basilar p. 下部顎前突〔症〕（凹面の顔の側貌，すなわちおとがい部が前方に位置し，おとがいで下顎骨が突出してできる下顎前突症に似ている).

prog·na·thous (prog′nă-thŭs). = prognathic.

prog·nose (prog-nōs′, -nōz′). = prognosticate.

prog·no·sis (prog-nō′sis) [G. *prognōsis* < *pro*, before + *gignōskō*, to know]. 予後（病気の経過を前もって告げること．病気の結果を予測すること).

denture p. 義歯の予後（義歯や修復物をつくることの有効性の予測について，治療に先立って行われる判断や意見).

prog·nos·tic (prog-nos′tik) [G. *prognōstikos*]. ***1***〖adj.〗予後の．***2***〖n.〗予後徴候（予後を左右する症状).

prog·nos·ti·cate (prog-nos′ti-kāt). 予後を判定する. = prognose.

prog·nos·tic·ian (prog′nos-tish′ŭn). 予後診断医.

pro·gon·o·ma (prō′gon-ō′mă) [pro- + G. *gonos*, offspring + *-oma*, tumor]. 胎児転位腫（胎児の発育期に先祖返りが生じた結果起こる結節または腫瘤．胎児転位腫はその種の正常な個体には生じないが，その種の先祖にみられた構造を示す).

p. of jaw = melanotic neuroectodermal *tumor* of infancy.

melanotic p. 黒色胎児転位腫（有毛色素性母斑の一種).

pro·grade (prō′grād). 順行性の（血流の正常方向に向かう流れ．retrograde(逆行性)の対語).

pro·gram (prō′gram). プログラム（①ある活動を遂行するための手順の形式上のひとまとまり．②ある問題の解決に際してコンピュータに必要な順番通りの演算を実行させるための，コンピュータの動作を規定する命令の秩序だったリスト).

geriatric assessment p. 老年(老人)評価プログラム（病院や大きな健康介護施設で用いられる総合評価ワークアップ手順で，特に高齢者用につくられている．*cf.* geriatric *assessment*).

pull-through p. プルスループログラム（医療施設内での使用が承認された特定の医薬品の使用を促進するための製薬会社主導による一連の取り組み).

pro·gram·ming (prō′gram-ing). プログラミング（順次的指示．分かれている区分に対する訓練方法).

neurolinguistic p. 神経言語学的プログラミング（特殊な技能を必要とする認知－行動心理学の一部門．クライアントの内的状態または外的行動を変えるために言語を使い無意識に接近するというもの).

pro·gran·u·lo·cyte (prō-gran′yū-lō-sīt′). 前顆粒球. = promyelocyte.

pro·gress [L. *pro-gredior*, pp. *-gressus*, to go forth < *gradior*, to step, go < *gradus*, a step]. ***1*** (prog′res).〖n.〗経過，進行（病気の経過). ***2*** (prō-gres′).〖v.〗進行する，進む（病気についていうときは，特にどんどん進むもので，望ましくない経過をたどっている).

pro·gress·ive (prō-gres′iv). 進行〔性〕の，直進〔性〕の（特に制限のない，望ましくない経過についていう).

pro·hor·mone (prō-hōr′mōn). ***1*** プロホルモン（ホルモンの腺内前駆物．例えばプロインスリン．*cf.* prehormone). ***2*** 血清中にあり，特異的な抗ホルモン物質に拮抗することによってそのホルモンの作用を高める物質を示した語．現在では用いられない．

pro·in·su·lin (prō-in′sŭ-lin). プロインスリン（インスリンの単鎖前駆体).

pro·jec·tion (prō-jek′shŭn) [L. *projectio* < *pro-jicio*, pp. *-jectus*, to throw before]. ***1*** 突出（突き出すこと，出芽，隆起). = salient (1). ***2*** 投射（対象に対して知覚が生じること). ***3*** 投影，投射（自分の中に抑圧されているコンプレックスを否定し，他者に属すると考える防衛機制．例えば自分が犯す傾向のある失敗を他者のものと感じ，その人の責任と考えること). ***4*** 主観の客観化（自己に所属している精神現象を外界由来のものと同じように意識し概念付けること). ***5*** 投影

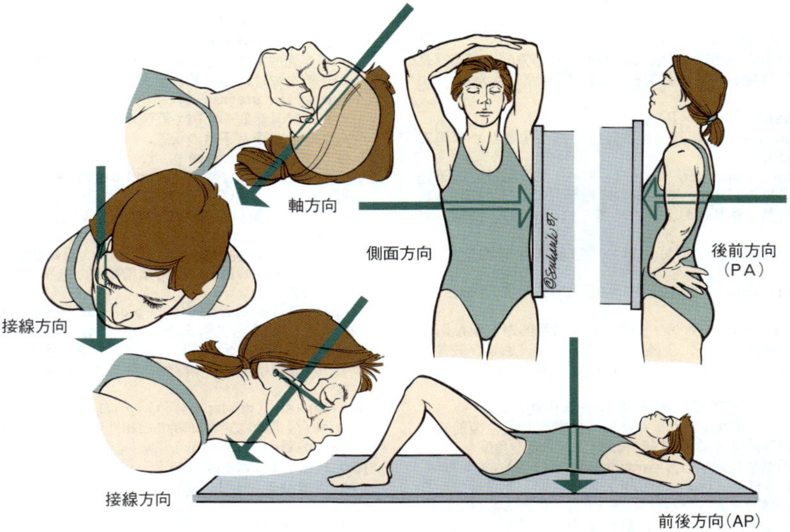

radiographic projections

法（視覚的印象を空間の中に位置付けること）．*6* 投射路（神経解剖学において，神経線維(投射線維)からなる系列をいい，それによって一群の神経細胞が他の1つ以上の細胞群へと神経刺激を発射"project"していく）．*7* 三次元物体の平面(二次元)への投影像．例えばX線撮影．*8* 投影法（X線撮影においては身体の部分の標準的撮影法で，身体部分，X線の方向，あるいは考案者の人名で名前がつけられる）．＝norma (3); view.

anteroposterior p. ＝AP p.

AP p. 前後方向撮影（ベッドサイドやポータブル撮影など，主として臥位において用いられる正面像の一種．前頁の図参照）．＝anteroposterior p.

apical lordotic p. ＝backprojection.

axial p. 軸方向投影〔法〕（頭蓋基底部の直接X線影像を得るための撮影法）．＝axial view; base p.; submental vertex p.; submentovertical p.; verticosubmental view.

base p. ＝axial p.

Caldwell p. (kawld′wĕl)．コールドウェル投影〔法〕（頭蓋部の斜軸後前方向X線投影法で，錐体部隆線によって妨げられずに眼窩部分が写るよう計画されるもの）．＝Caldwell view.

cross-table lateral p. クロステーブルラテラル撮影（背臥位の被検者を水平方向のX線で撮影する側面像の一種）．

enamel p. エナメル突起（歯根分岐部へのエナメル質突出）．

erroneous p. 誤投影．＝false p.

false p. 偽投影（眼筋麻痺に続発して生じる誤った視覚）．＝erroneous p.

Fischer p. (fish′ĕr)．フィッシャー投影式（→sugars）．

frog-leg lateral p. カエル肢状側面像撮影（股関節最大外転位で撮影した大腿頸部側面像）．

Granger p. (grānj′er)．グレンジャー撮影法（まれにしか用いられない頭蓋の後前方向撮影で，逆半軸位方向撮影）．

half-axial p. 半軸位撮影法．＝Towne p.

Haworth p. (hā′wŏrth)．ヘイワース投影式（→sugars）．

lateral p. 側面方向撮影，側面像（冠状断方向のX線で撮影する像．前頁の図参照）．

maximum intensity p. (**MIP**) 最大値投影法（投影血管像 projection *angiogram* をシミュレーションする，MR血管造影法とヘリカルCTで使われるコンピュータによる画像表示法．一連のスライスは，各場所で，すべてのスライス上で最も明るいピクセルのディスプレイと組み合わせられ，背景は抑制される）．

oblique p. 斜位方向撮影，斜位像（正面方向と側面方向の間のすべての撮影法．前頁の図参照）．

occipitomental p. ＝Waters p.

PA p. 後前方向撮影（胸部写真の標準撮影方向．頭部写真の場合は錐体稜が眼窩と重なる．前頁の図参照）．＝posteroanterior p.

posteroanterior p. ＝PA p.

Rhese p. リース撮影法（視神経管を描出するための頭部斜位撮影法）．

Stenvers p. (sten′vĕrz)．ステンヴァーズ投影〔法〕（頭蓋部の斜位X線投影法で，側頭骨の岩様部分によって妨げられずに，骨迷路，外耳道および内耳道を描出する）．＝Stenvers view.

submental vertex p. おとがい(頤)頭頂方向撮影法．＝axial p.

submentovertical p. おとがい(頤)頭頂方向撮影法．＝axial p.

Towne p. (town)．タウン投影〔法〕（頭蓋部のX線投影法で，錐体部隆線のほか，全後頭骨，大後頭孔，および鞍骨が写るよう計画されるもの）．＝half axial view; half-axial p.; Towne view.

visual p. 視〔覚〕投影（視覚機序を含む視覚合成）．

Waters p. (wă′tĕrz)．ウォーターズ投影（頭蓋の後前方向撮影法で眼窩外耳道線(OM線)に対して37度の角度をつけ，眼窩と上顎洞を投影する）．＝occipitomental p.; Waters view.

Pro·kar·y·o·tae (pro′kar-ē-ō′tē)．原核生物上界（モネラ界(細菌と藍藻類)を含む細胞性生物の上界．原核の状態で，微小(細菌では0.2—10 μm)で，真核生物上界の特徴である，核構造，有糸分裂能，および各種のオルガネラを欠いていることを特徴とする）．＝Procaryotae.

pro·kar·y·ote (prō-kar′ē-ōt)．原核生物（原核生物上界を構成する生物．体制は単一の，恐らく原始的なモネラ細胞，すなわち核膜，対合する染色体，細胞分裂のための有糸分裂機構，微小管，ミトコンドリアを欠いた前細胞よりなる．→Prokaryotae; Monera; eukaryote）．＝procaryote.

pro·kar·y·ot·ic (prō′kar-ē-ot′ik)．原核生物の（原核生物の特徴を示す）．＝procaryotic.

pro·la·bi·al (prō-lā′bē-ăl)．胎児期および未治療の両側唇裂口蓋裂における，上口唇の孤立した中央部軟部組織片を表す．

pro·la·bi·um (prō-lā′bē-ŭm) [pro- + L. *labium*, lip]．*1* 赤唇（口唇の外反した赤色部）．*2* 前唇（胚期や治療されていない両側唇裂口蓋にみられる上口唇中央の分離した軟部組織片）．

pro·lac·tin (PRL) (prō-lak′tin) [pro- + L. *lac, lact-*, milk + -in][MIM*176760]．プロラクチン，黄体刺激ホルモン（乳汁分泌と妊娠中の乳房発育を刺激する脳下垂体前葉のホルモン(蛋白)）．＝galactopoietic hormone; lactation hormone; lactogenic hormone; lactotropin; mammotropic factor; mammotropic hormone.

pro·lac·ti·no·ma (prō-lak′ti-nō′mă)．プロラクチノーマ．＝prolactin-producing *adenoma*.

pro·lam·ines (prō-lam′ēnz, prō′lă-mēnz, -minz)．プロラミン（水や中性塩溶液に不溶で，希釈酸またはアルカリおよび希釈アルコール(50—90%)に可溶の蛋白．例えば，グリアジン，ゼイン，ホルデイン．すべて比較的高プロリン含量である）．

pro·lapse (prō-laps′) [L. *prolapsus*, a falling]．*1*〖v.〗脱〔出〕する（臓器やその一部が沈下する）．*2*〖n.〗脱〔出症〕（臓器またはその一部が沈下し，特に本来のあるいは人工的な開口部から現れること．→procidentia; ptosis）．

p. of the corpus luteum 黄体脱〔出症〕（破れた卵胞の口を通して顆粒膜が外反することによる黄体の外反．これはある種の動物では正常な状態で起こる）．

disc p. 椎間(円)板脱出〔症〕（下顎顆に対して関節円板が前方に回転すること）．

mitral valve p. 僧帽弁逸脱〔症〕（左室収縮期に，僧帽弁の一弁尖または両弁尖が左房内へ過剰に落ち込み，しばしば僧帽弁逆流症を伴う．Barlow症候群のクリックや雑音の原因となる．まれにリウマチ性心臓炎あるいはMarfan症候群や腱索の断裂(ふらふら動く僧帽弁尖 flail mitral leaflet)のような結合織疾患によるものも認められる）．

Morgagni p. (mōr-gah′nyē)．モルガニー脱〔出症〕，喉頭室脱〔出症〕，喉頭室翻転（喉頭室の慢性炎症）．

p. of umbilical cord 臍帯脱出〔症〕（胎児の前方に臍帯の一部が先進すること．胎児の先進部と母体の骨盤の間で臍帯が圧迫を受け，胎児死亡をきたすことがある）．

p. of the uterus 子宮脱〔出症〕（通常，出産の損傷や高齢のために骨盤底の筋肉や筋膜組織の弛緩および緊張低下によって起こる子宮下垂の状態．程度により3つに分ける．第1度子宮脱 **first degree p.** は，下垂子宮の腟部が腟口より奥にある．第2度子宮脱 **second degree p.** は，腟部が腟口の近くにある．第3度子宮脱(完全子宮脱) **third degree p.** は，腟部が腟口を越えて外に出ている）．＝descensus uteri; falling of the womb.

valvular p. 弁逸脱（いかなる弁または数個の弁の組み合わせを含む弁の逸脱．通常は僧帽弁の逸脱．肺動脈弁の逸脱はきわめて少ない）．

pro·lec·tive (prō-lek′tiv) [pro- + L. *lego*, pp. *lectum*, to gather]．前もって特定死因死亡割合を求めるために計画され，収集されたデータによるもの．ある定まった期間における100または1,000の総死亡数ごとのある原因による死亡の数．

pro·lep·sis (prō-lep′sis) [G. *prolēpsis*, anticipation]．早期発作（規則的に短い間隔で周期性疾患の発作が起こること）．

pro·lep·tic (prō-lep′tik)．早期発作の．＝subintrant.

pro·leu·ko·cyte (prō-lū′kō-sīt)．＝leukoblast.

pro·li·dase (prō′li-dās)．プロリダーゼ．＝*proline* dipeptidase.

pro·lif·er·ate (prō-lif′ĕr-āt) [L. *proles*, offspring + *fero*, to bear]．増殖する（同じ形のものの再生によって成長し数が

増える).

pro·lif·er·a·tion (prō-lif′ĕr-ā′shŭn). 増殖，繁殖（同じ細胞の再生と成長).

diffuse mesangial p. びまん性メサンギウム増殖. = mesangial proliferative *glomerulonephritis.*

gingival p. 歯肉増殖. = gingival *hyperplasia.*

neointimal p. 新生内膜増殖. = neointimal *hyperplasia.*

pro·lif·er·a·tive, pro·lif·er·ous (prō-lif′ĕr-ă-tiv, -ĕr-ŭs). 増殖〔性〕の，繁殖〔性〕の（同じ形のものの数が増えることについていう).

pro·lif·ic (prō-lif′ik) [L. *proles,* offspring + *facio,* to make]. 多産の（多くの児あるいは子孫を産む，または多くの実を結ぶことについていう).

pro·lig·er·ous (prō-lij′ĕr-ŭs) [L. *proles,* offspring + *gero,* to bear]. 生殖的な（子孫をつくることについていう).

pro·li·nase (prō′li-nās). プロリナーゼ，プロリン分解酵素. = *prolyl* dipeptidase.

pro·line (Pro) (prō′lēn). プロリン；pyrrolidine-2-carboxylic acid（そのL-異性体は蛋白(特にコラーゲン)中に見出される). = pyrrolidine-2-carboxylate.

p. aminopeptidase プロリンアミノペプチダーゼ. = p. iminopeptidase.

p. dehydrogenase [MIM*606810]. プロリンデヒドロゲナーゼ. = pyrroline-2-carboxylate reductase; pyrroline-5-carboxylate reductase.

p. dipeptidase プロリンジペプチダーゼ（アミノアシル-L-プロリン結合を切断する酵素. C末端プロリル残基を含有する. この酵素欠損により，高イミドジペプチド尿症になる). = imidodipeptidase; peptidase D; prolidase.

p. iminopeptidase プロリンイミノペプチダーゼ（ペプチドのN末端からL-プロリル残基を分割する加水分解酵素). = p. aminopeptidase.

p. oxidase プロリンオキシダーゼ，プロリン酸化酵素. = pyrroline-2-carboxylate reductase; pyrroline-5-carboxylate reductase.

p. racemase プロリンラセマーゼ，プロリンラセミ化酵素（D-プロリンをL-プロリンへ可逆的に転換する酵素).

D-p. reductase D-プロリンレダクターゼ，D-プロリン還元酵素（D-プロリンとNADHから5-アミノバレリン酸とNAD^+を生成させる反応を可逆的に触媒する酸化還元酵素).

prolotherapy (prō-lō-thār′ă-pē). プロロテラピー（靱帯や腱を強化するために関節周囲軟部組織に炎症誘発物質を注射する方法. 立証されていない治療法).

pro·lyl (Pro) (prō′lil). プロリル（プロリンのアシル基).

p. dipeptidase プロリルジペプチダーゼ（N末端のプロリル基をもつジペプチドでのL-プロリル-アミノ酸結合を開裂する酵素). = iminodipeptidase; prolinase; prolylglycine dipeptidase.

p. hydroxylase プロリルヒドロキシラーゼ（分子状酸素，Fe^{2+}，アスコルビン酸，α-ケトグルタル酸によりコラーゲン前駆体のあるプロリル残基のヒドロキシル化反応を触媒する酵素. ビタミンCの欠損が，この酵素の活性に直接影響を及ぼす. この酵素のある種(プロリル4-ヒドロキシラーゼ)は4-ヒドロキシプロリル残基を合成し，他の種のものは，3-ヒドロキシプロリル残基を合成する).

pro·lyl·gly·cine di·pep·ti·dase (prō′lil-glī′sēn dī-pep′-tĭ-dās). = *prolyl* dipeptidase.

PROM (prahm). *p*assive *r*ange of *m*otion; *p*remature *r*upture of *m*embranes の頭字語.

pro·mas·ti·gote (prō-mas′ti-gōt) [pro- + G. *mastix,* whip]. プロマスティゴート（鞭毛虫類*Leptomonas*属との混同を避けるために，レプトモナス型虫体の代わりに，現在，一般的に用いている語. この虫型はトリパノソーマ原虫のべん毛が核前方のキネトプラストから発し，虫体の前端から現れるべん毛期を意味する. 通常，*Leishmania*属の昆虫中間宿主中(または培養中)での細胞外発育型である).

pro·meg·a·lo·blast (prō-meg′ă-lō-blast′). 前巨赤芽球（巨赤芽球の4つの成熟段階のうちの最初の段階. →erythroblast). = pernicious anemia type rubriblast.

pro·met·a·phase (prō-met′ă-fāz). 前中期（有糸分裂あるいは減数分裂において核膜が崩壊する時期で，中心粒が細胞極に達し染色体が凝集し続ける).

pro·me·thi·um (Pm) (prō-mē′thē-ŭm) [*Prometheus,* 人間に火を盗んで与えたギリシア神話の巨人]. プロメチウム（希土類元素の放射性元素. 原子番号61. 最初に化学的に確認されたのは1945年. ^{145}Pmの半減期(17.7年)は，知られているうちでは最も長い).

prom·i·nence (prom′i-nents) [L. *prominentia*][TA]. 隆起（解剖学的に表面から突出している組織または部分). = prominentia [TA].

Ammon p. (ah′mŏn). アンモン隆起（胎芽形成初期に，眼球の後極にみられる外方への膨隆).

canine p. 犬歯根隆起. = canine *eminence.*

cardiac p. 心隆起（第4週の胎児の腹側にみられる強い膨隆で，早期に発達する心臓を示している).

p. of facial canal [TA]. 顔面神経管隆起（顔面神経管の存在によって生じる前庭(卵円)窓の上の鼓室の内側壁の隆起). = prominentia canalis facialis [TA].

forebrain p. = frontonasal p.

frontonasal p. 前頭鼻隆起（前脳嚢胞を取り巻く組織で形成される非対称性の胚の隆起部分). = forebrain eminence; forebrain p.; frontonasal process.

hepatic p. 肝隆起（第4週の胎児において，心隆起の後尾側にみられる強い膨隆で，早期に発達する肝臓を示している).

hypothenar p. 小指球〔隆起〕. = hypothenar *eminence.*

laryngeal p. [TA]. 喉頭隆起（喉頭の甲状軟骨によって形成される前頸部の突出. 外から第五頸椎の水準を知る指標となる). = prominentia laryngea [TA]; Adam's apple; protuberantia laryngea; thyroid eminence.

lateral nasal p. 外側鼻隆起（胚子で外胚葉におおわれた間葉性膨隆で，臭窩と発生中の眼とを分けている. 鼻に発展する翼状隆起). = lateral nasal fold; lateral nasal process.

p. of lateral semicircular canal [TA]. 外側半規管隆起（外側半規管の接近に起因する鼓室上陥凹の内側壁の軽度の膨隆). = prominentia canalis semicircularis lateralis [TA].

malleolar p. [TA]. つち骨隆起（つち骨の外側突起によってつくられるつち骨条の上端の小さな隆起). = prominentia mallearis [TA].

mandibular p. 下顎隆起（胎子第一咽頭弓の分化により形成される腹側の隆起. 腹側で対側と癒合し，下顎骨を形成する). = mandibular process; maxillary process of embryo.

maxillary p. 上顎隆起（胚子の第一咽頭弓の分岐により形成される背側隆起. 同側内側鼻隆起と結合して上顎を形成する). = maxillary process.

medial nasal p. 内側鼻隆起（胚子で臭窩の内側にある外胚葉でおおわれた間葉性の膨隆. 鼻の先端部および上唇の中央溝に発展する). = medial nasal fold; medial nasal process.

mesonephric p. 中腎隆起（ヒト胚子第4週に，外側面に現れる縦状の顕著な隆起. 中腎管の移動の位置を示す).

spiral p. of cochlear duct [TA]. 蝸牛管のラセン隆起（ラセン靱帯の突出部. 血管条の下端が境界となり，内に血管すなわち隆起血管を含む). = prominentia spiralis ductus cochlearis [TA].

styloid p. [TA]. 茎状突起（茎状突起の基底に相応する鼓室の後壁(乳突部)の円形の隆起). = prominentia styloidea [TA].

thenar p. 母指球〔隆起〕. = thenar *eminence.*

tubal p. = *torus* tubarius.

p. of venous valvular sinus 静脈弁洞隆起（静脈弁のすぐ近位の弁洞に対応して静脈管壁外方にみられるわずかな隆起). = agger valvae venae.

pro·mi·nens (prom′i-nens) [L.]. *1* 隆起した. *2* 隆起〔の〕（解剖学において，隆起または突起についていう).

prom·i·nen·ti·a, pl. prom·i·nen·ti·ae (prom′i-nen′-shē-ă, -shē-ē) [L. < *promineo,* to jut out, be prominent] [TA]. 隆起. = prominence.

p. canalis facialis [TA]. 顔面神経管隆起. = *prominence* of facial canal.

p. canalis semicircularis lateralis [TA]. 外側半規管隆起. = *prominence* of lateral semicircular canal.

p. laryngea [TA]. 喉頭隆起. = laryngeal *prominence.*

p. mallearis [TA]. つち骨隆起. = malleolar *prominence.*

p. spiralis ductus cochlearis [TA]. 蝸牛管のラセン隆

P

起．＝spiral *prominence* of cochlear duct.

p. styloidea [TA]．茎突隆起．＝styloid *prominence.*

pro·mi·to·chon·dri·a (prō′mī-tō-kon′drē-ă)．プロミトコンドリア（クリスタなどの内部構造がほとんどなく電子伝達系の蛋白をもたないミトコンドリアの前駆体）．＝premitochondria.

PROMM (prahm). proximal myotonic *myopathy* の頭字語．

pro·mon·o·cyte (prō-mon′ō-sīt)．＝premonocyte.

prom·on·to·ri·um, pl. **prom·on·to·ria** (prom-on-tō′rē-ŭm, -rē-ă) [L. a mountain ridge, a headland < *promineo*, to jut out][TA]．岬角．＝promontory.

p. cavi tympani [TA]．鼓室岬角．＝*promontory* of tympanic cavity.

p. ossis sacri [TA]．仙骨岬角．＝sacral *promontory.*

prom·on·to·ry (prom′on-tō′rē) [L. *promontorium*][TA]．岬角（隆起または突起，一部分の突出）．＝promontorium [TA].

pelvic p. 骨盤岬角．＝sacral p.

sacral p. [TA]．仙骨岬角（仙骨底で最も前方に突出した部分）．＝promontorium ossis sacri [TA]; pelvic p.; p. of the sacrum.

p. of the sacrum 仙骨岬角．＝sacral p.

tympanic p. 鼓室岬角．＝p. of tympanic cavity.

p. of tympanic cavity [TA]．鼓室岬角（中耳の迷路壁にみられる丸い隆起で，蝸牛の基部にあたる）．＝promontorium cavi tympani [TA]; tuber cochleae; tympanic p.

pro·mot·er (prō-mō′tĕr). ***1*** 助触媒（化学において，触媒の活性を高める物質）．***2*** プロモータ（分子生物学において，RNA ポリメラーゼが結合して転写を始める DNA 配列）．

pro·mo·tion (prō-mō′shŭn)．発癌補助作用（イニシエータが作用した後，単独では発癌作用をもたないプロモータ(発癌補助物質)によって腫瘍誘導の刺激を与えること）．

health p. 健康増進，ヘルスプロモーション（世界保健機関によれば，人々を訓練し健康をよりよくすることをいう．ある特定の病気のリスクのある人に焦点を合わせるというよりは，全人口の人々の日常生活に関連して行うもので，健康の要因や原因に対し直接行動するものである）．

pro·my·e·lo·cyte (prō-mī′ĕ-lō-sīt′) [pro- + G. *myelos*, marrow + *kytos*, cell]．前骨髄球，前骨髄細胞（①骨髄芽球と骨髄球の間にある顆粒白血球の発育段階で，少数の特別の顆粒がアズール顆粒に加えて出現する．②骨髄性白血病の患者の循環血液中に出現する大型単核の細胞）．＝premyelocyte; progranulocyte.

pro·na·si·on (prō-nā′zē-on) [pro- + L. *nasus*, nose]．プロナジオン，プロナザーレ（生体計測学上の点で，鼻稜の下端の最前方突出点．㊟日本では Martin にならって pronasale とよばれてきた点）．

pro·nate (prō′nāt) [L. *pronatus* < *prono*, pp. *-atus*, to bend forward < *pronus*, bent forward]．回内〔運動〕する（①前腕または足の回内運動をする．②腹臥位をとる，腹臥位に置かれる）．

pronatio [TA]．回内〔運動〕．＝pronation.

pro·na·tion (prō-nā′shŭn) [TA]．回内〔運動〕（①うつむきになる状態．腹臥位をとる，または腹臥位になる動作．②手掌面を下方に向ける前腕の特殊な回転運動および足底面を外方に回転する足の特殊な回転運動）．＝pronatio [TA].

p. of foot 足の回内〔運動〕（足を外反・外転する結果，外側端が上がること）．

p. of forearm 前腕回内〔運動〕（腕が解剖学的位置にあるとき手掌が後ろを向き，腕が身体に直角になっているときに手掌が下方を向くような前腕の回転）．

pro·na·tor (prō-nā′tŏr, tōr) [L.][TA]．回内筋（回内位にする筋肉．→muscle）．

prone (prōn) [L. *pronus*, bending down or forward]．うつむきになる，腹臥の（[supine と混同しないこと]．手または足が回内されていることについていう．顔を下にして寝ているときの体位をいう）．

pro·neph·ros, pl. **pro·neph·roi** (prō-nef′ros, -roy) [pro- + G. *nephros*, kidney]．前腎（①原始的魚類の終身的な排泄器官．＝head kidney．②高等脊椎動物の胚において，原始腎管を通って総排出腔へはいる一連の蛇行性の管からできている遺残構造．ヒトの胚においては非常に痕跡的な一過性の組織で，やがて中腎そして後に後腎へと変わる）．＝forekidney; primordial kidney.

pro·no·grade (prō′nō-grād) [L. *pronus*, inclined forward + *gradior*, to walk]．伏位歩行位（体を水平にして歩いたり休んだりすること，つまり四足獣の体位をいう．orthograde の対語）．

pro·nom·e·ter (prō-nom′ĕ-tĕr)．前腕回内回外計．＝goniometer (3).

pro·nor·mo·blast (prō-nōr′mō-blast)．前正赤芽球（正赤芽球の 4 つの発育段階の最初の段階．→erythroblast）．＝proerythroblast; rubriblast.

pro·nu·cle·us, pl. **pro·nu·clei** (prō-nū′klē-ŭs, -klē-ī)．前核（①細胞核融合で融合を行う 2 つの核のうちの 1 つ．②発生学において，卵子が精子により貫入された後の精子の頭部（雄性前核 **male p.**），または卵細胞(雌性前核 **female p.**)の核物質のこと．各々の前核は正常ならば一倍体の染色体を運ぶ．前核が受精で合併すると，その種に特有の二倍体の染色体が再び確立される）．

proof·read·ing (prūf′rēd-ing)．プルーフリーディング（あるポリメラーゼ，例えば DNA ポリメラーゼがもつ性質で，そのエキソヌクレアーゼ活性を使って間違って導入された塩基を除き，正しい塩基と置き換える）．

pro·o·pi·o·mel·a·no·cor·tin (POMC) (prō-ō′pē-ō-mel′ă-nō-kōr′tin) [MIM*176830]．プロオピオメラノコルチン（肺，胃腸管，胎盤や脳の下垂体の前葉と中葉，視床下部などに見出される高分子．ACTH, CLIP, β-LPH, γ-MSH, β-エンドルフィン，met-エンケファリンの前駆体）．

pro·o·tic (prō-ō′tik) [pro- + G. *ous*, ear]．前耳の．

pro-ox·i·dants (prō-oks′i-dănts)．酸化促進剤（毒性酸素種を生成する能力をもつ化合物や試薬．*cf.* antioxidant）．

prop·a·gate (prop′ă-gāt) [L. *propago*, pp. *-atus*, to generate, reproduce]．***1*** 生殖する，成長する．***2*** 伝播する，伝わる（線維に沿って動く，例えば神経刺激の伝播）．

prop·a·ga·tion (prop′ă-gā′shŭn)．伝播，増殖，繁殖，生殖（再生の行為）．

prop·a·ga·tive (prop′ă-gā′tiv)．伝播の，増殖の，生殖の（伝播，増殖，繁殖に関する．体部から区別して，動物または植物の生殖部分についていう）．

pro·pal·i·nal (prō-pal′i-năl) [pro- + G. *palin*, backward]．前後反復の（前方および後方への運動についていう）．

pro·pane (prō′pān)．プロパン（アルカン系炭化水素に属する 3 個の炭素原子からなる炭化水素）．

pro·pane·di·o·ic ac·id (prō′pān-dī′ō-ik as′id)．＝malonic acid.

1,2,3-pro·pane·tri·ol (prō′pān-trī′ol)．1,2,3-プロパントリオール．＝glycerol.

1,2,3-pro·pane·tri·ol tri·ni·trate (prō′pān-trī′ol trī-nī′trāt)．三硝酸1, 2, 3-プロパントリオール．＝nitroglycerin.

pro·pa·no·ic ac·id (prō′pă-nō′ik as′id)．プロパン酸．＝propionic acid.

pro·pa·nol (prō′pă-nol)．プロパノール．＝*propyl* alcohol.

pro·pa·no·yl (prō′pă-nō′ĭl)．プロパノイル．＝propionyl.

pro·pene (prō′pēn)．プロペン．＝propylene.

pro·pent·dy·o·pents (prō′pent-dī′ō-pents)．プロペントジオペント（→bilirubinoid）．

pro·pep·sin (prō-pep′sin)．プロペプシン．＝pepsinogen.

pro·pep·tone (prō-pep′tōn)．プロペプトン（天然蛋白のペプトンへの転換における中間産物の組成のはっきりしない混合物）．

pro·per·din (prō′per-din) [pro- + L. *perdo*, to destroy]．プロペルジン，プロパージン（第 2 補体活性化経路の調節蛋白で，プロペルジンはC_3コンバターゼ酵素を安定化する．この蛋白の欠損により全身性髄膜炎菌感染への感受性が高まる．X 連鎖劣性遺伝である．→properdin *system*; *component* of complement; *factor* P）．

pro·per·i·to·ne·al (prō′per-i-tō-nē′ăl)．腹膜前の（腹膜の前方の）．

pro·phage (prō′fāj)．プロファージ．＝probacteriophage.

defective p. 欠損プロファージ（→defective *bacteriophage*）．

pro·phase (prō′fāz) [G. *prophasis* < *prophainō*, to foreshadow]．前期（有糸分裂または減数分裂の最初の段階で，染色

体(各染色体は2つの染色分体からなる)は長さを縮小し厚みを増し，同時に中心粒は分割して，2つの娘中心粒と星状体は細胞極へ移動する．減数分裂においては，前期は複雑で前細糸期，細糸期，接合糸期，太糸期，複糸期および移動期の各時期に区別される)．

pro·phy·lac·tic (prō′fi-lak′tik) [G. *prophylaktikos*; ⇀prophylaxis]. ***1*** 〖adj.〗予防の．= preventive. ***2*** 〖n.〗予防薬(病気に対して予防的に作用する物質)．

pro·phy·lax·is, pl. pro·phy·lax·es (prō′fi-lak′sis, -sēz) [Mod.L. < G. *pro-phylassō*, to guard before, take precaution]. 予防〔法〕(病気の予防)．

active p. 能動的予防〔法〕(免疫機能を刺激するために抗原(免疫原)を用いること)．= immunization vaccination.

chemical p. 化学〔的〕予防〔法〕(病気の保菌者の数を減らし，罹患する人を防ぐために地域の一人一人に化学物質や薬剤を投与すること)．

dental p. 歯科予防〔法〕(歯の歯冠および歯根から，歯石や汚れ，あるいはその他の付着物を取り除き，エナメル表面を磨く一連の方法)．= cleaning.

passive p. 受動的予防〔法〕(特定の感染または毒性因子に対して，一時的な予防のために，他のヒトまたは動物からの抗血清または高力価免疫グロブリンを用いること)．

pro·pi·o·cor·tin (prō′pē-ō-kōr′ten). プロピオコルチン(エンケファリンの前駆物質であると考えられている内在性ポリペプチド．*cf.* proenkephalin)．

pro·pi·o·nate (prō′pē-ō-nāt). [誤った発音 pro-pī′ō-nāt および pro′prē-ō-nāt を避けること]. プロピオン酸塩またはエステル．

Pro·pi·on·i·bac·te·ri·um (prō′pē-on′ē-bak-tē′rē-ŭm). プロピオン酸菌属([誤ったつづり *Propionobacterium* および *Proprionibacterium* を避けること]．非運動性，非芽胞形成性，嫌気性または好気性の細菌(プロピオン酸菌科)の一属．通常，多形性で類ジフテリア型すなわち一端が丸く他端が先細であるかとがっているこん棒形のグラム陽性杆菌である．その細胞は球形，長杆形，松葉形，または分枝状のこともある．細胞は通常，単独，対，VあるいはY字形，短鎖，漢字様配列の菌塊をなす．代謝は発酵性で，発酵の生成物はプロピオン酸と酢酸の混合物である．これらの菌は乳製品，ヒトの皮膚，ヒトや他の動物の腸管に存在する．病原性のことがある．標準種は *P. freudenreichii*)．

P. acnes 痤瘡プロピオンバクテリウム(一般に痤瘡膿疱中に見出される細菌の一種であるが，ヒトの他の型の病巣中または腸管，皮膚，毛嚢，あるいは下水の腐生菌としても存在する)．

P. freudenreichii 生の牛乳，スイスチーズ，その他の乳製品に見出される菌種．*Propionibacterium* の標準種．

P. jensenii 乳製品，サイロ，ときに感染巣にみられる菌種．

P. propionicus = *Arachnia propionica.*

pro·pi·on·ic ac·id (prō′pē-on′ik asid). プロピオン酸；methylacetic acid; ethylformic acid ([誤ったつづりまたは発音 proprionic を避けること]．汗の中に見出される．ケトーシス型高グリシン血症やビオチン欠乏症の場合に上昇する)．= propanoic acid.

pro·pi·on·ic ac·i·de·mi·a (prō′pē-on′ik as′i-dē′mē-ă). プロピオン酸血症．= ketotic *hyperglycinemia.*

pro·pi·o·nyl (prō′pē-ō-nil). プロピオニル；CH_3CH_2CO–(プロピオン酸のアシル基)．= propanoyl.

pro·pi·o·nyl-CoA (prō′pē-ō-nil). プロピオニル CoA (プロピオン酸の CoA チオエステル誘導体．L-バリン，L-イソロイシン，L-トレオニン，L-メチオニン，偶数鎖脂肪酸の分解の中間体．偶数鎖脂肪酸の合成前駆体．プロピオニル CoA カルボキシラーゼの欠損患者ではこれが蓄積される)．

p.-CoA carboxylase プロピオニル CoA カルボキシラーゼ(プロピオニル CoA と CO_2，ATP とから，ADP，正リン酸，D-メチルマロニル CoA への反応を触媒する酵素．ビオチン依存性酵素．この酵素の先天性欠損によりプロピオン酸血症や発育遅滞になると思われる)．

pro·pi·o·nyl·gly·cine (prō′pē-ō-nil-glī′sēn). プロピオニルグリシン(プロピオン酸血症患者で蓄積する微量代謝物)．

pro·pla·si·a (prō-plā′zē-ă) [pro- + G. *plassō*, to form]. 形成亢進(正常形成以上に活動が増している細胞または組織の状態．刺激，修復，あるいは再生において特徴的である)．

pro·plas·ma·cyte (prō-plaz′mă-sīt). 前プラスマ細胞(プラスマ芽球から成熟したプラスマ細胞へ分化する過程にある細胞)．

pro·plex·us (prō-plek′sŭs). 前脈絡叢(脳の側脳室の脈絡叢)．

pro·po·fol (prō′pō-fōl). プロポフォール(2,6-ジイソプロピルフェノールの乳濁液で，作用発現が速く，持続時間が短い催眠薬．全身麻酔の導入・維持に静脈内投与で用いられる)．= 2,6-diisopropyl phenol.

pro·pos·i·tus, pl. pro·po·si·ti (prō-poz′i-tŭs, -tī) [L. < *propono*, pp. *-positus*, to lay out, propound]. ***1*** 発端者(通常，確認された最初の発端となった症例についていう．*cf.* consultand)．= proband. ***2*** 前提，議論．

P

pro·pox·y·phene hy·dro·chlor·ide (prō-pok′si-fēn hī′drō-klōr′īd). 塩酸プロポキシフェン(非解熱性で，経口で有効な弱い麻薬性の鎮痛薬．構造はメタドンと関連があり，軽度から中等度の疼痛の軽減に用いる．コデインよりも効力が劣る)．

pro·pran·o·lol hy·dro·chlor·ide (prō-pran′ō-lōl hī′drō-klōr′īd). 塩酸プロプラノロール(アドレナリン作用性 β 受容体遮断薬．狭心症，高血圧症，不整脈などの治療に用いられる)．

pro·pri·e·tar·y name (prō-prī′ĕ-tār′ē nām) [L. *proprietas*, ownership]. 商品名(米国特許局に登録され保護された商標名すなわち登録商標で，この名前で製造者は製品を市販する．商品名は頭文字を大文字で書き，さらにしばしば丸の中にRを書き入れた上付き文字®で区別される．*cf.* generic name; nonproprietary name)．

pro·pri·o·cep·tion (prō′prē-ō-sep′shŭn). 固有感覚(視覚とは別に，身体，特に肢の動きや位置を通常潜在意識レベルで感じる感覚．筋肉や腱(筋紡錘)の感覚神経末端からの情報を主に，迷路器官からの情報も合わせてこの感覚が得られる)．

pro·pri·o·cep·tive (prō′prē-ō-sep′tiv) [L. *proprius*, one's own + *capio*, to take]. 固有受容の(筋，腱，その他の内部組織から発する刺激を受容するものについていう)．

pro·pri·o·cep·tor (prō′prē-ō-sep′tŏr). 固有受容体，固有受容器(位置覚または筋収縮状態を感じる，筋紡錘や Golgi 腱紡錘のような筋，腱，関節嚢の種々の感覚末端器)．

pro·pri·o·spi·nal (prō′prē-ō-spī′năl). 脊髄固有の(脊髄特有のあるいは脊髄全体についていう．特に互いに脊髄の異なる分節に結合する神経細胞とその線維をいう，例えば spinospinalis)．

pro·pro·teins (prō-prō′tēnz, tē-inz). プロ蛋白(不活性蛋白前駆体．例えばプロインスリン)．

prop·tom·e·ter (prop-tom′ĕ-tĕr) [pro- + G. *ptōsis*, a falling + *metron*, measure]. 突出計．= exophthalmometer.

prop·to·sis (prop-tō′sis) [G. *proptōsis*, a falling forward]. 突出，脱出([二重字 pt において，p は語頭にあるときのみ無音である])．= exophthalmos.

prop·tot·ic (prop-tot′ik). 突出の，脱出の．

pro·pul·sion (prō-pŭl′shŭn) [G. *pro-pello*, pp. *-pulsus*, to drive forth]. 前方突進(振せん麻痺で加速歩調の原因となる，前のめりになる傾向)．

pro·pyl (Pr) (prō′pil). プロピル(プロパンを構成する基 $CH_3CH_2CH_2$–)．

p. alcohol プロピルアルコール(樹脂やセルロースエステルの溶媒)．= propanol.

p. gallate 没食子酸プロピル(乳剤の抗酸化薬)．

p. hydroxybenzoate = propylparaben.

pro·pyl·car·bi·nol (prō-pil-kar′bi-nol). プロピルカルビノール(一級ブチルアルコール．⇀*butyl* alcohol)．

pro·py·lene (prō′pi-lēn). プロピレン；methylethylene (気体状オレフィン系炭化水素)．= propene.

p. glycol プロピレングリコール(非経口投与を目的とした，いくつかの水不溶性薬物のための溶媒．非常によく使用されている粘性のある有機溶媒で，溶解度の小さい薬物を溶解するために製剤化においてしばしば用いられる．ジアゼパム，フェニトイン，フェノバルビタール，および他の薬剤の注射用液を調製するために一部使用される)．

pro·pyl·par·a·ben (prō′pil-par′ă-ben). プロピルパラベン

(抗真菌薬および製剤における保存剤). ＝propyl hydroxybenzoate.

pro・pyl・thi・o・u・ra・cil (PTU) (prō′pil-thī′ō-yū′ră-sil). プロピルチオウラシル（甲状腺ホルモンの合成を抑制する抗甲状腺薬．甲状腺機能亢進症の治療に用いる．甲状腺腫誘発物質）．

pro rat. aet. ラテン語 *pro ratione aetatis*((患者の)年齢に応じて)の略．

pro re na・ta (PRN) (prō rē nā′tă) [L.]. 必要に応じて，臨機応変に(頓服)の意．

pro・ren・nin (prō-ren′in). プロレンニン．＝prochymosin.

pror・sad (prōr′sad) [L. *prorsum*, forward＋*ad*, to]. 前方へ．

pro・ru・bri・cyte (prō-rū′bri-sīt) [pro-＋rubricyte]. 前赤芽球（好塩基性正赤芽球．→erythroblast）．

pernicious anemia type p. 悪性貧血型前赤芽球（好塩基性巨赤芽球．→erythroblast; megaloblast）．

pros (pros) [G. near]. ***1***(π). プロス（β炭素に隣接したヒスチジンのイミダゾール環上の窒素原子のこと．*cf. tele*）．***2*** *pros-*. 近接した，前に，を示す接頭語．

pro・scil・lar・i・din (prō′si-lar′i-din). プロスシラリジン（カイソウ，白色カイソウ *Urginea maritima* から得られる強心薬）．

pro・sco・lex (prō-skō′leks) [pro-＋G. *skōlēx*, a worm]. 原節虫（条虫の幼虫型に対してまれに用いる語）．

pro・se・cre・tin (prō′sē-krē′tin). プロセクレチン，セクレチン原（非活性のセクレチン）．

pro・sect (prō-sekt′) [L. *pro-seco*, pp. *-sectus*, to cut]. 講義〔用に〕解剖する（解剖学の実習に供するために死体または部位を解剖する）．

pro・sec・tor (prō-sek′tŏr). プロセクター（講義用に解剖する人，または解剖の実習用材料を準備する人）．

pro・sec・to・ri・um (prō′sek-tō′rē-ŭm) [L.]. 解剖室（解剖をする部屋．解剖実習の教示または博物館の保存用として解剖標本がつくられる場所）．

pros・en・ceph・a・lon (pros-en-sef′ă-lon) [G. *prosō*, forward＋*enkephalos*, brain][TA]. 前脳（原始脳胞前部．さらに発達して間脳と終脳とに分かれる）．＝forebrain vesicle☆; forebrain☆; proencephalon.

Pros・kau・er (prōs′kow-ĕr), Bernhard. ドイツ人細菌学者，1851—1915. →Voges-P. *reaction*.

pros・o・dem・ic (pros′ō-dem′ik) [G. *prosō*, forward＋*dēmos*, people]. 接触伝染性の（ヒトからヒトへ直接伝播する病気についていう）．

pros・o・dy (proz′ŏ-dē). 作詩法，韻律学（会話のリズム・強度・周波数を変化させること．それはストレスあるいはイントネーションとして解釈されて意味の伝達を助ける）．

prosop- →prosopo-.

pros・o・pag・no・si・a (pros′ō-pag-nō′sē-ă) [prosop-＋G. *a-* 欠性辞＋*gnōsis*, recognition]. 相貌失認（知己の顔を認めるのが困難なこと）．

pro・sop・a・gus (pro-sop′ă-gŭs). ＝prosopopagus.

prosopalgia (pros-ō-pal′jē-ă). 三叉神経痛（顔の疼痛）．

pros・o・pec・ta・si・a (pros′ō-pek-tā′zē-ă) [prosop-＋G. *ektasis*, extension]. 大顔〔症〕（末端巨大症におけるように，顔が大きくなること）．

pros・o・pla・si・a (pros′ō-plā′zē-ă) [G. *prosō*, forward＋*plasis*, a molding]. 前進形成（唾液管の細胞が分泌細胞に変化するような進行性変形．→cytomorphosis）．

prosopo-, prosop- [G. *prosōpon*]. 顔を意味する連結形．→facio-.

pros・o・po・a・nos・chi・sis (pros′ō-pō′ă-nos′ki-sis) [prosopo-＋G. *anō*, upward＋*schisis*, fissure]. 顔面斜裂前頭上顎裂．＝facial *cleft*.

pros・o・pop・a・gus (pros′ō-pop′ă-gŭs) [prosopo-＋G. *pagos*, something fastened]. 顔面寄生結合体（不等接着双生児．寄生体が腫瘍様塊として自生体の眼窩または頬部に付着している．→conjoined *twins*）．＝prosopagus.

pros・o・pos・chi・sis (pros′ō-pos′ki-sis) [prosopo-＋G. *schisis*, fissure]. 顔面裂（口から内眼角までの先天性顔面裂）．＝oblique facial cleft.

pros・o・po・thor・a・cop・a・gus (pros′ō-pō-thōr′ă-kop′ă-gŭs) [prosopo-＋G. *thōrax*, chest＋*pagos*, something fastened]. 顔胸結合体（顔と胸で結合している接着双生児．頭胸結合体の異型．→conjoined *twins*）．

pros・ta・cy・clin (pros′tă-sī′klin). プロスタサイクリン（強力な天然の血小板凝集抑制(阻害)因子，血管拡張薬）．＝epoprostenol; epoprostenol sodium.

pros・ta・glan・din (PG) (pros′tă-glan′din) [精液および生殖付属腺中で最初に見出されたことに由来する]. プロスタグランジン（多くの組織中にある生理的活性物質の一群．作用は血管拡張，血管収縮，腸管平滑筋または気管支平滑筋の刺激，子宮刺激，脂質代謝に影響を与えるホルモンに対する拮抗作用などがある．プロスタグランジンは種々の程度に不飽和で酸化された側鎖をもったプロスタン酸である．しばしば構造に従って，数字の記号とともに，PGC，PGD，PGA，PGB と略される）．

p. E_1 プロスタグランジン E_1．＝alprostadil.

p. endoperoxide synthase プロスタグランジンエンドペルオキサイドシンターゼ（プロスタグランジンの生合成の 2 段階を触媒する蛋白複合体．シクロオキシゲナーゼの活性(アスピリンとインドメサシンによって阻害)により，アラキドン酸と $2O_2$ からプロスタグランジン G_2 へ変換される．ヒドロペルオキシダーゼの活性によりグルタチオンを用いプロスタグランジン G_2 からプロスタグランジン H_2 へ変換される）．＝cyclooxygenase.

p. $F_{2\alpha}$ プロスタグランジン $F_{2\alpha}$．＝dinoprost.

p. $F_{2\alpha}$ tromethamine プロスタグランジン $F_{2\alpha}$ トロメタミン．＝*dinoprost* tromethamine.

pros・ta・no・ic ac・id (pros′tă-nō′ik as′id). プロスタン酸（プロスタグランジンの基本構造である，炭素を 20 個もつ酸．プロスタグランジンは，脂肪族の長鎖のなかで，9，11，15 の位置が種々の水酸基とケト基で置換され，また二重結合されたプロスタン酸である）．

prostanoid (pros-ta′noyd). プロスタノイド（プロスタグランジン類の性質を有する物質の総称）．

pros・ta・no・ids (pros′tă-nō′ids). プロスタノイド（プロスタン酸誘導体．例えば，プロスタグランジン，トロンボキサンなど）．

prostat- →prostato-.

pros・ta・ta (pros′tah-tă) [Mod. L.＜G. *prostatēs*, one standing before][TA]. 前立腺．＝prostate.

pros・ta・tal・gi・a (pros′tă-tal′jē-ă) [prostat-＋G. *algos*, pain]. 前立腺痛に対してまれに用いる語．

pros・tate (pros′tāt) [TA]前立腺（[本語と prostrate を混同しないこと]．男性の尿道起始部を取り囲んでいるクリ形のもの．2 つの外側葉からなり，前部は峡部によって，後部は射精管の上と間にある中葉で連結している．前立腺の構造は 30—50 の複合管状胞状腺からなり，その間に膠原および弾性線維と多くの平滑筋束からなる多くの間質がある．腺の分泌物は乳汁様液体で，精液の射出時に尿道前立腺部へ導管によって放出される）．＝prostata [TA]; glandula prostatica; prostate gland.

female p. 女性前立腺（ときに女性の尿道上部の尿道周囲腺に用いる語）．

pros・ta・tec・to・my (pros′tă-tek′tŏ-mē) [prostat-＋G. *ektomē*, excision]. 前立腺切除〔術〕（前立腺の一部または全部を切除すること）．

pros・tat・ic (pros-tat′ik). 前立腺の．

pros・tat・i・co・ves・i・cal (pros-tat′i-kō-ves′i-kăl). 前立腺膀胱の（前立腺と膀胱に関する）．

pros・ta・tism (pros′tă-tizm). 前立腺症（肥大した前立腺に起因する臨床症候群の 1 つ．高年男子に多く起こる症状で，通常，前立腺の腫大による．刺激症状(夜間多尿，頻尿，頻迫感，切迫失禁)と閉塞症状(蔓延性排尿，尿線細小，再延性排尿，二段排尿，尿閉)がある）．

pros・ta・ti・tis (pros′tă-tī′tis) [prostat-＋G. *-itis*, inflammation]. 前立腺炎（NIH の規準で 4 種類の前立腺炎が認められている．I群は急性細菌性前立腺炎．II群は慢性細菌性前立腺炎．III群は慢性前立腺炎/慢性骨盤内痛症候群．III群はさらに炎症性(IIIA)および非炎症性(IIIB)に分けられる．IV群は無症候性炎症性前立腺炎）．

prostato-, prostat- [Med. L. *prostata*＜G. *prostatēs*, one who stands before, protects]. 前立腺を意味する連結形．

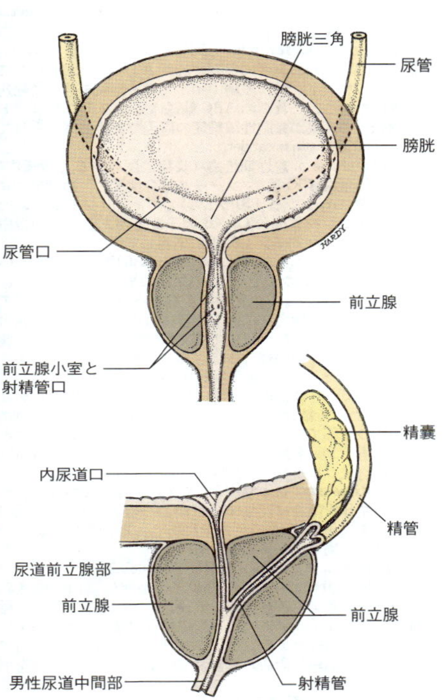

prostate and surrounding structures

pros·ta·to·cys·ti·tis (pros′tă-tō-sis-tī′tis) [prostato- + G. *kystis*, bladder + *-itis*, inflammation]. 前立腺膀胱炎（前立腺と膀胱の炎症．前立腺尿道からの炎症の広がりによる膀胱炎）.

pros·ta·to·dyn·i·a (pros′tă-tō-din′ē-ă) [prostato- + G. *odynē*, pain]. prostatalgia に対してまれに用いる語.

pros·tat·o·lith (pros-tat′ō-lith) [prostato- + G. *lithos*, stone]. 前立腺結石. = prostatic *calculus*.

pros·ta·to·li·thot·o·my (pros′tă-tō-li-thot′ŏ-mē, pros-tat′ō-) [prostato- + G. *lithos*, stone + *tomē*, incision]. 前立腺切石〔術〕（結石の除去のために前立腺を切開すること）.

pros·ta·to·meg·a·ly (pros′tă-tō-meg′ă-lē) [prostato- + G. *megas*, large]. 前立腺肥大.

pros·tat·o·my (pros-tat′ŏ-mē). = prostatotomy.

pros·ta·tor·rhe·a (pros′tă-tō-rē′ă) [prostato- + G. *rhoia*, a flow]. 前立腺漏（前立腺液の異常放出）.

pros·ta·to·sem·i·nal·ve·sic·u·lec·to·my (pros′tă-tō-sem′i-năl-ve-sik-yū-lek′tō-mē). = prostatovesiculectomy.

pros·ta·tot·o·my (pros′tă-tot′ŏ-mē) [prostato- + G. *tomē*, incision]. 前立腺切開〔術〕. = prostatomy.

pros·ta·to·ve·sic·u·lec·to·my (pros′tă-tō-ve-sik′yū-lek′tŏ-mē). 前立腺精嚢切除〔術〕（手術による前立腺と精嚢の切除）. = prostatoseminalvesiculectomy.

pros·ta·to·ve·sic·u·li·tis (pros′tă-tō-ve-sik′yū-lī′tis). 前立腺精嚢炎（前立腺と精嚢の炎症）.

pros·ter·na·tion (pros′tĕr-nā′shŭn). 前屈症. = camptocormia.

pros·the·on (pros′thē-on). = prosthion.

pros·the·sis, pl. **pros·the·ses** (pros′thē-sis, -sēz; pros-thē′sis) [G. an addition]. プロテーゼ，人工補塡物，人工〔補〕装具，補てつ〔物〕，義歯（人工的補てつ物．障害されたあるいは欠損部の充塡，身体の一部，発育不全部位の補塡や安定化に用いる）.

auditory p. 聴覚プロテーゼ（重度の難聴者やろう（聾）者の音認知能回復のための埋込型装置の総称．多くの場合は人工内耳をさす．蝸牛神経核を刺激する脳幹インプラントは開発中である）.

cardiac valve p. →valve (2).

cochlear p. 人工内耳. = cochlear *implant*.

definitive p. 永続義歯（指示された期間を通じて用いられる義歯）.

dental p. 義歯，歯科補てつ〔物〕（歯およびその周囲組織またはどちらかの人工的補てつ物. →denture）.

heart valve p. 心臓代用弁（疾患のために摘出された心臓弁を機械的なまたは生体材料でできた弁によって置換すること）.

hybrid p. 混成義歯. = overlay *denture*.

mandibular guide p. 下顎誘導義歯（切除された下顎を上顎との機能的関係に導くように設計された延長部分のある義歯）.

ocular p. 義眼（人工眼または埋没物）.

penile p. 陰茎プロテーゼ（勃起障害を是正するため陰茎内に埋め込む器具）.

provisional p. 暫間義歯（様々な時期に装着される仮の義歯）.

surgical p. 外科的補てつ〔物〕，外科的プロテーゼ（外科的操作(例えば，心臓弁，頭蓋板，人工関節置換，乳房再建・豊胸物，組織拡張器)を行ううえでの補助または部品としてつくられた装具）.

testicular p. = testicular *implant*.

tilting disc valve p. 傾斜ディスク弁（低い縦断面の人工心臓弁で，心収縮期の間，開くために傾斜するディスクを使用している）.

pros·thet·ic (pros-thet′ik). ***1*** プロテーゼの，人工器官の，補てつの. ***2*** 補欠分子の（→prosthetic *group*）.

pros·thet·ics (pros-thet′iks). 補てつ〔学〕，〔補〕装具学（人体の人工的な部分をつくり調節する技術および科学. → anaplastology）.

dental p. 歯科補てつ学，義歯学. = prosthodontics.

maxillofacial p. 顎顔面補てつ学（疾患，損傷，手術，先天的欠陥によって生じた顎口腔系および周囲の顔面組織の治療と修復のための義歯や装置を研究する歯学の分野．可能なすべての機能と審美性を回復する）.

pros·the·tist (pros′the-tist). 補てつ歯科医，補てつ外科医（補てつ物の製作と技術に通じた人）.

pros·the·to·phac·os (pros′thĕ-tō-fak′ōs) [G. *prosthesis*, an addition + *phakos*, lens]. 人工レンズ. = lenticulus.

pros·thi·on (pros′thē-on) [G. *prosthios*(foremost)の中性形]. プロスチオン（上顎歯槽突起の正中線上の最も前にある点）. = alveolar point; prostheon.

pros·tho·don·ti·a (pros′thō-don′shē-ă) [L.]. 歯科補てつ学. = prosthodontics.

pros·tho·don·tics (pros′thō-don′tiks) [L. *prosthodontia* < G. *prosthesis* + *odous*(*odont-*), tooth]. 歯科補てつ学（障害を受けた機能，外見，壮快感，および患者の健康を修復する目的で，歯冠部，または１歯以上の欠如または欠損歯とその周囲組織に対して適当な補てつ物を与える分野および技術）. = dental prosthetics; prosthetic dentistry; prosthodontia.

pros·tho·don·tist (pros′thō-don′tist). 補てつ専門歯科医.

Pros·tho·gon·i·mus ma·cror·chis (pros′thō-gon′i-mŭs ma-krōr′kis) [G. *prosthe*, in front of + *gonos*, seed, offspring; macro- + *orchis*, testicle]. 北アメリカ，特に五大湖周辺の州に多くみられる，家禽の卵管と Fabricius 嚢に寄生する二生類吸虫.

pros·tho·ker·a·to·plas·ty (pros′thō-ker′ă-tō-plas′tē). 義角膜形成術（角質補てつ術を用いる外科的技術）.

pros·tra·tion (pros-trā′shŭn) [L. *pro-sterno*, pp. *-stratus*, to strew before, over throw]. 疲はい，へばり，虚脱（消耗などのように，体力が極端に失われること）.

heat p. 熱ばて，暑さへばり，熱疲はい（→heat *exhaustion*）.

pro·tac·tin·i·um (Pa) (prō′tak-tin′ē-ŭm) [G. *prōtos*, first]. プロトアクチニウム（放射性元素，原子番号 91，原子量 231.03588．ウランとトリウムの崩壊で生じる．同位体のうち最も長い寿命をもつ ^{231}Pa の半減期は 3 万 2,500 年である). ＝proactinium; protoactinium.

pro·tal·bu·mose (prō-tal′byū-mōs). プロトアルブモーゼ(ヘミアルブモーゼから得られる蛋白消化の中間産物. 水溶性では熱では凝固しないが, 硫酸アンモニウム, 硫酸銅, および塩化ナトリウムにより沈殿する). ＝protoalbumose.

pro·tam·i·nase (prō-tam′i-nās). プロタミナーゼ. ＝carboxypeptidase B.

pro·ta·mine (prō′tă-mēn, -min). プロタミン (L-アルギニンに富むため高塩基性で, アルブミンやグロブリンなどよりも単純な組成の蛋白群の1つ. 魚の精子中に核酸とともに存在する. プロスタミン類はヒストン様機能を有し, すべての哺乳類の精子中に存在する. ヘパリンの抗凝血作用を中和する. 種々の長時間作用型インスリン製剤の調製に用いられる).

p. sulfate 硫酸プロタミン (特定の魚の精子または精巣から得られる単純蛋白を主成分とする精製混合物. 循環血液中のヘパリン様物質増加に伴うある種の出血状態や, ヘパリン過剰投与の治療に用いるヘパリン拮抗薬).

pro·ta·nom·a·ly (prō-tă-nom′ă-lē) [G. *prōtos*, first + *anōmalia*, anomaly]. 1型3色覚 (錐体における赤感受性色素が減少している色覚の異常).

pro·ta·nope (prō′tă-nōp). 1型2色覚者 (1型2色覚である患者).

pro·ta·no·pi·a (prō′tă-nō′pē-ă) [G. *prōtos*, first + *a-* 欠性辞 + *ōps*(*ōp*-), eye]. 1型2色覚 (錐状体の中に赤色感受性の色素がないこと, 光の長波長に対する明度の減少と, 赤色, 緑色の識別がつかないことを特徴とする二色性色覚).

pro·te·an (prō′tē-ăn) [G. *Prōteus*, 姿を変える力をもつ神]. 多様の, 変形の多い, 不定形の ([protein と混同しないこと]. アメーバのように体形を変える能力があるものについていう).

pro·te·ase (prō′tē-āz). プロテアーゼ, 蛋白〔質〕分解酵素 (エンドペプチダーゼとエキソペプチダーゼの両方の蛋白分解酵素を表す用語. ポリペプチド鎖を加水分解(切断)する酵素).

Lon p. (lohn). ロンプロテアーゼ (細菌蛋白を分解し, 染色体修復が完了するまで細胞分裂を停止させる酵素).

tricorn p. トリコーンプロテアーゼ (膜結合性コンパートメントのない生物に見出され, 制御下, 多角触媒活性を生じさせるモジュール型蛋白分解機構のコアを形成する).

pro·te·a·some (prō′tē-ă-sōm) [*protease* + *-some*]. プロテアソーム (細胞小器官で, 両端に2つの調節粒子が結合した円筒型コア粒子からなり, 内在性蛋白を分解する働きがある. 分解される蛋白はその蛋白中のリシン残基に付加したユビキチンの存在によってプロテアソームから認識される.→ubiquitin-protease *pathway*).

pro·tec·tion (prō-tek′shŭn) [→protective]. 防護, 防御. ＝protective *block*.

pro·tec·tor (prō-tek′tŏr). [L.L. *protectus* < pp. *protegere*, to protect, to cover over]. プロテクター, 保護体 (おおいまたは遮へい).

hearing p.'s 耳栓, ヒアリングプロテクター (外耳道を閉塞させる装置. 耳の詰め物としての軟らかい素材または外耳道入口部を満たす液体(通常はグリセリン)からできており, 騒音性難聴の予防に用いる).

Pro·tee·ae (prō′tē-ē). プロテウス族 (腸内細菌科内の一族で, プロテウス属 *Proteus*, モルガネラ属 *Morganella*, プロビデンシア属 *Providencia* の3属を含む).

pro·tein (p) (prō′tēn, prō′tē-in) [G. *protos*, first + -in]. 蛋白〔質〕([protean と混同しないこと]. α-アミノ酸 [H_2N-CHR-COOH] がペプチド(アミド)結合(連続する残基の α-NH_2 と α-COOH の間で H_2O が除去されること)で長く連結した巨大分子. ほとんどの細胞物質の乾燥重量の3/4を占め, 身体構造, ホルモン, 酵素, 筋収縮, 免疫反応, および必須生命機能に関与する. 含まれるアミノ酸は一般に遺伝暗号で認知される20種のα-アミノ酸(グリシン, L-アラニンなど)である. 球状蛋白を生じる交差結合は, しばしば2個のL-システイニル残基のSH基や非共有結合力(水素結合, 親脂性引力など)より生じる).

p. 4.1 蛋白4.1 (赤血球膜中のスペクトリンと強固に結合する周辺蛋白. また, ある糖蛋白と結合し, 赤血球の形と可変性を決めるのに役立つ).

p. A プロテインA (黄色ブドウ球菌 *Staphyloccocus aureus* のいくつかの菌株の成分).

ABC transporter p.'s [*A*TP-*b*inding *c*assette]. ABC輸送体蛋白 (2つの高度に保存されたATP結合カセットに結合し, ペプチド, 糖, 多糖, イオンの細胞膜を通して輸送する機能をもつ. これらのABC輸送体蛋白の1つをコードする遺伝子の変異が嚢胞性線維症の原因であると考えられている.→cystic *fibrosis*; carrier p.).

acute phase p. 急性期蛋白 (炎症に関与する血漿蛋白群. C反応性蛋白(CRP), マンノース結合性蛋白, 血清アミロイドP成分, α_1 アンチトリプシン, フィブリノーゲン, セルロプラスミン補体成分C9, B因子などがある. この蛋白濃度はインターロイキン1,6,11に応答して増加する).

acyl carrier p. (**ACP**) アシル担体蛋白 (アセチルCoA (ブチリルCoA, プロピオニルCoAの場合もある)およびマロニルCoAをパルミチン酸に変換するため必要なすべての酵素を含む, 細胞質中にある複合体蛋白の1つ. この複合体は哺乳類組織および酵母中で固く結び付いているが, 大腸菌 *Escherichia coli* 中の複合体は容易に解離される. このようにして分離したACPは分子量約10,000の熱安定蛋白で, この中にあるSH基は脂肪酸合成においてアシル中間体をチオエステルとして結合させる. このSH基は4′-phosphopantetheineの一部であり, ACP phosphodiesteraseによりアポ蛋白に付与され, CoAの場合と同じ役割を果たす. ACPは, 脂肪酸合成プロセスの全段階に関与する).

agouti-related p. (**AGRP**) アグーチ関連蛋白 (食物摂取を促して体重維持に関与する蛋白. そのヌクレオチド配列, つまり遺伝子は第16染色体上にあり, 拒食症に関係している可能性が高い遺伝子多型をもつ).

amyloid p. アミロイド蛋白 (→amyloid).

amyloid-precursor p. アミロイド前駆体蛋白 (細胞表面にある受容体で, 神経突起の成長, ニューロンの接着, 軸索成長に関与する. アミロイド前駆体蛋白はセクレターゼにより切断されベータアミロイドが生成する. Alzheimer病ではアミロイド前駆体蛋白の異常合成によりプラーク形成を引き起こす).

androgen binding p. (**ABP**) アンドロゲン結合蛋白 (インヒビンやMüller管阻害物質とともに精巣のSertoli細胞により分泌される蛋白. アンドロゲン結合蛋白は恐らく精細管のアンドロゲン濃度を高く維持させる).

antitermination p. 抗終結蛋白 (RNAポリメラーゼをある終結点を過ぎて転写させる蛋白).

antitumor p. 抗腫瘍蛋白 (腫瘍成長を阻害する蛋白).

antiviral p. (**AVP**) 抗ウイルス蛋白 (ヒトあるいは動物において, ウイルス感染細胞中で, インターフェロンの刺激によってつくられる因子で, ウイルス増殖に対するインターフェロンによる阻害の本態となる).

ARF p.'s [*A*DP *r*ibosylatin *f*actor]. ARF蛋白 (コート小胞輸送GTPアーゼで, 小胞体とGolgi装置の中間領域およびGolgi複合体の様々な表面でのCOPIコートの構築, またトランスGolgi網でのクラスリンコートの構築に働く.→Golgi *complex*).

autologous p. 自己蛋白 (通常, 体液または身体の組織中にみられる蛋白の総称).

basic p. 塩基性蛋白 (塩基性アミノ酸を多く含有する蛋白. 例えばヒストン).

Bence Jones p.'s [H.Bence Jones. 英国の医師, 1813—1873]. ベンス・ジョーンズ蛋白 ([Bence と Jones をハイフンで結ばないこと]. 多発性骨髄腫患者の尿中にみられる異常な熱可溶性(→Bence Jones *reaction*)をもつ蛋白. 単クローン性免疫グロブリンの軽鎖からなる.→immunoglobulin).

bone Gla p. (**BGP**) 骨Gla蛋白. ＝osteocalcin.

bone morphogenetic p.'s (**BMP**) 骨形態形成蛋白 (新生骨形成を誘導する細胞内の糖蛋白群. これらの蛋白は骨のリモデリング, 骨折治療, 骨移植, 同化と異所性石灰化に影響する作用をもっている. 組換え型DNA技術によりBMPは様々な方面で利用されている(例えば, 脊椎固定, 骨折治療)).

p. C プロテインC (ビタミンK-依存性糖蛋白で, V因子やVIII因子の活性型の酵素的切断により凝固を阻止し, 血管内血栓形成の制御に干渉する. プロテインCの欠損は血液凝固能の異常をきたす. アンチトロンビンIIIの欠損やプラスミノゲンの欠損と同じように重篤な，または早発する血栓症のリスク増加を伴う常染色体優性遺伝の欠損症［MIM*176860］がある）.

capping p.'s キャッピング蛋白（アクチンフィラメントの一方の端と結合し，アクチンモノマーの付加も脱離も阻止する蛋白）.

carrier p. キャリア蛋白，運搬体蛋白，担体蛋白（複合膜貫通蛋白で，特定の分子に対する特異的結合部位をもち，その物質を細胞膜を通して運搬する．本蛋白は，物質を結合することに可逆的にそのコンフォメーションを変化させ，物質を膜の反対側へ運搬し遊離させると，また元のコンフォメーションに戻ることにより運搬を行う．→uniport; symport; antiport）.

cartilage oligomeric matrix p. 軟骨オリゴマー基質蛋白（トロンボスポンジン遺伝子ファミリーの１つで，軟骨細胞の基質に高発現している．軟骨オリゴマー基質蛋白遺伝子COMP の変異により［MIM* 600310］，偽軟骨形成不全症や多発性骨端形成不全が生じる）.

catabolite (gene) activator p. (**CAP**) カタボライト〔遺伝子〕活性化蛋白（cAMP によって活性化され，その結果として，転写される DNA に結合することにより RNA ポリメラーゼの作用に影響を与える蛋白）. ＝cyclic adenosine monophosphate receptor p.; catabolite gene activator.

checkpoint p. チェックポイント蛋白（細胞周期を正しく進行させるため，異常が起きると周期進行を減速または停止させる蛋白．有糸分裂過程のチェックポイントでは，染色体分離が正しく行われるように，すべての染色体が紡錘体に正しく接着するまで分裂後期を開始しない．㊟チェックポイントは細胞周期の各ステージに存在し，上記の他に，DNA 損傷チェックポイント(G1/S チェックポイント)，DNA 複製チェックポイント(S期チェックポイント)，紡錘体形成チェックポイント(M期チェックポイント)などがある．サイクリン依存性キナーゼ(CDK)とサイクリンからなる複合体が中心的役割を果たし，G1/S チェックポイントでの p53 や Rb が知られている）.

cholesterol ester transport p.'s コレステロールエステル輸送蛋白（HDL から VLDL と LDL へのコレステロールを輸送する蛋白．この蛋白の欠損により HDL コレステロールが上昇する）.

circumsporozoite p. スポロゾイド周囲蛋白（マラリア原虫におけるスポロゾイトの宿主細胞認識に関与する２つの蛋白(もう１つはトロンボスポンジン関連接着性蛋白)のうちの１つ）.

***cis*-acting p.** シス作用座（発現された DNA 分子に作用する蛋白）.

coatomer p. (**COP**) コートマー蛋白（２種が移行型小胞体とトランス Golgi 網の間に存在するコートマー蛋白 I (COP-I)は ERGIC(小胞体－Golgi 中間区画)から移行型小胞体への逆行性輸送にかかわり，コートマー蛋白 II(COP-II)は順行性輸送にかかわる）.

compound p. ＝conjugated p.

conjugated p. 複合蛋白（塩以外の他の１個または１個以上の分子(性質はアミノ酸でない)に付着する蛋白．例えば，黄色蛋白，色素蛋白，ヘモグロビン．→prosthetic *group. cf.* simple p.）. ＝compound p.

copper p. 銅蛋白（数個の銅イオンを含有する蛋白．例えば，シトクロム *c* オキシダーゼ，フェノールオキシダーゼ）.

corticosteroid-binding p. コルチコステロイド結合蛋白. ＝transcortin.

C-reactive p. (**CRP**) C反応性蛋白（ある種の炎症性・退行性・腫瘍性疾患患者の血清中にみられる β-グロブリン．この蛋白は特異性抗体ではないが，肺炎球菌のすべての型に存在する C−多糖類を *in vitro* で沈殿させる）.

cross-reacting p. (**CRP**) 交差反応蛋白（異なった抗原によって誘発された抗体と結合する抗原，またはある反応生成物を与える抗原以外の他の抗原と結合することができる抗体）.

cyclic adenosine monophosphate receptor p. (**CRP**) サイクリック(環状)AMP 受容体蛋白. ＝catabolite (gene) activator p.

denatured p. 変性蛋白（加熱，酵素作用，または化学物質などにより，特性または性質がある程度変化し，その結果，生物活性を失った蛋白）.

derived p. 誘導蛋白（化学変化，例えば加水分解によって生じる蛋白の誘導体）.

docking p. ドッキング蛋白（細胞から分泌されるべき蛋白の翻訳過程に関係する蛋白．特別の粒子によって複合体になる成長ポリペプチド鎖が，小胞体の内在性蛋白と接触するまで，翻訳は停止される）.

encephalithogenic p. 起脳炎蛋白（中枢神経系の重要な蛋白）. ＝myelin p. A1.

eosinophil cationic p. (**ECP**) 好酸球カチオン性蛋白（その量は，凝固した血液の血清中における循環している好酸球の活性化率を反映する）.

extrinsic p.'s 外因性蛋白. ＝peripheral p.'s.

fatty acid-binding p. 脂肪酸結合蛋白. ＝Z-p.

fibrous p. 線維性蛋白（コラーゲン，弾力性，およびケラチンなどの不溶性蛋白．これらは体構造または線維組織に存在する）.

foreign p. 異種蛋白（当該生物に通常みられるいかなる蛋白とも異なる蛋白）. ＝heterologous p.

G p.'s G蛋白（いくつかの(例えばベータアドレナリン性)レセプタにより活性化された細胞内膜会合蛋白．それらは効果を開始する酵素のような細胞内成分に対するレセプタ開始応答のセカンドメッセンジャーやトランスデューサとして作用する．この蛋白はグアニンヌクレオチドに高親和性であり，G蛋白とよばれている）. ＝G-p.; GTP binding p.'s.; guanine nucleotide-binding p.; guanine-binding p.

G-p. G蛋白. ＝G p.'s.

glial fibrillary acidic p. ［MIM*137780］．グリア線維酸性蛋白（線維性星状細胞に見出された 51kD の細胞骨格蛋白．この蛋白の染色はしばしば神経損傷の鑑別診断で補助的に用いられる）.

globular p. 球状蛋白（通常，酸，アルカリ，塩またはエタノールを添加した水に可溶な蛋白．線維性蛋白と対比して大まかな分類をすると，アルブミン，グロブリン，ヒストン，プロタミンに分けられる）.

gross cystic disease fluid p.'s 大嚢胞病嚢胞液蛋白（乳腺嚢胞液や乳癌患者の血漿中に検出される蛋白ファミリー）.

GTP binding p.'s GTP 結合蛋白. ＝G p.'s.

guanine-binding p. グアニン結合蛋白. ＝G p.'s.

guanine nucleotide-binding p. グアニンヌクレオチド結合蛋白. ＝G p.'s.

heat shock p.'s (**hsp**) 熱ショック蛋白（全生命体に見出されている広範に分布する蛋白群の１つで，種々のストレス要因(加熱，冷却，必須化学物質の欠乏など)の付加で生成する．その機能はそのようなストレス要因の有害作用を軽減させることである）.

hedgehog p. ヘッジホッグ蛋白（分泌型細胞内シグナル伝達蛋白群で，主要器官(脳，目，骨，生殖腺，皮膚，血液，消化管，肺，前立腺)の初期胚パターン形成に重要な役割を果たす．哺乳類ではソニック・ヘッジホッグ，インディアン・ヘッジホッグ，デザート・ヘッジホッグの３種のヘッジホッグ蛋白が同定された．ヘッジホッグ蛋白に対し２種の受容体，Hh シグナル伝達経路の負の調節因子 patched(継ぎはぎ)(Ptc)と正の調節因子 smooth-end(滑面)(Smo)，が同定された．このシグナル伝達経路の異常機能が多くの先天性欠損症の原因に関係がある．後胚期では，この経路は組織修復や細胞増殖を促進させるよう活性化される．異常な活性化は最も一般的なヒト癌である基底細胞癌などの癌を引き起こす）.

heterologous p. ＝foreign p.

high-sensitivity C-reactive p. 高感度C−反応性蛋白（慢性的な非症候性炎症のマーカ．それ以外には明らかな異常のない成人において，心臓疾患の正確な予知因子となる）.

homologous p.'s 相同蛋白（きわめて類似した一次，二次，三次構造をもつ蛋白）.

immune p. 免疫蛋白. ＝antibody.

insulin receptor substrate p. (**IRS protein**) インスリン受容体基質蛋白（細胞膜にあるインスリン受容体の刺激を細胞内へ伝達する役目をしている蛋白の一群）.

integral p.'s 内在性蛋白（生体膜から容易に分離できない蛋白）. ＝intrinsic p.'s.

intrinsic p.'s 内在性蛋白. ＝integral p.'s.

iron-sulfur p. 鉄－硫黄蛋白（数個の鉄原子が，硫黄架橋

P

血漿蛋白

	生理機能	血漿または血清中濃度（mg/L）	電気泳動活性		分子量（ダルトン）
輸送蛋白					
アルブミン	膨張圧，多くの物質輸送	35,000—55,000	5.92		66,300
プレアルブミン	チロキシン結合	100—400	7.6		55,000
トランスコルチン	コルチゾン結合	70	α_1		55,700
ハプトグロビン（1-1，2-1，2-2型）	ヘモグロビン結合，急性期蛋白	410—2,460	α_2	4.5	100,000—400,000
ヘモペキシン	ヘムと結合	500—1,150	β_1	3.1	57,000
レチノール結合蛋白	ビタミンAと結合	30—60	α_2		21,000
トランスコバラミンⅠ—Ⅲ	ビタミンB_{12}輸送		α_1—β_1		
α_2-マクログロブリン	ホルモン輸送，酵素阻害，急性期蛋白	1,500—4,200	α_2	4.2	725,000
トランスフェリン	イオン輸送	2,000—4,000	β_1	3.1	76,500
酸性α_1-糖蛋白	急性期蛋白	550—1,400	α_1	5.7	41,000
C（補体）反応蛋白	急性期蛋白，食作用の促進	＜1			135,000—140,000
免疫グロブリン（Ig）					
IgM	初期抗体	600—2,800	β/γ	2.1	950,000
IgG	後期抗体	8,000—18,000	γ	1.2	150,000
IgA	分泌抗体	900—4,500	β/γ	2.1	160,000およびその倍数
IgD	調節抗体	＜150	β/γ	＜2.1	175,000
IgE	レアギン，アレルギー抗体	0.3	β/γ	2.3	190,000
補体系					
C1q		190	γ_2		400,000
C1r		100	β		190,000
C1s		120	α_2		85,000
C2		30	β_2		117,000
C3		1,300	β_1		180,000
C4	"complement"の項を参照	430	β_1		206,000
C5		75	β_1		180,000
C6		60	β_2		128,000
C7		10	β_2		121,000
C8		10	γ_1		153,000
C9		10	α_2		79,000
第二経路のアクチベータ					
プロペルジン	補体活性化	10—20	β—γ_2		224,000
C3-プロアクチベータ（C3-PA）	表面結合多糖経由	225	β_2		93,000
C3-PAコンバターゼ		微量			22,000
酵素					
コリンエステラーゼ	コリンエステルの加水分解	5—15	α_2	3.1	348,000
セルロプラスミン	オキシダーゼ，銅結合	150—600	α_2	4.6	132,000
プラスミノゲン	線維素分解（プロ酵素）	100—300	β_1	3.7	91,000
リゾチーム	プロテアーゼ	5—15	α_1		～15,000
リポ蛋白	脂肪輸送	様々	?	?	
アデノシンデアミナーゼ	ヌクレオチド代謝	微量	α/β	?	
酵素インヒビター					
C1-エステラーゼインヒビター	不活性化	150—350	α_2		104,000
α_1-アンチトリプシン	トリプシン阻害	2,000—4,000	α_1	5.42	45,000—54,000
インター-α-トリプシンインヒビター	トリプシン阻害	200—700	α_1/α_2		～16,000
アンチキモトリプシン	キモトリプシン阻害	300—600	α_1		68,000
アンチトロンビンⅢ	トロンビン阻害	170—300	α_2		65,000

（次ページに続く）

血漿蛋白（続き）

	生理機能	血漿または血清中濃度（mg/L）	電気泳動活性	分子量（ダルトン）
凝固因子				
第Ⅰ因子（フィブリノーゲン）	凝固物形成，最終段階	2,000—4,500	$\beta/\gamma = \phi 2.1$	340,000
第Ⅱ因子（プロトロンビン）	プロ酵素	50—100	α	69,000
第Ⅲ—ⅩⅢ因子	coagulationの項および図を参照．factorの項も参照			
リポ蛋白				
α_1-リポ蛋白，HDL_2	脂肪輸送	400—1,200	α_1	
α_1-リポ蛋白，HDL_3	脂肪輸送	220—2,700	α_2	
α_2-リポ蛋白，プレβ，超低密度リポ蛋白（VLDL）	脂肪輸送	150—2,300	α_2	
β-リポ蛋白，低密度リポ蛋白（LDL）	脂肪輸送	250—8,000	β	

および(または)，システイニル残基の硫黄と結合している蛋白．例えば，電子伝達系のある蛋白)．

latent membrane p. (**LMP**) 潜在性膜蛋白，不顕性膜蛋白 (Epstein-Barr ウイルスの遺伝子産物)．

latent transforming growth-factor (**TGF**)-β **binding p.** 潜在型(不活性型)形質転換因子β結合蛋白 (潜在型形質転換因子β結合ファミリー(LTBP)の1つ．形質転換因子β蛋白の分泌および活性化を調節する役割を担う．LTBP 発現の異常は冠状動脈疾患やいろいろな癌と関連する可能性がある)．

5-lipooxygenase-activating p. 5−リポキシゲナーゼ活性化蛋白 (アラキドン酸代謝に関与する制御蛋白)．

low molecular weight p.'s (**LMP**) 低分子量蛋白 (プロテオソーム成分である遺伝子産物)．

M p. M蛋白 (①→β-hemolytic *streptococci* (⇀streptococcus)；*Streptococcus pneumoniae*. ＝Streptococcus M *antigen*. ②＝monoclonal *immunoglobulin*)．

macrophage inflammatory p. (**MIP**) マクロファージ炎症蛋白 (細胞傷害性T細胞をはじめとしてある種T細胞サブセットに働くケモカインファミリーの一種)．

major basic p. 主要塩基性蛋白，大基幹蛋白 (好酸性顆粒に存在する細胞障害性で前炎症性メディエータ)．

mannose-binding p. マンノース結合蛋白 (先天性免疫に関与する蛋白で，マンノシル化した微生物と結合して補体系を活性化する)．

matrix Gla p. (**MGP**) マトリックス Gla 蛋白 (カルシウム結合蛋白)．

microtubule-associated p.'s (**MAPs**) 微小管結合蛋白 (α−および(または)β−チューブリンと特異的に結合した蛋白．例えば，tau，MAP1，MAP2．いくつかは，Alzheimer 病でみられるプラーク中に存在する)．

monoclonal p. ＝monoclonal *immunoglobulin*.

monocyte chemoattractant p. 単球化学誘引物質 (単球遊走に関与するサイトカイン)．

monocyte chemoattractant p.-1 (**MCP-1**) 単球化学誘導蛋白−1 (血管壁の内皮細胞によって分泌される．単球の管外遊出を誘導する)．

muscle p.'s 筋蛋白 (筋肉中に存在する蛋白)．

muscleblind p. マッスルブラインド蛋白 (マッスルブラインド(Mbnl)遺伝子の産物で，ショウジョウバエの筋肉組織の骨格筋Z帯の組織化や表皮性付着に関与する．筋緊張性ジストロフィの病因に関与しているといわれている)．

myelin p. A1 ミエリン蛋白 A1. ＝encephalithogenic p.

native p. 天然蛋白 (細胞内にあり，加熱，化学物質，酵素作用，または急激な抽出などによっても変わらず，天然の状態にあると考えられる蛋白)．

neutrophil-activating p. 好中球活性化蛋白 (interleukin-8を表す古語)．

non-heme iron p. 非ヘム鉄蛋白 (鉄を含むが，どんなヘム鉄でもない蛋白の総称．例えば NADH デヒドロゲナーゼ)．

nonspecific p. 非特異蛋白 (特異抗原−抗体反応によって媒介されたのではない反応を引き起こす蛋白)．

OB p. [*ob*esity]. OB 蛋白. ＝leptin.

odorant binding p. [MIM*164320]. 臭気物質結合蛋白 (脂溶性臭気発生分子と結合し，それを嗅覚レセプタへ移動させる鼻粘液中の蛋白)．

p. p53 蛋白 p53 (多機能性蛋白で，遺伝子転写の調節，DNA修復，アポトーシス，細胞周期の制御を行う)．

parathyroid hormonelike p. (**PLP**) 副甲状腺ホルモン様蛋白. ＝parathyroid hormone-related p.

parathyroid hormone-related p. 副甲状腺ホルモン関連蛋白 (140 個のアミノ酸からなる蛋白で，ある癌細胞から分泌される．高カルシウム血症の原因になる)．＝parathyroid hormonelike p.

pathologic p.'s 異常蛋白 (⇀paraprotein)．

peripheral p.'s 周辺蛋白 (生体膜から容易に分離できる (例えば pH またはイオン強度を変えることによって) 蛋白)．＝extrinsic p.'s.

phenylthiocarbamoyl p. フェニルチオカルバモイル蛋白 (フェニルイソチオシアネートとペプチドまたは蛋白の末端α−アミノ基との反応による生成物.→phenylisothiocyanate; phenylthiohydantoin)．＝PhNCS p.; PTC p.

PhNCS p. ＝phenylthiocarbamoyl p.

phorbol-12-myristate-13-acetate-induced p.(**PMAIP1**) ホルボール−12−ミリステート−13−アセテート誘導蛋白. ＝noxa.

p. phosphatases プロテインホスファターゼ (特異的なリン酸化蛋白の脱リン酸化を触媒する酵素の一群)．

placenta p. ＝human placental *lactogen*.

plasma p.'s 血漿蛋白 (血漿に溶解した(100 種類以上の)蛋白，主にアルブミンとグロブリン(通常，100 mL 当たり 6—8 g)．この蛋白の存在によって，浸透圧を生じて血管内に液体を保持している．また抗体と血液凝固蛋白が含まれている)．＝serum p.'s.

Pot1 p. [*p*rotection *o*f *t*elomeres]. Pot1 蛋白 (テロメアに結合する蛋白群の1つ．まったく異る真核生物において高い相同性をもつ)．

prion p. (**PrP**) [MIM*176640]. プリオン蛋白. ＝prion.

protective p. ＝antibody.

PTC p. PTC蛋白. ＝phenylthiocarbamoyl p.

purified placental p. ＝human placental *lactogen*.

receptor p. 受容〔体〕蛋白 (ステロイドホルモンやアデノシン 3′,5′−サイクリックリン酸のように，刺激を細胞活動へ結び付けるのに高い特異親和性をもつ細胞内蛋白(または蛋白分屑))．

reporter p. レポーター蛋白 (レポーター遺伝子にコードされた蛋白で，通常プロモータによって誘導される．シグナル伝達系などの構成要素やメディエイタである)．

retinol-binding p. レチノール結合蛋白 (レチノールと結合したり，レチノールを輸送したりする血漿蛋白)．

S p. S蛋白 (サブチリシンのリボ核酸分解酵素の残基 20

と21の間の開裂作用より，膵臓リボ核酸分解酵素からつくられる主な部分．小部分(残基 1 －20)はSペプチドである).

p. S プロテインS（ビタミンK依存性抗凝固活性をもつ蛋白で活性化されたプロテインCとともにコファクターとして作用する).

salivary p. 唾液性蛋白．＝sialoprotein.

SAR1 p.'s (sar prō′tēnz)［*sar*coma］. SAR1 蛋白（コート小胞輸送 GTP アーゼのことで，移行型小胞体での COPII コートの構築に機能する．→COPII51).

serum p.'s 血清蛋白．＝plasma p.'s.

simple p. 単純蛋白（加水分解により α-アミノ酸のみまたはその誘導体を生成する蛋白．例えば，アルブミン，グロブリン，グルテリン，プロラミン，アルブミノイド，ヒストン，プロタミンなど．*cf.* conjugated p.).

stimulatory p. 1 (SP1) 刺激蛋白1（脊椎動物の RNA ポリメラーゼII転写因子．GとC残基の多い領域の DNA と結合する．多くの遺伝子の活性化に必要な一般的プロモータ結合因子である).

structure p.'s 構造蛋白（組織内や細胞内での構造体や支持体に対する役割をもつ蛋白．例えばコラーゲン).

surfactant-specific p.'s サーファクタント特異的蛋白（サーファクタント蛋白A,B,Cを含有した肺サーファクタントの蛋白性成分).

Tamm-Horsfall p. (tam hōrs′fahl). ＝Tamm-Horsfall *mucoprotein.*

tau p. タウ蛋白（微小管関連蛋白で，Alzheimer 病を含む様々な疾患の神経細胞中に蓄積し，神経原線維変化を生じる．タウ蛋白遺伝子は第17染色体上にある．タウ蛋白の本来の役割は微小管を安定させることである．タウ蛋白に異常なリン酸化が起こると微小管が不安定となり変性が生じる).

thrombospondin-related adhesive p. トロンボスポンジン関連接着蛋白（マラリア原虫におけるスポロゾイト宿主細胞認識に関与する2つの蛋白(もう1つはスポロゾイト周囲蛋白)のうちの1つ).

thyroxine-binding p. (TBP) サイロキシン結合蛋白（①＝thyroxine-binding *globulin.* ②＝thyroxine-binding *prealbumin*).

unwinding p.'s 巻き戻し蛋白（DNA を巻き戻し，組換え現象を起こさせる酵素).

vitamin D-binding p. (DBP) ビタミンD結合蛋白（ビタミンDと結合する血漿蛋白).

whey p. 乳漿蛋白（レンニンにより凝固する乳汁の乳漿中に含まれる可溶性蛋白．例えばラクトグロブリン，α-ラクトアルブミン，ラクトフェリン).

Z-p. Z蛋白（脂肪酸の細胞内移動に関与する脂肪酸結合蛋白). ＝fatty acid-binding p.

zeta-chain-associated p. ゼータ鎖会合蛋白（T細胞のシグナル伝達に関与する蛋白チロシンキナーゼ．その産生低下は CD8⁺ の細胞数の低下や重症複合免疫不全症を発症させる).

pro·tein·a·ceous (prō′tēn-ā′shŭs, prō′tē-in-ā′shŭs). 蛋白様の（蛋白に特有の物理化学的性質をある程度有するものについていう).

pro·tein·ase (prō′tēn-ās, prō′tē-in-ās). プロテイナーゼ，蛋白分解酵素．＝endopeptidase.

pro·tein hy·drol·y·sate (pro′tēn hī-drol′i-sāt, prō′tē-in). 蛋白水解物（適当な蛋白の酸または酵素による加水分解によってつくられるアミノ酸と短鎖ペプチドの滅菌溶液．重い疾病や消化器の手術後に正の窒素平衡を保つ目的で，静脈注射に用いる．または，ミルクに対してアレルギー性の乳児の食事に，または普通の食物から蛋白を多く摂取できない場合の補充物として経口的に用いる).

pro·tein·o·gen·ic (prō′tēn-ō-jen′ik, prō′tē-in′ō-jen′ik). 蛋白新生の．＝proteogenic.

pro·tein·oids (prō′tēn-oydz, prō′tē-in-oyds). プロテイノイド（人工的に合成したヘテロポリ(アミノ酸)).

pro·tein·o·sis (pro-tēn-ō′sis, prō′tē-in-ō′sis)［ptotein＋G. *-osis*, condition］. 蛋白症（異常な蛋白生成，分配を特徴とする状態．特に組織内への異常蛋白蓄積を特徴とする).

lipoid p.［MIM*247100］. 脂肪蛋白症（舌および舌下から口峡部にかけて蛋白－脂質複合体が沈着し嗄声を呈し，眼瞼に透明な角質性の乳頭状病変が生じる脂質代謝障害．常染色体劣性遺伝．しばしば特異な脳内石灰化を伴う). ＝hyalinosis cutis et mucosae; lipoidosis cutis et mucosae; Urbach-Wiethe disease.

pulmonary alveolar p.［MIM*265120］. 肺胞蛋白症（PAS 陽性で脂質に富む，肺胞の顆粒蛋白様物質蓄積を特徴とする成人の慢性進行性肺疾患．炎症細胞滲出液はほとんどなく原因は不明).

protein translocators (prō′tēn trans′lō-kā-tŏrz). 蛋白輸送体（マルチサブユニット蛋白複合体で，オルガネラ膜内外の蛋白輸送を行う．→OXA *complex* of protein translocators; TIM *complexes* of protein translocators; TOM *complex* of protein translocators).

pro·tein·u·ri·a (prō-tēn-yu′rē-ă)［protein＋G. *ouron*, urine］. ***1*** 蛋白尿（24時間に排出される尿中に 0.3 g 以上の蛋白が存在すること，または少なくとも6時間以上間隔を置いて2回以上にわたって無作為に集めた尿中に，1 g/L 以上の濃度をもつこと(標準混濁測定法で1＋から2＋)．このときの検体は清潔な中間尿あるいはカテーテル尿でなければならない). ***2*** ＝albuminuria.

Bence Jones p. (bents jōnz). ベンス・ジョーンズ蛋白尿（尿中に Bence Jones 蛋白が存在することで，通常，Bence Jones 骨髄腫(多発性骨髄腫)，アミロイドーシス，Waldenström マクログロブリン血症といった腫瘍性病変を示唆する).

gestational p. 妊娠性蛋白尿（高血圧，浮腫，腎感染症または既知の内因性腎血管疾患はないが，妊娠中または妊娠の影響を受けている間に蛋白尿がみられること).

isolated p. 孤立性蛋白尿（無症状で腎機能や沈渣が正常で，最初の検査の時点で全身性疾患がない患者にみられる蛋白尿をいう).

nonisolated p. 非孤立性蛋白尿（他の異常と関係する蛋白尿).

orthostatic p., postural p. 起立性蛋白尿．＝orthostatic *albuminuria.*

pro·ten·si·ty (prō-ten′si-tē)［L. *protendo(-tensum)*, to extend］. 精神過程の属性である時間．一時性，あるいは未来における経時性によって特徴付けられる精神過程の属性.

proteo-, prot-［本連結形を接頭語 proto- と混同しないこと］. 蛋白を意味する連結形.

pro·te·o·clas·tic (prō′tē-ō-klas′tik)［proteo-＋G. *klastos*, broken］. ＝proteolytic.

pro·te·o·gen·ic (prō′tē-ō-jen′ik). 蛋白新生の（蛋白の産生の). ＝proteinogenic.

pro·te·o·gly·can (prō′tē-ō-glī′kan). プロテオグリカン（共有結合型錯体の蛋白鎖に結合したグリコアミノグリカン(ムコ多糖類)．結合組織の細胞外基質においてみられる).

chondroitin sulfate p. 3 コンドロイチン硫酸プロテオグリカン3．＝neurocan.

pro·te·o·gly·can I (prō′tē-ō-glī′kan). プロテオグリカンI．＝biglycan.

pro·te·o·hor·mone (prō′tē-ō-hōr′mōn). 蛋白構造をもつホルモンを意味する，現在では用いられない語.

pro·te·o·lip·ids (prō′tē-ō-lip′idz). プロテオリピド，蛋白脂質（脳組織内にある脂溶性蛋白．水に不溶であるが，クロロホルム－メタノール－水の混合液には可溶).

pro·te·ol·y·sis (prō′tē-ol′i-sis)［proteo-＋G. *lysis*, dissolution］. 蛋白分解（主としてペプチド結合を酵素的または非酵素的加水分解することにより起きる).

pro·te·o·lyt·ic (prō′tē-ō-lit′ik). 蛋白分解[性]の．＝proteoclastic.

proteome (prō′tē-ōm)［protein＋*-ome*, noun suffix＜G. *-oma*, noun suffix］. プロテオーム（①ゲノムに相対する用語で，細胞内で多様に変化する蛋白の集団を意味する．②特定の細胞構造の中に存在するすべての蛋白).

pro·te·o·met·a·bol·ic (prō′tē-ō-met′ă-bol′ik). 蛋白代謝の.

pro·te·o·me·tab·o·lism (prō′tē-ō-me-tab′ō-lizm). 蛋白代謝．＝protein *metabolism.*

proteomics (prō-tē-om′iks). プロテオミクス（細胞，組織，あるいは器官の蛋白に関する同定と研究．三次元構造を決定し，それらの相互作用ネットワークを位置づけ，治療において疾病関連の蛋白と有効に相互作用する薬物の機能や構造を発見する．そのゴールは新薬の開発だけでなく，疾病あるいは健康と関連する特定の蛋白の存在あるいは欠如を診断または決定することである．→proteome; proteome *image*).

Pro·te·o·myx·id·i·a (prō′tē-ō-miks-id′ē-ă) [*Proteus* + G. *myxa*, mucus]. プロテオミクサ亜綱（Eumycetozoea の旧名）.

pro·te·o·pec·tic, pro·te·o·pex·ic (prō′tē-ō-pek′tik, -pek′sik). 蛋白固定の.

pro·te·o·pep·sis (prō′tē-ō-pep′sis) [proteo- + G. *pepsis*, digestion]. 蛋白消化.

pro·te·o·pex·is (prō′tē-ō-pek′sis) [proteo- + G. *pēxis*, fixation]. 蛋白固定（組織の蛋白を固定すること）.

pro·te·ose (prō′tē-ōs). プロテオース（蛋白とペプトンの間の蛋白分解中間体の組成のはっきりしない混合物）.

primary p. 一次プロテオース（メタプロテインの一次水解物．プロトプロテオースとヘテロプロテオースの２段階に分かれている）.

secondary p. 二次プロテオース（一次プロテオースをさらに水解して得られるプロテオース）.

pro·te·o·some (prō′tē-ō-sōm). プロテオソーム（細胞サイトゾル蛋白分解性複合体の構成物をコードする遺伝子集団で，主要組織適合性複合体クラスⅠ分子の形成にかかわるペプチドの細胞内処理と輸送に関与すると考えられている蛋白の一群）.

proteotome (prō′tē-ō-tōm). プロテオトーム（①特定の生物が産生する全蛋白．②ゲノム情報以外の修飾を受けた蛋白．→posttranslational *modification*).

Pro·te·us (prō′tē-ŭs) [G. *Proteus*, 形を変える力を有する海神]. プロテウス属（①現在はアメーバ属 *Amoeba* とよばれる肉質虫亜門の旧属名．②運動性，周毛性，非芽胞形成性の好気性または通性嫌気性の腸内細菌科の一属でグラム陰性杆菌．異なる培養の条件下においては，球形，大きくて不規則ならせん形，フィラメント，およびスフェロプラストが生じる．代謝は発酵性で，グルコースから酸または酸と可視性のガスを産生する．ラクトースは発酵されない．これらは急速に尿を分解しフェニルアラニンの脱アミノ化を行う．本属は主に糞便や化膿物質中にみられる．標準種は *P. vulgaris*).

P. inconstans ヒトの尿路感染症と散発性の下痢にみられる細菌種．胃腸炎を起こすと報告されている.

P. mirabilis 腐敗した肉，滲出液，および膿瘍内に見出される細菌種．腎結石および膀胱結石の形成に関連のある尿路系感染症の原因となる.

P. morganii *Morganella morganii* の旧名．消化管および院内感染症で認められる細菌種.

P. rettgeri ＝*Providencia rettgeri*.

P. vulgaris 化膿性物質と膿瘍中にみられる細菌種．魚，イヌ，モルモット，ハツカネズミに対し病原性をもつ．Weil-FelixのＸ菌株などの菌株は，発疹チフス患者の血清により凝集するので，発疹チフスの診断に非常に重要．X-19 菌株は強く凝集する．*Proteus*属の標準種．→Weil-Felix *reaction*.

pro·throm·base (prō-throm′bās). プロトロンバーゼ（→*factor* X).

pro·throm·bin (prō-throm′bin). プロトロンビン（肝実質細胞でつくられ貯蔵される分子量約 72,500 の糖蛋白で，血液中に 100 mL 中約 20 mg の濃度で存在する．トロンボプラスチンとカルシウムイオンの存在により，プロトロンビンはトロンビンに変わり，これが次にフィブリノーゲンをフィブリンに変える．このプロセスにより血液を凝固させる．プロトロンビンの欠損により血液凝固に障害をきたす）．＝serozyme; thrombinogen; thrombogen.

pro·throm·bin·ase (prō-throm′bi-nās). プロトロンビナーゼ．＝*factor* X.

pro·throm·bi·no·gen (prō-throm′bi-nō-jen). プロトロンビノーゲン．＝*factor* VII.

pro·throm·bi·no·pe·ni·a (prō-throm′bi-nō-pē′nē-ă). プロトロンビン減少[症]．＝hypoprothrombinemia.

pro·throm·bo·ki·nase (prō′throm-bō-kī′nās). プロトロンボキナーゼ．＝*factor* V; *factor* VIII.

pro·tist (prō′tist). 原生生物（原生生物界に属する生物）.

Pro·tis·ta (prō-tis′tă) [G. *prōtistos*(the first of all)の中性・複数形]. 原生生物界（植物様ならびに動物様の真核単細胞生物からなる界で，原生動物のような単一細胞型か真の組織をもたない細胞コロニー型のいずれかの型をもつ）.

pro·ti·um (prō′tē-ŭm). プロチウム．＝hydrogen-1.

proto-, prot- [G. *prōtos*, first]. [本接頭語を連結形 proteo-と混同しないこと]．連続しているものの最初，順位の最高のもの.

pro·to·ac·tin·i·um (prō′tō-ak-tin′ē-ŭm). プロトアクチニウム．＝protactinium.

pro·to·al·bu·mose (prō′tō-al′byū-mōs). プロトアルブモーゼ．＝protalbumose.

pro·to·al·ka·loid (prō′tō-al′kă-loyd). プロトアルカロイド（アルカロイドの前駆体として存在する生物由来のアミンの総称）.

pro·to·bi·ol·o·gy (prō′tō-bī-ol′ŏ-jē). プロトーブ学．＝bacteriophagology.

pro·to·col (prō′tō-kol). プロトコル（生物医学的問題研究あるいは治療法の正確で詳細な計画）.

pro·to·cone (prō′tō-kōn) [proto- + G. *kōnos*, cone]. プロトコーヌス（哺乳類の上顎歯の近心舌側咬頭）.

pro·to·co·nid (prō′tō-ko′nid). プロトコニード（哺乳類の下顎歯の近心舌側咬頭）.

pro·to·cop·ro·por·phyr·i·a (prō′tō-kop′rō-pōr-fir′ē-ă). プロトコプロポルフィリン症（プロトポルフィリンとコプロポルフィリンの糞便内排泄増加）.

p. hereditaria 遺伝性プロトコプロポルフィリン症．＝variegate *porphyria*.

Pro·toc·tis·ta (prō′tok-tis′tă) [G. *protos*, the first + *ktizō*, to establish]. 原生生物界（藻類と原生動物を併せた真核生物の一界で，菌界，植物界，動物界の祖先形と想像される生物群を含む．動物に固有の胞胚から生じる発生過程，植物に固有の胚発生パターン，および菌類にみられるような胞子からの発生を欠く．有核の藻類と海藻，有べん毛の水カビ，粘菌類，および原生動物が含まれる．単細胞性，群体性，および多細胞性生物があるが，植物や動物にみられるような組織や器官の複合的発達はない．このような生物に対して，Protista ではなく Protoctista という語が用いられることについて，Protista は単細胞性もしくは非細胞性生物を意味しているのに対して，Protoctista に組み入れられている原始植物(Protophyta)および原始動物(Protozoa)の集団では，これらのグループ内でも多細胞性が多くの機会に独立に進化したとの考え方から，多くの多細胞生物が包含される）.

pro·to·derm (prō′tō-derm) [proto- + G. *derma*, skin]. 原胚葉（原始胚葉が生じる非常に若い胚の未分化細胞）.

pro·to·di·a·stol·ic (prō′tō-dī′ă-stol′ik). 拡張早期の（[本語にはあいまいなところがある．大動脈弁が閉鎖する直前の生理学的な拡張期の始まりをさす場合と，大動脈弁が閉鎖した後の聴診上の拡張期の始まりをさす場合とがある．したがって，protodiastolic gallop(拡張早期ギャロップ)というよりもS3 gallop との言い回しが好まれる]．心拡張の初期についていう）.

pro·to·du·o·de·num (prō′tō-dū′ō-dē′nŭm). 前十二指腸（胃十二指腸幽門部から大十二指腸乳頭までの十二指腸の初めの部分で，胚子前腸の尾側部から発生する．輪状ひだがなく十二指腸腺が位置する）.

pro·to·e·ryth·ro·cyte (prō′tō-ĕ-rith′rō-sīt). 原赤芽球，幼若赤芽球.

pro·to·fil·a·ment (prō′tō-fil′ă-ment) [proto- + L. *filum*, a thread]. プロトフィラメント（約 5 nm の太さの収縮性べん毛微小管の基本成分）.

pro·to·gen, pro·to·gen A (prō′tō-jen). プロトゲン，プロトゲンＡ．＝lipoic acid.

pro·to·gon·o·plasm (prō′tō-gon′ō-plazm) [proto- + G. *gonos*, seed + *plasma*, a thing formed]. プロトゴノプラスム，生殖原細胞質（原生動物において，後に生殖体へと発達する物質を構成する細胞質の分化した部分）.

pro·to·leu·ko·cyte (prō′tō-lū′kō-sīt). 原白血球（幼若白血球．骨髄の白血球）.

pro·tol·y·sate (prō-tol′i-sāt). 蛋白水解酵素の１つを表すまれに用いる語.

pro·to·mer (prō′tō-mĕr) [G. *protos*, first + -mer 1]. プロトマー（高次構造体の構造的サブユニットプロトマーは，それ自体，サブユニットをもっている．例えば，チューブリン

P

は，αβ ダイマーで，微小管のプロトマーである）．

pro·tom·e·rite (prō-tom′ĕ-rīt, prō′tō-mĕr′īt) [proto- + G. *meros*, part]. 前節，前房（多節簇虫類の第2の節(核を欠く)で，先節と後節の中間．その宿主から分解遊離するとき，(通常，感染無脊椎動物の腸壁内に)埋まっている先節を残していくため，前節がガモントの前端になる）．= primerite.

pro·to·me·tro·cyte (prō′tō-mē′trō-sīt) [proto- + G. *mētēr*, mother + *kytos*, cell]. 血球芽細胞（原白血球と原赤芽球，または白血球と赤血球群細胞の原細胞）．

pro·ton (p) (prō′ton) [G. *prōtos*(first)の中性形]. 陽子（正の電荷をもつ原子核の構成単位．陽子は周囲を負の電荷が回転している原子核の一部(水素1の場合は全体)を形成する）．

pro·to·neu·ron (prō′tō-nū′ron) [proto- + G. *neuron*, nerve]. プロトニューロン（極性のない仮説上の原始ニューロン）．

pro·to·nymph (prō′tō-nimf). 第一若虫（ダニにおける第二齢期）．

pro·to·on·co·gene (prō′tō-on′kō-jēn). プロトオンコジーン，癌原遺伝子，プロト癌遺伝子（正常ヒトゲノムの中に存在し，正常な細胞生理機能，細胞増殖や分化の調節に関与する遺伝子で，進化の過程で長く保存されてきた．体細胞突然変異の結果，これらの遺伝子は癌遺伝子(オンコジーン)となる．プロトオンコジーンの産物は正常な細胞分化において主要な役割をもっている）．

pro·to·path·ic (prō′tō-path′ik) [proto- + G. *pathos*, suffering]. 原始〔性〕の，原発性の（局在のはっきりしない痛覚・温度覚という低度の感覚を伝える，原始的とされている末梢感覚神経線維または系についていう．*cf.* epicritic）．

pro·to·pec·tin (prō′tō-pek′tin). プロトペクチン（→pectin）．

pro·to·pi·an·o·ma (prō′tō-pē′an-ō′mă). = mother *yaw.*

pro·to·plasm (prō′tō-plazm) [proto- + G. *plasma*, thing formed]. 原形質（①動植物細胞を形成する生体物質．→cytoplasm. ②細胞内小器官を含む細胞物質の全体．*cf.* cytoplasm; cytosol; hyaloplasm）．= plasmogen.

totipotential p. 全能性原形質（認知できるような構造の分化は最小限であって，一方，潜在能を最大限に有し，それからすべての細胞器官が形成されうるような生体物質）．

pro·to·plas·mat·ic, pro·to·plas·mic (prō′tō-plaz-mat′ik, -plaz′mik). 原形質の．

pro·to·plas·mol·y·sis (prō′tō-plaz-mol′i-sis). 原形質溶解．= plasmolysis.

pro·to·plast (prō′tō-plast) [proto- + G. *plastos*, formed]. プロトプラスト（①1つの型または系統の最初の個体を意味する古語．②硬い細胞壁を完全に取り除いた細菌細胞．細菌はその固有の形を失う）．

pro·to·por·phyr·i·a (prō′tō-pōr-fir′ē-ă). プロトポルフィリン症（糞便中へのプロトポルフィリン排泄増加）．

erythropoietic p. [MIM*177000]. 赤芽球増殖性プロトポルフィリン症（フェロキレターゼの欠乏による良性のポルフィリン代謝障害で，糞便中へのプロトポルフィリン排泄増加と，赤紫色の尿，赤血球内，血漿中，および糞便中へのプロトポルフィリン IX の排泄増加を伴う．日光に当たると急速に進行する急性日光じんま疹またはより慢性の日光湿疹を特徴とする．常染色体優性遺伝）．

pro·to·por·phy·rin·o·gen type III (prō′tō-pōr′fi-rin′ō-jen). プロトポルフィリノーゲン III 型（ヘム生合成のプロトポルフィリン III の中間前駆体．異型ポルフィリン症では上昇する）．

p. t. III oxidase プロトポルフィリノーゲン III 型オキシダーゼ（ミトコンドリア酵素として，ヘム生合成で O_2 を消費し，プロトポルフィリノーゲン III 型をプロトポルフィリン III 型へ変換するこの酵素欠損により，異型ポルフィリン症になる）．

pro·to·por·phy·rin type III (prō′tō-pōr′fi-rin). プロトポルフィリン III 型（天然に存在する基本的なプロトポルフィリン(15種類の異性体の1つ)．側鎖として4個のメチル基，2個のビニル基，および2個のプロピオン酸基を有している．鉄とともに，ヘモグロビンのヘムや，ミオグロビン，カタラーゼ，シトクロム類の補欠分子族を形成するポルフィリン誘導体）．

pro·to·pro·te·ose (prō′tō-prō′tē-ōs). プロトプロテオース（→primary *proteose*）．

pro·to·salt (prō′tō-sawlt). 第一塩．= acid *salt.*

pro·to·spore (prō′tō-spōr) [proto- + G. *sporos*, seed]. 原生胞子（多核胞子がつくられる際の相次ぐ分裂の最初の産物）．

pro·to·sto·ma (prō′tō-stō′ma). 原口．= blastopore.

pro·to·stome (prō′tō-stōm) [proto- + G. *stoma*, mouth]. 原口．= blastopore.

pro·to·sul·fate (prō′tō-sŭl′fāt). 第一硫酸塩（金属の初級酸化物と硫酸との化合物）．

pro·to·tax·ic (prō′tō-tak′sik) [proto- + G. *taxis*, order, arrangement]. プロトタクシック（対人関係論的精神医学において，幼児に特徴的な最初の経験形態を表す用語．この経験は画一的，抱括的で，組織だっていない）．

Pro·to·the·ca (prō′tō-thē′kă). プロトテカ属（葉緑素をもたない藻類の一属．*P. zopfii* と *P. wickerhamii* の2種が，プロトテコーシスを引き起こす）．

pro·to·the·co·sis (prō′tō-thē-kō′sis). プロトテコーシス（*Prototheca zopfii* と *Prototheca wickerhamii* の感染によって起こるまれな疾患で，いぼ状皮膚病変や肘頭滑液包炎，または播種性病変を生じる）．

pro·to·troph (prō′tō-trof, -trōf) [proto- + G. *trophē*, nourishment]. 原栄養菌(株)，原栄養体(生物)〔性〕（それが由来する野生菌株と同じ栄養を必要とする細菌株．→wild-type *strain*）．

pro·to·troph·ic (prō′tō-trof′ik). 原栄養菌(株)の，原栄養体(生物)〔性〕の（①栄養を無機物からつくる菌に関連する．②鉄バクテリア，硫黄バクテリア，硝化バクテリア，あるいは光合成植物のように，単一の材料から栄養を得たり同化作用を行う能力をさす）．

pro·to·troph·ism (prō′tō-trōf′izm). 原栄養（原栄養性の特性をもっていること）．

pro·to·type (prō′tō-tīp) [proto- + G. *typos*, type]. 基本型，原型（種の個体が従属する基本的な型）．

pro·to·ver·a·trine A and B (prō′tō-ver′ă-trēn). プロトベラトリンAおよびB（*Veratrum album* から分離される2つのアルカロイドの混合物．頸動脈洞受容器と心臓の知覚迷走神経末端を通じて心臓血管系に作用する．血管拡張を起こし，全血管床への再分配をもたらすことにより血圧を下げると考えられる．ある種の高血圧症に用いる．マレイン酸塩も同じ作用をもつ）．

pro·to·ver·te·bra (prō′tō-ver′tĕ-bră). 原節，原脊椎（①古い文献では中胚葉節に対して用いた語．②最近では，硬節性の細胞集団で椎体の中心部となる部分に対して用いる語）．= provertebra.

pro·to·ver·te·bral (prō′tō-ver′tĕ-brăl). 原脊椎の．

pro·tox·ide (prō-tok′sīd). 初級酸化物．= suboxide.

Pro·to·zo·a (prō′tō-zō′ă) [proto- + G. *zōon*, animal]. 原生動物亜界（以前は門と考えられていたが，現在ではいわゆる非細胞あるいは単細胞動物のすべてを含む動物界の亜界とみなされている．1個の機能的細胞単位または緩く結合し組織を形成することがない未分化細胞の集合からなることで，他の全動物を含む動物亜界もしくは後生動物亜界と区別される．原生動物は，以前，肉質虫類，鞭毛虫類，胞子虫類，繊毛虫類の4つの綱に分類されていたが，新しい分類では，より高度の分類単位(門，亜門および上綱)と多数の主要な細分化が用いられている）．

pro·to·zo·al (prō′tō-zō′ăl). = protozoan (2).

pro·to·zo·an (prō′tō-zō′ăn). ***1*** 〚n.〛 原生動物，原虫（原生動物亜界に属する動物）．= protozoon. ***2*** 〚adj.〛 原生動物の，原虫の．= protozoal.

pro·to·zo·i·a·sis (prō′tō-zō-ī′ă-sis). 原生動物〔感染〕症，原虫症．

pro·to·zo·i·cide (prō′tō-zō′i-sīd) [protozoa + L. *caedo*, to kill]. 殺原生動物薬，殺原虫薬．

pro·to·zo·ol·o·gist (prō′tō-zō-ol′ŏ-jist). 原生動物学者，原虫学者．

pro·to·zo·ol·o·gy (prō′tō-zō-ol′ŏ-jē) [protozoa + G. *logos*, study]. 原生動物学，原虫学（原生動物に関するあらゆる生物学および人間との利害関係についての科学）．

pro·to·zo·on, pl. **pro·to·zo·a** (prō′tō-zō′on, -zō′ă). = protozoan (1).

pro·to·zo·o·phage (prō′tō-zō′ō-fāj) [protozoa + G. *phagō*,

to eat]. 食原虫細胞（原生動物を貪食する食細胞）.
pro·trac·tion (prō-trak′shŭn). 前突（歯科において，歯または上下顎構造を正常より前方の位置にのばすこと）.
mandibular p. 下顎前突（グナチオンが眼窩平面の前にある顔面異常の一型）.
maxillary p. 上顎前突（鼻下点が眼窩平面の前にある顔面異常の一型）.
pro·trac·tor (prō-trak′tŏr, -tōr) [L. *pro-traho*, pp. *-tractus*, to draw forth]. 伸出筋（ある部分を前方に引き出す筋．retractor の対語．例えば前鋸筋は肩甲骨を前に出す伸出筋，外側翼突筋は下顎骨を前に出す伸出筋）.
pro·trude (prō-trūd′). 突出する.
pro·tru·si·o ac·e·tab·u·li (prō-trū′sē-ō as′ĕ-tab′yū-lī) [MIM*177050]. 股臼底脱出〔症〕，寛骨臼突出〔症〕．＝Otto *disease.*
pro·tru·sion (prō-trū′zhŭn) [L. *protrusio*]. 突出，前突（①前に突き出た状態．②歯科において，中心位から前方に出た下顎の位置）.
bimaxillary p. 両顎前突（頭蓋基底に対して前方への上下顎両方の過度な突出）．＝double p.
bimaxillary dentoalveolar p. 両顎前突（横顔(側貌)と関連して全部の歯が前方に位置していること）.
double p. 二重突出．＝bimaxillary p.
pro·tryp·sin (prō-trip′sin). プロトリプシン．＝trypsinogen.
pro·tu·ber·ance (prō-tū′bĕr-ăns) [Mod. L. *protuberantia*] [TA]. 隆起（ふくらみ，把手状の生成物，盛り上がり，突き出た部分）．＝protuberantia [TA].
Bichat p. (bē-shah′). ビシャ隆起．＝buccal *fat-pad.*
external occipital p. [TA]. 外後頭隆起（後頭鱗外面の中心付近の隆起で，項靱帯が停止する）．＝protuberantia occipitalis externa [TA].
internal occipital p. [TA]. 内後頭隆起（後頭骨の内面上にある十字隆起の中心付近の突出）．＝protuberantia occipitalis interna [TA].
mental p. [TA]. おとがい隆起（下顎骨前端におけるおとがい部の隆起）．＝protuberantia mentalis [TA]; mental process.
pro·tu·ber·an·ti·a (prō-tū′bĕr-an′shē-ă) [Mod. L. < *protubero*, to swell out < *tuber*, a swelling][TA]. 隆起（→ protuberance; prominence; eminence）．＝protuberance.
p. laryngea ＝laryngeal *prominence.*
p. mentalis [TA]. おとがい隆起．＝mental *protuberance.*
p. occipitalis externa [TA]. 外後頭隆起．＝external occipital *protuberance.*
p. occipitalis interna [TA]. 内後頭隆起．＝internal occipital *protuberance.*
pro·ur·o·ki·nase (prō′yūr-ō-kī′nās). プロウロキナーゼ（プラスミノゲンのアクチベータの前駆体）.
Proust (prūst), Louis J. フランス人化学者，1755―1826．→P. *law.*
Proust (prūst), T. 19 世紀のフランス人医師．→P. *space.*
pro·ver·te·bra (prō-ver′tĕ-bră). ＝protovertebra.
Prov·i·den·ci·a (prov′i-den′sē-ă). プロビデンシア属（運動性，周毛性，非芽胞形成性，好気性または通性嫌気性の腸内細菌科の一属でグラム陰性杆菌．尿素の水解または硫化水素の生成は行わない．インドールを産生し，Simmons クエン酸培地上に発育する．リシン，アルギニン，またはオルニチンの脱カルボン酸は行わない．これらの細菌は腸管外由来のもの，特に尿路感染症から得られる検体に存在する．下痢疾患の小流行や散発例からも分離される．標準種は *P. alcalifaciens*）.
P. alcalifaciens 腸管外由来の，特に尿路感染症から見出される細菌種．下痢疾患の小流行や散発例からも分離される．*Providencia* の標準種.
P. rettgeri コレラ症状のニワトリおよび胃腸炎のヒトにみられる細菌種．＝*Proteus rettgeri.*
P. stuartii 尿路感染症や下痢疾患の小流行と散発例から分離される細菌種.
provider (prō-vīd′ĕr). 提供者，供給者（管理介護機構で用いられる用語で，医療介護を提供する医師，開業看護師，医療事務者などをさす）.
primary care p. プライマリケア提供者（特に外来で患者の診療介護を行う医療関係者(医師，看護師など)）.
pro·vi·rus (prō-vī′rŭs). プロウイルス（動物ウイルス，通常はレトロウイルスの前駆体で，理論的には細菌におけるプロファージと相似である．プロウイルスは感染細胞の核に組み込まれ，ある種の刺激に応じて活性化されうる）.
pro·vi·ta·min (prō′vī′tă-min). プロビタミン（ビタミンに変化する物質．例えばβ–カロチン）.
p. A プロビタミンA（β–カロチンの生物学的活性を示すカロチノイドの常用名．すなわちビタミンAの前駆物質（α–，β–，γ–カロチンおよびクリプトキサンチン）．プロビタミンAは魚の肝油，ホウレンソウ，ニンジン，卵黄，乳製品，およびその他の緑の葉または黄色の野菜と果物に含まれる）.
p. D_2 プロビタミンD_2（エルゴカルシフェロール(ビタミンD_2)を生じさせることのできる物質．例えばエルゴステロール）.
p. D_3 プロビタミンD_3．＝7-dehydrocholesterol.
Pro·wa·zek (prō-vaht′sek), Stanislas J.M. von. ドイツ人原生動物学者，1876―1915．→*Prowazekia*; P. *bodies*; P.-Greeff *bodies*; Halberstaedter-P. *bodies.*
Pro·wa·ze·ki·a (prō′vă-zē′kē-ă) [S. *Prowazek*]. プロワゼキア属（以前は *Bodo*属に含まれていた糞生鞭毛虫の一属．寄生生物である可能性はあるが，知られた範囲では非病原性である）.
Prow·er (prow′ĕr). Stuart-Prower *factor* として初めて報告された患者の姓.
prox- →proximo-.
prox·em·ics (prok-sem′iks) [L. *proximus*, nearest, next]. 近接学，プロクセミックス（都市の過密の様々な面を科学的に扱う学問）.
proxi- →proximo-.
prox·i·mad (prok′si-mad) [L. *proximus*, nearest, next + *ad*, to]. 近位に（近位部または中心に向かう）.
prox·i·mal (prok′si-măl) [Mod. L. *proximalis* < L. *proximus*, nearest, next]. ***1*** [TA]. 近位の，近心の（肢の一部，動脈または神経が，体幹または起始点の近くに位置することについていう．遠心に対し，歯列弓の弯曲に沿って正中面に近いほうをいう）．＝proximalis [TA]. ***2*** 隣接面の（歯科解剖学において，歯の表面の近心または遠心の，すなわち前後の正中面から近いまたは離れた隣接についていう）.
prox·i·ma·lis (prok′si-mā′lis) [Mod. L.][TA]. 近位の．＝proximal (1).
prox·i·mate (prok′si-māt). 近位の，次の（隣接していて，直接関係が深い）.
proximo-, prox-, proxi- [L. *proximus*, nearest, next (to)]. 近位の，を意味する連結形.
prox·i·mo·a·tax·i·a (prok′si-mō-ă-tak′sē-ă) [proximo- + ataxia]. 近位運動失調（四肢すなわち腕，前腕，大腿，脚の近位部分の運動失調または筋肉の協調の欠如．*cf.* acroataxia）.
prox·i·mo·buc·cal (prok′si-mō-bŭk′ăl). 隣接面頬面の（歯の隣接面と頬面に関する．これらの連結によってつくられる角についていう）.
prox·i·mo·la·bi·al (prok′si-mō-lā′bē-ăl). 隣接面唇面の（歯の隣接面と唇面に関する．これらの連結によってつくられる角についていう）.
prox·i·mo·lin·gual (prok′si-mō-ling′gwăl). 隣接面舌面の（歯の隣接面と舌面に関する．これらの連結によってつくられる角についていう）.
pro·zone (prō′zōn). 前地帯（凝集と沈降が起こる際に，抗体が過剰であるために，特異抗原と抗体が混在しているにもかかわらず，観察可能な反応が起こらなくなる現象）．＝prezone.
pro·zy·go·sis (prō′zī-gō′sis) [G. *pro*, before + *zygōsis*, a yoking]. 頭部結合．＝syncephaly.
PrP prion *protein* の略.
PRPP 5-phospho-α-D-ribosyl-1-pyrophosphate の略.
PRPP syn·the·tase (sin′the-tās). PRPP シンテターゼ（α–D–リボース–5–リン酸と ATP から PRPP と AMP を生成させる反応を触媒する酵素．プリンやピリミジンの生合成での調節酵素．この酵素活性の上昇によりプリンの生合成が亢進し，痛風になる）.

prune (prūn). ホシスモモ（温暖な地方で栽培される高木，バラ科西洋スモモ *Prunus domestica* の乾燥果実．緩下作用をもつ食物）.

Pru・nus (prū′nŭs) [L. a plum-tree]. サクラ属（バラ科の高木の一属で，サクラ，プラム，モモ，アンズの木を含む）.

P. serotina アメリカザクラ（野ザクラの植物学的起源となるもの. →*P. virginiana*).

P. virginiana バージニアザクラ（①アメリカザクラ *P. serotina* の樹皮．強壮薬および気管支鎮静薬として咳そう混合薬に用いる．②アメリカザクラ *P. serotina* の主な代用品および粗悪品）.

pru・ri・go (prū-rī′gō) [L. itch < *prurio*, to itch]. 痒疹（強いかゆみを伴った丘疹からなる持続性発疹を特徴とする慢性皮膚病）.

actinic p. ＝p. aestivalis.

p. aestivalis [MIM*174770]. 夏季痒疹（毎年夏になると起こり，暑さの続く間は非常に激しいもの）. ＝actinic p.; summer p.

Besnier p. (bā-nyā′). ベスニエ(ベニエ)痒疹（アトピー性の痒疹をさすヨーロッパでの用語）.

p. gestationis 妊娠性痒疹（妊婦に起こるかゆみのある丘疹性皮膚病．妊娠ないし胎児に対しては副作用を及ぼさない）.

Hebra p. (hā′brah). ヘブラ痒疹（常に再発性で，非常にかゆい丘疹と小結節を含んだ二次感染を伴った慢性皮膚炎の重症のもの．多くの場合，アトピーを伴うことが多い）.

p. mitis 軽症痒疹（再発性で強いかゆみを伴ったアトピー性と思われる丘疹と小結節を特徴とする慢性皮膚炎の軽症のもの）.

p. nodularis 結節性痒疹（強いかゆみを伴い，搔把により生じる硬い半球状隆起結節(Picker 結節)からなる皮膚の発疹．抗酸菌感染によるものもあるが，通常は原因不明である）.

p. simplex 単純性痒疹（再発傾向が顕著な，軽症の痒疹）.

summer p. 夏季痒疹. ＝p. aestivalis.

pru・rit・ic (prū-rit′ik). かゆみ〔性〕の，そう痒〔性〕の.

pru・ri・tus (prū-rī′tŭs) [L. an itching < *prurio*, to itch]. [誤ったつづり pruritis を避けること]. ***1*** かゆみ，そう痒. ＝itching. ***2*** かゆみ〔症〕，そう痒〔症〕. ＝itch (1).

p. aestivalis 夏季かゆみ(そう痒)〔症〕（暑い季節に起こるそう痒．紅色汗疹と関連すると思われる）. ＝summer itch.

p. ani 肛門かゆみ(そう痒)〔症〕（肛門における種々の程度のかゆみ．徴候は発作的または持続的にくる．脂漏性カンジダ症，刺激をうけ拡張した痔静脈に伴うことがあり，あるいは皮膚病変とは関係なく，全身病と関連して生じることがある）.

aquagenic p. 水性かゆみ(そう痒)〔症〕（水温の高低にかかわらず水との短い接触により生じる強いかゆみで，皮膚の明らかな変化を伴わない）.

bath p. 入浴かゆみ(そう痒)〔症〕（石けんのすすぎが不十分なことや，過度の入浴による皮膚の乾燥のしすぎが原因のそう痒）. ＝bath itch.

essential p. 本態性かゆみ(そう痒)〔症〕（皮膚病変と関係なく生じるそう痒）.

p. gravidarum 妊娠性そう痒症（肝内胆汁うっ滞に続発する妊娠中の発疹を伴わない重症のそう痒症）.

hereditary localized p. 遺伝性限局性そう痒症. ＝notalgia paresthetica.

p. hiemalis 冬季かゆみ(そう痒)〔症〕. ＝winter *itch*.

p. senilis, senile p. 老年(老人)性かゆみ(そう痒)〔症〕（老人の皮膚の乾燥に伴うそう痒）.

symptomatic p. 症候性かゆみ(そう痒)〔症〕（全身疾患の徴候として生じるそう痒）.

p. vulvae 外陰かゆみ(そう痒)〔症〕（女性の外性器のそう痒症で，脂漏性皮膚炎，局所接触原に対する過敏症，陰門の老年性萎縮，ときに全身疾患などのような種々の原因によって生じる）.

Prus・sak (prū′sahk), Alexander. ロシア人耳科医，1839—1897. →P. *fibers*, *pouch*, *space*.

Prus・sian blue (prŭsh′ŭn blū) [C.I. 77510]. プルシアンブルー，紺青. ＝Berlin blue.

prus・si・ate (prŭsh′ē-āt, prŭs′ē-āt). ***1*** 青酸塩（シアン化物．シアン化水素酸の塩）. ***2*** フェリシアン化塩，フェロシアン化塩.

prus・sic ac・id (prŭs′ik as′id). 青酸（シアン化水素酸）. ＝hydrocyanic acid.

PSA prostate-specific *antigen* の略.

psal・ter・i・al (sawl-tēr′ē-ăl). 脳弓交連の，第三胃の.

psal・ter・i・um, pl. psal・ter・ia (sawl-tēr′ē-ŭm, sawl-ter′ē-ă) [G. *psaltērion*, harp]. 脳弓交連. ＝*commissura* fornicis.

psammo- [G. *psammos*]. 砂に関する連結形.

psam・mo・car・ci・no・ma (sam′ō-kar′si-nō′mă). 砂腫状癌（砂腫に似た灰化病巣をもつ癌を表す，現在では用いられない語）.

psam・mo・ma (sa-mō′mă) [psammo- + G. *-oma*, tumor]. 砂腫，プサモーム（psammomatous *meningioma* あるいは meningioma を表す現在では用いられない語）.

Virchow p. (fēr′kow). フィルヒョー砂腫，フィルヒョープサモーム（現在では用いられない語）. ＝psammomatous *meningioma*.

psam・mo・ma・tous (sa-mō′mă-tŭs). 砂腫〔性〕の（砂腫をもつ，砂腫の存在により特徴付けられるものについていう．通常は砂腫をもつ髄膜腫または髄膜過形成のある種のものをいう）.

psam・mous (sam′ŭs) [G. *pasammos*, sand]. 砂の，砂状の.

Psaume (sōm), J. 20 世紀のフランス人医師. →Papillon-Léage and P. *syndrome*.

PSE Pidgin Sign English の略.

psel・lism (sel′izm) [G. *psellismos*, a stammering]. 吶，構音障害. ＝stammering.

pseud- →pseudo-.

pseu・dac・ro・meg・a・ly (sū-dak′rō-meg′ă-lē). 偽〔性〕先端巨大(肥大)〔症〕（肢端肥大症に由来しない四肢および顔面の拡大）.

pseu・da・graph・i・a (sū′dă-graf′ē-ă) [pseud- + G. *a-* 欠性辞 + *graphō*, to write]. 偽〔性〕失書〔症〕，偽〔性〕書字不能〔症〕（部分失書で，自分独自のものを書くことはできないが，正しく模写して書くことはできる）. ＝pseudoagraphia.

pseu・dal・bu・min・u・ri・a (sū′dal-byū′min-yū′rē-ă). 偽〔性〕アルブミン尿〔症〕（腎疾患には関係しないアルブミン尿）. ＝pseudoalbuminuria.

Pseud・al・les・che・ri・a boy・di・i (sūd′al-es-kē′rē-ă boy′dē-ī). 真菌性菌腫およびシュードアレシェリア症の原因となる真菌の一種．その分生子(無性)世代は *Scedosporium apiospermum* である．以前は *Allescheria boydii* といわれていた.

pseud・al・les・che・ri・a・sis (sūd′al-es-kĕ-ri′ă-sis). シュードアレシェリア症（*Pseudallescheria boydii* によって起こる一連の疾患．例えば，気管支定着，侵襲性肺炎，真菌性角膜炎，眼内炎，心内膜炎，髄膜炎，副鼻腔炎，脳膿瘍，皮膚および皮下感染，びまん性全身性感染）.

Pseu・dam・phis・to・mum (sū′dam-fis′tō-mŭm) [pseud- + G. *amphi*, two-sided + *stoma*, mouth]. オピストルキス科の二生類吸虫の一属. *P. truncatum* はヨーロッパやインドにおいて，イヌ，ネコ(まれにヒト)の胆管に寄生する種.

pseu・dan・gi・na (sū-dan′jī′nă). 偽〔性〕狭心症. ＝*angina* pectoris vasomotoria.

pseu・dan・ky・lo・sis (sū′dang-ki-lō′sis). 偽強直〔症〕. ＝fibrous *ankylosis*.

pseu・dar・thro・sis (sū′dar-thrō′sis) [pseud- + G. *arthrōsis*, a joint]. 偽関節（非癒合性骨折の部位に生じる新しい偽関節）. ＝false joint; pseudoarthrosis.

pseu・del・minth (sū′-del′minth) [pseud- + G. *helmins*, worm]. 偽蠕虫（腸虫の外観をもつもの）.

pseud・es・the・si・a (sū′des-thē′zē-ă) [pseud- + G. *aisthēsis*, sensation]. 偽感覚（①＝paraphia. ②外部刺激から発生するものではない主観感覚. ＝pseudoesthesia (2). ③＝phantom limb *pain*）.

pseudo- (psi), pseud- [G. *pseudēs*]. [本接頭語を sudor- と混同しないこと]. 偽りの，仮の(しばしば似て非なることについて用いる)を意味する接頭語.

pseu・do・ac・an・tho・sis ni・gri・cans (sū′dō-ak′an-thō′sis nī′gri-kanz). 黒色偽〔性〕表皮〔肥厚〕症，黒色偽〔性〕表皮腫

(過度の発汗による皮膚の浸軟によって二次的に生じる，あるいは太った色黒の成人にみられる，あるいは内分泌障害に合併して生じる黒色表皮腫．内臓癌は合併しない)．

pseu·do·a·ceph·a·lus (sū′dō-ă-sef′ă-lŭs) [pseudo- + G. *a-* 欠性辞 + *kephalē*, head]．偽無頭体（外見は無頭胎盤寄生双生児であるが，離断により痕跡的頭蓋構造を示す)．

pseu·do·a·chon·dro·pla·si·a (sū′dō-ă-kon′drō-plā′sē-ă)．偽〔性〕軟骨形成不全〔症〕（内反膝，外反膝，関節の伸縮がみられる靱帯の弛緩に関連した下肢の変形を伴った四肢の短い小人症であり，顔，頭部は正常な外見を呈する軟骨形成不全症．常染色体優性遺伝［MIM*177150, *177170］であり，第19染色体短腕の *COMP* 遺伝子の変異によるものである)．＝pseudoachondroplastic spondyloepiphysial dysplasia.

pseu·do·ac·tin·o·my·co·sis (sū′dō-ak′ti-nō-mī-kō′sis)．偽〔性〕放線菌症．＝para-actinomycosis.

pseu·do·ag·glu·ti·na·tion (sū′dō-ă-glū′ti-nā′shŭn)．偽〔性〕凝集〔反応〕（①抗原－抗体反応によらない溶液中の粒子の凝集．＝false agglutination. ②＝rouleaux *formation*)．

pseu·do·a·gram·ma·tism (sū′dō-ă-gram′ă-tizm) [pseudo- + G. *a-* 欠性辞 + *gramma*, writing + *-ismos*, condition]．偽〔性〕失文法〔症〕．＝paraphasia.

pseu·do·a·graph·i·a (sū′dō-ă-graf′ē-ă)．＝pseudagraphia.

pseu·do·ain·hum (sū′dō-in-hŭm′)．偽〔性〕アイユーム（神経らい，脊髄空洞症，手掌足底角皮症のような様々な障害が原因の非特発性指趾切断症)．

pseu·do·al·bu·mi·nu·ri·a (sū′dō-al-byū′min-yū′rē-ă)．偽〔性〕蛋白尿〔症〕．＝pseudalbuminuria.

pseu·do·al·ka·loids (sū′dō-al′kă-loydz)．偽アルカロイド類（アルカロイドに類似した化学構造をもつ一連の化合物)．

pseu·do·al·lel·ic (sū′dō-ă-le′lik)．偽対立遺伝子の．

pseu·do·al·lel·ism (sū-dō-al′el-izm)．偽対立性（古典的な遺伝分析では単一遺伝子座と区別が難しいような2個以上の遺伝子座の関係．例えば，Rh式血液型の座［MIM*111700］，C，DおよびEの遺伝子座については現在，未解決である)．

pseu·do·al·o·pe·ci·a ar·e·a·ta (sū′dō-al′ō-pē′shē-ă ar′ē-ā′tă)．偽〔性〕円形脱毛〔症〕（毛嚢口に軽い炎症性変化を伴った脱毛症)．

pseu·do·an·a·phy·lac·tic (sū′dō-an′ă-fī-lak′tik)．偽〔性〕アナフィラキシーの，偽〔性〕過敏症(性)の．＝anaphylactoid.

pseu·do·an·a·phy·lax·is (sū′dō-an′ă-fī-lak′sis)．偽〔性〕アナフィラキシー，偽〔性〕過敏症(性)（アナフィラキシーに類似しているが，特異抗原－抗体反応に由来しないもの)．＝anaphylactoid crisis (2).

pseu·do·a·ne·mi·a (sū′dō-ă-nē′mē-ă)．偽〔性〕貧血（貧血の血液的変化をもたずに，皮膚と粘膜が蒼白になること)．＝false anemia.

pseu·do·an·eu·rysm (sū′dō-an′yū-rizm)．*1* 偽〔性〕動脈瘤（破裂血管と交通している拍動性の被嚢血腫)．*2* 仮性心室瘤（心嚢が外壁となることにより限局小胞化した心破裂)．*3* 偽〔性〕動脈瘤（外膜，動脈周囲の線維性組織および血腫により壁を形成された動脈瘤)．＝communicating hematoma; false aneurysm; pulsatile hematoma.

pseu·do·an·gi·na (sū′dō-an′ji-nă)．偽〔性〕狭心症．＝*angina* pectoris vasomotoria.

pseu·do·an·ky·lo·sis (sū′dō-ang′ki-lō′sis)．偽強直．＝fibrous *ankylosis*.

pseu·do·an·o·don·ti·a (sū′dō-an′ō-don′shē-ă) [pseudo- + G. *an-* 欠性辞 + *odous*, tooth]．偽無歯〔症〕（萌出不全による臨床的な歯の欠如)．

pseu·do·ap·pen·di·ci·tis (sū′dō-ă-pen′di-sī′tis)．偽〔性〕虫垂炎（虫垂に炎症はないが虫垂炎と類似した症候群)．

pseu·do·a·prax·i·a (sū′dō-ă-praks′ē-ă)．偽〔性〕先行〔症〕（人が物の使用をよく誤る，極度に不器用な状態)．

pseu·do·ar·thro·sis (sū′dō-ar-thrō′sis)．＝pseudarthrosis.

pseu·do·au·then·tic·i·ty (sū′dō-aw′then-tis′i-tē) [pseudo- + G. *authentikos*, original]．偽元性，偽真正（思考や感情が誤ってあるいは模倣されて表現されること)．

pseu·do·ba·cil·lus (sū′dō-bă-sil′ŭs)．偽〔性〕杆菌（変形赤血球のような細菌に類似した微細物質)．

pseu·do·bac·te·ri·um (sū′dō-bak-tē′rē-ŭm)．偽〔性〕細菌，偽〔性〕バクテリア（小さい細菌性生物またはその他の細菌種に似た微細物質)．

pseu·do·bul·bar (sū′dō-bŭl′bar)．偽〔性〕球麻痺の，偽〔性〕延髄麻痺の（延髄神経の核上麻痺を表す)．

pseu·do·car·ti·lage (sū′dō-kar′ti-lij)．偽〔性〕軟骨．＝chondroid *tissue* (1).

pseu·do·car·ti·lag·i·nous (sū′dō-kar′ti-laj′i-nŭs)．偽〔性〕軟骨性の（組織が軟骨と似た物質からなる)．

pseu·do·cast (sū′dō-kast)．偽〔性〕円柱．＝false *cast*.

pseu·do·cele (sū′dō-sēl) [pseudo- + G. *koilia*, cavity]．透明中隔腔．＝*cavity* of septum pellucidum.

pseu·do·ce·lom (sū′dō-sē′lom) [pseudo- + G. *koilōma*, hollow]．偽〔性〕体腔（部分的な，あるいは偽りの体腔．線形動物門(線虫類)および近縁の門に典型的なもので，体腔の一面(クチクラ層の下層)のみが中胚葉によりおおわれている．*cf.* celom; acelom)．

pseu·do·ceph·a·lo·cele (sū′dō-sef′ă-lō-sēl) [pseudo- + G. *kephalē*, head + *kēlē*, tumor]．偽〔性〕頭瘤，偽〔性〕脳ヘルニア（外傷または疾病が原因の頭蓋内組織の後天性ヘルニア)．

pseu·do·chan·cre (sū′dō-shang′kĕr)．偽〔性〕下疳（通常は陰茎に位置し，下疳に類似した非特異性硬化びらん)．

pseu·do·cho·lin·es·ter·ase (sū′dō-kō′lin-es′tĕr-ās)．偽コリンエステラーゼ．＝butyrocholinesterase.

atypical p. [MIM*177400, *177500, *177600]．非定型的偽コリンエステラーゼ（スクシニルコリンの水解を触媒できないコリンエステラーゼの遺伝的変異．→dibucaine number; fluoride number)．

typical p. 定型的偽コリンエステラーゼ（肝でつくられ，血漿中に存在するコリンエステラーゼ．スクシニルコリンの水解に当たり，最初はスクシニルモノコリンとコリンに，次いでコリンとコハク酸を生成する反応を触媒する)．

pseu·do·cho·re·a (sū′dō-kō-rē′ă)．偽〔性〕舞踏病（舞踏病に似た痙性疾患または広範なチック)．

pseu·do·chro·mes·the·si·a (sū′dō-krō′mes-thē′zē-ă) [pseudo- + G. *chrōma*, color + *aisthēsis*, sensation]．彩視症（印刷された各母音字が色付いてみえる異常．→photism; color *hearing*)．

pseu·do·chro·mi·dro·sis, pseu·do·chrom·hi·dro·sis (sū′dō-krō′mi-drō′sis, -krōm-i-drō′sis) [pseudo- + G. *chrōma*, color + *hidrōs*, sweat]．偽〔性〕色汗〔症〕（発汗に伴って皮膚に色素が現れること．色素形成性細菌の局所的な作用によるものであり，色のついた汗の分泌が原因ではない)．

pseu·do·chy·lous (sū′dō-kī′lŭs)．偽〔性〕乳びの．

pseu·do·cir·rho·sis (sū′dō-si-rō′sis)．偽〔性〕肝硬変〔症〕．＝cardiac *cirrhosis*.

pseu·do·clo·nus (sū′dō-klō′nŭs)．偽〔性〕クロ〔ー〕ヌス（それを誘発し続けているにもかかわらず，持続しない間代性反応)．

pseu·do·co·arc·ta·tion (sū′dō-kō-ark-tā′shŭn)．偽〔性〕大動脈縮窄〔症〕（動脈管索の挿入の高さにおける大動脈弓の軽い狭窄を伴う変形)．＝buckled aorta; kinked aorta.

pseu·do·col·loid (sū′dō-kol′oyd)．擬(偽)膠質，擬(偽)コロイド（卵巣嚢胞，その他にみられるコロイド様または粘液様の物質)．

pseu·do·col·lu·sion (sū′dō-co-lū′zhŭn) [pseudo- + Fr. *collusion* < L. *colludo*, to play together]．偽〔性〕親近感（精神分析において感情転移から生じる単なる見せかけ上の親近感)．

pseu·do·co·ma (sū′dō-kō′mă)．偽〔性〕昏睡．＝locked-in *syndrome*.

pseu·do·cow·pox (sū′dō-kow′poks)．偽牛痘．＝milkers′ *nodules*.

pseu·do·cox·al·gi·a (sū′dō-koks-al′jē-ă) [pseudo- + L. *coxa*, hip + G. *algos*, pain]．偽〔性〕股関節痛．＝Legg-Calvé-Perthes *disease*.

pseu·do·cri·sis (sū′dō-krī′sis)．偽〔性〕分利（疾病における，通常，分利に終わる体温の一時的な下降．本当の分利ではない)．

pseu·do·croup (sū′dō-krūp′)．偽〔性〕クループ．＝*laryngismus* stridulus.

pseu·do·cryp·tor·chism (sū′dō-krip′tōr-kizm) [pseudo- + G. *kryptos*, hidden + *orchis*, testis]．偽〔性〕潜在精巣(睾丸)〔症〕．＝retractile *testis*.

pseu·do·cu·mene (sū′dō-kū′mēn)．プソイドクメン（コー

P

ルタールから得られる無色の液体．腸腺の消毒に用いる）．＝pseudocumol.

pseu·do·cu·mol (sū′dō-kū′mol). プソイドクモール．＝pseudocumene.

pseu·do·cy·e·sis (sū′dō-sī-ē′sis) [pseudo- + G. *kyēsis*, pregnancy]. 想像妊娠，偽妊娠．＝false *pregnancy*.

pseu·do·cyl·in·droid (sū′dō-sil′in-droyd). 偽〔性〕類円柱〔体〕（腎円柱に類似する尿中の粘液または他の物質の細片）．

pseu·do·cyst (sū′dō-sist) [pseudo- + G. *kystis*, bladder]. 偽〔性〕嚢胞，偽シスト（①上皮または他の膜の内張りのない嚢胞様小腔に液体が蓄積したもの．＝adventitious cyst; false cyst．②壁が寄生生物によってではなく，宿主細胞によって形成されている嚢胞．③宿主細胞内，特に脳内の細胞にみられる 50 あるいはそれ以上の *Toxoplasma* のブラディゾイトの塊．ただしこれは，以前は〝偽嚢胞〟とよばれていたが，現在では宿主細胞内でそれ自身の膜で囲まれた真の嚢胞であると考えられている．それは破裂して，新しい嚢胞を形成する粒子を放出することがあり，明らかに他の脊椎動物宿主に対して感染性がある．→bradyzoite）．

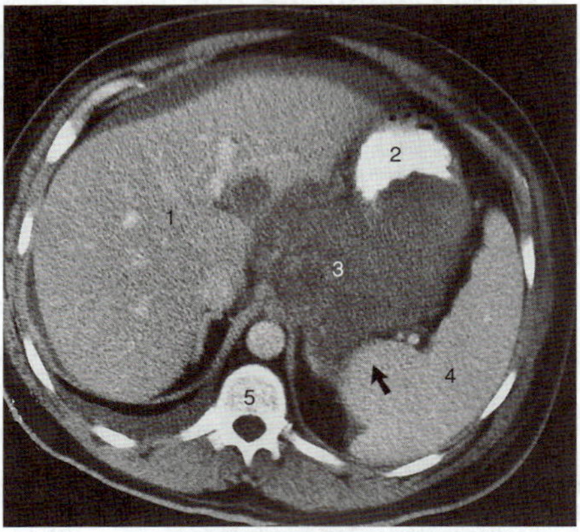

pancreatic pseudocyst

胃後壁を圧迫している偽嚢胞(矢印)を示すCT像．1：肝臓．2：胃の中の造影剤．3：偽嚢胞．4：脾臓．5：椎骨．

pseu·do·de·cid·u·o·sis (sū′dō-de-sid′yū-ō′sis) [pseudo- + L. *deciduus*, falling off]. 偽〔性〕脱落膜症（妊娠していない場合の子宮内膜の脱落膜反応）．

pseu·do·de·men·ti·a (sū′dō-dē-men′shē-ă). 仮性認知症，偽認知症（認知症に類似した状態であるが，通常は脳機能障害よりもうつ病によって生じる）．

pseu·do·dex·tro·car·di·a (sū′dō-deks′trō-kar′dē-ă). 偽性右心症（先天的または外傷による心臓の右への変位．すべての心室と血管は正常の位置関係にある）．

pseu·do·di·a·be·tes (sū′dō-dī′ă-bē′tēz). 偽〔性〕糖尿病（尿糖が偽陽性を示す状態）．

pseu·do·di·a·stol·ic (sū′dō-dī′ă-stol′ik). 偽〔性〕拡張期の（心拡張期であるようにみえるものについていう）．

pseu·do·dig·i·tox·in (sū′dō-dij′i-tok′sin). プソイドジギトキシン．＝gitoxin.

pseu·do·diph·the·ri·a (sū′dō-dif-thē′rē-ă). 偽〔性〕ジフテリア．＝diphtheroid (1).

pseu·do·dip·si·a (sū′dō-dip′sē-ă) [pseudo- + G. *dipsa*, thirst]. 偽〔性〕口渇，偽〔性〕渇き．＝false *thirst*.

pseu·do·di·ver·tic·u·lum (sū′dō-dī′vĕr-tik′yū-lūm). 偽〔性〕憩室（大きな平滑筋腫瘍内の中心壊死部に突出する嚢で，腸管のどの部にも生じる）．

pseu·do·dom·i·nance (sū′dō-dom′ĭ-năns). 偽優性．＝quasidominance.

pseu·do·dys·en·tery (sū′dō-dis′en-ter′ē). 偽〔性〕赤痢（細菌性赤痢に特異的な微生物の存在以外の原因による，細菌性赤痢のものと区別できない症状が起こること）．

pseu·do·e·phed·rine hy·dro·chlor·ide (sū′dō-e-fed′-rin hī′drō-klōr′īd). 塩酸プソイドエフェドリン（天然に存在するエフェドリンの異性体．エフェドリンと類似の作用をもつ交感神経興奮性アミン）．

pseu·do·er·y·sip·e·las (sū′dō-er′i-sip′ĕ-lăs). 偽〔性〕丹毒．＝erysipeloid.

pseu·do·es·the·si·a (sū′dō-es-thē′zē-ă). ***1*** ＝paraphia. ***2*** ＝pseudesthesia (2). ***3*** ＝phantom limb *pain*.

pseu·do·ex·fo·li·a·tion (sū′dō-eks-fō′lē-ā′shŭn). 偽〔性〕剝脱，偽〔性〕落屑（いくつかの点で剝脱しているように見えるが，表面層は実際には剝離していない状態）．

p. of lens capsule 水晶体包偽落屑（基底膜由来物質の水晶体嚢を含むすべての眼球組織への沈着．もしこの物質が線維柱帯に蓄積すると，房水の排出を障害し，緑内障が生じる．→exfoliation *syndrome*; pseudoexfoliative *glaucoma*）．

pseu·do·fluc·tu·a·tion (sū′dō-flŭk′tyū-ā′shŭn). 偽〔性〕波動（筋組織を軽くたたくことにより得られる波動に似た波様の感覚）．

pseu·do·fol·lic·u·li·tis (sū′dō-fo-lik′yū-lī′tis). 偽〔性〕毛嚢炎（ひげそりやちぢれ毛に起因する紅斑性の毛嚢性の丘疹やときには膿疱．毛幹が成長して毛嚢に一致して皮膚に刺し入る結果として陥入毛髪を生じる．黒人の顎によくみられる）．

pseu·do·frac·ture (sū′dō-frak′chūr). 偽〔性〕骨折（X 線所見で，骨の損傷部分に骨膜の肥厚を伴う新しい骨の形成がみられる状態）．

pseu·do·fruc·tose (sū′dō-fruk′tōs). プソイドフルクトース．＝psicose.

pseu·do·gan·gli·on (sū′dō-gang′glē-on). 偽〔性〕神経節（神経節の外観をもつ神経幹の局所的な肥厚）．

pseu·do·gene (sū′dō-jēn). 偽遺伝子（①転写されず，遺伝子発現をしないヌクレオチド配列．②祖先の活性遺伝子が突然変異を起こしたため，不活性となった DNA 断片）．

pseu·do·geu·ses·the·si·a (sū′dō-gyū′ses-thē′zē-ă) [pseudo- + G. *geusis*, taste + *aisthēsis*, sensation]. ＝color *taste*.

pseu·do·geu·si·a (sū′dō-gyū′sē-ă) [pseudo- + G. *geusis*, taste]. 偽〔性〕味覚（外部刺激によらない主観的な味覚）．

pseu·do·glan·ders (sū′dō-glan′dĕrz). 偽〔性〕鼻疽．＝melioidosis.

pseu·do·gli·o·ma (sū′dō-glī-ō′mă). 偽〔性〕〔神経〕膠腫（網膜芽細胞腫と間違われやすい眼内混濁）．

pseu·do·glob·u·lin (sū′dō-glob′yū-lin). 偽性グロブリン（血清グロブリン分画で，アンモニア硫酸塩溶液中において真性グロブリン分画より溶解しやすいグロブリン）．

pseu·do·glo·mer·u·lus (sū′dō-glō-mer′yū-lŭs). 偽糸球体（腎糸球体と似ているが，腎糸球体にまで分化はしていない構造）．

pseu·do·glu·co·sa·zone (sū′dō-glū-kō′să-zōn). プソイドグルコサゾン（ときに正常尿中にも存在し，フェニルヒドラジン検査において反応する物質）．

pseu·do·gout (sū′dō-gowt) [MIM*118600]. 偽痛風（痛風のように尿酸結石ではなく，カルシウムピロリン酸の結晶が沈着することにより生じる急性発作性滑膜炎．関節軟骨石灰化症を伴う．遺伝については不明）．＝calcium gout.

pseu·do·gy·ne·co·mas·ti·a (sū′dō-gī′nĕ-kō-mas′tē-ă) [pseudo- + G. *gynē*, woman + *mastos*, breast]. 偽〔性〕女性化乳房（乳腺組織は増力しないが，脂肪組織の過剰による男性の乳房肥大）．

pseu·do·hal·luc·i·na·tion (sū′dō-hă-lū-si-nā′shŭn). 偽性幻覚（①外的な実体性よりも内的なものと体験する幻覚．*cf.* hallucination．②内的なものを伴った幻視．*cf.* Bonnet *syndrome*．＝partial hallucination.）．

pseu·do·he·ma·tu·ri·a (sū′dō-he′mă-tyū′rē-ă). 偽〔性〕血尿（ある種の食物または薬によって生じた尿の赤色着色．実際の血尿ではない）．＝false hematuria.

pseu·do·he·mop·ty·sis (sū′dō-hē-mop′ti-sis) [pseudo- + G. *haima*, blood + *ptysis*, a spitting]. 偽〔性〕喀血（肺または気管支からでない血液を吐くこと）．

pseu·do·her·maph·ro·dite (sū′dō-her-maf′rō-dīt). 偽半陰陽者．

pseu·do·her·maph·ro·dit·ism (sū′dō-heŕ-maf′rō-dīt-izm′). 偽半陰陽（個人の性腺上の性は明確(精巣あるいは卵巣を有している)であるが，判別不能な外性器を有している状態．*cf. steroid* 5α-reductase)．＝false hermaphroditism.

female p.［MIM*264270］．女性偽半陰陽（XX の核型を有し，生殖腺が女性である，骨および生殖器の奇形を伴う偽半陰陽)．＝androgynism; androgyny (1).

male p.［MIM*261550, *264300, *312100］．男性偽半陰陽(XY の核型を有し，生殖腺が男性である，生殖器の奇形を伴う偽半陰陽)．

pseu·do·her·ni·a (sū′dō-her′nē-ă)．偽〔性〕ヘルニア（絞扼性ヘルニアに似た陰嚢組織または鼡径リンパ節の炎症)．

pseu·do·het·er·o·to·pi·a (sū′dē-het′ĕr-ō-tō′pē-ă)．偽〔性〕転位（死後に観察されるある種の組織の見せかけの転位．実際には真の転位ではなく人工のもの)．

pseu·do·hy·dro·ceph·a·ly (sū′dō-hī′drō-sef′ă-lē)．偽〔性〕水頭〔症〕(脳室系の拡大を伴わない，頭部の拡大を特徴とする状態)．

pseu·do·hy·dro·ne·phro·sis (sū′dō-hī′drō-ne-frō′sis)．偽〔性〕水腎〔症〕(腎臓の近くに嚢胞が存在し，水腎症に類似したもの)．

pseudohypericin (sū-dō′hī-pĕr-i-sin)．シュードヒペリシン（セイヨウオトギリソウ *Hypericum perforatum* の成分．→St. John's *wort*)．

pseu·do·hy·per·kal·e·mi·a (sū′dō-hī′pĕr-kal-ē′mē-ă)［pseudo＋G. *hyper*, above＋L. *kalium*, potassium, G. *haima*, blood］．偽高カリウム血症（血清カリウム濃度の見かけ上の上昇．カリウム測定の目的で採血した血液検体中の細胞から試験管内でカリウムが遊出したとき起こる．白血球や血小板の著しい増加を伴った骨髄増殖性疾患などの病気の際や不適切な採血手技による体外溶血の結果生じることがある)．

pseu·do·hy·per·par·a·thy·roid·ism (sū′dō-hī′pĕr-par′ă-thī′roy-dizm)．偽性副甲状腺機能亢進症（骨転移や原発性副甲状腺機能亢進症が認められない悪性腫瘍患者に生じる高カルシウム血症．悪性腫瘍細胞が，副甲状腺ホルモン様物質を産生することにより生じると考えられている)．

pseu·do·hy·per·tel·or·ism (sū′dō-hī′pĕr-tel′ōr-izm)．偽隔離症（内眼角の外方偏位による見かけの両眼距離の長い状態．→Waardenburg *syndrome*)．

pseudohypertension (sū′dō-hī-pĕr-ten′shŭn)．偽性高血圧（血管がマンシェットで圧迫されがたいために，誤って血圧値が高くなること)．

pseu·do·hy·per·troph·ic (sū′dō-hī′pĕr-trof′ik)．偽〔性〕肥大の．

pseu·do·hy·per·tro·phy (sū′dō-hī-pĕr′trō-fē)．偽〔性〕肥大（その特異的な機能要素の肥大または増殖によるのではなく，他の組織，脂肪または線維組織の増殖による器官または部分の肥大)．＝false hypertrophy.

pseu·do·hy·pha (sū′dō-hī′fă)［pseudo-＋G. *hyphē*, a web (hypha)］．偽〔性〕菌糸（発芽細胞鎖と真性菌糸の中間体である，容易に崩壊される真菌細胞鎖で，接合部は隔壁というよりは，狭窄で境界される)．

pseu·do·hy·po·na·tre·mi·a (sū′dō-hī′pō-nă-trē′mē-ă)．偽〔性〕低ナトリウム血症（高度の高脂血症や高蛋白血症による容量排除が原因となって起こる血清ナトリウム濃度低下症．高血圧の際に起こる血清ナトリウム濃度低下症を記述する場合にもこの語を用いる)．

pseu·do·hy·po·par·a·thy·roid·ism (sū′dō-hī′pō-par′ă-thī′royd-izm)［MIM*103580］．偽性副甲状腺機能低下〔症〕(副甲状腺機能低下症のごとく高リン血症と低カルシウム血症が，副甲状腺ホルモン濃度は正常ないし上昇している疾患．原因は副甲状腺ホルモンに対する標的器官の反応性欠如による．２つのタイプがある．Ⅰ型は外来性副甲状腺ホルモンに対する腎尿細管の反応性が欠如しており，尿中cAMP排泄も増加しない．Is 型はⅠ型に骨病変を伴う(Albright hereditary osteodystrophy と同義)，Ⅱ型では cAMP 産生以降に欠陥がある．X染色体優性遺伝でグアニンヌクレオチド結合蛋白である α 刺激活性ポリペプチド１(*GNAS1*)をコードする遺伝子の変異により生じる．このポリペプチドは第 20 染色体短腕にあるアデニルシクラーゼの遺伝子の発現を調節する．*cf.* thyrotropin *resistance*)．

p. type Ia 偽性副甲状腺機能低下症 Ia 型（アデニル酸シクラーゼに結合するG蛋白の欠損により生じると考えられている偽性副甲状腺機能低下症(恐らく常染色体優性遺伝))．

p. type Ib 偽性副甲状腺機能低下症 Ib 型（アデニル酸シクラーゼ活性系に欠陥があるために生じる副甲状腺機能低下症)．

pseu·do·ic·ter·us (sū′dō-ik′tĕr-ŭs)．偽〔性〕黄疸（Addison 病にみられるような，胆汁色素によらない皮膚の黄色がかった変色)．＝pseudojaundice.

pseu·do·il·e·us (sū′dō-il′ē-ŭs)．偽〔性〕イレウス（腸壁の麻痺による，イレウスに類似した完全な便秘)．

pseu·do·in·farc·tion (sū′dō-in-fark′shŭn)．偽性梗塞（心筋梗塞に似た状態で，例えば急性心外膜炎や大動脈瘤の解離に伴う)．

pseudoinfection (sū′dō-in-fek′shŭn)．偽感染（感染の事実がない状況下で病原体の存在や活性を示す検査所見が得られる状況のこと．感染がないのにコロニーができたり，検体への混入や検査エラー，偽陽性結果の誤った解釈などによる)．

pseu·do·in·flu·en·za (sū′dō-in′flū-en′ză)．偽〔性〕インフルエンザ（インフルエンザに似ているが，より軽症の流行性カタル)．

pseu·do·in·tra·lig·a·men·tous (sū′dō-in′tră-lig′ă-men′-tŭs)．偽〔性〕靱帯内の（広靱帯内にあるような印象を間違って与えるものについていう．例えば偽靱帯内腫瘍)．

pseu·do·i·so·chro·mat·ic (sū′dō-ī′sō-krō-mat′ik)．偽〔性〕同色性の（見かけは同じ色のものについていう．錯色で印刷された図の中に色の付いた点を混ぜてある図表をいう．色覚異常の検査に用いる)．

pseu·do·i·so·en·zymes (sū′dō-ī′sō-en′zīmz)．プソイドイソ酵素（多型の酵素でそれらは同じ反応を触媒し同じアミノ酸配列をもつ．相違点はいくつかの翻訳後修飾効果による)．

pseu·do·jaun·dice (sū′dō-jawn′dis)．＝pseudoicterus.

pseu·do·ker·a·tin (sū′dō-ker′ă-tin)．プソイドケラチン（表皮と神経組織(グリア線維)から抽出される蛋白で，角質化に関与すると思われる)．

pseu·do·li·po·ma (sū′dō-li-pō′mă)．偽〔性〕脂肪腫（肉眼的に脂肪腫に似た，限局性の軟らかく滑らかな，通常は可動性の腫脹)．

pseu·do·li·thi·a·sis (sū′dō-li-thī′ă-sis)［pseudo-＋G. *lithos*, stone］．偽〔性〕結石症（中空の内臓またはその他の場所に結石を伴う症候群に似た疾患)．

pseu·do·lo·gi·a (sū′dō-lō′jē-ă)［pseudo-＋G. *logos*, word］．虚言〔症〕(会話または書くことに表れる病的なうそ)．

p. phantastica 空想虚言〔症〕(完全にうそであるにもかかわらず，患者自身が信じている話や患者のつくり出した空想的な出来事を説明すること)．

pseu·do·lym·pho·cyte (sū′dō-lim′fō-sīt)．偽〔性〕リンパ球（１個の丸い核をもった小さい好中球．まれなホモ接合型の Pelger-Huët 異常に特徴的)．

pseu·do·lym·pho·ma (sū′dō-lim-fō′mă)．偽〔性〕リンパ腫(顕視的に悪性リンパ腫に類似するリンパ様細胞または組織球の良性浸潤)．

cutaneous p. 皮膚偽リンパ腫．＝benign *lymphocytoma cutis*.

pseu·do·ly·so·gen·ic (sū′dō-lī′sō-jen′ik)．偽溶原性の．

pseu·do·ly·sog·e·ny (sū′dō-lī-soj′ĕ-nē)．偽溶原性（バクテリオファージゲノムが細菌ゲノムの構成要素の一部として増殖する真の溶原性と違って，感受性のある変異株に感染することによって，菌株の培養中でバクテリオファージが養われる(保持される)状態)．

pseu·do·ma·lig·nan·cy (sū′dō-mă-lig′năn-sē)．偽悪性腫瘍（臨床的にも組織学的にも悪性腫瘍のようにみえる良性腫瘍．→pseudotumor)．

pseu·do·mam·ma (sū′dō-mam′ă)．偽〔性〕乳房（類皮嚢胞内に生じる，乳腺に似た腺構造を表す現在では用いられない語)．

pseu·do·ma·ni·a (sū′dō-mā′nē-ă)．***1*** 偽〔性〕精神病（人為的な精神異常)．***2*** 自己帰罪欲（精神障害にみられるもので，罪を犯したと虚偽主張をすること)．***3*** 病的虚言〔症〕(一般には，空想虚言にみられるのと同じような病的なうそつきのことをいう)．

pseu·do·mas·tur·ba·tion (sū′dō-mas′tĕr-bā′shŭn)．偽

〔性〕オナニー（自慰を模倣する行為）.
pseu·do·meg·a·col·on (sū'dō-meg'ă-kōl'ăn). 偽性巨大結腸（遠位結腸の拡大で，筋肉の機能が鈍く，先天性の巨大結腸(Hirschsprung病)のように神経の異常がない）.
pseu·do·mel·a·no·sis (sū'dō-mel'ă-nō'sis) [pseudo- + G. *melas*, black]. 偽〔性〕黒色症，偽〔性〕メラノーシス（異化ヘモグロビンの鉄に対する，硫黄と化合した水素の作用による，腹部内臓の表面の暗緑色または黒色調の死後変色）.
pseu·do·mem·brane (sū'dō-mem'brān). 偽 膜. = false *membrane.*
pseu·do·men·in·gi·tis (sū'dō-men'in-jī'tis). 偽〔性〕髄膜炎. = meningism.
pseu·do·men·stru·a·tion (sū'dō-men'strū-ā'shŭn). 偽〔性〕月経（通常の月経前の子宮内膜変化がない子宮内出血）.
pseu·do·met·a·pla·si·a (sū'dō-met'ă-plā'zē-ă). 偽〔性〕化生. = histologic *accommodation.*
pseu·dom·ne·si·a (sū'dom-nē'zē-ă) [pseudo- + G. *mnēsis*, memory]. 偽〔性〕記憶（実際には起こらなかった出来事に関して，起こったように感じている記憶）.
pseu·do·mo·nad (sū'dō-mō'nad). シュードモナス，プセウドモナス（*Pseudomonas*属の種を表すのに用いる通称）.
Pseu·do·mo·nas (sū'dō-mō'nas) [pseudo- + G. *monas*, unit, monad]. シュードモナス属，プセウドモナス属（運動性で極性べん毛を有する非芽胞形成性の好気性細菌(シュードモナス科)の一属．直線または曲線状であるがらせん形でないグラム陰性杆菌で，個々に存在する．代謝は呼吸性で発酵性ではない．主に土と淡水・海水中に存在する．数種は植物病原菌である．ヒトに感染するものもある．標準種は *P. aeruginosa*).

P. acidovorans 土壌，ときに臨床材料に見出される細菌種.

P. aeruginosa 緑膿菌（土壌，水，および一般に臨床材料(創傷感染，感染熱傷病変，尿路感染)に見出される種．青色膿の原因菌．ときに植物に対して病原性である．通常，感染防御能に欠陥がある場合にヒトに感染症を起こす．*Pseudomonas*属の標準種). = blue pus bacillus.

P. cepacia = *Burkholderia cepacia.*

P. diminuta 主に臨床材料中に，まれに水中に見出される細菌種.

P. fluorescens 土壌と水中に見出される細菌種．臨床材料中にもよく見出される．一般に食物腐敗(卵，保存肉，魚，牛乳)が原因.

P. mallei = *Burkholderia mallei.*

P. maltophilia 現在 *Xanthomonas maltophilia* といわれる種. → *Stenotrophomonas maltophilia.*

P. piscicida 魚類に病原性をもつ細菌種.

P. pseudoalcaligenes 洞排泄物中に見出される細菌種.

P. pseudomallei 偽鼻疽菌. = *Burkholderia pseudomallei.*

P. putrefaciens *Alteromonas putrefaciens* に対して以前用いられた語.

P. stutzeri 土壌と水中，しばしば臨床材料中にも見出される細菌種.

P. vesicularis 水ヒル(*Hirudo medicinalis*)と小川の水に見出される細菌種.

pseu·do·mo·nil·e·thrix (sū'dō-mō-nil'ĕ-thriks) [MIM* 177750]. 偽連珠毛（連珠毛のように毛髪に結節を生じるが，結節膨大部で毛が折れる．常染色体性優性遺伝で晩期に発症する）.
pseu·do·mon·o·mo·lec·u·lar (sū'dō-mon'ō-mo-lek'kyū-lăr). 擬単分子の. = pseudounimolecular.
pseu·do·morph (sū'dō-mōrf) [pseudo- + G. *morphē*, form]. 仮像（その鉱物に固有の結晶形でなく，他の鉱物の形に結晶した鉱物）.
pseudomosaicism (sū-dō-mō-zā'i-sizm). 偽モザイク（生物細胞の２％以下でみられる染色体異常所見）.
pseu·do·my·ce·li·um (sū'dō-mī-se'lē-ŭm). 偽菌糸体（菌糸体状の偽菌糸の塊）.
pseu·do·my·o·pi·a (sū'dō-mī-ō'pē-ă). 偽〔性〕近視，仮性近視（近視に似た状態で，毛様体筋の痙攣によって起こる）.
pseu·do·myx·o·ma (sū'dō-mik-sō'mă). 偽〔性〕粘液腫（粘液腫に類似するが，粘液からなるゼラチン状塊）.

p. peritonei 腹膜偽〔性〕粘液腫（卵巣または虫垂の悪性嚢胞性新生物によって，腹腔にムチン物質が大量に蓄積すること．漿膜表面に散布された粘液分泌細胞が増殖するために持続することが多い）. = gelatinous ascites.

pseu·do·nar·cot·ic (sū'dō-nar-kot'ik). 偽麻酔性の（鎮静性ではあるが直接的に麻酔性でない作用により睡眠を誘発する）.
pseu·do·ne·o·plasm (sū'dō-nē'ō-plazm). 偽〔性〕新生物. = pseudotumor.
pseu·do·neu·ro·ma (sū'dō-nū-rō'mă). 偽〔性〕神経腫. = traumatic *neuroma.*
pseu·do·nit (sū'dō-nit). 偽シラミ卵. = hair *cast.*
pseudoobstruction (sū'dō-ob-strŭk'shŭn). 偽閉塞（腸の運動低下による腸拡張）.
pseu·do·os·te·o·ma·la·ci·a (sū'dō-os'tē-ō-mă-lā'shē-ă). 偽〔性〕骨軟化〔症〕（骨のくる病性軟化）.
pseu·do·os·te·o·ma·la·cic (sū'dō-os'tē-ō-mă-lā'sik). 偽〔性〕骨軟化〔症〕の.
pseudooutbreak (sū-dō-out'brāk). 偽流行発生（サーベイランスの強化やその他，病気とは無関係の因子によって，ある感染症の罹患率が増加したかのようなことを示すこと）.
pseu·do·pap·il·le·de·ma (sū'dō-pap'il-e-dē'mă)[MIM* 177800]. 偽〔性〕乳頭水腫(浮腫)（視神経円板の異常隆起．高度の遠視と視神経結晶腔でみられる）.
pseu·do·pa·ral·y·sis (sū'dō-pă-ral'i-sis). 偽〔性〕麻痺（疼痛による運動の随意抑制，協調不能，または他の原因によるが，実際の麻痺のない見かけ上の麻痺）. = pseudoparesis (1).

arthritic general p. 関節炎性偽〔性〕進行麻痺（進行麻痺に似た症状を有する関節炎患者に起こる疾患．病変は頭蓋内アテロームによる変性および非炎症性の広範な変化からなる）.

congenital atonic p. 先天性無緊張性偽〔性〕麻痺. = *amyotonia* congenita.

pseu·do·par·a·ple·gi·a (sū'dō-par'ă-plē'jē-ă). 偽〔性〕対麻痺（両下肢の見かけ上の麻痺．腱反射，皮膚反射，および電気反応は正常．くる病にみられることがある）.

Basedow p. (bahz'e-dō). バーゼドー(バセドウ)偽〔性〕対麻痺（甲状腺中毒症における大腿筋の脱力．突然起こり，患者は倒れることがある）.

pseu·do·par·a·site (sū'dō-par'ă-sīt). 偽寄生生物（片利共生寄生生物あるいは一時的寄生生物(後者は偶発的に摂取され，腸内で短期間生存する)をいう）.
pseu·do·pa·ren·chy·ma (sū'dō-pă-reng'ki-mă). 偽柔組織（真菌類において，変形した菌糸の組織上の塊）.
pseu·do·pa·re·sis (sū'dō-pă-rē'sis, -par'ĕ-sis). 偽〔性〕不全麻痺（①= pseudoparalysis. ②初期の不全麻痺性神経梅毒を示唆する瞳孔変化，振せん，言語障害を特徴とするが，血清学的試験は陰性である状態）.
pseu·do·pe·lade (sū'dō-pĕ-lahd') [pseudo- + Fr. *pelade*, 散発性脱毛を起こす疾患]. 萎縮性脱毛〔症〕（瘢痕型の脱毛症．通常，原因不明の散在性不整形の斑を生じる）. = p. of Brocq.

p. of Brocq = pseudopelade.

pseu·do·per·i·car·di·tis (sū'dō-per'i-kar-dī'tis). 偽〔性〕心膜炎（摩擦音に類似するが，聴診器の膜面を心尖拍動上に置くときの肋間腔の組織の運動による聴診のアーチファクト）.
pseu·do·per·ox·i·dase (sū'dō-pĕr-oks'i-dās). プソイドペルオキシダーゼ（ヘム蛋白と結合し非酵素的耐熱ペルオキシダーゼ活性をもつもの）.
pseu·do·phac·os (sū'dō-fak'ōs) [pseudo- + G. *phakos*, lens]. 偽水晶体. = lenticulus.
pseu·do·phak·i·a (sū'dō-fak'ē-ă) [pseudo- + *phakos*, lentil (lens)]. 偽水晶体（本来の水晶体が眼内レンズで置換された眼）.
pseu·do·phak·o·do·ne·sis (sū'dō-fāk'ō-dō-nē'sis). 偽水晶体振とう（眼内レンズの過剰運動）.
pseu·do·pho·tes·the·si·a (sū'dō-fō'tes-thē'zē-ă) [pseudo- + G. *phōs*, light + *aisthēsis*, sensation]. 偽光覚. = photism.
pseu·do·phyl·lid (sū'dō-fī'lid). 擬葉条虫（擬葉目に属する条虫の一般名）.
Pseu·do·phyl·lid·e·a (sū'dō-fi-lid'ē-ă) [pseudo- + G. *phyllon*, leaf]. 擬葉目（水生生活史をもつ条虫の一目．コ

ラシジウム，プロセルコイド，プレロセルコイドを経て魚，海生哺乳類，あるいは魚を食する哺乳類中で成虫に発育する．ヒトに寄生する広節裂頭条虫 *Diphyllobothrium latum* を含む）．

pseu·do·plate·let (sū′dō-plāt′let). 偽血小板（好中球の断片で血小板と間違われたもので，特に，白血病患者の末梢血の塗抹標本でみられる）．

pseu·do·pock·et (sū′dō-pok′ĕt). 仮性ポケット（歯肉の増殖および浮腫により生じた歯肉ポケットで，上皮付着の根尖側への移動を伴わない）．

pseu·do·pod (sū′dō-pod). ＝pseudopodium.

pseu·do·po·di·um, pl. **pseu·do·po·dia** (sū′dō-pō′dē-ŭm, -pō′dē-ă)［pseudo- ＋ G. *pous*, foot］. 偽足（アメーバ状の細胞あるいはアメーバ性原生動物が移動や食物の捕捉のために突き出す一時的な原形質突起）．＝pseudopod.

pseu·do·pol·y·dys·tro·phy (sū′dō-pol′ē-dis′trō-fē). 偽〔性〕ポリジストロフィ．＝*mucolipidosis* III.

pseu·do·pol·yp (sū′dō-pol′ip). 偽ポリープ（肉芽組織の突出塊．潰瘍性大腸炎において多数みられる．再生上皮でおおわれることもある）．＝inflammatory polyp.

pseu·do·por·phyr·i·a (sū′dō-pōr-fir′ē-ă). 偽ポルフィリン症（臨床的にポルフィリン症と一致しているが，ポルフィリン尿中排泄に異常を認めないポルフィリン症．薬剤服用や血液透析によるものが多い）．

pseu·do·preg·nan·cy (sū′dō-preg′năn-sē). 偽妊娠（①＝false *pregnancy*. ②妊娠に似た症状が存在するが妊娠ではない状態．交尾が排卵を誘発する哺乳類種で交尾後の不妊の場合に発生する．イヌにおいてもまた発情周期が著しい黄体期を誘発する）．

pseu·do·prog·na·thism (sū′dō-prog′nă-thizm). 偽〔性〕顎前突（[二重字 gn において，g は語頭にあるときのみ無音である]．下顎を前方に押し出すような咬合の不調和による後天的下顎前突．関節突起は，理想的な位置より前方にある）．

pseu·do·pte·ryg·i·um (sū′dō-tĕ-rij′ē-ŭm). 偽〔性〕翼状片（[二重字 pt における p は通常，語頭にあるときのみ無音であるが，本語においても通常，無音である]．外傷後に起こる角膜への結膜の癒着）．

pseu·dop·to·sis (sū′dop-tō′sis)［pseudo- ＋ G. *ptōsis*, a falling］. 偽〔性〕眼瞼下垂〔症〕（[二重字 pt において，p は単語の語頭にあるときのみ無音である]．眼瞼下垂症に類似した状態で，眼裂縮小，眼瞼皮膚弛緩症，または他の疾患によって起こる）．＝false blepharoptosis.

pseu·do·pu·ber·ty (sū′dō-pyū′bĕr-tē). 偽性思春期早発症（思春期に典型的な種々の身体的・機能的変化の早熟を特徴とする状態．一般に卵巣，精巣，または副腎皮質の腫瘍などからのホルモンの分泌によって生じ，通常の思春期が起こる暦年齢より早く起こる．視床下部・下垂体の性腺刺激ホルモンにより誘発される正常の思春期とは異なる）．

precocious p. 早発偽〔性〕思春期（非常に年齢の低い小児に思春期が発生すること．一般に，配偶子形成刺激を伴わない性腺ホルモンの分泌を特徴とする）．

pseudopustule 偽膿疱（ハリアリ刺症またはその他の原因で生じる膿疱に似た，壊死物質で満たされた水疱のこと）．

pseu·do·re·ac·tion (sū′dō-rē-ak′shŭn). 偽〔性〕反応（擬似反応の1つ．一定の検査で特異的な原因によらない反応）．

pseu·do·rep·li·ca (sū′dō-rep′li-kă). プソイドレプリカ（アガロース表面にウイルス含有懸濁液から粒子を載せ，その表面をプラスチック含有溶液でおおい，溶媒を蒸発させ，酢酸ウラニル溶液の表面に浮かせることにより，まきこまれた粒子とともに膜を取り除いて作製した電子顕微鏡検査用の標本）．

pseu·do·ret·i·ni·tis pig·men·to·sa (sū′dō-ret′i-nī′tis pig′men-tō′să). 色素性偽〔性〕網膜炎，偽網膜色素変性症（網膜の広範な色素性斑点形成．重症の眼外傷，特に貫通性損傷後に起こる）．

pseu·do·rheu·ma·tism (sū′dō-rū′mă-tizm). 偽〔性〕リウマチ（①関節や筋の症状を呈するが，他覚的所見がなく，また明らかな基礎的原因のない疾患．②虚偽の関節症状(廃語)）．

pseu·do·rick·ets (sū′dō-rik′ets). 偽〔性〕くる病．＝renal *rickets*.

pseu·do·ro·sette (sū′dō-rō-zet′). 偽〔性〕ロゼット（小さな血管の周囲に新生物細胞が放射状に配列している状態．→rosette (2)）．

pseu·do·ru·bel·la (sū′dō-rū-bel′ă). 偽〔性〕風疹．＝*exanthema* subitum.

pseu·do·sar·co·ma (sū′dō-sar-kō′mă). 偽肉腫（食道の大きな倍数体の悪性腫瘍．扁平上皮細胞の部分を有する紡錘状の細胞からなる．紡錘細胞は上皮性あるいは異形成性の悪性の線維芽細胞である）．

pseu·do·scar·la·ti·na (sū′dō-skar′lă-tē′nă). 偽〔性〕猩紅熱（化膿連鎖球菌 *Streptococcus pyogenes* 以外の原因による発熱を伴う紅斑）．

pseu·do·scle·ro·sis (sū′dō-sklē-rō′sis)［pseudo- ＋ G. *sklērōsis*, hardening］. 偽〔性〕硬化〔症〕（線維性肥厚に類似の炎症性硬化または脂肪や他の浸潤）．

pseu·do·sei·zure (sū′dō-sē′zhĕr). 偽〔性〕発作．＝hysteric *convulsion*.

pseu·do·small·pox (sū′dō-smawl′poks). 偽〔性〕痘瘡．＝alastrim.

pseu·dos·mi·a (sū-doz′mē-ă)［pseudo- ＋ G. *osmē*, smell］. 偽嗅，幻嗅（実在しない臭気を感じとる主観感覚）．

Pseu·do·ster·ta·gi·a bul·lo·sa (sū′dō-stĕr-tā′jē-ă bŭl-ō′să). ヒツジ，ヤギ，エダヅノカモシカの第四胃に寄生する中型の胃虫の1つ．主に米国西部にみられる．

pseu·dos·to·ma (sū-dos′tō-mă)［pseudo- ＋ G. *stoma*, mouth］. 偽口（染色の欠陥や他の原因による細胞，膜，他の組織の見かけ上の開口部）．

pseu·do·stra·bis·mus (sū′dō-stra-biz′mŭs)［pseudo- ＋ G. *strabismos*, a squinting］. 偽斜視（内眼角贅皮．両眼窩間隔異常，または瞳孔中央に対応しない角膜反射による斜視様所見）．

pseudosulcus vocalis (sū-dō-sŭl′kŭs vō-kā′lis). 声門下浮腫による声帯縁の自由端での粘膜の溝．

pseu·do·ta·bes (sū′dō-tā′bēz). 偽〔性〕脊髄ろう(癆)（脊髄ろうの特徴を有するが梅毒には起因しない症候群）．＝Leyden ataxia.

pupillotonic p. ＝Adie *syndrome*.

pseu·do·trun·cus ar·te·ri·o·sus (sū′dō-trŭng′kŭs ar-tēr-ē-ō′sŭs). 偽動脈幹（先天性心血管奇形．肺動脈弁閉鎖があり，主肺動脈がない．肺は動脈管開存または大動脈から出る気管支動脈を経て送血される．Fallot 四徴症の中で最重症の特徴）．

pseu·do·tu·ber·cle (sū′dō-tū′bĕr-kĕl). 偽結核結節（結核性肉芽腫に組織学的に類似の小結節．ヒト結核菌 *Mycobacterium tuberculosis* 以外の微生物による感染に起因する）．

pseu·do·tu·ber·cu·lo·sis (sū′dō-tū-ber′kyū-lō′sis). 仮性結核〔症〕（広範囲な動物種にみられる疾患で，*Yersinia pseudotuberculosis* に起因する．本症の流行は一般に鳥類やげっ歯類にみられ，致死率の高いことも多い．ヒトでは7つの臨床型が知られている．原発性巣状感染(仮性虫垂炎，急性腸間膜リンパ節炎または急性末端性回腸炎)．原発性全身性感染(敗血症または猩紅熱様発熱)および続発性免疫異常症(結節性紅斑または関節痛)）．＝pseudotubercular yersiniosis.

pseu·do·tu·mor (sū′dō-tū-mĕr). 偽腫瘍．＝phantom *tumor*; pseudoneoplasm.

p. cerebri 偽脳腫瘍（肥満の若い女性によくみられる疾患で，臨床的には頭蓋内圧亢進による頭痛，視力低下，視覚障害がみられ，診察では乳頭浮腫がみられる．しかし，神経画像検査では頭蓋内腫瘤性病変はみられず，脳室は正常または縮小している．治療しないと，ときに永続的な視力消失を起こすことがある．原因は不明である）．＝idiopathic intracranial hypertension.

plasma cell p. 形質細胞偽腫瘍．＝inflammatory myofibroblastic *tumor*.

pseu·do·u·ni·mo·lec·u·lar (sū′dō-yū′ni-mō-lek′yū-lăr). 擬単分子の（単一基質の濃度に依存しているようにみえる反応速度をもつ反応についていう．通常，他の物質が一定で飽和濃度であることによる）．＝pseudomonomolecular.

pseu·do·u·ri·dine (Ψ, Q) (sūdō-yū′ri-dēn). プソイドウリジン；5-β-D-ribosyluracil（転移リボ核酸にみられるウリジンの天然に存在する異性体．リボシルが窒素とよりも炭素(C5)と結合している点で独特である．尿中に排泄される）．

pseu·do·vac·u·ole (su′dō-vak′yū-ōl). 偽空胞（細胞の見か

けの空胞．人為的産物または細胞内寄生生物）．

pseu·do·va·ri·o·la (sū′dō-vă-rī′ō-lă) [pseudo- + L. *variola*, smallpox]. 偽〔性〕痘瘡（[誤った発音 pseudovario′la を避けること]）．＝alastrim.

pseu·do·ven·tri·cle (sū′dō-ven′tri-kĕl). 透明中隔腔．＝*cavity* of septum pellucidum.

pseu·do·vi·ta·min (sū′dō-vī′tă-min). プソイドビタミン（ビタミンに化学構造が似ているが，通常の生理学作用を欠く物質）．

p. B_{12} プソイドビタミン B_{12}（ウシの第一胃内容物中で，ある種の細菌による嫌気発酵中に生成される数種の物質の1つ．化学構造はビタミン B_{12}(シアンコバラミン)に酷似するが，ヒトではビタミンの生理学的作用をもたない）．

pseu·do·vom·i·ting (sū′dō-vom′i-ting). 反すう，偽〔性〕嘔吐（排出努力なしに食道や胃から物質が逆流すること）．

pseu·do·xan·tho·ma e·las·ti·cum (sū′dō-zan-thō′mă e-las′ti-kŭm) [MIM*177850, *177860, *264800]. 弾性線維〔性〕仮〔性〕黄色腫（結合組織の遺伝性疾患で，10 歳または 20 歳代に現れる頸部，腋窩，腹部，大腿のやや隆起した黄色斑を特徴とし，網膜の血管様線条や動脈の弾性線維の同様な変性および石灰化を合併する．常染色体優性遺伝型と常染色体劣性型がある．後者の全身性合併症はかなり軽い）．

psi (sī). ***1*** ギリシア語アルファベットの第 23 番目の文字(Ψ). ***2*** (Ψ). プソイドリウリジン，pseudo-，波動関数，ペプチド結合の C_1—Cα 結合での回転の二面角の記号．***3*** ポンド / 平方インチ．

psi·cose (sī′kōs). プシコース（ケトヘキソース．D-プシコースは D-フルクトースとエピマーの関係にある）．＝pseudofructose; *ribo*-2-hexulose.

psi·lo·cin (sī′lō-sin). プシロシン（プシロシビンに関連する幻覚誘発薬）．

Psi·lo·cy·be (sī′lō-sī′bē). ハラタケ科のキノコの一属．子実体が幻覚薬，プシロシビンの源であるメキシコ幻覚誘発菌 *P. mexicana* を含む精神作用性または幻覚誘発性の多くの種がある．

psi·lo·cy·bin (sī′lō-sī′bin). プシロシビン（4-ヒドロキシトリプタミンの *N′,N′*-ジメチル誘導体．メキシコ産のキノコ *Psilocybe mexicana* やその他の *Psilocybe*属，*Stropharia*属の子実体から得る．プシロシビンは 5-ヒドロキシトリプタミンの同族体で，強力な中枢神経作用を有する．容易に加水分解されて 4-ヒドロキシプホテニンを生じる．幻覚誘発薬として，またメキシコ原住民が昏睡状態を誘発するのに用いる）．＝indocybin.

psi·lo·sis (sī-lō′sis) [G. *psilōsis*, a stripping < *psilos*, bare]. 脱毛〔症〕．

psil·o·thin (sil′ō-thin) [→psilosis]. プシロシン（温かくして毛の多い面に塗ると，冷えたときパリパリになって毛と一緒にはがれる脱毛用硬膏）．

psi·lot·ic (sī-lot′ik). ***1***〖adj.〗脱毛〔症〕の．***2***〖n.〗脱毛薬．＝epilatory (1).

P-sin·is·tro·car·di·a·le (sin-is′trō-kar′dē-ā′lē). 左心性 P（[最後の e は発音される]．左心房の負荷を特徴とする心電図の P 波．本症候群はいかなる原因で生じる左心房の過負荷からも起こるのでしばしば誤って僧帽性 P(P-mitrale) とよばれる）．

PSIS posterior superior iliac *spine* の略．

psit·ta·cine (sit′ă-sēn). オウム類の（オウム科の鳥類，オウム，インコ，セキセイインコなどについていう）．

psit·ta·co·sis (sit′ă-kō′sis) [G. *psittakos*, a parrot + *-osis*, condition]. オウム病（*Chlamydophila psittaci*(*Chlamydia psittaci*)に起因するオウム類鳥類とヒトの感染性疾患．トリの感染は急性の疾病も起こるが，主に不顕性ないし潜在性である．ヒトの感染はインフルエンザ様の症候を伴う軽度な疾患となる場合があり，また特に高齢者では気管支肺炎の症状を伴い重症になることがある）．＝Parrot disease (3); parrot fever.

pso·as (sō′as) [G. *psoa*, the muscles of the loins]. →psoas major (*muscle*); psoas minor (*muscle*).

pso·mo·pha·gi·a, pso·moph·a·gy (sō′mō-fā′jē-ă, sō-mof′ă-jē) [G. *psōmos*, morsel, bit + *phagō*, to eat]. 荒食（食物を完全にそしゃくしないで飲み込むこと）．

psor·a·len (sōr′ă-len). ソラレン（白斑，乾癬の治療に用いる局所・経口投与の光毒薬．ベルガモット香油およびライムなどの果物や野菜の中にも含まれる．→PUVA）．

psor·en·ter·i·tis (sōr′en-tĕr-ī′tis) [G. *psōra*, itch(scabies) + *enteron*, intestine + *-itis*, inflammation]. 壊死組織片性腸炎（腸チフス，コレラ，その他の疾患における腸の孤立リンパ沪胞の炎症性腫脹）．

Psor·er·ga·tes (psōr-ĕr′gă-tēz) [G. *psōra*, itch]. ヒツジツメダニ属（ウシ，ヒツジ，ヤギに寄生し皮膚炎を起こす疥癬ダニ(ツメダニ科)の一属．ウシツメダニ *P. bos* は，ウシの皮膚炎を起こす疥癬ダニで，ニューメキシコで報告された．ヒツジツメダニ *P. ovis* は，米国，オーストラリア，ニュージーランド，および南アフリカ産のヒツジに皮膚炎を起こす小型の疥癬ダニ）．

pso·ri·a·si·form (sō-rī′ă-si-fōrm). 乾癬状の．

psoriasin (sōr-ī-ah′sin). ソライアシン（正常皮膚に存在する成分であるが，乾癬で増加し，大腸菌の増加を抑制するが他の皮膚常在菌増殖は抑制しない）．

pso·ri·a·sis (sō-rī′ă-sis) [G. *psōriasis* < *psōra*, the itch]. 乾癬（[sauriasis または siriasis と混同しないこと]．限局・孤立・融合性で，赤色調を呈し，銀色の鱗屑を伴った斑状丘疹を特徴とするありふれた多因子性の遺伝性疾患．病変は肘，膝，頭皮，および体幹に特に好発し，顕微鏡的には特性的錯角化と表皮突起の延長を示し，cGMP の減少による表皮角化細胞の交代時間短縮を認める）．

p. anularis ＝p. circinata.

p. arthropica 関節症性乾癬（血清リウマチ因子は陰性であるが，関節リウマチに似た重症の関節炎を合併する乾癬）．

p. circinata 環状乾癬，連圏状乾癬（辺縁部は病変が続くが中心部から治癒し始め，環状の病変をつくる乾癬）．＝p. anularis.

p. diffusa, diffused p. 広汎性乾癬，びまん性乾癬（広範な病変の融合を伴う型）．

exfoliative p. 剝脱性乾癬（慢性の乾癬から生じた剝脱性皮膚炎(＝紅皮症)．乾癬の治療の行き過ぎが原因となることがある）．

flexural p. 間擦疹型乾癬（間擦部位，例えば腋窩，鼡径部に生じる乾癬．ときに脂漏性湿疹に似る）．

generalized pustular p. of Zambusch (zam′bush). ツァンブッシュ汎発性膿疱性乾癬．＝pustular p. (1).

p. geographica 地図状乾癬（病変が地図の海岸線のような外観を示す花環状乾癬）．

p. guttata 滴状乾癬（小型の円形局面として突然に発生する乾癬．溶連菌感染に引き続いて若い人にみられる）．

p. gyrata 花環状乾癬（環が融合し，種々の外郭の形を生じさせる環状乾癬）．

p. nummularis 硬貨状乾癬（病変が孤立性で円板状の乾癬）．

palmar p. 手掌型乾癬（指腹や手掌の限られた接触部位に生じる．斑状で角質増生型の乾癬．手掌以外の部位に乾癬を伴うこともある．スポーツや仕事で片側の手掌のみ反応性に発症する例もある）．

p. punctata 点状乾癬（個々の病変は丘疹で，赤色を呈し，白色の鱗屑が頂部に付着している乾癬）．

pustular p. 膿疱性乾癬（①健常および乾癬皮膚の膿疱形成，発熱，顆粒球増加症を伴う広範な乾癬の増悪．ときに経口ステロイドで誘発されることもある．＝generalized pustular p. of Zambusch．②手掌足底の局所性の膿疱性発疹で，乾癬患者に最も好発する．連続性肢端皮膚炎と区別しにくい）．

pso·ri·at·ic (sō′rē-at′ik). 乾癬の．

Pso·rop·tes (sō-rop′tēz) [G. *psōra*, itch]. キュウセンヒゼンダニ属（キュウセンヒゼンダニ科の疥癬ダニの一属．種としてはウサギキュウセンヒゼンダニ *P. cuniculi*(ウサギに寄生するヒゼンダニ)，ウマキュウセンヒゼンダニ *P. equi*(ウマに寄生するヒゼンダニ，または体ダニ)，ヒツジキュウセンヒゼンダニ *P. ovis*(ヒツジとウシに寄生する，普通にみられるヒゼンダニ)がある）．

PSP phenolsulfonphthalein の略．

PSV pressure-support *ventilation* の略．

psych- →psycho-.

psy·chal·ga·li·a (sī′kal-gā′lē-ă). ＝psychalgia (1).

psy·chal·gi·a (sī-kal′jē-ă) [psych- + G. *algos*, pain]. 精神疼痛 ([psychroalgia と混同しないこと]. ①精神的努力に伴う苦痛. 特に抑うつ病にみられる. =phrenalgia (1); psychalgalia. ②=psychogenic *pain*).

psy·cha·li·a (sī-kā′lē-ă). サイカリア (聴覚性および視覚性幻覚を特徴とする感情状態を表すまれに用いる語).

psy·cha·nop·si·a (sī′kă-nop′sē-ă) [psych- + G. *an-* 欠性辞 + *opsis*, vision]. 精神盲. =mind *blindness*.

psy·cha·tax·i·a (sī′kă-tak′sē-ă) [psych- + G. *ataxia*, confusion]. 精神失調 (精神の混乱. 注意を集中したり, 精神的努力を続けることができないこと).

psy·che (sī′kē) [G. mind, soul]. サイキ (心と自己, 精神の主観的な面を表す語. 人間の身体的特性と区別される, 心理的, 精神的なもの).

psyche- →psycho-.

psy·che·del·ic (sī′kĕ-del′ik) [psyche- + G. *dēloō*, to manifest]. =hallucinogenic. ***1*** 〖adj.〗 サイケデリックな, 精神異常発現性の (主として中枢神経系に作用し, 意識の拡大や高揚に作用すると思われる薬物のやや不正確な分類に関するもので, 例えば, LSD, ハシシュ, メスカリン, プシロシビンなどについていう). ***2*** 〖n.〗 幻覚発動薬(物) (***1*** のような作用をもつ薬物, 視覚的展示物, 音楽, あるいはその他の感覚刺激物).

psy·chi·at·ric (sī′kē-at′rik). 精神医学の.

psy·chi·at·rics (sī′kē-at′riks). =psychiatry.

psy·chi·a·trist (sī-kī′ă-trist). 精神〔科〕医, 精神医学専門医 (精神医学を専門とする医師).

psy·chi·a·try (sī-kī′ă-trē) [psych- + G. *iatreia*, medical treatment]. 精神医学 (①精神障害を取り扱う専門医学. ②以下に記載のない精神医学の型については therapy, psychotherapy, psychoanalysis の各項参照). =psychiatrics.

analytic p. 分析的精神医学. =psychoanalytic p.

biologic p. 精神障害の診断と治療において分子, 遺伝, 薬理学的アプローチを重視する精神医学の一領域.

child p. 児童精神医学 (小児の情緒や精神の障害を扱う精神医学の一部門).

community p. 地域精神医学 (一対一の個人開業あるいは大きな中央集権化された精神医学的施設よりも地域社会でみられる情動障害や社会的異常のある患者の発見・予防・早期治療・リハビリテーションに焦点を当てた精神医学で, 精神疾患に関連する社会的・対人的・環境的要因が強調される).

contractual p. 契約的精神医学 (患者が自分自身の困難や苦悩から任意に精神医学的介入を受けることを表す古語. その場合, 患者は精神医学との協同について抑制を保っている).

cross-cultural p. 比較文化精神医学 (異なった国の文化の違いによって異なった形で現れる心理学的および精神医学的現象の研究に注目する精神医学の一分野).

descriptive p. 精神疾患の診断を扱う精神医学の実践的側面.

dynamic p. 力動精神医学. =psychoanalytic p.

existential p. 実存精神医学. =existential *psychotherapy*.

forensic p., legal p. 司法精神医学 (法廷で拘留の決定, 証言資格, 裁判に対する適性, 犯罪の責任などに精神医学を適用すること).

industrial p. 産業精神医学 (ビジネスや産業の問題への精神医学の原則の適用).

orthomolecular p. 統合失調症のような精神障害の治療に大量ビタミンや栄養食を用いることを重視する精神医学へのアプローチ.

psychoanalytic p. 精神分析的精神医学 (精神分析的原理を強調する精神医学的理論と実践. →psychoanalysis). =analytic p.; dynamic p.

social p. 社会精神医学 (精神障害と治療の文化的・社会学的観点を強調する精神医学的理論と実際へのアプローチ. 社会問題への精神医学の適用. →community p.).

psy·chic (sī′kik) [G. *psychikos*]. ***1*** 〖adj.〗 精神的な, 心的な (意識, 心, 魂の現象に関する). =psychical. ***2*** 〖n.〗 市子, 巫女, 霊媒 (霊と通信する力を与えられていると仮定される人).

psy·chi·cal (sī′ki-kăl). =psychic (1).

psy·chism (sī′kizm) [G. *psychē*, soul]. 霊気偏在論, 心霊説 (全自然にわたる生命の原理の理論).

psycho-, psych-, psyche- [G. *psychē*, soul, mind]. [本連結形を psychro- と混同しないこと. 二重字 ps の p は通常語頭にあるときのみ無音であるが, antipsychotic および neuropsychiatric におけるように連結形 psych- で用いられた場合, 長い慣習によりそれは単語の途中でも無音である]. 心, 精神, 心理学に関する連結形.

psy·cho·a·cous·tics (sī′kō-ă-kūs′tiks) [psycho- + G. *akoustikos*, relating to hearing]. 精神聴覚学, 心理音響学 (①実験心理学と物理学を組み合わせた学問分野. これは聴力と関連した音の物理的特徴や音受容の過程の生理学, 心理学を扱う. ②個人の音の意識性に影響を与える心理学的因子に関する学問).

psy·cho·ac·tive (sī′kō-ak′tiv). 精神活性の (気分, 不安, 行動, 認識過程, 精神的緊張を変える力を有するものについていう. 通常, 薬物に対して用いる).

psy·cho·al·ler·gy (sī′kō-al′ĕr-jē). 精神アレルギー (情動的象徴に対して感じやすくなることを表すまれに用いる語).

psy·cho·a·nal·y·sis (sī′kō-ă-nal′i-sis) [psycho- + analysis]. 精神分析〔学〕 (①Sigmund Freud が始めた, 主として感情転移と抵抗の分析を意識にもたらすように意図した精神療法の一方法. →freudian p. =psychoanalytic therapy. ②精神分析状況において自由連想と夢分析を通して人間の心や心理機能, 抵抗の解釈, 分析者に対する患者の感情的反応を調べる一方法. ③人格発展, 動機付け, 行動に関する観察と理論の統合体. ④Jung 派または Freud 派の精神分析のように精神治療の制度化された学派).

active p. 積極的精神分析〔学〕 (分析者が直接・積極的に患者の生活に対して, 例えば, 禁止したり仕事を課したりなどして干渉することを表す古語).

adlerian p. アードラー派精神分析〔学〕. =individual *psychology*.

freudian p. フロイト派精神分析〔学〕 (Sigmund Freud が発展させた精神分析の理論と実践および精神療法をいい, 次のことが基礎となっている. ⅰ精神生活は本能的な, そして社会的に獲得された力, またはイド, 自我, 超自我からなり, その各々は, 常に他に適応させなければならないという Freud の人格理論. ⅱすべての考えを検閲することなく分析者に言語化する自由連想法は患者の人格内の葛藤領域を明らかにする治療的戦術であるという彼の発見. ⅲこの洞察の獲得およびこれを基礎にした人格の再調整は患者が分析者との激しい情緒的結合(転移関係 transference relationship とよぶ)を初めて発展させ, 次いでこの結合を解決することを学ぶことに成功したときに学習される).

jungian p. ユング派精神分析〔学〕 (Carl G. Jung の原理による精神病理学の理論と精神療法の実際. ヒトの象徴性を強調する心理学と精神療法のシステムで, Freud の精神分析とは, 特に本能的(性的)衝動を重視しない点で異なる). =analytical psychology.

psy·cho·an·a·lyst (sī′kō-an′ă-list). 精神分析専門医 (精神分析の訓練およびそれを受け, 情動障害の治療に適用する訓練を受けた精神療法士. 通常は精神科医).

psy·cho·an·a·lyt·ic (sī′kō-an′ă-lit′ik). 精神分析〔学〕の.

psy·cho·au·di·to·ry (sī′kō-aw′di-tōr′ē) [psycho- + L. *auditorius*, relating to hearing]. 精神聴覚の (音の精神的知覚と解釈についていう. →psychoacoustics).

psy·cho·bi·ol·o·gy (sī′kō-bī-ol′ŏ-jē). 精神生物学 (①認知機能における生物学と心理学の相互関係の研究. 知能と記憶, それと関連した神経認知過程を含む. ②精神医学に対して Adolf Meyer が用いた語).

psy·cho·ca·thar·sis (sī′kō-kă-thar′sis). 精神浄化〔法〕, 精神カタルシス. =catharsis (2).

psy·cho·chrome (sī′kō-krōm) [psycho- + G. *chrōma*, color]. 精神色 (感覚印象に反応して精神的に心に浮かぶある種の色. →psychochromesthesia).

psy·cho·chro·mes·the·si·a (sī′kō-krō′mes-thē′zē-ă) [psycho- + G. *chrōma*, color + *aisthēsis*, sensation]. 精神色感〔症〕 (特殊感覚器官の1つに対する, ある種の刺激がある色の精神像をつくり出す一種の合成感覚. →photism; color *taste*; pseudogeusesthesia).

psy·cho·di·ag·no·sis (sī′kō-dī′ag-nō′sis). ***1*** 精神診断 (行動, 特に不適応または異常行動の基礎にある要因を発見するのに用いるあらゆる方法). ***2*** 精神診断学 (精神病理を評価するために心理的テストや技法を用いることを強調する臨床心理学の一分野).

Psy·chod·i·dae (sī-kod′i-dē) [G. *Psychē*, ギリシア神話の精霊. ときにチョウに扮する]. チョウバエ科 (小型のハエの一科. 有毛のガ様体と, 横脈を欠く 7—11 本の平行翅脈が特徴. リーシュマニア症の媒介昆虫である *Phlebotomus*属および *Lutzomyia*属のサシチョウバエを含む).

psy·cho·dom·e·try (sī′kō-dom′ĕ-trē) [psycho- + G. *hodos*, way + *metron*, measure]. 精神活動測定〔法〕(精神活動の速度を測定すること).

psy·cho·dra·ma (sī′kō-drah′mā). 心理劇, サイコドラマ (患者に下稽古や診断上特徴的な役を与えずに, 他の患者の前で演じることによって, 彼らの個人的な問題を表出させるような精神療法の一方法).

psy·cho·dy·nam·ics (sī′kō-dī-nam′iks) [psycho- + G. *dynamis*, force]. 精神力動, 精神力学 (無意識と意識の動機付けの相互作用と情動の機能的意義を強調する, 人間行動の基底にある心理の影響の体系的研究と理論. →role-playing).

psy·cho·en·do·cri·nol·o·gy (sī′kō-en′dō-krĭ-nol′ŏ-jē). 精神内分泌学 (内分泌機能と精神状態の相互関係についての研究で, ストレスに対するホルモンの生理的な反応の変化が, そのストレスに対する特定の感情的な反応を決めるときの心理的な変化と関連しているという考えに立脚している. →fight or flight response; relaxation response; emergency theory).

psy·cho·ex·plor·a·tion (sī′kō-eks′plōr-ā′shŭn). 精神探索, 心理探究 (ある個人の態度, 感情生活を研究すること).

psy·cho·gal·van·ic (sī′kō-gal-van′ik). 精神電流の (心理的刺激により誘発される皮膚電気抵抗の変化としての, 皮膚の電気的性状の変化に関する).

psy·cho·gal·va·nom·e·ter (sī′kō-gal′vă-nom′ĕ-tĕr). 精神電流計 (情動刺激に関連する皮膚抵抗の変化を記録する電流計).

psy·cho·gen·der (sī′kō-jen′der). 精神〔的〕性 (男性または女性としての個人的同一性に関して個々人がとる態度. →gender *role*).

psy·cho·gen·e·sis (sī′kō-jen′ĕ-sis) [psycho- + G. *genesis*, origin]. 心因, 精神発生学, 精神作用 (精神, 感情, 行動, 人格, および関連する心理過程を含む精神過程の起源と発達). = psychogeny.

psy·cho·gen·e·tic (sī-kō-gĕ-net′ik) [psycho- + genetic]. サイコジェネティック (遺伝的多様性と心理学的, 精神医学的現象との間の相互作用のこと. →psychogenic).

psy·cho·gen·ic (sī′kō-jen′ik). ***1*** 精神性の (→psychogenetic). ***2*** 心因性の (情動とそれに関連した心理の発展, または心因に関する).

psy·chog·e·ny (sī-koj′ĕ-nē). = psychogenesis.

psy·cho·geu·sic (sī′kō-gyū′sik) [psycho- + G. *geusis*, taste]. 味覚の (味の精神的知覚と解釈に関する).

psy·cho·gog·ic (sī′kō-goj′ik) [psycho- + G. *agōgos*, a leading away]. 精神作用促進性の (情動に刺激薬として作用する).

psy·cho·graph·ic (sī′kō-graf′ik). 精神図の, 精神図法の.

psy·chog·ra·phy (sī-kog′ră-fē) [psycho- + G. *graphē*, a writing]. 精神図法 (個人の真実またはフィクションとしての特徴を書いたもので, 精神分析的あるいは心理学的分類と理論を用いる. 心理学的伝記または性格描写).

psy·cho·his·tor·y (sī′kō-his′tōr-ē). 精神史 (著作, 特に伝記において, 例えば, Erik Erikson の著作のように心理学(特に精神分析)と歴史を併用すること. →psychography).

psychohormonal (sī′kō-hōr-mōn′ăl). 精神－内分泌的 (行動に影響を及ぼすホルモンの精神作用).

psy·cho·ki·ne·sis, psy·cho·ki·ne·sia (sī′kō-ki-nē′sis, -nē′zē-ă) [psycho- + G. *kinēsis*, movement]. ***1*** 念力 (精神力が物質に影響を及ぼすこと. 物を動かしたり, 曲げたりする精神的な〝力〟). ***2*** 精神運動 (衝動的行動).

psy·cho·lin·guis·tics (sī′kō-ling-gwis′tiks) [psycho- + L. *lingua*, tongue]. 心理言語学 (言語の疎通性と理解とに影響を与える発声, 態度, 情動, 文法を含む言語と関連した多数の心理的要因を研究する学問).

psy·cho·log·i·cal, psy·cho·log·ic (sī′kō-loj′i-kăl, -loj′ik). 心理学の, 心〔理〕的の (①心理学に関する. ②心理やその作用についていう. →psychology).

psy·chol·o·gist (sī-kol′ŏ-jist). 心理学者 (心理学を専門とする人で, 職業として心理学を実践する免許をもっている人(例えば臨床心理学者)や, 学問としての心理学を教える資格のある人(例えば学問的心理学者), あるいは心理学の一分野に専門的に精通している人(例えば研究心理学者)などをいう).

psy·chol·o·gy (sī-kol′ŏ-jē) [psycho- + G. *logos*, study]. 心理学 (人や動物の行動および心的・心理的な過程を取り扱う職業(臨床心理学)や学問(学問的心理学)および科学(研究心理学)をさす).

adlerian p. アードラー心理学. = individual p.

analytical p. 分析心理学. = jungian *psychoanalysis*.

animal p. 動物心理学 (人の行動を理解するために動物の行動や生理学的反応の研究に関心をもつ精神医学の一領域).

atomistic p. 原子論的心理学 (精神過程は単純要素の結合によって組み立てられるという学説に基づいた心理学体系. 例えば, 精神分析, 行動主義).

behavioral p. 行動心理学. = behaviorism.

behavioristic p. 行動主義的心理学 (心理的障害の治療にあたって, カウンセリングやその他の力動的アプローチではなく, 脱感作法や暴露法などの行動療法的アプローチを用いる心理学の一分野. →behavior *therapy*).

child p. 児童(小児)心理学 (成人ではなく小児の認知および知能の発達に焦点づけた理論やその応用を扱う心理学の一分野).

clinical p. 臨床心理学 (情動障害や行動障害をもつ人々に関して, 新たな理解を深めると同時に, 心理学的技法やその科学的方法を応用していくことを専門とする心理学の一分野をさす. さらに臨床児童心理学や小児心理学もこの分野に属するものである).

cognitive p. 認知心理学 (知覚, 学習, 記憶, 知能, 思考など下位領域からのばらばらな知識を 1 つの全体に統合しようとする心理学の一部門).

community p. 地域心理学 (地域の計画に対し応用された心理学. 例えば, 学校, 矯正施設や福祉施設の制度, 地域精神衛生センターに関してなど).

comparative p. 比較心理学 (系統発生的に発達段階の異なった生物の行動を比較研究し, それぞれの発達の傾向を発見しようとする心理学の一分野).

constitutional p. 体質心理学 (個性を体質に関連付ける心理学).

counseling p. カウンセリング心理学 (最初は臨床心理学と対照的に, 日常生活の重要な問題への対処についての患者の正常な発達や成長を促進することを強調する心理学).

criminal p. 犯罪心理学 (犯罪に関連する心理やその作用を研究する心理学. →forensic p.).

depth p. 深層心理学 (意識的心理過程だけを取り扱った従来(19 世紀)の一般心理学とは対照的に, 無意識の心理過程を取り扱う心理学. ときに psychoanalysis(精神分析)と同義に用いる).

developmental p. 発達心理学 (誕生から老年までに起こる心理的, 生理的, 行動的変化を研究する).

dynamic p. 〔力〕動的心理学 (行動の原因に強い関心を向けて心理学的解明を図る).

educational p. 教育心理学 (教育に応用される心理学で, 特に教え方や学習に関する問題を取り扱う).

environmental p. 環境心理学 (行動科学者と建築家による物理的空間および関連した物理的刺激の変化が人々の行動に与える影響の研究と応用. →personal *space*).

existential p. 実存心理学 (現象学と実存主義哲学に基づく心理学理論. 世界的存在としての人の継時的空間的体験および有機体としての存在を解明することが必要であると主唱する).

experimental p. 実験心理学 (①心理学の一分科で, 条件付け, 学習, 知覚, 動機付け, 情動, 言語, および思考などに関して研究にかかわる部門. ②相関関係的または社会経験的方法とは対照的に, 実験的方法が強調される主題領域に関してもまた用いられる).

forensic p. 司法心理学 (裁判過程の法的諸問題に応用される心理学).

genetic p. 発生心理学，発達心理学（行動の進化や，精神活動に関して異なった類型のものの互いの関係を追究する心理学）.

gestalt p. ゲシュタルト心理学（→gestaltism）.

health p. 健康心理学（健康の増進と維持，疾患の治療と予防，そして健康，疾患，およびそれに関連した機能障害の病因の同定と診断，および保健ケアシステムの分析と改善を目的とした，心理学分野の特定の教育的，科学的，および専門的貢献の集大成）.

holistic p. 全体論的心理学（人間の精神または精神的過程は一単位として追究すべきである，と主張する心理学体系．例えば，ゲシュタルト理論，実存心理学）.

humanistic p. 人間学的心理学（人間の独自性，主体性，および人間の限りない精神発達の可能性を強調している，実存的方法を用いる心理学）.

individual p. 個体心理学，個人心理学（人間の社会性，支配欲(権力への意志)．および補償によって劣等感を克服しようとする欲求を強調するような人間行動についての学説）．＝adlerian psychoanalysis; adlerian p.

industrial p. 産業心理学（商業や産業に関する諸問題に心理学的原理を応用した心理学）.

medical p. 医学的心理学（心理学の原理を医学の実践に適用することにかかわる心理学の一派．通常，病院における臨床心理学，または臨床健康心理学の応用）.

objective p. 客観的心理学（他者の行動や精神機能を観察することによって研究を進める心理学）.

subjective p. 主観的心理学（自分自身の精神と，その種々の行動様式とを，心理学的演繹の基礎として研究する心理学）.

psy・cho・met・rics (sī′kō-met′riks)．＝psychometry.

psy・chom・e・try (sī-kom′ĕ-trē) [psycho- + G. *metron*, measure]．精神測定〔学〕，心理測定〔学〕（心理的・精神的検査に関する学問で，人の心理的特性あるいは態度または精神過程を量的に分析しようとするもの）．＝psychometrics.

psy・cho・mo・tor (sī′kō-mō′tŏr) [psycho- + L. *motor*, mover]．精神運動の（①筋肉運動や随意運動と関連した心理過程についていう．②障害となる場合も含めて，精神と運動現象との結合性を意味する）.

psy・cho・neu・ro・im・mun・ol・ogy (sī′kō-nū-rō-im′ū-nol′ō-jē) [psycho- + neuro- + immunology]．精神神経免疫学（免疫機構に影響を及ぼし，疾患そのもの，あるいは疾患の経過に対する感受性を高めるような感情・精神状態に焦点を合わせた研究分野）.

psy・cho・neu・ro・sis (sī′kō-nū-rō′sis) [psycho- + G. *neuron*, nerve + *-osis*, condition]．精神神経症（①精神面や行動面の障害で，軽症あるいは中等度のもの．②昔は神経症の１つとして分類されていたもので，ヒステリー，精神衰弱，神経衰弱，不安障害，恐怖性障害がこれに含まれていた）.

p. maidica ＝pellagra.

psy・cho・neu・rot・ic (sī′kō-nū-rot′ik)．精神神経症〔性〕の，精神神経患者の.

psy・cho・nom・ic (sī′kō-nom′ik)．心理法則学的な.

psy・chon・o・my (sī-kon′ŏ-mē) [psycho- + G. *nomos*, law]．心理法則学（行動の法則性を扱う心理学の一分野に対してまれに用いる語）.

psy・cho・no・sol・o・gy (sī′kō-nō-sol′ŏ-jē) [psycho- + G. *nosos*, disease + *logos*, study]．精神疾病分類学（精神障害と行動障害の分類学）．＝psychiatric nosology.

psy・cho・nox・ious (sī′kō-nok′shŭs) [psycho- + L. *noxius*, harmful]．精神有害〔性〕の（まれに用いる語．①高位の中枢神経系を介して，情動生活やその反応に好ましくない影響をもたらすようなもので，内因性のものも外因性のものもある．②恐怖，苦痛，不安，あるいは怒りを引き起こさせるような人々や状況をさしていう）.

psy・cho・on・col・o・gy (sī′kō-ong-kol′ŏ-jē)．癌患者の治療と管理における心理学的側面．精神医学，心理学，医学の要素を統合し，患者やその家族の心理社会的要求に特別の関心を寄せる.

psy・cho・path (sī′kō-path) [psycho- + G. *pathos*, disease]．精神病質（以前，反社会的な人格障害をもつ人をさした語．→antisocial *personality*; sociopath）.

psy・cho・path・ic (sī′kō-path′ik)．精神障害の.

psy・cho・pa・thol・o・gist (sī′kō-pă-thol′ŏ-jist)．精神病理学者（精神病理学を専門とする人）.

psy・cho・pa・thol・o・gy (sī′kō-pă-thol′ŏ-jē) [psycho- + G. *pathos*, disease + *logos*, study]．精神病理学（①精神や行動の病理学を取り扱う科学．②精神医学および異常心理学を含めて，精神や行動の障害を研究する学問）.

psy・chop・a・thy (sī-kop′ă-thē) [psycho- + G. *pathos*, disease]．精神病質者が事とする反社会的行動や操作的行動パターンをさす古語，また不正確な用語．→personality *disorder*.

psy・cho・phar・ma・ceu・ti・cals (sī′kō-far′mă-sū′ti-kălz)．向精神薬（情動障害の治療に用いる薬物）.

psy・cho・phar・ma・col・o・gy (sī′kō-far′mă-kol′ŏ-jē) [psycho- + G. *pharmakon*, drug + *logos*, study]．精神薬理学（①精神障害の治療に用いる薬剤の用法に関する学問．②薬剤と行動との関係を研究する学問）．＝neuropsychopharmacology.

psy・cho・phys・i・cal (sī′kō-fiz′i-kăl)．精神物理の（身体刺激の精神知覚についていう．→psychophysics）.

psy・cho・phys・ics (sī′kō-fiz′iks)．精神物理学（刺激の物理的特質と，測定された同一刺激の精神知覚の量的特質との関係の科学(例えば，音響のデシベルレベルでの変化とそれに対するヒトの聴覚の変化の関係)）.

psy・cho・phys・i・o・log・ic (sī′kō-fiz′ē-ō-loj′ik)．精神生理学の（①精神生理学についていう．②いわゆる心身症についていう．③重大な，情動的または心理的病因のある身体疾患を示す）.

psy・cho・phys・i・ol・o・gy (sī′kō-fiz′ē-ol′ō-jē)．精神生理学（心理過程と生理過程との関係の科学．例えば，情動によって活性化する自律神経系の要素）.

psy・cho・pro・phy・lax・is (sī′kō-prō′fi-lak′sis) [psycho- + prophylaxis]．精神的予防〔法〕（情動障害の予防と，精神の健康維持のための精神療法）.

psy・cho・re・lax・a・tion (sī′kō-rē′lak-sā′shŭn)．精神弛緩（系統的脱感作のように，全身の弛緩を行うことによって，不安と緊張を治療する方法）.

psy・chor・mic (sī-kōr′mik) [psycho- + G. *hormao*, to set in motion]．＝psychostimulant.

psy・cho・sen・so・ry, psy・cho・sen・so・ri・al (sī′kō-sen′sō-rē, -sen-sōr′ē-ăl)．精神感覚の（①感覚刺激の心的知覚と解釈を示す．②努力によって精神が現実から区別できる幻覚を示す）.

psy・cho・sex・u・al (sī′kō-sek′shū-ăl)．精神・性的の（性または性的発達の情緒的，精神生理的，および行動的な各要素の関係についていう）.

psy・cho・sine (sī′kō-sēn)．プシコシン（UDP galactose-sphingosine *β*-D-galactosyltransferase により，UDP ガラクトースとスフィンゴシンから生成されたセレブロシドの一成分，ガラクトシルスフィンゴシン）.

psy・cho・sis, pl. psy・cho・ses (sī-kō′sis, -sēz) [G. an animating]．精神病（**[sycosis と混同しないこと]**．①日常生活での通常の要求を処理する能力を妨げるほど，個人の精神力，情動反応，および現実を認識し，他人と意思を疎通し，関係をもつ力を著しくゆがませ，崩壊させる精神および行動上の障害．精神病は成因によって大きく２つに分類される．ⓘ器質性脳症候群(例えば Korsakoff 症候群)に関連する精神病．ⓘⓘ明らかには器質性ではなく，機能的要素を有する精神病(例えば統合失調症，双極性障害)．②精神障害の一般名．最も多い型は統合失調症．③重症の情動および行動上の疾患）．＝psychotic disorder.

affective p. 情動精神病，感情精神病（著しい気分障害に加えて幻覚，妄想が存在する．→mood *disorders*; bipolar *disorder*; major depressive *disorder*）．＝manic p.

alcoholic psychoses アルコール精神病（振せんせん妄や Korsakoff 症候群のように器質性脳障害を伴う，アルコール中毒による精神障害）.

bipolar p. 軽躁を除く様々な双極性障害エピソードの最中に現れる感情パーソナリティの亜型．→bipolar disorder; manic *episode*

Cheyne-Stokes p. (chān stōks)．チェーン－ストークス精神病（Cheyne-Stokes 呼吸に伴う不安と不穏を特徴とする精神状態）.

P

depressive p. 生物学的要因が主要な役割を果たすと信じられている，大気分障害．⇀depression.

drug p. 薬物〔性〕精神病（薬物(例えばLSD)の摂取後に起こる，または促進される精神病）.

febrile p. 熱性精神病．＝infection-exhaustion p.

functional p. 近代科学が各疾患のいくつかの側面に生物学的要素を発見する以前に，統合失調症と他の重い精神疾患を表した語．現在では用いられない．

hysteric p. ヒステリー性精神病（重症な転換性反応の古典的用語で，現実の対人接触を障害し，それは短期，反応性，文化に限られる．⇀hysteria; conversion).

ICU p. ICU精神病（精神病性のエピソードであり，古典的には冠動脈疾患の治療中にみられ，精神病の既往のない患者が，ICUに入って24時間以内に起こる．睡眠の剝奪，ICU内の過剰な刺激，生命維持装置内で過ごす時間などが関係する．もとからあった精神病の増悪やせん妄のような器質精神病とは区別すべきである）.

infection-exhaustion p. 感染消耗精神病，感染へばり精神病（急性感染，ショック，慢性中毒後に起こる精神病を表す現在では用いられない語．せん妄として始まり，幻覚，非体系的妄想，ときには昏迷を伴う著明な精神錯乱が起こる）．＝febrile p.

Korsakoff p. (kōr′să-kof). コルサコフ精神病．＝Korsakoff *syndrome.*

manic p. ⇀bipolar *disorder*; manic-depressive *disorder*; endogenous *depression*. ＝affective p.

manic-depressive p. 躁うつ病．＝bipolar *disorder.*

mood-congruent p. 感情一致性精神病（大うつ病エピソードの間のうつあるいは躁病エピソードの間の躁と一致して体系化された幻覚や妄想が出現すること）.

mood-incongruent p. 感情不一致性精神病（うつ病相あるいは躁病相とは一致せずに体系化された幻覚や妄想が出現すること）.

posthypnotic p. 後催眠性精神病（催眠術後の，またはそれによって引き起こされる精神病）.

postinfectious p. 感染後精神病（肺炎や腸チフスなどの急性熱性疾患後の精神障害，認知症）.

postpartum p. 産後精神病（出産後の母親の抑うつを伴う急性精神障害）．＝puerperal p.

posttraumatic p. 外傷後精神病（外傷，特に頭部外傷後の精神病．*cf.* traumatic p.).

pseudo p. 精神病に類似した状態で，虚偽性障害あるいは詐病であるかもしれないもの．

puerperal p. 産褥精神病．＝postpartum p.

schizoaffective p. 統合失調－情動精神病（統合失調症状と躁うつ病症状が混合し同時に発生する精神障害）.

senile p. 老年(老人)性精神病（老年に発生し，変性脳過程に関連する精神障害）.

situational p. 状況精神病（素因のある個人において，耐えがたいと思われる状況によって起こる一過性の情動障害）.

toxic p. 中毒精神病（内因性あるいは外因性の有毒物質によって起こる精神病）.

traumatic p. 外傷精神病（身体障害または情動的ショックに起因する精神病．*cf.* posttraumatic p.).

Windigo p., Wittigo p. ウィンディゴ(ウィッティゴ)精神病（カナダ原住民の文化特異的症候群で，ウィンディゴまたはウィッティゴとよばれる食人鬼に変貌するという妄想からなる．同時にまた焦燥，抑うつ，サディスティックな衝動をコントロールできない恐怖を体験する）.

psy·cho·so·cial (sī′kō-sō′shăl). 心理・社会的の（心理学的視点および社会的視点を含むことについていう．例えば，年齢，教育，結婚，血縁に関する点など）.

psy·cho·so·mat·ic (sī′kō-sō-mat′ik) [psycho- ＋ G. *soma*, body]. 心身の，精神身体の（身体の障害または疾患に関し，身体の生理学的機能に対して心や脳の心理学的機能が与える影響のこと，および心理学的機能と疾患の相互作用のこと．特に二次的利得の可能性がある場合，蔑視的に使用されることがある．⇀psychophysiologic; psychogenic. →placebo; nocebo).

psy·cho·so·mi·met·ic (sī-kō′sō-mi-met′ik). ＝psychotomimetic.

psy·cho·stim·u·lant (sī′kō-stim′yū-lănt). 精神刺激薬（抗うつ性あるいは気分を高揚させる性質をもつ薬物）．＝psychormic.

psy·cho·sur·ger·y (sī′kō-ser′jĕr-ē). 精神外科（脳の手術(例えばロボトミー)による精神障害の治療）.

psy·cho·syn·the·sis (sī′kō-sin′thĕ-sis) [psycho- ＋ synthesis]. 精神総合，精神統合（古い精神療法の用語で，精神分析とは反対に，有益な抑制力の回復および自我に対するイドの正当な立場の復権を強調する）.

psy·cho·tech·nics (sī′kō-tek′niks) [psycho- ＋ G. *technē*, art, skill]. 精神技術（経済学，社会学，および他の問題における心理的方法の実際的応用を表す古語）.

psy·cho·ther·a·peu·tic (sī′kō-thār′ă-pyū′tik). 精神療法の．

psy·cho·ther·a·peu·tics (sī′kō-thār-ă-pyū′tiks). ＝psychotherapy.

psy·cho·ther·a·pist (sī′kō-thār′ă-pist). 精神療法士（精神療法の専門的訓練を受け，それに従事している者．通常は精神科医か臨床心理学者．現在この用語は，ソーシャルワーカー，看護師，その他精神療法を含む実践治療を国から許可されている人々にも適用されている）.

psy·cho·ther·a·py (sī-kō-thār′ă-pē) [psycho- ＋ G. *therapeia*, treatment]. 精神療法，心理療法（化学的・物理的方法を用いる治療とは対照的に，主として患者と言語的，非言語的に意思の疎通を図ったり，干渉しあったりすることにより，情動的，行動的，性格的，および精神科的障害を治療すること．psychoanalysis, psychiatry, psychology, therapyの項参照）．＝psychotherapeutics.

anaclitic p. 依存的精神療法（患者が権威者としての治療者に依存し，頼る傾向を励まし，利用することを特徴とする精神療法）.

autonomous p. 自律性精神療法（治療状況と実生活の両方における患者の自己決定の価値を特に強調する精神分析的精神療法）.

brief p. 短期精神療法（最小限の時間(一般的には20セッション以内)で情緒および行動の治療的変化を生じさせるように組み立てられた精神療法またはカウンセリングの形態．短期療法は通常積極的で指示的であり，症状または問題がはっきりとしていて，目標が明確で限定的である場合に特に適応になる）.

contractual p. 契約的精神療法（治療状況における各々の役割に関する，治療者と患者の間の確固たる合意，または契約(contract)に基づく精神療法）.

directive p. 指示的精神療法（非指示的精神療法とは対照的に，療法士の権威も用いて患者の治療の方向を指示する療法）.

dyadic p. 二者関係精神療法（治療者と患者の2人だけが関与する精神療法．*cf.* group p.)．＝individual therapy.

dynamic p. 〔力〕動的精神療法．＝psychoanalytic p.

existential p. 実存〔的〕精神療法（合理的思考よりもむしろ直面している事柄，本質的自発的相互作用，および感情経験を強調する実存哲学に基づく治療の一型．患者の抵抗にはあまり注意を払わない．治療者は患者と同じレベルで同程度に関与する）．＝existential psychiatry.

group p. 集団精神療法（日常の対人交流における患者の不適応行動の変化を独特の目的として，情動的および理性的な認識的相互作用の両方を促進する1人以上の精神療法士と，数人の(3人以上)患者がともに参加する心理的治療．groupの項参照）.

heteronomous p. 他律性精神療法（自律性精神療法と対照的に，患者の他者への依存，特に精神療法士への依存を促す精神療法のあらゆる型を包括する用語）.

hypnotic p. 催眠精神療法（催眠術に基づく精神療法）.

intensive p. 集中的精神療法，徹底的精神療法（表面的精神療法または支持的精神療法としばしば対比されるもので，患者の生活歴と葛藤と家族精神力動を徹底的に探索する精神療法）.

marathon group p. マラソン集団精神療法（食事や休養のため中断するほかは，何時間，何日も連続して行う集団精神療法）.

nondirective p. 非指示的精神療法（治療者が面接の間，自説を述べて面接の経過を方向付けるのでなく，むしろ患者のリードに従う精神療法．→client-centered *therapy*).

psychoanalytic p. 精神分析的精神療法（Freud の原理を用いる精神療法.→psychoanalysis). =dynamic p.

reconstructive p. 再構成精神療法（症状を軽減するばかりでなく，不適応性格構造に変化を起こし，新しい順応力を促進しようとする精神分析のような治療の一型．この目的は葛藤，恐怖，抑制の認識と洞察，およびそれらの発現を意識させることにより達成される).

suggestive p. 暗示精神療法（治療士の影響力と権威を利用する精神療法を表す古語.→directive p.).

supportive p. 支持〔的〕精神療法（患者の葛藤を掘り下げてそれを刺激するよりもむしろ，患者の心理的防衛を支持し，患者に保証を与えることを目的とする精神療法．危急時介入はある種の支持精神療法である).

transactional p. 相互作用精神療法，交流精神療法（患者と患者の生活における他の人々との日々の実際のかかわりあい(交流 transaction)に重点をおく精神療法).

psy·chot·ic (sī-kot′ik). 精神病性の.

psy·chot·o·gen (sī-kot′ŏ-jen)［psychotic + G. *-gen*, producing］. 精神病発現薬.

psy·chot·o·gen·ic (sī-kot′ō-jen′ik). 精神病発現薬の（精神病を誘発させる．特に幻覚を起こさせる LSD 系薬物や類似物質に関して用いる).

psy·chot·o·mi·met·ic (sī-kot′ō-mi-met′ik)［psychosis + G. *mimetikos*, imitative］. =psychosomimetic. ***1***〘n.〙精神異常作用薬，精神異常発現薬（精神病に似た心理的・行動的変化をもたらす薬または物質．例えば LSD). ***2***〘adj.〙精神異常作用〔性〕の，精神異常発現〔性〕の（***1*** の作用をもつ薬剤や物質についていう).

psy·cho·trop·ic (sī′kō-trop′ik, trō′pik)［psycho- + G. *tropē*, a turning］. 精神作用〔性〕の，向精神性の（精神，感情，行動に作用しうる．特に精神病に用いる薬についていう).

psychro-［G. *psychros*］. **［本連結形を psycho-, psych-, および psyche- と混同しないこと］**．寒冷に関する連結形.→cryo-; crymo-.

psy·chro·al·gi·a (sī′krō-al′jē-ă)［psychro- + G. *algos*, pain］. 〔寒〕冷痛（**［psychalgia と混同しないこと］**．寒冷を疼痛として感じる感覚).

psy·chro·es·the·si·a (sī′krō-es-thē′zē-ă)［psychro- + G. *aisthēsis*, sensation］. 〔寒〕冷感（①寒冷を知覚する感覚．②身体は暖かいのに寒く感じること．寒け，悪寒).

psy·chrom·e·ter (sī-krom′ĕ-tĕr)［psychro- + G. *metron*, measure］. 乾湿球湿度計，乾湿計（ぬれた球をもつ温度計と，乾いている球をもつ温度計が示す温度の差によって大気の湿度を測定する装置．湿球からの水分の蒸発はその温度計の示度を下げるので，温度の差が大きいほど空気は乾燥している．相対湿度 100% では，この差は 0 になる). =wet and dry bulb thermometer.

sling p. 振り回し乾湿計（手動振り回し台に載せた乾湿球湿度計．小型の携帯用乾湿球湿度計が必要なときに用いる).

psy·chrom·e·try (sī-krom′ĕ-trē)［psychro- + G. *metron*, measure］. 乾湿球湿度測定〔法〕（湿球および乾球温度と気圧から，相対湿度と水蒸気圧を計算すること．相対湿度は普通用いられている値であるが，蒸気圧は生理学的意味をもつ量である). =hygrometry.

psy·chro·phile, psy·chro·phil (sī′krō-fīl, -fil)［psychro- + G. *phileō*, to love］. 好冷菌（低温(0 —32°C ; 32—86°F)で最もよく発育し，15—20°C(59—68°F)で最適な発育をする細菌).

psy·chro·phil·ic (sī′krō-fil′ik)［psychro- + G. *phileō*, to love］. 好冷の.

psy·chro·pho·bi·a (sī-krō-fō′bē-ă)［psychro- + G. *phobos*, fear］. ***1*** 寒冷に対して極端に敏感なこと．***2*** 寒冷恐怖〔症〕（寒冷に対する病的な恐れ).

psy·chro·phore (sī′krō-fōr)［psychro- + G. *phoros*, bearing］. 冷却消息子（尿道や他の管や腔を冷やすために冷水が循環する二重カテーテル).

psyl·li·um hy·dro·phil·ic mu·cil·loid (sil′ē-ŭm hī′drō-fil′ik myū′sil-oyd). 車前子親水性粘漿薬（→*plantago* seed).

psyl·li·um seed (sil′ē-ŭm sēd). 車前子(しゃぜんし)（オオバコ科の植物 *Plantago indica*, *P. isphagula*, または *P. ovata* の成熟した種子を乾燥精製したもの．水分を吸収して腸内で非消化性の粘性鼓張物となることにより緩下剤として作用する．腸閉塞に用いてはならない). =isphagula; plantago seed; plantain seed.

PT physical *therapy*; physical therapist(理学療法士); prothrombin *time* の略.

Pt 白金の元素記号.

PTA plasma thromboplastin *antecedent*; phosphotungstic acid; percutaneous transluminal *angioplasty* の略.

PTAH phosphotungstic acid *hematoxylin* の略.

ptar·mic (tar′mik)［G. *ptarmikos*, causing to sneeze < *ptarmos*, a sneezing］. くしゃみ誘発薬. =sternutatory.

ptar·mus (tar′mŭs)［G. *ptarmos*, a sneezing］. くしゃみ.

PTC plasma thromboplastin *component*; phenylthiocarbamoyl の略.

PTCA percutaneous transluminal coronary *angioplasty* の略.

Ptd phosphatidyl の略.

PtdCho phosphatidylcholine の略.

PtdEth phosphatidylethanolamine の略.

PtdIns phosphatidylinositol の略.

PtdIns (4,5) P_2 *phosphatidylinositol* 4,5-bisphosphate の記号.

PtdSer phosphatidylserine の略.

PTE pulmonary thromboembolism(肺血栓塞栓症)； pulmonary thromboendarterectomy(肺血栓内膜摘出術)の略.

PTEA pulmonary thromboendarterectomy(肺血栓内膜摘出術)の略.

pter-, ptero-［G. *pteron*, wing, feather］. 翼，羽毛を意味する連結形.

pter·i·dine (ter′i-dēn). プテリジン；azinepurine; benzotetrazine; pyrazino[2,3-*d*]pyrimidine（プテロイル酸とプテロイルグルタミン酸類(葉酸，プテロプテリンなど)の成分として見出された二環複素環式化合物．単純プテリジン誘導体(キサントプテリン，ロイコプテリン)はチョウの羽の色素として発現するのでこの名がある).

pter·in (ter′in). プテリン（プテリジンを含有する化合物の総称で，ばく然とした語．特異的には，2–アミノ–4–ヒドロキシプテリジンをさす．キサトプテリン，ロイコプテリンなど，プテリンと名付けられているプテリジンもある).

p. deaminase プテリンデアミナーゼ（2–アミノ–4 ヒドロキシプテリジンの加水分解的脱アミノにより 2 ,4–ジヒドロキシプテリジンとアンモニアを生成する反応を触媒するアミノヒドロラーゼ).

pte·ri·on (tē′rē-on)［G. *pteron*, wing］[TA]. プテリオン（蝶形骨の大翼，側頭骨鱗部，前頭骨，頭頂骨の結合する前側頭泉門部における頭蓋計測点．中硬膜動脈の前頭蓋へ行く枝はここを横切っている).

pte·ro·ic ac·id (tĕ-rō′ik as′id). プテロイル酸（*p*–アミノ安息香酸のアミノ基とプテリジンの 6 位の炭素との間で，CH_2 基によって結合している *p*–アミノ安息香酸およびプテリジンを含んでいる葉酸の一成分).

pter·op·ter·in (ter-op′tĕr-in). プテロプテリン（乳酸菌発育因子．葉酸抱合体．γ 結合において，グルタミン酸分子を 1 個ではなく 3 個含んでいる点を除いて，化学的に葉酸に似た成分). =fermentation *Lactobacillus casei* factor; pteroyltriglutamic acid.

pter·o·yl·mon·o·glu·tam·ic ac·id (ter′ō-il-mon′ō-glū-tam′ik as′id). プテロイルモノグルタミン酸. =folic acid (2).

pter·o·yl·tri·glu·tam·ic ac·id (ter′ō-il-trī′glū-tam′ik as′id). プテロイルトリグルタミン酸. =pteropterin.

pte·ryg·i·um (tĕ-rij′ē-ŭm)［G. *pterygion*, anything like a wing, a disease of the eye: *pteryx*(wing)の指小辞］. ***1*** 翼状片（肥大した眼球結膜下組織の三角形斑で，内眼角から角膜縁以遠に拡大し，先端は瞳孔に向いている). =web eye. ***2*** 爪甲に爪上皮の前方発育を生じ，扁平苔癬患者において最もよく認められる. =p. unguis. ***3*** 異常な皮膚の翼状膜.

p. colli 翼状頸，頸膜（頸部皮膚が先天的に蹼状または堅固な帯となったもので，肩峰から乳様突起に広がる．Turner 症候群および Noonan 症候群においてみられる).

p. unguis 爪翼状片. =pterygium (2).

pterygo-［G. *pteryx*, *pterygos*, wing］. 翼状の，通常は翼状突起を意味する連結形.

P

pter·y·goid (ter′i-goyd) [G. *pteryx*(*pteryg-*), wing + *eidos*, resemblance]. 翼状の（蝶形骨に関係する種々の解剖上の部位に用いる語）.

pter·y·go·man·dib·u·lar (ter′i-gō-man-dib′yū-lăr). 翼突下顎の（翼状突起と下顎骨に関する）.

pte·ry·go·max·il·la·re (ter′i-gō-mak-si-lār′ē). プテリゴマキシラーレ（蝶形骨の翼状突起と上顎骨の翼状突起が翼上顎裂を形成し始める点．開口部の最下点が頭蓋計測において用いられる）.

pter·y·go·max·il·lar·y (ter′i-gō-mak′si-lā′rē). 翼突上顎の（翼状突起と上顎骨に関する）.

pter·y·go·pal·a·tine (ter′i-gō-pal′ă-tīn). 翼突口蓋の（翼状突起と口蓋骨に関する）.

PTF plasma thromboplastin *factor* の略.

PTH parathyroid *hormone*; phenylthiohydantoin の略.

PTHC percutaneous transhepatic *cholangiography* の略.

pthi·ri·a·sis (thī-rī′a-sis) [G. *phtheiriasis* < *phtheir*, a louse]. シラミ〔寄生〕症. ＝*pediculosis* pubis.

p. pubis ケジラミ症（恥毛部あるいは体幹で毛のある部位および幼児や小児の眉毛にケジラミのいること）.

Pthi·rus (thī′rŭs) [irreg. < G. *phtheir*, louse]. ケジラミ属（[誤ったつづり Phthirus および Phthirius を避けること]．シラミの一属（キモノジラミ科）で，以前はキモノジラミ属 *Pediculus* の中に分類されていた．主要な種は，ケジラミ *P. pubis*（旧名 *Pediculus pubis*）(crab louse, pubic louse)で，恥骨部や隣接の有毛部にはびこる寄生虫である．）.

PTHrP parathyroid hormone-related *peptide* の略.

PTK phototherapeutic *keratectomy* の頭字語.

pTNM pTNM 分類（外科的切除標本の病理学的所見に基づいた腫瘍分類）.

pto·maine (tō′mān, tō-mān′) [G. *ptōma*, a corpse]. プトマイン，死〔体〕毒（細菌による蛋白の分解中にアミノ酸の脱炭酸によって生成される有毒物質(例えば毒性アミン)に用いられる，やや広義の用語）. ＝ptomatine.

pto·mai·ne·mi·a (tō′mā-nē′mē-ă) [ptomaine + G. *haima*, blūd]. プトマイン血〔症〕，死〔体〕毒血〔症〕（循環血液中にプトマインがあるために生じる病態）.

pto·ma·tine (tō′mă-tēn). ＝ptomaine.

pto·mat·ro·pine (tō-mat′rō-pēn). プトマトロピン（アトロピンに類似の，毒性を特徴とするプトマイン．アミノ酸の脱炭酸反応中にバクテリアの作用によりつくられる）.

ptosed (tōzd). ＝ptotic.

pto·sis, pl. **pto·ses** (tō′sis, tō′sēz) [G. *ptōsis*, a falling]. 下垂〔症〕（①臓器の陥没あるいは脱出．②＝blepharoptosis）.

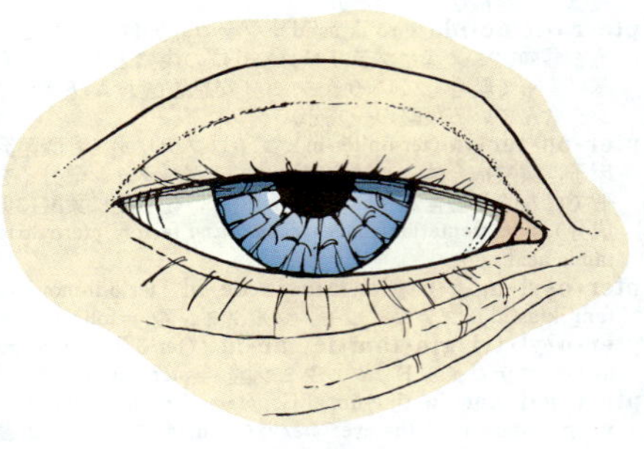

ptosis

acquired p. 後天性眼瞼下垂〔症〕（Horner 症候群のような神経性，重症筋無力症のような筋性，外傷性，あるいは物理的原因による雑多な後天性の疾患）.

p. adiposa 脂肪性眼瞼下垂〔症〕. ＝blepharochalasis.

aponeurogenic p. 腱原性眼瞼下垂（眼瞼挙上筋の腱の離開による眼瞼の下垂）.

congenital p. 先天性眼瞼下垂〔症〕（眼瞼挙筋の発育障害による生まれつきの上眼瞼下垂症）.

p. sympathetica 交感神経性眼瞼下垂〔症〕. ＝Horner *syndrome*.

-ptosis [G. *ptōsis*, a falling]. 臓器の下垂，下方変位を表す接尾語.

ptot·ic (tot′ik). 下垂〔症〕の. ＝ptosed.

6-PTS 6-pyruvoyltetrahydropterin synthase の略.

PTSD posttraumatic stress *disorder* の略.

PTT partial thromboplastin *time* の略.

PTU propylthiouracil の略.

ptyal-, ptyalo- [G. *ptyalon*]. 唾液腺または唾液を意味する連結形. →sialo-.

pty·al·a·gogue (tī-al′ă-gog). 催ぜん(涎)薬. ＝sialagogue.

pty·a·lec·ta·sis (tī-ă-lek′tă-sis) [ptyal- + G. *ektasis*, a stretching out]. 唾液〔排泄〕管拡張〔症〕. ＝sialectasis.

pty·a·lin (tī′ă-lin). プチアリン. ＝α-amylase.

pty·a·lism (tī′ă-lizm) [G. *ptyalismos*, spitting]. 流ぜん(涎)症. ＝sialorrhea.

pty·a·lo·cele (tī′ă-lō-sēl). 唾液嚢腫. ＝ranula (2).

pty·a·log·ra·phy (tī′ă-log′ră-fē). 唾液腺造影(撮影)〔法〕. ＝sialography.

pty·a·lo·lith (tī′ă-lō-lith). 唾石. ＝sialolith.

pty·a·lo·li·thi·a·sis (tī′ă-lō-li-thī′ă-sis). 唾石症. ＝sialolithiasis.

pty·a·lo·li·thot·o·my (tī′ă-lō-li-thot′ō-mē). 唾石切開〔術〕. ＝sialolithotomy.

pty·cho·tis oil (tī-kō′tis oyl). ＝ajowan oil.

pty·oc·ri·nous (tī-ok′ri-nŭs) [G. *ptyō*, to spit out + *krinō*, to separate]. 離出分泌の（粘膜細胞のような細胞の内容物を排出によって分泌する）.

Pu プルトニウムの元素記号.

pu·bar·che (pyū-bar′kē) [puberty + G. *archē*, beginning]. [誤った発音 pu′barche を避けること]．特に恥毛の出現によって発現する思春期の開始期. *cf.* adrenarche.

pu·ber·al, pu·ber·tal (pyū′bĕr-ăl, -ber-tăl). 青春期の.

puberphonia (pū-bĕr-fō′nē-ă) [puberty + G. *phonē*, voice + ia]. パバーフォーニア，思春期変声障害（思春期以降の男性で持続する高ピッチの音声）.

pu·ber·ty (pyū′bĕr-tē) [L. *pubertas* < *puber*, grown up]. 思春期（小児が若い成人に変化する一連の事象．性腺刺激ホルモン分泌，配偶子形成，性ホルモンの分泌が始まり，二次性徴の成長と生殖機能が始まる．性的二形性が強調される．正常な思春期の第1徴候は，少女では8歳で明白となり，そ

思春期発達の進行

年齢	女子	男子
9−10	乳房発育開始	精巣容量の増加
11	骨盤開大，腰に丸みがつく，副腎皮質機能亢進性思春期徴候（副腎性アンドロゲン分泌増加）	副腎皮質機能亢進性思春期徴候（恥毛出現）
12	性腺機能発来，成長スパート最大	
13	初経，腋毛出現	性腺機能発来
14		成長スパート最大，思春期性女性化乳房
15	排卵を伴う周期性のある月経	変声，腋毛出現，顎ひげ出現
16−17	長管骨の成長終了	男性型恥毛，体毛増加
17−18		長管骨の成長終了

の過程は16歳までに大部分完成する．少年では思春期は一般に9歳で始まり，18歳までに大部分完成する．人種的・地理的要因が，青春期の典型的な諸事象が発生する時を左右する）．

delayed p. 思春期遅発症（男女いずれにおいても14歳で思春期のいかなる徴候も示さないもの）．

precocious p. ［MIM*176400］．性的早熟症，思春期早発症（思春期変化が予想外に早期に始まる状態．少女では8歳，少年では9歳以前に視床下部－下垂体－性腺系が正常通り活発になった病態も含む．特発性のものが最も多い）．

true precocious p. 真性性早熟症（LH-RH依存性性早熟症）．＝hyperovarianism.

pu·bes (pū′bēz)［L. *pubes*, the hair on the genitals; the genitals］［TA］．**［本語は文法的に単数形である．ただし複数形も pubes である］．** ***1***［NA］．陰毛，恥毛（外生器直上の恥部の毛）．＝pubic *hair*. ***2*** ＝*mons* pubis.

pu·bes·cence (pyū-bes′ĕnts). ***1***［L. *pubesco*, to attain puberty］．思春期（性的成熟の年齢に達すること）．***2***［L. *pubes*, pubic hair］．軟毛（軟らかい細かい短い毛の存在）．

pu·bes·cent (pyū-bes′ĕnt). ***1*** 思春期の．***2*** 軟毛の．

pu·bic (pyū′bik). 恥骨の．

pu·bi·ot·o·my (pyū′bē-ot′ŏ-mē)［L. *pubis*, pubic bone＋G. *tomē*, incision］．恥骨切開〔術〕（生存児を通過させることができるように収縮した骨盤の容量を増加させるため，恥骨結合の外側数センチで恥骨を切断すること）．

pu·bis (pyū′bis)［TA］．恥骨（**［pubis(os pubis の短縮形)は pubic bone に正しく該当する．しかし the pubic region を表す正しいラテン語は単数名詞 pubes である］．** 寛骨の前下部にあり，出生時には分離しているが，後に腸骨および坐骨と癒合する．恥骨結合面でその対と関節をなす体と，2本の枝で構成される．上枝は寛骨臼の形成に関与し，下枝は坐骨の枝と癒合して坐骨恥骨枝となる）．＝os pubis; pubic bone.

Pub·lic Health Ser·vice (PHS) (pŭb′lik helth ser′vis). →United States Public Health Service.

pubo-［L. *pubes*］．恥骨，恥骨の，を意味する連結形．

pu·bo·cap·su·lar (pyū′bō-kap′sū-lăr). 恥骨股関節包の（恥骨と股関節包に関する）．

pu·bo·coc·cyg·e·al (pyū-bō-kok-sij′ē-ăl). 恥骨尾骨の（恥骨と尾骨に関する）．

pu·bo·fem·o·ral (pyū′bō-fem′ŏ-răl). 恥骨大腿骨の（恥骨と大腿骨に関する）．

pu·bo·pros·tat·ic (pyū′bō-pros-tat′ik). 恥骨前立腺の（恥骨と前立腺に関する）．

pu·bo·rec·tal (pyū′bō-rek′tăl). 恥骨直腸の（恥骨と直腸に関する）．

pu·bo·ves·i·cal (pyū′bō-ves′i-kăl). 恥骨膀胱の（恥骨と膀胱に関する）．

pu·den·da (pyū-den′dă)［L.］．pudendum の複数形．

pu·den·dal (pyū-den′dăl). 外陰部の．＝pudic.

pu·den·dum, pl. **pu·den·da** (pyū-den′dŭm, -dă)［L. *pudeo* (to feel ashamed)の分詞形容詞，*pudendus* の中性形］［TA］．外陰部（特に女性の外性器．複数形でも用いる）．＝p. femininum［TA］．

p. femininum［TA］．女性の外陰部．＝pudendum.

p. muliebre 外陰（vulva を表す現在では用いられない語）．

Pu·denz (pū′dens), Robert H. 20世紀の米国人神経外科医．→Heyer-P. *valve*.

pu·dic (pyū′dik)［L. *pudicus*, modest］．＝pudendal.

Pud·lak (pūt′lahk), P. 20世紀のチェコ人医師．→Hermansky-P. *syndrome*.

pu·er·pera, pl. **pu·er·per·ae** (pyū-er′pĕr-ă, -per-ē)［L.＜*puer*, child＋*pario*, to bring forth］．〔産〕褥婦（出産したばかりの婦人）．

pu·er·per·al (pyū-er′pĕr-ăl). 産褥の（**［誤った発音 pwerper-ăl を避けること］**）．＝puerperant (1).

pu·er·per·ant (pyū-er′pĕr-ănt). ***1***〚adj.〛＝puerperal. ***2***〚n.〛褥婦．

pu·er·pe·ri·um, pl. **pu·er·pe·ria** (pyū-er-pē′rē-ŭm, -ē-ă)［L. childbirth＜*puer*, child＋*pario*, to bring forth］．産褥（分娩の終結から子宮の完全退縮までの期間．通常，42日間と定義される）．

Pues·tow (pwes-tō), Charles B. 米国人外科医，1902－1973．→P. *procedure*.

puff (pŭf). 噴出音（聴診で聞かれる短い吹く音で，通常心臓の上で聞かれる収縮期雑音．→*chromosome* puffs）．

veiled p. 微吹音（風で布がはためくようなかすかな肺雑音）．

puff·ball (pŭf′bawl). ホコリタケ．＝*Lycoperdon*.

puffer 吸入器．＝inhaler (2).

Pu·lex (pū′leks)［L. flea］．ヒトノミ属（ノミ目ヒトノミ科のノミの一属）．

P. cheopis *Xenopsylla cheopis* の旧名．

P. fasciatus *Nosopsyllus fasciatus* の旧名．

P. irritans ヒトノミ（ヒトや多くの家畜(特にブタ)，および野生の哺乳類や鳥類に寄生するノミの普通種．伝染病の媒介もするが媒介力は弱い）．

P. penetrans *Tunga penetrans* の誤称．

P. serraticeps *Ctenocephalides canis* の旧名．

P

pu·lic·i·cide, pu·li·cide (pū-lis′i-sīd, pū′li-sīd)［L. *pulex* (*pulic-*), flea＋*caedo*, to kill］．殺蚤薬（ノミを死滅させる薬物）．

pul·ley (pul′ē). 滑車，プリー（→trochlea）．

anular p. ＝anular *part* of fibrous digital sheath of digits of hand and foot.

cruciform p. ＝cruciform *part* of fibrous digital sheaths of hand and foot.

p. of humerus 上腕骨滑車．＝*trochlea* of humerus.

muscular p. 筋滑車．＝muscular *trochlea*.

peroneal p. 腓骨筋滑車．＝fibular *trochlea* of calcaneus.

p. of talus 距骨滑車．＝*trochlea* of the talus.

pul·lu·la·nase (pul′yŭ-lă-nās). プルラナーゼ．＝α-dextrin endo-1,6-α-glucosidase.

pul·lu·late (pyul′ū-lāt). 発芽する，分芽する．

pul·lu·la·tion (pyul′yū-lā′shŭn)［L. *pullulo*, pp. *-atus*, to sprout forth］．発芽，分芽（酵母にみられるように芽が出ること）．

pul·mo, gen. **pul·mo·nis,** pl. **pul·mo·nes** (pul′mō, pul-mō′nis, -mō′nēz)［L.］［TA］．肺．＝lung.

p. dexter［TA］．右肺．

p. sinister［TA］．左肺．

pulmo-, pulmon-, pulmono-［L. *pulmo*, lung］．肺に関する連結形．→pneum-; pneumo-.

pul·mo·a·or·tic (pul′mō-ā-ōr′tik). 肺・大動脈の（肺動脈と大動脈に関する）．

pul·mo·lith (pul′mō-lith)［L. *pulmo*, lung＋G. *lithos*, stone］．肺結石．＝pneumolith.

pul·mo·nar·y (pul′mō-nār′ē)［L. *pulmonarius*＜*pulmo*, lung］．肺の，肺性の，肺動脈の（肺，肺動脈，右室から肺動脈への開口部に関する）．＝pneumonic (1); pulmonic (1).

pul·mo·nec·to·my (pul′mō-nek′tŏ-mē)［L. *pulmo* (*pulmon-*), lung＋G. *ektomē*, excision］．＝pneumonectomy.

pul·mon·ic (pul-mon′ik). ***1***〚adj.〛＝pulmonary. ***2***〚n.〛肺疾患の治療薬を意味する現在では用いられない語．

pul·mo·ni·tis (pul′mō-nī′tis). ＝pneumonitis.

pulp (pŭlp)［L. *pulpa*, flesh］．***1*** 髄〔質〕（軟らかく湿った粘着性の固体）．＝pulpa［TA］．***2*** 歯髄．＝dental p. ***3*** 軟塊，キームス．＝chyme.

coronal p. 歯冠歯髄，冠部歯髄．＝crown p.

crown p.［TA］．歯冠歯髄，冠部歯髄（歯冠部に相当する髄室(歯冠歯髄腔)の中にある歯髄）．＝pulpa coronalis［TA］; coronal p.

dead p. 失活歯髄．＝necrotic p.

dental p.［TA］．歯髄（歯髄腔内の軟組織で，血管，神経，およびリンパ管を含む結合組織と，辺縁部において，ぞうげ質の内側からの沈積と修復を行う能力のあるぞうげ芽細胞層からなる）．＝pulp (2)［TA］; dentinal p.; pulpa dentis; tooth p.

dentinal p. 歯髄．＝dental p.

digital p. ＝p. of finger.

digital p. of hand ＝p. of finger.

enamel p. エナメル髄，星状網，網状層（エナメル器の星状細胞の層）．

exposed p. 露出歯髄（病的経過，外傷，歯科器具により露出した歯髄).

p. of finger 指頭髄, 指腹 (指先の掌側にある肉塊). = digital p. of hand; digital p.; pulpa digiti manus.

mummified p. 乾死歯髄 (ホルムアルデヒド誘導体で処理した歯髄の誤称).

necrotic p. 壊死歯髄 (歯髄が壊死に陥った状態で, 臨床的には温度刺激に対する反応が認められない状態. 無症状の場合や, 打診および触診に反応する場合もある). = dead p.; nonvital p.

nonvital p. 失活(非生活)歯髄. = necrotic p.

putrescent p. 腐敗〔性〕歯髄 (しばしば感染している分解された歯髄).

radicular p. 歯根歯髄, 根部歯髄. = root p.

red p. 赤〔色〕脾髄 (脾洞と, 脾洞の間にある脾索とからなり, 赤血球が豊富なため肉眼的には赤褐色にみえる脾髄).

red p. of spleen [TA]. 赤脾髄 (青赤色の組織で脾臓の75 %を占め, 多数の静脈洞で満たされ線維芽細胞や大食細胞が線維網の間にみられる). = pulpa rubra splenica [TA].

root p. [TA]. 歯根歯髄, 根部歯髄 (歯根部に含まれる歯髄). = pulpa radicularis [TA]; radicular p.

splenic p. [TA]. 脾髄 (脾臓のうち細胞の充満した軟らかい部分). = pulpa splenica [TA]; pulpa lienis [TA].

p. of toe 足指球 (足指先端の底側にみられる軟組織塊).

tooth p. = dental p.

vertebral p. 髄核. = *nucleus* pulposus.

vital p. 生活歯髄 (正常または病的状態の生活組織からなる歯髄で, 電気刺激および冷熱に反応する).

white p. of spleen [TA]. 白脾髄 (新鮮脾臓なら肉眼でも見られるβリンパ球が大塊をなし, 周囲組織からはっきり区別できる直径 1 mm に満たない白く透明な点としてみえる. リンパ小節などのリンパの集合物からなる). = pulpa alba splenica [TA].

pul·pa (pŭl′pă) [L. pulp] [TA]. 髄. = pulp (1).

p. alba splenica [TA]. = white *pulp* of spleen.

p. coronalis [TA]. 歯冠歯髄, 冠部歯髄 (歯冠部に相当する髄室(歯冠腔)の内にある歯髄). = crown *pulp*.

p. dentis [TA]. 歯髄. = dental *pulp*.

p. digiti manus = *pulp* of finger.

p. lienis [TA]. 脾髄. = splenic *pulp*.

p. radicularis [TA]. 歯根歯髄, 根部歯髄. = root *pulp*.

p. rubra splenica [TA]. = red *pulp* of spleen.

p. splenica [TA]. 脾髄 (→red *pulp*; white *pulp* of spleen). = splenic *pulp*.

pul·pal (pŭl′păl). 歯髄の, 髄質の.

pul·pal·gi·a (pŭl-pal′jē-ă) [L. *pulpa*, pulp + G. *algos*, pain]. 歯髄痛 (歯髄に起因する痛み).

pulp·ec·to·my (pŭl-pek′tŏ-mē) [L. *pulpa*, pulp + G. *ektomē*, excision]. 抜髄〔法〕(歯根の歯髄を含む, 全歯髄組織の除去).

pul·pi·fac·tion (pŭl-pi-fak′shŭn) [L. *pulpa*, pulp + *facio*, pp. *factus*, to make]. 髄質化, 軟塊化 (髄質様に軟らかくすること).

pul·pi·form (pŭl′pi-fōrm). 髄質様の.

pul·pi·fy (pŭl′pi-fī). 髄質化する.

pul·pi·tis (pŭl-pī′tis) [L. *pulpa*, pulp + G. *-itis*, inflammation]. 歯髄炎 (歯髄の炎症). = odontitis.

hyperplastic p. 増殖性歯髄炎, 歯髄ポリープ (大きなう窩をもった歯における, 露髄面からの肉芽組織の増殖). = dental polyp; pulp polyp; tooth polyp.

hypertrophic p. hyperplastic p. の誤称.

irreversible p. 不可逆性歯髄炎 (歯髄炎のうち回復不能のもの. 臨床的には, 温度刺激の後に長く持続する痛みが生じるのが特徴であるが, 症状を認めないこともある. 顕微鏡的には, 著しい急性あるいは慢性の炎症が特徴的で, 部分的な歯髄壊死がみられることもある).

reversible p. 可逆性歯髄炎 (回復可能な歯髄炎で, 炎症は軽微である. 臨床的には, 温度刺激を取り除けば即時に痛みがなくなるのが特徴であり, 顕微鏡的には白血球の微量の漏出を伴った血管拡張, 充血, 浮腫, 白血球の微量の漏出がみられる).

suppurative p. purulent irreversible p. を表す現在では用いられない語.

pulp·less (pŭlp′les). 無髄の (①歯髄のないことについていう. ②歯髄が死んでいる歯または歯髄が除去された歯を表す. ③電気歯髄試験と熱試験に対し反応を示さない歯を表す).

pul·po·don·ti·a (pŭl′pō-don′shē-ă) [L. *pulpa*, pulp + G. *odous*, tooth]. 歯髄歯科学 (歯の根管治療に関する学問. → endodontics).

pul·po·sus (pŭl-pō′sŭs) [L.]. 髄性の. = pulpy.

pul·pot·o·my (pŭl-pot′ŏ-mē) [L. *pulpa*, pulp + G. *tomē*, incision]. 歯髄切断〔法〕, 断髄〔法〕(歯髄構造の一部, 通常は歯冠部歯髄の除去). = pulp amputation.

pulp·y (pŭl′pē). 髄質様の, 柔軟な (軟らかく, 湿った固体状であることについていう). = pulposus.

pul·sate (pŭl′sāt) [L. *pulso*, pp. *-atus*, to beat]. 拍動する, 脈動する (周期的に脈打つ. 心臓または動脈についていう).

pul·sa·tile (pŭl′să-tīl). 拍動〔性〕の.

pul·sa·tion (pŭl-sā′shŭn) [L. *pulsatio*, a beating]. 拍動, 脈動 (脈拍または心臓などの規則的な拍動).

balloon counter p. バルーン補助〔性〕心拍出法 (拡張期に圧力を増すために大動脈内で気球を広げ, 収縮期に左室後負荷を減少するために気球を縮小させて血液を全身に駆出する補助循環装置. *cf.* intraaortic balloon *pump*).

suprasternal p. 胸骨上拍動 (首の前部の胸骨の上部のくぼみの部分に発生する拍動).

pul·sa·tor (pŭl′sā-tŏr). 拍動機 (拍動的, 振動的, あるいは律動的に作動する器械または装置).

pulse (pŭls) [L. *pulsus*]. 脈, 脈拍 (心臓の収縮により血管にはいる血液量が増加すると生じる律動的な動脈拡張. 脈は, ときに静脈または肝臓などの血管に富んだ器官にも生じる). = pulsus.

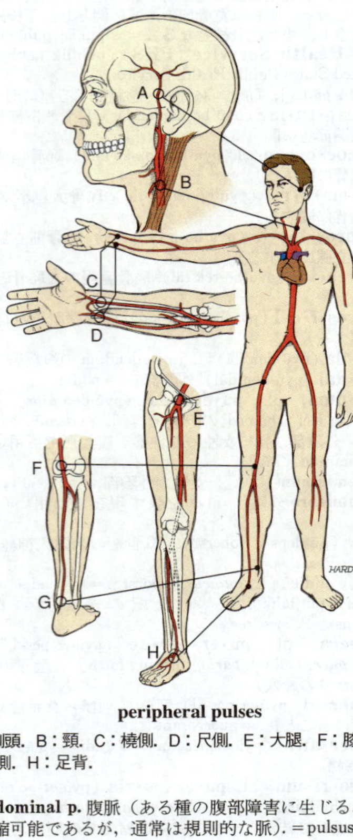

peripheral pulses

A：側頭. B：頸. C：橈側. D：尺側. E：大腿. F：膝窩. G：後脛側. H：足背.

abdominal p. 腹脈 (ある種の腹部障害に生じる, 軟らかく圧縮可能であるが, 通常は規則的な脈). = pulsus abdominalis.

alternating p. 交互脈（時間的には規則的であるが，強い脈と弱い脈が交互に現れ，しばしば血圧計か他の圧測定器でしか探知できず，通常は重症の心筋病変があることを示す）．＝pulsus alternans.

anacrotic p., anadicrotic p. 昇脚脈，上行脚二重脈（上行脚の1か所または数か所に陥凹や停滞が認められる．ときに脈の触診でも感知される）．＝pulsus anadicrotus.

bigeminal p. 二重脈，二段脈（脈拍が対になっている脈）．＝bigemina; coupled p.; pulsus bigeminus.

bisferious p. 二峰性脈（2つの強いピークをもった動脈の拍動）．＝pulsus bisferiens.

bulbar p. 球部脈拍（三尖弁の欠陥を示すと考えられる頸静脈波）．

cannonball p. 大砲脈，砲弾脈．＝water-hammer p.

capillary p. 毛細血管脈（軽く圧迫したとき爪の下や唇にみられるような，毛細血管部分が交互に規則的に赤色と白色に変化すること．大動脈弁閉鎖不全症によくみられる細動脈拡張の徴候．→Quincke p.）．

carotid p. 頸動脈波（頸動脈部分の脈）．

catacrotic p. 降脚脈（脈波曲線の下行脚を遮る上向きの結節がある脈）．＝pulsus catacrotus.

catadicrotic p. 下行脚二重脈（2つの中断する上向きの結節をもつ降脚脈）．＝pulsus catadicrotus.

collapsing p. 虚脱脈．＝water-hammer p.

cordy p. ＝tense p.

Corrigan p. (kōr′i-găn)．コリガン脈．＝Corrigan *sign*.

coupled p. ＝bigeminal p.

dicrotic p. 二重脈，重拍脈（触知可能な重拍波により2番目の脈が最初の脈より弱い，二連拍動を特徴とする脈）．＝pulsus duplex.

entoptic p. 眼内視脈（脈拍と同時に起こる間欠性光点自覚症）．

filiform p. 糸様脈．＝thready p.

gaseous p. ガス様脈（軟らかく充実性であるが弱い脈）．

guttural p. 喉頭脈（のどに感じる脈拍）．

hard p. 硬脈（指先に強い拍動を感じ，圧迫するのが困難で，高血圧を示唆する脈）．＝pulsus durus.

intermittent p. 間欠脈（弱すぎて半月弁を開くことのできないような期外収縮による心臓の不規則性．多くの場合期外収縮の後の長い休止期により，2つの規則的な周期に等しい長い休止期が，脈拍間にときとして生じる）．＝pulsus intercidens.

irregular p. 不規則性脈波（不整脈による動脈の不規則な拍動）．

jugular p. 頸静脈波（頸静脈，通常深部頸静脈に認められる静脈の脈拍）．

labile p. 不安定脈（脈拍数の容易に変化すること）．

long p. 大脈，長脈（通常より衝撃が長く感じられる脈）．＝sustained p.

monocrotic p. 単拍脈（重拍性がまったくない脈）．＝pulsus monocrotus.

mousetail p. 鼡尾脈．＝*pulsus* myurus.

movable p. 可動脈（強く拍動する蛇行性動脈の側方移動）．

nail p. 爪床脈（爪を通して見える毛細血管脈）．

paradoxic p. 奇脈（脈容量の呼吸に伴う正常変移の強調された体動脈圧で，吸気の場合は弱く，呼気の場合は強くなる．心タンポナーデに特徴的で収縮性心膜炎にはまれである．本変化が直接または心電図によって測定した脈拍数の変化と無関係なのでこの名称がある）．＝pulsus paradoxus; pulsus respiratione intermittens.

piston p. ピストン脈．＝water-hammer p.

plateau p. 稽留脈（緩徐な持続性の脈）．

quadrigeminal p. 四連脈，四段脈（拍動が4つずつ組になり，4つ打つごとに休止するもの）．＝pulsus quadrigeminus.

Quincke p. (kwin′kē)．クヴィンケ脈（手指や足指で大動脈血流が逆流するときに認められる毛細血管の拍動．消退と充満とがみられる）．＝Quincke sign.

radial p. 橈骨動脈波（手首の橈骨動脈でふれる脈）．

radiofrequency p. 高周波パルス（MRIにおいて，磁場の方向を変化させるために用いる短い電磁信号．→sequence p. 註この〝磁場〟は静磁場や傾斜磁場ではなく，原子核スピンが〝感じている〟磁場である）．

respiratory p. 呼吸性不整脈，呼吸脈（呼吸によって生じるあらゆる拍動の増大と減少）．

reversed paradoxical p. 逆奇脈（ある種の三尖弁閉鎖不全症および洞性不整脈で房室解離の間にみられる，吸気に伴って増加し，呼気に伴って減少する脈）．＝Riegel p.

Riegel p. (rē′gĕl)．リーゲル脈．＝reversed paradoxical p.

saturation p. 飽和パルス（血流などの動きが撮像断面に流入する前にスピンを選択的に飽和させ，それらによるアーチファクトを抑制する技術）．

sequence p. シークエンスパルス（MRIにおいて，陽子の（スピン）方向を変化させるために磁場をずらす目的で用いる一連の高周波信号）．

soft p. 軟脈（指圧により容易に消失する脈）．

sustained p. ＝long p.

tense p. 緊張脈（肥厚化した索の振動に類似する，広範な移動はない硬い充実性の脈）．＝cordy p.

thready p. 糸様脈（指の下で，細い索または糸のように感じられる小さく細い脈）．＝pulsus filiformis.

trigeminal p. 三連脈，三段脈（脈拍が3拍ずつ組になり，3拍ごとに休止期がみられるもの）．＝pulsus trigeminus.

triphammer p. ＝water-hammer p.

undulating p. 波状脈（特徴のないまたは力のない波が連続する，緊張力のない脈）．＝pulsus fluens.

unequal p. 不同性脈（左右の同じ動脈で異なった強さを示す脈）．

vagus p. 迷走脈（心臓の迷走神経の抑制作用による鈍脈）．

venous p. 静脈拍動（静脈，特に内頸静脈に生じる拍動）．＝pulsus venosus.

vermicular p. 虫様脈（指に虫のような感覚を与える小さな速脈）．

water-hammer p. 水槌脈（大動脈弁閉鎖不全症の特徴である，力強いがすぐに消失するインパルスをもつ脈．→Corrigan *sign*）．＝cannonball p.; collapsing p.; piston p.; pulsus celerrimus; triphammer p.

wiry p. 針金様脈（小さく，細く，圧縮不可能な脈）．

pul·sel·lum (pŭl-sel′ŭm)［Mod. L.: L. *pulsus*(a stroking)の指小辞］．後べん毛（ある種の原生動物の運動器官を形成している後部のべん毛）．

pul·sim·e·ter, pul·som·e·ter (pŭl-sim′ĕ-tĕr, -som′ĕ-tĕr)［L. *pulsus*, pulse＋*metron*, measure］．脈拍計（脈の強さと速度を測定する器具）．

pul·sion (pŭl′shŭn)［L. *pulsio*］．圧出，突進，腫脹（外側へ突き出ることまたは膨張）．

pul·sus (pŭl′sŭs)［L. a stroke, pulse］．脈，脈拍．＝pulse.

p. abdominalis 腹脈．＝abdominal *pulse*.

p. alternans 交互脈．＝alternating *pulse*.

p. anadicrotus 昇脚脈，上行脚二重脈．＝anacrotic *pulse*.

p. bigeminus 二連脈，二段脈．＝bigeminal *pulse*.

p. bisferiens 二峰性脈．＝bisferious *pulse*.

p. caprisans 羊跳脈（強さとリズムの両方が不規則な，はずんだ脈）．

p. catacrotus 降脚脈．＝catacrotic *pulse*.

p. catadicrotus 下行脚二重脈．＝catadicrotic *pulse*.

p. celer 速脈，鋭脈（急速に上昇したり下降したりする脈拍）．

p. celerrimus 水槌脈．＝water-hammer *pulse*.

p. cordis 心尖脈，心尖拍動．

p. debilis 弱脈．

p. differens〔左右〕不同脈（両側の橈骨動脈または他の対応する左右の動脈の脈拍の強さが異なる状態）．＝p. incongruens.

p. duplex 二重脈，重拍脈．＝dicrotic *pulse*.

p. durus 硬脈．＝hard *pulse*.

p. filiformis 糸様脈．＝thready *pulse*.

p. fluens 波状脈．＝undulating *pulse*.

p. formicans 蟻走脈（指に蟻走の感覚を与えるような，ほとんど感じられない，きわめて小さい脈）．

p. fortis 強大脈（充実した強い脈）．

p. frequens 頻脈（速い脈）．

p. heterochronicus 不整脈（不規則な脈）.
p. inaequalis 不同脈（リズムと強さが不規則な脈）.
p. incongruens ＝p. differens.
p. infrequens 徐脈（緩慢な脈）.
p. intercidens 間欠脈. ＝intermittent *pulse.*
p. intercurrens 介入様脈（併発性心室収縮の印象を与える，随時性の強い二重脈波）.
p. irregularis perpetuus 絶対性不整脈（心房細動によって起こる，または心房細動に特徴的な永久に不整な脈のこと．心房細動以外の様々な不整脈に際してもみられる）.
p. magnus 大脈（大きく完全な脈）.
p. mollis 軟脈（軟らかく，容易に圧縮できる脈）.
p. monocrotus 単拍脈. ＝monocrotic *pulse.*
p. myurus 漸弱脈（突然頂上に到達し，徐々に減衰する脈波を特徴とする脈）. ＝mousetail pulse.
p. paradoxus 奇脈. ＝paradoxic *pulse.*
p. parvus 小脈（大動脈狭窄のように小さな振幅の脈）.
p. parvus et tardus 弱い遅脈（重症の大動脈狭搾に起こる弱く遅い脈拍）.
p. quadrigeminus 四連脈，四段脈. ＝quadrigeminal *pulse.*
p. respiratione intermittens ＝paradoxic *pulse.*
p. tardus 遅脈（重症の大動脈狭窄症の典型例のように，病的にゆっくり立ち上がる脈.→plateau *pulse*）.
p. tremulus 振せん脈（弱く震える脈）.
p. trigeminus 三連脈，三段脈. ＝trigeminal *pulse.*
p. vacuus 真空脈（ほとんど動脈壁を拡張しない，非常に弱い脈）.
p. venosus 静脈拍動. ＝venous *pulse.*

pul·ta·ceous (pŭl-tā′shŭs) ［G. *poltos*, porridge］. 浸軟な，髄質様の，かゆ(粥)状の，じゅく(粥)状の.

pul·ver·i·za·tion (pŭl′vĕr-i-zā′shŭn). 粉末化，粉砕（粉末にすること）.

pul·ver·ize (pŭl′vĕr-īz) ［L. *pulverizo* ＜ *pulvis*, *pulveris*, dust］. 粉末化する，粉砕する.

pul·ver·u·lent (pŭl-ver′yū-lĕnt). 粉状の，じん(塵)埃状の.

pul·vi·nar (pŭl-vī′năr) ［L. a couch made from cushions ＜ *pulvinus*, cushion］. 視床枕（視床の膨らんだ後端部で，膝状体の上にクッションのように突出している部分．本構造はまとめて視床枕核群ともよばれており前核，下核，外側核，内側核の複合体である）.

pul·vi·nate (pŭl′vi-nāt) ［L. *pulvinus*, cushion］. まくら状の，まくら形の（盛り上がった，あるいは凸状の，細菌コロニーの表面隆起の形を示す）.

Puma (pū′mah) ［MIM* 605854］. プーマ（癌抑制蛋白 p53 や薬剤によって誘導されるアポトーシスに関与する重要なメディエイタ蛋白．遺伝子 Puma は p53-upregulated modulator of apoptosis(p53 誘発アポトーシス調節因子)の頭文字をとったものである）. ＝Bcl2-binding component 3.

pum·ice (pŭm′is) ［L. *pumex*(*pumic-*), a pumice stone］. 軽石，浮石〔末〕（種々の大きさの微片に砕かれた火山岩．歯科においては，修復物または研磨に用いる．研磨材）.

pump (pŭmp). ポンプ（①気体または液体をある部分から，またはある部分へ送り出す装置．②物質の能動輸送を行うために，代謝エネルギーを用いる機序）.
breast p. 搾乳ポンプ，搾乳器（乳房から乳を絞る吸引器具）.
calcium p. カルシウムポンプ（ATP からのエネルギーを用いる膜を横断してカルシウムイオンを輸送する膜蛋白）.
calf p. ふくらはぎのポンプ作用（ふくらはぎの筋肉活動によって静脈血が心臓に運搬される作用）.
Carrel-Lindbergh p. (kah-rel′ lind′berg). カレル－リンドバーグポンプ（全器官培養に用いるための灌流装置）.
constant infusion p. 持続注入ポンプ（長時間にわたって溶液の一定量(ごく少量であることが多いが)を貯留器から注入する電動装置）.
dental p. 唾液排除器，排便器. ＝saliva *ejector.*
hydrogen p. 水素ポンプ（H⁺-K⁺-ATP アーゼの活性による胃の傍細胞からの酸分泌の分子機構）.
insulin p. インスリンポンプ（インスリンを持続的な基礎分泌と，間欠的に大量を投与できるように工夫されたインスリンの皮下注射器）.
intraaortic balloon p. 大動脈内バルーンポンプ（外部からの駆動により間欠的に膨張するバルーンで，下行大動脈に留置する．いわゆるカウンターパルセイションの原理で，拡張期にバルーンを充満させ活性化して拡張期血圧と臓器灌流を増加させ，収縮期にバルーンを虚脱させて心臓の後負荷を軽減するもの．*cf.* intraaortic balloon *counterpulsation*）.
ion p. イオンポンプ（ATP からエネルギーを利用し濃度勾配に逆らってイオンを輸送することができる蛋白の膜複合体）.
jet ejector p. ジェット排出ポンプ（高圧下で，液体がノズルを通して急激により太い管へ押し出されると，高速のジェットは低圧のもとで Bernoulli の法則に従って，ノズルの先端のすぐ先に開口する側管から気体や液体を引き込み吸引を起こすのを利用した吸引ポンプ．例えば，オートクレーブを空にするのに蒸気を用いるポンプ，水吸引器）.
PCA p. PCA ポンプ（→patient-controlled *analgesia*）.
proton p. プロトンポンプ（膜を通してのプロトンの正味の輸送の分子機構．通常，ATP アーゼの活性が必要）.
saliva p. ＝saliva *ejector.*
sodium p. ナトリウムポンプ（ATP からの代謝エネルギーを用いて，膜を通るナトリウムの能動輸送を行う生物学的機構．ナトリウムポンプは，ときに他の物質の輸送と連結して身体のほとんどの細胞からナトリウムを追い出し，そして尿細管壁のような多細胞の膜を通してナトリウムが移動するのを助ける）.
sodium-potassium p. ナトリウム－カリウムポンプ（膜結合性輸送体で，ほとんどすべての哺乳類の細胞に存在し，カリウムイオンを細胞外液から細胞質へ輸送し同時にナトリウムイオンを細胞質から細胞外液へ輸送する．このポンプは大きな電気化学ポテンシャル勾配に逆らって両イオンを輸送し細胞質のカリウム濃度は細胞外の値より高く(ナトリウム濃度はより低く)保つ．このポンプは 1 分子の ATP の加水分解を駆動力として ADP と 1 つの無機リン酸イオンを生成させる反応において，3 個のナトリウムイオンと交換に 2 個のカリウムイオンの輸送を触媒する酵素である）. ＝sodium-potassium ATPase.
stomach p. 胃洗〔浄〕器（吸引により胃の内容物を除去する装置）.

pump-ox·y·gen·a·tor (pŭmp-ok′si-jen-ā′tŏr). 人工心肺〔装置〕（開心術中に，心臓(ポンプ)と肺(酸素供給器)の両方を置換することのできる機械的装置）.

pu·na (pū′nă) ［Sp. ＜ ケチュア語 *puna*, 高地の，乾燥したアンデス高原］. プナ症状，高地症. ＝altitude *sickness.*

punch (pŭnch) ［L. *pungo*, pp. *punctus*, to stick, to punch］. 打抜鏨(うちぬきたがね)，穿孔鋏（堅い物体に穴やへこみをつくったり，中にはいった異物を除去するのに用いる器械）.

punch card (pŭnch kard). パンチカード（データを仕分けするためのカード．カード上の特定の位置に穿孔することでデータを仕分け・処理・分析できるようにしたもの．発展途上国ではまだ用いられている方法）.

punch-drunk 殴打酩酊（他の身体系が障害されることもあるが，顔面や頭部を過度に殴打されたボクサーに起こる状態）.

punch·drunk (pŭnch′drŭnk). 拳闘酔態（→punchdrunk *syndrome*）.

punc·ta (pŭngk′tă) ［L.］. punctum の複数形.

punc·tate (pŭngk′tāt) ［L. *punctum*, a point］. 点状の，斑点状の（色，隆起，性状によって周囲の表面から区別された点または斑点で示されることについていう）.

punc·ti·form (pŭngk′ti-fōrm) ［L. *punctum*, a point + *forma*, shape］. 点状の，小集落の（直径 1 mm 未満で非常に小さいが，顕微鏡的ではない）.

punc·tum, gen. **punc·ti**, pl. **punc·ta** (pŭngk′tŭm, -tī, -tă) ［L. a prick, point, *pungo*(to prick)の完了分詞中性形．名詞として用いる］［TA］. 点（①とがった突起の先端または末端．②周囲の組織から形状または色が異なる小さな丸い点．③光学系の光軸上の一点.→point; tip; end; center）. ＝point (1).
p. cecum 盲点（視神経乳頭に対応する視野上の盲点）.
p. coxale 寛骨点（［最後の e は発音される］．腸骨稜の最高点）.
p. dolorosum 痛点（→Valleix *points*）.

p. fixum [TA]. = fixed *end.*

kissing puncta キッシング涙点（開瞼時，上涙点と外涙点が対応する状態）.

lacrimal p. [TA]. 涙点（各眼瞼縁の内側交連の近くにある涙管の細く丸い開口部）. = p. lacrimale [TA]; lacrimal opening.

p. lacrimale [TA]. 涙点（[最後の e は発音される]）. = lacrimal p.

p. luteum = *macula* of retina.

p. mobile [TA]. [最後の e は発音される]. = mobile *end.*

p. ossificationis 骨化の中心，骨化点. = ossification *center.*

p. ossificationis primarium = primary ossification *center.*

p. ossificationis secundarium = secondary ossification *center.*

p. proximum (P.p.) 近点. = near *point.*

p. remotum (P.r.) 遠点. = far *point.*

p. vasculosum 血管点（動脈切断面の血液小滴が，脳の断面に細かい点としてみられる）.

punc·ture (pŭnk′chūr) [L. *punctura* < *pungo*, pp. *punctus*, to prick]. ***1*** 《v.》 穿刺する（針などの小さなとがった物体を用いて穴を開けること）. ***2*** 《n.》 穿刺（とがった器具を用いて開けた穿刺または小さい穴）.

Bernard p. (bār-nahr′). ベルナール穿刺. = diabetic p.

cisternal p. 大槽穿刺（後環椎乳突起膜を通る，小脳延髄槽への中空針の挿入）.

diabetic p. 糖〔穿〕刺，糖尿中枢穿刺（糖尿を生じさせる脳の第 4 室床の穿刺）. = Bernard p.

lumbar p. (LP) 腰椎穿刺（診断または治療を目的として，髄液を得るための腰部のクモ膜下腔への穿刺）. = Quincke p.; rachicentesis; rachiocentesis; spinal p.; spinal tap.

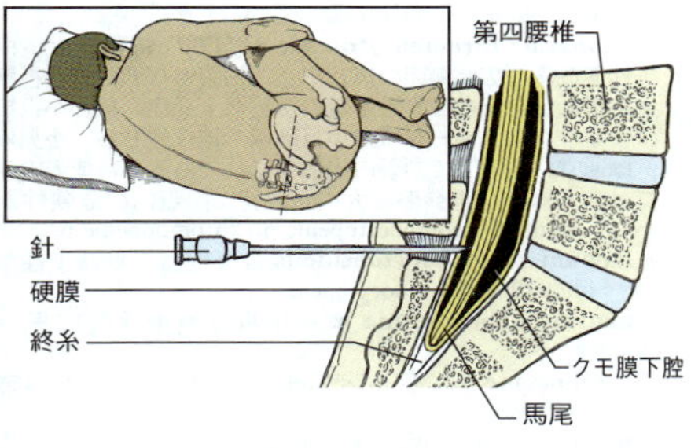

lumbar puncture

Quincke p. (kwin′kē). クヴィンケ穿刺. = lumbar p.

spinal p. 脊椎穿刺. = lumbar p.

sternal p. 胸骨穿刺（針を用いて胸骨柄から骨髄を採取すること）.

subclavian vein p. 鎖骨下静脈穿刺（中心静脈栄養液や薬物の投与，また，中心静脈圧測定を行うために，鎖骨下静脈を穿刺すること．右鎖骨下静脈穿刺はしばしば中心静脈カテーテル留置のために行われる）.

tracheoesophageal p. 気管食道穿刺（喉頭切除術を受けた患者に音声機能を回復させるために行う手術術式．気管食道瘻を造設することによって喉頭切除患者はその気管食道瘻を通じて空気を気管から食道内へ通して音節をはっきりさせて話せるように音が出せる）.

pun·gent (pŭn′jent) [L. *pungo*, pres. p. *-ens(-ent-)*, to pierce]. 辛い，刺激性の，強烈な（ある物質の味または香りについていう）.

PUO pyrexia of unknown(uncertain) origin(原因不明熱)の略で，診断が確立する以前の熱病に用いる語．FUO(fever of unknown origin) ともよばれる.

pu·pa, pl. **pu·pae** (pyū′pă, -pē) [L. *pupa*, doll]. さなぎ（蛹）（幼生を過ぎ，成虫になる前の昆虫の変態の一段階．→ complete *metamorphosis*）.

pu·pil (p) (pyū′pĭl) [L. *pupilla*][TA]. 瞳孔（虹彩の中心にある輪状開口部で，ここを通じて光が眼にはいる）. = pupilla [TA].

Adie p. (a′dē). アーディー瞳孔. = Adie *syndrome.*

amaurotic p. 黒内障瞳孔（眼球または視神経疾患による失明眼での瞳孔．正常他眼の光刺激を除いては罹患眼の瞳孔は光に対し縮瞳しない）.

Argyll Robertson p. (ar′gīl rob′ĕrt-sŏn). アーガイル・ロバートソン瞳孔（[Argyll と Robertson をハイフンで結ばないこと]．縮瞳，不整形，瞳孔の直接または間接対光反応の欠如，近見縮瞳は正常である(対光・近見解離)ことを特徴とする瞳孔強直症の一種．しばしば脊髄ろう神経梅毒でみられる）. = Robertson p.

artificial p. 人工瞳孔（角膜または水晶体の中央部に曇りがある場合，視力を回復するために虹彩の一部を切開して広げること）.

Bumke p. (bum′kĕ). ブムケ瞳孔（不安その他の精神刺激に反応する瞳孔散大）.

catatonic p. 緊張性瞳孔（光や輻輳に対する瞳孔反応の欠如を伴う一過性瞳孔散大）.

cat's-eye p. 猫眼瞳孔（延長した瞳孔．通常は前眼部の異常による）.

fixed p. 固定瞳孔（すべての刺激に対して反応しない固定瞳孔）.

Gunn p. (gŭn). ガン瞳孔. = Marcus Gunn p.

Holmes-Adie p. (hōlmz ā′dē). ホームズ－アーディー瞳孔. = Adie *syndrome.*

Horner p. (hōr′nĕr). ホルナー(ホルネル)瞳孔（瞳孔散大筋への交感神経支配の障害による縮瞳.→Horner *syndrome*）.

Hutchinson p. (hŭch′ĭn-sŏn). ハッチンソン瞳孔（第三脳神経の異常として，しばしばテント切痕を介しての側頭葉の小脳虫部のヘルニアによる，他側の瞳孔の収縮を伴う病巣側の瞳孔の散瞳状態）.

keyhole p. 鍵孔瞳孔（欠損をもつ瞳孔）.

Marcus Gunn p. (mar′kŭs gŭn). マーカス・ガン瞳孔（相対的求心性瞳孔反応欠損 relative afferent *pupillary* defect）. = Gunn p.

paradoxic p. 逆説瞳孔，奇異瞳孔（⇀paradoxic pupillary *reflex*）.

pinhole p. 針の目瞳孔（極度に収縮した瞳孔）.

Robertson p. (rob′ĕrt-sŏn). ロバートソン瞳孔. = Argyll Robertson p.

seclusion of p. 瞳孔閉鎖（虹彩後癒着が全周に生じることによって起こる状態．虹彩は瞳孔縁で全周に癒着するが瞳孔領はあいている）. = exclusion of pupil.

tadpole-shaped p. オタマジャクシ状瞳孔（瞳孔の間欠性，部分的変形と散瞳．瞳孔は一点でピーク状のため瞳孔形はオタマジャクシ状になる．Horner 症候群症例で片頭痛を伴う一時的な良性疾患）.

tonic p. 緊張性瞳孔（遅延，緩徐，持続性の対光，近見縮瞳を伴う瞳孔に対し通常用いられる用語．しばしば対光，近見反応解離を伴う．瞳孔括約筋の神経脱や異常な神経再生による．種々の自律神経症ならびに Adie 症候群(⇀syndrome)でみられる）.

pu·pil·la, pl. **pu·pil·lae** (pyū-pil′ă, pū-pil′ē) [L. *pupa*(a girl or doll)の指小辞][TA]. 瞳孔. = pupil.

pu·pil·lar·y (pyū′pi-lār′ē). 瞳孔の.

p. light-near dissociation 対光近見瞳孔反応解離（対光反応より強い近見瞳孔反応．瞳孔運動系の減弱による．Argyll Robertson 瞳孔，背部中脳症候群，または毛様体筋線維の虹彩括約筋への誤支配による）. = light-near dissociation.

relative afferent p. defect 相対的求心性瞳孔反応欠損（両眼の瞳孔運動刺激の左右差で，交互に一眼ごとに光をいれ，直接瞳孔対光反応の左右差を比較する）.

pupillo- [L. *pupilla*, pupil]. 瞳孔を意味する連結形.

pu·pil·log·ra·phy (pyū′pi-log′ră-fē) [pupillo- + G. *graphō*, to write]. 瞳孔記録（瞳孔反応の記録）.

pu·pil·lom·e·ter (pyū′pi-lom′ĕ-tĕr) [pupillo- + G. *metron*, measure]. 瞳孔計（瞳孔直径を測定し，記録する器械）.

pu·pil·lom·e·try (pyū′pi-lom′ĕ-trē). 瞳孔測定.

pu·pil·lo·mo·tor (pyū′pĭ-lō-mō′tŏr) [pupillo- + L. *motor*, mover]. 瞳孔運動の（虹彩の平滑筋を支配する自律神経線

維についていう). =iridomotor.

pu·pil·lo·sta·tom·e·ter (pyū′pi-lō-stă-tom′ĕ-tŏr) [pupillo- + G. *statos*, placed + *metron*, measure]. 瞳孔中心距離計 (瞳孔中心間の距離を測定する器械).

pu·pip·a·rous (pyū-pip′ă-rŭs) [pupa + L. *pario*, to give birth]. 産蛹性の (シラミバエ科のハエや Glossinidae(ツェツェバエ)のように雌の体内で幼生期を経過した後期幼虫を産み落とす昆虫をいう).

PUPPP *p*regnancy(妊娠)で発症する *p*ruritic(そう痒性)の, *u*rticarial(じんま疹)様, *p*apules(丘疹), または *p*laques(皮疹)の頭字語. ときとして妊娠後半期に水疱疹, 落屑が出現するが胎児に影響はない. 予定日 10 日以内に自然消退する. また, その後の妊娠での発症はまれである. 免疫抗体蛍光顕微鏡での陰性所見は, 外陰ヘルペスの除外に有用である.

Pur purine の略.

pure (pyūr) [L. *purus*]. 純粋の, 純性の (外部物質をまったく添加していないこと, または汚染されていないことについていう).

pur·ga·tion (pŭr-gā′shŭn) [L. *purgatio*]. しゃ(瀉)下 (しゃ下薬または下剤の助けによって腸を空にすること). =catharsis (1).

pur·ga·tive (pŭr′gă-tiv) [L. *purgativus*, purging]. しゃ(瀉)下薬, 下剤 (→cathartic (2)).

saline p. 塩類下剤 (しゃ下効果をもつ塩, Epsom 塩, Rochelle 塩など).

purge (pŭrj) [L. *purgo*, to cleanse < *purus*, pure + *ago*, to do]. ***1*** 《v.》 しゃ(瀉)下する, 浄化する (腸の大量の排出を起こす). ***2*** 《n.》 しゃ(瀉)下薬, 下剤.

purg·ing cas·sia (pŭrj′ing kash′yă). アボツロク. =*cassia fistula.*

pu·ri·form (pyū′ri-fōrm) [L. *pus(pur-)*, pus + *forma*, form]. 膿状の (膿に類似することについていう).

pur·ine (**Pur**) (pyūr′ēn, -rin). プリン (アデニン, グアニン, および自然界に存在する他のプリン塩基の親物質).

p.-nucleoside phosphorylase プリンヌクレオシドホスホリラーゼ (プリンヌクレオシドと正リン酸とによる加リン酸分解によりプリンと α-D-リボース 1-リン酸を生成する反応を可逆的に触媒するリボシルトランスフェラーゼ. この酵素の欠損により細胞性免疫不全になる).

p. ribonucleoside プリンヌクレオシド. =nebularine.

pu·ri·ne·mi·a (pyū′ri-nē′mē-ă) [purine + G. *haima*, blūd]. プリン血〔症〕(循環血液中にプリンまたはキサンチンが存在すること).

pur·i·ty (pyūr′i-tē) [L. *puritas* < *purus*, clean, undefiled]. 純度, 純粋 (汚染されていないこと).

radiochemical p. 放射化学的純度 (ある特定の化学的または生物学的形内の放射性核種の全放射能に対する比率).

radioisotopic p. 放射性同位元素純度 (一般に放射性核種の純度を表すのに用いる, あいまいな用語).

radionuclidic p. 放射性核種純度 (特定放射性核種として存在する放射能の全放射能に対する比率).

radiopharmaceutical p. 放射性医薬品純度 (人体に用いる放射性トレーサの無菌性と無発熱原性).

Pur·kin·je (pŭr-kin′jē), Johannes E. von (Jan E. Purkyne). ボヘミア人解剖・生理学者, 1787—1869. ⇀P. *conduction*, *images*, *shift*; subendocardial conducting *system* of heart; P. *cells*, *corpuscles*, *fibers*, *figures*, cell *layer*, *network*, *phenomenon*; P.-Sanson *images*.

Pur·mann (pŭr′mahn), Matthaeus G. ドイツ人外科医, 1649—1721. ⇀P. *method*.

pu·ro·mu·cous (pyū′rō-myū′kŭs) [L. *pus(pur-)*, pus + *mucus*, mucus]. 膿粘液の. =mucopurulent.

pur·ple (pŭr′pĕl) [L. *purpura*]. 紫 (青色と赤色の混合によりつくられる色. 個々の紫染料については, 各々の項参照).

visual p. =rhodopsin.

pur·pu·ra (pŭr′pū-ră) [L. < G. *porphyra*, purple]. 紫斑, 紫斑病 (皮膚内出血を特徴とする状態. 病巣の状態は, 紫斑病の種類, 病変の持続期間, 発生時の激しさによって変わる. 色は最初は赤いが, 徐々に黒ずんで紫色に変わり, 次には褐色がかった黄色となり, 通常は 2—3 週間で消える. 後に残る永久の色素沈着は, 主に溢血後の非吸収性色素のタイプによる. 溢血は, 粘膜と内臓器官内でも起こることがある). =peliosis.

allergic p. アレルギー性紫斑病 (食物, 薬物, 昆虫刺傷などへの過敏症により生じる非血小板減少性紫斑). =anaphylactoid p. (1).

anaphylactoid p. 過敏症様紫斑病, アナフィラキシー様紫斑病 (①=allergic p. ②=Henoch-Schönlein p.).

p. angioneurotica 血管神経性紫斑病 (皮膚と胃腸粘膜の血管神経性水腫, 点状出血および知覚過敏を特徴とする発疹).

p. anularis telangiectodes 末梢血管拡張性環状紫斑病 (主に青年男性の下肢の無症候性の環状病変で, 周辺部分がヘモシデリンによる褐色の変色と微細な毛細管拡張症を伴う紫斑または点状出血からなる).

factitious p. 人工紫斑 (自己誘発性の, しばしば痛みを伴う斑状出血).

fibrinolytic p. 線維素溶解性紫斑病 (出血が, 凝血の急速な線維素溶解と関連して生じるもの).

p. fulminans 電撃性紫斑病 (重症で急激な経過をとる致命的な紫斑病で, 特に小児に起こり, 血圧低下, 発熱, 播種性血管内凝固症候群を伴い, 通常は先行感染がみられる).

Henoch p. (he′nok). ヘーノホ(ヘノッホ)紫斑病, 腸性紫斑病. =Henoch-Schönlein p.

Henoch-Schönlein p. (he′nok shĕrn′līn). ヘーノホ(ヘノッホ)-シェーンライン紫斑病 (血管壁への IgA 沈着を伴う真皮血管の壊死性血管炎による血小板非減少性の明白な紫斑が認められる紫斑病. 関節痛または腫脹, 仙痛, 血便, および糸球体腎炎を伴い, 特徴的に年少小児に生じる. 糸球体腎炎が初発経過中, あるいは後になって生じることがある). =anaphylactoid p. (2); Henoch p.; Henoch-Schönlein syndrome; p. rheumatica; Schönlein p.; Schönlein-Henoch syndrome.

hyperglobulinemic p. グロブリン過剰血紫斑病. =Waldenström *macroglobulinemia.*

idiopathic thrombocytopenic p. (**ITP**) 特発性血小板減少性紫斑病 (広い範囲の斑状出血, 粘膜からの出血, 極度の血小板低値を特徴とする予後の重篤な全身症. 抗血小板抗体によるマクロファージの血小板破壊の結果生じる. 小児の症例は通常, 短期間で頭蓋内出血もまれであるが, 成人の症例では, しばしば再発し, 大出血, 特に頭蓋内の危険性が高い). =immune thrombocytopenic p.; thrombopenic p.

immune thrombocytopenic p. 免疫性血小板減少性紫斑病. =idiopathic thrombocytopenic p.

nonthrombocytopenic p. 血小板非減少性紫斑病. =p. simplex.

psychogenic p. 心因性紫斑病 (自己赤血球感作症候群に似た心身症的疾患).

p. pulicans, p. pulicosa 虫刺傷性紫斑病 (昆虫と動物寄生生物の刺傷による点状出血).

p. rheumatica リウマチ性紫斑病. =Henoch-Schönlein p.

Schönlein p. (shĕrn′līn). シェーンライン紫斑病. =Henoch-Schönlein p.

p. senilis 老年(老人)性紫斑病 (老年者や衰弱した患者の脚の萎縮性の皮膚に現れる点状出血と斑状出血).

p. simplex [MIM*179000]. 単純性紫斑病 (通常, 全身症状を伴わず, 全身病とは関係のない点状出血と大きい斑状出血の発疹). =nonthrombocytopenic p.

p. symptomatica 症候性紫斑病 (猩紅熱およびその他の皮疹における点状出血発疹).

thrombocytopenic p. ⇀idiopathic thrombocytopenic p.

thrombopenic p. 血小板減少性紫斑病. =idiopathic thrombocytopenic p.

thrombotic thrombocytopenic p. 血栓性血小板減少性紫斑病 (多くの器官における細動脈と毛細血管内のフィブリン形成または血小板形成による, 中枢神経系症状を伴う紫斑のほかに, 様々な症状を示す, 急速に死に至るかまたはまれに非常に長引く疾病).

p. urticans じんま疹性紫斑病 (じんま疹を伴う単純性紫斑病).

Waldenström p. (vahl′den-strōrm). ヴァルデンストレーム紫斑病. =Waldenström *macroglobulinemia.*

pur·pu·re·a gly·co·sides A, pur·pu·re·a gly·co·sides B (pŭr-pū′rē-a glī′kō-sīdz). プルプレア配糖体 A,

B (*Digitalis purpurea* の強心性前駆配糖体．構造的には，desacetyl-lanatosides A, B とそれぞれ同じである．→lanatosides A, B, C)．

pur·pu·ric (pŭr-pū′rik)．紫斑〔病〕の．

pur·pu·rin (pūr′pū-rin)．プルプリン (①＝uroerythrin．②アリザリンのアントラキノン骨核の4位にもう1個のOH基が付加することによってできるアリザリン類似の紫紅色染料．アカネ根や他のアカネ科の種で見出される．カルシウム塩，ホウ素の検出や組織染色に用いられる．＝alizarin purpurin)．

pur·pu·ri·nu·ri·a (pŭr′pū-ri-nyu′rē-ă)．プルプリン尿〔症〕．＝porphyrinuria.

purr (pŭr)．猫喘音 (低い振動性の雑音)．

Purtscher (pūrt′shĕr), Otmar．ドイツ人眼科医，1852—1927．→P. *disease*.

pur·u·lence, pu·ru·len·cy (pyūr′ŭ-lĕns, -lĕn-sē; pūr′ū-lens) [L. *purulentia*, a festering < *pus*(*pur*-), pus]．化膿 (膿を含む，または膿を形成する状態)．

pur·u·lent (pyūr′ŭ-lĕnt, pyūr′ū-)．化膿〔性〕の (膿を含む，膿をつくる，あるいは膿からなる，ことについていう)．

pu·ru·loid (pyū′rŭ-loyd)．膿状の，膿様の (膿に類似することについていう)．

pus (pŭs) [L.]．膿 (炎症の液状の産物．白血球と死細胞の残屑を含む液体と，多核白血球でつくられた蛋白分解酵素と組織分解酵素(例えば白血球プロテアーゼ)により液化した組織成分とを含む)．

blue p. 青色膿 (緑膿菌 *Pseudomonas aeruginosa* の生成物であるピアシニオンで染まった膿)．

cheesey p. 乾酪〔性〕膿 (膿腋が吸収されて生じる，非常に濃くほとんど固体状の膿)．

curdy p. 凝乳〔状〕膿 (乾酪物質片を含む膿)．

green p. 緑〔色〕膿 (緑色がかった青色膿で，ときにみられる)．

ichorous p. 膿漿状膿，膿漿 (腐肉形成組織の小片を含む薄い膿で，ときに悪臭を放つ)．

laudable p. 化膿の過程が膿血症(血液中毒)になる恐れがなく，局所にとどまる傾向にあるときに使われた語．現在では用いられない．

sanious p. 血〔性〕膿 (血で染まった膿漿)．

pus·tu·lant (pŭs′tyū-lănt)．***1*** 〖adj.〗 化膿性の (化膿性発疹を起こすものについていう)．***2*** 〖n.〗 化膿薬，膿疱発生薬 (膿疱を生じさせる薬)．

pus·tu·lar (pŭs′tyū-lăr)．膿疱〔性〕の．

pus·tu·la·tion (pŭs′tyū-lā′shŭn)．膿疱形成 (膿疱の形成または存在)．

pus·tule (pŭs′tyūl) [L. *pustula*]．膿疱，プステル (化膿物質を含む，径1cmまでの皮膚の限局性，表在性の盛り上がり)．

malignant p. 悪性膿疱．＝cutaneous *anthrax*.

spongiform p. of Kogoj (kō′goy)．コゴイ海綿状膿疱 (壊死性の表皮への好中球浸潤によって生じ，細胞壁が海綿状の網の目のように存続する表皮性膿疱．膿疱性乾癬にみられる)．

pus·tu·lo·crus·ta·ceous (pŭs′tyū-lō-krŭs-tā′shŭs)．膿疱痂皮性の，痂皮を有する膿疱の (乾いた膿の痂皮をかぶった膿疱を特徴とするものについていう)．

pus·tu·lo·sis (pŭs′tyū-lō′sis) [L. *pustula*, pustule + G. *-osis*, condition]．膿疱症 (①膿疱性発疹．②acropustulosis (先端膿疱症)に対して用いる語)．

p. palmaris et plantaris 掌蹠膿疱症状 (手足の指の無菌性膿疱性発疹で，異汗症，膿疱性乾癬，および同定されていない細菌の感染などに原因が求められている)．

p. vacciniformis acuta 急性牛痘状膿疱症．＝*eczema* herpeticum.

pu·ta·men (pū-tā′men) [L. that which falls off in pruning < *puto*, to prune][TA]．被殻 (白質線維の板により，レンズ核が分割された3つの部分のうち，外側の大きな暗灰色の部分．内包を貫通する灰白質の帯を通して尾状核と結合する．組織学的構造は尾状核と類似し，この両者が線状体を形成する．→striate *body*; lenticular *nucleus*)．

Put·nam, (pŭt′năm), James J．米国人精神科医，1846—1918．→P.-Dana *syndrome*.

pu·tre·fac·tion (pyū-trĕ-fak′shŭn) [L. *putre-facio*, pp. *-factus*, to make rotten]．腐敗 (通常は細菌作用による有機物質の分解で，アンモニアまたはアンモニア誘導体と硫化水素の発生を伴い，より単純な構造をもつ物質を形成する．通常，毒性で悪臭を伴う生成物を特徴とする)．＝decay (2); decomposition.

pu·tre·fac·tive (pyū-trĕ-fak′tiv)．腐敗の，腐敗性の (腐敗に関する，腐敗を引き起こす)．

pu·tre·fy (pyū′trĕ-fī)．腐敗させる，腐敗を起こす，腐敗する．

pu·tres·cence (pyū-tres′ĕnts)．腐敗 (腐敗の状態)．

pu·tres·cent (pyū-tres′ĕnt) [L. *putresco*, to grow rotten < *puter*, rotten]．腐敗〔化〕の (腐敗していく過程または腐敗についていう)．

P

pu·tres·cine (pyū-tres′ēn)．プトレシン；1,4-diaminobutane (毒性ポリアミン．アミノ酸のアルギニンの腐敗分解中につくられる．尿や便中に見出される．ある細胞ではプトレシンは γ-アミノ酪酸の前駆物質である)．

pu·trid (pū′trid) [L. *putridus*]．***1*** 腐敗性の (腐敗の状態にある)．***2*** 腐敗の (腐敗に関する)．

Put·ti (put′ē), Vittorio．イタリア人外科医，1880—1940．→P.-Platt *operation*, *procedure*.

PUVA プバ (ソラレン *p*soralen を経口投与し，その後，長波長紫外線(*uv–a*)を照射する方法に対する頭字語．乾癬の治療に用いる)．

PVC polyvinyl chloride; premature ventricular *contraction* の略．

PVL plasma viral *load* の略．

PVP polyvinylpyrrolidone の略．

PVS persistent vegetative *state* の略．

PWM pokeweed *mitogen* の略．

py·ar·thro·sis (pī′ar-thrō′sis) [G. *pyon*, pus + *arthrōsis*, a jointing]．関節膿症．＝suppurative *arthritis*.

pycno- →pykno-.

pyel- →pyelo-.

py·e·lec·ta·sis, py·e·lec·ta·sia (pī′ĕ-lek′tă-sis, pī′ĕ-lek-tā′zē-ă) [pyel- + G. *ektasis*, extension]．腎盂拡張〔症〕．

py·e·lit·ic (pī′ĕ-lit′ik)．腎盂炎の．

py·e·li·tis (pī′ĕ-lī′tis) [pyel- + G. *-itis*, inflammation]．腎盂炎．

pyelo-, pyel- [G. *pyelos*, trough, tub, vat]．**[本連結形を pyo- と混同しないこと]**．骨盤，通常は腎盂，を意味する連結形．

py·e·lo·cal·i·ce·al (pī′ĕ-lō-kal′i-sē′ăl)．腎盂腎杯の (腎盂と腎杯に関する)．＝pyelocalyceal.

py·e·lo·cal·i·ec·ta·sis (pī′ĕ-lō-kal′ē-ek′tă-sis)．腎盂腎杯拡張〔症〕．＝caliectasis.

py·e·lo·cal·y·ce·al (pī′ĕ-lō-kal′i-sē′ăl)．＝pyelocaliceal.

py·e·lo·cys·ti·tis (pī′ĕ-lō-sis-tī′tis) [pyelo- + G. *kystis*, bladder + *-itis*, inflammation]．腎盂膀胱炎 (腎盂と膀胱の炎症)．

py·e·lo·fluor·os·co·py (pī′ĕ-lō-flōr-os′kŏ-pē) [pyelo- + L. *fluo*, to flow + G. *skopeō*, to view]．腎盂〔X線〕透視〔法〕(造影剤注入後の腎盂と尿管の透視検査)．

py·el·o·gram (pī′el-ō-gram′)．腎盂〔X線〕像 (造影剤を注入して行う腎盂と尿管のX線像)．

py·e·log·ra·phy (pī′ĕ-log′ră-fē) [pyelo- + G. *graphō*, to write]．腎盂尿管造影(撮影)〔法〕(腎，尿管，および膀胱を放射線学的に検査する方法．通常は造影剤を経静脈的に投与するか，尿管カテーテルあるいは尿瘻カテーテルからまたは経皮的に直接投与して行う)．＝pelviureterography; pyeloureterography; ureteropyelography.

antegrade p. 前行性腎盂造影 (腎杯あるいは腎盂に流入した造影剤による尿路造影)．

intravenous p. (IVP) intravenous *urography* の旧名．

retrograde p. 逆行性腎盂造影 (膀胱鏡を用いて造影剤を尿管を通して注入し得られた腎盂造影．次頁の写真参照)．

py·e·lo·li·thot·o·my (pī′ĕ-lō-li-thot′ŏ-mē) [pyelo- + G. *lithos*, stone + *tomē*, incision]．腎盂切石〔術〕(腎盂切開により，腎から結石を手術的に除去すること)．＝pelvilithotomy; pelviolithotomy.

py·e·lo·lym·phat·ic (pī′ĕ-lō-lim-fat′ik)．腎盂リンパ管の

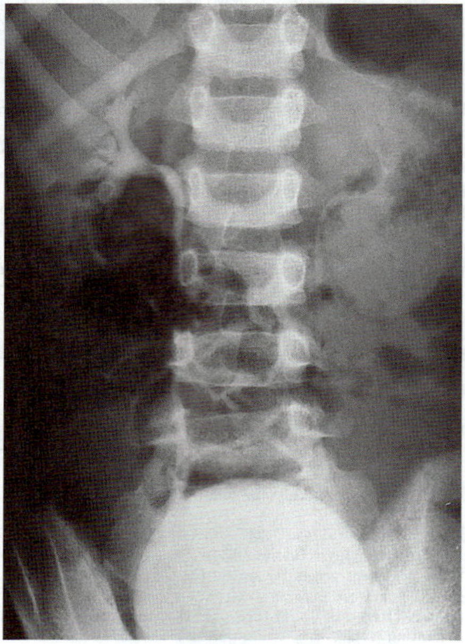

intravenous pyelography
小児患者の画像．造影剤濃度の減少によって，左腎の挫傷が明示される．

（腎盂のリンパに関する）.

py·e·lo·ne·phri·tis (pī′ĕ-lō-ne-frī′tis) ［pyelo- ＋G. *nephros*, kidney＋*-itis*, inflammation］．腎盂腎炎（特に局所性細菌感染による腎実質，腎杯，および腎盂の炎症）．

acute p. 急性腎盂腎炎（腎実質腎盂の急性炎症で，皮質の小膿瘍および集合尿細管内と間質内にある膿の蓄積の結果生じる髄質の黄色の線条を特徴とする）．

ascending p. 上行性腎盂腎炎（下部尿路の細菌感染，特に感染尿の逆流による腎盂腎炎）．

chronic p. 慢性腎盂腎炎（細菌感染による腎実質，および腎盂の慢性炎症で，腎杯の変形，大きく扁平な瘢痕の腎内斑紋状分布を特徴とする）．

xanthogranulomatous p. 黄色肉芽腫性腎盂腎炎（腎盂腎炎の一型で，腎臓の慢性炎症状態となる．腎臓は腫大するが機能低下あるいは廃絶状態となる．組織学的には脂肪を含んだ泡沫状のマクロファージと多数の肉芽腫が特徴である．腫瘍および腎結核にも類似することがある．腎臓全体を侵す病変の広がりがみられる）．

py·e·lo·ne·phro·sis (pī′ĕ-lō-ne-frō′sis) ［pyelo- ＋G. *nephros*, kidney＋*-osis*, condition］．腎盂腎症を表す現在では用いられない語．

py·e·lo·plas·ty (pī′ĕ-lō-plas′tē)［pyelo- ＋G. *plastos*, formed］．腎盂形成〔術〕（尿管腎盂移行部の閉塞を正すための腎盂，尿管の再建手術）．＝pelvioplasty.

capsular flap p. 腎被膜腎盂形成〔術〕（尿管腎盂移行部閉塞を修復する再建方法．腎盂被膜組織片を腎門部から遊離させ，閉塞した腎盂と尿管上部を拡張させる．腎盂組織の退縮に伴い再建のために腎盂を使用することを妨げている状況を修復するために用いる）．

Culp p. (kŭlp). カルプ腎盂形成〔術〕（尿管腎盂移行部閉塞を修復する再建方法．腎盂らせん形の組織片を引き下げ尿管を縦に切開し間置する．→Scardino vertical flap p.）．

disjoined p., dismembered p. 分離腎盂形成〔術〕，分割腎盂形成〔術〕（腎盂尿管移行部を修復するための再建方法．閉塞部位を切除し，上部尿管を下部腎盂に再吻合する．通常は改変楕円形吻合手技を用いる）．

Foley Y-plasty p. (fō′lē). フォーリーY字形腎盂形成〔術〕（尿管腎盂移行部閉塞の修復のための再建方法．腎盂のV字形組織片を上部尿管の縦切開部まで下方に引き下げてくることによって尿管腎盂移行部を広くする方法）．

Scardino vertical flap p. (skar-dē′nō). スカルディーノ縦軸間置腎盂形成〔術〕（尿管腎盂移行部閉塞の修復のための再建方法．尿管を縦に切開し，腎盂の縦長の組織片をそこに間置する．*cf*. Culp p.）．

py·e·lo·pli·ca·tion (pī′ĕ-lō-pli-kā′shŭn) ［pyelo- ＋L. *plico*, to fold］．腎盂縮小〔術〕（水腎症によりたるんだ腎盂壁のひだを取る手術であるが現在では行われない）．

py·e·los·co·py (pī′ĕ-los′kŏ-pē)［pyelo- ＋G. *skopeō*, to view］．腎盂鏡検査〔法〕（腎盂と腎杯を内視鏡的あるいは透視観察すること）．

py·e·los·to·my (pī′ĕ-los′tŏ-mē) ［pyelo- ＋G. *stoma*, mouth］．腎盂造瘻術，腎盂フィステル形成〔術〕（尿ドレナージを形成するために腎盂内に開口部をつくること）．

py·e·lot·o·my (pī′ĕ-lot′ŏ-mē)［pyelo- ＋G. *tomē*, incision］．腎盂切開〔術〕．

extended p. 拡大腎盂切開〔術〕（後腎動脈および基底区域腎動脈の無血管面を通るように，下極漏斗部の中にまで通常の腎盂切開をのばすこと）．＝Gil-Vernet operation.

py·e·lo·u·re·ter·ec·ta·sis (pī′ĕ-lō-yū-rē′tĕr-ek′tă-sis)［pyelo- ＋ ureter ＋G. *ektasis*, a stretching］．腎盂尿管拡張〔症〕．＝hydronephrosis.

py·e·lo·u·re·ter·og·ra·phy (pī′ĕ-lō-yū-rē′tĕr-og′ră-fē). 腎盂尿管〔X線〕造影（撮影）〔法〕．＝pyelography.

py·e·lo·ve·nous (pī′ĕ-lō-vē′nŭs)［pyelo- ＋ venous］．腎盂静脈逆流〔現象〕の（圧力増加により腎盂から腎静脈に流れ込む現象についていう）．

py·em·e·sis (pī-em′ĕ-sis)［G. *pyon*, pus＋*emesis*, vomiting］．吐膿症，膿汁嘔吐．

py·e·mi·a (pī-ē′mē-ă)［G. *pyon*, pus＋*haima*, blood］．膿血〔症〕（多発性膿瘍を起こす化膿性微生物による敗血症）．＝pyogenic fever.

cryptogenic p. 潜伏性膿血〔症〕（原因不明の膿血症）．

portal p. 門脈性膿血〔症〕．

py·e·mic (pī-ē′mik). 膿血〔症〕の（膿血症についていう，または膿血症にかかったものをいう）．

Py·e·mo·tes tri·ti·ci (pī′ĕ-mō′tēz tri′ti-sī). 貯穀害虫に寄生する，普通にみられるシラミダニ属の一種で，しばしばヒトがその刺咬によりワラかゆみ症または穀物かゆみ症を起こす．家具を食害する甲虫である *Anobium punctatum* に寄生し，ヒトには無害である *P. t. ventricosus*（本種もしばしば straw itch mite とよばれる）と混同すべきでない．＝*Pediculoides ventricosus*.

py·en·ceph·a·lus (pī′en-sef′ă-lŭs)［G. *pyon*, pus＋*enkephalos*, brain］．＝pyocephalus.

py·e·sis (pī-ē′sis)［G. *pyon*, pus＋*-esis*, condition, process］．化膿〔症〕．＝suppuration.

pyg- →pygo-.

py·gal (pī′găl)［G. *pygē*, buttocks］．殿部の，尾部の．

py·gal·gi·a (pī-gal′jē-ă)［pyg- ＋G. *algos*, pain］．殿痛（殿部の痛みを表すまれに用いる語）．

pyg·mal·ion·ism (pig-māl′yŏn-izm)［Pygmalion，ギリシア神話の登場人物］．自作物体愛，彫像冒瀆病，偶像淫欲（自分のつくった物に恋をする状態を表すまれに用いる語）．

pyg·my (pig′mē)［G. *pygmaios*, dwarfish＜*pygmē*, 握りこぶし，および肘から指関節までの長さの測定道具］［MIM *265850］．ピグミー（成長ホルモンやソマトメジンの血中濃度は正常で，成長ホルモンに不応性の低身長症．特に中央アフリカに住むピグミー族のような一民族をさす）．＝pigmy.

pygo-, pyg-［G. *pygē*］．殿部を意味する連結形．

py·go·a·mor·phus (pī′gō-ă-mōr′fŭs)［pygo- ＋G. *a-* 欠性辞＋*morphē*, form］．殿部奇形腫奇形（自生体の殿部に癒着している寄生体が無定形の塊または胚芽腫である接着双生児．→conjoined *twins*）．

py·go·did·y·mus (pī′gō-did′i-mŭs) ［pygo- ＋G. *didymos*, twin］．殿部結合体（頭胸部は１つだが，殿部とその下の部分は２つずつある接着双生児．→conjoined *twins*.→*duplicitas* posterior).

py·gom·e·lus (pī-gom′ĕ-lŭs) [pygo- + G. *melos*, part]. 殿肢体（寄生体が肉塊またはより完全に発育した肢体を形成し，自生体の仙骨または尾骨部分に付着する不等接着双生児. → conjoined *twins*).

py·gop·a·gus (pī-gop′ă-gŭs) [pygo- + G. *pagos*, something fixed]. 殿結合体（2つの個体が殿部，ほとんどの場合背と背で結合している接着双生児. → conjoined *twins*).

pyk- → pykno-.

pyk·nic (pik′nik) [G. *pyknos*, thick]. 肥満型の，太り型の（身体の輪郭が丸く，体腔が大きい全身についていう．事実上は endomorphic(内胚葉型の)と同義).

pykno-, pyk- [G. *pyknos*]. 厚い，緻密，濃縮，を意味する連結形.

pyk·no·dys·os·to·sis (pik′nō-dis′os-tō′sis) [pykno- + G. *dys*-, difficult + *osteon*, bone + *-osis*, condition][TA]. 低い背丈，泉門の閉鎖遅延，末端指節骨形成不全を特徴とする状態．常染色体劣性遺伝. = osteopetrosis acroosteolytica.

pyk·noe·lep·sy (pik′nō-lep′sē) ピクノレプシー. = child-hood absence *epilepsy*.

pyk·no·ep·i·lep·sy, pyk·no·lep·sy (pik′nō-ep′i-lep′sē, pik′nō-lep-sē) [pykno- + G. *lepsis*, seizure]. absence を表す現在では用いられない語.

pyk·no·mor·phous (pik′nō-mōr′fŭs) [pykno- + G. *morphē*, form, shape]. 濃染形態の（染色性物質が密閉内包されていることにより濃く染色される細胞または組織についていう).

pyk·no·phra·si·a (pik′nō-frā′zē-ă) [pykno- + G. *phrasis*, speech]. 言葉が不鮮明なこと.

pyk·no·sis (pik-nō′sis) [pykno- + G. *-osis*, condition]. 核濃縮〔症〕，ピクノーゼ（特に細胞またはその核の濃縮と大きさの減少で，通常，過染色性と関連する．これは核の壊死の段階である).

pyk·not·ic (pik-not′ik). 核濃縮〔症〕の，ピクノーゼの.

py·la (pī′lă) [G. *pylē*, gate]. 門（第3脳室と中脳水道を連結する口).

py·lar (pī′lăr). 門の.

py·le·phle·bi·tis (pī′lē-fle-bī′tis) [G. *pylē*, gate + *phleps*, vein + *-itis*, inflammation]. 門脈炎（門脈またはその枝脈の炎症).

py·le·throm·bo·phle·bi·tis (pī′lē-throm′bō-fle-bī′tis) [G. *pylē*, gate + *thrombos*, a clot + *phleps*, vein + *-itis*, inflammation]. 血栓性門脈炎（血栓の形成を伴う門脈炎).

py·le·throm·bo·sis (pī′lē-throm-bō′sis) [G. *pylē*, gate + *thrombos*, a clot + *-osis*, condition]. 門脈血栓〔症〕（門脈またはその枝脈の血栓症).

py·lic (pī′lik). 門脈の.

py·lon (pī′lon) [G. gateway]. パイロン（下肢切断用の通常，関節をもたない簡単な義足).

pylor- → pyloro-.

py·lo·ral·gi·a (pī′lō-ral′jē-ă) [pylor- + G. *algos*, pain]. 幽門痛（胃の幽門部の痛みを表すまれに用いる語).

py·lo·rec·to·my (pī′lōr-ek′tŏ-mē) [pylor- + G. *ektomē*, excision]. 幽門切除〔術〕（幽門の切除).

py·lor·i (pī-lōr′ī) [L.]. pylorus の複数形.

py·lor·ic (pī-lōr′ik). 幽門の.

py·lor·i·ste·no·sis (pī-lōr′ē-ste-nō′sis) [pylor- + G. *stenōsis*, a narrowing]. 幽門狭窄〔症〕（幽門口の狭窄). = pylorostenosis.

py·lo·ri·tis (pī′lō-rī′tis) [pylor- + G. *-itis*, inflammation]. 幽門炎（胃の幽門末端の炎症).

pyloro-, pylor- [G. *pyloros*, gatekeeper]. 幽門を意味する連結形.

py·lo·ro·du·o·de·ni·tis (pī-lōr′ō-dū′o-dĕ-nī′tis) [pyloro- + duodenitis]. 幽門十二指腸炎（胃幽門出口と十二指腸を含む炎症).

py·lo·ro·gas·trec·to·my (pī-lō′rō-gas-trek′tŏ-mē). 幽門胃切除〔術〕（幽門と胃遠位部の一部の切除).

py·lo·ro·my·ot·o·my (pī-lō′rō-mī-ot′ŏ-mē) [pyloro- + G. *mys*, muscle + *tomē*, incision]. 幽門筋層切開〔術〕（幽門管の前壁を通って，粘膜下の位置まで縦に切開すること．肥厚性幽門狭窄症の治療に用いる). = Fredet-Ramstedt operation; Ramstedt operation.

py·lo·ro·plas·ty (pī-lō′rō-plas′tē) [pyloro- + G. *plastos*, formed]. 幽門形成〔術〕（幽門管と近接する十二指腸の狭窄を縦に切開して，横に縫合することによって拡張させる).

Finney p. (fin′ē). フィニー幽門形成〔術〕（十二指腸から幽門を越えて近位方向には胃前庭部にのびた長い全層の切開．C型に閉鎖することにより胃と十二指腸間の開口部は広くなる).

Heineke-Mikulicz p. (hī′nĕ-kuh mē′kū-lich). ハイネケ－ミクリッチ幽門形成〔術〕（幽門を越えて縦に短く(5—7.5 cm)切開し，横に閉じる).

Jaboulay p. (zhah′bū-lā′). ジャブレー幽門形成〔術〕（幽門と近位十二指腸が，消化性潰瘍により，瘢痕や硬化が広い範囲に生じている場合に有効な胃十二指腸側側吻合術).

py·lo·ro·pto·sis, py·lor·op·to·sia (pī-lō′rō-tō′sis, -tō′sē-ă) [pyloro- + G. *ptōsis*, a falling]. 幽門下垂〔症〕（胃の幽門末端の下方への偏位).

py·lo·ro·spasm (pī-lō′rō-spazm). 幽門痙攣〔症〕（幽門の痙攣性収縮).

py·lo·ro·ste·no·sis (pī-lō′rō-ste-nō′sis). = pyloristenosis.

py·lo·ros·to·my (pī′lō-ros′tŏ-mē) [pyloro- + G. *stoma*, mouth]. 幽門造瘻術，幽門フィステル形成〔術〕（腹壁表面から胃の幽門付近にフィステルを形成すること).

py·lo·rot·o·my (pī′lō-rot′ŏ-mē) [pyloro- + G. *tomē*, incision]. 幽門切開〔術〕.

py·lo·rus, pl. py·lor·i (pī-lōr′ŭs, pī-lōr′ī) [L. < G. *pylōros*, a gatekeeper, the pylorus < *pylē*, gate + *ouros*, a warder] [TA]. 幽門（①器官の口または管腔を開(拡張筋)閉(括約筋)する筋または筋性血管の装置．②胃から腸への出口を囲み調節する筋組織).

Pym (pim), William. イングランド人医師，1772—1861. → P. *fever*.

pyo- [G. *pyon*, pus]. **[本連結形を pyelo- と混同しないこと]**. 化膿または膿の蓄積を意味する連結形.

py·o·cele (pī′ō-sēl) [pyo- + G. *kēlē*, tumor, hernia]. 膿瘤（陰嚢に膿がたまること).

py·o·ce·li·a (pī′ō-sē′lē-ă) [pyo- + G. *koilia*, a cavity]. = pyoperitoneum.

py·o·ceph·a·lus (pī′ō-sef′ă-lŭs) [pyo- + G. *kephalē*, head]. 膿頭症，脳室蓄膿症（頭蓋内への化膿性滲出液の侵入). = pyencephalus.

circumscribed p. 限局性膿頭症，大脳膿瘍.

external p. 外膿頭症，髄膜化膿.

internal p. 内膿頭症，脳脊髄液化膿.

py·o·che·zi·a (pī′ō-kē′zē-ă) [pyo- + G. *chezō*, to defecate]. 膿便（腸からの膿の排出).

py·o·cin (pī′ō-sin). ピオシン（*Pseudomonas pyocyaneus* の菌株からつくられるバクテリオシン).

py·o·coc·cus (pī′ō-kok′ŭs) [pyo- + G. *kokkos*, berry(coccus)]. 化膿球菌（化膿を起こす球菌の1つで，特に化膿連鎖球菌 *Streptococcus pyogenes* をいう).

py·o·col·po·cele (pī-ō-kol′pō-sēl) [pyo- + G. *kolpos*, bosom (vagina) + *kēlē*, tumor, hernia]. 膿を含む腟の腫瘍または嚢腫.

py·o·col·pos (pī′ō-kol′pos) [pyo- + G. *kolpos*, bosom(vagina)]. 腟留膿症，腟膿瘤（腟における膿の蓄積).

py·o·cy·an·ic (pī′ō-sī-an′ik) [pyo- + G. *kyanos*, blue]. 緑膿の，緑膿菌の.

py·o·cy·a·no·gen·ic (pī′ō-sī′ă-nō-jen′ik) [pyo- + G. *kyanos*, blue + *-gen*, producing]. 緑膿発生の.

py·o·cy·a·nol·y·sin (pī′ō-sī′ă-nol′i-sin). 緑膿菌溶血素（緑膿菌 *Pseudomonas aeruginosa* からつくられる溶血素).

py·o·cyst (pī′ō-sist) [pyo- + G. *kystis*, bladder]. 膿嚢胞（化膿性物質を含む嚢胞).

py·o·cys·tis (pī′ō-sis′tis) [pyo- + G. *kystis*, bladder]. 膀胱膿症（慢性的に発現する症状で，膀胱に大量の膿がたまる．以前に行われた膀胱より上部の尿路変更によって機能を失っている膀胱に起こることがある).

py·o·cyte (pī′ō-sīt) [pyo- + G. *kytos*, cell]. 膿球. = pus *corpuscle*.

py·o·der·ma (pī′ō-der′mă) [pyo- + G. *derma*, skin]. 膿皮症（皮膚の化膿性感染症のすべて．膿痂疹のように原発性の

こともあり，また既存の変化に続発して生じることもある）．

p. gangrenosum 壊疽性膿皮症（慢性で細菌感染の関与しない拡大性，穿掘性潰瘍で中心治療傾向を示す．真皮のびまん性好中球浸潤を認め，しばしば潰瘍性大腸炎に合併する）．

secondary p. 続発性膿皮症（皮膚病変(例えば湿疹，ヘルペス，脂漏性皮膚炎)が二次的に感染したもの）．

p. vegetans 増殖性膿皮症．＝*dermatitis* vegetans.

py·o·gen (pī′ō-jen) [pyo- + G. *-gen*, producing]．ピオゲン，化膿素（膿形成を起こす物質）．

py·o·gen·e·sis (pī′ō-jen′ĕ-sis) [pyo- + G. *genesis*, production]．膿形成，化膿．＝suppuration.

py·o·gen·ic, py·o·ge·net·ic (pī-ō-jen′ik, -jĕ-net′ik)．化膿〔性〕の（膿形成についていう）．＝pyogenous.

py·og·e·nous (pī-oj′ĕ-nŭs)．＝pyogenic.

py·o·he·mi·a (pī′ō-hē′mē-ă)．pyemia を表す，まれに用いる語．

py·o·he·mo·tho·rax (pī′ō-hē-mō-thō′raks) [pyo- + G. *haima*, blood + thorax]．血膿胸（胸腔内に膿と血液が存在すること）．

py·oid (pī′oyd) [G. *pyōdēs* < *pyon*, pus + *eidos*, resemblance]．膿様の（膿に類似する）．

py·o·me·tra (pī′ō-mē′tră) [pyo- + G. *mētra*, uterus]．子宮留膿症，子宮膿腫（子宮腔内に膿が蓄積すること）．

py·o·me·tri·tis (pī′ō-mē-trī′tis) [pyo- + G. *mētra*, womb + *-itis*, inflammation]．化膿性子宮炎（子宮腔内に膿が存在する子宮筋組織の炎症）．

py·o·my·o·si·tis (pī′ō-mī′ō-sī′tis) [pyo- + G. *mys*, muscle + *-itis*, inflammation]．化膿性筋炎（筋肉の深部の腫瘍，カルブンケルまたは感染洞）．

tropic p. 熱帯性化膿性筋炎（多くの熱帯地方にみられる疾患．四肢の腫張と疼痛，弛張熱か間欠熱，大筋肉内または四肢の膿瘍を特徴とする．敗血症で死に至る．起因菌は黄色ブドウ球菌 *Staphylococcus aureus* と化膿性連鎖球菌 *Streptococcus pyogenes* であるが，寄生虫感染またはHIVに続発して起こるであろう）．＝bungpagga; lambo lambo; myositis purulenta tropica; tropic myositis.

py·o·ne·phri·tis (pī′ō-ne-frī′tis) [pyo- + G. *nephros*, kidney + *-itis*, inflammation]．化膿性腎炎．

py·o·neph·ro·li·thi·a·sis (pī′ō-nef′rō-li-thī′ă-sis) [pyo- + G. *nephros*, kidney + *lithos*, stone + *-iasis*, condition]．化膿性腎結石〔症〕（腎臓に膿と石が存在すること）．

py·o·ne·phro·sis (pī′ō-ne-frō′sis) [pyo- + G. *nephros*, kidney + *-osis*, condition]．膿腎〔症〕，腎膿腫（膿を伴う腎盂と腎杯の拡張．通常，閉塞を伴う）．＝nephropyosis.

py·o-o·var·i·um (pī′ō-ō-vār′ē-ŭm)．卵巣膿瘍（卵巣内に膿が存在すること）．

py·o·per·i·car·di·tis (pī′ō-per′i-kar-dī′tis)．化膿性心膜炎（心膜の化膿性炎症）．

py·o·per·i·car·di·um (pī′ō-per′i-kar′dē-ŭm)．膿心膜〔症〕，心嚢蓄膿．＝purulent *pericarditis*.

py·o·per·i·to·ne·um (pī′ō-per′i-tō-nē′ŭm) [G. *pyon*, pus]．腹腔蓄膿（腹腔内に膿がたまること）．＝pyocelia.

py·o·per·i·to·ni·tis (pī′ō-per′i-tō-nī′tis) [pyo- + peritonitis]．化膿性腹膜炎．

py·o·phy·so·me·tra (pī′ō-fī′sō-mē′tră) [pyo- + G. *physa*, air + *mētra*, uterus]．子宮膿気症（子宮内に膿と気体が存在すること）．

py·o·pneu·mo·cho·le·cys·ti·tis (pī′ō-nū′mō-kō′lē-sis-tī′tis) [pyo- + G. *pneuma*, air + cholecystitis]．膿気性胆嚢炎（気体産生微生物の侵入，または十二指腸から胆管を通じて空気がはいることにより，炎症を起こした胆嚢に膿と気体が共存すること）．

py·o·pneu·mo·hep·a·ti·tis (pī′ō-nū′mō-hep′ă-tī′tis) [pyo- + G. *pneuma*, air + hepatitis]．膿気肝炎（通常は膿瘍に関連して現れ，肝内に膿と気体が存在すること）．

py·o·pneu·mo·per·i·car·di·um (pī′ō-nū′mō-per′i-kar′dē-ŭm) [pyo- + G. *pneuma*, air + pericardium]．膿気心膜症（心嚢内に膿と気体が存在すること）．

py·o·pneu·mo·per·i·to·ne·um (pī′ō-nū′mō-per′i-tō-nē′ŭm) [pyo- + G. *pneuma*, air + peritoneum]．膿気腹腔（腹腔内に膿と気体が存在すること）．

py·o·pneu·mo·per·i·to·ni·tis (pī′ō-nū′mō-per′i-tō-nī′tis) [pyo- + G. *pneuma*, air + peritonitis]．膿気性腹膜炎（気体産生微生物または破裂した腸からの気体を伴う）．

py·o·pneu·mo·tho·rax (pī′ō-nū′mō-thō′raks) [pyo- + G. *pneuma*, air + thorax]．膿気胸（胸腔内に化膿性滲出液とともに気体が存在すること）．

subdiaphragmatic p., subphrenic p. 横隔膜下膿気胸（胸と腹部に気体を伴い，管腔臓器の１つに穿孔がある横隔膜下膿瘍）．

py·o·poi·e·sis (pī′ō-poy-ē′sis) [pyo- + G. *poiēsis*, a making]．化膿，膿形成．＝suppuration.

py·o·poi·et·ic (pī′ō-poy-et′ik)．化膿の，膿形成の（膿をつくるものについていう）．

py·o·py·e·lec·ta·sis (pī′ō-pī′ĕ-lek′tă-sis) [pyo- + G. *pyelos*, pelvis + *ektasis*, a stretching]．膿性腎盂拡張〔症〕（膿形成性炎症を伴う腎盂の拡張）．

py·or·rhe·a (pī-ō-rē′ă) [pyo- + G. *rhoia*, a flow]．膿漏〔症〕（膿の放出）．

py·o·sal·pin·gi·tis (pi′o-sal′pin-jī′tis) [pyo- + salpingitis]．化膿性卵管炎（卵管の化膿性炎症）．

py·o·sal·pin·go-o·oph·o·ri·tis (pī′ō-sal-ping′gō-ō′of-ō-rī′tis) [pyo- + G. *salpinx*, trumpet(tube) + oophoritis]．化膿性卵管卵巣炎（卵管と卵巣の化膿性炎症）．＝pyosalpingo-oothecitis.

py·o·sal·pin·go-o·the·ci·tis (pī′ō-sal-ping′gō-ō′ō-thē-sī′tis) [pyo- + G. *salpinx*, trumpet(tube) + Mod. L. *ootheca*, ovary + G. *-itis*, inflammation]．＝pyosalpingo-oophoritis.

py·o·sal·pinx (pī′ō-sal′pingks) [pyo- + G. *salpinx*, trumpet (tube)]．卵管留膿症，卵管留膿腫（膿貯留による卵管の拡張）．＝pus tube.

py·o·se·mi·a (pī′ō-sē′mē-ă) [pyo- + L. *semen*, seed (of man)]．膿精液〔症〕（精液に膿が混じること．慢性前立腺炎あるいはその他の男性性器の炎症疾患にしばしば合併する）．＝pyospermia.

py·o·sep·ti·ce·mi·a (pī′ō-sep′ti-sē′mē-ă) [pyo- + G. *sēptikos*, putrefying + *haima*, blood]．膿性敗血症（化膿性・非化膿性微生物などの数種の細菌による血液の感染症）．

py·o·sis (pī-ō′sis) [G.]．化膿〔症〕．＝suppuration.

py·o·sper·mi·a (pī-ō-spĕr′mē-ă) [pyo- + G. *sperma*, seed + *ia*, condition]．膿精液症．＝pyosemia.

py·o·stat·ic (pī′ō-stat′ik) [pyo- + G. *statikos*, causing to stand]．*1*〖adj.〗化膿阻止の（膿形成を阻止するものについていう）．*2*〖n.〗化膿阻止薬（膿形成阻止物質）．

py·o·sto·ma·ti·tis (pī′ō-stō′mă-tī′tis) [pyo- + G. *stoma*, mouth + *-itis*, inflammation]．化膿性口内炎（口腔内の化膿性炎症性の発疹）．

p. vegetans 増殖性化膿性口内炎（口腔内の融合性膿疱性の病変で，口腔粘膜の増殖性いぼ状の発疹を伴う．潰瘍性大腸炎やその他の消耗性疾患に合併してみられる）．

py·o·tho·rax (pī′ō-thōr′aks)．膿胸（胸腔の蓄膿）．

py·o·u·ra·chus (pī′ō-yū′ră-kŭs)．尿膜管膿瘍（尿膜管内への蓄膿）．

py·o·u·re·ter (pī′ō-yū-rē′tĕr)．尿管蓄膿（膿による尿管拡張）．

Pyr pyrimidine; pyruvate; pyroglutamic acid の略．

pyr- [G. *pyr*]．[pyriform 参照]．火または熱を意味する連結形．→pyreto-; pyro- (1).

pyr·a·cin (pir′ă-sin)．ピラシン；pyridoxolactone (4-ピリドキシン酸のラクトン)．

pyr·a·mid (pir′ă-mid) [G. *pyramis*(*pyramid-*), a pyramid]．*1* [TA]．錐体（多少とも錐体形をもつ様々な解剖学的構造に対して用いる語）．＝pyramis [TA]．*2* 側頭骨の錐体尖を意味する語．

anterior p. ＝p. of medulla oblongata.

cerebellar p. ＝p. of vermis.

Ferrein p. (fer-ān′)．フェラン錐体．＝medullary *ray*.

Lallouette p. (lah-lū-et′)．ラルウェット錐体．＝pyramidal *lobe* of thyroid gland.

p. of light 光錐．＝light *reflex* (3).

Malacarne p. (mah-lah-kahr′nā)．マラカルネ錐体（小脳の下部表面上の小葉で，虫部の後部）．

malpighian p. マルピーギ錐体．＝renal p.'s.

p. of medulla oblongata 〔延髄〕錐体（皮質脊髄路線維の

位置に対応して，前正中裂の両側に沿って延髄の前面にみられる長く白色の隆起）. ＝pyramis medullae oblongatae [TA]; anterior column of medulla oblongata; anterior p.

medullary p. ＝renal p.'s.

olfactory p. 嗅三角（嗅索根間にある灰色質からなる小領域．前有孔質とともに後方に連絡する）．

petrous p. 錐体突起. ＝petrous *part* of temporal bone.

population p. 人口ピラミッド（人口を構成する年齢と性を図示したもの．それぞれの年齢，性の分布を計算することにより得られる）．

posterior p. of the medulla ＝gracile *fasciculus*.

renal p.'s [TA]. 腎錐体（腎の縦断面にみられるピラミッド形の塊で，その集合体が腎髄質である．分泌管の一部と集合管を含む）. ＝malpighian p.; medullary p.; pyramides renales [TA]; pyramis renalis.

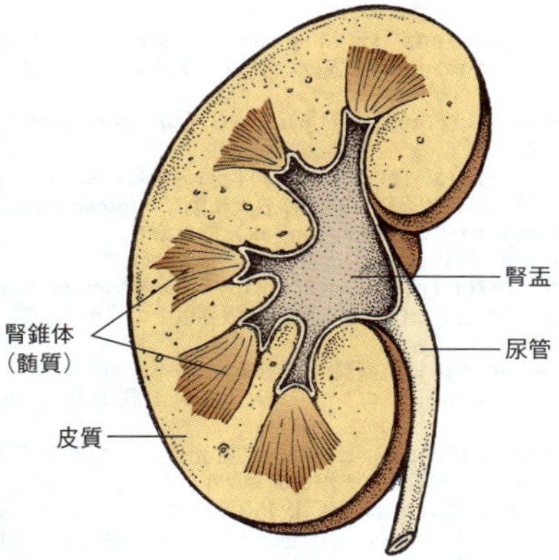

renal pyramids

p. of thyroid ＝pyramidal *lobe* of thyroid gland.

p. of tympanum ＝*eminentia* pyramidalis.

p. of vermis [TA]. 小脳虫部錐体（小脳虫部葉下方で虫部隆起と虫部垂の間の部分．虫部小葉 VIII）. ＝cerebellar p.; pyramis [TA] of cerebellum.

p. of vestibule [TA]. 前庭錐体（前庭稜上方の三角形の末端）. ＝pyramis vestibuli [TA].

py·ram·i·dal (pi-ram′i-dăl). 錐体の（①錐体形のものをいう．②錐体とよばれるすべての解剖学的構造についていう）．

py·ram·i·da·le (pi-ram′i-dā′lē) [Mod. L.]. 三角骨. ＝triquetrum.

py·ram·i·da·lis (pi-ram′i-dā′lis) [TA]. 錐体筋（→pyramidalis (*muscle*)）．

py·ram·i·dot·o·my (pi-ram′i-dot′ŏ-mē) [G. *pyramis*, pyramid + *tomē*, incision]. 錐体路切断〔術〕（不随意運動治療の目的で，脊髄の錐体路を切断すること）．

medullary p. 延髄錐体路切断〔術〕（延髄の錘体切路術）．

spinal p. 脊髄錐体路切断〔術〕（脊髄の錘体切路術）．

pyr·a·min, pyr·a·mine (pir′ă-min). ピラミン. ＝toxopyrimidine.

pyr·a·mis, pl. **py·ra·mi·des** (pir′ă-mis, pi-ram′i-dēz) [Mod. L. < G. pyramid] [TA]. 錐体. ＝pyramid (1).

p. medullae oblongatae [TA]. 〔延髄〕錐体. ＝*pyramid* of medulla oblongata.

p. renalis, pl. **pyramides renales** 腎錐体. ＝renal *pyramids*.

p. [TA] **of cerebellum** ＝*pyramid* of vermis.

p. tympani ＝*eminentia* pyramidalis.

p. vestibuli [TA]. 前庭錐体. ＝*pyramid* of vestibule.

py·ran (pī′ran). ピラン（糖の形式的親物質と考えられる環式化合物(ピラノーズ)．C-1 と C-5 の間に酸素の架橋をもつ）．

py·ra·none (pī′ră-nōn). ＝pyrone.

py·ra·nose (pī′ră-nōs). ピラノース（六員環構造をとっている六員環糖．酸素の架橋により，ピランをつくる）．

pyr·a·zo·lone (pir′ă-zō′lōn). ピラゾロン（関節炎状態の治療に用いる非ステロイド性抗炎症薬群．例えばフェニルブタゾン）．

pyrazolopyrimidine (pī-rāz′ō-pī-rim′i-dēn). ピラゾロピリミジン（GABAA 受容体機能に強力に作用する催眠鎮静薬の1つ）．

py·rec·tic (pī-rek′tik). ＝febrile.

py·re·ne·mi·a (pī′rĕ-nē′mē-ă) [G. *pyrēn*, the pit of a fruit + *haima*, blood]. 有核赤血球血〔症〕（末梢血中の有核赤血球の存在が特徴である状態）．

Py·re·no·chae·ta ro·me·roi (pī′rĕ-nō-kē′tă rō-mer′ō-ī). ヒトの菌腫の原因となる多種の真菌類のうちの一種．

py·re·noid (pī′rĕ-noyd) [G. *pyrēn*, pit of a fruit + *eidos*, resemblance]. ピレノイド（ある種の原生動物，例えば *Euglena viridis* の色素細胞中にときにみられる小発光体の1つ）．

py·re·thrins (pī-rē′thrinz). ピレトリン（[permethrin と混同しないこと]．ジョチュウギク花の殺虫成分）．

py·re·throids (pī-re′throydz). ピレスロイド（殺虫薬として用いられるピレトリン誘導体．他の有効な殺虫薬に比較して哺乳類に対する毒性が弱い）．

py·re·thrum (pī-rē′thrŭm) [G. *pyrethron*, feverfew < *pyr*, fire, 根に辛味のあることからいう]. ジョチュウギク（モロッコ産の低木であるキク科 *Anacyclus pyrethrum* の根．唾液分泌促進薬として用いられてきた．花はピレトリンの原料）．

py·ret·ic (pī-ret′ik) [G. *pyretikos*]. 発熱の. ＝febrile.

pyreto- [G. *pyretos*, fever < *pyr*, fire]. 熱病を意味する連結形. →pyr-; pyro- (1).

py·ret·o·gen (pī-ret′ō-jen) [pyreto- + G. *-gen*, producing]. 発熱物質，発熱因子を表すまれに用いる語．

py·re·to·gen·e·sis (pī′rĕ-tō-jen′ĕ-sis, pir′ĕ-tō-) [pyreto- + G. *genesis*, origin]. 発熱の原因と機序を表すまれに用いる語．

py·re·to·ge·net·ic, py·re·to·gen·ic (pī′rĕ-tō-jĕ-net′-ik, -jen′ik). ＝pyrogenic.

py·re·tog·e·nous (pī-rĕ-toj′ĕ-nŭs). ＝pyrogenic.

py·re·to·ther·a·py (pī′rĕ-tō-thār′ă-pē) [pyreto- + G. *therapeia*, treatment]. ***1*** pyrotherapy を表す現在では用いられない語. ***2*** 熱の治療. ＝artificial fever; induced fever.

py·rex·i·a (pī-rek′sē-ă) [G. *pyrexis*, feverishness]. 発熱. ＝fever.

py·rex·i·al (pī-rek′sē-ăl). 発熱の．

py·rex·i·o·pho·bi·a (pī-rek′sē-ō-fō′bē-ă) [G. *pyrexis*, feverishness + *phobos*, fear]. 発熱恐怖〔症〕（発熱に対する病的な恐れ）．

pyr·i·dine (pir′i-dēn, -din). ピリジン（窒素を含む有機物質の乾留から生じ，焦臭と焼けるような味をもつ無色の揮発性液体．工業用溶媒として，分析化学およびアルコール変性に用いる）．

pyr·i·din·i·um (pir′i-din′ē-ŭm). ピリジニウム（骨コラーゲンの崩壊産物で，尿中に排出される物質で，破骨細胞の活性を評価するために測定される．Paget 病，一次性上皮小体機能亢進症，および閉経後骨粗しょう症などで増加する）．

pyr·i·din·o·line (pir′i-din′ō-lēn). ピリジノリン（ハイトロキシピリジニウム．骨コラーゲンの崩壊産物で，ピリジニウム(→pyridinium)と同様に破骨細胞の活性を測るために測定される）．

2-pyridones (pēr-ĭ-dōnz′). 2-ピリドン（実験的に完全な合成品である細菌性トポイソメラーゼ阻害活性をもつ抗生物質で，好気性菌にも嫌気性菌にも有効である）．

cinnoline 2-p. シンノリン2-ピリドン（抗菌薬．フルオロキノロン類に類似した化学構造を有する DNA ジャイレース阻害薬）．

naphthyridine 2-p. ナフチリジン2-ピリドン（抗菌薬．フルオロキノロン類に構造が類似している DNA ジャイレース阻害薬）．

pyrido-pyrimidine 2-p. ピリドピリミジン2-ピリドン（抗菌薬．フルオロキノロン類と構造的類似性を有する DNA ジャイレイース阻害薬）．

pyr·i·dox·al (PL) (pir′i-dok′săl). ピリドキサル（ピリド

キシンに類似する生理作用をもつピリドキシンの4–アルデヒド.→pyridoxine).

p. kinase [MIM*179020]. ピリドキサルキナーゼ(ピリドキサルを ATP によりピリドキサル–5–リン酸と ADP にリン酸化する反応を触媒する酵素. この反応により栄養素が活性補酵素に変換される).

p. 5′-phosphate (PLP) ピリドキサル5′–リン酸(組織内の多くの反応, 特にアミノ基転移とアミノ酸の脱炭酸反応に必須な補酵素の1つ).

pyr·i·dox·a·mine (pir′i-dok′să-mēn). ピリドキサミン(ピリドキシンのアミン誘導体(4位の–CH_2OH が–CH_2NH_2 に換わった). 生理作用は類似する.→pyridoxine).

p. 5-phosphate ピリドキサミン 5–リン酸(ピリドキサル 5–リン酸のアミン(4位の–CHO を–CH_2NH_2 に変換する). ピリドキサル 5–リン酸を利用する多くの酵素触媒反応で見出される中間体).

pyr·i·dox·a·mine-phos·phate ox·i·dase (pir′i-dok′să-mēn-fos′fāt oks′i-dās). ピリドキサミンリン酸オキシダーゼ(ピリドキサミン5–リン酸を(酸素と水とともに)酸化的脱アミノ化し, ピリドキサル5–リン酸, 過酸化水素, アンモニアを生成する反応を触媒する酸化還元酵素).

4-pyr·i·dox·ic ac·id (pir′i-dok′sik as′id). 4–ピリドキシン酸(尿中に存在する, ヒトのピリドキサル代謝物質の主要成分(4位で, –CHO が–COOH に換わる)).

pyr·i·dox·ine (pir-i-dok′sēn, -sin). ピリドキシン(元来のビタミン B_6 のことで, 現在はピリドキサルとピリドキサミンも含まれる. イースト菌溶出因子ピリドキシンは, 不飽和脂肪酸の利用と関連する. ラットでは, 欠乏により栄養性皮膚炎と先端疼痛症が現れる. ヒトの場合は, 欠乏すると感応性増加, 痙攣, 末梢神経炎を起こす. 塩酸塩は局方製剤. いくつかの野菜類に自然に見出される).

pyr·i·dox·ine 4-de·hy·dro·gen·ase (pir′i-dok′sēn dē-hī′drō′jen-āz). ピリドキシン 4–デヒドロゲナーゼ ($NADP^+$ によりピリドキシンを酸化してピリドキサルと NADPH を生成する反応を触媒する酸化還元酵素).

pyr·i·form (pir′i-fōrm) [L. *pyrum*(prop. *pirum*), pear + *forma*, form]. 梨状の ([連結形 pyr- は通常, 火または熱を表すが, 本語における pyr- はラテン語 pirum(西洋ナシ)のつづりが中世に変更されたことに由来する]). = piriform.

py·rim·i·dine (Pyr) (pī-rim′i-dēn). ピリミジン ; 1,3-diazine (複素環式物質で, 核酸中に存在する数種の塩基(ウラシル, チミン, シトシン)とバルビツール酸塩の形式的親物質である).

p. 5′-nucleotidase ピリミジン 5′–ヌクレオチダーゼ(ピリミジンヌクレオシド 5′–一リン酸の加水分解により, 正リン酸とピリミジンヌクレオシドへの生成反応を触媒する酵素. この酵素の欠損により, ピリミジンヌクレオチドが蓄積し, 溶血性貧血になる).

p. transferase ピリミジントランスフェラーゼ. = *thiamin* pyridinylase.

py·rin (pī′rin). ピリン(家族性地中海熱の原因遺伝子MEFV にコードされる異常好中球性蛋白). = marenostrin.

pyro- [G. *pyr*, fire]. ***1*** 火, 熱または熱病を意味する連結形. →pyr-; pyreto-. ***2*** 化学において, 水の除去(通常は熱による)によりつくられる無水物などの誘導体を意味する連結形. →anhydro-.

py·ro·bo·ric ac·id (pī-rō-bō′rik as′id). ピロホウ酸. = tetraboric acid.

py·ro·cal·cif·er·ol (pī′ro-kal-sif′ĕr-ol). ピロカルシフェロール(カルシフェロールの熱分解生成物).

py·ro·cat·e·chase (pī′rō-kat′ĕ-kās). ピロカテカーゼ. = catechol 1,2-dioxygenase.

py·ro·cat·e·chin (pī′rō-kat′ĕ-kin). = pyrocatechol.

py·ro·cat·e·chol (pī′rō-kat′ĕ-kol). ピロカテコール(カテコールアミン, エピネフリン, ノルエピネフリン, およびドパの構成成分. 外用で防腐薬に用いる). = catechol (1); pyrocatechin.

py·ro·gal·lol·phthal·e·in (pī′rō-gal′ōl-thal′ē-in, -thāl′ē-in). ピロガロフタレイン. = gallein.

py·ro·gen (pī′rō-jen) [pyro- + G. *-gen*, producing]. 発熱物質, 発熱因子(発熱物質. バクテリア, カビ, ウイルス, イースト菌によってつくられる).

endogenous p. (EP) 内因性発熱物質(発熱を誘発する蛋白. 約11種が同定されており, 免疫機構の構成要素, とりわけマクロファージによって産生されるサイトカイン(インターロイキン–1,6, インターフェロン, 腫瘍壊死因子)も含まれる). = leukocytic p.'s.

exogenous p.'s 外因性発熱物質(微生物により生成され, 発熱を起こす薬物または物質. 物質としてはリポ多糖やリポテイコ酸がある).

leukocytic p.'s 白血球発熱物質. = endogenous p.

py·ro·gen·ic (pī′rō-jen′ik). 発熱性の (→febrifacient). = pyretogenetic; pyretogenic; pyretogenous.

py·ro·glob·u·lins (pī′rō-glob′yū-linz). ピログロブリン(血清蛋白(免疫グロブリン)で, 通常, 多発性骨髄腫やマクログロブリン血症にみられる. 56°C に加熱すると非可逆的に沈殿する).

py·ro·glu·tam·ic ac·id (Pyr) (pī′rō-glū-ta′mik as′id). ピログルタミン酸. = 5-oxoproline.

py·ro·lig·ne·ous (pī′rō-lig′nē-ŭs) [pyro- + L. *lignum*, wood]. 木酢の, 木材乾留の(木材を乾留してつくられるものについていう).

py·rol·y·sis (pī-rol′i-sis) [pyro- + G. *lysis*, dissolution]. 熱〔分〕解.

py·ro·ma·ni·a (pī′rō-mā′nē-ă) [pyro- + G. *mania*, frenzy]. 放火癖, 放火狂(病的な放火衝動). = incendiarism.

py·ro·ma·ni·ac (pī′rō-mā′nē-ak). 放火癖者.

py·ro·men (pī′rō-men). ピロメン. = piromen.

py·rom·e·ter (pī-rom′ĕ-tĕr) [pyro- + G. *metron*, measure]. 高温計(水銀またはガス温度計の限界以上の高温を測定する器械).

resistance p. 抵抗高温計. = resistance *thermometer*.

py·rone (pī′rōn). ピロン(ピランのケト誘導体). = pyranone.

py·ro·nin (pī′rō-nin). ピロニン(蛍光性赤色塩基性キサンテン色素で, テトラメチルジアミノキサンテンの塩化物, すなわち **p. Y** または **p. G**(C.I. 45005), またはテトラエチルジアミノキサンテンの塩化物, すなわち **p. B**(C.I. 45010). これらの色素, 特に p. Y は, メチルグリーンと併用して RNA(赤色)または DNA(緑色)の示差染色に用いる. 染色の違いは DNA の高次重合のためであろう. p. Y はまた電気泳動での RNA の追跡色素として用いる).

py·ro·nin·o·phil·i·a (pī′rō-nin′ō-fil′ē-ă) [pyronin + G. *philos*, fond]. 好ピロニン性(塩基性ピロニン染料に対する親和性. RNA 合成に伴う活発な蛋白合成の有効な指示薬で, また, 活性血漿細胞の細胞質にも有効).

py·ro·pho·bi·a (pī′rō-fō′bē-ă) [pyro- + G. *phobos*, fear]. 火恐怖〔症〕, 恐火症(火に対する病的な恐れ).

py·ro·phos·pha·tase (pī′rō-fos′fă-tās). ピロホスファターゼ(2つのリン酸基間のピロリン酸結合の加水分解を触媒し開裂し, 2個のフラグメントの各々に1個ずつリン酸基を残す開裂酵素. 例えば, 無機ピロホスファターゼ, NAD^+ p. (NAD などを開裂して, モノヌクレオチドを生成), ATP p. (ATP から無機ピロリン酸塩を開裂して, AMP を遊離する). →*flavin* adenine dinucleotide). = diphosphatase.

inorganic p. 無機ピロホスファターゼ(無機ピロリン酸を加水分解して, 2個の正リン酸を生成する反応を触媒するリン酸ヒドロラーゼ). = inorganic diphosphatase.

py·ro·phos·phate (PP, PP_i) (pī-rō-fos′fāt). ピロリン酸塩(低ホスファターゼ血症で蓄積される. ときに inorganic p. とよばれる). = diphosphate.

^{99m}Tc p. テクネチウム 99 m ピロリン酸(核医学において, 虚血性心筋の画像化に用いられる放射性トレーサ.→technetium 99m).

py·ro·phos·pho·ki·nas·es (pī′rō-fōs′fō-kī′nās-ĕz). ピロホスホキナーゼ(ピロリン酸基を転移する酵素(EC 2.7.6.x). 例えば, ホスホ–α–D–リボシル–ピロリン酸合成酵素). = pyrophosphotransferases.

py·ro·phos·phor·ic ac·id (pī′rō-fos-fōr′ik as′id). ピロリン酸(リン酸を 213°C に加熱して得られるリン酸の無水物. 塩基によってピロリン酸塩を生成する. そのエステルはエネルギー代謝と生合成にとって重要).

py·ro·phos·phor·yl·as·es (pī′rō-fos-fōr′il-ās′ĕz). ピロホスホラーゼ(ATP の AMP を無機ピロリン酸を放出して,

他の残基へ転位させたり，ヌクレオシドピロリン酸を無機正リン酸を放出してポリヌクレオチドへ，結合するのを触媒するヌクレオチドトランスフェラーゼに対する慣用名).

py·ro·phos·pho·trans·fer·as·es (pī′rō-fos′fō-trans′fĕr-ās-ēz). ピロホスホトランスフェラーゼ. ＝pyrophosphokinases.

py·ro·poi·ki·lo·cy·to·sis (pī′rō-pōy-ki′lō-si-tō-sis). 熱変形赤血球症（まれな劣性疾患．重篤な溶血，著明な変形赤血球，赤血球の熱への特徴的な感受性により *in vitro* にて破片化するという特徴をもつ．スペクトリン自体の会合の欠陥が原因である). ＝hereditary pyropoikilocytosis.

hereditary p. [MIM*266140]. ＝pyropoikilocytosis.

py·ro·scope (pī′rō-skōp) [pyro- ＋ G. *skopeō*, to view]. 高温計，高温鏡（加熱物体の光と標準光を比較して温度を測定する器械).

py·ro·sis (pī-rō′sis) [G. burning]. 胸焼け（通常は酸性消化性胃液の食道への逆流によって起こる胸骨下の痛みまたは灼熱感). ＝heartburn.

py·ro·ther·a·py (pī′rō-thār′ă-pē). 発熱療法（患者を人工的に発熱させて病気の治療をすること). ＝therapeutic fever.

py·rot·ic (pī-rot′ik). ***1*** 胸焼けの. ***2*** 腐食性の. ＝caustic.

py·ro·tox·in (pī′rō-tok′sin). 熱毒素（発熱過程において，組織に生成される毒性物質を表す，現在では用いられない語).

py·rox·y·lin (pi-rok′si-lin) [pyro- ＋ G. *xylon*, wood]. ピロキシリン（綿に硝酸と硫酸を作用させて得られ，四硝酸セルロースが主成分．コロジオンの製造に用いる). ＝colloxylin; dinitrocellulose; nitrocellulose; soluble gun cotton; xyloidin.

pyr·ro·lase (pir′ō-lās). ピロラーゼ. ＝*tryptophan* 2,3-dioxygenase.

pyr·rol blue (pir′ol blū) [C.I. 42700]. ピロールブルー（生体色素やエラスチン染料として用いる酸性トリアリルメタン色素). ＝Isamine blue.

pyr·role (pir′ōl). ピロール；divinylenimine（多くの生物学的に重要な物質にみられる複素環式化合物，例えばヘム). ＝azole; imidole.

pyr·rol·i·dine (pi-rol′i-dēn). ピロリジン（①tetrahydropyrrole; ピロールに4個の水素原子が付加したもの．プロリンとヒドロキシプロリンの基本骨格．②ピロリジン部分またはピロリジン誘導体を含有するアルカロイドの一種).

pyr·rol·i·dine-2-car·box·yl·ate (pi-rol′i-dēn-kar-boks′-il-āt). ピロリジン-2-カルボン酸. ＝proline.

pyrrolidone (pēr-rōl-i-dōn′). ピロリドン（生物系に種々の活性を示す). ＝2-oxopyrrolidine.

pyr·rol·i·done-5-car·box·yl·ate (pi-rol′i-dōn-kar-bok′-il-āt). ピロリドン-5-カルボン酸. ＝5-oxoproline.

5-pyr·rol·i·done-2-car·box·yl·ic ac·id (pi-rol′i-dōn-kar′boks′-il′ik as′id). ＝5-oxoproline.

pyr·ro·line (pir′ō-lēn). ピロリン（ピロールに2個の水素原子が付加したピロールの異性体の一群．1-ピロリンは窒素と隣接炭素間に二重結合をもつ).

1-pyr·ro·line-5-car·box·y·late de·hy·dro·gen·ase (pir′ō-lēn-kar-boks′i-lāt dē-hī′drō′gen-ās). 1-ピロリン-5-カルボン酸デヒドロゲナーゼ（1-ピロリン-5-カルボン酸と NAD^+ とからL-グルタミン酸と NADH を与える可逆的反応を触媒する酵素．この酵素は，プロリンやオルニチン代謝に働く．1-ピロリン-5-カルボン酸はグルタミン酸 γ-セミアルデヒドと平衡状態にある．この酵素の欠損によりI型高プロリン血症になる).

pyr·ro·line-2-car·box·y·late re·duc·tase (pir′ō-lēn-kar-boks′i-lāt rē-dŭk′tās). ピロリン-2-カルボン酸レダクターゼ（NAD(P)H とともに1-ピロリン-2-カルボン酸をL-プロリンに還元する酸化還元酵素). ＝proline dehydrogenase; proline oxidase.

pyr·ro·line-5-car·box·y·late re·duc·tase (pir′ō-lēn-kar-boks′i-lāt rē-dŭk′tās). ピロリン-5-カルボン酸レダクターゼ（NAD(P)H とともに1-ピロリン-5-カルボン酸をL-プロリンに還元する反応を可逆的に触媒する酸化還元酵素．この酵素の欠損によりI型高プロリン血症になる). ＝proline dehydrogenase; proline oxidase.

py·ru·val·dox·ine (pī′rū-văl-dok′sēn). ピルボアルドキシン. ＝isonitrosoacetone.

py·ru·vate (Pyr) (pī′rū-vāt). ピルビン酸塩またはエステル.

active p. 活性ピルビン酸（ピルビン酸の酸化的脱炭酸反応により生成される中間体. *cf.* p. dehydrogenase (lipoamide)). ＝α-lactyl-thiamin pyrophosphate.

p. carboxylase ピルビン酸カルボキシラーゼ（ATP，ピルビン酸，HCO_3^{2-} から ADP，正リン酸，およびオキザロ酢酸をつくる反応を触媒するリガーゼ．ビオチンとアセチル CoA も含まれる．この酵素の欠損により大脳皮質のニューロン欠如を起こし，精神遅滞になる).

p. decarboxylase ピルビン酸デカルボキシラーゼ；α-carboxylase; α-ketoacid carboxylase (2-オキソ酸(例えばピルビン酸)の脱カルボキシル化を触媒し，ピルビン酸デヒドロゲナーゼ(リポアミド)とは対照的に，酸化還元やリポアミドを伴わずにアルデヒド(例えばアセトアルデヒド)をつくる酵母のカルボキシラーゼ．チアミンピロリン酸依存性である).

p. dehydrogenase ピルビン酸デヒドロゲナーゼ（ピルビン酸デヒドロゲナーゼ(リポアミド)，ジヒドロリポイルトランスアセチラーゼやジヒドロリポイルデヒドロゲナーゼからなる構造的に明確な酵素群).

p. dehydrogenase (cytochrome) ピルビン酸デヒドロゲナーゼ(シトクロム)（フェリシトクロム b_1 とピルビン酸間の反応を触媒して，酢酸と炭酸ガスとフェロシトクロム b_1 を生じる酸化還元酵素).

p. dehydrogenase (lipoamide) ピルビン酸デヒドロゲナーゼ(リポアミド)（ピルビン酸と酸化型リポアミドを，2つの連続反応で炭酸ガスと S^6-アセチルジヒドロリポアミドに変換するのを触媒する酸化還元酵素．まずはピルビン酸とチアミンピロリン酸間の反応で，炭酸ガスと α-ヒドロキシエチルチアミンピロリン酸(活性ピルビン酸)を生じ，次いで後者とリポアミド間の反応でチアミンピロリン酸を再生し，S^6-アセチルヒドロリポアミドを生じる. *cf.* α-ketodecarboxylase).

p. kinase (PK) ピルビン酸キナーゼ；phospho*enol*pyruvate kinase（ホスホエノールピルビン酸から ADP にリン酸を転移し，ATP とピルビン酸をつくる反応を触媒するホスホトランスフェラーゼ．他のヌクレオシドリン酸もこの反応に関与しうる．解糖の鍵段階．ピルビン酸キナーゼの欠損により溶血性貧血になる).

p. oxidase ピルビン酸オキシダーゼ（ピルビン酸，リン酸と酸素からアセチルリン酸，炭酸ガスと過酸化水素の生じる反応を触媒する酸化還元酵素).

py·ru·vic ac·id (pī-rū′vik as′id). ピルビン酸；2-oxopropanoic acid; α-ketopropionic acid; acetylformic acid; pyroracemic acid（最も簡単な α-ケト酸．炭水化物代謝における中間体の1つ．チアミン欠乏症では酸化が障害され，組織内，特に神経構造内に蓄積する．そのエノール型であるエノールピルビン酸はリン酸化され，また代謝に重要な役割を果たしている. →phospho*enol*pyruvic acid).

py·ru·vic al·de·hyde (pī-rū′vik al′de-hid). ピルビン酸アルデヒド. ＝methylglyoxal.

py·ru·vic-mal·ic car·box·yl·ase (pī-rū′vik-mal′ik kar-boks′il-ās). ピルビン酸リンゴ酸カルボキシラーゼ. ＝*malate* dehydrogenase.

6-py·ru·vo·yl·tet·ra·hy·drop·ter·in syn·thase (6-PTS) (pī-rū′vō-il-tet′tră-hī-drop′tĕr-in sin′thās). 6-ピルボイルテトラヒドロプテリンシンターゼ(テトラヒドロバイオプテリンの合成の一段階を触媒する酵素．この酵素の欠損により高フェニルアラニン血症の一種になる).

Pyth·i·um in·sid·i·o·sum (pith′ē-ŭm in-sid′ē-ō′sum). 水中や湿地にみられる真菌の一種で，ヒフォミコーシス(藻菌症)や腐敗カビ病の原因である.

py·tho·gen·e·sis (pī′thō-jen′ĕ-sis) [G. *pythō*, to decay ＋ *genesis*, origin]. ***1*** 腐敗源（腐敗物の発生源). ***2*** 腐敗発生.

py·tho·gen·ic, py·thog·e·nous (pī′thō-jen′ik, pī-thoj′ĕ-nŭs). 腐敗発生の（汚物または腐敗が起こるものについていう).

py·u·ri·a (pī-yū′rē-ă) [G. *pyon*, pus ＋ *ouron*, urine]. 膿尿（排尿時，尿中に膿が存在すること).

PYY pancreatic *peptide* YY の略.

P

Q

Q クーロン，quantity，四級，グルタミン，グルタミニル，放射エネルギー radiant *energy*，プソイドウリジン，補酵素Ｑ，電荷，酵素触媒反応で生成する二次生成物の記号．

Q［quantity＋時の流れを表す記号］．血流量の記号．→flow (3).

Q_{CO_2} 炭酸ガス発生力（１時間に1mg の組織から発生する炭酸ガスの μL(STPD)を表す記号）．

Q_O, Q_{O_2} 酸素消費量 oxygen consumption (1) の記号．

Q_{10} 温度を 10°C 上昇させることによる進行速度の増加を表す記号．摘出心臓の収縮速度は 10°C 上昇するごとに２倍になる(すなわち $Q_{10}=2$)．

-Q_6 ユビキノン６の記号．

-Q_{10} ユビキノン 10 の記号．

q ***1*** 細胞遺伝学において，染色体の長腕を表す記号(逆に短腕に対しては p)．***2*** ラテン語 *quodque*（各，ごと）の略．***3*** 熱，比湿 specific *humidity* の記号．

q specific *humidity* の略．

QALY (kwah′lē). quality adjusted life years(質で調整された生存年数)の頭字語．日常活動に制約のある人の割合を考慮し調整してある．

Q-band·ing (band′ing). →Q-banding *stain*.

QBEND/10(CD34) 血管肉腫と Kaposi 肉腫に特異性の高いマーカ．

q.d.［JCAHO は，q.d. は q.i.d. または q.o.d. と読み違えやすいので，daily または every day と完全表記するように指導している］．ラテン語 *quaque die*(毎日)の略．

QF quality *factor* の略．放射線保護で relative biologic effectiveness(相対生物効果)に同じ．

QH_2 ユビキノールの記号．

q.h. ラテン語 *quaque hora*(毎時)の略．

q.i.d. ラテン語 *quater in die*(１日４回)の略．

qinghaosu (ching-how-sū). チンハオス(青蒿素)（抗マラリア薬に使用する中国原産の生薬．主成分として artemisinin を含有する)．

q.l. ラテン語 *quantum libet*(任意量)の略．

QNB quinuclidinyl benzilate の略．

QNS quantity not sufficient(量不足)の略．

Q.R. ラテン語 *quantum rectum*(正量)の略．

q.s. ラテン語 *quantum sufficiat* or *satis*(適量)の略．

Q-TWiST［*q*uality *t*ime *wi*thout *s*ymptoms or *t*oxicity の頭字語］．Ｑツイスト（症状や毒性がない時間．生活の質を測る測定法)．

quack (kwak)［quacksalver の短縮形．D. *quack*, to boast＋*salf*, cream］．にせ医者，やぶ医者．＝charlatan.

quack·er·y (kwak′ĕr-ē). いんちき療法．＝charlatanism.

qua·dran·gu·lar (kwah-dran′gyū-lăr)［L. *quadrangularis* < *quadrangulum*, quadrangle］．四角の，四角形の（→quadrangular *membrane*)．

qua·drant (kwah′drănt)［L. *quadrans*, a quarter］．四分円〔部分〕(①円の 1/4．②解剖学において，円形の領域は説明する都合上，４つに分けられる．腹部は臍を通る水平線と垂直線で右上下と左上下の四分円に分けられる．乳房は乳頭を中心とする水平線と垂直線で四分円に分けられる．眼底の四分円(上下鼻側，上下側頭側)は視神経円板(乳頭)を通る水平線と垂直線により分けられる．鼓膜はそのつち骨柄の軸上にある直径を通る線と，これと鼓膜臍で直角に交差する線により，前上，前下，後上，後下の四分円に分けられる)．

qua·drant·an·o·pi·a (kwah′drant-an-ō′pē-ă). 四分〔の一〕半盲（片眼または両眼の視野の 1/4 部分の視力消失．両側性の場合は同側性か異側性であり，後者では両鼻側性か両耳側性か一眼の上方 1/4 と他眼の下方 1/4 が侵される交差性である)．＝quadrantic hemianopia.

qua·drate (kwah′drāt)［L. *quadratus*, square］．方形の，四辺形の（等しい４辺をもつ)．

quadratus (quad-rā′tŭs)［L. *quadro*, *quadratus*, to make square < *quattuor*, four］．方形（四角形あるいは四辺形．大腿方形筋(→quadrate))．

q. lumborum fascia* anterior *layer* of thoracolumbar fascia の公式の別名．

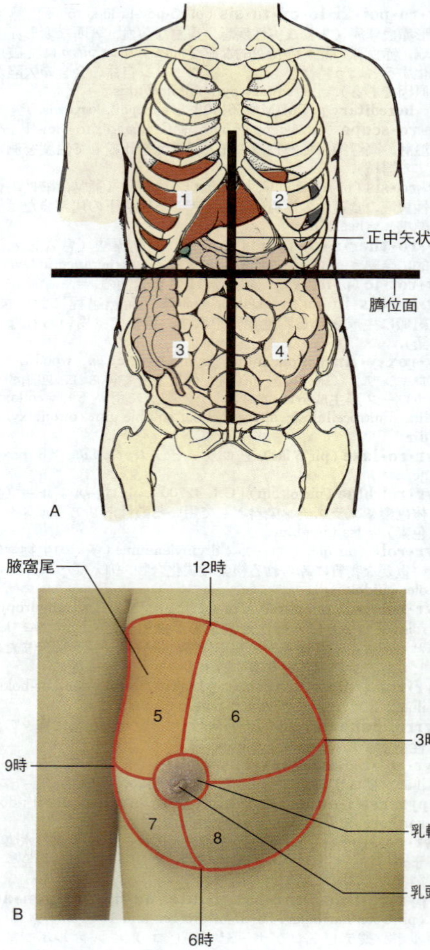

quadrants

A：腹部四分円．(1)右上．(2)左上．(3)右下．(4)左下．B：右胸四分円．(5)上外(癌性の胸腫瘍の50%はこの四分円でみつかる)．(6)上内．(7)下外．(8)下内．

quadri-［L. *quattuor*］．４を表す連結形．

qua·dri·ba·sic (kwah′dri-bā′sik). 四塩基の（塩基の性質をもつ原子または基に置換されうる４個の水素原子を有する酸についていう)．

qua·dri·ceps, pl. **qua·dri·ceps, quad·ri·cep·ses** (kwah′dri-seps, -sep′sēz)［L. < quadri-＋*caput*, head］．四頭の（[正しい単数形は quadriceps である．quadricep という語はない])．＝four-headed *muscle*.

qua·dri·ceps·plas·ty (kwah′dri-seps′plas-tē)［quadriceps

＋G. *plastos*, formed〕．大腿四頭筋形成〔術〕（膝関節の癒着解離と運動域の改善，特に屈曲の改善を目的として行う大腿四頭筋と腱の矯正手法）．

qua・dri・cus・pid (kwah′dri-kŭs′pid). 四咬頭歯の．＝tetracuspid.

qua・dri・dig・i・tate (kwah′dri-dij′i-tāt)〔quadri-＋L. *digitus*, digit〕．四指の〔ある〕，四指奇形の．＝tetradactyl.

qua・dri・gem・i・nal (kwah′dri-jem′inăl)〔quadri-＋L. *geminus*, twin〕．四丘体の，四丘の．

qua・dri・gem・i・num (kwah′dri-jem′i-nŭm). 四丘体．

qua・dri・gem・i・nus (kwah′dri-jem′i-nŭs)〔L.〕．四胎，四つ児．＝quadruplet.

qua・dri・ge・mi・ny (kwah′dri-jem′i-nē). 四連脈，四段脈．＝quadrigeminal *rhythm*.

qua・dri・pa・re・sis (kwah′dri-pă-rē′sis, kwah-dri-păr′rē-sis).［伝統的に正しい発音は quadripar′esis であるが，米国ではしばしば quadripare′sis と発音される］．＝tetraparesis.

qua・dri・ple・gi・a (kwah′dri-plē′jē-ă)〔quadri-＋G. *plēgē*, stroke〕．四肢麻痺．＝tetraplegia.

qua・dri・ple・gic (kwah′dri-plē′jik). 四肢麻痺〔症〕の．＝tetraplegic.

qua・dri・po・lar (kwah′dri-pō′lăr). 四極の．

qua・dri・sect (kwah′dri-sekt)〔quadri-＋L. *seco*, pp. *sectus*, to cut〕．４分する（４つの部分に分ける）．＝quartisect.

qua・dri・sec・tion (kwah′dri-sek′shŭn). 四分割．

qua・dri・tu・ber・cu・lar (kwah′dri-tū-ber′kyū-lăr)〔quadri-＋L. *tuberculum*, tubercle〕．四咬頭の（大臼歯として４つの隆起または咬頭をもつ）．

qua・dri・va・lent (kwah′dri-vā′lĕnt). 四価の（４つの結合力（原子価）をもつ）．＝tetravalent.

qua・dru・ped (kwah′drū-ped)〔L. *quattuor*, four＋*pes* (*ped-*), foot〕．四足動物，四足歩行者．

qua・drup・let (kwah-drup′let)〔L. *quadruplus*, fourfold〕．四胎，四つ児（１度の出産で同時に生まれた４人の子供）．＝quadrigeminus.

qual・i・ty as・sur・ance (kwahl′i-tē a-shūr′ănts). メディカルケアの質を評価するために行う，医療・看護行為を定期的に評価するプログラム．㊟この用語は一般に，品質保証をさす．

quango (kwang′gō)〔*qua*si-*n*on-*go*vernmental *o*rganization〕．擬似非政府機関，半官半民機関（政府資金により全部または一部がまかなわれている委員会．政府によって任命されている委員と，非政府機関によって任命されている委員からなる．この委員会は政府の片腕となって働くというよりもむしろ非政府機関として機能する．主として英国において用いられているシステムである）．

Quant (kwahnt), C.A. J. 20 世紀初頭のオランダ人医師．→Q. *sign*.

quan・ta (kwahn′tă)〔L.〕．quantum の複数形．

quan・tile (kwahn′til)〔L. *quantum*, how much＋*-ilis*〕．分位点（分布を均等な，順序のあるサブグループに分割する区切り．10 分割したものを十分位点(deciles)，４分割したものを四分位点(quartiles)，５分割したものを五分位点(quintiles)，３分割したものを三分位点(terciles)，100 分割したものを百分位点(centiles)という）．

quan・tum, pl. **quan・ta** (kwahn′tŭm, -tă)〔L. how much〕．*1* 量子（放射線の振動数(ν)によって変化する放射エネルギー(Q)の基本単位）．*2* 定量（明確に定められた量）．

q. rectum〔L. however much is correct〕．→Q.R.

q. satis〔L. as much as suffices〕．→q.s.

q. sink 量子的落ち込み（放射線画像診断において，光子線束が少ないために統計的情報が最低状態に達しているような段階）．

q. sufficiat〔L. as much as suffices〕．→q.s.

q. vis (**q.v.**)〔L. as much as you wish〕．→q.v.

quar・an・tine (kwar′an-tēn)〔It. *quarantina*＜L. *quadraginta*, forty〕．*1* 検疫期間（疫病が発生した地域からの船舶やその乗客の拘留期間(本来は 40 日間)）．*2* 検疫（疫病の潜伏期間が過ぎるまで船舶や乗客を拘留すること）．*3* 検疫所（検疫のために船舶や乗客を拘留する場所）．*4* 隔離（伝染病あるいは疑似伝染病患者の隔離）．

quark (qwark)〔James Joyce が小説“*Finnegans Wake*”中で用いた語で，特定の意味をもたない〕．クォーク（すべての中間子と重粒子の最小構成単位であると考えられている基本粒子．クォークは１電気素量の分数電荷をもち，電磁気力と核力で相互作用をする．６種類存在すると考えられており，アップ，ダウン，ストレンジ，チャーム，ボトム，アップという奇妙な名称をもつ）．

quart (kwōrt)〔L. *quartus*, fourth〕．クォート（①液体容積の計量単位．1/4 ガロン．0.9468 L に等しい．英クォートは米国のクォートより約 20％多く，1.1359 L に等しい．②乾量の計量単位で，液量のそれより少し大きい）．

quar・tan (kwōr′tan)〔L. *quartanus*, relating to a fourth (thing)〕．４日目ごとの（ある事象の第１日も算定して，４日目ごとに再現し，その間の２日間は何もない期間となる）．

quar・ti・sect (kwōr′ti-sekt)〔L. *quartus*, fourth＋*seco*, pp. *sectus*, to cut〕．＝quadrisect.

quartz (kwōrts). 石英（化学装置や光学，または電気器具に用いる二酸化ケイ素の結晶）．

qua・si・dom・i・nance (kwā′zi-dom′i-năns). 準優性（劣性形質の見せかけの優性遺伝．例えば，問題となるホモ接合体とヘテロ接合体の交配によって，劣性形質が世代を追って表現されるようになる）．＝false dominance; pseudodominance.

qua・si・dom・i・nant (kwā′zi-dom′i-nănt). 準優性の（準優性を表す形質を近親交配にみることを意味する）．

quas・sa・tion (kwah-sā′shŭn)〔L. *quassatio*＜*quasso*, pp. *-atus*, to shake violently＜*quatio*, to shake〕．片砕（天然のままの樹皮や木幹を小片に砕き，抽出や他の処理を容易にすること）．

quas・si・a (kwah′shē-ă)〔*Quassi*, 強壮薬として使っていたスリナムの住人〕．ニガキ(苦木)（ジャマイカカシア木として知られるジャマイカニガキ *Picrasma excelsa* (*Picraena excelsa*)，またはスリナムカシア木として知られるニガキ科クワッシャ *Quassia amara* の心材．苦味強壮薬で，線虫の治療に浣腸注入される）．

qua・ter in di・e (kua′tĕr in dē′ā)〔L. four times a day〕．［誤ったつづり quarter in die を避けること］．→q.i.d.

qua・ter・nar・y (**Q**) (kwah′tĕr-nār′ē, kwah-tĕr′nĕ-rē)〔L. *quaternarius*＜*quaterni*, four each＜*quattuor*, four＋*-arius*, adj. suffix〕．*1* ４原子の（４つの元素を含む化合物をいう．例えば $NaHSO_4$. *cf.* quaternary *structure*）．*2* 第４の（４番目にある）．*3* 四級の（ある中心原子が４個の官能基と接続する有機化合物についていう．通常，〝オニウム onium〟状態にある３価の窒素(R_4N^+，四級窒素)についていう）．*4* 四次構造の（２つ以上の生体高分子からなる高分子構造の一水準についていう．*cf.* quaternary *structure*）．

Quat・re・fages de Breau (katr′fazh de brō), Jean L.A. de. フランス人博物学者，1810―1892．→Quatrefages *angle*.

que・bra・cho (kē-brah′chō)〔Port. *quebrahacho*＜*quebrar*, to break＋*hacha*, axe, referring to the hardness of the wood〕．クエブラチョウ（キョウチクトウ科の高木 *Aspidosperma quebrachoblanco*（白いクエブラチョウ）の乾燥樹皮．呼吸刺激薬として用いられてきた．肺気腫，呼吸困難，および慢性気管支炎における呼吸刺激薬として用いられる．主要なアルカロイドは，アスピドスペルミンとクエブラキンの２種である）．

Queck・en・stedt (kwek′en-stet′), Hans. ドイツ人神経生理学者，1876―1918．→Q.-Stookey *test*.

quench・ing (kwench′ing)〔M.E. *quenchen*＜O.E. *ācwencan*〕．*1* 消光，焼入れ（熱や光のような物理的性質を消去，除去，あるいは消滅させること．例えば，熱い金属を水や油の中に沈めることにより急速に冷却させること）．*2* クエンチング（ベータ線液体シンチレーション計数において，真のエネルギースペクトルが低エネルギー側へずれること．これは計数溶液中の種々の不純物や着色剤を含む干渉物質により起こる）．*3* クエンチング（化学的・酵素的反応を停止させること）．

fluorescence q. 蛍光消光（純化した抗体と抗原(ハプテン)とを結合させることに関する研究に用いる技術．抗体が結合した抗原(ハプテン)が，紫外線により刺激された蛍白(抗体)の蛍光を吸収(消光)する）．

Quénu (kā-nū′), Eduard A.V.A. フランス人外科医・解剖学者，1852―1933．→Q. hemorrhoidal *plexus*; Q.-Muret *sign*.

quer・ce・tin (kwer′sĕ-tin). ケルセチン（ケルシトリン，ルチ

ン，および他の配糖体のアグリコン．通常，3-ラムノース配糖体として生じる．異常な毛細血管ぜい弱症の治療に用いる)．＝meletin; sophoretin.

quer·cus (kwer′kŭs)［L. oak］. *Quercus alba*，白オーク，石オークの樹皮．以前は収れん薬として用いられた．

quer·u·lent (kwer′ŭ-lĕnt)［L. *querulus*, complaining < *queror*, to complain］．好訴者の（いつも疑い深く，常にどんな提案にも反対し，処遇が悪いと苦情を言い，ばかにされているとか誤解されているとか訴え，怒りやすく，すぐ不満をいだく人をいう．偏執的性格特有のものである)．

Quer·vain (kār′van), Fritz de. →de Quervain.

ques·tion·naire (kwes′chŭn-ār′)．質問票（[誤ったつづり questionaire を避けること]．統計的に有用なデータや個人情報を得るため，口頭もしくは筆記によりなされる一連の質問)．

Recent Life Changes Q. 最近の生活変化質問票（最近の体験調査表(→Schedule of Recent Events)と Rahe-Holmes 社会再適応評価尺度 Rahe-Holmes social readjustment rating *scale* の拡大版)．

short form 36-item q. (**SF36**) 短縮版 36 項目質問票（米国の国民健康調査の家庭内インタビュー調査で用いられた数百の質問を 36 の質問に要約したもの．SF36 の質問は，適切に短縮されており，身体機能，社会生活機能，日常役割機能(身体)，心の健康，日常役割機能(精神)，活力，身体の痛み，および全体的健康感を調べるスクリーニングを目的として用いられる．質問票の妥当性及び信頼性は，すでに検証されている)．

Sixteen Personality Factor Q. (**16PF**) 16PF 人格検査 (Raymond Cattell により開発，1949 年に発表された尺度で，人間の行動全体の基礎をなすと彼が信じている 16 の根源特性と根源気質を測定するための尺度)．

Que·te·let (ket-ĕ-lā′), Lambert Alphonse Jacques．ベルギー人天文学者，数学者，1796—1857．

Quey·rat (kā-rah′), Auguste．20世紀のフランス人皮膚科医．→*erythroplasia* of Q.

Quick (kwik), Armand J. 米国人医師，1894—1978．→Q. *method*, *test*.

quick (kwik)［A.S. *cwic*, living］．***1*** 胎動を感じること．***2*** 触れると痛い敏感な部分．

quick·en·ing (kwik′ĕn-ing)［A.S. *cwic*, living］．胎動感（胎児の動きによって母親が感じる生命徴候で，通常，妊娠 16—20 週で気づく)．

quick·lime (kwik′līm)．生石灰（消和されていない石灰．→lime (1))．

quick·sil·ver (kwik′sil′vĕr)．水銀．＝mercury.

quid (kwid)．かみタバコ（かむことにより活性物質が放出される物質(例えば，タバコ，ビンロウジ))．

qui·es·cent (kwī-es′ĕnt)．静態の，休止の，静止性の．

quin-, quino- キノリンやキノンの根で，これらの構造を含む多くの物質名に用いられている．例えば，quinine, quinol.

quin-2 (kwin)．クイン-2（Ca^{2+} と強固に結合する蛍光物質．Ca^{2+} が結合しているときに蛍光を発する．光の波長は Ca^{2+} が結合していないときの蛍光を発する波長より長い．2 つの異なる波長で励起されると，2 つの波長での蛍光強度比は結合型 Ca^{2+} と遊離 Ca^{2+} の濃度比になる．遊離クイン-2 濃度が正確に計算されるので，遊離 Ca^{2+} 濃度が正確に計算される．クイン-2 は細胞内 Ca^{2+} 濃度での経時変化を測定するため細胞に注入される．→aequorin; fura-2)．

qui·na (kē′nă, kwē′nă)［Sp. < Peruv. *quina*, *kina*, cinchona］．キナ，キニーネ．＝cinchona.

quin·a·crine hy·dro·chlor·ide (kwin′ă-krēn hī′drō-klōr′īd)．塩酸キナクリン（アクリジン誘導体．三日熱マラリア原虫 *Plasmodium vivax* や熱帯熱マラリア原虫 *P. falciparum* の栄養型を破壊する抗マラリア薬として用いるが，寄生生物の生殖母体や分裂体，赤血球外の状態には効力がない．駆虫薬としても用いる．二塩酸塩としては，細胞遺伝学の分野において，蛍光顕微鏡によるＹ染色体の証明に用いられる．塩酸キナクリンは DNA に挿入され，さらに酸化的リン酸化および光リン酸化を脱共役する)．＝atabrine hydrochloride.

quin·al·dic ac·id (kwin-al′dik as′id)．キナルジン酸；quinoline-2-carboxylic acid（キヌレニン酸を経た L-トリプトファンの異化作用の産物で，ヒト尿中にみられる)．＝quinaldinic acid.

quin·al·dine red (kwin′al-dēn red)．キナルジンレッド（スチレン－キノリニウムヨウ化物．1％エタノール溶液で pH 指示薬として用いられる(pH 3.2 で赤色に変わる))．

quin·al·din·ic ac·id (kwin′al-din′ik as′id)．キナルジン酸．＝quinaldic acid.

qui·na·qui·na (kē′nă-kē′nă, kwin′ă-kwin′ă)［Sp. *quina*(cinchona) の重複］．キナ皮．＝cinchona.

qui·nate (kwī′nāt, kwin′āt)．キナ酸塩またはエステル．

q. dehydrogenase キナ酸デヒドロゲナーゼ（キナ酸と NAD^+ から 5-デヒドロキナ酸と NADH を形成する反応を触媒する酸化還元酵素)．

quin·a·zol·ines (kwin′a-zōl′ēnz)．キナゾリン（アントラニル酸から生合成的に誘導されるアルカロイドの一種)．

quince (kwins)．マルメロ（バラ科 *Cydonia oblongata* の食用果実．種子は粘滑剤の性質をもつ)．

Quinc·ke (kwin′kĕ), Heinrich I．ドイツ人医師，1842—1922．→Q. *pulse*, *puncture*, *sign*.

quin·hy·drone (kwin-hī′drōn)．キンヒドロン（キノンとヒドロキノンの等分子量混合物．pH の測定に用いる(すなわちキンヒドロン電極による))．

quin·ic ac·id (kwin′ik as′id)．キナ酸；L-quinic acid（その(－)異性体は植物界でキナ皮などにみられる．5-デヒドロキナ酸は，炭水化物の前駆物質から L-フェニルアラニン，L-チロシン，L-トリプトファンの生合成における中間物質である．キナ酸は加熱により γ-ラクトンを生成する)．＝kinic acid.

quin·i·dine (kwin′i-dēn, -din)．キニジン（キナアルカロイドの 1 つで，キニーネの立体異性体(C-9 エピマー)．抗マラリア薬として用いる．また，心房細動，心房粗動，発作性心室性頻脈の治療にも用いる)．＝conquinine.

qui·nine (kwī′nīn, -nēn, kwin′-īn, -ēn)．キニーネ（キナから抽出される最も重要なアルカロイド．寄生生物の無性および赤血球内型に対し有効な抗マラリア薬．赤血球(組織)外型には無効である．三日熱マラリア原虫 *Plasmodium vivax*，四日熱マラリア原虫 *P. malariae*，卵形マラリア原虫 *P. ovale* 起因によるマラリアの根治はできないが，熱帯熱マラリア原虫 *P. falciparum* のクロロキン抗性原虫の治療に用いる)．

q. and urea hydrochloride 塩酸キニーネ尿素（内出血，水腫，静脈瘤の治療に用いる硬化薬．無水キニーネを58—65％含む)．

q. urethan ウレタンキニーネ（ウレタンと塩酸キニーネの混合物．静脈瘤治療の硬化薬)．

quin·i·nism (kwin′ni-nizm)．キニーネ中毒．＝cinchonism.

quino- →quin-.

quin·o·cide hy·dro·chlor·ide (kwin′ō-sīd hī′drō-klōr′īd)．塩酸キノーシド（その効力および有効菌種がプリマキンにほぼ匹敵する抗マラリア薬)．

quin·o·line (kwin′ō-lēn, -lin)．キノリン（①コールタール，骨，アルカロイド，およびその他の物質の蒸留により得られる揮発性の窒素性塩基．多くの染料や薬の基本構造．抗マラリア薬として用いる．＝chinoleine; leucoline．② ①の構造をもつアルカロイド類の 1 つ)．

quin·o·lin·ic ac·id (kwin′ō-li′nik as′id)．キノリン酸（L-トリプトファンの異化代謝産物であり，NAD^+ の前駆物質)．

quin·ol·in·ol (kwin-ol′in-ol)．キノリノール．＝8-hydroxyquinoline.

quin·o·li·zi·dines (kwin′ol-i-zī′dēnz)．キノリジジン（キノリジジン(ノルルピナン)構造に基づくアルカロイドの一種)．

quin·ol·o·gy (kwin-ol′ŏ-jē)［Sp. *quina*, cinchona + G. *logos*, study］．キニーネ学（キナ皮とそのアルカロイドに関する植物学，化学，薬理学，および治療学)．

quin·o·lones (kwin′ō-lōnz)．キノロン類（殺菌作用を示す広域スペクトルの合成抗菌剤(例えばシプロフロキシン)の一種)．

quin·one (kwin′ōn, kwī′nōn)．キノン（①通常，パラの位置にある 2 個の水素の位置に 2 個の酸素をもつ芳香族化合物の一般名．ヒドロキノンの酸化体．②＝1,4-benzoquinone (1))．

q. reductase キノンレダクターゼ．＝*NADPH* dehydrogenase (quinone).

quin·o·vose (kwin′ō-vōs)．キノボース．＝D-epirhamnose.

quin·que·dig·i·tate (kwin′kwĕ-dij′i-tāt) [L. *quinque*, five + *digitus*, digit]. 5指の[ある]. = pentadactyl.
quin·que·tu·ber·cu·lar (kwin′kwĕ-tū-ber′kyū-lăr) [L. *quinque*, five + *tuberculum*, tubercle: *tuber*(a swelling) の指小辞]. 五咬頭の（特定の大臼歯として，五隆起または咬頭をもつ）.
quin·que·va·lent (kwin′kwĕ-vā′lĕnt) [L. *quinque*, five + *valentia*, strength]. 五価の. = pentavalent.
quin·qui·na (kwin-kwi′nă). キナ皮. = cinchona.
quin·sy (kwin′zē) [M.E. *quinsie*(*quinesie*): L. *cynanche*(sore throat) の訛語]. peritonsillar *abscess* を表す現在では用いられない語.
lingual q. 舌扁桃周囲炎（舌扁桃と隣接構造の蜂巣炎）.
quin·tan (kwin′tăn) [L. *quintus*, fifth]. 5日目ごとの（5日目ごと(3日の間をおいた後)に繰り返される）.
quin·tu·plet (kwin-tŭp′let) [L. *quintuplex*, fivefold]. 五胎，五つ児（1度の出産で同時に生まれた5人の子供）.
qui·nuc·li·din·yl ben·zi·late (QNB) (kwi-nūk′li-din′il ben′zi-lāt). キヌクリジニルベンジレート(QNB)（強力な抗コリン作用薬で，ムスカリン様コリンレセプタと結合・阻害に対しアトロピンの50—100倍の活性を示す．初め強力な軍事用活動不能化剤として開発され，現在では放射性薬剤(通常，トリチウム化–H3–QNB)として薬理学的研究においてムスカリンレセプタの同定，標識化に汎用されている）.
quis·qua·late (kwis′kwa-lāt). キスカル酸塩（グルタミン酸受容体のアミノ－3–ヒドロキシ－5–メチルイソオキサゾール－4–プロピオン酸(AMPA)タイプに対するアゴニスト．キスカル酸が水に溶解してできるアニオン．→quisqualic acid）.
quis·qua·lic ac·id (kwis′kwa-lik as′id). キスカル酸（シクンシ科の植物 *Quisqualis chinensis* の種子より得られる興奮性アミノ酸(EAA)．非 *N*–メチル–*D*–アスパラギン酸(NMDA)受容体の特定のサブセットの固定に用いられる．駆虫薬としての性質を有する）.
quod·que (q) (kwod′kwĕ) [L.]. それぞれ，各.
quo·tid·i·an (kwō-tid′ē-ăn) [L. *quotidianus*, daily < *quot*, as many as + *dies*, day]. 毎日起こる，毎日の.
quo·tient (kwō′shĕnt) [L. *quoties*, how often]. 商，指数（1つの量が他の量に含まれる倍数．2つの数の比．→index (2); ratio）.
achievement q. 学力指数，達成率（児童の学習量を示す指数．同年齢，同一教育水準の児童との比，百分率または相関指数で表したもの）.
Ayala q. (ah-yah′lă). アヤーラ指数. = Ayala *index*.
cognitive laterality q. (CLQ, CIQ) 認識左右差指数(係数)（大脳の右半球と左半球の認識力の差を検査する）.
extremal q. 両極端指数(比)（手術などの介入処置が最も多い管轄区と最も少ない管轄区での率の比）.
intelligence q. (IQ) 知能指数（知能の二分割的判定における一部分としての知能測定に関する心理学者の指数．もう一方の部分は適応行動の指数であり，学校の成績または仕事の能力のような基準を含む．知能指数は，一般能力検査において同年齢者と比較した個人の位置を示すために用いる成績点または同様の数量的指数であり，これは一般に，ある個人に施行された検査の成績点の，平均的な同年齢者達が同じ検査で得た成績点に対する比率として表される．その比率は心理学者により計算されたり，種々の Wechsler 知能尺度のような年齢別知能基準の表から決定される）.
Meyerhof oxidation q. (mī′ĕr-hof). マイヤーホフ酸化商(解糖と発酵などにおける酵素効果の指数(Pasteur 効果におけるもの)．嫌気的発酵速度と好気的呼吸速度との差を酸素吸収速度で除した値に等しい）.
P/O q. P/O 商. = P:O *ratio*.
protein q. プロテイン商（血漿のグロブリン量をアルブミン量で除した数）.
respiratory q. (R.Q., RQ) 呼吸商（組織代謝によって生じる二酸化炭素の，同じ組織代謝において消費される酸素に対する定常状態比率．全身では，基礎代謝状態において通常約0.82である．定常状態では，呼吸商は呼吸交換率に等しい）. = respiratory coefficient.
spinal q. 脊髄液指数. = Ayala *index*.
quot. op. sit. ラテン語 *quoties opus sit*(必要のたびごとに)の略.
QUS quantitative *ultrasound* の略.
q.v. ラテン語 *quantum vis*(任意量)の略.

R

ρ *1* ロー（ギリシア語アルファベットの 17 番目の文字 rho）．*2* 人口相関係数，密度の記号．

R 電気抵抗，基 radical（通常はアルキル基またはアリル基．例えば，ROH はアルコール，RNH_2 はアミン），レ氏目盛り Réaumur *scale*，呼吸，呼吸交換率 respiratory exchange *ratio*，レントゲン *roentgen*，化学式の残余，心臓血管系の中で，特に血管抵抗を代表する計算単位，アルギニン，アルギニル，プリンヌクレオチド，の略または記号．

℞ 処方箋における処方 *recipe* を表す記号．→prescription (2).

R_f, R_F ペーパークロマトグラフィあるいは薄層クロマトグラフィにおいて，溶媒フロントに対する（*r*elative to the solvent *f*ront）物質の移動度を示す記号（すなわち遅延因子）．物質の移動距離を溶媒フロントの移動距離で割った値に等しい．

R. 気体定数 gas *constant*; Cahn, Ingold，および Prelog 系での2つの立体化学表示のうちの1つ；酵素触媒反応で生成する第3の生成物，の記号．

r roentgen; radius の略．

r *1* 相関係数 correlation *coefficient* の記号．*2* racemic の略．ときに一般的な DL- または（±）- の代わりに〝r-アラニン〟（より一般的には rac-アラニン）のように化合物の命名に用いる．

RA rheumatoid *arthritis* の略．

Ra ラジウムの元素記号．

rab·bet·ing (rab′et-ing) [Fr. *raboter*, to plane]．合決（あいじゃくり）（埋伏後の安定のために，並んでいる骨の表面を適合するように段階的に切ることを表す，現在では用いられない語）．

rab·id (rab′id) [L. *rabidus*, raving, mad]．狂犬病の．

ra·bies (rā′bēz) [L. rage, fury < *rabio*, to rave, to be mad]．狂犬病（[ラテン語は3音節に発音するのが正しいが，英語の話し手はほとんど常に2音節に縮めている]．ヒトを含むすべての温血動物がかかる致死率の高い感染症．イヌ，ネコ，スカンク，オオカミ，キツネ，アライグマ，コウモリを含む感染動物にかまれることにより伝染する．これは中枢神経系と唾液腺に指向性のあるラブドウイルス科の神経向性リッサウイルスにより起こる．吸入感染も起こりうる（コウモリの生息する洞窟や屋根裏部屋でのエアロゾル化したウイルスによる感染）．症状は神経系の著しい障害が特徴で，興奮，攻撃，狂気がみられ，その後，麻痺が起こり死亡する．動物では症状は様々で，流涎，舌麻痺が唯一の症状であることもある．伝染は臨床症状が現れる前にも起こりうる．特徴的な細胞質封入体（Negri 体）が多数のニューロン中にみられ，迅速な診断の助けとなる）．＝hydrophobia.

dumb r. ＝paralytic r.

furious r. 狂暴性狂犬病（動物が過度に活動し，興奮し，体を振り動かし，走り回り，かみつくことを特徴とする狂犬病の型または状態）．

paralytic r. 麻痺性狂犬病（麻痺症状が著しい狂犬病の型または状態）．＝dumb r.

ra·bi·form (rā′bi-fōrm)．狂犬病状の．

rac- ラセミを意味する接頭語．

ra·ce·fem·ine (rā′sĕ-fem′ēn)．ラセフェミン（産後の疼痛を軽減するための子宮弛緩薬として用いる）．

ra·ce·mase (rā′sē-māz)．ラセマーゼ（ラセミ化すなわち不斉基間の相互転換を触媒する酵素．不斉中心が1つ以上の場合エピメラーゼが用いられる．例えば，ヒドロキシプロリン，メチルマロニル CoA）．

ra·ce·mate (rā′sē-māt)．ラセミ化合物（[誤った発音 rās′māt を避けること]．ラセミの化合物またはラセミ化合物の塩またはエステル．→racemic）．

ra·ceme (rā-sēm′)．ラセミ体（光学不活性化合物．→racemic）．

ra·ce·mic (*r*) (rā-sē′mik, -sem′ik)．ラセミの，ラセミ体の（光学不活性で，同量の右旋性と左旋性物質からなる光学活性物質の混合物で，分離可能なものを示す．分子内でキラルセンターが2か所以上あるが相殺されてアキラルになっている化合物（分子内対称面をもつ）は，D(*d*)体と L(*l*)体に分離できず，メソ（接頭辞 *meso-*，例えば *meso-* シスチン）とよばれる）．

ra·ce·mi·za·tion (rā′sē-mi-zā′shŭn, rās-mi-)．ラセミ化（1つの光学的対掌体を部分的に他の対掌体に変えること（L-アミノ酸を相応した D-アミノ酸にする）．その結果生じた混合物の旋光性が減少，または0になる）．

rac·e·mose (ras′ĕ-mōs) [L. *racemosus*, full of clusters]．蔓状の，ブドウ状の（[誤った発音 rās′mōs を避けること]．結節性末端をもつ枝で，ブドウの房に似ている）．

rachi-, rachio- [G. *rhachis*, spine, backbone]．脊髄，脊椎に関する連結形．

ra·chi·al (rā′kē-ăl)．脊髄の，脊柱の，脊椎の．＝spinal.

ra·chi·cen·te·sis (rā′kē-sen-tē′sis) [rachi- + G. *kentēsis*, puncture]．脊椎穿刺．＝lumbar *puncture*.

ra·chid·i·al (rā-kid′ē-ăl)．脊髄の，脊椎の，脊柱の．＝spinal.

ra·chid·i·an (rā-kid′ē-ăn)．脊髄の，脊椎の，脊柱の．＝spinal.

ra·chil·y·sis (rā-kil′i-sis) [rachi- + G. *lysis*, a loosening]．脊柱彎曲矯正［法］（彎曲凸面に対し外側圧力を加えることにより，脊柱の外側彎曲を強制的に矯正すること）．

rachio- →rachi-.

ra·chi·o·cen·te·sis (rā′kē-ō-sen-tē′sis) [rachio- + G. *kentēsis*, puncture]．脊椎穿刺．＝lumbar *puncture*.

ra·chi·och·y·sis (rā′kē-ok′i-sis) [rachio- + G. *chysis*, a pouring out]．脊柱管内髄液滲出（脊柱管内における脊髄液のクモ膜下滲出）．

ra·chi·op·a·gus (rā′kē-op′ă-gŭs) [rachio- + G. *pagos*, something fixed]．脊椎結合体，脊柱結合重複体（脊柱が結合した背中合わせの接着双生児．→conjoined *twins*）．＝rachipagus.

ra·chi·o·ple·gi·a (rā′kē-ō-plē′jē-ă) [rachio- + G. *plēgē*, stroke]．脊髄麻痺．＝spinal *paralysis*.

ra·chi·o·tome (rā′kē-ō-tōm) [rachio- + G. *tomē*, incision]．脊椎切断器（脊椎板を分割するための特別に考案された器械）．＝rachitome.

ra·chi·ot·o·my (rā′kē-ot′ō-mē) [rachio- + G. *tomē*, incision]．脊椎切除［術］．＝laminotomy.

ra·chip·a·gus (ră-kip′ă-gŭs)．＝rachiopagus.

ra·chis, pl. **rach·i·des, ra·chis·es** (rā′kis, rā′ki-dēz, rak-) [G. spine, backbone]．脊柱．＝vertebral *column*.

ra·chis·chi·sis (ră-kis′ki-sis) [G. *rhachis*, spine + *schisis*, division]．*1* 脊椎披裂（椎弓と神経管の発生学的癒合不全で，その結果神経組織が体表に現れる．脊髄瘤か脊髄披裂を伴う嚢状二分脊椎）．*2* 脊椎管癒合異常．

r. partialis 部分的二分脊椎．＝merorachischisis.

r. totalis 完全二分脊椎．＝holorachischisis.

ra·chit·ic (ră-kit′ic)．くる病の，くる病にかかった．＝rickety.

ra·chi·tis (rā-kī′tis) [G. *rhachitis* < rache, back]．くる病．＝rickets.

r. fetalis 胎児くる病（先天性のくる病）．＝r. intrauterina; r. uterina.

r. fetalis anularis 輪状胎児くる病（長骨骨端の先天性肥大）．

r. fetalis micromelica 短肢性胎児くる病（先天性の長骨発育不全）．

r. intrauterina, r. uterina 先天性くる病．＝r. fetalis.

r. tarda 晩期くる病，後発性くる病．＝osteomalacia.

rach·i·tism (rak′i-tizm)．くる病素因（くる病性状態または傾向）．

ra·chit·o·gen·ic (rǎ-kit-ō-jen′ik) [rachitis + G. *genesis*, production]．くる病発生の．

rach·i·tome (rak′i-tōm)．＝rachiotome.

RAD reactive airway *disease* の略．

rad *1* ラド（電離放射線の吸収線量の単位．組織 1 g 当たり 100 エルグの吸収エネルギーに等しい．100 rad ＝ 1 Gy）．*2* ラジアンの記号．

ra·dar·ky·mog·ra·phy (rā′dar-kī-mog′ră-fē)．透視中に映

像強化と閉鎖回路式テレビジョンにより心臓の動きをビデオで映す，現在では用いられない手技．心臓の動きが再生可能な線状図形描画により測定できる．

ra·dec·to·my (rā-dek′tō-mē) [L. *radix*, root + G. *ektomē*, excision]．歯根切除〔術〕．= root *amputation*.

Rad·ford (rad′fŏrd), Edward P., Jr. 20世紀の米国人生理学者．→R. *nomogram*.

ra·di·a·bil·i·ty (rā′dē-ă-bil′i-tē)．放射線透過性．

ra·di·a·ble (rā′dē-ă-bl)．放射線透過性のある（光線，特にX線により透過できる，またはX線で検査ができる）．

ra·di·ad (rā′dē-ad)．橈側の．

ra·di·al (rā′dē-ăl) [L. *radialis* < *radius*, ray, lateral bone of the forearm]．***1*** [TA]．橈側の，橈骨の（橈骨，あるいは上腕の尺側(内側)に対して橈側(外側)をいう）．= radialis [TA]．***2*** 半径の．***3*** 放射の（1つの中心から全方向へ分散している）．

ra·di·a·lis (rā-dē-ā′lis) [Mod.L.][TA]．橈側の（[本形容詞は男性名詞(flexor radialis，複数形 flexores radiales)および女性名詞(arteria radialis，複数形 arteriae radiales)とともに用いられる．中性名詞では radiale の形(caput radiale，複数形 capita radialia)で用いられる．radiale の最後の e は発音される]）．= radial (1).

ra·di·an (rad) (rā′dē-ăn) [L. *radius*, ray]．ラジアン（平面角に対する国際単位系(SI)の補助単位）．

ra·di·ant (rā′dē-ant)．***1*** 〚adj.〛 放射〔状〕の．***2*** 〚n.〛 光点（光が目に放射する点）．

ra·di·ate (rā′dē-āt) [L. *radio*, pp. *-atus*, to shine]．放射する，放散する（①1点から全方向に広がる．②放射線を発する）．

ra·di·a·ti·o, pl. **ra·di·a·ti·o·nes** (rā′dē-ā′shē-ō, -shē-ō′nēz) [L.]．放線（神経解剖学上の用語で，視床皮質線維系に用いる．集まって大脳半球白質の放線冠(例えば，視放線，聴放線など)を形成する）．= radiation (3).

r. acustica [TA]．聴放線．= acoustic *radiation*.

r. corporis callosi [TA]．脳梁放線．= *radiation* of corpus callosum.

r. inferior thalami [TA]．= inferior thalamic *peduncle*.

r. optica [TA]．視放線．= optic *radiation*.

r. pyramidalis 錐体放線．= pyramidal *radiation*.

r. thalami anterior [TA]．= anterior thalamic *radiation*.

r. thalami centralis [TA]．= central thalamic *radiation*.

r. thalamica posterior [TA]．= posterior thalamic *radiation*.

ra·di·a·tion (rā′dē-ā′shŭn) [L. *radiatio* < *radius*, ray, beam]．***1*** 放射（中心から全方向へ放散すること，または状態）．***2*** 照射（光，短波，紫外線，X線，あるいは他の光線を治療，診断，その他の目的のために放つこと．*cf.* irradiation (2)）．***3*** 放線．= radiatio．***4*** 放射線．***5*** 放射エネルギーまたは放射光束．

acoustic r. [TA]．聴放線（内側膝状体から出て大脳皮質の横側頭回に至る線維．これらは内包のレンズ下部を経る）．= radiatio acustica [TA].

afterloading r. アフターローディング放射線治療（初めに局所カテーテルを留置した後，線源の装塡を行うことによる放射線照射方法）．

alpha r. α線（放射性壊変(崩壊)や核分裂が生じている原子核から放出される，高い運動エネルギーをもつ原子核）．

annihilation r. 消滅放射線（β^+崩壊に伴う陽電子が停止するときに生じる放射線．陽電子は電子と遭遇し，ともに消滅する．このとき両者の静止質量は，正確に反対方向に放射される2本の0.51 MeVのガンマ線に変換される．→*pair* production）．

anterior thalamic r. [TA]．前視床放線（内包前脚を経て前・内側視床核と大脳皮質前頭葉(中心溝の前の中心前回を除く)とを結ぶ神経線維群）．= radiatio thalami anterior [TA].

background r. バックグラウンド放射線（地殻，大気，宇宙線，体内摂取の放射性核種など環境由来の放射線）．

beta r. ベータ線（放射性線源から放出される電子）．

central thalamic r. [TA]．中心視床放線（内包後脚を経て外側腹側核・後外側および後内側腹側核・背外側核・後外側核・中心前回・頭頂葉などを結ぶ神経線維群）．= radiatio thalami centralis [TA].

Cerenkov r. (kren′kŏv)．セーレンコフ(チェレンコフ)放射線（透明溶媒中をその溶媒の光速度よりも速い速度で通過する高エネルギー粒子から発せられる光）．

characteristic r. 特性X線（電子が原子から追い出され，他の殻にいた電子がそこに落ち込むときに生じる単色(単一エネルギー)X線．この放射光子のエネルギーは2つの殻のエネルギー差に等しい．→photoelectric *effect*）．= characteristic emission.

r. of corpus callosum [TA]．脳梁放線（両大脳半球の半卵円中心に放散する脳梁線維）．= radiatio corporis callosi [TA].

corpuscular r. 粒子放射線（プロトン，電子，中性子などの原子より小さい粒子の流れよりなる放射線）．

electromagnetic r. 電磁放射線（種々の電磁場で発生する放射線．例えば，長短の電波，可視・不可視の光線，X線，ガンマ線など）．

gamma r. γ線（放射性壊変(崩壊)や核分裂のような核反応で発生する電離性電磁放射線）．

geniculocalcarine r. = optic r.

Gratiolet r. (grah-tē-ō-lā′)．グラショレー放線．= optic r.

hemibody r. [hemi + body]．半身照射（放射線の半身照射を含めた癌に対する緩和的治療）．

heterogeneous r. 非均質放射線（異なる濃度，エネルギーあるいは多種の粒子よりなる放射線．→polychromatic r.）．

homogeneous r. 均質放射線（ほとんど同じ波長，同じエネルギー，一種のみの粒子よりなる放射線）．

hyperfractionated r. 多分割照射法（毎日2回以上分割照射する小照射量(1日をさらに午前午後などに分割する．1回照射量は減らすが，総照射量は増加する)）．

hypofractionated r. 低分割照射法（毎日照射ではなく分割回数を減らす照射量(1回(日)照射量は増やす)）．

inferior thalamic r. [TA]．= inferior thalamic *peduncle*.

ionizing r. 電離放射線（照射された物質がイオン化するに十分なエネルギーをもつ，中性子や電子のような粒子放射線やガンマ線のような電磁放射線）．

K-r. K放射線（通常，陰極線(高速電子)の衝撃を受けたタングステンなどの金属陽極から発する透過性の強いX線．そのエネルギーは金属陽極のK殻電子の結合エネルギーによって決まる）．

L-r. L放射線（陰極線(高速電子)の衝撃を受けた金属陽極から発する弱透過性のX線．そのエネルギーは金属陽極のL殻電子の結合エネルギーによって決まる）．

monochromatic r. 単色放射線（非常に狭い波長幅(理想的には単波長)の光線あるいは電離放射線．*cf.* photopeak; characteristic r.）．

neutron r. 中性子線（核壊変(崩壊)や核分裂による原子核からの中性子の放出）．

occipitothalamic r. = optic r.

optic r. [TA]．視放線（視床の外側膝状体から出て視覚皮質(有線皮質または鳥距，Brodmann第17野)に至る大きい扇状の線維系．この線維系は，内包レンズ後部とレンズ下部を経て放線冠に続くが，側脳室の下角と後角の外側壁に沿って鋭く後方へ曲がり，後頭葉の内面と後頭極にある有線皮質に至る）．= radiatio optica [TA]; geniculocalcarine r.; geniculocalcarine tract; Gratiolet fibers; Gratiolet r.; occipitothalamic r.; Wernicke r.

polychromatic r. 多色放射線（ガンマ線 gamma *rays* を含む，多種のエネルギーを有する放射線で，放射線診断では代表的なものが制動放射線）．

posterior thalamic r. [TA]．後視床放線（内包後脚のレンズ後部を経て視床枕・膝状体外側核・大脳皮質頭頂葉および後頭葉の後部を連結する神経線維群）．= radiatio thalamica posterior [TA].

primary r. 一次放射線（入射X線束）．

pyramidal r. 錐体放線（皮質から出て錐体に至る皮質脊髄線維）．= radiatio pyramidalis.

scattered r. 散乱放射線，散乱線（X線と物質の相互作用で放出される2次放射線．一般にエネルギーは低くなり，空間的分布は1次放射線のエネルギーに依存する）．= secondary r.

secondary r. 二次放射線．= scattered r.

R

Wernicke r. (vern′ik-ĕ). ヴェルニッケ放線. ＝optic r.

rad·i·cal (rad′i-kăl) [L. *radix* (*radic-*), root]. [radicle と混同しないこと]. ***1***〖n.〗基，ラジカル（化学において，通常，１つの化合物から他の化合物へそのまま移る原子の集団．通常は遊離状態で長く存在できない(例えば，メチル CH_3)．化学式では，基はしばしばパーレンやブラケットで閉じられ区別される）．***2***〖adj.〗根本の，根治的な（病的過程の根源または原因の根絶についていう）．***3***〖adj.〗根治的（〝保存的 conservative〞とは対照的に，極端な，激しい，あるいは刷新的な方法による治療を示す）．***4***＝free r.　***5*** 分子や分子化合物中の官能基

acid r. 酸基（酸から１個以上の水素イオンを除去することによって形成される基．例えば，SO_4^-，NO_3^-）.

color r. 色素，発色基．＝chromophore.

free r. 遊離基，フリーラジカル（結合していない基(通常は一過性)．不対電子をもつ，電荷のない原子または原子団．例えば，水酸基(·O:H)とメチル基.

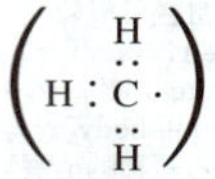

フリーラジカルは短命できわめて活性に富む中間体として生体組織の種々の反応(特に光合成)に関与している．フリーラジカルである一酸化窒素NOは血管拡張に重要な働きをする)．＝radical (4).

フリーラジカルは代謝により生体内で代謝生成物として自然に生成したり，体外から(喫煙，環境汚染物質の吸入，紫外線照射を通して)はいってきたりすることができる．それらは近くに存在する分子と容易に反応し，細胞障害(遺伝子変化)を生じさせる．フリーラジカルは Alzheimer 型認知症やパーキンソン病のような退行性疾患および動脈硬化のプラーク形成，癌に関与する．スーパーオキシドジスムターゼとペルオキシダーゼはフリーラジカルを消去すると考えられている．ビタミンCやE，β-カロチンを含む多くの栄養素も抗酸化作用をもつことが見出されている．→antioxidant.

oxygen-derived free r.'s 酸素フリーラジカル（酸素原子が不対電子をもつ原子または原子団．通常，分子状酸素から誘導される．例えば，O_2 の一電子還元によりスーパーオキシド(ラジカル)O_2^-を生成させる．他の例としてヒドロペルオキシルラジカル(HOO·)，ヒドロキシルラジカル(HO·)，一酸化窒素(NO·)がある．これらのラジカルは再灌流障害に関与することが明らかになっている）.

rad·i·ces (rad′ĭ-sēz). radix の複数形.

rad·i·cle (rad′i-kĕl) [L. *radicula*: *radix*(root)の指小辞]．小根（[radical と混同しないこと]．静脈小根 r. of a vein(他の小根と結合して静脈を形成する微細な細静脈)や，神経小根 r. of a nerve(他の小根と結合して神経を形成する神経線維)のような細根，または細根に似た構造．血管または神経の最も細い枝）.

rad·i·cot·o·my (rad′i-kot′ŏ-mē) [L. *radix* (*radic-*), root + G. *tomē*, incision]. ＝rhizotomy.

radicul- →radiculo-.

ra·dic·u·la (ră-dik′yū-lă) [L. *radix*(root)の指小辞]．小根(脊髄神経根).

ra·dic·u·lal·gi·a (ra-dik′yū-lal′jē-ă) [radicul- + G. *algos*, pain]．脊髄根痛（脊髄神経の知覚根の刺激による神経痛).

ra·dic·u·lar (ra-dik′yū-lăr). ***1*** 根[症]の，小根の．***2*** 歯根の.

ra·dic·u·lec·to·my (ra-dik-yū-lek′tŏ-mē) [radicul- + G. *ektomē*, excision]. ＝rhizotomy.

ra·dic·u·li·tis (ra-dik′yū-lī′tis) [radicul- + G. *-itis*, inflammation]．神経根炎．＝radiculopathy.

acute brachial r. 急性上肢神経根炎．＝neuralgic *amyotrophy.*

radiculo-, radicul- [L. *radicula*, radicle: *radix*(root)の指小辞]．小根，小根の，を意味する連結形.

ra·dic·u·lo·gang·li·o·ni·tis (ra-dik′yū-lō-gang′glē-ō-nī′tis)．神経根神経節炎（神経根と神経節の障害).

ra·dic·u·lo·me·nin·go·my·e·li·tis (ra-dik′yū-lō-mĕ-ning′gō-mī-ĕ-lī′tis). ＝rhizomeningomyelitis.

ra·dic·u·lo·my·e·lop·a·thy (ra-dik′yū-lō-mī′ĕ-lop′ă-thē). ＝myeloradiculopathy.

ra·dic·u·lo·neu·rop·a·thy (ra-dik′yū-lō-nū-rop′ă-thē)．神経根ニューロパシー，神経根神経障害（脊髄神経根と神経の病気).

ra·dic·u·lop·a·thy (ra-dik′yū-lop′ă-thē) [radiculo- + G. *pathos*, suffering]．神経根障害（脊髄神経根の疾病)．＝radiculitis.

diabetic thoracic r. 糖尿病性胸髄神経根障害（糖尿病の高齢者患者を主に侵す糖尿病性ニューロパシーの一型．臨床的には主に前胸腹部痛を呈し，ときに正中から通常片側性に体幹に沿って走る放散痛を伴う．痛みはいくつかの髄節に広がることがある．２つ以上の隣接する神経根の虚血性障害によると考えられる．糖尿病性多発神経根障害の一型).

ra·di·ec·to·my (rā′dē-ek′tŏ-mē) [L. *radix*, root + G. *ektomē*, excision]．歯根切除[術]．＝root *amputation.*

ra·dif·er·ous (rā-dif′ĕr-ŭs)．ラジウム含有の.

ra·di·i (rā′dē-ī) [L.]．radius の複数形.

radio- [L. *radius*, ray]．***1*** 放射線，主に(医学では)ガンマ線またはX線を意味する連結形．***2***＝radioactive．***3***＝radius.

ra·di·o·ac·tive (rā′dē-ō-ak′tiv)．放射性の，放射能の．＝radio- (2).

ra·di·o·ac·tive cow (rā′dē-ō-ak′tiv kow)．ラジオアイソトープカウ（radionuclide *generator* の俗語．→cow).

ra·di·o·ac·tiv·i·ty (rā′dē-ō-ak-tiv′i-tē)．放射能（原子核の崩壊によるガンマ線または原子以下の粒子(アルファ線やベータ線)を自然に放出する原子核の性質．１秒間当たりの壊変数(dps)で測定する．1 dps は１ベクレルであり，3.7×10^{10} dps は１キュリーに等しい).

artificial r. 人工放射能（天然に存在する同位元素を，電子，陽子，中性子，原子核，中間子などの粒子，あるいは高エネルギーのX線やガンマ線で衝撃することによってつくり出された同位元素のもつ放射能)．＝induced r.

induced r. ＝artificial r.

ra·di·o·au·to·gram (rā′dē-ō-aw′tō-gram). autoradiograph の旧名.

ra·di·o·au·tog·ra·phy (rā′dē-ō-aw-tog′ră-fē)．ラジオオートグラフィ．＝autoradiography.

ra·di·o·bi·cip·i·tal (rā′dē-ō-bī-sip′i-tăl)．橈骨二頭筋の（橈骨と二頭筋に関する).

ra·di·o·bi·ol·o·gy (rā′dē-ō-bī-ol′ŏ-jē)．放射線生物学（生物の組織における電離放射線の作用に関する生物学的研究．*cf.* radiopathology).

ra·di·o·cal·ci·um (rā′dē-ō-kal′sē-ŭm)．放射性カルシウム（カルシウムの放射性同位元素で特にカルシウム45をさす).

ra·di·o·car·bon (rā′dē-ō-kar′bŏn)．放射性炭素（炭素の放射性同位元素．例えば ^{14}C).

ra·di·o·car·di·o·gram (rā′dē-ō-kar′dē-ō-gram)．心放射図，ラジオカルジオグラム（心房・心室内へ注入された放射性同位元素(RI)の濃度の描画記録).

ra·di·o·car·di·og·ra·phy (rā′dē-ō-kar′dē-og′ră-fē)．ラジオカルジオグラフィ（心放射図を記録または解読する方法).

ra·di·o·car·pal (rā′dē-ō-kar′păl)．橈骨手根骨の（①橈骨と手根骨についていう．②手根骨の橈側(外側)の).

ra·di·o·ceph·al·pel·vim·e·try (rā′dē-ō-sef′ăl-pel-vim′ĕ-trē) [radio- + cephal- + pelvimetry]．X線児頭骨盤計測．＝pelvimetry.

ra·di·o·chem·is·try (rā′dē-ō-kem′is-trē)．放射化学（①放射性核種を用いて生化学や生物学的研究用の標識化合物や臨床用診断学的研究用の放射性薬剤を合成することに関する科学．②化合物を放射性核種で標識化する方法に関する研究．③化学反応や化学材料の電離または核放射線効果に関する科学).

ra·di·o·chlor·ine (rā′dē-ō-klōr′ēn)．放射性塩素（塩素の放射性同位元素．例えば ^{36}Cl).

ra·di·o·cho·lan·gi·og·ra·phy (rā′dē-ō-kō-lan′jē-og′ră-fē) [radio- + cholangiography]．胆道シンチグラフィ（経静脈的に投与した放射性薬品を用いて行う胆道造影).

ra·di·o·cho·le·cys·tog·ra·phy (rā′dē-ō-kō′lē-sis-tog′ră-fē) [radio- + cholecystography]．胆道シンチグラフィ

(^{99m}Tc で標識したイミノ二酢酸誘導体などの放射性薬品を用いて胆嚢をシンチグラフィで描出する方法).

ra·di·o·cin·e·an·gi·o·car·di·og·ra·phy (rā′dē-ō-sin′ē-an′jē-ō-kar-dē-og′ră-fē) [radio- + cineangiography]. 心血管シンチグラフィ（放射性薬品が心臓および大血管を通過するのを動画シンチグラフィに記録する).

ra·di·o·cin·e·an·gi·og·ra·phy (rā′dē-ō-sin′ē-an′jē-og′-ră-fē). 放射性薬品の血管内通過動態の動画シンチグラフィ.

ra·di·o·cin·e·ma·tog·ra·phy (rā′dē-ō-sin′ĕ-mă-tog′ră-fē) [radio- + G. *kinēma*, motion + *graphō*, to write]. 放射線映画撮影〔法〕（X線透視検査で示される器官や他の組織の動きを映画に撮ること).

ra·di·o·co·balt (rā′dē-ō-kō′balt). 放射性コバルト（コバルトの放射性同位元素．例えば ^{60}Co).

ra·di·o·cur·a·ble (rā′dē-ō-kyūr′ă-bĕl). 放射線照射療法により治癒しうる.

ra·di·o·dense (rā′dē-ō-dens). 放射線不透過性の. =radiopaque.

ra·di·o·den·si·ty (rā′dē-ō-den′si-tē). 放射線濃度. =radiopacity.

ra·di·o·der·ma·ti·tis (rā′dē-ō-der-mă-tī′tis). 放射線皮膚炎（X線またはガンマ線(電離放射線)の被曝による皮膚炎．高温傷害に類似する急性の変化とともに組織液のイオン化によって生じる).

ra·di·o·di·ag·no·sis (rā′dē-ō-dī′ag-nō′sis). 放射線診断〔法〕（X線による診断，あるいは広義では，放射線，超音波，さらに磁気共鳴をも含む画像診断全体をさす).

ra·di·o·dig·i·tal (rā′dē-ō-dij′i-tăl). 橈側手指の（手の橈側(外側)の指についていう).

ra·di·o·e·col·o·gy (rā-dē-ō′ē-kol′ō-jē). 放射生態学（放射性汚染物質の環境への影響を調査する科学).

ra·di·o·e·lec·tro·phys·i·ol·o·gram (ra′dē-ō-e-lek′trō-fiz′ē-ol′ŏ-gram). ラジオエレクトロフィジオログラム（ラジオエレクトロフィジオログラフにより得られる記録).

ra·di·o·e·lec·tro·phys·i·ol·o·graph (rā′dē-ō-ē-lek′-trō-fiz-ē-ol′ŏ-graf). ラジオエレクトロフィジオログラフ（脳や心臓の電位変化を拾い，これを電波により脳波計や心電図計に伝える装置で，救急患者に取り付けるようになっている．以前用いられていた.→telemeter).

ra·di·o·e·lec·tro·phys·i·o·log·ra·phy (rā′dē-ō-ē-lek′-trō-fiz′ē-ō-log′ră-fē). ラジオエレクトロフィジオグラフィ（ラジオエレクトロフィジオグラフで脳や心臓の電位変化を記録する過程．以前に行われていた.→telemetry).

ra·di·o·el·e·ment (rā′dē-ō-el′ĕ-mĕnt). 放射性元素（放射能を有する元素).

ra·di·o·ep·i·the·li·tis (rā′dē-ō-ep′i-thē-lī′tis). 放射線上皮炎，放射線粘膜炎（電離放射線により起こる上皮の破壊性変化).

ra·di·o·fre·quen·cy (rā′dē-o-frē′kwen-sē). ***1*** 高周波，ラジオ〔無線〕周波（特定の周波の放射エネルギー．例えば，ラジオやテレビは 10^5—10^{11} Hz の周波を有する放射エネルギーを採用しており，診断用X線は 3×10^{18} Hz の周波を有する). ***2*** 高周波RF(パルス)（MR撮影において，傾斜磁場を切り替えたり発生させたりするために印加されるエネルギー).

ra·di·o·gal·li·um (rā′dē-ō-gal′ē-ŭm). 放射性ガリウム（→gallium 67; gallium 68).

ra·di·o·gen·e·sis (rā′dē-ō-jen′ĕ-sis) [radio- + G. *genesis*, production]. 放射能生成（放射性物質の放射性変換あるいは崩壊の結果生じる放射能の形成あるいは発生).

ra·di·o·gen·ic (rā′dē-ō-jen′ik). 放射線起源の，放射性の（①放射線(種類によらないが，特に電磁波をさす)を発する．②X線またはガンマ線により生じる).

ra·di·o·gen·ics (rā′dē-ō-jen′iks). 放射線科学.

ra·di·o·gram (rā′dē-ō-gram′) [radio- + G. *gramma*, something written]. radiograph を表す現在では用いられない語.

ra·di·o·graph (rā′dē-ō-graf′) [radio- + G. *graphō*, to write]. X線写真（物質や生体組織を通過したX線やガンマ線を露光して得られる写真フイルム上のネガ像). =roentgenogram; roentgenograph; x-ray (3).

bitewing r. 咬翼X線写真（咬合平面近くの歯冠部分と歯根 1/3 頸部を表すのに用いる口腔内歯科用フイルム．特に隣接面間のう食の発見や，歯槽中隔の高さの測定に有用).

cephalometric r. 頭蓋計測写真（計測のための下顎および頭蓋のX線像). =cephalogram.

decubitus r. デクビタス像（側臥位の被写体を水平方向のX線で撮影した正面像). =lateral decubitus r.

lateral decubitus r. 側臥位正面像，デクビタス像. =decubitus r.

lateral oblique r. 側斜位X線像（他側を上方へ投影することにより，下顎の一側の側面の下顎結合から関節顆までをみるためのX線像).

lateral ramus r. 外側枝像（下顎の外側枝および関節顆をみるためのX線像).

lateral skull r. 頭蓋側面X線像（顔面骨および頭蓋骨のX線像で，骨および含気腔を示す).

maxillary sinus r. 上顎洞X線像（上顎洞，眼窩，鼻部および頬部の正面X線像で，両側を直接的に比較観察できる). =Waters view r.

occlusal r. 咬合X線写真（咬合平面に置かれた口腔内切片フイルムで，顎骨の全区分を表すのに用いる．特に舌下唾液腺の石灰化の検査に有用).

panoramic r. パノラマX線像（上顎および下顎の左下顎窩から右下顎窩へ至る全体像).

periapical r. 根尖周囲X線写真（口腔内の特定領域の根尖およびその周囲組織を観察するためのX線写真).

scout r. スカウト像，造影前単純像. =scout *film*.

submental vertex r. =submentovertex r.

submentovertex r. おとがい(頤)下頭頂X線像（頭蓋底，下顎骨関節顆，および頬部弓の位置を示すためのX線像). =base view; submental vertex r.

Towne projection r. (town). ⇀Towne *projection*.

transcranial r. 経頭蓋X線像（側頭下顎関節のX線像の一種).

Trendelenburg r. (trend′el-en-bĕrg). トレンデレンブルク像（臥位で被写体の頭部を低くしたX線像で，少量の胸水を描出するのに用いる).

Waters view r. (wă′terz). =maxillary sinus r.

ra·di·og·ra·pher (rā′dē-og′ră-fĕr). X線撮影技師（患者の撮影体位を決め，X線写真を撮影したり，あるいはその他の放射線診断検査を行うための技術を習得した技術者).

ra·di·og·ra·phy (rā′dē-og′ră-fē). X線撮影〔法〕（診断のため，X線を使って身体の任意の部分を検査する方法．その検査記録は通常，写真フイルムに記録される). =roentgenography.

advanced multiple-beam equalization r. (**AMBER**) アンバー撮影法（異なったエネルギーのX線を用いる走査式均等濃度X線撮影法の一種).

air-gap r. エアギャップ撮影法（被写体とフイルム間の距離を少なくとも 25 cm あけて撮影する胸部写真．グリッドを用いず，散乱線を空気に吸収させて除去する).

bedside r. =portable r.

computed r. (**CR**) コンピュータX線撮影法（透過したX線を光に変え，光子刺激性蛍光板などのソリッドステート画像装置を用いて撮像し，コンピュータを用いて像を取り出し，処理する．画像は次にフイルムにプリントされるか，あるいはスクリーン上に表示される).

digital r. (**DR**) ディジタル(デジタル)X線撮影法(ラジオグラフィ)（アモルファスセレニウムやシリコンの固体検出器の配列を使用して透過X線を直接デジタル画像に変換し，コンピュータ処理や画像表示を行う撮影法. ⇀digital subtraction *angiography*).

electron r. 電子放射線撮影〔法〕（投射X線を受像装置で潜在像に変え，その後特別の印画工程で現像する放射線写真画像工程．通常のフイルム・増感紙系に比べてラチチュードが広く，感度が高い. ⇀xeroradiography; phosphor *plate*).

filmless r. フイルムレスX線写真（フイルムによる取り扱いおよび保管処理を介さない電子媒体による放射線画像の保管および伝達.→PACS).

magnification r. 拡大X線撮影（小焦点のX線管を用い，像の鮮鋭度，分解能を損なうことなく，拡大した画像を撮影する方法).

mucosal relief r. 粘膜レリーフ像（胃腸管粘膜をバリウム懸濁液でコートして，空気あるいは発泡剤により発生した気体で臓器を拡張させ，細部を描出する撮影手技).

portable r. ポータブル撮影（ベッドから動けない患者を，移動式装置を用いて，病室内で撮影する).＝bedside r.

scanning equalization r. 走査式均等濃度Ｘ線撮影法（狭いＸ線ビームを用いて患者を走査し，Ｘ線吸収率を測定し，その結果を用いて部分的にＸ線フイルムの露光を均等にさせるよう電子的に強調して調節する).

sectional r. 断層撮影法.＝tomography.

serial r. 連続撮影法（同一部位の撮影を経時的に行い，複数の像を得る).

spot-film r. 狙撃撮影，スポット撮影（Ｘ線透視法を用いて，小範囲の部分の撮影を行う).

traction r. 牽引下Ｘ線撮影法（側弯症の患者で治療の決定に際して屈曲性を評価するために麻酔下に脊椎を牽引して撮影するＸ線撮影法).

ra·di·o·hu·mer·al (rā′dē-ō-hyū′mĕr-ăl). 橈骨上腕骨の（橈骨と上腕骨に関する．両者間の関節についていう).

ra·di·o·im·mu·ni·ty (rā′dē-ō-i-myū′ni-tē). 放射線免疫（放射線に対する感受性が減少すること).

ra·di·o·im·mu·no·as·say (RIA) (rā′dē-ō-im′yu-nō-as′sā). ラジオイムノアッセイ，放射性免疫測定法（一定量の抗体に対して，一定量の放射性同位元素で標識した抗原と非標識抗原との間で競合的結合反応を用いることによって，目的とする物質を定量する免疫学(免疫化学)的技法．放射性同位元素で標識した作用物質を用いて抗原や抗体を検出したり，定量したりするあらゆる方法をさす．微量な酵素，ホルモンなどの物質を測定できる).

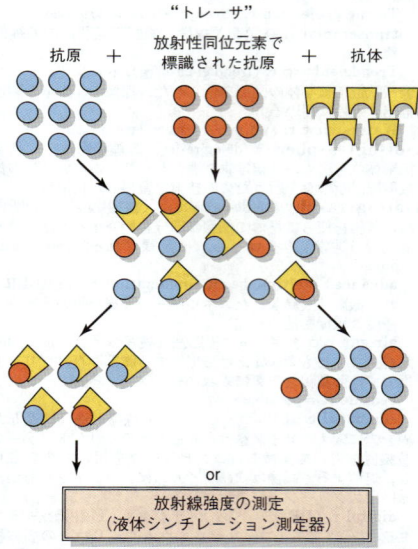

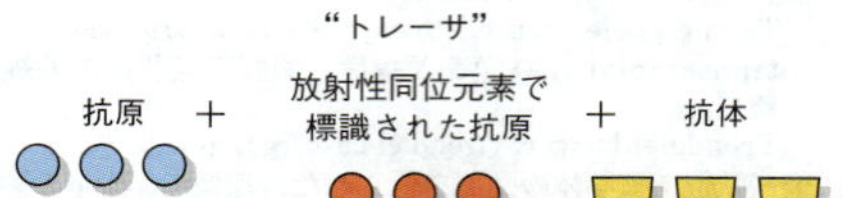

radioimmunoassay

ra·di·o·im·mu·no·dif·fu·sion (rā′dē-ō-im′yū-nō-di-fyū′-zhŭn). 放射〔性同位元素標識〕免疫拡散〔法〕（放射性同位元素標識抗原または抗体を用いたゲル拡散により抗原－抗体反応を研究する方法).

ra·di·o·im·mu·no·elec·tro·pho·re·sis (rā′dē-ō-im′yū-nō-ē-lek′trō-fō-rē′sis). 放射〔性同位元素標識〕免疫電気泳動〔法〕（抗原または抗体が放射性同位元素で標識されている免疫電気泳動法．例えば，インスリン結合抗体を検査する場合では，放射性ヨウ素標識インスリンで試験血清を処理し，混合液(抗原)を電気泳動にかけ，免疫グロブリン特異的抗血清により分離した免疫グロブリンを沈降させ，放射線フイルム（オートラジオグラフィ）で沈殿物内の結合インスリンを検出する).

ra·di·o·im·mu·no·pre·cip·i·ta·tion (RIP) (rā′dē-ō-im′yū-nō-prē-sip′i-tā′shŭn). 放射性免疫沈降法（放射性同位元素で標識した抗体あるいは抗原を用いる免疫沈降法).

ra·di·o·i·o·din·at·ed (rā′dē-ō-ī′ō-din-ā-tĕd). 放射性ヨウ素で処理した，放射性ヨウ素と結合した.

ra·di·o·i·o·dine (rā′dē-ō-ī′ō-dīn). 放射性ヨウ素（ヨウ素の放射性同位元素．例えば ^{123}I).

ra·di·o·i·ron (rā′dē-ō-ī′ŏrn). 放射性鉄（鉄の放射性同位元素．例えば ^{59}Fe).

ra·di·o·i·so·tope (rā′dē-ō-ī′sō-tōp). ラジオアイソトープ，放射性同位元素，放射性同位体（放射線を放射することにより安定状態になる同位元素).

ra·di·o·la·beled (rā′dē-ō-lā′bĕld). 放射性同位元素標識（→tag (1)).

ra·di·o·lead (rā′dē-ō-led′). 放射性鉛（鉛の放射性同位元素．普通は ^{210}Pb のことをさす．→lead).

ra·di·o·le·sion (rā′dē-ō-lē′zhŭn). 放射性病変（電離放射線により生じる病変).

ra·di·o·li·gand (rā′dē-ō-li′gand, rad′ē-ō-lig′and) [radio- + L. *ligandus*, that which is to be bound < *ligo*, to bind]. 放射リガンド（放射性核種トレーサで標識した分子．通常，ラジオイムノアッセイで使われる).

ra·di·o·log·ic, ra·di·o·log·i·cal (rā′dē-ō-loj′ik, -loj′i-kăl). 放射線〔医〕学の.

ra·di·ol·o·gist (rā′dē-ol′ŏ-jist). 放射線科医（Ｘ線，核医学，超音波，さらに磁気共鳴の診断上・治療上の使用に熟達し，さらに放射線物理学および生物学を研修している医師).

ra·di·ol·o·gy (rā′dē-ol′ŏ-jē) [radio- + G. *logos*, study]. 放射線〔医〕学（①高エネルギー放射線とその放射線源および化学的・身体的・生物学的効果に関する科学．通常，疾患の診断や治療をいう．②電離放射線，放射性核種，核磁気共鳴，および超音波を用いた医用画像という科学専門分野).＝diagnostic r.

cardiovascular r. 心血管放射線学（放射線医学の臨床専門分野の１つで，血管系の疾患の診断と治療を行う).

chest r. 胸部放射線学（胸部，特に心臓，および肺の疾患の診断を行う，臨床専門分野の１つ).

diagnostic r. 放射線診断学.＝radiology (2).

interventional r. インターベンショナルラジオロジー（Ｘ線透視，CT，および超音波を用いて，経皮的に，生検，液体ドレナージ，カテーテル挿入，あるいは狭窄した管や血管を拡張させたりステントを挿入したりする臨床専門分野の１つ).

pediatric r. 小児放射線学（小児疾患の放射線診断に携わる臨床専門分野の１つ).

therapeutic r. 放射線治療学.＝radiation *oncology*.

ra·di·o·lu·cen·cy (rā′dē-ō-lū′sen-sē). 放射線(Ｘ線)の透過性がよい状態（被写体の部分依存による大きな透過放射輝度や中心線から外れたなどの理由による放射線源の不均一性などの理由以外で露出の増加を示すＸ線画像の領域のこと).

ra·di·o·lu·cent (rā′dē-ō-lū′sĕnt) [radio- + L. *lucens*, shining]. 放射線透過性の，Ｘ線透過性の，ラジオルーセント（Ｘ線または他の放射線に対して比較的透過性である．*cf.* radiopaque).

ra·di·o·lus (rā-dī′ō-lŭs) [L. *radius*(spoke)の指小辞]. 消息子（探針またはゾンデの一種).

ra·di·om·e·ter (rā′dē-om′ĕ-tĕr) [radio- + G. *metron*, measure]. 線量計，放射計，ラジオメータ（Ｘ線の透過能を測る装置).＝roentgenometer.

ra·di·o·mi·crom·e·ter (rā′dē-ō-mī-krom′ĕ-tĕr). マイクロラジオメータ，ラジオマイクロメータ（放射エネルギーの微量変化を測定するためにつくられた高感度の熱電堆).

ra·di·o·mi·met·ic (rā′dē-ō-mi-met′ik) [radio- + G. *mimētikos*, imitative]. 放射線〔様〕作用の（放射線の生物学的効果に類似した．ナイトロジェンマスタードのような化学薬品などの場合をさす).

ra·di·o·mus·cu·lar (rā′dē-ō-mŭs′kyū-lăr). 橈骨と隣接の筋肉についていう．神経や橈骨動脈の筋枝についていう.

ra·di·o·ne·cro·sis (rā′dē-ō-nĕ-krō′sis). 放射線壊死（放射線による壊死．例えば，Ｘ線やガンマ線の過剰照射を受けた後などに起こる．→radiation *burn*).

ra·di·o·neu·ri·tis (rā′dē-ō-nū-rī′tis). 放射線神経炎（長期または繰り返しX線またはラジウムの照射を受けたことが原因となって起こる神経炎）.

ra·di·o·ni·tro·gen (rā′dē-ō-nī′trō-jěn). 放射性窒素（窒素の放射性同位元素．例えば ^{13}N).

ra·di·o·nu·clide (rā′dē-ō-nū′klīd). 放射性核種（人工あるいは自然起源の同位体で，放射能を呈するもの).

ra·di·o·pac·i·ty (rā′dē-ō-pas′i-tē). 放射線不透過，X線不透過（X線不透過性物質のX線像). ＝radiodensity.

ra·di·o·pal·mar (rā′dē-ō-pal′măr). 橈側手掌の（手掌の橈側(外側)についていう).

ra·di·o·paque (rā′dē-ō-pāk′) [radio- ＋ Fr. *opaque* ＜ L. *opacus*, shady]. 放射線不透過性の，X線不透過性の，ラジオパク（X線や他の放射線に対する不透明度，またはそれらによる不透過性についていう．*cf.* radiolucent). ＝radiodense.

ra·di·o·pa·thol·o·gy (rā′dē-ō-pa-thol′ŏ-jē). 放射線病理学（細胞や組織に対する放射線の影響に関する放射線医学または病理学の一分野．*cf.* radiobiology).

ra·di·o·pel·vim·e·try (rā′dē-ō-pel-vim′ĕ-trē). X線骨盤測定〔法〕（X線を用いた骨盤の計測．→pelvimetry).

ra·di·o·phar·ma·ceu·ti·cal (rā′dē-ō-far′mă-sū′ti-kăl). 放射性薬品（トレーサ量または治療濃度の放射性核種で標識した，診断や治療に用いる放射性化学薬品や薬剤).

ra·di·o·pho·bi·a (rā′dē-ō-fō′bē-ă) [radio- ＋ G. *phobos*, fear]. 放射線恐怖〔症〕（X線や核エネルギーのような放射線に対する病的な恐れ).

ra·di·o·phos·pho·rus (rā′dē-ō-fos′fō-rŭs). 放射性リン（リンの放射性同位元素．例えば ^{32}P).

ra·di·o·pill (rā′dē-ō-pil). ラジオピル．＝radiotelemetering *capsule*.

ra·di·o·po·tas·si·um (rā′dē-ō-pō-tas′ē-ŭm). 放射性カリウム（カリウムの放射性同位元素．例えば ^{40}K).

ra·di·o·pro·tec·tant (rā′dē-ō-prō-tek′tănt). 放射線防護剤（放射線による反応を防護あるいは軽減する物質).

ra·di·o·re·cep·tor (rā′dē-ō-rē-sep′tŏr). ***1*** 電磁波受容体（光や熱のような放射エネルギーに正常に反応する受容体). ***2*** 放射性受容体（放射性受容体測定法とよばれる競合結合測定法において，放射性核種で標識されていない，または標識された分析物のための結合物質として使用される受容体).

ra·di·o·re·sis·tant (rā′dē-ō-rē-zis′tănt). 放射線抵抗性の（放射線照射による影響が，平均的な哺乳類細胞が受ける影響よりも少ない細胞または組織をさす．新生物の場合は，治療目的の照射による障害に関して周囲の正常組織より感受性が低いことをさす).

ra·di·os·co·py (rā′dē-os′kŏ-pē) [radio- ＋ G. *skopeō*, to view]. X線透視〔法〕（fluoroscopy を表す現在では用いられない語).

ra·di·o·sen·si·tive (rā′dē-ō-sen′si-tiv). 放射線感受性の．*cf.* radioresistant.

ra·di·o·sen·si·tiv·i·ty (rā′dē-ō-sen′si-tiv′i-tē). 放射線感受性（放射エネルギーにすぐ作用される状態).

ra·di·o·sen·si·ti·za·tion (rā′dē-ō-sen′sĭ-tĭ-zā′shun). 放射線増感（放射線療法に対する組織の感受性を増すために，化学療法あるいは何らかの薬剤を併用すること．通常は，細胞修復を抑制し，有糸分裂期にある細胞の比率を増加することで得られる).

ra·di·o·sen·si·tiz·er (rā′dē-ō-sen′si-tīz′ĕr). 放射線増感剤（組織の放射線感受性を高める化学物質．無酸素性領域を正常組織酸素圧に戻すこともまた効果的放射線増感剤である).

ra·di·o·so·di·um (rā′dē-ō-sō′dē-ŭm). 放射性ナトリウム（ナトリウムの放射性同位元素．例えば ^{24}Na).

ra·di·o·ster·e·os·co·py (rā′dē-ō-ster′ē-os′kŏ-pē) [radio- ＋ G. *stereos*, solid ＋ *skopeō*, to view]. 立体X線図形判読撮影〔法〕（わずかに違った角度で撮られた2枚のX線写真を，1枚は左眼で，もう1枚は右眼で同時に見ることができるように工夫された装置で見ることによって，X線写真を三次元で判断できる．→stereoradiography; stereoscope).

ra·di·o·stron·ti·um (rā′dē-ō-stron′tē-ŭm). 放射性ストロンチウム（ストロンチウムの放射性同位元素．例えば ^{90}Sr).

ra·di·o·sul·fur (rā′dē-ō-sŭl′fŭr). 放射性硫黄（硫黄の放射性同位元素．例えば ^{35}S).

ra·di·o·sur·ger·y (rā′dē-ō-sŭr′gĕr-ē). 放射線手術（明確に設定された領域での放射線療法．楽観的には照射領域を切除するのと同等と考えられている).

ra·di·o·te·lem·e·try (rā′dē-ō-tĕ-lem′ĕ-trē). →telemetry; biotelemetry.

ra·di·o·ther·a·peu·tic (rā′dē-ō-ther′ă-pyū′tik). 放射線療法の（放射線療法または放射線治療学についていう).

ra·di·o·ther·a·peu·tics (rā′dē-ō-ther′ă-pyū′tiks). 放射線治療学（放射線治療薬の研究と用法).

ra·di·o·ther·a·pist (rā′dē-ō-ther′ă-pist). 放射線治療医（放射線治療を行う医師または放射線治療学に精通している医師). ＝radiation oncologist.

ra·di·o·ther·a·py (rā′dē-ō-ther′ă-pē). 放射線治療＝radiation *oncology*.

mantle r. マントル放射線治療（腫瘍の浸潤のない放射性感受性の高い臓器を照射から防護する放射線治療法).

ra·di·o·ther·my (rā′dē-ō-ther′mē) [radio- ＋ G. *thermē*, heat]. ラジオテルミー（放射熱源を利用したジアテルミー).

ra·di·o·thy·roid·ec·to·my (rā′dē-ō-thī′royd-ek′tŏ-mē). 放射線甲状腺切除〔術〕（放射性ヨウ素の投与による甲状腺組織の破壊).

ra·di·o·thy·rox·in (rā′dē-ō-thī-rok′sin). 放射性サイロキシン．＝radioactive *thyroxine*.

ra·di·o·tox·e·mi·a (rā′dē-ō-tok-sē′mē-ă) [radio- ＋ G. *toxikon*, poison ＋ *haima*, blood]. 放射線毒血症（X線作用や他の放射能作用により生じる崩壊産物や，生体のある種の細胞，酵素系の欠乏により引き起こされる放射線宿酔).

ra·di·o·tra·cer (rā′dē-ō-trā′sĕr). 放射性トレーサ（放射性核種や放射性同位元素標識化合物).

ra·di·o·trans·par·ent (rā′dē-ō-trans-par′ĕnt). 放射線透過性の．*cf.* radiolucent.

ra·di·o·trop·ic (rā′dē-ō-trop′ik) [radio- ＋ G. *tropē*, a turning]. 放射線趨性の（放射線によって影響される).

ra·di·o·ul·nar (rā′dē-ō-ŭl′năr). 橈骨尺骨の（橈骨と尺骨に関する).

ra·di·sec·to·my (rā-di-sek′tŏ-mē) [L. *radix*, root ＋ G. *ektomē*, excision]. 歯根切除〔術〕. ＝root *amputation*.

ra·di·um (Ra) (rā′dē-ŭm) [L. *radius*, ray]. ラジウム（ピッチブレンドからごく微量抽出される金属元素．原子番号88．その最も長寿命の同位元素であるラジウム226は，トリウム230(イオニウム)からのアルファ粒子の放出によりウラン系の中間物としてつくられる．ラジウム226は，半減期1,599年で，アルファ線とガンマ線を放出して，ラドン222に壊変する．化学的には，バリウムに似た性質のアルカリ土類金属である．その治療作用はアルファ線が放出されるので，X線に似ている).

ra·di·us, gen. & pl. **ra·di·i** (rā′dē-ŭs, rā′dē-ī) [L. spoke of a wheel, rod, ray]. ＝radio- (3). ***1*** [TA]. 橈骨（前腕の2本の骨のうち，外側の短いほうをさす). ***2*** 半径（円の中心から円周へのびた直線).

r. fixus 固定径（ホルミオンからイニオンまでの線).

radii of lens [TA]. 水晶体放線（水晶体極から赤道へ放散している水晶体前後面上の9―12本の弱い線で，水晶体線維末端が隣接している線を示す). ＝radii lentis [TA]; lens stars (1); lens sutures.

radii lentis [TA]. ＝radii of lens.

radii manus 手放線．＝hand *rays*.

radii pedis 足放線．＝foot *rays*.

ra·dix, gen. **ra·di·cis**, pl. **rad·i·ces** (rā′diks; rā-dī′sis; rād′ĭ-sēz, rā-dī′sēz) [L.]. ***1*** [TA]. 根．＝root (1). ***2*** [TA]. ＝*root* of tooth. ***3*** 基数（出生コホートや生命表で表現を容易にするために用いられる仮想的な大きさ．通常，1,000や100,000とする).

r. accessoria [TA]. ＝accessory *root* of tooth.

r. anterior nervi spinalis [TA]. ＝anterior *root* of spinal nerve.

r. arcus vertebrae 椎弓根．＝*pedicle* of arch of vertebra.

r. brevis ganglii ciliaris 毛様体神経節短根．＝parasympathetic *root* of ciliary ganglion.

r. buccalis [TA]. ＝buccal *root* of tooth.

r. clinica dentis [TA]. 臨床歯根．＝clinical *root* of tooth.

R

r. cranialis nervi accessorii. [TA]. 副神経延髄根. = cranial *root* of accessory nerve.

r. dentis [TA]. 歯根. = *root* of tooth.

r. distalis dentis [TA]. 遠心根. = distal *root* of tooth.

r. dorsalis nervi spinalis = posterior *root* of spinal nerve.

r. facialis 翼突管神経. = *nerve* of pterygoid canal.

r. inferior ansae cervicalis [TA]. = inferior *root* of ansa cervicalis.

r. inferior nervi vestibulocochlearis 内耳神経下根. = cochlear *root* of cranial nerve VIII.

r. intermedia ganglii pterygopalatini* greater petrosal *nerve* の公式の別名.

r. lateralis nervi mediani [TA]. 〔正中神経〕外側根. = lateral *root* of median nerve.

r. lateralis tractus optici [TA]. 〔視 索〕外 側 根. = lateral *root* of optic tract.

r. linguae [TA]. 舌根. = *root* of tongue.

r. longa ganglii ciliaris = nasociliary *root* of ciliary ganglion.

r. medialis nervi mediani [TA]. 〔正中神経〕内側根. = medial *root* of median nerve.

r. medialis tractus optici [TA]. 〔視 索〕内 側 根. = medial *root* of optic tract.

r. mesenterii [TA]. 腸間膜根. = *root* of mesentery.

r. mesialis [TA]. 近心根. = mesial *root* of tooth.

r. mesiobuccalis [TA]. 近心頬側根. = mesiobuccal *root* of tooth.

r. mesiolingualis [TA]. 近心舌側根. = mesiolingual *root* of tooth.

r. motoria nervi spinalis* 脊髄神経運動根 (anterior *root* of spinal nerve の公式の別名).

r. motoria nervi trigemini [TA]. 三叉神経運動根. = motor *root* of trigeminal nerve.

r. nasi [TA]. 鼻根. = *root* of nose.

r. nasociliaris ganglii ciliaris* 鼻毛様体根 (nasociliary *root* of ciliary ganglion の公式の別名).

r. nervi facialis 顔面神経根. = *root* of facial nerve.

r. nervi oculomotorii ad ganglion ciliare* 毛様体神経節の動眼神経根 (parasympathetic *root* of ciliary ganglion の公式の別名).

radices nervi trigemini 三叉神経根. = *roots* of trigeminal nerve.

r. oculomotoria ganglii ciliaris* 毛様体神経節動眼神経根 (parasympathetic *root* of ciliary ganglion の公式の別名).

r. parasympathica ganglii ciliaris [TA]. = parasympathetic *root* of ciliary ganglion.

r. parasympathica ganglii otici* 耳神経節の副交感神経根 (lesser petrosal *nerve* の公式の別名).

radices parasympathicae gangliorum pelvicorum* [TA]. 骨盤神経節の副交感神経根 (pelvic splanchnic *nerves* の公式の別名).

r. parasympathica ganglii submandibularis [TA]. = *chorda* tympani.

r. penis [TA]. 陰茎根. = *root* of penis.

r. pili 毛根. = hair *root*.

r. posterior nervi spinalis [TA]. = posterior *root* of spinal nerve.

r. pulmonis [TA]. 肺根. = *root* of lung.

r. sensoria ganglii ciliaris [TA]. = nasociliary *root* of ciliary ganglion.

r. sensoria ganglii pterygopalatini [TA]. 翼口蓋神経節の知覚根. = sensory *root* of pterygopalatine ganglion.

r. sensoria ganglii sublingualis [TA]. = sensory *root* of sublingual ganglion.

r. sensoria ganglii submandibularis [TA]. = sensory *root* of submandibular ganglion.

r. sensoria nervi spinalis* 脊髄神経知覚根 (posterior *root* of spinal nerve の公式の別名).

r. sensoria nervi trigemini [TA]. 三叉神経知覚根. = sensory *root* of trigeminal nerve.

r. spinalis nervi accessorii [TA]. 副神経背髄根. = spinal *root* of accessory nerve.

r. superior ansae cervicalis [TA]. = superior *root* of ansa cervicalis.

r. superior nervi vestibulocochlearis = vestibular *root*.

r. sympathica ganglii ciliaris [TA]. 毛様体神経節交感根. = sympathetic *root* of ciliary ganglion.

r. sympathica ganglii otici [TA]. = sympathetic *root* of otic ganglion.

r. sympathica ganglii sublingualis [TA]. = sympathetic *root* of sublingual ganglion.

r. sympathica ganglii submandibularis [TA]. = sympathetic *root* of submandibular ganglion.

r. unguis 爪根. = *root* of nail.

r. ventralis nervi spinalis = anterior *root* of spinal nerve.

r. vestibularis 内耳神経上根, 前庭根. = vestibular *root*.

radixin (rah-diks′in). ラディキシン (ERM(エズリン, ラディキシン, モエシン)など band 4.1 スーパーファミリーに属する膜蛋白. 細胞膜と細胞内の細胞骨格蛋白の連結の確立に機能するようである. また微小絨毛形成に関与したり, 細胞間, あるいは細胞・細胞外マトリックス蛋白との接着の確立に関与すると考えられている).

ra·don (Rn) (rā′don) [＜radium]. ラドン (放射性元素の1つ, 原子番号 86. ラジウムの崩壊により生じる. 原子量 198 から 228 の同位元素のうち, 唯一ラドン 222 は半減期 3.8235 日のアルファ線を放出するため医学的に意義がある. ある種の悪性腫瘍の治療で用いられる. 米国のある地域での換気の悪い家屋内では, 天然由来のラドンガスが危険量蓄積されている).

RADS (radz). reactive airways dysfunction syndrome(反応性気道疾患(障害)症候群)の略.

Rae·der (rā′dĕr), Georg Johann. ノルウェー人眼科医, 1889—1956. → R. paratrigeminal *syndrome*.

raf·fi·nose (raf′i-nōs). ラフィノース (綿実やビート根の糖蜜中に存在する右旋性三糖類. D-ガラクトース, D-グルコース, D-フルクトースからなり, UDP-D-ガラクトースからショ糖へのガラクトース転移により形成される. 多くの種子にはラフィノースが豊富に含まれている). = gossypose; melitose; melitriose.

raft (raft). 他者に浮揚を提供する物体もしくは物質.

rage (rāj) [Fr. ＜ L. *rabies*, violent anger ＜ *rabo*, to rave]. 怒り, 激怒, 狂暴 (自律神経系の交感神経部分がすべて興奮した状態).

sham r. 見かけの怒り, シャムレージ, 仮性怒り (擬似的感情状態で, つまらない挑発に対する恐れや怒りの発現を特徴とする. 大脳皮質を除去した動物に生じる).

Rahe (rā′uh), Richard H. 20世紀の米国人精神科医.

Rahn (rahn), Hermann. 米国人呼吸生理学者, 1912—1990. → R.-Otis *sample*.

Rail·li·e·ti·na (rī-lē-ĕ-tī′nă). 円葉目, Davaineidae 科の条虫の一属で, うち 3 種, *R. madagascariensis* または *R. demerariensis*, *R. asiatica*, *R. formosana* がヒトから見出されている. しかし, ヒトに見出されるこれらの条虫の同定には問題がある.

rail·li·e·ti·ni·a·sis (rī′lē-ĕ-ti-nī′ă-sis). ライリエンチヤ症 (*Raillietina*属の条虫によるげっ歯類およびサルの感染で, まれにヒトにもみられる).

Rain·ey (rā′nē), George. 英国人解剖学者, 1801—1884. → R. *corpuscles*.

rale (rahl) [Fr. rattle]. ラ音, 水泡音 (胸部の聴診上聞かれる異常音に対して使われる用語だがあいまいで, ある者は rhonchus を表すために用い, またある者は捻髪音 crepitation に対して用いる). = crackle.

amphoric r. 空壺音性ラ音 (気管と連絡している肺空洞内の液体の動きに伴って聴診器を通じ聞かれる音).

atelectatic r. 気管支拡張ラ音 (深呼吸や咳の後, 消失する一過性の軽い有響音).

bubbling r. 水泡音 (聴診器を通して聞かれる湿性音. 滲出液を含む肺組織に空気がはいり, 水泡をつくることにより生じる. 回復期肺炎や小肺空洞に伴うことがある).

cavernous r. 空洞性ラ音 (一部液体を含む空洞に空気がはいるために起こる反響性の水泡音). = cavernous rhonchus.

clicking r. 叩音様ラ音 (通常, 深呼吸時の小気管支の開口に伴う, 短い小さく刺すような音. 初期肺結核で聞かれることがある).

consonating r. 有響性ラ音(気管支で生じ硬化肺組織を通して聞かれる共鳴ラ音).

crackling r. (krak′ling). パチパチラ音(肺炎あるいはうっ血性心不全で細い気道の液体によってつくり出されるきわめて微細な音).

crepitant r. 捻髪音(小気管支内で希薄な分泌物と空気が混じるために生じる小水泡音または有響音). = vesicular r.

dry r. 乾性ラ音(気管支の狭窄, または粘性分泌物による腔の狭窄によって生じる粗い, または楽曲的な呼吸音).

gurgling r. ゴボゴボというラ音(分泌物でほぼ満たされた大空洞や気管上で聴取される粗大な音).

guttural r. 喉頭ラ音(上気道閉塞の結果起こるが, 肺で聞かれる音).

metallic r. 金属性ラ音(大空洞内の共鳴によって生じる金属性のラ音).

moist r. 湿性ラ音(気管支あるいは空洞内の滲出液と空気が混じることによって生じる水泡音).

mucous r. 粘液性ラ音(粘液を含む気管支上で聴診で聞かれる水泡音).

palpable r. 触知可能ラ音(ときに低調で, 硬く, 楽曲的, あるいは共鳴的なラ音を伴って触診される振動).

pleural r. 胸膜性雑音. = pleural *rub.*

sibilant r. ギー音(気管支腔を狭窄している粘性分泌物中を空気が通るために生じる笛声音). = whistling r.

Skoda r. (skō′dah). スコダラ音(肺炎の硬化組織部を通して聞かれる気管支内のラ音).

sonorous r. ブンブン音(クークー鳴くような, またはいびきのような音で, 大気管支内の粘性分泌物の突出塊が振動することによってしばしば生じる).

subcrepitant r. 亜捻髪ラ音(小さな捻髪音).

vesicular r. 肺泡ラ音. = crepitant r.

whistling r. 笛声音. = sibilant r.

---

ral·ox·i·fene (ral-oxĭ-fēn). ラロキシフェン(選択的エストロゲン受容体修飾物質(SERM)で, 骨や脂質代謝に対してはエストロゲン作動薬としての効果があるが, 乳房と子宮に対してはエストロゲンに拮抗する作用を有する薬剤. 閉経後骨粗しょう症の予防に用いられる).

ラロキシフェンはエストロゲン受容体に結合するベンゾチオフェン誘導体である. 閉経後骨粗しょう症を防止できる他, 確立した骨粗しょう症において骨密度を増加させ, 骨折の危険性を減少させることが証明されている. 骨折の危険性の減少は骨密度の増加から期待されるそれよりもより大きい. ラロキシフェンは tamoxifen(これも骨粗しょう症の危険性を減少させる)と異なり, 子宮内膜癌発生の危険性を高めることはない. ラロキシフェンはエストロゲンほど骨密度を増加させることはないが, エストロゲンが乳癌発生の危険性を高めるのに対し, ラロキシフェンはそれを高めるのではなく減少させる. したがって, この薬剤は乳癌を心配する女性とその危険度が高い女性に好ましい薬剤である. エストロゲン-プロゲストゲンによるホルモン置換療法と同様, ラロキシフェンはトリグリセライドの上昇を伴うことなく HDL コレステロールを増加させて, LDL コレステロール, フィブリノーゲンとリポ蛋白 Lp(a)を減少させる. 薬剤投与前の心血管障害(心筋梗塞, 不安定狭心症, 脳卒中)の発生危険度が正常範囲の女性では, 本剤はそれら好ましくない出来事が生じる危険性には影響を与えないが, 心筋梗塞, 冠動脈バイパス移植か, 経皮的経管的冠動脈形成術の既往がある女性といくつかの危険因子(例えば, 糖尿病, 高脂血症, 高血圧, 喫煙)を併せもつ女性では, それら不幸な出来事を生じる危険性を大幅に減少させる. この薬剤はのぼせを和らげることはなく, 実際, 25%の患者でみられる. 本剤投与は妊娠中と血栓塞栓症の既往のある女性には禁忌である.

Ra·ma·chan·dran, G.N. インド人生物学者, 1922—2001. → Ramachandran *plot.*

ra·mal (rā′măl). 枝の.

Ra·man (ram′an), Sir Chandrasekhara V. インド人物理学者・ノーベル賞受賞者, 1888—1970. → R. *effect, spectrum.*

ra·mi (rā′mī) [L.]. ramus の複数形.

ram·i·cot·o·my (ram′i-kot′ŏ-mē) [L. *ramus*, branch + G. *tomē*, incision]. = ramisection.

ram·i·fi·ca·tion (ram′i-fi-kā′shŭn). 分枝, 分岐(枝様の形に分かれた突起).

ram·i·fy (ram′i-fī) [L. *ramus*, branch + *facio*, to make]. 分枝する, 分岐する.

ram·i·sec·tion (ram′i-sek′shŭn) [L. *ramus*, branch + L. *sectio*, section]. 交通枝切断〔術〕(交感神経系の交通枝の切断). = ramicotomy.

ram·i·tis (ram-ī′tis) [L. *ramus*, branch + G. *-itis*, inflammation]. 枝炎.

Ra·món y Ca·jal (rah-mon′ ē ka-nal′). → Cajal.

ra·mose, ra·mous (rā′mōs, rā′mŭs) [L. *ramosus* < *ramus*, a branch]. 分枝の. = branching.

ramp (ramp). ランプ(電気的記録において, 一様な割合で増加する電圧や電流のレベル. これらの量が規則的な間隔でゼロに戻る場合には, 陰極線オシロスコープのビームの時間掃引を行うために用いる鋸歯状のパターンを示す. また周期的現象によってゼロに戻るような場合には(例えば心臓の鼓動), 各々のランプの頂点間の距離は, 1つの周期が起こる時間間隔を表す).

Ram·say Hunt (ram′zē hŭnt). → Hunt.

Rams·den (ramz′den), Jesse. 英国人光学器製作者, 1735—1800. → R. *ocular.*

Ram·stedt (rahm′shtet), Conrad. ドイツ人外科医, 1867—1962. → R. *operation*; Fredet-R. *operation.*

ram·u·lus, pl. **ram·u·li** (ram′yū-lŭs, -lī) [L. *ramus*(a branch)の指小辞]. 小枝, ラムルス(枝の終末分岐の1つ).

RAMUS

ra·mus, pl. **ra·mi** (rā′mŭs, rā′mī) [L.][TA]. 枝(① = branch. ② 1本の神経または血管の最初に枝分かれした部分. 動脈や神経の枝は主要な神経や動脈の項に記載されている. → artery; nerve. ③不整形骨の一部分(〝突起 process〟より細長い)で, 骨体から突出している(例えば, 下顎枝). ④ 1つの大脳溝の最初に分岐した溝).

r. accessorius arteriae meningeae mediae [TA]. = accessory *branch* of middle meningeal artery.

r. acetabularis [TA]. 寛骨臼枝. = acetabular *branch.*

r. acromialis arteriae suprascapularis [TA]. = acromial *branch* of suprascapular artery.

r. acromialis arteriae thoracoacromialis [TA]. 〔胸肩峰動脈〕肩峰枝. = acromial *branch* of thoracoacromial artery.

rami ad pontem 橋枝. = pontine *arteries.*

rami alveolares superiores anteriores nervi alveolaris superioris [TA]. = anterior superior alveolar *branches* of superior alveolar nerve.

rami alveolares superiores posteriores nervi maxillaris [TA]. 上顎神経の後上歯槽枝. = posterior superior alveolar *branches* of maxillary nerve.

r. alveolaris superior medius nervi infraorbitalis 眼窩下神経の中上歯槽枝. = middle superior alveolar *branch* of infraorbital nerve.

r. anastomoticus [TA]. 吻合枝(→ communicating *branch*). = anastomotic *branch.*

r. anastomoticus arteria meningeae mediae cum arteriae lacrimali [TA]. 中硬膜動脈と涙腺動脈の吻合枝. = anastomotic *branch* of middle meningeal artery with lacrimal artery.

r. anterior [TA]. 前枝. = anterior *branch.*

r. anterior arteriae renalis → segmental *arteries* of kidney.

anterior rami of cervical nerves [TA]. 頸神経前枝(→ anterior r. of spinal nerve). = rami anteriores nervorum cervicalium [TA]; ventral rami of cervical nerves*; rami ventrales nervorum cervicalium; ventral primary rami of cervical spinal nerves.

r. anterior descendens 下行前〔上葉〕動脈. ＝descending *branch* of anterior segmental artery of left and right lungs.

rami anteriores nervorum cervicalium ［TA］. 頸神経前枝. ＝anterior rami of cervical nerves.

rami anteriores nervorum lumbalium ［TA］. 腰神経前枝. ＝anterior rami of lumbar nerves.

rami anteriores nervorum sacralium ［TA］. 仙骨神経前枝. ＝anterior rami of sacral nerves.

rami anteriores nervorum thoracis ［TA］. 胸神経前枝. ＝anterior rami of thoracic nerves.

r. anterior lateralis 外側前枝（左肺動脈の上行前枝に対する旧名）.

anterior r. of lateral cerebral sulcus 大脳の外側溝の前枝（外側溝のこれらの部位は下前頭回に伸びて，その各部に分かれていく．外側溝の上行する前枝は弁蓋部と三角部の間にあり，外側溝の水平な前枝は三角部と眼窩部の間にある）. ＝r. anterior sulci lateralis cerebri［TA］.

anterior rami of lumbar nerves ［TA］. 腰神経前枝（⇀anterior r. of spinal nerve）. ＝rami anteriores nervorum lumbalium［TA］; ventral rami of lumbar nerves*; rami ventrales nervorum lumbalium; ventral primary rami of lumbar spinal nerves.

r. anterior nervi spinalis ［TA］. ＝anterior r. of spinal nerve.

anterior rami of sacral nerves ［TA］. 仙骨神経前枝（⇀anterior r. of spinal nerve）. ＝rami anteriores nervorum sacralium［TA］; ventral rami of sacral nerves*; rami ventrales nervorum sacralium; ventral primary rami of sacral spinal nerves.

anterior r. of spinal nerve ［TA］. 〔脊髄神経〕前枝（前外側方を向いた太い枝で，細い後枝とともに 31 対の脊髄神経の終末枝で椎間孔で形成される．大部分の枝，特に体肢を支配するものは神経叢（頸，腕，腰，仙骨）の構成に加わり混交する．しかし胸部では肋間神経・肋下神経として分離している．前枝は前外側の体壁，体幹に分布する．TAでは以下のものについてこの名称を採用している．ⓘ頸神経，ⓘⓘ胸神経，ⓘⓘⓘ腰神経，ⓘⓥ仙骨神経，ⓥ尾骨神経）. ＝r. anterior nervi spinalis［TA］; r. ventralis nervi spinalis*; ventral r. of spinal nerve*; anterior primary division; ventral primary r. of spinal nerve.

r. anterior sulci lateralis cerebri ［TA］. ＝anterior r. of lateral cerebral sulcus.

anterior rami of thoracic nerves ［TA］. 胸神経前枝（⇀anterior r. of spinal nerve）. ＝rami anteriores nervorum thoracis［TA］; rami ventrales nervorum thoracis*; ventral rami of thoracic nerves*; ventral primary rami of thoracic spinal nerves.

r. anterior venae pulmonalis dextrae/sinistrae superioris ＝anterior *vein*.

r. apicalis lobi inferioris arteriae pulmonalis dextrae* 右肺動脈の下葉上動脈（apical segmental *artery* of superior lobar artery of right lung の公式の別名）.

r. apicalis venae pulmonalis dextrae superioris* 右上肺静脈の肺尖静脈（apical *vein* の公式の別名）.

r. apicoposterior venae pulmonalis sinistrae superioris* 左上肺静脈の肺尖後静脈（apicoposterior *vein* の公式の別名）.

rami articulares 関節枝. ＝articular *branches*.

rami articulares arteriae descendentis genicularis ［TA］. ⇀articular *branches*.

r. ascendens ［TA］. 上行枝. ＝ascending *branch*.

r. ascendens arteriae superficialis cervicalis ［TA］. ＝ascending *branch* of superficial cervical artery.

r. ascendens sulci lateralis cerebri ［TA］. 大脳外側溝の上行枝. ＝ascending r. of lateral sulcus of cerebrum.

ascending r. of lateral sulcus of cerebrum ［TA］. 大脳外側溝の上行枝（下前頭回の弁蓋部と三角部の間にある大脳の外側の溝部）. ＝r. ascendens sulci lateralis cerebri［TA］.

rami atriales ［TA］. 心房枝. ＝atrial *branches*.

r. atrialis anastomoticus ramus circumflexus arteriae coronariae sinistrae ［TA］. ＝atrial anastomotic *branch* of circumflex branch of left coronary artery.

r. atrialis intermedius arteriae coronariae dextrae ［TA］. ＝intermediate atrial *branch* of right coronary artery.

r. atrialis intermedius arteriae coronariae sinistrae ［TA］. ＝intermediate atrial *branch* of left coronary artery.

rami auriculares anteriores arteriae temporalis superficialis ［TA］. 浅側頭動脈の前耳介枝. ＝anterior auricular *branches* of superficial temporal artery.

r. auricularis arteriae auricularis posterioris ［TA］. ＝auricular *branch* of posterior auricular artery.

r. auricularis arteriae occipitalis ［TA］. 〔後頭動脈〕耳介枝. ＝auricular *branch* of occipital artery.

r. auricularis nervi vagi 迷走神経耳介枝. ＝auricular *branch* of vagus nerve.

r. basalis anterior 前肺底動脈，前肺底静脈. ＝anterior basal segmental *artery*.

r. basalis anterior venae basalis superioris* 上肺底静脈の前肺底静脈（anterior basal *vein* の公式の別名）.

r. basalis lateralis 外側肺底動脈. ＝lateral basal segmental *artery*.

r. basalis medialis 内側肺底動脈. ＝medial basal segmental *artery*.

r. basalis posterior 後肺底動脈. ＝posterior basal segmental *artery* of left/right lung.

r. basalis tentorii partis cavernosae arteriae carotidis internae ［TA］. ＝tentorial basal *branch* of cavernous part of internal carotid artery.

rami bronchiales ［TA］. 気管支枝. ＝bronchial *branches*.

rami bronchiales segmentorum 区〔域〕気管支枝. ＝intrasegmental *bronchi*.（⇀bronchus）.

rami buccales nervi facialis ［TA］. 顔面神経の頬筋枝. ＝buccal *branches* of facial nerve.

rami calcanei ［TA］. 踵骨枝. ＝calcaneal *branches*.

rami calcanei laterales nervi suralis ［TA］. 腓腹神経の外側踵骨枝. ＝lateral calcaneal *branches* of sural nerve.

rami calcanei mediales nervi tibialis ［TA］. 脛骨神経の内側踵骨枝. ＝medial calcaneal *branches* of tibial nerve.

r. calcarinus arteriae occipitalis medialis ［TA］. 内側後頭動脈の鳥距枝. ＝calcarine *branch* of medial occipital artery.

rami capsulae internae 内包枝（前脈絡叢動脈から内包に分布する枝）. ＝branches to internal capsule, genu［TA］; branches to internal capsule, posterior limb［TA］; rami cruris posterioris capsulae internae［TA］; rami genus capsulae internae［TA］; rami partis retrolentiformis capuslae internae［TA］; branches to internal capsule, retrolentiform limb.

rami capsulares arteriae renalis ［TA］. 腎動脈の被膜枝. ＝capsular *branches* of renal artery.

rami capsulares arteriorum intrarenalium ［TA］. ＝capsular *branches* of intrarenal arteries.

rami cardiaci cervicales inferiores nervi vagi ［TA］. 迷走神経の下頸心臓枝. ＝inferior cervical cardiac *branches* of vagus nerve.

rami cardiaci cervicales superiores nervi vagi ［TA］. 迷走神経の上頸心臓枝. ＝superior cervical cardiac *branches* of vagus nerve.

rami cardiaci thoracici gangliorum thoracicorum ［TA］. ＝thoracic cardiac *branches* of thoracic ganglia.

rami cardiaci thoracici nervi vagi ［TA］. 迷走神経の胸心臓枝. ＝thoracic cardiac *branches* of vagus nerve.

r. cardiacus medial basal *branch* of pulmonary artery を表す，現在では用いられない語.

rami caroticotympanici 頸動脈鼓室枝. ＝caroticotympanic *arteries*（of internal carotid artery）.

r. carpalis dorsalis arteriae radialis ［TA］. 〔橈骨動脈〕背側手根枝. ＝dorsal carpal *branch* of radial artery.

r. carpalis dorsalis arteriae ulnaris ［TA］. 〔尺骨動脈〕背側手根枝. ＝dorsal carpal *branch* of ulnar artery.

r. carpalis palmaris arteriae radialis ［TA］. 〔橈骨動脈〕掌側手根枝. ＝palmar carpal *branch* of radial artery.

r. carpalis palmaris arteriae ulnaris ［TA］. 〔尺骨動脈〕掌側手根枝. ＝palmar carpal *branch* of ulnar artery.

r. carpeus dorsalis arteriae radialis〔橈骨動脈〕背側手根枝. ＝dorsal carpal *branch* of radial artery.

r. carpeus dorsalis arteriae ulnaris〔尺骨動脈〕背側手根枝. ＝dorsal carpal *branch* of ulnar artery.

r. carpeus palmaris arteriae radialis〔橈骨動脈〕掌側手根枝. ＝palmar carpal *branch* of radial artery.

r. carpeus palmaris arteriae ulnaris〔尺骨動脈〕掌側手根枝. ＝palmar carpal *branch* of ulnar artery.

rami caudae nuclei caudati［TA］. 尾状核尾枝（①前脈絡叢動脈，後交通動脈から出て尾状核尾部に分布する動脈枝. ②中大脳動脈から出て尾状核尾部に分布する動脈枝）.

rami celiaci nervi vagi 迷走神経の腹腔枝. ＝celiac *branches* of posterior vagal trunk.

rami celiaci trunci vagi posterioris［TA］. ＝celiac *branches* of posterior vagal trunk.

rami centrales anteromediales［TA］. 前内側中心枝. ＝anteromedial central *branches.*

cephalic arterial rami 頭動脈枝（交感神経幹の壁側枝で上頸神経節から交感性節後線維を内頸動脈に伴行させて頭部に送る）.

r. cervicalis nervi facialis* cervical *branch* of facial nerve の公式の別名.

r. chiasmaticus［TA］. 視交叉枝（中大脳動脈から視交叉に分布する枝）.

rami choroidei ＝choroid *branches.*

rami choroidei posteriores arteriae cerebri posteriores laterales et mediales［TA］. ＝posterior choroidal *branches* of posterior cerebral artery.

r. choroidei posteriores laterales［TA］. 〔後大脳動脈の〕外側後脈絡枝（→choroid *branches*）.

r. choroidei posteriores mediales［TA］. 〔後大脳動脈の〕内側後脈絡枝（→choroid *branches*）.

r. choroidei ventriculi lateralis［TA］. 側脳室脈絡枝（前脈絡叢動脈の側脳室への脈絡枝. →choroid *branches*）.

r. choroidei ventriculi tertii 第3脳室脈絡枝（後下大脳動脈の第3脳室への脈絡枝. →choroid *branches*）.

r. choroideus ventriculi quarti［TA］. 〔後下小脳動脈の〕第4脳室脈絡枝（→choroid *branches*）.

r. cingularis［TA］. 帯状回枝（脳梁縁動脈から帯状回に分布する枝）.

r. cingularis arteriae callosomarginalis［TA］. ＝cingular *branch* of callosomarginal artery.

r. circumflexus arteriae coronariae sinistrae［TA］. 左冠状動脈の回旋枝. ＝circumflex *branch* of left coronary artery.

r. circumflexus fibularis arteriae tibialis posterioris［TA］. 後脛骨動脈の腓骨回旋枝. ＝circumflex fibular *branch* (of posterior tibial artery).

r. circumflexus peronealis arteriae tibialis posterioris* circumflex fibular *branch* (of posterior tibial artery) の公式の別名.

r. clavicularis arteriae thoracoacromialis［TA］. 胸肩峰動脈の鎖骨枝. ＝clavicular *branch* of thoracoacromial artery.

rami clivales［TA］. 斜台枝（内頸動脈の大脳部から斜台に分布する枝）.

rami clivales partis cerebralis arteriae carotidis internae［TA］. ＝clivus *branches* of cerebral part of internal carotid artery.

r. cochlearis arteriae labyrinthi 迷路動脈の蝸牛枝. ＝cochlear *branch* of vestibulocochlear artery.

r. cochlearis arteriae vestibulocochlearis［TA］. ＝cochlear *branch* of vestibulocochlear artery.

r. colicus arteriae ileocolicae［TA］. ＝colic *branch* of ileocolic artery.

r. collateralis arteriarum intercostalium posteriorum III–XI［TA］. 〔第三―第十一〕肋間動脈側副枝. ＝collateral *branches* of posterior intercostal arteries 3–11.

r. collateralis nervorum intercostalium［TA］. ＝collateral *branch* of intercostal nerves.

r. colli nervi facialis［TA］. ＝cervical *branch* of facial nerve.

r. communicans, pl. **rami communicantes**［TA］. 交通枝. ＝communicating *branch.*

r. communicans arteriae fibularis［TA］. ＝communicating *branch* of fibular artery.

r. communicans arteriae peroneae*〔腓骨動脈〕交通枝（communicating *branch* of fibular artery の公式の別名）.

r. communicans cum chorda tympani［TA］. 鼓索神経との交通枝（①＝communicating *branch* of chorda tympani with lingual nerve. ②＝communicating *branch* of otic ganglion with chorda tympani）.

r. communicans cum nervo glossopharyngeo ***1*** 〔顔面神経の〕舌咽神経との交通枝. ＝communicating *branch* of facial nerve with glossopharyngeal nerve. ***2*** 〔鼓室神経叢の〕迷走神経耳介枝との交通枝. ＝communicating *branch* of tympanic plexus with auricular branch of vagus nerve.

r. communicans fibularis nervi fibularis communis［TA］. ＝sural communicating *branch* of common fibular nerve.

r. communicans ganglii otici cum chorda tympani ＝communicating *branch* of otic ganglion with chorda tympani.

r. communicans ganglii otici cum nervo auriculotemporali 耳神経節の耳介側頭神経との交通枝. ＝communicating *branch* of otic ganglion to auriculotemporal nerve.

r. communicans ganglii otici cum nervo pterygoideo mediali 耳神経節の内側翼突筋神経との交通枝. ＝communicating *branch* of otic ganglion with medial pterygoid nerve.

r. communicans ganglii otici cum ramo meningeo nervi mandibularis ＝communicating *branch* of otic ganglion with meningeal branch of mandibular nerve.

r. communicans nervi facialis cum nervo glossopharyngeo［TA］. ＝communicating *branch* of facial nerve with glossopharyngeal nerve.

r. communicans nervi facialis cum plexu tympanico 顔面神経の鼓室神経叢との交通枝. ＝communicating *branch* of intermediate nerve with tympanic plexus.

r. communicans nervi fibularis communis cum nervo cutaneo surae mediali* sural communicating *branch* of common fibular nerve の公式の別名.

r. communicans nervi glossopharyngei cum ramo auriculari nervi vagi 鼓室神経叢の迷走神経耳介枝との交通枝. ＝communicating *branch* of tympanic plexus with auricular branch of vagus nerve.

r. communicans nervi intermedii cum plexu tympanico［TA］. ＝communicating *branch* of intermediate nerve with tympanic plexus.

r. communicans nervi interossei antebrachii anterioris cum nervo ulnari［TA］. ＝communicating *branch* of anterior interosseous nerve with ulnar nerve.

r. communicans nervi lacrimalis cum nervo zygomatico［TA］. ＝communicating *branch* of lacrimal nerve with zygomatic nerve.

r. communicans nervi laryngei interni cum nervo laryngeo recurrente［TA］. ＝communicating *branch* of internal laryngeal *branch* with recurrent laryngeal nerve.

r. communicans nervi laryngei recurrentis cum ramo laryngeo interno ＝communicating *branch* of internal laryngeal *branch* with recurrent laryngeal nerve.

r. communicans nervi laryngei superioris cum nervo laryngeo recurrente ＝communicating *branch* of internal laryngeal *branch* with recurrent laryngeal nerve.

r. communicans nervi lingualis cum chorda tympani ＝communicating *branch* of chorda tympani with lingual nerve.

r. communicans nervi mediani cum nervo ulnari［TA］. ＝communicating *branch* of median nerve with ulnar nerve.

r. communicans nervi nasociliaris cum ganglio ciliari* 鼻毛様体神経の毛様体神経節との交通枝（nasociliary *root* of ciliary ganglion の公式の別名）.

r. communicans nervi peronei communis cum nervo cutaneo surae mediali* sural communicating *branch* of common fibular nerve の公式の別名.

R

r. communicans nervi radialis cum nervi ulnari [TA]. =communicating *branch* of radial nerve with ulnar nerve.

r. communicans peroneus nervi peronei communis* sural communicating *branch* of common fibular nerveの公式の別名.

r. communicans plexus tympanici cum ramo auriculari nervi vagi [TA]. 鼓室神経叢の迷走神経耳介枝との交通枝. =communicating *branch* of tympanic plexus with auricular branch of vagus nerve.

r. communicans ulnaris nervi radialis =communicating *branch* of superficial radial nerve with ulnar nerve.

rami communicantes albi [TA]. =white rami communicantes.

rami communicantes ganglii sublingualis cum nervo linguali* 舌下神経節の舌神経との交通枝 (sensory *root* of sublingual ganglion の公式の別名).

rami communicantes ganglii submandibularis cum nervo linguali* sensory *root* of submandibular ganglion の公式の別名.

rami communicantes grisei [TA]. =gray rami communicantes.

rami communicantes nervi auriculotemporalis cum nervo faciali [TA]. =communicating *branches* of auriculotemporal nerve with facial nerve.

rami communicantes nervi lingualis cum nervo hypoglosso [TA]. =communicating *branches* of lingual nerve with hypoglossal nerve.

rami communicantes nervorum spinalium =white rami communicantes.

rami communicantes of sympathetic part of autonomic division of nervous system 自律神経系の交感神経部の交通枝 (脊髄神経と交感神経幹の間の交通枝. 脊髄神経と交感神経節を結ぶ神経線維の小さな束である. 交感神経節から脊髄神経への神経線維は無髄で, 灰白交通枝とよばれる. 脊髄神経から交感神経節への神経線維は有髄で, 白交通枝とよばれる).

communicating rami of sympathetic trunk =gray rami communicantes.

rami corporis amygdaloidei [TA]. 扁桃体枝 (前脈絡叢動脈から扁桃体へ出る枝).

r. corporis callosi dorsalis [TA]. 脳梁背枝 (内側後頭動脈から脳梁背へ分布する枝). =dorsal branch to corpus callosum [TA].

rami corporis geniculati lateralis [TA]. 外側膝状体枝 (前脈絡叢動脈から外側膝状体へ分布する枝).

r. costalis lateralis arteriae thoracicae internae [TA]. 内胸動脈の外側肋骨枝. =lateral costal *branch* of internal thoracic artery.

r. cricothyroideus (arteriae thyroideae superioris) [TA]. 〔上甲状腺動脈の〕輪状甲状枝. =cricothyroid *branch* of superior thyroid artery.

rami cruris posterioris capsulae internae [TA]. =rami capsulae internae.

rami cutanei anteriores nervi femoralis [TA]. 〔大腿神経〕前皮枝. =anterior cutaneous *branches* of femoral nerve.

rami cutanei anteriores pectoralis et abdominalis nervorum intercostalium =thoracoabdominal *nerves*.

rami cutanei cruris mediales nervi sapheni [TA]. =medial cutaneous *nerve* of leg.

r. cutaneus anterior abdominalis nervi intercostalis [TA]. =anterior abdominal cutaneous *branch* of intercostal nerve.

r. cutaneus anterior nervi iliohypogastrici [TA]. 腸骨下腹神経の前皮枝. =anterior cutaneous *branch* of iliohypogastric nerve.

r. cutaneus anterior (pectoralis et abdominalis) nervorum thoracicorum 〔胸神経〕〔胸・腹〕前皮枝. =thoracoabdominal *nerves*.

r. cutaneus anterior pectoralis nervi intercostalis [TA]. =anterior pectoral cutaneous *branch* of intercostal nerves.

r. cutaneus lateralis [TA]. 外側皮枝. =lateral cutaneous *branch*.

r. cutaneus lateralis abdominalis/pectoralis nervorum intercostalium [TA]. =lateral abdominal/pectoral cutaneous *branches* of intercostal nerves.

r. cutaneus lateralis nervi iliohypogastrici 腸骨下腹神経の外側皮枝 (→lateral cutaneous *branch*).

r. cutaneus lateralis ramorum posteriorum arteriae intercostalium [TA]. 肋間動脈後枝の外側皮枝 (→lateral cutaneous *branch*).

r. cutaneus medialis rami dorsalis arteriarum intercostalium posteriorum III–XI [TA]. 肋間動脈第三—第十一背枝の内側皮枝(→medial cutaneous *branch* (of dorsal branch of posterior intercostal arteries)). =medial cutaneous *branch* (of dorsal branch of posterior intercostal arteries).

r. cutaneus medialis ramorum dorsalium nervorum thoracicorum [TA]. 胸神経後枝の内側皮枝 (→medial cutaneous *branch* of dorsal branch of posterior intercostal arteries).

r. cutaneus nervi mixti [TA]. =cutaneous *branch* of mixed nerve.

r. cutaneus rami anterioris nervi obturatorii [TA]. 閉鎖神経前枝の皮枝. =cutaneous *branch* of anterior branch of obturator nerve.

r. deltoideus [TA]. 三角筋枝. =deltoid *branch*.

r. deltoideus arteriae profundae brachii [TA]. 上腕深動脈三角筋枝. =profunda brachii *artery*.

r. deltoideus arteriae thoracoacromialis [TA]. 胸肩峰動脈三角筋枝. =thoracoacromial *artery*.

dental rami =dental *branches*.

rami dentales [TA]. 歯枝. =dental *branches*.

rami dentales arteriae alveolaris inferioris [TA]. 下歯槽動脈の歯枝 (→dental *branches*).

rami dentales arteriae alveolaris superioris posterioris [TA]. 後上歯槽動脈の歯枝(→dental *branches*).

rami dentales inferiores [TA]. 下歯枝 (→dental *branches*). =inferior dental *branches* of inferior dental plexus.

rami dentales inferiores plexus dentalis inferioris [TA]. =inferior dental *branches* of inferior dental plexus.

rami dentales superiores [TA]. 上歯枝. =superior dental *branches* (of superior dental plexus).

rami dentales superiores (plexus dentalis superioris) [TA]. =superior dental *branches* (of superior dental plexus).

r. descendens [TA]. 下行枝. =descending *branch*.

r. descendens arteriae circumflexae femoris lateralis [TA]. =descending *branch* of lateral circumflex femoral artery.

r. descendens arteriae circumflexae femoris medialis [TA]. =descending *branch* of medial circumflex femoral artery.

r. descendens arteriae occipitalis [TA]. =descending *branch* of occipital artery.

r. descendens arteriae segmentalis anterioris pulmonis dextri et sinistri [TA]. =descending *branch* of anterior segmental artery of left and right lungs.

r. descendens arteriae segmentalis posterioris pulmonis dextri et sinistri [TA]. =descending *branch* of posterior segmental artery of left and right lungs.

r. descendens rami superficialis arteriae transversae cervicis [TA]. =descending *branch* of superficial cervical artery.

r. dexter [TA]. 右枝. =right *branch*.

r. dexter arteriae hepaticae propriae [TA]. 固有肝動脈右枝. =right *branch* of hepatic artery proper.

r. dexter venae portae hepatis [TA]. =right *branch* of portal vein.

r. digastricus nervi facialis [TA]. 顔面神経の二腹筋枝. =digastric *branch* of facial nerve.

rami dorsales arteriae intercostalis supremae 最上肋間動脈背枝. =dorsal *branches* of first and second posterior intercostal artery.

rami dorsales arteriae subcostalis [TA]. =dorsal *branch* of the subcostal artery.

rami dorsales arteriarum intercostalium posteriorum primae et secundae [TA]. =dorsal *branches* of first and second posterior intercostal artery.

rami dorsales linguae arteriae lingualis [TA]. 舌動脈の舌背枝. =dorsal lingual *branches* of lingual artery.

rami dorsales nervi ulnaris [TA]. =dorsal *branch* of the ulnar nerve.

r. dorsalis [TA]. 後枝，背枝，手背枝. =posterior r. of spinal nerve.

rami dorsales arteriae lumbales [TA]. =dorsal *branches* of the lumbar arteries.

rami dorsales arteriae intercostalium posteriorum III–XI [TA]. =dorsal *branches* of the posterior intercostal arteries 3–11.

r. dorsalis nervi spinalis☆ posterior r. of spinal nerve の公式の別名.

r. dorsalis venae intercostales posteriores =dorsal veins of posterior intercostal *veins*.

rami dorsales venarum intercostalium posteriorum IV–XI [TA]. =dorsal *branches* of the posterior intercostal veins 4–11.

dorsal primary r. of spinal nerve☆ 脊髄神経後枝（posterior r. of spinal nerve の公式の別名）.

rami duodenales arteriae pancreaticoduodenalis superioris anterioris [TA]. 前上膵十二指腸動脈の十二指腸枝. =duodenal *branches* of anterior superior pancreaticoduodenal artery.

rami duodenales arteriae pancreaticoduodenalis superioris posterioris [TA]. =duodenal *branches* of posterior superior pancreaticoduodenal artery.

rami epiploicae 大網枝. =omental *branches*.

rami esophageales☆ 食道枝（esophageal *branches* の公式の別名）.

rami esophageales aortae thoracicae☆ 胸大動脈の食道動脈（esophageal *branches* of the thoracic aorta の公式の別名）.

rami esophageales arteriae gastricae sinistrae [TA]. =esophageal *branches* of the left gastric artery.

rami esophageales arteriae thyroideae inferioris [TA]. = esophageal *branches* of the inferior thyroid artery.

rami esophageales gangliorum thoracicorum [TA]. = esophageal *branches* of thoracic ganglia.

rami esophageales partis thoracicae aortae [TA]. = esophageal *branches* of the thoracic aorta.

rami esophagei [TA]. =esophageal *branches*.

rami esophagei nervi laryngei recurrentis [TA]. = esophageal *branches* of the recurrent laryngeal nerve.

rami esophagei nervi vagi =esophageal *branches* of the vagus nerve.

r. externus nervi laryngei superioris [TA]. 上喉頭神経外枝. =external *branch* of superior laryngeal nerve.

r. externus trunci nervi accessorii [TA]. =external *branch* of trunk of accessory nerve.

rami fauciales nervi lingualis =*branches* of lingual nerve to isthmus of fauces.

r. femoralis nervi genitofemoralis [TA]. 陰部大腿神経の大腿枝. =femoral *branch* of genitofemoral nerve.

r. frontalis anteromedialis [TA]. 前内側前頭葉枝（脳梁縁動脈の枝）.

r. frontalis anteromedialis arteriae callosomarginalis [TA]. =anteromedial frontal *branch* of callosomarginal artery.

r. frontalis arteriae meningeae mediae [TA]. =frontal *branch* of middle meningeal artery.

r. frontalis arteriae temporalis superficialis [TA]. = frontal *branch* of superficial temporal artery.

r. frontalis intermediomedialis [TA]. 中間内側前頭葉枝（脳梁縁動脈の枝）.

r. frontalis intermediomedialis arteriae callosomarginalis [TA]. =intermediomedial frontal *branch* of callosomarginal artery.

r. frontalis posteromedialis [TA]. 後内側前頭葉枝（脳梁縁動脈の枝）.

r. frontalis posteromedialis arteriae callosomarginalis [TA]. =posteromedial frontal *branch* of callosomarginal artery.

rami ganglii submandibularis =glandular *branches* of submandibular ganglion.

r. ganglii trigeminalis =*branches* of internal carotid artery to trigeminal ganglion.

rami ganglionares〔上顎神経〕神経節枝. =sensory *root* of pterygopalatine ganglion.

rami ganglionares trigeminales arteriae carotidis internae [TA]. =*branches* of internal carotid artery to trigeminal ganglion.

rami ganglionici nervi maxillaris☆ 上顎神経の神経節枝（sensory *root* of pterygopalatine ganglion の公式の別名）.

rami gastrici anteriores nervi vagi 迷走神経前胃枝. = anterior gastric *branches* of anterior vagal trunk.

rami gastrici anteriores trunci vagalis anterioris [TA]. =anterior gastric *branches* of anterior vagal trunk.

rami gastrici arteriae gastroomentales sinistri et dextri [TA]. =gastric *branches* of left and right gastroomental arteries.

rami gastrici posteriores nervi vagi 迷走神経後胃枝. = gastric *branches* of posterior vagal trunk.

rami gastrici posteriores trunci vagalis posterioris [TA]. =posterior gastric *branches* of posterior vagal trunk.

r. genitalis nervi genitofemoralis [TA]. 陰部大腿神経の陰部枝. =genital *branch* of genitofemoral nerve.

rami genus capsulae internae [TA]. =rami capsulae internae.

rami gingivales inferiores plexus dentalis inferioris [TA]. 下歯神経叢の下歯肉枝. =inferior gingival *branches* of inferior dental plexus.

rami gingivales superiores plexus dentalis superioris [TA]. 上歯神経叢の上歯肉枝. =superior gingival *branches* (of superior dental plexus).

rami glandulares [TA]. 腺枝. =glandular *branches*.

rami glandulares anterior arteriae thyroideae superioris =anterior glandular *branch* of superior thyroid artery.

rami glandulares arteriae facialis [TA]. =glandular *branches* of facial artery.

rami glandulares arteriae thyroideae inferioris [TA]. =glandular *branches* of inferior thyroid artery.

rami glandulares ganglii submandibularis =glandular *branches* of submandibular ganglion.

r. glandularis lateralis arteriae thyroideae superioris [TA]. =lateral glandular *branch* of superior thyroid artery.

r. glandularis posterior arteriae thyroideae superioris [TA]. =posterior glandular *branch* of superior thyroid artery.

rami globi pallidi [TA]. 淡蒼球枝（前脈絡叢動脈から淡蒼球に分布する枝）.

gray rami communicantes [TA]. 灰白交通枝（交感神経幹の外側面から出る短い交感性無髄節後線維で，交感神経幹から 31 対の脊髄神経前枝の根部に達する．この枝は体壁へ行く節後線維をも含んでいるので交感神経幹の壁側枝でもある）. =rami communicantes grisei [TA]; communicating branches of sympathetic trunk; communicating rami of sympathetic trunk.

rami hepatici nervi vagi 迷走神経の肝枝. =hepatic *branches* of anterior vagal trunk.

rami hepatici trunci vagi anterior [TA]. =hepatic *branches* of anterior vagal trunk.

r. hypothalamicus [TA]. 視床下部枝（前大脳動脈から視床下部に分布する枝）.

r. iliacus arteriae iliolumbalis [TA]. 腸腰動脈の腸骨枝. =iliacus *branch* of iliolumbar artery.

r. inferior [TA]. 下枝. =inferior *branch*.

R

r. inferior arteriae gluteae superioris [TA]. =inferior *branch* of superior gluteal artery.

inferior dental rami 下歯枝. =inferior dental *branches* of inferior dental plexus.

r. inferior nervi oculomotorii [TA]=inferior *branch* of oculomotor nerve.

r. inferior ossis pubis [TA]. =inferior pubic r.

inferior pubic r. [TA]. 恥骨下枝（恥骨体から下方へ延びる部分で，坐骨枝と癒着して恥骨坐骨枝を形成する）. =r. inferior ossis pubis [TA].

rami inferiores nervi transversi cervicalis [colli] 頸横神経の下枝. =inferior *branches* of transverse cervical nerve.

rami inferiores nervi transversi colli* inferior *branches* of transverse cervical nerve の公式の別名.

r. infrahyoideus arteriae thyroideae superioris [TA]. 上甲状腺動脈の舌骨下枝. =infrahyoid *branch* of superior thyroid artery.

r. infrapatellaris nervi sapheni [TA]. 伏在神経の膝蓋下枝. =infrapatellar *branch* of saphenous nerve.

rami inguinales arteriarum pudendarum externarum profundarum [TA]. 深外陰部動脈の鼡径枝. =inguinal *branches* of deep external pudendal arteries.

rami intercostales anteriores =anterior intercostal *branches* of internal thoracic artery.

rami intercostales anteriores arteriae thoracicae internae [TA]. 内胸動脈の前肋間枝. =anterior intercostal *branches* of internal thoracic artery.

rami interganglionares trunci sympathici [TA]. = interganglionic *branches* of sympathetic trunk.

r. intermedius arteriae hepaticae propriae [TA]. = intermediate *branch* of hepatic artery (proper).

internal r. of accessory nerve (→accessory *nerve* [CN XI]). =internal *branch* of trunk of accessory nerve.

r. internus nervi laryngei superioris [TA]. =internal *branch* of superior laryngeal nerve.

r. internus trunci nervi accessorii [TA]. 副神経幹内枝 (→accessory *nerve* [CN XI]). =internal *branch* of trunk of accessory nerve.

rami interventriculares septales 心室中隔枝. =interventricular septal *branches* of left/right coronary artery.

rami interventriculares septales arteriae coronariae sinistrae/dextrae =interventricular septal *branches* of left/right coronary artery.

r. interventricularis anterior arteriae coronariae sinistrae [TA]. 左冠状動脈の前室間枝. =anterior interventricular *branch* of left coronary artery.

r. interventricularis posterior arteriae coronariae dextrae [TA]. 左冠状動脈の後室間枝. =posterior interventricular branch of right coronary *artery*.

ischial r. 坐骨枝. =r. of ischium.

ischiopubic r. [TA]. 坐骨恥骨枝（恥骨下枝とそれに続く坐骨の枝からなる部分で閉鎖孔の下内側縁を形成する）.

r. of ischium [TA]. 坐骨枝（以前は坐骨下枝とよばれ，坐骨結節から前方に向かい恥骨下枝と結合する部分. これによって坐骨恥骨枝ができ上がる）. =r. ossis ischii [TA]; ischial r.

rami isthmi faucium nervi lingualis [TA]. 舌神経の口峡枝. =*branches* of lingual nerve to isthmus of fauces.

rami labiales anteriores arteriae pudendae externae profundae [TA]. 深外陰部動脈の前陰唇枝. =anterior labial *branches* of deep external pudendal artery.

rami labiales inferiores nervi mentalis おとがい神経の下唇枝. =labial *branches* of mental nerve.

rami labiales nervi mentalis [TA]. =labial *branches* of mental nerve.

rami labiales posteriores arteriae perinealis [TA]. 内陰部動脈の後陰唇枝. =posterior labial *branches* of perineal artery.

rami labiales posteriores arteriae pudendae internae 内陰部動脈の後陰唇枝. =posterior labial *branches* of perineal artery.

rami labiales superiores nervi infraorbitalis [TA]. 眼窩下神経の上唇枝. =superior labial *branches* of infraorbital nerve.

r. labialis inferior arteriae facialis =inferior labial *branch* of facial artery.

r. labialis superior arteriae facialis =superior labial *branch* of facial artery.

rami laryngopharyngei ganglii cervicalis superioris [TA]. 上頸神経節の喉頭咽頭枝. =laryngopharyngeal *branches* of superior cervical ganglion.

rami laterales [TA]. 外側枝. =lateral *branches*.

rami laterales arteriae pontis [TA]. =lateral *branches* of pontine arteries.

rami laterales arteriarum centralium anterolateralium 前外側中心動脈の外側枝.

rami laterales arteriarum tuberis cinerei [TA]. =lateral *branches* of artery of tuber cinereum.

rami laterales rami sinistri venae portae hepatis 肝門脈左枝の外側枝 (→lateral *branches*).

rami laterales ramorum dorsalium nervorum spinalum 脊髄神経後枝の外側枝 (→lateral *branches*).

r. lateralis ductus hepatici sinistri 左肝管の外側枝 (→lateral *branches*).

r. lateralis interventricularis anterioris arteriae coronariae sinistrae 左冠状動脈の前室間枝の外側枝 (→lateral *branches*).

r. lateralis nasi arteriae facialis [TA]. =lateral nasal *branch* of facial artery.

r. lateralis nervi supraorbitalis 眼窩上神経の外側枝 (→lateral *branches*).

r. lateralis ramorum dorsalium nervorum thoracicorum 胸神経後枝の外側枝.

rami laterales ramorum posteriorum nervorum cervicalium/thoracalium/lumbalium/sacralium/coccygeum [TA]. =lateral *branches* of posterior rami of cervical/thoracic/lumbar/sacral/coccygeal/spinal nerves.

r. lateralis rami lobaris medii arteriae pulmonalis dextrae 右肺動脈中葉動脈の外側枝 (→lateral *branches*).

rami lienales arteriae lienalis* splenic *branches* of splenic artery の公式の別名.

rami linguales [TA]. 舌枝，舌筋枝. =lingual *branches*.

rami linguales nervi glossopharyngei 舌咽神経の舌筋枝 (→lingual *branches*).

rami linguales nervi hypoglossi 舌下神経の舌筋枝 (→lingual *branches*).

rami linguales nervi lingualis 舌神経の舌枝 (→lingual *branches*).

r. lingualis nervi facialis =lingual *branch* of facial nerve.

r. lingularis inferior 下舌枝. =inferior lingular *artery*.

r. lingularis superior 上舌枝. =superior lingular *artery*.

r. lingularis venae pulmonis sinistrae superioris* lingular *vein* の公式の別名.

rami lobi caudati rami sinistri venae portae hepatis [TA]. =caudate *branches* of left branch of portal vein.

r. lobi medii arteriae pulmonalis dextrae 右肺動脈の中葉動脈 (→middle lobe *vein* of right lung).

r. lobi medii venae pulmonalis dextrae superioris 右上肺静脈の中葉静脈. =middle lobe *vein* of right lung.

r. lumbalis arteriae iliolumbalis [TA]. 腸腰動脈の腰枝. =lumbar *branch* of iliolumbar artery.

rami malleolares laterales arteriae fibularis (peronei) [TA]. =lateral malleolar *branch* (of fibular [peroneal] artery).

rami malleolares mediales arteriae tibialis posterioris [TA]. =medial malleolar *branches* (of posterior tibial artery).

rami mammarii [TA]. 乳腺枝 (→lateral mammary *branches*; medial mammary *branches*).

rami mammarii laterales [TA]. 外側乳腺枝. =lateral mammary *branches*.

rami mammarii laterales arteriae thoracicae lateralis [TA]. =lateral mammary *branches* of lateral thoracic artery.

rami mammarii laterales ramorum cutaneorum lateralis nervorum thoracicorum 肋間神経外側皮枝の外側乳腺枝. =lateral mammary *branches* of lateral pectoral cutaneous branches of intercostal nerves.

rami mammarii laterales ramorum cutaneorum lateralium nervorum intercostalium [TA]. 肋間神経外側皮枝の外側乳腺枝. =lateral mammary *branches* of lateral pectoral cutaneous branches of intercostal nerves.

rami mammarii mediales [TA]. 内側乳腺枝. =medial mammary *branches.*

rami mammarii mediales rami cutanei anterioris ramorum ventralium nervorum thoracicorum 胸神経前枝の前皮枝の内側乳腺枝 (→medial mammary *branches*).

rami mammarii mediales ramorum cutaneorum anteriorum nervorum intercostalium 肋間神経前皮枝の内側乳腺枝 (→medial mammary *branches*).

rami mammarii mediales ramorum perforantium arteriae thoracicae internae 内胸動脈貫通枝の内側乳腺枝 (→medial mammary *branches*).

r. of mandible [TA]. 下顎枝 (下顎骨の両側にある上向垂直部. その外側面に咬筋が付着する). =r. mandibulae [TA].

r. mandibulae [TA]. 下顎枝. =r. of mandible.

r. marginalis [TA]. =marginal *sulcus.*

r. marginalis dexter (arteriae coronariae dextrae) [TA]. =right marginal *branch* (of right coronary artery).

r. marginalis mandibulae nervi facialis [TA]. 顔面神経の下顎縁枝. =marginal mandibular *branch* of facial nerve.

r. marginalis sinister arteriae coronariae sinistrae [TA]. =left marginal *artery.*

r. marginalis sulci cinguli [TA]. =marginal *branch* of cingulate sulcus.

r. marginalis sulci parietooccipitalis [TA]. =marginal *branch* of parieto-occipital sulcus.

r. marginalis tentorii arteriae carotidis internae =tentorial marginal *branch* of cavernous part of internal carotid artery.

r. marginalis tentorii partis cavernosae arteriae carotidis internae [TA]. =tentorial marginal *branch* of cavernous part of internal carotid artery.

rami mastoidei arteriae auricularis posterioris 後耳介動脈の乳突枝. =mastoid *branches* of posterior tympanic artery.

rami mastoidei arteriae tympanicae posterioris [TA]. =mastoid *branches* of posterior tympanic artery.

r. mastoideus arteriae occipitalis [TA]. 後頭動脈の乳突枝. =mastoid *branch* of occipital artery.

r. meatus acustici interni 内耳道枝. =labyrinthine *artery.*

rami mediales [TA]. 内側枝. =medial *branches.*

rami mediales arteriae pontis [TA]. =medial *branches* of pontine arteries.

rami mediales arteriarum centralium anterolateralium 前外側中心動脈の内側枝 (→medial *branches*).

rami mediales arteriarum tuberis cinerei [TA]. =medial *branches* of artery of tuber cinereum.

rami mediales rami sinistri venae portae hepatis 肝門脈左枝の内側枝 (→medial *branches*).

r. medialis ductus hepatici sinistri 左肝管の内側枝 (→medial *branches*).

r. medialis nervi supraorbitalis 眼窩上神経の内側枝 (→medial *branches*).

r. medialis rami lobaris medii arteriae pulmonalis dextrae 右肺動脈の中葉動脈の内側枝 (→medial *branches*).

r. medialis ramorum dorsalium nervorum spinalium cervicalium/thoracicalium/lumbalium/sacralium/coccygeum →medial *branches.* =medial *branch* of posterior rami of cervical/thoracic/lumbar/sacral/coccygeal spinal nerves.

rami mediastinales [TA]. 縦隔枝. =mediastinal *branches.*

rami mediastinales aortae thoracicae [TA]. =mediastinal *branches* of thoracic aorta.

rami mediastinales arteriae thoracicae internae [TA]. =mediastinal *branches* of internal thoracic artery.

rami medullares laterales [TA]. 外側延髄枝 (後下小脳動脈から出て延髄の外側部に分布する枝. 英名 lateral medullary branches).

rami medullares laterales (partis intracranialis) arteriae vertebralis [TA]. =lateral medullary *branches* (of intracranial part) of vertebral artery.

rami medullares mediales [TA]. 内側延髄枝 (後下小脳動脈から出て延髄の内側に分布する枝. 英名 medial medullary branches).

rami medullares mediales arteriae vertebralis [TA]. =medial medullary *branches* of vertebral artery.

rami membranae tympani nervi auriculotemporalis [TA]. 耳介側頭神経の鼓膜枝. =*branches* of auriculotemporal nerve to tympanic membrane.

rami meningei [TA]. =meningeal *branches.*

r. meningeus accessorius 副硬膜枝. =pterygomeningeal *artery.*

r. meningeus accessorius arteriae meningeae mediae 中硬膜動脈の副硬膜枝. =accessory *branch* of middle meningeal artery.

r. meningeus anterior arteriae ethmoidalis anterioris [TA]. =anterior meningeal *branch* (of anterior ethmoidal artery).

r. meningeus anterior arteriae vertebralis 椎骨動脈の前硬膜枝.

r. meningeus arteriae carotidis internae =meningeal *branch* of cavernous part of internal carotid artery.

r. meningeus arteriae occipitalis [TA]. =meningeal *branch* of occipital artery.

r. meningeus medius nervi maxillaris =meningeal *branch* of maxillary nerve.

r. meningeus nervi mandibularis [TA]. =meningeal *branch* of mandibular nerve.

r. meningeus nervi maxillaris [TA]. =meningeal *branch* of maxillary nerve.

r. meningeus nervi vagi [TA]. =meningeal *branch* of vagus nerve.

r. meningeus nervorum spinalium [TA]. =meningeal *branch* of spinal nerves.

r. meningeus partis cavernosae arteriae carotidis internae [TA]. =meningeal *branch* of cavernous part of internal carotid artery.

r. meningeus partis cerebralis arteriae carotidis internae [TA]. =meningeal *branch* of cerebral part of internal carotid artery.

r. meningeus (partis intracranialis) arteriae vertebralis [TA]. =meningeal *branch* of (intracranial part of) vertebral artery.

r. meningeus posterior 椎骨動脈の後硬膜枝.

r. meningeus recurrens nervi ophthalmici [TA]. 眼神経の反回硬膜枝. =tentorial *nerve.*

rami mentales nervi mentalis [TA]. おとがい神経のおとがい枝. =mental *branches* of mental nerve.

r. mentalis arteriae alveolaris inferioris [TA]. =mental *branch* (of inferior alveolar artery).

rami musculares [TA]. 筋枝. =muscular *branches.*

rami musculares arteriae vertebralis [TA]. →muscular *branches.*

rami musculares nervi accessorii [TA]. →muscular *branches.*

rami musculares nervi axillaris [TA]. →muscular *branches.*

rami musculares nervi fibularis profundi [TA]. →muscular *branches.*

rami musculares nervi fibularis superficialis [TA]. →muscular *branches.*

rami musculares nervi interossei antebrachii anterior [TA]. →muscular *branches.*

rami musculares nervi mediani [TA]. →muscular *branches.*

R

rami musculares nervi musculocutanei [TA]. → muscular *branches.*

rami musculares nervi radialis [TA]. → muscular *branches.*

rami musculares nervi tibialis [TA]. → muscular *branches.*

rami musculares nervi ulnaris [TA]. → muscular *branches.*

rami musculares nervorum intercostalium [TA]. → muscular *branches.*

rami musculares nervorum perinealium [TA]. → muscular *branches.*

rami musculares nervorum spinalium [TA]. → muscular *branches.*

rami musculares partis supraclavicularis plexus brachialis [TA]. → muscular *branches.*

rami musculares rami anterioris nervi obturatorii [TA]. → muscular *branches.*

rami musculares rami posterioris nervi obturatorii [TA]. → muscular *branches.*

r. musculi stylopharyngei nervi glossopharyngei [TA]. 舌咽神経の茎突咽頭筋枝. = stylopharyngeal *branch* of glossopharyngeal nerve.

r. mylohyoideus arteriae alveolaris inferioris [TA]. 下歯槽動脈の顎舌骨筋枝. = mylohyoid *branch* (of inferior alveolar artery).

rami nasales anteriores laterales arteriae ethmoidalis anterioris [TA]. = anterior lateral nasal *branches* of anterior ethmoidal artery.

rami nasales externi [TA]. 外鼻枝. = external nasal *branches.*

rami nasales externi nervi ethmoidalis anterioris 前篩骨神経の外鼻枝 (→ external nasal *branches* of infraorbital nerve).

rami nasales externi nervi infraorbitalis 眼窩下神経の外鼻枝 (→ external nasal *branches*).

rami nasales interni [TA]. 内鼻枝. = internal nasal *branches.*

rami nasales interni nervi ethmoidalis anterioris 前篩骨神経の内鼻枝 (→ internal nasal *branches*).

rami nasales interni nervi infraorbitalis 眼窩下神経の内鼻枝 (→ internal nasal *branches*).

rami nasales laterales nervi ethmoidalis anterioris [TA]. 前篩骨神経の外側鼻枝. = lateral nasal *branches* of anterior ethmoidal nerve.

rami nasales mediales nervi ethmoidalis anterioris [TA]. 前篩骨神経の内側鼻枝. = medial nasal *branches* of anterior ethmoidal nerve.

rami nasales posteriores inferiores nervi palatini majoris [TA]. 大口蓋神経の下後鼻枝. = posterior inferior nasal *nerves.*

rami nasales posteriores superiores laterales ganglii pterygopalatini 翼口蓋神経節の外側上後鼻枝. = posterior superior lateral nasal *branches* of maxillary nerve.

rami nasales posteriores superiores laterales nervi maxillaris [TA]. = posterior superior lateral nasal *branches* of maxillary nerve.

rami nasales posteriores superiores mediales ganglii pterygopalatini 翼口蓋神経節の内側上後鼻枝. = posterior superior medial nasal *branches* of maxillary nerve.

rami nasales posteriores superiores mediales nervi maxillaris [TA]. = posterior superior medial nasal *branches* of maxillary nerve.

r. nervi oculomotorii arteriae communicantis posterioris 後交連動脈の動眼神経枝 (後交連動脈から動眼神経に分布する枝).

r. nodi atrioventricularis [TA]. = atrioventricular nodal *branch.*

r. nodi sinuatrialis arteriae coronariae dextrae [TA]. 右冠状動脈の洞房結節枝. = sinuatrial (S-A) nodal *branch* of right coronary artery.

rami nucleorum hypothalamicorum [TA]. 視床下部核枝 (前脈絡叢動脈から視床下部の諸核へ分布する枝).

r. obturatorius arteriae epigastricae inferioris 下腹壁動脈の閉鎖枝. = accessory obturator *artery.*

r. obturatorius rami pubici arteriae epigastricae inferioris [TA]. = obturator *branch* of pubic *branch* of inferior epigastric artery.

rami occipitales arteriae auricularis posterioris 後耳介動脈の後頭枝 (→ occipital *branch*).

rami occipitales arteriae occipitis 後頭動脈の後頭枝 (→ occipital *branch*).

rami occipitales nervi auricularis posterioris 後耳介神経の後頭枝 (→ occipital *branch*).

r. occipitalis [TA]. 後頭枝. = occipital *branch.*

r. occipitotemporalis [TA]. 後頭側頭葉枝 (内側後頭葉動脈から出て後頭葉の後頭部および側頭部に分布する枝. 英名 occipitotemporal branch).

rami omentales [TA]. 大網枝. = omental *branches.*

rami orbitales nervi maxillaris [TA]. = orbital *branches* of maxillary nerve.

r. orbitalis arteriae meningeae mediae [TA]. 中硬膜動脈の眼窩枝. = orbital *branch* of middle meningeal artery.

r. orbitalis ganglii pterygopalatini 翼口蓋神経節の眼窩枝. = orbital *branches* of maxillary nerve.

r. ossis ischii [TA]. 坐骨枝. = r. of ischium.

rami ovarici arteriae uterinae [TA]. 子宮動脈の卵巣枝. = ovarian *branches* of uterine artery.

r. palmaris nervi interossei antebrachii anterioris [TA]. = palmar *branch* of anterior interosseous nerve.

r. palmaris nervi mediani 正中神経の掌枝. = palmar *branch* of anterior interosseous nerve.

r. palmaris nervi ulnaris [TA]. 尺骨神経の掌枝. = palmar *branch* of ulnar nerve.

r. palmaris profundus arteriae ulnaris [TA]. 〔尺骨動脈〕深掌枝. = deep palmar *branch* of ulnar artery.

r. palmaris superficialis arteriae radialis [TA]. 〔橈骨動脈〕浅掌枝. = superficial palmar *branch* of radial artery.

rami palpebrales nervi infratrochlearis [TA]. 滑車下神経の眼瞼枝. = palpebral *branches* of infratrochlear nerve.

rami pancreatici [TA]. 膵枝. = pancreatic *branches.*

rami pancreatici arteriae pancreaticoduodenalis superioris [TA]. 上膵十二指腸動脈の膵枝 (→ pancreatic *branches*).

rami pancreatici arteriae splenicae [TA]. 脾動脈の膵枝 (→ pancreatic *branches*).

r. paracentrales [TA]. = paracentral *branches* (of pericallosal artery).

rami paracentrales arteriae callosomarginalis [TA]. = paracentral *branches* of callosomarginal artery.

rami parietales [TA]. 頭頂枝. = parietal *branch.*

r. parietalis arteriae meningeae mediae [TA]. 中硬膜動脈の頭頂枝. = parietal *branch* of middle meningeal artery.

r. parietalis arteriae occipitalis medialis [TA]. = parietal *branch* of medial occipital artery.

r. parietalis arteriae temporalis superficialis [TA]. = parietal *branch* of superficial temporal artery.

r. parieto-occipitalis [TA]. 頭頂後頭枝 (中後頭動脈の枝).

r. parieto-occipitalis arteriae occipitalis medialis [TA]. = parieto-occipital *branch* of medial occipital artery.

rami parieto-occipitales arteriae pericallosae [TA]. = parietooccipital *branches* of pericallosal artery.

rami parotidei [TA]. 耳下腺枝. = parotid *branches.*

r. parotidei arteriae temporalis superficialis [TA]. 浅側頭動脈の耳下腺枝 (→ parotid *branches*).

rami parotidei nervi auriculotemporalis 耳介側頭神経の耳下腺枝 (→ parotid *branches*).

rami parotidei venae facialis 顔面静脈の耳下腺枝 (→ parotid *branches*).

rami partis retrolentiformis capsulae internae [TA]. 内包のレンズ核後部枝. = rami capsulae internae.

rami pectorales arteriae thoracoacromialis [TA]. 胸肩峰動脈の胸筋枝. = pectoral *branches* of thoracoacromial artery.

rami pedunculares [TA]. 大脳脚枝 (後大脳動脈から大脳脚に分布する枝. 英名 peduncular branches.).

r. perforans [TA]. 貫通枝. =perforating *branches*.

r. perforans arteriae fibularis [TA]. =perforating *branch* of fibular artery.

r. perforans arteriae interossei anterioris [TA]. =perforating *branch* of anterior interosseous artery.

rami perforantes arcus palmaris profundi [TA]. 深掌動脈弓の貫通枝 (⇀palmar metacarpal *arteries*). =perforating *branches* of deep palmar arch.

rami perforantes arteriae thoracicae internae [TA]. 内胸動脈貫通枝. =perforating *branches* of internal thoracic artery.

rami perforantes arteriarum metacarpalium palmarium ⇀perforating *branches* of deep palmar arch.

rami perforantes arteriarum metatarsearum plantarium [TA]. =perforating *branches* of plantar metatarsal arteries.

rami pericardiaci aortae thoracicae [TA]. 胸大動脈の心膜枝. =pericardial *branches* of thoracic aorta.

r. pericardiacus nervi phrenici [TA]. 〔横隔神経〕心膜枝. =pericardial *branch* of phrenic nerve.

rami perineales nervi cutanei femoris posterioris [TA]. 後大腿皮神経の会陰枝. =perineal *branches* of posterior cutaneous nerve of thigh.

peroneal anastomotic r. =sural communicating *branch* of common fibular nerve.

r. petrosus arteriae meningeae mediae [TA]. 中硬膜動脈の岩様部枝. =petrosal *branch* of middle meningeal artery.

rami pharyngeales* 咽頭枝 (pharyngeal *branches* の公式の別名).

rami pharyngeales arteriae pharyngeae ascendentis [TA]. =pharyngeal *branch* of the ascending pharyngeal artery.

rami pharyngeales arteriae thyroideae inferioris [TA]. =pharyngeal *branch* of inferior thyroid artery.

rami pharyngei [TA]. =pharyngeal *branches*.

rami pharyngei nervi glossopharyngei [TA]. =pharyngeal *branch* of glossopharyngeal nerve.

rami pharyngei nervi laryngei recurrentis [TA]. =pharyngeal *branches* of recurrent laryngeal nerve.

rami pharyngei nervi vagi [TA]. =pharyngeal *branch* of vagus nerve.

r. pharyngeus arteriae canalis pterygoidei [TA]. =pharyngeal *branch* of the artery of pterygoid canal.

r. pharyngeus arteriae palatinae descendentis [TA]. 下行口蓋動脈の咽頭枝. =pharyngeal *branch* of descending palatine artery.

r. pharyngeus ganglii pterygopalatini 翼口蓋神経節の咽頭枝. =pharyngeal *nerve*.

rami phrenicoabdominales nervi phrenici [TA]. 横隔神経の横隔腹枝. =phrenicoabdominal *branches* of phrenic nerve.

r. plantaris profundus arteriae dorsalis pedis 足背動脈の深足底枝. =deep plantar *artery*.

r. posterior arteriae obturatoriae [TA]. 閉鎖動脈の後枝. =posterior *branch* of obturator artery.

r. posterior arteriae pancreaticoduodenalis inferioris [TA]. =posterior *branch* of inferior pancreaticoduodenal artery.

r. posterior arteriae recurrentis ulnaris [TA]. =posterior *branch* of ulnar recurrent artery.

r. posterior arteriae renalis ⇀segmental *arteries* of kidney. =posterior *branch* of renal artery.

r. posterior arteriae thyroideae superioris =posterior glandular *branch* of superior thyroid artery.

r. posterior descendens 下行後〔上葉〕動脈. =descending *branch* of posterior segmental artery of left and right lungs.

r. posterior ductus hepatici dextri [TA]. =posterior *branch* of right hepatic duct.

rami posteriores [TA]. =posterior *branches*.

posterior r. of lateral cerebral sulcus [TA]. 大脳皮質外側溝の後枝溝 (外側溝から後方へ長く続く溝で, 下方に側頭葉, 上方に頭頂葉の間を延びて縁上回に囲まれて終わる). =posterior branch of lateral cerebral sulcus; r. posterior sulci lateralis cerebri.

r. posterior nervi auricularis magni [TA]. =posterior *branch* of great auricular nerve.

r. posterior nervi cutanei antebrachii medialis [TA]. =posterior *branch* of medial cutaneous nerve of forearm.

r. posterior nervi obturatorii [TA]. =posterior *branch* of obturator nerve.

r. posterior nervi spinalis [TA]. =posterior *r.* of spinal nerve.

r. posterior rami dextri venae portae hepatis [TA]. =posterior *branch* of right branch of portal vein.

posterior r. of spinal nerve [TA]. 脊髄神経後枝 (後方を向いた細い枝で, 太い前枝とともに31対の脊髄神経の終末枝で椎間孔で形成され, 唐突に後方へ反転し外側枝と内側枝に分かれ, 背中の固有背筋に分布する. 内側枝はまた関節突起間関節に関節枝を送ったり椎弓の骨膜にも分布するし, 頸部や上背部では浅深背筋を貫いて皮膚にも分布する(背中の下方では外側枝も同じ). TAでは以下のものについてこの名称を採用している. ⅰ頸神経, ⅱ胸神経, ⅲ腰神経, ⅳ仙骨神経, ⅴ尾骨神経). =r. dorsalis [TA]; r. posterior nervi spinalis [TA]; dorsal primary r. of spinal nerve*; r. dorsalis nervi spinalis*; dorsal branch (2); posterior primary division.

r. posterior sulci lateralis cerebri =posterior *r.* of lateral cerebral sulcus.

r. posterior venae pulmonalis dextrae superioris [TA]. =posterior *vein*.

rami precuneales arteriae pericallosae =precuneal *branches* of pericallosal artery.

r. prelaminaris rami spinalis rami dorsalis arteriae intercostalis posterioris [TA]. =prelaminar *branch* of spinal branch of dorsal branch of posterior intercostal artery.

rami profundi arteriae transversae cervicis [TA]. 頸横動脈深枝. =dorsal scapular *artery*.

r. profundus [TA]. 深枝. =deep *branch*.

r. profundus arteriae circumflexae femoris medialis [TA]. =deep *branch* of the medial circumflex femoral artery.

r. profundus arteriae gluteae superioris [TA]. =deep *branch* of the superior gluteal artery.

r. profundus arteriae plantaris medialis [TA]. =deep *branch* of the medial plantar artery.

r. profundus arteriae scapularis descendentis 下行肩甲動脈深枝. =dorsal scapular *artery*.

r. profundus arteriae transversae colli [TA]. 頸横動脈深枝. =dorsal scapular *artery*.

r. profundus nervi plantaris lateralis [TA]. =deep *branch* of the lateral plantar nerve.

r. profundus nervi radialis [TA]. 橈骨神経深枝. =deep *branch* of radial nerve.

r. profundus nervi ulnaris [TA]. =deep *branch* of the ulnar nerve.

rami prostatici arteriae rectalis mediae [TA]. =prostatic *branches* of middle rectal artery.

rami prostatici arteriae vesicalis inferioris [TA]. =prostatic *branches* of inferior vesical artery.

rami pterygoidei arteriae maxillaris 顎動脈の翼突筋枝. =pterygoid *branch* of posterior deep temporal artery.

r. pterygoideus arteriae temporalis profundae posterioris [TA]. =pterygoid *branch* of posterior deep temporal artery.

pubic rami 恥骨枝 (⇀inferior pubic r.; superior pubic r.).

r. pubicus arteriae epigastricae inferioris [TA]. 下腹壁動脈の恥骨枝. =pubic *branch* of inferior epigastric artery.

r. pubicus arteriae obturatoriae [TA]. 〔閉鎖動脈〕恥骨枝. =pubic *branch* of obturator artery.

r. pubicus venae epigastricae inferioris* [TA]. pubic

veinの公式の別名.

rami pulmonales plexi nervosi pulmonalis [TA]. = pulmonary *branches* of pulmonary nerve plexus.

rami pulmonales systematis autonomici 自律神経系の肺枝. = pulmonary *branches* of autonomic nervous system.

rami pulmonales (thoracici gangliorum thoracicorum) [TA]. = thoracic pulmonary *branches* (of thoracic ganglia).

r. pyloricus trunci vagalis anterioris [TA]. = pyloric *branch* of anterior vagal trunk.

rami radiculares 根枝. = spinal *arteries.*

rami renales nervi vagi [TA]. 迷走神経の腎枝. = renal *branches* of vagus nerve.

r. renalis nervi splanchnici minoris [TA]. 小内臓神経の腎枝. = renal *branch* of lesser splanchnic nerve.

rami sacrales laterales arteriae sacralis medianae [TA]. = lateral sacral *branches* of median sacral artery.

r. saphenus arteriae descendentis genicularis [TA]. 下行膝動脈の伏在枝. = saphenous *branch* of descending genicular artery.

rami scrotales anteriores arteriae pudendae externae profundae [TA]. 深外陰部動脈の前陰嚢枝. = anterior scrotal *branch* of deep external pudendal artery.

rami scrotales posteriores arteriae perinealis [TA]. = posterior scrotal *branches* of perineal artery.

rami scrotales posteriores arteriae pudendae internae 内陰部動脈の後陰嚢枝. = posterior scrotal *branches* of perineal artery.

rami septales anteriores arteriae ethmoidalis anterioris [TA]. = anterior septal *branches* of anterior ethmoidal artery.

rami septales posteriores arteriae sphenopalatinae [TA]. = posterior septal *branches* of sphenopalatine artery.

r. septi nasi arteriae labialis superioris [TA]. = nasal septal *branch* of superior labial branch of facial artery.

r. septi posterioris nasalis = posterior septal *branches* of sphenopalatine artery.

r. sinister [TA]. 左枝. = left *branch.*

r. sinister arteriae hepaticae propriae [TA]. 固有肝動脈左枝. = left *branch* of hepatic artery proper.

r. sinister venae portae hepatis 〔肝〕門脈左枝.

r. sinus carotici [TA]. 頸動脈洞枝. = carotid *branch* of glossopharyngeal nerve [CN IX].

r. sinus carotici nervi glossopharyngei [CN IX] [TA]. = carotid *branch* of glossopharyngeal nerve [CN IX].

r. sinus cavernosi 海綿静脈洞枝（内頸動脈の海綿洞部から出て海綿洞壁に分布する枝).

r. sinus cavernosi arteriae carotidis arteriae = cavernous *branches* of cavernous part of internal carotid artery.

r. sinus cavernosi arteriae carotidis internae = cavernous *branches* of cavernous part of internal carotid artery.

r. sinus cavernosi partis cavernosae arteriae carotidis internae [TA]. = cavernous *branches* of cavernous part of internal carotid artery.

rami spinales [TA]. 脊髄枝（①= spinal *arteries.* ②髄膜と脊髄から排液する静脈，すなわち椎間静脈の支流). = spinal branches.

rami splenici arteriae splenicae [TA]. = splenic *branches* of splenic artery.

r. stapedius arteriae stylomastoideae 茎乳突孔動脈のあぶみ骨枝. = stapedial *branch* of posterior tympanic artery.

r. stapedius arteriae tympanicae posterioris [TA]. = stapedial *branch* of posterior tympanic artery.

rami sternales arteriae thoracicae internae [TA]. 内胸動脈の胸骨枝. = sternal *branches* of internal thoracic artery.

rami sternocleidomastoidei arteriae occipitalis 後頭動脈の胸鎖乳突筋枝. = sternocleidomastoid *branches* of occipital artery.

r. sternocleidomastoideus arteriae thyroideae superioris [TA]. 上甲状腺動脈の胸鎖乳突筋枝. = sternocleidomastoid *branch* of superior thyroid artery.

r. stylohyoideus nervi facialis [TA]. 顔面神経の茎突舌骨筋枝. = stylohyoid *branch* of facial nerve.

rami subendocardiales fasciculi atrioventricularis [TA]. = subendocardial *branches* of atrioventricular bundles.

rami subscapulares arteriae axillaris [TA]. = subscapular *branches* of axillary artery.

rami substantiae nigrae [TA]. 黒質枝（前脈絡叢動脈から黒質に分布する枝).

r. superficialis [TA]. 浅枝. = superficial *branch.*

r. superficialis arteriae circumflexae femoris medialis [TA]. = superficial *branch* of medial circumflex femoral artery.

r. superficialis arteriae gluteae superioris [TA]. = superficial *branch* of the superior gluteal artery.

r. superficialis arteriae plantaris medialis [TA]. = superficial *branch* of the medial plantar artery.

r. superficialis arteriae transversae cervicis [TA]. = superficial cervical *artery.*

r. superficialis arteriae transversae colli = superficial cervical *artery* of transverse cervical artery.

r. superficialis nervi plantaris lateralis [TA]. = superficial *branch* of the lateral plantar nerve.

r. superficialis nervi radialis [TA]. = superficial *branch* of the radial nerve.

r. superficialis nervi ulnaris [TA]. = superficial *branch* of the ulnar nerve.

r. superior 上枝. = superior *branch.*

r. superior arteriae gluteae superioris [TA]. = superior *branch* of the superior gluteal artery.

superior dental rami 上歯枝（上歯神経叢の枝). = superior dental *branches* (of superior dental plexus).

r. superior nervi oculomotorii [CN III] [TA]. = superior *branch* of the oculomotor nerve [CN III].

r. superior nervi transversalis cervicalis (colli) [TA]. = superior *branch* of the transverse cervical nerve.

r. superior ossis pubis [TA]. = superior pubic r.

superior pubic r. [TA]. 恥骨上枝（恥骨体から後上方にのびて閉鎖孔の上縁をなす断面が三角形の骨の突起で，発生的には寛骨臼関節面の 1/5 を形成する). = r. superior ossis pubis [TA]; superior branch of the pubic bone.

r. superior venae pulmonalis dextrae/sinistrae inferioris = superior *branch* of the right and left inferior pulmonary veins.

r. suprahyoideus arteriae lingualis [TA]. 舌動脈の舌骨上枝. = suprahyoid *branch* of lingual artery.

r. sympathicus (sympatheticus) ad ganglion submandibulare 顎下神経節への交感神経枝. = sympathetic *root* of submandibular ganglion.

rami temporales anteriores [TA]. 前側頭枝（外側後頭動脈の前側頭枝で大脳側頭葉前部皮質に分布する).

rami temporales intermedii [TA]. 中間側頭葉枝（外側後頭葉動脈の枝で，側頭葉中間部および内側部に分布する).

rami temporales intermedii arteriae occipitalis lateralis [TA]. = intermediate temporal *branches* of lateral occipital artery.

rami temporales medii arteriae occipitalis lateralis☆ intermediate temporal *branches* of lateral occipital artery の公式の別名.

rami temporales nervi facialis [TA]. = temporal *branches* of facial nerve.

rami temporales posteriores [TA]. 後側頭葉枝（外側後頭葉動脈の枝で，側頭葉後部に分布する).

rami temporales superficiales nervi auriculotemporalis [TA]. 〔耳介側頭神経〕浅側頭枝. = superficial temporal *branches* of auriculotemporal nerve.

r. temporalis anterior [TA]. = anterior temporal *branch.*

r. temporalis medius partis insularis arteriae cerebrae mediae [TA]. = middle temporal *branch* of insular part of middle cerebral artery.

r. temporalis posterior arteriae cerebri mediae [TA]. ＝posterior temporal *branch* of middle cerebral artery.

r. tentorii* テント枝（tentorial *nerve* の公式の別名）.

rami terminales arteriae cerebri medii [TA]. ＝inferior terminal (cortical) *branches* of middle cerebral artery.

rami thalamici 視床枝（後大脳動脈から視床に分布する数本の枝．例えば視床貫通動脈，視床膝状動脈など）.

r. thalamicus 視床枝（中大脳動脈の枝で，視床に分布するもの）.

rami thymici 胸腺枝．＝mediastinal *branches* of internal thoracic artery.

rami thymici arteriae thoracicae internae [TA]. ＝thymic *branches* of internal thoracic artery.

r. thyrohyoideus ansae cervicalis [TA]. 頸神経わなの甲状舌骨筋枝．＝thyrohyoid *branch* of ansa cervicalis.

r. tonsillae cerebellae [TA]. 小脳扁桃枝（後下小脳動脈から出て小脳の扁桃に分布する枝）．＝branch to the cerebellar tonsil.

rami tonsillares nervi glossopharyngei [TA]. 舌咽神経の扁桃枝．＝tonsillar *branches* of glossopharyngeal nerve.

rami tonsillares nervi palatini minores [TA]. ＝tonsillar *branches* of lesser palatine nerves.

r. tonsillaris arteriae facialis [TA]. 顔面動脈の扁桃枝．＝tonsillar *branch* of the facial artery.

rami tracheales [TA]. 気管枝．＝tracheal *branches.*

rami tracheales arteriae thyroideae inferioris ⇀ tracheal *branches.*

rami tracheales nervi laryngei recurrentis [TA]. ⇀ tracheal *branches.*

rami tractus optici [TA]. 視索枝（前脈絡叢動脈から視索へ分布する枝）．＝branches to optic tract [TA] branches.

r. transversus arteriae circumflexae femoris lateralis [TA]. ＝transverse *branch* of lateral femoral circumflex artery.

r. transversus arteriae circumflexae femoris medialis 内側大腿回旋動脈の横枝.

r. tubarius [TA]. 耳管枝．＝tubal *branch.*

r. tubarius arteriae ovaricae [TA]. ＝tubal *branch* of ovarian artery.

r. tubarius arteriae uterinae [TA]. ＝tubal *branch* of the uterine artery.

r. tubarius plexus tympanici [TA]. ＝tubal *branch* of the tympanic plexus.

rami tuberis cinerei [TA]. 灰白隆起枝（前脈絡叢動脈から灰白隆起に分布する枝）.

r. ulnaris nervi cutanei antebrachii medialis 内側前腕皮神経の尺側枝．＝posterior *branch* of medial cutaneous nerve of forearm.

rami ureterici [TA]. 尿管枝．＝ureteric *branches.*

rami ureterici arteriae ovaricae [TA]. ＝ureteric *branches* of the ovarian artery.

rami ureterici arteriae renalis [TA]. ＝ureteric *branches* of the renal artery.

rami ureterici arteriae testicularis [TA]. ＝ureteric *branches* of the testicular artery.

rami ureterici partis patentis arteriae umbilicalis [TA]. 臍動脈開存部の尿管枝．＝ureteric *branches* of the patent part of umbilical artery.

ventral rami of cervical nerves* 頸神経前枝（anterior rami of cervical nerves の公式の別名）.

rami ventrales nervorum cervicalium 頸神経前枝（⇀anterior r. of spinal nerve）．＝anterior rami of cervical nerves.

rami ventrales nervorum lumbalium 腰神経前枝（⇀anterior r. of spinal nerve）．＝anterior rami of lumbar nerves.

rami ventrales nervorum sacralium 仙骨神経前枝（⇀anterior r. of spinal nerve）．＝anterior rami of sacral nerves.

rami ventrales nervorum thoracis* 胸神経前枝（anterior rami of thoracic nerves の公式の別名）.

r. ventralis ⇀ventral primary rami of cervical spinal nerves; ventral primary rami of lumbar spinal nerves; ventral primary rami of sacral spinal nerves; anterior r. of spinal nerve. ＝ventral *branch.*

r. ventralis nervi spinalis* 〔脊髄神経〕前枝（anterior r. of spinal nerve の公式の別名）.

ventral rami of lumbar nerves* 腰神経前枝（anterior rami of lumbar nerves の公式の別名）.

ventral primary rami of cervical spinal nerves 頸神経前枝．＝anterior rami of cervical nerves.

ventral primary rami of lumbar spinal nerves 腰神経前枝．＝anterior rami of lumbar nerves.

ventral primary rami of sacral spinal nerves 仙骨神経前枝（⇀anterior r. of spinal nerve）．＝anterior rami of sacral nerves.

ventral primary r. of spinal nerve 脊髄神経前枝．＝anterior r. of spinal nerve.

ventral primary rami of thoracic spinal nerves 胸神経前枝．＝anterior rami of thoracic nerves.

ventral rami of sacral nerves* 仙骨神経前枝（anterior rami of sacral nerves の公式の別名）.

ventral r. of spinal nerve* anterior r. of spinal nerve の公式の別名.

ventral rami of thoracic nerves* 胸神経前枝（anterior rami of thoracic nerves の公式の別名）.

r. vermis superior [TA]. ＝superior vermian *branch* (of superior cerebellar artery).

rami vestibulares arteriae labyrinthi 迷路動脈の前庭枝（迷路動脈の枝）.

r. vestibularis posterior arteriae vestibulocochlearis [TA]. ＝posterior vestibular *branch* of vestibulocochlear artery.

white rami communicantes [TA]. 白交通枝（脊髄胸神経前枝および腰神経前枝から出る短い神経線維で，交感神経の節前線維がここを通って交感神経幹へはいっていく．また内臓神経によって交感神経幹へはいってきた内臓求心性線維もここを通る．大部分は有髄線維である）．＝rami communicantes albi [TA]; communicating branches of spinal nerves; rami communicantes nervorum spinalium.

rami zygomatici nervi facialis [TA]. 顔面神経の頬骨枝．＝zygomatic *branches* of facial nerve.

r. zygomaticofacialis nervi zygomatici [TA]. 頬骨神経の頬骨顔面枝．＝zygomaticofacial *branch* of zygomatic nerve.

r. zygomaticotemporalis nervi zygomatici [TA]. 頬骨神経の頬骨側頭枝．＝zygomaticotemporal *branch* of zygomatic nerve.

---

ra·my·cin (rǎ-mī′sin). ラミシン．＝fusidic acid.

ran·cid (ran′sid) [L. *rancidus*, stinking, rank]. 酸敗臭の，敗油性の（不快なにおいと味を有する．通常，酸化または細菌分解を経て，より揮発性の臭気を放つ物質になりつつある脂肪の特徴をもつ）.

ran·cid·i·fy (ran-sid′i-fī). 酸敗する，酸敗させる.

ran·cid·i·ty (ran-sid′i-tē). 酸敗〔性〕.

Rand (rand), Gertrude. 米国人視覚心理学者，1886—1970. ⇀Hardy-R.-Ritter *test.*

Rand (rand), M.J. 20世紀の薬理学者．⇀Burn and R. *theory.*

Randall (ran′dǎl), Alexander. 20世紀初頭の米国人泌尿器科医，1883—？ ⇀R. stone *forceps.*

ran·dom (ran′dǒm) [M.E. *randon*, speed, erransy < O. Fr. *randir*, to run < Germanic]. ランダム（①偶然により支配される．結果が不確定で，あらかじめ指定された確率をもつどれかの値（ドメイン）を想定する過程に用いられる．ランダム過程が確率論で汎用されているが，その言葉の経験的正当化はより複雑である．最低必要条件はその過程を繰り返し実現すると安定な分布に落ち着くか，または，もし計量的でないなら，その特性が分類できるときにだけ，安定な頻度に落ち着く．②⇀random *mechanism*）.

ran·dom·i·za·tion (ran′dom-ĭ-zā′shun). ランダム化（ランダムな割り付け．ある実体，例えば治療レジメンが，既知の，一般には等しい確率で選ばれるように正式なシステムを用いて割り付けを行う過程．これは，乱数表，コイントス，または選択されるかどうかが確率のみに基づくような他のシ

R

ステムを用いることによって実施することができる).

range (rānj) [O.Fr. *rang*, line < Germanic]. 較差，レンジ，分布域，値域，範囲（最大値と最小値またはそれらの差によって定められる分布のばらつき具合を示すために用いられる統計的尺度．例えば，6，8，9，10，13，16歳の子供の群の範囲は6—16あるいは10(16引く6)である).

active r. of motion (**AROM**) 自動可動域（随意的に関節を動かしたときの運動域).

passive r. of motion (**PROM**) 他動可動域（外力または療法士により関節を動かした場合の関節運動域).

therapeutic r. 治療域（望ましい治療効果を達成することが通常期待される用量域または血漿中あるいは血清中濃度域をいう．この範囲以上または以下の用量(または濃度)を必要とする患者もいる．またこの範囲内で薬物の毒性を経験する患者もいる).

ra·nine (rā′nīn) [L. *rana*, a frog]. ***1*** カエルの．***2*** 舌下面の．

rank (rank). ***1*** 順位（一連の観察結果に属するある観察結果の順位)．***2*** 整列（一連の観察結果を順位に従って並べること).

Ran·ke (rahn′kĕ), Johannes. ドイツ人人類学者・医師，1836—1916. ⇀R. *angle*.

Ran·ke (rahn′kĕ), Karl E. von. ドイツ人化学者，1870—1926. ⇀R. *formula*.

Ran·kin (ran′kĭn), Fred Wharton. 米国人外科医，1886—1954. ⇀R. *clamp*.

Ran·kine (rangk′kin), William J. McQ. スコットランド人物理学者，1820—1870. ⇀R. *scale*.

RANKL (rank′ĕl). receptor activator of nuclear *factor-κ*B の略．

Ran·so·hoff (ran′să-kof), Joseph. 米国人外科医，1853—1921. ⇀R. *sign*.

RANTES [*R*egulated on *a*ctivation, *n*ormal *T* *e*xpressed and *s*ecreted]. ランテス（CCケモカインファミリーに属するケモカインの頭字語．8 kDの蛋白で，メモリーTリンパ球と単球に選択的に遊走活性を示す).

ran·u·la (ran′yū-lă) [L. tadpole: *rana*(frog)の指小辞]. ***1*** 舌下．=hypoglottis. ***2*** ガマ腫，ラヌラ（舌下面あるいは口腔底の嚢胞で，特に舌下腺の導管の閉塞により口腔底に生じるものをさす). =ptyalocele; ranine tumor; sialocele; sublingual cyst.

ran·u·lar (ran′yū-lăr). ガマ腫の．

Ran·vi·er (rahn-vē-ā′), Louis A. フランス人病理学者，1835—1922. ⇀R. *crosses*, *discs*; *node* of R.; R. *plexus*, *segment*.

RAO X線撮影で right anterior oblique(右前斜位像)の略．

Raoult (rah-ūl), François M. フランス人物理学者，1830—1899. ⇀R. *law*.

rapacuronium bromide (rap′ă-kū-rō′nē-ŭm brō′mīd). 臭化ラパクロニウム（即効性で中時間作用の非脱分極性筋弛緩薬．重症気管支痙攣の報告のため，企業により，市場から自発的に撤退).

RAPD rapid analysis of polymorphic DNA(DNA多形性の迅速解析法)の略．

rape (rāp) [L. *rapio*, to seize, to drag away]. ***1*** 強姦（暴力，強制，脅迫，あるいは法的な承認なし(例えば未成年)に行う性交)．***2*** 強姦行為（***1*** の行為の実行).

virgin r. 処女強姦，ヴァージンレイプ（通常の抵抗ができない障害者がしばしば犠牲となるが，処女と考えられる人を強姦することで，エイズなどの性病が治癒すると信じて行う．この考えは16世紀にヨーロッパで処女浄化といわれた考えと同様である).

rape·seed oil (rāp′sēd oyl) [L. *rapa*, turnip]. ナタネ油（アブラナ科のアブラナ *Brassica campestris* の種子から得た圧搾油．石けん，マーガリン，潤滑剤などの製造に用いる).

ra·pha·ni·a (ră-fā′nē-ă). ラファヌス中毒〔症〕，ダイコン属中毒〔症〕（野ダイコンであるハマダイコン *Rhaphanus rhaphanistrum* の種子による中毒に起因すると考えられる痙性疾患). =rhaphania.

ra·phe (rā′fē) [G. *rhaphē*, suture, seam][TA]. 縫線（[誤った発音 rah-fā′ および rāf を避けること．本ギリシア語の最後のeの上に揚音符(′)を付けないこと．英語のつづりでは，ギリシア語の単語の最初のrには通常hが続くが，本単語 raphe でも rhaphe でも正しいつづりである]．隣接した両側に対称的な2個の構造の結合線). =rhaphe.

amnionic r. 羊膜縫線（は虫類，鳥類，およびある種の哺乳類にみられる胚をおおう羊膜ひだの融合線).

r. anococcygea =anococcygeal *body*.

anogenital r. 肛門性器縫線（男の胎児では生殖ひだと生殖隆起の閉鎖線が肛門から陰茎亀頭までのびたもの．成人では会陰縫線，陰嚢縫線，陰茎縫線の3部分に分化する).

r. corporis callosi 脳梁縫線（脳梁上面の中央を前後に走るわずかな溝).

iliococcygeal r. [TA]. 腸骨尾骨縫線（左右の腸骨尾骨筋が正中で会合するところ(肛門の後)にできる靱帯構造の一部). =r. musculi iliococcygeus [TA].

lateral palpebral r. 外側眼瞼縫線（眼輪筋の外側部分の中にみられる幅の狭い線維帯で，上下眼瞼の間を行き交う結合組織線維からなる). =palpebral r.; r. palpebralis lateralis.

r. linguae =median *sulcus* of tongue.

median longitudinal r. of tongue =median *sulcus* of tongue.

r. of medulla oblongata =r. medullae oblongatae.

r. medullae oblongatae [TA]. 延髄縫線（延髄の縫い目様中央帯．間に神経細胞体が分散している線維束の交叉が特徴). =r. of medulla oblongata.

r. musculi iliococcygeus [TA]. =iliococcygeal r.

r. palati [TA]. 口蓋縫線. =palatine r.

palatine r. [TA]. 口蓋縫線（硬口蓋中央にあるやや狭く，低い隆起で，切歯乳頭から後方へ硬口蓋粘膜の全長にわたってのびる). =r. palati [TA]; palatine ridge.

palpebral r. =lateral palpebral r.

r. palpebralis lateralis 外側眼瞼縫線. =lateral palpebral r.

penile r. 陰茎縫線. =r. of penis.

r. penis [TA]. 陰茎縫線. =r. of penis.

r. of penis [TA]. 陰茎縫線（陰嚢縫線が陰茎下面に続いたもの). =r. penis [TA]; penile r.

perineal r. [TA]. 会陰縫線（会陰中央を前後に走る線．男性に顕著で陰嚢縫線に続く). =r. perinei [TA].

r. perinei [TA]. 会陰縫線. =perineal r.

pharyngeal r. [TA]. 咽頭縫線（咽頭後面の中央を走る線で，筋線維が出合い，部分的に交錯する). =r. pharyngis [TA].

r. pharyngis [TA]. 咽頭縫線. =pharyngeal r.

r. of pons =r. pontis.

r. pontis [TA]. 橋縫線（延髄縫線が橋背側部(被蓋)に続いたもの). =r. of pons.

pterygomandibular r. [TA]. 翼突下顎縫線（頬咽頭筋膜の腱性肥厚で，前方は頬筋の起始となり，後方は上咽頭収縮筋の起始となっている). =r. pterygomandibularis [TA]; pterygomandibular ligament.

r. pterygomandibularis [TA]. 翼突下顎縫線. =pterygomandibular r.

r. retinae 網膜境界線（網膜神経線維が走向しない耳側網膜の上下を分離する水平線).

scrotal r. 陰嚢縫線. =r. of scrotum.

r. scroti [TA]. 陰嚢縫線. =r. of scrotum.

r. of scrotum [TA]. 陰嚢縫線（陰嚢の中央を肛門から陰茎根へ走るひも様の線．陰嚢中隔の位置を示す). =r. scroti [TA]; scrotal r.; Vesling line.

Stilling r. (stil′ing). シュティリング縫線（錐体交叉の部位で延髄の前正中裂を横断する線維束).

Rap·o·port (rap′ŏ-pōrt), Abraham. 20世紀のカナダ人泌尿器科医．⇀R. *test*.

Rap·o·port (rap′ŏ-pōrt), Samuel Mitja. ロシア人生化学者，1912—1977. ⇀R.-Luebering *shunt*.

Rap·pa·port (rap′ah-port), Henry. 20世紀の米国人病理学者．⇀R. *classification*.

rap·port (ra-pōr) [Fr.]. ***1*** 疎通性（対人関係についての感情，特に感情的親和性のある場合をいう)．***2*** ラポール（治療過程を促進するような，2人以上の関係において生じる(例えば主治医と患者)，調和，信頼，共感，意気が合うという感覚).

rap·ture of the deep (rap′chūr dēp). 深海の狂喜. ＝nitrogen *narcosis* (2).
rar·e·fac·tion (rār′ĕ-fak′shŭn) [L. *rarus*, thin, scanty ＋ *facio*, to make]. 希薄化，透明化，消耗，粗化（①密度が小さくなる過程．薄い状態．condensation の対語．②血管生理では，組織内の毛細血管の密度が減少する過程）.
rar·e·fy (rār′ĕ-fī). 希薄化する，薄くなる，透明化する.
RAS reticular activating *system* の略.
ra·sce·ta (ră-sē′tă) [Mod. L. *raseta* < Ar. *rāhah*, the palm of the hand]. 手根横線（手首の掌側面上の横じわ）.
rash [O. Fr. *rasche*, skin eruption < L. *rado*, pp. *rasus*, to scratch, scrape]. 発疹，皮疹（[重複的な表現 skin rash を避けること]．皮膚発疹をさす口語）.
antitoxin r. 抗毒素疹（血清病の皮膚症状）.
black currant r. 黒スグリ状疹（色素性乾皮症にみられる黒子性の皮疹）.
butterfly r. ＝butterfly (2).
caterpillar r. 毛虫発疹. ＝caterpillar *dermatitis*.
crystal r. 水晶様皮疹. ＝*miliaria* crystallina.
diaper r. おむつかぶれ，おむつ負け. ＝diaper *dermatitis*.
heat r. 紅色汗疹. ＝*miliaria* rubra.
hydatid r. 包虫疹（包虫嚢が破裂して起こることのある中毒性の発疹）.
Murray Valley r. マレー渓谷皮膚炎. ＝epidemic *polyarthritis*.
nappy r. (nap′ē rash). おむつかぶれ，おむつ負け. ＝diaper *dermatitis*.
serum r. 血清疹（血清病の皮膚症状）.
summer r. 夏季疹. ＝*miliaria* rubra.
wildfire r. キツネ火疹. ＝*miliaria* rubra.
ra·sion (rā′zhŭn) [L. *rasio*, a scraping < *rado*, pp. *rasus*, to scrape, shave]. 銼滅（抽出のために薬研で生薬を細分すること）.
Ras·mus·sen (ras′mŭs-ĕn), Fritz W. デンマーク人医師，1834—1881. ⇀R. *aneurysm*.
Ras·mus·sen (răs′mus-sen), Grant L. 米国人神経解剖学者，1904—1989. ⇀*bundle* of R.; Rasmussen *encephalitis*; R. *syndrome*.
ras·pa·to·ry (ras′pă-tō′rē) [L. *raspatorium*]. 骨膜剝離器（骨膜を剝離するために用いる器機）.
RAST (răst). radioallergosorbent *test* の頭字語.
rat (rat). ラット（ネズミ科クマネズミ属 *Rattus* のげっ歯類．ペストを含む各疾患の媒介に関与する）.
albino r.'s シロネズミ，ダイコクネズミ（毛が白く目が桃色のラット．実験室での実験に広く用いる）.
Wistar r.'s (wis′tehr) [*Wistar* Institute]. ウィスターラット（研究用に，ほぼ同一の一般的遺伝子構成を有する動物として，多くの世代にわたる厳密な兄妹交配によってつくり出された，ほとんどの遺伝子座がホモ接合の近交系ラット）.
rate (rāt) [L. *ratum*, a reckoning(⇀ratio)]. ***1*** 速度，量，割合，率，比（ある一定の基準量との関連において事象や過程の観測結果を表現したもの．ある量の他の量に対する比として表された測定値(例えば，速度は単位時間当たりの距離)，または単位時間当たりに起こる事象数）. ***2*** 率（ある定められた集団の中で，ある事象が生起する頻度を表す尺度．分子(事象数)と分母(その事象発生のリスクを有する集団の大きさ)）.
abortion r. 流産率（①妊娠 1,000 例に対する人工流早産数．生産，死産，および人工中絶を含む．②(人工流早産数 ÷ 15—44 歳の女性人口数) × 1,000）.
age-specific r. 年齢特定率（ある特定の年齢集団における率．分母と分子は同じ年齢集団に関するものである）.
attack r. 発病率（特殊な状況下で一定期間観察した特別な集団に対して適用する疾病発生割合）.
average flow r. 平均尿流速度（全排出尿量を排出に要した時間で割った値）.
basal metabolic r. (**BMR**) 基礎代謝率. ＝basal *metabolism*.
baseline fetal heart r. 胎児基準心拍数（子宮収縮の間欠期における胎児心拍数）.
basic reproductive r. 基礎再生産率（実質的にすべての集団メンバーが感染の可能性を有するときに，流行の初期の段階で１人の感染者から平均して何人へ感染するかという指標）.
birth r. 出生率（一定期間，通常１年間の人口単位の出生数の集計率．分子は出生数，分母は半年間の人口）.
case fatality r. 致死率（ある病気に罹患した人のうち，その病気で死亡する人の割合）.
concordance r. 合致率（無作為抽出の標本について，対象となる形質が一致している割合．高い合致率はいくつかの原因で生じるが，その多くは不適切な偏りから生じる．しかし，高い合致率は因果関係の証拠として広く認められている（例えば，１種の遺伝的構成からなる一卵性双生児あるいは同類交配の配偶者の場合））.
critical r. 限界率（異常，または不完全ブロックが発生する心拍数．周期の短縮の結果，不応期をほとんど含まない）.
death r. 死亡率（通常１年といった定められた期間内にある集団内で発生した死亡割合の推定値．分子は死亡数，分母は集団全体の大きさであり，通常中間時点での推定値を使用する）. ＝crude death rate; lethality r.; mortality r.; mortality (2).
erythrocyte sedimentation r. (**ESR**) 赤血球沈降速度，赤沈，血沈（抗凝固化血液中の赤血球沈殿速度．沈降速度の上昇は貧血や炎症状態と関連することが多い．⇀respiratory *frequency*）.
fatality r. 致命率（災害など同時的に起こった事象に影響を受けた一連の人々において観察された死亡率）.
fetal death r. 胎児死亡(死産)率（１年間の死産数を出生数と死産数の和で除したもの．㊟日本では死産の定義が異なる）. ＝stillbirth r.
fetal heart r.(**FHR**) 胎児心拍数（１分間の胎児の心拍数．通常は 120—160）.
five-year survival r. ５年生存率（診断が下されたり，ある治療が完遂した５年後に依然生存している患者の割合．５年を超えてしまえば再発は起こりにくいため，通常，癌患者の生存に関する統計に用いられる）.
general fertility r. 一般妊孕率（ある集団の繁殖力の改良された指標．分子は１年間の出生数であり，分母は通常 15—44 歳(49 歳まで拡大して考えられつつある)までの妊娠可能な女性の数である）.
generic penetration r. 後発(ジェネリック)医薬品浸透率（医薬品市場において，先発医薬品が後発医薬品に置き換わった割合）.
glomerular filtration r. (**GFR**) 糸球体沪過率（単位時間当たりに血漿から糸球体毛細管壁を通って糸球体嚢に沪過される水の量．イヌリンクリアランスに等しいとされる）.
gross reproduction r. 総再生産率（ある女性が妊娠可能な時期を終え，しかもその期間，特定の年齢別妊孕率，出生時性比に従う出産を行った場合に平均的に得る女児の数．これは死亡を考慮しない場合のある集団の繁殖力維持の指標となる）.
growth r. 成長速度，増殖速度（単位時間当たりで表された絶対的または相対的成長増加量）.
growth r. of population 人口増加率（移住を考慮しない場合の人口の変化の指標．出生を加え，死亡を減ずることにより得られる．自然増加率 natural r. of increase として知られており，粗出生率 crude birth r. と粗死亡率 crude death r. の差である）.
hazard r. ハザード比（あるイベントが生起するリスクの大きさの理論的な指標．例えば，ある時点における死亡や病気の発症）.
heart r. 心拍数（分当たりの心拍数として記録される心拍動の率）.
inception r. 集団のなかである状態の病気の新たな発作の起こる率.
incidence r. 罹患率，発症率（ある集団の中で新たにイベントが生起する率．分子は定められた期間内に新たに生起したイベントの数．分母はその期間内にイベントが起こるリスク状態にある人の数である）.
infant mortality r. 乳児死亡率（１歳未満の生産児の死亡率．分子は一定地域内の満１歳未満の年間乳児死亡数．分母は合生産数．地域の衛生状態を示す指標となる）.
initial r. 初速度. ＝initial *velocity*.
lethality r. ＝death r.

maternal death r. 母体死亡率（出生 100,000 当たりの生殖過程の直接の結果として発生する母体の死亡数．→rate.→maternal *death*）．＝maternal mortality ratio.

mitotic r. 分裂速度（有糸分裂している組織中の細胞数．分裂指数として，あるいは，大ざっぱに，組織片中の各顕微鏡による高倍率下での，有糸分裂を行っている細胞数として表す）．

morbidity r. 罹患率，罹病率（一定の年における単位人口当たり，特定な疾患をもつ患者の比率）．

mortality r. 死亡率．＝death r.

mucociliary clearance r. 粘膜線毛クリアランス率（呼吸器上皮をおおう粘液層の運動速度で，通常 mm/時で表される）．

mutation r. 突然変異率（生物学的両親のいずれにも存在しない特別なゲノム要素が子孫の遺伝子に含まれる可能性(割合)．通常，１つの遺伝子または遺伝子座に起こる１世代当たりの数で表現する）．

neonatal mortality r. 新生児死亡率（１年間における生後 28 日未満の児死亡数を１年間の出生数で除したもの）．

peak flow r. 最大尿流速度，最大尿流率（尿流測定器で測定した最大の尿流速度）．

perinatal mortality r. 周産(周生)期死亡率（１年間の 24 週以後の死産数と生後28日間未満の死亡数を加えた数を，１年間の 24 週以後の死産数と１年間の出生数を加えた数で除したもの．㊟日本の定義は分母が出生数のみである．また日本では広義の周産期死亡は妊娠 24 週以降 28 日未満の死亡，狭義では妊娠 24 週以降７日未満の死亡として区別する）．

pulse r. 脈拍数（動脈で観察される脈拍．分当たりの拍動として記録される）．

recurrence r. 再現率（遺伝相談において，少なくとも１人がすでに罹患している血族のなかで，ある特定の人から将来生まれる子孫がその疾患に罹患するであろう危険度）．

repetition r. 反復率（分当たりの脈拍数で，エネルギー放出を超音波検査時の脈拍数で示す．血管で測定した脈拍数とは異なる）．

respiratory r. 呼吸数（分当たりの呼吸の回数として記録された呼吸の頻度）．

sedimentation r. 沈降率，沈降速度（溶液から沈殿物が沈殿する率．→erythrocyte sedimentation r.）．

shear r. すれ率（単位の距離だけ離れた流体中の２つの平行面の速度変化．その単位は sec^{-1} で示される）．

slew r. スルーレート（興奮波の変化速度．人工ペースメーカの機能において増幅器からの出力電位の最大変化率を示す．ペースメーカによりコントロールされている心機能に影響を与える重要な変数で，ペースメーカのセンシング回路はしばしば電圧パルスの絶対的な振幅よりもスルーレートに反応する）．

steady-state r. 定常状態速度．＝steady-state *velocity*.

steroid metabolic clearance r. (**MCR**) ステロイド代謝クリアランス率（体内の一定のステロイドの代謝率の目安．通常，１日当たりの代謝されたステロイドの総量を含有する体液をリットル数(L)で表す）．

steroid production r. ステロイド生産率（体内で生成される一定のステロイドの総量．通常，mg/日で表される．ステロイドの腺分泌と，ステロイド前駆物質からのステロイドの腺外生成との和を表す）．

steroid secretory r. ステロイド分泌率（一定のステロイドの腺分泌率．通常，mg/日で表す．腺外で生成されるステロイドの量は含まない）．

stillbirth r. 死産率．＝fetal death r.

voiding flow r. 排尿流率（排尿期間中の機能を示す尿流．尿流計によって図形として記録される）．

Rath·ke (raht′kĕ), Martin H. ドイツ人解剖・生理・病理学者，1793—1860.→R. *bundles*, cleft *cyst*, *diverticulum*, *pocket*, *pouch*, pouch *tumor*.

rat·ing of per·ceived ex·er·tion (rāt′ing pĕr-sēvd egz-ĕr′shŭn). 知覚性運動評価（生理的なストレス程度に関して被験者がどのように感じるか，運動強度の主観的な数値(6—19 の範囲)で評価する．13—14 点(やや困難と感じる)の RPE は最大心拍数の 70% に対応する）．

ra·ti·o (ra′shē-ō) [L. *ratio* (*ration*-), a reckoning, reason < *reor*, pp. *ratus*, to reckon, compute]. 比，割合（ある量を他の量に対して相対的に表したもの(割合，比率)．→index (2); quotient）．

absolute terminal innervation r. 絶対終末神経支配比（運動終板の数をその関連する終末軸索の数で除したもの）．

accommodative convergence : accommodation r. (**AC:A**) 調節性内寄せ－調節比（両眼で目標を見たときに要する調節の量(ジオプトリ)と，調節性内寄せの程度(プリズムジオプトリで表される輻輳の量)との比）．

A:G r. albumin:globulin r. の略．

albumin:globulin r. (**A:G r.**) アルブミン－グロブリン比（腎疾患の血清または尿中におけるアルブミンのグロブリンに対する比．血清中の正常比は約 1.55）．

ALT:AST r. ALT:AST 比（血清のアラニンアミノ転移酵素とアスパラギン酸塩アミノ転移酵素の比．両酵素の血清レベル上昇は肝疾患の特徴である．両酵素レベルが異常に高く，ALT:AST が 1.0 以上であれば重症肝壊死かアルコール性肝疾患が疑われる．この比が 1.0 未満であれば急性非アルコール性肝疾患の可能性が高い）．

amylase-creatinine clearance r. アミラーゼ－クレアチニンクリアランス比（急性膵炎診断のための検査．明らかな健常者では，血清中と尿中のアミラーゼおよびクレアチニンを測定することにより計算されるアミラーゼの腎クリアランスはクレアチニンクリアランスの５%以下である．急性膵炎では，この比は５%以上になる）．

body-weight r. 比体重（体重(g)を身長(cm)で除した値）．

cardiothoracic r. 心胸郭比，心胸〔郭〕係数（胸部Ｘ線写真における(胸郭の)最も幅広い部位における肋骨内側の径に対する心臓の水平径の割合）．

case fatality r. 致命率（ある疾病における死亡率．通常 100 症例ごとに表される）．

r. of decayed and filled surfaces (**RDFS**) DF歯面率（１人当たりの永久歯全 122 歯面に対するう食および充填歯の比率）．

r. of decayed and filled teeth (**RDFT**) DF歯率（１人当たりの全永久歯 28 歯に対する，う食および充填歯の比率）．

extraction r. (**E**) 除去率（腎臓または他の器官を流れる血液から除去した物質の分画．$(A-V)/A$ 式から計算する．Aは動脈血漿濃度，Vは器官から流出する静脈血漿濃度）．

fertility r. 妊孕率（15—49 歳までの出産可能な女性の年齢集団を基にした，集団としての繁殖力の指標）．

flux r. 流出比（特別な境界層か膜を通る，同一方向への２種の流出の比）．

functional terminal innervation r. 機能性終末神経支配率（筋線維を神経支配する軸索の数で除した筋線維の数）．

grid r. グリッド比（Ｘ線撮影の散乱線吸収グリッドにおける，鉛板の間隔に対する高さの比．グリッド比が大きいと散乱Ｘ線をよく除去できるが，グリッドが一次Ｘ線束を遮らないようにＸ線管との位置関係をより注意する必要がある）．

gyromagnetic r. 磁気回転比（核磁気共鳴において，核の磁気双極子モーメントの核スピン角運動量に対する比．磁気回転比は核種によってそれぞれ一義的な値をもつ）．＝magnetogyric r.

hand r. 手比（手長(尺骨の茎突起から第三指先まで背側上で測定したもの)の指関節を横断する幅に対する比）．

hepatic r. 肝動脈血流比（全肝血流に占める肝動脈血流の割合．Doppler 超音波検査で肝動脈と門脈の造影剤染影を測定して計算する．大腸癌患者の肝転移をスクリーニングするために用いられる）．

international normalized r. (**INR**) 国際標準比（プロトロンビン時間を測定する際に標準試薬を使っていたとしたら得られたであろうプロトロンビン比．この比は，標準試薬を使った場合の患者のプロトロンビン時間をプロトロンビン時間の基準範囲の平均値で割った値で表す．検査室で実際に使われている試薬の場合には国際感度指数とよばれる係数を使って求める．*cf.* international sensitivity *index*）．

IRI/G r. 免疫反応性インスリンと血清または血漿グルコースとの比．低血糖状態ではこの比は通常 0.3 以下であり，インスリノーマによる低血糖は例外であって，この場合にはこの比はしばしば 0.3 より高い値を示す．

K:A r. ketogenic:antiketogenic r. の略．

ketogenic:antiketogenic r. (**K:A r.**) 体内でケトンを生成する物質と D-グルコースを生成する物質との比．

lecithin/sphingomyelin r. (**L:S r.**) レシチン/スフィンゴミエリン比，L/S比（羊水検査により胎児肺成熟度を判定する際に用いる比．肺が成熟するとレシチン濃度がスフィンゴミエリンの2倍以上になる）．

likelihood r. 尤度比（通常は前に〝最大〞をつける(すなわち最大尤度比)．最大尤度比は，経験的に観測されるデータが発生する確率(尤度)を2つのモデルの下でそれぞれ最大化するようにモデルパラメータを動かし，その比として求められる）．

L:S r. lecithin/sphingomyelin r. の略．

magnetogyric r. (mag′nĕ-tō-gy′rik). =gyromagnetic r.

mass:action r. 質量作用比（特定な反応における全生成物濃度の積を全反応物濃度の積で除した比．反応が完了したとき(すなわち $t=\infty$)，この比は平衡定数に等しい）．

maternal mortality r. 母体死亡率．=maternal death *rate*.

M:E r. M:E比（骨髄における骨髄(顆粒球)系前駆細胞と赤芽球系前駆細胞の比．正常は2：1から4：1である．慢性骨髄性白血病または赤芽球低形成比の上昇がみられる．M:E比の低下は骨髄の全体の細胞数にもよるが，顆粒球系細胞の低形成または正赤芽球性過形成を意味する）．

mendelian r. メンデル比（遺伝子型あるいは表現型が明確な交配において，子の世代にメンデルの法則に従って特定の予想される表現型または遺伝子型をもつ子孫が現れる比率）．

molecular weight r. (M_r) =molecular *weight*.

nuclear-cytoplasmic r. 核－細胞質比（細胞質量に対する核量比．特定の細胞型に対してはかなり一定しており，悪性腫瘍では通常，増加がみられる）．

nucleolar-nuclear r. 核小体・核比（核小体の容積と核の容積の比率．悪性腫瘍で増加することが多い）．

odds r. オッズ比（2つのオッズの比．ケースコントロール研究のデータ解析に用いられ，単純な計算によって求められる．cross-products r. ともよばれ，ケースコントロール研究で調べている曝露による相対リスクの近似になっている）．

P:O r. P/O比（酸化的リン酸化の尺度．エステル化された(アデノシン5′-二リン酸塩からアデノシン5′-三リン酸塩を生成するため)リン酸塩基のミトコンドリアによって消費された酸素原子に対する比．通常，比の値は3(NADHが出発基質の場合))．=P/O quotient.

respiratory exchange r. 呼吸交換率（一定の部位における炭酸ガスの純放出量の，酸素の同時純吸入量に対する比．ともに単位時間当たりのモル数かSTPDで表される．定常状態では呼吸交換率は代謝過程の呼吸商に等しい）．

segregation r. 分離比（遺伝学では，遺伝型が明確な実際の交配によって，特定の遺伝子型や表現型をもつ子孫が現れる比率．メンデル仮説試験とは，分離比をメンデル比と比較することである）．

sex r. 性比（①生活環のある特定の段階．第1に妊娠，第2に誕生，そして第3には誕生から死に至る時期のいずれかにおける男性対女性の比率．②特定の疾患や形質をとる男性対女性の比率）．

signal:noise r. 信号雑音比，S/N比（信号と，信号強度のランダムな変化すなわち雑音との強度比．画像技術や電子システムの評価に使われる）．

standardized mortality r. 標準化死亡比（ある集団において観察されたイベントの数と，その集団が標準もしくは参照される集団と同じ死亡率の分布をもつと仮定した場合に期待されるイベントの数との比）．

systolic:diastolic r. 収縮期/拡張期比（パルスドップラー法による超音波計測法で，収縮期と拡張期の血流速度の比．動脈の内因性抵抗を反映する）．

therapeutic r. 治癒比（薬物の最大耐性量の，最少治癒量または有効量に対する比．LD_{50} を ED_{50} で除す）．

variance r. (**F**) 分散比（大きさがそれぞれ $n+1$，$m+1$ の正規分布からの標本における，等しいと考えられる互いに独立な2つの分散の推定量の比の分布．通常，分散の推定値はそれらが独立となるようにとられたものを基にしている．Fは標本の平均値間の観察された差は偶然によって説明される程度であるという，帰無仮説の検定に用いられる）．

ventilation/perfusion r. ($\dot{V}a{:}\dot{Q}$) 換気血流比（肺のあらゆる部分における肺胞換気と，同時にみられる肺胞毛細血管血流の比．換気も血流も単位肺組織容積，単位時間当たりに表現されるので，相殺され，その単位は血流量(リットル)分の換気量(リットル)となる）．

waist-hip r. ウエスト－ヒップ比（臍の高さの腹囲と最大腰周囲長との比）．

zeta sedimentation r. (**ZSR**) ゼータ沈降比（ゼータクリットに対するヘマトクリットの比．正常値は0.41から0.54(41—54%)．赤血球沈降速度(ESR)の鋭敏な指標である．貧血があるとESRは亢進しがちだが，ゼータ沈降比は影響を受けない）．

ra·tion·al (rash′un-ăl) [L. *rationalis* < *ratio*, reason]. 合理的な，有理的な（①推論，または高い思考過程についていう．経験ではなく客観的・科学的知識に基づく．②感情よりも推論に影響される．③推論能力をもつ．せん妄的，昏睡的でない）．

ra·tion·al·i·za·tion (rash′un-ăl-i-zā′shŭn) [L. *ratio*, reason]. 合理化（非合理的な行動，動機，感情を合理的にみえるようにするという仮定された精神分析的防衛機制）．

rats·bane (rats′bān). =arsenic (1).

rat·tle·snake (rat′ĭl-snāk). ガラガラヘビ（ガラガラヘビ2属，*Crotalus*属と*Sistrurus*属に属する種で，尾の先端にクチクラ性の警告音響発生環をもつのが特徴）．

Rat·tus (rat′ŭs). クマネズミ属（ネズミ科げっ歯類の一属．クマネズミ *R. rattus* は，ケオプスネズミノミを介してヒトにペストを媒介する最も一般的な種である．本種はドブネズミ *R. norvegicus* より小型で体色が濃く，より長い耳介と尾をもつ．→rat）．

Rau (Ra·vi·us, Raw) (row), Johann J. オランダ人解剖学者，1668—1719．→R. *process*; *processus* ravii.

Rau·ber (ro′wbĕr), August A. ドイツ人解剖学者，1841—1917．→R. *layer*.

Rau·scher (row′shĕr), Frank J. 20世紀の米国人腫瘍学者．→R. *virus*.

Rau·wol·fia (row-wūl′fē-ă, raw-, rah-) [L. *Rauwolf*, 16世紀のドイツ人植物学者]. インドジャボク属（熱帯性の高木および低木の一属(キョウチクトウ科)．インドジャボク *R. serpentina* の全根部の粉末は，鎮静・血圧降下・遅脈作用のあるアルカロイドを含有する．その全活性の約50%はレセルピンによる）．

RAV Rous-associated *virus* の略．

Ra·vi·us (rā′vē-us). →Rau.

RAW resistance, airway(気道抵抗)の略．

ray (rā) [L. *radius*]. ***1*** 放射線，光線（光線，熱線，あるいはその他の放射線．ラジウムなどの放射性物質からの放射線は原子の自発的壊変によって発生する．この放射線は電荷をもつ物質粒子または非常に短い波長の電磁波である）．***2*** 射線（構造物から放射状にのびる部分または枝）．

actinic r. 化学線（スペクトルの紫端に近い，またはそれを超える波長をもつ光線で，写真板に作用したり，他の化学作用を起こす）．=chemical r.

alpha r. アルファ(α)線．=alpha *particle*.

anode r.'s 陽極線（ガス放電管で発生し，陰極線とは反対に向かう放射線．正電荷イオンで構成される）．=positive r.'s.

astral r.'s 星状体〔放線〕．=astrosphere.

Becquerel r.'s (bek-ă-rel′). ベクレル線（ウラン，その他の放射性物質から放出される放射線を表す現在では用いられない語で，アルファ線，ベータ線，ガンマ線を含む）．

beta r. ベータ(β)線．=beta *particle*.

cathode r.'s 陰極線（Crookes管の陰極から放出される電子の流れ．これが陽極あるいはガラス壁を衝撃するとX線が生じる）．

chemical r. =actinic r.

cosmic r.'s 宇宙線（きわめて大きいエネルギーをもつ高速粒子で，宇宙から地球を衝撃する．一次放射線は陽子やその他の電子核からなり，大気と衝突すると中性子，中間子，またはその他のエネルギーの少ない二次放射線を発生する）．

digital r.'s 指放線（指の輪郭を表す手板と足板となる間葉組織の密集）．

digital r.'s of foot 足の指放線．=foot r.'s.

digital r.'s of hand 手の指放線．=hand r.'s.

direct r.'s 直接線．=primary r.'s (2).

foot r.'s 足放線（足板の密集する５つの間葉組織を分ける４つの放射状の溝．足の中足骨と指骨の形成を示す）．＝digital r.'s of foot; radii pedis.

gamma r.'s ガンマ(γ)線（放射性物質から放出される電磁放射線．高エネルギーのＸ線で，電子の軌道殻からでなく，原子核から発生して，磁石によって偏向されない）．

glass r.'s ガラスＸ線（Ｘ線管球の壁に衝突する陰極線によって生じるＸ線．間接Ｘ線や軟Ｘ線の特別な場合．現在は使わない）．

grenz r. (grenz)［Ger. *Grenze*, borderline, boundary］．グレンツ線（［本語のドイツ語のつづり Grenz はすべての名詞同様に大文字で始まるが，英語の派生語は小文字の g でつづられる］．非常に透過力が弱い(長波長の)Ｘ線で，波長および組織に対する生物作用は紫外線にきわめて近い．8 kW 以下の出力トランスで励起される熱陰極を備えた特別製の真空管で発生させる）．

H r.'s Ｈ線（水素の原子核，すなわち陽子の流れ）．

hand r.'s 手放線（手板の密集する５つの間葉組織を分ける４つの放射状の溝．手の中手骨と指骨の形成を示す）．＝digital r.'s of hand; radii manus.

hard r.'s 硬Ｘ線，硬ガンマ(γ)線（短波長で透過力の強いＸ線またはガンマ線）．

incident r. 入射線（表面に衝突してくる反射前の光線）．

indirect r.'s 間接線（陰極以外の表面から発生するＸ線）．

infrared r. 赤外線（⇀infrared）．

intermediate r.'s 中間線（紫外線とＸ線の間の光線）．＝W r.'s.

marginal r.'s 周辺光線（幾何光学において，周辺部分から出てくる光線をいう）．

medullary r. ［TA］．髄放線（腎小葉の中心．小錐体形で，直尿細管部分からなる．すなわち，尿細管わなの上行脚・下行脚，そして集合管である）．＝Ferrein pyramid; pars radiata lobuli corticalis renis; processus ferreini.

Niewenglowski r.'s (nyū-wen-glow′skē)．ニエヴェングロヴスキー(ニーヴェングロスキー)線（日光にさらしたリン光体から発する放射線）．

parallel r.'s 平行光線（光学軸に平行な光線）．

paraxial r.'s 近軸光線（幾何光学において，主焦点上に収束する光線をいう）．

positive r.'s ＝anode r.'s.

primary r.'s *1* 一次〔宇宙〕線（最初に大気に衝突する型の宇宙線）．*2* 一次〔Ｘ〕線（管の焦点から発生するＸ線）．＝direct r.'s.

reflected r. 反射〔光〕線（非透過面または非吸収面から戻ってくる光線，または他の型の放射エネルギー．反射する前にこの面と衝突するものが入射線）．

roentgen r. レントゲン線．＝x-ray (1).

secondary r.'s 二次線（一次Ｘ線が物質に衝突したとき発生する放射線．散乱線）．

soft r.'s 軟Ｘ線，軟ガンマ(γ)線（比較的長い波長をもち，透過力の弱いＸ線またはガンマ線）．

supersonic r.'s 超音波（ヒトの耳で聞き取れるよりも高い，20,000 Hz 以上の周波数をもつ音波）．＝ultrasonic r.'s.

ultrasonic r.'s 超音波線（⇀ultrasonic）．＝supersonic r.'s.

ultraviolet r.'s 紫外線（⇀ultraviolet）．

W r.'s ＝intermediate r.'s.

X r. Ｘ線（⇀x-ray）．

Ray·er (rā-yā′), Pierre F. フランス人医師，1793—1867．⇀R. *disease*.

rayl (rāl)［Baron *Rayleigh* (John W. Strutt)，イングランド人物理学者］．レイル（聴覚のインピーダンスの単位．1 rayl ＝1 kg×m^{-2}×sec^{-1}）．

Ray·leigh (rā′lē), Lord John William Strutt. 英国人物理学者・ノーベル賞受賞者，1842—1919．⇀R. *equation, test*.

Ray·naud (rā-nō′), Maurice. フランス人医師，1834—1881．⇀R. *syndrome, disease, phenomenon, sign*.

Rb ルビジウムの元素記号．

R-band·ing (band′ing)．⇀R-banding *stain*.

rbc, RBC red blood *cell*; red blood cell count の略．

RBE 放射線防護において relative biologic effectiveness(相対的生物学的効果)の略．例えば quality factor, QF(線質因子)．

RBF renal blood flow の略．⇀effective renal blood *flow*.

RCA right coronary *artery* の略．

RCM right costal margin(右肋下縁)の略．

R.C.P. Royal College of Physicians (of England)(イングランド王立内科医会)の略．

R.C.P.(E), R.C.P.(Edin) *1* Royal College of Physicians (Edinburgh)(エジンバラ王立内科医会)の略．*2* 反応性を表す記号．

R.C.P.(I) Royal College of Physicians (Ireland)(アイルランド王立内科医会)の略．

R.C.P.S.C. Royal Colleges of Physicians and Surgeons of Canada(カナダ王立内科外科医会)の略．

R.C.S. Royal College of Surgeons (England)(イングランド王立外科医会)の略．

R.C.S.(E), R.C.S.(Edin) Royal College of Surgeons (Edinburgh)(エジンバラ王立外科医会)の略．

R.C.S.(I) Royal College of Surgeons (Ireland)(アイルランド王立外科医会)の略．

RCT randomized controlled *trial* の略．

RD reaction of degeneration(変性反応)；reaction of denervation (脱神経反応)；Registered Dietitian(登録〔公認〕栄養士)の略．

RDA recommended daily *allowance* の略．

RDFS *ratio* of decayed and filled surfaces の略．

RDFT *ratio* of decayed and filled teeth の略．

R.D.H. Registered Dental Hygienist(登録〔公認〕歯科衛生士)の略．

rDNA ribosomal DNA(⇀deoxyribonucleic acid)の略．

RDPA right descending pulmonary *artery* の略．

RDS respiratory distress *syndrome* の略．

RDW red (blood cell) diameter (or distribution) width(赤血球サイズ分布幅)の略．

RE rignt ear(右耳)；right eye(右眼)の略．

Re レニウムの元素記号．

re-［L.］．再び，または後方へを意味する接頭語．

re·act (rē-akt′)［Mod. L. *reactus*］．反応する（関与する，または化学反応を経る）．

re·ac·tance (*X*) (rē-ak′tănts)．リアクタンス（針金のコイルまたはコンデンサを通ることによる交流電流の減弱化）．＝inductive resistance.

re·ac·tant (rē-ak′tănt)．反応物，作用物質（化学反応に関与する物質）．

acute phase r.'s 急性期反応物質（急性期反応として高濃度に産成ないし放出される一群の蛋白．フィブリノーゲン，CRP，補体(B，C3，C4)，α_2-酸性糖蛋白，SAA，およびプロテイナーゼインヒビターがある）．

REACTION

re·ac·tion (rē-ak′shŭn)［L. *re-*, again, backward + *actio*, action］．反応（①筋肉など生きた組織の刺激に対する反応．②酸またはアルカリなどの物質と接触してリトマスや他のある種の有機色素中に生じる色の変化．また，これらの物質が有しているこうした変化を生じる性質．③化学においては，２つ以上の物質の分子間相互作用のことで，それによってこれらの物質が消失し，新しい物質がその代わりに形成される(化学反応)．④免疫学においては，特異的抗原に対する抗体の *in vivo* または *in vitro* における作用．補体をはじめとする免疫系の諸成分が関与する場合としない場合とがある）．

accelerated r. 加速反応（予測より短時間に生じる反応．痘瘡ワクチン接種後，2—10 日目に起こる皮膚症状．一次反応と即時反応の中間にみられるので，ある程度の抵抗性を示すものと考えられる）．＝vaccinoid r.

acid r. 酸性反応（①酸性反応が青色リトマス紙を赤色に変化させる反応として認識される試験．②(22℃で)pH 値 7 未満で，水溶液中の水酸イオンに対する水素イオン過剰の状態．*cf.* dissociation *constant* of water）．

acute phase r. 急性期反応（炎症反応の最中にみられる，血中のある種の蛋白合成の変化をさす．この反応は，微生物感染の際に，非特異的な防御機構によって宿主を直ちに保護する働きをする）．＝acute phase response.

acute situational r. 急性環境性反応．＝stress r.

acute stress r. 急性ストレス反応．＝anxiety r.

adverse r. 有害反応（予防，診断，治療の過程で生じるあらゆる種類の望ましくない結果）．

adverse drug r.（**ADR**）薬物有害反応（病気の予防，診断，治療，または生理機能の改善のために，ヒトに対して通常用いられる量で起こる，有害かつ予期しない薬物に対する反応．［日米EU医薬品規制整合化国際会議による］）．

alarm r. 警告反応（身体が損傷やストレスに対する適応反応として示す種々の現象．例えば賦活される内分泌活動．汎適応症候群の第1期．*cf.* fight or flight *response*）．

aldehyde r. アルデヒド反応（インドール誘導体と芳香族アルデヒドの反応．例えば，トリプトファンと *p*-ジメチルアミノベンズアルデヒドが硫酸溶液中で赤紫色を呈し，蛋白中のトリプトファン含量の定量に用いられる）．＝Ehrlich r.

alkaline r. アルカリ性反応（①アルカリ性反応が赤色リトマス紙を青色に変化させる反応として認識される試験．②（22°C で）pH 値7以上で，水溶液中の水素イオンに対する水酸イオン過剰の状態．*cf.* dissociation *constant* of water）．＝basic r.

allergic r. アレルギー〔性〕反応（以前に暴露したことがあって，すでに感作されている特異アレルゲンに接触することによって生体に生じる局所または全身の反応．免疫的機序によって炎症や組織障害を生じる．アレルギー反応は4型に分類される．I型（アナフィラキシー型ないしIgE依存型），II型（細胞障害型），III型（免疫複合体型），IV型（細胞型（遅延型）））．＝hypersensitivity r.

amphoteric r. 両性反応（酸性とアルカリ性の両方の性質をもつ，ある種の液体が有する二重反応）．

anamnestic r. 既往性反応，二次反応（以前に暴露したことのある物質に再び暴露した際に，特異抗体が急速に増量して産生されること）．

anaphylactic r.（an′a-fĭ-lak′tik）．アナフィラキシー反応．＝anaphylaxis.

anaplerotic r. →anaplerotic.

antigen-antibody r.（**AAR**）抗原－抗体反応（抗体が，抗体形成を刺激した型の抗原と結合する可逆性の現象で，*in vitro* でも *in vivo* でも起こりうる．反応の結果，凝集，沈降，補体結合，食細胞による貪食と破壊に対する感受性の増大，外毒素の中和が起こる．→skin *test*）．

anxiety r. 不安反応（明らかに確認しうる恐怖刺激が存在しないのに，恐怖の感情や呼吸数の促進，発汗，頻脈などの身体症状を伴い危険を憂慮する心理的反応または経験．慢性の場合は generalized anxiety *disorder* とよばれる．→panic *attack*）．＝acute stress r.

Arias-Stella r.（ahr′yahs stel′ă）．アリアス－ステヤ反応．＝Arias-Stella *phenomenon.*

arousal r. 覚醒反応（被検者が突然目を覚まされ，敏活になるときの脳波の変化）．

Arthus r.（ahr′tūs）．アルツス反応（①＝Arthus *phenomenon.* ② Arthus-type r.′s（アルツス型反応），ヒトをはじめとして動物にもみられる反応で，基本的にはウサギで観察されている Arthus 現象と同じ免疫学的反応様式の1つ．特異抗体を有する個体の皮膚に同じ抗原を皮内に接種すると，局所に壊死に至る炎症を生じる皮膚反応のこと．→immune complex *disease*）．

Ascoli r.（as′kō-lē）．アスコーリ反応（沈降反応で炭疽の診断を確認する方法．抽出組織中の熱に安定な炭疽菌 *Bacillus anthracis* 抗原の存在を示す）．

associative r. 連合反応，連想反応（二次反応または副反応）．

basic r. 塩基性反応．＝alkaline r.

Bence Jones r.（bents jōnz）［Henry *Bence Jones*］．ベンス・ジョーンズ反応（Bence Jones 蛋白を確認する古典的な方法．（この型の蛋白尿の患者の）尿を 45—70°C に徐々に温めると蛋白は沈降し，ほとんど沸騰するまで熱すると再溶解する，試料が冷えると Bence Jones 蛋白は指示範囲内の温度で沈降し，試料の温度が 30—35°C 以下になると再溶解する）．

Berthelot r.（bār-tĕ-lō′）．ベルトロー反応（アンモニアとフェノール－次亜塩素酸エステルとでインドフェノールを与える反応．この原理は体液中のアンモニア濃度を分析するのに用いられる）．

bi bi r.［L. *bi-*, twice, double］．二基質－二産物反応（2種の基質と2種の生成物が関与する単一酵素によって触媒される反応．*cf.* mechanism）．

Bittorf r.（bit′ōrf）．ビットルフ反応（腎仙痛の症例で精巣を握り締めたり，卵巣を圧迫すると腎臓に痛みが放散する）．

biuret r. ビウレット反応（強アルカリ溶液中で $CuSO_4$ 処理すると3個以上のアミノアシル残渣からなるポリペプチドが反応して紫色を呈するビウレット生成．ジペプチドとアミノ酸（ヒスチジン，セリン，トレオニンを除く）は反応しない．体液中のポリペプチドまたは蛋白の検出および測定に用いる）．

Bloch r.（blok）．ブロッホ反応．＝dopa r.

Bordet and Gengou r.（bōr-dā′ zhawn-gū′）．ボルデー－ジャングー反応（→complement *fixation*）．＝Bordet-Gengou *phenomenon.*

Brunn r.（brūn）．ブルン反応（カエルにピツイトリンを注入して浸水させたとき，皮膚からの水の吸収が増加すること．下垂体後葉製剤であるポリペプチドやその類似化合物の研究および分類に用いる生理的反応の1つ）．

Cannizzaro r.（kahn-i-tsah′rō）［Stanislao *Cannizzaro*］．カニツァロ反応（アルデヒド1分子の酸化と他の1分子の還元が同時に起こることによる酸とアルコールの生成．不均化反応の一種．$2RCHO \rightarrow RCOOH + RC\text{-}H_2OH$．2つのアルデヒドが同一でないとき，この反応は交差 Cannizzaro 反応とよばれる）．

capsular precipitation r. 莢膜沈降反応．＝quellung r. (2).

Carr-Price r.（kar prīs）．カール－プライス反応（三塩化アンチモンとビタミンAとで光沢のある青色を与える反応．この反応はビタミンAの決定に対する種々の定量的技術の基本となっている）．

catalatic r. カタラーゼ反応（カタラーゼの作用における H_2O_2 の O_2 と H_2O への分解．peroxidase r. と同義）．

catastrophic r. 破局反応（対処できない激しいショックや脅威的状況に対する無秩序な行動）．

cell-mediated r. 細胞媒介反応（遅延型の免疫反応で，抗原特異的Tリンパ球が関与する．感染に対する宿主防衛，自己免疫疾患，移植拒絶反応で重要．→skin *test*）．

chain r. 連鎖反応（反応自体の一段階の生成物が反応の次の段階をもたらす働きをする一種の自己永続反応．*cf.* autocatalysis; chain *reflex*）．

Chantemesse r.（shahn-tuh-mĕs′）．シャントメス反応（特にチフスに適用される結膜反応）．

cholera-red r. コレラ赤〔色〕反応（コレラ菌 *Cholera vibrio* のテストで，生体を植えてから18時間経過したブイヨンまたはペプトン培地に（濃縮した化学的に純粋な）硫酸3—4滴を加えると，淡赤色から赤紫色の色が生じる）．

chromaffin r. クロム親和性反応（新鮮な組織切片を重クロム酸－クロム酸混合液中に一晩浸しておくと，エピネフリンとノルエピネフリンを含有する正常および異常細胞中に黄褐色から褐色の着色がみられる．褐色細胞腫（副腎髄質）およびそれ以外のカテコールアミン産生腫瘍の検出に有用である．→chromaffin.）．

circular r. 循環反応（感覚運動理論において，生体が新しい経験を繰り返す傾向）．

cocarde r., cockade r. 花形帽章反応（→Römer *test*）．

colloidal gold r. 金コロイド反応（現在では用いられない検査法で，髄液に金コロイドを添加すると蛋白が沈降する現象を利用したもの．梅毒，多発性硬症，灰白髄炎，脳炎で異常反応がみられる）．

complement fixation r. 補体結合反応（→complement *fixation*）．

consensual r. 共感〔性〕反応（片方の眼に光を当てたとき，光を遮られた眼の瞳孔が光を当てた眼の瞳孔に共同して収縮すること）．＝consensual light reflex; indirect pupillary r.

constitutional r. 体質反応（病巣反応または局所反応に対比する全身性の反応．アレルギーでは，アレルゲンの導入に続いて注入箇所から離れた部位に起こる即時型または遅延型反応）．

conversion r. 転換(変換)反応 (→hysteria). ＝conversion *disorder* (1).

cross-r. 交差反応 (イディオタイプ的に決定基が共通もしくは類似の抗原で惹起された抗体は，たとえ抗原特異性が同一でないとしても，互いに相手の抗原に結合，すなわち交差反応する可能性がある).

cutaneous graft versus host r. 皮膚移植片宿主反応 (急性の紅斑丘疹反応．重症例では水疱形成を伴う．慢性変化は扁平苔癬または強皮症に類似することもある).

cytotoxic r. 細胞傷害性反応 (細胞表面上に存在する特異抗原物質に IgG や IgM 抗体が結合することによって生じる免疫学的(アレルギー性)反応．反応によって生じた複合体は補体の活性化を促進し，その結果として細胞融解や他の傷害を引き起こす．補体の関与のないときには，食作用やTリンパ球の介入を亢進させ，細胞傷害を誘発させると考えられている).

Dale r. (dāl). デール反応 (→Schultz-Dale r.).

dark r. 暗反応 (光合成における反応過程の1つで，光を吸収する場所や時間とは無関係な二酸化炭素の炭水化物への固定反応).

decidual r. 脱落膜反応 (着床の際に子宮内膜に起こる細胞および血管変化).

delayed r. 遅延〔型〕反応 (抗原に暴路してから 24—48 時間後に始まる感作T細胞が関与する局所性または全身性の反応．→cell-mediated r.). ＝contact hypersensitivity (2); delayed hypersensitivity (2); late r.; tuberculin-type hypersensitivity; late-phase r.

depot r. 貯留反応 (皮下ツベルクリンテストで針がはいった点における皮膚の発赤).

depressive r. ＝depression (4).

dermotuberculin r. 皮膚ツベルクリン反応．＝Pirquet *test*.

diazo r. ジアゾ反応 (ジアゾスルファニル酸とビリルビンとでアゾビリルビンを生成する反応．体液中のビリルビン量を定量する基礎となる．→van den Bergh *test*). ＝Ehrlich diazo r.

digitonin r. ジギトニン反応 (3β-ヒドロキシル基をもつ天然ステロイドとステロイドグリコシドの一種であるジギトニンとの反応．不溶性沈殿を生じ，コレステロールおよびエルゴステロールの検出に用いる).

Dische r. (dish) [Zacharias *Dische*]. ディッシュ反応 (DNA の定量法で，酸性下(Dische 試薬)でジフェニルアミンと反応して青色を呈する).

dissociative r. 解離反応 (健忘，遁走，夢中遊行，夢幻状態などの解離行動が特徴).

dopa r. ドパ反応 (新鮮組織切片にドパ溶液を作用させると暗色に染まる．これはある種の細胞の原形質中にドパ酸化酵素が存在するためと思われる). ＝Bloch r.

dystonic r. ジストニア反応 (ジストニアに類似した異常な緊張か筋トーヌスの状態．ある種の抗精神病薬の副作用として起こる．重症な型では眼球が頭の方へ巻き上がるようにみえ，注視発症とよばれる).

early r. 早期反応．＝immediate r.

echo r. エコー反応．＝echolalia.

Ehrlich r. (ār′lik). エールリッヒ反応．＝aldehyde r.

Ehrlich benzaldehyde r. (ār′lik). エールリッヒベンズアルデヒド反応 (尿中のウロビリノーゲンの検査．2g の *p*-ジメチルアミノベンズアルデヒドを 5%塩酸 100 mL に溶かし，これを尿に加える．尿中に過量のウロビリノーゲンが存在する場合は，冷時で赤色を呈する).

Ehrlich diazo r. (ār′lik). エールリッヒジアゾ反応．＝diazo r.

eosinopenic r. 好酸球減少反応 (ACTH(副腎皮質刺激ホルモン)または副腎コルチコイドによる循環好酸球数の減少).

error-prone polymerase chain r. 誤りがちのポリメラーゼ連鎖反応 (誤った塩基が取り込まれやすい条件下での PCR の使用．例えば，増幅した DNA の一部分に対するランダム突然変異遺伝子を探す場合).

eye-closure pupil r. 閉瞼瞳孔反応 (強制的に閉瞼した際の両眼の瞳孔の収縮．近見瞳孔反応の一種). ＝Galassi pupillary phenomenon; Gifford reflex; lid-closure r.; orbicularis phenomenon; orbicularis pupillary reflex; Piltz sign; Westphal pupillary reflex; Westphal-Piltz phenomenon.

false-negative r. 偽陰性反応 (誤って陰性に出た反応).

false-positive r. 偽陽性反応 (誤って陽性に出た反応).

Fenton r. [H. J. H. *Fenton*]. フェントン反応 (①H_2O_2 と Fe^{2+} により α-ヒドロキシ酸を酸化し α-ケト酸を生成させたり，1,2-グリコールを α-ヒドロキシアルデヒドへ変換させる反応．②Fe^{2+} と H_2O_2 の非酵素的反応による $OH\cdot$，OH^-，Fe^{3+} の生成．血球細胞や種々の組織での酸化的ストレスによる重要な反応).

Fernandez r. (fĕr-nan′dez). フェルナンデス反応 (レプロミン試験において，Dharmendra 抗原の皮内注射部位にみられるツベルクリン反応に似た遅延性過敏レプロミン反応).

ferric chloride r. of epinephrine エピネフリンの塩化第二鉄反応 (エピネフリンの中性あるいは弱酸性溶液に塩化第二鉄を加えると強い鮮緑色を呈する．カテコールの典型的な反応の1つ).

Feulgen r. (foyl′gen). フォイルゲン反応 (→Feulgen *stain*).

fight or flight r. 戦闘または逃亡反応 (→fight or flight *response*).

first-order r. 一次反応 (反応の速さが，反応を起こしている独立した物質の濃度に比例する反応．放射能減衰は一次反応で，$dN/dt = kN$ の式で定義される．N は減衰(反応)を受ける原子の数，t は時間，k は一次減衰(反応)定数，すなわち単位時間当たりに減衰する全原子の割合．→decay *constant*; order).

fixation r. 補体結合反応 (→complement *fixation*).

flocculation r. 綿状反応，フロキュレーション反応，絮沈反応 (沈降反応の一形態．主として抗体(沈降素)の特異性のため，限定された範囲の抗原抗体比率を超えて沈降が起こる).

focal r. 病巣反応，局所反応 (Arthus 現象のように感染生物の侵入点や注射点に起こる). ＝local r.

Folin r. (fol′in) [O. K. O. *Folin*]. フォーリン反応 (アミノ酸がアルカリ性溶液中で，1,2-ナフトキノン-4-スルホン酸(Folin 試薬)と赤色を呈する反応．定量試験に用いられる). ＝Folin reagent.

Forssman r. (fōrs′măn). フォルスマン反応．＝Forssman antigen-antibody r.

Forssman antigen-antibody r. (fōrs′măn). フォルスマン抗原－抗体反応 (Forssman 型の異種抗原と Forssman 抗体の結合．Forssman 抗体を有する伝染性単核球症患者の血清によるヒツジ赤血球(Forssman 抗原を含む)の凝集のような反応). ＝Forssman r.

fragment r. フラグメント反応 (ペプチジルトランスフェラーゼの活性を検定するのに用いられる反応).

Frei-Hoffmann r. (frī hof′mahn). フライ－ホフマン反応．＝Frei *test*.

fright r. 驚愕反応 (動物の顔面神経の切断と変性の後に，動物が驚いたり怒ったりすると，神経を除去された顔面筋肉が収縮すること．循環系の中へのアセチルコリンの遊離による).

fuchsinophil r. 好フクシン性反応 (酸性フクシンで染色するとき，ピクリン酸アルコールで処理するとある種の成分で染色を保持する特性).

furfural r. フルフラール反応 (フルフラールをアニリン溶液に添加すると赤色を呈すること).

galvanic skin r. 電気皮膚反応．＝galvanic skin *response*.

gel diffusion r.'s ゲル拡散反応．＝gel diffusion precipitin *tests*.

Gell and Coombs r.'s (gel kūmz). ゲル－クームズ反応 (免疫誘導アレルギー反応の分類．→allergic r.).

gemistocytic r. 大円形細胞性反応 (損傷に対する反応で，その結果，反応性，前形質細胞性，または大円形細胞性の星状細胞の増殖を起こす).

general adaptation r. 汎適応反応 (→general adaptation *syndrome*).

Gerhardt r. (ger-hahrt′). ゲールハルト反応．＝Gerhardt *test* for acetoacetic acid.

graft versus host r. (**GVHR**) 移植片対宿主反応 (特殊器官に起こる移植片対宿主病の臨床的組織学的変化).

group r. 類属反応（関連細菌の全群，例えば大腸菌群に（通常，種々の濃度ではあるが）共通する凝集素または他の抗体との反応）.

Gruber r. (grū′bĕr). グルーバー反応. ＝Widal r.

Gruber-Widal r. (grū′bĕr vē-dahl′). グルーバー－ヴィダル反応. ＝Widal r.

Günning r. (gŭn′ing) [J.W. *Günning*]. ギュンニンク反応（アルコール中のヨウ素とアンモニアによるアセトンからのヨードホルムの生成）.

Haber-Weiss r. (hah′bēr wīs) [F. *Haber*, J.J. *Weiss*]. ハーバー－ワイス反応（スーパーオキシド(O_2^-)と過酸化水素とにより分子状酸素(O_2)とヒドロキシドラジカル(HO·)および HO^- を生成させる反応．しばしば鉄触媒による反応．血球細胞と種々の組織での酸化的ストレスの原因である）.

harlequin r. ハーリキン反応（横になっている乳児の下半身が突然蒼白になり，残りの上半身は正常のままであること）.

heel-tap r. 踵叩打反応（→heel *tap*）.

hemoclastic r. 溶血反応（血液の赤血球溶解において観察される溶血）.

Henle r. (hen′lē). ヘンレ反応（クロミウム塩で処理すると副腎の髄質細胞が暗褐色に染まり，皮質細胞は染まらないままでいること）.

Herxheimer r. (herks′hi-mĕr). ヘルクスハイマー反応（アルスフェナミン(サルバルサン)，水銀，抗生物質を用いる特異療法によってときとして誘発される梅毒組織(皮膚，粘膜，神経系，内臓)の炎症反応．患者のアレルギー反応とともにトレポネーマ抗原が急速に遊離されるためと考えられている）. ＝Jarisch-Herxheimer r.

Hill r. (hil) [R. *Hill*]. ヒル反応（水の光分解と酸素の遊離を含み，炭酸ガス固定を含まない光合成反応の部分反応．葉緑体への酸化剤(キノンまたはフェリシアン化物)の添加を必要とする．光照射によって酸素が発生し，添加した酸化剤は還元される）.

homograft r. 同種移植片拒絶〔反応〕（宿主による同種移植片の排除）.

hunting r. 乱調反応（寒冷にさらしたとき(例えば冬季の狩猟の間)に，指の血管に起こる異常反応．血管の収縮と拡張が不規則な反復連続で交互に起こる）.

hypersensitivity r. 過敏性反応. ＝allergic r.

id r. 過敏性反応（カンジダ症，皮膚糸状菌症，その他の真菌症に伴う過敏性の発疹で，そう痒と小水疱を特徴とし，過敏性反応の部位から遠隔の表在性感染に対する反応として現れる. →dermatophytid; -id (1)）.

r. of identity 同一反応（→gel diffusion precipitin *tests* in two dimensions）.

immediate r. 即時〔型〕反応（感作されたのと同じ抗原にさらされた後，数分から約1時間以内に始まる局所または全身の反応. →skin *test*; wheal-and-erythema r.）. ＝early r.

immediate hypersensitivity r. 即時型過敏反応. ＝immediate *hypersensitivity*.

immune r. 免疫反応（液性あるいは細胞性免疫機構によって生じる反応）.

incompatible blood transfusion r. 不適合輸血反応（供血者の赤血球の抗原と反応する受血者の血清抗体による，輸血された血液の血管内溶血が原因となった症候群．この症候群は悪寒，発熱，背痛または筋痙攣，ヘモグロビン血症，ヘモグロビン尿症，および乏尿を特徴とし，急性腎不全，DIC，および死をもたらす）.

indirect pupillary r. 間接瞳孔反応. ＝consensual r.

intracutaneous r., intradermal r. 皮内反応（ツベルクリン試験のように，感受性のある被検者の皮膚に抗原注射したときに起こる反応）.

iodate r. of epinephrine エピネフリンのヨウ素酸塩反応（ヨウ素酸塩から遊離したヨウ素によるエピネフリンの酸化反応．ヨウ素酸塩はこのホルモンにより分解される．薄桃色を呈する）.

iodine r. of epinephrine エピネフリンのヨウ素反応（ヨウ素の添加により，エピネフリンが酸化されて薄桃色を呈する反応. →iodate r. of epinephrine）.

irreversible r. 不可逆反応（病原因子に対する組織の反応または応答で，永続性の病変を特徴とするもの）.

Jaffe r. (yah′fē). ヤッフェ反応（クレアチニンをピクリン酸アルカリ溶液で処理することにより淡い橙赤色の複合体を生じる，最も頻繁に用いられているクレアチニン試験. →Jaffe *test*）.

Jarisch-Herxheimer r. (yah′rish herks′hī-mĕr). ヤーリッシュ－ヘルクスハイマー反応. ＝Herxheimer r.

Jolly r. (zhō-lē′). ヨリー反応（運動神経に電流刺激をすると筋の収縮反応が急速に衰えること．直流電気刺激に対する反応および随意収縮力は保たれる．神経筋接合部疾患を検出するのに以前に用いられた）. ＝myasthenic r.

Kiliani-Fischer r. ＝Kiliani-Fischer *synthesis*.

late r. ＝delayed r.

late-phase r. 遅発〔型〕反応. ＝delayed r.

lengthening r. 延長反応，のび反応（除脳動物において，四肢が被動的に屈曲されるとき，伸筋をのばすのに伴ってやや急に起こる弛緩．折りたたみナイフ様の痙直を伴う）.

lepromin r. レプロミン反応（レプロミン試験において，Dharmendra 抗原あるいは光田抗原のようなレプロミンを皮内注射した際に，その部位にみられる遅延型過敏性反応．Fernandez 反応あるいは光田反応などのレプロミン反応は，48時間から3－5週間で起こるものまで様々だが，らい腫型，境界型，中間境界型のらい患者では常に陰性である）.

lid-closure r. 閉瞼反応. ＝eye-closure pupil r.

Liebermann-Burchard r. リーベルマン－ブルヒャルト反応（クロロホルム中に溶解したコレステロール(または他のステロール)と無水酢酸に濃硫酸を数滴加えると青緑色を生じる）. ＝Liebermann-Burchard test.

ligase chain r. リガーゼ連鎖反応，LCR（DNA 標的増幅法であり，試験管内で標的配列に結合させておいた，標的配列に相補的なオリゴヌクレオチド・プローブ2つを連結させるためにDNAリガーゼが用いられる．そしてこの連結反応産物は，さらに相補的オリゴヌクレオチドの連結反応のテンプレートとして，この酵素的反応を何度も繰り返すことにより，問題とする標的配列の同定用 DNA を指数関数的に増幅させることができる）.

local r. 局所反応. ＝focal r.

local anesthetic r. 局所麻酔反応（局所麻酔において，局所麻酔薬の吸収により生じる毒性反応で，もうろう状態から痙攣および心臓血管の虚脱にまで至る）.

Loewenthal r. (lev′en-tal). レーヴェンタル反応（回帰熱における凝集反応）.

Lohmann r. [Kurt *Lohmann*]. ローマン反応（クレアチンキナーゼによる触媒作用を及ぼす代謝反応）.

magnet r. 磁石反応（小脳を切除された動物にみられる反応．動物が仰向けに置かれ，頭を強く屈曲されると四肢があらゆる関節で屈曲する．皮膚深層部の受容体の刺激のために，指によって足底に加えられた軽い圧力は四肢の伸筋の反射収縮を起こす．四肢はそこで指を緩く押し返し，指がわずかに引かれると，実検者は，磁石のように指が四肢を持ち上げ，あるいは四肢を引きのばすように感じる）.

Marchi r. (mahr′kē). マルキ反応（オスミウム酸の作用を受けても黒くならない神経のミエリン鞘）.

Mazzotti r. (mă-zot′ē). マゾッティ反応. ＝Mazzotti *test*.

Millon r. (mē-on[h]′) [A. N. E. *Millon*]. ミロン(ミヨン)反応（フェノール化合物(例えば，蛋白中のチロシン)の HNO_3(および極微量の HNO_2)中における Hg-$(NO_3)_2$ との反応．赤色を呈する）.

miostagmin r. ミオスタグミン反応（Ascoli が考案した物理化学的免疫試験．37°C，2時間のインキュベーションの前後で特異抗原を加え，免疫血清の表面張力を測定する．陽性反応では，表面張力は滴数計で測定すると低下する）.

Mitsuda r. (mit′sū-dah). 光田反応（光田抗原の皮内注射部位に紅斑性丘疹状小結節を生じる遅延過敏レプロミン反応）.

mixed agglutination r. 混合凝集反応（凝集物が共通の抗原決定因子をもつ2種類の異なった細胞からなる免疫凝集．同種抗原の同定に用いるときには，試験細胞を適当な同種抗体と反応させて洗浄した後，試験細胞に付着した同種抗体上で非結合部位と結合する赤血球指示体と混合する）.

mixed lymphocyte culture r. リンパ球混合培養反応（→mixed lymphocyte culture *test*）.

monomolecular r. 一分子反応（たとえ酸やアルカリなど

R

の触媒因子が分子レベルで過剰に存在しても，また律速にならなくても，単一の分子が関与する反応．例えば，分解，分子内転位，分子内酸化または還元．この反応は通常は一次反応である．*cf.* molecularity)．＝unimolecular r.

myasthenic r. 筋無力性反応．＝Jolly r.

Nadi r. (nā′dē)．ナジ反応．＝peroxidase r.

near r. 近見反応（近見時，すなわち調節と輻輳に伴う瞳孔収縮）．

nested polymerase chain r. 入籠 PCR，ネステッド PCR（PCR の応用技術の１つで，最初，ある特定 DNA 配列を増幅し，続いてそれより内側の DNA 配列をさらに増幅していく方法．超微量の DNA の場合，あるいはバックグラウンド DNA や混入 DNA が問題である場合に用いられる）．

Neufeld r. (noy′feld)．ノイフェルト反応．＝Neufeld capsular *swelling*.

neurotonic r. 神経緊張反応（刺激をやめた後でも十分持続する筋収縮）．

neutral r. 中性反応（pH 7.00．H^+ および OH^- イオン濃度は 22°C で 10^{-7}mol/L に等しい．*cf.* dissociation *constant* of water）．

ninhydrin r. ニンヒドリン反応（遊離カルボキシル基と *α*-アミノ基をもつ蛋白，ペプトン，ペプチド，およびアミノ酸のための試験．トリケトヒドリンデン水和物との反応に基づいている．この青い呈色反応は遊離アミノ酸(例えば，蛋白のアミノ酸の加水分解および分離後)の定量に用いる）．＝triketohydrindene r.

nitritoid r. 類亜硝酸塩反応（亜硝酸塩投与後に起こる反応に類似した重篤な反応．アルスフェナミンなどの薬剤の静脈内投与によって起こることがあり，時には顔面紅潮，舌および口唇の浮腫，嘔吐，大量発汗，血圧降下を伴い，ときには死に至ることがある．このような反応が有機ヒ素薬の注射後に起こる原因は微細な肺塞栓のためと考えられている）．

r. of nonidentity 非同一反応（→gel diffusion precipitin *tests* in two dimensions）．

nuclear r. 核反応（２つの原子核同士，または原子核と核内粒子，あるいは核内における粒子の相互作用．その結果，関与する核の性質，または核のエネルギー総量，またはその双方が変化する．通常，核変換(アルファ線，ベータ線，ガンマ線の放出を伴う)，または核分裂，または核融合によって明らかにされる）．

oxidase r. オキシダーゼ反応（①骨髄性白血球を含む血液塗抹標本を *α*-ナフトール，および *p*-ジメチルアニリン硫酸塩の混合物で処理したとき，インドールブルーを生成する反応．骨髄性白血球はこの反応を触媒する酸化酵素をもつが，リンパ性白血球はもたない．②細菌学においては，ある種の細菌に存在する酸化酵素に基づく反応で，この酵素は細菌中の電子供与体と，テトラメチル-*p*-フェニレンジアミンなどの酸化還元染料との間の電子の移送を触媒する．この染料は還元されると青色または黒色に呈色する）．

oxidation-reduction r. 酸化還元反応（→oxidation-reduction）．

pain r. 疼痛反応（鋭い痛みを起こす刺激に対応して発生する瞳孔の散大または他の部位の不随意な運動）．

Pandy r. (pan′dē)．パンディ反応（髄液中の蛋白(主としてグロブリン)の存在を測定する反応．１滴の髄液を 1 mL の水溶液(例えば，石炭酸の結晶を蒸留水に溶かした溶液，クレゾール溶液，または焦性没食子酸溶液)に加える．蛋白の含量によって，かすかに濁る程度から濃いミルク様の沈殿まで反応に差がある）．＝Pandy test.

r. of partial identity 部分的同一反応（→gel diffusion precipitin *tests* in two dimensions）．

passive cutaneous anaphylactic r. →passive cutaneous *anaphylaxis*.

Paul r. (pawl)．パウル反応（被検膿をウサギの眼の乱切にすり込む試験法．この膿が仮痘または種痘由来の膿疱のときには，上皮症の症状が 36—48 時間以内に発現する．痘瘡患者の痰は同じ反応を起こすといわれている）．＝Paul test.

performic acid r. 過ギ酸反応（エチレン二重結合(–HC＝CH–)の酸化的分解で，Schiff 試薬に対し活性な２個のアルデヒドへ変換される．組織切片中のリン脂質やセレブロシドのような不飽和脂質やケラチンのようなシスチンを多く含む化合物の存在を示すのに用いる）．

periosteal r. 骨膜反応（軟部組織や骨の疾患に対する反応としてＸ線写真上みられる骨膜下骨形成）．

peroxidase r. ペルオキシダーゼ反応（*α*-ナフトールおよびジメチルパラフェニレンジアミンの溶液で細胞や組織を処理したときに，細胞および組織中に存在する酸化酵素(ペルオキシダーゼ)の作用によって起こるインドフェノールブルーの生成．本法で，骨髄球系の細胞は陽性，リンパ球系の細胞は陰性を示し，両者が区別される）．＝Nadi r.

phosphoroclastic r. ホスホロ開裂反応（リン酸塩転移を含むが，加リン酸分解にみられるような，生成物の１つに対する直接の転移ではない C–C 結合の開裂．ピルビン酸塩の酢酸塩 + CO_2 への分解がこの例で，このとき P_i は ADP に付加され ATP を生成する）．

Pirquet r. (pir-kā′)．ピルケー反応．＝Pirquet *test*.

plasmal r. プラスマル反応（塩化水銀でアセタールホスファチドのアルデヒド基を再生し，Schiff 染色をさせる組織化学の一技法）．

pleural r. 胸膜反応（胸部Ｘ線写真上，胸膜線条の肥厚のこと．胸膜炎，胸水貯留，胸膜線維化を示す）．

---

polymerase chain r. (**PCR**) ポリメラーゼ連鎖反応，PCR（ある特定の遺伝子配列の二重鎖 DNA を繰返しコピーする酵素学的方法．微小量の生物学的材料を増幅し，実験的研究に十分な試料を提供する）．

生きている細胞内においては DNA 複製はポリメラーゼによって促進される．二重らせん構造をもつ２つの DNA 鎖はまずお互いからチャックを開けるように開裂し，DNA ポリメラーゼが遊離ヌクレオチドを付加することにより鎖の配列と相補的な塩基対をもつ配列を形成し，それぞれの鎖について１本のコピーを生じる．ポリメラーゼ連鎖反応法として知られる実験技術は，それにより米国の生化学者 Kary Mullis が 1993 年にノーベル化学賞を受賞したが，DNA ポリメラーゼの新しい DNA を合成する能力を利用したものである．Taq ポリメラーゼはその出所，好熱菌 *Thermus aquaticus* の名をとって命名され，遊離ヌクレオチドとプライマーの混合物に加えられる．(プライマーは特に調製された RNA および DNA を含む単位で，その遊離末端部でポリメラーゼが反応する)．短い増幅される DNA 配列により２個のプライマーは隔てられている．いったん反応が始まると，ポリメラーゼは標的配列のコピーをたくさん合成する．単に設定温度を変えるという一連の計画によって開始される．標的配列の数百万というコピーが周期的に 30 回くらい多くこれらの温度変化を繰り返すことにより合成される．つまり１サイクルで合成されたそれぞれの DNA 鎖は次のサイクルではもっと多く合成されるからである．適切な検出方法と組み合わされて，この方法によって検体中に標的分子が数コピーしかない場合にも，いかなる遺伝子もしくは短い DNA 配列を確認することができる．PCR 法は高い感度をもつとともに特異性が高く，事前に検体を精製しておく必要がない．その性質上培養ができなかったり抗生物質による事前の治療のために培養が困難であったり不可能である有機体を含む臨床検体中の微生物病原体の同定を介して感染症の診断に用いられる．PCR は両親または胎児における遺伝可能な異常のスクリーニングを含む遺伝子診断への応用，腫瘍ならびに特に顕微鏡的には正常な腫瘍辺縁部分の癌抑制遺伝子の変異検出をする腫瘍学への応用，ならびに DNA 指紋ならびに父親決定などの法医学への応用などにも適用されている．

Porter-Silber r. (pōr′tĕr sil′bĕr)．ポーター－シルバー反応（17-ヒドロキシコルチコステロイド試験の基礎反応．C-19，C-20，および C-21 にジヒドロキシアセトン基をもつ C-21 アドレノコルチコステロイドはフェニルヒドラジンと反応する）．

Prausnitz-Küstner r. (prows′nits kist′nĕr)．プラウスニッツ－キュストナー反応（ヒトで即時性過敏症原因物質の存在を調べる試験．アトピー患者からとった試験血清を健常被検者に皮内注射する．24—48 時間後，アトピー個体に即時性過敏性反応を起こさせたと思われる抗原を健常被験者に接種する．通常，膨疹状の発赤を呈する．P-K 試験は伝染病の

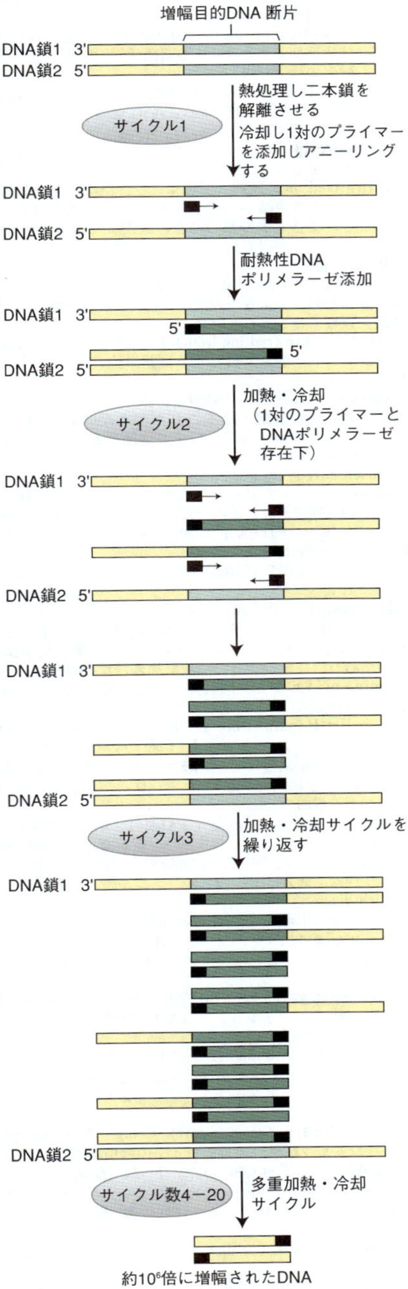

polymerase chain reaction (PCR)

危険があるのでもはや行われていない）．＝P-K test.

precipitin r. 沈降反応（→precipitin; precipitin *test*）.

primary r. 一次反応．＝vaccinia.

prozone r. 前地帯反応（→prozone）.

psychogalvanic r., psychogalvanic skin r. 精神〔感応〕電流反応，精神皮膚電流反応．＝galvanic skin *response*.

quellung r. ［Ger. *Quellung*, swelling］．膨張反応（①＝Neufeld capsular *swelling*. ②肺炎球菌，墨汁，特異抗血清を混合した場合，血清中に存在する抗体は肺炎球菌莢膜の多糖類抗原に結合し，その結果，莢膜が腫脹して不明瞭な状態となる．この試験は被検菌が肺炎球菌であるとの証明，莢膜の型別を決定するために行われる．＝capsular precipitation r.）.

reversed Prausnitz-Küstner r. (prows′nits kist′nĕr)．逆プラウスニッツ－キュストナー反応（レアギン抗体を含む血清をアレルギーがすでに存在している人の皮膚に注射するときに起こる，注射部位でのじんま疹反応の発現）.

reverse transcriptase polymerase chain r. (**RT-PCR**) 逆転写酵素ポリメラーゼ連鎖反応（特異的な mRNA を増幅する方法で，試験管内反応に加えられた逆転写酵素により鋳型として mRNA を使用して cDNA が産生された後，通常の PCR により増幅される）.

reversible r. 可逆反応（左から右または右から左，どちらの方向からも起こる化学反応．イオン化は，そのような反応である．ラセマーゼ，イソメラーゼ，ムターゼ，トランスフェラーゼなどの酵素（生体触媒）が関与する反応も，同様である）.

Sakaguchi r. (sah-kah-gū-chē)．坂口反応（アルカリ溶液中のグアニジンは α-ナフトールおよび次亜塩素酸ナトリウムで処理すると，強い赤色を発する．遊離アルギニンまたは蛋白中のアルギニンに対する定性試験）.

Schardinger r. (shar′ding-ĕr)．シャルディンガー反応（ホルムアルデヒドによるメチレンブルーのメチレンホワイトへの還元は新鮮な牛乳によって速やかに触媒されるが，沸騰した牛乳によっては触媒されない．触媒作用はキサンチン酸化酵素（Schardinger 酵素）による．有機水素受容体（染料）の嫌気的酸化の一例）.

Schultz r. (shūlts)．シュルツ反応（→Schultz *stain*）.

Schultz-Charlton r. (shūlts kahrl′ton)．シュルツ－カルルトン（カールトン，シャルトン）反応（猩紅熱抗血清を猩紅熱の発疹が生じている部位に皮内注射すると，発疹が消失して蒼白になる現象）．＝Schultz-Charlton phenomenon.

Schultz-Dale r. (shūlts dāl)．シュルツ－デール反応（感作動物（例えばモルモット）から切除した小腸わな（Schultz）あるいは子宮などの平滑筋の細片（Dale）が収縮する現象で，その組織が特異抗原にさらされるときに起こる）.

serum r. 血清反応．＝serum *sickness*.

shortening r. 短縮反応，縮まり反応（除脳動物において四肢を屈曲した後，のばしたときにみられる四肢の伸筋の適応短縮．*cf.* lengthening r.）.

Shwartzman r. (schwarts′mă̆n)．シュワルツマン反応．＝Shwartzman *phenomenon*.

skin r. 皮膚反応．＝skin *test*.

specific r. 特異反応（組織の反応能力をすでに変化させたものと同一か，または免疫的に類似する物質によりつくり出された現象）.

startle r. 驚愕反応．＝startle *reflex*.

Straus r. (strows)．ストロー反応（鼻疽の診断試験．雄のモルモットに検体物質を腹腔内接種する．鼻疽菌が存在すれば，通常，数日以内に陰嚢に壊死性炎症が起こり，特異的病原体の存在が細菌学的に確認される）.

stress r. ストレス反応（急性環境性反応．極端な環境変化に関連する急性の情緒反応）．＝acute situational r.

supporting r.'s 支持反応（Magnus により記載されたもので，彼は 2 つの型に区別している．陽性支持反応 **positive supporting r.'s** は，身体を重力に対抗して支持するような筋収縮反射で，除脳動物において誇張された形で現れる．陰性支持反応 **negative supporting r.'s** は，伸筋の抑制とそれに伴う関節の弛緩で，したがって四肢を屈曲して新しい位置に移すことが可能になる）．＝supporting reflexes.

symptomatic r. 症候性反応（本来の反応に類似したアレルギー性反応であるが，アレルゲンあるいはアトペンを試験的または治療用の投与量を使用した後に起こる反応）.

thermoprecipitin r. 熱沈降反応（加熱により沈殿を起こさせる反応で，蛋白尿の症例にみられる）.

transcription-based chain r. 転写に基づく連鎖反応（DNA あるいは RNA の標的部分を増幅する技術で，逆転写酵素によりそれぞれの DNA あるいは RNA 標的に対する一重鎖の DNA が合成され，さらに増幅するための鋳型として使用される）.

***Treponema pallidum* immobilization r.** 梅毒トレポネーマ不動化反応．＝*Treponema pallidum* immobilization *test*.

triketohydrindene r. トリケトヒドリンデン反応．＝ninhydrin r.

type III hypersensitivity r. III 型過敏反応．＝immune complex *disease*.

unimolecular r. ＝monomolecular r.

vaccinoid r. 仮痘性反応．＝accelerated r.

Voges-Proskauer r. (fō′gis-prăs-kow′ĕr). フォーゲス－プロスカウアー反応（種々の細菌によるアセチルメチルカルビノール生成の試験に用いる化学反応．適当な培地で 24 時間培養したものに水酸化カリウムを加え完全に混合する．処理した培養液を空気にさらして，2，12，24 時間ごとに観察する．アルカリおよび酸素の存在でジアセチルに酸化されるアセチルメチルカルビノールが生成するので，陽性反応はエオシン様の桃色を呈する）.

Wassermann r. **(W.r.)** (vahs′ĕr-mahn). ヴァッセルマン（ワッセルマン）反応，梅毒血清反応．＝Wassermann *test*.

Weidel r. (vī′del). ヴァイデル反応（キサンチンの存在を示す反応．被検物の塩素水溶液に少量の硝酸を加えたものを水浴中で蒸発させ，アンモニア蒸気にさらす．赤色または紫色を呈するキサンチンの存在が示される）.

Weil-Felix r. (vīl). ヴァイル(ワイル)－フェリックス反応．＝Weil-Felix *test*.

Weinberg r. (wīn′bĕrg). ヴァインベルク(ワインバーグ)反応（包虫症の存在をみる補体結合試験）.

Wernicke r. (vern′ik-ĕ). ヴェルニッケ反応（視索傷害による半盲症にみられる反応．光が網膜の盲側にはいるときは対光反射が欠除し，光が感覚をもつ側にはいるときには対光反射が保持される．この所見は明るい光では眼内散乱光が網膜の半分にも作用するため，明るい光のもとではみられない）．＝Wernicke sign.

wheal-and-erythema r. 膨疹－紅斑反応（アレルギー皮膚試験の際に観察される特徴的な即時型反応．抗原(アレルゲン)注射後 10―15 分以内に，不整形，蒼白で隆起した膨疹が出現し，その周囲に紅斑(潮紅)を伴う）．＝wheal-and-flare r.

wheal-and-flare r. 膨疹・潮紅反応．＝wheal-and-erythema r.

white r. 白色反応（皮膚を鈍的器具で軽く叩いたあと，多くの個人にみられる反応で，毛細血管の働きに基づく）.

whitegraft r. 白色移植反応（不適合な組織移植に対する免疫反応で，移植片の血管新生が不全となり，拒絶したことが確定する．歴史的用語で現在は用いられない語）.

Widal r. (vē-dahl′). ヴィダル反応（チフスの診断に用いる凝集反応）．＝Gruber r.; Gruber-Widal r.

xanthoprotein r. キサントプロテイン反応（蛋白の検出に用いられる定性試験．検体に熱濃硝酸を添加し，もし黄色生成物(キサントプロテイン)が生成したら陽性と判定する）.

Yorke autolytic r. (yōrk). ヨルケ自己溶解反応（発作性血色素尿症のテスト．血清を冷凍庫に入れて 5―7 分間 0 °C に赤血球とともに 1 時間保ってから，37°C の培養器に入れる．このとき反応が陽性の場合には溶血が起こる．この血清を 1 °C で 1 時間放置後，赤血球とともに培養器に入れた場合，ほとんど溶血は起こらない）.

zero-order r. 零次反応（反応物質の濃度には無関係に，特定の速度で進む反応）.

Zimmermann r. (zim′er-mahn) [W. *Zimmermann*].ツィンメルマン反応（*meta*-ジニトロベンゼンのアルカリ溶液と 17-ケトステロイドの活性メチレン基(C-16)の間の化学反応．17-ケトステロイド検出試験の根拠となる．より一般的には，アルカリ溶液中，メチレンケトンと芳香族ポリニトロ化合物間の反応）．＝Zimmermann test.

re·ac·ti·vate (rē-ak′ti-vāt). ***1*** 再活性化させる．***2*** 再活性化させる，補体添加する（ことに不活性化された免疫血清に正常血清(補体)を加えることをいう）.

re·ac·ti·va·tion (rē′ak-ti-vā′shŭn). 再活性化（①不活性化血清に補体添加することによる溶菌活性の回復．②不活性化された酵素の活性回復）.

re·ac·tiv·i·ty (rē-ak-tiv′i-tē). ***1*** 反応性（反応する性質のことをいう．化学的，免疫学的あるいは他のどんな意味でも用いられる）．***2*** 反応経過.

reactogenicity (rē-ak-tō-je-nĭ-sĭ′tē). 反応原性（有害反応を生じる能力をもった状態）.

read·ing (rēd′ing). 読解（①書くことまたは印字を目で追跡することにより視標(文字または単語)の意味を認知かつ理解すること．②話し手の顔の動きの観察または Braille のように，シンボルを翻訳するいくつかの方法）.

lip r. 読唇〔法〕．＝speech r.

speech r. 読話〔法〕（聴力障害者が話しかけられている内容を知るために，話者の表情，口唇および顎運動，その他の合図を観察すること）．＝lip r.

read·ing frame (rēd′ing frām). 読み枠（コドンとよばれるヌクレオチド 3 個を 1 組とする翻訳単位．→frameshift *mutation*）.

blocked r. f. 読み取り枠障害，阻止された読み枠（機能をもった蛋白に翻訳されることができない DNA 配列．通常，1 個以上の終止コドンにより中断されていることによる）．＝closed r. f.

closed r. f. ＝blocked r. f.

open r. f. オープンリーディングフレーム，読み枠（アミノ酸配列に翻訳され，蛋白となるヌクレオチド配列．停止コドンが途中に含まれない読み枠．開始コドンと終止コドンの間）．＝unidentified r. f.

unidentified r. f. **(URF)** 未同定リーディングフレーム．＝open r. f.

read·through (rēd′thrū). 読み過し（分子生物学において，正常の転写終結部位を過ぎて，核酸配列が転写されること）.

re·a·gent (rē-ā′jĕnt) [Mod.L. *reagens*]. 試薬（化学反応に関与するために他の物質の溶液に加えられる物質）.

amino acid r. アミノ酸試薬（アミノ酸の同定と定量に用いられる試薬）.

Benedict-Hopkins-Cole r. (ben′ĕ-dikt hop′kinz kōl) [S. R. *Benedict*, F.G. *Hopkins*, L. *Cole*].ベネディクト－ホプキンズ－コール試薬（シュウ酸とマグネシウムの混合物からつくられるグリオキシル酸マグネシウム．トリプトファンの存在による蛋白の検出法）.

biuret r. ビウレット試薬（硫酸銅のアルカリ溶液）.

Cleland r. (klel′ănd). クリーランド試薬．＝dithiothreitol.

diazo r. ジアゾ試薬（2 種の溶液からなり，一方は亜硝酸ナトリウム，他方は酸性のスルファニル酸．ジアゾ化用）．＝Ehrlich diazo r.

Dische r. (dish′ĕ). ディッシュ試験（酸中のジフェニルアミン，またはアニリン，ジフェニルアミン，およびリン酸の混合物をアセトンまたはエタノールに溶解したもの．→Dische *reaction*）.

Dische-Schwarz r. (dish′ĕ-shvarts) [Z. *Dische*, K.L. H. *Schwarz*].ディッシュ－シュワルツ試薬（RNA の比色検出に用いられる試薬）.

Drabkin r. (drab′kin). ドラブキン試薬（ヘモグロビンを測定するシアンメトヘモグロビン法で用いる溶液．重炭酸ナトリウム，シアン化カリウム，フェリシアン化カリウムを含む）.

Dragendorff r. (drag′ĕn-dōrf) [Georg *Dragendorff*].ドラーゲンドルフ試薬（アルカロイドの検出試薬）.

Edlefsen r. (ed′ĕl-fsĕn) [G. J. F. *Edlefsen*].エドレフセン試薬（尿中糖定量用のアルカリ性過マンガン酸塩溶液）.

Edman r. (ed′măn). エドマン試薬．＝phenylisothiocyanate.

Ehrlich diazo r. (ār′lik). エールリッヒジアゾ試薬．＝diazo r.

Erdmann r. (erd′mahn) [H. *Erdmann*].エルトマン試薬（アルカロイド検出用の硫酸と硝酸の混合物）.

Esbach r. (es′bahk). エスバッハ試薬（ピクリン酸，クエン酸，水(1 : 2 : 97 の割合)からなる試薬．尿中アルブミン検出に用いる).

Exton r. (eks′tŏn) [W.G. *Exton*].エクストン試薬（1L水溶液中に50gのスルホサリチル酸および200gの$Na_2SO_4 \cdot 10H_2O$とからなり，アルブミンの検出に用いる).

Fehling r. (fā′ling). フェーリング試薬. =Fehling *solution.*

Folin r. (fol′in). フォーリン試薬. =Folin *reaction.*

Fouchet r. (fū-sha′) [A. *Fouchet*].フシェ試薬（0.9%の塩化鉄を含むトリクロル酢酸の25%溶液．10秒間尿に浸した塩化バリウム透浸沪紙の境界線へ1滴加えて，ビリルビンが存在すれば緑色を呈する.→Fouchet *stain*).

Froehde r. (frōh′dĕ) [A. *Froehde*].フレーデ試薬（モリブデン酸ナトリウム1を濃硫酸1000に溶かしたもので，この試薬はアルカロイドに対し種々の呈色反応を示す).

Frohn r. (frōn). フローン試薬（次硝酸ビスマス1.5を水20に混ぜ，加熱沸騰後に塩酸10，ヨウ化カリウム7を加えたもので，アルカロイドおよび糖の検出に用いる).

Girard r. (ji-rahr′). ジラール試薬（塩化ベタインのヒドラジンで，これによりケト形ステロイドの水溶性ヒドラゾンをつくり，抽出に用いる).

Günzberg r. (gŭnz′bĕrg) [A. *Günzberg*].ギュンツベルク試薬（フロログルシンおよびバニリン．Günzberg試験の試薬として用いられる).

Hahn oxine r. (hahn). ハーンのオキシン試薬（8-ヒドロキシキノリンのアルコール溶液で，亜鉛，アルミニウム，マグネシウムおよび他の鉱物の定量に用いる).

Hammarsten r. (hahm′ar-sten) [O. *Hammarsten*]. ハマルステン試薬（25%硝酸溶液1と25%塩酸溶液19からなる混合物．この試薬1，アルコール4の混合物に被検液を数滴加え，胆汁が存在すると緑色を呈する).

Ilosvay r. (i-los′vā). イロスヴェー試薬（希酢酸150に溶解したスルファニル酸0.5とナフチルアミン1を混合し，沸騰水20に溶解して生じた青色沈殿を希酢酸150に溶かしたもの．この試薬を数滴，被検体の水，唾液，または他の液に加えると，亜硝酸がある場合には赤色を呈する).

Kasten fluorescent Schiff r.'s (kas′tĕn) カステンの蛍光シッフ試薬（酸性側鎖を欠き，少なくとも1個より多くの第一級アミン基をもつ蛍光塩基染料であるSchiff試薬の蛍光性類似体．Kastenの蛍光Feulgen染色のDNA，Kastenの蛍光過ヨウ素酸Schiff染色の多糖類，およびニンヒドリン–Schiff染色での蛋白の細胞化学的検出に用いられる．そのような類縁体にアクリフラビン，オーラミンO，およびフラボホスフィンNが含まれる).

Lloyd r. (loyd). ロイド試薬（アルカロイド測定用の沈降ケイ酸アルミニウム).

Mandelin r. (man′dĕ-lin rē-ā-jent). マンデリン試薬（バナジン酸アンモニウムを硫酸に溶かした溶液で，アルカロイドの呈色試験に用いられる).

Marme r. (marm). マルメ試薬（アルカロイド検出用試薬で，ヨウ化カリウムとヨウ化カドミウムの溶液).

Marquis r. (mar-kē′ rĕ-ā′jent). マルキス試薬（ホルムアルデヒドの呈色試験に用いるホルムアルデヒドの硫酸溶液).

Mecke r. (mek′ĕ rē-ā′jent). メッケ試薬（アルカロイドの呈色反応に用いる亜セレン酸の硫酸溶液).

Meyer r. (mī′ĕr) [W. *Meyer*].マイアー試薬（フェノールフタレインと水酸化ナトリウムを含む水溶液(水はガラス容器で蒸留したものを用いる)．ごく微量の血液が存在しても，溶液は紫色または青赤色となる).

Millon r. (mē-on[h]′) [A.N.E. *Millon*]. ミロン(ミヨン)試薬（Millon反応において用いる硝酸第二水銀および硝酸).

Nessler r. (nes′lĕr). ネスラー試薬（水酸化カリウム，ヨウ化水銀，およびヨウ化カリウムの溶液．アンモニアと反応して黄色を呈する(大量の場合には褐色の沈殿)のでその定量試験に用いられる).

Rosenthaler-Turk r. (rō′zĕn-thahl-ĕr tĕrk). ローゼンタラー－ツルク試薬（種々のアヘンアルカロイドの呈色反応に用いられるヒ酸カリウムの硫酸溶液).

Sanger r. (sang′ĕr). サンガー試薬. =1-fluoro-2,4-dinitrobenzene.

Schaer r. (shā′ĕr). シェール試薬（アルカロイド研究の抽出溶剤として用いられる抱水クロラールのアルコールまたは水の溶液).

Scheibler r. (shīb′lĕr). シャイブラー試薬（アルカロイド検出用のタングステン酸ナトリウムのリン酸溶液).

Schiff r. (shif). シッフ試薬（塩基性フクシンまたはパラローザニリンの水溶液で，二酸化硫黄によって脱色され，一般にメタ亜硫酸水素塩や亜硫酸水素塩を含む染料溶液に塩酸を添加して調製される．アルデヒドに対してまた，組織化学においては，多糖類，DNAや蛋白の検出に用いる.→Feulgen *stain*; periodic acid-Schiff *stain*; ninhydrin-Schiff *stain* for proteins).

Scott-Wilson r. (skot wil′sŏn) [H. *Scott-Wilson*]. スコット－ウィルソン試薬（アセトン検出用シアン化第二水銀および硝酸銀のアルカリ溶液).

sulfhydryl r. スルフヒドリル試薬（チオール基，特に蛋白のチオールと反応する試薬).

Sulkowitch r. (sŭl-kō′vitch) [H.W. Sulkowitch]. サルコウィッチ試薬（尿中のカルシウム検出用試薬で，シュウ酸2.5g，シュウ酸アンモニウム2.5g，氷酢酸5cc，および蒸留水を加え150ccとした溶液．カルシウムを含む尿にこの試薬を加えると，乳状のシュウ酸カルシウムの沈殿ができる).

Uffelmann r. (ūf′ĕl-mahn) [J.A.C. *Uffelmann*]. ウッフェルマン試薬（2%のフェノール水溶液を，塩化第二鉄水溶液に色が紫に変わるまで加えて調製された溶液．乳酸の存在でレモン黄色に，酪酸で乳白色になり，塩酸では脱色される).

Wurster r. (vūrst′ĕr) [C. *Wurster*]. ヴルスター試薬（テトラメチル-*p*-フェニレンジアミンを浸みこませた沪紙で，オゾンまたは過酸化水素が存在すると青色に変わる).

re·a·gin (rē-ā′jin). レアギン，反応体，感作抗体（①抗体に対するWolff-Eisnerの定義．②Wassermann抗体の古語．Prausnitz-Küstner抗体と混同されやすい．③即時性過敏性反応を誘発する抗体(ヒトでは免疫グロブリンE)．④＝homocytotropic *antibody*).

atopic r. アトピー性レアギン，アトピー性反応体（Prausnitz-Küstner抗体(⇀antibody)，例えば抗原特異的IgE).

re·a·gin·ic (rē′ā-jin′ik). レアギンの，反応体の.

REAL Revised European-American Classification of Lymphoid Neoplasms(リンパ性腫瘍の改訂ヨーロッパ－アメリカ分類)の頭字語.→REAL *classification.*

re·al·i·ty (rē-al′i-tē) [L. *res*, thing, fact]. 実在，現実（客観的に実際に存在し，合意的に確認されうるもの).

re·al·i·ty a·ware·ness (rē-al′i-tē a-wār′nes). 実在意識性（外的対象を自分自身とは違うものとして区別できる能力).

re·amer (rē′mĕr) [A.S. *ryman*, to widen]. リーマー（骨組織や歯の穴の形成や拡大に用いる回転式仕上げまたは切削工具).

engine r. エンジンリーマー（エンジンがついたらせん状の刃付き器具で，歯の根管の拡大に用いる).

intramedullary r. 髄内リーマー（器具や人工挿入物を入れるために，事前に髄腔を拡大するのに用いるやすり).

re·ar·range·ment (rē′a-rānj′mĕnt). 再配列（例えば分子内において再構成すること).

Amadori r. (ă-mă-dōr′ē) [M. Amadori]. アマドリ転位（コラーゲンや蛋白のグリコシル化で見出される架橋反応で起こる転位．例えば，アルドースの*N*-グルコシドから相当するケトースの*N*-グリコシドへの変換).

re·as·sign·ment (rē-ă-sīn′mĕnt) [re- + assignment]. 所有権変更，再選定，再指定（持物や財産の所有権を移すこと．ある介護施設から他の介護施設へ患者を移すこと).

sex r. 性の再賦与（精神科的，心理学的，薬理学的，および外科的手術手技の組み合わせによって患者の性が変えられる過程．通常は半陰陽または性同一性障害の治療の一部となる). =sex reversal.

re·at·tach·ment (rē′ă-tach′mĕnt). 再付着（外科的に引き離され，口腔環境には露出していない歯の表面への新しい上皮または結合組織の接着).

Réaumur (rā-ō-mūr′), René A.F. de. フランス人物理学者，1683—1757.→R. *scale*.

re·base (rē′bās). リベース（歯科において，歯の咬合関係を変化させずに義歯床材料を交換し義歯の再適合を行うこと．→reline).

rebound (rē′bownd). 反発，反動，反跳，跳ね返り（患者の回復または改善の状態）.

adiposity r. 体脂肪の反跳（6歳頃に最低値となったBMIが，減少から増加に転じる期間）.

re・breath・ing (rē-brēdh′ing). 再呼吸（一度吐き出したガスの一部または全部を吸入すること）.

Rebuck skin win・dow tech・nique (rē′bŭk). ⇒technique.

RecA レックA（大腸菌蛋白の1つで，ときに一本鎖DNAを認識し，相同性のある二本鎖において相補的な配列とアニールする．この結果二本鎖のもともとの相補的な鎖に置換が起こる）.

re・cal・ci・fi・ca・tion (rē-kal′si-fi-kā′shŭn). カルシウム再沈着，カルシウム再添加（失われたカルシウム塩の組織への回復）.

re・call (rē′kawl). 想起，追想（実際の出来事を思い出そうとする場合にみられ，過去の出来事での考え，言葉および行為を思い出す過程）.

Récamier (rā-kahm-ē-ā′), Joseph C.A. フランス人婦人科医，1774—1852. →R. *operation*.

re・ca・nal・i・za・tion (rē-ka′năl-i-zā′shŭn). 再疎通（①血栓性栓塞に続発する血管の管腔の回復で，毛細血管新生を伴う血栓の器質化による．②精管切除後再疎通にみられるような閉塞した導管あるいは管の内腔の連続性が自然に回復すること）.

re・ca・pit・u・la・tion (rē′kă-pit′yū-lā′shŭn). 発生反復，反復（→recapitulation *theory*）.

re・ceiv・er (rē-sēv′ĕr) [L. *receptor* < *recipio*, to receive]. 受け器（化学において，蒸留物を受けるために冷却器に連結する容器）.

re・cep・tac・u・lum, pl. **re・cep・tac・u・la** (rē′sep-tak′yū-lŭm, -lă) [L. < *re-cipio*, pp. *-ceptus*, to receive < *capio*, to take]. 嚢. =reservoir.

r. chyli =*cisterna* chyli.

r. ganglii petrosi =petrosal *fossula*.

r. pecqueti ペケー槽. =*cisterna* chyli.

re・cep・tive (rē-sep′tiv). 受容[体]の（刺激を感じるまたは受容する）.

r. field 受容体視野（1本の視神経線維に対応する視細胞（錐体，杆体）の網膜の部分．受容体視野の刺激に対するニューロンの反応はニューロンの種類と光照射野の部位に依存する．"on-center" ニューロンはその受容体視野の中心に当たる光に刺激される．"off-center" ニューロンはその逆の現象に反応する．すなわち，受容体視野の中心に光が当たると抑制される．別な例では，正味の反応は網膜でのスイッチ反応の複合形に依存する．受容体視野全体が均一に照射されると視野の中央の受容体の反応が最も著明である）.

re・cep・tor (rē-sep′tŏr, tōr) [L. receiver < *recipio*, to receive]. レセプタ，受容体，受容器（①細胞表面あるいは細胞質内部でホルモン，抗原，神経伝達物質などの特定の因子と結合する構造蛋白分子．②皮膚，深部組織，内臓，特殊感覚器にある種々の知覚神経末端のどれもがこれに当たる）.

adrenergic r.'s アドレナリン作用(作動)性レセプタ(受容体)（効果器官組織中の反応性部位で，そのほとんどは交感神経系のアドレナリン作用性節後線維により神経支配されている．このような受容体はノルエピネフリンやエピネフリン，またはそのいずれかか，その他種々のアドレナリン作用薬によって活性化される．受容体の活性化は，細動脈筋の収縮や気管支筋の弛緩などの効果器官組織の機能に変化をもたらす．アドレナリン作用性受容体は，種々のアドレナリン作用活性化薬およびアドレナリン作用遮断薬に対する反応に基づき，α受容体とβ受容体に分けられる）. =adrenoceptor; adrenoreceptors.

α-adrenergic r.'s αアドレナリン作用(作動)性レセプタ(受容体)（薬物により選択的活性化および遮断を起こしうる効果器官組織中のアドレナリン作用性受容体．アドレナリン作用性受容体のみを遮断するフェノキシベンザミンのような特定の薬物や同じアドレナリン作用性受容体のみを活性化させるメトキシアミンなど，他の薬物の機能から概念的に派生してきた．このような受容体はα受容体とよばれ，それらの活性化は，末梢血管抵抗の増加，散瞳や立毛筋の収縮などの生理的応答を引き起こす）.

β-adrenergic r.'s βアドレナリン作用(作動)性レセプタ(受容体)（薬物により選択的活性化および遮断を起こしうる効果器官組織中のアドレナリン作用性受容体．ある種のアドレナリン作用性受容体のみを遮断するプロプラノロールなどの特定薬物や，同じ受容体のみを活性化させるイソプロテレノールなどの他の薬物の機能から概念的に派生した．このような受容体はβ受容体とよばれ，それらの活性化は，心拍数および収縮力の増大(β_1)および気管支や脈管の骨格筋を含む平滑筋の弛緩(β_2)などの生理的応答を引き起こす）.

β-アドレナリン作動性レセプタ
種々のβ-レセプタサブタイプの臓器への主効果

	臓器	レセプタの機能
β_1型	心臓	心拍数，収縮性，伝導速度の増大
	腎臓	レニンの放出の増加
	脂肪組織	脂肪分解の増加
β_2型	気管支通路	狭窄した気管支通路の拡張
	血管	骨格筋の血管の拡張
	子宮	子宮平滑筋の弛緩
	膵臓（β細胞）	インスリン放出増大
	肝臓，骨格筋	グリコゲン分解の増加
	脂肪組織	脂肪分解の増加

AMPA r. AMPAレセプタ(受容体)（グルタミン酸レセプタの一種．興奮性神経伝達に関与し，またα-アミノ-3-ヒドロキシ-5-メチル-4-イソキサゾールプロピオン酸と結合し，さらにカチオンチャネルとして作用する）. =quisqualate r.

angiotensin r. アンギオテンシン受容体（アンギオテンシンIIの作用を仲介するG蛋白結合型の細胞表面の受容体．AT_1とAT_2の2型が区別され，前者は強力な血管平滑筋収縮作用に関与し，アンギオテンシンIIによる高血圧性変化を示す．後者はレニンの生合成およびアンギオテンシンIIの生成を調節する）.

ANP r.'s ANPレセプタ(受容体)（心房性ナトリウム利尿性ペプチドの細胞表面レセプタで単一膜貫通性．これらは不可欠なキナーゼやグアニル酸シクラーゼドメインをもつ）.

ANP clearance r.'s ANP浄化レセプタ(受容体)（心房性ナトリウム利尿性ペプチドやANPフラグメントと生物作用を起こさないで結合する細胞表面蛋白）.

asialoglycoprotein r. アシアロ糖蛋白レセプタ(受容体)（肝細胞表面にある受容体で，糖蛋白末端のガラクトースに結合する．その結果，糖蛋白は血中から除去され，肝細胞のリソソームで分解される）.

B cell r.'s B細胞レセプタ（細胞膜結合免疫グロブリン分子と，シグナル伝達性に関与するα・β鎖とを含包する複合体）.

cholinergic r.'s コリン作用(作動)性レセプタ(受容体)（アセチルコリンがその作用を発現するエフェクタ細胞やシナプスでの化学部位）.

epidermal growth factor r. (**EGFR**) [MIM*131550]. 上皮成長因子受容体（上皮系腫瘍でしばしば上昇する）.

estrogen r. (**ER**) エストロゲン受容体（エストロゲンの受容体．乳癌で受容体陽性例は予後良好といわれる）.

Fas r. →Fas.

Fc r. Fcレセプタ(受容体)（様々な細胞に存在する免疫グロブリンFcフラグメントに対する受容体，IgGとIgEクラスの免疫グロブリンと結合する）.

imidazoline r. イミダゾリン受容体（クロニジンや他の血圧降下薬の結合部位）.

intestinal intrinsic factor-cobalamin r. 腸内因子－コバラミン受容体. =cubilin.

kainate r. カイニン酸レセプタ(受容体)（興奮性神経伝達に関与するグルタミン酸レセプタの一種）.

laminin r. ラミニンレセプタ(受容体)(ラミニンと結合し，細胞接着やニューライト(神経突起)成長に作用する多くの細胞株に見出されるレセプタ).

L-AP$_4$ r. L–AP$_4$ レセプタ(受容体)(グルタミン酸レセプタの一種で，特別の合成アゴニストとも結合したり，カチオンチャネルとして作用する).

low-density lipoprotein r.'s 低比重リポ蛋白レセプタ(受容体)(細胞表面，特に肝細胞表面にある受容体で，低比重リポ蛋白と結合し，血中低比重リポ蛋白の除去を促進する).

mannose-6-phosphate r.'s (**MPR**) マンノース–6–リン酸レセプタ(受容体)(Golgi 装置中のレセプタで，リソソームにはいるべき新規合成蛋白が結合する).

metabotropic r. [metabolism + G. *tropē*, turning, inclination + -ic]. 代謝生成物産性レセプタ(受容体)(1,2–ジアシルグリセロールとイノシトール 1,4,5–三リン酸の細胞内産生に関与するレセプタの一種).

muscarinic r.'s ムスカリン性レセプタ(受容体)(膜結合蛋白で，その細胞外ドメインがアセチルコリン(ACh)に対する認識部位をもつ. ACh とそのレセプタとの複合体形成が，生理的変化を開始させる(心拍数の減少，腺分泌活性を増加，平滑筋収縮の促進). マッシュルームアルカロイド，ムスカリンの処理により変化が観察される. ムスカリン性レセプタはニコチン性レセプタと区別されている).

nicotinic r.'s ニコチン性レセプタ(受容体)(骨格筋細胞にあるコリン作用性レセプタの一種で，細胞膜のイオンチャネルと結合している).

nicotinic cholinergic r. ニコチン性コリン作用(作動)性レセプタ(受容体)(アセチルコリンに応答するレセプタの一群で，また，ニコチンで活性化される. 神経節(副腎髄質を含む)レセプタや神経筋レセプタ. ニコチン性ニューロンレセプタとニコチン性筋レセプタの２種類が存在する).

NMDA r. NMDA レセプタ(受容体)(グルタミン酸受容体の一型. 興奮性神経伝達に関与し，*N*–メチル–D–アスパラギン酸と結合する. Huntington 病の患者でみられる細胞障害に特に関与している可能性がある).

nuclear hormone r. 核〔内〕ホルモン受容体(リガンドによって活性化されて転写因子として作用する細胞内分子で，多数の受容体の一員. すべてのステロイドホルモン，甲状腺ホルモン，レチノイン酸は核受容体を介して作用している. リガンドが不明の核受容体は，orphan nuclear receptor(みなしご核受容体)とよばれている).

opiate r.'s アヘン剤レセプタ(受容体)(モルヒネと結合する能力を有する脳の部位. 中脳水道に沿って中枢正中にみられるあるものは痛覚に関係した部位に位置するが，線条体にみられるような他のものは痛覚と関係していない).

orphan nuclear r. オーファン(みなしご)核〔内〕受容体(核受容体ファミリーの一員で，リガンドが不明なもの. いくつか(例えば，steroidogenic factor 1, DAX–1)はヒトの病気と関連性があることが判明している).

progesterone r. [MIM*607311]. プロゲステロン受容体(プロゲステロンの細胞内受容体. しばしば乳癌で過剰に発現する).

quisqualate r. キスカル酸レセプタ(受容体). = AMPA r.

retinoic acid r. レチノイン酸レセプタ(レチノイン酸に対する核レセプタ).

retinoid X r. レチノイドＸレセプタ(レチノイン酸に対するレセプタ. レチノイン酸に対する親和性がレチノイン酸レセプタより低い. その機能は十分には明確にされていない).

ryanodine r. リアノジン受容体(細胞の筋小胞体や小胞体におけるカルシウムコンダクタンスチャネルに関与する受容体で，リアノジンと結合してチャネルをサブコンダクタンス状態にし，筋小胞体から細胞質へカルシウムイオンをゆっくりと連続的に放出させる. このチャネルは普通はカルシウムイオンに感受性であり，イノシトール三リン酸には感受性でない).

scavenger r. スカベンジャーレセプタ(マクロファージ上のレセプタで，酸化 LDL と優先的に結合することにより，マクロファージはその LDL を中和する).

sensory r.'s 感覚受容器(求心性ニューロンの末梢端).

stretch r.'s 伸張受容器(伸張に感受性をもつ受容体で，特に Golgi 腱器官および筋紡錘にあり，また，胃，小腸，膀胱などの内臓器官にもみられる. これらの受容体は伸展を検出する機能をもつが，血管壁の伸張により活性化される圧受容器とは異なる. 伸張受容器の機能は動脈圧を低下させる中枢反射機構を誘導することである).

T cell antigen r.'s T細胞抗原レセプタ(受容体)(T細胞上に存在するレセプタで，処理された抗原と主要組織適合抗原とを同時に認識する. ヘテロダイマーで，それぞれα鎖とβ鎖，あるいはγ鎖とδ鎖からなる. TCR としても知られている).

toll-like r.'s (**TLR**) toll 様レセプタ(哺乳類に存在するパターン認識レセプタファミリー. 細菌細胞壁成分など，微生物の化学的構造の違いを識別することができる. 病原体を認識し，自然免疫反応を惹起することができる).

re·cep·to·somes (rē-sep′tō-sōms′). レセプトソーム(リソソームを避けて，それらの成分を他の細胞内の部位に輸送する小胞).

re·cess (rē′ses) [L. *recessus*][TA]. 陥凹(小陥凹または窩洞形成). = recessus [TA].

anterior r. 前窩陥凹(乳頭体の方向にある脚間窩の外周のくぼみ). = recessus anterior [TA].

anterior r. of tympanic membrane [TA]. 前鼓膜陥凹(前つち骨ひだと鼓膜との間にある鼓室壁上の細隙状の空間). = recessus anterior membranae tympanicae [TA]; Tröltsch pockets; Tröltsch r.'s.

azygoesophageal r. 奇静脈食道陥凹(奇静脈弓の下方で右肺が心臓と脊柱の間の縦隔に突出している部分で，その左側に食道がある. 胸部正面の放射線画像では右肺と食道の間の鉛直方向の界面である).

cecal r. = retrocecal r.

cerebellopontine r. 小脳橋陥凹(→cerebellopontine *angle*).

cochlear r. [TA]. 蝸牛陥凹(前庭錐体部の骨迷路前庭の内側壁上の小陥凹. その中で前庭稜が後方で分割する２つの脚の間にある. 篩状斑によって穿孔され，内耳神経蝸牛枝が蝸牛管の後方末端に送る線維の通路となる). = recessus cochlearis [TA]; Reichert cochlear r.

costodiaphragmatic r. [TA]. 肋骨横隔洞(胸膜腔が肋骨と横隔膜との間に分け入るようにのび出たところ. 立位では胸水はこの部位に集まり肺は一部にしかはいり込まないので，ここが胸腔穿刺部位である). = recessus costodiaphragmaticus [TA]; phrenicocostal sinus.

costomediastinal r. [TA]. 肋骨縦隔洞(肋軟骨胸膜と縦隔胸膜の間の胸膜腔の間隙). = recessus costomediastinalis [TA]; costomediastinal sinus.

duodenojejunal r. = superior duodenal *fossa*.

elliptical r. of bony labyrinth [TA]. 骨迷路の卵形嚢陥凹(骨迷路の前庭の天井および内側壁にある卵形のくぼみで，卵形嚢を入れる). = recessus ellipticus labyrinthi ossei [TA]; recessus utricularis labyrinthi ossei*; utricular r. of bony labyrinth*; fovea elliptica; fovea hemielliptica.

epitympanic r. [TA]. 鼓室上陥凹. = epitympanum.

hepatoenteric r. 肝腸陥凹(胚期の肺腸陥凹の尾方端の腹膜の陥凹. 発達するにつれて肝臓と胃の間にはいり込む).

hepatorenal r. of subhepatic space [TA]. 肝腎陥凹(腹腔の右側で前は肝臓，後ろは腎臓・副腎に挟まれた深い腹膜の陥凹. ここは背臥位における重力依存領域である. 網嚢からの組織液はここへ集まってくる). = recessus hepatorenalis recessus subhepatici [TA]; hepatorenal pouch; Morison pouch.

Hyrtl epitympanic r. (hĕr′tĕl). ヒルトル鼓室上陥凹. = epitympanum.

inferior duodenal r. 下十二指腸陥凹. = inferior duodenal *fossa*.

inferior ileocecal r. [TA]. 下回盲陥凹(回盲ひだ，虫垂間膜と盲腸の間にときにみられる深溝). = recessus ileocecalis inferior [TA].

inferior omental r. 網嚢下陥凹. = inferior r. of omental bursa.

inferior r. of omental bursa [TA]. 網嚢下陥凹(大網の前葉と後葉の間にある網嚢の陥凹). = recessus inferior omentalis [TA]; inferior omental r.

infundibular r. [TA]. 漏斗陥凹(漏斗状の憩室で，第3

脳室の前部から下垂体漏斗部まで下がる). =aditus ad infundibulum [TA]; recessus infundibuli [TA].

intersigmoid r. [TA]. S状結腸間陥凹 (S状結腸の後下部にみられる三角形の腹膜陥凹. 左の腰筋を上がって越え, 鋭く曲がり骨盤まで下がるS状結腸間膜の付着によりつくられる. 左尿管(尿管被蓋部)がこの陥凹膜の後方を下降する). =recessus intersigmoideus [TA].

lateral r. of fourth ventricle [TA]. 第4脳室外側陥凹 (脳室の狭い陥凹で, 下小脳脚と蝸牛核の側面の外縁に沿って外側に向かう. その外側端はクモ膜下腔の一部である小脳橋角の槽(外側小脳延髄槽)の中に第4脳室外側口を通して開いている. 陥凹の途中で第4脳室脈絡叢の一部がクモ膜下腔に突出している). =recessus lateralis ventriculi quarti [TA].

mesentericoparietal r. =parajejunal *fossa*.

optic r. 視交叉陥凹 (→supraoptic r.).

pancreaticoenteric r. 膵腸陥凹 (成体では網嚢になる胚期の腹膜腔).

paracolic r.'s =paracolic *gutters*.

paraduodenal r. [TA]. 十二指腸傍陥凹 (下腸間膜静脈を含むひだの後ろに存在する十二指腸終末部の左側にまれにみられる腹膜陥凹). =recessus paraduodenalis [TA]; fossa venosa; paraduodenal fossa.

parotid r. 耳下腺陥凹. =parotid *space*.

pharyngeal r. [TA]. 咽頭陥凹 (筋のない膜性の咽頭壁にみられる間隙状のへこみで, 耳管(Eustachio管)開口部の後方に広がる). =recessus pharyngeus [TA]; recessus infundibuliformis; Rosenmüller fossa; Rosenmüller r.

phrenicomediastinal r. [TA]. 横隔縦隔洞 (胸膜洞のうち横隔膜と縦隔との間にある部分). =recessus phrenicomediastinalis [TA].

pineal r. [TA]. 松果陥凹 (第3脳室の後方部分からの憩室で, 視床交連と手綱交連との間の後方に広がる. ときに松果体柄内に伸展する). =recessus pinealis [TA].

piriform r.* 梨状陥凹 (piriform *fossa* の公式の別名).

pleural r.'s [TA]. 胸膜洞 (胸膜腔にみられる4つの胸膜陥凹で, 胸骨と肋軟骨の内側にあるもの(肋骨縦隔洞), 横隔膜と胸壁の間にみられるもの(肋骨横隔洞), 横隔膜と縦隔の間にあるもの(横隔縦隔洞), 椎体と縦隔の間にあるもの(椎骨縦隔洞)である). =recessus pleurales [TA]; pleural sinuses.

pneumatoenteric r., pneumoenteric r. 肺腸陥凹 (胚期に, 右の肺芽と消化管との間にみられる体腔の陥凹. 通常は出生前にほとんど消失し, 痕跡として網前庭の上陥凹のみを残す).

pontocerebellar r. =cerebellopontine *angle*.

posterior r. [TA]. 後陥凹 (脚間窩後部で深く落ち込んだ部分). =recessus posterior [TA].

posterior r. of tympanic membrane [TA]. 後鼓膜陥凹 (後つち骨ひだと鼓膜との間の鼓室壁中の狭い嚢状空洞). =recessus posterior membranae tympanicae [TA]; Tröltsch pockets; Tröltsch r.'s.

Reichert cochlear r. (rī′kĕrt). ライヘルト蝸牛陥凹. =cochlear r.

retrocecal r. [TA]. 盲腸後陥凹 (盲腸の近くの上行結腸の右縁に沿ってしばしばみられる数個の腹膜陥凹). =recessus retrocecalis [TA]; cecal r.

retroduodenal r. [TA]. 十二指腸後陥凹 (十二指腸上行部の後ろにまれにみられる腹膜陥凹で, 十二指腸と大動脈の間にある). =recessus retroduodenalis [TA]; infraduodenal fossa; retroduodenal fossa.

Rosenmüller r. (rō′zĕn-mē-lĕr). ローゼンミュラー陥凹. =pharyngeal r.

sacciform r. of distal radioulnar joint [TA]. 遠位橈尺関節の嚢状陥凹 (橈骨と尺骨の間の近くに下橈尺関節腔がのびたもの). =recessus sacciformis articulationis radioulnaris distalis [TA].

sacciform r. of elbow joint [TA]. 肘関節の嚢状陥凹 (橈骨頸の位置で肘関節包がのびたもの). =recessus sacciformis articulationis cubiti [TA].

saccular r. of bony labyrinth* spherical r. of bony labyrinth の公式の別名.

sphenoethmoidal r. [TA]. 蝶篩陥凹 (上鼻甲介の上方の鼻腔にみられる裂け目状の落ち込みで, 蝶形骨洞がここに開口する). =recessus sphenoethmoidalis [TA].

spherical r. of bony labyrinth [TA]. 球形嚢陥凹 (骨迷路の前庭内側壁にある丸いくぼみで, 球形嚢がはいる). =recessus saccularis labyrinthi ossei*; saccular r. of bony labyrinth*; fovea hemispherica; fovea spherica; recessus sphericus labyrinthi ossei.

splenic r. [TA]. 脾陥凹 (脾臓門へ向かう網嚢の広がり). =recessus splenicus [TA]; recessus lienalis*.

subhepatic r. 肝下陥凹. =subhepatic *space*.

subphrenic r.'s 横隔下陥凹. =subphrenic *space*.

subpopliteal r. [TA]. 膝窩筋下陥凹 (膝関節腔の延長で膝窩筋の腱と大腿骨外側顆との間にある). =recessus subpopliteus [TA]; bursa of popliteus.

superior azygoesophageal r. 上奇静脈食道陥凹 (奇静脈弓の上方で食道と接している右肺の部分).

superior duodenal r.* 上十二指腸陥凹 (superior duodenal *fossa* の公式の別名).

superior ileocecal r. [TA]. 上回盲陥凹 (回結腸動脈が存在するとき, 回腸の下端, 盲腸, 回結腸動脈の間にときにみられる浅い嚢). =recessus ileocecalis superior [TA].

superior r. of lesser peritoneal sac →pneumatoenteric r.

superior omental r. 網嚢上陥凹. =superior r. of omental bursa.

superior r. of omental bursa [TA]. 網嚢上陥凹 (網嚢の前庭の一部で, 下大静脈と食道との間で上方に向かった陥凹部). =recessus superior bursae omentalis [TA]; superior omental r.

superior r. of tympanic membrane [TA]. 上鼓膜陥凹 (鼓膜弛緩部とつち骨頸との間にみられる鼓膜の内側面上の鼓室粘膜のひだ). =recessus superior membranae tympanicae [TA]; Prussak pouch; Prussak space.

supraoptic r. 視索上洞 (視交叉の上に第3脳室から延びた小室). =recessus supraopticus [TA].

suprapineal r. [TA]. 松果上陥凹 (第3脳室の後方部からの種々の膨出部で, 松果陥凹の上後方へのびている). =recessus suprapinealis [TA].

supratonsillar r. =supratonsillar *fossa*.

triangular r. 三角陥凹 (第3脳室の前壁にある小さな膨出で, 前交連と脳弓柱との間にある). =recessus triangularis.

Tröltsch r.'s (trŏrlch). トレルチュ陥凹. =anterior r. of tympanic membrane; posterior r. of tympanic membrane.

tubotympanic r. 耳管鼓室陥凹 (胎児の内胚葉性の第一咽頭嚢の背部で, 発達して中耳腔となる).

r.'s of tympanic cavity [TA]. 鼓室の陥凹 (鼓膜周囲の鼓室壁にみられる陥凹). =recessus membranae tympanicae [TA].

utricular r. of bony labyrinth* elliptical r. of bony labyrinth の公式の別名.

utricular r. of membranous labyrinth [TA]. 膜迷路の卵形嚢陥凹 (卵形嚢が骨迷路の楕円形の陥凹にはいり込んでいる部分). =recessus utricularis labyrinthi membranacei [TA].

vertebromediastinal r. [TA]. 椎骨縦隔洞 (壁側胸膜が脊柱のところで折れ返るときにできるひだ状陥凹). =recessus vertebromediastinalis [TA].

re·ces·sion (rē-sesh′ŭn) [L. *recessio* (→recessus)]. 後転, 退縮 (→retraction).

angle r. 隅角後退 (垂直および円形の毛様体筋の間での虹彩根部の裂傷. しばしば緑内障を生じる).

clitoral r. 陰核縮小術 (女児の先天性副腎過形成にしばしば認められる陰核の肥大を外科的に切除縮小する方法. 陰核切断術とは区別する. →clitoroplasty).

gingival r. 歯肉後退 (歯の表面に沿った歯肉の根尖方向への移動で, 歯の表面露出を伴う). =gingival atrophy; gingival resorption.

tendon r. 腱後転〔術〕(眼筋腱を解剖学的付着部まで手術的に後方へずらすこと). =curb tenotomy.

re·ces·si·tiv·i·ty (rē′ses-i-tiv′i-tē). 劣性度 (劣性である状態. →recessive (2)).

re·ces·sive (rē-ses′iv). *1* 退縮の. *2* 劣性の (遺伝学におい

て，ある1つの対立遺伝子，あるいは1つの遺伝子座の複数の対立遺伝子に規定される形質が，変異対立遺伝子のホモ接合で存在しない限り表出しないことを意味する）．

re·ces·sus, pl. **re·ces·sus** (rē-ses′sŭs) [L. a withdrawing, a receding] [TA]．陥凹（[複数形は recessi ではなく recessus である]）．=recess.

r. anterior [TA]．前窩陥凹．=anterior *recess.*

r. anterior membranae tympanicae [TA]．=anterior *recess* of tympanic membrane.

r. cochlearis [TA]．蝸牛陥凹．=cochlear *recess.*

r. costodiaphragmaticus [TA]．肋骨横隔洞．=costodiaphragmatic *recess.*

r. costomediastinalis [TA]．肋骨縦隔洞．=costomediastinal *recess.*

r. duodenalis inferior [TA]．下十二指腸陥凹．=inferior duodenal *fossa.*

r. duodenalis superior [TA]．上十二指腸陥凹．=superior duodenal *fossa.*

r. ellipticus labyrinthi ossei [TA]．=elliptical *recess* of bony labyrinth.

r. epitympanicus [TA]．鼓室上陥凹．=epitympanum.

r. hepatorenalis recessus subhepatici [TA]．=hepatorenal *recess* of subhepatic space.

r. ileocecalis inferior [TA]．下回盲陥凹．=inferior ileocecal *recess.*

r. ileocecalis superior [TA]．上回盲陥凹．=superior ileocecal *recess.*

r. inferior omentalis [TA]．網嚢下陥凹．=inferior *recess* of omental bursa.

r. infundibuli [TA]．漏斗陥凹．=infundibular *recess.*

r. infundibuliformis 咽頭陥凹．=pharyngeal *recess.*

r. intersigmoideus [TA]．S状結腸間陥凹．=intersigmoid *recess.*

r. lateralis ventriculi quarti [TA]．第4脳室外側陥凹．=lateral *recess* of fourth ventricle.

r. lienalis* 脾陥凹（splenic *recess* の公式の別名）．

r. membranae tympanicae [TA]．=*recesses* of tympanic cavity.

r. paraduodenalis [TA]．十二指腸傍陥凹．=paraduodenal *recess.*

r. parotideus 耳下腺陥凹．=parotid *space.*

r. pharyngeus [TA]．咽頭陥凹．=pharyngeal *recess.*

r. phrenicomediastinalis [TA]．横隔縦隔洞．=phrenicomediastinal *recess.*

r. pinealis [TA]．松果陥凹．=pineal *recess.*

r. piriformis [TA]．梨状陥凹．=piriform *fossa.*

r. pleurales [TA]．胸膜洞．=pleural *recesses.*

r. posterior [TA]．後陥凹．=posterior *recess.*

r. posterior membranae tympanicae [TA]．=posterior *recess* of tympanic membrane.

r. retrocecalis [TA]．盲腸後陥凹．=retrocecal *recess.*

r. retroduodenalis [TA]．十二指腸後陥凹．=retroduodenal *recess.*

r. sacciformis articulationis cubiti [TA]．=sacciform *recess* of elbow joint.

r. sacciformis articulationis radioulnaris distalis [TA]．=sacciform *recess* of distal radioulnar joint.

r. saccularis labyrinthi ossei* spherical *recess* of bony labyrinth の公式の別名．

r. sphenoethmoidalis [TA]．蝶篩陥凹．=sphenoethmoidal *recess.*

r. sphericus labyrinthi ossei =spherical *recess* of bony labyrinth.

r. splenicus [TA]．=splenic *recess.*

r. subhepaticus [TA]．=subhepatic *space.*

r. subphrenicus [TA]．=subphrenic *space.*

r. subpopliteus [TA]．膝窩筋下陥凹．=subpopliteal *recess.*

r. superior bursae omentalis [TA]．=superior *recess* of omental bursa.

r. superior membranae tympanicae [TA]．=superior *recess* of tympanic membrane.

r. supraopticus [TA]．=supraoptic *recess.*

r. suprapinealis [TA]．松果上陥凹．=suprapineal *recess.*

r. triangularis 三角陥凹．=triangular *recess.*

r. utricularis labyrinthi membranacei [TA]．=utricular *recess* of membranous labyrinth.

r. utricularis labyrinthi ossei* elliptical *recess* of bony labyrinth の公式の別名．

r. vertebromediastinalis [TA]．=vertebromediastinal *recess.*

re·cid·i·va·tion (rē-sid′i-vā′shŭn) [L. *recidivus*, falling back, recurring < *recido*, to fall back]．再発，回帰，再犯性（疾病，症状，または行動パターン（例えば，ある不法行為を犯して投獄された経験をもつ者が再びその行為を行う）が再現することについていう）．

re·cid·i·vism (rē-sid′i-vizm) [L. *recidivus*, recurring]．常習性，累犯（再犯を行う傾向）．

re·cid·i·vist (rē′-sid′i-vist)．常習者．

rec·i·pe (℞) (res′i-pē) [L. *recipio*(to receive) の命令形]．***1***〘v.〙処方せよ（通常，℞の略号で示される処方箋の劈頭）．***2***〘n.〙処方箋．

re·cip·i·ent (rē-sip′ē-ĕnt) [L. *recipiens* < *recipio*, to receive]．受容者，レシピエント（輸血あるいは組織ないしは臓器の移植を受ける人）．

re·cip·i·o·mo·tor (rē-sip′ē-ō-mō′tŏr) [L. *recipio*, to receive + *motor*, mover]．運動刺激受容の．

re·cip·ro·ca·tion (rē-sip′rō-kā′shŭn) [L. *reciprocare*, pp. *reciprocatus*, to move back and forth]．相反運動（歯科補てつ学において用いる方法で，歯科矯正装置の一部を，その装置の他の部分がつくり出す効果と相反させる）．

re·cir·cu·la·tion (rē′sŭr-kyū-lā′shun)．再循環（副鼻腔内での粘液表層の循環運動．副口が存在するため，または洞切開時に自然口の切開に失敗したことが原因である）．

Reck·ling·hau·sen (rek′ling-how′zen), Friedrich D. von．ドイツ人組織・病理学者，1833—1910．→R. *disease* of bone; von R. *disease.*

rec·li·na·tion (rek′li-nā′shŭn) [L. *reclino*, pp. *-atus*, to bend back]．白内障圧下法，撥下法（白内障の水晶体を硝子体内へ曲げ，それを視線から除く方法．水晶体を硝子体中へ押し下げるだけの方法である白内障墜下法とは区別される）．

rec·ol·lec·tion (rē′kŏ-lek′shŭn) [re- + L. *collectus*: *colligo* (to collect)の完了分詞]．再採取（腎生理学において，尿細管腔に既知の液体を注入し，その点よりかなり下流において，分析用に第2の微量ピペットでその液体を採取する技術）．

re·com·bi·nant (rē-kom′bi-nănt)．***1***〘n.〙組換え体（異なる複数の親株から染色体の一部を受け取った細胞または個体）．***2***〘adj.〙組換え型の．***3***〘n.〙組換え体，組換え型（連鎖分析において，減数分裂中2つの座の相引相が変化すること．もし2つのシンテニー性な非対立遺伝子が同じ両親から受け継がれているならば，相引でなければならない．そのうち1つのみを受け継いでいる子孫は組換え体であり，遺伝子座間の交差は奇数回起こったことを示す．またどちらも受け継がないか，両方とも受け継いだ子孫は，非組換え体であり，交差は偶数回か，まったく起こらなかったことを示す）．

re·com·bi·na·tion (rē-kom′bi-nā′shŭn)．***1*** 再結合（分離された部分を再び結合する過程）．***2*** 組換え（減数分裂における相引相の逆転をいう．生じた表現型で判断される．→recombinant）．***3*** 組換え（遺伝子の新しい組み合わせの形成）．

genetic r. 遺伝的組換え（①交差によって，どちらの両親にも存在しない遺伝子型および恐らく表現型の組換えが，子孫に存在すること．②微生物遺伝学において，1つの微生物菌株の染色体の一部，または染色体外要素が，他の菌株の染色体中に含まれること．異種の微生物菌株間の染色体部分あるいは遺伝子の交換）．

homologous r. 相同組換え（2個の姉妹染色体間の対応するDNA部分の交換）．

site-specific r. 部位特異的組換え（外来性DNAが宿主ゲノムの特定部位に組込まれること）．

VJ r. [*variable-joining*]．VJ組換え（免疫グロブリンがそ

R

の多様性を獲得するための遺伝子組換えメカニズム).

re·con (rē′kon). レコン，組換え単位（現在では用いられない語．2つの相同染色体間の組換えまたは交差の最小単位(単一のDNAヌクレオチドに相当する)を表す).

re·con·sti·tu·tion (rē′kon-sti-tū′shŭn). 再形成（①物質の元の状態に戻すこと，または復帰，あるいは全体をつくるための部分の結合．②下等動物での再生による体の一部の修復).

re·con·struc·tion (rē′kŏn-strŭk′shŭn).〔画像〕再構成(再合成)（CTにおける一連のX線投影データまたはMRIにおける大量の測定から，コンピュータを用いて1枚以上の二次元画像を合成すること．いくつかの方法が使用され，最も初期のものは逆投影法であり，最もよく用いられるのは二次元Fourier変換法である).

ossicular r. 耳小骨連鎖再建（鼓膜から卵円窓までの耳小骨連鎖を回復する手術手技の総称．音圧伝達の回復および，その結果の聴力の回復を目的とする).

rec·ord (rek′ŏrd) [M. E. *recorden* < O. Fr. *recorder* < L. *recordor*, to remember < *re-*, back, again + *cor*, heart]. 記録（①医学や歯科学では，患者の主訴，病歴，医師の診療所見，診断検査の結果，治療薬ないし治療手技，その疾患の経過中に今後起こると考えられることを含めた計時的な記録をいう．②歯科では望ましい上下顎関係の記録をいう).

anesthesia r. 麻酔記録（手術または産科麻酔の経過中，投与した薬剤の量や施行した処置および呼吸・循環系をはじめとする生理的な変動の，手書きまたは電子機器による記録).

face-bow r. 顔弓記録（ちょうつがい軸および(または)下顎頭の位置を顔弓を用いて測定すること．顔弓は咬合器の開閉軸に上顎模型を装着するために用いる).

functional chew-in r. 機能的えん下記録（歯または溝をつけるスタッドにより咬合堤上につくられる下顎の自然のそしゃく運動の記録).

hospital r. 入院記録（入院期間の医療記録で，通常，相談医の意見，医師および看護師の観察，治療，および実施したすべての検査や処置などの記録が書かれているもの).

interocclusal r. 咬合記録（歯または顎の相互の位置関係の記録．歯または咬合堤の咬合面間に，焼石膏，ワックスなどの硬くなる可塑性物質を置いて記録される．硬化した物質は記録として役立つ．中心または偏心位で測定される．すなわち，中心咬合記録 centric interocclusal r. は中心位記録，偏心咬合記録 eccentric interocclusal r. は中心位以外の咬合位の記録，側方咬合記録 lateral interocclusal r. は側方偏心位の記録，前方咬合記録 protrusive interocclusal r. は前方偏心位の記録). ＝checkbite.

maxillomandibular r. 上下顎記録（①上顎骨に対する下顎骨の関係記録．②①を行うこと). ＝biscuit bite; maxillomandibular registration.

medical r. 医学記録，医療記録，診療記録（→record (1)).

occluding centric relation r. 咬合面中心位関係記録（確立された咬合高径でつくられる中心関係の測定).

preextraction r. ＝preoperative r.

preoperative r. 術前記録（歯科において，研究あるいは治療計画のためにつくられる全記録．→diagnostic *cast*). ＝preextraction r.

problem-oriented r. (**POR**) 問題志向型記録（患者の種々な問題点をリストし，その問題点の題名ごとに関連した病歴，診察所見，検査所見，その他の所見を連続して記入する記録法．特に長期間フォローする多くの医学的問題点のある外来患者の記録に有用である).

profile r. 側貌記録（患者の横顔の登録または記録).

protrusive r. 前方記録（上顎骨に対する下顎骨の前方位の測定).

terminal jaw relation r. 終極顎関係記録（咬合の垂直関係および中心位でつくられた上顎に対する下顎の関係記録).

three-dimensional r. 三次元記録（咬合関係でつくられた上下顎の記録).

re·cord·ing (rē-kōrd′ing). 記録する（研究の成果を保存する).

clinical r. 病歴，カルテ．＝charting.

depth r. 深部記録（電極を刺入することによる大脳皮質下の電気的活動の研究法).

re·cov·er·y (rē-kŏv′ĕr-ē) [M. E. < O. Fr. *recoverer* < L. *recupero*, to recover, get back < *re-*, again + *capio*, to take]. 回復（①もと通りになること．機能を回復すること．②全身麻酔から覚めること．③核磁気共鳴においては緩和のこと).

creep r. クリープ〔の〕回復（物体を変形させている力を取り去ると，ひずみが解消する．ひずみの減り分のうち時間に依存する分をいう).

fluid attenuated inversion r. 液状信号減衰反転回復法(→FLAIR).

inversion r. 反転回復〔法〕（信号検出用のスピンエコーパルス系列に先だって一連の180度磁場反転を行うMRパルス系列．回復の過程で縦磁化ベクトルは零を通過する).

short TI inversion r. (**STIR**) 短時間のTI逆転リカバリー法（磁気共鳴測定法の1つで，短時間の(約100ミリ秒)のリカバリー時間を使い，180度パルス間隔を選び，TI時間を選択して水あるいは脂肪の信号を消去する).

spontaneous r. 自然回復（明らかに消失した後に条件反応が回復することで，回復後は無条件刺激がなくても条件刺激があれば条件反応が起こる．→classical *conditioning*).

ultrasonic egg r. 超音波採卵法（超音波ガイド下に卵胞を穿刺吸引し胎外受精に用いられる卵を採ること．通常，経膀胱的あるいはDouglas窩穿刺で行われる).

re·cov·er·y room (rē-kŏv′ĕr-ē rūm). 回復室，リカバリールーム．＝postanesthesia care *unit*.

re·cru·des·cence (rē′krū-des′ĕns) [L. *re-crudesco*, to become raw again, break out afresh < *crudus*, raw, harsh]. 再燃（病状軽快期の後の病態またはその症状の再燃).

re·cru·des·cent (rē′krū-des′ĕnt). 再燃の.

re·cruit·ment (rē-krūt′mĕnt) [Fr. *recrutement* < L. *re-cresco*, pp. *-cretus*, to grow again]. ***1*** レクルートメント（聴力検査の際，正常耳に比較して感音難聴の耳では音刺激の強さのわずかの増加に対して大きさが異常に増大する). ***2*** 漸増（神経生理学で，他のニューロンの活性化(空間的漸増)またはニューロンの発射率の増加(時間的漸増)．→irradiation (3)). ＝recruiting response. ***3*** 漸増（系に平行して流入する路を加えること).

rect- →recto-.

rec·tal (rek′tăl). 直腸の.

rec·tal·gia (rek-tal′jē-ă). 直腸痛．＝proctalgia.

rec·tec·to·my (rek-tek′tŏ-mē). 直腸切除〔術〕．＝proctectomy.

rec·ti·fi·er (rek′ti-fī′ĕr) [Mediev. L. *rectifico*, to make right < *rectus*, right + *facio*, to make]. 整流器（交流を直流に変換する電子機器．X線装置の電気回路の部品).

rec·ti·fy (rek′ti-fī) [L. *rectus*, right, straight]. ***1*** 矯正する. ***2*** 精留する（蒸留により純化または精製する．一般に繰り返し蒸留するときに用いる).

rec·ti·tis (rek-tī′tis). 直腸炎．＝proctitis.

recto-, rect- [L. *rectum* < *rectus*, straight]. 直腸を意味する連結形．→procto-.

rec·to·ab·dom·i·nal (rek′tō-ab-dom′i-năl). 直腸腹部の（直腸と腹部とに関する，双手診法を意味する．すなわち，一方の手を腹壁に置いて，もう一方の手の指を直腸に置いて診断する).

rec·to·cele (rek′tō-sēl) [recto- + G. *kēlē*, tumor, hernia]. 直腸瘤．＝proctocele.

rec·toc·ly·sis (rek-tok′li-sis). 直腸注入〔法〕．＝proctoclysis.

rec·to·coc·cyg·e·al (rek′tō-kok-sij′ē-ăl). 直腸尾骨の（直腸と尾骨に関する).

rec·to·coc·cy·pex·y (rek′tō-kok′si-pek′sē). 直腸尾骨固定〔術〕．＝proctococcypexy.

rec·to·co·li·tis (rek′tō-kō-lī′tis). 直腸結腸炎．＝coloproctitis.

rec·to·per·i·ne·al (rek′tō-per′i-nē′ăl). 直腸会陰の（直腸と会陰に関する).

rec·to·per·i·ne·or·rha·phy (rek′tō-per′i-nē-ōr′ă-fē) [recto- + perineo- + G. *rhaphē*, a sewing]. 直腸会陰縫合〔術〕．＝proctoperineoplasty.

rec·to·pex·y (rek′tō-pek′sē). 直腸固定〔術〕．＝proctopexy.

rec·to·pho·bi·a (rek′tō-fō′bē-ă) [recto + G. *phobos*, fear]. 直腸病恐怖〔症〕．＝proctophobia.

rec·to·plas·ty (rek′tō-plas′tē). 直腸肛門形成〔術〕. = procto-plasty.
rec·tor·rha·phy (rek-tōr′ă-fē). 直腸縫合〔術〕. = proctorrha-phy.
rec·to·scope (rek′tō-skōp). 直腸鏡. = proctoscope.
rec·tos·co·py (rek-tos′kŏ-pē). 直腸鏡検査〔法〕. = proctos-copy.
rec·to·sig·moid (rek′tō-sig′moyd). 直腸S状結腸〔接合部〕（直腸とS状結腸を1つの単位として表した用語．この語は直腸とS状結腸の接合部についても用いられる）.
rec·to·ste·no·sis (rek′tō-stĕ-nō′sis). 直腸狭窄〔症〕. = proctostenosis.
rec·tos·to·my (rek-tos′tŏ-mē). 直腸瘻造設〔術〕，直腸造瘻術. = proctostomy.
rec·to·tome (rek′tō-tōm). 直腸〔肛門〕〔切開〕刀. = procto-tome.
rec·tot·o·my (rek-tot′ŏ-mē). 直腸〔肛門〕切開〔術〕. = procto-tomy.
rec·to·u·re·thral (rek′tō-yū-rē′thrăl). 直腸尿道の（直腸と尿道に関する）.
rec·to·u·ter·ine (rek′tō-yū′ter-in). 直腸子宮の（直腸と子宮に関する）.
rec·to·vag·i·nal (rek′tō-vaj′i-năl). 直腸腟の（直腸と腟に関する）.
rec·to·ves·i·cal (rek′tō-ves′i-kăl). 直腸膀胱の（直腸と膀胱に関する）.
rec·to·ves·tib·u·lar (rek′tō-ves-tib′yū-lăr). 直腸〔腟〕前庭の（直腸と腟の前庭に関する）.
rec·tum, pl. rec·tums, rec·ta (rek′tŭm, rek′tă) [L. *rectus*, straight : *rego*(to make straight)の完了分詞]. 直腸（[anus の同義語としての口語的および隠語的使用を避けること]．消化管の末端部で直腸S状結腸連結部と肛門管(会陰曲)との間にある）.
re·cum·bent (rē-kŭm′bĕnt) [L. *recumbo*, to lie back, recline < *re*-, back + *cubo*, to lie]. 横臥の.
re·cu·per·ate (rē-kū′pĕr-āt) [L. *recupero* (*recip*-), pp. *-atus*, to take again, recover]. 回復する.
re·cu·per·a·tion (rē-kū′pĕr-ā′shŭn) [L. *recuperatio*(→re-cuperate)]. 回復（健康および機能の正常状態を取り戻すこと）.
re·cur·rence (rē-kŭr′ĕns) [L. *re-curro*, to run back, re-cur]. [誤った形 reoccurrence を避けること]. ***1*** 反復，回帰（回帰熱のように疾患の自然経過として起こる症状の繰返し）. ***2*** 再発. = relapse. ***3*** 再発，再現（発端者の血縁に遺伝的形質が出現すること）.
re·cur·rent (rē-kŭr′ĕnt). ***1*** 反回の（解剖学において，それ自身に戻ることをいう）. ***2*** 再発性の（間欠期または寛解の後に再び現れる症状あるいは病変を意味する）.
re·cur·va·tion (rē′kŭr-vā′shŭn) [L. *re-curvus*, bent back]. 後屈（後ろに曲げること，または彎曲すること）.
red (red) [A.S. *reád*]. 赤，赤色，紅色（原色の1つで，可視光領域の最も長い波長の色．紫色はその反対(最も短い波長の色)．個々の赤色染料については各々の項参照）.
red cross (red kros). 赤十字（白地に赤のジュネーブ十字で，戦争時，病人や負傷者の世話をする医療要員とその他の要員，およびそのための施設を示す国際的標識．また，米国赤十字社の記章でもある）.
re·di·a, pl. re·di·ae (rē′dē-ă, -dē-ē) [F. *Redi*. イタリア人医師，1626—1697]. レジア（二生性吸虫類の軟体動物体内での発生段階．ミラシジウムが巻貝の組織内にはいり込んでつくる一次スポロシスト段階の次にあたる．レジアは，スポロシスト内の細胞から生じて，スポロシスト体内から放出され，宿主の巻貝の組織内で細長い嚢状の，口と腸をもった筋肉質の生物として発育する．レジアは巻貝体内で1個あるいは多数の次世代を生じることができるが，結局はその最終発生段階であるセルカリアを生じる．→sporocyst (1); miracid-ium）.
re·dif·fer·en·ti·a·tion (rē-dif′eř-en′shē-ā′shŭn). 再分化（一定期間特殊化されていない活動状態を経た後に，再び特別な機能を営むように完全に特殊化された状態へと戻ること）.
re·din·te·gra·tion (rē′din-tĕ-grā′shŭn) [L. *red-integro*, pp. *-atus*, to make whole again, renew < *integer*, untouched, entire]. ***1*** 更新，整復（失ったり損傷を受けた部分の復旧）. ***2*** 回復（健康を取り戻すこと）. ***3*** 再統一（ある経験の中にもともとある刺激や情況のうち，いくつかの項目や一部だけに基づいて，その経験全体を想起すること）.
Red·lich (red′lik), Emil. オーストリア人神経科医，1866—1930. →Obersteiner-R. *line*, *zone*.
red·ox (red′oks). レドックス，酸〔化〕還〔元〕(oxidation-re-duction の短縮名. →oxidation-reduction *potential*).
re·dresse·ment for·cé (rĕ-dres-mon[h]′ fōr-sā′) [Fr.]. 強力矯正〔術〕，暴力整復〔術〕，矯正整復〔術〕（X脚のような奇形部分の力による整復を表す，現在では用いられない語）.
re·dress·ment (rē-dres′mĕnt). ***1*** 矯正〔術〕，整復〔術〕（奇形の矯正，部分の整復を表す，現在では用いられない語）. ***2*** 包帯交換.
re·duce (rē-dūs′) [L. *re-duco*, to lead back, restore, reduce]. ***1*** 適正部位へ戻す，整復する，還納する. ***2*** 還元する.
re·duc·i·ble (rē-dūs′i-bŭl). 還納できる，整復できる，還元しうる.
re·duc·tant (rē-dŭk′tănt). 還元剤（還元を行っている間に酸化される物質）.
re·duc·tase (rē-dŭk′tās). レダクターゼ，還元酵素（還元を触媒する酵素．すべての酵素はどちらの方向の反応も触媒するので，いかなる還元酵素も適当な状態下で酸化酵素として働くことができ，またその逆も可能である．この種の酵素はオキシドレダクターゼとよばれる．個々のレダクターゼについては各々の項参照）. = reducing enzyme.
re·duc·tic ac·id (rē-dŭk′tik as′id). 還元酸（加熱したアルカリ性糖溶液に生じる強力な還元性生成物(抗酸化薬)）.
re·duc·tion (rē-dŭk′shŭn) [L. *reductio* < *re-duco*, pp. *duc-tus*, to lead back]. ***1*** 整復，還納（外科的処置あるいは徒手操作によるある部分の正常な解剖学的関係への復旧）. = re-positioning (2). ***2*** 還元（化学において，ある物質が1つ以上の電子を獲得する反応をいう．例えば，鉄が第二鉄イオン($^{3+}$)から第一鉄イオン($^{2+}$)に変わる反応，水素が有機化合物の二重結合に付加する反応あるいはアルデヒドがアルコールに変換する反応など）.
r. of chromosomes 染色体減数（配偶子形成における減数性細胞分裂の間に生じる過程で，染色体の各相同対の1本ずつが精子または卵子に分配される．したがって体細胞染色体数(ヒトでは46本)が，各配偶子の中では一倍性の数(ヒトでは23本)に減少する．次いで精子と卵子との結合が，1細胞の接合子中で二倍性すなわち体細胞性の数を復活する）.
closed r. of fractures 骨折非観血的整復〔法〕（皮膚切開をせずに，骨を整復すること）.
r. en masse 偽整復，偽還納（ヘルニア嚢と内容物の還納をいう．したがって腸閉塞はまだ存在する）.
open r. and internal fixation (ORIF) 観血的整復および内固定〔術〕(→open r. of fractures).
open r. of fractures 骨折観血的整復〔法〕（骨折の部位上を切開した後に，直接骨を整復すること）.
selective r. 減胎手術（奇形児妊娠あるいは多胎で，1個以上の胎児を残した状態で減胎する術式）. = selective termi-nation (1).
tuberosity r. 上顎結節整形（歯科補てつ装置の作製前の，上顎結節部の過剰な線維または骨組織の外科的切除）.
re·dun·dan·cy (rē-dŭn′dăn-sē). 重複性（直線状に配置した，主に同一の繰返し配列の DNA がみられること）.
terminal r. 末端重複（ウイルス染色体で，同一の遺伝情報が染色体の各末端に存在する状態）.
re·du·pli·ca·tion (rē′dū-pli-kā′shŭn) [L. *reduplicatio* < *re*-, again + *duplico*, to double < *duplex*, two-fold]. ***1*** 繰返し. ***2*** 重複（ある病的状態の心音，あるいは正常では1つであるものが2つ存在するといったように重複すること）. ***3*** ひだ（重なり合って2枚のようになっているひだ）.
re·du·vid, re·du·vi·id (rē-dū′vid, -vē-id). サシガメ類（サシガメ科に属する昆虫）.
Red·u·vi·i·dae (rē′dū-vī′i-dē). サシガメ科（半翅目に属し，動物やヒトを襲う肉食性昆虫の一科．欧米では assassin bugs という．トリアトーマ亜科(kissing or cone-nosed bugs とよばれる)が含まれ，本亜科の標準属である *Triatoma* には，クルーズトリパノソーマ *Trypanosoma cruzi* の媒介昆

R

代表的反射の求心性と遠心性経路の神経細胞体の位置

反射	起始細胞/求心性経路	起始細胞/遠心性経路	機能反応
腹壁	脊髄レベルT_8-T_{11}の脊髄（知覚）神経節	脊髄レベルT_6-T_{11}の前角運動ニューロン	臍の刺激側への偏位を伴う腹壁の収縮
Achilles（足首反射）	脊髄レベルL_5-S_1の脊髄（知覚）神経節	脊髄レベルL_5-S_1の前角運動ニューロン	足の底屈を伴う腓腹筋とヒラメ筋の収縮
Babinski（Babinski徴候）	脊髄レベルL_5-S_1の脊髄（知覚）神経節（通常S_1のみ）	脊髄レベルL_4-S_1の前角運動ニューロン	足底をきつくこすることにより，母趾の背屈と他の趾の開扇現象，14—15か月以降の年齢では中枢神経疾患を意味し，皮質脊髄路の障害を示唆する
頸動脈洞	舌咽神経の下神経節	シナプス前細胞は迷走神経後核．心臓の神経節にあるシナプス後細胞は心房筋に働く	動脈血圧の調節
角膜（瞬目）	三叉神経節	顔面運動核	角膜に触れた反応として，眼瞼筋が収縮し，眼瞼裂が閉じる
交差伸展	C_7-T_1（手）とL_5-S_1（足）付近の脊髄（知覚）神経節	C_5-T_1（腕）とL_2-S_1（脚）付近の反対側の前角細胞	身体を安定させるため，有害刺激と反対側の肢の伸展がひっこめ反射とともに起こる
屈曲（ひっこめ）	C_7-T_1（手）とL_5-S_1（足）付近の脊髄（知覚）神経節	C_5-T_1（腕）とL_2-S_1（脚）付近の同側の前角細胞	有害刺激から肢を急にひっこめる
咽頭	舌咽および/または迷走神経の下神経節	両側の疑核細胞	咽頭筋の収縮と軟口蓋と口蓋垂の挙上
Hoffmann（Hoffmann徴候）	脊髄レベルC_7-C_8の脊髄（知覚）神経節	脊髄レベルC_7-T_1の前角運動ニューロン	第三指の遠位指節を指でぱちっと動かすと母指と中指または母指とすべての指の屈曲が起こる
下顎	三叉神経中脳核	三叉神経運動核	顎を少し下方に叩くと，両側の側頭筋と咬筋が収縮する
膝蓋腱（膝反射）	脊髄レベルL_2-L_4の脊髄（知覚）神経節	脊髄レベルL_2-L_4の前角運動ニューロン	四頭筋が収縮し，下肢が膝で伸展する
瞳孔（対光）	網膜の神経節細胞	シナプス前細胞はEdinger-Westphal核で，シナプス後細胞は毛様体神経節	眼に光を照らすと，瞳孔括約筋が収縮し瞳孔の大きさが小さくなる．直接反応は刺激と同側の瞳孔の収縮で，間接反応は反対側の瞳孔の収縮である
さぐり	三叉神経節	顔面運動核	口をすぼめ，刺激のもとに向かって口を向ける．生後数か月の乳児にみられ，口角や頬をなでると起こる
唾液	第七脳神経の膝神経節と舌咽と恐らく迷走神経の下神経節	シナプス前細胞は第七脳神経の上唾液核と第九脳神経の下唾液核で，シナプス後細胞は舌下腺，顎下腺，耳下腺の神経節	口腔中の食物とそれによる味覚受容器の刺激に反応して，唾液腺の血管拡張と分泌亢進が起こる
口とがらし	三叉神経節	顔面運動核	上口唇を叩くと口をすぼめる．通常，皮質脊髄路の障害を示すと考えられる
えん下	舌咽および迷走神経の下神経核	咽頭筋は疑核，シナプス前細胞は迷走神経後核で，シナプス後細胞は食道の壁内神経節	咽頭筋の収縮と食道の波様収縮が共同して，食物を咽頭から食道へ移動させる
催吐（咽頭）	舌咽および迷走神経の下神経節	咽頭筋の収縮と喉頭蓋の閉鎖は疑核．迷走神経後核は食道と胃のシナプス後細胞にシナプス前線維をだす．胸髄上部レベルの中間外側細胞柱は食道，胃，幽門括約筋のシナプス後細胞にシナプス前線維をだす．前角運動ニューロンは腹壁の骨格筋を支配する	嘔吐．胃の内容を食道，口腔に逆流させる．喉頭蓋の閉鎖は吐物が肺に入るのを防ぐ．腹筋の収縮は胃をからにするのを助ける．催吐反射は咽頭反射が神経軸に広く広がり，内臓・体性中枢のより広い範囲に影響を及ぼしたものである

凡例：脊髄に関連した反射（青）／脳幹と脳神経に関連した反射（橙）／脳幹と脊髄成分をもつ反射（紫）

虫となるものがある).

Reed (rēd), Dorothy M. 米国人病理学者，1874—1964. ⇀R. *cell*; R.-Sternberg *cell*; Sternberg-R. *cell*.

Reed (rēd), Walter. 1851—1902. 黄熱病の疫学を明らかにした米国陸軍外科医. ⇀Reed-Frost *model*.

reef·ing (rēf′ing). たたみ込み，絞括（ひだ形成(plication)のときのように組織をたたみ込んで縫合固定し，その広がりを外科的に小さくすること).

stomach r. ＝gastroplication.

re·en·act·ment (rē′en-akt′mĕnt). 再演〔化〕(心理劇での過去の経験の行動化).

re·en·try (rē-en′trē). 再入，リエントリー（賦活化された後の不応期を過ぎた心筋の一部へ同一刺激が戻ること．その一部は，もはや不応期を脱し，十分に遅延していれば，ほとんどの異所性の拍動，交互脈や多くの頻脈に認められる).

Rees (rēs), H.Maynard. 20世紀の米国人医師. ⇀R.-Ecker *fluid*.

Reese (rēs), Algernon B. 米国人眼科医，1896—1981. ⇀Cogan-R. *syndrome*.

re·fect (rē-fekt′). 元気回復する（元気回復をもたらす).

re·fec·tion (rē-fek′shŭn) [L. *refectio* < *reficere*, to restore < *re-* + *facio*, to do]. 元気回復（正常な状態に戻ること).

Re·fe·toff (ref′ĕ-tof), S. 20世紀の米国人内分泌科医. ⇀R. *syndrome*.

re·fine (rē-fīn′). 精製する（不純物を除く).

re·flect (rē-flekt′) [L. *re-flecto*, pp. *-flexus*, to bend back]. ***1*** 後屈する，反転する（後ろに曲げる). ***2*** 反射する（放射されたエネルギーが表面で反射する). ***3*** 反省する，沈思する（ある事柄についてよく考える). ***4*** 反射する（感覚刺激に応じて運動インパルスを返送する).

re·flec·tance (rē-flek′tăns). リフレクタンス（中耳におけるように，インピーダンス機能として反射音響エネルギーを測定するもの).

re·flec·tion (rē-flek′shŭn) [L. *reflexio*, a bending back]. ***1*** 照らし返すこと. ***2*** 照らし返された事柄. ***3*** 精神療法において，患者の感情部分で重要な内容を探らせ，解釈させ続けるために，彼(または彼女)の言葉を繰り返したり，言い換えたりする1つの技法.

re·flec·tor (rē-flek′tŏr). 反射鏡，反射器，反射体（光，熱，または音を反射する表面).

REFLEX

re·flex (rē′fleks) [L. *reflexus*, pp. of *reflecto*, to bend back]. [reflux と混同しないこと]. ***1*** 反射〔現象〕(末梢に加えられた刺激が，脳または脊髄の神経中枢に伝えられて発生する不随意反応．以下に記載の深部反射のほとんどが伸張反射で，腱または骨をたたくとわずかに筋肉がのび，次にその筋の固有受容器に加えられた刺激の結果として，その筋が収縮する.→phenomenon). ***2*** 反射.

abdominal r.'s 腹壁反射（皮膚の刺激により生じる腹壁の収縮(表在腹壁反射 **superficial a. r.'s**)，あるいは隣接する骨組織を軽くたたくことにより生じる腹壁の筋肉の収縮(深部腹壁反射 **deep a. r.'s**)). ＝supraumbilical r. (2).

abdominocardiac r. 腹腔心臓反射（腹腔内臓を機械的に刺激(通常には膨満)すると，心拍数が減少あるいは期外収縮が発生する反射).

Abrams heart r. (ā′brămz). エーブラムズ心臓反射（前胸部の皮膚が刺激されるときに生じる心筋の収縮).

accommodation r.〔遠近〕調節反射（はっきりした網膜像を維持するため水晶体が厚くなる現象(毛様体筋の収縮および提靱帯の弛緩による)).

Achilles r., Achilles tendon r. (ă-kil′ēz). アキレス腱反射（踵骨腱を強くたたかれたときに生じる腓腸筋の収縮). ＝ankle jerk; ankle r.; tendo Achillis r.; triceps surae r.

acoustic r. 聴覚反射（強大音に反応して生じるあぶみ骨筋の収縮．中耳のインピーダンスを増加させることで，強大音から内耳を保護する). ＝cochleostapedial r.; stapedial r.

acousticopalpebral r. 聴覚眼瞼反射. ＝cochleopalpebral r.

acquired r. 獲得反射. ＝conditioned r.

acromial r. 肩峰反射（肩峰または烏口突起をたたくことにより生じる二頭筋の収縮).

adductor r. 内転筋反射（大腿を外転しておいて大内転筋の腱をたたくことにより生じる大腿の内転筋の収縮).

allied r.'s 同類反射，連合反射（共通の目的に向けて起こり，最終共通路をともに通る反射群).

anal r. 肛門反射（直腸に入れられた指を圧迫する内肛門括約筋の収縮).

anal cough r. 肛門咳嗽反射（随意的な咳やくしゃみの後に，不随意的な外肛門括約筋の収縮が起こる反射).

ankle r. ＝Achilles r.

antagonistic r.'s 拮抗反射（共通の目的に向かって生じるものではないので最終共通路を通らない反射).

aortic r. 大動脈反射. ＝cardiac depressor r.

aponeurotic r. 足底反射，腱膜反射（足底の外縁をたたくことにより誘発される足と足指の足底屈．Rossolimo 足指屈反射と同じ意味をもつ). ＝Guillain-Barré r.; sole tap r.; Weingrow r.

Aschner r. (ahsh′nĕr). アシュナー反射. ＝oculocardiac r.

Aschner-Dagnini r. (ahsh′nĕr dahn-yē′nē). アシュナー－ダニーニ反射. ＝oculocardiac r.

attitudinal r.'s 姿勢反射，体位反射. ＝statotonic r.'s.

auditory r. 聴覚反射（音に反応して生じる反射．例えば蝸牛眼瞼反射).

auditory oculogyric r. 聴〔覚動〕眼反射（突然発せられた音源の方向に両眼が回転すること).

auricular r. 耳介反射（音に反応する動物の耳の動き．指向反射の一部).

auriculopalpebral r. 耳介眼瞼反射. ＝Kisch r.

auriculopressor r. 心房性増圧反射（大静脈圧降下に反応する末梢血管収縮および血圧上昇). ＝Pavlov r.

auropalpebral r. ＝cochleopalpebral r.

axon r. 軸索反射（末梢神経刺激で引き起こされる反応．刺激部位から運動神経線維の軸索を中枢側へ向かってインパルスが行き，枝分かれ部位にインパルスがくると，もう1つの枝にインパルスが伝わり，末梢側へインパルスが行き局所細動脈(血管拡張を起こす)や筋(収縮を起こす)を活性化させる．刺激部位をより中枢側にすると，反応の潜時は短くなる．軸索反射は軸索変性や強い刺激で消失するが神経近位部の麻酔薬ブロックでは消失しない).

Babinski r. (bă-bin′skē). バビンスキー反射. ＝Babinski *sign* (1).

back of foot r., dorsum of foot r. 足背反射. ＝Mendel instep r.

Bainbridge r. (bān′brij). ベーンブリッジ(ベインブリッジ)反射（血流の増加および(または)大静脈の入口部圧の増加による右心房の血圧の上昇により生じる心拍数の増加).

Barkman r. (bark′măn). バークマン反射（乳首の下の皮膚に与えられた刺激に反応する同側の腹直筋の収縮).

basal joint r. 基関節反射（第三，第四，または第五指に強い受動的な屈曲が加えられたときにみられる母指の対立および内転で，母指の中手指節関節の屈曲および母指の指骨間関節の伸展を伴う．この反射は正常でみられ，錐体路障害で欠如する). ＝finger-thumb r.; Mayer r.

Bechterew-Mendel r. (bek-ter′yĕv men′dĕl). ベヒテレフ－メンデル反射（足底をたたくと足指の屈曲を引き起こす．錐体路障害の際に出現する). ＝dorsum pedis r.; Mendel-Bechterew r.

behavior r. ＝conditioned r.

Benedek r. (ben′ē-dek). ベネデック反射（足がわずかに背屈しているとき，腓骨の下部の前縁をたたくことによる足の足底屈).

Bezold-Jarisch r. (bāt′sōlt yah′rish). ベツォルト－ヤーリッシュ反射（迷走神経に求心路および遠心路をもつ反射で，心臓の未知の化学受容器より由来し，洞性徐脈，低血圧症をもたらし，また末梢血管拡張をもたらすことも考えられる).

biceps r. 二頭筋反射（二頭筋の腱を打ったときに生じる二頭筋の収縮).

biceps femoris r. 大腿二頭筋反射（下肢が腰および膝で

R

やや屈曲しているとき，大腿二頭筋下部で腓骨頭に付着する部位を打診して生じる大腿二頭筋の収縮）.

Bing r. (bing). ビング反射（足が受動的に背屈されているとき，2つのくるぶしの間の足首上のどの点を打診しても足底屈が生じる）.

bladder r. ＝micturition r.

blink r. 瞬目反射（→blink *response*).

body righting r.'s 立直り反射（地面との接触による体壁中の圧受容器への刺激により生じる，頭を正位置にするように頸筋に働く反射効果）.

brachioradial r. 腕橈骨筋反射（45度に回外された腕で，橈骨の低末端近くを打診すると生じる腕橈骨筋(回外長筋)の収縮）. ＝radioperiosteal r.; styloradial r.; supination r.; supinator jerk; supinator r.; supinator longus r.

Brain r. (brān). ブレーン反射. ＝quadripedal extensor r.

bregmocardiac r. 前項心臓反射（乳児において，大泉門に圧力を加えると生じる心臓の徐脈）.

Brissaud r. (brē-sō′). ブリソー反射（足底をくすぐると生じる大腿筋膜張筋の収縮で，足の指に反応の動きがないときでも起こる）.

bulbocavernosus r. 球海綿体反射（陰茎亀頭が突然圧迫されたり打診されたときに生じる球海綿体筋と坐骨海綿体筋の速い収縮）.

bulbomimic r. 眼球表情反射（重篤な卒中による昏睡の場合に，眼球に圧力を加えると生じる病巣とは反対側の顔面表情筋の収縮．糖尿病，尿毒症，あるいは他の中毒性の原因による昏睡の際には両側に現れる）. ＝facial r.; Mondonesi r.

Capps r. (kaps). キャップス反射（肺炎による危篤のときに生じる血管運動虚脱を表す冠名で現在では用いられない）.

cardiac depressor r. 心臓減圧反射（大動脈弓と心臓の基部に存在する減圧神経末端の刺激により生じる，末梢血管拡張および心臓抑制に基づく血圧降下）. ＝aortic r.; depressor r.

carotid sinus r. 頸動脈洞反射（頸部にある頸動脈洞の内圧の上昇または外からの操作で引き起こされる徐脈．第九および第十脳神経を介する）.

celiac plexus r. 腹腔神経叢反射（全身麻酔下の手術中に上腹部触診により生じる低血圧症）.

cephalopalpebral r. 頭頂眼輪筋反射（頭頂の打診により誘発される眼輪筋の収縮）.

Chaddock r. (chad′ok). チャドック反射. ＝Chaddock *sign*.

chain r. 連鎖反射（一連の反射で，各刺激は次の刺激として働く．*cf.* chain *reaction*).

chin r. 下顎反射. ＝jaw r.

Chodzko r. (chō′zkō). ショズコ反射（胸骨柄が打診されたとき生じる肩帯と腕のいくつかの筋収縮）.

ciliospinal r. 毛様体脊髄反射. ＝pupillary-skin r.

clasping r. 抱擁反射（胸または腹が刺激されると，交配期の両生類および他のある種の動物では前脚が強く屈曲する．雄の性ホルモンによる）.

cochleo-orbicular r. ＝cochleopalpebral r.

cochleopalpebral r. 蝸牛眼瞼反射（瞬目反射の一形態．激しい音が耳のそばでするとき生じる眼輪筋の収縮で，きわめてわずかなこともある．→startle r.）. ＝acousticopalpebral r.; auropalpebral r.; cochleo-orbicular r.

cochleopupillary r. 蝸牛瞳孔反射（突然の予期しない大きな音に反応して生じる瞳孔散大で，正常な反応である）.

cochleostapedial r. 蝸牛あぶみ骨反射. ＝acoustic r.

cold-shock r. 寒冷ショック反射（冷水につかった時の反応の1つ．最初にあえぎが起こり，次いで過換気となり，心拍出量と血圧が増加し，急におぼれることがしばしばある）.

conditioned r. (**CR**) 条件反射（一定の刺激をしばしば繰り返すことにより訓練され，連合することによって徐々に発達する反射．→conditioning）. ＝acquired r.; behavior r.; conditioned response; trained r.

conjunctival r. 結膜反射（結膜の刺激により眼を閉じること）.

consensual light r. 共感性対光反射(反応). ＝consensual *reaction*.

contralateral r. 対側反射. ＝Brudzinski *sign* (1).

corneal r. 角膜反射（①眼瞼の収縮で，角膜を軽く何か柔らかい物(例えばラクダの毛筆)で触れるときみられる. ＝lid r. ②角膜表面での光の反射）.

costal arch r. 肋骨弓反射（乳頭線の内側の肋骨縁を打診することにより生じる腹直筋の収縮）.

costopectoral r. 肋骨胸筋反射. ＝pectoral r.

cough r. 咳反射（喉頭あるいは気管気管支の粘膜の刺激に反応して咳が起こる反射）. ＝laryngeal r.

craniocardiac r. 脳神経心臓反射（ある種の脳神経(例えば，三叉神経の嗅覚枝または眼枝)の神経末梢の刺激で，これにより生じる心筋抑圧反射とともに，迷走神経の心臓枝による徐脈および低血圧によって示される）.

cremasteric r. 挙睾筋反射（同側のScarpa三角あるいは大腿内側をさすると，陰嚢と精巣が挙上する反射で，挙睾筋の収縮による．女性におけるGeigel反射に相同する）.

crossed r. 交差反射（身体の一側面を刺激すると，反対側が反射運動を生じる）. ＝crossed jerk.

crossed adductor r. 交差性内転筋反射（足底を打診することにより誘発される，四肢の内転および大腿内転筋の収縮）. ＝crossed adductor jerk.

crossed extension r. 交差性伸筋反射，交差性伸展反射（反対側性の後肢の伸展で，動物の足が痛いほど刺激されるか，求心性神経(例えば腓骨神経)の中枢切断端が刺激されると生じる．皮膚の打診によりヒトに生じることもある）.

crossed knee r. 交差性膝反射（膝反射が誘発されたときにみられる反対側の四頭筋の収縮）. ＝crossed knee jerk.

crossed r. of pelvis 骨盤の交差反射（上前腸骨棘の打診により生じる対側大腿の内転）. ＝crossed spinoadductor r.

crossed spinoadductor r. 交差性腸骨棘内転筋反射. ＝crossed r. of pelvis.

cuboidodigital r. 足背〔立方骨〕反射（立方骨の打診により生じる足指の屈曲．Guillain-Barré反射とほぼ同じ反射で，基本的にはRossolimo反射に類似している）. ＝metatarsal r.

cutaneous r. 皮膚反射（立毛筋の収縮を理由とする，皮膚の刺激により生じる皮膚のしわ）.

cutaneous pupil r., cutaneous-pupillary r. 皮膚瞳孔反射. ＝pupillary-skin r.

darwinian r. ダーウィン反射（乳児が棒や下がっている物をつかみたがるような傾向．*cf.* grasping r.).

deep r. 深部反射（腱または骨の打診により生じる不随意筋収縮）. ＝jerk (2).

deep abdominal r.'s 深部腹壁反射（上部および下部腹壁反射．深部組織，例えば，肋骨縁などの刺激により誘発される腹筋の収縮．→Galant r.; upper abdominal periosteal r.).

deep tendon r. (**DTR**) 深部腱反射. ＝myotatic r.

defense r. 防衛反射，防御反射（① ＝flexor r. ②びっくりしたときに自動的に生じる動物の反応．例えば，毛の逆だち，瞳孔の散大，爪を立てることなど）.

deglutition r. ＝swallowing r.

Dejerine r. (dĕ-zhĕ-rēn′). ドゥジュリーヌ反射. ＝Dejerine hand *phenomenon*.

delayed r. 遅延反射（刺激と応答との間に少し時間がある反射．→trace conditioned r.).

depressor r. 降圧反射. ＝cardiac depressor r.

diffused r. 拡散反射（主な反射に伴って生じる数種の反射）.

digital r. 指反射. ＝Hoffmann *sign* (2).

diving r. 潜水反応（顔や身体を水の中に浸すと，特に冷水に浸した場合，徐脈や末梢血管収縮が生じる反射．心拍出量の減少は，末梢血管抵抗増加による末梢血流減少で相殺され，中心大動脈圧はほとんど影響を受けない．このような変化はヒトにおいては比較的軽微であるが，アヒルやアザラシなどの潜水を行う動物では大きな影響を及ぼしうる）.

dorsal r. 背筋反射（脊髄伸筋上の皮膚刺激により誘発される背筋の収縮）.

dorsum pedis r. 足背反射. ＝Bechterew-Mendel r.

ear-cough r. 耳性咳嗽反射（外耳道内の刺激によって生じる咳嗽反射）.

elbow r. 肘反射. ＝triceps r.

enterogastric r. 胃腸反射（食物の胃への侵入により誘発される小腸のぜん動の収縮．→gastrocolic r.).

epigastric r. 心窩部反射（上心窩部の皮膚を引っ掻いたときに生じる腹直筋上部の収縮）. ＝supraumbilical r. (1).

筋伸展反射：神経学的検査において重要				
型	二頭筋反射	三頭筋反射	膝蓋反射	アキレス反射
	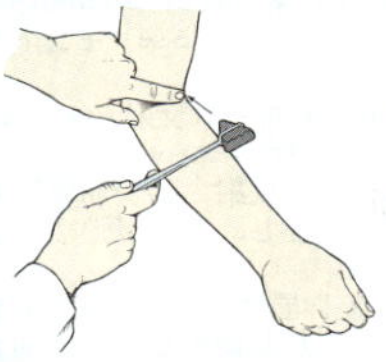	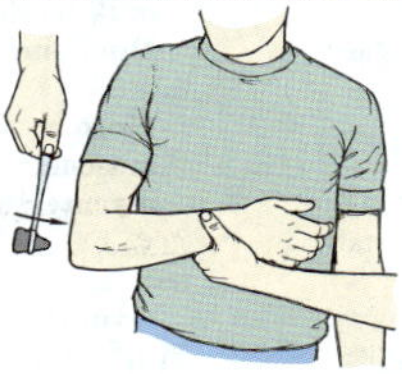	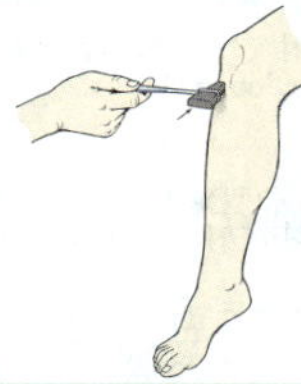	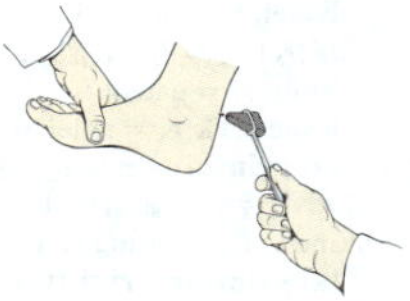
刺激	二頭筋腱上においた指をたたく	肘頭のすぐ上の三頭筋腱を軽くたたく	膝蓋筋を軽くたたく	アキレス腱
反応	肘関節の屈曲	肘関節の伸展	膝関節の伸展	足関節の底屈
脊髄の区域	C5－C6	C6－C8	L2－L4	S1－S2

erector-spinal r. 脊柱起立筋反射（脊柱起立筋の外側辺縁を引っ掻いたときに生じる脊柱起立筋の一部の収縮）.

esophagosalivary r. 食道唾液腺反射（癌などによる食道下端への刺激により生じる唾液分泌）. ＝Roger r.

external oblique r. 外腹斜筋反射（胸壁下前部と外側部をたたくことにより生じる外腹斜筋と腹直筋の収縮）.

eye r. ＝light r. (2).

eyeball compression r. ＝eyeball-heart r.

eyeball-heart r. 眼球心臓反射（眼球を圧迫して迷走神経の興奮を惹起し，心拍動を遅くすること．発作性上室性頻拍症の治療に用いる）. ＝eyeball compression r.

eye-closure r. 閉瞼反射. ＝wink r.

facial r. 顔面筋反射. ＝bulbomimic r.

faucial r. 咽頭反射，催吐反射. ＝gag r.

femoral r. 大腿反射（大腿前面の上部の皮膚を引っ掻くことにより生じる膝の伸張と足の屈曲）.

femoroabdominal r. 大腿腹筋反射（大腿内部を引っ掻くことにより生じる腹筋の収縮．精巣挙筋反射を伴う）. ＝hypogastric r.

Ferguson r. (fer′gŭs-ŏn). フェルガソン(ファーガソン)反射（子宮下節と子宮頸部の機械的伸展で生じる子宮筋活性の増強）.

finger-thumb r. 指母指反射. ＝basal joint r.

flexor r. 屈筋反射（足に強い痛みの刺激を受けたときに生じる，くるぶし，膝，腰の屈曲．これに関連して交差伸展反射が起こる）. ＝defense r. (1); nociceptive r.; withdrawal r.

forced grasping r. ＝grasping r.

front-tap r. 前方叩打反射（脛を叩打したときに生じる腓腹筋の収縮）. ＝front-tap contraction; Gowers contraction.

fundus r. 眼底反射. ＝light r. (2).

gag r. 絞扼反射，咽頭反射（口峡粘膜への異物の接触による嘔気，むかつき）. ＝faucial r.

Galant r. (gă-lan[h]′). ガラン反射（上前腸骨棘の叩打により腹筋が収縮する深部腹壁反射）. ＝lower abdominal periosteal r.

galvanic skin r. 皮膚電気反射. ＝galvanic skin *response.*

gastrocolic r. 胃大腸反射（胃に食物がはいることにより生じる結腸の内容物の動き．それに先立って小腸にも類似した動きがみられる）.

gastroileac r. 胃回腸反射（胃の中に食物がはいることにより生じる回腸結腸弁の開口）.

Geigel r. (gī′gĕl). ガイゲル反射（女子において，大腿部内側を軽くなでると，鼡径靱帯前辺縁の筋線維が収縮すること．男子の精巣挙筋反射に類似する）.

Gifford r. (gif′ărd). ギフォード反射. ＝eye-closure pupil *reaction.*

glabellar r. みけん(眉間)反射（高齢者でみられる，みけんを叩くことで誘発される瞬目．みけんを繰り返し叩くと正常ではこの反射は抑制されるが，前頭葉病変やパーキンソニズムでは続くことがある）.

gluteal r. 殿筋反射（殿部の皮膚の刺激による殿筋の収縮）.

Gordon r. (gōr′dŏn). ゴードン反射（腓骨筋を側方から強く圧迫すると生じる足の母指の背屈）. ＝paradoxic flexor r.

grasp r. ＝grasping r.

grasping r. 握り反射，把握反射（手掌の触覚または腱刺激により指が不随意に屈曲し，強く握り締める反射．通常は前頭葉の病変に関連する．*cf.* darwinian r.）. ＝forced grasping r.; grasp r.

great-toe r. 母趾反射. ＝Babinski *sign* (1).

Guillain-Barré r. (gē-yan[h]′ bă-rā′). ギヤン－バレー反射. ＝aponeurotic r.

gustatory-sudorific r. 味覚発汗反射＝auriculotemporal nerve *syndrome.*

H r. H反射（腓腹筋・ヒラメ筋群から記録し，一般に膝窩で脛骨神経を電気刺激することによってのみ，健常成人で常に得られる単シナプス反射．神経筋紡錘が含まれないこと以外はアキレス反射に類似する．第一仙髄神経根障害や多発神経障害の診断に筋電図検査室で広く用いられている）.

hepatojugular r. →hepatojugular *reflux.*

Hering-Breuer r. (hār′ing broy′er). ヘーリング－ブロイアー反射（肺迷走神経からの刺激による呼吸に対する影響．例えば，肺膨張により吸気が止まり，その後呼気により肺が収縮すると呼吸は正常に戻る）.

Hoffmann r. (hof′mahn). ホフマン反射. ＝Hoffmann *sign* (2).

hypochondrial r. 肋下部反射，季肋部反射（肋骨下縁の強い圧迫により生じる素速い吸気運動）.

hypogastric r. 下腹反射. ＝femoroabdominal r.

inborn r. 生まれつきの反射. ＝innate r.

innate r. 先天性反射，生得反射（吸引反射のような学習しなくてもある本能的な反射で，生下時に存在する）. ＝inborn r.

interscapular r. 肩甲〔骨〕間反射. ＝scapular r.

intrinsic r. 内在反射（外部からの刺激により誘発される筋収縮に対して，筋を伸張するというような(内部)刺激を筋肉に与えることにより生じる反射性筋収縮．腹部の皮膚反射などにおけるものなど）.

inverted r. 逆転反射. ＝paradoxic r.

inverted radial r. 逆〔転〕橈骨反射（橈骨下端の叩打による指の屈曲で，前腕の屈曲を伴わない．第五頸髄の病変を示すとみられる）.

investigatory r. 探索反射. ＝orienting r.

ipsilateral r. 同側性反射（刺激を受けた体側に反応が生じる反射）.

Jacobson r. (jā′kob-sŏn). ヤコブソン反射（手首関節または橈骨下端で屈筋の腱を叩打することにより生じる指の屈曲）.

jaw r. 下顎反射（緩く懸垂した下顎を下方に叩打することにより生じる側頭筋の痙攣性収縮）. ＝chin jerk; chin r.;

R

jaw jerk; mandibular r.; masseter r.

jaw-working r. ＝jaw-winking *syndrome*.

Joffroy r. (zhō-fwa[h]′). ジョフロワ反射（痙性麻痺患者において，殿部を強く圧迫したときに生じる殿筋の収縮）. ＝hip phenomenon.

Kisch r. (kish). キッシュ反射（外耳道深部の皮膚の刺激に反応して生じる閉眼）. ＝auriculopalpebral r.

knee r. ＝patellar r.

knee-jerk r. ＝patellar r.

labyrinthine r.'s 迷路反射（卵型嚢または半規管内の受容器に対する刺激により生じる反射. →statotonic r.'s; statokinetic r.; righting r.'s).

labyrinthine righting r.'s 迷路性立直り反射（迷路受容器に対する刺激により生じる反射で，頸筋の緊張力を変化させ，頭の位置を適切にする）.

lacrimal r. 流涙反射（結膜刺激による涙の分泌）.

lacrimogustatory r. そしゃく流涙反射（食物のそしゃくによる涙の分泌. →crocodile tears *syndrome*).

laryngeal r. 喉頭反射. ＝cough r.

laryngospastic r. 喉頭痙攣反射. ＝laryngospasm.

latent r. 潜伏性反射（正常とみなされるべきだが，通常はその閾値を低下させるある種の疾病のみにみられる反射）.

laughter r. 大笑反射（くすぐることにより生じる抑制できない笑い）.

let-down r. 催乳反射. ＝milk-ejection r.

lid r. 眼瞼反射. ＝corneal r. (1).

Liddell-Sherrington r. (li-del′ sher′ing-tŏn). リデル－シェリングトン反射. ＝myotatic r.

light r. ***1*** 対光反射〔反応〕. ＝pupillary r. ***2*** 検影法などの場合に，網膜に光を照射したときに眼底から反射する赤色発光. ＝eye r.; fundus r. ***3*** 光錐（周辺から臍部にのびる鼓膜前下部の三角部で，光の反射がみられる）. ＝cone of light; Politzer luminous cone; pyramid of light; red r.; Wilde triangle.

lip r. 口唇反射（口角付近をたたくと口唇をとがらす，乳児にみられる運動）.

Lovén r. (lō-vēn′). ロヴェーン反射（全身の血管収縮を伴った局所性血管拡張. 例えば，ある器官からの求心性神経が中枢端で適切に刺激されると，遠心性血管運動線維が正常な場合，器官の血管拡張を伴う全身の血圧上昇が生じる）.

lower abdominal periosteal r. 下腹骨膜反射. ＝Galant r.

magnet r. →magnet *reaction*.

mandibular r. 下顎反射. ＝jaw r.

mass r. 集合反射（脊髄損傷の重症例で，最初，脊髄ショックとよばれる弛緩性麻痺が生じ，それに続いて麻痺した下肢の任意の部位の強い刺激により同側の殿部，膝，くるぶしの収縮が生じること. このとき刺激が正中線上に加わると，両側の殿部，膝，くるぶしの収縮および腹壁の収縮が生じ，さらに損傷の程度に応じて排尿や発汗が生じる）.

masseter r. 咬筋反射. ＝jaw r.

Mayer r. (mā′ĕr). マイアー反射. ＝basal joint r.

McCarthy r.'s (măk-kar′thē). マッカーシー反射（①＝spinoadductor r. ②＝supraorbital r.).

mediopubic r. 恥骨反射（恥骨結合付近を叩打することにより生じる大腿内転筋の収縮）.

Mendel-Bechterew r. (men′dĕl bek-tĕr′yev). メンデル－ベヒテレフ反射. ＝Bechterew-Mendel r.

Mendel instep r. (men′dĕl). メンデル足背反射（足が強く内側に押さえつけられているときに，背側の腱を強く叩打すると，第二趾から第五趾までがのびること）. ＝back of foot r.; dorsum of foot r.

metacarpohypothenar r. 中手小指球反射（手の背側を叩打すると小指が屈曲すること. 錐体路障害の際にみられ，Starling 反射と類似している）.

metacarpothenar r. 中手母指反射. ＝thumb r.

metatarsal r. 中足反射. ＝cuboidodigital r.

micturition r. 排尿反射（膀胱内圧の上昇に反応した膀胱壁の収縮と，三角と尿道括約筋の弛緩. この反射は随意的に抑制することができ，この抑制はすぐに排尿を解除することができる）. ＝bladder r.; urinary r.; vesical r.

milk-ejection r. 乳汁射出反射（乳頭の触覚刺激により乳頭から乳が出ること. 求心路は乳首から視床下部にかけて存在すると仮定される. 遠心路は下垂体後葉からオキシトシンを血液中へ放出することによってなされる. オキシトシンにより生じた乳頭内の平滑筋収縮により，乳汁が集合管および乳頭に向かって移動する）. ＝let-down r.; milk let-down r.

milk let-down r. 射乳反射. ＝milk-ejection r.

Mondonesi r. (mon-don′ĕ-sē). モンドネージ反射. ＝bulbomimic r.

Moro r. (mō′rō). モーロ反射. ＝startle r.

muscular r. 筋反射. ＝myotatic r.

myenteric r. 腸筋反射，腸管筋層反射（腸の刺激を受けた点より上部が収縮し，下部が弛緩すること）. ＝law of intestine.

myotatic r. 筋伸展反射（筋固有受容器が刺激を受け，伸張力に反応して筋が収縮すること. 前頁の表参照）. ＝deep tendon r.; Liddell-Sherrington r.; muscular r.; stretch r.

nasal r. くしゃみ反射，鼻性反射（鼻粘膜の刺激によるくしゃみ）.

nasomental r. 鼻頤反射（鼻側を叩打することにより生じるおとがい筋の収縮）.

near r. 近見時，調節または輻輳に伴う縮瞳. 協調性反応で真の反応ではない.

neck r.'s 頸反射（頭の位置が変わると，迷路の固有受容器が刺激され，その結果，頸筋の緊張力が変化して，頭が正しい位置に戻り，次に頸筋の固有受容器が刺激されて肢が反射的に動き，動物の体を頭部に対し正しい位置に戻すこと）.

nociceptive r. 侵害〔受容〕反射. ＝flexor r.

nocifensor r. 外傷防衛器反射（傷の周囲または付近の血管拡張）.

nose-bridge-lid r. 鼻橋眼瞼反射. ＝orbicularis oculi r.

nose-eye r. 鼻眼瞼反射. ＝orbicularis oculi r.

oculocardiac r. 眼〔球〕心〔臓〕反射（眼筋の収縮または眼球の圧迫による徐脈. 特に小児で反射が強い. 非収縮性心停止を生じることもある）. ＝Aschner phenomenon; Aschner r.; Aschner-Dagnini r.

oculocephalic r. 頭位変換眼球反射（眼瞼を開いておき，首を急に回転させると眼球は逆方向に偏倚し，首を前屈させると眼球は上転する反射. どちらの場合でも，首の位置が変化したままであっても，眼球はすぐに元の位置に戻る）. ＝doll's eye response; doll's head phenomenon; doll's head response.

oculocephalogyric r. 眼球回頭反射（聴覚，視覚，またはその他の刺激源に向かう眼と頭の動き）.

oculovagal r. 眼球迷走反射（→oculocardiac r.).

olecranon r. 肘頭反射（肘頭を叩打することにより生じる前腕の屈曲）. ＝paradoxic triceps r.

Oppenheim r. (op′en-hīm). オッペンハイム反射（下腿の内側を引っ掻いたり，大腿を急速に屈曲して腹部へ近付けたり，下腿を急速に屈曲することによる爪先の伸展. 脳の刺激の徴候）.

optic righting r.'s 視性立直り反射（視覚刺激により頸部や肢の筋肉が動き，動物が頭を正常な位置に保つことを可能にする反射）.

orbicularis oculi r. 眼輪筋反射（眼窩辺縁，鼻橋または鼻の先端を叩打することにより生じる眼輪筋の収縮）. ＝nose-bridge-lid r.; nose-eye r.

orbicularis pupillary r. 輪筋瞳孔反射. ＝eye-closure pupil *reaction*.

orienting r. 指向反射，定位反射（変化または新しい刺激が加わる場合に，生物が刺激の繰返しに対してさらに敏感になるような反射の方向付け. 例えば，薄暗い光が与えられた際に生じる瞳孔の拡張）. ＝investigatory r.; orienting response.

palatal r., palatine r. 口蓋反射（口蓋刺激により生じるえん下反射）.

palmar r. 手掌反射（手掌をくすぐると生じる指の屈曲）.

palm-chin r. ＝palmomental r.

palmomental r. [MIM*167700]. 手掌頤反射（手掌を強く引っ掻くことにより生じる，同側（ときには両側）のおとがい筋と眼輪筋の収縮）. ＝palm-chin r.

parachute r. パラシュート反射. ＝startle r.

paradoxic r. 逆説反射，奇異反射（通常の反応と反対，または特異反射の型の特徴に従わない反射の総称）. ＝inverted r.

paradoxic extensor r. 逆説伸筋反射，奇異伸筋反射．＝Babinski *sign* (1).

paradoxic flexor r. 逆説屈筋反射，奇異屈筋反射．＝Gordon r.

paradoxic patellar r. 逆説膝蓋〔腱〕反射，奇異膝蓋〔腱〕反射（①膝蓋腱を叩打すると内転筋の収縮を生じる．②下腿が突然受動的に伸張する際の下腿伸筋の収縮）．

paradoxic pupillary r. 逆説瞳孔反射，奇異瞳孔反射（予想と反対の光に対する瞳孔反応．例えば，明かりを消した際の縮瞳収縮）．＝Flynn phenomenon; paradoxic pupillary phenomenon.

paradoxic triceps r. 逆説三頭筋反射，奇異三頭筋反射．＝olecranon r.

patellar r. 膝蓋〔腱〕反射（下腿を大腿に対して直角に垂れ下げておき，膝蓋腱を軽く叩打することにより生じる大腿前筋群の突然の収縮）．＝knee jerk; knee r.; knee-jerk r.; patellar tendon r.; quadriceps r.

patellar tendon r. ＝patellar r.

patelloadductor r. 膝〔蓋〕内転筋反射（四頭筋腱を叩打することにより生じる下腿の交差内転）．

Pavlov r. (pahv′lov). パヴロフ反射．＝auriculopressor r.

pectoral r. 胸筋反射（腕を外転させたまま，第七肋骨の前腋窩線と中部腋窩線の中間を叩打することにより生じる大胸筋の収縮．三角筋と二頭筋の収縮を生じる場合もある）．＝costopectoral r.

Perez r. (pā′rāth). プレー反射（乳児を腹臥位に保ち，指を脊椎に沿って動かすと，正常では身体全体を伸張する反射）．

pericardial r. 心臓周囲反射（手術時に心臓周囲を触診するとみられる迷走神経反射．迷走神経の刺激症状(徐脈と大動脈圧の下降)が現れるのが特徴）．

periosteal r. 骨膜反射（種々の長骨を叩打することにより起こると間違えて考えられた反射性筋収縮．これらは実際には腱反射であり，骨自体にはそのような筋活動を誘発する受容器はないので，本用語は間違いである）．

pharyngeal r. 咽頭反射（①＝swallowing r. ②＝vomiting r.）．

phasic r. 相反射（脊椎動物の引っ掻き反射などのような統合された複雑な応答）．

Phillipson r. (fil′ĭp-sŏn). フィリップソン反射（対側の膝の伸筋が抑制されたときに生じる，もう一方の膝の伸筋の収縮）．

photic-sneeze r. 光性くしゃみ反射．＝photoptarmosis.

pilomotor r. 立毛〔筋〕反射（軽い触刺激または局部冷却により鳥肌を生じる皮膚の平滑筋の収縮）．

plantar r. 足底反射（母指球の触刺激に対する反応で，通常は爪先の足底屈曲を生じる．病的反応はBabinski徴候(→Babinski *sign* (1))である）．＝sole r.

plantar muscle r. 足底筋反射．＝Rossolimo r.

pneocardiac r. 吸入性心臓反射（刺激性気体の吸入により生じる血圧または心律動の変化）．

pneopneic r. 吸入性呼吸反射（刺激性気体の吸入により生じる呼気リズムの変化）．

postural r. 姿勢反射，体位反射（体幹と四肢の位置をコントロールする反応．→righting r.'s）．＝static r. (1).

pressoreceptor r. 圧受容器反射（頸動脈洞症候群 carotid sinus *syndrome* に関連した正常反射）．

primitive r. 原始反射（成熟した胎児および新生児に普遍的にみられる，単純で自律的な様々な神経筋反応のことで，通常は出生後1年以内に消失するものをさす．原始反射は脳幹を中枢として起こり，驚愕(Moro)反射，探索(追いかけ)反射，緊張性頸反射などがある．原始反射の異常な遺残は不器用，協調運動失調，知覚困難につながる可能性がある）．

pronator r. 回内〔筋〕反射．＝ulnar r.

proprioceptive r.'s 固有反射（固有受容器の刺激による反射．→proprioceptor）．

protective laryngeal r. 庇護喉頭反射（気道内への異物の侵入を防ぐための声門の閉鎖）．

psychocardiac r. 精神心臓反射（情緒的な印象や経験を思い出したり，または意識下の状態で夢にみたりしたときにみられる循環速度の変化と主観的な心臓の自覚(しばしば〝ドキン〟と感じる)）．

psychogalvanic r., psychogalvanic skin r. 精神電流〔皮膚〕反射．＝galvanic skin *response*.

pulmonocoronary r. 肺冠動脈反射（肺塞栓症などの場合に，肺に生じる迷走神経刺激による冠状動脈の反射的収縮）．

pupillary r. 瞳孔反射（各種の刺激に対して生じる瞳孔直径の変化．例えば光による収縮などをいう）．＝light r. (1).

pupillary-skin r. 瞳孔－皮膚反射（頸部の皮膚を引っ掻くことにより生じる瞳孔の拡張）．＝ciliospinal r.; cutaneous pupil r.; cutaneous-pupillary r.; skin-pupillary r.

quadriceps r. 大腿四頭筋反射．＝patellar r.

quadripedal extensor r. 四足伸筋反射（四肢全部を使うような腹臥位をさせたときに，半身不随の患者の上腕が伸張すること）．＝Brain r.

radial r. 橈骨反射（橈骨下端を叩打するときに生じる前腕の屈曲．強く叩打すると指の屈曲が生じることもある．→inverted radial r.）．

radiobicipital r. 橈骨二頭筋反射（前腕橈骨反射に伴ってときに生じる二頭筋の収縮）．

radioperiosteal r. 橈骨骨膜反射．＝brachioradial r.

rectal r. 直腸反射（S状結腸から直腸への糞便の侵入により便意を催させること）．

R

rectocardiac r. 直腸心臓反射（恥骨神経の刺激により徐脈と血圧低下を生じる副交感神経反射．求心路は自律神経の腰仙部副交感神経，遠心路は心迷走神経．直腸検査に伴うといわれている）．

rectolaryngeal r. 直腸喉頭反射（肛門括約筋をのばすことにより生じる喉頭部の痙縮）．

red r. 赤色反射．＝light r. (3).

Remak r. (rā′mahk). レーマック(レマーク)反射（大腿の上前表面をこすることにより誘発される，第一–第三趾の底屈で，ときに足に底屈と膝の伸展を伴う．脊髄の伝導路が遮断されたときに起こる）．

renal r. 腎反射（身体の外傷，または片方の腎または尿管の外傷，または疾病により生じる無尿）．

righting r.'s 立直り反射（迷路，眼，筋，皮膚内の種々の受容器を通じて，動物の姿勢を正常な位置に直そうとする反射．これを妨げようとする外力に対抗する．→body righting r.'s; labyrinthine righting r.'s; neck r.'s; optic righting r.'s）．＝static r. (2).

Roger r. (rō′zhā′). ロジェ反射．＝esophagosalivary r.

rooting r. 乳探し反射，探索反射（乳児の口の周囲を刺激すると唇をすぼめて刺激方向に向ける反射）．

Rossolimo r. (ros-ō-lē′mō). ロッソリーモ反射（足指先端を足底からはじくように動かすことにより起こる足指の屈曲．足指屈筋の伸張反射で，錐体路の病変の際にみられる．→Starling r.）．＝plantar muscle r.; Rossolimo sign.

scapular r. 肩甲反射（肩甲骨間の刺激により生じる上背部の筋の収縮）．＝interscapular r.

scapulohumeral r. 肩甲上腕反射（肩甲骨の片側辺縁の下部を叩打することにより生じる肩甲骨と腕の筋の収縮．反応する筋はそのときの伸展する度合いにより異なる）．＝scapuloperiosteal r.

scapuloperiosteal r. 肩甲骨骨膜反射．＝scapulohumeral r.

Schäffer r. (shā′fĕr). シェファー反射（Achilles 腱を皮膚の上からつまむと，母趾が背屈する反射．皮質脊髄路の障害でみられる．Babinski 徴候の変法）．

semimembranosus r., semitendinosus r. 半膜様筋反射，半腱様筋反射（頸骨粗面部分を軽く叩打することにより生じるこれらの筋の収縮）．

shot-silk r. 絹様反射．＝shot-silk *retina*.

sinus r. →carotid sinus *syndrome*.

skin r.'s 皮膚反射．＝skin-muscle r.'s.

skin-muscle r.'s 皮膚筋肉反射（腹壁反射のような，表在性または皮膚性の反射）．＝skin r.'s.

skin-pupillary r. ＝pupillary-skin r.

snapping r. スナッピング反射．＝Hoffmann *sign* (2).

snout r. 嘴反射（唇の正中線付近を軽く叩打することにより，唇がとがったりすぼんだりすること．前頭葉機能障害の徴候と考えられている）．

sole r. ＝plantar r.

sole tap r. 足底叩打反射．＝aponeurotic r.

spinal r. 脊髄反射（脊髄を含む反射弓．→reflex *arc*）.

spinoadductor r. 脊柱内転筋反射（脊柱を叩打することにより生じる大腿内転筋の収縮）．＝McCarthy r.'s (1).

stapedial r. ＝acoustic r.

Starling r. (star′ling). スターリング反射（指の手掌側をたたくと指の屈曲を生じること．足指のRossolimo反射に類似）.

startle r. 驚愕反射（正常新生児に認められる原始反射で，通常 3－4 か月までに消失する．突然の刺激(大きな音，床をたたくといった刺激，5—10cmの落下など)により，股・膝関節の屈曲と手掌・指を開いた後，拳を握って上肢の伸展に引き続く屈曲という一連の反射を認める．→cochleopalpebral r.）．＝Moro r.; parachute r.; startle reaction.

static r. *1*＝postural r. *2*＝righting r.'s.

statokinetic r. 平衡運動反射（頸筋と半規管の受容器の刺激により，頭の運動に合わせて手足と眼を動かす）.

statotonic r.'s 平衡持続性反射（迷路の卵形嚢受容器が直線加速や地球の重力野から空間における頭の位置の変化を感知し，頸筋の受容器が体幹に対する頭の位置の変化を感知し，これらの受容器からの刺激が望んだ姿勢を維持・回復するために四肢の筋肉の緊張度を調節する反射）．＝attitudinal r.'s.

sternobrachial r. 胸骨前腕筋反射（胸骨を叩打することにより生じる腕の内転筋の収縮）.

stretch r. 伸展反射，伸長反射．＝myotatic r.

Strümpell r. (shtrēm′pĕl). シュトリュンペル反射（腹部または大腿部をこすると下腿が屈曲し足が内転する）.

styloradial r. 茎突橈骨反射．＝brachioradial r.

suckling r. 吸引反射，吸飲反射（生まれたての動物に乳を吸わせるときに受ける乳頭の神経の刺激により生じる，下垂体前葉からのプロラクチンの反射的な放出.→milk-ejection r.）.

superficial r. 表在反射（腹壁反射または精巣挙筋反射のように，皮膚刺激により生じる反射の総称）.

supination r. 回外筋反射．＝brachioradial r.

supinator r., supinator longus r. 回外筋反射，長回外筋反射．＝brachioradial r.

supporting r.'s 支持反射．＝supporting *reactions*.

supraorbital r. 上眼窩反射（眼窩上神経を軽く叩打することにより生じる眼輪筋の収縮）．＝McCarthy r.'s (2); trigeminofacial r.

suprapatellar r. 上膝蓋反射（膝蓋上部の四頭筋腱を軽く叩打することにより生じる膝蓋骨の上昇）.

supraumbilical r. 臍上反射（①＝epigastric r. ②＝abdominal r.'s）.

swallowing r. えん下反射（口蓋，口峡，後咽頭壁の刺激により生じるえん下作用(第2段階)）．＝deglutition r.; pharyngeal r. (1).

synchronous r. 同期反射（主たる反射に関連して生じる従属反射）.

tarsophalangeal r. 足根足指反射（足根外側部を軽く叩打すると，第一指を除いてすべての足指が伸展する．ある種の脳疾患の場合には，足指が屈曲するという逆のことが起こる）.

tendo Achillis r. ＝Achilles r.

tendon r. 腱反射（筋肉の腱を打診することにより筋伸長受容器が刺激される筋伸展反射または深部反射）.

tensor tympani r. 鼓膜張筋反射（強大音に対して起こる鼓膜張筋の収縮．恐らく中耳のインピーダンスを増加させることで，内耳への強大音の暴露を減じることができる）.

thumb r. 母指反射（手背を叩打すると母指が屈曲する）．＝metacarpothenar r.

tonic r. 緊張性反射（反射が生じた後，弛緩するまでにかなりの時間がかかること．例えば，膝蓋腱反射が生じた後，一時下腿がのびたままになる）．＝Gordon symptom.

tonic neck r. 緊張性頸反射（原始反射の１つ．新生児の頭部を強制的に回すと，正常な新生児では反対側の手足が屈曲し，回した側の手足が伸展すること）.

trace conditioned r. 痕跡条件反射（強化前に，短い期間刺激を与えることにより生じる条件反射．このようにして生じた動物の条件反射では，訓練中と同様，刺激を加えた後，一定の間隔で反応が生じる）.

trained r. ＝conditioned r.

triceps r.〔上腕〕三頭筋反射（前腕を上腕に対して直角に保持しておいて，腱を軽く叩打すると三頭筋が突然収縮すること）．＝elbow jerk; elbow r.

triceps surae r. 下腿三頭筋反射．＝Achilles r.

trigeminofacial r. 三叉神経顔面反射．＝supraorbital r.

trochanter r. 転子反射（大転子を叩打することにより生じる大腿内転筋の収縮）.

Trömner r. (trĕm′nĕr). トレムナー反射（Rossolimo反射の変型．患者の指を軽く曲げておいて，中指または示指先端の手掌面を軽く叩打することにより，指4本と母指が曲がる．軽い痙縮を伴う錐体路病変の際にみられる）.

ulnar r. 尺骨反射（尺骨の茎状突起を軽く叩打することにより生じる手の回内と内転）．＝pronator r.

unconditioned r. 無条件反射（以前の学習または経験に依存しない本能的反射）.

upper abdominal periosteal r. 上腹骨膜反射（乳頭線上で肋骨軟骨下端を叩打すると，同側の腹筋が収縮する(不定)）.

urinary r. ＝micturition r.

utricular r.'s →statotonic r.'s.

vagovagal r. 迷走神経反射（血圧低下やしばしば上室性不整脈を伴った徐脈．腹部，胸部，気道などの求心性迷走神経路の刺激，特に機械的な刺激が原因と考えられ，遠心路は迷走神経の心臓抑制線維を含む）.

vasopressor r. 血管収縮反射，昇圧反射（ある種の求心性神経，例えば，迷走神経線維の刺激により生じる血管収縮）.

venorespiratory r. 静脈呼吸反射（右心房の圧上昇に基づく呼吸刺激と肺換気の増加）.

vesical r. 膀胱反射．＝micturition r.

vestibuloocular r. 前庭眼反射（臨床検査での眼振のように，外眼筋運動系での前庭系支配に関する一般的な用語）.

vestibulospinal r. 前庭脊髄反射（体位に対する前庭刺激の影響）.

visceral traction r. 内臓牽引反射（手術前に，胃，胆嚢，または虫垂腸間膜の牽引による喉頭部痙攣）.

viscerogenic r. 内臓性反射（内臓の障害により生じる頭痛，咳，脈の乱れなどの，いくつかの反射）.

visceromotor r. 内臓運動反射（内臓からの刺激により生じる胸部または腹部の筋肉の収縮）.

viscerosensory r. 内臓知覚反射（特定の内臓の疾患により生じる体壁表面の痛み，あるいは圧迫に対する過敏性.→Head *lines*）.

viscerotrophic r. 内臓栄養反射（胸または腹部臓器の慢性炎症性疾患による骨格軟組織の退行性変化）.

visual orbicularis r. 視性眼瞼反射（視覚刺激を突然与えることにより生じる眼輪筋の収縮.→wink r.）.

vomiting r. 嘔吐反射（多くの刺激，特に口峡部分への刺激によって生じる嘔吐(胃の噴門括約筋と喉頭筋の弛緩を伴う腹筋収縮)）．＝pharyngeal r. (2).

Weingrow r. ウェイングロー反射．＝aponeurotic r.

Westphal pupillary r. (vest′făl). ヴェストファル瞳孔反射．＝eye-closure pupil *reaction*.

white pupillary r. 白色瞳孔反射．＝leukocoria.

wink r. 瞬目反射（種々の刺激により生じる眼瞼の反射的閉鎖に対する総称）．＝eye-closure r.

withdrawal r. ＝flexor r.

wrist clonus r. 手間代反射，手クロ〔ー〕ヌス反射（手首を突然背屈して誘発される，手の持続性間代性運動）.

---

re·flex·o·gen·ic (rē-flek′sō-jen′ik). 反射発生の．＝reflexogenous.

re·flex·og·e·nous (rē′flek-soj′ĕ-nŭs). ＝reflexogenic.

re·flex·o·graph (rē-flek′sō-graf) ［reflex＋G. *graphō*, to write］. 反射描画器（反射を図形的に記録する器械）.

re·flex·ol·o·gy (rē′flek-sol′ŏ-jē) ［reflex＋G. *logos*, study］. 反射学.

re·flex·om·e·ter (rē′flek-som′ĕ-tĕr)［reflex＋G. *metron*, measure］. 反射計（反射を起こすのに必要な力を測定する器械）.

re·flex·o·phil, re·flex·o·phile (rē-flek′sō-fil, -fīl) [reflex + G. *phileō*, to love]. 反射亢進の.
re·flex·o·ther·a·py (rē-flek′sō-ther′ă-pē). ＝reflex *therapy*.
re·flux (rē′flŭks) [L. *re*-, back + *fluxus*, a flow]. [reflex と混同しないこと]. ***1*** 逆流（逆向きの流れ.→regurgitation）. ***2*** 還流（化学において，冷却器を用いて蒸気を液体として戻すことにより，蒸気を失うことなく煮沸すること）.
abdominojugular r. 腹部頸部静脈逆流. ＝hepatojugular r.
esophageal r., gastroesophageal r. 食道逆流，胃食道逆流（胃内容の食道，咽頭への逆流．気管に誤えんされることもある．その結果誤えんに伴う胸やけや酸味がする．肺合併症は誤えんしたものの量，内容，酸度による）.
hepatojugular r. 肝頸静脈逆流（顕性あるいはうっ血性心不全が切迫しているときに，平手で腹部を強く圧迫することにより生じる静脈圧の増加で，頸静脈にみられ腕の静脈で測定できる．しばしば圧迫が肝上部に限局しているときは hepatojugular reflex とよばれる）. ＝abdominojugular r.
intrarenal r. 腎内逆流（腎盂や腎杯から集合管への尿の逆流．これは造影剤を用いない膀胱尿管撮影の際に腎錐体の発赤としてみられる）. ＝pyelotubular r.
laryngopharyngeal r. (LPR) 咽喉頭逆流症（逆流性食道炎の一病型で，急性，慢性または間欠性の咽喉炎や喉頭炎に特徴的な咽喉頭の症状や所見を呈する.→gastroesophageal reflux *disease*）.
pyelotubular r. 腎盂尿細管逆流. ＝intrarenal r.
ureterorenal r. 尿管腎逆流（尿管から腎盂への尿の逆流）.
vesicoureteral r. [MIM*314550, *193000]. 膀胱尿管逆流（膀胱から尿管への尿の逆流）.
re·for·mat (rē-fōr′mat). リフォーマット，再配列（コンピュータ断層撮影において連続した横断画像データから，矢状断像あるいは冠状断像などの画像を作成するために，画像データを再配列すること）.
re·fract (rē-frakt′) [L. *refringo*, pp. *-fractus*, to break up]. ***1*** 屈折する（光線のかたよりを起こすこと）. ***2*** 屈折を矯正する（屈折異常を調べて，レンズを用いて矯正すること）.
re·frac·ta·ble (rē-frak′tă-bĕl). 反射体（反射を生じる物体）. ＝refrangible.
re·frac·tion (rē-frak′shŭn) [L. *refractio* (→refract)]. ＝refringence. ***1*** 屈折（異なった光学密度をもつ物質間を通過するときに生じる光線のゆがみ．密な物体から疎な物体にはいる場合は，屈折物体表面に垂直な線から離れるようにして曲がるが，疎から密な物体にはいる場合は，この垂直線に向かって曲がる）. ***2*** 屈折矯正（眼の屈折の状態と度合いを判定し，レンズにより矯正する）.
double r. 複屈折（通過光の方向に応じて，２つ以上の屈折率を有する性質）. ＝birefringence.
dynamic r. 動的屈折（調節中の眼の屈折）.
static r. 静的屈折（調節停止中の眼の屈折）.
re·frac·tion·ist (rē-frak′shŭn-ist). 屈折矯正士（眼の屈折度測定に熟練し，正しい矯正レンズを決定する人）.
re·frac·tion·om·e·ter (rē-frak′shŭn-om′ĕ-tĕr). ＝refractometer.
re·frac·tive (rē-frak′tiv). ＝refringent. ***1*** 屈折の. ***2*** 光を屈折する力を有する.
re·frac·tiv·i·ty (rē′frak-tiv′i-tē). 屈折力. ＝refringency.
re·frac·tom·e·ter (rē′frak-tom′ĕ-ter) [refraction + G. *metron*, measure]. 屈折率測定器，屈折計（半透明物体，特に眼の屈折度を測定する器械.→refractive *index*）. ＝objective optometer; refractionometer.
re·frac·tom·e·try (rē′frak-tom′ĕ-trē). ***1*** 屈折率測定〔法〕（屈折率の測定）. ***2*** 屈折判定〔法〕（眼の屈折異常を判定するのに屈折計を用いること）.
re·frac·to·ry (rē-frak′tōr-ē) [L. *refractarius* < *refringo*, pp. *-fractus*, to break in pieces]. ***1*** 難治〔性〕の，抗療性の．治療抵抗性の. ＝intractable (1); obstinate (2). ***2*** 治療不応性の，無反応性の. ＝obstinate (1).
re·frac·ture (rē-frak′chūr) [re- + fracture]. 再骨折（以前に骨折し，結合している骨が折れること．以前の骨折部位かあるいはその近くに起こる新しい骨折による）.
re·fran·gi·ble (rē-fran′ji-bul) [L. *refringo*, to break in pieces]. 屈折可能な. ＝refractable.
re·fresh (rē-fresh′) [O.Fr. *re-frescher*]. ***1*** 新しくする，回復させる. ***2*** 創面を新鮮にする（→revivification (2)）.
re·frig·er·ant (rē-frij′ĕr-ănt) [L. *re-frigero*, pp. *-atus*, pr. p. *-ans*, to make cold < *frigus* (*frigor-*), cold]. ***1*** 〖adj.〗冷却の，熱を下げる. ***2*** 〖n.〗清涼剤，寒剤（清涼感を与えたり，熱を下げる薬剤）.
re·frig·er·a·tion (rē-frij′ĕr-ā′shŭn) [L. *refrigeratio* (→refrigerant)]. 冷凍，低温療法（冷却または熱を下げること）.
re·frin·gence (rē-frin′jens). 屈折力. ＝refraction.
re·frin·gen·cy (rē-frin′jen-sē). 屈折性. ＝refractivity.
re·frin·gent (rē-frin′jent). 屈折の. ＝refractive.
Refsum (ref′sūm), Sigvald. ノルウェー人神経科医，1907—？ →R. *disease, syndrome*.
re·fu·sion (rē-fyū′zhŭn) [L. *re-fundo*, pp. *-fusus*, to pour back]. 再注輸（肢の結紮により一時的に中断されていた血液の循環を元に戻すこと）.
re·gain·er (rē-gān′ĕr). リゲイナー（歯列弓に空隙を回復しようとして用いられる装置）.
Regaud (rĕ-gō′), Claude. フランス人放射線科医，1870—1940. →R. *fixative*; residual *body* of R.
re·gen·er·ate (rē-jen′ĕr-āt) [L. *re-genero*, pp. *-atus*, to reproduce < *genus* (*gener-*), birth, race]. 再生する.
re·gen·er·a·tion (rē′jen-ĕr-ā′shŭn) [L. *regeneratio* (→regenerate)]. 再生（①欠損部または外傷部の再生. ＝neogenesis. ②無性生殖の一種．例えば，虫が２つ以上の部分に分割されたとき，各部分が新しい個体に再生すること）.
aberrant r. 異所性再生（神経の過誤支配による再生．一例として動眼神経障害後にみられる）. ＝misdirection phenomenon.
guided tissue r. 組織再生誘導法（人工物で生体反応や化学活性を起こし組織を再生する．ときに細胞の浸潤を断つことのできる遮断膜を利用する）.
reg·i·men (rej′i-mĕn) [L. direction, rule]. 生活規則，摂生，養生，養生法（[同語源の語 regime は，regimen の同意語として，広くかつ正しく用いられている]．薬物療法を含めて，ヒトの生活様式を，衛生または治療の目的で規制するプログラム．治療のプログラム．ときに誤って regime とよばれる）.

REGIO

re·gi·o, gen. **re·gi·o·nis,** pl. **re·gi·o·nes** (rē′jē-ō, -ō′nis, -ō-nēz) [L.] [TA]. 部，部位，領域. ＝region.
regiones abdominis [TA]. 腹の部位. ＝abdominal *regions*.
r. abdominis lateralis☆ flank の公式の別名.
r. analis [TA]. 肛門部. ＝anal *triangle*.
r. antebrachialis ＝antebrachial *region*.
r. antebrachialis anterior☆ 前前腕部（anterior *region* of forearm の公式の別名）.
r. antebrachialis posterior☆ 後前腕部（posterior *region* of forearm の公式の別名）.
r. antebrachii anterior [TA]. ＝anterior *region* of forearm.
r. antebrachii posterior [TA]. ＝posterior *region* of forearm.
r. axillaris [TA]. 腋窩部. ＝axillary *region*.
r. brachialis anterior☆ 前上腕部（anterior *region* of arm の公式の別名）.
r. brachialis posterior☆ 後上腕部（posterior *region* of arm の公式の別名）.
r. brachii anterior [TA]. ＝anterior *region* of arm.
r. buccalis [TA]. 頬部. ＝buccal *region*.
r. calcanea [TA]. 踵部. ＝heel *region*.
regiones capitis [TA]. 頭の部位. ＝*regions* of head.
r. carpalis anterior [TA]. 前手根部. ＝anterior *region* of wrist.

r. carpalis posterior [TA]．後手根部．＝posterior *region* of wrist.

regiones cervicales [TA]．頸部．＝*regions* of neck.

r. cervicalis anterior [TA]．＝anterior cervical *region*.

r. cervicalis lateralis [TA]．側頸部．＝lateral cervical *region*.

r. cervicalis posterior [TA]．後頸部．＝posterior cervical *region*.

r. colli posterior* posterior cervical *region* の公式の別名．

regiones corporis 人体の部位．＝*regions* of body.

r. cruris anterior [TA]．前下腿部．＝anterior *region* of leg.

r. cruris posterior [TA]．後下腿部．＝posterior *region* of leg.

r. cubitalis anterior [TA]．＝anterior *region* of elbow.

r. cubitalis posterior [TA]．＝posterior *region* of elbow.

r. deltoidea [TA]．三角筋部．＝deltoid *region*.

regiones dorsales [TA]．背部．＝*regions* of back.

regiones dorsi* *regions* of back の公式の別名．

r. epigastrica* 上胃部（epigastric *region* の公式の別名）．

r. facialis [TA]．＝face *region*.

r. femoralis posterior ＝posterior *region* of thigh.

r. femoris [TA]．＝femoral *region*.

r. femoris anterior [TA]．＝anterior *region* of thigh.

r. femoris posterior [TA]．＝posterior *region* of thigh.

r. frontalis capitis [TA]．前頭部．＝frontal *region* of head.

r. genus anterior [TA]．前膝部．＝anterior *region* of knee.

r. genus posterior [TA]．後膝部．＝posterior *region* of knee.

r. glutealis [TA]．殿部．＝gluteal *region*.

r. hypochondriaca* 下肋部（hypochondriac *region* の公式の別名）．

r. infraclavicularis 鎖骨下部．＝infraclavicular *fossa*.

r. inframammaria [TA]．乳房下部．＝inframammary *region*.

r. infraorbitalis [TA]．眼窩下部．＝infraorbital *region*.

r. infrascapularis [TA]．肩甲下部．＝infrascapular *region*.

r. inguinalis* 鼡径部（groin (1) の公式の別名）．

r. lateralis abdominis* flank の公式の別名．

r. lumbalis [TA]．腰部．＝lumbar *region*.

r. mammaria [TA]．乳房部．＝mammary *region*.

regiones membri inferioris [TA]．下肢の部位．＝*regions* of lower limb.

regiones membri superioris [TA]．上肢の部位．＝*regions* of upper limb.

r. mentalis [TA]．おとがい部．＝mental *region*.

r. nasalis [TA]．鼻部．＝nasal *region*.

r. nuchalis 項部．＝posterior cervical *region*.

r. occipitalis capitis [TA]．後頭部．＝occipital *region* of head.

r. olfactoria tunicae mucosae nasi 鼻粘膜嗅部．＝olfactory *region* of nasal mucosa.

r. oralis [TA]．口部．＝oral *region*.

r. orbitalis [TA]．眼窩部．＝orbital *region*.

r. parietalis capitis [TA]．頭頂部．＝parietal *region*.

r. pectoralis [TA]．胸筋部．＝pectoral *region*.

r. perinealis [TA]．会陰の部位．＝perineal *region*.

r. plantaris* *sole* of foot の公式の別名．

r. presternalis [TA]．胸骨〔前〕部．＝presternal *region*.

r. pubica* 恥骨部（pubic *region* の公式の別名）．

r. respiratoria tunicae mucosae nasi 鼻粘膜呼吸部．＝respiratory *region* of mucosa of nasal cavity.

r. sacralis [TA]．仙骨部．＝sacral *region*.

r. scapularis [TA]．肩甲部．＝scapular *region*.

r. sternocleidomastoidea [TA]．胸鎖乳突筋部．＝sternocleidomastoid *region*.

r. suralis [TA]．腓腹部，ふくらはぎ．＝sural *region*.

r. talocruralis 距腿部，あしくび．＝ankle *region*.

r. tarsalis [TA]．＝ankle *region*.

r. temporalis capitis [TA]．側頭部．＝temporal *region* of head.

regiones thoracicae anteriores et laterales [TA]．＝anterior and lateral thoracic *regions*.

r. umbilicalis [TA]．臍部．＝umbilical *region*.

r. urogenitalis [TA]．尿生殖部．＝urogenital *triangle*.

r. vertebralis [TA]．脊柱部．＝vertebral *region*.

r. zygomatica [TA]．頬骨部．＝zygomatic *region*.

---

re·gion (rē′jŭn) [L. *regio*][TA]．＝regio [TA]．***1*** 部（→space; zone）．***2*** 部位，領域（特定の神経または血管分布をもつ身体の一部，または特定の機能をもつ器官の一部．→area; space; spatium; zone）．

abdominal r.'s [TA]．腹の部位（腹の局所解剖学的区分で垂直方向には鎖骨中，水平方向には幽門横断線と棘間線（結節横断線）によって区切られる）．＝regiones abdominis [TA]; abdominal zones.

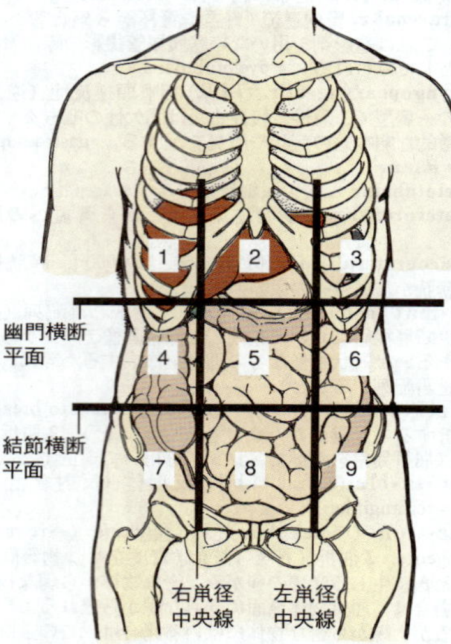

abdominal regions

1：右下肋部．2：上腹部(心窩部)．3：左下肋部．4：右外腰部．5：臍部．6：左外腰部．7：右腸骨部．8：下腹部(恥骨上部)．9：左腸骨部

anal r. 肛門部．＝anal *triangle*.

ankle r. [TA]．足根部，距腿部，あしくび（下肢のうち下腿と足の間の部分）．＝regio tarsalis [TA]; regio talocruralis.

antebrachial r. [TA]．前腕（肘と手の間にある上肢の部分）．＝forearm r.; regio antebrachialis.

anterior antebrachial r. ＝anterior r. of forearm.

anterior r. of arm [TA]．上腕前部（上方は三角筋部，下方は肘前部の間の部分）．＝regio brachii anterior [TA]; regio brachialis anterior*; anterior surface of arm; facies anterior brachii; facies brachialis anterior.

anterior brachial r. 上腕前部．

anterior carpal r. 前手根部．＝anterior r. of wrist.

anterior cervical r. [TA]．前頸部（下顎骨と胸鎖乳突筋と頸部前正中線とで囲まれた三角形の領域で，さらに頸動脈三角，筋三角，顎下三角，おとがい下三角に細分される）．＝regio cervicalis anterior [TA]; anterior triangle of neck*; trigonum cervicale anterius*; trigonum colli anterius*; anterior r. of neck.

anterior crural r. ＝anterior r. of leg.

anterior cubital r. 前肘部．＝anterior r. of elbow.

anterior r. of elbow [TA]. 肘前部（肘窩を含めて肘の前面）. =regio cubitalis anterior [TA]; anterior cubital r.; anterior surface of elbow; facies cubitalis anterior.

anterior r. of forearm [TA]. 前前腕部（前腕前面で橈側縁と尺側縁の間の部分）. =regio antebrachii anterior [TA]; regio antebrachialis anterior*; anterior antebrachial r.; anterior surface of forearm; facies antebrachialis anterior; facies anterior antebrachii.

anterior hypothalamic r.* 前視床下部（anterior hypothalamic *area* の公式の別名）.

anterior knee r. 膝前部. =anterior r. of knee.

anterior r. of knee [TA]. 膝前部. =regio genus anterior [TA]; anterior knee r.

anterior and lateral thoracic r.'s [TA]. 胸部（体表の部位のうち胸部にある部位で，胸骨部，胸部，腋窩部からなる）. =regiones thoracicae anteriores et laterales [TA]; r.'s of chest.

anterior r. of leg [TA]. 下腿前部（下腿前面のうち膝から足首までの部分）. =regio cruris anterior [TA]; anterior crural r.; anterior surface of leg; facies anterior cruris; facies cruralis anterior.

anterior r. of neck 前頸部. =anterior cervical r.

anterior r. of thigh [TA]. 大腿前部（大腿三角を含む大腿の前部）. =regio femoris anterior [TA]; anterior surface of thigh; facies femoralis anterior.

anterior r. of wrist [TA]. 前手根部（手首の掌側面）. =regio carpalis anterior [TA]; anterior carpal r.

arm r. 上腕=brachial r.

axillary r. [TA]. 腋窩部（腋窩を含む腋下の部分）. =regio axillaris [TA].

r.'s of back [TA]. 背部（体表の部位のうち体幹の背面にある部位で，脊柱部，仙骨部，肩甲部，肩甲下部，腰部からなる）. =regiones dorsales [TA]; regiones dorsi*.

r.'s of body 人体の部位（身体の局所的区分）. =regiones corporis.

brachial r. [TA]. 上腕（近位で三角筋と腋窩部，遠位で肘の間にある腕の部分）. =arm r.

buccal r. [TA]. 頬部（下層にある頬筋にほぼ対応する頬の部分）. =regio buccalis [TA].

calcaneal r. 踵部. =heel r.

carpal r. [TA]. 手根（手の一部で，近位で前腕，遠位で中手部の間にある手首の部分）. =wrist r.

r.'s of chest 胸部. =anterior and lateral thoracic r.'s.

chromosomal r. 染色体領域（バンドで代表される解剖学的詳細，あるいは連鎖で明示される染色体の領域）.

complementarity determining r.'s 相補性決定領域（抗体あるいはT細胞レセプタの可変領域中で，抗原あるいは，抗原/主要組織適合分子(すなわち抗原結合領域)と結合する部位）.

constant r. →immunoglobulin.

cubital r. [TA]. 肘（近位で上腕，遠位で前腕の間にある肘の部分．前肘部と後肘部を含め，前肘部には肘窩を含める）. =elbow r.

deltoid r. [TA]. 三角筋部（三角筋の輪郭により区切られる肩の外側部）. =regio deltoidea [TA].

dorsal hypothalamic r.* 視床下部後部 (dorsal hypothalamic *area* の公式の別名).

elbow r. =cubital r.

epigastric r. [TA]. 上胃部（肋骨縁と肋骨下平面に囲まれた腹の部位．TAではこの語は epigastric *fossa* と同義）. =epigastrium [TA]; regio epigastrica*.

r.'s of face 顔面部. =face r.

face r. [TA]. 顔面部（体表の部位のうち顔面にある部位で，鼻部，おとがい部，眼窩部，眼窩下部，頬部，耳下腺部，頬骨部からなる）. =regio facialis [TA]; r.'s of face.

femoral r. [TA]. 大腿部（腰と膝の間の部分）. =regio femoris [TA].

foot r. [TA]. 足（下腿部より遠位の部分で，足根部・踵部・中足部，および足背部・足底部・趾を含む）.

forearm r. =antebrachial r.

framework r. フレームワーク領域（免疫学では，免疫グロブリン鎖可変部位中にある超可変領域の両側に存在する保存アミノ酸配列のこと）.

frontal r. of head [TA]. 前頭部（体表の部位のうちでおよそ前頭骨の範囲に相当する部分）. = regio frontalis capitis [TA].

gluteal r. [TA]. 殿部（尻の部分）. =regio glutealis [TA].

hand r. [TA]. 手（前腕より遠位の部分で，手根・中手部・指・手背部を含む）.

r.'s of head [TA]. 頭の部位（体表の部位のうちで頭蓋冠に関連する頭蓋に対応する部位で，前頭部，頭頂部，後頭部，側頭部，耳介部，乳突部，顔部からなる）. =regiones capitis [TA].

heel r. [TA]. 踵部（踵の部分）. =regio calcanea [TA]; calcaneal r.

hinge r. ちょうつがい部位（①tRNA の構造部位で〝クローバーの葉〟(二次元)モデルから“L”(電子顕微鏡で見られるような結晶構造)モデルを形成するために弯曲，変形される部位．②免疫グロブリンで，2本の長鎖の間に存在してそれを形づくる遺伝子配列）.

hip r. [TA]. 寛骨部（殿部の外側，腸骨稜の下方で，大腿骨の大転子の上にある部分）.

hypervariable r.'s (hī-per′var-ī-a-ble). 超可変領域（免疫グロブリン分子において，抗原結合部位に関与する大部分の残基を包含する領域．抗原結合部位の超可変性によって，最大限の免疫学的レパトアが保証される）.

hypochondriac r. 下肋部（腹部の両側にある肋軟骨上の部分．上胃部の側方にある）. =hypochondrium [TA]; regio hypochondriaca*.

I r. I 領域（クラスII 主要組織適合抗原複合体遺伝子を有するマウス H-2 複合体領域）.

iliac r. =groin (1).

r.'s of inferior limb 下肢の部位. =r.'s of lower limb.

inframammary r. [TA]. 乳房下部（胸部のうちで乳房(腺)より下方の部分）. =regio inframammaria [TA].

infraorbital r. [TA]. 眼窩下部（眼窩の下および鼻の両側に沿った部分）. =regio infraorbitalis [TA].

infrascapular r. [TA]. 肩甲下部（脊柱部の両側で肩甲骨の下にある背の部分）. =regio infrascapularis [TA].

inguinal r.* 鼡径部（groin (1) の公式の別名）.

r. of interest 関心領域（コンピュータ断層撮影やその他のコンピュータ処理画像において，相互作用的に選択された画像上の領域のことで，個々の，あるいは平均の画素(ピクセル)の値は数値で表示される）.

intermediate r. [TA]. 中間部. =intermediate *column*.

intermediate hypothalamic r.* 視床下部中間部（intermediate hypothalamic *area* の公式の別名）.

K r. K 領域（フェナントレン環系の C-9 と C-10 位．ある種の炭化水素発癌物質の反応点と考える者もいる）.

knee r. [TA]. 膝部（近位で大腿，遠位で下腿の間にある膝関節の上にある部分．前膝部と後膝部を含め，後膝部には膝窩を含める）.

lateral abdominal r.* flank の公式の別名.

lateral r.* 側腹（flank の公式の別名）.

lateral r. of abdominal r.* flank の公式の別名.

lateral cervical r. [TA]. 後頸部（胸鎖乳突筋，僧帽筋，鎖骨上縁で囲まれた区域で，肩甲鎖骨三角を含む）. =regio cervicalis lateralis [TA]; posterior triangle of neck*; trigonum cervicale posterius*; trigonum colli laterale*; lateral r. of neck.

lateral hypothalamic r. 視床下部外側部（脳弓の外側に前から後ろまで全長にわたって存在する部分で，外側隆起核・乳頭体隆起核・散在する神経細胞を含む）.

lateral r. of neck 側頸部. =lateral cervical r.

r.'s of lower limb [TA]. 下肢の部位（体表の部位のうち下肢にある部位で，殿部，大腿部，膝部，下腿部，足根部，足からなる）. =regiones membri inferioris [TA]; r.'s of inferior limb.

lumbar r. [TA]. 腰部（脊柱部の外側で，胸郭と骨盤の間にある部分）. =regio lumbalis [TA].

mammary r. [TA]. 乳房部（乳房を含む胸部）. =regio mammaria [TA].

mental r. [TA]. おとがい部（おとがいの部分）. =regio

R

mentalis [TA].

metacarpal r. [TA]. 中手部（手根と指の間の手の部分).

nasal r. [TA]. 鼻部（鼻の部分). =regio nasalis [TA].

r.'s of neck [TA]. 頸部（局所解剖学的な頸の部位). =regiones cervicales [TA].

nuchal r. 項部. =posterior cervical r.

nucleolus organizer r. 核小体オルガナイザー領域（リボソーム RNA(rRNA)の産生に必要な DNA 暗号の配列).

occipital r. of head [TA]. 後頭部（体表の部位のうち後頭骨の範囲に相当する部分). =regio occipitalis capitis [TA].

r. of olfactory mucosa 鼻粘膜嗅部. =olfactory r. of nasal mucosa.

olfactory r. of mucosa of nose [TA]. 鼻粘膜嗅部（嗅神経束を形成する突起を出す神経細胞の存在する粘膜上皮で，その粘膜固有層には多数の嗅腺(Bowman 腺)があって上皮表面に開口している). =olfactory mucosa.

olfactory r. of nasal mucosa [TA]. 鼻粘膜嗅部（鼻中隔の上部 1/3 と上鼻甲介上の側壁を含む，特殊な嗅覚受容部. 嗅上皮でおおわれる). =pars olfactoria tunicae mucosae nasi [TA]; olfactory r. of tunica mucosa of nose; regio olfactoria tunicae mucosae nasi; r. of olfactory mucosa; Schultze membrane.

olfactory r. of nose [TA]. 嗅部（嗅覚の受容器細胞と嗅腺を有する鼻粘膜の部分). =olfactory membrane.

olfactory r. of tunica mucosa of nose 鼻粘膜嗅部. =olfactory r. of nasal mucosa.

oral r. [TA]. 口部（唇と口を含む顔の部分). =regio oralis [TA].

orbital r. [TA]. 眼窩部（眼窩の周辺部). =regio orbitalis [TA].

palmar r.☆ palm の公式の別名.

parietal r. [TA]. 頭頂部（体表の部位のうち頭頂骨の範囲に相当する部分). =regio parietalis capitis [TA].

pectoral r. [TA]. 胸筋部（胸部にあって大胸筋の存在する範囲で胸外側部，乳房部，乳房下部に分かれる. →anterior and lateral thoracic r.'s). =regio pectoralis [TA].

perineal r. [TA]. 会陰部（体幹の最下端の部位で，仙骨部の前，恥骨部の後ろ，左右大腿の間にあたる. 後方の肛門三角と前方の尿生殖三角に分けられている). =regio perinealis [TA].

plantar r.☆ *sole* of foot の公式の別名.

popliteal r. 膝窩部. =popliteal *fossa*.

posterior antebrachial r. =posterior r. of forearm.

posterior r. of arm [TA]. 上腕後部. =regio brachialis posterior☆; facies brachialis posterior; posterior brachial r.; posterior surface of arm.

posterior brachial r. =posterior r. of arm.

posterior carpal r. 後手根部（手首の背側面). =posterior r. of wrist.

posterior cervical r. [TA]. 後頸部（後頭下部を含む頸の背面). =regio cervicalis posterior [TA]; regio colli posterior☆; nuchal region; posterior neck r.; posterior r. of neck; regio nuchalis.

posterior crural r. =posterior r. of leg.

posterior cubital r. 後肘部. =posterior r. of elbow.

posterior r. of elbow [TA]. 肘後部. =regio cubitalis posterior☆; facies cubitalis posterior; posterior cubital r.; posterior surface of elbow.

posterior r. of forearm [TA]. 後前腕部（前腕後面で橈側縁と尺側縁の間の部分). =regio antebrachii posterior [TA]; regio antebrachialis posterior☆; facies antebrachialis posterior; posterior antebrachial r.; posterior surface of forearm.

posterior hypothalamic r. 後視床下部（視床下部の尾側部で内側核・中間核・外側乳頭体核・後視床下部核を含む. 全体として乳頭体領域に位置する. →posterior hypothalamic *area*).

posterior knee r. 膝後部. =posterior r. of knee.

posterior r. of knee [TA]. 膝後部（膝窩を含む膝の後面部). =regio genus posterior [TA]; posterior knee r.

posterior r. of leg [TA]. 下腿後部. =regio cruris posterior [TA]; facies cruralis posterior; facies posterior cruris; posterior crural r.; posterior surface of leg.

posterior r. of neck 後頸部. =posterior cervical r.

posterior neck r. =posterior cervical r.

posterior r. of thigh [TA]. 大腿後部（粗線があり，そこに筋間中隔が付着している大腿骨の部分). =regio femoralis posterior [TA]; facies femoralis posterior; posterior surface of thigh; regio femoralis posterior.

posterior r. of wrist [TA]. 後手根部（手首の背側面). =regio carpalis posterior [TA]; posterior carpal r.

preoptic r. 視索前部（第 3 脳室の前部または視索前部を囲み，終板を含む視床下部の最前部. 尾方がそれぞれ外側視床下部核と前視床下部核に続く外側視索前核と内側視索前核を含む. 視索前部は吻側で前交連中隔に続き，外側では無名質に続く). =area preoptica [TA]; preoptic area [TA].

presternal r. [TA]. 胸骨〔前〕部（体表の部位で胸骨表面に相当する部分). =regio presternalis [TA].

presumptive r. 予定部位（実験発生学において，特定の組織または器官が発達すると考えられる胞胚の部位).

pretectal r. 視蓋前部. =pretectal *area*.

pubic r. [TA]. 恥骨部（臍部の下の下腹の中心部. 恥丘より上方の部分). =hypogastrium [TA]; regio pubica☆.

r. of respiratory mucosa 鼻粘膜呼吸部. =respiratory r. of mucosa of nasal cavity.

respiratory r. of mucosa of nasal cavity [TA]. 鼻粘膜呼吸部（鼻腔をおおう粘膜のうち，嗅覚に関係する部分を除いて呼吸に関係する粘膜におおわれたすべての部分). =pars respiratoria tunicae mucosae [TA]; regio respiratoria tunicae mucosae nasi; r. of respiratory mucosa; respiratory r. of tunica mucosa of nose.

respiratory r. of tunica mucosa of nose 鼻粘膜呼吸部. =respiratory r. of mucosa of nasal cavity.

sacral r. [TA]. 仙骨部（仙骨をおおう背の部分). =regio sacralis [TA].

scaffold-associated r.'s (SAR) 骨格結合領域（トポイソメラーゼ II および他の骨格蛋白と結合する DNA の部位で，イントロンにみられる).

scapular r. [TA]. 肩甲部（肩甲骨に対応する背の部分). =regio scapularis [TA].

sternocleidomastoid r. [TA]. 胸鎖乳突筋部（小鎖骨上窩を含む胸鎖乳突筋をおおう部分). =regio sternocleidomastoidea [TA].

suboccipital r. 後頭下部（頭部の後頭部より下で第二頸椎のレベルより上方の後頸部).

r.'s of superior limb 上肢の部位. =r.'s of upper limb.

sural r. [TA]. 腓腹部，ふくらはぎ（脚の腓腹部. 膝の下方後側の筋の膨らみで，主に腓腹筋とヒラメ筋の筋腹からなる). =regio suralis [TA].

temporal r. of head [TA]. 側頭部（体表の部位でおよそ側頭骨の範囲に相当する部分). =regio temporalis capitis [TA].

umbilical r. [TA]. 臍部（臍の回りの腹部中心). =regio umbilicalis [TA].

r.'s of upper limb [TA]. 上肢の部位（体表の部位のうち上肢にある部位で，三角筋部，上腕，肘，前腕，手根，手からなる). =regiones membri superioris [TA]; r.'s of superior limb.

urogenital r. 尿生殖部. =urogenital *triangle*.

variable r. →immunoglobulin.

vertebral r. [TA]. 脊柱部（脊柱に対応する背の中心部). =regio vertebralis [TA].

Wernicke r. ヴェルニッケ野. =Wernicke *center*.

wrist r. =carpal r.

zygomatic r. [TA]. 頬骨部（頬骨により輪郭をつくられる顔の部位. 頬の上の突起). =regio zygomatica [TA].

re·gion·al (rē′jŭn-ăl). 局所の，部の，部位の，領域の.

re·gi·o·nes (rē-jē-ō′nēz) [L.]. regio の複数形.

reg·is·ter (rej′is-tĕr) [Med.L. *registrum* < L.L. *regero*, pp. *regestum*, to record]. 登録〔簿〕（ある特定の人口にみられる癌などの特定の疾病の全数のデータのファイル. register は実際の文書，registry は現行の登録制度をさす).

reg·is·tra·tion (rej′is-trā′shŭn). 記録，描記，描写（歯科における記録をいう）.

maxillomandibular r. 上下顎記録. ＝maxillomandibular *record.*

tissue r. 粘膜記録（①歯科において，適切な材料を用いた，すべての状態にある粘膜形態の正確な記録．②歯科における印象）.

reg·is·try (rej′is-trē). 登録〔機関〕（①ある分野の専門家をリストしている機関．②病理学的検体およびそれに関連した情報を集め記録している機関および研究目的でそれらの検体を集めている機関．③ある病気をもっている患者についてのフォローおよび治療に対する反応の評価のデータを集めている機関）.

reg·nan·cy (reg′năn-sē) ［L. *regnant-*, *regnans*: *regno*(to rule)の現在分詞］．経験の最小単位．その単位は一瞬間に起こる生理学的な全過程からなり，脳の形態を優位に構成している．regnancy の一部を一過程が担い，それを regnant process という．

re·gres·sion (rē-gresh′ŭn)［L. *regredior*, pp. *-gressus*, to go back］．*1* 後退（徴候の沈静）．*2* 回帰（徴候の再発）．＝relapse．*3* 後退（逆行する運動または活動）．*4* 退行（より成長したレベルの機能を十分に果たすことができないために，より原始的な行動様式に戻ること）．*5* 退行（早期の適応パターンに戻ることによる無意識の防衛機制）．*6* 回帰（関連する他の変数の値が与えられたもとでのある確率変数の分布．例えば身長と胸囲の関数としての体重の分布の定式化．この方法は Galton による計量遺伝学の研究において定式化された）.

phonemic r. 音声認識能低下（老化につれて純音聴力レベルの低下とは一致せず音声認識が悪くなること）.

re·gres·sive (rē-gres′iv). 退行〔性〕の，回帰性の，逆行〔性〕の.

reg·u·la·tion (reg′yū-lā′shŭn)［L. *regula*, a rule］．調節，調整（①エピジェネテック(後成的)なプロセスのことで，それによって胚のサブシステムの細胞発生速度の発生的運命を胚発生中に変化させ，その結果欠陥を償い，全体として胚の正常な発生を可能にする．ヒト胚では調節とよばれている．その理由は組織や器管は決定されていないが互いに異なる部分の関係によってそのようになるためである．②実験発生学において，一部が除去または破壊された後に，正常な構造を修復するための能力が前嚢胚期の胚に残っていること）.

enzyme r. 酵素制御（いくつかのエフェクタ(例えば，阻害剤またはアクチベータ)またはいくつかの条件の変化(例えば pH またはイオン強度)による酵素触媒反応速度の制御）.

gene r. 遺伝子調節（蛋白合成の活性化あるいは抑制により蛋白合成を調節すること）.

reg·u·la·tor (reg-yū-lā′tŏr). 調節因子（他の物質や経路を制御する物質や経路）.

cystic fibrosis transmembrane conductance r. 嚢胞性肺線維症膜貫通コンダクタンス制御蛋白（通常 CFTR とよぶ．膜蛋白の一種で，その変異が嚢胞性線維症を惹起する．本蛋白は多くの組織で塩素チャネルとして機能する．→cystic *fibrosis*）.

growth r. 成長調節因子（生体の成長を変化させうる物質）.

humoral r. 体液性調節因子（血液が体液を通って活性に対するターゲットと接触することにより作用発現する物質）.

reg·u·lon (reg′yū-lon). レギュロン（すべて同じ遺伝子調節を受け，それらの遺伝子産物が同じ反応経路に関与する一組みの構造遺伝子群）.

re·gur·gi·tant (rē-gŭr′ji-tănt). *1* 反すうの．*2* 逆流の.

re·gur·gi·tate (rē-gŭr′ji-tāt)［L. *re-*, back＋*gurgito*, pp. *-atus*, to flood＜*gurges* (*gurgit-*), a whirlpool］．*1* 逆流する．*2* 吐き戻す，吐出する，反すうする（胃の内容物を少量または嘔吐に至らない程度に出す）.

re·gur·gi·ta·tion (rē-gŭr′ji-tā′shŭn)［L. *regurgitatio* (→regurgitate)］．*1* 逆流（心臓の閉鎖不全の弁を通して血液が流れ出るような逆流）．*2* 吐き戻し，吐出，反すう（気体や少量の食物を胃から戻すこと）.

aortic r. 大動脈弁逆流（閉鎖不全の大動脈弁を通り，心室拡張期に左心室内に血液が逆流すること）．＝Corrigan disease.

ischemic mitral r. 虚血性僧帽弁逆流（虚血性心疾患による僧帽弁の逆流）.

mitral r. (**MR**) 僧帽弁逆流（閉鎖不全の僧帽弁を通しての血液の逆流）.

pulmonic r. 肺動脈弁逆流（逆流を起こす肺動脈弁の不全）.

valvular r. 弁逆流（1 つまたはそれ以上の心臓弁が漏れる状態で，弁がしっかり閉まらず，そのため血液がそこを通って逆流する）．＝valvular incompetence; valvular insufficiency.

re·ha·bil·i·ta·tion (rē′hă-bil′i-tā′shŭn)［L. *rehabilitare*, pp. *-tatus*, to make fit＜*re-*＋*habilitas*, ability］．リハビリテーション，社会復帰（疾病，病気，負傷の後に，正常またはほとんど正常に機能しうる能力を回復させること）.

mouth r. 口腔リハビリテーション（そしゃく装置の形と機能をできるだけ正常な状態に回復させること）.

re·hears·al (rē-her′săl). リハーサル（長期記憶と短期記憶の増強に関連した過程で，物の名前や単語リストのような，新たに提示された情報を忘れないように自分で何度も繰り返すこと）.

Rehfuss (rā′fus), Martin E. 米国人医師，1887—1964. →R. *method*, stomach *tube*.

re·hy·dra·tion (rē-hī-drā′shŭn). 再水和，再水化（一度失われた後に水がその系に戻ること）.

Rei·chel (rē′kel), Friedrich P. ドイツ人婦人科医・外科医，1858—1934. →R.-Pólya stomach *procedure*.

Rei·chert (rī′kĕrt), Karl B. ドイツ人解剖学者，1811—1883. →R. *cartilage*, cochlear *recess*; R.-Meissl *number*.

Reich·stein (rīk′schtīn), Tadeus. 20 世紀のポーランド生まれのスイス人化学者. →Reichstein *compound*, *substance*.

Reid (rēd), Robert W. スコットランド人解剖学者，1851—1939. →R. base *line*.

Rei·fen·stein (rīfĕn-stīn), Edward C. Jr. 米国人内分泌学者，1908—1975. →R. *syndrome*.

Reil (rīl), Johann C. ドイツ人内科・神経科医・組織学者，1759—1813. →R. *ansa*, *band*, *ribbon*, *triangle*; limiting *sulcus* of R.; circular *sulcus* of R.; *island* of R.

re·im·plan·ta·tion (rē′im-plan-tā′shŭn). 再移植〔術〕. ＝replantation.

extravesical r. ＝detrusorrhaphy.

ureteral r. 尿管再移植〔術〕. ＝ureteroneocystostomy.

Rei·nec·ke (rī′ni-kĕ), Albert. 19 世紀のドイツ人化学者. →Reinecke *salt*.

re·in·fec·tion (rē′in-fek′shŭn). 再感染（一次感染から回復した後の，または感染中の，同一微生物による二次感染）.

re·in·force·ment (rē′in-fōrs′ment). 強化，増強，促進（①力または強度の増加．患者がこぶしをきつく握ったり，曲げた指を反対方向に引いたり，あるいは他の筋肉群を収縮したときに，同時に膝蓋腱反射を行うとより鋭くなることを表す．→Jendrassik *maneuver*．②歯科において，機能に強度を加えるのに用いる構造的付加物または封入体．例えば，義歯台の棒，またはケイ酸塩またはアマルガム内のワイヤなど．③条件付けで，条件刺激後に，それ自身が条件付きの反応を引き出すような無条件刺激が生じるプロセス全体．→reinforcer; *schedules* of reinforcement; classical *conditioning*; operant *conditioning*）.

primary r. 一次強化（食物または睡眠によって満たされるような生理的欲求または衝動を満足させること）.

secondary r. 二次強化（直接には欲求を満足させないが，欲求の直接的満足と関連しているもので満足させること．例えば，食べ物やビールのテレビコマーシャルが行動に及ぼす影響）.

re·in·forc·er (rē′in-fōrs′ĕr). 強化〔因〕子（条件付けで，望まれた，または前に決められたオペラントの遂行により得られる，満足をもたらす(**positive r.**)または不満足な(**negative r.**)刺激，物体，あるいは刺激的出来事．→reinforcement (3)）．＝reward.

Rein·ke (rīn′kĕ), Friedrich B. ドイツ人解剖学者，1862—1919. →R. *crystalloids*.

re·in·ner·va·tion (rē′inĕr-vā′shŭn). 再〔神経〕支配（以前は麻痺していた筋肉や他の効果器が神経調節を回復することで，神経線維が近位から遠位へ再び成長するか，近くの障害されていない神経線維から発芽(側副発芽)することによる).

re·in·oc·u·la·tion (rē′in-ok′yū-lā′shŭn). 再接種（接種による再感染).

Reinsch (rīnsh), Adolf. ドイツ人医師, 1862—1916. ⇀R. *test*.

re·in·te·gra·tion (rē′in-tĕ-grā′shŭn). 再統合（精神保健において, 精神疾患による障害の後に良好な適応機能が回復すること).

re·in·ver·sion (re′in-vĕr′shŭn). 再内反, 内反の整復（子宮の場合におけるような, 自然のまたは手術による内反の矯正).

Reis (rīs), Heinrich Maria Wilhelm. 20 世紀初頭のドイツ人眼科医. ⇀R.-Bücklers corneal *dystrophy*.

Reis·sei·sen (rīs′ī-sen), Franz D. ドイツ人解剖学者, 1773—1828. ⇀R. *muscles*.

Reiss·ner (rīs′nĕr), Ernst. ドイツ人解剖学者, 1824—1878. ⇀R. *fiber, membrane*.

Rei·tan (rī′tan), Ralph M. 20 世紀の米国人心理学者. ⇀Halstead-R. *battery*.

Rei·ter (rī′tĕr), Hans. ドイツ人細菌学者, 1881—1969. ⇀R. *test, disease, syndrome*; Fiessinger-Leroy-R. *syndrome*.

re·jec·tion (rē-jek′shŭn) [L. *rejectio*, a throwing back]. ***1*** 拒絶〔反応〕, 拒否〔反応〕（移植した臓器が適合しない場合に起こる免疫反応). ***2*** 拒絶, 拒否, 棄却, 不合格. ***3*** 排除（表示装置から微弱な超音波のエコーを取り除くこと).

accelerated r. 急速拒絶〔反応〕（3 日未満に生じる移植片拒絶反応).

acute r. 急性拒絶反応. ＝acute cellular r.

acute cellular r. 急性細胞性拒絶〔反応〕（移植片が遺伝的に異なった対象者に移植された場合, 通常 10 日以内に始まる移植拒絶反応. 移植部位におびただしい数のリンパ球とマクロファージの浸潤が特徴的に起こり, 組織を損傷させる. ⇀primary r.). ＝acute r.

allograft r. 同種移植拒絶（同一種に属すが, 遺伝的に差異のある個体間で移植された組織が拒絶されること. T リンパ球が移植片の非自己主要組織適合抗原複合体に反応することによって起こる).

chronic r. 慢性拒絶〔反応〕（数か月あるいはそれ以上たってから序々に生じる移植片拒絶反応).

chronic allograft r. 慢性同種移植片拒絶〔反応〕（同種移植片に対する免疫を介した障害. 典型的には数か月または数年間みられる).

first-set r. 第 1 期拒絶（過去に移植組織で感作されていない 2 個体間の同種移植でみられる拒絶反応. 移植片の壊死は, 通常移植後 10 日以内に起こる).

hyperacute r. ***1*** 超急性拒絶〔反応〕（血管移植片を移植後, 通常, 即時に進展する拒絶反応で, 移植片に対してあらかじめ形成されていた細胞傷害性抗体によると考えられている). ***2*** 激症拒絶〔反応〕（抗体を介して起こる移植組織(特に腎臓)にみられる不可逆性障害反応. 通常は移植臓器に限局してみられるびまん性血栓症で, まれに全身に広がることがある).

parental r. ***1*** 子供からの愛情を抑えたり, 子供への関心を拒絶すること. ***2*** 親からの愛情を子供が抑えること.

primary r. 一次拒絶〔反応〕（移植後 7 日以上たって生じる拒絶反応. 主として細胞性免疫反応の結果である).

second set r. 第 2 期拒絶（以前にその移植片で感作されたことのある患者に起こる移植片の急速な拒絶).

re·ju·ve·nes·cence (rē-jū′vĕ-nes′ĕnts) [L. *re-*, again＋*juvenesco*, to grow young＜*juvenis*, a youth]. 若返り, 更新, 細胞新生（細胞または組織が, 形成された初期の状態に返ること).

re·lapse (rē′laps) [L. *re-labor*, pp. *-lapsus*, to slide back]. 再発, 回帰（回復期にはいってから病状がぶり返すこと). ＝recurrence (2).

re·lap·sing (rē-lap′sing). 再発〔性〕の, 回帰〔性〕の（回復期にはいってから, 新たに症状がぶり返す病気についていう).

re·la·tion (rē-lā′shŭn) [L. *relatio*, a bring back]. 関係（①人と人または物体の間の関連あるいはつながり. →relationship.. ②歯科において, 歯の接触様式あるいは口腔構造の位置関係).

acquired centric r. 後天性中心位（⇀centric jaw r.).

acquired eccentric r. 後天性偏心位（歯を咬合させようとするために生じた習慣が原因と考えられる偏心位).

buccolingual r. 頬舌的関係（舌と頬に関連した, 間隙または歯の位置).

centric jaw r., centric r. 中心位（①上顎に対して下顎の最も後退した生理学的関係. そこから任意の下顎側方運動を始めることができ, またはそこへ戻ることができる. 様々な開口度において存在しうる状態で, 終末ちょうつがい軸を中心として回転する. ②確立された垂直関係において, 上顎に対して下顎が最後方に位置する関係. →eccentric r.). ＝median retruded r.; median r.

dynamic r.'s 動的関係（2 個の物体間の相対的な動き. 例えば, 上顎に対する下顎の関係).

eccentric r. 偏心位（中心位以外の上顎に対する下顎の関係). ＝eccentric position.

intermaxillary r. 顎間関係. ＝maxillomandibular r.

maxillomandibular r. 顎間関係（上顎に対する下顎の様々な関係. 例えば, 中心位, 偏心位). ＝intermaxillary r.

median retruded r., median r. 正中〔後退〕顎関係. ＝centric jaw r.

occluding r. 咬合関係（対合歯が咬合するような顎関係).

protrusive r. 前方関係, 前進関係（下顎を前方に移動させたときの上顎に対する下顎の関係).

protrusive jaw r. 前方顎関係, 前進顎関係（下顎の前突により生じる顎関係).

rest r. 安静関係（患者が安静状態で上体を真っすぐにして, 下顎頭が関節窩内の中央で緊張のない位置にあるときの, 上顎に対する下顎の位置関係). ＝rest jaw r.; unstrained jaw r.

rest jaw r. 安静顎関係. ＝rest r.

ridge r. 顎堤(歯槽堤)関係（上顎顎堤(歯槽堤)に対する下顎顎堤(歯槽堤)の位置関係).

static r. 静的関係（2 つの部分が動いていないときの関係).

unstrained jaw r. 無緊張性顎関係. ＝rest r.

re·la·tion·ship (rē-lā′shŭn-ship). 相関, 関連性, 類縁, 関係性.

dose-response r. 用量作用関係（暴露量, 暴露強度または暴露時間の変化と, それによる特定の危険性の変化との間の関係).

dual r.'s 二重関係（保健サービス担当者がある患者で 2 つ以上の役割を同時に果たしている状態. このような二重関係は貢献的なこと(両者が同一の社会群の構成員の場合)も搾取的なこと(性的な関係の場合)もある).

Haldane r. (hawl′dān) [J.B.S. *Haldane*]. ホールデーンの関係式（酵素触媒反応の平衡定数と全酵素反応速度パラメータ(例えば V_{max} と K_m)との数学的関係式).

hypnotic r. 催眠関係（催眠者と被催眠者との関係).

object r. 対象関係（行動科学において, 個人(グループ)の自分自身(グループ自体)に対する関心とは逆に, 個人と他者(2 つのグループ)との間に存在する情緒的なつながり).

sadomasochistic r. 加虐－被虐愛性関係, サド－マゾヒスム的関係（苦痛を与えたり受けたりすることの両方に喜びを感じることを特徴とする関係).

re·lax (rē-laks′) [L. *re-laxo*, to loosen]. 弛緩する（①緩める, 弱める. ②排便を起こす).

re·lax·ant (rē-lak′sănt). ***1*** 〖adj.〗 弛緩する（緊張, 特に筋緊張を減少させる). ***2*** 〖n.〗 弛緩薬（筋緊張を小さくする, あるいは骨格筋麻痺を生じさせる薬. 通常は筋弛緩薬 muscle r. として用いる).

depolarizing r. 脱分極性〔筋〕弛緩薬（スクシニルコリンなどの薬剤. 運動神経終板の脱分極を誘発させ, いわゆる I 相遮断といわれる状態で骨格筋を麻痺させるもの).

muscle r. 筋弛緩薬（筋肉の緊張を緩和する能力を有する薬物. クラーレのように神経筋接合部を阻害することにより作用する末梢性筋弛緩薬(したがって外科手術に有用)と, 脳や脊髄に作用して筋の緊張を低下させる中枢性筋弛緩薬(したがって筋痙縮, 痙直に有効)とが含まれる).

neuromuscular r. 神経筋弛緩薬（クラーレやスクシニルコリンのように, 神経筋接合部で神経インパルスの伝達を妨げることにより, 横紋筋の弛緩を起こす薬).

nondepolarizing r. 非脱分極性〔筋〕弛緩薬（ツボクラリンなどの薬剤. 運動神経終板の脱分極を生じることなしに,

II 相遮断で骨格筋を麻痺させるもの).

smooth muscle r. 平滑筋弛緩薬（平滑(不随意)筋の緊張または張力を小さくする，抗痙攣薬，気管拡張薬，血管拡張薬などの薬理学的作用物質).

re・lax・a・tion (rē′lak-sā′shŭn) [L. *relaxatio*(→relax)]. ***1*** 弛緩（筋肉の張力をのばしたり緩めたりすること). ***2*** 適正な筋緊張の喪失（会陰切開による骨盤の筋緊張の喪失). ***3*** 緩和（核磁気共鳴において緩和とは，周囲の磁場の方向が変化した後の組織の磁化の減衰をさす．個々の原子核や組織の緩和速度の違いは，画像合成においてコントラストを生じさせるために用いられる).

cardioesophageal r. 噴門食道弛緩（下部食道括約筋の弛緩で，酸性の胃内容物を逆流させ，食道炎を起こす下部食道).

isometric r. 等尺性弛緩（末端の固定により長さは一定に保たれているが，張力が減少するもの).

isovolumetric r. ＝isovolumic r.

isovolumic r. 等容性弛緩（大動脈弁閉鎖と僧帽弁開口時間の間の心周期の一部．その間は，心室筋は長くならずに張力が小さくなるので，心室の体積は変化しない．心臓は正確には拡張中期に心拍静止期を伴った長い拡張期の間以外，等容性弛緩ではない). ＝isovolumetric r.

longitudinal r. 縦緩和（核磁気共鳴において，水素原子核の磁気双極子(磁化ベクトル)が，磁場に対して90度方向に振られた後に，磁場と平行な平衡状態に戻る回復過程．異なる組織で縦緩和の率は変化し，純水では15秒にもなる．→T1). ＝spin-lattice r.

spin-lattice r. スピン－格子緩和. ＝longitudinal r.

spin-spin r. スピン－スピン緩和. ＝transverse r.

transverse r. 横緩和（核磁気共鳴において，90度パルスが切られた後の原子核の磁化ベクトルが90度方向から(外部)磁場方向へ減衰すること．信号は自由誘導減衰とよばれる．→T2. *cf.* longitudinal r.). ＝spin-spin r.

re・lax・in (rē-lak′sin) [relax＋-in]. レラキシン（妊娠中の哺乳類の黄体から分泌されるポリペプチドホルモン．恥骨結合および頸管を軟化させて分娩の進行を促進する．また子宮収縮を抑制し，分娩開始を調節する). ＝cervilaxin; ovarian hormone; parturition-mediating factor; releasin.

re・learn・ing (rē-lĕrn′ing). 再学習（部分的または全部が失われていた技術または能力を回復する過程．当初の学習と比較して再学習において節約される分は，記憶保持の度合いを表す指標となる).

re・leas・in (rē-lēs′in). レリージン. ＝relaxin.

re・li・a・bil・i・ty (rē-lī′ă-bil′i-tē) [M.E. *relien* < O.Fr. *relier* < L. *religo*, to bind]. 信頼度，信頼性（同じ条件下で測定が繰り返された際の安定度．→correlation *coefficient*; reliability *coefficient*).

equivalent form r. 等価型信頼度（心理学において，同一の被験者が行った２回の同一テスト結果の類似した形の点数間の相関関係に基づく測定の一貫性．→reliability *coefficient*).

interjudge r. 判定者間信頼度（心理学において，異なる判定者または試験者が同一の被験者に同一テストを独立に行ったときに得られる測定の一貫性). ＝interrater r.

interrater r. 評価者間信頼度. ＝interjudge r.

test-retest r. 試験－再試験信頼度（心理学において，同一の被験者に対して行われたテスト，再テスト間の成績の相関に基づく測定の一貫性．→coefficient; reliability).

re・lief (rē-lēf′) [→relieve]. ***1*** 軽減，免荷（身体的または精神的苦痛や苦悩の除去). ***2*** レリーフ，緩衝（歯科において，義歯床下の特別な部分から圧力を減少または除去すること．→relief *area*; relief *chamber*).

re・lieve (rē-lēv′) [< O. Fr. < L. *re-levo*, to lift up, lighten]. 免荷する，軽減する（身体的または精神的な苦痛や不快感から完全にまたは部分的に解放すること).

re・line (rē′līn′). リライン，裏装する（歯科において，義歯をより正確に適合するために，新しい床材料を用いて義歯床粘膜面を新しい面にすること．→rebase).

REM ***1*** rapid eye *movements* の頭字語. ***2*** reticular erythematous *mucinosis* の頭字語．→REM *syndrome*.

rem *roentgen*-equivalent-man の略.

Re・mak (ra′mahk), Ernst J. ドイツ人神経科医，1848—1911．→R. *reflex*, *sign*.

Re・mak (rā′mahk), Robert. ポーランド系ドイツ人解剖・組織学者，1815—1865．→R. nuclear *division*, *fibers*, *ganglia* (⇒ganglion), *plexus*.

re・me・di・a・ble (rĕ-mē′dē-ă-bl) [L. *remediabilis* < *remedio*, to cure]. 治癒できる.

re・me・di・al (rĕ-mē′dē-bĕl). 治療の，治効の，治癒的に働く.

rem・e・dy (rem′ĕ-dē) [L. *remedium* < *re-*, again＋*medeor*, cure]. 治療薬（病気を治療し，その症状を緩和する薬).

remifentanil hydrochloride (rem-i-fen′t-nil hī-drō-klōr′īd). 塩酸レミフェンタニル（作用発現時間が早い超短時間作用型μ受容体作動薬．血中および組織中の非特異的エステラーゼにより代謝される).

re・min・er・al・i・za・tion (rē-min′ĕr-ăl-i-zā′shŭn). ***1*** 病気または食事不足により失われた必要な鉱物成分を身体または局所に戻すこと．骨のカルシウム塩量に関して一般に用いる語. ***2*** 再石灰化（歯科領域において，部分的に脱灰されたエナメル質，ぞうげ質，およびセメント質が，ミネラルの補充によって再石灰化する過程).

rem・i・nis・cence (rem′i-nis′sens) [L. *reminiscentiae* < *reminiscor*, to remember]. レミニッセンス（学習心理学において，不完全に学習されたものの想起が，最後の試行でみられたものよりも練習せずに時間をおいた後のほうが改善がみられること).

re・mis・sion (rē-mish′ŭn) [L. *remissio* < *re-mitto*, pp, *-missus*, to send back, slacken, relax]. ***1*** 寛解，軽快，寛解傾向（病気の徴候の衰退または減少). ***2*** 寛解期（***1*** のような衰退が生じる時期).

spontaneous r. 自然寛解（正式の治療をせずに症状が消えること).

re・mit (rē-mit′) [→remission]. 軽減する（完全に止まることはないが，一時症状が軽くなる).

re・mit・tence (rē-mit′ĕns). 弛張（症状が一時的によくなること).

re・mit・tent (rē-mit′ĕnt). 弛張性の（疾患の症状の一時的寛解または衰退期についていう).

rem・nant (rem′nănt) [O. Fr. < *remaindre*, to remain < L. *remaneo*]. レムナント（残ったもの，残査または痕跡).

re・mod・el・ing (rē-mod′ĕl-ing). 再造形，再構築，リモデリング（①同一部位で少量の骨が吸収，形成を連続に起こすことにより，骨がその動的定常状態を維持する周期的過程．造形と異なり，再造形される骨はその大きさ，形を変えない．②形や機能をつくり直す過程).

heart chamber r. 心腔リモデリング（病的または正常の(出生時)刺激による片側または両心室腔の構造変化．註心腔自身が積極的に変化することはなく心筋組織の構造変化によって起こることから．通常 cardiac/myocardial r. とよばれる).

ren, gen. **re・nis,** pl. **re・nes** (ren, rē′nis, rē′nēz) [L.] [TA]. 腎臓. ＝kidney.

re・nal (rē′năl). 腎[臓]の，腎性の. ＝nephric.

re・na・tu・ra・tion (rē′nā-tyū-rā′shŭn). 再生，復元（変性した活性のない高分子を再び天然で生物活性のある形態に転換すること).

ren・cu・lus (ren′kū-lŭs). ***1*** ＝cortical *lobules* of kidney. ***2*** ＝reniculus (2).

Ren・du (ron-dū′), Henri J.L.M. フランス人医師，1844—1902．→R.-Osler-Weber *syndrome*.

reni- →reno-.

ren・i・cap・sule (ren′i-kap′sūl) [reni-＋L. *capsula*, capsule]. 腎被膜.

ren・i・car・di・ac (ren′i-kar′dē-ak) [reni-＋G. *kardia*, heart]. 腎心の. ＝cardiorenal.

re・nic・u・lus, pl. **re・nic・u・li** (rĕ-nik′yū-lŭs-, -lī) [L. *ren*(kidney)の指小辞]. 小腎（①＝cortical *lobules* of kidney. ②線維性中隔が器官を分割しているヒト胎児の腎の小葉と，下級動物の小葉. ＝renculus (2); renunculus (2)).

ren・i・form (ren′i-fōrm). 腎臓形の. ＝nephroid.

re・nin (rē′nin) [MIM*17820]. レニン（元来はウサギの腎臓から得られる昇圧物質に対して用いられた語で，現在では，アンギオテンシノゲンに作用しアンギオテンシン I を産生させる酵素をいう). ＝angiotensinogenase.

ren·i·por·tal (ren′i-pōr′tăl) [reni- + L. *porta*, gate]. ***1*** 腎門の. ***2*** 腎門脈の（門脈または腎の静脈系毛細管循環についていう).

ren·nase (ren′ās). レンナーゼ. ＝chymosin.

ren·net (ren′ĕt). レンネット. ＝chymosin.

ren·nin (ren′in). レンニン. ＝chymosin.

ren·nin·o·gen, ren·no·gen (rĕ-nin′ŏ-jen, ren′ō-jen) [rennin + G. *-gen*, producing]. レンニノゲン. ＝prochymosin.

reno-, reni- [L. *ren*]. 腎臓を意味する連結形. →nephro-.

re·no·cu·ta·ne·ous (rē-nō-kyū-tā′nē-ŭs) [reno- + L. *cutis*, skin]. 腎皮膚の（腎と皮膚に関する).

re·no·gas·tric (rē′nō-gas′trik) [reno- + G. *gastēr*, stomach]. 腎胃の（腎と胃に関する).

re·no·gen·ic (rē′nō-jen′ik). 腎原性の（腎内または腎から生じる).

re·no·gram (rē′nō-gram) [reno- + G. *gramma*, something written]. レノグラム（腎で沪過排泄される放射性物質を投与した後, 外部より放射能感知器により腎機能を調べること).

re·nog·ra·phy (rē-nog′ră-fē). 腎造影(撮影)〔法〕（腎のX線撮影法).

re·no·in·tes·ti·nal (rē′nō-in-tes′ti-năl). 腎腸の（腎と腸に関する).

re·no·meg·a·ly (rē′nō-meg′ă-lē). 腎肥大〔症〕.

re·nop·a·thy (rē-nop′ă-thē). 腎臓病（nephropathy を表すまれに用いる語).

re·no·pri·val (rē′nō-prī′văl) [reno- + L. *privus*, deprived of]. 腎〔機能〕欠損の（すべての腎機能の喪失, あるいは機能している腎組織がすべて消失した状態で特徴付けられる, または起因することについていう).

re·no·pul·mo·nar·y (rē′nō-pŭl′mŏ-nār′ē). 腎肺の（腎と肺に関する).

re·no·troph·ic (rē′nō-trof′ik) [reno- + G. *trophē*, nourishment]. 向腎性の（腎の成長または栄養に影響を与えるような薬物, あるいはこのような薬物の作用についていう). ＝nephrotrophic; nephrotropic; renotropic.

re·no·tro·phin (rē′nō-trō′fin). レノトロフィン（腎の成長または栄養に影響を及ぼす薬). ＝renotropin.

re·no·trop·ic (rē′nō-trop′ik) [reno- + G. *tropē*, a turning]. ＝renotrophic.

re·no·tro·pin (rē-nō-trō′pin). ＝renotrophin.

re·no·vas·cu·lar (rē′nō-vas′kyū-lăr). 腎血管〔性〕の（腎の血管に関することで, 特にこれらの血管の疾病についていう).

Renpenning (ren′pen-ing), H. 20 世紀のカナダ人医師. →R. *syndrome*.

ren. sem. ラテン語 renovent semel(一度だけ蘇生する)の略.

Renshaw (ren′shaw), B. 20 世紀の米国人神経生理学者. →R. *cells*.

re·nun·cu·lus (rē-nŭng′kyū-lŭs) [L. *ren* の指小辞]. ***1*** ＝cortical *lobules* of kidney. ***2*** ＝reniculus (2).

Re·o·vir·i·dae (rē′ō-vir′i-dē) [*r*espiratory *e*nteric *o*rphan + viridae]. レオウイルス科（二重鎖 RNA ウイルスの一科で, あるもの(*Reovirus*属)は以前はエコーウイルス類に含められ, また他のもの(*Orbivirus*属)はアルボウイルス類に含められていた. ウイルス粒子は直径 60—80 nm, 通常, むき出しでエーテル抵抗性である. ゲノムは二重鎖の分節 RNA (全分子量は10—16 × 10^6)を含有する. カプシドはカプソメアの二重層をもつ二十面体対称である. この科は, *Orthoreovirus*属, *Orbivius*属, *Rotavirus*属, *Coltivirus*属, *Aquareovirus*属, 細胞質性ポリヘドロシスウイルス群(*Cypovirus*属), および植物性レオウイルスの 3 群(*Phytoreovirus*属, *Fijivirus*属, *Oryzavirus*属)合計 9 属からなる).

Re·o·vi·rus (rē′ō-vī′rŭs). レオウイルス属（現在 *Orthoreovirus* とよばれているウイルスの一属(レオウイルス科)で, 直径 80 nm, カプソメアの明瞭な二重層をもつ. 宿主は脊椎動物. 上部呼吸器感染症, 軽い発熱, ときに下痢を示す小児, 一見感染症状を呈しない小児, 鼻感冒(コリーザ)にかかったチンパンジー, サル, マウス, ウシの糞などから検出されている. ヒトのものには共通の一種類の補体結合抗原によって類縁関係にあるが, 抗原的に区別できる 3 型があり, また少なくとも 12 種の鳥類のオルソレオウイルスがある).

re·pair (rē-pār′) [M.E. < O.Fr. < L. *re-paro* < *re-*, back, again + *paro*, prepare, put in order]. 修復, 再建（創傷治癒機転によって, 自然に, あるいは外科的手段のような人工的な方法によって, 病的組織あるいは損傷組織が回復すること).

chemical r. 化学修復（フリーラジカル(遊離基)が安定な分子に変換されること).

error-prone r. ＝SOS r.

excision r. 除去修復（鋳型として相補的DNA を使用して, 傷害を受けたDNA 部位をもとに戻すこと).

mismatch r. 不適正塩基対の修復（不適正塩基対をもとに戻すことで, DNA ポリメラーゼにより間違った塩基を除き, 正しい塩基と置き換えることにより行われる).

recombinatorial r. 組換え修復（DNA の障害部位を取り換える目的で, 同一の DNA 分子からそれに相当する DNA 部位を取り込むこと).

SOS r. SOS 修復（ひどく障害を受けたDNA 塩基を修復するシステムで, たとえ塩基の選択を誘導する鋳型がない場合でも, 塩基を削除し, 置き換えることにより行われる. この過程は修復の最終的手段で, しばしば突然変異の原因となる). ＝error-prone r.

re·pand (rē-pand′) [L. *repandus*, bent or turned back < *re-*, back + *pandus*, curved]. 波形の（中心部が連続的な緩い凹面をなし, 辺縁部に鋭角をつくる細菌の集落を示す).

re·pel·lent (rē-pel′ĕnt) [L. *re-pello*, pp. *-pulsus*, to drive back]. ***1*** 〖adj.〗 駆散性の, 反発力の（追い払うまたははねつけることのできる). ***2*** 〖n.〗 忌避薬, 駆散薬（害虫の刺激を追い払うまたは予防する薬). ***3*** 〖n.〗 散らし薬（腫脹を小さくする収れん薬, その他の薬).

rep·e·ti·tion-com·pul·sion (rep′ĕ-tish′ŭn-kŏm-pŭl′-shŭn). 反復強迫（精神分析学において, 以前の経験または行動を, 後になって打ち勝とうという無意識な努力のうちに反復する傾向. 手洗いや鍵がかかっているかどうかを確認する行為を繰り返す病的な要求).

re·place·ment (rē-plās′mĕnt). ***1*** 返還（元の位置に戻すこと). ***2*** 置換.

cephalic r. 頭部還納術（肩甲難産で経腟分娩が困難なとき, 児頭を屈曲させて腟内に押し戻し臍帯血行を回復させた後に帝王切開で娩出させる). ＝Zavanelli maneuver.

re·plant (rē-plant′). ***1*** 〖v.〗 再移植する. ***2*** 〖n.〗 再移植片, 置換組織（再移植で置換される, または置換されようとしている身体の部分あるいは臓器).

re·plan·ta·tion (rē′plan-tā′shŭn) [L. *re-*, again + *planto*, pp. *-atus*, to plant < *planta*, a sprout, slip]. 再移植〔術〕（器官またはその他の部分を本来の位置に再び戻し, 循環を元のようにすること). ＝reimplantation.

intentional r. 意図的再移植〔術〕（意図的に抜歯して根管充填した後, 再びその歯を歯槽の中へ再移植する).

re·ple·tion (rē-plē′shŭn) [L. *repletio* < *re-pleo*, pp. *-pletus*, to fill up]. 多血〔症〕（[replacement または replenishment の意味での使用を避けること]). ＝hypervolemia.

rep·li·ca (rep′li-kă) [It. < L.L. *re-plico*, to fold back]. レプリカ, 複製（電子顕微鏡用の検体で, カーボンで結晶様配列や他のウイルス性物質をコーティングしたもの. ウイルス物質を溶かして得られる鋳型(レプリカ)から, 詳細な構造と配列が観察できる).

rep·li·case (rep′li-kās). ***1*** レプリカーゼ（RNA ウイルスの複製に伴う RNA 依存性 RNA ポリメラーゼを表す用語). ***2*** 核酸の複製をする酵素.

rep·li·cate (rep′li-kāt). ***1*** 〖n.〗 再現, 反復, 複製（数個の同一過程または同一観察のうちの 1 つ). ***2*** 〖v.〗 再現する, 反復する, 複製する.

rep·li·ca·tion (rep′li-kā′shŭn) [L. *replicatio*, a reply < *replico*, pp. *-atus*, to fold back]. ***1*** 重複試験(実験, 観察)（最初の結果を確かめたり, 正確さを期したり, 標本誤差をより正確に推定するために, 2 度以上実験や研究を繰り返すこと). ***2*** 複製（有糸分裂または細胞増殖など. →autoreproduction). ***3*** 複製（DNA から DNA を合成すること).

bidirectional r. 二方向複製（DNA 複製が 2 個の複製フォークで進行している状態で, 環状あるいはDループ型の構造のまわりを反対方向に移動することにより起こる).

conservative r. 保存的複製（複製の理論的形態で，二本鎖DNAが2個の娘二本鎖DNAを合成するとき，その一方は2個のもともとの鎖からなり，他方の娘DNAは2個の新しく合成された鎖からなる).

semiconservative r. 半保存的複製（二本鎖DNAが2個の娘二本鎖DNAを産生するとき，それぞれがもともとの鎖のうちの1個と1個の新しく合成された鎖を含むような複製).

unidirectional r. 一方性複製（単一の複製フォークによる移動があるような複製).

rep·li·ca·tor (rep′li-kā′tŏr). レプリケーター，複製開始点（細菌のゲノム(染色体)上の特異な部位で，ここからDNAの複製が始まる).

rep·li·con (rep′li-kon) [*replication* + -on]. レプリコン（①染色体の一部(または染色体や類似する物質のDNAの一部)であるが，それが位置する染色体とは関係なく，自己の開始コドンと終止コドンをもって複製可能なもの．②複製単位．真核生物系では，1DNA当たり数か所みられる).

re·po·lar·i·za·tion (rē′pō-lăr-i-zā′shŭn). 再分極（脱分極後に，膜，細胞または線維の外部表面に正電荷が，また内部表面に負電荷が集まるように再び分極する過程).

re·po·si·ti·o (rē′pō-si′tē-ō). ＝reposition.

re·po·si·tion (rē′pō-zi′shŭn). 還納（対立位から母指と指がもとに戻る動き．opposition の対語). ＝repositio.

re·po·si·tion·ing (rē′pō-zish′ŭn-ing). ***1***〖v.〗手術中に他の位置へ移動させる．***2***〖n.〗整復，還納．＝reduction (1).

gingival r. 歯肉整復（病的状態をなくしたり，さらによい形態と機能を与えるために，付着歯肉を外科的に整復すること).

jaw r. 顎整復（手術によるか，自然歯または人工歯の咬合を変えるかして，下顎と上顎の相対的な位置を変化させること).

muscle r. 筋整復（付着筋をより適切な機能位置に戻す外科的手術).

re·pos·i·tor (rē-poz′i-tŏr, -tōr). 整復器，還納器（転位した臓器を戻す器械).

representation (rep′rē-sen-tā′shŭn) [Fr.＜L. *repraesento*, to show]. 表象，表出，表現，描写（心理学における image(表象)または appearance(表出)をいう).

internal r. 内部描写，内的表出（神経言語学のプログラムで用いられる用語で，精神的な空想(視覚，聴覚，運動感覚)を体験に変換する過程をいう．内的現実と外的現実を含む).

symbolic r. 象徴的表現（単純で具体的イメージや象徴が無意識の高度な感情的な意味や目的の代替であるという，精神分析用語).

re·pressed (rē-prest′). 抑圧された．

re·pres·sion (rē-presh′ŭn) [L. *re-primo*, pp, *-pressus*, to press back, repress]. ***1*** 抑圧（精神療法において，自我あるいは超自我にとって受け入れがたい観念や刺激を意識から締めだし，追いだそうとする積極的な働きあるいは防衛機制). ***2*** 抑制（遺伝子発現が抑えられること).

catabolite r. カタボライトリプレッション，異化産物制御（生化学的経路のカタボライトの濃度の上昇によるオペロンの発現の低下).

end product r. 最終産物抑制（異化代謝産物が，特別な経路の最終産物である異化代謝産物の抑制).

enzyme r. 酵素抑制（ある代謝物による酵素合成の阻害).

primal r. 一次抑圧，原抑圧（意識的思考内にはまったく存在しない事柄の抑圧).

re·pres·sor (rē-pres′ŏr). リプレッサー，抑制因子（調節遺伝子または抑制遺伝子による生成物．オペレータのコントロール下で調節遺伝子の転写を妨げる分子).

active r. 活性リプレッサー（①オペレータ遺伝子と直接結合して，オペレータとその構造遺伝子の作用を制御し，蛋白合成を抑制するリプレッサー．活性リプレッサーが誘導物質により抑制されることにより，蛋白が合成される．②誘導可能な酵素系の調節における恒常性維持機構の1つ).

inactive r. 不活性リプレッサー（①補リプレッサー分子(通常は酵素反応の生成物)と結合してしまうまでは，オペレータ遺伝子と結合することができないリプレッサー．活性化後は，リプレッサーはオペレータ遺伝子により制御されている酵素の生成を停止させる．②制御可能な酵素系の調節における恒常性維持機構の1つ).

re·pro·duc·i·bil·i·ty (rē′prō-dūs′i-bil′i-tē). 再現性（①再び存在または出現させる能力．②異なる検査室の間で長期にわたって測定値を一致させる能力).

re·pro·duc·tion (rē′prō-dŭk′shŭn) [L. *re-*, again + *produco*, pp. *-ductus*, to lead forth, produce]. ***1*** 生殖，繁殖（生物が子孫を生み出す全過程). ＝generation (1); procreation. ***2*** 再現（心の中に過去の印象の要素を思い出し，それを現すこと).

asexual r. 無性生殖（雌雄の性細胞の結合以外の方法による生殖). ＝agamogenesis; agamogony.

cytogenic r. 細胞性生殖（単細胞の生殖細胞による生殖．胞子による有性および無性生殖を含む).

sexual r. 有性生殖（雄と雌の配偶子結合により接合体をつくる生殖). ＝gamogenesis; syngenesis.

somatic r. 体細胞生殖（体細胞の分裂または発芽による無性生殖).

vegetative r. 栄養生殖（⇀asexual r.).

re·pro·duc·tive (rē′prō-dŭk′tiv). 生殖の，繁殖の，再現の．

rep·til·ase (rep′til-ās) [reptile + -ase]. レプチラーゼ（ムカデの一種 *Bothrops atrox* の毒液中に見出された酵素．フィブリノペプチドを切断することによりフィブリノーゲンを凝血させる).

Rep·til·i·a (rep-til′ē-ă) [L. *reptilis*(中性形*-e*), creeping; 中性形の名詞化 reptile]. は虫綱（ワニ，トカゲ，カメ，ヘビからなる脊椎動物の一綱).

re·pul·lu·la·tion (rē′pul-yū-lā′shŭn) [L. *re-*, again + *pullulo*, pp. *-atus*, to sprout]. 再発芽，再発（病的な過程または増殖が戻ること).

re·pul·sion (rē-pŭl′shŭn) [L. *re-pello*, pp. *-pulsus*, to drive back]. ***1*** 相反，斥力，反発（はね返す，または離れる作用．⇀attraction). ***2*** 嫌悪，反感．***3*** 相反（連鎖している遺伝子座で，反対の染色体にある遺伝子の相引相．⇀coupling *phase*).

re·quire·ment (rē-kwīr′mĕnt). ***1*** 要求，必要とされているもの．***2*** 必要条件（ある事が起こるかある物が存在するようになるのに必要な条件).

minimum protein r. 最小蛋白〔質〕必要量（毎日の食事において摂取することが必要とされる蛋白量で，年齢や運動量によってその量は異なる).

quantum r. 要求量子数（1分子の変換に要求される吸収光量子数).

RES reticuloendothelial *system* の略．

re·saz·u·rin (rē-saz′yū-rin). リザズリン（青色の化合物で，ミルクの還元酵素試験で，酸化還元指示薬として用いる．pH指示薬(3.8で橙色，6.5で紫色)としても用いる).

res·cin·na·mine (rē-sin′ă-mēn, -min). レシンナミン *Rauwolfia*属のアルセロキシロン分層の精製アルカロイドエステル．化学的，薬理学的にレセルピンと関係があり，用途は同じ).

re·search (rĕ-sĕrch′, rē′sĕrch) [O.Fr. *re-cerche*＜ *cerchier*, to search＜L. *circare*, to go around ＜*circus*, circle]. ***1***〖n.〗研究，リサーチ（自然界や健康および疾病の決定要素など新しい知識やより良い理解を組織立てて求める探求．リサーチには以下のようないくつかのタイプが認められている．観察(経験)リサーチ，分析的リサーチ，実験的リサーチ，理論的リサーチ，応用リサーチ). ***2***〖v.〗研究する，リサーチする（そのような科学的探究を行うこと).

outcomes r. アウトカムリサーチ（ある状態にとって最適な治療方法を決定することを目的とした，評価のための研究．通常，2つ以上の異なる治療レジメンの結果に対し，比較に基づく評価を実施する).

translational r. トランスレーショナル研究（基礎医学の成果を適切に臨床の場へと適用する研究).

re·sect (rē-sekt′) [L. *re-seco*, pp. *sectus*, to cut off]. 切除する（①特に関節を形成している一方または両方の骨の関節末端を切離または除去する．②身体の一部分を切除する).

re·sect·a·ble (rē-sek′tă-bĕl). 切除可能な．

re·sec·tion (rē-sek′shŭn). 切除〔術〕（①関節を形成している

一方または両方の骨の関節末端を除去することなど，特別な目的で切除する方法．②一部分を切除すること．③＝excision (1)).

abdominoperineal r. (**APR**) 腹会陰式直腸切断術（S状結腸，直腸，肛門および周囲の皮膚の切除とS状結腸瘻(人工肛門)造設を含む外科的癌治療法．同時にあるいは順次に腹部操作と会陰操作が行われる).

gum r. 歯肉切除〔術〕．＝gingivectomy.

loop r. 輪状切除．＝loop *excision*.

muscle r. 筋切除〔術〕（斜視の眼筋の腱を短縮すること).

root r. 〔歯〕根切除〔術〕．＝apicoectomy.

scleral r. 強膜切除〔術〕（網膜剝離に際し，眼の外壁を短縮すること).

sleeve r. 管状切除（気管または気管支の一部を肺病変と併せて切除し，近位断端と遠位断端を吻合する切除術式).

submucous r. 粘膜下切除術（両側にかぶっていた粘膜軟骨膜弁を挙上して，通常，背側と下側のL型の支柱を残して外鼻の支持力を維持しつつ，障害となる中隔軟骨や骨が除去される，彎曲した鼻中隔の矯正に用いる外科的手法).

transurethral r. (**TUR**) 経尿道的切除〔術〕（内視鏡的に前立腺や膀胱の組織を切除する手術．通常，肥大した前立腺組織の除去あるいは膀胱の悪性疾患の治療に適用される).

wedge r. 楔〔状〕切除〔術〕（①卵巣を楔状に部分切除すること．多嚢胞性卵巣症候群などの，卵巣が原因となる男性化障害の治療に用いる．②病変と少量の周囲肺組織だけを摘出する肺切除術式(肺葉切除や肺区域切除と対比して使用される)).

re·sec·to·scope (rē-sek′tŏ-skōp). 切除用内視鏡（膀胱，前立腺，子宮，あるいは尿道などの病変を経尿道的に電気メスで切除するとき用いる特別な内視鏡の器械).

re·ser·pine (rē-sĕr′pēn, -pin). レセルピン（*Rauwolfia*属のある種の根から分離されるエステルアルカロイド．中枢神経系と末端組織内の5-ヒドロキシトリプタミンとカテコールアミン濃度を低下させる．以前はその他の薬剤とともに本態性高血圧症に用いられ，精神病的状態にはトランキライザとして有用である).

re·serve (rĕ-zĕrv′) [L. *re-servo*, to keep back, reserve]. 予備，余量，貯蔵（予備力または炭水化物の貯蔵のように，利用可能で，後日用いるために蓄えられているもの).

alkali r. アルカリ予備（緩衝剤として作用し，血液の正常なpHを維持する，血液とその他の体液の塩基イオン(主に重炭酸塩)の総量).

breathing r. 換気予備力（肺換気(すなわち，通常の安静位での呼吸容量)と最大呼吸容量の差).

cardiac r. 心〔臓〕予備力（日常生活の通常の環境下で必要とされる以上の心臓のもつ能力．心筋の状態と，生理学的範囲内における心拡張期に心臓に到達する血液量により心筋線維がのびる程度とによる).

res·er·voir (rez′ĕv-wohr) [Fr.]. レザバー，貯蔵所．＝receptaculum.

r. of infection 感染の貯蔵庫（感染性生物が増殖および(または)発育を内部またはその表面で行う生物あるいは無生物で，感染性生物が事実上その生存を依存しているもの).

Ommaya r. オマヤレザバー（帽状腱膜下腔に設置するプラスチックの容器で，管腔で側脳室や腫瘍の嚢胞と連結している．脳室や腫瘍に薬液を注入したり，髄液や内容液を採取するのに用いる).

Pecquet r. (pĕ-kā′). ペケー槽．＝*cisterna* chyli.

r. of spermatozoa 精子貯蔵所（精子が貯蔵されている部位．すなわち，精巣上体の尾部の遠位部分と精管の起始部).

vitelline r. 卵黄貯蔵所．＝vitellarium.

re·set no·dus si·nu·a·tri·a·lis (rē′set nō′dŭs sī′nū-ā′trē-ā′lis). 洞房結節リセット（通常，心房の早期脱分極によって生じた洞房結節のリセットで，心房早期収縮の連結期間隔と復原周期の長さを加えたものが，自発洞周期の2倍より短い場合にみられる．*cf.* nonreset nodus sinuatrialis). ＝sinus node reset.

res·i·dent (rez′i-dĕnt) [L. *resideo*, to reside]. レジデント（臨床実地修得のために病院に属する内勤医．以前は実際に病院内に住んでいた). ＝resident physician.

re·sid·u·a (rē-zid′yū-ă). residuum の複数形.

re·sid·u·al (rē-zid′yū-ăl). 残留〔性〕の，残存〔性〕の，残渣の，残余の.

res·i·due (rez′i-dū) [L. *residuum*]. 残留物，残渣，残余物，残分（物質を取り除いた後に残った物). ＝residuum.

day r. 昼間の残遺（前日の経験に関連する夢に対して精神分析学において用いる語).

re·sid·u·um, pl. **re·sid·u·a** (re-zid′yū-ŭm, -ū-ă) [L. *residuus*(left behind, remaining)の中性形 < *re-sideo*, to sit back, remain behind]. 残留物，残渣．＝residue.

re·sil·ience (rē-zil′yens) [L. *resilio*, to spring back, rebound]. ***1*** 弾性エネルギー（荷重を除いたときに生じる単位体積当たりのエネルギー). ***2*** 弾力性，反発性.

res·in (rez′in, rŏz′) [L. *resina*]. 樹脂，レジン（①種々の植物の硬化分泌物からなる無定形のもろい物質．揮発油から得られると考えられ，ステアロプテンと類似する．②＝rosin. ③ある種のチンキ剤に水を加えることによりつくられる沈殿物．④エーテルなどには可溶であるが水に不溶な有機物質(しばしば重合体)を表すのに広く用いる語．モノマーのサブユニットは，化学組成，物理構造，および活性化または硬化に用いる方法に応じて命名される．例えば，アクリル樹脂，常温重合レジン).

acrylic r. アクリル樹脂（アクリル酸の種々のエステルの樹脂性物質に用いる一般的な名称．義歯台として，またはその他の歯の修復，トレーとして用いる).

activated r. 活性樹脂．＝autopolymer r.

anion-exchange r. 陰イオン交換樹脂（→anion exchange; anion exchanger).

autopolymer r., autopolymerizing r. 常温重合レジン（加熱または光によらず，化学触媒により重合する樹脂．歯科においては，歯の修復，義歯修理，印象用トレーに用いる). ＝activated r.; cold cure r.; cold-curing r.; quick cure r.; self-curing r.

carbacrylamine r.'s カルバクリルアミン樹脂（陽イオン交換樹脂，カルバクリル樹脂およびカルバクリル酸カリウム樹脂(87.5%)と，陰イオン交換樹脂，ポリアミン－メチレン樹脂(12.5%)の混合物．しゃ血性心不全，肝硬変，およびネフローゼなどの，腎による過剰なナトリウム保持に関連する浮腫において，ナトリウムの糞便中への排泄を増加するのに用いる).

cation-exchange r. 陽イオン交換樹脂（→cation exchange; cation exchanger).

chemically cured r. 化学的硬化樹脂（開始剤(通常，過酸化ベンゾイル)と活性化剤(通常，三級アミン)を別々のペーストにして含有されている樹脂．混合によりアミンは過酸化ベンゾイルと反応し，フリーラジカルを生成し，重合が始まる).

cholestyramine r. コレスチラミン樹脂（陰イオン交換樹脂で，食物中のコレステロールと結合し，体内への吸収を防止する．高コレステロール血症治療薬．消化管内で多くの酸性薬物と結合してその吸収を低下させる). ＝cholestyramine.

cold cure r., cold-curing r. ＝autopolymer r.

composite r. [L. *compositus*, put together < *compono*, to put together]. 複合樹脂（合成樹脂の1つ．通常，アクリル系樹脂を主成分としてガラスや天然シリカ繊維を添加している．主に歯科補てつ材料として用いられる).

copolymer r. 共重合体樹脂（2種以上の異なるモノマー，またはポリマーの重合生成物である合成樹脂).

cross-linked r. 交差結合樹脂．＝cross-linked *polymer*.

direct filling r. 直接充填レジン（特に歯科の修復物質としてつくられた常温重合レジン).

dual-cure r. 二重硬化樹脂（重合を活性化する光および化学的開始に用いる樹脂).

epoxy r. エポキシ樹脂（エポキシの反応性に基づく熱硬化性樹脂．接着剤，防護被膜，電子顕微鏡試料の包埋材料として用いる).

gum r. ゴム樹脂（アルコールに不溶で水に可溶なゴムと，水に不溶でアルコールに可溶な樹脂の混合物からなる，多くの植物から得られる乾燥分泌物).

heat-curing r. 加熱重合レジン（重合開始に熱を必要とする樹脂).

Indian podophyllum r. インドポドフィルム樹脂（*Podophyllum emodi* から得られる樹脂．しゃ下薬と胆汁排出物質).

ion-exchange r. イオン交換樹脂（→ion exchange; ion exchanger）.

ipomea r. イポメヤ脂（*Ipomoea orizabensis* の乾燥根から得られる．しゃ下薬．→scammony）.

jalap r. ヤラッパ脂（*Exogonium purga* の肥大した副根の乾燥粉末から抽出した樹脂）.

light-activated r. 光活性型レジン．＝light-cured r.

light-cured r. 光重合型レジン（可視光線あるいは紫外線を用いて重合させるレジン．光増感剤がアミンと反応してフリーラジカルを形成し，重合が開始する．主として歯科修復学で用いられる）．＝light-activated r.

melamine r. メラミン樹脂（焼石膏と混ぜて鋳型に用いる可塑性物質．このような鋳型は焼石膏だけでつくられたものより軽く強い）．＝melamine formaldehyde.

methacrylate r. メタクリル樹脂（メタクリル酸の重合体．透明なプラスチックで，種々の医療器具，外科器械，関節全置換に際して骨に据え付ける部分の製造に用いる．溶融石英の光学性質をもち，加熱により成形しやすい．以前は，電子顕微鏡検査組織の包埋で用いられていたが，現在ではエポキシ樹脂に代わった）.

podophyllum r. ポドフイルム脂（北米東部の湿潤な日陰に一般的にみられる多年生の薬用植物であるポドフイルム *Podophyllum peltatum* の根茎より抽出した樹脂．ネイティブアメリカンおよび最初の国民の構成員により駆虫薬，催吐薬として使用されてきた．樹脂の主成分はリグニンという．ポドフイルム脂に含有されるリグニンのうちで重要なものは，ポドフィロトキシン(約 20%)，β-ペルタチン(約 10%)および α-ペルタチン(約 5%)である．これら 3 種はいずれも遊離型および配糖体の両方の形で存在する．樹脂はしゃ下薬として用いられたが，より緩徐な作用の薬物に取って代わられた．細胞毒性を有するので，性器いぼや他のゆうぜいの治療に塗布して用いられる）．＝May apple root; podophyllin; wild mandrake.

polyamine-methylene r. ポリアミン－メチレン樹脂（合成酸性結合樹脂で，制酸薬）.

polyester r. ポリエステル樹脂（そのポリマーは多くの有機溶媒に不溶で，光，熱，または酸素によって重合される樹脂．組織包埋媒質として電子顕微鏡検査で用いる）.

quick cure r. 即時重合レジン．＝autopolymer r.

quinine carbacrylic r. キニーネカルバクリル樹脂（→resin）．＝azuresin.

self-curing r. ＝autopolymer r.

res·in ac·ids (rez′in as′idz). 樹脂酸（種々の天然植物樹脂から誘導された有機化合物の一種．フェナントレン環系をもつジテルペン．例えば，アビエチン酸，ピマル酸，エステルゴム）．＝resinic acids.

res·in·ates (rez′in-āts). レジネート（樹脂酸の塩またはエステル）.

res·ines (rez′ēnz). レジンス（樹脂酸のエステル）.

res·in·ic ac·ids (rez-in′ik as′idz). 樹脂酸．＝resin acids.

res·in·oid (rez′i-noyd). ***1***〘adj.〙樹脂様の，樹脂状の．***2***〘n.〙チンキ剤を蒸発して得られる抽出物．***3***〘n.〙樹脂様物質.

res·in·ols (rez′in-olz). レジノール（樹脂アルコール）.

res·in·ous (rez′in-ŭs). 樹脂の.

re·sis·tance (rē-zis′tăns)［L. *re-sisto*, to stand back, withstand］. 抵抗〔性〕，耐性，抵抗力（①能動的な力に対抗するために働く受動的な力．②電気の導体では，電気の流れに逆らおうとする性質．このためエネルギーの損失が起こり，熱が発生する．電流 1 アンペア当たりに導体中に生じたボルトで表した電位差を，特に抵抗とよぶ．単位はオーム．*cf.* impedance (1). ③1つ以上の通路を通過する流体(例えば，血流や気管気管支系中の呼吸気体)の流れに逆行する力で，②の類義語．単位は通常，単位流量を生じる圧差で表す．*cf.* impedance (2). ④精神分析において，抑圧された考えを意識化させられることに対する個人の無意識的な防衛．⑤赤血球が血漿の浸透圧の変化に対して溶血せず，形態を保つための能力．⑥生物が先天性あるいは後天性に獲得した免疫能，あるいは，毒，薬物，病原微生物などの拮抗性物質の効果に抵抗する能力．⑦不応症．内分泌学では，あるホルモンに対して標的臓器が反応しないこと．＝hormone r.）.

airway r. 気道抵抗（生理学用語．換気下にみられる上気道，下気道における閉塞や乱流による気体流に対する抵抗．肺あるいは胸部のコンプライアンス低下に基づく膨張に対する抵抗と，吸気中の抵抗は区別される）.

bacteriophage r. バクテリオファージ耐性（親株(野生型)には感染性をもつようなバクテリオファージに対して耐性を有する突然変異株細菌のもつ抵抗性）.

dicumarol r.［MIM*122700］．ジクマロール耐性（ジクマロールへの耐性を特徴とする常染色体優性疾患で，一般的な抵抗性の範囲よりはるかに高い薬剤耐性を示す．第 19 染色体短腕に存在するクマリン 7 水酸化酵素遺伝子(*CYP2A6*)の変異が原因である）.

---

drug r. 薬剤耐性（以前は毒性に働いた薬剤に対して病原微生物が獲得した抵抗力のこと．病原微生物は種々のメカニズム，例えば化学的に抗生物質分子を不活性化する酵素(β-ラクタマーゼ)を産生するなどして抗生物質に抵抗する．気道内の混合感染において，一種の細菌(例えばインフルエンザ菌)によって産生された β-ラクタマーゼ(ペニシリナーゼ)はペニシリンを不活性化するので，混在菌中でそれ自身は感受性の他の菌(例えばA群 β 溶血性連鎖球菌)への作用もブロックしてしまう．通常，ある抗生物質に耐性を獲得した微生物は，同類化学構造の他の薬剤にも抵抗性である．細菌の中には抗生物質耐性を子孫に伝えるのに，染色体を通じてではなくプラスミド(細菌の核外に存在して，ある種の遺伝的機能を果たす)を用いるものもある．ある種の抗生物質に対する耐性は，プラスミドを介して細菌種間で伝達可能である）.

薬剤耐性は世界中に広まりつつある問題である．肺炎球菌，淋菌，サルモネラ菌，結核菌 *Mycobacterium tuberculosis*，頭部白癬 *Tinea tonsurans*，熱帯熱マラリア原虫 *Plasmodium falciparum* をはじめとした多くの細菌，真菌，原虫で耐性が出現している．米国の一部の地域では肺炎球菌分離株の 40%，ブドウ球菌の 90% がペニシリンに耐性であった．バンコマイシン耐性腸球菌とメチシリン耐性黄色ブドウ球菌 *Staphylococcus aureus* の広まりはこの 10 年で 20 倍に増加している．肺炎球菌 *Streptococcus pneumoniae* やA群 β 溶血性連鎖球菌などのグラム陽性菌のマクロライド系抗生物質に対する耐性も急激に増加している．呼吸器感染や尿路感染にフルオロキノリン系が広範に使用されるようになって，好気性グラム陰性杆菌，とりわけ緑膿菌 *Pseudomonous aeruginosa* のフルオロキノリン系薬剤に対する感受性が確実に減弱してきた．薬剤耐性が進行しやすい理由として，以下があげられる．不適切な抗生物質の処方(例えばウイルス感染に対して)，新規の広域スペクトラム薬剤の乱用，β 溶血性連鎖球菌感染に対しての広域スペクトラム抗生物質の不合理な投与，ある集団(例えば，子供，老人，長期間療養施設の入居者)で起こった感染症に対して，広域スペクトラム抗生物質を経験的に投与，殺菌量以下，すなわち不十分量の投与，抗生物質治療を完了できなかった症例，である．培養や感受性試験の結果を待たずして抗生物質治療を始めたり，耐性菌にも有効な薬剤を使用しないで治療した場合，死亡率が増加する．感染症の専門家と公衆衛生の責任者は，家庭医に抗生物質処方を制限する要求を出した．とりわけ子供の難しくない上気道感染，急性気管支炎(ほとんどがウイルス性)，急性副鼻腔炎および中耳炎(どちらも細菌感染についての信頼性ある診断法が確立していない)についてである．さらに患者やその両親の不適切な期待感が抗生物質の過剰使用を駆り立てたことから，社会教育の重要性をも強調している．病気の予防と成長促進のための家畜に対する抗生物質投与もまた耐性細菌の出現に寄与している.

---

expiratory r. 呼気抵抗（肺からの気体の流出に対する抵抗，あるいは呼吸サイクルの呼気相中の気体の流出に対する抵抗）.

glucocorticoid r. 糖質コルチコイド抵抗〔性〕（糖質コルチコイドに対する標的組織の反応不全症．通常の獲得型のものは，アレルギー性や自己免疫疾患(例えば，気管支喘息，関節リウマチ)や重篤な炎症性疾患(例えば，ARDS，敗血症ショック)で普遍的にみられる．またまれではあるが，糖質コルチコイド受容体の機能異常による遺伝性症候群もある）.

R

hormone r. ホルモン抵抗〔性〕. ＝resistance (7).

impact r. 衝撃抵抗度（約0.95 cm(3/8インチ)の鋼鉄球を約15.24 m(50フィート)の高さから落としたとき，衝撃を生じずに負荷力による粉砕または破損に抵抗する眼鏡レンズの性能．衝撃抵抗度の測定の基準はアメリカ合衆国法に規定されている）．

inductive r. 感応抵抗. ＝reactance.

---

insulin r. インスリン抵抗性（インスリンの血漿グルコース濃度を下げる効力が減少すること．高血糖やケトーシスを防止するために200単位以上のインスリンを要するときに通常，インスリン抵抗性と称することが多い．抗体がインスリンやインスリン受容体へ結合することにより生じる．肥満，ケトアシドーシス，感染症に合併しやすい.→metabolic *syndrome*）.

筋肉や他の細胞が，内因性や外因性のインスリンに対して正常に反応できない状態であり，２型糖尿病に特徴的な病態．末梢組織における現象であり，膵臓で産生されるインスリンの量や質が正常でも起こりうる．細胞膜上に存在するインスリン受容体数の減少，グルコース移送機構の障害，または両者の異常により生じる．インスリン抵抗性はインスリン受容体抗体が血中に大量に存在することによって生じることもある．インスリン抵抗性は空腹時なのに高インスリン血症がある２型糖尿病患者（しばしば高血糖も存在する）の病態を説明しやすい．インスリン抵抗性は，糖尿病患者の肥満度と相関している．しかし，やせた糖尿病患者では，インスリン抵抗性よりはインスリン産生能が障害されている場合が多い．インスリン抵抗性は，肥満症，異脂肪血症，高脂血症，高血圧，高尿酸血症も含む内分泌症候群に目立った特色である．多嚢胞性卵巣，多毛症，無排卵症のある女性では，インスリン抵抗性と高インスリン血症を有するものがある．チアゾリジンジオン(ピオグリタゾン，ロシグリタゾン)は２型糖尿病におけるインスリン感受性を改善する．

---

multidrug r.（**MDR**）多剤耐性（化学的に類似している種々の化学療法剤(抗生物質，抗癌剤，抗ウイルス薬など)に対して細胞が非感受性となること．薬剤の不活化，標的細胞からの排除による）．

mutual r. 相互抵抗. ＝antagonism.

peripheral r. 末梢抵抗. ＝total peripheral r.

primary cortisol r. 原発性コルチゾール抵抗症. ＝glucocorticoid resistance *syndrome*.

synaptic r. シナプス抵抗（神経インパルスがシナプスを通過しやすいかしにくいかということ）．

systemic vascular r. 全身血管抵抗（全身を通じての細小動脈の弾性または収縮を示す指標で，血圧を心拍出量で除した値に等しい）．

thyrotropin r. サイロトロピン抵抗症（甲状腺がTSHに無反応なために生じる常染色体劣性遺伝病．*cf.* pseudohypoparathyroidism）．

total peripheral r.（**TPR**）全末梢血管抵抗（体循環の血流に対する全抵抗．平均動脈圧を心拍出量で除した値）．＝peripheral r.

re·sis·tin (rē-zis′tin) [*resist* + *in*]. レジスチン（脂肪細胞で産生されて末梢血に分泌されるサイトカイン．末梢組織のインスリンに対する抵抗性を促進する．肥満や２型糖尿病との関連性が示唆されている）．

re·sis·tiv·i·ty (rē′zis-tiv′i-tē) [L. *re-sito*, to withstand]. 抵抗率，比抵抗（電流の通過に対する材質の抵抗値．電気伝導率の逆数）．

re·sis·tor (rē-zis′tŏr, -tōr). 抵抗器，電気抵抗器（電気回路の要素で，電流に対して抵抗を示すもの）．

res·o·lu·tion (Rs) (rez′ō-lū′shŭn) [L. *resolutio*, a slackening < *re-solvo*, pp. *-solutus*, to loosen, relax]. ***1*** 消散，消炎，融解（化膿を伴わない炎症過程の停止．炎症産物あるいは新生物の吸収または破壊および除去．→line *pairs*）．***2*** 分解能（きわめてよく似た物体の分離など微小な物を光学的に区別するための能力）．＝resolving power (3).

re·sol·vase (rē-sol′vāz) [resolve + -ase]. レソルバーゼ（トランスポゾンによってコードされている遺伝子で，転移の第２段階を触媒するとともにそれ自身の発現を調節することに関与している）．

resolvasome (rē-solv′a-sōm). リゾルバゾーム（大腸菌 *Escherichia coli* に存在するリゾルベース蛋白の複合体で，遺伝子のリコンビネーションと修復におけるリコンビネーション中間体を処理する）．

re·solve (rē-zolv′) [L. *resolvo*, to loosen]. 消散する，散らす（特に化膿を伴わないで正常に戻す，あるいは戻そうとすること．蜂巣炎あるいは他の炎症においていう）．

re·sol·vent (rē-zol′vĕnt). ***1***〘adj.〙消散する，散らせる．***2***〘n.〙散らし薬，消散剤（炎症過程を停止させるか，新生物を吸収させる薬剤）．

res·o·nance (rez′ō-năns) [L. *resonantia*, echo < *re-sono*, to resound, to echo]. ***1*** 共鳴（化学において，電子あるいは電荷が平面的かつ対称性の化合物中の原子相互間に分配される方法で，特に共役二重結合を有する化合物中で著しい．後者の場合では，共鳴が存在するとエネルギー含量が低下し，化合物の安定性が増加する．そのような分子は２つ以上の寄与構造をとり，各構造は，電子分布のみの差違である）．***2*** 共鳴，反響（音源の上，下，前，または後ろにある空洞内の空気が共鳴振動あるいは強制振動すること．音声の場合，鼻，咽頭，および頭の空室を空気が通ることによって，音の強さは増さず，音の質(音色)が変化すること）．***3*** 共鳴音（自由に振動しうる部分を打診することによって得られる音）．***4*** 共振，共振れ（空洞上を聴診することによって得られる音声の増強および空洞性）．***5*** 共鳴（すべての振動する系の自然あるいは固有の振動数）．***6*** 共鳴周波数. ＝resonant *frequency*.

amphoric r.〔空〕壺音性共鳴音（大きな空びんを打ってつくり出されるような打診音で，肺内空洞上の打診によって得られる）．＝cavernous r.

bandbox r. 紙箱共鳴音. ＝vesiculotympanitic r.

bellmetal r. 鈴金性共鳴音（大きな肺内空洞または気胸に際し，胸壁に貨幣を当て，それを他の貨幣で打つときに発する澄んだ金属音．この音は，胸壁を指の爪で軽くたたいても生じ，胸壁の同一側を前後(腹背)方向に聴診すれば聴取される）．＝anvil sound; bell sound; coin test.

cavernous r. 空洞共鳴音. ＝amphoric r.

cracked-pot r. 破壺共鳴音（患者の口を開けたままにして，気管支につながる肺内空洞上を打診することにより誘引される，壊れたつぼを打つとき聞かれる音によく似た特殊な音）．＝cracked-pot sound.

electron paramagnetic r.（**EPR**）電子常磁性共鳴. ＝electron spin r.

electron spin r.（**ESR**）電子スピン共鳴（電子スピンおよび磁気モーメントの測定に基づいて，有機反応や生体系でのフリーラジカルを同定し定量するための分析法）．＝electron paramagnetic r.

hydatid r. 包虫嚢共鳴音（包虫嚢胞の聴診打診により聞こえる特異的な振動性共鳴）．

nuclear magnetic r.（**NMR**）核磁気共鳴（磁気モーメントを有する原子核は，強磁場において，磁軸を中心に歳差運動(みそすり運動)をする．歳差運動の周波数(Lamor係数)は，それぞれの原子核に固有で，かつ磁場の強度に比例する．回転する原子核には波状の磁場が生じ，電磁放射線を放つので，それを同じ周波数をもつ信号としてとらえることができる．NMRは分子構造の決定および分子の運動力学の評価をする方法として用いられ，また臨床では磁気共鳴映像法 magnetic resonance *imaging* (MRI) として応用されている）．

skodaic r. スコダ共鳴音（肋膜炎の滲出液の層のちょうど上を打診することにより誘引される，洞上で得られる音よりも音楽的でない特異的な高調音）．＝Skoda sign; Skoda tympany.

tympanitic r. 鼓脹性共鳴音，鼓音. ＝tympany.

vesicular r. 肺胞性共鳴音（正常な肺の上を打診することによって得られる音）．

vesiculotympanitic r. 肺胞鼓音状共鳴音（肺気腫の場合の打診により得られる特異的な，一部鼓脹性，一部小泡性の音）．＝bandbox r.; wooden r.

vocal r.（**VR**）声帯共鳴音（胸の聴診により聞かれる音声）．

wooden r. 木様共鳴音. ＝vesiculotympanitic r.

res·o·na·tor (rez′ō-nā′tŏr). 共振器（きわめて高いポテンシャルをもち，小さな容量の電流をつくり出すためインダクタンスを用いた装置）.

re·sorb (rē-sōrb′)［L. *re-sorbeo*, to suck back］. 再吸収する（滲出物あるいは膿などすでに排出されたものを吸収する）.

re·sor·cin (rē-zōr′sin). レゾルシン. = resorcinol.

re·sor·ci·nol (rē-zōr′si-nol). レゾルシノール（皮膚消毒薬．ピロカテコールおよびヒドロキノンはレゾルシノールの異性体である）. = resorcin.

r. phthalic anhydride 無水フタル酸レゾルシノール. = fluorescein.

re·sor·ci·nol·phthal·e·in (rē-zōr′si-nol-thal′ē-in). レゾルシノールフタレイン. = fluorescein.

r. sodium レゾルシノールフタレインナトリウム. = *fluorescein* sodium.

re·sorp·tion (rē-sōrp′shŭn). 吸収（①吸収作用．②溶解，あるいは生理的，病理的方法による物質の損失）.

bone r. 骨吸収（破骨細胞による骨組織の減少．骨吸収，骨添加の正常なバランスおよび病的過程で生じる）.

gingival r. 歯肉吸収. = gingival *recession.*

horizontal r. 水平吸収. = horizontal *atrophy.*

internal r. 内部吸収（髄腔中に由来する歯組織の損失）.

ridge r. 顎堤吸収（下顎あるいは上顎の歯槽部分の容積および大きさの損失）.

root r. 歯根吸収（歯根の溶解．外的には根尖部が欠如したり丸くなったり，内的には根の内（歯髄）側からぞうげ質がなくなること）.

re·spir·a·ble (re-spīr′ă-bĕl, res′pĭ-ră-bĕl). 呼吸に適する.

res·pi·ra·tion (res′pi-rā′shŭn)［L. *respiratio* < *respiro*, pp. *-atus*, to exhale, breathe］. ***1*** 呼吸（植物および動物の両者に特徴的な生命に欠かせない過程で，酸素が燃料である有機分子を酸化するために用いられ，二酸化炭素および水と同様にエネルギー源を提供する．緑色植物にみられる光合成は呼吸ではない）. ***2*** = ventilation (2).

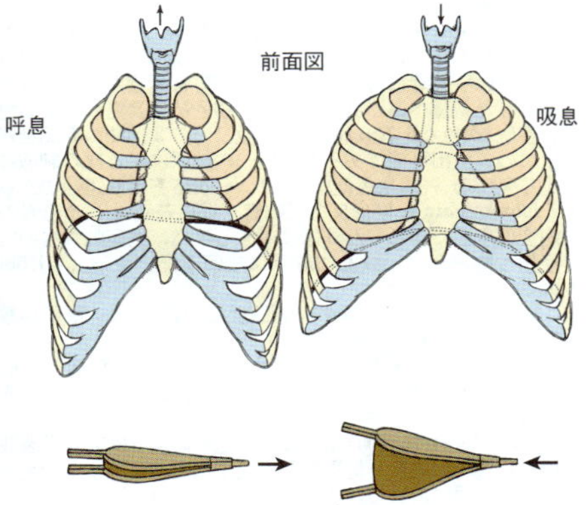

respiration

呼息：胸容量が低いので気道内圧は高く，等圧にするために空気を肺から出す．

吸息：胸容量が高いので気道内圧は低く，等圧にするために空気を肺に入れる．

abdominal r. 腹式呼吸（主に横隔膜の作用により行われる呼吸）.

aerobic r. 有気呼吸（分子状酸素が消費され，二酸化炭素と水とが生成される呼吸の一形態）.

amphoric r. 空洞呼吸，空壺音性呼吸（びんの口を吹いたときに出る音に似ており，大きな肺腔が存在するか，ときには肺気腫の場合の聴診により聞こえる音）.

anaerobic r. 嫌気性呼吸（分子状酸素が消費されない呼吸の一形式．例えば，窒素呼吸や硫酸呼吸）.

artificial r. 人工呼吸. = artificial *ventilation.*

assisted r. 補助呼吸〔法〕. = assisted *ventilation.*

Biot r. (bē-ō′). ビオー呼吸（まったく不規則な呼吸パターンで，呼吸の一定の回数と深さが連続して変動する．脳幹にあって背部内側延髄尾部から，閂にひろがっている呼吸中枢の病巣に起因する）. = ataxic breathing; Biot breathing sign; Biot breathing; Biot sign; respiratory ataxia.

bronchial r. 気管支呼吸（癒合した肺組織部分における気管支の空気通過によって起こる，気管が振動する音）.

bronchovesicular r. 気管支小泡性呼吸，気管支肺胞性呼吸（気管支呼吸と小泡性呼吸の両者による呼吸）.

cavernous r. 空洞性呼吸（肺の空洞上の聴診により聞こえる空洞の反響を伴う音）.

Cheyne-Stokes r. (chān stōks). チェーン－ストークス呼吸，交代性無呼吸（［誤用 change-strokes，誤ったつづり Stoke および Stoke's を避けること］．呼吸のパターンで深さが徐々に増して最大となり，ついで減少して無呼吸となる．周期は通常 30 秒から 2 分の持続で 5 —30 秒間の無呼吸となる．両側深部大脳半球病巣で代謝性脳症を伴い，呼吸の神経中枢の障害による昏睡を特徴とする）.

cogwheel r. 歯車様呼吸（呼気音が無音の間隔により 1 つまたは 2 つに中断されること）. = interrupted r.; jerky r.

controlled r. 調節呼吸〔法〕. = controlled *ventilation.*

costal r. 肋骨〔筋〕呼吸. = thoracic r.

diffusion r. 拡散呼吸（高流量率で酸素の気管内通気法を行ってなされる無呼吸時の酸素飽和の維持）.

electrophrenic r. 横隔神経電気刺激呼吸（横隔神経の運動点上の皮膚に置かれた電極による横隔神経の律動的な電気的刺激．急性延髄性灰白髄炎による呼吸中枢の麻痺に用いる）.

external r. 外呼吸（内呼吸または組織呼吸と区別される肺内での呼吸ガスの交換）.

forced r. 強制呼吸（意識的な過呼吸）.

internal r. 内呼吸. = tissue r.

interrupted r. = cogwheel r.

jerky r. 断続性呼吸. = cogwheel r.

Kussmaul r. (kūs′mowl). クスマウル呼吸，糖尿病〔昏睡〕性大呼吸（糖尿病性アシドーシスまたはその他の原因で起こるアシドーシスを特徴とする深く速い呼吸）. = Kussmaul-Kien r.

Kussmaul-Kien r. (kūs′mowl kēn). クスマウル－キーン呼吸. = Kussmaul r.

labored r. 努力性呼吸（心，肺疾患あるいは呼吸をコントロールする神経系を侵す疾患の患者に起こる，通常深い困難な呼吸）.

mouth-to-mouth r. マウス・ツー・マウス人工呼吸〔法〕（患者の口（年少小児では鼻も）を術者の口でふさぎ，息を送ることにより患者の肺を膨らませ，呼気は患者の胸郭および肺の弾力性による収縮により行われる人工換気法．1 分間に 12—16 回繰り返す．もし鼻を術者の口ではおおわないならば，外鼻孔をつまんで閉じる）.

nitrate r. 窒素呼吸（ある種の嫌気生物により用いられる呼吸の過程で，酸素分子でなく窒素化合物が，エネルギーを得る目的で有機分子を酸化するのに使われる）.

paradoxical r. 奇異呼吸（吸気時に肺が収縮し，呼気時に肺が膨張する現象で，開放性気胸の疾患側の肺にみられる）.

puerile r. 小児型呼吸（小児および運動後の成人に聞こえる，正常な呼吸音が誇張した音）.

stertorous r. 鼾声呼吸（荒々しい，やかましい呼吸で，通常，昏睡患者で聞かれる）. = stertorous breathing.

sulfate r. 硫酸呼吸（ある種の嫌気性生物により用いられる呼吸の過程で，酸素分子でなく硫酸化合物が，エネルギーを得る目的で有機分子を酸化するのに使われる）.

thoracic r. 胸式呼吸（主に肋間などの肋骨を持ち上げ胸郭を拡大する筋肉の作用による呼吸）. = costal r.

tissue r. 組織呼吸（血液と組織間のガス交換）. = internal r.

tubular r. 気管呼吸（高い調子の気管支呼吸）.

vesicular r. 小胞性呼吸，肺胞性呼吸（正常な肺の聴診により聞こえる呼吸音）. = respiratory murmur; vesicular murmur.

vesiculocavernous r. 小胞空洞性呼吸（正常な肺組織の周

りの小胞性雑音を伴う空洞性呼吸）

res·pi·ra·tor (res′pi-rā-tŏr, -tōr). ＝ventilator. ***1*** レスピレータ，人工呼吸器（呼吸不全症例での人工呼吸用の器機）. ＝inhaler (1). ***2*** 呼吸用マスク（ほこり，煙，他の刺激物が気道にはいる前に除去したり空気を換えるために用いる，口と鼻とをおおう器具）.

cuirass r. 胸甲呼吸器＝cuirass *ventilator*.

Drinker r. (drink′ĕr). ドリンカー呼吸器（頭以外の身体全部が金属性タンクの中に入れられ，首のところを密閉したガスケットで封じられる機械的呼吸器．交互に陰圧と陽圧とを内に加えることにより人工呼吸誘導される）. ＝iron lung; tank r.

pressure-controlled r. 従圧式呼吸器，圧調節呼吸器（吸気的にガスに一定の圧を与える呼吸器で，ガスの容積は抵抗により変化する）.

tank r. タンクレスピレータ. ＝Drinker r.

volume-controlled r. 従量式呼吸器，容積調節呼吸器（吸入している間，抵抗により変化するガスの一定容量を与えるのに必要な圧を加えて，あらかじめ決められた容量のガスを送り込む人工呼吸器）.

res·pi·ra·to·ry (res′pi-ră-tōr′ē, rĕ-spīr′ă-tōr-ē). 呼吸〔性〕の（［より正確な発音は第 2 音節にアクセントを置くが，米国ではしばしば第 1 音節にアクセントを置く］）.

re·spire (rĕ-spīr′) ［L. *respiro*, to breathe］. ***1*** 呼吸する. ***2*** 代謝により酸素を消費し，二酸化炭素をつくる.

res·pi·rom·e·ter (res′pĭ-rom′ĕ-tŏr) ［L. *respiro*, to breathe + G. *metron*, measure］. 呼吸計（①呼吸運動の程度を測定する器具．②通常，単離した組織を用いた酸素消費または二酸化炭素生成の測定用器具）.

Dräger r. (drā′gĕr). ドレーガー呼吸計（2 つの軽量のひし形の網目の回転翼を通るガス流により回転する翼の回転数から，一回換気量と分時呼吸量とを推定する測定器）.

Wright r. (rīt). ライト呼吸計（円柱状の固定子環の接線に沿った 10 のスロットを通るガス流により回転する，平らな葉状の羽をもつ回転子の回転数から，一回換気量と分時呼吸量を推定する測定器．Wright spirometer（ライト肺活量計）ともよばれる）.

re·sponse (rē-spons′) ［L. *responsus*, an answer］. ***1*** 応答（刺激に対する筋肉または他の部分の反応）. ***2*** 反応（生物がなしうる動作または行動，あるいはその構成要素．反射は，刺激が非特異的な条件で誘発されるよりはむしろ，特異的な刺激（無条件または自然な）によってより特徴的に誘発されるので通常，反応からは除外される）.

acute phase r. ＝acute phase *reaction*.

anamnestic r. (an′am-nes-tik). →immune r. ＝secondary immune r.

auditory brainstem r. (**ABR**) 聴性脳幹反応（聴覚機能の電気生理学的測定法．反復聴覚刺激に対し，聴神経と中枢聴覚路（主に脳幹）から発生する反応をコンピュータで平均化したものを用いている．また，ABR は脳幹病変部位の検索や，聴力障害の形態が感覚性か神経性かを決定するのに用いられる）. ＝brainstem auditory evoked potential; brainstem evoked r.

automatic auditory brainstem r. 自動聴性脳幹反応（記録された電気反応に基づき刺激の修正がプログラムされた ABR の技法．この機器は事前に決められた（聴力）閾値を獲得しているかどうかを自動的に判定する．新生児の聴力スクリーニングに有用である）.

biphasic r. 二相反応（①時間的隔たりのある 2 つの独立した別個の反応．②免疫反応は，抗原に速やかに反応した後，沈静化し，その異物の 2 度目の侵入に対し再び反応する）.

blink r. 瞬目反応（三叉神経眼枝の支配領域の皮膚に短かい電気刺激または力学的刺激を与えることにより，眼輪筋の筋活動電位が誘発される反応で，神経伝導検査で用いられる．早期反応（刺激後約 10 msec）は刺激と同側にみられ（R 1 とよばれる），後期反応（刺激後約 30 msec）は両側にみられる（R 2 とよばれる）のが特徴である．眼輪筋の収縮がみられるのと後期反応が対応している）.

booster r. →immune r. ＝secondary immune r.

brainstem auditory evoked r. (**BAER**) →auditory brainstem r.

brainstem evoked r. (**BSER**) ＝auditory brainstem r.

conditioned r. 条件反応（→conditioning）. ＝conditioned *reflex*.

Cushing r. クッシング反応. ＝Cushing *phenomenon*.

depletion r. 枯渇反応（病気により生理的反応がすでに低下している人の，外傷に対する正常以下の代謝反応）.

doll's eye r. 人形の眼反応（反射）. ＝oculocephalic *reflex*.

doll's head r. (dolz hed). 人形の頭反応. ＝oculocephalic *reflex*.

early-phase r. 早期反応（抗原刺激に対する迅速な反応開始）.

evoked r. 誘発反応（はいってくる感覚刺激が通る神経系の部位の電気的活性の変化．体性感覚（SER），脳幹聴覚（BAER），視覚（VER）誘発反応がある．→evoked *potential*）.

extensor r. 伸筋反応. ＝decerebrate *posturing*.

fight or flight r. 逃走－闘争反応（Walter B. Cannon によって発展された理論で，動物やヒトが闘争するか逃走するかを必要とする状況でチェック－衝動メカニズムにより連続的にエネルギー出力を反応させるのを準備させる．そのメカニズムは，自律神経系活動の亢進といったカテコラミンの生成増加により血圧の上昇，心拍，呼吸数，骨格筋血流量の増加に特徴づけられる．このように，内的反応が危機に際して，外的行動として反応できるようにさせる．→relaxation r. *cf.* alarm *reaction*）. ＝Cannon theory; emergency theory.

flexor r. 屈筋反応. ＝decorticate *posturing*.

galvanic skin r. (**GSR**) 電気皮膚反応（情緒的興奮の際生じる変化を測定する方法の 1 つで，電極を皮膚の適当な部位に設置し，ある瞬間からある瞬間の間の発汗やそれに関連した自律神経機能の変化を記録するもの）. ＝galvanic skin reaction; galvanic skin reflex; psychogalvanic reaction; psychogalvanic skin reaction; psychogalvanic reflex; psychogalvanic skin reflex; psychogalvanic r.; psychogalvanic skin r.

Henry-Gauer r. (hen′rē gow′ĕr). ヘンリー－ガウアー反応（心房伸長受容器を刺激する心房圧上昇による抗利尿ホルモン分泌の抑制）.

immune r. 免疫応答（①抗原に対する免疫機構のいかなる応答をもさし，抗体産生，細胞媒介免疫なども含まれる．②抗原（免疫原）に対する免疫機構の応答のうち，感受性が誘導された状態へ導く反応をいう．初回抗原暴露に対する免疫応答（一次免疫応答）は，通常，数日から 2 週間の期間を経た後にのみ検出可能であるが，同一の抗原による次の刺激に対する免疫応答（二次免疫応答）は，一次応答より迅速である）.

isomorphic r. 同形反応（乾癬，扁平苔癬などの患者の非病変部皮膚に加わった外傷に対する反応．典型的なものでは掻把や瘢痕部に一致して線状に皮疹が配列する）. ＝Köbner phenomenon.

late auditory-evoked r. 緩〔聴性誘発〕反応（聴覚刺激に対する大脳皮質聴覚領の反応）.

late-phase r. 晩期反応（適当な間隔をあけた後，以前と同じ抗原の刺激を受けて起こる徴候．初回の早期反応が先行する）.

level-dependent frequency r. 音圧レベル依存性周波数特性変化（高周波数と低周波数の間で増幅バランスを変えるために補聴器に用いられる技法のうちの 1 つ）.

middle latency r. 中間潜時反応（聴覚刺激の後25—40 msec に発生する大脳皮質聴覚から記録される陽性ピーク反応）.

myotonic r. 筋緊張反応（筋線維の活動電位が繰り返し発射されることにより筋の弛緩が起こらない反応）.

oculomotor r. 動眼応答（視覚刺激により喚起される広範囲の筋原電位）.

orienting r. 指向応答，定位応答. ＝orienting *reflex*.

postural sway r. 体位動揺反応（前庭刺激により誘発される体の動揺）.

primary immune r. 初期免疫反応，一次免疫反応（→immune r.）.

psychogalvanic r. (**PGR**), **psychogalvanic skin r.** 精神電気〔皮膚〕反応，精神電気皮膚反応. ＝galvanic skin r.

recruiting r. 漸増反応. ＝recruitment (2).

relaxation r. 弛緩反応（ヒトや動物が安心や養育されているという感覚を経験する際にみられる視床下部の統合され

た反応で，交感神経系の活動の減弱をもたらし，生理学的および心理学的には逃走－闘争反応に対する身体反応のほぼ逆である．反応は超越的瞑想法，ヨガ，バイオフィードバックと関連した技法を用いることによって自己誘導することができる．→fight or flight *response*).

secondary immune r. 二次免疫応答（→immune r.）．＝anamnestic r.; booster r.

sonomotor r. 音運動性反応（クリック刺激により喚起される広範な筋原電位）．

stringent r. 緊縮応答（アミノ酸飢餓に対応して栄養条件下で採用できる程度にリボソームの量を減少するような細胞性応答）．

target r. 標的反応．＝operant.

triple r. 三相反応（①皮膚を強くこすることにより生じる三相反応．第１相は境界明瞭な紅斑で，皮膚の一時的な青白化に続いて起こり，肥満細胞からのヒスタミンの遊離による．第２相は強い発赤の拡大で，圧力を加えた領域を越えて広がるが，同一の形状を示し，これは小動脈の拡張による．この第２相は軸索反射により伝達されるので軸索性発赤ともよばれる．第３相は初めにこすった場所に線状の膨疹が現れる．②ヒスタミンの皮内注射による類似の反応）．

unconditioned r. 無条件反応（動物あるいは人がもとからもっている反応様式の一部であり，例えば唾液過多のような反応．*cf.* conditioned r.）．

rest (rest). ***1***〚n.〛[A.S. *raest*]．安静，静止．***2***〚v.〛[A.S. *raestan*]．静止する，休憩する．***3***〚n.〛[L. *restare*, to remain]．残余，残物，遺残（別の性質をもつ組織中に置換あるいははめ込まれた，一般に胎児組織の細胞と信じられている不完全に分化した細胞群）．***4***〚n.〛レスト（歯科において，垂直的な支持を得るための義歯からの延長物）．

adrenal r. 副副腎．＝accessory *adrenal*.

bed r. 床上安静（活動を抑え，疾患からの回復を助けるためベッドで横になった位置を維持すること．以前には，結核，心筋梗塞，他の疾患に広く用いられた）．

cingulum r. 舌面レスト（前歯の歯帯上に形成されたレスト座で支持される可撤性部分床義歯の固定部分）．

incisal r. 切縁レスト（切縁により支持される可撤性部分床義歯の一部）．

lingual r. 舌側レスト（歯の舌側面上への金属性の延長物で，可撤性部分床義歯に対する支持または間接固定となる）．

Malassez epithelial r.'s (mahl-ah-sā′). マラセー上皮遺残（歯周靱帯の Hertwig 上皮鞘の上皮残物）．

Marchand r. (mahr′shahnd). マルヒャント遺残．＝Marchand *adrenals*.

mesonephric r. 中腎遺残（女性の生殖管中の中腎管の残遺物．卵巣上体縦管嚢腫のような嚢腫をもたらす）．＝wolffian r.

occlusal r. 咬合面レスト（義歯の維持のため，臼歯部咬合面に設置される可撤性部分床義歯の固定部分）．

precision r. 精密レスト（きっちりとはめ込んだ部分からなるレスト）．

r.'s of Serres セールの遺残（歯肉内に歯堤上皮が取り残されて残存したもの）．

Walthard cell r. ヴァルタルト細胞遺残（子宮管あるいは卵巣の腹膜中に存在する上皮細胞の巣．新生物としては Brenner 腫瘍の成分の１つを含む可能性がある）．

wolffian r. ヴォルフ〔管〕遺残．＝mesonephric r.

re·ste·no·sis (rē′ste-nō′sis) [*re-* + G. *stenōsis*, a narrowing]．再狭窄（心臓弁の矯正手術後の狭窄の再発．以前の狭窄の切除または縮小後の構造(通常は冠状動脈)の狭窄）．

res·ti·form (res′ti-fōrm) [L. *restis*, rope + *forma*, form]．索状の（索状体，すなわち下小脳脚の大きい外側部についていう．脊髄から小脳への脊髄小脳線維と延髄から小脳への楔状束小脳線維・オリーブ小脳線維・網様体小脳線維を含む）．

rest·i·tope (res′ti-tōp) [*restriction* + -tope]．限定構造基（MHC クラス II 分子と相互作用する T 細胞レセプタの一部分）．

res·ti·tu·tion (res′ti-tū′shŭn) [L. *restitutio*, act of restoring]．外回旋，第４回旋（産科学において，陰門から児頭が発露した後に肩甲に対する相対関係を復旧するために起こる回旋）．

res·to·ra·tion (res′tō-rā′shŭn) [L. *restauro*, pp. *-atus*, to restore, to repair]．***1*** 修復（歯科における補てつ修復または補てつ装置．歯質または歯，口腔組織の欠損部分を修復する，または補うためのインレー，冠，橋義歯，局部床義歯，または総義歯に適用される広い意味をもつ用語）．***2*** 修復物（う食の除去によって生じた歯の欠損部を修復するために用いる金やアマルガムなどの材料）．

acid-etched r. 酸処理修復（レジンの維持力を増すために，歯の表面を酸で処理した後，レジンで歯質の修復を行うこと）．

combination r. 連合(接合)修復（２種以上の材料を層状に応用する歯の修復法）．

compound r. 複雑窩洞修復（歯の２面以上にわたる修復）．

direct acrylic r. 直接アクリリックレジン修復（常温重合アクリリックレジンによる直接的なレジン修復法）．

direct composite resin r. 直接コンポジットレジン修復．＝direct resin r.

direct resin r. 直接レジン修復（歯に形成した窩洞に常温重合レジンあるいは光重合レジンを直接充填して行う修復法）．＝direct composite resin r.

overhanging r. 過剰修復（修復物辺縁と歯との接合部に過剰な充填材の存在する修復）．

permanent r. 永久修復，最終修復（暫間修復あるいはプロビジョナル・レストレーションと対比して用いられる語）．

provisional r. ＝temporary r.

root canal r. 根管充填（根管の空隙をなくすため，ガッタパーチャ，銀，またはプラスチックのコーンを，単独であるいはセメント・糊剤・溶剤とともに根管に挿入すること）．

silicate r. ケイ酸セメント修復（ケイ酸セメントによる欠損歯質の修復）．

temporary r. 暫間修復（永久修復に比べ，短期間用いられる修復法）．＝provisional r.

re·stor·a·tive (re-stōr′ă-tiv) [L. *restauro*, to restore]．***1***〚adj.〛回復推進の（健康と体力を回復する）．***2***〚n.〛強壮薬（健康および体力の回復を促進させる薬剤）．

re·straint (rē-strānt′) [O. Fr. *restrainte*]．抑制，拘束（病院精神医学において，興奮したり衝動的であるような患者が，自分自身あるいは他人に危害を加えないようにするための介入処置．拘束用ジャケットの使用も含む．次頁の図参照）．

re·stric·tion (rē-strik′shŭn). 制限，拘束（①制限酵素の使用または作用のこと(すなわち部位特異的デオキシリボヌクレアーゼ)．②原核細胞に導入された外来 DNA が，無効になる過程．③制限）．

asymmetric fetal growth r. 非対称性胎児発育遅延（児頭への血流の選択的なシャントにより頭部は正常サイズとなり腹囲は脂肪組織および肝のサイズの減少により縮少する．胎盤機能不全が原因となる）．

fetal growth r. 胎児発育遅延（胎齢に比し５％以上の体重減少）．＝intrauterine growth retardation.

lactase r. 乳糖分解酵素制限（乳糖分解酵素が減少するため消化管での乳糖吸収障害が生じる遺伝性形質．*cf.* lactase *persistence*）．

MHC r. MHC 拘束（ヘルパー T 細胞は，クラス II 主要組織適合抗原とともに提示された抗原のみを認識し，一方，細胞傷害性 T 細胞は，通常，クラス I 主要組織適合抗原と結合した処理抗原のみを認識する）．

symmetric fetal growth r. 対称性胎児発育障害（児頭と体幹の均衡のとれた減少状態．通常，体質的なものか早期の子宮内感染による障害が原因となる）．

re·sus·ci·tate (rē-sŭs′i-tāt) [L. *re-suscito*, to raise up again, revive]．蘇生する（仮死状態から生命を回復する）．

re·sus·ci·ta·tion (rē-sŭs′i-tā′shŭn) [L. *resuscitatio*]．蘇生〔法〕，救急蘇生〔法〕（仮死後の生命の回復）．

cardiopulmonary r. (**CPR**) 心肺蘇生術（心停止および呼吸停止が起こった際に心拍出量と肺換気を回復することで，人工呼吸および用手的非開胸胸部圧迫または開胸心マッサージを用いて行う）．

mouth-to-mouth r. マウス・ツー・マウス人工呼吸法（救命心肺蘇生時に行われる人工呼吸で，口対口で行う）．

Ret (ret). レット（多発性内分泌腫瘍症 (MEN) IIA, IIB および Hirschsprung 病などで欠陥のある癌遺伝子産物．Ret は

R

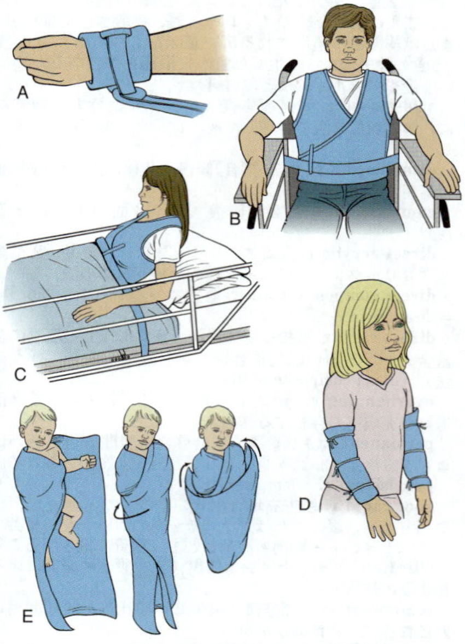

restraints for adults and children
A：手首．B, C：ベスト．D：肘．E：マミイ．

チロシンキナーゼ活性のある膜受容体に属している).

re・tain・er (rē-tān′ĕr). 維持装置，支台装置，固定装置，保定装置（補てつ物の固定または安定化のために用いる鉤，アタッチメント，またはその他の装置．歯科矯正治療後の歯の移動を防ぐために用いる歯科矯正装置).

continuous bar r. 連続鉤(バー)維持装置（通常，歯の舌面上にある金属バーで，歯の安定化を助け，間接維持装置として働く)．＝continuous clasp.

direct r. 直接維持装置（可撤性装置を正しい位置に保つために支台歯へ適用される鉤またはアタッチメント).

extracoronal r. 歯冠外維持装置，歯冠外アタッチメント（歯冠の外周への接触を維持力としている維持装置).

Hawley r. (haw′lē). ホーリー保定装置（歯の矯正移動後，歯を新しい位置に保持・安定させるために用いる可撤性の装置で，ワイヤとレジン床よりなる．若干手を加えると，積極的な矯正装置として歯の移動にも利用できる)．＝Hawley appliance.

indirect r. 間接維持装置（可撤性部分床義歯の一部分で，てこの作用が鉤間線の反対側に働くことにより，遊離端義歯床の移動を防止し，直接維持装置を補助する).

intracoronal r. 歯冠内維持装置（歯冠内に置かれた装置が維持力を発揮する維持装置).

matrix r. マトリックス〔バンド〕リテーナー（保存修復術において，歯の周囲にマトリックスを保持するために考案された器具．通常，マトリックスの端を固定して締め付けることにより使用する).

space r. 保隙装置．＝space *maintainer*.

re・tar・date (rē′tar′dāt) [L. *retardo*, to delay, hinder]. 〔精神〕遅滞者（精神発達遅滞のある人を多少軽蔑的にいう語．現在では用いられなくなりつつある).

re・tar・da・tion (rē-tahr-dā′shŭn). 遅延，遅滞（発達がゆっくりしているか，制限されていること).

intrauterine growth r. 胎内発育遅延．＝fetal growth *restriction*.

mental r. 精神遅滞（全般的知的能力が平均以下で，発達期間中に生じ，適応行動に欠陥を伴う．The American Association on Mental Deficiency(アメリカ精神遅滞協会)は8つの医学的分類と5つの心理学的分類を表にした．後者の5つは，軽愚，痴愚，および白痴という以前の分類を置き換えたものである．精神遅滞の定義は，2つの相互に関連のある判定基準について，同年齢者と比較した作業能力についての指数の決定を必要とする．2つの判定基準とは，測定された知能(IQ)および全般的な社会的適応力(学校，仕事，家庭，社会での行動についてのその人の相対的水準の判定評価)からなる．一般的にIQ70以下を精神遅滞とする(軽度：50/55—70，中度：35/40—50/55，重度 20/25—35/40，最重度：20/25以下)．IQ70—85は知的機能の境界域とする)．＝amentia (1); mental deficiency; oligophrenia.

psychomotor r. 精神運動制止，精神運動遅滞（心的活動または運動性活動，あるいはその両方の制止).

viscoelastic r. 粘弾性遅延（巨大DNA分子の分子量を測定する技術．DNAは流体力学的剪断力によって伸展され，分子が弛緩するとき，その弛緩時間を測定する).

re・tard・er (rē-tar′dĕr). 凝固遅延剤（歯科で用いる石膏，レジン，または印象材の化学的硬化を遅らせるために用いる薬剤).

retch (rech) [A.S. *hraecan*, to hawk]. 吐き気を催す，むかつく（無意識に吐こうとする).

retch・ing (rech′ing). むかつき，レッチング（嘔吐を伴わない胃，食道の嘔吐様の動き)．＝dry vomiting; vomiturition.

re・te, pl. **re・ti・a** (rē′tē; rē′shē-ă, -tē-ă) [L. a net]. 網（①＝network (1). ②線維網または網目構造).

r. acromiale arteriae thoracoacromialis [TA]. ＝acromial *anastomosis* of the thoracoacromial artery.

r. arteriosum [TA]. 動脈網．＝arterial *plexus*.

r. articulare cubiti [TA]. 肘関節動脈網．＝cubital *anastomosis*.

r. articulare genus [TA]. 膝関節動脈網．＝genicular *anastomosis*.

r. calcaneum [TA]. 踵骨動脈網．＝calcaneal *anastomosis*.

r. canalis hypoglossi ＝venous *plexus* of hypoglossal canal.

r. carpale dorsale [TA]. 背側手根動脈網．＝dorsal carpal arterial *arch*.

r. carpi posterius ＝dorsal carpal arterial *arch*.

r. cutaneum corii 真皮血管網（真皮と皮下組織の間で表面に平行して走る血管網).

r. foraminis ovalis 卵円孔静脈網．＝venous *plexus* of foramen ovale.

Haller r. (hah′lĕr). ハラー網．＝r. testis.

r. halleri 精巣網．＝r. testis.

r. malleolare laterale [TA]. 外果動脈網．＝lateral malleolar *network*.

r. malleolare mediale [TA]. 内果動脈網．＝medial malleolar *network*.

malpighian r. (mal-pig′ē-ăn). マルピーギ網．＝malpighian *stratum*.

r. mirabile [TA]. 怪網（動脈または静脈の連続性を断ち切る血管網で，腎糸球体(動脈)または肝(静脈)の中などに存在する).

r. ovarii 卵巣網（発生途上の卵巣中に一過性にみられる細胞の網状配列．精巣網に相当する).

r. patellare [TA]. ＝patellar *anastomosis*.

r. subpapillare 乳頭下層血管網（真皮の乳頭層および網状層の間にある血管網).

r. testis [TA]. 精巣網（精巣縦隔中にあって，直走する精巣輸出小管の先端にみられる管網)．＝Haller r.; r. halleri.

r. vasculosum articulare [TA]. 関節血管網．＝articular vascular *plexus*.

r. venosum dorsale manus [TA]. 手背静脈網．＝dorsal venous *network* of hand.

r. venosum dorsale pedis [TA]. 足背静脈網．＝dorsal venous *network* of foot.

r. venosum plantare [TA]. 足底静脈網．＝plantar venous *network*.

re・ten・tion (rē-ten′shŭn) [L. *retentio*, a holding back]. ***1*** 遺残，貯留（通常，そこに属するものを身体中に保持するこ

とで，特に胃の中の食物や飲物をいう）．*2* うっ滞，停留，停滞（尿や便など，通常，放出されるべきものの身体内への保留）．*3* 保持，記銘（今まで習ったことの保持で，その結果，想起，認識，あるいは，もし記銘が部分的ならば，再学習として後に使用されうる．→memory）．*4* 固定，保定，維持，保持（移動に対する抵抗）．*5* 保定（歯科において，動かした歯を新しい位置に保持，安定させるため，治療後患者に装置を装着させる受動的期間）．

denture r. 義歯維持（義歯が口腔中の正しい位置に維持されるための手段）．

direct r. 直接維持（支台歯からはずれないように抵抗するアタッチメントまたは鉤を用いることによる可撤性部分床義歯で得られる維持）．

indirect r. 間接維持（間接的な維持装置を用いることにより，可撤性部分床義歯に得られる維持）．

partial denture r. 部分床義歯維持（鉤，間接維持装置，または精密アタッチメントの使用による可撤性部分床義歯の固定）．

reteplase (rĕ-tē′plāz′). レテプラーゼ（プラスミン産生を促進させることにより効力を発揮する線維素溶解薬．→plasmin）．

re・ti・a (rē′shē-ă, -tē-ă) [L.]. rete の複数形．

re・ti・al (rē′shē-ăl). 網の．

reticul- ⇀reticulo-.

re・tic・u・la (re-tik′yū-lă) [L.]. recticulum の複数形．

re・tic・u・lar, re・tic・u・lated (re-tik′yū-lăr, -lāt′ĕd). 網様の，細網〔状〕の．

re・tic・u・la・tion (re-tik′yū-lā′shŭn). 細網化（細網の存在または形成で，活発な血液再生中の赤血球細胞中にみられるようなものをいう．胸部X線パターンを述べるのにも用いられる．⇀reticulonodular *pattern*）．

re・tic・u・lin (re-tik′yū-lin). レチクリン（細網線維の化学物質の名．以前，異なった構造や染色性からコラーゲンと異なっていると考えられていたが，現在ではIII 型コラーゲン（会合したプロテオグリカンおよび構造糖蛋白として存在）とみなされている）．

reticulo-, reticul- [L. *reticulum*, a small net, *rete*(a net)の指小辞]. 細網，網状の，を意味する連結形．

re・tic・u・lo・cyte (re-tik′yū-lō-sīt′) [reticulo- + G. *kytos*, cell]. 網〔状〕赤血球（ポリリボソームを示すブリリアントクレシルブルーにより染色される好塩基性の細胞質網をもつ幼若な赤血球．血液産生過程が活性化すると増加する．→erythroblast）．＝reticulated corpuscle; skein cell.

re・tic・u・lo・cy・to・pe・ni・a (re-tik′yū-lō-sī′tō-pē′nē-ă) [reticulocyte + G. *penia*, poverty]. 網〔状〕赤血球減少〔症〕（血液中の網状赤血球の不足）．＝reticulopenia.

re・tic・u・lo・cy・to・sis (re-tik′yū-lō-sī-tō′sis) [reticulocyte + G. *osis*, condition]. 網〔状〕赤血球増加〔症〕（正常値（全赤血球細胞の１％以下）以上の循環網状赤血球の増加．活発な血球再生中（赤色骨髄の刺激）およびある種の貧血，特に先天性溶血性貧血にみられる）．

re・tic・u・lo・en・do・the・li・al (re-tik′yū-lō-en′dō-thē′lē-ăl). 〔細〕網内〔皮〕細胞の（⇀reticuloendothelial *system*）．

re・tic・u・lo・en・do・the・li・o・ma (re-tik′yū-lō-en′dō-thē′-lē-ō′mă) [reticuloendothelium + G. *-oma*, tumor]. 〔細〕網内〔皮〕腫（限局性細網内皮症，または細網内皮組織に由来した新生物を表す現在では用いられない語）．

re・tic・u・lo・en・do・the・li・um (re-tik′yū-lō-en′dō-thē′lē-ŭm) [reticulo- + endothelium]. 〔細〕網内〔皮〕細胞（細網内皮系を構成する細胞）．

re・tic・u・lo・his・ti・o・cy・to・ma (re-tik′yū-lō-his′tē-ō-sī-tō′mă) [reticulo- + histiocytoma]. 細網組織球腫（糖脂質を含んだ多核の大組織球からなる皮膚の孤立結節．ときとして多発性病巣が関節炎（リポイド皮膚関節炎）に随伴して起こる）．

re・tic・u・lo・his・ti・o・cy・to・sis (re-tik′yū-lō-his′tē-ō-sī-tō′sis). 網内〔系〕組織球増殖〔症〕（⇀reticulosis）．

multicentric r. 多中心性細網組織球症（多発性関節炎に糖脂質を含む組織球からなる皮膚丘疹を伴うまれな疾患で，しばしば指の短縮を起こす）．

re・tic・u・loid (re-tik′yū-loyd). *1*〚adj.〛細網症様の．*2*〚n.〛類細網症，レチクロイド（細網症に類似した状態）．

actinic r. 光線性類細網症（老年男子の日光露光部に慢性のそう痒性紅斑に始まり，リンパ腫を思わせるような露光部皮膚の著明な肥厚と隆起を生じる．異型のCD8 陽性T細胞の浸潤がある）．

re・tic・u・lo・pe・ni・a (re-tik′yū-lō-pē′nē-ă). ＝reticulocytopenia.

re・tic・u・lo・sis (re-tik′yū-lō′sis) [reticulo- + G. *-osis*, condition]. 細網症，細網内皮〔増殖〕症（組織球，単球，あるいは他の細網内系要素の増加）．

benign inoculation r. 良性接種細網症．＝catscratch *disease*.

leukemic r. 白血病性細網症（monocytic leukemia を表す現在では用いられない語）．

malignant midline r. polymorphic r. を表す現在では用いられない語．

midline malignant r. granuloma ＝lethal midline *granuloma*.

pagetoid r. パジェット様細網症（多くは四肢の単発性のいぼ状のプラークで，組織学的には主として単核球の表皮内浸潤であり，菌状息肉腫に類似する．予後はよい）．＝Woringer-Kolopp disease.

polymorphic r. 多形性細網内皮症（ほとんどの症例でリンパ腫の型で，上気道に好発する壊死性リンパ増殖性病変．以前は致死性正中肉芽腫あるいは悪性正中細網内皮症とよばれた．治療は放射線照射である．⇀lethal midline *granuloma*）．

R

re・tic・u・lo・spi・nal (re-tik′yū-lō-spī′năl). 網様体脊髄路の．

re・tic・u・lot・o・my (rē-tik′yū-lot′ŏ-mē) [reticulo- + G. *tomē*, incision]. 網様体切開〔術〕（網様体中に生じた病変の切開）．

re・tic・u・lum, pl. re・tic・u・la (re-tik′yū-lŭm, -lă) [L. *rete* (a net)の指小辞][TA]. *1* 小網（細胞によって形成されるか，細胞内のある構造あるいは細胞間の結合組織線維によりつくられる網状体）．*2* 神経膠．＝neuroglia. *3* 第二胃（反すう類の第二胃で，その壁の特徴的な構造のため honeycomb（蜂巣胃）ともよばれる．前胃につながるかなり小さな室からなる）．

agranular endoplasmic r. 滑面小胞体（リボソーム顆粒をもたない小胞体で，複合脂質や脂肪酸の合成，薬剤の解毒，炭水化物の合成，および Ca^{2+} の分離に関与している）．＝smooth-surfaced endoplasmic r.

Ebner r. (ed′nĕr). エブナー小網（輸精管にある有核細胞網）．

enamel r. 星状網（歯の発生期において内エナメル上皮と外エナメル上皮の間に存在する，エナメル器の中心をなす粗な組織）．＝stellate r.

endoplasmic r. (**ER**) 小胞体（真核細胞中の，細管あるいは扁平嚢（槽）の網状の広がり．リボソームが付着しているもの(rough ER)としていないもの(smooth ER)とがある）．＝endomembrane system.

Golgi internal r. (gol′jē). ゴルジ内細網．＝Golgi *apparatus*.

granular endoplasmic r. 粗面小胞体（嚢の細胞質側表面にリボソームが付着している小胞体．膜結合小胞を介して細胞外へ輸送される蛋白の合成に関与している）．＝chromidial substance; ergastoplasm; rough-surfaced endoplasmic r.

Kölliker r. (kŏr′lĭ-kĕr). ケリカー細網．＝neuroglia.

rough-surfaced endoplasmic r. ＝granular endoplasmic r.

sarcoplasmic r. 筋小胞体（骨格筋および心筋の無顆粒小胞体．横紋筋原線維周囲の連続構造で，各筋節内構造に従って繰り返される構造をもつ．小胞と細管からなる）．

smooth-surfaced endoplasmic r. 滑面小胞体．＝agranular endoplasmic r.

stellate r. 星状網．＝enamel r.

trabecular r. 小柱網，線維柱網．＝trabecular *tissue* of sclera.

r. trabeculare sclerae [TA]. ＝trabecular *tissue* of sclera.

***trans*-Golgi r.** (gol′jē). トランス－ゴルジ体網状構造（Golgi 装置の一部で，新しくつくられた蛋白を取り込み，分泌空胞に送り込む部分．空胞は形質膜などの別の生体二重膜と融合する）．

transitional endoplasmic r. (**TER**) 移行型小胞体（修飾

およびパッケージングするためにGolgi装置に入る粗面小胞体から出る蛋白の出口.→granular endoplasmic r.).

ret·i·form (ret′i-fōrm) [L. *rete*, network]. 網様の，網状の.

retin- →retino-.

ret·i·na (ret′i-nă) [Mediev. L. prob. < L. *rete*, a net] [TA]. 網膜（大きく分けて網膜は，網膜視部，網膜毛様体部，網膜虹彩部の3つの部分からなる．視覚部分は，視光線を受ける生理的部分で，色素部と神経部の2つの部分からなり，(i)色素上皮層 pigmented layer，(ii)杆錐状体の内外節の層 layer of inner and outer segments (of rods and cones)，(iii)外境界膜(実際には連結複合体の列) outer limiting layer (actually a row of junctional complexes)，(iv)外顆粒層 outer nuclear layer，(v)外網状層 outer plexiform layer，(vi)内顆粒層 inner nuclear layer，(vii)内網状層 inner plexiform layer，(viii)神経節細胞層 ganglionic (cell) layer，(ix)神経線維層 layer of nerve fibers，(x)内境界膜 inner limiting layer，の各層で構成されている．(ii)から(x)の層は神経部である．視軸の後極には，黄斑があり，その中心は中心窩で中心視力を有する域である．ここでは，(vi)から(ix)の層には血管がなく，伸長した錐体のみが存在する．黄斑に対して約3 mm内側には視神経乳頭があり，そこには神経節細胞の軸索が収れんし，視神経となる．網膜の毛様体部および虹彩部は色素上皮層の延長部と，毛様体および虹彩の後面をそれぞれおおっている一層の円柱状上皮細胞層からなる).＝optomeninx.

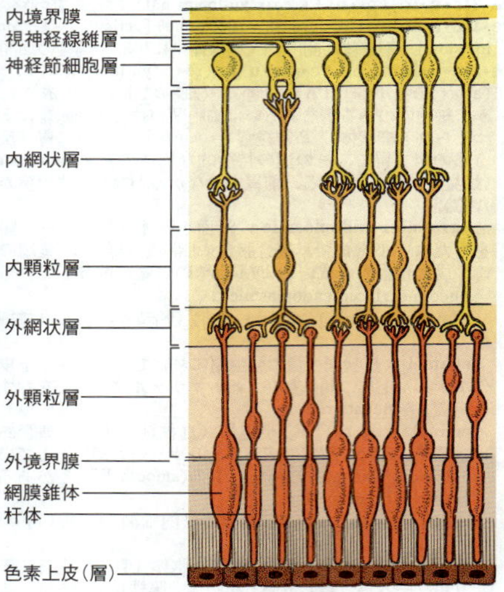

layers of the retina

detached r. 網膜剝離.＝retinal *detachment*.

flecked r. 斑点網膜（黄色斑眼底，遺伝性ドルーゼン，白点眼底).

fleck r. of Kandori (kahn-dōr′ē) [MIM*228990]. 神鳥斑点網膜（日本人にみられる網膜斑と夜盲を特徴とする網膜色素上皮の遺伝的疾患．常染色体劣性遺伝).

leopard r. 豹紋状網膜，紋理状網膜.＝tessellated *fundus*.

shot-silk r. 絹糸片網膜（無数の波様の外観をもち，絹の光沢のようにきらきら輝いて反射する．若年者の網膜にときにみられる).＝shot-silk phenomenon; shot-silk reflex.

tigroid r. ＝tessellated *fundus*.

ret·i·nac·u·lum, gen. **ret·i·nac·u·li,** pl. **ret·i·nac·u·la** (ret′i-nak′yū-lŭm, -lī, -lă) [L. a band, a halter < *retineo*, to hold back] [TA]. 支帯（小帯，保持帯または靱帯).

antebrachial flexor r. 前腕屈筋支帯（手根関節の直前の筋膜の肥厚したもので側面では伸筋支帯と連続している．俗に屈筋支帯とよばれている手根横靱帯とは異なるものである．手根横靱帯は手根管の天井部を構成するものである).＝flexor r. of forearm; palmar carpal ligament.

r. of articular capsule of hip 股関節被膜支帯（股関節の関節包にある数本の縦走するひだで大腿骨頸部に反転しているが，その深部には内側大腿回旋動脈の支帯枝が通り大腿骨頭に至っている).＝r. capsulae articularis coxae; Weitbrecht fibers.

r. capsulae articularis coxae 股関節被膜支帯.＝r. of articular capsule of hip.

caudal r. 尾骨支帯.＝r. caudale.

r. caudale [TA]. 尾骨支帯（皮膚から尾骨までのびた線維帯で尾骨窩を形成する，脊索の遺残).＝caudal ligament; caudal r.; ligamentum caudale.

r. cutis [TA]. 皮膚支帯.＝skin *ligaments*.

r. cutis mammae* suspensory *ligaments* of breast の公式の別名.

extensor r. [TA]. 伸筋支帯（手根の背面を斜めに横切ってのびる強い線維帯で，深前腕筋膜の肥厚によって形成され，深くはいって橈骨・方形骨・豆状骨背面の骨稜に付着し，指および母指の伸筋腱を押さえている).＝r. musculorum extensorum [TA]; dorsal carpal ligament; ligamentum carpi dorsale.

retinacula of extensor muscles 伸筋支帯（→inferior extensor r.; superior extensor r.).

flexor r. of forearm ＝antebrachial flexor r.

flexor r. of hand [TA]. 〔手の〕屈筋支帯.（手根の掌面を横切る強い線維帯で，その下に指の屈筋腱および橈側手根屈筋腱と正中神経を通す．かくて手根管が形成される).＝r. musculorum flexorum [TA]; deep part of flexor retinaculum; ligamentum carpi transversum; ligamentum carpi volare; transverse carpal ligament; volar carpal ligament.

flexor r. of lower limb [TA]. 下肢の屈筋支帯（内側果から踵骨の内縁および上縁まで，および足底面の舟状骨まで通る広い靱帯．後脛骨腱，長趾伸筋腱，および長母趾伸筋腱を正しい位置に保つ).＝r. musculorum flexorum membri inferioris [TA]; laciniate ligament; ligamentum laciniatum; r. of flexor muscles.

r. of flexor muscles 屈筋支帯.＝flexor r. of lower limb.

inferior extensor r. [TA]. 〔足の〕下伸筋支帯（Y字形の靱帯で，足指の伸筋腱を足関節の遠位部に押さえ付けている).＝r. musculorum extensorum inferius [TA]; cruciate ligament of leg; inferior r. of extensor muscles; ligamentum cruciatum cruris.

inferior r. of extensor muscles 下伸筋支帯.＝inferior extensor r.

inferior fibular r. [TA]. 下腓骨筋支帯（長短腓骨筋の腱が足の外側を通るところではずれないように止めている帯状の深筋膜．Y字形の下伸筋支帯から外側へ延びたもので，踵骨の腓骨滑車から踵骨下外側面にまで延びている).＝r. musculorum fibularium inferius [TA]; inferior peroneal r.*; r. musculorum peroneorum inferius*.

inferior peroneal r.* inferior fibular r. の公式の別名.

lateral r. of orbit (lat′ĕr-ăl ret-i-nak′yū-lŭm ōr′bit). 眼窩の外側支持帯（眼瞼挙筋腱膜の外側角，外眼角腱，下懸垂靱帯(Lockwood靱帯)および外直筋の制御靱帯からなる線維性支持構造の集合．外側支持帯は眼窩外側結節に繋がる).

lateral patellar r. [TA]. 外側膝蓋支帯（外側広筋の腱膜部分で，外側を通り膝蓋に至り脛骨粗面につく).＝r. patellae laterale [TA].

medial patellar r. [TA]. 内側膝蓋支帯（内側広筋の腱膜部分で，内側を通り膝蓋に至り脛骨の内果につく．膝関節包の内側部を形成する).＝r. patellae mediale [TA].

Morgagni r. (mōr-gah′nyē). モルガニー支帯.＝*frenulum* of ileal orifice.

r. musculorum extensorum [TA].＝extensor r.

r. musculorum extensorum inferius [TA]. 〔足の〕下伸筋支帯.＝inferior extensor r.

r. musculorum extensorum superius [TA]. 〔足の〕上伸筋支帯.＝superior extensor r.

r. musculorum fibularium ＝peroneal r.

r. musculorum fibularium inferius [TA].＝inferior fibular r.

r. musculorum fibularium superius [TA]. 上腓骨筋支帯. =superior fibular r.

r. musculorum flexorum [TA]. 屈筋支帯. = flexor r. of hand.

r. musculorum flexorum membri inferioris [TA]. = flexor r. of lower limb.

r. musculorum peroneorum 腓骨筋支帯. =peroneal r.

r. musculorum peroneorum inferius☆ inferior fibular r. の公式の別名.

r. musculorum peroneorum superius☆ superior fibular r. の公式の別名.

retinacula of nail 爪支帯（爪床の下にある指節への着点）. =retinacula unguis.

r. patellae laterale [TA]. 外側膝蓋支帯. =lateral patellar r.

r. patellae mediale [TA]. 内側膝蓋支帯. =medial patellar r.

patellar r. 膝蓋支帯（内側広筋・外側広筋の腱膜の延長で膝蓋骨の両側を通り，前方では膝蓋骨縁および膝蓋靱帯に，後方では側副靱帯に，遠位では脛骨顆に達し，膝関節包の前内側部(腸脛靱帯とともに)および前外側部を形成する．→lateral patellar r.; medial patellar r.）.

peroneal r. 腓骨筋支帯（上・下線維帯で，長腓骨筋の腱および短腓骨筋の腱がくるぶしの外側で交差するように保持している）. =retinacula of peroneal muscles; r. musculorum fibularium; r. musculorum peroneorum.

retinacula of peroneal muscles 腓骨筋支帯. =peroneal r.

r. of skin 皮膚支帯. =skin *ligaments.*

superior extensor r. [TA]. 〔足の〕上伸筋支帯（伸筋腱を果関節の近位に押さえている靱帯．足の深筋膜の肥厚部と連続している）. =r. musculorum extensorum superius [TA]; ligamentum transversum cruris; superior r. of extensor muscles; transverse crural ligament; transverse ligament of leg.

superior r. of extensor muscles〔足の〕上伸筋支帯. =superior extensor r.

superior fibular r. [TA]. 上腓骨筋支帯（長腓骨筋と短腓骨筋が外果の後方を通るところで両筋の上にある厚い深在筋膜のうち，上方にあるもの．その場所で腱と皮下包を固定させる．外果から踵骨にまで達する）. =r. musculorum fibularium superius [TA]; r. musculorum peroneorum superius☆; superior peroneal r.☆.

superior peroneal r.☆ superior fibular r. の公式の別名.

suspensory r. of breast☆ suspensory *ligaments* of breast の公式の別名.

r. tendinum 腱支帯（腱を拘束する靱帯構造．例えば，屈筋支帯，伸筋支帯，指の線維鞘の輪状部分など）.

retinacula unguis 爪支帯. =retinacula of nail.

ret·i·nal (ret′i-năl). ***1*** 網膜の. ***2*** レチナール；retinaldehyde（ほとんどがオール-*trans* 型である．視覚経路に関与する．11-*cis*-レチナールはオプシンと結合しヨードプシンやロドプシンを形成する．光によってオール-*trans*-レチナールが生成され，その蛋白から解離する）.

r. dehydrogenase レチナール〔デヒド〕デヒドロゲナーゼ（レチナールデヒドと NAD^+ とレチン酸と NADH の相互転換を触媒するオキシドレダクターゼ．成長と分化に働く）. =retinaldehyde dehydrogenase.

r. isomerase レチナール〔デヒド〕イソメラーゼ（オール-*trans*-レチナール(デヒド)の 11-*cis*-レチナールへの *cis*-*trans* 転換を触媒するイソメラーゼ．視覚周期の一部分）. =retinaldehyde isomerase.

r. reductase レチナール還元酵素；alcohol dehydrogenase $(NAD(P)^+)$.

11-*cis*-ret·i·nal 11-*cis*-レチナール（レチナールデヒドの異性体で，オプシンと結合してヨードプシンまたはロドプシンを生成する．11-*trans*-レチナールからレチナールイソメラーゼにより生成される）. =neoretinal b.

***trans*-ret·i·nal** (ret′i-năl). *trans*-レチナール（→retinal）. =all-*trans*-retinal.

ret·i·nal·de·hyde (ret′i-nal′dĕ-hīd). レチナールアルデヒド（レチノールの末端基(ヒドロキシル基)が酸化してアルデヒドになったもの．光によるロドプシンの退色または視覚周期のオプシンの解離で，（オール-*trans*-レチナールとして）遊離されるカロチン）. =retinene-1; retinene; vitamin A aldehyde.

r. dehydrogenase =*retinal* dehydrogenase.

r. isomerase =*retinal* isomerase.

r. reductase レチナールデヒドレダクターゼ；alcohol dehydrogenase $(NAD(P)^+)$.

ret·i·nec·to·my (ret′i-nek′tŏ-mē). 網膜切除（網膜の一部の手術的切除）.

ret·i·nene (ret′i-nēn). レチネン，視黄. =retinaldehyde.

ret·i·nene-1 (ret′i-nēn). レチネン-1. =retinaldehyde.

ret·i·nene-2 (ret′i-nēn). レチネン-2. =dehydroretinaldehyde.

ret·i·ni·tis (ret′i-nī′tis) [retina + G. *-itis,* inflammation]. 網膜炎.

albuminuric r. 蛋白尿〔症〕性網膜炎（→hypertensive *retinopathy*）.

circinate r. 輪状網膜炎（→circinate *retinopathy*）.

diabetic r. 糖尿病〔性〕網膜炎（→diabetic *retinopathy*）.

exudative r., r. exudativa 滲出性網膜炎（外網膜層と網膜下腔へのコレステロールとコレステロールエステルの沈着を特徴とする慢性の異常．成人では，ブドウ膜炎に伴い，小児では網膜血管異常に伴う）. =Coats disease.

leukemic r. 白血病〔性〕網膜炎（→leukemic *retinopathy*）.

metastatic r. 転移性網膜炎（網膜血管中の腐敗性塞栓により起こる化膿性の網膜炎）. =purulent r.; septic r.

r. pigmentosa (RP) [MIM*268000]. 色素性網膜炎，網膜色素変性（両眼性の夜盲，求心性の視野欠損，網膜電図の異常，網膜内の色素浸潤を特徴とする進行性の網膜変性．孤発性もあり，また常染色体優性[MIM*180100]，常染色体劣性，X 連鎖遺伝[MIM*268000, *312600, *312610]を呈す．㊟本用語の直訳は〝色素性網膜炎〟であるが，日本では用いられず，〝網膜色素変性症〟といわれる．欧米では degeneratio pigmentosa retinae または retinary pigmentary degeneration といわれる）. =pigmentary retinopathy.

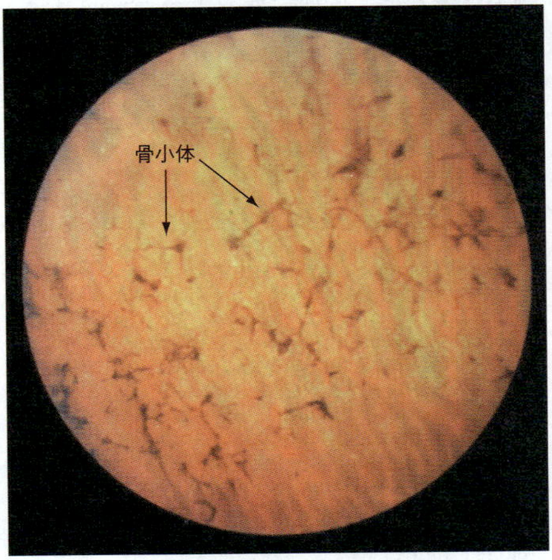

retinitis pigmentosa（advanced stage）

変性した網膜と集合性血管に色素性細胞が移動することにより骨小体が形をなした点に注意する．

r. proliferans 増殖性網膜炎(症). =proliferative *retinopathy.*

punctate r. 点状網膜炎（→*retinopathy* punctata albescens）.

purulent r. 化膿性網膜炎. =metastatic r.

R

r. sclopetaria [< *sclopetum*, a medieval handgun]. 射傷盲膜症（BB 弾ショットによるような網膜の重篤な外傷性障害）.

secondary r. 二次性網膜炎（ブドウ膜の炎症に続発する網膜炎）.

septic r. 敗血症〔性〕網膜炎. = metastatic r.

serous r. 漿液性網膜炎（網膜の浮腫. 網膜内層の軽い炎症）. = simple r.

simple r. 単純性網膜炎. = serous r.

r. syphilitica, syphilitic r. 梅毒性網膜炎（梅毒性脈絡膜炎を伴うことがしばしばあり，特に先天性梅毒において著しい網膜炎）.

retino-, retin- [Med. L. *retina*]. 網膜を意味する連結形.

ret·i·no·blas·to·ma (ret′i-nō-blas-tō′mă) [retino- + G. *blastos*, germ + *-oma*, tumor] [MIM*180200, *180201, *180202]. 網膜芽〔細胞〕腫（未熟な網膜細胞からなる小児の眼の悪性腫瘍で，通常は生後 3 年以内に発症する. 濃染色する核をもつ小型の円形細胞と，ロゼットを形成する細長い細胞とがみられるのが特徴. 晩期に骨肉腫を発症するリスクが増加する. 家族例では，本疾患は通例両側性で，同一眼内で多発病巣である. 散発性では，これらはまれ. 第 13 染色体長腕にある網膜芽細胞腫遺伝子(*RB*)の腫瘍サプレッサでの突然変異による常染色体優性遺伝）.

ret·i·no·cho·roid (ret′i-nō-kō′royd). 網〔膜〕脈絡膜の. = chorioretinal.

ret·i·no·cho·roid·i·tis (ret′i-nō-kō′roy-dī′tis) [retinochoroid + G. *-itis*, inflammation]. 脈絡網膜炎（脈絡膜まで広がった網膜の炎症）. = chorioretinitis.

bird shot r. バードショット脈絡網膜炎（眼底後極部から赤道部にかけて脈絡膜，網膜色素上皮の多発巣の脱色素を伴う両側性びまん性網膜血管炎. しばしば視神経炎，視神経萎縮を合併する. 皮膚の白斑(脱色素斑)がしばしば生じる）. = vitiliginous choroiditis.

r. juxtapapillaris 乳頭隣接脈絡網膜炎（視神経に近接する脈絡網膜炎）. = Jensen disease.

ret·i·no·di·al·y·sis (ret′i-nō-dī-al′i-sis) [retino- + G. *dialysis*, separation]. 網膜裂開，網膜剝離. = *dialysis* retinae.

ret·i·no·ic ac·id (ret′i-nō′ik as′id). レチン酸；vitamin A_1 acid（痤瘡の治療に局所的に用いる）. = vitamin A_1 acid.

13-*cis*-r. a. 13-*cis*-レチノイン酸（痤瘡の治療に米国で最も頻用されるレチノイド. 皮脂の分泌を抑制することにより作用する. 催奇性があるので妊婦への使用は禁忌である）.

ret·i·noid (ret′i-noyd). ***1*** [G. *rētinē*, resin + *eidos*, resemblance]. 樹脂類似の. = resinous. ***2*** [Mediev. L. *retina*]. 網膜様の，類網膜の. ***3*** 複数形では，レチノールの自然形と合成アナログ(類似体)を記述する用語.

ret·i·noids (ret′i-noydz). レチノイド（レチン酸から誘導される角膜溶解薬に分類され，重度な痤瘡および乾癬の治療に用いる）.

ret·i·nol (ret′i-nol). レチノール（半カロチン. 視覚周期の中間体. 成長と分化にも働く）. = vitamin A_1 alcohol; vitamin A_1.

r. dehydrogenase レチノールデヒドロゲナーゼ（レチナールと NADH およびレチノールと NAD^+ の相互転換を触媒するオキシドレダクターゼ）.

11-*cis*-ret·i·nol (ret′i-nol). 11-*cis*-レチノール（11 位(カロチノイド番号)または 5′ 位(レチノール番号)の側鎖が *cis* 配置をとるレチノール. 視覚周期の中間体）. = neoretinene B.

ret·i·no·pap·il·li·tis (ret′i-nō-pap′i-lī′tis). 乳頭網膜炎（視神経乳頭にまで広がった網膜の炎症）.

r. of premature infants 未熟児乳頭網膜炎. = *retinopathy* of prematurity.

ret·i·nop·a·thy (ret′i-nop′ă-thē) [retino- + G. *pathos*, suffering]. 網膜症，網膜障害（網膜の非炎症性変性疾患）.

acute zonal occult outer r. (**AZOOR**) 急性帯状潜在性網膜外層症（両眼または片眼性に網膜外層の一部または一部以上の領域の急性傷害，眼底検査所見の極小変化，および網膜電図異常を特徴とする病変）.

arteriosclerotic r. 動脈硬化性網膜症（網膜細動脈の狭細化，増加する血管蛇行，銅・銀線様外観，鞘形成，腔径不同，および小出血の散在，周囲に浮腫を伴わない小さく鋭い縁をもつ滲出物がみられる）.

cancer-associated r. (**CAR**) 癌関連網膜症（進行性の視機能障害，網膜変性の臨床的所見，および網膜桿体および錐体機能不全による網膜電図反応の減弱を特徴とする腫瘍随伴性視力障害）.

central angiospastic r. 中心性血管痙縮性網膜症. = central serous *choroidopathy*.

central serous r. 漿液性中心性網膜症，中心性網膜炎. = central serous *choroidopathy*.

circinate r. 輪状網膜症（灰色の黄斑の周りにはっきり境界が示された帯状の白い滲出物を特徴とする網膜変性. 通常，両眼性で，高齢者に起こりやすい）.

compression r. 圧迫性網膜症（① → Berlin *edema*. ② → traumatic r.）.

---

diabetic r. 糖尿病〔性〕網膜症(障害)（糖尿病で生じる網膜変化. 微細血管瘤，浸出，出血，およびときに新生血管を特徴とする）. = fundus diabeticus.

米国では糖尿病性眼疾患は成人(20―65歳)での失明原因の第 1 位であり，毎年の 2 万4,000例の失明例にのぼる. これは新たな報告例の25%である. 臨床症状発症後20年以内に，1 型糖尿病(DM)症例では全例，2 型糖尿病症例の60%以上で網膜症を発症する. 網膜症は 2 型糖尿病患者の20%で診断時にすでにみられる. 基本形は非増殖性網膜症で，これは細胞毛細血管での変性変化による. 眼底鏡による本異常の所見は微小血管瘤，実際は微小梗塞による軟性または綿花様浸出物，毛細血管からの漏出による脂質と蛋白の沈着である硬性またはロウ様浸出物と火炎様または点状および斑状出血である. 1 型糖尿病例の一部は網膜上での新生毛細血管ループの増殖である新生血管を特徴とする増殖性網胞症を発症する. 糖尿病網膜症の変化はフルオレセイン蛍光造影検査により最も明瞭に画像としてとらえられる. いずれのタイプも網膜組織の直接傷害や網膜浮腫，網膜剝離，硝子内出血を生じやすいことにより視力障害を生じる可能性がある. 増殖糖尿病網膜症はより急速進行性であり，無治療の場合失明に至りやすい. 臨床対照試験によると糖尿病患者の血糖値を可能な限り正常に維持することにより網膜症の発症および進行を減少させることができる. レーザー光凝固は増殖糖尿病網膜症および黄斑浮腫での血管新生を停止する効果を有する. 手術は硝子体出血または網膜裂裂孔の治療に必要となる.

---

dysproteinemic r. 異常蛋白血網膜症（異常蛋白血症において，血液粘性の増加のために起こる網膜静脈のうっ血）.

electric r. 電気性網膜症. = photoretinopathy.

external exudative r. 外滲出性網膜症（→ exudative *retinitis*）.

hypertensive r. 高血圧〔性〕網膜症（急速進行性高血圧にみられる網膜像. 細動脈の狭細化，火焔状出血，綿花様滲出物，黄斑部の著しい星芒状浮腫，および乳頭浮腫を特徴とする）.

Leber idiopathic stellate r. (lā′bĕr). レーバー特発性星状網膜症（→ neuroretinitis）.

leukemic r. 白血病〔性〕網膜症（あらゆる型の白血病にみられる網膜像. 黄色がかった橙色の眼底，静脈のうっ血および蛇行，散在する出血，網膜や視神経乳頭の浮腫を特徴とする）.

lipemic r. 脂肪血網膜症（硬性辺縁の脂肪滲出を伴う網膜血管のミルク様所見. 糖尿病アシドーシスと高脂血症症例でみられる）.

macular r. 黄斑網膜症. = maculopathy.

pigmentary r. 色素性網膜症. = *retinitis* pigmentosa.

r. of prematurity 未熟〔児〕網膜症（線維組織や血管による感覚網膜の異常な置換で，主として高酸素濃度の環境に置かれた 1,500 g以下の出生時体重をもつ未熟児に起こる）. = retinopapillitis of premature infants; retrolental fibroplasia; Terry syndrome.

proliferative r. 増殖性網膜症（硝子体中に広がった網膜の血管新生）. = retinitis proliferans.

r. punctata albescens [MIM*136880]. 白点状網膜症（両眼の眼底に網膜全体に多数の白点または白斑が生じる疾患. 夜盲を生じる. 常染色体優性遺伝で第 6 染色体短腕のペ

リフェリンにコードされた網膜変性，スロー遺伝子(*RDS*)での変異による．劣性形式［MIM*210370］も存在する)．

Purtscher r. プルチャーの網膜症（急性の静脈圧の上昇による一過性の外傷性の網膜血管症．シートベルト外傷による体部圧迫などによる．眼底は乳頭または黄斑部の網膜静脈での大きな白色斑を呈す．出血と網膜浮腫，骨髄からの脂肪塞栓によると考えられている)．＝Purtscher disease; transient r.; traumatic r.

renal r. 腎性網膜症（慢性の糸球体腎炎あるいは腎硬化症を伴う高血圧性の網膜症)．

rubella r. 風疹性網膜症（先天性風疹における色素性の網膜変化．視機能への影響はない)．

sickle cell r. 鎌状赤血球網膜症（網膜静脈の怒張と蛇行，小動脈瘤および網膜出血を特徴とする症状．さらに進んだ段階では，血管新生，硝子体出血，あるいは網膜剝離を起こす)．

solar r. 日光性網膜症．＝photoretinopathy.

toxemic r. of pregnancy 妊娠中毒症性網膜症（網膜小動脈の突発性血管痙攣で，後に，進行した高血圧性網膜症の網膜血管所見がみられる．血管の変化は妊娠の終了により急激に消失する)．

toxic r. 毒素性網膜症（様々な薬物の長期投与による網膜の変化)．

transient r. 一過性網膜症．＝Purtscher r.

traumatic r. 外傷網膜症．＝Purtscher r.

venous-stasis r. 静脈うっ滞網膜症（中心網膜静脈の閉塞によって起こる片眼の糖尿病様網膜症．非虚血性中心網膜静脈閉塞)．

whiplash r. むち打ち網膜症（突然の加速/減速障害により生じる網膜傷害)．

ret·i·no·pex·y (ret′i-nō-pek′sē)［retino- + G. *pēxis*, fixation］．網膜復位術（剝離網膜を本来の部位に復位させる方法．すなわち冷凍によって網脈絡膜を癒着させる)．

fluid r. 液体網膜癒着術（硝子体より比重の大きい液体で剝離網膜を押さえつけて復位させる術式)．

gas r. 気体(ガス)網膜癒着術（膨張性ガスにより剝離網膜を復位させる術式)．＝pneumatic r.

pneumatic r. 空気網膜癒着術．＝gas r.

ret·i·no·pi·e·sis (ret′i-nō-pī-ē′sis)［retino- + G. *piesis*, pressure］．網膜圧迫〔法〕（気体や液体により剝離した網膜を圧迫して復位させること．→retinopexy)．

ret·i·nos·chi·sis (ret′i-nos′ki-sis)［retino- + G. *schisis*, division］．網膜分離〔症〕（変性による網膜の分割で，この２層間に嚢胞が形成される)．

juvenile r. 若年性網膜分離〔症〕（10歳以前に神経線維層間にできるもので，しばしば黄斑部を含む．最初，内壁は半透明のベール様の膜であるが，さらに濃くなり，白色網膜となる．常染色体劣性．中年期においてX連鎖性［MIM*312700］およびまれに常染色体優性型［MIM*180270］がある)．

senile r. 老年(老人)性網膜分離〔症〕（40歳以上で最もよく起こり，外網状層を侵す．下耳側のごく周辺部に始まり，著しい進行性はない．通常，視力は良好である)．

ret·i·no·scope (ret′i-nō-skōp)［retino- + G. *skopeō*, to view］．レチノスコープ（検影法の際に，検査眼網膜を照明するために用いる光学器械)．

luminous r. 照明レチノスコープ（円状あるいは線状光束のどちらも使用できる軽便な光学器械)．

reflecting r. 反射レチノスコープ（観察者が検査眼からの光線像を見ることができるような中央に穴のある平面鏡あるいは凹面鏡)．

ret·i·nos·co·py (ret′i-nos′kŏ-pē)［retino- + G. *skopeō*, to view］．検影法（網膜を照らし，眼から帰る光線を観察することにより屈折異常を検出する方法)．＝scotoscopy; shadow test; skiascopy.

cylinder r. 円柱検影法（円柱レンズを用いて球面異常，乱視，あるいは屈折異常を測る方法)．

fogging r. 雲霧検影法（調節を休止させるまで凸レンズを使用して視力を低下させる方法で，静的な調節麻痺薬を使用しない)．

ret·i·not·o·my (ret-i-not′ŏ-mē)．網膜切開術（網膜の手術的切開)．

ret·i·nyl phos·phate (ret′i-nil fos′fāt)．レチニルリン酸（オール-*trans*-レチノールのリン酸エステル．成長制御や粘液分泌に必要なある種の糖蛋白の生合成に必須である)．

re·to·per·i·the·li·um (rē′to-per′i-thē′lē-um)［L. *rete*, net + G. *peri*, around + Mod. L. *thelium* < G. *thēlē*, nipple］．細網細胞（リンパ組織の間質にみられるような，細線維網にみられる細網細胞)．

re·tort (rē-tōrt′)［Mediev. L. *retorta*: *retorqueo*, pp. *-tortus*(to twist or bend back)の女性形完了分詞］．***1*** レトルト，蒸留フラスコ（外へ向かう長い首をもつフラスコ様の器で，以前は蒸留に用いた)．***2*** レトルト（小さな炉)．

Re·tor·tam·o·nas (rē′tōr-tam′ō-nas)［L. *re-torqueo*, to twist back + G. *monas*, single, a unit］．原生動物の鞭毛虫の一属．その一種である *R. intestinalis* はまれにヒトの腸に見出されるが，非病原性のため報告されることはほとんどない．

re·tract (rē-trakt′)［L. *re-traho*, pp. *-tractus*, a drawing back］．収縮させる，後退させる．

re·trac·tile (rē-trak′til)．退縮性の，伸縮自在の．

re·trac·tion (rē-trak′shŭn)［L. *retractio*, a drawing back］．***1*** 退縮，後退，収縮．***2*** 歯の後方移動で，通常は矯正装置の助けを借りて行う．

gingival r. 歯肉退縮（①歯肉縁が歯面から側方に移動することで，炎症の存在またはポケット形成を表す．②機械的，化学的，または外科的手段による歯からの歯肉縁の移動)．

mandibular r. 下顎後退〔症〕（顔面異常の１つで，グナチオンが眼窩面の後方で結び付いている)．

re·trac·tor (rē-trak′tŏr, -tōr)．***1*** レトラクタ，開創器，〔開〕創鉤，牽引子（創縁を広げたり，手術野に隣接した組織をよけたりするための器具)．***2*** レトラクタ（身体の一部分を後方に引っ張る筋．例えば，僧帽筋中部線維と側頭筋水平線維で，僧帽筋中部線維は肩甲骨のレトラクタであり，側頭筋水平線維は下顎骨のレトラクタである)．

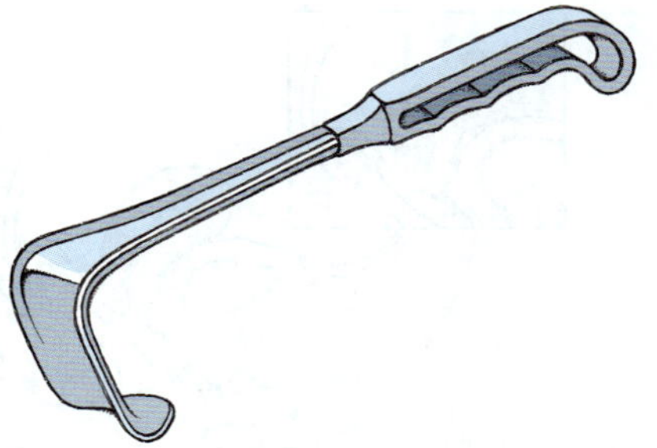

abdominal retractor

Desmarres r. (dā-mahr′)．デマール鉤（眼瞼の抑制(開瞼)に用いられる器具)．

re·trad (rē′trad)［L. *retro*, backward + *ad*, to］．後方へ，背側へ，尾方へ．

re·tra·hens au·rem, re·tra·hens au·ric·u·lam (rē′tră-henz aw′rem, aw-rik′ū-lam)［L. drawing back the ear, or auricle］．→auricularis posterior (*muscle*)．

re·treat from re·al·i·ty (rē-trēt′ rē-al′i-tē)．現実世界とのかかわりを，空想的満足または空想で代理すること．

re·trench·ment (rē-trench′ment)［Fr. *re-*, back + *trancher*, to cut］．短縮術（ぜい肉組織を切り取ること)．

re·triev·al (rē-trē′văl)．想起（記憶過程におけるコード化encodingと貯蔵storageの後の第３段階．貯蔵された情報を意識に呼び戻す精神過程．→memory)．

retro-［L. back, backward］．後方または後部．

ret·ro·au·ric·u·lar (ret′rō-aw-rik′yū-lăr)．耳介後〔方〕の．

ret·ro·buc·cal (ret′rō-bŭk′ăl)．頰後〔方〕の，口腔後方の．

ret·ro·bul·bar (ret′rō-bŭl′băr)．眼球後の．＝retroocular.

ret·ro·cal·ca·ne·o·bur·si·tis (ret′rō-kal-kā′nē-ō-bĕr-sī′tis)［retro- + L. *calcaneum*, heel + bursitis］．踵骨後粘液

嚢炎．＝achillobursitis.

ret·ro·ce·cal (ret′rō-sē′kăl)．盲腸後〔方〕の．

ret·ro·cer·vi·cal (ret′rō-ser′vi-kăl)．子宮頸管後〔方〕の．

ret·ro·ces·sion (ret′rō-sesh′ŭn)［L. *retro-cedo*, pp. *-cessus*, to go back, retire］．***1*** 後退（元に戻ること．回復）．***2*** 内攻（ある内臓器官またはその一部に徴候が現れた後，病気の外的症状が一時止まること）．***3*** 後屈（子宮，その他の器官の位置が正常よりかなり後方にあることをいう）．

ret·ro·clu·sion (ret′rō-klū′zhŭn)［retro- ＋ L. *claudo* (*cludo*), to close］．挿針止血〔法〕（止血のための針圧術の一型．針を動脈切断端上の組織に通して回転させ，血管の背面を後方に通し，刺入点の近くに出すようにする）．

ret·ro·col·ic (ret′rō-kol′ik)［retro- ＋ G. *kolon*, colon］．結腸後〔方〕の．

ret·ro·col·lic (re-trō-kol′ik)［retro- ＋ L. *collum*, neck］．頸後〔方〕の，頸後屈の．

ret·ro·con·duc·tion (ret′rō-kon-dŭk′shŭn)．＝retrograde VA *conduction*.

ret·ro·cur·sive (ret′rō-kŭr′siv)［retro- ＋ L. *cursus*, running］．後退の（後方に走る）．

ret·ro·de·vi·a·tion (ret′rō-dē′vē-ā′shŭn)．後転（後屈または後傾）．

ret·ro·dis·place·ment (ret′rō-dis-plās′ment)．後転（子宮の後屈や後傾など，後方への移動）．

ret·ro·e·soph·a·ge·al (ret′rō-ē′sō-faj′ē-ăl)．食道後〔方〕の．

ret·ro·fil·ling (ret′rō-fil′ing)．逆根管充塡（歯根尖端から根尖孔に封鎖材を塡塞すること）．

ret·ro·flec·ted (ret′rō-flek′tĕd)．＝retroflexed.

ret·ro·flec·tion (ret′rō-flek′shŭn)．＝retroflexion.

ret·ro·flexed (ret′rō-flekst)［retro- ＋ L. *flecto*, pp. *flexus*, to bend］．後転の，反屈の，後屈の．＝retroflected.

ret·ro·flex·ion (ret′rō-flek′shŭn)．後屈〔症〕，反屈（身体が後屈するとき，子宮体部が頸管と角度をつくるような後方への屈曲）．＝retroflection.

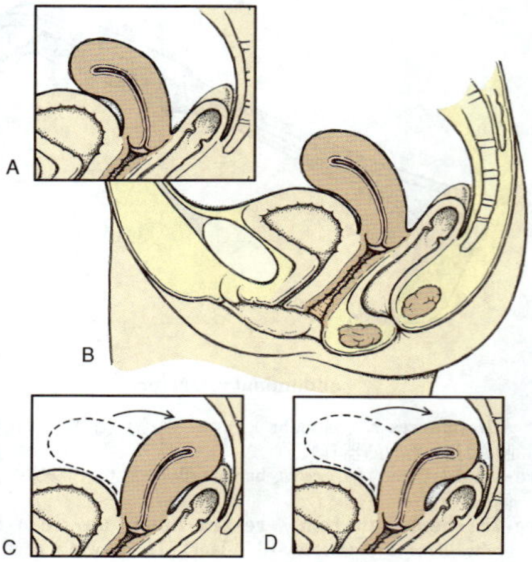

position of the uterus

A：正常前傾および異常前屈．B：正常前傾および前屈．C：後傾および後屈．D：後傾および著しい後屈．

r. of iris 虹彩後屈（高度の衝撃の後に毛様体上に虹彩が異常に位置すること）．

ret·ro·gnath·ic (ret′rō-nath′ik)．顎後退の，後退顎の（［二重字 gn において，g は語頭にあるときのみ無音である］．上顎に比して下顎が正常よりも後方に位置することをいう）．

ret·ro·gnath·ism (ret′rō-nath′izm)［retro- ＋ G. *gnathos*, jaw］．顎後退，後退顎（［二重字 gn において，g は語頭にあるときのみ無音である］．頭顔部の比例関係からみて上顎，下顎，あるいは両者が正常よりも後方に位置している状態．通常は下顎について用いる）．

ret·ro·grade (ret′rō-grād)［L. *retrogradus* < retro- ＋ *gradior*, to go］．逆行〔性〕の，逆方向〔性〕の，退行〔性〕の（①後方に動く．②退化する．成長発達の正常な順序に逆らう．③神経科学において，軸索の細胞体へ向かう遠位－近位の流れ，運動，または輸送について用いる．また，損傷部から近位への軸索変性についても用い，その軸索変性は細胞体まで伸び，細胞体も障害することがある）．

re·trog·ra·phy (re-trog′ră-fē)［retro- ＋ G. *graphō*, to write］．逆書き．＝mirror-writing.

ret·ro·gres·sion (ret′rō-gresh′ŭn)［L. *retrogressus* < *retrogradior*, to go backwards］．退行，退化．＝cataplasia.

ret·ro·in·hi·bi·tion (ret′rō-in′hi-bish′ŭn)．レトロ阻害．＝feedback *inhibition*.

ret·ro·i·rid·i·an (ret′rō-i-rid′ē-ăn)．虹彩後〔方〕の．

ret·ro·jec·tion (ret′rō-jek′shŭn)［L. *retro*, backward ＋ *jacio*, to throw］．腟洗浄（注入した液体を逆流させることによって腟内を洗い流すこと）．

ret·ro·jec·tor (ret′rō-jek′tŏr)．洗浄器（ノズルに長い管状の付属器具が付いた洗浄用注射器の一種）．

ret·ro·len·tal (ret′rō-len′tăl)．＝retrolenticular (1).

ret·ro·len·tic·u·lar (ret′rō-len-tik′yū-lăr)．***1*** 水晶体後〔方〕の．＝retrolental．***2*** 脳のレンズ核後〔方〕の．

ret·ro·lin·gual (ret′rō-ling′gwăl)［retro- ＋ L. *lingua*, tongue］．舌後の．

ret·ro·mam·ma·ry (ret′rō-mam′ă-rē)．乳房後〔方〕の．

ret·ro·man·dib·u·lar (ret′rō-man-dib′yū-lăr)［retro- ＋ L. *mandibula*, lower jaw］．下顎後〔方〕の．

ret·ro·mas·toid (ret′rō-mas′toyd)．乳突後〔方〕の（乳様突起後方の．後方の乳突蜂巣についていう）．

ret·ro·mo·lar (ret′rō-mō′lăr)．臼〔歯〕後の（最後に生えた（存在する）臼歯の遠心(後方)についていう）．

ret·ro·mor·pho·sis (ret′rō-mōr′fō-sis)［retro- ＋ G. *morphōsis*, process of forming］．退化，逆行性形成．＝cataplasia.

ret·ro·na·sal (ret′rō-nā′zăl)．鼻後〔方〕の（後鼻孔についていう）．

ret·ro·oc·u·lar (ret′rō-ok′yū-lăr)．＝retrobulbar.

ret·ro·per·i·to·ne·al (ret′rō-per′i-tō-nē′ăl)．腹膜後の（腹膜の外部または後方についていう）．

ret·ro·per·i·to·ne·um (ret′rō-per′i-tō-nē′ŭm)［retro- ＋ peritoneum］．腹膜後腔．＝retroperitoneal *space*.

ret·ro·per·i·to·ni·tis (ret′rō-per′i-tō-nī′tis)．腹膜後炎，後腹膜炎（腹膜後方の細胞組織の炎症）．

idiopathic fibrous r. 特発〔性〕線維性腹膜後炎．＝retroperitoneal *fibrosis*.

ret·ro·pha·ryn·ge·al (ret′rō-fă-rin′jē-ăl)．咽頭後〔方〕の．

ret·ro·phar·ynx (ret′rō-făr′ingks)．咽頭後部．

ret·ro·pla·cen·tal (ret′rō-plă-sen′tăl)．胎盤後〔方〕の．

ret·ro·pla·si·a (ret′rō-plā′zē-ă)［retro- ＋ G. *plasis*, a molding］．退行変性（活性が正常と考えられるそれより低下する細胞または組織の状態．退化に伴って起こる(損傷，退化，死，壊死など))．

ret·ro·posed (ret′rō-pōzd)［retro- ＋ L. *pono*, pp. *positus*, to place］．後位の．

ret·ro·po·si·tion (ret′rō-pō-zish′ŭn)［retro- ＋ L. *positio*, a placing］．後位（子宮にみられるように，傾斜，屈曲，後屈，または後傾を伴わない，構造や器官の単純な後方移動）．

ret·ro·pos·on (ret′rō-pōz′on)［retro- ＋ L. *pono*, pp. *positum*, to place ＋ -on］．レトロポゾン（① DNA 中の塩基配列の転移のことで，その配列は，DNA 由来ではなく，逆転写によりゲノム DNA に変換された mRNA 由来の配列である．＝retrotransposon．②転位因子）．

ret·ro·pu·bic (ret′rō-pyū′bik)．恥骨後の（恥骨の後方の）．

ret·ro·pul·sion (ret′rō-pŭl′shŭn)［retro- ＋ L. *pulsio*, a pushing < *pello*, pp. *pulsus*, beat, drive］．後方突進（①パーキンソン症候群の患者にみられる，後方への不随意の歩行または走行．②あらゆる部分を押し戻すこと）．

ret·ro·spec·tion (ret′rō-spek′shŭn)［retro- ＋ L. *specto*, pp. *spectatus*, to look at］．回想，追想（過去に思いをめぐらせる行為または過程）．

ret·ro·spec·tive (ret′rō-spek′tiv)．回想の，追想的．

ret·ro·spon·dy·lo·lis·the·sis (ret′rō-spon′di-lō-lis-thē′-sis) [retro- + G. *spondylos*, vertebra + *olisthēsis*, a slipping]. 脊椎後方すべり症（椎体が後方へすべって，隣接している椎が1本にならないでずれてしまうこと）.
ret·ro·ster·nal (ret′rō-ster′năl). 胸骨後〔方〕の.
ret·ro·ster·oid (ret′rō-stēr′oyd, -ster′oyd). レトロステロイド，逆位ステロイド（9位および10位の炭素における置換基の配列が，基準または基本化合物のそれと逆になっているようなステロイドを表すために，ときに用いる語）.
ret·ro·tar·sal (ret′rō-tar′săl). 瞼板後の（瞼板または眼瞼の縁の後方についていう）.
retrotransposon レトロトランスポゾン．＝retroposon (1).
ret·ro·u·ter·ine (ret′rō-yū′tĕr-in). 子宮後〔方〕の.
ret·ro·ver·si·o·flex·ion (ret′rō-ver′sē-ō-flek′shŭn, -ver′-zhō-). 〔子宮〕後傾後屈〔症〕（子宮の後傾と後屈とが合併したもの）.
ret·ro·ver·sion (ret′rō-ver′zhŭn) [retro- + L. *verto*, pp. *versus*, to turn]. ***1*** 後傾〔症〕（子宮のように後方へ回転したもの）. ***2*** 後反（歯が正常よりも後方位にある状態）.
ret·ro·vert·ed (ret′rō-ver-tĕd). 後傾した.
Ret·ro·vir·i·dae (ret′rō-vir′i-dē). レトロウイルス科（RNAウイルスの一科で，直径80—100 nm，エンベロープをもち，2本の同一分子のプラス鎖1本鎖RNA(分子量3—6×10^6)を包含している．RNAは相補的DNA合成の鋳型として働き，合成されたDNAは宿主DNAに組み込まれる．現在のところ，哺乳類B型レトロウイルス，哺乳類C型レトロウイルス，鳥類C型レトロウイルス，D型レトロウイルス，BLV-HTLVレトロウイルス，*Lentivirus*属，*Spumavirus*属の7属が認定されている）.
retrovirologist (re′trō-vī-rol′ŏ-jist). レトロウイルス学者（レトロウイルスの専門家）.
retrovirology (re′trō-vi-rol′ŏ-jē). レトロウイルス学（レトロウイルスについての学問）.

---

ret·ro·vi·rus (ret′rō-vī′rŭs). レトロウイルス（レトロウイルス科に属するウイルスの各種）.

レトロウイルスは病原因子として重要であるが，分子生物学における非常に貴重な研究道具としても役立っている．1979年分子生物学者のRichard Mulliganは*in vitro*でのサルの腎細胞によるヘモグロビン産生のトリガーとして遺伝的に改造を施したレトロウイルスを用いた．外来の遺伝子を細胞に移入するためにレトロウイルスを用いる彼の手法は，各研究に広く受け入れられている．医学研究者もまた遺伝子治療の方法としてレトロウイルス移入を探究している．しかし，レトロウイルスは発癌作用をもつ可能性を示す証拠があり，遺伝子治療における使用の安全性に対して疑問が提起されている．→oncogene.

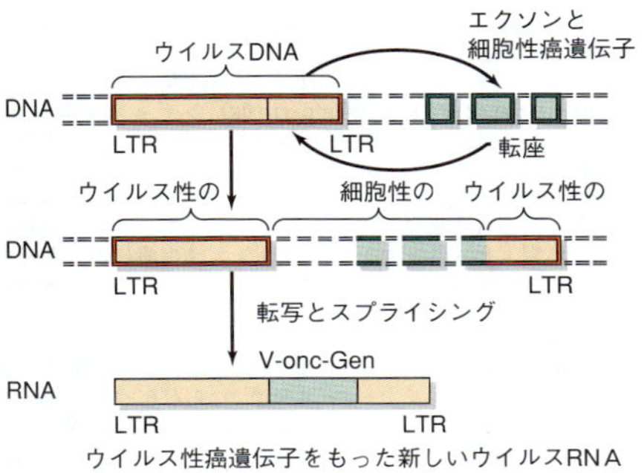

retrovirus

レトロウイルスへの細胞性癌遺伝子の取込み．それによって細胞性癌遺伝子はウイルス性癌遺伝子になる(LTR；長末端反復).

re·tru·sion (rē-trū′zhŭn) [L. *retrudo*, pp. *-trusus*, to push back]. 下顎後退（①一定の点からの下顎の後退．②下顎の後方への運動）.
Rett (ret), Andreas. 20世紀のオーストリア人小児科医．→R. *syndrome*.
return (rē-tŭrn′) [M. E. ＜ L. L. *retorno*, to turn again]. 還流，逆流（①流れることまたは戻ってくること．循環器学では血流についていう．②静脈切開では，静脈穿刺器の受け口に血液が出てくること）.
total anomalous pulmonary venous r. (**TAPVR**) [MIM*106700]. 全肺静脈還流異常（→anomalous pulmonary venous *connections*, total or partial）.
venous r. 静脈還流（大静脈や冠静脈洞を通って心臓に戻ってくる，単位時間当たりの血液量）.
Ret·zi·us (ret′zē-ŭs), Anders A. スウェーデン人解剖・人類学者，1796—1860．→*cavum* retzii; R. *cavity*, *fibers*, *gyrus*, *ligament*, *space*; retroperitoneal *veins*.
Ret·zi·us (ret′zē-ŭs), Magnus G. スウェーデン人解剖・人類学者，1842—1919．→R. *striae* (⇒stria); *lines* of R.; *foramen* of R.; calcification *lines* of R.; *foramen* of Key-R.; *sheath* of Key and R.
re·u·ni·ent (rē-yū′nē-ĕnt) [L. *re-*, again + *unio*, pp. *unitus*, to unite]. 結合の（結合管についていう）.
Reuss (rois), August von. ハプスブルク帝国の眼科医，1841—1924．→R. *formula*, *test*.
re·vac·ci·na·tion (rē′vak-si-nā′shŭn). ワクチン再接種（以前に有効なワクチン接種を受けた人に再びワクチン接種をすること）.
re·vas·cu·lar·i·za·tion (rē-vas′kyū-lăr-i-zā′shŭn). 血管再生，脈管再生（身体の部分に血液供給を再確保すること）.
hybrid r. (hī′brid rē-vas′kyū-lăr-i-zā′shŭn). ハイブリッド血管再生(血行再建)（経皮経管的冠状動脈形成術と冠状動脈疾患への外科的治療とを組み合わせて実施する治療法）.
re·ver·ber·a·tion (rē′ver-bĕr-ā′shŭn). 多重反射，多重エコー（超音波検査法におけるアーチファクトの一種で，反射超音波が探触子に戻る前に，探触子と反射体の間を何回も往復することによって生じる）.
Reverdin (re-vĕr-dan[h]), Jacques L. スイス人外科医，1842—1929．→R. *graft*.
re·ver·sal (rē-ver′săl) [L. *reverto*, pp. *-versus*, to turn back or about]. [不正確な隠語的語句reversal of A:G ratioを，A/G比の〝低下〟または〝1.0未満への減少〟の意味で使うのを避けること]. ***1*** 逆転（病態，疾病，症状，または病態の反対方向への回転または変化）. ***2*** 反転（スペクトルの暗線または輝線がそれぞれ反対のものに転化すること）. ***3*** 文字逆転症（印刷または手書きの小文字のpとqまたはg，bとd，あるいはsとzを識別することが困難なこと）. ***4*** 逆転（精神分析において，愛が憎悪に変わるように，感情の本質がその反対のものに変化すること）.
adrenaline r. アドレナリン逆転．＝epinephrine r.
epinephrine r. エピネフリン逆転（フェノキシベンザミンのような薬剤によりαアドレナリン作用性受容体を遮断した後，エピネフリンを投与することにより起こる血圧降下．血管拡張は，エピネフリンが血管平滑筋に対して抑制的に働くβアドレナリン作用性受容体を活性化する作用のあることを示している．α受容体が遮断されていない状態では，エピネフリンによるβ受容体の活性化は，収縮を起こす血管のα受容体が優位となるため失われる）．＝adrenaline r.
muscle relaxant r. 筋弛緩薬拮抗薬（筋弛緩薬の作用の中断(拮抗)には抗コリン作動薬を使用）.
narcotic r. 麻薬逆転（ナロキソンなどの麻薬拮抗薬を用いて，麻薬の作用を終わらせること）.
pressure r. 加圧逆転（加圧することで麻酔を終わらせる．麻酔薬の作用機序の理解のうえで重要である）.
sex r. 性転換，性徴転換．＝sex *reassignment*.
re·ver·si·ble (rē-ver′si-bĕl). 可逆〔性〕の（逆転可能の．疾病や化学反応についていう）.
re·ver·sion (rē-ver′zhŭn) [L. *reversio*(→reversal)]. ***1*** 先祖返り，隔世遺伝（ある形質が数世代後に再び現れること）. ***2*** 返転，転換，復帰〔突然〕変異（元の遺伝子型の回復(真性復帰突然変異)によるか，あるいは最初の突然変異とは異な

R

った部位での突然変異により，最初の突然変異の効果が打ち消される(サプレッサ突然変異)ことにより元の表現型が回復すること).

re·ver·tant (rē-verʹtănt) [L. *revertans*: *reverto* (to turn back) の現在分詞]. 復帰〔突然〕変異体 (微生物遺伝学において，その元来の遺伝子型へ戻った突然変異体(真性復帰突然変異体)，またはサプレッサ突然変異によって元の表現型に戻った突然変異体).

re·view (rē-vyūʹ) [Fr. *revue* < *revoir*, to see again]. レビュー (データの解釈，評価，研究，文献，トピックの研究分析. *cf*. analysis; metaanalysis).

drug utilization r. 薬剤利用審査 (薬剤療法の質や患者成果の質を改善するために，薬物使用パターンを収集，分析，評価する組織化された公認のプログラム).

Re·vil·li·od (re-vē-yōʹ), Léon. スイス人医師，1835—1919. ⇀R. *sign*.

re·vi·ves·cence (reʹvi-vesʹĕns) [L. *re-vivesco*, to come to life again < *vivo*, to live]. = revivification (1).

re·viv·i·fi·ca·tion (rē-vivʹi-fi-kāʹshŭn) [L. *re*-, again + *vivo*, to live + *facio*, to make]. ***1*** 蘇生，回復 (生命および体力の回復). = revivescence. ***2*** 創縁新生 (治癒を促進するために表面を擦過するか削るかして，創縁を新しくすること). = vivification.

re·vul·sion (rē-vŭlʹshŭn) [L. *revulsio*, act of pulling away < *re-vello*, pp. *-vulsus*, to pluck or pull away]. 誘出法，誘導法. = derivation (1).

re·ward (rē-wōrdʹ). 診査料，〔検査〕報酬. = reinforcer.

re·warm·ing (rē-wōrmʹing). 復温 (低体温症の治療のために加温すること).

Rex·ed (reksʹĕd), Bror A. スウェーデン人医師・科学者・公務員，1914—2002. ⇀*lamina* of Rexed.

Reye (rī), Ralph Douglas Kenneth. 20 世紀のオーストラリア人病理学者. ⇀R. *syndrome*.

Rey·mond (rā-mohnʹ). ⇀Du Bois-Reymond.

Rey·nolds (renʹŏldz), Osborne. イングランド人物理学者，1842—1912. ⇀R. *number*.

RF releasing *factors*; rheumatoid *factors*; replicative *form*; reticular *formation* の略.

Rf rutherfordium の略.

RFA right frontoanterior position の略.

RFLP restriction fragment length *polymorphism* の略.

RFP right frontoposterior position の略.

RFT right frontotransverse position の略.

RH releasing *hormone* の略.

Rh ***1*** ロジウムの元素記号. ***2*** 付録 Blood Groups の Rh 血液型参照.

Rha L-rhamnose の略.

rha·bar·ber·one (răbarʹbĕr-ōn). ラバルベロン.

rhabd- ⇀rhabdo-.

rhab·dit·i·form (rad-ditʹi-fōrm). 杆状の (⇀rhabditiform *larva*).

Rhab·di·tis (rab-dīʹtis) [G. *rhabdos*, a rod]. 杆線虫属 (杵線虫目杵線虫科に属する小型の線虫. 自由生活性のものと動植物寄生性のものとがある. いくつかの種は，腐りかけの生肉などの腐敗性有機物に生息することから，寄生虫あるいは初期寄生虫とみなされていた. *R. strongyloides* はイヌ，ウシ，げっ歯類の皮膚に侵入して皮膚炎を起こすことがある).

Rhab·dit·is-like ⇀rhabditiform *larva*.

rhabdo-, rhabd- [G. *rhabdos*]. 杆，または杆状の，を意味する連結形.

rhab·do·cyte (rabʹdō-sīt) [rhabdo- + G. *kytos*, cell]. 杆状核白血球 (杆状核球あるいは後骨髄球を表す，まれに用いる語).

rhab·doid (rebʹdoyd) [rhabdo- + G. *eidos*, resemblance]. 杆状の.

rhab·do·my·o·blast (rabʹdō-mīʹō-blast) [rhabdo- + G. *mys*, muscle + *blastos*, germ]. 横紋筋芽細胞 (大きな円形，紡錘形または帯状の細胞で，好酸性に強く染まる，原線維からなる細胞質をもち，横紋を示すこともある. 横紋筋肉腫でみられることがある).

rhab·do·my·ol·y·sis (rabʹdō-mī-olʹi-sis) [rhabdo- + G. *mys*, muscle + *lysis*, loosening]. 横紋筋融解〔症〕(［誤った発音 rhabdomyolyʹsis を避けること］. 骨格筋の急性かつ電撃性の致命的になりうる疾患. 骨格筋の崩壊は必然的であり，ミオグロビン血症およびミオグロビン尿症により証明される).

acute recurrent r. [MIM*268200]. 急性再発性横紋筋融解〔症〕(筋痛と筋力低下，次いで暗赤褐色の尿の流出が起こる再発性の発作性疾患. 併発する疾患により悪化する. 尿中のミオグロビンの検出により診断される. 横紋筋の異常ホスホリラーゼ活性が原因とされているが，2 つ以上の生物学的な型がある可能性もある. 恐らく常染色体劣性遺伝. ある症例では少なくともカルニチンパルミトイルトランスフェラーゼが欠損している). = familial paroxysmal r.

exertional r. 労作性横紋筋融解〔症〕(筋肉労働に感受性をもつ個体に起こる).

familial paroxysmal r. 家族性発作性横紋筋融解〔症〕. = acute recurrent r.

idiopathic paroxysmal r. 特発〔性〕発作性横紋筋融解〔症〕. = myoglobinuria.

rhab·do·my·o·ma (rabʹdō-mī-ōʹmă) [rhabdo- + G. *mys*, muscle + *-oma*, tumor]. 横紋筋腫 (横紋筋由来の良性新生物. 小児の心臓に原発することがあるが，恐らくは過誤腫的過程で生じるのであろう).

rhab·do·my·o·sar·co·ma (rabʹdō-mīʹō-sar-kōʹmă) [rhabdo- + G. *mys*, muscle + *sarkōma*, sarcoma]. 横紋筋肉腫 (骨格(横紋)筋由来の悪性腫瘍. 小児に発生し，成人に発生することは通常ほとんどない. ⓘ未熟性，ⓘⓘ腺葉性(小円形細胞の粗な集塊により構築される)，ⓘⓘⓘ多形性(横紋筋芽細胞を含む)に分類される). = rhabdosarcoma.

embryonal r. 胎児性横紋筋肉腫 (小児にみられる悪性腫瘍で，細長い細胞で構成されたまばらな組織からなり，まれに横紋を伴うことがある. 骨格筋に加えて身体の多くの部分で起こる).

rhab·do·pho·bi·a (rabʹdō-fōʹbē-ă) [rhabdo- + G. *phobos*, fear]. 棒恐怖〔症〕，打棒恐怖〔症〕(懲罰用の道具としての棒(または小枝)に対する病的な恐れ).

rhab·do·sar·co·ma (rabʹdō-sar-kōʹmă). = rhabdomyosarcoma.

rhab·do·sphinc·ter (rabʹdō-sfingkʹtĕr) [rhabdo- + G. *sphinktēr*, sphincter]. 横紋筋性括約筋 (横紋筋よりなる括約筋). = striated muscular sphincter.

Rhab·do·vir·i·dae (rabʹdō-virʹi-dē). ラブドウイルス科 (脊椎動物，昆虫，および植物の杆状または弾丸状のウイルスの一科. 恐犬病ウイルス，(ウシの)水疱性口内炎ウイルスを含む. ウイルス粒子(100—430×45—100nm)は細胞表面膜の出芽によって形成され，エンベロープをかぶりエーテル感受性で，長さ 5—10 nm の表面突起をもつ. ヌクレオカプシドはマイナス鎖 1 本鎖 RNA(分子量 3.5—4.6×10^6)を含有し，らせん対称である. *Vesiculovirus*属，*Lyssavirus*属，*Ephemerovirus*属，*Nucleorhabdovirus*属，*Cytohabdovirus*属の 5 属が発見されている).

rhab·do·vi·rus (rabʹdō-vīʹrŭs). ラブドウイルス科のウイルスの総称.

rhachi- この形で始まる語は rachi- の項参照.

Rhad·in·o·vi·rus (rad-ēnʹō-vīʹrŭs). ラディノウイルス (ガンマヘルペス亜科，ヘルペスウイルス属で Kaposi 肉腫でみられる).

rhag·a·des (ragʹă-dēz) [G. *rhagas*, pl. *rhagades*, a crack]. 亀裂，皸裂 (皮膚粘膜の接合部に生じるあかぎれ，ひび，または亀裂. ビタミン欠乏症および先天性梅毒にみられる).

rha·gad·i·form (ră-gadʹi-fōrm) [G. *rhagas* (*rhagad-*), crack + L. *forma*, shape]. 亀裂性の，皸裂性の.

-rhagia ⇀-rrhagia.

L-**rham·nose (Rha)** (ramʹnōs). L-ラムノース (腸内細菌科のリポ多糖類，ルチノース(二糖類)ならびにウルシ属の植物ポイズンシューマック poison sumac に遊離型で認められるいくつかの植物配糖体中に存在するメチルペントース). = isodulcit.

rham·no·side (ramʹnō-sīd). ラムノシド (ラムノースを生じる配糖体).

rham·no·xan·thin (ramʹnō-zanʹthin). ラムノキサンチン. = frangulin.

Rham·nus (ramʹnŭs) [G. *rhamnos*]. クロウメモドキ属

（クロウメモドキ科の低木および高木の一属．ウメモドキの樹皮と実は下剤である．*R. frangula* はフラングラ皮の原植物である．*R. purshiana* はカスカラサグラダの原植物である）．

rha·pha·ni·a (ră-fā′nē-ă). ＝raphania.

rha·phe (rā′fē). ＝raphe.

-rhaphy ⇀-rrhaphy.

rhe (rē) [G. *rheos*, stream]. レー（流動性の絶対単位で，粘度の単位の逆数）．

-rhea ⇀-rrhea.

rheg·ma (reg′mă) [G. breakage]. 破裂（割れ目または亀裂）．

rheg·ma·tog·e·nous (reg′mă-toj′ĕ-nŭs) [G. *rhēgma*, breakage + *-gen*, producing]. 破裂性の（器官の破裂または分割により起こる．⇀rhegmatogenous retinal *detachment*）．

rhe·ic (rē′ik). ダイオウ(大黄)属の．

Rhein·berg mi·cro·scope (rīn′bĕrg). ⇒microscope.

rhe·ni·um (Re) (rē′nē-ŭm) [Mod. L. < L. *Rhenus*, Rhine river]. レニウム（白金属の金属．原子量 186.207，原子番号 75）．

rheo- [G. *rheos*, stream, current, flow]. 血流あるいは電流を意味する連結形．

rhe·o·base (rē′ō-bās) [rheo- + G. *basis*, a base]. 基電流（筋肉や神経のように，組織の興奮を引き起こしうる不定期間の電気刺激の最小の力．→chronaxie）．＝galvanic threshold.

rhe·o·ba·sic (rē′ō-bā′sik). 基電流の．

rhe·o·car·di·og·ra·phy (rē′ō-kar′dē-og′ră-fē) [rheo- + cardiography]. レオカルジオグラフィ，心電気記録〔法〕（心臓に用いるインピーダンスプレチスモグラフィ）．

rhe·o·chrys·i·din (rē′ō-kris′i-din). レオクリシジン（エモジンの 3–メチルエステル）．

rhe·o·en·ceph·a·lo·gram (rē′ō-en-sef′ă-lō-gram). レオエンセファログラム，電流脳写図（血管因子によって起こる頭部組織の伝導率の変化の描写）．

rhe·o·en·ceph·a·log·ra·phy (rē′ō-en-sef′ă-log′ră-fē) [rheo- + encephalography]. レオエンセファログラフィ，電流脳写法（脳の血流測定法．一般に，流れの測定として電気的インピーダンスと抵抗の変化を用いるインピーダンス電流脳写法をいう）．

rhe·o·gram (rē′ō-gram) [rheo- + G. *gramma*, something written]. レオグラム（流体におけるずれ率とずれ応力の関係を表すグラフ）．

rhe·ol·o·gist (rē-ol′ŏ-jist). レオロジーの研究者．

rhe·ol·o·gy (rē-ol′ŏ-jē) [rheo- + G. *logos*, study]. レオロジー（物質の変形と流動を扱う学問）．

rhe·om·e·ter (rē-om′ĕ-tĕr) [rheo- + G. *metron*, measure]. ***1*** 血流計（血流などの物質の流動性を測定する器具）．***2*** 検流計．

rhe·om·e·try (rē-om′ĕ-trē). 流体測定〔法〕（電流または血流の測定法）．

rhe·o·pex·y (rē′ō-pek′sē) [rheo- + G. *pēxis*, fixation]. レオペクシー（ずれの速度が増すにつれて粘度の増加をもたらすような物質の性質）．

rhe·o·stat (rē′ō-stat) [rheo- + G. *statos*, stationary]. 加減抵抗器（電気回路を流れる電流の調整に用いられる可変抵抗器）．

rhe·os·to·sis (rē′os-tō′sis) [rheo- + G. *osteon*, bone + *-osis*, condition]. 流線状過骨症（肥大性凝縮性骨炎で，ロウソクにロウがしたたるように，縦の線条または円柱を形成する傾向があり，いくつかの長骨を侵す）．＝flowing hyperostosis; streak hyperostosis.

rhe·o·tax·is (rē′ō-tak′sis) [rheo- + G. *taxis*, orderly arrangement]. 流走性，走流性（陽性の圧走性の一型．流動液体中での微生物がその液体の流れの方向に逆らって進み動くこと）．

rhe·ot·ro·pism (rē-ot′rŏ-pizm) [rheo- + G. *tropos*, a turning]. 流向性，屈流性（流れの運動に逆らう動きで，流走性のように生体全体の動きというより，生体の一部の運動を意味する）．

rhes·to·cy·the·mi·a (res′tō-sī-thē′mē-ă) [G. *rhaiō*, to destroy + *kytos*, a hollow (a cell) + *haima*, blood]. 破壊赤血球血症（末梢循環血液中に破壊された赤血球細胞が存在すること）．

rhe·sus (rē′sŭs) [Mod. L. < L. *Rhesus*, G. *Rhesos*, Thrace の伝説上の王]. アカゲザル（*Macaca mulatta* の属名）．

rheum (rūm) [G. *rheuma*, a flux]. 粘液性あるいは水様の下痢．

rheu·ma·tal·gi·a (rū′mă-tal′jē-ă) [G. *rheuma*, flux + *algos*, pain]. リウマチ痛を表す現在では用いられない語．

rheu·mat·ic (rū-mat′ik) [G. *rheumatikos*, subject to flux < *rheuma*, flux]. リウマチ〔性〕の．＝rheumatismal.

rheu·ma·tid (rū′mă-tid) [G. *rheum*, flux + -id (1)]. リウマチ疹（リウマチに伴って現れるリウマチ性小結節あるいは他の発疹）．

rheu·ma·tism (rū′mă-tizm) [G. *rheumatismos*, rheuma, a flux]. ***1*** rheumatic *fever* を表す現在では用いられない語．***2*** リウマチ（関節または筋骨格系の他の構成要素に由来する痛みやその他の症状を伴う種々の状態に用いる不明確な語）．

articular r. 関節リウマチ．＝arthritis.

cerebral r. 大脳リウマチ（リウマチ疾患で起こる中枢神経系症状．以前はリウマチ熱 rheumatic *fever* の症状としてよくみられたが，現在は全身性エリテマトーデス systemic *lupus* erythematosus などの他の疾患の症状として低頻度にみられる．→Sydenham *chorea*）．

chronic r. 慢性関節リウマチ（関節の非特異的疾患で，進行は遅く線維組織の疼痛を伴う肥厚および収縮を起こす．運動を妨げ，変形が起こる）．

gonorrheal r. 淋菌性リウマチ（淋菌の全身性感染によって起こる急性化膿性関節炎で，通常，多発関節炎で始まるが，１つの関節に限局することが多い）．

r. of the heart 心臓リウマチ（リウマチ性の弁膜症で，多くの場合僧帽弁と大動脈弁を侵す）．

inflammatory r. 炎症性リウマチ（関節リウマチ，または別の原因による関節の炎症）．

Macleod r. (mă-klowd′). マクラウドリウマチ（患部の関節中に多量の漿液の滲出を伴うリウマチ様関節炎）．

muscular r. 筋肉リウマチ．＝fibrositis (2).

nodose r. ***1*** ＝rheumatoid *arthritis*. ***2*** 結節〔性〕リウマチ（急性または亜急性の関節リウマチで，患部関節に隣接する腱，靱帯および骨膜に結節を形成する）．

subacute r. 亜急性リウマチ（急性リウマチ熱の軽い症状であるが，通常，病気が長引き，難治性の場合もある）．

tuberculous r. 結核性リウマチ（結核罹患中，関節や線維性組織が炎症を起こす状態）．

rheu·ma·tis·mal (rū-mă-tiz′măl). ＝rheumatic.

rheu·ma·toid (rū′mă-toyd) [G. *rheuma*, flux + *eidos*, resemblance]. リウマチ様の（特徴が１つ以上，関節リウマチに似ている）．

rheu·ma·tol·o·gist (rū′mă-tol′ŏ-jist). リウマチ学者．

rheu·ma·tol·o·gy (rū′mă-tol′ŏ-jē) [G. *rheuma*, flux + *logos*, study]. リウマチ〔病〕学（リウマチ性疾患の研究，診断，治療に関係する医学の一専門分野）．

rh-GH recombinant human growth *hormone* の略．

rhi·got·ic (ri-got′ik). 冷覚の．

rhIL-11 ＝recombinant human *interleukin* 11.

rhin-, rhino- [G. *rhis*]. 鼻を意味する連結形．

rhi·nal (rī′năl). 鼻の．＝nasal.

rhi·nal·gi·a (rī-nal′jē-ă) [rhin- + G. *algos*, pain]. 鼻痛．＝rhinodynia.

rhi·ne·de·ma (rī′ne-dē′mă) [rhin- + G. *oidēma*, swelling]. 鼻浮腫（鼻粘膜の腫脹）．

rhi·nen·ce·phal·ic (rī′nen-se-fal′ik). 嗅脳の．

rhi·nen·ceph·a·lon (rī′nen-sef′ă-lon) [rhin- + G. *enkephalos*, brain]. 嗅脳（嗅覚に直接関連する脳半球の部分を示す主に古典的な，現在ではまれに用いられる語．すなわち，嗅球，嗅脚(第一脳神経である嗅神経が中枢神経系の一部を形成するにもかかわらず，なおそれらと一緒に記載される)，嗅結節，扁桃の皮質核を含む嗅皮質または梨状皮質．本語は本来，海馬，全扁桃，脳弓回をも包含したが，それらはもはや，特に嗅覚と関連するとは考えられていない．→limbic *system*）．＝smell-brain.

rhi·nen·chy·sis (rī-nen′kī-sis) [rhin- + G. *enchysis*, a pouring in]. 鼻洗浄，点鼻（鼻腔を洗浄すること）．

R

rhin·i·on (rin′ē-on) [G. *rhis*, *rhinos*, nose + *-ion* 頭蓋計測点を示す接尾語]. リニオン（頭蓋計測点．鼻骨間縫合の下端）．

rhi·nism (rī′nizm). ＝rhinolalia.

rhi·ni·tis (rī-nī′tis) [rhin- + G. *-itis*, inflammation]. 鼻炎（鼻粘膜の炎症）．＝nasal catarrh.

acute r. 急性鼻炎（鼻粘膜の急性炎症．くしゃみ，流涙，大量の水様粘液の分泌が特徴．急性アレルギー性鼻炎のかぜウイルスの１つによって感染することが多い）．＝coryza; head cold.

allergic r. [MIM*607154]. アレルギー性鼻炎（鼻炎は枯草熱に伴う．アレルギー性鼻炎は，くしゃみ，鼻汁，鼻うっ血，鼻・耳・口蓋のかゆみなどの症状が発現する．アレルギー結膜炎と同時に起こる）．

atrophic r. 萎縮性鼻炎（粘膜の薄層化を伴う慢性鼻炎．痂皮と悪臭のある分泌物を伴うことが多い）．＝ozena.

r. caseosa, caseous r. 乾酪性鼻炎（慢性鼻炎の一種で，鼻腔は悪臭のあるチーズ状物質でほぼ完全に満たされている）．

chronic r. 慢性鼻炎（鼻粘膜の遅延性緩徐性炎症．後期には粘膜とその腺が肥厚化(肥厚性鼻炎)または薄層化(萎縮性鼻炎)する）．

gangrenous r. 壊疽性鼻炎（→*cancrum* nasi）．

hypertrophic r. 肥厚性鼻炎（粘膜の肥厚化を伴う慢性鼻炎）．

r. medicamentosa 薬物性鼻炎（過剰な，または不適当な局所薬物使用により生じる鼻粘膜の炎症）．

scrofulous r. 腺病性鼻炎（鼻粘膜の結核菌感染症）．

r. sicca 乾燥性鼻炎（鼻の分泌がほとんどまたはまったくない慢性鼻炎の一種）．

vasomotor r. 血管〔運動〕神経性鼻炎（感染やアレルギーのない鼻粘膜の腫脹）．

rhino- →rhin-.

rhi·no·an·e·mom·e·ter (rī′nō-an′ĕ-mom′ĕ-tĕr) [rhino- + G. *anemos*, wind + *metron*, measure]. 鼻腔風速計．＝rhinomanometer.

rhi·no·cele (rī′nō-sēl) [rhino- + G. *koilia*, a hollow]. 嗅脳室，嗅ヘルニア（嗅脳または終脳の，原始嗅覚部の腔(室)）．

rhi·no·ceph·a·ly, rhi·no·ce·pha·lia (rī′nō-sef′ă-lē, -se-fā′lē-ă) [rhino- + G. *kephalē*, head]. 象鼻〔奇形〕症（一種の単眼症．鼻は細隙様眼窩上に発生する肉の長鼻様隆起で，終脳の嗅脳葉の成長は乏しくほとんど融合傾向を示す）．＝rhinencephaly.

Rhi·no·clad·i·el·la (rī′nō-klad′ē-el′ă). リノクラディア（黒色(暗い色調の)真菌の一属で，アクロテカが特徴でクロモブラストミコーシスの原因となる．→*Phialophora*）．

rhi·no·clei·sis (rī′nō-klī′sis) [rhino- + G. *kleisis*, a closure]. 鼻腔閉鎖〔症〕．＝rhinostenosis.

rhi·no·dym·i·a (rī′nō-dim′ē-ă) [rhino- + G. *-dymos*, fold]. 鼻重複奇形（顔貌で，他は正常であるのに鼻だけが重複している状態）．

rhi·no·dyn·i·a (rī′nō-din′ē-ă) [rhino- + G. *odynē*, pain]. 鼻痛．＝rhinalgia.

rhi·no·es·tro·sis (rī′nō-es-trō′sis). リノエストラス症（*Rhinoestrus purpureus* ハエの幼虫によるウマ，ロバ，まれにヒトの感染．ヒトでの感染は通常，良性で，期間も短く，幼虫の第１段階に限られ，軽微な眼ハエウジ症である）．

Rhi·no·es·trus pur·pu·re·us (rī′nō-es′trŭs pŭr-pū′rē-ŭs). ヒツジバエ科のハエの一種で，リノエストラス症の原因となる．

rhi·nog·e·nous (rī-noj′ĕ-nŭs) [rhino- + G. *-gen*, producing]. 鼻性の（鼻から発生する）．

rhi·no·ky·pho·sis (rī′nō-kī-fō′sis) [rhino- + G. *kyphōsis*, humped condition]. 外鼻前弯〔症〕，鼻前弯〔症〕（鼻の突背奇形）．

rhi·no·la·li·a (rī′nō-lā′lē-ă) [rhino- + G. *lalia*, talking]. 鼻声，鼻音症（鼻にかかった発声）．＝rhinism; rhinophonia.

r. aperta 開〔放性〕鼻音症（口蓋帆咽頭閉鎖が不十分なため生じる異常音声）．

r. clausa 閉〔塞性〕鼻音症（鼻閉塞あるいは鼻咽頭閉塞に起因する異常発語）．

rhinoliquorrhea (rē′nō-li-kōr′ē-ă) [rhino- + L. *liquor*, fluid + G. *rhoia*, a flow]. 鼻性髄液漏．

rhi·no·lite (rī′nō-līt). ＝rhinolith.

rhi·no·lith (rī′nō-lith) [rhino- + G. *lithos*, stone]. 鼻石（鼻腔の石灰質結石．しばしば異物の周囲に形成される）．＝nasal calculus; rhinolite.

rhi·no·li·thi·a·sis (rī′nō-li-thī′ă-sis) [rhinolith + G. *-iasis*, condition]. 鼻石症（鼻結石があること）．

rhi·no·log·ic (rī′nō-loj′ik). 鼻科学の．

rhi·nol·o·gist (rī-nol′ŏ-jist). 鼻科専門医，鼻科医（鼻疾患の専門家）．

rhi·nol·o·gy (rī-nol′ŏ-jē) [rhino- + G. *logos*, study]. 鼻科学（鼻と副鼻腔とそれらの疾患に関する医学の部門）．

rhi·no·ma·nom·e·ter (rī′nō-mă-nom′ĕ-tĕr) [rhino- + manometer]. 鼻気圧計（鼻閉塞の存在と量，鼻気圧，流量関係の測定に用いる気圧計）．＝rhinoanemometer.

rhi·no·ma·nom·e·try (rī′nō-mă-nom′ĕ-trē). ***1*** 鼻気圧測定〔法〕（鼻気圧計を用いた測定）．***2*** 鼻気圧学（鼻気流圧の測定）．

rhi·no·my·co·sis (rī′nō-mī-kō′sis) [rhino- + mycosis]. 鼻糸状菌症（鼻腔の真菌感染）．

rhi·no·ne·cro·sis (rī′nō-ne-krō′sis) [rhino- + necrosis]. 鼻骨壊死．

rhi·nop·a·thy (rī-nop′ă-thē) [rhino- + G. *pathos*, suffering]. 鼻症（鼻の疾患）．

rhi·no·pha·ryn·ge·al (rī′nō-fă-rin′jē-ăl). ***1*** 鼻咽頭の．＝nasopharyngeal. ***2*** 鼻咽腔の，上咽頭の．

rhi·no·pha·ryn·go·lith (rī′nō-fă-ring′gō-lith) [rhinopharynx + G. *lithos*, stone]. 鼻咽頭石（鼻咽腔の結石）．

rhi·no·phar·ynx (rī′nō-far′ingks) [rhino- + pharynx]. 鼻咽腔，上咽頭．＝nasopharynx.

rhi·no·pho·ni·a (rī′nō-fō′nē-ă) [rhino- + G. *phōnē*, voice]. ＝rhinolalia.

rhi·no·phy·ma (rī′nō-fī′mă) [rhino- + G. *phyma*, tumor, growth]. 鼻瘤，しゅさ(酒皶)鼻（線維増殖と血管拡張を伴う脂腺の肥大による，沪胞拡張を伴った鼻の肥大．赤鼻の一型）．＝brandy nose; copper nose; hammer nose; hypertrophic rosacea; potato nose; rum nose; rum-blossom; toper's nose.

rhi·no·plas·ty (rī′nō-plas′tē) [rhino- + G. *plastos*, formed]. 鼻形成〔術〕（外鼻の形態と機能を治す再建外科手術あるいは美容外科手術）．

rhi·no·pneu·mo·ni·tis (rī′nō-nū′mō-nī′tis) [rhino- + G. *pneumōn*, lung + *-itis*, inflammation]. 鼻肺炎（鼻と肺の粘膜の炎症）．

rhi·nor·rhe·a (rī′nō-rē′ă) [rhino- + G. *rhoia*, flow]. 鼻漏（鼻粘膜からの排泄物）．

cerebrospinal fluid r. 髄液〔性〕鼻漏（鼻からの髄液の排泄）．

gustatory r. 味覚鼻漏（摂食に関連する水様鼻漏）．

rhi·no·sal·pin·gi·tis (rī′nō-sal-pin-jī′tis) [rhino- + G. *salpinx*, tube + *-itis*, inflammation]. 鼻耳管炎（鼻と耳管の粘膜の炎症）．

rhi·no·scle·ro·ma (rī′nō-sklē-rō′mă) [rhino- + G. *sklērōma*, an induration]. 鼻硬化〔症〕（鼻，上唇，口，上気道を侵す慢性肉芽腫症．通常，前鼻孔中の硬い滑らかな小節の増殖として始まり，咽頭，喉頭，気管，さらに気管支へも広がる．外耳道を侵すこともある．特異菌，*Klebsiella rhinoscleromatis* によって引き起こされる）．＝scleroma.

rhi·no·scope (rī′nō-skōp). 鼻鏡（杆状取っ手に適当な角度で，取り付けた小さな鏡．後鼻鏡検査および鼻咽頭鏡検査に用いる）．

rhi·no·scop·ic (rī′nō-skop′ik). 鼻鏡の，検鼻の．

rhi·nos·co·py (rī-nos′kŏ-pē) [rhino- + G. *skopeō*, to view]. 検鼻〔法〕，鼻鏡検査〔法〕（鼻腔の視診）．

anterior r. 前検鼻〔法〕（鼻腔前部の視診で，鼻鏡を用いるときと用いないときがある）．

median r. 中検鼻〔法〕（長い鼻鏡または鼻咽頭鏡によって鼻腔蓋と後篩骨洞および蝶形骨洞の開口部を視診すること）．

posterior r. 後検鼻〔法〕（鼻鏡または鼻咽頭鏡で鼻咽腔と鼻腔の後部を視診すること．→nasopharyngoscopy）．

---

rhi·no·si·nu·si·tis (rī′nō-sī′nŭ-sī′tis). 鼻副鼻腔炎（鼻粘膜および副鼻腔粘膜の炎症）．＝nasosinusitis.

米国耳鼻咽喉科学会および他の専門学会は副鼻腔の感染がほぼ常にウイルス性鼻炎とともに，またはその合併症として生じることから，副鼻腔炎を鼻副鼻腔炎とよぶことを提唱している．まれではあるが，経鼻栄養チューブや経鼻挿管チューブ，鼻充填，歯科的感染や操作により先行するウイルス性上気道感染を伴わない副鼻腔感染が生じる．米国国民の約16％が毎年，副鼻腔炎の診断を受け，1,600万人が副鼻腔炎のために受診しているとされている．ウイルス性上気道炎が鼻副鼻腔炎を続発する機序としては粘膜腫脹による副鼻腔開口部の閉塞，粘液産生増加による粘液の貯留，局所炎症による線毛運動の障害，および酸素分圧の低下による副鼻腔含気化の障害などがある．ウイルス性上気道炎の合併症として鼻副鼻腔炎が生じる要因としては，喫煙，慢性アレルギー性鼻炎で特に鼻ポリープを形成するもの，鼻粘膜を乾燥させ線毛運動を抑制することにより粘液運搬機構を障害する市販の第1世代抗ヒスタミン薬の内服，リバウンド作用または薬剤性鼻炎，またはその両者により鼻閉をきたすような鼻粘膜血管収縮薬の点鼻薬または鼻スプレーの乱用，正常な粘液排泄や副鼻腔の含気化を抑制するような解剖学的異常などがある．鼻中隔弯曲症は最も多い解剖学的異常である．前頭洞，上顎洞，前篩骨洞が開口する中鼻道の先天性狭窄では軽度の鼻粘膜腫脹によっても副鼻腔閉塞を生じる．このような状態は ostiomeatal complex とよばれている．急性副鼻腔炎の多くはウイルス性であり，治療の有無にかかわらず10—14日で自然治癒する．急性鼻副鼻腔炎のわずか0.5—2％のみが細菌性であるが，鼻副鼻腔炎は5番目に抗生物質が処方される疾患であり，救急外来においては最も多い疾患である．この原因としては抗生物質に対する不当な期待と一般患者の誤った理解によると考えられる．調査対象の50％以上が感冒は細菌性で，抗生物質によって治癒すると考えている．さらに，反復性鼻副鼻腔炎の既往がある場合はしばしば早期治療を求め，期待的または予防的な抗生物質の投与を受ける．鼻副鼻腔炎治療における抗生物質過剰使用の他の原因としては鼻副鼻腔炎の有効な診断基準または急性細菌性鼻副鼻腔炎とウイルス性鼻副鼻腔炎とを鑑別する診断基準がないことがあげられる．熱発，緑色鼻汁，上顎および前頭洞部の圧迫感(疼痛ではない)，これらの部位の圧痛はすべて非特異的なウイルス性上気道炎の特徴である．上顎痛，歯痛，膿性鼻汁(白色または黄白色)，1週間以上持続する鼻閉，経口血管収縮薬に反応しない鼻閉，二相性病状(回復し始めた鼻炎が再び増悪する)などの細菌性鼻副鼻腔炎の特徴として医師と一般人が広く認識している症候または症状は，これらのいくつかが生じた場合は相加的意義があるとしても，実際には診断的価値は少ない．副鼻腔開口部からの膿性鼻汁の検出は細菌性鼻副鼻腔炎を示唆するが，他の診断手技は臨床の現場ではあまり意義はない．上顎洞および前頭洞の光透過法の診断的意義は低く，画像検査(単純X線検査とCT検査)の経済効果は低く，鼻汁の細菌培養検査は副鼻腔炎の病原菌よりは鼻腔の正常細菌叢を反映し，副鼻腔から細菌培養検査のために検体を採取することには疼痛を伴う．急性細菌性鼻副鼻腔炎は典型的には単一の病原菌による．検出菌としては肺炎球菌(*Streptococcus pneumoniae*)，インフルエンザ菌(*Haemophilus influenze*)，カタル球菌(*Branhamella catarrhalis*)，黄色ブドウ球菌(*Staphylococcus aureus*)と嫌気性菌が多い．鼻副鼻腔炎の治療法は満足できるものではない．経口血管収縮薬や鎮痛薬は症状を抑えるためには有効である．一部の症例では局所血管収縮薬または経口ステロイド薬が有効である．眠気のない抗ヒスタミン薬，局所ステロイド薬，またはその両者はアレルギー性鼻炎が発症に関与している場合は適応となる．多くの市販の鼻副鼻腔薬や夜間内服する風邪薬に含まれている第1世代抗ヒスタミン薬は投与禁忌である．急性細菌性鼻副鼻腔炎に対してはクラブラネート加または非加のアモキシシリン，トリメトプリンやドキシサイクリン，種々のセファロスポリン系，マクロライド系，フルオロキノロン系抗生物質が用いられる．しかし，無作為臨床試験では細菌感染が認められた場合でも急性鼻副鼻腔炎の経過に対する一定の効果は証明されていない．10％以上の米国民が毎年，亜急性(4—12週)または慢性(12週以上)鼻副鼻腔炎に罹患している．慢性鼻副鼻腔炎に対して医師は通常，抗生物質を処方するが，成人における抗生物質による治療法の効果はこれまで発表されておらず，小児における二重盲検試験でも抗生物質の有効性は短期的にも長期的にも証明されていない．症状は非特異的で，アレルギー性または血管運動性鼻炎が慢性細菌感染に合併している．いくつかの副鼻腔の一時的または永続的な排泄路を確保する手術は重症で難治性の慢性鼻副鼻腔炎や感染の副鼻腔外への進展，粘液嚢胞または膿嚢胞に対して適応となる．細菌性鼻副鼻腔炎の重篤な合併症としては眼窩蜂窩織炎，眼窩骨膜下膿瘍，前頭洞の骨髄炎(Pott puffy tumor)，上冠状静脈洞の塞栓，硬膜下，硬膜上または脳内の膿瘍がある．

---

rhi·no·spo·rid·i·o·sis (rī′nō-spō-rid-ē-ō′sis). リノスポリジウム症（*Rhinosporidium seeberi* による鼻腔やときに結膜，その他の表面組織の感染症で，出血性ポリープやその他の粘膜の過形成を引き起こす慢性肉芽腫疾患．主にインド，およびスリランカでみられる）．

Rhi·no·spo·rid·i·um see·ber·i (rī′nō-spō-rid′ē-ŭm sē-bē′rī) [rhino- + G. *sporidion*: *sporos*(seed)の指小辞]. 世界中に分布し，分類学上の位置が不明確な真菌様の生物で，インド原住民の鼻中隔に生じるある種の血管性キイチゴ様鼻ポリープ(リノスポリジウム症)に見出される．

rhi·no·ste·no·sis (rī′nō-ste-nō′sis) [rhino- + G. *stenōsis*, a narrowing]. 鼻腔狭窄〔症〕（瘢痕形成による鼻腔気道の狭窄または閉塞）．=rhinocleisis.

rhinotillexomania (rhī′nō-til-ek-sō-mā′nē-ă) [rhino- + G. *tillō*, to pluck + *exō*, out, + -mania]. 鼻ほじり癖（常習的に鼻をほじること）．

rhi·not·o·my (rī-not′ŏ-mē) [rhino- + G. *tomē*, incision, cutting]. 鼻切開〔術〕（①鼻に対するすべての切開術．②副鼻腔根治手術のため，外鼻の片側に沿って切開，翻転し，鼻道の全視野を得るための手術手技）．

rhi·no·tra·che·i·tis (rī′nō-trā′kē-ī′tis) [rhino- + trachea + *-itis*, inflammation]. 鼻気管炎（鼻腔と気管の炎症）．

Rhi·no·vi·rus (rī′nō-vī′rŭs). ライノウイルス属，鼻炎ウイルス属（ヒトの普通感冒に関係し，世界的に分布している，プラス鎖の一本鎖RNAゲノムをもつ酸に不安定なウイルスの一属(ピコルナウイルス科)．110以上の抗原型が存在し，以前はM系統(アカゲザル腎臓細胞中で培養可能)とH系統(ヒト細胞の培養中でのみ成長する)とに分類されていた）．

rhi·no·vi·rus (rī′nō-vī′rŭs). ライノウイルス（*Rhinovirus* 属のウイルス）．

bovine r.'s 米国やヨーロッパでウシに広まっている，亜臨床的またはときとして軽度臨床的な呼吸器疾病を引き起こすウイルス．

equine r.'s 米国やヨーロッパにおいて，不顕性または軽度からかなり重度までの上気道疾病を引き起こすウイルスを表す．本ウイルスは繁殖用ウマ小屋で最も流行し，高い罹患率を伴うが，致死率は無視できるほど小さい．ウマからの分離種は，すべて元の分離種と血清学的に類縁である．

Rhi·pi·ceph·a·lus (rī′pi-sef′ă-lŭs) [G. *rhipis*, fan + *kephalē*, head]. コイタマダニ属（飾りのない硬いマダニ科ダニの一属．約50種からなり，クリイロコイタマダニ *R. sanguineus* を除くすべてが旧世界のものである．眼と花采が両性に存在する．短触肢と腹側板は雄にだけ存在する．本属にはヒトと家畜の疾患の主要な媒介種もある）．

R. sanguineus クリイロコイタマダニ（米国のイヌにみられる．恐らく最も普通で広範囲に及ぶ種．他の動物は刺してもヒトはめったに刺さない．メキシコのロッキー山紅斑熱の媒介種．イヌのバベシア症の媒介種で，イヌエールリッヒア症も媒介する．ボタン熱のリケッチアの媒介動物でもある）．=brown dog tick.

rhizo- [G. *rhiza*]. 根を意味する連結形．

rhi·zoid (rī′zoyd) [rhizo- + G. *eidos*, resemblance]. ***1*** 〖adj.〗 根様の，根状の．***2*** 〖adj.〗 根様の（根のように不規則に分岐する．一種の細菌増殖についていう）．***3*** 〖n.〗 仮根（真菌学において，クモノスカビ属 *Rhizopus* の菌種の菌糸節に現れる真菌類の根様の菌糸）．

rhi·zome (rī′zōm) [G. *rhizōma*, mass of roots < *rhiza*, root + *-oma*, mass]. 根茎（アヤメ属，ショウブ属，血根草属のような植物のほふく性地下茎）.

rhi·zo·me·li·a (rī′zō-mē′lē-ă) [rhizo- + G. *melos*, limb]. ***1*** 近節短縮（四肢の近位部分，すなわち上腕，大腿の長さが他の部位と比較して異常に短いこと）. ***2*** 肩関節や股関節を侵す疾患.

rhi·zo·mel·ic (rī′zō-mel′ik). 四肢根部の（股関節または肩関節の，またはそれに関連することの）.

rhi·zo·me·nin·go·my·e·li·tis (rī′zō-mĕ-ning′gō-mī′ĕ-lī′tis) [rhizo- + G. *mēninx*, membrane + *myelon*, marrow + *-itis*, inflammation]. 神経根髄膜脊髄炎. =radiculomeningomyelitis.

Rhi·zo·mu·cor (rī′zō-mū′kōr). リゾムコール属（ケカビ科の真菌の一属．ムコール症の原因）.

rhi·zo·plast (rī′zō-plast) [rhizo- + G. *plastos*, formed]. リゾプラスト（原生動物のべん毛あるいは生毛体と核の間を連結する微細線維）.

Rhi·zop·o·da (rī-zop′ō-dă) [rhizo- + G. *pous* (*pod-*), foot]. 根足〔虫〕上綱（ヒトのアメーバを含む肉質虫亜門の一上綱で，偽足をもち，様々な形態をとるが，軸糸はない）. =Rhizopodasida; Rhizopodea.

Rhi·zo·po·das·i·da (rī′zō-pō-das′i-dă). =Rhizopoda.

Rhi·zo·po·de·a (rī′zō-pō′dē-ă) [rhizo- + G. *pous* (*pod-*), foot]. 根足〔虫〕綱. =Rhizopoda.

rhi·zop·ter·in (rī-zop′tĕr-in). リゾプテリン（ある細菌の葉酸の一要素）. =SLR factor; *Streptococcus lactis* R factor.

Rhi·zo·pus (rī′zŏ-pŭs). クモノスカビ属（真菌の一属（接合菌綱，ケカビ科）．いくつかの種はヒトの接合真菌症を起こす）.

R. arrhizus =*R. oryzae.*

R. microsporus ヒトの接合菌症の原因となる *Rhizopus*属の一種．*R. microsporus* var. *rhizopodiformis* と *R. microsporus* var. *microsporus* の２つの病原性変異がある.→*Rhizopus*; mucormycosis; zygomycosis.

R. oryzae *Rhizopus*属の病原性種で，ヒトの接合菌症の原因として最も多く報告されている.→mucormycosis; zygomycosis; *Rhizopus*. =*R. arrhizus*.

rhi·zot·o·my (rī-zot′ŏ-mē) [G. *rhiza*, root + *tomē*, section]. 根切り術，神経根切断〔術〕（痛みや痙性麻痺の緩和のために脊髄神経根を切断すること）. =radicotomy; radiculectomy.

anterior r. 脊髄神経前根切断〔術〕.

facet r. 脊椎椎間関節突起神経根切断〔術〕（脊椎椎間関節突起神経支配を経皮的に高周波溶解させること）.

posterior r. 脊髄神経後根切断〔術〕. =Dana operation.

trigeminal r. 三叉神経根切断〔術〕（第五脳神経感覚根の切除または切断で，経側頭下(Frazier-Spiller 手術)，経後頭下(Dandy 手術)，または経テント的に行う）. =retrogasserian neurectomy; retrogasserian neurotomy.

rho (ρ) (rō). ***1*** ロー（ギリシア語アルファベットの 17 番目の文字）. ***2*** 密度の記号. ***3*** →rho *factor*.

rhod- →rhodo-.

rho·da·mine B (rō′dă-mēn, -min) [C.I. 45170]. ローダミンB（蛍光赤色塩基性キサンテン染料塩化テトラエチルローダミン．組織学において，メチレンブルーとメチルグリーンの対比染色法として，また生体蛍光色素として用いる）.

rho·da·nate (rō′dă-nāt). ロダン酸塩. =thiocyanate.

rho·da·nese (rō′dă-nēs). ロダネーゼ. =*thiosulfate* sulfurtransferase.

rho·dan·ic ac·id (rō-dan′ik as′id). ロダン酸. =thiocyanic acid.

rho·da·nile blue (rō′dă-nīl blū). ローダニルブルー（色素混合物．ローダミンBとナイルブルーの塩であるといわれている．ケラチン性上皮(赤色)や線維芽細胞(青色)の，また，精子あるいは細胞や組織の正常および異常な好酸性，好塩基性，またはある種の神経向性成分の染色に用いられる．ヘマトキシリンとエオシンの代用物として用いる）.

rho·de·ose (rō′dē-ōs). ロデオース. =fucose.

rho·din (rō′din). ロジン（クロロフィル b 分子にみられる型のジヒドロポルフィリン誘導体(２個の添加水素は 17 位と 18 位)で，メチル基の代わりに 7 位にホルミル基を有する）.

rho·di·um (Rh) (rō′dē-ŭm) [Mod. L. < G. *rhodon*, a rose]. ロジウム（金属元素．原子番号 45，原子量 102.90550）.

Rhod·ni·us (rod′nē-ŭs). ロドニウス属（サシガメ科の一属で，ベネズエラ，コロンビア，仏領ギアナ，ガイアナ，スリナムにおけるクルーズトリパノソーマ *Trypanosoma cruzi* の主要な媒介者である）.

R. prolixus サシガメの一種で，南米のトリパノソーマ症の重要な媒介者.

rhodo-, rhod- [G. *rhdon*, rose]. バラ色または赤色を意味する連結形.

Rho·do·coc·cus (rō′dō-kok′ŭs). ロドコッカス属（グラム陽性，一部抗酸性，好気性の杆菌の一属で，土壌中や草食動物の糞便中から分離される．いくつかの種は動物やヒトに対する病原性を有している．標準種は *R. rhodochrous*）.

R. equi 鳥類の肺に気管支肺炎や膿瘍を形成する種．免疫不全のヒト，特にエイズ患者に気管支肺炎を起こしうる. =*Corynebacterium equi.*

rho·do·gen·e·sis (rō′dō-jen′ĕ-sis) [rhodopsin + G. *genesis*, production]. 視紅再生（11-*cis*-レチナールとオプシンの暗所での結合によるロドプシンの再生産）.

rho·do·phy·lac·tic (rō′dō-fī-lak′tik). 視紅防御の.

rho·do·phy·lax·is (rō′dō-fī-lak′sis) [rhodopsin + G. *phylaxis*, a guarding]. 視紅防御（脈絡膜の有色細胞がロドプシン再生を保存または促進する作用）.

rho·dop·sin (rō-dop′sin) [MIM*180380]. ロドプシン，視紅（赤紫色熱不安定性蛋白，分子量約 40,000．網膜杆状体の外節にみられる．11-*cis* レチナールと結合したオプシンからなる．光の作用によって漂白され，オプシンと *trans*-レチナールに転換し，視紅再生により暗所で回復する．杆体細胞の細胞膜における主要蛋白）. =visual purple.

r. kinase [MIM*180381]. ロドプシンキナーゼ（多数の部位で活性化ロドプシンをリン酸化することによりロドプシンの機能を制御する酵素．そのリン酸化光活性化ロドプシンはアレスチンと結合する）.

***meta*-rho·dop·sin I, *meta*-rho·dop·sin II, *meta*-rho·dop·sin III** (rō-dop′sin). メタロドプシンI，メタロドプシンII，メタロドプシンIII（オプシンとオール-*trans*-レチナールの前駆物質で，視サイクル中でルミロドプシンから形成される）.

Rho·do·tor·u·la (rō′dō-tōr′ū-lă). 酵母菌の一属で，通常，ピンクまたは赤色で病原性は疑問．一般に免疫無防備状態の患者に静脈カテーテルを介して医原的に導入される菌.

rhodotoxin ロドトキシン. =grayanotoxin.

rhom·ben·ceph·a·lon (rom′ben-sef′ă-lon) [rhombo- + G. *enkephalos*, brain] [TA]. 菱脳（脳のうちで胚期神経管の３個の原始脳胞のうち最も後方のものから発生してくる部分で，後に後脳と髄脳に分かれる．橋，小脳，延髄からなる）. =hindbrain [TA]; hindbrain vesicle*.

rhom·bic (rom′bik). ***1*** =rhomboid. ***2*** 菱脳の.

rhombo- [G. *rhombos*]. 菱形の，偏菱形の，を意味する連結形.

rhom·bo·at·loi·de·us (rom′bō-at-loy′dē-ŭs). 菱形環椎の（→*musculus* rhomboatloideus）.

rhom·bo·cele (rom′bō-sēl) [rhombo- + G. *koilia*, a hollow]. 菱腔，菱形洞. =rhomboidal *sinus.*

rhom·boid, rhom·boi·dal (rom′boyd, rom-boy′dăl) [rhombo- + G. *eidos*, appearance]. 菱形の（①菱形に似た．すなわち斜平行四辺形であるが辺の長さは等しくない．②解剖学においては，特に１靱帯２筋肉についていう）. =rhombic (1).

rhom·boid·e·us (rom-boy′d′ē-ŭs). 菱形の（→rhomboid minor (*muscle*)）.

rhom·bo·mere (rom′bō-mēr) [rhombencephalon + G. *meros*, part]. 菱脳の神経小片（菱脳内の神経管を形成する分節．ヒトの発生には 9 個の rhombomere が出現する）.

rhon·chal, rhon·chi·al (rong′kăl, rong′kē-ăl). ラ音の，水泡音の（ラ音，水泡音に関する，ラ音，水泡音に特有の）.

rhon·chus, pl. rhon·chi (rong′kŭs, -kī) [L. < G. *rhenchos*, a snoring]. ラ音，水泡音（吸気，呼気相で楽曲様ピッチをもつ肺聴診上の副雑音．炎症や平滑筋の攣縮，管腔内の粘液などにより狭くなった気管支を通過する空気により生じる低音調のものを **sonorous r.**(類鼾音)，高音調で笛声や

軋るような音を **sibilant r.**(呻軋音)とよぶ).

cavernous r. 空洞性ラ音. =cavernous *rale.*

rho·phe·o·cy·to·sis (rō'fē-ō-sī-tō'sis) [G. *rhopheō*, to gulp down, or aspirate + *kytos*, cell + *-osis*, condition]. 細胞吸作用（細胞が原形質突出をあらかじめ形成せずに表面に空胞を形成するため周辺の物質を吸うようにみえる現象.→pinocytosis).

rhop·try, pl. rhop·tries (rōp'trē, -trēs) [G. *rhopalon*, club]. Apicomplexa 亜門の胞子虫類のある種においてスポロゾイド期や他の段階の虫体の前端から後方に向かってのびる，電子密度の高いこん棒状の管状または嚢状の小器官. = paired organelles; toxoneme.

rho·ta·cism (rō'tă-sizm) [G. *rhō*, the letter r]. ラ行吶（*r* 音を不正確に発音すること).

rhu·barb (rū'barb). ダイオウ(大黄)（タデ科ダイオウ属 *Rheum* の植物. 特にマルバダイオウ *R. rhaponticum*, garden rhubarb, および馬蹄ダイオウ *R. officinale* またはキンモンダイオウ *R. palmatum* をいう. 後者 2 種またはそれらの雑種は周皮組織を除いて乾燥し粉末にして，収れん薬，強壮剤，緩下薬に用いる).

Rhus (rūs, rŭs) [L. < G. *rhous*, sumac]. ウルシ属（ウルシ科のつる性および低木(灌木)の植物の一属. 装飾用葉飾りに用いる多くの種を含む. 以前はタンニン酸療法に用いられた. 毒性のある種類(種)は *Toxicodendron*属に分類される).

rhy·po·pho·bi·a (rī'pō-fō'bē-ă) [G. *rhypos*, filth + *phobos*, fear]. 汚物恐怖〔症〕. =mysophobia.

rhyth·m (ridh'ŭm) [G. *rhythmos*]. ***1*** リズム，調律（調子の整ったリズミカルな時間や運動. 2 種またはそれ以上の異なった，または反対の状態の規則的な変化). ***2*** 周期. = rhythm *method.* ***3*** 律動，リズム（心電図または脳波上の電気活動の規則的あるいは不規則な発生.→wave). ***4*** 単一の拍動により構成される心臓の連続性をもった拍動.

agonal r. 死戦調律（非常に幅の広い奇妙な心室波を示す心室固有調律で，頻死の患者にみられる).

alpha r. アルファ(α)律動，アルファ(α)波（①脳波上 8—13Hz の周波数帯にある波形. ②覚醒時に目を閉じてリラックスした人にみられる後頭優位の 8—13 Hzの律動で，開眼で減衰する). =alpha wave; Berger r.

atrioventricular junctional r. 房室結合部〔性〕調律（心臓の房室結合部(結節も含む)によって制御される心臓の調律. 房室結合部から発生し，心房に上行する成分と心室に下行する成分よりなり，それぞれの伝播速度は発生部位により異なる. 房室解離の一般型と接合部固有調律では心室にのみ下方伝導する). =AV junctional r.; nodal bradycardia; nodal r.

AV junctional r. 房室結合部〔性〕調律. =atrioventricular junctional r.

basic electrical r. (BER) 基礎電気調律（胃底部より前庭部にかけての平滑筋のゆっくりした脱分極の波. 胃ぜん動や排出と協調する).

Berger r. (ber'gĕr). ベルガー律動. =alpha r.

beta r. ベータ(β)律動，ベータ(β)波（脳波上，18—30 Hz の周波数帯にある波形). =beta wave.

bigeminal r. 二連脈，二段脈（基本調律(洞性またはその他)の各拍動に続いて早期収縮が発生し，その結果，心拍動が対になって発生する(bigeminy)). =coupled r.

cantering r. 駈歩〔性〕調律. =gallop.

chaotic r. 無秩序律動（完全に不規則な拍動数も不定な心拍動.→arrhythmia; chaotic *heart*).

circadian r. 概日リズム，サーカディアンリズム，日周期〔リズム〕(⇀circadian).

circus r. 輪回性調律. =circus *movement.*

coronary nodal r. 冠状結節調律（第 I および第 II 誘導で短い P–R 間隔を伴う正常陽性 P 波を示す心電図について一部の専門家により以前に提唱された用語).

coronary sinus r. 冠状静脈洞調律（冠状洞口の歩調取りから発生すると想像される異所性心房律動. 心電図では第 II，第 III，および aVF 誘導で，P–R 間隔は正常または延長して逆転した P 波が認められる. 異所性(下部)心房調律).

coupled r. 連結〔性〕調律. =bigeminal r.

delta r. デルタ(δ)律動，デルタ(δ)波（脳波上 1.5—4.0 Hz の周波数帯にある波形).

diurnal r. ダイアーナルリズム，昼間リズム，明期リズム，日周期〔リズム〕(⇀diurnal).

ectopic r. 異所性調律（正常歩調取りである洞結節以外の中心から発生する心調律).

escape r. 補充調律（本来の歩調取り(ペースメーカ)の上限を超えない速さで出現する 3 個以上連続する刺激. 洞房結節の刺激生成の限界は 40—180/min，房室結節のそれは 40—60/min，心室筋のそれは 20—40/min である).

gallop r. 奔馬〔性〕調律. =gallop.

idiojunctional r. 接合部〔性〕固有調律. =idionodal r.

idionodal r. 結節固有調律（独立調律で，心室は房室結節(房室接合部)により支配される). =idiojunctional r.

idioventricular r. 心室固有調律（心室中枢支配下の(定義上当然ながら異所性の)ゆっくりした独立心室調律). = ventricular r.

junctional r. 接合部〔性〕調律（房室結合部から発生する調律で，以前は房室結節性調律 AV nodal r. あるいは単に結節性調律 nodal r. とよばれた).

nodal r. [MIM*163800]. 結節調律. =atrioventricular junctional r.

pendulum r. 振子律動. =embryocardia.

quadrigeminal r. 四連脈，四段脈（心拍動が 4 つで 1 群となり，各々が通常 1 回の洞収縮後に期外収縮が 3 回続くが，反復する 4 連性の脈を繰り返す不整脈). =quadrigeminy.

quadruple r. 四部調律（第 3 音，第 4 音ともに容易に聴取されるため起こる 4 拍子の心音. 重症の心筋疾患を示す). =trainwheel r.

reciprocal r. 逆行性調律（不整脈で，インパルスは房室接合部から発生して心室に下行，刺激して，同時に心房へ上行する. しかし，心房に達する前にインパルスは下方に逆行して再び心室を刺激し，エコーまたは回帰収縮を起こさせる. 心電図では，aVF 誘導で陰性 P 波を認め，第 II 誘導で 2 つの心室波の間にはさまれる. この心室波は正常伝導することも変行伝導することも，また 1 つの心室波のみ伝導することもある).

reciprocating r. 回帰調律（不整脈で，最初は房室接合部収縮が発生し，次に回帰収縮が続く，回帰収縮の下行インパルスも心室に達する前に，心房に後方反射するが，心房に達する前に再び心室へ下行反射する. その結果，逆行性の心房興奮と順行性の心室興奮が共存する).

reversed reciprocal r. 反転逆波（正常洞刺激が心室に達する前に心房に後方反射する心臓の調律異常. したがって心電図では，心室群は正常洞性 P 波と逆行性 P 波にはさまれる. 不整脈が続くと後続の周期は回帰収縮の周期に類似する).

sinus r. 洞調律（洞房結節から伝達される正常心リズム. 健康な成人では 60—90 拍/分である).

systolic gallop r. 心収縮期に聞こえる特殊音，普通はクリックを表す語. 現在では用いられない.

theta r. シータ(θ)律動，シータ(θ)波（脳波上，4—7Hz の周波数帯にある波形). =theta wave.

tic-tac r. チックタック律動. =embryocardia.

trainwheel r. 列車車輪リズム. =quadruple r.

trigeminal r. 三連脈，三段脈（不整脈で，心拍動が 3 つで 1 群となり，通常 1 回の洞収縮後に期外収縮が 2 回続く). =trigeminy.

triple r. 三部調律（心拍数によらず，通常第 3 音または第 4 音が容易に聴取されるため，または心拍数が増加して第 3 音(S_3)と第 4 音(S_4)とが一致して加算心音(“S_7” $= S_3 + S_4$)のため起こる 3 拍子の心音).

ultradian r. 長周期リズム (⇀ultradian).

ventricular r. =idioventricular r.

rhy·tide (rī'tīd) [G. *rhytis*, *-idos*, wrinkle]. しわ(皺)（皮膚のしわ).

rhyt·i·dec·tomy (rit'i-dek'tŏ-mē) [G. *rhytis* (*rhytid-*), a wrinkle]. 除皺〔術〕，しわ取り〔術〕（正確には顔のしわを取ること. 一般的には，余分な皮膚と顔面皮膚を支持する組織を切除することで，頬部や頸部の引き締めを行い，若返りを図る手術). =face-lift; facialplasty; rhytidoplasty.

rhyt·i·do·plas·ty (rit'i-dō-plas'tē) [G. *rhytis*, a wrinkle + *plastos*, formed]. しわ成形〔術〕，皺皮成形〔術〕. =rhyt-

R

idectomy.

rhyt·i·do·sis (rit′i-dō′sis) [G. a wrinkling < *rhytis*, a wrinkle + *-osis*, condition]. =rutidosis. ***1*** しわより，皺皮症(年齢に不釣合いな顔のしわより). ***2*** 角膜皺皮〔症〕(角膜の弛緩としわより．死の徴候).

r. retinae 網膜皺襞(網膜のしわ).

RIA radioimmunoassay の略.

Rib (rib) [TA]. リボースの記号.

rib [I–XII] (rib) [A.S. *ribb*]. 肋骨(骨性胸郭の主要部分を形成する 24 本の長くのびて彎曲した骨). =os costale; costa (1) [TA].

bicipital r. 双頭肋〔骨〕(第一肋骨と頸椎の融合).

bifid r. 分岐肋〔骨〕(体部が分岐した肋骨).

cervical r. [MIM*117900] [TA]. 頸肋(頸椎にみられる過剰肋骨で，通常は第七頸椎と関節しているが，前方で胸骨にまで達することはない.→cervical rib *syndrome*). =costa cervicalis [TA]; costa colli [TA].

false r.'s [TA]. 仮肋(胸骨と個別に連結していない，左右の下方 5 個の肋骨). =costae spuriae [VIII–XII] [TA]; vertebrochondral r.'s.

first r. [I] [TA]. 第一肋骨(非定型の肋骨で，第一胸椎(T1)との関節窩を 1 つしかもたず，最も幅広く，最も短く，最も鋭く曲がっている．上面には鎖骨下血管のための 2 列の溝をもち斜角筋稜と結節とで区切られている). =costa prima [I] [TA].

floating r.'s [XI–XII] [TA]. 浮遊肋(前方で連結しない下位 2 対の肋骨). =costae fluctuantes [XI–XII] [TA]; costae fluitantes; vertebral r.'s.

lumbar r. [TA]. 腰肋(第一腰椎の横突起と関節をなす破格にみられる肋骨).

r. notching 肋骨切痕化(肋間側副血管の拡大により 1 ないし数本の上位肋骨の下縁が平坦に欠損すること．大動脈狭窄症の徴候であることが最も多い).

slipping r. すべり肋骨(肋軟骨分離を伴う肋軟骨の不全脱臼).

true r.'s [I–VII] [TA]. 真肋(胸骨と肋軟骨によって直接に関節している，左右の上方 7 個の肋骨). =costae verae [I–VII] [TA]; vertebrosternal r.'s.

vertebral r.'s =floating r.'s [XI–XII].

vertebrochondral r.'s =false r.'s.

vertebrosternal r.'s =true r.'s [I–VII].

rib- →ribo-.

***α*-ri·ba·zole** (rī′bă-zōl). *α*-リバゾール(ビタミン B_{12} 中のベンズイミダゾールヌクレオシド).

rib·bon (rib′ŏn) [M.E. *riban*]. リボン(リボン状の構造).

Reil r. (rīl). ライルリボン. =medial *lemniscus*.

Ribes (rēb), François. フランス人医師，1765—1845. →R. *ganglion*.

ri·bi·tol (rī′bi-tol). リビトール(リボースの光活不活性な還元生成物で，1 位の–CHO が –CH_2OH に還元される．リボフラビンの成分). =adonitol.

ri·bi·tyl (rī′bi-til). リビチル(リビトールの基．リボフラビンにみられる).

ribo- [Ger. *Ribose*]. ***1*** リボース. ***2*** 単糖類の系統名としてのイタリック体接頭語 *ribo-* は，一組の連続するが必ずしも隣接しない 3 個の CHOH(または不斉の)基の構造がリボースのものであることを示す．例えば，通称 D-リボースは系統的命名法では D-*ribo*-ペントースである.

ri·bo·fla·vin, ri·bo·fla·vine (rī′bō-flā′vin). リボフラビン(ビタミン B 複合体の熱安定因子で，そのイソアロキサジンヌクレオチドはフラボデヒドロゲーゼの補酵素である．ヒトの一日必要量は成人男性で 1.7mg，成人女性で 1.3mg で，妊娠中や授乳中はそれ以上が必要．緑黄色野菜，レバー，腎臓，コムギ胚芽，ミルク，卵，チーズ，魚などに含まれる). =flavin (1); flavine; lactoflavin (2); vitamin B_2 (1).

r. kinase リボフラビンキナーゼ(ATP または ADP をリン酸付加因子として用い，リボフラビンからのフラビンモノヌクレオチド(リン酸リボフラビン)生成を触媒するサイトゾル酵素). =flavokinase.

methylol r. メチロールリボフラビン(弱アルカリ溶液中のリボフラビンに対するホルムアルデヒドの作用によって生成されるリボフラビンのメチロール誘導体の混合物．リボフラビンと同じ作用を有するが，非経口投与にはこちらのほうが好まれる).

ri·bo·fla·vin 5′-phos·phate (rī′bō-flā′vin fos′fāt). リボフラビン 5′-リン酸. =*flavin* mononucleotide.

ri·bo·fu·ra·nose (rī-bō-fūr′ă-nōs). リボフラノース(リボースの 1,4 フラン環状形).

9-*β*-D-ri·bo·fu·ran·o·syl·ad·e·nine (rī′bō-fū-ran′o-sil-ad′ĕ-nēn). 9-*β*-D-リボフラノシルアデニン. =adenosine.

1-*β*-D-ri·bo·fu·ran·o·syl·cy·to·sine (rī′bō-fū-ran′ŏ-sil-sī′tō-sēn). 1-*β*-D-リボフラノシルシトシン. =cytidine.

9-*β*-D-ri·bo·fu·ran·o·syl·gua·nine (rī′bō-fū-ran′ō-sil-gwah′ nēn). 9-*β*-D-リボフラノシルグアニン. =guanosine.

9-*β*-ri·bo·fu·ran·o·syl·pu·rine (rī′bō-fū-ran′ō-sil-pyū′-rēn). 9-*β*-リボフラノシルプリン. =nebularine.

ri·bo·fu·ran·o·syl·thy·mine (rī′bō-fū-ran′ō-sil-thī′-mēn). リボフラノシルチミン. =ribothymidine.

1-*β*-D-ri·bo·fu·ran·o·syl·u·ra·cil (rī′bō-fū-ran′ō-sil-yū′-ă-sil). 1-*β*-D-リボフラノシルウラシル. =uridine.

***ri·bo*-2-hex·u·lose** (rī′bō-heks′yū-lōs). リボ-2-ヘキスロース. =psicose.

ri·bo·nu·cle·ase (RNase) (rī′bō-nū′klē-ās). リボヌクレアーゼ(リボ核酸の加水分解を触媒するトランスフェラーゼまたはホスホジエステラーゼ.→ribonuclease (pancreatic); ribonuclease(*Bacillus subtilis*)). =ribonucleinase.

RNase A RNアーゼ(リボヌクレアーゼ) A. =ribonuclease (pancreatic).

alkaline RNase アルカリRNアーゼ(リボヌクレアーゼ); ribonuclease (pancreatic).

RNase *α* RNアーゼ(リボヌクレアーゼ)アルファ(2′-*O*-メチル化 RNA をエンドヌクレアーゼ的切断により，5′-ホスホモノエステルに変換する酵素).

r. D (RNase D) (rī′bō-nū′klē-ās). リボヌクレアーゼ D，RN アーゼ D(未成熟 tRNA から余分の 3′-ヌクレオチドを除去し整える酵素(エンドヌクレアーゼ)).

***Escherichia coli* RNase I** 大腸菌 RN アーゼ I. =RNase T_2.

RNase I RNアーゼ(リボヌクレアーゼ)I. =ribonuclease (pancreatic).

RNase II RNアーゼ(リボヌクレアーゼ)II (RNA のヌクレオチド鎖の 3′ 末端から 5′ 末端へ 1 つずつ切断し，5′-ホスホモノヌクレオチドを生じさせる酵素.→microbial RNase II).

RNase III RNアーゼ(リボヌクレアーゼ)III(二重鎖 RNA をエンドヌクレアーゼ的分解を起こして 5′-ヌクレオチドにする反応を触媒する酵素．多量体の tRNA 前駆体に特異性がある).

microbial RNase II 微生物 RNアーゼ(リボヌクレアーゼ)II. =RNase T_2.

RNase N_1 RNアーゼ(リボヌクレアーゼ) N_1. =RNase T_1.

RNase N_2 RNアーゼ(リボヌクレアーゼ) N_2. =RNase T_2.

RNase P RNアーゼ(リボヌクレアーゼ)P (tRNA 前駆物質をエンドヌクレアーゼ様に開裂して(成熟 tRNA の)5′末端に相当する余分のヌクレオチドを取り除く反応を触媒する酵素).

pancreatic RNase 膵RNアーゼ(リボヌクレアーゼ)(→ribonuclease (pancreatic)).

plant RNase 植物RNアーゼ(リボヌクレアーゼ). =RNase T_2.

RNase T_1 RNアーゼ(リボヌクレアーゼ) T_1 (グアノシン 3′-リン酸残基の 3′-5′ 結合で RNA をエンドヌクレアーゼ様に開裂し，ヌクレオチドで終結するオリゴヌクレオチドを生成するヌクレアーゼ．第 1 段階(環化)ではトランスフェラーゼ(エンドヌクレアーゼ)，第 2 段階(水解)ではホスホジエステラーゼ). =guanyloribonuclease; RNase N_1.

RNase T_2 RNアーゼ(リボヌクレアーゼ) T_2 (RNA をエンドヌクレアーゼ様に切断し，3′-ヌクレオチドおよび3′-ホスホオリゴヌクレオチドを切り出す酵素). =*Escherichia coli* RNase I; microbial RNase II; plant RNase; RNase N_2.

RNase U_2 RNアーゼ(リボヌクレアーゼ)U_2 (RNA をエンドヌクレアーゼ様に切断して，2′,3′-環状リン酸体を中間体として，末端がアデニレートかグアニレート残基をもつ 3′-ホスホモノヌクレオチドや 3′-ホスホオリゴヌクレオチドを切り出す酵素).

RNase U$_4$ RNアーゼ(リボヌクレアーゼ)U$_4$. = yeast RNase.

yeast RNase 酵母RNアーゼ(リボヌクレアーゼ) (RNAをエンドヌクレアーゼ様に開裂して3′-ホスホモノヌクレオチドを切り出す酵素). = RNase U$_4$.

ri·bo·nu·cle·ase (*Ba·cil·lus sub·ti·lis*) (rī′bō-nū′klē-ās ba-sil′ŭs sŭb-tī′lis). リボヌクレアーゼ(枯草菌) (ribonuclease (*Azotobacter agilis*); ribonuclease (*Proteus mirabilis*); RNAをエンドヌクレアーゼ様に開裂し, 2′,3′-サイクリックヌクレオチドを与える反応を触媒する酵素).

ri·bo·nu·cle·ase (pan·cre·at·ic) (rī′bo-nū′klē-ās pan′krē-at′ik). リボヌクレアーゼ(膵臓) (ポリヌクレオチドのピリミジンヌクレオチド基の3′-リン酸を隣接するヌクレオチドの5′-位からピリミジンヌクレオチド自身の2′-位へ転移させ反すう類の膵臓から単離された酵素(トランスフェラーゼエンドヌクレアーゼ作用), すなわち鎖を切断し, ピリミジン2′,3′-環状リン酸塩を形成し, 次いで(または独立に)ホスホジエステル結合を加水分解し, ピリミジンヌクレオチド3′-リン酸基を切り出す(ホスホジエステル作用). 細胞化学においてはRNAの染色のときのコントロールとしてRNAを選択的に分解し除去させるのに用いる. 最終産物はヌクレオシド3′-リン酸と末端がCpまたはUpになっている3′-ホスホオリゴヌクレオチドである). = RNase A; RNase I.

ri·bo·nu·cle·ic ac·id (RNA) (rī′bō-nū-klē′ik as′id). リボ核酸 (1つのヌクレオシドの3′-水酸基から次のヌクレオシドの5′-水酸基へリン酸塩によって結合されるリボヌクレオシド残基からなる高分子. すべての細胞の核と細胞質の両方に微粒子および非微粒子の形で, また多くのウイルス中にも見出された. *in vitro* でつくられるものは一般にポリヌクレオチドとよばれる. 種々のRNA分画が位置, 形, 機能によって確認される).

acceptor RNA 受容体RNA. = transfer RNA.

antisense RNA アンチセンスRNA (DNAアンチセンス鎖の転写産物. 翻訳の抑制を担いうる. →antisense DNA).

chromosomal RNA 染色体RNA (染色体と結合したRNA(メッセンジャーRNA, トランスファーRNAあるいはリボソームRNAでない)のことで, 転写において役割を果たすと考えられている).

hepatitis C virus RNA (hep-ă-tī′tis vī′rŭs rē-bō-nū-klē′ik as′id). C型肝炎ウイルスRNA (HCVはRNAウイルスであり, ヒトの血中から定性的にも定量的にも検出可能である. 定性的試験では, 血液1mL中100コピーという微量レベルのウイルス複製までを検出できる. 定量的試験では, 血液中のウイルス粒子数を広範囲なレベルで推定できる).

heterogeneous nuclear RNA (hnRNA) ヘテロ核RNA (RNAの混合物で, 高分子量であり, 核外に輸送されない. 代謝回転率が高く, イントロンとエクソンの両方をもつ).

informational RNA = messenger RNA.

initiation tRNA 開始トランスファーRNA (原核生物のトランスファーRNAで, 翻訳を開始するホルミルメチオニル基を含んでいる). = starter tRNA.

messenger RNA (mRNA) (mes′en-jĕr). メッセンジャーRNA, 伝令RNA (遺伝的に活性を有するDNAのヌクレオチド配列を正確に写し, その配列としてコードされたDNAの〝メッセージ〞を蛋白合成の場である細胞質領域に伝えるRNA. 蛋白は, 細胞質中でmRNAによって規定された, すなわち, 元はDNAによって規定された, アミノ酸配列に従って合成される. ウイルスのRNAは自然のmRNAと考えられる). = informational RNA; template RNA.

messengerlike RNA (mlRNA) (mes′en-jĕr). メッセンジャーRNA様のRNA (→heterogeneous nuclear RNA).

nuclear RNA (nRNA) 核RNA (核にみられる, あるいは, DNAまたは核構造(核小体)と相互作用しているRNA).

RNA polymerase RNAポリメラーゼ (→nucleotidyltransferases).

ribosomal RNA リボソームRNA (リボソームとポリリボソームのRNA).

small RNA (sRNA) スモールリボ核酸 (21—28ヌクレオチドの長さからなるRNA分子であり, DNAからの転写を調節することで遺伝子の発現を制御している. →ribonucleic acid *interference*; small interfering RNA; microribonucleic *acid*).

small interfering RNA スモール干渉リボ核酸 (RNA転写を阻害する一群の小RNA. →small RNA; ribonucleic acid *interference*).

small nuclear RNA (snRNA) 核内低分子RNA (核に存在する小さなRNA (90—300程度の長さのヌクレオチド)をいい, RNAのプロセシングや細胞構築で役割をもつと信じられている).

soluble RNA (sRNA) [モル塩に可溶]. 溶性RNA. = transfer RNA.

starter tRNA = initiation tRNA.

suppressor tRNA サプレッサtRNA (抑圧突然変異と関連するトランスファーRNA).

template RNA テンプレートRNA. = messenger RNA.

transfer RNA (tRNA) トランスファーRNA, 転移RNA (細胞内に存在する少なくとも20種類の短鎖RNA分子で, 各種類は決まった特定のアミノ酸(→aminoacyl-tRNA)と結合することができる. mRNA分子上の特定の個所(コドン)と(アンチコドンを介して)結合し, アミノアシル残基を運ぶことによって, 特定のアミノ酸配列(終局的に染色体中のDNA断片によって命令される)から蛋白を形成する働きをする. 各tRNAは約80のヌクレオチドを有し, 分子量は約2万5,000である. これら20種のほとんどは複数の〝異性受容体isoacceptor〞の形で存在し, クロマトグラフィで分離できる. さらにtRNA亜型のいくつかは, 微生物の異株, 細胞下小器官, 代謝状態に応じて存在する. 同族のtRNAは特定のアミノアシル‐tRNAシンテターゼによって認識される). = acceptor RNA; soluble RNA.

ri·bo·nu·cle·i·nase (rī′bō-nū′klē-i-nās). リボヌクレイナーゼ, リボ核酸酵素. = ribonuclease.

ri·bo·nu·cle·o·pro·tein (RNP) (rī′bō-nū′klē-ō-prō′-tēn). リボ核蛋白 (リボ核酸と蛋白の結合).

ri·bo·nu·cle·o·side (rī′bō-nū′klē-ō-sīd). リボヌクレオシド (糖成分がリボースのヌクレオシド. 一般的なRNAのリボヌクレオシドは, アデノシン, シチジン, グアノシン, ウリジンである).

ri·bo·nu·cle·o·tide (rī′bō-nū′klē-ō-tīd). リボヌクレオチド (糖成分がリボースのヌクレオチド(リン酸ヌクレオシド). RNAの主なリボヌクレオチドはアデニル酸, シチジル酸, グアニル酸, およびウリジル酸である).

r. reductase リボヌクレオチドレダクターゼ (蛋白複合体で, ADPやCDPのようなリボヌクレオチド二リン酸(NDPs)をdADPやdCDPのような2′-デオキシリボヌクレオチド二リン酸(dNDPs)に変換する. この複合体はチオレドキシン, チオレドキシンレダクターゼおよびNADPHを要求する. DNA合成に重要である).

ri·bo·phor·ins (rī′bō-for′inz) [*ribo*nucleic acid + G. *phoros*, carrying + -in]. リボホリン (リボソーム受容体蛋白で, 大リボソームサブユニットと特に相互作用し, 新しく合成された蛋白が小胞体を横切って移動するのを助ける).

ri·bo·pyr·a·nose (rī′bō-pir′ă-nōs). リボピラノース (リボースの1,5-環状形).

ri·bose (Rib) (rī′bōs). リボース (そのD-異性体としてリボ核酸に存在するアルドペントース. D-リボースのエピマーとしては, D-アラビノース, D-キシロースやL-リキソースがある).

ri·bose 5-phos·phate (rī′bōs fos′fāt). リボース5-リン酸 (C-5位がリン酸化されたリボース. ペントースリン酸経路の中間体).

r. 5-p. isomerase リボース5-リン酸イソメラーゼ (D-リボース5-リン酸およびD-リブロース5-リン酸の相互転換を触媒する酵素. リボース代謝やペントースリン酸経路に重要). = phosphopentose isomerase; phosphoriboisomerase.

ri·bo·side (rī′bō-sīd). リボシド, リボース配糖体 (リボースの1-OHのHがアルコール残基(これは別の糖でありうる)で置換された化合物. リボシル化合物と異なり, リボ核酸(1-OHが全然ない, すなわちリボシル基をもつ)には存在しない).

ri·bo·some (rī′bō-sōm). リボソーム (リボ核蛋白の顆粒. 直径120—200Åで, mRNAにより制御されながらアミノアシル-tRNAからの蛋白合成を行う場所である). = Palade granule.

ri·bo·su·ri·a (rī′bō-syu′rē-ă) [ribose + G. *ouron*, urine]. リボース尿[症] (D-リボースの尿中排泄増加．一般に筋ジストロフィの発現の1つ).

riboswitch (rī-bō-switsch). リボスイッチ (アミノ酸誘導体からビタミン程度までの小分子を標的にできる調節性 RNA の1形態．細菌の遺伝子調節の役割を担う).

ri·bo·syl (rī′bō-sil). リボシル (–NH–または–CH–基のHと結合してリボースの環式2形のどちらかからヘミアセタールのOH基が消失して(リボフラノシル，リボピラノシル化合物を生じて)形成される基．リボースとアグリコン間の結合はC–NまたはC–Cで，–C–O–X–ではないため天然ヌクレオシドはリボシル化合物でリボシドではない).

ri·bo·syl·a·tion (rī′bō-sil-ā′shŭn). リボシル化 (1個以上のリボシルグループが分子(通常，高分子)に共有結合によりつくこと).

ADP r. ADP リボシル化 (ADP–リボシル部分が高分子に共有結合によりつくこと．例えば，ジフテリア毒素の作用).

1-ri·bo·syl·or·o·tate (rī′bō-sil-ōr′ō-tāt). 1–リボシルオロテート．= orotidine.

ri·bo·syl·pur·ine (rī′bō-sil-pyūr′ēn). リボシルプリン．= nebularine.

ri·bo·syl·thy·mi·dine (rī′bō-sil-thī′mi-dēn). リボシルチミジン．= ribothymidine.

ri·bo·thy·mi·dine (T, Thd) (rī′bō-thī′mi-dēn). リボチミジン；5-methyluridine (チミジン(デオキシリボシルチミン)のリボシル類似体．リボ核酸中に少量みられるヌクレオシド)．= ribofuranosylthymine; ribosylthymidine.

ri·bo·thy·mi·dyl·ic ac·id (rTMP, TMP) (rī′bō-thī′mi-dil′ik as′id). リボチミジル酸；ribothymidine 5′-phosphate (チミジル酸のリボース類似体．tRNA の微量にしか存在しない成分).

ri·bo·tide (rī′bō-tīd). リボチド (nucleoside と nucleotide のように，riboside を ribotide としたもので，ribonucleotide を意味する).

ri·bo·vi·rus (rī′bō-vī′rŭs). リボウイルス．= RNA *virus.*

ri·bo·zyme (rī′bō-zīm) [ribonucleic acid + -zyme]. リボザイム (非蛋白 RNA 生体触媒．数種のものは tRNA の前駆物質を開裂し，機能性 tRNA を与える．ある種のものは rRNA に作用する．イントロンスプライシング反応で重要な作用をする)．= organic catalyst (1); RNA enzyme.

ri·bu·lose (rī′byū-lōs). リブロース (リボースの2–ケト異性体．5–リン酸エステルとしてペントース一リン酸経路に関与する．1,5–二リン酸エステルとして，緑色植物中で光合成過程の最初に CO_2 と結合(炭酸ガス固定)する．D–リブロースはD–キシルロースのエピマーである).

ri·bu·lose-1,5-bis·phos·phate car·box·yl·ase (rī′-byū-lās bis-fos′fāt kar-boks′il-ās). リブロース–1,5–ビスリン酸カルボキシラーゼ (二量体のカルボキシリアーゼ．D–リブロース1,5–ビスリン酸に CO_2 を付加し，その付加物を加水分解し，2分子の3–D–ホスホグリセリン酸を生成する反応を触媒する酵素．この反応は光合成による CO_2 固定に重要な反応である)．= carboxydismutase.

ri·bu·lose-phos·phate 3-e·pim·er·ase (rī′byū-lōs-fos′fāt ep′i-mĕr′ās). リブロースリン酸–3–エピメラーゼ (D–キシルロース–5–リン酸とそのエピマーであるD–リブロース–5–リン酸の可逆的相互変換を触媒する酵素．ペントースリン酸経路の非酸化的段階での1つのステップ)．= phosphoribulose epimerase.

Ric·co (rē′kō), Annibale. イタリア人天体物理学者，1844—1919．→R. *law.*

rice (rīs) [G. *oryza*]. 米 (イネ科イネ *Oryza sativa* の穀粒．食品．細かく砕いて散粉薬として用いる).

Rich (rich), Arnold R. 米国人病理学者，1893—1968．→Hamman-R. *syndrome.*

Rich·ards (rich′ărdz), Barry Wyndham. 20世紀のイングランド人医師．→Richards-Rundle *syndrome.*

Rich·ard·son (rich′ărd-sŏn), John Clifford. 20世紀のカナダ人神経科医．→Steele-R.-Olszewski *disease, syndrome.*

Rich·ter (rik′tĕr), August G. ドイツ人外科医，1742—1812．→R. *hernia*; R.-Monro *line*; Monro-R. *line.*

Rich·ter (rik′tĕr), Maurice N. 20世紀の米国人病理学者．→R. *syndrome.*

ri·cin (rī′sin, ris′in). リシン (トウゴマ(蓖麻ヒマ)の実(ヒマシ油植物すなわち *Ricinus communis* の種子)に含まれる猛毒なレクチンおよびヒマグルテン．もし，それらを口にしたりすると呼吸器や胃腸粘膜に対して激烈な刺激薬として作用し，死に至ることもある．rRNA の GOS サブユニットに働き，蛋白の翻訳を停止する *N*-グリコシダーゼ).

ric·i·nism (ris′i-nizm). リシン中毒 (*Ricinus communis* の種子あるいは葉の毒性のある主成分を摂取することによる中毒).

ric·i·no·le·ic ac·id (ris′i-nō-lē′ik as′id). リシノール酸 (ヒマシ油に存在する不飽和ヒドロキシ酸).

Ric·i·nus (ris′i-nŭs) [L.]. トウゴマ属，ヒマ属 (ヒマシ油の原料となるトウゴマ *R. communis* 1種だけを有するトウダイグサ科植物の一属．葉は催乳薬になるといわれる)．= castor bean.

rick·ets (rik′ets) [E. *wrick*, to twist]. くる病 (ビタミンD欠乏によって生じる疾患．類骨組織の生産過剰と石灰化障害を特徴とし，骨変形，成長障害，低カルシウム血症，ときにテタニーを伴う．通常，怒りっぽく，無気力で全身の筋力低下がある．しばしば骨折を生じる)．= infantile osteomalacia; juvenile osteomalacia; rachitis.

acute r. 急性くる病．= hemorrhagic r.

adult r. 後発くる病，成人性くる病．= osteomalacia.

celiac r. 腹腔くる病 (腹腔疾患の脂肪とカルシウム吸収不全に関連する成長停止と骨の変形).

familial hypophosphatemic r. 家族性低リン血症性くる病．= vitamin D-resistant r.

hemorrhagic r. 出血性くる病 (乳児壊血病にみられる骨変化で，骨膜下出血と類骨組織形成不全からなる．くる病と壊血病の同時発症を示すのにしばしば用いられる)．= acute r.

hereditary hypophosphatemic r. 遺伝性低リン血症性くる病 (高カルシウム尿症を伴う遺伝性疾患で，腎尿細管のリンの再吸収不全がある).

late r. = osteomalacia.

refractory r. 治療抵抗性くる病 (通常量のビタミンDや適正な食事性カルシウムおよびリンによる治療に反応しないくる病で，Fanconi 症候群のような遺伝性腎尿細管疾患によることが多い).

renal r. 腎性くる病 (小児に発生する一種のくる病で，リン酸過剰血症を伴う腎疾患に合併し，明らかにそれによって起こる)．= pseudorickets; renal fibrocystic osteosis; renal infantilism; renal osteitis fibrosa.

scurvy r. 壊血病性くる病．= infantile *scurvy.*

vitamin D-resistant r. ビタミンD抵抗性くる病 (腎尿細管におけるリン再吸収障害や骨代謝障害により，低リン血症性くる病や骨軟化症を呈する代謝性疾患．低カルシウム血症やテタニーは認められない．常染色体優性遺伝型[MIM *193100]とX連鎖優性遺伝型[MIM*307800]のものがある．後者はX染色体短腕にあるエンドペプチダーゼと類似したリン調節遺伝子(*PHEX*)の突然変異により生じる．両型とも通常量のビタミンD投与には無反応であるが，リンとビタミンの大量投与により改善する．その他，第12染色体長腕のビタミンD受容体(*VDR*)遺伝子の突然変異による常染色体劣性遺伝型[MIM*277440]もある．ときどきビタミンD依存性くる病とよばれることもある)．= familial hypophosphatemic r.

Rick·etts (rik′ets), Howard T. 米国人病理学者，1871—1910．→*Rickettsia.*

Rick·ett·sia (ri-ket′sē-ă) [Howard T. *Ricketts*]. リケッチア属 (リケッチア目細菌の一属．小型で(非沪過性)しばしば多形を示す，球状から杆状のグラム陰性の細菌で，通常，シラミ，ノミ，ダニの細胞質内にいる．無細胞培地では増殖しない．病原種はヒトや動物に感染する．発疹チフス，ネズミのチフス，発疹熱，ロッキー山紅斑熱，ツツガムシ病，リケッチア痘瘡，その他の疾患を起こす．標準種は *R. prowazekii*).

R. africae 主にジンバブエで研究されたリケッチア属 *Rickettsia* の一種で，キララマダニ属の *Amblyomma hebraeum* によって伝播されると考えられている．紅斑熱の原因菌.

R. akari 痘瘡リケッチア（ヒトのリケッチア痘瘡を起こす細菌種．ハツカネズミに寄生するワクモ科の *Liponyssoides sanguineus* によって媒介される．米国北東部の都市周辺で7—10日の軽度の発熱を伴う症状が報告されている．ロシアの東部の国々および中央アジアのいくつかの国およびアフリカの野生または屋内げっ歯類からも見出されている）．

R. australis リケッチア痘瘡の病原体によって引き起こされる疾病と臨床的，血清学的に類似した斑点熱(北部クイーンズランドダニチフス)を起こす細菌種．恐らくマダニ属の *Ixodes holocyclus* と *I. tasmani* が媒介動物となっている．小型の有袋類がこの病原体の保有宿主となっていると考えられており，オーストラリアのクイーンズランド州のほとんどの沿岸部，特に二次低木林およびサバンナに分布している．

R. burnetii *Coxiella burnetii* の旧名．

R. canis *Ehrlichia canis* の旧名．

R. conorii 南欧，アフリカや中東で地中海斑熱を引き起こす細菌種．クリイロコイタマダニや他の数属のマダニなど種々のマダニによって媒介される．

R. honei オーストラリアにおいてフリンダーズ島紅斑熱を引き起こす細菌種．

R. japonica 日本紅斑熱を引き起こす細菌種．

R. mooseri *R. prowazekii* に類似するが，より形態変異が少ない種．感染により生じる発疹熱は軽度で，徴候もややゆっくりと出る．

R. prowazekii 発疹チフスリケッチア（再燃チフスを起こす細菌種．コロモジラミによって媒介される．*Rickettsia* の標準種）．

R. psittaci *Chlamydia psittaci* の旧名．

R. rickettsii 斑点熱リケッチア（ロッキー山紅斑熱，南アフリカのダニ熱，ブラジルのサンパウロ黄血症熱，コロンビアのトビア熱，ミナスゼラエスおよびメキシコの斑点熱の病原体となる細菌種．感染したマダニ類，特にカクマダニ属の *Dermacentor andersoni* と *D. variabilis* によって媒介される）．

R. sennetsu 泉熱リケッチア．＝*Ehrlichia sennetsu.*

R. sibirica シベリアまたは北アジアダニチフスの原因となる細菌種で，各種のマダニによって媒介される．ダニは保菌者としても働く．恐らくげっ歯類やウサギによって保持されている．本症はロッキー山紅斑熱に類似している．

R. slovaca 局所的な紅斑および恐らく髄膜脳炎を引き起こす新たに発見されたリケッチア症の原因となる細菌種．カクマダニの一種である *Dermacentor marginatus* によって伝播される．

R. tsutsugamushi *Orientia tsutsugamushi* の旧名．

R. typhi 発疹熱リケッチア（発疹熱を起こす細菌種．ネズミノミによって媒介される）．

ric·kett·si·al (ri-ket′sē-ăl). リケッチアの．

ric·kett·si·al·pox (ri-ket′sē-ăl-poks′). リケッチア痘（*Rickettsia akari* による感染症で，病原巣としてのハツカネズミからダニによって伝播される．良性で自然治癒経過を示し，1946年にニューヨーク市の Kew Gardens で初めてみられ，その後他の場所でいくつかの限局的な流行がある）．＝Kew Gardens fever; mite-born typhus; vesicular rickettsiosis.

ric·kett·si·o·sis (ri-ket′sē-ō′sis). リケッチア症（*Rickettsia* 属による感染）．

vesicular r. 小胞〔性〕リケッチア症．＝rickettsialpox.

rick·ett·si·o·stat·ic (ri-ket′sē-ō-stat′ik)［*Rickettsia* + G. *statikos*, bringing to a standstill］. リケッチア抑制薬，抗リケッチア薬（*Rickettsia*属の増殖を抑制する薬物）．

rick·e·ty (rik′ĕ-tē). くる病の．＝rachitic.

Rick·les (rik′ĕlz), Norman H. 20世紀の米国人口腔病理学者．→R. *test*.

RID radial *immunodiffusion* の略．

Rid·doch (rid′ok), George. 英国人医師，1888—1947．→R. *phenomenon*.

Rid·e·al (rid′ē-ăl), Samuel. イングランド人化学・細菌学者，1863—1929．→R.-Walker *coefficient*, *method*.

ridge (rij)［A.S. *hyrcg*, back, spine］［TA］. 隆線，稜（①しばしば粗面をなす線状の隆起．→crest. ②歯科において，歯の表面の線状の隆起．③抜歯後の歯槽突起とそれをおおう軟組織の残部）．

alveolar r. 歯槽突起．＝alveolar *process* of maxilla.

apical ectodermal r. 外胚葉頂堤（胚性肢芽の先端の表層外胚葉細胞層．下層間葉塊に誘導作用を及ぼし，四肢のその後の発育に必要と考えられている）．

basal r. ***1*** 歯槽突起．＝alveolar *process* of maxilla. ***2*** 歯帯．＝*cingulum* of tooth.

bicipital r.'s ＝*crest* of greater tubercle; *crest* of lesser tubercle.

buccocervical r. 頬面歯頸隆線（大臼歯の頬面の歯頸側1/3にある凸面）．

buccogingival r. 頬面歯肉隆線（乳臼歯の頬面上の明白な隆線で，歯頸線から1.5 mm）．

bulbar r. 心球隆線（胚の心臓球中のらせん状心内膜下肥厚の2つのうちの1つ．反対側と融合すると球を大動脈と肺動脈に分ける）．

bulboventricular r. 球室隆線（4週齢から5週齢の胎児心の内表面上の隆起．発育中の心室と心臓球との境を示す）．

dental r. 歯の隆線（咬合面の辺縁隆起，または歯の辺縁）．

dermal r.'s［TA］. 皮膚小稜（手掌，足底の表皮の隆線のことで，汗腺が開口する）．＝cristae cutis［TA］; epidermal r.'s; papillary r.'s*; skin r.'s.

epidermal r.'s 皮膚小稜．＝dermal r.'s.

epipericardial r. 心膜上隆線（発生中の咽頭部と胚の心膜を分離する隆線）．

external oblique r. 外斜線．＝oblique *line* of mandible.

ganglion r. ＝neural *crest*.

genital r. 生殖堤．＝gonadal r.

gluteal r. ＝gluteal *tuberosity*.

gonadal r. 生殖堤（胚期中腎の腹内側縁上の肥厚した中皮とその下層の間葉．原始生殖細胞がその中に埋もれて精巣または卵巣の原基となる）．＝genital cord; genital r.

interpapillary r.'s ＝rete r.'s.

key r. ＝zygomaxillare.

lateral epicondylar r. ＝lateral supraepicondylar r.

lateral supracondylar r.* 外側上顆稜（lateral supraepicondylar r. の公式の別名）．

lateral supraepicondylar r.［TA］. 外側上顆稜（上腕骨外側縁の遠位部で鋭い稜をなす部分）．＝crista supraepicondylaris lateralis［TA］; crista supracondylaris lateralis*; lateral supracondylar r.*; lateral epicondylar crest; lateral epicondylar r.; lateral supracondylar crest.

linguocervical r. 舌面歯頸隆線．＝linguogingival r.

linguogingival r. 舌面歯肉隆起（切歯と犬歯の歯頸近くの舌面に起こる隆線）．＝linguocervical r.

Mall r.'s (mahl). マル隆起（pulmonary r.'s(肺隆起)のまれに用いる冠名）．

mammary r. 乳腺堤＝mammary *crests*.

marginal r.［TA］. 〔歯の〕辺縁隆線（歯の咬合面の近心・遠心側の辺縁をなす丸い境界）．＝crista marginalis dentis［TA］; marginal crest of tooth［TA］.

medial epicondylar r. ＝medial supraepicondylar r.

medial supracondylar r.* 内側上顆稜（medial supraepicondylar r. の公式の別名）．

medial supraepicondylar r.［TA］. 内側上顆稜（上腕骨内側縁の縁位部で鋭い稜をなす部分）．＝crista supraepicondylaris medialis［TA］; crista supracondylaris medialis*; medial supracondylar r.*; medial epicondylar crest; medial epicondylar r.; medial supracondylar crest.

mesonephric r. 中腎隆線（初期のヒト胎児において，すべての泌尿生殖隆線を形成するもの．もっとも，発生後期になるとより内側の生殖隆線より将来生殖腺になるものがそれから分かれていく．→urogenital r.）．＝mesonephric fold.

milk r. ＝mammary *crests*.

mylohyoid r. ＝mylohyoid *line*.

nasal r. 鼻堤．＝*agger* nasi.

oblique r. 斜走隆線（近心舌側咬頭から遠心頬側咬頭への上顎大臼歯のそしゃく面上の隆線）．

oblique r. of crown 斜走隆線（上顎大臼歯に特徴的な，斜走する隆線．近心舌側咬頭の中心隆線と，遠心頬側咬頭の中心隆線の連なりにより形成される）．＝crista obliqua coronae dentis［TA］.

R

oblique r. of trapezium =*tuberculum* of trapezium bone.

palatine r. =palatine *raphe*.

palatopharyngeal r. 口蓋咽頭稜（鼻咽頭の後部壁上の隆起．えん下中に咽頭の上部括約筋が収縮するためにできる）．=Passavant bar; Passavant cushion; Passavant pad; crista palatopharyngea [TA]; Passavant r.

papillary r.'s *真皮乳頭稜（dermal r.'s の公式の別名）．

Passavant r. (pahs′ă-vahnt)．パッサファント隆線．=palatopharyngeal r.

pectoral r. 胸筋稜．=*crest* of greater tubercle.

pharyngeal r. 咽頭ひだ．=posterior *fascicle* of palatopharyngeus muscle.

primitive r. 原始ひだ（原始溝の両側の対になった高まり）．

pronator r. 回内筋隆線（尺骨前面を斜走する隆線で，方形回内筋が付着する）．

pterygoid r. of sphenoid bone 蝶形骨大翼の側頭下稜．=infratemporal *crest* of greater wing of sphenoid.

pulmonary r.'s 肺隆起（総主静脈の上にあり，外側体壁から胚の体腔に突出している1対の隆線．胸心膜ひだが発生する場所を早期に示すのでこうよばれている）．

residual r. 歯槽堤，顎堤（歯槽部分の骨吸収後，無歯顎口腔内に残る歯槽突起の部分）．

rete r.'s 乳頭間隆起（真皮乳頭間での表皮の下方への隆起）．=interpapillary r.'s; rete pegs.

skin r.'s 皮膚小稜．=dermal r.'s.

sphenoidal r.'s 蝶形骨稜（蝶形骨小翼の鋭い後縁で内側は前床突起に終わる．前頭蓋窩と中頭蓋窩の外側部とを境している）．

superciliary r. [TA]．=superciliary *arch*.

supplemental r. 補助隆線（正常の場合は存在しない歯の表面上の隆線）．

supraorbital r. =supraorbital *margin*.

supravalvular r. of aorta 大動脈弁上稜（大動脈洞のすぐ遠位側にある円周状線維性筋性の稜．その隆起は変化に富んでいる）．=crista supravalvularis aortae [TA].

supravalvular r. of pulmonary trunk 肺動脈幹弁上稜（大肺動脈弁のすぐ遠位側にある円周状線維性筋性の稜．その隆起は変化に富んでいる）．=crista supravalvularis trunci pulmonalis [TA].

taste r. 味〔覚〕隆線（舌の有郭乳頭を囲む隆線）．

temporal r. 側頭線．=inferior temporal *line* of parietal bone; superior temporal *line* of parietal bone.

tracheoesophageal r. 気管食道隆起．=tracheoesophageal *fold*.

transverse r. [TA]．斜走隆線．=*crista* transversalis.

transverse r. of crown 縦走隆線（臼歯の咬合面を縦走している頬側および舌側の2つの中心隆線の連なり）．=crista transversalis coronae dentis [TA].

transverse palatine r. 横口蓋ひだ．=transverse palatine *fold*.

transverse r.'s of sacrum [TA]．仙骨横線（仙骨の前面を横切る4本の隆線．これらは幼若骨における5個の仙椎体の椎間板の位置を示す）．=lineae transversae ossis sacri [TA].

trapezoid r. =trapezoid *line*.

triangular r. [TA]．中心隆線，三角隆線．=*crista* triangularis.

urogenital r. 〔泌〕尿生殖隆線（胚の背側体壁の背側腸間膜の両側に発生する対になった縦走する隆起．この隆起は最初は成育中の中腎によって，後には中腎と生殖腺によって形成される）．=genital fold; wolffian r.

wolffian r. ヴォルフ隆線．=urogenital r.

Rid·ley (rid′lē), Humphrey．イングランド人解剖学者，1653—1708．→R. *circle*, *sinus*; *circulus* venosus ridleyi.

Rie·del (rē′del), Bernhard M.C.L.　ドイツ人外科医，1846—1916．→R. *disease*, *lobe*, *struma*, *thyroiditis*.

Rie·der (rē′dĕr), Hermann.　ドイツ人病理学者，1858—1932．→R. *cells*, cell *leukemia*, *lymphocyte*.

Rie·gel (rē′gĕl), Franz.　ドイツ人医師，1843—1904．→R. *pulse*.

Rie·ger (rē′gĕr), Herwigh.　ドイツ人眼科医．→R. *anomaly*, *syndrome*.

Riehl (rēl), Gustav.　オーストリア人皮膚科医，1855—1943．→R. *melanosis*.

RIF resistance-inducing *factor* の略．

Ri·ga (rē′gah), Antonio.　イタリア人医師，1832—1919．→R.-Fede *disease*.

right-eyed (rīt-īd)．右眼利きの．=dextrocular.

right-foot·ed (rīt′fut-ĕd)．右足利きの．=dextropedal.

right-hand·ed (rīt′hand-ĕd)．右手利きの（書くことや手を使うほとんどの操作で，習慣的にまたは容易に右手を用いる）．=dextral; dextromanual.

ri·gid·i·ty (ri-jid′i-tē) [L. *rigidus*, rigid, inflexible]．***1*** 硬直，固縮．=rigor (1)．***2*** 硬さ（精神医学と臨床心理学において，変化に対する個人の抵抗を特徴とする人格の一面についていう）．***3*** 硬直，固縮，強剛（神経学で安静時の筋緊張亢進の一型．速度に関係なく受動的伸展に対して抵抗が増加している．左右対称的のこともあり，反対側の筋肉を動かすと筋緊張亢進が増加する．2つの基本的な型は歯車様硬直と鉛管様硬直である．→nuchal r.）．

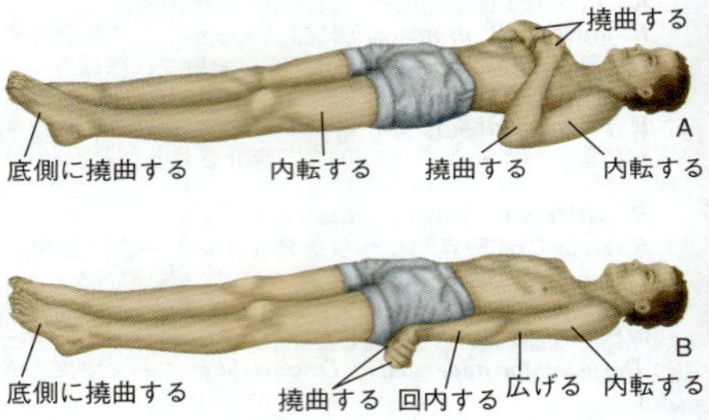

rigidity

A：除皮質硬直（異常な屈曲性応答）では上腕は，撓曲する肘，手首と指できつく側に保持される．脚は伸ばされて，内転する．足底は撓曲する．この姿勢は，大脳半球の内部または近接部に錐体路の破壊病変があることを示唆する．片側性の場合は，慢性痙性片麻痺が考えられる．

B：除脳硬直（異常な伸展性応答）では口は固く閉じられ，首は伸展する．腕は内転し，肘は硬く伸展する．このとき前腕は回内し，手首と指は撓曲する．脚は膝が硬く伸展し，脚底は撓曲する．この姿勢は自発的または光や音，痛みといった外的刺激に対する応答としてのみ，みられることがある．間脳・中脳・橋の病変が原因となるが，低酸素症や低血糖症のような重症の代謝性疾患が引き起こす場合もある．

cadaveric r. 死体硬直．=*rigor* mortis.

catatonic r. 緊張性硬直（緊張病（カタトニー）に伴う硬直．全身の筋肉がろう様可撓性を示す）．

cerebellar r. 小脳性硬直，小脳性固縮（小脳虫部の外傷に関連する伸筋の緊張増加）．

clasp-knife r. 折りたたみナイフ〔様〕硬直．=clasp-knife *spasticity*.

cogwheel r. 歯車様硬直（パーキンソン病にみられる一種の硬直．四肢を曲げるために持続性の力を入れると，筋肉は歯車のような感じの痙動を示す）．

decerebrate r. 除脳硬直（昏睡患者にみられやすい姿勢の変化．弓そり反張の発作よりなる．四肢の強直性の伸展，上肢の内転，著明な下肢の足底屈を伴う．種々の代謝性や器質性の脳病変により生じる）．=decerebrate state.

decorticate r. 除皮質硬直（上肢は屈曲し，下肢は硬直伸展した片側性または両側性姿勢変化．視床，内包，または大脳白質の器質性病変による）．=decorticate state.

lead-pipe r. 鉛管様硬直（錐体外路病変による筋緊張亢進の1つの型で，関節可動域のどこでも同じ程度に，受動的伸展に対して病的抵抗がみられる．折りたたみナイフ痙攣 clasp knife *spasticity* と対比される）．

nuchal r. 項部硬直（頸部伸筋の筋痙縮(本当の固縮でない)により頸部の屈曲が障害されること．通常，髄膜刺激により起こるものをいう）．

ocular r. 眼球壁硬性（眼球容積の変化に対する眼球の抵抗性．眼内圧の変化として表される）．

postmortem r. 死後硬直．＝*rigor* mortis.

scleral r. 強膜硬性（眼内圧の変化に伴う形の変化における眼の抵抗性）．

rig·or (rig′ŏr) [L. stiffness]. ***1*** 硬直．＝rigidity (1). ***2*** ＝chill (2).

acid r. 酸硬直（酸による筋肉蛋白の凝固）．

calcium r. カルシウム硬直（カルシウム中毒の結果，心臓が完全に収縮した状態で停止すること）．

heat r. 熱硬直（熱による筋肉蛋白の凝固）．

r. mortis 死体硬直（死後 1—7 時間後の体の硬化．ミオシノゲンとパラミオシノゲンの凝固の結果，筋肉組織が硬化して起こる．1 日後から 6 日後，すなわち分解が始まるときに消失する）．＝cadaveric rigidity; postmortem rigidity.

myocardial r. mortis ＝ischemic *contracture* of the left ventricle.

Ri·ley (rī′lē), Conrad M. 20 世紀の米国人小児科医．→R.-Day *syndrome*.

Ri·ley (rī-lē), Harris D., Jr. 20 世紀の米国人医師．→Smith-R. *syndrome*.

rim (rim). 縁（通常は円形の縁）．

bite r. ＝occlusion r.

occlusal r. ＝occlusion r.

occlusion r. 咬合堤（上下顎関係記録と人工歯配列の目的で仮義歯床または本義歯床につくる咬合面）．＝bite r.; occlusal r.; record r.

orbital r. 眼窩縁．＝orbital *margin*.

record r. ＝occlusion r.

RIMA reversible *inhibitor* of monoamine oxidase の略．

ri·ma, gen. & pl. **ri·mae** (rī′mă, rī′mē) [L. a slit] [TA]. 裂（2 つの対称的な部位の間の細隙または裂溝，あるいは狭く長い開口部）．

r. glottidis [TA]. 声門裂（声帯間の間隙）．＝r. vocalis*; glottis vera; true glottis.

r. oris [TA]. 口裂．＝oral *fissure*.

r. palpebrarum [TA]. 眼瞼裂．＝palpebral *fissure*.

r. pudendi [TA]. 陰裂．＝pudendal *cleft*.

r. respiratoria ＝r. vestibuli.

r. vestibuli [TA]. 〔喉頭〕前庭裂（仮声帯または室ひだの間の間隙）．＝false glottis; glottis spuria; r. respiratoria.

r. vocalis* r. glottidis の公式の別名．

r. vulvae ＝pudendal *cleft*.

ri·mose (rī′mōs) [L. *rimosus* < *rima*, a fissure]. 裂け目のある（磁器のひびのように，あらゆる方向へのひびを特徴とする）．

rim·u·la (rim′yū-lă) [L. *rima* の指小辞]. 小裂（小さな細隙または裂溝）．

Rind·fleisch (rint′flīsh), Georg E. ドイツ人医師，1836—1908. →R. *folds*.

ring (ring) [A.S. *hring*]. ＝annulus. ***1*** 輪（広い中心開口部を取り巻く同心円帯．開口部やある水準での領域を輪状または同心円状に取り囲む構造）．＝anulus [TA]. ***2*** 環（環式化合物における原子の閉鎖環．一般に cyclic，cycle を接頭語として用いる）．***3*** 輪（細菌の肉汁培養で起こる上表面の周縁増殖．試験管の側面に付着して，輪形を呈する）．

abdominal r. 腹部輪．＝deep inguinal r.

amnion r. 羊膜輪（臍帯から臍が出る部位で羊膜が付着してできる輪）．

anterior limiting r. 前境界輪．＝anterior limiting *lamina* of cornea.

anuloplasty r. 弁形成リング（外科手技の結果，拡大した弁輪が，たいていは人工的なリングに縫合され，そして正常な収縮期のサイズにまで減少させられる）．

Balbiani r. (băl-bă′nē). バルビアニ環（多糸性染色体のバンドにみられる非常に大きなパフ）．

benzene r. ベンゼン環（ベンゼン分子中の炭素と水素原子の閉鎖配列．→cyclic *compound*）．

Bickel r. (bi′kĕl). ビッケル輪．＝pharyngeal lymphatic r.

Cannon r. (kan′ŏn). キャノン輪．＝Cannon *point*.

capsular tension r. 水晶体嚢拡張リング（チン小帯が弱いまたは断裂している症例において水晶体嚢を安定させるために白内障術中に水晶体嚢内に挿入する器具）．

cardiac lymphatic r. リンパ噴門輪．＝*lymph nodes* around cardia of stomach.

casting r. ＝refractory *flask*.

choroidal r. 脈絡膜輪（視神経円板に隣接する軽い色素を有するコーヌスあるいはリング）．

ciliary r. 毛様体輪．＝orbiculus ciliaris.

common tendinous r. of extraocular muscles [TA]. 外眼筋の総腱輪（視神経管と上眼窩裂の内側部を取り囲む線維輪．眼の 4 個の直筋の起始となり，視神経鞘と部分的に融合している）．＝anulus tendineus communis [TA]; anulus of Zinn; Zinn ligament; Zinn r.; Zinn tendon.

conjunctival r. [TA]. 結膜輪（結膜と角膜辺縁の接合部の幅の狭い輪）．＝anulus conjunctivae [TA].

constriction r. ***1*** 絞扼輪，絞縮輪（子宮腔の真性痙性狭窄．筋肉域が局所的に強直性攣縮を起こし，胎児のある部位の周囲に緊密な狭窄が生じるときに起こる）．***2*** ＝amnionic *band*.

crural r. ＝femoral r.

deep inguinal r. [TA]. 深鼡径輪（精索および精巣動・静脈(女性の場合は子宮円索)が鼡径管にはいるのに通る横腹筋膜の開口部．上前腸骨棘と恥骨結節の間にあり，内側は下腹壁血管を含む外側臍ひだ，下方は腸恥靱帯によって囲まれる．間接鼡径ヘルニアはここから腹腔を出て発症する）．＝anulus inguinalis profundus [TA]; abdominal r.; internal inguinal r.

distal r. of nuclear pore complex 核膜孔複合体の遠位リング（核膜孔複合体のカルシウム感受性領域．これは，虹採様の隔膜で，核と細胞質の間を輸送される蛋白と mRNA の大きさに適応する）．

external inguinal r. ＝superficial inguinal r.

femoral r. [TA]. 大腿輪（前方は鼡径靱帯，後方は恥骨筋，内側は裂孔靱帯，外側は大腿静脈が境界をなす大腿管の上開口部．ここを通って多数のリンパ管が大腿から腹腔へ通過していく．Valsalva 操作の際の大腿静脈の拡張を調節する．Cloquet のリンパ節がしばしば存在し，また大腿ヘルニアの起こる部位でもある）．＝anulus femoralis [TA]; crural r.

fibrocartilaginous r. of tympanic membrane [TA]. 鼓膜の線維軟骨輪（鼓膜溝に固定されている鼓膜辺縁の肥厚部）．＝anulus fibrocartilagineus membranae tympani [TA]; Gerlach anular tendon.

fibrous r. 線維輪（① ＝(right and left) fibrous r.'s of heart. ② ＝*anulus* fibrosus of intervertebral disc）．

fibrous r. of intervertebral disc ＝*anulus* fibrosus of intervertebral disc.

Fleischer r. (flī′shĕr). フライシャー輪（円錐角膜錐体底によくみられる不完全輪で，ヘモジデリンが沈着するため黄色または緑色がかった色を呈する）．

Fleischer-Strümpell r. (flī′shĕr shtrēm′pĕl). ＝Kayser-Fleischer r.

Flieringa r. (flī-ĕ-ring′ă). フリーリンガ輪（強膜で縫合するステンレススチール輪．危険な眼内手術で球虚脱を防ぐために用いる）．

gestational r. 胎嚢輪（超音波断層法で認められる白色の輪．妊娠の初期像）．

glaucomatous r. 緑内障輪．＝glaucomatous *halo* (1).

Graefenberg r. (grā′fĕn-bĕrg). 避妊の目的で子宮腔内に挿入する銀の環を表す，現在では用いられない語．

greater r. of iris 大虹彩輪．＝outer *border* of iris.

internal inguinal r. ＝deep inguinal r.

r. of iris 虹彩輪．＝*border* of iris.

Kayser-Fleischer r. (kī′zĕr flī′shĕr). カイザー－フライシャー輪（肝レンズ核変性症にみられる角膜強膜縁すぐのところで角膜を包囲する緑色を帯びた黄色色素の輪．Descemet *membrane*(デスメ膜)における銅の沈着による）．＝Fleischer-Strümpell r.

lesser r. of iris 小虹彩輪．＝inner *border* of iris.

Liesegang r.'s (lē′sĕ-gahng). リーゼガンク環（濃硝酸銀

溶液を重クロム酸カリウムを含むゲル(ゼラチン，寒天，シリカゲルなど)の表面に1滴落とすと生じるクロム酸銀の沈殿でできた着色輪).

Lower r. (lō′wĕr). ローアー輪. =(right and left) fibrous r.'s of heart.

lymphatic r. of cardiac part of stomach 噴門リンパ輪. =*lymph nodes* around cardia of stomach.

middle r. of nuclear pore complex 核膜孔複合体の中間リング(中心フレームワークとしても知られている. 核膜の内膜と外膜の結合部に位置する8個の膜貫通蛋白のサブユニットで構成され，核膜孔の周辺部分を形成する. 細胞質リングと核リングを支持する).

neonatal r. 新産環〔線〕. =neonatal *line.*

pathologic retraction r. 病的収縮輪(薄層化した下部子宮と，厚く収縮した上部子宮の接合部に位置する狭窄. 閉塞性分娩によって生じる. これは切迫子宮破裂の典型的な徴候の1つである).

pharyngeal lymphatic r. [TA]. リンパ咽頭輪(舌，口蓋，咽頭扁桃で形成するリンパ組織の断続輪状配列). =anulus lymphoideus pharyngis [TA]; Bickel r.; tonsillar r.; Waldeyer throat r.

physiologic retraction r. 生理的収縮輪(上下子宮部間の境界線の子宮内面上の隆起輪. 正常分娩中に発生する).

polar r. 極輪(アピコンプレクサ亜門の原生動物の一定段階で，先端に存する肥厚した高電子密度の輪状構造物. これらの胞子虫類に特徴的な先端構造物群の一部).

(right and left) fibrous r.'s of heart [TA]. 心臓の線維輪(心臓の左右の房室口を囲む線維輪で，弁葉を支持し口形を維持している. 心臓骨格の一部をなし，心筋の起始・停止ともなっている). =anulus fibrosus (1) [TA]; anulus fibrosus dexter/sinister cordis; coronary tendon; fibrous r. (1); Lower r.

Schatzki r. (shotz′kē). シャッツキー輪(食道下部1/3の部分の収縮あるいは不完全な粘膜性隔膜. ときに症状を呈する).

Schwalbe r. (shwahl′bĕ). シュヴァルベ輪. =anterior limiting *lamina* of cornea.

scleral r. 強膜輪(網膜色素上皮が視神経に波及しないときの視神経円板に隣接した強膜の状態).

signet r. 環状体(赤血球中のマラリア原虫の栄養型発育の初期. 原虫の細胞質はRomanowsky染色で円形縁の周囲が青色に染まり核は赤色に染まるが，中心空胞は明るく輪状の外観を呈する).

r. of Soemmering (sŏrm′ĕr-ing). ゼンメリング輪(瞳孔領とはあまり関係なく水晶体嚢の前後部分に封入された水晶体線維の集塊).

subcutaneous r. =superficial inguinal r.

superficial inguinal r. [TA]. 浅鼡径輪(精索(女性の場合は子宮円索)あるいは鼡径ヘルニアが，鼡径管から出るのに通る腹壁の外腹斜筋の腱膜にある裂隙状の開口.→*aponeurosis* of external oblique (muscle)). =anulus inguinalis superficialis; external inguinal r.; subcutaneous r.

tonsillar r. 扁桃輪. =pharyngeal lymphatic r.

tracheal r. =tracheal *cartilages.*

tympanic r. [TA]. 鼓室輪(発生学用語. 胎児軟骨性外耳道の内側端にあるほぼ完全に骨でできた輪で，ここに鼓膜が付着している). =anulus tympanicus[TA]; tympanic bone.

umbilical r. [TA]. 臍輪(胎児の臍血管が通る白線内の孔. 幼若胚子では比較的恥骨に近いところにあるが，徐々に腹部中央に上昇する. 成人では閉じており，その部位は臍によって示されている). =anulus umbilicalis[TA]; canalis umbilicalis.

vaginal r. 腟内リング(エストロゲン等の徐放剤を浸み込ませたシリコン製の輪).

vascular r. 血管輪(先天的に気管と食道を包囲する異常動脈(大動脈弓). ときに圧迫症状を生じる).

Vieussens r. (vyū-sŏn[h]′). ビューサン輪. =*limbus* fossae ovalis.

Vossius lenticular r. (vahs′ē-yŭs). ヴォッシウス水晶体輪(眼の打撲傷の後に前水晶体嚢にみられる輪状混濁. 色素と血液による).

Waldeyer throat r. (văl′dī-ĕr). ヴァルダイアー(ワルダイエル)咽頭輪. =pharyngeal lymphatic r.

Zinn r. (zin). ツィン輪. =common tendinous r. of extraocular muscles.

Ring·er (ring′ĕr), Sydney. イングランド人生理学者，1835—1910. →R. *injection*, *lactate*, *solution*; lactated R. *injection*; Krebs-R. *solution*; Locke-R. *solution*.

ring-knife (ring-nīf). 環形ナイフ(大工の輻刀をモデルとしてつくられた内側に切断刃の付いた円形または卵形の環. 鼻腔や他の腔の腫瘍を削るのに用いる). =spoke-shave.

ring·worm (ring′wŏrm). 白癬. =tinea.

r. of beard =*tinea* barbae.

black-dot r. 黒点状白癬(ほとんどが *Trichophyton tonsurans* または紫色白癬菌 *T. violaceum* による頭部白癬).

r. of body 体部白癬. =*tinea* corporis.

crusted r. 痂皮性白癬，結痂性白癬. =favus.

r. of foot 足部白癬. =*tinea* pedis.

honeycomb r. 蜂巣状輪癬. =favus.

r. of nails 爪〔甲〕白癬. =onychomycosis.

Oriental r. 東洋輪癬，白癬. =*tinea* imbricata.

r. of scalp 頭部白癬. =*tinea* capitis.

scaly r. 鱗屑性白癬. =*tinea* imbricata.

Tokelau r. [南太平洋にあるトケラウ諸島]. トケラウ白癬. =*tinea* imbricata.

Rin·ne (rin′nĕ), Friedrich Heinrich A. ドイツ人耳科医，1819—1868. →R. *test*.

Ri·o·lan (rē-ō-lŏn[h]′), Jean. フランス人解剖・植物学者，1577—1657. →R. *anastomosis*, *arc*, *arcades*, *bones*, *bouquet*, *muscle*.

RIP radioimmunoprecipitation の略.

ri·par·i·an (ri-păr′ē-ăn, rī-) [L. *riparius* < *ripa*, bank]. 辺縁の，川岸の(川岸に関連する，川岸に住む).

Ri·pault (rē-pō′), Louis H.A. フランス人医師，1807—1856. →R. *sign*.

rip·en·ing (rī′pĕn-ing). 熟成(染料の溶液の進行性酸化のことを示す. 例えば，ヘマトキシリン溶液の熟成によりヘマテインに，またはメチレンブルーからはアズール染料に).

Rip·stein (rip′stīn), Charles B. 20世紀の米国人外科医. →R. *operation*.

RISA radioiodinated serum *albumin* の略.

risk (risk). 危険〔度，性〕(【慣用英語では，人が疾病の危険，損傷の危険，あるいはその他面倒な出来事を招く危険がある場合，at risk for ではなく at risk of という. possible risk および potential risk のような重複的な表現を避けること. 不確実さを示す要素は本語の意味にすでに含まれている】. 事象が起こる可能性).

absolute r. 絶対リスク(イベントの相対危険度と対比される，特定のイベントが特定の集団において発生する確率).

attributable r. 寄与危険度(暴露群において，疾病などの結果の起こる割合のうち，暴露の寄与によるもの).

competing r. 競合リスク(追跡研究中に，ある結果へのリスク状態から対象を除いてしまう原因となる事象. 癌の再発を追跡中に脳卒中により死亡するなど).

empiric r. 経験的危険度(型にはまった理論や推論をすべて避け，経験的証拠のみに基づいて判断した危険度).

intrinsic mortality r. 内在的な死亡リスク(死亡に対するリスクのうち，喫煙のように，ある特定の暴露に起因するリスクとは異なり，年齢のような内在的な要因に起因するリスク).

radiation r.'s 放射線危険度(放射線被曝による健康に対する危険度. 被曝には自然放射線源からの被曝と人工放射線源からの被曝がある. →background *radiation*).

recurrence r. 再発危険性(子孫の中の少なくとも1人(発端者)がその疾患を呈する危険性).

relative r. (**RR**) 相対危険度(あるリスク因子への暴露群と非暴露群の疾病のリスクの比).

Ris·ley (riz′lē), Samuel D. 米国人眼科医，1845—1920. →R. rotary *prism*.

ri·so·ri·us (ri-sō′rē-ŭs) [L. *risor*, one who laughs < *rideo*, pp. *risus*, to laugh]. 笑いの (→risorius (*muscle*)).

RIST radioimmunosorbent *test* の略.

ris·to·ce·tin (ris′tō-sē′tin). リストセチン (*Amycolatopsis*

orientalis の発酵によって産生される抗生物質．リストセチンAおよびリストセチンBからなる．現在では使用されていないが，血小板凝集反応および血液凝固を引き起こすので，それらの機能の測定に用いられていた）．＝ristomycin.

ris·to·my·cin (ris-tō-mī′sin). ＝ristocetin.

ri·sus (rī′sŭs) [laughter]. 笑い，笑い声（[複数形は risi ではなく risus である]）．

r. caninus (rī′sŭs kā-nī′nŭs) [L. *risus*, laugh + *caninus*, doglike]. 痙笑，ひきつり笑い（顔面痙攣によって起こるにやにや笑い，特にテタヌスや，ある種の毒物でみられる）．＝canine spasm; r. sardonicus; sardonic grin; trismus sardonicus.

r. sardonicus (sar-don′i-kŭs) [L. *risus*, laughter + *sardonicus* < G. *sardanios*, scornful < Sardinian, *sardonios* (Sardinia 原産の毒草 *Strychnos nux-vomica* の効果についていう)]. ＝r. caninus.

Rit·gen (rit′gen), Ferdinand A.M.F. von. ドイツ人産科医，1787—1867. ⇀R. *maneuver*.

Rit·ter (rit′ĕr), Johann W. ドイツ人物理学者，1776—1810. ⇀R. opening *tetanus*; R.-Rollet *phenomenon*.

rit·u·al (rich′ū-ăl) [L. *ritualis* < *ritus*, rite]. 儀式（精神医学および心理学において，個人が不安を緩和するために行う何らかの繰り返しの精神運動活動(例えば，髪の毛を引っ張る，病的な手洗い)．強迫性障害に典型的にみられる）．

ri·val·ry (rī′văl-rē) [L. *rivalis*, competitor, rival]. 競争，競合（同一物体，目標に対する2人または二存在間以上の間の競争）．

binocular r. 視野闘争（両眼が，異なる色や境界をもった標的に同時に急速にさらされるときに視野の知覚が交互に起こること）．

r. of retina 網膜競合（融像を不可能にする異なった大きさ，色，形，照度の刺激によるそれぞれの眼の対応領域における同時興奮）．

sibling r. 同胞抗争（子供の間での，特に両親の注目・愛情・尊敬を求める嫉妬的な競争．広義には，同胞抗争は一生を通じての正常および異常な競争心の一要因である）．

Riv·e·a co·rym·bo·sa (riv′ē-ă kō′rim-bō′să). ヒルガオ科の植物．種子はメキシコのアテスカ族が儀式に用いた．リセルグ酸アミド，リセルグ酸モノエチルアミド，カノクラビンや他のインドールアルカロイドを含む．幻覚・陶酔作用を得るには数百に及ぶ種子を摂取しなければならない．

Ri·ve·ri·us (rē-vē′rē-us). ⇀Rivière.

Riv·er·o-Car·val·lo (ri-ver′ō kar-vy′ō), José Manuel. 20世紀のメキシコ人心臓病医．⇀Carvallo *sign*; R.-C. *effect*.

Riv·ers (riv′ĕrz), William H. イングランド人医師，1864—1922. ⇀R. *cocktail*.

Ri·vi·ère (Ri·ve·ri·us) (ri-vē-ār′), Lazare (Lazarus). フランス人医師，1589—1655. ⇀R. *salt*.

Ri·vi·nus (ri-vē′nŭs), August Q. ドイツ人解剖学者，1652—1723. ⇀Rivinus *canals*, *ducts*, *gland*, *incisure*, *membrane*, *notch*.

ri·vus lac·ri·ma·lis (rī′vŭs lak-ri-mā′lis) [L. *rivus*, stream + Mediev. L. *lacrimalis* < L. *lacrima*, a tear][TA]. 涙河．＝lacrimal *pathway*.

riz·i·form (riz′i-fōrm) [Fr. *riz*, rice]. 米粒形の．

RLL right lower lobe (of lung)((肺の)右下葉)の略．

RLQ right lower quadrant (of abdomen)((腹部の)右下四分円領域，右下腹部)の略．

RMA right mentoanterior position の略．

RML right middle lobe (of lung)((肺の)右中葉)の略．

RMP right mentoposterior position の略．

RMT right mentotransverse position の略．

RMV respiratory minute *volume* の略．

RN registered *nurse* の略．

Rn ラドンの元素記号．

RNA ribonucleic acid の略．この略語を有する語は ribonucleic acid の項参照．Registered Nurse Anesthetist(登録看護麻酔士)の略．

RNAi ribonucleic acid *interference* の略．

RNase ribonuclease の略．この略語を有する語は ribonuclease の項参照．

RNase D *ribonuclease* D の略．

RNA splic·ing (splīs′ing). ＝splicing (2).

RNA tectonics リボ核酸テクトニクス（ヘアピンループの順序と反応性分子末端の配列に基づいた予測可能な形のRNA ナノ単位超分子の研究室レベルでの構築．各々のRNA 分子はテクト RNA と名付けられ，その集合はキッシングループ複合体とよばれる非共有ループ・ループ中間体のような実在物によって先導されている．集合体は〝テクト〟の接頭語を付けて，〝テクトスクエアー〟などと名付けられる）．

RNC Registered Nurse, Certified(認定正看護師)の略．

RNP ribonucleoprotein; Registered Nurse Practitioner(登録正看護師)の略．

R/O rule out(～を除外する，～を認めない)の略．

ROA (rō). right occipitoanterior position の略．

Roach (rōch), F. Ewing. 米国人補てつ専門歯科医，1868—1960. ⇀R. *clasp*.

Ro·bert (rō′bĕrt), Heinrich, L.F. ドイツ人婦人科医，1814—1878. ⇀R. *pelvis*.

Rob·erts (rob′ĕrts), J.B. 20世紀の米国人医師．⇀R. *syndrome*.

Rob·ert·shaw (rob′ĕrt-shaw), Frank L. 20世紀のイングランド人麻酔科医．⇀R. *tube*.

Rob·ert·son (rob′ĕrt-sŏn). ⇀Argyll R.

Rob·in (rō-ban[h]′), Charles P. フランス人医師，1821—1885. ⇀Virchow-R. *space*.

Rob·in (rō-ban[h]′), Pierre. フランス人小児科医，1867—1950. ⇀Pierre R. *syndrome*.

Rob·i·now (rob′i-now), Meinhard. 20世紀の米国人医師．⇀R. *dwarfism*, *syndrome*.

Rob·in·son (rob′in-sŏn), Brian F. 20世紀の英国人心臓病医．⇀R. *index*.

Ro·bi·son (rō′bi-sŏn), Robert. イングランド人化学者，1884—1941. ⇀R. *ester*, ester *dehydrogenase*; R.-Embden *ester*.

ro·bot·ic (rō-bot′ik) [Czech *robot*, robot < *robota*, drudgery + -ic]. ロボットの，自動装置の（ロボットに関する，あるいはロボット特有の．直接の人間の操作なしに人間の機能を再現するように設計された自動的な機械装置）．

Rob·son (rōb′son). ⇀Mayo-Robson.

ro·bust·ness (rō-bust′ness) [L. *robustus*, hale, strong < *robur*, oak, strength]. 頑健性，ロバストネス（統計学において，検定結果から誤った結論をくだしてしまう確率の程度が，検定のもとになるモデルに暗に含まれる前提からの解離にあまり影響されないという性質）．

ROC 診断の正確度の統計的表現である，receiver operating *characteristic* の頭字語．⇀ROC *curve*.

roc·cel·lin (rok′sel-in) [C.I. 15620]. ロクセリン．＝archil.

Ro·cha·li·mae·a (rō′kă-li-mē′ă) [H. da *Rocha-Lima*, ブラジル人微生物学者]. *Bartonella* の旧名．

R. henselae ⇀*Bartonella henselae*.

R. quintana ⇀*Bartonella quintana*.

rocuronium (rō-kū-rō′nē-ŭm). ロクロニウム（アミノステロイド誘導体の非脱分極性筋弛緩薬．作用発現は投与量に依存して急速または中間型で，効果持続時間は中時間作用性）．

rod (rod) [A.S. *rōd*]. 杆〔状〕体（①細い円柱状の構造または装置．②網膜の外顆粒層中のロドプシンを含む杆状細胞の光感受性外向突起．錐体とともに何百万もの杆状体と錐状体で光受容層を形成する．＝rod cell of retina）．

analyzing r. アナライジングロッド，〔分析〕測定杆（可撤性局部義歯床を設計するときに平行面と添窩部の相対位を決定するためにサベーヤーとともに用いる装置）．

Auer r.'s (ow′ĕr). ＝Auer *bodies*.

basal r. ＝costa (2).

Corti r.'s (kōr′tē). コルティ(コルチ)杆状体．＝pillar *cells*.

enamel r.'s ＝*prismata* adamantina(⇒prisma).

germinal r. ＝sporozoite.

Maddox r. (mad′ŏks). マドックス杆（ガラス杆，または一連の平行ガラス杆．光源像を杆状体軸に垂直な光の線条に変える．他眼が見る光源像に対するこの線条の位置が斜位の存在と程度を示す）．

surgical r. 外科手術用杆（通常，金属よりなる円筒状の挿入物で，長骨骨折の整復および内固定に用いる．→nail; pin)．

Ro·den·ti·a (rō-den′shē-ă) [Mod. L. < L. *rodo*: *rodens*(to gnaw) の現在分詞]．げっ歯目（有胎盤哺乳類(真獣亜綱)の最大の目．これらはすべて咬むためののみ様の一組の上顎門歯と粉砕用の扁平な冠をもった前臼歯と大臼歯を有する．この目はマウス，ラット，モルモット，リス，ビーバー，その他多くを含む)．

ro·den·ti·cide (rō-den′ti-sīd) [rodent + L. *caedo*, to kill]．殺鼡薬（げっ歯類に致命的な薬物)．

Roent·gen (rĕnt′gĕn), Wilhelm K. ドイツ人物理学者・ノーベル賞受賞者，1845—1923．1895 年 11 月，X線を発見．この発見で1901 年にノーベル物理学賞受賞．→roentgen; roentgen *ray*.

roent·gen (R, r) (rĕnt′gĕn, rent′chen) [Wilhelm K. *Roentgen*]．レントゲン（X線またはガンマ線の照射線量の(旧)国際単位．標準状態(註 0 ℃，1 気圧)の空気 $1cm^3$，つまり 0.001293g に対して 2.08×10^9 個の正負イオン，すなわちそれぞれ 1 静電単位(esu)の電荷を生じさせる線量のこと．MKSA 単位系では，空気 1kg あたり厳密に 2.58×10^{-4} クーロンになる)．

r.-equivalent-man (rem) レム，人体レントゲン当量（線量当量の(旧)単位で，ヒトに対してX線またはガンマ線 1 ラドと同じ生物的効果を生じさせるような任意の種類の電離放射線の量．レムの値は，ラドで表した吸収線量に当該放射線の線質係数を乗じたものに等しい．100rem=1Sv)．

r.-equivalent-physical 物理的レントゲン当量（生活組織による吸収によってX線またはガンマ線 1 レントゲンが生じるのと等しい組織 1 g 当たりのエネルギー増加を生じる種類の電離放射線の量．現在では用いられない．→rad)．

roent·gen·ky·mo·gram (rent′gen-kī′mō-gram)．X線動態撮影図（X線動態記録器でとる心運動の記録)．

roent·gen·ky·mo·graph (rent′gen-kī′mō-graf)．X線動態記録器，X線キモグラフ（1 枚のフイルムに心・大血管あるいは横隔膜の運動を記録するための装置．通常は，水平または垂直方向に幅 1mm 以下のスリットが 1 —2cm 間隔で切られたグリッドとよばれる鉛のシートからできている．X線照射は数回の心拍動あるいは呼吸の間行われ，グリッドまたはフイルムを，心臓の動きを記録する場合は垂直に，横隔膜の場合は水平に動かす)．

roent·gen·ky·mog·ra·phy (rent′gen-kī-mog′ră-fē)．X線キモグラフィ〔法〕（X線キモグラフを用いて心運動を記録する方法であるが，現在では用いられない)．

roent·gen·o·gram (rent′gen-ŏ-gram′)．X線像，レントゲン像，X線写真．＝radiograph.

roent·gen·o·graph (rent′gen-ŏ-graf)．レントゲン撮影，X線撮影．＝radiograph.

roent·gen·og·ra·phy (rent′gen-og′ră-fē)．X線撮影〔法〕．＝radiography.

roent·gen·ol·o·gist (rent′gen-ol′ŏ-jist)．放射線学者，X線専門家，放射線科医（X線を診断や治療に適用することに熟練している医師)．

roent·gen·ol·o·gy (rent′gen-ol′ŏ-jē)．X線〔医〕学，放射線学，レントゲン学（X線の全適用法の研究．画像診断においては，radiology のほうが好んで用いられている)．

roent·gen·om·e·ter (rent′gen-om′ĕ-tĕr)．X 線 量 計．＝radiometer.

roent·gen·om·e·try (rent′gen-om′ĕ-trē)．X線量計測〔法〕(治療あるいは診断のために投与されたX線量の測定あるいはX線の透過力の測定)．＝x-ray dosimetry.

roent·gen·o·scope (rent′gĕn-ŏ-scōp)．X線透視器（fluoroscope を表す現在では用いられない語)．

roent·gen·os·co·py (rent′gen-os′kŏ-pē)．X 線 透 視〔法〕(fluoroscopy を表す現在では用いられない語)．

roent·gen·o·ther·a·py (rent′gen-ō-ther′ă-pē)．X 線 療 法 (radiotherapy を表す現在では用いられない語)．

roeth·eln (ret′eln)．→röteln.

Ro·ger (rō-zhā′), Georges Henri. 【間違った形の Rogers や Rogers' を避けること】．フランス人生理学者，1860—1946．→R. *reflex*.

Ro·ger (rō-zhā′), Henri L. 【間違った形の Rogers や Rogers' を避けること】．フランス人医師，1809—1891．→R. *disease*, *murmur*; *bruit* de R.; *maladie* de R.

Rog·ers (roj′ĕrz), Oscar H. 【間違った形の Roger や Roger's を避けること】．米国人医師，1857—1941．→R. *sphygmomanometer*.

Rohr (rōr), Karl. 19 世紀後期のスイス人胎生学者・婦人科医．→R. *stria*.

Ro·ki·tan·sky (rō′ki-tahn′skē), Karl von. オーストリア－ハンガリー人病理学者，1804—1878．→R. *disease*, *hernia*; R.-Aschoff *sinuses*; Mayer-R.-Küster-Hauser *syndrome*.

ro·lan·dic (rō-lan′dik). Luigi Rolando に関する，または彼の記した．

Ro·lan·do (rō-lan′dō), Luigi. イタリア人解剖学者，1773—1831．→R. *angle*, *area*, *cells*, *column*, gelatinous *substance*, *tubercle*; rolandic *epilepsy*; *fissure* of R.

role (rōl) [Fr.]．役割（ある人間が自己の生活における重要な他者との関係において示す行動の型．根源は幼児期にあり，当人が最初に関係をもつ，あるいはもった重要な人々によって影響される)．

complementary r. 相補的役割（行動の型が他人の期待と要求に順応するような役割)．

gender r. 性的役割（性同一性の公的提示．特に他人や自身に対して，その人が男性か女性か(あるいは半陰陽)を示す言動すべて．→sex r.; gender *identity*)．

noncomplementary r. 非相補的役割（他人の期待と要求に順応しない役割)．

sex r. 性の役割（狭義では，性器や生殖に関係付けられた行動や考え方のパターンのこと．しかしもっと一般的には，これは男性的，それは女性的とステレオタイプに分類された行動や考え方のパターンのことを示す．→gender r.)．

sick r. 病人の役割（医療社会学において，人が病気のときにとることが許されているような行動パターンや役割が，家族内で，あるいは文化的に受け入れられていること．例えば，学校や仕事を休むことが認められていたり，家族，健康を管理してくれる人やその他の大事な人に対して，言いなりになるような依存的な関係をもったりする)．

role-play·ing (rōl′plā′ing)．ロールプレイング，役割演技〔法〕(心理劇で用いる精神療法的方法．ストレスに満ちている対人関係における出来事を演じたり再演したりして，感情的葛藤を理解し治療する．→psychodrama)．

roll (rōl). *1* 巻物，ロール（材料となる層が長軸の周りを回転してつくられる巻物・円柱状の集塊あるいは構造)．*2* 白血球が血管壁に沿って動くときのように，圧勾配によって円状物が動くプロセス．

iliac r. 腸骨部ロール（ソーセージ形の，しばしば疼痛のある非波動性腫瘤で，右方へ凸状となり，左腸骨窩に触診できるが，原因はＳ状結腸曲の壁の硬化である)．

scleral r. ＝scleral *spur*.

Rol·ler (rol′ĕr), Christian F.W. ドイツ人神経・精神科医，1844—1978．→R. *nucleus*.

roll·er (rōl′ĕr)．→roller *bandage*.

Rol·les·ton (rol′es-tŏn), Humphry D. 英国人医師，1862—1944．→R. *rule*.

Rol·let (rol′ĕt), Alexander. オーストリア人生理学者，1834—1903．→R. *stroma*; Ritter-R. *phenomenon*.

Ro·ma·ña (rō-mahn′yă), Cecilio. 20 世紀のブラジルに在住したアルゼンチン人医師．→R. *sign*.

Ro·man·o (rō-mahn′ō), C. 20 世紀のイタリア人医師．→R.-Ward *syndrome*.

Ro·ma·now·sky (rō-mah-nof′skē), Dimitri L. ロシア人医師，1861—1921．→R. blood *stain*.

Rom·berg (rom′bĕrg), Moritz H. ドイツ人医師，1795—1873．→R. *disease*, *sign*, *syndrome*, *test*; facial *hemiatrophy* of R.

rom·berg·ism (rom′berg-izm)．＝Romberg *sign*.

Rö·mer (rē′mĕr), Paul H. ドイツ人細菌学者，1876—1916．→R. *test*.

ron·geur (rawn-zhĕr′) [Fr. *ronger*, to gnaw]．骨鉗子（骨をかじり取るための強力な咬鉗子)．

Rønne (ren′ĕ), Henning K.T. デンマーク人眼科医，1878—1947．→R. nasal *step*.

röntgen →roentgen.

roof (rūf) [A.S. *hrōf*]．蓋．＝tectorium; tectum; tegmen; tegmentum; integument.

r. of fourth ventricle [TA]. 第4脳室蓋. =*tegmen* ventriculi quarti.

r. of mouth 口蓋. =palate.

r. of orbit [TA]. 眼窩上壁（前頭骨の眼窩板と蝶形骨小翼で形成され，視神経管が後端に開く．涙腺窩のへこみは上壁の前外側部にある）. =paries superior orbitae [TA]; superior wall of orbit.

r. of skull =calvaria.

r. of tympanic cavity 鼓室蓋壁. =tegmental *wall* of tympanic cavity.

r. of tympanum 鼓室蓋. =*tegmen* tympani.

roof·plate (rūf′plāt). →roof *plate*.

room·ing-in (rūm′ing-in). 母児同室（産褥入院時に新生児を保育室よりも母体とともに同室にする）.

root (rūt) [A.S. rot][TA]. ***1*** 根（神経が出る脳，脊髄のように，あらゆる部分の根本または始めの部分）. =radix (1). ***2*** 歯根. =r. of tooth. ***3*** 根（植物の地下で下方にのびる部分．水分や栄養を吸収し，植物を支え，栄養を蓄える）. ***4*** 原因（過程，出来事，または緩和に向けての解決策が必要である紛争の根源を示すために大ざっぱに用いる．以下に記載のない薬理学に重要な root に関しては特定の名称を参照）.

accessory r. of tooth [TA]. 副根（通常みられない過剰な歯根）. =radix accessoria [TA].

anatomical r. 解剖歯根（歯頸線から歯根先端までの歯の部分）.

anterior r. of spinal nerve [TA]. 前根（脊髄神経運動根）. =radix anterior nervi spinalis [TA]; motor r. of spinal nerve*; radix motoria nervi spinalis*; ventral r. of spinal nerve*; radix ventralis nervi spinalis.

buccal r. of tooth [TA]. 頰側根（複根歯で，歯槽提の頰側にある根）. =radix buccalis [TA].

clinical r. of tooth [TA]. 臨床的歯根（歯周組織内に埋まっている歯の部分．口腔内でみられない歯の部分）. =radix clinica dentis [TA].

cochlear r. of cranial nerve VIII 内耳神経蝸牛根（内耳神経を構成する2要素のうちの1つ．軸索を中枢に向けた双極性知覚ニューロンからなり，細胞体は蝸牛軸ラセン管内のラセン神経節にある．ラセン神経節を出た線維は次第に束をつくりながら内耳道底のラセン孔列を通り抜けて頭蓋腔にはいる．ここで前庭根の腹尾側に密接しながら橋延髄溝から脳幹にはいり，第4脳室底外側部の背側・腹側蝸牛神経核に達する）. =radix inferior nervi vestibulocochlearis.

cranial r. of accessory nerve [TA]. 副神経延髄根（副神経のうち延髄から派出する部分．迷走神経の頭蓋内部分と合流して咽頭神経叢にはいり口蓋帆張筋を除く軟口蓋と咽頭に運動神経を送る．近年の研究では頭蓋内部分は迷走神経根とみなされるべきであると指摘されている．→accessory *nerve* [CN XI]）. =radix cranialis nervi accessorii [TA]; pars vagalis nervi accessorii*; vagal part of accessory nerve*; accessory portion of spinal accessory nerve.

Culver r. クガイソウ根. =leptandra.

distal r. of tooth [TA]. 遠心根（複根歯の根のうち，遠心側に位置する根）. =radix distalis dentis [TA].

dorsal r. of spinal nerve* posterior r. of spinal nerve の公式の別名.

facial r. =*nerve* of pterygoid canal.

r. of facial nerve 顔面神経根（顔面神経運動核から顔面丘まで内側上方へ走る線維で，外転神経核の周囲を回り，上オリーブと三叉神経感覚核の間を通り，橋延髄溝から顔面神経として末梢に出る）. =radix nervi facialis.

r. of foot 足根. =tarsus (1).

hair r. 毛根（毛包内に埋まっている毛の部分．その下方末端は毛包下部の毛球部で毛乳頭をおおっている）. =radix pili.

inferior r. of ansa cervicalis [TA]. 頸神経わな下根（第二・第三頸神経から発し，内頸静脈に沿って前下方に走る．頸神経わなの形成に加わり舌骨下筋群を支配する）. =radix inferior ansae cervicalis [TA]; inferior limb of ansa cervicalis*; descendens cervicalis.

lateral r. of median nerve [TA]. 〔正中神経〕外側根（正中神経の一部で腕神経叢の外側からくる）. =radix lateralis nervi mediani [TA].

lateral r. of optic tract [TA]. 〔視索〕外側根（外側膝状体で終わっている視索後端の大きい部分）. =radix lateralis tractus optici [TA].

lingual r. of tooth 舌側根（複根歯の根のうち，歯槽骨頂に対し舌側に位置している根）.

long r. of ciliary ganglion =nasociliary r. of ciliary ganglion.

r. of lung [TA]. 肺根（肺門部を出入りするすべての構造をさし，胸膜に包まれて脚状をなす．気管支，肺動静脈，気管支動静脈，リンパ管，神経を含む）. =radix pulmonis [TA].

May apple r. ポドフイルム根. =podophyllum *resin*.

medial r. of median nerve [TA]. 〔正中神経〕内側根（腕神経叢の内側からくる正中神経の部分）. =radix medialis nervi mediani [TA].

medial r. of optic tract [TA]. 〔視索〕内側根（視索後端の小部分で内側膝状体の下方に消えていく）. =radix medialis tractus optici [TA].

r. of mesentery [TA]. 腸間膜根（後壁側腹膜から小腸(空腸と回腸)の腸間膜が起こるところ．長さ約23 cmで，第二腰椎の高さの正中線のすぐ左の十二指腸空腸曲から，右腸骨窩の回盲部まで広がっている）. =radix mesenterii [TA].

mesial r. of tooth [TA]. 近心根（複根歯の根のうち，近心側に位置している根）. =radix mesialis [TA].

mesiobuccal r. of tooth [TA]. 近心頰側根（複根歯の根のうち，近心側かつ歯槽骨頂に対し頰側に位置している根）. =radix mesiobuccalis [TA].

mesiolingual r. of tooth 近心舌側根（複根歯の根のうち，近心側かつ歯槽骨頂に対し舌側に位置する根）. =radix mesiolingualis [TA].

motor r. of ciliary ganglion 毛様体神経節運動根. =parasympathetic r. of ciliary ganglion.

motor r. of spinal nerve* 脊髄神経の運動根（anterior r. of spinal nerve の公式の別名）.

motor r. of trigeminal nerve [TA]. 三叉神経運動根（三叉神経の小根で，三叉神経運動核から出ている線維からなり，大きい知覚根の内側に位置して，橋から出て下顎神経に接続している．そしゃく筋へ運動と固有受容の線維を送る．すなわち第一鰓弓に由来する筋で4種のそしゃく筋，おとがい舌骨筋，顎二腹筋の前腹，鼓膜張筋および口蓋帆張筋である）. =radix motoria nervi trigemini [TA]; masticator nerve; portio minor nervi trigemini.

r. of nail 爪根（爪の近位末端で，皮膚のひだの下に隠れている）. =radix unguis.

nasociliary r. of ciliary ganglion 毛様体神経節の鼻毛様体根（眼球から出て毛様体神経節を通り抜け，鼻毛様体神経を経て三叉神経の半月神経節に至る知覚神経線維）. =communicating branch of nasociliary nerve with ciliary ganglion [TA]; radix sensoria ganglii ciliaris [TA]; radix nasociliaris ganglii ciliaris*; ramus communicans nervi nasociliaris cum ganglio ciliari*; long r. of ciliary ganglion; radix longa ganglii ciliaris; sensory r. of ciliary ganglion [TA].

nerve r. 神経根（脊髄から出て，結合して1本の分節(混合)脊髄神経となる2束の神経線維(後根と前根)．脳神経のいくつか，特に三叉神経(CN V)は2根の結合で同様に形成される）.

r. of nose [TA]. 鼻根（外鼻の上部の最も突出の少ないところで，左右の眼窩間にある）. =radix nasi [TA].

oculomotor r. of ciliary ganglion* parasympathetic r. of ciliary ganglion の公式の別名.

olfactory r.'s =olfactory *striae*(⇀stria).

r.'s of olfactory tract, lateral and medial 嗅索の外側根・内側根（嗅索の尾方連続を形成し，分かれて嗅結節を囲い込む2本の線維の帯）.

parasympathetic r. of ciliary ganglion [TA]. 毛様体神経節副交感神経根（毛様体神経節へ副交感神経の節前線維を送っている動眼神経の枝）. =radix parasympathica ganglii ciliaris [TA]; oculomotor r. of ciliary ganglion*; radix nervi oculomotorii ad ganglion ciliare*; radix oculomotoria ganglii ciliaris*; branch of oculomotor nerve to ciliary ganglion; motor r. of ciliary ganglion; radix brevis ganglii ciliaris; short r.

R

of ciliary ganglion.

parasympathetic r. of otic ganglion* 耳神経節の副交感神経根（lesser petrosal *nerve* の公式の別名）.

parasympathetic r. of pelvic ganglia* 骨盤神経節の副交感神経根（pelvic splanchnic *nerves* の公式の別名）.

parasympathetic r. of pterygopalatine ganglion* 蝶口蓋神経節の副交感神経根（greater petrosal *nerve* の公式の別名）.

parasympathetic r. of submandibular ganglion 顎下神経節副交感神経根．＝*chorda* tympani.

r. of penis［TA］．陰茎根（２本の陰茎脚と尿道球を含む陰茎の近位付着部分）．＝radix penis［TA］.

posterior r. of spinal nerve［TA］．後根（脊髄神経の知覚枝で，その根部に神経細胞体を収容する脊髄神経節がある）．＝radix posterior nervi spinalis［TA］; dorsal r. of spinal nerve*; radix sensoria nervi spinalis*; sensory r. of spinal nerve*; radix dorsalis nervi spinalis.

sensory r. of ciliary ganglion［TA］．毛様体神経節知覚根．＝nasociliary r. of ciliary ganglion.

sensory r. of pterygopalatine ganglion［TA］．翼口蓋神経節の知覚根（翼口蓋窩の上顎神経の２本の短い知覚枝．翼口蓋神経節を通るがシナプスはつくらない）．＝radix sensoria ganglii pterygopalatini［TA］; ganglionic branches of maxillary nerve to pterygopalatine ganglion*; rami ganglionici nervi maxillaris*; ganglionic branches of maxillary nerve; nervi pterygopalatini; nervi sphenopalatini; pterygopalatine nerves; rami ganglionares.

sensory r. of spinal nerve* 脊髄神経の知覚根（posterior r. of spinal nerve の公式の別名）.

sensory r. of sublingual ganglion［TA］．舌下神経節の知覚根（舌神経の枝のうち舌下神経節に延びる感覚枝であるが，神経節を素通りして舌床に分布する）．＝radix sensoria ganglii sublingualis［TA］; ganglionic branches of lingual nerve to sublingual ganglion*; ganglionic branches of lingual nerve to submandibular ganglion*; rami communicantes ganglii sublingualis cum nervo linguali*.

sensory r. of submandibular ganglion［TA］．顎下神経節の知覚枝（顎下神経節の運動根で舌神経と連結する）．＝radix sensoria ganglii submandibularis［TA］; rami communicantes ganglii submandibularis cum nervo linguali*; ganglionic branches of lingual nerve.

sensory r. of trigeminal nerve［TA］．三叉神経知覚根（三叉神経(第五脳神経)の大きい知覚根．半月神経節から出て，中小脳脚または橋腕を経て橋から運動神経根のすぐ外側に並んで出てくる）．＝radix sensoria nervi trigemini［TA］; portio major nervi trigemini.

short r. of ciliary ganglion 毛様体神経節短根．＝parasympathetic r. of ciliary ganglion.

spinal r. of accessory nerve［TA］．副神経脊髄根（上方５－６の脊髄分節から発し，上行して大孔を通って頭蓋内で延髄根と合流する）．＝radix spinalis nervi accessorii［TA］; pars spinalis nervi accessorii*; spinal part of accessory nerve*.

superior r. of ansa cervicalis［TA］．頸神経わな上根（第一・第二頸神経から発する線維で，舌下神経と伴行した後，分枝して頸神経わなの中で下根とつながる．舌骨下筋群を支配する）．＝radix superior ansae cervicalis［TA］; superior limb of ansa cervicalis*; descendens hypoglossi; descending branch of hypoglossal nerve.

sympathetic r. of ciliary ganglion［TA］．毛様体神経節交感根（内頸動脈神経叢から出て毛様体神経節を素通りして眼球に至る節後線維で，その細胞体は上頸神経節にある）．＝radix sympathica ganglii ciliaris［TA］.

sympathetic r. of otic ganglion［TA］．耳神経節の交感神経根（上頸神経節からの節後線維が中硬膜動脈神経叢を経て耳神経節を素通りして耳下腺内の血管に分布する）．＝radix sympathica ganglii otici［TA］.

sympathetic r. of pterygopalatine ganglion* 蝶口蓋神経節の交感神経根（deep petrosal *nerve* の公式の別名）.

sympathetic r. of sublingual ganglion［TA］．舌下神経節の交感神経根（上頸神経節からの節後線維が顔面動脈神経叢を経て舌下神経節を素通りして顎下腺内の血管に分布する）．＝radix sympathica ganglii sublingualis［TA］.

sympathetic r. of submandibular ganglion［TA］．顎下神経節の交感神経根（内頸動脈神経叢からの節後線維が顔面動脈神経叢を経て顎下神経節へ送られる枝）．＝radix sympathica ganglii submandibularis［TA］; ramus sympathicus (sympatheticus) ad ganglion submandibulare; sympathetic branch to submandibular ganglion.

tegmental r. of tympanic cavity* tegmental *wall* of tympanic cavity の公式の別名.

r. of tongue［TA］．舌根（舌の後方付着部分）．＝radix linguae［TA］; base of tongue.

r. of tooth［TA］．歯根（歯頸部以下の部分でエナメル質ではなくセメント質でおおわれ，歯周靱帯によって歯槽骨内についている）．＝radix dentis［TA］; radix (2); root (2)［TA］.

r.'s of trigeminal nerve 三叉神経根（三叉神経知覚根と三叉神経運動根の総称）．＝radices nervi trigemini.

tuberous r. 塊根（養分貯蔵のために膨張した一種の根．一次塊根はトリカブト，ビート，ニンジンに，また二次塊根はセリ科の植物に，不定塊根はヤラッパ，サツマイモにみられる）.

ventral r. of spinal nerve* anterior r. of spinal nerve の公式の別名.

vestibular r.〔第八脳神経の〕前庭根（第八脳神経の知覚性線維の包括名称で前庭迷路から起こりその細胞体は前庭神経節にあり平衡感覚機能に関わる．その線維は中枢では脳幹の前庭核や小脳に終わる）．＝radix superior nervi vestibulocochlearis; radix vestibularis; vestibular r. of vestibulocochlear nerve.

vestibular r. of cranial nerve VIII 第八脳神経前庭根．＝vestibular *nerve*.

root·lets (rūt′lĕts). 細根（神経解剖学において，神経細根あるいは根糸(radicular fila)をいう．⇀filum. →radicular *fila* (⇀*filum*))．＝fila radicularia［TA］.

root plan·ing (rūt plăn′ing). 根面平滑化（歯科において，平滑な根面を得るためにざらざらした根面を削ること）.

ROP right occipitoposterior position の略.

ro·pal·o·cy·to·sis (rō-pal′ō-sī-tō′sis)［G. *ropalon*, club + *kytos*, cell + *-osis*, condition］．ばち状細胞症（赤血球系細胞に突起が多数形成される．超薄切片で細胞質小胞を伴った，こん棒状を呈す．一部の血液疾患でみられる）.

ropivacaine hydrochloride (rō-pi′vă-kān hī-drō-klōr′īd). 塩酸ロピバカイン（ブピバカインより心毒性の少ないアミド型局所麻酔薬）.

Ror·schach (rōr′shahk), Hermann. スイス人精神科医, 1884—1922. ⇀R. *test*.

ROS review of systems(全身の検査)の略.

Ro·sa (rō′să)［L. rose］．バラ属（バラ(バラ科)を含む植物．以下の数種がバラ油の原料．別荘バラ *R. alba*，薄バラあるいはキャベツバラ(正式バラ油の原料) *R. centifolia*，ダマスクバラ *R. damascena*，紅バラあるいはフランスバラ *R. gallica*）.

ro·sa·ce·a (rō-zā′shē-ă)［L. *rosaceus*, rosy］．しゅさ(酒皶)（鼻とそれに続く頬部とを侵す慢性の血管拡張および毛孔開大．ごく軽度の紅斑が持続するものから，特に鼻瘤の男性にみられる皮脂腺が著明に増大して深在性の丘疹と膿疱を伴い，また紅斑部分に毛細血管拡張を伴うものまである）．＝acne rosacea.

granulomatous r. 肉芽腫性しゅさ(酒皶)（しゅさの中の丘疹性病変．中心壊死と散在性の巨細胞を伴う毛孔周囲の肉芽腫性病変を組織学的特徴とする．顔面播種状粟粒性狼瘡も恐らく本症の１型である）．＝tuberculoid r.; rosacealike tuberculid.

hypertrophic r. 肥厚性しゅさ(酒皶)．＝rhinophyma.

tuberculoid r. ＝granulomatous r.

Ro·sai (rō′zī), Juan. 20 世紀の米国人病理学者．⇀R.-Dorfman *disease*.

ro·san·i·lin (rō-zan′i-lin)［C.I. 42510］．ローザニリン；tris(aminophenyl)methyl compound（パラローザニリンとともに塩基性フクシンの構成成分．抗真菌薬）.

ro·sa·ry (rō′ză-rē). じゅず（ビーズ様の配列または構成）.

rachitic r. くる病じゅず（肋骨・肋軟骨の接点における

ビーズ細工様の列．しばしばくる病の小児にみられる）．＝beading of the ribs.

Ros·coe (ros′kō), Henry E. 英国人化学者，1833—1915. → Bunsen-R. *law*.

Rose (rōz), Edmund. ドイツ人医師，1836—1914. → R. *position*.

Rose (rōz), Harry M. 20 世紀の米国人微生物学者. → R.-Waaler *test*.

rose (rōz) [L. *rosa*]. ***1*** バラ属 *Rosa* の灌木の総称．***2*** 紅バラ（紅バラ *Rosa gallica* の花弁．開花する前に収集され，その好ましい香りが使われる）．

r. hips エイジツ(営実)，ローズヒップ（ノイバラ，特に *Rosa canina*, *R. gallica*, *R. condita*, *R. rugosa* などのバラ科の果実または実．ビタミンC(アスコルビン酸)に富む)．＝hipberries.

r. oil ローズ油（*Rosa centifolia* から分離される揮発油．香料と軟膏に用いる）．＝attar of rose.

rose ben·gal (rōz′ ben′găl) [C.I.45440]．ローズベンガル（四ヨウ化四塩化フルオレセインのナトリウム塩．暗赤色の粗大粉末．細菌の染色と乾性角膜炎の診断の際の染料に用い，以前は肝機能テストに用いた）．

rose·mar·y oil (rōz′mār-ē oyl)．ローズマリー油（シソ科 *Rosmarinus officinalis* の新鮮な開花部分を水蒸気蒸留して得られる揮発油．香料および軟膏として用いる）．

Ro·sen·bach (rō′zĕn-bahk), Ottomar. ドイツ人医師，1851—1907. → R. *law*, *sign*, *test*; R.-Gmelin *test*.

Ro·sen·mül·ler (rō′zĕn-mē′lĕr), Johann C. ドイツ人解剖学者，1771—1820. → R. *fossa*, *gland*, *node*, *recess*, *valve*; *organ* of R.

Ro·sen·thal (rō′zen-thahl), Curt. 20 世紀のドイツ人精神科医. → Melkersson-R. *syndrome*.

Ro·sen·thal (rō′zen-thahl), Friedrich C. ドイツ人解剖学者，1780—1829. → R. *canal*, *vein*; basal *vein* of R.

ro·se·o·la (rō-zē′ō-lă) [Mod. L.: L. *roseus*(rosy)の指小辞]．バラ疹（[正しい発音は rose′ola であるが，米国ではしばしば最後から 2 番目の音節にアクセントを置く(roseo′la)]．密接に集合したバラ色の小斑点が対側性に生じたもの．ヒトヘルペス 6 型によって生じるものと考えられている. → *exanthema* subitum)．＝macular erythema.

epidemic r. 流行性バラ疹．＝rubella.

idiopathic r. 特発性バラ疹（全身疾患の症状としては起こらないバラ疹）．

r. infantilis, r. infantum 小児バラ疹．＝*exanthema* subitum.

syphilitic r. 梅毒性バラ疹（通常，梅毒の最初の発疹．初期病変の 6 —12 週後に生じる）．

Ro·ser (rō′sĕr), Wilhelm. ドイツ人外科医，1817—1888. → R.-Nélaton *line*.

ro·sette (rō-zet′) [Fr. a little rose]．ロゼット，菊座（①分節段階あるいは成熟段階にある四日熱マラリア原虫 *Plasmodium malariae*．②神経芽細胞，神経外胚葉，あるいは上衣起源の新生物に特徴的な細胞群．細胞核が輪状になり，そこから鍍銀法で検出される神経原線維がのびて中心で交錯する(Homer-Wright 型ロゼット)．血管の周囲に上衣細胞が配列したり(血管周囲偽ロゼット)，間隙やチャネルの周囲に配列する(経上衣ロゼット)．③広節裂頭条虫 *Diphyllobothrium latum* など，ある種の擬葉類条虫の胎嚢のバラ状らせん構造．④あるタイプの 1 個の細胞を取り囲む他のタイプの細胞群）．

E r. (ro-zet′)．E ロゼット（細胞への赤血球の付着．ヒツジ赤血球はヒトの T 細胞に自然に付着し，ロゼットを形成する）．

EAC r. EAC ロゼット（補体レセプタの存在を示唆する．抗体(A)が表面に結合した赤血球(E)と補体(C)とを被検細胞と反応させる．もし被検細胞上に補体レセプタが存在するなら，EAC は細胞に接着して，ロゼットを形成する）．

Homer-Wright r.'s ホーマー－ライト型ロゼット（繊細な線維の集合のまわりを腫瘍細胞が取り囲んだ偽ロゼット．髄芽腫または未分化神経外胚葉性腫瘍が神経芽細胞に分化していることを示す）．

Wintersteiner r.'s ヴィンテルシュタイナーロゼット（胚の網膜腫瘍にのみみられる．ロゼットは周囲基礎膜を有する，中心腔の周辺に放射状に配列された柱状細胞で形成される．その放射状突出部位は光受容体に相当する）．

ros·in (roz′in)．ロジン，松ヤニ（マツ科 *Pinus palustris* やその他の *Pinus*(マツ属)植物の粗バルサムの水蒸気蒸留により得られた固体樹脂．接着性を利用して硬膏に，局所刺激性を利用して軟膏に適用される）．＝colophony; resin (2).

***p*-ro·sol·ic ac·id** (rō-sol′ik as′id). *p*-ロゾール酸．＝aurin.

Ross (ros), George W. カナダ人医師，1841—1931. → R.-Jones *test*.

Ross (ros), Donald N. 20 世紀の英国人心臓外科医．肺動脈弁自家移植片を使用する動脈弁置換を紹介した. → R. *procedure*.

Ross (ros), Ronald. イングランド人医師・ノーベル賞受賞者，1857—1932. → R. *cycle*.

Ros·so·li·mo (ros′ō-lē′mo), Grigoriy I. ロシア人神経科医，1860—1928. → R. *reflex*, *sign*.

ros·tel·lum (ros-tel′ŭm) [L. *rostrum*(a beak)の指小辞]．額嘴（条虫の頭節の前端の固定部分あるいは反転可能部分で，しばしば鉤が 1 列(または数列)配列している）．

armed r. 有鉤額嘴（1 列あるいは数列の鉤のある額嘴）．

unarmed r. 無鉤額嘴（鉤のない額嘴）．

ros·trad (ros′trăd) [L. *rostrum*, beak + *-ad*, toward]．吻側に（①吻極方向に．②ある特定の基準点に関して，生物の吻すなわち口吻端により近い方に存するの意で，caudad (2) の対語）．

ros·tral (ros′trăl) [L. *rostralis* < *rostrum*, beak][TA]．＝rostralis [TA]. ***1*** 吻の（吻あるいは吻に似た解剖的構造について いう）．***2*** 吻側の（頭部前方端方向の）．

ros·tra·lis (ros-trā′lis) [L. < *rostrum*, beak][TA]．吻側の．＝rostral.

ros·trate (ros′trāt) [L. *rostratus*]．吻のある，鉤のある．

ros·tri·form (ros′tri-fōrm) [L. *rostrum*, beak]．吻状の．

ros·trum, pl. ros·tra, ros·trums (ros′trŭm, -tră) [L. a beak][TA]．吻（くちばし状構造）．

r. corporis callosi [TA]．脳梁吻．＝r. of corpus callosum.

r. of corpus callosum [TA]．脳梁吻（脳梁膝から後方屈曲して前交連にのびる）．＝r. corporis callosi [TA].

sphenoidal r. [TA]．蝶形骨吻（蝶形骨本体から前方に突出している部分．鋤骨と関節を構成する）．＝r. sphenoidale [TA]; r. of the sphenoid bone.

r. sphenoidale [TA]．蝶形骨吻．＝sphenoidal r.

r. of the sphenoid bone 蝶形骨吻．＝sphenoidal r.

ROT right occipitotransverse position の略．

rot (rot) [A.S. *rotian*]. ***1*** 〖v.〗腐敗する．***2*** 〖n.〗腐敗（腐る，化膿すること）．

ro·ta·mase (rōta-māz)．ローターマーゼ（分子の回転異性体(ロータマー)のコンフォメーションを変換させうる酵素）．

ro·ta·mer (rō′ta-mĕr)．ロータマー（その部分の回転配位が他のコンフォメーションと異なる異性体．例えば，シンペリプラナ体(0—30 度)とシンクリナル体(30—90 度)）．

ro·tam·e·ter (rō-tam′ĕ-tĕr) [L. *rota*, wheel + G. *metron*, measure]．ロ〔ー〕タメータ，可変面積定水頭流量計（気体や液体の流量計の一種．やや先太りの管を立て，そこに流体の流れを部分的に妨げるようにボールなどの重りを入れると，流体が下方からこの障害物を押し上げ，通路を広げながら流れる．重りの位置から流量を知ることができる）．

ro·ta·tion (rō-tā′shŭn) [L. *rotatio* < *roto*, pp. *rotatus*, to revolve, rotate]. ***1*** 回転，回旋（軸の周囲を回る動き）．***2*** 循環（周期性疾病の症状のように，特定の事象が規則的順序で起こること）．***3*** ローテーション（医学教育において一定期間ずつある特定の医療や専門科医療に従事すること）．

intestinal r. 腸〔管〕回転（小腸ループ原基の上腸間膜動脈を軸とした回転. → malrotation)．

molecular r. モル旋光度（光学的に活性な化合物の比旋光度にその物質の分子量を乗じた積の 1/100)．

off-vertical r. 垂直線外回転（身体の軸と中心を異にする軸のまわりでの回転）．

optic r. 旋光度（一定の波長の偏光が光学的活性物質を通過する際の偏光面における変化．化学構造の研究，特に炭水化物に関して重要な手段である旋光分析法により比旋光度 specific rotation が測定される）．

specific optic r. ([α]) 比旋光度（偏光面が水 1 mL 当たり 1 g 溶けている物質(溶液中の光の行程の長さは 1 デシメートル)によって旋回される角度．通常，ナトリウム D 線に相当する光を用いる）．

rotationplasty (rō-tā-shun′plas′tē). 回転形成術（整形外科で行われる手術手技で，骨の形態異常を矯正するために骨を切り，異なる方向に回転させる術式）．

ro·ta·tor (rō-tā′tŏr, -tōr) [L. →rotation]. 回旋筋（[英語は第 1 音節にアクセントを置くが，ラテン語はここに示したように第 2 音節にアクセントを置く]. →rotatores (*muscles*)). ＝rotator *muscle*.

medial r. 内〔側〕回旋筋（体部を内側に回旋する筋肉．→invertor）．＝intortor.

ro·ta·vi·rus (rō′tă-vī′rŭs) [L. *rota*, wheel＋virus]. ロタウイルス（RNA ウイルスの一群(レオウイルス科)で，車輪状の外観を呈する．ヒトの胃腸炎ウイルス(世界各地にみられる乳児下痢症の主要な原因)を含む *Rotavirus* 属を構成している．A 群から F 群に区分され，多くの脊椎動物に感染する．取り扱いがやっかいで，*in vitro* の培養が困難である）．＝duovirus; gastroenteritis virus type B; infantile gastroenteritis virus; reoviruslike agent.

Rotch (roch), Thomas M. 米国人医師，1849—1914. →R. *sign*.

röt·eln, roeth·eln (re′eln, ret′eln) [Ger. little red spots＜*rot*, red＋指小接尾辞 *-el*]. ＝rubella.

ro·te·none (rō′te-nōn). ロテノン（*Derris elliptica*, *D. malaccensis*，その他の *Derris* 属の種のデリス根，およびマメ科 *Lonchocarpus nicou* から採れる主要な殺虫成分．疥癬やツツガムシ侵害に外用として用い，獣医学においては，毛包疥癬やノミ，カ，ダニの外寄生に対して用いる呼吸系の阻害剤である）．

Roth (rōt,roth), Moritz. スイス人医師・病理学者，1839—1914. →R. *spots*; *vas* aberrans of R.

Roth (rōt,roth), Vladimir K. ロシア人神経科医，1848—1916. →Bernhardt-R. *syndrome*.

Roth·er·a (roth′ĕr-ah), Arthur C.H. イングランド人生化学者，1880—1915. →R. nitroprusside *test*.

Roth·i·a (roth′ē-ă) [G.D. *Roth*]. ロチア属（非運動性，非芽胞形成性，非抗酸性，好気性または通性嫌気性の細菌(放線菌科)．グラム陽性，球状，ジフテリア菌様，糸状の細胞を含む．代謝は発酵による．ブドウ糖発酵からは主に乳酸を生じ，プロピオン酸は生じない．一般にヒトの口腔に見出され，日和見病原体である．標準種は *R. dentocariosa*）．

R. dentocariosa ヒトのまれな感染性心内膜炎の原因種．

Roth·mund (rot′mŭnd), August von. ドイツ人医師，1830—1906. →R. *syndrome*; R.-Thomson *syndrome*.

Ro·tor (rō-tōr′), Arturo B. 20 世紀のフィリピン人内科医．→R. *syndrome*.

ro·to·sco·li·o·sis (rō′tō-skō′lē-ō′sis) [L. *roto*, to rotate＋G. *skoliōsis*, crookedness]. 回旋側弯〔症〕（側弯と回旋転位を伴うもの）．

ro·to·tome (rō′tō-tōm). ロトトーム（鏡視下手術で使用する回転性の切り離し道具）．

Rou·get (rū-zhā′), Charles M.B. フランス人生理学者，1824—1904. →R. *muscle*; R.-Neumann *sheath*.

Rou·get (rū-zhā′), Antoine D. 19 世紀のフランス人生理学者．→R. *bulb*.

rough (rŭf). 粗面を呈する，粗糙な（平滑でない．特定の細菌集落の型で，不規則で粗い顆粒状面をいう）．

rough·age (rŭf′ăj). 粗質物，不消化食料（もみがらなどの食物中にあるもので，腸ぜん動の刺激物として作用する）．

Rough·ton (row′tŏn), Francis J.W. 英国人科学者，1899—1972. →R.-Scholander *apparatus*, *syringe*.

Rou·gnon de Mag·ny (rūn-yawn[h]′ dĕ mahn′yē′), Nicholas F. フランス人医師，1727—1799. →Rougnon-Heberden *disease*.

rou·leau, pl. **rou·leaux** (rū-lō′) [Fr. spool, cylinder＜*rouler*, to roll＜L. L. *rotulo*＜*rota*, wheel]. ルロー，連銭（コインの積み重ねのように重なった赤血球の凝集．連銭形成は通常，血漿中免疫グロブリン上昇を示唆する）．

round·worm (rownd′wŏrm). 回虫（線形動物門の線虫．一般に寄生型虫体に限って用いられる）．

Rous (rows), F. Peyton. 米国人病理学者・ノーベル賞受賞者，1879—1970. →R. *sarcoma*, sarcoma *virus*, *tumor*; R.-associated *virus*.

Rou·ssy (rū-se′), Gustave. フランス人病理学者，1874—1948. →R.-Lévy *disease*, *syndrome*; Dejerine-R. *syndrome*.

Rou·vi·ere (rū-vē-ār′), Henri. 20 世紀初頭のフランス人解剖・胎生学者．→*node* of R.

Roux (rū), César. スイス人外科医，1857—1934. →R.-en-Y *anastomosis*, *operation*.

Roux (rū), Philibert J. フランス人外科医，1780—1854. →R. *method*.

Roux (rū), Pierre P.E. フランス人細菌学者，1853—1933. →R. *spatula*; R. *stain*.

Rov·sing (rov′sing), Niels T. デンマーク人外科医，1862—1927. →R. *sign*.

RP *retinitis* pigmentosa; Registered Pharmacist(登録薬剤師)の略．

RPF renal plasma flow の略．→effective renal plasma *flow*.

R.Ph. Registered Pharmacist の略．

rpm revolutions per minute(遠心分回)の略．

RPO *1* X 線撮影で right posterior oblique(右後斜位像)の略．*2* radiation protection officer(放射線防護官)の略．

RQ respiratory *quotient* の略．

R.Q. respiratory *quotient* の略．

RR relative *risk* の略．

-rrhagia [G. *rhēgnymi*, to burst forth]. [ギリシア語起源の単語では，音節の初めにある二重字rhは，接頭語または他の語彙要素がその前に置かれる場合，rhexis からの本接尾語のように，通常rrhに変更される]. 過剰漏出，異常漏出または出血を表す接尾語．

-rrhaphy [G. *rhaphē*, suture]. [ギリシア語起源の単語では，音節の初めにある二重字rhは，接頭語または他の語彙要素がその前に置かれる場合，rhaphē からの本接尾語のように，通常rrhに変更される]. 外科縫合を意味する接尾語．

-rrhea [G. *rhoia*, a flow]. [ギリシア語起源の単語では，音節の初めにある二重字rhは，接頭語または他の語彙要素がその前に置かれる場合，rhoia からの本接尾語のように，通常rrhに変更される]. 流出あるいは漏出を表す接尾語連結形．

-rrhoea →-rrhea.

rRNA ribosomal ribonucleic acid の略．

RRR relative risk reduction(相対リスク減少)の略．

RS respiratory syncytial *virus* の略．

Rs resolution の略．

RSA right sacroanterior position の略．

RSD reflex sympathetic *dystrophy* の略．

RSP right sacroposterior position の略．

RST right sacrotransverse position の略．

RSV Rous sarcoma *virus*; respiratory syncytial *virus* の略．

RT, rt room *temperature*; Radiologic Technologist(放射線技術者); Registered Technologist(登録技術者); Respiratory Therapist(呼吸療法士)の略．

RT_3 逆位トリヨードチロニンの記号．

RTA renal tubular *acidosis* の略．

RTE renal tubular epithelium(尿細管上皮)の略．

rTMP ribothymidylic acid の略．

RTP unspecified ribonucleoside 5′-triphosphate(不特定リボヌクレオシド 5′-三リン酸)の略．

RT-PCR reverse transcriptase polymerase chain *reaction* の略．

RU-486 ＝mifepristone.

Ru ルテニウムの元素記号．

rub (rŭb). 摩擦（ある物体が別の物と接触し移動する際に生じる抵抗）．

friction r. 摩擦音．＝friction *sound*.

pericardial r., pericardial friction r. 心膜摩擦音．＝pericardial friction *sound*.

pleural r. 胸膜摩擦音（壁側胸膜と臓側胸膜表面の粗面変化による相互の摩擦により惹起される）．＝pleural rale.

Ru·barth (rū′bahrt), Sven. 20 世紀のスウェーデン人獣医．→R. disease *virus*.

rub·ber (rŭb′ĕr). 〔弾性〕ゴム（パラゴムノキ *Hevea brasiliensis* などの *Hevea* 属の種(トウダイグサ科)から調製した濃縮樹液で，商業上は純粋パラゴムとして知られる．様々の膏薬，薄織物，包帯，その他の塗布の製造に用いる)．

rub·ber po·lice·man (rŭb′ĕr pō-lēs′măn). ゴム冠ポリスマン (→policeman).

ru·be·an·ic ac·id (rū′bē-an′ik as′id). ルベアン酸 (アルカリ性エタノール溶液中で銅と濃緑黒色の複合体を形成する．組織化学において，Wilson 病におけるような病理学的な銅沈着を証明するのに用いる．コバルトやニッケルに反応する)．

ru·be·do (rū-bē′dō) [L. redness < *ruber*, red]. 皮膚潮紅，紅疹，紅斑 (皮膚の一過性潮紅)．

ru·be·fa·cient (rū′bē-fā′shĕnt) [L. *rubi-facio* < *ruber*, red + *facio*, to make]. ***1*** 〚adj.〛 発赤〔性〕の，引赤〔性〕の (皮膚の発赤を生じさせる)． ***2*** 〚n.〛 発赤薬，引赤薬 (皮膚の表面に用いて紅斑を生じさせる誘導刺激薬)．

ru·be·fac·tion (rū′bē-fak′shŭn) [→rubefacient]. 皮膚発赤 (誘導刺激薬を局部に適用して生じた皮膚の紅斑)．

ru·bel·la (rū-bel′ă) [L. *rubellus* (女性形 *-a*), reddish, *ruber* (red) の指小辞]. 風疹 (**[**rubeola と混同しないこと**]**．風疹ウイルス(トガウイルス科 *Rubivirus*属)によって起こる急性軽症発疹性疾患で，リンパ節腫大をみるが，通常，発熱や全身性反応に乏しい．妊娠の最初のトリメスターに母親が感染すると，出生児の奇形発生率が高くなる(先天性風疹症候群))．＝epidemic roseola; German measles; röteln; roetheln; third disease; three-day measles.

ru·bel·lin (rū-bel′in). ルベリン (ジギタリス様作用を有する強心配糖体．ユリ科 *Urginia rubella* から得られる)．

ru·be·o·la (rū-bē′ō-lă, -bē-ō′lă) [Mod. L. *ruber*(red, reddish)の指小辞]. 麻疹，はしか (**[**本語の正しい発音は後ろから3番目の音節にアクセントを置く(rube′ola)が，米国では後ろから2番目の音節にアクセントを置く発音(rubeo′la)のほうが一般的である．本語と rubella を混同しないこと．スペイン語の rubeola は麻疹ではなく風疹を表す**]**．measles(麻疹)に対して用いる語．rubella(風疹)と混同しないこと)．

ru·be·o·sis (rū′bē-ō′sis) [L. *ruber*, red + G. *-osis*, condition]. ルベオーシス，皮膚潮紅 (皮膚の赤色変化)．

r. iridis diabetica 糖尿病性虹彩ルベオーシス (虹彩前面の血管新生．真性糖尿病の患者に現れる)．

ru·bes·cent (rū-bes′ĕnt) [L. *rubesco*: *rubescens*(to become red) の現在分詞]. 発赤の，潮紅の，引赤の．

ru·bid·i·um (Rb) (rū-bid′ē-ŭm) [L. *rubidus*, reddish, dark red < *rubeo*, to be red]. ルビジウム (アルカリ金属元素．原子番号 37，原子量 85.4678．その塩は類似のナトリウム塩やカリウム塩と同じ目的で医学に利用されてきた)．

Rubin (rū′bin), Isidor C. 米国人婦人科医，1883—1958. →R. *test*.

ru·bin S, ru·bine (rū′bin, bēn) [C.I. 42685]. ルビン S，ルビン．＝acid *fuchsin.*

Rubinstein (rū′bin-stīn), Jack H. 米国人小児精神科医・小児科医，1925—？ →R.-Taybi *syndrome*.

Ru·bi·vi·rus (rū′bi-vī′rŭs) [*rub*ella + virus]. ルビウイルス属 (ウイルスの一属(トガウイルス科)で風疹ウイルスを含む)．

Rubner (rūb′nĕr), Max. ドイツ人衛生・生化学者，1854—1932. →R. *laws* of growth, *test*.

ru·bor (rū′bōr) [L.]. 発赤，潮紅 (Celsus が発表した炎症の四徴候(発赤，腫脹，発熱，疼痛)の1つ)．

ru·bra·tox·in (rū′bră-tok′sin). ルブラトキシン (アオカビ2種 *Penicillium rubrum* および *P. purpurogenum* によってつくられる菌毒素で，米国における中毒症の突発の原因．これらの菌は穀粒上に生じやすい)．

ru·bre·dox·ins (rū′brĕ-dok′sinz). ルブレドキシン (酸に不安定な硫黄を含まず，典型的メルカプチド配位した鉄を含有するフェレドキシン)．

ru·bri·blast (rū′bri-blast) [L. *ruber*, red + G. *blastos*, germ]. 原始赤芽球．＝pronormoblast.

pernicious anemia type r. 悪性貧血型原始赤芽球 (→erythroblast)．＝promegaloblast.

ru·bric (rū′brik) [M.E. *rubrike*, title or heading in red < L. *ruber*, red]. 題目，題名 (章または節の題目で，ICD で用いられているような疾患群に関連して用いられるもの)．

ru·bri·cyte (rū′bri-sīt) [L. *ruber*, red + *kytos*, cell]. 正赤芽球 (多染性正赤芽球．→erythroblast)．

ru·bro·spi·nal (rū′brō-spī′năl). 赤核脊髄の (赤核から脊髄に至る神経線維，赤核脊髄路についていう)．

rubruria (rū-brū′rē-ă) [L. *ruber*, *rubri*, red + -uria]. 赤色尿 (赤く変色した尿)．

rubruric (rū′brū-rik) [rubruria + -ic]. 赤色尿の (赤く変色した尿の)．

Ru·bu·la·vi·rus (rū′bū-lă-vī′rŭs). ルブラウイルス (パラミクソウイルス科の一属．ムンプスを引き起こす)．＝mumpvirus.

ruc·tus (rŭk′tŭs) [L. < *ructo*, pp. *-atus*, to belch]. おくび，あい(噯)気．＝eructation.

Rud (rūd), Einar. 20 世紀初頭のデンマーク人内科医. →R. *syndrome*.

ru·di·ment (rū′di-ment) [L. *rudimentum*, a beginning < *rudis*, unformed]. 原基痕跡 (①発育が不完全な器官あるいは組織．②ある構造の，個体発生過程における最初の徴候)．＝rudimentum.

ru·di·men·ta·ry (rū′di-men′tă-rē). 痕跡の，不全の，不完全発育の．＝abortive (2).

ru·di·men·tum, pl. **ru·di·men·ta** (rū′di-men′tŭm, -tă) [L.]. 痕跡器官．＝rudiment.

r. hippocampi 海馬痕跡 (→*indusium* griseum)．

ruff (rŭf). ひだ襟，〔虹彩〕ひだ．

pupillary r. 瞳孔ひだ襟 (正常な瞳孔での濃い灰色の皺形成縁．虹彩の後部色素上皮であり，その部位が瞳孔縁であることを示している)．

Ruf·fi·ni (rū-fē′nē), Angelo. イタリア人組織学者，1864—1929. →R. *corpuscles*; flower-spray *organ* of R.

ru·fous (rū′fŭs) [L. *rufus*, reddish]. 赤色の (赤ら顔と赤い毛髪をしている)．＝erythristic.

ru·ga, pl. **ru·gae** (rū′gă, rū′jē) [L. a wrinkle] [TA]. しわ(皺) (**[**複数形は軟音のg(jのような音)で発音される**]**)．

rugae of gallbladder* mucosal *folds* of gallbladder の公式の別名．

gastric rugae* gastric *folds* の公式の別名．

r. gastrica 胃粘膜皺．＝gastric *folds.*

r. palatina ＝transverse palatine *fold.*

rugae of stomach 胃粘膜皺．＝gastric *folds.*

rugae of vagina 腟粘膜皺．＝vaginal rugae.

vaginal rugae [TA]. 腟粘膜皺 (腟粘膜にある横隆線)．＝rugae vaginales [TA]; rugae of vagina.

rugae vaginales [TA]. 腟粘膜皺．＝vaginal rugae.

rugae vesicae biliaris* mucosal *folds* of gallbladder の公式の別名．

ru·gine (rū-zhēn′) [Fr.]. ***1*** 爬骨子．＝periosteal *elevator*. ***2*** 骨膜剝離器．

ru·gi·tus (rū-jī′tŭs) [L. a roaring < *rugio*, to roar]. 腹鳴 (腸のごろごろいう音．→borborygmus)．

ru·gose (rū′gōs) [L. *rugosus*]. しわのある，しわの寄った．＝rugous.

ru·gos·i·ty (rū-gos′i-tē). ***1*** しわのあること． ***2*** しわ．

ru·gous (rū′gŭs). ＝rugose.

RUL right upper lobe (of lung)((肺の)右上葉)の略．

rule (rūl) [O. Fr. *reule* < L. *regula*, a guide, pattern]. 法則，通則，尺度 (蓄積された観察が適切であると考えられる方法や状況に関する，原則，基準，標準，またはガイドライン．→law; principle; theorem)．

Abegg r. (ab′eg) [Richard *Abegg*]. アーベックの法則 (ある元素の最大陽原子価と最大陰原子価の絶対値の和は8に等しいという法則．例えば，炭素の原子価は +4 と −4，酸素は +6 と −2．すべての原子は同数の原子価をもつと簡単にいうこともある．この法則は価電子殻が満たされると8になることに基づく)．

American Law Institute r. (ă-mĕr′i-kan law in′sti-tūt rūl). 米国法律協会法〔則〕(犯罪責任についての 1962 年の規定．〝もしも犯罪行為の時点において，精神病あるいは精神的欠陥の結果として，当人に自分の行為の善悪を判断する実質的な能力あるいは自分の行為を法の要求に適合させる実質的な能力が欠けている場合には，当人は犯罪行為に対して責任がない〟と述べられている．→criminal *insanity*)．＝American Law Institute formulation.

r. of bigeminy 二段脈の法則（心室性期外収縮は，長い心室周期に続く心拍の後に出現しやすいという法則．心室周期の突然の延長は刺激伝導系の不応期を変化させることにより多方向性ブロックを示す末梢領域を一過性に一方向性ブロックに変えることにより興奮回帰を起こしうる，潜在的な回路を開く）．

Chargaff r. (shahr′gahf′) [Erwin *Chargaff*]．シャルガフの法則（DNA ではアデニン単位数とチミン単位数とは同数である．同様にグアニン単位数とシトシン単位数とも同数である）．

Clark weight r. (Klahrk)．クラークの体重法則（小児の投薬量は，小児の体重(ポンド)を 150 で除し，その値に成人の投薬量を乗じて求められる．現在では適用しない）．

Cowling r. (kow′ling)．カウリングの法則（小児の投薬量は，最も近い誕生日での年齢を 24 で除して得た値に，成人の投薬量を乗じたものである．現在では歴史的な測定尺度である）．

Durham r. (dūr′ăm)．ダラムの法則（犯罪責任についての米国の規定(1954 年)．Monte Durham 被告人の事件で初めて適用された．〝当人の非合法行為が精神病あるいは精神的欠陥の産物であった場合，被告人は法的に責任がない〟と述べられている）．

Gibbs phase r. (gibz) [Josiah W. *Gibbs*]．ギブズの相法則．＝phase r.

Haase r. (hahs)．ハーゼの法則（胎児の身長(cm)を 5 で除した値は，妊娠持続期間の月数，すなわち胎児年齢である）．

Hückel r. (hĕck′el) [Erich *Hückel*]．ヒュッケル則（芳香族環での π 電子の数は $4n+2$ 個である．n は 0 かまたは正の整数．L-チロシン，L-フェニルアラニン，L-トリプトファン，L-ヒスチジン(そのイミダゾール環が脱プロトン化した場合)は，この法則に従う）．

Ingelfinger r. (ing′gel-fing′gĕr)．インゲルフィンガー規定(ルール)（Franz Ingelfinger が *New England Journal of Medicine* の編集部で用いるよう策定した基本方針．発表目的で投稿された論文の原本は，これを掲載審査する間に同様の情報が他所でも発表用に重複投稿されないことを条件に審査を行うというもの．このルールは他の論文審査を行う医学雑誌でも多く採用されている）．

isoprene r. イソプレン法則（古典的な説で，現在では用いられない．天然テルペン類は，1–4 結合(先端と末端)あるいは 4–4 結合(末端と末端)のいずれかにより，イソプレン単位の縮合で形成されるという説）．

Jackson r. (jak′sŏn)．ジャクソンの法則（てんかん発作後に単純かつ準自律的な機能は複雑な機能よりも侵される程度が少なく早く回復する）．

Le Bel-van't Hoff r. (lĕ-bel′ vahnt-hof′)．ル・ベル－ファント・ホフの法則（有機化合物の立方異性体数は 2^n である(分子内に対称面がない場合，n は不斉炭素原子数を示す)．1874 年，Le Bel と van't Hoff は同時に以下の結論を発表した．4 つの基，あるいは原子に結合する炭素原子は四面体頂点に最も向かいやすい．当時知られていた分子非対称現象(4 つの異なる原子，あるいは基を有する炭素原子が関与する)は，すべてこれから説明された．→stereoisomerism）．

Liebermeister r. (lē′ber-mī′ster)．リーベルマイスターの法則（成人の熱性頻拍，体温が 1°C 上昇するごとに脈拍数が約 8 回増加する）．

Meyer-Overton r. (mī′ĕr ō′vĕr-tŏn)．マイアー－オーヴァートン則（吸入麻酔薬は脂質に富んだ中枢神経系の細胞に対して作用するため，その効力は脂溶性の増大に伴い増大する）．

Meyer-Weigert r. (mī′ĕr vī′gert)．マイアー(マイヤー)－ヴァイゲルト(ワイゲルト)の法則（完全重複腎盂尿管では，腎レベルでの頭側の尿管が足側の尿管より，膀胱においては内側かつ尿道寄りに開口するという観察に基づく法則）．

M'Naghten r. (mik-naw′tĕn)．マクノーテンの法則（古典的な英国の犯罪責任規定(1843 年)．〝狂気を理由にして弁護するには，犯罪の犯された時点で被告は精神病により理性の欠陥に苦しんでおり，自分がなしつつあった行為の本質と性質を知らず，あるいはもしそれがわかっていたとしても自分が悪いことをしているとは知らなかったということが明白に証明されなければならない〟と述べられている）．

Nägele r. (nā′gĕ-lĕ)．ネーゲレの法則（最後の正常月経周期の初日に 7 日を加え，3 か月さかのぼり 1 年を加えて分娩予定日を決定する方法）．

New Hampshire r. ニューハンプシャー法〔則〕（開拓期の米国人の犯罪責任規定(1871 年)．〝犯罪行為が狂気の産物であった場合には，犯罪的意図がそれを生んだのではない〟と述べられている）．

r. of nines 9 の法則（熱傷での受傷している体表面積の計算法で，次のように成人の一定の部位に 9 または 18% を割り当てる．頭頸部 9%，体幹部前面 18%，体幹部後面 18%，上肢はそれぞれ 9%，下肢それぞれ 18%，会陰部 1%）．

Ogino-Knaus r. (ō-jē′nō naws)．荻野－クナウスの学説（月経周期において，妊娠が最も起こりやすい時期は，両月経期間の中間ごろであるという法則．卵の受精は月経直前直後が最も起こりにくい．避妊のリズム法の根拠）．

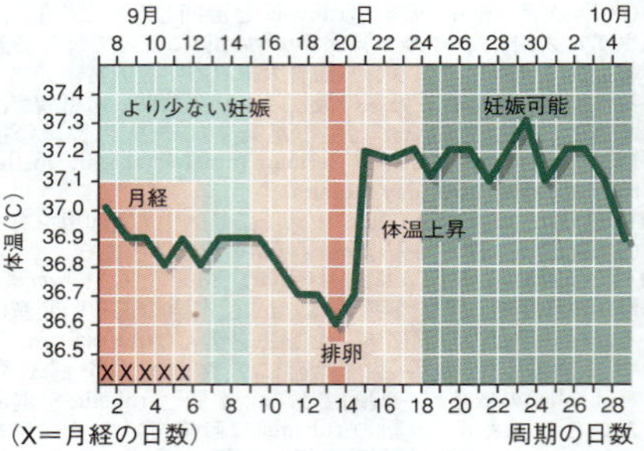

Ogino-Knaus rule

one-half r. 1/2 の原則（哺乳類の子供の数は母親の乳腺の数の半分を超えるのはまれであるという原理）．

r. of outlet 出口の法則（骨盤出口を胎児が通過できるかを決定する産科学法則．正常な大きさの胎児が通過するには，出口の縦径と横径の和が最低 15 cm なければならない）．

phase r. 相律（平衡系に存在する関係を表す式，$P+V=C+2$．ただし P は相の数，V は自由度(可変条件数)，C は成分の数．また自由度 V について，$V=C+2-P$ となる．H_2O の三重点においては，$C=1$，$P=3$ のとき $V=1+2-3=0$ で，すなわち温度と圧力がともに固定していて自由度がない）．＝Gibbs phase r.

Prentice r. (pren′tis)．プレンティスの法則（レンズの 1cm 中心ずれは，レンズパワー 1 ジオプターにつき 1 プリズムジオプター分の光の偏位を生じる）．

Rolleston r. (rol′ĕs-tŏn)．ローレストンの法則（成人の理想の収縮血圧は 100 に年齢の半数を加え，最大生理学的血圧値は 100 に年齢数を加える．歴史的な興味から用いられる）．

Schütz r. (shĕts) [Erich *Schütz*]．シュッツの法則（酵素反応の率は酵素濃度の平方根に比例する．特に一定範囲内のペプシンに用いる）．＝Schütz law.

stopping r.'s 中止基準（ヒトを対象とした無作為対照試験などの体系的試験において，試験を中止する条件をあらかじめ明記した規則．例えば，一方の治療法が他の治療法より明らかに優れていることがわかった場合や一方の治療法が明らかに有害であることが判明した場合）．

Trusler r. for pulmonary artery banding (trūs′lĕr)．肺動脈絞扼のためのトラスラーの法則（バンドの適切な絞め具合のガイダンスを与える方法で，両方向性短絡の先天性複雑心奇形の絞扼の程度のためにというよりは単純心奇形のために用いる）．

Young r. (yŭng)．ヤングの法則（小児投薬量を計算する式．小児の年齢に 12 を加え，その数を年齢で除す．このようにして得られた数字で成人投薬量を除した値が小児の適量）．

ru·ler (rū′lĕr)．定規，定木（平面を測定するための目盛り付き帯）．

isometric r. 等長定規（面の表面を測定する際にねじれな

いように目盛られた定規).
rum (rŭm). ラム(サトウキビの発酵液から蒸留したアルコール).
rum-blos·som (rŭm-blos′ŭm). 鼻瘤. =rhinophyma.
ru·mi·nant (rū′mi-nănt). 反すう動物(反すう，すなわち，かみ戻しのために第一胃から食物を戻す動物．例えば，ヒツジ，ウシ，シカ，カモシカ).
ru·mi·na·tion (rū′mi-nā′shŭn) [L. *ruminatio* < *rumino*, to chew the cud, think over < *rumen*, throat]. ***1*** 反すう(反すう類の生理現象．急いで食べた粗い食物が第一胃から戻され，完全に再そしゃくされる．食物はより細かい粒になり唾液と混じり再び飲み込まれる). ***2*** 食物が繰り返し逆流する乳児の異常．正常な時期があった後に出現し，体重減少あるいは哺乳障害を伴う．***3*** 反すう思考，瞑想病(同一主題を周期的に再考すること).
ru·mi·na·tive (rū′mi-nā′tiv). 瞑想性の，反すう的な(ある思考や考えに没頭していることを特徴とする).
Ru·mi·no·coc·cus (rū′mi-nō-kok′us). ルミノコッカス属(ヒトの気道およびヒトと動物の消化管より単離されたグラム陽性の嫌気性短杆菌の一属．標準種は *Ruminococcus productus* で，本種は以前は *Peptostreptococcus productus* と記述されていた).
Rumpel (rūm′pĕl), Theodor. ドイツ人医師，1862—1923. ⇀R.-Leede *sign*, *test*, *phenomenon*.
run (rŭn) [M.E. *runnen* < A.S. *rinnan* < O.N. *rinna*]. 連続作業単位(分析操作における一連の連続した測定作業の集合．測定系の正確度と精密度が安定していると思われる期間).
Rundle (rŭn′dĕl), A.T. 英国人医師. ⇀Richards-R. *syndrome*.
Runeberg (rū′nĕ-bārg), Johan W. フィンランド人医師，1843—1918. ⇀R. *formula*.
run·off (rŭn′awf). ランオフ(血管床の血管造影検査での遅延部分で，小さい動脈の開存を示す).
runt (rŭnt) [A.S.]. 小柄な動物，成長阻害動物(発育を阻害された動物．一腹の子を多数産む種に最も頻繁に生じる).
ru·pi·a (rū′pē-ă) [G. *rhypos*, filth]. ***1***〔梅毒性〕カキ殻疹(二期梅毒の後期の潰瘍．カキ殻に似た黄色あるいは褐色の痂皮でおおわれる). ***2*** カキ殻状乾癬(著しい鱗屑を伴い，盛り上がって，二次感染を起こした乾癬病変をさして用いる語).
ru·pi·oid (rū′pē-oyd) [G. *rhypos*, filth (rupia) + *eidos*, resemblance]. カキ殻疹様の，類カキ殻疹の.
rup·ture (rŭp′chūr) [L. *ruptura*, a fracture(of limb or vein) < *rumpo*, pp. *ruptus*, to break]. ***1*** =hernia. ***2*** 破裂，断裂，裂傷(断裂または連続性の喪失．臓器や他の軟部組織の裂開). ***3*** 破裂(内腔がある臓器や外傷について用いられる場合は，内部または外部からの圧力により臓器内部が急性に破れる損傷をいい，しばしば内容物が外部に漏れる).
  artificial membrane r. 人工破膜(羊水鉤あるいは同様の器具で人工的に破水させること).
  membrane r. 破水(羊膜の破断により羊水が腟を通って流出すること).
  premature membrane r. 前期破水(分娩開始前の羊膜および絨毛膜の破裂).
  preterm membrane r. 早産期の破水(満期以前(妊娠37週未満)の羊膜および絨毛膜の破裂).
  spontaneous membrane r. 自然破水(分娩発来に伴うかあるいは無関係に生じる羊膜および絨毛膜の破裂).
RUQ right upper quadrant (of abdomen)((腹部の)右上四分円領域，右上腹部)の略.
Rush·ton (rŭsh′tŭn), Martin. 英国人病理学者，1903—1970. ⇀R. *bodies*.
Rus·sell (rŭs′ĕl), Albert L. 米国人歯科医，1905—1985. ⇀R. Periodontal Index.
Rus·sell (rŭs′ĕl), Alexander. 20世紀の英国人小児科医. ⇀R. *syndrome*; Silver-R. *dwarfism*, *syndrome*.
Rus·sell (rŭs′ĕl), Gerald F.M. 20世紀のイングランド人医師. ⇀R. *sign*.
Rus·sell (rŭs′ĕl), Hamilton. 20世紀のオーストラリア人外科医. ⇀R. *traction*.
Rus·sell (rŭs′ĕl), James S. Risien. 英国人医師，1863—1939. ⇀hooked *bundle* of R.; uncinate *bundle* of R.
Rus·sell (rŭs′ĕl), Patrick. インドに在住したアイルランド人医師，1727—1805. ⇀R. viper *venom*, *viper*.
Rus·sell (rŭs′ĕl), William James. イングランド人化学者，1830—1909. ⇀R. *effect*.
Rus·sell (rŭs′ĕl), William. スコットランド人医師・病理学者，1852—1940. ⇀R. *bodies*.
Russell Per·i·o·don·tal In·dex (rŭs′ĕl). ラッセルペリオドンタルインデックス(歯の周囲の骨欠損と歯肉炎とを診査し，口腔に存在する歯周疾患の程度を評価する指数．歯周疾患の疫学的研究によく用いる).
Rust (rŭst), Johann N. ドイツ人外科医，1775—1840. ⇀R. *phenomenon*.
rusts (rŭsts). 銹菌類(サビキン属 *Puccinia* その他の植物(特に穀粒)の重要な病原菌の諸種．例えば収穫期などに多数の菌をヒトが吸入すると，重要なアレルゲンとなる).
ru·the·ni·um (Ru) (rū-thē′nē-ŭm) [Mediev. L. *Ruthenia*, Russia, where first obtained]. ルテニウム(白金属の金属元素．原子番号44，原子量101.07．半減期1.020年の ^{106}Ru がある種の眼の疾患の治療に使用されてきた).
ru·the·ni·um red (rū-thē′nē-ŭm red). ルテニウムレッド；ammoniated r. r. oxychloride(組織学および電子顕微鏡検査の際，ある種の複合多糖類の染料として用いる).
ruth·er·ford (rŭth′ĕr-fŏrd) [Ernest *Rutherford*. 英国人物理学者・ノーベル賞受賞者，1871—1937]. ラザフォード(現在では用いられない語．放射能の単位．毎秒百万個の壊変を起こす放射能物質の量を表す．37ラザフォードは1ミリキュリーに等しい. ⇀Becquerel).
rutherfordium(Rf) (rŭ-thĕr-fōr′dē-ŭm)[Ernest *Rutherford*. 英国人物理学者，1871—1937]. ラザホージウム(合成超プルトニウム元素．原子番号104．原子量261．[以前はウンニルクアジウム Ung とよばれていた]).
ru·ti·do·sis (rū′ti-dō′sis). =rhytidosis.
ru·tin (rū′tin). ルチン(ソバから得られるフラボノイド．毛細血管ぜい弱性を減少させる). =rutoside.
ru·ti·nose (rū′ti-nōs). ルチノース(D-ブドウ糖と L-ラムノースからなる二糖類で，ルチン構成要素).
ru·to·side (rū′tō-sīd). ルトシド. =rutin.
Ruysch (roysh), Frederik. オランダ人解剖学者，1638—1731. ⇀R. *membrane*, *muscle*, *tube*, *veins*.
RV residual *volume*; right *ventricle* の略.
RVEF right ventricular ejection fraction(右心室駆出率)の略.
RVH right ventricular hypertrophy(右心室肥大)の略.
Ry·an (rī′ăn), Norbert J. 20世紀のオーストラリア人病理学者. ⇀R. *stain*.
ry·an·o·dine (rī-an′ō-dēn). リアノジン(イイギリ科の植物 *Ryania speciosa* より得られるアルカロイド．心筋や骨格筋の持続的な収縮において重要な働きを有するカルシウム貯蔵を乱す作用を有する．殺虫薬として使用される).
rye smut (rī′ smŭt). 麦角. =ergot.
Ryle (rīl), John A. イングランド人医師，1889—1950. ⇀R. *tube*.

S

σ, ***Σ*** ***1*** シグマ（ギリシア語アルファベットの第18字 sigma）．***2***（*σ*）．反射係数 reflection *coefficient*，標準偏差 standard *deviation*，*σ* 因子（原核生物の RNA 開始因子），波数，表面張力 surface *tension* の記号．***3***（***Σ***）．一連の合計．

S ***1*** sacral vertebrae（S1 から S5）； spheric または spheric *lens*; Svedberg *unit* の略．***2*** ジーメンスの記号．硫黄の元素記号．熱力学におけるエントロピー，Michaelis-Menten 機構における基質，O_2 あるいは CO を下付き文字にしてヘモグロビン飽和の百分率，セリンを表す記号．Cahn-Ingold-Prelog 表示法での２つの立体化学的表示（イタリック体で示す）の１つ．***3*** 遺伝学的に MNSs 血液型（付録 Blood Groups 参照）に関連する，まれなヒト抗原（血球凝集原）の名称．***4*** 多基質酵素の第４番目の生成物．

S100 酸性のカルシウム結合蛋白で硫安の飽和液に部分的に溶ける．黒色腫は通常 S100 陽性であるため，S100 染色はその鑑別診断に使われる．

^{35}**S** 硫黄 35 の記号．

$\mathbf{S_1}$ 第１心音 first heart *sound* の記号．

$\mathbf{S_2}$ 第２心音 second heart *sound* の記号．

$\mathbf{S_3}$ 第３心音 third heart *sound* の記号．

$\mathbf{S_4}$ 第４心音 fourth heart *sound* の記号．

$\mathbf{S_7}$ ＝summation *gallop*.

$\mathbf{S_f}$ 浮上定数 flotation *constant* を表す記号．

S エントロピーの記号．

s ***1*** ラテン語 *sinister*（左）； *semis*（半分）； second（秒，時間の単位）の略．***2*** 下付き文字で定常状態 steady *state* を表す．

s̄ ラテン語 *sine*（～なしに）の略．

s 淘汰係数 selection *coefficient*，沈降係数 sedimentation *coefficient* の記号．

S-A sinuatrial の略．

SA sacroanterior *position*; sinuatrial の略．

sab·a·dil·la (sab′ă-dil′ă)［Sp. *cevadilla* < L. *cibus*, food］．サバジラ子（メキシコ湾とカリブ海沿岸にみられるユリ科植物 *Schoenocaulon officinale* の種子．セバジン，ベラトリジン，その他アルカロイドを含有し，外用で寄生虫駆除薬として用いる）．＝cevadilla.

Sa·bin (sā′bĭn), Albert B. ポーランド系米国人ウイルス学者，1906—1993. ⇀S. *vaccine*; S.-Feldman dye *test*.

Sa·bou·raud (sah-bū-rō′), Raymond J.A. フランス人皮膚科医，1864—1938. ⇀S. *agar*, *pastils*; S.-Noiré *instrument*.

sab·u·lous (sab′yū-lŭs)［L. *sabulosus* < *sabulum*, coarse sand］．砂のような．

sa·bur·ra (să-bŭr′ă)［L. sand］．胃内残渣，食物残渣（胃袋または口の中の食物の分解したもの）．

sa·bur·ral (să-bŭr′ăl)．胃内残渣の，食物残渣の．

sac (sak)［L. *saccus*, a bag］．［sack と混同しないこと］．***1*** 嚢，包（→sacculus）．＝saccus．***2*** 歯根の被嚢膿瘍．***3*** 嚢，包（腫瘍の被膜あるいは嚢胞の壁）．

abdominal s. 腹腔嚢（腹腔になる胚体腔の部分）．

air s. ＝alveolar s.

allantoic s. 尿膜嚢（尿膜の拡張末端部分で，多くの哺乳類で胎盤の一部をなす）．

alveolar s. ***1*** 肺胞嚢（肺胞を生じさせている肺胞管の膨らみ，肺組織にある小気室で，そこから肺胞が湾のように突出し，そこへ肺胞管が開いている）．＝sacculus alveolaris［TA］．***2*** 気嚢（鳥類で気管支が著しく伸展して骨の中にまで広がったもの）．＝air s.

amniotic s. 羊膜．＝amnion.

aneurysmal s. 動脈瘤嚢（小嚢状動脈瘤でみられる動脈の拡張した壁）．

aortic s. 大動脈嚢（哺乳類の胚で，動脈体幹末端の内皮で区切られた膨張部．脈管原基であり，そこから大動脈弓が生じる．鰓をもつ脊椎動物の腹側大動脈と相同である）．

chorionic s. 絨毛膜嚢（胎児の卵膜の最外層．有毛部は胎盤胎児部になる）．＝chorionic vesicle.

conjunctival s.［TA］．結膜嚢（眼瞼結膜と眼球結膜との間にあって，結膜に取り囲まれた部分で，ここに涙液が分泌される．眼を閉じたときは閉鎖され，眼を開くと前方で眼瞼裂に開く）．＝saccus conjunctivalis［TA］．

cupular blind s. 頂盲端．＝cupular *cecum* of the cochlear duct.

dental s. 歯嚢（発生中の歯を取り囲む結合組織性の被包で，歯根膜，歯槽，セメント質の形成に関わる．→dental *follicle*）．

dural s. 硬膜嚢（腰椎槽，馬尾，および終糸の周囲にある，脊椎の下端（第二腰椎レベル）まで下方に伸びた硬膜の延長）．

endolymphatic s.［TA］．内リンパ嚢（側頭骨錐体部後面の硬膜の外にある内リンパ管の盲端が拡張したもの）．＝saccus endolymphaticus［TA］; Böttcher space; Cotunnius space; sacculus endolymphaticus.

gestational s. 胎嚢（初期妊娠の，羊膜，羊水，胎盤を含む嚢腫様構造）．

heart s. 心膜．＝pericardium.

hernial s. ヘルニア嚢（突出したヘルニアの腹膜嚢）．

Hilton s. (hil′tŏn)．ヒルトン嚢．＝laryngeal *saccule*.

lacrimal s.［TA］．涙嚢（鼻涙管の上方の拡張した部分．２本の涙管が注ぐ）．＝saccus lacrimalis［TA］; dacryocyst; sacculus lacrimalis; tear s.

lesser peritoneal s. ＝omental *bursa*.

lymph s.'s リンパ嚢（胚に形成されるリンパ管原基）．

nasal s.'s 鼻嚢（恒久的鼻腔になる深い原鼻孔）．

omental s. 網嚢．＝omental *bursa*.

preputial s. 包皮嚢（包皮と陰茎亀頭の間の部分）．

pudendal s. 陰唇嚢（大陰唇において結合組織と脂肪とが梨状に包み込まれている状態）．＝Broca pouch.

tear s. 涙嚢．＝lacrimal s.

terminal s.'s 終末包（嚢）．＝terminal *saccules*.

tooth s. 歯嚢（発育中の歯を取り囲む被膜）．

vestibular blind s. 前庭盲端．＝vestibular *cecum* of the cochlear duct.

vitelline s. ＝yolk s.

yolk s. 卵黄嚢（①端黄卵をもつ脊椎動物では，胚子の卵黄を取り囲む内臓葉のうち豊富な血管が分布する層．②ヒトや哺乳類では胚外胚膜でつくられた嚢で，胚盤の裏側にあり，腸管形成後は中腸に連なるが，胎生２か月頃には細い卵黄茎となる．卵黄嚢は発生初期には造血器官であり，胎生循環機能の重要な役割を受けもっている．また原始生殖細胞が起源するところでもある）．＝umbilical vesicle; vesicula umbilicalis; vitelline s.

sac·cade (să-kād′)［Fr. *saccade*, sudden check of a horse］．衝動性（視線に沿っての急速眼球運動）．

sac·cad·ic (să-kad′ik)．がたつきの（急に動くことを表す．⇀saccadic *movement*）．

sac·cate (sak′āt)［L. *saccus*, sac］．包の，嚢の，嚢状の．

sacchar- ⇀saccharo-.

sac·cha·rase (sak′ă-rās)．サッカラーゼ．＝*β*-fructofuranosidase.

sac·cha·rate (sak′ă-rāt)．サッカリン酸（糖酸）塩またはエステル．

sac·char·eph·i·dro·sis (sak′ar-ef′i-drō′sis)［sacchar- + G. *ephidrōsis*, a slight perspiration］．糖汗（汗の中に糖が存在すること）．

sacchari- ⇀saccharo-.

sac·char·ic (sak′ă-rik)．糖の．

sac·char·ic ac·id (sak′ă-rik as′id)．糖酸，サッカリン酸（ジカルボキシ糖酸類をさす語）．

sac·cha·ride (sak′ă-rīd)［sacchari- + Fr. *-ide*, 二元化合物での２つの要素のうち，より電気陰性度の高いほうを意味する連結形］．サッカリド，糖類（単純糖（アルドースまたはケトース）あるいはそれらがお互いにグリコシド結合した化合物群．サッカリドは，それらを構成する単糖類の数によって，単糖類，二糖類，三糖類，多糖類に分類される．→carbohydrates）．

sac·cha·rif·er·ous (sak′ă-rif′ĕr-ŭs)．含糖の，糖産生の．

sac·char·i·fi·ca·tion (să-kar′i-fi-kā′shŭn)．糖化．

sac·char·i·fy (să-kar′i-fī) [sacchari- + L. *facio*, to make]. 糖化する（デンプン，セルロース，他の多糖類を糖に変える）.

sac·cha·rim·e·ter (sak′ă-rim′ĕ-tĕr) [sacchari- + G. *metron*, measure]. 検糖計（溶液中の糖量を測定する器具．偏光計，湿度計，あるいは溶液を発酵させて発生する炭酸ガス量により量を見積もる容器になることもある）. =saccharometer.

sac·cha·rin (sak′ă-rin). サッカリン（水溶液は白糖の 300—500 倍の甘味を有する．ノンカロリー甘味薬(砂糖の代用)に用い，サッカリンナトリウムとサッカリンカルシウムは同様に用いる）. =benzosulfimide.

sac·cha·rine (sak′ă-rēn, -rin, -rīn). 糖の，甘味のある.

saccharo-, sacchar-, sacchari- [G. *sakcharon*, sugar]. ［誤ったつづり saccaro- および sacharo- を避けること］. 糖(糖類)を表す連結形.

sac·cha·ro·gen am·y·lase (sak′ă-rō-jen am′i-lās). サッカロゲンアミラーゼ. =β-amylase.

sac·cha·ro·lyt·ic (sak′ă-rō-lit′ik) [saccharo- + G. *lysis*, loosening]. 糖分解性の（糖分子を加水分解あるいは分解できる）.

sac·cha·ro·met·a·bol·ic (sak′ă-rō-met′ă-bol′ik). 糖代謝の.

sac·cha·ro·me·tab·o·lism (sak′ă-rō-mĕ-tab′ō-lizm). 糖代謝（細胞において糖を使用する過程）.

sac·cha·rom·e·ter (sak′ă-rom′ĕ-tĕr). =saccharimeter.

Sac·cha·ro·my·ces (sak′ă-rō-mī′sēz) [saccharo- + G. *mykēs*, fungus]. サッカロミセス属（サッカロミセス科に属する出芽酵母の一属．子嚢菌類の一型．ビール酵母菌 *S. cerevisiae* はビール酵母とエタノールをつくるのに用いる．*S. cerevisiae* はヒトには非常にまれな病原体である）.

S. boulardii サッカロミセス・ブラウディ（下痢の治療のために広く処方される酵母菌種．遺伝学的には出芽酵母(サッカロミセス・セレビシエ)とほぼ同一であることが明らかとなっているが，代謝学的および生理学的性質においては異なっている.→*Saccharomyces*）. =*S. cerevisiae.*

S. cerevisiae サッカロミセス・セレビシエ. =*S. boulardii.*

Sac·cha·ro·my·ce·ta·ce·ae (sak′ă-rō-mī′sē-tā′sē-ē). サッカロミセス科（酵母の一科．主に単細胞性葉状体をもち，出芽，横分裂，あるいはその両方によって無性的に増殖し，接合体から，あるいは病的な状態では1個の体細胞からの子嚢に子嚢胞子をつくる子嚢菌からなる真菌の一群．酵母様菌類という語は，しばしば子嚢胞子の形成は知られないが，他の点では酵母の特性を有するような真菌類に適用される．こうした種類は，有性生殖法が認められないかぎりは不完全真菌類に分類しておくのが適切であろう．この例としては *Cryptococcus neoformans* がある）.

Sac·cha·ro·my·ce·ta·les (sak′ă-rō-mī′sē-tā′lēz). サッカロミセス目. =Endomycetales.

sac·cha·ro·pine (sak′ă-rō-pēn′). サッカロピン（α-ケトグルタル酸とL-リシンとの誘導体でL-リシンの異化の中間体である．サッカロピン尿症で上昇する）.

s. dehydrogenase サッカロピンデヒドロゲナーゼ（L-リシンの異化経路に用いられる酵素．第1のイソ型はL-リシンとα-ケトグルタル酸，NADH とから，サッカロピンと NAD^+ への可逆的変換を触媒する．他のイソ型はサッカロピンと NAD^+ とからL-グルタミン酸，NDH およびL-α-アミノアジピン酸δ-セミアルデヒドへの変換を可逆的に触媒する．これらのイソ型の1つの欠損により家族性高リシン血症やサッカロピン尿症になる）.

sac·cha·ro·pi·nu·ri·a (sak-ar′ō-pē-nyu′rē-ă) [MIM *268700]. サッカロピン尿症（尿中サッカロピン排泄の亢進症．家族性リジン尿症の一亜型に伴う）.

sac·cha·rose (sak′ă-rōs). ショ糖，サッカロース，白糖. =sucrose.

sac·cha·rum (sak′ă-rŭm) [Mod. L. < G. *sakcharon*]. 糖，ショ糖. =sucrose.

s. canadense =maple *sugar.*

s. lactis 乳糖. =lactose.

sac·ci·form (sak′si-fōrm) [L. *saccus*, sack + *forma*, form]. 嚢状の. =saccular; sacculated.

sac·cu·lar (sak′yū-lăr). =sacciform.

sac·cu·lat·ed (sak′yū-lāt′ĕd). =sacciform.

sac·cu·la·tion (sak′yū-lā′shŭn). ***1*** 小嚢（一群の嚢が形成する組織）. ***2*** 小嚢形成（袋あるいはポケットの形成）.

s.'s of colon =*haustra* of colon (⇀haustrum).

sac·cule (sak′yūl) [L. *sacculus*]. ***1*** [TA]. 球形嚢（迷路の前庭にある2つの膜性嚢のうちの小さいほうで，球形陥凹にある．ごく短い管である結合管により蝸牛管と，また内リンパ嚢およびそれにつながる連嚢管の起始部により卵形嚢と連結する）. =sacculus [TA]; sacculus proprius; sacculus vestibuli. ***2*** 細胞嚢（ある種の微生物を包む膜の一部(細胞壁)としてペプチドグリカンでつくられた厚い袋状構造）.

alveolar s.'s 肺胞嚢（肺胞のもとになる肺胞管の終末拡張部）.

laryngeal s. [TA]. 喉頭小嚢（粘液腺を備えた小憩室で喉頭室から室ひだと甲状軟骨板の間を上方に広がっている．これは痕跡器官で，大型類人猿のあるものでは頸筋の間に複雑にはいり込む大きな室になっており，反響室として役立っている）. =sacculus laryngis [TA]; appendix ventriculi laryngis; Hilton sac; laryngeal pouch; s. of larynx.

s. of larynx 喉頭小嚢. =laryngeal s.

terminal s.'s 終末嚢（呼吸細気管支の末端で壁の薄い肺胞の原基で，毛細血管と密接な関係をもって発達する）. =terminal sacs.

sac·cu·lo·co·chle·ar (sak′yū-lō-ko′klē-ăr). 球形嚢蝸牛の（球形嚢と蝸牛に関する）.

sac·cu·lus, pl. **sac·cu·li** (sak′yū-lŭs, -lī) [L. *saccus*(sac)の指小辞][TA]. 球形嚢. =saccule (1).

s. alveolaris, pl. **sacculi alveolares** [TA]. 肺胞嚢. =alveolar *sac* (1).

s. communis =utricle.

s. endolymphaticus =endolymphatic *sac.*

s. lacrimalis =lacrimal *sac.*

s. laryngis [TA]. 咽頭小嚢. =laryngeal *saccule.*

s. proprius =saccule (1).

s. vestibuli =saccule (1).

sac·cus, pl. **sac·ci** (sak′ŭs, sak′sī) [L. a bag, sack]. 嚢. =sac (1).

s. conjunctivalis [TA]. 結膜嚢. =conjunctival *sac.*

s. endolymphaticus [TA]. 内リンパ嚢. =endolymphatic *sac.*

s. lacrimalis [TA]. 涙嚢. =lacrimal *sac.*

s. reuniens =*sinus* venosus.

s. vaginalis 鞘状突起嚢（胎児の腹膜窩で，精巣の下垂の際に，鞘状突起が前腹壁を通ってのびた個所を示す）.

Sachs (saks), Bernard. 米国人神経科医，1858—1944. ⇀Tay-S. *disease.*

Sachs (saks), Hans. ドイツ人細菌学者，1877—1945. ⇀S.-Georgi *test.*

Sachs (saks), Maurice D. 20世紀の米国人放射線科医. ⇀Hill-S. *lesion.*

Sacks (saks), Benjamin. 米国人医師，1896 — 1939. ⇀Libman-S. *endocarditis, syndrome.*

sacr- ⇀sacro-.

sa·crad (sā′krăd) [sacr- + L. *ad*, to]. 仙骨の方へ，仙骨に向かって.

sa·cral (sā′krăl). 仙骨の，仙椎の.

sa·cral·gi·a (sā-kral′jē-ă) [sacr- + G. *algos*, pain]. 仙骨〔部〕痛. =sacrodynia.

sa·cral·i·za·tion (sā′krăl-i-zā′shŭn). 仙椎化（第五腰椎が第一仙椎のような形態をとっていること）.

sa·crec·to·my (sā-krek′tŏ-mē) [sacr- + G. *ektomē*, excision]. 仙骨切除〔術〕（手術を容易にするため仙骨の一部を切除すること）. =sacrotomy.

sacro-, sacr- [L. *os sacrum*, sacred bone]. 仙骨を意味する連結形.

sa·cro·coc·cyg·e·al (sā′krō-kok-sij′ē-ăl). 仙尾骨の（仙骨と尾骨に関する）.

sa·cro·coc·cyg·e·us (sā′krō-kok-sijē-ŭs). 仙尾筋（⇀muscle）.

sa·cro·dyn·i·a (sā′krō-din′ē-ă) [sacro- + G. *odynē*, pain]. =sacralgia.

S

sa·cro·il·i·ac (sā′krō-il′ē-ak). 仙腸骨の（仙骨と腸骨に関する）.

sa·cro·il·i·i·tis (sā′krō-il′ē-ī′tis). 仙腸骨炎（仙腸関節の炎症）.

sa·cro·lum·ba·lis (sā′krō-lŭm-bā′lis). 腰腸肋筋.

sa·cro·lum·bar (sā′krō-lŭm′bar). 仙腰〔椎〕の. ＝lumbosacral.

sa·cro·sci·at·ic (sā′krō-sī-at′ik). 仙坐骨の（仙骨と坐骨の両方に関する）.

sa·cro·spi·nal (sā′krō-spī′năl). 仙脊柱の（仙骨と脊柱に関する）.

sa·crot·o·my (sā-krot′ō-mē)［sacro- ＋ G. *tomē*, incision］. ＝sacrectomy.

sa·cro·ver·te·bral (sā′krō-ver′tĕ-brăl). 仙椎骨の（仙骨と椎骨に関する）.

sa·crum, pl. **sa·cra** (sā′krŭm, sā′kră)［L. lit. sacred bone: *sacer*(*sacr-*)(sacred)の中性形］［TA］. 仙骨（脊柱の一部で，骨盤の一部をなす．幅広い，わずかに弯曲した，スペード形の骨で，上部が厚く，下部がより薄く，骨盤の後部をなす．５つの元来分離している仙椎の癒合によって形成される．最下位の腰椎，尾骨，両側の寛骨と関節する）. ＝os sacrum［TA］; sacred bone; vertebra magna.

assimilation s. 異数仙骨（６要素から構成される仙骨で，最後の腰椎が仙骨のようにみえる．あるいは４要素だけから構成される仙骨で，最初の仙骨は遊離し腰椎の特徴をもつ）.

SACT sinoatrial conduction *time* の略.

SAD seasonal affective *disorder* の略.

sad·dle (sad′ĕl). ***1*** 鞍（乗馬に用いる鞍のような形，あるいはそれを思わせる構造）. ＝sella. ***2*** ＝denture *base*.

Turkish s. トルコ鞍. ＝*sella* turcica.

***S*-adenosyl-L-methionine (SAM, AdoMet, SAM-e)** (a-den′ō-sil′me-thī′ō-nēn). *S*-アデノシル-L-メチオニン（抗酸化ストレス作用をもつ栄養補助食品．肝疾患治療に用いられる．システインの前駆物質である．肝臓に有毒な損傷(アルコールや感染など)に伴うフリーラジカルを捕捉するのに用いられる．肝機能障害のある間はSAM-eの内因性に生成する常在性酵素系は損なわれる）. ＝active methionine.

sa·dism (sā′dizm, sad′izm)［この行為にふけったと自認した Marquis de *Sade*(1740—1814)にちなむ］. サディズム，加虐性愛（性倒錯の一形態．苦痛を加えることに快楽を見出す．*cf.* masochism）.

sa·dist (sā′dist, sad′ist). サディスト，加虐性愛者（サディズムを行う人）.

sa·dis·tic (să-dis′tik). サディズムの，加虐性愛的な.

sa·do·mas·o·chism (sā′dō-mas′ŏ-kizm, sad-o-)［sadism ＋ masochism］. サドマゾヒズム（性倒錯の一形態で，耐えたり，責めたり，そして(あるいは)なされるがままになったりして残虐性や恥辱を喜ぶのが特徴）.

Sae·misch (sā′mish), Edwin T. ドイツ人眼科医，1833—1909. →S. *section*, *ulcer*.

Saeng·er (sāng′ĕr), M. プラハの産科医，1853—1903. →S. *operation*.

saf·flow·er (saf′low-ĕr)［Ar. *safrā*, yellow］. サフラワー，ベニバナ. ＝carthamus.

saf·flow·er oil (saf′flow-ĕr oyl). サフラワー油，ベニバナ油（ベニバナ *Carthamus tinctorius* の種子から抽出した油．リノレン酸74.5%と飽和脂肪酸6.6%を含む．過コレステリン血症，心筋梗塞，冠不全への使用が推奨されている）.

saf·fron (saf′ron)［Ar. *zafarān* ＜ *safrā*, yellow］. サフラン. ＝crocus.

saf·ra·nin O (saf′ră-nin)［C.I. 50240］. サフラニンO（ジメチル-，および塩化トリメチルフェノサフランの混合物．橙色の変色性を現す塩基性赤色染料．核の染料として組織学において，またグラム法の対比染料として微生物学において用いる．クロム親和性を示す）.

saf·ra·no·phil, saf·ra·no·phile (saf′ră-nō-fil, -fīl). 好サフラニン性の（サフラニンでよく染まる．ある種の細胞や組織についていう）.

saf·role (saf′rōl). サフロール（アリルピロカテコールのメチレンエーテル．サッサフラス油，樟脳油，その他の揮発油中にある．主に樟脳油の分留で得られる．以前は強壮薬，駆風薬として用いられた．長期服用すると脂肪変性を起こす）.

sage (sāj)［L. *salvia*, the sage plant ＜ *salvus*, safe］. ＝salvia.

sag·it·ta (saj′i-tă). 矢（［誤った発音 saj′ĭ-ta を避けること］．魚類の一部の耳の中にある平衡石）.

sag·it·tal (saj′i-tăl)［L. *sagitta*, an arrow］［TA］. 矢状〔方向〕の（［誤ったつづり sagital および saggital を避けること．伝統的に正しい発音は să-jĭt′al であるが，米国ではより一般的に saj′ĭ-tal と発音される］．矢に似た．弓から放たれた矢の描く線，すなわち前後方向の．矢状面・矢状方向に関する）. ＝sagittalis［TA］.

sag·it·ta·lis (saj′i-tā′lis)［L.］［TA］. 矢状の. ＝sagittal.

Saint (sānt), Charles F.M. 20世紀の南アフリカ人外科医. →S. *triad*.

Saint An·tho·ny fire (sānt anth′ŏ-nē fīr)［St. Anthony. エジプト人修道士，約250—350］. 聖アントニー熱（①＝ergotism. ②皮膚のいくつかの炎症，または壊疽状態(例えば丹毒)）.

Sak·sen·a·ea vas·i·for·mis (saks′ĕ-nē′ă vas′i-fōr′mis). ムコール症の原因となる真菌の一種．本種ではムコール症の典型的な病態である肺や副鼻腔の疾病よりはむしろ皮下感染症の症例が多い.

sal, pl. **sales** (sal, sal′ēz)［L.］. 塩. ＝salt.

s. alembroth［起源不詳の錬金術師の用語］. 白降汞（塩化アンモニウムと塩化水銀の等量溶液を結晶化してつくる生成物）. ＝salt of wisdom.

s. ammoniac 塩化アンモン石，サルアンモニアク. ＝*ammonium* chloride.

s. diureticum 利尿性塩類. ＝*potassium* acetate.

s. soda 結晶ソーダ，ソーダ. ＝*sodium* carbonate.

s. volatile 揮発塩. ＝aromatic ammonia *spirit*.

salabrasion (sal-ă-brā′shun)［L. *sal* ＋ abrasion］. 塩剝離術（塩と剝離機器を用いて入墨を除去する方法）.

Sa·lah (sah′lah), M. 20世紀のエジプト人外科医. →S. sternal puncture *needle*.

sal·bu·ta·mol (sal-byū′tă-mol). サルブタモール. ＝albuterol.

Sal·di·no (sahl-dē′nō), Ronald M. 骨格異形成に特別の関心をもった米国人放射線科医(1941年生).

sal·i·cin (sal′i-sin). サリシン（*o*-ヒドロキシベンジルアルコールのグルコシド．*Salix*属と *Populus*属の数種の樹皮から得られる．加水分解されてグルコースとサリゲニン(サリチルアルコール)になる．以前は関節リウマチに用いた）.

sal·i·cyl (sal′i-sil). サリチル（サリチル酸のアシル基）.

s. aldehyde サリチルアルデヒド（苦いアーモンド様の芳香を有する油性の液状フェノール性アルデヒド．香料やクマリンの製造に用いられる）. ＝salicylic aldehyde.

sal·i·cyl·am·ide (sal′i-sil′ă-mīd). サリチルアミド（サリチル酸のアミド，*o*-ヒドロキシベンズアミド．鎮痛・解熱・抗関節炎薬で，アスピリンに作用が類似する）.

sa·lic·y·late (să-lis′i-lāt). ［正しくは第１音節にアクセントを置くが，米国ではここに示した発音以外ほとんど聞かれない］. ***1***〘n.〙サリチル酸塩またはエステル. ***2***〘v.〙サリチル酸を添加する（サリチル酸を防腐薬として食料品に添加する）. ＝salicylize.

sa·lic·y·lat·ed (să-lis′i-lāt′ĕd). サリチル酸添加の.

sal·i·cyl·az·o·sul·fa·pyr·i·dine (sal′i-sil-az′ō-sūl′fă-pir′i-dēn). サリチルアゾスルファピリジン. ＝sulfasalazine.

sal·i·cyl·ic ac·id (sal′i-sil′ik as′id). サリチル酸（サリシンから誘導されたり，合成的に製造される．アスピリン(アセチルサリチル酸)の原料．外用で角質溶解薬，防腐薬，殺真菌薬として用いる）.

sal·i·cyl·ic al·de·hyde (sal′i-sil′ik al′dĕ-hīd). ＝*salicyl* aldehyde.

sal·i·cyl·ism (sal′i-sil′izm). サリチル酸〔塩〕中毒（サリチル酸あるいはその他のサリチル酸化合物による中毒）.

sal·i·cyl·ize (sal′i-sil′īz). ＝salicylate (2).

sal·i·cyl·sal·i·cyl·ic ac·id (sal′i-sil-sal′i-sil′ik as′id). サリチルサリチル酸. ＝salsalate.

sal·i·cyl·sul·fon·ic ac·id (sal′i-sil-sŭl-fon′ik as′id). サリチルスルホン酸. ＝sulfosalicylic acid.

sal·i·cyl·ur·ic ac·id (sal′i-sil-yūr′ik as′id). サリチル尿酸（グリシンとサリチル酸の抱合生成物．サリチル酸あるいはその他のサリチル酸化合物を投与した後，尿中に排泄され

る).

sa·lient (sā′lē-ent, sāl′yent) [L. *salio*, to leap or spring up]. ***1*** 突出，突起．=projection (1). ***2*** 放射線において，projection を表す現在では用いられない語．

sal·i·fi·a·ble (sal′i-fī′ă-běl). 塩形成性の（酸と結合して塩をつくる塩基についていう）.

sal·i·fy (sal′i-fī). 塩化する．

sal·i·gen·in, sal·i·gen·ol (sal′i-jen′in, sal′i-jen-ol). サリゲニン，サリゲノール（サリシンの加水分解により得られる．局所麻酔薬）.

sa·lim·e·ter (să-lim′ĕ-těr). 塩分計，検塩計（塩溶液の比重や濃度を測定する液体比重計）.

sa·line (sā′lēn, -līn) [L. *salinus*, salty < *sal*, salt]. ***1*** 〖adj.〗塩類の，食塩の．***2*** 〖n.〗食塩水（塩の溶液．通常は塩化ナトリウム）.

physiologic s. 生理食塩水（[旧式の表現 normal saline を避けること．それは1N(N＞normality＝規定度)の塩化ナトリウム溶液と誤解されやすい]．等浸透圧食塩水．この中で細胞はしばらく生存する．塩化ナトリウム 0.9%を含む）.

sal·i·nom·e·ter (sal′i-nom′ĕ-těr). 塩分計，サリノメータ（溶液中に存在する特定塩の百分率が直読できるように目盛りをした液体比重計）.

sa·li·va (să-lī′vă) [L: G. *sialon* に似る]．唾液（透明，無味，無臭，微酸性(pH 6.8)の粘液．耳下腺，舌下腺，顎下腺，および口腔の粘液腺からの分泌物．機能は，口粘膜を湿らせ，食物のそしゃくを円滑にする，デンプンを麦芽糖に変えるなど．最後のデンプン酵素であるプチアリンが行う）．=spittle.

chorda s. 鼓索〔性〕唾液（鼓索神経の刺激によって得られた顎下腺の分泌物）.

ganglionic s. 神経節〔性〕唾液（顎下腺を直接刺激して得られる顎下腺唾液）.

resting s. 安静時唾液（食物摂取とそしゃくの合間に口中にある唾液）.

sympathetic s. 交感神経〔性〕唾液（顎下腺を神経支配する交感神経線維を刺激して得られる顎下腺唾液）.

sal·i·vant (sal′i-vănt). ***1*** 〖adj.〗催唾〔性〕の（唾液の分泌を起こす）．***2*** 〖n.〗催唾薬（唾液の分泌を増加させる薬剤）．=salivator.

sal·i·var·y (sal′i-vār′ē) [L. *salivarius*]．唾液の．=sialic; sialine.

sal·i·vate (sal′i-vāt). 唾液を過剰に分泌させる．

sal·i·va·tion (sal′i-vā′shŭn). 唾液分泌，流ぜん．=sialorrhea.

sal·i·va·tor (sal′i-vā′tŏr). =salivant (2).

sa·li·vo·li·thi·a·sis (sa-lī′vō-li-thī′ă-sis). =sialolithiasis.

Salk (sawk), Jonas. 米国人免疫学者，1914—1995 ⇀S. *vaccine*.

Sal·mo·nel·la (sal′mō-nel′ă) [Daniel E. *Salmon*．米国人病理学者，1850—1914]．サルモネラ属（[誤った発音 săm′ō-nel′la を避けること]．腸内細菌科の好気性から通性嫌気性菌の一属で，運動性，非運動性のグラム陰性杆菌．運動性細胞は周毛性である．この細菌はゼラチンを液化せず，インドールを生成しない．硫化水素の産生性は株により，代謝は発酵による．グルコースから酸と通常はガスを生じるが，乳糖は分解しない．大部分はガスを発生するが，チフス菌 *S. typhi* は例外である．唯一の炭素源としてクエン酸塩を利用する．ヒトその他の動物に病原性がある．標準種は *S. choleraesuis*）.

S. enterica subsp. ***choleraesuis*** 豚コレラ菌（ブタにみられる細菌種で，ウイルス病豚コレラの二次感染菌である．その他の動物には本来，病原性はない．ヒトにおいて急性胃腸炎や腸熱を起こす場合がある．*Salmonella*属の標準種）.

S. enterica subsp. ***enteritidis*** 腸炎菌（ヒト，家畜，野生動物，特にげっ歯類に広く分布する細菌種．ヒトに胃腸炎を引き起こす）.

S. enterica subsp. ***paratyphi A*** パラチフス菌（発展途上国における腸熱の重要な病原体である細菌種）.

S. enterica subsp. ***paratyphi B*** 以前には *S. schottmülleri* として知られていた．最初にヒトから検出された，腸チフスを起こす株とヒトや動物に胃腸炎を起こす株の明瞭に区別される2型の株からなる．本種にはファージタイプや疫学的特徴である生物型の組み合わせによって識別される56株がある．

S. enterica subsp. ***typhi*** =*S. typhi*.

S. enterica subsp. ***typhimurium*** ネズミチフス菌（ヒトの食中毒を起こす細菌種．すべての温血動物に本来病原性がある．ヘビやペットのカメにも見出される．世界中に分布しており，*S. enterica* 種による胃腸炎の最も主要な原因菌である）.

S. typhi〔腸〕チフス菌（汚染された水や食物を摂取することによって伝播され，ヒトに腸チフスを引き起こす細菌種）．=Eberth bacillus; *S. enterica* subsp. *typhi*; typhoid bacillus.

S. typhosa *S. typhi* の旧名．

sal·mo·nel·lo·sis (sal′mō-nel-ō′sis) [*Salmonella* + G. *-osis*, condition]．サルモネラ症（*Salmonella*属の細菌による感染症．鎌状赤血球貧血や免疫不全患者では特に感受性が高い）.

sal·ol (sal′ol). サロール．=*phenyl* salicylate.

salping- ⇀salpingo-.

sal·pin·gec·to·my (sal′pin-jek′tŏ-mē) [salping- + G. *ektomē*, excision]．卵管摘除〔術〕．=tubectomy.

abdominal s. 腹式卵管摘除〔術〕（腹部切開により一方あるいは両方の卵管を除去すること）.

sal·pin·ges (sal-pin′jēz). salpinx の複数形．

sal·pin·gi·an (sal-pin′jē-ăn). 耳管の，卵管の．

sal·pin·gi·o·ma (sal-pin′jē-ō′mă) [salping- + G. *-oma*, tumor]．卵管腫瘍（卵管組織に生じる腫瘍）.

sal·pin·git·ic (sal′pin-jit′ik). 耳管炎の，卵管炎の．

sal·pin·gi·tis (sal′pin-jī′tis) [salping- + G. *-itis*, inflammation]．***1*** 卵管炎．***2*** 耳管炎．

chronic interstitial s. 慢性間質性卵管炎，慢性間質性耳管炎（線維症あるいは単核細胞浸潤が卵管または耳管の全層に及ぶもの）.

foreign body s. 異物性卵管炎（巨細胞が組織中に形成する卵管炎．卵管に異物が導入されたのが原因）.

gonorrheal s. 淋菌性卵管炎（急性淋菌感染後の卵管の炎症）.

s. isthmica nodosa 結節性峡部卵管炎（卵管峡部の筋層の結節性の肥厚が特徴で，内腔が腺組織様，または嚢胞性に2重になっている）．=adenosalpingitis.

pyogenic s. 化膿性卵管炎（通常，産褥期の感染で起こる急性の卵管炎）.

salpingo-, salping- [G. *salpinx*, trumpet (tube)]．管，通常，卵管か耳管を表す連結形．→tubo-.

sal·pin·go·cele (sal-ping′gō-sēl) [salpingo- + G. *kēlē*, hernia]．卵管ヘルニア．

sal·pin·go·cy·e·sis (sal-ping′gō-sī-ē′sis) [salpingo- + G. *kyēsis*, pregnancy]．卵管妊娠．=tubal *pregnancy*.

sal·pin·gog·ra·phy (sal′ping-gog′ră-fē) [salpingo- + G. *graphō*, to write]．卵管造影(撮影)〔法〕（造影剤を注入後，卵管をX線撮影する）.

sal·pin·gol·y·sis (sal-ping-gol′i-sis) [salpingo- + G. *lysis*, loosening]．卵管剝離〔術〕（卵管の癒着を離すこと）.

sal·pin·go·ne·os·to·my (sal-ping′ō-nē-os′tŏ-mē) [salpingo- + -neostomy]．卵管開口術（卵管采癒着でこん棒状になった卵管の開放手術）.

salpingo-oophor-, salpingo-oophoro- [salpingo- + Mod. L. *oophoron*, ovary < G. *ōophoros*, egg-bearing]．卵管と卵巣を表す連結形．

sal·pin·go-o·oph·o·rec·to·my (sal-ping′gō-ō′of-ō-rek′-tŏ-mē). 卵管卵巣摘出〔術〕，卵管卵巣摘除〔術〕．=salpingo-ovariectomy; tuboovariectomy.

bilateral s.-o. (BSO) 両側卵管卵巣摘出(摘除)〔術〕(⇀salpingo-oophorectomy).

sal·pin·go-o·oph·o·ri·tis (sal-ping′gō-ō-of′ō-rī′tis). 卵管卵巣炎．=tubo-ovaritis.

sal·pin·go-o·oph·o·ro·cele (sal-ping′gō-ō-of′ō-rō-sēl). 卵管卵巣ヘルニア．

sal·pin·go·o·var·i·ec·to·my (sal-ping′gō-ō-var′ē-ek′tŏ-mē). =salpingo-oophorectomy.

sal·pin·go·per·i·to·ni·tis (sal-ping′gō-per′i-tō-nī′tis) [salpingo- + peritonitis]．卵管腹膜炎（卵管，卵管外膜，腹膜の炎症）.

S

sal·pin·go·pex·y (sal-ping′gō-pek′sē) [salpingo- + G. *pēxis*, fixation]. 卵管固定〔術〕.
sal·pin·go·pha·ryn·ge·al (sal-ping′gō-fă-rin′jē-ăl). 耳管咽頭の(耳管と咽頭に関する).
sal·pin·go·pha·ryn·ge·us (sal-ping′gō-fă-rin′jē-ŭs) [TA]. 耳管咽頭筋(→salpingopharyngeus (*muscle*)).
sal·pin·go·plas·ty (sal-ping′gō-plas′tē) [salpingo- + G. *plastos*, formed]. 卵管形成〔術〕. =tuboplasty.
sal·pin·gor·rha·gi·a (sal-ping′gō-rā′jē-ă) [salpingo- + G. *rhēgnymi*, to burst forth]. 卵管出血.
sal·pin·gor·rha·phy (sal′ping-gōr′ă-fē) [salpingo- + G. *rhaphē*, stitching]. 卵管縫合〔術〕.
sal·pin·gos·co·py (sal′ping-gos′kŏ-pē) [salpingo- + G. *skopeō*, to view]. 卵管〔鏡〕検査〔法〕(X線あるいは内視鏡により卵管をみること).
sal·pin·gos·to·my (sal′ping-gos′tŏ-mē) [salpingo- + G. *stoma*, mouth]. 卵管開口術(卵管に人工的に開口をつくること. 原則的に子宮外妊娠の外科療法として用いられる).
sal·pin·got·o·my (sal′ping-got′ō-mē) [salpingo- + G. *tomē*, incision]. 卵管切開〔術〕.
abdominal s. 腹式卵管切開〔術〕(開腹して卵管を切開すること).
sal·pinx, pl. **sal·pin·ges**☆ (sal′pingks, sal-pin′jēz) [G. a trumpet (tube)]. uterine *tube* の公式の別名.
s. uterina 卵管. =uterine *tube*.
sal·sa·late (sal′să-lāt). サルサラート, サザピリン(2分子のサルチル酸がエステル結合した化合物. 吸収過程および吸収後に加水分解を受けサリチル酸となり, 他のサリチル酸系薬物同様に鎮痛・消炎作用を現す). =salicylsalicylic acid.
salt (sawlt) [L. *sal*]. =sal. ***1*** 塩(酸と塩基の相互作用により形成される化合物. 酸の水素原子は塩基の陽イオンに取って代わる). ***2*** 食塩(塩の原形またはモデルである塩化ナトリウム). ***3*** 塩類しゃ下薬(特に硫酸マグネシウム, 硫酸ナトリウム, またはRochelle塩. 通常, 複数形の salts(塩類)という語を用いる).
acid s. 酸性塩(酸の水素原子が全部は電気陽性元素と置き換わっていない塩. 例えば, $NaHSO_4$, KH_2PO_4). =protosalt
artificial Carlsbad s. 人工カルルス塩(硫酸カリウム, 塩化ナトリウム, 炭酸水素ナトリウム, および乾燥硫酸ナトリウムの混合物. 緩下薬として用いる).
artificial Kissingen s. 人工キッシンゲン塩(塩化カリウム, 塩化ナトリウム, 無水硫酸マグネシウム, および炭酸水素ナトリウムの混合物. 制酸・緩下薬).
artificial Vichy s. 人工ヴィシー塩(炭酸水素ナトリウム, 無水硫酸マグネシウム, 炭酸カリウム, および塩化ナトリウムの混合物である制酸薬).
basic s. 塩基性塩(酸の電気陰性元素により置き換えられていない水酸イオンが1個以上ある塩. 例えば $Fe(OH)_2Cl$).
bile s.'s 胆汁酸塩(タウロコール酸塩, グリココール酸塩など, 胆汁酸共役結合の塩類).
bone s. →bone-salt.
common s. =*sodium* chloride.
diazonium s.'s ジアゾニウム塩(理論的塩基 $R\text{-}\overset{+}{N}{\equiv}N$ あるいは R–N=NOH の塩で, 発色団のアゾ基–N=N–を形成するため, 組織のフェノールやアリルアミン, あるいは酵素的に解離したナフトールおよびナフチルアミンを証明するのに組織化学で有用である. ジアゾニウム塩はただ1個, テトラゾニウム塩は2個, ヘキサゾニウム塩は3個の $R\text{-}\overset{+}{N}{\equiv}N$ 塩を含有する. 例えばファストガーネット GBC やナフトール AS がある).
double s. 複塩(2種の陽イオンが同一の陰イオンに結合している, あるいはその逆の塩. 例えば $NaKSO_4$).
effervescent s.'s 発泡塩(炭酸水素ナトリウムと酒石酸, クエン酸を活性塩に加えてつくる. 水に入れると酸が炭酸水素ナトリウムを分解し, 炭酸ガスを遊離する).
Epsom s.'s エプソム塩. =*magnesium* sulfate.
Glauber s. (glow′bĕr). グラウバー塩. =*sodium* sulfate.
hexazonium s.'s ヘキサゾニウム塩(3つのアゾ基を含むジアゾニウム塩).
Reinecke s. [Albert *Reinecke*]. ライネッケ塩(チオシアン酸アンモニウムと二クロム酸アンモニウムを溶融させて合成されるアンモニウム塩. 暗赤色結晶. アミノ酸を含む一級および二級アミンの検出や分析に用いられる. 水銀に対する試薬としても用いられる).
Rivière s. (ri-vē-ār′). リヴィエール塩. =*potassium* citrate.
Rochelle s. ロシェル塩. =*potassium* sodium tartrate.
Seignette s. (sān-yet′). セニエット塩. =*potassium* sodium tartrate.
smelling s.'s 嗅塩, 嗅薬, 芳香塩. =aromatic ammonia *spirit*.
s. substitute 代用塩(塩のような味のする低ナトリウムの食品添加物, 例えば塩化カリウム. 食事における塩の代用として有用である).
table s. =salt(2).
tetrazonium s.'s テトラゾニウム塩(2つのアゾ基を含むジアゾニウム塩).
s. of wisdom =*sal* alembroth.
sal·ta·tion (sal-tā′shŭn) [L. *saltatio* < *salto*, pp. *-atus*, to dance < *salio*, to leap]. 跳躍, 舞踏(病気(例えば舞踏病)または生理的機能(例えば跳躍伝導)における舞踏または跳躍).
sal·ta·to·ry (sal′tă-tō′rē). 跳躍〔性〕の.
Sal·ter (sahl′tĕr), Robert B. 20世紀のカナダ人整形外科医. →S.-Harris *classification* of epiphysial plate injuries.
Sal·ter (sahl′tĕr), Samuel J.A. イングランド人歯科医, 1825—1897. →S. incremental *lines*.
salt·ing in (sawlt′ing in). 塩溶(低濃度の無機塩イオンの添加により純水中に不溶な蛋白を溶解させる技術).
salt·ing out (sawlt′ing owt). 塩析(蛋白を溶液から沈殿させること. 塩化ナトリウム, 硫酸マグネシウム, 硫酸アンモニウムのような中性塩と飽和, あるいは一部飽和させて行う).
salt·pe·ter (sawlt′pē-ter). 硝石. =*potassium* nitrate.
Chilean s. チリ硝石. =*sodium* nitrate.
sa·lu·bri·ous (să-lū′brē-ŭs) [L. *salubris*, healthy < *salus*, health]. 健康によい(通常は気候についていう).
sal·u·re·sis (sal′yū-rē′sis) [L. *sal*, salt + G. *ourēsis*, uresis (urination)]. 〔食〕塩排泄(尿中にナトリウムが排泄されること).
sal·u·ret·ic (sal′yū-ret′ik). 〔食〕塩排泄〔性〕の(ナトリウムの腎排泄を容易にする).
Sa·lus (sah′lus) Robert. ボヘミア人眼科医, 1877—? →Koerber-Salus-Elschnig *syndrome*.
sal·u·ta·ri·um (sal′yū-tār′ē-ŭm) [L. *salutaris*, healthful < *salus* (*salut-*), health]. 保養地. =sanitarium.
sal·u·tar·y (sal′yū-tār′ē) [L. *salutaris*]. 健康的な.
Sal·var·san (sal′var-san) [L. *salvare*, to preserve + *sanitas*, health]. サルバルサン(arsphenamine の商品名).
salve (sav) [A.S. *sealf*]. 軟膏〔剤〕. =ointment.
sal·vi·a (sal′vē-ă) [L.]. サルビア(シソ科サルビア(ヤクヨウサルビア) *Salvia officinalis* の乾燥葉. 特に汗腺の分泌活動を抑制し, 以前は気管支炎やのどの炎症の治療にも用いた). =sage.
Salz·mann (sahlts′mahn), Maximilian. ドイツ人眼科医, 1862—1954. →S. nodular corneal *degeneration*.
SAM S-adenosyl-L-methionine; systolic anterior *motion* の頭字語.
sa·man·da·rine (sa-man′dă-rin). サマンダリン(サンショウウオから単離された有毒アルカロイド. 溶血作用をもつ).
sa·mar·i·um (Sm) (să-mār′ē-ŭm) [19世紀のロシア人鉱山エンジニアである V. E. Samarski-Bykhovets にちなんで命名された *samarskite* 石のスペクトル中に最初存在が認められた]. サマリウム(ランタニドまたは希土類元素の灰白色金属元素. 原子番号 62, 原子量 150.36).
sam·bu·cus (sam-bū′kŭs) [L. an elder-tree]. ニワトコ(スイカズラ科 *Sambucus canadensis*, セイヨウニワトコ *S. nigra* の乾燥花. 弱い緩下作用がある). =elder; elder flowers.
SAM-e (sam′ē). *S*-adenosyl-L-methionine の略.
sAMP adenylosuccinic acid の略.
sam·ple (sam′pĕl) [M. E. *ensample* < L. *exemplum*, exam-

ple]. *1* 試料，標本（統計学において，研究のため母集団から無作為に抽出された一部分をいう）．*2* 標本（母集団より抽出された部分集合．無作為に抽出されたものとされていないもの(haphazard)があり，代表性をもつもの，もたないものがある）．

cluster s. 集落標本，クラスターサンプル（抽出単位が個人の集まりであるような標本抽出）．

end-tidal s. 呼吸終期試料（正常呼気の最後に呼出されるガスの試料で，肺胞気のみから成り立っているのが理想である）．

Haldane-Priestley s. (hawl′dān prēst′lē). ホールデーン-プリーストリー試料（Haldane 管への突然の最大呼息の最後に得られる肺胞気の近似）．

probability s. 確率標本，ランダム標本．= random s.

proficiency s.'s 外部精度管理試料（検査室が正しい結果を出しているか確認するための精度管理の一環としてしばしば行われる外部精度管理のために検査室に送られる未知検体．→proficiency *testing*）．

Rahn-Otis s. (rahn ō′tis). ラーン-オーティス試料（各々の呼息の最後の部分だけを通す装置によって連続的に得られる肺胞気の近似）．

random s. 無作為標本（研究の対象である母集団から個体あるいは品目を無作為に抽出すること．この抽出は，すべての構成要素が同一の確率により選択されるようになされる）．= probability s.

stratified s. 層化標本（年齢，職業などの客観的な規準で定義された集団の部分集団からとられた標本）．

sam·pling (sam′pling) [M. Fr. *essample* < L. *exemplum*, taking out]. 標本抽出（ある集団の一部を研究することによって，集団全体の振舞いを推測しようとすること）．

biologic s. 生物学的抽出（(例えば血液学や生物化学研究のように)個体全体に対する危険性を回避して行われた抽出．生物学的標本は複雑であるので，標本の抽出源は安全に混合したものであり，そのため代表性をもつと考えられている．この仮定はしばしば，例えばモザイクをもつ患者の遺伝学的研究などでは正しくない）．

chemical s. 化学サンプリング（簡単な方法で得られ分析の前に不適当なものから精製されるサンプル．十分な混合は必要ない）．

chorionic villus s. (**CVS**) 絨毛膜絨毛採取〔法〕，絨毛生検（→chorionic villus *biopsy*）．

continuous interleaved s. 逐次刺激方式（人工内耳の音声処理の技法．重複しないように，それぞれの電極に短信号を送る）．

haphazard s. 無意識の標本（前もって規定されていない，定義されていない方法によって集められたデータは，そのようなことが存在しているという以上の確固とした科学的推測を可能にしない(そのような標本のなかに一頭のユニコーンが発見されたとすると，ユニコーンが存在していることはいえるが，それからユニコーンの割合を推測することはできない)．*cf.* random *sample*）．

random s. ランダム抽出，無作為抽出（集団から対象を選択する方法．ある対象を抽出するか否かが他の対象の抽出結果とは独立で，かつ，各成員が抽出される確率がすべて等しくなるような方法）．

snowball s. 雪だるま式標本（統計的な研究を行う場合，これから新たに行うインタビューの対象をすでにインタビューを終えた研究対象者を通じて得るような方法）．

Sa·na·rel·li (sahn′ă-rel′ē), Giuseppe. イタリア人細菌学者，1865—1940. ⇀S. *phenomenon*; S.-Shwartzman *phenomenon*.

san·a·tive (san′ă-tiv) [L. *sano*, to cure, heal]. 治癒しうる．

san·a·to·ri·um (san′ă-tō′rē-ŭm) [Mod. L. *sanatorius*(curative)の中性形 < *sano*, to cure, heal]. サナトリウム，療養所（[現代用法では，本語は事実上 sanitarium と同義である]．慢性疾患の治療のための施設で，医学的監督下での回復のための場所としても用いられる．*cf.* sanitarium）．

san·a·to·ry (san′ă-tō′rē) [Mod. L. *sanatorius*]. 病気を治す，健康によい，治療上の．

San·chez Sa·lo·ri·o (sahn′chez sah-lō′rē-ō), Manuel. 20 世紀のスペイン人眼科医．⇀Sanchez Salorio *syndrome*.

sand (sand) [A.S.]. 砂（石英および他の結晶石の細かい砕岩，あるいは砂状のざらざらした物質）．

brain s. 脳砂．= *corpora* arenacea(⇌corpus).

hydatid s. 包虫砂（*Echinococcus*属条虫の一次シストまたは娘シスト内の包虫液中に存在する頭節，娘シスト，鉤，および石灰小体）．

intestinal s. 腸砂（便中にみられる細かい石または礫砂物質．石けん，胆汁色素，コレステロール，マグネシウム塩，コハク酸などからなる）．

urinary s. 尿砂（腎結石症の患者の尿中に排出された多数の小さな結石の粒子．各粒子は極小のため明らかな症状を示す原因にはならないのが通例であるが，真の結石症と診断されることもある）．

sand·fly (sand′flī). スナバエ（フレボトムス属 *Phlebotomus* または *Lutzomyia*属の小さな吸血双翅昆虫．リーシュマニア症の媒介昆虫）．

Sand·hoff (sahnd′hof), K. 現代のドイツ人生化学者．⇀S. *disease*.

San·di·son (san′di-sŏn), J. Calvin. 20世紀の米国人外科医．⇀S.-Clark *chamber*.

Sand·ström (zahnt′strŏm), I. スウェーデン人解剖学者，1852—1889. ⇀S. *bodies*.

sand·worm (sand′wŏrm). イヌやネコの種々な鉤虫．その幼虫が皮膚幼虫移行症を起こす．

sane (sān) [L. *sanus*]. 正気の，健全な．

San·fi·lip·po (san′fi-lē′pō), Sylvester J. 20 世紀の米国人小児科医．⇀S. *syndrome*.

San·ger (sang′ĕr), Frederick. 20 世紀のイングランド人生化学者，ノーベル賞を 2 度受賞．⇀S. *reagent*, *method*.

sangui-, sanguin-, sanguino- [G. *sanguis*]. 血液，血液の，を意味する連結形．

san·gui·fa·ci·ent (sang′gwi-fā′shĕnt) [sangui- + L. *facio*, to make]. 造血の．= hemopoietic.

san·guif·er·ous (sang-gwif′ĕr-ŭs) [sangui- + L. *fero*, to carry]. 血液運搬の，血液含有の．= circulatory (2).

san·gui·fi·ca·tion (sang′gwi-fi-kā′shŭn) [sangui- + L. *facio*, to make]. 造血．= hemopoiesis.

san·gui·na·rine (sang′gwi-nā′rēn). サンギナリン（血根草すなわち *Sanguinaria canadensis* から得られるアルカロイドで，歯苔の除去など歯科の治療に用いる）．

san·guine (sang′gwin) [L. *sanguineus*]. *1* 血色のよい，〔循環〕血液量過多の．= plethoric. *2* 明るく，顔色がよく，元気があって，胃が強く，楽観的な印象を与え，気分が急速に変化し，長続きしないような気質に対して，以前用いられた語．= sanguineous (3).

san·guin·e·ous (sang-gwin′ē-ŭs) [L. *sanguineus*]. **[誤ったつづりまたは発音 sanguinous を避けること]**. *1* 血液〔性〕の．*2* 〔循環〕血液量過多の．= plethoric. *3* = sanguine (2).

san·guin·o·lent (sang-gwin′ō-lĕnt) [L. *sanguinolentus*]. 血液様の，血に染まった．

san·gui·no·pu·ru·lent (sang′gwi-nō-pyū′rū-lent) [sanguino- + L. *purulentus*, festering (suppurative) < *pus*, pus]. 血液膿性の（血液と膿とを含む滲出物または物質についていう）．

San·gui·su·ga (sang′gwi-sū′gă) [L. a leech < *sanguis*, blood + *sugo*, pp. *suctus*, to suck]. ヒル属（*Hirudo* の旧名）．

san·guiv·or·ous (sang-gwiv′ŏr-ŭs) [sangui- + L. *voro*, to devour]. 吸血の（ある種のコウモリ，ヒル，昆虫などについていう）．

sa·ni·es (sā′nē-ēz) [L.]. 〔希薄〕血液膿（薄い，血染性，化膿性の排泄物）．

sa·ni·o·pu·ru·lent (sā′nē-ō-pyū′rū-lĕnt) [L. *sanies*, thin, bloody matter + *purulentus*, festering (suppurative) < *pus*, pus]. 血液膿性の（血液性の膿を特徴とする）．

sa·ni·o·se·rous (sā′nē-ō-sēr′ŭs). 血液血清〔性〕の（血染性血清を特徴とする）．

sa·ni·ous (sā′nē-ŭs). 〔希薄〕血液膿〔性〕の．

san·i·tar·i·an (san′i-tār′ē-ăn) [L. *sanitas*, health < *sanus*, sound]. 衛生技師，衛生技術者（公衆衛生学に精通している人）．

san·i·tar·i·um (san′i-tār′ē-ŭm) [L. *sanitas*, health]. 健康保養地（[現代用法では，本語は事実上 sanatorium と同義で

ある]．*cf.* sanatorium)．＝salutarium.

san·i·tar·y (san′i-tār′ē) [L. *sanitas*, health]．衛生の，保健の（健康のためになる．通常，環境を清浄にすることに関していう）．

san·i·ta·tion (san′i-tā′shŭn) [L. *sanitas*, health]．衛生（健康を増進させ，疾病を防ぐために計画された方策．健康に好ましい環境で生活条件を発展，確立させること）．

san·i·ti·za·tion (san′i-ti-zā′shŭn)．衛生化（何かを衛生的にする過程をいう）．

san·i·ty (san′i-tē) [L. *sanitas*, health]．正気，健全（精神，感情，および行動の健全なこと．精神的健康が完全であること）．

San Jo·sé (san hō-zā′), Hermenia. 20 世紀のチリ人病理学者．→Maldonado-San Jose *stain*.

San·som (san′sŏm), Arthur E. イングランド人医師，1839—1907. →S. *sign*.

San·son (san′sŏn[h]), Louis J. フランス人医師，1790—1841. →S. *images*; Purkinje-S. *images*.

san·tal oil (san′tăl oyl)．インドのビャクダン科高木 *Santalum album* の木材を蒸留して得られる揮発性の油．以前は亜急性の気管支炎および淋疾に用いられた．＝sandalwood oil.

san·to·nin (san′tō-nin) [G. *santonikon*, wormwood]．サントニン（サントニン酸の分子内無水物またはラクトン．キク科セメンシナ *Artemisia cina* および *Artemisia*属の他の種の開花前の花頭から得られる．回虫 *Ascaris lumbricoides* の駆除に効果があり，尿失禁の治療にも用いる）．

San·to·ri·ni (sahn′tō-rē′nē), Giandomenico (Giovanni Domenico)．イタリア人解剖学者，1681—1737. →S. *canal*, *cartilage*, major *caruncle*, minor *caruncle*, *concha*, *duct*, *fissures*, *incisures*, *labyrinth*, *muscle*, *tubercle*, *vein*; *incisura* santorini.

sap (sap)．汁，汁液，樹皮（生体の汁または組織液）．
  cell s. 細胞液（いろいろな空胞の内容物）．
  nuclear s. 核液．＝karyolymph.

sa·phe·na (să-fē′nă) [Med. L. < Ar. *safin*, standing; by others < G. *saphēnēs*, manifest, clearly visible]．伏在静脈（→vein）．

saph·e·nec·to·my (saf′ĕ-nek′tŏ-mē) [saphena + G. *ektomē*, excision]．伏在静脈切除〔術〕．

sa·phe·nous (să-fē′nŭs) [→saphena]．伏在の，伏在静脈の（[正しい発音は示したものだが，米国でのより一般的な発音は saf′ĕ-nus である]．足にみられる多数の構造についていう）．

sapo-, sapon- [L. *sapo*]．石けんに関する連結形．

sa·pog·en·in (să-poj′ĕ-nin)．サポゲニン（サポニンのアグリコン．スピロスタン型(すなわち 16,22:22,26-diepoxy-cholestane)のステロイドの一族）．

sap·o·na·ceous (sap′ō-nā′shŭs)．石けん状の，石けん質の，石けん様の．

sap·o·na·tus (sap′ŏ-nā′tŭs) [L.]．石けんと混合した．

sa·pon·i·fi·ca·tion (să-pon′i-fi-kā′shŭn) [L. *sapo-(sapon-)* + *facio*, to make]．けん化（石けんに転化する．脂肪，特にトリアシルグリセロールへのアルカリ加水分解作用をいう．組織化学においてけん化は，脱メチル化やカルボン酸基の逆封鎖に用いられ，好塩基球増加を起こさせる）．

sa·pon·i·fy (să-pon′i-fī)．けん化する．

sap·o·nins (sap′ō-ninz)．サポニン（水中で泡沫を生じ，また(血流に注入されたときに赤血球が溶解するように)細胞を溶解するのを特徴とする植物由来の配糖体．強力な界面活性剤．多くは抗生物質の活性をもつ）．

Sap·pey (sah-pā′), Marie P.C. フランス人解剖学者，1810—1896. →S. *fibers*, *plexus*, *veins*.

sap·phism (saf′izm) [*Sapphō*, 同性愛のギリシアの詩人，Lesbos 島の女王]．女子同性愛．＝lesbianism.

sapr- →sapro-.

sa·pre·mi·a (să-prē′mē-ă) [sapr- + G. *haima*, blood]．腐敗血症 (septicemia を表す現在では用いられない語)．

sapro-, sapr- [G. *sapros*, rotten]．腐った，腐敗した，を表す連結形．

sa·probe (sa′prōb) [sapro- + G. *bios*, life]．腐生生物（死んだ有機物上に生息する生物．現在では，細菌と真菌は植物とみなさないので，この名称のほうが腐生植物の意である saprophyte(腐生菌)より好ましい）．

sa·pro·bic (sa-prō′bik)．腐生性の（腐生生物に関する）．

sap·ro·don·ti·a (sap′rō-don′shē-ă) [sapro- + G. *odous*, tooth]．う歯．＝dental *caries*.

sap·ro·gen (sap′rō-jen) [sapro- + G. *-gen*, producing]．腐敗菌，腐生菌（死んだ生物に寄生し，それを腐敗させる菌）．

sap·ro·gen·ic, sa·prog·e·nous (sap′rō-jen′ik, să-proj′ĕ-nŭs)．腐敗性の．

sa·proph·i·lous (să-prof′i-lŭs) [sapro- + G. *philos*, fond]．死体寄生性の，腐敗物寄生性の（腐敗した有機物で育つことについていう）．

sap·ro·phyte (sap′rō-fīt) [sapro- + G. *phyton*, plant]．腐生菌，非病原菌（死んだ有機物や動植物中で成長する生物．→saprobe)．＝necroparasite.
  facultative s. 通性腐生菌（通常は寄生性であるが，ときに腐生菌として生活し発育する生物）．

sap·ro·phyt·ic (sap′rō-fit′ik)．腐生性の（腐生菌，非病原菌に関する）．

sap·ro·zo·ic (sap′rō-zō′ik) [sapro- + G. *zōikos*, relating to animals]．腐生動物の（腐敗した有機物を食べて生きている，特にある種の原生動物についていう）．

sap·ro·zo·o·no·sis (sap′rō-zō′ō-nō′sis) [sapro- + G. *zōon*, animal + *nosos*, disease]．腐生人獣共通感染症（脊椎動物宿主と非動物性(食物，土壌，植物)生息地または成長場所の両者をその生活環の完成に必要とする病原体による人獣共通感染症．ジストマ感染のようにメタセルカリアが植物上でシスト形成する腐生後人獣共通感染症 saprometazoonosis や，ダニのように生活環の一部を土壌で終える腐生環人獣共通感染症 saprocyclozoonosis のように，合成語を用いる）．

SAR scaffold-associated *regions* の略．

Sar sarcosine の略．

sar·al·a·sin ac·e·tate (sar-al′ă-sin as′ĕ-tāt)．酢酸サララシン（本態性高血圧の治療に用いるアンギオテンシン II 拮抗薬(アンタゴニスト)）．

α-sar·cin (sar′sin)．α-サルシン（菌毒素で，rRNA の大きなサブユニットに作用し，リボソームを不活性化する）．

Sar·ci·na (sar′si-nă) [L. *sarcina*, a pack, bundle < *sarcio*, to mend, patch]．サルシナ属（[誤った発音 sarci′na を避けること]．非運動性・偏性嫌気性のペプトコッカス科細菌の一属で，直径 1.8—3.0 μm のグラム陽性球菌である．この球菌は 3 つの垂直平面で分裂し，8 つ以上の細胞からなる規則的な箱状の塊をなす．これらの有機栄養性細菌の代謝は発酵性である．腐生・通性寄生種．標準種は *S. ventriculi*）．
  S. ventriculi 泥土，ヒトの疾患胃内容物，ウサギやモルモットの胃内容物，および穀類の種子の表面にみられる．*Sarcina*属の標準種．

sar·cine (sar′sēn)．サルシン（hypoxanthine を表す現在では用いられない語）．

sarco- [G. *sarx* (*sark-*), flesh]．筋肉物質，肉類似物を表す連結形．

sar·co·blast (sar′kō-blast) [sarco- + G. *blastos*, germ]．筋芽細胞．＝myoblast.

Sar·co·cys·tis (sar′kō-sis′tis) [sarco- + G. *kystis*, bladder]．サルコシスティス属，〔住〕肉胞子虫属（胞子虫類の *Eimeria*属，*Isospora*属，および *Toxoplasma*属に近縁の寄生原生動物の一属．独立の科(Sarcocystidae)に分類されているが，同じ亜目(Eimeriina)内の上記属とともに，アピコンプレックス門胞子虫綱コクシジウム亜綱の中に含まれる．本属の組織内虫体は，通常，は虫類，鳥類，および哺乳類の横紋筋中に厚い壁をもつ円柱状またはしばしば非常に大きい(1 cm 以上)紡錘状のシスト(Miescher 管)としてみられる．イエネズミにみられるシストは平滑，ヒツジやウサギの場合には放射状のとげ(サイトファーネレ)をもち，内部は隔壁により区画化されている．種々の外形をもつ胞子(Rainey 小体)は恐らく，末梢にある円形細胞(スポロブラスト，子虫生殖体)であり，これは分裂して，シストから放出されたときに可動体となる成熟した胞子(ブラディゾイト)を形成する．有性生殖段階は組織培養中に見出されている．本虫は多くみられるが病原性はほとんどない．成熟したサルコシストが含まれる肉を摂取したヒトが固有宿主となることがある．免疫抑制を受けている宿主のあるものでは，発熱，重度の下痢，腹痛，および体重減少が報告されている．ヒトが偶発的に他

の動物の糞便由来のオーシストを摂取した場合，ヒトの筋肉中で発育するサルコシストは炎症反応を起こさないようである）.

S. bovih′ominis ＝*S. hominis.*

S. fusiformis ウシおよび水牛の横紋筋や心筋中に見出される種.

S. hominis 感染組織シストの供給源である中間宿主として働くウシと，固有宿主(終宿主)として働くヒトの２宿主性の感染形態をもつ種．ガモント形成およびスポロゾイト形成はヒト小腸の粘膜細胞内で起こる．ウシは，*S. hominis* のスポロシストに汚染されたヒトの糞便を通して感染する．＝*S. bovih′ominis*.

S. lindemanni リンデマン〔住〕肉胞子虫（まれにヒトの横紋筋や心筋に見出される原生動物種．恐らく家畜犬または他の終宿主など様々な種から排泄された感染性をもつオーシストまたはスポロシストが水や直接接触を介してヒトに感染したことによると考えられる．このような例ではヒトは終宿主というよりも中間宿主として働いている）.

S. miescheriana 全世界に分布する一般的な種で，ブタの横紋筋や心筋中に見出される．*Sarcocystis*属の標準種.

S. suihominis ヒトが固有宿主(終宿主)に，ブタが中間宿主になる，*Sarcocystis*属の一種．ヒトへの感染は感染ブタ肉による．生活環，および中等度の症状を引き起こすことは *S. hominis* と似ているが，やや病原性が強い．ヒト感染例は，広くヨーロッパ，地中海地方，西部アフリカ，インドネシア，南アメリカなどから報告されている.

S. tenella 全世界に分布するきわめて一般的な種で，ヒツジおよびヤギの横紋筋や心筋中に見出される.

sar·co·cys·to·sis (sar′kō-sis-tō′sis).〔住〕肉胞子虫症（住肉胞子虫属 *Sarcocystis* の原生動物による感染症）.

sar·code (sar′kōd) [sarco- + G. *eidos*, resemblance]. サルコード（原形質 protoplasm という語がつくられる前に原生動物の原形質に用いられた，歴史的に興味ある語(1835年)）.

Sar·co·di·na (sar′kō-dī′nă, -dē′nă) [Mod. L. < G. *sarx*, flesh]. 肉質虫亜門（原生動物の肉質鞭毛虫門の一亜門で，運動のための偽足，すなわち原形質の流れをもつ．生活環の中でべん毛を有するもの，体内または体外に殻もしくは骨格をもつものがあるが，多くはそれらの構造を欠いている．無性生殖は分裂により行い，有性生殖が存在するものでは有べん毛あるいはアメーバ型のガメートを形成する．多くは自由生活性である）.

sar·cog·li·a (sar-kog′lē-ă) [sarco- + G. *glia*, glue]. サルコグリア（運動終板での神経線維鞘細胞の蓄積）.

sar·coid (sar′koyd) [sarco- + G. *eidos*, resemblance]. サルコイド，類肉腫. ＝sarcoidosis.

Boeck s. (bek). ベックサルコイド(類肉腫)，ベックサルコイドーシス. ＝sarcoidosis.

Spiegler-Fendt s. (shpē′glĕr fent). シュピーグラー－フェントサルコイド(類肉腫)，良性皮膚リンパ細胞腫. ＝benign *lymphocytoma* cutis.

sar·coi·do·sis (sar′koy-dō′sis) [sarcoid + G. *-osis*, condition][MIM*181000]. サルコイドーシス，類肉腫症（原因不明の全身性肉芽腫症で，特に肺を侵し，その結果，間質性線維症を起こす．しかしまた，リンパ節，皮膚，肝臓，脾臓，眼，指骨，および耳下腺も侵す．肉芽腫は，類上皮細胞および多核巨細胞からなり，壊死はほとんどないかまったくない）. ＝Besnier-Boeck-Schaumann disease; Besnier-Boeck-Schaumann syndrome; Boeck disease; Boeck sarcoid; sarcoid; Schaumann syndrome.

hypercalcemic s. 高カルシウム血〔性〕サルコイドーシス，高カルシウム血〔性〕類肉腫症（原因不明の高カルシウム血症を伴うサルコイドーシスで，明らかな骨の罹患を必ずしも伴わない）.

sar·co·lem·ma (sar′kō-lem′ă) [sarco- + G. *lemma*, husk]. 筋細胞膜（筋線維の細胞膜．以前には，筋肉膜の繊細な結合組織を含めて本語を用いた人もいた）. ＝myolemma.

sar·co·lem·mal, sar·co·lem·mic, sar·co·lem·mous (sar′kō-lem′ăl, -lem′ik, -lem′ŭs). 筋細胞膜の.

sar·col·o·gy (sar-kol′ŏ-jē) [sarco- + G. *logos*, study]. ***1*** 筋学. ＝myology. ***2*** 軟部解剖学（軟組織の解剖学．骨学とは区別される）.

sar·co·ma (sar-kō′mă) [G. *sarkōma*, a fleshy excrescence < *sarx*, flesh + *-oma*, tumor]. 肉腫（結合組織新生物．通常，きわめて悪性の腫瘍で，中胚葉細胞の増殖により形成される）.

acral myxoinflammatory fibroblastic s. 先端部粘液炎症線維芽細胞肉腫. ＝myxoinflammatory fibroblastic s.

alveolar soft part s. [MIM*606243]. 胞状軟部肉腫（結合組織の網状基質からなる悪性腫瘍で，大型の円形または多角形の細胞群を胞状に囲む．皮下および線維筋性組織中にみられる）.

ameloblastic s. エナメル上皮肉腫. ＝ameloblastic *fibrosarcoma.*

angiolithic s. psammomatous *meningioma* を表す現在では用いられない語.

avian s. 鳥類の肉腫. ＝Rous s.

botryoid s. ブドウ状肉腫（小児に生じる横紋筋肉腫のポリープ状のもの．尿生殖管で最もよくみられる．新生物組織全体が明らかにブドウの房状をしているのが特徴．粘液腫基質中の横紋筋芽細胞，紡錘細胞，および星細胞からなる．この型の新生物は比較的速く増殖し，きわめて悪性である）.

clear cell s. of soft tissue 軟部組織の明細胞肉腫（間葉系の悪性腫瘍で，メラノサイトに分化したもの．通常，腱，腱膜を侵す）. ＝malignant melanoma of soft parts.

endometrial stromal s. 子宮内膜間質部肉腫（子宮内膜の一種であるとされる比較的まれな肉腫にときに用いる語．病変は子宮筋層および他の部位の血管部位に多病巣をもち，子宮内膜質に似た組織学的および細胞学的要素からなる）.

epithelioid s. 類上皮肉腫（間葉系の悪性腫瘍で，好酸性の類上皮細胞および紡錘細胞が中心壊死部の周りを柵状に囲み，結節性，肉芽腫様の発育を示す．２つのサブタイプ，すなわち古典的な遠位型と線維腫型がある．典型的なものは腱や筋膜に沿った皮下組織に生じる）.

Ewing s. (yū′ing). ユーイング肉腫. ＝Ewing *tumor.*

fascicular s. 線維束状肉腫. ＝spindle cell s.

giant cell s. 巨細胞肉腫（悪性の骨巨細胞腫瘍）.

giant cell monstrocellular s. of Zülch 怪奇巨細胞性肉腫(Zülch). ＝giant cell *glioblastoma multiforme.*

granulocytic s. 顆粒球性肉腫（未熟な骨髄細胞の悪性腫瘍で，骨髄性白血病に先立ってしばしば骨膜下に発生する．→chloroma）. ＝myeloid s.

immunoblastic s. immunoblastic *lymphoma* を表す現在では用いられない語.

intimal s. 血管内膜肉腫（大血管に生じる間葉系の悪性腫瘍で，線維芽細胞または筋線維芽細胞からなり，血管腔内への発育と遠隔部位への血行性転移を特徴とする）.

Jensen s. (yen′sĕn). イエンセン肉腫（マウスの腫瘍で，接種により移植が可能である）.

juxtacortical osteogenic s. 皮質近接部骨原性肉腫（比較的悪性度の低い骨原性肉腫．骨膜に由来すると考えられ，初めは皮質性骨および隣接の結合組織を侵す．若年成人ばかりか中年でも起こり，最も一般的には大腿骨幹の下部を侵す）. ＝periosteal s.

Kaposi s. (**KS**) (kă-pō′zē) [MIM*148000]. カポージ肉腫（原始血管形成組織に生じる多病巣性の悪性または良性の新生物で，皮膚およびときにリンパ節あるいは内臓にみられる．紡錘細胞および小血管腔よりなり，血鉄素(ヘモシデリン)を有するマクロファージの浸潤と赤血球の溢出をしばしば伴う．紫紅色から暗青色の斑点や小結節からなる皮膚病変によって臨床的に証明された．最も一般的には 60 歳以上の男性にみられ，またエイズ患者ではヒトヘルペスウイルス 8 の日和見疾患としてみられる．次頁の写真参照）. ＝multiple idiopathic hemorrhagic s.

leukocytic s. 白血球性肉腫. ＝leukemia.

low-grade fibromyxoid s. 低悪性線維粘液肉腫（四肢・体幹の軟部組織に生じる悪性度の低い腫瘍．腫瘍細胞である繊維芽細胞が粘液様の領域を形成または巨大な膠原ロゼットを取り囲む）. ＝fibromyxoid type fibrosarcoma; hyalinizing spindle cell tumor with giant rosettes.

lymphatic s. リンパ性肉腫（lymphosarcoma を表す現在では用いられない語）.

medullary s. 髄様肉腫（軟らかく，きわめて血管性の肉腫）.

multiple idiopathic hemorrhagic s. 多発〔性〕特発性出血

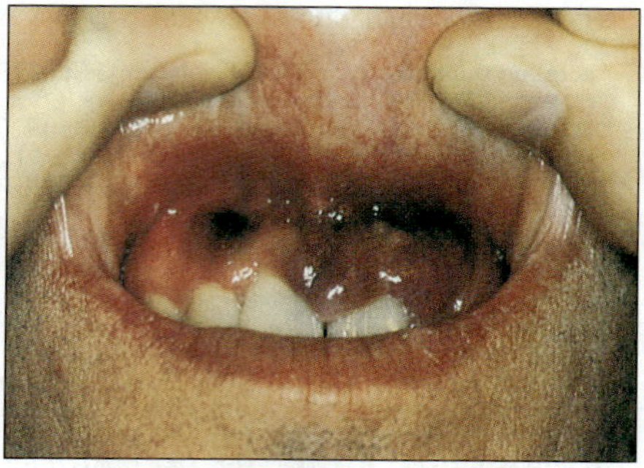

Kaposi sarcoma

性肉腫. ＝Kaposi s.

myelogenic s. 骨髄〔原〕性肉腫.

myeloid s. 骨髄性肉腫. ＝granulocytic s.

myxoinflammatory fibroblastic s. 粘液炎症性線維芽細胞肉腫（皮下軟部組織の悪性度の低い腫瘍で，関節，腱を侵す．線維芽細胞からなり，しばしばウイルス様の核内封入体および大きな核小体を認める．粘液様の間質と炎症性細胞浸潤の間に腫瘍細胞が所々塊りをつくって存在する）. ＝acral myxoinflammatory fibroblastic s.; inflammatory myxohyaline tumor of distal extremities with virocytes; inflammatory myxohyaline tumor.

osteogenic s. [MIM*259500]．骨原性肉腫（骨性肉腫の最も一般的で悪性のもの．骨形成細胞に由来し，主に長骨の末端を侵す．10—25 歳の発生が最も多い）. ＝osteosarcoma.

periosteal s. 骨膜性骨肉腫. ＝juxtacortical osteogenic s.

reticulum cell s. [MIM*267730]．細網肉腫（histiocytic *lymphoma* を表す現在では用いられない語）.

round cell s. 円形細胞肉腫（現在では用いられない語．間葉由来のものと考えられ，主として密に詰まった円形細胞からなる未分化の悪性新生物を表す）.

Rous s. (rows)．ラウス肉腫（本来，Plymouth Rock 種の雌のニワトリにみられる線維肉腫で，今日ではレトロウイルス科の鳥類の白血症－肉腫群のある種のウイルス感染により発現すると考えられている）. ＝avian s.; Rous tumor.

spindle cell s. 紡錘細胞肉腫（間葉由来の悪性新生物で，細長くのびた紡錘形の細胞よりなる）. ＝fascicular s.

synovial s. 滑膜肉腫（滑膜由来のまれな悪性腫瘍．通例，膝関節を侵し，紡錘細胞からなり，通常，間隙または偽腺様空間を囲み，その内側に放射状に配列した上皮様細胞が並ぶ）.

telangiectatic osteogenic s. 末梢血管拡張性骨肉腫（骨原性肉腫のうちの溶骨性嚢腫性骨肉腫で，動脈瘤性の血液で満たされた空隙があり，その壁を類骨を形成する肉腫細胞が裏打ちしている骨肉腫）.

Sar·co·mas·ti·goph·o·ra (sar′kō-mas′ti-gof′ŏ-ră) [sarco- ＋G. *mastix* (*mastig-*), whip ＋ *phoros*, to bear]．肉質鞭毛虫門（べん毛，偽足，あるいはその両タイプの運動性の小器官をもつ原生動物亜界の一門で，鞭毛虫亜門と肉質虫亜門（アメーバ類）とを，大きくひとまとめにしたもの）.

sar·co·ma·toid (sar-kō′mă-toyd) [sarcoma ＋ G. *eidos*, resemblance]．肉腫様の，類肉腫の.

sar·co·ma·to·sis (sar′kō-mă-tō′sis) [sarcoma ＋ G. *-osis*, condition]．肉腫症（身体の異なった部分で肉腫成長が起こること）.

sar·co·ma·tous (sar-kō′mă-tŭs). 肉腫〔性〕の.

sar·co·mere (sar′kō-mēr) [sarco- ＋ G. *meros*, part]．筋節（横紋筋線維の部分で 2 つの隣接する Z 線の間にある部分．横紋筋の機能単位）.

sar·co·neme (sar′kō-nēm) [sarco- ＋ G. *nēma*, thread]. ＝microneme.

sarcopenia (sar-kō-pē′nē-ă) [sarco- ＋ -penia]．骨格筋減少〔症〕（筋量の減少で，正常でも加齢に伴ってみられる）.

sar·co·plasm (sar′kō-plazm) [sarco- ＋ G. *plasma*, a thing formed]．筋形質（筋線維の非線維性細胞質）.

sar·co·plas·mic (sar′kō-plaz′mik). 筋形質の.

sar·co·plast (sar′kō-plast) [sarco- ＋ G. *plastos*, formed]．筋原細胞. ＝satellite *cell* of skeletal muscle.

sar·co·poi·et·ic (sar′kō-poy-et′ik) [sarco- ＋ G. *poiēsis*, a making]．筋肉形成の.

Sar·cop·syl·la pen·e·trans (sar′kop-sil′ă pen′ĕ-tranz). スナノミ. ＝*Tunga penetrans.*

Sar·cop·syl·li·dae (sar′kop-sil′li-dē) [sarco- ＋ G. *psylla*, flea]. Tungidae の旧名.

Sar·cop·tes sca·bie·i (sar-kop′tēz skā′bē-ī) [sarco- ＋ G. *koptō*, to cut; L. *scabies*, scurf]．ヒゼンダニ，疥癬虫（以前は *Acarus scabiei* といわれたかゆみを起こすダニ．種々の種類が世界中に分布しており，ヒト，ウマ，ウシ，ブタ，ヒツジ，イヌ，ネコ，および多くの野生動物につく．重篤で致命的な感染が未治療の動物では起こりうる．単一の種に属すと考えられてはいるが，1 つの宿主から，異なった動物種のもう 1 つの宿主へは容易には移らない．しかしこの型では一過性の感染が起こり，特に種々の動物からヒトへの感染が著しく，直接の接触により広がる．このダニは皮膚の中にもぐり込み，卵をその場所に産む．約 1 か月以内に強烈なかゆみと皮疹とがその穴の近くに生じる．→scabies; mange）.

sar·cop·tic (sar-kop′tik). ヒゼンダニ属 *Sarcoptes* またはヒゼンダニ科に属するダニの，それらに関する，またはそれらによって引き起こされる.

sar·cop·tid (sar-kop′tid). ヒゼンダニ類（ヒゼンダニ属 *Sarcoptes*，トリヒゼンダニ属 *Knemidokoptes*，およびショウセンコウヒゼンダニ属 *Notoedres* を含むヒゼンダニ科のダニの一般名）.

sar·co·sine (Sar) (sar′kō-sēn). サルコシン；*N*-methylglycine（コリンの代謝の中間体．テトラヒドロ葉酸塩にメチル基を供与し，N^5,N^{10}-メチレンテトラヒドロ葉酸塩を与える．サルコシンデヒドロゲナーゼによる脱メチル化によってホルムアルデヒド，グリシン，および還元受容体を与える．ある種の遺伝性疾患において上昇する）.

s. dehydrogenase [MIM*604455]．サルコシンデヒドロゲナーゼ（ある種の受容体を利用しサルコシンを分解して，グリシン，ホルムアルデヒド，および還元受容体分子にする酵素．この酵素の欠損によりサルコシン血症になる）.

sar·co·si·ne·mi·a (sar′kō-si-nē′mē-ă) [MIM*268900]．サルコシン血症（サルコシンデヒドロゲナーゼの欠乏によるアミノ酸代謝障害．サルコシンの血漿中濃度の上昇と尿中への排泄が引き起こされる．患児は成長ができず刺激に対して過敏で筋振せんがみられることもあり，また運動機能と精神発育が遅延する．常染色体劣性遺伝）. ＝hypersarcosinemia.

sar·co·sis (sar-kō′sis) [G. *sarkōsis*, the growth of flesh < *sarx*, flesh]．***1*** 筋肉の異常増殖．***2*** 筋肉の多発性増殖．***3*** 器官全体を侵すびまん性肉腫.

sar·co·some (sar′kō-sōm) [sarco- ＋ G. *soma*, body]．筋粒体（①以前は筋線維中の顆粒に用いられた．②現在では，ときに myomitochondrion(筋ミトコンドリア)と同義に用いる）.

sar·cos·to·sis (sar′kos-tō′sis) [sarco- ＋ G. *osteon*, bone ＋ *-osis*, condition]．筋肉骨化〔症〕.

sar·cot·ic (sar-kot′ik). ***1*** 筋肉の異常増殖，多発性増殖についていう．***2*** 筋肉発達の（肉の増大を起こす）.

sar·co·trip·sy (sar′kō-trip′sē) [sarco- ＋ G. *tripsis*, a rubbing]．砕筋術（圧挫鉗子を用いて筋肉の出血を止めることを表すまれに用いる語）.

sar·co·tu·bules (sar′kō-tū′byūlz). 筋細管〔系〕（横紋筋の膜小管の一連の系で，他の細胞の滑面小胞体に相当する）.

sar·cous (sar′kŭs) [G. *sarx*, flesh]．肉の，筋〔肉〕組織の.

sar·don·ic grin (sar-don′ik). 痙笑. ＝*risus* caninus.

sar·gra·mos·tim (sar′gra-mos′tim). サルグラモスチン（遺伝子組み換えヒト顆粒球－マクロファージコロニー刺激因子（GM-CSF）．骨髄抑制をきたす化学療法や骨髄移植を受ける患者において，好中球減少期間を短縮し，感染症の頻度を減らすために用いられる）.

sa·rin (zah-rēn′) [Ger.]．サリン（ジイソプロピルフルオロリン酸およびテトラエチルピロリン酸に類似した神経毒．強力な非可逆性のコリンエステラーゼ阻害薬．タブンやソマンよりも毒性の強い神経ガス).
sar·mas·sa·tion (sar′mă-sā′shŭn) [G. *sarx*, flesh + *massō*, to knead]. 色情的愛撫 (女性組織および器官を色情的に握り締め, もみ, 愛撫すること).
SARS (sahrz). サーズ (severe acute respiratory *syndrome* の頭字語).
sar·sa·pa·ril·la (sar′sā-pă-ril′ă) [Sp. *zarza*, a bramble]. サルサ根, サルサパリラ ([誤ったつづり sarsparilla を避けること]. *Smilax aristolochiaefolia*(メキシコ産サルサパリラ), *S. regelii*(ホンジュラス産サルサパリラ), *S. febrifuga*(エクアドル産サルサパリラ), あるいは熱帯および亜熱帯地方に広くみられる有棘性つる植物のユリ科サルトリイバラ属 *Smilax* の未同定の種の乾燥根. 乾癬, 通風, リウマチ, および梅毒の治療に用い, 血液清浄薬として広く使われてきた).
SART sinoatrial recovery *time* の略.
sartane (sahr′tān). サルタン (一連のアンギオテンシン-1受容体拮抗薬を表す短縮形の口語).
sar·to·ri·us (sar-tō′rē-ŭs) [L. *sartor*, a tailor. 仕立て屋のとる姿勢で脚を交差するのに用いる筋肉 < *sarcio*, pp. *sartus*, to patch, mend][TA]. 縫工筋 (→sartorius (*muscle*)).
Sart·well (sart′wel), Philip. 米国人疫学者, 1908—1999. → S. incubation *model*.
saruplase (sar′ū-plāz′). サルプラーゼ (ストレプトキナーゼに作用が類似したフィブリン溶解薬).
sas·sa·fras (sas′ă-fras). サッサフラス (米国東部でみられるクスノキ科の高木 *Sassafras albidum* の乾燥根皮. 芳香・利尿・発汗薬. サッサフラス油は *S. albidum* と *S. variifolium* の樹皮から蒸留して得られる揮発油で, 駆風薬, 局所防腐薬, 殺シラミ薬および芳香剤として用いられる).
sat O_2 sat(酸素飽和)のような saturated(飽和の)や saturation(飽和)の略.
sat·el·lite (sat′ĕ-līt) [L. *satelles* (*sattelit-*), attendant]. 付随体 (①より重要または大型の構造物に付属した小構造. 例えば, 動脈に付属した静脈, あるいは大きな損傷部の近傍の小さなまたは二次的な損傷部. ②連合中の1対の簇胞子虫ガモントのうち, 後方のガモント. いくつかの種でみることができる. →primite).
　chromosome s. 染色体付随体 (染色体本体から二次くびれによって区別される小さい部分. ヒトでは通常, 末端動原体型染色体の短腕にみられる).
　perineuronal s. ニューロン周囲付随体 (ニューロンを取り巻く乏突起膠細胞).
sa·tel·li·tism (sa-tel-līt′ism). 衛星現象 (他の系あるいは臓器に二次的な, またはそれに依存する生理的状態).
　platelet s. 血小板衛星現象 (EDTA 添加血液でみられる好中球周囲の血小板凝集. 血小板数が見かけ上, 低下する).
sat·el·li·to·sis (sat′ĕ-lī-tō′sis) [L. *satelles* (*satellit-*), an attendant + G. *-ōsis*, condition]. ***1*** 神経膠細胞集合, サテリトーシス (中枢神経系のニューロンまたは血管の周囲に神経膠細胞が集積することを特徴とする状態). ***2*** 衛星病変 (周辺にできる小さな病変. 例えば原発巣に隣接した皮膚にできた転移性黒色腫や, 皮膚の急性移植片対宿主反応の際に, 傷害を受けたケラチノサイトに接して現れるリンパ球など).
sa·ti·a·tion (sā-shē-ā′shŭn) [L. *satio*, pp. *-atus*, to fill, satisfy]. 飽和 (空腹や口渇などの特殊欲求が充足されたことによって生じる状態).
sat. sol., sat. soln. saturated *solution* の略.
Satt·ler (sat′lĕr), Hubert. オーストリア人眼科医, 1844—1928. → S. elastic *layer*, *veil*.
sat·u·rate (satch′ŭ-rāt) [L. *saturo*, pp. *-atus*, to fill < *satur*, sated]. ***1*** 深くしみ込ませる (最大可能な程度までしみ込ませる). ***2*** 飽和させる (すべての二重結合を一重結合に変えるように物質のすべての化学的親和性を満たす). ＝neutralize. ***3*** 飽和させる (それ以上加えると2相になる濃度まで物を溶かす).
sat·u·ra·tion (satch′ŭ-rā′shŭn) [L. *saturatio* < *saturo*, to fill < *satis*, enough]. ***1*** 飽和 (1つの物質をもう1つの物質に最大可能な程度まで浸透させること). ***2*** 中和 (例えばアルカリによる酸の中和). ***3*** 飽和度 (それ以上超過できないところまで溶解した物質の濃度). ***4*** 飽和度 (光学上の意味については saturated *color* 参照). ***5*** 飽和 (酵素分子上のすべての使用可能な部位をその基質で満たすこと, あるいは酸素(記号 So_2)または一酸化炭素(記号 Sco)によりヘモグロビン分子を満たすこと). ***6*** 飽和 (MRIにおいて, 特定のラジオ波パルスによってスピンの正味の磁化をゼロにした状態. 計測の際に飽和した組織は信号を出さないが, 部分的に飽和した組織は弱い信号を出す. →saturation *pulse*).
　secondary s. 二次飽和 (笑気麻酔の技術. 深く麻酔するために吸入混合物中の酸素を急激に減らし, 次いで低酸素症を正すために酸素を投与する).
sat·ur·nine (sat′ŭr-nīn) [Mediev. L. *saturninus* < *saturnus*, lead < L. *saturnus*, the god and planet Saturn]. ***1*** 鉛の, 鉛性の. ***2*** 鉛〔中〕毒性の.
sat·ur·nism (sat′ŭr-nizm) [Mediev. L. *saturnus*, 鉛を意味する錬金術用語]. 鉛中毒. ＝lead *poisoning*.
sat·y·ri·a·sis (sat′i-rī′ă-sis) [G. *satyros*, a satyr]. 男子色情症 (男性の過剰な性的興奮および行為. 女性の色情症 nymphomania に対応する語). ＝satyrism.
sat·y·rism (sat′i-rizm). ＝satyriasis.
sau·cer·i·za·tion (saw′sĕr-i-zā′shŭn). 杯形成 (浅いくぼみをつくるように組織を取り去ること. 感染部分からの排液を容易にするために行う創の処置). ＝craterization.
Saund·by (sawnd′bē), Robert. 英国人医師, 1849—1918. → S. *test*.
sau·ri·a·sis (saw-rī′ă-sis) [G. *sauros*, lizard + *-iasis*, condition]. トカゲ様皮膚 ([psoriasis または siriasis と混同しないこと]). ＝ichthyosis.
Sauropus androgynus (saw′rō-pŭs an-droj′ĕ-nŭs). アマメシバ (アジア産の低木. 葉は調理して食されることがある. ただし未承認の食欲抑制薬として未調理で摂取された場合, 閉塞性繊維性細気管支炎を引き起こす恐れがある).
Sa·vage (sa′văj), Henry. イングランド人解剖学者・婦人科医, 1810—1900. → S. perineal *body*.
Savary (sav′ă-rē), Marcel. 20世紀の胸部外科医.
saving (sāv′ing). 保留, 貯蓄 (長い間練習をしなくても, 複雑な運動技能が急速に回復すること).
saw (saw) [A.S. *saga*]. のこぎり, 鋸子 (鋭い, 歯状の突起よりなる刃をもつ金属性の手術器械で, 骨, 軟骨, ギプスを切るのに用いる. 刃は硬い帯状のもの, 柔軟性のあるワイヤかチェーン, または振動性電動器具に取り付けられている).
　Gigli s. (jē′lyē). ジーリー(ギグリ)のこぎり (直線的砕頭術に用いるポータブルのこぎり).
　Stryker s. (strīkĕr). ストライカーのこぎり (急速に振動するのこぎりで, 骨やギプスを切るのに用いる. 硬い物を切り, 軟部組織は傷つけない).
sax·i·tox·in (sak′si-tok′sin). サキシトキシン (イガイやハマグリなどの貝類(およびときには, フグ(*Sphoerides nephelus*))に見出される強力な神経毒. *Gonyaulax catenella* により産生され, これが貝によって摂取される. California sea mussel (*Mytilus californianus*), ホタテガイ, アラスカバタークラム(*Saxidomus giganteus*)の摂食により生じる中毒の原因である).
Sayre (sā′er), George P. 20 世紀の米国人眼科医. → Kearns-S. *syndrome*.
Sb アンチモンの元素記号.
SBE subacute bacterial *endocarditis* の略.
SBS shaken baby *syndrome* の略.
Sc スカンジウムの元素記号.
s.c. subcutaneous または subcutaneously の略.
scab (skab) [A.S. *scaeb*]. 痂皮, かさぶた (血液, 膿, 血清あるいはこれらの組み合わさったものの凝固によって形成されるかさぶた. 潰瘍, びらん, その他の形の創傷の表面にできる).
sca·bi·ci·dal (skā′bi-sī′dăl). 殺疥癬虫の.
sca·bi·cide (skā′bi-sīd). 殺疥癬虫薬, 疥癬虫撲滅薬.
sca·bies (skā′bēz) [L. < *scabo*, to scratch]. 疥癬 ([scabies は単数名詞で1つの皮膚病の名前であって, それを引き起こすダニではない. 正しくは skā′bē-ēz と発音されるが, 米国では通常, 後ろの2つの音節が融合されて1音節になる]. ①ヒト疥癬虫 *Sarcoptes scabiei* var. *hominis* による発疹. 雌は皮膚にトンネルを掘ってはいり込み, 激しいそう痒を伴う小水疱性の発疹を, 指間, 男性または女性性器, 殿部, 体幹, および四肢に出現させる. ②動物に関しては scabies ま

S

たは scab という語は，通常はヒツジの皮膚ダニ症に用いる．このダニ症は，*Sarcoptes*属，*Psoroptes*属，*Chorioptes*属によって生じる)．

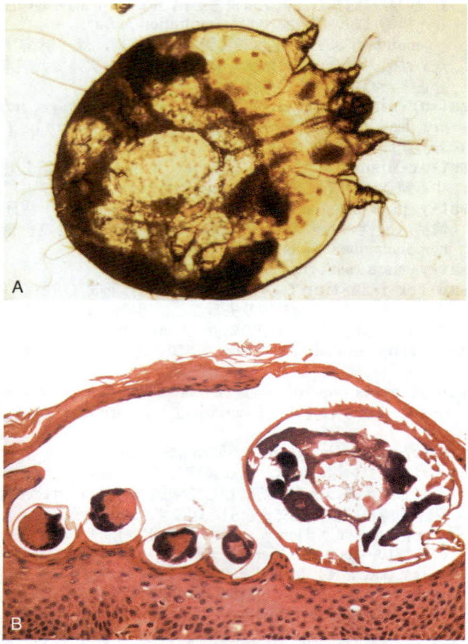

scabies

A：皮膚くずにみられるヒゼンダニ*Sarcoptes scabiei*.
B：成熟雌ダニ(右)および4つの発育中の卵を示す皮膚穴の横断面.

crusted s. カキ殻状疥癬．＝Norwegian s.

Norwegian s. ノルウェー疥癬（厚くなった角層中に無数のダニを認める疥癬の重症型．エイズのような細胞性免疫能低下と関連がある)．＝crusted s.; Norway itch.

sca·brit·i·es (skā-brish′i-ēz) [L. < *scaber*, scurfy]. 〔皮膚の〕粗糙，痂皮．

s. unguium 粗爪〔甲〕症（爪の肥厚と変形)．

sca·la, pl. **sca·lae** (skā′lă, -lē) [L. a stairway]. 階（蝸牛軸の周りにらせん状に巻き付いている空洞)．

Löwenberg s. (lŏr′vĕn-berg). レーヴェンベルク階．＝cochlear *duct*.

s. media [TA]. 中央階（[中央階と蝸牛管は同一構造を示すことから同義とされるが，通常，中央階は骨性蝸牛とその中の3つの階(前庭階・蝸牛管・鼓室階)の意味で用いられ，蝸牛管は膜迷路を意味することが多い])＝cochlear *duct*.

s. tympani [TA]. 鼓室階（蝸牛のラセン管の部分でラセン板の底側にある)．

s. vestibuli [TA]. 前庭階（前庭管．蝸牛のラセン管の部分でラセン板および前庭膜の上方または蝸牛管の上方にある)．＝vestibular canal.

scald (skawld) [L. *excaldo*, to wash in hot water]. ***1*** 〖v.〗 熱傷させる（熱い液体または蒸気との接触によって熱傷をさせる)．***2*** 〖n.〗 熱傷（熱い液体や蒸気との接触により生じる病変)．

scald·ing (skawld′ing). 排尿痛（排尿の際の焼けるような痛み)．

scale (skāl) [L. *scala*, a stairway]. ***1*** 〖n.〗 階段標準，測定尺度（心理学上，人間性または行動特性を測定するための標準テスト．→score; test)．***2*** 〖n.〗 鱗屑．＝squama．***3*** 〖n.〗 板状鱗屑（皮膚からはがれる小さな薄い板状の角質上皮で，魚の鱗に似ている)．***4*** 〖v.〗 落屑する．＝desquamate．***5*** 〖v.〗 歯石を除去する．***6*** 〖n.〗 測定器（ある特性を測定する機器)．

absolute s. Kelvin s. を表す現在では用いられない語．

activities of daily living s. 日常生活動作スケール(目盛り)(自立的生活のより基本的な能力(着衣，食事，入浴，排尿・排便など)の評価．患者の自宅など特定のケア環境に患者を維持するのを助けるのに，基本的機能能力の知識が必要である．→instrumental activities of daily living s.)．

adaptive behavior s.'s 適応行動評価尺度（精神遅滞児および発達遅延児の技能を，環境とのかかわりにおいて行動学的に評価するものであり，発達段階からみた3因子で構成されている．ⓘ個人的自足，例えば，食事，着替え，ⓘⓘ社会的自足，例えば，買物，会話，ⓘⓘⓘ個人的および社会的責任，例えば，余暇時間の活用，業務遂行．→intelligence)．

Ångström s. (ang′strŏm). オングストローム(オングストレーム)スケール（スペクトルのFraunhofer 線などに対応する多数の波長をまとめた表)．

Baumé s. (bō-mā′) [Antoine *Baumé*]. ボメー度，ボメー目盛り(液体の比重を測定する浮きばかりの示度．軽液用は Baumé 度に 134.3 加えた値で 144.3 を除し，重液用は 144.3 から Baumé 度を減じた値で 144.3 を除す)．

Bayley s.'s of Infant Development (bā′lē). 乳児発達用ベーリー尺度（生後2歳6か月までの乳(幼)児の発達過程を評価するために用いる心理テスト．知能，運動，行動の3つの尺度からなっている)．

Binet s. (bē-nā′). ビネースケール．＝Binet-Simon s.

Binet-Simon s. ビネー－シモンスケール（先駆的な個人用の知能テストで，児童用も成人用もある．特に Stanford-Binet 知能スケールの先駆．ときに Binet scale または Binet テストともよばれる)．＝Binet s.; Binet test.

Brazelton Neonatal Behavioral Assessment S. (brăz′el-tŏn). ブラゼルトンの新生児行動評価法（産科医，小児科医，小児心理学者で用いられる新生児の発達評価法．通常，分娩時および生後1か月までの知覚，運動，感情，身体の発達評価に用いられる)．

Bristol stool form s. [Bristol Royal Infirmary, U. K.]. ブリストル便性状スケール（過敏性腸症候群などの腸の状態の判定に用いられる便の性状の分類で，小さい，硬い，排便困難な便塊から完全な水様便まで，7段階に分けられる)．

Cattell Infant Intelligence S. (kă-tel′). カテル小児知能検査法（3—30 か月の小児に適するようにした知能発達の評価法)．

Celsius s. (sel′sē-ŭs) [Andres *Celsius*]. セ氏目盛り（水の三重点(273.16 K とする)に基づき，0.01° C とする温度目盛り．この目盛りが百分目盛りの代わりに用いられる．それは水の三重点が氷点より，より正確に測定されるためである．しかしほとんど実際的には，この2つの目盛りは同等である)．

centigrade s. 百分目盛り，C目盛り（水の氷点(0.0° C とする)と海水面での水の沸点との間を百等分した温度計の目盛り．工業的には Celsius 目盛りのほうを用いる．*cf.* Celsius s.)．

Charrière s. (shahr-ē-ār′). シャリエールスケール．＝French s.

Columbia Mental Maturity S. [Columbia University, NY]. コロンビア精神成熟度評価（小児の知的能力の評価，3歳から12歳にわたる精神年齢，などを調べる目的で個人個人に対して施行する検査で，言語応答を必要とせず運動反応も最小限しか必要としない)．

coma s. 昏睡尺度（意識障害を評価する臨床尺度．例えば，グラスゴー(スコットランド)昏睡尺度における評価内容は運動系の反応性，言語機能，開眼できるかなどであり，メリーランド(米国)昏睡尺度ではこの3項目に加えて脳神経の異常が含まれている)．

Cornell S. for Depression in Dementia コーネルの認知症におけるうつ病評価尺度（患者のプライマリケアの介護者によって施行される認知症に関連したうつ病の評価尺度．8点以上は有意なうつ病を示す．認知障害の存在下でのうつ病を評価するための最も信頼性のある評価尺度)．

digital gray s. ディジタル(デジタル)グレイスケール．＝

Glasgow昏睡スケール		
モニターされた作業	反応	スコア
開眼	自発的	4
	話しかけられた時に開眼	3
	痛み刺激で開眼	2
	反応なし	1
発話作業	首尾一貫	5
	錯乱，失見当識	4
	単語同士が分離	3
	難解な音声	2
	発話反応なし	1
運動反応性	命令に従う	6
	意図的に痛みを避ける	5
	大まかな運動動作	4
	屈筋共同運動	3
	伸筋共同運動	2
	反応なし	1

latitude.

expanded disability status s. (**EDSS**) 拡大身体障害状態スケール（多発性硬化症における神経学的障害の程度を評価するのによく用いられるスケール．症状ではなく神経学的所見に基づく．神経学的に正常なのを 1，死亡を 10 とし，その間を 0.5 ごとの段階に分ける(例えば4, 4.5, 5)）．＝Kurtzke multiple sclerosis disability s.

Fahrenheit s. (far′ĕn-hīt) [Gabriel D. *Fahrenheit*]．カ氏目盛り（温度計の目盛り．水の凝固点(氷点)を 32°F，沸点を 212°F とする．0°F は 1724 年に Fahrenheit が氷と塩との混合物により得た最低温度である．°C＝5/9(°F－32)）．

French s. (**F**) フレンチスケール（消息子(ゾンデ類)，管状器具，およびカテーテルの外径を測るためのスケール．直径0.33 mm を1Fとして目盛り(3F＝1 mm)，直径が 0.33 mm から 1 cm までの穴のあいた金属板によってスケールが決められる）．＝Charrière s.

Gaffky s. (gahf′kē)．ガフキースケール．＝Gaffky *table*.

gray s. →gray-scale *ultrasonography*.＝latitude.

Guttman s. (gŭt′măn)．ガットマン尺度(スケール)（苦痛や障害などの特性の漸増する表現を伴う質問への回答項目を段階別に並べた測定尺度）．

Hamilton anxiety rating s. (ham′ĭl-tŏn)．ハミルトン不安評価尺度（不安の重症度を測るために利用される具体的症状のリスト）．

Hamilton Depression S. (ham′il-ton)．ハミルトンうつ病〔評価〕尺度（抑うつ気分，罪悪感，自殺，不眠，心気症に関して医師が評価する 21 の質問からなる検査）．

Hamilton depression rating s. (ham′ĭl-tŏn)．ハミルトンうつ病評価尺度（抑うつの重症度を測るために利用される具体的症状のリスト）．

hardness s. 硬さ計，硬度計（鉱物を硬い順に分類する定性的階段標準．2つの鉱物のうち，より硬いものは軟らかいものに掻き傷をつけることができ，軟らかいものによって掻き傷をつけられることはないという事実に基づいている．新しい Mohs のスケール表の 15 物質は次のとおり．滑石(1)，石膏(2)，方解石(3)，蛍石(4)，リン灰石(5)，正長石，ペリクレース(6)，ガラス状の純シリカ(7)，石英，ステライト(8)，黄玉(9)，ザクロ石(10)，炭化タンタル(11)，溶融ジルコニア(12)，炭化ケイ素(13)，炭化ホウ素(14)，ダイヤモンド(15)）．＝Mohs s.

homigrade s. ホミグレード目盛り（特殊な温度計目盛り．100° がヒトの正常体温(98.6°F，37°C)，0° が水の氷点，270° が沸点をさすもの）．

instrumental activities of daily living s. 手段的日常生活動作尺度，道具的日常生活動作尺度（より自立的な生活をするのに必要な，より複雑な日常生活活動の測定．道具的日常生活動作尺度は，電話の使用，旅行，買物，食事の用意，家事，正しい服薬，金銭管理などを含む．種々の仕事を行う患者の能力尺度を知ることにより，どのようなサービスが必要かがわかる）．

interval s. 間隔尺度（セ氏またはカ氏単位の温度尺度のように間隔は等しいが，任意な 0 点をもつもの．例えば，知能指数値はこれに沿った値である）．

Karnofsky s. (kar-nof′skē)．カルノフスキー尺度(基準)（治療後の日常生活動作の経過を評価する，通常活動を段階付けするための尺度）．

Kelvin s. (kel′vĭn) [Lord *Kelvin*]．ケルビン(ケルヴィン)温度目盛り（水の三重点が 273.16 K である温度目盛り．°C＝K－273.15）．

Kurtzke multiple sclerosis disability s. (kŭrtz′kĕ)．＝expanded disability status s.

Leiter International Performance S. (lī′tĕr)．リーター国際作業スケール（非言語性遂行能力知能検査であり，2 歳から 18 歳にわたる各年齢層の正常範囲値が参照できる．元来，白人，中国人，日本人の小児の知能を比較する手段として開発されたが，現在では学習能力の劣る小児，および視覚障害，聴覚障害，言語障害を有する小児に時々用いられる）．

Likert s. (lī′kĕrt)．リカート尺度（質問あるいは意見に対する答え，賛否の程度を表現するための順序尺度．強い否定から強い肯定まで順序づけられる．行動科学や精神医学領域で主に使われる）．

masculinity-femininity s. 男性度－女性度尺度，男性度－女性度検査〔法〕（心理テスト上の尺度で，被験者の相対的な男性度または女性度を査定する．このような尺度は多様であるが，例えば，どちらかの性への基本的同一性あるいは特別な性的役割を選択することなどに焦点を絞ることもできる）．

Mohs s. (mōz)．モーススケール（材料の硬度を測定する 2 つのスケールのうちの 1 つ．元来の Mohs スケールは，硬度が増す順に並べた10の物質のリスト，すなわち滑石(1)，石膏(2)，方解石(3)，蛍石(4)，リン灰石(5)，正長石(6)，水晶(7)，黄玉(8)，鋼玉(9)，ダイヤモンド(10)．修正された Mohs スケールは15の材料のリストであり，硬度スケールとしてよく知られている．→hardness s.）．

ordinal s. 順序尺度（社会経済状態のように，人やものを定性的な順序カテゴリーに分類する尺度）．

pH s. pH 目盛り．＝Sörensen s.

Rahe-Holmes social readjustment rating s. レイ－ホルムス社会適応評価尺度（結婚，出産，死別，失業といった重大な人生上の出来事を点数化する尺度で，社会行動科学で広く用いられている．こうした出来事は情緒状態に関連している）．

Ramsey s. ラムゼースケール，ラムゼー〔鎮静〕尺度（6 ポイントの尺度による鎮静指標．通常 ICU 患者に適応される）．

Rankine s. (ran′kĭn) [William *Rankine*]．ランキン目盛り（温度計の目盛り．各 1° Rank は 1°F に等しく，絶対零度を 0 とする絶対温度目盛りを表すのに用いる．°Rank＝°F＋459.67）．

ratio s. 比目盛り（物理的な単位と関係し，それで表されるものの相互関係を表す目盛り）．

Réaumur s. (rā-ō-mūr′) [René A.F. de *Réaumur*]．レ氏目盛り（温度計の目盛り．1°R は，1 気圧下での純水の凝固点(氷点)と沸点との温度差の 1/80 で，氷点が 0°R，沸点が 80°R となる）．

Shipley-Hartford s. (ship′lē hart′fŏrd) [Shipley が米国コネチカット州の Hartford 収容所で採用した]．シップリー－ハートフォードスケール（知的および概念的能力の検査）．

Sörensen s. (sōr′ĕn-sĕn) [Sören P.L. *Sörensen*]．セーレンセン目盛り(スケール)（水素イオン濃度の負の対数で，酸性度およびアルカリ性度を示すための尺度として用いる．→pH）．＝pH s.

Stanford-Binet intelligence s. スタンフォード－ビネー知能スケール（Binet-Simon スケールから発展した知能測定のための標準化されたテストで，年齢別正常児童の知能に応じて段階をつけた一連の質問からなり，それらに対する答えが被検者の精神年齢を示す．最初は児童に用いられたが，当初の児童に対する基準だけでなく，成人年齢水準に対して標準化された基準も含まれている）．＝Stanford-Binet test.

Wechsler-Bellevue s. (weks′ler)．ウェックスラー－ベルビュ知能スケール（Wechsler 成人知能スケールおよびその後の改訂版により取って代わられた一般的知能測定法.→Wechsler intelligence s.'s).

Wechsler intelligence s.'s (weks′ler). ウェックスラー知能スケール（就学前児(Wechsler 就学前および小学児知能スケール), 児童(Wechsler 児童知能スケール)および成人(Wechsler 成人知能スケール, Wechsler-Bellevue 知能スケールに代わるもの)の全般的知能の測定のための標準化された検査法. 改訂が行われている).

Zubrod s. (zub′rod). ツーブロート目盛り(スケール)（10点の Karnofsky 尺度に似た5点の目盛り. 患者の歩行能力を測定する目盛りで, 正常活動から他人のケアへの完全な依存までに分類する.→Karnofsky s.).

sca·lene (skā′lēn) [G. *skalēnos*, uneven]. =scalenus. ***1*** 〖adj.〗不等辺三角の（辺の長さが不ぞろいの三角形についていう). ***2*** 〖n.〗斜角筋（→scalenus anterior (*muscle*); *musculus* scalenus anticus; scalenus medius (*muscle*); scalenus minimus (*muscle*); scalenus posterior (*muscle*); *musculus* scalenus posticus).

sca·le·nec·to·my (skā′lĕ-nek′tŏ-mē) [scalene + G. *ektomē*, excision]. 斜角筋切除〔術〕（1つまたはその他の斜角筋, 通常は前斜角筋の切除術).

sca·le·not·o·my (skā′lĕ-not′ŏ-mē) [scalene + G. *tomē*, incision]. 斜角筋〔筋〕切り術, 斜角筋切開〔術〕（斜角筋の1つまたはいくつか, 通常は前斜角筋の分割または切離).

sca·le·nus (skā-lē′nŭs) [L.]. 斜角筋. =scalene.

sca·ler (skā′lĕr). ***1*** 歯石除去器, スケーラー（歯から歯石を除くための器具). ***2*** 計数回路（電気的パルスの計数装置. 放射線の測定などで用いる).

hoe s. ホー・スケーラー（きわめて短い刃をもつ鍬形のスケーラー).

ultrasonic s. 超音波スケーラー, 超音波歯石除去器（歯石除去のために超音波の高周波振動を利用する機器).

sca·ling (skā′ling). スケーリング（歯科において, 特殊な器具を用いて歯冠および歯根から付着物を取り除くこと).

scal·lop·ing (skal′ŏp-ing). スキャロピング, 波形形成（正常では平滑な辺縁に連続してできたへこみや侵食).

scalp (skalp) [M.E. < Scand. *skalpr*, sheath]. 頭皮（頭蓋骨をおおう有毛部の皮膚および皮下組織のこと).

scal·pel (skal′pĕl) [L. *scalpellum*; *scalprum*(a knife)の指小辞]. 小刀, 円刃刀, メス（外科の解剖で用いる小刀).

plasma s. プラスマ小刀（切断に際し, 刃の代わりに精密な高熱ガス噴射を用いるメス).

scal·pri·form (skal′pri-fōrm) [L. *scalprum*, chisel + *forma*, shape]. のみ状の.

scal·prum (skal′prŭm) [L. chisel, penknife < *scalpo*, pp. *scalptus*, to carve]. 大きく頑丈な小刀あるいは骨膜剝離子を表す, 現在では用いられない語.

scal·y (skā′lē). 落屑性の, 鱗屑のある, 鱗片の. =squamous.

scam·mo·ny (skam′ŏ-nē) [G. *skammōnia*]. ヒルガオ科植物 *Convolvulus scammonia*. その乾燥根はしゃ下性樹脂を含む.→ipomea.

scan (skan). ***1*** 〖v.〗スキャンする（検出器の移動により走査を行う). ***2*** 〖n.〗スキャン（スキャニングにより得られたイメージ, 記録またはデータ. 通常は用いられた技法あるいは装置の後につける. 例えば, CT スキャン, RI スキャン, 超音波スキャンなど). ***3*** 〖n.〗スキャン（scintiscan の略. 通常は脳スキャンや骨スキャンのように前に検査の対象となる臓器や構造をつけて表す).

CT s. コンピュータ断層（→tomography).

dual isotope s. 2つの同位元素でつくられ, それぞれの特異な放射線を測定するシンチスキャン. タリウム 201 およびテクネチウム 99 m でつくられた画像の減算によって副甲状腺腫瘍の位置確認のために, 完全に確実ではないものの, 広範囲に使用されている.

duplex Doppler s. (dop′lĕr). 複合ドップラー(ドプラ)スキャン（超音波画像法とパルスドップラーを利用して, 末梢動静脈の血流の状態を可視化したり, 選択的に評価したりする手法).

EMI s. EMI スキャン法（歴史的に, 頭部 CT に対して一般的に使用された名称. EMI（英国の電子機器会社)の科学者である Hounsfield によって考案された技法).

Meckel s. (mek′ĕl). メッケルスキャン（Meckel 憩室内の異所性胃粘膜を検出するための $^{99m}TcO_4^-$ を用いた小腸スキャン. $^{99m}TcO_4^-$ は胃粘膜上皮より分泌される).

multiple-gated acquisition s. (**MUGA**) 多関門集積スキャン（核医学で, 多関門(多くは心電図 R 波からの時間間隔を用いる)でデータを集め解析する心プールスキャン. 駆出率 ejection *fraction* と壁運動の確認に用いる.→radionuclide ejection *fraction*).

renal cortical s. 腎皮質スキャン（腎皮質に集まる放射性薬品(例えば, ^{99m}Tc-DMSA, ^{99m}Tc-glucohepatanate)を注射し腎皮質を撮像するテクニックで, 腎皮質瘢痕や腎盂腎炎を検出するために用いる).

sector s. セクタスキャン（超音波検査において, 探触子または発射された超音波ビームがある角度で移動する方式. くさび形の画像が得られる).

ventilation-perfusion s. 肺換気－血流スキャン（放射性同位元素(RI)を吸入させ, 次いで他種の RI を静脈注射する, 肺栓塞の診断に有効な肺の機能検査法. 各々の薬剤の肺内における拡散と血流分布がシンチグラムとして記録される).

scan·di·um (Sc) (skan′dē-ŭm) [L. *Scandia*, Scandinavia. 発見された場所]. スカンジウム（希土類の金属元素. 原子番号 21, 原子量 44.955910).

scan·ner (skan′ĕr). スキャナー（スキャンするための装置).

scan·ning (skan′ing). スキャニング, スキャン〔法〕, 走査（能動的あるいは受動的な検出器を移動させることにより走査を行うこと. しばしば, 用いられた技法あるいは装置の後につけて表す).

transvaginal s. 経腟走査法（探触子を腟内で操作し女性骨盤内を走査する超音波診断法).

scan·o·gram (skan′ō-gram) [scan- + G. *gramma*, something written]. スキャノグラム（測定をしたい構造物(例えば下肢)と直交する幅の狭い X 線ビームを構造物の長さ方向に動かして実際の寸法を計る放射線撮影の技法).

Scan·zo·ni (skan-zō′nē), Friedrich W. ドイツ人産科医, 1821—1891.→S. *maneuver*.

sca·pha (ska′fă, skā′fă) [L. < G. *skaphē*, skiff]. 舟状窩（① [TA]. 耳介の耳輪と対輪との間にある縦の溝. =fossa of helix. ② scaphoid *fossa* を表す, 現在では用いられない語).

scapho- [G. *skaphē*, skiff, boat]. 舟, 舟状の, を表す連結形.

scaph·o·ce·phal·ic (skaf′ō-se-fal′ik). 舟状頭〔蓋〕症の. =scaphocephalous; tectocephalic.

scaph·o·ceph·a·lism (skaf′ō-sef′ă-lizm). 舟状頭〔蓋〕症. =scaphocephaly.

scaph·o·ceph·a·lous (skaf′ō-sef′ă-lŭs). =scaphocephalic.

scaph·o·ceph·a·ly (skaf′ō-sef′ă-lē) [scapho- + G. *kephalē*, head]. 舟状頭（頭蓋骨癒合症の一型で, 頭蓋は側頭部の張出しがなく, 前頭部と後頭部の突出が目立ち, 長くて狭い頭の形となる. 出生前に癒合した矢状縫合の部位を示す隆起が存在することがある. ときに知能障害を伴う). =cymbocephaly; sagittal synostosis; scaphocephalism; tectocephaly.

scaph·o·hy·dro·ceph·a·lus, scaph·o·hy·dro·ceph·a·ly (skaf′ō-hī′drō-sef′ă-lŭs, -lē). 舟状水頭〔症〕（舟状頭の患者に水頭症が存在する状態).

scaph·oid (skaf′oyd) [scapho- + G. *eidos*, resemblance] [TA]. 舟状の, 舟形にくぼんだ（→scaphoid (*bone*)).

scap·u·la, gen. & pl. **scap·u·lae** (skap′yū-lă, -lē) [L. *scapulae*, the shoulder blades][TA]. 肩甲骨（三角形をした大型の平坦な骨で肋骨にかぶさっており, 左右両端は肩鎖関節で鎖骨と, 肩関節で上腕骨と関節している. 機能的にみれば, 肩甲胸郭関節で胸壁と関節しているといえる). =blade bone; shoulder blade.

s. alata =winged s.

s. elevata 高位肩甲〔骨〕〔症〕. =Sprengel *deformity*.

winged s. 翼状肩甲〔骨〕〔症〕（肩甲骨の内縁が胸郭から離れて突き出ている状態. 肩甲骨が外に回るので, その突起は後方および外方に向いている. ふつう前鋸筋の麻痺によって起こる). =s. alata.

scap·u·lal·gi·a (skap′yū-lal′jē-ă) [scapula + G. *algos*, pain]. 肩甲〔骨〕痛（肩甲骨の痛みを意味するまれに用いる語). =scapulodynia.

scap·u·lar (skap′yū-lăr). 肩甲〔骨〕の.

scap·u·lar·y (skap′ū-lār′ē). 肩甲〔包〕帯（腹帯や全身包帯を正しく保つための装具またはサスペンダーの一種）.

scap·u·lec·to·my (skap′yū-lek′tŏ-mē) [scapula + G. *ektomē*, excision]. 肩甲〔骨〕切除〔術〕.

scapulo- [L. *scapulae*, shoulder blades]. 肩甲骨，肩甲骨の，を表す連結形.

scap·u·lo·cla·vic·u·lar (skap′yū-lō-klă-vik′yū-lăr). 肩〔甲骨〕鎖〔骨〕の（①＝acromioclavicular. ②＝coracoclavicular).

scap·u·lo·dyn·i·a (skap′yū-lō-din′ē-ă) [scapulo- + G. *odynē*, pain]. ＝scapulalgia.

scap·u·lo·hu·mer·al (skap′yū-lō-hyū′mĕr-ăl). 肩甲上腕〔骨〕の（肩甲骨と上腕骨の両方に関する.→glenohumeral).

scap·u·lo·pex·y (skap′yū-lō-pek′sē) [scapulo- + G. *pēxis*, fixation]. 肩甲〔骨〕固定〔術〕（肩甲骨を手術によって胸壁，または椎骨の棘突起に固定すること).

sca·pus, pl. **sca·pi** (skā′pŭs, -pī) [L. shaft, stalk]. 幹.

  s. penis ＝*body* of penis.

  s. pili 毛幹. ＝hair *shaft*.

scar (skar) [G. *eschara*, scab]. 瘢痕（線維組織が，損傷，病変，あるいは切開によって破壊された正常な組織と置き換わること).

  cigarette-paper s.'s タバコ巻紙様瘢痕（Ehlers-Danlos 症候群患者の膝，脛，肘において小さな裂傷部の皮膚にみられる萎縮性瘢痕). ＝papyraceous s.'s.

  hypertrophic s. 過形成性瘢痕（隆起性の瘢痕でケロイドに似るが，周囲組織へ拡大せず，痛みもまれで，自然に退縮する．膠原線維束は皮膚表面に平行に走る).

  papyraceous s.'s 紙様瘢痕. ＝cigarette-paper s.'s.

  radial s. 放射状瘢痕. ＝radial sclerosing *lesion*.

Scar·di·no (skar-dē′nō), Peter T. 20 世紀の米国人泌尿器科医. ⇀S. vertical flap *pyeloplasty*.

Scarff (skarf), John E. 米国人神経外科医，1898—1978. ⇀Stookey-S. *operation*.

scar·i·fi·ca·tion (skar′i-fi-kā′shŭn) [L. *scarifico*, to scratch < G. *skariphos*, a style for sketching]. 乱切〔法〕，乱刺〔法〕（皮膚に浅い切開を多数加えること).

scar·i·fy (skar′i-fī). 乱切する，乱刺する（[本語は，語源的にも語義的にも scar とは関係がない]．皮膚に多数の切開を加えること).

scar·la·ti·na (skar′lă-tē′nă) [< It. < Mediev. L. *scarlatum*, scarlet, a scarlet cloth]. 猩紅熱（[誤ったつづり scarletina を避けること]．急性の発疹性疾患で，連鎖球菌性の発赤毒により起こる．発熱および他の全身症状，および鮮紅色の密に集合した点または小斑点からなる汎発性の発疹が大きなまたは紙様の落屑をきたすという特徴がある．通常，口腔および咽頭の粘膜も侵される). ＝scarlet fever.

  anginose s., s. anginosa アンギナ性猩紅熱（咽頭の病変が異常に重症の猩紅熱の一型). ＝Fothergill disease (2).

  s. hemorrhagica 出血性猩紅熱（血液が皮膚および粘膜中に滲出して発疹に黒ずんだ色を与える猩紅熱の一型．鼻出血および腸への出血もしばしば起こる).

  s. latens, latent s. 潜伏性猩紅熱（猩紅熱の一型であり，皮疹がなく，急性腎炎のような溶連菌感染による他の合併症が生じる).

  s. maligna 悪性猩紅熱（重篤な猩紅熱，患者は全身性の強い中毒によってすぐに死亡する).

  s. rheumatica リウマチ性猩紅熱. ＝dengue.

  s. simplex 単純性猩紅熱（猩紅熱の軽症型).

scar·la·ti·nal (skar′lă-tē′năl). 猩紅熱〔性〕の.

scar·la·ti·nel·la (skar′lă-ti-nel′ă) [*scarlatina* の指小辞]. 猩紅熱様風疹. ＝Filatov-Dukes *disease*.

scar·la·ti·ni·form (skar′lă-tē′ni-fōrm, -tin′i-fōrm). 猩紅熱様の（発疹についていう). ＝scarlatinoid (1).

scar·la·ti·noid (skar′lă-tē′noyd, skar-lat′i-noyd) [scarlatina + G. *eidos*, resemblance]. ***1*** 〖adj.〗＝scarlatiniform. ***2*** 〖n.〗類猩紅熱. ＝Filatov-Dukes *disease*.

scar·let (skar′let) [Mediev. L. *scarlatum*, scarlet cloth]. 深紅色の，緋の（橙色がかった鮮紅色をいう).

scar·let red (skar′let red) [C.I. 26905]. スカーレットレッド（アゾ色素，暗褐赤色の粉末で，油，脂肪，およびクロロホルムに可溶，水には不溶．医学では傷薬として，組織学においては，高い pH で組織切片の脂肪や塩基性蛋白を染めるために染色剤として用い，また免疫電気泳動法にも用いる). ＝Biebrich scarlet red; medicinal scarlet red; scharlach red; Sudan IV.

scar·let red sul·fo·nate (skar′let red sŭl′fō-nāt). 硫酸スカーレットレッド（慢性の表層の傷および潰瘍の治癒を早めるために用いるアゾ色素).

Scar·pa (skar′pah), Antonio. イタリア人解剖学者・整形外科・眼科医，1747—1832. ⇀*canals* of S.; membranous *layer* of subcutaneous tissue of abdomen; S. *fluid*, *foramina*(⇌foramen), *ganglion*, *habenula*, *hiatus*, *liquor*, *membrane*, *method*, *sheath*, *staphyloma*, *triangle*; *fossa* scarpae major.

Scatch·ard (skăch′ŭrd), George. 米国人化学・生化学者，1892—1973. ⇀S. *plot*.

sca·te·mi·a (skă-tē′mē-ă) [scato- + G. *haima*, blood]. 腸性中毒，宿便中毒（腸性の自家中毒).

scato- [G. *skōr*(*skat-*), excrement]. 便を意味する連結形.→copro-; sterco-.

scat·o·log·ic (skat′ō-loj′ik). 糞便学の.

sca·tol·o·gy (skă-tol′ŏ-jē) [scato- + G. *logos*, study]. 糞便学（①生理学的および診断学的目的のための糞便の科学的研究と分析. ＝coprology. ②精神医学上の見地に関連する排泄物または排泄(肛門)機能の研究).

sca·to·ma (ska-tō′mă) [scato- + G. *-oma*, tumor]. 糞腫，糞塊瘤（[scotoma と混同しないこと]). ＝fecaloma.

sca·toph·a·gy (skă-tof′ă-jē) [scato- + G. *phagō*, to eat]. 食糞〔症〕. ＝coprophagia.

sca·tos·co·py (skă-tos′kŏ-pē) [scato- + G. *skopeō*, to view]. 糞便検査〔法〕（診断用の糞便の検査).

scat·ter (skat′ĕr). ***1*** 散乱（衝突または相互作用の結果としての光粒子または原子構成粒子の方向変更). ***2*** 散乱線（一次放射線と物質との相互作用によって生じた二次放射線).

  Compton s. (komp′tĕn). コンプトン散乱（Compton 効果の散乱機構).

scat·ter·gram (skăt′ĕr-gram) [scatter + G. *gramma*, something written]. 散布図，分散図，点図表（互いに関連する 2 つの変数の分布を図示したもの).

scat·u·la (skat′yū-lă) [Mediev. L. 幅が長さの 1/10 の長方形]. 盒子(ごうし)，小箱（四角い薬箱).

ScD Doctor of Science(理学博士)の略.

Sce·do·spor·i·um (se-dō-spōr′ē-um). セドスポリウム属（線菌類(形態綱)の不完全菌. *Pseudallescheria* の不完全時代である).

  S. apiospermum 真菌 *Pseudallescheria boydii* の不完全段階．ヒトに菌腫を起こしたり，免疫抑制患者に重篤な感染症を起こす 16 種の真菌の一種.

  S. inflatum ⇀*S. prolificans*.

  S. prolificans カビの一種．まれに重篤な深在性真菌症の原因となる．以前は ***S. inflatum*** とよばれていた.

sce·lal·gi·a (se-lal′jē-ă) [G. *skelos*, leg + *algos*, pain]. 脛痛（すねの痛み).

scene (sēn). 光景，場面，景色（ある 1 か所での連続的行動，疑わしい行動の発揮).

  primal s. 原光景（小児が特に親の性交渉を実際にまたはファンタジーとして見てしまうことをさす精神分析的用語).

scent (sent) [M.E. < O.Fr. < L. *sentio*, to feel]. 芳香. ＝odor.

SCF stem cell *factor* の略.

Schach·er (shah′kĕr), Polycarp G. ドイツ人医師，1674—1737. ⇀S. *ganglion*.

Schä·fer (shā′fĕr), Edward A. Sharpey-. イングランド人生理・組織学者，1850—1935. ⇀S. *method*.

Schäf·fer (shā′fĕr), Max. ドイツ人神経科医，1852—1923. ⇀S. *reflex*.

Scham·berg (shahm′bĕrg), Jay F. 米国人皮膚科医，1870—1934. ⇀S. *fever*.

Scha·pi·ro (shă-pī′rō), Heinrich. ロシア人医師，1852—1901. ⇀S. *sign*.

Schar·ding·er (shar′ding-ĕr), Franz. オーストリア人科学者，1853—1920. ⇀S. *dextrins*, *enzyme*, *reaction*.

schar·lach red (shar′lak red). ＝scarlet red.

Schatz·ki (shaht′skē), Richard. 米国人放射線科医，1901—1992. ⇀S. *ring*.

Schau·dinn (show′din), Fritz R. ドイツ人細菌学者，1871—1906. ⇀S. *fixative*.

Schau·mann (show′mahn), Jörgen N. スウェーデン人医師，1879—1953. ⇀S. *bodies*, *lymphogranuloma*, *syndrome*; Besnier-Boeck-S. *disease*, *syndrome*.

Schaum·berg (shawm′bĕrg), H.H. 米国人神経病理学者，1912—？

Schau·ta (show′tă), Friedrich. オーストリア人婦人科医，1849—1919. ⇀S. vaginal *operation*.

Sche·de (shā′dĕ), Max. ドイツ人外科医，1844—1902. ⇀S. *method*.

sched·ule (sked′jūl) [L. *scheda* < *scida*, a strip of papyrus, leaf of paper]. スケジュール，調査表（提供された対象に対する手続きの予定表で，特にその完成を必要とする各事項や操作に対して割り当てられた順序および時間）.

s.'s of reinforcement 強化スケジュール（条件付けの心理学において，オペラント行動を強化するために設定される方法または一連の処置．つまり，レバー押しの状況でいえば，レバー変位の度ごとに食物あるいはそれに匹敵する強化因子をもたらす(連続的強化スケジュール **continuous reinforcement s.**)．あるいは，それ以前に何回レバー変位があったかには無関係に5秒ごとに強化因子をもたらす(間隔固定的強化スケジュール **fixed-interval reinforcement s.**)か，10回目のレバー変位ごとに強化する(比率固定的強化スケジュール **fixed-ratio reinforcement s.**)か，平均すると5秒ごとになるように強化する(間隔変動的強化スケジュール **variable-interval reinforcement s.**)．あるいは，レバー変位の100%の場合に必ずしも強化因子をもたらさないような不連続な仕方で強化する(間欠的強化スケジュール **intermittent reinforcement s.**)).

Schedule of Recent Events (SRE) (sked′yūl rē′sent ē-vents′). 最近時経験目録，最近の体験調査表（Holmes と Rahe の研究に基づくものであり，ライフストレスの尺度として，最近起きた重大なライフイベントに対し生活変化の数値を割り当てる．高いスコアほど対象者に与える影響が大きいことを示す．→Rahe-Holmes social readjustment rating *scale*, Recent Life Changes *Questionnaire*, stress, stressors).

Schee·le (shē′lĕ), Karl W. スウェーデン人化学者，1742—1786. ⇀S. *green*.

Schei·be (shī′bĕ), A. 20世紀初頭の米国人医師. ⇀S. *hearing impairment*.

Scheie (shay), Harold G. 20世紀の米国人眼科医. ⇀S. *syndrome*.

Schei·ner (shī′nĕr), Christoph. ドイツ人物理学者，1575—1650. ⇀S. *experiment*.

Schel·long (shel′ŏng), Fritz. ドイツ人医師，1891—1953. ⇀S. *test*; S.-Strisower *phenomenon*.

sche·ma, pl. **sche·ma·ta** (skē′mă, skē-mah′tă) [G. *schēma*, shape, form]. ***1*** 計画，概要，配列. ＝scheme. ***2*** 知覚運動理論における認知経験の組織化された単位.

body s. 身体図式. ＝body *image*.

sche·mat·ic (skē-mat′ik) [G. *schēmatikos*, in outward show < *schēma*, shape, form]. 図解の，模型の（一定の型の公式によってつくられ，完全に正確ではないが，一般的に説明する解剖の図または模型についていう）.

sche·mat·o·graph (skē-mat′ŏ-graf) [G. *schēma*, form + *graphō*, to write]. 生体輪郭描画器（身体の輪郭を縮尺して描くための器具）.

scheme (skēm). ＝schema (1).

occlusal s. 咬合計画. ＝occlusal *system*.

sche·mo·chromes (skē′mō-krōmz). ＝structural *color*.

Schenck (shenk), Benjamin R. 米国人外科医，1873—1920. ⇀S. *disease*.

Scheu·er·mann (shoy′ĕr-mahn), Holger W. デンマーク人外科医，1877—1960. ⇀S. *disease*.

Schick (shik), Bela. 米国に在住したオーストリア人小児科医，1877—1967. ⇀S. *method*, *test*, test *toxin*.

Schiff (shif), Hugo. フィレンツェに在住したドイツ人化学者，1834—1915. ⇀S. *base*, *reagent*; Kasten fluorescent S. *reagents*; periodic acid–S. *stain*; ninhydrin-S. *stain* for proteins.

Schiff (shif), Moritz. ドイツ人生理学者，1823—1896. ⇀S.-Sherrington *phenomenon*.

Schil·der (shil′dĕr), Paul Ferdinand. オーストリア人神経科医，1886—1940.

Schil·ler (shil′ĕr), Walter. 米国に在住したオーストリア人病理学者，1887—1960. ⇀S. *test*.

Schil·ling (shil′ing), Victor. ドイツ人血液学者，1883—1960. ⇀S. *blood count*, band *cell*, *index*, *test*, type of monocytic *leukemia*.

schin·dy·le·sis (skin′dī-lē′sis) [G. *schindylēsis*, splintering][TA]. 夾結合（[誤った発音 shin-dī-lē′sis を避けること]．1つの骨の鋭い縁が，もう1つの骨縁の裂溝中のはいり込んでいる線維性結合で，鋤骨が蝶形骨吻と結び付いているところなどにみられる）. ＝schindyletic joint; wedge-and-groove joint; wedge-and-groove suture.

Schi·øtz (shē-etz′), Hjalmar. ノルウェー人医師，1850—1927. ⇀S. *tonometer*.

Schir·mer (shir′mĕr), Otto W.A. ドイツ人眼科医，1864—1917. ⇀S. *test*.

schisto- [G. *schistos*, split]. 裂または分裂に関する連結形. →schizo-.

schis·to·ce·li·a (skis′tō-sē′lē-ă) [schisto- + G. *koilia*, a hollow]. 裂腹奇形（腹壁の先天的裂溝）.

schis·to·cor·mi·a (skis′tō-kōr′mē-ă) [schisto- + G. *kormos*, trunk of a tree]. 体幹分裂奇形（体幹の先天的分裂で，通常，胎児の下肢の不完全な発達による）. ＝schistosomia.

schis·to·cys·tis (skis′tō-sis′tis) [schisto- + G. *kystis*, bladder]. 膀胱裂（膀胱の裂溝）.

schis·to·cyte (skis′tō-sīt) [schisto- + G. *kytos*, cell]. 分裂赤血球，シストサイト（奇形赤血球の一種で，傷害を受けた小血管を血球が通過する際に赤血球形態が変化して断片化を起こす）. ＝schizocyte.

schis·to·cy·to·sis (skis′tō-sī-tō′sis). 分裂赤血球増加〔症〕（血液中に多くの分裂赤血球の存在する状態）. ＝schizocytosis.

schis·to·glos·si·a (skis′tō-glos′ē-ă) [schisto- + G. *glōssa*, tongue]. 舌裂（舌の先天的な裂溝または中裂）.

schis·to·me·li·a (skis′tō-me′lē-ă). 四肢亀裂奇形（先天性の四肢における亀裂）.

schis·tor·rha·chis (shis′, skis-tōr′ă-kis) [schisto- + G. *rhachis*, spine]. 脊椎裂. ＝*spina* bifida.

Schis·to·so·ma (skis′tō-sō′mă) [schisto- + G. *sōma*, body]. 住血吸虫属（[誤った発音 shis-tō-sō′ma を避けること]．二生類吸虫の一属で，ヒトおよび家畜に住血吸虫症を起こす重要な住血吸虫を含む．長くのびた外形，雌雄によって明瞭に異なる形態，宿主の細い血管内という特殊な寄生部位，および中間店主として水生の巻貝をとることが特徴である．鳥類寄生の住血吸虫のいくつかは北米やその他の地域において沼地皮膚症すなわちセルカリア性皮膚炎を起こす．ヒトは偶発宿主なので，寄生虫が成熟することはない．寄生虫に対するアレルギー反応により，皮膚に炎症が起こる）.

S. haematobium ビルハルツ住血吸虫（虫卵は末端にとげをもち，門脈系および膀胱の腸間膜静脈(ヒトのエジプト住血吸虫症を起こす)と直腸に寄生する．ナイル河三角州に一般的に見出され，またアフリカ全土および中東の一部の水路，灌漑水路，小川に沿って分布がみられる．中間宿主はエジプトでは *Bulinus truncatus* であるが，他の地域では Bulininae 亜科の他の淡水産巻貝(*Bulinus*属，*Physopsis*属，*Pyrgophysa*属)が関与する）.

S. intercalatum ビルハルツ住血吸虫 *S. haematobium* に近縁の住血吸虫で，コンゴ共和国および他の中央アフリカ地域に局地的に分布する．脾臓や肝臓の腫脹を伴う軽い赤痢と腹痛を起こす．ヒラマキガイの一種 *Bulinus* (*Physopsis*) *africanus* が中間宿主.

S. japonicum 日本住血吸虫（東洋または日本の住血吸虫で，小さな側棘(通常は小さなこぶ)のある虫卵をもつ．特に肝臓に虫卵の被包化による広範な病変を伴う日本住血吸虫症を起こす．本種は，雌虫当たりの産卵数が非常に多く，しかも治療および制御が最も困難なため，ヒトに寄生する3種の普通の住血吸虫の中で最も病原性が高い．中間宿主は水陸両生の淡水産巻貝(Hydrobiidae 科，*Oncomelania*(片山貝属))で，殺貝剤を避けて水から上がることができる．ブタ，ウシ，イヌなどの多くの動物が保有宿主となる）.

S. malayensis マレー住血吸虫（マレー半島のミューラークマネズミ *Rattus muelleri* から記載された日本住血吸虫群に属する吸虫．水生の巻貝である *Robertsiella kaporensis* と同属の他の2種に自然感染が認められている．マレー住血吸虫はメコン住血吸虫と最も近縁なものであると考えられている．血清学的な結果を基にしたヒト感染例がマレー半島中部の土着の住民で報告されている）．

S. mansoni マンソン住血吸虫（アフリカ，あるいは中東，南アメリカ，カリブ海諸島の一部でヒトに寄生する吸虫の一般的な種．マンソン住血吸虫症の原因となり，強い尖棘をもつ大きな虫卵が特徴．ヒラマキガイ類の *Biomphalaria*属により伝播される）．

Schistosoma mansoni
接合．非染色，×3.

S. mattheei 南アフリカの反すう類の腸間膜門脈の静脈に寄生する種．ヒトを含む霊長類，アフリカのゼブラやげっ歯類にも感染する．

S. mekongi メコン住血吸虫（南部ラオスのメコンデルタ，および北部カンボジアから記載された種．感染率は7歳から15歳で最も高い．イヌが主要な保虫宿主であると考えられている．中間宿主はヘタをもつ巻貝 *Tricula aperta*. 病態は日本住血吸虫 *S. japonicum* に類似するが，全般的により軽症である）．

schis·to·so·mal (skis′tō-sō′măl). 住血吸虫の（住血吸虫属 *Schistosoma* の種に関する，またはそれによって引き起こされる）．

schis·to·some (skis′tō-sōm). 住血吸虫（住血吸虫属 *Schistosoma* の寄生虫の通称）．

schis·to·so·mi·a (skis′tō-sō′mē-ă) [schisto- + G. *sōma*, body]. =schistocormia.

schis·to·so·mi·a·sis (shis′, skis′tō-sō-mī′ă-sis). 住血吸虫症（住血吸虫属 *Schistosoma* の種による感染症．慢性衰弱性で，症状は感染種により異なるが，細静脈中および肝門脈に産み付けられた虫卵に対する組織反応(肉芽形成および線維化)の強さで決まり，後者は門脈圧亢進症と食道静脈瘤および肝硬変に至る肝障害を引き起こす．→tropic *diseases*.→schistosomal *dermatitis*; Symmers clay pipestem *fibrosis*）．=bilharziasis; bilharziosis; hemic distomiasis; snail fever.

Asiatic s. =s. japonica.

bladder s. =s. haematobium.

cutaneous s. japonica 皮膚日本住血吸虫．=s. japonica.

ectopic s. 異所性肝吸虫症（通常の吸虫感染巣(腸間膜あるいは肝門脈)以外の場所に起こった肝吸虫感染の臨床型．皮膚，脳，あるいは脊髄などの種々の，通常とは異なる病巣への偶発的な肝吸虫卵，まれに成虫が血行性に運ばれて起こる）．

s. haematobium エジプト住血吸虫症（ビルハルツ住血吸虫 *Schistosoma haematobium* の感染症．虫卵の尿路への侵入により，膀胱炎および血尿の原因となり，恐らく膀胱癌を増加させる）．=bladder s.; Egyptian hematuria; endemic hematuria; urinary s.

s. intercalatum ビルハルツ住血吸虫症（ビルハルツ住血吸虫 *Schistosoma intercalatum* による感染．西アフリカにのみ発生する．報告された症状はほとんどなく，肝線維症の症例もない）．

intestinal s. =s. mansoni.

s. japonica, Japanese s. 日本住血吸虫症（日本住血吸虫 *Schistosoma japonicum* の感染症．赤痢様症状，痛みを伴う肝臓および脾臓の腫大，腹水，じんま疹，および進行性貧血が本症の特徴）．=Asiatic s.; cutaneous s. japonica; kabure itch; kabure; Kinkiang fever; Oriental s.; rice itch; urticarial fever; Yangtze Valley fever.

Manson s. (man′sŏn). マンソン住血吸虫症．=s. mansoni.

s. mansoni (man-sō′nē). マンソン住血吸虫症（マンソン住血吸虫 *Schistosoma mansoni* の感染症．虫卵が大腸壁および肝臓に侵入し，刺激，炎症，および最終的には線維症を起こす）．=intestinal s.; Manson disease; Manson s.

s. mekongi メコン肝吸虫症（メコンデルタで発見され，主としてその地の小児を侵す *Schistosoma mekongi* の感染症．日本住血吸虫症に似た病気）．

Oriental s. =s. japonica.

pulmonary s. 肺住血吸虫症（住血吸虫 *Schistosoma*, 通常はマンソン住血吸虫 *Schistosoma mansoni* の感染による肺症状で，感染した水からセルカリアが皮膚内に侵入し，胃・小腸から門脈への途中で血流を介して肺に至る．症状は通常，咳に限られる）．

urinary s. 尿住血吸虫症．=s. haematobium.

schis·to·so·mu·lum, pl. **schis·to·som·u·la** (skis′tō-sō′myū-lŭm, -lă). 幼住血吸虫（*Schistosoma*属住血吸虫の生活環において，吸虫がセルカリアとして皮膚に侵入した直後の発育期．尾部の消失と，哺乳類の血流中での生存を保証する生理的変化の獲得が特徴である）．

schis·to·ster·ni·a (skis′tō-ster′nē-ă) [schisto- + G. *sternon*, sternum]. 胸骨裂．=schistothorax.

schis·to·tho·rax (skis′tō-thō′raks) [schisto- + G. *thōrax*, thorax]. 胸裂（胸壁の先天的裂溝）．=schistosternia.

schiz- →schizo-.

schiz·am·ni·on (skiz-am′nē-on) [schiz- + amnion]. 裂隙羊膜（ヒト胎芽にみられるような，内細胞塊内あるいはそれを越えて空洞を形成することにより発達する羊膜）．

schiz·ax·on (skiz-ak′son) [schiz- + G. *axōn*, axis]. 裂軸索（2つに分枝した軸索）．

schiz·en·ceph·aly (skiz′en-sef′ă-lē) [schiz- + G. *enkephalos*, brain][MIM*269160]. 脳裂（脳の異常な分割または裂溝）．

schizo-, schiz- [G. *schizō*, to split or cleave]. 分裂，裂，分割，または統合失調症に関する連結形．→schisto-.

schiz·o·af·fec·tive (skiz′ō-ă-fek′tiv). 統合失調感情障害の（分裂病と感情(気分)障害の両方を示すような症状が混じって認められることについていう）．

schiz·o·cyte (skiz′ō-sit) [schizo- + G. *kytos*, cell]. =schistocyte.

schiz·o·cy·to·sis (skiz′ō-sī-tō′sis). =schistocytosis.

schiz·o·gen·e·sis (skiz′ō-jen′ĕ-sis) [schizo- + G. *genesis*, origin]. 分裂生殖（分裂による増殖）．=fissiparity; scissiparity.

schi·zog·o·ny (ski-zog′ŏ-nē) [schizo- + G. *gonē*, generation]. シゾゴニー，増員生殖（核が最初にいくつかに分裂し，次いで，細胞が核の数と同じ数に分裂する多員増殖．娘細胞がメロゾイト(分裂小体)ならばメロゴニー，娘細胞がスポロゾイト(胞子小体)ならばスポロゴニー，または娘細胞が生殖体ならばガメトゴニーとよばれる）．=agamocytogeny.

schiz·o·gy·ri·a (skiz′ō-jī′rē-ă, -jir′ē-ă) [schizo- + G. *gyros*, circle(convolution)]. 脳回裂隙症（連続性がときに中断されるのを特徴とする脳回の奇形）．

schiz·oid (skiz′oyd) [schizo(phrenia) + G. *eidos*, resemblance]. 統合失調質（社会的孤立，引きこもり，友人や社会的関係があるとしてもわずかであることなどがみられる．分裂病の人格特徴に類似するが，軽症である．→schizoid *personality*）．

schiz·oid·ism (skiz′oyd-izm). 統合失調質的状態（統合失調質的傾向が顕現化した状態）．

schiz·o·my·cete (skiz′ō-mī-sēt′). 分裂菌（分裂菌綱の細菌）．

schiz·o·my·ce·tic (skiz′ō-mī-sē′tik). 分裂菌性の．

schiz·ont (skiz′ont) [schizo- + G. *ōn* (*ont-*), a being]. シゾント，分裂体（シゾゴニーにより増殖する胞子虫栄養型で，

S

種々の数の娘栄養型すなわちメロゾイト(分裂小体)を産生する.→meront; segmenter). = agamont; segmenting body.

schi·zon·ti·cide (ski-zon′ti-sīd) [schizont + L. *caedo*, to kill]. 殺シゾント剤(シゾントを殺す薬剤).

schiz·o·nych·i·a (skiz′ō-nik′ē-ă) [schizo- + G. *onyx*, nail]. 爪〔甲〕〔層状〕剝離症, 爪分裂〔症〕, 裂爪症.

schiz·o·pha·si·a (skiz′ō-fā′zē-ă) [schizo- + G. *phasis*, speech]. 分裂言語〔症〕(統合失調症患者にみられる言語表出の障害を表す, まれに用いる語). = word salad.

schiz·o·phre·ni·a (skiz′ō-frē′nē-ă, skit-sō-) [schizo- + G. *phrēn*, mind][MIM*181500]. 統合失調症, 精神分裂病([本語のzは通常の英語の発音で正しく表されるが, 米国ではドイツ語式発音(skits-)のほうがよく聞かれる]. Bleulerによる造語. dementia praecox(早発性認知症)と同義で, それに代わって用いられる. 最もよくみられる型の精神病で, 知覚, 思考内容, 思考過程の障害(幻覚と妄想)が特徴となるほか, 他人や外界に対する関心がまったく失われて引きこもり, 過度に自分の精神世界にとらわれてしまう. 統合失調症は今日では, 単一疾患としてよりも障害の一群もしくはスペクトラムとして考えられ, 過程統合失調症と反応統合失調症とに区別されている. 統合失調症の患者に広くみられる〝統合失調〟した人格とは, 個人の精神の構成要素や機能が分離し, 自律的になることをいうが, こうした状態は, 患者の精神生活のなかで2人以上の比較的完全な人格がかわるがわる優勢となる多重人格と間違ってとられてしまうことがある).

acute s. 急性統合失調症(統合失調症状が突然に出現する障害. 鎮静化することも, 慢性化することもある). = acute schizophrenic episode.

ambulatory s. 外来統合失調症(統合失調症のより軽症な型に属するもので, 患者は社会性が維持されていて, 入院加療の必要がない).

catatonic s. 緊張型統合失調症(昏迷, 拒絶症, 硬直, 興奮, 姿勢異常などの著しい障害を特徴とする統合失調症. 興奮と昏迷の両極端の間を急速に変化しやすい. 関連する症状として常同行為, 衒奇症, 蝋屈症があり, 無言症はとりわけよくみられる).

childhood s. 児童(小児)統合失調症. = infantile *autism.*

disorganized s. 解体型統合失調症(重症統合失調症で, 滅裂, 鈍麻した, 不適切または馬鹿げた感情が前景となり, 体系化された妄想のないことが特徴である). = hebephrenic s.

hebephrenic s. 破瓜型統合失調症. = disorganized s.

latent s. 潜伏統合失調症(すでにその可能性は認められるが, 強い感情的ストレスのもとで初めて顕現化される).

paranoid s. 妄想型統合失調症(主として被害妄想や誇大妄想が特徴となる).

process s. 過程統合失調症(現在では用いられない語. 統合失調症の中でも重篤な型のもので, 慢性および進行的な脳の生物学的疾患がその一次的な原因と考えられ, 青年期にいつとはなしに始まり, 反応統合失調症に比べて予後は不良である).

pseudoneurotic s. 偽神経症性統合失調症(基盤には精神病的過程が存在しているが, それが一般に神経症的とみなされる訴えによって隠ぺいされてしまっている統合失調症).

reactive s. 反応統合失調症(重篤な型の統合失調症性障害であるが, 過程統合失調症とは次の点で区別される. すなわち発症がより急性で, 環境的ストレスとの関連をより強くもっていること, および予後が比較的良いことである).

residual s. 残遺統合失調症(感情鈍麻あるいは不適切な感情, 社会的引きこもり, 奇妙な行動や連合弛緩がみられるが, 顕著な精神病症状はない. 例えば既往の精神病症状が残存している統合失調症).

simple s. 単純型統合失調症(自閉, 無気力, 無関心, および対人関係の乏しさなどが特徴で, 明白な精神病特徴は示されない).

schiz·o·phren·ic (skiz′ō-fren′ik, -frē′nik, skit-sō-). 統合失調症性の, 統合失調症的な.

schiz·o·to·ni·a (skiz-ō-tō′nē-ă) [schizo- + G. *tonos*, tension, tone]. 分裂性緊張(筋緊張の分布に分裂が生じること).

schiz·o·trich·i·a (skiz′ō-trik′ē-ă) [schizo- + G. *thrix*, hair]. 毛尖〔毛髪〕分裂〔症〕(毛髪の先端の分裂). = scissura pilorum.

Schiz·o·tryp·a·num cru·zi (skiz′ō-trip′ă-nŭm krū′zī) [schizo- + G. *trypanon*, a borer, an auger]. *Trypanosoma cruzi* に対して用いる独特な属種名で, 南アメリカトリパノソーマ症の風土病地域の労働者によってしばしば用いられる. また亜属種名, すなわち *Trypanosoma* (*Schizotrypanum*) *cruzi* としても用いられる.

schiz·o·zo·ite (skiz′ō-zō′īt) [schizo- + G. *zōon*, animal]. 分裂小体(マラリア原虫における肝細胞侵入後, 増員生殖を行う前の赤外型発育期のような, 増員生殖に先立つ時期のメロゾイト).

Schlamm·fie·ber (shlăm′fē-bĕr) [Ger. muck fever]. 沼地熱(ドイツのブレスロー近郊で突発流行したレプトスピラ症に与えられた名称で, *Leptospira grippotyphosa* の感染によるものと考えられる).

Schlat·ter (shlaht′ĕr), Carl B. スイス人外科医, 1864—1934. → Osgood-S. *disease.*

Schlemm (shlem), Friedrich. ドイツ人解剖学者, 1795—1858. → S. *canal.*

Schle·sing·er (shlā′sing-ĕr), Hermann. オーストリア人医師, 1868—1934. → S. *sign*; Pool-S. *sign.*

schlier·en (schlēr′en). → schlieren *optics.*

Schmid (shmit), Rudi. 20世紀のスイス系米国人内科医・生化学者. → McArdle-S.-Pearson *disease.*

Schmidel (schmī′del), Kasimir C. ドイツ人解剖学者, 1718—1792. → S. *anastomoses*(⇒anastomosis).

Schmidt (shmit), Carl F. 米国人薬理学者, 1893—1988. → Kety-S. *method.*

Schmidt (shmit), Gerhard. 20世紀の米国人生化学者. → S.-Thannhauser *method.*

Schmidt (shmit), Henry D. 米国人解剖・病理学者, 1823—1888. → S.-Lanterman *clefts*, *incisures.*

Schmidt (shmit), Johann F.M. ドイツ人喉頭科医, 1838—1907. → S. *syndrome.*

Schmidt (shmit), Martin Benno. ドイツ人医師, 1863—1949. → S. *syndrome.*

Schmorl (shmōrl), Christian G. ドイツ人病理学者, 1861—1932. → S. *nodule*, ferric-ferricyanide reduction *stain*, picrothionin *stain*, *jaundice.*

Schnei·der (shnī′dĕr), C.V. ドイツ人解剖学者, 1614—1680. → schneiderian *membrane.*

Schnei·der (shnī′dĕr), Franz C. ドイツ人化学者, 1813—1897. → S. *carmine.*

Schnei·der (shnī′dĕr), Kurt. ドイツ人精神科医, 1887—1967.

Schnei·der·sitz (shnī′der-zits) [Ger. tailor's sitting posture]. シュナイダー座位(フェニルケトン尿症で重症の欠陥のある患者にみられる下肢を前で交差した典型的な座位姿勢で, 洋服屋にしばしば例えられる姿勢に似ている).

Schnitz·ler (shnitz′lĕr), L. 20世紀のヨーロッパの医師. → S. *syndrome.*

Scho·lan·der (shō′lan-dĕr), Per F. ノルウェー人生理学者, 1905—1980. → S. *apparatus*; Roughton-S. *apparatus*, *syringe.*

Scholz (shōlts), Willibald. ドイツ人神経科医, 1889—1971. → S. *disease.*

Schön·bein (shĕrn′bīn), Christian F. ドイツ人化学者, 1799—1868. → S. *test.*

Schön·lein (shĕrn′līn), Johann L. ドイツ人医師, 1793—1864. → S. *purpura*; Henoch-S. *purpura.*

school (skūl) [O.E. *scōl*]. 学派(一連の信念, 教義, 方法など).

biometrical s. 生物測定学学派(Galton と Karl Pearson を始祖とする英国の遺伝学者のグループで, 遺伝学を列挙的というより定量的にとらえる立場をとる).

dogmatic s. 独断医学派(医学における古代ギリシアの学派または伝統で, Hippocrates の後継者たちからなる. 彼らは, 病気の概念を体液説に置き, 治療の根拠を経験と健康の理論に置いた. 彼らは気まぐれ, 思弁的な理論, および独断的なところは比較的もたなかったので, dogmatic という用語は誤りである).

dynamic s. 内力動説(G. E. Stahl により創始された理論で, すべての生物の行動は身体外の力とは関係ない内的力の結果であるという信念を主張した).

hippocratic s. ヒポクラテス学派（Hippocrates の教義に従う学派.→dogmatic s.).

iatromathematical s. 数理医学（Descartes が主要な支持者であったアカデミー派で，すべての生理的プロセスは物理法則によるとする).＝mechanistic s.

mechanistic s. 機械説派.＝iatromathematical s.

Schott (shot), Theodor. ドイツ(Bad Nauheim)の医師，1850—1921.→S. *treatment*.

schra·dan (shrā′dan)［Gerhard *Schrader*，ドイツ人化学者＋-an］. シュラダン（強力な不可逆的有機リン酸エステル系コリンエステラーゼ阻害薬で，殺虫薬として用いられる．神経ガスとしての使用を念頭につくられた．中毒により，致死的なコリン性クリーゼに陥る).＝octamethyl pyrophosphoramide.

Schre·ger (shrā′gĕr), Christian H.T. ドイツ人解剖・化学者，1768—1833.→S. *lines*; Hunter-S. *bands*, *lines*.

Schrid·de (shrid′ĕ), Hermann R.A. 20 世紀初頭のドイツ人病理学者.→S. cancer *hairs*.

Schroe·der (shrō′dĕr), Karl L.E. ドイツ人婦人科医，1838—1887.→S. *operation*.

Schu·chardt (shū′kahrt), Karl A. ドイツ人外科医，1856—1902.→S. *operation*.

Schüff·ner (shef′nĕr), Wilhelm. スマトラ島(インドネシア)に在住したドイツ人病理学者，1867—1949.→S. *granules*, *dots*.

Schül·ler (shēl′ĕr), Artur. 20 世紀初頭のオーストリア人神経科医.→S. *disease*, *phenomenon*, *syndrome*; Hand-S.-Christian *disease*.

Schül·ler (shēl′ĕr), Karl H.L.A. Max. ドイツ人外科医，1843—1907.→S. *ducts*.

Schul·tes (shul′tĕs), Johann.→Scultetus.

Schultz (shūlts), Arthur R.H. 20 世紀初頭のドイツ人医師.→S. *reaction*, *stain*.

Schultz (shūlts), Werner. ドイツ人内科医，1878—1947.→S.-Charlton *phenomenon*, *reaction*; S.-Dale *reaction*.

Schultze (shūlt′sĕ), Bernhard S. ドイツ人産科医，1827—1919.→S. *fold*, *mechanism*, *phantom*, *placenta*.

Schultze (shūlt′sĕ), Max J.S. ドイツ人組織・動物学者，1825—1874.→S. *cells*, *membrane*, *sign*; comma *bundle* of S.; comma *tract* of S.

Schütz (shēts), Erich. 20 世紀のドイツ人生化学者.→S. *law*, *rule*.

Schütz (shēts), Hugo. 19 世紀のドイツ人解剖学者.→S. *bundle*.

Schwabach (shvah′bahk), Dagobert. ドイツ人耳科医，1846—1920.→S. *test*.

Schwalbe (shvahl′bĕ), Gustav A. ドイツ人解剖学者，1844—1916.→S. *corpuscle*, *nucleus*, *ring*, *spaces*.

Schwann (shvahn), Theodor. ドイツ人組織・生理学者，1810—1882.→S. *cells*, cell *unit*, white *substance*; *sheath* of S.

schwan·no·ma (shwah-nō′mă)［Theodor *Schwann*＋-oma］. 神経鞘腫（Schwann 細胞の腫瘍と構造的に同一の，基本的構成要素をもつ良性で被包性の新生物．腫瘍性細胞が神経膜内に増殖し，神経周膜は被膜を形成する．この新生物は末梢神経または交感神経，あるいは種々の脳神経，特に第八脳神経から生じる．神経が小さい場合は，(全部ではなくとも)通常は新生物の被膜内にみられる．神経が大きい場合は，神経鞘腫は神経鞘内で発育し，その線維は，新生物の拡大に伴い被膜表面上に広がる．顕微鏡的には，神経鞘腫は，2 種の型である Antoni type A および B の組合せからなる．2 種の型のどちらかが，神経鞘腫の種々の例で優勢であることがある.→neurofibroma).＝neurilemoma; neuroschwannoma.

acoustic s. 聴神経鞘腫.＝vestibular s.

facial s. 顔面神経鞘腫（顔面神経に生じる神経鞘腫).

vestibular s. 前庭神経鞘腫（Schwann 細胞由来の，良性ではあるが生命に危険を及ぼす腫瘍で，通常，第八脳神経の前庭神経から発生する．早期には，聴力低下，耳鳴，前庭機能障害を引き起こす．後には，小脳，脳幹，他の脳神経症状が出現し頭蓋内圧亢進が起こる).＝acoustic neurinoma; acoustic neuroma; acoustic s.; acoustic tumor; cerebellopontine angle tumor; eighth nerve tumor.

schwan·no·sis (shwah-nō′sis). シュヴァン［細胞］症（脊髄血管周囲の Schwann 細胞の非新生物性増殖．特に老人でしかも糖尿病患者にみられる).

Schwartz (shwōrts), Henry G. 20 世紀の米国人神経外科医.→S. *tractotomy*.

Schwartz (shwōrts), Oscar. 20 世紀の米国人小児科医.→S. *syndrome*.

Schwarz (shwōrts), Karl L.H. ドイツ人化学者，1824—1890.→Dische-Schwarz *reagent*.

Schweig·ger-Sei·del (shwī′gĕr sīdĕl), Franz. ドイツ人生理学者，1834—1871.→*sheath* of Schweigger-Seidel.

Schwen·in·ger (shwān′ing-ĕr), Ernst. ドイツ人皮膚科医，1850—1924.→S.-Buzzi *anetoderma*; S. *method*.

sci·age (sē-ahzh′)［Fr. *scie*, saw］. シャージュ（マッサージで手を前後にのこぎり様に動かすこと).

sci·at·ic (sī-at′ik)［Mediev. L. *sciaticus*: G. *ischiadikos* の訛語＜*ischion*, the hip joint］.＝ischiadicus. ***1*** 坐骨の（坐骨または腰に関する，または隣接する).＝ischiadic; ischial; ischiatic. ***2*** 坐骨神経の.

sci·at·i·ca (sī-at′i-kă)［→sciatic］. 坐骨神経痛（大腿部の後ろから下肢へと放散するような腰部や殿部における痛み．初めは坐骨神経機能障害と考えられたため，その名前がついたが，現在は通常 L5 または S1 神経根を障害する腰椎椎間板ヘルニアによることが知られている).＝sciatic neuralgia; sciatic neuritis.

SCID severe combined *immunodeficiency* の略.

SCID mice (mīs). severe combined immunodeficient mice の略.

sci·ence (sī′ents)［L. *scientia*, knowledge＜*scio*, to know］. 科学（①経験と観察に基づいて自然現象の論理的説明を行う学問分野．②①の学問領域のなかで，特定の現象の説明に限定されたもの).

sci·en·to·met·rics (sī′en-tō-met′riks)［L. *scientia*, science, knowledge＜*scio*, to know＋G. *metron*, measure＋-ics］. 科学測定法，サイエントメトリックス（科学的生産および科学的発見の公共政策などに対するインパクトを測る測定法).

scil·la (sil′ă)［G.］.＝squill.

scil·la·ren (sil′lă-ren). シラレン（配糖体の合剤でジギタリス様作用をもち，海葱中に存在する).

s. A シラレン A（海葱(*Scilla maritima*)にみられる結晶ステロイド配糖体．加水分解されてグルコースとプロシラリジン A になる．後者を加水分解するとラムノースとステロイドアグリコンのシラリジン A となる．ジギタリスと同じ作用と用途をもつ).＝transvaalin.

s. B シラレン B（海葱から得られる無定形の配糖体分画で，少なくとも 7 種の心臓作用性の配糖体，すなわち，glucoscillaren A, scillipheoside, glucoscillipheoside, scillicryptoside, scilliglaucoside, scillicyanoside, および scillazuroside からなる).

scil·lar·i·cide (sil′ar-ĭ-sīd). シラリシド（カイソウ(海葱)から得られる毒素で，殺鼡薬として用いられる).

scil·lir·o·side (sil′ir-ō-sīd). シリロシド（ユリ科の植物 *Urginea maritima* の一種で赤色の，アカカイソウより得られる配糖体．殺鼡薬として用いられる).

scin·ti·cis·tern·og·ra·phy (sin′ti-sis′tĕrn-og′ră-fē). シンチ大槽造影(撮影)［法］（放射性薬品を用いて施行され，放射性核種造影装置を用いて記録される大槽造影法).

scin·ti·gram (sin′ti-gram)［L. *scintilla*, spark＋G. *gramma*, something written］. シンチグラム.＝scintiscan.

scin·ti·graph·ic (sin′ti-graf′ik). シンチグラフィの（シンチグラフィに関する，またはシンチグラフィによる).

scin·tig·ra·phy (sin-tig′ră-fē). シンチグラフィ（特殊な臓器あるいは組織に親和性のある放射性核種を投与し，外部よりその物質の体内における分布を固定式あるいは走査式シンチレーションカメラで測定する診断法.→gamma *camera*).

scin·til·la·scope (sin̄-til′ă-skōp)［L. *scintilla*, spark＋G. *skopeō*, to observe］. シンチスコープ（scintillation *counter* を表す現在では用いられない語).

scin·til·la·tion (sin̄′ti-lā′shŭn)［L. *scintilla*, a spark］. シンチレーション（①発火または閃光．光を火花または閃光として自覚し感じること．②放射能測定において，結晶または液晶シンチレータのリン光体内のイオン化によって生じる

光.→scintillation *counter*).
scin·til·la·tor (sin′ti-lā′tŏr, -tōr). シンチレータ（放射性粒子，X線またはガンマ線にぶつかったときに可視光線を発する物質.→scintillation *counter*).
liquid s. 液体シンチレータ（シンチレータの性質をもつ液体で，放射能を測定したい物質を溶かし込むことができ，ウェルカウンタ(井戸型計数管)で使用される).
scin·til·lom·e·ter (sin′ti-lom′ĕ-tĕr)［L. *scintilla*, spark＋G. *metron*, measure］. シンチロメータ. ＝scintillation *counter.*
scin·ti·mam·mog·ra·phy (sin′tē-mam-og′ră-fē). シンチマンモグラフィ（癌の検出のために放射性核種を使う乳房撮像法).
scin·ti·pho·to·graph (sin′ti-fō′tō-graf). シンチフォトグラフ（シンチフォトグラフィによって得た画像. 現在では用いられない.→scintiscan).
scin·ti·pho·tog·ra·phy (sin′ti-fō-tog′ră-fē). シンチフォトグラフィ（体内に投与された放射性物質の分布を，ガンマカメラを用いて写真記録として得る過程. 現在では用いられない). ＝scintography.
scin·ti·scan (sin′ti-skan). シンチスキャン（シンチグラフィによって得られた記録.→scan). ＝photoscan; scintigram.
scin·ti·scan·ner (sin′ti-skan′ĕr). シンチスキャナ（シンチスキャンを作成するのに用いる装置).
scin·tog·ra·phy (sin-tog′ră-fē) シントグラフィ，閃輝写真. ＝scintiphotography.
sci·on (sī′ŏn)［O. Fr. *sion*, shoot, sprig＜L. *seco*, to cut］. 移植片（実験発生学において，同種または他種の他の胚に移植された胚組織の一部または断片.→chimera).
scir·rhos·i·ty (skir-os′i-tē, sir-). 硬性癌性（腫瘍の硬化状態または硬度).
scir·rhous (skir′us, sir′). 硬い，硬性癌の（［誤ったつづりscirrhousおよびschirrhousを避けること. serousと混合しないこと］).
scir·rhus (skir′ŭs, sir′)［G. *skirrhos*, hard, a hard tumor］. 線維性の硬化部位，特に硬性癌を意味する現在では用いられない語.
scis·sion (sizh′ŏn)［L. *scissio*＜*scindo*, pp. *scissus*, to cleave］. ***1*** 分裂，分離（融合に対して，分離，分裂，または分解すること). ***2*** 切断. ＝cleavage (3).
scis·si·par·i·ty (sis′i-par′i-tē)［L. *scissio*, cleavage＋*pario*, to bring forth］. 分裂生殖. ＝schizogenesis.
scis·sors (siz′ŏrz)［L. *scindo*, pp. *scissus*, to cut］. 鋏(はさみ)（［pair of scissorsの意味で，逆成された単数名詞scissorの使用を避けること］. 互い違いに重ね合わせた2枚の刃が合釘を軸にして動き，向かい合った刃の間に物を挟んで切る器具). ＝shears.
de Wecker s. (dĕ-wek′ĕr). ド・ヴェッケル鋏（虹彩および水晶体嚢など眼内切開用の鋭くとがった小さな鋏).
Smellie s. (smel′ē). 開頭術に用いる外側に刃のついた穿頭鋏で，現在では用いられない型(18世紀).
scis·sors-shad·ow (siz′ŏrz shad′ō). 鋏状陰影（検影法による雑性乱視のときの不規則な影).
scis·su·ra, pl. **scis·su·rae** (si-sū′ră, -rē)［L.］. ＝scissure. ***1*** 裂，裂溝. ***2*** 裂片.
left portal s. ＝umbilical *fissure.*
s. pilorum 毛髪断裂. ＝schizotrichia.
portal s. ＝portal *fissure.*
scis·sure (sish′ūr). ＝scissura.
scler- →sclero-.
scle·ra, pl. **scle·ras, scler·ae** (sklē′ră, -ăz, -ē)［Mod. L.＜G. *sklēros*, hard］［TA］. 強膜（眼球の外包を形成している線維性膜層で，角膜となっている前部1/6を除いた部分). ＝sclerotic coat; sclerotica; tunica albuginea oculi; tunica sclerotica.
blue s. 青色強膜（近視，牛眼，強膜ブドウ腫 scleral *staphyloma*, Ehlers-Danlos症候群(⇒syndrome)，Marfan症候群(⇒syndrome)，骨形成不全症 *osteogenesis* imperfecta, Paget 病(⇒disease)，および Pierre Robin 症候群(⇒syndrome)などの疾患でみられる菲薄化強膜を透してみられるブドウ膜の所見).
scle·rad·e·ni·tis (sklē′rad-ĕ-nī′tis)［scler-＋G. *adēn*, gland＋*-itis*, inflammation］. 硬［性］リンパ節炎，硬性腺炎（腺の炎症性硬化).
scle·ral (sklē′răl). 強膜の. ＝sclerotic (2).
scle·ra·tog·e·nous (sklē′ră-toj′ĕ-nŭs). ＝sclerogenous.
scle·rec·ta·si·a (sklē′rek-tā′zē-ă)［scler-＋G. *ektasis*, an extension］. 強膜拡張，強膜膨出（局部的強膜膨出). ＝scleral ectasia.
partial s. 部分的強膜拡張（強度の近視に特徴的にみられる強膜の一部の部分的な膨隆.→staphyloma).
total s. 全強膜拡張（牛眼に特徴的にみられる強膜全体の均等な膨大).
scle·rec·to·my (sklē-rek′tŏ-mē)［scler-＋G. *ektomē*, excision］. ***1*** 強膜切除［術］（強膜の一部の切除). ***2*** 硬化鼓膜切除［術］（慢性中耳炎で形成された線維性癒着の切除).
scle·re·de·ma (sklēr-e-dē′mă)［scler-＋G. *oidēma*, a swelling (edema)］. 水腫(浮腫)性硬化［症］（［scleremaまたはsclerodermaと混同しないこと］. 上半身，両上肢の背面に生じる硬い，指圧痕をつくらない皮膚の浮腫で，ろう様外観を呈し，境界がはっきりしない. 糖尿病，成人性浮腫性硬化症でみられる).
s. adultorum 成年性水腫(浮腫)性硬化［症］（皮膚および皮下組織に次第に広がる良性の硬化症で，恐らく連鎖球菌が原因と思われ，熱病に続発することがある. コラーゲンとムチンの沈着による皮膚の非陥凹性肥厚と硬化がみられる. 初めは頭頸部に現れ，体幹に広がる. この語は誤称で，成人の疾患とは限らない). ＝Buschke disease.
scle·re·ma (sklĕ-rē′mă)［scler-＋edema］. 皮膚硬化［症］（［scleredemaまたはsclerodermaと混同しないこと］. 皮下脂肪の硬化).
s. neonatorum 新生児皮膚硬化［症］（出生時または乳児期初期に，通常，未熟児または低体温児に，境界明瞭な黄白色の硬化局面として現れる皮膚硬化症. 通常，頬部，殿部，肩，およびふくらはぎに起こる. 皮下脂肪は飽和脂肪酸が高比率であり，顕微鏡的には，葉間線維組織の肥厚や，トリグリセリド結晶や異物巨細胞の形成がみられる. 病変が広汎性に生じるため予後は不良. 局所病変は何か月もかかって徐々に消退する).
scle·ren·ceph·a·ly, scle·ren·ce·pha·lia (sklē′ren-sef′ă-lē, -en-sĕ-fā′lē-ă)［scler-＋G. *enkephalos*, brain］. 脳硬化［症］（脳実質の硬化と収縮).
scle·ri·tis (sklē-rī′tis). 強膜炎.
anterior s. 前強膜炎（角膜に隣接する強膜の炎症).
anular s. 輪状強膜炎（しばしば強膜前部にみられる持続性の炎症で，角膜強膜辺縁周囲に輪を形成する).
brawny s. 角膜辺縁性強膜炎（角膜周囲を含む傾向のある，辺縁を囲むゼラチン様の膨脹). ＝gelatinous s.
deep s. 深層強膜炎（隣接したブドウ膜を含んだ強膜の重篤な炎症).
gelatinous s. ゲル状強膜炎. ＝brawny s.
malignant s. 悪性強膜炎（ブドウ膜炎を伴う前部強膜および隣接した脈絡膜の進行性炎症).
necrotizing s. 壊死性強膜炎（強膜のフィブリノイド変性と壊死).
nodular s. 結節性強膜炎（固く移動性のない単発または多発性の限極性強膜炎).
posterior s. 後強膜炎（視神経に隣接する強膜のしばしば片眼性の炎症で，多くは網膜と脈絡膜に進展する).
sclero-, scler-［G. *sklēros*, hard］. 硬結，硬化，またはsclera（強膜)との関連を意味する連結形.
scle·ro·at·ro·phy (sklē′rō-at′rō-fē). 硬化性萎縮. ＝sclerotylosis.
scle·ro·blas·te·ma (sklē′rō-blas-tē′mă)［sclero-＋G. *blastēma*, sprout］. 骨芽体（骨組織に発育していく胚期の組織).
scle·ro·cho·roi·dal (sklē′rō-kō-roy′dăl). 強膜脈絡膜の（強膜と脈絡膜に関する).
scle·ro·cho·roi·di·tis (sklē′rō-kō-roy-dī′tis). 強膜脈絡膜炎（強膜および脈絡膜の炎症).
s. anterior 前強膜脈絡膜炎（ブドウ膜からの波及により二次的に強膜も侵されるもの).
s. posterior 後強膜脈絡膜炎. ＝posterior *staphyloma.*
scle·ro·con·junc·ti·val (sklē′rō-kon-jŭngk-tī′văl). 強膜結膜の（強膜と結膜に関する).

scle·ro·cor·ne·a (sklē'rō-kōr'nē-ă) [MIM*181700, MIM*269400]. 強膜角膜（①眼の硬い外被膜，眼球線維膜をともに形成するものとしての強膜および角膜．②角膜の一部または全部が不透明で強膜に類似する先天異常．その他の眼異常がしばしば存在する）.

scle·ro·dac·ty·ly, scle·ro·dac·tyl·ia (sklē'rō-dak'ti-lē, -dak-til'ē-ă) [sclero- + G. *daktylos*, finger or toe]. 強指(趾)症，手指(足指)硬化[症]. =acrosclerosis.

scle·ro·der·ma (sklē'rō-der'mă) [sclero- + G. *derma*, skin]. 強皮症，硬皮症（[scleredema または sclerema と混同しないこと]．新しくコラーゲン(膠原)が形成されたことで皮膚が厚くなったり，硬化すること．毛嚢脂腺系の萎縮を伴う．進行性全身性強皮症や限局性強皮症(morphea)の一症状．→systemic *sclerosis*; morphea). =systemic s.; systemic sclerosis (2).

linear s. 線状強皮症（帯状の皮膚硬化，萎縮や色素沈着，脱失をきたす限局性強皮症の一型．皮下組織へ及び，変形や関節拘縮を伴うこともある．前額から前頭部にかけて生じたものをサーベル状切痕(coup de sabre 参照)とよぶ). =morphea linearis.

localized s. 限局性強皮症. =morphea.

progressive familial s. [MIM*181750]. 進行性家族性強皮症（皮膚石灰沈着症，Raynaud 現象，強指症，毛細血管拡張症を特徴とする症候群．一般的に強皮症のために生じる．進行性全身性硬化症の常染色体優性遺伝の型).

systemic s. 全身性強皮症. =scleroderma.

scle·ro·der·ma·tous (sklē'rō-der'mă-tŭs). 強皮症性の，強皮症様の.

scle·rog·e·nous, scle·ro·gen·ic (sklē-roj'ĕ-nŭs, sklēr-ō-jen'ik) [sclero- + G. *-gen*, producing]. 硬化性の（硬変した組織を生じる，硬化症を引き起こす). =scleratogenous.

scle·roid (sklē'royd) [sclero- + G. *eidos*, resemblance]. 硬い，硬化した（異常に硬い構造，なめし皮様または瘢痕様の構造についていう). =sclerosal; sclerous.

scle·ro·i·ri·tis (sklē'rō-ī-rī'tis). 強膜虹彩炎（強膜と虹彩の炎症).

scle·ro·ker·a·ti·tis (sklē'rō-ker'ă-tī'tis) [sclero- + G. *keras*, horn]. 強膜角膜炎（強膜と角膜の炎症).

scle·ro·ker·a·to·i·ri·tis (sklē'rō-ker'ă-tō-ī-rī'tis). 強膜角膜虹彩炎（強膜，角膜，および虹彩の炎症).

scle·ro·ma (sklē-rō'mă) [G. *sklērōma*, an induration]. 硬腫，硬化症. =rhinoscleroma.

respiratory s. [上]気道硬化[症]（上気道の大部分または全部の粘膜に病変がある鼻硬化症).

scle·ro·ma·la·ci·a (sklē'rō-mă-lā'shē-ă) [sclero- + G. *malakia*, a softening]. 強膜軟化[症]（強膜の変性薄化で，関節リウマチや他のコラーゲン障害の患者に発症する).

scle·ro·mere (sklē'rō-mēr) [sclero- + G. *meros*, part]. ***1*** 硬節（分節構造を有する脊椎骨のような骨格の体節構造). ***2*** 椎板尾部（硬節の尾側半分).

scle·rom·e·ter (sklē-rom'ĕ-tĕr) [sclero- + G. *metron*, measure]. 硬度計（物質の密度または硬度を測定するための器具).

scle·ro·myx·e·de·ma (sklē'rō-mik-se-dē'mă). 硬化性粘液水腫（全身性粘液水腫性苔癬に，丘疹の下の皮膚のびまん性肥厚を伴ったもの).

scle·ro·nych·i·a (sklē'rō-nik'ē-ă) [sclero- + G. *onyx*, nail + *-ia*, condition]. 爪[甲]硬化[症]（爪の硬化および肥厚).

scle·ro-o·o·pho·ri·tis (sklē'rō-ō-of'ō-rī'tis) [sclero- + Mod. L. *oophoron*, ovary + G. *-itis*, inflammation]. 硬化性卵巣炎（卵巣の炎症性硬化）

scle·roph·thal·mi·a (sklē'rof-thal'mē-ă) [sclero- + G. *ophthalmos*, eye]. 強膜浸湿（正常には透明な角膜のほぼ全体が不透明な強膜に類似する異常).

scle·ro·plas·ty (sklē'rō-plas-tē) [sclero- + G. *plastos*, formed]. 強膜形成[術].

scle·ro·pro·tein (sklē'rō-prō'tēn). 硬蛋白[質]（→fibrous *protein*). =albuminoid (3).

scle·ro·sal (sklē-rō'săl). =scleroid.

scle·ro·sant (sklē-rō'sănt). 硬化剤（静脈瘤中にトロンビンを生成することにより治療する，注射用の刺激物質).

scle·rose (sklē-rōz'). 硬化する，硬化される.

scle·ro·sis, pl. **scle·ro·ses** (sklē-rō'sis, -sēz) [G. *sklērōsis*, hardness]. 硬化[症]（[cirrhosis または serosa と混同しないこと]．①=induration (2). ②神経障害において，神経および他の構造物の間質線維性または神経膠性結合組織の増生による硬結).

Alzheimer s. (awlts'hī-mĕr). アルツハイマー硬化[症]（脳の中小血管のヒアリン変性).

amyotrophic lateral s. (**ALS**) 筋萎縮[性]側索硬化[症]（皮質延髄路，皮質脊髄路，脊髄運動ニューロンを侵す致死性変性疾患．障害されたニューロンが支配する筋肉の進行性の筋力低下と萎縮を呈し，線維束性収縮と筋痙攣もよくみられる．この疾患は90—95%が散発性で(常染色体優性遺伝傾向[MIM*105400]の症例もある)，成人(中年以降が典型的)に発症し，発症後２—５年以内に死亡することが多い．運動ニューロン疾患の中で最も高頻度にみられ，上位運動ニューロンと下位運動ニューロンの両方が障害される群である．亜型は①下部脳幹運動核障害が単独または優位に出現する進行性球麻痺，ⓘⓘ上位運動ニューロン障害のみが出現する一次性側索硬化症，ⓘⓘⓘ下位運動ニューロン障害のみが出現する進行性脊髄性筋萎縮症を含む．Gehrig の項参照). =Aran-Duchenne disease; Charcot disease; Duchenne-Aran disease; Lou Gehrig disease; progressive muscular atrophy; progressive spinal amyotrophy; motor neuron disease (1).

arterial s. 動脈硬化[症]. =arteriosclerosis.

arteriocapillary s. 細動脈硬化[症]（動脈硬化，特に微小血管が硬化すること).

arteriolar s. 小動脈硬化[症]. =arteriolosclerosis.

bone s. 骨硬化[症]. =eburnation.

Canavan s. (kan'ă-van). キャナヴァン硬化[症]. =Canavan *disease*.

central areolar choroidal s. 中心輪紋状脈絡膜硬化[症]. =areolar *choroidopathy*.

combined s. 連合硬化[症]，脊髄索状変性. =subacute combined *degeneration* of the spinal cord.

diffuse infantile familial s. 広汎性小児家族性[脳]硬化[症]. =globoid cell *leukodystrophy*.

disseminated s. =multiple s.

endocardial s. 心内膜硬化[症]. =endocardial *fibrosis*.

glomerular s. 糸球体硬化症. =glomerulosclerosis.

hippocampal s. 海馬硬化[症]（てんかん患者の海馬領域における皮質性ニューロンおよび反応性星状細胞核の消失).

idiopathic hypercalcemic s. of infants 乳幼児特発性高カルシウム血性硬化[症]（→idiopathic *hypercalcemia* of infants).

insular s. 島状硬化[症]. =multiple s.

laminar cortical s. 層状皮質硬化[症]（神経隆縁の放線冠内における神経線維変性).

lateral spinal s. 外側脊髄硬化[症]. =primary lateral s.

lobar s. [大脳]葉性硬化[症]. =Pick *atrophy*.

mantle s. 外套硬化[症]（若年期の麻痺症状で，通常，大脳に病変がある．結節性皮膚萎縮を特徴とする).

menstrual s. 月経時硬化[症]. =physiologic s.

Mönckeberg s. (mĕrn'kĕ-bĕrg). メンケベルク硬化[症]. =Mönckeberg *arteriosclerosis*.

multiple s. (**MS**) 多発[性]硬化[症]（中枢神経系の頻度の高い脱髄疾患で，脳と脊髄に硬化斑をつくる．主に若年成人に起こり，硬化斑の場所と大きさにより，種々の臨床症状を呈する．典型的な症状は視覚喪失，複視，眼振，構音障害，脱力，異常感覚，膀胱異常，気分変化であり，硬化斑が時間と場所が離れて起こることを特徴とする．臨床的には症状は増悪と寛解を呈する). =disseminated s.; insular s.

nodular s. 結節性硬化[症]. =atherosclerosis.

nuclear s. 核硬化（水晶体中央部の屈折力の増加．→nuclear *cataract*).

ovulational s. 排卵期硬化[症]. =physiologic s.

physiologic s. 生理的硬化[症]（徐々に進行する卵巣の動脈壁硬化で，思春期の後に発症する). =menstrual s.; ovulational s.

posterior s. 後索硬化[症]. =tabetic *neurosyphilis*.

posterior spinal s. 脊髄後索硬化[症]，後部脊髄硬化[症]. =tabetic *neurosyphilis*.

primary lateral s. 原発性側索硬化症（運動ニューロン疾

S

患の亜型と考えられている．大脳皮質の運動ニューロンの緩徐進行性変性疾患で，上位運動ニューロン障害による広汎性脱力を起こす．痙直，反射亢進，Babinski 徴候がみられるが，線維束電位はみられず，下位運動ニューロン障害の電気診断所見もみられない）．＝lateral spinal s.

systemic s. ***1*** 全身性硬化〔症〕（ヒアリン化して肥厚した膠原線維組織の形成を特徴とする疾患．皮膚の肥厚および下層組織への癒着を伴い，特に手や顔面に起こる．食道のぜん動の消失と粘膜下組織の線維症によるえん下困難，肺線維症による呼吸困難，心筋線維症，腎血管の悪性高血圧症類似の変化，Raynaud 現象，軟部組織の萎縮，および，ときに指の先端にできる壊疽を伴う遠位指節の骨多孔症(先端硬化症)が一般的症候である．進行性全身性硬化症は，最初から体幹を含む全身性の皮膚に病変が生じた症例に一般的に用いられる．しかし皮膚病変が四肢の末端や顔面に限局している場合には，内臓病変の発現は非常に遅れて生じてくることが多い．→CREST *syndrome*）．***2*** 強皮症．＝scleroderma.

tuberous s. ［MIM* 191100］．結節硬化〔症〕（多系統の過誤腫形成を特徴とする母斑症で，てんかん発作，精神遅滞，顔面血管線維腫を生じる．脳および網膜病変は，神経膠結節であり，他の皮膚病変には色素脱失斑，粒起革様斑，爪周囲線維腫がある．種々の表現度を伴う常染色体優性遺伝．第 9 染色体長腕にある結節性硬化症遺伝子 1（*TSC1*）または第 16 染色体短腕にある *TSC2* のいずれかの変異による）．＝Bourneville disease; epiloia.

unicellular s. 単一細胞性硬化〔症〕，細胞間線維増生硬化〔症〕（細胞間線維組織の増殖と個々の細胞の単離化）．

valvular s. 弁硬化（弁石灰化に伴う線維症で，弁膜症が原因ではなく，老化によると考えられる）．

vascular s. 血管硬化〔症〕．＝arteriosclerosis.

s. of white matter 白質硬化〔症〕．＝leukodystrophy.

scle·ro·ste·no·sis (sklē′rō-ste-nō′sis)［sclero- ＋ G. *stenōsis*, a narrowing］．硬化狭窄〔症〕（組織が硬化して萎縮すること）．

Scle·ros·to·ma (sklē-ros′tō-mă)［sclero- ＋ G. *stoma*, mouth］．スクレロストーマ属（線虫(鉤虫)の旧属名で，ウマの毛様線虫に対して用いられたが，現在では他の属に用いることも多い．しかし依然としてこの群の集合的な名称として使われている．*S. duodenale*(*Ancylostoma duodenale*) や *S. syngamus*(*Syngamus tracheae*) を含む種）．

scle·ros·to·my (sklē-ros′tŏ-mē)［sclero- ＋ G. *stoma*, mouth］．強膜切開〔術〕（緑内障の治療のために強膜に外科的に穿孔すること）．

scle·ro·ther·a·py (sklē′rō-ther′ă-pē)．硬化療法（血管や組織への硬化液注射を含む治療）．＝sclerosing therapy.

scle·ro·thrix (sklē′rō-thriks)［sclero- ＋ G. *thrix*, hair］．剛毛〔症〕（毛が硬化し，もろくなる症状）．＝sclerotrichia.

scle·rot·ic (sklē-rot′ik)．***1*** 硬化〔性〕の．***2*** 強膜の．＝scleral.

scle·rot·i·ca (sklē-rot′i-kă)［Mod. L. *scleroticus*, hard］．強膜．＝sclera.

scle·ro·ti·um, pl. **scle·ro·tia** (sklē-rō′shē-ŭm, -shē-ă)．菌核，皮体（①真菌類において，菌糸単独または菌糸と宿主組織との硬くなった塊からなる様々な大きさの休止体で，通常，暗色の外皮をもち，そこから生殖体，支質，分生子柄，菌糸体などが発達する．②変形菌類の変形体が硬くなった休止状態）．

scle·ro·tome (sklē′rō-tōm)［sclero- ＋ G. *tomē*, a cutting］．***1*** 強膜〔切開〕刀（強膜切開に用いる刃物）．***2*** 硬節（体節の腹側内側部から出現して，脊索方向へ移動する間葉細胞の一群．隣接体壁からの硬節性細胞は，脊椎中心の原基である体壁間の物質中へと移入する）．

scle·rot·o·my (sklē-rot′ŏ-mē)［sclero- ＋ G. *tomē*, incision］．強膜切開〔術〕（強膜からの切開）．

anterior s. 前強膜切開〔術〕（前眼房への切開）．

posterior s. 後強膜切開〔術〕（強膜から硝子体への切開）．

scle·ro·trich·i·a (sklē′rō-trik′ē-ă)．＝sclerothrix.

scle·ro·ty·lo·sis (sklē′rō-tī-lō′sis)［sclero- ＋ G. *tylōsis*, the process of becoming callous］［MIM*181600］．硬化性胼胝腫，硬化性萎縮症（皮膚の萎縮性線維症，爪の低形成，掌蹠の角皮症．皮膚および消化管の癌を伴う．常染色体優性遺伝）．＝scleroatrophy.

scle·rous (sklē′rŭs)［G. *sklēros*, hard］．＝scleroid.

SCM sternocleidomastoid (*muscle*) の略．

sco·le·ces (skō′le-sēz)．scolex の複数形．

sco·le·ci·a·sis (skō′lē-sī′ă-sis)［G. *skōlēx*, worm ＋ *-iasis*, condition］．毛虫症（鱗翅類(ガやチョウ)の幼虫による小腸の感染症）．

sco·le·ci·form (skō-lē′si-fōrm)．＝scolecoid.

sco·le·coid (skō′lē-koyd)［G. *skōlēkoeidēs* < *skōlēx*, worm ＋ *eidos*, appearance］．＝scoleciform. ***1*** 頭節様の（条虫類の頭節に似た）．***2*** 蠕虫状の（→lumbricoid (1); vermiform）．

sco·le·col·o·gy (skō′lē-kol′ŏ-jē)［G. *skōlēx*, worm ＋ *logos*, study］．＝helminthology.

sco·lex, pl. **scol·e·ces, scol·i·ces** (skō′leks, skō′le-sēz, skō′li-sēz)［G. *skōlēx*, a worm］．頭節（条虫の頭部または前端で，吸盤およびしばしば額嘴鉤によって小腸壁に付着する．猖粒条虫属 *Echinococcus* では嚢虫内に，有鉤条虫属 *Taenia* では嚢尾虫内に，矮小条虫属 *Hymenolepsis* では擬嚢尾虫内に，また広節裂頭条虫 *Diphyllobothrium latum* などではプレロセルコイドによって，前節が形成される．前節の形状は非常に多様であるが，最も普通なものは半球状かこん棒状で，これに 4 個の環状筋肉性吸盤と，1 本の腕部をもったりもたなかったりする額嘴とが付着する．あるいは，広節裂頭条虫やその近縁種のように，1 対の細隙状吸盤(吸溝)をもった，額嘴のないへら状の扁平な頭節であったりする．他の形態には，複雑な葉状，杯状，またはふさのついた形，あるいは引き込みできる多棘性の長吻をもったりするものがある．この様々な形状が，特にサメやエイの寄生虫としてよく発達している条虫類の諸目の特徴となっている）．

sco·li·o·ky·pho·sis (skō′lē-ō-kī-fō′sis)［G. *scolios*, curved ＋ *kyphōsis*, kyphosis］．脊柱後側弯．＝kyphoscoliosis.

sco·li·om·e·ter (skō′lē-om′ĕ-tĕr)［G. *skolios*, curved ＋ *metron*, measure］．脊柱側弯計（弯曲，特に脊柱側弯度を測る器具）．

sco·li·o·sis (skō′lē-ō′sis)［G. *skoliōsis*, a crookedness］［TA］．〔脊柱〕側弯〔症〕（脊柱の異常な側方回旋弯曲で，原因により側弯が 1 つの一側性側弯や，一次性側弯に代償性の二次性側弯がみられるものなどがある．筋肉および(または)骨の変形の結果としての固定型と，不均衡な筋収縮の結果としての可動型がある）．

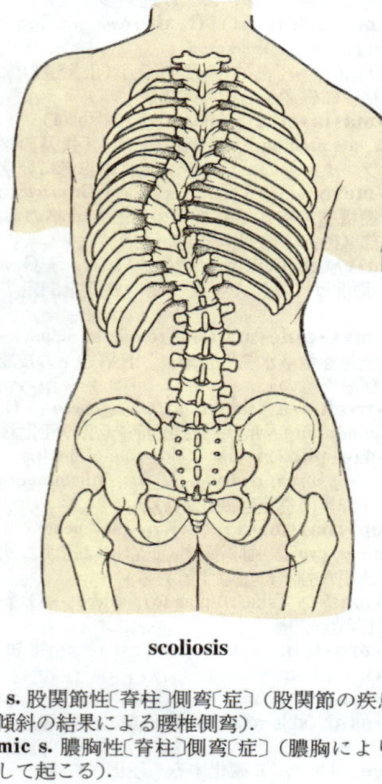

scoliosis

coxitic s. 股関節性〔脊柱〕側弯〔症〕（股関節の疾患にみられる骨盤傾斜の結果による腰椎側弯）．

empyemic s. 膿胸性〔脊柱〕側弯〔症〕（膿胸により胸の一方が退縮して起こる）．

habit s. 習慣性〔脊柱〕側弯〔症〕（不適当な姿勢で立っていたり，座っていたりする習慣のために起こると思われる）.

myopathic s. 筋障害性〔脊柱〕側弯〔症〕，筋麻痺性〔脊柱〕側弯〔症〕（灰白髄炎のように，脊柱筋の虚弱によって起こる）.

ocular s., ophthalmic s. 眼性〔脊柱〕側弯〔症〕（眼の機能障害による頭蓋傾斜が原因で起こると思われる）.

osteopathic s. 骨障害性〔脊柱〕側弯〔症〕，骨疾患性〔脊柱〕側弯〔症〕（脊柱の疾患により起こる脊柱の側弯）.

paralytic s. 麻痺性〔脊柱〕側弯〔症〕（脊椎筋麻痺による脊柱の側弯）.

rachitic s. くる病性〔脊柱〕側弯〔症〕（くる病の結果として起こる）.

sciatic s. 坐骨神経痛性〔脊柱〕側弯〔症〕（通常は坐骨神経痛と関連した脊柱筋の左右不均衡な痙攣により引き起こされる側弯．通常，一側への傾斜の形をとる）.

static s. 体位性〔脊柱〕側弯〔症〕（左右下肢の長さが違うために起こる脊柱の側弯）.

sco·li·ot·ic (skō′lē-ot′ik). 側弯の（脊柱側弯症に関する，脊柱側弯症にかかる）.

sco·li·o·tone (skō′lē-ō-tōn) [G. *skolios*, crooked + *tonos*, tension]. 〔脊柱〕側弯矯正器（脊柱を伸張し，側弯を矯正する機器）.

Sco·lo·pen·dra (skō′lō-pen′dră) [Mod.L. < G. *skōlopendra*, multipede]. オオムカデ属（21—23 対の脚が特徴的なムカデの一属で，米国での標準種は西部イエムカデ *S. heros* とタイワンオオムカデ *S. morsitans* である）.

s-cone (kōn). S–錐体（短波長に感受性を有する錐体．㊟青錐体という語は使用しない）.

scoop (skūp) [A.S. *skopa*]. へら，しゃくし（空洞または嚢の内容物を掻き取るための細い匙様の器具）.

-scope [G. *skopeō*, to view]. 一般的には見るための機器をいうが，他の検査法(例えば聴診器)をも含む接尾語.

sco·pine (skō′pēn). スコピン（スコポラミンのトロパ酸側鎖を除いた部分，すなわち，6,7–エポキシトロピン，または 6,7–エポキシ–3–ヒドロキシトロパン）.

sco·pol·a·mine (skō-pol′ă-mēn, -min). スコポラミン（*Hyoscyamus niger*, *Duboisia myoproides*, *Scopolia japonica*, *Scopolia carniolica*, *Atropa belladonna*, および他のナス科植物の葉や種子に含まれるアルカロイド．アトロピンと同じ抗コリン作用性をもつが，アトロピンより強力な中枢神経系作用を有すると考えられている．乗り物酔いの予防に有効．様々な塩として供される．）. = hyoscine.

sco·po·li·a (skō-pō′lē-ă) [G.A. *Scopoli*, イタリア人博物学者，1723—1788]. ハシリドコロ（ナス科ヨウシュハシリドコロ *Scopolia carniolica* の乾燥根茎および根で，オーストリア，バイエルン，ハンガリー，南西ロシア，およびヨーロッパの近隣諸国における薬草．薬効はベラドンナ(西洋ハシリドコロ)に類似）.

S. japonica ハシリドコロ（葉，根，および種子はスコポラミンを含む）.

sco·po·line (skō′pō-lēn). スコポリン（スコポラミンの分解産物で，スコピンの異性体．エポキシと水酸基が違った場所にある）.

sco·pom·e·ter (skō-pom′ĕ-tĕr) [G. *skopeō*, to view + *metron*, measure]. 比濁計（沈殿物の密度を，その液体の透明度で測定する計器.→nephelometer）.

sco·po·phil·i·a (skō′pō-fil′ē-ă) [G. *skopeō*, to view + *philos*, fond]. 瞠視症. = voyeurism.

sco·po·pho·bi·a (skō′pō-fō′bē-ă) [G. *skopeō*, to view + *phobos*, fear]. 視線恐怖〔症〕（見つめられることに対する病的な恐れ）.

Sco·pu·lar·i·op·sis (skō′pyū-lar′ē-op′sis) [Mod.L. *scopula*, a small broom + G. *opsis*, appearance]. スコプラリオプシス属（菌糸状真菌の一属で，ヒトに対する病原性はほとんどないが，その数種が爪真菌症，潰瘍性肉芽腫，その他の真菌関係症状の病因と目されたことがある．アオカビ属 *Penicillium* に似て自然界に普通で，ヒト組織の実験室培養の汚染菌としても一般的）.

-scopy [G. *skopeō*, to view]. 観察の目的で器具を用いて行う活動を表す接尾語.

scor·bu·tic (skōr-byū′tik). 壊血病の（壊血病に関する，壊血病にかかる，壊血病に類似する）.

scorbutic rosary (skōr-byū′tik rō′zăr-ē). 壊血病じゅず(数珠)（壊血病患者に認められる肋骨と肋軟骨結合部が突出した状態のこと）.

scor·bu·ti·gen·ic (skōr-byū-ti-jen′ik). 壊血病発生の.

scor·bu·tus (skōr-byū′tŭs) [Mediev. L.< チュートン語 *schorbuyck*, scurvy]. 壊血病. = scurvy.

scor·di·ne·ma (skōr′di-nē′mă) [G. *skordinēma*, yawning]. あくび（あくびおよび伸張を伴う頭重感．感染症の前徴として起こる）.

score (skōr) [M.E. *scor*, notch, tally]. 評点（一定の環境下における状態，成績または条件に関する評価を表す点数）.

Aldrete s. オールドリート(アルドレーテ)スコア（意識，活動，呼吸，血圧の評価を含めた麻酔後の回復状態を示すスコア）.

APACHE s. アパチスコア（*a*cute *p*hysiology *a*nd *c*hronic *h*ealth *e*valuation の頭文字をとったもの．最も広く用いられている集中治療室での急性疾患の患者の重症度評価法）.

Apgar s. (ap′gar). アプガースコア（新生児の身体状況を，心拍数，呼吸能，筋緊張，刺激に対する反応，皮膚の色の 5 項目について数値(0—2)を用いて評価する．8—10 点は最高の理想状態を示す）.

Apgarスコア

生後60秒後	得点		
	0点	1点	2点
心拍数	なし	100/分以下	100/分以上
呼吸	なし	不規則で遅い	強い泣き声
筋緊張	四肢全く弛緩	四肢やや屈曲	四肢屈曲，活発に運動
鼻カテーテルに対する	なし	顔をしかめる	咳またはくしゃみをする
皮膚色	全身チアノーゼまたは蒼白	体幹淡紅色，四肢チアノーゼ	全身淡紅色

Apgarスコア＝合計（合計：8—10点が正常）.

Bishop s. (bish′ŏp) [E.H. Bishop]. ビショップ指数（妊婦で分娩誘導の可能性をチェックする指数．子宮口開大度，頸管展退度，児頭の下降度，頸管の固さ，頸首の方向の 5 項目で判定する）.

Centor s. (sen-tōr) [Robert M. Centor, contemporary U. S. pediatrician]. セントールスコア（咽頭炎を臨床的に予測するためのアルゴリズム）.

Child-Pugh s. チャイルド–ピュースコア（肝硬変の臨床ステージの評価スケール）.

discrimination s. 語音弁別能（音声学的に調整のとれた語句表を用い，正確に反復できた語句の百分率．語句は語音聴取閾値より 25—40 dB 大きい音量で発声される）.

Dubowitz s. (dū′bō-wits). デュボヴィッツ評点(スコア)（新生児の在胎期間を臨床的に推定する方法．新生児の成熟の程度を神経学的徴候と身体的徴候から評価する．出生直後から生後 5 日まで有効）.

Gleason s. (glē′sŏn). →Gleason tumor *grade*.

Hachinski Ischemic S. ハチンスキー虚血スコア（変性疾患と血管性認知症の鑑別のスクリーニングに使われるスコア．7 点以上の患者は血管性認知症の可能性がある．Hachinski 虚血スコアの低値の場合は，認知症に進展するような重篤な虚血部位が随伴する神経学的変化を引き起こし，指数を持ち上げるような重症度を予測させるので，血管性認知症の可能性は低いであろう）.

S

Jarman s. (jar′măn). ジャーマンスコア（社会的および医学的損失の指標．主に家庭医，特に英国で用いられる）．

Logistic Organ Dysfunction S. 集中管理で用いられる評価法．各臓器と臓器系間の機能不全の程度を算定する．心血管系，肝，血液，肺，腎，神経系の機能不全の程度の評価を算入する．

raw s. 素点，粗点（統計的処理を行う以前の実際の得点や数値．*cf.* standard s.）．

recovery s. 回復指数（出生後，一定の間隔（1分以上）で，新生児の状態を表す数値．出生後60秒でApgarスコアと同じ項目に基づいて評価する）．

standard s. 標準得点（得点を統計的に比較しやすくしたもの．素点の平均からのずれを標準偏差で除したもの）．

symptom s. 排尿症状スコア（米国泌尿器学会(AUA)による前立腺肥大の自覚症状の採点表）．

T-s. Tスコア（骨粗しょう症の評価に用いられるもので，所定の平均値から算出された標準偏差量で表示する値．DEXAで測定した患者の骨密度値から若年健康人のそれを引いて母集団の測定値の標準偏差で割った値）．

***T*hrombolysis *in* *M*yocardial *I*nfarction risk s.** 心筋梗塞における血栓溶解臨床試験リスクスコア（→TIMI risk s.）．

TIMI risk s. TIMIリスクスコア（*t*hrombolysis *i*n *m*yocardial *i*nfarction risk scoreの略．急性心筋梗塞(MI)を発症した患者の危険階層化を行うためのベッドサイドでの単純な整数値スコア．一連の独立した予後規定因子(例えば，年齢，糖尿病，高血圧歴，狭心症歴，ST上昇)にそれぞれポイントを割付け，そのポイントの和がスコアとなる．いくつかの研究によると，このスコアは全死亡およびMI再発危険性の指標として有用であることが実証されている．予知は研究により若干の差がみられる）．

Z s. Z値，Z得点（対照の平均値からの偏位を標準偏差を単位として表した値．㊟骨密度の評価に用いる）．

scor·pi·on (skōr′pē-ŏn) [G. *skorpios*]. サソリ（サソリ目に属する．アクマサソリ *Vejovis* やケブカサソリ *Hadrurus* を含む）．

Scor·pi·on·i·da (skōr′pē-on′i-dă) [Mod. L.]. サソリ目（有毒で捕食性のクモ形節足動物．サソリを含む目で，後ろに大きくそりかえっていて体節の明瞭な腹部の尾端に，骨性の，毒腺のある刺棘をもつことを特徴とする．刺されると非常な痛みがあるが，致命的なことはまれである．北アメリカの属は，*Centruroides*, *Hadrurus*, *Vejovis* を含む）．

scoto- [G. *skotos*]. 暗さに関する連結形．

scot·o·chro·mo·gens (skō′tō-krō′mō-jenz) [scoto- + G. *chrōma*, color + -gen, producing]. 暗発色菌．= Runyon group II *mycobacteria*.

sco·to·graph (skō′tō-graf) [scoto- + G. *graphō*, to write]. 暗写器，盲人用写字器（暗所での直線引きや盲人の筆記を補助する器具．米国人歴史学者W. H. Prescottによって用いられた）．= noctograph.

sco·to·ma, pl. **sco·to·ma·ta** (skō-tō′mă, skō-tō′mă-tă) [G. *skotōma*, vertigo < *skotos*, darkness]. 〔視野〕暗点（[scatomaと混同しないこと]．①視野内に，異なった大きさと形で個々に存在する部分で，視野が欠損または沈下している．②心理学的知見における盲点）．

absolute s. 絶対暗点（光感覚がまったくない暗点）．

anular s. 輪状暗点（視野の中心を囲んでいる輪状のもの．→ring s.）．

arcuate s. 弓状暗点（視神経円板から網膜神経線維の線に従って鼻側視野へ至る暗点）．

Bjerrum s. (byer′ūm). ビエルム暗点（緑内障において起こる彗星状の暗点で，盲点の耳側端についているか，またはごくわずか離れている．欠損部上鼻側方向へ幅が広がりつつのび，固視点を中心にして曲がり，その後下向きにのびて，鼻側の水平経線で突然終わる）．= Bjerrum sign; sickle s.

cecocentral s. 盲点中心暗点（眼の視神経乳頭(盲点)と乳頭黄斑線維を含む暗点．ⓘ盲点から固視点へ拡大する黄斑部欠損，ⓘⓘ血管性暗点，ⓘⓘⓘ網膜乳頭端における神経線維束の圧縮による緑内障性神経線維束暗点，の3つの特別な型がある．→Bjerrum s.; Rønne nasal *step*）．

central s. 中心暗点（固視点を含む暗点）．

color s. 色暗点（視野にある色視覚の低下する暗点）．

flittering s. = scintillating s.

glaucomatous nerve-fiber bundle s. →cecocentral s.

hemianopic s. 片側(半側)盲性暗点（中心視野の半分を含んだ暗点）．

mental s. 精神的暗点（個人にとって高度に感情的な内容を伴う問題分野に関して，洞察が欠如したり，理解ができなかったりすること）．= blind spot (2).

negative s. 虚性暗点（通常は自覚しないが，視野検査によりみつけられる暗点）．

paracentral s. 傍中心暗点（固視点に隣接する暗点）．

pericentral s. 副中心暗点（多かれ少なかれ対称的に固視点を取り巻く暗点）．

peripheral s. 周辺暗点（視野の中心30度より外方にある暗点）．

physiologic s. 生理的暗点（視神経乳頭に相当する視野内の虚性暗点）．= blind spot (1).

positive s. 実性暗点（視野内に黒点として存在を認める暗点）．

quadrantic s. 四分の一盲性暗点（中心視野の1/4象限を含んだ暗点）．

relative s. 比較暗点（視野が抑制されているが光に対する知覚を完全には失っていない暗点）．

ring s. 輪状暗点（網膜色素変性や緑内障における固視点周囲の視野の輪状欠損）．

scintillating s. 閃輝暗点，閃光暗点（鮮明な色調の閃光によって縁取られた暗点．通常，片頭痛の前徴である．→fortification *spectrum*）．= flittering s.

Seidel s. (sī-del′). ザイデル暗点（Bjerrum暗点の一型．→Seidel *sign*）．

sickle s. 鎌状暗点．= Bjerrum s.

zonular s. 帯状暗点（網膜神経線維の方向に一致しない曲がった暗点）．

sco·to·ma·ta (skō-tō′mă-tă). scotomaの複数形．

sco·tom·a·tous (skō-tō′mă-tŭs). 暗点の．

sco·tom·e·ter (skō-tom′ĕ-tĕr). 〔中心〕暗点計，暗点視野計（暗点の大きさ，形，強度を測る器具）．

sco·tom·e·try (skō-tom′ĕ-trē) [scoto- + G. *metron*, measure]. 暗点〔視野〕測定(計測)〔法〕（暗点の測定）．

scot·o·phil·i·a (skō′tō-fil′ē-ă) [scoto- + G. *philos*, fond]. 暗所嗜好．= nyctophilia.

scot·o·pho·bi·a (skō′tō-fō′bē-ă) [scoto- + G. *phobos*, fear]. 暗所恐怖〔症〕．= nyctophobia.

sco·to·pi·a (skō-tō′pē-ă) [scoto- + G. *opsis*, vision]. 暗順症．= scotopic *vision*.

sco·top·ic (skō-tōp′ik, -top′ik). 暗順応の（眼が暗順応している低度の照明のことをいう．→scotopic *vision*）．

sco·top·sin (skō-top′sin). スコトプシン（網膜の杆体にある色素の蛋白成分）．

sco·tos·co·py (skō-tos′kŏ-pē) [scoto- + G. *skopeō*, to view]. 検影法．= retinoscopy.

Scott (skot), Charles I., Jr. 20世紀の米国人小児科医．→Aarskog-S. *syndrome*.

Scott (skot), Henry William Jr. 20世紀の米国人外科医．→S. *operation*.

Scott-Wilson (skot wil′sŏn), H. イングランド人科学者．→Scott-Wilson *reagent*.

scot·ty dog (scot′tē dawg). スコッチテリア〔像〕（腰椎斜位像で関節部の外観がスコッチテリアに似ていること．スコッチテリア像の首の部分は椎体の関節間部であり，脊椎分離症ではこの部分に欠損がみられることが最も多い）．

scrape (skrāp). 切屑．= scraping.

scrap·ie (skrap′ē, skrā′pē) [< scraping (感染した動物が痒みのために体をこすりつける)]. スクラピー（ヤギやヒツジの中枢神経にみられる伝染性海綿状脳症で，プリオンに起因し，きわめて長い潜伏期があってそう痒，歩行異常，および例外なく死に至るのが特徴である．ヒトのCreutzfeldt-Jakob病やクールーに類似している）．

scrap·ing (skrāp′ing). 擦過標本（細胞学的検査のために，病変部または特定の部位から掻爬した検体．→smear）．= scrape.

screen (skrēn) [Fr. *écran*]. ***1***〖n.〗遮へい板，暗幕（熱，光，またはX線の影響を遮断するために用いる薄い幕）．***2***

〖n.〗映写幕，スクリーン．*3*〖v.〗以前，蛍光鏡検査をする意味で用いた．*4*〖n.〗隠ぺい（精神分析において，隠ぺい，すなわちある表象や記憶が別の表象や記憶を隠していること．→screen *memory*）．*5*〖v.〗検査する，評価する（集団の中からある種の個体(群)を選んだり，区別するためその集団を処置する）．*6*〖n.〗写真フイルムを曝射するため，X線を光に変換する結晶の薄層．フイルムによって放射線(X線)写真像をつくるため，カセットの中に入れて使用する．

Bjerrum s. (byer′ūm)．ビエルムスクリーン．＝tangent s.

s.-film contact 増感紙－フイルム密着性（カセット中のX線フイルムと増感紙の密着度および均一度．画像の解像度は，この特性に依存する）．

fluorescent s. 蛍光板（タングステン酸カルシウムなどの蛍光結晶を塗布したスクリーン．蛍光透視で用いる）．

Hess s. (hes)．ヘススクリーン（眼球偏位の計測に用いるスクリーン）．

intensifying s. 増感紙（X線写真撮影で使用される増感紙）．

multiple marker s. 多項目マーカスクリーニング（母体血清中の2種類以上のマーカを用いて異常胎児の相対リスクを評価する．→triple s.）．

rare-earth s. 希土類増感紙（希土類酸化物蛍光体でつくられた増感紙．タングステン酸カルシウムより有効で，特に最近の高圧X線写真撮影法では顕著である）．

tangent s. 正接スクリーン，平面視野計（通常，表面が黒い平板で，30度以内の視野測定に用いる）．＝Bjerrum s.

triple s. トリプル(3項目)マーカスクリーニング（母体血清中のα-フェトプロテイン，絨毛性ゴナドトロピン，非結合型エストロゲンを測定して胎児異常，特に21トリソミーの相対リスクを評価するスクリーニング法）．

vestibular s. 口腔前庭スクリーン（片顎または両顎の歯列弓の唇または頬面をおおうアクリリックレジン製のスクリーン．口腔悪習慣の治療，口腔周囲の筋力を利用する歯の移動に用いる）．

screen·ing (skrēn′ing)．*1*〖v.〗スクリーニングする（検査する，選別する）．*2*〖n.〗スクリーニング（通常，無症候者の集団から，特定の疾病を有する確率の高い人を選び出す検査で，典型的には安価な診断的試験を用いる）．*3*〖n.〗判別検査（精神保健において，初診時に行われる診断で，医学的・精神医学的病歴聴取や精神状態の把握，患者の特別な治療方法に対する適合性を決定するための診断過程などが含まれる）．

carrier s. キャリアスクリーニング（重篤な疾患の異型接合体を検出するために集団の構成員について無差別に検査し，キャリア同士の結婚の危険性について忠告・助言すること，あるいはキャリア同士が結婚する場合の出生前診断．しばしば感度を上げるために特異性を犠牲にし，ハイリスク集団に最も有効に利用される）．

cytologic s. 細胞学的スクリーニング（早期の疾病(通常は癌)の発見のために行う．細胞検体の顕微鏡的検査で，存在する細胞および構造物各々を通常100倍に拡大して機械的に検査し，全体をふるいにかける．発見物は評定され，有意な異常は，細胞病理学者による再評価のために印がつけられる(例えばカバーガラスに丸印をつけるなど)．このスクリーニングは通常，細胞検査技師により行われるが，ときに，前もってふるいにかけるための自動機械でも行う）．

familial s. 家系スクリーニング（発症年齢依存性優性形質のため潜伏状態であったり，あるいは，X連鎖形質のように子孫への危険性を有する疾患をもつ発端者の親類についてのスクリーニング）．

mass s. マススクリーン，集団検査（治療を開始したり，流行を予防するために多数の人々を検査して，ある病気の有無を調べること．公衆衛生活動の一分野として行われる）．

multiphasic s. 多重スクリーニング（疾患を予防しうるあるいは治癒しうる段階で発見する目的で，多数の，通常は生化学的なテストを日常的に用いること）．

neonatal s. 新生児スクリーニング（予防しうる疾患あるいは治癒可能な疾患を発見するため，または遺伝性疾患を診断するために新生児に行う検査）．

prenatal s. 出生前スクリーニング（通常，超音波診断法あるいは羊水穿刺で得られた羊水検査によって胎児の異常を発見するためのスクリーニング．その他母体血清検査，胎盤穿刺法を含む）．

screw (skrū)．ねじ（2物体を互いにしっかりと固定するため，またはその一端にある物体の位置を調整するために，らせん状に溝をつけた円筒形をしたもの）．

afterloading s. 後負荷ねじ（収縮筋が後負荷に対応した場合に，その長さを固定するための装置）．

lag s. ラグスクリュー（下顎骨折の修復に用いられるスクリューで，骨折片を固定するために骨折片にねじ込むスクリューの一種）．

screw-worm (skrū′wŏrm)．スクリューワーム（アメリカオビキンバエ *Cochliomyia hominivorax*，および他の類似種の幼虫で，ヒトや動物のハエウジ病を引き起こす）．

primary s.-w. 本来の侵入者として正常な組織に侵入し，そこで生活する，寄生生活が必須のハエの幼虫．ヒトの重要なハエウジ病の原因種として，*Cochliomyia hominivorax*, *Chrysomyia bezziana*, *Wohlfahrtia magnifica* がある．

secondary s.-w. 以前にできていた傷口または化膿状態のところから侵入し，無傷組織よりむしろ感染組織を食する，偶然的もしくは一時的なハエの寄生幼虫．ホホアカクロバエ *Calliphora vicina*，ヒロズキンバエ *Phaenicia sericata*，クロキンバエ *Phormia regina*，*Cochliomyia macellaria*，オビキンバエ属 *Chrysomyia* の種などに加えて多くのニクバエ類が含まれる．

scribe (skrīb)［L. *scribo*, pp. *scripto*, to write］．描記する（①可撤性義歯のための模型診査において，標識や指示器具で線を書く，複写する，あるいは記録する．②可撤性局部義歯のフレームに陽型の刳形をつくったり，全部床義歯の口蓋後方の閉鎖を行うため，石膏模型上に器具で陰型を形成する）．

Scrib·ner (skrib′nĕr), Belding H. 20世紀の米国人腎臓病学者．→S. *shunt*.

scro·bic·u·late (skrō-bik′yū-lāt)［L. *scrobiculus*: *scrobis*(a trench)の指小辞］．小窩のある，小陥凹のある．

scro·bic·u·lus cor·dis (skrō-bik′yū-lŭs kōr′dis)［L. pit or fossa of the heart］．＝epigastric *fossa*.

scrof·u·la (skrof′yū-lă)［L. *scrofulae*(複数形のみ), a glandular swelling, scrofula ＜ *scrofa*, a breeding sow］．cervical tuberculous lymphadenitis の歴史的呼称．

scrof·u·lo·der·ma (skrof′yū-lō-der′mă)［scrofula＋G. *derma*, skin］．皮膚腺病（下床の非定型抗酸菌の感染が皮膚に広がり生じた結核のこと．ウシ型結核菌による小児の扁桃炎を伴う頸部リンパ節結核に続発することが多い）．

scrof·u·lous (skrof′yū-lŭs)．腺病の（腺病に関する，腺病にかかる）．

scro·tal (skrō′tăl)．陰嚢の．＝oscheal.

scro·tec·to·my (skrō-tek′tŏ-mē)［scrotum＋G. *ektomē*, excision］．陰嚢切除〔術〕（陰嚢の部分切除）．

scro·ti·form (skrō′ti-fōrm)．陰嚢様の．

scro·ti·tis (skrō-tī′tis)．陰嚢炎．

scro·to·plas·ty (skrō′tō-plas′tē)［scrotum＋G. *plastos*, formed］．陰嚢形成〔術〕（陰嚢の再建手術）．＝oscheoplasty.

scro·tum, pl. scro·ta, scro·tums (skrō′tŭm, -tă, -tŭmz)［L.］［TA］．陰嚢（精巣を包む筋性の皮膚の袋で，非横紋筋線維網(肉様膜)を含んだ皮膚からなり，内部では陰嚢中隔を形成する）．＝marsupium (1).

lymph s. リンパ陰嚢．＝*elephantiasis* scroti.

watering-can s. 陰嚢の尿瘻（会陰の尿道の破裂の結果起こる陰嚢および会陰の尿瘻．→watering-can *perineum*）．

scru·ple (skrū′pĕl)［L. *scrupulus*, a small sharp stone, a weight, the 24th part of an ounce, a scruple, *scrupus*(a sharp stone)の指小辞］．スクループル（薬用重量単位で，20グレーンまたは1/3ドラムにあたる）．

SCUBA (skūbă)．スキューバ（*s*elf-*c*ontained *u*nderwater *b*reathing *a*pparatus の頭字語）．

Scultetus (Scul·tet) (skŭl-tē′tŭs)，本来は Schultes, Johann. ドイツ人外科医，1595—1645．→S. *bandage*, *position*.

scum (skŭm)［M.E.］．浮きかす，スカム（浮渣におけるような液体表面に浮く不溶性物質の膜）．

scurf (skŭrf)［A.S.］．ふけ，頭垢．＝dandruff.

scur·vy (skŭr′vē)［＜A.S. *scurf*］．壊血病（飢餓性衰弱，無気力，貧血，それによる浮腫，歯肉の海綿状化(ときに潰瘍形成と歯牙欠損を伴う)，粘膜や内臓からの皮膚内への出血，

S

および創傷遅延などを特徴とする疾病．ビタミンCを欠いた食事が原因である）．＝scorbutus; sea s.

Alpine s. アルプス壊血病．＝pellagra.

hemorrhagic s. 出血性壊血病（歯肉，皮膚，その他の組織に広範な出血がみられる壊血病）．

infantile s. 乳児壊血病（乳児出血性骨障害．栄養失調が原因で起こる乳児の悪液質病で，蒼白，悪臭息，苔舌，下痢，骨膜下出血が特徴である．恐らく，壊血病と，ビタミンCとDの両方の欠乏に起因するくる病の合併したものと思われる）．＝Barlow disease; Cheadle disease; osteopathia hemorrhagica infantum; scurvy rickets.

land s. 陸上壊血病（以前に，航海に出たことがない人々に起こる壊血病）．

sea s. 航海壊血病．＝scurvy.

scu·tate (skū′tāt). ＝scutiform.

scute (skūt) [L. *scutum*, shield]. 薄板．＝scutum (1).

tympanic s. 鼓室盾（乳突蜂巣から鼓室上陥凹を分割する薄い骨性板）．

scu·ti·form (skū′ti-fōrm) [L. *scutum*, shield＋*forma*, form]. 盾状の．＝scutate.

Scu·tig·e·ra (skū-tij′ĕ-ră) [L. *scutum*, an oblong shield]. スクティゲラ属（ムカデ類の一属で米国東部によくみられる．東部ゲジゲジ *S. cleopatra* はこれに属する）．

scu·tu·lum, pl. **scu·tu·la** (skū′chū-lŭm, -lă; skū′chū-lŭm) [L. *scutum*(shield)の指小辞]. 菌甲（皿形の黄色痂皮で，黄癬の特徴的な病変．菌糸，膿，鱗屑の塊からなる）．

scu·tum, pl. **scu·ta** (skū′tŭm, -tă) [L. shield]. ***1*** 薄板．＝scute. ***2*** 盾板（マダニ類で，雄の背面の大部分または全体をおおい，雌およびダニの幼虫の小頭後部の前盾を形成する板状構造）．

scyb·a·la (sib′ă-lă). scybalum の複数形．

scyb·a·lous (sib′ă-lŭs). 兎糞の．

scyb·a·lum, pl. **scyb·a·la** (sib′ă-lŭm, -lă) [G. *skybalon*, excrement]. 兎糞（硬くなった糞便の丸い塊）．

scy·phi·form (sī′fi-fōrm) [G. *skyphos*, goblet, cup＋L. *forma*, form]. ＝scyphoid.

scy·phoid (sī′foyd) [G. *skyphos*, cup＋*eidos*, resemblance]. 杯状の．＝scyphiform.

SD streptodornase; standard *deviation* の略．

SDA specific dynamic *action* の略．

SDB sleep-disordered *breathing* の略．

SDS *sodium* dodecyl sulfate の略．

Se セレンの元素記号．

seaborgium (sē-bōr′gē-ŭm) [Glenn T. *Seaborg*. 米国人化学者・ノーベル賞受賞者，1912—1999]. シーボーギウム（合成超プルトニウム元素．原子番号 106．原子量 263．**[**以前はウンニルヘキシウム ^{263}Unh とよばれていた**]**）．

seal (sēl). ***1*** 《n.》 封鎖，密封．***2*** 《v.》 封鎖する，密封する．

border s. 辺縁封鎖（空気，その他の物質が通るのを防ぐために，義歯辺縁とその下部または隣接組織を密着すること）．＝peripheral s.

palatal s. 口蓋封鎖．＝posterior palatal s.

peripheral s. ＝border s.

posterior palatal s. 後堤法（義歯床の後部辺縁に封鎖すること．→posterior palatal seal *area*）．＝palatal s.; post dam; postdam; postpalatal s.

postpalatal s. ＝posterior palatal s.

velopharyngeal s. 口蓋帆咽頭シール（口腔と鼻咽頭腔の間の閉鎖）．

seal·ant (sē′lănt). 密封材（①密封用に用いる物質．②損傷した臓器に対してその恒常性の改善，その他の出血の抑制，または限られた部位への薬物の持続的な送達を容易にさせるために用いられる物質）．

dental s. 歯科用シーラント．＝fissure s.

fibrin s. フィブリン密封剤（出血の抑制に用いられる，または部位特異的に長期にわたって成長因子を供給する送達メカニズムあるいは他の薬物送達のために用いられるフィブリノゲンとトロンビンの混合物）．＝fibrin glue.

fissure s. 裂溝封鎖材，〔フィッシャー〕シーラント（ビスフェノールAとグリシジルメタアクリレートとの相互作用でできた歯科材料．崩壊やう食のない歯の小窩裂溝の封鎖に用いる）．＝dental s.

sea nettle (sē net′ĕl). ＝*Chrysaora quinquecirrha.*

search·er (serch′ĕr). 探索子，探石子（膀胱内の結石の存在を検査するために用いるゾンデ(消息子)の一型）．

Sea·shore (sē′shōr), Carl E. 米国人心理学者，1866—1949. →S. *test.*

sea·sick·ness (sē′sik-nĕs). 船酔い（船，ボート，いかだなどの浮遊乗物の動揺により引き起こされる動揺病の一型）．＝mal de mer; naupathia; vomitus marinus.

sea·son (sē′zŏn). 季節（緩慢な周期現象，特に年間の気候周期における特定の時期）．

seat (sēt). 座〔部〕（支えられて静止している物体の表面）．

basal s. 基底面．＝denture foundation *area.*

rest s. レスト座．＝rest *area.*

seat·worm (sēt′wŏrm). ＝pinworm.

sea wasp (sē wasp). ＝*Chiropsalmus quadrumanus.*

seb- →sebo-.

se·ba·ceous (sē-bā′shŭs) [L. *sebaceus*]. 皮脂〔性〕の，皮脂状の，脂肪の．＝sebaceus.

se·ba·ceus (sē-bā′shŭs) [L.]. ＝sebaceous.

seb·i·a·gog·ic (seb′ē-ă-goj′ik) [sebi-＋G. *agōgos*, leading]. ＝sebiferous.

se·bif·er·ous (sē-bif′ĕr-ŭs) [sebi-＋L. *fero*, to bear]. 皮脂産生の．＝sebiagogic; sebiparous.

Seb·i·leau (seb-i-lō′), Pierre. フランス人解剖学者，1860—1953. →S. *hollow, muscle.*

se·bip·a·rous (sē-bip′ă-rŭs) [sebi-＋L. *pario*, to produce]. ＝sebiferous.

sebo-, seb-, sebi- [L. *sebum*, suet, tallow]. sebum(皮脂)，sebaceous(皮脂の)の連結形．

seb·or·rhe·a (seb′ō-rē′ă) [sebo-＋G. *rhoia*, a flow]. 脂漏〔症〕（皮脂腺の過剰活動で，その結果，皮脂の分泌過剰を生じること）．

s. capitis 頭部脂漏〔症〕．

eczematoid s. 湿疹様脂漏〔症〕（脂漏性湿疹で，病変は境界がはっきりせず融合している．通常，外傷および石けんや薬剤の使用過剰の結果起こる）．

s. faciei, s. of face 顔面脂漏〔症〕（特に鼻と前額に生じる油性脂漏）．

s. furfuracea ひこう(粃糠)性脂漏〔症〕．＝s. sicca (1).

s. oleosa 油性脂漏〔症〕（皮脂腺の過剰分泌によって起こる皮膚の油っぽい状態）．

s. sicca 乾性脂漏〔症〕（①皮膚，特に頭皮に乾いた鱗屑が蓄積すること．＝s. furfuracea. ②＝dandruff）．

s. squamosa neonatorum 新生児鱗状脂漏〔症〕（乳児の脂漏性皮膚炎）．

seb·or·rhe·ic (seb′ō-rē′ik). 脂漏〔性〕の．

se·bum (sē′bŭm) [L. tallow]. 皮脂（皮脂腺の分泌物）．

sec second の略．

Se·cer·nen·tas·i·da (se′sĕr-nen-tas′i-dă) [L. *secerno*, to separate, hide]. 双腺綱（排出系およびファスミド(尾の感覚器)中に開口する側管をもつ線虫の一綱．土壌性線虫類，円虫類，糸状虫類を含む，ヒトや家畜のよく知られた寄生線虫類の大部分は本綱に属する．→Adenophorasida）．＝Phasmidia; Secernentia.

Se·cer·nen·ti·a (se′sĕr-nen′shē-ă). ＝Secernentasida.

Seckel (sek′ĕl), Helmut P.G. ドイツ人医師，1900—? →S. *dwarfism, syndrome.*

sec·on·dar·ies (sek′ŏn-dār′ēz). ***1*** 二次病変．＝metastasis. ***2*** 二期症候（二期梅毒の病変）．

sec·o·ster·oid (sek′ō-stēr′oyd) [L. *seco*, to cut＋steroid]. セコステロイド（ステロイドの誘導体で，環が開裂している）．

se·cre·ta (se-krē′tă) [L. *secretus* の中性・複数形，*secerno*(to separate)の完了分詞]. 分泌物．

se·cre·ta·gogue (se-krē′tă-gog) [secreta＋G. *agōgos*, drawing forth]. 分泌促進薬(物質)（[誤ったつづり secretogogue を避けること]．例えば，アセチルコリン，ガストリン，セクレチン）．

se·cre·tase (sē-krē′tās). セクレターゼ（アミロイド前駆体蛋白に作用し，完全なアミロイドβ蛋白(Alzheimer 病にみられるプラークの主成分)を含まず，溶解性で，沈殿してアミロイドを生成しないペプチドを生成するプロテイナーゼ）．

se·crete (se-krēt′) [L. *se-cerno*, pp. *-cretus*, to separate]. 分泌する（細胞によって生理的に活性のある物質(酵素，ホルモン，代謝産物など)を産生し，直接拡散，細胞よりのエキソサイトーシスあるいは腺を通して，血液，体腔，体液に供給する）.

se·cre·tin (se-krē′tin) [sectete + -in][MIM*182099]. セクレチン（胃からの酸性内容物の刺激を受けて十二指腸の上皮細胞でつくられるホルモン．膵液の分泌を促す．膵外分泌性病変の診断や膵細胞を細胞学的検査するときに用いられる）. ＝oxykrinin.

s. family セクレチンファミリー（構造的，機能的にセクレチンに類似したホルモンの一種．例えば，セクレチン，グルカゴン，胃抑制ポリペプチド，血管作用性腸管ポリペプチド，およびグリセンチン）.

se·cre·tion (se-krē′shŭn) [L. *se-cerno*, pp. *-cretus*, to separate]. ***1*** 分泌（細胞または腺より活性のある有用な物質が産生され，産生された細胞または臓器内から外へ出ていくこと）. ***2*** 分泌物（細胞または腺の活動産生物で，固体・液体・気体状のもの．それが産生される生体内に蓄積されるか，またはそれによって利用される．*cf.* excretion）.

cytocrine s. 細胞分泌〔性分泌〕（1 個の細胞からもう 1 個の細胞に分泌性物質が移されること．例えば，メラノソームがメラノサイトから表皮細胞に移される場合などをいう）.

external s. 外分泌物（細胞内の物質を除去したり別の細胞の機能に作用を及ぼす情報伝達手段として細胞が生成し，細胞外に運び出した物質）.

neurohumoral s. 神経液性分泌（アセチルコリンのような化学伝達物質の微量の分泌による，シナプスを通る，または終末器官への神経インパルスの伝達）.

secretogranin II セクレトグラニン II（神経内分泌系に存在する特徴的な酸性分泌蛋白で，クロモグラニン系蛋白の一因子）. ＝secretoneurin.

secretome (sē′krĕt-ōm). セクレトーム（細胞，寄生体などすべての生物によって分泌される分泌物のすべてをさす）.

se·cre·to·mo·tor, se·cre·to·mo·tory (se-krē′tō-mō′-tŏr, -mō′ter-ē) [secrete + *motor*, mover]. 分泌促進〔性〕の.

secretoneurin セクレトニューリン. ＝secretogranin II.

se·cre·tor (se-krē′tŏr, tōr). 分泌者（体液(唾液，精液，腟分泌物)中に，赤血球にみられる ABO 血液型抗原の水溶性型を含むヒト．分泌者は人口の 80 % を含める．法医学においては，体液を調べることは犯罪者を特定する，あるいは容疑者の範囲を狭めることにおおいに役立っている）.

se·cre·to·ry (se-krē′tō-rē). 分泌の，分泌物の.

sec·tile (sek′til, tīl) [L. *sectilis* < *seco*, to cut]. ***1*** 切断可能な. ***2*** 分断状の.

sec·ti·o, pl. sec·ti·o·nes (sek′shē-ō, sek-shē-ō′nēz) [L.]. 解剖学において，区分または分節をさす.

sec·tion (sek′shŭn) [L. *sectio*, a cutting < *seco*, to cut]. **[重複的な表現 cut section を避けること]**. ***1*** 切開〔術〕. ***2*** 切断. ***3*** 切片（本体から切離された器官または組織の一片または一部分）. ***4*** 切開面. ***5*** 切片標本（組織，細胞，微生物，その他顕微鏡検査用材料の薄い切片）. ＝microscopic s.

abdominal s. 開腹〔術〕. ＝celiotomy.

attached cranial s. ＝attached *craniotomy*.

axial s. 軸位断〔面〕. ＝transverse s.

cesarean s. (CS) (se-zā′rē-ăn). 帝王切開〔術〕（胎児を娩出するために，腹壁を通して子宮を切開する腹式子宮切開術）.

classical cesarean s. 古典的帝王切開〔術〕（子宮体部に縦切開を加える帝王切開）.

coronal s. 冠状〔縫合〕切断（人体あるいはその一部，あるいはその他の解剖学的構造を実際にスライスするか，あるいは画像技術により，正中断または矢状断面と直交する冠状断像あるいは正面像として得られた断面．冠状断により物体は前部と後部に分けられるため，解剖学的冠状断面というのは，後部の前面あるいは前部の後面の平面像といえる）. ＝frontal s.

cross s. 断面，スライス，薄片，切片（①実際にまたは(放射線，磁気あるいは顕微鏡的な)画像技術によって人体，人体の一部分，またはあらゆる解剖学的構造物を特定の面で切断することで得られた，平面的または二次元的描像，略図，または画像．"cross section"の語は伝統的には構造物の長軸と直角に切断した描像(軸位像，横断像)をさしたが，今日的用法では構造物をいかなる面で切断した場合にも用いられる．②構造物を実際に連続して平行に切断したか，あるいは画像技術によって作成された厚みをもった薄片または切片）.

detached cranial s. ＝detached *craniotomy*.

diagonal s. 斜断面. ＝oblique s.

frontal s. 前頭〔切〕断面(切片，切開). ＝coronal s.

frozen s. 凍結切片（凍結標本から切り取った組織の薄い切片で，しばしば迅速な顕微鏡的診断に用いる）.

Latzko cesarean s. (lahtz′kō). ラツコ帝王切開〔術〕（腹膜腔からではなく，膀胱側腔の鈍的切開によって腹膜外から子宮に至る帝王切開）.

longitudinal s. 縦断面（実際にまたは画像技術によって人体，人体の一部分，または解剖学的構造物を，長軸または垂直軸に平行な面で切った断面．縦断面には正中断，矢状断，冠状断が含まれるが，これらに限定されない）.

lower uterine segment cesarean s. 子宮下節帝王切開(経腹的に子宮下節切開を行う帝切法).

median s. 正中断〔面〕（実際にまたは画像技術によって人体，または正中面を占めるか横切るような人体の一部分を正中面で切った断面．あるいは，手指や細胞等のように対称的な解剖学的構造物の中央での切断面．実際の切断は正中面が左右半分ずつになるので，解剖学的正中断面とはどちらか片方の正中切断表面の二次元的描像ともいえる）. ＝midsagittal s.

microscopic s. 顕微鏡用切片. ＝section (5).

midsagittal s. 正中矢状断〔面〕. ＝median s.

oblique s. オブリーク，斜断面（実際にまたは画像技術によって人体，人体の一部分または解剖学的構造物を斜めに切った断面．長軸に平行でも直角でもないすべての面，すなわち縦断面(垂直面)でも横断面(水平面)でもない面）. ＝diagonal s.

parasagittal s. 傍矢状〔洞切〕断面(切片，切開). ＝sagittal s.

perineal s. 会陰切開〔術〕（会陰部を通しての切開で，会陰側方切開術，会陰正中切開術(歴史的な意義を持つ術式)，外尿道切開術）.

pituitary stalk s. 下垂体柄切断〔術〕（視床下部と下垂体の間の神経脈管結合の切断）.

Saemisch s. (sā′mish). ゼーミッシュ切開〔術〕（潰瘍の下の角膜を貫通して基底部を内側から外側へ切開する方法）.

sagittal s. 矢状〔縫合〕切断，矢状断（人体あるいはその一部，あるいはその他の解剖学的構造を実際にスライスするか，あるいは画像技術により，正中断と平行する垂直断面像として得られた断面．矢状断により物体は右と左に分けられるため，矢状断面というのは左あるいは右部いずれかの内側面の平面像といえる）. ＝parasagittal s.

serial s. 連続切片（連続した顕微鏡用切片）.

thin s., ultrathin s. 薄切片，超薄切片（電子顕微鏡観察用の組織の切片．標本は基本的には，グルタルアルデヒドおよび(または)四酸化オスミウムで固定し，プラスチック樹脂に包埋し，超ミクロトームでガラスまたはダイヤモンドナイフにより厚さ 0.1 μm 以下の切片とする）.

transverse s. 横断面（実際にまたは画像技術によって人体，人体の一部分または解剖学的構造物を水平に切った断面．つまり長軸と直交する面．実際の切断は人体の上部と下部を分けるので，解剖学的横断面とは上部下面または下部上面の切断表面の二次元的描像ともいえる．慣例により，医用画像の横断面は通常，前者(上部下面)を表示する）. ＝axial s.

sec·tor·an·o·pi·a (sek′tŏr-an-ō′pē-ă) [sector + G. *an-* 欠性辞 + *opsis*, vision]. 部分半盲（視野の部分的欠損による視力障害）.

sec·to·ri·al (sek-tō′rē-ăl) [L. *sector*, cutter]. ***1*** 切断機の. ***2*** 切れる，または切るのに適した，の意．肉食動物の肉を裂くのに適した，あるいは剝ぎ取るのに適した大臼歯および小臼歯についていう.

se·cun·di·grav·i·da (se-kŭn-di-grav′i-dă). →gravida.

se·cun·di·na, pl. se·cun·di·nae (sē′kŭn-dī′nă, -nē) [L. *secundinae*, the afterbirth < *secundus*, second]. 後産. ＝afterbirth.

S

se·cun·dines (sē′kŭn-dēnz) [L. *secundinae*, the afterbirth]. 後産. =afterbirth.

se·cun·dip·a·ra (sē′kŭn-dip′ă-ră). →para.

se·date (sĕ-dāt′) [L. *sedatus*. →sedation]. 鎮静させる.

se·da·tion (sĕ-dā′shŭn) [L. *sedatio*, to calm, allay]. 鎮静(特に鎮静薬投与によって静めること. 静かな状態).

conscious s. 意識下鎮静法(患者の意識を失うことなく, 十分な無痛覚を得るための鎮静を持続させることを可能にする鎮静法). =sedation analgesia.

sed·a·tive (sed′ă-tiv) [L. *sedativus*. →sedation]. ***1***〘adj.〙鎮静の. ***2***〘n.〙鎮静薬(神経興奮を静める薬. これらの鎮静薬は作用する臓器または組織に基づいて, 心臓—, 大脳—, 神経—, 呼吸—, 脊髄—などとよばれる).

SEDC spondyloepiphysial *dysplasia* congenita の略.

se·dig·i·tate (se-dij′i-tāt) [L. *sex*, six + *digitus*, digit]. 6指の. =sexdigitate.

sed·i·ment (sed′i-mĕnt) [L. *sedimentum*, a settling < *sedeo*, to sit, settle down]. ***1***〘n.〙沈渣(体液沈下のように液体の底に沈む傾向のある不溶性物質). =sedimentum. ***2***〘v.〙沈殿させる(遠沈や超遠沈の場合のように沈渣または沈殿物の形成を生じさせる). =sedimentate.

sed·i·men·tate (sed′i-men-tāt). =sediment (2).

sed·i·men·ta·tion (sed′i-men-tā′shŭn). 沈殿, 沈降(沈渣をつくること).

sed·i·men·ta·tor (sed′i-men-tā′tŏr, -tōr). 遠心沈殿器.

sed·i·men·tom·e·ter (sed′ĭ-men-tom′ĕ-tĕr) [sediment + G. *metron*, measure]. 沈降速度計(血液沈降速度を自動記録するための光学器械).

sed·i·men·tum (sed′i-men′tŭm) [L.]. 沈渣. =sediment (1).

s. lateritium れんが色沈渣. =brickdust *deposit*.

se·do·hep·tu·lose (sē′dō-hep′tyū-lōs). セドヘプツロース(ᴅ-キシルロース-5-リン酸とᴅ-リボース-5-リン酸が縮合し, ᴅ-グリセルアルデヒド-3-リン酸が遊離してペントース—リン酸経路の代謝物として生成された2-ケトヘプツロース-7-リン酸. その非リン酸化糖が自然では *Sedum* 属(ベンケイソウ)に存在する). =ᴅ-*altro*-2-heptulose.

seed (sēd) [A.S. *soed*]. ***1***〘n.〙種子(顕花植物の生殖体. 成熟胚珠). =semen (2). ***2***〘v.〙接種する(細菌学において, 培地に微生物を接種する).

See·lig·mül·ler (zā-lig-mil′ĕr), Otto L.G.A. ドイツ人神経科医, 1837—1912. →S. *sign*.

Sees·sel (sē′sĕl), Albert. 米国人発生学者, 1850—1910. →S. *pocket*, *pouch*.

seg·ment (seg′ment) [L. *segmentum* < *seco*, to cut] [TA]. ***1***〘n.〙分節(自然に, 人工的に, または想定上, 他の部分から分けられた器官, その他の構造物の一部分. →metamere). =segmentum [TA]. ***2***〘n.〙区〔域〕(独立した機能をもち, 動脈または静脈を有する器官の領域). ***3***〘v.〙等分割する.

s. I☆ posterior hepatic s. [I] の公式の別名.

A1 s. of anterior cerebral artery☆ 前大脳動脈の A1 部(precommunicating *part* of anterior cerebral artery の公式の別名).

A2 s. of anterior cerebral artery☆ postcommunicating *part* of anterior cerebral artery の公式の別名.

abnormal ST s. =isoelectric *period*.

anterior s. [TA]. 前区(他の部分に比してより前方または腹側方にある部分をさす. →anterior (bronchopulmonary) s. [S III]; anterior basal (bronchopulmonary) s. [S VIII]; anterior inferior renal s.; anterior superior renal s.; anterior s. of eyeball). =segmentum anterius [TA].

anterior basal (bronchopulmonary) s. [S VIII] 前肺底区(左右肺臓下葉の4区のうちの1つで, 横隔膜に接し, 前方は肋軟骨に近い位置にある. 前肺底区気管支 [B VIII] と前肺底区動脈がきている). =segmentum (bronchopulmonale) basale anterius [S VIII].

anterior (bronchopulmonary) s. [S III] [TA]. 前区域, 前区(肺上葉の3区域のうち肋軟骨に最も近い区域で, 前区気管支 [B III]と前区動脈が分布する). =segmentum (bronchopulmonale) anterius [S III] [TA].

anterior s. of eyeball [TA]. 前眼部(角膜, 虹彩, 水晶体, 前・後眼房からなる眼球の部分. 眼房水で満たされている). =segmentum anterius bulbi oculi [TA].

anterior inferior renal s. 腎下前区(腎臓内部で下前区動脈が分布している部分). =segmentum renale anterius inferius.

anterior superior renal s. 腎上前区(腎臓内部で上前区動脈が分布している部分). =segmentum renale anterius superius.

apical (bronchopulmonary) s. [S I] 肺尖区(左右肺臓上葉の3区のうちの1つで, 最も高位にあり, 壁側胸膜頸部の中にあって肺尖区気管支 [B I]と肺尖区動脈がきている). =segmentum bronchopulmonale apicale [S I] [TA].

apicoposterior (bronchopulmonary) s. [SI+SII] 肺尖後区(左肺臓上葉に通常みられる4区のうちの1つで, 上後方にあり肺尖後区気管支 [BI + II]がきている. 右肺臓上葉に分かれてみられる肺尖区・後区とほぼ同じ位置にある). =segmentum (bronchopulmonale) apicoposterius [SI + II] [TA].

arterial s.'s of kidney =renal s.'s.

s. bronchopulmonale basale posterius [S X] [TA]. =posterior basal bronchopulmonary s. [S X].

bronchopulmonary s. [TA]. 気管支肺区域(外科的に切除可能な肺葉の最小単位区域で, 第三次気管支(区気管支)と第三次動脈(区動脈)が分布している領域. 通常, 右肺は10区であるが, 左肺は上葉の肺尖区と後区が癒合し, 下葉の前肺底区と内側肺底区が癒合するなどで8—9区になっている). =segmentum bronchopulmonale [TA].

cardiac s. 内側肺底区. =medial basal bronchopulmonary s. [S VII].

cervical s.'s of spinal cord [C1–C8]☆ 脊髄頸部(cervical *part* of spinal cord の公式の別名).

coccygeal s. of spinal cord [Co] 脊髄尾骨部(Co_1—Co_3 の3領域に分かれ3対の尾骨神経を派出する脊髄の最下方部分). =segmentum medullae spinalis coccygeum [Co] [TA].

hepatic s.'s [TA]. 肝区域(肝臓内で外科的に切除可能な単位区域で, 1本の門静脈, 1本の肝動脈, 1本の小葉胆管が分布する範囲をいう. これらの管分布に従って TA では8区域を区別している. すなわち, 左葉の後区 [I], 外側区 [II], 左前外側区 [III], 左内側区 [IV], 右葉の前内側区 [V], 右前外側区 [VI], 後外側区 [VII], 後内側区 [VIII]である. 肝区域は基本的に3本の静脈(右, 中間, 左)の垂直面(門裂)によって区切られており, 右葉はさらに管分布の水平面によっても区切られている. →anterior s.; lateral s.; medial s.; posterior s.). =segmenta hepatis [TA]; s.'s of liver.

inferior s. [TA]. 下区(器官や構造の内部で, 他の部分と比較して最も下方に位置する部分). =segmentum inferius.

inferior lingular (bronchopulmonary) s. [S V] 〔肺区域の〕下舌区(左肺臓上葉の4区のうちの1つで, 最も下方にあり, 下舌区気管支 [B V]と下舌区動脈が分布している領域. ほぼ右肺臓中葉の内側区 [S V]に相当する. 舌とはその姿形からついた名前である). =segmentum lingulare bronchopulmonale inferius [S V] [TA].

inferior renal s. 下腎区(腎下区動脈が分布する範囲). =segmentum renale inferius [TA].

interanular s. =internodal s.

intermaxillary s. 〔上顎の〕顎間部(胎芽の中央鼻突起が融合して生じる部分で, 上顎の中間部, 上唇の中間部(人中), 一次口蓋がここから発生する).

internodal s. 輪間節, 髄鞘節(隣接する2つの Ranvier 絞輪の間の有髄神経線維の部分). =interanular s.; internode; Ranvier s.; segmentum internodale.

Lanterman s.'s (lahn′tĕr-măn). ランテルマン(ランターマン)節(Schmidt-Lanterman 切痕の間の神経線維の分節).

lateral s. [TA]. 外側区(器官, その他の構造の特定部分について, 他の部分に比してより正中線から遠い部分をさす. →lateral bronchopulmonary s. [S IV]; lateral basal (bronchopulmonary) s. [S IX]; (left anterior) lateral hepatic s. [III]; (left posterior) lateral hepatic s. [III]; right anterior lateral hepatic s. [VI]; (right) posterior lateral hepatic s. [VII]). =segmentum laterale [TA].

lateral basal (bronchopulmonary) s. [S IX] 外側肺底

区（左右肺臓下葉の４区のうちの１つで，横隔膜に接し右肺では最も右方にあり左肺では最も左方にある．外側肺底区気管支［B IX］と外側肺底区動脈が分布する）．＝segmentum (bronchopulmonale) basale laterale［S IX］［TA］.

lateral bronchopulmonary s. [S IV]［TA］．外側区域，外側区（肺右中葉の２区域のうち右側にあるもので，外側区気管支［B IV］と外側区動脈が分布する範囲）．＝segmentum bronchopulmonale laterale［S IV］［TA］.

(left anterior) lateral hepatic s. [III]［TA］．左前外側肝区（左の肝臓の３区のうち鎌状間膜下部の左側にある区域で，前は胃でおおわれ門静脈下枝の臍静脈部からの外側枝が分布する）．＝lateral inferior hepatic area［TA］; segmentum hepatis anterius laterale sinistrum［III］［TA］; segmentum III☆.

(left) medial hepatic s. [IV]［TA］．〔左〕内側肝区（左の肝臓の３区のうち鎌状間膜下部の右側にある区域で，この間膜と右肝静脈との間にあり横隔面では胆嚢窩から下大静脈へ延ばした線で境される．また方形葉もこの区に属する．門静脈左枝の臍静脈部からの内側枝が分布する）．＝segmentum hepatis mediale (sinistrum)［IV］［TA］; segmentum IV☆.

(left posterior) lateral hepatic s. [III]［TA］．左後外側肝区（左の肝臓の３区のうち鎌状間膜上部の左側で静脈管索裂にある区域で，胃の上方になり門静脈左枝の臍静脈部からの上外側枝が分布する）．＝lateral superior hepatic area［TA］; segmentum hepatis posterius laterale sinistrum［II］［TA］; segmentum II☆.

s.'s of liver 肝区域．＝hepatic s.'s.

lower uterine s. 子宮下部（子宮の下部または峡部で，その最下端は頸管につながり，妊娠時には拡張して子宮下部になる．この部分は子宮の収縮部分ではない）.

lumbar s.'s L1–L5 of spinal cord［TA］．＝lumbar *part* of spinal cord.

lumbar s.'s of spinal cord [L1–L5]［TA］．脊髄腰部（L1―L5 の５領域に分かれ５対の腰神経を派出する脊髄の部分．成人では第十一胸椎から第一腰椎にかけての脊柱管内に位置する）．＝segmenta medullae spinalis lumbaria［L1–L5］.

medial s.［TA］．内側区（器官，その他の構造の特定部分について，他の部分に比してより正中線に近い部分をさす．→medial bronchopulmonary s.［S V］; medial basal bronchopulmonary s.［S VII］; (left) medial hepatic s.［IV］; (right) posterior medial hepatic s.［VIII］; (right) anterior medial hepatic s.［V］)．＝segmentum mediale［TA］.

medial basal bronchopulmonary s. [S VII]［TA］．内側肺底区（左右肺臓下葉の４区のうちの１つで，横隔膜に接し肺門の直下で縦隔外側面の中央に接している．内側肺底区気管支［B VII］と内側肺底区動脈が分布する）．＝segmentum bronchopulmonale basale mediale［S VII］［TA］; cardiac s.; segmentum cardiacum.

medial bronchopulmonary s. [S V]［TA］．内側区域，内側区（右肺中葉の２区域のうち左側の区域で，内側区気管支［B V］と内側区動脈が分布する）．＝segmentum bronchopulmonale mediale［S V］［TA］.

mesoblastic s. ＝somite.

M2 s. of middle cerebral artery☆ inferior terminal (cortical) *branches* of middle cerebral artery の公式の別名.

neural s. ＝neuromere.

posterior s.［TA］．後区（他の部分に比してより後方または背側方にある部分をさす．→posterior bronchopulmonary s.［S II］; posterior basal bronchopulmonary s.［S X］; posterior hepatic s.［I］; (right) posterior lateral hepatic s.［VII］; (right) posterior medial hepatic s.［VIII］; posterior renal s.)．＝segmentum posterius［TA］.

posterior basal bronchopulmonary s. [S X]［TA］．後肺底区（左右肺臓下葉の４区のうちの１つで，横隔膜に接し脊柱に接している．後肺底区気管支と後肺底区動脈が分布する）．＝s. bronchopulmonale basale posterius［S X］［TA］.

posterior bronchopulmonary s. [S II]［TA］．後区域，後区（右肺上葉の３区域のうち脊柱に最も近い区域で，後区気管支［B II］と後区動脈が分布する）．＝segmentum bronchopulmonale posterius［S II］［TA］.

posterior s. of eyeball ＝postremal *chamber* of eyeball.

posterior hepatic s. [I]［TA］．後肝区（門静脈左枝の尾状葉枝が分布する小区域で，内臓面では尾状葉で境される）．＝segmentum hepatis posterius［I］［TA］; caudate lobe☆; lobus caudatus hepatis☆; posterior liver☆; posterior part of liver☆; s. I☆; segmentum I☆; Spigelius lobe.

posterior renal s.［TA］．後腎区（腎後区動脈が分布する範囲）．＝segmentum renale posterius［TA］.

P1 s. of posterior cerebral artery 後大脳動脈の P1 区．＝precommunicating *part* of posterior cerebral artery.

P2 s. of posterior cerebral artery☆ postcommunicating *part* of posterior cerebral artery の公式の別名.

P3 s. of posterior cerebral artery［TA］．＝ lateral occipital *artery*.

P4 s. of posterior cerebral artery☆ medial occipital *artery* の公式の別名.

PR s. PR 部分（心電図において，P 波の終わりと QRS 群の始まりの間の曲線の部分）.

precommunical s. of anterior cerebral artery 前大脳動脈の前交通部．＝precommunicating *part* of anterior cerebral artery.

precommunical s. of posterior cerebral artery ＝precommunicating *part* of posterior cerebral artery.

Ranvier s. (rahn-vē-ā′)．ランヴィエ節．＝internodal s.

renal s.'s［TA］．腎区域（腎動脈から分枝した終動脈の分布する腎臓の区域で，下前区域，上前区域，下区域，後区域，上区域とよばれている）．＝segmenta renalia［TA］; arterial s.'s of kidney.

S

right anterior lateral hepatic s. [VI]［TA］．右前外側肝区（右肝臓４区のうち右肝静脈の右で門静脈右枝横部の下にある区域で，門静脈の前外側枝が分布する）．＝segmentum hepatis anterius laterale dextrum［VI］［TA］.

(right) anterior medial hepatic s. [V]［TA］．右前内側肝区（右肝臓４区のうち中肝静脈と右肝静脈の間で門静脈右枝横部の下にある区域で，門静脈の前内側枝が分布する）．＝segmentum hepatis anterius mediale (dextrum)［V］［TA］.

(right) posterior lateral hepatic s. [VII]［TA］．右後外側肝区（右肝臓４区のうち右肝静脈の右で門静脈右枝横部の上にある区域で，門静脈の後外側枝が分布する）．＝segmentum hepatis posterius laterale (dextrum)［VII］［TA］.

(right) posterior medial hepatic s. [VIII]［TA］．右後内側肝区（右肝臓４区のうち中肝静脈と右肝静脈の間で門静脈右枝横部の上にある区域で，門静脈の後内側枝が分布する）．＝segmentum hepatis posterius mediale (dextrum)［VIII］［TA］.

RST s. RST 部分（心電図において，QRS 群と T 波の間の部分．T 波の一致した終末期を示さずに T 波の立ち寄りをこの RST 部分が形成している正常の心臓では明確ではない）．＝ST s.

s.'s of spinal cord [C1–Co]［TA］．脊髄分節（１本の脊髄神経にまとまる前根・後根を派出する脊髄の範囲を脊髄分節とよび，全部で 31 分節に分けられる．C1―C8 の頸分節，T1―T12（㊟日本では Th を慣用している）の胸分節，L1―L5 の腰分節，S1―S5 の仙骨分節，Co の尾骨分節からなる）．＝segmenta medullae spinalis［C1–Co］［TA］.

s.'s of spleen 脾区域（独立した動脈または脾静脈根を有する脾臓の各領域）．＝segmenta lienis.

ST s. ST 部分．＝RST s.

subapical s. 上枝下下葉区（両肺下葉にときにみられる不定の区域）．＝segmentum subapicale; segmentum subsuperius; subsuperior s.

subsuperior s. 上枝下下葉区．＝subapical s.

superior s. 上区（腎臓の最上方区域）.

superior lingular bronchopulmonary s. [S IV]［TA］．上舌区（左肺臓上葉の４区のうちの１つで，中央後方寄りにあり上舌区気管支［B IV］と上舌区動脈が分布する）．＝segmentum bronchopulmonale lingulare superius［S IV］［TA］.

superior renal s.［TA］．上腎区（腎上区動脈が分布している範囲）．＝segmentum renale superius［TA］.

sympathetic s. 交感神経分節（灰白交通枝の起始点に基

づいた交感神経幹の区分).

tunneled s. 心筋ブリッジ部位（心筋ブリッジでおおわれる心外膜冠状動脈の部分).

upper uterine s. 子宮上部（妊娠子宮体の主要部分で，その収縮が出産時の主要娩出力となる).

venous s.'s of the kidney 腎の静脈区域（腎静脈の分枝により灌流されている腎の解剖学的領域．腎内で分枝間の交通があるため，真の領域分布とはいえない).

seg·men·ta (seg-men′tă). segmentum の複数形.

seg·men·tal (seg-men′tăl). 分節〔性〕の.

seg·men·ta·tion (seg′men-tā′shŭn). ***1*** 分節，断節．***2*** 分割，卵割．＝cleavage (2).

seg·men·tec·to·my (seg′men-tek′tŏ-mē). 部分切除（臓器または腺の解剖学的な切除).

seg·ment·er (seg′men-tĕr). 分裂体，シゾント（赤血球が破壊されてメロゾイトが遊離される直前の，核分裂および細胞質分裂後の赤血球中で発育中のマラリア原虫に対して通常用いる).

Seg·men·ti·na (seg′men-tī′nă)［L. *segmentum* < *seco*, to cut］. ヒラマキガイモドキ属（淡水産有肺巻貝類の一属(ヒラマキガイ科ヒラマキガイモドキ亜科)．肥大吸虫 *Fasciolopsis buski* の重要な中間宿主であるヒラマキガイモドキ *S. hemisphaerula* を含む).

seg·men·tum, pl. **seg·men·ta** (seg-men′tŭm, -tă)［L. segment］［TA］. ＝segment (1).

s. I* posterior hepatic *segment*［I］の公式の別名.

s. II* (left posterior) lateral hepatic *segment*［III］の公式の別名.

s. III* (left anterior) lateral hepatic *segment*［III］の公式の別名.

s. IV* (left) medial hepatic *segment*［IV］の公式の別名.

s. A1 arteriae cerebri anterioris* 前大脳動脈の A1 部 (precommunicating *part* of anterior cerebral artery の公式の別名).

s. A2 arteriae cerebri anterioris* 前大脳動脈の A2 部 (postcommunicating *part* of anterior cerebral artery の公式の別名).

s. anterius［TA］. 前区，前上葉区. ＝anterior *segment*.

s. anterius bulbi oculi［TA］. ＝anterior *segment* of eyeball.

s. apicale 肺尖区，上下葉区.

s. bronchopulmonale［TA］. 気管支肺区域. ＝bronchopulmonary *segment*.

s. (bronchopulmonale) anterius [S III]［TA］. ＝anterior (bronchopulmonary) *segment*［S III］.

s. bronchopulmonale apicale [S I]［TA］. ＝apical (bronchopulmonary) *segment*［S I］.

s. (bronchopulmonale) apicoposterius [SI＋II]［TA］. ＝apicoposterior (bronchopulmonary) *segment*［SI＋SII］.

s. (bronchopulmonale) basale anterius [S VIII] ＝anterior basal (bronchopulmonary) *segment*［S VIII］.

s. (bronchopulmonale) basale laterale [S IX]［TA］. ＝lateral basal (bronchopulmonary) *segment*［S IX］.

s. bronchopulmonale basale mediale [S VII]［TA］. ＝medial basal bronchopulmonary *segment*［S VII］.

s. bronchopulmonale laterale [S IV]［TA］. ＝lateral bronchopulmonary *segment*［S IV］.

s. bronchopulmonale lingulare superius [S IV]［TA］. ＝superior lingular bronchopulmonary *segment*［S IV］.

s. bronchopulmonale mediale [S V]［TA］. ＝medial bronchopulmonary *segment*［S V］.

s. bronchopulmonale posterius [S II]［TA］. ＝posterior bronchopulmonary *segment*［S II］.

s. cardiacum 内側肺底区(S⁷). ＝medial basal bronchopulmonary *segment*［S VII］.

segmenta cervicalia [C1–C8]［TA］. ＝cervical *part* of spinal cord.

segmenta cervicalia medullae spinalis［TA］. ＝cervical *part* of spinal cord.

segmenta coccygea medullae spinalis［TA］. ＝coccygeal *part* of spinal cord.

segmenta hepatis［TA］. 肝区域. ＝hepatic *segments*.

s. hepatis anterius laterale dextrum [VI]［TA］. ＝right anterior lateral hepatic *segment*［VI］.

s. hepatis anterius laterale sinistrum [III]［TA］. ＝(left anterior) lateral hepatic *segment*［III］.

s. hepatis anterius mediale (dextrum) [V]［TA］. ＝(right) anterior medial hepatic *segment*［V］.

s. hepatis mediale (sinistrum) [IV]［TA］. ＝(left) medial hepatic *segment*［IV］.

s. hepatis posterius [I]［TA］. ＝posterior hepatic *segment*［I］.

s. hepatis posterius laterale (dextrum) [VII]［TA］. ＝(right) posterior lateral hepatic *segment*［VII］.

s. hepatis posterius laterale sinistrum [II]［TA］. ＝(left posterior) lateral hepatic *segment*［III］.

s. hepatis posterius mediale (dextrum) [VIII]［TA］. ＝(right) posterior medial hepatic *segment*［VIII］.

s. inferius［TA］. 下区. ＝inferior *segment*.

s. internodale 輪間節. ＝internodal *segment*.

s. laterale［TA］. 外側区，外側中葉区. ＝lateral *segment*.

segmenta lienis 脾区域. ＝*segments* of spleen.

s. lingulare bronchopulmonale inferius [S V]［TA］. 〔肺区域の〕下舌区 ＝inferior lingular (bronchopulmonary) *segment*［S V］.

segmenta lumbalia [L1–L5]［TA］. ＝lumbar *part* of spinal cord.

segmenta lumbalia medullae spinalis ＝lumbar *part* of spinal cord.

s. mediale［TA］. 内側区，内側中葉区. ＝medial *segment*.

segmenta medullae spinalis [C1–Co]［TA］. 脊髄分節. ＝*segments* of spinal cord［C1–Co］.

segmenta medullae spinalis cervicalia [C1–C8]［TA］. ＝cervical *part* of spinal cord.

s. medullae spinalis coccygeum [Co]［TA］. ＝coccygeal *segment* of spinal cord［Co］.

segmenta medullae spinalis lumbaria [L1–L5] ＝lumbar *segments* of spinal cord［L1–L5］.

s. P1 arteriae cerebri posterioris* medial occipital *artery* の公式の別名.

s. P3 arteriae cerebri posterioris［TA］. ＝lateral occipital *artery*.

s. P4 arteriae cerebri posterioris* medial occipital *artery* の公式の別名.

s. posterius［TA］. 後区，後上葉区. ＝posterior *segment*.

s. renale anterius inferius ＝anterior inferior renal *segment*.

s. renale anterius superius ＝anterior superior renal *segment*.

s. renale inferius［TA］. ＝inferior renal *segment*.

s. renale posterius［TA］. ＝posterior renal *segment*.

s. renale superius［TA］. ＝superior renal *segment*.

segmenta renalia［TA］. 腎区域. ＝renal *segments*.

segmenta sacralia medullae spinalis［TA］. ＝sacral *part* of spinal cord.

s. subapicale 上枝下下葉区(S＊). ＝subapical *segment*.

s. subsuperius 上枝下下葉区(S＊). ＝subapical *segment*.

segmenta thoracica medullae spinalis［TA］. ＝thoracic *part* of spinal cord.

seg·re·ga·tion (seg′rĕ-gā′shŭn)［L. *segrego*, pp. *-atus*, to set apart from the flock, separate］. 分離，隔離（①全体から一部を引き離すこと．例えば，感染症の場合の隔離．②異型接合体の子孫において，対立形質が分かれること．③減数性分裂に際して生じる遺伝子対合状態の分離．通常は，体細胞遺伝子対の一方のみがそれぞれの精子あるいは卵母細胞中にはいる．ある遺伝子対 *Aa* について異型接合の個体は，*A* 遺伝子と *a* 遺伝子とをもつ配偶子を半々につくることになる．④接合体が胚子になっていく過程で発生可能性が次第に制限されていくこと).

seg·re·ga·tor (seg′re-gā′tŏr, tōr). 分離器. ＝separator (2).

Sei·del (sī-del′), Erich. ドイツ人眼科医，1882－1946. →S.

scotoma, sign.

Seig·nette (sān-yet′), Pierre. フランス人薬剤師，1660―1719. →S. *salt.*

Sei·ler (sī′lĕr), Carl. 米国に在住したスイス人喉頭科医・解剖学者，1849―1905. →S. *cartilage.*

Seip (sīp), Martin. 20 世紀のスカンジナビア人医師. →Lawrence-S. *syndrome*; S. *syndrome.*

seis·mo·car·di·o·gram (sīz′mō-kar′dē-ō-gram) [G. *seismos*, a shaking + cardiogram]. 振動性心臓図（種々の手段で全身に振動を与え，心臓の振動を記録する方法).

seis·mo·ther·a·py (sīz′mō-ther′ă-pē) [G. *seismos*, a shaking, vibration]. 振動療法. ＝vibratory *massage.*

sei·zure (Sz) (sē′zhūr) [O.Fr. *seisir*, to grasp < Germanic]. ***1*** 発作（疾病または症状の突然の発現). ***2*** 痙攣（てんかん性の発作). ＝convulsion (2).

absence s. アブサンス発作，欠神発作（その人の外的または内的な進行中の出来事の相互作用認識や記憶の障害を特徴とする発作. 精神錯乱，外部認識低下，内的または外的刺激に対する反応不能，健忘の要素を含むことがある. アブサンスという語は Louis-Florentin Calmeil(1798―1895)が，てんかん患者にみられる短い意識消失や錯乱を意味するてんかん性アブサンスの概念を紹介するのに最初に用いた).

akinetic s. 無動発作. ＝atonic s.

anosognosic s.'s 病態失認性発作. ＝anosognosic *epilepsy.*

astatic s. 失立発作（立位が保てなくなる発作).

atonic s. アトニー発作，無緊張発作（姿勢筋を含む筋緊張の突然の短い(1―2秒)消失を特徴とする発作. この語は通常，両側同期性発作に用いられる). ＝akinetic s.

atypical absence s. 非定型欠神発作，非定型アブサンス発作（脳波で異常に徐波が多い背景活動と，2.5 Hz 未満の不規則か周波数の低い棘徐波または発作性速波活動がみられるアブサンス発作).

audiogenic s. 聴原性発作（大きな音によって誘発される反射性発作. ヒトではまれ. げっ歯類の聴原性発作はてんかんの動物モデルである).

automotor s. 自動運動発作（主に四肢遠位部にみられる自動運動を特徴とする発作).

autonomic s. 自律神経発作（自律神経系の客観的にみられる機能障害を特徴とする発作. 心血管機能，胃腸機能，発汗運動機能の障害が多い).

clonic s. 間代発作（全身または身体の一部の反復性律動性収縮を特徴とする発作).

complex motor s. 複雑運動発作（各々の肢の筋肉が非同期性に順次に収縮し，随意活動に似た運動を起こすことがある発作).

complex partial s. 複雑部分発作（意識障害を伴う発作で，焦点性てんかん患者に起こる).

convulsive s. 痙攣発作（間代運動または強直間代運動を伴う発作).

dialeptic s. ディレプティック発作（起きている出来事との相互作用またはその記憶を意識できないことによって特徴付けられる発作).

early s. 早期発作（頭蓋大脳外傷後1週間以内に起こる発作).

electrographic s. ＝subclinical s.

epileptic s. てんかん発作（てんかん性発作の臨床的ないしは検査的所見).

febrile s. 熱性痙攣. ＝febrile *convulsion.*

focal motor s. 局所運動発作（局所運動活動を伴う単純部分発作).

gelastic s. 笑い発作（不随意的な笑いの群発を特徴とする発作で，通常，適切な感情的要素を伴わない. 過誤腫のような視床下部病変に関連していることが多い).

generalized s. 全身発作，全般発作（全般臨床所見を特徴とする発作).

generalized tonic-clonic s. 全身性強直・間代発作（筋肉の強直性収縮の突発を特徴とする全般性発作. しばしば叫びを伴い，地面に倒れることが多い. 発作の強直期から徐々に両側性で同期性の間代痙攣運動になり，それが緩徐になって最後に止まる. その後は意識消失期があり，徐々に回復する). ＝cryptogenic epilepsy; generalized tonic-clonic epilepsy; grand mal s.; grand mal; idiopathic epilepsy (2); major epilepsy.

grand mal s. 大発作. ＝generalized tonic-clonic s.

hypermotor s. 近位の肢体筋優位の自動運動で特徴付けられる痙攣発作で，著明な四肢の偏位を生じる.

hypomotor s. 完全または不完全な運動機能の停止で特徴付けられる痙攣発作で，患者の意識レベルを正確に決定するのは困難となる(例えば，新生児，幼児，精神発達遅滞患者).

jacksonian s. (jak-sō′nē-ăn). ジャクソン発作（身体の一部から始まり，その後に同側の身体の他の部位に進行性に広がる運動発作. 全般化することもある. 反対側の Rolando 新皮質またはその付近からしばしば起こる). ＝jacksonian epilepsy.

late s. 後期発作，遅発発作（頭蓋大脳外傷または中枢神経系外傷の1週間以上後に起こる発作).

major motor s. 大運動発作（大発作または他の痙攣発作).

minor motor s. 小運動発作（二次性全般化てんかん患者にみられる非痙攣発作を表す古語).

myoclonic s. ミオクローヌス発作（種々の部位(体幹，四肢遠位部，四肢近位部)の筋線維，筋，または筋群の突然の短い(200ミリ秒)収縮を特徴とする発作).

negative myoclonic s. 突然の短い筋活動の停止で特徴付けられる痙攣発作で，ときに単回のミオクローヌス性の筋収縮が先行する. 通常片側性の遠位筋に適応される用語.

nonconvulsive s. 非痙攣発作（間代，強直または他の痙攣発作を伴わない発作. →complex partial s.; absence s.).

nonepileptic s. 非てんかん発作（発作に似るがてんかんでない行動. すなわち，異常大脳脳波活動を伴わない. →psychogenic s.).

partial s. 部分発作（大脳局所からの発作発生を特徴とする発作. 体験する症状は発作発生や発作拡散が起こる皮質部位によって異なる).

petit mal s. 小発作（強直性間代性運動(すなわち大発作)を呈さない脳発作の古語. 以前は脳波検査での 3 Hz 棘徐波のみの臨床発作型と考えられていたが，現在ではいくつかの異なる脳波型と関係していることが知られている).

psychic s. 精神発作（夢幻状態，既視感，知覚・情動の自動症などの精神現象により特徴付けられる単純部分発作の1つ. 一般的に側頭葉てんかんに関連付けられるが，特異的なものではない).

psychogenic s. 心因発作（てんかん発作に似るが，てんかんによらない臨床発作. 脳波は発作中正常で，行動はしばしば転換疾患などの精神障害と関係する).

psychomotor s. 精神運動発作（精神症状と複雑運動発作を特徴とする発作. →psychic s.).

secondarily generalized tonic-clonic s. 二次性全般化強直・間代発作（部分発作として始まり，全身の強直・間代発作になる発作).

simple partial s. 単純部分発作（意識障害を伴わない部分発作. 焦点性てんかんの患者でみられる).

subclinical s. 無症状発作，不顕性発作（脳波で検出された発作で，臨床症状を伴わないもの. すなわち，脳波発作のみ). ＝electrographic s.

tonic s. 強直発作（筋緊張の持続性増加を特徴とする発作. 発作の始まりと終わりは急激なことも徐々なこともある. 持続は数秒から1分で，通常 10―20 秒である. 両側の近位筋を侵す強直発作は，しばしばつっぱった姿勢を呈する).

tonic-clonic s. 強直・間代発作，強直性間代性発作（強直相の後に間代相が起こる発作. 全身性の場合には〝大発作〟となる).

versive s. 向き発作（両側と頭および(または)体幹の持続性の強制的な偏位を特徴とする発作).

se·la·pho·bi·a (sē′lă-fō′bē-ă) [G. *selas*, light + *phobos*, fear]. 光恐怖〔症〕(閃光に対する病的な恐れで，まれに用いられる語).

Sel·din·ger (zel-dingĕr), Sven Ivar. 20 世紀のスウェーデン人放射線科医. →Seldinger *technique.*

se·lec·tin (sĕ-lek′tin) [L. *se-ligo*, pp. *se-lectum*, to sort, choose + -in]. セレクチン（免疫性接着や細胞移動に関与する細胞表面分子).

E s. Eセレクチン（内皮によりつくられる細胞表面レセ

プタ).

L s. Lセレクチン(白血球によりつくられる細胞表面レセプタ).

P s. Pセレクチン(内皮上および刺激血小板に存在する細胞表面レセプタで,好中球の炎症組織への移動に関与する).

se·lec·tion (sĕ-lek′shŭn) [L. *se-ligo*, to separate, select < *se*, apart + *lego*, to pick out]. 選択,淘汰(性的成熟を獲得した種が残すことのできる子孫の平均数を決定する遺伝的因子が生ずる原因および結果についての複合的影響.生後すぐに致死したり(例えば Tay-Sachs 病),不妊になったり(例えば Turner 症候群)または,不妊の子孫を生むような表現型が選択の対象となる.〝選択〟が個人の家系に関して用いられるときは,他の因子,特に子孫の数,成熟するまで生存する数,が重要な考慮事項である.大集団では,これらの因子は均一化され,平均値のみが重要である).

artificial s. 人為淘汰,人為選択(自然淘汰に対する人為的干渉.例えば,よいミルクを得るために乳牛を交配するように,人間に好都合な特性をもつ系統をつくるために,特別な遺伝子型または染色体型をもつ動物または植物を合目的に交配させ飼育すること).

medical s. 医〔学〕的選択(そのままでは繁殖できないような病態遺伝子型をもつ患者を,医学的介護と治療によって保護し,結果として,集団内でのその病態遺伝子の頻度の増大を図ること.反対に,外科的断種などの方法で,特定の遺伝子型の患者の繁殖を妨げ,病態遺伝子の頻度を減少させることもできる).

natural s. 自然淘汰,自然選択(環境に最もよく適応できたものが生き延びて繁殖し,適応できなかったものは子孫ができず死滅するという自然界の原理(survival of the fittest).生存者に担われた遺伝子はその数を増していく.この原理は実験することができないので,厳密なものではなくむしろ発見的なものであり,結果は経験的適合性の検証の反復によっている).

sexual s. 雌雄淘汰,雌雄選択,性淘汰(Darwin の説で,雌雄が互いに異性のある種の特徴・形・色・挙動などによって引き付けられる自然界の形態.これによってその種内に固有の特性の変更がもたらされる).

selectivity (sē-lek-tiv′i-tē). 選択性(様々な結合部位に対する親和性の情報を総合することにより決められる薬物の特性の1つであり,薬物の薬効および副作用を予測するうえで役に立つ).

se·le·ne un·gui·um (sĕ-lē′nē ŭng′gwĕ-ŭm) [G. *selēnē*, moon; L. *unguis*(nail)の属格複数形]. 爪半月.=*lunule* of nail.

se·le·ni·um (Se) (sĕ-lē′nē-ŭm) [G. *selēnē*, moon]. セレン(化学的に硫黄に類似する金属元素.原子番号 34,原子量 78.96.必須微量元素,大量では有毒.グルタチオンペルオキシダーゼなどの酵素に必須.^{75}Se(半減期119.78日)が膵臓や上皮小体のシンチグラフィに用いられる).

s. sulfide 硫化セレン(結晶性硫化セレンおよび,セレンと無定形硫黄の固体溶液の混合物で,52—55.5%の Se を含む.頭皮の脂漏またはふけの治療に用いる).

se·le·no·cys·teine (sĕ-lē′nō-sis′tē-ĕn). セレノシスチン(硫黄原子の1つがセレンになったシスチン).

se·le·no·dont (sĕ-lē′nō-dont) [G. *selēnē*, moon + *odous* (*odont-*), tooth]. 半月歯の(ヒトの大臼歯のような縦長の半月形隆線を有する歯をもった動物またはヒトについていう).

se·le·no·me·thi·o·nine (sĕ-lē′nō-me-thī′ō-nēn). セレノメチオニン(硫黄の代わりにセレンを含むメチオニン).

Se·le·no·mo·nas (sĕ-lē′nō-mō′nas) [G. *selēnē*, moon + *monas*, single (unit)]. セレノモナス属(分類学上の位置が確立していない細菌の一属で,活発な宙返り運動をする.彎曲形か三日月形またはらせん状の,グラム陰性嫌気杆菌よりなる.ふさ状になったべん毛群が多くは凹面側の中央付近に存在する.標準種 *S. sputigena* はヒトの口腔中にみられる).

self 自己(①人格を形成している態度,感情,記憶,特質,および行動傾向の総和.②自分自身の意識や周囲の環境の中で表現されるような個人.③自我やペルソナの全般化した日常的な用語.④免疫学では,各個人の自己細胞構成成分をさし,非自己あるいは外来成分と対比される.自己を非自己と区別して認識できるのは,細胞表面上に存在するMHC分子と,MHC分子上に提示された抗原ペプチドを,T細胞が感知するというのが,基本的メカニズムである.外来抗原の破壊や排除を司る免疫機構にが存在する一方,自身の抗原構成成分を免疫学的攻撃から守るのに役立っている).

subliminal s. 閾下自我(個人には意識されないで生じる精神過程の総和).=subconscious mind.

self-ac·cu·sa·tion (self′ak′yū-zā′shŭn). 自責感(よくみられる精神症状であるが,激越型うつ病において最も特徴的である).

self-a·nal·y·sis (self′ă-nal′i-sis). 自己分析.=autoanalysis.

self-a·ware·ness (self′ă-wār′nes). 自己洞察(現在進行中の感情や情動体験が実感化されることで,あらゆる精神療法の主な目標である).

self-cen·tered·ness (self-sen′tĕrd-nes). 自己中心.=autosynnoia.

self-com·mit·ment (self′kŏ-mit′mĕnt). 自主入院(精神病院に自ら進んで入院すること).

self-con·trol (self′kŏn-trōl′). セルフコントロール,自己制御(①個人の信念,目標,姿勢,周囲の期待に従い,その行動を自己規制すること.②されるがままで,個人が行動を起こすことのない受動的条件付け戦略と対比して,問題となる状況に対処するのに能動的対処戦略を用いることをさす).

self-dif·fer·en·ti·a·tion (self′dif′ĕr-en-shē-ā′shŭn). 自己分化(内在因子が作用して生じた分化).

self-dis·cov·e·ry (self′dis-kŏv′ĕr-ē). 自己発見(精神分析学において,周囲の人々に従順であるために抑制されていた自我を解放すること).

self-ef·fi·ca·cy (self-ef′i-kă-sē). 自己有効感(特定の目標(例えば,禁煙,減量)またはより一般的な目標(例えば,指示された範囲に体重を維持し続けること)を達成する自分の能力に関する本人の個人的な評価や判断).

self-fer·til·i·za·tion (self′fer′til-i-zā′shŭn). 自家受精,自家受粉(同じ花の花粉による胚珠の受精.または雌雄同体の場合にみられる同じ動物個体の精子による卵子の受精.雌雄の両配偶子を産生するある種の動植物にみられる同系交配の極端な形態).

self-in·fec·tion (self′in-fek′shŭn). 自己感染,自家感染.=autoinfection.

self-knowl·edge (self-nol′ĕj). 自己知,自己認識.=autognosis.

self-lim·it·ed (self-lim′i-tĕd). 自己限定〔性〕の(肺炎などのように,ある一定の期間で終わる傾向をもった疾病についていう).

self-love (self-lŭv′). 自己愛,利己心.=narcissism.

self-poi·son·ing (self-poy′zŏn-ing). 自家中毒.=autointoxication.

self-reg·u·la·tion (self′reg-yū-lā′shŭn). 自己調節(喫煙や大食のような危険な健康関連行動を終わりにするために使うよう患者に教えられる3段階の戦略.ⓘ自己モニタリング(自己観察):自分自身の行動に注意を向け,記録するといった,自己調節の第1段階.ⓘⓘ自己評価:喫煙の頻度や場所など,自己モニタリングでわかったことを評価し,これらの観察データを用いて健康のための目標や基準を設定する第2段階.ⓘⓘⓘ自己強化:目標に至る過程の行動を実行した場合に自分に褒賞を与えることによって目標を達成する可能性を高める第3段階).

self-splicing (self splīs′ing). 自己スプライシング(自身のRNA 前駆体内部にある1つのイントロンを,蛋白による触媒を一切必要とせずに正確に切り出すこと.イントロン RNA 自体が本反応の成立を規定している).

self-stim·u·la·tion (self′stim-yū-lā′shŭn). 自己刺激(痛みを和らげるために患者自身が行う末梢神経,脊髄,または脳の電気刺激技術).

self-tolerance (self-tol′ĕr-ăns). =*horror* autotoxicus.

Sel·i·va·noff (sel′i-vah′nof), Feodor. 19世紀のロシア人化学者.→S. *test*.

sel·la (sel′ă) [L. saddle]. 鞍.=saddle (1).

empty s. トルコ鞍空虚(しばしば拡大したトルコ鞍内に,識別しうる下垂体が認められないもの.一次的な,鞍隔膜の形成不全により嵌頓したクモ膜が下垂体を圧迫し生じる場合と,手術や放射線治療により二次的に生じる場合がある).

s. turcica [TA]. トルコ鞍（蝶形骨体上面にある鞍の形をした骨隆起で中頭蓋窩の蝶の形の中央部にあたり，前方に鞍結節，後方に鞍背がある．内部をおおう硬膜とともに下垂体窩を形成して下垂体を収容する）．=pars sellaris; Turkish saddle.

sel·lar (sel′ăr). トルコ鞍の．

Sellick (sĕl′ik), Brian A. 20 世紀の英国人麻酔士．⇀S. *maneuver*.

Selye (sĕl′yē), Hans. カナダに在住したオーストリア人内分泌学者，1907—1982. ⇀adaptation *syndrome* of S.

SEM standard error of the *mean* の略．

se·man·tics (sĕ-man′tiks) [G. *sēmainō*, to show]. 意味論（記号論の一分野．ⓘ言語の意味やその意味の発生および発展を研究する学問．ⓘⓘ記号とその記号が示しているもの(referents)との関係，一体系における記号間の関係，無意識な態度や社会制度の影響および認識論的・言語学的仮定などを含めた，記号に対する人の反応を研究する学問）．

semaphorin (sem-a-fōr′in). セマフォリン（選択的反発により軸索の成長円錐を誘導する S–I, S–II, S–III, S–III/D およびコラプシング–1を含む膜蛋白群）．

semaphorin III セマフォリン III. =collapsin.

Sé·mé·laigne (sā-mā-lān′), Georges. 20 世紀のフランス人小児科医．⇀Debré-S. *syndrome*; Kocher-Debré-S. *syndrome*.

sem·el·in·ci·dent (sem′el-in′si-dent) [L. *semel*, once + *incido*, to happen < *cado*, to fall]. 1 回罹患の，1 回だけ起こる，を表す現在では用いられない語．1 回の罹患が永久的免疫をつくるような感染症についていう．

se·men, pl. **sem·i·na, se·mens** (sē′mĕn, sē-mi′nă, sē′menz) [L. *semen* (*semin-*), seed(of plants, men, animals)]. ***1*** [TA]. 精液（精子を含む稠密な黄白色の粘液で，精巣，精嚢，前立腺，および球尿道腺からの分泌物の混合物）．=seminal fluid. ***2*** 種子．=seed (1).

se·me·nu·ri·a (sē′mĕ-nyu′rē-ă). 精液尿〔症〕（精液を含んだ尿を排泄すること）．=seminuria; spermaturia.

semi- [L. *semis*, half]. 半分または部分を意味する接頭語．*cf.* hemi-.

sem·i·al·de·hyde (sem′ē-al′dĕ-hīd). セミアルデヒド（ジカルボン酸のモノアルデヒド．2 つの COOH 基のうち 1 個のみがアルデヒドに還元されているためこうよばれる．グルタミン酸 γ-セミアルデヒド($OHC–CH_2CH_2CH(NH_3)^+–COO^-$)はこの一例．多くのセミアルデヒドは，アミノ酸(例えば，L-プロリン，L-リシン，L-グルタミン酸)の生合成および代謝分解の中間体である）．

sem·i·ca·nal (sem′ē-kă-nal′). 半管（骨の端にある深い溝で，隣接した骨の同じような溝または部分と合わさり完全な管を形成する）．=semicanalis.

s. of auditory tube 耳管半管．=*canal* for pharyngotympanic (auditory) tube.

s. for tensor tympani muscle 鼓膜張筋半管．=*canal* for tensor tympani (muscle).

sem·i·ca·na·lis, pl. **sem·i·ca·na·les** (sem′ē-kă-nā′lis, -ēz) [L.]. 半管．=semicanal.

s. musculi tensoris tympani [TA]. 鼓膜張筋半管．=*canal* for tensor tympani (muscle).

s. tubae auditivae [TA]. 耳管半管．=*canal* for pharyngotympanic (auditory) tube.

s. tubae auditoriae [TA]. =*canal* for pharyngotympanic (auditory) tube.

sem·i·car·ti·lag·i·nous (sem′ē-kar′ti-laj′i-nŭs). 半軟骨の．

sem·i·cir·cu·lar (sem′ē-sir′kyū-lăr). 半円の，半輪の．=semiorbicular.

sem·i·co·ma (sem-ē-kō′mă). 半昏睡（⇀semicomatose）．

sem·i·com·a·tose (sem′ē-kō′mă-tōs). 半昏睡の（傾眠状態で不活動の状態をさす．反応を起こすには，通常以上の刺激を要し，しかも遅延し不完全である）．=semiconscious.

sem·i·con·duc·tor (sem′ē-kon-dŭk′tŏr). 半導体（半金属のことで，真の非金属より容易に電気を伝導するが，金属ほどは通さない．例えば，シリコン，ゲルマニウム）．

sem·i·con·scious (sem-ē-kon′shŭs). 半意識の．=semicomatose.

sem·i·con·ser·va·tive (sem′ē-kon-ser′vă-tiv). 半保存的（複製している DNA の過程で，二本鎖はそのままで，分離し，複製され，1 個の親鎖はそれぞれの娘細胞にいく）．

sem·i·cris·ta (sem′ē-kris′tă) [semi- + L. *crista*, crest, tuft]. 小稜（小さいまたは不完全な稜や隆線）．

s. incisiva =nasal *crest*.

sem·i·de·cus·sa·tion (sem′ē-dē′kŭs-sā′shŭn). 半交叉（ヒトの視神経交叉にみられるような不完全な交叉）．

sem·i·flex·ion (sem′ē-flek′shŭn). 半屈〔位〕（屈曲と伸展の中間位にある関節または四肢の位置）．

sem·i·lu·nar (sem′ē-lū′năr) [semi- + L. *luna*, moon]. 半月形の，半月状の．=lunar (2).

sem·i·lu·na·re (sem′ē-lū-nā′rē). 月状骨（lunate *bone* を表す現在では用いられない語）．

sem·i·lux·a·tion (sem′ē-lŭk-sā′shŭn). 不全脱臼．=subluxation.

sem·i·mem·bra·no·sus (sem′ē-mem′bră-nō′sŭs). 半膜様筋（⇀semimembranosus *muscle*）．

sem·i·mem·bra·nous (sem′ē-mem′bră-nŭs). 半膜様の（部分的に膜からなる．半膜様筋についていう）．

sem·i·nal (sem′i-năl). ***1*** 精液の．***2*** 将来の発達への基本的なあるいは影響的な．

sem·i·na·tion (sem′i-nā′shŭn). 射精，注精．=insemination.

sem·i·nif·er·ous (sem′i-nif′ĕr-ŭs) [L. *semen*, seed (semen) + *fero*, to carry]. 輸精の（精巣の細管についていう）．

sem·i·no·ma (sem′i-nō′mă) [L. *semen*, seed (semen) + G. *-oma*, tumor]. セミノーマ，精上皮腫（通常，若い成年男性の精巣の精細胞から起こる放射線感受性の悪性新生物で，傍大動脈リンパ節に転移する．女性では卵巣の未分化胚細胞腫に相当する）．

spermacytic s. 精子細胞性精上皮腫(セミノーマ)（比較的緩徐な増殖を示し，局所浸潤型の精巣腫瘍で，転移を示さず，卵巣には対となる腫瘍はない）．

sem·i·no·ma·tous (sem′i-nō′mă-tŭs). セミノーマの，精上皮腫の．

sem·i·nor·mal (N/2) (sem′ē-nōr′măl). 半規定の，正常の強さの半分の（規定液の半分の力価を示すものについていう(0.5N)）．

se·mi·nu·ri·a (sē′mi-nyu′rē-ă). =semenuria.

sem·i·o·path·ic, se·mei·o·path·ic (sem′ē-ō-path′ik) [G. *sēmeion*, sign + *pathos*, disease]. 記号の無秩序な使用についていう．

sem·i·or·bic·u·lar (sem′ē-ōr-bik′yū-lăr). 半円の，半輪の．=semicircular.

se·mi·o·sis, se·mei·o·sis (sē′mē-ō′sis) [G. *sēmeiōsis* < *semeion*, sign]. 信号過程（生体に信号を送るために，何か(言葉，象徴，非言語的な合図)が機能している精神的あるいは象徴的過程）．

se·mi·ot·ic, se·mei·ot·ic (sē′mē-ot′ik, sem-ē-) [G. *sēmeiōtikos* < *sēmeion*, sign]. ***1*** 症候の．***2*** 記号の．

se·mi·ot·ics, se·mei·ot·ics (sē′mē-ot′iks, sem-e-) [⇀semiotic]. ***1*** 記号学，記号論（コミュニケーションにおける象徴や記号についての一般的な哲学的理論で，統語論，意味論，語用論の 3 つの分野よりなる）．***2*** symptomatology を表す現在では用いられない語．

sem·i·pen·nate (sem′ē-pen′āt) [TA]. 単羽状の，半羽状の（①一側に羽をもつ．羽の半分に似た．②筋線維が腱の片側のみから鋭角的にそろって付着しているような筋肉についていう）．=unipennate*; demipenniform.

sem·i·pen·ni·form (sem′ē-pen′i-fōrm). 片側翼状の（⇀semipennate *muscle*）．

sem·i·per·me·a·ble (sem′ē-per′mē-ă-bĕl). 半透〔性〕の（水(または他の溶剤)に対しては自由に透過させるが，溶質に対しては比較的非透過性を示す．組成により，半透性は小さい非荷電性分子(例えば細胞膜)を除く溶質のすべてに対して非透過性を意味するのに用いられてきたり，単に蛋白(例えば毛細膜)のような大きな分子に対する非透過性にのみ用いられてきた）．

sem·i·pro·na·tion (sem′ē-prō-nā′shŭn). 半腹臥位（Sims 体位のように，身体の一部分を腹臥位にした姿勢や体位）．

sem·i·prone (sem′ē-prōn′). 半腹臥位の．

sem·i·quin·one (sem′ē-kwin′ōn). セミキノン（ヒドロキノンからキノンへの脱水素過程で，電子とともに一水素原子が取り除かれて生じる遊離基．フラビンモノヌクレオチドなどの類似の化合物の場合にも起こる）．

sem·i·spi·nal (sem′ē-spī′năl). 半棘筋の（椎骨の棘突起に部分的に付着している筋についていう）．

Sem·i·sul·co·spi·ra (sem′ē-sŭl′kō-spī′ră) [semi- + L. *sulcus*, a furrow + *spina*, thorn, spine]. カワニナ属（有蓋巻貝類の一属(前鰓亜綱カワニナ科)．アジア産カワニナの一種 *S. libertina* は，*Paragonimus westermani* を含む多数の吸虫類の第一中間宿主である）．

sem·i·sul·cus (sem′ē-sŭl′kŭs). 半溝（骨または他の構造の端にある細い溝で，対応する隣接構造の同様な溝とつながって完全な溝をつくる）．

sem·i·su·pi·na·tion (sem′ē-sū′pi-nā′shŭn). 半臥位（部分的に臥位となった姿勢）．

sem·i·su·pine (sem′ē-sū-pīn′). 半上臥位の，半仰臥位の．

sem·i·syn·thet·ic (sem′ē-sin-thet′ik). 半合成の（天然の化学物質を用いて特定の化学物質を合成する過程をいう．これにより全合成の一部を省くことができる．例えば，(天然の)コレステロールをコルチコステロイドに変える）．

sem·i·sys·te·mat·ic name (sem′ē-sis′tĕ-mat′ik nām). 半組織名（少なくとも一部は系統的で，他の一部はそうではない(つまり慣用的な)化学物質名．例えば calciferol は –OH 基を示す接尾語 -ol を含むが，calcif- といった系統的な意味をもたない語がこの物質名にだけ用いられている．cortisone はアルデヒド基を示す接尾語 -one を含むが，他の部分は cortex(副腎)に由来している．馬尿酸 hippuric acid(慣用名)は *N*-benzoylglycine(準慣用名)とよびうるが，benzoyl は C_6H_5–CO– 基についての系統名で，glycine は α-aminoacetic(組織名でよぶと 2-aminoethanoic) acid についての慣用名であり，*N*は glycine の窒素原子に benzoyl が付いていることを示す．以上のことから，C_6H_5–CO–NH–CH_2–COOH なる構造が決められる．USAN 名を含めた多くの薬やホルモン薬などの非専売名および一般名は，しばしば慣用名といわれているが，この化学的意味においては準慣用的である．慣用名と準慣用名の区別はめったになされない）．＝semitrivial name.

sem·i·ten·di·no·sus (sem′ē-ten′di-nō′sŭs) [L.]. ＝semitendinous.

sem·i·ten·di·nous (sem′ē-ten′di-nŭs) [L. *semitendinosus*]. 半腱様の（部分的に腱からなる．半腱様筋についていう）．＝semitendinosus.

sem·i·ter·ti·an (sem′ē-ter′shē-ăn, -tĕr′shŭn). 不完全三日熱の（あるときには三日熱型を示し，またあるときには四日熱型を示す．1日目には2回の発作が起こり，次の日には1回の発作が起こるようなマラリア熱についていう）．

sem·i·triv·i·al name (sem′ē-triv′ē-ăl nām). 準慣用名．＝semisystematic name.

sem·i·va·lent (sem′ē-vā′lĕnt). 半価の（1個の電子結合を形成しうるものについていう）．

Se·mon (se′mŏn), Richard W. ドイツ人生物学者，1859—1918. →S.-Hering *theory*.

Sem·ple (sem′pĕl), David. イングランド人医師，1856—1937. →S. *vaccine*.

se·mus·tine (se-mus′tēn). セムスチン．＝methyl-CCNU.

Se·near (sē-nēr′), Francis E. 米国人皮膚科医，1889—1958. →S.-Usher *disease*, *syndrome*.

Se·ne·ci·o (sĕ-nē′sē-ō, -shē-ō) [L. a plant, groundsel < *senecio*, an old man]. ***1*** ハンゴンソウ属（キク科の大きな属．この種の多くは肝壊死を起こすアルカロイドを含む）．***2*** キオン属（米国東部によくみられる雑草で，以前は無月経およびその他の生理不順の治療に用いた）．

se·ne·ci·o·ic ac·id (sĕ-nē′si-ō′ik as′id). セネシオ酸（ポリマー前駆物質およびイソプレノイドやテルペン化合物の前駆物質．殺菌剤または殺ダニ剤として用いる）．

se·ne·ci·o·sis (sĕ-nē′sē-ō′sis). オグルマやノボロギクのようなハンゴンソウ属 *Senecio* の植物を摂取して起こる肝変性と肝壊死．同様な肝臓毒性はタヌキマメ属 *Crotalaria* およびキダチルリソウ属 *Heliotropium* のある種を摂取したときにもみられる．

sen·e·ga (sen′e-gă) [*Seneca*, an Indian tribe]. セネガ（ヒメハギ科 *Polygala senega* の乾燥根．北アメリカ東部・中部の薬草で去痰薬）．＝Seneca snakeroot.

se·nes·cence (sē-nes′ens) [L. *senesco*, to grow old < *senex*, old]. 老化，老齢化．

dental s. 歯科老化（正常のまたは初期の老化過程で歯および付属構造に退化がみられる状態）．

replicative s. 複製老化（細胞が分裂できる回数の制限．多くの腫瘍細胞と恐らくある種の幹細胞以外の体細胞の基本的な特徴である．細胞分裂回数の計測メカニズムはテロメア短縮仮説によって存在すると仮定されている）．

se·nes·cent (sē-nes′ĕnt). 老化の，老齢化の．

Seng·sta·ken (seng′stā′kĕn), Robert W. 20 世紀の米国人神経外科医．→S.-Blakemore *tube*.

se·nile (sē′nīl, sen′īl) [L. *senilis*]. 老人〔性〕の，老年〔性〕の（[本語のもつ否定的または軽蔑的な響きは，文脈によっては不快な表現になるかもしれない]）．

se·nil·i·ty (se-nil′i-tē) [→senile]. 老化（[本語のもつ否定的および軽蔑的な響きは，文脈によっては不快な表現になるかもしれない]．老年に起こる身体的および精神的な種々の器質性疾患を意味する総称）．

se·ni·um (sē′nē-ŭm) [L. the feebleness of age < *seneo*, to be old, feeble]. 老年期（老齢を表すのにまれに用いる語．特に高齢による衰弱）．

sen·na (sen′ă) [Ar. *senā*]. センナ（マメ科 *Cassia acutifolia* と *C. angustifolia* の乾燥葉または莢．緩下薬）．

sen·no·side A, sen·no·side B (sen′ō-sīdz). センノシドA，センノシドB（センナの緩下成分である2つのアントラキノン配糖体）．

sen·sate (sen′sāt). 知覚可能な（触覚や他の感覚を知覚しうる．神経や脊髄の部分的な損傷を受けた患者についていう）．

sen·sa·tion (sen-sā′shŭn) [L. *sensatio*, perception, feeling < *sentio*, to perceive, feel]. 感覚（刺激が加わった結果，感覚器官に生じた興奮が意識されること）．

感覚

感覚の種類	受容対象	刺激の性質	受容器の型
視覚	明るさ，暗さ，色	電波放射線（4,000—7,000 Å）	光受容器
温度覚	冷たさ，熱	電磁放射線（7,000—9,000 Å）対流熱移動	温度受容器
皮膚触覚	圧迫，接触		
聴覚	音，周波数	8—20,000Hz 0—120dB	機械的受容器
平衡運動覚	絶対身体位置，身体速度，相対身体位置，身体の一部や関節の動き，強さ	固い物体による機械的受容器の変化または空気圧変化の伝播	機械的受容器
嗅覚	臭い	化学物質	化学受容器
味覚	酸味，塩味，甘味，苦味	イオン	化学受容器
痛覚	痛み	機械的組織損傷	侵害受容器
前庭覚	運動と重力	度/秒/秒	機械的受容器

delayed s. 遅延感覚（刺激が加わった後，一定の間隔を経て初めて知覚される感覚）．

general s. 一般感覚（ある特定の部分に対する感覚ではなくて身体全体に対する感覚）．

girdle s. 帯状感. =zonesthesia.
primary s. 一次感覚（刺激の直接の結果として生じる感覚）.
referred s. 投射〔性〕感覚，関連〔性〕感覚，波及感覚（ある部分に加わった刺激の反応が別な部分に生じて感覚となったもの）.

sense (sens)［L. *sentio*, pp. *sensus*, to feel, to perceive］. 感覚，知覚（刺激を感知する機能）.
chemical s.'s 化学覚（嗅覚と味覚）.
color s. 色〔感〕覚（色相，光度，光の飽和度の変化を感知する能力）.
s. of equilibrium 平衡〔感〕覚（正常な生理的姿勢を可能にする感覚）. =static s.
geometric s. 幾何学的感覚（何かが動いている曲線に沿った2つの方向のうちの1つ．例えば，時計回りと反時計回り）.
joint s. 関節〔感〕覚. =articular *sensibility*.
kinesthetic s. 運動〔感〕覚（筋収縮の感覚．筋や関節の運動あるいは活動がわかる．位置や運動の感覚は大部分が後索と内側毛帯によって伝えられる.→bathyesthesia）. =deep sensibility; muscular s.; myesthesia; myoesthesis; myoesthesia.
light s. 光覚（光または明るさの程度の変化を感知する能力）.
muscular s. 筋肉感覚. =kinesthetic s.
obstacle s. 障害〔物感〕覚（視覚的警告なしに障害物を避ける能力．しばしば盲人にみられる）.
position s. 位置覚. =posture s.
posture s. 姿勢感覚（目を閉じた状態で手足が受動的に置かれる位置を認識する能力）. =position s.
pressure s. 圧覚（表面への圧力の程度を区別する能力）. =baresthesia; weight s.
seventh s. 第七感. =visceral s.
space s. 空間〔感〕覚（外界における物体の相対的位置を感知する能力）.
special s. 特殊感覚（視覚，聴覚，嗅覚，味覚，触覚の五感の1つ）.
static s. =s. of equilibrium.
tactile s. 触〔感〕覚. =touch (1).
temperature s. 温度〔感〕覚，温覚. =thermoesthesia.
thermal s., thermic s. 温度〔感〕覚，温覚. =thermoesthesia.
time s. 時間〔感〕覚（時間の経過を感知する能力）.
visceral s. 内臓〔感〕覚（内臓の存在を感知すること）. =seventh s.; splanchnesthesia; splanchnesthetic sensibility.
weight s. =pressure s.

sen·si·bil·i·ty (sen′si-bil′i-tē)［L. *sensibilitas*］. 感〔受〕性，感覚能，知覚能，感度（感覚を認識すること．感覚刺激を知覚する能力）.
articular s. 関節感覚（関節表面の感覚の感知）. =arthresthesia; joint sense.
bone s. 骨感覚. =pallesthesia.
cortical s. 皮質感覚（大脳皮質による感覚刺激の統合）.
deep s. 深部感覚. =kinesthetic *sense*.
dissociation s. 感覚解離（触覚は保たれるが，痛覚と温度感覚が消失すること．またはその逆）.
electromuscular s. 筋電感覚（電気刺激に対する筋肉組織の感覚）.
epicritic s. 判別感覚（→epicritic）.
pallesthetic s. 振動感覚. =pallesthesia.
proprioceptive s. 固有受容感覚（→proprioceptive）.
protopathic s. 原始〔性〕感覚（→protopathic）.
splanchnesthetic s. 内臓感覚. =visceral *sense*.
vibratory s. 振動感覚. =pallesthesia.

sen·si·ble (sen′si-běl)［L. *sensibilis* < *sentio*, to feel, perceive］. ***1*** 知覚する，感知する. ***2*** 知覚しうる，感知しうる. ***3*** =sensitive. ***4*** 理非分別のある.

sen·sif·er·ous (sen-sif′ěr-ŭs)［L. *sensus*, sense + *fero*, to carry］. 感覚伝達の.

sen·sig·e·nous (sen-sij′ě-nŭs)［L. *sensus*, sense + G. *-gen*, to produce］. 感覚誘発性の（感覚を起こす）.

sen·sim·e·ter (sen-sim′ě-ter)［L. *sensus*, sense + G. *metron*, measure］. 知覚測定器（皮膚感覚の程度を測定する器械）.

sens·ing (sens′ing)［*sense* < Fr. < L.*sentio*, *sensus*, to feel + -ing］. センシング，感知（抽象的認知よりもむしろ自然な感覚を用いる認識）.
quorum s. 集団感知（ある個体群密度以上のもとで起こっていることに対して，ある行動が制限される現象．細菌でみられる）.

sen·si·tive (sen′si-tiv).［誤ったつづり sensative を避けること］. =sensible (3). ***1***〚adj.〛知覚しうる，感知しうる. ***2***〚adj.〛刺激に反応する. ***3***〚adj.〛対人関係に敏感な. ***4***〚n.〛催眠術にかかりやすい人. ***5***〚adj.〛鋭敏な試薬のように，化学変化を引き起こしやすいが周囲の状態でわずかずつ変化する. ***6***〚n.〛免疫学において，ⓘ特異抗体と結合した抗原 sensitized *antigen*，およびⓘⓘ関連した抗原に以前さらされたことにより免疫反応に過敏になっているヒトまたは動物を示す.

sen·si·tiv·i·ty (sen′si-tiv′i-tē)［L. *sentio*, pp. *sensus*, to feel］.［誤ったつづり sensativity を避けること．specificity と混同しないこと］. ***1*** いくつもの感覚で物事を受ける能力. ***2*** 感受性，感性（感受性のある状態）. =esthesia (2). ***3*** 鋭敏度，感度（臨床病理学および医学的スクリーニングにおいて，その検査が検出すべき疾病を有する人間に対する，陽性検査結果の比率．すなわち，真の陽性と偽陰性の合計に対する真の陽性の比率. *cf.* specificity (2)）.
acquired s. 後天的感受性，誘発感受性. =allergy (1).
analytic s. ***1*** 検出感度（検出の閾値）. ***2*** 分析精度（ある測定系で測定される物質の濃度変化に対する反応性）.
antibiotic s. 抗生物質感受性（抗生物質に対する微生物の感じやすさ.→antibiotic sensitivity *test*; minimal inhibitory *concentration*）.
clinical s. 臨床的感度（ある疾患における陽性率．ある検査が疾患を正しく検出する能力.→diagnostic s.）.
contrast s. コントラスト感度（放射線領域で，ヨード系の放射線造影剤に対するアレルギー反応）.
diagnostic s. 診断鋭敏度（疾病をもつ人の数(D)が与えられている場合，異常な検査結果(T)が，疾病を有することを示す確率(P)，すなわちP(T/D).→clinical s.）.
idiosyncratic s. 特異体質感受性（アトピー性体質のアレルギー反応Ⅰ型）.
induced s. =allergy (1).
multiple chemical s. 化学物質頻回暴露感度（通常害がないとされる濃度の，既知の環境化学物質に繰返し暴露されて生じる様々な一連の症状．複数の臓器の症状がみられる）. =environmental illness.
pacemaker s. ペースメーカ感受性（人工ペースメーカ電池を絶えず作動させるのに要する最小限の心臓活動）.
photoallergic s. 光アレルギー感受性，光線過敏性（→photosensitization）.
phototoxic s. 光毒性感受性（→photosensitization）.
primaquine s. プリマキン感受性（プリマキンに対する先天性非免疫性感受性．この薬の服用で赤血球中のグルコース 6-リン酸デヒドロゲナーゼ欠損による溶血が起こる）.
relative s. 相対〔的〕感度（ある臨床スクリーニング検査の感度を同じ種類の検査の感度と比較して表したもの．例えばある新しい血清学的検査法の，すでに確立された検査法と比較した感度）.
salt s. 食塩感受性（生理食塩水中で，ある種の細菌懸濁液が自然に凝集する性向）.
spectral s. スペクトル感度（一定の応答を引き起こすような単色放射線の量の逆数）.

sen·si·ti·za·tion (sen′si-ti-zā′shŭn). 感作（①生体に抗原を投与すること，あるいはそれによって免疫応答状態になっていること．②ある物質の使用や乱用において，その後の投与による反応が前の投与と比べて増加すること）.
autoerythrocyte s. 自己赤血球感作（→autoerythrocyte sensitization *syndrome*）.
covert s. 潜在的感作（できればやめたい癖を行っている際に，その行為をやめさせるために不愉快で嫌な結果を想像するように指導する嫌悪条件付けあるいは訓練のこと）.
photodynamic s. 光力学増感作用，光動的感作（ある物質，特に蛍光染料(アクリジン，エオシン，メチレンブルー，ベンガルローズ)が可視光線を吸収し，染料含有懸濁液中の微生物や他の生物に有害となる波長でエネルギーを発生させる作用．または静脈注射したポルフィリンで増感し，赤色レーザー光線で照射し，癌細胞を選択的に殺す効果）．＝photosensitization (2).

sen·si·tize (sen′si-tīz). 感作する（感受性の状態にする，後天的感受性を誘発する．→sensitized *antigen*）.

sen·si·tiz·er (sen′si-tīz′ĕr). ***1*** 感作物質（以前その物質と接触することにより，あらかじめ皮膚が変化(感作)をきたした状態になって初めて，次回からの接触により皮膚炎を起こす物質）．***2*** ＝antibody.

sen·si·tom·e·try (sen′si-tom′ĕ-trē) [sensitivity + G. *metron*, measure]. センシトメトリ（放射線診断学において，放射線に対するフイルムの応答を測定する方法）.

sen·so·mo·bile (sen′sō-mō′bēl). 感覚運動能の（刺激に反応して運動しうる）.

sen·so·mo·bil·i·ty (sen′sō-mō-bil′i-tē). 感覚運動能.

sen·so·mo·tor (sen′sō-mō′tŏr). ＝sensorimotor.

sen·sor (sen′sŏr). センサー（温度，光，磁気，運動などの物理的刺激に反応し，インパルスを認識，記録，運動，制御などに伝える装置．⇀sense）.

neuromorphic s. 神経形態センサー（生物系をモデルにした刺激を感じる類似電気回路）.

sensori- [L. *sensorius*]. 感覚の，知覚の，を表す連結形.

sen·so·ri·al (sen-sō′rē-ăl). 感覚器の，感覚の，知覚の.

sen·so·ri·glan·du·lar (sen′sō-rē-glan′dyū-lăr). 感覚腺〔性〕の（感覚神経の刺激で活性化する腺分泌についていう）.

sen·so·ri·mo·tor (sen′sō-rē-mō′tŏr). 感覚運動の，知覚運動の（感覚と運動の両方をさす．求心性線維および遠心性線維の混合神経についていう）．＝sensomotor.

sen·so·ri·mus·cu·lar (sen′sō-rē-mŭs′kyū-lăr). 感覚筋〔性〕の（感覚刺激に反応して起こる筋収縮についていう）.

sen·so·ri·um, pl. **sen·so·ria, sen·so·ri·ums** (sen-sō′rē-ŭm, -ă, -ŭmz) [L.L.]. ***1*** 感覚器．***2*** 感覚神経中枢（仮説的な〝感覚の座点〟）．＝perceptorium．***3*** 精神医学において，consciousness(意識)と同義．ときに知的および認知機能の総称として用いる.

sen·so·ri·vas·cu·lar (sen′sō-rē-vas′kyū-lăr). ＝sensorivasomotor.

sen·so·ri·vas·o·mo·tor (sen′sōr-i-vas-ō-mō′tŏr). 感覚血管運動〔性〕の（感覚反射として生じる血管の収縮または拡張についていう）．＝sensorivascular.

sen·so·ry (sen′sŏ-rē) [L. *sensorius* < *sensus*, sense]. 感覚の，知覚の（㊟例えば，臨床領域では知覚核，知覚根とすることが多く，神経科学・解剖学では感覚核，感覚根が採用されている）.

sen·su·al (sen′shū-ăl) [L. *sensualis*, endowed with feeling]. 官能的（①身体と感覚に関連しているもので，知性もしくは精神からは区別される．②身体的または感覚的快楽を意味する．必ずしも性的なものに限らない）.

sen·su·al·ism (sen′shū-ăl-izm) [L. *sensualis*, endowed with feeling < *sentio*, to feel]. 肉欲主義，快楽主義（①情動を重んじる考え．②感覚的な快楽にふけること）.

sen·su·al·i·ty (sen′shū-al′i-tē). 快楽主義（官能的な快楽にふける状態，またはその性質をもつこと）.

sen·su la·to (sen′sū lā′tō) [L.]. 広義の.

sen·su stri·cto (sen′sū strik′tō) [L.]. 狭義の（[誤ったつづりまたは発音 senso stricto を避けること]）.

sen·tient (sen′shĕnt, sen′shē-ent) [L. *sentiens*: *sentio*(to feel, perceive)の現在分詞]. 知覚しうる.

sen·ti·ment (sen′ti-ment) [L. *sentio*, to feel]. ***1*** 感情，情緒（ある観念に関連して生じる感情または情動）．***2*** 情操（人物，抽象的観念などの事物に関して生じる感情で，その人にとってそれがどのような意味をもつかということに関連する，ある人の複雑な気質あるいは人格構成）.

sen·ti·sec·tion (sen′ti-sek′shŭn) [L. *sentio*, to feel + *sectio*, a cutting]. 生体解剖（麻酔をしていない動物の生体を解剖すること）.

sep·a·ra·tion (sep-ă-rā′shŭn). 分離，離開（[誤ったつづり seperation を避けること]．①別々に保ち，または隔離する行為．別々に保つ状態．②歯科において，治療のために歯間にわずかのすきまをつくる過程）.

jaw s. 顎間容積（開口している上下顎の間の空間容積）.

s. of retina ＝retinal *detachment*.

sternochondral s. 胸肋離解（滑膜を有する真の関節である胸肋関節，特に第二－第七肋骨の肋軟骨と胸骨との間の関節の離解）.

s. of teeth 歯間離開，歯間分離（①歯の隣接面の接触がないこと．②矯正歯科においては，装置の適合のため隣接面にすきまをつくること）.

sep·a·ra·tor (sep′ĕr-ā-tŏr) [L. *se-paro*, pp. *-atus*, to separate < *se-*, apart + *paro*, to prepare]. 分離器，セパレータ（[誤ったつづり seperator を避けること]．①2個以上の物質を分けるもの，または混ざり合うのを防ぐもの．②歯科において，隣接した近位の壁に近づけるために2本の歯を引き離す器具．＝segregator）.

sep·sis, pl. **sep·ses** (sep′sis, -sēz) [G. *sēpsis*, putrefaction]. セプシス，敗血症（血液または組織中に，種々の化膿性の細菌や他の病原菌あるいは毒素が存在すること．septicemia は敗血症の一般的な型である）.

intestinal s. 腸性敗血症（腸内発生の自家中毒と合併した敗血症）.

s. lenta 遷延性敗血症（ゆっくりと発生し多少とも限局性の感染）.

postanginal s. アンギナ後敗血症（咽頭炎に続き，発熱，振せんを伴う悪寒，頸部リンパ節腫脹，血栓性内頸静脈炎，遠隔の膿瘍，肝膿瘍が引き起こされる．フソバクテリウム *Fusobacterium necrophorum* による）．＝Lemierre syndrome.

puerperal s. 産褥性敗血症，産褥熱，産褥感染．＝puerperal *fever*.

sept- ⇀septi-; septico-; septo-.

sep·ta (sep′tă) [L.]. septum の複数形.

intraalveolar s. 根間中隔．＝interradicular *septa* of maxilla and mandible(⇀septum).

sep·tal (sep′tăl). 中隔の（[septic と混同しないこと]）.

sep·tan (sep′tăn) [L. *septem*, seven]. 7日目ごとの（症状が発現した日を第1日と算定して，7日目ごとに発作を再現するマラリア熱についていう．すなわち，5日間の無症状期間がある）.

Sep·ta·ta (sep-tă′tă). セプタータ属（微胞子虫門に属する原生動物で，免疫欠陥をもつ個体の腸管内にみられる．記載されている種は *S. intestinalis* であるが，本種は *Encephalitozoon intestinale* として再分類されている．→*Encephalitozoon intestinale*）.

sep·tate (sep′tāt) [L. *saeptum*, septum]. 中隔のある，区画化された.

sep·tec·to·my (sep-tek′tŏ-mē) [L. *saeptum*, septum + G. *ektomē*, excision]. 〔鼻〕中隔切除〔術〕（中隔(特に鼻中隔)全体または一部を手術で除去すること）.

sep·te·mi·a (sep-tē′mē-ă). septicemia に対してまれに用いる語.

septi-, sept- [L. *septem*]. [これらの連結形を sepsis または septum を表す語の要素と混同しないこと]．7を意味する連結形.

sep·tic (sep′tik). 敗血〔症〕〔性〕の，敗血〔症〕によって起こる（[septal と混同しないこと]）.

sep·ti·ce·mia (sep′ti-sē′mē-ă) [G. *sēpsis*, putrefaction + *haima*, blood]. 敗血症（循環血液を介して微生物やその毒素が広がることにより生じる全身性疾患．以前は血液中毒 blood poisoning とよばれた．→pyemia; bacteremia）．＝septic fever; septic intoxication.

acute fulminating meningococcal s. 急性激症髄膜炎菌性敗血症．＝Waterhouse-Friderichsen *syndrome*.

anthrax s. 炭疽敗血症．＝anthracemia.

cryptogenic s. 潜原性敗血症（一次感染巣がみつからない敗血症）.

metastasizing s. 転移性敗血症（微生物の血中への移入により，感染原巣から離れたところに膿瘍形成を起こす敗血症）.

morphine injector's s. モルヒネ注射性敗血症（現在では用いられない語．通常，静注での麻薬の自己注射の際の血液感染．細菌汚染された注射器などを使用することが原因である．ヘロインおよびモルヒネ以外の麻薬服用者によくみられる）.

plague s. ペスト敗血症（ペスト菌 *Yersinia pestis* による血流中への感染）.

puerperal s. 産褥性敗血症（出産または産科的処置により生じる重症の血管内感染症）.

typhoid s. 腸チフス性敗血症（細菌が血液から培養されうる時期の腸チフス）. =typhosepsis.

sep·ti·ce·mic (sep′ti-sē′mik). 敗血症の.

septico-, septic- [G. *sēptikos*, putrifying < *sēpsis*, putrefaction]. 敗血症，敗血症性の，を意味する連結形.

sep·ti·co·py·e·mi·a (sep′ti-kō-pī-ē′mē-ă). 膿敗血症（敗血症と膿血症が同時に起こったもの）.

sep·ti·co·py·e·mic (sep′ti-kō-pī-ē′mik). 膿敗血症の.

sep·ti·va·lent (sep′ti-vā′lĕnt, sep-tiv′ă-lent). 七価の.

septo-, sept- [L. *saeptum*]. 中隔を意味する連結形.

sep·to·der·mo·plas·ty (sep′tō-der′mō-plas-tē) [septo- + dermo- + G. *plastos*, formed]. 〔鼻〕中隔皮膚形成〔術〕（鼻中隔粘膜を重層扁平上皮および真皮移植片と取り換える手術．特に遺伝性出血性毛細血管拡張症に施行する）.

sep·to·mar·gi·nal (sep′tō-mar′ji-năl). 中隔縁の（中隔の縁または中隔と縁に関する）.

sep·to·na·sal (sep′tō-nā′săl). 鼻中隔の.

sep·to·plas·ty (sep′tō-plas′tē) [septo- + G. *plastos*, formed]. 鼻中隔形成〔術〕（鼻中隔の欠損または変形を修復する手術で，しばしば骨格構造の変更あるいは部分除去を行う）.

sep·to·rhi·no·plas·ty (sep′tō-rī′nō-plas′tē) [septo- + G. *rhis*, nose + *plastos*, formed]. 鼻中隔造鼻〔術〕（鼻中隔と外鼻錐体の欠損または変形を修復する併合手術）.

sep·tos·to·my (sep-tos′tŏ-mē) [septo- + G. *stoma*, mouth]. 中隔開口〔術〕（外科的に中隔欠損をつくること）.

atrial s. 心房中隔開口(切開)〔術〕（2つの心房間をつなぐ手術）. =atrioseptostomy.

balloon s. バルーン〔による〕中隔開口〔術〕（心臓カテーテル法により中隔に開口(欠損)をつくる．膨らんだバルーンを卵円孔を通して心房中隔を横切って使用する．大血管転位症と三尖弁閉鎖症において使われる）.

sep·tu·lum, pl. **sep·tu·la** (sep′tū-lŭm, -lă) [Mod. L. *septum* の指小辞]. 中隔.

s. testis 精巣中隔. =septula of testis.

septula of testis 精巣中隔（精巣の支柱．精巣縦隔から精巣表面に放散している不完全中隔および線維束）. =s. testis; trabecula testis.

SEPTUM

sep·tum, gen. **sep·ti,** pl. **sep·ta** (sep′tŭm, -tī, -tă) [L. *saeptum*, a partition]. 中隔，隔壁（[誤った複数形 septi および septae を避けること]．①[TA]．2つの空洞または軟組織塊を仕切る薄い壁. →septal *area*; transparent s. ②真菌において，壁，それも通常は菌糸の横断壁をいう．③鼻解剖においては，鼻気道を隔てる矢状方向の仕切りで，鋤骨稜・四辺形の軟骨・篩骨垂直板からなり，粘膜軟骨膜と粘膜骨膜によっておおわれる）.

s. accessorium 副中隔（卵円窩縁の下縁を形成しているもう1つの隆線）.

alveolar s. =interalveolar s.

anteromedial intermuscular s. [TA]．前内側筋間中隔（厚い三角形の筋膜で大内転筋の下内側縁から内側広筋まで広がる．縫工筋沿いに内転筋管の下半をおおい，その下を大腿血管が通過するが，しばしば内転筋裂孔と取り違えられる）. =s. intermusculare vastoadductorium [TA]; subsartorial fascia; vastoadductor fascia.

aorticopulmonary s. 大動脈肺動脈中隔（胚子の心臓において心球総動脈幹を肺動脈と大動脈とに分割する中隔．左右の心内膜クッションから発生して大動脈と肺動脈を分離する中隔の遠位部と，心室中隔の膜性部に取り込まれる中隔の近位部）. =spiral bulbar s.; spiral s.

aortopulmonary s. 大動脈肺動脈中隔（発生途上で1本の動脈幹を腹側肺動脈幹と背側大動脈とに分けるらせん状の中隔. →bulbar *ridge*）.

atrioventricular s. [TA]．房室中隔（三尖弁の中隔尖のすぐ上にある小さな膜状中隔．右心房と左心室を仕切っている）. =s. atrioventriculare [TA].

s. atrioventriculare [TA]．房室中隔. =atrioventricular s.

Bigelow s. (big′ĕ-lō). ビゲロー中隔. =*calcar* femorale.

bony nasal s. [TA]．骨鼻中隔（鼻中隔骨部を支えている骨．篩骨・鋤骨・蝶形骨吻の垂直板，鼻骨稜，前頭骨の鼻棘，左右の上顎骨と口蓋骨が連結するところに形成される正中棘などでできている）. =s. nasi osseum [TA].

bulbar s. 球中隔（aorticopulmonary s. を表す現在では用いられない語）.

s. bulbi urethrae 尿道球中隔（尿道球の内部にあってこれを左右に分けている線維性中隔）.

s. canalis musculotubarii 筋耳管管中隔. =s. of pharyngotympanic (auditory) tube.

cartilaginous s. 軟骨性中隔. =septal nasal *cartilage*.

s. cervicale intermedium [TA]．中間頸部中隔. =intermediate cervical s.

s. clitoridis 陰核中隔. =s. of corpora cavernosa of clitoris.

Cloquet s. (klō-kā′). クロケー中隔. =femoral s.

comblike s. =pectiniform s.

s. of corpora cavernosa of clitoris [TA]．陰核中隔（陰核海綿体間の不完全な線維性中隔）. =s. corporum cavernosorum clitoridis [TA]; s. clitoridis.

s. corporum cavernosorum clitoridis [TA]．陰核海綿体中隔. =s. of corpora cavernosa of clitoris.

crural s. =femoral s.

distal spiral s. 遠位ラセン中隔（→spiral s.）.

endovenous s., s. endovenosum 静脈内中隔（静脈間の初期中隔の遺残で，左総腸骨静脈や左腎静脈のように，癒合して最終的には静脈幹を形成する）.

femoral s. [TA]．大腿輪中隔（大腿管にあってこれを充填閉鎖している結合組織塊であるが，下肢からのリンパの流れを妨害はしない）. =s. femorale [TA]; Cloquet s.; crural s.

s. femorale [TA]．大腿輪中隔. =femoral s.

s. of frontal sinuses [TA]．前頭洞中隔（左右の前頭洞間の骨性隔壁．主として正中線の一方に偏っている）. =s. sinuum frontalium [TA].

gingival s. =gingival *papilla*.

s. glandis [TA]．亀頭中隔. =s. of glans penis.

s. of glans penis [TA]．亀頭中隔（陰茎亀頭を通って白膜の下面から尿道までのびている線維性の仕切り）. =s. glandis [TA].

hanging s. 懸垂中隔（鼻翼軟骨の中隔部分が異常なほど広いため生じる変形）.

interalveolar s. [TA]. =s. interalveolare [TA]; alveolar s.; septal bone. ***1*** 肺胞間中隔（2個の隣接肺胞間に介在する組織．両面を薄い肺胞上皮細胞でおおわれた緻密な毛細血管網からなる）．***2*** 槽間中隔（上下顎骨で隣接歯槽間にある骨性隔壁）.

s. interalveolare, pl. **septa interalveolaria** [TA]．槽間中隔. =interalveolar s.

interatrial s. [TA]．心房中隔（心房間の壁. →s. primum; s. secundum）. =s. interatriale [TA].

s. interatriale [TA]．心房中隔. =interatrial s.

interdental s. 歯間中隔（歯列弓内で2本の隣接歯を分けている骨性部分）.

interlobular s. 肺小葉間中隔（肺の小葉間の結合組織であり，通常静脈およびリンパ管を含む．肥厚すると胸部単純X線写真で Kerley のB線あるいは中隔線として認められる）.

intermediate cervical s. [TA]．中間頸部中隔（神経膠線維と軟膜性結合組織からなる薄い中隔．頸髄で，薄束と後索の楔状束の境界を形成している）. =s. cervicale intermedium [TA].

s. intermedium 中間中隔（腹側および背側房室管隆起の癒合により形成される，胚期の心臓の房室管中隔に対する古語）.

intermuscular s. [TA]．筋間中隔（四肢の種々の筋肉を分けている腱膜に対する用語．以下のものがある．下腿の前・後筋間中隔，大腿の外側・内側筋間中隔，上腕の外側・

中側筋間中隔).＝s. intermusculare［TA］.

s. intermusculare［TA］. 筋間中隔.＝intermuscular s.

s. intermusculare vastoadductorium［TA］.＝anteromedial intermuscular s.

interpulmonary s. ＝mediastinum (2).

interradicular septa of maxilla and mandible［TA］.〔上顎骨または下顎骨の〕根間中隔（臼歯の根と根の間にあって歯槽に突き出している骨性の仕切り）.＝septa interradicularia mandibulae et maxillae［TA］; intraalveolar septa.

septa interradicularia mandibulae et maxillae［TA］.〔上顎骨または下顎骨の〕根間中隔.＝interradicular septa of maxilla and mandible.

interventricular s.［TA］. 心室中隔（心室間の壁）.＝s. interventriculare［TA］; ventricular s.

s. interventriculare［TA］. 心室中隔.＝interventricular s.

s. linguae［TA］. 舌中隔.＝lingual s.

lingual s.［TA］. 舌中隔（舌の正中垂直線維性隔壁．後方は舌腱膜に合体する）.＝s. linguae［TA］; s. of tongue.

s. lucidum ＝s. pellucidum.

s. mediastinale 縦隔.＝mediastinum (2).

s. membranaceum ventriculorum ＝membranous *part* of interventricular septum.

membranous s. 膜性中隔（①＝membranous *part* of nasal septum．②＝membranous *part* of interventricular septum).

s. mobile nasi ＝mobile *part* of nasal septum.

s. musculare ventriculorum ＝muscular *part* of interventricular (septum of heart).

s. of musculotubal canal 筋耳管管中隔.＝s. of pharyngotympanic (auditory) tube.

nasal s.［TA］. 鼻中隔（鼻腔を二分している壁．両側を粘膜でおおわれた正中の支持骨格からなる).＝s. nasi［TA］.

s. nasi［TA］. 鼻中隔.＝nasal s.

s. nasi osseum［TA］. 骨鼻中隔.＝bony nasal s.

orbital s.［TA］. 眼窩隔膜（眼窩縁に付着し，眼瞼へのび内部に眼窩脂肪体を含む線維性の膜．眼輪筋の下面の筋膜の大部分をなしている).＝s. orbitale［TA］.

s. orbitale［TA］. 眼窩隔膜.＝orbital s.

pectiniform s., s. pectiniforme 櫛状中隔（陰茎中隔の前部で，多くの裂け目がある).＝comblike s.

s. pellucidum［TA］. 透明中隔（脳組織の薄板で，神経細胞と神経線維を含み，下方は脳弓柱と脳弓体，上前方は脳梁にはさまれて扁平垂直な薄板状に広がっている．通常は，向かい合わせに対をなしている２枚が正中面で癒合し，左右の側脳室の前角を隔てる薄い隔壁を形成している．ヒトの10%未満では２つの透明中隔の間に閉鎖され，液体で満たされたスリット状の空間，すなわち透明中隔腔がある．透明中隔は脳梁と前交連の間隙を通り腹側に向かい，前交連中隔，梁下回に続いている.→*cavity* of septum pellucidum; septal *area*).＝s. lucidum; transparent s.

s. penis［TA］. 陰茎中隔（左右の陰茎海綿体を不完全に分けている白膜).

s. of pharyngotympanic (auditory) tube 耳管中隔（２個の半管を形成している骨の薄い水平板．上部の小さいものは鼓膜張筋のために，下部の大きいものは耳管のためにある．その中耳内の終末が匙状突起である).＝s. canalis musculotubarii; s. of musculotubal canal; s. tubae.

placental septa 胎盤中隔（胎盤葉間の不完全隔壁．栄養膜におおわれ母体組織の核を含む).

precommissural s. 前交連中隔（→septal *area*).

s. primum 一次中隔（胚期の心臓の半月形中核で，初めは単一の心房の頭背側壁から生じ，心房を左右に区切り始める．中隔の先端は房室管隆起の方向に発達し，それと癒合する).

proximal spiral s. →spiral s.

rectovaginal s.［TA］. 直腸腟中隔.＝rectovaginal *fascia*; s. rectovaginale［TA］.

s. rectovaginale［TA］. 直腸腟中隔.＝rectovaginal s.

rectovesical s.［TA］. 直腸膀胱中隔（会陰腱中心から前立腺と直腸間の腹膜まで上方にのびている筋膜層).＝s. rectovesicale［TA］; Denonvilliers aponeurosis; Tyrrell fascia.

s. rectovesicale［TA］. 直腸膀胱中隔.＝rectovesical s.

scrotal s.［TA］. 陰嚢中隔（結合組織と平滑筋(肉様膜)でできた不完全な隔壁で，陰嚢を二分し，各嚢内に精巣を含む).＝s. scroti［TA］.

s. scroti［TA］. 陰嚢中隔.＝scrotal s.

s. secundum 二次中隔（心房中隔に含まれる２つの主要中隔構造の２番目のもの．一次中隔より後に生じ，一次中隔の右にできる．一次中隔のように半月形であるが，その先端はまっすぐ静脈洞の方に向かっていて，筋層がより厚い．生後も不完全隔壁として残り，その閉じない部分は卵円孔を形成している).

sinus s. 洞中隔（下大静脈弁の内側端を形成している小さいひだ．胚期の静脈洞の背側壁より生じる).

s. sinuum frontalium［TA］. 前頭洞中隔.＝s. of frontal sinuses.

s. sinuum sphenoidalium［TA］. 蝶形骨洞中隔.＝s. of sphenoidal sinuses.

s. of sphenoidal sinuses［TA］. 蝶形骨洞中隔（２つの蝶形骨洞間の骨性隔壁．しばしば正中線の一方に偏っている).＝s. sinuum sphenoidalium［TA］.

spiral s. ラセン中隔，大動脈肺動脈中隔.＝aorticopulmonary s.

spiral bulbar s. ラセン球中隔.＝aorticopulmonary s.

s. spurium 偽中隔（胚期の右心房内の中隔．右静脈弁とその心房後頭側壁へ続いた部分とから形成されている．ヒト胎児では３か月目にその発達の頂点に達し，その後退化して心房中隔形成には関与しない(ここから偽中隔とよばれる)．退化部分は下大静脈弁と冠状静脈洞弁として存続している).

s. of testis ＝*mediastinum* of testis.

s. of tongue 舌中隔.＝lingual s.

transparent s. 透明中隔.＝s. pellucidum.

transverse s. ***1*** ＝ampullary *crest*. ***2*** 横中隔（心膜腔と腹膜腔とを分ける中胚葉性細胞群．肝臓はここから発生してくる．肝臓に直接する個所以外は中皮でおおわれる．最終的には横隔膜の腱中心となる).

s. tubae ＝s. of pharyngotympanic (auditory) tube.

urogenital s. 尿生殖中隔（胚期の正中線で癒合している尿性隆起の尾部によって形成される冠状の膨隆．背側の後腸と腹側の膀胱の間に位置する).

urorectal s. 尿直腸中隔（胚期の総排泄腔を，背側の直腸部分と腹側のいわゆる生殖洞とに分けている隔壁．総排泄腔が分裂する頃にこの中隔は総排泄腔膜に達し，それにより総排泄腔の出口が肛門と尿生殖口に分かれる).＝urorectal fold.

ventricular s. 心室中隔.＝interventricular s.

---

septuplet (sep-tŭp′let). 七胎（一度の分娩で七子を得ること).

se·que·la, pl. **se·que·lae** (sē-kwē′la, sē-kwel′ē)［L. *sequela*, a sequel ＜ *sequor*, to follow］. 続発症，後遺症（病気の結果として続いている病的状態).

se·quence (sē′kwens)［L. *sequor*, to follow］. 続発，連鎖（①１つの物，過程または出来事が次から次へと連続あるいは継続すること．奇形において，１つの既知のまたは想定されている前段階の異常または機械的要因から，多数の異常の組み合わせが起こること．②多くの項目において，特定の順序を課すること).＝anomalad (2); complex (8).

Alu s.'s Alu 配列（ヒトゲノムにおいて，比較的保存された約 300 塩基対の繰返し配列で，しばしば制限酵素 Alu I に対する切断部位をほぼ中央部にもっている．ヒトゲノム中約 100 万コピー程度存在する).

amniotic band s. 羊膜帯による胎児異常（妊娠初期に羊膜が破綻し，その結果生じる羊膜の索状構造物(羊膜帯)が胎児のいろいろな部位に巻きついたり，圧迫したりして，頭蓋・顔面の一部欠損，四肢の切断，内臓脱出などの形態異常を起こすことをいう).＝amniotic band disruption complex; amniotic band syndrome.

chi s. カイ配列（DNA 中の８塩基配列で，Rec BC を仲介とする遺伝子組換えに関与している).

coding s. コード配列（メッセンジャー RNA への転写をコードしている DNA 部分.→exon).

insertion s. 挿入配列（細菌染色体，ある種のプラスミドやバクテリオファージなどの多様な部位で反復している不連続な DNA 配列．ある染色体上の一部位から他部位へ，あるいは 1 個の細菌中の他のプラスミドや他のバクテリオファージへと移動可能である）．

intervening s. 介在配列．＝intron.

s. ladder シークエンスラダー（エンドヌクレアーゼにより断片化した DNA をゲル電気泳動にかけるとき，標識化により特徴付けられたバンドの配列．ヌクレオチド配列に相当する）．

leader s.'s リーダー配列（核酸(DNA および RNA)あるいは蛋白の末端における配列で，成熟分子の特定機能を引き起こすために除かれねばならない）．

long terminal repeat s.'s (LTR) 長い末端反復配列（RNA ゲノムの領域で，レトロウイルスの調節，組込み，および発現と関係している）．

monotonic s. 単調列（ある系列のそれぞれの値が 1 つ前の値より大きいこと）．

nucleotide s. ヌクレオチド配列（DNA または RNA でのヌクレオチドの順序）．

oligohydramnios s. 羊水過少症の異常（二次的な羊水過少症による胎児への圧迫により生後まもなく死に至る異常．異常は腎欠損あるいは尿路欠損あるいは羊膜絨毛膜の破裂により起きる．新生児は特徴的な平板状顔貌(Potter 顔貌)，彎曲足のような骨異常そして肺の形成不全を有する）．

palindromic s. パリンドローム配列（→palindrome）．

Pierre Robin s. (pē-ār′ rō-ban[h]). ピエール・ロバン配列．＝Pierre Robin *syndrome*.

pulse s. パルスシーケンス（磁気共鳴撮像法において，引き起こされた磁場の一連の変化．位相および周波数エンコード勾配と読み出し機能を含む）．

regulatory s. 調節配列（プロモータやオペロンのように，遺伝子発現調節に関するあらゆる DNA 配列）．

Shine-Dalgarno s. (shīn dăl′gahr-nō) [J. *Shine*, L. *Dalgarno*]. シャイン－ダルガーノ配列（メッセンジャー RNA のプリンが豊富な非翻訳領域で，原核生物の開始コドンから上流に位置する．リボソーム上にメッセンジャー RNA が並ぶのを助ける）．

termination s. ＝termination *codon*.

twin reversed arterial perfusion s. (TRAP) 双胎児動脈血逆流症（一卵性双胎の循環異常．胎盤での臍帯血管の動脈－動脈および静脈－静脈吻合で脱酸素血が片側の胎児に還流される．受血胎児は無心児，無脳児になり，供血胎児は心不全のリスクが生じる）．

Walker-A s. and Walker-B box [Walker. 分子生物学者，英国ケンブリッジ大学]. ウォーカー(ワーカー)A配列とウォーカー(ワーカー)B ボックス（ATP 合成酵素，ミオシン，各種のキナーゼ，その他 ATP 要求性酵素の α および β サブユニット末端に存在する特異的な配列で，アデニンヌクレオチドが結合するひだの形成に寄与している）．

se·quenc·ing (sē′kwens-ing). 塩基配列決定（高分子におけるサブユニットの配列を決定すること）．

dideoxy s. ジデオキシ塩基配列決定法（ジデオキシヌクレオチドを塩基鎖合成停止剤として用いて DNA 配列を決定する酵素的方法）．

Maxim-Gilbert s. (maks′im zhēl-bār′) [A.M. *Maxim*, Walter *Gilbert*]. マクサム－ギルバート塩基配列決定法（硫酸ジメチルとヒドラジン分解を用いて DNA の塩基配列を決定する方法）．

se·quen·tial (sē-kwen′shăl). 続発性の．

se·ques·tra (sē-kwes′tră). sequestrum の複数形．

se·ques·tral (sē-kwes′trăl). 分離片の，壊死片の，腐骨の．

se·ques·tra·tion (sē′kwes-trā′shŭn) [L. *sequestratio* ＜ *sequestro*, pp. *-atus*, to lay aside]. ***1*** 腐骨形成．***2*** 壊死巣分離（血液またはその液体成分が体内の血管外へ失われるために，循環血漿量が減少し，血行動態の障害，血液量減退症，低血圧，静脈還流の減少をもたらす）．

bronchopulmonary s. 気管支肺分離片形成〔症〕（ある範囲の肺組織が，発育の途中で，残りの肺から孤立してしまう先天異常．その部分の気管支は通常，拡張または嚢胞性となり，気管支の分岐とはつながっていない．大動脈の分岐から血液の供給を受ける）．

se·ques·trec·to·my (sē′kwes-trek′tŏ-mē) [sequestrum ＋ G. *ektomē*, excision]. 腐骨摘出〔術〕，腐骨切除〔術〕（腐骨の手術的除去）．＝sequestrotomy.

se·ques·trot·o·my (sē′kwes-trot′ŏ-mē) [sequestrum ＋ G. *tomē*, incision]. 腐骨切開〔術〕．＝sequestrectomy.

se·ques·trum, pl. se·ques·tra (sē-kwes′trŭm, -tră) [Mod.L.; Mediev.L. *sequestrum*, something laid aside ＜ *sequestro*, to lay aside, separate]. 分離片，壊死片，腐骨（周囲の健康組織から分離した一片の壊死組織．通常は骨をさす）．

primary s. 一次分離片（完全に分離した壊死片）．

se·quoi·o·sis (sē′kwoy-ō′sis) [*Sequoia*(genus name) for *Sequoah*(George Guess)（チェロキー族の学者）＋ G. *-osis*, condition]. セコイア症（*Graphium*属，*Pullularia*属，*Aureobasidium*属，その他の真菌の胞子を含むアメリカスギのおがくずの吸入によって起こる，外因性アレルギー性肺胞炎）．

SER somatosensory evoked response の略．→evoked *response*.

Ser セリンの記号とセリンを構成する基．

se·ra (sē′ră). serum の複数形．

ser·al·bu·min (sēr′al-byū′min). 血清アルブミン．＝serum *albumin*.

ser·en·dip·i·ty (ser′en-dip′i-tē) [Horace Walpole が *The Three Princes of Serendip* という物語からつくった語 ＜ *Serendib*(スリランカの旧名)の別称]. 発見のこつ，偶然の発見，掘出し上手（他のものを探究しているときに，偶然と知恵の結合により発見する技巧．Fleming によるペニシリンの発見のように，科学において何か他のものを求めている間にあることを発見すること）．

Ser·gent (sār-zhon[h]′), Emile. フランス人医師，1867—1943. →S. white *line*; Bernard-S. *syndrome*.

ser·ies, pl. ser·ies (sēr′ēz) [L. ＜ *sero*, to join together]. ***1*** 直列，系列，配列（互いに類似した物や対象が空間的または時間的に連続すること）．***2*** 系，列（化学において，同様の性質をもっているか，または一定の割合で組成が互いに異なっている元素または化合物の一群）．***3*** 系，組（医学診断学において，診断を確定するか除外するための，一群の関連した検査）．

aromatic s. 芳香族（ベンゼンまたは，Hückel 則に従う同様の環式化合物から誘導される化合物のすべて．非環式またはベンゼンの特徴である共役二重結合構造を欠く環を含む化合物とは異なる）．

erythrocytic s. 赤血球系（赤血球形成に至る赤色骨髄内で種々の発育段階にある細胞．例えば，赤芽球，正赤芽球，赤血球）．

fatty s. 脂肪族（脂肪族基(メタン，エタン，プロパンなど)の群の非環式化合物のすべてで，芳香族とは区別される．→alkane）．

granulocytic s. 顆粒球系（循環血液中の成熟顆粒球に至る骨髄内の種々の発達段階の細胞．例えば，骨髄芽球，骨髄球，顆粒球の異なった段階）．

Hofmeister s. (hof′mī-stĕr) [Franz *Hofmeister*]. ホーフマイスター系列（陽イオンの Mg^{2+}，Ca^{2+}，Sr^{2+}，Ba^{2+}，Li^{+}，Na^{+}，K^{+}，Rb^{+}，Cs^{+}，陰イオンのクエン酸イオン$^{3-}$，酒石酸イオン$^{2-}$，SO_4^{2-}，酢酸イオン$^{-}$，NO_3^{-}，ClO_3^{-}，I^{-}，CNS^{-} の系列で，各系列は次の配列順となる．ⓘ親水ゾルの分散物質の沈殿能力低下順，ⓘⓘ水溶液からの有機物質の塩析 “salt out” 能力低下順(例えばアニリン，酢酸エチル)，ⓘⓘⓘゲルの膨潤を抑制する能力の低下順．他の関連効果のうち，これらの効果は前述のイオンによる水分の抽出や結合(すなわち水和作用)によって最もよく説明され，それらはまた一定の順序で減少する．それゆえ，1 価の陽イオン系列における Li^{+} は最上の結晶半径を有するが最大の水和半径をもち，Cs^{+} はその逆となる）．＝lyotropic s.

homologous s. 同族列（有機化合物の系列で，脂肪族のように，その一連の化合物は CH_2 基の数によって互いに異なる）．

lymphocytic s., lymphoid s. リンパ球系（成熟リンパ球のリンパ組織内で種々の発育段階にある細胞．例えば，リンパ芽球，幼若リンパ球，成熟リンパ球）．

lyotropic s. 離液順列．＝Hofmeister s.

myeloid s. 骨髄性系（顆粒球系と赤血球系）．

small-bowel s. 小腸造影検査（造影剤(通常は硫酸バリウ

S

ム)を経口投与後行う小腸のX線撮影検査. *cf.* small bowel *enema*).

thrombocytic s. 栓球系（骨髄内での栓球(血小板)発達の連続した段階にある細胞. 例えば, 栓芽球, 栓球).

upper gastrointestinal s. (**UGIS**) 上部消化管造影（食道・胃・十二指腸の造影X線撮影検査).

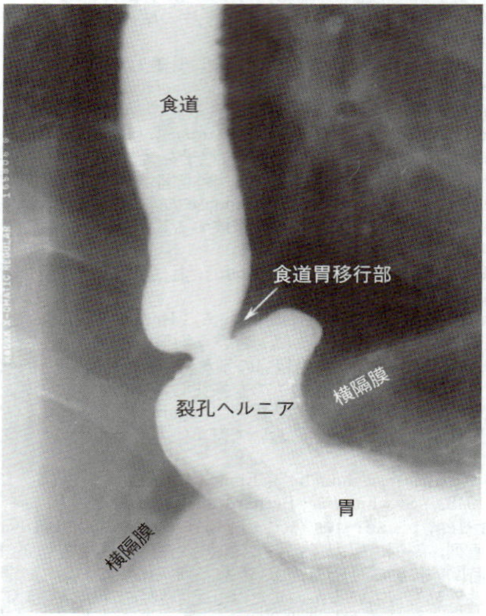

upper gastrointestinal series
裂孔ヘルニアを示しているX線写真.

ser·ine (S, Ser) (ser′ēn). セリン；2-amino-3-hydroxypropanoic acid (L-異性体は蛋白中に存在するアミノ酸の1つ).

s. deaminase セリンデアミナーゼ. =*threonine* dehydratase.

s. dehydrase セリンデヒドラーゼ. =L-s. dehydratase.

L-s. dehydratase L-セリンデヒドラターゼ（L-セリンをピルビン酸と NH_3 に変換させる脱アミノ化ヒドロ-リアーゼである. アミノ酸の異化の一部. →*threonine* dehydratase). =s. dehydrase.

s. sulfhydrase セリンスルフヒドラーゼ. =cystathionine β-synthase.

se·ri·o·graph (sē′rē-ō-graf) [series + G. *graphō*, to write]. 連続撮影機（X線写真を連続的に撮る器機で, rapid film changer を表す, 現在では用いられない語. 脳血管撮影に用いる).

se·ri·og·ra·phy (sē′rē-og′ră-fē). 連続撮影〔法〕(連続撮影機により連続X線写真を撮ること).

se·ri·os·co·py (sē′rē-os′kŏ-pē) [series + G. *skopeō*, to view]. 連続X線撮影〔法〕(以前は, 1つの部位を多方向から撮り, 後に必要な局所に一致するよう組み合わされた一連のX線写真).

ser·i·scis·sion (ser′i-sish′ŭn) [L. *sericum*, silk + *scissio*, a cleaving]. 絹線式切断〔法〕(絹糸結紮により腫瘍または他の組織の茎を切除することを表す, まれに用いる語).

SERM selective estrogen receptor *modulator* の略.

sero- [L. *serum*, whey]. 漿液〔の〕, 血清〔の〕, を表す連結形.

se·ro·co·li·tis (sē′rō-kō-lī′tis) [Mod.L. *serosa*, serous membrane + colitis]. 結腸漿膜炎. =pericolitis.

se·ro·con·ver·sion (sē′rō-kon-ver′zhŭn). セロコンバージョン（感染症の後, あるいはワクチン投与の後に, それまで検出されなかった感染微生物やワクチン物質といった抗原に対する抗体が産生されるようになること. 血中に存在する感染微生物を検出することが困難である場合, セロコンバージョンによって, その微生物が感染したかどうかが診断される).

se·ro·cys·tic (sē′rō-sis′tik). 漿液嚢腫の.

se·ro·di·ag·no·sis (sē′rō-dī′ag-nō′sis). 血清〔学的〕診断〔法〕(体内の血清その他の漿液を使った反応による診断).

se·ro·en·ter·i·tis (sē′rō-en′tĕr-ī′tis) [Mod. L. *serosa*, serous membrane + enteritis]. 小腸漿膜炎. =perienteritis.

se·ro·ep·i·de·mi·ol·o·gy (sē′rō-ep′i-dē′mē-ol′ŏ-jē). 血清疫学（感染の検出を血清学的検査により行う疫学研究).

se·ro·fast (sē′rō-fast). 血清耐性の. =serum-fast.

se·ro·fib·rin·ous (sē′rō-fib′rin-ŭs). 漿液線維素性の（漿液と線維素からなる滲出液についていう).

se·ro·fi·brous (sē′rō-fī′brŭs). 漿膜線維性の（漿膜と線維組織についていう).

se·ro·group (sē′rō-grūp). 血清群（①共通な抗原を有する細菌群のことで, ある種の細菌族の分類に用いられる. ②抗原的に類似したウイルス種の一群).

se·ro·log·ic (sē′rō-loj′ik). 血清学の.

se·rol·o·gy (sē-rol′ŏ-jē) [sero- + G. *logos*, study]. 血清学（血清, 特に特定の免疫または溶菌血清を扱う学問の分野. 血清中の抗原または抗体の測定).

se·ro·ma (sē-rō′mă) [sero- + G. *-oma*, tumor]. 漿液腫（組織や臓器内に漿液が限局して蓄積することにより生じる腫瘤または腫脹).

se·ro·mem·bra·nous (sē′rō-mem′bră-nŭs). 漿膜性の.

se·ro·mu·coid (sē′rō-myū′koyd). 血清ムコイド（血清由来のムコ蛋白(糖蛋白)の一般名).

acid s. 酸性血清ムコイド. =orosomucoid.

se·ro·mu·cous (sē′rō-myū′kŭs). 漿〔液〕粘液性の（ある腺の分泌物のような水様粘液物質の混合についていう).

se·ro·my·ot·o·my (se′rō-mī-ot′ŏ-mē) [serosa + G. *mys*, muscle + *tomē*, a cutting]. 漿膜筋層切開（管腔臓器の壁の漿膜と筋層の切開. 粘膜は切開しない).

se·ro·neg·a·tive (sē′rō-neg′ă-tiv). セロネガティブ, 血清反応陰性（血清中に特異抗体がない状態. ある微生物に以前感染したことがない場合(例えば, 風疹ウイルス), 治療によって抗体が消失した場合(例えば, 梅毒), 通常は, 抗体が存在する疾患にもかかわらず抗体が存在しない場合(例えば, リウマチ因子の欠如した関節リウマチ)などがある).

se·ro·pos·i·tive (sē′rō-poz′i-tiv). セロポジティブ, 血清反応陽性（血清中に特異抗体が存在する状態. 感染症の罹患についての免疫学的証拠(例えば, ライム病, 梅毒)や, 診断学上有用な抗体の存在(例えば, リウマチ因子を伴った関節リウマチ)を意味する).

ser·o·prev·a·lence (ser-ō-prev′ă-lents) [sero- + prevalence]. 血清有病率, 抗体保有率（血清学的検査によって評価されるマーカを指標とした有病率).

se·ro·pu·ru·lent (sē′rō-pyū′rū-lĕnt). 漿液膿性の（漿液と膿汁からなる, または両方を含んでいる. 薄い水様性膿または漿液膿の排出についていう).

se·ro·pus (sē′rō-pŭs). 漿液膿（漿液でほとんど希釈された膿).

se·ro·re·ver·sion (sē′rō-rē-ver′zhŭn). セロリバージョン（血清学的反応の消失. 自発的にまたは治療に反応した).

se·ro·sa (se-rō′să) [Mod.L. *serosus*(serous)の女性形] [TA]. 漿膜（[cirrhosis または sclerosis と混同しないこと]. ①胸腔や腹腔に存在する臓器の外表をおおう膜あるいは漿液性の膜. 不規則な弾性線維結合組織で補強された中皮の表層をなす. ②胎児外膜の最外膜で, 胚子と他のすべての膜を包む. これは, 壁側板すなわち壁側中胚葉により裏打ちされた外胚葉でできている. 哺乳類の胎児漿膜は, しばしば栄養膜とよばれる. →chorion. =membrana serosa (2)). =tunica serosa [TA]; serous coat*; membrana serosa (1); serous membrane; serous tunic.

s. of colon 結腸漿膜. =s. of large intestine.

s. of esophagus [TA]. 食道漿膜（食道の腹部をおおう漿膜). =tunica serosa esophagi [TA].

s. of gallbladder [TA]. 胆嚢漿膜（胆嚢のうち肝臓と接していない部分をおおう臓側腹膜). =tunica serosa vesicae biliaris [TA]; tunica serosa vesicae felleae*.

s. of large intestine [TA]. 結腸漿膜（大腸をおおう臓

側腹膜). = tunica serosa intestini crassi [TA]; s. of colon; tunica serosa coli.

s. of liver [TA]. 肝漿膜（肝臓の漿膜. 肝臓表面のうち，後面の三角形の無漿膜野と胆嚢がじかに接している小領域を除く，残りの全面をおおう腹膜). = tunica serosa hepatis [TA].

s. of parietal pleura [TA]. 壁側胸膜の漿膜（壁側胸膜内面の光沢面). = tunica serosa pleurae parietalis [TA].

s. of peritoneum 漿膜性腹膜（腹膜臓側葉壁側葉の光沢のある面を構成する単層扁平上皮). = tunica serosa peritonei [TA]; serous coat of peritoneum☆; serous layer of peritoneum.

s. of serous pericardium [TA]. 漿膜性心膜の漿膜（心膜嚢や心臓をおおう平坦な単層細胞性の膜で，これと漿膜下層とで漿膜性心膜となる). = tunica serosa pericardii serosi [TA].

s. of small intestine [TA]. 〔小腸〕漿膜（小腸の外表面をおおう臓側腹膜). = tunica serosa intestini tenuis [TA].

s. of the spleen [TA]. 脾臓漿膜（脾臓をおおう臓側腹膜). = tunica serosa splenica [TA].

s. of stomach [TA]. 胃漿膜（胃の外表面をおおう臓側腹膜). = tunica serosa gastrica [TA]; tunica serosa ventriculi.

s. of (urinary) bladder [TA]. 〔膀胱〕漿膜（膀胱上面や外側面をおおう臓側腹膜). = tunica serosa vesicae (urinariae).

s. of uterine tube [TA]. 〔卵管〕漿膜（卵管の外面をおおう臓側腹膜). = tunica serosa tubae uterinae [TA].

s. of uterus [TA]. 〔子宮〕漿膜（子宮底と子宮後部をおおう臓側腹膜). = tunica serosa uteri [TA].

s. of visceral pleura [TA]. 臓側胸膜の漿膜（肺臓の表面をおおう単層細胞性の光沢のある膜). = tunica serosa pleurae visceralis [TA].

se·ro·sa·mu·cin (sē-rō′să-myū′sin). 漿液粘液（漿液中にみられる粘液物質. 腹水，滑液など).

se·ro·san·guin·e·ous (sē′rō-sang-gwin′ē-ŭs). 漿液血液状の（漿液と血液からなる，または両方を含んでいる滲出液や排出液についていう).

se·ro·se·rous (sē′rō-sē′rŭs). 二漿膜面の（① 2 つの漿膜面についていう. ②腸の縫合のような縫合を示し，創傷の端々は 2 つの漿膜面が寄り合わさるように包み込まれている).

se·ro·si·tis (sē′rō-sī′tis). 漿膜炎.

multiple s. 多発性漿膜炎. = polyserositis.

se·ros·i·ty (se-ros′i-tē). ***1*** 漿液. ***2*** 漿液である状態. ***3*** 漿液性（液体が漿液の性質をもつこと).

se·ro·sy·no·vi·al (sē′rō-si-nō′vē-ăl). 漿液滑液性の（漿液と滑液についていう).

se·ro·syn·o·vi·tis (sē′rō-sin′ō-vī′tis). 滲出性関節液嚢炎（多量の漿液性滲出液を伴った滑液嚢炎).

se·ro·tax·is (sē′rō-tak′sis) [sero- + G. *taxis*, an arranging]. 血清走性（強力な皮膚刺激物質を与えることにより生じる皮膚の浮腫).

se·ro·ther·a·py (sē′rō-thār′ă-pē). 血清療法（抗毒素または特異抗体を有する血清の注射による感染性疾患の治療). = serum therapy.

ser·o·ti·na (sēr′ō-tī′nă) [L. *serotinus*(late)の女性形]. → decidua.

se·ro·to·ner·gic (sē′rō-tō-ner′jik, sĕr-) [serotonin + G. *ergon*, work]. セロトニン〔様〕の（セロトニンやその前駆体である L-トリプトファン作用に類似した).

ser·o·to·nin (ser′ō-tō′nin) [sero- + G. *tonos*, tone, tension + -in]. セロトニン（血小板から放出される血管収縮物質で，胃分泌を抑制し，平滑筋を刺激する. 中枢神経系のある部分(視床下部，基底神経節)に比較的高濃度で存在し，多くの末梢組織や細胞，癌様腫瘍内にも存在する). = 5-hydroxytryptamine; enteramine; thrombocytin; thrombotonin.

se·ro·type (sē′rō-tīp). 血清型. = serovar.

heterologous s. (het′ter-ō-log′us). ヘテロ血清型（ある 1 つの抗原で誘導されたにもかかわらず，他の抗原にも反応する抗体).

homologous s. (hō′mō-log′us). ホモ血清型（ある特定の抗原で誘導され，その抗原のみと反応する抗体).

se·rous (sē′rŭs). 漿液〔性〕の，血清の（[scirrhous と混同しないこと]).

se·ro·vac·ci·na·tion (sē′rō-vak′si-nā′shŭn). 血清接種（混合免疫を獲得する方法. 血清を注射することによってまず受動免疫を得，後に弱菌化あるいは死滅化した培養病原体をワクチン接種することにより，能動免疫を得る).

se·ro·var (sē′rō-var) [sero- + *variant*]. 血液型亜型（抗原性に基づいて他の株から区別される種，あるいは亜種の細区分). = serotype.

se·ro·zyme (sē′rō-zīm). セロザイム. = prothrombin.

ser·pen·ta·ri·a (ser′pen-tā′rē-ă, -tar′ē-ă) [L. snakeweed]. セルペンタリア根（ウマノスズクサ科の *Aristolochia serpentaria*, *A. reticulata* の乾燥根茎または乾燥根. 健胃薬). = snakeroot (1).

ser·pig·i·nous (ser-pij′i-nŭs) [Mediev.L. *serpigo-* (*-gin*), ringworm < L. *serpo*, to creep]. 蛇行状の，ほ行状の（弓形の境界部を形成しつつのびる潰瘍または他の皮膚病変. 辺縁部は波状にあるいはヘビのようにくねっている).

ser·pi·go (ser-pī′gō) [Mediev.L. *serpigo* (*-gin*), ringworm < L. *serpo*, to creep]. ***1*** 白癬. = tinea. ***2*** 疱疹. = herpes. ***3*** すべてのほ行状または蛇行状の発疹をいう.

ser·pins (ser′pinz) [*ser*ine *p*rotease *in*hibitor*s*]. セルピン. = serine protease *inhibitors*.

ser·rate, ser·rat·ed (ser′āt, -ā′ted) [L. *serratus* < *serra*, a saw]. 鋸〔歯〕状の.

Ser·ra·ti·a (sĕ-rā′shē-ă) [Serafino *Serrati*. 18世紀のイタリア人物理学者]. セラチア属，セラシア属（腸内細菌科の運動性，周毛性，好気性または通性嫌気性の菌の一属で，小さいグラム陰性杆菌である. ある菌株は莢膜をもっている. また多くの菌株はピンク，赤色または赤紫色の色素を産生する. これらの細菌の代謝は発酵性で，腐敗植物や動物体に寄生する腐生菌である. 標準種は *S. marcescens*).

S. marcescens 霊菌（水，土壌，牛乳，食物，カイコ，その他の昆虫などの中および病院内感染が免疫不全の患者に見出される種. *Serratia*属の標準種).

ser·ra·tion (sĕ-rā′shŭn) [L. *serra*, saw]. ***1*** のこぎり状形態（のこぎり状または刻みの付いた状態). ***2*** 鋸歯形成.

serre·fine (sār-ĕ-fēn′) [Fr.]. 止血小鉗子（スプリング付きの小鉗子で，創口の端を寄せたり，手術中動脈を一時的に閉じるのに用いる).

ser·re·no·eud (ser′ĕ-nō-ūd′) [Fr. *serrer*, to press + *noeud*, knot]. 結紮締器（結紮を締める器具).

Serres (sār), Antoine E.R.A. フランス人解剖学者，1786—1868. → S. *angle*, *glands*; *rests* of S.

ser·ru·late, ser·ru·lat·ed (ser′ū-lāt, -lā′ted) [L. *serrula*(a small saw): *serra* の指小辞]. 小鋸歯状の（細かな鋸歯状を呈することについていう).

SERT serotonin *transporter* の略.

Sertoli (ser-tō′lē), Enrico. イタリア人組織学者，1842—1910. → *Sertoli* cell *tumor*; S. *cells*, *columns*; S.-cell-only *syndrome*; S.-Leydig cell *tumor*; S.-stromal cell *tumor*.

se·rum, pl. **se·rums, se·ra** (sē′rŭm, -ŭmz, -ă) [L. whey]. [any biologic agent(allergy serum) または any injected drug(truth serum) の意味での口語的または隠語的使用を避けること]. ***1*** 漿液（透明の水様液で漿膜表面を湿らせているもの，また漿膜の炎症時に滲出するもの). ***2*** 血清（血液の液体性成分で，フィブリン塊と血球を除いたもの. 循環血液中の血漿とは異なる. ときには抗血清 antiserum または抗毒素 antitoxin と同義に用いる).

anticomplementary s. 抗補体血清（補体を破壊または不活性化する血清).

antiepithelial s. 抗上皮細胞血清（上皮細胞に対する抗血清(細胞毒素)).

antilymphocyte s. (**ALS**) 抗リンパ球血清（リンパ球に対する抗血清で，組織移植や臓器移植の拒絶反応を抑えるのに用いる. ヒトに使用する際は異種血清(ウマあるいは他の動物でつくる)のグロブリン分画を，通常，免疫抑制剤(薬品または化学物質)と併用して一定時間使用される). = antilymphocyte globulin.

antirabies s. 抗狂犬病血清（ワクチン接種により狂犬病に対する免疫を獲得した健康な動物またはヒトの血清，あるいは血漿から得られる抗体含有の滅菌溶液．野生動物に咬まれるか，または狂犬病の疑いのある家畜に激しく頻回にわたって咬まれた場合，直ちに投与し，続いて狂犬病ワクチン療法を行う）．

antireticular cytotoxic s. 抗細網系細胞傷害血清（細網内皮系の細胞に対して特異的な抗血清）．

antitoxic s. 抗毒素血清．

bacteriolytic s. 溶菌血清（細菌に働き補体の溶解作用を受けやすくする抗血清(溶菌素)）．

blood s. 血清（→serum (2)）．

convalescent s. 回復期血清（病気から回復したばかりのヒトの血清．特定の抗体が4倍以上上昇している場合，診断に役立つ．あるいは，その病原体に感受性があるヒトに受動免疫することにより，病原体に暴露されたときに同一疾患の発生を予防したり，疾患を軽減させるのに有益である）．

Coombs s. (kūmz). クームズ(クームス)血清．＝anti-human *globulin*.

dried human s. 乾燥ヒト血清（凍結乾燥法あるいは蛋白変性を避ける他の方法で，ヒトの液体血清を乾燥してつくられる血清．元の液体ヒト血清と等量の水で容易に溶解される）．

foreign s. 異種血清（動物から得られ，他種の動物またはヒトに投与される血清）．

human s. ヒト血清（→dried human s.; normal human s.）．

human measles immune s. ヒト麻疹免疫血清（麻疹感染から回復した健康人の血液から得られる血清）．＝measles convalescent s.

human pertussis immune s. ヒト百日咳免疫血清（I 相百日咳ワクチンの反復摂取を終えた健康成人の血液プールからつくられる滅菌血清．百日咳の予防や治療のために静注や筋注される）．

human scarlet fever immune s. ヒト猩紅熱免疫血清（猩紅熱から回復した健康人から得られる）．

hyperimmune s. 超免疫血清（たび重なる抗原の注入により得られた高力価の抗体を有する抗血清）．

immune s. 免疫血清．＝antiserum.

inactivated s. 不活化血清（56°C で 30 分間加熱し，補体活性を消失させた血清）．

s. lactis 乳漿．＝whey.

liquid human s. 液体ヒト血清（抗凝血薬を加えずに採血したヒト血液から凝集塊を取り除いた液体成分のプール．10人以下の人から献血された血液が蓄えられる．供血者の血液型は，A型，O型，B型またはAB型が約9：9：2の割合である）．

measles convalescent s. 麻疹回復期血清．＝human measles immune s.

muscle s. 筋血清（筋漿を凝固させミオシンを分離して残った液体成分）．

nonimmune s. 非免疫血清（免疫されていない個体から得られる血清，すなわち特定の抗原に対する抗体を含んでいない血清）．

normal s. 正常血清（非免疫血清のことで，通常，免疫前に採取した血清をいう）．

normal horse s. 正常ウマ血清（健康でワクチン未接種のウマから得た滅菌し沪過した血清）．

normal human s. 正常ヒト血清（輸血によって伝染する可能性のある疾患をもたない8人以上のヒトから得られた全血について，凝固成分以外の液体成分をほぼ等量ずつ混合することにより得られる滅菌血清）．

polyvalent s. 多価血清（種々の異なる抗原，または数種あるいは数株の細菌を動物に接種することにより得られる抗血清）．

pooled s., pooled blood s. プール血清（多数のヒトから集められた血清を混合したもの）．

salted s. ＝salted *plasma*.

specific s. 特異血清（単一抗原，1種，あるいは1株の細菌で免疫することによって得られた単一価抗血清）．

thyrotoxic s. 甲状腺傷害性血清（甲状腺の核蛋白を動物に注射することにより得られる抗血清）．

truth s. 自白薬（アモバルビタールナトリウムやチオペンタールナトリウムのような薬物の口語で，その影響下で被検者から情報を引き出すのを目的として，スコポラミンとともに静脈注射により投与される．"truth serum" という語は誤りで，誤解を招きやすい．なぜなら被検者の告白は実際に真実である場合もそうでない場合もあり，その法的位置と使用は，問題となりやすいためである）．

se·rum·al (sē-rūm′ăl). 血清の．

se·rum-fast (sē′rŭm-fast). 抵抗血清性の（①治療または免疫的刺激という状態下においてさえ，抗体の力価に何ら変化をもたらさない血清についていう．②血清の破壊力に抵抗性を示すこと）．＝serofast.

se·rum glu·tam·ic : ox·a·lo·a·ce·tic trans·am·i·nase (SGOT) (sē′rŭm glū-tam′ik-oks′ă-lō-a-sē′tik trans-am′i-nās). 血清グルタミン酸－オキザロ酢酸トランスアミナーゼ．＝*aspartate* aminotransferase.

se·rum glu·tam·ic : py·ru·vic trans·am·i·nase (SGPT) (sē′rŭm glū-tam′ik-pī-rū′vik trans-am′i-nās). 血清グルタミン酸－ピルビン酸トランスアミナーゼ．＝alanine aminotransferase.

ser·va·tion (ser-vā′shŭn). 臓器の使用または機能．

Servetus (Servet, Servide) (ser-vē′tŭs), Miguel. スペイン人解剖・神学者，1511—1553．→S. *circulation*.

ser·vo·mech·a·nism (ser′vō-mek′ă-nizm) [L. *servus*, servant + G. *mēchanē*, contrivance]. 自動制御，サーボ機序(機構)（①他のシステムを操作するために負フィードバックを使用する統制システム．②自己調整器として働く過程．光に対する瞳孔反応など）．

ser·yl (S) (ser′il). セリル（セリンを構成する基）．

ses·a·me (ses′ă-mē) [G. *sēsamē*, sesame, an eastern leguminous plant]. ゴマ（ゴマ科の薬用植物 *Sesamum indicum* で，その種子は食物として用いられ，ゴマ油の原料となる）．

s. oil ゴマ油（1種類以上の栽培ゴマ *Sesamum indicum* の実から得られる精製調製油．筋肉注射の溶剤）．＝benne oil; gingili oil; teel oil.

ses·a·moid (ses′ă-moyd) [G. *sēsamoeidēs*, like sesame]. ***1*** 種子状の（大きさや形がゴマの種子に似ている）．***2*** 種子骨の．

sesqui- [L.]. 3/2 を示す接頭語．以前，化学において化合物の2部分の間の比率が3：2の割合を示す(セスキ硫化物，セスキ塩基性など)のに用いられていたが，現在は，セスキ水和物とセスキテルペンにのみ用いる．

ses·qui·hy·drates (ses′kwi-hī′drāts). セスキ水和物（(名目上)1.5 分子の水を含んで結晶している化合物）．

ses·qui·ter·penes (ses′kwi-ter′pēnz). セスキテルペン（3個のイソプレン単位からなる化合物．非環状，単環，二環，三環性があり，ファルネシルピロリン酸から生合成される(例えば，トリコテシン，ナイシン)）．

ses·sile (ses′il) [L. *sessilis*, low-growing < *sedeo*, pp. *sessus*, to sit]. 無茎の，無柄の（付着部が太く，茎のないことについていう）．

ses·ter·ter·penes (ses′tĕr′ter-pēnz) [L. *sestertius*, two and one-half < *semis*, half + *tertius*, third + terpene]. セスタテルペン（5個のイソプレン単位からなる化合物．三環性構造が多い．ゲラニルファルネシルピロリン酸から生合成される(例えばコクリオボリンB)）．

set (set) [M.E. *sette* < O.Fr. < Med.L. *secta*, course < *sequor*, to follow]. ***1*** 〖n.〗 構え（ある一定の仕方で理解したり応答するような準備性を有していること．結果を前もって予測できるような態度．偏見や頑迷さは構えの例となるもので，刺激の価値に対して否定的で，かつ無関係な反応を示す）．***2*** 〖v.〗 整復する（骨折を整復する，すなわち骨折を正常な位置に戻したり軸を合わせたりする）．***3*** 〖n.〗 集合（他と区別可能な事象，対象，データの集まり）．

haploid s. (hap′loyd). 一倍体セット（正常な配偶子がもつ遺伝子数で，各常染色体遺伝子座については1個の対立遺伝子から成り，さらに完全な1セットのX連鎖性遺伝子あるいはY連鎖性遺伝子からなる．正常成人の体細胞は2個の一倍体を含んでいる）．

learning s. 学習の構え（それ以前の学習経験から発展した学習に対する準備や傾向で，ある生物が同等のあるいは次第に困難となる継続的課題を解決するにあたって，以前より少ない試行で学習するようになること）．

postural s. 姿勢の構え（走者が走る位置につくようにと

指示されたときのように全身の運動準備性をもって反応すること).

se·ta, pl. **set·ae** (sē′tă, -tē) [L. *saeta*, *seta*, a stiff hair or bristle]. 剛毛，柄（細く硬い剛毛様の構造）. =chaeta.

se·ta·ceous (sē-tā′shŭs) [L. *seta*, a bristle]. ***1*** 剛毛の生えた. ***2*** 剛毛様の.

Se·tar·i·a (sē-tā′rē-ă, -tar′ē-ă) [L. *seta*, a bristle]. セタリア属（フィラリア上科 Stephanofilariidae 科の線虫の一属．成虫は細長で，通常，腹腔内に寄生する．有鞘ミクロフィラリアは血液中を循環し，好適なカの体内での周期的発育を経て，他の宿主に伝播される．本虫はウシ(野生または家畜の)やウマに寄生し，通常，非病原性である．しかし，ときには幼虫が眼の前房に迷入する場合がある).

S. cervi ウシ，バッファロー，野牛，ヤク，および各種のシカの腹腔に寄生する種であるが，ヒツジの寄生例はまれである.

S. equina 全世界に分布するウマおよびウマ科の動物に通常見出される寄生虫の種．本虫は類白色の細い糸状で数インチの長さがあり，腹腔内に浮遊した状態で寄生しているが，ときに胸膜腔，肺，精巣，眼，腸内にも寄生する.

set·back (set′bak). 後方移動（両側口唇裂・口蓋裂の症例で，顎前骨を後方に移動させる手術．しばしば骨移植を行う).

se·tif·er·ous (sĕ-tif′ĕr-ŭs) [L. *seta*, bristle + *fero*, to carry]. 剛毛のある，剛毛の生えた. =setigerous.

se·tig·er·ous (sĕ-tij′ĕr-ŭs) [L. *seta*, bristle + *gero*, to bear]. =setiferous.

se·ton (sē′tŏn) [L. *seta*, bristle]. 串線(かんせん)（洞や瘻孔を形成させるために皮下組織や嚢胞に通す束糸，ガーゼの細長い切れ，長い鋼線または他の材料).

set·ting (set′ing). 硬化（アマルガムのように硬化すること).

SETTLE (set′ĕl). セトル（spindle epithelial tumor with thymuslike elements(胸腺様の成分をもつ紡錘形上皮細胞腫)の頭字語).

set-up (set′ŭp). 配列（①試適用義歯床の上に歯を配列すること．②歯の症例分析において，石膏模型上で歯を切断し，望ましい位置に再配列してみる操作).

se·vere com·bined im·mu·no·de·fi·cient mice (SCID mice) (se-vēr′ kŏm-bīnd i-myū′nō-dē-fi′shent mīs). 重症複合免疫不全マウス，SCID マウス（Tリンパ球とBリンパ球の両者を欠いたマウスで，移植や SCID-ヒトマウスキメラにおけるヒトリンパ組織の解析に用いられる.→severe combined *immunodeficiency*; SCID mice).

Se·ve·ring·haus (se′vĕr-ing-hows), John W. 20 世紀の米国人生理学者・麻酔科医. →S. *electrode*.

se·vum (sē′vŭm) [L.]. 獣脂，脂(あぶら).

sex (seks) [L. *sexus*]. 性（①ヒトの生殖腺的，形態学的(内部および外部)，染色体やホルモンに関する特徴に関する分析により表現されるような雌雄間を区別する生物学的形質または性状. *cf.* gender. ②生殖または性欲に関連した行為を促す個人における生理的あるいは心理的過程).

s. assignment 性指定（間性(両性具有)をもつ新生児の性がいかにして初めに指定されるかについての過程).

safe s. 安全〔な〕性行為（精液，血液，およびその他の体液を交換することによって起きる感染性疾患の伝播や感染のリスクを抑える性行為．コンドームを使用する，相互マスターベーションを行う，および肛門性交を避けるなど).

sex·dig·i·tate (seks-dij′i-tāt) [L. *sex*, six + *digitus*, finger or toe]. 6指の（一方または両方の手あるいは足に6本の指があることについていう). =sedigitate.

sex-in·flu·enced (seks′in-flū-enst). 従性，性連鎖（同じ遺伝子型でありながら，性によって表現が異なる遺伝疾患を示す用語．合理的な場合(乳癌は男性ではまれである)もあるし，経験的な土台(禿頭症は，男性では優性形質，女性では劣性形質のように現れる)に立脚しただけのものもある.→sex-influenced *inheritance*).

sex·i·va·lent (sek-sĭ-vā′lĕnt, sek-siv′ă-lent) [L. *sex*, six + *valentia*, strength]. 六価の.

sex-lim·it·ed (seks′lim-i-tĕd). 限性の（一方の性にだけ起こることについていう.→sex-limited *inheritance*).

sex-linked (seks′linkt). 伴性の（→sex *linkage*).

sex·ol·o·gy (seks-ol′ō-jē) [L. *sexus*, sex + G. *logos*, study]. 性学（分化，二形性を含む性に関するすべての面，特に性行動に関する科学的な学問).

sex·tan (seks′tăn) [L. *sextus*, sixth]. 6日目ごとの（症状が発現した日を第1日と算定して，6日目ごとに発作を発現するマラリア熱についていう．すなわち，4日間の無症候期間がある).

sextuplet (seks-tŭp′let). 六胎（一度の分娩で六子を得ること).

sex·u·al (sek′shū-ăl) [L. *sexualis* < *sexus*, sex]. ***1*** 〚adj.〛 性〔的〕の，性に関する. =genital. ***2*** 〚n.〛 性対象者（男性または女性にとっての，性的魅力，性的傾向，およびあらゆる意味で性によって認識される人物).

sex·u·al·i·ty (sek′shū-al′i-tē). 性，性欲，性別（①人間の性的行動やその傾向を総じていったり，性的傾向の強さをいう．②人の性的魅力の度合．③性的機能やその意味合いをもった性質).

infantile s. 小児性欲（精神分析学的人格理論の概念において，小児の精神・性的発達に関したもの．5歳くらいまでの精神・性的発達が口唇期，肛門期，および男根期と重畳し合いながら発達するといわれ，これらの段階を含めて小児性欲という).

sex·u·al·i·za·tion (sek′shū-ăl-i-zā′shŭn). 性欲化（①性的エネルギーあるいは衝動が出現したことで特徴付けられた状態．②獲得された性的エネルギーあるいは衝動によって性欲化された行動．③性的意味や特性を人やその行動に付与する働き).

sex·u·al pref·er·ence 性的選択（①選んだ相手との生物学的性行為．②性的満足を導くための特定の行動様式).

Sé·za·ry (sā-zah-rē′), Albert. フランス人皮膚科医，1880—1956. →S. *cell*, *erythroderma*, *syndrome*.

SF-1 steroidogenic *factor* 1 の略.

SF36 short form 36-item *questionnaire* の略.

SFO subfornical *organ* の略.

Sg seaborgium の元素記号.

SGA *s*mall for *g*estational *a*ge の略．在胎齢に対して小さな小児患者をさす.

S.G.O. Surgeon General's Office(軍医総監オフィス)の略.

SGOT serum glutamic:oxaloacetic transaminase の略.

SGPT serum glutamic:pyruvic transaminase の略.

SH ***1*** serum *hepatitis* の略. ***2*** sulfhydryl の略.

shad·ow (shad′ō). ***1*** 影（身体による光の遮断で限定される表面部.→density (3)). ***2*** 陰影，影（Jung 心理学において，個人の無意識の中にある，否認され，受容できないパーソナリティの側面に合体したもの. *cf.* persona). ***3*** 非有色細胞. =achromocyte.

acoustic s. 音響陰影（超音波を減衰させる物体の後方領域からのエコー(信号)強度が減弱する現象. *cf.* acoustic *enhancement*).

Gumprecht s.'s (gŭm′prekt). グンプレヒト〔陰〕影. =smudge *cells*.

hilar s. 肺門陰影（X線写真上の肺門をいう．右肺あるいは左肺の肺動静脈の中枢部分の複合影であり，関連する気管支壁およびリンパ節を含む).

Ponfick s. (pon′fik). ポンフィック〔陰〕影. =achromocyte.

radiographic parallel line s. =tram *lines*.

tubular s. 管状陰影（肺のX線写真で，X線の方向に対して平行または垂直な気管支を表す平行線様陰影または小円形陰影).

shad·ow-cast·ing (shad′ō-kast′ing). シャドーイング〔法〕，影付け〔法〕（炭素，またはパラジウム，プラチナ，クロムのような金属のフイルムを，輪郭をもった顕微鏡標本上に真空蒸着または沈着させ，電子顕微鏡あるいはときに光学顕微鏡で標本が見えるようにする方法).

Shaf·fer (shāf′ĕr), A. 米国人生化学者，1881—1960. →S.-Hartmann *method*.

shaft (shaft) [A.S. *sceaft*][TA]. 長幹. =diaphysis.

s. of clavicle [TA]. 鎖骨体(骨幹)（鎖骨の長い棒状の部分). =corpus claviculae [TA]; body of clavicle☆.

s. of femur [TA]. 大腿骨体(骨幹)（大腿骨の柱状の骨幹部). =corpus ossis femoris [TA]; body of femur☆; body of thigh bone; corpus femoris.

S

s. of fibula [TA]. 腓骨体(骨幹)（腓骨全長の大部分を占める棒状の部分）. =corpus fibulae [TA]; body of fibula*.

hair s. 毛幹（毛包そして皮膚からのび出てきた毛で，もはや成長しない部分）. =scapus pili.

s. of humerus [TA]. 上腕骨体(骨幹)（上腕骨の長くのびた部分で，近位部の外科頸と遠位部の顆上稜の始まる部位との間をいう）. =corpus humeri [TA]; body of humerus*.

s. of metacarpals (bones) [TA]. 中手骨体(骨幹)（中手骨の長い棒状の部分）. =corpus ossis metacarpi [TA]; body of metacarpal*; corpus metacarpale.

s. of metatarsals (bones) [TA]. 中足骨体(骨幹)（中足骨の長い棒状の部分）. =corpus ossis metatarsi [TA]; body of metatarsal*; corpus metatarsale.

s. of phalanx (of hand or foot) [TA]. 指(趾)節骨体(骨幹)（手足の各指節骨の骨幹部）. =corpus phalangis (manus et pedis) [TA]; body of phalanx*.

s. of radius [TA]. 橈骨体(骨幹)（橈骨の近位端と遠位端の間にある三角柱状の部分）. =corpus radii [TA]; body of radius*.

s. of tibia [TA]. 脛骨体(骨幹)（脛骨の近位端と遠位端の間にある断面が三角形の部分）. =corpus tibiae [TA]; body of tibia*.

s. of ulna [TA]. 尺骨体(骨幹)（尺骨頭と近位端との間の部分）. =corpus ulnae [TA]; body of ulna*.

shakes (shāks). 戦慄（間欠熱，アルコールなどの薬物禁断性振せんに伴う発作をさす俗語）.

smelter's s. =smelter's *fever*.

shank (shank) [A.S. *sceanca*]. ***1*** 脛，脛骨. ***2*** 軸（刃物または機能部分と柄を接続している道具の部分．バーやドリルのような回転具では，つかみの中にはまっている端をいう）.

shap·ing (shāp′ing). 型づくり（オペラント条件付けにおいて，オペラント反応が，その生物のレパートリに含まれていない場合，実験者がその反応を最も頻繁に出現する部分に類別して，それらを増強しながら，より多くのオペラントが実現されるに従い，徐々に継続的に増強を抑えていく過程）.

shark liv·er oil (shark liv′ĕr oyl). サメ肝油（サメ，主にヒラメ *Hypoprion brevirostris* の肝臓から抽出される油．ビタミンA，Dの宝庫）.

Shar·pey (shahr′pē), William. スコットランド人生理・組織学者，1802—1880. ⇀S. *fibers*.

Shar·pey-Schä·fer (shahr′pē-shef′er). ⇀Schäfer.

Sha·ver (shā′vĕr), Cecil Gordon. 20 世紀のカナダ人医師. ⇀S. *disease*.

SHBG sex hormone-binding *globulin* の略.

shear (shēr) [A.S.]. ずれ，剪断（2つの反対方向の平行な力による身体のゆがみ．このゆがみは力の面に平行な虚の面(体内にある)が互いの上をすべり合うことからなる）.

shears (shērz). 鋏(はさみ). =scissors.

Liston s. (lis′tŏn). リストン鋏（焼石膏切断に用いる頑丈な鋏）.

sheath (shēth) [A.S. *scaeth*]. ***1*** 鞘（筋肉，神経，血管をおおっている膜性被包構造．鞘様構造の総称）. =vagina (1). ***2*** 包皮（雄の動物，特にウマの包皮）. ***3*** シース（特殊な栓子あるいは切開器具を通したり，血栓塊，組織片，結石をその中を通して吸引できるように設計された管状器具）. ***4*** 頬面管（歯科矯正装置として，通常，大臼歯に用いるチューブ）.

anterior tarsal tendinous s.'s [TA]. 前足根腱鞘（伸筋支帯の下を通る腱が足根骨前面の通過を容易にするように存在する腱の鞘で，次のような筋の腱にある．ⓘ前脛骨筋，ⓘⓘ長母趾伸筋，ⓘⓘⓘ長趾伸筋）. =vaginae tendinum tarsales anteriores [TA].

axillary s. 腋窩線維鞘（深頸筋膜の椎前部が頸腋窩管を通って腋窩に向けて広がったもので腋窩動静脈の始まりの部分と腕神経叢とを包み込んでいる）.

carotid s. [TA]. 頸動脈鞘（各側で総頸動脈，内頸静脈，および迷走神経を包んで胸鎖乳突筋の深部にある緻密な線維性の鞘．頸筋膜の諸層に移行する）. =vagina carotica [TA].

carpal tendinous s.'s [TA]. 手根腱鞘（手首での腱の動きを容易にするためにあり，屈筋支帯・伸節支帯で留められている）. =vaginae tendinum carpales [TA].

caudal s. 尾鞘（発達中の精子内で，核の尾極周囲に円柱状に並んでいる微小管群）.

common flexor s. (of hand) [TA]. 〔手の〕指屈筋総腱鞘（手根部掌側の浅指・深指屈筋腱8本を手根管部で囲む滑膜性腱鞘で，通常は小指の指部腱鞘とつながっている）. =vagina communis tendinum musculorum flexorum (manus) [TA]; ulnar bursa.

common tendinous s. of fibulares [TA]. 腓骨筋総腱鞘（足関節部を通過する長・短腓骨筋の腱を囲む腱鞘）. =vagina communis tendinum musculorum fibularium [TA]; common tendinous s. of peronei*; vagina communis tendinum musculorum peronearum*.

common tendinous s. of peronei* 腓骨筋総腱鞘（common tendinous s. of fibulares の公式の別名）.

crural s. =femoral s.

dentinal s. ぞうげ細管鞘（比較的酸に強いぞうげ細管壁を形成している組織層を表す，現在では用いられない語）.

dorsal carpal tendinous s.'s [TA]. 背側手根腱鞘（手首背面で伸筋支帯下の腱の動きを容易にするためにある．次の6筋の腱にある．ⓘ長母指外転筋と短母指伸筋，ⓘⓘ橈側手根伸筋，ⓘⓘⓘ長母指伸筋，ⓘⓥ指伸筋と示指伸筋，ⓥ小指伸筋，ⓥⓘ尺側手根伸筋）. =vaginae tendinum carpales dorsales [TA].

dural s. 硬膜鞘，視神経硬膜（脊髄神経根をおおっている硬膜の延長．特に視神経外鞘）.

dural s. of optic nerve =outer s. of optic nerve.

enamel rod s. エナメル柱鞘（各エメナル柱をおおっている有機被包を表す，現在では用いられない語）.

external s. of optic nerve 視神経外鞘. =outer s. of optic nerve.

external root s. 外毛根鞘（⇀root s.）.

s. of eyeball 眼球鞘. =fascial s. of eyeball.

fascial s.'s of extraocular muscles 外眼筋の筋膜鞘. =muscular *fascia* of extraocular muscles.

fascial s. of eyeball [TA]. 眼球鞘（強膜の外面にある結合組織の圧縮物で，強膜とは狭い裂け目によって隔てられている．鞘は強膜角膜連結の近くで強膜に付着し，外眼筋の筋膜に移行している）. =vagina bulbi [TA]; capsula bulbi; eye capsule; fascia bulbi; s. of eyeball; Tenon capsule; vagina oculi.

femoral s. 大腿鞘（大腿血管をおおっている筋膜で，前方は腹横筋膜，後方は腸骨筋膜から形成されている．2つの隔壁によって3つの部分に分けており，最外側部は大腿動脈と陰部大腿神経の大腿枝を含み，中央部は大腿静脈，内側部は大腿管を含んでいる）. =crural s.; infundibuliform s.

fenestrated s. 有窓鞘（先端あるいは側面の凸になった部分を切って窓を開けた鞘で，特殊な切開器具を通せるようにしてある）.

fibrous s.'s 線維鞘（⇀fibrous tendon s.; fibrous digital s.'s of hand; fibrous s.'s of toes）.

fibrous digital s.'s of foot 足指の線維鞘. =fibrous s.'s of toes.

fibrous digital s.'s of hand 手指の線維鞘. =fibrous s.'s of digits of hand.

fibrous s.'s of toes [TA]. 足指の線維鞘（長指・短指屈筋腱，および足の長母指屈筋を囲む管状線維層で，輪状部，十字部からなる）. =vaginae fibrosae digitorum pedis [TA]; fibrous digital s.'s of foot.

fibrous s.'s of digits of hand [TA]. 手指の線維鞘（管状の線維層で，その中に滑膜性腱鞘，浅指・深指屈筋腱，長母指屈筋腱を包み込み各指にまで至る．輪状部，十字部からなる）. =vaginae fibrosae digitorum manus [TA]; fibrous digital s.'s of hand.

fibrous tendon s. [TA]. 腱の線維鞘（腱の線維性の鞘）. =stratum fibrosum vaginae tendinis*[TA]; vagina fibrosa tendinis; vagina fibrosa*.

fibular tarsal tendinous s.'s [TA]. 腓側足根腱鞘（外果の下を通り腓骨筋支帯の下で足根骨の表面を通る腱の動きを容易にする鞘で，腓骨筋総腱鞘と腓骨筋足底腱鞘の2つがある）. =vaginae tendinum tarsales fibulares [TA].

Henle s. (hen′lē). ヘンレ鞘. =endoneurium.

Hertwig s. (hert′vig). ヘルトヴィヒ鞘（エナメル器の没した内外上皮層．歯冠部分を越えてのび，発育歯根の上部をおおっている．歯根が形成されると萎縮するが，その細胞がわずかでも残っていると Malassez 上皮遺残とよばれる）.

Huxley s. (hŭks′lē). ハックスリー鞘. ＝Huxley *layer*.

infundibuliform s. ＝femoral s.

inner s. of optic nerve [TA]. 視神経内鞘（視神経の叢内側の鞘で脳クモ膜の続きであり，脳脊髄液の満ちた鞘内腔はクモ膜下腔と連続している）. ＝vagina interna nervi optici [TA]; internal s. of optic nerve.

internal s. of optic nerve 視神経内鞘. ＝inner s. of optic nerve.

internal root s. 内毛根鞘（→root s.）.

intertubercular tendon s. [TA]. 結節間滑液鞘（上腕二頭筋長頭腱を囲む結節間溝の下方にある肩関節の滑膜が拡張したもの）. ＝vagina tendinis intertubercularis [TA].

s. of Key and Retzius (kē ret′zē-ŭs). ケイ（キー）－レッチウス鞘. ＝endoneurium.

Mauthner s. (mowt′nĕr). マウトナー鞘. ＝axolemma.

medullary s. 髄鞘. ＝myelin s.

microfilarial s. ミクロフィラリア鞘（ヒトに寄生する糸状虫の*Wuchereria*属，*Brugia*属，*Loa*属の幼虫ミクロフィラリアをおおっている膜. 卵黄膜に由来するものと考えられている）.

mitochondrial s. ミトコンドリア鞘（精子の中片内にらせん状に並んだミトコンドリア. 尾部の運動を調節するものと考えられる）.

mucous s. of tendon 粘液腱鞘. ＝synovial tendon s.

muscle s. ＝*fascia* of individual muscle.

myelin s. ミエリン鞘（直径0.5 μm以上のほとんどの軸索をおおっている脊椎動物の脂質蛋白性被膜. これは種々の回数で軸索をきつく巻いている二重原形質膜からなり，乏突起膠細胞（脳および脊髄）またはSchwann細胞（末梢神経）によってつくられる. 巻かれていない二重膜は，薄紙状の細胞伸展のようにみえ，細胞質がなく，わずかに狭い細胞質の延長がみられるだけであるが，これは正規のミエリン構造が断絶しているようにみえるSchmidt-Lanterman切痕に相当すると思われる. 各軸索のミエリン鞘は規則正しい縦方向の分節の連鎖からなり，分節ごとに１つの乏突起膠細胞またはSchwann細胞によってつくられた鞘であることを示している. 各２個の隣接鞘間の短い中断すなわちRanvier絞輪では，軸索は髄鞘をもたず，ただ隣接する乏突起膠細胞またはSchwann細胞から突出した指状の膜性突起の絡み合ったものでおおわれているだけである）. ＝medullary s.

neurovascular s. 神経血管鞘（動脈とその伴行静脈とこれらに伴行する神経とを一括して包み込む線維性の組織. 単に結合組織性の外膜をさすこともあれば明確な筋膜性の層を形成することもある（例えば頸動脈部，腋窩部））.

notochordal s. 脊索鞘（脊索の外部を包んでいる線維）.

outer s. of optic nerve [TA]. 視神経外鞘（視神経の外側の鞘で，脳硬膜の続きである）. ＝vagina externa nervi optici [TA]; dural s. of optic nerve; external s. of optic nerve.

palmar carpal tendinous s.'s [TA]. 掌側手根腱鞘（手首掌面で屈筋支帯下の腱の動きを容易にするためで，次の３筋の腱にある. ⓘ長母指屈筋，ⓘⓘ橈側手根屈筋，ⓘⓘⓘ浅深指屈筋）. ＝vaginae tendinum carpales palmares [TA].

parotid s. ＝parotid *fascia*.

periarterial lymphatic s. (**PALS**) 動脈周囲リンパ鞘（脾中心動脈を包むTリンパ球の集積で，白色髄を形成する）.

plantar tendon s. of fibularis longus muscle [TA]. 長腓骨筋足底腱鞘（足底を横切る長腓骨筋の腱を囲む滑膜性腱鞘）. ＝vagina plantaris tendinis musculi fibularis longi [TA]; plantar tendon s. of peroneus longus muscle*; vagina plantaris tendinis musculi peronei longi*.

plantar tendon s. of peroneus longus muscle* 長腓骨筋足底腱鞘（plantar tendon s. of fibularis longus muscleの公式の別名）.

prostatic s. 前立腺鞘（血管（主に静脈叢）を包み込み前立腺被膜とも関連する粗な結合組織で，下方では尿生殖隔膜の浅筋膜に移行し，後方では直腸膀胱隔膜を形成する）.

rectus s. [TA]. 腹直筋鞘（腹直筋の鞘で，腹壁の前外側にある３つの腹筋の腱膜により形成され，２分して腹直筋を囲んだ後，正中部で融合して白線を形成する. 前葉と後葉とからなり，後者は弓状線の下では欠如する. →*aponeurosis* of external oblique (muscle); *aponeurosis* of internal oblique muscle）. ＝vagina musculi recti abdominis [TA].

resectoscope s. 切除用内視鏡鞘（手術器具としての鞘で，それを通して膀胱腫瘍あるいは前立腺を経尿道的に電気切除できる）.

root s. 毛根鞘（毛嚢の表皮層の１つ. 外毛根鞘は表皮の基底層および有棘層に続いている. 内毛根鞘は内毛根の小皮，Huxley層およびHenle層からなる）.

Rouget-Neumann s. (rū-zhā′ nū′mahn). ルジェーノイマン鞘（骨細胞と骨小窩または骨細管の間を埋める石灰化していない骨基質）.

Scarpa s. (skar′pah). スカルパ鞘. ＝cremasteric *fascia*.

s. of Schwann (shwahn′). シュヴァン鞘. ＝neurilemma.

s. of Schweigger-Seidel (shwī′gĕr sī′dĕl). シュヴァイガー・ザイデル鞘. ＝ellipsoid.

s. of styloid process [TA]. 茎状突起鞘（骨の稜線（側頭骨の鼓室部の縁）で，乳頭突起の前側および内側から蝶形骨の棘まで走っている. 茎状突起の基底部を取り囲むとき分裂する）. ＝vagina processus styloidei [TA]; vaginal process.

synovial s. [TA]. 滑液鞘（→synovial tendon s.; *vagina* synovialis trochleae; synovial s.'s of digits of hand; synovial s.'s of toes）. ＝vagina synovialis [TA]; synovial *layer* of tendon sheath.

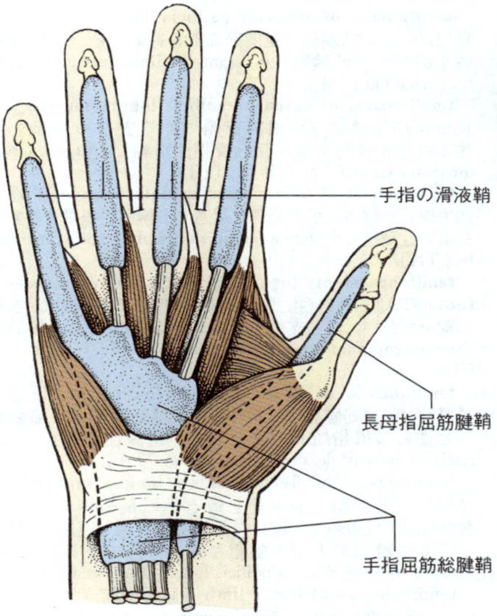

synovial sheaths of hand and digits

synovial s.'s of digits of foot 足指の滑液鞘. ＝synovial s.'s of toes.

synovial s.'s of digits of hand [TA]. 手指の滑液鞘（指の屈筋腱を囲み，線維性腱鞘の内側にある滑膜性腱鞘）. ＝vaginae synoviales digitorum manus [TA].

synovial tendon s. [TA]. 腱の滑液鞘（いくつかの腱をおおう滑膜性の腱鞘で，少量の滑液を含む）. ＝vagina synovialis tendinis [TA]; mucous s. of tendon; theca tendinis; vagina mucosa tendinis; vaginal synovial membrane.

synovial s.'s of toes [TA]. 足指の滑液鞘（手の対応する腱鞘に構造が似ている）. ＝vaginae tendinum digitorum pedis [TA]; synovial s.'s of digits of foot; vaginae synoviales digitorum pedis [TA].

tail s. 尾膜（精子尾部の線維性の被膜）.

tendinous s. of abductor pollicis longus and extensor pollicis brevis muscles [TA]. 長母指外転筋および短母指伸筋腱鞘（手根部背側で伸筋支帯の区画の裏張りをしている滑膜性腱鞘で，長母指外転筋および短母指伸筋の腱を含む）. ＝vagina tendinum musculorum abductoris longi et extensoris brevis pollicis [TA].

tendinous s. of extensor carpi radialis muscles [TA]. 橈側手根伸筋腱鞘（手根部背側で長橈側・短橈側手根伸筋の腱を含む伸筋支帯の区画の裏張りをしている滑膜性腱鞘）. = vagina tendinum musculorum extensorum carpi radialium [TA].

tendinous s. of extensor carpi ulnaris muscle [TA]. 尺側手根伸筋腱鞘（手根部背側で伸筋支帯の深部を通過する尺側手根伸筋の腱を囲む滑膜性腱鞘）. = vagina tendinis musculi extensoris carpi ulnaris [TA]; peritenon.

tendinous s. of extensor digiti minimi muscle [TA]. 小指伸筋腱鞘（手根部背側で伸筋支帯の深部を通過する小指伸筋の腱を囲む滑膜性腱鞘）. = vagina tendinis musculi extensoris digiti minimi [TA].

tendinous s. of extensor digitorum and extensor indicis muscles [TA]. 〔総〕指伸筋および示指伸筋腱鞘（手根部背側で伸筋支帯の深部で指伸筋の4つの腱と示指伸筋腱を囲む滑膜性腱鞘）. = vagina tendinum musculorum extensoris digitorum et extensoris indicis [TA].

tendinous s. of extensor digitorum longus muscle of foot [TA]. 長趾(指)伸筋腱鞘（足関節前部を横切る長指伸筋および第 III 腓骨筋の腱を囲む滑膜性腱鞘）. = vagina tendinum musculi extensoris digitorum (pedis) longi [TA].

tendinous s. of extensor hallucis longus muscle [TA]. 長母趾(指)伸筋腱鞘（足関節前部を通過する長母指伸筋の腱を囲む滑膜性腱鞘）. = vagina tendinis musculi extensoris hallucis longi [TA].

tendinous s. of extensor pollicis longus muscle [TA]. 長母指伸筋腱鞘（手根部背側で伸筋支帯の深部を通過する長母指伸筋の腱を囲む滑膜性腱鞘）. = vagina tendinis musculi extensoris pollicis longi [TA].

tendinous s. of flexor carpi radialis muscle [TA]. 橈側手根屈筋腱鞘（手関節部を通過する橈側手根屈筋の腱を囲む滑膜性腱鞘）. = vagina tendinis musculi flexoris carpi radialis [TA].

tendinous s. of flexor digitorum longus muscle (of foot) [TA]. 長趾(指)屈筋腱鞘（足根部内側で長指屈筋の腱をおおい，屈筋支帯の深部で足に達する滑膜性腱鞘）. = vagina tendinum musculi flexoris digitorum (pedis) longi [TA].

tendinous s. of flexor hallucis longus muscle [TA]. 長母趾(指)屈筋腱鞘（足根部内側で屈筋支帯の深部を足底へと進む長母指屈筋の腱をおおう滑膜性腱鞘）. = vagina tendinis musculi flexoris hallucis longi [TA].

tendinous s. of flexor pollicis longus muscle [TA]. 長母指屈筋腱鞘（手根管を通る手の長母指屈筋の腱をおおう滑膜性腱鞘で，母指の指節部の腱鞘と連続しており，この2つは通常1つの腱鞘と考えられている）. = vagina tendinis musculi flexoris pollicis longi [TA]; radial bursa.

tendinous s.'s of lower limb 下肢の腱鞘（大腿，下腿，および足の腱を包む滑液鞘）. = vaginae tendinum membri inferioris [TA].

tendinous s. of superior oblique muscle [TA]. 上斜筋腱鞘（上斜筋の腱が滑車を通り抜けるところでこれを取り囲む腱鞘）. = vagina tendinis musculi obliqui superioris [TA]; synovial trochlear bursa; trochlear synovial bursa; vagina synovialis trochleae.

tendinous s. of tibialis anterior muscle [TA]. 前脛骨筋腱鞘（伸筋支帯の深部にある滑膜性腱鞘で，足関節前部を通るとき前脛骨筋の腱を囲む）. = vagina tendinis musculi tibialis anterioris [TA].

tendinous s. of tibialis posterior muscle [TA]. 後脛骨筋腱鞘（足根部内側で屈筋支帯の深部を足底へと進む後脛骨筋の腱を囲む滑膜性腱鞘）. = vagina tendinis musculi tibialis posterioris [TA].

tendinous s.'s of upper limb 上肢の腱鞘（上腕，前腕，および手の腱を包む滑液鞘）. = vaginae tendinum membri superioris [TA].

s. of thyroid gland 甲状腺鞘（甲状腺被膜の外側から甲状腺をおおうもので，甲状腺後縁にある深頸筋膜の気管前部から分かれて出た結合組織．前板は甲状腺の前外側をおおい甲状腺峡の上方で輪状軟骨弓に付着する(喉頭の上下の際，甲状腺も気管とともに動く)．後板は食道の後ろを通って頬咽頭筋膜に合流する．下方では下甲状腺静脈に沿って上縦隔にまで散開するので，甲状腺腫瘍などで甲状腺が拡大伸長するときはこの方向にのびる）.

tibial tarsal tendinous s.'s [TA]. 脛側足根腱鞘（屈筋支帯下で足根骨の表面を通る腱の動きを容易にするために，次の3筋の腱にある．ⓘ長指屈筋，ⓘⓘ後脛骨筋，ⓘⓘⓘ長母指屈筋）. = vaginae tendinum tarsales tibiales [TA].

vascular s.'s 血管鞘，脈管鞘（動脈およびそれと伴行する静脈，ときには神経も一緒に包む線維性の鞘）. = s.'s of vessels; vaginae vasorum.

s.'s of vessels 血管鞘. = vascular s.'s.

Waldeyer s. (vahl'dā-ĕr). ヴァルダイアー(ワルダイエル)鞘(層)（膀胱壁とその中を斜走する尿管の壁内部分との間の管状部分．実際は層面であって，立体的な空間ではない）. = Waldeyer space.

sheath·ing (shē'dhing). 鞘形成（鞘，管をおおう，または刀のさや状におおう物または組織）.

frosted branch s. 樹氷状分枝鞘形成（網膜血管炎でしばしばみられる血管の変化に対する用語）.

Shee·han (shē'han), Harold L. 20世紀の英国人病理学者. → S. *syndrome*.

Shel·don (shel'dŏn), J.H. イングランド人小児科医，1920—1964. → Freeman-S. *syndrome*.

shelf (shelf). 棚，架（解剖学において，棚に似た構造）.

Blumer s. (blū'mĕr). ブラマー棚. = rectal s.

dental s. = dental *ledge*.

palatal s.'s 口蓋棚. = lateral palatine *processes*.

rectal s. 直腸棚，直腸架（腹腔の癌から沈下し，直腸膀胱窩あるいは直腸子宮窩に発育してくる転移性腫瘍細胞によって，直腸指診で触知しうる棚）. = Blumer s.

talar s.* *sustentaculum* tali の公式の別名.

vocal s. = vocal *fold*.

shell (shel). 外皮（外部のおおい）.

breast s. ブレストシェル，母乳育児補助器具（おわん型の構造を伴った平たい円板で，硬めのブラジャーの内側に入れ，陥没した乳頭を改善することにより，授乳しやすくするもの）.

cytotrophoblastic s. 栄養膜細胞層外皮（胎盤の母体面上の栄養膜細胞から胎児期に生じる外層）.

diffusion s. 半透過膜（血清アルブミンは通さないが，ペプトンを通す半透過膜の小血管．Abderhalden 試験に用いる）.

K s. K殻（最も内側の電子軌道，すなわち殻．2つの電子を保有できる）.

L s. L殻（原子の中で，K殻(K shell 参照)の次にエネルギーが低い電子の軌道）.

M s. M殻（この軌道からの電子の遷移でX線の生成が可能となるような最も低いエネルギーレベルの軌道）.

O s. O殻（電子軌道のうち外側に位置するもので，その殻の電子の遷移によって可視光領域の電磁波の放出を起こす）.

shel·lac (shĕ-lak'). シェラック（カタカイガラムシ科 *Laccifer* (*Tachardia*) *lacca* の昆虫の樹脂状分泌物．この昆虫は種々の樹脂があるアジア産(特にインド)の木の樹液を吸い，"stick-lac" を分泌して蓄積する．シェラックは低温で軟らかくなり多くの非薬物的用法がある．糖剤や錠剤の被膜や歯科材料として印象化合物や基礎床などに用いる）. = lacca.

She·min (shĕm-in'), David. 20世紀の米国人生化学者. → S. *cycle*.

Shen·ton (shen'tŏn), Edward W.H. イングランド人放射線科医，1872—1955. → S. *line*.

Shep·herd (shep'hĕrd), Francis J. カナダ人外科医，1851—1929. → S. *fracture*.

Sherm·an (shĕr'măn), Henry C. 米国人生化学者，1875—1955. → S. *unit*; S.-Bourquin *unit* of vitamin B_2; S.-Munsell *unit*.

Sher·ring·ton (sher'ing-tŏn), Charles. イングランド人生理学者・ノーベル賞受賞者，1857—1952. → S. *phenomenon*, *law*; Schiff-S. *phenomenon*; Liddell-S. *reflex*.

Shib·ley (shib'lē), Gerald S. 19世紀の米国人内科医. → Shibley *sign*.

shield (shēld) [A.S. *scild*]. 遮へい板（操作者らを放射線から防御する鉛などのシートやブロック）.

embryonic s. 胎盾（胎芽に生長する原始線条が現れる胚盤葉の肥厚部分）.

nipple s. 乳頭帽（育児中，乳頭を保護するためにかぶせるふた，または円蓋）.

oral s.'s オーラルシールド（矯正治療に用いる可撤装置で，通常，唇・頬粘膜と歯との間に装着する）.

shift (shift). 移動，偏位，シフト（→deviation）. ＝change.

antigenic s. 抗原不連続変異（微生物の RNA/DNA 分子構造が突然変化する突然変異のこと．特にウイルスでは新しい株が出現する．以前に別の株に暴露されていたとしても，宿主は新しい株に対してほとんどあるいはまったく獲得免疫をもたない．抗原不連続変異は，宿主中で２種のウイルス株が組換えや遺伝的再構成して新しいインフルエンザ株が出現し，それが大規模な流行を説明することになると信じられている）.

axis s. 幅偏位．＝axis *deviation*.

chemical s. 化学(ケミカル)シフト（原子核の共鳴周波数が，その原子核の属する原子や分子の化学結合(の状態)に依存すること．→chemical shift *artifact*）.

chloride s. 塩素イオン移動（CO_2 が組織から血液中にはいるとき，赤血球の中を通り，カルボネートデヒドラターゼにより重炭酸イオン(HCO_3^-)に変換される．HCO_3^- イオンは血漿の中にはいり，Cl^- は赤血球内に移動する．CO_2 が血液から除去されるとき，肺の中で反対の変化が起こっている）. ＝Hamburger phenomenon.

Doppler s. (dop′lĕr). ドップラー(ドプラ)シフト（音源とその聴取者が相対的な運動をする際起こる周波数の変化量．→Doppler *effect*）.

s. to the left〔核〕左方移動（①循環血液中での幼若細胞の比率の著しい増加．幼若骨髄球系細胞を伴った骨髄は左方に，成熟好中球を伴った循環血液は右方にという，血液学における約束に基づいている．＝deviation to the left. ②→maturation *index*）.

luteoplacental s. 黄体から胎盤への機能転換（ヒトの妊娠維持に必須のエストロゲンおよびプロゲステロンの黄体から胎盤への産生部位の変化．大部分の哺乳類では卵巣摘除は十分量のエストロゲンとプロゲステロンが産生されないため流産を起こすが，ヒトでは妊娠６週以降は胎盤から十分量のホルモン産生があるため，卵巣摘除後も流産を防止できる）.

permanent threshold s. 永久的聴力閾値上昇（強大音や持続的な音響にさらされたことにより生じる不可逆性聴力低下．同様な原因により生じる可逆的な一過性聴力閾値上昇に対して用いられる）.

phase s. 位相(フェーズ)シフト（核磁気共鳴におけるスピンの運動による位相の変化で，流速を表現できる）.

Purkinje s. (pŭr-kin′jē). プルキンエ偏位．＝Purkinje *phenomenon*.

s. to the right〔核〕右方移動（①末梢血液中の白血球分布で，幼若および未熟型がみられないもの．＝deviation to the right. ②→maturation *index*）.

temporary threshold s. 一過性聴力閾値上昇（強大音や持続的な音響にさらされたことにより生じる可逆性聴力低下．同様な原因で生じる不可逆的な永久的聴力閾値上昇に対して用いられる）.

threshold s. 閾値変動（以前の聴力図と比較して得られるデシベルの難聴の定量．強大音暴露後，数時間か数日で改善する一過性閾値上昇や永久的閾値上昇が起こることがある）.

Shi·ga (shē′gah), Kiyoshi. 日本人細菌学者，1870—1957. → *Shigella*; S. *bacillus*; S.-Kruse *bacillus*.

Shi·gel·la (shē-gel′lă) [Kiyoshi *Shiga*]. 赤痢菌属（腸内細菌科の非運動性，好気性または通性嫌気性菌で，グラム陰性の莢膜をもたない桿菌である．これらの菌はクエン酸を唯一の炭素源として利用することはできない．細菌の発育はシアン化カリウムで抑制される．代謝は発酵性で，ブドウ糖やほかの炭水化物を発酵して酸を産生するが，ガスは発生しない．乳糖は，ときに徐々に分解されるが，一般に発酵されない．常在域はヒトや高等猿類の腸管内で，すべての種が赤痢を起こす．標準種は *S. dysenteriae*）.

S. boydii ボイド赤痢菌（症状のある患者の糞便中にのみ見出される種．割合は低いが細菌性赤痢にみられる）.

S. dysenteriae 志賀赤痢菌（ヒトに有毒のシガトキシンによって生じる重度の壊死性赤痢を起こす種．患者の糞便中にのみ見出される．*Shigella* の標準種）. ＝Shiga bacillus; Shiga-Kruse bacillus.

S. flexneri フレクスナー赤痢菌（症状のある患者や回復者または保菌者の糞便中に見出される種．流行性赤痢の一般的な原因菌で，特にアジア，中東に多い．現在では，ときに肛門性交による性的感染のあることが知られている）. ＝Flexner bacillus; paradysentery bacillus.

S. sonnei ソ〔ン〕ネ赤痢菌（赤痢を起こす種であるが，多くの場合他の種によるものより軽い．米国では赤痢菌属 *Shigella* による疾病の中では最も一般的な種である）.

shig·el·lo·sis (shig′ĕ-lō′sis). 細菌性赤痢（赤痢菌属 *Shigella* の細菌により起こる細菌性赤痢で，しばしば流行性となる．エイズ患者の日和見感染）.

shi·kim·ate de·hy·dro·gen·ase (shi-kim′āt dē′hī-drō′jen-ās). シキミ酸デヒドロゲナーゼ（フェニルアラニンとチロシン生合成において，3–デヒドロシキミ酸と NADPH 酸と反応してシキミ酸と $NADP^+$ にする反応を可逆的に触媒する酸化還元酵素）.

Shi·ley (shī′lē), D.B. 20 世紀の米国人エンジニア．→Björk-S. *valve*.

shim (shim). シム（MRI における，磁場の均一性を向上させるための磁場強度の微調整）.

shimmer (shĭm′ĕr). シマー（声帯振動の振幅の一時的変化(ランダムでサイクルからサイクルまで)を表す定量的測定．耳障りな声質の認知に寄与する）.

shin (shin) [A.S. *scina*]. 脛(すね)，向脛(むこうずね). ＝anterior *border* of tibia.

saber s. 剣状脛（先天性梅毒により脛骨が紡錘形に前弯した状態）.

toasted s.'s ＝*erythema* ab igne.

Shine (shīn), John. 20 世紀のオーストラリア人分子生物学者．→Shine-Dalgarno *sequence*.

shin·gles (shing′gĕlz) [L. *cingulum*, girdle]. 帯状ヘルペス，帯状疱疹＝*herpes* zoster.

shin-splints (shin-splints). 非訓練者の過剰練習後の前脛骨筋の硬化と腫脹を伴った圧縮と疼痛．前脛骨部症候群の軽症例.

ship (ship). 舟形構造.

Ship·ley (ship′lē), Walter C. 20 世紀の米国人精神科医．→S.-Hartford *scale*.

Shi·rod·kar (shī-rod′kar), N.V. インド人産科婦人科医，1900—1971. →S. *operation*.

shiv·er (shiv′ĕr). *1*〖v.〗戦慄する（特に寒さのために震える）. *2*〖n.〗身震い，軽度の悪寒.

shiv·er·ing (shiv′ĕr-ing) 震えること（寒さまたは恐怖から生じる震え．イヌはまた興奮する状況においてそれを予想することによって震えることがある）.

shock (shok) [Fr. *choc* < Germanic]. ショック（①灌流の変化によって起こる体細胞の酸素の供給量の不足の状態．多くは失血や敗血症による二次的なものである．②動物生体器官における血流と酸素化の不足に起因する突然の身体的あるいは生化学的障害．③重症の外傷または感情障害による深い精神的・身体的抑うつ状態．④全身の血行不全が特徴的で，その程度によって組織の細胞に障害が起こってくる．ショックが遷延すると心血管系それ自体に障害をきたし，死の転帰となる悪循環に陥る悪化が始まる．→ diastolic s.; systolic s.）.

anaphylactic s. アナフィラキシーショック（喉頭浮腫や気管支痙攣による呼吸器症状，不整脈や末梢血管拡張と血管透過性亢進による低血圧あるいはショックを特徴とする激烈で，しばしば致命的な病態を呈するショック．典型的な IgE 抗体が関与する現象(I 型アレルギー反応)．→anaphylaxis; serum *sickness*）.

anaphylactoid s. 類アナフィラキシーショック，アナフィラキシー様ショック（アナフィラキシーショックに類似の反応であるが，誘発性の過敏状態(アナフィラキシー)特有の潜伏期を必要としない．IgE が関与しない反応である）. ＝anaphylactoid crisis (1); pseudoanaphylactic s.

anesthetic s. 麻酔性ショック（１種以上の麻酔薬の，通常，比較的過量の投与により生じるショック）.

break s. 開放ショック（身体を通る一定電流が開放され

S

ることにより生じるショック).

cardiac s. 心臓性ショック. ＝cardiogenic s.

cardiogenic s. 心臓性ショック，心原性ショック（重症の心疾患，通常，心筋梗塞によって二次的に心拍出量が減少する結果起こるショック). ＝cardiac s.

chronic s. 慢性ショック（癌のような衰弱性疾患の老人患者に起こる末梢循環不全の状態．血液量が正常以下で，手術中に起こる軽度の失血による出血性ショックに陥りやすい).

counter-s. →countershock.

cultural s. カルチャーショック，文化ショック（生まれ育った文化とかなり異なる新しい文化に個人が同化する場合のストレス).

declamping s. デクランピングショック. ＝declamping *phenomenon*.

deferred s., delayed s. 遅延性ショック（損傷を受けた後，かなりの時間をおいて起こるショック).

diastolic s. 拡張性ショック（増強された第２心音の拍動が，胸壁に当てた手に異常に触れること).

electric s. 電気ショック，電撃，感電（異常感覚(しびれ，痛みなど)を起こしたり他覚的変化(筋攣縮，心不整脈，昏睡を含む神経障害，組織損傷など)を起こすのに十分な強さの電流に対する，生体組織の即時および遅発性病態生理学的反応の合計).

endotoxin s. 内毒素性ショック，エンドトキシンショック（グラム陰性細菌の菌体内毒素の放出，特に大腸菌 *Escherichia coli* により生じるショック).

galvanic s. ガルヴァーニショック（歯科の修復処置において使用される，異種の，あるいは類似した金属により誘発されるガルヴァーニ電流の結果として生じる痛み).

hemorrhagic s. 出血性ショック（急性出血の結果生じる乏血性ショックで，低血圧，頻脈，蒼白，冷感，冷たい湿った皮膚，乏尿などが特徴).

histamine s. ヒスタミン性ショック（ヒスタミン注射により動物に生じるショック状態．モルモットでは気管支痙攣，イヌでは肝静脈の収縮がみられる).

hypovolemic s. 循環血液量減少性ショック（例えば，出血または脱水による血液量減少から生じるショック).

insulin s. インスリンショック（インスリンの投与による重篤な低血糖性ショック．発汗，振せん，不安，めまい，複視が生じ，これにせん妄，痙攣，虚脱が続く). ＝wet s.

irreversible s. 不可逆性ショック（救命が可能な範囲を超えて細胞が傷害されるほど進行したショック状態).

neurogenic s. 神経原性ショック（不十分な灌流をもたらす点では他のと似ているショック状態(脊髄ショックなど)．自律神経系の障害による血管運動緊張低下が原因である．頻脈，皮膚発汗(冷たくしっとりした皮膚)の古典的徴候がないという臨床的特徴で鑑別されることがしばしばある).

nitroid s. 類亜硝酸性ショック（亜硝酸を大量に投与した場合に似た症状．ときにアルスフェナミンまたは他の薬を急速に静脈注射した場合に起こる. →nitritoid *reaction*).

oligemic s. 乏血性ショック（血液量の著しい減少に伴うショック．ときに，血管の透過性の増加により起こる).

osmotic s. 浸透圧性ショック（細胞の浸透圧が急激に変化することで，通常は細胞溶解が起こる).

primary s. 一次〔性〕ショック，原発性ショック（疼痛や不安から起こる主に神経性のショックで，重症外傷を受けた後，ほとんどすぐに続いて起こる).

protein s. 蛋白ショック（蛋白の非経口投与後に起こる全身性反応).

pseudoanaphylactic s. 偽アナフィラキシーショック. ＝anaphylactoid s.

reversible s. 可逆性ショック（治療に反応し，回復可能なショック).

septic s. 敗血症性ショック（①多量の毒素あるいはサイトカインなどの血管作用物質を放出する感染によるショックで低血圧を伴う．②グラム陰性菌によって引き起こされる敗血症に伴ってみられるショック).

serum s. 血清ショック（抗毒素血清，または他個体の血清を注射したため起こるアナフィラキシーショック，または類アナフィラキシーショック).

shell s. シェルショック，砲弾ショック. ＝battle *fatigue*.

spinal s. 脊髄ショック（急性脊髄損傷または離断のレベル以下にみられる反射活動の一過性抑制または消失).

systolic s. 収縮期性ショック（増強した第１心音の拍動が胸壁に当てた手に異常に触れること).

toxic s. 中毒性ショック（→toxic shock *syndrome*).

vasogenic s. 血管原性ショック（脳幹と延髄の血管運動中枢高部の活動が抑圧された結果生じるショックで，失血のない血管拡張を生じ，血管床が不相応に大きい．乏血性ショックでは血液量が減少するが，両者とも静脈血の還流が不十分である).

wet s. 湿性ショック. ＝insulin s.

Shone (shōn), John D. 20 世紀のイングランド人心臓病専門医. →S. *anomaly*, *complex*, *syndrome*.

shook jong (shuk yong′). ＝koro.

Shope (shōp), Richard E. 米国人病理学者，1902—1966. →S. *fibroma*, fibroma *virus*, *papilloma*, papilloma *virus*.

short-chain ac·yl-CoA de·hy·dro·gen·ase (shōrt-chān as′il dē′hī-drō′jen-ās). →*acyl-CoA* dehydrogenase (NADPH).

short·sight·ed·ness (shōrt′sīt-ĕd-nes). 近視. ＝myopia.

shot-feel (shot′fēl). 弾子感（頭の先から足へ急速に通る神経発射，または電気ショックのような奇異な感覚．弾子が身体の中をころげ落ちるような感覚といわれることもあり，先端巨大症で起こる).

shoul·der (shōl′dĕr) [A.S. *sculder*]. ***1*** 肩（肩甲部の外側部分．肩甲骨がここで鎖骨と上腕骨と結合し，三角筋でおおわれている). ***2*** ショルダー（歯科において，歯冠外側の窩洞形成における歯肉壁と軸壁の結合により形成される棚).

frozen s. 有痛性肩拘縮症. ＝adhesive *capsulitis*.

shoul·der blade (shōl′dĕr blād). ＝scapula.

show (shō) [A.S. *sceáwe*]. 前徴，印，様子（①月経の始まりの出血．②分娩開始の徴候．腟からの少量の血液の混じった粘液の排出が特徴で，これは妊娠中の頸管を満たしていた粘液栓の押出を表す).

Shprint·zen (sprint′zĕn), R.J. →S. *syndrome*.

Shrapnell (shrap′nĕl), Henry J. イングランド人解剖学者，1761—1841. →S. *membrane*.

shud·der (shŭd′ĕr) [M.E. *shodderen*]. 身震い（痙攣性または不随意性振せん).

carotid s. 頸動脈振せん（大動脈弁狭窄にみられる頸動脈波記録の最高域での振動).

shugoshin シュゴシン（減数分裂時における姉妹染色体のセントロメアでの結合の保護と体細胞分裂と減数分裂時のキネトコアの調節に関わる蛋白).

Shul·man (shūl′măn), Lawrence E. 20 世紀の米国人リウマチ学者. →S. *syndrome*.

Shum·way (shŭm′wā), Norman. 20 世紀の米国人外科医．心臓移植に関連する組織の拒絶反応を処理するための方法を開発した.

shunt (shŭnt) [M.E. *shunten*, to flinch]. ***1***〘v.〙う回する，バイパスする，そらす. ***2***〘n.〙シャント，短絡，吻合〔術〕，バイパス形成（瘻孔形成または器械装置により，体液を含む他のシステムへの体液のバイパスまたはう回．この名称は一般に起点と終点を含む．例えば，動静脈，脾腎，脳室大槽. →bypass).

arteriovenous s. (**A-V s.**) 動静脈シャント（毛細血管網を通らず，直接に動脈から静脈へ血液を流す).

Blalock s. (blā′lok). ブラロック(ブレロック)短絡（鎖骨下動脈－肺動脈短絡で，肺血流量の低下したチアノーゼ性心疾患の肺循環血流を増加させる).

Blalock-Taussig s. (blā′lok taw′sig). ブラロック(ブレロック)－タウシグ(タウシヒ)短絡〔術〕（鎖骨下動脈から肺動脈への姑息的な吻合).

cavopulmonary s. ＝cavopulmonary *anastomosis*.

Denver s. デンバーシャント（腹水のある患者に腹腔と圧の低い上大静脈とを連結する皮下に留置する管(チューブ)．このシャントは一方向弁だけでなく流れを促進するための手で圧迫することのできる部分が備えられている).

dialysis s. 透析用シャント（手または足の動脈と静脈を接続する動静脈シャント).

Dickens s. (dik′ĕnz). ディッケンズ短絡. ＝pentose phosphate *pathway*.

distal splenorenal s. 遠位脾静脈腎静脈吻合（門脈圧亢進

をコントロールするための脾静脈の左腎静脈への吻合.通常,端側吻合が行われる).＝renal-splenic venous s.; Warren s.

Glenn s. (glen). ＝cavopulmonary *anastomosis*.

H s. Hシャント（結合導管を利用した近接血管間の側側吻合. このシャントは, 最も一般的には門脈圧亢進症の患者で上腸間膜静脈と下大静脈との間に造設される). ＝H graft.

hexose monophosphate s. ＝pentose phosphate *pathway*.

jejunoileal s. 空腸回腸短絡. ＝jejunoileal *bypass*.

left-to-right s. 左右短絡（中隔欠損を通っているような左心から右心への血流の分流, または開存した動脈管を通るような体系循環から肺循環への血液の分流).

LeVeen s. (lĕ-ven′). レヴィーンシャント（頸静脈を経て上大静脈へ腹水を運ぶのに用いる一方向弁を有する管で, 皮下に設ける).

mesocaval s. 腸間膜静脈下大静脈吻合〔術〕, 腸間膜静脈下大静脈シャント〔術〕（①上腸間膜静脈の側面と離断された下大静脈の近位端とを吻合する. 門脈圧亢進症のコントロールに用いる. ②下大静脈と上腸間膜静脈とをH形に合成血管または自家静脈を用いて吻合する).

pentose monophosphate s. ペントース一リン酸経路. ＝pentose phosphate *pathway*.

peritoneovenous s. 腹腔静脈シャント〔術〕（通常はカテーテルを用いて行う腹腔と胸腔内中枢静脈系との間のシャント).

pleuroperitoneal s. 胸腔腹腔シャント （胸水を腹腔 peritoneal *cavity* に送り込み, そこで吸収させる目的で, 外科的に埋め込まれたカテーテル. 主として悪性胸水の治療に使用する).

pleurovenous s. 胸腔静脈シャント（胸水を静脈系に送り込むために, 外科的に埋め込まれたカテーテル. ほとんど使用されることはないが, 主として悪性胸水の治療に用いられる).

portacaval s. 門脈大静脈シャント, 門脈大静脈吻合〔術〕（①門脈と全身静脈間の手術的吻合. ②門脈と大静脈間の手術的吻合. ⇀Eck *fistula*).

portasystemic s. 門脈系シャント（門脈系と静脈系のどこかとのシャント. 門脈－下大静脈, 腸間膜静脈－下大静脈, 脾静脈－腎静脈, あるいは自発的(特発的)に生じたシャントが含まれる).

Potts s. (potz). ポッツシャント. ＝Potts *operation*.

proximal splenorenal s.〔近位〕脾静脈腎静脈吻合（門脈圧亢進症で門脈圧の減圧を意図して脾静脈の中枢側断端を左腎静脈に端側吻合する手術. これは中心性あるいは完全な臓器静脈のシャントと考えられる. 註一般に脾静脈と腎静脈を端側吻合するのは distal splenorenal s. で, proximal の場合には脾摘除術を同時に行う必要がある).

Rapoport-Luebering s. (rap′ŏ-pōrt lū′bĕr-ing)［S.M. *Rapoport*, J. *Luebering*］. ラポポート－リューベリングシャント（ヒト赤血球に特徴的な解糖系の一部. 2,3-ビスホスホグリセレート(2,3-ビスホスホグリセレート)が 1,3-P_2Gri から 3-ホスホグリセレートへの代謝の中間産物としてつくられる. 2,3-P_2Gri はヘモグロビンの酸素親和性の調節物質として重要である).

renal-splenic venous s. 腎静脈脾静脈吻合. ＝distal splenorenal s.

reversed s. 逆短絡, 逆シャント（以前, 左右シャントだったものが右左シャントに変化すること. まれに逆方向のことも起こる).

right-to-left s. 右左シャント（中隔欠損などがある場合の右心から左心への血液の流れ, または開存した動脈管を通るような肺動脈から大動脈への流れをいう. このような血液の短絡は, 進行した肺動脈弁狭窄にみられるように, 右心圧が左心圧より高くなったとき, または, Eisenmenger 症候群または三尖弁閉鎖症にみられるように肺動脈圧が大動脈圧以上になったときのみ起こる).

Scribner s. (skrib′nĕr). スクリブナーシャント（動脈, 通常は橈骨動脈と橈側皮静脈とを短い体外カテーテルを用いて連結すること).

Torkildsen s. (tor′kild-sĕn). トルキルドセン吻合（脳室大槽吻合. ⇀shunt (2)).

tracheoesophageal s. 気管食道シャント（⇀tracheoesophageal *puncture*).

transjugular intrahepatic portosystemic s. (**TIPS**) 経頸静脈性肝内門脈体循環短絡術（X 線透視下に肝内門脈と肝静脈の間の肝実質内に金属ステントを留置し, 門脈血を直接肝静脈に短絡する. 血管造影の技術を応用した門脈圧を減圧する手技. 適応は肝硬変による静脈瘤出血と難治性腹水).

Warburg-Dickens-Horecker s. (wăr-bŭrg dik′enz hōr′ĕ-ker). ヴァルブルク－ディッケンズ－ホーレッカー経路. ＝pentose phosphate *pathway*.

Warburg-Lipmann-Dickens-Horecker s. (wăr′bŭrg lip′man dik′enz hōr′ĕ-ker). ヴァルブルク－リップマン－ディッケンズ－ホーレッカー短絡. ＝pentose phosphate *pathway*.

Warren s. (wahr′en). ウォレンシャント〔術〕. ＝distal splenorenal s.

Waterston s. (wă′tĕr-stŏn). ウォーターストンシャント〔術〕（肺循環血液量減少を伴うチアノーゼ性疾患において, 肺循環血液量を増やすために, 上行大動脈と近傍の右肺動脈との間に小さな(約 3 mm)開口部をつくること).

shut·tle (shŭt′ĕl). シャトル（規則的に往復すること. 生体膜を横切るある輸送経路について用いられる).

glycerophosphate s. グリセロリン酸シャトル（還元当量がサイトゾルからミトコンドリアへ移動するメカニズム. NADH がサイトゾルでグリセロール 3-リン酸の合成に用いられる. そして, グリセロール 3-リン酸はミトコンドリアへ輸送され, FAD を用いてジヒドロキシアセトンリン酸(DHAP)へ変換される. そして DHAP はサイトゾルへ戻りこの回路が完成する. 脳組織, 褐色脂肪組織, 白筋に存在).

malate-aspartate s. リンゴ酸－アスパラギン酸シャトル（NADH 還元当量を, リンゴ酸デヒドロゲナーゼとアスパラギン酸アミノトランスフェラーゼの 2 つのアイソザイムを利用して, サイトゾルからミトコンドリアへ輸送させるメカニズム).

S

Shwach·man (shwahk′măn), Harry. 米国人小児科医, 1910—1986. ⇀S. *syndrome*; S.-Diamond *syndrome*.

Shwartz·man (shwarts′măn), Gregory. 米国に在住したロシア人細菌学者, 1896—1965. ⇀S. *phenomenon*, *reaction*; generalized S. *phenomenon*; Sanarelli-S. *phenomenon*.

Shy (shī), George Milton. 米国人神経科医, 1919—1967. ⇀S.-Drager *syndrome*.

Shy 6-mercaptopurine の略.

SI International System of Units (Système International d'Unités)の略.

Si ケイ素の元素記号.

sI 6-mercaptopurine ribonucleoside（あるいは 6-thioinosine)の略.

Sia sialic acids の略.

SIADH *syndrome* of inappropriate secretion of antidiuretic hormone の略.

sial- ⇀sialo-.

si·al·a·den (sī-al′ă-den)［sial- + G. *adēn*, gland］. 唾液腺.

si·al·ad·e·ni·tis (sī′al′ad-ĕ-nī′tis)［sial- + G. *adēn*, gland + *-itis*, inflammation］. 唾液腺炎. ＝sialoadenitis.

si·al·ad·e·no·trop·ic (sī′al-ad′ĕ-nō-trop′ik)［sial- + G. *adēn*, gland + *tropē*, a turning］. 唾液腺向性の.

si·al·a·gogue (sī-al′ă-gog)［sial- + G. *agōgos*, drawing forth］.【誤ったつづりまたは発音 sialogogue を避けること】. ＝ptyalagogue. ***1***〚adj.〛唾液促進の. ***2***〚n.〛催唾薬, 唾液分泌促進薬（例えば, 抗コリンエステラーゼ薬).

si·al·ec·ta·sis (sī′ăl-ek′tă-sis)［sial- + G. *ektasis*, a stretching］. 唾液腺拡張〔症〕. ＝ptyalectasis.

si·al·em·e·sis, si·al·e·me·sia (sī′al-em′ĕ-sis, -ĕ-mē′zē-ă)［sial- + G. *emesis*, vomiting］. 吐唾〔症〕（唾液の吐出. 多量の唾液分泌による, または唾液を伴った嘔吐).

sialendoscopy (sī-al-en-dŏs′kō-pē). 唾液管内視鏡（唾石症, 狭窄, ポリープ, 唾液管炎をみるための, Wharton 管や Stensen 管の可視化法).

si·al·ic (sī-al′ik). 唾液の. ＝salivary.

si·al·ic ac·ids (**Sia**) (sī-al′ik as′idz). シアリン酸, シアル酸（ノイラミン酸のエステルまたは*N*-および*O*-アシル誘導体. シアル酸の基は, もし COOH の OH が除かれればシアロイル, もし OH が環式構造のアノメリック炭素(C-2)からくるとシアロシルとなる. 例えばアセチルノイラミン酸).

si·al·i·dase (sī-al′i-dās). シアリダーゼ（オリゴ糖類，糖蛋白，糖脂質から末端のアセチルノイラミン酸残基への加水分解を触媒する酵素．ミクソウイルスの表面抗原として存在する．組織化学において，気管支の粘液腺および小腸から分泌されるようなシアロムチンを取り除くのに用いる．この酵素の欠損によりシアリドーシスになる）．＝neuraminidase.

si·al·i·do·sis (sī-al′i-dō′sis). シアリドーシス．＝cherry-red spot myoclonus *syndrome.*

si·a·line (sī′ă-lēn). ＝salivary.

si·a·lism, si·a·lis·mus (sī′ă-lizm, sī′ă-liz′mŭs) ［G. *sialismos*］. 唾液〔分泌〕過多，流ぜん(涎)〔症〕．＝sialorrhea.

sialo-, sial- ［G. *sialon*］. 唾液あるいは唾液腺を示す連結形．*cf.* ptyal-.

si·a·lo·ad·e·nec·to·my (sī′ă-lō-ad′ĕ-nek′tŏ-mē) ［sialo- + G. *adēn*, gland + *ektomē*, excision］. 唾液腺切除〔術〕.

si·a·lo·ad·e·ni·tis (sī′ă-lō-ad′ĕ-nī′tis). ＝sialadenitis.

si·a·lo·ad·e·not·o·my (sī′ă-lō-ad′ĕ-not′ŏ-mē) ［sialo- + G. *adēn*, gland + *tomē*, incision］. 唾液腺切開〔術〕.

si·a·lo·aer·oph·a·gy (sī′ă-lō-ār-of′ă-jē) ［sialo- + G. *aēr*, air + *phagō*, to eat］. 唾液空気えん(嚥)下（頻回にえん下をする習慣．このため多量の唾液と空気が胃にはいる）．＝aerosialophagy.

si·a·lo·an·gi·ec·ta·sis (sī′ă-lō-an′jē-ek′tă-sis) ［sialo- + G. *angeion*, vessel + *ektasis*, a stretching］. 唾液管拡張〔症〕.

si·a·lo·an·gi·i·tis (sī′ă-lō-an′jē-ī′tis) ［sialo- + G. *angeion*, vessel + *-itis*, inflammation］. 唾液管炎．＝sialodochitis.

si·a·lo·cele (sī′ă-lō-sēl′) ［sialo- + G. *kēlē*, tumor］. 唾液腺腫瘤．＝ranula (2).

si·a·lo·do·chi·tis (sī′ă-lō-dō-kī′tis) ［sialo- + G. *dochē*, receptacle + *-itis*, inflammation］. 唾液管炎．＝sialoangiitis.

si·a·lo·do·cho·plas·ty (sī′ă-lō-dō′kō-plas′tē) ［sialo- + G. *dochē*, receptacle + *plassō*, to fashion］. 唾液管形成〔術〕（唾液管の修復）.

si·a·log·e·nous (sī′ă-loj′ĕ-nŭs) ［sialo- + G. *-gen*, producing］. 流ぜん(涎)性の（唾液を生産することについていう．→sialagogue).

si·a·lo·gly·co·sphin·go·lip·id (sī′ă-lō-glī′kō-sfin′go-lip′id). シアログリコスフィンゴ脂質．＝ganglioside.

si·a·lo·gram (sī-al′ō-gram) ［sialo- + G. *gramma*, a writing］. 唾液腺造影の記録（X線写真）.

si·a·log·ra·phy (sī′ă-log′ră-fē) ［sialo- + G. *graphō*, to write］. 唾液腺造影(撮影)〔法〕（造影剤を唾液管に注入して行う唾液腺と唾液管のX線検査）．＝ptyalography.

si·a·lo·lith (sī′ă-lō-lith) ［sialo- + G. *lithos*, stone］. 唾石．＝ptyalolith.

si·a·lo·li·thi·a·sis (sī′ă-lō-li-thī′ă-sis) ［sialolith + G. *-iasis*, condition］. 唾石症（唾石ができること，あるいは存在していること）．＝ptyalolithiasis; salivolithiasis.

si·a·lo·li·thot·o·my (sī′ă-lō-li-thot′ŏ-mē) ［sialolith + G. *tomē*, incision］. 唾石切開〔術〕（唾石を除くため唾液管または唾液腺を切開すること）．＝ptyalolithotomy.

si·a·lo·met·a·pla·si·a (sī′ă-lō-met′ă-plā′zē-ă) ［sialo- + metaplasia］. 唾液腺化生（唾液腺の導管における扁平上皮細胞の化生）.

necrotizing s. 壊死性唾液腺化生（唾液腺小葉および導管における扁平上皮細胞の化生で，唾液腺小葉の壊死を伴う．硬口蓋に多く認められる）.

si·a·lom·e·try (sī′ă-lom′ĕ-trē) ［sialo- + G. *metron*, measure］. 唾液測定〔法〕（唾液分泌の測定で，通常，患側と健側を比較する）.

si·al·o·pro·tein (si-yăl-ō′prō-tēn′) ［sialo- + protein］. シアロ蛋白（唾液腺によって産生される蛋白で，そのため通常，唾液中に存在する．→protein)．＝salivary protein.

si·a·lor·rhe·a (sī′ă-lō-rē′ă) ［sialo- + G. *rhoia*, a flow］. 唾液分泌，流ぜん(涎)〔症〕（唾液の過剰な分泌．→salivation)．＝hygrostomia; ptyalism; sialism; sialismus; sialosis.

si·a·los·che·sis (sī′ă-los′kĕ-sis) ［sialo- + G. *schesis*, retention］. 唾液分泌抑制.

si·a·lo·se·mi·ol·o·gy, si·a·lo·se·mei·ol·o·gy (sī′ă-lō-sē′mē-ol′ō-jē) ［sialo- + G. *sēmeion*, sign + *logos*, study］. 唾液診断学（疾患の診断のために唾液を研究分析すること）.

si·a·lo·sis (sī′ă-lō′sis). 唾液分泌．＝sialorrhea.

si·a·lo·ste·no·sis (sī′ă-lō-ste-nō′sis) ［sialo- + G. *stenōsis*, a narrowing］. 唾液管閉塞.

sib (sib). 同胞（同じ母親から生まれたすべての兄弟と姉妹）．＝sibling.

sib·i·lant (sib′i-lănt) ［L. *sibilans(-ant-)*: *sibilo*(to hiss)の現在分詞］. 歯音の（特徴として，シーッ，ヒューという音を出すラ音の一型についていう）.

sib·i·lus (sib′i-lŭs) ［L. a hissing］. 歯音様ラ音.

sib·ling (sib′ling) ［A.S. *sib*, relation + *-ling*, diminutive］. ＝sib.

sib·ship (sib′ship) ［A.S. *sib*, relationship］. ***1*** 同胞群（同じ両親をもつ個体間の相互状態）. ***2*** 兄弟姉妹（一組の親のすべての子孫）.

Sib·son (sib′sŏn), Francis. イングランド人解剖学者，1814—1876. →S. *aponeurosis*, *fascia*, *groove*, *muscle*, aortic *vestibule*.

Si·card (sē-kahr′), Jean A. フランス人医師，1872—1929. →Collet-S. *syndrome*.

sic·cant (sik′ănt) ［L. *siccans(-ant-)*: *sicco*, pp. *-atus*(to dry)の現在分詞］. ＝siccative. ***1*** 乾燥させる（周囲の物から湿気を除くこと）. ***2*** ***1*** のような性質をもつ物質.

sic·ca·tive (sik′ă-tiv). ＝siccant.

sic·cha·si·a (sĭ-kā′zē-ă) ［G. *sikchasia*, loathing < *sikchos*, squeamish］. 吐き気（①＝nausea. ②食物を嫌うこと）.

sic·co·la·bile (sik′ō-lā′bīl) ［L. *siccus*, dry + *labilis*, perishable］. 乾燥不安定の（乾燥で変化または崩壊しやすいことについていう．*cf.* siccostabile).

sic·co·sta·bile, sic·co·sta·ble (sik′ō-stā′bīl, -bl) ［L. *siccus*, dry + *stabilis*, stable］. 乾燥安定性の（乾燥しても変化または崩壊しないことについていう．*cf.* siccolabile).

sick (sik) ［A.S. *seóc*］. ***1*** 病気の. ***2*** 吐き気がする．＝nauseated.

sick·le·mi·a (sik-lē′mē-ă). 鎌状赤血球血症（末梢血液中に鎌状赤血球が存在すること．鎌状赤血球性貧血，鎌状赤血球体質にみられる）.

sick·ling (sik′ling). 鎌状赤血球化（鎌状赤血球貧血のように，循環中に鎌状赤血球を生成すること）.

sick·ness (sik′nes). 病気，疾病．＝disease (1).

acute African sleeping s. 急性アフリカ睡眠病．＝Rhodesian *trypanosomiasis.*

aerial s. 航空病．＝altitude s.

African sleeping s. アフリカ睡眠病（→Gambian *trypanosomiasis*; Rhodesian *trypanosomiasis*).

air s. ＝airsickness.

altitude s. 高山病（(高所などで)吸入酸素分圧が低い場合に起こる症候群で，吐き気，頭痛，呼吸困難，倦怠，および不眠症を特徴とする．重症の場合には肺水腫や成人性呼吸窮迫症候群が起こりうる）．＝Acosta disease; mountain s.; puna; soroche; aerial s.; altitude disease.

balloon s. 気球病（気球の上昇によって起こる高山病の一種）.

black s. ＝visceral *leishmaniasis.*

caisson s. ［Fr. *caisson* (< *caisse*, a chest) 高圧下で空気を含んでいる防水箱またはシリンダーで，建築用のくいを水中に沈めるのに使用される］. 減圧症，潜函病（急速な減圧によって起こる疾患．周囲の水がはいってこないように高圧にした潜函とよばれる密閉室で働く，トンネルや橋脚をつくる労働者にみられたので，潜函病とよばれる．→decompression s.).

car s. 車酔い（動揺病の一種．鉄道や自動車，バスに乗って起こる）.

cave s. 洞窟病（ヒストプラスマ症で，*Histoplasma capsulatum* を洞窟で(洞窟探検趣味)，あるいは鳥のねぐらやコウモリのいる鉱山の竪穴で吸入して発症したもので，この病原体の発育による原発型）.

chronic African sleeping s. 慢性アフリカ睡眠病．＝Gambian *trypanosomiasis.*

chronic mountain s. 慢性高山病，慢性山岳病，慢性山酔い（長時間高所にいたため(例えば高所に住むなど)に高所に対する抵抗を失うこと．著しい多血症，ひどい低酸素血症，精神的および身体的能力の低下が特徴で，山を下れば軽快する）．＝altitude erythremia; chronic soroche; Monge disease.

decompression s. 潜函病（大気圧の急激な減少の結果(急に高所へ上昇した場合でも，加圧された環境から戻る場合でもよいが)，高い大気圧下で初めは体液中に溶解していた窒素が気泡となって漏れてくることによって生じる症候群．その特徴は，頭痛，上下肢・関節・心窩部の痛み，皮膚のかゆみ，回転性のめまい，呼吸困難，咳込み，息づまり，嘔吐，脱力感，ときに麻痺，および重症の末梢循環虚脱である．栄養血管内の気泡により骨硬塞を起こして遷延することがある．→caisson s.)．＝caisson disease; decompression disease; diver's palsy.

East African sleeping s. 東アフリカ睡眠病．＝Rhodesian *trypanosomiasis.*

falling s. てんかん．＝epilepsy.

gambiense sleeping s. ガンビア睡眠病．＝Gambian *trypanosomiasis.*

green s. 萎黄病．＝chlorosis.

green tobacco s. 緑タバコ病（タバコ収穫労働者の病気で，頭痛，めまい，嘔吐を呈する）．

Indian s. インド病．＝epidemic gangrenous *proctitis.*

Jamaican vomiting s. ジャマイカ嘔吐病．＝ackee *poisoning.*

milk s. 牛乳病((ウシ，ウマがアキノキリンソウの一種によって起こす中毒症の)ふるえ病にかかっている乳牛からの牛乳を飲んで起こるヒトの病気．臨床症状は激しい嘔吐，努力性呼吸，せん妄，痙攣，昏睡，死亡である．死に至らない例の回復は遅い)．＝lactimorbus.

morning s. 早朝嘔吐，つわり（妊娠の初期に起こる吐き気と嘔吐）．＝morning vomiting; nausea gravidarum.

motion s. [MIM*158280]．動揺病，乗物酔い（蒼白，吐気，衰弱，倦怠感をきたし，嘔吐，無気力状態に至る．船，飛行機，ブランコ，遊園地の回転乗物などに乗ったとき，半規管が刺激されることが原因)．＝kinesia.

mountain s. 高山病．＝altitude s.

radiation s. 放射線宿酔（核爆発，あるいは核事故，まれに治療のための照射を受けた後に起こる全身症状．障害の重篤度は線量に依存し，食欲不振，吐気，嘔吐，白血球減少，出血を伴う血小板の減少，感染を伴う白血球の減少，貧血，中枢神経障害，および死が起こる)．＝radiation poisoning.

sea s. 船酔い（船で旅行する人に起こる動揺病）．

serum s. 血清病（異種血清または異種血清蛋白を注射して数日後(通常1—2週)に起きる免疫複合体病で，じんま疹，発熱，全身性リンパ節腫脹，浮腫，関節炎，関節痛，ときに蛋白尿，重篤な腎炎などの局部および全身症状を呈する．血清療法を受けていた患者で最初に報告された．臨床的には，薬物によるアレルギー反応と同義に用いられることもある．→immune complex *disease*)．＝serum disease; serum reaction.

sleeping s. 睡眠病（⇀Gambian *trypanosomiasis*; Rhodesian *trypanosomiasis*)．

space s. 宇宙酔い（無重力による内耳の変化が原因で起こるめまい)．＝physiologic vertigo.

West African sleeping s. 西アフリカ睡眠病．＝Gambian *trypanosomiasis.*

sida (sē-dă′, sē′dă) [Fr. *s*yndrome *i*mmuno*d*eficitaire *a*cquis; Sp. *s*indrome de *i*mmuno*d*eficiencia *a*dquirida]．AIDSのこと．

side (sīd) [A.S. *sīde*]．側（体の前後面の間を占める両脇の縁または面)．

balancing s. 平衡側（歯科において，非機能側のことで，咬合運動中にそこから下顎が運動を行う)．

working s. 作業側（歯科において，そしゃく作業中に下顎が動く方向の側方歯群)．

side ef·fect (sīd e-fekt′)．副作用＝adverse *effect.*

sid·er·a·tion (sid′ĕr-ā′shŭn) [L. *sideror*, pp. *sideratus*, to be blasted or palsied by a constellation < *sidus* (*sider*-), a constellation, the heavens]．発症（卒中など突然の発作)．

sidero- [G. *sidēros*]．鉄に関する連結形．

sid·er·o·blast (sid′ĕr-ō-blast′) [sidero- + G. *blastos*, germ]．シデロブラスト，〔担〕鉄〔赤〕芽球（プルシアンブルー反応で染まるフェリチン顆粒を含む赤芽球)．

sid·er·o·cyte (sid′ĕr-ō-sīt′) [sidero- + G. *kytos*, cell]．シデロサイト，担鉄赤血球（遊離鉄顆粒を含む赤血球．正常胎児の血液中にプルシアンブルー反応により認められる．赤血球の0.10—4.5%を構成する)．

sid·er·o·fi·bro·sis (sid′ĕr-ō-fī-brō′sis)．鉄線維症，鉄性線維症（鉄が沈着した小病巣に線維化が伴ったもの)．

sid·er·og·e·nous (sid′ĕr-oj′ĕ-nŭs) [sidero- + G. *-gen*, producing]．鉄形成性の．

sid·er·o·pe·ni·a (sid′ĕr-ō-pē′nē-ă) [sidero- + G. *penia*, poverty]．鉄欠乏〔症〕（血清鉄が異常に低下していること)．

sid·er·o·pe·nic (sid′ĕr-ō-pē′nik)．鉄欠乏〔症〕の．

sid·er·o·phage (sid′ĕr-ō-fāj) [sidero- + G. *phagō*, to eat]．鉄貪食細胞．＝siderophore.

sid·er·o·phil, sid·er·o·phile (sid′ĕr-ō-fil, -fīl) [sidero- + G. *philos*, fond]．*1*〚adj.〛鉄親和性の（鉄を吸収することについていう)．＝siderophilous. *2*〚n.〛鉄沈着組織（鉄を含む細胞あるいは組織)．

sid·er·oph·i·lins (sid′ĕr-of′i-linz)．シデロフィリン（非ヘム鉄結合蛋白．トランスフェリン(脊椎動物の血液中に存在)，ラクトフェリン(哺乳類の乳汁や他の分泌液中に存在)，コンアルブミンまたはオボトランスフェリン(鳥類の血液と卵白)がシデロフィリンの3つの主要な種類である)．

sid·er·oph·i·lous (sid′ĕr-of′i-lŭs)．＝siderophil (1).

sid·er·o·phore (sid′er-ō-fōr) [sidero- + G. *phoros*, bearing]．＝siderophage. *1* ヘモジデリン貪食細胞（ヘモジデリン顆粒を含む大きな単核の食細胞で，左心不全による肺うっ血が長期間持続した患者の喀痰または肺にみられる．→heart failure *cell*)．*2* シデロホア（鉄をキレートする分泌粒子)．

sid·er·o·sil·i·co·sis (sid′ĕr-ō-sil′i-kō′sis) [sidero- + silicosis]．鉄珪肺症（鉄含有粉じんにさらされたために起こる珪肺症)．＝silicosiderosis.

sid·er·o·sis (sid′ĕr-ō′sis) [sidero- + G. *-osis*, condition]．*1* 鉄症（鉄じんがあるために起こるじん肺症の一種)．*2* シデローシス，鉄沈着〔症〕（鉄色素の沈着による身体の各部の変色，通常ヘモジデリン沈着症とよばれる)．*3* 鉄血症（循環血液中に鉄が過剰にあること)．*4* 眼内の鉄の沈着の結果として網膜，水晶体とブドウ膜の変性．

pulmonary s. 肺鉄症．＝*pneumoconiosis* siderotica.

sid·er·ot·ic (sid′ĕr-ot′ik)．シデローシスの，鉄沈着〔症〕の（鉄によって着色した，あるいは過剰の鉄分を含む)．

SIDS sudden infant death *syndrome* の頭字語．

Sie·gert (zē′gĕrt), Ferdinand．ドイツ人小児科医，1865—1946．⇀S. *sign.*

Sie·gle (zē′gĕl), Emil．ドイツ人耳科医，1833—1900．⇀S. *otoscope.*

sie·mens (S) (sē′menz) [William *Siemens*．ドイツ生まれの英国人工学者，1823—1883]．ジーメンス（国際単位系(SI)における電気のコンダクタンスの単位．1ジーメンスは，1オームの電気抵抗をもつ物体のコンダクタンスで，1ボルトの電圧が加えられているとき1アンペアの電流が流れる．1mhoに等しい)．＝mho.

Siemerling (zē′mer-ling), Ernst．ドイツ人医師・精神科医，1857—1931．

sieve (siv) [O.E. *sive*]．ふるい(篩)（粗い粒子から細かい粒子を分離するための網目のある，あるいは穴の開いた道具)．

molecular s. 分子ふるい（一定の大きさ以上の分子を除く孔のあるゲル様物質．巨大分子を分別あるいは精製するのに用いる)．

sie·vert (Sv) (sē′vert) [R.M. Sievert．スウェーデン人物理学者，1896—1966]．シーベルト（電離放射線の実効線量の国際単位(SI)．対象とする放射線の線質，およびその放射線に対する組織の感受性双方で重み付けられたグレイ単位の吸収線量に等しい．ジュール/kgと同等で，1Sv＝100 remである．→effective *dose*; equivalent *dose*)．

SIF somatotropin release-inhibiting *factor* の略．

Sig ラテン語 *signa*(書け)；*signetur*(表示せよ)の略．

Sig·gaard-An·der·sen (sig′ard an′dĕr-sĕn), Ole．20世紀のデンマーク人臨床生化学者．⇀S.-A. *nomogram.*

sigh (sī) [A.S. *sīcan*]．*1*〚n.〛ため息（何かの感情に影響されて，聞こえるような吸息，吐息)．*2*〚v.〛ため息をつく．

sight (sīt) [A.S. *gesihth*]．視覚，視力（→vision)．

day s. 昼視，夜盲．＝nyctalopia.

far s. 遠視．＝hyperopia.

long s. 遠視．＝hyperopia.

near s. 近視．＝myopia.

S

night s. 夜視，昼盲．＝hemeralopia.

second s. 再視（水晶体の核硬化性近視によって生じる老人の近見視力の回復）．＝senile lenticular myopia.

short s. 近視．＝myopia.

sig·ma (sig′mă). シグマ（ギリシア語アルファベットの第 18 字 σ）.

sig·ma·tism (sig′mă-tizm)［G. *sigma*, the letter S］. サ行吶，サ行構音障害，シグマチズム．＝lisping.

sig·moid (sig′moyd)［G. *sigma*, the letter S＋*eidos*, resemblance］. S状の（輪郭が文字のSに似ている，あるいはギリシア文字シグマの一形態に似ている）.

sigmoid- →sigmoido-.

sig·moi·dec·to·my (sig′moy-dek′tŏ-mē)［sigmoid-＋G. *ektomē*, excision］. S状結腸切除〔術〕（S状結腸の切除）.

sig·moid·ic·i·ty (sig′moyd-is′i-tē). S字型（S字型曲線を描くこと．例えば，正のホモトロピック協同性を示す酵素に対する酵素反応速度曲線の形状）.

sig·moid·i·tis (sig′moyd-ī′tis)［sigmoid-＋G. *-itis*, inflammation］. S状結腸炎（S状結腸の炎症）.

sigmoido-, sigmoid-［G. *sigma*, the letter S＋*eidos*, resemblance］. S状の，通常はS状結腸，を意味する連結形.

sig·moi·do·pex·y (sig-moy′dō-pek′sē)［sigmoido-＋G. *pēxis*, fixation］. S状結腸固定〔術〕（直腸脱を整復するためS状結腸をしっかりした組織に固定する手術）.

sig·moi·do·proc·tos·to·my (sig-moy′dō-prok-tos′tŏ-mē)［sigmoido-＋G. *prōktos*, anus＋*stoma*, mouth］. S状結腸直腸吻合〔術〕（S状結腸と直腸間の吻合）．＝sigmoidorectostomy.

sig·moi·do·rec·tos·to·my (sig-moy′dō-rek-tos′tō-mē). ＝sigmoidoproctostomy.

sig·moi·do·scope (sig-moy′dō-skōp)［sigmoido-＋G. *skopeō*, to view］. S状結腸鏡（S状結腸腔をみるための内視鏡）．＝sigmoscope.

sig·moi·dos·co·py (sig′moy-dos′kŏ-pē). S状結腸鏡検査〔法〕（S状結腸の内部を内視鏡で検査すること）.

sig·moi·dos·to·my (sig′moy-dos′tŏ-mē)［sigmoido-＋G. *stoma*, mouth］. S状結腸人工肛門形成〔術〕（S状結腸を開いて人工肛門をつくること）.

sig·moi·dot·o·my (sig′moy-dot′ŏ-mē)［sigmoido-＋G. *tomē*, incision］. S状結腸切開〔術〕（S状結腸の外科的切開）.

sig·mo·scope (sig′mō-skōp). ＝sigmoidoscope.

SIGN

sign (sīn)［L. *signum*, mark］. ***1*** 徴候（疾病を示唆する何らかの異常所見で，医師が患者を診察して見出しうるもの．疾病の主観的徴候である〝症状 symptom〟に対し，疾病の客観的症候をいう）. ***2*** 符号（略号あるいは記号）. ***3*** 象徴（心理学において，それを知覚する人間に固有の物や観念をもたらす対象物や人工産物(刺激)）.

Aaron s. (ar′ŏn). エアロン徴候（急性虫垂炎の場合，McBurney 点を続けて強く押すと，上腹部または前胸部に疼痛や異常を感じること）.

Abadie s. of tabes dorsalis (ah-bah′dē). 脊髄ろうのアバディ徴候（アキレス腱反射が消失すること）.

Abrahams s. (ā′bră-hamz). アブラハムズ(エーブラハムズ)徴候（現在では用いられない徴候．①肺尖部よりも遠位鎖骨領域で初期から聴取される異常聴診所見で，肺尖部結核を疑わせる．②進行期結核において肺尖部領域で打診共振(レゾナンス)が減弱する所見）.

accessory s. 副次徴候（ある疾病に必ずではないが多く存在する症候）．＝assident s.

antecedent s. ＝prodromic s.

Aquino s. (ă-kē′nō). アキノ徴候（グロムス腫瘍による頸動脈圧迫による拍動停止）.

assident s. 随伴徴候．＝accessory s.

Auenbrugger s. (ow-ĕn-brūg′ĕr). アウエンブルッガー徴候（高度の心膜液貯留の場合にみられる上腹部膨隆）.

Aufrecht s. (ow′frekt). アウフレヒト徴候（現在は用いられない徴候．気管狭窄の症例にみられる，頸静脈切痕直上気管で聞かれる減弱した呼吸音）.

Auspitz s. (ow′spitz). アウスピッツ血露現象（乾癬に特有の症状で，鱗屑をはがすと点状の出血点が湧き上がってくる）.

Babinski s. (bă-bin′skē). バビンスキー徴候（①足底刺激に対して正常の屈曲反射の代わりに母趾が伸展し，その他の趾は外転する(“positive” Babinski)．＝Babinski reflex; Babinski phenomenon; great-toe reflex; paradoxic extensor reflex; toe phenomenon. ②片麻痺の場合の罹患側における広頸筋の衰弱．錐体路障害を表すと考えられている．③仰向けに横たわっている患者が胸の前で腕を組み，座位をとろうとすると器質性麻痺の場合，患側の大腿は屈曲し踵は上がるが健側の下肢は平らのままである．④片麻痺の場合，罹患側の前腕は回外位に置かれた場合回内位に回る）.

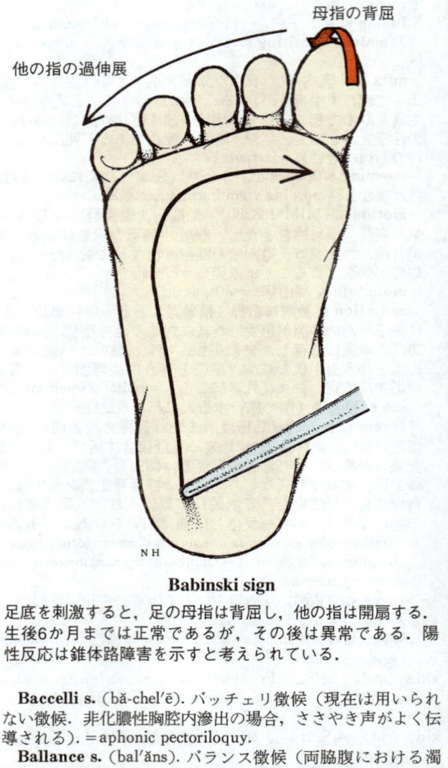

Babinski sign

足底を刺激すると，足の母指は背屈し，他の指は開扇する．生後6か月までは正常であるが，その後は異常である．陽性反応は錐体路障害を示すと考えられている．

Baccelli s. (bă-chel′ē). バッチェリ徴候（現在は用いられない徴候．非化膿性胸腔内滲出の場合，ささやき声がよく伝導される）．＝aphonic pectoriloquy.

Ballance s. (bal′ăns). バランス徴候（両脇腹における濁打診音の聴取．左側は一定であるが，右側は位置の変化により濁音域が移動する．これらの徴候は脾臓の破裂を示唆する．濁音界聴取の原因は，腹腔内出血の存在で，右側では溶血した血液貯留のためであるが左側では凝血塊の存在のためである）.

Bamberger s. (bam′bĕr-gĕr). バンベルガー徴候（①三尖弁閉鎖不全症における頸静脈波曲線．②対部知覚症．＝allochiria. ③肩甲骨の角を打診したときの濁音．患者が前方に曲げると音が明瞭になり，滲出性心膜炎であることがわかる）．＝Bamberger-Pins-Ewart s.

Bamberger-Pins-Ewart s. (bam′bĕr-gĕr pinz yū′ărt). ＝Bamberger s.

banana s. バナナ徴候（Arnold-Chiari 奇形(⇀malformation)の胎児の超音波断層法でみられる小脳の異常変形．1682 頁の写真参照）.

Bárány s. (bah′rah-nē). バーラーヌイ徴候（耳の疾病の場合，前庭が健康であれば，体温以下の水を外耳道に注入すると，反対側の方向への回旋眼振が起こる．注入液が体温以上の場合，眼振は注入側の方向に起こる．迷路に疾病があるか機能が欠如している場合，眼振が欠如するか減弱する）．

Barré s. (bah-rā′). バレー徴候（錐体路病変の患者を腹臥位にさせ膝を90度に曲げてその位置を保たせると，患側の下腿は下降する）．

Bassler s. (bas′lĕr). バスラー徴候（慢性虫垂炎の場合，診察者が母指で腸骨筋を押し虫垂を圧迫すると鋭痛を生じる）．

Bastedo s. (bas-tē′dō). バスティードー徴候（現在は用いられていない徴候．慢性虫垂炎の場合，大腸内に空気を注入して膨張させると，右腸骨下に疼痛あるいは圧痛を感じる徴候）．

Battle s. (bat′ĕl). バットル徴候（頭蓋底骨折の場合の耳介後部の斑状出血）．

B6 bronchus s. B6 気管支サイン（区域無気肺や硬化によって上下葉区域気管支の気管支透亮像が認められる胸部X線学的サインの１つ）．

beak s. ビーク徴候（アカラシアにおける，対比食道造影での遠位食道の様相．先天性幽門狭窄において上部消化管検査での近位幽門管を記述するときにも用いられる）．

Bechterew s. (bek-tĕr′yev). ベヒテレフ徴候（顔面の自動動作の麻痺．随意運動の力は保持される）．

Becker s. (bek′ĕr). ベッカー徴候．＝Becker *phenomenon.*

Beevor s. (bē′vŏr). ビーヴォー徴候（①下部胸髄病変がある患者が仰臥位で首と上部体幹を屈曲しようとすると，下部腹筋の脱力により臍が頭側へ動く徴候．②機能的肢疾患で，運動をしようとすると主動筋と拮抗筋の両方が収縮する徴候）．

Bergman s. (berg′măn). バーグマン徴候（X線写真上の所見．①遠位尿管の閉塞によって尿管が拡張していること．ⅱ逆行性に通したカテーテルが拡張した尿管内にとぐろを巻くこと）．＝catheter coiling s.

Biederman s. (bē′dĕr-măn). ビーダーマン徴候（梅毒のある種の症例において，前口蓋弓下半部が暗赤色になること）．

Bielschowsky s. (by′els-chov′skē). ビールショースキー徴候（上斜筋麻痺の場合，頭部を患側に傾けると，その眼は上方に動く）．

Biot s. (bē-ō′). ビオー徴候．＝Biot *respiration.*

Biot breathing s. (bē-ō′). ビオーの呼吸サイン．＝Biot *respiration.*

Bird s. (bird). バード徴候（肺の包虫嚢胞の場合，呼吸徴候の消失とともに濁音帯が存在すること）．

Bjerrum s. (byer′ūm). ビエルム徴候．＝Bjerrum *scotoma.*

blue dot s. 青斑徴候（精巣，精巣上体の頭側の皮下に透見される，青色あるいは黒色の斑点．精巣虫垂あるいは精巣上体虫垂の捻転を示唆し，通常，かなりの圧痛を伴う）．

Blumberg s. (blŭm′bĕrg). ブルンベルク徴候（腹部の罹患部をゆっくり圧迫し急に離したときに感じる疼痛．腹膜炎を示唆する）．

Bonhoeffer s. (bon′hŏrf-fĕr). ボンヘファー徴候（舞踏病の場合の正常な筋緊張の喪失）．

Bozzolo s. (bot′sō-lō). ボッツォロ徴候（鼻粘膜の血管が拍動すること．胸部大動脈瘤の場合ときにみられる）．

Branham s. (bran′ăm). ブランハム徴候（動静脈瘻を圧迫したり切除した後，心拍数が低下すること）．

Broadbent s. (brod′bent). ブロードベント徴候（心収縮と同期した胸壁の牽縮．どこにでも認めうるが，特に左後腋窩線上にみられる．癒着性心膜炎の徴候）．

Brockenbrough s. (brok′en-brō). ブロッケンブラッフ（ビロッケンブロウ）徴候（期外収縮の直後の拍動の脈圧の絶対的低下．特発性肥厚性大動脈弁下狭窄の徴候）．

Brown s. (brown). ブラウン徴候（耳鏡検査で外耳道に陽圧を負荷した時に観察される中耳グロムス腫瘍の拍動）．

Brudzinski s. (brū-jin′skē). ブルジンスキー徴候（①髄膜炎の場合，片側の脚が屈曲されると他方の脚にも同様の動きが起こる．＝contralateral reflex; contralateral leg s.　②髄膜炎の場合，仰臥位で首を屈曲させると不随意に膝と股関節の屈曲が起こる．＝neck s.）．

burning drops s. 胃潰瘍穿孔の場合に認められる徴候．熱い点滴が腹腔に落ちるような，あるいは非常に熱い液体が腹腔に注ぎ込まれるような感覚．

calcium s. カルシウムサイン（→aortic *dissection*）．＝displaced intimal *calcification.*

Calkins s. (kahl′kinz). キャルキンズ徴候（子宮の形が円板状から卵形になる変化で，胎盤の子宮壁からの剝離を示す）．

Cantelli s. (kan-tel′ē). カンテリ徴候（→doll's eye s.）．

Carman s. (kar′man). カルマン徴候（胃のX線検査における悪性潰瘍の所見で，良性潰瘍と異なり充えい像の突出が胃の輪郭線を越えない．このとき腫瘍組織の辺縁は厚くおおいかぶさる形となる）．

Carnett s. (kar-net′). カルネット徴候（以下の２項がある．①前腹壁の筋が収縮しているとき腹部の圧痛が消失すれば，腹腔内起源の痛みであることを示す．圧痛が持続する場合は腹壁に痛みの源があるとわかる．ⅱ腹壁内起源の痛みは，皮膚と脂肪のしわを母指と示指の間で静かにつまむと圧痛が起こる場合にも示される）．

Carvallo s. (kahr-vah′yō). カルヴァロ徴候（吸気中あるいはその終わりに三尖弁逆流の全収縮期雑音の強度が増大する徴候で，三尖弁の変化を僧帽弁の変化と鑑別するのに有用である）．

catheter coiling s. カテーテルとぐろ巻き徴候．＝Bergman s.

Chaddock s. (chad′ok). チャドック徴候（皮膚脊髄反射経路の器質的疾患の場合，外側果皮膚が刺激されると足母指が伸展すること）．＝Chaddock reflex.

Chadwick s. (chad′wik). チャドウィック徴候（子宮頸部や腟の青紫色変化で，妊娠を示す徴候）．

chandelier s. シャンデリア徴候（骨盤炎症疾患患者の骨盤検査で起こる激痛を意味する口語．患者は痛みのため天井に向かって身体を上げる）．

Chaussier s. (shō-sē-ā′). ショシェ徴候（上腹部の激しい痛み，子かんの前駆症状．中枢起源あるいは出血による肝臓被膜の拡張が原因）．

Chvostek s. (kvos′tek). クヴォステク徴候（テタニーの場合の顔面被刺激性の亢進．顔面神経を外耳道の直前で軽くたたくと興奮する眼輪筋と口輪筋の一側性痙攣）．＝Weiss s.

Claybrook s. (klā′bruk). クレーブルック徴候（腹部臓器の破裂の場合，腹壁を通って呼吸音と心音が伝わること）．

clenched fist s. 握りこぶし徴候（胸に握りこぶしを押し付け，患者は絞扼，圧迫の苦しみを示す）．

Collier s. (kol′yer). コリアー徴候（中脳病変による片側性または両側性の眼瞼後退現象で，いかなる年代にもみられる．→setting sun s.; Epstein s.）．＝Collier tucked lid s.

Collier tucked lid s. コリアー〔の眼瞼後退〕徴候．＝Collier s.

colon cutoff s. コロンカットオフサイン（腹部単純X線写真で，(通常)炎症性病変により，遠位の横行結腸の拡張が妨げられるサイン）．

Comby s. (kom′bē). コンビー徴候（麻疹の初期徴候．歯肉や頬粘膜の薄い白色斑点で，剝離した表皮細胞で形成されている）．

comet s. コメットサイン．＝comet tail s.

comet tail s. 彗星の尾サイン（胸部X線写真上，円形無気肺に引き込まれた肺血管および器質化した胸膜炎に伴う線維化組織の様子が，彗星の尾のように曲がってみえること）．＝comet s.

commemorative s. 記念徴候（現在ある疾病のほかに以前にあった疾病を示す現象のあること）．

contralateral leg s. 〔反〕対側脚下肢徴候．＝Brudzinski s. (1).

conventional s.'s 定式記号（社会的(言語的)習慣により機能を得ている記号．例えば，言葉や数学上の記号．→symbol (4)）．

Corrigan s. (kōr′ĭ-gan). コリガン徴候（大動脈弁閉鎖不全症に伴って，固い脈が突然虚脱する結果，容易に触知する脈拍）．＝Corrigan pulse.

Courvoisier s. (kūr-vwah-zē-ā′). クルヴォワジェ徴候．＝Courvoisier *law.*

crescent s. 三日月〔形〕徴候（①肺のX線写真においてみ

られる結節の上部近くの三日月状のガス像で，堆積物上部の空間の空洞を示す．アスペルギルス腫，包虫腫にみられる．②CT でみられる動脈瘤内における新しい血液の希薄層で腹部大動脈瘤破裂を意味する．③超音波診断においてみられる腫瘍内の無エコー性三日月形の層で，小腸の間質腫瘍の壊死が典型である．④超音波診断においてみられる高エコー性三日月像で，腸重積の進入脚を示している．ドーナツ内三日月(crescent-in-a-doughnut)としても知られている．⑤骨X線写真で，大腿骨頭内にみられる皮質下三日月状透明像をいい，骨壊死を意味する)．＝meniscus s.

Crowe s. (krō)［Frank W. *Crowe*. 20世紀の米国人内科医］．クロー徴候（神経線維腫症に関連してみられる腋窩の小褐色斑群のこと)．

Cruveilhier-Baumgarten s. (krū-vāl-yā′bown′gar-tĕn)．クリュヴェーリエ－バウムガルテン徴候．＝Cruveilhier-Baumgarten *murmur*.

Cullen s. (kŭl′ĕn)．カレン徴候（血液によって臍周囲皮膚が黒っぽくなること．特に子宮外妊娠破裂の場合にみられるような腹腔内出血の徴候)．

Dalrymple s. (dal′rim-pĕl)．ダルリンプル徴候（Graves 病の場合，上瞼が後退している．眼瞼裂が異常に広い)．

Dance s. (dans)．ダンス徴候（腸重積症の場合の右腸骨窩付近の軽度の陥凹)．

Danforth s. (dan′fōrth)．ダンフォース徴候（吸気時の肩甲痛．破裂型子宮外妊娠における腹腔内出血の横隔膜刺激が原因)．

Darier s. (dah-rē-ā′)．ダリエ徴候（色素性じんま疹(肥満細胞症)の皮膚病変をこすって起こるじんま疹)．

Dejerine s. (dĕ-zhĕ-rēn′)．ドゥジュリーヌ徴候（咳，くしゃみ，排便で力むことにより，脊髄神経根刺激の症状を悪化させる)．

Delbet s. (del-bā′)．デルベー徴候（主動脈の動脈瘤の場合，拍動が消失してもその部分より末梢の栄養がよく保たれているならば，側副血行の効力がある)．

Demarquay s. (dē-mahr-kā′)．デゥマルケー徴候（えん下時の喉頭挙上の欠如で，気管の梅毒性硬結を示唆する)．

de Musset s. (dĕ mū-sā′)．ド・ミュセー(ド・ミュッセ)徴候．＝Musset (de Musset) s.

d'Espine s. (des-pēn′)．デスピーヌ徴候（現在は用いられない徴候．ⓘ肺結核の場合，棘状突起の上の気管支声は健康時より低位で聞こえる．ⓘⓘ縦隔腺結核の場合，言葉を話した後に，第七頸椎あるいは第一胸椎または第二胸椎の上に当てた聴診器で，反響したささやき音が聞こえる)．

dimple s. えくぼ徴候（皮膚線維腫で病変をつまんだ際そこに陥凹を生じること)．

doll's eye s. 人形の眼徴候（頭を動かした方向と逆方向への眼の反射性運動．例えば，頭を上げるとき眼球を下げ，頭を下げるとき眼を上げる(Cantelli 徴候)．眼球運動に関与する脳幹被蓋経路と脳神経の機能的正常度の指標)．

Dorendorf s. (dōr′ĕn-dōrf)．ドーレンドルフ徴候（大動脈弓部の動脈瘤において，鎖骨上窩が膨張すること)．

double bubble s. ダブルバブルサイン（小児放射線診断学で，拡張して空気の充満した胃と十二指腸球部の外観をいう．十二指腸閉鎖，ウェブ，まれに中腸軸捻でも観察される)．

double-condom s. 二重コンドームサイン（麻薬を飲み込み，体内に隠している密輸犯の腹部単純X線写真で，麻薬を入れるために二重に重ねたコンドーム同士の間の空気により得られる輪郭像)．

double ring s. 二重リングサイン（視神経低形成の特徴である視神経周囲の二重の求心性リング)．

double track s. ダブルトラックサイン（小児放射線診断学上，先天性幽門狭窄でまれにみられるサインで，肥厚した幽門の粘膜ひだと粘膜ひだの間にバリウムが貯留し，鉄道のレールのようにみえる)．

drawer s. 引出し症状（膝診察法の1つで，負荷を加えると脛骨が前方または後方にすべる症状．膝前十字靱帯(前方にすべる)や膝後十字靱帯(後方にすべる)の弛緩または断裂があるかどうかの検出法)．＝drawer test.

drooping lily s. ドローピングリリー徴候（重複腎盂尿管において，上方の腎盂が閉塞を伴う場合，排泄性腎盂造影で，下方の腎盂が圧排された垂れ下がったような像が得られる)．

Drummond s. (drŭm′ŏnd)．ドラマンド徴候（特定の大動脈瘤の場合，口を閉じた状態で心収縮と同時の吸音が鼻孔から聞こえる)．

Duchenne s. (dū-shen′)．デュシェーヌ徴候（横隔膜の麻痺の場合，吸気時に上腹部が落ち込む)．

Dupuytren s. (dū-pwē-tren[h]′)．デュピュイトラン徴候(①先天性股関節脱臼の場合，間欠的な牽引に際して大腿上端は自由に上下に動く．②ある種の肉腫の場合，骨を圧迫するとパチパチ感じる)．

Duroziez s. (dū-rō-zē-ā′)．デュロジェ徴候．＝Duroziez *murmur*.

Ebstein s. (eb′stīn)．エブスタイン徴候（心膜液貯留の場合，打診すると心臓肝臓角は鈍角になる)．

s. of edema of lower eyelid 下眼瞼浮腫徴候（うっ血性心不全，粘膜水腫，ネフローゼの場合，下眼瞼が腫脹する)．

Epstein s. (ep′stīn)．エプスタイン徴候（乳児における眼瞼の後退で，驚いた表情や〝野生的な目〟をしているようにみえる．→setting sun s.; Collier s.)．

Ewart s. (yū′ărt)．ユーアルト徴候（大規模な心臓周囲の滲出貯留の場合，気管支呼吸に伴う濁音界と左肩甲骨角下の気管支声がある)．＝Pins s.

Ewing s. (yū′ing)．ユーイング徴候（前頭洞の副鼻腔炎を示唆する前頭洞の底部の圧痛)．

Faget s. (fa-zhā′)．ファジェ徴候（黄熱にしばしばみられる徐脈と体温上昇)．

fan s. 開扇徴候，扇徴候（完全な Babinski 徴候の場合の足指の広がり)．

fatpad s. 脂肪体徴候（肘の単純X線側面像でみられる像で，関節包内に液体がたまり，それにより肘の後方の脂肪体が後方に移動する像．通常，橈骨頭骨折に伴ってみられる．これと対照的に前方脂肪体は正常でも一部みられる)．

Fischer s. (fish′ĕr)．気管支リンパ節結核の場合の現在は用いられない徴候．患者の頭部をできるだけ後屈させ，胸骨柄の上で聴診すると，大きくなったリンパ節が縦隔の大血管を圧迫するため，持続的な大きい雑音がときに出現する．＝Fischer symptom.

fissure s. フィッシャー(間裂)サイン（肺血流シンチグラフィで，各葉の末梢の放射性核種の取込みが減小し，そのために葉間裂が観察されるもの．様々な病態およびアーチファクトによって生じる)．

flag s. 旗徴候（毛髪の縞状変色(赤色，金髪色，灰色など，もとの色調に依存する)で，クワシオルコルおよび潰瘍性大腸炎などの蛋白欠乏疾患に特徴的な栄養摂取の変動に起因して起こる)．

Forchheimer s. (fork′hī-mer)．フォークハイマー徴候(風疹の場合の軟口蓋の赤味がかった斑点状発疹)．

Fothergill s. (foth′ĕr-gil)．フォザーギル徴候（腹直筋鞘血腫の場合の徴候．血腫は腫瘤を形成するが，正中線を越えることはなく，腹直筋を緊張させたときでも触知できる)．

Friedreich s. (frēd′rīk)．フリートライヒ徴候（拡張している頸部の静脈が心臓の拡張期ごとに突然虚脱する現象．心膜の癒着がある場合にみられる)．

Froment s. (frō-mawn[h]′)．フロマン徴候（尺骨神経麻痺の場合，親指とひとさし指の間に紙を1枚持つと，親指の末節骨が屈曲する)．

Gaenslen s. (genz′lĕn)．ゲンズレン徴候（骨盤が反対側股関節の屈曲で固定されているとき，股関節の過伸展で疼痛が生じる．仙腸関節と腰仙関節に捻転ストレスを起こすことによる)．

Gauss s. (gows)．ガウス徴候（妊娠初期の数週間は子宮の可動性が著しく高まる)．

Gerhard s. (gĕr′hard)．ゲルハード(ゲルハルト)徴候（大動脈弁逆流でみられる脾臓の拍動)．

Glasgow s. (glas′gō)．グラスゴー徴候（大動脈瘤の場合，上腕動脈に収縮期雑音が聞こえる)．

gloved-finger s. グローブフィンガー(手袋状)徴候（胸部X線写真上，気管支分岐の喀痰塞栓の所見)．

Goggia s. (gō′jah)．ゴッジャ徴候（消耗性疾患の場合には，二頭筋をたたくかつねると線維性攣縮が局部的に起こるが，健康な場合には全体に起こる)．

Goldstein toe s. (gōld′stin)．ゴールドスタイン趾徴候（母

趾とその隣接趾との間が広く開いている徴候．Down 症候群，ときに先天性甲状腺機能低下症や正常人でも認められる）．

Goodell s. (gu-del′). グッデル徴候（子宮頸部と腟が軟らかくなることで，通常は妊娠を示す徴候）．

Gordon s. (gōr′dŏn). ゴードン徴候．＝finger *phenomenon.*

Gorlin s. (gōr′lin). ゴーリン徴候（舌で鼻先に容易に触れられる異常．Ehlers-Danlos 症候群にみられる）．

Gowers s. ガウアーズ徴候，登はん性起立（膝屈筋群と股関節屈筋群が弱い患者で行われる操作．そんきょの姿勢から立つように言うと，まず股関節で体幹を前屈させ，膝に手を置き，脚を伸ばす時に手を用いて体幹を伸展させる．Duchenne 型筋ジストロフィで主にみられる）．

Graefe s. (grā′fē). グレーフェ徴候（Graves 病の場合，上眼瞼は，眼球の下方への動きに滑らかに従う）．＝von Graefe s.

Grasset s. (grāh-sā′). グラセー徴候（片麻痺の場合，麻痺側で胸鎖乳突筋は正常に収縮する）．

Grey Turner s. (grā tūr′nĕr). グレー・ターナー徴候（急性出血性膵炎やその他の原因による後腹膜出血の場合，臍部付近と腰部にみられる局所的な変色）．

Griesinger s. (grē′sing-ĕr). グリージンガー徴候（乳様突起部の導出静脈の敗血症性の血栓とS状静脈洞の血栓性静脈炎による後乳様突起上の紅斑と浮腫）．

Grocco s. (grok′ō). グロッコ徴候（①筋肉運動後に生じる心臓の急性拡張．Graves 病や種々の心筋症で生じることがある．②肝腫大の場合に，肝臓濁音界が正中線より数 cm 左に拡大すること）．

groove s. 溝徴候（鼡径靱帯の上下に，靱帯に沿って溝をつくっている大きく，硬く，固定された，激しい圧痛のあるリンパ節．鼡径リンパ肉芽腫症に特徴的）．

Gunn s. (gŭn). ガン徴候（①細動脈硬化症の場合，検眼鏡で動脈静脈交差部の下層静脈が圧迫されているのがみられる．＝Gunn crossing s. ②光の交互刺激により，視神経伝達異常のある眼の瞳孔が刺激時収縮(縮瞳)不良または散瞳さえする(相対性求心性瞳孔異常))．＝Marcus Gunn s.

Gunn crossing s. (gŭn). ガンの交叉所見．＝Gunn s. (1).

Guyon s. (gē-yon[h]′). ギヨン徴候（①腎下垂症，特に腎腫瘤がある場合の腎臓の浮球感．②舌下神経が外頸動脈の直上にあることから，結紮が必要なとき，内頸動脈と見分けられる）．

hair collar s. 首飾り状毛髪徴候（房状・環状の過剰毛髪が新生児の頭部中央に認められる．神経管閉鎖不全を疑う皮膚徴候）．

hair-on-end s. ヘアオンエンドサイン（頭蓋骨単純X線所見で，板間層内に過度に立毛したかのようにみえる所見．しばしばサラセミアメジャーの患者でみられる）．

halo s. 暈徴候（死亡した胎児や死にかけている胎児の頭蓋骨上にみられる皮下脂肪層の隆起．X線診断上，胎児死亡の最も一般的な徴候といわれる）．

halo s. of hydrops 水暈徴候（頭蓋浮腫のために，頭蓋骨の周りに明瞭な冠を形成すること．胎児水腫のX線写真上の徴候とされるが疑わしい）．

Hamman s. (ham′ăn). ハマン徴候（縦隔気腫の場合，前胸部とときには胸から離れた場所で，心拍動と同時にバリバリという音やきしり音が聞こえる）．

Hawkins impingement s. (haw′kinz). ホーキンズのインピンジメント徴候（肩 90度外転位で上腕骨の内旋を強制すると痛みが生じる徴候）．

Hegar s. (hā′gahr). ヘーガル徴候（妊娠初期(約 7 週目)に現れる子宮峡部が軟化して圧縮可能になること．双手診で子宮頸部と本体が分離しているように，あるいは細い帯だけで連結しているように感じる）．

Heim-Kreysig s. (hīm krī′sig). ハイム－クライジッヒ徴候（心収縮と同期した肋間腔の陥凹で，癒着性心膜炎の徴候）．＝Kreysig s.

Hennebert s. (en′ĕ-bār). エンベール徴候（外耳道をふさぎ圧力をかけることによって生じる眼振．内耳瘻孔や鼓膜正常な梅毒性内耳炎でもみられる）．

Higoumenakis s. (ē-gū-mĕ-năk′is). ヒグメナキス徴候(先天性梅毒の後期にみられる胸骨鎖骨部の腫脹)．

Hill s. (hil). ヒル徴候（大動脈弁閉鎖不全症の場合，上肢より下肢の動脈収縮期血圧が大幅に高くなる．正常人の場合，脚の動脈収縮血圧は腕より 10—20 mmHg 高いが，大動脈弁閉鎖不全症の場合，その差は 60—100 mmHg となる）．＝Hill phenomenon.

Hoagland s. ホーグランド徴候（伝染性単球増加症の場合の眼瞼の浮腫）．

Hoffmann s. (hof′mahn). ホフマン徴候（①潜伏テタニーの場合，三叉神経を軽く機械的に刺激すると激しい疼痛が起こる．②指の末節骨の手掌表面をはじくと，母指の末指節の屈曲と 1 本またはそれ以上の指の第二・第三指節の屈曲が起こる）．＝digital reflex; Hoffmann reflex; snapping reflex.

Homans s. (hō′mănz). ホーマンズ徴候（【誤った形 Homan および Homan's を避けること】．膝を曲げたままくるぶしをゆっくり静かに背屈するとき，ふくらはぎに痛みを感じれば，脚静脈の初期あるいは慢性の血栓症が示唆される）．

Hoover s. (hū′vĕr). フーヴァー徴候（①仰臥位で寝ている被験者に片脚を挙上させると不随意に他脚の踵に反対圧力がかかる．この脚が麻痺していても，筋力が少しでも保たれていれば，この徴候が出現する．また患者が麻痺肢をもち上げようとすると，麻痺脚に運動が起こるか否かにかかわらず，他脚の踵に反対圧力がかかる．ヒステリーや仮病の場合には存在しない．②横隔膜の平板化による呼吸時の肋骨縁の運動の変化．横隔膜外形の変化を起こす膿胸，その他の胸内状態を示唆する）．

iconic s. アイコニックサイン，類似的記号（類似性を指示していることで機能を備えている記号．例えば画像中の人物の類似的記号としての写真）．

impingement s. インピンジメント徴候（腱板の腱炎または断裂の患者において理学的誘発テストにより肩峰下腔部に痛みが生じる徴候）．＝impingement test (2).

indexical s.'s 指示性記号（因果関係を示すことで機能を獲得する記号．例えば，火をさす記号としての煙）．

inferior triangle s. 下三角徴候（胸部X線写真上，通常右上葉の虚脱により横隔膜近傍の横隔胸膜が外側に変位すること．*cf.* superior triangle s.）．

Jackson s. (jak′sŏn). ジャクソン徴候（静かに呼吸する間は胸の麻痺側の運動は対側より大きいが，強度の呼吸では麻痺側は他方より動きが小さい）．

Joffroy s. (zhō-fwa[h]′). ジョフロワ徴候（器質的脳疾患の初期段階での算術能力の異常(加法や乗法の単純な計算ができない))．

Kehr s. (kār). ケール徴候（脾破裂の場合，左肩に感じる激痛）．

Kerandel s. (ker-ahn-del′). ケランデル徴候（アフリカトリパノソーマ症でみられる痛みに対する感覚の遅れ）．

Kernig s. (ker′nig). ケルニヒ徴候（被検者を仰臥位に寝かせ，股関節と膝関節を屈曲させた状態から，膝関節を他動的に伸展させるのが不可能なこと．髄膜刺激徴候で，特に，膝屈曲筋を支配する神経根の刺激により膝屈曲筋が不随意に収縮するため生じる）．

Kestenbaum s. (kes′tĕn-bahm). ケステンバウム徴候（視神経炎の 1 つの徴候とされる視神経円板縁と細動脈の交差数の減少）．

knuckle s. ナックル徴候（胸部X線上で，大きな肺動脈が肺塞栓によって急激に細くなること）．

Kocher s. (kō′kĕr). コッヒャー(コッヘル)徴候（Graves 病において，上方注視をした際，眼球が上眼瞼の動きに遅れを生じる）．

Kreysig s. (krī′zig). クライジッヒ徴候．＝Heim-Kreysig s.

Kussmaul s. (kūs′mowl). クスマウル徴候（収縮性心膜炎または慢性閉塞性肺疾患で，吸気時に頸静脈が逆説的に上昇すること）．

Lancisi s. (lahn-chē′zē). ランチージ症候（頸静脈波で三尖弁の逆流によって生じる大きな収縮波のために，正常の収縮期陰性"x"下降部がみえなくなること）．

Landolfi s. (lahn-dōl′fē). ランドルフィ徴候（大動脈弁閉鎖不全の場合，瞳孔が心収縮期に収縮し，拡張期に散大する）．

Lasègue s. (lah-seg′). ラゼーグ徴候（股関節を屈曲して仰臥し，膝を伸展させた場合，下肢を背屈して大腿背側に疼痛あるいは筋攣縮が生じれば，腰部神経根あるいは坐骨神経が刺激されていることを示す）．

Legendre s. (le-jahndr′). ルジャーンドル徴候（中枢性の顔面神経片麻痺の場合，積極的に閉じた眼の眼瞼を検者がもち上げたとき患者のほうが抵抗が小さい）.

lemon s. レモン徴候（Arnold-Chiari 奇形(⇌malformation)に合併する前頭骨の異常所見）.

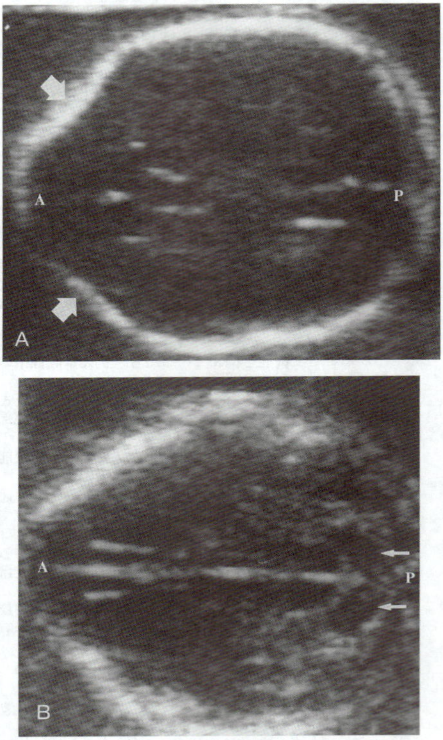

lemon and banana signs

A：レモン像．前頭骨の陥凹により長軸平面でレモン様の形状を示す．この所見は二分脊椎を疑う．B：バナナ像．小脳半球の圧迫像で脳幹部の下方へのヘルニアに合併する．Chiari II型奇型で長軸平面で頭蓋後方に低吸収性のバナナ状陰影を生じる(小さなAは前方，Pは後方を示す).

Leri s. (lā-rē′). ルリー(レリー)徴候（片麻痺の場合，麻痺側の手首を受動的に屈曲させると，肘を随意的に屈曲できない）.

Leser-Trélat s. (lā′zā trā′lah). レーザー－トレラー徴候（かゆみを伴った脂漏性角化症が突然多数出現し，その数も大きさも増大する．内臓悪性腫瘍に合併する）.

Lhermitte s. (lār-mēt′). レールミット徴候（首を屈曲(能動的または受動的)したとき，たまに首を回転したときにもみられる背中から四肢に向かう電撃様感覚．脊髄病変による．多発性硬化症によることが多い）.

linguine s. リングィーニサイン（シリコンバッグ人工乳房の破裂のサインで，MRI や CT で完全に虚脱したバッグの膜が描出される．[註]リングィーニとは細長く平たいパスタのこと）.

local s. 局所徴候.

Lorenz s. (lō-renz′). 現在は用いられない徴候．肺結核初期にみられる胸椎のこわばり.

Lovibond profile s. (lo′vĭ-bond). ラヴィボンド輪郭徴候．＝Lovibond *angle*.

Macewen s. (mă-kū′ĕn). マキューエン徴候（脳水腫の場合，頭蓋を打診すると破壺共鳴音がする）．＝Macewen symptom.

Magendie-Hertwig s. (mah-zhan-dē′ hert′vig). マジャンディ－ヘルトヴィヒ徴候（急性小脳性病変の場合，眼球の斜方偏位が起こる）．＝Magendie-Hertwig syndrome.

Magnan s. (mah-nyahn′). マニャン徴候（コカイン中毒性精神病においてみられる感覚異常で，患者は皮下に粉末や細かい砂のような性状をもった異物があり，それが常に位置を変えるという感じをもっている）.

Magnus s. (mag′nŭs). 現在は用いられない徴候．死後，四肢の一部分を結紮しても末端部分の静脈うっ血をみない.

Mannkopf s. (mahn′kopf). マンコプフ徴候（疼痛点が圧迫されると拍動が増加する）.

Marañón s. (mah-ră-nyon′). マラニョン徴候（Graves 病患者の前頭部の皮膚を刺激したときにみられる血管運動反射）.

Marcus Gunn s. (mar′kŭs gŭn). マーカス・ガン徴候．＝Gunn s.

Maroni s. (mă-rō′nē). マローニ徴候（甲状腺機能亢進症において，甲状腺部の皮膚が発赤する徴候）.

McBurney s. (măk-bŭr′nē). マックバーニー徴候（臍部より前上腸骨棘に至る 2/3 の部位での圧痛．虫垂炎で認められる）.

meniscus s. 半月板徴候．＝crescent s.

Metenier s. (me-ten-ē-ā′). メテニエル徴候（Ehlers-Danlos 症候群における上眼瞼の易外反性）.

Mirchamp s. (mir′shan[h]). ミルシャン徴候（流行性耳下腺炎の前兆症候．強烈な香りの物質を舌に置くと，初期感染部である唾液腺が痛みを伴い反射的に唾液を分泌する）.

Möbius s. (mŭr′bē-ŭs). メービウス徴候（Graves 病の場合の眼球の輻輳障害）.

Mosler s. (mōz′lĕr). モスラー徴候（急性骨髄性白血病の患者で認められる胸骨上の圧痛）.

Mt. Fuji s. [Fuji．日本で一番高い山，3,776 m]．富士山徴候（CT 矢状断での前頭葉が圧迫された 2 つの頂がある山の形で，気脳症による）.

Muehrcke s. (mēr′kĕ). ミュルケ徴候．＝Muehrcke *bands*.

Mueller s. (mē′lĕr). ミュラー徴候（大動脈弁逆流における口蓋垂の拍動）.

Müller s. (mēl′ĕr). ミュラー徴候（大動脈弁閉鎖不全の場合，心臓作用とともに，口蓋帆と扁桃の腫脹発赤を伴う口蓋垂の律動的な拍動）.

Munson s. (mun′son). マンソン徴候（円錐角膜において眼球を下転させた際，角膜により下眼瞼が突出する状態）.

Murphy s. (mŭr′fē). マーフィー徴候（右肋骨弓下部の触診時，呼気時に痛む．急性胆嚢炎としばしば関連する）.

Musset (de Musset) s. (mū-sā′[dĕ-mū-sā′]) [Alfred de *Musset*．大動脈弁逆流に苦しんだフランス人作家，1810—1857]．ミュセー(ミュッセ)徴候，ド・ミュセー(ド・ミュッセ)徴候（大動脈弁逆流および大動脈瘤において，心拍動とともに頭部が律動的に上下あるいは前後に揺れる．大動脈弁閉鎖不全で起こる）．＝bishop's nod; de Musset s.

neck s. 頸部徴候．＝Brudzinski s. (2).

Neer impingement s. (nēr). ニアーのインピジメント徴候（上肢の最大前方挙上を強制したときに痛みが生じる徴候）.

Néri s. (nā′rē). ネリー徴候（片麻痺の場合，脚が受動的に伸展されると同時に膝が折れる）.

Nikolsky s. (ni-kol′skē). ニコルスキー徴候（尋常性天疱瘡の場合の皮膚の特異なぜい弱性．外見上は正常な表皮が，こすることによって基底層のところで分離し，浮き上がる）.

objective s. 他感覚徴候（検者に明白な徴候）.

s. of the orbicularis 眼輪筋徴候（片麻痺の場合，麻痺側の眼を自発的に閉じることができない．他方の眼が閉じるのと関連する場合は除く）．＝Revilliod s.

Osler s. (ōs′lĕr). オースラー(オスラー)徴候．＝Osler *node*.

painful arc s. 有痛弧徴候（60度から120度上肢を自動的に外転する，または強制的に挙上する際に痛みが誘発される徴候）.

Pastia s. (pahs′tē-ah). パスティア徴候（猩紅熱の前発疹期に，肘窩に桃色あるいは赤色の横線が現れること．発疹期も持続し，落屑後も色素線として残る）．＝Thomson s.

patellar apprehension s. 膝蓋骨不安感徴候（膝蓋骨を他動的に外側へ転位させようとすると膝蓋骨外側不安定性の病歴のある患者では膝蓋骨が脱臼しそうな不安感を感じ，それに抵抗を示すという理学所見）．

Payr s. (pīr). パイル徴候（足裏に圧力がかかると痛む．血栓性静脈炎の前徴）．

Pemberton s. (pem′bĕr-tŏn). ペンバートン(ペムバートン)徴候（両腕を挙上して頭の側面に押しつけていると，顔面のうっ血とチアノーゼが生じ両腕の挙上が困難となる徴候．胸骨下甲状腺腫による静脈うっ滞が原因である）．＝Pemberton maneuver; thyroid cork.

Pérez s. (pā′rāth). ペレス徴候（腕を交互に上げたり下げたりすると胸上部にラ音が聞こえる．一般に線維性縦隔洞炎と大動脈弓動脈瘤の場合に起こる）．

Pfuhl s. (fūl). プフール徴候（横隔膜下膿瘍の膿の圧力は吸気時に上昇し，呼気時に低下する．横隔膜上に膿がたまった場合は逆になる．横隔膜が麻痺していると，この区別はできない）．

physical s. 身体的徴候，理学的徴候（触診，打診，聴診で観察される，あるいは引き出される徴候）．

Piltz s. (piltz). ピルツ徴候．＝eye-closure pupil *reaction*.

Pins s. (pinz). ピンス徴候．＝Ewart s.

Pitres s. (pē′trĕ). ピートル徴候（①＝haphalgesia．②脊髄ろうの場合の精巣と陰嚢の感覚減退）．

placental s. 胎盤徴候（ある種の動物，ときにはヒトの女性に，受精卵の着床の際起こる軽い子宮内膜出血．ヒトで血液が外に出てきたときには量の少ない月経と間違われることがある）．

Pool-Schlesinger s. (pūl shlā′sing-ĕr). プール－シュレージンガー徴候．＝Pool *phenomenon* (1).

Potain s. (pō-tăn[h]′). ポタン徴候（大動脈拡張症の場合，打診上の濁音界が右側では胸骨柄から第二肋間および第三胸軟骨のほうに拡大し，上界は1つの円の部分として胸骨基部より右方に拡大する）．

Prehn s. (prān) [Douglas T. Prehn. 20世紀の米国人泌尿器科医]．プレーン徴候（精巣を持ち上げることで疼痛が緩和する場合には，精巣上体炎を考え，緩和しない場合には精巣捻転を考える）．

prodromic s. 前駆徴候（疾病の前徴として現れる徴候）．＝antecedent s.

pseudo-Graefe s. (grā′fuh). 偽〔性〕グレーフェ徴候（Graefe徴候に類似の眼瞼後退現象．動眼神経線維の上眼瞼の挙動への異所再生が原因）．

puddle s. 水たまり徴候（遊離腹水の徴候．患者によつんばいの姿勢をとらせて発見する方法．一側腹部を一定強度で軽打する．腹の最も垂れ下がった部分にBowles型聴診器を当て，徐々に打診側の反対腹部に動かしていく．聴診器で捕えた音の強さが急に大きくなれば，腹水貯留レベルを示す）．

pulvinar s. プルビナーサイン（MRIでの視床枕領域での高信号で変異型Creutzfeldt-Jakob病の診断に役に立つ所見）．

pyramid s. 錐体路〔障害〕徴候（Babinski徴候あるいはGordon徴候，痙性麻痺，足クローヌスなど，錐体路の障害を示す症候）．

Quant s. (kahnt). クワント徴候（多数のくる病患者に生じる後頭骨のT字形のくぼみ．常に後頭部をベッドに押し付けて寝ていた乳児に特に多い）．

Quénu-Muret s. (kā-nū′ mū-rā′). ケニュ(ケヌ)－ミュレー徴候（動脈瘤の場合，四肢の主動脈を圧迫し末梢を穿刺したときに，血液が流出すれば，側副血行が十分維持されていると考えられる）．

Quincke s. (win′kē). クヴィンケ徴候．＝Quincke *pulse*.

raccoon s. アライグマ徴候（頭蓋底部または鼻骨の骨折後の眼窩周囲の斑状出血）．

Ransohoff s. (ran′să-kof). ランソホフ徴候（総胆管破裂の場合の臍周囲の黄変色）．

Raynaud s. (rā-nō′). レーノー(レイノー)徴候．＝acrocyanosis.

red, white, and blue s. 赤・白・青徴候（ロクソスセレス症で，創傷に紅斑，虚血，壊死が同時に生じる）．

Remak s. (rā′mahk). レーマック(レマーク)徴候（脊髄ろうと多発性神経炎の場合，触覚と痛覚が解離する）．

reversed-three s. 逆3型徴候（大動脈狭搾症の患者の食道造影で造影剤を満たした食道が大動脈弓部(3の上部)と狭搾より遠位部の拡大(3の下部)により示す形．3のくびれた部分は狭搾部分自体を示す）．

Revilliod s. (re-vē-yō′). ルヴィーヨー徴候．＝s. of the orbicularis.

Ripault s. (rē-pō′). リポー徴候（眼球の一側を圧迫すると瞳孔の形が恒久的に変化する死の徴候）．

Romaña s. (rō-mahn′yă). ロマニャ徴候（片眼瞼あるいは両眼瞼の著明な浮腫．通常は片眼の眼瞼浮腫で，*Trypanosoma cruzi*に感染したある種の昆虫に刺されたときの感受性反応と考えられている．急性Chagas病との関連も強く暗示されている）．

Romberg s. (rom′bĕrg). ロンベルク徴候（患者が両足をそろえて閉眼すると，より不安定になるとき，それは固有覚脱失の徴候である）．＝Romberg test; rombergism; station test.

Rosenbach s. (rō′zĕn-bahk). ローゼンバッハ徴候（①内臓の急性炎症の場合にみられる腹壁反射の消失．②大動脈弁逆流でみられる肝臓の拍動）．

Rossolimo s. (ros-ō-lē′mō). ロッソリーモ徴候．＝Rossolimo *reflex*.

Rotch s. (roch). ロッチ徴候（心膜液貯留の場合，右第五肋間腔に打診濁音が起こる）．

Rovsing s. (rov′sing). ロヴシング徴候（虫垂炎の場合，下行結腸を圧迫するとMcBurney点に生じる疼痛）．

Rumpel-Leede s. (rūm′pĕl lēd). ルンペル－レーデ徴候．＝capillary fragility *test*.

Russell s. (rŭs′ĕl). ラッセル徴候（過食症患者の手の甲にあるすり傷や瘢痕をいい，通常は自ら嘔吐を誘発するときに手を使うために生じる）．

Sansom s. (san′sŏm). サンソム徴候（僧帽弁狭窄症の場合の第2心音の亢進）．

scarf s. スカーフ徴候（新生児の在胎週数と筋緊張を評価するためのDubowitz scoreで用いられる．児の腕を引いて反対側の胸に持ってくると，筋緊張が低下している児では肘が正中線を越えるが，正常の筋緊張を有する正期産児では，肘は正中線に達しない）．

Schamroth s. (sham′roth). シャムロス徴候（左右の人さし指の第一関節を伸側面で向かい合わせにした時に，健常人では爪床部に三角形またはダイヤモンド型の隙間ができるが，ばち状指においてはその隙間ができないことをいう）．

Schapiro s. (shă-pī′rō). シャピーロ徴候（心筋衰弱の場合，患者が横臥しても脈拍の緩徐は起こらない）．

Schlesinger s. (shlā′sing-ĕr). シュレージンガー徴候．＝Pool *phenomenon* (1).

Schultze s. (shūlt′sĕ). シュルツェ徴候（潜伏テタニーの場合，舌を軽打すると舌が陥凹する）．＝tongue phenomenon.

scimitar s. シミター徴候（肺静脈還流異常症に伴う胸部X腺写真上，肺基底部にみられる曲線の陰影．鎌の形，サーベルに似た形状をさす．また，前髄膜瘤を伴う脊椎縫合障害において，仙骨のほたて貝様の凹凸を調べるのにも用いる）．

Seeligmüller s. (zā-lig-mil′lĕr). ゼーリヒミュラー徴候（顔面神経痛の場合，患側の瞳孔が収縮する）．

Seidel s. (sī-del′). ザイデル徴候（盲点が上方または下方へ拡大する鎌形暗転）．

sentinel loop s. センチネルループサイン，前哨腸管徴候（消化管放射線診断上，大腸あるいは小腸のある区域の拡張が，近傍の炎症性病巣による局所的(麻痺性)イレウスを示唆していること）．

setting sun s. 落陽現象（上眼瞼が後退し，上を凝視することなく虹彩が下眼瞼の下に沈む現象．新生児の神経学的障害を示唆する．しかし，多くのものは後遺症なく改善する．→Collier s.; Epstein s.）．

S s. of Golden ゴールデンS字サイン（胸部放射線診断で，右上葉の無気肺と，肺門部で気管支狭窄の原因となっている腫瘤とが，凹面および凸面を形成し，S字状を呈するもの）．

shawl s. ショール(肩掛け)徴候（ショールに似た分布を

示す肩や上背部の多形皮膚萎縮斑．この皮膚病変は皮膚筋炎の患者に認められる）．

Shibley s. (shib′lē). シブリー徴候（胸部の聴診で，肺硬化部位の上あるいは胸水の上では，イーという発音がアーと聞こえる）．

shoulder apprehension s. 肩関節不安感徴候（上腕外転90度，最大外旋位にすると前方肩甲上腕関節の不安定性の病歴のある患者では肩関節が脱臼しそうな不安感とそれに抵抗を示すという徴候）．＝anterior apprehension test (1).

Siegert s. (zē′gĕrt). ジーゲルト徴候（Down 症候群において，第五指の終端指節は短くて内側に屈曲している）．

silhouette s. of Felson (fel′sŏn). フェルソンのシルエットサイン（胸部放射線診断上の徴候の1つ．通常の空気－軟部組織境界面が肺の近接部が液体で満たされることにより消失する）．

Skoda s. (skō′dah). スコダ徴候．＝skodaic *resonance.*

Snellen s. (snel′ĕn). スネレン徴候（Graves 病で亢進した血流により患者の眼球上部で聞かれる血管雑音）．

soft s.〔神経学的〕微細徴候（診断に特異的・有意な異常ではないが，精神神経障害のある成人および発達遅延を認める正常小児にみられる，神経学的徴候(結合運動障害，拮抗運動反復不全)や行動の異常(姿勢や体位，不随意運動)）．

spinal s. 棘筋徴候（胸膜炎の場合，患側の棘筋は強直性攣縮状態にある）．

spine s. 脊椎徴候（髄膜炎の場合に脊椎の屈曲に抵抗があること）．

steeple s. 尖塔サイン（クループでみられ，尖塔様の浮腫による声門下の狭小化のX線像）．

Steinberg thumb s. (stīn′bĕrg). シュタインベルク母指徴候（Marfan 症候群の場合，母指を同じ手の手掌を横切るように置くと，手の尺側面を越えて突出する）．

Stellwag s. (shtel′vahg). シュテルヴァーク徴候（Graves 病の場合，まばたきの回数が減少し，まばたきが不完全になる）．

Sternberg s. (shtĕrn′bĕrg). スターンバーグ(シュテルンベルク)徴候（胸膜炎患者の病側の上肢帯筋の，同側性圧痛あるいは触診時不快感）．

Stewart-Holmes s. (stū′ărt hōlmz). スチュアート－ホームズ徴候（小脳患者にみられ，受動性抵抗が突然なくなったときに運動を抑制できない徴候）．＝rebound phenomenon (1).

Stierlin s. (shtēr′lin). シュティールリン徴候（X線検査でみられる盲腸内容を空にするような持続性運動．バリウムが回腸末端部と横行結腸に残っていることで示される．結核性盲腸炎による盲腸の刺激が原因となって生じることがある）．

Straus s. (strows). ストロー徴候（顔面神経麻痺の場合，ピロカルピンの注射をして，患側が他側より遅く発汗すれば，病変は末梢性である）．

string s. ストリングサイン（小児消化管放射線診断学上の徴候．先天性幽門狭窄でみられる細長くなった幽門管．あるいは，Crohn 病(限局性回腸炎，終末回腸炎)の小腸造影でみられる狭窄部）．

subjective s. 自覚的徴候（患者だけが知覚する徴候）．

Sumner s. (sŭm′nĕr). サムナー徴候（腹筋緊張がわずかに増大する．虫垂炎，腎臓結石，尿路結石，卵巣頸部捻転の初期徴候．左右腸骨窩の軽度圧迫により生じる徴候）．

superior triangle s. 上三角徴候（胸部X線写真上，通常右下葉の虚脱により縦隔胸膜が牽引され，上縦隔が広がること．*cf.* inferior triangle s.）．

teardrop s. 涙滴サイン（乳腺の MRI や CT でみられるシリコンバッグ人工乳房の破裂を示唆する不完全に虚脱した膜の所見）．

ten Horn s. (hōrn). テン・ホルン徴候（右精索を穏やかに牽引することにより生じる疼痛．虫垂炎を示す）．

Thomson s. (tom′sŏn). トムソン徴候．＝Pastia s.

Tinel s. (tē-nel′). ティネル徴候（損傷神経部位をたたくと，その損傷部位またはその神経の走行に沿った遠位部に感じるヒリヒリした感覚，またはピンや針で刺される感覚．神経の部分的損傷または初期再生を示唆する）．＝distal tingling on percussion.

Toma s. (tō′mah). トーマ徴候（炎症性腹水と非炎症性腹水を区別する徴候で，腹膜が炎症状態の場合には，腸間膜は収縮し腸管右側に偏位させる．ゆえに患者が仰臥すると，聴診上右側に鼓腸が起こり左側は濁音を呈する）．

Topolanski s. (tō-pō-lan′skē). トポランスキー徴候（Graves 病の場合，眼の角膜周囲がうっ血する）．

Tournay s. (tūr-nā′). ツルネー徴候．＝Tournay *phenomenon.*

Traube s. (trow′bĕ). トラウベ徴候（大動脈閉鎖不全が著明なときに聞かれる動脈(特に大腿動脈上部)で聴取される血管雑音）．

Trendelenburg s. (tren′dĕ-lĕn-bĕrg). トレンデレンブルク徴候（種々の股関節疾患(先天性股関節脱臼，関節リウマチ，変形性関節症などによる股関節外転筋筋力低下または股関節痛を伴う疾患)に伴ってみられる理学所見で，患側で片脚起立すると健側の骨盤が患側より下がる症状．歩行時では患側肢の立脚相で体幹が代償作用として患側に傾く）．＝Trendelenburg gait.

Tresilian s. (trē-sil′ē-ăn). トレシリアン徴候（流行性耳下腺炎にみられる耳下腺管開口部の赤色隆起）．

trough s. 溝槽徴候（肩関節後方脱臼の結果生じた前内側臼唇の欠損）．

Trousseau s. (trū-sō′). トルソー徴候（潜伏テタニーの場合，圧迫帯や血圧マンシェットで上腕を圧迫した際に，感覚異常により手首の痙攣が生じる）．

Trunecek s. (trū′nĕ-chek). トルネツェク徴候（大動脈狭搾症のときに胸骨乳突筋の起始部の近くの鎖骨下動脈にふれる脈）．

Uhthoff s. (ut′hof). ウートホフ徴候（→Uhthoff *symptom*）．

Vierra s. (vē-er′ah). ヴィエラ徴候（ブラジル天疱瘡における爪の黄色化と穿孔）．

Vipond s. (vē-pohn[n]′). ヴィポン徴候（各種の小児発疹の潜伏期に起こる全身性リンパ節腫大．感染にさらされたことがわかっている場合には早期診断に役立つ徴候となる）．

vital s.'s (VS) 生命徴候（体温，脈拍数，呼吸数，血圧の測定）．＝vitals (2).

von Graefe s. (fahn grāf′ĕ). フォン・グレーフェ徴候．＝Graefe s.

Wartenberg s. (vahr′ten-berg). ヴァルテンベルク徴候（患者が4本の指を抵抗に逆らって屈曲しようとすると母指の屈曲が起こる錐体路徴候や，脳腫瘍の症例で鼻尖と鼻孔に強い痒みがでる徴候をいう）．

Weber s. (web′er). ウェーバー徴候．＝Weber *syndrome.*

Weiss s. (wīs). ヴァイス徴候．＝Chvostek s.

Wernicke s. (vern′ik-ĕ). ヴェルニッケ徴候．＝Wernicke *reaction.*

Westermark s. (west′er-mark). ウェスターマーク徴候（胸部X線写真上，肺塞栓による肺乏血のため肺紋理が減少すること）．

Wilder s. (wīl′der). ワイルダー徴候（Graves 病の場合にみられ，眼球が外転から内転に変化するとき，または逆の場合，わずかに攣縮を起こす）．

Winterbottom s. (win-ter-bot′om). ウインターボトム徴候（アフリカトリパノソーマ症の初期病変の特徴である後頸部リンパ節の腫脹．流行地からの移住者で発症前の人を検査したり管理したりするのに有用）．

wrist s. 手首徴候（Marfan 症候群の場合，手首を反対側の手でつかむと明らかに親指と第五指が重なり合う）．

---

sig·nal (sig′năl). シグナル（①ある作用の原因となる，あるいは情報を伝達するもの．② DNA あるいは RNA の特定配列をある方法で欠失させたときに観察される最終産物）．

arrest s. 停止シグナル（RNAポリメラーゼによる転写の停止を引き起こすDNA配列）．

pause s. 休止シグナル（RNAポリメラーゼによる転写の休止を引き起こすDNA配列）．

retrograde s. 逆行性シグナル（シナプスでみられるように，発生したシグナルがきっかけとなりシグナルの強度や発生が変化すること）．

termination s. 終止シグナル．＝termination *codon.*

sig·na·ture (sig′nă-chūr, -tūr)［Mediev.L. *signatura* < L.

signum, a sign, mark]. 用法指示（患者に対する指示を含んだ処方の部分）.

Signed Ex·act Eng·lish (sīnd eg-zakt′ ing′glish). 英語対応手話（語義学的英語表現による伝達様式．アメリカ手話の記号はアルファベット順に使われ，追加記号は抑揚調節に使用する．主に6歳以下の小児の教育に用いられる）.

sig·nif·i·cant (sig-nif′i-kănt) [L. *significo*, to make known, signify < *signum*, sign + *facio*, to make]. 有意な（統計学において，ある結果に関する信頼性，またはその逆に，そのような結果が偶然に起こりうる確率(通常5%以下)を示すこと）.

sig·ua·te·ra (sig′wă-tā′ă). ⇀ciguatera.

SIH somatotropin release-inhibiting *hormone* の略.

Silber (sil′bĕr), Robert H. 20世紀の米国人生化学者. ⇀Porter-S. *chromogens*, *reaction*, chromogens *test*.

sil·den·a·fil (sil-den′ă-fil). シルデナフィル（ホスホジエステラーゼ5型(PDE5)特異的なサイクリックGMP選択的拮抗物質．陰茎の筋肉を弛緩させる結果，血流を増加させ勃起させる．男性不能症の治療に用いられる．硝酸塩による低血圧低下作用を増強する．㊟商品名バイアグラ（VIAGRA）の一般名である）.

si·lent (sī′lĕnt). 無症候性の（認められるような徴候や症状を出さない，ある種の疾病や病的変化についていう）.

sil·i·ca (sil′i-kă) [Mod. L. < *silex*(*silic-*), flint]. シリカ（砂およびガラスの主成分）. =silicic anhydride; silicon dioxide.

s. gel シリカゲル（ケイ酸のゲル．各種気体の吸収に用いる）.

sil·i·cate (sil′i-kāt). ケイ酸塩（①ケイ酸の塩．②合成陶材での歯冠修復についてときに用いる語）.

sil·i·ca·to·sis (sil′i-kă-tō′sis). =silicosis.

si·li·ceous (si-lish′ŭs). ケイ酸含有の. =silicious.

si·lic·ic (si-lis′ik). ケイ酸の，ケイ素の.

si·lic·ic ac·id (si-lis′ik as′id). ケイ酸（水中でケイ酸塩を処理してコロイドとして得られる．これを沈殿させたものがシリカゲル）.

si·lic·ic an·hy·dride (si-lis′ik an-hī′drīd). 無水ケイ酸. =silica.

si·li·cious (si-lish′ŭs). =siliceous.

sil·i·co·an·thra·co·sis (sil′i-kō-an′thră-kō′sis). 珪炭粉肺症（珪肺症と炭粉肺症が合併して起こる塵肺症で，硬石炭坑夫にみられる）.

sil·i·co·fluor·ide (sil′i-kō-flūr′īd). ケイフッ化物（ケイ素とフッ素と他の元素との化合物）.

sil·i·con (Si) (sil′i-kon) [L. *silex*, flint]. ケイ素（非金属元素．原子記号14，原子量28.0855．自然界にシリカやケイ酸塩として存在する．純粋なものは半導体として，また太陽電池の製造に用いる．哺乳類組織にある，ある種の多糖類構造にも存在する）.

amorphous s. 無定形シリコン（ディジタルラジオグラフィ digital *radiography* やX線透視検査(⇀fluoroscopy)で用いられる光感受性材料）.

sil·i·con di·ox·ide (sil′i-kon dī-oks′īd). 二酸化ケイ素. =silica.

colloidal s. d. コロイド状二酸化ケイ素（ケイ素化合物の気相加水分解で生成される，超顕微鏡的な燻蒸化ケイ素化合物．錠剤の賦形剤，糊稠剤として用いる）.

sil·i·cone (sil′i-kōn). シリコン（有機酸化ケイ素のポリマーで，重合度によって液体，ゲル，または固体となる．以前，外科的埋入物に，液体を排出する体内チューブに，グリースまたは密封用物質として歯科用印象として，血液採取用ガラス管の内装として，また種々の眼科学的処置にと広い範囲で使用された）.

s.-related disease problems シリコンに関連する疾患群（シリコンを体内に埋入したことで発症すると仮定されている病態）.

sil·i·co·pro·te·i·no·sis (sil′i-kō-prō′tē-i-nō′sis). シリカ蛋白症（X線所見，組織所見は肺胞蛋白症に似ているが，高濃度シリカ粉塵に比較的短時間に暴露することにより惹起される急性肺障害．肺症状は急性発症で，臨床状態はほとんど致命的である）.

sil·i·co·sid·er·o·sis (sil′i-kō-sid′ĕr-ō′sis). 鉄珪肺〔症〕. =siderosilicosis.

sil·i·co·sis (sil-i-kō′sis) [L. *silex*, flint + *-osis*, condition]. 珪肺症（ケイ素(シリカ)を含有するじん埃に職業上数年にわたって暴露している間に，それを吸入することが原因で起こるじん肺症の1つ．ゆっくりと進行する肺の線維化がその主な特徴で，拘束性および閉塞性の肺機能障害を引き起こすことがある．また肺結核に罹患しやすくなる）. =pneumosilicosis; silicatosis; stone-mason's disease.

sil·i·co·tu·ber·cu·lo·sis (sil′i-kō-tū-ber′kyū-lō′sis). 珪肺結核〔症〕（肺結核性病変と合併した珪肺症）.

si·li·qua o·li·vae (sil′i-kwă ō-lī′vē) [L. the husk of the olive]. オリーブ核莢状部（弓状線維．延髄にある下オリーブを囲む）.

silk (silk). 絹（カイコのまゆから採れる繊維）.

floss s. 塗ろう絹糸. =dental *floss*.

surgical s. 外科用絹糸（カイコ *Bombyx mori* のまゆからつくった糸．様々なサイズがあり，縫合材料として使われる）.

virgin s. 処女絹糸（極細の眼科縫合糸．2―7本の天然絹糸の繊維からなり，天然接着剤セリシンで結合している）.

Sil·ver (sil′vĕr), Henry K. 20世紀の米国人小児科医. ⇀S.-Russell *dwarfism*, *syndrome*.

sil·ver (Ag) (sil′vĕr) [A.S. *seolfor*]. 銀（ラテン語はargentum．金属元素．原子番号47，原子量107.8682．多くの塩が臨床適用される）. =argentum.

s. chloride 塩化銀（防腐性銀製剤の調製に用いる）.

colloidal s. iodide コロイド状ヨウ化銀，ヨウ化銀コロイド（防腐薬．粘膜の炎症治療に用いる）.

fused s. nitrate =toughened s. nitrate.

s. iodate ヨウ素酸銀（塩素の定量のための試薬）.

mild s. protein 緩和銀蛋白，弱力プロテイン銀（酸化銀とゼラチンや血清アルブミンとの反応で生成される複合体．その黒い光沢のある結晶から銀が遊離される．以前は粘膜の局所抗菌剤として汎用されていた．19―25%の銀を含有する．微量しかイオン化されない．組織中で還元銀沈着により黒色または褐色色素沈着が生じる）. =argyrol; silvol.

s. nitrate 硝酸銀（防腐薬，収れん薬．以前は新生児眼炎の予防に溶液を外用で用いられた．また，神経系，スピロヘータ，網様線維，Golgi装置，仁形成体領域，およびカルシウムの特異的な染色にも用いる）.

strong s. protein 強力プロテイン銀（銀と蛋白の化合物．7.5―8.5%の銀を含む．防腐薬として外用に用いる．収れん性，刺激性はない）.

s. sulfadiazine スルファジアジン銀（スルファジアジンの銀誘導体．熱傷における感染症の予防および治療に典型的な抗菌薬として外用で用いる）.

toughened s. nitrate 強化硝酸銀（塩化銀と混ぜ，乾燥させた硝酸銀．通常は，木製の小型塗布器の先につけたり，鉛筆のように用いる．腐食薬としていぼを取り除くのにまた局所止血に湿らせてから用いる）. =fused s. nitrate; lunar caustic.

sil·ver im·preg·na·tion (sil′vĕr im′preg-nā′shŭn). 銀含浸（銀錯体で，正常または病変組織中のレチクリンを検出するのに用いる．また，神経膠，神経細線維，銀親和性細胞やGolgi装置に対しても用いる）.

Sil·ver·man (sil′vĕr-măn), Leslie. 米国人技師，1914―1966. ⇀S.-Lilly *pneumotachograph*.

Sil·ver·man (sil′vĕr-măn), William A. 20世紀の米国人小児科医. ⇀Caffey-S. *syndrome*.

Sil·ver·ski·öld (sĭl′ver-shyul), Nils G. スウェーデン人整形外科医，1888―1957. ⇀S. *syndrome*.

sil·vol (sil′vōl). シルボル. =mild *silver* protein.

si·meth·i·cone (si-meth′i-kōn). シメチコン（ジメチルポリシロキサンとシリカゲルの混合物．抗鼓腸薬）.

si·mil·i·a si·mil·i·bus cur·an·tur (si-mil′ē-ă si-mil′i-bŭs kŭr-an′tĕr). 毒をもって毒を制す（ホメオパシーによる処方(文字通りには，同類は同類によっていやさしむる)．すなわち，健康人に病的症候を生じさせる薬剤は，病状の発現としての同様の症候を取り除きうるという説．ホメオパシー説の最初の唱道者Hahnemannの表現は，"*similia similibus curentur*(同類で同類をいやさしめよ)"である）.

si·mil·i·mum, si·mil·li·mum (si-mil′i-mŭm) [L. *simil-*

S

limus, most like, *similis*(like)の最上級]. 同種療法薬, 同毒療法薬 (ホメオパシーにおいて, 一定の症例に指示される治療薬. これは, 同一の薬剤が健康人に与えられると問題の症状とほぼ同様の症候群を引き起こすものである).

Sim·monds (sim′ŏndz), Morris. ドイツ人医師, 1855—1925. ⇀S. *disease*.

Sim·mons (sim′onz), James S. 米国人細菌学者, 1890—1954. ⇀S. citrate *medium*.

Si·mon (sē′mohn), Gustav. ドイツ人外科医, 1824—1876. ⇀S. *position*.

Si·mon (sī′mŏn), Richard. 20世紀の米国人腫瘍学者. ⇀Norton-S. *hypothesis*.

Si·mon (se-mōn[h]′), Théodore. フランス人医師, 1873—1961. ⇀Binet-S. *scale*.

Si·mo·nart (sē-mō-nahr′), Pierre J.C. ベルギー人産科医, 1816—1846. ⇀S. *bands*, *ligaments*.

Si·mons (sē′mohns), Arthur. ドイツ人医師, 1877—? ⇀S. *disease*.

Simonsiella (sī′mon-sē-el′ă). シモンシエラ属 (非光合成性, 非子実体形成性, 有機栄養性の滑走性細菌の一属で, 多細胞性の糸状体として存在し, その長軸は個々の細胞の長軸に直交している. 細胞は扁平で三か月型対称を示す凹凸をつくるように彎曲している. 哺乳類の口腔から分離された. 標準種は *S. muelleri*).

sim·ple (sim′pl) [L. *simplex*]. ***1*** 〖adj.〗 単純な, 単一の. ***2*** 〖adj.〗 単純な (解剖学において, ごく少数の部分からなる). ***3*** 〖n.〗 薬草.

Sim·plex·vi·rus (sim′pleks-vī′rŭs). =*herpes* simplex.

Sim·pli·fied Or·al Hy·giene In·dex (OHI-S) (sim′pli-fīd ōr′ăl hī′jēn in′deks). 簡略化口腔清掃指数 (口腔内特定6歯面上の歯苔と歯石の量に基づき, 口腔清掃の現状を評価する指数. 歯周疾患の疫学的調査によく用いる).

Simp·son (simp′sŏn), James Y. スコットランド人産科医, 1811—1870. ⇀S. uterine *sound*, *forceps*.

Simp·son (simp′sŏn), William. 英国人土木技師, ?—1917.

Sims (simz), James Marion. 米国人婦人科医, 1813—1883. ⇀S. *position*; S. uterine *sound*.

sim·u·la·tion (sim′yū-lā′shŭn) [L. *simulatio* < *simulo*, pp. *-atus*, to imitate < *similis*, like]. シミュレーション ([stimulation と混同しないこと]. ①別の疾患に似ている疾病あるいは症候, または虚偽障害や詐病のように病気の振りをすることをいう. ②放射線治療において, 治療部位を定めるために幾何学的に相似の画像をつくる装置あるいはコンピュータを使用すること).

computer s. コンピュータシミュレーション. =computer *model*.

sim·u·la·tor (sim′yū-lā′tŏr, tōr). シミュレータ, 模擬装置 ([stimulator と混同しないこと]. ある環境と同様の効果を出せるように設計された装置. 実験および訓練に用いる).

Si·mu·lium (si-myū′lē-ŭm) [L. *simulo*, to simulate]. ブユ属 (双翅目ブユ科の吸血小昆虫(biting gnat や midge, black fly, humpbacked fly, buffalo gnat など)の一属. 水中幼虫は流れの激しい酸素の豊富な水を発育に必要とし, このことが疾病媒介動物としての疫学的な決定的要因となっている. 中央アメリカ, メキシコ, 中央アフリカでは, いろいろな種のブユがヒトの糸状虫症の原因である回旋糸状虫 *Onchocerca volvulus* を媒介する). =*Eusimulium*.

S. damnosum 中央アフリカにいる回旋糸状虫症の重要媒介ブユ.

S. neavei 東アフリカにいる回旋糸状虫症の重要な媒介ブユ. 幼虫とさなぎは *Potamonantes*属のカニの殻に付着している.

S. ochraceum 中央アメリカにおけるヒト回旋糸状虫症の媒介ブユ.

S. rugglesi カナダと米国北部にいる *Leucocytozoon simondi* の媒介ブユ.

si·mul·tag·no·si·a (sī′mul-tag-nō′sē-ă). =simultanagnosia.

si·mul·tan·ag·no·si·a (sī′mul-tān′ag-nō′sē-ă) [simultaneous + agnosia]. 同時失認, 同時認知不能〔症〕(視覚表示で多くの物を認識できないこと. すなわちあるシーンの1つの物またはいくつかの要素は認識できるが, ディスプレイ全体は認識できない). =simultagnosia.

SIMV synchronized intermittent mandatory *ventilation* の略.

sin·cip·i·tal (sin-sip′i-tăl). 前頭の.

sin·ci·put, pl. **sin·cip·i·ta, sin·ci·puts*** (sin′si-put, sin-sip′i-tă) [L. half of the head]. 前頭 (forehead の公式の別名).

SINES short interspersed *elements* の略.

sin·ew (sin′ū) [A.S. *sinu*]. 腱. =tendon.

Sin·ger (sing′ĕr), Mark I. 20世紀後期の米国人喉頭科医. ⇀Blom-S. *valve*.

sin·gle·ton (sing′gĕl-tŏn) [unknown]. ***1*** 単胎児 (単胎で発育する胎児). ***2*** =sport.

sin·gul·ta·tion (sing-gŭl-tā′shŭn) [L. *singulto*, pp. *-atus*, to hiccup]. しゃっくり (⇀hiccup).

sin·gul·tous (sing-gŭl′tŭs). しゃっくりの.

sin·gul·tus (sing-gŭl′tŭs) [L.]. しゃっくり ([複数形は singulti ではなく singultus である]). =hiccup.

sin·i·grase, sin·i·gri·nase (sin′i-grās, -gri-nās). シニグラーゼ, シニグリナーゼ. =thioglucosidase.

sin·is·ter (sin-ĭs′tĕr) [L.] [TA]. 左の ([本語を英語の派生語のように sin′ister と発音するのを避けること. 本形容詞は男性名詞に対してのみ用いられる(ventriculus sinister, 複数形 ventriculi sinistri). 女性名詞に対しては sinistra を用い(auricula sinistra, 複数形 auriculae sinistrae), 中性名詞に対しては sinistrum を用いる(atrium sinistrum, 複数形 atria sinistra)]).

sin·is·trad (sin′is-trad, si-nis′trad) [L. *sinister*, left + *ad*, to]. 左方へ.

sin·is·tral (sin′is-trăl, sĭ-nis′trăl). ***1*** 〖adj.〗 左側の. =sinistrous. ***2*** 〖n.〗 左利き (左利きの人).

sin·is·tral·i·ty (sin′is-tral′i-tē). 左利き.

sinistro- [L. *sinister*]. 左, あるいは左方へ, を意味する連結形.

sin·is·tro·car·di·a (si-nĭs′trō-kar′dē-ă) [sinistro- + G. *kardia*, heart]. 左心症, 心左方偏位 (正常位置から左側に心臓の位置がずれていること).

sin·is·tro·cer·e·bral (sin′is-trō-ser′ĕ-brăl) [sinistro- + L. *cerebrum*, brain]. 左脳半球の.

sin·is·troc·u·lar (si-nĭs′trok′yū-lăr) [sinistro- + L. *oculus*, eye]. 左眼利きの (顕微鏡など片眼を用いる仕事で左眼をいっそう多く使う人について, まれに用いる語. *cf.* dominant *eye*).

sin·is·tro·gy·ra·tion (si-nĭs′trō-jī-rā′shŭn) [sinistro- + L. *gyratio*, a turning around (gyration)]. =sinistrotorsion.

sin·is·tro·man·u·al (si-nĭs′trō-man′yū-ăl) [sinistro- + L. *manus*, hand]. 左手利きの. =left-handed.

sin·is·trop·e·dal (si-nĭs′trō-pē′dăl) [sinistro- + L. *pes* (*ped-*), foot]. 左足利きの (好んで左足を使う人についていう). =left-footed.

sin·is·tro·ro·ta·tion (si-nĭs′trō-rō-tā′shŭn). =sinistrotorsion.

sin·is·trorse (si-nĭs-trōrs) [L. *sinistrorsus*, on the left side < *sinister*, left + *verto*, pp. *versus*, to turn]. 左回の, 左旋の (左側に回る, あるいは左側にねじれている).

sin·is·tro·tor·sion (si-nĭs′trō-tōr′shŭn) [sinistro- + L. *torsio*, a twisting (torsion)]. 左回転, 左捻転 (左に回転すること, あるいは左にねじれること). =levocycleduction; levorotation (2); levotorsion (1); sinistrogyration; sinistrorotation.

sin·is·trous (sin′is-trŭs, si-nis′trŭs). =sinistral (1).

si·no·a·tri·al (sī′nō-ā′trē-ăl). 洞房の. =sinuatrial.

si·nog·ra·phy (sī-nog′ră-fē) [sinus + G. *graphō*, to write]. 副鼻腔造影(撮影)〔法〕(副鼻腔へ造影剤を注入し, X線撮影を行う方法).

si·no·pul·mo·nar·y (sī′nō-pŭl′mŏ-nār′ē). 洞肺の (副鼻腔と肺気道に関する).

si·no·vag·i·nal (sī′nō-vaj′i-năl). 洞性腟部の (尿生殖洞から派生した腟部分に関する).

sin·ter (sin′tĕr) [Ger. dross, slag]. 焼結する (粉末状物質を完全に溶解させないよう加熱し, 硬いが有孔の物質をつくる).

sin·u·a·tri·al (S-A, SA) (sin′yū-ā′trē-ăl). 洞房の (静脈洞と右心房に関する). =sinoatrial.

SINUS

si·nus, pl. **si·nus, si·nus·es** (sī′nŭs, -ĕz) [L. *sinus*, cavity, channel, hollow]. 洞（[複数形は sini ではなく sinus である]. ①[TA]. 普通の脈管壁ではない血液やリンパの通路. 妊娠子宮や脳硬膜の血管路など. ② [TA]. 骨または組織の空洞・腔所. ③ [TA]. 血管の拡張部分. ④化膿腔に通じるフィステルあるいは路).

s. alae parvae ＝sphenoparietal s.

anal sinuses [TA]. 肛門洞（①肛門柱の間の溝. ＝Morgagni s. (1). ②肛門皮膚境界線と肛門直腸境界線の間で，肛門管円柱状帯にあるポケットあるいは陰窩. 粘膜にホタテガイ状の外観を与える). ＝s. anales [TA]; anal crypts; Morgagni crypts; rectal sinuses.

s. anales [TA]. 肛門洞. ＝anal sinuses.

anterior sinuses 前洞. ＝anterior ethmoidal *cells*.

s. aortae [TA]. 大動脈洞. ＝aortic s.

aortic s. [TA]. 大動脈洞（大動脈弁の直上にある空間で，大動脈弁上縁と上行大動脈の拡張部との間にある). ＝s. aortae [TA]; Petit s.; Valsalva s.

Arlt s. (arlt). アルルト洞（涙嚢の内面にみられる下位部での不定の陥凹).

barber's pilonidal s. 床屋の毛巣嚢腫（理髪師に起こる毛巣嚢腫. 通常，指蹼の間に起こり，鋏を使うので手の組織が交互に緩んだり緊張したりして外的に毛が埋まることによる).

basilar s. ＝basilar venous *plexus*.

branchial s. 鰓洞（第二咽頭溝および頸洞の閉鎖不全により，頸部の下方 1/3 で胸鎖乳突筋前面に開口する異常な腔所).

Breschet s. (brĕ-shā′). ブレシェ洞. ＝sphenoparietal s.

s. caroticus [TA]. 頸動脈洞. ＝carotid s.

carotid s. [TA]. 頸動脈洞（総頸動脈の外頸動脈と内頸動脈への分岐点にある軽度の拡張部. 圧覚受容器を含み，刺激を受けると心臓の緩徐化，血管拡張，血圧低下をきたす. 基本的には舌咽神経の支配を受ける). ＝s. caroticus [TA]; carotid bulb.

s. cavernosus [TA]. 海綿静脈洞. ＝ cavernous s.

cavernous s. 海綿静脈洞（トルコ鞍の両脇にある一対の硬膜静脈洞で，脳下垂体の前後で前海綿間静脈洞と後海綿間静脈洞によって左右が連結されて輪状静脈洞を形成している. 硬膜静脈洞の中ではユニークで，壁に海綿状の孔があり，内部を内頸動脈や外転神経が通過している. その内部の特徴的な構造のために静脈叢として記述されることもある). ＝s. cavernosus [TA].

cerebral sinuses ＝dural venous sinuses.

cervical s. 頸洞（哺乳類の若い胚にみられる第二鰓弓より尾方の側頸部にある陥凹. その床には第三・第四の鰓弓および外胚葉性鰓溝がある. 通常，胎生第 2 か月以後に閉塞するが，頸瘻がこの痕跡として残る場合もある). ＝precervical s.

circular s. 輪状静脈洞（①脳下垂体の周囲を取り囲む硬膜静脈洞で左右の海綿静脈洞とこれらの連絡をしている海綿間静脈洞よりなる. ＝circulus venosus ridleyi; Ridley circle. ②胎盤末梢の静脈洞. ③＝scleral venous s.).

s. circularis ＝scleral venous s.

coccygeal s. 尾骨洞（尾骨領域にある瘻口. →pilonidal s.).

s. coronarius [TA]. 冠状静脈洞. ＝coronary s.

coronary s. [TA]. 冠状静脈洞（心臓の静脈の大部分を受ける太い部分. 大心臓静脈と左心房斜静脈の合部に始まり，冠状溝の後部を走り，下大動脈と房室口との間で右心房に開口する). ＝s. coronarius [TA].

costomediastinal s. ＝costomediastinal *recess*.

cranial sinuses ＝dural venous sinuses.

dermal s. 皮膚洞（表皮と皮膚付属器で囲まれた腔洞. 皮膚からさらに深層の構造，しばしば脊髄まで広がる).

s. durae matris [TA]. 硬膜静脈洞. ＝dural venous sinuses.

dural venous sinuses [TA]. 硬膜静脈洞（硬膜内にある内皮に囲まれた静脈通路). ＝s. durae matris [TA]; cerebral sinuses; cranial sinuses; sinuses of dura mater; venous sinuses.

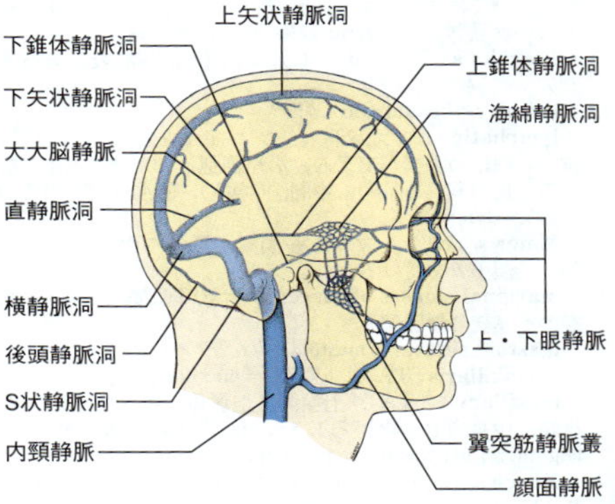

dural venous sinuses

sinuses of dura mater 硬膜静脈洞. ＝dural venous sinuses.

s. epididymidis [TA]. 精巣上体洞. ＝s. of epididymis.

s. of epididymis [TA]. 精巣上体洞（精巣上体と精巣との間の狭い隙間). ＝s. epididymidis [TA].

ethmoidal sinuses 篩骨洞（中鼻道および上鼻道の粘膜の，多数の小副鼻腔を形成する篩骨迷路への膨出部. 前洞，中洞，後洞に分けられる). ＝ethmoid *cells*.

s. ethmoidales 篩骨洞. ＝ethmoid *cells*.

s. ethmoidales anteriores ＝anterior ethmoidal *cells*.

s. ethmoidales mediae ＝middle ethmoidal *cells*.

s. ethmoidales posteriores ＝posterior ethmoidal *cells*.

frontal s. [TA]. 前頭洞（前頭鱗の下部の両側につくられている副鼻腔をなす空洞. 篩骨漏斗により同側の中鼻道に連なる). ＝s. frontalis [TA].

s. frontalis [TA]. 前頭洞. ＝frontal s.

Guérin s. (gā-rĭn[h]′). ゲラン洞（尿道，舟状窩弁の後方にある盲嚢あるいは憩室).

Huguier s. (yū-gē-ā′). ユギエ洞. ＝*fossa* of oval window.

inferior longitudinal s. ＝inferior sagittal s.

inferior petrosal s. [TA]. 下錐体静脈洞（錐体後頭裂上の溝を通り，海綿静脈洞と内頸静脈上球とを結ぶ有対の硬膜静脈洞). ＝s. petrosus inferior [TA].

inferior sagittal s. [TA]. 下矢状静脈洞（大脳鎌の下縁内にあり，上矢状静脈洞に平行し，大脳静脈とともに直静脈洞に注ぐ不対の硬膜静脈洞). ＝s. sagittalis inferior [TA]; inferior longitudinal s.

s. intercavernosi anterior et posterior [TA]. 海綿間静脈洞. ＝intercavernous sinuses.

intercavernous sinuses 海綿間静脈洞（左右の海綿静脈洞を前方および後方で吻合させる静脈洞で，脳下垂体の後ろを前方に進み海綿静脈洞とともに輪状静脈洞を形成する. →cavernous s.). ＝s. intercavernosi anterior et posterior [TA]; Ridley s.

jugular s., s. jugularis 頸静脈洞（頸静脈にある 3 拡大部の 1 つ. 外頸静脈洞は上下の 2 弁の間にあり，内頸静脈洞はその始部(頸静脈上球)と終部近く(頸静脈下球)にある).

s. lactiferi [TA]. 乳管洞. ＝lactiferous s.

lactiferous s. 乳管洞（乳管が乳頭にはいる直前の，乳管の紡錘状の拡大部. 母乳哺育ではこの部分が拡張して乳汁を貯え，新生児の吸啜で圧出される. 催乳反射が持続する間，連続した吸啜を可能にする). ＝s. lactiferi [TA]; ampulla lactifera; ampulla of lactiferous duct; ampulla of milk duct; lactiferous ampulla.

laryngeal s. ＝laryngeal *ventricle.*
s. laryngeus ＝laryngeal *ventricle.*
lateral s. ＝transverse s.
s. lienis 脾洞．＝splenic s.
longitudinal s. ⇀inferior sagittal s.; superior sagittal s.
longitudinal vertebral venous s. 縦椎骨静脈洞（後縦靱帯の両側で椎体の後面にある前内椎骨静脈叢を形成する網状の太い静脈群）．＝s. vertebrales longitudinales.
Luschka s. (lūsh′kah). ルシュカ洞（錐体鱗裂にある静脈洞）．
lymph s. ＝lymphatic s.
lymphatic s. リンパ洞（リンパ節にあるリンパの通路．細胞と線維の細網が交叉し，沿岸細胞とよぶ細網内皮で境される．周辺洞(被膜下)，中間洞(梁柱)，髄洞(髄質)の各洞がある）．＝lymph s.
Maier s. (mī′ĕr). マイアー洞（涙嚢の内面にある漏斗状陥凹．涙小管を受ける）．
marginal sinuses of placenta 胎盤周縁〔静脈〕洞（胎盤周縁の不連続の静脈洞）．
mastoid sinuses ＝mastoid *cells.*
s. maxillaris [TA]．上顎洞．＝maxillary s.
maxillary s. [TA]．上顎洞（上顎体の中にある最大の副鼻腔．中鼻道とつながる）．＝s. maxillaris [TA]; antrum of Highmore; genyantrum; maxillary antrum.
Meyer s. (mī′ĕr). マイヤー洞（鼓膜近くの外耳道底にある小陥凹）．
middle ethmoidal sinuses ＝middle ethmoidal *cells.*
Morgagni s. (mōr-gah′nyē). モルガニー洞（①＝anal sinuses (1)．②＝prostatic *utricle*．③＝laryngeal *ventricle*）．
s. of nail 爪洞．＝s. unguis.
oblique pericardial s. [TA]．心膜斜洞（心底後部にある心膜腔の陥凹で，外側は肺静脈と下大静脈上への心膜の折れ返りで，後方は食道前面をおおう心膜で境されている）．＝s. obliquus pericardii [TA]; oblique s. of pericardium.
oblique s. of pericardium 心膜斜洞．＝oblique pericardial s.
s. obliquus pericardii [TA]．心膜斜洞．＝oblique pericardial s.
occipital s. [TA]．後頭静脈洞（静脈洞交会から発し，小脳鎌の基部を下方に進み大後頭孔に達する不対の硬膜静脈洞）．＝s. occipitalis [TA].
s. occipitalis [TA]．後頭静脈洞．＝occipital s.
Palfyn s. (pal′fin). パルファン洞（篩骨洞と前頭洞に交通するとされている篩骨の鶏冠内にある腔隙）．
paranasal sinuses [TA]．副鼻腔（鼻腔に連なる粘膜で裏打ちされた顔面骨の中の有対の含気空洞．これらの空洞には，前頭洞，蝶形骨洞，上顎洞，篩骨洞がある）．＝s. paranasales [TA].

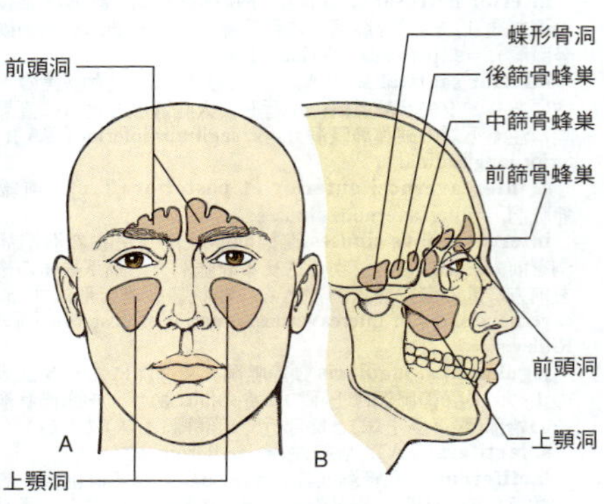

paranasal sinuses
A：頭部前面．B：頭部側面．

s. paranasales [TA]．副鼻腔．＝paranasal sinuses.
parasinoidal sinuses ＝lateral *lacunae* of superior sagittal sinus (⇀lacuna).
Petit s. (pĕ-tē′). プティ(プチ)洞．＝aortic s.
petrosal s. 錐体静脈洞（⇀inferior petrosal s.; superior petrosal s.）．
s. petrosus inferior [TA]．下錐体静脈洞．＝inferior petrosal s.
s. petrosus superior [TA]．上錐体静脈洞．＝superior petrosal s.
phrenicocostal s. ＝costodiaphragmatic *recess.*
pilonidal s. [MIM*173000]．毛巣嚢胞（異物として慢性の炎症を引き起こすことがある毛を含んだ仙骨部の瘻管または孔で，外部に通じる）．＝pilonidal fistula.
piriform s. ＝piriform *fossa.*
pleural sinuses ＝pleural *recesses.*
s. pocularis ＝prostatic *utricle.*
s. posterior cavi tympani [TA]．＝posterior s. of tympanic cavity.
posterior s. of tympanic cavity [TA]．後洞（鼓室の後壁の錐体隆起上で，きぬた骨窩までのびる深い溝）．＝s. posterior cavi tympani.
preauricular s. 耳瘻孔（耳介前部の皮膚にある瘻管または小孔．第一・第二鰓弓の発育欠損により生じる）．＝preauricular pit.
precervical s. ＝cervical s.
prostatic s. [TA]．前立腺洞（尿道前立腺部の尿道稜の両側にある溝で，前立腺管が開いている）．＝s. prostaticus [TA].
s. prostaticus [TA]．前立腺洞．＝prostatic s.
pulmonary sinuses 肺動脈洞．＝s. of pulmonary trunk.
s. of pulmonary trunk [TA]．肺動脈洞（肺動脈幹の起始部の拡張した血管壁と肺動脈弁各尖との間にある空隙）．＝s. trunci pulmonalis [TA]; pulmonary sinuses.
rectal sinuses ＝anal sinuses.
s. rectus [TA]．直静脈洞．＝straight s.
renal s. [TA]．腎洞（脂肪性基質に埋まって腎盤・腎杯・腎区血管が存在する腔所．腎洞があるために腎臓の形が断面や臨床画像で中央がへこんだC字形にみえる）．＝s. renalis [TA].
s. renalis [TA]．腎洞．＝renal s.
s. reuniens s. venosus を表す現在では用いられない語．
rhomboidal s., s. rhomboidalis 菱形洞（胸部における脊髄中心管の拡張部）．＝rhombocele.
Ridley s. (rid′lē). リドリー洞．＝intercavernous sinuses.
Rokitansky-Aschoff sinuses (rō-ki-tahn′skē ahsh′of). ロキタンスキー－アショフ洞（胆嚢の粘膜が筋層を通り越して外にのびた小さな袋．先天性のこともある）．
s. sagittalis inferior [TA]．下矢状静脈洞．＝inferior sagittal s.
s. sagittalis superior [TA]．上矢状静脈洞．＝superior sagittal s.
scleral venous s. [TA]．強膜静脈洞（眼球の前眼房を取り囲む血管構造で前眼房水はここから循環血へ戻される）．＝s. venosus sclerae [TA]; circular s. (3); Fontana canal; Lauth canal; Schlemm canal; s. circularis; venous s. of sclera.
sigmoid s. [TA]．S状静脈洞（側頭骨乳様突起の深部で後頭骨の頸静脈突起の直後にあるS字形の硬膜静脈洞．横静脈洞とつながり頸静脈孔を通って内頸静脈に注ぐ）．＝s. sigmoideus [TA].
s. sigmoideus [TA]．S状静脈洞．＝sigmoid s.
sphenoidal s. [TA]．蝶形骨洞（蝶形骨体内にあり上後鼻腔もしくは蝶篩陥凹につながる有対の副鼻腔）．＝s. sphenoidalis [TA].
s. sphenoidalis [TA]．蝶形骨洞．＝sphenoidal s.
sphenoparietal s. [TA]．蝶形〔骨〕頭頂静脈洞（頭頂骨から発し，蝶形骨稜に沿って走り，海綿静脈洞にはいる有対の硬膜静脈洞）．＝s. sphenoparietalis [TA]; Breschet s.; s. alae parvae.
s. sphenoparietalis [TA]．蝶形〔骨〕頭頂静脈洞．＝sphenoparietal s.
splenic s. 脾洞（杆状の細胞で囲まれた広さ 12—40μm の延長した静脈路）．＝s. lienis.

straight s. [TA]. 直静脈洞（小脳テントに付着する大脳鎌の後部にある不対の硬膜静脈洞で，大大脳静脈と下矢状静脈洞の合流によって起こり，水平に後方へ走って静脈洞交会に続く）. ＝s. rectus [TA]; tentorial s.

superior longitudinal s. 上矢状静脈洞. ＝superior sagittal s.

superior petrosal s. [TA]. 上錐体静脈洞（側頭骨椎体の稜に沿った溝にみられる一対の硬膜静脈洞で，海綿静脈洞と横静脈洞の最終部を結びS状静脈洞の起始をなす）. ＝s. petrosus superior [TA].

superior sagittal s. [TA]. 上矢状静脈洞（矢状溝にある不対の硬膜静脈洞で，盲孔に始まり静脈洞交会に終わり，ここから直静脈洞が出る．上大脳静脈を受け，側方へは大脳裂孔となって続く）. ＝s. sagittalis superior [TA]; superior longitudinal s.

tarsal s. [TA]. 足根洞（距骨の溝と踵骨の骨間溝によってつくられる空洞または管で，距踵靱帯が収容されている）. ＝s. tarsi [TA]; tarsal canal.

s. tarsi [TA]. 足根洞. ＝tarsal s.

tentorial s. ＝straight s.

terminal s., s. terminalis 終洞（胚原基内の血管野を囲む静脈）.

tonsillar s. 扁桃洞. ＝tonsillar *fossa*.

s. tonsillaris [TA]. 扁桃洞. ＝tonsillar *fossa*.

Tourtual s. (tūr′tū-ăl). ツールチュアル洞. ＝supratonsillar *fossa*.

transverse s. [TA]. 横静脈洞（静脈洞交会の血液を集める一対の硬膜静脈洞で，小脳テントが後頭骨に付着する部位に沿って走りS状静脈洞に注いで終わる）. ＝s. transversus [TA]; lateral s.

transverse pericardial s. [TA]. 心膜横洞（心臓から出ていく大血管の間にある心膜を貫通する通路で，肺動脈幹と上行大動脈の後方，上大静脈の前方，心房の上方にある．発生上，心筒の屈曲と一部は大動静脈の接近によって形成されたもの）. ＝s. transversus pericardii [TA]; Theile canal; transverse s. of pericardium.

transverse s. of pericardium 心膜横洞. ＝transverse pericardial s.

s. transversus [TA]. 横静脈洞. ＝transverse s.

s. transversus pericardii [TA]. 心膜横洞. ＝transverse pericardial s.

s. trunci pulmonalis [TA]. 肺動脈洞. ＝s. of pulmonary trunk.

s. tympani [TA]. 鼓室洞. ＝tympanic s.

tympanic s. [TA]. 鼓室洞（岬角より後部の鼓室内にあるくぼみ）. ＝s. tympani [TA].

s. unguis 爪洞（爪根をいれる深い裂）. ＝s. of nail.

urogenital s. ***1*** 尿生殖洞（尿直腸中隔の発達により直腸から分離した後の排泄腔の腹側部．男女両性の膀胱下部，男性の尿道前立腺部，女性の尿道と腟前庭を生じる）. ***2*** 遺残総排泄腔. ＝persistent *cloaca*.

s. urogenitalis 遺残総排泄腔. ＝persistent *cloaca*.

uterine s. 子宮洞（子宮内膜内の小さく不規則な血液路．妊娠時に形成される）. ＝uterine sinusoid.

uteroplacental sinuses 子宮胎盤洞（基底脱落膜への絨毛膜付着部内にある不規則な脈管腔隙）.

Valsalva s. (vahl-sahl′vă). ヴァルサルヴァ洞. ＝aortic s.

s. of the vena cava [TA]. 大静脈洞（大静脈からの血液を受け入れる右心房の一部．分界稜によって心房の他部から区別される）. ＝s. venarum cavarum [TA].

s. venarum cavarum [TA]. 大静脈洞. ＝s. of the vena cava.

s. venosus [TA]. 静脈洞（胚の心内膜管の尾方端にある腔．ここで胚内および胚外循環弓からの静脈が合流する．発生経過中に，成人解剖で大静脈洞として知られる右心房の部分を形成する）. ＝saccus reuniens.

s. venosus sclerae [TA]. 強膜静脈洞. ＝scleral venous s.

venous sinuses ＝dural venous sinuses.

venous s. of sclera 強膜静脈洞. ＝scleral venous s.

s. vertebrales longitudinales 縦椎骨静脈洞. ＝longitudinal vertebral venous s.

si·nus·i·tis (sī′nŭs-ī′tis) [sinus + G. *-itis*, inflammation]. 静脈洞炎，副鼻腔炎（すべての洞の粘膜層の炎症．特に副鼻腔の炎症. →rhinosinusitis).

sinus lift (sī′nŭs lift). ＝maxillary sinus elevation *surgery*.

sinus node reset (sī′nŭs nōd rē′set). 洞結節リセット. ＝reset nodus sinuatrialis.

si·nu·soid (si′nŭ-soyd) [sinus + G. *eidos*, resemblance]. ***1*** 〚adj.〛 洞様の. ***2*** 〚n.〛 洞様毛細血管（普通の毛細血管よりも径が大きく，かつ不規則な壁の薄い終末部血管．その内皮細胞は大きな孔をもち，基底板は不連続かまたは欠損している）. ＝sinusoidal capillary; vas sinusoideum [TA].

uterine s. ＝uterine *sinus*.

si·nu·soi·dal (sī′nŭ-soy′dăl). 洞様毛細血管の.

si·nus·ot·o·my (sī′nŭs-ot′ŏ-mē) [sinus + G. *tomē*, incision]. 洞切開〔術〕.

si op. sit ラテン語 *si opus sit*(必要あれば)の略.

si·phon (sī′fŏn) [G. *siphōn*, tube]. サイホン，吸引管（2つの異なる長さに曲がった管．大気圧によって容器などから液体を排出するのに用いる）.

si·phon·age (sī′fŏn-ăj). 吸引洗浄〔法〕（サイホンを用いて胃またはその他の腔を空にすること）.

Si·pho·na ir·ri·tans (sī-fō′nă ir′i-tanz) [G. *siphōn*, tube]. ノサシバエ（ウシに激しい刺激と騒覚を与える吸血性イエバエ類に属する小形のサシバエで，*Stephanofilaria stilesi* を媒介する）.

Si·pho·nap·te·ra (sī′fō-nap′tĕ-ră) [G. *siphōn*, tube + *a-* 欠性辞 + *pteron*, wing]. ノミ目（哺乳類の毛皮内での生育に高度の適応をした外部寄生性無翅昆虫の一目であるノミ．左右に扁平でとげがあり，跳ぶためのよく発達した後脚をもつ）.

Si·pho·vir·i·dae (sī′fō-vir′i-dē) [L. *sipho*, little tube, pipe < G. *siphōn* + virus]. サイフォウイルス科（細菌ウイルスの一科で，長く非収縮性の尾と等軸あるいは細長い頭を有し，二重鎖 DNA(MW 25－79×10⁶)を含む．λテンペレートファージのグループそして恐らく他のグループも含まれるであろう）.

Sip·ple (sip′ĕl), John H. 20世紀の米国人医師. ⇀S. *syndrome*.

Sip·py (sip′ē), Bertram W. 米国人医師，1866—1924. ⇀sippy *diet*.

si·ren·i·form (sī-ren′i-fōrm). 人魚体奇形の.

si·re·no·me·li·a (sī′rĕ-nō-mē′lē-ă) [L. *siren*, G. *seirēn*, a siren]. 人魚体奇形（奇形学において，足の一部または全体の融合を伴う両脚の結合のこと. →sympus). ＝mermaid malformation; symmelia.

si·ri·a·sis (si-rī′ă-sis) [G. *seiriasis* < *seiriaō*, to be hot]. 日射病（[sauriasis または psoriasis と混同しないこと]）. ＝sunstroke.

Si·ris (sir′ĭs), Evelyn. 20世紀の米国人放射線専門医. ⇀Coffin-S. *syndrome*.

siRNA small interfering *ribonucleic acid* の略.

SIRS (sirz). サーズ（systemic inflammatory response *syndrome* の頭字語）.

sir·up (sir′ŭp). ＝syrup.

SISI short increment sensitivity *index* の略.

sis·mo·ther·a·py (sis′mō-thār′ă-pē) [G. *seismos*, a shaking < *seiō*, *seisō* (to shake)の未来形]. 振動療法. ＝vibratory *massage*.

sis·ter (sis′tĕr). 英国およびその連邦国では，ⓘ公立病院，病棟，手術室の主任の肩書，ⓘⓘ民間営業の登録看護師.

Sis·trunk (sis′trŭnk), Walter Ellis. 米国人外科医，1880—1933. ⇀S. *operation*.

site (sīt) [L. *situs*]. 部位. ＝situs.

acceptor s. 受容体部位，アクセプタ部位（蛋白合成中のアミノアシル－トランスファー RNA に対するリボソーム結合部位）.

acceptor splicing s. 受容スプライシング部位. ＝right splicing *junction*.

active s. 活性部位（実際の反応が進む酵素分子の部分．基質の反応を起こすため，基質との相互作用ができるように空間的に配列された1個またはそれ以上の残基または原子からなると考えられている）.

S

allosteric s. アロステリック部位（その酵素が関与する生合成経路の最終生成物であると考えられる化合物が結合して，酵素のコンフォメーションを変えることによって，その酵素の活性に影響を与えると仮定される活性部位以外の酵素上の部位．アスパルギン酸カルバモイルトランスフェラーゼ活性に及ぼすCTPの影響は，アロステリック蛋白上のアロステリック部位の概念を例証する）．

antibody-combining s. 抗体結合部位．＝paratope.

antigen-binding s. 抗原結合部位．＝paratope.

cleavage s. 切断部位．＝restriction s.

fragile s. ［MIM*136540, MIM*136670］．ぜい弱部，染色体不安定部（染色体上の特定部にある非染色性のギャップ．通常は両方の染色分体上に存在する．1個体あるいは血縁者では，別々の細胞でも常に染色体の同じ箇所にみられる．*in vitro* では，無動原体断片，染色体欠損などの染色体異常をもたらす．優性遺伝子マーカとして遺伝する）．

immunologically privileged s.'s 免疫学的特権(寛容)部位（同種移植片が拒絶される状態になっていない，あるいは腫瘍が免疫学的監視から逃れる部位のことで，恐らくリンパ液の還流が悪いことと免疫機構のエフェクター細胞にいまだ到達していないことによる．例えば，中枢神経系あるいは免疫寛容メカニズム）．

ligand-binding s. リガンド結合部位（リガンドを結合する蛋白表面の部位．もしリガンドがある酵素の基質であるならば，活性部位に相当する）．

privileged s. 免疫学的聖域，免疫学的寛容部位(域)（解剖学的にリンパ液の灌流を受けない部位で，脳，角膜，ハムスターの頬嚢などがこれにあたる．ここでは宿主の感作が起こらないので，異種の腫瘍が増殖できる）．

receptor s. レセプタ部位（ウイルス，ホルモン，またはその他の活性因子が細胞膜に付着する点）．

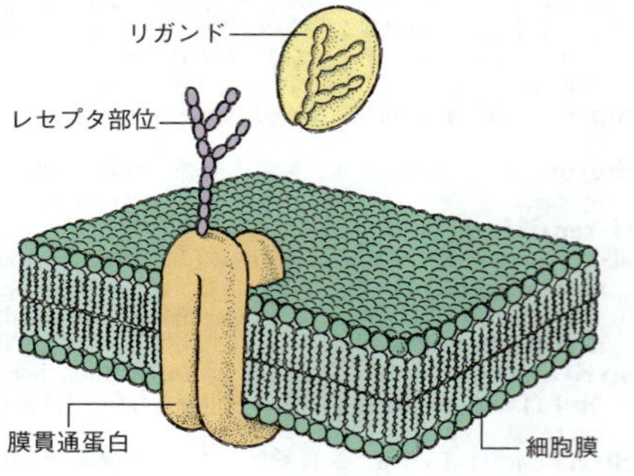

cell receptor site

replication s. 複製部位（生体内でのDNA複製にあずかるDNA部位）．

restriction s. 制限酵素認識部位（核酸の配列の中で，エンドヌクレアーゼの切断作用を受けやすい部位）．＝cleavage s.

sequence-tagged s.'s (STSs) 塩基配列タグ部位（DNA配列の短い部分で，ポリメラーゼ連鎖反応法の使用によって発見される）．

switching s. スイッチ部位（免疫グロブリン産生時のように，遺伝子断片が他の遺伝子断片と結合する際のDNA配列上の裂断点）．

sito- ［G. *sitos, sition*］．［本連結形を cyto- と混同しないこと］．植物または穀物に関する連結形．

si·to·stane (sī'tō-stān)．シトスタン．＝stigmastane.

sitostanol (sī-tō-stān'ol)．シトスタノール（コレステロール低下薬として使用される植物ステロールの1つ）．

sitosterol (sī-tō-stĕr'awl)．シトステロール（コレステロールに類似した植物由来成分．一般に小麦麦芽，大豆およびトウモロコシ油に含まれている）．＝beta-sitosterol.

si·to·ster·o·le·mi·a (sī'tō-stĕr'ō-lē'mē-ă) ［MIM*210250］．＝phytosterolemia.

si·to·tax·is (sī'tō-tak'sis) ［sito- + G. *taxis*, orderly arrangement］．食物趨向性．＝sitotropism.

si·to·tox·in (sī'tō-tok'sin) ［sito- + G. *toxikon*, poison］．穀物毒素（食物の毒素．特に穀物内で生育するもの）．

si·to·tox·ism (sī'tō-tok'sizm) ［sito- + G. *toxikon*, poison］．食中毒（①腐敗または菌性穀物による中毒．②全般的な意味での食中毒）．

si·tot·ro·pism (sī-tot'rō-pizm) ［sito- + G. *tropē*, a turning］．食物趨向性（生物細胞が食物の方に向かったりあるいは離れたりすること）．＝sitotaxis.

sit·u·a·tion (sich-yū-ā'shŭn)．環境，局面，境遇，状況（人の行動様式に影響する生物学的・心理学的・社会学的要因の総和）．

psychoanalytic s. 精神分析的状況（治療室内に限定された特殊な治療者対患者の関係）．

si·tus (sī'tŭs) ［L.］．位置（［複数形は siti ではなく situs である］）．＝site.

s. inversus 逆位（部位あるいは場所の逆転）．＝s. transversus.

s. inversus viscerum ［MIM*270100］．内臓逆位（内臓の位置変化，例えば肝臓が左にある，心臓が右にある，など）．＝visceral inversion.

s. perversus 変位（内臓の変位）．

s. solitus 通常位（臓器の通常の位置）．

s. transversus ＝s. inversus.

Si·we (sē'vě), Sture A. スウェーデン人小児科医，1897—1966. →Letterer-S. *disease*.

siz·er (sī'zĕr)．サイザー，腸管内径測定器（様々な直径の，先端が丸い円柱で，腸管を胃腸縫合器で縫合する前に腸管の内径を測定するのに使う）．

Sjö·gren (shōr'gren), Henrik C. スウェーデン人眼科医．1899—1986. →S. *disease, syndrome*; Gougerot-S. *disease*.

Sjö·gren (shōr'gren), Torsten. スウェーデン人医師，1859—1939. →S.-Larsson *syndrome*; Torsten S. *syndrome*; Marinesco-S. *syndrome*.

Sjö·qvist (shōr'kvist), O. スウェーデン人神経外科医，1901—1954. →S. *tractotomy*.

SK streptokinase の略．

skato- scato- の現在用いられていないつづり．

skat·ole (skat'ōl)．スカトール；3-methy-1*H*-indole（L-トリプトファンのバクテリア分解により腸内でつくられる．糞便中にあり，特有なにおいを発する原因となる）．

skat·ox·yl (skă-tok'sil)．スカトキシル；3-hydroxymethylindole（スカトールの酸化により腸内でつくられる．体内で硫酸またはグルクロン酸と抱合し，抱合した形で尿中に排泄されるものもある）．

skein (skān) ［Gael. *sgeinnidh*, hempen thread］．染色質糸，糸状体（有糸核分裂の前期にみられるコイル状の染色糸）．

choroid s. ＝choroid *enlargement*.

skel·e·tal (skel'ĕ-tăl)．骨格の．

skel·e·tol·o·gy (skel'ĕ-tol'ō-jē)．骨格学（骨格を扱う解剖学と力学の一分野）．

skel·e·ton (skel'ĕ-tŏn) ［G. *skeletos*, dried(中性形 *skeleton*), a mummy, a skeleton］．骨格（①脊髄動物の体の骨組み(内骨格)または昆虫の硬い外部被膜(外骨格)．②軟部を破壊し除去した後に残る部分．骨の他に靱帯と軟骨を含む．③体の骨全部を集めたもの．④特定構造物の枠組みを支える働きをする骨ではない剛性または半剛性の構造）．

appendicular s. ［TA］．体肢骨格（上・下肢帯を含めた四肢の骨格の総称）．＝s. appendiculare ［TA］．

s. appendiculare ［TA］．体肢骨格．＝appendicular s.

articulated s. 交連骨格（各部分の正しい相互関係が示され，生体と同じような動きができるように結合した組立て骨格）．

axial s. ［TA］．軸骨格，体幹骨格（頭骨と脊柱および胸郭(胸骨・肋骨を含む)の骨すなわち頭と胴にある関節性の骨をいう．上・下肢の骨からなる付属肢骨格または体肢骨格とは区別される）．＝s. axiale ［TA］．

s. axiale ［TA］．体軸骨格．＝axial s.

cardiac s. 心臓骨格．＝fibrous s. of heart.

cardiac fibrous s. 心臓の線維性骨格．＝fibrous s. of heart.

s. of eyelid ＝tarsus (2).

facial s.☆ viscerocranium の公式の別名.

fibrous s. of heart 心臓の線維性骨格（密なコラーゲンの複雑な枠組みが 4 つの線維性の輪(線維輪)を形成して，弁口，左右の線維性三角を取り囲み，輪と心房中隔，心室中隔の膜性部を結合し，心室基部と関係する．すなわち，冠状溝の高さでは，その機能は，ⓘ心臓弁の弁尖と半月弁を付着させ，弁口の補強となっている．ⓘⓘ心筋の起始と挿入に寄与し，ⓘⓘⓘ心房と心室からの電気的刺激を分離し，右の線維三角と膜性心室中隔を通る刺激伝導組織の共通房室束のための通路を供給し電気的〝絶縁物〟のように働く）．＝cardiac fibrous s.; cardiac s.; s. of heart.

s. of free lower limb 自由下肢骨（寛骨を除く下肢の骨，すなわち大腿骨以下のすべての下肢骨）.

s. of free upper limb 自由上肢骨（肩甲骨と鎖骨を除く上肢の骨，すなわち上腕骨以下のすべての上肢骨）.

gill arch s. 鰓弓骨格（哺乳類の胚の軟骨性内臓頭蓋と連結する軟骨で，サメ類にみられるような鰓弓骨に相当するもの．下顎軟骨，茎状突起，舌骨，輪状・甲状・披裂軟骨，耳小骨などの原基である．→branchial *arches*).

s. of heart 心臓の骨格．＝fibrous s. of heart.

jaw s. ＝viscerocranium.

thoracic s. [TA]．胸部骨格（胸郭を形成する骨と軟骨の総称)．＝s. thoracicus.

s. thoracicus ＝thoracic s.

visceral s. 内臓骨格．＝visceroskeleton (2).

Skene (skēn), Alexander J.C. 米国人婦人科医，1838—1900. ⇀S. *glands, tubules, ducts*.

ske·nei·tis, ske·ni·tis (skē-nī′tis). スキーン腺炎（女子の尿道腺の炎症).

skene·o·scope (skē′nĕ-ō-skōp). スキーン腺内視鏡（女子の尿道腺を調べるための内視鏡).

skew (skyū). 非対称（統計学において，頻度分布で対称からずれること).

skia- [G. *skia*]. 影を意味する連結形．radio- が取って代わった.

ski·as·co·py (skī-as′kŏ-pē). ＝retinoscopy.

Skil·lern (skil′ĕrn), Penn Gaskell Jr. 20世紀初頭の米国人外科医. ⇀S. *fracture*.

skin (skin) [A.S. *scinn*][TA]. 皮膚（身体を保護しておおうもので，表皮と真皮とからなる)．＝cutis [TA].

alligator s. ワニ様皮膚．＝ichthyosis.

bronzed s. ブロンズ色皮膚（Addison 病でみられる褐色の皮膚).

deciduous s. 剝脱皮膚．＝keratolysis (2).

elastic s. 弾力性皮膚，ゴム様皮膚，ゴム様肌（⇀Ehlers-Danlos *syndrome*).

farmer's s. 農夫皮膚，農夫肌（乾燥性の前癌性角化症を伴う乾燥したしわの多い皮膚．長期間，また長年にわたって日光にさらされた金髪で青い眼の人に最も多くみられる)．＝golfer's s.; sailor's s.

fish s. うろこ様皮膚．＝ichthyosis.

glabrous s. 無毛皮膚（毛のない皮膚).

glossy s. 滑沢皮膚，光沢皮膚（神経損傷後に，通常，手に現れる光沢のある皮膚萎縮．神経栄養性萎縮の一型)．＝atrophoderma neuriticum.

golfer's s. ゴルファー皮膚．＝farmer's s.

hidden nail s. 胎生爪皮，爪上皮．＝eponychium (1).

loose s. 弛緩性皮膚．＝dermatochalasis.

parchment s. 羊皮紙様皮膚（下層の結合組織および弾性組織の欠如，または角質層からの比較的急速で持続的な水分の消失により生じる，羊皮紙様の外見を呈する皮膚).

piebald s. 白黒まだらの皮膚．＝piebaldism.

pig s. 豚皮様皮膚（毛孔が大きく開大している軟らかい皮膚．脛骨前粘液水腫にみられる).

porcupine s. ヤマアラシ様皮膚．＝epidermolytic *hyperkeratosis*.

sailor's s. 水夫皮膚，水夫肌．＝farmer's s.

shagreen s. サメ皮様皮膚，粒起革様皮（卵形の母斑様局面で，正常皮膚色あるいはときに色素沈着を呈し，表面は平滑またはしわっぽく，小児期早期に体幹あるいは下背部に出現する．結節性硬化症の他の徴候とともにみられる場合が少

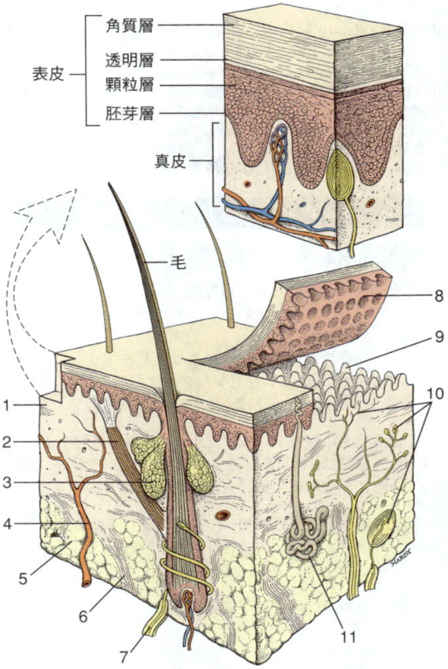

skin layers and components

1：真皮．2：立毛筋．3：皮脂腺．4：血管．5：皮下組織．6：皮膚靱帯．7：毛包への神経．8：真皮の乳頭が見えるように持ち上げた表皮．9：乳頭．10：神経終末．11：汗腺.

なくない)．＝shagreen patch.

s. of teeth 歯小皮．＝enamel *cuticle*.

thick s. 肥厚皮膚（相対的に表皮が厚いことから，手掌，足蹠の皮膚をこのようにいう).

thin s. 菲薄皮膚（掌蹠以外の身体の皮膚を相対的に表皮が薄いことからこのようにいう).

toad s. ヒキガエル様皮膚．＝phrynoderma.

yellow s. 黄色皮膚（① ＝xanthochromia. ② ＝xanthoderma (2)).

Skin·ner (skin′ĕr), Burrhus F. 米国人心理学者，1904—1990. ⇀skinnerian *conditioning*; S. *box*.

skin writ·ing (skin rīt′ing). ＝dermatographism.

Sklow·sky (sklov′skē), E.L. 20 世紀のドイツ人医師. ⇀S. *symptom*.

Sko·da (skō′dah), Joseph. ウィーンに在住したボヘミアの臨床医，1805—1881. ⇀skodaic *resonance*; S. *rale, sign, tympany*.

sko·da·ic (skō-dā′ik). Skoda(⇀Skoda) に関する.

skull (skŭl) [Mid. Eng. *skulle*, a bowl]. 頭蓋．＝cranium.

cloverleaf s. クローバーの葉形頭蓋（⇀cloverleaf skull *syndrome*).

maplike s. 地図状頭蓋（頭蓋，特に側頭骨，前頭窩，眼窩内にある，地図の国境に類似した不規則な輪郭をもっている種々の骨欠損).

natiform s. 先天性梅毒の児の頭蓋骨表面に触れる骨性の硬い結節.

steeple s., tower s. 塔状頭蓋．＝oxycephaly.

skull·cap (skŭl′kap). 頭蓋帽．＝calvaria.

sky blue (skī blū). スカイブルー（スズ酸コバルトと硫酸カルシウムの色素混合物．生物学的に注入賦形剤として用いる).

S

SL 背柱長の略. →spinal *length*.
sl スライクの記号.
slab-off (slab-of′). 二中心研摩により，眼鏡レンズの近用部にプリズム効果の基底上方をつくる過程.
SLE systemic *lupus* erythematosus の略.
sleep (slēp) [A.S. *slaep*]. 睡眠，眠り（比較的無意識および随意筋が活動しない生理的状態で，周期的に必要になるもの．睡眠段階は深さ(軽・深)，脳波特徴(デルタ波，周期)，生理的特徴(レム，非レム)，解剖学的推定レベル(橋，中脳，菱脳，ロランドなど)により種々に定義される).

ノンレム睡眠とレム睡眠の特徴

ノンレム睡眠	
Ⅰ期	覚醒から睡眠への移行期. リラックスしているが，まだいくらか周囲に気づいている. 不随意な筋の興奮が起こることがある. EEGは，4—7Hzでシータ脳波を示す. この段階は，睡眠全体の5%を占める
Ⅱ期	完全に眠っているが，比較的簡単に覚醒する. EEGは，睡眠紡錘波(12—14Hzの短い突発波)を示す. この段階は，睡眠全体の50—55%を占める
Ⅲ期	睡眠の深さは増加し，覚醒は難しくなる. EEGは，非常に緩徐性(1—2Hz)，高周波デルタ波を示す. この段階は，睡眠全体の10%を占める
Ⅳ期	最も深い睡眠で，覚醒は難しい. EEGは，デルタ波を示す. 脈と呼吸数の減少．血圧の減少．筋肉の弛緩. 代謝の減速，そして体温は低い. この段階は，睡眠全体の10%を占める
レム睡眠	
	眼は，急速に前後に向く. 小さい筋肉（例えば，顔面筋）の単収縮. 大きな筋肉の静止（麻痺に似る). 覚醒は難しい. 不規則な呼吸数（時々無呼吸). 交感神経緊張の増加：急速であるか不規則な脈. 血圧は増加するか，変動する．代謝の増加，体温の増加. 覚醒相の場合と同様に，EEGは低電圧， 高周波活性を示す. この段階は，睡眠全体の20—25%を占める

NREM：非急速眼球運動．REM：急速眼球運動.

electrotherapeutic s. 電気療法的睡眠（→electrotherapeutic sleep *therapy*).
hypnotic s. 催眠状態. ＝hypnosis.
light s. 浅い眠り. ＝dysnystaxis.
paroxysmal s. 睡眠発作. ＝narcolepsy.
rapid eye movement s., REM s. 急速眼球運動睡眠，レム睡眠（急速な眼球の動き，活発な脳波のパターン，および夢見が起こる深い眠りの状態．この状態ではいくつかの中枢神経系および自律神経系におけるいくつかの機能が顕著になる).
s. terror ＝night terrors.
winter s. 冬眠. ＝hibernation.
sleep·i·ness (slēp′ē-nes). 眠け. ＝somnolence (1).
sleep·less·ness (slēp′les-nes). 不眠〔症〕. ＝insomnia.
sleep·talk·ing (slēp′tawk-ing). *1*〖n.〗寝言(ねごと). ＝somniloquence (1). *2*〖adj.〗寝言(ねごと)の. ＝somniloquy.
sleep·walk·er (slēp′wawk-ĕr). 夢遊〔症〕者. ＝somnambulist.
sleep·walk·ing (slēp′wawk-ing). 夢遊〔症〕. ＝somnambulism (1).
slide (slīd). スライドガラス（顕微鏡で検査する物体を載せる長方形のガラス板).
sling (sling). 三角布（支持包帯またはつり器具．特に首からつり下げ，曲げた前腕を支える輪).
slit (slit). スリット，細隙（長く狭い開口).
Cheatle s. (chē′tĕl). チートルスリット（小腸の腸間膜反対側縁に縦に切開を加え，横に閉じると，単純に端端吻合するよりも広い内腔をつくることが可能になる．現在では，口径の大きい楕円形の吻合ができるように切離した小腸あるいは管腔物の切離端に縦に切れ目をいれることもさす).
filtration s.'s ＝slit *pores*.
pudendal s. 陰裂. ＝pudendal *cleft*.
vulvar s. ＝pudendal *cleft*.
slit·lamp (slit′lamp). 細隙灯（眼科において，顕微鏡と直角方向の光源を組み合わせた装置). ＝biomicroscope; Gullstrand s.
Gullstrand s. (gul′strand). グルストランドの細隙灯顕微鏡. ＝slitlamp.
slope (slōp). スロープ，斜面.
lower ridge s. 下顎歯槽堤斜面（下顎第二・第三大臼歯部歯槽堤の頬側からみた斜面).
slough (slŭf) [M. E. *slughe*]. *1*〖n.〗脱落組織，かさぶた（生体構造から分離された壊死組織). *2*〖v.〗脱落する（生体組織から壊死部分が分離する).
SLR straight leg raising(伸展下肢挙上)の略.
Slu·der (slū′dĕr), Greenfield. 米国人喉頭科医，1865—1928.
sludge (slŭdj). スラッジ，汚泥（泥の沈殿物. →sludged *blood*).
activated s. 活性汚泥（→activated sludge *method*).
sluice (slūs). ＝waterfall.
sluice·way (slūs′wā). 水門，樋紋. ＝spillway.
slur·ry (sler′ē). スラリー（液中に薄い半液体状の固体が懸濁しているもの).
Sly (slī), William S. 20世紀の米国人医師. →Sly *syndrome*.
slyke (**sl**) (slīk) [D.D. Van *Slyke*. 米国人医師・化学者，1883—1971]. スライク（液体の塩酸基滴定曲線の傾斜である緩衝価の単位．pH を 1 単位変化させるのに加えなければならない強酸または強塩基のミリモル数).
Sm サマリウムの元素記号.
SMA sequential multichannel *autoanalyzer*; spinal muscular *atrophy* の略.
SMALDO ＝fructose-bisphosphate aldolase.

---

small·pox (smawl′poks) [E. *small pocks* or pustules]. 痘瘡，天然痘，疱瘡（ポックスウイルス(ポックスウイルス科 *Orthopoxvirus*属)によって起こる悪寒，高熱，背部痛，頭痛などをもって発症する急性発疹性伝染病．2—5日で全身症状は消失し，発疹が現れる．最初は丘疹性，それが臍窩を有する小水疱に変じ，さらに膿疱に変わる．膿疱は乾燥し痂皮を形成するが，それがはがれた後は皮膚に瘢痕が残る(痘痕)．平均潜伏期は8—14日．積極的なワクチン接種計画が200年以上にわたって実施された結果，この疾患は現在では絶滅している). ＝variola major; variola.

痘瘡は3,000年以上にわたり，人類の恐怖の的であり，ときに死亡率は20%を超えていた．ヒト以外に病原体保有宿主はおらず，ヒト以外のキャリアもいない，また潜伏感染者もいないことなど多くの点で独特の疾患である．最初，10世紀に中国とインドにおいて，人痘の接種により，ある程度の制圧がなされ，1776年のEdward Jennerによる無害な牛痘(ワクシニア)ウイルスの感染が天然痘ウイルスに対してヒトの免疫を賦与するという画期的な発見以後，工業国ではこの疾患の流行は徐々に制圧された．米国においては1949年以降診断確定例はない．世界的な根絶計画は，1966年に世界保健機関(WHO)によって開始され，1977年にソマリアで報告のあった症例が最後の自然感染例である．1970年代に中断された天然痘予防接種は軍関係者や医療関係者など天然痘ウイルスが生物兵器やバイオテロに用いられたときに高リスクとなる人々に対して再開されている.

---

confluent s. 融合性痘瘡（病巣が互いに融合し，大きな化膿部分を形成する重症の痘瘡）.
discrete s. 孤立性痘瘡（病変が分離し，各々がはっきり分かれている一般の痘瘡）.
fulminating s. 劇症痘瘡. ＝hemorrhagic s.
hemorrhagic s. 出血性痘瘡（初期に皮膚内への出血がみられるか，あるいは後期に膿疱内への出血や鼻血などを伴う重症かつ頻繁に致死性となる痘瘡）. ＝fulminating s.; variola hemorrhagica.
malignant s. 悪性痘瘡. ＝*variola* maligna.
s. martyr 天然痘殉教者（天然痘に感染していて，それを故意に他人に移すような人物）.
modified s., varicelloid s. 軽症性痘瘡，水痘様痘瘡. ＝varioloid (2).
West Indian s. 西部インディアン痘瘡. ＝alastrim.
SMAS superficial musculoaponeurotic *system* の略.
SMC structural maintenance of chromosomes(染色体構造維持)の略.
smear (smēr). スミア，塗抹〔標本〕（細胞性または細胞学的塗抹. 検査用の薄い標本. 通常は，検査前に物質を均一にガラス板に広げ，固定，染色してつくる）.
alimentary tract s. 消化管スミア(塗抹〔標本〕)（口，食道，胃，十二指腸，結腸から得られる材料を含み，特殊な洗浄技術により得られる一群の細胞学的標本. 主にこれらの部分の癌の診断に用いる）.
bronchoscopic s. 気管支鏡スミア(塗抹〔標本〕). ＝lower respiratory tract s.
buccal s. 頰側スミア(塗抹〔標本〕)（軸椎線より上の外側頰側粘膜を擦過，塗抹し，すぐ固定することにより得られる細胞学的塗抹標本. 性染色中心粒(Barr 体)の存在により示されるように，主に体細胞の性別を調べるのに用いる）.
cervical s. 子宮頸部スミア(塗抹〔標本〕)（子宮腟部，子宮頸管内部，全頸部など種々の子宮頸部の塗抹標本に対する総称. 主に子宮頸部のスクリーニングに用いる）.
colonic s. 結腸スミア(塗抹〔標本〕)（→alimentary tract s.）.
cul-de-sac s. ダグラス窩スミア(塗抹〔標本〕)（後腟円蓋から直腸子宮窩を穿刺し，吸収し，塗抹，遠心分離，または沪過により作製された女性性器の細胞学的標本. 主に卵巣癌の検査に用いる）.
cytologic s. 細胞学的スミア(塗抹〔標本〕)（通常は95%エチルアルコールと Papanicolaou 染色を用いて，サンプル(多くの部位から様々な方法により得られるもの)を塗抹，固定，染色してつくる細胞学的標本の一種）. ＝cytosmear.
duodenal s. 十二指腸スミア(塗抹〔標本〕)（→alimentary tract s.）.
ectocervical s. 子宮腟部スミア(塗抹〔標本〕)（通常は擦過することにより子宮腟部から得られる検体の細胞学的塗抹標本. 主に子宮腟部を含む後期子宮頸癌の診断に用いる）.
endocervical s. 子宮頸管内部スミア(塗抹〔標本〕)（綿棒，吸引，スクレーパーにより子宮頸管内部から採取される検体の細胞学的塗抹標本. 主に初期子宮頸癌の診断に用いる）.
endometrial s. 子宮内膜スミア(塗抹〔標本〕)（子宮腔内の吸引，洗浄，ブラッシングにより直接子宮内膜から採取される検体を含む，一連の女性性器の細胞学的塗抹標本）.
esophageal s. 食道スミア(塗抹〔標本〕)（→alimentary tract s.）.
fast s. 迅速スミア(塗抹〔標本〕)（腟円蓋部と頸管周囲から得られた検体を，顕微鏡スライドガラス上で混合，調整，塗抹し，すぐに固定してつくる女性性器の細胞学的塗抹. 主に卵巣，子宮内膜，子宮頸部，腟，およびホルモン状態のルーチンの女性性器スクリーニングに用いる）.
gastric s. 胃スミア(塗抹〔標本〕)（→alimentary tract s.）.
lateral vaginal wall s. 腟側壁スミア(塗抹〔標本〕)（腟の上部 1/3 と中部 1/3 の連結付近の外側壁を擦過した検体を含む細胞学的塗抹標本. 細胞学的ホルモン評価に用いる）.
lower respiratory tract s. 下気道スミア(塗抹〔標本〕)（主に喀痰(自発性，誘引性)と気管支鏡検査時(吸引，洗浄，ブラッシング)に採取される. 下気道からの物質を含む一群の細胞学的標本. 肺癌やその他の肺疾病の細胞学的検査に用いる）. ＝bronchoscopic s.; sputum s.
oral s. 口腔スミア(塗抹〔標本〕)（→alimentary tract s.）.
pancervical s. 全子宮頸部スミア(塗抹〔標本〕)（適切な形をもつ子宮頸部用へらを用いて，子宮頸管内部，外子宮口，子宮腟部を擦過して採取した物質の細胞学的塗抹標本. 主に子宮頸癌の早期診断に用いる）.
Pap s. パパニコラウスミア(塗抹〔標本〕)（細胞診用に採取した腟ないし子宮頸部の細胞の塗抹標本）. ＝Papanicolaou s.

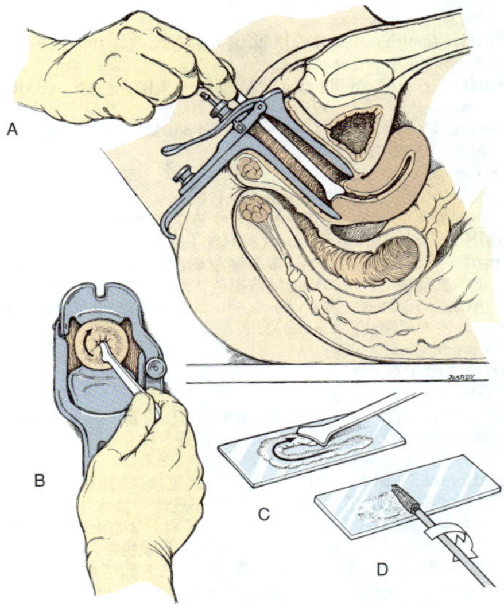

Papanicoloau (Pap) smear

A：腟鏡を挿入してAyreスパーテルを外子宮口に置く. B：スパーテルの先端を子宮口に当て360° 回転する. C：スパーテルに付着した細胞成分をガラス板に円滑に塗沫し直ちに固定液に入れる. D：細胞診用ブラシは子宮口で回転させガラス板に回転させて塗沫する.

Papanicolaou s. (pa-pă-ni′kō-low). パパニコラウ染色塗抹標本. ＝Pap s.
sputum s. 喀痰スミア(塗抹〔標本〕). ＝lower respiratory tract s.
urinary s. 尿スミア(塗抹〔標本〕)（膀胱，尿管，腎盂から採取される尿を含む細胞学的標本. 尿路系の癌その他の疾病の細胞学的検査に用いる）.
vaginal s. 腟スミア(塗抹〔標本〕)（哺乳類の腟から得られる腟内貯留物質の塗抹標本で，生殖サイクルの段階を決定するのに用いる. 短い発情期周期をもつ霊長類より下位の哺乳類に最も有用. 発情間期と発情前期にはスミア中に有核上皮細胞と白血球が広がり，発情期中には角質化細胞が広がる）.
VCE s. VCE スミア(塗抹〔標本〕)（vagina(腟)，ectocervix(子宮腟部膜)，endocervix(子宮頸内膜)から得た検体を別々に(この順番で)スライドに載せ，すばやく固定した細胞学的塗抹標本. 主に子宮頸癌の検出，これらの部分における疾病部位の同定，ホルモン評価に用いる）.
smeg·ma (smeg′mă) [G. unguent]. スメグマ，恥垢（特に割礼を受けていない男子の外陰部の湿った部位に集められた悪臭を有する上皮細胞と皮脂）.
s. clitoridis 陰核スメグマ，陰核垢（落屑表皮細胞を含む陰核のアポクリン腺からの分泌物）.
s. preputii 包皮スメグマ（陰茎または陰核前皮の包皮下にたまる白味がかった分泌物. 主に落屑表皮細胞からなる）.
smeg·ma·lith (smeg′mă-lith) [smegma + G. *lithos*, stone]. 恥垢石（恥垢の石灰質性硬化）.
smell (smel). においをかぐ（嗅覚器官でにおいを感じる）.
smell-brain (smel′brān). 嗅脳. ＝rhinencephalon.
Smel·lie (smel′ē), William. イングランド人産科医，1698—

1763. →S. *scissors*.

Smith (smith), David W. 米国人小児科医，1926—1981. →S.-Lemli-Opitz *syndrome*.

Smith (smith), Henry. インドに在住したアイルランド生れの英国人軍医，1862—1948. →S. *operation*; S.-Indian *operation*.

Smith (smith), M. J.V. 20 世紀の米国人泌尿器科医.

Smith (smith), Robert W. アイルランド人外科医，1807—1873. →S. *fracture*.

Smith (smith), Theobald. 米国人病理学者，1859—1934. →Theobald S. *phenomenon*.

Smith (smith), William R. 20 世紀の米国人医師. →S.-Riley *syndrome*.

Smith-Pe·ter·sen (smith pē′tĕr-sĕn), Marius N. 米国人外科医，1886—1953. →S.-P. *nail*.

smog (smog) [smoke + fog]. スモッグ，煙霧（煙その他の大気汚染物と霧の混合物から生じる，かすんだ，しばしば強い刺激性を有する大気を特徴とする空気汚染）.

SMS Senior Medical Student(医学部上級生)の略.

smut (smŭt). 黒穂病（穀類の黒穂病菌(*Ustilago*属)の菌種による真菌病で，その特徴は暗褐色または黒色の胞子塊が植物上に認められる．例えばトウモロコシの黒穂病(*U. maydis*)，コムギの黒穂病(*U. nuda*)）.

SN student *nurse* の略.

Sn スズの元素記号.

^{113}**Sn** スズ 113 の記号.

sn- 立体特異性的番号を意味する接頭語．脂質のグリセリン炭素原子に番号を付ける方法で，位置番号は化学的置換にかかわらず一定であり，系統的番号と逆になる.

snail (snāl) [M.E. *snaile*]. 巻貝（腹足綱(軟体動物門)の種に対する一般的名称．無蓋，空気呼吸性の淡水生有肺類(有肺亜綱，基眼目)，特にモノアラガイ科およびヒラマキガイ科のものはヒト，家禽，家畜に寄生する吸虫類のきわめて多数の中間宿主を含む．有蓋の巻貝である前鰓亜綱には有毒の針をもつイモガイ(*Conus*属)が含まれる新腹足目，および医学的に重要な多くの宿主貝を含むイツマデガイ科が属する中腹足目が含まれる）.

snake (snāk). ヘビ（細長く，肢のない，鱗をもった，ヘビ亜目のは虫類）.

snake·root (snāk′rūt). ***1*** ヘビ根. =serpentaria. ***2*** いくつかの植物種の一般名．snakeroot の他の項目を参照.

Canada s. =*Asarum canadense*.

European s. =*Asarum europaeum*.

Seneca s. セネガ. =senega.

Texas s. セルペンタリア(→serpentaria)の原植物.

Virginia s. ウマノスズクサ．セルペンタリアの原植物. *Aristolochia serpentaria*(→serpentaria).

snap (snap). 弾撥雑音，弾撥音（カチッという，短く鋭い音．特に心音についていう）.

closing s. 閉弁期弾撥音（異常弁の閉鎖に関連して生じる僧帽弁狭窄症の強い第 1 心音）.

opening s. 開弁期弾撥音（初期拡張期の鋭い高音のカチッという音．僧帽弁狭窄症の場合に異常弁の開放に関連して生じ，通常，心尖部と下部胸骨左縁で最もよく聞こえる）.

snare (snār) [A.S. *snear*, a cord]. 係蹄，わな，スネア（ポリープやその他と突起物を，特に腔内の表面から除去するのに用いる器具．鋼線係蹄で構成され，この係蹄を腫瘍底部の周囲に巻いて徐々に締める）.

cold s. 冷係蹄（加熱しない係蹄）.

galvanocaustic s., hot s. 電気焼灼性係蹄，熱係蹄（鋼線に電流を通じて高温に熱した係蹄）.

SNE subacute necrotizing *encephalomyelopathy* の略.

Sned·don (sned′ŭn), Ian B. 20 世紀のイングランド人皮膚科医. →S. *syndrome*; S.-Wilkinson *disease*.

sneeze (snēz) [A.S. *fneōsan*]. ***1***〚v.〛くしゃみをする（呼吸筋の不随意痙攣性収縮により鼻と口から空気を吐き出す）. ***2***〚n.〛くしゃみ（鼻の粘膜の刺激，またはときに明るい光が眼にはいることにより起こる反射）.

Snell (snel), Simeon. イングランド人眼科医，1851—1909. →S. *law*.

Snel·len (snel′ĕn), Hermann. オランダ人眼科医，1834—1908. →S. *sign*, *test types*.

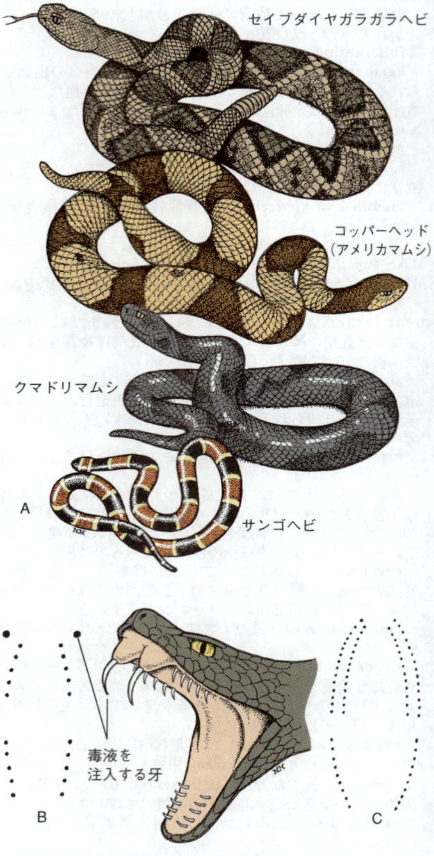

poisonous snakes

北米の毒ヘビ(A)．毒ヘビ(B)と無毒ヘビ(C)の歯の跡の比較.

SNOMED (snō′med). Systematized Nomenclature of Medicine の頭字語.

snore (snōr) [A.S. *snora*]. ***1***〚n.〛いびき（睡眠中または昏睡中に，口蓋帆，ときには声帯の振動により生じる粗い，ガラガラした吸気性雑音. →stertor; rhonchus）. ***2***〚v.〛いびきをかく.

snow (snō). スノー，ドライアイス（→*carbon* dioxide snow）.

SNP (snip). スニップ（single nucleotide *polymorphism* の頭字語）.

snRNA small nuclear RNA の略.

snuff (snŭf) [echoic]. ***1***〚v.〛鼻呼吸する（鼻から無理に呼吸する）. ***2***〚n.〛嗅ぎタバコ（鼻から吸入したり，歯茎部に用いる細かい粉末状のタバコ）. ***3***〚n.〛嗅剤（吸入法により鼻粘膜に用いる薬の粉末）.

snuff·box (snŭf′boks). 嗅ぎタバコ入れ（→anatomic snuffbox）.

snuf·fles (snŭf′ĕlz). スナッフル，鼻性呼吸（特に新生児に多くみられ，ときに先天性梅毒に由来する閉塞性鼻呼吸）.

Sny·der (snī′dĕr), Marshall L. 米国人微生物学者．1907—1969. →S. *test*.

SOAP (sōp). *s*ubjective, *o*bjective, *a*ssessment, and *p*lan の頭字語．追跡記録，評価，計画をまとめるための問題志向型記

録で用いられる．

soap (sōp)［A.S. *sape*, L. *sapo*, G. *sapōn*］．石けん（長鎖脂肪酸のナトリウムまたはカリウム塩(例えばステアリン酸ナトリウム)．洗浄用の乳化剤，および丸剤や坐剤をつくるときの賦形剤として用いる)．

animal s. 動物性石けん（水酸化ナトリウムと，主にステアリン酸からなる精製動物脂肪からつくられる石けん．薬学的にはある種の擦剤をつくるのに用いる)．＝curd s.; domestic s.; tallow s.

Castile s. (kas′tēl)．キャスティール石けん．＝hard s.

curd s., domestic s. ＝animal s.

green s. 緑石けん，軟石けん．＝medicinal soft s.

hard s. 硬石けん（オリーブ油または他の適当な油脂または脂肪と水酸化ナトリウムからつくられる石けん．洗浄剤として，鉱酸による中毒の解毒薬として，さらに坐剤または石けん水浣腸の形で便秘に用いる．また丸剤の賦形剤としても用いる)．＝Castile s.

insoluble s. 不溶性石けん（脂肪酸と土類または金属塩基からつくられる石けん(鉄あるいは脂肪酸のカルシウム塩))．

marine s. 海水石けん（ヤシ油またはココナッツ油からつくられる．海水に可溶で海水に用いる石けん)．＝salt water s.

medicinal soft s. 薬用軟石けん（植物油，水酸化カリウム，オレイン酸，グリセリン，純水からつくられる．洗浄剤および慢性皮膚病の刺激薬として用いる)．＝green s.; soft s.

salt water s. 塩水石けん．＝marine s.

soft s. 軟石けん．＝medicinal soft s.

soluble s. 可溶性石けん（水酸化カリウム，水酸化ナトリウムまたは水酸化アンモニウムからつくられる石けんの総称．通常は animal s., Castile s., green s. などをいう)．

superfatted s. 過脂肪性石けん（アルカリ全部を完全に中和するのに必要な量以上の過剰な脂肪酸(3—5％)を含む石けん．薬用石けんの製造や皮膚疾患の治療に用いる)．

tallow s. 獣脂石けん．＝animal s.

soap·stone (sōp′stōn)．石けん石．＝talc.

So·a·ve (sō-ah′vā), F. 20 世紀のイタリア人小児外科医．→ S. *operation*.

so·cal·o·in (sō-kal′ō-in)．ソカロイン（インド洋のソコトラ島産アロエから得られるアロイン)．

so·ci·a (sō′shē-ă)．異所性の，過剰の（ある器官の副次的なものが別にあることについていう)．

s. parotidis［L. companion of the parotid］．耳下腺副葉．＝accessory parotid *gland*.

so·cial·i·za·tion (sō′shăl-i-zā′shŭn)［L. *socius*, partner, companion］．社会化（①その社会の価値規範に準拠した態度や対人関係や相互関係を学習していく過程．②集団療法の場で，ある成員が集団内に影響を及ぼすような参加の仕方を学び取ること)．

socio-［L. *socius*, companion］．social (社会の，社会的な)の連結形．

so·ci·o·ac·u·sis (sō′sē-ō-ă-kū′sis)［socio- ＋ G. *akousis*, hearing］．社会性難聴(音響外傷)（非職業的騒音暴露により生じる聴力低下．ハンティングにおける小銃発射や射撃練習などによる)．

so·ci·o·cen·tric (sō′sē-ō-sen′trik)［socio- ＋L. *centrum*, center］．向社会性の，外向性の（文化に対して反応するものについていう)．

so·ci·o·cen·trism (sō′sē-ō-sen′trizm)．ソシオセントリズム（自分自身の属する社会集団を優位基準にあるとみなすこと)．

so·ci·o·cosm (sō′sē-ō-kozm′)［socio- ＋G. *kosmos*, universe］．ソシオコスム，社会宇宙（人間社会，人間の思考および人間と自然との関係を含んだ全体)．

so·ci·o·gen·e·sis (sō′sē-ō-jen′ĕ-sis)［socio- ＋G. *gensis*, origin］．社会行動因（過去の対人関係の経験から生じる社会的行動の原因)．

so·ci·o·gram (sō′sē-ō-gram′)［socio- ＋G. *gramma*, something written］．ソシオグラム（集団の成員同士の対人相互作用に従って評価された好感あるいは受容の誘発性と程度を図式化したもの)．

so·ci·o·med·i·cal (sō′sē-ō-med′i-kăl)．社会医学の（医療と社会との関連についていう)．

so·ci·om·e·try (sō′sē-om′ĕ-trē)［socio- ＋G. *metron*, measure］．社会的計測，ソシオメトリ（集団内における対人関係のあり方を研究する学問)．

so·ci·o·path (sō′sē-ō-path′)．社会病質者（反社会的性格異常の持ち主を意味する古語．→antisocial *personality*; psychopath)．

sociopathic (sō′sē-ō-path-ik)．反社会病質な（反社会的な特性の表れ．ときとしてそのように行動する人物は，あまりに巧みで，微妙で，他人から魅力的だとみなされることもある)．

so·ci·op·a·thy (sō-sē-op′ă-thē)［socio- ＋G. *pathos*, suffering］．社会病質（反社会的人格異常者が示す行動パターンを表す語．→personality *disorder*)．

sock·et (sok′ĕt)［＜O.Fr. ＜L. *soccus*, a shoe, a sock］．槽，窩，ソケット（①* gomphosis の公式の別名．②他の部分が適合する中空または中凹部．例えば眼窩)．

dry s. ドライソケット．＝alveoalgia.

eye s. 眼窩（一般には orbit のことをいうが，人工眼球を収めるときの socket は眼球筋膜鞘で形成されたものをいう)．＝orbit.

tooth s.［TA］．歯槽（上下顎の歯槽突起にある窩(槽)のことで，この中に各歯が植立して歯周靱帯で固定されている)．＝alveolus dentalis［TA］; alveolus (4)．

SOD *superoxide* dismutase の略．

so·da (sō′dă)［It. possibly ＜ Mediev. L. barilla plant］．ソーダ．＝*sodium* carbonate.

baking s. ふくらし粉．＝*sodium* bicarbonate.

caustic s. 苛性ソーダ．＝*sodium* hydroxide.

s. lime ソーダライム，ソーダ石灰（水酸化ナトリウムおよび水酸化カルシウムの混合物．再呼吸が行われる状態，例えば，基礎代謝測定またはある種の麻酔回路における二酸化炭素の吸収に用いる)．

washing s. 洗濯ソーダ．＝*sodium* carbonate.

so·dic (sō′dik)．ナトリウム〔含有〕の，ソーダ〔含有〕の．

sodio- ナトリウムを含む化合物を表す接頭語．ある種の元素のクエン酸塩または酒石酸塩で，しかもそれに加えてナトリウムを含むものに対して，sodiocitrate, sodiotartrate のように用いる．

SODIUM

so·di·um (Na) (sō′dē-ŭm)［Mod.L. ＜ *soda*］．ナトリウム（金属元素，原子番号 11，原子量 22.989768．空気中または水中で酸化しやすい腐食性のアルカリ金属．ナトリウム塩は自然の生物系で見出され，広く医薬や工業に用いる．ナトリウムイオンは生体内で最も多量に存在する細胞外イオンである．ここに記載のない有機ナトリウム塩は，各々の有機酸の項参照)．＝natrium.

s. acetate 酢酸ナトリウム（全身または尿のアルカリ化薬，去痰薬，利尿薬)．

s. acid carbonate 炭酸ナトリウム．＝s. bicarbonate.

s. acid citrate クエン酸ナトリウム．＝s. citrate.

s. acid phosphate リン酸ナトリウム．＝s. biphosphate.

s. alginate アルギン酸ナトリウム．＝algin.

s. *p*-aminohippurate パラアミノ馬尿酸ナトリウム（腎機能検査で，腎血流と尿細管排泄量を測定するために静脈注射として用いる)．

s. *p*-aminophenylarsonate パラアミノフェニルアルソン酸ナトリウム（この化合物は近代初期に発見された５価ヒ素化合物の物質)．＝s. arsanilate.

s. antimonyl tartrate アンチモニル酒石酸ナトリウム．＝*antimony* sodium tartrate.

s. arsanilate アルサニレートナトリウム．＝s. *p*-aminophenylarsonate.

s. benzoate 安息香酸ナトリウム（慢性・急性リウマチや，肝機能検査および保存薬として用いる)．

s. bicarbonate 炭酸水素ナトリウム（尿のアルカリ化や体腔の洗浄のために胃および全身の制酸薬として用いる)．＝baking soda; s. acid carbonate; s. hydrogen carbonate.

S

s. biphosphate リン酸ナトリウム（尿の酸性度を高めるのに用いる）．＝primary s. phosphate; s. acid phosphate; s. dihydrogen phosphate.

s. bisulfite 亜硫酸水素ナトリウム（胃腸の発酵，外用として寄生虫症に，およびある種の注射における抗酸化剤として用いる硫酸ナトリウム(メタ重亜硫酸ナトリウム))．＝s. hydrogen sulfite; s. pyrosulfite.

s. borate ホウ酸ナトリウム（ローション，うがい薬，口内洗浄剤として用いる）．＝borax; s. pyroborate; s. tetraborate.

s. bromide 臭化ナトリウム（催眠・鎮静剤として以前用いられた．まれにてんかんや他の神経系機能障害に用いる）．

s. cacodylate カコジル酸ナトリウム（貧血，白血病，マラリアに用いる）．＝s. dimethylarsenate.

s. carbonate 炭酸ナトリウム（鱗屑性皮膚病の治療に用いる．その他は，その刺激作用のためほとんど薬用にされない）．＝sal soda; soda; washing soda.

s. carboxymethyl cellulose カルボキシルメチルセルロースナトリウム（セルロースのポリカルボキシルメチルエーテルのナトリウム塩．消化されないことや消化管腔内で水分と結合するので，緩下薬として用いる）．

s. chloride 塩化ナトリウム（血液，体液，尿などの重要な鉄成分で，等張液や生理食塩水をつくるのに用いる．吐薬として，また塩分欠乏の治療，および局所的に炎症病巣にも用いる）．＝common salt.

s. citrate クエン酸ナトリウム（利尿・結石阻止薬，全身および尿のアルカリ化薬，去痰薬，抗凝血薬(*in vitro*)として用いる）．＝s. acid citrate.

s. citrate, acid クエン酸水素ナトリウム（クエン酸ナトリウムと同作用・用途をもち，さらにオートクレーブ中でブドウ糖のカラメル化を生じることがないため，ブドウ糖液剤に用いる）．

s. dehydrocholate デヒドロコール酸ナトリウム（利胆薬．循環時間の測定にも用いる）．

s. diatrizoate ジアトリゾエートナトリウム（静脈内排泄尿路造影および血管造影に以前用いた水溶性有機ヨウ素化合物）．

dibasic s. phosphate 第二リン酸ナトリウム．＝s. phosphate.

s. dihydrogen phosphate リン酸二水素ナトリウム．＝s. biphosphate.

s. dimethylarsenate ジメチルヒ酸ナトリウム．＝s. cacodylate.

s. dodecyl sulfate (SDS) ドデシル硫酸ナトリウム．＝s. lauryl sulfate.

effervescent s. phosphate 発泡性リン酸ナトリウム（乾燥させたリン酸ナトリウム 200，炭酸水素ナトリウム 477，酒石酸 252，クエン酸 162 を混合し，ふるいにかけて顆粒状の塩にしたもの）．

exsiccated s. sulfite 無水亜硫酸ナトリウム（製剤に際し，防腐薬として用いる）．

s. fluoride フッ化ナトリウム（２％溶液を飲料水に歯科予防薬として，また局所用として用いる）．

s. fluosilicate フッ化ケイ酸ナトリウム．＝s. hexafluorosilicate.

s. hexafluorosilicate 六フッ化ケイ酸ナトリウム（希釈溶液で防腐・脱臭薬として，および飲料水のフッ素化に用いる）．＝s. fluosilicate; s. silicofluoride.

s. hydrogen carbonate 炭酸水素ナトリウム．＝s. bicarbonate.

s. hydrogen sulfite 亜硫酸水素ナトリウム．＝s. bisulfite.

s. hydroxide 水酸化ナトリウム（外用で腐食薬に用いる）．＝caustic soda.

s. hypochlorite 次亜塩素酸ナトリウム（強力な酸化剤．無水状態では爆発性を有する．空気中の二酸化炭素を吸収し分解する．塩素および酸素を遊離する性質を有し，水溶液として殺菌，漂白に用いる．多くの家庭用漂白剤(例えば，Clorox, Javex)の有効成分である）．

s. hyposulfite 次亜硫酸ナトリウム．＝s. thiosulfate.

s. indigotin disulfonate 二スルホン酸インジゴチンナトリウム．＝indigo carmine.

s. iodide ヨウ化ナトリウム；NaI（ヨウ素源として用いる）．

s. lactate 乳酸ナトリウム（全身および尿のアルカリ化薬）．

s. lauryl sulfate ラウリル硫酸ナトリウム（練り歯磨きに使われる陰イオン性界面活性剤）．＝s. dodecyl sulfate.

s. levothyroxine レボチロキシンナトリウム（甲状腺ホルモンであるサイロキシンの光学活性体で，ラセミ体に比べて２倍の効果をもつ．甲状腺欠損症候群の治療に用い，雄牛の受精能低下，動物の授乳促進にも使用される）．

s. liothyronine リオサイロニンナトリウム（甲状腺欠損症候群の治療に用いる．チロキシンの代謝物）．

s. metabisulfite メタ重亜硫酸ナトリウム（注射溶液に抗酸化剤として用いる）．

s. methicillin ＝methicillin sodium.

s. nitrate 硝酸ナトリウム（以前は赤痢の治療または利尿薬として用いた）．＝Chilean saltpeter; cubic niter.

s. nitrite 亜硝酸ナトリウム（全身の血圧を下げ，局所血管運動痙攣の治療，特に狭心症と Raynaud 病の場合は，気管と腸の痙攣を緩和し，またシアン中毒では解毒薬として用いる）．

s. nitroferricyanide ニトロフェリシアン化ナトリウム．＝s. nitroprusside.

s. nitroprusside ニトロプルシドナトリウム（強力な速効性動静脈拡張薬として高血圧危機時に静注される．硝酸塩と同様の作用を示し，血管拡張作用を示す NO を生成する．尿中の有機化合物の検出用試薬としても用いる）．＝s. nitroferricyanide.

s. orthophosphate オルトリン酸ナトリウム．＝s. phosphate.

s. perborate 過ホウ酸ナトリウム（過酸化水素の即時調整に用いる．２％溶液は 0.4％過酸化水素と同じ殺菌効果をもつ）．

s. peroxide 過酸化ナトリウム（塗剤または石けんとして用いる）．

s. pertechnetate 過テクネチウム酸ナトリウム（脳，甲状腺，唾液腺の検査に使われる放射性医薬品）．

s. phosphate リン酸ナトリウム（緩下薬）．＝dibasic s. phosphate; s. orthophosphate.

s. phosphate ^{32}P ^{32}P–リン酸ナトリウム（リン酸酸性ナトリウムとリン酸塩基性ナトリウム溶液の形をもつ陰イオン放射性リン化合物．半減期 14.28 日のベータ線放出体．投与後，最高濃度は急速に増殖中の組織内に現れる．→chromic phosphate ^{32}P colloidal *suspension*）．

s. polystyrene sulfonate 硫酸ポリスチレンナトリウム（過剰カリウム血症の治療に用いる陽イオン交換樹脂）．

s. potassium tartrate 酒石酸カリウムナトリウム．＝*potassium* sodium tartrate.

primary s. phosphate 第一リン酸ナトリウム．＝s. biphosphate.

s. propionate プロピオン酸ナトリウム（プロピオン酸のナトリウム塩．通常はプロピオン酸カルシウムと併用して，皮膚の真菌感染症の治療に用いる．防腐剤として用いる）．

s. psylliate プシリン酸ナトリウム（車前子油の液体脂肪酸のナトリウム塩で，希釈水酸化ナトリウム溶液内の脂肪酸の溶解によって生成される．肝油脂肪酸ナトリウムと同様に，静脈瘤の治療に硬化薬として用いる）．

s. pyroborate ピロホウ酸ナトリウム．＝s. borate.

s. pyrosulfite ピロ亜硫酸ナトリウム．＝s. bisulfite.

s. rhodanate ロダン酸ナトリウム．＝s. thiocyanate.

s. ricinoleate, s. ricinate リシノール酸ナトリウム（リシノール酸のナトリウム塩．肝油脂肪酸ナトリウムに類似する作用をもつ硬化薬）．

s. silicofluoride フッ化ケイ酸ナトリウム．＝s. hexafluorosilicate.

s. stearate ステアリン酸ナトリウム（軟膏やクリームおよび坐薬の補助薬として使われるステアリン酸のナトリウム塩）．

s. sulfate 硫酸ナトリウム（多くの天然の水緩下剤の成分で，主に大動物の駆水下剤として用いる）．＝Glauber salt.

s. sulfocyanate スルホシアン酸ナトリウム．＝s. thiocyanate.

s. sulforicinate, s. sulforicinoleate スルホリチン酸ナト

リウム，スルホリチノール酸ナトリウム（ヒマシ油，硫酸，水酸化ナトリウム，塩化ナトリウムの結合によりつくられる．ヨウ素，ヨードホルム，レゾルシノール，ピロガロール，およびその他の外用で用いる多くの物質の溶媒として使用される）．

s. taurocholate タウロコール酸ナトリウム（タウロコール酸のナトリウム塩．肉食動物の胆汁から抽出される．利胆薬）．

s. tetraborate 四ホウ酸ナトリウム．＝s. borate.

s. tetradecyl sulfate テトラデシル硫酸ナトリウム（湿気のある性質のために，ある種の消毒液の界面活性を強化するのに用いる陰イオン界面活性剤．静脈瘤の治療に，モルエートナトリウムと同様に硬化薬としても用いる）．

s. thiocyanate チオシアン酸ナトリウム（本態性高血圧症の治療に以前用いていた）．＝s. rhodanate; s. sulfocyanate.

s. thiosulfate チオ硫酸ナトリウム（亜硝酸ナトリウムとともに，シアン中毒の解毒薬．プール，浴室の白癬感染症に対する予防薬，および体内の細胞外液量の測定に用いる）．＝s. hyposulfite.

s. tungstoborate 硼タングステン酸ナトリウム（逆染色として電子顕微鏡検査で用いる）．

---

so·di·um 24 (^{24}**Na**) (sō′dē-ŭm). ナトリウム 24（質量数 24，半減期 14.96 時間のナトリウムの同位体．ベータ線，ガンマ線を放出する．より寿命の長い ^{22}Na(半減期 2.605 年)よりも容易につくられる．指示薬希釈により細胞外液量の測定に用いる）．

so·di·um group (sō′dē-ŭm grūp). ナトリウム基（アルカリ金属．リチウム，ナトリウム，カリウム，ルビジウム，セシウム）．

so·do·ku (sō-dō′kū) [Jap. rat poison]. 鼡毒(そどく)．＝rat-bite *fever*.

sod·om·ist, sod·om·ite (sod′ŏ-mist, -mīt) [G. *sodomitēs*, 住民の邪悪さのために火で滅ぼされたと聖書でいわれている町ソドムの住民]. 獣姦者．

sod·o·my (sod′ŏm-ē) [→sodomist]. 獣姦，ソドミー（様々な形で法律により禁止されている多くの性行為，特に人と動物の性交(獣姦)，口淫，肛門性交についていう）．＝buggery.

Soem·mer·ing (sŏrm′ĕr-ing), Samuel Thomas von. ドイツ人解剖学者，1755－1830．→S. *ganglion*, *ligament*, *muscle*, *spot*; *ring* of S.

Sof·fer (sof′ĕr), Louis J. 20 世紀の米国人内科医．→Sohval-S. *syndrome*.

softgel ソフトゲル（薬物の投与剤形の一種で，発泡ゲルに有効成分が含まれているような剤形）．

soft·ware (soft′wār). ソフトウエア（コンピュータのためのプログラム，または命令群）．

Soh·val (sō′vahl), Arthur R. 20 世紀の米国人内科医．→S.-Soffer *syndrome*.

soil (soyl). 汚物．

night s. 肥やし（肥料用の人糞）．

so·ja (sō′yah). ＝soybean.

so·ko·sho (sō-kō′shō) [Jap. *so*, rat + *ko*, bite + *sho*, malady]. 鼡咬症．＝rat-bite *fever*.

sol (sol). ゾル（液体中の固体のコロイド状分散または液体中の小滴．*cf.* gel）．

So·la·na·ce·ae (sō′lă-nā′sē-ē). ナス科（*Solanum*(ナス属)を含む植物の一科．ベラドンナやトマトおよびいくつかのジャガイモを含む 1,800 種からなる 84 の他の属がある）．

so·la·na·ceous (sō′lă-nā′shŭs, sol′ă-). ナス科の（ナス科の植物またはそれから得られる薬についていう）．

sol·a·no·chro·mene (sol′ă-nō-krō′mēn). ソラノクロメン．＝plastochromenol-8.

sol·a·tion (sol-ā′shŭn). ゾル化（コロイド化学において，ゼラチン溶解によりゲルをゾルに変えること）．

sol·der (sod′ĕr) [L. *solido*, to make solid < Fr. various forms]. ***1***〘n.〙ろう(鑞)，はんだ（さらに融点の高い 2 つの金属端または金属面の結合に用いる融合性合金．主成分として金や銀を含む硬ろうは，通常，歯科において貴金属合金の結合に用いる）．***2***〘v.〙ろう(鑞)着する（合金などを用いて 2 種類の金属を結合させる）．

soldering (sod′ĕr-ing). ろう(鑞)着，ろう(鑞)付け（① 1 つの物体を他の物体に接合させる技術で，レーザーなどが利用される．②歯科において，介在する低融点合金を溶解させることにより 2 つの金属を結合すること）．

sole (sōl) [A.S.][TA]. 足底，足の裏．＝planta [TA]; pelma.

s. of foot [TA]. 足底（立ったときに大部分が地面につく足の下面．無毛で通常メラニン色素をもたず，分厚く，体重のかかる部分には皮膚隆線が備わっている）．＝planta pedis [TA]; plantar region*; regio plantaris*; plantar surface of foot.

So·le·nog·ly·pha (sō′lĕ-nog′li-fă) [L. < G. *sōlēn*, pipe channel + *glyphō*, to carve]. 管牙類（クサリヘビやガラガラヘビなどを含むヘビの一群）．

so·le·noid (sol′ĕ-noyd). ソレノイド（磁場をつくり出すため電流を流すらせん状の針金コイル．このコイルの内側または近くに置いた導体に電流が誘起される）．

So·le·no·po·tes cap·il·la·tus (sō′lĕ-no-pō′tēz kap′i-lā′tŭs) [G. *solen*, pipe + *potos*, a drinking]. ウシに寄生する吸血ジラミの一種．米国では〝小さな青いウシジラミ little blue cattle louse〟，オーストラリアでは〝結核菌を運ぶシラミ tubercle-bearing louse〟とよばれる．

so·le·nop·sin A (sō′lĕ-nop′sin). ソレノプシン A（*Solenopsis saevissima* の毒液中の数種のアルカロイド成分の 1 つ．毒液は壊死毒素，溶血性，殺虫性，抗生性を有する）．

So·le·nop·sis (sō′lĕ-nop′sis). ソレノプシス属（fire ants(火蟻)として知られているアリの一属で，局所的ときには全身的な反応を引き起こす疼痛の強い焼けるような刺咬を負わせる）．

S. invicta red imported fire ant とよばれる種で，南アメリカから米国南東部に移入されて広い地域に広がっており，そこではヒトおよび動物の主要な害虫となっている．たやすくヒトを刺し，刺咬部位には丘疹と痒みを与え，膿胞が生じる．まれではあるが，アナフィラキシーショックを起こし，呼吸器あるいは心臓の停止により死に至ることもある．→*S. richteri*．＝red imported fire ant.

S. richteri black imported fire ant とよばれる種で，南アメリカから米国に移入されたが，*S. invicta* ほどは分布が広がっていない．→*S. invicta*．＝black imported fire ant.

so·le·us (sō′lē-ŭs) [Mod.L. < L. *solea*, a sandal, sole of the foot (of animals) < *solum*, bottom, floor, ground]. ヒラメ筋（→soleus (*muscle*)）．

sol·id (sol′id) [L. *solidus*]. ***1***〘adj.〙固形の，固化した，充実した（堅い，密な，液体でない，すき間のない，網状組織でないものについていう）．***2***〘n.〙固体（境界を付けなくても形を保つもの．流動性がなく気体でも液体でもないもの）．

sol·i·dism (sol′i-dizm). 固体〔変化〕病因説（疾病は身体の固体粒子(原子)とその間にある間隙のアンバランスから生じるという，Asclepiades と弟子達によって提唱された説．Hippocrates の液素説とは反対の説）．＝methodism.

sol·i·dist (sol′i-dist). 固体〔変化〕病因論者（固体病因説の支持者）．

sol·i·dis·tic (sol-i-dis′tik). 固体〔変化〕病因説の．

sol·i·dus (sol′i-dŭs). 固相線（状態図上の線で，その線より下の温度はすべての金属が固体である）．

sol·i·ped (sol′i-ped) [L. *solidus*, solid + *pes*, foot]. 単蹄動物（ウマのようにひづめが割れていない動物）．

sol·ip·sism (sōl′ip-sizm) [L. *solus*, alone + *ipse*, self]. 独在論，唯我説（存在するものはすべて，知覚している人の意思と表象の産物であるという哲学的概念）．

soln. solution の略．

sol·u·bil·i·ty (sol′yū-bil′i-tē). 溶解度（[誤ったつづりまたは発音 soluability を避けること]．溶解している性状を示す濃度）．

sol·u·ble (sol′ū-bĕl) [L. *solubilis* < *solvo*, to dissolve]. 可溶な（[誤ったつづりまたは発音 soluable を避けること]）．

so·lum (sō′lŭm) [L.]. 底．

sol·ute (sol′ūt) [L. *solutus*, dissolved, *solvo*(to dissolve)の完了分詞]. 溶質（溶液に溶解した物質）．

so·lu·ti·o (sō-lū′shē-ō) [L.]. ＝solution.

so·lu·tion (sol., soln.) (sō-loo′shŭn) [L. *solutio*]. ＝solutio. ***1*** 溶体（固体・液体・気体が液体状または非結晶性固体内に，均一な単相を生じたもの．→dispersion; suspension）．

2 溶液（一般的には不揮発性物質の水溶液）．*3* 水剤，液剤（薬局方用語．薬局方では不揮発性物質の水溶液は水剤，液剤，または溶剤，揮発性物質の水溶液は常水，不揮発性物質のアルコール溶液はチンキ剤，揮発性物質のアルコール溶液は酒精剤，酢の溶液は酢剤，グリセリンの溶液はグリセリン剤，酒の溶液は酒剤，糖の水溶液はシロップ剤，粘質の溶液は漿剤，アルカロイドまたは酸化金属のオレイン酸溶液はオレイン酸剤とよばれる）．*4* 消散，渙散（分利による疾病の終結）．*5* 解離（硬組織の分裂．→s. of contiguity; s. of continuity）．

acetic s. 酢（外耳道表皮細菌感染症に用いる．多くの腟洗浄製剤にも含まれる）．

amaranth s. アマランス液（アマランス(ナフトールスルホン酸三ナトリウム)の 1% 溶液で，鮮赤色の合成色素．酸に安定で，水酸化ナトリウムにより発色は強まる．赤色または桃色の着色料として液剤に添加して用いられる．㊟アマランス＝赤色 2 号）．

aqueous s. 水〔相〕溶液（溶媒として水を含む溶液．例えば，石灰水，ローズ水，生理食塩水，および静脈内投与を目的としてつくられた多くの溶液がこれに当たる）．

Benedict s. (ben′ĕ-dikt). ベネディクト〔溶〕液（クエン酸ナトリウム，炭酸ナトリウム，硫酸銅からなる水溶液で，グルコースなどの還元糖の存在下で，青から橙，赤，黄に変化する．→Benedict *test* for glucose）．

Burow s. (bū′rov). ブーロウ液（アルブミンの塩基性酢酸塩と氷酢酸の製剤．皮膚の防腐薬および収れん薬として用いる）．

chemical s. 化学溶液（→solution (1)）．

colloidal s. コロイド溶液（分散体，乳濁体または懸濁体）．＝colloidal dispersion.

s. of contiguity 隣接切離（隣接構造が崩れること．正常に接触している 2 つの部分がずれるか移動すること）．

s. of continuity 連続離断（正常に連続している骨または軟部組織の離断，骨折，裂創，または切開による分割）．＝dieresis.

Dakin s. (dā′kin). デーキン〔溶〕液（殺菌性の傷洗浄薬）．＝Dakin fluid.

disclosing s. 顕示液（歯の表面に付着するすべての歯垢，薄膜，菌膜を選択的に染色する液．水ですすいだ後，菌苔の確認に用いる補助液）．

Earle s. (ĕrl). アール〔溶〕液（組織培養培地．塩化カルシウム，硫酸マグネシウム，塩化カリウム，炭素水素ナトリウム，塩化ナトリウム，リン酸二水素ナトリウム一水塩，およびグルコースを含む）．

ethereal s. エーテル溶液．

Fehling s. (fā′ling) [Hermann von *Fehling*]. フェーリング〔溶〕液（以前，還元糖の検出に用いられたアルカリ性銅酒石酸溶液）．＝Fehling reagent.

ferric and ammonium acetate s. 酢酸アンモニウム鉄液（赤褐色透明の芳香を有する液体で，ヒトおよび動物の鉄欠乏性貧血の治療に対し用いられる．鉄源）．＝Basham mixture.

Fonio s. (fon′ē-ō). フォーニオ〔溶〕液（硫酸マグネシウムを加えた希釈液．血小板の染色塗抹に用いる）．

Gallego differentiating s. (gă-yā′gō). ギャレゴ鑑別溶液（グラム陰性微生物への塩基性フクシン結合を鑑別し促進させるため，修飾グラム染色に用いるホルムアルデヒドと酢酸の希釈溶液）．

Gey s. (gāy) [George O. *Gey*]. ゲイ〔溶〕液（動物細胞の培養のために，天然に存在する体物質(血清，組織抽出物など)および化学的に複雑に定義された栄養液，またはそのいずれかとともに通常用いる塩溶液）．

Hanks s. (hanks). ハンクス〔溶〕液（動物細胞の培養のために，天然に存在する体物質(血清，組織抽出物など)と，化学的にみてより複雑に定義された栄養液，またはそのどちらかと組み合わせて通常用いる塩溶液．2 種の液は塩化カルシウム，硫酸マグネシウム七水塩，塩化カリウム，リン酸二水素カリウム，炭酸水素ナトリウム，塩化ナトリウム，リン酸二水素ナトリウム二水塩，D-グルコースを含む）．

Hartman s. (hart′măn). ハートマン〔溶〕液（歯科手術で歯髄を麻痺させるのに用いる液．チモール，エチルアルコール，硫酸エーテルを含む）．

Hartmann s. (hahrt′mahn). ハートマン〔溶〕液．＝lactated Ringer s.

Hayem s. (ah-yĕm′). エヤン(ハイエム)〔溶〕液（赤血球を数える前に血液の希釈に用いる）．

Krebs-Ringer s. (krebz ring′ĕr) [Sir Hans Adolph *Krebs*, Sydney *Ringer*]. クレーブス(クレブス)－リンガー(リンゲル)〔溶〕液（Ringer 液を少し変えたもの）．

lactated Ringer s. (ring′ĕr). 乳酸加リンガー(リンゲル)〔溶〕液（蒸留水に塩化ナトリウム，乳酸ナトリウム，塩化カルシウム(二水和物)，および塩化カリウムを含む溶液．Ringer 液と同じ目的で用いる）．＝Hartmann s.

Lange s. (lahng′ĕ). ランゲ〔溶〕液（髄液の蛋白異常を証明するのに用いるコロイド状金溶液．→Lange *test*）．

Locke s.'s (lok) [Frank S. *Locke*]. ロック〔溶〕液（塩化ナトリウム，塩化カルシウム，塩化カリウム，炭酸水素ナトリウム，D-グルコースを含む液．実験室で哺乳類の心臓やその他の組織を灌注するのに用いる．また天然に存在する体物質(血清，組織抽出物など)と化学的にみてより複雑に定義された液とともに動物細胞の培養にも用いる）．

Locke-Ringer s. (lok ring′ĕr) [Frank S. *Locke*, Sydney *Ringer*]. ロック－リンガー(リンゲル)〔溶〕液（塩化ナトリウム，塩化カルシウム，塩化カリウム，塩化マグネシウム，炭酸水素ナトリウム，D-グルコース，水を含む溶液．実験室で生理学的および薬学的実験に用いる）．

Lugol iodine s. (lū-gol′). ルゴールヨウ素溶液（ヨウ素－ヨウ化カリウム溶液．水銀固定アーチファクトの除去や組織化学やアメーバを染色するための酸化剤として用いる）．

molecular dispersed s. 分子分散溶液．＝dispersoid.

Monsel s. モンセル液（塩基性硫酸鉄(III)の溶液で，皮膚の生検後などの表部の出血に対し止血薬として用いられる）．

normal s. 規定液（→normal (3)）．

ophthalmic s.'s 点眼剤，眼科用液剤（異物粒子を含まず，点眼に適した配合，調製，消毒をした薬剤）．

Ringer s. (ring′ĕr). リンガー(リンゲル)〔溶〕液（①塩類組成が血清と類似する液．塩化ナトリウム 8.6 g，塩化カリウム 0.3 g，塩化カルシウム 0.33 g に蒸留水を加えて 1,000 mL とした液．点滴用の液体や電解質補充液として用いる．②天然に存在する体物質(血清，組織抽出物など)と，化学的に複雑に定義された栄養液とともに動物細胞の培養に通常用いる食塩水．→Ringer *injection*）．＝Ringer lactate.

saline s. 食塩水（①塩溶液の総称．＝salt s. ②特に塩化ナトリウム等張液．0.85—0.9/100mL 水）．

salt s. 食塩水．＝saline s. (1).

saturated s. (sat. sol., sat. soln.) 飽和溶液（①溶質の溶解可能な全量が含まれる溶液．②過剰に遊離した溶質と溶液が平衡状態にある）．

solid s. 固溶体（合金の一種．均一な相からなり，原子は結晶構造(空間格子)中に無秩序に分散している．液体の状態では混和可能であり，凝固後も完全に均一に共融したままである）．＝solid solution alloy.

standard s., standardized s. 標準液（比較または分析の標準として用いられ，濃度がわかっている液）．

supersaturated s. 過飽和溶液（溶液が通常，可溶量より多量の固体を含む液．溶媒を加熱して物質を加え冷却したときに，物質が沈殿せずに溶解してつくられる．通常，何らかの結晶または固体を加えると，過剰溶質が沈殿し飽和溶液が残る）．

test s. 試験液，被験液（一定の強度をもち，化学分析や検査に用いる試薬溶液）．

Tyrode s. (tī′rōd) [Maurice V. *Tyrode*]. タイロード〔溶〕液（Locke 液を少し変えたもの．塩化ナトリウム 8 g，塩化カリウム 0.2 g，塩化カルシウム 0.2 g，塩化マグネシウム 0.1 g，リン酸二水素ナトリウム 0.05 g，炭素水素ナトリウム1 g，D-グルコース1 g に水を加えて 1,000 mL に希釈したもの．腹膜腔の灌注や実験作業に用いる）．

University of Wisconsin s. ウィスコンシン大学溶液（正常カリウム濃度の細胞内コロイド．移植までの機能を保持する目的で，採取時に重要臓器に注入される）．＝UW.

volumetric s. (VS) 容量液，滴定液（測って確定した溶質を混ぜることによってつくった液）．

Weigert iodine s. (vī-gert′). ヴァイゲルトヨウ素〔溶〕液（ヨウ素－ヨウ化カリウム混合物で，ある種の細菌や真菌に取り込まれたクリスタルバイオレットおよびメチルバイオレット変性試験として用いる).

sol・vate (sol′vāt). 溶媒化合物 (溶媒と溶質, または分散媒と分散質が非共有結合, あるいは可逆性の強い結合をしている非水溶性の液または分散液. 溶媒または分散媒が水の場合は水和物とよばれる).

sol・va・tion (sol-vā′shŭn). 溶媒和[作用], 溶媒化 (溶媒と溶質, または分散媒と分散質の非共有結合, または可逆性の強い結合. 溶媒が水の場合は水和とよばれる. 溶媒和は溶液内のイオンの大きさと関係する. したがって Na^+ は, 固体塩化ナトリウム中より水中のほうが大きい).

sol・vent (sol′vĕnt) [L. *solvens*: *solvo* (to dissolve)の現在分詞]. 溶媒, 溶剤 (溶液内に他の物質を含む液体. すなわちその物質を溶解しているもの).

amphiprotic s. 両性溶媒 (酸としても塩基としても作用することができる溶媒. 例えば水).

fat s.'s 脂肪溶媒 (脂質を溶解できることで知られる有機液体. 必ずしも常時とは限らないが, 通常は水と混ざらない. 例えば, ジエチルエーテル, 四塩化炭素). =nonpolar s.'s.

nonpolar s.'s 非極性溶媒. =fat s.'s.

polar s.'s 極性溶媒 (高い双極性モーメント, 電荷の広い分離. または強い会合性により, 溶質に極性力を及ぼす溶媒. 例えば, 水, アルコール, 酸など).

universal s. 万能溶媒 (錬金術師達が探し求め, そのうち何人かによってどんな物質も溶解できると仮定されてきた物質. 生理学的な意味で水をさす場合もある).

sol・vol・y・sis (sol-vol′i-sis). 加溶媒分解, ソルボリシス (①溶解塩と溶媒が反応して酸と塩基をつくること. 部分的に中和反応と逆のもの. 溶媒が水, 両性溶媒の場合は, 加水分解とよばれる. ②溶媒と溶質とが反応し, ある結合が切断し溶媒の原子(複数)が取り込まれて生成物が生成する).

so・ma (sō′mă) [G. *sōma*, body]. ***1*** 体幹, 軀幹 (体の軸部, すなわち頭, 頸部, 体幹, 尾部で, 四肢は除く). ***2*** 体, 体質 (生殖細胞を除く生物全体をさす.→body). ***3*** 細胞体 (神経細胞の細胞体部分をさし, ここから軸索や樹状突起が出る).

so・man (sō′măn). ソマン (非常に効力の強いコリンエステラーゼ阻害物質.→sarin; tabun).

so・mas・the・ni・a (sō′mas-thē′nē-ă). =somatasthenia.

somat- ⇀somato-.

so・ma・tag・no・si・a (sō′mă-tag-nō′sē-ă) [somat- + G. *a-* 欠性辞 + *gnōsis*, recognition]. 身体失認. =somatotopagnosis.

so・ma・tal・gi・a (sō′mă-tal′jē-ă) [somat- + G. *algos*, pain]. 体性痛 (①身体の痛み. ②器質性の原因による痛み. 精神性苦痛, 心因性疼痛と対比される).

so・ma・tas・the・ni・a (sō′mă-tas-thē′nē-ă) [somat- + G. *astheneia*, weakness]. 身体衰弱 (慢性の身体的衰弱および疲労した状態). =somasthenia.

so・ma・tes・the・si・a (sō′mă-tes-thē′ze-ă) [somat- + G. *aisthēsis*, sensation]. 体性感覚 (身体の感覚・意識). =somesthesia.

so・mat・es・thet・ic (sō′mat-es-thet′ik). 体性感覚の.

so・mat・ic (sō-mat′ik) [G. *sōmatikos*, bodily]. ***1*** 身体の, 体幹の, 軀幹の (体腔壁または身体一般に関する). =parietal (2). ***2*** 体性の (骨格もしくは骨格筋(随意筋)とその神経支配についていう. 内臓もしくは内臓筋(不随意筋)とその自律性神経支配とから区別していう). =parietal (3). ***3*** 体性の (生殖機能と区別して, 栄養機能についていう).

so・mat・i・co・splanch・nic (sō-mat′i-kō-splangk′nik) [G. *sōmatikos*, relating to the body + *splanchnikos*, relating to the viscera]. 身体内臓の (身体と内臓に関する). =somaticovisceral.

so・mat・i・co・vis・cer・al (sō-mat′i-kō-vis′ĕr-ăl). =somaticosplanchnic.

so・ma・tist (sō′mă-tist). 身体論者 (神経症と精神病は器質疾患の症状であると考える人を表す古語).

so・ma・ti・za・tion (sō′ma-ti-zā′shŭn). 身体化, 具体化 (心理的な欲求が身体徴候に現れる過程. 例えば, 不安を身体徴候として表現あるいは転換すること, また法による判決のフォローや損害に関して具体的な利益を望むこと.→somatization *disorder*).

somato-, somat-, somatico- [G. *sōma*, body]. 体, 体の, を意味する連結形.

so・mat・o・chrome (sō-mat′ō-krōm) [somato- + G. *chrōma*, color]. 体染性の, ソマトクロム (豊富な細胞質が核を完全に包んでいるニューロンや神経細胞の群についていう).

so・mat・o・crin・in (sō′mat-ō-krin′in) [somato- + G. *krinō*, to secrete + -in]. ソマトクリニン. =somatoliberin.

so・mat・o・gen・ic (sō′mat-ō-jen′ik) [somato- + G. *genesis*, origin]. ***1*** 体発達の, 体形成の (外力の影響により体幹または体から発生するものについていう). ***2*** 体細胞原性の.

so・ma・to・lib・er・in (sō′mă-tō-lib′ĕr-in) [somatotropin + L. *libero*, to free + -in]. ソマトリベリン (脳下垂体から出るデカペプチド. ヒトの成長ホルモン(ソマトトロピン)の放出を誘発する. *cf.* growth hormone-releasing *hormone*; luteinizing hormone/follicle-stimulating hormone-releasing *hormone*). =growth hormone-releasing factor; growth hormone-releasing hormone; somatocrinin; somatotropin-releasing factor; somatotropin-releasing hormone.

so・ma・tol・o・gy (sō′mă-tol′ŏ-jē) [somato- + G. *logos*, study]. 生体学 (解剖学と生理学の両方を含み, 身体を扱う科学).

so・ma・to・mam・mo・tro・pin (sō′mă-tō-mam′ō-trō′pin) [somato- + L. *mamma*, breast + G. *tropē*, a turning + -in]. 体乳腺発育ホルモン (生物学的特性が成長ホルモンにきわめて類似したペプチドホルモンで, 正常胎盤およびある種の新生物により産生される).

human chorionic s. (**HCS**) =human placental *lactogen*.

so・ma・to・me・din (sō′mă-tō-mē′din) [*somato*, tropin + *med*iator + -in]. ソマトメジン (ペプチドの一種. ソマトメジン(分子量約 4,000)は, インスリン様成長因子II (IGF-II)ともよばれており, 肝臓や恐らく腎臓でも産生されている. DNA, RNA, および蛋白(コンドロムコ蛋白を含む)の合成やムコ多糖類の硫酸化など, 骨と軟骨内の同化作用を刺激する能力がある. ソマトメジンの分泌や生物活性はソマトトロピン(GH)により支配されている.→insulinlike growth *factor*).

so・ma・to・me・dins (sō′mă-tō-mē′dinz). ソマトメジン. =insulinlike growth *factor*.

so・ma・tom・e・try (sō′mă-tom′ĕ-trē) [somato- + G. *metron*, measure]. 身体計測 (体型や生理的特徴および精神的特徴の型によって人を分類すること).

so・ma・top・a・gus (sō′mă-top′ă-gŭs) [somato- + G. *pagos*, something fixed]. 体幹結合奇形児 (体幹が結合した双生児. ⇀conjoined *twins*).

so・ma・to・path・ic (sō′mă-tō-path′ik) [somato- + G. *pathos*, suffering]. 身体病の (精神障害と異なり, 身体または器質疾患についていう).

so・ma・top・a・thy (sō′mă-top′ă-thē) [somato- + G. *pathos*, suffering]. 身体病を表す現在では用いられない語.

so・ma・to・pause (sō′mă-tō-pawz′). 成長ホルモン分泌停止 (成長ホルモン-インスリン様成長因子の分泌が加齢とともに減少していく現象).

so・ma・to・phre・ni・a (sō′mă-tō-frē′nē-ă) [somato- + G. *phrēn*, mind]. 身体病恐怖性精神病 (身体病を想像または誇張する傾向があることを表す現在では用いられない語).

so・ma・to・plasm (sō-mat′ō-plazm) [somato- + G. *plasma*, something formed]. 体細胞原形質, 体質 (生殖細胞以外の, 身体の構成にあずかる特殊化したすべての形の原形質の総称).

so・mat・o・pleure (so-mat′ō-plūr) [somato- + G. *pleura*, side]. 体壁葉 (外側中胚葉の壁側層と外胚葉の結合によりつくられた胚層).

so・ma・to・pros・thet・ics (sō′mă-tō-pros-thet′iks) [somato- + G. *prosthesis*, an addition]. 身体補てつ学 (欠損あるいは変形した身体の外部を補てつ交換する技術や科学のこと).

so・ma・to・psy・chic (sō′mă-tō-sī′kik) [somato- + G. *psychē*, soul]. ***1*** 〘adj.〙 身体精神の (身体と精神との関係に関する). ***2*** 〘n.〙 身体精神学 (身体が精神に及ぼす影響を研究する学問. psychosomatic の対語).

so・ma・to・psy・cho・sis (sō′mă-tō-sī-kō′sis) [somato- + G. *psychōsis*, an animating]. 身体的精神病 (器質疾患に随伴して生じる情動障害).

so・ma・tos・co・py (sō′mă-tos′kŏ-pē) [somato- + G. *skopeō*,

S

to view]. 生体観察，体格検査.

so·ma·to·sen·so·ry (sō′mă-tō-sen′sō-rē). 体性感覚（視覚などの特定の感覚とは異なり，身体の表面および深部に関連した感覚).

so·ma·to·sex·u·al (sō′mă-tō-sek′shū-ăl). 身体－性的の（性欲に関する身体的側面をいうもので，精神－性的側面とは区別して用いる).

so·ma·to·stat·in (sō′mă-tō-stat′in) [somatotropin + G. *stasis*, a standing still + -in][MIM*182450]. ソマトスタチン（下垂体前葉成長ホルモン(ソマトトロピン)の放出を抑制する作用をもつテトラデカペプチド．半減期は短い．インスリン，グリカゴンやガストリンの分泌をも抑制する．末端肥大症，巨人症や膵腫瘍の治療に用いられる). =growth hormone-inhibiting hormone; somatotropin release-inhibiting factor; somatotropin release-inhibiting hormone.

so·ma·to·stat·i·no·ma (sō′mă-tō-stat′i-nō′mă). ソマトスタチノーマ（膵島のソマトスタチン産生腫瘍).

so·ma·to·ther·a·py (sō′mă-tō-thār′ă-pē). 身体治療〔法〕（①身体的障害の治療．②精神医学において，化学または物理学的(心理学的に対する)方法を取り入れた種々の治療法).

so·ma·to·top·ag·no·sis (sō′mă-tō-top′ag-nō′sis) [somato- + top- + G. *a-* 欠性辞 + *gnōsis*, knowledge]. 身体部位失認（自分の身体の各部位が，自分の身体であるか他人の身体であるかを認知できないこと．*cf.* autotopagnosia). =somatagnosia.

so·ma·to·top·ic (sō′mă-tō-top′ik). 体性局在の.

so·ma·tot·o·py (sō′mă-tot′ō-pē) [somato- + G. *topos*, place]. 体性局在（体部の受容器と個々の神経線維を経て大脳皮質の特異的領野に分布するその神経終末との局所的位置関係．神経線維が中枢神経系をのぼるすべての段階において，この位置関係の連続は，脳と脊髄が空間的に決められた単位をもとに機能することを可能にする).

so·mat·o·tropes (sō′mat′ō-trōps). ソマトトロピン産生細胞（下垂体好酸性細胞の一種．成長ホルモンを合成する).

so·mat·o·troph (sō-mat′ō-trof). ソマトトロピンを生成する腺下垂体の細胞.

so·ma·to·troph·ic (sō′mă-tō-trof′ik) [somato- + G. *trophē*, nourishment]. =somatotropic.

so·ma·to·trop·ic (sō′mă-tō-trop′ik) [somato- + G. *tropē*, a turning]. 成長ホルモンの，ソマトトロピンの（身体の成長に刺激を及ぼすものについていう). =somatotrophic.

so·ma·to·tro·pin (sō′mă-tō-trō′pin) [for *somatotrophin* < somato- + G. *trophē* nourishment; corrupted to *-tropin* and reanalyzed as < G. *tropē*, a turning]. 成長ホルモン，ソマトトロピン（**[somatropin と混同しないこと]**．好酸性細胞によりつくられる下垂体前葉の蛋白ホルモン．身体の成長，脂肪動員，グルコース利用の抑制を促進する．過剰になると糖尿病を発生する．ソマトトロピンの欠損症は種々のタイプの小人症を生じる(III 型は伴性遺伝疾患である)). =growth hormone; pituitary growth hormone; somatotropic hormone.

so·mat·o·type (sō-mat′ō-tīp). 体型（①人の体格または体型．②特定の人格型と関連した体格または体型).

so·mat·o·ty·pol·o·gy (sō-mat′ō-tī-pol′ŏ-jē) [somato- + G. *typos*, form + *logos*, study]. 体型学.

so·ma·trem (sō′mă-trem). ソマトレム；*N*-L-methionyl growth hormone (human)（純粋のポリペプチド性ホルモンで，組換え DNA 技術によって産生される．天然型のソマトトロピンと同じ 191 個のアミノ酸に，さらに 1 個のアミノ酸のメチオニンを付加した配列をもつ．ソマトトロピン欠損の小人症の長期治療に用いる).

so·ma·tro·pin (so-ma-tro′pin). ソマトロピン（**[somatotropin と混同しないこと]**．ヒト成長ホルモン製剤．小児・成人における成長ホルモン分泌不全による成長不全(低身長)，性器発育異常を伴う成長不全(Turner 症候群)および思春期以前の慢性腎不全を伴う成長不全の治療に用いられる). =recombinant human growth hormone.

so·mes·the·si·a (sō′mes-thē′zē-ă). =somatesthesia.

so·mite (sō′mīt) [G. *sōma*, body + *-ite*]. 体節，原節（初期胎児の近軸中胚葉に形成される，対になった分節性の細胞集団．第 3 週または第 4 週の初めに後脳部に始まって，尾の方向へ発育して 42 対が形成される). =mesoblastic segment.

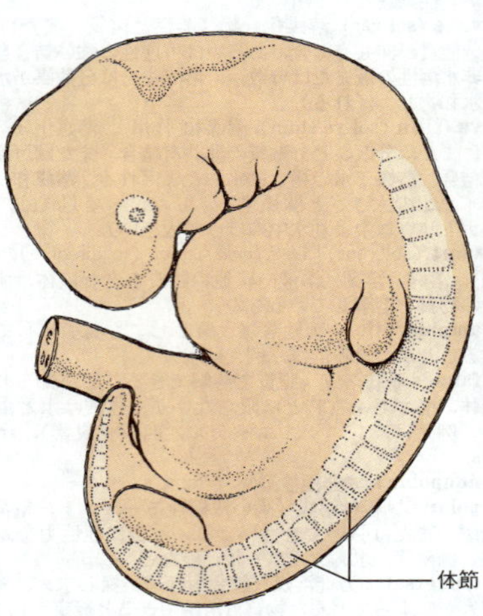

somites
29日目のヒト胎芽.

occipital s. 後頭原節（胎児頭蓋の後頭部となる 4 個のうち，最も口側の体節の 1 つ).

som·nam·bu·lance (som-nam′byū-lănts). =somnambulism (1).

som·nam·bu·lism (som-nam′byū-lizm) [L. *somnus*, sleep + *ambulo*, to walk]. 夢遊〔症〕（①複雑な運動性行為も絡んだ一種の睡眠障害で，主として夜中の前半の 1/3 くらいまでに起こり，レム睡眠期には起こらないとされている. =oneirodynia activa; sleepwalking; somnambulance. ②行動が何の目的かを忘れてしまうヒステリーの一型).

som·nam·bu·list (som-nam′byū-list). 夢遊症〔患〕者. =sleepwalker.

som·ni·fa·cient (som′ni-fā′shĕnt) [L. *somnus*, sleep + *facio*, to make]. =soporific (1).

som·nif·er·ous (som-nif′ĕr-ŭs) [L. *somnus*, sleep + *fero*, to bring]. =soporific (1).

som·nif·ic (som-nif′ik). =soporific (1).

som·nil·o·quence, som·nil·o·quism (som-nil′ŏ-kwens, -kwizm) [L. *somnus*, sleep + *loquor*, to talk]. 寝言(ねごと)（①睡眠中にしゃべったり，ぶつぶつ言うこと. =sleeptalking (1). ②=somniloquy).

som·nil·o·quist (som-nil′ŏ-kwist). 寝言を言う癖のある人.

som·nil·o·quy (som-nil′ŏ-kwē) [L. *somnus*, sleep + *loquor*, to speak]. 催眠談話（催眠暗示の影響下で話すこと). =sleeptalking (2); somniloquence (2); somniloquism.

som·no·lence, som·no·len·cy (som′nō-lĕns, -len-sē) [L. *somnolentia*]. =somnolentia (1). *1* 傾眠. =sleepiness. *2* 感覚が鈍くなった状態.

som·no·lent (som′nō-lĕnt) [L. *somnus*, sleep]. *1* 傾眠の. *2* 昏蒙の（不完全睡眠の状態についていう).

som·no·len·ti·a (som′nō-len′shē-ă) [L.]. *1* 傾眠. =somnolence. *2* 宿酔. =sleep *drunkenness*.

som·no·les·cent (som′nō-les′ĕnt). 嗜眠の.

som·no·lism (som′nō-lizm). =hypnotism (1).

somnoplasty (som-nō′plas′tē). ソムノプラスティ（睡眠時無呼吸の治療に用いられるラジオ波焼灼法．ラジオ波のエネルギーが過剰な組織を減らし，気道を開くために軟口蓋あるいは舌根領域を焼灼するために用いられる).

Somogyi (sō-mō′jē), Michael. 米国人生化学者，1883－1971. →S. *effect*, *method*, *unit*.

Sondermann (son′dĕr-mahn), R. 20 世紀のドイツ人眼科医. →S. *canal*.

sone (sōn) [L. *sonus*, sound]. ソーン（音の大きさの単位.

正常可聴閾値以上の音について，40 dB の 1,000 Hz の純音の大きさが1ソーンである）.

son·ic (son′ik) [L. *sonus*, sound]. 音性の（音の，音に関する，あるいは音によって起こることについていう．例えばソニックバイブレーション）.

son·i·cate (son′i-kāt). 音波破砕する（懸濁液中の細胞または微生物に高周波音波を当てて破砕する）.

son·i·ca·tion (son′i-kā′shŭn). 音波破砕（音波エネルギーを用いて生物材料を破砕する操作）.

son·i·fi·ca·tion (son′i-fi-kā′shŭn). 音あるいは音波をつくり出すこと．

son·i·fi·er (son′i-fī′ĕr). 音波発生器．特にある特定の周波数の音を発生させる機器をいう．

son·i·fy (son′i-fī). 音をつくり出す．

Son·ne (son′ĕ), Carl. デンマーク人細菌学者，1882—1948.

son·o·chem·is·try (son′ō-kem′is-trē). 音化学（音，特に超音波により起こる，またはそれらに含まれる化学変化に関する化学の分野）.

son·o·gram (son′ō-gram) [L. *sonus*, sound + G. *gramma*, a drawing]. ソノグラム，音波検査図（[本語および関連語の第1音節を sōn- と誤って発音するのを避けること(soun- ではなく san が正しい)]）. = ultrasonogram.

son·o·graph (son′ō-graf) [L. *sonus*, sound + G. *graphō*, to write]. ソノグラフ，音波検査器. = ultrasonograph.

so·nog·ra·pher (sŏ-nog′ră-fĕr). 音波検査者. = ultrasonographer.

so·nog·ra·phy (sŏ-nog′ră-fē) [L. *sonus*, sound + G. *graphō*, to write]. = ultrasonography.

son·o·lu·cent (son′ō-lu′sĕnt) [L. *sonus*, sound + L. *luceo*, to shine]. 無響の（超音波診断において，反響がわずかしかないか，まったくないこと．音波透過性 transonic あるいは無反響性 anechoic の誤称. → anechoic）.

son·o·mi·crom·e·ter (son′ō-mī-krom′ĕ-tĕr). ソノミクロメーター（手術的に植え込まれた超音波容積測定器で，壁の厚さと心臓の動きを測定する）.

son·o·mo·tor (son′ō-mo′tŏr). 音運動性（→ sonomotor *response*）.

so·phis·ti·cate (sō-fis′ti-kāt) [Mod.L. *sophisticare*, pp. *sophisticatus*, to alter deceptively < G. *sophistikos*, deceitful]. 混ぜものをして質を落とす．

soph·o·re·tin (sof′ŏ-rē′tin). ソフォレチン. = quercetin.

so·por (sō′pōr). 昏眠（不自然なまでに深い眠り）.

so·po·rif·er·ous (sō′pō-rif′ĕr-ŭs) [L. *soporifer* < *sopor*, deep sleep + *fero*, to bring]. = soporific (1).

so·po·rif·ic (sō′pō-rif′ik) [L. *sopor*, deep sleep + *facio*, to make]. ***1***〖adj.〗催眠性の. = somnifacient; somniferous; somnific; soporiferous. ***2***〖n.〗催眠薬. = hypnotic (2).

so·po·rose, so·po·rous (sō′pŏ-rōs, -rŭs) [L. *sopor*, deep sleep]. 昏睡の（異常なほどの深い眠りをさす）.

sor·be·fa·cient (sōr′bĕ-fā′shĕnt) [L. *sorbeo*, to suck up + *facio*, to make]. ***1***〖adj.〗吸収促進の. ***2***〖n.〗吸収促進薬（吸収を起こす，または促進する薬剤）.

sor·bic ac·id (sōr′bik as′id). ソルビン酸（バラ科ナナカマド *Sorbus aucuparia* の漿果から得られるか，または合成される防腐薬．イーストおよびカビの生育を妨げ，人体にはほとんど無害である）.

sor·bin (sōr′bin). ソルビン. = L-sorbose.

sor·bin·ose (sōr′bin-ōs). = L-sorbose.

sor·bi·tan (sōr′bi-tan). ソルビタン（ソルビトールまたはソルボースおよびその関連化合物が脂肪酸，短鎖のオリゴ(エチレンオキシド)側鎖およびオレイン酸末端とポリソルベート80 のような洗浄剤をつくるためにエステル結合したもの）.

sor·bite (sōr′bīt). ソルバイト. = sorbitol.

sor·bi·tol (sōr′bi-tol). ソルビトール（グルコースおよびソルボースの還元物質で，バラ科ナナカマド *Sorbus aucuparia* の漿果，多くの果実，海藻にみられる．工業的・製薬学的用途が多い．医学的には緩下薬および甘味料として用いる．ほぼ完全に代謝され，二酸化炭素となる．1型糖尿病で蓄積して浸透圧性の障害を引き起こす）. = sorbite.

D-sor·bi·tol-6-phos·phate de·hy·dro·gen·ase (sor′bi-tol-fos′fāt dē-hī′drō-jen-ās). D-ソルビトール-6-リン酸デヒドロゲナーゼ（NAD を水素受容体または供与体として，D-ソルビトール 6-リン酸と D-フルクトース 6-リン酸との相互変換をするオキシドレダクターゼ．レンズにおけるフルクトース代謝の重要な過程）. = ketose reductase.

sor·bi·tose (sōr′bi-tōs). ソルビトース. = L-sorbose.

L-sor·bose (sōr′bōs). L-ソルボース（非常に甘く，還元性であるが発酵しない 2-ケトンヘキソースで，バラ科ナナカマド *Sorbus aucuparia* 漿果から得られ，また *Acetobacter suboxydans* の発酵作用によりソルビトールから得られる．フルクトースの異性体．ビタミンCの工業的製造に用いる）. = sorbin; sorbinose; sorbitose.

sor·des (sōr′dēz) [L. fifth < *sordeo*, to be foul]. 煤色苔，汚物（慢性衰弱性疾患で，脱水状態にあるヒトの唇，歯，歯肉上の暗褐色または黒みがかった痂皮様のものが積もったもの）.

sore (sōr) [A.S. *sār*]. ***1*** びらん，ただれ，潰瘍（創傷，潰瘍，その他開放皮膚病巣）. ***2*** 触痛，痛み，圧痛.

bed s. とこずれ，褥瘡（→ bedsore）.

canker s.'s = aphtha (2).

cold s. *herpes* simplex の口語.

Delhi s. デリー潰瘍. = Oriental s.

desert s. 砂漠潰瘍（慢性，非特異性の皮膚潰瘍で，化膿性とされ，一般に，脛，膝，手，前腕によく生じる．熱帯・砂漠地帯にみられ，膿瘡の変型と思われる）. = veldt s.

hard s. 硬性下疳. = chancre.

Lahore s. ラホレ潰瘍. = Oriental s.

Natal s. ナタール潰瘍（皮膚リーシュマニア症の病変）.

Oriental s. 東邦腫，東方腫（→ cutaneous *leishmaniasis*）. = Delhi s.; Lahore s.

pressure s. とこずれ，褥瘡. = decubitus *ulcer*.

soft s. 軟性下疳. = chancroid.

tropic s. 熱帯潰瘍（→ cutaneous *leishmaniasis*）. = tropic *ulcer* (1).

veldt s. 草原瘡. = desert s.

venereal s. 軟性下疳. = chancroid.

sore·mouth (sōr′mowth). = orf.

Sörensen (sōr′ĕn-sĕn), Sören P.L. オランダ人化学者，1868—1939. → S. *scale*.

Soret (sō-rā′), C. 20世紀初頭のフランス人放射線科医. → S. *band*, *phenomenon*.

so·ro·che (sō-rō′chē) [Sp.(orig. ore. 以前は山脈の鉱石の毒物発散によると考えられていた)]. ソローチェ. = altitude *sickness*.

chronic s. 慢性ソローチェ. = chronic mountain *sickness*.

sorp·tion (sōrp′shŭn). 吸着，吸収.

Sorsby (sōrz′bē), Arnold. 英国人眼科医．1900—1980. → S. macular *degeneration*, *syndrome*.

s.o.s. ラテン語 *si opus sit*(必要あれば)の略.

So·tos (sō′tōs), J.F. 20世紀の米国人小児科医. → S. *syndrome*.

Sot·tas (sō′tahz), Jules. フランス人神経科医，1866—1943. → Dejerine-S. *disease*.

souf·fle (sū′fĕl) [Fr. *souffler*, to blow]. 雑音（聴診の際に聞こえる緩やかな灌水様の音）.

cardiac s. 心雑音（緩やかな風が吹いているような心臓の雑音）.

fetal s. 胎児雑音（灌水様の雑音，胎児の心臓拍動の同調性で，収縮期だけのこともあり連続的のこともある．妊娠子宮の聴診時に聞かれる）. = funic s.; funicular s.; umbilical s.

funic s., funicular s. = fetal s.

mammary s. 乳房雑音（妊娠後期，授乳期に乳房の内側縁に聞こえる灌水様の雑音で，収縮期だけのこともあり連続的のこともある）.

placental s. 胎盤雑音. = uterine s.

umbilical s. 臍帯雑音. = fetal s.

uterine s. 子宮雑音（母体の心収縮と同調性の灌水様音で，妊娠子宮の聴診時に聞こえる）. = placental s.

Soulier (sūl-yā′), Jean Pierre. フランス人血液学者，1915—1985. → Bernard-S. *disease*, *syndrome*.

sound (sownd). ***1***〖n.〗音，音響（発音体によりつくられる振動で，空気または他の媒体により伝播され，内耳より感知される）. ***2***〖n.〗ゾンデ，消息子（細長い円筒状で通常，彎曲している金属性の器械．膀胱または他の体腔を探査するため，尿道，食道，または他の管の狭窄を拡大するため，体腔の管腔径を測るため，あるいは体腔内の異物を探索するために用いる）．***3***〚v.〛ゾンデにより体腔を探査または測定する．***4***〚adj.〛健全な，無傷の．

adventitious breath s.'s 副呼吸音（異常肺の聴診で聴取される音．→rale; rhonchus; crackle; crepitation; wheeze; rub; crunch）．

after-s. →aftersound.

amphoric voice s. →amphoric *voice*.

anvil s. ＝bellmetal *resonance*.

atrial s. 心音の第４音．＝fourth heart s.

auscultatory s. 聴診音（胸部または腹部の聴診により聞かれるラ音，雑音，振とう音，またはその他の音）．

bell s. 鈴様音．＝bellmetal *resonance*.

bowel s.'s 腸音（下部消化管内を腸内容が送られることにより生じる比較的高音の腹部の音）．

breath s.'s 呼吸音（肺または他の気道部分の聴診で聞こえる雑音，振水音，振とう音，呼吸副雑音またはラ音）．＝respiratory s.'s.

bronchial breath s.'s 気管支性呼吸音．＝bronchial *breathing*.

bronchovesicular breath s.'s 気管支肺胞性呼吸音（気管支性呼吸音と肺胞性呼吸音の中間型呼吸音．これらは病的であるが，前胸部第一・第二肋間あるいは背部肩甲骨間では，正常である）．

Campbell s. (kam′běl). キャンベルゾンデ（小型のゾンデで，円形の先端は短いくちばし様．若い男性の尿道深部用は特に彎曲している）．

cannon s. 大砲雑音．＝*bruit* de canon.

cardiac s. 心音．＝heart s.'s.

cavernous voice s. 空洞声音（→cavernous *voice*）．

coconut s. ココナッツ音（砕けたココナッツを軽く打ったときに出る音に似ている．変形性骨炎患者の頭蓋打診の際に聞こえる）．

complex s. 複雑音（波長の異なる音からなる音）．

cracked-pot s. ＝cracked-pot *resonance*.

Davis interlocking s. (dā′vĭs). デーヴィス連結型ゾンデ（雄性と雌性の先端を有する彎曲した２種よりなる．尿道破裂の治療でカテーテルを膀胱に導入するために用いる．雄性のゾンデは尿道口を経由して遠位部の尿道に誘導される．雌性のゾンデは膀胱切開後に膀胱頸部を抜けて下方に通過し，近位の尿道に通される．２つの器具の先端をつなぎ合わせて，雌性のゾンデで雄性のゾンデを膀胱の上方へ導く．カテーテルは雄性のゾンデの先端に縫合され，尿道を通過させて回収し，管腔の連続性を修復する）．

double-shock s. ＝*bruit* de rappel.

eddy s.'s 渦動音（動脈管開存症の連続した雑音を中継させ，非常にまばらに聞こえる音）．

ejection s.'s 駆出音（高血圧状態の大動脈や肺動脈に由来する駆出性の，または大動脈や肺動脈弁の狭窄（特に先天性の）に伴うクリック様の心音）．

first heart s. (S_1) 第１音（心室収縮期に主に房室弁の閉鎖によって生じる心音）．

fourth heart s. (S_4) 第４音（心室充満期に心房の収縮に伴って生じる拡張末期の心音で，心室の拡張能が低下した状態に認められる．これは心室機能の低下した老齢者では正常に認められる低周波性の振動音で，これが触知可能なほどに大きく若年者に起これば異常である．心肥大や特に高血圧に伴って発症し，心筋梗塞の場合にはほとんど必発である．第４音は左右の片側または両心室から発生する）．＝atrial s.

friction s. 摩擦音（聴診により聞こえる音で，炎症性滲出液により，または非癒着性の慢性の線維症によりでこぼこになった向かい合う漿膜面がこすられることにより起こる）．＝friction murmur; friction rub.

gallop s. 奔馬調音（第３音または第４音異常で，これが第１音と第２音に加わると，三重の奔馬調韻律をつくり出す．→gallop）．

heart s.'s 心音（心周期の間に筋肉の収縮，および弁の閉鎖によって起こる音．→first heart s.; second heart s.; third heart s.; fourth heart s.）．＝cardiac s.; heart tones.

hippocratic succussion s. ヒポクラテス振水音．＝hippocratic *succussion*.

Jewett s. (jew′ět). ジューエト（ジュウェット）ゾンデ（前尿道を拡張するために用いる真っすぐな短いゾンデ）．

Korotkoff s.'s (kŏ-rot′kof). コロトコフ音（聴診法により血圧を測定するとき動脈上に聞こえる特有な音で，収縮期血圧以下まで駆血する圧力が低下したときに聴取される）．

Le Fort s. (lě fōrt′). ル・フォールゾンデ（先端が彎曲している糸状ブジー．男性で尿道狭窄のため内腔が小さい場合，あるいは仮性尿道が標準型ゾンデあるいはカテーテルの安全な通過を妨げている場合に，尿道の閉塞を拡張するために用いる）．

McCrea s. (măk-krā′). マックリー（マックレー）ゾンデ（乳幼児の尿道を拡張するために用いる緩やかに彎曲したゾンデ）．

Mercier s. (měr-sē-ā′). メルシェゾンデ（その突出部が短くほとんど直角に曲がっているカテーテル）．

muscle s. 筋音（腹部の収縮する筋肉上に聴診器を当てると聞こえる細い雑音）．

percussion s. 打診音（体腔上をたたくことによって起こる音）．

pericardial friction s. 心膜摩擦音（前後にきしるようなガリガリまたはギーギーする音で，ある種の心膜炎患者の心臓上で聞こえる．心臓の収縮時および弛緩時に炎症を起こした心膜面の摩擦により起こる．通常の洞調律では三相性だが，単相性や二相性のこともある）．＝pericardial rub; pericardial friction rub.

pistol-shot s. ピストル〔様〕音（大動脈閉鎖不全のときに軽度に大動脈を圧迫するために生じる心音．時々圧迫がなくても生じる）．

pistol-shot femoral s. ピストル射撃大腿動脈音（射撃様の収縮音で，拍出量の多い状態，特に大動脈弁閉鎖不全症において大腿動脈上で聞こえる．動脈の弾性壁が急に伸張するために起こると考えられる．ピストル音は他の比較的大血管，例えば上腕や橈骨動脈の上でも聞こえる）．

posttussis suction s. 咳そう後吸入音（咳によって空になった肺の空洞へ粘液または膿のしずくが戻ることによって起こる音）．

respiratory s.'s 呼吸音．＝breath s.'s.

sail s. 帆音（帆船のピシッという音に似た音で，Ebstein奇形を有する患者の一部において認められる異常な第１音）．

Santini booming s. (sahn-tē′nē). サンティーニ有響音（包虫嚢胞の聴診的打診法で聞こえるブーンと鳴る共鳴音）．

second s. 第２音．＝second heart s.

second heart s. (S_2) 第２音（心臓の聴診で２番目に聞こえる音．拡張期の始まりを意味し，これは大動脈と肺動脈の半月弁閉鎖音による）．＝second s.

Simpson uterine s. (simp′sŏn). シンプソン子宮ゾンデ（子宮腔の計測，頸部の拡張などに用いる可撓性の細長い金属性の棒．婦人科手術中に子宮を様々な位置に保つために用いることもある）．

Sims uterine s. (simz). シムズ子宮ゾンデ（先端から約７cm の小さな突起の付いた可撓性の細いゾンデ．子宮腔の大きさおよび径の測定に用いる）．

splitting of heart s.'s 心音の分裂（第１音および第２音（まれには第３音および第４音）の主成分は左右の弁の閉鎖による．第１音は僧帽弁と三尖弁成分によって構成され，第２音は大動脈弁と肺動脈弁の成分によって構成される．後者は吸気時肺動脈成分が遅れ，また大動脈成分が早くなるため早く，呼吸に伴って分裂して聞こえるときがある）．

succussion s. 振とう音（空気層の下の液体が振とうされたときの音で，例えば胃拡張や胸膜腔の液体と空気（水気胸）などで発生する）．

tambour s. タンブール音．＝*bruit* de tambour.

third s. 第３音．＝third heart s.

third heart s. (S_3) 第３心音（拡張早期に起こり急速心室充満期の第Ⅰ相終期に対応する．小児や若年者では正常に認められるが他の場合は異常である）．＝third s.

tic-tac s.'s チックタック心音．＝embryocardia.

to-and-fro s. 往復音，ブランコ〔様〕音（通常，収縮期と拡張期の両方に聞こえる異常心音で，以前は心外膜の擦過音を意味した）．

tracheal breath s.'s 気管性呼吸音（頸部でのみ聴取され

る大きい，粗々しい，低くこもった呼吸音）.

uterine s. 子宮消息子. ＝hysterometer.

van Buren s. (van byūr′ĕn). ヴァン・ビューレンゾンデ（標準ゾンデで種々の大きさの尿道口に有用である．先端には緩やかな弯曲があり，男性の球部尿道の形に従ってデザインされている．尿道口の測定あるいは拡張に用いる）.

vesicular breath s.'s 肺胞性呼吸音（大部分の肺野の聴診で聴取される正常呼吸のおだやかなサラサラと聞こえる呼吸音）.

waterwheel s. 水車〔様〕心音（心嚢腔内に液体と気体が共存して心拍動に伴ってピチャピチャいう音）.

water-whistle s. 水笛音（気管瘻，肺瘻の上を聴診すると聞こえるブツブツ泡立つような笛音）.

Winternitz s. (vin′ter-nits). ヴィンテルニッツゾンデ（二重の水流を通すカテーテルで，その中では設定した適切な温度の水で循環する）.

xiphisternal crunching s. →Hamman *sign*.

South·ern (sŏth′ĕn), M.E. 20世紀の英国人生物学者. →Southern blot *analysis*.

South·ey (sow′thē), Reginald. イングランド人医師，1835—1899. →S. *tubes*.

SOX10 Waardenburg 4 型症候群遺伝子の遺伝子シンボル.

soy·a (soy′ă) [Hind. *soyā*, fennel]. ＝soybean.

soy·bean (soy′bēn) [Hind. *soyā*, fennel]. ダイズ（攀縁植物であるマメ科のツルマメ *Glycine soja* または *G. hispida* のマメ．蛋白に富み，デンプンをほとんど含まない．ダイズ油の原料で，ダイズ粉末は糖尿病患者用のパンをつくるため，また牛乳を飲めない乳児，および牛乳アレルギーの成人のための給食処方に用いる）. ＝soja; soya.

s. oil ダイズ油（ダイズから圧搾または溶剤抽出により得られる．リノール酸，オレイン酸，リノレン酸のトリグリセリドと飽和脂肪酸を含む．食用に，またマーガリンその他の食品製造に用いる）.

SP sacroposterior *position*; Speech Pathologist（言語病理学者）の略.

SP1 stimulatory *protein* 1 の略.

S/P status post（～後状態）の略.

sp. [L. *spiritus*, spirit]. 【本略号はイタリック体ではなくローマン体で印刷される】. species の略．複数形は spp.

spa (spah) [*Spa*, ベルギーの鉱泉保養地]. 温泉場，温泉療養所（治療に用いる鉱泉が 1 つ以上ある保養地）.

SPACE

space (spās) [L. *spatium*, room, space][TA]. 腔，隙，空間（身体の区切られた部分で，表面の区域，組織の一部，腔などをいう．→area; region; zone）. ＝spatium [TA].

alveolar dead s. 肺胞死腔（生理的死腔と解剖学的死腔との差．相対的に灌流の悪い，またはまったく灌流されない肺胞の換気が原因で生じる生理的死腔のその部分を表している．機能的肺胞と外部環境との間の伝導管内に介在するというよりはむしろ機能的肺胞と並んで，満たしたり空にしたりするように置かれている点が，特異的に異なる）.

anatomic dead s. 解剖学的死腔（吸入した空気が肺毛細血管との間で酸素と二酸化炭素の交換を行いうる個所と，外界すなわち鼻または口との間にある空気の通路の容積．従来は，これが呼吸細気管支の手前までと考えられていたが，近年の研究は，気道の縦軸方向での空気のかくはんが急速に起こっていて，円柱上皮でおおわれた細気管支部の空気もガス交換に関与していることがわかった．*cf.* alveolar dead s.; physiologic dead s.）. ＝anatomic airway.

antecubital s. 肘窩. ＝cubital *fossa*.

anterior clear s. 前〔縦隔〕透亮腔. ＝retrosternal s.

apical s. 歯尖腔（歯槽壁と歯根尖部との間の隙で，歯槽膿瘍が通常できる場所）.

axillary s. 腋窩. ＝axilla.

Berger s. (ber′gĕr). ベルガー腔(隙)（硝子体の膝蓋窩と水晶体の間の腔）.

Bogros s. (bō′grō). ボグロー腔(隙). ＝retroinguinal s.

Böttcher s. (bert′shĕr). ベットヒャー腔(隙). ＝endolymphatic *sac*.

Bowman s. (bō′măn). ボーマン腔(隙). ＝capsular s.

Burns s. (bŭrnz). バーンズ腔(隙). ＝suprasternal s.

capsular s. 包内腔（腎小体嚢の内葉と外葉の間にあるスリット状の空間で，尿細管の頸部にあるネフロン近位尿細管に開口する）. ＝Bowman s.; filtration s.; urinary s.

cartilage s. 軟骨小窩. ＝cartilage *lacuna*.

cavernous s. [TA]. 洞（相互に連絡する多数の小室を有する解剖学的な空洞）. ＝cavern; caverna [TA].

cavernous s.'s of corpora cavernosa [TA]. 陰茎海綿体洞（海綿状の脈管性間隙で，介在する海綿体小柱とともに陰茎の勃起組織を形成する）. ＝cavernae corporum cavernosorum [TA]; caverns of corpora cavernosa; cavities of corpora cavernosa.

cavernous s.'s of corpus spongiosum [TA]. 尿道海綿体洞（男性の尿道海綿体の勃起組織，女性では前庭球を形成する血管腔）. ＝cavernae corporis spongiosi [TA]; caverns of corpus spongiosum; cavities of corpus spongiosum.

central palmar s. 中央手掌間隙（筋膜の手掌間隙のうち内側(尺側)のもので，内側は小指球で境され，遠位は第三・第四指の腱鞘に，近位では屈筋の共同腱鞘につながっている）. ＝medial midpalmar s.; middle palmar s.

Chassaignac s. (shahs-ăn-yahk′). シャセニャック腔(隙)（大胸筋と乳腺の間にある潜在的空隙）.

Cloquet s. (klō-kā′). クロケー腔(隙)（毛様小体と硝子体の間にある空間）.

Colles s. (kol′ēz). コリーズ腔(隙). ＝superficial perineal *pouch*.

corneal s. 角膜間隙（角膜の層板の間にある星状間隙．細胞あるいは角膜小体をもつ）. ＝lacuna (4).

Cotunnius s. (kō-tun′ē-ŭs). コツンニウス腔(隙). ＝endolymphatic *sac*.

(cranial) extradural s. [TA]. 硬膜上腔（硬膜の外層と頭骨との間の空間．病理学的なもので，硬膜上出血で血腫ができたときに現れる）.

dead s. 死腔（①創を閉鎖した後に残存する潜在性または実際上の間隙．外科的な手技によっては閉塞されなかったもの．②→anatomic dead s.; physiologic dead s.）.

deep perineal s.* 深会陰隙（deep perineal *pouch* の公式の別名）. ＝spatium perinei profundum.

denture s. デンチャースペース（①上顎か下顎あるいは上下顎の総義歯で占められる口腔部分．②総義歯に使える上下顎堤間の空隙. →interarch *distance*）.

disc s. 椎間腔（脊椎撮影で，2 つの椎体にはさまれた X 線透過性の部分）.

Disse s. (dis′ĕ). ディッセ腔(隙). ＝perisinusoidal s.

s. of Donders (don′dĕrz). ドンデルス腔(隙)（下顎が呼吸の呼気周期の後，休止位置にあるとき，舌の背と硬口蓋の間にできる隙）.

endolymphatic s. [TA]. 内リンパ腔（膜迷路内部に内リンパが充満する腔所）. ＝spatium endolymphaticum [TA].

epidural s. 硬膜上腔，硬膜外腔（脊柱管壁と脊髄硬膜の間の腔）. ＝extradural s. [TA]; spatium extradurale*; cavum epidurale; epidural cavity.

episcleral s. [TA]. 強膜外隙（眼球鞘と強膜の間の腔）. ＝spatium episclerale [TA]; interfascial s.; spatium interfasciale; spatium intervaginale bulbi oculi; Tenon s.

epitympanic s. 鼓室上陥凹. ＝epitympanum.

extradural s. [TA]. ＝epidural s.

extraperitoneal s. [TA]. 腹膜外腔（腹膜のすぐ外側の疎性結合組織層で，外科的にここで剝離可能である. →retroperitoneal s.）. ＝spatium extraperitoneale [TA].

filtration s. ＝capsular s.

Fontana s.'s (fon-tah′nă). フォンターナ腔(隙). ＝s.'s of iridocorneal angle.

freeway s. 安静腔隙（下顎が生理学的安静位にあるときの上下顎の歯の咬合面間の空隙）. ＝interocclusal clearance; interocclusal distance (2); interocclusal gap; interocclusal rest s. (2).

gingival s. 歯肉溝. ＝gingival *sulcus*.

haversian s.'s ハヴァース腔(隙)（Havers 管の拡大によ

る骨隙).

Henke s. (heng'kĕ). ヘンケ腔(隙). = retropharyngeal s.

His perivascular s. (hiz). ヒス血管周囲腔. = Virchow-Robin s.

infraglottic s. = infraglottic *cavity*.

interalveolar s. 槽間空隙. = interarch *distance*.

intercostal s. [TA]. 肋間隙 (肋骨と肋骨の間隙で，筋肉，静脈，動脈，神経によって満たされている). = spatium intercostale [TA].

interfascial s. 筋膜間腔. = episcleral s.

interglobular s. 球間区 (不完全に石灰化したぞうげ質のマトリックス．ぞうげ質の末梢部の石灰化球の間に認められる). = interglobular dentin; interglobular s. of Owen; spatium interglobulare.

interglobular s. of Owen (ō'wĕn). オーエン球間腔(隙). = interglobular s.

intermembrane s. 膜間腔 (生体二重膜で囲まれた細胞または小器官内の2枚の膜の間の隙間．例えば，ミトコンドリアの内膜と外膜の間の隙間．外基質ともいう. →external *matrix*).

interocclusal rest s. 安静空隙 (① = interocclusal *distance* (1). ② = freeway s.).

interosseous metacarpal s.'s [TA]. 中手骨間隙 (手の中手骨の間の間隙). = spatia interossea metacarpi [TA].

interosseous metatarsal s.'s [TA]. 中足骨間隙 (足の中足骨の間の間隙). = spatia interossea metatarsi [TA].

interpleural s. = mediastinum (2).

interproximal s. 歯間腔，隣接間隙 (歯列弓における隣接歯間の空隙．接触部位まで咬合面鼓形空隙部分と歯肉面空隙とに分けられる).

interradicular s. 根間空隙 (多根歯の根の間にできる空隙).

interseptovalvular s. 中隔静脈洞弁間隙 (第一中隔と静脈洞の左弁の間にある発育中の胎児心臓の間隙).

intersheath s.'s of optic nerve 〔視神経の〕鞘間隙. = intervaginal subarachnoid s. of optic nerve.

intervaginal subarachnoid s. of optic nerve [TA]. 〔視神経の〕鞘間隙 (視神経の内鞘の間隙で，脊髄液で満たされ，クモ膜下腔と連続している). = spatium intervaginale subarachnoidale nervi optici [TA]; intersheath s.'s of optic nerve; Schwalbe s.'s.

intervillous s.'s 絨毛間腔 (母体血を含む胎盤絨毛の間隙で，合胞体栄養細胞層によっておおわれている).

intraretinal s. 網膜内腔 (原始網膜の色素上皮層と神経層との間にある腔．胎生期眼杯の腔をいう．網膜剝離はこの腔が広がって起こる).

s.'s of iridocorneal angle [TA]. 虹彩角膜角間隙 (内皮に裏打ちされた不規則な形の腔所で，小柱網の中にあり眼房水がここを通って硬膜静脈洞に滲み出ていく). = spatia anguli iridocornealis [TA]; ciliary canals; Fontana s.'s.

Kiernan s. (kēr'năn). キールナン腔(隙) (肝臓における小葉間隙). = portal area.

Kretschmann s. (krech'mahn). クレッチュマン腔(隙) (上鼓膜陥凹下の鼓室上窩のわずかな陥凹).

Kuhnt s.'s (kūnt). クーント腔(隙) (眼の後房に通じる毛様体と毛様小帯の間にある浅い憩室または陥凹).

lateral central palmar s. 外側中央手掌間隙，母指球間隙 (筋膜の手掌間隙のうち外側(橈側)のもので，外側は母指球で境され，遠位は示指の腱鞘に，近位では屈筋の共同腱鞘につながっている). = lateral midpalmar s.; thenar s.

lateral midpalmar s. = lateral central palmar s.

lateral pharyngeal s. [TA]. 外側咽頭隙 (咽頭周囲隙のうちで咽頭の左右両側にあるもの). = spatium lateropharyngeum [TA]; spatium pharyngeum laterale [TA].

leeway s. リーウェイスペース (乳犬歯と乳臼歯とそれらの後継永久歯との間の近遠心幅径の総和の差).

leptomeningeal s. クモ膜下腔. = subarachnoid s.

lymph s. リンパ腔 (リンパ液で満たされた組織または血管の隙).

Magendie s.'s (mah-zhan-dē'). マジャンディ腔(隙) (脳溝部位における軟膜とクモ膜の間の隙).

Malacarne s. (mah-lah-kahr'nā). マラカルネ腔(隙). = posterior perforated *substance*.

masticator s. そしゃく筋隙 (深頸筋膜浅層に囲まれた空隙．深頸筋膜浅層は，咬筋，側頭筋の一部，および内側・外側翼突筋を包みこむように下顎骨下縁部で内外二層に分かれ，頬骨弓および頭蓋底に付着している).

Meckel s. (mek'ĕl). メッケル腔(隙). = trigeminal *cave*.

medial midpalmar s. = central palmar s.

mediastinal s. 縦隔. = mediastinum (2).

medullary s. 〔骨〕髄腔 (髄質で満たされた骨髄中心腔と骨梁間の細胞間隙).

middle palmar s. = central palmar s.

midpalmar s. 手掌間隙 (内側・外側のいずれかの手掌間隙をいう).

Mohrenheim s. (mō'ren-hīm). モーレンハイム腔(隙). = infraclavicular *fossa*.

muscular s. of retroinguinal compartment 筋裂孔 (鼡径靱帯の下側の空間の外側部分で，腸腰筋や大腿神経の通路になっている．腸恥筋膜弓によって血管裂孔から分けられる). = lacuna musculorum retroinguinalis [TA]; lacuna musculorum; muscular lacuna.

Nuel s. ニュエル腔(隙) (一方の外側柱状細胞と他方の支持細胞，有毛細胞の間にあるラセン器の間隙).

paraglottic s. 副(傍)声門腔 (側方は甲状軟骨膜と輪状甲状膜で，後方は梨状陥凹粘膜で境界された声門両側の空間．前上方で前喉頭蓋腔に続いている．喉頭癌の声門を越える進展や喉頭外への進展に重要な経路である).

parapharyngeal s. [TA]. 咽頭傍間隙. = pharyngomaxillary s.

Parona s. パローナ腔(隙) (方形回内筋とその上にかぶさる前腕屈筋腱との間の隙間のことで，手根管を経て手掌中心間隙の内側に連絡している).

parotid s. 耳下腺間隙 (側顔面部で下顎骨とその筋のすぐ後方の深いくぼみで，耳下腺が収まっている部位．深頸筋膜に由来する耳下腺線維鞘に取り囲まれ耳下腺床を形成する．この領域の外科手術を施す者は，下顎を前突させるとこの間隙の前後径が増すことを知っているとよい). = bed of parotid gland; parotid recess; recessus parotideus.

perforated s. 有孔質 (→anterior perforated *substance*; posterior perforated *substance*).

perichoroid s. 脈絡外隙. = perichoroidal s.

perichoroidal s. [TA]. 脈絡外隙 (強膜の褐色板と脈絡上板の疎性網目によって満たされた絨毛膜と強膜の間の隙). = spatium perichoroideum [TA]; perichoroid s.

perilymphatic s. [TA]. 外リンパ腔 (迷路の骨部と膜部の間隙). = spatium perilymphaticum [TA]; cisterna perilymphatica.

perineal s.'s →deep perineal s.; superficial perineal s.

perinuclear s. 核膜腔. = *cisterna* caryothecae.

peripharyngeal s. [TA]. 咽頭周囲隙 (咽頭の周囲にあって緩やかな疎性結合組織に満たされた腔所．咽頭外側隙と咽頭後隙に区別される). = spatium peripharyngeum [TA].

periportal s. of Mall (mahl). マル門脈周囲腔 (肝臓の境界板と門脈腔の間の組織腔).

perisinusoidal s. 類洞周囲腔 (肝臓洞様構造と肝実質細胞の間にある潜在性の脈管外隙). = Disse s.

perivitelline s. 卵黄周囲腔 (卵黄膜と透明帯の間にある隙で受精直後，卵巣に現れる).

personal s. 個人空間 (行動科学において，意識的あるいは無意識的に個人が1個または複数の個体に対してとる物理的空間をさす用語．個人空間は，対人関係における身体的緩衝帯の役目を果たす．適切と判断される距離は人種や文化によって非常に幅がある).

pharyngeal s. 咽頭腔 (咽頭(鼻部，口部，喉頭部)により占められる区域．咽頭後隙と混同しやすい).

pharyngomaxillary s. 咽頭上顎隙 (咽頭，頸椎，内側翼突筋の後壁によって区別された隙). = parapharyngeal s. [TA]; spatium parapharyngeum☆.

physiologic dead s. (V_D) 生理学的死腔 (解剖学的死腔および肺胞死腔の総量．Bohr 式において，全身動脈血中の炭酸ガス分圧が肺胞ガスの炭酸ガス分圧の代わりに用いるときに算定される死腔．肺の換気，拡散の分布が均等でないためのガス交換の減少を計算に入れた実質上のまたは外見上の量である).

plantar s. 足底間隙（足の筋膜間にある 4 つの区域．足が感染すると，この部分に膿がたまる).

pleural s. 胸膜腔．＝pleural *cavity*.

pneumatic s. 含気腔（副鼻腔の別名).

Poiseuille s. (pwah-swē′). ポワズーユ(ポワセイユ)腔(隙). ＝still *layer*.

popliteal s. 膝窩，ひかがみ．＝popliteal *fossa*.

postpharyngeal s. ＝retropharyngeal s.

precarinal s. 気管周囲腔（前方に上行大動脈，後方に気管分岐部，左方に左肺動脈，右方に右肺動脈にはさまれた腔所．その腔所には脂肪，線維性結合組織，気管大動脈，リンパ節が収まる).

preepiglottic s. 前喉頭蓋腔（前方は甲状舌骨膜と甲状軟骨膜上部で，上方は舌骨喉頭蓋靱帯で，下方は甲状喉頭蓋靱帯で境界される空間．側方では副(傍)声門腔へと続く．喉頭蓋の舌骨下部の癌は前喉頭蓋腔へ進展することが多い).

presacral s. ＝retrorectal s.

prevesical s. 膀胱前腔．＝retropubic s.

Proust s. (prūst). プルス腔(隙). ＝rectovesical *pouch*.

Prussak s. (prū′sahk). プルサク腔(隙). ＝superior *recess* of tympanic membrane.

pterygomandibular s. 翼突下顎窩（下顎枝と蝶形骨翼状突起の間にある区域).

quadrangular s. 四角間隙（腋窩神経・後大腿回旋動脈とその伴行静脈が腋窩から上腕上後部に続く通路を形成する筋腱性構造．前方から血管神経が進入するところでは，上方は肩関節，内側は肩甲下筋外側縁，外側は上腕骨外科頸，下方は広背筋腱によって境される．後方で出ていくところでは，上方は小円筋，内側は上腕三頭筋の長頭，外側は上腕三頭筋の外側頭，下方は大円筋と腱によって境される．内部を通過する血管神経はここを出ると三角筋の下面にゆき，これに分布する). ＝quadrilateral s.

quadrilateral s. ＝quadrangular s.

Reinke s. (rīn′kĕ). ラインケ腔（声帯ひだの粘膜固有層と外弾性板との間に生じる間隙浅層の粗な結合織．この部分の浮腫により嗄声が生じる).

respiratory dead s. 呼吸器死腔（呼吸道または 1 回呼吸で肺臓の毛細血管との間で酸素と二酸化炭素の交換ができない部分．解剖学的死腔と生理学的死腔とを区別しない一般用語).

retroadductor s. 内転筋後隙（手の母指内転筋と第一背側骨間筋との間の潜在的間隙).

retroinguinal s. [TA]. 鼡径後隙（腹膜と腹横筋の筋膜の間にある三角形の間隙で，その下角に鼡径靭帯がある．外腸骨動脈の下方部分が通過する). ＝spatium retroinguinale [TA]; Bogros s.

retromylohyoid s. 顎舌骨筋後窩（顎舌骨筋線の後端の溝).

retroperitoneal s. [TA]. 腹膜後隙（壁側腹膜と後腹壁の筋や骨との間の隙). ＝spatium retroperitoneale [TA]; retroperitoneum.

retropharyngeal s. [TA]. 咽頭後隙（咽頭周囲隙のうちで咽頭の後方にあるもの). ＝spatium retropharyngeum [TA]; Henke s.; postpharyngeal s.

retropubic s. [TA]. 恥骨後隙（膀胱およびその関連筋膜と恥骨および前腹壁との間の疎性結合組織部分). ＝spatium retropubicum [TA]; cavum retzii; Retzius cavity; Retzius s.; prevesical s.

retrorectal s. 直腸後隙（直腸の後方で，後側の仙骨と尾骨上部の前方にある疎性結合組織部分). ＝presacral s.

retrosternal s. 胸骨後〔含気〕腔（胸部 X 線側面像において，胸骨の背側で上行大動脈の腹側の領域). ＝anterior clear s.

retrozonular s. [TA]. 毛様小帯後腔（眼球で硝子体の前で毛様小帯の後ろの空間). ＝spatium retrozonulare [TA].

Retzius s. (ret′zē-ŭs). レッチウス腔(隙). ＝retropubic s.

Schwalbe s.'s (shwahl′bĕ). シュヴァルベ腔(隙). ＝intervaginal subarachnoid s. of optic nerve.

(**spinal**) **epidural space** [TA]. 脊髄硬膜上腔（脊髄を包む硬膜のすぐ上の腔所で，脂肪が充満し内椎骨静脈叢がある). ＝spatium peridurale*.

subarachnoid s. [TA]. クモ膜下腔（クモ膜と軟膜の間の空間で，繊細な線維性の柱が縦走し脳脊髄液で満たされている．軟膜は脳および脊髄の表面に直接付着するため，脳表面が深く陥凹する所(大脳皮質の深溝など)ではこの空間は非常に広がる．この広がりを槽とよぶ．脳および脊髄に分布する大血管はすべてクモ膜下腔に浮遊して存在する). ＝spatium leptomeningeum [TA]; spatium subarachnoideum [TA]; cavum subarachnoideum; leptomeningeal s.; subarachnoid cavity.

subchorial s. 絨毛膜下腔（絨毛膜板直下の胎盤部分で，不規則な脈管路と連結して周縁静脈洞を形成している). ＝subchorial lake.

subdural s. [TA]. 硬膜下腔（当初は硬膜とクモ膜の間の脳脊髄液の満ちた狭い腔所と考えられていたが，現在では外傷などの病的過程で出現するものとみなされている．健康な状態ではクモ膜は硬膜と軽く接触しており，硬膜下腔は自然の状態では出現しない). ＝spatium subdurale [TA]; cavum subdurale; subdural cavity; subdural cleavage; subdural cleft.

subgingival s. 歯肉溝．＝gingival *sulcus*.

subhepatic s. [TA]. 肝下陥凹（肝臓臓側面と横行結腸との間の隙間). ＝recessus subhepaticus [TA]; subhepatic recess.

subphrenic s. [TA]. 横隔下陥凹（肝臓の前方部と横隔膜との間にできる腹膜腔中の陥凹で，肝鎌状間膜により左右に分けられる). ＝recessus subphrenicus [TA]; subphrenic recesses; suprahepatic s.'s.

superficial perineal s.* [TA]. 浅会陰隙（superficial perineal *pouch* の公式の別名).

suprahepatic s.'s ＝subphrenic s.

suprasternal s. [TA]. 胸骨上窩（前頸静脈が通る胸骨柄上にある頸筋膜の深層と表層との間にある狭い間隙). ＝spatium suprasternale [TA]; Burns s.

Tarin s. (tah-ran[h]′). タラン腔(隙). ＝interpeduncular *cistern*.

Tenon s. (tĕ-non′). トノン(テノン)腔(隙). ＝episcleral s.

thenar s. ＝lateral central palmar s.

Traube semilunar s. (trow′bĕ). トラウベの半月腔，三日月腔（約 12 cm 幅の半月腔で，内側は胸骨の左縁により，上方は第六肋軟骨から中腋窩線内で第八肋骨または第九肋骨の下縁へ至る斜線により，下方は肋骨弓により境界付けられる．この部分の打診音は正常の場合は鼓音で，これはその下に胃があるためであるが，肺気腫，胸水または腫大した脾によって変化する).

Trautmann triangular s. (trowt′mahn). トラウトマン三角腔(隙)（S 状静脈洞，上錐体静脈洞，および後半規管の切線によって区切られた側頭骨の部分).

urinary s. 原尿腔．＝capsular s.

vascular s. of retroinguinal compartment [TA]. 血管裂孔（鼡径靭帯の下の空間のうち中央の部分で，大腿へいく脈管が通る．腸恥筋膜弓によって筋裂孔と分けられている). ＝lacuna vasorum retroinguinalis [TA]; lacuna vasorum; vascular lacuna.

vertebral epidural s. 〔脊髄〕硬膜上腔（→spinal *dura mater*).

Virchow-Robin s. (vĕr′kow rō-ban[h]). フィルヒョー－ロバン腔(隙)（クモ膜下腔から脳または脊髄にいく血管を取り巻くクモ膜下腔のトンネル様拡張．溝の内側は軟膜と星状膠細胞の脚からなる．毛細管，神経細胞の周りの腔は連続的ではないと思われる). ＝His perivascular s.

Waldeyer s. (vawl′dīr). ヴァルダイアー(ワイダイエル)腔(隙). ＝Waldeyer *sheath*.

Westberg s. (vast-berg′). ヴェストベルク腔(隙)（心膜に包まれた大動脈の起点を取り囲む腔).

zonular s.'s [TA]. 小帯隙（眼の水晶体の赤道部にある毛様小体の線維間の隙). ＝spatia zonularia [TA]; Petit canals.

---

spa·cer (spā′sĕr). スペーサー，吸入補助器具（定量噴霧式吸入器に取り付ける装置で，吸入された薬物の送達を補助する). ＝extension tube; holding chamber.

spac·ing (spās′ing). スペーシング（間隔をあけるあるいは

調整すること).

third s. サードスペーシング（細胞外液の血管内から他の体の区域への喪失).

spa·gyr·ic (spă-jir′ik)［G. *spaō*, to tear open + *ageirō*, to collect］. スパジリズムの（種々の化学物質による疾病治療に重点を置いている，Paracelsus 式または錬金術式の医学について いう).

spag·y·rist (spaj′i-rist). スパジリスト（疾病の理解，治療において化学的な知識や錬金術の知識が最も重要であると信じた Paracelsus の教えに従う医師達の16 世紀の学派).

spall (spawl). 破砕（①断片．②破壊して断片にすること).

Spal·lan·za·ni (spahl-ahn-zahn′ē), Lazaro. イタリア人聖職者・科学者，1729—1799. →S. *law*.

spal·la·tion (spaw-lā′shŭn)［M.E. *spalle*, fragment］. ***1*** 切断，分断. ＝fragmentation. ***2*** 破砕〔反応〕（原子核反応の一種で，原子核が高エネルギー粒子の衝撃を受けて，多数の陽子とアルファ粒子を放出する).

span (span). スパン（2点間の量，距離または長さ．区域，広がり).

attention s. 注意持続期間（物事に人が集中し続けられる時間の長さ).

memory s. 記憶範囲（(聴覚または視覚的に) 1回提示した後に再生される項目数の最大値).

spar·ga·no·ma (spar′gă-nō′mă). スパルガノーマ（孤虫症の結果生じる限局性腫瘤).

spar·ga·no·sis (spar′gă-nō′sis). 孤虫症（ある種の条虫のプレロセルコイドやスパルガヌムの感染で，感染した肉を湿布として用いることによる皮膚の炎症部にみられる．感染は，スパルガヌムの中間宿主あるいは媒体である調理しないカエル，ヘビ，哺乳類，鳥などの摂取でも起こる．しかし本症は，ヒトには感染しない *Spirometra* 属の種の条虫感染症であるので，裂頭条虫属 *Diphyllobothrium* の幼虫をもった魚の摂取では起こらない．また本症は，プロセルコイドに感染したケンミジンコ *Cyclops* を含む水を飲んでも起こりうる).

ocular s. マンソン孤虫 *Spirometra mansoni* の眼瞼への感染症．眼瞼の潮紅および浮腫，流涙，眼瞼下垂を特徴とする．感染したカエルの生肉を眼に接触させることにより生じる.

spar·ga·num (spar′gă-nŭm)［G. *sparganon*, a swathing band ＜ *spargō*, to swathe］. スパルガヌム，孤虫（初めは属として示されたが，現在ではある種の条虫のプレロセルコイド段階に対してのみ用いられる).

spar·te·ine (spar′tē-ēn, -tē-in). スパルテイン（エニシダ *Cytisus scoparius* とキバナノハウチワマメ *Lupinus luteus* の乾燥した先端から得られるアルカロイド．硫酸スパルテインは分娩促進薬として用いられた). ＝lupinidine.

spasm (spazm)［G. *spasmos*］. 痙縮，痙攣（1つ以上の筋群の突然の不随意収縮で，痙攣や拘縮を含む). ＝muscle s.; spasmus.

s. of accommodation 調節痙攣(痙縮)（毛様体筋の収縮過剰).

anorectal s. 肛門直腸痙縮. ＝*proctalgia* fugax.

Bell s. (bel). ベル痙攣. ＝facial *tic*.

cadaveric s. 死体硬直（四肢の運動に関与する各種筋肉が順不同に起こす死後の硬直).

canine s. 痙笑. ＝*risus* caninus.

carpopedal s. 手足痙攣(痙縮)（手足の痙縮，過換気，カルシウム欠損，テタニーにおいてみられる．手首や中手指節関節における屈曲，指骨関節における伸展．くるぶしにおいて足が背屈し，足指底が屈曲する).

diffuse esophageal s. 汎発性食道痙攣（食道壁の筋肉の異常な収縮．痛みやえん下困難を起こす．酸性の胃内容物の逆流に反応して生じる).

epidemic transient diaphragmatic s. ＝epidemic *pleurodynia*.

epileptic s. てんかん性痙攣(痙縮)（突然の屈曲・伸展または伸展・屈曲を特徴とする痙攣，主に体幹の筋肉などの近位筋にみられる．ミオクローヌスよりも持続が長いが，強直性痙攣よりも持続が短いことが多い．ミオクローヌスから強直性痙攣の間の持続する発作が群になって起こることが多い).

esophageal s. 食道痙攣（食道の運動性の異常で，食物を飲み込んだ後の痛みや強制的なおくびを特徴とする．食道の筋肉収縮が必要以上の力で必要以上に持続する．胸痛は心臓や他臓器の症状と混同される).

facial s.［MIM*134300］. 顔面痙攣. ＝facial *tic*.

habit s. 習慣性痙縮. ＝tic.

hemifacial s. 片側顔面痙攣（顔面筋の片側不随意発作性収縮を特徴とする顔面神経の疾患．2秒から数秒間続く運動単位の高頻度興奮による．橋から出る付近で同側の顔面神経が血管奇形に圧迫されたり，後頭蓋窩の腫瘍により同側の顔面神経が圧迫されたりして起こることも，特発性に起こることもある).

infantile s. 点頭痙攣（West 症候群の乳児にみられる短時間(1－3秒)の筋痙攣．しばしばうなずきや額手の礼のようにみえる). ＝salaam convulsions.

intention s. 意図痙攣，企図痙攣（随意運動をしようとするとき起こる筋肉の痙攣性収縮).

masticatory s. 咬筋痙攣（そしゃく筋に作用する不随意性痙攣性筋収縮).

mobile s. 移動〔性〕痙攣（小児痙性片麻痺において，運動時に起こる緊張性痙縮).

muscle s. 筋痙攣. ＝spasm.

nictitating s. 瞬目痙攣（不随意性痙攣性のまばたき). ＝spasmus nictitans; winking s.

nodding s. 点頭痙攣（①乳児においては，点頭てんかんでみられるような首後部の筋肉の緊張喪失によるか，West 症候群でみられるような首前部の筋肉の緊張性痙攣による頭部の胸部への落下．②成人においては，胸乳突筋の間代性痙攣による精神作用性点頭). ＝salaam attack; salaam s.; spasmus nutans (1).

salaam s. ＝nodding s.

saltatory s. 跳躍性痙攣(痙縮)（下肢筋肉の痙攣性疾患). ＝Bamberger disease (1); Gowers disease (1).

winking s. ＝nictitating s.

spasmo-［G. *spasmos*］. 痙攣を意味する連結形.

spas·mod·ic (spaz-mo′dik)［G. *spasmōdes*, convulsive ＜ *spasmos* + *eidos*, form］. 痙性の.

spas·mo·gen (spaz′mō-jen). スパスモーゲン（平滑筋の収縮を起こす物質．例えばヒスタミン).

spas·mo·gen·ic (spaz′mō-jen′ik)［spasmo- + G. *-gen*, producing］. スパスモーゲンの（痙攣を起こさせることについていう).

spas·mol·y·sis (spaz-mol′i-sis)［spasmo- + G. *lysis*, dissolution］. 鎮痙（痙攣の阻止).

spas·mo·lyt·ic (spaz′mō-lit′ik). ***1***〚adj.〛鎮痙の. ***2***〚n.〛鎮痙薬（平滑筋の痙攣を治療する薬剤).

spas·mus (spaz′mŭs)［L. ＜ G. *spasmos*, spasm］. 痙攣，痙縮. ＝spasm.

s. coordinatus 共働的痙攣，協調痙攣（模倣チックまたは顔面筋痙攣，加速歩行のような強迫運動).

s. glottidis 声門痙攣. ＝*laryngismus* stridulus.

s. nictitans 瞬目痙縮. ＝nictitating *spasm*.

s. nutans 点頭痙攣(痙縮)（①＝nodding *spasm*. ②微小の眼球振とうで，ときに回転(旋)性，ときに一眼性の点頭運動に伴う．6か月から3歳児にみられる).

spas·tic (spas′tik)［L. *spasticus* ＜ G. *spastikos*, drawing in］. ***1*** 緊張過度の. ＝hypertonic (1). ***2*** 痙攣の，痙性の.

spas·tic·i·ty (spas-tis′i-tē). 痙性，痙縮（安静時の筋緊張亢進の一型．受動的伸展に対する抵抗があり，速度依存性で屈筋と伸筋で異なる(すなわち，肘では屈筋に強く，膝では伸筋に強い)．深部腱反射の亢進とクローヌスもみられる.→clasp-knife s.).

clasp-knife s. 折りたたみナイフ〔様〕痙攣（錐体路病変による筋緊張亢進の一型で，筋の受動的伸展に対する異常に亢進した抵抗が突然減少する．典型的には，これは関節運動の最後近くで出現する.→lengthening *reaction*). ＝clasp-knife effect; clasp-knife rigidity.

spa·ti·a (spā′shē-ă)［L.］. spatium の複数形.

spa·tial (spā′shăl). 空間の，〔間〕隙の（［誤ったつづり spacial を避けること］).

spa·ti·um, pl. **spa·ti·a** (spā′shē-ŭm, -shē-ă)［L.］［TA］. 隙. ＝space.

spatia anguli iridocornealis［TA］. 虹彩角膜角隙. ＝

spaces of iridocorneal angle.

s. endolymphaticum [TA]. =endolymphatic *space*.

s. episclerale [TA]. 強膜外隙. =episcleral *space*.

s. extradurale* epidural *space* の公式の別名.

s. extraperitoneale [TA]. 腹膜外隙. =extraperitoneal *space*.

s. intercostale [TA]. 肋間隙. =intercostal *space*.

s. interfasciale 筋膜間腔. =episcleral *space*.

s. interglobulare, pl. **spatia interglobularia** 球間区. = interglobular *space*.

spatia interossea metacarpi [TA]. 中手骨間隙. = interosseous metacarpal *spaces*.

spatia interossea metatarsi [TA]. 中足骨間隙. = interosseous metatarsal *spaces*.

s. intervaginale bulbi oculi =episcleral *space*.

s. intervaginale subarachnoidale nervi optici [TA]. 〔視神経の〕鞘間隙. =intervaginal subarachnoid *space* of optic nerve.

s. lateropharyngeum [TA]. 外側咽頭隙 (→retropharyngeal *space*). =lateral pharyngeal *space*.

s. leptomeningeum [TA]. クモ膜下腔. =subarachnoid *space*.

s. parapharyngeum* 咽頭傍間隙 (pharyngomaxillary *space* の公式の別名).

s. perichoroideum [TA]. 脈絡外隙. =perichoroidal *space*.

s. peridurale* (spinal) epidural *space* の公式の別名.

s. perilymphaticum [TA]. 外リンパ隙. =perilymphatic *space*.

s. perinei profundum 深会陰隙. =deep perineal *space*.

s. perinei superficiale [TA]. 浅会陰隙. =superficial perineal *pouch*.

s. peripharyngeum [TA]. 咽頭周囲隙. =peripharyngeal *space*.

s. pharyngeum laterale [TA]. =lateral pharyngeal *space*.

s. retroinguinale [TA]. =retroinguinal *space*.

s. retroperitoneale [TA]. 腹膜後隙. =retroperitoneal *space*.

s. retropharyngeum [TA]. 咽頭後隙 (→lateral pharyngeal *space*). =retropharyngeal *space*.

s. retropubicum [TA]. 恥骨後隙. =retropubic *space*.

s. retrozonulare [TA]. 毛様小体後隙. =retrozonular *space*.

s. subarachnoideum [TA]. =subarachnoid *space*.

s. subdurale [TA]. 硬膜下腔. =subdural *space*.

s. superficiale perinei [TA]. =superficial perineal *pouch*.

s. suprasternale [TA]. =suprasternal *space*.

spatia zonularia [TA]. 小帯隙. =zonular *spaces*.

spat·u·la (spach′ŭ-lă) [L. *spatha*(a broad, flat wooden instrument)の指小辞 < G. *spathē*]. へら (刃の鋭くないナイフ様の平たい刀で, 薬学において, 硬膏や軟膏をのばすのに用い, 乳棒と乳鉢で賦形剤を混合するのを補助する).

iris s. 虹彩スパーテル (創間から脱出した虹彩を整復するのに使用される扁平な手術器具).

Roux s. (rū). ルー(ロー)へら (ニッケルめっきをした非常に小さいスチール製へらで, ジフテリア膜のような感染した材料を少量とって培養管に移すのに用いる).

spat·u·late (spach′ŭ-lāt). =spatulated. ***1***〚adj.〛へらのような (へらのような形をした, 扇の形をした). ***2***〚v.〛へらで操る (へらで操作したり混ぜたりする). ***3***〚v.〛扇形に切る, 外開きに切る (管腔構造物の切断端を縦に切開し, それを扇形に開くこと. 通常の横あるいは斜め端端吻合よりも大きい口径の楕円形吻合をつくることが可能になる).

spat·u·lat·ed (spach′ŭ-lāt′ĕd). へらで操作する, へらで混ぜる. =spatulate.

spat·u·la·tion (spach′ŭ-lā′shŭn). へら操作 (へらで材料を扱うこと).

Spatz (shpahts), Hugo. ドイツ人神経科・精神科医, 1888—1969. ⇀Hallervorden-S. *disease, syndrome*.

spay (spā) [Gael. *spoth*, castrate, または G. *spadōn*, eunuch]. 卵巣切除 (動物の卵巣を除去すること).

SPCA serum prothrombin conversion *accelerator* の略.

spear·mint (spēr′mint). スペアミント, オランダハッカ, ミドリハッカ (シソ科の *Mentha viridis* または *Mentha cardiaca* の葉と花芽. 駆風薬, 香味薬).

s. oil スペアミント油, ミドリハッカ油 (精油, *Mentha viridis* または *M. cardiaca* の顕花植物の新鮮な地上に出ている部分から水蒸気蒸留で得られる. 香味薬).

spe·cial·ist (spe′shăl-ist). 専門医, 専門家 (ある特殊な専門分野または学問分野に専門的に従事する人).

spe·cial·i·za·tion (spe′shăl-i-zā′shŭn). ***1*** 専門化 (研究や治療に関して, ある特殊な専門分野または学問分野に限定して専門的に業務を行うこと). ***2*** 分化. =differentiation (1).

spe·cial·ize (spe′shăl-īz). 専門にする (専門業務に従事する).

spe·cial·ty (spe′shăl-tē) [L. *specialitas* < *specialis*, special]. 専門 (専門的に専念して従事する医学の特別の学問分野, あるいは科).

spe·ci·a·tion (spē′shē-ā′shŭn). 種分化 (共通の祖先系統から多様な動物あるいは植物の種が形成される進化の過程).

spe·cies, pl. **spe·cies** (spē′shēz) [L. appearance, form, kind < *specio*, to look at]. 【誤った発音 spē′sēz を避けること. 本語の単数形および複数形はともに species である. specie は species の単数形ではない. 種名は小文字で始まり, イタリック体で印刷される. 例えば, [*Branhamella*] *catarrhalis*, [*Pneumocystis*] *jiroveci* 種が未知か同定されていない場合, 略語 sp. がローマン体で用いられる. 例えば, *Rhizopus* sp.(*Rhizopus*属の一未同定種), *Bacteroides* spp.(2つ以上の未同定種). "*H. flu*" (*Haemophilus influenzae*) のような種名の俗語的短縮形を避けること】. ***1*** 種 (属と変種または個体との間の生物学的段階(カテゴリー). それらの構造のより本質的な特性において, 一般的に相互にきわめて類似しており, 実際に繁殖力をもつ子孫を産生する一群の生物). ***2*** 茶剤 (乾燥した生薬の混合物で, 粉砕していないが, 煎剤または冷浸剤を随時つくるのに便利なように細かく切られている).

type s. 標準種, 基準種, 模式種 (属または亜属の名が最初に妥当に公表されたとき, その名前が属または亜属の名称となった種の名前).

spe·cies-spe·cif·ic (spē′shēz-spĕ-sif′ik). 種特異的な (当該種の特徴. 動物に免疫物質を注入することによってつくられ, その抗原を得た種と同種の動物の細胞, 蛋白その他にのみ作用する血清の特徴についていう).

spe·cif·ic (spĕ-sif′ik) [L. *specificus* < *species* + *facio*, to make]. ***1***〚adj.〛種の (→specific *epithet*). ***2***〚adj.〛特異〔的〕な, 特殊な (特定の微生物により起こる個々の感染症についていう). ***3***〚n.〛特効薬 (マラリアに関してはキニンのように, 特別な疾患または症候に明確な治療作用をもつ薬剤).

spec·i·fic·i·ty (spes′i-fis′i-tē). 特異性 (【sensitivity と混同しないこと】. ①単一の原因あるいは特定の結果と不変の関係を有する状態あるいは状況. 疾患と病因微生物との関係, ある化学結合に対する反応との関係, 抗原に対する抗体あるいはその反対の関係などを表す. ②臨床病理学あるいは医学的なスクリーニングにおいて, あるテストが明らかにしようとしているある疾患の陰性症例の比率, つまり偽陽性および真の陰性の総和に対する真の陰性成績の比率をさす. *cf.* sensitivity (3)).

analytical s. 分析対象物以外のあらゆる要素, 成分による(分析に対する)障害を受けないこと.

diagnostic s. 診断特異性 (疾病をもたない人の数(D)が与えられた場合, 正常な検査成績(T)が, 疾病を有する人を除外する確率(P), すなわち P(T/D)).

relative s. 相対的特異性 (ある臨床スクリーニング検査の特異性を同じ種類の検査と比較して表したもの. 例えば, ある新しい血清学的検査法の, すでに確立された方法と比較した特異性).

substrate s. 基質特異性 (酵素の基質を認識し結合する能力. 通常, V_{max}/K_m や k_{cat}/K_m 比で測定する).

spe·cil·lum, pl. **spe·cil·la** (spe-sil′ŭm, -lă) [L. a probe < *specio*, to look at]. 消息子 (探針または小さなゾンデ).

spec·i·men (spes′ĭ-mĕn) [L. < *specio*, to look at]. 標本, 被検物, 検体 (【誤ったつづり speciman を避けること】. テス

トのために採取した少量の材料).

cytologic s. 細胞診標本(身体の多くの部位，すなわち女性生殖器，気道，尿道，消化管，体腔などから種々の方法によって得ることができる検体で，細胞学的検査および診断に用いる．例えば，細胞塗抹標本，沪過膜による細胞標本，遠心沈殿標本).

SPECT (spekt). スペクト (single photon emission computed *tomography* の頭字語).

spec·ta·cles (spek′tĭ-kĕlz) [L. *specto*, pp. *-atus*, to watch, observe]. 眼鏡(枠に入れたレンズで，眼にかけて屈折異常を矯正または眼の保護に用いる．眼鏡はレンズと鼻の上にかかるレンズを接続するブリッジの部分およびレンズを取り囲む縁や枠からなる．弦は頭の両側から耳へいく部分，弓は弦の弯曲した部分．肩はレンズのへりに止められている短い棒で両側で弦に結合している). = eyeglasses; glasses (1).

bifocal s. 二焦点眼鏡(二焦点のレンズを入れた眼鏡. → lens).

clerical s. 事務眼鏡. = half-glass s.

diver's s. 潜水夫眼鏡(水中ではっきり見えるように極端に凸面になった眼鏡).

divided s. 分離眼鏡. = Franklin s.

Franklin s. (frank′lin). フランクリン眼鏡(二焦点眼鏡の初期の形で，レンズの下半分が近見用，上半分が遠見用にできている). = divided s.

half-glass s. 半レンズ眼鏡(読書用．レンズの上の部分が除去されている). = clerical s.; pantoscopic s.; pulpit s.

hemianopic s. 半盲用眼鏡(同側半盲症者向けの，プリズムまたは鏡を使う眼鏡で，見えない半分の視野内の物を見るためのもの).

lid crutch s. 眼瞼挙上眼鏡(麻痺性眼瞼下垂において上眼瞼を挙上させる平滑縁を有し上眼瞼を瞳孔より上に維持させる，金属縁の眼鏡). = Masselon s.

Masselon s. (mas-e-lōn[h]′). マスロン眼鏡. = lid crutch s.

orthoscopic s. オルソスコピック眼鏡(近距離作業用につくられた，基底内方のプリズムをもった凸レンズ).

pantoscopic s. 広角眼鏡. = half-glass s.

photochromic s. ホトクロミック眼鏡(紫外線が当たると黒色になるレンズを入れた眼鏡).

protective s. 保護眼鏡(紫外線や赤外線から，あるいは機械的傷害から，眼を保護するための眼鏡). = safety s.

pulpit s. 説教眼鏡. = half-glass s.

safety s. = protective s.

stenopeic s., stenopaic s. 細隙眼鏡(①真ん中にごく少量の光を通すだけの細隙がある不透明の円盤．雪盲を防ぐために用いる．②多数の穿孔のある不透明の円盤付きの眼鏡で，初期白内障および角膜の分離性混濁の際，視力を補助するために用いる．矯正レンズまたはサングラスの代わりに用いることもある).

telescopic s. 望遠眼鏡(対物凸レンズと接眼凹レンズをそれらの焦点距離の差だけ間隔をとることによって得られる拡大用眼鏡).

spec·tra (spek′tră) [L.]. spectrum の複数形.

spec·tral (spek′trăl). スペクトルの，分光の.

spec·trin (spek′trin). スペクトリン(線維状の収縮性蛋白で，アクチンや他の細胞骨格蛋白とともに，赤血球膜に形態と変形態を与えている網目構造をつくる．スペクトリンの欠損または減少が，遺伝性球状赤血球症および楕円赤血球症でみられる．赤血球膜の骨格の主成分．α, β の 2 つのユニットからなり，α ユニットは分子量 280,700[MIM*182860]，β ユニットは分子量 246,040[MIM*182870]).

spectro- [L. *spectrum*, an image]. スペクトルを意味する連結形.

spec·tro·chem·is·try (spek′trō-kem′is-trē). 分光化学(分光学的方法，すなわち物質が発したり吸収したりする光によって化学物質の研究や同定を行うこと).

spec·tro·col·or·im·e·ter (spek′trō-kŏl′ŏr-im′ĕ-tĕr). 分光比色計(スペクトルの特定部分，すなわち特定の波長の光を光源として用いる比色計).

spec·tro·fluor·om·e·ter (spek′trō-flōr-om′ĕ-tĕr). 分光蛍光計(蛍光の波長と強度を測定するための装置).

spec·tro·gram (spek′trō-gram) [spectro- + G. *gramma*, something written]. 分光写真(スペクトルの写真または表示).

spec·tro·graph (spek′trō-graf). 分光写真器，スペクトログラフ(電磁波や音波のスペクトルを表示させたり記録させたりするのに用いる装置).

mass s. 質量分析器((原子または分子の)加速荷電イオンを電磁場内で質量対電荷比に応じて異なる弯曲経路をもたせ，弁別する装置．同位元素存在比の測定や分子構造の決定に用いる).

spec·trog·ra·phy (spek-trog′ră-fē) [spectro- + G. *graphō*, to write]. 分光写真法(スペクトルの写真をつくったり，写しとったりする方法).

spec·trom·e·ter (spek-trom′ĕ-tĕr) [spectro- + G. *metron*, measure]. 分光計，スペクトロメータ(光あるいはその他の電磁放射線の波長またはエネルギーを測定する器械).

spec·trom·e·try (spek-trom′ĕ-trē). 分光〔光度〕法，スペクトロメトリ(光およびその他の電磁波を観測し，その波長を測定する方法).

clinical s. 臨床分光測定. = biospectrometry.

spec·tro·pho·bi·a (spek′trō-fō′bē-ă) [spectro- + G. *phobos*, fear]. 鏡〔像〕恐怖〔症〕(鏡または鏡に写った自分の像に対する病的な恐れ).

spec·tro·pho·to·fluor·im·e·try (spek′trō-fō′tō-flōr-im′ĕ-trē). 蛍光分光分析〔法〕(分光光度計による蛍光の強さおよび質の測定).

spec·tro·pho·tom·e·ter (spek′trō-fō-tom′ĕ-tĕr) [spectro- + photometer]. 分光光度計(物や溶液を透過する光の強度を波長別に測定する器械．光を吸収する溶液中の物質を定量することができる．また，波長を選別し測光ができるようにした熱量計をいう).

spec·tro·pho·tom·e·try (spek′trō-fō-tom′ĕ-trē). 分光測光〔法〕(分光光度計による分析).

atomic absorption s. 原子吸光測光〔法〕，原子吸収分光測光〔法〕(原子が特定波長の放射エネルギーを吸収することを利用して，その原子の濃度を決定すること，またはその方法).

flame emission s. フレーム放射分光測光〔法〕(熱エネルギーによって励起された元素が放出する光を計測し，元素の濃度を決定すること).

spec·tro·po·lar·im·e·ter (spek′trō-pō′lăr-im′ĕ-tĕr) [spectro- + polarimeter]. 分光偏光計(溶液または半透明固体を通過するときの，特定の波長をもつ偏光の面の旋回を測定する機器).

spec·tro·scope (spek′trō-skōp) [spectro- + G. *skopeō*, to view]. 分光器(発光体からの光をそのスペクトルに分解し，できたスペクトルを分析するための器械．光を屈折させるプリズムまたは光の回折のための回折格子，光線を平行にするための装置，スペクトルを拡大する望遠鏡からなる).

direct vision s. 直視分光器(一連のプリズムを入れた 1 本の管からなる分光器．この管の一端を観察物にできるだけ近いところへ置き，観察者は管の他の端からのぞく．*in vivo* の血液(例えば，耳たぶや母指のみずかきにおけるような)の分光検査に用いることができる).

spec·tro·scop·ic (spek′trō-skop′ik). 分光器の，分光器的な.

spec·tros·co·py (spek-tros′kŏ-pē). 分光学(分光器または分光光度計により吸収されたり放射された光のスペクトルの観察と研究).

clinical s. 臨床分光学. = biospectroscopy.

infrared s. 赤外分光学(電磁スペクトルの赤外部における特異的吸収の研究．分子内での化学結合研究に利用される).

magnetic resonance s. MR スペクトロスコピー，MRS，磁気共鳴分光〔学〕(組織や試料中の種々の分子の共鳴スペクトルの検出・測定).

spec·trum, pl. spec·tra, spec·trums (spek′trŭm, -ă, -ŭmz) [L. an image < *specio*, to look at]. スペクトル(①白色光がプリズムまたは回折格子を通過することによりその構成要素の色に分解されるとき現れる色の連続体．そのスペクトルの色を振動数の少ないほうまたは波長の長いほうから並べると，赤，橙，黄，緑，青，藍，紫となる．②抗生物質または抗菌物質が作用する病原菌の範囲に対して比喩的な意

味で用いる．③1つの物質による放射または吸収された強度対波長のグラフ．通常，その物質に特徴的で，定性分析および定量分析に用いる．④放射エネルギーをもつ光線が分散や収束を受けるときの波長領域）．

absorption s. 吸収スペクトル（光が溶液や半透明物質を通過して部分的に吸収された後に観察されるスペクトル．多くの分子配置についてそれぞれ特徴的な光吸収の型があり，検出および定量分析に用いることができる）．

antimicrobial s. 抗菌スペクトル（→spectrum (2)）．

broad s. 広域〔抗菌〕スペクトル（広範囲の微生物に対して抗生物質の作用が広範囲であることを示す用語）．

chromatic s. 色スペクトル（白色光がプリズムまたは回折格子を通過してつくられる色の連続体）．＝color s.

color s. ＝chromatic s.

continuous s. 連続スペクトル（吸収帯または吸収線がないスペクトル）．

excitation s. 励起スペクトル（励起光の波長のある範囲にわたって放射される蛍光のスペクトル）．

fluorescence s. 蛍光スペクトル（励起光の波長が最大値をとるような範囲の波長をもって放射される蛍光の示すスペクトル）．

fortification s. 内輝性暗点，閃輝暗点（中世の城壁都市の城壁の先端に類似する，光のジグザグの縞模様．片頭痛の閃輝暗点の辺縁を位置付ける）．＝fortification figures; teichopsia.

frequency s. 周波数スペクトル（放射線診断における画像表示系の（空間）分解能を記述するために使用される信号の周波数帯域）．

infrared s. 赤外線スペクトル（可視の赤色光より長い波長をもつ不可視スペクトル部分）．＝thermal s.

invisible s. 不可視スペクトル（可視スペクトルの両側にある光線．すなわち，赤外線と紫外線）．

Raman s. (ram′an)［Sir C.V. *Raman*］．ラーマン（ラマン）スペクトル（Raman 効果によって現れた光の波長別分布）．

thermal s. 熱線スペクトル．＝infrared s.

ultraviolet s. 紫外スペクトル（可視光スペクトルの紫色より波長が短い電磁波の帯域）．

visible s. 可視スペクトル（電磁照射の可視部分で，極端赤色 7606 Å(760.6 nm)から極端紫色 3934 Å(393.4 nm)まで）．

vocal s. 音声範囲（音声の周波数と音量の範囲）．

wide s. →spectrum (3)．

spec·u·lum, pl. **spec·u·la** (spek′yū-lŭm, -lă)［L. a mirror < *specio*, to look at］．鏡（[本語の正しい複数形は speculae または speculi ではなく specula である]．管または腔の口を開いてその内部の検査を容易にする器械）．

bivalve s. 双鉤の検鏡（2つの調節できる鉤のある検鏡）．

Cooke s. (kuk)．クック鏡（肛門検査および手術のために用いる三弁鏡）．

duckbill s. カモノハシ鏡（二弁鏡，その弁は幅広，平坦で，カモのくちばしに似ている．膣および頸管の検査に用いる）．

eye s. 開瞼器，開眼器（眼の検査または手術の間，開瞼しておくための器械）．＝blepharostat.

Kelly rectal s. (kel′ē)．ケリー肛門鏡（肛門検査のための栓子のある管状鏡）．

Pederson s. (pē′dĕr-sŏn)．ピーダーソン鏡（入口の狭い膣に用いる細い平らな鏡）．

stop-s. 留め金付き開眼器（開き過ぎないように留め金が付いている開瞼器などをいう）．

Spee (schpā), Ferdinand von. ドイツ人発生学者，1855－1937. →*curve* of S.

speech (spēch)［A.S. *spaec*］．言語，発語，会話（話すこと．声を使って考えを伝えること）．

alaryngeal s. 無喉頭発声（喉頭全摘後に得られる発声の形式．外部の振動源や体内の振動源としての咽頭食道部位を使うことによりなされる．→esophageal s. 気管，食道発声は喉頭全摘後，外科的に形成された永久的気管食道瘻から咽頭へ空気を吐くことにより行われる）．

cerebellar s. 小脳性発語（音声が爆発的な型．言葉の不明瞭さを伴う）．

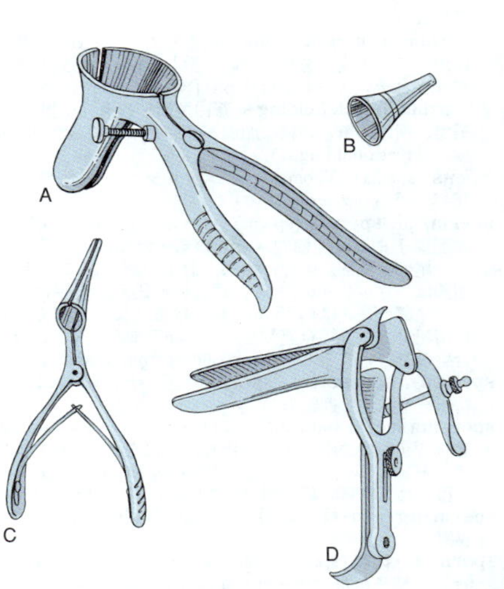

specula

A：肛門鏡．B：耳鏡．C：鼻鏡．D：カモノハシ膣鏡．

clipped s. ＝scamping s.

cued s. キュー〔ド〕スピーチ（ろう（聾）者とのコミュニケーション手段．手の形で合図をし言葉の補助をする）．

echo s. 反響言語．＝echolalia.

esophageal s. 食道音声（全喉頭摘出後の話す技術．空気を食道へと飲み込んでそれを吐き戻し，下咽頭に振動を起こして声を出す）．

explosive s. 爆発性言語（大きく急激な発語で，神経系の損傷に関係がある）．＝logospasm.

helium s. ヘリウム言語（独特の調子の高い，しばしば難解な言語発声で，ヘリウムが 80%に達し酸素 20%の混合気体を吸入するときに生じる）．

mirror s. 鏡像性言語（言語の音節の順序が逆で，鏡像書法に類似する）．

scamping s. 疾過言語（ラ行吶の一型で，発音のむずかしい子音や音節が省かれる）．＝clipped s.

scanning s. 断続性言語，分節言語（韻律をつけた，しばしばゆっくりした間のある発語）．

slurring s. 不明瞭言語，連続性言語（比較的発音のむずかしい音の不正確な発音）．

spastic s. 痙性発語（筋肉の緊張の増加にかかわる不自然な発音）．

staccato s. 継続言語（唐突な発声で，各音節が分離して発音される．特に多発性硬化症でみられる）．＝syllabic s.

subvocal s. 音声下言語（思考と結び付いた言語筋肉のわずかな運動で，声にはならない）．

syllabic s. 分節言語．＝staccato s.

tracheoesophageal s. 気管食道発声（無喉頭発声の一形式．喉頭全摘後，外科的に気管と食道の間にシャントを形成し，肺内の空気をそこへ送り，上部食道と咽頭の粘膜を声帯の代わりに振動させて発声する）．

SPEECH1 (spēch)．最初に確認された言語障害遺伝子の表記．

speed (spēd)．速さ（速度の大きさで，方向が特定されない．*cf.* velocity）．

spe·len·ceph·a·ly (spē′len-sef′ă-lē)［*spēlaion*, cave + *enkephalos*, brain］．＝porencephaly.

spell (spel)．スペル（①不明確な期間または時間．②口語で，催眠状態にあること）．

breath-holding s. 憤怒痙攣，泣き入りひきつけ（小児において，不満や怒りのために激しく泣いた後，呼吸停止，顔色不良，意識消失に引き続いて無呼吸とチアノーゼが現れる発作).

cyanotic breath-holding s. チアノーゼ型憤怒痙攣（小児において，不満や怒りのために激しく泣いた後，引き続いて無呼吸とチアノーゼが現れる発作).

pallid breath-holding s. 蒼白型憤怒痙攣（小児において，通常，衝撃や驚きの後に顔面が蒼白となりぐったりとする状態.→breath-holding s.).

Spens (spents), Thomas. スコットランド人医師，1764—1842. →S. *syndrome*.

sperm, pl. **sperms** (sperm) [G. *sperma*, seed]. 精子（雄性の配偶子または性細胞. ヒトの精子は頭部と尾部とからなる. 尾部は頸部，中片，主部，および終片部に分けられる. 頭部は長さが4—6μmあり，幅広い楕円形の扁平体で核をもつ. 尾部の長さは約 55μm. 精子は雄によって伝えられる遺伝情報をもち，随意運動を示し，卵母細胞と一緒になって接合生殖を行いうる). =sperm cell; spermatozoon.

sperma-, spermato-, spermo- [G. *sperma*, seed]. 精液，精子を意味する連結形.

sper·ma·cet·i (sper′mă-set′ē) [sperma- + G. *ketos*, whale]. 鯨ろう（独特の脂肪状ろう物質. 主にセチン(セチルパルミテート)で，マッコウクジラ *Physeter macrocephalus* の頭から得られ，軟膏の賦形剤として用いる). =cetaceum.

sperm·ag·glu·ti·na·tion (sperm′ă-glū′ti-nā′shŭn). 精子凝集.

sperm-as·ter (sperm′as′tĕr) [sperm + G. *astēr*, a star(aster)]. 精子単星（受精卵の細胞中にある星糸を伴った中心体. 貫通した精子によりもち込まれ，第一卵割の有糸分裂紡錘体を生じる).

sper·mat·ic (sper-mat′ik). 精子の，精液の.

sper·ma·tid (sper′mă-tid) [spermat- + -*id* (2)]. 精子細胞（精子発育の後期における半数体細胞で，第二精母細胞に由来し，精子形成過程において精子細胞に分化する). =nematoblast.

sper·ma·tin (sper′mă-tin). スペルマチン（精液中のアルブミノイド).

spermato- →sperma-.

sper·ma·to·blast (sper′mă-tō-blast′) [spermato- + G. *blastos*, germ]. 精芽細胞. =spermatogonium.

sper·ma·to·cele (sper′mă-tō-sēl′) [spermato- + G. *kēlē*, tumor]. 精液瘤，精液水瘤（精子のはいっている精巣上体の嚢腫). =spermatocyst.

sper·ma·to·ci·dal (sper′mă-tō-sī′dăl). 殺精子の（精子を破壊することについていう). =spermicidal.

sper·ma·to·cide (sper′mă-tō-sīd′) [spermato- + L. *caedo*, to kill]. 殺精〔子〕薬（精子を破壊する薬剤). =spermicide.

sper·ma·to·cyst (sper′mă-tō-sist′). =spermatocele.

sper·ma·to·cy·tal (sper′mă-tō-sī′tăl). 精母細胞の.

sper·ma·to·cyte (sper′mă-tō-sīt′) [spermato- + G. *kytos*, cell]. 精母細胞（精子細胞の母細胞で，精原細胞から有糸分裂により生じる).

primary s.〔一次〕精母細胞（有糸分裂によって精原細胞に由来する精母細胞で，減数分裂の最初の分裂を行う).

secondary s. 二次精母細胞（最初の減数分裂により，第一精母細胞からできる精母細胞. 各二次精母細胞は二次減数分裂により 2 個の精子細胞を生じる).

sper·ma·to·cy·to·gen·e·sis (sper′mă-tō-sī′tō-jen′ĕ-sis). 精母細胞(精娘細胞)形成（精祖細胞が一次精母細胞になる精子形成の一過程.→spermatogenesis).

sper·ma·to·gen·e·sis (sper′mă-tō-jen′ĕ-sis) [spermato- + G. *genesis*, origin]. 精子形成（精原幹細胞が，分裂し，精子細胞に分化する全過程をいう. 精母細胞形成，減数分裂,精子形成の 3 段階をもつ.→spermiogenesis; meiosis; spermatocytogenesis.). =spermatogeny.

sper·ma·to·ge·net·ic (sper′mă-tō-jĕ-net′ik). =spermatogenic.

sper·ma·to·gen·ic (sper′mă-tō-jen′ik). 精子形成(生成)の，精子発生の. =spermatogenetic; spermatogenous; spermatopoietic (1).

sper·ma·tog·e·nous (sper′mă-toj′ĕ-nŭs). =spermatogenic.

sper·ma·tog·e·ny (sper′mă-toj′ĕ-nē). =spermatogenesis.

sper·ma·to·gone (sper′mă-tō-gōn′). =spermatogonium.

sper·ma·to·go·ni·a (sper′mă-tŏ-go′nē-ă). spermatogonium

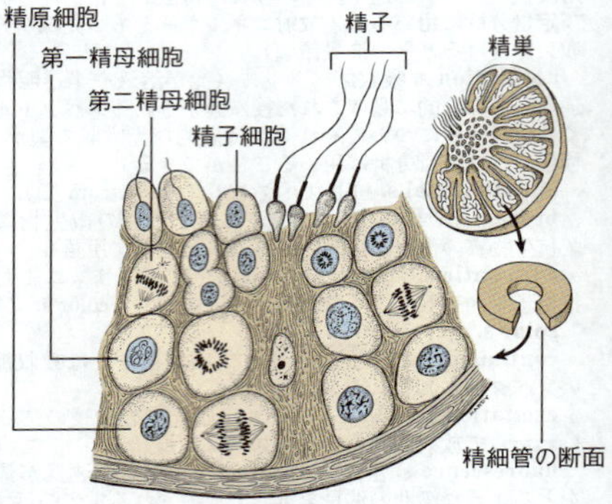

spermatogenesis
精細管の断面にみられる様々な段階.

の複数形.

Ad (dark) s. 精祖細胞（一次精母細胞の前駆体をつくる精細管の基底部に位置する二倍体の精祖細胞).

sper·ma·to·go·ni·um (sper′mă-tō-gō′nē-ŭm) [spermato- + G. *gonē*, generation]. 精原細胞，精祖細胞（移動して精巣となる卵黄嚢から有糸分裂により派生した原始精子細胞. 思春期において，精原細胞は大きさが数倍に増えてから，第一精母細胞に分化する.→spermatid). =spermatoblast; spermatogone.

sper·ma·toid (sper′mă-toyd) [spermato- + G. *eidos*, form]. ***1*** 精子様の，精虫様の，精液様の. ***2*** マラリア原虫の雄性世代型すなわち有べん毛型.

sper·ma·tol·o·gy (sper′mă-tol′ŏ-jē) [spermato- + G. *logos*, study]. 精液学（精子および(または)精液分泌に関する組織学，生理学，および発生学の分野).

sper·ma·tol·y·sin (sper′mă-tol′i-sin). 溶精子素（精子を繰り返し注射することにより形成される特異溶解素(抗体)).

sper·ma·tol·y·sis (sper′mă-tol′i-sis) [spermato- + G. *lysis*, dissolution]. 精子溶解（精子の溶解による破壊). =spermolysis.

sper·ma·to·lyt·ic (sper′mă-tō-lit′ik). 精子溶解の.

sper·ma·to·pho·bi·a (sper′mă-tō-fō′bē-ă) [spermato- + G. *phobos*, fear]. 精液漏恐怖〔症〕（精液漏または精液喪失に対する病的な恐れ).

sper·ma·to·phore (sper′mă-tō-fōr) [spermato- + G. *phoros*, bearing]. 精莢，精包（精子のはいった包で，多くの無脊椎動物にみられる).

sper·ma·to·poi·et·ic (sper′mă-tō-poy-et′ik) [spermato- + G. *poieō*, to make]. ***1*** =spermatogenic. ***2*** 精液分泌の.

sper·ma·tor·rhe·a (sper′mă-tō-rē′ă) [spermato- + G. *rhoia*, a flow]. 精液漏（オルガスムのない，精液の不随意排出).

sper·ma·tox·in (sper′mă-tok′sin). 精子毒素（精子の特異的な細胞傷害の抗体). =spermotoxin.

sper·ma·to·zo·a (sper′mă-tō-zō′ă). spermatozoon の複数形.

sper·ma·to·zo·al, sper·ma·to·zo·an (sper′mă-tō-zō′ăl, -zō′ăn). 精子の.

sper·ma·to·zo·on, pl. **sper·ma·to·zo·a** (sper′mă-tō-zō′on, -zō′ă) [G. *sperma*, seed + *zōon*, animal]. 精子，精虫. =sperm.

sper·ma·tu·ri·a (sper′mă-tyū′rē-ă). 精液尿〔症〕. =semenuria.

sper·mi·a (sper′mē-ă). spermium の複数形.

sper·mi·ci·dal (sper′mi-sī′dăl). =spermatocidal.

sper·mi·cide (sper′mi-sīd). =spermatocide.

sper·mi·dine (sper′mi-dēn). スペルミジン；*N*(3-aminopropyl)-1,4-diaminobutane（スペルミンとともに生体や組織

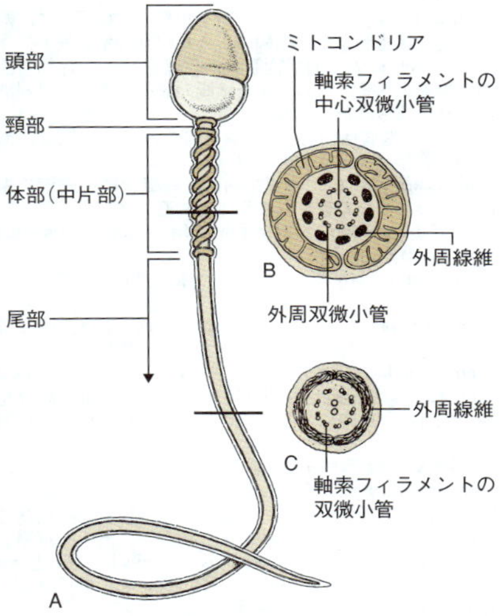

human spermatozoon

A：縦断面．B：体部の横断面．C：尾部の横断面．

に広く存在するポリアミン．ヒトの精子で発見された．細胞や組織の成長に重要である）．

sper·mi·duct (sper′mi-dŭkt). ***1*** 精管．= *ductus* deferens. ***2*** 射精管．= ejaculatory *duct*.

sper·mine (sper′mēn). スペルミン；*N*, *N′*- bis(3-aminopropyl)-1,4-diaminobutane（ある種の細菌に認められるポリアミン．ある種のウイルスでは核酸に関連している．ヒトの精子に存在する．細胞や組織の増殖に重要である）．= gerontine; musculamine; neuridine.

sper·mi·o·gen·e·sis (sper′mē-ō-jen′ĕ-sis) [sperm- + G. *genesis*, origin]. 精子形成（精子形成の区分で，その間に未熟な精子細胞は細胞質の消失，精子の尾と先体顆粒の形成を通して精子となる）．

spermiogram (spĕrm′ē-ō′o-gram). 精子形成図（精子形成の各段階を示した図）．

sper·mism (sper′mizm). 精子論（雄の性細胞(精子)に homunculus とよばれる前もって形成されたひな型の身体が含まれているという前成説者の考え）．

sper·mist 精子論者（精子論の概念を信じる前成説者．*cf.* ovist）．

sper·mi·um, pl. **sper·mi·a** (sper′mē-ŭm, -ă). 精子（成熟した雄性生殖細胞または精子を意味する H.W.G. Waldeyer の用語）．

spermo- →sperma-.

sper·mo·lith (sper′mō-lith) [spermo- + G. *lithos*, stone]. 精管結石．

sper·mol·y·sis (sper-mol′i-sis). = spermatolysis.

Sper·moph·il·us (sper-mof′il-ŭs). ジリス属（ジリス類の一属．カリフォルニアジリス *S. beecheyi*, *S. grammurus*, ヒメハタリス *S. pygmaeus*, タウンゼンドジリス *S. townsendi*, およびその他のいくつかの種はペスト菌 *Yersinia pestis* の重要な保菌者として働く）．

sper·mo·tox·in (sper′mō-tok′sin). = spermatoxin.

SPF sun protection *factor* の略．

sp. gr. specific *gravity* の略．

sph. spheric または spheric *lens* の略．

sphac·e·late (sfas′ĕ-lat) [G. *sphakelos*, gangrene]. 壊死する，壊疽になる．

sphac·e·la·tion (sfas′ĕ-lā′shŭn) [G. *sphakelos*, gangrene]. ***1*** 壊疽形成，壊死形成．***2*** 壊死，壊疽．

sphac·e·lism (sfas′ĕ-lizm). 壊疽化，壊死化．

sphac·e·lous (sfas′ĕ-lŭs). 壊死の，壊疽の．

sphac·e·lus (sfas′ĕ-lŭs) [G. *sphakelos*, gangrene]. 壊死組織，壊疽組織（壊死物質の塊）．

Sphae·ro·til·us (sfē-rō′tĭ-lŭs). スフェロティルス属（*Leptothrix*属と非常に近縁の細菌の一属で，淡水中にみられる．*S. natans* は，特に製紙工場からの廃水など，イオウを含んだ水中で厚い生物膜のマットをつくる）．

sphen·eth·moid (sfēn-eth′moyd). = sphenoethmoid.

sphe·ni·on (sfē′nē-on) [Mod.L. < G. *sphēn*, wedge + 指小辞 *-iōn*]. スフェニオン（頭頂骨の蝶形骨角の先端．頭蓋計測点）．

spheno- [G. *sphēn*, wedge]. 【本連結形を stheno- と混同しないこと】．楔または楔形の，または蝶形骨に関する連結形．

sphe·no·bas·i·lar (sfē′nō-bas′i-lăr). 蝶形後頭底の（蝶形骨および後頭骨の底突起に関する）．= sphenoccipital; sphenoccipital.

sphe·noc·cip·i·tal (sfē′nok-sip′i-tăl). 蝶形後頭骨の．= sphenobasilar.

sphe·no·ceph·a·ly (sfē′nō-sef′ă-lē) [spheno- + G. *kephalē*, head]. 楔状頭（楔状の外見を呈する頭蓋の変形が特徴である）．

sphe·no·eth·moid (sfē′nō-eth′moyd). 蝶形〔骨〕篩骨の（蝶形骨と篩骨に関する）．= sphenethmoid.

sphe·no·eth·moi·dec·to·my (sfē′nō-eth′moy-dek′tŏ-mē). 蝶形篩骨切除術（蝶形洞と篩骨洞から病的組織を除去する手術）．

sphe·no·fron·tal (sfē′nō-frŏn′tăl). 蝶形前頭骨の（蝶形骨と前頭骨に関する）．

sphe·noid (sfē′noyd) [G. *sphēnoeidēs* < *sphēn*, wedge + *eidos*, resemblance][TA]. ***1*** = sphenoidal. ***2*** = sphenoid *(bone)*.

sphe·noi·dal (sfē-noy′dăl). = sphenoid (1) [TA]. ***1*** 蝶形骨の．***2*** 楔状の．

sphe·noi·da·le (sfē′noy-dā′lē). スフェノイダーレ（トルコ鞍の前縁と蝶形骨隆起との間の最大突出点）．

sphe·noi·di·tis (sfē′noy-dī′tis) [sphenoid + G. *-itis*, inflammation]. 蝶形骨洞炎（①蝶形骨洞の炎症．②蝶形骨の壊死）．

sphe·noi·dos·to·my (sfē′noy-dos′tŏ-mē) [sphenoid + G. *stoma*, mouth]. 蝶形骨洞開口〔術〕（蝶形骨洞の前壁になされた開口手術）．

sphe·noi·dot·o·my (sfē′noy-dot′ŏ-mē) [sphenoid + G. *tomē*, a cutting]. 蝶形骨洞切開〔術〕（蝶形骨または蝶形骨洞に対する手術）．

sphe·no·ma·lar (sfē′nō-mā′lăr). = sphenozygomatic.

sphe·no·max·il·lar·y (sfē′nō-mak′si-lār′ē). 蝶形〔骨〕上顎骨の（蝶形骨と上顎骨に関する）．

sphe·no·oc·cip·i·tal (sfē′nō-ok-sip′i-tăl). = sphenobasilar.

sphe·no·pal·a·tine (sfē′nō-pal′ă-tīn). 蝶形〔骨〕口蓋の（蝶形骨と口蓋に関する）．

sphe·no·pa·ri·e·tal (sfē′nō-pă-rī′ĕ-tăl). 蝶形〔骨〕頭頂骨の（蝶形骨と頭頂骨に関する）．

sphe·no·pe·tro·sal (sfē′nō-pe-trō′săl). 蝶形〔骨〕錐体の（蝶形骨および側頭骨の錐体部に関する）．

sphe·nor·bit·al (sfē-nōr′bi-tăl). 蝶形〔骨〕眼窩の（眼窩と関連する蝶形骨の部分についていう）．

sphe·no·sal·pin·go·staph·y·li·nus (sfē′nō-sal-ping′gō-staf′i-lī′nŭs) [L.]. 口蓋帆張筋（→tensor veli palati (*muscle*)）．

sphe·no·squa·mo·sal (sfē′nō-skwā-mō′săl). 蝶形〔骨〕側頭鱗の．= squamosphenoid.

sphe·no·tem·po·ral (sfē′nō-tem′pŏ-răl). 蝶形〔骨〕側頭の（蝶形骨と側頭骨に関する）．

sphe·not·ic (sfē-nŏt′ik) [spheno- + G. *ous*, ear]. スフェノティック（蝶形骨および耳の骨の枠に関する）．

sphe·no·tur·bi·nal (sfē′nō-tŭr′bi-năl). 蝶形〔骨〕甲介の．

sphe·no·vo·mer·ine (sfē′nō-vō′mĕr-ēn). 蝶形〔骨〕鋤骨の（蝶形骨と鋤骨に関する）．

sphe·no·zy·go·mat·ic (sfē′nō-zī′gō-mat′ik). 蝶形〔骨〕頬骨の（蝶形骨と頬骨に関する）．= sphenomalar.

sphere (sfēr) [G. *sphaira*]. 球，球体．

S

attraction s. 牽引力球. ＝astrosphere.
Morgagni s.'s (mōr-gah′nyē). モルガニー球. ＝Morgagni *globules.*
spher·ic(sph.) (sfĕr′ik). 球の，球状の.
sphero- [G. *sphaira*, globe]. 球状の，または球を意味する連結形.
sphe·ro·cyl·in·der (sfē′rō-sil′in-dĕr). 球面円柱レンズ. ＝spherocylindric *lens.*
sphe·ro·cyte (sfē′rō-sīt) [sphero- + G. *kytos*, cell]. 球状赤血球（小さい球状の赤血球）.
sphe·ro·cy·to·sis (sfē′rō-sī-tō′sis) [spherocyte + G. *-osis*, condition]. 球状赤血球症（血液中に球状赤血球が存在すること）. ＝microspherocytosis.
hereditary s. [MIM*182900]. 遺伝性球状赤血球症（赤血球膜の主な構成成分であるスペクトリン［MIM*182860］の先天的欠損で，赤血球膜がナトリウムに対して異常に透過性をもち，その結果厚みをもつ．そしてほとんど円型の赤血球となる．この赤血球はぜい弱であり自然に溶血しやすく，循環血液中において生存期間が短縮される．その結果網状赤血球の増加，溶血による軽度の黄疸のエピソードを伴う慢性貧血を生じる．胆石，発熱，腹痛を伴った急性発症もある．症候学的に非常に多彩である．常染色体優性遺伝の形式をとるものは第８染色体短腕のアンキリン(*ANK1*)遺伝子の突然変異による．楕円赤血球症を伴う場合，常染色体劣性遺伝の形式［MIM*270970］をとり，第１染色体長腕のアルファスペクトリン１(*SPTA1*)遺伝子の突然変異による). ＝chronic acholuric jaundice; chronic familial icterus; chronic familial jaundice; congenital hemolytic icterus; congenital hemolytic jaundice.
sphe·roid, sphe·roi·dal (sfē′royd, sfē-royd′ăl) [L. *spheroideus*]. 球状の.
sphe·rom·e·ter (sfē-rom′ĕ-tĕr) [sphero- + G. *metron*, measure]. 球面計（球または球面レンズの彎曲を測定する器械．→Geneva lens *measure*).
sphe·ro·pha·ki·a (sfē-rō-fā′kē-ă) [sphero- + G. *phakos*, lens]. 球状水晶体（先天的両側性視力障害．水晶体が小さく球形で，不全脱臼を起こしやすい．独立した異常としても起こるが，Weill-Marchesani 症候群に合併する).
sphe·ro·plast (sfē′rō-plast) [sphero- + G. *plastos*, formed]. スフェロプラスト（硬い細胞壁を不完全に除去した細菌細胞．細菌はその特徴的な形状を失って丸くなる).
sphe·ro·prism (sfē′rō-prizm). 球面プリズム（分散効果をつくり出すために中心をずらした球面レンズ，または球面レンズとプリズムとを結合させたもの).
sphe·ro·sper·mi·a (sfē′rō-sper′mē-ă) [sphero- + G. *sperma*, seed]. 球形精子（ヒトや他の哺乳類の糸状の尾をもった精子(線形精子)と対照的に，長い尾をもたない球状の精子).
spher·ule (sfĕr′ūl) [L.L. *sphaerula*: L. *sphaera*(sphere, ball)の指小辞]. 球状体（①小さな球状の構造体．②成熟すると内生胞子を充満する胞子嚢様構造物で，*Coccidioides immitis* が組織中や *in vitro* に産生する).
sphinc·ter (sfingk′tĕr) [G. *sphinktēr*, a band or lace][TA]. 括約筋(管腔または開口部を狭窄する筋). ＝musculus sphincter [TA]; sphincter muscle [TA].
s. of ampulla[*] s. of hepatopancreatic ampulla の公式の別名.
anatomic s. 解剖学的括約筋（輪状に，ときには斜めに配列された筋線維の集積で，その作用は管腔，臓器の口，または臓器の腔を縮小・排出させることである．幽門を閉じる役割をする要素である).
s. angularis, angular s. 胃角括約筋（胃の角切痕のところにみられる中間括約筋とよばれたりする輪状の筋肥厚部．輪状の筋肥厚が幽門洞の始まりを示すのではあるが，幽門洞を実際に残りの部分から一時的に区切ることはあるものの，胃のぜん動とは区別できるような独自の活動は観察されていない). ＝antral s.; midgastric transverse s.; s. antri; s. intermedius; s. of antrum; s. of gastric antrum.
s. ani, anal s. 肛門括約筋（→external anal s.; internal anal s.).
s. ani tertius 第三肛門括約筋（肛門直腸の第三括約筋で，S状結腸直腸接合部にある生理学的なもの).
antral s. 洞括約筋. ＝s. angularis.
s. antri 胃洞括約筋. ＝s. angularis.
s. of antrum 洞括約筋. ＝s. angularis.
anular s. 輪状括約筋（分節括約筋とは対照的に，幅の狭い輪走筋線維肥厚で，指輪のような輪状の括約筋).
artificial s. 人工的括約筋（消化器系での内容物の流れる速度を減少させるため，または腸の制御のために外科的処置によりつくられた括約筋).
basal s. 基底括約筋（回腸終末部の回盲弁の周りにある輪走筋の肥厚). ＝sphincteroid tract of ileum.
bicanalicular s. 二小管括約筋（総胆管と主膵管の末端部のような，２つの管を取り巻く括約筋).
s. of biliaropancreatic ampulla[*] s. of hepatopancreatic ampulla の公式の別名.
Boyden s. (boy′dĕn). ボイデン括約筋. ＝s. of (common) bile duct.
canalicular s. 小管括約筋（口括約筋とは反対に，臓器，管，または道の経路に沿って存在する括約筋).
choledochal s. 総胆管括約筋. ＝s. of (common) bile duct.
cloacal s. 排泄腔括約筋（排泄腔尾側端周囲の排泄腔括約筋で尿直腸が中隔により分割され，後部は外肛門括約筋となる).
colic s. 結腸括約筋（結腸の生理学的括約筋の１つ).
s. of (common) bile duct [TA]. 総胆管括約筋（胆膵管膨大部のすぐ近位側にある総胆管の平滑筋性の括約筋で上下２つに分かれている．胆汁の十二指腸への流入を調節している). ＝musculus sphincter ductus choledochi [TA]; musculus sphincter ductus biliaris[*]; Boyden s.; choledochal s.; sphincter muscle of common bile duct.
s. constrictor cardiae 噴門収縮括約筋. ＝inferior esophageal s.
duodenal s. 十二指腸括約筋（十二指腸にあると思われる生理学的括約筋の１つ).
duodenojejunal s. 十二指腸空腸括約筋（十二指腸空腸曲にあると考えられる括約筋).
external anal s. [TA]. 外肛門括約筋（後方で尾骨に，前方で会陰腱中心に付着する肛門を囲む横紋筋線維の紡錘状の輪．皮下部，浅部，深部に分けられる). ＝musculus sphincter ani externus [TA]; external sphincter muscle of anus.
external urethral s. [TA]. 外尿道括約筋（尿道の尿生殖隔膜貫通部にあって尿道を締め付けて，膀光の尿が漏れないようにしている筋肉で，陰部神経の支配を受けている). ＝s. urethrae externus [TA]; Guthrie muscle; musculus constrictor urethrae; musculus sphincter urethrae externus; sphincter muscle of urethra; Wilson muscle (1).
external urethral s. of female [TA]. 女性外尿道括約筋（横紋筋性のこの筋は尿生殖括約筋とよぶのが適切であって，尿道を取り巻く真の括約筋部分，上方膀胱に伸びる部分，尿道の前に出て坐骨枝に付く部分，尿道と膣を取り囲む部分からなる). ＝musculus sphincter urethrae externus femininae [TA].
external urethral s. of male [TA]. 男性外尿道括約筋（横紋筋性で尿道膜性部を取り囲む管状部，前立腺部を膀胱まで上行する樽形の部分，膜性部の前を通って坐骨枝に付く部分からなる). ＝musculus sphincter urethrae externus masculinae [TA].
extrinsic s. 外来性括約筋（臓器とは別の輪走筋線維によりつくられた括約筋).
first duodenal s. 十二指腸上部括約筋（十二指腸球部の肝門側末端の位置にあると考えられる括約筋).
functional s. 機能的括約筋. ＝physiologic s.
s. of gastric antrum 胃洞括約筋. ＝s. angularis.
Glisson s. (glis′ŏn). グリソン括約筋. ＝s. of hepatopancreatic ampulla.
s. of hepatic flexure of colon 右結腸曲括約筋（右結腸曲にある生理学的括約筋).
hepatopancreatic s. ＝s. of hepatopancreatic ampulla.
s. of hepatopancreatic ampulla [TA]. 胆膵管膨大部括約筋（大十二指腸乳頭内の胆膵管膨大部の平滑筋性の括約筋). ＝musculus sphincter ampullae hepatopancreaticae [TA]; musculus sphincter ampullae biliaropancreaticae[*]; musculus sphincter ampullae[*]; s. of ampulla[*]; s. of biliaropancreatic ampulla[*]; Glisson s.; hepatopancreatic s.; Oddi s.

hypertensive upper esophageal s. 肥厚性上部食道括約筋．＝cricopharyngeal *achalasia*.

Hyrtl s. (hĕr′tĕl). ヒルトル括約筋（肛門から約 10 cm 上の直腸(上直腸膨大部)にある輪走筋線維の帯で，通常は不完全である）.

ileal s. 回盲弁括約筋（回盲弁の自由縁にある輪走筋組織の肥厚）．＝ileocecocolic s.; marginal s.; operculum ilei; Varolius s.

ileocecocolic s. ＝ileal s.

iliopelvic s. 腸骨盤括約筋．＝midsigmoid s.

inferior esophageal s. 下食道括約筋（食道と胃との連結部に存在する生理学的括約筋．食道内部にではなく，横隔膜の食道裂孔を取り囲む筋が括約筋の役を果たしていることがバリウムによる検査によって観察されている）．＝s. constrictor cardiae.

s. intermedius 中間括約筋．＝s. angularis.

internal anal s. [TA]．内肛門括約筋（平滑筋性で直腸の輪筋層線維が輪状になったもので，外肛門括約筋より内部の肛門管の上端にある．直腸膨大部が空で弛緩しているとき最も強く収縮しており，内容物が充満してきたり拡張させられたりペリスタシスを起こしたとき抑制される）．＝musculus sphincter ani internus [TA]; internal sphincter muscle of anus.

internal urethral s. [TA]．内尿道括約筋（膀胱頸部を完全に取り巻いている平滑筋組織で，男性の前立腺部尿道を囲んでその遠位端まで延長している．女性の膀胱の頸部構造とは対比できない．内括約筋は恐らく精液の膀胱逆流を防ぐために存在している）．＝musculus sphincter urethrae internus☆; preprostatic s.☆; supracollicular s.☆; anulus urethralis; muscular s. supracollicularis; musculus sphincter vesicae; preprostate urethral s.; proximal urethral s.; sphincter muscle of urinary bladder; s. vesicae.

intrinsic s. 固有括約筋（臓器の筋層の輪走筋線維の肥厚）.

lower esophageal s. (**LES**) 下部食道括約筋（胃食道接合部の筋系で，えん下時以外は持続的に活動している）.

macroscopic s. 肉眼的括約筋（裸眼で見える括約筋）.

marginal s. ＝ileal s.

mediocolic s. 中結腸括約筋（上行結腸の中間にある生理学的括約筋）.

microscopic s. 顕微的括約筋（顕微鏡によってのみ見える括約筋）.

midgastric transverse s. 胃中央横断括約筋．＝s. angularis.

midsigmoid s. 中部Ｓ状結腸括約筋（Ｓ状結腸の中間にある生理学的括約筋）．＝iliopelvic s.

muscular s. supracollicularis ＝internal urethral s.

myovascular s. 筋血管性括約筋（筋肉と血管(通常は静脈)を構成要素とする括約筋．→myovenous s.）.

myovenous s. 筋静脈性括約筋（筋肉と静脈を構成要素とする括約筋，例えば，咽頭食道移行部，肛門管など）.

Nélaton s. (nā-lah-tawn[h]′). ネラトン括約筋（→transverse *folds* of rectum）．＝Nélaton fibers.

O'Beirne s. (ō-bārn). オーバーン括約筋．＝rectosigmoid s.

s. oculi 眼輪筋．＝orbicularis oculi (*muscle*).

Oddi s. (od′ē). オッディ括約筋．＝s. of hepatopancreatic ampulla.

s. oris 口輪筋．＝orbicularis oris (*muscle*).

ostial s. 口括約筋（管性器官の口にある肥厚した輪状筋線維）.

palatopharyngeal s.☆ 口蓋咽頭括約筋（posterior *fascicle* of palatopharyngeus muscle の公式の別名）.

pancreatic s. 膵管括約筋．＝s. of pancreatic duct.

s. of pancreatic duct [TA]．膵管括約筋（十二指腸乳頭膨大部のすぐ近位にあたるところにある主膵管の平滑筋性の括約筋）．＝musculus sphincter ductus pancreatici [TA]; pancreatic s.; sphincter muscle of pancreatic duct.

pathologic s. 病的括約筋（疾病による輪状筋の肥厚）.

pelvirectal s. 骨盤直腸括約筋．＝rectosigmoid s.

s. of the pharyngeal isthmus 咽頭峡部括約筋．＝posterior *fascicle* of palatopharyngeus muscle.

physiologic s. 生理学的括約筋（管腔構造の一部があたかも輪状筋よりなる帯状部を有するように収縮する．しかし，形態学的検索ではそのような特殊な構造は認められない）．＝functional s.; radiologic s.

postpyloric s. 幽門後括約筋（胃十二指腸の幽門の括約筋の十二指腸部分，または閉じる機構）.

prepapillary s. 乳頭前括約筋（大十二指腸乳頭の近位にあると記載されている十二指腸の括約筋）.

preprostate urethral s. ＝internal urethral s.

preprostatic s.☆ 前立腺前括約筋（internal urethral s. の公式の別名）.

prepyloric s. 幽門前括約筋（胃十二指腸幽門近くの胃壁の輪状筋線維の帯）.

proximal urethral s. 近位尿道括約筋．＝internal urethral s.

s. pupillae [TA]．瞳孔括約筋（虹彩の瞳孔縁を取り巻く平滑筋の輪）．＝musculus sphincter pupillae [TA]; sphincter muscle of pupil.

pyloric s. [TA]．幽門括約筋（胃十二指腸連結部を囲む胃の輪走筋層の肥厚化したもの）．＝musculus sphincter pylori [TA]; sphincter muscle of pylorus.

radiologic s. Ｘ線学的括約筋．＝physiologic s.

rectosigmoid s. 直腸Ｓ状結腸括約筋（直腸とＳ状結腸との連結部の輪状の筋帯）．＝O'Beirne s.; O'Beirne valve; pelvirectal s.

segmental s. 分節括約筋（輪状括約筋より長く，器官，管の分節的括約筋）.

smooth muscular s. 平滑筋性括約筋．＝lissosphincter.

striated muscular s. 横紋筋性括約筋．＝rhabdosphincter.

superior esophageal s. 上食道括約筋．＝inferior constrictor (*muscle*) of pharynx.

supracollicular s.☆ internal urethral s. の公式の別名.

s. of third portion of duodenum 十二指腸水平部括約筋（十二指腸の水平(下)部にあると思われる生理学的括約筋）.

unicanalicular s. 単管性括約筋（１つの消化管に限定される括約筋）.

s. urethrae externus [TA]．＝external urethral s.

urethrovaginal s. [TA]．尿道腟括約筋（会陰膜の上方で尿道と腟を囲む帯状の随意筋）．＝musculus sphincter urethrovaginalis [TA].

s. vaginae 球海綿体筋．＝bulbospongiosus (*muscle*).

Varolius s. (vă-rō′lē-ŭs). ヴァローリウス括約筋．＝ileal s.

velopharyngeal s. 口蓋帆咽頭括約筋．＝posterior *fascicle* of palatopharyngeus muscle.

s. vesicae 膀胱括約筋．＝internal urethral s.

s. vesicae biliaris 胆嚢括約筋（胆嚢頸部から胆嚢管に移行するところにある括約筋）.

sphinc·ter·al (sfingk′tĕr-ăl). 括約筋の．＝sphincterial; sphincteric.

sphinc·ter·al·gi·a (sfingk′tĕr-al′jē-ă) [sphincter + G. *algos*, pain]．肛門括約筋痛.

sphinc·ter·ec·to·my (sfingk′tĕr-ek′tŏ-mē) [sphincter + G. *ektomē*, excision]．括約筋切除〔術〕（①虹彩の瞳孔縁の部分の切除．②括約筋の切除）.

sphinc·te·ri·al, sphinc·ter·ic (sfingk-tē′rē-ăl, -ter-ik). ＝sphincteral.

sphinc·ter·is·mus (sfingk′tĕr-iz′mŭs). 肛門括約筋攣縮〔症〕（肛門括約筋の痙攣性収縮）.

sphinc·ter·i·tis (sfingk′tĕr-ī′tis). 括約筋炎.

sphinc·ter·oid (sfingk′tĕr-oyd) [sphincter + G. *eidos*, resemblance]．括約筋様の.

sphinc·ter·ol·y·sis (sfingk′tĕr-ol′i-sis) [sphincter + G. *lysis*, loosening]．虹彩剝離〔術〕（瞳孔縁のみを含む虹彩前癒着で，虹彩を角膜から離す手術）.

sphinc·ter·o·plas·ty (sfingk′tĕr-ō-plas′tē) [sphincter + G. *plastos*, formed]．括約筋形成〔術〕（括約筋の手術）.

sphinc·ter·o·scope (sfingk′tĕr-ō-skōp′) [sphincter + G. *skopeō*, to view]．肛門括約筋鏡（内肛門筋の視診を容易にする鏡）.

sphinc·ter·os·co·py (sfingk′tĕr-os′kŏ-pē). 肛門括約筋鏡検査〔法〕（括約筋の内視鏡による検査）.

sphinc·ter·o·tome (sfingk′tĕr-ō-tōm′). 括約筋切開刀（括

約筋を切開する器具).

sphinc·ter·ot·o·my (sfingk-těr-ot′ŏ-mē) [sphincter + G. *tomē*, incision]. 括約筋切開〔術〕(括約筋の切開または離断).

external s. 外尿道筋切開術 (外尿道括約筋を経尿道的に切開する術式).

transduodenal s. 経十二指腸的乳頭括約筋切開〔術〕(Oddi 括約筋の切開. 手術は通常, 胆管および膵管末端の嵌頓している結石を除き, 痙縮または狭窄を緩和するために総胆管の下端を切開する).

sphin·ga·nine (sfing′gă-nēn). スフィンガニン; dihydrosphingosine (スフィジリピドの構成要素. スフィンゴシンの前駆体).

(4*E*)-sphin·ge·nine (sfing′ĕ-nēn). =sphingosine.

sphing·ol (sfing′gol). =sphingosine.

sphin·go·lip·id (sfing′gō-lip′id). スフィンゴリピド (セラミド, セレブロシド, ガングリオシド, およびスフィンゴミエリンのような, 長鎖塩基(スフィンゴシン)を含む脂質. 神経組織の構成要素).

sphin·go·lip·i·do·sis (sfing′gō-lip′i-dō′sis). スフィンゴリピドーシス (ガングリオシドーシス, Gaucher 病, および Niemann-Pick 病などのように, スフィンゴリピドの異常代謝による種々の疾病の総称). =sphingolipodystrophy.

スフィンゴリピドーシス

酵素欠損により生じる沈着物質による分類
(異型はすべては網羅していない)

疾患	沈着物質	問題となる酵素
Niemann-Pick病(スフィンゴミエリノーシスA型)	スフィンゴミエリン	スフィンゴミエリナーゼ
Gaucher病	グルコシルセラミド	β-グルコシダーゼ
球様細胞白質萎縮症	ガラクトシルセラミド	β-ガラクトシダーゼ
異染性白質萎縮症	スルファチド	セレブロシドスルファターゼ, アリルスルファターゼA
Fabry病	グロボトリアオシルセラミド	α-ガラクトシダーゼ
ガングリオシドーシス	ガングリオシド	β-ガラクトシダーゼ, ヘキソサミニダーゼ, N-アセチルガラクトサミニルトランスフェラーゼ

cerebral s. 脳スフィンゴリピドーシス (成長不全, 筋緊張亢進, 進行性痙性麻痺, 通常は黄斑部変性と視神経萎縮を伴う視力の減退および失明, 痙攣, 認知症を特徴とする一群の遺伝性疾患. 脳内におけるスフィンゴミエリンおよび関連脂質の異常な蓄積と関係している. 臨床的および酵素的に, ⓘヘキソサミニダーゼA欠損による幼児型(Tay-Sachs 病, G_{M2} ガングリオシドーシス), ⓘⓘ早期若年型(Jansky-Bielschowsky 病または Bielschowsky 病), ⓘⓘⓘ後期若年型(Spielmeyer-Vogt 病, Spielmeyer-Sjögren 病, Vogt-Spielmeyer 病, Batten-Mayou 病, Batten 病, セロイド脂褐素沈着症), ⓘⓥ成人型(Kufs 病)の4型が識別されている). =cerebral lipidosis.

sphin·go·lip·o·dys·tro·phy (sfing′gō-lip′ō-dis′trŏ-fē). = sphingolipidosis.

sphin·go·my·e·li·nase (sfing′gō-mī′ĕ-li-nās). スフィンゴミエリナーゼ. =sphingomyelin phosphodiesterase.

sphin·go·my·e·lin phos·pho·di·es·ter·ase (sfing′gō-mī′ĕ-lin fos′fō-dī-es′tĕr-ās). スフィンゴミエリンホスホジエステラーゼ (スフィンゴミエリンを水解して *N*-アシルスフィンゴシン(セラミド)およびホスホコリンとする反応を触媒する酵素. この酵素の欠損によりⅠ型 Niemann-Pick 病になる). =sphingomyelinase.

sphin·go·my·e·lins (sfing′gō-mī′ĕ-linz). スフィンゴミエリン (脳, 脊髄, 腎臓, および卵黄に存在するリン脂質のグループ. セラミド(スフィゴシンのような長鎖塩基の窒素と結合した長鎖脂肪酸)と結合した, 1-ホスホコリン(choline *O*-phosphate)を含む). =ceramide 1-phosphorylcholine; phosphosphingosides.

sphin·go·sine (sfing′gō-sēn). スフィンゴシン (スフィンゴリピド中にみられる主要な長鎖の塩基). =(4*E*)-sphingenine; sphingol.

sphygm- →sphygmo-.

sphyg·mic (sfig′mik). 脈拍の.

sphygmo-, sphygm- [G. *sphygmos*]. 脈拍を表す連結形.

sphyg·mo·car·di·o·graph (sfig′mō-kar′dē-ō-graf)[sphygmo- + G. *kardia*, heart + *graphō*, to write]. 心脈波計 (心臓拍動と橈骨動脈脈拍の両方を記録する多元記録装置). = sphygmocardioscope.

sphyg·mo·car·di·o·scope (sfig′mō-kar′dē-ō-skōp)[sphygmo- + G. *skopeō*, to view]. =sphygmocardiograph.

sphyg·mo·chron·o·graph (sfig′mō-kron′ō-graf) [sphygmo- + G. *chronos*, time + *graphō*, to write]. 脈波自記器 (心臓拍動と脈拍の間の時間関係をグラフで示す一種の脈波計. 脈拍とその速度の特徴を記録する装置).

sphyg·mo·gram (sfig′mō-gram) [sphygmo- + G. *gramma*, something written]. 脈波曲線 (脈波計によりつくられたグラフ曲線). =pulse curve.

sphyg·mo·graph (sfig′mō-graf) [sphygmo- + G. *graphō*, to write]. 脈波計 (1つのレバーからなる器械で, レバーの短いほうの端が手根の橈骨動脈上に置かれ, 長いほうの端は, 拍動の衝程が移動する煤紙のリボン上に記録する小ペンを備えている).

sphyg·mo·graph·ic (sfig′mō-graf′ik). 脈波計の, 脈波計による, 脈波曲線の.

sphyg·mog·ra·phy (sfig-mog′ră-fē). 脈波記録法 (脈波計を用いて脈拍の特徴を記録する方法).

sphyg·moid (sfig′moyd) [sphygmo- + G. *eidos*, resemblance]. 脈波様の.

sphyg·mo·ma·nom·e·ter (sfig′mō-mă-nom′ĕ-tĕr) [sphygmo- + G. *manos*, thin, scanty + *metron*, measure]. 血圧計 (動脈圧を測定する器具. マンシェット, ゴム球, 血圧を示す示表器よりなる). =sphygmometer.

Mosso s. (mos′ō). モッソ血圧計 (指動脈の血圧を測定するための装置).

Riva-Rocci s. リヴァ-ロッチ血圧計 (動脈圧を非侵襲的に最初に測定した血圧計).

Rogers s. (roj′ĕrz). ロジャーズ血圧計 (アネロイド気圧計からなっている).

sphyg·mo·ma·nom·e·try (sfig′mō-mă-nom′ĕ-trē). 血圧測定〔法〕(血圧計を用いて行う血圧の測定).

sphyg·mom·e·ter (sfig-mom′ĕ-tĕr). =sphygmomanometer.

sphyg·mo·met·ro·scope (sfig′mō-met′rō-skōp) [sphygmo- + G. *metron*, measure + *skopeō*, to view]. 聴診脈圧計 (脈拍を聴診するための器具. 血圧, 特に拡張期血圧を, 聴診法を用いて測る装置).

sphyg·mo·os·cil·lom·e·ter (sfig′mō-os′i-lom′ĕ-ter) [sphygmo- + L. *oscillo*, to swing + G. *metron*, measure]. 振動脈圧計 (アネロイド血圧計に類似した, 収縮期および拡張期血圧の測定に用いる器具).

sphyg·mo·pal·pa·tion (sfig′mō-pal-pa′shŭn) [sphygmo- + L. *palpatio*, palpation]. 脈拍触診.

sphyg·mo·phone (sfig′mō-fōn) [sphygmo- + G. *phōnē*, sound]. 脈音器 (脈拍の各拍動ごとに音がする器具).

sphyg·mo·scope (sfig′mō-skōp) [sphygmo- + G. *skopeō*, to view]. スフィグモスコープ (ガラス管中の液体の上昇を光線を鏡に投射することにより, または単に脈圧計のようにレバーを動かすことにより, 拍動を目で見えるようにした器具).

Bishop s. (bish′ŏp). ビショップスフィグモスコープ (血

圧，特に拡張期圧を測定する器具．管にはカドミウム，タングステン酸ホウ素の溶液を満たす．圧力は，圧縮空気によるのでなく直接液体の重量により測定するので，目盛りは水銀気圧計の逆である）．

sphyg·mos·co·py (sfig-mos′kŏ-pē) ［sphygmo- + G. *skopeō*, to view］．脈拍視診〔法〕．

sphyg·mo·sys·to·le (sfig′mō-sis′tō-lē) ［sphygmo- + G. *systolē*, a contracting］．収縮期脈拍（心臓収縮に対応する脈波の部分を表す現在では用いられない語）．

sphyg·mo·to·no·graph (sfig′mō-tō′nō-graf) ［sphygmo- + G. *tonos*, tension + *graphō*, to write］．血圧記録器（脈拍と血圧の両方をグラフに記録する器具）．

sphyg·mo·to·nom·e·ter (sfig′mō-tō-nom′ĕ-tĕr) ［sphygmo- + G. *tonos*, tension + *metron*, measure］．動脈壁弾力計（血圧の程度を測定するための，血圧記録器に似た器具）．

sphyg·mo·vis·co·sim·e·try (sfig′mō-vis′kō-sim′ĕ-trē)．脈拍血液粘稠度測定（血圧および血液の粘稠度の測定）．

spi·ca, pl. **spi·cae** (spī′kă, spī′kē)［L. a point, an ear of grain］．→bandage.

spic·u·la (spik′yū-lă)［L.］．spiculum の複数形．

spic·u·lar (spik′yū-lăr)．スピクラの，スピクラのある．

spic·ule (spik′yūl)［L. *spiculum*: *spica*, or *spicum*(a point)の指小辞］．***1*** スピクラ，小棘（小さな針状のもの）．***2*** 交接刺，スピキュール（線虫類の雄にみられる生殖付属器．種の同定に有用である）．

spic·u·lum, pl. **spic·u·la** (spik′yū-lŭm, -lă)［L.］．スピクラ，小棘．

spi·der (spī′dĕr)［O.E. *spinnan*, to spin］．***1*** クモ（真正クモ目(蛛形亜綱)の節足動物．4対の脚，頭胸部と球形で滑らかな腹部，巣を紡ぐ糸を出す紡績腺を特徴とする．アメリカ大陸で発見された毒グモには *Latrodectus mactans*, *Latrodectus bishopi*, *Glyptocranium gasteracanthoides*, *Loxosceles laeta*, *Loxosceles rufipes*, *Loxosceles reclusus* などがある）．***2*** 雌ウシの乳頭発育障害．

arterial s. クモ状血管腫．＝spider *angioma.*

vascular s. クモ状血管腫．＝spider *angioma.*

spi·der-burst (spī′dĕr-bŭrst)［*spider*web + sun*burst*］．深在性静脈瘤（通常，眼で見え触知できる静脈瘤ではないが，深部の静脈拡張に起因する，脚の皮膚上に放射状に広がる淡赤色の毛細血管線）．

Spie·gel·berg (shpē′gĕl-bĕrg), Otto．ドイツ人婦人科医，1830―1881．→S. *criteria.*

Spie·ghel (spig′el), Adrian van der.→Spigelius.

Spie·gler (shpē′glĕr), Eduard．オーストリアハンガリー人皮膚科医，1860―1908．→cutaneous *pseudolymphoma*; S.-Fendt *sarcoid.*

Spiel·mey·er (shpēl′mī-ĕr), Walter．ミュンヘンの神経科医，1879―1935．→S. acute *swelling*; S.-Stock *disease*; S.-Vogt *disease.*

spi·ge·li·an (spi-jē′lē-ăn)．Spigelius に関する，または彼の記した．

Spig·e·li·us (spĭg-ā′lē-ŭs), Adrian (van der Spieghel)．パドバに在住したフランダース人解剖学者，1578―1625．→spigelian *hernia*; S. *line*, *lobe.*

spike (spīk)．***1*** スパイク，棘波（脳波に現れる，3―25ミリ秒間の垂直線の上下のように見える短い電気的事象）．***2*** スパイク（電気泳動において，デンシトメータによるトレーシングでの鋭角の上向きのそり）．

ponto-geniculo-occipital s. 橋・膝状体・後頭棘波（レム睡眠中の脳波での棘波で，橋に出現し，外側膝状体を通って後頭皮質に連絡する）．

spill (spil)．溢流（液体または細かく分割された物が分散すること）．

cellular s. 細胞溢流（リンパまたは血液を通っての細胞の播種．これにより各部位または各器官への異組織の転移または移植が起こる）．

Spil·ler (spil′lĕr), William G．米国人神経科医，1863―1940．→Frazier-S. *operation.*

spill·way (spil′wā)．排出路，排出溝（食物がそしゃく過程中に歯の咬合面から通り抜けうる溝または道）．＝sluiceway.

spi·lus (spī′lŭs)［Mod.L. < G. *spilos*, a spot］．スピルス，斑状母斑．＝*nevus* spilus.

spin- →spino-.

spi·na, gen. & pl. **spi·nae** (spī′nă, -nē)［L. a thorn, the backbone, spine］［TA］．棘．＝spine (1).

s. angularis 蝶形骨棘．＝*spine* of sphenoid bone.

s. bifida［MIM*182940］．二分脊椎，脊椎披裂（1つまたは複数の椎弓の発生学的癒合不全．神経外胚葉の障害に伴う奇形の程度と型により，いくつかの型に分けられる）．＝hydrocele spinalis; schistorrhachis.

s. bifida aperta 開放二分脊椎．＝s. bifida cystica.

s. bifida cystica 嚢胞性二分脊椎（骨髄嚢腫(髄膜瘤)，髄膜と脊髄の両方を含む嚢腫(髄膜脊髄瘤)，または脊髄のみ(脊髄瘤)を伴う脊椎披裂）．＝s. bifida aperta; s. bifida manifesta.

s. bifida manifesta 顕性二分脊椎．＝s. bifida cystica.

s. bifida occulta 潜在〔性〕二分脊椎（脊椎の欠陥があり，発育上の異常はあるが脊髄または脊髄膜の突出はない二分脊椎）．

s. dorsalis ＝vertebral *column.*

s. frontalis ＝s. nasalis ossis frontalis.

spinae geniorum inferior et superior〔下または上〕おとがい棘．＝mental *spine.*

s. helicis［TA］．耳輪棘．＝*spine* of helix.

s. iliaca anterior inferior［TA］．下前腸骨棘．＝anterior inferior iliac *spine.*

s. iliaca anterior superior［TA］．上前腸骨棘．＝anterior superior iliac *spine.*

s. iliaca posterior inferior［TA］．下後腸骨棘．＝posterior inferior iliac *spine.*

s. iliaca posterior superior［TA］．上後腸骨棘．＝posterior superior iliac *spine.*

s. ischiadica［TA］．坐骨棘．＝ischial *spine.*

s. meatus ＝suprameatal *spine.*

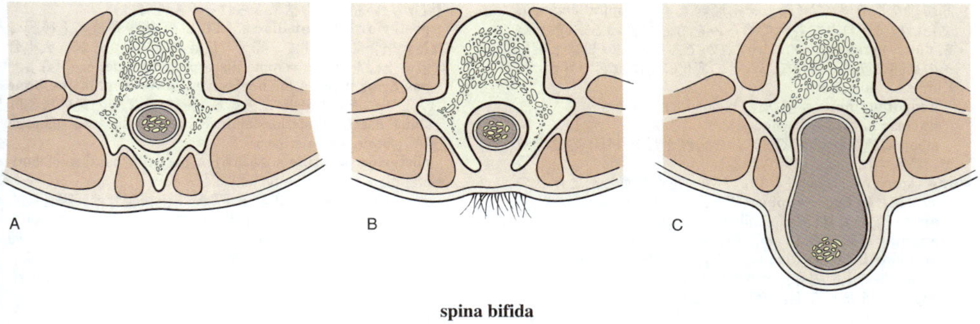

spina bifida

A：正常脊髄．B：潜在性二分脊椎．C：髄膜脊髄瘻．

s. mentalis (inferior et superior) [TA]. 〔下または上〕おとがい棘. =mental *spine.*

s. nasalis anterior corporis maxillae [TA]. 〔上顎骨の〕前鼻棘. =anterior nasal *spine* of maxilla.

s. nasalis ossis frontalis [TA]. 〔前頭骨の〕鼻棘. =nasal *spine* of frontal bone.

s. nasalis posterior laminae horizontalis ossis palatini [TA]. 〔口蓋骨水平板の〕後鼻棘. =posterior nasal *spine* of horizontal plate of palatine bone.

s. ossis sphenoidalis [TA]. 蝶形骨棘. =*spine* of sphenoid bone.

spinae palatinae [TA]. 口蓋棘. =palatine *spines.*

s. peronealis =fibular *trochlea* of calcaneus.

s. pubis =pubic *tubercle.*

s. scapulae [TA]. 肩甲棘. =*spine* of scapula.

s. suprameatalis☆ suprameatal *spine* の公式の別名.

s. suprameatica [TA]. 道上棘. =suprameatal *spine.*

s. trochlearis [TA]. 滑車棘. =trochlear *spine.*

s. tympanica major [TA]. 大鼓室棘. =greater tympanic *spine.*

s. tympanica minor [TA]. 小鼓室棘. =lesser tympanic *spine.*

spi·nal (spī′năl) [L. *spinalis*]. =rachial; rachidial; rachidian; spinalis. ***1*** 棘の，棘状突起の. ***2*** 脊髄の，脊椎の，脊柱の.

spi·na·lis (spī-nā′lis) [L.]. →spinalis(*muscle*). =spinal.

spi·nate (spī′nāt). 有棘の，棘状の.

spin·dle (spin′dĕl) [A.S.]. 紡錘〔体〕(解剖学および病理学において，紡錘状の細胞または構造をいう).

aortic s. 大動脈紡錘（大動脈峡部を越えた直後の紡錘形拡張). =His s.

central s. 中心紡錘体（紡錘の中心部を占める連続性微小管群(連続糸)で，染色体微小管が染色体に付着して終わっている(紡錘糸)のに対して，両極の星状体の間を結合している微小管).

cleavage s. 分裂紡錘体（受精卵またはその割球の分裂中に現れる紡錘体).

His s. (hiz). ヒス紡錘. =aortic s.

Krukenberg s. (krū′kĕn-berg). クルーケンベルク紡錘（角膜の後部表面で，メラニン色素沈着によりできた鉛直方向に走る紡錘状領域).

Kühne s. (ki′ne). キューネ紡錘. =neuromuscular s.

mitotic s.〔有糸分裂〕紡錘体（分裂中の細胞に特有の紡錘形の構造. 紡錘糸とよばれる微小管からなり，あるものは染色体の動原体に付着して染色体の運動に関与し，他のものは極から極へ張っていて連続糸とよばれる). =nuclear s.

muscle s. 筋紡錘. =neuromuscular s.

neuromuscular s. 筋紡錘（骨格筋内に存在する紡錘状の感覚器で，求心性および少数の遠心性の神経線維が末端をつくる. 3—10本の変性した横紋筋線維(紡錘内線維)からなり，この横紋筋線維は，通常の横紋筋線維よりずっと小さく，器官を囲む被膜によって周りの横紋筋から分離され，ガンマ運動ニューロン(ガンマ運動線維)によって支配される. 紡錘内線維上にある知覚神経線維の末端は，環状らせん状に筋線維を取り巻くか(環らせん形終末 annulospiral *ending*)，または枝分かれして各所で膨らみをもって終わるか(散形終末 flower-spray *ending*)のいずれかである. この知覚末端はその周囲の筋肉ののび縮みなどの変化に特に敏感である). =Kühne s.; muscle s.

neurotendinous s. 腱紡錘. =Golgi tendon *organ.*

nuclear s. 核紡錘. =mitotic s.

sleep s. 睡眠紡錘波（脳波計で記録される14Hzの群発波で，睡眠中にしばしばみられる).

spine (spīn) [L. *spina*][TA]. ***1*** 棘（短くとがったとげ状の骨の突起，棘突起). =spina [TA]. ***2*** =vertebral *column.*

alar s. 蝶形骨棘. =s. of sphenoid bone.

angular s. 蝶形骨棘. =s. of sphenoid bone.

anterior inferior iliac s. [TA]. 下前腸骨棘（腸骨の前縁にある棘で上前腸骨棘と寛骨臼の間にあるもの. ここから大腿直筋の筋頭が直接起始している). =spina iliaca anterior inferior [TA].

anterior nasal s. 前鼻棘. =anterior nasal s. of maxilla.

anterior nasal s. of maxilla [TA]. 〔上顎骨の〕前鼻棘（上顎骨間縫合の前端にある尖状突起. その先端はX線頭部計測の側面観で計測点として用いられる). =spina nasalis anterior corporis maxillae [TA]; anterior nasal s.

anterior superior iliac s. [TA]. 上前腸骨棘（腸骨稜の前端で，鼡径靱帯と縫工筋の起始をなす). =spina iliaca anterior superior [TA].

bamboo s. 竹様脊柱（強直性脊椎炎のX線写真で認められる胸椎または腰椎の外観).

cleft s. 脊椎裂（→*spina* bifida).

dendritic s.'s 樹状突起棘（種々の長さの神経細胞樹状突起の突出. 形は，小さいこぶ状から棘状または糸状の突起まで様々である. 通常，樹状突起の幹の基部よりも末端の分枝上に数多くある. この場所で軸索が樹状突起とシナプスをつくることが多い. ある種の神経細胞ではこれらの棘がまばらか，あるいはないことがある(運動ニューロン，淡蒼球の大細胞，大脳皮質の星状細胞). これらは，他の細胞，例えば，大脳皮質の錐体細胞や小脳皮質のPurkinje細胞よりはるかに多数である). =dendritic thorns; gemmule (2).

dorsal s. =vertebral *column.*

greater tympanic s. [TA]. 大鼓室棘（鼓膜切痕の前縁). =spina tympanica major [TA].

s. of helix [TA]. 耳輪棘（耳輪脚の端から前方に向かう棘). =spina helicis [TA]; apophysis helicis.

hemal s. 血管弓棘（下等脊椎動物の脊椎の血管弓の下面の中点).

Henle s. (hen′lĕ). ヘンレ棘. =suprameatal s.

iliac s. 腸骨棘（→anterior inferior iliac s.; anterior superior iliac s.; posterior inferior iliac s.; posterior superior iliac s.).

ischiadic s. 坐骨棘. =ischial s.

ischial s. [TA]. 坐骨棘（寛骨臼の後下縁で，坐骨の後縁から後内方に突出する尖状突起で尾骨筋と仙棘靱帯が付着する. この突起の背側を陰部神経が通っており，膣または直腸から触れることができるので陰部神経ブロックを施すときの穿刺の目安とされる). =spina ischiadica [TA]; ischiadic s.; sciatic s.

lesser tympanic s. [TA]. 小鼓室棘（鼓膜切痕の後縁). =spina tympanica minor [TA].

meatal s. =suprameatal s.

mental s. [TA]. おとがい棘（下顎骨体の後部表面の中心線にあるわずかな突起(ときに上下2個ある)で，(下に)おとがい舌骨筋および(上に)おとがい舌筋が付着する). =spina mentalis (inferior et superior) [TA]; genial tubercle; spinae geniorum inferior et superior.

nasal s. of frontal bone [TA]. 〔前頭骨の〕鼻棘（前頭骨の鼻部の中央からの突起. 鼻骨と篩骨鉛直板の間にあり，これらと連結する). =spina nasalis ossis frontalis [TA].

neural s. 神経弓棘（典型的脊椎の神経弓の中点. 棘突起に相当する).

palatine s.'s [TA]. 口蓋棘（上顎骨の口蓋突起の下面に口蓋溝沿いにある縦の隆線). =spinae palatinae [TA].

poker s. ポーカー脊椎（脊椎の骨髄炎またはリウマチ性脊椎炎により誘発されうる，広範囲の関節非可動性または克服しがたい筋痙縮の結果みられる不撓性脊椎).

posterior inferior iliac s. [TA]. 下後腸骨棘（上後腸骨棘と大坐骨切痕の間で，腸骨の後縁の下端にある棘. 大坐骨切痕の上縁をなす). =spina iliaca posterior inferior [TA].

posterior nasal s. of horizontal plate of palatine bone [TA]. 〔口蓋骨水平板の〕後鼻棘（硬口蓋鼻稜の鋭い後端). =spina nasalis posterior laminae horizontalis ossis palatini [TA]; posterior palatine s.

posterior palatine s. 後鼻棘. =posterior nasal s. of horizontal plate of palatine bone.

posterior superior iliac s. [TA]. 上後腸骨棘（腸骨稜の後端で仙結節靱帯と後仙腸靱帯の付着部の最高点. この棘をおおう皮膚には明瞭な〝えくぼ〟が認められ，これが第二仙椎のS2の高さの臨床上の目安となる. ここが脊髄クモ膜下腔の最下端になるからである). =spina iliaca posterior superior [TA].

pubic s. =pubic *tubercle.*

s. of scapula [TA]. 肩甲棘（肩甲骨の背面上に突出して

いる三角形の骨稜で，僧帽筋と三角筋に起始を与え棘上窩と棘下窩を境している．肩峰はこの棘から外側方に延び出た部分である）．=spina scapulae［TA］.

sciatic s. 坐骨棘．=ischial s.

sphenoidal s. 蝶形骨棘．=s. of sphenoid bone.

s. of sphenoid bone［TA］．蝶形骨棘（左右の蝶形骨大翼後部にある下方への突起で，この突起の近くにあるところから名付けられた棘孔の後外側にある．蝶下顎靱帯の起始をなす）．=processus spinosus; spina ossis sphenoidalis［TA］; alar s.; angular s.; sphenoidal s.; spina angularis; spinous process of sphenoid.

Spix s. (shpiks)．シュピックス棘．=*lingula* of mandible.

suprameatal s.［TA］．道上棘（側頭骨乳突上窩の前方で外耳道後上縁にみられる小突起）．=spina suprameatalis☆; Henle s.; meatal s.; spina meatus; spina suprameatica［TA］.

thoracic s. 脊柱胸部（すべて胸椎［T1—T12］からなる．脊柱のうちで胸郭の形成に加わっている部分）．

trochlear s.［TA］．滑車棘（滑車窩の縁にある骨の小棘．眼球の上斜筋の滑車が付着する）．=spina trochlearis［TA］.

Spi·nel·li (spē-nel′ē), Pier G. イタリア人婦人科医，1862—1929．⇀Spinelli *operation*.

spinn·bar·keit (spin′bahr-kīt)［Ger. *spinnbar*, fit for spinning ＋ *keit*, ness］．牽糸性（排卵期の子宮頸管粘液が糸を引く性質．月経周期の他の時期と対照的に，周期中間の頸管分泌物は透明，豊富で，粘度が低い）．

spino-, spin-［L. *spina*］．***1*** 棘，脊柱を意味する連結形．***2*** 棘状の，を意味する連結形．

spi·no·bul·bar (spī′nō-bŭl′băr)．脊髄延髄の．=bulbospinal.

spi·no·cer·e·bel·lum (spī′nō-ser′ĕ-bel′ŭm)［TA］．=paleocerebellum.

spi·no·col·lic·u·lar (spī′nō-kol-ik′yū-lăr)．=spinotectal.

spi·no·cos·ta·lis (spī′nō-kos-tā′lis)［L.］．脊椎肋骨筋（上下後鋸筋の総称）．

spi·no·gle·noid (spī′nō-glē′noyd)．〔肩甲〕棘関節窩の（肩甲棘および肩甲骨関節窩に関する）．

spi·no·mus·cu·lar (spī′nō-mŭs′kyū-lăr)．脊髄筋〔肉〕の（脊髄および脊髄神経により刺激を伝達される筋肉に関する）．

spi·no·neu·ral (spī′nō-nū′răl)．脊髄末梢神経の（脊髄およびそこから発する神経に関する）．

spi·nose (spī′nōs)．=spinous.

spi·no·tec·tal (spī′nō-tek′tăl)．脊髄中脳蓋の（脊髄から中脳蓋へと上方に通ることについていう）．=spinocollicular.

spi·no·trans·ver·sar·i·us (spī′nō-trans′vĕr-sār′ē-ŭs)．棘横突筋（頭板状筋および上頭斜筋を１つとみなす場合の名称）．

spi·nous (spī′nŭs)．棘状の．=spinose.

spin·thar·i·con (spin-thar′i-kon)［G. *spinthēr*, spark］．スピンサリコン（内用された放射性薬剤からの低エネルギー放射の分布を記録するために用いるスパークチェンバー型装置．特にヨウ素 125 を用いる甲状腺の走査に用いる）．

spin·thar·i·scope (spin-thar′i-skōp)［G. *spinthēr*, spark ＋ *skopēo*, to view］．スピンサリスコープ．=scintillation *counter*.

spir- ⇀spiro-.

spi·ra·cle (spī′ră-kĕl, spir-)［L. *spiraculum* ＜ *spiro*, to breathe］．気門，呼吸孔（節足動物およびクジラにおける呼吸のための開口．サメおよび同類の魚類における開口に似ている）．

spi·rad·e·no·ma (spī′rad-ĕ-nō′mă)［G. *speira*, coil ＋ adenoma］．汗腺〔腺〕腫（汗腺の良性腫瘍）．

eccrine s. エクリンらせん腺腫（エクリン汗腺の分泌部に由来する２種類の細胞からなる通常は有痛性の良性皮膚腫瘍）．

spi·ral (spī′răl)［Mediev.L. *spiralis* ＜ G. *speira*, a coil］．***1***〘adj.〙らせん状の，らせん形の（時計のぜんまいのような渦巻き状の．ワイヤスプリングのように巻きながら上っていくことについていう）．***2***〘n.〙らせん体（コイル状構造）．

Curschmann s.'s (kūrsh′mahn)．クルシュマンらせん体（気管支ぜん息の喀痰中に存在するらせん状にねじれた粘液の塊）．

s. of Tillaux (tē-yō′)．ティローラセン（外眼筋のうち，四直筋の起始部を結ぶ想像上の線）．

spi·rem, spi·reme (spī′rem, spī′rēm)［G. *speirēma*, a coil］．核糸（以前は有糸分裂の第一期（前期）に用いた語．この時期に，のびた染色糸は緩く巻いた毛糸玉のような形で出現する．誤った仮説では，糸は連続しており，後に切り離されて個々の染色体となるとされていた）．

spi·ril·la (spī-ril′ă)．spirillum の複数形．

Spi·ril·la·ce·ae (spī′ri-lā′sē-ē)．らせん菌科，スピリルム科（通常，運動性，好気性または通性嫌気性の細菌シュードモナス科の一分科で，グラム陰性の曲がっているか，らせん状にねじれた杆菌．運動性細菌は単極べん毛または単極べん毛束をもつ．これらの微生物は本来水中細菌であるが，あるものはヒトに，他のものは高等動物に寄生し，または病原となる．標準属は *Spirillum*.⇀*Spirillum*）．

spi·ril·lar (spī-ril′ăr)．らせん菌状の（Ｓ字形をした細菌細胞についていう）．

spi·ril·li·ci·dal (spī-ril′i-sī′dăl)［spirilla ＋ L. *caedo*, to kill］．殺スピリルム〔性〕の，殺らせん菌〔性〕の．

spi·ril·lo·sis (spī′ri-lō′sis)．らせん菌症（血液または組織にスピリルムが存在することによって起こる各種の疾病）．

Spi·ril·lum (spī-ril′ŭm)［Mod. L.: L. *spira*(coil)の指小辞 ＜G. *speira*］．スピリルム属（直径 1.4—1.7 μm の大きい，強固ならせん状のグラム陰性細菌らせん菌科の一属で，双極べん毛束によって動く．淡水に住むこれらの微生物は，偏性微好気性で，有機栄養性であり，厳密な呼吸性代謝をする．炭水化物を酸化，発酵することはない．標準種は *S. volutans*）．

S. minus 鼡咬熱(鼡毒)の原因となる分類不明な菌種．本種はこれまで培養がなされていない．ときに *Spirillum minor* とよばれる．

S. volutans 淡水中に見出される種．*Spirillum*属の標準種．

spi·ril·lum, pl. spi·ril·la (spī-ril′ŭm, -ă)．スピリルム（*Spirillum*属の細菌）．

Obermeier s. (ō′bĕr-mī-ĕr)．オーベルマイアースピリルム．=*Borrelia recurrentis*.

Vincent s. (van[h]-sawn[h]′)．ヴァンサンスピリルム（Vincent 杆菌と関連して見出されるスピリルムあるいはスピロヘータ．しばしば *Fusobacterium nucleatum* が単離される唯一の杆菌である）．

spir·it (spir′it)［L. *spiritus*, a breathing, life soul ＜ *spiro*, to breathe］．=spiritus. ***1*** 蒸留酒（蒸留によって得られるブドウ酒（すなわち 15％）より強いアルコール飲料）．***2*** 蒸留された液体．***3*** 酒精剤（揮発物質のアルコール溶液．香味料としてまたは薬剤として用いる）．

ardent s.'s アルコール飲料（ブランデー，ウイスキーなどの形に蒸留されたアルコール飲料）．

aromatic ammonia s. 芳香アンモニア精（アルコールの水溶液で，約 2% のアンモニア，4% の炭酸アンモニウム，および香料としてレモン油やラベンダー油，ナツメグ油を含む．主として，失神あるいはその恐れのある者に対して反射刺激を与えるために吸入剤として用いる）．=sal volatile; smelling salts.

industrial methylated s., methylated s. 工業用加メチルエタノール，加メチルエタノール．=denatured *alcohol*.

neutral s.'s 中性スピリッツ（未精製原料を蒸留することによって得られるスピリッツで，蒸留時には少なくとも 190 プルーフ，すなわち 95%(v/v)のエタノールを含むものである．ウイスキーのブレンドやジン，コーディアル，リキュール，ウオッカの製造に用いられる．→alcohol）．

proof s. 標準濃度エタノール（15.56°C でエタノールを 49.5 重量%(57.27 容量%)含む，比重 0.920 の希アルコール．元来英国では，これで火薬を湿らせた場合，発火しうる最も弱いアルコールをさした．英国標準濃度エタノールは，10.56°C で比重 0.9198，49.2 重量%，または 57.1 容量%である）．

pyroligneous s., pyroxylic s. 木精．=methyl *alcohol*.

rectified s. 精留酒精．=alcohol (2).

vital s.'s 生気（Galen の教えでは，左心室の空気または霊気より発生すると考えられる生命の精または素．それが血液で脳へ運ばれ，動物の精に変化し，神経に沿って身体の各

S

部分へ流れるものと考えられた).

wine s. 酒精. = alcohol (2).

wood s. 木精. = methyl *alcohol*.

spir·i·tu·ous (spir′i-tyū-ŭs). アルコール性の (アルコール度の高い. アルコール飲料についていう).

spir·i·tus, gen. & pl. **spir·i·tus** (spir′i-tŭs) [L.]. [本語の正しい複数形は spiriti ではなく spiritus である]. = spirit.

spiro-, spir- *1* [G. *speira*]. コイルまたはコイル状の, を表す連結形. *2* [L. *spiro*, to breathe]. 呼吸することを表す連結形.

Spi·ro·cer·ca lu·pi (spī′rō-ser′kă lū′pī) [L. < G. *speira*, coil + G. *kerkos*, tail; L. *lupus*, wolf]. オオカミセンビチュウ, 血色食道虫 (イヌや他の食肉類の食道寄生虫. イヌ, キツネ, オオカミの食道, 胃, 大動脈の壁に結節をつくる旋尾線虫の一種で, 中間宿主は種々の食糞性甲虫である. 臨床症状はきわめて重篤な感染の場合にのみ現れ, イヌの食道の癌様腫や, 肥大性肺性骨関節症を伴う).

Spi·ro·chae·ta (spī′rō-kē′tă) [Mod.L. < G. *speira*, a coil + *chaitē*, hair]. スピロヘータ属 (スピロヘータ目の運動性細菌の一属. グラム陰性で屈曲性, うねり状, コイル状の杆菌. 先端が細いべん毛様構造をもつものともたないものがある. プロトプラストは軸糸の周りをらせん状に巻いている. 明瞭な外質膜または横紋は存在しない. これら微生物は支持物体の表面をはうことによって運動する. 寄生性でなく, 淡水または海水泥砂(通常は下水および不潔な水)中に, 遊離状態で見出される. 現在この属には5種が存在し, 標準種は *S. plicatilis*).

S. obermeieri = *Borrelia recurrentis*.

S. plicatilis 非常に大きい(しばしば長さ 200 μm にもなる)細菌の一種. 知られている限りでは非寄生性. *Spirochaeta*属の標準種.

Spi·ro·chae·ta·ce·ae (spī′rō-kē-tā′sē-ē). スピロヘータ科 (長さ 30—50 μm の, 粗大ならせん状の細胞からなり, 明らかな原形質構造をもつスピロヘータ目の細菌の一科. これら微生物はよどんだ淡水または海水中および二枚貝類の腸管に存在する. 標準属は *Spirochaeta*. →*Spirochaeta*).

Spi·ro·chae·ta·les (spī′rō-kē-tā′lēz). スピロヘータ目 (長さ 6 —500 μm の, 完全に 1 回転以上しているらせん状の細長い, 屈曲性の細胞を包括する細菌の目. 軸糸, 側櫛, 稜線, または横紋をもつ種もある. これら微生物はすべて運動性で, 長軸の周りを旋回して前後に進む. 遊離生活性, 腐生性, 寄生性のものがあり, 標準科は Spirochaetaceae).

spi·ro·che·tal (spī′rō-kē′tăl). スピロヘータの (特にスピロヘータによる感染についていう).

spi·ro·chete (spī′rō-kēt). スピロヘータ (*Leptospira*属, *Spirochaeta*属, あるいは *Treponema*属細胞に似たすべての生物を表すのに用いる通称).

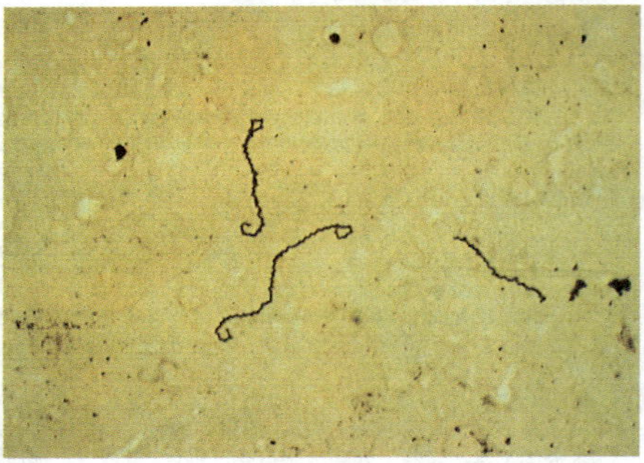

spirochetes

*Leptospira*の培養からのスミア. 鍍銀染色法.

spi·ro·chet·e·mi·a (spī′rō-kē-tē′mē-ă) [spirochete + G. *haima*, blood]. スピロヘータ血〔症〕(血中にスピロヘータが存在すること).

spi·ro·che·ti·cide (spī-rō-kē′tĭ-sīd) [spirochete + L. *caedo*, to kill]. スピロヘータ殺菌薬, 抗スピロヘータ薬.

spi·ro·che·tol·y·sis (spī′rō-kē-tol′i-sis) [spirochete + G. *lysis*, a loosening]. スピロヘータ溶解 (化学療法または特異性抗体によって, スピロヘータを死滅させること).

spi·ro·che·to·sis (spī′rō-kē-tō′sis). スピロヘータ症 (スピロヘータによって起こる疾病).

bronchopulmonary s. 気管支肺スピロヘータ症. = hemorrhagic *bronchitis*.

spi·ro·che·tot·ic (spī′rō-kē-tot′ik). スピロヘータ症の.

spi·ro·gram (spī′rō-gram). 呼吸曲線, 肺容量曲線 (呼吸運動記録器によって描かれた曲線).

spi·ro·graph (spī′rō-graf) [L. *spiro*, to breathe + G. *graphō*, to write]. 呼吸運動記録器 (呼吸運動の深さと速度をグラフで示すための装置).

spi·ro-in·dex (spī′rō-in′deks). 肺活量指数 (肺活量を身長によって除した値).

spi·rom·e·ter (spī-rom′ĕ-tĕr) [L. *spiro*, to breathe + G. *metron*, measure]. 肺活量計, スパイロメータ (臨床および研究において, 肺によって吸入, 呼出される気流と容積を測定するために用いられる器機で, 肺機能を測定する. 肺機能を測定する最も基本的器機と考えられている).

chain-compensated s. 鎖代償性肺活量計 (Tissot 肺活量計ともいい, 鐘の浮力の変化に対する代償が, 単位長さ当たりに対して正確な質量を有するぶら下がった鎖によって, 自動的に達成されるようになっている).

Krogh s. (krōg). クロフ肺活量計 (鐘が 1 つの縁に沿ってのびる水平軸の周りをわずかに回転する大きな浅い四角い箱で, 重量を釣り合わせるためにその軸を越えてのびた腕をもつ, 水で密閉した肺活量計. 楔状肺活量計と対比される).

Tissot s. (tē-sō′). ティソー肺活量計 (長い期間呼気を蓄積するように設計された, 水で密閉された非常に大きな肺活量計. 鐘(ほとんど摩擦がない)の釣合いは, 含有する気体を正確にその場の大気圧に保つように, 水から出てくる際の鐘の浮力の変化で代償される).

wedge s. 楔状肺活量計 (2枚の大きな長方形の板でできた水を用いない肺活量計. 板の端がアコーディオンプリーツのゴムで結ばれていて, 容積が大きく変化しても, くさび形をした内部の鋭角がほんのわずか変化するだけで済むようになっており, その変化は電気トランスデューサで感じ取っている. 肝機能の急速な変化を記録するため設計されている).

Spi·ro·me·tra (spī′rō-mē′trǎ) [G. *speira*, coil + *mētra*, womb(uterus)]. スピロメトラ属 (擬葉類条虫の一属).

S. mansoni マンソン孤虫 (野生のネコに寄生する擬葉類条虫の一種で, この幼虫(スパルガヌム)はヒトの組織中に生存する. 東洋人から見出されるが, 他の地域にも散在的に広く分布する. ヒトのスパルガヌム感染は創傷, 眼瞼腫瘤(眼孤虫症でみられるような), 挫傷あるいは潰瘍形成などに湿布薬として使用される, 感染したカエルの肉片からの能動的な移行によって生じる. また, ヒトが本虫のプレロセルコイドが寄生した脊椎動物を摂取することによっても感染する). = *Diphyllobothrium linguloides*; *Diphyllobothrium mansoni*.

S. mansonoides 北アメリカに分布する擬葉類条虫の一種で, この幼虫(スパルガヌム)はフロリダおよびメキシコ湾岸 5 州におけるヒトの孤虫症の原因と思われる. = *Diphyllobothrium mansonoides*.

spi·rom·e·try (spī-rom′ĕ-trē). 肺活量測定〔法〕(肺活量計で肺の測定を行うこと).

forced s. 努力呼吸能測定 (肺機能を測定するための吸気量, 特に呼気量を経時的に描く. 1秒間に呼出された空気量(FEV)は臨床呼吸生理学で単一では最も重要な測定と考えられることが多い).

spi·ro·no·lac·tone (spī′rō-nō-lak′tōn). スピロノラクトン (アルドステロンの腎尿細管に対する作用を遮断する利尿薬. ナトリウムと塩化物の尿排泄を増大させ, かつカリウムもアンモニウム塩の排泄を減少させて尿の有効酸度を弱める. これはナトリウム利尿作用を高め, 他の利尿薬によって引き起こされたカリウム排泄を減少させるのに最も有効である).

spi·ro·scope (spī′rō-skōp) [L. *spiro*, to breathe + G. *skopeō*, to view]. スピロスコープ (肺の空気容量を測定する装置).

spi·ro·stan (spī′rō-stan). スピロスタン ; 16, 22 : 22, 26-diepoxycholestane.

spi·ru·roid (spī′rū-royd). 旋尾線虫 (旋尾線虫上科に属する寄生虫の一般名).

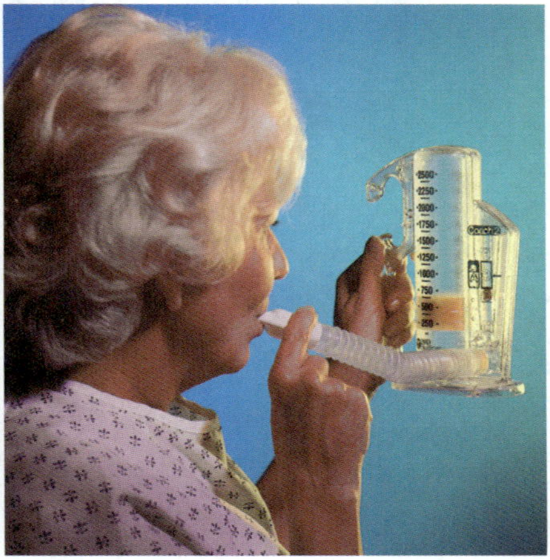

incentive spirometer

Spi·ru·roi·de·a (spī′rū-roy′dē-ă) [G. *speiroeidēs*, spiral]. 旋尾線虫上科（脊椎動物の消化管，呼吸系，眼窩，鼻腔，口腔に寄生する節足動物媒介の線虫．家畜や家禽の，普通にみられる，しかもしばしば病原性の寄生虫で，消化管壁をその有棘の前端が貫通して潰瘍を生じる．含まれる科には，Acuariidae 科，顎口虫科，Rictulariidae 科，Seuratidae 科，Physalopteridae 科，旋尾線虫科，Thelaziidae 科がある）.

spis·si·tude (spis′i-tūd) [L. *spissitudo* < *spissus*, thick]. 濃縮状態（稠厚になった状態．蒸発または濃縮によって液体がほとんど固体となった状態）.

spit·ting (spit′ing). 喀出，吐くこと．=expectoration (2).

spit·tle (spit′ĕl) [A.S. *spātl*]. 唾液．=saliva.

Spitz (spits), Sophie. 20 世紀の米国人病理学者．→S. *nevus*.

Spit·zer (schpit′sĕr), Alexander. オーストリア人解剖学者，1868—1943. →Spitzer *theory*.

Spitz·ka (spits′kă), Edward C. 米国人神経科医，1852—1914. →Spitzka *nucleus*, marginal *tract*, marginal *zone*; *column* of S.-Lissauer.

Spix (shpiks), Johann B. ドイツ人解剖学者，1781—1826. →S. *spine*.

SPL sound pressure *level* の略.

splanchn- →splanchno-.

splanch·nap·o·phys·i·al, splanch·nap·o·phys·e·al (splangk′nap-ō-fiz′ē-ăl). 内臓側骨端の.

splanch·na·poph·y·sis (splangk′nă-pof′i-sis) [splanchn- + G. *apophysis*, offshoot]. 内臓側骨端（代表的な脊椎の骨端で，神経骨端や突起の反対側にあり，内臓または消化管の一部の付着部）.

splanch·nec·to·pi·a (splangk′nek-tō′pē-ă) [splanchn- + G. *ektopos*, out of place]. 内臓転位〔症〕（内臓のどれかが転位していること）.

splanch·nes·the·si·a (splangk′nes-thē′zē-ă) [splanch- + G. *aisthēsis*, sensation]. 内臓感覚．=visceral *sense*.

splanch·nic (splangk′nik). 内臓の．=visceral.

splanch·ni·cec·to·my (splangk′ni-sek′tŏ-mē) [splanchni- + G. *ektomē*, excision]. 内臓神経切除〔術〕（通常，腹腔神経節の切除をいう）.

splanch·ni·cot·o·my (splangk′ni-kot′ŏ-mē) [splanchni- + G. *tomē*, incision]. 内臓神経切断〔術〕（高血圧の治療に以前用いられた外科的手術）.

splanchno-, splanchn-, splanchni- [G. *splanchnon*, viscus]. 内臓を表す連結形．→viscero-.

splanch·no·cele (splangk′nō-sēl). ***1*** [G. *koilos*, hollow]. 胚，胎児における原始体腔. ***2*** [G. *kēlē*, hernia]. 内臓ヘルニア（腹部臓器のヘルニア）.

splanch·no·cra·ni·um (splangk′nō-krā′nē-ŭm). =viscerocranium.

splanch·nog·ra·phy (splangk-nog′ră-fē) [splanchno- + G. *graphō*, to write]. 内臓学的記述（内臓に関する論文または記述）.

splanch·no·lith (splangk′nō-lith) [splanchno- + G. *lithos*, stone]. 内臓結石（腸の結石）.

splanch·no·lo·gi·a (splangk′nō-lō′jē-ă). 内臓学．=splanchnology.

splanch·nol·o·gy (splangk-nol′ŏ-jē) [splanchno- + G. *logos*, study]. 内臓学（内臓を扱う医学の分野）．=splanchnologia.

splanch·no·meg·a·ly (splangk′nō-meg′ă-lē) [splanchno- + G. *megas*, large]. 内臓巨大〔症〕．=visceromegaly.

splanch·no·mic·ri·a (splangk′nō-mik′rē-ă) [splanchno- + G. *mikros*, small]. 内臓矮小〔症〕（内臓器官が異常に小さい状態）.

splanch·nop·a·thy (splangk-nop′ă-thē) [splanchno- + G. *pathos*, disease]. 内臓障害.

splanch·no·pleu·ral (splangk′nō-plū′răl). 内臓葉の．=splanchnopleuric.

splanch·no·pleure (splangk′nō-plūr) [splanchno- + G. *pleura*, side]. 内臓葉（外側中胚葉の内臓層と内胚葉とを結合して形成される胎芽細胞層）.

splanch·no·pleu·ric (splangk′nō-plū′rik). =splanchnopleural.

splanch·nop·to·sis, splanch·nop·to·sia (splangk′-nōp-tō′sis, -tō′sē-ă) [splanchno- + G. *ptōsis*, a falling]. 内臓下垂〔症〕（[二重字ptにおいて，pは語頭にあるときのみ無音である]）．=visceroptosis.

splanch·no·scle·ro·sis (splangk′nō-sklĕ-rō′sis) [splanchno- + G. *sklērōsis*, hardening]. 内臓硬化〔症〕（結合組織の発育過度による硬化）.

splanch·no·skel·e·tal (splangk′nō-skel′ĕ-tăl). 内臓骨格の．=visceroskeletal.

splanch·no·skel·e·ton (splangk′nō-skel′ĕ-tŏn). 内臓骨格．=visceroskeleton (2).

splanch·no·so·mat·ic (splangk′nō-sō-mat′ik) [splanchno- + G. *sōma*, body]. 内臓身体の．=viscerosomatic.

splanch·not·o·my (splangk-not′ŏ-mē) [splanchno- + G. *tomē*, incision]. 内臓解剖.

splanch·no·tribe (splangk′nō-trīb) [splanchno- + G. *tribō*, to rub, bruise]. 砕腸器（切除に先立って一時的に腸を閉塞するために用いる，大きい圧砕止血器に似た器具）.

splay (splā). ***1*** 〘v.〙 扇形に開く，外広がりに切る（口径を広げるために管腔物の端を縦に切って広がるようにする．→spatulate）. ***2*** 〘n.〙 扇形部（ある物質の動脈血漿濃度とその物質の腎尿細管からの分泌量，あるいは再吸収量に関するグラフの角に生じる丸みをいう．これは主としてある種のネフロンでは，尿細管機能が他のネフロンに先んじて最大値に達するという事実による）.

spleen (splēn) [G. *splēn*][TA]. 脾臓（腹腔内の上部左側で，胃と横隔膜の間に横たわる血管に富んだ大きなリンパ性器官．リンパ節および散在性のリンパ組織からなる白脾髄および静脈性洞様血管からなる赤脾髄から構成され，それらの間に脾索がある．赤脾髄および白脾髄の両者の基質は細網線維および細網細胞である．嚢からのびる弾力線維柱の骨組みを，脾髄に出入りする血管が通る．脾臓は幼若期の造血器官であり後には赤血球・血小板の貯蔵器官となる．脾臓内に多数のマクロファージがあるため，血液沪過器の作用をして，老化赤血球の識別と破壊，および生体の免疫防御に関わる．次頁の図参照）．=splen [TA]; lien☆.

accessory s. [TA]. 副脾（脾臓の領域，腹膜ひだの中，または他部にときにみられる脾臓組織からなる小球塊）．=splen accessorius [TA]; lien accessorius☆; lien succenturiatus; lienculus; lienunculus; spleneolus; spleniculus; splenule; splenulus; splenunculus.

diffuse waxy s. 広汎性ろう様脾（主として脾髄のシヌソイド外組織空間を侵す，脾臓のアミロイド変性）.

floating s. 遊走脾（肥大のためというよりもむしろ，弛緩して延長した茎部を原因とする過剰な可動性のために触知可能な脾臓）．=lien mobilis; movable s.; wandering s.

lardaceous s. 豚脂様脾．=waxy s.

S

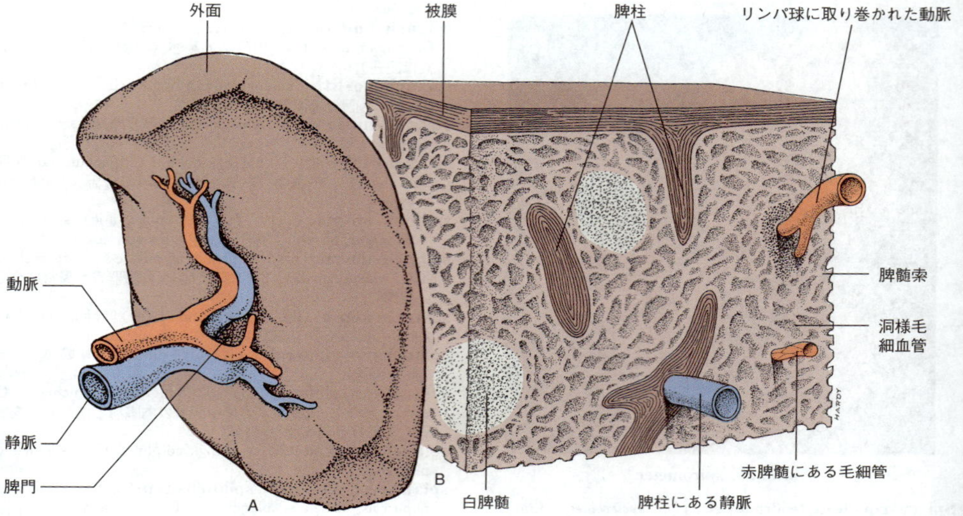

spleen
A：内臓表面の外観．B：内部構造を示す拡大した切断面．

movable s. ＝floating s.

sago s. サゴ脾（主に脾リンパ小節を侵す脾臓の類デンプン症）．

sugar-coated s. 糖衣脾（脾臓を障害する硝子状漿膜炎）．

wandering s. 遊走脾．＝floating s.

waxy s. ろう様脾（脾臓の類デンプン症）．＝lardaceous s.

splen (splen)［G. *splen*, spleen］［TA］．脾臓．＝spleen.

s. accessorius［TA］．副脾．＝accessory *spleen*.

splen- ⇀spleno-.

sple·nal·gi·a (splē-nal′jē-ă)［splen- ＋ G. *algos*, pain］．脾臓痛に対してまれに用いる語．＝splenodynia.

Splen·do·re (splen-dō′rē), Alfonso. 20 世紀のイタリア人医師．⇀S.-Hoeppli *phenomenon*; Lutz-S.-Almeida *disease*.

sple·nec·to·my (splē-nek′tŏ-mē)［splen- ＋ G. *ektomē*, excision］．脾摘出〔術〕，脾摘．

sple·nec·to·pi·a, sple·nec·to·py (splē′nek-tō′pē-ă, splē-nek′tō-pē)［splen- ＋ G. *ektopos*, out of place］．***1*** 脾転位〔症〕（遊走脾の場合のような，脾の変位）．***2*** 脾遺残（通常，脾臓の部位に脾組織の残屑が存在すること）．

sple·nel·co·sis (sple′nel-kō′sis)［splen- ＋ G. *helkōsis*, ulceration］．脾潰瘍形成．

sple·ne·o·lus (splē-nē′ō-lŭs)［Mod. L.: G. *splēn* の指小辞］．＝accessory *spleen*.

sple·net·ic (splē-net′ik). ***1*** ＝splenic. ***2*** 怒りっぽい，不機嫌な．

sple·ni·al (splē′nē-ăl)［G. *splēnion*, bandage］．***1*** 包帯の．***2*** 板状筋の．

splen·ic (splen′ik). 脾〔性〕の．＝lienal; splenetic (1).

splen·i·cu·lus (splen-ik′yū-lŭs)［Mod. L.］．副脾．＝accessory *spleen*.

splen·i·form (splen′i-fōrm, splē′ni-). ＝splenoid.

splen·i·ser·rate (splen′i-ser′āt). 板状筋鋸筋の（板状筋と鋸筋に関する）．

sple·ni·tis (splē-nī′tis)［splen- ＋ G. *-itis*, inflammation］．脾炎（[本語は英語 spleen ではなくラテン語 splen に基づいているので，spleenitis というつづりは誤りである]）．

sple·ni·um, pl. **sple·nia** (splē′nē-ŭm, -ă)［Mod. L. ＜ G. *splēnion*, bandage］．***1*** 包帯，湿布．***2***［TA］．膨大（包帯を巻いた形に似た構造）．

s. corporis callosi［TA］．脳梁膨大（脳梁の肥厚した後端）．＝s. of corpus callosum.

s. of corpus callosum［TA］．脳梁膨大（脳梁の肥厚した後端）．＝s. corporis callosi［TA］; tuber corporis callosi.

sple·ni·us (splē′nē-ŭs)［Mod. L. ＜ G. *splēnion*, a bandage］．板状筋（⇀splenius *muscle* of head; splenius *muscle* of neck）．

spleno-, splen-［G. *splēn*］．spleen(脾臓)を表す連結形．

sple·no·cele (splē′nō-sēl)［spleno- ＋ G. *kēlē*, tumor, hernia］．脾ヘルニア．

sple·no·clei·sis (splē′nō-klī′sis)［spleno- ＋ G. *kleisis*, closure］．脾搔爬〔術〕（摩擦またはガーゼで包むことによって，脾臓の表面上に新しい線維組織の形成を誘導すること）．

sple·no·col·ic (splē′nō-kol′ik). 脾結腸の（脾臓および結腸に関する．2 つの臓器の間を通る靱帯または腹膜ひだをいう）．

sple·no·dyn·i·a (splē′nō-din′ē-ă)［spleno- ＋ G. *odynē*, pain］．＝splenalgia.

sple·no·hep·a·to·meg·a·ly, sple·no·he·pa·to·me·ga·lia (splē′nō-hep′ă-tō-meg′ă-lē, -mĕ-gāl′ē-ă)［spleno- ＋ G. *hēpar*, liver ＋ *megas*, large］．肝脾腫（脾臓と肝臓の両方の腫脹）．

sple·noid (splē′noyd)［spleno- ＋ G. *eidos*, resemblance］．脾〔臓〕様の．＝spleniform.

sple·no·lym·phat·ic (splē′nō-lim-fat′ik). 脾リンパ節の（脾臓およびリンパ節に関する）．

sple·no·ma (splē-nō′mă)［spleno- ＋ G. *-oma*, tumor］．脾腫（腫脹した脾臓を表す不適切な一般用語）．

sple·no·ma·la·ci·a (splē′nō-mă-lā′shē-ă)［spleno- ＋ G. *malakia*, softness］．脾軟化〔症〕．

sple·no·med·ul·lar·y (splē′nō-med′yū-lār′ē)［spleno- ＋ L. *medulla*, marrow］．＝splenomyelogenous.

sple·no·meg·a·ly, sple·no·me·ga·lia (splē′nō-meg′ă-lē, -mĕ-gā′lē-ă)［spleno- ＋ G. *megas*(*megal-*), large］．巨脾腫〔症〕（脾臓の腫脹）．＝megalosplenia.

congestive s. うっ血性巨脾〔症〕（受動的うっ血に基づく脾臓の拡大．ときに Banti 症候群と同義に用いる）．

Egyptian s. エジプト人巨脾〔症〕（ときに schistosomiasis mansoni(Manson 住血吸虫症)と同義に用いる．しかし拡大した脾臓よりも，肝腫と線維症のほうがよくみられる）．

hemolytic s. 溶血性巨脾〔症〕（先天性溶血性黄疸を伴う

巨脾症).

hyperreactive malarious s. 過反応性マラリア性脾腫(持続性の脾腫，非常に高濃度の血清 IgM とマラリア抗体，肝類洞へのリンパ球浸潤を特徴とする症候群．再発性のマラリアへの液性反応のT細胞による調節が断たれたために生じると考えられている)．＝tropic splenomegaly syndrome.

Niemann s. (nē′mahn)．ニーマン病脾腫（Niemann-Pick 病で認められる脾臓の腫大)．

tropic s. 熱帯性巨脾〔症〕．＝visceral *leishmaniasis.*

sple·no·my·e·log·e·nous (splē′nō-mī′ĕ-loj′ĕ-nŭs)［spleno- ＋ G. *myelos*, marrow ＋ *-gen*, producing］．脾骨髄〔性〕の（脾臓および骨髄に源を発する白血病の一型についていう)．＝lienomedullary; lienomyelogenous; splenomedullary.

sple·no·my·e·lo·ma·la·ci·a (splē′nō-mī′ĕ-lō-mă-lā′shē-ă)［spleno- ＋ G. *myelos*, marrow ＋ *malakia*, softness］．脾骨髄軟化〔症〕（脾臓および骨髄の病的軟化)．

sple·no·neph·ric (splē′nō-nef′rik)［spleno ＋ G. *nephros*, kidney］．脾腎の．＝splenorenal.

sple·no·pan·cre·at·ic (splē′nō-pan′krē-at′ik)．脾膵の（脾臓と膵臓に関する)．＝lienopancreatic.

sple·nop·a·thy (splē-nop′ă-thē)［spleno- ＋ G. *pathos*, suffering］．脾障害（脾臓の疾病の総称)．

sple·no·pex·y, sple·no·pex·ia (splē′nō-pek′sē, splē-nō-pek′sē-ă)［spleno- ＋ G. *pēxis*, fixation］．脾固定〔術〕（変位した脾臓または遊走脾を定位置に縫合する手術)．＝splenorrhaphy (2).

sple·no·phren·ic (splē′nō-fren′ik)［spleno- ＋ G. *phrēn*, diaphragm］．脾横隔膜の（脾臓と横隔膜に関する．2つの構造の間に広がる靱帯および腹膜ひだについていう)．

sple·no·por·to·gram (splē′nō-pōr′tō-gram)．経脾門脈造影〔図〕（脾臓への水溶性造影剤の直接注入によって得られる脾，門脈および側副血行路のX線像)．

sple·no·por·tog·ra·phy (splē′nō-pōr-tog′ră-fē)［spleno- ＋ portography］．経脾門脈造影(撮影)〔法〕（門脈循環の脾静脈および門脈本幹のX線写真を得るために，脾臓に造影剤を導入する方法)．＝splenic portal venography.

sple·nop·to·sis, sple·nop·to·sia (splē′nop-tō′sis, -tō′sē-ă)［spleno- ＋ G. *ptōsis*, a falling］．脾下垂〔症〕（［二重字 pt において，p は語頭にあるときのみ無音である］．遊走脾のように，脾臓の下方への変位)．

sple·no·re·nal (splē′nō-rē′năl)．脾腎の（脾臓と腎臓に関する．両臓の間に広がる腹膜のひだもしくは靱帯についていう)．＝lienorenal; splenonephric.

sple·nor·rha·gi·a (splē′nō-rā′jē-ă)［spleno- ＋ G. *rhēgnymi*, to burst forth］．脾出血（破裂した脾臓からの出血)．

sple·nor·rha·phy (splē-nōr′ă-fē)［spleno- ＋ G. *rhaphē*, suture］．***1*** 脾縫合〔術〕（破裂した脾臓を縫合すること)．***2*** ＝splenopexy.

sple·no·sis (splē-nō′sis)．脾症（脾臓破裂の結果，脾臓組織が腹部内に着床し，続いて増殖する状態)．

thoracic s. 胸腔脾症（胸腔内に脾組織のある状態で，胸腔と腹腔の外傷の結果発生する)．

sple·not·o·my (splē-not′ŏ-mē)［spleno- ＋ G. *tomē*, incision］．***1*** 脾解剖〔学〕．***2*** 脾切開〔術〕（脾臓の外科的手術)．

sple·no·tox·in (splē′nō-tok′sin)［spleno- ＋ G. *toxikon*, poison］．脾毒素（脾臓の細胞に特異的な細胞毒素)．

splen·ule (splen′yūl)［Mod.L. *splenulus*］．＝accessory *spleen.*

splen·u·lus, pl. **splen·u·li** (splen′yū-lŭs, -lī)［Mod.L.: L. *splen*(spleen)の指小辞］．副脾．＝accessory *spleen.*

sple·nun·cu·lus, pl. **sple·nun·cu·li** (splē-nŭng′kyū-lŭs, -lī)［Mod.L.: L. *splen*(spleen)の指小辞］．副脾．＝accessory *spleen.*

splic·e·o·some (splīs′ē-ō-sōm′)［splice ＋ -some］．スプライセオソーム（メッセンジャー RNA のイントロンの除去と残りのエキソンを結合するのに関与する特別の構造．メッセンジャー RNA の一次転写産物に加えて，少なくとも 4 種類の核内低分子 RNA(snRNA)といくつかの蛋白が関与している)．

splic·ing (splīs′ing)．スプライシング（① DNA のある分子が他の DNA 分子に付着すること．＝gene splicing．② メッセンジャーRNA プリカーサ(前駆体)からイントロン(介在配列)が除かれ，エクソン同士が再付着あるいはアニーリングすること．＝RNA splicing．③ 2 種の蛋白融解酵素と 1 回のライゲーションからなる蛋白の翻訳後修飾．これによりアミノアシル基の内部配列を除去することになる)．

alternative s. 可変スプライシング，選択的スプライシング（いろいろなエクソンの集合の仕方によりいろいろな成熟 mRNA を産生すること)．

splint (splint)［Middle Dutch, *splinte*］．***1*** 副子（関節の運動を防ぐため，または変位した部位や可動な部位を固定するための装置)．***2*** 腓骨．

acid etch cemented s. 酸食セメント固定装置（酸食セメント法により唇面に装着される金属線固定装置．外傷による変位歯または歯周疾患歯の固定に用いる)．

active s. 動的副子．＝dynamic s.

air s. 空気副子(副木)（肢の一部または全部を動かないようにするために使われる，空気で膨らませる可塑性の副子)．＝inflatable s.

airplane s. 飛行機副子（通常腋窩に支持支柱を入れて肘関節を約 90 度屈曲，肩を外転位に保つようにする複雑な副子)．

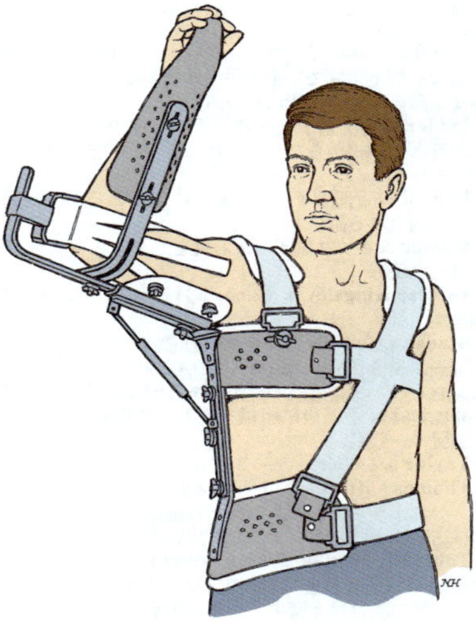

airplane splint

anchor s. 固定副子（顎の骨折を整えるのに用いる副子．歯に針金を巻き，棒によって位置を保つ)．

Anderson s. (an′dĕr-sŏn)．アンダーソン副子（ピンを骨折部の近位端および遠位端に挿入して行う内蔵式骨牽引副子．ピンに取り付けた外部の棒により整復する，創外固定ともみなせる)．＝Anderson frame.

backboard s. 背板副子（ひもによって身体を固定するためひもを通す穴を有する板副子．短いものは頸部損傷に，長いものは背部損傷に対して用いる)．

Balkan s. バルカン副子．＝Balkan *frame.*

cap s. 帽子副子（歯冠を被覆するように考案されたプラスチックまたは金属製骨折装置．通常は歯冠にセメントで付ける)．

coaptation s. 接合副子，双面副子（骨折を固定し，その骨折端の重なり合いを防ぐように考案された短い副木またはギプス．通常，肢全体の固定には長い副子を追加する．上腕骨骨幹部骨折の治療に最もよく使用される．この場合，骨折両端のアラインメントを維持するために用いる)．

Cramer wire s. (krā′mĕr)．クラーマー線副子．＝ladder s.

Denis Browne s. (den′is brown)．デニス・ブラウン副子（下腿および足に当てる軽アルミニウムの副子．小児の下腿，足関節，足の回旋変形に対して用いる)．

S

dynamic s. 動的副子（関節本来の運動を温存しつつ患部の固定を行うことを目的としたバネまたは弾性のある帯を用いた副子）. =active s.; functional s. (1).

Essig s. (es′ig). エッシヒ型副子（歯列弓周囲の唇側と舌側を通り，歯の隣接部周囲を個々の結紮線によって固定されたステンレスの針金．折れた歯または整復した歯および退縮した歯槽骨を固定させるのに用いる）.

Frejka pillow s. (frāj′kah). フレーカ枕副子（先天的股異形成あるいは股脱の治療において，大腿を外転し屈曲位をとるために用いる枕副子）.

functional s. ***1*** 動態副子. =dynamic s. ***2*** 機能的副子（支台歯の一部またはすべてをおおう固定性修復物によって，2本以上の歯を1つの固定した単位に結合するもの）.

Gunning s. (gŭn′ing). ガニング副子（骨折の整復と固定を助けるための，上下顎無歯顎模型からつくられた義歯）.

inflatable s. =air s.

interdental s. 歯間副子（骨折した顎に用いる副子．2本の金属またはアクリル樹脂の帯からなり，上下顎の歯に各々針金で結紮し，しっかり固定して顎を不動にする）.

Kingsley s. (kingz′lē). キングズリー副子（上顎の骨折を整復し，弾力線によって頭の固定装置に付着した翼により骨折部を不動にする牽引に用いられる翼状上顎副子）. =reverse Kingsley s.

labial s. 唇側副子（プラスチック，金属，またはその両方からなる固定装置で，歯列弓の外側面に合せてつくられ，顎および顔の傷害の処置に用いる）.

ladder s. 金網副子（交差する細い鋼線が付いた2本のしっかりした鋼線からなり，曲げることができる副子）. =Cramer wire s.

lingual s. 舌側副子（唇側副子に似ているが，歯列弓の内側面に適合する副子）.

plaster s. ギプス副子（焼石膏をしみ込ませた包帯でつくられた副子）.

reverse Kingsley s. (kingz′lē). 逆キングズリー副子. =Kingsley s.

Stader s. (stā′dĕr). ステーダー副子（主に獣医学で用いる副子．長骨骨折の近位骨片および遠位骨片を通す金属性のピンをもつ．ピンは肢の外部にある装置に留めて固定する）.

surgical s. 手術後に組織を新しい位置に保つために用いる装置の一般名.

Taylor s. (tā′lŏr). テーラー副子. =Taylor back *brace*.

Thomas s. (tom′ăs). トーマス副子（股関節部に輪があって，それより足部まで及ぶ長下肢副子．下腿骨骨折の救急時や移送時に下肢を牽引するのに用いる）.

Tobruk s. [port of *Tobruk*, Libya]. トブルク副子（焼石膏包帯のギプスを当てて固定した Thomas 副子の一種．最初は，第二次世界大戦中，小さい船から大きい船へ移すときに危険なので足を不動にするために用いた副子）.

wire s. 線副子（①事故によって，上顎または下顎の歯根膜の状態が緩んだ歯を固定させる装置．②上顎または下顎の骨折を整復し固定する装置．これを両方の顎に当て，上下顎間の針金またはゴムバンドと結び付ける）.

splint·ing (splint′ing). ***1*** 副子固定（副子を当てること，または副子を用いて治療すること）. ***2*** 副子固定（歯科において，固定性または可撤性の修復物あるいは装置によって，2歯以上の歯を1つの固定した単位に結合するもの）. ***3*** 副子固定（骨折の場合など身体の一部が動くことにより生じる痛みを除くために身体の部分を固定すること）. ***4*** スプリンティング（精神医学において，家族や友人，訓練士によってなされる訓練．生活における障害を小さくし，高次機能の低下した人の社会的役割を高めるようにデザインされた様々な治療戦略にのっとる）.

split (split). 分割（①割るあるいは裂くこと．②分裂あるいは分岐を含む状況）.

cricoid s. 輪状軟骨分離術（声門下狭窄における輪状軟骨を前方，後方，または両方向に分離する手術. →cricotomy）.

split·ting (split′ing). 分解，分裂（化学において，共有結合の開裂または関与する分子の細分化）.

spm 不安定な対立遺伝子の抑制 *su*ppression および突然変異 *m*utation を引き起こす遺伝子の略.

spo·dog·e·nous (spŏ-doj′ĕ-nŭs) [G. *spodos*, ashes + *-gen*, producing]. 老廃物性の，残渣の.

spod·o·gram (spod′ō-gram) [G. *spodos*, ashes + *gramma*, a drawing]. スポドグラム（極小組織標本，通常は薄い切片の顕微灰化法によってつくられた灰残渣の像）.

spo·dog·ra·phy (spŏ-dog′ră-fē) [G. *spodos*, ashes + *graphō*, to write]. スポドグラフィ. =microincineration.

spo·doph·o·rous (spŏ-dof′ō-rŭs) [G. *spodos*, ashes + *phoros*, bearing]. 老廃物除去〔法〕の（体から老廃物を除去または抹殺することをいう）.

spoke-shave (spōk′shāv). 輻刀，引きがんな. =ring-knife.

spon·da·ic (spon-dā′ik). 強強格の.

spon·dee (spon′dē) [Fr.]. 強強格（各音節に同じストレスをもつ2音節語．言語聴覚検査に用いる）.

spondyl- →spondylo-.

spon·dy·lal·gi·a (spon′di-lal′jē-ă) [spondyl- + G. *algos*, pain]. 脊椎痛.

spon·dy·lar·thri·tis (spon′di-lar-thrī′tis) [spondyl- + G. *arthron*, joint + *-itis*, inflammation]. 脊椎〔関節〕炎.

spon·dy·lit·ic (spon′di-lit′ik). 脊椎炎の.

spon·dy·li·tis (spon-di-lī′tis) [spondyl- + G. *-itis*, inflammation]. 脊椎炎.

ankylosing s. [MIM*106300]. 強直性脊椎炎（関節リウマチに似た脊椎の関節炎で，前後縦靱帯の骨化を伴って骨性強直に進行する．この疾病は女性より男性に多く，リウマチ因子はしばしば陰性，HLA 抗原は陽性である．HLA B27 が高率にみられ，高い家族集積性はこれが遺伝的因子として重要であることを示唆している．常染色体優性遺伝[MIM*106300]と考えられているが，病因はいまだ不明である）. =Marie-Strümpell disease; rheumatoid s.; Strümpell-Marie disease.

s. deformans 変形性脊椎炎（脊柱を侵す関節炎および変形性骨炎．靱帯の骨化および椎間関節の骨性強直を伴う．椎間板の縁への結節性沈着物によって特徴付けられ，硬直を伴った丸みのある脊柱後弯をもたらす）. =Bechterew disease; poker back; Strümpell disease (1).

rheumatoid s. リウマチ様脊椎炎. =ankylosing s.

tuberculous s. 結核性脊椎炎，脊椎結核（脊椎の結核感染症で，罹患部位の脊椎の鋭い角形成を伴う）. =Pott disease.

spondylo-, spondyl- [G. *spondylos*, vertebra]. 脊椎を表す連結形.

spon·dy·lo·lis·the·sis (spon′di-lō-lis-thē′sis) [spondylo- + G. *olisthēsis*, a slipping and falling][MIM*184200]. 脊椎すべり症（下位腰椎の1つの椎体が，その下の腰椎または仙骨の上で前方へ移動すること）. =spondyloptosis.

spon·dy·lo·lis·thet·ic (spon′di-lō-lis-thet′ik). 脊椎すべり症の.

spon·dy·lol·y·sis (spon′di-lol′i-sis) [spondylo- + G. *lysis*, loosening]. 脊椎分離〔症〕（椎体の一部分の変性または発生障害．通常，関節間部が障害され脊椎すべり症を生じうる）.

spon·dy·lo·ma·la·ci·a (spon′di-lō-mă-lā′shē-ă)[spondylo- + G. *malakia*, softness]. 脊椎軟化〔症〕（多発性椎体圧潰を伴う椎体の軟化）.

spon·dy·lop·a·thy (spon′di-lop′ă-thē) [spondylo- + G. *pathos*, suffering]. 脊椎障害，脊椎症（脊椎または脊柱疾患の総称）.

spon·dy·lop·to·sis (spon′di-lŏp-tō′sis) [spondylo- + G. *ptōsis*, a falling]. 脊椎下垂〔症〕. =spondylolisthesis.

spon·dy·lo·py·o·sis (spon′di-lō-pī-ō′sis) [spondylo- + G. *pyōsis*, suppuration]. 脊椎化膿症（1個以上の椎体の化膿性炎症）.

spon·dy·los·chi·sis (spon′di-los′ki-sis) [spondylo- + G. *schisis*, fissure]. 脊椎披裂(破裂)，二分脊椎（椎弓の発生学的癒合不全. →*spina* bifida）.

spon·dy·lo·sis (spon′di-lō′sis) [G. *spondylos*, vertebra]. 脊椎症（脊椎の強直．またこの用語は，変性性の脊椎の各病変に特定されずにしばしば用いる）.

cervical s. [MIM*184300]. 頸椎症（頸椎の椎体，椎間板およびその周辺組織の脊椎症）.

hyperostotic s. 骨形成性脊椎症，過骨性脊椎症. =diffuse idiopathic skeletal *hyperostosis*.

spon·dy·lo·syn·de·sis (spon′di-lō-sin-dē′sis) [spondylo- + G. *syndesis*, binding together]. 脊椎癒着〔術〕. =spinal *fusion*.

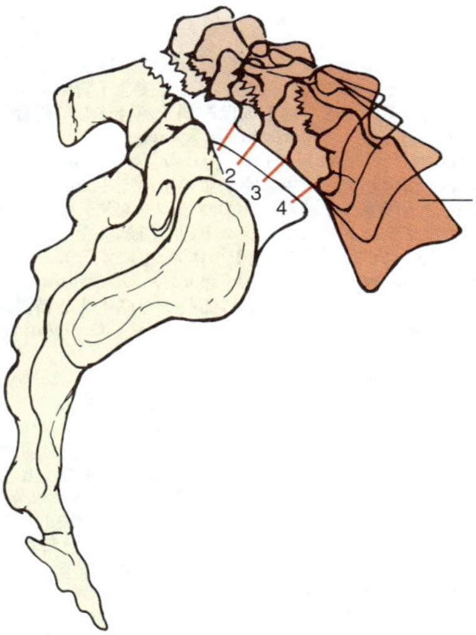

grading spondylolisthesis

脊椎すべり症は，仙骨のL5の前進の度合いに基づいて等級される．グレード1，2，3，4はそれぞれ，L5が仙骨岬角より25%，50%，75%，100%前に位置することを示す．

spon·dy·lo·tho·rac·ic (spon′di-lō-thō-ras′ik). 脊椎胸郭の（脊椎および胸郭に関する）.

spon·dyl·ous (spon′di-lŭs). 脊椎の.

sponge (spŭnj) [G. *spongia*]. 海綿，スポンジ（①液体を吸収するのに用いる吸収材(例えば，ガーゼ，調製綿)．②海綿動物門の動物で，その細胞性の内骨格は市販のスポンジの材料となる)．＝spongia.

absorbable gelatin s. 吸収ゼラチンスポンジ（無菌で吸収性の，非水溶性ゼラチンを基剤とするスポンジ．外科手術で，毛細管出血を制御するために用いる．その部位に当てたまま4－6週以内放置し，その間に吸収する).

Bernays s. (bār-nāz′). バーネーズスポンジ（湿らすと膨れる無菌綿の圧縮された円盤状のもの．空洞を詰めるのに用いる).

compressed s. 圧縮スポンジ（海綿に薄いアラビアゴム液をしみ込ませ，適当な形に麻糸でくるみ乾燥する．挿入後に水分を吸収するため，瘻や子宮口の拡張などに用いられる)．＝sponge tent.

contraceptive s. 避妊用スポンジ（しなやかで親水性の発泡ポリウレタン製のスポンジで中に殺精子剤を含む．性交前に膣内に挿入することにより避妊効果が得られる．処方を必要としない避妊具である).

spon·gi·a (spŭn′jē-ă) [G.]. 海綿，スポンジ．＝sponge.

spon·gi·form (spŭn′ji-fōrm). 海綿状の．＝spongy.

spongio- [G. *spongia*]. 海綿，海綿様の，海綿状の，を表す連結形.

spon·gi·o·blast (spŭn′jē-ō-blast′) [spongio- ＋ G. *blastos*, germ]. 海綿芽細胞（脳壁または脊髄壁を横切る，すなわち内境界膜から外境界膜までのびる神経上皮の糸状上衣細胞．神経膠細胞と上衣細胞になる．→glioblast).

spon·gi·o·blas·to·ma (spŭn′jē-ō-blas-tō′mă) [spongioblast ＋ G. *-oma*, tumor]. 〔神経〕海綿芽細胞腫，海綿芽腫（①ヒトの胚の神経管の周囲に正常でみられる胚海綿芽細胞に似た細胞(長く伸び，紡錘型で，ときに多形性で，1つまたは2つの原線維突起をもつ)からなる神経膠腫．比較的ゆっくり成長し，通常，脳幹，視交叉，または漏斗に発生し，近接組織に浸潤し，第3脳室や第4脳室を圧迫する．以前は極性海綿芽腫と単極性海綿芽腫に分類されていた．②glioblastoma multiforme を表す現在では用いられない語).

spon·gi·o·cyte (spŭn′jē-ō-sīt′) [spongio- ＋ G. *kytos*, cell]. ***1*** 神経膠細胞．***2*** 束状帯細胞（脂質の小滴を多量に含む副腎皮質の束状帯における細胞．ヘマトキシリンとエオシンで染色すると，空胞化していることがはっきりわかる．→fasciculata *cell*).

spon·gi·oid (spŭn′jē-oyd) [spongio- ＋ G. *eidos*, resemblance]. ＝spongy.

spon·gi·ose (spŭn′jē-ōs) [L. *spongiosus*]. 多孔性の，海綿状の.

spon·gi·o·sis (spŭn′jē-ō′sis). 海綿状態（①表皮の細胞間の炎症性の浮腫をいう．②神経学では，ある種の脳症でみられる皮質灰白質の空胞形成).

spon·gi·o·si·tis (spŭn′jē-ō-sī′tis). 海綿体炎（海綿体または尿道海綿体の炎症).

spong·y (spŭn′jē). 海綿質の，海綿状の（構造または外観が海綿に類似した)．＝spongiform; spongioid.

spon·ta·ne·ous (spon-tā′nē-ŭs) [L. *spontaneus*, voluntary, capricious]. 自発〔的〕の，突発〔性〕の，自然〔発生〕の（はっきりした原因がなく起こること．病気の過程または寛解についていう).

spoon (spūn) [A.S. *spōn*, chip]. 匙(さじ).

cataract s. 白内障匙（白内障のレンズを除去する小さい

S

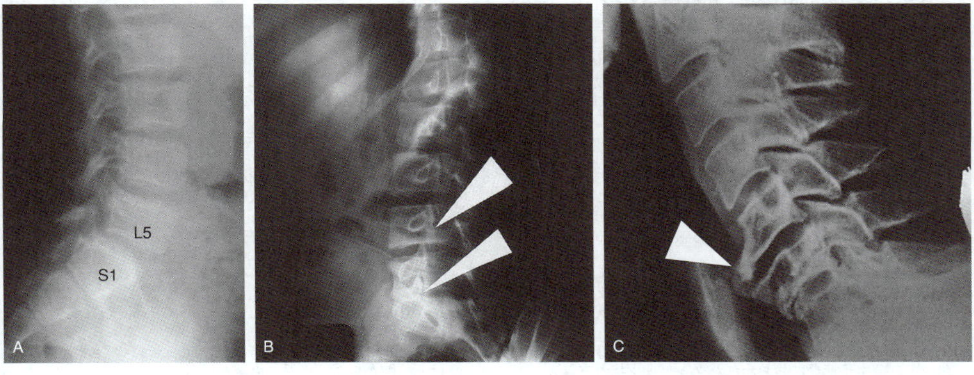

spondylolysis

A：S1上で，S5が前に滑った脊椎すべり症．B：腰棘のX線写真斜位像は正常な関節間部（上の矢印），および骨折した関節間部，すなわち脊椎分離症（下の矢印）を明示する．C：脊椎症の椎体の融合（矢印）.

凹形の器具).

Daviel s. (dah-vē-el′). ダヴィエル匙（切開術の後に白内障の残部を除去する小さい卵形の器具).

sharp s. 鋭匙（鋭利な刃をもつ先端が小さいコップ形の器具で，皮膚の病変の掻爬に用いる).

Volkmann s. (folk′mahn). フォルクマン匙（腐食した骨または他の病気の組織を掻爬する鋭匙).

spor- →sporo-.

spo·rad·ic (spō-rad′ik) [G. *sporadikos*, scattered]. ***1*** 散在〔性〕の，散発〔性〕の（動物またはヒトの集団について，まれにしか起こらず，規則性なしに起こるような病気発症の時間的パターンについていう.→endemic; epidemic; enzootic; epizootic). ***2*** 散発〔性〕の（遺伝に関連して，個々に起こるもの，または変種を意味する．いくつかのまったく異なった現象が含まれる．例えば，新しい突然変異，隠された非父性，小家族で両親が保因者である場合，劣性形質の子を生む可能性，1個の遺伝子発現について非常に変化があること，環境性表現型模写，多部位にみられるゲノコピー，などである．これらのすべてについて有用な性質を述べることはできないので，この用語は理論的には無用である). ***3*** 散在〔性〕の，散発〔性〕の（不規則に，偶然に起こる).

spo·ra·din (spō′ră-din). スポラジン（寄生性簇胞子虫類の先節または端節を失った配偶子段階).

spo·ran·gi·o·phore (spō-ran′jē-ō-fōr) [sporangium + G. *phoros*, bearing]. 胞子嚢柄（菌類で，その先端に胞子嚢をもつ特異な菌糸).

spo·ran·gi·um (spō-ran′jē-ŭm) [L. < G. *sporos*, seed + *angeion*, vessel]. 胞子嚢，芽胞嚢（無性胞子が進行性分割によって生じる真菌内の袋状の構造(細胞)).

spore (spōr) [G. *sporos*, seed]. 胞子，芽胞（①菌類または胞子虫に属する原生動物の無性または有性生殖体．②種子植物よりも組織化が未発達な植物の細胞．③ある種の細菌の抵抗型．④ミクロスポラ類とミキソゾア類でのようなある種の原生動物の著しく分化した生殖体).

black s. カの体内に見出される変性したマラリア原虫または他の血液寄生性原生動物.

spo·ri·ci·dal (spō′ri-sī′dăl) [spori- + L. *caedo*, to kill]. 殺胞子〔性〕の.

spo·ri·cide (spō′ri-sīd). 胞子駆除薬.

spo·rid·i·um, pl. **spo·rid·ia** (spō-rid′ē-ŭm, -ă) [Mod. L. 指小辞 < G. *sporos*, seed]. 担子胞子，小生子（原生動物の胞子．胎生期の原生動物).

sporo-, spori-, spor- [G. *sporos*]. 胞子，種，を意味する連結形.

spo·ro·ag·glu·ti·na·tion (spō′rō-ă-glū′ti-nā′shŭn). 胞子凝集反応（真菌に感染した患者の血液中に，病原菌の胞子を凝集させる特異な凝集素が見出されるということに基づいた真菌症の診断法).

spo·ro·blast (spō′rō-blast) [sporo- + G. *blastos*, germ]. スポロブラスト（胞子虫に属する原生動物のスポロゾイトが分化する以前のスポロシストの発育初期型.→oocyst; sporocyst (2); pansporoblast). =zygotomere.

spo·ro·cyst (spō′rō-sist) [sporo- + G. *kystis*, bladder]. スポロシスト，スポロキスト，胞子被嚢（①軟体動物の中間宿主，通常，カタツムリの体内で発育する複世代吸虫の幼虫型．単純な嚢状構造で中には胚細胞が存在し，これが内部で発芽し，他の幼虫型に発育して，幼虫増殖過程を持続する．一種の多胚発生と考えられる.→miracidium; redia; cercaria. ②コクシジウム（家畜，家禽の最も重要な疾病の原因となる胞子虫に属する一群の原生動物)の接合子嚢内に発生する二次嚢胞．スポロブラストから発生し，次いでスポロシストの中に，次の宿主に感染，増殖をする感染菌であるスポロゾイトを1個または数個形成する).

Spo·ro·cys·tin·e·a (spō′rō-sis-tin′ē-ă) [sporo- + G. *kystis*, bladder]. スポロシスト亜目，スポロキスト亜目（以前の分類表ではコクシジウム亜綱の一亜目で，スポロブラストがスポロシストになる).

spo·ro·do·chi·um (spō′rō-dō′kē-ŭm). 分生子褥（真菌類において，分生子柄群におおわれたクッション状の支質).

spo·ro·gen·e·sis (spō′rō-jen′ĕ-sis) [sporo- + G. *genesis*, production]. 伝播生殖，胞子形成. =sporogony.

spo·rog·e·nous (spō-roj′ĕ-nŭs). 伝播生殖の，胞子形成の.

spo·rog·e·ny (spō-roj′ĕ-nē). =sporogony.

spo·rog·o·ny (spō-rog′ŏ-nē) [sporo- + G. *goneia*, generation]. スポロゴニー，スポロゾイド形成，伝播生殖（胞子虫類におけるスポロゾイト(胞子小体)形成をいう．胞子母細胞に起こる一連の無性分裂によって接合子嚢中にスポロシストを生じる．胞子小体形成は配偶子が合体して接合子ができた後に起こる). =sporogenesis; sporogeny.

spo·ront (spō′ront) [sporo- + G. *ōn* (*ont-*), being]. スポロント，接合胞子（球虫類胞子虫の生活環中で接合子嚢内にある接合子段階．これがスポロブラスト(胞子母細胞)を生じ，スポロブラストはスポロシスト(胞子被嚢)をつくる．内部で感染性のスポロゾイト(胞子小体)を生成する).

spo·ro·phore (spō′rō-fōr) [sporo- + G. *phoros*, bearing]. 胞子柄，胞子体（真菌における胞子を産生する特異な菌糸).

spo·ro·plasm (spō′rō-plazm) [sporo- + G. *plasma*, thing formed]. 胞子原形質.

spo·ro·the·ca (spō′rō-the′ka) [sporo- + G. *thēkē*, case]. ある種の胞子虫の小さな針状胞子を包む外皮.

Spo·ro·thrix (spō′rō-thriks) [Mod.L. < G. *sporos*, seed + *thrix*, hair]. スポロトリクス属（二相性不完全真菌の一属で，本属の一種 *S. schenckii* は全世界に分布し，ヒトや動物のスポロトリクス菌症の病原体となる．*S. schenckii* は土壌や植物，特にいばらの茂みの中で繁殖し，感染したとげが皮下組織に刺さってヒトに伝染する．37°C では酵母菌のように増殖し，また組織に寄生しても酵母菌のようになる).

spo·ro·tri·cho·sis (spō′rō-tri-kō′sis). スポロトリクス症（慢性の皮膚真菌症で，リンパ行性に拡大し，*Sporotrix schenckii* の接種によって起こる．典型的に組織切片中にみられるのはまれであるが，培養では急速に成長する．皮膚外病変は肺に原発すると考えられているが，播種性に骨関節その他内臓へと拡大する．慢性の空洞性肺疾患を生じることもある). =Schenck disease.

Spo·rot·ri·chum (spō-rot′ri-kŭm) [Mod.L. < G. *sporos*, seed + *thrix*, hair]. スポロトリクム属（通常は一般の汚染菌である不完全真菌(糸状菌類)の一属).

spo·ro·zo·an (spō′rō-zō′ăn). ***1***〖n.〗胞子虫（胞子虫綱に属する個々の生物). =sporozoon. ***2***〖adj.〗胞子虫の.

Spo·ro·zo·as·i·da (spō′rō-zō-as′i-dă). =Sporozoea.

Spor·o·zo·e·a (spōr′ō-zō′ē-ă) [Mod.L. < G. *sporos*, seed + *zōon*, animal]. 胞子虫綱（原生動物亜界アピコンプレックス門に属する原生動物の大きな一綱で，極糸を欠く単純胞子をもった偏生寄生生物からなる．繊毛やべん毛はなく(いくつかのグループにみられる小配偶子は除く)，運動は波動，滑り，または体屈曲による．有性生殖がみられる場合は配偶子接合による．スポロゾイト形成により，感染性をもつオーシストをつくる．本綱はグレガリナ類とコクシジウム類とを含み，後者はマラリア原虫のような多くのヒトや動物の病原体を含む). =Sporozoasida; Telosporea.

spo·ro·zo·ite (spō′rō-zō′īt) [sporo- + G. *zōon*, animal]. スポロゾイト，種虫（スポロゾイト形成において，オーシストの反復分裂に由来する小さな細長い虫体の一型．マラリア原虫の場合には，この虫体型はカの唾液腺に集まり，カの刺咬時に血液中に注入される．原虫は肝細胞(赤外型サイクル)に侵入した後，その子孫であるメロゾイトが赤血球に感染してマラリアの症状を引き起こす). =germinal rod; zoite; zygotoblast.

spo·ro·zo·on (spō′rō-zō′on). 胞子虫. =sporozoan (1).

sport (spōrt) [M.E. *disporte* < O.Fr. *desport*, diversion]. 変種（明白な原因なしに同種の他の細菌と，すべてまたは一部が異なる細菌．この変異は子孫に伝達されるか子孫が原型に先祖返りする). =singleton (2).

spor·u·lar (spor′ū-lăr). 胞子の，芽胞の.

spor·u·la·tion (spōr′ū-lā′shŭn). 胞子形成，芽胞形成（酵母が減数分裂を行い，その分裂体が胞子被膜でおおわれる過程).

spor·ule (spōr′ūl) [Mod.L. *sporula*: G. *sporos*(seed)の指小辞]. 小胞子.

spot (spot). ***1***〖n.〗点，斑点，斑. =macula. ***2***〖v.〗しみを付ける（腟からごく少量の血液が出る).

acoustic s.'s 聴斑（→*macula* of utricle; *macula* of saccule).

Bitot s.'s (bē-tō′). ビトー斑〔点〕（小さく限局性の，光沢

のない，灰色がかった白い泡沫性，脂肪性の三角形の沈着物で，両眼の眼瞼裂部の角膜に隣接する眼球結膜上にある．ビタミンAの欠乏によって起こる）．

blind s. 盲点，盲斑（①＝physiologic *scotoma*．②＝mental *scotoma*．③＝optic *disc*）．

blood s.'s 血斑（マウスの卵巣にみられる出血性 Graaf 卵胞で，妊婦の尿を注射することによって起こる．現在では用いられていない Aschheim-Zondek 妊娠反応の陽性所見）．

blue s. 青色斑〔点〕（①＝*macula* cerulea．②＝mongolian s.）．

Brushfield s.'s (brŭsh′fēld)．ブラッシュフィールド斑〔点〕（虹彩中央の表面にみられる明るい色の凝集．Down 症候群でみられる）．

café au lait s.'s カフェ・オ・レ斑（淡褐色から褐色の色素性皮膚病変で，メラノサイトの過剰ではなくマルピーギ細胞のメラノソームの過剰により生じる．カフェ・オ・レ斑は神経線維腫症(von Recklinghausen 病)の主要皮膚徴候である．6個以上のカフェ・オ・レ斑，（ときに直径 1.5 cm 以上)が，ほとんど常に1型(末梢性)神経線維腫症にみられる．これらはしばしば腋窩のそばかす様色素斑を伴う）．

cherry-red s. サクランボ赤色斑〔点〕（中心窩の下層の正常脈絡膜の検眼鏡的所見で，中心動脈の際の浮腫またはスフィンゴリピドーシスでの脂質の浸潤により囲まれた赤色の点状を呈する）．＝Tay cherry-red s.

corneal s. 角膜斑．＝*macula* corneae.

cotton-wool s.'s ＝cotton-wool *patches*.

De Morgan s.'s (dĕ-mōr′găn)．ド・モーガン斑〔点〕．＝senile *hemangioma*.

Elschnig s.'s (elsh′nĭg)．エルシュニッヒ斑〔点〕（重症の高血圧性網膜症で，検眼鏡で見られる孤立した淡黄色または淡赤色の絨毛模様の斑点．色素斑点を伴う）．

flame s.'s 火炎斑（出血した部分で，網膜の神経線維層に発生する）．

focal s. 焦点（X線管の陽極において電子が衝突し，X線が放出される場所．→focal spot size）．

Fordyce s.'s (fōr′dīs)．フォーダイス斑〔点〕（口唇の内面と唇紅部における多数の黄白色の小体または顆粒の存在を特徴とする状態．組織学的に病変は異所性皮脂腺である）．＝Fordyce disease; Fordyce granules.

Fuchs black s. (fūks)．フックス黒色斑（変性近視の黄斑部領域における色素増殖病巣）．

hot s. ホットスポット（突然変異または組換えを高率に起こすと推測される遺伝子部位）．

hypnogenic s. 催眠〔性〕点（敏感な人の身体上の圧迫敏感点で，圧迫すると催眠を誘発する）．

Koplik s.'s (kop′lik)．コプリック斑〔点〕（麻疹に疾病特徴的な斑点で，発疹が出る前に現れ，両頬粘膜にみられる．明るいところで見ると，小さな紅暈の中に中央青白色の小斑点が見える）．

liver s. 肝斑．＝senile *lentigo*.

Mariotte blind s. (mah-rē-ot′)．マリョット盲点．＝optic *disc*.

milk s.'s 乳白色斑〔点〕（①肺でおおわれていない右心室上の心外膜中に位置するヒアリン化線維組織の白斑．＝soldier's patches．②マクロファージとリンパ球の蓄積による大網中において肉眼で見られる白色の部分）．＝tache laiteuse (1).

mongolian s. 蒙古斑，〔小〕児斑（仙骨部の暗青色またはクワの実の色の円形または卵円形斑点．異所性の真皮の散在性メラノサイトの存在による．先天性のもので，黒人，アメリカ原住民，アジア人の2―12歳の小児にみられるが，徐々に消退する．圧迫しても退色せず，小児虐待による打撲傷と間違われることがある）．＝blue s. (2).

mulberry s.'s 桑実状斑〔点〕（発疹チフスにおける腹部の発疹）．

rose s.'s バラ疹（腸チフスの特徴的発疹．10―20個の小型でピンク色の丘疹が体幹部下方にみられ，2―3日持続して，消退後色素沈着を残す）．

Roth s.'s (rōt)．ロート斑〔点〕（出血によって取り巻かれた円形白色斑．細菌性心内膜炎の網膜にみられることがある．他の網膜の出血症状）．

saccular s. 球形囊斑．＝*macula* of saccule.

Soemmering s. (sŏrm′ĕr-ing)．ゼンメリング斑〔点〕．＝*macula* of retina.

spongy s. ＝vascular *zone*.

Tardieu s.'s (tar-dyu′)．タルデュ斑〔点〕．＝Tardieu *ecchymoses*.

Tay cherry-red s. (tā)．テイサクランボ赤色斑〔点〕．＝cherry-red s.

temperature s. 温度点（熱や冷たさには敏感であるが，通常，圧迫や疼痛刺激には敏感でない，多数のきちんと並んだ斑点の1つ）．

tendinous s. ＝*macula* albida.

Trousseau s. (trū-sō′)．トルソー斑．＝meningitic *streak*.

utricular s. 卵形囊斑．＝*macula* of utricle.

white s. 白色斑．＝*macula* albida.

yellow s. 黄斑．＝*macula* of retina.

spp. species の複数形の略．

sprain (sprān)．***1***〖n.〗捻挫（関節に異常なまたは過大な力が加わった結果起こった靱帯損傷で，脱臼や骨折は伴わないもの）．***2***〖v.〗〔関節を〕捻挫する．

spray (sprā)．スプレー，噴霧（蒸気より粒の大きい細滴状の液体の噴出．細い噴出口から空気と混合した液体を押し出してつくる）．

spread·er (spred′ĕr)．***1*** のり引機，延展機（表面や領域にある物質をのばすのに用いる器械）．***2*** スプレッダー（構造を区分したり分けたりする器具）．

gutta-percha s. ガッタパーチャスプレッダー（歯科において，根管内のガッタパーチャを側方に圧接するために用いる器具）．

rib s. 開胸器（胸腔内手術で肋骨間腔を広くする器械）．

root canal s. 根管開大器（根管充填材を外側で凝縮するのに用いる先の細い器械）．

Spren·gel (sphreng′ĕl), Otto G.K. ドイツ人外科医，1852―1915．→Sprengel *deformity*.

sprout (sprowt)．新芽（植物の新芽に似た構造をいう）．

syncytial s. シンシチウム芽，合胞体芽．＝syncytial *knot*.

trophoblastic s. 栄養膜芽．＝syncytial *knot*.

sprue (sprū) [D. *spruw*]．スプルー（①脂肪便を伴う一次腸吸収不良．＝cachexia aphthosa．②歯科において，溶融金属用の孔をつくって型に流し込み鋳造するために用いるワックスまたは金属．またスプルー孔を後で充填する金属）．

celiac s. セリアックスプルー．＝celiac *disease*.

nontropic s. 非熱帯性スプルー（熱帯地方から離れた地域の人々に発生するスプルー．通常，celiac disease とよばれる．グルテン誘発性腸症による）．

tropic s. 熱帯性スプルー（熱帯地方にしばしば腸の感染症や栄養欠乏症に合併して起こるスプルー．大球性貧血を伴う葉酸欠損症に合併して起こることがしばしばある）．＝tropic diarrhea.

sprue-for·mer (sprū-fōr′mĕr)．注入口円錐台（スプルーが付着している底で，ろう型は鋳造フラスコ内の耐火埋没材中に埋没されている．crucible-former とよばれることもある）．

spud (spŭd)．角膜から異物を除去するために用いる三角形の刃．

Spu·ma·vir·i·nae (spū′mă-vir′i-nē) [L. *spuma*, foam]．泡沫状ウイルス亜科，スプマウイルス亜科（霊長類や他の哺乳類の泡沫状ウイルス(泡沫状因子)を含むウイルス群の旧分類(レトロウイルス科)．現在これらは *Spumavirus* 属として分類されている．他のレトロウイルスと同様に，RNA依存性の DNA ポリメラーゼ(逆転写酵素)をもつ）．

Spu·ma·vi·rus (spū′mă-vī′rŭs)．スプマウイルス属（培養細胞に空胞化(泡沫化)を起こさせる特徴のあまりないレトロウイルスのグループを包含するウイルスの一属．通常，本来の宿主に対しては，持続性であるが無症状の感染を起こす．本症によって起こされた疾病は確認されていない）．

spur (spur) [A.S. *spora*][TA]．〔骨〕棘，棘突起．＝calcar.

calcarine s. [TA]．鳥距（側脳室後角内壁上の2個の隆起の下方のもので，鳥距溝の沈下によって生じたもの）．＝calcar avis [TA]; Haller unguis; hippocampus minor; minor hippocampus; Morand s.; unguis avis.

Fuchs s. (fūks)．フックス岬（括約筋の幅のほぼ中央部における瞳孔散大筋の上皮性増殖．虹彩括約筋への散大筋の付着部）．

S

Grunert s. (grū′nĕrt). グルーナート岬（虹彩と毛様体の接合部における瞳孔散大筋の上皮性増殖．虹彩散大筋の起始部）．

heel s. 踵骨棘（立位時激痛を伴う踵骨の近位足底面にみられる骨性肥厚）．

Michel s. (mē-shel′). マイケル岬（括約筋の周辺領域における瞳孔散大筋の上皮性増殖．虹彩括約筋への散大筋の付着部）．

Morand s. (mōr-ahn′). モラン棘突起．＝calcarine s.

scleral s. [TA]．強膜距（強膜角膜連結部内面にみられる輪状の強膜隆起で，横断切片でみると強膜静脈洞深部に鉤形に見える．比較的硬く，毛様体筋の経線状線維の起始となっている）．＝calcar sclerae [TA]; scleral roll.

vascular s. 血管距（合流点または鋭角分岐位での血管(動脈および静脈)の部分中隔．→calcar (1)）．

spu·ri·ous (spyū′rē-ŭs) [L. *spurius*]．偽の，偽性の，仮性の．

spu·tum, pl. **spu·ta** (spyū′tŭm, -tă) [L. *sputum* < *spuo*, pp. *sputus*, to spit]．痰（[ラテン語の意味では唾液を含んでいるが，医学用語 sputum は下気道から喀出される分泌物を表す]．①喀出された物質，特に気道疾患で喀出された粘液や粘液膿性物質．→expectoration (1)．②①のような物質の塊）．

s. aeruginosum 緑〔色〕痰（黄疸でときにみられる緑色喀痰．胆汁色素により痰が染まることによる）．＝green s.

globular s. ＝nummular s.

green s. ＝s. aeruginosum.

nummular s. 連銭痰（球状に喀出される濃厚な粘性塊で，カップの底部では流れず，硬貨に似た円板状塊を形成する）．＝globular s.

prune-juice s. 濃紫〔色〕痰（薄い赤味がかった喀痰で，通常，感染による肺組織の壊死に特徴的．肺実質の破壊による出血による．肺癌でときどきみられる特徴）．＝prune-juice expectoration.

rusty s. さび色痰（大葉性肺炎の特徴である赤味がかった褐色の血液で染まった喀痰）．

SQ subcutaneous の略．

squa·lene (skwā′lēn). スクアレン（ヘキサイソプレノイド(トリテルペノイド)炭化水素の一種．コレステロールや他のステロール，トリテルペンの生合成の中間体．サメ油とある種の植物にみられる）．

s. epoxidase [MIM*602019]．スクワレンエポキシダーゼ(小胞体内のスクワレンからスクワレン 2,3–オキシドへの変換を触媒する酵素．ステロイド生成での環化が起こり，最初のステロール，ラノステロールの生合成への必須段階．NADPH を用いる）．

s. synthase スクワレンシンターゼ（２分子のファルネシルピロリン酸から NADPH を利用し，スクワレンと２分子のピロリン酸を生成する反応を触媒する酵素）．

squa·ma, pl. **squa·mae** (skwā′mă, skwā′mē) [L. a scale]．＝scale (2)．***1*** 鱗（骨の薄い板）．***2*** 鱗屑（表皮の鱗屑）．＝squame.

frontal s. 前頭鱗．＝squamous *part* of frontal bone.

s. frontalis [TA]．前頭鱗．＝squamous *part* of frontal bone.

s. occipitalis, occipital s. [TA]．後頭鱗．＝squamous *part* of occipital bone.

temporal s. 側頭鱗．＝squamous *part* of temporal bone.

s. temporalis 側頭鱗．＝squamous *part* of temporal bone.

squa·ma·ti·za·tion (skwā′mă-ti-zā′shŭn). 扁平上皮化，鱗状化（他種の細胞が扁平上皮細胞に変形すること）．

squame (skwām). ＝squama (2).

squamo- [L. *squama*, a scale]．鱗，鱗状の，を意味する連結形．

squa·mo·cel·lu·lar (skwā′mō-sel′yū-lăr). 鱗状細胞〔性〕の，扁平上皮細胞〔性〕の．

squa·mo·col·um·nar (skwā′mō-kol′ŭm-năr). 扁平円柱上皮の（線条扁平上皮面と円柱上皮に裏打ちされた面との接合部についていう．例えば，胃の噴門や肛門）．

squa·mo·fron·tal (skwā′mō-frŏn′tăl). 前頭鱗の（前頭骨の鱗部に関する）．

squa·mo·mas·toid (skwā′mō-mas′toyd). 側頭鱗乳〔様〕突〔起〕の（側頭骨の鱗部および錐体部についていう）．

squa·mo·oc·cip·i·tal (skwā′mō-ok-sip′i-tăl). 後頭鱗の（部分的に膜または軟骨に発生する，後頭骨の鱗部に関する）．

squa·mo·pa·ri·e·tal (skwā′mō-pă-rī′ĕ-tăl). 頭頂鱗の（頭頂骨と側頭骨の鱗部に関する）．

squa·mo·pe·tro·sal (skwā′mō-pĕ-trō′săl). 側頭鱗錐体部の．＝petrosquamosal.

squa·mo·sa, pl. **squa·mo·sae** (skwā-mō′să, -sē) [L. *squamosus*, scaly < *squama*, scale]．鱗（前頭骨，後頭骨，側頭骨の鱗部，特に側頭骨の鱗部をいう）．

squa·mo·sal (skwā-mō′săl). 側頭鱗の（特に側頭骨の鱗部に関する）．

squa·mo·sphe·noid (skwā′mō-sfē′noyd). 鱗蝶形骨の（側頭骨の鱗部と蝶形骨に関する）．＝sphenosquamosal.

squa·mo·tem·po·ral (skwā′mō-tem′pŏ-răl). 側頭鱗の（側頭骨の鱗部に関する）．

squa·mo·tym·pan·ic (skwā′mō-tim-pan′ik). ＝tympanosquamosal.

squa·mous (skwā′mŭs) [L. *squamosus*]．鱗〔屑〕状の，鱗の，落屑〔性〕の（→simple squamous *epithelium*）．＝scaly.

squa·mo·zy·go·mat·ic (skwā′mō-zī′gō-mat′ik). 頬骨鱗の（側頭骨の鱗部および頬骨突起に関する）．

squill (skwil) [L. *squilla* or *scilla*]．カイソウコン(海葱根)（ユリ科 *Urginea maritima*(地中海カイソウコン)または *Urginea indica*(インドカイソウコン)の白色変種の球根を切って乾燥させた肉様内鱗．球の中心部は処理中に除かれる．強心配糖体(シラレンＡとシラレンＢ)を含み，殺鼡薬として使用される）．＝scilla.

squint (skwint). ***1*** 〖n.〗 斜視．＝strabismus. ***2*** 〖v.〗 斜視になる．

convergent s. 内斜視．＝esotropia.

divergent s. 外斜視．＝exotropia.

external s. 外斜視．＝exotropia.

internal s. 内斜視．＝esotropia.

Sr ストロンチウムの元素記号．

sr steradian の略．

^{85}Sr ストロンチウム 85 の記号．

^{87m}Sr ストロンチウム 87 m の記号．

^{89}Sr ストロンチウム 89 の記号．

^{90}Sr ストロンチウム 90 の記号．

SRE Schedule of Recent Events の略．

SRF somatotropin-releasing *factor* の略．

SRF-A slow-reacting *factor* of anaphylaxis の略．

SRH somatotropin-releasing *hormone* の略．

SRIF somatotropin release-inhibiting *factor* の略．

sRNA soluble RNA; small *ribonucleic acid* の略．ribonucleic acid の項参照．

SRP signal recognition *particle* の略．

SRS slow-reacting *substance* の略．

SRS-A slow-reacting *substance* of anaphylaxis の略．

ss single-stranded(一本鎖の); steady *state* の略．

SSPE subacute sclerosing *panencephalitis* の略．

SSPL saturation sound pressure *level* の略．

SSS soluble specific *substance* の略．

stab (stab) [Gael. *stob*]．刺す（ナイフや短剣のような先のとがった器具で貫通する）．

sta·bi·late (stā′bi-lāt). スタビラート，安定系統〔株〕（単一の条件で生存が維持されている生物集団例．すなわち凍結による）．

sta·bile (stā′bīl, -bil) [L. *stabilis*]．安定した，固定性の（ⓘ通常の温度などで影響されない血清のある種の成分，ⓘⓘ電流の通過中ある部分で確実に保たれる電極についていう．*cf.* labile）．

sta·bi·lim·e·ter (stā′bi-lim′ĕ-tĕr) [L. *stabilitas*, firmness + G. *metron*, measure]．スタビリメータ，重心計（両足をつけ，通常，両眼を閉じて立っているときの身体の揺れを測定する器械）．

sta·bil·i·ty (stă-bil′i-tē). 安定性，安定度（安定した状態，または変化に抵抗する状態）．

denture s. 義歯安定性（機能力を加えたときに義歯がしっかり固定していて，位置変化に抵抗する性質）．＝stabilization (2).

detrusor s. 排尿筋安定性（膀胱容量が増加しても内圧の増加が緩和され，不随意の排尿が起こらない排尿筋の機能）.

dimensional s. 寸法安定性（物質が大きさと形態を保持する性状）.

endemic s. 地方病の安定（疾病の発生に影響するすべての要因が安定している状態．その結果疾病の発生は時間的にほとんど変化しない．疾病の発生に影響する要因の1つまたはいくつかが変化すると(例えば，原因菌への暴露に対して免疫を有する個体の割合が減少する)非常に不安定な状態になり，大流行が起こる）. ＝enzootic s.

enzootic s. ＝endemic s.

suspension s. 懸濁安定性（非常に遅い沈降速度）.

sta·bi·li·za·tion (stā′bi-li-zā′shŭn). 安定化（①安定状態の達成．②＝denture *stability*）.

sta·bi·liz·er (stā′bi-līz′ĕr). ***1*** 安定器，スタビライザ（安定を提供あるいは維持する物）. ***2*** 安定薬（促進物質の作用を遅らせ化学平衡を維持する薬物）. ***3*** 安定部（他の部分に加えると硬直性をもつか硬直する部分）.

endodontic s. 歯内スタビライザ（根管から歯尖を通り下層の骨に十分のび，歯根膜が侵された歯を不動化するピンインプラント）.

stabine (sti′bēn). スタビン；H_3Sb（水素化アンチモン）.

sta·ble (stā′bĕl). 安定した，固定した，変化しにくい（→stabile）.

stach·y·bot·ry·o·tox·i·co·sis (stak′ē-bot′rē-ō-tok′si-kō′sis). 真菌 *Stachybotrys atra* の発育した乾草やかいばを摂取した後にウマやウシにみられるマイコトキシン中毒の1つの型．乾草に暴露されたヒトが毒素を吸入したり，皮膚を通して吸収したりして中毒することもあり，また皮膚発疹，咽頭炎，および軽度の白血球減少を呈する.

Stach·y·bot·rys (stak-ē-bot′ris). 40種以上の既記載種を含む不完全菌の一属．ごくわずかの種のみが文献に記載されている．いくつかの種は強力なカビ毒を産生し，ヒトおよび動物にマイコトキシン症を引き起こすことがある.→stachybotryotoxicosis.

S. atra *S. chartarum* を表す現在では用いられない名称．→stachybotryotoxicosis.

S. chartarum 水害を受けた建物で発見された *Stachybotrys*属の一種．A型とS型の2つの化学型があり，形態は類似しているが，代謝産物が異なる.→stachybotryotoxicosis.

stach·y·drine (stak′i-drēn). スタキドリン（L-プロリンのベタイン．ムラサキウマゴヤシ，キク，カンキツ類植物にみられる）.

stach·y·ose (stak′ē-ōs). スタキオース；raffinosegalactopyranoside（加水分解でD-グルコース，D-フルクトースおよびD-ガラクトース2分子を生じる四糖類．ある種の塊茎や他の植物組織に存在する）.

stacking (stak′ing). スタッキング（効果を増強するために，多数の男性ホルモン剤を不法に使用すること）.

stac·tom·e·ter (stak-tom′ĕ-tĕr) [G. *staktos*, dropping＜*stazō*, to let fall by drops＋*metron*, measure]. 滴数測定計．＝stalagmometer.

Sta·der (stā′dĕr), Otto. 20世紀の米国人獣外科医.→S. *splint*.

Sta·de·ri·ni (stā′dĕr-ē′nē), Rutilio. 19世紀のイタリア人神経解剖学者.→S. *nucleus*.

sta·di·om·e·ter (stā′dē-om′ĕ-ter) [L. *stadium*＜G. *stadion*, a fixed length＋G. *metron*, measure]. スタジオメータ（身長または座高を測定する器械）.

sta·di·um, pl. **sta·dia** (stā′dē-ŭm, -dē-ă) [L.＜G. *stadion*, a fixed standard length]. 期（疾患の過程，特に急性発熱疾患の一段階を表す現在では用いられない語）.

staff (staf) [A.S. *staef*]. ***1*** スタッフ，職員（ある業務の遂行を託された特殊な従業員のグループ）. ***2*** ＝director (1).

attending s. 所属医員（病院のスタッフの一員で，定期的に病院にいる自分の患者の診療を受けもつ内科医や外科医．研修医や医員，および医学生の監督や教育を行うこともある）.

consulting s. 顧問医，コンサルタント医（病院に所属した専門医で，主治医の助言の役を果たす）.

house s. 病棟医（病院で特殊な訓練を受けている内科医や外科医で，所属医の指示のもとに患者の管理をする）.

staff of Aes·cu·la·pi·us (staf es′kū-lā′pē-ŭs) [L. *Aesculapius*, G. *Asklēpios*, god of medicine]. エスキュラピウスのつえ（一匹のヘビが巻き付いているつえ．医術の象徴．米国医学協会 American Medical Association，王立陸軍軍医団部 Royal Army Medical Corps (Britain)，王立カナダ衛生師団 Royal Canadian Medical Corps の記章.→caduceus）.

Staf·ne (staf′nē), Edward C. 米国人口腔病理学者，1894—1981.→S. bone *cyst*.

stage (stāj) [M.E.＜O. Fr. *estage*, standing-place＜L. *sto*, pp. *status*, to stand]. ***1*** 病期（病気の過程の一時期．病気の進展度や，ある特定の病気をもった患者の状態を表す尺度．例えば悪性腫瘍進展の分布と広がりなど．病気分類(病気，特に癌の病期を決定すること)をさすこともある.→period）. ***2*** 載物台（顕微鏡の一部で，鏡検するものを載せたスライドを載せるところ）. ***3*** 段階（発達過程における一定の段階，時相，位置など．精神・性的発達段階などについては phase の項参照）.

algid s. 厥冷期（コレラの虚脱期）.

Arneth s.'s (ahr-net′). アルネート期（核内の葉の数に従って多核好中球を鑑別群化すること．すなわち1,2,3,4,5,…葉をもった細胞は各々 class I, II, …などのようによばれる．→Arneth *formula*）.

bell s. 鐘状期（歯の発生段階の第3期で，内エナメル上皮，中間層，星状網，外エナメル上皮よりなる．この期のエナメル器は，鐘状の形態を呈する）.

bud s. 蕾状期（歯の発生の第1期．エナメル原器，すなわち歯蕾の発生期）.

cap s. 帽状期（歯の発育の第2期であり，内エナメル上皮と外エナメル上皮が発達する）.

Carnegie s.'s (kar-nā′gē). カーネギーステージ（肢芽の外形のような顕著な解剖学的特徴によって定義されたヒト胚子の発生学的段階を評価する基準．23ステージに分類）.

cold s. 悪寒期（マラリア発作の寒冷時期）.

defervescent s. 解熱期（→defervescence）.

end s., endstage 末期（疾患の完全進展期．例えば，腎臓に対する作用が区別できなくなる種々の慢性疾患の末期における萎縮し瘢痕化した腎臓に対して用いる）.

eruptive s. 発疹期（発疹型の病気で，皮疹が現れる時期）.

exoerythrocytic s. 赤血球外期，赤外型（脊椎動物宿主において，赤血球へ侵入する以前に肝実質細胞中に存在するマラリア原虫(*Plasmodium*属)の発育期．初回の増殖でクリプトゾイトを，次の増殖でメタクリプトゾイトを形成する．血球細胞から肝細胞への再感染は起こらないらしい．三日熱マラリア原虫と卵形マラリア原虫のスポロゾイト(ヒプノゾイト)の遅延性の発育は，これらの病原体によって起こるマラリアの再発と関連しているものと思われる）.

genital s. 性器段階（幼児の心理社会的構造に関する Freud 学派の性器期に由来し，その特徴をもつ精神構造をさす.→genitality.→anality; orality）.

imperfect s. 不完全期（①真菌の無性生活環期を示すのに用いる真菌学用語.→anamorph．②真菌において，分生子のような無性的胞子のみが形成される状態または発育期．これらの種の多くは Deuteromycetes(不完全菌類)に分類されている．＝imperfect state）.

incubative s. 潜伏期．＝incubation *period* (1).

intuitive s. 直観期（心理学用語で，通常は4－7歳ぐらいまでに相当する発達段階である．この時期には，小児の思考過程が論理的思考によって決定付けられるというよりもむしろ，最も強く受けた刺激の局面で決定される）.

s. of invasion 感染期，侵入期．＝incubation *period* (1).

s.'s of labor →labor.

latent s. ＝incubation *period* (1).

perfect s. 完全期（真菌の有性生活環期を示すのに用いる真菌学用語で，胞子が核融合後に形成される）．＝teleomorph.

preconceptual s. 前概念期（心理学用語で，現実的概念思考ができるより前の発達段階で，乳児期に相当する．この時期は感覚運動性の活動が優位に立つ）.

prodromal s. 前駆期（特徴的な症候の発現に先立つ疾患の早期の段階または症状）.

S

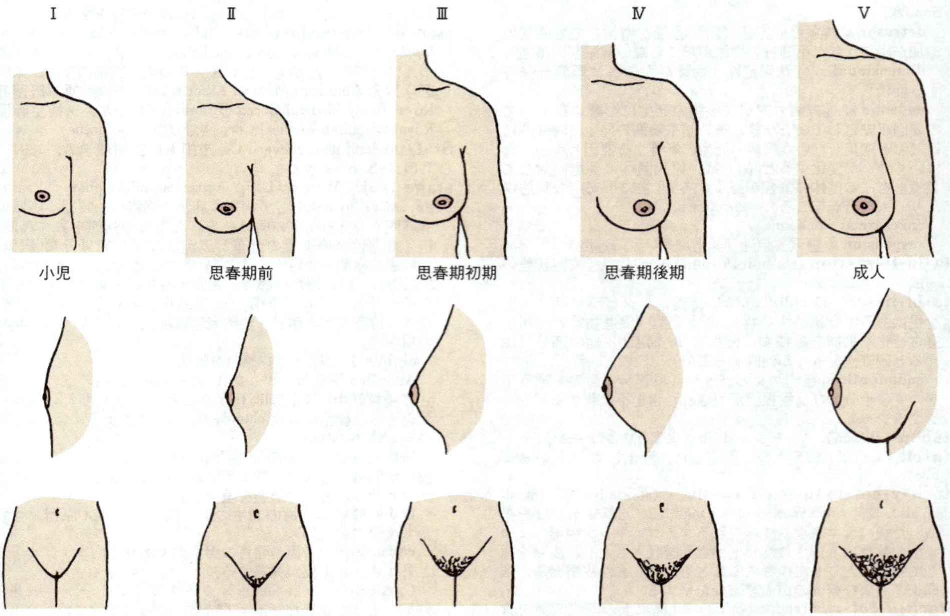

Tanner stages in female
評価Ⅰ—Ⅴ

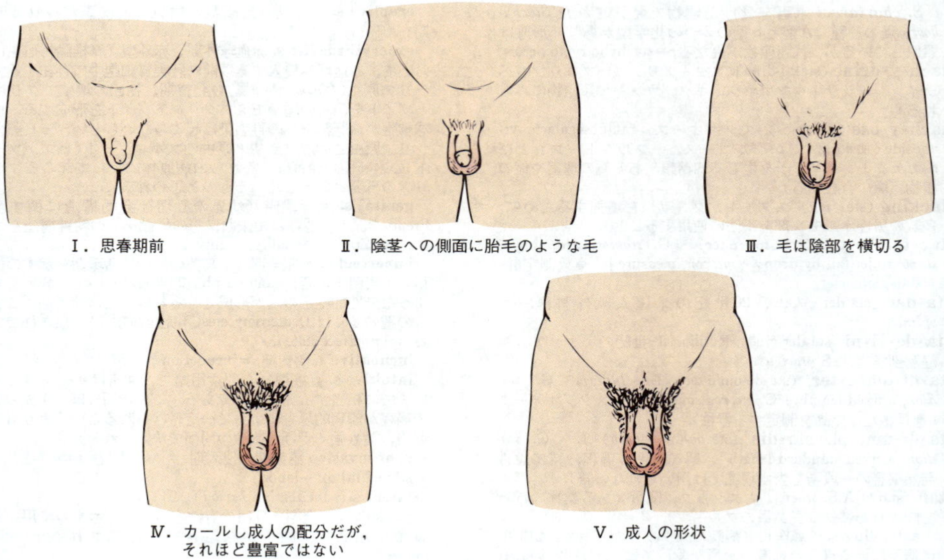

Tanner stages in male
評価Ⅰ—Ⅴ

resting s. 休止期（核運動の変化が起こっていない細胞または核の静止期）. ＝vegetative s.

Tanner s. (tan′ĕr). タナー段階（性毛の発育，男児では外陰部，女児では乳房の発達に基づいた Tanner の発育チャートの中の思春期の段階）.

trypanosome s. トリパノソーマ期（→trypomastigote）.

tumor s. 腫瘍の病期（悪性新生物の原発部位からの広がりの程度. →TNM *staging*）.

vegetative s. ＝resting s.

stag·ger (stag′ĕr). よたつく（よろよろする，不安定な歩き方をする）.

stag·gers (stag′ĕrz). よたつき（一種の減圧病で，めまい，精神錯乱，筋衰弱が主症状である）.

stag·ing (stāj′ing). 病期分類（①ある疾病または病的過程が，そのたどる道筋のどのあたりにあるか明確に決定・分類すること. ②個々の患者の病気の程度を明確に決定すること）.

リンパ腫のAnn Arbor病期分類（Hodgkinおよび非Hodgkin）

Ⅰ期	単一リンパ節領域または一つのリンパ系以外の部位に罹患
Ⅱ期	横隔膜同一側における2つまたはそれ以上のリンパ節領域の罹患 限局性の隣接する単一リンパ系以外の部位とリンパ節領域の罹患（ⅡE期）
Ⅲ期	横隔膜両側のリンパ節領域の罹患・脾臓を含むことあり
Ⅳ期	リンパ節罹患の有無にかかわらず単一またはそれ以上のリンパ系以外の臓器のびまん性罹患
追加指示（あらゆる段階で）	
A 全身症状の欠如	
B 全身症状の存在：熱，寝汗，体重減少，かゆみ	
E リンパ節と隣接する一つのリンパ系以外の部分に罹患	
X 巨大な病変の存在（腫瘤＞最大直径10cm．縦隔の拡大＞33%）	

Jewett and Strong s. (jew′ĕt strong). ジューエト（ジュウェット）-ストロング病期分類（膀胱癌の病期分類を表す現在では用いられない語. O：浸潤なし，A：粘膜下浸潤あり，B：筋層浸潤あり，C：周囲脂肪組織浸潤あり，D：リンパ節転移あり）.

TNM s. TNM 分類（米国癌合同委員会および国際癌連合が作製し，更新を重ねている癌の病期分類で最も広く用いられており，ほとんどの固形癌をカバーしている. 腫瘍(tumor)の大きさ，リンパ節(node)病変の有無と程度，転移(metastasis)の範囲に基づいて決める. それぞれの頭文字からTNM分類とよばれる）.

stag·na·tion (stag-nā′shŭn) [L. *stagnum*, a pool]. 停滞，貯留，うっ血（受動性うっ血におけるような血管内の血流の遅延または停止. 正常に循環する体液の一部が著明に遅くなるか蓄積すること）.

Stahl (stahl), Friedrich K. ドイツ人医師，1811—1873. →S. *ear*.

Stahl (stahl), George E. ドイツ人医師・化学者，1660—1734. フロギストン説を唱えた. →phlogiston.

Stähli (stah′lē), Jean. 20世紀初頭のスイス人眼科医. →Hudson-S. *line*.

TNM肺癌病期分類

T：原発腫瘍	
TX	原発巣の診断不能
T0	原発巣を認めない
Tis	浸潤前癌
T1，T2，T3，T4の順に原発巣が大きくなり，浸潤の範囲も拡大する	
N：所属リンパ節	
NX	所属リンパ節転移の判定不能
N0	所属リンパ節転移なし
N1，N2，N3の順に結節の硬さ，固定，原発からの浸潤がみられる	
M：転移	
MX	転移の有無判定不能
M0	転移なし
M1	転移あり
	M1はさらに部位別に分類される

肺	PUL	骨髄	MAR
骨	OSS	肋骨	PLE
肝	HEP	骨膜	PER
脳	BRA	皮膚	SKI
リンパ節	LYM	その他	OTH

実際の病期

Ⅰa	b
b	Ⅲ
Ⅱa	Ⅳ

G：病理組織学的分化度	
GX	分化度判定不能
G1	高度に分化
G2	中等度に分化
G3	低度に分化
G4	未分化

S

STAIN

stain (stān) [M.E. *steinen*]. *1*〚v.〛変色させる. *2*〚v.〛着色する，染色する. *3*〚n.〛変色. *4*〚n.〛染料，染色液，洗剤（組織学や細菌学の技術に用いるもの）. *5*〚n.〛染色〔法〕（染料または染料と試薬を配合したものを用いて，細胞や組織の成分を着色する方法. 個々の色素または染色物質については各々の項参照）.

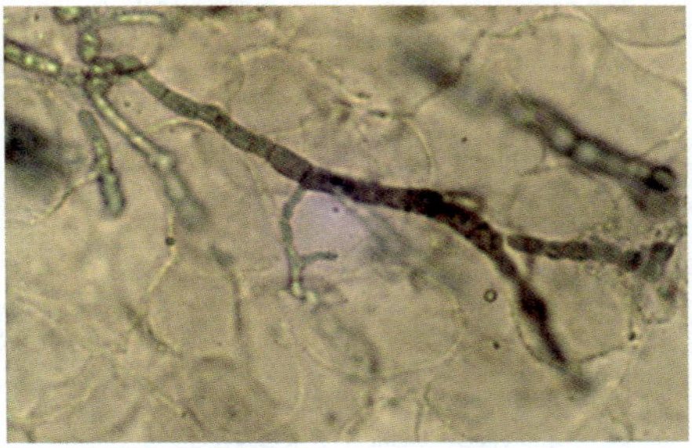

potassium hydroxide stain
爪からの*Arthroconidia*，×920.

Abbott s. for spores (ab′ŏt). アボット胞子染色〔法〕（胞子はアルカリ性メチレンブルーで青色に染まり，菌体はエオシン対比染色で桃色に染まる）.

acetoorcein s. アセトオルセイン染色〔法〕（空気乾燥法あるいは押しつぶし法による細胞材料での染色体観察に用いる染色）.

acidic s. 酸性染料（陰イオンが色素分子の着色成分であ

る色素．例えばエオシン）．

Ag-AS s. Ag-AS染色〔法〕．＝silver-ammoniac silver s.

Albert s. (al′bĕrt). アルバート染色〔液，法〕（ジフテリア菌およびその異染性顆粒の染色．トルイジンブルー，メチルグリーン，氷酢酸，アルコール，蒸留水を含む）．

Alcian yellow-toluidine blue (Leung) s. アルシアンイエロー－トルイジンブルー（リュング）染色（胃生検標本の *Helicobacter pylori* を検出するための染色法．粘液は黄色に染まり，菌は青に染まる）．

Altmann anilin-acid fuchsin s. (ahlt′mahn). アルトマンのアニリン酸性フクシン染料（ピクリン酸，アニリン，酸性フクシンの混合液で，黄色の背景に対しミトコンドリアを深紅色に染める）．

auramine O fluorescent s. オーラミンO蛍光染色〔法〕（オーラミンOフェノールと対比染料としてメチレンブルーを用いる，結核菌 *Mycobacterium tuberculosis* の迅速かつ正確な染色手技）．

basic s. 塩基性染料（そのカチオン部分が，核酸のアニオン性基(PO_4^{3-})や酸性ムコ多糖類(例えば，コンドロイチン硫酸)と結合する色素分子の発色団である色素）．

basic fuchsin-methylene blue s. 塩基性フクシン－メチレンブルー染色〔法〕（エポキシ樹脂に包埋したままの切片に対する染色．合成樹脂(プラスチック)包埋組織のやや厚めの切片では，核は紫色に，コラーゲンや弾性板や結合組織は青色に，ミトコンドリアやミエリンや脂肪滴は赤色に，平滑筋細胞や軸索原形質や軟骨芽細胞は桃色に染まる）．

Bauer chromic acid leucofuchsin s. (bow′ĕr). バウアーのクロム酸ロイコフクシン染色〔法〕（多糖体の酸化剤としてクロム酸を用い，さらにSchiff試薬を作用させる，グリコゲンおよび真菌の染色．グリコゲンおよび真菌の細胞壁は深紅色に見える）．

Becker s. for spirochetes (bek′er). ベッカーのスピロヘータ染色〔法〕（ホルムアルデヒド－酢酸で固定された薄い塗抹標本に用いる染色．標本を連続的に，タンニン，石炭酸，石炭酸フクシンで処理して行う）．

Bennhold Congo red s. (ben′hōld). ベンホルトのコンゴーレッド染色〔法〕（病変部アミロイドを検出するのに有用な染色法．アミロイドは赤く染まる．偏光下では緑色の複屈折を示す）．

Berg s. (berg). バーグ染色〔法〕（精子の染色法．石炭酸フクシンを用い，続いて希酢酸とメチレンブルーで染色する．精子は鮮やかな赤色を呈し，他のほとんどのものは青色から紫色に見える）．

Best carmine s. (best). ベストカルミン染色〔法〕（組織のグリコゲンを証明する方法）．

Bielschowsky s. (bē′els-chov′skē). ビールショースキー染色〔法〕（細網線維，神経細線維，軸索，樹状突起を明示するために硝酸銀で組織を処理する方法）．

Biondi-Heidenhain s. (bē-on′dē hī′dĕn-hān). 色液，酸性フクシンとオレンジGを用いるスピロヘータの染色．この方法は現在では用いない．

Birch-Hirschfeld s. (bŭrch hĭrsh′feld). ビスマルクブラウンおよびクリスタルバイオレットを用いてアミロイドを証明する方法．アミロイドは通常，淡鮮紅色に染まるが細胞質は染まらず，核は褐色である．この方法は現在では用いない．

Bodian copper-protargol s. (bō′dē-ăn). ボディアン銅プロタルゴール染色〔法〕（蛋白銀複合物(プロタルゴール)を用いて，軸索と神経原線維を示す染色）．

Borrel blue s. (bō-rel′). ボレルブルー染色〔法〕（酸化銀(硝酸銀と炭酸水素ナトリウムの溶液を混合してつくる)およびメチレンブルーを用いてスピロヘータ，トレポネーマ，および *Borrelia*属の菌を証明する染色）．

Bowie s. (bō′wē). ボーイー染色〔法〕（腎切片を Biebrich スカーレットレッドとメチルバイオレットの混合液で染め，傍糸球体顆粒を示す染色．傍糸球体顆粒と弾性線維は深紫色に，赤血球は黄色に染まり，背景組織は赤色調に見える）．

Brown-Brenn s. (brown bren). ブラウン－ブレン染色〔法〕（組織切片でグラム陽性とグラム陰性菌を染め分ける方法．クリスタルバイオレットとグラムヨードと塩基性フクシンによるグラム染色変法を用いる）．

Cajal astrocyte s. (kah-hahl′). カハル星状細胞染色〔法〕（塩化金と塩化第二水銀を含む溶液中に浸して星状細胞を証明する方法）．

carbol-thionin s. カルボール－チオニン染色〔法〕，石炭酸－チオニン染色〔液，法〕（スミアや切片標本での腸チフス菌の証明に有用な染色．Nissl小体の染色にも用いる）．

C-banding s. Cバンド染色〔法〕，Cバンディング〔染色法〕（動原体部を染めるバンディング法．ヒトの細胞遺伝学で利用される選択的な染色体の染色法で，アルカリ，酸，塩，熱で粗く処理することによりDNAの大部分を抽出した後にGiemsa染料を用いて染める．動原体に近接した部位の異質染色体のみが染まるが，例外としてY染色体長腕は全体が淡く，びまん性に染まる）．＝centromere banding s.

centromere banding s. ＝C-banding s.

chromate s. for lead〔第二〕クロム酸塩による鉛染色〔法〕（クロム酸塩を含んだ固定液(例えば Regaud 固定液や Orth 固定液)で固定された組織において，鉛を黄色のクロム酸鉛として沈殿させる方法．ホルマリン固定した切片は，酢酸で酸性化したクロム酸カリウムで処理して行う）．

chrome alum hematoxylin-phloxine s. クロムミョウバンヘマトキシリン－フロキシン染色〔液，法〕（膵島細胞の証明に用いる染色．アルファ細胞は赤色に染まり，ベータ細胞は青色に染まるか，または染まらない）．

Ciaccio s. (chah′chō). チャッチョ染色〔法〕（不溶性の細胞内脂質複合を証明する方法．ホルマリン－重クロム酸溶液で固定し，パラフィン包埋後 Sudan III または IV で染色して，水溶性封入液中で鏡検する）．

contrast s. 対比染料（他の部分が異なる色の色素で染まるとき，染まらない組織や細胞の一部を着色するために用いる染料）．＝differential s.

cresyl echt violet s. クレシルバイオレット染色〔法〕（*Pneumocystis jiroveci* を同定するための染色法）．

Da Fano s. (dă′fah′nō). ダファーノ染色〔法〕（硝酸塩とホルマリンの混合液で組織を固定後，Golgi体を黒色化させる銀染色）．

Dane s. (dān). デーン染色〔法〕（ヘマラム，フロキシン，アルシアンブルーとオレンジGを用いるプレケラチン，ケラチン，ムチンの染色．核は橙色から褐色に，酸性ムコ多糖体は淡青色に，そしてケラチンは橙色から赤橙色に染まる）．

DAPI s. DAPI染色〔法〕；4′6-diamidino-2-phenylindole・2HCl（鋭敏なDNAの蛍光による検査法．蛍光顕微鏡で酵母のミトコンドリア，葉緑体，ウイルス，マイコプラスマ，染色体中のDNAを検出する．真に染まった生細胞やホルムアルデヒドで固定した後の細胞では，DNAを見ることができる）．

diazo s. for argentaffin granules ジアゾ化合物による嗜銀性顆粒染色〔法〕（腸クロム親和性細胞ではその細胞を黒色化するために種々のジアゾニウム塩が用いられている）．

Dieterle s. (dē′ter-lĕ). ディーテルレ染色〔法〕（スピロヘータおよび Leishman-Donovan 体を証明する染色．硝酸銀と硝酸ウランを用いる）．

differential s. 鑑別染料．＝contrast s.

double s. 二重染料，重染（2種の色素の混合液による染料．各色素が組織や細胞の異なった部分を染める）．

Ehrlich acid hematoxylin s. (ār′lik). エールリッヒ酸性ヘマトキシリン染色〔液，法〕（ミョウバン系のヘマトキシリン染色法．核に対する退行性染色法として用いられる．分別により，目的とする染色度まで脱色させる．その溶液は，日光により自然熟成されるか，またはヨウ素酸ナトリウムで部分的に酸化される）．

Ehrlich aniline crystal violet s. (ār′lik). エールリッヒのアニリンクリスタル紫染色〔液，法〕（グラム陽性菌のための染色）．

Ehrlich triacid s. (ār′lik). エールリッヒ三酸染色〔法〕（オレンジG，酸性フクシン，メチルグリーンの飽和溶液で，白血球の鑑別に用いる染色）．

Ehrlich triple s. (ār′lik). エールリッヒ三重染料（インジュリン，エオシンY，アウランチアの混合液）．

Einarson gallocyanin-chrome alum s. (ī′nar-sŏn). アイナーソンのガロシアニン－クロムミョウバン染色〔法〕（RNAとDNAをともに深青色に染める方法．適当なコントロールをとることにより，サイトフォトメトリ(細胞測光)を用いて，染色した細胞や核の核酸濃度を概算できる．Nissl物質にも利用できる）．

Eranko fluorescence s. (ĕ-ran′kō). エランコ蛍光染色〔法〕(凍結切片をホルムアルデヒドに浸すことにより，ノルエピネフリンを含んだ細胞が強力な黄緑色蛍光を発するようになる).

Feulgen s. (foyl′gen). フォイルゲン染色〔法〕(DNA に対する選択的細胞化学反応．まず切片や細胞を塩酸で加水分解して，アプリン酸を産生させ，それから Schiff 試薬により核を赤紫色に染め上げる．一般的には，核小体やミトコンドリアの DNA 濃度は低いので，この染色では検出できない.→ Kasten fluorescent Feulgen s.).

field rapid s. フィールド迅速染色〔法〕(厚層スミアを用いて，流行地域でのマラリアの迅速(陽性)診断を可能にする染色．リン酸緩衝液で溶かしたメチレンブルーとアズールBを使用し，エオシンをリン酸緩衝液に溶かして標本の対比染色を行う).

Fink-Heimer s. (fink-hī′mer). フィンク－ハイマー染色〔法〕(中枢神経系の変性神経線維や終末を組織学的に調べるための検査法で，黄色の背景に黒く染まる).

Flemming triple s. (flem′ing). フレンミング三重染料(サフラニン，メチルバイオレット，オレンジGからなる染料).

fluorescence plus Giemsa s. (gēm′sa). 蛍光ギームザ染色〔法〕(娘染色分体の交換を示すのに用いる染色．細胞を 5-ブロモデオキシウリジンで増殖させた後，染色体調製を行う．Hoechst33258 で染色し，光照射し，Giemsa で染色する．染色体はまだら色に染色される).

fluorescent s. 蛍光染色〔液，法〕(選択的にある種の組織成分と結合し，紫外線光または青紫色の光線で照射すると蛍光を発する蛍光色素や蛍光物質を使用する染色液または染色法).

Fontana s. (fon-tah′nă). フォンターナ染色〔法〕(トレポネーマや他のスピロヘータ種の旧式の銀染色).

Fontana-Masson silver s. (fon-tah′nă mah-sawn[h]′). フォンターナ－マッソン(マソン)銀染色〔法〕. ＝Masson-Fontana ammoniac silver s.

Foot reticulin impregnation s. (fut). フット・レチクリン透浸染色〔法〕(レチクリンが黒色に，コラーゲンがゴールデンブラウンに染色される銀染色のこと．切片は銀片との混淆を避けるために，溶液の液面に浮かばせる).

Fouchet s. (fū-sha′). フシェ染色〔法〕(Fouchet 試薬を用いて胆汁色素を証明する染色．抱合型胆汁色素に対してはパラフィン切片を用い，非抱合型には凍結切片を用いる).

Fraser-Lendrum s. for fibrin (frā′zĕr len′drŭm). フレーザー－レンドラムのフィブリン染色〔法〕(Zenker 固定後に行う多重染色．この染色では，フィブリン，ケラチン，およびある種の細胞質内顆粒は赤色に，赤血球は橙色に，膠原線維は緑色に見える).

Friedländer s. for capsules (frēd′len-dĕr). ゲンチアナバイオレットによる染色．現在では用いない.

G-banding s. Gバンド染色〔法〕，Gバンディング〔染色法〕(各々の染色体に特徴的な縞模様(バンド)を形成させる染色体の分染法で，人類細胞遺伝学の分野では個々の染色体の同定に用いる．この染色法は酢酸固定，風乾，そして蛋白分解酵素，塩，熱，洗浄剤，あるいは尿素により緩和に染色体を変性させた後，最後に Giemsa で染色を施す．染色体のバンドはQバンド染色により蛍光染色されたものと同じような模様に見える). ＝Giemsa chromosome banding s.

Giemsa s. (gēm′să). ギームザ染料(メチレンブルー－エオシンとメチレンブルーの混合液．Negri 体，スナノミ(*Tunga*)，スピロヘータ，原生動物類などの証明，および血液塗抹標本の染色に用いる．また，染色体を，ときに細胞標本を熱塩酸中で加水分解したり，Gバンドを染色するのに用いる．グリセロール－メタノール緩衝溶液を加えて使うことが多い).

Giemsa chromosome banding s. (gēm′să). ギームザ染色体バンディング〔染色法〕. ＝G-banding s.

Glenner-Lillie s. for pituitary (glen′ĕr lil′ē). グレンナー－リリー下垂体染色〔法〕(Mann のメチルブルー－エオシン染色の変法で，色素の比率を変え，色素混合液を緩衝剤で調整し，60°C で染色する．好塩基性細胞は青色から黒色に，好酸性細胞は暗赤色に，嫌色素性顆粒は灰白色から桃色に，そして赤血球は橙色に染まる．一部変更することにより，この方法は腸クロム親和性細胞，杯細胞，Paneth 細胞，膵島細胞にも利用できる).

GMS s. GMS染色. ＝Gomori methenamine-silver s.

Golgi s. (gol′jē). ゴルジ染色〔法〕(神経細胞，神経線維，神経膠を染色する数種の方法の1つ．ホルマリン－オスミウム－重クロム酸混合液で固定と硬化を何回か行った後，硝酸銀溶液に浸す).

Gomori aldehyde fuchsin s. (gō-mō′rē). ゴモリのアルデヒドフクシン染色〔法〕(膵臓のベータ細胞，下垂体前葉のベータ細胞中の貯蔵型の甲状腺刺激ホルモン，下垂体神経分泌物質，肥満細胞，顆粒，弾性線維，硝酸ムチン，または胃主細胞の証明に用いる).

Gomori chrome alum hematoxylin-phloxine s. (gō-mō′rē). ゴモリのクロムミョウバンヘマトキシリン－フロキシン染色〔法〕(Bouin 固定またはホルマリン－Zenker 固定後に，酸化ヘマトキシリンとフロキシンを用いて行う染色で，細胞内顆粒の証明に使用する．膵臓ではベータ細胞は青色に染まり，アルファ細胞とデルタ細胞は赤色に染まり，チモーゲン顆粒は赤色に染まるか不染で，下垂体ではアルファ細胞は桃色に，ベータ細胞と嫌色素性細胞は灰白青色に，核は紫色から青色に染まる).

Gomori-Jones periodic acid-methenamine-silver s. (gō-mō′re jōnz). ゴモリ－ジョーンズ PAMS 染色〔法〕，ゴモリ－ジョーンズ過ヨウ素酸－メテナミン－銀染色〔法〕(メテナミン－銀，過ヨウ素酸，塩化金，ヘマトキシリン，エオシンを用いる染色法で，基底膜，レチクリン，コラーゲン，核を染める．腎臓の病理組織検査で用いられる.→Rambourg periodic acid-chromic methenamine-silver s.).

Gomori methenamine-silver s. (gō-mō′re). ゴモリのメテナミン－銀染色〔法〕，GMS 染色〔法〕(ⓘ嗜銀細胞染色．メテナミン－銀溶液を塩化金，チオ硫酸ナトリウム，サフラニンOと組み合わせて用いる方法．嗜銀性顆粒は，緑色の背景に対し黒褐色に見える．ⓘⓘ尿酸塩染色．熱メテナミン－銀溶液で直接処理した温切片では，尿酸塩が黒く染め出される．ⓘⓘⓘ真菌染色.→Grocott-Gomori methenamine-silver s. ⓘⓥメラニン染色．硝酸銀を還元する). ＝GMS s.

Gomori nonspecific acid phosphatase s. (gō-mō′rē). ゴモリ非特異的酸〔性〕ホスファターゼ染色〔法〕(ホルマリン固定した凍結切片を β-グリセロリン酸ナトリウムと硝酸鉛を含む pH 5 の基質中でインキュベートする方法．生成した不溶性のリン酸鉛は，硫化アンモニウムで処理され，黒色の硫化鉛になる).

Gomori nonspecific alkaline phosphatase s. (gō-mō′rē). ゴモリ非特異的アルカリ〔性〕ホスファターゼ染色〔法〕(凍結切片，あるいは冷アセトンかホルマリンで固定したパラフィン切片に用いる硫化カルシウム－コバルト法．活性化剤としての Mg^{2+} とともに，基質として pH 9—9.5 の β-グリセロリン酸ナトリウムを加える．カルシウムイオンが遊離リン酸を沈着させ，コバルト塩がリン酸カルシウムに置換され，硫化アンモニウムがこの生成物を黒色の硫化コバルトに変換する).

Gomori one-step trichrome s. (gō-mō′rē). ゴモリ一段法三色染色〔法〕(ヘマトキシリンと，クロモトロープ2R およびライトグリーンまたはアニリンブルーを含む色素混合物を用いた結合組織染色．筋線維は赤色に，膠原線維は緑色(アニリンブルーを用いた場合は青色)に，核は青色から黒色に染まる).

Gomori silver impregnation s. (gō-mō′rē). ゴモリ鍍銀染色〔法〕，ゴモリ銀透浸染色〔法〕(レチクリンの確実な染色法で，新生物や早期肝硬変の診断に役立つ．硝酸銀，水酸化カリウム，および銀が沈殿しないように注意深く調製されたアンモニア水を染色液として用いる).

Goodpasture s. (gud′pas-tyŭr). グッドパスチャー染色〔法〕(グラム陰性菌のための染色．アニリンフクシンを用いる).

Gordon and Sweet s. (gōr′dŏn swēt). ゴードン－スウィート染色〔法〕(レチクリンの染色で，酸性化過マンガン酸カリウム，シュウ酸，鉄ミョウバン，硝酸銀，ホルムアルデヒド，塩化金，チオ硫酸ナトリウムを用いる).

Gram s. (gram). グラム染色〔法〕(細菌の鑑別染色法．スミアを火炎またはメタノール固定，クリスタルバイオレットの溶液中で染色し，ヨウ素溶液で処理して，すすぎ，脱色し

S

た後，サフラニンOで対比染色する．グラム陽性菌は紫黒色，グラム陰性菌は桃色に染まる．この染色法は細菌の分類と同定ばかりでなく，細胞壁構造の基礎的相違を示すものにも有用である）．

Gram-chromotrope s. グラム－クロモトロープ染色〔法〕（微胞子虫の芽胞を染めるためのトリクローム染色変法で，芽胞はグラム染色試薬と結合する）．

green s. 緑色染色物（色素菌がつくる沈着物．通常，小児の唇側の歯頸にみられる．→acquired *pellicle*）．

Gridley s. (grid′lē). グリッドレー染色〔法〕（小胞体の銀染色）．

Gridley s. for fungi (grid′lē). グリッドレー真菌染色〔法〕（Bauer クロム酸ロイコフクシン染色を基にした固定組織標本の染色法で，(Bauer の方法に)対比染料として Gomori アルデヒドフクシン染料およびメタニルイエローを添加してある．黄色の背景に対し，菌子，分生子，酵母被膜，エラスチン，およびムチンが，青色から紫色にかけての様々な色合いを呈する）．

Grocott-Gomori methenamine-silver s. (**GMS**) (grō′kot gō-mō′rē′). グローコット－ゴモリのメテナミン－銀染色〔法〕（Gomori メテナミン－銀染色の真菌用の変法．メテナミン－銀溶液を加える前にクロム酸で切片を前処置し，最後にライトグリーンで対比染色する．淡緑色の背景中に黒褐色の真菌が証明される）．

Hale colloidal iron s. (hāl). ヘールのコロイド鉄染色〔法〕（ヒアルロン酸のような酸性ムコ多糖体の識別に用いる染色．過ヨウ素酸 Schiff 染色とともに用いると，糖質含有蛋白や糖蛋白も示すことができる）．

Heidenhain azan s. (hī′dĕn-hān) [*az*ocarmine + *an*iline blue]. ハイデンハインアザン染色〔法〕（アゾカルミンBまたはGに続いてアニリンブルーを用いる染色手技で，核と赤血球を赤色に，筋を橙色に，神経膠原線維を赤色調に，ムチンを青色に，コラーゲンと細網を暗青色に染める）．

Heidenhain iron hematoxylin s. (hī′dĕn-hān). ハイデンハイン鉄ヘマトキシリン染色〔法〕（鉄ミョウバンヘマトキシリン染色で，筋肉の横紋や有糸分裂中の染色体を青黒色に染める）．

hematoxylin and eosin s. ヘマトキシリン－エオシン染色〔法〕（組織用染色の中で，恐らく最も一般的に有用な方法．核はヘマトキシリンで濃い藍色に染まり，細胞質は通常水中で行うエオシンによる対比染色後桃色に染まる）．

hematoxylin-malachite green-basic fuchsin s. ヘマトキシリン－マラカイトグリーン－塩基性フクシン染色〔法〕（エポキシ樹脂抽出切片に対する染色．樹脂包埋したやや厚い切片に対し，まず合成樹脂を溶解し，残った組織を各々の色素で連続的に染色する．核と星状細胞は紫桃色に，ミエリン，脂肪滴，核小体，乏突起膠細胞は明るい青緑色に染まる）．

hematoxylin-phloxine B s. ヘマトキシリン－フロキシンB染色〔法〕（エポキシ樹脂包埋したままの切片に対する染色．合成樹脂に包埋した組織のやや厚目の切片の以下の構造を青色から黒色に染める．染色質，核小体，好塩基性細胞質，ミトコンドリア，原形質膜と核膜，異方向性筋原線維，肥満細胞顆粒，および血管の弾性膜．一方，膠原線維，細網，杯細胞中のムチン，硝子様軟骨基質，不動線毛，細胞質，および赤血球は桃色から赤色に見える．また脂肪滴と軟骨周囲細胞基質は緑色に染まる）．

Hirsch-Peiffer s. (hĭrsh′ pīf′ĕr). ハーシュ－パイファー染色〔法〕（異染性大脳白質萎縮症の細胞学的証明に用いる染色．過量のスルファチドは，酢酸中ではクレシルバイオレットにより異染性(金褐色)を呈する）．

Hiss s. (his). ヒス染色〔法〕（微生物の莢膜を証明する方法．硫酸銅溶液で洗浄後，ゲンチアナバイオレットまたは塩基性フクシンを用いる）．

Holmes s. (hōlmz). ホームズ染色〔法〕（神経線維のための硝酸銀染色）．

Hortega neuroglia s. (ōr-tā′gă). オルテガ神経膠染色〔法〕（数種の炭酸銀による星状細胞，乏突起膠細胞，小膠細胞の証明法の1つ）．

Hucker-Conn s. (hŭk′ĕr kon). ハッカー－コン染料（グラム染色に用いるクリスタルバイオレットとシュウ酸アンモニウムの混合液）．

immunofluorescent s. 免疫蛍光染色〔法〕（抗体に特異的な抗原と蛍光抗体の結合による染色）．

India ink capsule s. 墨汁莢膜染色〔法〕，インドインク莢膜染色〔法〕（透明な細菌に対する陰性染色．黒色の背景に対し，細胞は紫色(クリスタルバイオレット)に見え，莢膜は透明に見える）．

intravital s. 生体染色〔法〕（非経口投与，例えば，静脈内投与または皮下投与で生体細胞に染色液を摂取させる染色）．

iodine s. ヨード染色〔法〕（アミロイド，セルロース，キチン，デンプン，カロチン，グリコゲンの検出や，アメーバにおけるグリコゲンを染めるための染色．糞便や湿った標本は Lugol ヨード溶液で直接染色する．スミアは Schaudinn 固定液で処理した後，ヨードアルコールで染め，続いて Heidenhain 鉄ヘマトキシリンで染色する）．

Jenner s. (jen′ĕr). ジェンナー染料（Wright 染料に類似するが，多色化メチレンブルーを用いないメチレンブルーのエオシン塩．血液スミアの染色に用いる）．

Kasten fluorescent Feulgen s. (kas′tĕn foyl′gen). カステン蛍光フォイルゲン染色〔法〕（種々の塩基性蛍光色素のどれか1つに二酸化硫黄を加えて用いる，Feulgen 染色の蛍光法．きらびやかな蛍光を発するのでこの方法はきわめて感度が高く，細胞蛍光強度測光による DNA の定量にも利用できる）．

Kasten fluorescent PAS s. (kas′tĕn). カステン蛍光 PAS 染色〔法〕（Kasten 蛍光 Schiff 試薬の1つを用いて多糖体を染める，PAS(過ヨウ素酸 Schiff)染色の蛍光法）．

Kinyoun s. (kin′yūn). キニヨン染色〔法〕（抗酸菌の染色法で，石炭酸フクシン，酸性アルコール，メチレンブルーを用いる．抗酸菌は青色の背景に赤く見える）．

Kleihauer s. (klī′how-ĕr). クラインハウアー染料（アニリンブルーと Biebrich スカーレットレッドの混合液で，母親血液中の胎児赤血球の検出に用いる）．

Klinger-Ludwig acid-thionin s. for sex chromatin (kling′ĕr lūd′vig). クリンガー－ルートヴィヒの酸チオニンによる性染色体染色〔法〕（Barr 小体の識別に用いる方法で，緩衝チオニンによる染色前に口腔粘膜スミアを酸で処理する）．

Klüver-Barrera Luxol fast blue s. (klē′vĕr bahr-er′ă). クリューヴァー－バーレラのルクソールファーストブルー染色〔法〕（ルクソールファーストブルーで髄鞘を染色し，続いてクレシルバイオレットで Nissl 物質を染色する方法）．

Kokoskin s. (kō-kos′kin). ココスキン染色〔法〕（微胞子虫の芽胞を染めるためのトリクローム染色変法で，染色時間を短縮するために加熱操作を加えたもの）．

Kossa s. (kos′ă). コッサ染色〔法〕．＝von Kossa s.

Kronecker s. (krō′nek-ĕr). クローネッカー染色〔液〕（炭酸ナトリウムにより弱アルカリ性にした5％食塩水で，顕微鏡下での新鮮組織の検査に用いる）．

lactophenol cotton blue s. ラクトフェノール－コットンブルー染色（石炭酸結晶，グリセリン，乳酸，蒸留水にコットンブルーまたはクリスタルバイオレットを加えた溶液．真菌学において染色液として用いられている）．

Laquer s. for alcoholic hyalin (lah′kĕr). ラクヴェアーのアルコール性ヒアリン染色〔法〕（Altmann アニリン酸性フクシン染色と Masson 三重染色の組合せで，灰褐色の背景上に，アルコール性ヒアリン(Mallory 小体)を赤色，コラーゲンを緑色，核を褐色に染める）．

lead hydroxide s. 水酸化鉛染色〔法〕（電子顕微鏡用の染色の1つ．アルデヒドで固定した後では，アルカリ性水酸化鉛は RNA を選択的に染めるが，四酸化オスミウム(オスミウム酸，OsO_4)固定後では，組織中のオスミウムと広く反応するため全体を染める．細胞膜と結合することに加え，炭水化物(例えばグリコゲン)も染める）．

Leishman s. (lēsh′măn). リーシュマン染色〔法〕（血液塗抹標本を用いて寄生虫を検査するのに使う多色化エオシン－メチレンブルー染色）．

Lendrum phloxine-tartrazine s. (len′drŭm). レンドラムのフロキシン－タルトラジン染色〔法〕（好酸性封入体を証明するための染色．黄色の背景上で，好酸性封入体は赤く見える．また核は青く染まるが，Negri 小体は染まらない）．

Lepehne-Pickworth s. (le-pen′ĕ pik′wŏrth). レペーネ－ピックワース染色〔法〕（低温あるいは凍結切片中の，ヘモグロビンや他のヘムを含んだ物質に染色する方法．ベンチジンを酸化して青色のキンヒドロンにする組織ペルオキシダーゼの存在を利用する).

Levaditi s. (lev′ă-dē′tē). レヴァディティ染色〔法〕(組織切片中のスピロヘータを硝酸銀で黒色に染める染色).

Lillie allochrome connective tissue s. (lil′ē). リリーのアロクローム結合組織染色〔法〕(過ヨウ素酸Schiff，ヘマトキシリン，ピクリン酸，メチレンブルーを用いる方法で，基底膜とレチクリンの区別，および動脈硬化性病変の証明に用いる).

Lillie azure-eosin s. (lil′ē). リリーのアズール－エオシン染色〔法〕(アズール－エオシン塩溶液を用いる染色．組織内の細菌またはリケッチアの染色に用いる).

Lillie ferrous iron s. (lil′ē). リリー第一鉄染色〔法〕(フェロシアン化カリウムの酢酸溶液を用いる方法で，メラニンを深緑色に染め出す．リポフスチンやヘム色素とは反応しない).

Lillie sulfuric acid Nile blue s. (lil′ē). リリー硫酸ナイルブルー染色〔法〕(高濃度で存在する脂肪酸を示す方法).

Lison-Dunn s. (lē-son[h]′ dŭn). リソン－ダン染色〔法〕(ロイコパテントブルーと過酸化水素を用いて，薄い組織切片やスミア上のヘモグロビンペルオキシダーゼを証明する方法).

Loeffler s. (lef′lĕr). レフラー染色〔法〕(べん毛染色．標本を硫酸第一鉄，タンニン酸，アルコールフクシンの混合液で処理し，水酸化ナトリウム溶液でアルカリ性にしたアニリン－水フクシン，またはゲンチアナバイオレットで染色する).

Loeffler caustic s. (lef′lĕr). レフラー焼灼薬染色〔法〕(タンニンと硫酸第一鉄を用い，アルコールフクシン染色液を追加するべん毛の染色).

Luna-Ishak s. (lūn′ă is′hahk). ルーナ－イスハック染色〔法〕(セレスチンブルーと酸性フクシンを用いて，毛細胆管を桃色から赤色に染める方法).

Macchiavello s. (mah-kē-ā-vel′ō). マッキアヴェロ染色〔法〕(スミアを塩基性フクシン，クエン酸，メチレンブルーの順で連続的に染めると，リケッチアと封入体は赤色に，核は青色に染まる).

MacNeal tetrachrome blood s. (măk-nēl′). マックニール四色血液染色〔法〕(血液スミア用の染色．メチレンブルー，アズールA，メチルバイオレット，エオシンYからなる).

malarial pigment s. マラリア色素染色（フロキシン，トルイジンブルーOの順で染める．網内系の食細胞中にみられるマラリア色素と核は青色に，赤血球と細胞質は赤色から橙色に染まる).

Maldonado-San Jose s. (mahl-dō-nah′dō san hō-zā′). マルドナド－サンホセ染色〔法〕(フロキシン，アズールB，ヘマトキシリンを連続的に用いて膵島細胞を染める方法．アルファ細胞は紫色，ベータ細胞は青紫色，デルタ細胞は淡青色に，外分泌細胞は赤い分泌顆粒をもち灰青色に染まる).

Mallory s. for actinomyces (mal′ŏ-rē). マロリー放線菌染色〔法〕(ミョウバンヘマトキシリン，次いでエオシンを用いる染色．Ehrlich アニリンクリスタルバイオレットに浸し，Weigert のヨウ素溶液で処理する．菌糸体は青色に，こん状体は赤色に染まる).

Mallory aniline blue s. (mal′ŏ-rē). マロリーのアニリンブルー染色〔法〕．＝Mallory trichrome s.

Mallory collagen s. (mal′ŏ-rē). マロリー膠原線維染色〔法〕(リンモリブデン酸かリンタングステン酸を，アニリンブルーのような酸性染料またはヘマトキシリンとともに用いて，結合組織を染める種々の方法の1つ).

Mallory s. for hemofuchsin (mal′ŏ-rē). マロリー血褐素染色〔法〕(切片をミョウバンヘマトキシリンと塩基性フクシンで連続的に染める．リポフスチン様色素とセロイドは明赤色に，核は青色に染まるが，メラニンとヘモジデリンは，もともと褐色調なので染まっていないようにみえる).

Mallory iodine s. (mal′ŏ-rē). マロリーのヨード染色〔法〕(アミロイドが Gram ヨード液で赤茶色に染まり，次に希硫酸をかけると青紫色となる).

Mallory phloxine s. (mal′ŏ-rē). マロリーのフロキシン染色〔法〕(過度染色の後，炭酸リチウムで脱色した際，ヒアリンによりフロキシンが保持されることに基づく方法で，核染色のためのミョウバンヘマトキシリンと組み合わせて用いる．ヒアリンは赤く見えるが，古くなったヒアリンは桃色または無色に，アミロイドは淡桃色に，核は黒青色に染まる).

Mallory phosphotungstic acid hematoxylin s. (mal′ŏ-rē). マロリーのリンタングステン酸ヘマトキシリン染料．＝phosphotungstic acid *hematoxylin*.

Mallory trichrome s. (mal′ŏ-re). マロリー三色染色〔法〕(主に結合組織の検索に適した染色法．薄切切片を酸性フクシン，アニリンブルーおよびオレンジG溶液，およびリンタングステン酸で染めると，膠原線維は青色に，結合織性原線維，神経膠，筋線維は赤色に，弾性線維は桃色か黄色に染まる)．＝Mallory aniline blue s.; Mallory triple s.

Mallory triple s. (mal′ŏ-rē). マロリー三重染色〔法〕．＝Mallory trichrome s.

Mann methyl blue-eosin s. (man meth′il blū ē′ō-sin stān). マンのメチルブルー－エオシン染色〔法〕(脳下垂体前葉やウイルスの封入体の染色法として有用．この2種の色素によって，アルファ細胞の顆粒は赤色，ベータ細胞の顆粒は濃青色，嫌色素性の顆粒は灰色または桃色，コロイドは赤色，赤血球は橙赤色，膠原線維は青色に染まる．この染色法は腸クロム親和性の杯細胞，Paneth 細胞，膵島部の細胞染色にも有用である．また Negri 小体は赤色に染まり，青色の核や中心顆粒と区別される).

Marchi s. (mahr′kē). マルキ染色〔法〕(検体を Müller 変法の固定液で8—10日間硬化させ，次いでオスミウム酸を加えて同様に1—3週間放置する染色法．脂肪および変性した神経線維は黒色に染まる).

Masson argentaffin s. (mah-sawn[h]′). マッソン(マソン)銀親和性染色〔法〕(腸クロム親和性顆粒を黒褐色に染めるのに用いる染色).

Masson-Fontana ammoniac silver s. (mah-sawn[h]′ fon-tah′nă). マッソン(マソン)－フォンターナのアンモニア銀染色〔法〕(メラニンおよび銀親和性顆粒を明示するのに用いる染色)．＝Fontana-Masson silver s.

Masson trichrome s. (mah-sawn[h]′). マッソン(マソン)三色染料（多種の細胞や組織を染め分ける染料で，原法は ponceau de xylidine，酸性フクシン，鉄ミョウバンヘマトキシリン，およびアニリンブルーかファーストグリーン FCF (ジニトロレソルシン)を用いる．クロマチンは黒色，原形質は淡赤色，好酸球や肥満細胞の顆粒は濃赤色，赤血球は黒色，弾性線維は赤色，膠原線維や粘液は暗青色(アニリンブルー)か緑色(ファーストグリーン)に染まる．変法では Biebrich スカーレットレッド，ウールグリーンのような色素を用いる).

Maximow s. for bone marrow (maks′ĭ-mof). マキシモフ骨髄染色〔法〕(ミョウバン－ヘマトキシリンとアズールII–エオシンによる染色で，顆粒球，肥満細胞，軟骨を染め分ける).

Mayer hemalum s. (mā′ĕr). マイアーのヘマラム染色〔法〕(進行性の核染色法で，対比染色としても用いる).

Mayer mucicarmine s. (mā′ĕr). マイアーのムシカルミン染色〔法〕(→mucicarmine).

Mayer mucihematein s. (mā′ĕr). マイアーのムシヘマテイン染色〔法〕(→mucihematein).

May-Grünwald s. (mī grin′vahld). メイ－グリュンヴァルト染料（Jenner 染料とほぼ同様のドイツ式染料で，血液細胞の染色や細胞診に用いる．Giemsa 染料と併用されることが多い．寄生虫のべん毛を染めるのに有用).

metachromatic s. メタクロマチック染色〔法〕，異染染色〔法〕(メチレンブルー，チオニン，アズールAなどの色素を用いて染色することで，同一の色素で種々の組織や細胞が異なった色に染まること).

methenamine silver s. メテナミン銀染色（*Pneumocystis carinii* の嚢子の染色に用いる).

methyl green-pyronin s. メチルグリーン－ピロニン染色〔法〕(ピロニン親和性の強い形質細胞の同定に用いられる染色．高度に重合した核酸(DNA)を緑色に，低分子量の核酸(RNA)を赤色に染める性質をもつ緑色色素と赤色色素の混合物である．→Unna-Pappenheim s.).

modified acid-fast s. 抗酸菌染色変法（*Cryptosporidium* 属，*Cyclospora*属，*Isospora*属といったコクシジウムの染色法．脱色液として非常に薄い酸(1—3％硫酸)を使うので脱

S

色が過度になりがたい).

modified trichrome s. トリクローム染色変法（Gomori トリクローム染色の Wheatley 変法から発展した染色法で，10 倍量のクロモトロープ 2R 色素を使う．微胞子虫の芽胞がピンクから赤に染まる）.

Mowry colloidal iron s. (mow′rē). モーリーのコロイド鉄染色〔法〕（酸性ムコ多糖類の検出のための染色）.

MSB trichrome s. MSB トリクローム染色（フィブリンの染色法で，マルチウスイエロー，ブリリアントクレシルスカーレット 6R，可溶性ブルーを使う．フィブリンは選択的に赤色に，結合織は青色に染まる）.

multiple s. 多重染料（数種の色素の混合液で，それぞれ組織の一部分以上に独立した選択的作用をする）.

Nair buffered methylene blue s. (nār). ネアーの緩衝メチレンブルー染色〔法〕（原虫の栄養型の核の細部の観察に適している．pH 3.6—4.8 の酸性条件下で染色する）.

Nakanishi s. (nah-kā-nē′shē). 中西染色〔法〕（細菌の生体染色法の 1 つで，スライドガラスを温めたメチレンブルー溶液で処理し，空色になったら菌液をカバーガラス上に 1 滴滴下し，スライドガラスに密着させると細菌が染まり，一部が濃染してみえる）.

Nauta s. (nah′tă). ノータ染色〔法〕（変性した軸索を銀で染色する．軸索は断裂し，膨化した線維として観察される）.

negative s. 陰性染色〔法〕（不透明あるいは着色した背景に目的物が透明または無色に観察される．電子顕微鏡では表面の微細構造を観察するために，リンタングステン酸やリンタングステン酸ナトリウムなどの不透明物質を用いる）.

Neisser s. (nī′sĕr). ナイサー(ナイセル)染色〔法〕（ジフテリア菌の極核染色．メチレンブルーとクリスタルバイオレットの混合液を用いる）.

neutral s. 中性染料（酸性染料と，メチレンブルーのエオシン塩などの塩基性染料の化合物で，陰イオンと陽イオンがそれぞれ発色団を有する）. ＝salt dye.

Nicolle s. for capsules (nē-kŏl′). ニコル莢膜染色〔法〕（ゲンチアナバイオレットのアルコール－フェノール飽和溶液に浸して莢膜を染色する方法）.

ninhydrin-Schiff s. for proteins ニンヒドリン－シッフ蛋白染色〔法〕（ニンヒドリンまたはアロキサンを用い，酸化的脱アミノ作用により脂肪族アミンからアルデヒドを生成させれば蛋白を証明できる．生成アルデヒドは Schiff 試薬との反応でみる）.

Nissl s. (nis′ĕl). ニッスル染色〔法〕（①神経細胞を塩基性フクシンで染色する方法．②ニューロン細胞体および樹状突起の粗面小胞体やリボソームの集合体を塩基性染料，例えばクレシルバイオレット(またはクレシルエクトバイオレット)，チオニン，トルイジンブルー O やメチレンブルーで染色する方法）.

Noble s. (nō′bĕl). ノーブル染色〔法〕（固定後の組織でウイルスの封入体を検出するフクシンおよびオレンジ G 染色法）.

nuclear s. 核染色〔法〕（細胞核の染色で，通常，DNA またはヌクレオヒストンと色素との結合を原理としたもの）.

Orth s. (ōrth). オルト染色〔法〕（神経細胞とその突起に用いるリチウムカルミン染色）.

Padykula-Herman s. for myosin ATPase (pah′di-kū′lă her′măn). パディクラ－ハーマンのミオシン ATP 分解酵素染色〔法〕（基本的には Gomori 非特異的アルカリホスファターゼ染色と同様であるが，マグネシウムイオン(Mg^{2+})不添加で ATP を基質とし，pH 9.4 で反応させる点が異なる．酵素活性がある場合は横紋筋線維分節の A 帯に黒色斑点として現れる．対照組織切片に基質の代わりにスルフヒドリル基のインヒビター(阻害物質)を加える）.

Paget-Eccleston s. パジェット－エクレストン染色〔法〕（改良されたアルデヒド，チオニン，過ヨウ素酸 Schiff，およびオレンジ G 染色物質で脳下垂体前葉の 7 種類の細胞を染め分ける）.

panoptic s. 汎視染色〔法〕（Romanowsky 染色と他の染色法を組み合わせたもので，原形質内顆粒や小体の染色性を変えられる）.

Papanicolaou s. (pa-pă-ni′kō-low). パパニコラウ染色〔法〕（主に剝離細胞診標本に用いる多色染色法．95%エチルアルコール中に多重対比染色色素を含む水溶性ヘマトキシリンを基にしており，透明度が高く，微細構造がわかる．特に婦人科領域の癌のスクリーニングには重要）.

Pappenheim s. (pahp′ĕn-hīm). パッペンハイム染色〔法〕（メチルグリーン-ピロニン染色で，もともとリンパ球の染色法として用いられていた）.

paracarmine s. パラカルミン染料（75%アルコール溶液中に，塩化カルシウムとカルミン酸を含む染料）.

PAS s. PAS 染色〔法〕. ＝periodic acid-Schiff s.

periodic acid-Schiff s. (**PAS**) (shif). 過ヨウ素酸シッフ染色〔法〕（組織染色法で，最初に 1,2-グリコール基を過ヨウ素酸でアルデヒドに還元してから，Schiff 亜硫酸塩ロイコフクシン試薬で処理すると赤紫色になる．グリコゲンや上皮ムチン，基底膜，結合組織のムコ多糖類などは濃く染まる）. ＝PAS s.

Perls Prussian blue s. (pĕrlz). ペルルスのプルシアンブルー染色〔法〕（ヘモジデリン中の鉄イオンの染色法の 1 つで，フェロシアン化カリウムの酢酸または希塩酸溶液を反応させ，サフラニン O やニュートラルレッドなどの赤色色素で対比染色する．ヘモジデリンおよび無機鉄は青緑色に，核は赤色に染まる）.

peroxidase s. ペルオキシダーゼ染色〔法〕（好中球の一部や好酸球のペルオキシダーゼ顆粒を証明する染色法．ペルオキシダーゼは過酸化水素によるベンチジンの酸化を促進する．西洋ワサビのペルオキシダーゼで処理した組織は電子顕微鏡でもペルオキシダーゼを証明できる）.

phosphotungstic acid s. リンタングステン酸染色〔法〕（電子顕微鏡で最も一般的に用いる染色．エラスチン，コラーゲン，基質膜の粘液多糖体のような細胞外成分を選択的に染める．酢酸ウラニルや鉛を加えることもある）. ＝PTA s.

picrocarmine s. ピクロカルミン染色剤(末)（カルミン，アンモニア，ピクリン酸の混合液を蒸発させ粉末にした赤色の結晶(水溶性)．角質硝子質様顆粒の染色に優れている）.

picro-Mallory trichrome s. (mal′ŏ-rē). ピクロ－マロリー三色染色〔法〕（Mallory 三色染色法を改良したもので，(原法に)ピクリン酸を加えてある）.

picronigrosin s. ピクロニグロシン染料（ニグロシンのピクリン酸溶液で，結合組織の染色に用いる）.

plasma s., plasmatic s., plasmic s. 原形質染料（主に細胞形質に親和性をもつ染料）.

plastic section s. 合成樹脂包埋切片染料，プラスチック包埋切片染料（①電子顕微鏡用．合成樹脂で包埋した組織の薄切切片に用いる染料(例えば，オスミウム酸，リンタングステン酸，過マンガン酸ナトリウム)で，様々な細胞や組織の構造に重原子が付着することにより，電子がそれらの構造により吸収され，また散乱されるため像が形成されることを利用したもの．鑑別染色がなされるために，染色液は非湿潤性の包埋合成樹脂を通過する必要がある．②光学顕微鏡用．合成樹脂包埋組織に対し，常態できわめて高い解像度を得，細部にわたる観察ができるようにするために用いる染料(例えば，アルカリ性トルイジンブルーやメテナミン－銀)．腎臓病理学においては，特に位相差顕微鏡と併用する場合，やや厚い切片(0.5—1.5 μm)に対して非常に有効である）.

port-wine s. ＝*nevus* flammeus.

positive s. 陽性染色〔法〕（組織成分に色素が直接結合し明暗ができる．電子顕微鏡ではウラニルや鉛塩のような重金属を特定の細胞成分に結合させ，電子線に対する密度(すなわち明暗)を増大させる）.

Prussian blue s. プルシアンブルー染色〔法〕（シデロサイト中に存在するような鉄を証明するために酸性フェロシアン化カリウムを用いる染色）.

PTA s. ＝phosphotungstic acid s.

Puchtler-Sweat s.'s (pukt′lĕr swet). プクトラー－スウェット染色〔法〕（→Puchtler-Sweat s. for basement membranes; Puchtler-Sweat s. for hemoglobin and hemosiderin）.

Puchtler-Sweat s. for basement membranes (pukt′lĕr swet). プフトラー－スウェットの基底膜染色（Carnoy 固定液で固定したあとレゾルシン－フクシンと nuclear fast red 液で染める方法．基底膜は灰色から黒色に，核は桃色から赤色に染まる）.

Puchtler-Sweat s. for hemoglobin and hemosiderin (pukt′lĕr swet). プフトラー－スウェットのヘモグロビン－ヘモジデリン染色〔法〕（複合染色法で黄色の背景にヘモグロ

ビンは赤色に，ヘモジデリンは青色から緑色に，弾性線維は桃色に染まる）.

Q-banding s. Qバンド染色〔法〕，Qバンディング〔染色法〕（染色体の蛍光染色法で，各々一対の相同染色体について特異的な帯状パターンを示す．末端動原体型染色体の付随体やY染色体長腕末端のように，ヒト染色体3,4,13番の中心部が特異的に染まる．バンディングのパターンはGバンド染色法で得られるパターンに類似している．類似の蛍光染色はアドリアマイシンやダウノマイシンなどの抗生物質や，三級色素(例えば，酪酸プロフラビン，DAPI)およびビスベンズイミダゾール色素Hoechst 33258などに用いた場合にも同様の結果が得られる）. = quinacrine chromosome banding s.

quinacrine chromosome banding s. = Q-banding s.

Rambourg chromic acid-phosphotungstic acid s. (rahm′burg). ランブールのクロム酸－リンタングステン酸染色〔法〕（電子顕微鏡に用いる糖蛋白の染色で，超薄切切片で炭水化物複合体はRambourg過ヨウ素酸－クロムメテナミン－銀染色で観察されるのと同じ部位に見られる）.

Rambourg periodic acid-chromic methenamine-silver s. (rahm′būrg). ランブールの過ヨウ素酸－クロムメテナミン－銀染色〔法〕（Gomori-Jones過ヨウ素酸－メテナミン－銀染色を応用した電子顕微鏡用の糖蛋白染色．Golgi小体の成熟小嚢内やライソソーム小嚢，細胞外皮，基底膜などに銀の沈着が見られる）.

Rambourg s.'s (rahm′būrg stănz). ランブール染色〔法〕（→Rambourg chromic acid-phosphotungstic acid s.; Rambourg periodic acid-chromic methenamine-silver s.）.

R-banding s. Rバンド染色〔法〕，Rバンディング〔染色法〕（逆Giemsa染色体バンディング法で，Gバンドと濃淡が逆のバンドを示す．高温や低いpH，アクリジンオレンジ染色により誘導される．しばしばヒトの核型において欠失の有無を決定するため，Gバンディングとともに用いられる）.

Romanowsky blood s. (rō-mah-nof′skē). ロマノフスキー血液染色〔法〕（血液塗抹標本用のエオシン－メチレンブルー染色の原型．メチレンブルー(飽和)とエオシンの混合水溶液をつくる．この染色は2種の色素の相互反応により生成される化合物の作用に依存しており，万一アルコール中に水が混在していると，中性の色素が沈殿して使用不能となる）.

Roux s. (rū). ルー染色〔法〕（ジフテリア菌の二重染色．クリスタルバイオレットまたはダリアおよびメチルグリーンを用いる）.

Ryan s. (rī′ăn). ライアン染色〔法〕（微胞子虫の芽胞を染めるためのトリクローム染色変法．糞便材料に使うトリクローム染色の10倍の濃度のクロモトロープ2Rを用い，対比染色にはアニリンブルーを使う）.

Schaeffer-Fulton s. (shā′fer ful-ton′). シェーファー－フルトン染色〔法〕（マラカイトグリーンとサフラニンを用いた細菌芽胞染色法で，菌体は赤色から桃色に，芽胞は緑色に染まる）.

Schmorl ferric-ferricyanide reduction s. (shmōrl). シュモルル(シュモール)第二鉄フェリシアニド(フェリシアン化カリウム)還元染色〔法〕（メラニン，嗜銀性顆粒，甲状腺コロイド，ケラチン，ケラトヒアリン，リポフスチン色素などの組織内還元物質を見る染色．フェリシアニド(フェリシアン化カリウム)がフェロシアニド(フェロシアン化カリウム)となり，さらに第二鉄イオンの存在下で不溶性のプルシアンブルーに変わる）.

Schmorl picrothionin s. (shmōrl). シュモルル(シュモール)のピクロチオニン染色〔法〕（緻密な骨組織の染色で，チオニンとピクリン酸溶液を用い，骨細管および骨細胞を青色または黒青色に，骨基質は黄色に，軟骨間質物質は紫色に染める）.

Schultz s. (shūlts). シュルツ染色〔法〕（コレステロールの染色法．コレステロールおよびエステル型コレステロールの組織化学的検査．比較的特異性が高いが，感度は悪い．ホルマリン固定組織の凍結切片を鉄ミョウバン，過酸化水素，またはヨウ素酸ナトリウムなどで酸化し，硫酸で処理すると陽性の場合は青緑色または赤色となる．グリセロールがあると反応を阻害する）.

selective s. 選択染色〔法〕（組織または細胞の一部だけを染色する，または他部より濃く着色する方法）.

Semichon acid carmine s. セミコン酸カルミン染色〔法〕（吸虫の成虫の染色に用いる）.

silver s. 銀染色（Bielschowsky染色，Gomori銀染色，鍍銀染色など様々な銀染色法のこと．アルカリ性硝酸銀溶液を用いて結合織線維(レチクリン，コラーゲン)，カルシウム塩の沈着物，スピロヘータ，神経組織，仁形成体部を染色する）.

silver-ammoniac silver s. 銀－アンモニア性銀染色〔法〕（先行する間期において活性があるか，または転写活性があった核小体部分の酸性蛋白成分に対する染色．硝酸銀，アンモニア性銀，およびホルマリンを用いる）. = Ag-AS s.

silver protein s. 銀蛋白染料（神経線維，神経末端，有べん毛原生動物の染色に用いる銀蛋白複合体．また生体で細網内皮系細胞による貪食を見るのにも用いる）.

Stirling modification of Gram s. (stĕr′ling gram). グラム染色のスターリング変法（一種の安定アニリンクリスタルバイオレット染色法）.

supravital s. 超生体染色〔法〕（生体組織を身体から取り出し，細胞を非毒性色素溶液中に入れてその生活過程を観察する）.

Taenzer s. (tān′tzer). テンツァー染料（弾性組織を染色するのに用いるオルセイン溶液）. = Unna-Taenzer s.

Takayama s. (tah-kah-yah′mah). 高山染料（ピリジン，水酸化ナトリウム，デキストロース(ブドウ糖)を含む染料．血痕の同定に用いる．血痕があると思われる材料に，この染色液を1滴加えると，陽性であればヘモクロモーゲン結晶を形成する）.

telomeric R-banding s. テロメアRバンド染色〔法〕（テロメアが濃く染色され，淡いRバンドが染色体の残りの部分に広がっている，修飾Rバンド染色法．風乾スライドを用い数日間エイジングさせ，Giemsaリン酸緩衝剤の熱溶液で染色する）.

thioflavine T s. チオフラビンT染色〔法〕（アミロイドの検出に用い，特異的な黄色の蛍光を発する．組織切片をヘマトキシリンミョウバン内に入れ核の蛍光を除去した後，チオフラビンTで染色する）.

Tizzoni s. (tē-tzō′nē). ティゾーニ染色〔法〕（組織内鉄の証明に用いる染色．組織切片をフェロシアン化カリウム溶液で処理した後，希塩酸塩を作用させると，鉄が存在するときは青色を呈する）.

Toison s. (twah-zōn[h]′). トワソン染料（メチルバイオレット，塩化ナトリウム，硫酸ナトリウム，グリセリンを含む白血球計算用希釈染料．赤血球数の計算用にも用いる）.

toluidine blue s. トルイジンブルー染色（*Pneumocystis jiroveci*の栄養体の染色や初代および不死化させた組織培養細胞が生きているかどうか評価するための染色法）.

trichrome s. 三色染料，トリクローム染料（通常，3種類の対照的な色素を用いた混合染料で，結合組織，筋肉，細胞の原形質，核などを明瞭に染め分ける．組織切片は通常，他の色素の処理に先行して鉄ヘマトキシリンで染色される）.

trypsin G-banding s. トリプシンGバンド染色〔法〕（→G-banding s.）.

ultrafast Pap s. 超迅速パップ(パプ)染色（Papanicolaou染色の変法．迅速な診断が必須であり，凍結切片では信頼性が不十分または実際的でない場合に適している．→Papanicolaou s.）.

Unna s. (ūn′ah). ウンナ染料（①プラズマ細胞用のアルカリ性メチレンブルー染料．②多色化メチレンブルー染料．肥満細胞は赤色に染まる(異染性)）.

Unna-Pappenheim s. (ūn′ah pahp′ĕn-hīm). ウンナ－パッペンハイム染料（メチルグリーン－ピロニン溶液からなる対比染料．本来は淋菌用であったが，現在は組織切片中のRNA，DNAの検出に用いる．RNAは赤色，DNAは緑色に染まる．慢性炎症の際，プラズマ細胞をみるのに用いる．→methyl green-pyronin s.）.

Unna-Taenzer s. (ūn′ah tān′tzer). ウンナ－テンツァー染料. = Taenzer s.

uranyl acetate s. 酢酸ウラニル染色〔液〕（電子顕微鏡用染色．酢酸ウラニルは核酸と特異的に結合するが，オスミウム酸固定により選択的に脱落する．蛋白はよく染まるが，細胞質膜の染色性に乏しい）.

urate crystals s. 尿酸結晶染色法（メテナミン－銀で染色し尿酸結晶を検出する方法で，カルシウム結晶とは対照的に

S

光を偏光させる．痛風や尿酸の蓄積によって生じる腎梗塞の診断に有用）．

van Ermengen s. (vahn erʹmĕn-gĕn). ヴァン・エルマンジェン染色〔法〕（氷酢酸，オスミウム酸，タンニン酸，硝酸銀，没食子酸，酢酸カリウムを用いるべん毛染色法）．

van Gieson s. (van gēʹsŏn). ヴァン・ギーソン染料（飽和ピクリン酸溶液と酸性フクシンの混合液．コラーゲンの染色に用いる）．

Verhoeff elastic tissue s. (verʹhef). ヴァーヘフ弾性組織染色〔法〕（ヘマトキシリン，塩化第二鉄，Lugol ヨード溶液の混合液を用いた組織染色法．必要に応じてエオシンまたは van Gieson 染色液で対比染色を行ってもよい．弾性線維と核は黒青色か黒色に，膠原物質や他の成分は桃色から赤色の様々な色調に染まる）．

vital s. 生体染色〔法〕（生きている細胞や細胞の部分に用いる染色）．

von Kossa s. (fahn kohʹsă). フォン・コッサ染色〔法〕（無機物を含んだ組織内のカルシウム染色．硫酸銀溶液，続いてチオ硫酸ナトリウムを用いる．石灰化骨は褐色または黒色に染まり，類骨組織は染まらない）．＝Kossa s.

Wachstein-Meissel s. for calcium-magnesium-ATPase (wahk-stīnʹmīsʹel). ワックスタイン－マイセルのカルシウム－マグネシウム－ATP 分解酵素染色〔法〕（Gomori 非特異的酸ホスファターゼ染色法と類似しているが，中性の pH で ATP を基質とする点が異なる．酵素活性は通常，細胞膜にみられる）．

Warthin-Starry silver s. (warʹthin starʹē). ウォーシン－スターリー銀染色〔法〕（スピロヘータ用の染色法で，標本を１％硝酸銀溶液で保温し，次いで現像液につける）．

Weber s. (wāʹbĕr). ウェーバー染色〔法〕（微胞子虫の芽胞を染めるためのトリクローム染色変法．糞便材料に使うトリクローム染色の 10 倍の濃度のクロモトロープ 2R を用い，対比染色にはファストグリーンを使う）．

Weigert s. for actinomyces (vīʹgert). 放線菌のヴァイゲルト染色〔法〕（暗赤色のオルセリンのアルコール溶液に浸し，クリスタルバイオレット溶液で染色する方法．→iron *hematoxylin*）．

Weigert s. for elastin (vīʹgert). エラスチンのヴァイゲルト染料（フクシンとレゾルシンと塩化第二鉄を含む染料．弾性線維は暗青色に染まる）．

Weigert s. for fibrin (vīʹgert). フィブリン(線維素)のヴァイゲルト染色〔法〕（アニリン－クリスタルバイオレットおよびヨウ素－ヨウ化カリウムの溶液，アニリン油とキシレンで脱色する．フィブリンは暗青色に染色される）．

Weigert-Gram s. (vīʹgert gram). ヴァイゲルト－グラム染色〔法〕（組織内の細菌に対する染色法で，ミョウバン－ヘマトキシリン中で切片を染色し，次いでエオシン，アニリンメチルバイオレット，Lugol 溶液で処理する）．

Weigert iron hematoxylin s. ヴァイゲルト鉄ヘマトキシリン染料（核の染料で，ヘマトキシリン，塩化第二鉄，塩酸を含む．van Gieson 染料と併用する．特に結合組織成分または切片にした赤痢アメーバ *Entamoeba histolytica* の染色に用いる）．

Weigert s. for myelin (vīʹgert). ミエリンのヴァイゲルト染色〔法〕（塩化第二鉄とヘマトキシリンを用いる染色溶液．ミエリンは濃青色に染色され，変性部分は淡黄色に染色される）．

Weigert s. for neuroglia (vīʹgert). 神経膠のヴァイゲルト染色〔法〕（神経膠に対する染色で，線維性神経膠や核は青色に染まる）．

Wilder s. for reticulum (wīldʹer). ワイルダー細網〔線維〕染色〔法〕（銀を浸透した染色法で，細網は黒色の識別が明瞭な線維として観察され，珠状をなすこともなく，背景も比較的明瞭である）．

Williams s. (wilʹyăms). ウィリアムス染色〔法〕（Negri 小体用の染色．ピクリン酸，フクシン，メチレンブルーを用いる．Negri 小体は紅色に，顆粒および神経細胞は青色に，赤血球は帯黄色に染まる）．

Wright s. (rīt). ライト染料（標本染色用の多色化メチレンブルーのエオシン塩の混合物．血液スミアの染色に用いる）．

Ziehl s. (zēl). ツィール(チール)染料（フェノールと塩基性フクシン含有の石炭酸フクシン溶液で，細菌や細胞核の染色に用いる）．

Ziehl-Neelsen s. (zēl nālʹsen). ツィール(チール)－ネールゼン染色〔法〕（Ziehl 溶液で抗酸性細菌を染色する方法．酸アルコール中で脱色し，対比染色はメチレンブルーで行う．抗酸菌は赤色に染まり，他の組織成分は淡青色に染まる．この染色法の変型は *Actinomycetes*属と *Brucella*属の染色にも用いる）．

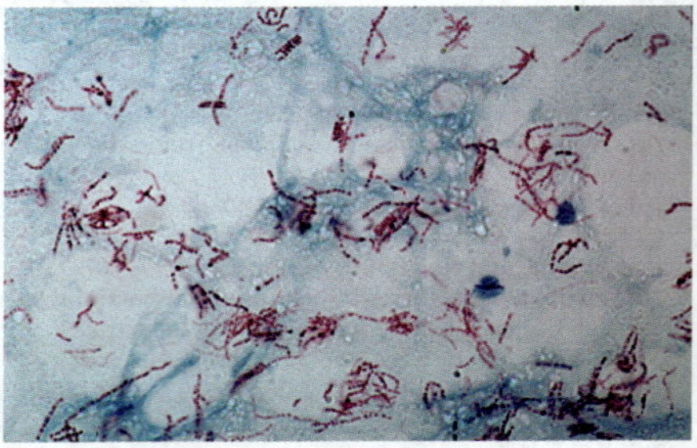

Ziehl-Neelsen stain

*Mycobacterium kansasii*の感染．免疫無防備状態の患者の皮膚病変を針で吸引．*M. kansasii*の典型である，多量の細長い数珠状の抗酸菌．

---

stain·ing (stānʹing). *1* 染色〔法〕（染色液を利用すること．→stain）．*2* 着色（歯科において，歯または義歯床の色が変わること）．

progressive s. 進行性染色〔法〕（組織成分の染色強度が満足できるまで染色操作を継続すること）．

regressive s. 退行性染色〔法〕（組織の染色が濃すぎるときに，過剰の色素を選択的に除去し，満足のいく染色状態とする染色方法）．

stains-all (stainzʹawl). ステイン－オール，完全染色液（アクリルアミドゲル上で，リン蛋白を青色，蛋白を赤色，核酸を紫色，およびムコ蛋白とムコ多糖体を様々な色に染める色素．組織切片にも用いる）．

stair·case (stārʹkās). 階段〔現象〕（次から次へ段階的に増加または減少し，図示すると連続して上昇または下降を示す一連の反応．→treppe）．

stal·ag·mom·e·ter (stalʹăg-momʹĕ-ter) [G. *stalagma*, a drop + *metron*, measure]. 滴数計，測滴計（一定の液体量について，その滴数を正確に測定する器械で，表面張力の測定に用いる．表面張力が小さいほど滴は小さくなるので，一定の液体量を滴下しきるための滴数が多くなる）．＝stactometer.

stalk (stawk). 茎，柄（構造物または器官の狭くなった結合部）．

allantoic s. 尿膜柄，尿嚢柄，尿膜管（尿膜の胚内部と胚外尿膜の狭い結合部）．

body s. 腹茎．＝connecting s.

connecting s. 結合茎（胚子の尾部を栄養絨毛膜に付着させる臍帯の胚外前駆物）．＝body s.

s. of epiglottis 喉頭蓋茎（喉頭蓋軟骨の下端あるいは茎，甲状軟骨の上甲状切痕に付着する）．＝petiolus epiglottidis.

infundibular s. 漏斗茎．＝infundibular *stem.*

optic s. 眼茎（胚子の眼胞の近位狭窄部．視神経の構成を形成する）．

pineal s. 松果茎（第３脳室蓋への松果体の付着部分．第３脳室の松果陥凹を含む）．

pituitary s. 下垂体柄（脳下垂体を脳底部の灰白隆起に結合している漏斗茎と，それを包む下垂体隆起部とからなる突起）．

yolk s. 卵黄茎（胚内腸管と卵黄包間の狭窄結合部．壁は臓側板である）．＝omphaloenteric duct; umbilical duct; vitelline duct; vitellointestinal duct.

stam·mer (stam′ĕr) [A.S. *stamur*]. ***1*** 口ごもる，どもる（とまどいやあせり，また，話題に関して不慣れであったりするために，話をすることをためらったり，中断したり，また同じことを繰り返したり発音を誤ったりすること．何らかの精神的原因による場合もある．*cf.*stutter）．***2*** 舌たらずに話す（話し言葉で，ある種の子音の発音を誤ったり，置き換えたりする）．

stam·mer·ing (stam′ĕr-ing). →stuttering. = paralalia literalis; psellism. ***1*** どもり，吃(きつ)，構音障害（口ごもりや言葉の繰返し，または特に *l*, *r*, *s* などある種の子音の発音不全または置換を特徴とする言語障害）．***2*** どもりと同様な言語以外の音．

s. of the bladder = urinary *stuttering*.

Stam·no·so·ma (stam′nō-sō′mă) [G. *stamnos*, a jar + *sōma*, body]．異形吸虫科の一属で，*Centrocestus*属と同一．*S. armatum* と *S. formosanum* の２種がときにヒトに寄生すると報告されてきた．

stan·dard (stan′dărd) [M.E. < O.Fr. *estandard*, rallying place < Frankish *standan*, to stand + *hard*, hard, fast]．標準（①比較の基準として供されるもの．専門家による技術的明細書または報告書．②→standard *substance*）．

stan·dard·i·za·tion (stan′dărd-i-zā′shŭn). ***1*** 標定（比較および検査の目的で，一定の力価の溶液を調合すること）．***2*** 標準化（薬剤その他の製品を型や標準に合わせる過程）．***3*** 標準化（２群以上の集団の比較の際に年齢や他の交絡変数の影響をできるかぎり除去するために用いられる方法）．

s. of a test 試験の標準化（心理学において，開発中の新しいテストを管理，記録，評価，報告するために一定の方法に従うこと）．

stand·still (stand′stil). 〔活動の〕停止．

atrial s. 心房停止（心房収縮の停止．心電図での心房波の欠如が特徴）．= auricular s.

auricular s. = atrial s.

cardiac s. [O. E. *standan*, to stand + *stille*, free of sound or movement]．心〔動〕停止（①心室細動のため心拍出が停止することをさす言葉．②まれに収縮不全(→asystole)を含み，悪性の不整脈に伴って起こる心停止をさして使われることもある．この場合は組織的な血液循環が停止することになる．→pulseless electrical *activity*. *cf.* asystole）．

sinus s. 洞停止（洞結節活動の停止．心電図での正常Ｐ波の欠如が特徴）．

ventricular s. 心室停止（心室収縮の停止．心電図の心室群の欠如が特徴）．

Stan·ley (stan′lē), Edward．イングランド人外科医，1793—1862. →S. cervical *ligaments*.

stan·nic (stan′ik) [L. *stannum*, tin]．四価の〔第二〕スズの（スズ，特に高い原子価で結合するものについていう．*cf.* stannous）．

stan·nic chlor·ide (stan′ik klōr′īd). 塩化第二スズ（発煙液体(Libavius の発煙酒精)．比重 2.23，沸点 115°C．数種の水和物を形成する．五水和物(バター状の塩化スズ)は絹の媒染剤および装重剤として用いる）．

stan·nic ox·ide (stan′ik oks′īd). 酸化第二スズ（工業生産に用いる物質．じん肺の原因となる）．= tin oxide.

Stannius (stahn′ē-ŭs), Herman F．ドイツ人生物学者，1808—1883. →S. *ligature*.

stan·nous (stan′ŭs) [L. *stannum*, tin]．二価の〔第一〕スズの（特に低原子価のスズと結合しているときにいう．*cf.* stannic）．

stan·nous fluor·ide (stan′ŭs flūr′īd). フッ化スズ（71.2％以上の二価スズ，22.3—25.5％のフッ化物を含む．歯科において，う食予防薬として用いる）．

stan·num (stan′ŭm) [L.]．スズ．= tin.

Stansel (stan′sĕl), Horace C．20 世紀の米国人小児心臓外科医．

sta·pe·dec·to·my (stā′pĕ-dek′tō-mē) [stapes + G. *ektomē*, excision]．あぶみ骨摘出〔術〕，あぶみ骨切除〔術〕（あぶみ骨の全部または一部を除去し，金属製あるいはプラスチック製の人工耳小骨で置換すること．あぶみ骨固着のある耳硬化症による伝音難聴を改善するために用いられる）．

sta·pe·di·al (stā-pē′dē-ăl). あぶみ骨の．

sta·pe·di·o·te·not·o·my (stā-pē′dē-ō-tĕ-not′ŏ-mē) [stapedius + G. *tenōn*, tendon + *tomē*, incision]．あぶみ骨筋腱切開〔術〕（あぶみ骨筋の腱の分離）．

sta·pe·di·o·ves·tib·u·lar (stā-pē′dē-ō-ves-tib′yū-lăr). あぶみ骨前庭の（あぶみ骨と耳の前庭に関する）．

sta·pe·di·us, pl. **sta·pe·dii** (stā-pē′dē-ŭs, stā-pē′dē-ī) [Mod. L.]．あぶみ骨筋．= stapedius (*muscle*).

sta·pe·dot·o·my (stā′pē-dot′ŏ-mē). あぶみ骨底開窓術（耳硬化症における聴力改善のための手術手技．あぶみ骨底に穴をあけ，そこにピストン型の人工耳小骨の一端を置く．他端をきぬた骨長脚に接着する）．

sta·pes, pl. **sta·pes, sta·pe·des** (stā′pēz, stā′pē-dēz) [Mod. L. stirrup][TA]．アブミ(あぶみ)骨（３つの耳小骨のうち最小のもの．底部すなわち足片は前庭(卵形)窓にはまり，頭部はきぬた骨の長肢の豆状突起と関節で結合する）．= stirrup.

staphyl- →staphylo-.

staph·y·lec·to·my (staf′i-lek′tŏ-mē) [staphyl- + G. *ektomē*, excision]．口蓋垂切除〔術〕．= uvulectomy.

staph·yl·e·de·ma (staf′il-e-dē′mă) [staphyl- + G. *oidēma*, swelling(edema)]．口蓋垂水腫，口蓋垂浮腫．

staph·y·line (staf′i-līn, -lēn). ブドウ房状の．= botryoid.

sta·phyl·i·on (stă-fil′ē-on) [G. *staphylē*(a bunch of grapes) の指小辞]．スタフィリオン（硬口蓋後縁の中点．頭蓋計測点．→posterior nasal *spine* of horizontal plate of palatine bone）．

staphylo-, staphyl- [G. *staphylē*, a bunch of grapes]．ブドウまたはブドウの房との類似を示す連結形で，通常，ブドウ球菌または，より古い使用では口蓋垂を意味する．→uvulo-.

staph·y·lo·coc·cal (staf′i-lō-kok′ăl). ブドウ球菌〔性〕の（ブドウ球菌属 *Staphylococcus* の細菌についていう）．

staph·y·lo·coc·ce·mi·a (staf′i-lō-kok-sē′mē-ă) [staphylo- + G. *haima*, blood]．ブドウ球菌血症（循環血液中にブドウ球菌が存在すること）．

staph·y·lo·coc·ci (staf′i-lō-kok′sī). **[**誤った発音 staf-i-lō-kok′ī を避けること**]**．staphylococcus の複数形．

staph·y·lo·coc·cic (staf′i-lō-kok′sik). ブドウ球菌〔性〕の（ブドウ球菌属 *Staphylococcus* に属する種についていう）．

staph·y·lo·coc·col·y·sin (staf′i-lō-kok-ol′i-sin). = staphylolysin.

staph·y·lo·coc·col·y·sis (staf′i-lō-kok-ol′i-sis) [staphylo- + G. *lysis*, dissolution]．ブドウ球菌溶解．

staph·y·lo·coc·co·sis, pl. **staph·y·lo·coc·co·ses** (staf′i-lō-kok-ō′sis, -sēz). ブドウ球菌感染症（ブドウ球菌属 *Staphylococcus* の細菌による感染症）．

Staph·y·lo·coc·cus (staf′i-lō-kok′ŭs) [staphylo- + G. *kokkos*, a berry]．ブドウ球菌属（**[**誤ったつづりまたは発音 Staphlococcus を避けること**]**．非運動性，非胞子形成性で，好気性または通性嫌気性の小球菌科バクテリアの一属．直径 0.5—1.5 μm の球形細胞のグラム陽性菌を含み，一面以上に分裂して，不規則菌株群を形成する．これらの細菌は有機栄養性で，代謝は呼吸性，酸素性である．嫌気条件下では乳酸はグルコースから産生され，好気条件下では酢酸と少量の炭酸ガスを産生する．コアグラーゼ陽性株は多種の毒素を産生し，潜在的に病原性で食中毒を起こす．通常，β–ラクタム系およびマクロライド系抗生物質，テトラサイクリン，ノボビオシン，クロラムフェニコールなどの抗生物質に感受性があるが，ポリミキシン，ポリエンには耐性がある．フェノール，フェノール誘導体，表面活性化合物，サリチルアニリド，カルバリニド，ハロゲン(塩素とヨウ素)およびクロラミン，ヨードフォアのようなハロゲン誘導体などの抗菌物質に感受性がある．温血動物の皮膚，皮脂腺，鼻その他の粘膜や種々の食物に見出される．標準種は *S. aureus*）．

S. aureus 黄色ブドウ球菌（特に鼻粘膜と皮膚(毛嚢)にみられる一般的な種．外毒素を産生し，中毒性ショック症候群の原因となり，それに伴って皮疹，腎，肝，中枢神経の症状を起こし，エンテロトキシンは食中毒に関連するフルンケル，蜂窩織炎，膿血症，肺炎，骨髄炎，心内膜炎，創傷の化膿，他の感染症を起こす．また熱傷患者に感染症をもたらす．ヒトが主たる保菌宿主である．ブドウ球菌属 *Staphylococcus* の標準種）．= *S. pyogenes aureus*.

S. epidermidis 表皮ブドウ球菌（コアグラーゼ陰性ブドウ球菌の最も一般的な細菌種）．

S. haemolyticus ヒトおよび哺乳類固有のコアグラーゼ陰性ブドウ球菌．

S. hominis ヒトおよび哺乳類固有のコアグラーゼ陰性ブドウ球菌．

S. pyogenes albus 白色の集落を形成する黄色ブドウ球菌 *S. aureus* の変種と現在みなされている菌に，以前つけられていた名称．

S. pyogenes aureus ＝*S. aureus*.

S. saprophyticus 尿路感染症の原因となるコアグラーゼ陰性種．

S. simulans ヒトおよび哺乳類固有のコアグラーゼ陰性ブドウ球菌．

***S.* species, coagulase-negative** コアグラーゼ陰性ブドウ球菌（ヒトの皮膚，呼吸器，粘膜面の正常菌叢として存在する菌株の一群．常在菌だが，院内感染の原因菌として非常に目立ち，特に静脈カテーテルが留置されている患者で目立つ．膿瘍を形成し，副鼻腔炎，創傷感染，骨髄炎などいろいろな感染症を起こす菌株もある）．

staph·y·lo·coc·cus, pl. **staph·y·lo·coc·ci** (staf′i-lō-kok′ŭs, kok′sī). ブドウ球菌（ブドウ球菌属 *Staphylococcus* の種を表すのに用いる通称）．

staph·y·lo·di·al·y·sis (staf′i-lō-dī-al′i-sis) [staphylo- + G. *dialysis*, a separation]. 口蓋垂弛緩．＝uvuloptosis.

staph·y·lo·he·mi·a (staf′i-lō-hē′mē-ă). staphylococcemia を表す現在では用いられない語．

staph·y·lo·he·mo·ly·sin (staf′i-lō-hē′mol′i-sin). スタフィロヘモリジン（ブドウ球菌性外毒素に含まれる溶血素（アルファ，ベータ，ガンマ，デルタ）の混合物．アルファ溶血素は血管筋に著しい効果がある）．

staph·y·lo·ki·nase (staf′i-lō-kī′nās). スタフィロキナーゼ（細菌性非酵素的プラスミノゲン活性化因子．オーレオリシンと混同しないこと）．

staph·y·lol·y·sin (staf′i-lol′i-sin). スタフィロリジン（①ブドウ球菌により産生される溶血素．②ブドウ球菌の溶解を起こす抗体）．＝staphylococcolysin.

staph·y·lo·ma (staf′i-lō′mă) [staphylo- + G. *-ōma*, tumor]. ブドウ〔膜〕腫（ブドウ膜組織を含む角膜，強膜の突出）．

anterior s. 前極ブドウ〔膜〕腫（眼球の前極付近の突出）．＝corneal s.

anular s. 環状ブドウ〔膜〕腫（角膜周辺に及ぶブドウ腫）．

ciliary s. 毛様体ブドウ〔膜〕腫（毛様体部に発生する強膜ブドウ腫）．

corneal s. 角膜ブドウ〔膜〕腫．＝anterior s.

equatorial s. 赤道ブドウ〔膜〕腫（渦静脈の出口に発生するブドウ腫）．＝scleral s.

intercalary s. 中間ブドウ〔膜〕腫（毛様体挿入点と虹彩根間に発生する強膜ブドウ腫）．

posterior s. 後極ブドウ〔膜〕腫（強度の近視に起こる変性により，眼球後極部近傍で脈絡膜層が消失，弱化した強膜の突出）．＝Scarpa s.; sclerochoroiditis posterior.

Scarpa s. (skar′pah). スカルパブドウ〔膜〕腫．＝posterior s.

scleral s. 強膜ブドウ〔膜〕腫．＝equatorial s.

uveal s. ブドウ膜ブドウ〔膜〕腫（強膜破裂部よりの虹彩の突出を表すまれに用いる語）．

staph·y·lo·ma·tous (staf′i-lō′mă-tŭs). ブドウ〔膜〕腫の．

staph·y·lo·phar·yn·gor·rha·phy (staf′i-lō-far′in-gōr′ă-fē) [staphylo- + pharynx + G. *raphē*, suture]. 口蓋咽頭縫合〔術〕（口蓋垂または軟口蓋と咽頭の欠損の外科的修復）．＝palatopharyngorrhaphy.

staph·y·lo·plas·ty (staf′i-lō-plas-tē′)[staphylo- + G. *plassō*, to form]. 口蓋垂形成〔術〕．＝palatoplasty.

staph·y·lop·to·sis (staf′i-lop-tō′sis) [staphylo- + G. *ptōsis*, a falling]. 口蓋垂下垂〔症〕（［二重字ptにおいて，pは語頭にあるときのみ無音である］）．＝uvuloptosis.

staph·y·lor·rha·phy (staf′i-lōr′ă-fē) [staphylo- + G. *rhaphē*, suture]. 軟口蓋縫合〔術〕．＝palatorrhaphy.

staph·y·lo·tox·in (staf′i-lō-tok′sin) [staphylo- + G. *toxikon*, poison]. ブドウ球菌毒素（ブドウ球菌属 *Staphylococcus* の菌種が産生する毒素．→staphylohemolysin）．

stap·ling (stāp′ling). ステープリング（ステープルを列状あるいは円状に使うことで，例えば，腸管同士といった2つの組織を自動吻合器で吻合すること）．

gastric s. 胃ステープリング（縦列にステープリングすることで胃を分割すること．重篤な肥満に対する処置として用いられている）．

star (star) [A.S. *steorra*]. 星状体，放線体，星芒，星形，星（星状の構造物．→aster; astrosphere; stella; stellula）．

daughter s. 娘星（双星を形成する2つの星状体のそれぞれ）．＝polar s.

lens s.'s 水晶体星芒（①＝*radii* of lens(⇀radius)．②水晶体の縫合線に沿って混濁を有する先天性白内障．前部，後部，あるいは両者の場合がある）．

mother s. 母星．＝monaster.

polar s. 極星状体．＝daughter s.

venous s. 静脈星（皮膚の拡張静脈が形成する小型の赤色結節．静脈圧増加によって生じる）．

Verheyen s.'s (ver-hī′en). フェルハイエン星．＝*venulae stellatae*(⇀venula).

Winslow s.'s (winz′lō). ウィンスロー星．＝*stellulae winslowii*(⇀ stellula).

starch [A.S. *stearc*, strong]. デンプン（20%のアミロースと80%のアミロペクチンを構成成分とするD-グルコースからなる高分子量多糖類．アミロースはα-1,4結合であり，β-ではなくα-グルコシド結合が存在する点で，セルロースと異なる．アミロペクチンはさらにα-1,6結合を含む．アミロースとアミロペクチンとはどちらも多くの植物組織に存在する．デンプンは乾燥熱の作用を受けるとデキストリンに転換し，また，唾液と膵液のアミラーゼとグルコアミラーゼによりデキストリンとD-グルコースに転換する．デンプンは散粉剤，緩和薬，錠剤成分として用いる．発酵によりアルコール，アセトン，*n*-ブタノール，乳酸，クエン酸，グリセリン，グルコン酸製造の重要な原料となる．多くの高等植物の主要貯蔵炭水化物）．＝amylum.

animal s. 動物性デンプン．＝glycogen.

liver s. 肝臓デンプン．＝glycogen.

moss s. ＝lichenin.

rice s. 米デンプン（赤痢アメーバ *Entamoeba histolytica* などの腸管寄生性原虫の培養に使われる培地の補強剤として使われている米製品）．

soluble s. 水溶性デンプン（デンプンの部分的酸加水分解により生成される高分子量の水溶性デキストリン．ヨウ素酸化滴定に有益．遊離ヨウ素の存在で，容易に識別できる黒紫色端点を生じる）．

starch-eat·ing (starch′ēt-ing). デンプン貪食．＝amylophagia.

stare (stār) [A.S. *starian*]. *1*《v.》凝視する．*2*《n.》凝視．

Star·gardt (shtahr′gahrt), Karl. ドイツ人眼科医，1875—1927. ⇀S. *disease*.

STARI southern-tick-associated rash *illness* の略．

Star·ling (star′ling), Ernest H. イングランド人生理学者，1866—1927. ⇀S. *curve*, *hypothesis*, *law*, *reflex*; Frank-S. *curve*.

Starr (star), Albert. 20世紀の米国人医師．⇀S.-Edwards *valve*.

start·er (start′ĕr). スターター．＝primer (1).

star·va·tion (star-vā′shŭn). 飢餓（長期に食物摂取を妨げられること）．

starve (starv) [A.S. *steorfan*, to die]. *1* 飢える（食物の欠乏で苦しむ）．*2* 飢えさせる，餓死させる（食物を奪って苦しめたり死亡させたりする）．*3* 凍死する，の意で以前用いられた．

Stas (shtaz), Jean-Servais. ベルギー人化学者．1813—1891. ⇀S.-Otto *method*.

stas·i·mor·phi·a (stas′i-mōr′fē-ă) [G. *stasis*, a standing still + *morphē*, shape]. 発育停止性異常形態（発育停止による異常形態発生）．

sta·sis, pl. **sta·ses** (stā′sis, stas′is; -ēz) [G. a standing still]. 静止，うっ血，血行静止（血液その他の液体の停滞）．

intestinal s. ＝enterostasis.

papillary s. うっ血乳頭（papilledema を表す現在では用いられない語）．

pressure s. 圧迫性うっ血. ＝traumatic *asphyxia*.

venous s. 静脈うっ滞（うっ血および静脈の循環の遅延で，これは閉塞あるいは静脈圧の上昇により発症し，通常下肢や下腿に目立つ）.

stat, STAT (stăt)［L. *statim*, immediately］. すぐに，ただちに（診断あるいは治療の手順でただちに実行されることについて）.

stat. ラテン語 *statim*(すぐに，直ちに)の略.

stat- スタット（cgs 静電単位系での電気単位に用いる接頭語で，cgs 電磁単位(接頭語 ab-)や，メートル法または国際単位系(SI)(接頭語なし)の単位などと区別するためのもの）.

-stat［G. *statēs*, stationary］. ある物を変化または運動させないようにした物質を示す接尾語.

stat·am·pere (stat-am′pēr)［G. *statos*, standing(stationary) + ampere］. スタットアンペア（電流の静電単位．毎秒 1 静電単位の電荷(1 スタットクーロン)の流れ．3.335641×10^{-10} A に相当）.

stat·cou·lomb (stat-kū′lom)［G. *statos*, standing(stationary) + coulomb］. スタットクーロン（電荷の静電単位．このような電荷をもつ 2 個の物体が，真空中で(中心から中心まで) 1 cm の距離にあるとき，1 ダイン(10^{-5} ニュートン)の力で互いに反発し合う．1 スタットクーロンは 3.335641×10^{-10} クーロンに相当）.

state (stāt)［L. *status*, condition, state］. 状態.

absent s. 欠神状態. ＝dreamy s.

activated s. 活性化状態. ＝excited s.

anxiety tension s. 不安障害の軽症型. →anxiety *disorders*.

apallic s. 失外套状態（①びまん性，両側性の大脳皮質の変性で，頭部外傷，低酸素症や脳炎などに起因する．②無動性無言のような遷延性の無反応性からなる状態で，脳障害に起因する. →vegetative）. ＝apallic syndrome; apallic.

carrier s. 保菌者状態（病原菌の保有者である状態．すなわち感染しているが発病していない状態）.

central excitatory s. 中枢興奮状態（個々のインパルスが影響し合って確立された興奮状態で，これが次のニューロンを興奮させるに至る）.

convulsive s. 痙攣状態. ＝epilepsy.

decerebrate s. 除脳硬直状態（除脳硬直を呈している状態）. ＝decerebrate *rigidity*.

decorticate s. 除皮質状態. ＝decorticate *rigidity*.

dreamy s. 夢幻状態（てんかん発作に合併する半ば意識のある状態）. ＝absent s.

eunuchoid s. 類宦官症状態（原因のいかんを問わず，思春期における男性ホルモンの分泌不全の徴候をもつ少年に対して用いられる．通常，長い四肢，短い体幹，および少年ぽい髭のない顔を特徴とする）.

excited s. 励起状態（エネルギーを吸収した後の原子と分子の状態．そのエネルギーは光，電子，加熱または化学反応により生じると考えられる．そのような活性化は化学反応または発光への前段階として必要であると思われる）. ＝activated s.

ground s. 基底状態（原子の正常な不活性状態．活性化により，一重項・三重項状態その他の励起状態に導かれる）.

hypnoid s. 催眠状態（催眠術者が通常よりも強い被暗示性をもつ被験者に人工的に引き起こしたぼんやりとした，または眠っているような状態. →hypnosis）.

hypnotic s. 催眠状態. ＝hypnosis.

hypometabolic s. 代謝低下状態（甲状腺機能低下症に類似する症状を有するが，甲状腺機能テストは正常な，まれな低代謝状態．また本当の甲状腺機能低下症に伴う低代謝状態を表すのに用いられる）.

imperfect s. 不完全状態. ＝imperfect *stage* (2).

indifferent s. 未分化期（男女の生殖原基が区別できない発生段階の初期）.

lacunar s. ラクナ状態（脳にラクナが存在すること．脳血管疾患の基礎にある主要因子の 1 つ．高血圧および動脈硬化症と高い相関をもつ．症状的には純粋運動片麻痺，純粋片側感覚症候群などの型がある．多発ラクナ型梗塞が仮性球麻痺の最も頻度の高い原因である）.

local excitatory s. 局所興奮状態（閾値下の電気刺激が起こす神経線維または筋線維の興奮性亢進状態．2 つ以上の閾値下刺激を短時間に連続して与えると，この状態が加重してインパルスの伝播を起こすこともある）.

multiple ego s.'s 多自我状態（心理的組織化が様々になされている自我の状態で，異なった生活体験が反映されている）.

perfect s. 完全状態（真菌類の生活環の一部で，核融合をしてから胞子がつくられる時期）.

persistent vegetative s. (**PVS**) 遷延性植物状態（植物状態 vegetative s. の期間が遷延したもの(1か月以上，1か年以上，あるいは 2 年以上と，出典により期間の定義が異なる）で，通常永続的である. →vegetative）.

post-steady s. 後定常状態（特に酵素触媒反応において，定常状態後の時間間隔．例えば，酵素触媒反応で生成物生成速度が低下するとき）.

pre-steady s. 前定常状態（定常状態に達する前の状態および時間間隔）.

refractory s. 不応状態（興奮に対する反応にすぐ続く，正常以下の興奮性．絶対不応期と相対不応期に分けられる）.

singlet s. 一重項状態（光を吸収した葉緑素などのような，分子の過渡的励起状態．この状態はエネルギーを熱または光(蛍光)の形で放出して初期(基底)状態に戻る．もう 1 つの励起状態として，一重項状態より安定だがやはり励起した状態(三重項状態)をとることができる．この場合，電子は同じく変位しているがスピンは反対の向きをもつ）.

steady s. (**ss, s**)［略語 *s* および *ss* はしばしば下付き文字として表す］. 定常状態（①物質の生成と破壊の釣合いがとれ，総量，濃度，圧力，流量が一定に保たれている状態をいう．②酵素反応速度論で，どの酵素反応種(例えば，遊離酵素や酵素－基質複合体)の濃度変化速度も生成物の生成速度に比べ，ほとんど 0 に近い状態のこと．③酸化による乳酸の除去と産生が等しく，酸素配給が十分で筋肉の酸素負荷がない状態で，適度の筋肉運動により得られる）.

triplet s. 三重項状態（光吸収で生じた一重項状態が，若干のエネルギー(蛍光)を放出して，より寿命の長い三重項状態に達することによって生じる，分子(例えば葉緑素)の第二の励起状態．分子は十分長時間三重項状態にとどまり，第二の活性化光量子によっていまだ高い励起レベル，すなわち反応性をもった〝第二の三重項〟状態に移るか，あるいは分子は三重項状態のエネルギーを直接放出して基底状態に戻る）.

twilight s. もうろう状態（一種の意識混濁状態で，その間は患者の意志によって行動がなされるわけではなく，また，その間のことに関する記憶は残っていない．*cf.* somnambulic *epilepsy*）.

vegetative s. 植物状態（自己と周囲に対する完全な認知機能の欠如した状態であるが，睡眠覚醒の周期は認められ，視床下部や脳幹の自律神経機能は，部分的または完全に保持されている臨床的な病態で，一過性で回復することもあるが遷延する．外傷性や非外傷性の損傷，代謝性や変性性の疾患，先天奇形など種々の原因があるが，すべて脳を病巣とする）.

stat·far·ad (stat-far′ad). スタットファラッド（電気容量の静電単位で，1.112650×10^{-12} ファラッドに相当する）.

stat·hen·ry (stat-hen′rē). スタットヘンリー（インダクタンスの静電単位で，8.987552×10^{11} ヘンリーに相当する）.

stath·mo·ki·ne·sis (stath′mō-ki-nē′sis)［G. *stathmos*, standing place + *kinēsis*, motion］. スタスモキネシス，分裂運動停止〔状態〕（コルヒチンのような，有糸分裂紡錘体を効果的に変えて，細胞分裂に先行する典型的な染色体再配列を妨げるような薬剤の処理の後にみられる，有糸分裂停止の状態）.

sta·tim (stā′tim)［L.］. 直ちに.

stat·ins (stat′inz). スタチン. ＝releasing *factors* (3).

sta·tion (stā′shŭn). 下降度（骨盤内の胎児の産道内下降の程度．母胎骨盤の坐骨棘の高さを基準として評価する）.

sta·tis·ti·cal sig·nif·i·cance (stă-tis′ti-kăl sig-nif′i-kăns). 統計的有意性（統計的方法により，変数間に観察された大きさの関連が起こる確率を推定することができる．これから，一般的には *p* 値によって統計的有意性が表現される）.

sta·tis·tics (stă-tis′tiks). ***1*** 統計〔量〕（ある定められたクラスに分類される数値，項目，他の事象の集合であり，経験された事象は確率的なものであると考え，主に確率論に基づく

S

解析(推測)の対象となる). *2* 統計学(ランダムな変動を伴うデータを収集,縮約,分析する技術,科学).

descriptive s. 記述統計(母集団は意識せずに,生のデータの主な特徴をまとめるために用いられる数値.例えば平均値 mean,中央値 median,最頻値 mode).

inferential s. 推測統計〔学〕(母集団特性について推測する統計的方法.母集団から抽出されたデータを基に,その特性を母集団一般に拡張するために行う).

vital s. 人口動態統計(出生,結婚,離婚,別居,死亡に関する公的な登録数を基にして系統的に作表された情報.そのようなデータに関する統計の分野).

stat·o·a·cou·stic (stat′ō-ă-kū′stik) [G. *statos*, standing + *akoustikos*, acoustic]. 平衡聴覚〔系〕の(平衡と聴覚に関する). =vestibulocochlear (2).

stat·o·co·ni·a, sing. **stat·o·co·ni·um** (stat′ō-kō′nē-ă, stat′ō-kō′nē-ŭm) [L. < G. *statos*, standing + *konis*, dust] [TA]. 平衡砂. =otoliths.

stat·o·co·ni·um (stat′ō-kō′nē-ŭm) [TA]. =otoliths.

stat·o·ki·net·ic (stat′ō-ki-net′ik). 平衡運動の.

stat·o·ki·net·ics (stat′ō-ki-net′iks) [G. *statos*, standing + *kinēsis*, movement]. 平衡運動(安定した平衡を維持するために運動中の身体が行う調節).

stat·o·liths (stat′ŏ-liths) [G. *statos*, standing + *lithos*, stone]. 平衡石,耳石. =otoliths.

sta·tom·e·ter (stă-tom′ĕ-tĕr) [G. *statos*, standing + *metron*, measure]. 眼突出計. =exophthalmometer.

stat·o·sphere (stat′ō-sfēr). 中心球. =centrosphere.

stat·ure (statch′yūr) [L. *statura* < *statuo*, pp. *statutus*, to cause to stand]. 身長.

constitutional delay s. 体質性成長遅延(最初の2—3年の成長がゆっくりで,その後はほぼ正常の身長増加を認める).

familial short s. 家族性低身長(同性・同年齢の3パーセンタイル以下の低身長において,年間成長率や骨年齢に異常なく,家族歴に低身長があって,期待成人身長も3パーセンタイル以下で,二次性徴出現は正常で,診察・検査において異常を認めない,という特徴をもつ低身長). =genetic short s.

genetic short s. 遺伝性低身長. =familial short s.

short s. 低身長(小児において,成長曲線に記載した際に,3パーセンタイル以下の身長を示すこと).

sta·tus (stā′tŭs, stat′ŭs) [L. a way of standing]. [本語の正しい複数形は stati ではなく status である]. *1* 状態. *2* 持続状態,体質.

s. anginosus 狭心症持続状態(治療に反応しない持続性の狭心症).

s. arthriticus 痛風体質を表す現在では用いられない語.

s. asthmaticus ぜん息発作重積状態(重症の持続性ぜん息の状態).

s. choleraicus コレラ様持続状態(体液,電解質喪失とその結果生じる循環血液量減少によるコレラのショックと抑うつの寒冷期.弱脈,寒冷皮膚,混迷,抑うつを特徴とする).

s. choreicus 重症コレラ持続状態(コレラの非常に重症の状態で,運動が持続して睡眠を妨げ,患者は衰弱から死に至る).

s. cribrosus 篩状状態(脳内の血管周囲腔の拡張を特徴とする状態).

s. criticus 発症持続状態(脊髄ろう発症の非常に重症で持続性の型).

s. dysmyelinisatus ミエリン減少状態,異髄鞘状態. =Hallervorden-Spatz *syndrome.*

s. dysraphicus 縫合障害状態,閉鎖障害状態(正中線構造の癒合不全がある状態.特に神経管閉鎖障害が認められる). =arrhaphia.

s. epilepticus てんかん重積持続状態,痙攣重積状態(発作を繰り返すか発作が30分以上続くてんかん.痙攣性(強直・間代性),非痙攣性(アブサンスまたは複雑部分発作)または部分性(持続性部分てんかん)または無症候性(脳波的てんかん重積状態)).

s. hemicranicus 片頭痛持続状態(片頭痛の発作がほぼ連続的に,きわめて短い間隔で続く状態).

s. hypnoticus 睡眠持続状態(hypnosis を表すまれに用いる語).

s. lacunaris 凹窩状態(脳動脈硬化症に発生する状態.脳内に無数の小変性区域がある).

s. lymphaticus リンパ体質. =s. thymicolymphaticus.

s. marmoratus 大理石状態(舞踏病アテトーシスに合併する,線条体の発育不良による先天的状態.線条核が変性有髄化により大理石様外観を呈する).

nonreassuring fetal s. 胎児困難状態(虚血状態が推定される胎児心拍モニタリングでの心拍数または律動異常). =fetal distress.

performance s. パフォーマンスステータス(患者が維持できる通常の活動の量によって定義される患者の健康状態の測定値).

s. praesens 現在では用いられない語.患者の状態を記載した,症例の病歴部分を表す.

s. spongiosus 海綿質状態(大脳白質中において顕微鏡的大きさの多数の液体で満たされた腔.ある種の低酸素,毒性,代謝性疾患にみられる).

s. sternuens くしゃみ発作(連発するくしゃみの状態).

s. thymicolymphaticus 胸腺リンパ体質(乳幼児における胸腺とリンパ節の肥大と仮定された症候群を表す古語.以前は原因不明の急死の一因とされ,気管に対する胸腺の圧迫が麻酔中の死を起こすと誤って信じられていた.これらの隆起は現在,リンパ組織の萎縮に至る疾患なしに急死した者も含め,小児においては正常とみなされている.→sudden infant death *syndrome*). =s. lymphaticus; s. thymicus.

s. thymicus 胸腺体質. =s. thymicolymphaticus.

s. vertiginosus 眩暈持続状態(めまいの発作が連続して起こる状態). =chronic vertigo.

stat·volt (stat′vōlt) [G. *statos*, standing (stationary) + volt]. スタットボルト(電位または起電力の静電単位で,299.7925 V に相当する).

Staub (shtowb), Hans. スイス人内科医,1890—1967. → S.-Traugott *effect*, *phenomenon*.

stau·ri·on (staw′rē-on) [G. *stauros*(cross)の指小辞]. スタウリオン(正中縫合と横口蓋縫合の交差点にある頭蓋計測点).

STD sexually transmitted *disease* の略.

steal (stēl) [M.E. *stelen* < A.S. *stelan*]. 盗血(血液が交互経路または逆行経路によって流れること.血流が逆行した組織で臨床症状を起こすことが多い).

coronary s. 冠動脈スチール現象(冠動脈が肺動脈から発生する異常起源のスチール).

iliac s. 腸骨動脈盗血(一方の総腸骨動脈の閉塞が除かれると他方の総腸骨動脈の流量が減少すること).

renal-splanchnic s. 腎脾動脈盗血(腹腔軸の狭窄の末端の脾臓側副血行へ,下副腎枝を経て右腎動脈から血液がそれること).

subclavian s. 鎖骨下動脈盗血(椎骨動脈起始部に近い鎖骨下動脈の閉塞.椎骨動脈を通る血流が逆行し,したがって,鎖骨下動脈が大脳血を〝盗み〟,大脳血管不全の症状(鎖骨下動脈盗血症候群)を起こし,上肢の激しい使用により著明になる).

ste·ap·sin (stē-ap′sin). ステアプシン. =*triacylglycerol* lipase.

stear- →stearo-.

ste·a·ral (stē′ă-răl). ステアラル;octadecanal(dehyde)(ステアリン酸のアルデヒド). =stearaldehyde.

ste·a·ral·de·hyde (stē′ă-ral′dĕ-hīd). =stearal.

ste·a·rate (stē′ă-rāt). ステアリン酸塩.

ste·ar·ic ac·id (stē′ă-rik as′id). ステアリン酸(飽和18炭素脂肪酸で動物脂質中に最も豊富に存在する脂肪酸の1つ.製剤,軟膏,石けん,坐薬に用いる).

ste·a·rin (stē′ă-rin). ステアリン;tristearoylglycerol(固形の動物性脂肪やある種の植物性脂肪に存在するステアリン酸のトリアシルグリセリド.ステアリン酸の原料.市販のステアリンにもパルミチン酸がいくらか混入している). =tristearin.

Stearns (sternz), A. Warren. 米国人医師,1885—1959.

stearo-, stear- [G. *stear*, tallow]. 脂肪を意味する連結形. →steato-.

ste·ar·rhe·a (stē′ă-rē′ă). =steatorrhea.

ste·a·ryl al·co·hol (stē′ă-ril al′kŏ-hol). ステアリルアルコール（親水性軟膏と親水性ワセリンの成分．クリームの製造にも用いる）．

ste·a·ryl-CoA, ste·a·ryl-co·en·zyme A (stē′ă-ril). ステアリル CoA，ステアリル補酵素 A（ステアリン酸の CoA チオエステル．オレイン酸の前駆物質．脳では C_{22} と C_{24} 脂肪酸がスフィンゴミエリンに存在する．脳では，ステアリル CoA の利用がミエリン形成で増大する）．

s.-CoA desaturase ステアリル CoA デサチュラーゼ（不飽和脂肪酸の合成に重要な蛋白複合体．それは Δ^9 に二重結合を導入する．不飽和脂肪酸を食事で多量に摂取すると肝臓でのこの酵素の活性を低下させる．多くの試薬によりこの酵素が誘導される(例えば，インスリン，ヒドロコルチゾン，トリヨードチロニン))．

ste·a·tite (stē′ă-tīt). ステアタイト，石けん石（塊状のタルク）．

ste·a·ti·tis (stē′ă-tī′tis) [G. *stear(steat-)*, tallow + *-itis*, inflammation]．脂肪組織炎（脂肪組織の炎症）．

steato- [G. *stear(steat-)*, tallow]．脂肪を意味する連結形．→stearo-.

ste·a·to·cys·to·ma (stē′ă-tō-sis-tō′mă). 脂腺囊腫（壁に皮脂腺細胞を有する囊腫）．

s. multiplex [MIM*184500]．多発性皮脂囊腫〔症〕（皮脂腺細胞の小葉を含む重層上皮で囲まれた薄い壁をもつ囊腫で，皮膚の広範囲に多発する）．

ste·a·to·gen·e·sis (stē′ă-tō-jen′ĕ-sis) [steato- + G. *genesis*, production]．脂肪合成（脂質の生合成．繁殖期の精子生成終了時に，非哺乳類脊椎動物の精巣に蓄積される脂質について特に用いる語）．

ste·a·to·hep·a·ti·tis (stē′ă-tō-hep′ă-tī′tis) [*steato-* + *hepatitis*]．脂肪性肝炎（肝細胞の脂肪沈着，小葉内炎症，線維化を特徴とする肝疾患．生検あるいは剖検組織の顕微鏡所見で診断される．多くは多飲，糖尿病，あるいは肥満により生じるが，薬の副作用，胃腸疾患，膵疾患，完全非経口栄養によることもある．→NASH)．

nonalcoholic s. (**NASH**) 非アルコール性脂肪性肝炎（飲酒によらない肝臓の炎症を伴う脂肪沈着）．

ste·a·tol·y·sis (stē′ă-tol′i-sis) [steato- + G. *lysis*, dissolution]．脂肪融解（消化過程における脂肪の加水分解または乳濁）．

ste·a·to·lyt·ic (stē′ă-tō-lit′ik). 脂肪融解の．

ste·a·to·ne·cro·sis (stē′ă-tō-nĕ-krō′sis) [steato- + G. *nekrōsis*, death]．脂肪壊死．＝fat *necrosis*.

ste·a·top·y·ga, ste·a·to·py·gia (stē′ă-top′i-gă, -pij′ē-ă) [steato- + G. *pygē*, buttocks]．殿部脂肪蓄積．

ste·a·top·y·gous (stē′ă-top′i-gŭs). 殿部脂肪蓄積の．

ste·a·tor·rhe·a (stē′ă-tō-rē′ă) [steato- + G. *rhoia*, a flow]．脂肪便（消化吸収障害により，糞便に大量の脂肪が混じること．膵疾患や吸収不良症候群で生じる）．＝fat indigestion; stearrhea.

biliary s. 胆汁性脂肪便（腸の胆汁欠如による脂肪便．通常は黄疸に伴って生じる）．

intestinal s. 腸性脂肪便（腸の疾患から生じる吸収不良による脂肪便．→sprue; celiac *disease*)．

pancreatic s. 膵性脂肪便（腸内に分泌される膵液の欠如による脂肪便)．＝pancreatic insufficiency.

ste·a·to·sis (stē′ă-tō′sis) [steato- + G. *-osis*, condition]．*1* 脂肪症．＝adiposis. *2* 脂肪変性．＝fatty *degeneration*.

s. cardiaca 心脂肪症（心外膜と心筋を浸潤する過剰の脂肪組織）．

s. cordis 心臓脂肪症（心臓の脂肪変性）．

hepatic s. 肝臓脂肪症．＝fatty *liver*.

ste·a·to·zo·on (stē′ă-tō-zō′on) [steato- + G. *zōon*, animal]．*Demodex folliculorum* の一般名．

Steele (stēl), John C. 20 世紀のカナダ人神経科医．⇀S.-Richardson-Olszewski *disease*, *syndrome*.

Steell (stēl), Graham. 【誤ったつづり Graham Steel, Graham Steele，および Graham-Steell を避けること】．英国人医師，1851—1942．⇀Graham Steell *murmur*.

Steen·bock (stēn′bok), Harry. 米国人生理学・化学者，1886—1967．⇀S. *unit*.

ste·ge (stē′gē) [G. *stegos*, roof, a house]．ラセン器の内柱．

steg·no·sis (steg-nō′sis) [G. stoppage]．狭窄〔症〕（①分泌または排泄の遮断．②＝constriction; stenosis)．

steg·not·ic (steg-not′ik). *1*〖adj.〗収れん性の，止しゃ(瀉)の．*2*〖n.〗収れん薬，止しゃ(瀉)薬．

Stein (stīn), Stanislav A.F. von. 19 世紀のロシア人耳科医．⇀S. *test*.

Stein (stīn), Irving F. 20 世紀初頭の米国人婦人科医．⇀S.-Leventhal *syndrome*.

Steinbrinck (stīn′brink), W. 20 世紀のドイツ人医師．⇀Chédiak-S.-Higashi *anomaly*, *syndrome*.

Steinert (shtīn′ĕrt), Hans. ドイツ人医師，1875—1911．⇀S. *disease*.

Steinmann (shtīn′mahn), Fritz. スイス人外科医，1872—1932．⇀S. *pin*.

stein·stras·se (stīn′stra-se) [Ger. *Stein*, stone + *Strasse*, street]．結石道路，スタインストラッセ（尿路結石に対する体外衝撃波砕石術の副作用の 1 つで，結石の破片が尿管を閉塞して〝石の道〟を形成する)．

STEL short-term exposure *limit* の略．

stel·la, pl. **stel·lae** (stel′ă, -ē) [Mod. L.]．星または星状の構造物．

s. lentis hyaloidea〔水晶体〕後極（⇀*radii* lentis (⇌radius))．

s. lentis iridica〔水晶体〕前極（⇀*radii* lentis (⇌radius))．

stel·late (stel′āt) [L. *stella*, a star]．星状の．

stel·lec·to·my (stel-ek′tŏ-mē). 星状〔神経〕節切除〔術〕．

stel·lu·la, pl. **stel·lu·lae** (stel′yū-lă, -lē) [L. *stella*(star) の指小辞]．小星（小星状のもの）．

stellulae vasculosae ＝stellulae winslowii.

stellulae verheyenii ＝*venulae* stellatae (⇌venula)．

stellulae winslowii ウィンスロー小星（渦状静脈の起始点である脈絡毛細管枝の毛細血管渦)．＝stellulae vasculosae; Winslow stars.

Stell·wag (shtel′vahg), Carl von C. オーストリア－ハンガリー人眼科医，1823—1904．⇀S. *sign*.

stem (stem). 茎，幹（植物の茎や幹に似た支持構造）．

infundibular s. 漏斗茎（下垂体柄の神経性部分で視床下部から脳下垂体後葉に行く神経線維を含む)．＝infundibular stalk.

sten (sten). ステン（標準偏差を使ってデータを標準化スコアに変換することで，正規分布にそって平均値の両側に 5 段階ずつ計 10 段階に分ける)．

Sten·der (sten′dĕr), Wilhelm P. 19世紀のドイツ(Leipzig)に在住した科学装置製造者．⇀S. *dish*.

sten·i·on (sten′ē-on) [G. *stenos*, narrow + 指小辞 *-ion*]．ステニオン（頭蓋の最短横径の一側の末端部で，側頭骨窩にある．頭蓋計測点)．

steno- [G. *stenos*, narrow]．【本連結形を stheno- と混同しないこと】．狭いこと，または狭窄を意味する連結形．eury- の対語．

sten·o·breg·mat·ic (sten′ō-breg-mat′ik) [steno- + G. *bregma*]．前頭狭窄頭蓋の（ブレグマにおける前頭の狭窄頭蓋についていう)．

sten·o·car·di·a (sten′ō-kar′dē-ă) [steno- + G. *kardia*, heart]．狭心症．＝*angina* pectoris.

sten·o·ce·pha·li·a (sten′ō-se-fā′lē-ă). ＝stenocephaly.

sten·o·ceph·a·lous, sten·o·ce·phal·ic (sten′ō-sef′ă-lŭs, -se-fal′ik). 狭〔小〕頭〔蓋〕症の．

sten·o·ceph·a·ly (sten′ō-sef′ă-lē) [steno- + G. *kephalē*, head]．狭〔小〕頭〔蓋〕症，狭窄頭蓋．＝stenocephalia.

sten·o·cho·ri·a (sten′ō-kō′rē-ă) [G. *stenochōria*, narrowness < steno- + *chōra*, place, room]．狭窄〔症〕（管，開口部，特に涙管に異常な収縮があること)．

sten·o·com·pres·sor (sten′ō-kom-pres′ŏr, ōr). ステノコンプレッサ，ステンセン管閉鎖器（歯科手術中の唾液分泌を抑えるために耳下腺管を圧縮する器械)．

sten·o·crot·a·phy, sten·o·cro·ta·phia (sten′ō-krot′ă-fē, -krō-tā′fē-ă) [steno- + G. *krotaphos*, temple]．側頭狭窄頭蓋（頭蓋側頭部の狭小．前頭狭窄頭蓋の状態)．

Ste·non (sten′ŏn) [*Stenonius*: Stensen のラテン形]．⇀Stensen.

S

sten·o·pe·ic, sten·o·pa·ic (sten′ō-pē′ik, sten-ō-pā′ik) [steno- + G. *opē*, opening]. 細孔の，細隙の（細隙眼鏡におけるように，狭い開口部または細隙を有することを示す）.

ste·no·sal (ste-nō′săl). ＝stenotic.

ste·nosed (ste-nozd′). 狭窄した.

ste·no·sis, pl. ste·no·ses (ste-nō′sis, -sēz) [G. *stenōsis*, a narrowing]. 狭窄〔症〕（[atresia または occlusion と混同しないこと]．管あるいは開口部の狭窄）.

aortic s. 大動脈狭窄〔症〕（大動脈弁口の病的な狭窄）.

bronchial s. 気管支狭窄〔症〕（気管支チューブの内腔の狭窄）. ＝bronchiostenosis.

buttonhole s. ボタン穴狭窄〔症〕（一般に僧帽弁の極度の狭窄）.

calcific nodular aortic s. 石灰化結節性大動脈狭窄〔症〕（通常は高齢男性に起こる大動脈狭窄の最も一般的な型で，心臓弁膜尖の両側表面上に石灰化線維結節がある．原因はリウマチ熱，アテローム硬化症，加齢に関連した変性および先天性の大動脈二尖弁を含む）.

congenital pyloric s. 先天性幽門狭窄〔症〕. ＝hypertrophic pyloric s.

coronary ostial s. 冠状動脈口狭窄〔症〕（梅毒性大動脈炎と動脈硬化症の結果生じる冠状動脈口の狭窄）.

Dittrich s. (dit′rik). ディットリッヒ狭窄〔症〕. ＝infundibular s.

double aortic s. 二重大動脈狭窄〔症〕（弁自体の狭窄とそれにより生じる大動脈弁下部狭窄でどちらの病変も先天性）.

fish-mouth mitral s. 魚口僧帽弁狭窄〔症〕（極度の僧帽弁の狭窄）.

hypertrophic pyloric s. 肥厚性幽門狭窄〔症〕（通常は生後 2, 3 週間の男児にみられる噴出性嘔吐に関連した幽門括約筋の肥厚）. ＝congenital pyloric s.

idiopathic hypertrophic subaortic s. (**IHSS**) 特発性肥厚性大動脈弁下部狭窄〔症〕. ＝asymmetric septal *hypertrophy*; muscular subaortic s.

idiopathic subglottic s. 特発性声門下狭窄〔症〕（原因不明の声門下腔狭窄．女性だけに生じる）.

infundibular s. 漏斗部狭窄〔症〕（肺動脈弁下にある右心室流出路の狭窄．弁の直下にある局所性線維性隔膜，より一般的には長く狭い線維筋性路によると考えられる）. ＝Dittrich s.

laryngeal s. 喉頭狭窄〔症〕（喉頭の一部あるいは全体の狭窄．先天性と後天性とある）.

mitral s. (**MS**) 僧帽弁狭窄〔症〕（僧帽弁口の病的狭窄）.

muscular subaortic s. 筋性大動脈弁下部狭窄〔症〕. ＝idiopathic hypertrophic subaortic s.

pulmonary s. 肺動脈弁狭窄〔症〕（右心室から肺動脈にはいる部分の狭窄）.

pyloric s. 幽門狭窄〔症〕（特に先天性筋肥大症または消化性潰瘍に起因する瘢痕による幽門の狭窄. →hypertrophic pyloric s.）.

subaortic s. 大動脈弁下部狭窄〔症〕（線維性組織輪または大動脈弁下の筋性中隔の肥大による左心室出路の先天的狭窄）. ＝subvalvar s.

subvalvar s. 弁下部狭窄〔症〕. ＝subaortic s.

subvalvular aortic s. 弁下部〔性〕大動脈狭窄〔症〕（心室中隔膜様部または筋性中隔の肥大による大動脈弁直下の先天性狭窄状態で，弁性の狭窄と誤診されやすい）.

supravalvar s. 大動脈弁上部狭窄〔症〕（絞輪または架，あるいは上行大動脈の縮窄や形成不全による大動脈弁上部の大動脈の狭窄）.

supravalvular s. 弁上部〔性〕狭窄〔症〕（先天性の膜様組織による大動脈弁上部の狭窄．患者はしばしば〝小人様顔貌 elfin facies〟をしており，非常によく似ている）.

tricuspid s. 三尖弁狭窄〔症〕.

sten·o·ste·no·sis (sten′ō-stĕ-nō′sis). ステンセン管狭窄〔症〕（耳下腺管の狭窄）.

sten·o·sto·mi·a (sten′ō-stō′mē-ă) [steno- + G. *stoma*, mouth]. 口腔狭窄.

sten·o·ther·mal (sten′ō-ther′măl) [steno- + G. *thermē*, heat]. 狭温性の（狭い温度範囲で耐熱性であること，わずかな温度変化にしか耐えられないことについていう）.

sten·o·thor·ax (sten′ō-thōr′aks) [steno- + thorax]. 胸郭

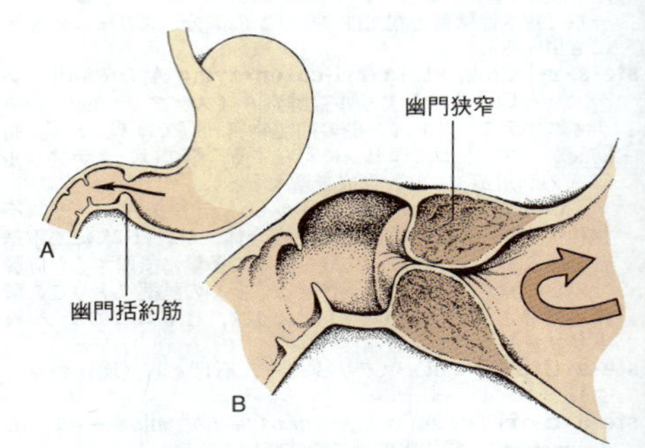

hypertrophic pyloric stenosis

A：幽門括約筋を通る正常通過．B：肥厚性括約筋による流れの停止．

狭窄.

ste·not·ic (ste-not′ik). 狭窄した，狭窄〔症〕の. ＝stenosal.

Sten·o·tro·pho·mo·nas (sten′ō-trō-fō-mō′nas). ステノトロフォモナス属（既して土壌中や水中に生息するグラム陰性菌の細菌属で，ヒトの正常細菌叢には存在しない）.

S. maltophilia 角膜炎，角膜症，および結膜炎を起こす日和見感染症的な眼に対する病原細菌．グラム陰性の非芽胞杆菌で，主要な新生院内感染病原体．ほとんどのペニシリン，およびセファロスポリン，アミノ配糖体にも耐性をもつことなどから，集中治療室では特に重要なものである．以前には *Xanthomonas maltophilia* や *Pseudomonas maltophilia* とよばれていた.

sten·ox·e·nous (sten-ok′sĕ-nŭs) [steno- + G. *xenos*, a stranger, foreigner]. 狭宿主性の（宿主選択の範囲の狭い寄生生物についていう．例えば，球虫類亜綱の中の *Eimeria*属，鉤虫，刺咬吸血性のシラミなど）.

Sten·sen (sten′sen), Niels (Nicholaus). デンマーク人解剖学者，1638—1686. →S. *duct, foramen, plexus, veins.*

Stent (stent), Charles R. イングランド人歯科医. →stent; S. *graft.*

stent (stent). ***1*** 〚n.〛 ステント（管腔構造物の内腔に置いておく細い糸，棒，あるいはカテーテル．再建や吻合の間あるいは吻合後の支持のためとか，手をつけられてはいないが収縮しやすい内腔の交通性を確保するために用いる）. ***2*** 〚n.〛 ステント（ステントをおく過程）. ***3*** 〚n.〛 ステント（皮膚移植時に身体の開口部または内腔を保持するために用いる用具）. ***4*** 〚v.〛 移植皮膚片を固定する.

expandable s. 拡張性(用)ステント（組織の管腔に置き，長軸方向に短縮させ直径を増大させて内腔を拡大するステント．しばしば経皮的に用いられる）.

step (step). ステップ，階段（①歯科において，そしゃく力により修復(充填)物が移動するのを防ぐため窩洞の主要部分に対して直角に形成された，ハトの尾状または同様の形をした歯の窩洞．②立体の線，表面，または組立てにおける階段に似た方向変化）.

Krönig s.'s (Krin′nig). クレーニッヒ階段（右心の肥大において絶対的心濁音界の右辺縁下部が拡大したもの）.

Rønne nasal s. (ren′ĕ). レネ鼻側階段（緑内障にみられる鼻側視野の欠損で，一方の縁は網膜の水平経線に対応している）.

ste·pha·ni·al (ste-fā′nē-ăl). ステファニオンの.

ste·pha·ni·on (ste-fā′nē-on) [G. *stephanos*(crown)の指小辞]. ステファニオン（冠状縫合が下側頭骨線と交差する頭蓋計測点）.

Steph·a·no·fi·lar·i·a (stef′ă-nō-fi-lār′ē-ă). ステファノフィラリア属（ステファノフィラリア科に属する糸状虫類線虫の一属．大形の哺乳類，特にウシの皮下に寄生する）.

S. stilesi [G. *stephanos*, crown + filaria]. ウシの皮膚に寄生する糸状虫の種で，ハエの *Haematobia irritans* により

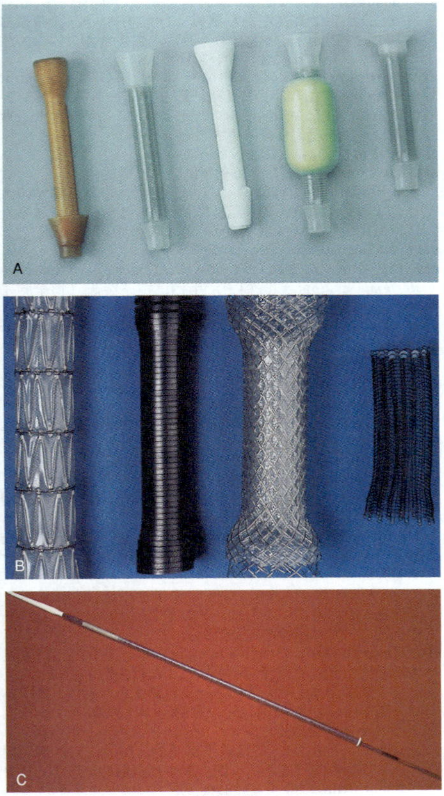

vascular stents

A：プラスチック．B：自己拡張性金属．C：ステントは圧縮されてデリバリーカテーテルに詰め込まれる．

媒介される．現在，米国に分布する唯一の種．成虫の口の後方に，雌では 6—8 mm，雄では 2—3 mm の 1 列のとげがあることが特徴．成虫および幼虫はともにウシの腹壁下部に好発する肉芽腫性皮膚病変中に見出される．

Steph·a·nu·rus den·ta·tus (stef-ă-nū′rŭs den-tā′tŭs) [G. *stephanos*, crown + *oura*, tail]．ブタ腎虫（ブタの腎臓または脂肪中に，まれにウシの肝臓に寄生するストロンギルス類の線虫の種．ブタの場合，寄生虫は腎周囲脂肪や腎盂，あるいは迷入の形で他の多くの部位に見出される．虫卵は尿中に排出され，感染は，直接的には感染幼虫の摂取あるいは経皮感染によるが，間接的には感染能力のある幼虫を保有したミミズの摂取による）．

step·page (step′ăj) [Fr.]．ニワトリ歩き，鶏歩．＝steppage *gait.*

ste·ra·di·an (sr) (stĕ-rā′dē-ăn) [G. *stereos*, solid + *radion*, radius]．ステラジアン（立体角の単位．球の半径の 2 乗に等しい球面上の面積に対する中心の立体角）．

ster·ane (ster′ān, stēr′ān)．ステラン（全ステロイドホルモンの仮説上の母体分子．酸素をもたない飽和炭化水素．この名称は，元来は系統的命名法の一部と考えられたが，現在はこの代わりに以下のように基本的な変異体の名称を用いる．例えば，ゴナン，エストラン，アンドロスタン，ノルアンドロスタン(エチアン)，コラン，コレスタン，エルゴスタン，プレグナン，スチグマスタン．→steroids）．

sterco- [L. *stercus*, excrement]．糞便に関する連結形．→copro-; scato-.

ster·co·bi·lin (ster′kō-bī′lin, -bil′in)．ステルコビリン（糞便内にあるヘモグロビンの褐色の分解生成物．→bilirubinoid）．

***l*-ster·co·bi·lin·o·gen** (ster′kō-bī-lin′ō-jen)．*l*-ステルコビリノーゲン（ビリルビン代謝の最終段階における *l*-ステルコビリンの前駆物質である，*l*-ウロビリノーゲンの還元生成物．糞便中に排出され，そこで酸化されてステルコビリンになる．→bilirubinoid）．

ster·co·lith (ster′kō-lith) [sterco- + G. *lithos*, stone]．腸石，腸結石，糞石．＝fecalith.

ster·co·ra·ce·ous (ster′kō-rā′shŭs)．糞便の，糞状の，宿便性の．＝stercoral; stercorous.

ster·co·ral (ster′kō-răl)．＝stercoraceous.

ster·co·rin (ster′kō-rin)．ステルコリン．＝coprosterol.

ster·co·ro·ma (stĕr-kō-rō′mă) [stereo- + G. *-oma*, tumor]．糞塊．＝fecaloma.

ster·co·rous (ster′kō-rŭs)．＝stercoraceous.

ster·cus (ster′kŭs) [L. feces, excrement]．糞便．＝feces.

stere (stēr, stār) [Fr. < G. *stereos*, solid]．ステール（容積の計量単位．1 m^3 または 1 kL に相当する．1.307951 立方ヤードに等しい）．

stereo- [G. *stereos*, solid]．[本連結形を stear- と混同しないこと]．***1*** 立体または固体状態を意味する連結形．***2*** 三次元を意味する接頭語．

ster·e·o·ag·no·sis (ster′ē-ō-ag-nō′sis)．立体認知不能．＝tactile *agnosia.*

ster·e·o·an·es·the·si·a (ster′ē-ō-an′es-thē′zē-ă) [stereo- + G. *an-* 欠性辞 + *aisthēsis*, sensation]．立体〔知〕覚脱失〔症〕，立体〔知〕覚消失〔症〕．＝tactile *agnosia.*

ster·e·o·ar·throl·y·sis (ster′ē-ō-ar-throl′i-sis) [stereo- + G. *arthron*, joint + *lysis*, loosening]．関節受動術（骨性強直症の場合に，可動性の新しい関節をつくること．現在では用いられない語）．

ster·e·o·cam·pim·e·ter (ster′ē-ō-kam-pim′ĕ-tĕr) [stereo- + L. *campus*, field + G. *metron*, measure]．立体視野計（僚眼は固視をした状態で中心視野を調べる装置）．

ster·e·o·chem·i·cal (ster′ē-ō-kem′i-kăl)．立体化学の．

ster·e·o·chem·is·try (ster′ē-ō-kem′is-trē)．立体化学（分子における原子の空間的・三次元的関係を扱う化学の一分野．例えば，化合物中の原子の位置は，空間における相互の配置関係による）．

ster·e·o·cil·i·um, pl. **ster·e·o·cil·ia** (ster′ē-ō-sil′ē-ŭm, -ă) [stereo- + L. *cilium*, eyelid]．不動〔線〕毛（非運動性線毛．長い微絨毛）．

ster·e·o·cin·e·fluor·og·ra·phy (ster′ē-ō-sin′ĕ-flōr-og′-ră-fē)．ステレオシネフルオログラフィ，立体シネ蛍光Ｘ線透視法（立体蛍光Ｘ線透視検査によって得られた画像を映画フイルムに記録するという現在では用いられない方法．三次元的視界が得られる）．

ster·e·o·col·po·gram (ster′ē-ō-kol′pō-gram)．ステレオコルポグラム（ステレオコルポスコープより得られる図）．

ster·e·o·col·po·scope (ster′ē-ō-kol′pō-skōp) [stereo- + G. *kolpos*, a hollow (vagina) + *skopeō*, to view]．ステレオコルポスコープ（膣と子宮頸部を拡大して全体が立体的にみられるようにした器械）．

ster·e·o·e·lec·tro·en·ceph·a·log·ra·phy (ster′ē-ō-ē-lek′trō-en-sef-ă-log′ră-fē)．3 平面的な脳の電気的活動の記録，例えば表面電極と深部電極を用いる．

ster·e·o·en·ceph·a·lom·e·try (ster′ē-ō-en-sef′ă-lom′ĕ-trē)．定位脳測定，立体脳測定（三次元座標を用いる脳構造の定位）．

ster·e·og·no·sis (ster′ē-og-nō′sis) [stereo- + G. *gnōsis*, knowledge]．立体認知，実体感覚（[二重字 gn において，g は語頭にあるときのみ無音である]．触覚により物体の形を認識すること）．

ster·e·og·nos·tic (ster′ē-og-nos′tik)．立体認知の，実体感覚の（[二重字 gn において，g は語頭にあるときのみ無音である]）．

ster·e·o·gram (ster′ē-ō-gram)．立体写真（立体観察が可能な 2 枚組のＸ線写真）．

ster·e·o·graph (ster′ē-ō-graf). 立体描写器（立体X線装置）.

ster·e·og·ra·phy (ster′ē-og′ră-fē). ステレオグラフィ. = stereoradiography.

ster·e·o·i·so·mer (ster′ē-ō-ī′sō-mĕr) [stereo- + G. *isos*, equal + *meros*, part]. 立体異性体（原子団の数と種類は同じであるが，その空間配置が異なる分子．立体異性体の各々は結合を切断，再生されなければ，相互変換されない．その結果異なった光学的性質（旋光度）を示すもの．例えば，D および L のアミノ酸，5α および 5β のステロイドなど．*cf.* isomer）.

ster·e·o·i·so·mer·ic (ster′ē-ō-ī′sō-mer′ik). 立体異性体の.

ster·e·o·i·som·er·ism (ster′ē-ō-ī-som′ĕr-izm). 立体異性（同種の基で空間配置が異なる異性（例えば，アンドロステロンとイソアンドロステロンの違いは，前者が 3α の OH をもつのに対し後者が 3β の OH をもつことだけである）.→stereoisomer; Le Bel-van't Hoff *rule*）. = stereochemical isomerism.

ster·e·ol·o·gy (ster′ē-ol′ŏ-jē) [stereo- + G. *logos*, study]. ステレオロジー，立体的解析〔学〕（細胞または顕微鏡的構造の三次元の状態を研究する学問）.

ster·e·om·e·ter (ster′ē-om′ĕ-tĕr) [stereo- + G. *metron*, measure]. 体積計，液体比重計（体積測定や液体比重測定に用いる器械）.

ster·e·om·e·try (ster′ē-om′ĕ-trē). ***1*** 体積測定法（固体または容器の立体容量の測定）. ***2*** 液体比重測定法.

ster·e·o·or·thop·ter (ster′ē-ō-ōr-thop′tĕr) [stereo- + G. *orthos*, straight + *optikos*, optical]. 立体正視鏡（視力訓練に用いる立体鏡の一種）.

ster·e·op·a·thy (ster′ē-op′ă-thē). 常同思考（常にもっている固定化した考え）.

ster·e·o·pho·rom·e·ter (ster′ē-ō-fō-rom′ĕ-ter). ステレオフォロメータ（立体鏡付属品を付けたフォロメータ）.

ster·e·o·pho·to·mi·cro·graph (ster′ē-ō-fō′tō-mī′krō-graf). 立体顕微鏡写真（立体鏡で見た場合，三次元的に見える顕微鏡写真）.

ster·e·op·sis (ster′ē-op′sis) [stereo- + G. *opsis*, vision]. 立体視. = stereoscopic *vision*.

ster·e·o·ra·di·og·ra·phy (ster′ē-ō-rā′dē-og′ră-fē). 立体X線観察法（X線管またはフイルムを適切にずらせて撮影した2枚組のX線写真を用意することで三次元像を立体視する方法）. = stereography; stereoroentgenography.

ster·e·o·roent·gen·og·ra·phy (ster′ē-ō-rent′gen-og′ră-fē). 立体X線撮影〔法〕. = stereoradiography.

ster·e·o·scope (ster′ē-ō-skōp) [stereo- + G. *skopeō*, to view]. 立体鏡（同一物体の水平に離れた2つの像を1つにして，写真に奥行きを出すようにした装置）.

ster·e·o·scop·ic (ster′ē-ō-skop′ik). 立体鏡の，三次元的に見える.

ster·e·os·co·py (ster′ē-os′kŏ-pē). 立体鏡（①1つの物体の2枚の画像を合成して，1枚の画像に立体感をもたせる光学的技法．②→radiostereoscopy）.

ster·e·o·se·lec·tive (ster′ē-ō-sĕ-lek′tiv). 立体選択的（反応において，2つ以上の可能な立体異性体のうち，単に1種のみが優先的に生成する過程を表す．立体選択的過程は必ずしも立体特異的ではない）.

ster·e·o·spe·cif·ic (ster′ē-ō-spĕ-sif′ik). 立体特異的（反応において，立体異性の異なる出発物質が立体異性の異なる生成物を生じる過程を表す．すなわち立体特異的過程は必ず立体選択的であるが，立体選択的過程は必ずしも立体特異的ではない）.

ster·e·o·tac·tic, ster·e·o·tax·ic (ster′ē-ō-tak′tik, -tak′sik). 定位の，定位的な.

ster·e·o·tax·is (ster′ē-ō-tak′sis) [stereo- + G. *taxis*, orderly arrangement]. ***1*** 立体配列（三次元的配列）. ***2*** 〔接〕触走性，走固性（stereotropism と同義だが，より正確には生体の一部のみでなく生体全体が反応する場合に対して用いる）. ***3*** = stereotaxy.

ster·e·o·tax·y (ster′ē-ō-tak′sē). 定位〔脳〕手術（三次元座標を用いて直視できない解剖学的構造物を同定する精密な方法．脳や脊髄の外科で頻用される）. = stereotactic surgery; stereotaxic surgery; stereotaxis (3).

ster·e·o·trop·ic (ster′ē-ō-trop′ik). 〔接〕触走性の.

ster·e·ot·ro·pism (ster′ē-ot′rō-pizm) [stereo- + G. *tropos*, a turning]. 〔接〕触走性（固体に向かう（**positive s.** 正の接触走性），または固体から離れる（**negative s.** 負の接触走性）動植物の成長または運動．通常，生体全体ではなく生体の一部が反応する場合についていう）.

ster·e·o·ty·py (ster′ē-ō-tī′pē) [stereo- + G. *typos*, impression, type]. 常同症（①長期にわたり同一姿態をとること．②ある種の統合失調症にみられるように，ある無意味な動作または運動を絶えず繰り返すこと）.

oral s. 語誦. = verbigeration.

ste·ric (ster′ik, stēr-). 立体化学的の，位置的の.

s. hindrance 立体障害（一方または他方の反応体の大きさにより必要な原子間距離に近付くことを妨げられるために，反応（通常は合成反応）が干渉または阻害されること）.

ster·id (ster′id, stēr-). = steroid (2).

ste·rig·ma, pl. **ste·rig·ma·ta** (ste-rig′mă, -mă-tă) [G. *stērigma*, a support]. 梗子，小柄，担子突起（担子胞子がつくられる担子器から生じた細い突起構造）.

ster·ile (ster′il) [L. *sterilis*, barren]. [infertile または antiseptic と混同しないこと]. ***1*** 生殖不能の，不妊〔症〕の. ***2*** 滅菌の，無菌の.

ste·ril·i·ty (stĕ-ril′i-tē) [L. *sterilitas*]. ***1*** 生殖不能，不妊〔症〕（一般には受精または生殖不能なこと．→female s.; male s.）. ***2*** 滅菌，無菌（すべての微生物が存在しない状態をいう）.

aspermatogenic s. 精子形成不能不妊〔症〕.

dysspermatogenic s. 精子形成障害性不妊〔症〕.

female s. 女性不妊〔症〕（女性生殖器官の構造または機能の不全による妊娠不能）. = infecundity.

male s. 男性不妊〔症〕（卵子を受精させることのできない男性の不妊．インポテンスに関連する場合としない場合とがある）.

normospermatogenic s. 正常精子性不妊〔症〕（正常な精子形成が行われているのに，その他の原因によって起こる男性不妊．例えば精管の通路遮断）.

ster·il·i·za·tion (ster′ĭl-i-zā′shŭn). ***1*** 不妊手術（精管結紮切断手術，部分的卵管切除手術，または去勢手術によってヒトを不妊または生殖不能にさせる行為または過程．㊟日本では去勢を除く）. ***2*** 滅菌〔法〕，殺菌〔法〕（蒸気（通すか圧力をかける），化学物質（アルコール，フェノール，重金属，エチレンオキシドガス），高速電子線照射，熱射，紫外線照射などにより物体内部または周囲の微生物全部を破壊すること）.

discontinuous s. 不連続滅菌〔法〕. = fractional s.

fractional s. 間欠滅菌〔法〕，分画滅菌〔法〕（1日のうち一定期間，通常は 100°C の流出蒸気に1時間さらし，これを数日間続ける滅菌法．加熱するたびに，成長した細菌は死滅し，死滅しなかった胞子はその間に発芽し，次いで死滅する）. = discontinuous s.; intermittent s.; tyndallization.

intermittent s. = fractional s.

ster·il·ize (ster′ĭl-īz). 滅菌する.

ster·il·iz·er (ster′ĭl-īz′ĕr). 滅菌器（ものを無菌にする装置）.

glass bead s. ガラス玉滅菌器（歯内治療の器具用の滅菌器．ガラス玉により熱を器具，吸収針，綿球に伝える）.

hot salt s. 食塩滅菌器（食塩を容器内で 218—246°C に加熱する歯髄器具用の滅菌器．熱は急速に（5—10 秒）根管器具，吸収針，綿球に伝わる）.

Stern (stern), Heinrich. 米国人医師，1868—1918. →S. *posture*.

stern- →sterno-.

ster·na (ster′nă). sternum の複数形.

ster·nad (ster′nad). 胸骨方向へ.

ster·nal (ster′năl). 胸骨の.

ster·nal·gi·a (ster-nal′jē-ă) [stern- + G. *algos*, pain]. 胸骨痛（胸骨またはその周辺の痛み）. = sternodynia.

ster·na·lis (ster-nā′lis). 胸骨筋（→sternalis (*muscle*)）.

Stern·berg (shtĕrn′bĕrg), George M. 米国人細菌学者，1838—1915. →S. *cell*; S.-Reed *cell*; Reed-S. *cell*.

ster·ne·bra, pl. **ster·ne·brae** (ster′nē-bră, -brē) [Mod. L. < stern(um) + (vert)ebra]. 胸骨分節（胚期の原基胸骨の4分節のうちの1つで，これが癒合して成体の胸骨が形成される）.

ster·nen (ster′něn) [stern- + G. *en*, in]. 他の構造とは別に胸骨についていう.

sterno-, stern- [G. *sternon*, chest]. 胸骨を意味する連結形.

ster·no·chon·dro·sca·pu·la·ris (ster′nō-kon′drō-skap′yū-lā′ris) [Mod. L.]. 胸肋軟骨肩甲筋 (→sternochondroscapular *muscle*).

ster·no·cla·vic·u·lar (ster′nō-kla-vik′yū-lăr). 胸鎖の (胸骨と鎖骨に関する).

ster·no·cla·vi·cu·la·ris (ster′nō-kla-vik′yū-lā′ris). 胸鎖筋 (→sternoclavicular *muscle*).

ster·no·clei·dal (ster′nō-klī′dăl) [sterno- + G. *kleis*, key (clavicle)]. 胸鎖の (胸骨と鎖骨に関する).

ster·no·clei·do·mas·toid (ster′nō-klī′dō-mas′toyd). 胸鎖乳突の (胸骨, 鎖骨, 乳様突起に関する).

ster·no·clei·do·mas·toi·de·us (ster′nō-klī′dō-mas-toy′-dē-ŭs) [Mod.L.]. 胸鎖乳突筋 (→sternocleidomastoid (*muscle*)).

ster·no·cos·tal (ster′nō-kos′tăl) [L. *costa*, rib]. 胸肋の (胸骨と肋骨に関する).

ster·no·dyn·i·a (ster′nō-din′ē-ă) [sterno- + G. *odynē*, pain]. =sternalgia.

ster·no·fas·ci·a·lis (ster′nō-fash′ē-ā′lis). 胸骨筋膜筋 (→*musculus* sternofascialis).

ster·no·glos·sal (ster′nō-glos′ăl). 胸骨舌筋の (胸骨舌骨筋から出て舌骨舌筋にときに合流する筋線維についていう).

ster·no·hy·oi·de·us (ster′nō-hī-oyd′ē-ŭs) [Mod. L.]. 胸骨舌骨筋 (→sternohyoid (*muscle*)).

ster·noid (ster′noyd) [sterno- + G. *eidos*, resemblance]. 胸骨様の.

ster·no·mas·toid (ster′nō-mas′toyd). 胸乳突の (胸骨と側頭骨の乳様突起を示す. 胸鎖乳突筋についていう).

ster·no·pa·gi·a (ster′nō-pā′jē-ă) [sterno- + G. *pagos*, something fixed]. 胸骨結合奇形 (胸骨またはさらに広く胸の腹側壁が結合している奇形. 接着双生児にみられる. →conjoined *twins*).

ster·no·per·i·car·di·al (ster′nō-per′i-kar′dē-ăl). 胸骨心膜の (胸骨と心膜に関する).

ster·nos·chi·sis (ster-nos′ki-sis) [sterno- + G. *schisis*, a cleaving]. 胸骨裂 (先天的な胸骨の分裂).

ster·no·thy·roid·e·us (ster′nō-thī-royd′ē-ŭs) [Mod. L.]. 胸骨甲状筋 (→sternothyroid (*muscle*)).

ster·not·o·my (ster-not′ŏ-mē) [sterno- + G. *tomē*, incision]. 胸骨切開〔術〕(胸骨内への切開, または胸骨を通過する切開).

median s. 胸骨正中切開 (胸骨正中線上の切開. 通常, 心臓, 縦隔, 大血管を露出するのに用いる).

ster·no·tra·che·al (ster′nō-trā′kē-ăl). 胸骨気管の (胸骨と気管に関する).

ster·no·try·pe·sis (ster′nō-trī-pē′sis) [sterno- + G. *trypēsis*, a boring]. 胸骨穿孔〔術〕.

ster·no·ver·te·bral (ster′nō-ver′tĕ-brăl). 胸骨脊椎の (胸骨と脊椎に関する. 脊椎および胸骨と結合する真肋骨または片側の7つの上肋骨をいう). =vertebrosternal.

ster·num, gen. ster·ni, pl. ster·na (ster′nŭm, -nī, -nă) [Mod.L. < G. *sternon*, chest][TA]. 胸骨 (第一から第七肋骨の肋軟骨と鎖骨の軟骨に結合し, 胸前壁の中心部を形成する長く平たい骨. 体, 柄, 剣状突起の3部分からなる). =breast bone.

ster·nu·ta·tion (ster′nū-tā′shŭn) [L. *sternutatio* < *sternuo* (*sternuto*), pp. *sternutatus*, to sneeze]. くしゃみ.

ster·nu·ta·tor (ster′nū-tā′tŏr). 催嚔(てい)剤 (くしゃみを誘発するガスのような物質). =sneezing gas.

ster·nu·ta·to·ry (ster-nū′tă-tō′rē). =ptarmic. ***1***〖adj.〗くしゃみ誘発〔性〕の. ***2***〖n.〗くしゃみ誘発薬.

ster·oid (stēr′oyd, ster′oyd) [G. *stereos*, solid; solid lipids vs oils]. [文脈から意味が明確でないかぎり, adrenal corticosteroid (または corticoid)あるいは anabolic steroid のような特別な意味で, 単純な語 steroid を用いるのを避けること]. ***1***〖adj.〗ステロイドの (*cf*. steroids). =steroidal. ***2***〖n.〗ステロイド. =sterid. ***3***〖n.〗ステロール, 胆汁酸, 強心配糖体, アンドロゲン, エストロゲン, コルチコステロイド, およびビタミンDの前駆物質などの, 構造上ステロイドと関連の深い化合物に対する総称.

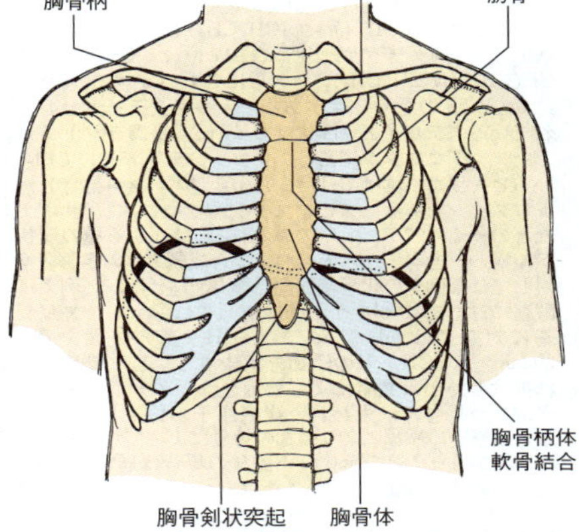

sternum and surrounding structures

anabolic s. 蛋白同化(アナボリック)ステロイド (筋重量を増大させ蛋白産生を刺激させるアンドロゲン作用をもつ化合物で, るいそうの治療に用いられる. 筋肉量, 筋力, 筋持久力の増大を目的に運動選手が使用することもある. メチルテストステロン, ナンドロロン, メタンドロステノロンおよびスタノゾロールなどがその例である).

s. hydroxylases ステロイドヒドロキシラーゼ. =s. monooxygenases.

s. 21-monooxygenase ステロイド21−モノオキシゲナーゼ (ステロイド, O_2 といくつかの還元性物質から H_2O, 酸化性物質と21−ヒドロキシステロイドへの反応を触媒する酵素. この酵素の欠損によりコルチゾール合成が低下する. その症状には塩喪失型, 単純男性型, および非古典型の3種類がある).

s. monooxygenases ステロイドモノオキシゲナーゼ (O_2 を用いてステロイド環への水酸基添加を触媒する酵素. 触媒作用によって誘導される水酸基の位置に応じて, 例えばステロイド11β−モノオキシゲナーゼ, ステロイド17α−モノオキシゲナーゼ, ステロイド21−モノオキシゲナーゼに分類される). =s. hydroxylases.

s. 5α-reductase ステロイド5α−レダクターゼ (NADPH を用い, あるステロイドを還元する酵素(例えば, テストステロンからジヒドロテストステロンへの変換). この酵素の欠損により, 男性偽半陰陽になり, その遺伝的男性は女性外性器と男性性器を両方もつ).

s. sulfatase deficiency ステロイドスルファターゼ欠損症. =X-linked *ichthyosis*.

ster·oi·dal (stēr′oy′dăl, ster′). =steroid (1).

ster·oi·do·gen·e·sis (stēr-oy′dō-jen′ĕ-sis, ster′) [steroid + G. *genesis*, production]. ステロイド生成 (一般にステロイドホルモンの生物学的合成に関して用いられ, 化学実験における合成については用いられない).

ster·oids (stēr′oydz, ster-). ステロイド類 (多くのホルモン, 体成分, 薬物を構成し, 各々が四環シクロペンタ[*a*]フェナントレン骨格をもつ化学物質の大きな族. ステロイド環の立体異性体は広く存在するだけでなく生物学的にきわめて重要である. 核は六角に描かれ, 上方に向かう基は太線で, 下方に向かう基は点線で表され, それぞれ β, α とよばれる. ξ は方向不定のものを示す. 生理学的機能または原料とはっきりした関係をもつ非置換性・飽和炭化水素形ステロイドの原則的な分類と名称は①ゴナン(構造式IIのC−18, C−19位メチル基がHに置換したもの). ②エストラン(構造式IIのC−19位のメチル基がHに置換したもの). ③アンドロスタン

S

(構造式 II のもの). ⅳノルアンドロスタン(メチル基の1つ. 通常, C–18 位がHに置換したもの). ⅴコラン(構造式 II で C–17 位に $-CH(CH_3)(CH_2)_2CH_3$ が結合したもの). ⅵコレスタン(C–17 位に $-CH(CH_3)(CH_2)_3CH(CH_3)_2$). ⅶエルゴスタン(C–17 位に $-CH(CH_3)(CH_2)_2CH(CH_3)CH(CH_3)_2$). ⅷスチグマスタン(C–17 位に $-CH(CH_3)(CH_2)_2CH(CH_2CH_3)CH(CH_3)_2$). さらにこれらのクラスの各々には5α と 5β のシリーズがある. カルダノライドとして知られているステロイド誘導体は C–17 に 5 員環ラクトンが結合したアンドロスタンである. ブファノライドとして知られているヒキガエル毒は C–17 に 6 員環ラクトンが結合したアンドロスタンである. スピロスタンやフロスタン(サポゲニンなどの多くの〝ゲニン〟の基本構造)は, ある種の環状エーテル構造を含有する. 天然および合成誘導体の名称置換基に対しては慣例上の化学接頭語と接尾語を付ける(例えば, 水酸基に対しては -ol, ケト基に対しては -on(e), アルデヒド基に対しては -al). "nor" は $-CH_2-$ 基の欠如を意味し, "homo" は $-CH_2-$ 基の添加を意味する. どの環が縮小または拡大したかは文字によって示され, メチル基から $-CH_2-$ が取れた場合には失われた炭素原子の数も加える. "seco" は水素原子の添加により名称の番号によって示された位置で環が開裂したことを示す. 不飽和の場合は通常, 炭化水素, 親化合物の分類名の -ane または -an の部分を適当な語に変え(例えば -en(e), -yn(e), -adien(e)), 不飽和結合の位置を示す番号を付けて表す. 二重結合の位置は炭素原子の 2 つの連続した数の少ない数で示す. 二重結合が 2 つの連続していない炭素原子の間につくられた場合は, 2 番目を( )に入れて 1 番目の後に書く. 例えば estriol と estradiol は C–1 と C–2, C–3 と C–4, C–5 と C–10 の間に 3 つの二重結合をもつ. ステロイドアルカロイドは上記のようなステロイド母体名から, または一般の族名から命名され, 通常, ステロイドが飽和の場合は -anine, 不飽和の場合は -enine, -adienine などで終わる(例えば conanine, tomatanine)).

ster·ol (stēr′ol). ステロール, ステリン (OH(アルコール)基をもつステロイド. 系統名は, 接頭語 hydroxy-, または接尾語 -ol をもつ. 例えば cholesterol, ergosterol).

ster·tor (ster′tōr) [L. *sterto*, to snore]. いびき, ぜん鳴, 狭窄音 (昏睡状態または深い眠りのときに生じる騒がしい吸気. ときに咽頭または上部気道の閉塞によることがある).

hen-cluck s. 鶏鳴音 (咽頭後膿瘍の際にときに聞かれる, 雌鶏がコッコッと鳴くような呼吸音).

ster·to·rous (ster′tōr-ŭs). いびきの, ぜん鳴の.

steth- →stetho-.

ste·thal·gi·a (ste-thal′jē-ă) [steth- + G. *algos*, pain]. 胸痛.

steth·ar·te·ri·tis (steth′ar-tĕ-rī′tis) [steth- + L. *arteria*, artery + G. *-itis*, inflammation]. 胸部〔大〕動脈炎.

stetho-, steth- [G. *stēthos*]. 胸を表す連結形.

steth·o·graph (steth′ō-graf) [stetho- + G. *graphō*, to write]. 呼吸運動記録器, 呼吸運動描画器 (胸部の呼吸運動を記録する装置).

steth·o·my·i·tis (steth′ō-mī-ī′tis) [stetho- + G. *mys*, muscle + *-itis*, inflammation]. 胸部筋炎 (胸壁の筋の炎症). = stethomyositis.

steth·o·my·o·si·tis (steth′ō-mī-ō-sī′tis). = stethomyitis.

steth·o·pa·ral·y·sis (steth′ō-pă-ral′i-sis). 胸部筋麻痺 (呼吸筋の麻痺).

steth·o·scope (steth′ō-skōp) [stetho- + G. *skopeō*, to view]. 聴診器 (胸部の呼吸音と心音を聞くために, Laennec によって最初に考案された器具. 現在は様々に改良され, 身体のあらゆる場所における血管その他の音の聴診に用いられている).

binaural s. 両耳聴診器 (両耳に当てる部分と 1 つのベルがつながっている聴診器).

Bowles type s. (bōlz). ボールズ型聴診器 (胸に当てる部分が直径約 4.5 cm の浅い金属カップで, その口が硬いゴムまたはセルロイド膜でおおわれた聴診器).

differential s. 鑑別聴診器 (胸部の異なる部分の 2 つの音を同時に聞き比較できるようにした, 2 個の胸に当てる部分をもつ聴診器).

steth·o·scop·ic (steth′ō-skop′ik). ***1*** 聴診器の, 聴診器による. ***2*** 聴診法の (胸部の診察についていう).

ste·thos·co·py (stĕ-thos′kŏ-pē). 聴診法 (①直接的または間接的聴診および打診による胸部診察. ②聴診器を用いる間接的聴診法).

Ste·vens (stē′vĕnz), Albert M. 米国人小児科医, 1884—1945. →S.-Johnson *syndrome*.

Stew·art (stū′ărt), Fred Waldorf. 米国人医師, 1894—1991. →S.-Treves *syndrome*.

Stew·art (stū′ărt), George N. カナダ系米国人科学者, 1860—1930. →S. *test*; S.-Hamilton *method*.

Stew·art (stū′ărt), R.M. 20 世紀のイングランド人神経科医. →S.-Morel *syndrome*.

Stew·art (stū′ărt), Thomas Grainger. イングランド人神経科医, 1877—1957. →S.-Holmes *sign*.

STH somatotropic *hormone* の略.

sthe·ni·a (sthē′nē-ă) [G. *sthenos*, strength + *-ia*, condition]. 強壮, 亢進, 活動 (急性活動熱におけるような, 活動と外見上の活力の状態).

sthen·ic (sthen′ik). 強壮の, 亢進の, 活動の (強い跳躍脈, 高温, 活動性せん妄を伴う熱病についていう).

stheno- [G. *sthenos*]. [本連結形を spheno- または steno- と混同しないこと]. 強さ, 力, 能力を表す連結形.

sthe·nom·e·ter (sthĕ-nom′ĕ-tĕr) [stheno- + G. *metron*, measure]. 筋力計.

sthe·nom·e·try (sthĕ-nom′ĕ-trē) [stheno- + G. *metrin*, to measure]. 筋力測定〔法〕.

stib·e·nyl (stib′ĕ-nil). スチベニル (リーシュマニア症(カラアザール)の治療に用いられた最初の 5 価のアンチモン化合物).

stib·i·al·ism (stib′ē-ăl-izm) [L. *stibium*, antimony]. アンチモン中毒〔症〕(慢性のアンチモン中毒).

stib·i·a·ted (stib′ē-ā′ted). アンチモン含有の.

stib·i·a·tion (stib′ē-ā′shŭn). アンチモン投与, アンチモン添加.

stib·i·um (stib′ē-ŭm) [L. < G. *stibi*]. スチビウム. = antimony.

stib·o·cap·tate (stib′ō-kap′tāt). スチボカプテート. = *antimony* dimercaptosuccinate.

sti·bo·ni·um (sti-bō′nē-ŭm). スチボニウム (アンモニアと類似する仮定的な基 SbH_4^+).

stich·o·chrome (stik′ō-krōm) [G. *stichos*, a row + *chrōma*, color]. スチコクロム (好色素性物質または染色物質がほぼ平行な列, または線状に並んでいる神経細胞をいう).

Stick·ler (stik′lĕr), Gunnar B. 20 世紀の米国人医師. →S. *syndrome*.

Stie·da (shtē′dah), Alfred. ドイツ人外科医, 1869—1945. →Pellegrini-S. *disease*.

Stie·da (shtē′dăh), Ludwig. ドイツ人解剖学者, 1837—1918. →S. *process*.

Stier·lin (shtēr′lin), Eduard. ドイツ人外科医, 1878—1919. →S. *sign*.

stig·ma, pl. **stig·mas, stig·ma·ta** (stig′mă, -mă-tă) [G. a mark < *stizō*, to prick]. [複数形の誤った発音 stigma′ta を避けること]. ***1*** 標徴, 徴候, スチグマ (目に見える疾病の徴候). ***2*** = follicular s. ***3*** 斑点, スチグマ (皮膚の上の点または傷). ***4*** 小紅斑, スチグマ (転換ヒステリーの徴候と考えられる皮膚の出血斑). ***5*** 眼点 (クロロフィルをもつ原生動物(例えば *Euglena viridis*)にみられる橙色の色素をもつ眼点. 光のフィルタとして, 一定の波長の光を吸収する). ***6*** 汚点 (不名誉または不面目の印).

follicular s. 卵胞口 (卵巣表面の Graaf 卵胞の破裂直前の無血管性の点). = macula pellucida; stigma (2).

malpighian stigmas マルピーギ小孔 (脾臓の小さいほうの静脈が大きいほうの静脈にはいる個所).

s. ventriculi 胃斑点 (胃粘膜の多くの粟粒性斑状出血の1つ).

stig·mas·tane (stig-mas′tān). スチグマスタン (シトステロールの母核). = sitostane.

stig·ma·ta (stig′mă-tă). [誤った発音 stigma′ta を避けること]. stigma の複数形の 1 つ.

stig·mat·ic (stig-mat′ik). 斑点の, 徴候の.

stig·ma·tism (stig′mă-tizm). 標徴存在, 斑点症 (標徴, 斑点をもっている状態). = stigmatization (1).

stig·ma·ti·za·tion (stig′mă-ti-zā′shŭn). *1* 標徴存在，斑点症．＝stigmatism. *2* スチグマ形成，標徴形成（標徴，特にヒステリー性標徴の形成）. *3* 否定的に色付けされた特徴，あるいは汚名を着せて人を卑しめること．

stil·bene (stil′bēn). スチルベン；$C_6H_5CH{=}CHC_6H_5$; α,β-diphenylethylene（①不飽和炭化水素．スチルベストロールその他の合成エストロゲン化合物の核．②①に基づく化合物の一種）．

stil·bes·trol (stil-bes′trol). スチルベストロール．＝diethylstilbestrol.

Stiles (stīlz), Walter S. イングランド人生理学者，1901—1985. →S.-Crawford *effect*.

sti·let, sti·lette (stī′let, stī-let′). →stylet.

Still (stil), George F. イングランド人医師，1868—1941. →S. *disease*, *murmur*; S.-Chauffard *syndrome*.

still·birth (stil′berth). 死産（生存徴候を示さない児を出産すること）．

still·born (stil′bōrn). 死産の（誕生時に死亡している乳児についていう）．

Stil·ling (stil′ing), Benedict. ドイツ人解剖学者，1810—1879. →S. *canal*, *column*, *nucleus*, *raphe*, gelatinous *substance*.

sti·lus (stī′lŭs). →stylus.

stim·u·lant (stim′yū-lănt)［L. *stimulans*: *stimulo* の現在分詞，pp. *-atus*, to goad, incite＜ *stimulus*, a goad］. ＝excitant. *1*〖adj.〗興奮性の，刺激性の．*2*〖n.〗興奮薬，刺激薬（生体活動を増進させたり，心臓の働きを強化したり，活力を増大させたり，幸福感を促進させたりする薬物．興奮薬はその作用部位に応じて，心臓性，呼吸性，胃性，肝性，中枢性，脊髄性，血管性，性器性などに分類される．→stimulus）. ＝excitor; stimulator.

diffusible s. 拡散性興奮薬（急速な一過性の効果を及ぼす興奮薬）．

general s. 全身性興奮薬．

local s. 局所性興奮薬（作用が適応部位のみに限定されるもの）．

stim·u·la·tion (stim′yū-lā′shŭn)［→stimulant］. 刺激〔作用〕（[simulation と混同しないこと]．①身体またはその部位，器官を刺激して，その機能活動を増大させること．②刺激された状態．③神経生理学において神経や筋肉のような反応構造に対して，刺激の強さが興奮を生むのに十分であるか否かにかかわりなく刺激を与えること）．

deep brain s. 深部脳刺激〔法〕（パーキンソン病，ジストニー，振せんを含む運動疾患の治療として，基底核に刺激電極を入れる機械的脳外科手術）．

dorsal column s. 後索刺激（脊髄後索に対する電極による経皮的または直接的な電気刺激）．

fetal scalp s. 児頭圧迫刺激法（胎児の well-being を診断する方法．児頭血 pH が正常で，手指あるいは鉗子による圧迫刺激に反応して胎児頻脈がみられる）．

ganzfeld s.［Ger. *Ganzfeld*, whole field］. 全視野刺激（[本語のドイツ語のつづり Ganzfeld はすべての名詞同様に大文字で始まるが，英語の派生語は小文字の g でつづられる]．網膜電図において全網膜の照明(刺激)）．

percutaneous s. 経皮的刺激（電極を皮膚に当てることによる末梢神経または脊髄の電気刺激）. ＝transcutaneous electrical neural s.

photic s. 光刺激（後頭部脳波の型に影響を与え，潜在異常を活性化させるために，種々の周波数の点滅する光を用いること）．

transcutaneous electrical nerve s. (**TENS**) 経皮的電気神経刺激〔術，法〕（電気(電流)刺激によって痛みを軽減する方法．*cf.* electroanalgesia）．

transcutaneous electrical neural s. 経皮的電気神経刺激．＝percutaneous s.

vagal nerve s. 迷走神経刺激（難治性てんかん患者で用いられる付加的治療法．複雑部分発作または二次性全般化発作で用いられることが多い．前胸壁に植め込まれた刺激装置により，頸部で左迷走神経を 5 分半ごとに 30 秒間のバーストで刺激する）．

stim·u·la·tor (stim′yū-lā′tŏr). 興奮薬，刺激薬，刺激物質（[simulator と混同しないこと]）. ＝stimulant (2).

long-acting thyroid s. (**LATS**) 長時間作用型甲状腺刺激物質（甲状腺機能亢進症患者の血液内に存在し，甲状腺を長期にわたって刺激する物質．血漿内では，IgG(7Sγ-グロブリン)分画に関連をもつ抗体．恐らく免疫複合体と考えられている）．

stim·u·lus, pl. **stim·u·li** (stim′yū-lŭs, -lī)［L. a goad］. *1* 興奮薬，刺激薬．*2* 刺激（筋，神経，腺またはその他の興奮性組織に作用(反応)を引き起こすか，あるいは機能，代謝過程に促進作用を起こすもの）．

adequate s. 適当刺激，適合刺激（特定の受容器が特定の刺激に反応して特異的興奮を生じる場合の刺激をいう．例えば，光と音波はそれぞれ視覚受容体または聴覚受容体を刺激する）．

aversive s. 嫌悪刺激（嫌悪訓練や嫌悪条件付けで用いられる電気ショックなどの有害な刺激．→aversive *training*）．

conditioned s. 条件刺激（①条件反射の基礎になる神経機構の本質的かつ必要不可欠な部分である感覚器官(例えば，視覚，聴覚，触覚など)の受容体に向けられる刺激．→classical *conditioning*; higher order *conditioning*. ②本来は無関刺激だが，無条件刺激とともに同時に生物に与えると一定の反応を引き出すことができる刺激）．

discriminant s. 識別刺激，弁別刺激（潜在補強因子の指標となっているため，環境の中で他のすべての刺激と区別される刺激）．

heterologous s. 異種刺激（感覚器官や神経路のすべての部分に作用する刺激）．

heterotopic s. 異所性刺激（異常部位からの電気的活性化）．

homologous s. 相同刺激（特定の感覚器官の神経末端にのみ作用する刺激）．

inadequate s. 不適当刺激，不適合刺激．＝subthreshold s.

liminal s. ＝threshold s.

maximal s. 最大刺激（最大反応を起こすのに十分な強い刺激）．

square wave stimuli 四角波刺激（電流の強さを突然ある一定のレベルにして，突然断たれるまでのレベルを保つ電気的刺激．この種の刺激は，強さ－時間曲線を得るのに特に有効）．

subliminal s. 閾値下刺激．＝subthreshold s.

subthreshold s. 閾値下刺激（反応を誘発するには弱すぎる刺激）. ＝inadequate s.; subliminal s.

supramaximal s. 超最大刺激（電極に接するすべての神経線維または筋線維を活動させるのに必要な最小限の強さより有意に大きな強さをもつ刺激．線維の全体に反応させたいときに用いる）．

threshold s. 閾値刺激（限界強度の 1 つ．すなわち興奮を起こすのに十分な強さの刺激．→adequate s.）. ＝liminal s.

train-of-four s. 連続 4 回刺激（神経筋遮断の大きさやタイプを測定する方法で，2 秒間に 4 回の超最大の 2Hz 電流を末梢運動神経に与えたときに，最初に誘発された機械的反応と 4 番目の反応との振幅の比を基礎にしている）．

unconditioned s. 無条件刺激（無条件反応を起こす刺激．例えば食物は，空腹な動物の唾液分泌，すなわち無条件反応に対する無条件刺激となる．→classical *conditioning*）．

stim·u·lus word (stim′yū-lŭs werd). 刺激語（連想テストにおいて反応を喚起するために用いる語）．

sting (sting)［O.E. *stingan*］. *1*〖n.〗刺創，刺痛（最も一般的に，六脚類，多足類，蛛形類を含む多種の節足動物に皮膚を刺されることにより生じる鋭い一瞬の痛み．刺痛感覚はクラゲ，ウニ，海綿，軟体動物，アカエイ，フグ，カナフグ，ナマズなどの有毒な魚類によって生じる）. *2*〖n.〗刺毛，毒針（刺す動物の有毒器官．キチン性交接棘，骨棘と有毒腺，嚢などからなる）. *3*〖v.〗刺す．

sting·ers (sting′ĕrz). ＝burners.

stink weed (stink wēd). ＝*Datura stramonium*.

stip·pling (stip′ling). *1* 斑点（細胞原形質内の遊離好塩基性顆粒の存在により，塩基性染料の作用を受けたときに血球その他の構造に微細な斑点を生じること）. ＝punctate basophilia. *2* スティップリング（付着歯肉にみられるオレンジの皮のような状態）. *3* スティップリング（自然のスティップリングに似せるため義歯床表面をでこぼこにすること）．

geographic s. of nails 爪甲地図状斑点（主に乾癬，まれに円形脱毛症にみられる規則的に並んだ縦の斑点．→nail

S

pits).

Ziemann s. (tsē′mahn). ツィーマン斑点. ＝Ziemann *dots.*

STIR (stĕr). short TI inversion *recovery* の頭字語.

Stir·ling (ster′ling), William. 英国人組織・生理学者, 1851—1932. ⇀S. modification of Gram *stain.*

stir·rup (ster′ŭp, stir′ŭp)［A.S. *stīrāp*］. あぶみ骨. ＝stapes.

stitch (stich)［A.S. *stice*, a pricking］. ***1*** 激痛 (一瞬の, 刺すような鋭い痛み). ***2*** 一針の縫合〔糸〕. ***3*** ＝suture (2).

lock s. ＝locking *suture.*

STM short-term *memory* の略.

stochastic (stō-kas′tik). 確率的な (ランダムな).

Stock (stok), Wolfgang. ドイツ人眼科医, 1874—1956. ⇀Spielmeyer-S. *disease.*

stock (stok)［A.S. *stoc*］. 株, 血統 (均一化もしくは特定の形質の固定を行うことなしに隔離された生物から派生した生物の全集団).

Stocker (stok′ĕr), Frederick William. 米国人眼科医, 1893—1974. ⇀S. *line.*

Stoffel (stof′ĕl), Adolf. ドイツ人整形外科医, 1880—1937. ⇀S. *operation.*

stoi·chi·ol·o·gy (stoy′kē-ol′-ŏ-jē)［G. *stoicheion*, element (文語, one of a row) < *stoichos*, a row + *logos*, study］. 要素学 (あらゆる学問分野, 特に化学, 細胞学, 組織学において, 要素や原理を扱う科学をいう).

stoi·chi·o·met·ric (stoy′kē-ō-met′rik). 化学量論に関する.

stoi·chi·om·e·try (stoy′kē-om′ĕ-trē)［G. *stoicheion*, element + *metron*, measure］. 化学量論 (化学反応に関与する物質の相対量を決めること. 反応におけるモル比などのように, 化学で定比例の法則を扱うこと).

stoke (stōk)［George Gabriel *Stokes*］. ストークス (動粘性率の単位. 粘性率が1ポアズ, 密度が 1g/mL の液体の動粘性率. $10^{-4}m^2$/秒 に等しい).

Stokes (stōks), George Gabriel. 英国人物理学者・数学者, 1819—1903. ⇀stoke; S. *law* (2), *law* (3).

Stokes (stōks). William. アイルランド人医師, 1804—1878. ⇀S. *law* (1); Cheyne-S. *psychosis*, *respiration*; S.-Adams *disease*; Adams-S. *disease*; Morgagni-Adams-S. *syndrome.*

Stokes (stōks), William. アイルランド人外科医, 1839—1900. ⇀S. *amputation*; Gritti-S. *amputation.*

sto·lon (stō′lon)［L. *stolō*, branch, shoot, twig］. ストロン, ほふく菌糸 (気中菌糸が基質に接触した部分から急激に伸長してつくるほふく枝または連結性気状菌糸. これは基質中に根様のふさを形成し, 次いで別のほふく枝を送り出してクモノスカビ属 *Rhizopus* に典型的な気中菌糸体および胞子嚢柄を生じる).

stom- ⇀stomato-.

sto·ma, pl. **sto·mas, sto·ma·ta** (stō′mă, stō′maz, stō′mă-tă)［G. a mouth］.［stroma と混同しないこと. 本語の複数形の誤った発音 stoma′ta を避けること］. ***1*** 小孔 (小さい開口部または孔). ***2*** 瘻 (2つの腔や管の間の, あるいは腔や管と体表間の人工的開口部).

Fuchs stomas (fūks). フックス孔 (虹彩表面の瞳孔辺縁付近の小陥凹部分. *cf.* dellen).

loop s. 係蹄瘻 (腸や尿管などの管腔臓器のループを腹壁の開口部から引き出し, 内容物が排出されるようにループの頂部に穴を開けた特殊な開口).

stom·ach (stŭm′ăk)［G. *stomachos*, L. *stomachus*］［TA］. 胃 (横隔膜のすぐ下にある, 食道と小腸の間の大きく不規則な洋梨状の袋. 拡張すると長さが 25—28 cm, 最大直径が 10—10.5 cm になり容積が約1Lになる. 壁は4つの膜または層, すなわち粘膜層, 粘膜下層, 筋層, 腹膜層からなる. 筋層は, 外部を縦に走る線維, 中部を輪走する線維および内層を斜めに走る線維の3層からなる). ＝gaster［TA］; ventriculus (1)［TA］.

bilocular s. 二房胃. ＝hourglass s.

s. bubble 胃泡 (立位X線写真でみられる胃底部内のガス).

cascade s. 瀑状胃 (X線所見の1つ. 患者がバリウムを立位でえん下した場合, 胃底部にバリウムが溜まり, 前庭部へ瀑状に流れ落ちる. 横位の胃における正常変異の1つ).

drain-trap s. ＝water-trap s.

hourglass s. 砂時計胃 (胃壁の中心部に狭窄があり, 噴門

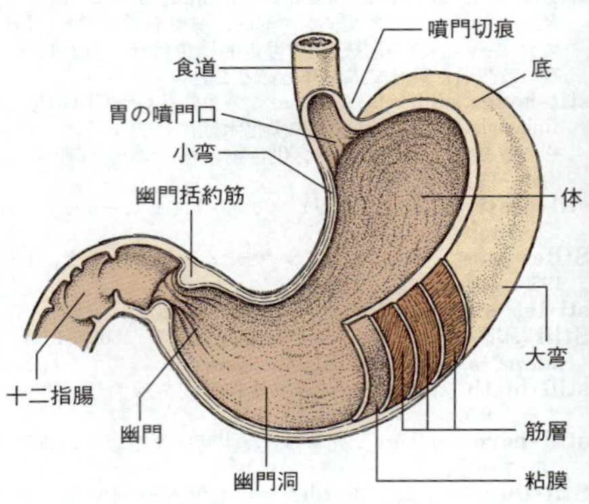

stomach

部と幽門部の2腔に分割している状態). ＝bilocular s.; ectasia ventriculi paradoxa.

leather-bottle s. 革袋状胃 (内腔の容積の減少を伴う胃壁の顕著な肥厚と硬化. 閉塞しない場合が多い. これは形成性胃組織炎におけるように, ほとんど常に硬性癌が原因となる). ＝sclerotic s.

miniature s. 小胃. ＝Pavlov *pouch.*

Pavlov s. (pahv′lov). パヴロフ胃. ＝Pavlov *pouch.*

powdered s. 粉状胃剤 (ブタ *Sus scrofa* の胃壁を乾燥し脱脂粉末状にしたもの. 天然ビタミン B_{12} と内因性因子を含む熱不安定性因子を含有する. 悪性貧血の治療に用いられてきた).

sclerotic s. 硬化胃. ＝leather-bottle s.

thoracic s. 胸腔胃 (胃の一部または全体が胸腔内にある状態. 裂孔ヘルニアの異型).

trifid s. 三房胃 (胃が2つの狭窄部により3つの嚢に分割された状態).

wallet s. 嚢状胃, 胃拡張 (全体が袋のように拡張し, 前庭部と胃底の区別がつかない拡張胃の一種).

water-trap s. トラップ胃, 水止胃 (胃肝靱帯によって支えられた幽門出口が, 正常位置ではあるが比較的高位にある下垂し拡張した胃). ＝drain-trap s.

stom·ach·al (stŭm′ă-kăl). 胃の. ＝stomachic (1).

stom·a·chal·gi·a (stŭm′ă-kal′jē-ă)［stomach + G. *algos*, pain］. stomach *ache* を表す現在では用いられない語.

sto·mach·ic (stŏ-mak′ik). ***1***〖adj.〗胃の. ＝stomachal. ***2***〖n.〗健胃薬 (食欲を増進し消化を助ける薬).

stom·a·cho·dyn·i·a (stŭm′ă-kō-din′ē-ă)［stomach + G. *odynē*, pain］. stomach *ache* を表す現在では用いられない語.

sto·mal (stō′măl). 口の, 小孔の.

stomat- ⇀stomato-.

sto·ma·ta (stō′mă-tă). stoma の複数形.

sto·ma·tal (stō′mă-tăl). 口の, 小孔の.

sto·ma·tal·gi·a (stō′mă-tal′jē-ă)［stomat- + G. *algos*, pain］. 口腔痛 (口の中の痛み). ＝stomatodynia.

sto·mat·ic (stō-mat′ik). 口の, 口腔の.

sto·ma·ti·tis (stō′mă-tī′tis)［stomat- + G. *-itis*, inflammation］. 口内炎 (口腔粘膜の炎症).

angular s. 口角炎. ＝angular *cheilitis.*

aphthous s. アフタ性口内炎. ＝aphtha (2).

epidemic s. 流行性口内炎 (口腔内の接触性の感染症. 通常, A型コクサッキーウイルスにより生じる. →herpangina).

fusospirochetal s. フゾスピロヘータ性口内炎 (口腔内のスピロヘータ菌による全身感染症. 通常, 他の嫌気性菌, 特に紡錘菌も関与している. →Vincent *angina*).

gangrenous s. 壊疽性口内炎 (口腔組織の壊疽を特徴とする口内炎. ⇀noma).

gonococcal s. 淋菌性口内炎 (*Neisseria gonorrhoeae* の感

染に起因する炎症性および潰瘍性の口腔病変．通常，口腔と生殖器との接触により発症するが時折，淋菌血症に起因することもある）．

lead s. 鉛中毒性口内炎（鉛中毒によって生じる口腔症状で，辺縁歯肉の外形に沿って青みがかった黒色の線を認める．これは炎症の存在により硫化鉛が沈着したものである）．

s. medicamentosa 薬物性口内炎（全身性の薬物アレルギーによって口腔粘膜に生じる炎症性病変．紅斑，小水疱あるいは水疱，潰瘍，血管性浮腫などの症状を呈する）．

mercurial s. 水銀性口内炎，水銀中毒性口内炎（慢性水銀中毒によって起こる口腔粘膜病変．粘膜の紅斑，浮腫，潰瘍，炎症組織における硫化水銀の沈着などの症状を呈する．色素沈着は，鉛中毒性口内炎と類似している）．

nicotine s. ニコチン性口内炎（熱刺激による病変．通常，口蓋に生じ，紅斑に始まり，中央に赤い点をもつ多発性の白い丘疹へと進行する．赤い点は，炎症を起こして拡張した唾液腺の開口部に相当する）．

primary herpetic s. 原発性ヘルペス〔性〕口内炎（単純疱疹ウイルスによる口腔組織の初感染．歯肉炎，小水疱，潰瘍を伴うのが特徴）．＝primary herpetic gingivostomatitis.

recurrent aphthous s. 再発性アフタ性口内炎．＝aphtha (2).

recurrent herpetic s. 再発性ヘルペス〔性〕口内炎（単純疱疹ウイルスの再活動化．硬口蓋と付着歯肉の小水疱および潰瘍化を特徴とする）．

recurrent ulcerative s. 再発性潰瘍性口内炎．＝aphtha (2).

ulcerative s. 潰瘍性口内炎．＝aphtha (2).

vesicular s. 水疱性口内炎（ウマ，ウシ，ブタ，ときにヒトの水疱性疾患で，ブラドウイルス科に属するベシクロウイルス（水疱性口内炎ウイルス）によって起こる．ウマ，ウシでは通常，口腔の小水疱を生じ，ウシでは口蹄疫のそれとは臨床的に区別できない）．

stomato-, stom-, stomat- ［G. *stoma*］．口腔を意味する連結形．

sto·ma·to·cyte (stō′mă-tō-sīt)［stomato- + G. *kytos*, cell］．ストマトサイト，口唇状赤血球，有口赤血球（スミア上，正常赤血球では中心部が円形に薄く染色されるのに対し，スリット状または口の形に薄く染色される赤血球をさす．例えばRh(−)の赤血球）．

sto·ma·to·cy·to·sis (stō′mă-tō-sī-tō′sis)．ストマトサイト増加症，口唇状赤血球症，有口赤血球症（膨張し，カップ形をした赤血球がみられる先天性の赤血球形態異常であり，遺伝性溶血性貧血の原因となる．→Rh null *syndrome*）．

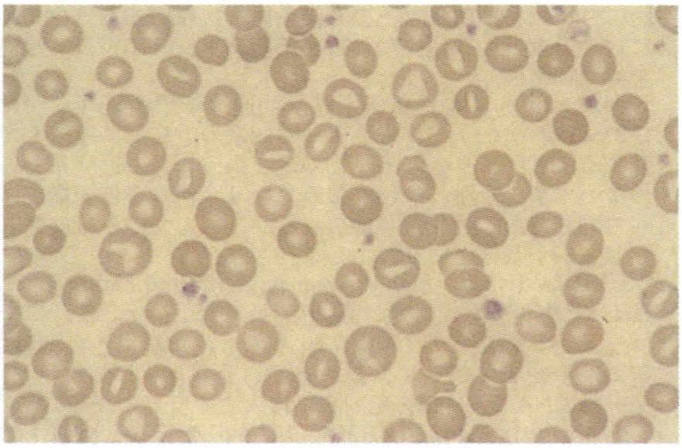

stomatocytosis (hereditary)

典型的所見：白血球は所見なし．血小板は所見なし．赤血球は軽度〜中等度貧血を示す．口唇状赤血球が存在する．中等度網状赤血球増加症．ビリルビン値上昇．浸透圧ぜい弱および自己溶血の上昇．末梢スミア．

sto·ma·to·de·um (stō′mă-tō-dē′ŭm)．＝stomodeum (1).

sto·ma·to·dyn·i·a (stō′mă-tō-din′ē-ă)［stomato- + G. *odynē*, pain］．＝stomatalgia.

sto·ma·to·dys·o·di·a (stō′mă-tō-dis-ō′dē-ă)［stomato- + G. *dysōdia*, bad odor］．口腔悪臭．＝halitosis.

sto·ma·tog·nath·ic (stō′mă-tog-nath′ik)［stomato- + G. *gnathos*, jaw］．顎口腔系の（［二重字 gn において，g は語頭にあるときのみ無音である］．口腔および顎についていう）．

sto·ma·to·log·ic (stō′mă-tō-loj′ik)．口腔科学の，口内病学の．

sto·ma·tol·o·gist (stō′mă-tol′ŏ-jist)．口腔病専門医（口腔の疾患を扱う専門家）．

sto·ma·tol·o·gy (stō′mă-tol′ŏ-jē)［stomato- + G. *logos*, study］．口腔病学，口腔科学，口内病学（口腔の構造，機能，および疾病の研究）．

sto·ma·to·ma·la·ci·a (stō′mă-tō-mă-lā′shē-ă)［stomato- + G. *malakia*, softness］．口腔組織軟化（口腔組織の生理的軟化）．

sto·ma·to·my·co·sis (stō′mă-tō-mī-kō′sis)［stomato- + G. *mykēs*, fungus + *-osis*, condition］．口腔真菌症（真菌の存在による口の疾病）．

sto·ma·to·ne·cro·sis (stō′mă-tō-nĕ-krō′sis)［stomato- + G. *nekrōsis*, death］．口腔壊死．＝noma.

sto·ma·top·a·thy (stō′mă-top′ă-thē)［stomato- + G. *pathos*, suffering］．口内病，口腔病．＝stomatosis.

sto·ma·to·plas·ty (stō′mă-tō-plas′tē)［stomato- + G. *plastos*, formed］．口内形成術を表す古語．

sto·ma·tor·rha·gi·a (stō′mă-tō-rā′jē-ă)［stomato- + G. *rhēgnymi*, to burst forth］．口内出血，歯肉出血（歯肉その他の口内部分からの出血）．

sto·ma·to·scope (stō′mă-tō-skōp)［stomato- + G. *skopeō*, to view］．口腔鏡，口内鏡（診察を容易にするために口腔内部を照らす器具）．

sto·ma·to·sis (stō′mă-tō′sis)［stomato- + G. *-osis*, condition］．口腔病，口腔症，口内病．＝stomatopathy.

sto·mi·on (stō′mē-on)．ストミオン（生体計測学上の点で，口を閉じたときの口裂の正中点）．

sto·mo·ceph·a·lus (stō′mō-sef′ă-lŭs)［G. *stoma*, mouth + *kephalē*, head］．尖顎奇形，顎欠損奇形（未発達の顎とくちばし様の口をもつ奇形個体．漏斗頭型単眼症に合併することが多い）．

sto·mo·de·al (stō′mō-dē′ăl)．口陥の，口窩の．

sto·mo·de·um (stō′mō-dē′ŭm)［Mod. L. < G. *stoma*, mouth + *hodaios*, on the way < *hodos*, a way］．口陥，口道（①胚の脳の腹側にある中心線上の外胚葉窩．下顎弓により囲まれる．頬咽頭膜が消えると，前腸と連続し，口を形成する．＝stomatodeum. ②昆虫の消化管の前方部分で，口，口腔，咽頭，食道，嗉嚢（しばしば憩室）および前胃からなる）．

Sto·mox·ys cal·ci·trans (stō-mok′sis kal′si-tranz)［Mod. L. < G. *stoma*, mouth + *oxys*, sharp; L. *calcitro*(to kick)の現在分詞 < *calx*(the heel)］．サシバエ（吸血性のハエの一種で，大きさと外観は普通のイエバエに似る．世界的にヒト，家畜に対して喧騒感を与える害虫で，疾病の機械的伝播者として働く）．

-stomy［G. *stoma*, mouth］．人工的または外科的開口部を意味する連結形．→stomato-.

stone (stōn)［A.S. *stān*］．***1*** 結石，石．＝calculus. ***2*** ストーン（英国の人体の重量単位で約 6.3 kg に等しい）．

artificial s. 人造石（特殊に煆焼させた石膏の派生物で，焼石膏に類似するが粒子に孔がないため，より強い）．

bladder s. 膀胱結石（尿路結石のうち，膀胱内で形成される結石．Hippocrates の誓いにもでてくるように，人類の歴史上，尿路結石症の中で，最も重要な位置を占める．古代の一般的な手術であった切石術も，膀胱結石に対する治療から生まれた．現代では腎尿管結石が膀胱結石よりも一般的である．膀胱結石は，典型的には，神経因性膀胱，尿路再建術後，下部尿路の閉塞を伴う患者にみられる）．＝bladder calculus.

philosopher's s. 賢者の石（中世の錬金術師が求めた石で，卑金属を金に変成したり，ただの石を宝石に変えたり，あるいは万病を治癒し，したがって長命を授けると考えられた．万能溶媒であるとも信じられていた）．

pulp s. 歯髄結石．＝endolith.

tear s. 涙〔結〕石．＝dacryolith.

vein s. 静脈〔結〕石．＝phlebolith.

Stook·ey (stūk′ē), Byron P. 米国人神経外科医，1887—1966．→S.-Scarff *operation*; Queckenstedt-S. *test*.

stool (stūl) [A.S. *stōl*, seat]. =motion (3); movement (2). ***1*** 便通（便の排出）. ***2* 〔大〕便，糞〔便〕（腸の1回の運動で排出される物）. =evacuation (2).

butter s.'s バター〔様〕便（特に脂肪便にみられる脂肪性の便）.

currant jelly s. スグリゼリー様便（血液と炎症産物を含む便でスグリゼリー様を呈する．腸嵌頓の徴候とみなされる）.

fatty s. 脂肪便（過度の脂肪を含む便）.

rice-water s. 米とぎ汁〔様〕便，重湯〔様〕便（白っぽい綿状沈殿物を含む水様の液体で，コレラ，ときにその他の漿液性下痢の場合に腸から排出される）.

spinach s.'s ホウレンソウ〔様〕便（刻んだホウレンソウに似た暗緑色の雑炊様の便）.

Trélat s.'s (trā-lah'). トレラー便（直腸炎で血液線条のはいった卵白状の便）.

stops (stops). 止め具（腕金あるいは管腔をすり抜けてしまうのを防ぐための弓形鋼線あるいはそれに結び付けられた鋼線の曲がり部分）.

stor·age (stōr'ăj). 貯蔵（記憶過程の3段階の2番目．第1段階はコード化 encoding で，第3段階は想起 retrieval．コード化によって登録，修飾された刺激の保持に関連した精神過程を含む．⇀memory）.

sto·rax (stō'raks) [G. *styrax*, a sweet-smelling gum]. 蘇合香（そごうこう），ストラックス（流動蘇合香．マンサク科の，小アジアの高木ソゴウコウノキ *Liquidamber orientalis* または *L. styraciflua* の木および内皮から得られる液状樹脂で，粘膜の慢性的炎症，および外用として疥癬の治療に用いられてきた）. =styrax.

STORCH (stōrch). ストーチ（頭字語の TORCH(⇀TORCH) の改定されたもので，先天感染が原因の syphilis(梅毒)を含む）.

stor·i·form (stōr'i-fōrm) [L. *storea*, woven mat + *-formis*, form]. 花むしろ状（荷車の車輪状に配列した，例えば細長い核をもった紡錘細胞が中心から放射状に並んだ場合など）.

storm (stōrm). 急〔性〕発〔作〕〔症状〕（疾病進行中の症状の悪化または発症）.

thyroid s. =thyrotoxic *crisis*.

Stout wir·ing (stowt). ⇒wiring.

STPD 標準状態（気体が標準温度(0°C)，標準圧力(760 mmHg)，乾燥状態にある場合の体積であることを示す記号．この場合，気体1モルは 22.4 L）.

stra·bis·mal (stra-biz'măl). 斜視の. =strabismic.

stra·bis·mic (stra-biz'mik). 斜視の. =strabismal.

stra·bis·mol·o·gist (stra'biz-mol'ah-jist). 斜視専門医（特に斜視，弱視治療を専門とする小児眼科医）.

stra·bis·mus (stra-biz'mŭs) [Mod.L. < G. *strabismos*, a squinting] [MIM*185100]. 斜視（眼の視軸の平行を明らかに欠くこと）. =crossed eyes; heterotropia; heterotropy; squint (1).

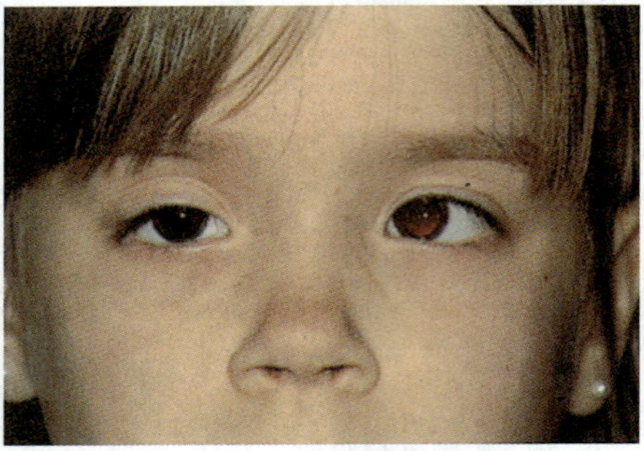

strabismus

眼のこの不整は視力障害に結びつく場合がある．ここに示した内斜視は内側偏位である．

A-s. A型斜視（①内斜視が下方視より上方視の場合により著明となる斜視．②外斜視が上方視より下方視の場合により著明となる斜視）. =A-pattern s.

accommodative s. 調節性斜視（斜視の程度が調節により生じる斜視）.

alternate day s. =cyclic *esotropia*.

alternating s. 交代斜視（どちらかの眼が固視する斜視の一種）.

A-pattern s. A型斜視. =A-s.

comitant s. 共同斜視（あらゆる注視方向で斜視角が同じ斜視）. =concomitant s.

concomitant s. 共同斜視. =comitant s.

convergent s. 輻輳内斜視. =esotropia.

cyclic s. 周期性斜視（規則正しい間隔，多くは48時間間隔で起こる斜視）.

divergent s. =exotropia.

incomitant s. 非共同斜視. =paralytic s.

kinetic s. 運動性斜視，動〔力〕的斜視（外眼筋の痙攣による斜視）.

manifest s. 顕性斜視（右眼または左眼の顕性の眼位ずれ．交代性と片眼性とがある）.

mechanical s. 機械的斜視（眼窩内の眼筋の働きが抑制されたためにみられる斜視）.

paralytic s. 麻痺性斜視（外眼筋の減弱による斜視）. =incomitant s.

vertical s. 上下斜視（一方の眼が上方に偏位(s. sursum vergens)するか下方に偏位(s. deorsum vergens)するもの）.

X-s. X斜視（正面視よりも上方視および下方視でより開散する外斜視）.

strain (strān). ***1***〖n.〗菌株，株，系〔統〕（ある一組の特定の特徴をもつ相同の生物の個体群．微生物学においては，祖先の性質を保持している子孫群をいう．本来の分離株から性質の変化したものは元株の亜株に属するかあるいは新しい株とみなされる）. ***2***〖n.〗[A.S. *streon*, *progeny*]. 組換え生産物の生産を最大限活用するために設計または選択された特異的宿主細胞. ***3***〖v.〗緊張する，努力する，骨折る. ***4***〖v.〗使い過ぎて弱める，過労させる（酷使あるいは不適切な使用によって害する）. ***5***〖n.〗緊張（張り詰める行為）. ***6***〖n.〗[L. *stringere*, to draw tight]. 過労（緊張や過用による損傷）. ***7***〖n.〗挫傷，ひずみ（外力が働いて身体に起こる形態の変化）. ***8***〖v.〗沪過する.

auxotrophic s.'s 栄養要求性菌株（原栄養菌株に由来するが，それ以外の発育因子をも必要とする微生物菌株）.

carrier s. ファージ保有菌株（感染性の低いバクテリオファージによって汚染された菌株）. =pseudolysogenic s.

cell s. 細胞株（組織培養において一次培養または単一の細胞(クローン)に由来し，標識染色体，抗原，またはウイルスに対する抵抗性などについて，そのクローンに特異的な性質をもつ細胞群）.

congenic s. 類似遺伝子系統，共通遺伝子系統（1つの系統の1個の遺伝子を，もう1つの同系の近交系に連続して交配することにより生じる動物の近交系．注元の近交系と，その1つの遺伝子座についてのみ異なり，他の遺伝子構成はすべて同じである近交系が得られる．これを元の系統に対して類似遺伝子系統という）.

HFR s., Hfr s. [*h*igh *f*requency of *r*ecombination]. HFR (Hfr)菌株（組換え頻度の高い菌株．F′因子のような接合性プラスミドを細菌ゲノム中に組み込んだ系統または菌株で，適当な受給者に対して，組み込まれた細菌 DNA を(プラスミドの DNA と一緒に)配列順に移入する道具となる）.

hypothetic mean s. (HMS) 仮説的平均系統（計算上の平均的な生物の諸特性をもつ仮説的な系統）.

isogenic s. 同質遺伝子型株，同系遺伝子型株（多世代にわたり近交され，特定の遺伝子に関して高い確率で同型接合体になっている動物の株）.

Kunjin virus s. [ウガンダの西ナイル地域で最初に分離されたから]. クンジンウイルス株. =West Nile *virus*.

lysogenic s. 溶菌性菌株（溶原性ファージ(テンペレートファージ)に感染した細菌の株. ⇀lysogeny）.

neotype s. 新標準菌株（もはや存在しない標準種に代わる菌株，または標準株が明示されていなかったり，標準株が存在しない場合，標準株として新たに国際的に認められた菌株）. =neotype culture.

prototrophic s.'s 原栄養菌株（野生型菌株と同じ栄養要求性をもつ菌株）.
pseudolysogenic s. 偽溶原菌株. ＝carrier s.
recombinant s. 組換え型菌株（→recombinant (1)）.
stock s. 保存株（標準種として実験室で維持されてきた菌株）.
type s. 標準菌株，代表菌株（種または亜種の命名用の型）.
wild-type s. 野生型〔菌〕株（野生の菌株，すなわち標準株.→auxotrophic s.'s; prototrophic s.'s）.

strait (strāt)［M.E. *streit* ＜ O. Fr. ＜ L. *strictus*, drawn together, tight］. 狭い通路を意味する. ⓘ **inferior s.** 骨盤下口. ＝*apertura* pelvis inferior. ⓘⓘ **superior s.** 骨盤上口. ＝*apertura* pelvis superior.

strait·jack·et (strāt′jak′ĕt). 拘束服（長い袖の付いたガウン様の上着で，興奮している患者を拘束するために用いる）. ＝camisole.

stra·mo·ni·um (stra-mō′nē-ŭm)［Mod. L.］. ダツラ，マンダラ葉（ナス科の白花洋種朝鮮アサガオ *Datura stramonium* または *D. tatula* の枝と乾燥した葉および花，果実の先端．温帯，亜熱帯地方に多くみられる．ヒオスシアミンと同一のアルカロイド，ダツリンを含む．鎮痙薬．ぜん息およびパーキンソン症候群の治療に用いられてきた．乱用したり不注意に扱うとアトロピン様の中毒性精神病を起こす）.

strand (strand). 線維，糸状体，鎖（微生物学において，線維状あるいは糸状の構造物）.
anticoding s. アンチコドン鎖（二本鎖DNAのうちメッセンジャーRNA合成のための鋳型として使われる鎖）. ＝antisense s.
antiparallel s. 逆平行鎖，アンチパラレル鎖（隣接する鎖とは逆方向に向かっている高分子鎖）.
antisense s. ＝anticoding s.
coding s. 暗号鎖，コーディング鎖（二本鎖DNAのうちメッセンジャーRNA(メッセンジャーRNAがデオキシリボヌクレオチドの代わりにリボヌクレオチドを含むことを除いて)と同じ配列をもつ鎖）. ＝sense s.
complementary s. 相補鎖（→replicative *form*）.
minus s. マイナス鎖（→replicative *form*）.
plus s. プラス鎖（→replicative *form*）.
sense s. ＝coding s.
viral s. ウイルス鎖（→replicative *form*）.

Strand·berg (strahn′bĕrg), James Victor. 20世紀のスウェーデン人皮膚科医. →Grönblad-S. *syndrome*.

stran·gal·es·the·si·a (strang′gal-es-thē′zē-ă)［G. *strangalē*, halter + *aisthēsis*, sensation］. 帯状感，絞扼感. ＝zonesthesia.

stran·gle (strang′gĕl)［G. *strangaloō*, to choke ＜ *strangalē*, a halter］. 絞扼する，絞殺する（気管を圧迫して十分な空気の通路をふさぐ）.

stran·gu·lat·ed (strang′gyū-lāt′ĕd)［L. *strangulo*, pp. -*atus*, to choke ＜ G. *strangaloō*, to choke (strangle)］. 窒息の，嵌頓の，絞扼の，狭窄した（[incarceratedと混同しないこと]．気管支を通る空気の十分な流れを妨げるように狭窄した，あるいは，ヘルニアの症例では静脈還流や生存能を危険にさらすような動脈流を遮断するように狭窄した）.

stran·gu·la·tion (strang′gyū-lā′shŭn). 絞扼，窒息，嵌頓（[incarcerationと混同しないこと]．絞扼，窒息，嵌頓を起こす行為，またはあらゆる意味で窒息，嵌頓，絞扼された状態）.

stran·gu·ry (strang′gyū-rē)［G. *stranx*(*strang*-), something squeezed out, a drop + *ouron*, urine］. 有痛性排尿困難（排尿に力みを要する排尿困難．尿は間欠的に出て痛みとしぶりを伴う）.

strap (strap)［A.S. *stropp*］. ***1***〘n.〙絆創膏. ***2***〘v.〙絆創膏を貼る.

Strassburg (strahs′būrg), Gustav A. 19世紀のドイツ人生理学者. →S. *test*.

strat·i·fi·ca·tion (strat′i-fi-kā′shŭn)［L. *stratum*, layer + *facio*, to make］. 層化，層形成，層別化（年齢や職業群など特定基準によって標本を亜標本に分ける過程またはその結果）.

strat·i·fied (strat′i-fīd). 層別の，重層の，層化の（層の形に配列されたことについていう）.

stra·tig·ra·phy (stra-tig′ră-fē)［L. *stratum*, layer + G. *graphē*, a writing］. 断層撮影〔法〕. ＝tomography.

STRATUM

strat·um, gen. **stra·ti,** pl. **stra·ta** (strat′ŭm, tă; strā′tŭm; tī)［L. *sterno*, pp. *stratus*, to spread out, strew; *stratum*(a bed cover, layer)の中性形の名詞的用法］. 層（[本語の正しい複数形はstratiまたはstrataeではなくstrataである]．分化した組織の層のことで，その集積が網膜や皮膚などの所定の構造を形成する.→lamina; layer）.

s. aculeatum s. spinosumを表す現在では用いられない語.

s. basale 基底層（①月経周期中ほとんど変化を受けない子宮内膜の最深層. ＝basal layer. ②＝s. basale epidermidis）.

s. basale epidermidis〔表皮〕基底層（柵状配列の円柱形の基底細胞層．表皮の中で最も深い層．分裂能を有する幹細胞と固定細胞により構成される）. ＝basal cell layer; columnar layer; germinative layer; palisade layer; s. basale (2); s. cylindricum; s. germinativum.

s. cerebrale retinae〔網膜〕脳層. ＝cerebral *layer* of retina.

s. cinereum colliculi superioris 上丘灰白層. ＝gray *layers* of superior colliculus.

s. circulare membranae tympani〔鼓膜〕輪状層（放射層に深くはいり込む輪状線維）. ＝circular layer of tympanic membrane.

s. circulare musculi detrusoris vesicae［TA］. ＝circular *layer* of detrusor (muscle) of urinary bladder.

s. circulare tunicae muscularis［TA］.〔筋層の〕輪〔状〕層. ＝circular *layer* of muscular coat.

s. circulare tunicae muscularis coli［TA］.〔結腸筋層の〕輪〔筋〕層（→circular *layer* of muscular coat）.

s. circulare tunicae muscularis gastricae［TA］. ＝circular *layer* of muscular coat (of stomach).

s. circulare tunicae muscularis intestini tenuis［TA］.〔小腸筋層の〕輪〔筋〕層. ＝circular *layer* of muscule coat of small intestine.

s. circulare tunicae muscularis partis prosticae urethrae masculinae［TA］. ＝circular *layer* of muscle coat (of prostatic urethra).

s. circulare tunicae muscularis recti［TA］.〔直腸筋層の〕輪〔筋〕層（→circular *layer* of muscular coat）.

s. circulare tunicae muscularis urethrae femininae［TA］. ＝circular *layer* of muscle coat (of female urethra).

s. circulare tunicae muscularis ventriculi〔胃筋層の〕輪〔筋〕層（→circular *layer* of muscular coat）.

s. compactum 緻密層，細胞層（妊娠子宮の脱落組織の浅在層で，腺間着床組織が優位を占めている）. ＝compacta.

s. corneum epidermidis〔表皮〕角質層（表皮の外層で，数層の扁平な角化無核細胞からなる）. ＝corneal layer of epidermis; horny layer of epidermis.

s. corneum unguis 爪角質層（爪の外側の角質層）. ＝cornified layer of nail; horny layer of nail.

s. cutaneum membranae tympani〔鼓膜〕皮膚層（鼓膜の外面上の薄い皮膚）. ＝cutaneous layer of tympanic membrane.

s. cylindricum 円柱層. ＝s. basale epidermidis.

s. disjunctum 剝離層（角質層の遊離表面上の，一部遊離した細胞層．顕微鏡下の切片で観察されるが，固定により生じた人工産物である）.

s. fibrosum［TA］. 線維層. ＝fibrous *capsule*.

s. fibrosum capsulae articularis☆〔関節包の〕線維膜（fibrous *layer* of joint capsule; fibrous *capsule* の公式の別名）.

s. fibrosum panniculi adiposi telae subcutaneae［TA］. ＝fibrous *layer* in or on deep aspect of fatty layer of subcutaneous tissue.

s. fibrosum vaginae tendinis☆［TA］. fibrous tendon

S

sheath の公式の別名.

s. functionale 機能層（基底層以外の子宮内膜．以前には月経中に失われるものと信じられていたが，今日では一部分しか崩壊しないといわれている）.

s. ganglionare nervi optici〔視〕神経細胞層. = ganglionic *layer* of optic nerve.

s. ganglionicum [TA]. = ganglionic *layer*.

s. germinativum 胚芽層. = s. basale epidermidis.

s. germinativum unguis 爪胚芽層（周囲の皮膚の胚芽層と連続している爪の深層で，これから爪板または角質層が絶えず形成される）. = germinative layer of nail.

s. granulare [TA]. → *layers* of dentate gyrus. = granular *layer*.

s. granulosum corticis cerebelli [TA].〔小脳皮質〕顆粒層. = granular *layer* of cerebellum.

s. granulosum epidermidis [TA].〔表皮〕顆粒層. = granular *layer* of epidermis.

s. granulosum folliculi ovarici vesiculosi〔胞状卵胞〕顆粒層（卵胞の壁を形成する小細胞層）. = granular layer of a vesicular ovarian follicle; granulosa; membrana granulosa; s. granulosum ovarii.

s. granulosum ovarii = s. granulosum folliculi ovarici vesiculosi.

s. griseum colliculi superioris 上丘灰白層. = gray *layers* of superior colliculus.

s. griseum intermedium [TA]. → gray *layers* of superior colliculus.

s. griseum profundum [TA]. → gray *layers* of superior colliculus.

s. griseum profundum colliculis superioris [TA]. = deep gray *layer* of superior colliculus.

s. griseum superficiale [TA]. → gray *layers* of superior colliculus.

strata gyri dentati [TA]. 歯状回細胞層. = *layers* of dentate gyrus.

s. helicoidale brevis gradus* circular *layer* of muscle coat of small intestine の公式の別名.

s. helicoidale longi gradus* longitudinal *layer* of the muscle coat of the small intestine の公式の別名.

strata hippocampi [TA]. = *layers* of hippocampus.

s. interolivare lemnisci 絨帯オリーブ間層（左右のオリーブ核間の延髄の内側部分で，左右の内側毛帯が縦断し，直角に交わるオリーブ小脳線維が横断する）.

s. lemnisci 毛帯層（上丘の主に線維からなる(したがって白い)層で，上丘の中灰白層と深灰白層とを分かち，特に脊髄および三叉神経の毛帯からの線維を含む）. = fillet layer.

s. limitans externum [TA]. 顆粒層. = outer limiting *layer*.

s. limitans externum retinae = outer limiting *layer*.

s. limitans internum [TA]. = inner limiting *layer*.

s. limitans internum retinae = inner limiting *layer*.

s. longitudinale externum musculus detrusoris vesicae [TA]. = external longitudinal *layer* of detrusor muscle.

s. longitudinale internum musculus detrusoris vesicae [TA]. = internal longitudinal *layer* of detrusor muscle.

s. longitudinale tunicae muscularis [TA]. = longitudinal *layer* of muscular coat.

s. longitudinale tunicae muscularis coli [TA].〔結腸筋層の〕縦〔筋〕層（→longitudinal *layer* of muscular coat）.

s. longitudinale tunicae muscularis gastricae [TA]. = longitudinal *layer* of muscular coat (of stomach).

s. longitudinale tunicae muscularis partis intermediae urethrae masculinae [TA]. = longitudinal *layer* of muscular *layer* of the intermediate part of male urethra.

s. longitudinale tunicae muscularis intestini tenuis [TA].〔小腸筋層の〕縦〔筋〕層. = longitudinal *layer* of the muscle coat of the small intestine.

s. longitudinale tunicae muscularis recti [TA].〔直腸筋層の〕縦〔筋〕層（→longitudinal *layer* of muscular coat）.

s. longitudinale tunicae muscularis urethrae femininae [TA]. = longitudinal *layer* of muscular coat (of female urethra).

s. longitudinale tunicae muscularis ventriculi〔胃筋層の〕縦〔筋〕層（→longitudinal *layer* of muscular coat）.

s. lucidum〔表皮〕淡明層（角質層の最深部にある淡染される角質細胞層．主に手掌や足底の厚い表皮にみられる）. = clear layer of epidermis.

strata magnocellularia [TA]. → lateral geniculate *body*.

malpighian s. マルピーギ層（基底層，有棘層を構成する生きた表皮細胞層）. = malpighian layer; malpighian rete.

s. medullare intermedium [TA]. = intermediate white *layer* [TA] of superior colliculus.

s. medullare profundum [TA]. = deep white *layer* of superior colliculus.

s. moleculare 分子層. = molecular *layer*.

s. moleculare corticis cerebelli [TA].〔小脳皮質〕分子層. = molecular *layer* of cerebellar cortex.

s. moleculare et substratum lacunosum [TA].〔海馬の〕網状分子層（→*layers* of hippocampus）. = lacunar-molecular *layer*.

s. moleculare retinae〔網膜〕分子層. = molecular *layer* of retina.

s. multiforme [TA]. 多形細胞層（→*layers* of dentate gyrus）. = multiform *layer*.

s. musculosum panniculi adiposi telae subcutaneae = muscular *layer* of fatty *layer* of subcutaneous tissue.

s. neuroepitheliale retinae〔網膜〕視細胞層. = neuroepithelial *layer* of retina.

s. neurofibrarum [TA]. = *layer* of nerve fibers.

s. neuronorum piriformium 梨状細胞層（Purkinje cell *layer* を表す現在では用いられない語）.

s. nucleare externum [TA]. = outer nuclear *layer*.

s. nucleare internum [TA]. = inner nuclear *layer*.

strata nuclearia externa et interna retinae 網膜顆粒層. = nuclear *layers* of retina.

s. opticum [TA]. 視神経線維層. = optic *layer*.

s. oriens [TA].〔海馬の〕多形細胞層（→*layers* of hippocampus）. = oriens *layer*.

s. papillare corii〔真皮〕乳頭層（真皮の浅在層で，その乳頭が表皮と結合する）. = corpus papillare; papillary layer.

strata parvocellularia [TA]. → lateral geniculate *body*.

s. pigmenti bulbi 網膜色素上皮層. = pigmented *layer* of retina.

s. pigmenti corporis ciliaris 毛様体色素上皮層（網膜色素上皮層の毛様体の後面への連続）. = pigmented layer of ciliary body.

s. pigmenti iridis 虹彩色素上皮層（虹彩後面の二層色素上皮）. = pigmented layer of iris.

s. pigmenti retinae 網膜色素上皮層. = pigmented *layer* of retina.

s. plexiforme externum [TA]. = outer plexiform *layer*.

s. plexiforme internum [TA]. ***1*** = plexiform *layers* of retina. ***2*** = inner plexiform *layer*.

s. purkinjense cortex cerebelli [TA]. = Purkinje cell *layer*.

s. pyramidale [TA].〔海馬の〕錐体細胞層（→*layers* of hippocampus）. = pyramidal *layer*.

s. radiatum [TA].〔海馬の〕放射線維層（→*layers* of hippocampus）. = radiant *layer*.

s. radiatum membranae tympani〔鼓膜〕放線状膜（皮膚層の下の鼓膜の結合組織層で，その線維がつち骨柄から鼓膜の周囲の線維軟骨輪へ放射状にのびている．この層は弛緩部では欠けている）. = radiate layer of tympanic membrane.

s. reticulare corii〔真皮〕網状層（真皮のより厚く，深い層で，密性の，不規則に配列された結合組織からなる）. = reticular layer of corium; s. reticulare cutis; tunica propria corii.

s. reticulare cutis = s. reticulare corii.

s. segmentorum externorum et internorum [TA]. = *layer* of inner and outer segments.

s. spinosum epidermidis〔表皮〕有棘層（表皮の多角形細胞の層．固定の段階で細胞がちぢみ，また，細胞同士がデスモゾームにより結合するので，とげのある，または，とげだらけの外観をもつ）. = prickle cell layer; spinous layer.

s. spongiosum 海綿層（子宮内膜の中層で，主に拡張した腺組織からなる．子宮腔側には緻密層，筋層側には基底層が接する）．

s. subcutaneum ＝subcutaneous *tissue.*

s. synoviale 滑膜層．＝synovial *membrane.*

s. synoviale capsulae articularis [TA]．関節包滑膜．＝synovial *layer* of articular capsule.

s. synoviale (vagina synovialis) vaginae tendinis [TA]．腱鞘の滑液鞘．＝synovial *layer* of tendon sheath.

s. zonale [TA]．帯層．＝zonular *layer.*

Straus (strows), Isidore．フランス人医師，1845—1896．→S. *reaction, sign.*

Strauss (strows), Lotte．20世紀の米国人病理学者．→Churg-S. *syndrome.*

Sträus·sler (stroys′lĕr)．→Gerstmann-Sträussler-Scheinker *syndrome.*

streak (strēk) [A.S. *strica*]．線条，条痕，索（線，線条，条片で，特に，はっきりしないか，きわめて小さいもの）．

angioid s.'s [MIM*607140]．網膜色素線条〔症〕（眼底の乳頭に沿ってみられる脈絡膜基底層の石灰化．弾性偽黄色腫，鎌状赤血球症および Paget 病に合併する．脈絡膜血管新生を発症しやすい）．＝elastosis dystrophica; Knapp s.'s; Knapp striae.

gastrulation s. 腸胚形成．＝primitive s.

germinal s. ＝primitive s.

gonadal s. 痕跡卵巣（卵巣が機能のない組織で置き換えられ無形成に近い形状となる．Turner 症候群でみられる）．＝streak gonad.

Knapp s.'s (năp)．ナップ線条．＝*angioid* s.'s.

meningitic s. 髄膜炎線条（皮膚をとがった先でこすったためにできる赤色の線条で，特に髄膜炎の場合に著しい）．＝Trousseau spot.

Moore lightning s.'s (mūr)．ムーア稲妻線条〔症〕（光視症の特殊型で，光の垂直閃光をみるもの．通常，患眼の耳側にみられ，硝子体液が収縮したために起こる）．

primitive s. 原始線条（胚盤の尾側端正中線上にみられる外胚葉原基の隆起．これは細胞の内側，次いで外側への移動によりできる．ヒトの胚子では 15 日目に現れ，明視下での頭尾軸の形状を付与する）．＝germinal s.; gastrulation s.

stream (strēm)．流れ．＝flumen.

hair s.'s 毛流（頭および身体の各部の毛が配列によってつくり出す毛の流れで，特に胎児に著明）．＝flumina pilorum.

stream·ing (strēm′ing)．→ameboid *movement.*

streb·lo·dac·ty·ly (streb′lō-dak′ti-lē) [G. *streblos*, twisted + *daktylos*, finger]．＝camptodactyly.

Street·er (strē′tĕr), George L．米国人発生学者，1873—1948．→S. developmental horizon(s).

Street·er de·vel·op·men·tal ho·ri·zon(s) (strē′tĕr dē-vel′ŏp-men′tăl hŏ-rī′zŏn[z]) [G.L. Streeter]．ストリーターの発生段階（受精から最初の 2 か月間におけるヒトの若い胚を，地質学および考古学の術語を借りて Streeter が定義した 23 の発生段階(ホリゾン)．各ホリゾンは 2 — 3 日間からなり，日齢や身体の大きさの定量化からくる不一致を避けるために，固有の解剖学的特徴を強調している）．

Streiff (strīf), Enrico Bernard．スイス人眼科医，1908—？→Hallermann-S. *syndrome*; Hallermann-S.-François *syndrome.*

strength (strength)．***1*** 強さ．***2*** 強度．***3*** 耐久力，抵抗力（物質が，加えられた力に耐え，形を変えたり壊れたりしないこと）．

associative s. 結合力（心理学において，刺激と反応との結合の強さをいい，ある刺激が特定の反応を引き起こす頻度をもって測定される．→conditioning）．

biting s. そしゃく力．＝*force* of mastication.

bond s. 接着強さ（(歯科用)接着性材料と歯面との間の結合を，接着界面あるいはその近傍において破壊するのに要する力の大きさ）．

compressive s. 圧縮強度（圧縮状態にあること以外は抗張力と同じ）．

fatigue s. 疲労の強度（無数の頻度刺激後にも，ある特殊な要素の機能が残存する強度．典型的な場合，最大強度の約 50% に相当する）．

ionic s. (I) イオン強度（Γ/2 または I の記号で表され，$0.5\Sigma m_i z_i^2$ に等しい．m_iはモル濃度，z_iはイオンの電荷数．もしモル濃度(c_i)が重量モル濃度の代わりに用いられると（さらに溶液が希釈である場合），$I = 0.5(1/\rho_0)\Sigma c_i z_i^2$($\rho_0$は溶媒濃度)となる．多くの生化学で重要な事柄，例えば，蛋白溶解度，酵素活性度は溶液のイオン強度によって変化する）．

tensile s. 抗張力，引張力（物体がささえうる最大の圧力または負荷．平方インチ当たりのポンド，平方メートル当たりの重力キログラムなどで示される）．

ultimate s. 最高の強度（単一水準負荷により，ある要素に機能不全現象が生じる以前に達成しうる最高の力）．

yield s. ある成分における永久的(可塑的)変形が測定可能な状態(通常，永久ひずみの 0.2 %)にまで至らしめる力．

streph·o·sym·bo·li·a (stref′ō-sim-bō′lē-ă) [G. *strephō*, to turn + *symbolon*, a mark or sign]．鏡像知覚（①鏡に映る像のように，物体を左右逆に知覚すること．②筆記体あるいは活字体の文字で，例えば，p と d のように上下左右が逆で反転すると同じようなもの．あるいは鏡像関係にあるものなどを識別することが特に困難なこと）．

strep·i·tus (strep′i-tŭs) [L.]．雑音（通常は聴心音をいい，まれに用いられる）．

strep·ta·vi·din (strep′ta-vī′din) [*strept*ococcus + avidin]．ストレプトアビジン（ビオチンに対して強い親和性と特異性を有するために，免疫学的試験においてプローブとして用いられる細菌由来の蛋白．ストレプトアビジンは，標的物質に特異的なビオチン化基質と色原体とを架橋するために用いられる）．

strep·ti·ce·mi·a (strep′ti-sē′mē-ă)．streptococcemia を表す現在では用いられない語．

strep·ti·dine (strep′ti-dēn)．ストレプチジン（ストレプトマイシンのアグルコン成分の一種）．

strepto- [G. *streptos*, twisted < *strephō*, to twist]．彎曲した，ねじれた，を意味する連結形(通常，strepto- で始まるような微生物に関する連結形)．

Strep·to·ba·cil·lus (strep′tō-ba-sil′ŭs) [strepto- + bacillus]．ストレプトバシラス属，連鎖杆菌属（バクテロイデス科の非運動性，無芽胞性，好気性または通性嫌気性の菌の一属で，グラム陰性で，短杆菌から長い杆菌状および球杆菌状の鎖に切れる混合性のフィラメント状のものまで変化する多形態の細胞からなる．これらの細菌にはラット，マウス，および他の哺乳類に寄生性のものから病原性のものまである．標準種は *S. moniliformis*）．

S. moniliformis ラットの鼻咽頭の常在菌として通常見出される細菌種．マウスの流行性敗血症性多発性関節炎および鼠咬症の病因となる一型．*Streptobacillus*属の標準種．

strep·to·bi·o·sa·mine (strep′tō-bī-ō′să-mēn)．ストレプトビオサミン（メチルアミノ二糖類(ストレプトース + *N*–メチル－L–グルコサミン)．酸素結合がストレプトースの C–2 とグルコサミンの C–1 の間にある．ストレプチジンと結合してストレプトマイシンを形成する）．

strep·to·bi·ose (strep′tō-bī′ōs)．streptose の古語．

strep·to·cer·ci·a·sis (strep′tō-sĕr-kī′ă-sis)．ストレプトセルカ症（線虫の *Mansonella streptocerca* によるヒトおよび高等霊長類の感染症）．

strep·to·coc·cal (strep′tō-kok′ăl)．連鎖球菌性の（連鎖球菌属 *Streptococcus* の細菌についていう）．

strep·to·coc·ce·mi·a (strep′tō-kok-sē′mē-ă) [streptococcus + G. *haima*, blood]．連鎖球菌血症（連鎖球菌感染症または敗血症．血液中に連鎖球菌が存在する）．＝streptosepticemia.

strep·to·coc·ci (strep′tō-kok′sī)．[誤った発音 strep-tō-kok′ī を避けること]．streptococcus の複数形．

strep·to·coc·cic (strep-tō-kok′sik)．連鎖球菌性（連鎖球菌属 *Streptococcus* のいずれかの菌にかかわるか，によって起こる）．

strep·to·coc·co·sis (strep′tō-ko-kō′sis)．連鎖球菌感染症．

Strep·to·coc·cus (strep′tō-kok′ŭs) [strepto- + G. *kokkos*, berry(coccus)]．連鎖球菌属（非運動性(若干の例外がある)で，無芽胞性の，好気性から通性嫌気性の菌(乳酸杆菌科)．

S

グラム陽性で，対をなしたり短鎖あるいは長鎖を形成したりする球形または卵形の細胞をもち，糖発酵により右旋性の乳酸を生成する．一般にヒトその他の動物の口腔・腸管，乳製品その他の食品，発酵植物液中にみられる．病原性の種もある．標準種は *S. pyogenes*）．

S. agalactiae 乳腺炎のウシの乳汁および組織中に見出される一種．ヒトの種々の感染症，特に泌尿生殖器の感染症に関与するとの報告もある．

S. anginosus ヒトの咽喉，副鼻腔，膿瘍，腟，皮膚，糞便中に見出されるα溶血性細菌種．この菌は孤立性肝膿瘍をよく起こす．

S. bovis ウシの消化管にみられる細菌種．亜急性心内膜炎例の血液中や心臓の病巣にみられる．

S. constellatus α溶血毒素をもつ細菌種で，扁桃，化膿性胸膜炎，盲腸，鼻，咽頭，歯肉，まれに皮膚や腟において認められる．

S. durans 粉ミルク，ヒトおよび動物の腸管にみられる細菌種．

S. faecalis 糞便連鎖球菌，大便連鎖球菌．＝*Enterococcus faecalis.*

S. intermedius 連鎖球菌の異種起源株の1つで，一般に口腔あるいは上部気道で認められる．分類は一般に発酵パターン，細胞壁の糖組成の解析，糖利用能のパターンによって決められる．＝*Peptostreptococcus intermedius.*

S. lactis 乳連鎖球菌（ミルクおよび乳製品中の汚染菌として普通にみられる細菌種で，ミルクの酸化および凝固の一般的な原因菌．他の多くのグラム陽性菌の発育を抑制する強力な抗生物質であるニシンを産生する種もある）．

S. milleri *S. intermedius* 群を示すために用いられる用語であり，*S. intermedius*，*S.constellatus*，および *S. anginosus* の3つの異なった連鎖球菌種を含む．これらの菌は人の口腔に認められ，菌血症，心内膜炎を含む種々の感染，あるいは中枢神経系，口腔，胸部の感染に関わっている．

S. mitis ヒトの咽腔，咽喉，鼻咽腔にみられる細菌種．通常，病原性はないと考えられるが，亜急性心内膜炎例ではう歯，副鼻腔，血液中および心臓の病変部からしばしば見出される．

S. morbillorum ＝*Peptostreptococcus morbillorum.*

S. mutans ヒトおよびある種の動物の虫歯の生起および亜急性心内膜炎に関連している連鎖球菌の細菌種．

S. pneumoniae 肺炎連鎖球菌（グラム陽性の小槍形をした球菌や双球菌の一種で，しばしば連鎖状に出現し，胆汁酸塩で容易に溶解する．病原型は型特異的な多糖類莢膜に包まれており，これは効果的なワクチンの成分となる．これらの肺炎双球菌類は気道の常在菌で，大葉性肺炎の最も普遍的な原因菌である．また髄膜炎，一般的な肺炎，中耳炎，副鼻腔炎，その他の感染症の比較的普通の病原菌である．かつての双球菌属 *Diplococcus* の標準種）．＝Fraenkel pneumococcus; pneumococcus; pneumonococcus.

S. pyogenes 化膿〔性〕連鎖球菌（ヒトの口腔，咽喉，気道，炎症性滲出液，血流，蜂窩織炎病巣中に見出される細菌の一種．ときにウシの乳房や，病室，病棟，学校，劇場，その他の公共施設のじん埃中に見出される．膿を産生し，致命的な敗血症，壊死性筋膜炎や筋炎を起こす．約85の型のそれぞれに特異的な菌体抗原（M蛋白）も存在する．連鎖球菌属 *Streptococcus* の標準種）．

S. salivarius 唾液連鎖球菌（ヒトの口腔，咽喉，および鼻咽腔中に見出される細菌の一種．歯科疾患にも関連する）．

S. sanguis サングイス連鎖球菌（亜急性細菌性心内膜炎例の心弁上のいわゆるいぼ状腫瘤中に本来みられる細菌種．ときに感染した副鼻腔，歯牙，室内じん埃中に見出される）．

S. viridans ヴィリダンス型連鎖球菌（特別な1つの種ではなく，むしろα型溶血連鎖球菌群全体に用いる名称．ヴィリダンス型連鎖球菌はヒトの口内，小腸，ウマの小腸，牛乳や牛糞，ミルク製品から分離される）．＝viridans streptococci.

strep·to·coc·cus, pl. **strep·to·coc·ci** (strep′tō-kok′ŭs, -kok′sī). 連鎖球菌（連鎖球菌属 *Streptococcus* に属する菌の総称）．

group A streptococci (GAS) A群連鎖球菌（連鎖球菌性咽喉炎，猩紅熱，膿痂疹，丹毒－蜂巣炎，リウマチ熱，急性糸球体腎炎，心内膜炎，A群連鎖球菌性壊死性筋膜炎の原因となる普通にみられる細菌．基本種は *Streptococcus pyogenes*）．

group B streptococci B群連鎖球菌（10－20％の致死率と生存者の大部分に脳障害をもたらす型の新生児敗血症を引き起こす．髄膜炎の原因ともなる）．

hemolytic streptococci 溶血連鎖球菌．＝β-hemolytic streptococci.

α-hemolytic streptococci α型溶血連鎖球菌（血液寒天培地上の集落の部分に緑色の種々の還元ヘモグロビンを形成する連鎖球菌．→*Streptococcus viridans*）．

β-hemolytic streptococci β型溶血連鎖球菌（活性溶血素（OおよびS）を産生し，血液寒天培地上では，その集落の領域内に明白な溶血帯を生じる連鎖球菌類．細胞壁C炭水化物に基づいて各群（A－O）に分ける（→Lancefield *classification*）．A群（ヒトに病原性の系統）は細胞壁M蛋白で決定される50以上の型（アラビア数字で表記する）よりなっている．M蛋白は病原性と密接に関連し，主として粘液性の集落をもった系統により産生される．非病原性の系統は，これに対して平滑な集落をつくる．RとかT（物質T）のような他の表面蛋白抗原，および核蛋白分画（物質P）は重要性が小さいと思われる．β型溶血連鎖球菌の諸系統が生産する20以上の細胞外物質の中には，発赤毒素（溶原性系統のみが生産する），デオキシリボヌクレアーゼ（ストレプトドルナーゼ），溶血素（ストレプトリジンOおよびS），ヒアルロニダーゼおよびストレプトキナーゼなどが含まれる）．＝hemolytic streptococci.

viridans streptococci ヴィリダンス型連鎖球菌．＝*Streptococcus viridans.*

strep·to·dor·nase (SD) (strep′tō-dōr′nās). ストレプトドルナーゼ（連鎖球菌から得られる "dornase"（デオキシリボヌクレアーゼ）．ストレプトキナーゼとともに外科的感染症の際，排膿を容易にさせるために用いる）．

strep·to·fur·a·nose (strep′tō-fūr′ă-nōs). ストレプトフラノース．＝streptose.

streptogramin (strĕp-tō-gram′in). ストレプトグラミン（嚢胞線維症患者の粘稠な肺分泌物を薄くするために，DNAを分解する合成蛋白）．

strep·to·ki·nase (SK) (strep′tō-kī′nās). ストレプトキナーゼ（ある種の連鎖球菌により産生される細胞外蛋白で，プラスミノゲンに結合してプラスミンへの変換を促進するが，それ自体は酵素活性を有しない）．＝plasminokinase; streptococcal fibrinolysin.

strep·to·ki·nase-strep·to·dor·nase (strep′tō-kī′nās strep′tō-dōr′nās). ストレプトキナーゼ－ストレプトドルナーゼ（ストレプトキナーゼ，ストレプトドルナーゼ，その他の蛋白分解酵素を含む純化混合物．凝固血液，滲出物の線維素，および化膿物の蓄積を除くために体腔中への局所適用または注射により血栓除去剤として用いる）．

strep·to·ly·sin (strep-tol′i-sin). ストレプトリジン，連鎖球菌溶血素（連鎖球菌により産生される溶血素）．

s. O ストレプトリジンO（溶血素でβ型溶血連鎖球菌によって産生され，還元状態でのみ溶血活性のあるもの．抗ストレプトリジンOは感染の過程で，診断的意義をもつ）．

Strep·to·my·ces (strep′tō-mī′sēz) [strepto- + G. *mykēs*, fungus]. ストレプトミセス属（非運動性，好気性グラム陽性菌（ストレプトミセス科）の一属で，多分枝性の菌糸を出して成長し，分生子が気中菌糸上に鎖状に産生される．数百の種があり，主として非病原性の土壌菌で，動植物に寄生するものもある．多くは抗生物質を産生する．標準種は *S. albus*）．

S. albus じん埃，土壌，穀類，わらに見出される細菌種．アクチノマイシンを産生する種がいくつかあり，その他の種はチオルチンまたはエンドマイシンを産生する．*Streptomyces*属の標準種．

S. chrysomallus アクチノマイシンF_1，カクチノマイシンおよびダクチノマイシンを産生する細菌種．

S. gibsonii ヒトの感染症にみられる細菌種．＝*Nocardia gibsonii.*

S. hygroscopicus イースター島で分離された土壌細菌で，ラパマイシンの原料となるものを産生する．

S. somaliensis Bouffardi 白色菌腫を引き起こす細菌種．

Strep·to·my·ce·ta·ce·ae (strep′tō-mī′sĕ-tā′sē-ē). ストレプトミセス科（好気性のグラム陽性菌（放線菌目）の一科で，杆菌または球菌型に断片化されない栄養型菌糸を産生し，胞子柄上に分生子をつくる．本来，土壌中に存在するが，腐敗した馬糞中にみられる好熱性のものもある．いくつかの種は寄生性で，多くは抗生物質を産生する．標準属は *Streptomyces*)．

strep·to·my·cete (strep′tō-mī′sēt). *Streptomyces* 属の菌(種)株に用いる一般名．ストレプトミセス科に属するものに誤用されることがある．

strep·to·my·cin (strep′tō-mī′sin). ストレプトマイシン（*Streptomyces griseus* から得られる抗生物質．結核および多数のグラム陽性・陰性菌に対して抗菌力をもつ．ジヒドロストレプトマイシンの形でも用いる(CH_2OH に還元されたストレプトマイシンのアルデヒド)．例外的に結核の治療に使用されることがある．毒性により第八脳神経障害を起こし，聴覚，前庭機能喪失を起こす)．＝streptomycin A.

strep·to·my·cin A (strep′tō-mī′sin). ストレプトマイシン A．＝streptomycin.

strep·to·my·co·sis (strep′tō-mī-kō′sis) [strepto- + G. *mykēs*, fungus + *-osis*, condition]. streptococcemia の古語．

strep·tose (strep′tōs). ストレプトース（まれにL-五炭糖で，ストレプトビオサミンの成分．したがって，ストレプトマイシンの成分でもある)．＝streptofuranose.

strep·to·sep·ti·ce·mi·a (strep′tō-sep′ti-sē′mē-ă). 連鎖球菌性敗血症．＝streptococcemia.

strep·to·thri·cho·sis (strep′tō-thri-kō′sis). ストレプトトリックス症．＝dermatophilosis.

strep·to·tri·chi·a·sis (strep′tō-tri-kī′ă-sis). ＝dermatophilosis.

strep·to·tri·cho·sis (strep′tō-tri-kō′sis). ストレプトトリックス症．＝dermatophilosis.

stress (stres) [L. *strictus*, tight < *stringo*, to draw together]. ***1*** ストレス，侵襲（正常な生理的平衡(ホメオスタシス)を乱そうとする有害な力，感染および種々の異常状態に対する動物体の反応)．***2*** 咬合力（歯科において，歯，周組織，および修復物に，咬合の力によって生じる力)．***3*** 応力（物体あるいは物体の部分の間に加わる力または圧力で，平方インチ当たりのポンド，平方メートル当たりのキログラムなどで示される)．***4*** 応力（レオロジーにおいて，隣接する層へ単位面積当たりに伝えられる物質中の力)．***5*** ストレス（精神医学，心理学において，身体的または生理学的なストレッサーに反応した，異常な精神および感情の状態)．***6*** 心理的ストレスは身体的ストレッサーになり得るし，病気による身体的ストレスも心理的ストレッサーになり得るという意味においてのストレッサーのこと．***7*** ストレス（内分泌学領域では，ホメオスタシスが障害されている状況．ストレッサーがストレスとなっており，それに対する適応反応がホメオスタシスを維持する生命力となっている状況)．

life s. 生活上のストレス（強い緊張を生じる出来事や体験，例えば仕事上の失敗，別居，愛する対象を喪失すること)．

shear s. ずれ応力（ずれのある流れの中で作用する力で，単位面積当たりの力で表される．例えば，CGS 単位系では dyn/cm^2)．

tensile s. 引っ張り応力（身体を伸長するために単位断面積当たりの身体に作用する応力)．

yield s. 降伏応力（Bingham プラスチックにおいてみられるように，流動し始める前に物質に加えられた臨界応力)．

stress break·er (stres brāk′ĕr). 緩圧装置，ストレスブレーカ（固定性あるいは可撤性部分床義歯に付いており，咬合作用により発生する力が支台歯に加わるのを取り除く装置)．

stres·sors (stres′ŏrs, -ōrs). [*stress* + *-or*, agent suffix]. ストレッサー（①個人，企業体，あるいは政府や個人の健康維持系や維持機構に加えられるあらゆる衝動，暴力，または圧力(有害な圧力)．威圧や脅迫により，正常な機能が作用しなくなったり，異常に作動したりする．②内分泌学では，恒常性を乱すあらゆる外力)．

stress ris·er (stres rīz′ĕr). 応力集中部（骨などにおける，例えば穴のような力学的弱点．その部位に応力が集中し，骨などが破損する危険性が増加する)．

stress shield·ing (stres shēld′ing). 応力遮へい(蔽)（挿入物により正常でみられる骨への応力が取り除かれた結果生じた，骨内の骨減少をいう)．

stretch·er (strech′ĕr) [A.S. *streccan*, to stretch]. 担架，ストレッチャー（①通常，4つの柄のついた，枠に張った麻布で，病人や負傷者を運ぶのに用いる担架．②4つの車輪がついたベッド状台車で，患者を輸送するために上部は平坦になっている．通常，病院内で用いられる)．

stri·a, gen. & pl. **stri·ae** (strī′ă, strī′ē) [L. channel, furrow][TA]. ***1***〔線〕条（組織中にあって，色，構造，陥凹または隆起により区別される縞，帯，線条，線)．＝striation (1). ***2*** ＝striae cutis distensae.

acoustic striae 聴〔神経〕条．＝medullary striae of fourth ventricle.

anterior acoustic s. [TA]. 前聴条（腹側蝸牛核から起こり，台形体の一部となって正中線を越え，外側毛帯に合流

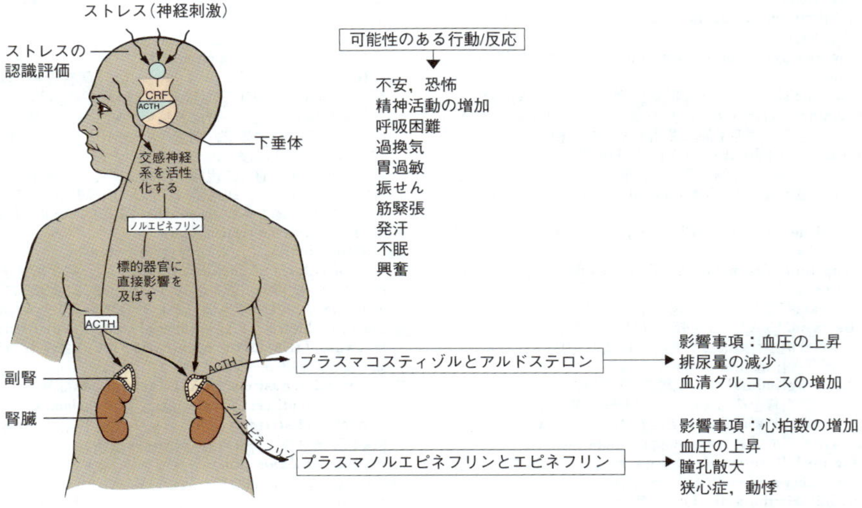

stress response

CRF：副腎皮質刺激ホルモン放出因子．ACTH：副腎皮質刺激ホルモン．

して，大部分が上オリーブ核複合体に終わる神経線維束）．＝s. cochlearis anterior [TA]; ventral acoustic s. [TA].

striae atrophicae 線状〔皮膚〕萎縮〔症〕，萎縮性皮膚線条．＝striae cutis distensae.

auditory striae ＝medullary striae of fourth ventricle.

brown striae 褐色線〔条〕．＝Retzius striae.

s. canina [TA]. ＝canine *groove*.

striae ciliares 毛様体条（毛様体輪の表面にあって，鋸条縁から毛様体突起の間の谷の部分へのびている放射状に配列した浅い溝）．

s. cochlearis anterior [TA]. ＝anterior acoustic s.

s. cochlearis intermedia [TA]. ＝intermediate acoustic striae.

s. cochlearis posterior [TA]. ＝posterior acoustic s.

striae cutis distensae 皮膚萎縮線条，萎縮性皮膚線条（しわの寄った帯条の薄い皮膚で，初めは赤いが紫色と白色となる．通常，思春期や，または妊娠中と妊娠後に腹部，殿部，大腿上に現れ，真皮の萎縮や皮膚の伸展過度による．腹水および Cushing 症候群にも合併して生じる）．＝stria(2) [TA]; atrophoderma striatum; lineae atrophicae; linear atrophy; stretch marks; striae atrophicae; striate atrophy of skin; traction atrophy.

diagonalis s. →Broca diagonal *band*.

s. diagonalis [TA]. ＝Broca diagonal *band*.

s. externa medullae renalis [TA]. ＝outer *stripes* of renal medulla.

s. fornicis ＝medullary s. of thalamus.

Gennari s. (jē-nah′rē). ジェンナーリ線〔条〕．＝*line* of Gennari.

striae gravidarum 妊娠線．

intermediate acoustic striae [TA]. 中間聴条（蝸牛核から起こり，台形体の近くを通るか同側を上行するかでオリーブ周囲核と外側毛帯核に終わる．オリーブ蝸牛路の機能調節をしているものと思われる）．＝s. cochlearis intermedia [TA].

s. of internal granular layer [TA]. 内顆粒層帯（→Baillarger *lines*）.

s. of internal pyramidal layer [TA]. 内錐体層帯（→Baillarger *lines*）.

s. interna medullae renalis [TA]. ＝inner *stripes* of renal medulla.

Knapp striae (năp). ナップ線〔条〕．＝*angioid* streaks.

s. laminae granularis internae [TA]. 内顆粒層帯．＝Baillarger *lines*.

s. laminae molecularis [TA]. 分子層帯．＝*band* of Kaes-Bechterew.

s. laminae pyramidalis internae [TA]. 内錐体層帯．＝Baillarger *lines*.

striae lancisi ランチージ線〔条〕（外側縦条と内側縦条）．

Langhans s. (lahng′hahnz). ラングハンス線〔条〕（妊娠前半期に絨毛膜の絨毛基部に蓄積する線維様物質）．

lateral longitudinal s. [TA]. 外側縦条（帯状回におおわれた脳梁上面の両外側縁近くで，灰白質を伴って前後に走る細い神経線維束）．＝s. longitudinalis lateralis [TA]; s. tecta; tectal s.

s. longitudinalis lateralis [TA]. 外側縦条．＝lateral longitudinal s.

s. longitudinalis medialis [TA]. 内側縦条．＝medial longitudinal s.

s. mallearis [TA]. つち骨条．＝malleolar s.

malleolar s. [TA]. つち骨条（鼓膜に透けて見える明るい線．つち骨柄が付着していることにより形成される）．＝s. mallearis [TA]; mallear stripe.

medial longitudinal s. 内側縦条（脳梁体の表面で正中線の両側を，灰白質を伴って前後に走る細い神経線維の束．外側縦条とともに脳梁体背面の灰白質の一部すなわち灰白層，海馬の痕跡を形成する）．＝s. longitudinalis medialis [TA].

striae medullares ventriculi quarti [TA]. 第4脳室髄条．＝medullary striae of fourth ventricle.

s. medullaris thalami [TA]. 視床髄条．＝medullary s. of thalamus.

medullary striae of fourth ventricle [TA]. 第4脳室髄条（線維の細い束で，第4脳質の上衣性の床の下を正中溝から横に広がり，下小脳脚にはいっている．延髄の弓状核に起始する）．＝striae medullares ventriculi quarti [TA]; acoustic striae; auditory striae; Bergmann cords; medullary teniae; taeniae acusticae.

medullary s. of thalamus [TA]. 視床髄条（細長く稠密な線維の束で，第3脳室の頂天が，左右から視床に付着している付着線に沿ってのびており，後方は手綱核に終わっている．中隔部，前有孔質，外側の視索前核，淡蒼球の内側部由来の線維からなる）．＝s. medullaris thalami [TA]; s. fornicis; s. ventriculi tertii.

s. of molecular layer [TA]. 分子層帯．＝*band* of Kaes-Bechterew.

s. nasi transversa 鼻横線条，鼻横溝（鼻翼の高さにおける，一条の深い水平な溝．他に奇形を伴わない）．＝transverse nasal groove.

Nitabuch s. (nē′tah-buk). ニータブーフ線〔条〕．＝Nitabuch *membrane*.

s. occipitalis [TA]. 後頭葉帯．＝*line* of Gennari.

striae olfactoriae [TA]. 嗅条．＝olfactory striae.

olfactory striae [TA]. 嗅条（目立つ3本の線維帯(内側条，中間条，外側条)で，嗅三角に向かって付属器の向こうの尾方へ嗅索をのばしている．内側嗅条は背側に曲がり，蓋ひもにはいり，中間条は辛うじて見えるが，真っすぐ後ろにのび，嗅結節で終わる．外側嗅条はこの3つの中で最大であるが，嗅結節の外側に沿って島限まで外側に曲がりながら進み，鋭く内側に曲がり，嗅皮質の叢状層で終わる海馬傍回の鉤に達する.→medial longitudinal s.）．＝striae olfactoriae [TA]; olfactory roots.

striae parallelae 平行線〔条〕．＝Retzius striae.

posterior acoustic s. [TA]. 後聴条（背側蝸牛核から起こり，台形体の背側で正中線を越え外側毛帯に合流して，一部が上オリーブ核に終わるが，大部分は中脳下丘に終わるか外側毛帯の核に終わる）．＝s. cochlearis posterior [TA].

striae retinae 網膜線条（①剝離した網膜の表面にみられる同心性の線．②＝Paton *lines*）．

Retzius striae (ret′zē-ŭs). レッチウス線〔条〕（歯のエナメル小柱を横切って走る同心円状の暗い線で，エナメル質の縦・横断面にみられる．石灰化の多様性を示している）．＝brown striae; striae parallelae.

Rohr s. (rōr). ロール線〔条〕（胎盤の絨毛間にみられる線維様物質の層）．

s. spinosa 棘線条（鼓索神経によってつくられるわずかな溝で，ときとして蝶形骨棘にみられる）．＝Lucas groove; sulcus spinosus.

s. tecta ＝lateral longitudinal s.

tectal s. ＝lateral longitudinal s.

terminal s. [TA]. 分界条（細い，稠密な線維の帯で，扁桃(扁桃体)を視床下部および他の基底前脳部と結び付ける．扁桃体に起始し，帯は側脳室の側頭角の天井を尾方に向かう．尾条核の内側で，脳室の中央部(または体)の床を前方に進み，中隔孔に達し，その後壁中を急カーブで下行し，前交連の前と後を通って視床下部にはいる．視床下部の内側を尾方に進みながら，線維帯は，前および腹側内側の視床下部の核に終わる）．＝s. terminalis [TA]; Foville fasciculus; Tarin tenia; tenia semicircularis.

s. terminalis [TA]. 分界条．＝terminal s.

s. vascularis of cochlear duct [TA]. 蝸牛管血管条（蝸牛のラセン靱帯の上部をおおう重層上皮．毛細管に貫かれており，内リンパの産生部位といわれている）．＝s. vascularis ductus cochlearis [TA]; psalterial cord; vascular stripe.

s. vascularis ductus cochlearis [TA]. 蝸牛管血管条．＝s. vascularis of cochlear duct.

ventral acoustic s. [TA]. ＝anterior acoustic s.

s. ventriculi tertii ＝medullary s. of thalamus.

Wickham striae ウィッカム線条（扁平苔癬の丘疹の表面に網状に配列した細い白みがかった線条）．

striae of Zahn (zŏn). ツァーン線〔条〕．＝*lines* of Zahn.

stri·a·tal (strī-ā′tăl). 線条体の．

stri·ate (strī′āt) [L. *striatus*, furrowed]. 線条のある，縞のある，横紋のある．

stri·a·tion (strī-ā′shŭn). ***1*** 線〔条〕．＝stria (1). ***2*** 線紋，条

痕，層紋（線条のある外観）．*3* 線条を付けること，線入れ．

basal s.'s 基底線条（管腔に接する基底細胞の管腔側の原形質膜が，管腔の長軸に垂直に細胞の中心に向かって核の近くまで無数に繰り返し折り込まれて，そのひだの間にミトコンドリアが縦に並んで形成される縞状の構造物．腎尿細管や線状導管として知られる唾液腺の腺房内導管にみられる）．

tabby cat s. 虎斑状模様．＝tigroid s.

tigroid s. 虎様線紋（脂肪の変性を起こした心筋上の直線の白色または黄色の斑紋）．＝tabby cat s.

stri·a·to·ni·gral (strī′ă-tō-nī′grăl)．線条体黒質の（線条体から黒質への遠心性結合についていう）．

stri·a·tum (strī-ā′tŭm)［L. *striatus*(furrowed)の中性形］［TA］．線条（尾状核と被殻との包括名称．両者に淡蒼球を合わせて線条体が形成されている）．＝neostriatum*．

dorsal s.［TA］．背側線条（尾状核，特に被殻のうち前交連より上にある部分で，背側基底核ともよばれ，知覚情報に対する運動性反応機能に関わると思われる）．＝s. dorsale［TA］．

s. dorsale［TA］．＝dorsal s.

ventral s.［TA］．腹側線条（尾状核のうち前交連より下にある部分で，中隔側坐核と嗅隆起の核を含み情動的衝動的行動に関わると思われる）．＝s. ventrale［TA］．

s. ventrale［TA］．＝ventral s.

stric·ture (strik′chūr)［L. *strictura* < *stringo*, pp. *strictus*, to draw tight, bind］．狭窄〔症〕（中空の構造の限局性狭小化あるいは狭窄で，通例，瘢痕性拘縮や異常組織の沈積によって起こる）．

anastomotic s. 吻合部狭窄〔症〕（通常，瘢痕形成による吻合線の狭窄）．

anular s. 輪状狭窄〔症〕（管壁を包囲する環状の狭窄）．

bridle s. 拘束性狭窄〔症〕（管の狭細で，その内腔の一部を横切ってのびる組織の帯により起こる）．

contractile s. 収縮性狭窄〔症〕．＝recurrent s.

functional s. 機能的狭窄〔症〕．＝spasmodic s.

organic s. 器質性狭窄〔症〕（瘢痕性，または他の新組織の存在による，強直性ではない狭窄）．＝permanent s.

permanent s. 永久狭窄〔症〕．＝organic s.

recurrent s. 再発性狭窄〔症〕（拡張されるが，すぐ元に戻る収縮組織の存在による狭窄）．＝contractile s.

spasmodic s. 痙性狭窄〔症〕（管壁中の筋線維の局所的強直による狭窄）．＝functional s.; temporary s.

temporary s. 一時性狭窄〔症〕．＝spasmodic s.

urethral s. 尿道狭窄〔症〕（尿道の狭窄病変．通常は炎症あるいは医原性の器具挿入による．尿道口径が小さくなる．尿道狭窄は部分的か尿道の全長にわたることもある）．

stric·tur·o·plas·ty (strik′chūr-o-plas′tē)［stricture + G. *plastos*, formed］．狭窄形成術（切開と閉鎖の方向を反対にすることにより狭窄部分を広げる術式）．

stric·tur·o·tome (strik′chūr-ō-tōm)．狭窄切開刀（狭窄を切開するために用いる器具）．

stric·tur·ot·o·my (strik′chūr-ot′ŏ-mē)［stricture + G. *tomē*, incision］．狭窄切開〔術〕．

stri·dent (strī′dĕnt)［L. *stridens*: *strideo*(to creak)の現在分詞］．甲高い，ぜん音の，ぜん鳴の（耳ざわりな聴診上の音またはラ音を示す）．

stri·dor (strī′dōr)［L. a harsh, creaking sound］．ぜん鳴，ぜん音（風の吹くような高い調子の騒がしい呼吸．特に気管または喉頭の気道閉塞の徴候）．

congenital s. 先天性ぜん音（出生時または出生後最初の数か月にみられる鳴き声様の吸息．はっきりした原因がなく起こることがあり，また，ときに喉頭蓋または披裂の異常な弛緩によって起こる）．＝laryngeal s.

s. dentium 歯ぎしり．

expiratory s. 呼気性ぜん鳴，呼気性狭窄音（空気の漏れに抵抗をするほぼ閉鎖した声帯ひだや気管または気管支狭窄による歌うような音）．

inspiratory s. 吸気性ぜん鳴（特に喉頭蓋または喉頭の上気道を含む病変による呼吸の吸気相の大きな音）．

laryngeal s. 喉頭〔性〕ぜん鳴，喉頭ぜん音．＝congenital s.

s. serraticus のこぎり様ぜん鳴，鋸音様ぜん音（のこぎりの音に似た粗いきしむような音）．

strid·u·lous (strid′yū-lŭs)［L. *stridulus* < *strideo*, to creak, to hiss］．ぜん鳴の，ぜん音の（キーキー，ギシギシするような音についていう）．

string (string)．ひも，弦線（細長いコードまたはコード様の構造）．

auditory s.'s 聴線維束（蝸牛管基底膜の櫛状帯にある平行線維束．長さは基底部の 64 μm から先端部の 480 μm まで変異がある）．

stri·o·la (strī′ō-lă)［L. *stria*, stripe + 指小接尾辞 *-ola*］．ストリオーラ（最も長い不動毛と運動毛の向きが変わる，卵形嚢斑の狭い中心部）．

strip (strip)［A.S. *strypan*, to rob］．*1*〘v.〙尿道のような柔軟な管に沿って指を走らせ，その内容物を絞り出す．＝milk (4)．*2*〘n.〙静脈抜去〔術〕，ストリップ法（静脈の縦軸における皮下切除．剝離器 stripper によって行う）．*3*〘n.〙細片（かなり長く，幅が一定した狭い片）．

abrasive s. 研磨ストリップ（片側に研磨材が接着されているリボン状の布．歯科において，修復物隣接面の形成および研磨に用いる）．

amalgam s. アマルガムストリップ（研磨材の付いていない布製ストリップで，新たにアマルガム修復を行うとき，滑らかな隣接面形成のために用いる）．

celluloid s. セルロイドストリップ（歯の隣接面窩洞にセメントや樹脂を充塡するときに用いる透明なプラスチックのストリップ）．

lightning s. 研磨用ストリップ（片面に研磨材を付着させたストリップ．修復物の粗雑で不適当な隣接面の接触を開くために用いる）．

stripe (strīp)［M. E.］．*1* 縞，横紋，線〔条〕（解剖学において用いる）．*2* 索状陰影，線状陰影（X 線像において，画像の隣接する部分の濃度と異なる濃度の線状の陰影で，通常は胸膜あるいは腹膜のような平面的な構造物の接線方向の像．→psoas *margin*）．

s. of Gennari (jē-nah′rē)．ジェンナーリ線〔条〕．＝*line* of Gennari.

Hensen s. (hen′sĕn)．ヘンゼン線〔条〕（蝸牛管の蓋膜の下面にみられる帯）．

inner s.'s of renal medulla［TA］．腎髄質の内放線（腎髄質外側の深い中央寄りにあり新鮮標本の矢状断面でよく見える．内放線は尿細管の太い部分も細い部分も横切っているので外放線と区別できる）．＝stria interna medullae renalis［TA］．

mallear s. つち骨状線〔条〕．＝malleolar *stria*.

Mees s.'s (mēs)．ミーズ(ミース)線〔条〕．＝Mees *lines*.

occipital s.［TA］．後頭葉帯．＝*line* of Gennari.

outer s.'s of renal medulla［TA］．腎髄質の外放線（腎髄質外側の浅い辺縁よりにあり新鮮標本の矢状断面でよく見える．外放線は尿細管の太い部分のみを横切っているので内放線と区別できる）．＝stria externa medullae renalis［TA］．

pleural s. 胸膜線条，胸膜索状陰影．＝pleural lines.

tracheal wall s. 気管線条．

vascular s. ＝*stria* vascularis of cochlear duct.

strip·per (strip′ĕr)．抜去器，剝離器（組織(通常は静脈瘤)を除去するのに用いる器具）．

vein s. 静脈抜去器(剝離器)（一方の端に静脈を縛りつけ引っ張ることによって分枝を引きちぎりながら静脈を体外に抜去する器具．次頁の図参照）．

strip·ping (strip′ing)．除去，剝離（外皮を除去することが多い）．

membrane s. 卵膜剝離（頸管に手指を挿入して卵膜を子宮下部から剝離すること．Ferguson 反射の誘発，脱落膜からのプロスタグランジン分泌を促し分娩を促進する）．

Strisower (strī′sow-ĕr)．→Schellong-S. *phenomenon*.

stro·bi·la, pl. **stro·bi·lae** (strō′bi-lă, -lē)［G. *strobilē*, a twist of lint］．ストロビラ，片節連体（条虫の頭節と片節のない頸の部分以外の片節のつながりをいう．単節条虫亜綱に属する条虫類や条虫亜綱のいくつかの種のような個虫からなる条虫では単一の片節からなる）．

stro·bi·lo·cer·cus (strō′bi-lō-sĕr′kŭs)［G. *strobilē*, a twist of lint + *kerkos*, tail］．片節嚢尾虫，横分尾虫（嚢尾虫形をしたテニア属条虫の幼虫であるが，明確な分節をもつ頸，小さな末端の嚢，および反転した頭節をもつ．これは *Cysticer-*

S

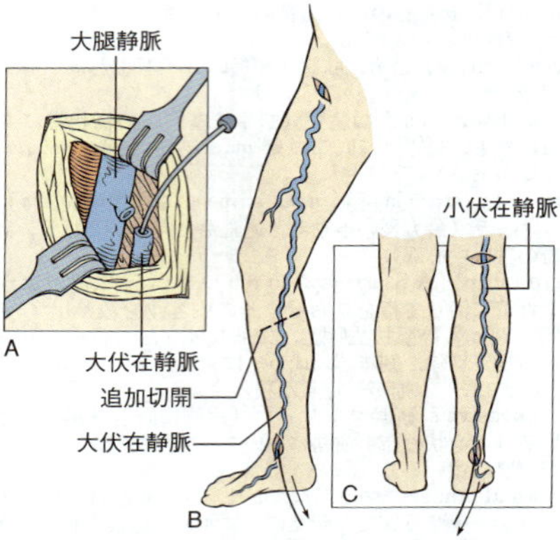

stripping of the saphenous veins

A：伏在静脈の分枝を結紮し，大伏在静脈は大伏在-大腿静脈接合部で結紮．B：静脈抜去器は足関節から鼡径部に向かって挿入し，静脈を上方から下方へと抜去する．C：小伏在静脈は，その膝窩静脈との接合部から外踝の後部へと抜去する．

cus fasciolaris とよばれる *Taenia taeniaeformis* の幼虫型である）．

stro·bi·loid (strō′bi-loyd) [G. *strobilē*, strobile + *eidos*, resemblance]．条虫の片節連体に似た．

stro·bo·scope (strō′bō-skōp)．ストロボスコープ（一定の周期で断続的な内光をつくり出す電気器具で，大脳皮質の電気的活性に影響を与えるために用いる）．

stro·bo·scop·ic (strō′bō-skop′ik) [G. *strobos*, a twisting around < *strephō*, to twist + *skopeō*, to view]．ストロボスコープの（迅速に連続する一連の視覚的刺激により生じる，緩慢なあるいは加速された運動錯覚についていう）．

stro·bos·co·py (strō-bos′kŏ-pē)．ストロボスコピー（断続的に照明を使うことで行われる内視鏡検査．声帯が動く周波数に近い周波数で照明することで，静止しているかのように見える．声帯の構造や動きの分析に有用である）．

---

stroke (strōk) [A.S. *strāc*][MIM*601367]．***1***〚n.〛脳卒中（脳血流の障害と関連して起こる急性で臨床的な出来事すべてをさし，24 時間以上継続する）．***2***〚n.〛発作（人体に影響を及ぼす有害な電撃放出）．***3***〚n.〛拍動，脈拍．***4***〚v.〛なでる，さする（→stroking）．***5***〚n.〛なでつけ，さすり（ものの表面の上を滑らせる動作）．

血流障害に起因する急性の神経学的脱落症状で，24 時間以内に寛解するものは一過性脳虚血発作（TIA）とよばれ，大多数は 15—20 分継続するに過ぎない．対照的に，脳卒中は不可逆的な脳障害を含み，症状の型と重症度は血流障害の及ぶ脳組織の局在と程度による．転帰は軽度の障害から急速に昏睡となり死に至るまで種々である．米国の成人の死因において，虚血性心疾患，癌に次いで第 3 位にランクされる．年間約 60 万の人々が脳卒中に罹患し，その約1/4は死亡する．人口の 300 万は脳卒中からの生存者である．脳卒中は米国経済にとって，1年間で400億ドル以上の負担となる．前代における発症率は徐々に低下してきている．危険因子は高血圧，心臓弁膜症，人工弁の存在，心房細動，左室機能障害，高脂血症，糖尿病，喫煙，閉塞性睡眠時無呼吸，脳卒中または一過性脳虚血発作の既往歴，および脳卒中の家族歴である．さらに最近の研究により，長期エストロゲン補充，血清ホモシステイン上昇，葉酸とピリドキシン（ビタミンB_6）の血中レベル低下，歯根膜疾患，慢性気管支炎はすべて独立した危険因子であることが明らかとなっている．虚血性の脳卒中は 85 %を占め，脳主幹動脈のアテローマ血栓か脳塞栓に起因する．まれな原因として非アテローマ血栓性病変か血液凝固性の疾患がある．神経組織の高度で急激な虚血は細胞性変化（カルシウム流入やプロテアーゼの活性化）の引き金となり，たちどころに不可逆性障害（梗塞）の原因となる．虚血帯の周辺にはいわゆる虚血のペナンブラとよばれる電気生理学的に活動を停止した組織が存在するが，早期の再灌流により可逆性になることもある．虚血性脳卒中の死亡率は発症後 30 日以内で 15—30 %である．出血性梗塞は別の 15 %を占め，予後不良で発症後 30 日以内の死亡率は 40—80 %となる．アポリポ蛋白 E 遺伝子の e2 または e4 対立遺伝子の保有者は，脳内出血の危険が高い．脳血流の高度低下と広範な組織壊死を起こした虚血性梗塞の大部分を含む，虚血性梗塞の約30%の症例では最終的に出血性梗塞となる．脳卒中患者の診断においては，病歴，理学的検査，凝固系を含む血液学的検査，血液生化学，心電図，画像検査にて評価する．虚血性脳卒中と出血性脳卒中の鑑別，クモ膜下出血の同定には単純頭部 CT が第 1 選択の検査であるが，MRI は実質内出血，虚血早期，梗塞早期ではより感度が高く，脳幹や小脳を評価するのにより有用で，非血管性の基礎疾患の検出にもより有用である．最初に脳卒中と考えられた患者の約 20 %が他の疾患であることが確認され，同様に 20 %の脳卒中患者が救急部の初診時に見逃されている．早期の積極的な治療が脳組織損傷の進行を防ぎ，良好な転帰を得るためには重要である．虚血性脳卒中において，血管を閉塞した血栓溶解の目的で用いられる発症 3 時間以内の組織プラスミノゲンアクチベータ（TPA）の静脈内投与は，全体で 90 日後の転帰を改善することが明らかになっている．血栓溶解療法において，出血性梗塞を除外する必要がある（ときに現在の画像診断では困難である）ことと，治療自体が出血を助長するという事実が使用を制限する要因となっている．TPA 以外の血栓溶解剤は効果が低いばかりでなく，より出血の原因となりやすい．脳卒中急性期において，呼吸と循環や輸液や電解質バランスと栄養の管理はきわめて重要である．低体温やヘパリンの静注とマグネシウムもまた選択された症例では転帰を改善する．長期予後は積極的で継続した理学療法とリハビリテーションに依存するといっても差し支えない．脳卒中患者の約 40 %はうつ状態となり，認知障害が悪化し，回復が遅れる．脳卒中予防において，積極的な高血圧（相対的危険減少30—50%），高脂血症（30—40%），糖尿病の管理，禁煙，リスクの高い患者では薬物的な予防が効果的な方法である．アスピリン（アセチルサリチル酸）の予防的投与はトロンボキサン A_2 抑制により血小板凝集を妨げる．5 万例以上を含む無作為対照試験のメタアナリシスによると，低容量アスピリン（81—325mg/ 日）は虚血性脳卒中のリスクを 1 万人で 39 発作に減少せしめたが，出血性脳卒中を 1 万人で 12 発作に増加させた．他の研究ではアスピリンの高容量（1.3g/ 日を分けて処方）は，男性のみ虚血性脳卒中を予防できたが女性ではできなかった．これは女性で，天然に存在し血小板凝集抑制作用のあるプロスタサイクリンをアスピリンが抑制することを示唆している．他の抗血小板作用のある薬物（clopidogrel, ticlopidine）による予防は，男女とも同様に効果的で少なくともアスピリンと同等の保護効果を有している．非弁膜症性の心房細動では warfarin の予防的投与が脳卒中のリスクを 2/3 に減少させる．70%以上の頸動脈狭窄がある患者では，頸動脈内膜剝離術が脳卒中のリスクを明らかに減少させる．National Stroke Association（米国脳卒中協会）は，脳卒中という用語の代わりに heart attack（心臓発作）に類似して親しみやすい brain attack（脳発作）の採用を推奨しており，病巣の局在と迅速な診断と治療の必要性に関して公衆への啓蒙活動を強調している．→tissue plasminogen *activator*.

---

effective s. 有効運動（線毛の急速な前方への運動）．
heart s. 心〔臓〕拍動（心尖胸壁に対する衝撃）．
heat s. 熱射病（→heatstroke）．
recovery s. 回復運動（線毛の緩徐な元に戻る運動）．
spinal s. 脊髄卒中（血液供給の障害により，局所脊髄機能障害が突発すること）．

sun s. 日射病（→sunstroke）.
working s. ワーキングストローク（ミオシンが収縮周期にアクチン分子を引っ張る距離）.

strok·ing (strōk′ing). 愛撫的態度（発達過程にある人間すべてがもっている，生体心理学的基本欲求を満たすためのもので，乳児に対しては非言語的ななでたりする愛育的態度であり，また幼児や成人の場合は自他に対して，言語的あるいは非言語的に与えられる受容・保証・陽性強化刺激などがそうである．このような愛撫的態度が欠如していたり誤っていると，いろいろな精神病理学的状態が生じてくるとされる）.

stro·ma, pl. **stro·ma·ta** (strō′mă, strō′mă-tă)［G. *strōma*, bed］.［stoma または struma と混同しないこと］. ***1*** 支質（器官，腺またはその他のものの枠組みで，通常は結合組織でつくられている．実質あるいはその部位に特異的で固有なものとは区別される）. ***2*** ストロマ，基質（葉緑体の水相，すなわち葉緑体基質）. ***3*** ミトコンドリアマトリックスを示す古語. ***4*** 真菌において，からみ合った菌糸の集塊をさす．ここで子実体が発育する.
s. glandulae thyroideae 甲状腺支質. =s. of thyroid gland.
s. iridis 虹彩支質. =s. of iris.
s. of iris 虹彩支質（繊細な血管に富んだ結合組織で，虹彩の前面と網膜虹彩部の間に存在する）. =s. iridis.
lymphatic s. リンパ支質（細網線維とそれに付属するリンパ組織の細胞とでつくっている網状構造）.
nerve s. 神経間質，神経支質（末梢神経線維を支持する結合組織．神経内膜，神経周膜，神経上膜よりなる）.
s. ovarii 卵巣支質. =s. of ovary.
s. of ovary 卵巣支質（髄質の線維性組織）. =s. ovarii.
Rollet s. (rol′ĕt). ロレット支質（赤血球の無色の支質）.
s. of thyroid gland 甲状腺支質（小葉や小胞を支えている結合組織）. =s. glandulae thyroideae.
s. of vitreous 硝子体支質（硝子体構造の繊細な枠組みで，硝子体液の中に埋まっている，あるいは閉じ込められている）. =s. vitreum.
s. vitreum 硝子体支質. =s. of vitreous.

stro·mal (strō′măl). 間質の，基質の，支質の（器官または他の構造の基質についていう）. =stromic.

stro·ma·tin (strō′mă-tin). ストロマチン（赤血球支質の不溶性蛋白）.

stro·ma·tol·y·sis (strō′mă-tol′i-sis)［stroma + G. *lysis*, dissolution］. 間質溶解，支質溶解（赤血球のような細胞のエンベロープ膜の溶解）.

strom·ic (strōm′ik). =stromal.

strom·uhr (strōm′ūr)［Ger. *Strom*, stream + *Uhr*, clock］. 流量計，血流計（血管中を単位時間当たり流れる血液の量を測定するための器具）.
Ludwig s. (lūd′vig). ルートヴィヒ流量計（血管中の血流量の測定のために最初にできた装置の1つ）.
thermo-s. 熱電血流計（→thermostromuhr）.

Strong (strong), Edward K., Jr. 米国人心理学者，1884―? →S. vocational interest *test*.

stron·gyle (stron′jil)［G. *strongylos*, round］. 円虫（円虫類に属する線虫の一般名）.

Stron·gyl·i·dae (stron-jil′i-dē)［→*Strongyloides*］. 円虫科（腸結節虫属 *Oesophagostomum* と *Strongylus*属を含む寄生線虫類(円虫目)の一科）.

Stron·gy·loi·de·a (stron′ji-loy′dē-ă)［→*Strongyloides*］. 円虫上科（*Ancyclostoma*属，*Necator*属，*Ostertagia*属，*Haemonchus*属，*Strongylus*属ばかりでなく家禽の開嘴虫，肉食類の肺虫，ヒトや家畜の重要な寄生蠕虫をも含む寄生線虫類の上科）.

Stron·gy·loi·des (stron′ji-loy′dēz)［G. *strongylos*, round + *eidos*, resemblance］. ストロンギロイデス属，糞線虫属（杆線虫上科の小型の寄生線虫の一属で，通常，哺乳類(特に反すう類)の小腸に見出される．本属は1ないし数回の自由生活性の成虫世代を含む，珍しい生活環を特徴としている．ヒトの感染は主に熱帯地域全域に分布するヒト小形線虫である糞線虫 *S. stercoralis*，あるいは熱帯アフリカと熱帯アジアにおけるヒト以外の霊長類および熱帯アフリカのヒトに寄生するサル糞線虫 *S. fuelleborni* によって起こる．サル糞線虫の亜種である *S. F. kellyi* はニューギニアにみられ，そこでは広範な感染症を起こす．恐らく乳汁伝播によって感染を受けた2か月齢の乳児における致死的な感染が，地域的に腹部膨満症 swollen belly disease あるいは腹部膨満症候群 swollen belly syndrome として知られている症状を起こし，これらの乳児に例外なく致死的である著明な腹部腫張を引き起こす．その他の種としてウシ，ヒツジ，ヤギにみられる乳頭糞線虫 *S. papillosus*，ブタのランソン糞線虫 *S. ransomi* がある）. =threadworm.

stron·gy·loi·di·a·sis (stron′ji-loy-dī′ă-sis). 糞線虫症（処女生殖をする寄生性の雌と考えられている糞線虫属 *Strongyloides* の線虫による土壌を介した感染症．土壌にはいり込んだ幼虫は4段階の幼虫期を経て自由生活性の成虫に発育するか，一期と二期の自由生活期段階を経て，感染性をもつ三期幼虫である円虫型もしくはフィラリア型とよばれる幼虫に発育し，皮膚に侵入するか飲料水経由で頬粘膜に侵入する．感染は土壌中で発育した新世代の幼虫(間接サイクル)，成虫期の介在なしに発育した感染幼虫(直接サイクル)，あるいは宿主腸管内容物中で直接発育した幼虫が粘膜に侵入し，血液から肺を経る体内移行後に腸に戻ること(自家再感染)により生じる．ヒトの重症例あるいは大部分の致死例は自家再感染が原因であるが，これは一般に，ステロイド，副腎皮質刺激性物質，または他の免疫抑制剤による免疫抑制に続発する．また，自家再感染はエイズ患者にも起こる）. =strongyloidosis.

stron·gy·loi·do·sis (stron′ji-loy-dō′sis). =strongyloidiasis.

stron·gy·lo·sis (stron′ji-lō′sis). 円虫症（線虫類の一種である円虫 *Strongylus* の感染によって起きる病気．この寄生虫に起因する炎症性障害，小結節形成，血管閉塞の結果生じる疝痛(寄生虫性動脈炎を原因とする疝痛)などウマへの影響は多岐にわたる）.

S

Stron·gy·lus (stron′ji-lus)［G. *strongylos*, round］. ストロンギルス属，円虫属（円虫科円虫亜科の多くの円形線虫の一属．ウマおよび他のウマ科動物に寄生し，ストロンギルス感染症を起こす）.
S. asini ロバおよび他の野生ウマ科動物の大腸に寄生する種.
S. edentatus 無歯円虫（ウマ，ロバ，ラバ，シマウマの盲腸や結腸に寄生する吸血性の種）.
S. equinus ウマ円虫（ウマ，および他のウマ科動物の盲腸と(まれに)結腸に寄生する吸血性の種で，全世界に分布する）.
S. radiatus =*Cooperia oncophora.*
S. ventricosus =*Cooperia oncophora.*
S. vulgaris 普通円虫（主にウマおよび他のウマ科動物に寄生する吸血性円虫で，体内移行時に，通常，幼虫は後部大動脈壁に侵入・破壊し，特に前腸間膜動脈に好発する寄生性動脈瘤を形成する）.

stron·ti·um (Sr) (stron′shē-ŭm)［*Strontian*, a town in Scotland］. ストロンチウム（金属元素．原子番号38，原子量87.62．アルカリ土類金属の1つで，化学的・生物学的性質はカルシウムに類似する．ストロンチウムの各種の塩は陰イオンのために治療に用いる(例えば，臭化ストロンチウム，ヨウ化ストロンチウム，乳酸ストロンチウム)）.

stron·ti·um 85 (^{85}Sr) (stron′shē-ŭm). ストロンチウム85（半減期が64.84日のストロンチウムの放射性同位体．骨の画像検査に用いる）.

stron·ti·um 87m (^{87m}Sr) (stron′shē-ŭm). ストロンチウム87m（半減期が2.80時間のストロンチウムの放射性同位体．骨の画像検査に用いる）.

stron·ti·um 89 (^{89}Sr) (stron′shē-ŭm). ストロンチウム89（ストロンチウム放射性同位元素．50.52日の半減期をもつベータ放射体．身体によるストロンチウムの吸収，骨中へのストロンチウムの取り込みの研究のような研究活動においてトレーサとして用いる）.

stron·ti·um 90 (^{90}Sr) (stron′shē-ŭm). ストロンチウム90（ストロンチウム放射性同位元素．半減期が29.1年のベータ放射体．ウランの核分裂生成物質の主要成分(約5%)．物質交代が遅い骨組織に取り込まれる．いくつかの眼の異常(例えば翼状片)の治療に使用される）.

stro·phan·thin (strō-fan′thin). ストロファンチン（*Strophanthus kombe* から得られる配糖体または配糖体の混合物．現在では用いられない，ウアバインのような強心薬．きわめて毒性が強い）.

Stro·phan·thus (strō-fan′thŭs)［G. *strophos*, a twisted cord

＋*anthos*, flower］．ストロファンツス属（東アフリカのキョウチクトウ科つる植物の一属．*S. kombe* または *S. hispidus* の乾燥種子は強心配糖体ストロファンチンを含み，矢毒として用いられた．*S. gratus* の種子はウアバインの原植物）．

stroph·o·ceph·a·ly (strof′ō-sef′ă-lē)［G. *strophē*, a twist ＋ *kephalē*, head］．捻転頭奇形（先天的にねじれた頭と顔を特徴とする症状で，単眼症と口腔部の奇形を伴う傾向がある）．

stroph·o·so·mi·a (strof′ō-sō′mē-ă)［G. *strophē*, a twist ＋ *sōma*, body］．回旋奇形体（先天性腹壁披裂形成の重篤なもので，ヒトにはきわめてまれである）．

struc·tu·ra (strūk-tū′ra)．＝structure.

structurae oculi accessoriae［TA］．＝accessory visual *structures*.

struc·tur·al (strŭk′chūr-ăl)．構造の．＝anatomic (2).

struc·tur·al·ism (strŭk′chūr-ăl-izm)．構造主義（意識の基本構造と要素に関連する心理学の一分科）．

struc·ture (strŭk′chūr)［L. *structura* ＜ *struo*, pp. *structus*, to build］．＝structura. ***1*** 構造，構成．***2*** 構造物，組織（個々には異なるが，関連のある部分から構成されているもの）．***3*** 化学構造（特定の分子内における原子の特異的結合）．

accessory s.'s［TA］．副器官（主要臓器または主要構造に付加される部分）．＝accessory organs (1); adnexa; annexa.

accessory visual s.'s［TA］．副眼器（眼瞼，睫毛，眉毛，涙器，結膜嚢，および外眼筋からなる眼球付属器）．＝structurae oculi accessoriae［TA］; accessory organs of the eye; accessory visual apparatus; adnexa oculi; appendages of eye; organa oculi accessoria.

brush heap s. ブラッシュヒープ構造（ゲルまたはヒドロコロイド状物質中の原線維の不規則な組合せ）．

chi s. カイ構造（2個のDNA二本鎖分子間の結合部位．→chi *sequence*）．

cointegrate s. 共統合構造，融合体構造（2個のレプリコンの融合によってつくられるDNA構造．トランスポゾンをもっている）．

complementary s.'s 相補的構造（お互いに規定された構造．例えば，二本鎖DNAの2個の鎖）．

crystal s. 結晶構造（結晶中の空間配置および原子の原子内距離および角度で，通常，X線回折測定により決定される）．

denture-supporting s.'s 義歯維持構造（可撤性部分床または総義歯に対する基礎の役割をもつであろう組織，歯，および残存顎堤）．

fine s. 微細構造．＝ultrastructure.

gel s. ゲル構造（ヒドロコロイドに固さを与える原線維のブラッシュヒープ構造）．

Holliday s. (hol′ĭ-dā)．＝Holliday *junction*.

primary s. 一次構造（高分子において，その高分子を形成しているサブユニットの配列．例えば，蛋白のアミノ酸配列）．

quaternary s. 四次構造（多重体(すなわち，より多い生体高分子をもっている)からなる高分子の三次元の配置または構成．例えば，ヘモグロビンAの $\alpha_2\beta_2$ 四量体）．

secondary s. 二次構造（生体高分子の領域の空間での局所的配置．これらの二次構造はしばしば一次元に規則的で繰返し構造である．例えば，α らせんは蛋白中に見出される）．

tertiary s. 三次構造（生体高分子の三次元配置）．

tuboreticular s. 網状管構造（滑面小胞体腔中に存在する長さ20—30 nmの細管．SLEのような結合織疾患や様々な癌，ウイルス感染でみられる）．

stru·ma, pl. **stru·mae** (strū′mă, -mē)［L. a scrofulous tumor ＜ *struo*, to pile up, build］．［stromaと混同しないこと］．***1*** 甲状腺腫．＝goiter. ***2*** 以前は組織の拡大を意味するのに用いた語．

s. aberrata 副甲状腺腫．＝aberrant *goiter*.

s. colloides 膠質性甲状腺腫．＝colloid *goiter*.

Hashimoto s. (hah-shē-mō′tō)［MIM*140300］．橋本甲状腺腫．＝Hashimoto *thyroiditis*.

ligneous s. 木質様甲状腺腫．＝Riedel *thyroiditis*.

s. lymphomatosa リンパ〔腫〕性甲状腺腫．＝Hashimoto *thyroiditis*.

s. maligna 甲状腺の癌を表す現在では用いられない語．

s. medicamentosa 薬剤性甲状腺腫（治療薬の使用などにより起こる甲状腺腫）．

s. ovarii 卵巣甲状腺腫（まれな卵巣腫瘍で，奇形腫と考えられ，その中では他の要素よりも甲状腺組織が大部分を占める．ときに甲状腺機能亢進を伴う）．

Riedel s. (rē′del)．リーデル甲状腺腫．＝Riedel *thyroiditis*.

stru·mi·form (strū′mi-fōrm)［struma ＋ L. *forma*, form］．甲状腺腫状の．

stru·mi·tis (strū-mī′tis)［struma ＋ G. *-itis*, inflammation］．甲状腺〔腫〕炎（甲状腺の腫脹を伴う炎症．→thyroiditis）．

stru·mous (strū′mŭs)．甲状腺腫の．

Strüm·pell (shtrēm′pĕl), Ernst Adolf von．ドイツ人医師，1853 — 1925．→S. *disease*, *phenomenon*, *reflex*; Fleischer-Strümpell *ring*; S.-Marie *disease*; Marie-S. *disease*.

Strutt (strŭt)．→Rayleigh.

stru·vite (strū′vīt)［H.C.G. von Struve ロシア人外交官 ＋ -ite］．ストルビット（リン酸アンモニウムマグネシウムの6水和物．いくつかの腎石に見出される．*cf.* bobierrite; newberyite）．

strych·nine (strik′nīn, -nēn)．ストリキニン，ストリキニーネ（ストリキニーネノキ *Strychnos nux-vomica* から得られるアルカロイド．強い苦味をもつ無色結晶．水にはほとんど不溶．中枢神経系のあらゆる部分を刺激し，健胃薬，解毒薬，および心筋炎の治療に用いた．抑制性神経伝達物質であるグリシンをブロックするために痙攣発作を起こすことがある．以前用いられたストリキニン塩は，塩酸ストリキニン，リン酸ストリキニン，および硫酸ストリキニン．ヒトまたは動物に急性または慢性中毒を起こしうる強力な化学物質）．

strych·nin·ism (strik′nin-izm)．ストリキニン中毒（慢性ストリキニン中毒で，中枢神経系刺激による症状がみられる．最初の徴候は振せんおよび攣縮で，重症の痙攣および呼吸停止へと進行する）．

Strych·nos (strik′nos)［G. nightshade］．ストリクノス属（フジウツギ科の一属で熱帯の低木または高木．南アメリカ種はほとんど，主として四級アミンの筋神経遮断作用を有するアルカロイドを産生する．アフリカ，アジア，およびオーストラリアの種は三級アミンのストリキニン様アルカロイド（ストリキニーネ，ブルチン，ヨヒンビンなど）を含有する）．

Stry·ker (strī′kĕr), Garold V．米国人病理学者，1896—？→S.-Halbeisen *syndrome*.

Stry·ker (strī′kĕr), Homer H．米国人整形外科医．→S. *frame*, *saw*.

STS serologic test for syphilis(梅毒血清検査)の略.

STSs sequence-tagged *sites* の略．

Stuart (stū′ărt)．S. *factor* または S.-Prower *factor* として初めて報告された患者の姓．

Stu·dent (stū′dĕnt)．英国人統計・化学者 William Sealy Gosset (1876—1937)のペンネーム．→S. *t test*.

stud·y (stŭd′ē)［L. *studium*, study, inquiry］．研究，学問（有機体，物体，あるいは現象の研究・詳細な調査・分析）．

analytic s. 分析的研究（疫学研究において，人口に膾炙したり仮説として提示されている因果関係を検証するために計画された研究．通常，リスクファクターを同定し，その影響を測定すること，あるいは特定の暴露が健康に与える影響に関心がもたれる．あいまいな単語であるため，なるべく用いない方がよい）．

blind s. マスク(盲検)研究（被験者または群がどの治療，処置を受けているのかを観測者が知らされていない研究）．

case control s. 患者対照研究，ケースコントロール研究（初めに疾病あるいは関心のある状態をもつ対象(ケース)を同定し，特定のあるいは疑わしいリスクファクターへの暴露歴を，ケースと類似してはいるが疾病あるいは関心のある状態をもたない対象者(コントロール)の暴露歴と比較する疫学的研究方法）．

cohort s. コホート〔群〕研究法（疫学的研究法の1つで，ある特性をもつ群(例えば，喫煙者やある薬の服用者)を，ある結果に関して前向きに追求し，その特性をもたない他の群と比較するような臨床的研究）．＝follow-up s. (1).

cross-over s. 交差研究（実験過程から対照過程へ，またはその逆に被験者が交代する研究）．

cross-sectional s. クロスセクショナル研究（①異なる複数タイプの集団を1つの大きな標本としてまとめてとらえ，

一時点で観察を行うような研究(例えば年齢，宗教，性，地域などを無視し，ある集団の人員全員に対して，ある特性や所見を調べるために1日で行う調査)．②解剖学的な組織あるいは他の構造体を対象として，当該の組織とその周辺部に対し，一連の平面的断面や放射線画像を用いて行う解析)．＝synchronic s.

diachronic s. 経時的研究，追跡研究．＝longitudinal s.

double-blind s. 二重マスク(盲検)試験（患者，試験者，結果の評価者のいずれもが，どの患者がどの治療を受けているかを知らない試験法．このようにして何らかのバイアスや期待が結果に影響を与えないことを保証する助けとする.→double-blind *experiment*)．

ecologic s. 地域相関研究，生態学的研究（個人ではなく地域などによる集団を観察の単位とした疫学研究)．

flow-volume loop s.'s フロウボリュームループ検査（気管気管支樹の閉塞部位を検出するために用いられる吸気と呼気のフロウボリューム曲線による診断法)．

follow-up s. *1* ＝cohort s. *2* 追跡調査，追跡研究（危険に暴露した人や予防や治療処置を受けた人を，ある期間観察し，その結果を調べる研究)．

Framingham Heart S. フラミンガム〔心臓〕研究（1948年にNIH(現在はNational Heart, Lung, and Blood Institute)の援助でマサチューセッツ州フラミンガムにおいて開始され，現在でも継続されている米国最初の大規模な心血管系疫学研究．当初は，心疾患の発生を調べ心臓発作のリスク因子を同定するために，30歳から60歳の5,290人の男女が登録された．1971年には，フラミンガム第2世代研究に当初の研究参加者の子とその配偶者である5,124人の成人が登録され，2001年には第3世代研究に当初の研究登録者の孫である3,500人が集められた)．

フラミンガムはボストンから20マイル西方に位置しているが，フラミンガムは主要な医療施設に近く，結核に対する初期の人口ベースの調査に参加していたことにより，この長期の疫学研究を実施する場所として選ばれた．対象者は定期的に理学的検査，心電図，そして臨床検査を受けている．フラミンガム研究に関する科学論文は1,000を超えて出版されており，心血管系疾患の現代的な病態理解と，心臓発作のみならず脳卒中に対する予防と治療に対しても大きな影響を与えてきた．1960年代には，喫煙，コレステロール上昇，高血圧，肥満そして運動不足のすべてが心臓発作のリスク因子であることが統計的に検証された．これに引き続き，本研究は中性脂肪，LDLコレステロール，僧帽弁逸脱症，心不全，心房細動，脳卒中，糖尿病，マイノリティーにおける心血管系疾患のリスク因子，閉経後女性における心臓発作予防のためのエストロゲンの役割など貴重な情報を提供してきた．現在は，心疾患や他の心血管系疾患に対する遺伝的，そして分子生物学的リスク因子を同定することに重きを置いている．

---

longitudinal s. 経時的研究，継続的研究（研究対象のコホートをある期間にわたって経時的に観察し，生存・死亡状況や疾患の自然史を研究する方法．結果の妥当性を保証するため，観察対象集団の安定性を仮定する必要はない)．＝diachronic s.

mixing s. in coagulation 凝固混合試験（凝固検査値の異常(PTやPTTの上昇)を分析する際に用いる手法．患者血漿と正常血漿を1：1の比率で混合する．凝固検査値が補正される場合は，患者は凝固因子の欠損がある．凝固検査値が補正されない場合は，患者は抗凝固物質を有している)．

multivariate s.'s 多変量解析（複数の変数の影響を同時に調べるために統計的な方法を用いること)．

nested s. ネステッド研究（通常はケース・コントロール研究の形をとるが，進行中のより大きな研究(例えばコホート研究または大規模ランダム化試験)にすでに属していてすでに特性が既知であるような対象者をリクルートして実施する研究)．

open s. オープンスタディ（除外基準を設けない研究)．

open-label s. オープンラベルスタディ（盲検をしない研究)．

quadruple-blind s. 四重盲検研究（対象者，研究者，評価者，そしてデータ解析者が盲検下にある研究)．

synchronic s. 断面研究．＝cross-sectional s.

triple-blind s. 三重盲検研究（二重盲検研究において，さらに試験群とコントロール群のどちらに参加者が属するのか，ないしは，どのような介入(例えば試験薬の種類)がなされるかの詳細について，データ解析を実施する統計家が知らされていない研究)．

stump (stŭmp)［M.E. *stumpe*］．断端（①切断後に残る肢端．②付着していた腫瘍の除去後に残る組織茎)．

stun (stŭn)［A.S. *stunian*, to make a loud noise］．気絶する，昏倒する（脳の外傷により意識を失う)．

stupe (stūp)［L. *stupa*, oakum, tow］．湿布（熱湯に浸して絞った湿布用の布またはぬれタオルで，通常，マツヤニまたは他の刺激薬に浸して皮膚に当てて反対刺激を起こす)．

stu·por (stū′pŏr)［L. ＜ *stupeo*, to be stunned］．昏迷（環境の刺激に対する反応が著しい減退をみせる意識障害の状態．持続性の刺激だけが，その患者を目覚めさせる)．

benign s. 良性昏迷（昏迷症候群で，通常は回復するもの．malignant s. の対語)．＝depressive s.

catatonic s. 緊張病性昏迷（カタトニーに伴う昏迷)．

depressive s. 抑うつ性昏迷．＝benign s.

malignant s. 悪性昏迷（回復しにくい昏迷症状．benign s. の対語)．

stu·por·ous (stū′pŏr-ŭs)．昏迷の．＝carotic.

Sturge (stŭrj), William A. イングランド人医師，1850—1919. ⇀S.-Weber *syndrome*, *disease*.

Sturm (shtūrm), Johann C. ドイツAltdorfの博学な科学者で大学教授，1635—1703. ⇀S. *conoid*, *interval*.

Sturm·dorf (shtūrm′dōrf), Arnold. 米国人婦人科医，1861—1934. ⇀S. *operation*.

stut·ter (stŭt′ĕr)［*stut* の反復動詞 ＜Goth. *stautan*, to strike］．どもる（流暢にしゃべれない．言葉の最初の子音あるいは音節を，しばしばつっかえたり繰り返したりしながらやっと発音する)．

stut·ter·ing (stŭt′ĕr-ing)．どもり，吃，構音障害（痙性構音障害．発声または構音の障害で，小児から始まるのを特徴とし，口頭による伝達の効果を強く望みすぎることにより起こる．非流暢，ちゅうちょ，言葉の反復，音や音節を長く発音する，不意の発声，途切れ途切れの言葉，繁雑，異常な緊張などのもとでの発声などを特徴としている.→explosive *speech*; stammering)．

urinary s. 断続放尿，吃尿（排尿中にしばしば不随意に尿線が中断されること)．＝stammering of the bladder.

sty, stye, pl. **sties, styes** (stī, stīz)．麦粒腫，ものもらい．＝*hordeolum* externum.

meibomian s. 瞼板腺麦粒腫，マイボーム〔腺〕麦粒腫．＝*hordeolum* internum.

zeisian s. ツァイス〔腺〕麦粒腫（Zeis腺の1つの炎症)．

style (stīl)．＝stylet.

sty·let, sty·lette (stī′let, stī-let′)［It. *stilletto*, a dagger; L. *stilus*, *stylus*(a stake, a pen)の指小辞］．スタイレット（①軟性のカテーテルの内腔に挿入される曲げやすい金属性の杆で，挿入時にカテーテルを硬くさせ，形を与えるために用いる．②細い消息子)．＝style; stylus (3); stilus.

endotracheal s. 気管スタイレット（柔軟性のある金属の棒で，気管内へのチューブの挿入に対して望ましいカーブを保つために用いる)．

sty·li·form (stī′li-fōrm)［L. *stilus*(*stylus*), a stake ＋ *forma*, form］．＝styloid.

stylo-［G. *stylos*, pillar, post］．茎状の，特に側頭骨の茎状突起に関する接頭語．

sty·lo·au·ric·u·la·ris (stī′lō-aw-rik-yū-lā′ris)．茎突耳筋（⇀styloauricular (*muscle*))．

sty·lo·glos·sus (stī′lō-glos′ŭs)．茎突舌筋（⇀styloglossus (*muscle*))．

sty·lo·hy·al (stī′lō-hī′ăl)．茎突舌骨の（側頭骨の茎状突起と舌骨に関する)．＝stylohyoid (1).

sty·lo·hy·oid (stī′lō-hī′oyd)．*1* ＝stylohyal. *2* 茎突舌骨筋の．

sty·loid (stī′loyd)［stylo- ＋G. *eidos*, resemblance］．茎状の，茎突状の（くい状のものを表す．数種の細い骨突起についていう.→styloid *process* of third metacarpal bone; styloid *pro-*

S

cess of temporal bone; styloid *process* of radius; styloid *process* of ulna). =styliform.

sty·loi·di·tis (stī′loy-dī′tis). 茎状突起炎，茎突炎.

sty·lo·lar·yn·ge·us (stī′lō-lar′in-jē′ŭs). 茎突喉頭筋（→*musculus* stylolaryngeus).

sty·lo·man·dib·u·lar (stī′lō-man-dib′yū-lăr). 茎突下顎の（側頭骨や下顎骨の茎状突起に関する．茎突下顎骨靱帯についていう）. =stylomaxillary.

sty·lo·mas·toid (stī′lō-mas′toyd). 茎乳突の（側頭骨の茎状突起と乳様突起に関する．特に小動脈および小孔についていう）.

sty·lo·max·il·lar·y (stī′lō-mak′si-lar′ē). =stylomandibular.

sty·lo·phar·yn·ge·us (stī′lō-far′in-jē′ŭs). 茎突咽頭筋（→stylopharyngeus (*muscle*)).

sty·lo·po·di·um (stī′lō-pō′dē-ŭm) [stylo- + G. *podion*, small foot]. 柱脚，基脚（胎児の自由肢の骨格のうち近位部分，すなわち上腕骨と大腿骨).

sty·lo·staph·y·line (stī′lō-staf′i-līn). 茎突口蓋垂の（側頭骨および口蓋垂の茎状突起に関する).

sty·los·te·o·phyte (stī-los′tē-ō-fīt) [G. *stylos*, post + *osteon*, bone + *phyton*, growth]. 柱状外骨症（くい状の骨の増生).

sty·lus, sti·lus (stī′lŭs, stī′lŭs) [L. *stilus*, *stylus*, a stake or pen]. ***1*** 茎（あらゆる鉛筆状の構造). ***2*** 棒状の薬剤，杆剤（外用の鉛筆状の医薬製剤．例えば，薬用坐剤または硝酸銀あるいは他の腐食薬の鉛筆状あるいは棒状のもの). ***3*** =stylet.

stype (stīp) [G. *stypē*, tow]. 綿球，タンポン.

styp·tic (stip′tik) [G. *styptikos*, astringent]. ***1***〘adj.〙収れん性の，止血性の（収れん作用，または止血作用を有することを示す). ***2***〘n.〙止血薬（出血を止めるために局所に用いる収れん性止血薬). =hemostyptic.

styr·a·mate (stir′ă-māt). スチラメート（作用時間が比較的長く，経口的に有効な骨格筋弛緩薬).

sty·rax (stī′raks). =storax.

sty·rene (stī′rēn). スチレン；phenylethylene（蘇合香に含まれる．ポリスチレンプラスチック，合成ゴムをつくることができる単量体．ジビニルベンゼン(交差結合用)とともに，多くの合成イオン交換体の原料である). =cinnamene; ethenylbenzene; styrol; vinylbenzene.

sty·rol (stī′rol). スチロール. =styrene.

sty·rone (stī′rōn). スチロン（水酸化カリウムとの蒸留によりエゴノキの樹脂から得られる物質．12%グリセリン溶液で脱臭薬として，また組織学において脱色薬として用いる). =cinnamic alcohol.

sub- [L. *sub*, under]. 下方の，または正常あるいは基準より劣ることを意味する接頭語．*cf.* hypo-.

sub·ab·dom·i·nal (sŭb′ab-dom′i-năl). 腹部下方の.

sub·ab·dom·i·no·per·i·to·ne·al (sŭb′ab-dom′i-nō-per′-i-tō-nē′ăl). 腹腔腹膜下の（骨盤腔の腹膜と区別していう). =subperitoneoabdominal.

sub·ac·e·tate (sŭb-as′ĕ-tāt). 塩基性酢酸塩（塩基とその酢酸塩の混合物，または錯体).

sub·a·cro·mi·al (sŭb′ă-krō′mē-ăl). 肩峰下の.

sub·a·cute (sŭb′ă-kyūt′). 亜急性の（急性と慢性の間の領域についていう．中等度の期間，または程度の疾患の経過を示す).

sub·al·i·men·ta·tion (sŭb′al-i-men-tā′shŭn). 栄養欠乏. =hypoalimentation.

sub·a·nal (sŭb-ā′năl). 肛門下の.

sub·a·or·tic (sŭb′ā-ōr′tik). 大動脈下の.

sub·ap·i·cal (sŭb-ap′i-kăl). 先端下の.

sub·ap·o·neu·rot·ic (sŭb′ap-ō-nū-rot′ik). 腱膜下の.

sub·a·rach·noid (sŭb′ă-rak′noyd). クモ膜下の.

sub·ar·cu·ate (sŭb-ar′kyū-āt). 軽度に弓状の.

sub·a·re·o·lar (sŭb′ā-rē′ō-lăr). 乳輪下の.

sub·as·trag·a·lar (sŭb′as-trag′ă-lăr). 踵骨下の（踵骨の下の領域のこと).

sub·a·tom·ic (sŭb′ă-tom′ik). 放射性原子の（原子内構造(例えば，陽子，電子，中性子)をつくる粒子についていう).

sub·au·ral (sŭb-aw′răl). 耳下の.

sub·au·ric·u·lar (sŭb′aw-rik′yū-lăr). 耳介下の（特に耳甲介，または耳翼をいう).

sub·ax·i·al (sŭb-ak′sē-ăl). 軸下の（身体，またはその一部の軸の下方についていう).

sub·ax·il·lar·y (sŭb-ak′si-lār′ē). 腋窩下の. =infraaxillary.

sub·bas·al (sŭb-bā′săl). 基底下の（基底または基底膜下についていう).

sub·brach·y·ce·phal·ic (sŭb′brak-ē-se-fal′ik). 準短頭症（軽度の短頭症．頭指数 80.01—83.33).

sub·cal·ca·rine (sŭb-kal′kă-rīn). 鳥距溝下の（舌状回を示す).

sub·cal·lo·sal (sŭb′ka-lō′săl). 梁下の（脳梁下についていう．梁下回または梁下束を示す).

sub·cap·su·lar (sŭb-kap′sū-lăr). 被膜下の（[subscapularと混同しないこと]).

sub·car·bon·ate (sūb-kar′bŏn-āt). 次炭酸塩（塩基とその炭酸塩の錯体).

sub·car·di·nal (sŭb-kar′di-năl). 主静脈下の（胎児で，前主静脈または後主静脈に対して腹方に位置することについていう).

sub·car·ti·lag·i·nous (sŭb′kar-ti-laj′i-nŭs). ***1*** 部分軟骨の. ***2*** 軟骨下の.

sub·ce·cal (sŭb-sē′kăl). 盲腸下の（窩を示す).

sub·cel·lu·lar (sŭb-sel′yū-lăr). 非細胞の. =noncellular (1).

sub·cep·tion (sŭb-sep′shŭn) [sub- + L. *-ceptum*, perceived]. 閾下知覚（十分に知覚されない刺激に対する反応のような閾値下の知覚．→subliminal).

sub·chlor·ide (sŭb-klōr′īd). 次塩化物（一連の塩化物中で化合物中に他の元素が比較的多量に含まれているもの．例えば，水銀の次塩化物は Hg_2Cl_2．したがって，水銀の塩化物または過塩化物は $HgCl_2$).

sub·chon·dral (sŭb-kon′drăl). 肋軟骨下の.

sub·cho·ri·on·ic (sŭb′kō-rē-on′ik). 絨毛膜下の.

sub·cho·roi·dal (sŭb′kō-roy′dăl). 脈絡膜下の（眼の脈絡膜下についていう).

sub·class (sŭb′klas). 亜綱（生物学的分類において，綱と目との間に用いる区分).

sub·cla·vi·an (sŭb′klā′vē-an). 鎖骨下の（①=infraclavicular. ②鎖骨下動脈または静脈についていう).

sub·cla·vic·u·lar (sŭb′kla-vik′yū-lăr). 鎖骨下の.

sub·cla·vi·us (sŭb-klā′vē-ŭs). 鎖骨下筋（→subclavius (*muscle*)).

sub·clin·i·cal (sŭb-klin′i-kăl). 無症状の，潜在性の，不顕性の，非顕性の，準臨床的の（疾患はあるが顕性症状のないことを示す．それは疾患の初期段階のこともある).

sub·clon·ing (sŭb′klōn-ing). サブクローニング（DNA クローンをより小さな断片に切断し，再びクローン化する過程．これら小さな DNA 断片の重複している部分を分析することによりもともとの DNA クローンの全配列を確定することができる).

sub·col·lat·er·al (sŭb′kō-lat′ĕr-ăl). 側副下の（側副裂下をさす．大脳回についていう).

sub·con·junc·ti·val (sŭb′kon-jŭngk-tī′văl). 結膜下の.

sub·con·junc·ti·vi·tis (sŭb′kon-jŭngk-ti-vī′tis). 結膜下炎. =*episcleritis periodica fugax*.

sub·con·scious (sŭb-kon′shŭs). ***1*** 下意識の（完全には意識されていないことについていう). ***2*** 潜在意識の（心に浮かんではいるが，意識的にはまだ認知も実感もされていない観念あるいは印象についていう). ***3*** 前意識の（心の中で意識して気づいているところ以外のこと).

sub·con·scious·ness (sŭb-kon′shŭs-nes). ***1*** 下意識（部分的には無意識であること). ***2*** 潜在意識（精神過程が意識的な認知を伴わないで生起している状態).

sub·cor·a·coid (sŭb-kōr′ă-koyd). 烏口突起下の.

sub·cor·tex (sŭb-kōr′teks). 皮質下部（大脳皮質下方に位置し，それ自体は皮質のように組織化されていない脳の部分).

sub·cor·ti·cal (sŭb-kōr′ti-kăl). 皮質下の（大脳皮質下についていう).

sub·cos·tal (sŭb-kos′tăl). 肋骨下の（①=infracostal. ②いくつかの動脈，静脈，神経，接合角または面についていう).

sub·cos·tal·es (sŭb-kos-tāl′ēz) [TA]. =subcostal *muscle*.

sub·cos·tal·gi·a (sŭb′kos-tal′jē-ă) [subcostal + G. *algos*,

pain]. 肋骨下神経痛.
sub·cos·to·ster·nal (sūb′kos-tō-ster′năl). 肋骨胸骨下の.
sub·cra·ni·al (sŭb-krā′nē-ăl). 頭蓋下の.
sub·crep·i·tant (sŭb-krep′i-tănt). 亜捻髪音の（明白ではないがほとんど捻髪音に近い．ラ音についていう）.
sub·crep·i·ta·tion (sŭb′krep-i-tā′shŭn). 亜捻髪音〔発生〕（①亜捻髪音のラ音があること．②捻髪音のような特徴をもった音）.
sub·cru·ra·lis (sūb′krū-rā′lis). ＝articularis genus (*muscle*).
sub·cru·re·us (sŭb′krū-rē-ŭs) [sub- ＋L. *crus*, leg]. ＝articularis genus (*muscle*).
sub·cul·ture (sŭb-kŭl′chūr). ***1***〘n.〙植え継ぎ培養，二次培養，継代培養（以前の培養から微生物を新鮮な培地に移して行う培養．培養が古くなると変性する傾向のある，特殊な株の寿命を引きのばすために用いる方法）．***2***〘v.〙継代培養する（以前の培養から得た材料で新鮮な培養をつくる）.
sub·cur·a·tive (sŭb-kyūr′ă-tiv). 治癒下の（治癒効果に必要な投与量以下の量を示す）.
sub·cu·ta·ne·ous (s.c., SQ) (sŭb′kyū-tā′nē-ŭs) [sub- ＋L. *cutis*, skin]. 皮下の. ＝hypodermic (1).
sub·cu·tic·u·lar (sŭb-kyū-tik′yū-lăr). 表皮下の. ＝subepidermal; subepidermic.
sub·cu·tis (sŭb-kyū′tis). ＝subcutaneous *tissue*.
sub·de·lir·i·um (sŭb′dĕ-lir′ē-ŭm). 亜せん(譫)妄（軽度のせん妄あるいは断続的なせん妄を表す，まれに用いる語）.
sub·del·toid (sŭb-del′toyd). 三角筋下の（嚢を示す）.
sub·den·tal (sŭb-den′tăl). 歯根下の.
sub·di·a·phrag·mat·ic (sŭb′dī-ă-frag-mat′ik). 横隔膜下の. ＝infradiaphragmatic; subphrenic.
sub·dor·sal (sŭb-dōr′săl). 背部下方の.
sub·duce, sub·duct (sŭb-dūs′, sŭb-dŭkt′) [L. *sub-duco*, pp. *-ductus*, to lead away]. 引き下げる，下降する.
sub·du·ral (sŭb-dū′răl). 硬膜下の（①硬膜より深層の. → *spatium* subdurale. ②硬膜とクモ膜の間の）.
sub·en·do·car·di·al (sŭb′en-dō-kar′dē-ăl). 心内膜下の.
sub·en·do·the·li·al (sŭb′en-dō-thē′lē-ăl). 内皮下の.
sub·en·do·the·li·um (sŭb′en-dō-thē′lē-ŭm). 内皮下層（動脈内膜の内皮と内弾性膜間の結合組織）.
sub·en·dy·mal (sŭb-en′di-măl). 上衣下の. ＝subependymal.
sub·ep·en·dy·mal (sŭb′ep-en′di-mal). 上衣下の. ＝subendymal.
sub·ep·en·dy·mo·ma (sŭb′ep-en-di-mō′mă) [MIM* 600139]. 上衣下腫（境界鮮明で分葉した上衣性結節．第3脳室前部または第4脳室後部にできやすい．剖検時よくみつかる）.
sub·ep·i·der·mal, sub·ep·i·der·mic (sŭb′ep-i-der′măl, -der′mik). 表皮下の. ＝subcuticular.
sub·ep·i·the·li·al (sŭb′ep-i-thē′lē-ăl). 上皮下の.
sub·ep·i·the·li·um (sŭb′ep-i-thē′lē-ŭm). 上皮下組織（上皮下の構造すべて）.
su·ber·ic ac·id (sū-ber′ik as′id) [L. *suber*, cork oak ＋ -ic]. スベリン酸（プラスチックや生体高分子の架橋化に用いられる物質．脂肪酸のω酸化生成物として尿中に見出される）. ＝octandioic acid.
su·ber·o·sis (sū′ber-ō′sis) [L. *suber*, cork ＋G. *-osis*, condition]. 汚染コルクのカビ胞子の吸入による外因性アレルギー性肺胞炎.
sub·fam·i·ly (sŭb-fam′i-lē). 亜科（生物学的分類において，科と族または科と属との間で用いる区分）.
sub·fas·cial (sŭb-fash′ē-ăl). 筋膜下の.
sub·fer·til·i·ty (sŭb′fĕr-til′i-tē). 生殖能力が正常より劣っていること.
sub·fis·sure (sŭb-fish′ĕr). 下溝（上をおおっている脳回によって隠されている内部の脳溝）.
sub·fo·li·um (sŭb-fō′lē-ŭm). 小脳葉（小脳葉の第2区分）.
sub·gal·late (sŭb-gal′āt). 次没食子酸塩（①部分的に中和された没食子酸．②塩基性没食子酸塩，次没食子酸ビスマスなど）.
sub·gem·mal (sŭb-jem′ăl). 味蕾下の.
sub·ge·nus (sŭb-jē′nŭs). 亜属（生物学的分類における属と種との間の区分）.
sub·gin·gi·val (sŭb-jin′ji-văl). 歯肉下の（歯肉縁下にあることについていう）.
sub·gle·noid (sŭb-glē′noyd). 関節窩下の. ＝infraglenoid.
sub·glos·sal (sŭb-glos′ăl). 舌下の.
sub·glot·tic (sŭb-glot′ik). 声門下の. ＝infraglottic.
sub·gran·u·lar (sŭb-gran′yū-lăr). やや顆粒状の.
sub·grun·da·tion (sŭb′grŭn-dā′shŭn) [sub- ＋A.S. *grund*, bottom, foundation]. 骨片陥凹（骨折頭蓋骨の一片が他片の下に陥凹すること）.
sub·he·pat·ic (sŭb′he-pat′ik). 肝下の. ＝infrahepatic.
sub·hy·a·loid (sŭb-hī′ă-loyd). 硝子体下の（硝子体側の硝子膜下についていう）.
sub·hy·oid, sub·hy·oid·e·an (sŭb-hī′oyd, sŭb-hī-oyd′ē-an). 舌骨下の. ＝infrahyoid.
sub·ic·ter·ic (sŭb-ik′tĕr′ik). 亜黄疸〔性〕の. ＝subicterus.
sub·ic·ter·us (sŭb-ik′tĕr-ŭs) [sub- ＋G. *ikterikos*, jaundiced]. 亜黄疸〔性〕の（黄疸の臨床所見を呈しない軽度の血清ビリルビン上昇）. ＝subicteric.
su·bic·u·lar (sū-bik′yū-lăr, sŭ-bik′). 鉤状回の，支柱の.
su·bic·u·lum, pl. **su·bic·u·la** (sū-bik′yū-lŭm, sŭ-bik′; -lă) [L. *subex*(support)の指小辞]. 支持，支柱.
s. of hippocampus [TA]. 海馬支脚（海馬傍回とアンモン角との間にある移行部）.
s. of promontory of tympanic cavity [TA]. 鼓室岬角支脚（鼓室岬角の後方の突き出た滑らかな領域．鼓室洞の下縁をなしている）. ＝s. promontorii.
s. promontorii 岬角支脚. ＝s. of promontory of tympanic cavity; ponticulus promontorii.
sub·il·i·ac (sŭb-il′ē-ak). 腸骨下部の（①腸骨の下についていう．②腸骨下部に関する）.
sub·il·i·um (sŭb-il′ē-ŭm). 腸骨下部（寛骨臼に関与する腸骨の部分）.
sub·in·fec·tion (sŭb′in-fek′shŭn). 亜感染症（他の感染疾患の流行にさらされて，抵抗できた者に発生する二次感染）.
sub·in·flam·ma·to·ry (sŭb′in-flam′ă-tō′rē). 軽度炎症の（組織の非常に軽い炎症性刺激についていう）.
sub·in·ti·mal (sŭb-in′ti-măl). 内膜下の.
sub·in·trant (sŭb-in′trant) [L. *sub-intro*, pres. p. *-ans*, to enter by stealth]. 発作頻発の，予期発作の. ＝proleptic.
sub·in·vo·lu·tion (sŭb′in-vō-lū′shŭn). 復古不全（産褥子宮の正常復古現象の停止で，子宮は異常に大きいままになっている）.
sub·i·o·dide (sŭb-ī′ō-dīd). 次ヨウ化物（与えられた陽イオンに対し含有するヨウ素数が一番少ない一連のヨウ素化合物の一員. → subchloride）.
sub·ja·cent (sŭb-jā′sĕnt) [L. *sub-jaceo*, to lie under]. 下の，下にある.
sub·ject (sŭb′jekt) [L. *subjectus*, lying beneath]. 被検(被験)者（研究，実験，切開の対象であるヒトか生体）.
sub·jec·tive (sŭb-jek′tiv) [L. *subjectivus* ＜ *subjicio*, to throw under]. ***1*** 自覚的な（本人だけに知覚されるもので，患者には確証し得ないものについていう．したがって，疼痛などは自覚症状とよばれる）．***2*** 主観的な（個人の信条や態度によって影響を受ける．*cf.* objective (2)）.
sub·ju·gal (sŭb-jū′găl). 頬骨下の.
sub·king·dom (sŭb-king′dŏm). 亜界（生物学的分類において，界と門の間で用いる区分）.
sub·la·tion (sŭb-lā′shŭn) [L. *sublatio*, a lifting up]. 剥離，剥脱.
sub·le·thal (sŭb-lē′thăl). 致死下の，致死量以下の.
sub·leu·ke·mi·a (sŭb′lū-kē′mē-ă). 亜白血病. ＝subleukemic *leukemia*.
sub·li·mate (sŭb′li-māt) [L. *sublimo*, pp. *-atus*, to raise on high ＜ *sublimis*, high]. ***1***〘v.〙昇華する．***2***〘n.〙昇華物.
corrosive s. 昇汞. ＝mercuric chloride.
sub·li·ma·tion (sŭb′li-mā′shŭn). 昇華（①固形物を直接気化する過程．②精神分析において，無意識の防衛機制で，受け入れられない本能的行動や願望が，もっと個人的，社会的に受け入れられる経路へ変更されること）.
sub·lime (sŭb-līm′). ***1*** 昇華する．***2*** 昇華処理する.
sub·lim·i·nal (sŭb-lim′i-năl) [sub- ＋L. *limen*(*limin-*), threshold]. 閾値下の（感覚知覚が生じる限界以下の，意識

S

の範囲外の，または下意識のことについていう）．
sub·li·mis (sŭb-lī′mis) [L.]．表在性の，高位の（[誤った発音 sub′limis を避けること]．①頂上の．②表面の．= superficial (2)）．
sub·lin·gual (sŭb-ling′gwăl)．舌下の（①舌の下の．②舌の下にある動脈・静脈・神経・小丘・神経節・ひだ・腺窩をさす）．
sub·lob·u·lar (sŭb-lob′yū-lăr)．小葉下の（肝の小葉下についていう）．
sub·lum·bar (sŭb-lŭm′bar)．腰下の．
sub·lu·mi·nal (sŭb-lū′mi-năl)．管腔下の（器官の管腔に面する構造下についていう）．
sub·lux·a·tion (sŭb′lŭk-sā′shŭn) [sub- + L. *locatio*, luxation (dislocation)]．亜脱臼，不全脱臼（不完全な脱臼．関係は変化するが，関節面間の接触は残る）．= semiluxation.
arytenoid s. 披裂関節亜脱臼．= arytenoid *dislocation.*
radial head s. 橈骨頭亜脱臼（よちよち歩きの小児や幼児によくみられる出来事で，しばしば不用意に前腕を引っ張ることにより生じる．小児は罹患肢を使おうとしないという所見を呈する．回外屈曲させる手技で多くの場合整復される）．
sub·lym·phe·mi·a (sŭb′lim-fē′mē-ă) [sub- + L. *lympha*, lymph + G. *haima*, blood]．リンパ球減少症（現在では用いられない語．白血球の総数は正常であるがリンパ球の割合が非常に減少している血液状態を表す）．
sub·mam·ma·ry (sŭb-mam′ă-rē)．乳腺下の（①乳腺深くの．②= inframammary）．
sub·man·dib·u·lar (sŭb′man-dib′yū-lăr)．顎下の（①下顎骨または下顎の下の．②下顎骨の下にある管・腺窩・神経節・リンパ節・頸部の三角をさす）．= inframandibular; submaxillary (2).
sub·mar·gin·al (sŭb-mar′jin-năl)．辺縁下の（ある部の辺縁付近についていう）．
sub·max·il·la (sŭb′mak-sil′ă)．下顎，下顎骨．= mandible.
sub·max·il·lar·y (sŭb-mak′si-lār′ē)．下顎の，下顎骨の（①= mandibular．②= submandibular）．
sub·me·di·al, sub·me·di·an (sŭb-mē′dē-ăl, sŭb-mē′dē-an)．亜正中の（完全にではないが，ほとんど中央にあることについていう）．
sub·mem·bra·nous (sŭb-mem′bră-nŭs)．亜膜性の，偽膜性の（部分的に，またほとんど膜性であることを示す）．
sub·men·tal (sŭb-men′tăl)．おとがい(頤)下の（①おとがいの下の．②おとがいの下にある動脈・静脈・リンパ節・頸部の三角をさす）．
sub·merged (sŭb-mĕrjd′)．沈水の，浸水の（歯科において，唾液でおおわれた手術野を表現するのに用いる）．
sub·met·a·cen·tric (sŭb′met-ă-sen′trik)．次中部動原体の（→submetacentric *chromosome*）．
sub·mi·cron·ic (sŭb′mī-kron′ik)．サブミクロンの（1 μm 以下のものについていう）．
sub·mi·cro·scop·ic (sŭb′mī-krō-skop′ik)．超顕微鏡的な，限外顕微的な（最も強力な光学顕微鏡下でも見えないほど細かいことについていう）．= amicroscopic; ultramicroscopic.
sub·mor·phous (sŭb-mōr′fŭs)．亜結晶性の（明確に無定型状でも結晶状でもない，ある種の石の構造についていう）．
sub·mu·co·sa (sŭb′myū-kō′să) [TA]．粘膜下組織（粘膜直下の結合組織層．[TA では気管・食道・小腸・大腸・喉頭・胃・膀胱の粘膜下組織があげられている]）．= tela submucosa; tunica submucosa.
s. of bladder 膀胱粘膜下組織（膀胱粘膜と縦筋層の間にある疎性結合組織の薄い領域）．= tela submucosa vesicae [TA].
s. of bronchus 気管支粘膜下組織（気管支粘膜と筋層の間にある疎性結合組織の層）．= tela submucosa bronchi [TA].
s. of esophagus 食道粘膜下組織（食道粘膜筋板と輪筋層の間にある粘液分泌腺を含む疎性結合組織の層）．= tela submucosa esophageae [TA].
s. of large intestine 大腸粘膜下組織（結腸粘膜と内輪筋層の間にある疎性結合組織の層）．= tela submucosa intestini crassi [TA].
s. of small intestine 小腸粘膜下組織（小腸の粘膜筋板と内輪筋層の間にある疎性結合組織の層．十二指腸では Brunner 腺，回腸では Peyer 板がある）．= tela submucosa intestini tenuis [TA].
s. of stomach 胃粘膜下組織（胃の粘膜筋板と輪筋層の間にある疎性結合組織の層）．= tela submucosa gastricae [TA].
sub·mu·cous (sŭb-myū′kŭs)．粘膜下の．
sub·nar·co·tic (sŭb′nar-kot′ik)．少し麻酔作用のある．
sub·na·sal (sŭb-nā′săl)．鼻下の．
sub·na·si·on (sŭb-nā′zē-on)．スブナジオン，スブナザーレ（生体計測学上で，鼻中隔が上唇の皮膚面に移行する折れ曲がりに当たる点．註日本では Martin にならって subnasale とよばれてきた点）．
sub·neu·ral (sŭb-nū′răl)．中枢神経下の．
sub·ni·trate (sŭb-nī′trāt)．次硝酸塩（塩基性硝酸塩．硝酸塩で，さらに酸と結合できる塩基を1つ以上有するもの）．
sub·nor·mal (sŭb-nōr′măl)．正常以下の．
sub·nor·mal·i·ty (sŭb′nōr-mal′i-tē)．低水準（一般に受け入れられている水準を下回る状態）．
sub·no·to·chor·dal (sŭb′nō-tō-kōr′dăl)．脊索下の．
sub·nu·cle·us (sŭb-nū′klē-ŭs)．副核．
sub·oc·cip·i·tal (sŭb′ok-sip′i-tăl)．後頭下の（①後頭または後頭骨の下の．②後頭骨の下にある筋肉・神経・神経叢・頸部の三角をさす）．
sub·op·ti·mal (sŭb-op′ti-măl)．最適以下の．
sub·or·bit·al (sŭb-ōr′bi-tăl)．眼窩下の．= infraorbital.
sub·or·der (sŭb-ōr′dĕr)．亜目（生物学的分類において，目と科の間に用いる区分）．
sub·ox·i·da·tion (sŭb′oks-i-dā′shŭn)．亜酸化（不十分な酸化）．
sub·ox·ide (sŭb-ok′sīd)．次酸化物（酸素含量が最少の一連の酸化物の一員）．= protoxide.
sub·pa·ri·e·tal (sŭb′pă-rī′ĕ-tăl)．頭頂下の（頭頂とよばれる構造下についていう．骨，葉，漿膜層など）．
sub·pa·tel·lar (sŭb′pa-tel′ăr)．膝蓋下の（①膝蓋下深くの．②= infrapatellar）．
sub·pec·to·ral (sŭb-pek′tŏ-răl)．胸筋下の．
sub·pel·vi·per·i·to·ne·al (sŭb-pel′vi-per′i-tō-nē′ăl)．骨盤腹膜下の（腹腔腹膜よりむしろ骨盤腹膜下についていう）．= subperitoneopelvic.
sub·per·i·car·di·al (sŭb′per-i-kar′dē-ăl)．心膜下の．
sub·per·i·os·te·al (sŭb′per-ē-os′tē-ăl)．骨膜下の．
sub·per·i·to·ne·al (sŭb′per-i-tō-nē′ăl)．腹膜下の．
sub·per·i·to·ne·o·ab·dom·i·nal (sŭb′per-i-tō-nē′ō-ab-dom′i-năl)．= subabdominoperitoneal.
sub·per·i·to·ne·o·pel·vic (sŭb′per-i-tō-nē′ō-pel′vik)．= subpelviperitoneal.
sub·pe·tro·sal (sŭb′pe-trō′săl)．錐体下の（①錐体の下方についていう．②硬膜静脈洞についていう）．
sub·pha·ryn·ge·al (sŭb′fă-rin′jē-ăl)．咽頭下の．
sub·phren·ic (sŭb-fren′ik)．= subdiaphragmatic.
sub·phy·lum (sŭb-fī′lŭm)．亜門（生物学的分類において，門と綱との間で用いる区分）．
sub·pi·al (sŭb-pī′ăl)．軟膜下の．
sub·pla·cen·tal (sŭb′plă-sen′tăl)．胎盤下の（床脱落膜を示す）．
sub·pleu·ral (sŭb-plū′răl)．胸膜下の．
sub·plex·al (sŭb-plek′săl)．神経叢下の．
sub·pre·pu·tial (sŭb′prē-pū′shē-ăl)．包皮下の．
sub·pu·bic (sŭb-pyū′bik)．恥骨下の（靱帯，恥骨弓下で2本の恥骨を結ぶ恥骨弓靱帯を示す）．
sub·pul·mo·nar·y (sŭb-pul′mŏ-nār′ē)．肺下の．
sub·py·ram·i·dal (sŭb′pi-ram′i-dăl)．*1* 錐体下の（特に鼓室洞を示す）．*2* 亜錐体の．
sub·ret·i·nal (sŭb-ret′i-năl)．網膜下の（①感覚網膜と網膜色素の間．②網膜色素上皮と脈絡膜の間）．
sub·salt (sŭb′salt)．塩基性塩（塩基が酸によって完全には中和されていない塩基性塩）．
sub·sar·to·ri·al (sŭb′sar-tō′rē-ăl)．縫工筋下の（神経叢と筋膜についていう）．
sub·scap·u·lar (sŭb-skap′yū-lăr)．肩甲下の（[subcapsular と混同しないこと]．①肩甲骨の深くの．②肩甲骨の深くにある動脈・動脈の枝・静脈・神経・窩・リンパ節をさす．= infrascapular）．

sub·scap·u·la·ris (sŭb-skap′yū-lā′ris). 肩甲下筋（→subscapularis (*muscle*)).
sub·scle·ral (sŭb-sklē′răl). 強膜下の（目の強膜下，すなわちこの層の脈絡膜側についていう）. =subsclerotic (1).
sub·scle·rot·ic (sŭb-sklĕ-rot′ik). ***1*** =subscleral. ***2*** 亜硬化〔性〕の（部分的に，または軽度に硬化したことを表す）.
sub·scrip·tion (sŭb-skrip′shŭn) ［L. *subscriptio* < *subscribo*, pp. *-scriptus*, to write under, subscribe］. 指定書（署名の前の処方箋の部分．調合の指示がしてある）.
subsegment (sŭb′seg-mĕnt). 亜区域気管支（区域より小さな組織単位のこと(例えば，肺の亜区域気管支など)）.
sub·ser·o·sa (sŭb′sēr-ō′să)［TA］. 漿膜下組織（漿膜直下の結合組織層．TA では膀胱・食道・胆嚢・小腸・大腸・肝臓・胸膜・心膜・腹膜・胃・精巣・卵管・子宮の漿膜下組織が認められている）. =tela subserosa［TA］; subserous layer*.
s. of bladder 膀胱漿膜下組織（腹膜でおおわれた膀胱表面の漿膜と縦筋層の最外層の間にある疎性結合組織の層）. =tela subserosa vesicae［TA］.
s. of esophagus 食道漿膜下組織（食道下部の漿膜の下にある疎性結合組織の層）. =tela subserosa esophagi［TA］.
s. of gallbladder 胆嚢漿膜下組織（胆嚢の腹膜でおおわれた部分の漿膜とその下にある線維性筋性層の間にある疎性結合組織の層）. =tela subserosa vesicae biliaris［TA］.
s. of large intestine 大腸漿膜下組織（結腸漿膜の下にある疎性結合組織の層）. =tela subserosa intestini crassi［TA］.
s. of liver 肝臓漿膜下組織（肝漿膜下にあり，Glisson 脈管周囲被膜とは分かちがたい疎性結合組織の層）. =tela subserosa hepatis［TA］.
s. of pericardium 心膜漿膜下組織（心外膜(心膜臓側の漿膜層)と心筋層の間にある疎性結合組織の層）. =tela subserosa pericardii［TA］.
s. of peritoneum 腹膜漿膜下組織（腹膜の中皮の下にあり，中皮を腹膜腔の壁と臓器の漿膜面に結合させる疎性結合組織の層）. =tela subserosa peritonei［TA］.
s. of pleura 胸膜漿膜下組織（胸膜の中皮と内胸壁・肺表面の間にある疎性結合組織の層）. =tela subserosa pleurae［TA］.
s. of small intestine 小腸漿膜下組織（小腸漿膜の下にある疎性結合組織の層）. =tela subserosa intestini tenuis［TA］.
s. of stomach 胃漿膜下組織（胃漿膜と縦筋層の間にある疎性結合組織の層）. =tela subserosa gastricae［TA］.
s. of testis 精巣漿膜下組織（精巣鞘膜と白膜との間にある疎性結合組織の層）. =tela subserosa testis［TA］.
s. of uterine tube 卵管漿膜下組織（卵管をおおう腹膜と縦筋層の間にある疎性結合組織の層）. =tela subserosa tubae uterinae［TA］.
s. of uterus 子宮漿膜下組織（子宮の腹膜でおおわれた部分の漿膜と筋層の間にある疎性結合組織の層）. =tela subserosa uteri［TA］.
sub·se·rous, sub·se·ro·sal (sŭb-sē′rŭs, sŭb-sē-rō′săl). 漿膜下の.
sub·sib·i·lant (sŭb-sib′i-lănt). 歯音性雑音に似た（噴出音と口笛音の中間の性質を有するラ音を表す，まれに用いる語）.
sub·si·dence (sŭb-sī′dĕns). 沈み込み（人工関節の人工挿入物のような物が骨の中に沈み込むこと）.
subsonic (sŭb-son′ik). 超低周波音の. =infrasonic.
sub·spi·na·le (sŭb′spi-nā′lē). スブスピナーレ（頭蓋計測法において，前鼻棘とプロスチオン間の顎前骨の最後部正中点をいう）. =point A.
sub·spi·nous (sŭb-spī′nŭs). ***1*** 棘下の. =infraspinous. ***2*** とげ状の.
sub·stage (sŭb′stāj). サブステージ（顕微鏡の付属装置で，コンデンサや他の付属物を支える）.
sub·stance (sŭb′stăns)［L. *substantia*, essence, material < *sub-sto*, to stand under, be present］. 物質. =substantia［TA］; matter.
alpha s. アルファ物質. =reticular s. (1).
anterior perforated s.［TA］. 前有孔質（前大脳動脈および中大脳動脈(レンズ核線条体動脈)の多数の小枝が大脳半球の深部へはいるのに通過する脳底の部位．内側は視交叉と視索の前半が，吻側と外側は嗅条が境界をなしている．前内側部は嗅隆起に相当する）. =substantia perforata anterior［TA］; locus perforatus anticus; olfactory area; substantia perforata rostralis.
autacoid s. オータコイド物質. =autocoid.
bacteriotropic s. 細菌趨性物質（細菌細胞を食細胞作用にいっそう敏感にさせるオプソニンや他の物質）.
basophil s. 好塩基性物質. =Nissl s.
basophilic s. 好塩基性物質. =Nissl s.
blood group s. =blood group *antigen*.
blood group-specific s.'s A and B 血液型特異物質AとB（多糖類とアミノ酸の混合溶液で，O型血清内の抗A・抗B同種凝集素価を低くする．A，B，AB型の人へのO型の輸血を完全にするために用いるが，Rh のような他の種々の因子に由来する不適合についてはまったく効果がない）.
cementing s. セメント物質（緻密骨のオステオンを取り囲んでいる無定形の鉱質化基質の沈着物）.
central gray s. 中心灰白質（①一般的用語としては，脊髄の中心管と脳幹の第3・第4脳室に隣接する，またはそれらを取り巻く，主に小型の細胞からなる灰白質をいう．②特殊用語としては，中脳水道を取り巻く灰白質の厚い袖で，吻方で視床下部の後核に連続しているものをいう．ミエリンのために染色した切片では，この部分は有髄線維が少ないため，隣接の中脳蓋や皮蓋から区別できる）. =substantia grisea centralis［TA］; periaqueductal gray s.
central and lateral intermediate s.'s 中間質中心・外側部（中心管を取り巻く脊髄の中心灰白質）. =anterior gray column; Stilling gelatinous s.; substantia gelatinosa centralis.
chromidial s. クロミジア物質. =granular endoplasmic *reticulum*.
chromophil s. 好色素性物質，好染性物質. =Nissl s.
compact s. =compact *bone*.
controlled s. 規制物質（米国物質規制法(1970年)で規制される物質で，物質規制法は，ⓘ乱用の可能性あるいはその形跡，ⓘⓘ精神的あるいは肉体的依存の可能性，ⓘⓘⓘ公衆衛生上のリスクの一因，ⓘⓥ有害な薬理作用，ⓥ他の規制物質の前駆物質，にしたがった5種類の一覧表に指定された物質の，処方および調剤と同様に，製造，保管，販売，または流通を規定している）.
cortical s. 皮質. =cortical *bone*.
exophthalmos-producing s. (**EPS**) 催眼球突出物質（実験動物(特に魚)に眼球突出を惹起するという下垂体の粗抽出分画にみられる因子．Graves 病で眼球突出を起こす因子としては疑問視されている）.
filar s. =reticular s. (1).
gelatinous s.［TA］. 膠様質（脊髄灰白質後角(後柱，後灰柱)の先端部で，大部分非常に小型の神経細胞からなる．有髄神経線維をごく少量しか含まないため，膠様を呈する．Rexed の II 層に当たる）. =substantia gelatinosa［TA］; lamina spinalis II*; spinal lamina II*; Rolando gelatinous s.; Rolando s.
glandular s. of prostate〔前立腺〕腺質（間質および被膜とは区別される腺性の前立腺組織）. =substantia glandularis prostatae.
gray s.［TA］. 灰白質. =gray *matter*.
ground s. 基質（構造成分が存在する場としての無形性物質．結合組織では細胞と線維間のプロテオグリカン，糖蛋白，グリコサミノグリカン，血漿成分，代謝産物，水，イオンからなる）. =substantia fundamentalis.
H s. ヒスタミン様物質（作用がヒスタミンと区別できない皮膚の拡散性物質に Thomas Lewis が付けた名称．外傷により遊離されて三重反応を起こさせる）. =released s.
innominate s.［TA］. 無名質（レンズ核の前半あたりの下方に位置し，前頭面を外側視索前視床下部帯から外側を視索を越えて扁桃体へのびる前脳の部分．吻方は嗅結節の上縁上で先細りする．尾方は内包が表面に達して大脳脚を形成する．多形細胞群の中では大型細胞よりなる Meynert 基底核が目立つ．無名質のこれら大型細胞成分は内側中隔や Broca 対角帯に存在するが，淡蒼球の腹側に最も多く存在する．組織化学的根拠から，大型細胞成分は大脳皮質に広くコリン作用性線維を送り，これらの細胞は Alzheimer 病で選択的に変性するとされている）. =substantia innominata［TA］.

S

Kendall s. (ken′dăl). ＝Kendall *compound*.

lateral intermediate s. 中間質外側部（→central and lateral intermediate s.'s）. ＝substantia intermedia lateralis［TA］.

lens s.（of eye）［TA］.〔眼の〕水晶体質（眼の水晶体の本体をなす部分で，核をなす部分と皮質をなす部分とからなり，上皮によっておおわれる）. ＝substantia lentis［TA］.

medullary s. 髄質（①神経線維のミエリン鞘に存在する脂肪性物質. ＝Schwann white s. ②骨や他の器官の骨髄）. ＝substantia medullaris (2).

müllerian inhibiting s.（MIS） ミュラー阻害物質（精巣の Sertoli 細胞によって分泌される 535 個のアミノ酸を含む糖蛋白）. ＝anti-müllerian hormone; müllerian inhibiting factor.

neurosecretory s. 神経分泌物質（視床下部に存在する神経細胞体の分泌. 視床下部－下垂体路の線維を経て神経下垂体へ運搬される. 神経下垂体の神経線維終末部に分泌顆粒が含まれている. 線維と終末中の分泌物は光学顕微鏡で Herring 体すなわち下垂体ヒアリン体として見える. →hyaline *bodies* of pituitary）.

Nissl s. (nis′ĕl). ニッスル物質（顆粒性細胞形質細網やリボソームからなる物質で，神経細胞体や樹状突起に発生する）. ＝basophil s.; basophilic s.; chromophil s.; Nissl bodies; Nissl granules; substantia basophilia; tigroid bodies; tigroid s.

s. P サブスタンスP，P物質（ヒトや種々の動物の神経系と腸に少量，また炎症が起きた組織中に存在する 11 個のアミノアシル残基(そのカルボキシル基はアミド化されている)からなるペプチド性神経伝達物質の一種. 主に痛覚の伝達に関与しており，平滑筋に作用する(血管拡張，腸収縮)最も強力な化合物の１つ. したがって炎症に重要な働きをすると考えられている）.

periaqueductal gray s. 中脳水道周囲灰白質. ＝central gray s.

P s. of Lewis (lū′is). ＝*factor* P.

posterior perforated s.［TA］. 後有孔質（中脳基底部の脚間窩の底で，橋の前縁から前方の乳頭体までのびている部分で後大脳動脈の枝が通っている多数の孔が開いている）. ＝substantia perforata posterior［TA］; locus perforatus posticus; Malacarne space.

pressor s. 昇圧物質. ＝pressor *base*.

proper s. 固有質（→*substantia* propria of cornea; *substantia* propria membranae tympani; *substantia* propria of sclera）.

Reichstein s. (rīk′stīn)［T. *Reichstein*］. ライヒシュタイン物質（数種のステロイドの１つ. 例えば，Reichstein 物質F(コルチゾン)，Reichstein 物質H(コルチコステロン)，Reichstein 物質M(コルチゾール)，Reichstein 物質Q(コルテキソン)，Reichstein 物質S(コルテキソロン)）. ＝Reichstein compound.

released s. 放出物質. ＝H s.

reticular s. 網様質（①顆粒がビーズのように連なった糸状形質物質. 未熟赤血球細胞中に生体染色法で証明できる. ＝alpha s.; filar mass; filar s.; substantia reticularis (1); substantia reticulofilamentosa. ②＝reticular *formation*）.

Rolando gelatinous s., Rolando s. (rō-lan′dō). ロランド膠様質，ロランド物質. ＝gelatinous s.

Schwann white s. (shwahn). シュヴァン白質. ＝medullary s. (1).

slow-reacting s.（SRS）, slow-reacting s. of anaphylaxis（SRS-A） 遅反応性〔アナフィラキシー〕物質（アナフィラキシーショックの際に放出される因子で，ヒスタミンと比較して，より遅発性で持続性の筋収縮を起こす. この因子の本体はロイコトリエンを形成する低分子リポ蛋白である. エピネフリン以外の抗ヒスタミン薬の存在下で活性状態であり，肥満細胞内の非顆粒内貯蔵物質の産生にならい細胞膜リン脂質から生成され遊離する. アナフィラキシー反応でみられる効果を誘導する. *cf.* peptidyl *leukotrienes*）. ＝slow-reacting factor of anaphylaxis.

soluble specific s.（SSS） 可溶性特異物質. ＝specific capsular s.

specific capsular s. 特異莢膜物質（莢膜の大部分をなす有毒肺炎球菌の活発な増殖中につくられる可溶型の特異多糖類）. ＝pneumococcal polysaccharide; soluble specific s.; specific soluble polysaccharide; specific soluble sugar.

spongy s. ＝*substantia* spongiosa.

standard s. 標準物質（同定目的のために用いられる純粋な真正物質）.

Stilling gelatinous s. (stil′ing). シュティリング膠様質. ＝central and lateral intermediate s.'s.

threshold s. 有閾〔値〕物質（グルコースのように，血漿濃度がその閾値とよばれる一定値を超えたときにのみ尿中に排出される物質）. ＝threshold body.

tigroid s. 色素親和体. ＝Nissl s.

vasodepressor s. 血管弛緩性物質（肝臓が傷害を受けた際に生成されると考えられる化合物であるが，その特性は十分には明らかにされていない. 血管圧を下げ，動脈壁を弛緩させる）.

white s. 白質. ＝white *matter*.

zymoplastic s. 凝血促進物質. ＝thromboplastin.

sub·stan·ti·a, pl. **sub·stan·ti·ae** (sŭb-stan′shē-ă, -shē-ē)［L.］［TA］. 質. ＝substance.

s. adamantina エナメル質. ＝enamel.

s. alba 白質. ＝white *matter*.

basal s.［TA］. 基底質（扁桃体に関係深い基底部の諸構造で，基底核(Ganser 核)，レンズ下核，分界条核などがある）. ＝s. basalis［TA］.

s. basalis［TA］. ＝basal s.

s. basophilia 好塩基性物質. ＝Nissl *substance*.

s. cinerea ＝gray *matter*.

s. compacta［TA］. 緻密質. ＝compact *bone*.

s. compacta ossium ＝compact *bone*.

s. corticalis［TA］. 皮質. ＝cortical *bone*.

s. eburnea ぞうげ質. ＝dentin.

s. ferruginea 鉄色素. ＝*locus* caeruleus.

s. fundamentalis 基質. ＝ground *substance*.

s. gelatinosa［TA］. 膠様質. ＝gelatinous *substance*.

s. gelatinosa centralis 中心膠様質. ＝central and lateral intermediate *substances*.

s. glandularis prostatae〔前立腺〕腺質. ＝glandular *substance* of prostate.

s. grisea［TA］. 灰白質. ＝gray *matter*.

s. grisea centralis［TA］. 中心灰白質. ＝central gray *substance*.

s. innominata［TA］. 無名質. ＝innominate *substance*.

s. intermedia centralis［TA］. 中間質中心部（→central and lateral intermediate *substances*）.

s. intermedia lateralis［TA］. →central and lateral intermediate *substances*. ＝lateral intermediate *substance*.

s. lentis［TA］. 水晶体質. ＝lens *substance* (of eye).

s. medullaris 髄質（①＝medulla. ②＝medullary *substance*）.

s. muscularis prostatae［TA］.〔前立腺〕筋質. ＝muscular *tissue* of prostate.

s. nigra［TA］. 黒質（横断面では半月形の大細胞塊で，大脳脚の内側面を越えて橋の吻方縁から視床下部へと広がっている. 稠密で色の付いた(すなわち，メラニン含有)背側細胞層の稠密部，広範に細胞が広がった腹側部の網状部，小さく不明瞭な外側部，赤核後部とがある. 特に前者は線条体(尾形核と被殻)の方へ突出した多数の細胞を含み，シナプスで伝達物質のドパミンを含有する. ほかの非ドパミン性細胞は視床腹側核の吻方部・上丘の中間層・中脳網様体の一部へ突き出ている. 黒質線条体線維は，塊状の線条体黒質線維系と各種の神経伝達物質，特にガンマアミノ酪酸(GABA)によって互いに連絡しあっている. 視床腹部核・淡蒼球の外層・橋縫線の外側核・中脳の大脳脚橋核から求心性の線維を受け，網様体部から線条体に遠心性線維が出ている黒質はパーキンソン病や Huntington 病に伴う代謝障害に関係する）. ＝locus niger; nucleus niger; Soemmering ganglion.

s. ossea dentis〔歯の〕セメント質. ＝cementum.

s. perforata anterior［TA］. 前有孔質. ＝anterior perforated *substance*.

s. perforata posterior［TA］. 後有孔質. ＝posterior perforated *substance*.

s. perforata rostralis ＝anterior perforated *substance*.

s. propria of cornea [TA]. 角膜の固有層（変性透明結合組織からなり，それらの層の間には，角膜細胞または小体でほとんど満たされた開放腔または裂孔が存在する）．＝s. propria corneae [TA].

s. propria corneae [TA]. 角膜固有質．＝s. propria of cornea.

s. propria membranae tympani 鼓膜固有質（鼓膜の放射状および同心円状膠原線維の層）．

s. propria of sclera [TA]. 強膜固有質（交錯する束に配列された緻密な白色線維組織で，強膜の大部分をなし，前方で角膜固有質に続く）．＝s. propria sclerae [TA].

s. propria sclerae [TA]. 強膜固有質．＝s. propria of sclera.

s. reticularis ***1*** ＝reticular *substance* (1). ***2*** ＝reticular *formation.*

s. reticulofilamentosa ＝reticular *substance* (1).

s. spongiosa [TA]. 海綿質（骨梁が三次元的な有孔の網目格子状に配列している骨で，その網目には胎性結合組織または骨髄が充満している）．＝spongy bone (1) [TA]; s. trabecularis*; trabecular bone*; cancellous bone; spongy substance.

s. trabecularis* 海綿質（s. spongiosa の公式の別名）．

s. vitrea ＝enamel.

substantivity (sŭb-stan-tiv′i-tē). 持続性（紫外線遮光剤(サンスクリーン)の付着性や皮膚が水や発汗にさらされた後に維持される能力を表す用語．表面に物理的・化学的に結合する度合いや発汗，水泳，入浴，摩擦など様々な要因による除去や不活化に対する抵抗性によって決定される，外用塗布された薬または化粧品の維持効果のこと）．

sub·ster·nal (sŭb-ster′năl). ***1*** 胸骨下の（[この意味では，retrosternal のほうがより好まれる]．胸骨深くの）．***2*** ＝infrasternal.

sub·ster·no·mas·toid (sŭb′ster-nō-mas′toyd). 胸鎖乳突筋下の（胸骨乳突筋の下についていう．一群の深頸リンパ節を示す）．

sub·stit·u·ent (sŭb-sti′chū-ĕnt). 置換基（他の構造部分および分子を置換した官能基）．

sub·sti·tute (sŭb′sti-tūt). 代理〔人〕（①他の代わりをするもの．②心理学においては，surrogate に同義）．

blood s. 代用血液（出血やショック時の輸血のために全血に代わって用いられるもの．例えば，ヒト血漿，血清アルブミン，デキストランなどの物質の溶解液）．

plasma s. 代用血漿（出血時またはショック時に，血漿の代わりに輸血に用いる物質の溶液(例えばデキストラン)）．＝plasma expander.

volume s. 循環血代用（循環性ショックの予防や治療の一部として，循環血液中より失われた水分の補充のためにデキストランなどの細胞を含まない，循環液量を確保しうる溶液の投与）．

sub·sti·tu·tion (sŭb′sti-tū′shŭn) [L. *substitutio*, to put in place of another]. ***1*** 置換（化学において，化合物中の原子，または基を他の原子，または基と取り替えること(例えば，CH_4 の H を Cl で置換すると CH_3Cl となる)）．***2*** 代理形成（精神医学において，受容しがたいかあるいは達成しがたい目標，対象あるいは感情が，それよりは受容されやすいか達成しやすいものに置き換えられるという無意識的な防衛機序のこと．その過程は昇華に比べて，急激かつ直接的で，あまり複雑ではない）．

freeze s. 凍結置換（細胞内の氷結水を 0 ℃以下で有機溶媒に置き換える物理・化学的手法．電子顕微鏡を用いて細胞の超微構造を研究したり，免疫細胞化学分析をする際に広く使われている）．

generic s. 特許の期限が切れたブランド名柄の製剤の代わりに化学的に同等であるがより安価な薬剤を調剤すること．

sensory s. 感覚置換，感覚代理（リハビリテーションで障害された感覚(例えばバランス)の代理を，他の感覚(例えば触覚)を用いて行う技術）．

stimulus s. 刺激代理形成．＝classical *conditioning.*

symptom s. 症状代理形成（無意識的な心理過程を通して抑圧された衝動が歪曲された症状になって出現してくること．不安，強迫行為，抑うつ感，幻覚，強迫観念などとして現れる）．＝symptom formation.

sub·strate (S) (sŭb′strāt) [L. *sub-sterno*, pp. *-stratus*, to spread under]. ***1*** 基質（酵素の作用を受けて変化する物質．この反応物質は化学反応で作用を受けると考えられている）．***2*** 培地，培養基（生物が生存，成長する基になるもの．例えば，微生物や細胞が細胞培地で成長する培養基）．

complete s. 完全基質（単一のシトクロム P450 酵素のみに代謝される化合物．→partial s.）．

insulin receptor s.-1 (IRS–1) インスリン受容体基質–1（活性化されたインスリン受容体の基質である細胞質中に存在する蛋白．インスリンは IRS–1 にある多数のチロシンを急速にリン酸化する．リン酸化された部位はいくつかの高親和性のある細胞質蛋白と結合する．IRS–1 はレセプタキナーゼの受け取り分子であり，インスリン作用を種々の細胞内活性物質に伝達する．IRS–1 は IGF–1 やいくつかのインターロイキン刺激によってもリン酸化される）．

insulin receptor s.-2 (IRS-2) インスリン受容体基質–2（インスリンにより活性化され，多様なインスリン作用を伝達する細胞内分子）．

partial s. 不完全基質（2 種以上のシトクロム P450 酵素により代謝される化合物．→complete s.）．

suicide s. 自殺基質（競合的阻害剤で，酵素の活性部位で不可逆阻害剤に変換される）．＝mechanism-based inhibitor; suicide inhibitor.

sub·stra·tum (sŭb-strā′tŭm) [L. →substrate]. 下層（層の下に位置する別の層）．

sub·struc·ture (sŭb′strŭk-chūr). 下部構造（前部または部分的に表面下にある組織または構造）．

implant denture s. インプラントデンチャー下部構造，嵌植義歯下部構造（インプラントデンチャー上部構造を支える目的で骨と接触して軟組織下に置く，または骨に包埋させる金属架構）．

sub·sul·fate (sŭb-sŭl′fāt). 次硫酸塩（塩基性の硫酸塩．中和されていないのでさらに酸と結合する能力のある硫酸塩）．

sub·tal·ar (sŭb-tā′lăr). 距骨下の（→subtalar *joint*）．

sub·tar·sal (sŭb-tar′săl). 眼瞼下の．

sub·tend·i·nous (sŭb-tend′i-nŏs). 腱下の（腱の深層についていう．主として bursa(包)に関して用いる）．

sub·ten·to·ri·al (sŭb′ten-tō′rē-ăl). テント下の（小脳テントの下についていう）．

sub·ter·mi·nal (sŭb-ter′mi-năl). 末端近くの（卵形または杆状物質の末端付近に位置することを示す）．

sub·te·tan·ic (sŭb′te-tan′ik). 軽症テタヌス性の，テタヌス下の（完全に維持されているのではなく短い寛解のある緊張性筋痙縮，痙攣を示す）．

sub·tha·lam·ic (sŭb′thă-lam′ik). 視床下部の，視床腹部の（視床下部，視床下核についていう）．

subthalamotomy (sub-thal-ō′mot-ō′me). 視床下核破壊〔術〕（パーキンソン病の症候を改善するために視床下核を破壊する定位脳手術）．

sub·thal·a·mus (sŭb-thal′ă-mŭs) [TA]. 腹側視床，視床腹部（間脳に属し，後方の視床と前方の大脳脚の間の楔状の領域で，視床下部の後半分の外方にあり，これとの境は不明確．視床下核，不確帯，Forel 野からなる．外方には翼状に視床網様核に続き，下方は中脳被蓋に移行する）．＝ventral thalamus.

sub·thy·roid·e·us (sŭb′thī-royd′ē-ŭs). 甲状下筋（甲状披裂筋と声帯筋から派生する筋線維束）．

sub·til·i·sin (sŭb-til-ī′sin). サブチリシン（プロテイナーゼの一種で，他の糸状菌や細菌のセリンプロテイナーゼに類似の枯草菌 *Bacillus subtilis* などにより産生される．ある種の蛋白中の数種の特異的ペプチドの加水分解を触媒し，これによりキモトリプシノゲンをキモトリプシンに，オボアルブミンをプラクアルブミンに変え，膵リボヌクレアーゼを S–ペプチドと S–蛋白に分解する）．＝subtilopeptidase.

sub·ti·lo·pep·ti·dase (sŭb′ti-lō-pep′ti-dās). ＝subtilisin.

sub·trac·tion (sŭb-trak′shŭn). サブトラクション，減算（X 線写真またはシンチグラムの画像上の(放射線)不透過性の解剖学的構造物の検出能を向上させるために使用される技法．造影剤や放射性核種を注入する前に得られた画像の反転画像を，注入後の画像から写真技術的または電子工学的に差し引く．主に頭部血管撮影で使われる．→digital subtraction *angiography*; mask）．

S

energy s. エネルギーサブトラクション（高エネルギー照射と低エネルギー照射の両方を用いるディジタルラジオグラフィ．２種類の管電圧での二重の照射によって，あるいは，２つのイメージングプレートの間に低エネルギー光量子を吸収する銅のフィルタを挿入することによって，高い原子番号と低い原子番号の画像(骨および軟部組織のそれぞれについての画像)をコンピュータ計算する．光電効果 photoelectric *effect* のために，低エネルギーX線が，カルシウムや銅のような，より高い原子番号の物質によって吸収されるという事実が使用される．→Z; photoelectric *effect*; phosphor *plate*).

sub·tra·pe·zi·al (sŭb'tra-pē'zē-ăl). 僧帽筋下の（神経叢についていう).

sub·tribe (sŭb'trīb). 亜族（生物学的分類において，族と属の間に用いる区分).

sub·tro·chan·ter·ic (sŭb'trō-kan-ter'ik). 転子下の.

sub·troch·le·ar (sŭb-trok'lē-ăr). 滑車下の.

sub·tu·ber·al (sŭb-tū'bĕr-ăl). 隆起下の，結節下の.

sub·tym·pan·ic (sŭb'tim-pan'ik). 鼓膜下の（鼓室下についていう).

sub·um·bil·i·cal (sŭb'ŭm-bil'i-kăl). 臍下の．＝infraumbilical.

sub·un·gual, sub·un·gui·al (sŭb-ŭng'gwăl, sŭb-ŭng'gwi-ăl) [L. *unguis*, nail]. 爪下の．＝hyponychial (1).

sub·u·nit (sŭb'yū-nit). サブユニット（①大きな構造体の別個の部分を形成するユニット．→monomer. ②単一蛋白またはポリペプチド鎖で，システイニル残基間のジスルフィド結合以外の共有結合を切断しないでオリゴマー蛋白から分離される．③大きな多重体構造から分離できる単一生体高分子).

sub·u·re·thral (sŭb'yū-rē'thrăl). 尿道下の（男性尿道下または女性尿道下についていう).

sub·vag·i·nal (sŭb-vaj'i-năl). ***1*** 腟下の．***2*** 鞘内の（鞘の役をする管状膜の内側にある).

sub·val·var, sub·val·vu·lar (sŭb-val'văr, sŭb-val'vū-lăr). 弁下の.

sub·ver·te·bral (sŭb-ver'tĕ-brăl). 脊柱腹側の.

sub·vir·ile (sŭb-vir'il). 精力減退の.

sub·vir·ion (sub-vir'ē-on) [sub- ＋ virion]. サブビリオン（不完全なウイルス粒子).

sub·vit·ri·nal (sŭb-vit'ri-năl). 硝子体下の.

sub·wak·ing (sŭb-wāk'ing). 半睡状態の（睡眠と覚醒の中間の精神状態についていう).

sub·zo·nal (sŭb-zō'năl). 帯下の（例えば，放線帯または透明帯などの帯下を表す).

sub·zy·go·mat·ic (sŭb'zī-gō-mat'ik). 頬骨下の（頬骨下または頬弓下についていう).

suc·ca·gogue (sŭk'ă-gog) [L. *succus*, juice ＋ G. *agōgos*, leading]. ***1***〚adj.〛分泌刺激性の（液の流出を刺激する)．***2***〚n.〛分泌刺激物（液の流出を刺激する薬物).

suc·ce·da·ne·ous (sŭk'sē-dā'nē-ŭs) [→succedaneum]. ***1*** 代用の．***2*** 代生の（乳歯または第一生歯に代わる永久歯または第二生歯に関していう).

suc·ce·da·ne·um (sŭk'sē-dā'nē-ŭm) [L. *succedaneus*, following after, substituting ＜ *suc-cedo*, to follow, to take the place of ＜ *sub*, under ＋ *cedo*, to go]. 代用薬（他の物の性質を有し，その代わりに用いることのできる薬または治療薬).

suc·cen·tu·ri·ate (sŭk'sen-tyū'rē-āt) [L. *suc-centurio*, pp. *-atus*, to substitute]. 代用の，副次的な（解剖学的にある器官の代用をつとめるもの，副次的に働くものについていう).

suc·ci·nate (sŭk'si-nāt). コハク酸塩.

active s. 活性コハク酸．＝succinyl-coenzyme A.

s. dehydrogenase コハク酸デヒドロゲナーゼ（コハク酸からの水素の除去を触媒し，フマル酸に変化させるフラビン酵素．例えば，コハク酸 ＋FAD⇌フマル酸 ＋$FADH_2$．この複合体はトリカルボン酸回路の一部である)．＝fumarate reductase(NADH); fumaric hydrogenase.

suc·ci·nate: CoA li·gase (sŭk'si-nāt lī'gās). ＝*succinyl-CoA* synthetase.

suc·ci·nate sem·i·al·de·hyde (sŭk'si-nāt sem'ē-ăl'dĕ-hīd). コハク酸セミアルデヒド（γ–アミノ酪酸の異化の中間体).

s. s. dehydrogenase コハク酸セミアルデヒドデヒドロゲナーゼ（コハク酸セミアルデヒドの NAD^+ か $NADP^+$ とによりコハク酸と NADH(または NADPH)を生成する反応を触媒する酵素．この酵素の欠損により 4–ヒドロキシ酪酸尿症になる).

suc·cin·ic ac·id (sŭk-sin'ik as'id). コハク酸；1,4 butanedioic acid（トリカルボン酸回路の中間体．医学において数種の塩が多岐にわたって用いられてきた).

suc·cin·ic thi·o·ki·nase (sŭk-sin'ik thī'ō-kī'nās). コハク酸チオキナーゼ．＝*succinyl-CoA* synthetase.

suc·cin·i·mide (suk-sin'ă-mīd). スクシニミド（薬物の化学的分類で，抗てんかん薬であるエトスクシミド，メトスクシミド，およびフェンスクシミドが含まれる．非置換スクシニミドは抗尿路結石薬として用いられる).

suc·ci·nyl·ac·e·tone (sŭk'sin-il-ăs'ĕ-tōn). スクシニルアセトン（チロシン血症 IA の患者で上昇している代謝産物).

***N*-suc·ci·nyl·ad·e·nyl·ic ac·id** (sŭk'si-nil-ăd-ē-nil'ik as'id). *N*–スクシニルアデニル酸．＝adenylosuccinic acid.

suc·ci·nyl·cho·line (sŭk'si-nil-kō'lēn). スクシニルコリン（短時間作用性の筋弛緩薬．特徴は初め終板の脱分極(１相性遮断)を生じるが，しばしばクラーレ様の非脱分極性筋遮断(２相性遮断)が起こる．気管内挿管および手術麻酔時の筋弛緩に用いる)．＝diacetylcholine; suxamethonium.

suc·ci·nyl-CoA (sŭk'si-nil). スクシニル CoA．＝ succinyl-coenzyme A.

s.-CoA synthetase スクシニル CoA シンテターゼ（①コハク酸と CoA と ATP が反応し，ADP，無機リン酸，スクシニル CoA を生成させる反応を可逆的に触媒するリガーゼ．②トリカルボン酸回路に存在する同様のシンターゼで，コハク酸やイタコン酸と ATP の代わりに GTP(または ITP)を用いることができる)．＝succinic thiokinase; succinate: CoA ligase.

suc·ci·nyl-co·en·zyme A (sŭk'si-nil-kō-en'zīm). スクシニルコエンチーム A（コハク酸と CoA の縮合物であるトリカルボン酸回路の中間産物とヘムの生合成の前駆物質の１つ)．＝active succinate; succinyl-CoA.

suc·ci·nyl·di·cho·line (sŭk'si-nil-dī-kō'lēn). 塩化スクシニルコリン.

***O*-suc·ci·nyl·ho·mo·ser·ine (thi·ol)-ly·ase** (sŭk'si-nil-hō'mō-ser'ēn thī'ōl-lī'ās). *O*–スクシニルホモセリン(チオール)リアーゼ（シスタチオニンとコハク酸から L–システインと *O*–スクシニル–L–ホモセリンを生成する反応を触媒する酵素)．＝cystathionine γ-synthase.

suc·cor·rhe·a (sŭk'ō-rē'ă) [L. *succus*, juice ＋ G. *rhoia*, a flow]. 体液分泌過多（消化液分泌の異常増加).

suc·cu·bus (sŭk'ū-bŭs) [L. *succubo*, to lie under]. サキュバス，淫夢女精（睡眠中の男性と性交をすると信じられている魔女．*cf.* incubus).

suc·cuss (sŭ-kŭs'). 振とう聴診する.

suc·cus·sion (sŭ-kŭsh'ŭn) [L. *sucussio* ＜ *suc-cutio(subc-)*, pp. *-cussus*, to shake up ＜ *quatio*, to shake]. 振とう聴診法（気体と液体の両方を含有する空洞のはね返り音を起こすために身体を揺さぶって行う診断方法).

hippocratic s. ヒポクラテス振水音（気体，または空気と液体が胃や腸にあり，腹腔，胸腔，またまれに心膜腔内に遊離しているときに身体を揺さぶると出るはね返り雑音)．＝hippocratic succussion sound.

suck (sŭk) [A.S. *sūcan*]. 吸う，乳を吸う（①管内の前にある空気を排出して，管を通して液体を吸い出すこと．②口の中へ液体を吸い込む．特に乳房から乳汁を吸い出すこと).

suck·le (sŭk'ĕl). ***1*** 哺乳する（乳房から授乳する)．***2*** 乳を飲む.

Sucquet (sū-kā'), J.P. フランス人解剖学者，1840—1870. → S. *anastomoses*, *canals*; S.-Hoyer *anastomoses*, *canals*.

su·cral·fate (sū-kral'fāt). スクラルファート（抗ペプシン活性をもつ多糖類で，粘膜保護薬として十二指腸潰瘍の治療に用いられる).

su·crase (sū'krās). スクラーゼ．＝sucrose α-D-glucosidase.

su·crate (sū'krāt). スクラート，ショ糖塩（ショ糖の化合物).

su·crose (sū'krōs). ショ糖，スクロース（D– グルコースと D–フルクトースでつくられる非還元性二糖類．イネ科サトウキ

ビ *Saccharum officinarum*, 数種のモロコシ, アカザ科サトウダイコン *Beta vulgaris* から得られる．薬局でシロップや糖菓剤のような製品の製造に用いる)．＝saccharose; saccharum.

s. octaacetate オクタアセチルスクロース（アルコール変性剤)．

su·crose α-D-glu·co·si·dase (sū′krōs glū′kō-hī′drō-lās). スクロースα-D-グルコシダーゼ（スクロースやマルトースの加水分解反応を触媒する酵素．腸粘膜から単離された酵素ではイソマルトースにも作用する(すなわちこの酵素は別にイソマルトースに作用するサブユニットをもつ)．本酵素欠損によりスクロースや直鎖 1,4 − グルカンの消化不全をきたす)．＝sucrase.

su·cro·se·mi·a (sū′krō-sē′mē-ă) ［sucrose＋G. *haima*, blood］. スクロース血症（血液中にショ糖が存在すること)．

su·cro·su·ri·a (sū′krō-syū′rē-ă) ［sucrose＋G. *ouron*, urine］. スクロース尿症（尿中へのショ糖の排泄)．

suc·tion (sŭk′shŭn) ［L. *sugo*, pp. *suctus*, to suck］. 吸引〔法〕, 吸込み（吸う行為または過程. →aspiration (1), (2)).

posttussive s. 咳後吸音（咳の最後に肺空洞上で聴診で聞かれる吸引音)．

Wangensteen s. ワンゲンスティーン吸引器（常に陰圧を保つ改善サイホンで，十二指腸ゾンデと一緒に用いて胃と腸の拡張を緩和する)．＝Wangensteen tube.

suc·to·ri·al (sŭk-tō′rē-ăl). 吸入の（吸う行為についていう．また吸うに適したことを示す)．

su·da·men, pl. **su·dam·i·na** (sū-dā′men, -dam′i-nă) ［Mod. L. < L. *sudo*, to sweat］. 汗疹（汗孔部あるいは表皮内に液体が貯留することによって生じるごく小さい水疱)．

su·dam·i·na (sū-dam′i-nă). 汗疹（①sudamen の複数形．②＝*miliaria* crystallina)．

Su·dan III (sū-dan′) ［C.I. 26100］. スダン III（組織学手技の中性脂肪用の赤色染料．結核菌の脂肪被膜の染色にも用いる)．＝Sudan red III.

Su·dan IV (sū-dan′) ［C.I. 26105］. スダン IV. ＝scarlet red.

Su·dan black B (sū-dan′ blak) ［C.I. 26150］. スダンブラックB（ジアゾ染料．脂肪の染料として用いる)．

Su·dan brown (sū-dan′ brown) ［C.I. 12020］. スダンブラウン（α-ナフチルアミンから誘導される．脂肪用の褐色染料)．

su·dan·o·phil·i·a (sū-dan′ō-fil′ē-ă). ***1*** スダン親和〔性〕（油溶染料またはスダン染料に対する親和性)．***2*** スダン親和症（無水アルコール中で 0.2% スダン III と 0.1% クレシルブルーで処理すると，鮮赤色に染まる細かい脂肪小滴を白血球が含有する状態)．

su·dan·o·phil·ic (sū′dan-ō-fil′ik). スダン好性〔の〕（スダン染料で容易に染まること．通常，組織中の脂質を示す)．

su·dan·o·pho·bic (sū-dan′ō-fō′bik). スダン嫌性〔の〕（スダン染料または脂溶性染料により組織が染まらないことについていう)．

Su·dan red III (sū-dan′ red). スダンレッド III. ＝Sudan III.

Su·dan yel·low (sū-dan′ yel′ō). スダンイエロー（脂肪用の黄色染料)．＝metadioxyazobenzene.

su·da·tion (sū-dā′shŭn) ［L. *sudatio* < *sudo*, pp. *-atus*, to sweat］. 発汗. ＝perspiration (1).

Sudeck (sū′dek), Paul H.M. ドイツ人外科医，1866—1938. →S. *atrophy*, critical *point*, *syndrome*.

su·do·mo·tor (sū′dō-mō′tŏr) ［L. *sudor*, sweat＋*motor*, mover］. 発汗刺激性の，発汗促進の（汗腺を刺激して活動させる自律(交感)神経についていう)．

su·dor (sū′dōr) ［L.］. 汗. ＝perspiration (3).

s. anglicus ＝English sweating *disease*.

sudor- ［L. *sudor*］. ［本連結形を pseudo- と混同しないこと］. 汗，発汗を表す連結形．

su·do·re·sis (sū′dō-rē′sis) ［sudor-＋G. *-ēsis*, condition］. 多汗症，発汗過多（多量に発汗すること)．

su·do·rif·er·ous (sū′dō-rif′ĕr-ŭs) ［sudor-＋L. *fero*, to bear］. 発汗性の，汗分泌の．

su·do·rif·ic (sū′dō-rif′ik) ［sudor-＋L. *facio*, to make］. 発汗の．

su·do·rom·e·ter (sū′dō-rom′ĕ-tĕr) ［sudor-＋G. *metron*, measure］. 発汗測定器（発汗量を測定する器械)．

su·dor·rhe·a (sū′dō-rē′ă) ［sudor-＋G. *rhoia*, a flow］. 多汗症．＝hyperhidrosis.

su·et (sū′et). 羊脂（ウシやヒツジの腎臓周囲の硬い脂肪．精製すると獣脂を生じる)．

prepared s. 精製羊脂（調製された羊脂．ヒツジ *Ovis aries* の腹腔内脂肪．溶かし，こして精製する．以前は薬局で軟膏をつくるのに用いられた)．＝prepared mutton tallow.

suf·fo·cate (sŭf′ŏ-kāt) ［L. *suffoco*(*subf-*), pp. *-atus*, to choke, strangle］. ***1*** 窒息させる．＝asphyxiate. ***2*** 窒息する（酸素欠乏にかかる．呼吸ができなくなる)．

suf·fo·ca·tion (sŭf′ō-kā′shŭn). 窒息．＝asphyxiation.

suf·fu·sion (sŭ-fyū′zhŭn) ［L. *suffusio* < *suffundo*(*subf-*), to pour out］. ***1*** 灌水〔療法〕（液体を身体に注ぐ行為)．***2*** 紅潮（表面の赤化)．***3*** 充溢（液体で湿っている状態)．***4*** 溢血．＝extravasate (2).

sug·ar (shu′găr) ［G. *sakcharon*; L. *saccharum*］. 砂糖（［意味が文脈から明らかでない場合，glucose の代わりに本語を口語的に使うのを避けること］．糖類 sugars の 1 つ．製薬用としては compressible sugar と confectioner's sugar. →sugars)．

added s. 添加糖（加工の段階で食物に添加されるサッカリド(糖)化合物)．

amino s.'s アミノ糖（ヒドロキシル基がアミノ基に置換された糖．例えばD-グルコサミン)．

beechwood s. ブナ糖；D- xylose (→xylose).

beet s. テンサイ(甜菜)糖；D- sucrose (→sucrose).

blood s. 血糖（［より正確な blood(または plasma) glucose の代わりに本語を使うのを避けること］. →D- glucose).

brain s. 脳糖；D- galactose (→galactose).

cane s. ショ糖；D- sucrose (→sucrose).

corn s. →D- glucose.

deoxy s. デオキシ糖類（炭素原子より少数の酸素原子をもつ糖．したがって，分子中の 1 つ以上の炭素は水酸基を欠く)．＝desoxy-.

desoxy s. ＝deoxy s.

fasting blood s. (**FBS**) 空腹時血糖〔値〕(→glucose tolerance *test*).

free s. 遊離糖（サッカリド(糖)系の甘味料を表す総称語．蜂蜜，シロップ，ジュース，およびこれらに類する濃縮された糖分で，食物に添加される)．

fruit s. 果糖；D- fructose (→fructose).

gelatin s. ゼラチン糖．＝glycine.

grape s. ブドウ糖 (→D- glucose).

intrinsic s. 内因性糖（手を加えていない果実や野菜にもともと含まれている糖分)．

invert s. 転化糖（D-グルコースとD-フルクトースの等量混合物で，ショ糖の加水分解(転化)により生じる)．

s. of lead 鉛糖．＝*lead* acetate.

malt s. 麦芽糖．＝maltose.

manna s. ＝D- mannitol.

maple s. カエデ糖（サトウカエデ *Acer saccharinum* の樹液から抽出したスクロース)．＝saccharum canadense.

milk s. 乳糖．＝lactose.

oil s. 油糖剤．＝oleosaccharum.

pectin s. ペクチン糖；D- arabinose (→arabinose).

reducing s. 還元糖（尿中のグルコースのような糖で，種々の無機イオン，特に第二銅イオンを第一銅イオンに還元する性質を有する)．

specific soluble s. 特異可溶糖．＝specific capsular *substance*.

starch s. デンプン糖 (→ D- glucose).

wood s. 木糖；D- xylose (→xylose).

sug·ar ac·ids (shu′găr as′idz). 糖酸（グルコン酸，グルクロン酸，サッカリン酸など，ブドウ糖の酸化により生じる酸)．

sug·ar al·de·hyde (shu′găr al′de-hīd). 糖アルデヒド（分子内にアルデヒドを含有する糖)．

sug·ars (shu′gărz). 糖類（一般組成$(CH_2O)_n$，およびその単純誘導体を有する物質(saccharides)．単糖類(グルコース)は polyhydroxy aldehydes または ketones として書く場合が多い．例えば，アルドヘキソースの $HOCH_2-(CHOH)_4-CHO$

S

（グルコースなど），または 2–ケトースの $HOCH_2$–$(CHOH)_3$–CO–CH_2OH（フルクトースなど）と表記する．環化によって種々の構造が生じる．糖類は一般に末尾の -ose，または，非糖質（アグリコン）と結合した場合は -oside または -osyl によって確認できる．糖類，特に D–グルコースは自然界の酸化による主なエネルギー源で，重合形の誘導体（D–グルコサミン，D–グルクロン酸など）とともにムコ蛋白，細菌細胞壁，植物構造物質（セルロースなど）の主成分である．糖類はステロイド（ステロイドグリコシド）やほかのアグリコンと結合して発見されることが多い）．

Fischer projection formulas of s. (fish′ĕr) [Emil *Fischer*]．フィッシャー糖類投影式（炭素鎖が縦に描かれる環式糖類とその誘導体の投影による表示．最小位の不斉炭素原子（アルドースの C–1, 2–ケトースの C–2，例えばフルクトース）を一番上に描き，鎖の残りの炭素原子は一番上の炭素原子の下に連続して描く．紙の平面に位置するよう投影で描かれる各炭素原子は，炭素－炭素結合は実際には見る者からは離れた方向に向いているが，縦線として描かれる．各炭素原子の左側と右側の結合は実際には見る者の方を向いてはいるが，投影では横線として描かれる．環式糖類の Fischer 式の規定を次に示す．ⓘもし最高位不斉炭素原子が右側にある OH（またはその置換体）を有するならば，D–グリセルアルデヒドの 2–OH のように，その糖は D 立体配置を有する．もし左側にあれば，L 体である．ⓘⓘ不斉炭素原子（アルドースの C–1, 2–ケトースの C–2）で，右側にある OH または置換 OH は，最高位不斉炭素原子の OH も右側（D–糖類）にあれば，α である．もし左側にあり，最高位不斉炭素原子の OH もそのまま右側にあれば，β である．最高位不斉炭素原子の OH が左側にあっても，逆のことが起こる（L–糖類）．ⓘⓘⓘアルドースの末端 CH_2OH 基は不斉炭素原子を含まないので，その配向は立体配置的重要性をもたない）．

Actual　　Fischer projection

Haworth conformational formulas of cyclic s. (hā′wŏrth) [Sir Walter Norman *Haworth*]．ヘイワース環式糖類コンフォメーション式（ピラノースについては環平面の外側に環原子が全然ないか，1 つか 2 つある形（コンフォメーション）を描いている．互いにパラであるこのような原子が 2 つある場合は，ⓘ平面の反対側（*trans*）に位置し，いす形をつくるか，ⓘⓘ平面の同じ側（*cis*）にあって舟形をつくる．同様に，舟形コンフォメーションが 6 個存在している．2 個の平面原子（*trans*）が互いにメタである場合は，コンフォメーションはスキュー形である．2 個の原子が互いにオルトであれば，コンフォメーションは半いす形である．フラノースのエンベロープコンフォメーションは一環原子を平面外にもつ．3 個の隣接共面環原子（2 つの平面外環原子が平面の反対側にある）がある場合は，コンフォメーションはねじれ形である）．

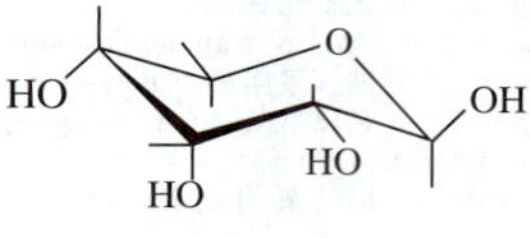

$^4C_1$

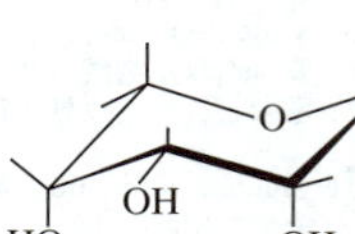

$^1C_4$

Haworth perspective formulas of cyclic s. (hā′wŏrth) [Sir Walter Norman *Haworth*]．ヘイワース環式糖類透視式（フラノースまたはピラノース構造を各々五角形，六角形とした透視的表示で，結合は，あたかも環の平面が紙の平面に対して 30 度に，H と OH の結合は環の平面に直角になるように陰影が付けられている．これらの式は通常にはみられない状態である平面コンフォメーションを描く．他のコンフォメーション式，例えば Haworth conformational formulas of cyclic s．は各原子および分子の立体的関係を描く試みがなされている．環式の Haworth 式の基本的規約は次のとおり．ⓘ最低位各環炭素原子は右側に描かれる．ⓘⓘ最高位不斉炭素原子が D である場合，糖は D である．L–糖類の式は環炭素原子に付くすべての基の上方向または下方向を逆転することによって D 異性体から誘導できる．または単に全体構造の鏡像を描くことによっても誘導できる．ⓘⓘⓘ不斉炭素に付くヒドロキシル基（アルドースの C–1, 2–ケトースの C–2，例えばフルクトース）は D–糖類の環の下方にあれば α であり，上方にあれば β である．もし糖が L であれば逆のことが起こる．→ Fischer projection formulas of s．）．

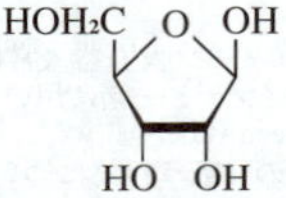

β-D-ribofuranose

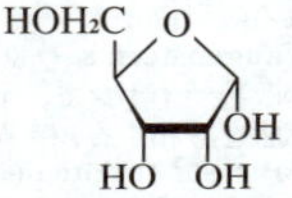

α-D-ribofuranose

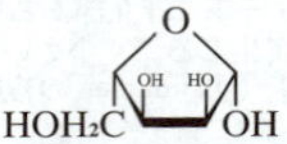

β-L-ribofuranose

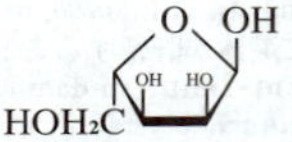

α-L-ribofuranose

sug·gest·i·bil·i·ty (sŭg-jes′tĭ-bil′i-tē)．被暗示性（議論，命令，強要などによることなく，催眠術のように，ある観念が個人の中に誘発されたり，採り入れられていくような心的過程を生じやすいこと）．＝sympathism.

sug·gest·i·ble (sŭg-jes′tĭ-bĕl)．暗示にかかりやすい．

sug·ges·tion (sŭg-jes′chŭn) [L. *sug-gero* (*subg-*), pp. *gestus*, to bring under, supply]．暗示（術者が用いたある言葉や行為によって，被術者の心の中にある観念を植え付けることで，その結果，被術者の行為や身体的状況はその植え付けられた観念によって，ある程度左右されるようになる．→ autosuggestion）．

hypnotic s. 催眠下指示（トランスまたはトランス後に行われる対象への指示．→minor *hypnosis*）．

posthypnotic s. 後催眠暗示（催眠トランスから〝覚醒〟した後に特定の行為を遂行するように，催眠状態のうちに被術者に与えられる暗示）．

sug·ges·tive (sŭg-jes′tiv)．暗示的な，暗示に富む．

sug·gil·la·tion (sŭg-ji-lā′shŭn, sŭj-i-) [L. *sugillo*, pp. *-atus*, to beat black and blue]．皮下溢血，広汎［性］皮下出血，皮斑（bruise, livedo を表す現在では用いられない語．→ contusion）．

postmortem s. 死斑．＝postmortem *livedo.*

Su·gi·u·ra (sū′jē-yū′rah), M．20 世紀の日本人外科医．→S. *procedure*.

SUI stress urinary *incontinence* の略．

su·i·cide (sū′i-sīd) [L. *sui*, self + *caedo*, to kill]．***1*** 自殺（自分の生命を奪う行為）．***2*** 自殺者（***1*** のような行為を行う者）．

physician-assisted s. (PAS)．医師幇助自殺（医師の直接的あるいは間接的幇助のもとに，致死的物質を投与することにより自身の生命を自発的に絶つこと．医師幇助自殺は，末期あるいは植物状態のため瀕死の状態にある患者を安楽死させるため，生命維持装置を抑制するか停止すること，および末期癌患者に麻薬鎮静剤を投与して間接的に死を促進させることからは区別される．→end-of-life *care*; advance *directive*）．

自殺幇助についての疑問と論争が保健団体や学会で広くかつ長期にわたって起こっている．1997年に米国最高裁判所は，憲法は医師幇助自殺を許可も禁止もしていないと裁定した．同じ年にオレゴン州は自殺についての法規を定めた最初の州となった．オレゴン州法では，18 歳に達しており，かつ 6 か月以内に死亡することが予測される末期状態にある精神的に健常な州の住民は，医師により処方された致死量を超える内服薬を服用することにより生命を終結させることを自発的に決定し，申請することができる．医師は民事・刑事訴追を免除される．2002 年にベルギーとオランダは同様の法規で，医師幇助自殺を規定した．米国医師会および看護師会はすべての条件下における自殺幇助に反対する公式表明を行っている．医師幇助自殺の公認に対する反対者によって表明された異議やその医療行為への介入の中には，保健関係の職業における公的信頼性の失墜，常に利益となり建設的であるという伝統的な医師－患者関係の根本的変化，ある疾病の〝治療〟の一手段になるかもしれないという懸念，医師が患者に対してそれを二者択一の 1 つとして示すように命令される恐れや老齢介護などの第三者支払機関が安上がりになることを賛同する恐れ，また，ひとたび合法になれば，末期状態ではない者にもそれが行われる危惧や，ついには患者以外の人々が決定を行う公的権限をもつようになるかもしれないという不安などがある．医師幇助自殺に関する論争では，死を間近にした人々への治療不足に対する注意や，責任ある丁寧で適切かつ倫理にかなった治療を提供するための保健専門家の顕著な義務が示されている．

---

su·i·ci·dol·o·gy (sū′i-sī-dol′ŏ-jē) [suicide + G. *logos*, study]. 自殺学（自殺の特質・原因および予防について研究する行動科学の一分科）.

suint (swint) [Fr. wool-grease]. スイント（羊毛の天然グリースで，局方のラノリン(無水ラノリン)が抽出される）.

suit (sūt). 衣服（特殊環境状態から人体を保護するようつくられた外衣）.

anti-G s. 抗 G 服（飛行中や人間遠心機にはいっているときに，陽 G が加わるような場合，腹部や下肢などが外圧に適応できるように膨張する空気袋の付いた衣服．抗 G 服は血液の停滞を防ぐために着用し，着用者が高 G 力の影響に耐える能力を増大させる）.

sul·bac·tam (sŭl-bak′tam). スルバクタム（抗菌作用の弱い β-ラクタマーゼ阻害薬．β-ラクタマーゼ阻害作用の小さいペニシリン類(アンピシリンなど)とともに用いると，通常は感受性のない個体に対する有効性が大きく上昇する）.

sul·cal (sŭl′kăl). 溝の.

sul·cate (sŭl′kāt). 有溝の（しわの寄った，または溝を特徴とするものについていう）.

sul·ci·form (sŭl′si-fōm). 溝形の.

sul·cu·lus, pl. **sul·cu·li** (sŭl′kŭ-lŭs, -lī) [Mod. L.: L. *sulcus*(furrow)の指小辞]. 小溝.

SULCUS

sul·cus, gen. & pl. **sul·ci** (sūl′kŭs, sŭl′sī) [L. a furrow or ditch]. 溝（①[TA]. 脳回と脳回との境界をつくる脳表面上の溝. → fissure. ②[TA]. 細長い溝または軽度の陥凹. → groove. ③口腔または歯の表面の溝または陥凹）.

alveolobuccal s. 歯槽頬溝. ＝alveolobuccal *groove*.

alveololabial s. 歯槽唇溝. ＝alveololabial *groove*.

alveololingual s. 歯槽舌溝. ＝alveololingual *groove*.

s. ampullaris [TA]. 膨大部溝. ＝ampullary *groove*.

ampullary s. 膨大部溝. ＝ampullary *groove*.

s. angularis ＝angular *incisure* of stomach.

anterior intermediate s. 前中間溝（成人でもときにみられるが，通常は胎児にだけ存在する脊髄の前正中裂と前外側溝の間の溝．前皮質脊髄路の後縁を示す）. ＝anterior intermediate groove; s. intermedius anterior.

anterior interventricular s. [TA]. 前室間溝（心臓の前上面にある溝．心室中隔の位置を示す）. ＝s. interventricularis anterior [TA]; anterior interventricular groove; crena cordis (1).

anterior parolfactory s. 前嗅傍溝（梁下野(Broca 野)の前縁をつくる溝）. ＝s. parolfactorius anterior.

anterolateral s. 前外側溝（脊髄および延髄の腹側にある不明確な溝．両側で前根の出る線を示す）. ＝s. anterolateralis [TA]; ventrolateral s.*; anterolateral groove.

s. anterolateralis [TA]. ＝anterolateral s.

s. anthelicis transversus 横対輪溝. ＝transverse anthelicine *groove*.

aortic s. 大動脈溝. ＝aortic *impression* of left lung.

s. aorticus ＝aortic *impression* of left lung.

s. arteriae meningeae mediae [TA]. ＝*groove* for middle meningeal artery.

s. arteriae occipitalis [TA]. 後頭動脈溝. ＝occipital *groove*.

s. arteriae subclaviae costae primae [TA]. ＝*groove* of first rib for subclavian artery.

s. arteriae temporalis mediae [TA]. 中側頭動脈溝. ＝*groove* for middle temporal artery.

s. arteriae vertebralis [TA]. 椎骨動脈溝. ＝*groove* for vertebral artery.

sulci arteriosi [TA]. 動脈溝. ＝arterial *grooves*.

atrioventricular s. 房室溝. ＝coronary s.

s. for auditory tube 耳管溝. ＝s. for pharyngotympanic tube.

s. auriculae anterior ＝anterior *notch* of auricle.

basilar s. [TA]. 〔橋〕脳底溝. ＝basilar pontine s.

s. basilaris [TA]. 〔橋〕脳底溝. ＝basilar pontine s.

basilar pontine s. 橋脳底溝（脳底動脈が位置する橋の腹側面にある正中溝）. ＝basilar s. [TA]; s. basilaris [TA].

s. bicipitalis lateralis [TA]. 外側二頭筋溝. ＝lateral bicipital *groove*.

s. bicipitalis medialis [TA]. 内側二頭筋溝. ＝medial bicipital *groove*.

s. bicipitalis radialis* lateral bicipital *groove* の公式の別名.

s. bicipitalis ulnaris* medial bicipital *groove* の公式の別名.

s. bulbopontis [TA]. ＝medullopontine s.

calcaneal s. [TA]. 踵骨溝（距骨の対応する溝とともに足根洞を形成する踵骨上部の溝）. ＝s. calcanei [TA]; interosseous groove of calcaneus; interosseous groove (1).

s. calcanei [TA]. 踵骨溝. ＝calcaneal s.

calcarine s. [TA]. 鳥距溝（大脳皮質の内側面にある深い裂で，弓状に弓状回峡部から後方の後頭極へのび，下の舌状回と上の楔部との境界をつくる．底の皮質は全視野の対側半の水平経線に相当する）. ＝s. calcarinus [TA]; calcarine fissure; fissura calcarina; posthippocampal fissure.

s. calcarinus [TA]. 鳥距溝. ＝calcarine s.

callosal s. 脳梁溝. ＝s. of corpus callosum.

callosomarginal s. 脳梁縁溝. ＝cingulate s.

s. callosomarginalis ＝cingulate s.

s. caninus [TA]. ＝canine *groove*.

s. caroticus [TA]. 頸動脈溝. ＝carotid s.

carotid s. 頸動脈溝（蝶形骨体にある溝で，海綿静脈洞内を走る内頸動脈が通る）. ＝s. caroticus [TA]; carotid groove; cavernous groove.

s. carpi [TA]. 手根溝. ＝carpal *groove*.

central s. [TA]. 中心溝（前頭葉と頭頂葉との境界にあたる大脳半球の外側面を斜め上，後方へのびる 2 重 S 状の溝）. ＝s. centralis [TA]; fissure of Rolando.

central s. of insula [TA]. 島中心溝（島の中央を横断している脳溝で，前方の短回と後方の長回とに区切っている）. ＝s. centralis insulae [TA].

s. centralis [TA]. 中心溝. ＝central s.

s. centralis insulae [TA]. ＝central s. of insula.

cerebellar sulci 小脳溝（小脳回の間にある溝．通常，小脳裂とよばれる）.

cerebral sulci [TA]. 大脳溝（大脳回の間にある溝）. ＝sulci cerebri [TA].

sulci cerebri [TA]. 大脳溝. ＝cerebral sulci.

chiasmatic s. 〔視神経〕交叉溝. ＝prechiasmatic s.

S

cingulate s. [TA]．帯状溝（大脳半球の内側面にある溝．帯状回の上面を境している．その前方部分は前頭下部とよばれる．後方部分は縁部とよばれ，半球の上内側方へ曲がって，中心傍小葉を後部で境している）．=s. cinguli [TA]; callosomarginal fissure; callosomarginal s.; s. callosomarginalis; s. of cingulum.

s. cinguli [TA]．帯状溝．=cingulate s.

s. of cingulum 帯状溝．=cingulate s.

circular s. of insula [TA]．島輪状溝（上下および後ろで島を弁蓋から区分する半輪状の溝）．=s. circularis insulae [TA]; circular s. of Reil; limiting s. of Reil.

s. circularis insulae [TA]．島輪状溝．=circular s. of insula.

circular s. of Reil (rīl)．ライル輪状溝．=circular s. of insula.

collateral s. [TA]．側副溝（側頭葉下面にある長く深い矢状溝．外側の内側後頭側頭回と内側の海馬回と舌状回との間にある．側副溝の最深部は側脳室の後頭角および下角の床に膨隆，すなわち側副隆起をつくる）．=occipitotemporal s. [TA]; s. collateralis [TA]; s. occipitotemporalis [TA]; collateral fissure; fissura collateralis.

s. collateralis [TA]．側副溝．=collateral s.

s. coronarius [TA]．冠状溝．=coronary s.

coronary s. [TA]．冠状溝（心房と心室の境界を示す心臓外面にある溝）．=s. coronarius [TA]; atrioventricular groove; atrioventricular s.; auriculoventricular groove; coronary groove.

s. corporis callosi [TA]．脳梁溝．=s. of corpus callosum.

s. of corpus callosum [TA]．脳梁溝（脳梁と帯状回の間にある溝）．=s. corporis callosi [TA]; callosal s.

s. costae [TA]．肋骨溝．=costal *groove.*

s. costae arteriae subclaviae =*groove* of first rib for subclavian artery.

costophrenic s. 肋骨横隔膜陥凹（肋骨と横隔膜の外側の大部分の間にあるくぼみで，一部は肺の最尾側部に占められる．X線写真上，肋骨横隔膜角として認められる）．

s. cruris helicis [TA]．耳輪脚溝．=*groove* of crus of helix.

sulci cutis [TA]．皮膚小溝．=skin sulci.

dorsal intermediate s. 背側中間溝．=posterior intermediate s.

dorsal median s.* posterior median s. of medulla oblongata の公式の別名．

dorsolateral s.* posterolateral s. の公式の別名．

s. ethmoidalis [TA]．篩骨神経溝．=ethmoidal *groove.*

external spiral s. 外ラセン溝．=outer spiral s.

fimbriodentate s. [TA]．采歯状回溝（海馬采と歯状回との間にある浅い溝）．=s. fimbriodentatus [TA].

s. fimbriodentatus [TA]．采歯状回溝．=fimbriodentate s.

s. frontalis inferior [TA]．下前頭溝．=inferior frontal s.

s. frontalis medius 中前頭溝．=middle frontal s.

s. frontalis superior [TA]．上前頭溝．=superior frontal s.

s. frontomarginalis 前頭縁溝（→middle frontal s.）．

gingival s. [TA]．歯肉溝（歯の表面と遊離歯肉との間の間隙）．=s. gingivalis [TA]; gingival crevice; gingival groove; gingival space; subgingival space.

s. gingivalis [TA]．歯肉溝．=gingival s.

gingivobuccal s. =alveolobuccal *groove.*

gingivolabial s. =alveololabial *groove.*

gingivolingual s. =alveololingual *groove.*

s. glutealis [TA]．殿溝．=gluteal *fold.*

s. for greater palatine nerve 大口蓋溝．=greater palatine *groove.*

habenular s. [TA]．手綱溝（手綱三角とその近くの視床背部の間にある細い溝）．=s. habenularis.

s. habenularis =habenular s.

s. hamuli pterygoidei [TA]．翼突鉤溝．=*groove* of pterygoid hamulus.

hippocampal s. [TA]．海馬溝（歯状回と海馬傍回との間にある浅い溝．Ammon 角と歯状回の間で海馬内へ深くはいり込んだ裂隙が，胎児成育期に閉塞されてできた遺残）．=s. hippocampalis [TA]; dentate fissure; fissura dentata; fissura hippocampi; hippocampal fissure.

s. hippocampalis [TA]．海馬溝．=hippocampal s.

hypothalamic s. [TA]．視床下溝（第3脳室両側の外側壁にある溝．脳室間孔から中脳水道入口へ至る．視床下溝は背側視床と視床下部を分ける境界をなしている）．=s. hypothalamicus [TA]; Monro s.

s. hypothalamicus [TA]．視床下溝．=hypothalamic s.

inferior frontal s. [TA]．下前頭溝（大脳前頭葉の外側の凸面にある矢状溝．中前頭回と下前頭回を分けている）．=s. frontalis inferior [TA].

inferior petrosal s. 下錐体洞溝．=*groove* for inferior petrosal sinus.

inferior temporal s. [TA]．下側頭溝（内側後頭側頭回と下側頭回をその外側で分ける，側頭葉の底面にある溝）．=s. temporalis inferior [TA]; Clevenger fissure.

s. infraorbitalis [TA]．眼窩下溝．=infraorbital *groove.*

infrapalpebral s. [TA]．眼瞼下溝（下眼瞼の下にあるくぼみまたは溝）．=s. infrapalpebralis [TA].

s. infrapalpebralis [TA]．眼瞼下溝．=infrapalpebral s.

inner spiral s. [TA]．内ラセン溝（張り出した前庭唇によってできる蝸牛管床のくぼみ）．=s. spiralis internus [TA]; internal spiral s.

s. intermammarius [TA]．=intermammary *cleft.*

s. intermedius anterior 前中間溝．=anterior intermediate s.

s. intermedius posterior [TA]．後中間溝．=posterior intermediate s.

internal spiral s. 内ラセン溝．=inner spiral s.

interparietal s. 頭頂間溝．=intraparietal s.

intertubercular s. [TA]．結節間溝．=intertubercular *groove*; bicipital groove*.

s. intertubercularis [TA]．結節間溝．=intertubercular *groove.*

s. interventricularis anterior [TA]．前室間溝．=anterior interventricular s.

s. interventricularis cordis 室間溝（→anterior interventricular s.; posterior interventricular s.）．

s. interventricularis posterior [TA]．後室間溝．=posterior interventricular s.

intragracile s. 薄小葉内溝，二腹小葉内溝（小脳の二腹小葉の前部と後部の間にある溝）．=s. intragracilis.

s. intragracilis 薄小葉内溝，二腹小葉内溝．=intragracile s.

intraparietal s. [TA]．頭頂間溝（中心後溝からある間隔をおいて後方へのび，さらに垂直に2枝に分かれて中心後溝とともにH字形をつくる水平な溝．頭頂葉を上頭頂小葉と下頭頂小葉とに分けている）．=s. intraparietalis [TA]; interparietal s.; intraparietal s. of Turner; Turner s.

s. intraparietalis [TA]．頭頂間溝．=intraparietal s.

intraparietal s. of Turner (tŭr′nĕr)．ターナー頭頂間溝．=intraparietal s.

labial s. 口唇歯肉溝（発生途上の口唇と歯肉との間にある溝）．=labiodental s.; lip s.; primary labial groove.

labiodental s. =labial s.

s. lacrimalis [TA]．涙嚢溝．=lacrimal *groove.*

lateral s. 外側溝（大脳皮質溝の中で最も深く最も顕著な溝．前有孔質から始まり，前頭葉と側頭葉の間の深い切れ込みで外側へ向かい，それから後，やや上方へ向かって大脳半球の外側面を越える．上側頭回は外側溝の下堤をなし，島は大きく広がった床，前頭弁蓋と頭頂弁蓋は上堤をなす．外側溝は3部分に分けられる．大きな後枝が通常単に外側溝とよばれているもの，短い前枝は下前頭回の眼窩部と三角部とを分けており，短い上行枝が眼窩部と弁蓋部とを分けている）．=s. lateralis [TA]; fissura cerebri lateralis; lateral cerebral fissure; sylvian fissure; fissure of Sylvius.

s. lateralis [TA]．=lateral s.

lateral occipital s. 外側後頭溝（大脳半球の後頭葉外側面にあるいくつかの溝の1つ．外側後頭回を境する）．=s. occipitalis lateralis.

s. limitans [TA]. 境界溝. =limiting s.

s. limitans ventriculi quarti [TA]. =limiting s. of fourth ventricle.

limiting s. 境界溝（神経管内面にある内側の縦溝で，翼板と基板とを分ける）. =s. limitans [TA].

limiting s. of fourth ventricle [TA]. 第 4 脳室境界溝（菱形窩床の正中線の両脇に並走する溝で，胎児期菱脳の背側部と腹側部を分けていた溝の名残である．脳神経の運動性核(内側)と知覚性核(外側)とのおよその境界にもなっている）. =s. limitans ventriculi quarti [TA].

limiting s. of Reil (rīl). ライル境界溝. =circular s. of insula.

lip s. =labial s.

longitudinal s. of heart →anterior interventricular s.; posterior interventricular s.

lunate s.〔大脳〕月状溝（大脳後頭極に近い皮質凸面にある，小さくて，不定な半月状の溝．有線領(Brodman 第 17 野)の前方境界を示し，サルや類人猿の大脳皮質により一層恒常的にみられる同名の大きな溝と相同であると考えられている）. =lunate fissure [TA]; s. lunatus [TA]; simian fissure.

s. lunatus [TA].〔大脳〕月状溝. =lunate s.

malleolar s. 内果溝. =malleolar *groove*.

s. malleolaris [TA]. 内果溝. =malleolar *groove*.

marginal s. [TA]. 辺縁溝（後中心傍溝のすぐ尾側にある脳溝で，帯状溝の後上行部にあたるので帯状溝の辺縁肢とみなされることもある）. =ramus marginalis [TA]; s. marginalis [TA]; marginal branch [TA] of cingulate sulcus.

s. marginalis [TA]. =marginal s.

s. matricis unguis 爪床小溝（爪床にある溝．爪の外側縁がはいっている皮膚の溝）. =groove of nail matrix; vallecula unguis.

medial s. of crus cerebri 大脳脚内側溝. =oculomotor s. of mesencephalon.

s. medialis cruris cerebri 大脳脚内側溝. =oculomotor s. of mesencephalon.

median s. of fourth ventricle [TA].〔第 4 脳室〕正中溝（第 4 脳室床にある浅い正中溝）. =s. medianus ventriculi quarti [TA].

median s. of tongue [TA]. 舌正中溝（舌盲孔から舌尖に向けて縦走する溝で，舌背を左右半に分けている）. =s. medianus linguae [TA]; median groove of tongue; median longitudinal raphe of tongue; raphe linguae.

s. medianus linguae [TA]. 舌正中溝. =median s. of tongue.

s. medianus posterior medullae oblongatae [TA].〔延髄〕後正中溝. =posterior median s. of medulla oblongata.

s. medianus posterior medullae spinalis [TA].〔脊髄〕後正中溝. =posterior median s. of spinal cord.

s. medianus ventriculi quarti [TA].〔第 4 脳室〕正中溝. =median s. of fourth ventricle.

medullopontine s. [TA]. 橋延髄溝（橋と延髄を区切る溝で，第六―八脳神経が出る）. =s. bulbopontis [TA].

mentolabial s. [TA]. おとがい唇溝（下唇をおとがいから分ける不明瞭な線）. =s. mentolabialis [TA]; mentolabial furrow.

s. mentolabialis [TA]. おとがい唇溝. =mentolabial s.

middle frontal s. 中前頭溝（中前頭回を上部と下部に分けている脳の比較的浅い矢状溝．この溝はヒトと類人猿のみにみられる．前端で分岐し，2 本の枝は外側にのびて前頭縁溝をつくる）. =s. frontalis medius.

middle temporal s. 中側頭溝（中側頭回と下側頭回との間にある溝）. =s. temporalis medius.

s. for middle temporal artery 中側頭動脈溝. =*groove* for middle temporal artery.

Monro s. (mŏn-rō′). モンロー溝. =hypothalamic s.

s. musculi subclavii [TA]. 鎖骨下筋溝. =subclavian *groove*.

s. mylohyoideus [TA]. 顎舌骨筋神経溝. =mylohyoid *groove*.

nasolabial s. [TA]. 鼻唇溝（鼻翼から上唇にかけての溝）. =s. nasolabialis [TA]; nasolabial groove.

s. nasolabialis [TA]. 鼻唇溝. =nasolabial s.

s. nervi oculomotorii [TA]. 動眼神経溝. =oculomotor s. of mesencephalon.

s. nervi petrosi majoris [TA]. 大錐体神経溝. =*groove* for greater petrosal nerve.

s. nervi petrosi minoris [TA]. 小錐体神経溝. =*groove* of lesser petrosal nerve.

s. nervi radialis [TA]. 橈骨神経溝. =radial *groove*.

s. nervi spinalis [TA]. 脊髄神経溝. =*groove* for spinal nerve.

s. nervi ulnaris [TA]. 尺骨神経溝. =*groove* for ulnar nerve.

nymphocaruncular s. 小陰唇処女膜溝（小陰唇と処女膜痕の縁との間にある溝．大前庭腺導管の開口部がこの中の両側にある）. =nymphohymenal s.; s. nymphocaruncularis.

s. nymphocaruncularis 小陰唇処女膜溝. =nymphocaruncular s.

nymphohymenal s. =nymphocaruncular s.

s. obturatorius [TA]. 閉鎖溝. =obturator *groove*.

s. of occipital artery 後頭動脈溝. =occipital *groove*.

s. occipitalis lateralis 外側後頭溝. =lateral occipital s.

s. occipitalis superior 上後頭溝. =superior occipital s.

s. occipitalis transversus [TA]. 横後頭溝. =transverse occipital s.

occipitotemporal s. [TA]. 後頭側頭溝. =collateral s.

s. occipitotemporalis [TA]. 後頭側頭溝. =collateral s.

oculomotor s. of mesencephalon [TA]. 中脳の動眼神経溝（中脳の脚間窩の外側壁にある溝．そこから動眼神経の根糸が出る）. =s. nervi oculomotorii [TA]; medial s. of crus cerebri; s. medialis cruris cerebri; s. of the oculomotor nerve.

s. of the oculomotor nerve 動眼神経溝. =oculomotor s. of mesencephalon.

s. olfactorius [TA]. 嗅溝. =olfactory s.

s. olfactorius cavi nasi [TA]. =olfactory *groove* of nasal cavity.

olfactory s. [TA]. 嗅溝（大脳の前頭葉の下面あるいは眼窩面にある矢状溝．直回と眼窩回とを区分しており，眼窩面上で嗅球と嗅索におおわれている）. =s. olfactorius [TA]; olfactory groove.

olfactory s. of nasal cavity 鼻腔の嗅溝. =olfactory *groove* of nasal cavity.

orbital sulci [TA]. 眼窩溝（不規則に配置されている多様な多数の溝．大脳の前頭葉の下面または眼窩面で多くの眼窩回を区分している）. =sulci orbitales [TA].

sulci orbitales [TA]. 眼窩溝. =orbital sulci.

outer spiral s. [TA]. 外ラセン溝（ラセン隆起とラセン器との間にある蝸牛管外壁のくぼみ）. =s. spiralis externus [TA]; external spiral s.

sulci palatini [TA]. 口蓋溝. =palatine *grooves*.

s. palatinus major [TA]. 大口蓋溝. =greater palatine *groove*.

s. palatovaginalis [TA]. 口蓋骨鞘突溝. =palatovaginal *groove*.

paracentral s. [TA]. 中心傍溝（大脳半球内側面にある脳溝で，帯状溝の分枝とみなされており，中心傍回の前部と上前頭回の内側部の間にある）. =s. paracentralis [TA].

s. paracentralis [TA]. =paracentral s.

sulci paracolici [TA]. 結腸傍溝. =paracolic *gutters*.

paraglenoid s. 関節〔窩〕傍溝. =preauricular *groove*.

s. paraglenoidalis 関節〔窩〕傍溝. =preauricular *groove*.

sulci paraolfactorii [TA]. =parolfactory sulci.

parietooccipital s. [TA]. 頭頂後頭溝（頭頂葉楔前部と後頭葉楔部との境をつくる，大脳皮質内側面上にある，非常に深い，ほぼ垂直に走る裂．その下部は前方に曲がり鳥距溝の前部と合する．この結合した溝はきわめて深いので，側脳室後頭角の内側壁に膨隆，すなわち鳥距ができる）. =s. parieto-occipitalis [TA]; fissura parietooccipitalis; parietooccipital fissure.

s. parieto-occipitalis [TA]. 頭頂後頭溝. =parietooccipital s.

s. parolfactorius anterior 前嗅傍溝. =anterior parolfactory s.

s. parolfactorius posterior 後嗅傍溝．＝posterior parolfactory s.

parolfactory sulci［TA］．嗅傍溝（嗅傍野にみられる小溝群で終板のすぐ吻側にある．しばしば前群と後群に分かれる．→anterior parolfactory s.）．＝sulci paraolfactorii［TA］．

periconchal s. ＝*fossa* antihelica.

s. for pharyngotympanic tube［TA］．耳管溝（軟骨性耳管を入れるための，蝶形骨大翼の後縁内面にある溝）．＝s. tubae auditoriae［TA］; groove for auditory tube; pharyngotympanic groove; s. for auditory tube.

s. popliteus［TA］．膝窩溝．＝*groove* for popliteus.

postcentral s.［TA］．中心後溝（中心後回を上・下頭頂小葉間から区切る溝）．＝s. postcentralis［TA］．

s. postcentralis［TA］．中心後溝．＝postcentral s.

s. posterior auriculae［TA］．＝posterior auricular *groove.*

posterior intermediate s.［TA］．後中間溝（脊髄頸部の後正中溝と後外側溝の間にある縦溝．薄束と楔状束を分けている）．＝s. intermedius posterior［TA］; dorsal intermediate s.; posterior intermediate groove.

posterior interventricular s.［TA］．後室間溝（心臓の横隔面にある溝．心室中隔の位置を示す）．＝s. interventricularis posterior［TA］; crena cordis (2); posterior interventricular groove.

posterior median s. of medulla oblongata［TA］．〔延髄〕後正中溝（延髄の後正中線を示す縦溝，下は脊髄の後正中溝に続く）．＝s. medianus posterior medullae oblongatae［TA］; dorsal median s.*; posterior median fissure of the medulla oblongata.

posterior median s. of spinal cord［TA］．〔脊髄〕後正中溝（脊髄後面の正中線にある浅い縦溝）．＝s. medianus posterior medullae spinalis［TA］; posterior median fissure of spinal cord.

posterior parolfactory s.［TA］．後嗅傍溝（終板傍回と梁下野とを区切る半球内側面にある浅い溝）．＝s. parolfactorius posterior.

posterolateral s.［TA］．後外側溝（脊髄の後正中溝の両側にある縦溝．後根のはいる線を示す）．＝s. posterolateralis［TA］; dorsolateral s.*; posterolateral groove.

s. posterolateralis［TA］．＝posterolateral s.

preauricular s. 耳状面前溝．＝preauricular *groove.*

precentral s.［TA］．中心前溝（中心溝の前で，一般的には平行する中断された溝．中心前回の前縁をつくる）．＝s. precentralis［TA］; s. verticalis.

s. precentralis［TA］．中心前溝．＝precentral s.

prechiasmatic s.［TA］．視交叉前溝（蝶形骨上面にある溝で左右視神経管の間を横送し，前は蝶形骨縁，後ろは鞍結節で境される．視交叉との関係でつくられる）．＝s. prechiasmaticus［TA］; chiasmatic groove; chiasmatic s.; optic groove.

s. prechiasmaticus［TA］．＝prechiasmatic s.

s. promontorii cavitatis tympanicae［TA］．＝*groove* of promontory of labyrinthine wall of tympanic cavity.

s. of promontory of tympanic cavity 鼓室岬角溝．＝*groove* of promontory of labyrinthine wall of tympanic cavity.

s. of pterygoid hamulus 翼突鉤溝．＝*groove* of pterygoid hamulus.

s. pterygopalatinus 翼口蓋溝．＝greater palatine *groove.*

s. pulmonalis［TA］．肺溝．＝pulmonary *groove.*

pulmonary s. 肺溝．＝pulmonary *groove.*

rhinal s.［TA］．嗅脳溝（海馬傍回の頭端部と紡錘回もしくは外側後頭側頭回とを分ける側副溝の頭方への浅い延長部分．外套の古い溝の１つで新皮質と不等皮質(嗅野)との境界をなしている）．＝s. rhinalis［TA］; rhinal fissure.

s. rhinalis［TA］．嗅脳溝．＝rhinal s.

sagittal s. 矢状溝．＝*groove* for superior sagittal sinus.

s. of sclera 強膜溝．＝s. sclerae.

s. sclerae［TA］．強膜溝（眼球の外表面にある強膜と角膜の結合線あるいは角膜縁を示す細い溝）．＝scleral s.; s. of sclera.

scleral s. 強膜溝．＝s. sclerae.

sigmoid s. S状洞溝．＝*groove* for sigmoid sinus.

s. sinus marginalis［TA］．＝*groove* for marginal sinus.

s. sinus occipitalis［TA］．＝*groove* for occipital sinus.

s. sinus petrosi inferioris［TA］．下錐体洞溝．＝*groove* for inferior petrosal sinus.

s. sinus petrosi superioris［TA］．上錐体洞溝．＝*groove* for superior petrosal sinus.

s. sinus sagittalis superioris 上矢状洞溝．＝*groove* for superior sagittal sinus.

s. sinus sigmoidei［TA］．S状洞溝．＝*groove* for sigmoid sinus.

s. sinus transversi［TA］．横洞溝．＝*groove* for transverse sinus.

skin sulci［TA］．皮膚小溝（表皮の表面にある深さ不定の無数の溝）．＝sulci cutis［TA］; skin furrows; skin grooves.

s. spinosus ＝*stria* spinosa.

s. spiralis externus［TA］．外ラセン溝．＝outer spiral s.

s. spiralis internus［TA］．内ラセン溝．＝inner spiral s.

subclavian s. ＝subclavian *groove.*

s. subclavianus 鎖骨下筋溝．＝subclavian *groove.*

s. subclavius 鎖骨下動脈溝．＝*groove* of lung for subclavian artery.

subparietal s.［TA］．頭頂下溝（縁部が上方に曲がる部位から脳梁溝に続く溝．帯状回後部の上縁をつくる）．＝s. subparietalis［TA］．

s. subparietalis［TA］．頭頂下溝．＝subparietal s.

superior frontal s.［TA］．上前頭溝（大脳の前頭葉上面にある矢状溝．中心前溝から始まり，上前頭回の外側の境界をつくる）．＝s. frontalis superior［TA］．

superior longitudinal s. ＝*groove* for superior sagittal sinus.

superior occipital s. 上後頭溝（大脳後頭葉の上面にある上後頭回を区切る数個の小さい様々な溝）．＝s. occipitalis superior.

superior petrosal s. 上錐体洞溝．＝*groove* for superior petrosal sinus.

superior temporal s.［TA］．上側頭溝（上側頭回と中側頭回とを分ける縦溝）．＝s. temporalis superior［TA］; superior temporal fissure.

supraacetabular s. 寛骨臼上溝．＝supra-acetabular *groove.*

s. supraacetabularis［TA］．寛骨臼上溝．＝supra-acetabular *groove.*

suprapalpebral s.［TA］．上眼瞼溝（下目瞼の上にある陥凹で，眉弓の下にある）．＝s. suprapalpebralis［TA］．

s. suprapalpebralis［TA］．＝suprapalpebral s.

talar s. 距骨溝．＝s. tali.

s. tali［TA］．距骨溝（踵骨の対応する溝とともに，足根洞をつくる距骨の下面の溝）．＝interosseous groove of talus; interosseous groove (2); talar s.

sulci temporales transversi 横側頭溝．＝transverse temporal s.

s. temporalis inferior［TA］．下側頭溝．＝inferior temporal s.

s. temporalis medius 中側頭溝．＝middle temporal s.

s. temporalis superior［TA］．上側頭溝．＝superior temporal s.

s. temporalis transversus［TA］．＝transverse temporal s.

sulci tendineum musculorum extensorum［TA］．＝*groove* for extensor muscle tendons.

s. tendinis musculi fibularis longi［TA］．長腓骨筋腱溝．＝*groove* for tendon of fibularis longus.

s. tendinis musculi flexoris hallucis longi［TA］．長母指屈筋腱溝．＝*groove* for tendon of flexor hallucis longus.

s. tendinis musculi peronei longi 長腓骨筋腱溝（①* *groove* for tendon of fibularis longus の公式の別名．②立方骨粗面の遠位にある溝）．

terminal s.［TA］．分界溝．＝s. terminalis.

s. terminalis［TA］．分界溝（ある構造の最終部分を明確に区切っている溝で通常は，次の構造の始まりをも示している）．＝terminal s.［TA］．

s. terminalis atrii dextri［TA］．右心房の分界溝．＝s. terminalis cordis.

s. terminalis cordis [TA]. 〔右心房の〕分界溝（原始静脈洞と心房の結合部を示す右心房表面にある溝）. =s. terminalis atrii dextri [TA].

s. terminalis linguae [TA]. 舌の分界溝. =terminal s. of tongue.

terminal s. of tongue [TA]. 舌の分界溝（舌体(口部または水平部)と舌根(咽頭部または垂直部)とを分ける舌表面上にある，後方に尖端を向けたV形の溝）. =s. terminalis linguae [TA].

tonsillolingual s. 扁桃舌溝（口蓋扁桃と舌との間にある間隙）.

transverse occipital s. 横後頭溝（頭頂間溝の後垂直脚）. =s. occipitalis transversus [TA].

s. for transverse sinus 横洞溝. =*groove* for transverse sinus.

transverse temporal s. [TA]. 横側頭溝（上側頭回の弁蓋表上にある，横側頭回を区切る浅い溝．横側頭回の細胞構築に細かく対応してしばしば複数の溝となっている）. =s. temporalis transversus [TA]; sulci temporales transversi.

true s. vocalis〔真性〕声帯溝〔症〕（粘膜固有層欠如により，声帯靱帯に上皮が粘着してできる声帯自由縁の粘膜におけるくぼみ）. =s. vergeture vocalis.

s. tubae auditoriae [TA]. 耳管溝. =s. for pharyngotympanic tube.

Turner s. (tŭr′nĕr). ターナー溝. =intraparietal s.

tympanic s. [TA]. 鼓膜溝（鼓膜が固定されている側頭骨の鼓室部内面にある溝）. =s. tympanicus [TA]; tympanic groove.

s. tympanicus [TA]. 鼓膜溝. =tympanic s.

s. of umbilical vein 臍静脈溝（胎児で臍静脈が収まっている溝）. =s. venae umbilicalis.

s. for vena cava [TA]. 大静脈溝（下大静脈の通路となる，肝臓の後面で尾状葉と固有の右葉の間にある溝）. =s. venae cavae [TA]; fossa venae cavae; groove for inferior vena cava.

s. venae cavae [TA]. 大静脈溝. =s. for vena cava.

s. venae cavae cranialis 上大静脈溝. =*groove* for superior vena cava.

s. venae subclaviae [TA]. 鎖骨下静脈溝. =*groove* for subclavian vein.

s. venae umbilicalis 臍静脈溝. =s. of umbilical vein.

sulci venosi [TA]. 静脈溝. =venous *grooves*.

s. ventralis =anterior median *fissure* of spinal cord.

ventrolateral s.* anterolateral s. の公式の別名.

s. vergeture vocalis =true s. vocalis.

s. for vertebral artery 椎骨動脈溝. =*groove* for vertebral artery.

s. verticalis =precentral s.

vomeral s. 鋤骨溝. =vomerine *groove*.

s. vomeralis 鋤骨溝. =vomerine *groove*.

s. vomeris [TA]. 鋤骨溝. =vomerine *groove*.

s. vomerovaginalis [TA]. 鋤骨鞘突溝. =vomerovaginal *groove*.

---

sulf-, sulfo- *1* この後に付いた化合物に硫黄原子が含まれていることを示す接頭語．(sulph-, sulpho- よりも)本つづり‘f’のほうが米国化学会で好んで用いられ，USP と NF により承認されているが，BP では承認されていない．*2* sulfonic acid, sulfonate の接頭語.

sul·fa (sŭl′fă). サルファ剤の（サルファ剤またはスルホンアミド類 sulfonamides を表す）.

sulf·ac·id (sŭlf-as′id). スルファシド. =thioacid.

sul·fa·di·a·zine (sŭl′fă-dī′ă-zēn). スルファジアジン（スルファニルアミドのジアジン誘導体の1つで，スルファピリジンとスルファチアゾールのピリミジン類似体．三重スルホンアミド混合物の成分の1つ．細菌の葉酸合成阻害剤であり，肺炎球菌，ブドウ球菌，連鎖球菌感染症，および大腸菌 *Escherichia coli*，肺炎杆菌 *Klebsiella pneumoniae* による伝染病や急性淋菌関節炎に対して高い効果をもつ．スルファジアジンナトリウムも同様な用途をもつ）.

sul·fa·dim·i·dine (sŭl′fă-dim′i-dēn). スルファジミジン. =sulfamethazine.

sul·fa·mer·a·zine (sŭl′fă-mer′ă-zēn). スルファメラジン（三重スルホンアミド混合物の成分の1つ）.

sul·fa·meth·a·zine (sŭl′fă-meth′ă-zēn). スルファメタジン（三重スルホンアミド混合物の成分の1つ）. =sulfadimidine.

sul·fa·meth·ox·a·zole (sŭl′fă-meth-ok′să-zōl). スルファメトキサゾール（化学的にはスルフイソキサゾールに関連性をもち，抗菌スペクトルも同様なスルホンアミド．胃腸管からの吸収と尿中への排泄速度は前者に比べて遅い．トリメトプリムとの併用療法(SMX-TMP)として用いられる）.

***p*-sul·fa·myl·ac·e·tan·il·ide** (sŭl′fă-mil-as′ē-tan′il-īd). *p*-スルファミルアセトアニリド. =N^4-acetylsulfanilamide.

sul·fa·nil·a·mide (sŭl′fă-nil′ă-mīd). スルファニルアミド（感染症に対し，その化学治療効果を上げるために使用された最初のスルホンアミド）.

sul·fa·sal·a·zine (sŭl′fă-sal′ă-zēn). スルファサラジン（結合組織，特にエラスチンに富んだ組織に顕著な親和性をもつスルホンアミド(酸－アゾスルファ化合物)．潰瘍性大腸炎およびリウマチ性関節炎に用いる．体内でアミノサリチル酸とスルファピリジンに分解される）. =salicylazosulfapyridine.

sul·fa·tase (sŭl′fă-tās). スルファターゼ（①硫酸エステル(硫酸塩)を加水分解して，対応するアルコールと無機硫酸塩を生成する反応を触媒する(EC 3.1.6)硫酸エステルヒドロラーゼの酵素の俗称．aryl-, sterol, glycol-, chondroitin, choline-, cellulose, cerebroside, chondro-s.'s が含まれる．②=arylsulfatase）.

multiple s. deficiency [MIM*272200]. 多発性スルファターゼ欠損症（スルファチドや硫酸化ムコ多糖を水解することのできない遺伝性疾患(常染色体劣性遺伝)．このため神経系やその他の臓器に硫化物が沈着し，脱髄のような疾患や顔面あるいは骨格の変形が生じる）.

sul·fate (sŭl′fāt). 硫酸塩またはエステル.

acid s. 酸性硫酸. =bisulfate.

active s. 活性硫酸塩. =adenosine 3′-phosphate 5′-phosphosulfate.

s. adenylyltransferase 硫酸アデニリルトランスフェラーゼ（活性硫酸の合成経路の一段階を触媒する酵素．この酵素はATPを硫酸と反応させ，ピロリン酸とアデノシン5′-ホスホ硫酸(APS)を与える）. =ATP sulfurylase.

codeine s. 硫酸コデイン（コデインの水溶性塩で，しばしば固形の剤形で用いられる．また，鎮咳薬として用いられ，咳反射を抑制する）.

dermatan s. デルマタン硫酸（ヘパリンと同じ性質をもつ抗凝固物質で，ヘパリンと硫酸化ムコ多糖構造を分けあう．L-イズロン酸と *N*-アセチル-D-ガラクトサミンとの繰返し構造をもつポリマー．C-2位のイズロン酸残基とC-4とC-6位のガラクトサミン残基の *O*-硫酸化が様々な頻度で起こる）. =chondroitin sulfate B.

iron s. 硫酸鉄（鉄の補給に錠剤で，また造血薬として液剤で頻用される水溶性鉄塩）.

polysaccharide s. esters 多糖硫酸エステル（細胞壁にしばしばみられる多糖エステル）.

sul·fa·ti·dates (sŭl′fă-ti-dāts). スルファチデート. =sulfatides.

sul·fa·tides (sŭl′fă-tīdz). スルファチド（分子の糖部分に1つ以上の硫酸基を有するセレブロシド硫酸エステル）. =sulfatidates.

sul·fa·ti·do·sis (sŭl′fă-ti-dō′sis) [MIM*272200]. スルファチドーシス（アリルスルファターゼA, B, Cやステロイドスルファターゼなどのスルファターゼ酵素欠損症により生じる．異染色性白質萎縮症やムコ多糖沈着症．粗野な顔貌，魚鱗癬，肝腺腫や骨格異常を呈する．硫化デルマタンおよび硫化ヘパリンの尿中排泄増加を伴う．常染色体劣性遺伝.→metachromatic *leukodystrophy*）.

sul·fa·tion (sŭl-fā′shŭn). 硫酸化（既存分子にエステルとして硫酸基を付加すること）.

sulf·he·mo·glo·bin (sŭlf-hē′mō-glō′bin). スルフヘモグロビン. =sulfmethemoglobin.

sulf·he·mo·glo·bi·ne·mi·a (sulf-hē′mō-glō′bi-nē′mē-ă). スルフヘモグロビン血症（血液中のスルフヘモグロビンの存在によって生じる病的状態．著しいチアノーゼが続くが，血球数測定では血液中に特別な異常はみられない．腸から吸収

S

される硫化水素によって生じると考えられる).

sulf・hy・drate (sŭlf-hī′drāt). 硫水化物(イオン HS^- を含有する化合物(水硫化物)). ＝sulfohydrate.

sulf・hy・dryl (SH) (sŭlf-hī′dril). スルフヒドリル；–SH(グルタチオン, システイン, CoA, リポアミド(すべて還元状態), メルカプタン(R–SH)に含まれる). ＝thiel.

sul・fide (sŭl′fīd). 硫化物, スルフィド(① 2 価の硫黄を含有する硫黄化合物. 例えば, 硫化ナトリウム, 硫化水銀. ②チオエーテル(すなわち R–S–R′. 例えばランチオニン)). ＝sulfuret.

sul・fi・ki・nase (sŭl′fi-kī′nās). スルホキナーゼ. ＝sulfotransferase.

sul・fin・di・got・ic ac・id (sŭl′fin-dī-got′ik as′id). スルフインジゴ酸(インジゴに硫酸を作用させると生成されるが, この反応はまたインジゴカルミンも生成する).

***β*-sul・fi・nyl・py・ru・vate** (sŭl′fi-nil-pī-rū′vāt). *β*–スルフィニルピルビン酸(哺乳類の組織内の L–システイン代謝における中間生成物).

sul・fite (sŭl′fīt). 亜硫酸塩(モリブデン補因子欠損症で上昇する).

s. dehydrogenase 亜硫酸デヒドロゲナーゼ(亜硫酸塩と 2–フェリシトクロム *c* と水により硫酸塩と 2–フェロシトクロム *c* を生成させる反応を触媒するオキシドレダクターゼ).

s. oxidase [MIM*606887]. 亜硫酸オキシダーゼ(酸素と水により無機亜硫酸イオンを硫酸イオンと H_2O_2 を生成する反応を触媒する肝オキシドレダクターゼ(血液蛋白). この酵素の活性の低下はモリブデン補因子欠乏症でみられる).

s. reductase 亜硫酸レダクターゼ(ある還元受容体を用いて亜硫酸を還元して硫化水素を生成する反応を触媒するオキシドレダクターゼ).

sul・fi・tu・ri・a (sŭl′fi-tyū′rē-ă). 亜硫酸塩尿症(亜硫酸塩の尿中排泄亢進).

sulf・met・he・mo・glo・bin (sŭlf′met-hē′mō-glō′bin). スルフメトヘモグロビン(硫酸水素(または硫酸塩)と第二鉄イオンによりメトヘモグロビン内に生成される複合体). ＝sulfhemoglobin.

sulfo- →sulf-.

sul・fo・ac・id (sŭl′fō-as′id). ***1*** ＝thioacid. ***2*** スルホン酸. ＝sulfonic acid.

3-sul・fo・al・a・nine (sŭl′fō-al′ă-nēn). 3–スルホアラニン. ＝cysteic acid.

sul・fo・bro・mo・phthal・e・in so・di・um (sŭl′fō-brō′mō-thal′ē-in sō′dē-ŭm). スルホブロモフタレインナトリウム(肝臓から排出されるトリフェニルメタン誘導体. 肝機能, 特に網内系細胞の検査に用いる).

sul・fo・cy・a・nate (sŭl′fō-sī′ă-nāt). スルホシアン酸塩. ＝thiocyanate.

sul・fo・cy・an・ic ac・id (sŭl′fō-sī-an′ik as′id). スルホシアン酸. ＝thiocyanic acid.

***S*-sul・fo・cys・teine** (sŭl′fō-sis′tēn). *S*–スルホシステイン(システインの硫酸化誘導体. モリブデン補助因子欠損症患者で上昇する).

3-sul・fo・ga・lac・to・syl・cer・a・mide (sŭl′fō-gă-lak′tō-ser′ă-mĭd). 3–スルホガラクトシルセラミド(異染性白質ジストロフィ患者で蓄積するスルファチド).

sul・fo・gel (sŭl′fō-jel). 硫酸ゲル(分散媒が水でなく硫酸であるヒドロゲル).

sul・fo・hy・drate (sŭl′fō-hī′drāt). 硫水化物. ＝sulfhydrate.

sul・fo・ki・nase (sŭl′fō-kī′nās). スルホキナーゼ. ＝sulfotransferase.

sul・fol・y・sis (sul-fol′i-sis). 加硫分解(硫酸により引き起こされる, または促進される分解).

sul・fo・mu・cin (sŭl′fō-myū′sin). 硫黄ムチン, スルホムチン(ムコ多糖類または糖蛋白中に硫酸エステルを含有するムチン).

sul・fon・a・mides (sŭl-fon′ă-mīdz). スルホンアミド([sulfonam′ides という発音がより正確であるが, 米国ではここに示した発音のほうが一般的である]. サルファ剤でスルファニルアミド基を含む静菌性薬剤. スルファニルアミド, スルファピリジン, スルファチアゾール, スルファジアジン, その他のスルファニルアミド誘導体など).

sul・fo・nate (sŭl′fō-nāt). スルホン酸塩またはエステル.

sul・fone (sŭl′fōn). スルホン(一般構造式 $R'–SO_2–R''$ の化合物).

sul・fon・ic ac・id (sŭl-fon′ik as′id). スルホン酸(CH 基の水素原子がスルホン酸基 $–SO_3H$ で置換された化合物. 一般式は $R–SO_3H$). ＝sulfoacid (2).

sul・fo・ni・um salts (sŭl-fō′nē-ŭm sawlts). スルホニウム塩(3 つの部分と共有結合した硫黄を含む化合物. 例えば, *S*–アデノシル–L–メチオニンのような $RS^+(R')R''$ は一例である).

sul・fo・nyl・u・re・as (sŭl′fō-nil-yū-rē′ăz). スルホニル尿素(イソプロピルチオジアジルスルファニルアミドの誘導体. 化学的にはスルホンアミドに関連し, 血糖降下作用を有する. これに属するものにはアセトヘキサミド, アゼピナミド, クロルプロパミド, フルフェンメプラミド, グリミジン, ヒドロキシヘキサミド, ヘプトラミド, インジラミド, チオヘキサミド, トラザミド, トルブタミドがある).

sul・fo・pro・tein (sŭl′fō-prō′tēn). 含硫蛋白(硫酸基をもつ蛋白分子).

6-sul・fo・qui・no・vo・syl di・ac・yl・glyc・er・ol (sŭl′fō-kwī′nō-vō′sil, dī-as′il-glis′ĕr-ōl). 6–スルホキノボシルジアシルグリセロール(C–6 に SO_3H を, C–1 に二置換されたグリセロールをもつキノボース. すべての光合成組織に存在するスルホリピド).

sul・fo・rho・da・mine B (sŭl′fō-rō′dă-mēn) [C.I. 45100]. スルホロダミンB(キサンテン色素誘導体. スルファミド縮合により蛋白に結合させるのに用いる蛍光色素. コントラストのある赤色と緑色で, 2 つの抗原を同時に顕微鏡検査するのに蛍光抗体法だけ, またはフルオレセインイソチオシアネートと併用する). ＝lissamine rhodamine B 200.

sul・fo・sal・i・cyl・ic ac・id (sŭl′fō-sal′i-sil′ik as′id). スルホサリチル酸(アルブミンや第二鉄イオンの臨床検査に用いる物質). ＝salicylsulfonic acid.

sul・fo・sol (sŭl′fō-sol). スルホゾル(分散媒として水の代わりに硫酸を用いるヒドロゾル).

sulfotepp (suhl-fō′tep). スルフォテップ(燻蒸用の温室で使用される有機リン系の殺虫剤).

sul・fo・trans・fer・ase (sŭl′fō-trans′fĕr-ās). スルホトランスフェラーゼ(3′–ホスホアデニル硫酸塩(活性硫酸塩)の硫酸基を受容体のヒドロキシルに移し, 硫酸化誘導体と 3′–ホスホアデノシン 5′–リン酸を生成する反応を触媒する酵素(EC sub-subclass 2.8.2)の一般名). ＝sulfikinase; sulfokinase.

sul・fox・ide (sŭl-fok′sīd). スルホキシド(ケトンの硫黄同族化合物 $R'–SO–R''$).

sul・fur (S) (sŭl′fŭr) [L. *sulfur*, brimstone, sulfur]. 硫黄(元素. 原子番号 16, 原子量 32.066. 酸素と結合して二酸化硫黄, 三酸化硫黄を形成するが, これらの両化合物はいずれも, 水と結合して強酸となる. また硫黄は, 多くの金属や非金属元素と結合して硫化物を形成する. 緩下薬, また, リウマチ, 痛風, 気管支炎の治療, および外用で皮膚病の治療に用いられてきた). ＝brimstone.

s. dioxide 二酸化硫黄(強い刺激臭をもつ無色の不燃性気体. 食物や医薬品の酸化性消耗を防ぐために用いる強力な還元剤. →sulfurous acid). ＝sulfurous oxide.

liver of s. 肝臓硫黄. ＝sulfurated *potash*.

precipitated s. 沈降硫黄(石灰水で煮沸し希塩酸で洗浄することによって沈殿をつくり, 石灰を除去した昇華硫黄. 硫黄軟膏の調製や様々な皮膚疾患の治療に用いる). ＝lac sulfuris; milk of sulfur.

roll s. 硫黄棒, 巻軸硫黄(溶融して円筒状の型でつくられた昇華硫黄. ときに brimstone とよばれる).

soft s. 粘性硫黄, ゴム状硫黄(非常に高温の溶融硫黄を水中に滴下してつくる同素形. その後で一時的に粘質またはろう状の粘度になる).

sublimed s. 昇華硫黄(硫黄軟膏の調製や様々な皮膚疾患の治療に用いる). ＝flowers of sulfur.

s. trioxide 三酸化硫黄；SO_3(水と反応して硫酸(H_2SO_4)を生成する). ＝sulfuric oxide.

vegetable s. 植物硫黄. ＝lycopodium.

washed s. 精製硫黄(遊離酸を除去するために希アンモニア水で洗った昇華硫黄. 治療上の用途は昇華硫黄と同じ).

wettable s. カゼインなどの保護コロイドを含む, カルシウムポリ硫化物溶液からつくられる. 容易に水に分散し懸濁する．

sul·fur 35 (^{35}S) (sŭl′fŭr). 硫黄35（硫黄の放射性同位元素．87.2日の半減期でベータ線を放出する．システイン，シスチン，メチオニンなどの代謝の研究にトレーサとして用いる．また標識硫酸で，細胞外液容量を測定するのに用いられる）．

sul·fu·ret (sŭl′fĕr-et). 硫化物．＝sulfide.

sul·fur group (sŭl′fŭr grūp). 硫黄族（元素である硫黄，セレニウム，テルリウムのこと．それらは水素と結合して二塩基酸を形成する．またそのオキシ酸もまた二塩基性である）．

sul·fu·ric (sŭl-fyū′rik). 硫酸の．

sul·fu·ric ac·id (sŭl-fyūr′ik as′id). 硫酸；H_2SO_4（含量96％の無水の酸で，無色でほぼ無臭の重い油状の腐食性液体．ときに腐食薬として用いる）．＝oil of vitriol.

fuming s. a. 発煙硫酸．＝Nordhausen s. a.

Nordhausen s. a.［この物質が最初につくられた *Nordhausen* というドイツのザクセン州の町の名前にちなむ］．ノルトハウゼン硫酸（溶液に亜硫酸ガスを含有する硫酸）．＝fuming s. a.

sul·fu·ric eth·er (sŭl-fyū′rik ēh′ĕr). 硫酸エーテル．＝diethyl ether.

sul·fu·ric ox·ide (sŭl-fyū′rik oks′īd). ＝*sulfur* trioxide.

sul·fu·rous (sŭl′fŭ-rŭs). 亜硫酸の（硫黄の原子価が＋6価または硫化物(−2価)の化合物と比較すると＋4価の原子価をもつ硫黄化合物をいう）．

sul·fu·rous ac·id (sŭl′fŭ-rŭs as′id). 亜硫酸（二酸化硫黄の約6％水溶液．主に消毒薬，漂白剤として用いる．様々な皮膚疾患において，殺寄生虫の効力を有するために外用にされてきた）．

sul·fu·rous ox·ide (sŭl′fŭ-rŭs oks′īd). ＝*sulfur* dioxide.

sul·fur·yl (sŭl′fŭr-il). スルフリル（2価のSO_2基）．

sul·fy·drate (sŭl-fī′drāt). 硫水化物（SH基を有する化合物）．

Sulkowitch (sŭl-kō′vitch), Hirsh W. 20世紀の米国人医師．→S. *reagent*.

sulph-, sulpho- →sulf-.

Sulz·ber·ger (sŭlz′bĕrg-ĕr), Marion B. 米国人皮膚科医，1895—1983. →Bloch-S. *disease*, *syndrome*; S.-Garbe *disease*, *syndrome*.

sum·ma·tion (sŭm-ā′shŭn)［Mediev. L. *summatio* ＜ *summo*, pp. *-atus*, to sum up ＜ L. *summa*, sum］．加重，総和（多くの類似した神経インパルスまたは刺激の総和）．

s. of stimuli 刺激の加重（刺激を頻繁に繰り返して与えることにより得られる筋または神経の蓄積効果）．

Sum·ner (sŭm′nĕr), F.W. 20世紀の英国人外科医．→S. *sign*.

sun·burn (sŭn′bern). 日焼け（日光の中で通常，波長が260—320 nmの範囲にある紫外線(UVB)を一定量以上照射させることにより生じる紅斑で，水疱を生じることも生じないこともある）．＝erythema solare.

sun·down·ing (sŭn′down-ing). 日没現象（昼間には改善あるいは消失しているせん妄が，夕方または夜間になると出現あるいは増悪すること．Alzheimer病などの認知症疾患の中等度の段階や進行した段階でよくみられる）．

sun·flow·er seed oil (sŭn′flow-ĕr sēd oyl). ヒマワリ種子油（キク科ヒマワリ *Helianthus annuus* の種子から得られる油．グリセリドは各々が1種または2種のリノール酸基をもつ混合トリグリセリドからなる．食物や食料補充物として用いる）．

sun·screen (sŭn′skrēn). 遮光剤（紫外線より皮膚を保護し，紅斑の発生を防ぎ，洗ってもおちにくい外用剤．また，この外用剤の使用により日光角化症の発生を減少させ，そして紫外線(UVB)が原因となるメラノーマあるいは非メラノーマ性の皮膚癌およびしわを防ぐことができる）．

chemical s. ケミカルサンスクリーン，化学的紫外線遮光剤（紫外線A，B，またはその両方を吸収し，無害な長波長照射に変換する外用化合物）．

physical s. 物理的紫外線遮光剤（すべての波長の紫外線を物理的に反射，散乱，遮断する外用物質のこと）．

sun·stroke (sŭn′strōk). 日射病（太陽光線の過剰の照射による熱射病の一種で，高温と結び付いた化学線の作用によって生じると考えられる．熱射病と同じ症状を示すが，しばしば発熱しない）．＝heliosis; ictus solis; insolation (2); siriasis; solar fever (2).

super-［L. *super*, above, beyond］．過剰，…の上，優れた，上部を意味する接頭語．しばしばラテン語の *supra-* と同様に用いる．*cf.* hyper-.

su·per·ab·duc·tion (sū′pĕr-ab-dŭk′shŭn). 過外転（正常の限界以上の脚の外転）．＝hyperabduction.

su·per·a·cid·i·ty (sū′pĕr-a-sid′i-tē). 過度酸性（過剰な酸．過剰酸性）．

su·per·a·cro·mi·al (sū′pĕr-ă-krō′mē-ăl). 肩峰上の．＝supraacromial.

su·per·ac·tiv·i·ty (sū′pĕr-ak-tiv′i-tē). 過度活動〔性〕（活動性が異常に高いこと）．＝hyperactivity (1).

su·per·a·cute (sū′pĕr-ă-kyūt′). 極急性の，激急性の（病気の経過についてのように，非常に激しい症状や急速な進行を特徴とする）．

su·per·al·i·men·ta·tion (sū′pĕr-al′i-men-tā′shŭn). 栄養過給，過栄養．＝hyperalimentation.

su·per·a·nal (sū′pĕr-ā′năl). ＝supraanal.

su·per·an·ti·gen (sū′pĕr-an′ti-jen). スーパー抗原（T細胞受容体と抗原認識部位以外の領域で反応する抗原．この作用で誘導される活性化T細胞の数は，抗原認識部位に存在する抗原で誘導される場合に比し多く，多種多様のサイトカインが放出される．1つのスーパー抗原は，全リンパ球の15％程度を活性化する可能性がある．→antigen）．

su·per·cil·i·ar·y (sū′pĕr-sil′ē-ār′ē). 眉毛の，まゆの．＝supraciliary.

su·per·cil·i·um, pl. **su·per·cil·ia** (sū′pĕr-sil′ē-ŭm, -ă)［L. ＜ *super*, above ＋ *cilium*, eyelid］［TA］．眉，まゆ．＝eyebrow.

su·per·coil·ing (sū′pĕr-koyl′ing). ＝superhelicity.

su·per·di·crot·ic (sū′pĕr-dī-krot′ik). 高度重拍の．＝hyperdicrotic.

su·per·dis·ten·tion (sū′pĕr-dis-ten′shŭn). 高度拡張，過拡張．＝hyperdistention.

su·per·duct (sū′pĕr-dŭkt)［L. *super-duco*, pp. *-ductus*, to lead over］．挙揚する，持ち上げる．

su·per·e·go (sū′pĕr-ē′gō). 超自我（精神分析において，Freud学派の構造論における精神装置の3つの要素の1つ．他の2つは自我とイドである．自我から派生してきたもので，両親のような重要な人物に無意識に幼児期から同一化してきた自我が，これらの人物の価値観や願望，そして社会規範を，自己の規範となる部分として取り入れてきた結果形づくられた，いわゆる〝良心conscience〟のこと）．

su·per·e·rup·tion (sū′pĕr-ē-rŭp′shŭn). 過剰萌出（対合歯の喪失により，通常の咬合平面を越えて歯が移動すること）．

su·per·ex·ci·ta·tion (sū′pĕr-ek′sī-ta′shŭn). 過度興奮（①過度の興奮または刺激的な行為．②過度の興奮あるいは刺激状態）．

su·per·ex·ten·sion (sū′pĕr-eks-ten′shŭn). 過伸展．＝hyperextension.

su·per·fat·ted (sū′pĕr-fat′ĕd). 過度脂肪含有の（石けんの場合のように脂肪を添加した）．

su·per·fe·ta·tion (sū′pĕr-fe-tā′shŭn). 過受精，重複妊娠（双胎ではなく，子宮の中に異なった年齢の2人の胎児が存在すること．異なる時期に排卵された2つの卵子への精子進入による．現在では受け入れられていない）．＝hypercyesis; hypercyesia; multifetation; superimpregnation.

su·per·fi·cial (sū′pĕr-fi′shăl)［L. *superficialis* ＜ *superficies*, surface］．***1*** 表在の（特定の基準点と比較して，身体の表面により近く位置する．*cf.* profundus）．***2*** 粗雑な，皮相の．＝superficialis［TA］; sublimis (2).

su·per·fi·ci·a·lis (sū′pĕr-fi′shē-ā′lis)［L.］［TA］．浅の．＝superficial (2).

s. volae 橈骨動脈浅掌枝．＝superficial palmar *branch* of radial artery.

su·per·fi·ci·es (sū′pĕr-fi′shē-ēz)［L. the top surface ＜ *super*, above ＋ *facies*, figure, form］．外面（外部表面，面）．

su·per·flex·ion (sū′pĕr-flek′shŭn). 過屈曲．＝hyperflexion.

su·per·fuse (sū′pĕr-fyūs′). 組織の上面を液で洗い流す．*cf.* perfuse; perifuse.

su·per·fu·sion (sū′pĕr-fyū′zhŭn). 洗い流すこと．

su·per·gen·u·al (sū′pĕr-jen′yū-ăl). 膝上方の（→suprapa-

S

tellar).

su·per·hel·ic·i·ty (sū′pĕr-hĕl-is′i-tē). 超らせん性（天然の二本鎖DNA構造の特質．二本鎖がさらにねじれたり，コイル状になることによって特徴づけられる）．＝supercoiling.

su·per·im·preg·na·tion (sū′pĕr-im′preg-nā′shŭn). ＝superfetation.

su·per·in·duce (sū′pĕr-in-dūs′). さらに生じさせる（すでに存在しているものに加えて引き起こす）．

su·per·in·fec·tion (sū′pĕr-in-fek′shŭn). 重〔複〕感染（すでに感染している上に，新しく感染が起こること）．

su·per·in·vo·lu·tion (sū′pĕr-in′vō-lū′shŭn). 過剰復古（分娩後に，子宮の大きさが妊娠以前の大きさ以下に極度に萎縮すること）．＝hyperinvolution.

su·per·i·or (sū-pēr′ē-ŏr) [L. *superus*(above)の比較級] [TA]．【ラテン語の語句では，本形容詞は男性名詞(margo superior，複数形 margines superiores)および女性名詞(facies superior，複数形 facies superiores)とともに用いられる．中性名詞では superius の形(cornu superius，複数形 cornua superiora)で用いられる】．***1*** [TA]．上の（人体解剖学において，特定の点からみて頭頂に近い方をいう．inferior の対語）．＝cranial (2)．***2*** 上の，上方を向いた．

su·per·lac·ta·tion (sū′pĕr-lak-tā′shŭn). 授乳過多（授乳を正常な期間より長く続けること）．＝hyperlactation.

su·per·lig·a·men (sū′pĕr-lig′ă-men) [L. *ligamen*, bandage]. 固定包帯（保持包帯．外科用包帯を一定の場所に保つ包帯）．

su·per·mo·til·i·ty (sū′pĕr-mō-til′i-tē). 過運動性．＝hyperkinesis.

su·per·na·tant (sū′pĕr-nā′tănt) [super- ＋ L. *natare*, to swim]. →supernatant *fluid*.

su·per·nu·mer·ar·y (sū′pĕr-nū′mĕr-ār′ē) [super- ＋ L. *numerus*, number]. 過剰の（正常な数を超えたものについていう）．＝epactal.

su·per·nu·tri·tion (sū′pĕr-nū-tri′shŭn). 栄養過剰，過栄養（肥満症になるほどの食べ過ぎ）．＝hypernutrition.

super-obese 超肥満の（BMI60 以上の肥満についていう）．

su·per·o·dex·tra (sū′per-ō-deks′tră) [TA]．＝superodextral.

su·per·o·dex·tral (sū′per-ō-deks′trăl) [TA]. 上右側の（右側で上部にあるものについていう．TA では直腸上外側曲(superodextral lateral flexure of the rectum)に用いられる）．＝superodextra [TA].

su·per·o·lat·er·al (sū′pĕr-ō-lat′ĕr-ăl). 上外側の（外側で上部にあるものについていう）．

su·per·o·me·di·al (sū-pĕr-ō-mē′dē-ăl) [TA]. 上内側の（正中線に向かい上部にあるものについていう）．

su·per·ov·u·la·tion (sū′pĕr-ōv′yū-lā′shŭn). 過排卵，過剰排卵（正常な卵子数以上の排卵．普通は外因性ゴナドトロピンの投与の結果起こる）．

su·per·ox·ide (sū′pĕr-oks′īd). スーパーオキシド，超酸化物（酸素フリーラジカル，O_2^-．細胞毒性がある）．

s. dismutase (**SOD**) スーパーオキシドジスムターゼ（不均化反応 $2O_2^- + 2H^+ \rightarrow H_2O_2 + O_2$ を触媒する酵素．SOD には3種類のアイソザイムが存在する．細胞外型(ECSOD)は銅と亜鉛を含有する．細胞質型も銅と亜鉛を含有する．ミトコンドリア型はマンガンを含有する．SOD の欠損が筋萎縮性側索硬化症でみられる）．

su·per·par·a·site (sū′pĕr-par′ă-sīt). 過寄生体，超寄生体（宿主に寄生する大きな寄生生物集団の一員で，通常は昆虫宿主に寄生する膜翅目昆虫の幼虫をいう．→parasitoid）．

su·per·par·a·sit·ism (sū′pĕr-par′ă-si′tizm). 過寄生，超寄生（①寄生性膜翅目とその昆虫宿主の関係．②宿主体内に同種の寄生生物が過剰に寄生している状態で，そのため防御機構に過度の負担をかけ疾病や死が生じるに至る．*cf.* multiple parasitism）．

su·per·pe·tro·sal (sū′pĕr-pe-trō′săl). 錐体上の（側頭骨の錐体部の上または上方にあるものについていう）．

su·per·sat·u·rate (sū′pĕr-sach′ŭ-rāt). 過飽和にする（固体相の塩と平衡状態にあるときに溶解する量以上の塩，または他の物質を含むようにする．過飽和溶液は通常，不安定で過剰の塩または物質が沈殿し，飽和溶液になりやすい）．

su·per·scrip·tion (sū′pĕr-skrip′shŭn) [L. *super-scribo*, pp. *-scriptus*, to write on or over]. 処方箋の最初に書く *recipe*(処方せよ)という指示で，通常℞という記号で表す．

su·per·son·ic (sū′pĕr-son′ik) [super- ＋ L. *sonus*, sound]. ***1*** 超音の，超音速の（音速より速いスピードを特徴とする．→hypersonic）．***2*** 超音波の（人が聞き取ることができるレベルより高い振動数をもつ音の振動についていう．→ultrasonic）．

su·per·struc·ture (sū′pĕr-strŭk′chūr). 上部構造，上層構造（表面より上にある構造）．

implant denture s. インプラントデンチャー上部構造，嵌植義歯上部構造（インプラントデンチャー下部構造により支持され安定した義歯）．

su·per·ten·sion (sū′pĕr-ten′shŭn). 過度緊張（誤って高血圧または高血圧症と同義に用いられる）．

su·per·volt·age (sū′pĕr-vol′tăj). 超高圧，高電圧量（放射線治療において，1,000 V を超える高エネルギー放射線を示すのに用いられる）．

su·pi·nate (sū′pi-nāt) [L. *supino*, pp. *-atus*, to bend backwards, place on back ＜ *supinus*, supine]. ***1*** 背〔臥〕位になる．***2*** 回外運動を行う（前腕または足の回外運動を行う）．

su·pi·na·tion (sū′pi-nā′shŭn) [TA]. ***1*** 背〔臥〕位，仰臥位（あお向けになった状態．手掌が解剖学軸に対し前面を向く前腕の回旋運動．足底面が上方を向く足の回旋運動）．***2*** 回外（回内の反対）．

s. of the foot 足の回外（足の内反と外転，この結果，内側縁が上昇する）．

s. of the forearm 前腕の回外（腕が解剖学的位置にあるときに手のひらを前方に向ける，あるいは腕を身体に直角に伸ばしているときは手のひらを上方に向けるような前腕の回転）．

su·pi·na·tor (sū′pi-nā′tŏr, -tōr) [TA]. 回外筋（【英語は通常第1音節にアクセントを置くが，ラテン語［TA］の正しい発音は supina′tor である】．→supinator (*muscle*); biceps brachii (*muscle*)）．

su·pine (sū-pīn′) [L. *supinus*]. 【より正確な発音は第1音節にアクセントを置くが，米国ではここに示した発音が一般的である】．***1*** 背臥の，仰臥の（上を向いて寝た場合の身体をさす．顔を上方に向けて横たわる）．***2*** 回外の（前腕または足の回外）．

sup·port (sŭ-pōrt′) [L. *supporto*, to carry]. ***1*** より強くするために補助を加えること．***2*** 支持器．＝supporter．***3*** 支持（歯科において，垂直のそしゃく力に対する抵抗を表す用語）．

dispatch life s. (**DLS**) 口頭指導（病院外で救急現場に居合わせた人に，救急隊が到着するまでの間に行うべき一連の救命処置を電話にて指示・助言すること．→emergency medical *dispatcher*）．

sup·port·er (sŭ-pōrt′er). サポータ（垂れ下がったりぶら下がった部位，脱出した臓器，あるいは関節を，正常な場所へ保持しておくように意図された装具．→support）．＝support (2)．

sup·pos·i·to·ry (sŭ-poz′i-tōr′ē) [L. *suppositorium* ＜ *suppositorius*, placed underneath]. 坐剤（口腔以外の体の開口部(例えば，直腸，尿道，膣)の1つに挿入しやすくした形の小固体製剤で，室温では固体であるが体温により溶解する．通常は薬として用いる物質．坐剤の基剤になる物質は通常，カカオ脂，グリセロゼラチン，水素添加植物油，種々の分子量をもつポリエチレングリコール混合物，ポリエチレングリコールの脂肪酸エステル）．

glycerin s. グリセリン坐剤（便秘の解消を目的に直腸投与するための円錐形の半透明の剤形．幼児に繁用される．グリセリンとステアリン酸ナトリウム(石けん)のような固化剤を含有している．潤滑，水分保持，および局所刺激により効果を発揮する）．

sup·pres·sion (sŭ-presh′ŭn) [L. *subprimo*(*subp*-), pp. *-pressus*, to press down]. ***1*** 抑制（ある思考を故意に意識しないようにすること．*cf.* repression）．***2*** 停止（尿や胆汁などの流体物の分泌が止まること．*cf.* retention (2)）．***3*** 抑止（異常な流出や分泌を止めることで，例えば，出血を食い止めるようなことをいう）．***4*** 抑圧（二次突然変異の結果，染色体上の別の位置に，それ以前の突然変異によって生じた表現型変化を取り消し，回復すること．→epistasis）．***5*** 抑制

(両眼の網膜対応点に異質図形があるときに，一眼の視機能にかかる抑止). ***6*** サプレッション（免疫応答の減衰あるいは停止).

adrenal s. 副腎抑制（最も頻度の高い副腎機能不全症で，一般に医原性であり，副腎皮質ホルモン剤の長期投与中に，ストレスのかかった緊急事態に生じやすい).

fixation s. 固視抑制（固視時に生じる誘発または自発性眼振の減弱).

intergenic s. 遺伝子内抑制（→suppressor *mutation* (2)).

intragenic s. 遺伝子間抑制（→suppressor *mutation* (2)).

sup・pres・sor (sū-pres′ŏr). サプレッサ（突然変異の効果を抑制したり正常な経路を抑制したりする化合物).

amber s. アンバー抑圧遺伝子（トランスファー RNA に対する暗号が突然変異した遺伝子で，そのアンチコドンが変化しているので，変異したトランスファー RNA は UAG コドンにも反応する).

sup・pu・rant (sŭp′ū-rant) [L. *suppurans*, causing suppuration]. ***1***〖adj.〗化膿性の. ***2***〖n.〗化膿薬（化膿を起こす作用をもつ薬).

sup・pu・rate (sŭp′yŭ-rāt) [L. *sup-puro(subp-)*, pp. *-atus*, to form, *pus(pur)*, pus]. 化膿する.

sup・pu・ra・tion (sŭp′yŭ-rā′shŭn) [L. *suppuratio*(→suppurate)]. 化膿（膿の形成).

sup・pu・ra・tive (sŭp′yŭ-ră-tiv). 化膿性の.

supra- [L. *supra*, on the upper side]. この後に続く語の示す部分の上の位置を表す接頭語．この意味で，super- と同義.

su・pra・a・cro・mi・al (sū′pră-ă-krō′mē-ăl). =superacromial.

su・pra・a・nal (sū′pră-ā′năl). 肛門上の. =superanal.

su・pra・au・ric・u・lar (sū′pră-aw-rik′yū-lăr). 耳介上の.

su・pra・ax・il・lar・y (sū′pră-ak′si-lār′ē). 腋窩上の.

su・pra・buc・cal (sū′pră-bŭk′ăl). 頬上の.

su・pra・bulge (sū′pră-bŭlj). 非添窩部（歯の咬合面に向かって収れんするような歯冠の部分).

su・pra・car・di・nal (sū′pră-kar′di-năl). 主静脈背側の（胚期に，前後主静脈の背側にある).

su・pra・cer・e・bel・lar (sū′pră-ser′ĕ-bel′ăr). 小脳上の.

su・pra・ce・re・bral (sū′pră-ser′ĕ-brăl, -sĕ-rē′brăl). 大脳上の.

su・pra・cho・roid (sū′pră-kō′royd). 脈絡膜上の（眼の脈絡膜の外側にある).

su・pra・cho・roi・de・a (sū′pră-kō-roy′dē-ă). 脈絡上板. =suprachoroid *lamina* of sclera.

su・pra・cil・i・ar・y (sū′pră-sil′ē-ār′ē). =superciliary.

su・pra・cla・vic・u・lar (sū′pră-kla-vik′yū-lăr). 鎖骨上の（数種の皮神経についていう).

su・pra・cla・vic・u・lar・is (sū′pră-kla-vik′yū-lār′is). 鎖骨上筋（→supraclavicular *muscle*).

su・pra・con・dy・lar (sū′pră-kon′di-lăr). 顆上の. =supracondyloid.

su・pra・con・dy・loid (sū′pră-kon′di-loyd). =supracondylar.

su・pra・cos・tal (sū′pră-kos′tăl). 肋骨上の.

su・pra・cot・y・loid (sū′pră-kot′i-loyd). 寛骨臼上の.

su・pra・cris・tal (sū′pră-kris′tăl). 稜上の（特に腸骨稜の最高位点を通る平面や線についてよく用いられる).

su・pra・di・a・phrag・mat・ic (sū′pră-dī′ă-frag-mat′ik). 横隔膜上の.

su・pra・duc・tion (sū′pră-dŭk′shŭn). 上ひき，上転（一方の眼を上に回転すること). =sursumduction.

su・pra・ep・i・con・dy・lar (sū′pră-ep′i-kon′di-lăr). 上顆上の.

su・pra・gle・noid (sū′pră-glē′noyd). 関節窩上の.

su・pra・glot・tic (sū′pră-glot′ik). 声門上の.

sup・ra・glot・ti・tis (sūp′ră-glo-tī′tis). 声門上炎（声門上部の喉頭組織，特に喉頭蓋における感染性炎症と腫張．喉頭蓋は発赤し，球状に腫れ，上気道狭窄を引き起こす. →epiglottitis).

supraglottoplasty (sū-pră-glot′-ō-plas-tē). 声門上再建術（喉頭軟化症による重度の喘鳴あるいは呼吸閉塞を伴う児童の短小披裂喉頭蓋ひだに対して施行される手術分割または再建術).

su・pra・he・pat・ic (sū′pră-he-pat′ik). 肝上の.

su・pra・hy・oid (sū′pră-hī′oyd). 舌骨上の（舌骨上方の，中でも特に筋群についていう).

su・pra・in・gui・nal (sū′pră-ing′gwi-năl). 鼡径部上の.

su・pra・in・tes・ti・nal (sū′pră-in-tes′ti-năl). 腸上の.

su・pra・lim・i・nal (sū′pră-lim′i-năl) [supra- + L. *limen*, threshold]. 閾値上の（感知限界以上または意識の範囲以上のことについていう. *cf.* subliminal).

su・pra・lum・bar (sū′pră-lŭm′băr). 腰上の.

su・pra・mal・le・o・lar (sū′pră-mă-lē′ō-lăr). 果上の.

su・pra・mam・ma・ry (sū′pră-mam′ă-rē). 乳腺上の.

su・pra・man・dib・u・lar (sū′pră-man-dib′yū-lăr). 下顎上の.

su・pra・mar・gin・al (sū′pră-mar′jin-ăl). 辺縁上の（特に上縁回についていう).

su・pra・mas・toid (sū′pră-mas′toyd). 乳〔様〕突〔起〕上の.

su・pra・max・il・la (sū′pră-mak-sil′ă). maxilla を意味する現在では用いられない語.

su・pra・max・il・lar・y (sū′pră-mak′si-lār′ē). 上顎骨上の.

su・pra・men・tal (sū′pră-men′tăl). おとがい(頤)上の.

su・pra・men・ta・le (sū′pră-men-tā′lē) [supra- + L. *mentum*, chin]. スプラメンターレ（頭蓋計測において，おとがいの上方にあってインフラデンターレとポゴニオンとの間で最もへこんでいる点). =point B.

su・pra・na・sal (sū′pră-nā′săl). 鼻上の.

su・pra・neu・ral (sū′pră-nū′răl). 中枢神経上の.

su・pra・nu・cle・ar (sū′pră-nū′klē-ăr). ***1***〖adj.〗核上の（脊髄神経または脳神経の運動ニューロンの位置より上位のものについていう．核上神経線維が脳幹の運動神経細胞に到達するまでの経路．運動皮質，錐体路または線条体などの運動ニューロン以外の脳構造の破壊または機能障害によって起こる運動障害を表す臨床神経学用語．例えば核上麻痺．これは末梢神経の運動ニューロンまたはその軸索の破壊または機能障害から生じる核麻痺(弛緩性または下位運動ニューロン麻痺)とは区別される). ***2***〖n.〗核の先端方向にある細胞質部分.

S

su・pra・oc・clu・sion (sū′pră-ŏ-klū′zhŭn). 高位咬合（歯が咬合平面より上方にある咬合関係).

su・pra・or・bi・tal (sū′pră-ōr′bi-tăl). 眼窩上の（顔面または頭蓋内の眼窩上に位置する. →canal; foramen; notch; nerve).

su・pra・or・bi・to・me・a・tal (sū′pră-or′bit-ō-mē-ā′tăl). 耳眼窩上の（両眼窩上縁最高位点と外耳道とを通る平面または線についていう).

su・pra・pa・tel・lar (sū′pră-pă-tel′ăr). 膝蓋上の（特に滑液包についていう).

su・pra・pel・vic (sū′pră-pel′vik). 骨盤上の.

su・pra・phys・i・o・log・ic, su・pra・phys・i・o・log・i・cal (sū′pră-fiz′ē-ō-loj′ik, -loj′i-kăl). 超生理学的（天然で見出されるより多いかまたはより活性の強い(ホルモンや神経伝達物質，他の天然物質そのものかその類似化学物質の)用量，またはその用量での効果を示す. *cf.* homeopathic (2); pharmacologic (2); physiologic (4)).

su・pra・pu・bic (sū′pră-pyū′bik). 恥骨上の.

su・pra・re・nal (sū′pră-rē′năl) [supra- + L. *ren*, kidney]. ***1*** 腎上の（→adrenal). =surrenal. ***2*** 副腎の，腎上体の.

su・pra・scap・u・lar (sū′pră-skap′yū-lăr). 肩甲上の（特に動脈・静脈・神経についていう).

su・pra・scler・al (sū′pră-sklēr′ăl). 強膜上の（強膜の外側についていう．強膜と眼膜間の強膜上または強膜周囲間隙を意味する).

su・pra・sel・lar (sū′pră-sel′ăr). 鞍上の.

su・pra・spi・nal (sū′pră-spī′năl). 脊柱上の，棘上の.

su・pra・spi・na・lis (sū′pră-spī-nā′lis). 棘突上筋（→supraspinalis (*muscle*)).

su・pra・spi・na・tus (sū′pră-spī-nā′tŭs). 棘上筋（→supraspinatus (*muscle*)).

su・pra・spi・nous (sū′pră-spī′nŭs). 棘上の（特に 1 つ以上の椎骨棘突起上(例えば棘上靭帯)，または肩甲棘の上に位置する).

su・pra・sta・pe・di・al (sū′pră-sta-pē′dē-ăl). あぶみ骨上の.

su・pra・ster・nal (sū′pră-ster′năl). 胸骨上の.

su・pra・syl・vi・an (sū′pră-sil′vē-ăn). シルヴィウス溝上の，大脳溝上の.

su・pra・sym・phys・ar・y (sū′pră-sim-phiz′ă-rē). 恥骨結合上

の.

su·pra·tem·po·ral (sū′pră-tem′pŏ-răl). 側頭上の.

su·pra·ten·to·ri·al (sū′pră-ten-tō′rē-ăl). テント上〔方〕の（[psychiatric または psychosomatic の意味での隠語的使用を避けること]. 小脳テントの上方にあるものについていう. 機能性症状の記述に用いられる).

su·pra·tho·rac·ic (sū′pră-thō-ras′ik). 胸郭上の, 胸郭上部の.

su·pra·ton·sil·lar (sū′pră-ton′si-lăr). 扁桃上の（扁桃の上および少し後ろの陥凹についていう).

su·pra·troch·le·ar (sū′pră-trok′lē-ăr). 滑車上の（神経についていう).

su·pra·tur·bi·nal (sū′pră-ter′bi-năl). =supreme nasal *concha.*

su·pra·tym·pan·ic (sū′pră-tim-pan′ik). 鼓室上の.

su·pra·vag·i·nal (sū′pră-vaj′i-năl). 膣上の, 鞘上の.

su·pra·val·var (sū′pră-val′văr). 弁上の（肺動脈または大動脈の弁上についていう). =supravalvular.

su·pra·val·vu·lar (sū′pră-val′vyū-lăr). 弁上の. =supravalvar.

su·pra·ven·tric·u·lar (sū′pră-ven-trik′yū-lăr). 上室〔性〕の（心室から生じるリズムと異なり, 心室に隣接する中心, すなわち心房または房室結節または房室接合部から生じるリズムに対して用いる).

su·pra·ver·sion (sū′pră-ver′zhŭn) [supra- + L. *verto*, pp. *versus*, to turn]. ***1*** 上転（上方への回転). ***2*** 高位歯（歯科において, 咬合平面から咬合方向に挺出した歯の位置. 過蓋咬合). ***3*** 上むき（眼科において, 両眼の上方への共同回転).

su·ra (sū′ră). ふくらはぎ. =calf (2).

su·ral (sū′răl) [TA]. 腓腹の, ふくらはぎの（下肢のふくらはぎの動脈・神経・体部・静脈をさす).

sur·al·i·men·ta·tion (sŭr-al′i-men-tā′shŭn) [Fr. *sur* < L. *super*, above]. =hyperalimentation.

sur·face (sŭr′făs) [Fr. < L. *superficius*. →superficial] [TA]. 表面（固体の外面). =face (2) [TA]; facies (2) [TA].

acromial articular s. of clavicle〔鎖骨〕肩峰関節面. =acromial *facet* of clavicle.

anterior s. [TA]. 前面（人体部位あるいは構造のうち前方を向いた部分. TA には以下のものについてあげられている. 心臓, 角膜, 上顎骨体, 水晶体, 眼瞼, 側頭骨錐体部, 腎臓, 虹彩, 膝蓋骨, 前立腺, 橈骨, 副腎, 尺骨, 子宮). =facies anterior [TA].

anterior s. of arm =anterior *region* of arm.

anterior articular s. of dens [TA]. 〔歯突起〕前関節面（軸椎歯突起前面にある曲面の関節面で, 環椎前弓の歯突起との関節面と関節する). = facies articularis anterior dentis [TA].

anterior s. of cornea [TA]. 角膜前面. =facies anterior corneae [TA].

anterior s. of elbow 肘前面. =anterior *region* of elbow.

anterior s. of eyelids [TA]. 眼瞼前面（皮膚でおおわれた眼瞼の外表面). =facies anterior palpebrae [TA].

anterior s. of forearm 前腕前面. =anterior *region* of forearm.

anterior s. of heart [TA]. 心臓前面（前胸壁に向きあう心臓の外面. 大部分(2/3)が右心室壁で, 残り(1/3)が左心室壁からなる). =facies sternocostalis cordis [TA]; sternocostal s. of heart [TA]; facies anterior cordis*.

anterior s. of iris [TA]. 虹彩前面（眼球虹彩のうち角膜を透して見える部分). =facies anterior iridis [TA].

anterior s. of kidney [TA]. 腎臓前面（腎臓のうち腹腔のほうに向いた部分). =facies anterior renis [TA].

anterior s. of leg 下腿前面. =anterior *region* of leg.

anterior s. of lens [TA]. 水晶体前面（眼球水晶体のうち眼房水を含む後眼房の後ろの境界をなす面). =facies anterior lentis [TA].

anterior s. of lower limb [TA]. 下肢前面（下肢の腹側面または屈側面). =facies anterior membri inferioris.

anterior s. of maxilla [TA]. 〔上顎骨〕前面（眼窩の下で梨状孔の外側にある上顎骨の表面). =facies anterior corporis maxillae [TA].

anterior s. of patella [TA]. 〔膝蓋骨の〕前面（膝蓋骨のうち皮膚のほうに向いた面). =facies anterior patellae [TA].

anterior s. of petrous part of temporal bone [TA]. 側頭骨錐体部前面（中頭蓋窩の一部をなす). =facies anterior partis petrosae ossis temporalis [TA].

anterior s. of prostate [TA]. 前立腺前面（前立腺のうち恥骨結合のほうを向いている面). =facies anterior prostatae [TA].

anterior s. of radius [TA]. 橈骨前面（橈骨の腹側面で, その大部分には長母指屈筋が付着している). =facies anterior radii [TA].

anterior s. of scapula 肩甲骨前面（肩甲骨の前内側のくぼんだ面. ほとんどを肩甲下筋とその腱性の付着部におおわれている. 第2—第7肋骨, 肋骨筋とその筋膜の上にかぶさっており, 一種の〝関節〞(肩甲胸関節)をなしている). =costal s. of scapula [TA]; facies costalis (anterior) scapulae [TA].

anterior s. of suprarenal gland [TA]. 副腎前面（副腎のうち腹腔のほうを向いている面). =facies anterior glandulae suprarenalis [TA].

anterior talar articular s. of calcaneus [TA]. 踵骨の前距骨関節面（距骨頭の下にあって距踵舟関節の一部をなす踵骨の部分). =facies articularis talaris anterior calcanei [TA].

anterior s. of thigh 大腿前面. =anterior *region* of thigh.

anterior s. of ulna [TA]. 尺骨前面. =facies anterior ulnae [TA].

anterior s. of uterus* 子宮前面（vesical s. of uterus の公式の別名).

anteroinferior s. of pancreas [TA]. 膵臓の前下面（膵臓の前下方を向いた面). =facies anteroinferior corporis pancreatis [TA].

anterolateral s. of arytenoid cartilage [TA]. 披裂軟骨の前外側面（披裂軟骨の非関節性3面のうちの1つで, 前突する粗面で細長い窩と三角の窩とがみられる. 前者は声帯と外側輪状披裂が付き後者には前庭靱帯が付く). =facies anterolateralis cartilaginis arytenoideae [TA].

anterolateral s. of (shaft of) humerus [TA]. 上腕骨前外側面（上腕骨前面のうち結節間溝より外側の部分). =facies anterolateralis corporis humeri [TA]; facies anterior lateralis corporis humeri.

anteromedial s. of (shaft of) humerus [TA]. 上腕骨前内側面（上腕骨の前縁と内縁側の間の面). =facies anteromedialis corporis humeri [TA]; facies anterior medialis corporis humeri.

anterosuperior s. of body of pancreas [TA]. 膵体の前上面（プリズム形膵体の3面の1つで, 胃に向いており網嚢で隔てられている). =facies anterosuperioris corporis pancreatis [TA].

approximal s. of tooth [TA]. 歯の隣接面（歯列弓中で隣の歯と向かい合っている面. 歯列弓の中央に近い方を近心面, 遠い方を遠心面という). =interproximal s. of tooth*; contact s. of tooth; facies approximalis dentis [TA]; facies contactus dentis.

articular s. [TA]. 関節面（骨格系(骨・軟骨)と表面で, 滑膜性の連結の一部として他の骨格系と通常じかに接する面. 骨の関節面は通常は関節軟骨によっておおわれている). =facies articularis [TA].

articular s. of acromion 肩峰関節面. =clavicular articular *facet* of acromion.

articular s. of arytenoid cartilage [TA]. 披裂軟骨関節面（披裂軟骨下面にある卵形面で, 輪状軟骨と関節している関節面). =facies articularis cartilaginis arytenoideae [TA].

articular s. on calcaneus for cuboid [TA]. 〔踵骨の〕立方骨関節面（立方骨と関節をなす踵骨前端上の鞍状の面). =facies articularis cuboidea calcanei [TA]; cuboidal articular s. of calcaneus.

articular s. of mandibular fossa of temporal bone [TA]. 側頭骨下顎窩の関節面（側頭骨下顎窩と関節結節の滑面で顎関節に関わる部分). =facies articularis fossae mandibularis ossis temporalis [TA].

articular s. of patella [TA]. 〔膝蓋骨の〕関節面（膝蓋骨の後面で硝子軟骨におおわれ，縦の隆線により，大きい外側半部と内側半部に分かれ，各々対応する大腿骨の外側顆および内側顆と関節をなす）. =facies articularis patellae [TA].

arytenoid articular s. of lamina of cricoid cartilage [TA]. 輪状軟骨板の披裂軟骨関節面（輪状軟骨板の上外側縁にある2個の卵形の関節面で，披裂軟骨と関節する）. =facies articularis arytenoidea cricoideae [TA].

auricular s. of ilium [TA]. 〔腸骨の〕耳状面（仙骨と関節をなす腸骨内側面上の不規則なL字形の関節面）. =facies auricularis ossis ilii [TA].

auricular s. of sacrum [TA]. 〔仙骨の〕耳状面（腸骨と関節をなす仙骨外側面上の関節面）. =facies auricularis ossis sacri [TA].

axial s.'s 軸面（歯の長軸に平行な面. 前庭面（唇面または頬面），舌面および接触面（近心面または遠心面）がある）.

balancing occlusal s. 平衡咬合面. =balancing *contact*.

basal s. 基底面（細部が印象により決定され，床下粘膜に支えられる義歯面）.

buccal s. 頬面（①頬の粘膜. ②歯科補てつ学において，頬に面した義歯の部分）.

buccal s. of tooth 歯の頬面（歯の前庭面の頬側部）. =facies buccalis dentis [TA].

carpal articular s. of radius [TA]. 〔橈骨の〕手根関節面（外側で舟状骨，内側で月状骨と連結する関節に対する橈骨下端の両凹性関節面）. =facies articularis carpi radii [TA].

cerebral s. [TA]. 大脳面（頭蓋骨の内側面. 蝶形骨大翼と側頭骨鱗部にこの名称がある）. =facies cerebralis [TA].

cerebral s. of temporal bone 側頭骨の大脳面（側頭骨鱗部のくぼんだ内面. 中頭蓋窩の側壁をなす）. =facies cerebralis ossis temporalis [TA].

colic s. of spleen 脾臓結腸面. =colic *impression* of spleen.

contact s. of tooth 歯の隣接面. =approximal s. of tooth.

costal s. [TA]. 肋骨面（何らかの構造の肋骨に向いた面，例えば肺や肩甲骨の）. =facies costalis [TA].

costal s. of lung [TA]. 〔肺の〕肋骨面（肋骨胸膜と接触する肺の表面）. =facies costalis pulmonis [TA].

costal s. of scapula [TA]. 〔肩甲骨の〕肋骨面. =anterior s. of scapula; facies costalis scapulae [TA].

cuboidal articular s. of calcaneus 〔踵骨の〕立方骨関節面. =articular s. on calcaneus for cuboid.

denture basal s. =denture foundation s.

denture foundation s. 義歯基底面（印象により決定された輪郭をもち，咬合荷重の大部分を支える義歯面部分）. =denture basal s.

denture impression s. 義歯印象面（印象により決定された輪郭をもつ義歯の表面部分. 義歯床縁を含み，研磨面にのびる）.

denture occlusal s. 義歯咬合面（対向歯の咬合面に接触する義歯の表面部分）. =facies occlusalis dentis [TA]; occlusal s. of tooth (2) [TA]; facies masticatoria; grinding s.; masticating s.; masticatory s.

denture polished s. 義歯研磨面（義歯床縁部から咬合方向にのび，口蓋面を含む義歯の部分. 通常は研磨された義歯床部分で，歯の頬面と舌面が含まれる）.

diaphragmatic s. of heart [TA]. 心臓の横隔面（心臓の下面. 主として左右の心室の後下面からなり，横隔膜の上にある）. =facies diaphragmatica (inferior) cordis* [TA].

diaphragmatic s. (of heart, liver, lung, spleen) [TA]. 〔心臓・肝臓・肺臓・脾臓〕横隔面（心臓，肝臓，肺臓，脾臓などが横隔膜と接する面）. =facies diaphragmatica (cordis, hepatis, pulmonis, splenica) [TA].

distal s. of tooth [TA]. 歯の遠心面（歯の2つの隣接面のうち歯列弓の中で正中面から見て遠い方の面. mesial s. of tooth の対語）. =facies distalis dentis [TA].

dorsal s. [TA]. 背面（ある構造の背側面. 例えば，仙骨，指など）. =facies dorsalis [TA].

dorsal s. of digit (of hand or foot) [TA]. 指背面（手足の指の背面）. =facies digitalis dorsalis (manus et pedis); facies dorsales digitorum (manus et pedis) [TA].

dorsal s. of sacrum [TA]. 〔仙骨の〕後面（仙骨の後上方面. 左右の4対の後仙骨孔間に1つの正中仙骨稜，2つの外側仙骨稜をもつ）. =facies dorsalis ossis sacri [TA].

dorsal s. of scapula 〔肩甲骨〕背側面. =posterior s. of scapula.

external s. [TA]. 外側面（前頭骨または頭頂骨の外方に凸な面）. =facies externa [TA].

external s. of cochlear duct [TA]. 〔蝸牛管の〕外壁（蝸牛管の蝸牛外面に向いたところ）. =paries externus ductus cochlearis [TA]; external wall of cochlear duct.

external s. of cranial base [TA]. 外頭蓋底（頭蓋の底面観）. =basis cranii externa [TA]; external base of skull; norma basilaris; norma inferior; norma ventralis.

external s. of frontal bone [TA]. 〔前頭骨の〕外面（面頭骨の凸状の外面）. =facies externa ossis frontalis [TA].

external s. of parietal bone [TA]. 〔頭頂骨の〕外面（頭頂骨の凸状の外面）. =facies externa ossis parietalis [TA].

facial s. of tooth =vestibular s. of tooth.

fibular articular s. of tibia 〔脛骨の〕腓骨関節面. =fibular articular *facet* of tibia.

gastric s. of spleen 脾臓胃面. =gastric *impression* on spleen.

glenoid s. =mandibular *fossa*.

gluteal s. of ilium [TA]. 〔腸骨〕殿筋面（殿筋群の起始を分ける前・後・下殿筋線のある腸骨翼の外側面）. =facies glutea ossis ilii [TA].

grinding s. =denture occlusal s.

incisal s. =incisal *margin*.

inferior articular s. of atlas [TA]. 環椎下関節窩（軸椎の対応する面と関節をなす，環椎の外側塊にある2つの陥凹面）. =facies articularis inferior atlantis [TA]; fovea articularis inferior atlantis; inferior articular facet of atlas; inferior articular pit of atlas.

inferior articular s. of tibia [TA]. 〔脛骨の〕下関節面（距骨と関節をなす脛骨遠位にある四角形の面. 前後方向に凹で，前方に向かって広くなる）. =facies articularis inferior tibiae [TA].

inferior s. of cerebellar hemisphere [TA]. 〔小脳半球〕下面（後頭蓋窩内，延髄の上にある面. 下半月小葉，二腹小葉，小脳扁桃，片葉などを含む）. =facies inferior hemispherii cerebri [TA].

inferior cerebral s. =*base* of brain.

inferior s. of petrous part of temporal bone [TA]. 〔側頭骨錐体〕下面（頭蓋底外面の一部をつくる側頭骨錐体の一部分）. =facies inferior partis petrosae ossis temporalis [TA].

inferior s. of tongue [TA]. 〔舌〕下面（口腔底に向く舌面で，粘膜は薄く平滑で乳頭がない）. =facies inferior linguae [TA].

inferolateral s. of prostate [TA]. 前立腺下外側面（前立腺のうち恥骨体および骨盤隔膜に向いた面）. =facies inferolateralis prostatae [TA].

infratemporal s. of (body of) maxilla [TA]. 上顎骨側頭下面（上顎骨体の凸隆した後外側面で，側頭下窩の前壁をなす）. =facies infratemporalis corporis maxillae [TA].

infratemporal s. of greater wing of sphenoid [TA]. 蝶形骨大翼の側頭下面（蝶形骨大翼のうち下方を向いた面で，側頭下窩の天井をなしている）. =facies infratemporalis alaris majoris ossis sphenoidalis [TA].

interlobar s.'s of lung [TA]. 肺臓の葉間面（肺葉のうち隣りの肺葉と向き合っている面で，そこは葉間組織によって隔てられている）. =facies interlobares pulmonis.

internal s. [TA]. 内側面（前頭骨または頭頂骨の内方に凹な面）. =facies interna [TA].

internal s. of cranial base [TA]. 内頭蓋底（脳が鎮座する頭蓋底の内面. 頭蓋腔の床）. =basis cranii interna [TA]; internal base of skull.

internal s. of frontal bone [TA]. 〔前頭骨の〕内面（他の頭蓋骨とともに頭蓋腔壁を形成する前頭骨の面）. =facies interna ossis frontalis [TA].

internal s. of parietal bone [TA]. 〔頭頂骨の〕内面（頭蓋腔壁を形成する頭頂骨のくぼんだ面）. =facies interna ossis parietalis [TA].

interproximal s. of tooth* approximal s. of tooth の公式の別名.

intervertebral s. of body of vertebra [TA]. 椎体の椎間面（仙骨より上位の椎骨(頸椎，胸椎，腰椎)の椎体の上面あるいは下面．隣接した椎骨の対応する面と向き合っている．椎間板は隣接した2面の間にあり，それらを結合している）. =facies intervertebralis vertebrae [TA].

intestinal s. of uterus [TA]. 〔子宮の〕後面（小腸に接する腹膜でおおわれた子宮の後上方面）. =facies intestinalis uteri [TA]; posterior s. of uterus*.

labial s. of tooth [TA]. 歯の唇面（前歯の前庭面で，上下の口唇の前庭面に接触している）. =facies labialis dentis [TA].

lateral s. [TA]. 外側面（体部の面のうちで中心線から見て外方に向いている面．TA では次のような構造について外側面を認めている．腓骨，卵巣，橈骨，精巣，脛骨，頬骨）. =facies lateralis [TA].

lateral s. of arm 上腕外側面. =facies lateralis brachii.

lateral s. of fibula [TA]. 腓骨外側面. =facies lateralis fibulae [TA].

lateral s. of finger 手指外側面. =facies lateralis digiti manus.

lateral s. of leg 下腿外側面（下肢のうち膝から足首までの部分の外側面）. =facies lateralis cruris.

lateral s. of lower limb 下肢外側面. =facies lateralis membri inferioris.

lateral malleolar s. of talus〔距骨〕外果面. =lateral malleolar *facet* of talus.

lateral s. of ovary [TA]. 卵巣外側面（卵巣のうち骨盤壁に向いている面）. =facies lateralis ovarii [TA].

lateral s. of (shaft of) radius [TA]. 橈骨〔体〕の外側面（解剖学的正位の橈骨において，体幹から最も離れた面で，骨間縁の反対側にあたる）. =facies lateralis radii [TA].

lateral s. of testis [TA]. 精巣外側面. =facies lateralis testis [TA].

lateral s. of tibia [TA]. 脛骨外側面. =facies lateralis tibiae [TA].

lateral s. of toe 足指外側面. =facies lateralis digiti pedis.

lateral s. of zygomatic bone [TA]. 頬骨外側面. =facies lateralis ossis zygomatici [TA].

lingual s. of tooth [TA]. 〔歯の〕舌側面（舌の方に向いた歯の面で，頬側面の反対の面）. =facies lingualis dentis [TA].

lunate s. of acetabulum [TA]. 〔寛骨臼〕月状面（寛骨臼窩を囲み，大腿骨頭と関節をなす弯曲した関節面）. =facies lunata acetabuli [TA].

malleolar articular s. of fibula〔腓骨〕内果関節面. =articular *facet* of lateral malleolus.

malleolar articular s. of tibia〔脛骨〕内果関節面. =articular *facet* of medial malleolus.

masticating s. =denture occlusal s.

masticatory s. =denture occlusal s.

maxillary s. of greater wing of sphenoid bone [TA]. 蝶形骨大翼の上顎面（蝶形骨大翼にあって正円孔が貫いている前方の面で蝶口蓋窩の後縁を形成している）. =facies maxillaris alaris majoris ossis sphenoidalis [TA].

maxillary s. of palatine bone 口蓋骨の上顎面（口蓋骨垂直板の外側面）. =facies maxillaris ossis palatini.

medial s. [TA]. 内側面（体の部分構造にあって中心線のほうを向いている面．TA では次のような構造に内側面を認めている．披裂軟骨，大脳半球，腓骨，肺，卵巣，精巣，脛骨，尺骨）. =facies medialis [TA].

medial s. of arytenoid cartilage [TA]. 披裂軟骨内側面. =facies medialis cartilaginis arytenoideae [TA].

medial cerebral s. =medial s. of cerebral hemisphere.

medial s. of cerebral hemisphere [TA]. 大脳内側面（脳梁の前方，上方，および後方で大脳鎌に面し，下方に中脳と中頭蓋窩をおおう硬膜の内側壁がある）. =facies medialis hemispherii cerebri [TA]; medial cerebral s.

medial s. of fibula [TA]. 腓骨内側面（腓骨のうち正中線のほうに向いている面）. =facies medialis fibulae [TA].

medial s. of lung 〔肺の〕内側面. =mediastinal s. of lung.

medial s. of ovary [TA]. 卵巣内側面（卵巣のうち骨盤腔に向いている面）. =facies medialis ovarii [TA].

medial s. of testis [TA]. 精巣内側面（精巣の表面で反対側の精巣に向いている面）. =facies medialis testis [TA].

medial s. of tibia [TA]. 脛骨内側面（脛骨体の滑らかで凸な前内側面で，ほぼ全体にわたって皮下にあり，下に向かってわずかに細くなっていく）. =facies medialis corporis tibiae [TA].

medial s. of toes [TA]. 足指内側面. =facies medialis digiti pedis.

medial s. of (shaft of) ulna 尺骨〔体〕の内側面（尺骨において，解剖学的位では体幹に近い面で，尺骨の骨間縁の反対側にあたる）. =facies medialis ulnae [TA].

mediastinal s. of lung [TA]. 肺〔臓の〕縦隔面（縦隔に向いた肺の内側面）. =facies mediastinalis pulmonis [TA]; facies medialis pulmonis; medial s. of lung; mediastinal part of lung; pars mediastinalis pulmonis.

mesial s. of tooth [TA]. 歯の近心面（歯の2つの隣接面のうち歯列弓にあって正中面の方を向いている面．s. distalis dentis の対語）. =facies mesialis dentis [TA].

middle talar articular s. of calcaneus 踵骨の中距骨関節面（距骨頭の下にあって距踵舟関節の一部をなす面）. =facies articularis talaris media calcanei [TA].

nasal s. of body of maxilla [TA]. 〔上顎骨〕鼻腔面（後部に上顎洞裂孔を，中央部に涙嚢溝を有し，鼻腔の外側面を形成する面）. =facies nasalis corporis maxillae [TA].

nasal s. of horizontal plate of palatine bone 口蓋骨水平板の鼻腔面（口蓋骨の水平板の上面，鼻腔後部の床を構成している）. =facies nasalis laminae horizontalis ossis palatini [TA].

nasal s. of palatine bone [TA]. 口蓋骨鼻腔面（①鼻腔外壁の一部を形成する口蓋骨鉛直板の鼻側面．②口蓋骨水平板の鼻腔面で鼻腔の床の一部となっている）. =facies nasalis ossis palatini [TA].

navicular articular s. of talus [TA]. 〔距骨の〕舟状骨関節面（舟状骨と関節をなす距骨頭上の大凸面）. =facies articularis navicularis tali [TA].

occlusal s. of tooth [TA]. 咬合面（①対向顎の歯とかみ合う面．②=denture occlusal s.）.

orbital s. [TA]. 眼窩面（眼窩の形成に加わっている骨の面．TA には以下のようなものがあげられている．蝶形骨大翼，上顎骨体，前頭骨，頬骨）. =facies orbitalis [TA].

orbital s. of body of maxilla 上顎骨の眼窩面（上顎骨体の後方に広がる，滑らかで三角形のややくぼんだ板状部分で，眼窩底の大部分を形成する）. =facies orbitalis maxillae [TA].

orbital s. of greater wing of sphenoid bone 蝶形骨大翼の眼窩面（蝶形骨大翼によってつくられるほぼ菱形の板状部分で，眼窩外側壁の大部分をなす．上下の眼窩裂によって境されている）. =facies orbitalis alaris majoris ossis sphenoidalis [TA].

palatine s. of horizontal plate of palatine bone [TA]. 口蓋骨水平板の口蓋面. =facies palatina laminae horizontalis ossis palatini [TA].

palatine s. of tooth [TA]. 歯の口蓋面（上顎歯の口腔面，口蓋に向かう面．前庭面の反対側にあたる）. =facies palatina dentis [TA].

palmar s.'s of fingers [TA]. 指の掌側面（指のひら．指の屈側面または前面のことで，真皮の隆線(指紋)を伴う皮膚によっておおわれた感覚性の指球がある）. =facies palmares digitorum [TA]; facies digitalis palmaris; facies digitalis ventralis; ventral s. of digit.

patellar s. of femur [TA]. 〔大腿骨〕膝蓋面（左右の大腿骨顆前上部の間にあるへこみで，膝蓋骨に対応している面）. =facies patellaris femoris [TA]; trochlea femoris.

pelvic s. of sacrum [TA]. 仙骨前面（骨盤腔の後壁の蓋および一部をなし，前下方に向く仙骨の面）. =facies pelvica ossis sacri [TA].

Petzval s. (pets'vahl). ペッツヴァル表面（延長した線状物体がレンズで焦点を結ぶ曲面状像面．凸レンズ convex *lens* の縁に向かって彎曲し，凹レンズ concave *lens* の線から離れる方向に彎曲する．→barrel *distortion*; pincushion *distortion*).

plantar s. of foot ＝*sole* of foot.

plantar s. of toe 趾の底側面（趾の下面．趾の屈側面のことで，真皮の隆線を伴う皮膚によっておおわれた脂肪体が特徴である）．＝facies digitalis plantaris.

popliteal s. of femur [TA].〔大腿骨〕膝窩面（粗線の相遠ざかる両唇の間における大腿骨下端の後面）．＝facies poplitea femoris [TA]; planum popliteum; popliteal plane of femur.

posterior s. [TA]. 後面（人体部位あるいは構造のうち身体の後方部位に向いた面．TA では以下の部分のようなものについて後面をあげている．披裂軟骨，角膜，眼瞼，腓骨，上腕骨，虹彩，腎臓，水晶体，膵臓，側頭骨錐体部，前立腺，橈骨，肩甲骨，副腎，脛骨，尺骨，子宮）．＝facies posterior [TA].

posterior s. of arm 上腕後面．＝posterior *region* of arm.

posterior articular s. of dens〔歯突起〕後関節面．＝posterior articular *facet* of dens.

posterior s. of arytenoid cartilage [TA]. 披裂軟骨後面（披裂軟骨の凹面で，披裂筋が付着しており喉頭咽頭部のほうを向いている面）．＝facies posterior cartilaginis arytenoideae [TA].

posterior s. of body of pancreas 膵体後面（膵臓の後面で腹膜腔外になる面．大動脈，脾静脈，左腎臓，横隔膜脚に接している）．＝facies posterior corporis pancreatis [TA].

posterior s. of cornea [TA]. 角膜後面（角膜の深面(内面)で眼房水と接している面）．＝facies posterior corneae [TA].

posterior s. of elbow 肘後面．＝posterior *region* of elbow.

posterior s. of eyelids [TA]. 眼瞼後面（結膜でおおわれた眼瞼の内面）．＝facies posterior palpebrae [TA].

posterior s. of fibula [TA]. 腓骨後面（脛骨や骨間膜とともに下腿後区の前の境界をなす腓骨の面）．＝facies posterior fibulae [TA].

posterior s. of forearm 前腕後面，前腕背面．＝posterior *region* of forearm.

posterior s. of iris [TA]. 虹彩後面（虹彩のうち視覚細胞のない網膜(色素層)におおわれた部分で，眼球後眼房の前の境界もなしている面）．＝facies posterior iridis [TA].

posterior s. of kidney [TA]. 腎臓後面（腎臓のうち後腹壁に向いた面）．＝facies posterior renis [TA].

posterior s. of leg 下腿後面．＝posterior *region* of leg.

posterior s. of lens [TA]. 水晶体後面（眼球水晶体のうち硝子体眼房の前方の境界をなし硝子体と接している面）．＝facies posterior lentis [TA].

posterior s. of lower limb 下肢後面．＝facies posterior membri inferioris.

posterior s. of pancreas [TA]. 膵臓後面（膵臓の後腹面に向いた面）.

posterior s. of petrous part of temporal bone [TA]. 側頭骨錐体部後面（後頭蓋窩の一部をなす）．＝facies posterior partis petrosae ossis temporalis [TA].

posterior s. of prostate [TA]. 前立腺後面（前立腺の直腸に向いた面で，直腸とは前立腺後筋膜によって隔てられている）．＝facies posterior prostatae [TA].

posterior s. of radius [TA]. 橈骨後面（橈骨の背側面）．＝facies posterior radii [TA].

posterior s. of scapula [TA].〔肩甲骨〕背側面（肩甲骨体の外面．肩甲棘により小さい棘上窩と大きい棘下窩に分けられる）．＝dorsal s. of scapula; facies dorsalis scapulae; facies posterior scapulae [TA].

posterior s. of shaft of humerus [TA]. 上腕骨後面．＝facies posterior corporis humeri [TA].

posterior s. of suprarenal gland [TA]. 副腎後面（副腎の後内側面で横隔膜脚に接している部分）．＝facies posterior glandulae suprarenalis [TA].

posterior talar articular s. (of calcaneus) [TA]. 踵骨の後距骨関節面（足根洞の後方で距骨と関節(距骨下関節)する面）．＝facies articularis talaris posterior calcanei [TA].

posterior s. of thigh 大腿後面．＝posterior *region* of thigh.

posterior s. of tibia [TA]. 脛骨後面（腓骨後面や骨間膜とともに下腿後区の前の境界をなす脛骨の面）．＝facies posterior tibiae [TA].

posterior s. of ulna [TA]. 尺骨後面（尺骨の背側面）．＝facies posterior ulnae [TA].

posterior s. of uterus* 子宮後面（intestinal s. of uterus の公式の別名）．＝facies posterior uteri [TA].

pulmonary s.'s of heart 心臓の肺面（肺に向き合っている心臓の左右の側面．左側面は主に左心室壁，右側面は右心房壁と右心室壁の上半）．＝facies pulmonales dextra/sinistra cordis.

renal s. of spleen 脾臓腎面．＝renal *impression* of spleen.

renal s. of suprarenal gland [TA]. 副腎腎面（副腎が腎臓と接する面）．＝*facies* renalis glandulae suprarenalis [TA].

sacropelvic s. of ilium [TA].〔腸骨の〕仙骨盤面（腸骨窩の後下方にある腸骨内側面．腸骨粗面，耳状面，そして耳状面の下前方にある平坦な骨盤面などを含む）．＝facies sacropelvic ossis ilii [TA].

sternal articular s. of clavicle〔鎖骨の〕胸骨関節面．＝sternal *facet* of clavicle.

sternocostal s. of heart [TA].〔心臓の〕胸肋面．＝anterior s. of heart.

subocclusal s. 咬合下面（歯が咬合する面より下にある咬合面部）.

superior articular s. of atlas [TA]. 環椎上関節窩（後頭顆と関節をなす，環椎外側塊の上面にある2つの陥凹状関節面）．＝facies articularis superior atlantis [TA]; fovea articularis superior atlantis; superior articular facet of atlas; superior articular pit of atlas.

superior articular s. of tibia [TA].〔脛骨の〕上関節面（脛骨の近位端にあって内側と外側に分かれて，それぞれ大腿骨の内側顆・外側顆と関節している面）．＝facies articularis superior tibiae [TA].

superior s. of cerebellar hemisphere〔小脳半球〕上面（小脳テントの下面にあり，中心小葉翼，四角小葉，単小葉，上半月小葉などを含む）．＝facies superior hemispherii cerebelli.

superior s. of talus 距骨上面．＝superior *facet* of the trochlea of the talus.

superolateral cerebral s. 大脳半球上外側面．＝superolateral s. of cerebrum.

superolateral s. of cerebrum [TA]. 大脳半球上外側面（頭蓋骨の扁平骨と相接する大脳半球面．前頭葉，頭頂葉，側頭葉，後頭葉などの一部を含む）．＝facies superolateralis hemispherii cerebri [TA]; superolateral face of cerebral hemisphere [TA]; cortical convexity; superolateral cerebral s.

symphysial s. of pubis [TA]. 恥骨結合面（恥骨内側部にある細長い卵形の面で，ここで対側の恥骨と恥骨結合板で連結している）．＝facies symphysialis [TA].

talar articular s.'s of calcaneus [TA].〔踵骨の〕距骨関節面（踵骨にある距骨と関節をなすための3つの関節面．前距骨関節面，中距骨関節面，後距骨関節面）．＝facies articularis talaris calcanei [TA]; facies articularis talaris (anterior, media, et posterior) calcanei [TA].

temporal s. [TA]. 側頭面（蝶形骨大翼(蝶形大翼側頭面)，および側頭骨・前頭骨・頬骨の鱗部(側頭骨鱗部側頭面・前頭鱗側頭面・頬骨側頭面)を形成する骨面）．＝facies temporalis [TA].

temporal s. of frontal bone 前頭骨の側頭面（前頭骨において，側頭線より外側にあるくぼんだ部分．側頭窩の前上部をなす）．＝facies temporalis ossis frontalis [TA].

temporal s. of greater wing of sphenoid bone 蝶形骨大翼の側頭面（蝶形骨大翼の下外側面．側頭窩と側頭下窩の一部を形成する）．＝facies temporalis alaris majoris ossis sphenoidalis [TA].

temporal s. of zygomatic bone 頬骨側頭面（頬骨のくぼんだ後内側面，側頭下窩に面している）．＝facies temporalis ossis zygomatici [TA].

tentorial s. テント面（後頭葉下面と小脳上面で小脳テントと向き合っている面）.

S

thyroid articular s. of cricoid (cartilage) [TA]. 輪状軟骨の甲状軟骨関節面（輪状軟骨の外側面の下縁に近く，輪状軟骨弓と板の移行する近くにある2個の小さな円形の関節面で，甲状軟骨の下角と関節する）. =facies articularis thyroidea cricoideae [TA].

tympanic s. of cochlear duct [TA]. 鼓室階壁（蝸牛管と鼓室階を分ける壁．骨性ラセン板と基底膜からなる）. =paries tympanicus ductus cochlearis [TA]; membrana spiralis*; spiral membrane*; tympanic wall of cochlear duct.

urethral s. of penis [TA]. 〔陰茎の〕尿道面（陰茎背の反対面）. =facies urethralis penis [TA].

ventral s. of digit 指腹面. =palmar s.'s of fingers.

vesical s. of uterus [TA]. 〔子宮の〕前面（前傾・前屈した子宮の膀胱に向いた面で，腹膜の子宮膀胱窩が上部の隔てとなり，下部では膀胱にじかに接している）. =facies vesicalis uteri [TA]; anterior s. of uterus*; facies anterior uteri.

vestibular s. of cochlear duct [TA]. 前庭階壁（蝸牛管と前庭階を分ける膜．管に向いた微小絨毛のある扁平上皮細胞および基底膜と階に向いた薄い結合組織層からなる）. =paries vestibularis ductus cochlearis [TA]; membrana vestibularis ductus cochlearis*; vestibular membrane*; Reissner membrane; vestibular wall of cochlear duct.

vestibular s. of tooth [TA]. 〔歯の〕前庭面，〔歯の〕頰面，〔歯の〕唇面（歯の舌面の反対側の面で，口腔前庭の頰粘膜または口唇粘膜に接している面）. =facies vestibularis dentis [TA]; facial s. of tooth; facies facialis dentis.

visceral s. of liver [TA]. 〔肝臓〕臓側面（隣接する腹部器官に面する肝臓の後下面．肝門と胆囊がこの面にある）. =facies visceralis hepatis [TA].

visceral s. of the spleen [TA]. 〔脾臓〕臓側面（隣接内臓に接触する脾臓の表面）. =facies visceralis splenis [TA].

working occlusal s.'s 作業咬合面（そしゃくする歯の面）.

sur·face-ac·tive (sŭr′făs-ak′tiv). 表面活性の，界面活性の（表面および界面の物理化学的性質を変化させ，界面張力を下げるある種の化学薬品の性質をいう．通常，親油基と親水基の両方をもつ.→surfactant).

sur·fac·tant (sŭr-fak′tănt) [*surface active agent*]. ***1*** 界面活性剤（一般には湿潤剤，表面張力抑制剤，洗剤，分散剤，乳剤，第四級アンモニウム消毒薬として知られる物質が含まれる）. ***2*** サーファクタント，界面活性物質（肺胞表面上の単分子層を形成する表面活性物質．レシチンおよびスフィゴモミエリン基を含むリポ蛋白で，表面張力を下げ表面張力と表面領域との関係を変化させることにより肺胞換気量を安定化させる）.

nonionic s. 非イオン性界面活性剤（荷電部分をもたない界面活性剤）.

zwitterionic s. 双性イオン性界面活性剤.

sur·geon (sŭr′jŏn) [G. *cheirourgos*; L. *chirurgus*]. 外科医（手術または処置により疾病や創傷や変形を治療する医師）.

attending s. 〔病院〕所属外科医（病院の所属医員 attending *staff* のうちの外科のメンバー）.

dental s. 歯科医（歯科の一般臨床医．D.D.S. または D.M.D. の称号をもつ）.

genitourinary s. 性器尿路外科医（㊟ g と u をとって GU surgeon ともいう）. =urologist.

oral s. 口腔外科医（口腔外科を専門とする歯科医）.

sur·geon gen·er·al (sŭr′jŏn jen′ĕr-ăl). 軍医総監，軍医将官（米国の陸・海・空軍または公衆衛生局における軍医総監．国によっては，必ずしも医務長官ではないが，軍医団に属し将官の地位にあるすべての人をいうこともある）.

sur·ger·y (sŭr′jĕr-ē) [L. *chirurgia*; G. *cheir*, hand + *ergon*, work]. ***1*** 外科〔学〕（物理的手術または処置により，疾病や創傷や変形を治療する医学の一分野）. ***2*** 手術〔法〕.

aesthetic s. 美容外科〔学〕（主要目的を外観の改良に置く外科の一分野）. =cosmetic s.; esthetic s.

ambulatory s. 通院手術（手術当日に入院し，手術を受けその日のうちに退院する患者に行う手術）.

arthroscopic s. 関節鏡視下手術（診断と治療のために関節内および周囲組織をみることが可能な光ファイバーシステムを用いて行う関節手術）.

aseptic s. 無菌手術（無菌状態で行われる手術）.

bench s. ベンチサージェリー（患者の体外で施行される外科手術手技．例えば，体外にあるうちに心臓から心臓腫瘍を取り除く）.

closed s. 非観血的手術（皮膚を切開しない手術．例えば骨折または脱臼の整復）.

cosmetic s. =aesthetic s.

craniofacial s. 頭蓋顔面外科〔学〕（頭蓋骨と顔面骨の単独でも両方でも扱う外科的処置の一般的な言葉）.

endolymphatic sac s. 内リンパ囊手術（Ménière 病の治療として，内リンパ囊に対して行われるいくつかの手術の一般名）.

esthetic s. =aesthetic s.

functional endoscopic sinus s. (FESS) 機能的内視鏡〔的〕副鼻腔手術（内視鏡を通じて照明し拡大しつつ行われる副鼻腔手術の一群）.

keratorefractive s. 角膜屈折矯正手術. =refractive *keratoplasty*.

laparoscopic s. 腹腔鏡〔下〕手術（術野の展開に低侵襲手術手技を用い，従来の切開をおかない手術．視野はビデオモニターに接続された光学ファイバーによって確保される）.

laparoscopically assisted s. 腹腔鏡補助下手術（腹腔鏡手術手技と開腹手術手技を組み合わせて行う手術）.

left ventricular volume reduction s. 左室容積削減手術（拡大してはいるが，心室瘤を形成していない左心室の容積を，心室の形状と機械的な機能を改善するため心筋を切除して減らす手術．末期のうっ血性心不全 congestive heart *failure* を治療する）. =Batista operation; partial left ventriculectomy; reduction left ventriculoplasty.

lung volume reduction s. 気腫肺減量術（肺気腫患者の機能していない肺組織を切除する手術．これにより，胸腔内に比較的健全な肺組織のための空間がより多くなり，理論的に肺機能が改善する.→emphysema).

major s. 大手術（→major *operation*).

maxillary sinus elevation s. 上顎洞挙上術（上顎洞に洞底から膜を挙上し，骨で腔を作成する手術手技．手術の目的は通常，歯科インプラント挿入部位を作成するために歯槽の高さを増やす）. =sinus lift.

microscopically controlled s. =Mohs *chemosurgery*.

minimally invasive s. 低侵襲手術（できるだけ小さい皮膚切開で，あるいはまったく皮膚切開なしで行う手術．腹腔鏡手術，腹腔鏡補助下手術，胸腔鏡下手術，内視鏡的手術を含む）.

minor s. 小手術（→minor *operation*).

Mohs s. =Mohs *chemosurgery*.

Mohs micrographic s. =Mohs *chemosurgery*.

open heart s. 開心術（開胸し，心臓を直接切開することにより行われる手術手技で通常，体外循環下に行う）.

oral s. 口腔外科（口腔および上顎顔面部位の疾患，創傷，変形について診断を下し，外科的処置とそれに付随する治療をする歯科の一分野）.

orthognathic s. =surgical *orthodontics*.

orthopedic s. 整形外科〔学〕（四肢および脊椎の外傷，疾患，機能障害，変形(元来は小児の変形)など筋骨格系の急性，慢性疾患の治療を専門とする外科の一分野.→orthopaedics).

plastic s. 形成外科〔学〕（形態や機能を，喪失したり，欠損したり，損傷したり，あるいは格好の悪い身体構造の外観を修復したり，つくったり，再建したり，改良をしたりする外科の特殊領域，あるいは手技．再建外科と美容外科も含む）.

reconstructive s. 再建外科〔手術〕（病気，先天異常，腫瘍，外傷や感染によって障害され変形した部位を修復する手法に関する）.

skull base s. 頭蓋底外科（外科の一専門分野で，頭蓋底またはその内容物の病変またはそれらを含む病変の手術，その手技，進入法全体を示す総称語）.

stereotactic s. =stereotaxy.

stereotaxic s. 定位〔的〕〔脳〕手術. =stereotaxy.

telepresence s. 遠隔手術（患者から離れたところにいる外科医の指導で行われるロボット手術）. =telesurgery.

thoracoscopic s. 胸腔鏡下手術（胸腔鏡を用いて行う手術．かつては主に虚脱療法や胸膜生検などの簡単な手技に対し直視鏡が用いられた．現在では，ビデオ内視鏡下の低浸潤手技や器具がより複雑な手術に対して応用されている．*cf.* video-assisted thoracic s.）．

transsexual s. 性転換手術（異性の特徴に似るように患者の外性徴を変える手術）．

ventricular reduction s. 心室縮小手術．＝Batista *procedure.*

video-assisted thoracic s.（**VATS**）ビデオ補助下胸部手術（内視鏡カメラ，光学機器，ディスプレイ画面，専用の手術器具やステープラーを用いて行う胸部手術．肋間を開大せず小さな切開で行いうる点で従来の開胸術に優る．現在，大部分の胸部手術に応用されるようになった）．

sur·gi·cal (sŭr′ji-kăl)．外科的の，外科手術〔上〕の．

sur·re·nal (sŭr-rē′năl)．腎上の．＝suprarenal (1).

sur·ro·gate (sŭr′ŏ-găt)［L. *surrogo*, to put in another's place］．代理〔人〕（①第三者の代理としての役目を果たす人．例えばいない両親に代わって，養育やその他の責任を負う親戚など．②別な人物を思い起こさせるような人のことで，その人のことを，もう1人の人の情緒的代理人という）．

mother s. 母親代理〔人〕（母親の代理あるいはその役割を果たす人）．

sur·round (sŭr-ownd′)．環境（ミリュー．周囲の状況）．

acoustic s. ＝sound *field.*

sur·sum·duc·tion (sŭr′sŭm-dŭk′shŭn)［L. *sursum*, upward + *duco*, pp. *-ductus*, to draw］．＝supraduction.

sur·sum·ver·sion (sŭr′sŭm-ver′zhŭn)［L. *sursum*, upward + *verto*, pp. *versus*, to turn］．両眼上転（両眼を上に回転させること）．

sur·veil·lance (sŭr-vā′lănts)［Fr. *surveiller*, to watch over < L. *super-* + *vigilo*, to watch］．サーベイランス（①データの収集，比較，解析，公表のプロセスの総称．ある集団内の疾患の発生を経時的に監視する観察研究の1つの方法．②完全な正確さよりも実施可能性，均質性，迅速性などの点ですぐれた手法を用いて行われる同時進行的な調査）．

immune s. 免疫監視機構（免疫機構は，生涯を通じて生体に発生する癌細胞を認識し，排除するという説）．＝immunologic s.

immunologic s. 免疫〔学的〕監視．＝immune s.

post-marketing s. 市販後サーベイランス（ある薬が市販許可された後に行われる調査で，使用状況や副作用，有害作用などの発見の情報が入手できるように計画されている）．

sur·vey (sŭr′vā)［O.Fr. *surveeir* < Mediev. L. *supervideo* < *super*, over + *video*, to see］．調査（①情報は系統的に収集されるものの，実験的方法は用いない研究．②1つまたは複数の所見をスクリーニングするための包括的な検査または一連の検査．③ある集団からの標本としての個人に対してなされる一連の質問）．

field s. フィールド調査，現地調査（一般人口の中で，特定組織に属していない人からの計画的なデータ収集）．

skeletal s. 骨検索（潜在性の骨折や転移などを調べるために行う骨格全体またはある特定部位の骨のX線検査）．

sur·vey·ing (sŭr-vā′ing)．サベーイング（歯科において，可撤性部分床義歯のデザインを決める前に，支台歯と関連構造の輪郭と位置を決めて線を描く過程）．

sur·vey·or (sŭr-vā′ŏr, ōr)．サベーヤー（歯科において，サベーイングに用いる器具）．

sur·viv·al (sŭr-vīv′ăl)．生存，生残り．

survivin (sur-vī′v′in)．サーバイビン（アポトーシスインヒビターIAPをコードするヒト遺伝子．サーバイビンは胎児組織には存在するが，成人組織では認められない．しかしながら，形質転換細胞株，および高グレードの非Hodgkinリンパ腫を含めほとんどの癌(肺，結腸，膵臓，前立腺，乳腺)で発現している）．

sus·cep·ti·bil·i·ty (sŭ-sep′ti-bil′i-tē)．***1*** 感受性（結核菌*Mycobacterium tuberculosis*，高地，気温といった外因から悪い影響を受ける確率）．***2*** 磁化率（磁気共鳴画像において，肺のように空気と軟部組織といった磁化率の異なる界面がたくさんあると磁場が著しく不均一となり，そのため急速な位相の乱れが起こり，磁気信号が失われる）．

sus·pen·sion (sŭs-pen′shŭn)［L. *suspensio* < *sus-pendo*, pp. *-pensus*, to hang up, suspend］．***1*** 一時的停止（機能を一時的に中断すること）．***2*** 懸吊，懸垂〔固定〕法（脊椎彎曲の治療や上衣様ギプス包帯を着せる際，支持器につり下げること）．***3*** 固定（臓器の固定．例えば，子宮を他の支持組織へ固定すること）．***4*** 懸濁（単なる視覚手段で十分みつけられる程度の大きさの，細かく分離された粒子状の固形の液体内分散．もし粒子が小さくて顕微鏡で見られなくても，光を拡散する(Tyndall現象)のに十分な大きさであれば，それらはいつまでも分散して残り，コロイド懸濁液とよばれる）．＝coarse dispersion．***5*** 懸濁剤（経口用または非経口用の賦形剤内に分散している細かく分離された非溶解薬(例えば懸濁液用の粉末)の局方製剤）．

amorphous insulin zinc s. 無晶性インスリン亜鉛懸濁液．＝prompt insulin zinc s.

chromic phosphate ^{32}P colloidal s. ^{32}P－リン酸クロムコロイド懸濁液（純粋なベータ線を放出するコロイド状の放射性薬品．体内に吸収されることがないので，悪性の滲出液の抑制の目的で，胸膜，腹膜のような体腔へ投与される．→*sodium* phosphate ^{32}P）．

Coffey s. (kof′ē)．コフィー懸垂〔固定〕法（卵管切除術としての卵管角の部分切除後の手術法で，広靱帯および円靱帯を卵管角の傷の上に縫い付け，その部分を腹膜で再被覆し，子宮を手術した方に懸垂する法）．

crystalline insulin zinc s. 結晶性インスリン亜鉛懸濁液．＝extended insulin zinc s.

extended insulin zinc s. 持続型インスリン亜鉛懸濁液（長時間作用型インスリン懸濁液．発現時間はほぼ7時間，作用持続時間は36時間）．＝crystalline insulin zinc s.

insulin zinc s. インスリン亜鉛懸濁液（塩化亜鉛を加えた緩衝作用をもつ滅菌懸濁液．通常1 mL当たり100単位を含有する．懸濁液の固相は，結晶性インスリン7，無晶性インスリン3の割合からなる）．＝lente insulin.

magnesia and alumina oral s. マグネシアとアルミナの内用懸濁液（水酸化マグネシウムと種々の量の酸化アルミニウムの混合物．制酸薬として用いる）．

prompt insulin zinc s. 速効型インスリン亜鉛懸濁液（注射用に緩衝用水を加えたインスリンの滅菌懸濁液．塩化亜鉛の添加により，懸濁液の固相が無晶性になるように変化させたもの．通常1 mL当たり100単位を含有する．作用持続時間はインスリン注射液と同様である）．＝amorphous insulin zinc s.; semilente insulin.

sus·pen·soid (sŭs-pen′soyd)［suspension + G. *eidos*, resemblance］．懸濁質（分散粒子が固形で，疎液性または疎水性であり，したがって，粒子と浮いている液体との境界が明確なコロイド溶液）．＝hydrophobic colloid; lyophobic colloid; suspension colloid.

sus·pen·so·ry (sŭs-pen′sŏ-rē)．***1***〖adj.〗懸垂の，提〔靱帯〕の（臓器または他の部分をその位置に保つ靱帯，筋肉その他の構造についていう）．***2***〖n.〗懸垂帯（精巣または下垂乳房のような付属部分を支えるのに用いる包帯）．

sus·ten·tac·u·lar (sŭs′ten-tak′yū-lăr)．支柱の，支持の．

sus·ten·tac·u·lum, pl. **sus·ten·tac·u·la** (sŭs′ten-tak′yū-lŭm, -lă)［L. a prop < *sustento*, to hold upright］．支柱（他の支えとして働いている構造）．

s. lienis ＝phrenicosplenic *ligament.*

s. tali［TA］．載距突起（踵骨の内側面から突き出ている腕木状外側突起で，その上面には距骨との関節の切子面がある）．＝talar shelf*.

su·sur·rus (sŭ-sŭr′ŭs)［L.］．雑音．＝murmur (1).

s. aurium 耳鳴り（耳の雑音）．

Sutter blood group (sŭt′ĕr blŭd grūp)．付録Blood Groups参照．

Sutton (sŭt′ŏn), Richard L., Jr. 20世紀の米国人皮膚科医．→S. *disease*, *ulcer*.

Sutton (sŭt′ŏn), Richard L. 米国人皮膚科医，1878—1952．→S. *nevus*.

SUTURA

su·tu·ra, pl. **su·tu·rae** (sū-tū′ră, -rē)［L. a sewing, a suture < *suo*, pp. *sutus*, to sew］［TA］．縫合．＝suture (1).

s. coronalis [TA]. 冠状縫合. =coronal *suture.*
suturae cranii [TA]. 頭蓋の縫合. =cranial *sutures.*
s. denticulata [TA]. =denticulate *suture.*
s. ethmoidolacrimalis [TA]. 篩涙縫合. =ethmoidolacrimal *suture.*
s. ethmoidomaxillaris [TA]. 篩骨上顎縫合. =ethmoidomaxillary *suture.*
s. frontalis 前頭縫合. =frontal *suture.*
s. frontalis persistens* metopic *suture* の公式の別名.
s. frontoethmoidalis [TA]. 前頭篩骨縫合. =frontoethmoidal *suture.*
s. frontolacrimalis [TA]. 前頭涙骨縫合. =frontolacrimal *suture.*
s. frontomaxillaris [TA]. 前頭上顎縫合. =frontomaxillary *suture.*
s. frontonasalis [TA]. 前頭鼻骨縫合. =frontonasal *suture.*
s. frontozygomatica [TA]. 前頭頰骨縫合. =frontozygomatic *suture.*
s. incisiva [TA]. 切歯縫合. =incisive *suture.*
s. infraorbitalis [TA]. 眼窩下縫合. =infraorbital *suture.*
s. intermaxillaris [TA]. 上顎間縫合. =intermaxillary *suture.*
s. internasalis [TA]. 鼻骨間縫合. =internasal *suture.*
s. interparietalis =sagittal *suture.*
s. lacrimoconchalis [TA]. 涙骨甲介縫合. =lacrimoconchal *suture.*
s. lacrimomaxillaris [TA]. 涙骨上顎縫合. =lacrimomaxillary *suture.*
s. lambdoidea [TA]. ラムダ〔状〕縫合. =lambdoid *suture.*
s. metopica [TA]. 前頭縫合. =metopic *suture.*
s. nasofrontalis 鼻骨前頭縫合. =frontonasal *suture.*
s. nasomaxillaris [TA]. 鼻骨上顎縫合. =nasomaxillary *suture.*
s. notha (nō′thă) [G. *nothos*(spurious)の女性形]. 偽縫合. =false *suture.*
s. occipitomastoidea [TA]. 後頭乳突縫合. =occipitomastoid *suture.*
s. palatina mediana [TA]. 正中口蓋縫合. =median palatine *suture.*
s. palatina transversa [TA]. 横口蓋縫合. =transverse palatine *suture.*
s. palatoethmoidalis [TA]. 口蓋篩骨縫合. =palatoethmoidal *suture.*
s. palatomaxillaris [TA]. 口蓋上顎縫合. =palatomaxillary *suture.*
s. parietomastoidea [TA]. 頭頂乳突縫合. =parietomastoid *suture.*
s. plana [TA]. 直線縫合. =plane *suture.*
s. sagittalis [TA]. 矢状縫合. =sagittal *suture.*
s. serrata [TA]. 鋸状縫合. =serrate *suture.*
s. sphenoethmoidalis [TA]. 蝶篩骨縫合. =sphenoethmoidal *suture.*
s. sphenofrontalis [TA]. 蝶前頭縫合. =sphenofrontal *suture.*
s. sphenomaxillaris [TA]. 蝶上顎縫合. =sphenomaxillary *suture.*
s. sphenoorbitalis 蝶眼窩縫合. =sphenoorbital *suture.*
s. sphenoparietalis [TA]. 蝶頭頂縫合. =sphenoparietal *suture.*
s. sphenosquamosa [TA]. 蝶鱗縫合. =sphenosquamous *suture.*
s. sphenovomeriana [TA]. 蝶形鋤骨縫合. =sphenovomerine *suture.*
s. sphenozygomatica [TA]. 蝶頰骨縫合. =sphenozygomatic suture.
s. squamoparietalis 鱗状縫合 (①=squamous *suture.* ②=squamoparietal *suture*).
s. squamosomastoidea [TA]. 鱗乳突縫合. =squamomastoid *suture.*
s. temporozygomatica [TA]. 側頭頰骨縫合. =temporozygomatic *suture.*
s. zygomaticofrontalis =frontozygomatic *suture.*
s. zygomaticomaxillaris [TA]. 頰骨上顎縫合. =zygomaticomaxillary *suture.*
s. zygomaticotemporalis 頰骨側頭縫合. =temporozygomatic *suture.*

su·tur·al (sū′chūr-ăl). 縫合の.

SUTURE

su·ture (sū′chūr) [L. *sutura*, a seam][TA]. [本語は, 数針からなる縫い目を表す. stitch と正確には同義ではない]. ***1*** 縫合(線維性連結の一型で, 2つの膜性骨が, 骨膜と連続する線維膜で結合されている). =sutura [TA]; suture joint. ***2*** 縫合〔術〕(縫うことによって2表面を結合すること). =stitch (3). ***3*** 縫合糸 (2表面を結合しておくための材料(絹糸, ワイヤ, 合成繊維など)). ***4*** 外科的縫合でつくられた縫い目.

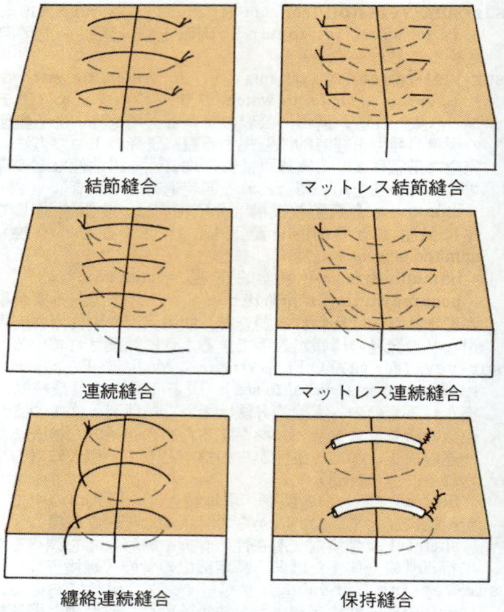

surgical sutures

absorbable surgical s. 吸収性縫合糸 (外科用縫合材料で, 身体組織に吸収される物質からなり, したがって, 永久的なものではない. 直径や引っ張り強度には様々な種類がある. 強度の減少の度合いは縫合材料の特質によって異なる).
Albert s. (al′bĕrt). アルベルト(アルベル)縫合 (Czerny 法の変法で, 最初の縫い目の層が腸壁の全層を通っているもの).
apposition s. 並置縫合 (皮膚だけの縫合). =coaptation s.
approximation s. 隣接縫合 (深部組織に及ぶ縫合).
atraumatic s. 非外傷性縫合糸 (めどのない針が付いている縫合糸).
blanket s. 連続纏絡縫合 (長い傷口の皮膚を接合するのに用いられる連続したミシン縫合).
bridle s. 制御糸 (眼科手術において, 眼球を回転させるために上直筋にかけられる糸).
Bunnell s. (bū-nel′). バネル縫合 (ボタンに固定した引抜き用針金を用いた腱縫合術).

buried s. 埋伏縫合，埋没縫合（皮膚表面下に完全に隠れた縫合）.

button s. ボタン縫合，平板縫合（糸をボタンの穴を通して結ぶ方法．糸が組織を切る危険のあるときに用いる）.

catgut s. 腸線縫合糸（→catgut）.

coaptation s. 接合縫合．＝apposition s.

cobbler's s. 靴修繕工縫合．＝doubly armed s.

Connell s. (kon′ĕl). コネル縫合（連続縫合法の１つ．胃あるいは腸を吻合する際に，消化管壁が内翻する形になるようにする）.

continuous s. 連続縫合（１本の長い縫合糸を用いて中断しないで行う縫合．各端を結び目で固定する）. ＝spiral s.; uninterrupted s.

control release s. コントロールリリース縫合糸（糸のめどのない針に糸が付いている縫合糸で，糸に緊張をかけると両者が離れるようになっている）.

coronal s. [TA]．冠状縫合（前頭骨と左右の頭頂骨との間の連結）. ＝sutura coronalis [TA].

cranial s.'s [TA]．頭蓋の縫合（頭蓋骨間の縫合）. ＝suturae cranii [TA].

Cushing s. (kush′ing). クッシング縫合（２つの近接した表面を寄せるために用いる連続水平マットレス縫合）.

Czerny s. (sher′nē). チェルニー縫合（Czerny-Lembert 腸縫合の第一層．針を漿膜から入れ粘膜下または筋層を通して引き抜き，次に反対側の粘膜下または筋層に入れて漿膜から引き抜く）.

Czerny-Lembert s. (sher′nē lahm-bār′). チェルニー－ランベール縫合（Czerny 縫合(第一)と Lembert 縫合(第二)を併用した２層の腸縫合）.

delayed s. 遅延縫合（数日の間隔を置いた後に行う創口の縫合）.

dentate s. 鋸〔歯〕状縫合．＝serrate s.

denticulate s. [TA]．歯状縫合（小さな歯状突起による縫合．突起はしばしば末端側で広くなっていて，より効果的に連結することができる．これらの縫合は基本的に不動性である）. ＝sutura denticulata [TA].

doubly armed s. 両端針縫合糸（両端に針の付いた縫合糸）. ＝cobbler's s.

Dupuytren s. (dū-pwē-tren[h]′). デュピュイトラン縫合（連続 Lembert 縫合）.

end-on mattress s. 正確な皮膚の接合に用いる縦のさし縫い縫合.

ethmoidolacrimal s. [TA]．篩涙縫合（篩骨の眼窩板と涙骨の後縁との縫合）. ＝sutura ethmoidolacrimalis [TA].

ethmoidomaxillary s. [TA]．篩骨上顎縫合（上顎体の眼窩面と篩骨の眼窩板との連結）. ＝sutura ethmoidomaxillaris [TA].

Faden s. [Ger. *Faden*, thread, twine]．ファーデン縫合糸（眼球の過剰な動きを制限するために，眼外直筋と後部強膜との間に置く糸）.

false s. 偽縫合（相対する２つの側縁が滑らかであるか，または輪郭のはっきりしない突出がわずかにみられるもの）. ＝sutura notha.

far-and-near s. 遠近縫合（縫合針の刺入・刺出点の創縁から距離を交互に変える結節縫合）.

figure-of-8 s. 8〔の〕字縫合（十文字ステッチを行う縫合．筋膜端，腹部創の筋，筋膜およびその外層の接合に用いる）.

frontal s. [TA]．前頭縫合（前頭骨の左右中間部にある縫合で，通常，6歳ごろに消失する．残存する場合は metopic s. または sutura frontalis persistens とよばれる）. ＝sutura frontalis.

frontoethmoidal s. [TA]．前頭篩骨縫合（前頭骨の眼窩面および鼻棘の後縁と篩骨の篩板との間にある連結）. ＝sutura frontoethmoidalis [TA].

frontolacrimal s. [TA]．前頭涙骨縫合（前頭骨眼窩部と涙骨上縁との間の連結）. ＝sutura frontolacrimalis [TA].

frontomaxillary s. [TA]．前頭上顎縫合（前頭骨と上顎骨の前頭突起との間の縫合）. ＝sutura frontomaxillaris [TA].

frontonasal s. [TA]．前頭鼻骨縫合（前頭骨と左右の鼻骨との間の連結）. ＝sutura frontonasalis [TA]; sutura nasofrontalis.

frontozygomatic s. [TA]．前頭頬骨縫合（前頭骨の頬骨突起と頬骨の前頭突起との間の連結）. ＝sutura frontozygomatica [TA]; sutura zygomaticofrontalis.

Frost s. (frost). フロスト縫合糸（角外膜を保護するための眼瞼間の瞼縁縫合）.

Gély s. (zhā-lē′). ジェリー縫合（腸の創口を閉じるのに用いる両端針縫合．糸を用いる）.

glover's s. 手袋製造人縫合（各縫い目が先行する縫い目の輪を通る連続縫合）.

Gould s. (gūld). グールド縫合（縫合で組織が外に膨れ，凹の代わりに凸になるような方法で各輪が陥入していく，腸のさし縫い縫合）.

Gussenbauer s. (gŭs-en-bow′ĕr). グッセンバウアー縫合（Czerny-Lembert 縫合に似た腸の８の字縫合であるが，粘膜を含まない）.

Halsted s. (hahl′sted). ハルステッド縫合（表皮下筋膜を通した縫合．正確な皮膚接合に用いる）.

harmonic s. 調和接合．＝plane s.

implanted s. 植込み縫合（ピンを創縁に切開線と平行に通し，ピンを巻いて締める）.

incisive s. [TA]．切歯縫合（切歯骨と口蓋突起間の連結．出生時にみられるが老年になっても残存することがある）. ＝sutura incisiva [TA]; premaxillary s.

infraorbital s. [TA]．眼窩下縫合（眼窩下縁から眼窩下孔まで走る縫合で，不定のもの）. ＝sutura infraorbitalis [TA].

intermaxillary s. [TA]．上顎間縫合（左右の上顎骨間にある連結）. ＝sutura intermaxillaris [TA].

internasal s. [TA]．鼻骨間縫合（左右の鼻骨間の連結）. ＝sutura internasalis [TA].

interparietal s. ＝sagittal s.

interrupted s. 断続縫合，結節縫合（両端を結んだ単一の縫合の一種）.

Jobert de Lamballe s. (zhō-bār′ dĕ-lahm-bahl′). ジョベール・ド・ランバル縫合（円形腸縫合で，腸縁を陥入するために用いる結節腸縫合）.

lacrimoconchal s. [TA]．涙骨甲介縫合（涙骨と後鼻甲介との間の連結）. ＝sutura lacrimoconchalis [TA].

lacrimomaxillary s. [TA]．涙骨上顎縫合（眼窩内側壁で涙骨の上縁および下縁と上顎骨との間の連結）. ＝sutura lacrimomaxillaris [TA].

lambdoid s. [TA]．ラムダ〔状〕縫合（後頭骨と左右の頭頂骨との間の連結で，ギリシャ語のラムダ λ の形に似た配列をしている）. ＝sutura lambdoidea [TA].

Lembert s. (lem′bār). ランベール縫合（Czerny-Lembert 腸縫合の第二層．腸手術のための内翻縫合．連続縫合または結節縫合に用い，膠質粘膜下層を含む漿膜接合を施すもので，腸管腔にははいらないもの）.

lens s.'s 水晶体放線．＝*radii* of lens (⇒radius).

locking s. 輪止め縫合（縫合糸を前の縫目でできた輪の中を通してから縫っていく連続縫合の１つ）.

mattress s. さし縫い縫合，U字縫合，ふとんとじ縫合（創口面の両側の組織の周りに輪をつくり，結紮したとき端に外反を生じる二重縫合）. ＝quilted s.

median palatine s. [TA]．正中口蓋縫合（左右の口蓋骨の水平板間の連結で，上顎間縫合が後方に続いたもの）. ＝sutura palatina mediana [TA].

metopic s. [TA]．前頭縫合（残存した前頭縫合をいう．ときには前頭鼻骨縫合の上部に短い線として認められることもある．→frontal s.）. ＝sutura metopica [TA]; persistent frontal s.☆; sutura frontalis persistens☆.

nasomaxillary s. 鼻骨上顎縫合（鼻骨外側縁と上顎前頭突起の間の連結）. ＝sutura nasomaxillaris [TA].

nerve s. 神経縫合．＝neurorrhaphy.

neurocentral s. ＝neurocentral *synchondrosis*.

nonabsorbable surgical s. 非吸収性外科用縫合糸（身体組織の生物学的作用に比較的影響されない縫合材料で，除去しない限り永存する．例えば，ステンレス鋼，絹，綿，ナイロン，その他の合成材料）.

occipitomastoid s. [TA]．後頭乳突縫合（後頭骨と側頭骨乳突部後縁との間にあり，ラムダ縫合に続くもの）. ＝sutura occipitomastoidea [TA].

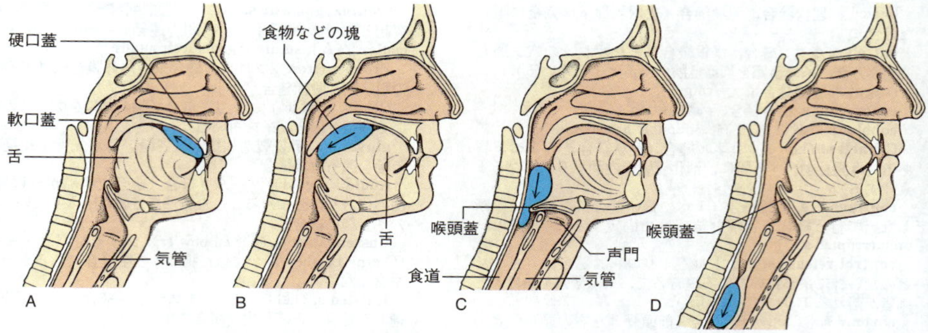

swallowing

A：舌を口蓋に押し付けることによって塊が口の後方へ押し込まれる．B：鼻咽頭が閉じる．C：咽頭括約筋が連続して収縮し，塊を食道に押し込む．気道は声門によって閉じられ，喉頭蓋は声門上に閉じる．D：ぜん動収縮によって塊が食道へ下方移動する．

palatoethmoidal s. [TA]．口蓋篩骨縫合（口蓋骨眼窩突起と篩骨眼窩板の間の連結）．＝sutura palatoethmoidalis [TA].

palatomaxillary s. [TA]．口蓋上顎縫合（眼窩底における，口蓋骨眼窩突起と上顎骨眼窩面の間の連結）．＝sutura palatomaxillaris [TA].

Paré s. (pah-rē′)．パレー縫合（創表面に細長い布を貼り付け，皮膚の代わりにそれを縫合することによる創縁の接合）．

parietomastoid s. [TA]．頭頂乳突縫合（頭頂骨乳突角と側頭骨乳様突起の間の連結）．＝sutura parietomastoidea [TA].

Parker-Kerr s. (par′kĕr ker)．パーカー－カー縫合（腸の断端を閉じるのに用いる連続内翻縫合）．

persistent frontal s.* metopic s. の公式の別名．

petrosquamous s. →petrosquamous *fissure*.

plane s. [TA]．直線縫合（涙骨上顎縫合にみられるような，2個の骨の間に重なり合いのない平滑面状の単純でしっかりとした連結）．＝sutura plana [TA]; harmonia; harmonic s.

pledgetted s. 綿撒糸縫合，プレジェット（組織が裂けるような場合に，小さな布あるいは組織片で保護するような縫合法）．

premaxillary s. ＝incisive s.

purse-string s. 巾着縫合（内翻(虫垂切断端)または閉鎖(ヘルニア)のため輪状に連続縫合すること）．

quilted s. 円柱縫合．＝mattress s.

relaxation s. 弛緩縫合（創の緊張が過度になると弛緩するようになっている縫合）．

retention s. 保持縫合（一次縫合の緊張を軽減するために腹壁の筋肉や筋膜に大きく深くかけた補強縫合）．＝tension s.

sagittal s. [TA]．矢状縫合（左右の頭頂骨間の連結）．＝sutura sagittalis [TA]; interparietal s.; sutura interparietalis.

secondary s. 二次縫合（創の遅延縫合）．

serrate s. [TA]．鋸状縫合（矢状縫合の全周にわたってみられるように，骨の連結縁が鋸歯状に深く咬み合った縫合）．＝sutura serrata [TA]; dentate s.

shotted s. 弾丸縫合（裂け目のある弾丸(一部分が裂けた銃弾)に糸の両端を通してから，弾丸をつぶすことにより閉じる縫合）．

sphenoethmoidal s. [TA]．蝶篩骨縫合（蝶形骨稜と篩骨の垂直板および篩板の間の連結）．＝sutura sphenoethmoidalis [TA].

sphenofrontal s. [TA]．蝶前頭縫合（蝶形骨小翼と前頭骨の眼窩面との間の連結）．＝sutura sphenofrontalis [TA].

sphenomaxillary s. [TA]．蝶上顎縫合（蝶形骨の翼状突起と上顎体部との間の不定縫合）．＝sutura sphenomaxillaris [TA].

sphenooccipital s. 蝶後頭縫合．＝sphenooccipital *synchondrosis*.

sphenoorbital s. 蝶眼窩縫合（口蓋骨眼窩突起と蝶形骨体部の外側面の関節）．＝sutura sphenoorbitalis.

sphenoparietal s. [TA]．蝶頭頂縫合（頭頂骨の前下端と蝶形骨大翼の上縁との間の連結）．＝sutura sphenoparietalis [TA].

sphenosquamous s. [TA]．蝶鱗縫合（蝶形骨大翼と側頭骨鱗部の間の連結）．＝sutura sphenosquamosa [TA].

sphenovomerine s. [TA]．蝶形鋤骨縫合（蝶形骨の鞘突起と鋤骨翼との縫合）．＝sutura sphenovomeriana [TA].

sphenozygomatic s. [TA]．蝶頬骨縫合（蝶形骨大翼と頬骨の間にある連結）．＝sutura sphenozygomatica [TA].

spiral s. らせん状縫合．＝continuous s.

squamomastoid s. [TA]．鱗乳突縫合（発育期の側頭骨鱗部と岩様部との間の連結．ときに乳突部までのびている）．＝sutura squamosomastoidea [TA].

squamoparietal s. 鱗状縫合（頭頂骨と側頭骨鱗部の間の連結）．＝sutura squamoparietalis (2).

squamous s. [TA]．鱗状縫合（相対する両方の骨縁が鱗状で互いに重なり合っているような縫合）．＝sutura squamoparietalis (1).

subcuticular s. 皮内縫合（→Halsted s.）．

temporozygomatic s. 側頭頬骨縫合（側頭骨の頬骨突起と頬骨の側頭突起との間の連結）．＝sutura temporozygomatica [TA]; sutura zygomaticotemporalis; zygomaticotemporal s.

tendon s. 腱縫合．＝tenorrhaphy.

tension s. 減張縫合．＝retention s.

transfixion s. 縫合結紮（①結んで，組織表面または小血管からの出血を止める十文字の縫合．②鼻中隔に鼻柱を固定するために用いる縫合）．

transverse palatine s. [TA]．横口蓋縫合（上顎骨口蓋突起と口蓋水平板の間の連結）．＝sutura palatina transversa [TA].

tympanomastoid s. ＝tympanomastoid *fissure*.

uninterrupted s. 連続縫合．＝continuous s.

wedge-and-groove s. ＝schindylesis.

zygomaticomaxillary s. [TA]．頬骨上顎縫合（頬骨と上顎骨頬突起間の連結）．＝sutura zygomaticomaxillaris [TA].

zygomaticotemporal s. 側頭頬骨縫合．＝temporozygomatic s.

---

su·tur·ec·to·my (sū′chūr-ek′tŏ-mē)．頭蓋縫合切除術．

sux·a·me·thon·i·um (sŭks′ă-me-thōn′ē-ŭm)．スキサメトニウム．＝succinylcholine.

Su·zanne (sū-zahn′), Jean G. 19世紀のフランス人医師.→S. *gland*.
SV simian *virus* の略. SV1のように通し番号がついている.
SV40 サル空胞形成ウイルス No.40 の記号.
Sv sievert の略.
Svedberg (sfed′bĕrg), Theodor. スウェーデン人化学者・ノーベル賞受賞者, 1884—1971.→S. *equation*, of flotation, *unit*.
Svedberg of flo·ta·tion (sfed′bĕrg flō-tā′shŭn). スヴェードベリー浮上〔定数〕. = flotation *constant*.
SVT supraventricular *tachycardia* の略.
swab (swob). スワブ, 綿棒（綿, ガーゼ, そのほか吸収性物質の小さな詰め物が棒または鉗子の先に付いているもの. 表面に貼付したり, 表面からものを取り除くために用いる）.
swage (swāj)［O. Fr. *souage*］. ***1*** 着糸する（縫合針に縫合糸を付ける）. ***2*** 圧印する（金属をたたいたり, 鋳型に入れたりして成型する. しばしば対陽鋳型が用いられる）.
swal·low (swol′ō)［A.S. *swelgan*］. えん(嚥)下する, 飲み込む（口, 咽頭および食道を通して何かを胃に入れる）.
barium s. バリウムえん下検査（硫酸バリウム懸濁液を経口的にえん下しながら撮影する下咽頭や食道のX線透視・造影検査.→*barium* meal）.
Gastrografin s. (gas-trō-graf′in). ガストログラフィンえん下検査（水溶性のヨード造影剤を使用した食道造影あるいは上部消化管造影）.
somatic s. 体性えん下（潜在意識下で, 人の制御下にあると思われる筋収縮を伴ったえん下のパターン. visceral s.（内臓性えん下）とは区別される）.
visceral s. 内臓性えん下（幼児や舌痛のある老年者にみられる未熟なえん下パターンで, 腸にみられるぜん動波様の筋収縮に似ている. 成人の成熟したえん下はより随意的で, したがって体性的である）.
swallower 麻薬えん下者, 麻薬えん下運搬者. = body *packer*.
Swan (swahn), Harold James C. 20世紀の米国人心臓病専門医. →S.-Ganz *catheter*.
swarm·ing (swōrm′ing)［A.S. *swearm*］. スウォーミング（固形培地の表面で運動性細菌が徐々に広がること）.
Sweat (swĕt), Faye. 20 世紀の病理学者.→Puchtler-S. *stain* for basement membranes; Puchtler-S. *stain* for hemoglobin and hemosiderin.
sweat (swet)［A.S. *swāt*］. ***1***〖n.〗汗（特に知覚汗）. = perspiration (3). ***2***〖v.〗発汗する.
night s.'s 寝汗（夜間の多量発汗で, 肺結核や他の慢性衰弱性疾患の際に低熱を伴って起こる）.
red s. 赤色汗（*Streptomyces roseofulvis* が産生する色素によって特に腋窩の汗が赤色になること.→chromidrosis）.
sweat·ing (swet′ing). 発汗. = perspiration (1).
sweep (swēp). 掃引（陰極線オシロスコープのビームが, 人為的に発生させた鋸歯状電圧によって, 左から右へ動くこと. この動きは時間軸を表す）.
Sweet (swēt), Robert Douglas. 20 世紀のイングランド人皮膚科医.→S. *disease*.
swell·ing (swel′ing). ***1*** 腫脹, 腫大（例えば, 隆起または腫瘍）. ***2*** 隆起, 膨化（胎生学における原基の隆起で, ひだや隆腺, または突起に発達する）. ***3*** 腫れ, 腫脹（リンパ節の腫大や四肢の骨折などでみられる, 炎症過程の肉眼的解剖所見を記載するのに大ざっぱに用いられる.→edema）.
albuminous s. アルブミン状腫脹. = cloudy s.
arytenoid s. 披裂隆起（対になった原基隆起で, 胎児咽頭のいずれかの側にあり, その中に披裂軟骨が形成される）.
brain s. 脳腫脹（血管内腔(うっ血)または血管外腔(水腫, 浮腫)による拡張のための脳容積の増加で示される限局性または全身性の病理学的所見. これらは共存する場合も, また単独で生じることもあり, 臨床的に区別できない. 臨床所見では局所的腫脹, 頭蓋内構造の変位, 頭蓋内圧亢進または循環障害の影響による神経機能障害がみられる）.
Calabar s. カラバル腫脹. = loiasis.
cloudy s. 混濁腫脹（イオン移行に関与する膜の傷害による細胞の腫脹. 細胞内液の貯留を起こす）. = albuminous s.; granular degeneration; hydropic degeneration; parenchymatous degeneration.
fugitive s. 一過性腫脹. = loiasis.
genital s.'s 生殖隆起. = labioscrotal s.'s.
hunger s. 飢餓腫脹（多くの要因があるが, ことに血清アルブミンの減少による飢餓時の浮腫）.
labial s. 陰唇隆起（女子の胎生期の生殖隆起で, 伸長して, 最終的には大陰唇になる.→genital s.'s）.
labioscrotal s.'s 陰唇陰嚢隆起（胎芽の性器結節と尿生殖器口に側面を接する一対の隆起. これらは陰唇陰嚢ひだに発達し, 女子の大陰唇や, 結合して男子の陰嚢になる）. = genital s.'s.
lateral lingual s.'s 外側舌隆起（胎児における第一鰓弓の高さの口腔床に現れる一対の卵円形隆起. 口道由来の外胚葉によりおおわれた間葉組織からなる原基隆起で, 舌体部の前2/3 の大部分を形成する）. = lateral lingual bud.
levator s. 挙筋隆起. = *torus* levatorius.
median lingual s. 正中舌隆起（胚子の第一・第二咽頭弓の間の口腔底の隆起. 外側舌隆起によっておおわれ, 舌前方2/3 の後部の形成に関与するが, 成人の舌では認められる部分は形成されていない）. = median lingual bud; median tongue bud; tuberculum impar.
Neufeld capsular s. (nū′feld). ノイフェルト莢膜膨化（莢膜をもった微生物が, 特異的抗莢膜凝集抗体に接触して, 莢膜の混濁度や可視度が増加すること）. = Neufeld reaction; quellung phenomenon; quellung reaction (1); quellung test.
scrotal s.'s 陰嚢隆起（陰嚢を形成する男性の生殖隆起.→labioscrotal s.'s）.
Spielmeyer acute s. (shpēl′mī-ĕr). シュピールマイアー急性腫脹（神経細胞の変性型で, その中では細胞体とその突起が腫脹し, 青く, びまん性に染色される）.
switch·ing (swich′ing). 転換, スウィッチング（①変更あるいは交換すること. ②ゲノム内での限定されたDNA 領域の移動）.
chiral s. キラルスイッチング（ラセミ体の薬物を, 単一の鏡像異性体で置き換えること）.
Swy·er (swī′ĕr), Paul R. 20世紀の米国人小児科医.→S.-James *syndrome*; S.-James-MacLeod *syndrome*.
sy·co·sis (sī-kō′sis)［G. *sykōsis* < *sykōn*, fig + *-osis*, condition］. 毛瘡（［psychosis と混同しないこと］. 膿疱性毛嚢炎で, 特に顎ひげの部分のものをいう）.
Sydenham (sid′ĕn-ham), Thomas. イングランド人医師, 1624—1689.→S. *chorea*, *disease*.
syl·la·ble-stum·bling (sil′ă-bĕl-stŭm′bling)［L. *syllabē*, several letters or sounds taken together］. 音節錯誤（発音しにくい特定の音節の前で口ごもる吃の一型）. = dyssyllabia.
syl·vat·ic (sil-vat′ik)［L. *silva*, woods］. 野生動物で発症する, または野生動物に影響を示す.
Sylvest (sil-vest′), Ejnar. ノルウェー人医師, 1880—1931.→S. *disease*.
syl·vi·an (sil′vē-ăn). Franciscus Sylvius またはJacobus Sylvius に関する, または両者のいずれかの述べた構造に関する.
Syl·vi·us (sil′vē-ŭs), Le Böe, Franciscus (François). オランダ人医師・解剖・生理学者, 1614—1672.→sylvian *angle*, *aqueduct*, *fissure*, *line*, *point*, *valve*, *ventricle*; *fossa* of S.; *vallecula* sylvii.
Syl·vi·us (sil′vē-ŭs), Jacobus (Jacques). フランス人解剖学者, 1478—1555.→*caro* quadrata sylvii; *os* sylvii.
sym- →syn-.
sym·bal·lo·phone (sim-bal′ō-fōn)［G. *symballō*, to throw together + *phōnē*, sound］. シンバロフォーン（2個のチェストピースの付いた聴診器で, 立体音的効果を生じるようにつくられている）.
sym·bi·on, sym·bi·ont (sim′bē-on, -ont)［G. *symbion*, *symbiōs* (living together)の中性形］. 共生者, 共生体, 共生生物（共生で他の生物と関係している生物）. = mutualist; symbiote.
sym·bi·o·sis (sim′bē-ō′sis)［G. *symbiōsis*, state of living together < sym- + *-bios*, life + *-osis*, condition］. 共生（①2種以上の種が生物学的に関連をもつこと. *cf.* commensalism; mutualistic s.; parasitism. ②精神医学において, 母親と幼児, または夫と妻のような2人の間の相互協力または相互依存. この用語はときには2人の間の過度のまたは病的な相互依存を示すのに用いる）.
dyadic s. 二者共生（子供と片親の共生）.

mutualistic s. 双利共生（互いが利益を得る共生）.
triadic s. 三者共生（子供と両親の共生）.
sym·bi·ote (sim′bē-ōt). ＝symbion.
sym·bi·ot·ic (sim′bē-ot′ik). 共生の.
sym·bleph·a·ron (sim-blef′ă-ron) [sym- + G. *blepharon*, eyelid]. 瞼球〔間〕癒着〔症〕（一方または両方の眼瞼の眼球への癒着．一部癒着または完全癒着のことがある．熱傷または他の外傷によるが，まれに先天性のものもある）. ＝atretoblepharia.
anterior s. 瞼球〔間〕前癒着〔症〕（眼瞼と眼球の線維性の帯による結合で，円蓋は含まない）.
posterior s. 瞼球〔間〕後癒着〔症〕（眼球と眼瞼間の円蓋を含む癒着）.
sym·bol (sim′bŏl) [G. *symbolon*, a mark or sign < *sym-ballō*, to throw together]. ***1*** 定式記号（略号として用いる定式記号）．***2*** 記号（化学において，元素，基，化合物の名称，化学式の要素である一原子や一分子(例えば，H_2O ではHおよびO)を表す略．生化学においては，主に他の類似記号とともに用いて，さらに大きな集団(例えば，glycine には Gly，adenosine には Ado，glucose には Glc)を表す分子の俗称の略）．***3*** 象徴（精神医学で用いる場合は，しばしば性的なものに関する抑圧や無意識的願望を表していると解釈される対象物や行動をいう）．***4*** 哲学的・言語学的象徴（→conventional *signs*）.
sym·bo·li·a (sim-bō′lē-ă) [G. *symbolon*, a mark or sign]. 象徴知覚（触覚により，対象の形態や性状を認識する能力）.
sym·bol·ism (sim′bŏl-izm). ***1*** 象徴性（精神分析において，無意識的な，あるいは抑圧された内容や出来事が，意識に浮上する際に姿を変えた表象となる過程をいう）．***2*** 象徴症（あらゆる出来事が，その個人にとって自分自身の思考の象徴として起こるとみなしてしまう精神状態）．***3*** 象徴主義（情緒的生活や体験を抽象的な用語で叙述すること）.
sym·bol·i·za·tion (sim′bŏl-i-zā′shŭn). 象徴化（①ある対象または観念が，他のものによって表象される無意識的心的機制で，Jung の詳述によれば集団的無意識にはいり込むことができる．②抽象的には，外的または内的な人生経験や関連する感情を表象する意識あるいは潜在意識の過程）.
sym·brach·y·dac·ty·ly (sim-brak′i-dak′ti-lē) [sym- + G. *brachys*, short + *daktylos*, finger]. 癒着短指症（異常に短い指が近位部位で結合するかまたはみずかき状になっている状態）.
Syme (sīm), James. スコットランド人外科医，1799—1870. →S. *amputation*, *operation*.
Sy·ming·ton (sī′ming-tŏn), Johnson. スコットランド人解剖学者，1851—1924. →S. anococcygeal *body*.
sym·me·li·a (si-mē′lē-ă) [sym- + G. *melos*, limb]. 合肢症，人魚体症. ＝sirenomelia.
Sym·mers (sī′mĕrz), W. St. C. 英国人病理学者，1863—1937. →S. clay pipestem *fibrosis*.
sym·me·try (sim′ĕ-trē) [G. *symmetria* < sym- + *metron*, measure]. 対称性（2肢，2極，または身体の相対する2側が，1つの中心点または軸を中心にして形が等しい(類似している)こと）.
inverse s. 逆対称（非対称体の右側または左側と，他の左側または右側との類似）.
sympath-, sympatheto-, sympathico-, sympatho- [→sympathetic]. 自律神経系の交感神経部分に関する連結形.
sym·pa·thec·to·my (sim′pă-thek′tŏ-mē) [sympath- + G. *ektomē*, excision]. 交感神経切除〔術〕，交感神経節摘出〔術〕（交感神経の切除または1個以上の交感神経節の切除）. ＝sympathetectomy; sympathicectomy.
chemical s. 化学的交感神経切除〔術〕. ＝Doppler *operation*.
periarterial s. 血管周囲交感神経切除〔術〕（動脈剝離による交感神経支配の除去）. ＝histonectomy; Leriche operation.
presacral s. 仙骨前交感神経切除〔術〕. ＝presacral *neurectomy*.
sym·pa·the·tec·to·my (sim′pă-thĕ-tek′tŏ-mē). ＝sympathectomy.
sym·pa·thet·ic (sim′pă-thet′ik) [G. *sympathētikos* < *sympatheō*, to feel with, sympathize < *syn*, with + *pathos*, suffering]. ＝sympathic. ***1*** 共感の，同情的の．***2*** 交感神経〔性〕の（自律神経系の交感神経部分についていう）.
sym·pa·thet·o·blast (sim′pă-thet′ŏ-blast). ＝sympathoblast.
sym·path·ic (sim-path′ik). ＝sympathetic.
sym·path·i·cec·to·my (sim-path′i-sek′tŏ-mē). ＝sympathectomy.
sympathico- →sympath-.
sym·path·i·co·blast (sim-path′i-kō-blast′). ＝sympathoblast.
sym·path·i·co·neu·ri·tis (sim-path′i-kō-nū-rī′tis). 交感神経炎.
sym·path·i·cop·a·thy (sim-path′i-kop′ă-thē) [sympathico- + G. *pathos*, suffering]. 交感神経障害（自律神経系の障害による疾患）.
sym·path·i·co·to·ni·a (sim-path′i-kō-tō′nē-ă) [sympathico- + G. *tonos*, tone, tension]. 交感神経緊張〔症〕（交感神経系の緊張増加と血管痙攣および高血圧の著しい傾向がみられる状態．vagotonia の対語）.
sym·path·i·co·ton·ic (sim-path′i-kō-ton′ik). 交感神経緊張〔症〕の，交感神経緊張性の.
sym·path·i·co·trip·sy (sim-path′i-kō-trip′sē) [sympathico- + G. *tripsis*, a rubbing]. 交感神経圧挫〔術〕，交感神経捻除〔術〕.
sym·pa·thin (sim′pă-thin). シンパチン（交感神経終末が活動するときにそこから循環血液中に出る物質．WB Cannon により紹介された用語で，彼はこれを神経終末で産出される伝達物質とは異なると考えていた(現在これは誤りであるとされている)．伝達物質そのもの(ノルエピネフリン)が循環血液中に出る）. ＝sympathetic hormone.
sym·pa·thism (sim′pă-thizm) [G. *sympatheia*, sympathy]. 共感性. ＝suggestibility.
sym·pa·thiz·er (sim′pă-thīz′ĕr). ***1*** 交感眼（交感性眼炎に侵された眼）．***2*** 同情者，賛成者.
sympatho- →sympath-.
sym·pa·tho·ad·re·nal (sim′pă-thō-ă-drē′năl). 交感神経副腎の（自律神経系の交感神経部分と，神経節後ニューロンとしての副腎髄質についていう）.
sym·pa·tho·blast (sim′pă-thō-blast′) [sympatho- + G. *blastos*, germ]. 交感神経芽細胞（神経堤グリアに由来する原始細胞．クロム親和性芽細胞とともに，交感神経芽細胞は副腎髄質および交感神経節の形成にあずかる）. ＝sympathetoblast; sympathicoblast.
sym·pa·tho·go·ni·a (sim′pă-thō-gō′nē-ă) [sympatho- + G. *gonē*, seed]. 交感神経産生細胞，交感神経母細胞（交感神経系の中で完全に未分化な細胞）.
sym·pa·tho·lyt·ic (sim′pă-thō-lit′ik) [sympatho- + G. *lysis*, a loosening]. 交感神経遮断〔性〕の（アドレナリン作用性神経の活性の拮抗または抑制についていう．→adrenergic blocking *agent*; antiadrenergic）.
sym·pa·tho·mi·met·ic (sim′pă-thō-mi-met′ik) [sympatho- + G. *mimikos*, imitating]. 交感神経〔様〕作用の（→adrenomimetic）.
sym·pa·thy (sim′pă-thē) [G. *sympatheia* < sym- + *pathos*, suffering]. [empathy と混同しないこと]. ***1*** 交感（2個の臓器，系統，身体の部分間の生理的または病理的相互関係）．***2*** 共感（集団ヒステリー，または他人のあくびを見て生じるあくびにみられるような精神的接触伝染）．***3*** 共感（他人の精神的状態および感情的状態に対して敏感に感知または感情的関心を現し，それを分かち合うこと．*cf.* empathy (1)）.
sym·per·i·to·ne·al (sim′per-i-tō-nē′ăl). 腹膜の2部分を縫合癒着させる手術法についていう.
sym·phal·an·gism, sym·pha·lan·gy (sim-fal′an-jizm, sim-fal′an-jē) [sym- + phalanx]. ***1*** 指節癒合〔症〕. ＝syndactyly. ***2*** 手指または足指関節の強直.
sym·phys·i·al, sym·phys·e·al (sim-fiz′ē-ăl). 合生の，縫合した，癒着した，結合の. ＝symphysic.
sym·phys·ic (sim-fiz′ik). 結合性の，癒合性の. ＝symphysial.
sym·phys·i·on (sim-fiz′ē-on). シンフィジオン（頭蓋計測点で，下顎の歯槽突起の最前点）.
sym·phys·i·o·tome, sym·phys·e·o·tome (sim-fiz′ē-ō-

tōm). 恥骨結合切開刀（恥骨結合切開術に用いる器具）.

sym·phys·i·ot·o·my, sym·phys·e·ot·o·my (sim-fiz′ē-ot′ŏ-mē) [symphysis + G. *tomē*, incision]. 恥骨結合切開〔術〕, 骨盤切開〔術〕（狭骨盤の恥骨結合を切断分離し，生胎児の通過に十分なように容積を増すこと）. =synchondrotomy.

sym·phy·sis, gen. **sym·phy·ses** (sim′fi-sis, -sēz) [G. a growing together][TA]. =secondary cartilaginous joint*; fibrocartilaginous joint. ***1*** [NA]. 〔線維軟骨〕結合（軟骨性結合の一型で，2骨間の結合が線維軟骨でできている）. =amphiarthrosis. ***2*** 2つの構造の結合，会合点または交連. ***3*** 病的癒合.

intervertebral s. [TA]. 椎間結合（髄核，線維輪，前縦靱帯，後縦靱帯などによる椎骨間の結合）. =s. intervertebralis [TA].

s. intervertebralis [TA]. 椎間結合. =intervertebral s.

s. mandibulae [TA]. 下顎結合. =mandibular s.

mandibular s. [TA]. おとがい結合（胎児で左右の下顎骨体を正中で連結する線維軟骨結合．生後1年以内に骨結合となる）. =s. mandibulae [TA]; mental s.; s. mentalis; s. menti.

manubriosternal s. [TA]. 胸骨柄体結合（線維軟骨による胸骨柄と胸骨体との結合．若齢では軟骨結合であるが次第に線維軟骨結合となり，老年では骨結合となることもある）. =s. manubriosternalis [TA]; sternomanubrial junction.

s. manubriosternalis [TA]. 胸骨柄体結合. =manubriosternal s.

mental s. おとがい結合. =mandibular s.

s. mentalis おとがい結合. =mandibular s.

s. menti =mandibular s.

pericardial s. 心膜の癒着（心膜の壁側および臓側の層間の癒着）.

pubic s. [TA]. 恥骨結合（2個の恥骨の相対する面の間の正中面にある強固な線維軟骨性関節．上恥骨靱帯と恥骨弓靱帯並びに線維軟骨の恥骨間円板によって結合している）. =s. pubica [TA]; s. pubis.

s. pubica [TA]. 恥骨結合. =pubic s.

s. pubis =pubic s.

s. sacrococcygea 仙尾〔結合〕. =sacrococcygeal *joint.*

s. xiphosternalis [TA]. =xiphisternal *joint.*

sym·plas·mat·ic (sim′plaz-mat′ik) [G. *sym-plassō*, to mold together]. 合胞体の（巨細胞形成におけるような原形質の結合についていう）.

sym·plast (sim′plast) [sym- + G. *plastos*, formed]. 合胞体（分離細胞の癒合によりつくられる多核細胞）.

sympleisomorphy (sim-ples′ē-ō-mōr-fē) [sym- + G. *plēsios*, neighbor + -morph- + -y]. 類似性形質（異種間の発生学的な形質類似）.

sym·po·di·a (sim-pō′dē-ă) [sym- + G. *pous*, foot]. 合足症（両足結合を特徴とした状態. →sirenomelia; sympus).

sym·port (sim′pōrt) [sym- + L. *porto*, to carry]. シンポート（2つの異なった分子またはイオンが共通の輸送機構(シンポータ)によって膜を同一方向へ通過すること. *cf.* antiport; uniport).

sym·port·er (sim-pōrt′ĕr). 共搬，同伴輸送（シンポート(共輸送)を仲介する蛋白).

sodium-iodine s. ナトリウム－ヨウ素トランスポータ（甲状腺，授乳中の乳房，および乳癌細胞にヨウ素の輸送を担う共輸送体).

symp·tom (simp′tŏm) [G. *symptōma*]. 症状（患者が経験する，または病気が示す構造，機能，または感覚における病的徴候または正常からの逸脱. →phenomenon (1); reflex (1); sign (1); syndrome).

abstinence s.'s =withdrawal s.'s.

accessory s. 随伴症状（ある病気に常にではないが合併する症状. pathognomonic s.(特徴的症状)とは異なる). =assident s.; concomitant s.

accidental s. 偶発症状（疾病の経過中に同時に現れる病的徴候であるが，その疾病とは関連がないもの).

assident s. =accessory s.

Baumès s. (bō-mes′). ボメー症状（狭心症における胸骨後方の疼痛).

Bolognini s. (bō-lō-nē′nē). ボロニーニ症状（麻疹において，徐々に増加する腹部の圧迫によって起こる捻髪音のよう

S

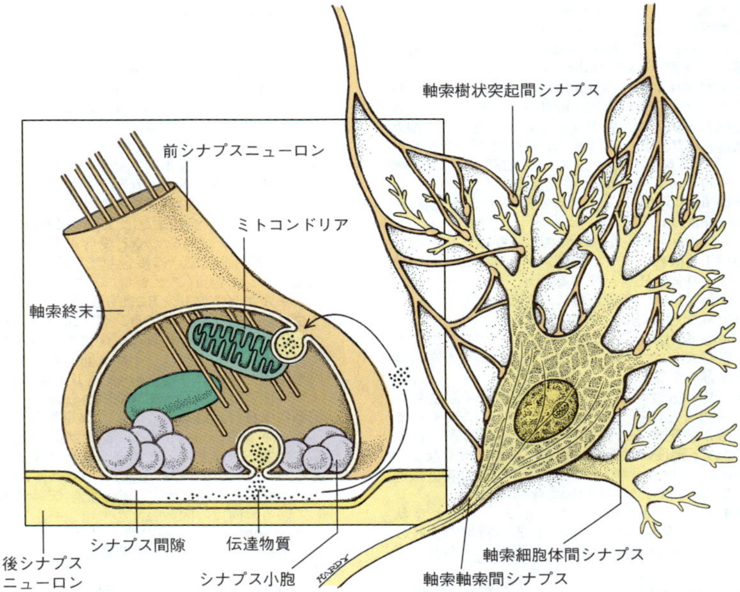

synapses

伝達物質の再取り込みは不定の再利用を可能にする.

な感じ).

cardinal s. 主症状（診断上，重要である主な症状).

concomitant s. ＝accessory s.

constitutional s. 全身症状（疾病が全身性になったことを示す症状，例えば，体重の減少など).

deficiency s. 欠乏症状（生体の正常な構造と，または機能に必要な物質(例えばホルモン，ビタミン，酵素)が種々の程度に欠乏した状態).

Epstein s. (ep′stīn). エプスタイン症状（→Epstein *sign*).

equivocal s. 不定症状（多くの病的状態に伴うもので，特定の病気に限定することはない症状，またはその症状が明確ではないこと).

first rank s.'s (FRS) 1級症状. ＝Schneider first rank s.'s.

Fischer s. (fish′ĕr). フィッシャー症状. ＝Fischer *sign*.

Gordon s. (gōr′dŏn). ゴードン症状. ＝tonic *reflex*.

incarceration s. かんとん症状. ＝Dietl *crisis*.

induced s. 誘発症状（薬，運動，または他の方法で誘発される症状で，しばしば診断のため意図的に行われる).

local s. 局所症状（特定の臓器または部分の疾病により生じる限局した症状).

localizing s. 局在症状（病的過程の起こっている場所を明確に示す症状).

Macewen s. (mă-kū′ĕn). マキューエン症状. ＝Macewen *sign*.

negative s. 陰性症状（意欲低下や無力・無作動を含む遂行機能低下，周囲との関わりの欠如，思考の貧困，社会からの引きこもり，感情の平板化などを含む統合失調症の欠陥症状の1つ).

objective s. 他覚症状（観察者に明白に認識できる症状).

pathognomonic s. 特徴的症状（明らかにある特定の疾病の存在を示す症状).

positive s. 陽性症状（統合失調症の急性期または増悪期の症状の1つで，幻覚，妄想，思考障害，連合弛緩，両価性または感情の不安定さが含まれる).

Pratt s. (prat). プラット症状（壊疽の発生に先行する外傷肢の筋硬直を表す，まれに用いる語).

presenting s. 主症状（医療を求めた主な理由として患者が述べた訴え．主訴 chief *complaint* と通常同義である).

rainbow s. 虹輪症状. ＝glaucomatous *halo* (2).

reflex s. 反射症状（関節炎による筋痙攣のように，病的状態を起こしたところから多少離れた臓器または部分に現れる感覚または機能の障害). ＝sympathetic s.

Schneider first rank s.'s (schnī′dĕr). シュナイダー1級症状（器質的または中毒性の原因が除外された場合に，それが存在すると統合失調症の診断が疑わしい症状をさす．制御妄想，考想放送，考想脱出，考想吹入，考想化声，行動を批評する幻聴，2つの声が会話をしている幻聴など). ＝first rank s.'s; schneiderian first rank s.'s.

schneiderian first rank s.'s シュナイダーの1級症状. ＝Schneider first rank s.'s.

Sklowsky s. (sklov′skē). スクロヴスキー症状（水痘の水疱が指で軽く押すと破れること．痘瘡，ヘルペス，または他の病気の水疱はより強い圧迫を要する).

subjective s. 自覚症状（患者だけにわかる症状).

sympathetic s. 交感神経〔性〕症状. ＝reflex s.

Trendelenburg s. (tren′dĕ-lĕn-bĕrg). トレンデレンブルク症状（進行性筋ジストロフィのように，殿筋麻痺のためにヨタヨタした歩き方をする).

Uhthoff s. (ut′hof). ウートホフ症状（一過性の温度依存性のしびれ，脱力または視力消失．温度が非常に高くなると，神経の伝導が停止する．脱髄などで神経が障害されると，伝導が停止する温度は低下し，正常の体温に近くなることもある．熱いシャワー，運動または熱で，一過性神経機能障害が出現することがある). ＝Uhthoff syndrome.

Wartenberg s. (wahr′ten-berg). ヴァルテンベルク症状（上位運動ニューロン疾患に伴ってみられる歩行時の上肢の正常連合運動の消失または減少．尺骨神経障害でみられる第5指の外転).

withdrawal s.'s 離脱症状，退薬症状，禁断症状（嗜癖患者が嗜癖物の常用量を得られないときに起こる一群の病的症状で，興奮性と被刺激性の増加を示す.→withdrawal). ＝abstinence s.'s.

symp·to·mat·ic (simp′tō-mat′ik). 症候性の，症状の，症候学の.

symp·tom·a·tol·o·gy (simp′tŏm-ă-tol′ŏ-jē) ［symptom + G. *logos*, study］. **[medical history または symptoms の代わりに本語を隠語的に使うのを避けること]**. ***1*** 症候学，徴候学（疾病の症候，その前兆および発症に関する科学). ***2*** 総体的症状(徴候)（1つの疾病における症候の集合).

symp·to·mat·o·lyt·ic (simp′tō-mat′ō-lit′ik) ［symptom + G. *lytikos*, dissolving］. 症状寛解〔性〕の（症状を取り除くことについていう). ＝symptomolytic.

symp·to·mo·lyt·ic (sim′tō-mō-lit′ik). ＝symptomatolytic.

symp·to·sis (sim-tō′sis) ［G. a falling together, collapse < *syn*, together + *ptōsis*, a falling］. 漸弱，衰弱（局所的または全身的に身体が衰弱すること).

sym·pus (sim′pŭs) ［G. *sympous* < sym- + *pous*, foot］. 合足体（下肢，足が正中で癒合しているもの).

s. apus 無足合足体（足のない人魚体).

s. dipus 両足合足体（両足が多少識別できる人魚体).

s. monopus 一足合足体（外見上一足にしか見えない人魚体).

Syms (simz), Parker. 米国人外科医，1860―1933. →S. *tractor*.

syn- ［G. *syn*, with, together］. ともに，……と，結合した. b, p, ph, m の前では sym- となる．ラテン語の *con-* に相当する.

syn·a·del·phus (sin′ă-del′fŭs) ［syn- + G. *adelphos*, brother］. 一頭胴八肢体（1つの頭と，部分的に結合した胴，上下4本ずつの肢をもつ接着双生児. →conjoined *twins*).

syn·an·a·morph (sin-an′ă-mōrf). シンアナモルフ，共不完全時代（異なった形態で増殖する真菌であるが，種としては同一種).

syn·a·nas·to·mo·sis (sin′ă-nas′tō-mō′sis). 数個血管吻合.

syn·an·dro·gen·ic (sin′an-drō-jen′ik). アンドロゲン強化〔性〕の（アンドロゲンの効果を強める薬剤または状態についていう).

sy·nan·them, syn·an·the·ma (si-nan′thĕm, sin′an-thē′mă) ［G. *syn-antheō*, to blossom together］. 混合皮疹（数個の異種の発疹からなる皮疹).

sy·naph·o·cep·tors (si-naf′ō-sep′tŏrz) ［G. *synaphe*, contact + L. *recipio*, to receive］. 接触受容体（直接接触により刺激される受容体).

synapomorphy (si-nap′ō-mōr-fē) ［syn- + apo- + morph- + -y］. 共有派生形質（種特異性の発生学的特徴).

syn·apse, pl. **syn·aps·es** (sin′aps, sĭ-naps′; si-nap′sez) ［syn- + G. *hapto*, to clasp］. シナプス，接合部，接合（**[本語の複数形を sin-ap′sēz と誤って発音するのを避けること]**. 神経細胞と他の神経細胞，効果器(筋，腺)細胞，または感覚受容体細胞とその機能的な膜と膜との結合についていう．シナプスは神経興奮の伝達をつかさどり，一般に大きさは不定(1―12 μm)で，節状またはこん棒状の軸索末端(シナプス前要素)が，シナプスをつくる受容細胞の細胞膜(シナプス後膜)の境界明瞭な斑点に接合している．ほとんどの場合，興奮は化学伝達物質(アセチルコリン，γ-アミノ酪酸，ドパミン，ノルエピネフリン)により伝達され，それらの物質はシナプス前膜と後膜を隔てるシナプス間隙(15―50 nm の広さ)へ放出される．伝導物質はシナプス小胞の中に量子の形で蓄えられる．その小胞はシナプス前要素における円形または楕円形の膜でおおわれた空胞(直径 10―50 nm)である．他のシナプス伝導では，シナプス前膜から後膜へ，生物電位の直接伝導により行われる．このような電気緊張性シナプス(ギャップジャンクション)では，シナプス間隙は約 2 nm 以下の広さである．ほとんどの場合，シナプス伝導は一方向のみであるが(シナプスの動的極性)，いくつかのシナプス小胞はシナプス間隙の両側に生じ，相互化学伝導がありうることを示している．前頁の図参照).

axoaxonic s. 軸索軸索間シナプス（1個のニューロンの軸索と他の神経細胞の軸索起始部または軸索末端のシナプス接合部).

axodendritic s. 軸索樹状突起間シナプス（1つの神経細胞の軸索末端から他の神経細胞の樹状突起へのシナプス).

axosomatic s. 軸索細胞体間シナプス（1つの神経細胞の

軸索末端から他の神経細胞体へのシナプス接合部). ＝pericorpuscular s.

electrotonic s. 電気緊張性シナプス (→synapse). ＝gap *junction.*

immunologic s. 免疫学的シナプス (Tリンパ球と抗原提示細胞との間の接合部で，T細胞，抗原，接着分子からなる).

pericorpuscular s. 細胞体周辺シナプス. ＝axosomatic s.

sy·nap·sin I (si-nap′sin) [MIM*313440]. シナプシンI (軸索末端で，シナプス小胞を結合させる線維状リン蛋白. シナプシンIはある種のキナーゼの基質である. シナプシンIのリン酸化により神経伝達物質が放出する).

sy·nap·sis (si-nap′siz) [G. a connection, junction]. シナプシス，〔染色体〕対合 (減数分裂前期中の相同染色体の対応点が組み合わされること). ＝synaptic phase.

sy·nap·tic (si-nap′tik). ***1*** シナプスの，接合部の，接合の. ***2*** シナプシスの，〔染色体〕対合の.

syn·ap·tol·o·gy (sin′ap-tol′ŏ-jē). シナプス学.

syn·ap·to·phys·in (sin-ap′tō-fis′in) [MIM*313475]. シナプトフィシン (多種の活性ニューロンで見出される内在性膜糖蛋白. 六量体でイオンチャネルを形成しているといわれ，神経伝達物質の取り込みに関与する. シナプトフィシンはニューロンの刺激後のみ膜に見出される).

syn·ap·to·some (sin-ap′tō-sōm) [synapse + G. *sōma*, body]. シナプトソーム (調節された状態で脳組織をホモジネートすると軸索終末が壊れ，シナプス小胞を含む膜で囲まれた嚢であるシナプトソームが得られる. 分離遠心沈殿法や密度勾配遠心沈殿法で，シナプトソームを他の細胞内構造物から分離できる).

syn·ar·thro·di·a (sin′ar-thrō′dē-ă). 関節癒合〔症〕. ＝fibrous *joint.*

syn·ar·thro·di·al (sin′ar-thrō′dē-ăl). 関節癒合の (関節癒合症に関する. 2骨間の動かない関節についていう).

syn·ar·thro·phy·sis (sin′ar-thrō-fī′sis) [syn- + G. *arthron*, joint + *physis*, growth]. 関節強直〔症〕.

syn·ar·thro·sis, pl. **syn·ar·thro·ses** (sin′ar-thrō′sis, -sēz) [G. < *syn*, together + *arthrōsis*, articulation][TA]. 不動結合 (骨格系にみられるまったく動かないかわずかしか動けない結合の仕方をいう. 線維性連結，軟骨性連結，骨性連結(骨結合)がある. ⇀articulation).

synCAM synaptic cell adhesion *molecule* の略.

syn·can·thus (sin-kan′thŭs) [syn- + L. *canthus*, wheel]. 眼角眼球癒着 (眼球の眼窩組織への癒着).

syn·car·y·on (sin-kar′ē-on). ＝synkaryon.

syn·ceph·a·lus (sin-sef′ă-lŭs) [syn- + G. *kephalē*, head]. 頭部結合体，頭部癒合重複奇形体 (頭が1つで胴体が2つの接着双生児. ⇀conjoined *twins*. *cf.* craniopagus; janiceps). ＝monocephalus; monocranius.

s. asymmetros 非対称性頭部結合体. ＝*janiceps* asymmetrus.

syn·ceph·a·ly (sin-sef′ă-lē). 頭部結合. ＝prozygosis.

syn·chei·li·a (sin-kī′lē-ă) [syn- + G. *cheilos*, lip]. 口唇癒着〔症〕(口唇がほとんど完全に癒着していること. 口部の閉鎖). ＝synchilia.

syn·chei·ri·a (sin-kī′rē-ă) [syn- + G. *cheir*, hand]. 両体側知覚〔症〕(身体の一側に加えられた刺激を両側に感じる体側知覚困難症の一型). ＝synchiria.

syn·chi·li·a (sin-kī′lē-ă). 口唇癒着症. ＝syncheilia.

syn·chi·ri·a (sin-kī′rē-ă). ＝syncheiria.

syn·chon·dro·se·ot·o·my (sin-kon′drō-sē-ot′ŏ-mē) [synchondrosis + G. *tomē*, cutting]. 軟骨結合切開〔術〕(特に仙腸骨靱帯を切開して，恥骨弓を強制的に閉じるものをいう. 膀胱外反症の治療で行う).

syn·chon·dro·sis, pl. **syn·chon·dro·ses** (sin′kon-drō′sis, -sēz) [Mod. L. < G. *syn*, together + *chondros*, cartilage + *-osis*, condition][TA]. 軟骨結合 (軟骨による連結で，硝子軟骨または線維軟骨が2つの骨を結合している場合をいう). ＝synchondrodial joint [TA].

anterior intraoccipital s. [TA]. 前後頭内軟骨結合 (新生児の後頭骨の外側部と基底部の間の軟骨結合). ＝s. intraoccipitalis anterior [TA]; anterior intraoccipital joint.

s. arycorniculata 披裂小角軟骨結合. ＝arycorniculate s.

arycorniculate s. 披裂小角軟骨結合 (喉頭の披裂軟骨と小角軟骨の結合). ＝s. arycorniculata.

synchondroses columnae vertebralis [TA]. ＝synchondroses of vertebral column.

s. costosternalis [TA]. 胸肋軟骨結合. ＝costosternal *joint.*

s. costae primae [TA]. ＝s. of first rib.

cranial synchondroses [TA]. 頭蓋の軟骨結合 (蝶形篩骨，蝶後頭，蝶錐体，錐体後頭，前後頭内，後後頭内の各軟骨結合を含む). ＝synchondroses cranii [TA].

synchondroses cranii [TA]. 頭蓋の軟骨結合. ＝cranial synchondroses.

s. epiphyseos 骨端軟骨結合. ＝epiphysial *line.*

s. of first rib [TA]. 第一肋骨の軟骨結合 (第一肋骨と胸骨柄との軟骨性の結合). ＝s. costae primae [TA].

synchondroses intersternebrales イヌのようなある種の家畜で，胸骨の骨要素を結合している存続性の軟骨. ＝intersternebral joints.

s. intraoccipitalis anterior [TA]. 前後頭内軟骨結合. ＝anterior intraoccipital s.

s. intraoccipitalis posterior [TA]. 後後頭内軟骨結合. ＝posterior intraoccipital s.

s. manubriosternalis [TA]. 胸骨柄体骨結合. ＝manubriosternal *joint.*

neurocentral s. 椎体軟骨結合 (年少小児の椎体と椎弓を結合する左右一対の軟骨結合). ＝neurocentral joint; neurocentral suture.

petrooccipital s. [TA]. 錐体後頭軟骨結合 (錐体後頭裂を閉ざしている線維性軟骨). ＝s. petro-occipitalis [TA]; petrooccipital joint.

s. petro-occipitalis [TA]. 錐体後頭軟骨結合. ＝petrooccipital s.

posterior intraoccipital s. [TA]. 後後頭内軟骨結合 (新生児の後頭鱗と後頭骨外側部の間の軟骨結合). ＝s. intraoccipitalis posterior [TA]; Budin obstetric joint; posterior intraoccipital joint.

sphenoethmoidal s. [TA]. 蝶形篩骨軟骨結合 (蝶形骨体と篩骨迷路後部との間の軟骨結合). ＝s. sphenoethmoidalis [TA].

s. sphenoethmoidalis [TA]. 蝶形篩骨軟骨結合. ＝sphenoethmoidal s.

sphenooccipital s. [TA]. 蝶後頭軟骨結合 (蝶形骨体と後頭骨基底部との間にある軟骨結合. 20歳ごろまでに癒合するので法医学上重要である. 誤って蝶後頭縫合とよばれている). ＝s. spheno-occipitalis [TA]; sphenooccipital joint; sphenooccipital suture.

s. spheno-occipitalis [TA]. 蝶後頭軟骨結合. ＝sphenooccipital s.

s. sphenopetrosa [TA]. 蝶錐体軟骨結合. ＝sphenopetrosal s.

sphenopetrosal s., sphenopetrous s. [TA]. 蝶錐体軟骨結合 (蝶錐体裂を閉ざしている線維性軟骨結合). ＝s. sphenopetrosa [TA].

sternal synchondroses [TA]. 胸骨の軟骨結合 (胸骨体と胸骨柄の間. 胸骨体と剣状突起の間の軟骨性の連結をいう. 家畜解剖学では胸骨柄結合，胸骨片間結合，胸骨剣結合など区別されている). ＝synchondroses sternales [TA]; sternal joints.

synchondroses sternales [TA]. 胸骨の軟骨結合. ＝sternal synchondroses.

synchondroses of thorax [TA]. 胸郭の軟骨結合 (胸郭における一連の軟骨結合. 胸肋関節，第一肋骨の軟骨結合，胸骨軟骨結合が含まれる). ＝s. thoracis [TA].

s. thoracis [TA]. ＝synchondroses of thorax.

synchondroses of vertebral column [TA]. 脊柱の軟骨結合 (線維軟骨性の椎間円板によって椎体同士が結合する椎体間関節). ＝synchondroses columnae vertebralis [TA].

s. xiphosternalis 胸骨剣軟骨結合. ＝xiphisternal *joint.*

syn·chon·drot·o·my (sin′kon-drot′ŏ-mē). 軟骨結合切開〔術〕. ＝symphysiotomy.

syn·cho·ri·al (sin-kō′rē-ăl) [syn- + chorion]. 絨毛膜癒合〔の〕(多胎児妊娠でみられる絨毛膜癒合を表す).

syn·chro·ni·a (sin-krō′nē-ă) [syn- + G. *chronos*, time]. *1* ＝synchronism. *2* 同時性（組織または器官の発生，発達，衰退，機能化が，それぞれ正常な時間経過で生じること．*cf.* heterochronia）．

syn·chron·ic (sin′krŏn-ik)．ある一時点における状態や集団の分布から，ある疾病の自然史を研究することをいう．そのような研究からの経時的経過に関する推測はある特別な状況下，特に疾病の長期的経過それ自体が変化がなく，標本の中での対象者が生存者の代表的な標本とみなせる場合のみに意味をもつ．

syn·chro·nism (sin′krō-nizm) [syn- + G. *chronos*, time]. 同調性，同期性（同時に2つ以上の出来事が起こること．同時にある状態）．＝synchronia (1).

syn·chro·nous (sin′krō-nŭs) [G. *synchronos*]．同調の，同期の（同時に起こることについていう）．＝homochronous (1).

syn·chro·ny (sin′krō-nē) [syn- + G. *chronos*, time]．同調性，同期性（2つの異なった事柄が同時に発現すること）．

bilateral s. 両側同期性（両側大脳半球で同時に記録される脳波活動．棘徐波活動について，通常，用いられる）．

syn·chro·tron (sin′krō-tron)．シンクロトロン（核研究のため高速の電子または陽子をつくる装置）．

syn·chy·sis (sin′kĭ-sis) [G. a mixing together < syn- + *chysis*, a pouring]．融解，液化（硝子体の融解に伴う硝子体液の膠原基質の崩壊）．

s. scintillans 閃輝性融解（硝子体液中に浮いているコレステロール結晶により，眼に閃輝点が現れること）．

syn·ci·ne·sis (sin′si-nē′sis)．連合運動．＝synkinesis.

syn·cli·nal (sin′kli-năl) [G. *syn-klinō*, to incline together]．向斜の（互いに傾き合った2つの構造についていう）．

syn·clit·ic (sin-klit′ik)．正軸進入の，同高定位の．

syn·cli·tism (sin′kli-tizm) [G. *syn-klinō*, to incline together]．正軸進入，同高定位（胎児の頭の平面と骨盤平面が平行である状態）．

syn·co·pal (sin′kō-păl)．失神の．＝syncopic.

syn·co·pe (sin′kŏ-pē) [G. *synkopē*, a cutting short, a swoon]．失神（脳血流の低下による意識と姿勢緊張の消失）．

Adams-Stokes s. (a′dămz-stōks)．アダムズ(アダムス)－ストークス失神（完全房室ブロックによる失神発作）．＝Morgagni-Adams-Stokes s.

cardiac s. 心原性失神（心臓が原因の意識消失発作）．

carotid sinus s. 頸動脈洞性失神（頸動脈洞の過剰活動により生じる失神．発作は自発性に起こる場合と，過敏頸動脈洞の圧迫により起こる場合とがある）．

cough s. 咳失神（激しい咳発作に伴う失神発作．胸腔内圧が持続的に増加し，心臓に戻る静脈血流量が低下して心拍出量が減少する結果発症する．気管支炎を有する男性の喫煙患者にしばしばみられる）．＝Charcot vertigo; laryngeal vertigo; tussive s.

deglutition s. えん下性失神（物を飲み込んだときに起こす意識消失発作．ほとんどの場合迷走神経が過剰に心臓に作用して徐脈と房室ブロックを起こす）．＝swallow s.

hysteric s. ヒステリー性失神（転換に基づく心因性の失神．→hysteria; conversion）．

laryngeal s. 喉頭性失神（喉頭のそう痒感のような異常感覚を伴う，咳発作が特徴の発作性神経症で，短期間，意識消失が続く）．

local s. 局所仮死（特に指の限局性麻痺．通常，Raynaud病に伴う症状の1つ）．

micturition s. 排尿性失神（排尿に伴って起こる失神）．

Morgagni-Adams-Stokes s. (mōr-gan′yē a′dămz stōks)．モルガニー－アダムズ(アダムス)－ストークス失神．＝Adams-Stokes s.

postural s. 体位性失神，起立性失神（直立位を保つことによる失神．起立性低血圧のためによる）．

swallow s. えん下性失神．＝deglutition s.

tussive s. 咳嗽性失神．＝cough s.

vasodepressor s. 血管抑圧性失神（血圧の反射性低下による意識消失発作）．＝vasovagal s.

vasovagal s. 血管迷走神経性失神．＝vasodepressor s.

syn·cop·ic (sin-kop′ik)．失神の．＝syncopal.

syn·cre·ti·o (sin-krē′shē-ō) [Mod.L. < G. *synkrētizō*, to unite the Cretan cities, reanalyzed as < syn- + L. *cresco*, pp. *cretum*, to grow]．癒着（相対する表面間に炎症性の癒着が起こること）．

syn·cy·a·nin (sin-sī′ă-nin)．シンシアニン（*Pseudomonas syncyanea* により産生される青色色素）．

syn·cy·tial (sin-si′shăl, -sish′ē-ăl, -sit′ē-ăl)．シンシチウムの，合胞体の．

syn·cy·ti·o·tro·pho·blast (sit′ē-o-trōf-ō-blast) [syncytium + trophoblast]．合胞体層，合胞体栄養細胞層（栄養胚葉の合胞体外層．ヒト絨毛性ゴナドトロピンの合成部位．→trophoblast）．＝placental plasmodium; plasmodial trophoblast; plasmodiotrophoblast; syncytial trophoblast; syntrophoblast.

syn·cy·ti·um, pl. **syn·cy·tia** (sin-si′shē-ŭm, -ă; -sit′ē-ŭm) [Mod. L. < syn- + G. *kytos*, cell]．シンシチウム，合胞体（本来別々の細胞の二次結合により形成される多核原形質塊）．

syn·dac·tyl, syn·dac·tyle (sin-dak′til, -dak′tīl)．＝syndactylous.

syn·dac·tyl·i·a, syn·dac·ty·lism (sin′dak-til′ē-ă, -dak′ti-lizm)．＝syndactyly.

syn·dac·ty·lous (sin-dak′ti-lŭs)．合指〔症〕の（癒合した手指または足指をもつことについていう）．＝syndactyl; syndactyle.

syn·dac·ty·ly (sin-dak′ti-lē) [syn- + G. *daktylos*, finger or toe]．合指〔症〕（手指または足指が程度の差はあるにせよ癒合することで，軟らかい部分だけでなく骨構造にまで及ぶこともある．通常，常染色体優性遺伝）．＝symphalangism (1); symphalangy; syndactylia; syndactylism.

syn·de·in (sin-dē′in) [G. *syndeō*, to bind together + -in]．＝ankyrin.

syndesm- →syndesmo-.

syn·des·mec·to·my (sin′dez-mek′tŏ-mē) [syndesm- + G. *ektomē*, excision]．靱帯切除〔術〕．

syn·des·mi·tis (sin′dez-mī′tis) [syndesm- + G. *-itis*, inflammation]．靱帯炎．

s. metatarsea 虫足靱帯炎．

syndesmo-, syndesm- [G. *syndesmos*, a fastening < *syndeo-*, to bind]．靱帯，靱帯の，を意味する連結形．

syn·des·mo·cho·ri·al (sin′dez-mō-kō′rē-ăl) [syndesmo- + G. *chorion*, membrane]．結合織絨毛性の（反すう類の胎盤についていう）．

syn·des·mo·di·al (sin′des-mō′dē-ăl)．靱帯結合の．＝syndesmotic.

syn·des·mog·ra·phy (sin′dez-mog′ră-fē) [syndesmo- + G. *graphō*, to write]．靱帯論．

syn·des·mo·lo·gi·a (sin-dez′mō-lō′jē-ă)．靱帯学．＝arthrology.

syn·des·mol·o·gy (sin′dez-mol′ŏ-jē) [syndesmo- + G. *logos*, study]．靱帯学．＝arthrology.

syn·des·mo·phyte (sin-dez′mō-fīt) [syndesmo- + G. *phyton*, plant]．靱帯骨棘形成（靱帯端にできた骨性異常形成物）．

syn·des·mo·sis, pl. **syn·des·mo·ses** (sin′dez-mō′sis, -sēz) [syndesmo- + G. *-osis*, condition] [TA]．靱帯結合（比較的離れた対立面が靱帯により結合されている線維性連結の一型．例えば，側頭骨の茎状突起と舌骨との胸骨舌骨靱帯による結合や，橈骨と尺骨，脛骨と腓骨の結合など）．＝syndesmodial joint; syndesmotic joint.

syndesmoses cinguli membri superioris [TA]．＝syndesmoses of pectoral girdle.

syndesmoses cinguli pectoralis [TA]．＝syndesmoses of pectoral girdle.

syndesmoses cinguli pelvici [TA]．＝syndesmoses of pelvic girdle.

syndesmoses columnae vertebralis [TA]．＝syndesmoses of vertebral column.

syndesmoses cranii [TA]．＝cranial syndesmoses.

cranial syndesmoses [TA]．頭蓋の靱帯結合（頭蓋骨の線維性結合の総称．翼突棘靱帯や茎突舌骨靱帯が含まれる）．＝syndesmoses cranii [TA].

dento-alveolar s. [TA]．歯歯槽靱帯結合（上顎骨の歯槽

部内に，歯根部が歯根膜によって固定される線維性結合）．＝articulatio dentoalveolaris; dentoalveolar joint; gomphotic joint.

syndesmoses of pectoral girdle [TA]．上肢帯の靱帯結合（上肢帯の線維性結合の総称．烏口肩峰靱帯，上肩甲横靱帯（さらに存在する時には，下肩甲横靱帯）が含まれる）．＝syndesmoses cinguli membri superioris [TA]; syndesmoses cinguli pectoralis [TA]; syndesmoses of shoulder girdle.

syndesmoses of pelvic girdle [TA]．下肢帯の靱帯結合（骨盤の線維性結合の総称．閉鎖膜，恥骨結合，仙腸関節，仙結節靱帯，仙棘靱帯が含まれる）．＝syndesmoses cinguli pelvici [TA].

radioulnar s. [TA]．橈尺靱帯結合（斜索および骨間膜による橈骨と尺骨の線維性連結）．＝s. radioulnaris [TA]; middle radioulnar joint.

s. radioulnaris [TA]．橈尺靱帯結合．＝radioulnar s.

syndesmoses of shoulder girdle ＝syndesmoses of pectoral girdle.

syndesmoses of thorax [TA]．胸郭の靱帯結合（胸郭の線維性結合の総称．内外の肋間膜が含まれる）．＝syndesmoses thoracis [TA].

syndesmoses thoracis [TA]．＝syndesmoses of thorax.

tibiofibular s. [TA]．脛腓靱帯結合（脛骨と腓骨を遠位端で結合するもので，前・骨間・後脛腓靱帯と骨間膜とからなる）．＝s. tibiofibularis [TA]; distal tibiofibular joint; inferior tibiofibular joint; tibiofibular articulation (2).

s. tibiofibularis [TA]．脛腓靱帯結合．＝tibiofibular s.

tympanostapedial s. [TA]．鼓室あぶみ骨靱帯結合（前庭(卵円)窓とあぶみ骨基板との連結）．＝s. tympanostapedialis [TA]; tympanostapedial junction.

s. tympanostapedialis [TA]．＝tympanostapedial s.

syndesmoses of vertebral column [TA]．脊柱の靱帯結合（椎骨間の結合に関与する線維性の結合．黄色靱帯，項靱帯，棘間靱帯，横突間靱帯，棘上靱帯，前縦靱帯，後縦靱帯が含まれる）．＝syndesmoses columnae vertebralis [TA].

syn·des·mot·ic (sin′des-mot′ik)．靱帯結合の（靱帯結合についての）．＝syndesmodial.

SYNDROME

syn·drome (sin′drōm) [G. *syndromē*, a running together, tumultuous concourse; 医学的には症状の集合 < *syn*, together + *dromos*, a running]．症候群（[1つの症状または徴候には，この用語は用いない]．病的経過に伴った症状や徴候の集合で，病状を構成しているもの．→disease）．

Aagenaes s. アーゲナエス症候群（下肢のリンパ浮腫を伴う家族性肝内胆汁うっ滞症の特発性のタイプ）．

Aarskog-Scott s. (ahrs′kog-skot)．アールスコグ－スコット症候群．＝faciodigitogenital *dysplasia*.

abdominal compartment s. 腹部コンパートメント症候群（出血(腹腔内あるいは後腹膜)，腸閉塞，腹膜炎，あるいは気腹による腹腔内圧上昇により生じる，心血管，肺，そして腎臓の不全を示す疾患群）．

abdominal cutaneous nerve entrapment s. 腹部皮神経絞扼性症候群．＝intercostal *neuralgia*.

abdominal muscle deficiency s. [MIM*100100, MIM *264140]．腹筋欠損症候群（腹筋の一部あるいは全部の先天的欠損．同部では突出した腹壁を介して腸の輪郭が見える．男性では泌尿生殖器奇形(尿路拡張および潜在精巣症)も同時にみられる．遺伝性は不明．→prune belly s.）．＝prune belly.

abstinence s. 禁断症候群（長期間大量に使ったため，薬または化学物質に身体的依存が起き，その物質を急にやめた場合にヒトまたは動物に起こる生理的変化の一群．症候群の強さは薬物や化学物質により異なる．一般的にその薬物の効果と逆の作用が禁断時にみられる．例えば，中枢神経抑制薬(バルビツレートなど)の禁断症候群は，不眠，不穏，振せん，幻覚を呈し，重症の場合は強直性間代性痙攣で死亡することもある．禁断症候群の発症時間と重症度は，薬物が身体からなくなる速度に関係する）．

Achard s. (ah-shahr) [MIM*100700]．アシャール症候群（下顎の後退と広い頭蓋骨，および手足に限局した関節弛緩を伴ったクモ指症．遺伝性については不明）．

Achard-Thiers s. (ah-shar te-ā′)．アシャール－ティエール症候群（現在では用いられない語．女性における副腎皮質が原因の男性化の一型で，糖尿病の発現を伴った男性化と月経障害を特徴とする）．

Achenbach s. (ak′ĕn-bahk)．アッヒェンバッハ症候群（浮腫を伴った指腹の血腫．原因はわかっておらず，血液凝固障害はない）．

acquired immunodeficiency s. 後天性免疫不全症候群．＝AIDS.

acrofacial s. ＝acrofacial *dysostosis*.

acroparesthesia s. 先端(肢端)異常感覚症候群，先端(肢端)触覚異常症候群（手のしびれ感や刺激性疼痛のような異常感覚．通常，中年女性にみられる．現在では手根管症候群の古典的症状であることが知られている）．

acute organic brain s. 急性器質性脳症候群．＝organic brain s.

acute radiation s. 急性放射線症候群（身体の大量の放射線曝露による症候群(確立されている治療，事故や核爆発による)．血液系，胃腸管系，中枢神経系の三型に分類されるが，後者ほど重篤である．臨床的な症状は，前駆期，潜伏期，顕期および回復期に分けられる）．

acute respiratory distress s. (**ARDS**) 急性呼吸促迫症候群．＝adult respiratory distress s.

acute vestibular s. 急性前庭症候群（激しい制御困難な回転性めまい発作を呈する．回転性めまいは発作性で頭位変換によって増悪し，嘔気嘔吐を伴う．水平性または回旋性，水平回旋混合性眼振を呈する）．

Adams-Stokes s. (a′dămz stōks)．アダムズ(アダムス)－ストークス症候群（脈拍の結滞，めまい，失神，痙攣，ときには Cheyne-Stokes 呼吸が特徴の症候群で，通常，高度房室ブロックまたは洞不全症候群の結果起こる）．＝Adams-Stokes disease; Morgagni disease; Morgagni-Adams-Stokes s.; Spens s.; Stokes-Adams disease; Stokes-Adams s.

adaptation s. of Selye (sel′yĕ)．セリエの適応現象．＝general adaptation s.

addisonian s. アディソン(アジソン)症候群．＝chronic adrenocortical *insufficiency*.

adherence s. 癒着症候群（眼筋の筋膜鞘が筋肉に癒着したため眼筋の機能が制限されること）．

Adie s. (a′dē) [MIM*103100]．アーディー症候群（内眼筋への副交感神経支配の症候性節後脱神経．通常はこれら神経の異所性再生所見を伴う．縮瞳筋(虹彩括約筋)の麻痺による対光反応の減弱と近見反応増強．深部腱反射が非対称性に減弱する．→tonic *pupil*）．＝Adie pupil; Holmes-Adie pupil; Holmes-Adie s.; pupillotonic pseudotabes.

adiposogenital s. 脂肪生殖器症候群．＝adiposogenital *dystrophy*.

adrenal cortical s. Cushing 症候群，Addison 病，副腎性器症候群に付けられた不正確な用語．現在では用いられない．

adrenal virilizing s. 副腎性男性化症候群．＝adrenal *virilism*.

adrenogenital s. 副腎性器症候群（先天性の副腎皮質の増殖に起因する疾患群に対する一般名．女性の男性化，男性の女性化，性的あいまいさまたは小児の早発の性的発達が特徴である．特に，アンドロゲン様効果またはエストロゲン様効果を有する副腎皮質ホルモンの過剰や異常分泌型を代表する）．

adult respiratory distress s. (**ARDS**) 成人呼吸促進症候群（多様な原因により惹起される急性肺傷害．傍血管肺水腫に加え，間質・肺胞腔内肺水腫や出血を認め，硝子膜，膠原線維の増殖やピノサイトーシス(飲細胞運動)の亢進した膨満上皮細胞をみる点などが特徴的である）．＝acute respiratory distress s.; diffuse alveolar damage; wet lung (2); white lung.

afferent loop s. 輸入脚症候群（Billroth II 型の胃切除術で行われた胃空腸吻合術部分より近位の十二指腸と空腸の慢性閉塞．食事に伴い空腸と十二指腸の輸入脚は拡張して疼痛と膨満感を生じる．体重減少がよくみられる）．＝gastrojejunal loop obstruction s.

aglossia-adactylia s. [MIM*103300]. 無舌・無指〔症〕症候群（舌の先天性欠損または形成不全で，無指症を伴うもの）.

Aicardi s. (ă-kahr-dē′) [MIM*304050]. エカルディ症候群（半接合の男性では致死性のX連鎖優性遺伝疾患．脳梁無形成，〝孔〞を伴う脈絡膜網膜異常，口蓋裂を伴うことも伴わないこともある兎唇，痙攣，特徴的脳波変化を特徴とする）.

AIDS-associated lipodystrophy/insulin resistance s. エイズ関連リポジストロフィ/インスリン抵抗性症候群（AIDS患者に普通にみられる病態．一般にHAART療法を開始後に生じてくる．リポジストロフィによる変形のほかに，インスリン抵抗性や顕著な脂質異常や動脈硬化性合併症を生じやすい）.

Alagille s. (ah-lah-zhēl′) [MIM 118450]. アラジル症候群（幼少期に明らかとなる常染色体優性遺伝．肝内胆管欠乏による黄疸で発症する．特異顔貌として顔面は狭く先の尖った顎，広い前額，鼻筋の通った鼻，落ちくぼんだ眼などがある．また眼球の後部胎生環，心・血管奇形，脊椎の欠損，腎障害などもみられる）.

Albright s. (al′brīt). オールブライト症候群（①＝McCune-Albright s. ②＝Albright hereditary *osteodystrophy*）.

alcohol amnestic s. アルコール健忘症候群（アルコール中毒による健忘症候群．アルコール性〝ブラックアウト〞．*cf.* Korsakoff s.）.

Aldrich s. (awl′drich). オールドリッチ症候群．＝Wiskott-Aldrich s.

Alice in Wonderland s. 不思議の国のアリス症候群（離人感，空中遊泳感，身体の形の奇妙な変化(縮小，拡大など)，変形視で，てんかん，片頭痛，頭頂葉病変の一部，幻覚誘発剤の摂取，統合失調症でみられることがある）.

alien limb s. 他人の肢症候群（視覚の助けがないとその肢が自分の一部であると認識できないため，肢の運動や物の把握が不随意的で調節できない．皮質基底核変性症および脳梁・前頭葉病変でみられる）.

Allen-Masters s. (al′ĕn-mas′tĕrz). アレン－マスターズ症候群（分娩中に受けた子宮広間膜の古い裂創による骨盤痛）.

Allgrove s. (awl′grōv). ＝triple A s.

Alport s. (awl′port). アルポート症候群（顕微鏡的血尿，緩徐に進行する腎不全と関係する腎炎，感音難聴，レンズ円錐や黄斑病などの視覚異常を特徴とする遺伝的に多彩な疾患である．常染色体優性［MIM *104200，*153640，*153650］，常染色体劣性［MIM*203780］，X連鎖劣性［MIM *301050，*303630］の型が存在する．X連鎖型はX染色体長腕のIV型コラーゲンα-5 (*COL4A5*) 遺伝子の突然変異によって起こる．常染色体劣性型は第2染色体長腕のIV型コラーゲンα-3 (*COL4A3*) またはα-4 (*COL4A4*) 遺伝子の突然変異による）.

Alström s. (ahl′strem) [MIM*203800]. アルストレーム症候群（眼球振とうを伴った網膜変性と中心視野の欠如で，小児期の肥満を伴う．感音難聴と糖尿病が通常は10歳以後に起こる．常染色体劣性遺伝）.

amenorrhea-galactorrhea s. [MIM*104600]. 無月経－乳汁漏出症候群（非生理的な乳汁分泌で，内分泌的原因または下垂体腫瘍によって起こる）.

amnestic s. 健忘症候群（①＝Korsakoff s. ②病因のいかんを問わず，短期間(即時ではない)記憶障害を起こす器質的脳疾患）.

amnionic band s. 羊膜索症候群．＝amnionic *band.*

amnionic fluid s. 羊水症候群（扁平上皮細胞を含む羊水の母体血管への流入によると考えられる肺塞栓現象．ショックが続発し，突然死に至る．⇀amnionic fluid *embolism*）.

amniotic band s. ＝amniotic band *sequence.*

Amsterdam s. [*Amsterdam*, オランダの首都]. アムステルダム症候群．＝de Lange s.

anaphylactoid s. of pregnancy ＝embolism.

androgen insensitivity s. [MIM*300068]. ＝androgen resistance s.'s.

androgen resistance s.'s 男性ホルモン不応症候群（5α-ステロイド還元酵素の欠損，精巣性女性化症や，それらに関連した疾患群．*cf. steroid* 5α-reductase; Reifenstein s.; infertile male s.; testicular feminization s.）. ＝androgen insensitivity s.

Angelman s. [MIM*105830]. エンジェルマン症候群（母親由来の第15染色体長腕13領域の微少欠損で，精神遅滞，失調，笑い発作，痙攣，特徴的顔貌，会話の乏しさを特徴とする）. ⇀Prader-Willi s.

Angelucci s. (ahn-jĕ-lū′chē). アンジェルッチ症候群（春季カタルを伴った極度の興奮，血管運動障害および心悸亢進）.

angioosteohypertrophy s. 血管・骨肥厚症候群．＝Klippel-Trenaunay-Weber s.

ankyloglossia superior s. 上舌癒着症候群（舌が硬口蓋に癒着している先天性症状．遺伝性を示す証拠はない）.

anorectal s. 肛門直腸症候群（肛門周囲の発赤を伴った直腸の疼痛，灼熱感，そう痒感，その他の刺激で，ときに下痢を合併する．ある種の広範囲に有効な抗生物質の経口投与の毒性副作用として起こるかもしれない）.

anterior chamber cleavage s. 前房分割症候群（胎児構造の不完全分割による先天性障害．両側性中心不透明角膜を生じ，虹彩瞳孔境界部への前虹彩輪の付着と前極白内障を伴う短肢小人症でみられる．常染色体優性遺伝のものと，*PAX6*遺伝子，*PITX2*遺伝子，*CYP1B1*遺伝子あるいは*FOXC1*遺伝子の変異による常染色体劣性遺伝のものがある．⇀iridocorneal endothelial s.）. ＝Peters anomaly.

anterior hyperfunction s. 上顎が無歯顎で，下顎は天然歯が残存している場合に生じる特徴的な現象．上顎前歯部の歯槽骨頂は吸収され，硬口蓋の粘膜が隆起し，乳頭状に肥厚する．下顎の歯は挺出する．＝combination s.

anterior opercular s. 前弁蓋症候群（顔面咽頭舌咬筋両側麻痺に自動随意解離を伴う症候群．認知症，強制笑い，強制泣きは伴わない．弁蓋皮質の両側大血管梗塞によることが多い．発達異常(多小脳回症など)，梗塞，脳炎によることが多い）. ＝Foix-Chavany-Marie s.

anterior tibial compartment s. 脛骨前区画症候群（下腿の脛骨前区画の筋肉の虚血性壊死．過度の運動により閉鎖筋膜区画内で筋肉が膨張したために一過性に動脈血流が圧迫され，阻害されて起こると考えられる）.

antibody deficiency s. 抗体欠損〔性〕症候群，抗体欠乏〔性〕症候群（Bリンパ球系またはTリンパ球系の欠陥による不完全な抗体産生に関与した疾患のいずれもさす．主症状は，種々の微生物の感染に対して感受性が増加することである．⇀agammaglobulinemia; hypogammaglobulinemia; immunodeficiency）. ＝antibody deficiency disease.

anticonvulsant hypersensitivity s. 抗痙攣薬過敏症候群（抗痙攣薬治療の結果として二次的に生じる発熱，皮疹，および肝炎）.

antiphospholipid-antibody s. 抗リン脂質抗体症候群（動静脈血栓ないしは産科的合併症のうちで抗リン脂質抗体の存在を特徴とする病態．抗リン脂質抗体にはループスアンチコアグラントおよび抗カルジオリピン抗体など様々な免疫グロブリンが含まれる）.

Anton s. (ahn′ton). アントン症候群（皮質盲において，盲目であるという認識の欠如）.

anxiety s. 不安症候群（危険と恐怖の理解に伴う自律神経系徴候と症状の総体．⇀anxiety）.

aortic arch s. 大動脈弓症候群（大動脈弓の枝のじゅく腫性血栓性閉塞で，頸部と腕の脈拍消失または欠如を引き起こす．→Takayasu *arteritis*; reversed *coarctation*）. ＝Martorell s.

apallic s. 失外套症候群．＝apallic *state.*

Apert s. (ah-par′) [MIM*101200]. アペール症候群（頭蓋骨癒合，指の合指症(典型的には足指は認められず，母指は離れている)，様々な程度の精神遅滞を特徴とする疾患．ほとんどの症例は常染色体優性遺伝であり，散在性である．第10染色体長腕の*FGFR2*遺伝子の変異による．→acrocephalosyndactyly）. ＝acrocephalosyndactyly type I.

s. of approximate relevant answers 近似応答症候群．＝Ganser s.

Arnold-Chiari s. (ar′nŏld kē-ah′rē). アルノルト－キアーリ症候群．＝Arnold-Chiari *malformation.*

aromatase deficiency s. アロマターゼ欠損症候群（骨端線の閉鎖遅延，高身長，著しい骨粗しょう症を特徴とする症候群）.

aromatase excess s. アロマターゼ過剰症候群（アロマタ

ーゼ活性が過剰なため，男女ともに思春期早発症，男児および成人男性では女性化乳房が生じる家族性の症候群）．

arterial thoracic outlet s. 動脈の胸郭出口症候群（鎖骨下動脈が頸部肋骨または胸部第一肋骨により圧迫される(その結果狭窄後部の拡張も伴う)まれな疾患で，狭窄動脈の拡張部位に血栓を形成し，血栓性塞栓のために上肢の虚血を生じることもある）．

Ascher s. (ahsh′ĕr)．アッシャー症候群（眼瞼皮膚弛緩症と非中毒性甲状腺肥大に合併した先天性二重唇）．

Asherman s. (ash′ĕr-măn)．アッシェルマン(アッシャーマン)症候群．＝traumatic *amenorrhea.*

asplenia s. 無脾症候群（脾臓が機能していないか，(鎌状赤血球症などで)外科的に脾臓を切除された患者にみられる症候群．細菌，特に肺炎球菌による感染症の危険が高い）．

ataxia telangiectasia s. ＝*ataxia* telangiectasia.

auriculotemporal nerve s. 耳介側頭神経症候群（からいあるいはすっぱい食物をとったときに耳介側神経の副交感神経線維の傷害により顔面にみられる潮紅と発汗)．＝Frey s.; gustatory sweating s.; Dupay s.; gustatory-sudorific reflex.

autoerythrocyte sensitization s. 自己赤血球感作症候群(通常，女性に出現する状態で，皮下出血ができやすく(単純性紫斑)，斑状出血は広がり隣接した組織に及ぶ傾向がある．その結果，患部が痛む．同様の傷害が自分の血液を接種したり，赤血球の各種の成分を接種することで起こり，特異抗体は証明しえないが局所的な自己感作の一形式によると考えられているためこのようによばれる）．＝Gardner-Diamond s.

autoimmune polyendocrine s., type I (APS I) 自己免疫性多〔内分泌〕腺症候群 1 型，APS1 型．＝autoimmune polyendocrinopathy-candidiasis-ectodermal *dystrophy.*

autoimmune polyendocrinopathy s., type I (APS I) 自己免疫性多発性内分泌〔腺〕症候群 1 型．＝autoimmune polyendocrinopathy-candidiasis-ectodermal *dystrophy.*

autoimmune polyendocrinopathy s., type I, autosomal dominant, included 自己免疫多内分泌〔腺〕症候群 1 型，常染色体優性遺伝型を含む．＝autoimmune polyendocrinopathy-candidiasis-ectodermal *dystrophy.*

autoimmune polyglandular s., type I 自己免疫性多〔内分泌〕腺症候群 1 型．＝autoimmune polyendocrinopathy-candidiasis-ectodermal *dystrophy.*

Avellis s. (ah-vel′is)．アヴェリス症候群（喉頭，咽頭および口蓋垂の片側性麻痺と，反対側の片側温痛覚鈍麻．迷走神経核と延髄被蓋の脊髄視床路の障害(梗塞，腫瘍が多い)，または頸静脈孔付近での迷走神経障害と脊髄視床路の障害による）．＝jugular foramen s.

A-V strabismus s. 斜視 A–V 現象（上方視または下方視で偏位角が大きくなる斜視．→A-pattern *esotropia*; V-pattern *esotropia*; A-pattern *exotropia*; V-pattern *exotropia*）．

Ayerza s. (ah-yār′shah)．アイエルサ(アイエルザ)症候群(慢性肺性心における肺動脈硬化．重症チアノーゼを伴う．真性多血症と一見似た状態であるが，肺動脈の細動脈硬化症あるいは原発性肺高血圧症が原因であり，細動脈の叢状病変が特徴的である）．＝Ayerza disease; cardiopathia nigra; plexogenic pulmonary arteriopathy.

Babinski s. (bă-bin′skē)．バビンスキー症候群（末期梅毒 late *syphilis* の心臓，動脈，中枢神経系の所見の組合せ）．

baby bottle s. 哺乳瓶う食症候群．＝nursing bottle *caries.*

Balint s. (bā′lint)．バリント症候群（この脳疾患は 3 つの主要症候を呈する．①視覚失調または視覚誘導手運動の障害．ⓘ眼球失行または眼球運動は正常なのに末梢視野のある部分に随意的注視ができない．ⓘⓘⓘ視覚性同時認知障害または視野の周辺部にある物に視覚的注意を払わない，の 3 つである．頭頂後頭部の両側性病変による）．

Bamberger-Marie s. (bam′bĕr-gĕr mah-rē′)．バンベルガー－マリー症候群．＝hypertrophic pulmonary *osteoarthropathy.*

Bannwarth s. バンワース症候群（ライム病の神経症状で，慢性リンパ球性髄膜炎，ダニ伝播髄膜多発神経炎ともよばれる）．＝Garin-Bujadoux-Bannwarth s.

Banti s. (bahn′tē)．バンティ症候群（通常，静脈血栓の結果として門脈または脾静脈の高血圧により，主に小児に生じる慢性うっ血性脾腫．貧血，脾腫，不規則な胃腸出血の徴候などが通常みられ，腹水，黄疸，白血球減少症，血小板減少症が様々に組み合わさり，発生する）．＝Banti disease; splenic anemia.

Bardet-Biedl s. (bahr′dā bē′dĕl) [MIM*209900]．バルデー－ビードル症候群（精神遅滞，色素性網膜症，多指，肥満，および性器発育不全．常染色体劣性遺伝．→Laurence-Moon s.）．

bare lymphocyte s. 不全リンパ球症候群（末梢単核球表面に HLA抗原が存在せず，免疫不全に陥る症候群）．

Barlow s. (bar′lō)．バーロー症候群（僧帽弁前尖または後尖の左心房腔内へのうねり(floppy valve s.)による，心尖部収縮後期雑音または(いわゆる〝中後期〟)収縮期クリック，またはその両方．心電図的には原因不明の後下壁心筋虚血性の変化と類似した分布を呈する ST–T 変化を示し，調律異常が特に明瞭な因果関係を示さないが，しばしば本症候群と共存する）．

Barrett s. (bar′ĕt)．バレット症候群，バレット食道（胃噴門部の粘膜に類似する円柱上皮が並ぶ食道下部の慢性消化性潰瘍．長期にわたる慢性食道炎の結果としてできる．逆流性を伴う食道狭窄や腺癌も報告されている．腺癌発症のリスクが30−40倍上昇する）．＝Barrett esophagus; Barrett metaplasia.

Bart s. (bart)．バート症候群（四肢，間擦部の水疱，先天性の限局性皮膚欠損，口腔のびらん，栄養障害性の爪変形を伴う表皮水疱症の一型で，瘢痕を残さずに自然に軽快することが多い．常染色体優性遺伝で，第 3 染色体短腕の 7 型コラーゲン(*COL7A1*)遺伝子の変異による）．

Barth s. (barth) [MIM*302060]．バース症候群（低成長，好中球減少，心筋症，尿中の 3－メチルグルタコン酸の過剰排泄を特徴とする X 連鎖症候群．骨格筋脆弱を呈する患者もいる）．

Bartter s. (bar′tĕr) [MIM*241200]．バーター症候群(病因は Henle わなにおける活性塩化物の再吸収障害による腎疾患．二次性のアルドステロン分泌増加を伴った原発性の傍糸球体細胞の過形成，低カリウム血性アルカローシス，尿中カルシウムの増加，レニンあるいはアンギオテンシン活性の上昇，正常または低血圧，成長障害，そして浮腫のないことを特徴とする．常染色体劣性遺伝．第 15 染色体長腕の Na-K-2Cl 移送(*SLC12A1*)遺伝子または第 11 染色体長腕のカリウムイオンチャネル(*KCNJ1*)遺伝子の突然変異によって発生する）．

basal cell nevus s. [MIM*109400]．基底細胞母斑症候群(成人に至り基底膜細胞癌を生じる無数の基底細胞母斑，歯原性角化嚢腫，手掌足底の紅斑性陥凹，大脳鎌の石灰化および，しばしば骨奇形，特に二分肋骨または前方が拡大した肋骨などを呈する症候群．常染色体優性遺伝．*PTCH* 遺伝子の変異による．この遺伝子はショウジョウバエ *Drosophila* の第 9 染色体長腕にある "patched" という遺伝子に相当する）．＝Gorlin s.

Bassen-Kornzweig s. (bas′ĕn kōrn′zwīg)．バッセン－コルンツヴァイク症候群．＝abetalipoproteinemia.

battered child s. 被虐待児症候群（小児虐待が臨床的に示された状態．小児の骨や軟部組織，臓器の種々の外傷．通常，その小児の養育に責任をもつ人によって繰り返し虐待され，打たれた結果としてみられる）．

battered spouse s. 被虐待配偶者症候群（配偶者または同居人による虐待の対象となった人の身体的，心理的，および情緒的障害．通常は虐待する配偶者にアルコール依存症がみられる）．

Bauer s. (bow′ĕr)．バウアー症候群（関節リウマチのまれな徴候としての大動脈炎と大動脈心内膜炎）．

Bazex s. (bah-zeks′) [MIM*301845]．バゼックス症候群．＝paraneoplastic *acrokeratosis.*

Beckwith-Wiedemann s. (bek′with vē′dĕ-mahn) [MIM*130650]．ベックウィズ－ヴィーデマン症候群(臍ヘルニア，巨舌，巨人症，ときに新生児期の低血糖症を伴う過成長症候群．合併症として半側肥大と Wilms 腫瘍と副腎皮質癌がある．常染色体優性遺伝だがほとんどは孤発例である．ゲノム上の刷り込み現象 imprinting と片親性二染色体により影響される．第 11 染色体短腕の P57(KIP2) 遺伝子の突然変異によって発生する）．＝EMG s.

Behçet s. (be-shet′) [MIM*109650]．ベーチェット症候群（陰部潰瘍，口腔潰瘍(アフタ)，前房蓄膿性ブドウ膜炎または虹彩毛様体炎が，同時にまたは引き続いて繰り返して生じる症候群で，関節炎もしばしば合併する．全身障害は，女性よりも男性に多く，皮膚炎，結節性紅斑，血栓性静脈炎，脳・神経症状などの合併症がある）．＝Behçet disease; cutaneomucouveal s.; iridocyclitis septica; oculobuccogenital s.; recurrent hypopyon; triple symptom complex; uveoencephalitic s.

Behr s. (bār)［MIM*210000］．ベール症候群（外側視野欠損，眼球振とう，運動失調，強直性，および精神遅滞を伴う両側性の視神経萎縮を特徴とする．常染色体劣性遺伝と考えられている）．＝Behr disease.

Benedikt s. (benʹĕ-dikt)．ベネディクト症候群（同側の動眼神経麻痺と反対側の振せんと不全片麻痺を呈する症候群で，中脳被蓋の赤核と皮質脊髄路を障害する梗塞や腫瘍によることが多い）．

Berardinelli s. (bĕ-rahr-dĭ-nelʹē)．ベラルディネリ症候群＝congenital total *lipodystrophy.*

Bernard-Horner s. (bār-nahrʹ hōrʹnĕr)．ベルナール－ホルナー(ホルネル)症候群．＝Horner s.

Bernard-Sergent s. (bār-nahrʹ sār-zhawnʹ)．ベルナール－セルジャン症候群．＝acute adrenocortical *insufficiency.*

Bernard-Soulier s. (bār-nahrʹ sūl-yāʹ)．ベルナール－スーリエ症候群（①血小板減少症，巨大血小板および出血傾向を特徴とする凝固障害．②血小板膜糖蛋白Ib，IX，V(第８因子のレセプタ)が欠如または減少している常染色体劣性疾患．これにより von Willebrand 因子への結合が不能で，中等度の出血傾向を生じる）．＝Bernard-Soulier disease.

Bernhardt-Roth s. (bernʹhart rōt)．ベルンハルト－ロート症候群．＝*meralgia* paresthetica.

Bernheim s. (bernʹhīm)．ベルナン(バーンハイム)症候群(高血圧などの原因による左心室肥大の患者における，肺うっ血の併発をみない右心不全(肝肥大，頸静脈怒張，浮腫)の結果と類似する全身性のうっ血．右室造影や超音波検査または死後，肥厚した中隔または心室中隔瘤の突出により右室腔の減少が見出される）．

Besnier-Boeck-Schaumann s. (bā-nyāʹ bek showʹmahn)．ベスニエ－ベック－シャウマン症候群．＝sarcoidosis.

Beuren s. ビューレン症候群（多数の末梢性肺動脈狭窄と知覚障害および歯異常を合併する大動脈弁上狭窄）．

BIDS s.［MIM* 234050］．BIDS症候群（*b*rittle hair(もろい毛髪)，*i*mpaired intelligence(知能障害)，*d*ecreased fertility(生殖能力低下)，*s*hort stature(低身長)の頭字語．もろい毛髪は，高硫黄蛋白の先天的欠損によると考えられている．常染色体劣性遺伝）．

Biemond s. (bē-mawn[h]ʹ)［MIM*210350］．ビエモン症候群（虹彩欠損，精神遅滞，肥満，性器発育不全，および軸後指過剰症．Laurence-Moon 症候群および Bardet-Biedel 症候群に類似の常染色体劣性遺伝疾患）．

billowing mitral valve s. ＝mitral valve prolapse s.

Björnstad s. (byōrnʹstahd)［MIM*262000］．ブヨルンスタッド症候群（感音難聴と関連のある捻転毛で，ねじれのひどさと毛の硬さが聴覚障害の程度と相関する．常染色体優性遺伝）．

Blatin s. (blah-tan[h]ʹ)．ブラタン症候群．＝hydatid *thrill.*

blind loop s. 盲係蹄症候群，盲嚢症候群（び汁の通過のない小腸部分に通常，起こる．腸内容物が停滞し，細菌の過剰増殖によって産生された物質が，脂肪やビタミンその他の栄養物の吸収を障害する）．

Bloch-Sulzberger s. (blok sulzʹberg-ĕr)．ブロッホ－サルズバーガー症候群．＝*incontinentia* pigmenti.

Bloom s. (blōm)［MIM*210900］．ブルーム症候群（主に顔面に蝶形に分布し，ときに手や前腕にもみられる先天性毛細管拡張性紅斑．皮膚病変部の光線過敏症と，狭顔と長頭蓋を除けば正常体型である小人症を呈する．染色体は非常に不安定で悪性腫瘍を発生しやすい．常染色体劣性遺伝．第 15 染色体長腕の Bloom 症候群（*BLM*）遺伝子の変異による）．

blue diaper s.［MIM*211000］．ブルーダイアパー(青おむつ)症候群（トリプトファン吸収障害．小腸内の吸収されない過剰のトリプトファンはインドールとインジカンに代謝され吸収され，インジカンは尿中に排泄される．排泄されたインジカンはおむつでインジゴに代謝され青色を呈する．高カルシウム血症，腎石灰化症も存在する）．

blue toe s. 爪先チアノーゼ症候群（足背動脈が触れるにも関わらず微小血栓のために足先の組織が進行性に障害を受け，壊疽を起こす）．

Boder-Sedgwick s. ボーダー－セジュウィック症候群．＝*ataxia* telangiectasia.

Boerhaave s. (būrʹhah-vē)．ブールハーフェ症候群（食道の破裂で，催吐運動あるいは嘔吐をするときの管腔内圧の上昇および膨脹で生じる．縦隔炎に起因する．破裂は最も頻般に左胸腔に生じる）．

Bonnet s. (bō-nāʹ)．ボネ症候群（精神的異常を随伴しない複合幻視．視力障害を有する高齢者に多い）．＝Charles Bonnet s.

Bonnet-Dechaume-Blanc s. (bō-nāʹ de-shōmʹ blăn[h])．＝Wyburn-Mason s.

Bonnier s. (bon-nyā)．ボニエ症候群（前庭神経外側核とその連絡の障害による症候群．症状は調節麻痺，眼球振とう，複視などの眼の障害，難聴，嘔気，口渇，食欲不振，および迷走神経中枢の障害に起因する症状を含む）．

Böök s. (buk)［MIM*112300］．ボエーク症候群（前臼歯形成不全，多汗症，壮年性白毛症．常染色体優性遺伝）．

BOR s. ＝branchio-oto-renal s.

Börjeson-Forssman-Lehmann s. (bōrʹyĕ-sŏn fōrsʹmăn lāʹmahn)［MIM*301900］．ベルエソン－フォルスマン－レーマン症候群（精神遅滞，てんかん，性機能不全，代謝低下，肥満，大きな耳，狭い眼瞼裂などが特徴の症状．X連鎖劣性遺伝）．

bowel bypass s. 腸管バイパス症候群（腸管バイパス手術後にみられる反復性発熱，悪寒，倦怠，四肢上体の炎症性皮膚丘疹および膿疱．びまん性白血球浸潤，ときに多発性関節痛または多発性関節炎にみられる）．

Bradbury-Eggleston s. (bradʹbūr-ē egʹgĕl-stŏn)．ブラッドバリー－エグルストン症候群．＝pure autonomic *failure.*

bradytachycardia s. 徐脈〔性〕症候群（洞房結節の疾患に伴う速脈と遅脈が交互に現れる脈拍障害）．＝tachybradycardia s.

branchio-oto-renal s. 鰓耳腎症候群（鰓嚢胞，耳介周囲の懸垂線維腫あるいは耳瘻孔，耳奇形，腎形成異常を特徴とする常染色体優性疾患．第８番染色体長腕上の *EYA1* 遺伝子の変異によって生じる）．＝BOR s.; branchio-oto-renal dysplasia.

Briquet s. (brē-kāʹ)．ブリケー(ブリケ)症候群（→somatoform *disorder*; hysteria）．＝Briquet *disease.*

Brissaud-Marie s. (brē-sōʹ mah-rēʹ)．ブリソー－マリー症候群（口唇の機能的痙攣および(転換障害に関連した)舌唇麻痺）．

Brissaud-Sicard s. (brē-sōʹ sē-carʹ)．ブリソー－シカール症候群（不全片麻痺および反対側の片側顔面痙攣を呈する症候群で，橋の病変による）．

Brock s. (brŏk)．ブロック症候群．＝middle lobe s.

bronze baby s. ブロンズベビー症候群（茶色もしくは銅色の皮膚の色調変化であり，高ビリルビン血症で光線療法を受けた小児に生じる）．

Brooke-Spiegler s. ブルック－シュピーグラー(スピラー)症候群．＝cylindromatosis.

Brown s. (brown)．ブラウン症候群．＝tendon sheath s.

Brown-Séquard s. (brūnʹ sā-kahrʹ)．ブラウン－セカール症候群（片側脊髄病変の症候群で，病変側に固有感覚喪失と脱力が起こり，反対側に温痛覚喪失が起こる）．＝Brown-Séquard paralysis.

Budd s. (bŭd)．バッド症候群．＝Chiari s.

Budd-Chiari s. (bŭd kē-ahʹrē)［MIM*600800］．バッド－キアーリ症候群．＝Chiari s.

Bürger-Grütz s. (bērʹger grits)．ビュルガー－グリュッツ症候群．＝familial *hyperlipoproteinemia* type I.

burner s. 焼灼器(バーナー)症候群（上肢の灼熱痛の頻回の発作を生じる疾患．ときに肩周囲筋の筋力低下を伴う．接触性スポーツ，特にフットボールで，頭や肩への強打により生じる．腕神経叢上幹損傷によるものと考えられる）．

Burnett s. (bŭrʹnet)．バーネット症候群．＝milk-alkali s.

burning foot s. 火あぶり足症候群（第二次世界大戦中の

捕虜にみられた焼けつくような足の痛み．現在ではパントテン酸欠乏症と考えられている）．

burning mouth s. 口内焼灼感症候群（口腔粘膜は正常であるにもかかわらず，患者が口内焼灼感を訴える状態．原因は不明である）．

burning tongue s. 舌焼灼感症候群（明らかな病変がないにもかかわらず舌に疼痛を訴える特発性の症候群で，しばしば味覚消失を伴う．年配の女性に起こりやすい）．

burning vulva s. 原因不明の持続性の灼熱感のある外陰病変．

Buschke-Ollendorf s. (būsh′kĕ ō′len-dōrf). ブシュケ－オレンドルフ症候群. ＝osteodermatopoikilosis.

Caffey s. (kaf′ē). キャフィー症候群. ＝infantile cortical *hyperostosis*.

Caffey-Kempe s. →battered child s.

Caffey-Silverman s. (kaf′ē sil′vĕr-măn). キャフィー－シルヴァーマン症候群. ＝infantile cortical *hyperostosis*.

camptomelic s. 彎曲肢症候群（平らな顔面，扁平椎，肩甲骨低形成と脛骨彎曲よりなる症候群）. ＝osteochondrodysplasia.

Capgras s. (kăh′grah). カプグラー症候群（統合失調症患者に親しい人(達)が別の人(達)と入れ替わっているという妄想的確信．器質疾患で生じることもある）. ＝Capgras phenomenon; illusion of doubles.

Caplan s. (kap′lăn). キャプラン症候群（肺臓内結節で，組織学的に皮下のリウマチ性結節に似ており，関節リウマチや炭坑労働者のじん肺症に合併する）. ＝Caplan nodules.

carbonic anhydrase II deficiency s. 炭酸脱水酵素 II 欠損症候群（炭酸脱水酵素 II の遺伝性欠損症．大理石病や代謝性アシドーシスを生じる）. ＝osteopetrosis with renal tubular acidosis.

carcinoid s. カルチノイド症候群（ほとんどの場合，肝臓へ転移した胃腸管のカルチノイド腫瘍から放出されるセロトニンにより生じる症状と病変の組合せ．まだらな発赤，平坦な皮膚血管腫，しばしば逆流を伴った後天性三尖弁および肺動脈弁狭窄で左心弁膜の軽度の障害をときに伴ったもの，下痢，気管支痙攣，精神異常，多量の 5-ヒドロキシインドール酢酸の排泄などからなる）. ＝malignant carcinoid s.; metastatic carcinoid s.

cardiofacial s. 心臓・顔症候群（①先天性心疾患に伴う顔面の下部の一過性あるいは持続性の神経麻痺．②先天性の心血管障害，骨，軟部組織と顔面の異常を伴う症候群の集団．Rubinstein-Taybi 症候群，Noonan 症候群，Williams 症候群を含む）．

Carney s. (kar′nē). カーニー症候群. ＝Carney *complex*.

Caroli s. (kah-rō′lē). カロリ症候群（胆管系の先天的形成不全で，胆管系の多発性拡張，嚢胞形成を起こす）．

carotid sinus s. 頸動脈洞症候群（頸動脈洞の活動亢進により脳血液灌流が低下して起こる混迷や失神のこと．著明な徐脈を伴う）. ＝Charcot-Weiss-Baker s.

carpal tunnel s. 手根管症候群（絞扼神経障害の中で最も頻度が高い．特に夜間の手の感覚異常と，ときに正中神経支配域の知覚障害と筋萎縮を生じる．男性より女性によく発症し，しばしば両側性である．手関節部手根管内で正中神経が慢性的に絞扼され生じる）．

Carpenter s. (kar′pĕn-tĕr) [C. C. J. Carpenter]. カーペンター症候群. ＝acrocephalopolysyndactyly.

cataract-oligophrenia s. 白内障－精神遅滞症候群. ＝Marinesco-Garland s.

cat's cry s. ネコ鳴き症候群. ＝cri-du-chat s.

cat's-eye s. [MIM*115470]. ネコ眼症候群（虹彩欠損（ネコの垂直瞳孔に類似），下方へ垂れ下がった眼瞼裂，肛門閉鎖，瘻孔を有するあるいは有しない耳介前の奇形，心および腎奇形，ときに軽度の精神遅滞を伴うのを特徴とする染色体異常．部分的第 22 染色体の四倍体と関連する）. ＝Schmid-Fraccaro s.

cauda equina s. 馬尾症候群（馬尾の神経根(L2—S3 神経根)が，しばしば非対称的に多発性に障害される．痛み，異常感覚，脱力を呈する．仙部(S2，S3，S4 神経根)が障害されないことがあるので，膀胱直腸障害がみられないことがしばしばある）．

cavernous sinus s. 海綿静脈洞症候群（部分的または完全

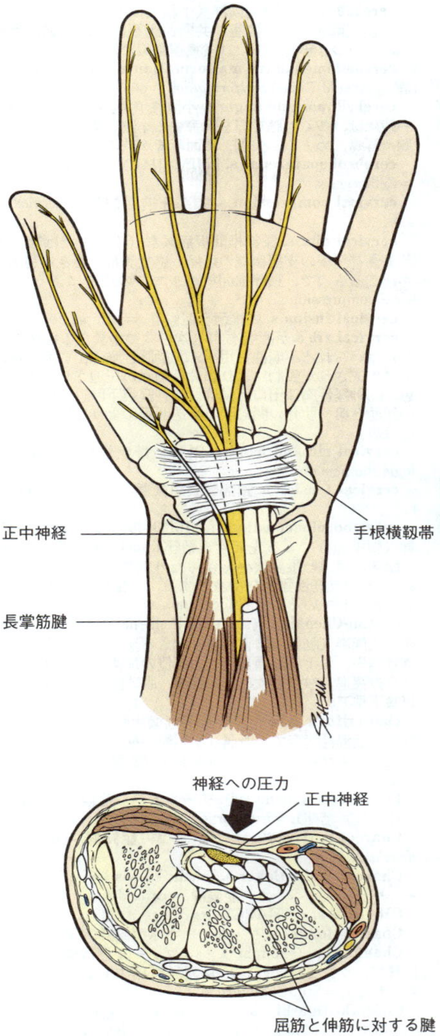

carpal tunnel syndrome

な外眼筋麻痺(第三・第六ときに第四脳神経を巻き込むため)，第五脳神経の眼神経支配領域の感覚脱失．眼窩周囲の疼痛と結膜浮腫が片側性または両側性に認められる．種々の原因によるが腫瘍と外傷が現在最も一般的である）．

Ceelen-Gellerstedt s. (sē′lĕn gel′ĕr-stedt). シーレン－ゲラーシュテット症候群. ＝idiopathic pulmonary *hemosiderosis*.

celiac s. セリアック症候群. ＝celiac *disease*.

cellular immunity deficiency s. 細胞性免疫不全症候群（易感染性を特徴とする症候群で，特にウイルス，真菌，原虫感染と日和見感染しやすくなる．獲得性細胞免疫に関する機能欠損による.→immunodeficiency）．

central cord s. 脊髄中心症候群，中心性脊髄症候群（感覚消失や膀胱障害を伴うことも伴わないこともある，上肢遠位部を最も強く侵す四肢不全麻痺．頸髄中心部または脊髄動脈が骨棘や外傷で圧迫され虚血におちいったために起こる).

cerebellar s. 小脳症候群 (小脳欠損の徴候と症状. すなわち測定障害, 構語障害, 共同運動不能症, 眼振, 運動失調, よたつき歩行, および変換運動障害など).

cerebellomedullary malformation s. 小脳延髄奇形症候群. =Arnold-Chiari *malformation.*

cerebellopontine angle s. 小脳橋角症候群 (多くの場合一般には, 多くの脳神経を障害する小脳と橋の間の障害. 難聴, 耳鳴, めまい, 失調, 顔面麻痺が特徴である).

cerebrohepatorenal s. [MIM*214100]. 脳肝腎症候群. =Zellweger s.

cervical compression s. 頸部圧迫症候群. =cervical disc s.

cervical disc s. 頸部椎間板症候群 (1つまたは複数の頸部脊髄神経根の支配領域の疼痛, 感覚異常, ときに筋力低下が起こるもので, 頸部椎間板ヘルニアの圧迫による). =cervical compression s.

cervical fusion s. 頸椎癒合症候群. =Klippel-Feil s.

cervical rib s. 頸肋症候群 (次の2つの異なる症例群に同等に用いられる不明確な用語. ⓘ動脈性胸部出口症候群. 完全に形成された頸肋により鎖骨下動脈が圧迫されて生じる疾患. ⓘⓘ神経性胸部出口症候群. 腕神経叢下幹近位部が未発達の頸肋と第一肋骨の間に限る半透明膜により圧迫されて生じる疾患).

cervical rib and band s. 頸肋と帯症候群. =true neurologic thoracic outlet s.

cervical tension s. 頸部緊張症候群. =posttraumatic neck s.

cervicooculoacoustic s. [MIM*314600]. 頸眼聴覚症候群 (頸椎癒合による先天性短頸(Klippel-Feil 奇形), 内転時の眼球の後退と眼裂狭小を伴った外転神経麻痺(Duane 症候群), 知覚神経性難聴を特徴とする. 女性優位の多因子遺伝と考えられている). =Wildervanck s.

Cestan-Chenais s. (ses-ton[h]′ shĕ-nā′). セスタン-シュネー症候群 (脳幹の障害により起こる反対側の片麻痺, 片側感覚消失, および温痛覚消失と同側の片側共同運動不能および側方突進, 喉頭と軟口蓋の麻痺, 眼球陥入, 縮瞳, および眼瞼下垂).

chancriform s. 下疳様症候群 (微生物による一次感染部位での潰瘍性病変で, 所属リンパ節の拡大を伴う. 軟性下疳感染症のみならず, 種々の細菌および真菌感染症中にもみられる).

Chandler s. (chand′lĕr). チャンドラー症候群 (角膜浮腫を伴う虹彩萎縮). =iridocorneal s.

Charcot s. (shahr′kō). シャルコー症候群. =intermittent *claudication.*

Charcot-Weiss-Baker s. (shahr′kō wīs bā′kĕr). シャルコー-ヴァイス-ベーカー症候群. =carotid sinus s.

CHARGE s. =CHARGE *association.*

Charles Bonnet s. シャルル・ボネ症候群. =Bonnet s.

Chauffard s. (shō-fahr′). ショファール症候群 (Still 病の症状で, ウシまたはヒト以外の動物の結核にかかったヒトにみられる). =Still-Chauffard s.

Chédiak-Higashi s. (chē′dē-ak hē-gah′shē) [MIM *214500, *214450]. チェディアック-東症候群 (あらゆる型の白血球の顆粒形成および核構造の異常で, ペルオキシダーゼ反応陽性顆粒の奇形, 細胞質封入体および Döhle 体を伴う遺伝的疾患で, 特徴としては, 肝脾腫, リンパ節腫脹, 貧血, 好中球減少, 部分的な色素欠如, 眼振, 羞明, 易感染性やリンパ腫の高頻度の発症などがある. 多くは若い動物や小児期に死に至る. ミンク, ウシ, ハツカネズミ, シャチ, ヒトに発症する. 常染色体劣性遺伝であり, 第1染色体長腕のチェディアック-東遺伝子(*CHS*)の突然変異による). =Béguez César disease; Chédiak-Higashi disease; Chédiak-Steinbrinck-Higashi anomaly; Chédiak-Steinbrinck-Higashi s.

Chédiak-Steinbrinck-Higashi s. (chē′dē-ak stīn′brink hē-gah′shē) [MIM*214500, *214450]. チェディアック-シュタインブリンク-東症候群. =Chédiak-Higashi s.

Cheney s. (chā′nē). チェネー症候群 (骨粗しょう症を有し, また, 頭蓋と下顎骨の変化を伴う肢端骨融解. →acroosteolysis).

cherry-red spot myoclonus s. サクランボ赤色斑〔点〕ミオクローヌス症候群 (シアリダーゼ欠損による小児のニューロン蓄積疾患で, 黄斑部のサクランボ赤色斑進行性ミオクローヌス, 制御が容易な痙攣を特徴とする. I型は正常体型, サクランボ赤色斑, ミオクローヌス, 正常 β-ガラクトシダーゼ濃度を特徴とし, II型は低身長, 骨異常, β-ガラクトシダーゼ欠乏を特徴とする). =sialidosis.

Chiari s. (kē-ah′rē). キアーリ症候群 (肝静脈の血栓で, 肝臓の大腫脹と副行血管の発達, 難治性腹水および重篤な門脈圧亢進症を伴う). =Budd s.; Budd-Chiari s.; Chiari disease; Chiari-Budd s.; Rokitansky disease (2).

Chiari-Budd s. (kē-ah′rē bŭd). キアーリ-バッド症候群. =Chiari s.

Chiari-Frommel s. (kē-ah′rē from′ĕl). キアーリ-フロンメル症候群 (授乳とは無関係の妊娠に伴う非生理的乳汁分泌および無月経. 高プロラクチン血症ならびに下垂体腺腫で特徴的にみられる).

Chiari II s. (kē-ah′rē). キアーリ II 症候群 (延髄, 小脳扁桃, および虫部が長くなり, 大後頭孔を通って上部脊髄管内に偏位する疾患. その他しばしば大脳異常を伴う).

chiasma s. キアスマ症候群 (両耳側視野欠損と視神経萎縮を特徴とする症候群で, キアスマやその付近の障害による片側または両側の視覚欠損を伴う).

Chilaiditi s. (kē-lah-thē′tē). キライディーティ症候群 (肝臓と横隔膜との間への結腸の介入).

CHILD s. チャイルド症候群. =CHILD.

Chinese restaurant s. L-グルタミン酸ナトリウム塩(MSG)を含む食物を, この食品添加物に敏感である人が摂取した後に起こる胸痛, 顔面圧迫感など体表の種々の部位でみられる灼熱感の発現をいう.

Chotzen s. [MIM*101400]. コッツェン症候群. =Saethre-Chotzen s.

Christian s. (kris′chĕn). クリスチャン症候群. =Hand-Schüller-Christian *disease.*

chromosomal s. 染色体症候群 (染色体の異常型による症候群の一般的名称. 典型的には, 精神遅滞と複数の先天的奇形を伴う).

chromosomal instability s.'s, chromosomal breakage s.'s 染色体不安定症候群, 染色体破損症候群 (*in vitro* で, 染色体の不安定と破損を伴うメンデル遺伝を示す一群の疾患をさし, しばしばある種の悪性腫瘍の罹患が著増する. → Bloom s.; *xeroderma* pigmentosum).

---

chronic fatigue s. (**CFS**) 慢性疲労症候群 (持続性で日常生活に支障がある脱力感または疲労感の症候群で, 6か月以上続く非特異的身体症状を伴い, 他の原因によらない).

米国で慢性疲労症候群(CFS)の有病者は現在80万人(女性の0.5%, 男性の0.3%)と推定される. 有病率は人種や社会経済状況の影響を受けない. CFS は1988年に米国疾病管理センターが最初に定義した. 1994年に症例の定義が改定され, 下記ⓘⓘⓘの両者からなるとされた. ⓘ運動によらない持続性または再発性疲労で休息で改善せず, 発症が明らかで, 少なくとも6か月持続し, 身体活動がかなり(50%以上)低下する. ⓘⓘ以下の症状の4つ以上が同時に6か月以上起こる. 頭痛, 筋肉痛, 関節痛, 咽頭痛, 頸部または腋窩部リンパ節圧痛, 身体活動後の倦怠感延長, 睡眠で回復しない, 認知障害(注意障害, 集中障害, 短期記憶障害など). 理学的所見は特に異常を呈さないのが典型的である. しかし, 起立性頻拍と遅発性起立性低血圧を呈する患者も多い. CFS ではルーチンの検体検査は正常であるが, 特殊な検査(炎症性サイトカイン増加, CD8 活性化細胞毒性T細胞の数増加, ナチュラルキラー細胞機能の低下, 2,5リボヌクレアーゼL抗ウイルス防御経路の不活性化, ACTH とコルチゾール濃度低下を呈する視床下部・下垂体軸のダウンレギュレーションなど)を用いると, 患者の全部ではないが一部で異常がみられる. ウイルス感染によりトリガーされた免疫反応の複雑な調節障害が, CFS の原因として示唆されている. インフルエンザ様の発症が, 他の季節より冬に多い. 精神疾患の合併も多いが, CFS は慢性不安またはうつ病で引き起こされるものではないと考えられている. 本疾患の治療に用いられてきた多くの治療法の中で, 段階的運動と認知行動療法が最も有効である．三環系抗うつ薬，選択的セロトニン再取り込み阻害薬，非ステロイド抗炎症薬が，一部の患者の疼痛緩和および睡眠障害で役立つ．長期(5年以上)経過観察では，CFS成人患者の20－50％は改善を呈するが，完全な機能回復がみられるのは5－10％しかいない．

---

chronic hyperventilation s. 慢性過呼吸症候群，慢性呼吸亢進症候群（持続性呼吸亢進の結果起こる血液の炭酸ガス含量の減少(低炭酸症)．精神状態が不安なときや，ある種の慢性器質性疾患にみられ，通常は心臓血管疾患により起こる．アルカリ血症，感覚異常およびテタニーも起こることがある)．

Churg-Strauss s. (chŭng strows)．チャーグ－ストラウス症候群（主に小血管を障害し，血管とその周囲に肉芽腫を伴う血管炎の症状や徴候でぜん息，発熱，および好酸球増加を生じる)．＝allergic granulomatosis; allergic granulomatous angiitis.

Cianca s. (chē-ahn′kă)．シアンカ症候群（交叉性固視と強固な内直筋を特徴とする乳児内斜視の重症型)．

Clarke-Hadfield s. (klahrk had′fēld)．クラーク－ハッドフィールド症候群．＝cystic *fibrosis.*

classic neurologic cervical rib s. 古典的神経学的頸肋症候群．＝true neurologic thoracic outlet s.

Claude s. (klōd) [Henri *Claude*]．クロード症候群（片側に動眼神経麻痺，他側に共調運動不能を伴う中脳症候群)．

click s. クリック症候群（房室弁弁帆部，あるいは弁全体が収縮期に突然牽引される結果発生するクリック音を呈する症候群)．

climacteric s. ＝menopausal s.

cloverleaf skull s. [MIM*148800]．クローバ葉頭蓋症候群（子宮内骨形成異常と頭蓋の冠状縫合とラムダ縫合の骨癒合のため，三葉の頭の形を呈する症候群．ときに眼球突出と種々の頭蓋顔面骨および長管骨の奇形を伴う．散発的に認められる)．＝kleeblattschädel deformity; kleeblattschädel.

coach-class s. コーチクラス症候群．＝economy class s.

Cobb s. (kob)．コッブ症候群（皮膚の毛細血管奇形で，通常，体幹上の皮節に沿って分布する．脊髄の血管異常を伴い，その結果として神経症状を起こす)．＝cutaneomeningospinal angiomatosis.

Cockayne s. (kok′ān) [MIM *216400, *216411]．コケーン症候群（小人症，早老現症，網膜の色素変性，視神経萎縮，難聴，日光過敏症，小頭症，精神遅滞．常染色体劣性遺伝．DNA損傷修復障害を伴う．種々の類似型がある)．＝Cockayne disease.

Coffin-Lowry s. (kof′ĭn low′rē) [MIM*303600]．コフィン－ローリー症候群（丸い鼻や大きな耳，厚い唇をした粗雑な顔のつくり，低身長，細い手指，骨格の異常，精神遅滞を特徴とする症候群．X連鎖劣性遺伝を示す．X染色体短腕に存在するリボソームS6キナーゼ(*RSK*)遺伝子の突然変異によって起こる)．

Coffin-Siris s. (kof′ĭn sir′ĭs) [MIM*135900]．コフィン－サイリズ症候群（球状の鼻，扁平な鼻橋，中等度の多毛，第五指または第五趾あるいはその両方の爪と末節骨の欠損あるいは低形成を伴う指異常を呈する精神遅滞．恐らく常染色体優性遺伝)．＝fifth digit s.

Cogan s. (kō′găn)．コーガン症候群．＝oculovestibuloauditory s.

Cogan-Reese s. (kō′găn rēs)．コーガン－リース症候群．＝iridocorneal endothelial s.

cold agglutinin s. ＝cold hemagglutinin *disease.*

Collet-Sicard s. (kō-lā′ sē-kahr′)．コレ－シカール症候群（第九・十・十一・十二脳神経の片側性障害で，Vernet症候群と同側の舌の麻痺を起こす)．

combination s. ＝anterior hyperfunction s.

combined immunodeficiency s. 複合免疫不全症候群（Tリンパ球とBリンパ球の両者が侵された結果，液性免疫と細胞性免疫の両方に障害が生じる重篤な原発性免疫不全)．

compartment s. 仕切り症候群（ある限られた解剖学的空間の圧が上昇することが循環に悪影響を及ぼして，そこにある組織の機能および生活力を脅かす状態)．

complete androgen insensitivity s. 完全男性ホルモン不応症候群（テストステロン受容体がないため，遺伝的には男児であるが，表現型は女児となる受容体欠陥症．患児は睾丸を有するが，腟の外側1/3，クリトリス，大陰唇，小陰唇を有している．しかし，子宮や卵管は欠損している．→testicular feminization s.)．

complex regional pain s. type I 複合局所疼痛症候群Ⅰ型（通常，1肢に起こる広範な持続性の痛みで，しばしば血管運動障害，栄養障害，関節の運動制限や不動化を伴う．局所の損傷に続いて起こることがよくある)．＝causalgia; reflex sympathetic dystrophy; shoulder-hand s.; sympathetic reflex dystrophy.

compression s. ＝crush s.

congenital rubella s. 先天性風疹症候群（妊娠初期(初めの3か月)における風疹ウイルスの胎児への感染で，先天性心疾患，難聴，失明などの重篤な先天奇形を引き起こす)．

congenital varicella s. 先天性水痘症候群（妊娠第1から第2期における水痘の妊婦感染によって生じる．四肢の萎縮および四肢の皮膚瘢痕を特徴とした胎児障害)．

Conn s. (kon)．コン症候群．＝primary *aldosteronism.*

conotruncal anomaly-face s. 円錐動脈幹異常顔貌症候群．＝DiGeorge s.

Conradi-Hünermann s. (kon-rah′dē hin′ĕr-mahan)．コンラーディ－ヒューネルマン症候群（点状軟骨異形成症の一種．常染色体優性遺伝．種々の皮膚の角化障害，特異顔貌，心奇形，眼奇形，中枢神経異常を伴う．骨端の点状石灰化もみられる)．

Cornelia de Lange s. (kōr-nā′lē-ă de-lahng′ĕ)．コルネリア・ド・ランゲ症候群．＝de Lange s.

corpus luteum deficiency s. 黄体機能不全症候群（卵巣の黄体形成が不十分なことによる機能不全．黄体期の子宮内膜反応が不十分なために起こる)．

Costen s. (kos′tĕn)．コステン症候群（聴力障害，耳痛，耳鳴，めまい，頭痛，および咽喉，舌，鼻側部の灼熱感，といった症状を呈する症候群．当初は，咬合の不調和による顎関節の機能障害に起因するとされていたが，近年，解剖学的あるいは生理学的理論だけでは十分説明できないと考えられている)．

costochondral s. 肋軟骨症候群（1つ以上の肋軟骨関節における胸の圧痛)．

costoclavicular s. 肋骨鎖骨症候群（胸郭出口症候群の1つ．鎖骨下動脈と静脈，後の報告では上腕神経叢が鎖骨と正常第一肋骨の間で圧迫されると考えられている．ある体位，例えば軍隊支柱位をとることで圧迫が起こる)．

Cotard s. (kō-tahr′)．コタール症候群（身体の存在についての妄想を伴う精神病性うつ病で，否定観念と自殺衝動を伴う)．

Crandall s. (kran′dăl) [MIM*262000]．クランダル症候群（捻転毛，聴力障害，および性機能低下．家族性形質で，黄体化ホルモンと成長ホルモンの欠乏がある．→Björnstad s.)．

CREST s. CREST症候群（石灰沈着 *c*alcinosis, *R*aynaud現象，食道機能異常 *e*sophageal motility disorders，強指症 *s*clerodactyly，毛細血管拡張 *t*elangiectasia を特徴とする全身性硬化症の一亜型)．

cri-du-chat s., cri du chat s., cat-cry s. ネコ鳴き症候群（第5染色体短腕の欠失により起こる障害で，小頭症，隔離症，逆蒙古症様の眼瞼裂，蒙古ひだ，小顎症，斜視，精神的・肉体的発達遅延，および高音のネコ様の鳴き声を特徴とする)．＝cat's cry s.; Lejeune s.

Crigler-Najjar s. (krig′lĕr nah′jahr) [MIM*218800]．クリグラー－ナジャー症候群（ビリルビン－グルクロニドグルクロノシルトランスフェラーゼの欠乏によるビリルビンのグルクロン酸抱合能のまれな欠損症．家族性の非溶血性黄疸と，より重篤な場合は核黄疸に類似した致命的な非可逆性の脳障害を特徴とする．常染色体劣性遺伝で，第1染色体長腕のウリジン二リン酸グリコシルトランスフェラーゼ1(*UGT1*)遺伝子の突然変異により生じる．常染色体優性のものはGilbert症候群とよばれており，同様に*UGT1*遺伝子の突然変異により生じる)．＝Crigler-Najjar disease.

crocodile tears s. ワニの涙症候群（食事を食べたり，食事の予期をしたときに，通常，一側性に涙が出る．これはもとは唾液腺に行っていた神経線維が障害され，涙腺へ迷入して再成長したときに起こる).

Cronkhite-Canada s. (kron′kīt kan′ă-dă) [MIM*175500]. クロンカイト－キャナダ(カナダ)症候群 (広汎性脱毛症と爪の形成異常を伴う胃腸のポリープで，散発的に発生する．恐らく遺伝性ではない).

Crouzon s. (krŭ-zŏn[h]′) [MIM*123500]. クルゾン症候群 (広い前額，両眼間開離，外斜視，くちばしに似た鼻，上顎骨の低形成を特徴とした頭蓋骨癒合症．常染色体優性遺伝．第10染色体長腕の線維芽細胞成長因子受容体2 (*FGFR2*)遺伝子の突然変異による．黒色棘細胞腫を伴った Crouzon 症候群は第4染色体短腕の線維芽細胞成長因子受容体3 (*FGFR3*)遺伝子の突然変異による). ＝craniofacial dysostosis; Crouzon disease.

Crow-Fukase s. (krō fū-kah′sē). クロー－深瀬症候群. ＝POEMS s.

crush s. 圧挫症候群 (重量による長時間の圧迫後，四肢または胴および骨盤部の解放によって起こるショック様の症状．損傷を受けた筋肉からのミオグロビンによる尿細管損傷の結果と考えられる腎機能抑制を特徴とする.→crush *kidney*). ＝compression s.

Cruveilhier-Baumgarten s. (krū-vāl-yā′ bahm′gar-tĕn). クリュヴェーリエ－バウムガルテン症候群 (肝硬変で，臍静脈または臍周囲の静脈の開存および臍周囲静脈が静脈瘤を形成すること(〝メドゥサの頭 caput medusae〟)). ＝Cruveilhier-Baumgarten disease.

cryptophthalmos s. 潜在眼球症候群. ＝Fraser s.

cubital tunnel s. 肘部管症候群 (肘部管内で尺骨神経が圧迫されて生じる疾患．環・小指の感覚異常と手の内在筋のうちのいくつかは筋力低下を呈する).

Cushing s. (kush′ing). クッシング症候群 (副腎皮質からのコルチゾール分泌の増加によって起こる障害で，いくつかの成因により生じる(臨床的には Cushing 病の症状を呈する)．またはステロイドの過剰投与により生じる．体幹の肥満，満月様顔貌，痤瘡，腹壁の線条，高血圧，耐糖能低下，蛋白異化，精神障害，骨粗しょう症，および女性の無月経および多毛症を特徴とする．下垂体のACTH 産生腺腫を伴うときは，Cushing 病(⇒disease)ともよばれる). ＝Cushing basophilism.

Cushing s. medicamentosus (kush′ing). 薬物性クッシング症候群 (Cushing 症候群の種々の徴候および症状．強力なグルココルチコイドであるステロイドの長期大量投与により生じる).

cutaneomucouveal s. 皮膚粘膜ブドウ膜症候群. ＝Behçet s.

Dandy-Walker s. (dan′dē wah′kĕr) [MIM*220200]. ダンディー－ウォーカー症候群 (第4脳室の発生異常で，Luschka 孔や Magendie 孔の閉塞を合併する．その結果，小脳の形成不全，水頭症と後頭蓋嚢胞形成をきたす).

dead arm s. デッドアーム症候群 (肩関節前方脱臼または亜脱臼により上肢の感覚低下または脱失を呈する症候群).

dead fetus s. 子宮内胎児死亡症候群 (死亡胎児が長く子宮内に残留し，非凝固性の血液の出血を特徴とする症候群で，出血に先立って，通常，4週間以上残留し，低線維素原血症，ときとしてDIC (血管内凝固症候群)に進展する).

dead-in-bed s. ベッド内死亡症候群 (特に既往歴もグルコースコントロール不良もない若いインスリン依存性糖尿病患者が早朝ベッド内で死亡していること．低血糖によるものと推定されているが，死後にその原因を立証することは困難である．通常，一日3回インスリン投与を受けている糖尿病患者に起こり，不注意に誤って大量のインスリンを投与し睡眠中に低血糖となったことに気づかないために生じたものと推測されている).

Debré-Sémélaigne s. (deb-rā′ sĕm′ā-len′yĕ). ドブレー－セメレーニュ症候群. ＝Kocher-Debré-Sémélaigne s.

de Clerambault s. (dĕ-klā-rahm-bō′). ド・クルランボル(ド・クレランボー)症候群 (ある人が自分を愛しているという妄想を伴う恋愛妄想).

Degos s. (dĕ-gō′). ドゴー症候群. ＝malignant atrophic *papulosis*.

Dejerine-Klumpke s. (dĕ-zhē-rēn′ klump′kĕ). ドゥジュリーヌ－クルンプケ症候群. ＝Klumpke *palsy*.

Dejerine-Roussy s. (dĕ-zhē-rēn′ rū-sē′). ドゥジュリーヌ－ルシー症候群. ＝thalamic s.

de Lange s. (dĕ-lahng′ĕ). ド・ランゲ症候群 (精神遅滞，独特の顔貌(小頭症，眉毛叢生，前髪生え際の低下，鼻橋の陥没，上向きの鼻，長い人中，コイのような口，薄い上唇，耳介低位)，出生前・後の発育障害，多毛性早熟症，そしてしばしば四肢の奇形を伴う．遺伝は不明だが数例から常染色体優性遺伝が浮かび上がっている). ＝Amsterdam s.; Cornelia de Lange s.

del Castillo s. (dāl kahs-tē-yō). デル・カスティーヨ症候群. ＝Sertoli-cell-only s.

de Morsier s. (dĕ-mōr-sē-ā′). ド・モルシェ症候群. ＝septooptic *dysplasia*.

dengue shock s. デング熱ショック症候群 (III度と IV度の重症度のデング熱).

Denys-Drash s. (de-nēs′ drash). ドゥニー(デニース)－ドラッシュ症候群 (腎症，Wilms 腫瘍，性器異常からなる).

depersonalization s. 離人症候群. ＝depersonalization.

depressive s. ＝depression (4).

dermatitis-arthritis-tenosynovitis s. 皮膚炎－関節炎－腱鞘炎症候群 (淋菌 *Neisseria gonorrhoeae* による，播種性の感染症．皮膚病変(しばしば膿疱性あるいは壊死性)および大関節(膝，足，肘関節のような)の滑膜炎と腱鞘炎を引き起こす).

De Sanctis-Cacchione s. (de-sahnk′tis kah-shē-ō′nĕ) [MIM*278800]. ド・ザンクティス－カッキオーネ症候群 (色素性乾皮症で，精神遅滞，小人症，性器発育不全を伴う．常染色体劣性遺伝．紫外線照射による DNA 損傷修復障害を伴う).

Desert Storm s. 砂漠の嵐症候群. ＝Gulf War s.

s. of deviously relevant answers 的外れ応答症候群. ＝Ganser s.

dialysis disequilibrium s. 透析性不平衡症候群 (悪心，嘔吐，高血圧，まれに痙攣を伴い，腎不全による血液透析が始まってから数時間以内に発現する．あまりに急速な尿素の除去のため発症し，細胞内への水の移動および脳浮腫を伴う).

dialysis encephalopathy s. 透析脳症症候群 (進行性の，ときに死に至る慢性透析患者の少数に出現するびまん性脳症で，比較的急性で自己限定性の透析不均衡症候群と鑑別されるべきである). ＝dialysis dementia.

Diamond-Blackfan s. (dī′mŏnd blak′fan). ダイアモンド－ブラックファン症候群. ＝congenital hypoplastic *anemia*.

DIDMOAD s. 原因不明の，*d*iabetes *i*nsipidus(尿崩症)，*d*iabetes *m*ellitus(真性糖尿病)，*o*ptic *a*trophy(眼萎縮)，*d*eafness(難聴)の頭文字からなる症候群. ＝Wolfram s.

diencephalic s. of infancy 小児期間脳症候群 (初期正常発育に続く著しいるいそう，運動亢進および多幸感を呈し，通常，皮膚蒼白，低血圧および低血糖尿を伴う．一般に前視床下部に生じる新生物による).

Di Ferrante s. [MIM*253230]. ディ・フェランテ症候群 (*N*–アセチルグルコサミン–6–スルファターゼ欠損症．ヘパラン硫酸やケラタン硫酸の尿中への排泄が増加している). ＝mucopolysaccharidosis type VII (2).

DiGeorge s. (di-jōrj′) [MIM*188400]. ディ・ジョージ症候群 (第三および第四咽頭嚢の発育不全によって生じ，胸腺と上皮水体の欠損あるいは発育障害をきたす．心血管奇形，独特な顔貌，甲状腺機能低下症，テタニーを伴う低カルシウム血症，T細胞免疫系の欠損を伴う．TBX1 遺伝子の欠失を伴う第22染色体長腕(22q11)の隣接遺伝子欠失症候群で常染色体優性遺伝を呈する). ＝CATCH 22; congenital aplasia of thymus; conotruncal anomaly-face s.; immunodeficiency with hypoparathyroidism; pharyngeal pouch s.; Sprintzen s.; third and fourth pharyngeal pouch s.; thymic hypoplasia.

Di Guglielmo s. (dē-gū-lyē-el′mō) [MIM*133180]. ディ・グリエルモ症候群. ＝Di Guglielmo *disease*.

disconnection s. 分離症候群，切断症候群 (一側の大脳半球に存在するか両側の大脳半球を連絡する種々の連合経路の障害による，種々の神経障害(超皮質性失語など)の一般名).

disc s. 椎間板症候群 (椎間板の圧迫により神経根が圧迫を受け，疼痛，知覚異常，知覚脱失，筋力低下，反射の異常などの症候・症状を生じる疾患の総称).

disputed neurologic thoracic outlet s. 反論のある神経

学的胸郭出口症候群（かなり論争されている疾患で，斜角筋間三角，正常の第一肋骨と他の構造物の間など，上腕神経叢が1か所以上で圧迫されて起こると考えられている．特に車の事故など，しばしば外傷が原因とされる．若年から中年女性に多い．わきの前半部の痛みが特徴的とされるが，特徴的臨床所見はない．はっきりした客観的所見はなく，反論のない補助的診断検査もない）．

distal intestinal obstructive s. 遠位小腸閉塞症候群（嚢胞性線維症でみられる症候群で，便と粘調な粘液がつまることにより生じる）．

Donohue s. (don′ŏ-hyū). ドーノヒュー氏症候群．＝leprechaunism.

Doose s. (dūs). ドゥーズ症候群（原発性全身性ミオクローヌス失立てんかんのまれな家族性の型で，脳波での 2—3 Hz または 4—6Hz 棘徐波複合を特徴とする．薬に反応することが多い）．

Dorfman-Chanarin s. (dōrf′măn chan′ă-rin) [MIM*275630]. ドーフマン－チャナリン症候群（神経脂質蓄積症．魚鱗癬，白血球空胞，その他の臓器系の種々の程度の障害）．＝neutral lipid storage *disease*.

dorsal midbrain s. 背側中脳症候群．＝Parinaud s.

Down s. (down) [MIM*190685]. ダウン症候群（第 21 番染色体の3重体あるいは転座により，種々の異常をきたす染色体奇形症候群．精神遅滞，成長遅延，低い鼻をもつ扁平な発育不全顔貌，隆起した蒙古ひだ，突き出た下唇，盛り上がった対耳輪をもつ小さく低位の耳，裂けて厚い舌，関節靱帯の弛緩，骨盤形成異常，幅広の手足，ずんぐりした指，横断する手掌のひだなどの異常を呈する．レンズの混濁と心奇形をよく合併する．白血病の発症頻度は高く，40 歳までに多くは Alzheimer 病に罹患する）．＝trisomy 21 s.

Dressler s. (dres′lĕr). ドレスラー症候群（急性心筋梗塞に続発する心外膜炎）．

dry eye s. 眼乾燥症候群．＝*keratoconjunctivitis* sicca.

Duane s. (dwān). デュエーン症候群．＝retraction s.

Dubin-Johnson s. (dū′bin jon′sŏn) [MIM*237500]. デュービン－ジョンソン症候群（遺伝性の肝臓分泌機能不全．血清ビリルビン値(大部分は抱合型)が約 6 mg/dL まで上昇する黄疸を呈する．また尿中にコプロプロフィリンが過剰に分泌される．肝細胞にメラニンまたはカテコールアミンに由来する黒色の沈着を認めるが，それ以外の肝組織検査は正常である．経口胆嚢造影では胆嚢は描出されない．肝臓の試薬(例えばブロモスルフォタレイン)排泄は異常を示す．小管輸送に基本的な欠損を明らかに認める．治療の必要はない．常染色体劣性遺伝で，第 10 染色体長腕にある小管特異的器管陰イオン輸送遺伝子(*CMOAT*)の突然変異により生じる）．＝chronic idiopathic jaundice.

Dubreuil-Chambardel s. (dū-broy′ shahm-bahr-del′). デュブルーユ－シャンバルデル症候群（上顎切歯の同時性う食で両性に 14—17 歳の間に起こる．間隔は様々であるが，後にもう一方の歯もまたむしばまれる）．

dumping s. ダンピング症候群（幽門をバイパスあるいは除去する上部消化管の切除後の患者に最も頻度が高く，食後みられる症候群で，紅潮，発汗，めまい，衰弱，および血管運動虚脱などの症状を特徴とする．大量の食物が急速に小腸に流入した結果，浸透圧効果のために血漿から水分が取り除かれ，相対的循環血液量減少を引き起こす）．＝early dumping s.; postgastrectomy s.

Duncan s. (dŭn′kăn). ＝X-linked lymphoproliferative s.

Dupay s. (dū-pā). デューペー症候群．＝auriculotemporal nerve s.

Dyggve-Melchior-Clausen s. (di-giv′ĕ mel′kē-ōr klaws′-ĕn) [MIM*223800]. ディグヴ－メルキオー－クローセン症候群（Morquio 症候群といくつかの臨床的類似を認めるが，ムコ多糖類尿症を伴わない骨格の形成異常症．精神遅滞，体幹短縮による低身長，進行性胸骨膨隆，関節可動域の制限，よちよち歩き，および腸骨稜の不整，椎体の平坦化をX線上の所見として認める．常染色体劣性遺伝形式をとるが，X連鎖劣性遺伝形式 [MIM*304950]をとるものもある）．

dysarthria-clumsy hand s. 構音障害－手不器用症候群（構音障害と一側の手のぎこちなさで特徴づけられる疾患で，橋底部のラクナ梗塞に起因する）．

dysfunctional elimination s. 排泄機能異常症候群（尿失禁と便失禁を特徴とする原因不明の排泄異常．すでにトイレのしつけを受けた子供に，解剖学的あるいは神経学的異常がないにもかかわらず起こる）．

dyskinesia s. [MIM*242650]. 運動異常症候群．＝primary ciliary *dyskinesia*.

dysmetabolic s. 代謝障害性症候群．＝metabolic s.

dysmnesic s. 記憶障害症候群．＝Korsakoff s.

dysplastic nevus s. 異形成母斑症候群．＝dysplastic *nevus*.

Eagle s. (ē′gel) [W. W. Eagle]. イーグル症候群（茎状突起過長または茎突舌骨靱帯の骨化によって生じる疼痛(咽頭痛)と炎症(扁桃炎)．手術的に治療する）．

Eagle-Barrett s. (ĕ′gĕl bar′ĕt). イーグル－バレット症候群．＝prune belly s.

early dumping s. 早朝ダンピング症候群．＝dumping s.

Eaton-Lambert s. (ē′tŏn lam′bert). イートン－ランバート症候群．＝Lambert-Eaton myasthenic s.

economy class s. エコノミークラス症候群（エコノミークラスの飛行機の座席と関係した，運動制限と狭いスペースによる下肢の血栓症または血栓塞栓症）．＝coach-class s.

ectopic ACTH s. 異所性 ACTH 産生症候群（通常は ACTH を生成する肺癌であり，非下垂体性新生物をもつ Cushing 症候群を伴う）．

ectrodactyly-ectodermal dysplasia-clefting s. [MIM*129830]. 欠指－外胚葉異形成－裂隙症候群（手，足の欠損を伴う常染色体劣性遺伝の疾患．外胚葉系の形成異常による色白の薄い皮膚，無歯症，口蓋裂が認められる）．

Edwards s. (ed′wărdz). エドワーズ症候群．＝trisomy 18 s.

egg-white s. 卵白症候群（皮膚炎，毛髪消失，および筋協応性喪失からなり，生の卵白を多量に含む食事を摂取したラットにみられる．卵白のアビジンがビオチンと結合して，ビオチンの欠乏をきたす）．＝egg-white injury.

Ehlers-Danlos s. (**EDS**) (ā′lĕrz dahn-los′). エーレルス(エーラース)－ダンロー(ダンロス)症候群（結合組織疾患の一群で，皮膚の過弾力性とぜい弱性，関節の過可動性，皮膚血管およびときには大動脈のぜい弱性を特徴とし，コラーゲンの量または質の異常による．最も一般的なものは常染色体優性遺伝で，第 9 染色体長腕のV型コラーゲン α-1(*COL5A1*)遺伝子，あるいは第 2 染色体長腕のV型コラーゲン α-2 (*COL5A2*)遺伝子または *COL3A1* 遺伝子の突然変異により生じる）．

Eisenmenger s. (ī′zĕn-men-gĕr). アイゼンメンガー症候群（シャントの右側がより血圧が高いことにより，チアノーゼを生じる重大な右左シャントを伴う心不全．通常は，Eisenmenger 複合体により，右室肥大と拡張を伴う心室中隔欠損症，重症肺高血圧症，大動脈基部の位置異常による騎乗）．

Ekbom s. (ek′bŏm). エクボーム症候群．＝restless legs s.

elfin facies s. 妖精様顔〔貌〕症候群．＝Williams s.

Ellis-van Creveld s. (el′is van krev′ĕlt) [MIM*225500]. エリス－ファン・クレフェルト症候群．＝chondroectodermal *dysplasia*.

E-M s. E-M 症候群．＝eosinophilia-myalgia s.

EMG s. EMG症候群．＝Beckwith-Wiedemann s.

encephalotrigeminal vascular s. 脳三叉神経血管症候群（脳の血管腫症で，三叉神経領域に母斑をもつ．⇀Sturge-Weber s.）．

eosinophilia-myalgia s. (**EMS**) 好酸球増多－筋痛症候群（自己免疫疾患と考えられている疾患で，汚染した L-トリプトファン錠で増悪し，疲労感，微熱，筋肉痛，筋肉弛緩と痙攣，虚弱，四肢知覚異常，皮膚硬化を特徴とする．末梢血の著明な好酸球増多が認められ，血清アルドラーゼが増加し，末梢神経・筋肉・皮膚・筋膜の生検では，血管病変と結合織の炎症が観察される）．＝E-M s.

episodic dyscontrol s. 挿話的コントロール不能症候群．＝intermittent explosive *disorder*.

erythrodysesthesia s. 紅斑異感覚症候群（手掌，足蹠のちくちく痛む感覚．さらに進展して紅斑浮腫を伴った強い疼痛と圧痛が生じる．持続点滴療法が原因）．

estuary-associated s. 河口関連症候群（病原体 *Pfeisteria piscicida* との接触による症状の総称．米国 CDC の基準では 2か月以内に河口水に触れたこと，記憶喪失または錯乱，さらに以下の3つ以上の症状(頭痛，水接触部位の発疹，皮膚の灼熱感，上気道感染症状，筋肉の痙攣，消化器症状)が皮膚症状を除いて最低2週間持続すること，他の考えられる原因がないこと，以上を満たすこと).

euthyroid sick s. 甲状腺機能正常な病的症候群（全身性の重篤な疾患患者にみられる甲状腺ホルモン濃度異常．このような患者の甲状腺機能は実際には正常である．しかし治療をして効果があるか否かは不明である).＝sick euthyroid s.

Evans s. (ev′ănz). エヴァンズ症候群（後天性溶血性貧血と血小板減少).

exfoliation s. 落屑症候群.＝pseudoexfoliation s.

exomphalos, macroglossia, and gigantism s. (**EMG**) 臍ヘルニア・巨舌・巨人症候群.＝Beckwith-Wiedemann s.

extrapyramidal s. 錐体外路症候群（錐体路以外の運動路の傷害に関する運動の異常).

Faber s. (fah′bĕr). ファーバー症候群.＝achlorhydric *anemia*.

false memory s. 偽記憶症候群（空想上の出来事に関するはっきりした記憶で，その多くは外傷的で時間的に遠隔である．その回復を促進している治療者によって生じさせられたものであり，一般的には否定的に使われる．論争中の概念).

familial aortic ectasia s. 家族性大動脈拡張症候群（常染色体性優性の大動脈の二弁形成，あるいは早期の石灰化，大動脈の拡張と解離，まれには大動脈の縮窄症を伴う症候群．外見上 Marfan 症候群と似る).＝familial aortic ectasia.

familial chylomicronemia s. 家族性乳び血症症候群（カイロミクロンと中性脂肪の蓄積による遺伝性障害.→chylomicronemia).

familial cold autoinflammatory s. [MIM#120100]. 家族性寒冷自己炎症性症候群（寒冷状態下に置かれると発症するじんま疹．関節の痛みと腫脹，悪寒，発熱).

familial gestational ovarian hyperstimulation s. 家族性卵巣過剰刺激症候群（卵胞刺激ホルモン(FSH)受容体をコードする遺伝子の変異により，自然に卵巣の過剰刺激が起こるもの．そのため，FSH，および妊娠時においてはヒト絨毛性ゴナドトロピン(hCG)に対する感受性が上昇すると考えられる．その結果として，hCG による FSH と黄体化ホルモン(LH)の受容体の活性化が起こり，顆粒膜細胞の黄体化とともに卵胞が過剰に発育する．本疾患の患者にはヘテロ(異型接合)変異がみられる．本疾患は引き続く妊娠でも起こると考えられている).

Fanconi s. (fahn-kō′nē) [MIM*227650—227660]. ファンコーニ(ファンコニー)症候群（①汎血球減少症，骨髄の形成不全，先天性奇形を特徴とし，同一家族内に起こる(少なくとも5種類の非対立遺伝子型において常染色劣性形質[MIM*227650,*227660,*227645,*227646,*600901])特発性難治性貧血の一型．正球性またはわずかに大球性であり，大赤血球および標的赤血球が循環血液中にみられることがある．好中球減少による白血球減少が起こる．先天性奇形には，小人症，小脳症，性器発育不全，斜視，母指・橈骨・腎臓・尿路の奇形，精神遅滞，小眼球症が含まれる.＝congenital aplastic anemia; congenital pancytopenia; Fanconi anemia; Fanconi pancytopenia. ②腎尿細管機能の特徴的な障害を伴う症状の一群をいい，次のように分類される．ⓘcystinosis(シスチン蓄積症)：小児期早期にみられる常染色体劣性疾患，ⓘⓘadult Fanconi s.(成人 Fanconi 症候群)：まれな遺伝型で，シスチン蓄積症にみられるのと異なる劣性遺伝子によると考えられ，シスチン蓄積症にみられる尿細管機能不全および骨軟化を特徴とするが，組織中のシスチン沈着はない，ⓘⓘⓘacquired Fanconi s.(後天性 Fanconi 症候群)：多発性骨髄腫を伴うか，または化学薬品中毒，傷害，または種々の原因による尿細管機能の多発性障害をもたらす近位尿細管上皮の持続的傷害による).

FAPA s. FAPA 症候群（*f*ever 熱発，*a*denitis 腺炎，*p*haryngitis 咽頭炎，および *a*phthous ulcer アフタ性潰瘍という周期的な発作を引き起こす，原因不明の症候群).

Farber s. (far′bĕr) [MIM*228000]. ファーバー症候群.＝disseminated *lipogranulomatosis*.

Favre-Racouchot s. ファーヴル－ラクショ症候群.＝Favre-Racouchot *disease*.

Felty s. (fel′tē) [MIM*134750]. フェルティ症候群（巨脾症および白血球減少症を伴う関節リウマチ).

fetal alcohol s. 胎児アルコール症候群（女性が妊娠中にアルコールを摂取することで生じうる胎児の先天異常で，発育不全，頭部・顔面奇形，精神遅滞を含む機能的障害を伴う).＝fetal alcohol spectrum disorders.

fetal aspiration s. 胎児吸引症候群（胎児による子宮内羊水および胎便の吸引によって起こる症候群で，通常，低酸素状態により生じ，吸引性肺炎を生じることが多い).＝meconium aspiration s.

fetal face s. 胎児顔面症候群（妊娠初期の胎児の顔つきに似た顔貌をもつ症候群．前腕が短く出生時に性器発育不全を伴うが，軟骨形成不全はない．知能低下を伴わない小人症になる).

fetal hydantoin s. 胎児ヒダントイン症候群（母親がヒダントイン類似体(例えばフェニトイン)を服用したために起こる症候群．身体発育不全，知能発育不全，顔面形成異常，唇裂および(または)口蓋裂，心臓の奇形，性器異常などが特徴).

fetal trimethadione s. 胎児トリメタジオン症候群（妊娠初期にトリメタジオンを内服したために起こる症候群．発育遅延，V形睫毛，内眼角ぜい皮，耳輪前方がひだ状になった低位の耳介，口蓋異常，不規則な歯列などが特徴).

fetal warfarin s. 胎児ワルファリン症候群（妊婦がワルファリンを服用した場合に生じる胎児の症候群．出血，鼻の低形，眼球萎縮などが特徴．死亡の原因となることもある).

fibrinogen-fibrin conversion s. フィブリノ〔ー〕ゲン・フィブリン転換症候群（非凝固性の血液をもつ低フィブリノーゲン血症を特徴とする症候群．胎盤早期剝離，Rh で感作された母親の死胎児の持続性停留，溶血性血液反応，両側腎皮質壊死，および外傷にみられる.→consumption *coagulopathy*; disseminated intravascular *coagulation*).

fibromyalgia s. 線維筋痛症候群.＝fibromyalgia.

Fiessinger-Leroy-Reiter s. (fē′sing-ĕr lĕ-rwah′ rī′tĕr). フェイサンジェ－ルロワ－ライター症候群.＝Reiter s.

fifth digit s. [MIM*135900]. 第五指症候群.＝Coffin-Siris s.

first arch s. 第一鰓弓症候群（第一鰓弓の誘導体の奇形の症候群を意味する特殊な用語で，他の奇形を伴うこともある．下顎骨顔面異骨症，奇肢症を伴う小上顎症，耳下顎骨異骨症，先端顔面異骨症などを含む).

Fisher s. (fish′ĕr). フィッシャー症候群（眼筋麻痺，運動失調，反射消失を特徴とする症候群．Guillain-Barré 症候群(→syndrome)の亜型と一般的に考えられている).

fish-odor s. 魚臭症候群.＝trimethylaminuria.

Fitz-Hugh and Curtis s. (fitz-hyū kŭr′tĭs). フィッツ－ヒュー・カーティス症候群（淋菌性またはクラミジア性卵管炎の病歴をもつ女性の肝周囲炎).

flashing pain s. [MIM*190400]. 閃光痛症候群（脊髄皮節の分布に沿った突発性の間欠的な強烈で短い疼痛発作で，はっきりした原因はない．性質的には疼痛性チックに似る．*cf. tic* douloureux).

flat head s. 扁平頭蓋症候群.＝positional *plagiocephaly*.

flattened head s. 扁平頭蓋症候群.＝positional *plagiocephaly*.

flecked retina s. [MIM*228980]. 斑点状網膜症候群（血管造影法において，網膜色素上皮の蛍光色素の透過性異常を伴う遺伝性網膜疾患).

floppy valve s. 左室の収縮期の間，変性した僧帽弁尖または三尖弁尖が，閉塞点を越えて僧帽弁口内へ逆行性にずれる．Barlow 症候群の主要事項.

Flynn-Aird s. (flin ārd) [MIM*136300]. フリン－エアード症候群（筋肉の消耗，運動失調，認知症，皮膚萎縮，う歯，関節硬縮，色素性網膜炎，進行性感覚難聴を特徴とする家族性の症候群．常染色体優性遺伝).

Foix-Alajouanine s. (fwah ah-lah-zhū-ah-nēn′). フォワ－アラジュワニーヌ症候群（亜急性上行性対麻痺，解離性感覚消失，および膀胱直腸障害．脊髄静脈血栓症による進行性虚血性脊髄障害が原因である).

Foix-Chavany-Marie s. (fwah sha-vah-nē′ muh′rē). フォワ－キャヴァニー－マリー症候群＝anterior opercular s.

folded-lung s. たたみ込み肺症候群.＝rounded *atelectasis*.

Forbes-Albright s. (fōrbz al′brīt). フォーブズ－オールブライト症候群（先端巨大症を伴わない下垂体腫瘍で，過剰量のプロラクチン(PRL)を分泌し，持続的な乳汁分泌をきたす).

Foster Kennedy s. (fos′tĕr ken′ĕ-dē). フォスター・ケネディ症候群. ＝Kennedy s.

Foville s. (fō-vēl′). フォヴィル症候群（病巣側の顔面神経と外転神経の麻痺，および反対側の片麻痺．橋被蓋の病巣(通常梗塞)による).

fragile X s. ぜい弱X症候群（X連鎖遺伝で，精神遅滞，特徴的顔貌，巨大睾丸などの所見を呈す．DNA 分析では，X染色体長腕末端(Xq27.3)近くに，３塩基の異常な繰り返しが存在する．葉酸欠乏条件下に培養した場合，核型上のこの部分にくびれが観察される．→Renpenning s.). ＝ FMR1; marker X s.; Martin-Bell s.

Fraley s. (frā′lē). フレーリー症候群（上部漏斗部の狭窄による上極腎杯の拡張．通常，腎臓の上中部を栄養する血管の圧迫による).

Franceschetti s. (frahn-che-shet′ē). フランスシェッティ症候群（下顎顔面骨形成不全症 mandibulofacial *dysostosis* の完全な，またはほぼ完全なもの).

Franceschetti-Jadassohn s. (frahn-che-shet′ē yah′dah-sōn). フランスシェッティ－ヤーダッソーン症候群. ＝Naegeli s.

Fraser s. (frā′zĕr) [MIM*219000]. フレーザー症候群（潜在眼球症に中耳と外耳の奇形，口蓋裂，喉頭変形，臍と乳頭の移動，指の奇形，恥骨結合の分離，腎発育不全および女性性器の男性化を含む多発奇形の合併したもの．常染色体劣性遺伝と思われる). ＝cryptophthalmos s.

Freeman-Sheldon s. (frē′măn shel′dŏn). フリーマン－シェルドン症候群. ＝craniocarpotarsal *dystrophy*.

Frey s. (frī). フレー症候群. ＝auriculotemporal nerve s.

Friderichsen-Waterhouse s. (frid′ĕr-ik-sĕn waw′tĕr-hows). フリーデリックセン－ウォーターハウス症候群. ＝Waterhouse-Friderichsen s.

Fröhlich s. (froy′lik). フレーリッヒ症候群. ＝adiposogenital *dystrophy*.

Froin s. (frwah[n]). フロワン症候群（脳脊髄液の変化で，髄液中の蛋白(アルブミンとグロブリン)含量の著しい増加により黄色調を帯び，採取後数秒間で髄液の自然凝固がみられる．炎症または新生物による閉塞により髄液循環から隔絶されるクモ膜下腔の小房化部分で著しい). ＝loculation s.

Fuchs s. (fūks) [MIM*136800]. フックス症候群（角膜変性，虹彩毛様体炎，角膜混濁および白内障を有する虹彩の異色症を特徴とする症候群．常染色体優性遺伝が考えられている). ＝Fuchs heterochromic cyclitis.

functional bladder s. 機能的膀胱症候群（膀胱部の不快感や昼間頻尿など，よくみられる不明確な症候群). ＝chronic glandular urethrotrigonitis.

functional prepubertal castration s. 機能的思春期前去勢症候群（陰嚢内に精巣が欠如するがそれに代わる中腎管誘導体の存在，明らかな女性化乳房，類宦官体質，血漿値の増加，ゴナドトロピンの尿中排泄などを特徴とする症候群).

G s. [罹患報告症例者の姓の頭文字]. G症候群（特徴的顔貌に，尿道下裂，陰茎の腹側彎曲，およびえん下障害を合併する．Opritz らの提唱する BBB 症候群と恐らく同一のものと考えられる．常染色体優性遺伝).

Gaisböck s. (gīs′bŏk). ガイスベック症候群. ＝*polycythemia* hypertonica.

Ganser s. (gahn′sĕr). ガンザー症候群（精神病様の症状であるが，本来の精神病の症状や徴候はなく，狂気を装う囚人に典型的にみられる．例えば6に4を掛けると，と尋ねられると 23 と答えたり，鍵を錠と言ったりするものである．→malingering; factitious *disorder*). ＝nonsense s.; s. of approximate relevant answers; s. of deviously relevant answers.

Gardner s. (gard′nĕr) [MIM*175100. 0006]. ガードナー症候群（結腸癌の好発原因となる多発性ポリポーシス．多発性腫瘍，頭蓋の骨腫，類表皮嚢胞および線維腫なども伴う．常染色体優性遺伝．第5染色体長腕にある大腸腺腫性ポリポーシス遺伝子(*APC*)の変異により生じる．この疾患は家族性腺腫性ポリポーシス(*FAP*)と相関の疾患である).

Gardner-Diamond s. (gard′nĕr dī′mŏnd). ガードナー－ダイアモンド症候群. ＝autoerythrocyte sensitization s.

Garin-Bujadoux-Bannwarth s. (gah-ran[h]′ bū-jah-dū bahn′vart). ガラン－ブジャドー－バンワース症候群. ＝Bannwarth s.

gastrocardiac s. 胃心臓症候群（消化器系，特に胃の異常活動による心臓の活動障害).

gastrojejunal loop obstruction s. 胃空腸脚閉塞症候群. ＝afferent loop s.

gay bowel s. ゲイ腸症候群（同性愛の男性に経験される胃腸の不快感，腹痛，腹部痙攣，腹部膨満，鼓腸，嘔気，嘔吐，下痢．腸管内の細菌，ウイルス，真菌，動物寄生体，外傷により起こる).

Gélineau s. (zhā-lē-nō′). ジェリノー症候群. ＝narcolepsy.

gender dysphoria s. 性同一性不全症候群（ある１つの性別の性器的特徴および第二次性徴を有しているにもかかわらず，反対の性別に対する親和性や所属感が強いために著しい個人的ストレスを体験している症候群．こうした人は手術を受けて，解剖学的にも性別を変えることがある).

general adaptation s. 汎適応症候群（Hans Selye により提唱された症候群．種々の身体的・精神的なストレスやストレス因子に長期間にわたり暴露された結果として，下垂体－副腎系に単一の際立った生理的反応が生じた状態．Selye が命名したように，生体は警告反応期，抵抗期，最後に疲弊期という３段階を経て反応する．→stress (4); stress (5). *cf.* psychoendocrinology). ＝adaptation s. of Selye.

Gerstmann s. (gerst′mahn). ゲルストマン症候群（手指失認，失書症，身体の左右弁別障害，および失算症．後頭部と角回の間の障害により起こる).

Gerstmann-Sträussler-Scheinker s. (gerst′mahn stris′lĕr shīn′kĕr) [MIM*137440]. ゲルストマン－シュトロイスラー－シャインカー症候群（海綿状脳症の慢性で小脳を侵す型).

Gianotti-Crosti s. (jah-nawt′ē krōs′tē). ジャノッティ－クロスティ症候群（年少小児に起こるB型肝炎感染の皮膚症状．脚，殿部，腕の伸側にかゆみのない黒みを帯びた丘疹からなる発疹で，この症候群は２－８週間続き，腺疾患や無黄疸性の肝腫大，倦怠感を伴う). ＝papular acrodermatitis of childhood.

giant fornix s. 巨大結膜円蓋症候群（慢性，反復性の膿性結膜炎で巨大な上眼瞼結膜円蓋のくぼみに貯留する蛋白凝塊内で増殖する大量の細菌によって炎症が持続する).

Gilbert s. (zhēl-bār′) [MIM*143500]. ジルベール症候群. ＝familial nonhemolytic *jaundice*.

Gilles de la Tourette s. (zhēl dĕ lah tū-ret′) [MIM*137580]. ジル・ド・ラ・ツレット症候群. ＝Tourette s.

Gillespie s. (gi-les′pē). ギレスピー症候群（虹彩の先天的欠損，精神遅滞，小脳失調を呈する症候群．原因不明).

Gitelman s. (git′ĕl-mŏn). ギテルマン症候群（学童期から青年期にかけてみられる．低カリウム血症，低マグネシウム血症，尿中カルシウムの低下，ときにテタニーを呈する).

glucagonoma s. グルカゴノーマ症候群（グルカゴン分泌性の膵島細胞腫瘍に起因する症候群．表皮融解性の移動性紅斑，間擦疹性または開口周辺部の皮膚炎，口内炎，貧血，体重減少，および高血糖症を呈する).

glucocorticoid resistance s. 糖質コルチコイド抵抗[性]症候群（コルチゾールの過剰産生があるにもかかわらず，Cushing 症候群に特徴的な症状(中心性肥満，薄い皮膚，骨粗しょう症，小児では成長障害)を呈さない家族性または散発性症候群．電解質異常を伴う(または伴わない)高血圧，女性では男性ホルモン過剰症(例えば，ニキビ，多毛症，男性型の禿頭，希発月経，排卵と月経の部分的または完全な抑制，無排卵)，思春期早発症，外性器の異常を呈する．常染色体劣性または優性に遺伝する．糖質コルチコイド受容体に欠陥があるとされている). ＝primary cortisol resistance.

Goldenhar s. (gōl′dĕn-hahr) [MIM*257700]. ゴルドナール症候群. ＝oculoauriculovertebral *dysplasia*.

Goldmann-Favre s. (gōldt′mahn fahv). ゴールドマン－ファーヴル症候群（常染色体劣性進行性硝子体壁板網膜変性).

gold-myokymia s. 金ミオキミア症候群，金筋波動症症候群（広範性ミオキミア，筋痛，自律神経障害(発汗亢進，起立性低血圧)を呈する症候群で，金療法による).

Goltz s. ゴルツ症候群. ＝focal dermal *hypoplasia*.

Goodpasture s. (gud′pas-tyŭr) [MIM*233450]. グッドパスチャー症候群（喀血を伴う抗基底膜型の糸球体腎炎．腎炎は通常，進行し，腎不全による死を招き，剖検では肺に広範なヘモジデリン沈着あるいは新しい出血がみられる）．

Gopalan s. (gō′pah-lahn). ゴパラン症候群（皮膚温の上昇と発汗過多を伴った足の強い不快感を主徴とする）．

Gorham s. (gōr′ăm). ゴーラム症候群．＝disappearing bone *disease*.

Gorlin s. (gōr′lin). ゴーリン症候群．＝basal cell nevus s.

Gorlin-Chaudhry-Moss s. (gōr′lin chaw′drē mos) [MIM *233500]．ゴーリン－ショードリー－モス症候群（頭蓋顔面異骨症，動脈管開存症，多毛症，大陰唇の低形成，歯および眼球の異常をきたす．→Weill-Marchesani s.）．

Gougerot-Carteaud s. (gū′gher-ō′ kar-tō′). グジュロー－カルトー症候群．＝confluent and reticulate *papillomatosis*.

Gowers s. (gow′ĕrz). ガウアーズ症候群（動悸，胸痛，呼吸困難，胃運動障害からなる症候群．一時は迷走神経刺激によると考えられたが，現在は心因性（不安神経症）と考えられている）．＝vagal attack; vasovagal attack; vasovagal s.

gracilis s. [MIM*603358]．大腿薄筋症候群（外傷に続発する恥骨の骨壊死）．

Gradenigo s. (grah-dā′nē-go). グラデニーゴ症候群（耳漏，頭痛，複視，眼窩後部痛からなる症候群．錐体前端部の硬膜外膿瘍による錐体尖炎による．Dorello 管での外転神経の圧迫と三叉神経節の刺激を起こす）．

gray s., gray baby s. グレイ症候群（妊娠後期に母体に投与されたクロラムフェニコールが胎盤を通して中毒作用を及ぼし，出生時あるいは新生児期の児が灰白色の皮膚色を呈する症候群．致死性になることがある）．

Greig s. (greg). グレーグ症候群．＝ocular *hypertelorism*.

Greig cephalopolysyndactyly s. (greg) [MIM*175700]．グレーグ頭蓋多合指症候群（第 17 染色体短腕 13 領域の *GL I3* 遺伝子の変異を原因とする常染色体優性疾患で，四肢の多合指，大頭蓋，前頭隆起，隔離症，平担鼻梁を特徴とする）．

Grönblad-Strandberg s. (grŏn′blahd strahn′bĕrg). グレンブラッド－ストランドベリー症候群（網膜の血管様線条と皮膚の弾性偽性黄色腫とをあわせもつもの）．

Gubler s. (gū-blār′). ギュブレル症候群（交代性片麻痺の一型．同側性片麻痺および同側顔面神経麻痺を特徴とする）．＝Gubler paralysis; Millard-Gubler s.

Guillain-Barré s. (gē-yan[h]′ bă-rā′). ギヤン－バレー症候群（末梢神経，脊髄根，脳神経の急性免疫関連疾患．四肢，体幹，呼吸，咽頭，顔面の筋肉の比較的対称性の上行性脱力を呈することが多く，急速進行性で反対消失がみられることが多い．感覚障害と自律神経障害はみられることもみられないこともある．症候は 2 － 3 週間以内に最も悪化し，その後同程度の期間は不変で，それから徐々に完全に回復することが多い．Guillain-Barré 症候群は，しばしば呼吸器または消化管の感染が先行し髄液の蛋白細胞解離を伴う．古典的には病理学的に急性炎症性脱髄性多発根神経障害（acute inflammatory demyelinating *polyradiculoneuropathy* 参照）と考えられてきたが，最近，純粋軸索変性型が認識された）．＝acute idiopathic polyneuritis; acute inflammatory polyneuropathy; infectious polyneuritis; Landry paralysis; Landry s.; Landry-Guillain-Barré s.; postinfectious polyneuritis.

Gulf War s. 湾岸戦争症候群（1991年のペルシャ湾岸戦争に従軍した米国軍人に起こった種々の健康障害の症候群．疲労，筋骨格痛，頭痛，呼吸困難，記憶喪失，下痢を含む．サリン，農薬，臭化ピリドスチグミン（これは軍隊に保護的抗毒素として供給された）を含む低濃度の神経毒への暴露と関係していると考えられる）．＝Desert Storm s.; Persian Gulf s.

Gunn s. (gŭn). ガン症候群．＝jaw-winking s.

gustatory sweating s. 味覚性発汗症候群．＝auriculotemporal nerve s.

Guyon tunnel s. (gē-yon[h]′). ギヨン管症候群（手関節部で尺骨神経が通る Guyon 管内で尺骨神経が絞扼を受けるか圧迫される疾患）．

Haber s. (hah′bĕr). ハーバー症候群（顕著な毛包口，鱗屑を伴う小丘疹，および細かいへこんだ部分を伴う，頬・鼻・額・顎の永久的な紅潮および毛細血管拡張症．ときに体幹の鱗屑性角化性病変を伴う）．

HAIR-AN s. [*h*yper*a*ndrogenism, *i*nsulin *r*esistance, *a*canthosis *n*igricans]．HAIR-AN 症候群（男性化，インスリン抵抗性，黒色表皮症 *acanthosis* nigricans．インスリンの著しい高値および黄体化ホルモン luteinizing *hormone* と卵胞刺激ホルモン follicle-stimulating *hormone* の正常な思春期の女性に認められる男性化症）．

Hallermann-Streiff s. (hah′lĕr-mahn strīf). ハレルマン－シュトライフ症候群．＝*dyscephalia* mandibulooculofacialis.

Hallermann-Streiff-François s. (hah′lĕr-mahn strīf frahn-swah′). ハレルマン－シュトライフ－フランソワ症候群．＝*dyscephalia* mandibulooculofacialis.

Hallervorden s. (hah′lĕr-fōr-dĕn). ハレルフォルデン症候群．＝Hallervorden-Spatz s.

Hallervorden-Spatz s. (hah′lĕr-fōr-dĕn shpahts). ハレルフォルデン－シュパッツ症候群（ジストニーと他の錐体外路機能障害を特徴とする疾患．20 歳以下で発症する．淡蒼球と黒質に大量の鉄の沈着を伴う）．＝Hallervorden s.; Hallervorden-Spatz disease; status dysmyelinisatus.

Hallgren s. (hahl′grĕn). ハルグレン症候群（前庭小脳性運動失調，色素性網膜ジストロフィ，先天性難聴，および白内障）．

Hamman s. (ham′ăn). ハマン症候群（特発性の縦隔気腫で，肺胞の破裂により起こる）．＝Hamman disease.

Hamman-Rich s. (ham′ăn rich). ハマン－リッチ症候群．＝idiopathic pulmonary *fibrosis*.

hand arm vibration s. (HAVS) 手腕振動症候群（手で持つ振動器機（空気ドリル，電気みがき機，ガス動力チェーンソーなど）の使用による疾患．循環障害，特に指蒼白化（二次性 Raynaud 現象）を呈する血管攣縮，主に指に限局する感覚神経変化（しびれ，感覚鈍麻），手と前腕を侵す種々の骨格異常を呈する．片側性のことも両側性のこともあり，初期は間欠的に寒冷で誘発されるが，最終的には進行して常に症候を呈するようになる．しばしば手根管症候群を伴う）．＝vibration s.

hand-and-foot s. 手足症候群（再発性の痛みを伴う手足の腫脹で，鎌状赤血球貧血の乳児や小児にみられる）．＝sickle cell dactylitis.

hand-foot s. 手足症候群（5-フルオロウラシル投与に伴う有痛性落屑症候群で，特に連続投与とシタラビン併用投与で生じる）．

hand-foot-and-mouth s. 手足口症候群．＝hand-foot-and-mouth *disease*.

Hanhart s. (han′hart). ハンハルト症候群．＝*micrognathia* with peromelia; peromellia.

hantavirus pulmonary s. ハンタウイルス肺症候群（数種類のハンタウイルス（Andes, Bayou, Black Creek Canal, New York, Sin Nombre viruses）による南北アメリカの熱病で，血小板減少，白血球増加，肺毛細血管出血を特徴とし，ショックや心合併症で死亡する）．

happy puppet s. [MIM*234400]．幸福な人形症候群（精神遅滞，運動失調，緊張低下，てんかん発作，容易に誘発される遷延性痙笑，上顎前突，および開口を特徴とする症候群）．

Harada s. (han-rah′dă). 原田症候群（両側性網膜浮腫，ブドウ膜炎，脈絡膜炎，網膜剝離を起こし，一時的または永久に聴力を失い，髪は灰色となり（白毛症）脱毛を伴う．Vogt-Koyanagi症候群および交感性眼炎に関連する）．＝Harada disease; uveoencephalitis; uveomeningitis s.

Harris s. (ha′ris). ハリス症候群（膵機能異常，Langerhans 島の過形成，インスリノーマのようなインスリン分泌過剰状態でみられる症候で，低血糖，飢餓感，イライラ感，頻脈や顔面紅潮を呈する）．

Hartnup s. (hart′nŭp). ハートナップ症候群．＝Hartnup *disease*.

Hayem-Widal s. (ah-yĕm′ vē-dahl′). エヤン－ヴィダル症候群（acquired hemolytic *icterus* を表す現在では用いられない語）．＝Widal s.

HDR s. [MIM 146255]．*h*ypoparathyroidism（副甲状腺機能低下症），sensorineural *d*eafness（感音難聴），*r*enal anomalies（腎奇形）の頭文字からなる症候群．

head-bobbing doll s. 頭部の間欠性の屈曲，伸展を示す先天性疾患で，しばしば四肢の同様の運動を付随する第 3 脳室の占拠性病変（例えば，囊胞や腫瘍）に伴う進行性水頭症によることが多い．

Heerfordt s. (hār′fōrt). ヘールフォルト症候群. ＝uveoparotid *fever.*

Hegglin s. (heg′lin). ヘグリン症候群（血流力学的収縮期(Q–S_2 音間隔)と電気的(Q–T 間隔)収縮期の解離で，そのため第 2 心音(S_2)は T 波の終わりより前に記録される．糖尿病性昏睡または他の代謝性障害時のエネルギー－力学的心不全として Hegglin により記載された）.

HELLP s. ヘルプ症候群（溶血 *h*emolysis，肝酵素上昇 *el*evated *l*iver enzyme および血小板減少 *l*ow *p*latelets を伴う重症中毒症）.

Helweg-Larssen s. (hel-weg lahr′sen). ヘルウェグ－ラルセン症候群（無汗性外胚葉性形成異常，難聴を特徴とする常染色体優性遺伝疾患．難聴は 30—50 歳で発症する）.

hemolytic uremic s. [MIM*235400]. 溶血性尿毒症症候群（急性腎不全とともに起こる溶血性貧血と血小板減少症．小児では，突発する消化管出血，血尿，乏尿，微小血管障害性溶血性貧血を特徴とする．成人では，正常分娩に続く妊娠の合併症や経口避妊薬の使用や感染症と関係する．しばしば大腸菌感染によって起こる）.

Henoch-Schönlein s. (he′nok shĕrn′līn). ヘーノホ(ヘノッホ)－シェーンライン症候群. ＝Henoch-Schönlein *purpura.*

hepatorenal s., hepatonephric s. 肝腎症候群，肝腎障害症候群（肝臓や肝道系の疾患をもつ患者に急性腎不全が発現するもので，腎血液流量の減少によることは明らかである．四塩化炭素中毒やレプトスピラ症など両器官に損傷を与える状態でも起こる）.

Herlitz s. (her′lits). ヘルリッツ症候群. ＝*epidermolysis* bullosa lethalis.

Hermansky-Pudlak s. (hār-mon′skē pūd′lok) [F. *Hermansky*, P. *Pudlak*][MIM*203300]. ヘルマンスキー－パドラック症候群（眼皮膚白皮症の一型(常染色体性劣性遺伝)で，リソソーム内のセロイドの蓄積がみられ，拘束性肺病変，肉芽腫性大腸炎，腎機能障害，心筋炎および血小板の貯蔵プール症を呈する．→oculocutaneous *albinism*）.

heroin overdose s. ヘロイン過量服薬症候群. ＝opiate intoxication s.

Herrmann s. (her′mahn). ヘルマン症候群（小児期後期か青年期早期に始まる多系統疾患で，光ミオクローヌス，難聴，次いで起こる糖尿病，進行性認知症，腎盂腎炎，および糸球体腎炎を特徴とする．進行性感音難聴はもっと後で出現する．表現率が不完全な常染色体優性遺伝の可能性が高い）.

Hinman s. (hin′măn). ヒンマン症候群. ＝nonneurogenic neurogenic *bladder.*

HIV-associated adipose redistribution s. HIV 関連脂肪再分布症候群（HIV 感染患者にしばしばみられる異常で，皮下の脂肪が，特に殿部，体肢端，顔面部で減少し，代わりに腹腔内の脂肪の沈着が増加する．原因不明）. ＝HARS.

HIV wasting s. HIV 消耗性症候群. ＝wasting s. (2).

Hoffman s. (hawl′mahn sin′drōm) [Johann Hoffmann. ドイツ人神経科医，1857—1919]. ホフマン症候群（成人の甲状腺機能低下症に筋肥大，筋力低下，筋硬直を伴う症候群）.

holiday s. 休日症候群（退行現象，漠然とした不安，無気力感，焦燥，抑うつ感からなる．精神分析療法を受けているある種の患者に起こり，感謝祭(11 月の第 4 木曜日)の前から始まりクリスマス休暇の間続いて，1 月にはいって終わるといわれる）.

holiday heart s. ホリデイハート症候群（休暇の後や，週末など仕事から離れたときにしばしばみとめられる不整脈．調律異常で，過剰な飲酒に続発してみられることもある．通常は一過性）.

Holmes-Adie s. (hōlmz ā′dē). ホームズ－アーディー症候群. ＝Adie s.

Holt-Oram s. (hōlt ō′răm) [MIM*142900]. ホールト－オーラム症候群（心房中隔欠損からなり，親指の長指化または欠如と前腕の他の奇形を伴う．常染色体優性遺伝し，第 12 染色体長腕の T-box5(*TBX5*)遺伝子における変異に起因する）.

Horner s. (hōr′nĕr) [MIM*143000]. ホルナー(ホルネル)症候群（同側の縮瞳，眼瞼下垂，および顔面発汗消失．通常片側性で，同側の頸部交感神経鎖またはその中枢経路の病変による．同側の外傷性腕神経叢障害に合併する場合は，通常脊髄から C8 と T1 神経根が引き抜かれたことを示すので，悪い徴候である）. ＝Bernard-Horner s.; ptosis sympathetica.

Houssay s. (ū′sā). オーサイ症候群（下垂体の破壊性損傷または手術的除去による真性糖尿病の軽快）.

Houston-Harris s. (hew′stŏn har′is). ヒューストン－ハリス症候群. ＝*achondrogenesis* type IA.

Hughes s. (hūz). ヒューズ症候群. ＝primary antiphospholipid s.

Hughes-Stovin s. (hyūhs stō′vin). ヒュース－ストーヴィン症候群（大小の肺動脈瘤，末梢静脈の血栓症と重複性の副鼻腔を伴う症候群）.

Hunt s. (hŭnt). ハント症候群（①四肢より始まる意図振せんで，次第に増強し身体の他の部位に波及する. ＝ataxia with myoclonus; progressive cerebellar tremor. ②顔面神経麻痺，耳痛，帯状疱疹で第七脳神経および膝状神経節のウイルス感染による．③若年性振せん麻痺の一型で，淡蒼球系の一次萎縮を伴う. ＝paleostriatal s.; pallidal s.）. ＝Ramsay Hunt s. (1).

Hunter s. (hŭn′tĕr) [MIM*309900]. ハンター症候群（イズロネートスルファターゼの欠損を特徴とするムコ多糖類代謝の障害で，尿中へのデルマタン硫酸とヘパリチン硫酸の排泄を伴う．臨床的に Hurler 症候群に類似するが，骨格変化がより重くないこと，角膜混濁がないこと，および X 連鎖劣性遺伝により区別される．X 染色体長腕にあるイズロネートスルファターゼ(*IDS*)遺伝子の突然変異により生じる）. ＝mucopolysaccharidosis type II.

Hurler s. (hŭr′ler) [Gertrud *Hurler*]. フルラー症候群（ムコ多糖体沈着症で，α-L-イズロニダーゼの欠損，異常な細胞内物質の蓄積，尿中へのデルマタン硫酸と硫化ヘパラン酸の排泄がみられる．骨格軟骨および骨の重篤な発育異常で，小人症，脊柱後弯症，変形四肢，関節運動の制限，スペード様手掌，角膜混濁，肝脾腫大，精神遅滞，およびガーゴイル様顔貌を伴う．常染色体劣性遺伝で，第 4 染色体短腕の α-L-イズロニダーゼ(*IDUA*)遺伝子の突然変異により生じる．→mucolipidosis）. ＝Hurler disease; lipochondrodystrophy; mucopolysaccharidosis type IH; Pfaundler-Hurler s.

Hurler-Scheie s. (hŭr′ler shā) [Gertrud *Hurler*, Harold G. *Scheie*]. フルラー－シャイエ症候群（Hurler 症候群と Scheie 症候群の中間の表現型．α-L-イドロニダーゼ欠損症）. ＝mucopolysaccharidosis type I H/S.

Hutchison s. (hŭch′in-son). ハッチソン症候群（乳児の副腎神経芽細胞腫で，眼窩への転移を伴う．一時期誤って，左の副腎から優勢に起こると信じられていた．→Pepper s.）.

Hutchinson-Gilford s. (hŭch′ĭn-sŏn gil′fŏrd). ハッチンソン－ギルフォード症候群. ＝progeria.

hyaline membrane s. 肺硝子膜症候群. ＝hyaline membrane *disease* of the newborn.

hydralazine s. ヒドララジン症候群. ＝drug-induced *lupus.*

17-**hydroxylase deficiency s.** [MIM*202110]. 17-ヒドロキシラーゼ欠損症候群（副腎皮質あるいは性腺(例，睾丸や卵巣)のステロイド C-17α ヒドロキシラーゼの先天的欠損症．コルチコステロンおよびデオキシコルチコステロンの過剰分泌により，高血圧，低カリウム血症性アルカローシスを生じる．また分泌過剰がわずかな場合には男児での外性器発育異常，女児では性的幼稚症を伴う．男女ともに思春期発育をきたさない．原発性無月経のまれな原因である．常染色体劣性遺伝．第 10 染色体長腕にあるシトクロム P450(*CYP-17*)遺伝子の突然変異により生じる）.

hyperabduction s. 過外転症候群（①上肢を過外転すると，上肢遠位部の脈拍が減弱または消失する症候群．②胸郭出口症候群 thoracic outlet s. の旧名称の 1 つで，上肢の過外転により鎖骨下動脈または腋窩動脈，あるいは腕神経叢が，肋鎖腔または小胸筋腱の下で圧迫されて生じる）. ＝subcoracoid-pectoralis minor tendon s.; Wright s.

hyperactive child s. 過活動児童(小児)症候群. ＝attention deficit hyperactivity *disorder.*

hypereosinophilic s. 好酸球増多症候群（骨髄，心臓，その他の臓器への好酸球の浸潤を伴う末梢血での持続する好酸球増多症．盗汗，咳嗽，食欲不振や体重減少，そう痒および種々の皮膚病変，Löffler 心内膜炎の症候を随伴する）.

S

hyper-IgM s. 高 IgM 症候群（血清中の IgG と IgA が非常に低濃度であるとともに，IgM が正常あるいはポリクローナルな IgM の顕著な上昇がみられるX連鎖の免疫不全疾患．CD40 リガンド遺伝子の突然変異から派生した結果，T細胞依存性のB細胞アイソタイプスイッチが起こらない．罹患少年は 1—2 歳時に反復する細菌感染を起こす）．

hyperimmunoglobulin E s. 高 IgE 症候群（血漿中の IgE 濃度の高値（>0.03 mg/mL），白血球遊走能の欠如，再発性ブドウ球菌感染症，皮膚や上気道などにみられる冷膿瘍形成を特徴とする免疫不全）．=Job s.

hyperkinetic s. 多動症候群（病的な過剰活動を特徴とする症状で，脳損傷，精神病，注意力欠損疾患をもつ年少小児およびてんかんにときにみられる．運動過剰および情緒不安定が主な特徴である．被転導性，不注意，羞恥心および恐怖感の欠如がよく随伴する症状である）．

hyperkinetic heart s. 過剰拍動心症候群（過剰な拍動性症候群の総称．すなわち心臓が異常に速く拍動したり，患者が心拍動を継続して自覚する）．

hyperornithinemia-hyperammonemia-hypercitrullinuria s. ［MIM*238970］．高オルニチン－高アンモニア血症－高シトルリン尿症症候群（オルニチンのミトコンドリア内への輸送が障害されているために生じるまれな遺伝性疾患．→lysinuric protein *intolerance*）．

hypersensitive xiphoid s. 過敏性剣状突起症候群（剣状突起の異常な圧痛で，胸部，上腹部，肩に特発性の疼痛を伴うことが多い）．

hyperventilation s. 過換気症候群（→chronic hyperventilation s.）．

hyperviscosity s. 過粘稠度症候群，過粘稠血症候群（血液の粘稠度の増加による症候群．血清蛋白の増加は粘膜からの出血，網膜症，および神経症状を伴い，Waldenström マクログロブリン血症および多発性骨髄腫にみられることがある．赤血球増加症による二次的な粘度の増加は器官の充血および毛細管の灌流の減少を伴う）．

hypometabolic s. 低代謝性症候群（甲状腺機能低下症または粘液水腫を示唆する臨床的症状．甲状腺機能検査結果は正常であり，甲状腺は萎縮しておらず，病気でもない．甲状腺ホルモンに対する末梢性組織の不応性が示唆されている）．

hypoparathyroidism s. 副甲状腺(上皮小体)機能低下症（疲労，筋力低下，四肢の知覚異常および痙攣，テタニー，喉頭ぜん鳴を特徴とする症候群．副甲状腺ホルモン不足による低カルシウム血症のために生じる．特発性，術後性，または上皮小体の器質的病変により起こる）．

hypophysial s. 視床下部症候群．=adiposogenital *dystrophy*.

hypophysiosphenoidal s. 下垂体－蝶形骨症候群（しばしば鞍背の破壊を伴う蝶骨洞領域頭蓋底の新生物浸潤）．

hypoplastic left heart s. ［MIM*241550］．左心室発育不全症候群（左心室の発育不全で，大動脈や僧帽弁の閉鎖症または狭窄症および上行大動脈の発育不全を伴う）．

iliotibial band s. 腸脛靱帯症候群（腸脛靱帯と大腿骨外側上顆との間の機械的摩擦による炎症の結果生じる膝痛を呈する疾患．→iliotibial band friction s.）．

iliotibial band friction s. 腸脛靱帯摩擦症候群（股関節部，大腿，膝部に疼痛を生じる疾患で，腸脛靱帯が大転子，上前腸骨棘，Gerdy 結節の上を滑走する際に，または腸脛靱帯症候群 iliotibital band *syndrome* として，刺激を受ける．ときにばね現象やきしる感じを伴う）．

Imerslünd-Grasbeck s. (ē′mĕr-slund grōs′bek)［Olga Imerslünd，Ralph Grasbeck］．イマースルンド－グラスベック症候群（腸細胞コバラミン吸収不全）．

immotile cilia s. ［MIM*242650］．線毛不動症候群（ダイニン腕の1つあるいは両方の欠損によって線毛構造が効果的にビート運動できないことが原因で，反復性副鼻腔・肺感染，女性の低受精率，男性の不妊症を特徴とする遺伝性疾患．常染色体劣性遺伝．*cf.* Kartagener s.）．

immune dysregulation, polyendocrinopathy, enteropathy, X-linked s. ［MIM304790］．免疫異常・多〔発性〕内分泌腺症・消化管障害・X連鎖症候群（湿疹，消化管障害，溶血性貧血，内分泌疾患(糖尿病や甲状腺疾患)，ウイルス感染に対する異常反応などの様々な自己免疫疾患を呈する症候群．幼児期か小児期に死亡することが多い）．

immunodeficiency s. 免疫不全症候群（免疫欠損または障害をさし，主徴は感染に対する感受性の増加である．感受性のパターンは欠損の種類による．→immunodeficiency）．

impingement s. インピジメント症候群．=supraspinatus s.

s. of inappropriate secretion of antidiuretic hormone (SIADH) 抗利尿ホルモン分泌異常症候群（血清低浸透圧および細胞外液量の膨張にもかかわらず起こる，抗利尿ホルモンの持続的分泌）．

indifference to pain s. 無痛覚症候群（疼痛に対する先天的無感覚症で，皮膚に器官化した神経終末がないためと考えられる）．

infertile male s. ［MIM*308370］．男性不妊症候群（男性ホルモン受容体異常により男性ホルモン作用が発揮できないために生じる遺伝性疾患．→Reifenstein s.）．

inspissated bile s. 濃縮胆汁症候群（溶血性貧血を有する新生児に起きる遷延性の黄疸であり，直接ビリルビン・間接ビリルビンともに上昇する）．

inspissated milk s. 濃縮乳症候群．=lactobezoar.

insulin resistance s. インスリン抵抗性症候群．=metabolic s.

internal capsule s. 内包症候群（顔面の反対側の半側感覚消失を伴う半盲症）．

inversed jaw-winking s. 逆下顎眼瞼異常運動症候群（三叉神経の核上障害があるとき，角膜に触れると下顎骨が活発に反対側に動くようになる）．

IPEX s. *i*mmune dysregulation, *p*olyendocrinopathy, *e*nteropathy, *X*-linked s. の略．

iridocorneal endothelial s. 虹彩角膜内皮症候群（緑内障，虹彩萎縮，角膜内皮細胞減少症，周辺虹彩前癒着と多発性虹彩結節からなる症候群）．=Cogan-Reese s.; iris-nevus s.

iridocorneal s. 虹彩角膜症候群．=Chandler s.

iris-nevus s. 虹彩－母斑症候群．=iridocorneal endothelial s.

irritable bowel s. (**IBS**) 過敏性腸症候群（器質的な異常を伴わずに便秘，下痢，放屁，鼓腸などの消化器症状を呈する状態．大腸の非協調性または不十分な収縮に関連する）．

Irvine-Gass s. (ĭr′vīn gahs)．アーヴァイン－ガス症候群（黄斑浮腫，無水晶体眼，白内障摘出術創への硝子体癒着）．

Isaac s. (ī′sik)．アイザック症候群（神経に起因する異常自発性筋活動によるまれな疾患．運動後の持続性筋硬直と弛緩の遅延がみられ，しばしば痛み，痙攣，線維束性収縮，発汗過多，筋肥大(筋電図でミオキミアとして現れる)を伴う．Isaac 症候群は通常，下肢から始まるが，腹部，上肢，声帯，呼吸筋も侵すことがある．散発性が多いが常染色体優性遺伝の報告もある．恐らく末梢神経のカリウムチャネルに対する抗体ができる自己免疫疾患である）．=Isaac-Merton s.

Isaac-Merton s. (ī′zăk mĕr′tŏn)．=Isaac s.

Ivemark s. (ē′vĕ-mark)．イヴェマルク症候群．=polysplenia.

Jadassohn-Lewandowski s. (yah′dah-sōn lev′ahn-dov′skē)．ヤーダッソーン－レーヴァンドヴスキー症候群．=*pachyonychia* congenita.

Jahnke s. (jahn′kĕ)．ヤーンケ症候群（緑内障を伴わない Sturge-Weber 症候群）．

jaw-winking s. ［MIM*154600］．下顎眼瞼異常運動症候群（そしゃく中の瞼裂幅の増加で，ときには口が開いているときに上眼瞼が律動的に挙上し，口を閉じているときには眼瞼下垂がみられる）．=Gunn phenomenon; Gunn s.; jaw-winking phenomenon; jaw-working reflex; Marcus Gunn phenomenon; Marcus Gunn s.

Jeghers-Peutz s. (jā′gĕrz pŭtz)．ジェガーズ－ポイツ症候群．=Peutz-Jeghers s.

Jervell and Lange-Nielsen s. (yer-vel′ lahng′ĕ nēl′sĕn)［MIM*220440, *176261］．ジェルヴェル－ランゲ・ニールセン症候群（Adams-Stokes 発作および心室細動が原因で意識消失発作を起こしやすいある種の先天性難聴の小児の心電図上記録される Q-T 間隔の延長．常染色体劣性遺伝で，最近第 11 染色体のKチャネル(*KVLQT1*)または第 21 染色体の最小Kチャネル(*KCNE1*)の遺伝子変異によるホモ型接合のためであることが判明した）．=surdocardiac s.

Jeune s. (zhŭn)．ジュヌ症候群．=asphyxiating thoracic

dystrophy.

Job s. (jōb)［*Job*．聖書中の人物］［MIM*243700］．ヨブ症候群．＝hyperimmunoglobulin E s.

Johanson-Blizzard s. (yō-hahn′sŏn bliz′ard)［MIM*243800］．ヨハンソン－ブリザード症候群（膵外分泌機能不全，頭皮欠損，鼻翼低形成，難聴，出生時低体重，小頭，精神遅滞，甲状腺機能低下症，永久歯欠損の臨床的特徴を呈する）．

joint hypermobility s. 関節過可動性症候群（全身の結合組織が弛緩することによって生じる種々の徴候を総合した遺伝疾患．臨床症状としては関節痛および関節不安定症（とりわけ膝と肩）がみられる．Ehlers–Danlos 症候群（⇒syndrome）と類似．ときとして他の疼痛症候（例えば線維筋痛症）と合併する）．

Joubert s. (zhū′bār)［MIM*213300］．ジュベール症候群（小脳虫部の形成不全．臨床的に過呼吸または長い無呼吸発作，異常眼球運動，失調，精神遅滞が特徴である）．

jugular foramen s. 頸静脈孔症候群．＝Avellis s.

Kallmann s. (kahl′mahn)．カルマン症候群．＝*hypogonadism* with anosmia.

Kanner s. (kahn′ĕr)．カンナー症候群．＝infantile *autism.*

Kartagener s. (kahr-tag′ĕ-nĕr)［MIM*244400］．カルタゲナー症候群（気管支拡張症と慢性の副鼻腔炎を伴う全内臓逆位症．線毛の動きの障害，呼吸気道上皮における線毛粘液移送の障害を伴う．内臓逆位の機構は不明だが，真の逆位よりむしろ正確には正常の左右差がまったく消失してでたらめになるように思われる．種々の表現率による常染色体性劣性遺伝である．→immotile cilia s.）．＝Kartagener triad; Zivert s.

Kasabach-Merritt s. (kas′ă-bahk mer′it)．カサバッハ－メリット症候群（広範な血管腫があり，血小板減少と消費性凝固障害をきたす．通常，幼少の早期にみられる）．

Kast s. (kahst)．＝Maffucci s.

Katayama s. (kat′a-yă-mă)．片山症候群．＝Katayama *disease.*

Kawasaki s. (kă′wă-să-kē)．川崎病．＝mucocutaneous lymph node s.

Kearns-Sayre s. (kernz sār)［MIM*530000］．キーンズ－セイアー症候群（慢性進行性外眼筋麻痺の一型で，心伝導系障害，低身長，難聴を伴う．小児期に発症する散在性に起こるミトコンドリアミオパシー）．＝ragged red fiber myopathy.

Kennedy s. (ken′ĕ-dē)．ケネディ症候群（中心暗点を伴う一側の視神経萎縮と対側の乳頭浮腫．一側の視神経の髄膜腫により起こる）．＝Foster Kennedy s.

Kenny-Caffey s. (ken′ē kaf′ē)．ケニー－キャフィー症候群（間欠的な低カルシウム血症（PTH 分泌異常を伴う）や骨と眼の異常を特徴とする疾患．常染色体優性遺伝と劣性遺伝のものがあり，第 1 染色体の長腕に存在する，チュブリンに特異的なシャペロン E をコードしている遺伝子の突然変異によって生じる）．

Kindler s.［Theresa Kindler．英国人皮膚科医］．キンドラー症候群（水疱や進行性皮膚萎縮を伴った先天性多形皮膚萎縮症）．＝Kindler-Weary s.

Kindler-Weary s. キンドラー－ウィアリー（ウェリー）症候群．＝Kindler s.

Kleine-Levin s. (klīn lĕ-vin′)［MIM*148840］．クライネ－レヴィン症候群（周期性睡眠過剰のまれな型で，大食を伴い 10—25 歳の男性に起こる．長い睡眠（18 時間にもなる）と交代で起こる病的食欲の期間，行動障害，考想過程の障害，および幻覚を特徴とする．急性疾患または疲労が発作に先行することがあり，発作は 1 年に数回起こることがある）．

Klinefelter s. (klīn′fel-tĕr)．クラインフェルター症候群（染色体数 47 で，XXY の性染色体をもつ染色体異常症．頬や他の細胞の性染色質は陽性を示し，患者は男性として成長する．しかし精細管の発育不全を伴い，無精子症と不妊を認める．血漿および尿中ゴナドトロピンの増加，種々の程度の女性化乳房，類宦官体型を示す．2 つ以上の異なった染色体成分の細胞系をもつ染色体性モザイク症候群を示すこともある．雄の三毛ネコが動物モデルである）．＝XXY s.

Klippel-Feil s. (klip′ĕl fīl)［MIM*148900］．クリペル－フェーユ症候群（短頸，頸椎の癒合，脳幹と小脳の異常として発現する先天的欠陥．常染色体優性遺伝だが，ほとんどは散発例である）．＝cervical fusion s.

Klippel-Trenaunay-Weber s. (klĭ-pel′ trā-nō-nā web′ĕr)［MIM*149000］．クリペル－トルノネー－ウェーバー症候群（血管腫（通常，火炎状母斑とクモ状母斑）に患肢の肥大と静脈奇形の組み合せを有する症候群．患肢の変化が筋肉や骨に影響（萎縮か肥大）を及ぼす．リンパ浮腫も合併することがある．常染色体優性遺伝か散発例と考えられている）．＝angio-osteohypertrophy s.; congenital dysplastic angiectasia; hemangiectatic hypertrophy.

Klüver-Bucy s. (klē′vĕr bū′sē)．クリューヴァー－ビューシー症候群（精神盲あるいは視覚刺激に対する過反応，食・性行動の亢進，また衝動・情動反応の抑制などを特徴とする．側頭葉を両側性に切除したサルにおいて報告されたが，ヒトについてはほとんど報告されていない）．

Kniest s. (knēst)［MIM*156550, *120140］．クニースト症候群（丸い扁平な顔面，関節の腫大，こわばり，拘縮，側弯，網膜剥離を伴う近視，口蓋裂，難聴，長管骨骨幹端の拡大，扁平化，および椎骨の冠状披裂を特徴とする軟骨異形成症．第 12 染色体長腕の II 型コラーゲン（*COL2A1*）遺伝子の突然変異による常染色体優性遺伝）．

Kobberling-Dunnigan s. (kob′ĕr-ling dŭn′ĭ-găn)．コベリング－ダンニガン症候群．＝familial partial *lipodystrophy.*

Kocher-Debré-Sémélaigne s. (kō′kĕr dĕ-brā′ sā-mā-lān′)．コッヒャー（コッヘル）－デブレ－セメレーニュ症候群（常染色体劣性遺伝する甲状腺欠損性のクレチン病．筋肉の偽性肥大を伴う）．＝Debré-Sémélaigne s.

Koenig s. (ker′nig)．ケーニッヒ症候群（便秘と下痢が交互に出現して，仙痛，鼓腸，右腸骨窩の腹鳴を伴う．盲腸結核の症状であるとされる）．

Koerber-Salus-Elschnig s. (kŏr′bĕr sah′lūs elsh′nig)．ケルバー－ザールス－エルシュニヒ症候群．＝convergence-retraction *nystagmus.*

Kohlmeier-Degos s. (kōl′mī-ĕr dā-gō′)．コールマイアー－ドゴー症候群（皮膚と消化管の細動脈を主に侵す血管の閉塞性疾患で，患者の約 1/5 は動脈の線維化と血栓に続発する中枢神経症状を呈する）．

Korsakoff s. (kōr-să′kof)．コルサコフ症候群（錯乱および重篤な記憶障害，特に記銘力の障害をもち，患者がそれを作語で補おうとすることが特徴となるアルコール健忘症候群．典型的なものは慢性アルコール中毒患者でみられる．本症候群に振せんせん妄が先行することがあり，Wernicke 症候群がしばしば随伴する．詳しい病因は不明であるが，アルコールによる直接の中毒作用というよりは，慢性アルコール中毒にしばしば伴う重篤な栄養失調のほうがより重要な影響を及ぼすと考えられる）．＝amnestic s. (1); dysmnesic s.; Korsakoff psychosis.

Kostmann s. (kōst′wahn)．コストマン症候群（重篤な小児の無顆粒球症で，重症，反復性感染および好中球減少をきたす小児の遺伝性疾患）．

Kuskokwim s. (kush′kŏ-kwim)．クスコクウィム症候群（関節拘縮症類似の先天的関節拘縮で，アラスカのクスコクウィム川デルタのエスキモー（イヌイットの人々）にみられる）．

Laband s. (lah-band′)［MIM*135500, 135300］．レーバンド症候群（歯肉の線維腫で，遠位指節骨の発育不全，爪の形成異常，関節の運動亢進症，ときには肝脾腫を伴う．常染色体優性遺伝）．

Lady Windemere's s.［Oscar Wilde の戯曲 *Lady Windemere's Fan* の表題人物にちなんで命名された］．ウィンデミア夫人症候群（しばしば漏斗胸や脊椎側弯のある虚弱な高齢女性の非結核菌性マイコバクテリウム肺疾患）．

LAMB s. ラム症候群（黒子 *l*entigines，心房粘液腫 *a*trial myxoma，粘膜皮膚の粘液腫 *m*ucocutaneous myxomas，青色母斑 *b*lue nevi の合併．→NAME s.）．

Lambert s. (lam′bert)［MIM*245550］．ランバート症候群．＝Lambert-Eaton myasthenic s.

Lambert-Eaton myasthenic s. (**LEMS**) (lam′bert ē′tŏn)．ランバート－イートン無筋力症症候群（シナプス前神経末端からのアセチルコリン放出量が欠損することによって起こる全身性の神経筋伝達疾患．しばしば肺の小細胞癌に関連し，特に長期の喫煙歴を有する老年男性にみられる．重症筋無力症と異なり，筋の衰弱は単発性で体軸筋，帯状束筋，頻度は低いが四肢筋にみられる傾向がある．自律神経失調症(口渇，インポテンツ)がしばしばみられる．深部腱反射が誘導不可能．運動性伝導試験では，初期刺激に対する反応が振幅として非常に弱いが数秒の運動の後には顕著な後テタヌス促進がみられる．Lambert-Eaton 症候群はシナプス前運動神経末端に存在する電位感受性カルシウムチャネルの欠損による．→myasthenic s.)．＝carcinomatous myopathy; Eaton-Lambert s.; Lambert s.; Lambert-Eaton s.; myasthenic s.

Lambert-Eaton s. (lam′bert ēt′on)．ランバート－イートン症候群．＝Lambert-Eaton myasthenic s.

Landau-Kleffner s. (lan′dow-klef′nĕr) [MIM*245570]．ランドー－クレッフナー症候群（後天性失語症を伴う小児期の全身性および神経運動性痙攣．脳波では多巣性と棘徐波放電がある）．＝acquired epileptic aphasia.

Landry s. (lahn-drē′)．ランドリー症候群．＝Guillain-Barré s.

Landry-Guillain-Barré s. (lahn-drē′ gē-yan[h]′ bă-rā′)．ランドリー－ギヤン－バレー症候群．＝Guillain-Barré s.

Langer-Saldino s. (lahng′ĕr sahl-dē′nō)．＝*achondrogenesis* type II.

large offspring s. 過大子症候群（新生子期の呼吸・代謝異常症．巨大で，機能不全に陥った胎盤を認める．特に核移植胚による体外受精胚由来の胎子で過大子が多い）．

large vestibular aqueduct s. 前庭水管拡大症（変動性または進行性の遅発性感音難聴を呈する内耳奇形．前庭水管の拡大は高分解能 CT 検査で検出される）．

Larsen s. (lar′sĕn)．ラーセン症候群（関節弛緩，骨の異常を伴う多発性の先天性脱臼を特徴とする症候群で，著しく扁平な顔と軟口蓋裂を含む）．

Lasègue s. (lah-seg′)．ラゼーグ症候群（転換ヒステリーで，視覚の支配下にない場合，麻痺した四肢を動かすことができないもの）．

late dumping s. 後期ダンピング症候群（幽門括約筋機能をなくした患者にみられる症候群．食事 2 — 3 時間後に潮紅，発汗，めまい，脱力，血管運動虚脱が生じる．症状はインスリン過剰分泌を刺激する大量の炭水化物が急速に吸収されることによる低血糖により生じる．→dumping s.）．

lateral medullary s. ＝posterior inferior cerebellar artery s.

Launois-Bensaude s. (lō-nwah bon[h]-sōd′)．ロノワ－バンソード症候群．＝multiple symmetric *lipomatosis*.

Launois-Cléret s. (lō-nwah′ klār′-ă)．ロノワ－クレレー症候群．＝adiposogenital *dystrophy*.

Laurence-Moon s. (law′rĕnts mūn) [MIM*245800]．ローレンス－ムーン症候群（精神遅滞，色素性網膜症，性器発育不全，および痙性対麻痺を特徴とする症候群．常染色体劣性遺伝．Bardet-Biedl 症候群 [MIM*209900]とは区別するべきである．以前は，この 2 つの症候群は Laurence-Moon-Bardet-Biedl 症候群としてよばれていた）．

Lawrence-Seip s. (law′rĕns sīp)．ローレンス－セイプ症候群．＝lipoatrophy.

lazy bladder s. 怠惰膀胱症候群（排尿筋の機能障害に起因する小児の排尿異常であり，排尿回数が少ないことと溢流性尿失禁を特徴とする．膀胱は低緊張性で大きく，尿意は減弱し，尿勢は低下する．力んだり，膀胱を用手的に圧迫することが，これらの変化を助長しているのかもしれない）．

left renal vein entrapment s. 左腎静脈挟み込み症候群．＝nutcracker *phenomenon*.

Leigh s. (lay)．リー症候群．＝Leigh *disease*.

Lejeune s. (lĕ-zhūn′)．ルジューヌ症候群．＝cri-du-chat s.

Lemierre s. (lem-ē-ār′) [André *Lemierre*．フランス人医師，1875 — 1956]．ルミエール(レミエール)症候群．＝postanginal *sepsis*.

Lenègre s. (lĕ-neg′rĕ)．ルネーグル症候群（心臓の刺激伝達系にのみ障害を生じる疾患で，硬化変性病変を生じる．通常，房室結節，His 束，脚の原因不明の線維化で対応する刺激伝達系のブロックを伴う）．＝Lenègre disease.

Lennox s. (len′ŏks)．レノックス症候群．＝Lennox-Gastaut s.

Lennox-Gastaut s. (len′ŏks gahs-tō)．レノックス－ガストー症候群（精神遅滞を伴う小児の全身性ミオクローヌス失立てんかん．周生期低酸素症，脳出血，脳炎，脳の発育不全や代謝疾患のような種々の脳障害が原因となる．多数の発作型(全般性強直型，無緊張型，ミオクローヌス型，強直・間代型，異型アプサンス)，脳波での背景活動の徐波化と低周波数棘徐波パターンを特徴とする)．＝Lennox s.

LEOPARD s. [MIM*151100]．LEOPARD 症候群（黒子(多発性) *l*entigines(multiple)，心伝導系の異常 *e*lectrocardiographic abnormalities，両眼隔離症 *o*cular hypertelorism，肺動脈狭窄症 *p*ulmonary stenosis，性器の奇形 *a*bnormalities of genitalia，発育遅延 *r*etardation of growth，難聴(知覚神経性) *d*eafness (sensorineural)を呈する症候群．常染色体性優性遺伝性疾患)．＝multiple lentigines s.

Leriche s. (lĕ-rēsh′)．ルリーシュ症候群（末梢部の虚血症状と徴候を起こす大動脈腸骨動脈閉塞性疾患）．

Leri-Weill s. ルリー－ヴェル(レリー－ワイル)症候群．＝dyschondrosteosis.

Lermoyez s. (lār-mwah′yā)．レルモワイエ症候群（めまい発作に先行して難聴，耳鳴が悪化し，その後に聴力が改善する．Ménière 病の一型）．

Lesch-Nyhan s. (lesh-nī′han) [MIM*300322]．レッシュ－ナイハン症候群（ヒポキサンチン－グアニンホスホリボシルトランスフェラーゼ(HPRT)欠損によるプリン代謝異常で，高尿酸血症，尿酸尿石症，精神遅滞，痙性脳性麻痺，舞踏病アテトーシス，および指や唇をかむ自己損傷行為を特徴とする．X 染色体長腕の *HPRT* 遺伝子の突然変異による X 連鎖劣性遺伝）．

Lev s. (lev)．レヴ症候群（正常心筋・正常冠動脈の患者に生じる脚ブロックで，刺激伝導系に線維化・石灰化を生じる結果起こる．膜性中隔，筋性中隔頂上や，僧帽弁輪，大動脈弁輪を侵す）．＝Lev disease.

Libman-Sacks s. (lib′măn saks)．リブマン－サックス症候群．＝Libman-Sacks *endocarditis*.

Li-Fraumeni cancer s. (lē frah′men-ē) [MIM*151623, 191170]．リー－フラウメニ癌症候群（若年女性の家族性乳癌で，小児期に軟部組織の肉腫を伴い，近親者に脳腫瘍を含む他の癌を認める．常染色体優性遺伝で，第 17 染色体短腕の p53 遺伝子変異によって生じる）．

liver kidney s. 肝腎症候群（肝臓腎臓両方の機能の高度な障害．種々の疾患でみられ，しばしば致命的な結果となる．特に肝硬変や肝炎による晩期の肝不全や種々のウイルス感染でみられる）．

locked-in s. 閉込め症候群（橋底部の梗塞で，四肢麻痺，水平眼球運動障害，えん下障害，顔面両側麻痺，意識正常を呈する．脳底動脈閉塞が原因）．＝pseudocoma.

loculation s. 小房形成症候群．＝Froin s.

Löffler s. I (lŏrf′lĕr)．レフラー症候群（寄生虫侵入にしばしば合併する好酸球性肺浸潤．抗生剤，L-トリプトファン，コカインに対する反応でもみられる）．＝eosinophilic pneumonia; eosinophilic pneumonopathy.

Löffler s. II (lŏrf′lĕr)．レフラー症候群（好塩基性心内膜炎/心筋炎）．

Löffler s. (lŏrf′lĕr)．レフラー症候群（①＝simple pulmonary *eosinophilia*．②＝Löffler *endocarditis*）．

long QT s.'s QT 延長症候群（心電図上，年齢や性別を考慮して求めた QT 時間より延長する先天性または後天性の疾患．QT 延長は不整脈や突然死に先行することがある．→QT *interval*）．

Lorain-Lévi s. (lō-rān[h]′ lā-vē′)．ロラン－レヴィ症候群．＝pituitary *dwarfism*.

Louis-Bar s. (lū-ē′ bar)．ルイ－バール症候群．＝*ataxia* telangiectasia.

Lowe s. (lō)．ロウ症候群．＝oculocerebrorenal s.

Lowe-Terrey-MacLachlan s. (lō ter′ē măk-lahk′lŏn)．＝oculocerebrorenal s.

Lown-Ganong-Levine s. (lown gan′ang lĕ-vīn′)．ローン－ギャノング－レヴァイン症候群（QRS 群の正常な持続をもつ短い PR 間隔の心電図症候群．Wolff-Parkinson-White 症候群にみられる不明瞭なデルタ波はないが，発作性頻拍をしばしば(異論もある)伴う点は類似している．この点から一症候群と分類することができる．単なる PR 間隔の短縮は正常人でも起こる）．

low salt s., low sodium s. 低塩症候群，低ナトリウム症候群（うっ血性の心不全と高血圧の治療のための塩分制限と利尿薬の使用による症候群．衰弱，嗜眠状態，筋肉痙攣を示し，窒素貯留による糸球体沪過の減少，腎不全，ときには死亡するという特徴がある．腹水を伴う肝硬変および副腎機能不全でもみられる）．＝salt depletion s.

lupuslike s. 狼瘡様症候群（臨床的には全身性紅斑性狼瘡 systemic *lupus* erythematosus. に類似であるが，他の原因による症候群）.

Lutembacher s. (lū′těm-bahk-er). リュタンバッシェ(ルタンバッシャー)症候群（先天性心臓異常で，心房中隔欠損，僧帽弁狭窄症，右心房拡大からなる）.

Lyell s. (lī-yel′). ライエル症候群. ＝toxic epidermal *necrolysis*.

lymphoproliferative s. [MIM*308240]. ＝X-linked lymphoproliferative s.

Lynch s. (linch). リンチ症候群（I 型は通常若年で発症する家族性大腸直腸癌．II 型は女性器癌あるいは近位の消化管癌を伴って若年に生じる家族性大腸結腸癌).

Macleod s. (mă-klowd′). マクラウド(マクロード)症候群. ＝unilateral lobar *emphysema*.

Mad Hatter s. [*Alice in Wonderland* の登場人物に由来]. マッド・ハッター症候群（慢性水銀中毒の胃腸症候と中枢神経系症候で，口内炎，下痢，失調，振せん，反射亢進，感覚神経障害，情動不安定を含む．以前は，曲げやすくするために鉛を含む物質を口に入れていた鉛製造業の労働者にみられた).

Maffucci s. (mă-fū′chē) [MIM*166000]. マフッチ症候群（静脈奇形と静脈リンパ管奇形を伴う四肢の内軟骨腫症．他の良性，悪性腫瘍を生じる傾向がある．同側の下肢が侵されることが多いが，同側上皮，まれに脈管奇形を伴わない対側下肢が侵されることもある．まれに腹部，側腹部，背部が侵される．*cf.* Parkes Weber s.). ＝dyschondroplasia with hemangiomas; Kast s.

Magendie-Hertwig s. (mah-zhan-dē′ hert′vig). マジャンディーヘルトヴィヒ症候群. ＝Magendie-Hertwig *sign*.

malabsorption s. 吸収不良症候群（下痢，衰弱，浮腫，倦怠，体重減少，食欲不振，腹部の隆起，蒼白，出血傾向，感覚異常，筋肉痙攣および脂肪便症状を特徴とする状態で，栄養の吸収不良，例えばスプルー，グルテン誘発性腸症，胃回腸吻合，結核，ある型の瘻孔といった状態のいずれでも起こりうる).

malignant carcinoid s. 悪性カルチノイド症候群. ＝carcinoid s.

malignant mole s. [MIM*155600]. 悪性黒子症候群（不整形で様々な色調の明らかな母斑細胞性の 5 —10 mm の黒子が多数(100 以上)みられる．主として体幹と四肢にできる．恐らくは常染色体優性遺伝.→dysplastic *nevus*).

Mallory-Weiss s. (mal′ŏ-rē wīs). マロリー－ヴァイス症候群（上部消化管出血で，通常，催吐運動や嘔吐により生じる胃食道接合部の粘膜の裂創で起こる）. ＝Mallory-Weiss lesion; Mallory-Weiss tear.

malpractice stress s. 医療過誤ストレス反応（医療過誤訴訟をかかえている医療従事者に生じる状態で，孤独感や傷つけられた自己像，情動変化，家庭生活の混乱といった状態を示す).

mandibulofacial dysostosis s. 下顎顔面異骨〔症〕症候群. ＝mandibulofacial *dysostosis*.

mandibulooculofacial s. 下顎眼顔面症候群. ＝*dyscephalia* mandibulooculofacialis.

Marchiafava-Micheli s. (mahr-kē-ă-fah′vah mē-kā′lē). マルキアファーヴァ－ミケーリ症候群. ＝paroxysmal nocturnal *hemoglobinuria*.

Marcus Gunn s. (mar′kŭs gŭn). マーカス・ガン症候群. ＝jaw-winking s.

Marfan s. (mahr-fahn′) [MIM*154700]. マルファン症候群（骨格変化(クモ指症，長い四肢，関節弛緩，胸郭奇形)，血管障害(解離性大動脈瘤，僧帽弁逸脱症)，水晶体転位を特徴とする結合組織の多系統障害．第 15 染色体長腕のフィブリリン 1 遺伝子(*FBN1*)の突然変異による常染色体優性遺伝). ＝Marfan disease.

Marie-Robinson s. (mah-rē′ rob′in-sŏn). マリー－ロビンソン症候群（現在では用いられない語．不眠症および軽度のうつ病で，食事性果糖尿症を伴う).

Marine-Lenhart s. マリン－レンハルト症候群（中毒性多結節性甲状腺腫).

Marinesco-Garland s. (mah-rē-nes′kō gar′lănd) [MIM*248800]. マリネスコ－ガーランド症候群（まれな神経疾患で，小脳性運動失調，先天性白内障，成長障害，精神遅滞を特徴とする．常染色体劣性遺伝). ＝cataract-oligophrenia s.; Marinesco-Sjögren s.; Torsten Sjögren s.

Marinesco-Sjögren s. (mah-rē-nes′kō shōr′gren) [MIM*248800]. マリネスコ－シェーグレン症候群. ＝Marinesco-Garland s.

marker X s. ＝fragile X s.

Maroteaux-Lamy s. (mah-rō-tō′ lah′mē) [MIM*253200]. マロトー－ラミー症候群（ムコ多糖類代謝の障害で，尿中にデルマタン硫酸を排泄する．発育遅延，腰椎後弯，胸骨の突出，X 脚，通常は肝脾腫大を特徴とし，精神遅滞はみられない．2 歳以後に発現する．常染色体劣性遺伝で，第 5 染色体長腕のアリールスルファターゼ B (*ARSB*)遺伝子の突然変異により生じる). ＝arylsulfatase B deficiency; mucopolysaccharidosis type VI.

Marshall s. (mar′shăl) [MIM*154780]. マーシャル症候群（顔面中心部の低形成，白内障，聴覚障害と発汗減少症．Stickler 症候群との異同が問題となっている).

Martin-Bell s. (mahr′tin bel). ＝fragile X s.

Martorell s. (mahr-tō-rel′). マルトレル症候群. ＝aortic arch s.

MASS s. [*m*itral valve prolapse, *a*ortic anomalies, *s*keletal changes, and *s*kin changes][MIM*604308]. MASS 症候群（Marfan 症候群と Barlow 症候群の両者に酷似した症候群．ただし眼のレンズ脱臼，大動脈の動脈瘤性変化および僧帽弁の逸脱症は呈さないことがある．現在この症候群は MIM 番号が付けられておらず Barlow 症候群[MIM*157700]の一部とみなされている).

S

massive bowel resection s. 消化管大量切除後症候群（特に小腸の大量切除によって起こる吸収不良で，下痢，脂肪便，低蛋白血症，栄養不良を特徴とする症候群).

maternal deprivation s. 愛情剝奪症候群（乳幼児にみられる成長障害で，一群の身体徴候，症状，行動を呈し，多くは母性の喪失，不在，母親から無視される状態に伴って起こり，周囲に対する反応の欠如が特徴的で，しばしばうつ状態にある).

Mauriac s. (mō-rē-ahk′). モリャック症候群（糖尿病の十分なコントロールができていない小児における肥満と肝脾腫大を伴う小人症).

Mayer-Rokitansky-Küster-Hauser s. (mī′yěr rō-kĭ-ton′skē kēs′těr hoyz′er). マイアー－ロキタンスキー－キュスター－ハウザー症候群（Müller 管欠損による原発性無月経，腟欠損症あるいは短い腟入口部，および子宮の欠除を主徴とするが，正常の染色体と卵巣を有する症候群). ＝müllerian agenesis; Rokitansky-Küster-Hauser disease; Rokitansky-Küster-Hauser s.

May-White s. (mā wīt). メイ－ホワイト症候群（脂肪腫，難聴，運動失調を伴う進行性ミオクローヌスてんかん．ミトコンドリア脳筋症の家族型と考えられている).

McArdle s. (măk-kar′děl). マッカードル症候群. ＝*glycogenosis* type 5.

McCune-Albright s. (măk-kyūn′ awl′brīt). マックキューン(マッキューン)－オールブライト症候群（特に思春期直前の女児における不整形で茶色の皮膚斑状色素沈着および内分泌の機能不全を伴う，多骨性線維性骨異形成症．まれに，原発性甲状腺機能亢進症，巨人症，末端肥大症，ACTH 非依存 Cushing 症候群，慢性活動性(非自己免疫性，非ウイルス性)肝炎と合併する.→pseudohypoparathyroidism). ＝Albright disease; Albright s. (1).

Meadows s. (med′ōz). メドーズ症候群（妊娠中あるいは産褥期にみられる心筋症).

Meckel s. (mek′ěl). メッケル症候群. ＝dysencephalia splanchnocystica.

Meckel-Gruber s. (mek′ěl grū′běr). メッケル－グルーバー症候群. ＝dysencephalia splanchnocystica.

meconium aspiration s. 羊水吸収症候群. ＝fetal aspiration s.

meconium blockage s. 胎便栓塞症候群（胎便によって新

生児の下部消化管が閉塞する症候群).

megacystic s. 巨大膀胱症候群 (平滑で壁の薄い大きな膀胱，膀胱尿管逆流，拡張した尿管の合併したもの).

megacystitis-megaureter s. 巨大膀胱巨大尿管症候群 (造影所見で，強度の膀胱尿管逆流を伴う巨大膀胱と膀胱壁の非薄化を認めるが，特記すべき閉塞，神経障害，排尿障害を認めないもの).

megacystitis-microcolon-intestinal hypoperistalsis s. [MIM*249210]．巨大膀胱炎－小結腸症－腸ぜん動運動低下症候群 (腹部膨満，腹筋の欠損，不完全な腸回転，腸ぜん動運動の低下を特徴とするまれな疾患．大きな膀胱と，しばしば膀胱尿管逆流現象が認められる．典型的には女の新生児が多く罹患する．通常は1年以内に死亡する).

Meigs s. (mĕgz). メグズ(メイグス)症候群 ([誤った形 Meig および Meig's を避けること]．腹水と胸水を伴う卵巣の線維筋腫または線維腫様の腫瘍(莢膜腫または顆粒膜細胞腫)).

Meischer s. (mī′shĕr). マイシャー症候群．＝*cheilitis* granulomatosa.

Melkersson-Rosenthal s. (mel′kĕr-sŏn rō′zen-thahl) [MIM*155900]．メルカーソン－ローゼンタール症候群 (肉芽腫性口唇炎，亀裂舌および顔面神経麻痺).

Melnick-Needles s. (mel′nick nē′dĕlz) [MIM*249420]．メルニック－ニードルズ症候群．＝Melnick-Needles *osteodysplasty*.

Ménétrier s. (mā-nā-trē-ā′). メネトリエ症候群．＝Ménétrier *disease*.

Ménière s. (men-ē-ār′). メニエール症候群．＝Ménière *disease*.

Menkes s. (meng′kĕs) [MIM*309400]．メンケス症候群．＝kinky-hair *disease*.

menopausal s. 更年期症候群 (更年期の女性により経験される反復症状で，顔面紅潮，悪寒，頭痛，過敏，うつ状態を含む)．＝climacteric s.

Meretoja s. (mer-ĕ-tō′yă). メレトヤ症候群 (家族性全身性アミロイドーシスで，角膜異栄養症 corneal *dystrophy*，脳神経および末梢神経麻痺，口唇突出，仮面様顔貌，耳下垂を伴う).

---

metabolic s. メタボリックシンドローム，代謝症候群 (インスリン抵抗性と関連しており，心血管病変のリスクが高くなることが判明している代謝性の危険因子群．次のうち，どれか3つ以上あれば本症と診断される．ⓘ腹囲(男性では＞102 cm，女性では＞88 cm)，ⓘⓘ高中性脂肪血症＞150 mg/dL，ⓘⓘⓘ低 HDL コレステロール血症(男性では＜40 mg/dL，女性では＜50 mg/dL)，ⓘⓥ高血圧(収縮期圧＞130 ないしは拡張期圧＞85)または降圧剤内服中，ⓥ空腹時血糖の高値(＞110 mg/dL))．＝dysmetabolic s.; insulin resistance s.; metabolic s. X; s. X; visceral obesity s.

メタボリックシンドロームは，心血管病変に対する独立した危険因子である数個の異常項目により構成されている．ⓘインスリン抵抗性(空腹時血糖が110 mg/dL(6.11 mmol/L)以上，耐糖能障害，過インスリン血症)，ⓘⓘ中心性肥満(腹囲が男性では102 cm(40 インチ)以上，女性では89 cm(35 インチ)以上)，ⓘⓘⓘ全身性の高血圧(収縮期圧＞130，拡張期圧＞85)，ⓘⓥ低 HDL コレステロール血症(男性では＜40 mg/dL(1.03 mmol/L)，女性では＜50 mg/dL(1.29 mmol/L))，ⓥ高中性脂肪血症(≧150 mg/dL(1.69 mmol/L))．これらの異常項目が5つ全部あると，男女ともに，心筋梗塞や脳卒中の発生率が一般人の2倍以上になる．その他，本症に特徴的な所見として，高 LDL コレステロール血症，高尿酸血症，卵巣における男性ホルモンの過剰産生，血液の凝固性亢進などもあげられる．5項目のうち3項目あればメタボリックシンドロームと定義すると，米国の成人の23％(およそ4,700万人)は本症と推測される．そのうち1,000－1,500万人は2型糖尿病である．本症は開発途上国や先進国の非白人に特に多く認められ，特に子供に多い．本症の成因は遺伝的なものであり，インスリン抵抗性が最も重要な要因である．メタボリックシンドロームと2型糖尿病の間にはかなり重複した遺伝的素因がある．座りがちな生活をしたり，肥満が生じてくると，典型的なメタボリックシンドロームや2型糖尿病になりやすくなる．メタボリックシンドロームの治療は，心血管病変や2型糖尿病になるのを防ぐためであるが，本症になっている患者を見つけ出して，代謝性異常を是正するように積極的に努力することである．低カロリー食や低コレステロール食，定期的な有酸素運動による体重制限が大変重要である．高血圧や脂質代謝異常は薬物により是正できる．㊟日本では診断基準は異なる．

---

metabolic s. X 代謝性X症候群．＝metabolic s.

metastatic carcinoid s. 転移カルチノイド症候群．＝carcinoid s.

methionine malabsorption s. [MIM*250900]．メチオニン吸収不良症候群 (遺伝性疾患で，腸管よりL－メチオニンを吸収する能力がない).

Meyenburg-Altherr-Uehlinger s. (mī′ĕn-bŭrg alt′hār yū′ling-gĕr). マイエンブルク－アルテル－ユーリンガー症候群．＝relapsing *polychondritis*.

Meyer-Betz s. (mī′ĕr betz). マイアー－ベッツ症候群．＝myoglobinuria.

middle lobe s. [肺]中葉症候群 (右肺中葉の慢性肺炎を伴う無気肺．主な症状は，慢性の咳，ぜん息，反復呼吸感染，喀血，胸痛，倦怠感，易疲労性，体重減少である．中葉にいく気管支の圧迫が原因で，通常はリンパ節の肥大によるが，それは結核性のこともある．ときに，胸部X線写真側面像で，葉間の蓄水とまぎらわしいことがある)．＝Brock s.

Miehlke s. (mēl′kī). ミールケ(ミールキ，ミールカイ)症候群 (母親が摂取したサリドマイドによって引き起こされる，外耳道狭窄を伴う脳神経 VI および VII 麻痺を含む先天的奇形).

Mikulicz s. (mē′kū-lich). ミクリッチ症候群 (Mikulicz 病に特徴的な症状で，リンパ肉腫，白血病，ブドウ膜耳下腺熱など他の疾病との合併症として現れる).

milk-alkali s. ミルク・アルカリ症候群 (多くの部位，特に腎臓へのカルシウムの病的沈着を特徴とする疾患．早期には可逆性である．消化性潰瘍の治療で以前に用いられていたカルシウムとアルカリ剤の大量摂取によって起きる．腎不全に進むこともある)．＝Burnett s.

Milkman s. (milk′man). ミルクマン症候群 (多発性の偽骨折を伴う骨軟化症で，通常，両側対称性で，病的骨折を生じることがある).

Millard-Gubler s. (mē-yahr′ gū-blā′). ミラール－ギュブレル症候群．＝Gubler s.

minimal-change nephrotic s. 微少変化ネフローゼ症候群 (光学・電子顕微鏡でほとんど糸球体変化のみられないネフローゼ症候群で，小児に最も多くみられる．浮腫とアルブミン尿が著しく，血中コレステロールも増加しているが，一方，腎機能予後はかなり良い．尿細管上皮にはコレステロールの小滴による空胞変性がみられるが，糸球体では糸球体上皮細胞足突起の癒合がみられるのみである．これは蛋白尿による二次的変化と考えられ，血漿蛋白に対する糸球体透過性亢進の原因は不明である).

Mirizzi s. (mi-ritz′ē). ミリッシ症候群 (攣縮あるいは周囲結合組織の線維性瘢痕化によって生じる肝管の良性閉塞．しばしば胆嚢管の結石と慢性胆嚢炎を伴う).

mitral valve prolapse s. 僧帽弁逸脱症候群 (僧帽弁の逸脱症状を有する，または無症状の臨床的症候群で，非駆出性の収縮期クリック音が立位で増強し，時に収縮末期に僧帽弁閉鎖不全を呈する．超音波心臓図検査で僧帽弁の逸脱を認める．通常，僧帽弁の肥厚も認める．自覚症状として非特異的な漠然とした胸痛と労作時の息切れを訴える)．＝billowing mitral valve s.

Möbius s. (mō′bē-ūs) [MIM*157900]．メービウス症候群 (発達性の両側顔面麻痺で，通常，動眼または他の神経障害を伴う)．＝congenital facial diplegia.

Mohr s. (mōr) [MIM*252100]．モール症候群 (常染色体劣性遺伝．口－顔－指症候群).

Monakow s. (mō-nah′kof). モナーコウ(モナーコフ)症候群 (前脈絡膜動脈の閉塞による反対側性の片麻痺，片側感覚消失および同側半盲).

monofixation s. 単眼固視症候群 (優位眼での中心固視，偏位眼での中心抑制，および周辺視野での両眼性融像を有する微小角斜視(10 プリズムジオプター以下)).

Morgagni s. (mōr-gah′nyē)［MIM*144800］. モルガニー症候群（老年女性にみられる内前頭骨の骨増殖症で，肥満と原因不明の神経精神的疾患を伴う家族性のものがある).＝metabolic craniopathy; Stewart-Morel s.

Morgagni-Adams-Stokes s. (mōr-gah′nyē ad′ămz stōks). モルガニー－アダムズ(アダムス)－ストークス症候群.＝Adams-Stokes s.

morning glory s.［MIM*120330］. アサガオ症候群（漏斗状の低形成視神経で，その中央に白色組織を伴い隆起した脈絡膜網膜色素のリングによって取り囲まれている).

Morquio s. (mōr′kyō)［MIM*253000, *253010］. モルキオ症候群（ムコ多糖類代謝障害で，尿中に硫酸ケラタンの排泄をみる．短身，脊髄と胸郭の著明な変形，骨端は不規則だが正常な長さの骨幹部をもつ長骨，拡大した関節，弛緩した靱帯，よたつき歩行を特徴とする．常染色体劣性遺伝．本症のIVA 型はガラクトース－1−スルファターゼ欠損によるもので，第 16 染色体長腕にある *N*−アセチルガラクトサミン−6−スルフェートスルファターゼ(*GALNS*)遺伝子の突然変異により生じる．またIVB 型は *β*−ガラクシダーゼ欠損によるもので，第 3 染色体短腕にある *β*−ガラクトシダーゼ(*GAB1*)遺伝子の突然変異により生じる).＝Brailsford-Morquio disease; Morquio disease; Morquio-Ullrich disease; mucopolysaccharidosis type IVA, IVB.

Morton s. (mōr′tŏn). モートン症候群（先天的に第一中足骨が短く，中足骨痛症の原因となる).

Mounier-Kuhn s. (mū-nē-ā′ kūn). ムニエ・クーン症候群.＝tracheobronchomegaly.

Muckle-Wells s. (muk′ĕl welz)［MIM*191900］. マックル－ウェルズ症候群（特に腎臓のアミロイドーシス，進行性の神経性感音難聴，四肢の関節痛と筋痛を合併する有熱性じんま疹を特徴とする症候群．常染色体優性遺伝).

mucocutaneous lymph node s. 皮膚粘膜リンパ節症候群（主に 8 歳以下の小児に起こる原因不明の全身性の血管炎．5 日以上続く発熱，不定形発疹，口唇の紅潮，乾燥，亀裂，眼球結膜の充血，手足の腫脹，易刺激性，リンパ節腫脹，会陰の落屑を伴う発疹の症状を呈す．未治療患者のうちおよそ20%に，冠動脈瘤を生じる．回復期には血小板増加症と手足の指端の膜様落屑が現れる).＝Kawasaki disease; Kawasaki s.

Muir-Torre s. (mūr tor′ē)［MIM*158320］. ミュア－トール症候群.＝Torre s.

multiple endocrine deficiency s. 多発性内分泌機能低下症候群（後天性にいくつかの内分泌腺が機能低下症に陥った症候群．自己免疫疾患であり，小児ではＩ型，成人ではII 型が多い).＝multiple glandular deficiency s.; polyendocrine deficiency s.; polyglandular deficiency s.

multiple endocrine neoplasia s. type 1 多発性内分泌腫瘍症候群Ｉ型（常染色体優性の傾向のある副甲状腺，下垂体前葉，膵内分泌腺に腫瘍を生じる症候群．ときには他の臓器にも腫瘍を生じることもある).＝multiple endocrine neoplasia type I; Wermer s.

multiple endocrine neoplasia s. type 2A 多発性内分泌腫瘍症候群 IIA 型（常染色体優性遺伝の傾向があり，甲状腺Ｃ細胞(髄様癌)，副腎髄質(褐色細胞腫)，副甲状腺に結節性過形成などの腫瘍を生じる症候群).＝multiple endocrine neoplasia type IIA.

multiple endocrine neoplasia s. type 2B 多発性内分泌腫瘍症候群 IIB 型（常染色体優性遺伝の傾向があり甲状腺Ｃ細胞(髄様癌)，副腎髄質(褐色細胞腫)，末梢神経(粘膜内神経腫)，小腸内神経節細胞腫などの腫瘍を生じる症候群．高身長でやせた体型を呈する).

multiple glandular deficiency s. 多発性内分泌機能低下症候群.＝multiple endocrine deficiency s.

multiple hamartoma s. 多発性過誤腫症候群.＝Cowden *disease*.

multiple lentigines s. 多発性黒子症候群.＝LEOPARD s.

multiple mucosal neuroma s. 多発性粘膜神経腫症候群（若年者の舌，口唇および眼瞼の多発性粘膜下神経腫または神経線維腫．甲状腺または副腎髄質の腫瘍または皮下の神経線維腫症を伴うことがある).

Munchausen s. (mūn′chow-zĕn). ミュンヒハウゼン症候群（[Munchhausen, Münchhausen または Münchausen ではなく，正しくは Munchausen とつづられる]．医学的な注意を得るために，臨床的に病気と確信させるような真似を繰り返して行う作話症．注意を向けさせること以外に特に理由なく，急性の内科あるいは外科疾患を装い，病院から病院へとわたり歩いたり，虚偽に満ち，かつ空想的な既往歴，生活歴を述べたりする患者をいう．→factitious *disorder*).

Munchausen s. by proxy (mūn′chow-zĕn). 代理人によるミュンヒハウゼン症候群（世話をする人(通常は母親)が，偽りの症状をつくり出したり病気の症状を引き起こしたりすることで，小児にひどい扱いをしたり虐待したりすることで不必要な検査や治療をすることになり，ときにはその小児が亡くなるなど，著しい健康の障害を招くことがある).＝factitious illness by proxy.

Munchhausen s. (mūn′chow-zĕn). →Munchausen s.

myasthenic s. (**MS**) 筋無力症症候群.＝Lambert-Eaton myasthenic s.

myelodysplastic s. 骨髄異形成症候群（クローン性造血幹細胞疾患の不均一な集団であり，一血球系統以上に異形成像が認められるのが特徴である．よくみられる臨床所見としては，貧血，感染，出血が含まれる．一般に高齢者に発症するが，あるいは白血病を引き起こしやすい物質に被曝した患者にみられる．急性白血病へ進展する頻度は 10―80 %である．染色体異常を伴う場合は予後不良である).＝preleukemia; smoldering leukemia.

myeloproliferative s.'s 骨髄増殖性症候群（骨髄細胞の生成異常により起こる症候群で，慢性骨髄性白血病，赤血病，骨髄硬化症，汎骨髄症，赤血病性骨髄症および赤白血病を含む).

S

myofascial s. 筋筋膜症候群（背部と頸部の筋肉と筋膜が刺激され，神経学的異常や骨異常を伴わない急性および慢性の疼痛を起こす症候群．筋肉および筋膜自身のよく理解されていない変化が主な原因と思われる).

myofascial pain-dysfunction s. 筋筋膜疼痛〔機能障害〕症候群（そしゃく筋の痙攣に関係したそしゃく装置の機能不全．咬合協調障害や顎の垂直寸法の変化が誘因となり，情動ストレスで増悪する．耳前部の痛み，筋圧痛，顎関節のはじけるような音，下顎の運動制限を特徴とする).＝temporomandibular joint pain-dysfunction s.; TMJ s.

Naegeli s. (nā′gĕ-lē)［MIM*161000］. ネーゲリ症候群（網様皮膚色素沈着，発汗減少，歯数不足，および手掌と足底の角化症および水疱形成．色素失調症と混同されることもあるが，本症では男女の性差はない．常染色体優性遺伝).＝Franceschetti-Jadassohn s.

Naffziger s. (naf′zig-ĕr). ナフジガー症候群.＝scalenus anterior s.

nail-patella s.［MIM*161200］. 爪－膝蓋骨症候群（膝蓋骨の欠損または低形成，腸骨角，指の爪や足の爪の形成異常，糸球体基底膜緻密層の肥厚化を特徴とする骨疾患．大腿骨の下端部が Erlenmeyer フラスコ奇形にきわめてよく似た形をしている．常染色体優性遺伝で，第 9 染色体長腕のLIM 同領域蛋白(*LMX1B*)の突然変異により生じる).

NAME s. ネイム症候群（母斑 nevi，心房粘液腫 atrial myxoma，粘液性神経線維腫 myxoid neurofibromas，そばかす ephelides の合併).

Nance-Insley s. (nans in′slē).＝*chondrodystrophy* with sensorineural deafness.

Nelson s. (nel′sŏn). ネルソン症候群（色素沈着，第三脳神経損傷，トルコ鞍部拡大の症候群．Cushing 症候群での副腎摘出後，術前から存在していた下垂体腫瘍が術後に急速に腫大し，症状を呈するに至る).＝postadrenalectomy s.

nephritic s. 腎炎症候群（急性糸球体腎炎の臨床的症状．特に血尿，高血圧，および腎不全).

nephrotic s. ネフローゼ症候群（浮腫，蛋白尿，血漿アルブミンの減少，尿中の複屈折性体，および通常は血中コレステロールの増加を特徴とする臨床的状態．脂肪滴が腎細尿管の細胞中に存在するが，基礎病変は糸球体毛細管基底膜の透過性の増大で，原因不明かまたは糸球体腎炎，糖尿病性糸球体硬化症，全身性紅斑性狼瘡，アミロイドーシス，腎静脈血栓症，または種々の毒物に対する過敏症により起こる).＝nephrosis (3).

Netherton s. (neth′ĕr-tŏn)［MIM*256500］. ネザートン

症候群（先天性魚鱗癬様紅皮症あるいは限局性線状魚鱗癬に竹状毛，アトピー，じんま疹，間欠性アミノ酸尿，精神遅滞を伴う．恐らく常染色体劣性遺伝．成長とともに成人期に入って各症状は消滅するか改善することがきわめて多い）．

neural crest s. 神経堤症候群（痛覚消失，自律神経不全，瞳孔異常，神経原性無汗，血管運動不安定，歯牙エナメル質形成不全，髄膜肥厚，過屈曲，ある程度の白子症よりなる症候群．神経堤の発達異常によると考えられている）．

neurocutaneous s. 神経皮膚症候群（中枢神経系と皮膚病変が共存することが多い一群の多様な疾患を表す総称．多くは遺伝性で Sturge-Weber 症候群(常染色体優性遺伝)，Cockayne 症候群(常染色体劣性遺伝)，Fabry 病(性染色体遺伝)などを含む）．

neuroleptic malignant s. 神経弛緩薬〔性〕悪性症候群（神経弛緩薬の使用後にみられる錐体外路障害と自律神経障害を伴った高熱で，死亡することもある）．

Nezelof s. (ne′zĕ-lof). ネゼロフ症候群．＝cellular *immunodeficiency* with abnormal immunoglobulin synthesis.

Noack s. (nō′ahk). ＝Pfeiffer s.

nonsense s. ナンセンス症候群．＝Ganser s.

Noonan s. (nū′năn)［MIM*163950, *163955］．ヌーナン症候群（Turner 症候群を思わせる表現型で，男にも女にも認められる症候群．眼瞼下垂と両眼間隔の拡大，翼状頸，低身長，特に肺動脈狭窄などの先天性心疾患を伴うのが特徴である．通常は，正常の染色体を示すが常染色体優性遺伝である）．

Nothnagel s. (not′nah-gĕl). ノートナーゲル症候群（めまい，ふらつき，および横揺れ歩行で，不規則な動眼神経麻痺としばしば眼振を伴い，中脳の腫瘍の場合にみられる）．

numb chin s. しびれたおとがい症候群（おとがいと下唇の片側の異常感覚と感覚低下を呈する症候群．同側のおとがい神経に新生物が浸潤して起こる．多発性骨髄腫，乳癌，前立腺癌が原因のことが多い）．

nutcracker s. ナットクラッカー(くるみ割り)症候群（左腎静脈が腹部大動脈と上腸間膜動脈との間で圧迫されることで生じる非糸球体性血尿．腎門部静脈瘤，副側静脈路，蛋白尿がみられることがある．→nutcracker）．＝nutcracker phenomenon.

nystagmus blockage s. 眼振遮断症候群（合併する眼振を最小にするような眼位や頭位を伴った斜視）．

OAV s. OAV 症候群．＝oculoauriculovertebral *dysplasia*.

obstructive sleep apnea s. (**OSAS**) (ob-strŭk′tiv slēp ap′nē-ă). 閉塞性睡眠時無呼吸症候群．＝sleep apnea s.

obstructive sleep apnea-hypopnea s. (**OSAHS**) (ob-struk′tiv slēp ap′nē-ă-hi-pop′nē-ă sin′drōm). 閉塞性睡眠時無呼吸－低呼吸症候群（しばしば用いられる専門用語で，閉塞性睡眠時無呼吸と低呼吸をまとめて単一の概念としたもの）．

occipital horn s. X連鎖劣性遺伝性疾患であるが，銅の胆道への排泄障害の結果，リシルオキシダーゼの活性が低下し，皮膚と関節の過伸展が起こる．㊟ occipital horn 症候群の occipital horn とは後頭骨の骨性突出をさす．Menkes 病の対立遺伝子変異体とされる．

Ochoa s. (ō-chō′ah)［Bernardo *Ochoa* Arismendi．20 世紀のコロンビア人泌尿器科医］．オチョア症候群（逆転顔貌(笑ったり微笑んだりする時に泣いたような表情になる)を伴って，Hinman 症候群の臨床症状(膀胱および腸管機能の協調不全)がみられる常染色体優性疾患）．＝urofacial s.

ocular-mucous membrane s. 眼粘膜症候群（合併した眼の病変(結膜炎，全眼球炎，虹彩炎)，口腔の病変(水疱，びらん，表在性腫瘍)，陰部の病変(尿道炎，連環状亀頭炎，水疱)とからなる Stevens-Johnson 症候群）．

oculobuccogenital s. 眼頬性器症候群．＝Behçet s.

oculocerebrorenal s.［MIM*309000］．眼脳腎症候群（先天性の症候群で，水眼症，白内障，精神遅滞，アミノ酸尿症，腎臓でのアンモニア産生の減少，およびビタミンD抵抗性くる病を伴う．X染色体長腕の眼脳腎鎖(*OCRL*)の突然変異による，X連鎖劣性遺伝）．＝Lowe s.; Lowe-Terrey-MacLachlan s.

oculocutaneous s. 眼皮膚症候群．＝Vogt-Koyanagi s.

oculomandibulofacial s. 後頭下顎顔面症候群．＝*dyscephalia* mandibulooculofacialis.

oculopharyngeal s.［MIM*164300］．眼球咽頭症候群（年をとってから発症し，ゆっくり進行する眼瞼下垂およびえん下困難を生じる筋障害性の疾患．常染色体優性遺伝．第 14 染色体長腕のポリ(A)結合蛋白 2 (PABP2)をコード化する遺伝子の変異による）．

oculorespiratory s. 眼・呼吸症候群（両側の赤い結膜と上気道症状を伴う一過性の症候群．インフルエンザワクチン接種後に，咳，ぜん鳴，胸部不快感，喉頭炎，そしてときに顔面浮腫をみる）．

oculovertebral s. 眼球脊椎骨症候群．＝oculovertebral *dysplasia*.

oculovestibuloauditory s. 眼前庭聴覚症候群（急激な発現を特徴とする非梅毒性の間質性角膜炎で，めまいと耳鳴りを伴い，聴覚障害になる．患者の約 50％が随伴する全身病をもち，その中で最も一般的なものは結節性多発性動脈炎である）．＝Cogan s.

OFD s. OFD 症候群．＝orofaciodigital s.

Ogilvie s. (ō-gil′vē). オジルヴィ症候群（偽性の閉塞で，主に結腸に起こり，物理的な閉塞はなく，運動障害の結果生じると考えられている）．

Oldfield s. (ōld′fēld). オールドフィールド症候群（家族性大腸ポリポーシス）．

Olmsted s. (ōlm′sted). オルムステッド症候群（先天性の掌蹠および口囲の角化症で，屈曲拘縮と指趾の自然脱落を生じる）．

Omenn s. (ō′men)［MIM*603554］．オーメン症候群（急速に死に至る免疫不全症で，紅皮症，下痢，反復性感染症，肝脾腫，好酸球増多症を伴う白血球増多症を特徴とする．常染色体劣性遺伝．第 11 染色体長腕に存在する組み換え活性遺伝子 1 (*RAG1*)か近隣の *RAG2* 遺伝子の変異による）．

opiate intoxication s. オピオイド中毒症候群（縮瞳，意識低下，呼吸数の低下の三徴をもつ．症候群はしばしばオピオイドの特殊な反応によって名付けられる，例えばヘロイン中毒症候群）．＝heroin overdose s.

Opitz BBB s. (ō′pits). ＝ocular *hypertelorism*.

Opitz G s. (ō′pits). ＝ocular *hypertelorism*.

Oppenheim s. (op′en-hīm). オッペンハイム症候群．＝*amyotonia* congenita.

organic brain s. (**OBS**) 器質脳症候群（一過性ないし永続性の脳機能障害により生じる注意・集中・記憶の障害，意識混濁，不安，抑うつなどの行動面ないし心理面での一群の症状）．＝acute organic brain s.

organic mood s (**OMS**). 器質性気分障害（うつ病あるいは躁病を特徴とし，器質的原因による症候群．→bipolar *disorder*）．

orofaciodigital s (**OFD**). 口顔面指症候群（口腔，顔面，手の奇形が種々に組み合わさった，男性に致死的な遺伝性症候群．小葉化あるいは二裂化した舌，口蓋裂，擬口蓋裂，舌腫瘍，歯の欠損または変位，鼻翼軟骨の形成不全，抑圧された鼻橋，短指，斜指，不完全な合指，しばしば精神遅滞を伴う．常染色体劣性遺伝([MIM252100]と［MIM258850］)，あるいはX連鎖遺伝［MIM311200］である）．＝OFD s.; orodigitofacial dysostosis; Papillon-Léage and Psaume s.

osteomyelofibrotic s. 骨髄線維症症候群．＝myelofibrosis.

Ostrum-Furst s. (os′trŭm fŭrst). オストラム－ファースト症候群（先天性頸椎癒合）．

Othello s.［*Othello*．シェークスピア劇の登場人物］．オセロ症候群（配偶者の不貞を信じる妄想）．

otomandibular s. 耳下顎〔異骨〕症候群．＝otomandibular *dysostosis*.

otopalatodigital s.［MIM*311300］．耳口蓋指趾症候群（幅広鼻根と前頭隆起を伴う伝音聴覚障害と口蓋裂，足の指が全体に広く，幅広の母指および第一趾，その他の全身的な骨異形成をしばしば伴う．X連鎖劣性遺伝）．

ovarian hyperstimulation s. 卵巣過剰刺激症候群（不妊治療として卵巣刺激を行う周期で使われるヒト絨毛性ゴナドトロピン(hCG)の黄体刺激効果が過剰に出現することで生じる卵巣の医原性の高度刺激状態．hCG は，性腺刺激ホルモンによる卵巣刺激の後で，排卵誘発の目的で外因性に投与される．また，着床成立後は内因性物質として存在する．発現しうる症候は，様々な程度の，腹部膨満，卵巣腫大，血管内液のサードスペースへの移行である．中程度の不快感から，生命の危険のある卵巣腫大，体液移行のこともある）．

ovarian vein s. 右卵巣静脈の尿管圧迫により発症する間欠的な腹痛が特徴的な状態．通常，第一仙骨のレベルで尿管上を直交して交叉するために生じる．妊娠や腎の片側性下垂による静脈の拡張が間欠的に尿管閉鎖を生じ，反復する疼痛や腎盂腎炎が発症要因と考えられる．

pacemaker s. ペースメーカ症候群（心室をペースメーカで刺激している患者で，房室間の調和がなくなったときの症状，あるいは心房と心室の収縮のタイミングが不適当になって起こる症状）．

pachydermoperiostosis s. 肥厚性皮膚骨膜症症候群（→pachydermoperiostosis）．

Paget-von Schrötter s. (paj′et fahn shroyt′er)．パジェット－フォン・シュレッター症候群（鎖骨下または腋窩静脈のストレス性または特発性血栓症．胸郭出口症候群）．＝effort-induced thrombosis.

painful apical s. (pān′fŭl ā′pi-kăl sin′drōm)．肺尖部疼痛症候群（肺尖部腫瘍の胸腔上部への浸潤に関連して生じる様々な痛み症状．Pancoast 症候群は肺尖部疼痛症候群の特殊な例である．→Pancoast s.）．

painful arc s. 有痛弧症候群．＝supraspinatus s.

painful-bruising s. 疼痛性挫傷症候群（血液のわずかな溢出に対する強い炎症反応で，赤血球に対するアレルギー性過敏症による．成人女性に，より一般的にみられる）．

paleostriatal s. 旧線条体症候群．＝Hunt s. (3).

pallidal s. 淡蒼球症候群．＝Hunt s. (3).

Pancoast s. (pan′kōst)．パンコースト症候群（上肺溝の部位の悪性腫瘍による上腕神経下幹と Horner 症候群）．

pancreatorenal s. 膵腎症候群（劇症急性膵炎患者に起こる急性腎不全で，致死率が高い）．

PAPA s. (pah′pah sin′drōm)．PAPA 症候群（無菌性関節炎 *p*yogenic sterile *a*rthritis，壊疽性膿皮症 *p*yoderma gangrenosum，およびざ瘡 *a*cne よりなる常染色体優性遺伝性症候群）．

papillary muscle s. 乳頭筋〔不全〕症候群．＝papillary muscle *dysfunction*.

Papillon-Léage and Psaume s. (pah-pē-on[h]′ lā-ahj′sōm)．パピヨン・レアージュ－プソーム症候群．＝orofaciodigital s.

Papillon-Lefèvre s. (pah-pē-on[h]′ le-fĕv) [MIM *245000]．パピヨン－ルフェーヴル症候群（手掌と足底の先天的な角化症で，2 歳になると，乳歯および永久歯の周囲の歯槽骨の進行性破壊と歯の早期脱落，大脳鎌の石灰化が起こる．常染色体劣性遺伝）．

paraneoplastic s. 新生物随伴症候群（悪性新生物に直接起因する症候群であるが，罹患部位の腫瘍細胞の存在によって起こるものではない）．

Parenti-Fraccaro s. (pă-ren′tē fră-kar′ō)．＝*achondrogenesis* type IB.

Parinaud s. (pah-ri-nō′)．パリノー症候群（共同上方注視の麻痺で，上丘位の病変を伴う．Bell 症状が存在する）．＝dorsal midbrain s.; Parinaud ophthalmoplegia.

Parinaud oculoglandular s. (pah-ri-nō′)．パリノー結膜腺症候群（野兎病，下疳，結核およびネコ引っ掻き病でみられる耳前部のリンパ節腫脹を伴う片側の結膜の肉芽腫）．

Parkes Weber s. (parkz web′ĕr)．パークス・ウェーバー症候群（[Parkes と Weber をハイフンで結ばないこと．誤った形 Parke および Parke's を避けること]．動静脈シャントおよび左心室ストレイン，心不全の危険性とともに Klippel-Trenaunay-Weber 症候群にみられる特徴を多く共有する．*cf*. Klippel-Trenaunay-Weber s.）．

Parsonage-Turner s. (păr-son′ij tŭrn′ĕr)．パーソニッジ－ターナー症候群．＝neuralgic *amyotrophy*.

Patau s. (pah-tū′)．パトー症候群．＝trisomy 13 s.

patellofemoral s. 膝蓋大腿症候群（膝蓋骨と大腿骨遠位部との間の構造的または機能的関係が障害されて膝前部痛を生じる疾患）．

patellofemoral stress s. 膝蓋大腿ストレス症候群．＝runner's *knee*.

Paterson-Brown-Kelly s. (pat′ĕr-sŏn brown kel′ē)．＝tendon sheath s.

Paterson-Kelly s. (pat′ĕr-sŏn kel′ē)．パターソン－ケリー症候群．＝Plummer-Vinson s.

pathologic startle s.'s 病的びっくり症候群，病的驚愕症候群（非常に亢進した驚愕反射や他の刺激反応亢進を特徴とする疾患群．ハイパーエクスプレキシアや恐らくラーター，Maine 跳躍フランス人症候群を含む）．

Pearson s. [MIM #557000]．ピアソン症候群（骨髄細胞の空胞化と膵の外分泌不全を伴う鉄芽球性貧血．通常，幼児期に死亡する）．＝Pearson marrow pancreas s.

Pearson marrow pancreas s. ピアソン骨髄膵臓症候群．＝Pearson s.

Pellizzi s. (pĕ-lē′tsē)．ペリッチ症候群．＝*macrogenitosomia* praecox.

Pendred s.(PDS) (pen′drĕd) [MIM *274600]．ペンドレッド症候群（甲状腺のヨード有機化障害による甲状腺腫(通常は小さい)を伴う先天性の感覚性聴力障害．患者の甲状腺機能は正常であることが多い．常染色体劣性遺伝で，第 7 染色体長腕にあるペンドリン蛋白をコードしている Pendred 症候群(*PDS*)遺伝子の突然変異により生じる）．

Pepper s. (pep′ĕr)．ペッパー症候群（肝臓への転移を伴う副腎の神経芽細胞腫の冠名で現在では用いられない．原発腫瘍が右副腎にあるとき起こりやすく，左副腎の腫瘍は頭蓋に転移しやすい(Hutchison 症候群)と，以前には考えられていた）．

pericolic membrane s. 大腸周囲粘膜症候群（慢性虫垂炎に類似する症候群で，先天性の結腸周囲膜の収縮により起こる）．

Perrault s. (per-ō′)．ペロー症候群（感音性難聴を伴う XX 生殖腺奇形）．

Persian Gulf s. ペルシャ湾症候群．＝Gulf War s.

persistent müllerian duct s. ミュラー管開存症（卵管，子宮および精巣が男子に存在する家族性の疾患．Müller 管抑制物質が，Sertoli 細胞の欠損により，欠落していることによる）．＝hernia uteri inguinale.

pertussis s. 百日咳症候群．＝pertussis.

pertussislike s. 百日咳様症候群（百日咳 whooping *cough* に似る咳の重症発作を特徴とする症候群）．

petrosphenoidal s. 錐体蝶形骨症候群（錐体尖と破裂孔前部の新生物浸潤）．

Peutz s. (pŭtz)．ポイツ症候群．＝Peutz-Jeghers s.

Peutz-Jeghers s. (pŭtz jā′gĕrz) [MIM *175200]．ポイツ－ジェガーズ症候群（空腸を含む腸管の全身性過誤腫性の多発性ポリープ症で，口唇，頬側粘膜，指のメラニン沈着を伴う．常染色体優性遺伝．第 19 染色体短腕のセリン/スレオニンキナーゼ遺伝子(*STK11*)の変異で生じる）．＝Jeghers-Peutz s.; Peutz s.

Pfaundler-Hurler s. (fahnd′lĕr hŭr′ler)．プファウンドラー－フルラー症候群．＝Hurler s.

Pfeiffer s. (fī′fĕr) [MIM *101600]．プファイファー症候群（幅広く短い母指と母趾(しばしば重複母趾を伴う)と種々の合指症を特徴とする疾患．頭蓋骨癒合症を伴うこともありうる．常染色体優性遺伝で，第 8 染色体短腕の線維芽細胞成長因子レセプタ 1 (*FGFR1*)遺伝子あるいは第 10 染色体長腕の *FGFR2* 遺伝子の突然変異により生じる）．＝acrocephalosyndactyly type V; Noack s.

pharyngeal pouch s. 咽頭嚢症候群．＝DiGeorge s.

phospholipid s. リン脂質症候群，ホスホリピッド症候群（抗リン脂質抗体と動脈あるいは静脈の血栓等に合併して起こる症候群）．

Picchini s. (pi-chē′nē)．ピッキーニ症候群（多発性漿膜炎の一型で，横隔膜と接する 3 つの大きな漿膜，ときに髄膜，精巣鞘膜，滑液鞘および滑液包をも侵す．トリパノソーマの存在により起こる）．

Pick s. (pik)．ピック症候群．＝Pick *disease*.

pickwickian s. [Dickens の初期の小説 *Pickwick Papers* の登場人物 "fat boy" にちなむ]．ピックウィック(ピックウィッキアン)症候群（グロテスクな醜い肥満症，傾眠，全身衰弱の合併症で，理論的には肥満より引き起こされた換気過少による．高炭酸ガス症，肺高血圧症，肺性心が起こる）．

Pierre Robin s. (pē-yā′ rō-ban[h]′) [MIM *261800]．ピエール・ロバン症候群（下顎骨後退，舌下垂，および上気道閉塞を示す．しばしば摂食障害を伴う．また，口蓋裂，咽頭軟化症を伴うことがある）．＝Pierre Robin sequence; Robin s.

pigment dispersion s. 色素散乱症候群（前房から後房への瞳孔を介しての房水動態の抵抗増加．Zinn 小帯方向への周辺虹彩の後方彎曲を生じる．色素性緑内障の機序と考えられている）．

Pins s. (pinz)．ピンス症候群（心膜液貯留液のある場合に，声音振とうおよび肺胞音の濁音と減衰，およびやや遠い灌水様の音が，左側の胸の後下部で聞かれる．この領域ではときに細かい水泡音も聞こえるが，患者が胸膝位をとるとすべての外膜の聴診所見は消失する）．

placental dysfunction s. 胎盤機能不全症候群（母体から胎児への酸素と種々の栄養物質の移行障害により起こる胎児の栄養不良と低酸素症）．

placental transfusion s. 胎盤輸血症候群（双胎で妊娠中1児から他児へ輸血されること．供血児は貧血，胎内発育遅延，受血児は多血症となり胎児水腫を発症する．→twin-twin *transfusion*）．

Plummer-Vinson s. (plŭm′ĕr vin′ sŏn)．プラマー－ヴィンソン症候群（鉄欠乏性貧血，えん下困難，食道狭窄および萎縮性舌炎）．＝Paterson-Kelly s.; sideropenic dysphagia.

POEMS s. POEMS 症候群（多発性神経炎 *p*olyneuropathy，臓器肥大症 *o*rganomegaly，内分泌異常症 *e*ndocrinopathy，単一クローン性高ガンマグロブリン血症 *m*onoclonal gammopathy と皮膚病変 *s*kin change を伴う症候群）．＝Crow-Fukase s.

Poland s. (pō′lănd) [MIM*173800]．ポーランド症候群（大胸筋，小胸筋の欠損，その同側の胸部低形成と 2 — 4 本の肋骨の欠損よりなる奇形）．

polycystic ovary s. (**PCOS**) [MIM*184700]．多嚢胞性卵巣症候群（卵巣の硬化性嚢胞性疾患．通常，多毛，肥満，月経異常，不妊，インスリン抵抗性，卵巣肥大を特徴とする．インスリン抵抗性を伴うことが多く，また卵巣に由来するアンドロゲンの分泌過剰をもたらすと考えられている．PCOS の女性は，しばしば心血管系疾患や乳癌のリスクが高い）．＝sclerocystic disease of the ovary; Stein-Leventhal s.

polyendocrine deficiency s., polyglandular deficiency s. 多内分泌腺機能低下症候群．＝multiple endocrine deficiency s.

polyglandular autoimmune s., type I (**PGA I**) 多〔内分泌〕腺性自己免疫症候群 1 型．＝autoimmune polyendocrinopathy-candidiasis-ectodermal *dystrophy*.

polyglandular deficiency s., Persian-Jewish type, included 多〔内分泌〕腺性欠乏症候群，ペルシア系ユダヤ人型を含む．＝autoimmune polyendocrinopathy-candidiasis-ectodermal *dystrophy*.

polysplenia s. 多脾症候群．＝bilateral *left-sidedness*.

popliteal entrapment s. 膝窩動脈絞扼症候群（膝窩の構造物により膝窩動脈が圧迫され，血流が障害された結果生じる挫滅症候群）．

postadrenalectomy s. 副腎摘出(切除)後症候群．＝Nelson s.

postcardiotomy s. 心術後症候群．＝postpericardiotomy s.

postcholecystectomy s. 胆嚢摘出(切除)後症候群（胆嚢切除後も徴候や症状が再発または存続していること）．

postcommissurotomy s. 交連切開後症候群．＝postpericardiotomy s.

postconcussion s. 脳振とう後症候群（→posttraumatic s.）．

posterior inferior cerebellar artery s. 後下小脳動脈症候群（通常，血栓症により起こり，構語障害，えん下困難，よろめき歩行，めまいを特徴とし，低血圧症，同側での随意運動の共調運動不能，眼振，Horner 症候群，反対側の温痛覚消失を伴う）．＝lateral medullary s.; Wallenberg s.

posterior leukoencephalopathy s. 後白質脳症症候群（MRI あるいは CT において頭頂後頭部を含む両側白質浮腫を伴う，精神錯乱，頭痛，痙攣，皮質性盲その他の視覚異常，嘔吐，および運動性徴候によって特徴付けられる可逆的な臨床放射線学的症候群）．

postgastrectomy s. 胃切除後症候群．＝dumping s.

post-lumbar puncture s. 腰椎穿刺後症候群．＝spinal *headache*.

postmalaria neurologic s. マラリア後神経学的症候群（熱帯熱マラリアの重症発作から回復した直後に起こる一過性の中枢神経系障害．主に錯乱または精神病の急性症状，全身痙攣が 1—10 日間続くのが特徴である．マラリア寄生虫の血液標本は陰性である．メフロキンによる治療の後に起こると考えられている）．

postmaturity s. 過熟妊娠症候群（妊娠期間が 43 週以上の場合で，ときとして胎児の過熟徴候を伴う）．

postmyocardial infarction s. (**PMIS**) 心筋梗塞後症候群（心筋梗塞後数日から数週間で発症する合併症．臨床像として発熱，白血球増加，胸痛，心膜炎，胸膜炎，肺炎の発現で再発しやすい傾向がある．恐らく免疫学的な異常に基づく）．

postpartum pituitary necrosis s. 分娩後下垂体壊死症候群．＝Sheehan s.

postpericardiotomy s. 心膜切開後症候群（心臓手術後数週間から数か月で起こる心膜炎で，発熱をみない場合もある．繰り返し起こることが多い）．＝postcardiotomy s.; postcommissurotomy s.

postphlebitic s. 静脈炎後症候群（浮腫，疼痛，皮膚炎性うっ血，フレグモーネ，および拡張蛇行静脈を特徴とし，さらに末期には下肢の潰瘍となり，下肢の深部静脈血栓症の結果として発症するのが特徴）．

postrubella s. 風疹後症候群（妊娠初期 3 か月間の母体の風疹により起こる先天性欠損の一群で，小眼球症，白内障，難聴，精神遅滞，動脈管開存症，肺動脈狭窄症を含む）．

postthrombotic s. 血栓後症候群（血管内血栓に続発する症候群で，静脈内血栓症に伴う持続的な浮腫等の症状を呈する）．

posttraumatic s. 外傷後症候群（臨床的な疾患で，通常，頭部外傷に続発し，頭痛，めまい，神経衰弱，刺激に対する過敏症，集中力の減退を特徴とする）．

posttraumatic neck s. 外傷後頸〔部〕症候群，むち打ち後症候群（頸部の痛みと圧痛と痙縮，それにめまいや眼のかすみなどの不定愁訴を高頻度に伴う症候群．頸部外傷，ほとんどの場合むち打ち様外傷により生じる）．＝cervical fibrositis; cervical tension s.

posttraumatic stress s. 心的外傷後ストレス症候群（人が一般に経験する範囲のもの(例えば，殺すとおどかされることや情事，殺人を目撃すること)を除く心理的外傷を受けた後に現れ，その外傷体験の再体験(フラッシュバック)，環境への反応低下，驚愕反応の増強，罪悪感，記憶障害，集中困難，睡眠障害などの症状を特徴とする）．

Potter s. (pot′ĕr)．ポッター症候群（肺の低形成を伴う腎臓の形成不全で，新生児期の呼吸困難，血行動態不安定，アシドーシス，浮腫と特有顔貌(Potter 顔貌)を示す．通常，尿毒症になる以前に呼吸不全で死亡する）．

Prader-Willi s. (pră′dĕr vil′ĭ) [MIM*176270]．プラーダー－ヴィリ症候群（先天性疾患で，短身，精神遅滞，著しい肥満を伴う多食，および性器発育不全を特徴とする．重症である筋緊張低下と外的刺激に対する反応性低下は，年をとるにつれて改善する．多くの症例で第 15 染色体長腕 11—13 領域の欠損を認めるが，母性片親性二染色体例もある(両方の第 15 染色体が母親から誘導される)）．

precordial catch s. 前胸部ひっかかり症候群（原因不明の良性症候群で，吸気時に心尖部領域の鋭い，突発性疼痛を特徴とし，通常は深呼吸で軽減する．圧痛はない）．

preexcitation s. 早期興奮症候群．＝Wolff-Parkinson-White s.

preinfarction s. 心筋梗塞前症候群（狭心症が急に起こるとき，またはすでにある狭心症がその頻度を増すか，さらに重くなることにより急に悪くなるときの状態．心筋梗塞の前徴の場合が多い）．

premature senility s. 早老症候群．＝progeria.

---

premenstrual s. (**PMS**) 月経前症候群（生殖年齢の女性において，月経周期の黄体期(月経開始前)に発症し，月経開始とともに消失する情動，行動，身体上の様々な症状で，体液貯留による浮腫および体重増加，乳房痛，イライラ，不安定な感情，不安，抑うつ，嗜眠，疲労感，注意力散漫，食欲・性欲の変化などの特徴がある）．＝late luteal phase dysphoria; late luteal phase dysphoric disorder; menstrual molimina; premenstrual tension s.; premenstrual tension.

25—40 歳の有経婦人の 80% が少なくとも数周期で多少の PMS 症状を経験し，5—10% では，家庭内，仕事上，社会的な関係の破綻を伴う情動的症状を呈し，月経前(または黄体後期)の気分障害と解される．特異的な生物学的要因は解明されていない．セロトニン代謝異常に関する報告から，月経周期で正常範囲内のホルモン変動が神経伝達物質の調節障害に影響を及ぼし，情緒障害や不安症状の引き金となるという仮説が提唱されている．セロトニン作動性抗うつ薬(citalopram, fluoxetine, paroxetine, sertraline)やアルプラゾラムを連続的または周期的に投与すると情動症状を抑えられる．カルシウム補充，カフェインや塩分の摂取制限，適度の運動，炭水化物の多い食事により身体症状を軽減させることができる．重症例では，ダナゾール，リュープロライド，ナファレリンなどを使って月経を抑制することも考慮してよい．

premenstrual salivary s. 月経前唾液症候群（月経の始まる前に起こる腺異常で，乳腺組織の腫大と唾液腺の肥大を伴う）．

premenstrual tension s. 月経前緊張症候群．＝premenstrual s.

premotor s. 運動前〔野〕症候群（運動前野の病変に起因する症候の組み合わせ．痙縮，強制把握，腱反射亢進，血管運動障害，および巧緻運動障害を含む）．

primary antiphospholipid s. (**PAPS**) 原発性抗リン脂質抗体症候群（繰り返す動静脈血栓症と習慣流産および血中抗リン脂質抗体(β2–糖脂質 I 依存性抗カルジオリピン抗体)の存在を特徴とする血栓症を生じやすい病態）．＝Hughes s.

pronator teres s. 回内筋症候群（前腕近位，通常，円回内筋の両頭間を正中神経が通る部位で，正中神経が絞扼または圧迫を受ける症候群）．

propofol infusion s. プロポフォール注入症候群（高用量のプロポフォールでの治療 4 — 5 日後に心不全，代謝性アシドーシス，横紋筋融解，高カリウム血症で発症する病態）．

Proteus s. ［G. *Proteus*. ギリシア神話で姿を自由に変えられる海神］［MIM*176920］．プロテウス症候群（巨大な手や足，調和のとれない発育異常，色素性母斑，手掌や足底の肥厚，血管の奇形，皮下の脂肪腫などの様々な表現型を呈するまれな疾患．恐らくは遺伝病．しばしば神経線維腫症 I 型と混同される）．＝elephant man's disease (1).

prune belly s. プルーンベリー症候群（腹壁筋肉の欠損，停留精巣，弛緩した大きな膀胱，拡張捻転した尿管を合併した症候群）．＝Eagle-Barrett s.; triad s.

prune-belly s. プルーンベリー症候群．＝abdominal muscle deficiency s.

pseudo-Meigs s. (sū′dō-megs)．偽〔性〕メグズ(メイグス)症候群（婦人科疾患と関連した腹水や胸水貯留のうち，Meigs 症候群(⇒syndrome)の定義に含まれないもの）．

pseudoexfoliation s. 偽落屑症候群（水晶体嚢 lens *capsule* に類似の落屑が水晶体表面に沈着する状態でしばしば緑内障を生じる．→*pseudoexfoliation* of lens capsule)．＝exfoliation s.

psychogenic nocturnal polydipsia s., PNP s. 心因性夜間煩渇多飲症候群（情動に起因する夜間の水分過剰摂取）．

pterygium s. ［MIM*178110, *265000, *312150］．翼状片症候群（四肢の屈曲変形と脊椎の奇形を伴う，頸部，前肘窩，および膝窩のみずかき形成．常染色体優性，常染色体劣性，X 連鎖劣性遺伝のすべてが報告されている）．

pulmonary dysmaturity s. 肺成熟障害症候群（小さい未熟児にみられる呼吸障害で，正常な肺換気能をもたず，6—8 週続いた病後で低酸素症により死ぬことが多い．肺は広範な局所性気腫性のブレブと厚くなった肺胞壁をもつ実質とを含む．臨床歴，胸部 X 線所見，およびこの年齢のグループに通常はみられる他の肺疾患に特徴的な病理変化をもたないという剖検所見に基づいて主に診断される）．＝Wilson-Mikity s.

punchdrunk s. 拳闘酔態症候群（ボクサーにみられる症状で，しばしば引退後数年してみられ，反復する脳振とうにより起こると考えられる．下肢の衰弱，歩行の不安定，筋肉運動の緩徐，手の振せん，構音障害，思考の緩慢さを特徴とする）．

Putnam-Dana s. (pŭt′năm dā′nă)．パトナム – デーナ症候群．＝subacute combined *degeneration* of the spinal cord.

rabbit s. (rab′it sin′drōm)．ウサギ症候群（神経弛緩薬で誘発されるまれなパーキンソニズムの一型で，顎，鼻周囲，口周囲の筋肉に 4 — 6 Hz の律動的な動きを生じることが多い．ウサギが食べている時の運動に似ているので，ウサギ症候群という）．

radial aplasia-thrombocytopenia s. ＝thrombocytopenia-absent radius s.

radial tunnel s. 橈骨管症候群（橈骨神経が肘部，前腕近位を通る間の種々の部位で圧迫されて生じる，運動障害や感覚障害は伴わない，肘から前腕の外側部痛をきたす疾患）．

radicular s. 根〔性〕症候群（通常，脊柱管内で脊髄神経根が障害されてみられる変化の組み合わせ．障害された神経根の領域の首または背中の痛み，皮節の痛みまたは異常感覚または両者，腱反射低下，ときに筋節の脱力を含む）．

Raeder paratrigeminal s. (rā′dĕr)．レーダー傍三叉神経症候群（Meckel 腔近くの頸動脈交感神経叢の障害により生じる三叉神経機能不全を伴う節後性 Horner 症候群）．

Ramon s. (rā-mahn′ sin′drōm) ［Yochanan *Ramon*. 20 世紀のイスラエル人口腔外科医］．レーマン(レーモン，ラマン)症候群（歯肉の線維腫症およびケルビム症を伴う常染色体劣性遺伝病［MIM 266270］）．

Ramsay Hunt s. (ram′sē hŭnt)．ラムジー・ハント症候群（①＝Hunt s. ②＝*herpes* zoster oticus）．

Rasmussen s. (ras′mŭs-ĕn)．ラスムッセン症候群．＝Rasmussen *encephalitis*.

Raynaud s. (rā-nō′)．レーノー(レイノー)症候群（寒冷および激しい感情の動きによって動脈，細動脈が収縮して起こる両側の指の病的痙攣性チアノーゼ症．→Raynaud *phenomenon*)．＝Raynaud disease; symmetric asphyxia.

red fingers s. 紅色指症候群（HIV 関連疾患患者にみられる原因不明の手の指(しばしば足の指)の爪周囲組織の紅斑）．

red scrotum s. 紅色陰嚢症候群（通常陰嚢の前半分にみられる鮮紅色斑．時に陰茎も侵す．様々な程度の圧痛，熱感，かゆみを伴う．病因は不明で治療抵抗性である）．

5γ-reductase deficiency s. 5γ–還元酵素欠損症候群（ジヒドロテストステロンをテストステロンに変換する酵素(5γ–還元酵素)の欠損症．生下時に外性器の異常，および男児では思春期に男性化の障害が認められる）．

Refetoff s. (ref′ĕ-tof)．レファトフ症候群（甲状腺腫，甲状腺中毒症の発現を伴わない血清甲状腺ホルモン濃度の上昇を特徴とする状態で，甲状腺ホルモンに反応しない標的器官によるものである）．

Refsum s. (ref′sūm)．レフスム(レフサム)症候群．＝Refsum *disease*.

Reifenstein s. (rī′fĕn-stīn) ［MIM*312300, *313700］．ライフェンスタイン症候群（部分的にアンドロゲン感受性をもつ男性偽半陰陽の家族性の型で，種々の程度の不明瞭な性器または尿道下裂，思春期後に発育する女性乳房，および精細管硬化を伴う不妊を特徴とする．潜在精巣が存在することもあり，Leydig 細胞機能低下により後に不能症が起こることもある．染色体分析では第 46 XY 染色体の X 染色体長腕においてアンドロゲン受容体(*AR*)遺伝子の変異によって生じる，X 染色体依存性の劣性遺伝である）．

Reiter s. (rī′tĕr)．ライター症候群（尿道炎，虹彩毛様体炎，粘膜皮膚病変，関節炎を主徴として，ときに下痢を伴うこともある．これらの 1 つ以上の症状が月または年単位の間隔で反復するが，関節炎は持続する）．＝Fiessinger-Leroy-Reiter s.; Reiter disease.

REM s. レム症候群（体幹上部の網状紅斑様皮膚炎で女性にやや多い．血管周囲性のリンパ球，少数の形質細胞浸潤．ムチンの真皮上層への沈着．紫外線暴露で悪化する）．＝reticular erythematous mucinosis.

Rendu-Osler-Weber s. (ron-dū′ ōs′lĕr vā′bĕr)．ランデュ – オースラー – ウェーバー症候群．＝hereditary hemorrhagic *telangiectasia*.

Renpenning s. (ren′pen-ing) ［MIM*309500］．レンペニング症候群（ぜい弱 X 染色体によらない X 染色体性精神遅滞で，低身長と小頭症を伴う．女性にもみられるが，男性に多い）．

residual ovary s. 残留卵巣症候群（骨盤内の塊，骨盤痛，およびときに性交疼痛症が出現する．両卵巣を除去しない子宮摘出後にみられる）．

resistant ovary s. ［MIM*176440］．硬化性卵巣症候群（正常卵胞をもつが，高ゴナドトロピン性無月経をきたす症

S

候群を表す．優性遺伝による）．

respiratory distress s. (**RDS**) 呼吸窮迫症候群（→adult respiratory distress s.）．

respiratory distress s. of the newborn 新生児呼吸窮迫症候群．＝hyaline membrane *disease* of the newborn.

respiratory distress s. type II 呼吸窮迫症候群 2 型．＝transient *tachypnea* of the newborn.

restless legs s. 不穏下肢症候群（表現しがたい落着きのなさ，ひきつり，または不安定さの感覚が就寝後に下肢に起こり，しばしば不眠症をもたらす．歩き回ることで一時的に治る．不十分な血液循環により，または SSRI や他の向精神薬の副作用によるとされている．→akathisia）．＝Ekbom s.; restless legs.

retinoic acid s. レチノイン酸症候群（急性前骨髄球性白血病のためにオールトランスレチノイン酸を内服している患者にみられる複雑な症候で，発熱，呼吸困難，体重増加，肺浸潤，胸水・心膜液，反復する低血圧，腎機能障害，白血球増加からなる）．

retraction s. 退縮症候群（患眼の外転不能で，内転を試みる際の眼球退縮と偽眼瞼下垂を伴う．水平外眼筋の共同神経支配．ときに患眼の外転(type 1)，または患眼の内転(type 2)または両方の不能）．＝Duane s.

Rett s. (ret) [MIM*312750]．レット症候群（①一見正常な胎児期，出生前後を経るが，発達するにつれて様々な特徴的な欠損を呈する広範な発達障害．頭部の成長の減速，典型的な手の動きの悪化を伴う巧緻運動の欠損，人の話を理解すること，表現することの両面にわたる言語障害．重要な精神遅滞がみられる．② DSM 診断の 1 つで特定の診断基準を満たせば確定する）．

Reye s. (rī)．ライ症候群（インフルエンザや水痘などの急性熱性疾患に引き続いて起こる年少小児の後天的な脳症で，反復性の嘔吐，興奮，嗜眠を特徴とする．頭蓋内圧亢進に伴って昏睡に至る．アンモニアと血清トランスアミナーゼが上昇する．脳浮腫とそれに伴う脳ヘルニアのために死亡することがある．アスピリン摂取との関連が示唆されている）．

Rh null s. [MIM*268150]．Rh 陰性症候群（すべての Rh 抗原を欠如し，代償された溶血性貧血とストマトサイト増加症が特徴の病態．常染色体劣性遺伝で，第 6 染色体短腕の Rh 関連ポリペプチド 50-kD 遺伝子(*RH50A*)の突然変異によるものである）．

Richards-Rundle s. (rich′ărds rŭn′dĕl)．リチャーズ－ランデル症候群（小児期早期に始まる神経系疾患で，重症，進行性感音難聴，失調症，筋消耗，眼振，深部腱反射消失，精神遅滞，二次性徴の発育不全，ケト酸尿症を特徴とする．常染色体劣性遺伝）．

Richner-Hanhart s. (rik′nĕr-hahn′hahrt)．リヒナー－ハンハルト(レヒナー－ハナート)症候群（→tyrosinemia, type II）．

Richter s. (rik′tĕr)．リクター症候群（慢性リンパ球性白血病に起こる重症のリンパ腫．悪液質，発熱，蛋白異常血，および多核腫瘍細胞をもつリンパ腫を伴う）．

Rieger s. (rē′gĕr) [MIM*180500]．リーガー症候群（歯数不足症または無歯症や上顎骨形成不全を伴う虹彩角膜中胚葉発育不全．常染色体優性遺伝．性的発達の遅滞と甲状腺機能低下症がみられる．→Rieger *anomaly*）．

Riley-Day s. (ri′lē dā)．ライリー－デイ症候群．＝familial *dysautonomia.*

Roaf s. (rōf)．ローフ症候群（先天性または早期の網膜剝離，白内障，近視，長骨短縮，および精神遅滞を伴う非遺伝性頭蓋顔面骨格疾患．進行性感音難聴は後に発症する）．

Roberts s. (rob′ĕrtz) [MIM*268300]．ロバーツ(ロバート)症候群（アザラシ肢症または軽度の肢形成不全，小短頭，顔面正中欠損，胎内成長障害，停留精巣を伴う症候群．染色体動原体異常に関する．常染色体劣性遺伝）．

Robin s. (rō-băn[h]′)．ロバン症候群．＝Pierre Robin s.

Robinow s. (rob′i-now) [MIM*180700]．ロビノー症候群（隆起した前頭部，眼間開離，陥没した鼻弓(いわゆる胎児様顔貌)，広い口，中間肢短縮，半脊椎，性器低形成を特徴とする骨異形性症．常染色体劣性遺伝 [MIM*268310]．→fetal face s.）．＝Robinow dwarfism.

Rokitansky-Küster-Hauser s. (rō-ki-tahn′skē kē-stĕr′ howz′ĕr)．ロキタンスキー－キュスター－ハウザー症候群．＝Mayer-Rokitansky-Küster-Hauser s.

Romano-Ward s. (rō-mahn′ō wărd) [MIM*192500]．ロマノ－ウォード(ワード)症候群（心室細動を含む心室性不整脈に帰因する意識消失発作を起こしやすい小児にみられる心電図の QT 間隔の延長．常染色体優性遺伝．第 11 染色体短腕の K チャネル遺伝子(*KVLQT1*)の変異によることが示された．*cf.* Jervell and Lange-Nielsen s.）．＝Ward-Romano s.

Romberg s. (rom′bĕrg)．ロンベルク症候群．＝facial *hemiatrophy.*

Rothmund s. (rot′mūnd)．ロートムント症候群（皮膚の萎縮，色素沈着および毛細血管拡張で，通常は若年性白内障，鞍鼻，先天性の骨形成不全，毛髪の発育障害，性腺機能低下を伴う．常染色体劣性遺伝）．＝poikiloderma atrophicans and cataract; poikiloderma congenitale; Rothmund-Thomson s.

Rothmund-Thomson s. (rot′mūnd tom′sŏn)．ロートムント－トムソン症候群．＝Rothmund s.

Rotor s. (rō-tōr′)．ローター症候群（ビリルビン排泄障害によって小児期に生じる黄疸．血漿ビリルビンの大部分は結合型であり，肝機能検査結果は通常正常で，肝臓の色素沈着はない）．

Roussy-Lévy s. (rū-sē′ lā-vē′)．ルシー－レヴィ症候群．＝Roussy-Lévy *disease.*

Rubinstein-Taybi s. (rū′bĭn-stīn tā′bē)．ルービンスタイン－テービ症候群（精神遅滞，幅の広い母指，および大きな母趾，眼瞼裂斜下(外側へ下がった眼裂)，薄いくちばし状の鼻，小頭，前額突出，耳介低位，高口蓋，心奇形を特徴とする症候群．超顕微鏡的な染色体の欠損が原因の可能性があり，さらに本症候群は第 16 染色体短腕上の転写仲介因子の CREB 結合蛋白遺伝子の変異によることが証明された）．

Rud s. (rūd)．ルド(ラド)症候群（黒色表皮腫，小人症，性腺機能不全，てんかんを伴う魚鱗癬様紅皮症．大部分は散発であるが，X 連鎖劣性遺伝の特性があると思われる）．

runting s. 矮小症候群（新生マウスの胸腺を摘除すると，体重が増加せず，そのリンパ組織は萎縮する）．＝wasting s. (1).

Russell s. (rŭs′ĕl)．ラッセル症候群（一般的には第 3 脳室前方の星状膠質細胞腫であるトルコ鞍上部の病変による乳児および年少小児の体重増加不良で，成長ホルモンは上昇していることがあるにもかかわらず，患児はやせており，体脂肪を失っている．→pseudohydrocephaly）．

Saethre-Chotzen s. (sayt′rĕ chŏt′zen)．シーザー－ショッツェン症候群（頭蓋骨早期癒合症，非対称性の頭蓋(斜頭症)，眼瞼下垂，著明な耳の下腿，皮膚性の手指第二－三指の合指症，足指第三－四趾の合指症を特徴とする症候群．常染色体優性遺伝で，第 7 染色体短腕の TWIST 転写因子の突然変異による）．＝Chotzen s.; acrocephalosyndactyly type III.

salt depletion s. 食塩欠乏症候群．＝low salt s.

salt-losing s. 塩分喪失症候群．＝salt-losing *nephritis.*

Samter s. (sam′tĕr)．サムター症候群（ぜん息，鼻ポリープ，アスピリン不耐容の三徴）．

Sanchez Salorio s. (sahn′chez sah-lō′rē-ō)．サンチェス・サロリオ症候群（網膜色素性異栄養症，白内障，睫毛の貧毛，精神遅滞，および体の発育遅延）．

Sandifer s. (san′di-fĕr)．サンディファー症候群（新生児の斜頸で胃食道逆流現象に関連．気道保護の役割または胃酸逆流の痛みを避けると考えられている）．

Sanfilippo s. (san-fi-lē′po′) [MIM*252900, *252920, *252930]．サンフィリポ症候群（ムコ多糖類の代謝障害で，尿中へ多量の硫酸ヘパリチンを排泄する．肝腫脹を伴う重篤な精神遅滞．骨格は正常あるいは Hurler 症候群に類似した緩和な変化を示す．酵素欠乏の度合によって，いくつかの型(A, B, C, D)に分けられる．常染色体劣性遺伝）．＝mucopolysaccharidosis type III.

Savage s. [最初の報告された患者の姓に由来]．サヴィッジ症候群（resistant ovary s. を表す現在では用いられない語）．

scalded mouth s. 熱傷口腔症候群（舌，口唇，喉，口蓋などに熱湯による熱傷を起こしたような感覚を訴える症候群．臨床的には組織は正常にみえる．アンギオテンシン転換酵素阻害剤療法と関係がある）．

scalded skin s. 熱傷様皮膚症候群（→staphylococcal scalded skin s.）.

scalenus anterior s. 前斜角筋症候群（神経性胸郭出口症候群の前兆の1つ．1930年代後半と1940年代での上肢の異常として多い原因であった．これは下胴，上腕神経叢および鎖骨下動脈が肥厚性前斜角筋による肩甲骨三角により圧迫されるということの捻証されていない概念に基づいている．圧迫はやがて神経を障害するようになり，悪循環となる．この概念は基本的には1950年代には使用されなくなり，頸椎根症 cervical radiculopathy，手根トンネル症候群 carpal tunnel syndrome，上肢症候群 upper extremity symptoms など実際の原因を示すものが使われるようになった．しかし，1980年代に神経性胸郭出口症候群の上部神経叢に対する病因として再び使用されるようになった）.＝Naffziger s.

scapulocostal s. 肩甲肋骨症候群（潜行性に発症する肩の上部または後部の疼痛で，頸および後頭に放散したり腕に下がったり胸の周りに放散する．指のしびれあるいはうずきがみられることがある．肩甲骨と胸郭の後壁間の正常な関係が変わったことによる）.

Schaumann s. (show′mahn). シャウマン症候群. ＝sarcoidosis.

Scheie s. (shā) [MIM*252800]. シャイエ症候群（Hurler 症候群と関連のある，軽症型の症候群．α-L-イズロニダーゼ欠乏症，角膜混濁，手の変形，大動脈弁障害，および正常な知能が特徴．常染色体劣性遺伝で，第4染色体短腕の α-L-イズロニダーゼ(*IUDA*)遺伝子の突然変異により生じる）.＝mucopolysaccharidosis type IS.

Schmid-Fraccaro s. (shmit frah-kar′ō). シュミット－フラッカーロ症候群. ＝cat's-eye s.

Schmidt s. [MIM*269200]. シュミット症候群（① [J.F. M. Schmidt]．声帯，口蓋帆，僧帽筋，および胸鎖乳突筋の片側性麻痺．② [M.B. Schmidt]．原発性甲状腺機能低下症の原発性副腎皮質不全症および1型糖尿病の併発）.

Schnitzler s. (shnitz′lĕr). シュニッツラー症候群（緊張性，全身化慢性じんま疹，関節痛または骨痛，および κ 型の単クローン免疫グロブリン血症）.

Schönlein-Henoch s. (shōrn′līn he′nok). シェーンライン－ヘーノホ(ヘノッホ)症候群. ＝Henoch-Schönlein *purpura*.

Scott s. スコット症候群（スクランブレースの欠陥あるいは欠損によって起こる凝固異常を呈する劣性遺伝疾患．スクランブレースは，凝固開始のために，凝固酵素を細胞膜の内側から外側へ輸送するために必要な蛋白である）.

Schüller s. (shilĕr). シュラー症候群. ＝Hand-Schüller-Christian *disease*.

Schwartz s. (shwōrts) [MIM*255800]. シュヴァルツ症候群（筋緊張性筋障害，小人症を起こす骨端軟骨異栄養症，関節拘縮，眼裂縮小，および特徴的な顔を特徴とする先天性疾患．常染色体劣性遺伝）.

Seckel s. (sek′ĕl) [MIM*210600]. ゼッケル症候群（低出生体重，小人症，小頭症，大きな目，くちばしのように尖った鼻，引っ込んだ下顎，中等度の知能障害を特徴とする常染色体劣性遺伝疾患）.＝Seckel dwarfism.

Seip s. (sīp). セイプ症候群. ＝congenital total *lipodystrophy*.

Senear-Usher s. (sē-nēr′ ŭsh′ĕr). セニアー－アッシャー症候群. ＝*pemphigus* erythematosus.

sepsis s. 敗血症症候群（高熱または低体温を伴う急性感染の臨床所見．頻脈，多呼吸，臓器不全の所見，あるいは精神状態の変化，低酸素血症，アシドーシス，乏尿，血管内凝固などの少なくとも1つが現れた循環不全の所見）.

serotonin s. セロトニン症候群（セロトニン代謝を阻害する2つ以上の薬剤(例えば，MAOI, SSRI)を内服しており，血中セロトニン濃度が上昇したために生じる症候群．症状は多彩で，興奮，混迷，発汗，下痢，発熱，身体のふるえ，振せん，ミオクローヌス，硬直，開口障害，強直性発作，痙攣，嗜眠，幻覚，および昏睡が生じる．自律神経系の徴候として，腹痛，下痢，顔面潮紅，高血圧，瞳孔散大，流ぜん，頻脈，頻呼吸が生じる．通常，高体温がみられる．さらに進行すると，DIC，横紋筋融解症，腎不全，呼吸不全，および ARDS が生じてくる）.

Sertoli-cell-only s. (sĕr-tō′lē) [MIM*305700]. セルトーリ(セルトリ)細胞唯一症候群（Sertoli 細胞のみ存在し，胚芽上皮の精巣の細精管がない状態．無精子症による不妊症はあるが他の性的異常は何もない．Leydig 細胞は正常であるが，血漿およびゴナドトロピンの量は増加する．精細管奇形の一型と考えられる）.＝del Castillo s.

severe acute respiratory s. (**SARS**) 重症急性呼吸器症候群（SARS は頭痛，易疲労感，筋肉痛，または下痢などの症状に伴う熱発で始まる．比較的最近診断される病態である．この3－7日間の前駆症状に続き，咳(必ずしも痰を伴わない)と呼吸困難が進む．検査データ上の異常は白血球減少，血小板減少と血清 CPK やトランスアミラーゼの上昇である．胸部X線写真では正常あるいは正常に近い像から，古典的な ARDS にみられる肺胞，間質性陰影などがみられる．間質性陰影と肺胞浸潤性陰影の両方が記載されている．現時点では SARS の特異検査法がなく，またその定義も幅広いので，SARS は通常は除外診断と考えられている．症例は20か国以上より報告され，現時点での致死率は10％以下であり，当初恐れられたような高致死性と比べ，はるかに低い．伝染はヒト－ヒトと考えられており，主として飛沫伝播である．潜伏期間は2－7日である．原因微生物として現状の諸エビデンスはコロナウイルスを示唆する．コロナウイルスは従来は風邪の原因微生物と考えられてきた）.

Sézary s. (sā-zah-rē′). セザール(セザリー)症候群（異型単核細胞(渦巻き状あるいは脳様回転の核をもつTリンパ球)の皮膚浸潤によって起こる，強いかゆみを伴う剝脱性皮膚炎．この異型細胞は末梢血液中にもみられる．脱毛，浮腫，爪や色素の変化を伴う．菌状息肉症の亜型）.＝Sézary erythroderma.

S

shaken baby s. (**SBS**) 揺さぶられっ子症候群（乳児を乱暴に揺さぶることにより，神経学的またはその他の外傷性の様々な症状が引き起こされる症候群）.

SBS は肉体的虐待を受けた小児・乳児において，死亡や長期および永続的な障害の主な原因である．直接的な頭部外傷の有無を問わず，力強く揺すられた児は結果として，脊髄損傷や頭蓋内出血をきたし，非可逆的な脳損傷，視力障害，聴力障害，痙攣，学習障害，麻痺，死亡に至る．SBS は多くは1歳未満でみられ，2歳以降はめったにみられない．生後6か月以下の乳児は体格に比べ頭部が重いこと，頸部の筋力が弱いこと，頭蓋骨が薄いことにより SBS の障害を受けやすい．乳児では脳の水分含有量が多く，髄鞘化が不十分であるため，圧力を受けやすく，脳挫傷や硬膜下あるいは広汎なクモ膜下出血を伴う血管損傷を受けやすい．通常の頭部外傷ではまれである網膜血管の剪断による眼球内出血(網膜出血)が，SBS では両側に認められることが多い．通常，硬膜下血腫と脳浮腫による頭蓋内圧の持続的な上昇により死に至る．米国では SBS として毎年約1,000人が入院し，約25％は死亡し，一命を取り留めても50％以上で非可逆的神経学的後遺症や視力障害を残す．また当初無症状と考えられた救命例のうちの25％でも，長期経過観察後に重篤な発達障害を呈するようになる．女性(女親)よりも男性(男親)のほうが危害を加えやすく，うつ，不安障害，薬物依存の既往のある人が加害者となりやすい．また他の加害者危険因子としては，出生前の指導不足，貧困，年齢が続いて兄弟がいること，子供の性別が期待と違っていた場合，ネグレクトや虐待の家族歴などがある．男児が女児よりも被害を受けやすく，双胎児，低出生体重児，未熟児(早期産児)，障害や慢性疾患をもつ子供なども被害を受けやすい．多くの場合，児が泣き続けることに対する育児者(養育者)の衝動的な反応で起こり，典型的には，育児者と被害者以外に誰もいなかった場合である．以前に虐待の既往や外傷歴があることもある．加害者は症状や外傷は偶発的に生じたと話をつくり上げることがある．SBS の症状はインフルエンザ様症状，哺乳力・食欲低下，過敏，元気がない，嘔吐，呼吸停止，痙攣，昏睡など様々である．古典的な3徴である硬膜下血腫，脳浮腫，網膜もしくは硝子体(下)出血が認められないことも多い．指圧痕が胸壁もしくは肩周囲に認められることがあるが，典型的な場合は外傷を認めない．硬膜下血腫例のうち半数は頭蓋骨骨折を伴わない．頭蓋骨単純X線写真では軽微な頭蓋骨骨折は見落とされる一方，単純 CT では，クモ膜下出血や脳の圧迫所見が発見でき，MRI や腰椎穿刺も診断の助けになる．SBS を防ぐには両親や小さな子供の世話をする者に対して，子供を揺さぶることの多大な危険性についての教育が必要である．また新たに親になる者に対して，普通の乳児は 1 日合計で 1.5—3 時間泣くことや，子供を揺さぶることは適切な対処でないことを伝えるべきである．子供の啼泣により育児者の感じるストレスへの他の対処方法を考える必要がある．両親はベビーシッターや託児施設を慎重に選択すべきである．すべての育児者は怒りで感情的になっているときに決して子供に触れてはならない．医療従事者は SBS のわずかな徴候やその他の虐待の形跡に対して細心の注意を払わなければならない．

Sheehan s. (shē′an). シーハン症候群（分娩後下垂体壊死により発症する下垂体機能低下症．分娩中の低血圧障害による虚血症に起因する）. = pituitary cachexia; postpartum pituitary necrosis s.; Simmonds disease; thyrohypophysial s.

Shone s. (shōn). ショーン症候群（弁輪部上部と僧帽弁の腱索部を含む僧帽弁複合体の閉塞性病変で，左室流出路障害と大動脈狭窄を伴う）.

short-bowel s. 短腸症候群（小腸の大部分を占める疾患や切除の結果生じる吸収消化不全）.

shoulder-girdle s. 肩〔甲〕帯症候群. = neuralgic *amyotrophy*.

shoulder-hand s. 肩手症候群. = complex regional pain s. type I.

Shprintzen s. (sprint′zĕn). = velocardiofacial s.

Shulman s. (shūl′măn). シュルマン(シャルマン)症候群. = eosinophilic *fasciitis*.

Shwachman s. (shwahk′măn) [MIM*260400]. シュバッハマン症候群（副鼻腔炎，気管支拡張症，吸収不良を伴う膵機能不全症，白血球遊走能低下を伴う白血球減少症，低身長，長管骨の骨幹端部の拡大などの骨格変形を特徴とする．常染色体劣性遺伝疾患）. = Shwachman-Diamond s.

Shwachman-Diamond s. (shwahk′măn dī′mŏnd). = Shwachman s.

shy bladder s. トイレ不安症候群. = paruresis.

Shy-Drager s. (shī drā′gĕr) [MIM*146500]. シャイ－ドレーガー症候群（自律神経系の障害が前景に出る多系統萎縮症を表す現在では用いられない語）.

sicca s. 乾燥症候群. = Sjögren s.

sick building s. building-related illness を表わす現在では用いられない語.

sick euthyroid s. = euthyroid sick s.

sick sinus s. [MIM*182190]. 洞〔機能〕不全症候群，洞結節不全症候群（心房活動(註正確には洞活動)がまったく無秩序状態または停止した状態で，めまいから意識不明まで多彩な症状を示す．しばしば頻脈と交互に出現する徐脈，補充収縮を含む頻発性の異所性収縮，上室性と心室性不整脈の連発，洞停止，洞房ブロックを伴う）.

Silver-Russell s. (sil′vĕr rŭs′ĕl) [MIM*270050]. シルヴァー－ラッセル症候群（低出生体重，大泉門閉鎖遅延，両側身体不対称，第五指の彎曲指，三角な顔貌，鯉口を特徴とする疾患．遺伝性の根拠はほとんどない）. = Silver-Russell dwarfism.

Silverskiöld s. (sĭl-ver′skē-ŏld). シルヴェルフィエルド症候群（骨軟骨ジストロフィの一型で，わずかな椎骨の変化を伴うにすぎないが，四肢の長骨の短小化と彎曲化がみられる）.

Sinding-Larsen-Johansson s. (sin′ding lar′sĕn yō-han′sŏn) シンディング－ラルセン－ヨハンソン症候群（膝蓋骨の遠位端の骨端症）.

sinus venosus s. 静脈洞症候群（肺血管と静脈の部分性の異常結合と小さな心房中隔欠損を合併する症候群）.

Sipple s. (sip′ĕl) [MIM*171400]. シップル症候群（褐色細胞腫，甲状腺髄様癌，副甲状腺腫を伴う症候群．常染色体優性遺伝．第 10 染色体長腕にある RET 遺伝子の変異による）.

Sjögren s. (shōr′gren) [H.S.C. Sjögren]. シェーグレン症候群（乾性角結膜炎，粘膜の乾燥，顔面の末梢血管拡張または紫斑，および両側性耳下腺腫大で，更年期の女性にみら

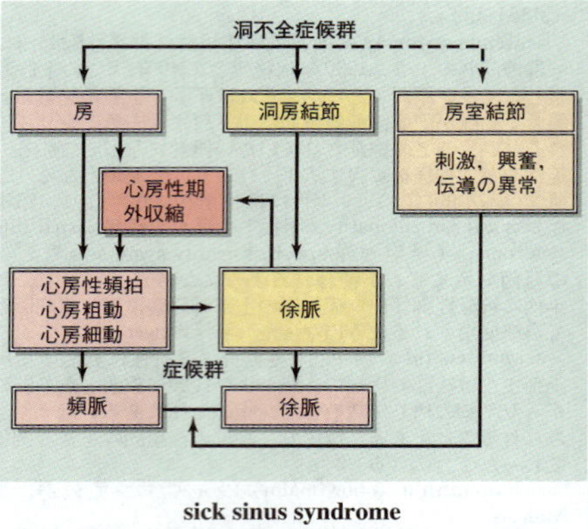

sick sinus syndrome

頻脈・徐脈異常を示す洞不全症候群の病因のチャート．

れ，しばしば関節リウマチ，Raynaud 現象，う歯を伴う．Mikulicz 病に類似した涙腺および唾液腺の変化がある）. = Gougerot-Sjögren disease; sicca s.; Sjögren disease.

Sjögren-Larsson s. (shōr′gren lar′sŏn) [MIM*270200]. シェーグレン－ラルソン症候群（先天性魚鱗癬で，精神遅滞と痙性対麻痺を伴う．常染色体劣性遺伝．第 17 染色体短腕の脂肪性アルデヒドデヒドロゲナーゼ遺伝子(*FALDH*)の突然変異による）.

sleep apnea s. 睡眠時無呼吸症候群（睡眠中の不完全あるいは完全な呼吸停止の多発を特徴とする障害）. = obstructive sleep apnea s.

sleep phase delay s. 睡眠相後退症候群（睡眠・覚醒の日内リズムが昼夜の外的時間の合図に対して遅れているが，安定した関係をもつようになる障害）.

SLE-like s. SLE 様症候群（徴候は SLE を示唆するものの SLE の診断基準には合致しない疾患で，しばしば薬物による狼瘡を意味して用いられる）.

slit ventricle s. 短絡管依存性の水頭症患者において，一過性または慢性的な頭痛，脳室の狭小化，弁機構の反射遅延が特徴的な状態.

Sly s. スライ症候群（β-グルクロニダーゼ欠損による常染色体劣性遺伝疾患．リソソーム内でのデルマタン硫酸，ヘパラン硫酸，コンドロイチン硫酸の分解が障害されており，ほとんどの臓器で細胞機能が荒廃している）. = mucopolysaccharidosis type VII (1).

Smith-Lemli-Opitz s. (smith lem′lē ō′pits) [MIM*270400]. スミス－レムリ－オピッツ症候群（精神遅滞，低身長，前傾した鼻孔，眼瞼下垂，男性性器異常，および第二趾と第三趾の合併症．しばしば胎動の遅延した殿位分娩児にみられる）.

Smith-Riley s. (smith rī′lē). スミス－ライリー症候群（多発性血管腫，巨大頭蓋症，不鮮明な視神経乳頭を伴う．血管腫は出生時または生後に出現し，拡大し，数を増す）.

Sneddon s. [MIM*182410]. スネッドン症候群（広汎性皮膚網状斑を伴う，中等大の血管の非炎症性内膜過形成を特徴とする，原因不明の脳動脈障害）.

Sohval-Soffer s. (sō′vahl sof′ĕr). ソーヴァル－ソファー症候群（性機能不全，女性型乳房，骨格異常，恐らく X 連鎖遺伝をすると考えられている精神遅滞）.

Sorsby s. (sōrz′bē). ソーズビー症候群（先天性黄斑欠損および四肢の先端部のジストロフィ）.

Sotos s. (sō′tōs) [MIM*117550]. ソトス症候群（知能障害と協調運動障害を伴う小児期の脳性巨人症および全身性の筋肉肥大．原因は不明．大部分の症例は散発性，恐らくは低い遺伝的適合性を伴う新突然変異によるものとされてきたが，1 組の一卵性双生児で発症した記録がある）.

space adaptation s. 宇宙適応症候群（予防策がとられないかぎり，無重力に長期間暴露したときに起こる正常生理の変化．筋萎縮，骨からのミネラルの喪失，心血管変化によっ

て特徴づけられる).

Spens s. (spenz). スペンズ症候群. ＝Adams-Stokes s.

splenic flexure s. 脾結腸曲症候群（疼痛，ガス，鼓腸，満腹感の症状が，左上腹部，ときには肋骨下で感じられ，場合によっては上部に放散したり，中央または主に左寄りの前胸部痛を生じる．脾結腸曲への空気の導入と捕獲により実験的に起こすことができる).

split hand s. 裂手症候群（手の内在筋の不均等な萎縮．手の外側(橈骨)面の筋肉(第一背側骨間筋，母指球)は，内側(尺側)面の筋肉(小指球)より高度に障害される．小指球筋を支配する運動線維より遠位部で尺骨神経深枝が障害される場合を除くと，C8 と T1 分節を障害する頸髄前角細胞病変の徴候であることが多い).

Sprintzen s. (shprint′zen). シュプリンツェン(シプリンゼン)症候群. ＝DiGeorge s.

squash-drinking s. スカッシュ多飲症候群（高エネルギーのスポーツ飲料の取り過ぎによる体重増加不良，食欲不振，軟便などの様々な障害).

staphylococcal scalded skin s. ブドウ球菌性熱傷性皮膚症候群（II 度熱傷のように皮膚の広範な部分が剝奪する乳児が罹患する疾患で，皮膚に感染がなくても上気道のブドウ球菌感染の結果として起こる．臨床的によく似ている小児や成人に生じ，表皮下の開裂を引き起こす中毒性表皮壊死症と違って皮膚剝離の階層は下角化層である). ＝Lyell disease.

Stauffer s. (stō′fer). スタウファー症候群（腎細胞癌の患者で，転移がないのに生じる肝機能検査異常．胆汁うっ滞により生じる).

Steele-Richardson-Olszewski s. (stēl rich′ărd-sŏn ol-shev′skē). スティール－リチャードソン－オルスゼフスキー症候群. ＝progressive supranuclear *palsy*.

Stein-Leventhal s. (stīn lev′ĕn-thahl). スタイン－リーヴェンサール症候群. ＝polycystic ovary s.

steroid withdrawal s. ステロイド中止後症候群（長期間にわたり多量の糖質コルチコイドホルモンを投与されてきた患者に生じる症状．後 1 年以上の間に下垂体性副腎皮質機能低下が，特にストレス中に発現する．種々の程度の情動障害を示すこともある).

Stevens-Johnson s. (stē′vĕnz jon′sŏn). スティーヴンズ－ジョンソン症候群（多型紅斑の水疱型の一型で，粘膜や身体の大部分に広範に生じる．重篤な自覚症状を示し，致命的になることもある.→ocular-mucous membrane s.). ＝erythema multiforme bullosum; erythema multiforme exudativum; erythema multiforme major.

Stewart-Morel s. (stūw′art mō-rel′). スチュアート－モレル症候群. ＝Morgagni s.

Stewart-Treves s. (stūw′ărt trēvz). スチュアート－トリーヴェス症候群（乳房切除術後のリンパ水腫にかかった腕に生じる血管肉腫).

Stickler s. (stik′lĕr). スティックラー症候群. ＝hereditary progressive *arthroophthalmopathy*.

stiff heart s. 心硬化症候群（主に心室に影響する拡張期の梗塞性心疾患を起こす急性病変で，一時心臓手術の合併症とされた).

stiff man s. スティッフマン症候群. ＝stiff person s.

stiff person s. 全身硬直症候群，スティッフパーソン症候群（多くの体節性筋肉の持続性等長性収縮が臨床的にみられるまれな疾患．収縮は通常，強く痛みを伴い体幹の筋肉を侵すことが多いが，四肢の筋肉を侵すこともある．GABA 合成酵素やグルタミン酸デカルボキシラーゼに対する循環抗体ができる自己免疫疾患で，他の型の抗体も存在する). ＝stiff man s.

Still-Chauffard s. (stil shō-fahr′). スティル－ショファール症候群. ＝Chauffard s.

Stockholm s. [*Stockholm*，スウェーデンの首都．初期の症例が報告された]. ストックホルム症候群（捕虜と捕えた人間との間で生じるある種の絆であり，捕虜は捕えた人間に同一化し，時には共感することさえある).

Stokes-Adams s. (stōks a′dămz). ストークス－アダムズ(アダムス)症候群. ＝Adams-Stokes s.

straight back s. ストレートバック症候群（胸椎の正常な前凹面の欠損で，その結果，胸郭前後径の狭少化を伴い，次いで著しい胸部拍動，駆出性雑音，およびX線上で心影像の拡大(ホットケーキ型心臓)がみられる).

streptococcal toxic shock s. 連鎖球菌中毒性ショック症候群（低血圧と大脳機能不全，腎障害，急性呼吸不全症候群，毒性心筋症や肝不全を示す多臓器障害を特徴とする中毒性症候群．皮膚や軟部組織の連鎖球菌の局所感染によって起こり死亡率は 30% と報告されている).

Stryker-Halbeisen s. (strī′kĕr hahl′bī-sĕn). ストライカー－ハルバイゼン症候群（頭と体幹上半部の赤色調で，落屑性の斑状発疹．ビタミンB複合体の欠乏による．大赤血球性貧血を伴う).

Sturge-Kalischer-Weber s. (stŭrj kah′lish-ĕr vā′bĕr). スタージ－カーリシャー－ウェーバー症候群. ＝Sturge-Weber s.

Sturge-Weber s. (stŭrj vā′bĕr) [MIM*185300]. スタージ－ウェーバー症候群（片側性の三叉神経分布領域における先天性の毛細管奇形(炎光母斑)，頭蓋内石灰化と神経学的徴候を伴う同側性の脳軟膜血管奇形，しばしば二次性の緑内障を伴う脈絡叢の血管奇形，の 3 主徴よりなる症候群．遺伝形式はほとんどの場合，散発性であり，明らかでない.→encephalotrigeminal vascular s.; Jahnke s.). ＝cephalotrigeminal angiomatosis; encephalotrigeminal angiomatosis; Sturge-Kalischer-Weber s.; Sturge-Weber disease.

subclavian steal s. 鎖骨下動脈盗血症候群（椎骨－脳底動脈不全症で，鎖骨下動脈盗血から起こる).

subcoracoid-pectoralis minor tendon s. 烏口下－小胸筋腱症候群. ＝hyperabduction s.

---

sudden infant death s. (**SIDS**) [MIM*272120]. 乳児突然死症候群（検死解剖，死因調査，加療歴を通じて，すべての考えうる原因が除外されたうえでも説明することができない健康にみえる乳児の突然死). ＝cot death; crib death.

SIDS は生後 1 週間から 1 歳までの乳児死亡の原因では最も多く，出生 1,000 対約 2 の割合である．米国では毎年 6,000—7,000 人の児が死亡する．ピークは生後 2—4 か月で，多くはより寒い時期に起きる(北半球の 10 月から 4 月)．症例の定義は，特に薬物や中毒，無呼吸，呼吸器感染，窒息，嘔吐による誤えん，故意または故意ではない絞殺，虐待を除外する．多くの犠牲者は死亡前は健康で，睡眠時に急速に起こることが多い．SIDS はすべての人種，経済・社会的レベルにかかわらず家族に衝撃を与える．男児に若干多く，第一子に比べ第二子により多い．先天性または発達異常の説があるが現象の家族集積性は認めない．統計学的には，母親の出生前または出生後の喫煙，不十分な出生前のケア，低出生体重，母親の低年齢，強力な薬物中毒が危険因子として確認された．母乳栄養が危険を軽減するという報告がないわけでもない．*Helicobacter pylori* 胃炎合併が関与するとも推測されている．最も重要な危険因子はうつぶせ寝である．うつぶせ寝はあおむけ寝より危険である．この違いの理由は不明である．しかし，SIDS の発症率は 1992 年の米国小児科学会による最初のあおむけ寝の推奨以降著明に減少している．胃食道逆流現象，えん下障害，両側声帯麻痺の児にうつぶせ寝は好まれる．健康な児にとって，あおむけ寝は嘔吐や誤えんの危険を増加させない．最近の医学研究ではうつぶせ寝や母親の喫煙を避けることでリスクを減少させること，また犠牲者の両親に対する教育，カウンセリング，感情の支えを強調している．

Sudeck s. (sū′dek). ズーデック症候群. ＝Sudeck *atrophy*.

Sulzberger-Garbe s. (sŭlz′bĕr-gĕr gar′bē). サルズバーガー－ガーブ症候群. ＝exudative discoid and lichenoid *dermatitis*.

sump s. 水ため症候群（総胆管十二指腸側側吻合術の合併症の 1 つで，下部総胆管がときに憩室として作用し，結果として食物残滓の貯留，感染が生じるもの).

sunrise s. 日の出症候群（睡眠から覚める際に伴う不安定な認知).

superior cerebellar artery s. 上小脳動脈症候群（脊髄視床路と上小脳脚に供給する上小脳動脈の血栓によるもの．病巣の反対側の顔面および体の疼痛や温度感覚が失われ，巧みな運動をすることができない).

superior mesenteric artery s. 上腸間膜動脈症候群（上

S

腸間動脈により十二指腸が圧迫されて起こる嘔吐で急速な体重減少を伴う)．＝Wilkie disease.

superior vena cava s. 上大静脈症候群（癌による上大静脈の完全または部分閉塞で，顔面・頸部・腕の浮腫と血管の充血，乾性咳，大脳症状，および呼吸困難をもたらす)．

supine hypotensive s. 仰臥位低血圧症候群（妊娠末期の妊婦に仰臥位でみられる母体低血圧．母体低血圧は妊娠子宮の下大静脈圧迫による心還流血量の減少によって惹起される．胎児低酸素症は母体低血圧，妊娠子宮の下行大動脈の圧迫の結果，胎盤循環が低下して生じる)．

supraspinatus s. 棘上筋症候群（上肢を挙上したときの疼痛，および棘上筋腱上に深く圧力を加えたときの圧痛．上肢を肩関節レベルよりも挙上したとき，損傷または炎症を起こした腱や炎症を起こした肩峰下滑液嚢が，上にある肩峰突起に接触するための圧迫による)．＝ impingement s.; painful arc s.

supravalvar aortic stenosis s. [MIM*185500]．大動脈弁上部狭窄症候群（ときに肺動脈弁や末梢動脈の狭窄(通常膜性の)を伴う大動脈弁上部の狭窄だが，顔面や精神に異常はない．常染色体優性遺伝で，第7染色体長腕のエラスチン遺伝子(*ELN*)の変異による．*cf.* Williams s.)．

supravalvar aortic stenosis-infantile hypercalcemia s. 大動脈弁上部狭窄－乳児高カルシウム血症症候群．＝Williams s.

surdocardiac s. ろう・心症候群．＝Jervell and Lange-Nielsen s.

sweaty feet s. 汗臭足症候群．＝isovaleric acidemia.

swollen belly s. 腹部腫脹症候群．＝swollen belly *disease*.

Swyer s. (swī′ĕr)．スワイヤー症候群（内性器異形成，XY女性型)．

Swyer-James s. (swīĕr jāmz)．スワイアー－ジェームズ症候群（①＝unilateral lobar *emphysema*. ②通常，小児期のアデノウイルス感染に基づく閉塞性細気管支炎による一側肺の透過性亢進で，肺容量と肺血管の減少を伴う．中枢性気道閉塞がないのにエアトラッピングがあることで他の原因から鑑別される)．

Swyer-James-MacLeod s. (swīĕr jāmz mik′lowd)．スワイヤー－ジェームズ－マックリード症候群．＝unilateral lobar *emphysema*.

systemic capillary leak s. 全身性毛細管漏出症候群（ときおり起こる低血圧，血液濃縮，および低アルブミン血症を示す原因不明のまれな疾患．単クローン性γ-グロブリン血症がしばしば合併する)．

systemic inflammatory response s. 全身性炎症反応症候群（以下の4項目のうち2つ以上を満たす状態．ⓘ発熱(38℃以上)または低体温(36℃未満)，ⓘⓘ頻拍(90/分以上)，ⓘⓘⓘ頻呼吸(20/分以上)または $PaCO_2$ が 32 mmHg 未満，ⓘⓥ白血球増多(12,000/μL以上)または減少(4,000/μL未満)または未熟顆粒球 10％以上)．

tachybradycardia s. 頻脈徐脈症候群．＝bradytachycardia s.

tachycardia-bradycardia s. 頻脈－徐脈症候群（頻脈と徐脈が繰り返し出現する症候群で，洞房伝導，房室伝導の両方に障害がある場合にしばしばみられる．→sick sinus s.)．

Takayasu s. (tah-kah-yah′sū)．高安症候群．＝Takayasu *arteritis*.

Tapia s. (tah′pē-ă) タピア症候群（喉頭，口蓋帆，および舌の片側性麻痺で，舌の萎縮を伴う)．

tardive s. 遅発性症候群．＝tardive *dyskinesia*.

tarsal tunnel s. (TTS) 足根管症候群（足首部で種々の足の神経が圧迫されて起こる症候群．2つの異なる型がある．内側足根管症候群は足底の種々の部位に痛みや感覚異常を呈し，足首内側の足根管で内側足底神経，外側足底神経，内側踵骨神経が障害されて起こる．前足根管症候群は足首より遠位で深腓骨神経遠位部が障害されて起こり，通常は無症候性で腓骨運動神経伝導検査で診断される．特に記述しない限り，足根管症候群は内側足根管症候群を意味する)．

Taussig-Bing s. (taw′sig bing)．タウシグ－ビング症候群（大動脈の完全転位で，大動脈が高位の心室中隔欠損，右心室肥大，前部の大動脈および後部の肺動脈を伴う左心室にまたがり，左側の肺動脈をもつ右心室から起こる)．＝Taussig-Bing disease.

tegmental s. 被蓋症候群（通常，中脳被蓋の血管性病変により起こり，対側片麻痺と同側の眼筋不全麻痺を特徴とする)．

temporomandibular s. 側頭下顎症候群（不快感，疼痛，の症状で，以下の原因で生じるといわれている．咬合垂直面の欠損，臼歯部咬合の欠如，他の咬合不正，開口障害，筋肉振せん，関節炎，または顎関節への直接の外傷)．

temporomandibular joint pain-dysfunction s. 側頭下顎関節疼痛機能不全症候群．＝myofascial pain-dysfunction s.

tendon sheath s. 腱鞘症候群（内転時に眼の上ひきの制限で，臨床的に過斜筋の麻痺のようにみえるが，筋膜が同側の上斜筋を拘縮させるためである)．＝Brown s.; Paterson-Brown-Kelly s.

Terry s. (ter′ē)．テリー症候群．＝*retinopathy* of prematurity.

Terson s. (tĕr′sŏn)．テルソン症候群（硝子体，網膜，硝子体下の出血で，クモ膜下出血に伴う)．

testicular feminization s. [MIM*313700]．精巣性女性化症候群（男性仮性半陰陽の一型．女性の外性器そっくりなのが特徴で，不完全に発達した膣があり，多くは痕跡的な子宮と卵管をもつ．思春期には正常の大きさの胸をもつ女性の体型を示すが，腋毛や恥毛がほとんどあるかないかで，無月経である．精巣は腹腔内あるいは鼡径管や大陰唇中に存在する．精巣上体および精管は通常存在する．この症候群が不完全な場合は，性器は両性の特徴をもつ．アンドロゲンとエストロゲンはともに形成されるが，標的組織はアンドロゲンには主として反応しない．患者は正常な男性の核型をもつ．X染色体長腕上のアンドロゲン受容体遺伝子(*AR*)の変異によるX連鎖劣性遺伝．→complete androgen insensitivity s.)．

tethered cord s. 係留脊髄症候群（脊髄遠位部(脊髄円錐部)の終糸による下方への異常な偏位(L_2 椎体以下)，失禁，両下肢の進行性運動・感覚障害，痛みや側弯を伴うことがある)．

thalamic s. 視床症候群（視床後下部の梗塞によって起こる症候群で，一過性不全片麻痺，表在感覚と深部感覚の高度の障害，知覚低下のある肢の自発痛，しばしば血管運動障害，栄養障害を病巣と反対側の半身に起こす)．＝Dejerine-Roussy s.

Thiemann s. (tē′mahn)．チーマン症候群（手や足の指節骨骨端の無腐性壊死．通常，家族性で小児期や青年期に発症し，指の変形を生じる．手足の指の家族性関節症ともよばれる)．＝Thiemann disease.

third and fourth pharyngeal pouch s. 第三・第四鰓嚢症候群．＝DiGeorge s.

thoracic outlet s. (TOS) 胸郭出口症候群（頸部基部から腋窩の間で血管または神経(腕神経叢)が障害されることに起因する多くの疾患の総称．過去には損傷を起こしうる組織，機構により前斜角筋症候群 scalenus anticus s.，過外転症候群 hyperabduction s.，肋鎖症候群 costoclavicular s. に分類されていた．現在では，障害されているまたはされていると思われる組織に基づき分類され，血管性と神経性の2つの大きなグループに分けられている(血管，神経が同時に障害されることはまれである)．血管性のものは動脈性と静脈性とにさらに分けられる．神経性のもののいくつかはまだ議論の余地がある)．

Thorn s. (thorn)．ソーン症候群．＝salt-losing *nephritis*.

thrombocytopenia-absent radius s., TAR s. [MIM*274000]．血小板減少－橈骨欠損症候群（先天性橈骨欠損と血小板減少を伴う．血小板減少は幼児期に症状を呈するが後に改善する．先天性心疾患や腎奇形をときに伴う．常染色体劣性遺伝)．

thrombopathic s. 血小板病症候群（あらゆる出血性疾患を表す漠然とした用語で，血管の器質的欠陥がある病気というよりむしろ凝血形成不全をさす)．

thyrohypophysial s. 甲状下垂体症候群．＝Sheehan s.

Tietz s. (tēts′) [MIM*103500]．ティエッツ症候群（第3染色体短腕の微小眼炎転写因子遺伝子の変異によって，少なくとも家系中の複数の家族に起こる白皮症と難聴を主徴とする常染色体優性先天異常)．

Tietze s. (tēt′sĕ)．ティーツェ症候群（肋軟骨部の炎症，疼痛性，圧痛性で非化膿性の腫脹)．＝peristernal perichondritis.

Timothy s. ティモシー(チモシー)症候群(カルシウムチャネルの異常によって起こる珍しい先天性疾患[MIM#601005]. 多臓器障害, QT延長, 指のみずかき形成, 免疫不全, 認知障害, 自閉症を呈し, 通常3歳までに死亡する).

TMJ s. TMJ症候群, 顎関節症候群. ＝myofascial pain-dysfunction s.

Tolosa-Hunt s. (tō-lō′sĕ hunt). トロサ－ハント症候群(特発性の肉芽腫による海綿静脈洞症候群).

tooth-and-nail s. 歯爪症候群(出生時に爪が欠如しているか, あるいはほんのわずかしかない歯の発育不全症). ＝witkop s.

TORCH s. TORCH症候群(胎盤感染により新生児にみられる先天性感染症の一群をいい, 臨床症状は類似するが, 症状の重さや出現時期は異なる. トキソプラスマ症 *t*oxoplasmosis, その他の感染症 *o*ther infections, 風疹 *r*ubella, サイトメガロウイルス感染症 *c*ytomegalovirus infection, 単純ヘルペス *h*erpes simplex の頭文字. →STORCH).

Tornwaldt s. (torn′vahlt). トルンヴァルト症候群(鼻咽頭の分泌物, 後頭部痛, および後頸筋の硬直で, 咽頭嚢の慢性感染症による口臭をもつ).

Torre s. (tor′ē). トレ(トーリ)症候群(多発性内臓悪性腫瘍を伴う多発性脂腺腫. 大腸癌を合併することが多い). ＝Muir-Torre s.

Torsten Sjögren s. (tors′tĕn sjōr′grĕn). トルステン・シェーグレン症候群. ＝Marinesco-Garland s.

Tourette s. (tūr′et). ツレット症候群(小児期に出現するチック症で, 1年以上続く広汎性の運動チックと発声チックを特徴とする. 強迫的・強制的な行動, 注意力散慢症, その他の精神病的疾患を伴うことがある. 汚言や反響語がまれに出現する. 常染色体劣性遺伝). ＝Gilles de la Tourette disease; Gilles de la Tourette s.; Tourette disease.

toxic shock s. (**TSS**) トキシックショック症候群(主として月経中婦人の膣内毒素産生ブドウ球菌感染による症候群. 吸収性の強いタンポン使用中ばかりでなく, 通常の軟部組織の感染で起きやすい. 高熱, 嘔吐, 下痢, 猩紅熱様の皮膚紅斑(後に剝離する), および血圧低下とショックが特徴で, ときとして死に至る. 結膜, 口腔, 咽頭, 膣などの粘膜の充血を伴うことがある).

transplant lung s. 移植肺症候群(発熱と主として肺の底部または肺門の両側性びまん性肺浸潤を伴う. 臓器(腎, 肝, その他)移植の拒否反応を伴うか, 免疫抑制薬の投与量の減少後に起こる).

transurethral resection s. 経尿管切除術症候群(経尿管切除術中に洗浄液中のグリシンが吸収され, 肝臓で代謝されないために血中アンモニアが上昇する病態). ＝TUR s.

Treacher Collins s. (trē′chĕr kol′ĭnz) [MIM*154500]. トリーチャー・コリンズ症候群([Treacher と Collins をハイフンで結ばないこと. 誤った形 Collin および Collin's を避けること]. 眼窩と頰部に限られる下顎顔面骨形成不全症 mandibulofacial *dysostosis*).

triad s. 三徴症候群. ＝prune belly s.

trichorhinophalangeal s. 毛髪鼻指節骨症候群(まばらな細い髪と, 長い人中をもつ幅広の鼻, 円錐状の骨端をもつ腫脹した中指節骨, および発育遅延を特徴とする状態. 少なくとも3つの類似する疾患. そのうち2つは優性遺伝[MIM*150230, 190350], 1つは劣性遺伝[MIM*275500]が存在するようである).

triple A s. [MIM*231550]. トリプレットA症候群(噴門無弛緩, 無涙液を伴う常染色体劣性症候群で, 精神遅滞や自律神経失調などの神経系の異常をも伴う). ＝Allgrove s.

triple X s. 超女性症候群(X染色体のトリソミー. (精神病院でなされた)元来の所見では重篤だと強調されすぎて, 表現型の変化についての記載はあいまいだった. 知性は正常の下限であると思われる. 背は通常高く, 会話と行動に問題がある場合がある. 本症候群の特徴として, 定型的な細胞で対になったBarr小体が見られる).

trisomy 8 s. 8トリソミー症候群(8染色体全トリソミーではたいてい妊娠初期に流産となり, 出生した児の多くはトリソミーモザイクである. 脳顔面頭蓋異常, 短くて幅広い首と狭小で円柱状の体幹, および多関節や指の異常, 手掌, 足底の深いしわを認める).

trisomy 13 s. 13トリソミー症候群(通常, 2年以内に死亡する染色体異常症で, 精神遅滞, 耳介の奇形, 口蓋裂, 口唇口蓋裂, 小眼球症または眼球欠損症, 小下心奇形, 痙攣, 腎奇形, 臍ヘルニア, 腸回転異常, および掌紋異常を伴う). ＝Patau s.; trisomy D s.

trisomy 18 s. 18トリソミー症候群(通常, 2—3年以内に死亡する染色体異常症で, 精神遅滞, 異常な頭蓋の形, 耳介の低位および奇形, 小下顎, 心奇形, 短い胸骨, 横隔膜または臍径ヘルニア, Meckel 憩室, 指の異常屈曲, 掌紋異常などの30以上の徴候があげられる). ＝Edwards s.

trisomy 20 s. 20トリソミー症候群(染色体異常症で, 強度の精神遅滞に粗野な顔貌, 巨口症, 大舌症, 耳の小奇形, 皮膚の色素形成異常, 背柱後弯症, およびその他の骨格異常を特徴とする).

trisomy 21 s. 21トリソミー症候群. ＝Down s.

trisomy C s. トリソミーC症候群(C群(6—12番)の染色体のいずれかのトリソミー. 8番が最も多い).

trisomy D s. トリソミーD症候群. ＝trisomy 13 s.

trochanteric s. 転子症候群(大転子周囲の腱炎と滑液嚢炎).

trophic s. 栄養障害症候群(神経支配除去領域に生じる潰瘍. 感覚麻痺した部位を搔破することにより生じることが多い).

tropic diabetic hand s. 熱帯性糖尿病性手症候群(進行性で激烈な手の敗血症で, 主にアフリカやインドの糖尿病患者にみられる).

tropic splenomegaly s. 熱帯脾腫症候群. ＝hyperreactive malarious *splenomegaly*.

Trousseau s. (trū-sō′). トルソー症候群(内臓癌による移動性血栓静脈炎).

true neurologic thoracic outlet s. 真の神経学的胸郭出口症候群(非常に慢性の軸索消失上腕神経叢障害で, 痕跡頸肋から第一肋骨まで伸びる先天性の帯によって遠位C8前一次枝または近位下部幹線維が圧迫されて起こる. まれな疾患で, 若年から中年の女性に多い. 片側性の手の萎縮と脱力, 特に外側母指球の萎縮と脱力を呈する. 内側前腕と手に沿った間欠性不快を伴うことがある). ＝cervical rib and band s.; classic neurologic cervical rib s.

tumor lysis s. 腫瘍崩壊症候群(悪性新生物に対しての導入化学療法後に起こる, 高リン酸血症, 高カルシウム血症, 高カリウム血症, 高尿酸血症. 細胞崩壊の際の, 細胞内産物放出によるものと考えられている).

TUR s. TUR症候群. ＝transurethral resection s.

turban tumor s. ターバン〔頭巾〕腫症候群. ＝cylindromatosis.

Turcot s. (tur-kō′) [MIM*276300]. ターコット症候群(多発性腸ポリポーシスと脳腫瘍を併発するまれで特殊な型. 常染色体劣性遺伝で, 第3染色体短腕のMLH1, 第7染色体短腕のPMS2, 第5染色体長腕の腺腫性の大腸ポリポーシス遺伝子(*APC*)のどれかの遺伝子修復の不適合の1つにおける突然変異により生じる).

Turner s. (tŭr′nĕr). ターナー症候群(染色体数が45でX染色体を1本だけもつ症候群. 通常, 口腔粘膜細胞で性染色質陰性. 奇形には, 矮小発育, 翼状頸, 外反射, ハト胸, 未熟な性的発育, 無月経などが含まれる. 卵巣には原始卵胞がなく, 線維性線条だけしかない. 患者の中には, 異なった染色体構成の2種またはそれ以上の細胞系列をもつ染色体モザイク(例えば, XO/XX, XXX/XO)の場合もある. これは動物種では多くみられ, ことにノネズミの雌では性染色体のモザイク状態が正常なのである). ＝XO s.

twelfth rib s. 第十二肋骨症候群(よくみられるが診断根拠不確定な側腹部の慢性疼痛性疾患. 3：1で男性より女性に多く, 通常その痛みは一定した鈍痛または数時間から数週間続く鋭く差し込むような痛みと表現される. 本症候群の診断は臨床症状から行い, 病因の明らかな疾患を除外したうえ, 罹患肋骨の触診により患者の症状が完全に再現された場合にのみ診断される. 第十二肋間神経の炎症により生じると考えられている).

twiddler's s. 腕回旋症候群(皮下にペースメーカを埋めた患者が, 腕の回旋時に心臓のペースメーカの導線が心筋から引かれるためにペースメーカ不全を起こす状態).

Uhthoff s. (ut′hof). ウートホフ症候群. ＝Uhthoff *symptom*.

S

Ullmann s. (ūl′mahn). ウルマン症候群（多発性動静脈奇形による全身性血管腫症）.

Ulysses s. (yū-lis′ēs)［L. *Ulysses* < G. *Odysseus*. 神話上の人物］. ユリシーズ症候群（過度の診断による検査の悪影響で，一般スクリーニング臨床検査の結果，偽陽性と判定されたことによるもの）.

uncombable hair s.［MIM*191480］. 不櫛梳毛(櫛で梳けない毛)症候群（毛髪に生じる遺伝的症候群で，しばしば銀色がかった金髪である．不規則な形の毛幹のため乱れ髪の状態となり，抜いて台の上に置くとよじれている）. = spun glass hair.

Unna-Thost s. (ūn′ah tost). = diffuse *hyperkeratosis* of palms and soles.

unroofed coronary sinus s. 冠静脈洞左房結合症候群（一連の心臓異常の1つで，冠静脈洞と左房の間の共通壁の一部あるいはすべてが欠損している）.

upper airway resistance s. (**UARS**) 上気道抵抗症候群（上気道の気道障害や気道抵抗の増加により生じる病態で，通常は酸素分圧の低下はきたさない）.

urethral s. 尿道〔神経〕症（頻尿，尿意切迫，排尿痛の症状をきたすが，原因となる感染，閉塞，機能障害がなく，原因不明のもの．恥骨上部痛，排尿遷延，背部痛が起こることもある．通常女性にみられる）.

urofacial s. 尿路・顔症候群. = Ochoa s.

Usher s. (ŭsh′ĕr)［MIM*276900, *276901］. アッシャー症候群（遺伝的異質性のある常染色体劣性遺伝．遺伝子クローニングと位置に基づいて，I型の6形態は感音難聴，前庭機能障害，および色素性網膜炎を引き起こす．II型の3形態およびIII型の1形態は難聴と色素性網膜炎によって特徴づけられる）.

uveocutaneous s. ブドウ膜皮膚症候群. = Vogt-Koyanagi s.

uveoencephalitic s. ブドウ膜脳炎症候群. = Behçet s.

uveomeningitis s. ブドウ膜髄膜炎症候群. = Harada s.

VACTERL s. VACTERL 症候群（出産時の脊椎 *v*ertebrae，肛門 *a*nus，心循環系 *c*ardiovascular tree，気管 *t*rachea，食道 *e*sophagus，尿路系 *r*enal system，四肢 *l*imb buds の異常の奇形．原因不明）.

van Buchem s. (vahn bū′kĕm)［MIM*239100］. ファン・ブッヘム症候群（下顎の肥大と骨幹と頭蓋冠の肥厚を特徴とする骨硬化性骨格異形成症で，血清中のアルカリホスファターゼが増加する．常染色体劣性遺伝）. = generalized cortical hyperostosis.

van der Hoeve s. (vahn der hū′vĕ). ファン・デル・フヴェ症候群（骨形成不全症の一型で，あぶみ骨固定により小児期から進行性の伝音性聴力障害が起こる）.

van der Woude s. (van dĕr wō′dĕ)［Anne van der Woude］. ヴァン・デル・ウォーデ症候群（唇裂と口蓋裂，あるいは口蓋裂のみと口唇瘻孔によって特徴づけられる，常染色体劣性遺伝の疾患）.

vanished testis s. 精巣消失症（染色体は正常(XY)で，外性器も生下時，幼少時を通して正常であるが，両側の精巣が欠損している疾患．妊娠3か月時までは少なくとも精巣は存在しており，それ以後に消失する）.

vanishing lung s. バニシングラング症候群（肺気腫の進行あるいは炎症による肺の急速な嚢胞状破壊により肺のX線濃度が進行性に低下していく）.

Van Lohuizen s. (vahn lō′wē-zĕn). ヴァン・ローウィーゼン症候群. = *cutis* marmorata telangiectatica congenita.

vasculocardiac s. of hyperserotonemia 高セロトニン心血管症候群（carcinoid s. を表す現在では用いられない語）.

vasospastic s. 血管攣縮性症候群（寒冷や精神的な刺激により，微小循環系に不適切な血管収縮や血管の拡張が不十分となる遺伝的な素因をもった症候群）.

vasovagal s. 血管迷走神経症候群. = Gowers s.

velocardiofacial s.［MIM*192430］. 口蓋心顔面症候群（高い声，特徴のある顔(長い顔面，円錐状の鼻，口角下垂)および心臓奇形を伴う症候群．DiGeorge 症候群(⇒syndrome)にみられる染色体異常(第22染色体長腕11領域の微小欠損)を伴うことがある．常染色体優性遺伝）. = Shprintzen s.

Verner-Morrison s. (ver′nĕr mor′i-sŏn). ヴァーナー－モリソン症候群（膵島細胞腫瘍による血管活性腸ポリペプチドの分泌を伴う水様下痢．低カリウム血，および塩酸欠乏症．胃分泌過多はない）. = WDHA s.

Vernet s. (var-nā′). ヴェルネー症候群（後頭蓋窩内にある舌咽神経，迷走神経，副頭蓋神経の麻痺が特徴．ほとんどの場合は頭部損傷による）.

vertical retraction s. 垂直退縮症候群（→retraction s.）.

vibration s. 振動症候群. = hand arm vibration s.

virus-associated hemophagocytic s. ウイルス関連血球貪食症候群（悪性組織球症に類似した症候群であるが可逆性がある．Epstein-Barr ウイルスのようなヘルペス群ウイルス感染に続発する）.

visceral obesity s. 内臓肥満症候群. = metabolic s.

vitreoretinal choroidopathy s.［MIM*193220］. 硝子体網脈絡膜症候群（周辺部色素性網膜症，網膜血管異常，硝子体混濁，脈絡膜萎縮，および初発白内障を特徴とする眼症状．常染色体優性遺伝）.

vitreoretinal traction s. 網膜硝子体牽引症候群（硝子体膜剝離において，硝子体線維の癒着による網膜内境界膜の牽引）.

Vogt s. (fōkt)［Cècile and Oscar Vogt］. フォークト症候群. = double *athetosis*.

Vogt-Koyanagi s. (fōkt ko-yă-nă-gē). フォークト－小柳症候群（虹彩炎と緑内障，若年白髪化と脱毛症，白斑，難聴を伴う両側ブドウ膜炎．原田症候群や交感性眼炎に関連する）. = oculocutaneous s.; uveocutaneous s.

Vohwinkel s. (fō′vink′el). フォーヴィンケル症候群. = mutilating *keratoderma*.

voice fatigue s. 音声疲労症候群（晩夕になるにつれ声が弱くなったり出なくなったりするもの．長時間声を使ったり大きな声を出すなど，声を乱用することにより起こる）.

von Hippel-Lindau s. (făn hip′el lan′dow)［MIM*193300］. フォン・ヒッペル－リンダウ症候群（網膜血管の奇形からなる母斑症の一型で，多発性，両側性のこともある．小脳および第4脳室壁，ときおり脊髄の血管芽細胞腫を合併し，ときに，腎細胞癌や腎臓，副腎，その他の器官の嚢胞または過誤腫を合併する．常染色体優性遺伝．第3染色体短腕の von Hippel-Lindau 遺伝子(*VHL*)の変異による）. = cerebroretinal angiomatosis; Hippel disease; Lindau disease; von Hippel disease.

vulnerable child s. ぜい弱性小児症候群（精神社会的発達障害を特徴とする反応で，親から早死にすると思われた子供達にしばしば起こる）.

Waardenburg s. (văr-den-berg)［MIM*193500, *193510］. ワールデンブルヒ症候群（内眼角の外側偏位，広い鼻根部，虹彩異色，蝸牛ろう，白髪前髪，眉毛叢生を特徴とする感覚聴覚障害．常染色体優性遺伝．1型は内眼角の偏位の存在によって2型とは区別される．1型と3型は第2染色体長腕の PAX3 遺伝子の変異による．一方，2型の一部は第3染色体短腕上の小眼球症関連変異因子遺伝子(MITF)の変異により生じる．4型は第13染色体長腕上の EDNB，第20染色体長腕上の EDN3 または第22染色体長腕上の SOX10 の変異による）.

Wagner s. ヴァーグナー症候群. = hyaloideoretinal *degeneration*.

WAGR s.［MIM*194072］. WAGR 症候群（*W*ilms tumor (Wilms 腫瘍)，*a*niridia(無虹彩症)，*g*enitourinary malformations(泌尿生殖器系の奇形)，mental *r*etardation(発達遅延)を示す頭字語よりなる症候群）.

Waldenström s. (văl′den-shtrōrm). ヴァルデンストレーム症候群. = Waldenström *macroglobulinemia*.

Wallenberg s. ヴァレンベルク症候群. = posterior inferior cerebellar artery s.

Ward-Romano s. (ward rō-mahn′ō). ワード(ウォード)－ロマーノ症候群. = Romano-Ward s.

wasting s. るいそう症候群（① = runting s. ② HIV 感染患者にみられる進行性の不随意の体重減少．食事の経口摂取不足，代謝状態の変化，吸収不良などのいくつかの因子が単独で，あるいは組み合わさって生じるものと考えられる．ベースラインの体重から 10% 以上の著明な不随意の体重減少に加えて，少なくとも1日2回以上の排便が 30 日以上続いている下痢，あるいは慢性の脱力と 30 日以上にわたる間欠的あるいは持続的なはっきりした発熱が存在し，癌，結核，クリプトスポリジウム症，その他の特定の腸炎のような所見を説明しうるようなHIV感染以外の疾患が同時に存在しないものと定義される．＝HIV wasting s.)．＝slim disease.

Waterhouse-Friderichsen s. (waw′tĕr-hows frid′ĕr-ik-sĕn)．ウォーターハウス－フリーデリックセン症候群（主に10歳以下の小児に発症する．吐き気，下痢，広範な紫斑，チアノーゼ，強直間代性痙攣，循環性虚脱，および通常は髄膜炎や副腎への出血を特徴とする)．＝acute fulminating meningococcal septicemia; Friderichsen-Waterhouse s.

WDHA s. [*w*atery *d*iarrhea 水様下痢，*h*ypokalemia 低カリウム血症，*a*chlorhydria 塩酸欠乏症]．＝Verner-Morrison s.

weakened vegetative s. 衰弱植物症候群（種々の放射線誘発性末期疾患をまとめて，ウクライナの医師がつくった診断名)．

Weber s. (web′ĕr)．ウェーバー症候群（中脳被蓋部病変で，同側の動眼神経不全麻痺と反対側の肢，顔，舌の麻痺を特徴とする)．＝Weber sign.

Weber-Cockayne s. (web′ĕr kok′ān)．ウェーバー－コケーン症候群（毛足の表皮水疱症 *epidermolysis* bullosa．常染色体優性遺伝で，第12染色体長腕のケラチン5遺伝子(*KRT5*)または第17染色体長腕のケラチン14遺伝子(*KRT 14*)の変異による)．

Weill-Marchesani s. (vīl mahr-kā-sah′ne) [MIM *277600]．ヴァイル－マルケサーニ症候群（水晶体偏位(異常に丸く小さい水晶体)，低い身長，短指．常染色体劣性遺伝)．

Wells s. (welz)．ウェルズ症候群．＝eosinophilic *cellulitis*.

Wermer s. (wĕr′mĕr)．ウェルマー症候群．＝multiple endocrine neoplasia s. type 1.

Werner s. (wĕr′nĕr) [MIM*277700]．ヴェルナー症候群(加齢変化を早期に生じる疾患で，皮膚の強皮症様変化，両側性若年性白内障，早老，性機能低下，糖尿病などを含む．常染色体劣性遺伝の遺伝形式をとり，第8染色体短腕上のヘリカーゼ蛋白をコードするWRN遺伝子の突然変異による)．

Wernicke s. (vern-ik′ĕ)．ヴェルニッケ(ウエルニッケ)症候群（眼球運動の障害，瞳孔変化，眼振，および振せんを伴う失調症を特徴とする．長期間の飲酒症例に多くみられる状態，主にチアミン欠乏による結果による．器質中毒精神病もしばしば関連してみつかる．Korsakoff症候群もしばしば合併する．脳のいくつかの部位，特に乳頭体と第3と第4脳室近傍領域にみられる特徴的細胞性病態)．＝superior hemorrhagic polioencephalitis; Wernicke disease; Wernicke encephalopathy.

Wernicke-Korsakoff s. (vern′ik-ĕ kōr′să-kof) [MIM *277730]．ヴェルニッケ(ウエルニッケ)－コルサコフ症候群（Wernicke症候群とKorsakoff症候群が同時に存在する乳頭体と正中背側視床核での特徴的病巣)．

West s. (west)．ウェスト症候群（点頭痙攣，精神運動の発達遅滞，およびヒプサルスミアを特徴とする乳児のエンセファロパシー)．

Weyers-Thier s. (vā′ere tēr)．ヴァイエルス－サイアー症候群．＝oculovertebral *dysplasia*.

WHIM s. WHIM症候群（*w*arts(疣贅)，*h*ypogammaglobulinemia(低ガンマグロブリン血症)，*i*nfections(感染症)，*m*yelokathexis(骨髄性細胞貯留)からなる遺伝性疾患 [MIM 1936770]の頭字語．常染色体優性遺伝)．

whistling face s. 口笛顔貌症候群．＝craniocarpotarsal *dystrophy*.

Whitaker s. (wit′ă-kĕr)．ホウィーテカー(ウィタカー)症候群．＝APECED.

white-out s. 北極・南極探検者，また同様に雪に閉じ込められた環境のために刺激遮断を受けた者に生じる精神病．→sensory *deprivation*.

Widal s. (vē-dahl′)．ヴィダル症候群．＝Hayem-Widal s.

Wildervanck s. (fil-der′fahnk) [MIM*314600]．ウィルデルヴァンク症候群．＝cervicooculoacoustic s.

Williams s. (wil′yămz) [MIM*194050]．ウィリアムス症候群（浅い眼窩の鼻梁，眉間の発赤，星状の紅彩，頬骨の低形成を伴った前傾外鼻孔の小さい鼻，弁上部大動脈弁狭窄，低カルシウム血症，軽度の精神遅滞，多重人格を特徴とする疾患．常染色体優性遺伝で，これは近傍の遺伝子が削除され第7染色体長腕で突然変異した1つの遺伝子はエラスチン遺伝子(*ELN*)になる)．＝elfin facies s.; supravalvar aortic stenosis-infantile hypercalcemia s.; Williams-Beuren s.

Williams-Beuren s. (wil′yămz byē′ren)．＝Williams s.

Williams-Campbell s. (wil′yămz kam-bĕl)．ウィリアムス－キャンベル症候群（頻繁に気管支拡張を伴って，第一気管支から遠位に向かって軟骨輪が欠損する先天的気管軟化症)．

Wilson-Mikity s. (wil′son mik′i-tē)．ウィルソン－ミキティ症候群．＝pulmonary dysmaturity s.

Wiskott-Aldrich s. (wis′kot awl′drich) [MIM*301000, MIM*277970]．ヴィスコット－オールドリッチ症候群（男児に起こる免疫不全疾患．血小板減少症，湿疹，メレナ，および再発性細菌感染に対する高い感受性を特徴とする．激しい出血や抗しがたい感染のため死を招く．X連鎖劣性遺伝．X染色体短腕上のWiskott-Aldrich症候群蛋白(WASP)の変異による)．＝Aldrich s.

Wissler s. (vĭs′lĕr)．ヴィスラー症候群（断続的に起こる高熱，顔面・胸部・四肢に不規則に再発する斑状・斑状丘疹状皮疹，白血球増多症，関節痛，ときに好酸球増多症，赤沈亢進．小児期と青年期に好発するが他の年代にも発症する)．

withdrawal s. 離脱症候群（それまで常用していた精神作用物質の摂取の中止ないし摂取量の減少により生じる症候群．例えば，アルコールの慢性的な過量摂取の中断により生じる，失見当，知覚異常，精神運動性興奮などの臨床症候群はアルコール離脱症候群とよばれる．用いている精神作用物質により症候群の病像は様々であるが，共通の症状として，不安，落ち着きのなさ，易刺激性，不眠，注意障害が認められる．→abstinence s.; withdrawal; withdrawal *symptoms*)．

S

witkop s. ウィトコップ症候群．＝tooth-and-nail s.

Wolff-Parkinson-White s. (wūlf park′in-son wīt) [MIM *194200]．ウルフ(ヴォルフ)－パーキンソン－ホワイト症候群（発作性頻脈をときに伴う心電図のパターン．緩やかな初期要素(デルタ波)をもつ延長したQRS群と短いP–R間隔(0.1秒またはそれ以下，ときに正常)からなる)．＝preexcitation s.

Wolfram s. (**DIDMOAD**) (wul′frăm)．ウォルフラム症候群．＝DIDMOAD s.

Wright s. (rīt)．ライト症候群．＝hyperabduction s.

Wyburn-Mason s. (wī′bŭrn mā′son)．ワイバーン－メーソン症候群（大脳皮質の脳動静脈奇形，網膜や頭蓋内の視路や顔面神経の動静脈奇形と顔面母斑よりなる，通常，患者は精神発達遅延を伴う)．＝Bonnet-Dechaume-Blanc s.

X-linked lymphoproliferative s. X連鎖リンパ増殖症候群（X染色体長腕上の1A蛋白SH2ドメイン(*SH2D1A*)遺伝子に変異をきたして起こる免疫不全とリンパ増殖を呈する疾患．X連鎖劣性．Epstein-Barrウイルスへの細胞性・液性の免疫反応欠如を特徴とする．劇症性伝染性単核球症，悪性B細胞，低ガンマグロブリン血症も生じる)．＝Duncan disease; Duncan s.; lymphoproliferative s.; X-linked lymphoproliferative disease.

s. X X症候群．＝metabolic s.

XO s. XO症候群．＝Turner s.

XXY s. XXY症候群．＝Klinefelter s.

XYY s. XYY症候群（染色体数47で，Y染色体が過剰である染色体異常症．高身長，活動性の亢進，学習障害を伴うことがある)．

yellow nail s. [MIM*153300]．黄色爪症候群．＝yellow *nail*.

Young s. (yŭng) [MIM*279000]．ヤング症候群（閉塞性無精子症と慢性の洞肺感染の合併)．

Zellweger s. (zel′weg-ĕr)．ツェルヴェーガー症候群（新生児期発症の代謝性疾患で，以下の特徴を有する．特有の顔貌，筋緊張低下，黄疸を伴う肝腫大，腎嚢胞，膝蓋骨の骨端部点状石灰化，脳の髄鞘化不全，神経遊走障害，精神運動遅延．本疾患はペルオキシゾームの発生異常による．常染色体劣性遺伝で，第6，第7，第8，または第12染色体上のいくつかのペルオキシン遺伝子(*PEX*)に突然変異が起きることによる)．＝cerebrohepatorenal s.

Zieve s. (zēv)．ジーヴ症候群（急性アルコール中毒性肝硬変症または脂肪肝の患者の一過性黄疸，溶血性貧血，および高脂肪血症).

Zivert s. ＝Kartagener s.

Zollinger-Ellison s.(ZES) (zŏl′inj-er el′ĭ-son) [MIM *131100]. ゾリンジャー－エリソン症候群(胃液分泌過多を伴う消化性潰瘍と膵臓あるいは十二指腸のガストリン産生腫瘍を伴う．ときに家族性多内分泌腺腫症を合併する).

---

syn·drom·ic (sin-drom′ik, -drō′mik). 症候性の.

sy·nech·i·a, pl. **syn·ech·i·ae** (si-nek′ē-ă, si-nē′kē-ă, -kē-ē) [G. *synecheia*, continuity < *syn*, together + *echō*, to have, hold]. 癒着，シネキア(あらゆる癒着をいう．特に虹彩前癒着 anterior s. または虹彩後癒着 posterior s. を示す).

anterior s. 虹彩前癒着(虹彩の角膜への癒着).

anular s. 輪状虹彩癒着(虹彩全体の瞳孔辺縁の，水晶体嚢への癒着).

peripheral anterior s. 周辺虹彩前癒着. ＝goniosynechia.

posterior s. 虹彩後癒着(水晶体包への角膜の癒着).

total s. 全虹彩癒着(虹彩全面の水晶体嚢への癒着).

sy·nech·i·ot·o·my (si-nek′ē-ot′ŏ-mē) [synechia + G. *tomē*, incision]. 癒着剝離〔術〕.

syn·ech·o·tome (sin-ek′ō-tōm). 癒着剝離刀(癒着剝離術に用いる小刀).

syn·ec·ten·ter·ot·o·my (sin-ek′ten-tĕr-ot′ŏ-mē) [G. *synektos*, held together(→synechia) + *enteron*, intestine + *tomē*, incision]. 腸癒着剝離〔術〕.

syn·e·min (sin′ĕ-min) [G. *synēmōn*, joined together < *syniēmi*, to join + -in]. シネミン(230kD の中間径フィラメント会合蛋白で，デスミンと結合して，細胞骨格エレメントの三次元の細胞内格子を構築する).

syn·en·ceph·a·lo·cele (sin′en-sef′ă-lō-sēl′) [syn- + G. *enkephalos*, brain + *kēlē*, hernia]. 癒着性脳ヘルニア(癒着により整復が妨げられている，頭蓋欠損による脳質の突出).

sy·ner·e·sis (si-ner′ĕ-sis) [G. *synairesis*, a taking or drawing together]. ***1*** 栓状沈殿，シネレシス，離液，離漿(例えば，血餅などのゲルの収縮で，これにより分散溶媒の一部が絞り出される). ***2*** ゲルとしての性質を失った硝子体の変性で，硝子体は部分的または完全に液化する.

syn·er·get·ic (sin′ĕr-jet′ik). ＝synergistic.

syn·er·gi·a (sin-er′jē-ă). ＝synergism.

syn·er·gic (sin-ĕr′jik). ＝synergistic.

syn·er·gism (sin′ĕr-jizm) [G. *synergia* < *syn*, together + *ergon*, work]. 共力(協力)作用，相乗作用(2つ以上の構造または薬の協力作用または相関作用．または組み合わされる作用が個々の作用よりも大きくなるような生理的な過程．*cf.* antagonism). ＝synergia; synergistic effect; synergy.

syn·er·gist (sin′ĕr-jist). 他の作用を助ける構造，薬物，あるいは生理学的過程．*cf.* antagonist.

syn·er·gis·tic (sin′ĕr-jis′tik). ＝synergetic; synergic. ***1*** 共力(協力)作用の，相乗作用の. ***2*** 共力(協力)薬の，共力(協力)剤の，共力(協力)筋の，共力(協力)器官の.

syn·er·gy (sin′ĕr-jē). 共同作用. ＝synergism.

syn·es·the·si·a (sin′es-thē′zē-ă) [syn- + G. *aisthēsis*, sensation]. ***1*** 共感覚，共感(刺激が通常の正常な局在の感覚を起こすのに加えて，異なった性質または局在の主観的な感覚を生じる状態．例えば色聴と色彩味覚). ***2*** 神経言語学では恐怖症にみられるように，刺激とそれに対する反応というような条件付けのこと.

s. algica ＝synesthesialgia.

syn·es·the·si·al·gi·a (sin′es-thē′zē-al′jē-ă). 共感痛(痛みを伴う共感作用). ＝synesthesia algica.

Syn·gam·i·dae (sin-gam′i-dē) [→*Syngamus*]. ニワトリをはじめ，キジやガチョウなどの鳥類および哺乳類の呼吸器系に障害を与える開嘴虫類の一科.

Syn·ga·mus (sin′gă-mŭs). シンガムス属(吸血性のシンガムス科円形気管虫の一属).

S. laryngeus 咽頭に寄生する開嘴虫属 *Syngamus* の線虫で，発咳，喀血，異物感，息切れを引き起こす.

syn·ga·my (sin′gă-mē) [syn- + G. *gamos*, marriage]. 配偶子接合(受精時の配偶子の接合).

syn·ge·ne·ic (sin′jĕ-nē′ik) [G. *syngenēs*, congenital]. 同系の(遺伝学的に同じであるものについていう). ＝isogeneic; isogenic; isologous; isoplastic; syngenic.

syn·gen·e·sis (sin-jen′ĕ-sis) [syn- + G. *genesis*, origin]. 有性生殖. ＝sexual *reproduction.*

syn·ge·net·ic (sin′jĕ-net′ik). 有性生殖の.

syn·gen·ic (sin-jen′ik). ＝syngeneic.

syn·gnath·ia (sin-nath′ē-ă) [syn- + G. *gnathos*, jaw]. 顎癒合〔症〕(線維の帯による先天的な上顎骨と下顎骨の癒合).

syn·graft (sin′graft). 〔同種〕同系移植片(ある種の中で遺伝的に同一な個体間で移殖された組織あるいは臓器．一卵性双生児間での腎移植のような場合). ＝isogeneic graft; isograft; isologous graft; isoplastic graft; syngeneic graft.

syn·i·dro·sis (sin′i-drō′sis) [syn- + G. *hidrosis*, sweating]. 随伴〔性〕発汗，同時〔性〕発汗(過度の発汗が症状の一部である状態).

syn·i·ze·sis (sin′i-zē′sis) [G. collapse]. ***1*** 〔瞳孔〕閉鎖(瞳孔の閉鎖または消失). ***2*** 〔染色糸〕対合，接合，収縮(通常，対合期の初めに起こる核の片側への染色質の集合).

syn·kar·y·on (sin-kar′ē-on) [syn- + G. *karyon*, kernel (nucleus)]. 融合核(細胞核融合において2個の前核の融合によりつくられた核). ＝syncaryon.

syn·ki·ne·sis (sin′ki-nē′sis) [syn- + G. *kinēsis*, movement]. 連合運動，共同運動(随意運動に伴う不随意運動．開いた眼の運動に従う閉じた眼の運動，または他の部分の動きに伴って麻痺した筋肉に起こる運動など). ＝syncinesis.

syn·ki·net·ic (sin′ki-net′ik). 連合運動の．共同運動の.

syn·ne·ma·tin B (sin′ĕ-mā′tin, si-nē′mă-tin). シンネマチン B. ＝*cephalosporin* N.

syn·o·nych·i·a (sin′ō-nik′ē-ă) [sin- + G. *onyx* (*onych-*), nail]. 合爪症(指の2つ以上の爪が癒合していること．合指症でみられる).

syn·o·nym (sin′ŏ-nim). 同義語，別名，異名(生物学の命名法では，同一種または同一分類群に対する2つまたはそれ以上の名前の1つを表すのに用いる語).

objective s.'s 客観的異名(同一の命名学上のタイプに基礎を置いた同種に対する異なった名称．ある種を1つの属から他の属に移したときなどに生じる．例えば，肺炎双球菌 *Diplococcus pneumoniae* は，連鎖球菌属 *Streptococcus* に移したことにより *Streptococcus pneumoniae* となった．主観的異名とは対照をなす).

senior s. 最古同義語(同じ生物に用いられる2つ以上の名前のうち最初に発表されたもの．通常，正式の名称として用いられる(優先の法則)).

subjective s.'s 主観的異名(個人的な見解によって，初めは異種と考えられていたものが，後に同種あるいはそれに近いものと考えられるようになった生物に対し，異なった命名学上のタイプに基礎を置いて付けた異なった名称．客観的異名とは対照をなす).

syn·oph·rys (sin-of′ris) [syn- + G. *ophrys*, eyebrow]. 眉毛叢生〔症〕.

syn·oph·thal·mi·a (sin′of-thal′mē-ă) [syn- + G. *ophthalmos*, eye]. 単眼症，合眼症. ＝cyclopia.

syn·oph·thal·mus (sin′of-thal′ mŭs). 単眼症. ＝cyclopia.

syn·op·to·phore (sin-op′tō-fōr) [syn- + G. *ōps*, eye + *phoros*, bearing]. シノプトフォア，大型弱視鏡(矯正訓練に用いる Wheatstone 立体鏡を修正したもの).

syn·or·chi·dism, syn·or·chism (sin-ōr′ki-dizm, sin-ōr′kizm) [syn- + G. *orchis*, testis]. 精巣(睾丸)癒着〔症〕(腹腔内あるいは陰嚢内での先天的な精巣の融合).

syn·os·che·os (sin-os′kē-os) [syn- + G. *oschē*, scrotum]. 精巣(睾丸)陰嚢癒着(半陰陽奇形である精巣と陰嚢の部分的または完全な癒着).

syn·os·te·ol·o·gy (sin-os′tē-ol′ŏ-jē) [syn- + G. *osteon*, bone + *logos*, study]. 関節学. ＝arthrology.

syn·os·te·o·sis (sin-os′tē-ō′sis). ＝synostosis.

syn·os·to·sis (sin′os-tō′sis) [syn- + G. *osteon*, bone + *-osis*, condition][TA]. 骨癒合症(癒合していない2つの骨の癒合．通常，橈骨および尺骨骨折後，両骨の間に骨塊が形成され癒合した場合をさす). ＝bony ankylosis; synosteosis; true ankylosis.

sagittal s. 矢状縫合癒合症. ＝scaphocephaly.

tribasilar s. 〔三〕頭蓋底骨癒合〔症〕(頭蓋基底部にある3つの骨の初期における癒合で，脳の発育を阻害する).

syn·os·tot·ic (sin′os-tot′ik). 骨癒合の.
sy·no·ti·a (si-nō′shē-ă) [syn- + G. *ous*, ear]. 合耳症 (耳頭症における耳たぶの癒合または異常な接近).
syn·o·vec·to·my (sin′ō-vek′tŏ-mē) [synovia + G. *ektomē*, excision]. 滑膜切除〔術〕(関節滑膜の一部または全部の切除).
　radiopharmaceutical s. 放射線医薬品〔性〕滑膜切除術 (放射性金などの放射線医薬品を関節内に注入し，それから発生する放射線により異常滑膜を治療する方法).
sy·no·vi·a (si-nō′vē-ă) [Mod. L. Paracelsus による造語 < G. *syn*, together + *ōon* (L. *ovum*), egg][TA]. 滑液. =synovial *fluid*.
sy·no·vi·al (si-nō′vē-ăl). ***1*** 滑液の. ***2*** 滑膜の.
syn·o·vip·a·rous (sin′ō-vip′ă-rŭs) [synovia + L. *pario*, to produce]. 滑液産生性の.
syn·o·vi·tis (sin′ō-vī′tis) [synovia + G. *-itis*, inflammation]. 滑膜炎 (滑膜，特に関節の滑膜の炎症. 一般的かつ厳密にいわない場合は関節炎と同じ).
　bursal s. 滑液嚢滑膜炎. =bursitis.
　chronic hemorrhagic villous s. 慢性出血性絨毛性滑膜炎. =pigmented villonodular s.
　dry s. 乾性滑膜炎 (血漿または化膿性滲出液がほとんどない滑膜炎). =s. sicca.
　filarial s. フィラリア性滑膜炎 (関節内のミクロフィラリアによる滑膜炎で，後にしばしば線維性強直を起こす).
　pigmented villonodular s. 色素性絨毛結節性滑膜炎 (ヘモシデリン含有と脂肪含有のマクロファージと多核巨細胞が浸潤した滑液膜絨毛と線維結節からなる関節の，びまん性関節(通常は膝関節)滑膜増生. 完全に除去しない場合には再発しやすいが，状態は炎症と考えられる). =chronic hemorrhagic villous s.
　purulent s. 化膿性滑膜炎. =suppurative *arthritis*.
　serous s. 漿液性滑膜炎 (大量の非化膿性滲出液を伴う滑膜炎).
　s. sicca 乾性滑膜炎. =dry s.
　suppurative s. 化膿性滑膜炎. =suppurative *arthritis*.
　tendinous s. 腱滑膜炎. =tenosynovitis.
sy·no·vi·um (si-nō′vē-ŭm). =synovial *membrane*.
syn·pol·y·dac·ty·ly (sin′pol-ē-dak′ti-lē). 合多指症 (合指症と多指症を合併するもの).
syn·tac·tics (sin-tak′tiks) [syn- + G. *taxis*, order]. 文章論 (記号論の一分野. 記号相互間の形式的な関係をその意味と解釈とから論じること).
syn·tal·i·ty (sin-tal′i-tē) [syn- + mentality の短縮語と思われる]. シンタリティ，集団性格 (ある社会集団がとる一貫した行動で予測可能なもの).
syntaxin (sin-taks′in). シンタクシン (シナプス小胞の融合に必須の形質膜蛋白).
syn·tec·tic (sin-tek′tik). 衰弱した，やせた.
syn·ten·ic (sin-ten′ik). シンテニーの (同じ染色体に存在する2つ以上の遺伝子についていう).
syn·te·ny (sin′te-nē) [syn- + G. *tainia*, ribbon]. シンテニー (同一染色体ペア上に存在する，または(単数染色体では)同一の染色体上に存在する2つの遺伝子座(遺伝子ではない)間の関係. 分離的関係よりも解剖学的関係).
syn·tex·is (sin-tek′sis) [G. *syn-tēxis*, a melting together]. 衰弱，やせ.
syn·thase (sin′thās). シンターゼ (逆方向に進むリアーゼ反応(NTP 非依存性)に対して酵素委員会報告で用いる慣用名. 個々の名称については各々の特異名参照. →synthetase).
　endothelial nitric oxide s. 内皮型一酸化窒素合成酵素，内皮型 NO 合成酵素 (血管内皮細胞に存在するアイソフォームの1つの構成型一酸化窒素(NO)合成酵素. →*nitric oxide* synthase; nitric oxide).
　inducible nitric oxide s. 誘導型一酸化窒素(NO)合成酵素 (食細胞(Kupffer 細胞，マクロファージ)，肝細胞，平滑筋細胞に存在するアイソフォームの1つの誘導型一酸化窒素合成酵素. →*nitric oxide* synthase; nitric oxide).
　mitochondrial nitric oxide s. ミトコンドリア型一酸化窒素(NO)合成酵素 (脂肪組織の細胞のミトコンドリア内に存在するアイソフォームの1つである構成型一酸化窒素合成酵素. →*nitric oxide* synthase; nitric oxide).
　neuronal nitric oxide s. 神経元一酸化窒素合成酵素，ニューロン一酸化窒素合成酵素 (ニューロン中にみられる一酸化窒素合成酵素の構成アイソフォーム. →*nitric oxide* synthase; nitric oxide).
syn·ther·mal (sin-ther′măl) [syn- + G. *thermē*, heat]. 等温の.
syn·the·sis, pl. **syn·the·ses** (sin′thĕ-sis, -sēz) [G. < *syn*, together + *thesis*, a placing, arranging]. ***1*** 合成 (組立て，結合，構成). ***2*** 合成 (化学においては，より単純な化合物または元素の結合により化合物をつくること). ***3*** 合成期 (細胞周期 cell *cycle* の一段階で，細胞分裂にはいる前の準備として DNA が合成される).
　s. of continuity 創縁または骨折端の癒合.
　enzymatic s. 酵素的合成 (酵素による合成. →biosynthesis).
　Kiliani-Fischer s. (kil′ē-yon′i fish′ĕr). キリアニ－フィッシャー合成 (シアン化物によるアルドースの炭素鎖の伸長合成反応. シアンヒドリンの加水分解，さらにラクトンの還元により，同族アルドースを与える. この方法によりD-グルコースやD-マンノースが，D-アラビノースより合成できる).
　Merrifield s. (mer′i-fēld). メリフィールド合成 (担体ポリマー上で自動化装置による，ペプチドや蛋白の合成).
　protein s. 蛋白合成 (体内外から生じた個々のアミノ酸が，DNA のヌクレオチド配列によって指令された特異的順序でペプチド結合でお互いに連結される過程. この支配的配列は mRNA によりリボソーム中の合成装置へ運ばれ，DNA 鋳型上の塩基対により形成されている).
syn·the·size (sin′thĕ-sīz). 合成する.
syn·the·tase (sin′thĕ-tās). シンテターゼ (特定物質の合成を触媒する酵素. シンテターゼは酵素委員会報告により，リガーゼ(EC class 6)の慣用名としてのみ使用される. すなわち，ATP または類似化合物のピロリン酸結合を切るのに必要な合成酵素である. 合成を行うリアーゼ(EC class 4)反応の逆は，慣用名でシンターゼにより示される. このような反応には，ピロリン酸塩の開裂は含まれない. 個々の名称については各々の項参照).
syn·thet·ic (sin-thet′ik). 合成の.
syn·tho·rax (sin-thō′raks). 胸結合体. =thoracopagus.
syn·ton·ic (sin-ton′ik) [G. *syntonos*, in harmony < *syn*, together + *tonos*, tone]. 同調性の (同じ気分と気性をもつ. 周囲の環境に対して感情的に高い反応性を有する人格傾向をいう).
syn·tro·phism (sin′trō-fizm) [syn- + G. *trophē*, nourishment]. 栄養共生，共同発育 (食物の供給に関して，動植物の器官または細胞が互いに依存する状態).
syn·tro·pho·blast (sin-trō′fō-blast, -trof′ō-). 合胞体栄養芽細胞. =syncytiotrophoblast.
syn·trop·ic (sin-trop′ik). 同向性の，併列性の.
syn·tro·py (sin′trō-pē) [syn- + G. *tropē*, a turning]. ***1*** 同向性 (2つの疾病を有する際，時に認められる，それらが合一しようとする傾向). ***2*** 同調 (他のものと調和した関係をもつ状態). ***3*** 併列構造 (解剖学において，例えば，肋骨や椎骨の棘突起などのように同じ方向を向いた多くの類似構造).
　inverse s. 反同向性 (ある疾病の存在によって，別の疾病の起こる可能性が小さくなる状態).
syn·zyme (sin′zīm). シンザイム (酵素活性をもつ合成高分子). =enzyme analogue.
Sy·pha·ci·a (si-fā′shē-ă) [< L. *siphon*, tube]. げっ歯類に寄生する蟯虫科線虫の一属. *S. obvelata* はマウスの盲腸に見出される一般的な蟯虫で，*S. muris* はラットに寄生する. →*Aspiculuris tetraptera*.
syphil- →syphilo-.
syph·i·le·mi·a (sif′i-lē′mē-ă) [syphilis + G. *haima*, blood]. 梅毒菌血症 (特定の微生物，梅毒トレポネーマ *Treponema pallidum* が血流に存在する状態).
syph·i·lid (sif′i-lid) [syphilis + *-id* (1)]. 梅毒疹 (二期および三期梅毒疹の数種の皮膚および粘膜の病変を表す歴史的な語. 一般に二期梅毒疹についていう). =syphiloderm; syphiloderma.
syph·i·lim·e·try (sif′i-lim′ĕ-trē) [syphilis + G. *metron*, measure]. 梅毒感染度調査 (梅毒感染度を測定するための

検査．例えば血清学的力価試験）．

syph·i·lis (sif′i-lis) [Mod. L. *syphilis*(*syphilid*-)(?), Fracastorius が発表した詩の題 "*Syphilis sive Morbus Gallicus*" に由来．*Syphilus* はこの詩の主要人物であるヒツジ飼いの名前]．梅毒（[erysipelas と混同しないこと]．梅毒トレポネーマ *Treponema pallidum* 菌により起こり，直接接触，通常は性交によって伝播される急性および慢性の感染症．12—30 日の潜伏期間後，最初の徴候として下疳が現れ，微熱と他の全身の症状(一期梅毒 *primary s.*)，そして粘膜斑点を伴う様々な外見をもつ皮膚発疹が現れる(二期梅毒 *secondary s.*)．次いで，ゴム腫と細胞浸潤および通常，心臓脈管と中枢神経系の病変により起こる機能異常(三期梅毒 *tertiary s.*)が現れる)．＝lues venerea; malum venereum.

cardiovascular s. 心血管梅毒（梅毒末期に心血管系に認められる梅毒症状で，通常，大動脈炎，動脈瘤の形成や大動脈弁閉鎖不全を起こす）．

congenital s. 先天梅毒（子宮内の胎児が感染し，出生時にはすでに罹患しているもの）．＝hereditary s.; s. hereditaria.

s. d'emblée [Fr. right away]．突発性梅毒（初期の痛みを伴わないもの）．

early s. 早期梅毒（症状発現前の一期，二期あるいは早期不顕性梅毒）．

early latent s. 早期不顕性梅毒（梅毒トレポネーマ *Treponema pallidum* による感染．一期および二期が軽快し，三期梅毒発症前の状態）．

endemic s. ＝nonvenereal s.

s. hereditaria ＝congenital s.

s. hereditaria tarda 晩発性先天梅毒（生後数年間は症状が現れない．先天性のものと考えられる）．

hereditary s. 先天性梅毒．＝congenital s.

late s. 後期梅毒（梅毒トレポネーマ *Treponema pallidum* 感染による心循環系あるいは中枢神経系障害あるいは臓器を問わずゴム腫の形成．通常初感染から数年あるいは 20—30 年後に発症する）．＝tertiary s.

late benign s. 後期良性梅毒（血清検査では感染が明確であるが臨床症状を欠くもの）．

late latent s. 晩発性潜在性梅毒（妊娠中の梅毒感染で胎児感染のみを起こしたもの）．

latent s. 不顕性梅毒（梅毒トレポネーマ *Treponema pallidum* による感染で，一期，二期後に症状が消退し，三期梅毒発症前の状態）．

meningovascular s. 髄膜血管梅毒（軟膜の軽い，非化膿性，慢性の炎症と頭蓋内脈管炎または脊髄脈管炎を特徴とする二期または三期梅毒のまれな症状）．

nonvenereal s. 性行為外の梅毒（梅毒トレポネーマ *Treponema pallidum* 類似の病原体に起因し，人から感染するが性行為によらないもの．通常は小児期に感染する．非常に人口密度の高い貧困地域に発生する．米国ではまれである．イチゴ腫，熱帯白斑性皮膚病(ピンタ)，ベジェルを含む)．＝endemic s.

primary s. 一期梅毒，早期梅毒，初期梅毒（梅毒の第 1 段階．→syphilis）．

quaternary s. 四期梅毒，後梅毒，変性梅毒．＝parasyphilis.

secondary s. 二期梅毒（梅毒の第 2 段階．→syphilis）．

tertiary s. 三期梅毒．＝late s.

syph·i·lit·ic (sif′i-lit′ik)．梅毒性の．＝luetic.

syphilo-, syphil-, syphili- [→syphilis]．梅毒を意味する連結形．

syph·i·lo·derm, syph·i·lo·der·ma (sif′i-lō-derm, -der′mă) [syphilo- + G. *derma*, skin]．＝syphilid.

syph·i·loid (sif′i-loyd) [syphilo- + G. *eidos*, resemblance]．類梅毒の．

syph·i·lol·o·gist (sif′i-lol′ŏ-jist)．梅毒学者（梅毒の研究，診断および治療を専門とする者）．

syph·i·lol·o·gy (sif′i-lol′ŏ-jē) [syphilo- + G. *logos*, study]．梅毒学（梅毒の原因，予防，治療に関する学問）．

syph·i·lo·ma (sif′i-lō′mă) [syphilo- + G. *-oma*, tumor]．梅毒腫．＝gumma.

s. of Fournier (fūr-nē-ā′)．フルニエ梅毒腫．＝Fournier *disease*.

syr. ラテン語 *syrupus*(シロップ)の略．

sy·rig·mus (si-rig′mŭs) [L. < G. *syrigmos*, a hissing]．耳鳴(じめい)．＝*tinnitus* aurium.

syring- →syringo-.

syr·ing·ad·e·no·ma (sir′ing-ad′ĕ-nō′mă) [syring- + G. *adēn*, gland + *-oma*, tumor]．汗腺腫（分泌細胞に典型的な，腺の分化を示す良性の汗腺腫瘍）．＝syringoadenoma.

syr·ing·ad·e·no·sus (sir′ing-ad′ĕ-nō′sŭs) [L. < syring- + G. *adēn*, gland]．汗腺の．

sy·ringe (sĭ-rinj′, sir′inj) [G. *syrinx*, pipe or tube]．注射器（液体の注入または吸引に用いる器具．外筒と内筒よりなる）．

air s. ＝chip s.

chip s. チップシリンジ（円錐形の金属管で，ゴムのバルブまたは圧力タンクからの空気をこの先から噴出して汚物を吹き飛ばしたり，修復物のための支台歯形成の窩洞を乾燥させたりするもの）．＝air s.

control s. 調節注射器（Luer-Lok 注射器の一種．母指とその他の指がはいる輪を注射器の外筒の近位端およびプランジャーの先に取り付けて，片手で操作できるようにしたもの）．＝ring s.

Davidson s. (dā′vid-sŏn)．デーヴィッドソン注射器（圧縮球とノズルの付いたゴムのチューブで，圧縮するとバルブの機能で挿入したチューブのノズルから液を排出する注射器）．

dental s. 歯科用注射器（麻酔液のはいった密封ガラスカートリッジを装填し，その一端を荷重する金属カートリッジ注射器）．

fountain s. 重力式注射器（液を貯留する容器の底に，適当なノズル付きの管が付いている装置．腟または直腸への注入，創の洗浄などに用いられ，水圧は注射口上にある容器の高さで調節される）．

hypodermic s. 皮下注射器（外筒に目盛りの付いた小さい注射器で，完全に合った内筒と先端を有し，皮下注射および吸引のための中空の針を付けて用いる）．＝hypodermic (3).

Neisser s. (nī′sĕr)．ナイサー(ナイセル)注射器（淋菌性尿道炎の治療に用いる尿道注射器）．

probe s. 消息子注射器（涙道疾患の治療に用いるオリーブ様の形をした尖端を有する注射器）．

ring s. ＝control s.

Roughton-Scholander s. (row′ton shō′lan-dĕr)．ラフトン－ショランダー注射器．＝Roughton-Scholander *apparatus*.

rubber-bulb s. ゴム球注射器（中空のゴム球をもつ注射器．カニューレはチェックバルブを有する．空気または水のジェット流を得るのに用いる）．

sy·rin·ge·al (sĭ-rin′jē-ăl)．瘻孔の，鳴管の．

sy·rin·gec·to·my (si′rin-jek′tŏ-mē) [syring- + G. *ektomē*, excision]．瘻孔〔壁〕切除〔術〕．＝fistulectomy.

sy·rin·gi·tis (si′rin-jī′tis) [syring- + G. *-itis*, inflammation]．耳管炎．

syringo-, syring- [G. *syrinx*, pipe or tube]．[誤った発音 ser-in′jō を避けること]．瘻孔を意味する連結形．

sy·rin·go·ad·e·no·ma (sĭ-ring′gō-ad′ĕ-nō′mă)．＝syringadenoma.

sy·rin·go·bul·bi·a (sĭ-ring′gō-bŭl′bē-ă) [syringo- + L. *bulbus*, bulb(medulla oblongata)]．延髄空洞症（脊髄空洞症に類似するもので，脳幹の空洞に液体が充満する）．

sy·rin·go·car·ci·no·ma (sĭ-ring′gō-kar′si-nō′mă) [syringo- + carcinoma]．汗腺癌（嚢腫性変化(嚢胞癌)を起こす上皮性の悪性新生物を表す現在では用いられない語）．

sy·rin·go·cele (sĭ-ring′gō-sēl) [syringo- + G. *koilia*, a hollow]．*1* ＝central *canal*．*2* 脊髄瘤（脊髄内に異所性に空洞をもつ髄膜脊髄瘤）．

sy·rin·go·cys·tad·e·no·ma (sĭ-ring′gō-sis′tad-ĕ-nō′mă) [syringo- + cystadenoma]．汗管嚢胞腺腫（良性の汗腺嚢胞腺腫）．

s. papilliferum 乳頭状汗管嚢胞腺腫（プラスマ細胞が浸潤した線維性結合組織からなる間質性の芯の上に，2 層に並んだ増殖性腫瘍性上皮細胞をもつ多数の指状突出が特徴で，単独発生する場合と脂腺母斑の部分症状として続発することがある）．

sy·rin·go·cys·to·ma (sĭ-ring′gō-sis-tō′mă) [syringo- + cystoma]．汗腺嚢腫．＝hidrocystoma.

sy·rin·go·en·ceph·a·lo·my·e·li·a (sĭ-ring′gō-en-sef′ă-lō-mī-ē′lē-ă) [syringo- + G. *enkephalos*, brain + *myelos*, marrow]. 脳脊髄空洞症（脳と脊髄の両方を含み，病因学的には脈管不全症とは無関係の管状の空洞をもつ）.

sy·rin·goid (sĭ-ring′goyd) [syringo- + G. *eidos*, resemblance]. 管状の，瘻状の.

sy·rin·go·ma (si′ring-gō′mă) [syringo- + G. *-ōma*, tumor]. 汗管腫，汗腺腫（しばしば多発性であるが，ときに発疹性のもので，非常に小さな丸い嚢腫からなる汗管の良性新生物）.

chondroid s. 軟骨様汗管腫（汗腺の良性腫瘍で，粘液性の間質が軟骨化生を示すもの）. ＝mixed tumor of skin.

sy·rin·go·me·nin·go·cele (sĭ-ring′gō-mĕ-ning′gō-sēl) [syringo- + meningocele]. 空洞状髄膜脱出（脊嚢がほとんど髄質を含まない膜から構成され，脊髄空洞と連結する空洞を囲む二分脊椎）.

sy·rin·go·my·e·li·a (sĭ-ring′gō-mī-ē′lē-ă) [syringo- + G. *myelos*, marrow][MIM*186700, MIM*272480]. 脊髄空洞症（脊髄内の厚い膠細胞による組織で仕切られた細長い空洞の存在で，脈管不全症により生じたものではない．臨床的には痛みと知覚異常がみられ，手の筋萎縮が伴う．手と腕に無痛覚が生じ，温度感覚が失われるが触覚は残る．後に無痛性瘭疽がみられ，下肢の痙性麻痺と腰椎の側弯が起こる．悪性度の低い神経膠腫または脊髄の脈管奇形を伴う場合もある）. ＝hydrosyringomyelia; Morvan disease; syringomyelus.

sy·rin·go·my·e·lo·cele (sĭ-ring′gō-mī′ĕ-lō-sēl) [syringo- + myelocele]. 空洞状脊髄脱出（脊椎背側の欠損部から膜と脊髄が脱出することからなる二分脊椎の一型．脊髄の空洞内の液が増加し，脊髄組織を薄壁嚢内へ膨張させ，これが後脊椎欠損部から脱出膨隆する）.

sy·rin·go·my·e·lus (sĭ-ring′gō-mī′ĕ-lŭs) [syringo- + G. *myelos*, marrow]. ＝syringomyelia.

sy·rin·go·pon·ti·a (sĭ-ring′gō-pon′shē-ă) [syringo- + L. *pons*, bridge]. 〔脳〕橋空洞症（脊髄空洞症と同じ性質をもつ脳橋内の空洞形成症）.

sy·rin·go·tome (sĭ-rin′gō-tōm). 瘻孔切開刀. ＝fistulatome.

sy·rin·got·o·my (si′rin-got′ŏ-mē). 瘻孔切開〔術〕. ＝fistulotomy.

syr·inx, pl. **sy·ring·es** (sir′ingks, sĭ-rin′jēz) [G. a tube, pipe]. ***1*** fistula(瘻孔)の類義語としてまれに用いる. ***2*** 空洞（グリア(神経膠)細胞で内張りされた脳または脊髄内の病的管状腔）.

syr·up (sir′ŭp) [Mod. L. *syrupus* < Ar. *sharāb*]. ＝sirup; syrupus. ***1*** 糖ミツ；refined molasses（糖の精製後に残る非結晶性サッカリン様溶液）. ***2*** シロップ，シラップ（種々の甘い液．様々な比率の糖の水溶液）. ***3*** シロップ剤（通常は白糖であるが，糖の濃い水溶液に薬または芳香物質を溶かしたもの．グリセリンまたはソルビトールなどの他のポリオールが，白糖の結晶化遅延あるいは添加成分の溶解度増加の目的ではいっていることもある．通常，カビや細菌汚染に抵抗性であるが(糖濃度が85％以上であるため)，シロップに薬物が含まれている場合はシロップ剤とよばれる．シロップには細菌やカビの成長を防ぐため抗菌薬が含まれていることもある）.

ipecac s. トコンシロップ（アルカロイドのエメチンやケファリンを成分とするトコンエキス末を含有した甘味をつけた液状の薬剤．中毒時の催吐剤および(低用量で)去痰剤として用いられる）.

syr·u·pus (syr) (sir′ŭ-pŭs) [Mod. L.]. シロップ剤. ＝syrup.

syr·up·y (sir′ŭ-pē). シロップ剤の.

sys·sar·co·sic (sis′ar-kō′sik). ＝syssarcotic.

sys·sar·co·sis (sis′ar-kō′sis) [G. *syssarkōsis*, a being overgrown with flesh < *syn*, with + *sarx*, flesh]. 筋骨連結（筋連結．筋による骨連結．例えば，ヒトの膝蓋骨の筋連結）.

sys·sar·cot·ic (sis′ar-kot′ik). 筋骨連結の. ＝syssarcosic.

SYSTEM

sys·tem (sis′tĕm) [G. *systēma*, an organized whole][TA]. 系〔統〕，器官系，システム，体系（①相互に関連し合う半独立性の部分から構成される永続性の複合体．機能的に関連した解剖学的構造複合体．②部分の複合有機体としてみたときの生物．全体の器官．③解剖学的に関連した構造の複合体．例えば脈管系，また機能的になら消化器系．④医学理論の体系.→apparatus; classification. ⑤特定のアミノ酸輸送体につけられる1個以上の文字を用いて表す系の表示．N系はナトリウム依存性輸送体で，L-グルタミン，L-アスパラギン，L-ヒスチジンなどのアミノ酸に特異的である．y^+系はカチオン性アミノ酸のナトリウム非依存性輸送体である．⑥大衆の傷害や疾病を軽減するために，全体の健康維持や介入の一部ずつを担う人，機関，施設，活動，書類の群）. ＝systema [TA].

absolute s. of units 絶対単位系（絶対単位に基づき，基礎になるものとみなされる系(長さ，質量，時間)から他の単位(力，エネルギー，仕事)が組み立てられる．通常用いる絶対単位系はCGS単位系，MKS単位系，FPS単位系である）.

absorbent s. 吸収系. ＝lymphoid s.

aerosol delivery s. エアゾール噴霧式吸入器（吸入薬を噴霧するための装置.→metered-dose *inhaler*; spacer; dry powder *inhaler*; nebulizer; discus）.

alimentary s. [TA]. 消化〔器〕系（口から肛門へ至る消化管とそれに付属する腺および臓器）. ＝systema digestorium [TA]; alimentary apparatus; apparatus digestorius; digestive apparatus; digestive s.; systema alimentarium.

anterolateral s. 〔脊髄〕前外側系（脊髄側索の腹外側部にある複合線維の束で，脊髄視床線維・脊髄視床下部線維・脊髄毛様体線維・脊髄被蓋線維および脊髄から中脳水道周囲灰白質への線維を含む．白質にまとまっているが組織学的には前脊髄視床路と後脊髄視床路とに区別される．歯状靱帯より腹側にあることが脊髄切断術の際の目安になる．侵害刺激・温度感覚・識別力のない触覚の伝達路である.→spinothalamic *tract*）. ＝lemniscus spinalis [TA]; spinal lemniscus [TA]; tractus anterolaterales [TA]; anterolateral tract.

arch-loop-whorl s. (**ALW**) →Galton system of classification of *fingerprints*.

articular s. [TA]. 関節系（体のすべての関節の総称）. ＝systema articulare [TA].

association s. 連合系（大脳皮質の様々な領域または脊髄の様々な分節などの中枢神経系の一部で，同じ主要部分の異なる部分を相互に連絡している神経線維のグループまたは路）.

autonomic nervous s. (**ANS**) 自律神経系（次頁の表参照）. ＝autonomic (visceral motor) *division* of nervous system.

Bethesda s. [*Bethesda*, Maryland, site of NIH]. ベセスダ分類（子宮頸部，腟細胞診の報告のためのシステム）. ＝Bethesda classification.

1940年代にGeorge Papanicolaouは頸部細胞診所見をI(正常)－V(癌)の5型に分類した．II－IV型は前癌扁平上皮異型の異型度の増加に従っている．その後*dysplasia*(軽度，中等度，高度)，cervical intraepitherial *neoplasia*(CIN)(1－3度)の用語を導入して診断所見システムが改変された．この用語に従って報告された塗抹標本の所見は検者間および同一検査でも検査時期の違いによって再現性に乏しいことが示された．さらに診断基準と診療方針にも関連性が小さかった．1988年に国立癌研究所が主催してメリーランド州，ベセスダでさらに有用性の高い分類システムの確立を目指してワークショップが開かれた．ベセスダ分類は1991年に最初に使用され，世界共通の標準方式として確立した．その後2001年にいくつかの改変がなされた．ベセスダ分類による頸部細胞診の報告の標準形式は3要素で構成されている．ⓘ標本の妥当性に対する評価(十分，不十分)．ⓘⓘ総合的な分類区分(上皮内病変または悪性所見がない，上皮細胞の異常，その他)．ⓘⓘⓘ具体的な記述による診断．総合的な分類区分に基づく詳細な記述，および標本内に腟上皮が含まれる場合の患者のホルモン状態を含めてすべての有意な細胞異常．上皮内病変または悪性所見のない検体には，病原体(*Trichomonas*属，*Candida*属，単純ヘル

S

ペス感染による細胞変化)の存在や，良性の組織変化(炎症，萎縮)の証明が付記される．上皮細胞異常には扁平上皮，腺上皮細胞も含まれる．このシステムにより，多くの細胞変化の名称が記述的な診断に改められた．扁平上皮の細胞変化は，以前は軽度異型あるいはCIN 1(ヒト乳頭腫ウイルス(HPV)感染に特徴的な細胞異型を含む)とよばれていたが，新分類では軽度扁平上皮内腫瘍(LSIL)とよばれている．高度扁平上皮内腫瘍(HSIL)は以前の中等度・高度異型，またはCIN 2，CIN 3を含む．扁平上皮内腫瘍を疑わせるものの量的または質的に不十分なために確定的な解釈のできない細胞変化を呈する所見は，意義不明確な異型扁平細胞(ASC-US)と，HSILが疑われるが診断には至らない変化(ASC-H)の2つに分けられる．米国では年間5,000万件の細胞診が行われていると考えられるが，そのうちの5—10％はASC-USまたはASC-Hと報告されている．ASC-USの女性に対しては，薄層の細胞診を繰り返し行うよりもDNAプローブを用いてハイリスクHPVタイプの検査を行った方が，高度腫瘍病変または癌を検出するのに感度が高い．ASC-H，LSIL，HSILがみつかった場合は，コルポスコピーおよびコルポスコピー下の組織診の適応である．

---

blood group s.'s (ABO) 付録 Blood Groups 参照.

blood-vascular s. 血管系. ＝cardiovascular s.

bulbosacral s. 球仙髄系. ＝parasympathetic *part* of autonomic (visceral motor) division of peripheral nervous system.

cardiovascular s. (CVS) [TA]. 心血管系，循環〔器〕系（全体として考えられた心臓と血管). ＝systema cardiovasculare [TA]; blood-vascular s.

caudal neurosecretory s. 尾部神経分泌系.

centimeter-gram-second s. (CGS, cgs) CGS(cgs)単位系（長さ，質量，時間の基礎的物理単位と，それから得られる物理的単位を，センチメートル，グラム，秒で表した単位系．国際単位系(SI)ではメートル，キログラム，秒に基づいている).

central nervous s. (CNS) [TA]. 中枢神経系（脳と脊髄をいう). ＝pars centralis systematis nervosi [TA]; systema nervosum centrale*.

cerebrospinal s. 脳脊髄系（中枢神経系と末梢神経系を組み合わせたもの).

charge transfer s. 電荷移動系. ＝charge transfer *complex*.

chromaffin s. クロム親和系（クロム塩で染色される体細胞．副腎髄質部，傍神経節，およびある種の交感神経に関連して生じる).

circulatory s. 循環〔器〕系. ＝vascular s.

自律神経系

器官	交感神経系機能	交感神経	副交感神経系機能	副交感神経
眼	瞳孔散大，調整のため毛様体筋収縮	上頸神経節からの節後線維（内頸動脈神経）	瞳孔収縮	毛様体神経節から短毛様体神経を介した節後線維
涙腺	効果はわずか，あるいはなし	上頸神経節からの節後線維（外頸動脈神経）	分泌	翼突口蓋神経節から頬骨側頭神経を介した節後線維
唾液腺	濃い粘稠な分泌	外頸動脈神経	多量の水のような分泌	顎下神経節および耳神経節からの節後線維
心臓	心拍の速さと強さの増加，冠動脈の拡張(間接的？)，伝導時間の短縮	頸心臓神経と胸心臓神経	心拍が遅くなる，冠動脈の収縮（間接的？)，伝導時間の増加	迷走神経を介した終末/壁内神経節からの節後線維
肺	気管支拡張，分泌抑制	肺神経	気管支収縮，分泌刺激	迷走神経を介した終末/壁内神経節からの節後線維
消化管	ぜん動抑制，血管収縮	大，小，最小内臓神経と腹腔，上腸間膜，下腸間膜神経節からの枝	ぜん動と分泌の刺激	迷走神経と骨盤神経を介した終末/壁内神経節からの節後線維
肝臓と胆嚢	グルコースの放出	腹腔神経節からの枝	胆汁の分泌	迷走神経を介した終末/壁内神経節からの節後線維
副腎髄質	エピネフリンの分泌	小内臓神経	関係なし	神経はない
腎臓	血管収縮，尿生成の抑制	皮質腎神経節からの枝	効果なし（？)	神経はない
膀胱	尿の蓄積	下腸間膜神経節からの枝（胃下神経叢を介する)	尿の放出	骨盤神経を介した終末/壁内神経節からの節後線維
生殖器	射精	下腸間膜神経節からの枝（胃下神経叢を介する)	ペニスとクリトリスの勃起	骨盤神経を介した終末/壁内神経節からの節後線維
汗腺	分泌	交感神経鎖神経節からの節後線維	関係なし	神経はない
末梢血管	平滑筋の収縮	交感神経鎖神経節からの節後線維	生殖器部の拡張以外は関係なし	神経はない
骨格筋	血管の平滑筋の収縮	交感神経鎖神経節からの節後線維	拡張	神経はない

closed s. 閉じた系，閉鎖系，孤立系（周囲の環境と物質，エネルギー，情報の交換が行われない系）．

colloid s. コロイド系（コロイド溶液の内部と外部の2相の組合せ．種々の系には，気体＋液体(泡)，気体＋固体(海泡石)，液体＋気体(霧)，固体＋気体(煙)，固体＋液体(ゾル)，液体＋固体(ゲル)，液体＋液体(エマルジョン)，固体＋固体(色ガラス)がある）．

complement s. 補体系（20個以上の血清蛋白の一群．連続的に活性化され，細胞の溶解を引き起こすカスケードに関与する．補体系は化学走性，オプソニン作用，食作用においても働く）．

conducting s. of heart [TA]．心臓刺激伝導系（洞房結節，房室結節，房室束，右脚と左脚索枝，およびそれらの心内膜下分枝がPurkinje網状より構成される非典型的な特殊心筋伝道系）．＝complexus stimulans cordis [TA]; systema conducens cordis*.

corticomesolimbic s. 大脳皮質中脳辺縁系（予期や報酬系を制御している，解剖学的および機能的に関連している中枢機構．腹側の被蓋部より出て前頭葉に達する経路(corticolimbic)と側坐核に達する経路(mesolimbic)の2つのドパミン作動性経路により構成されている）．

craniosacral nervous s. 脳仙髄神経系．＝parasympathetic *part* of autonomic (visceral motor) division of peripheral nervous system.

cytochrome s. シトクロム系．＝respiratory *chain.*

---

cytochrome P-450 s. シトクロムP450系，チトクロムP450系（ヒト肝臓，腸管，腎臓，肺や中枢神経系(CNS)に存在し種々の酸化反応を触媒する不均一な酵素群．これらの酵素群は薬物，毒素，ホルモンや天然植物成分などの多くの内因性や外因性基質の代謝にかかわる．シトクロムP450酵素は化学構造(アミノ酸配列)に基づいて分類される．各酵素の命名はまずCYP，次に帰属しているファミリーの番号，サブファミリーの記号，またときに個々の酵素を表す二次番号からなっている）．

感染症，退行性や悪性の疾患，精神異常などの治療に使われる，多種多数の医薬品が確実に増加し，その結果，好ましくない薬物相互作用のリスクを伴う多剤併用療法の問題が生じる．シトクロムP450系の機能異常がそのような薬物相互作用の重要な原因になるという認識が高まりつつある．ある薬物がP450酵素の生成を増大させた場合，その酵素により代謝される別の薬物がより速く排泄させられ，求める治療効果を出しえないであろう．逆にP450酵素活性を阻害する薬物は基質となる薬物の代謝を遅らせ，その結果，血清および組織内濃度の増加や副作用を含む薬物効果の増強をきたすことになる．阻害は普通複数の薬物と1つの酵素分子の同じ結合部位に対する薬物間の競合作用に基づく．可逆的阻害はP450系の薬物相互作用に一番よくみられるメカニズムである．一般に薬物は特定のP450イソ酵素に対して拮抗する．可逆的阻害により薬物相互作用を起こす薬剤の例としてはエイズの治療に用いられるフロロキノロン系抗生剤，シメチジン，ケトコナゾールやプロテアーゼ阻害剤の薬物グループがあげられる．ヒトシトクロムP450酵素の中で最も多く存在するのがCYP3A4であり，現在使用されている薬剤の約50%の代謝に関与している．またCYP2D6の発現においては人種差がみられる．その理由は白人のほうが黒人やアジア人よりもこの酵素で代謝される薬物(例えば，三環性抗うつ剤，SSRI(選択的セロトニン再取り込み阻害薬)，抗精神病薬やベータ遮断剤)の蓄積や過度の血清濃度による毒性の影響を受けやすいからであると説明している．

---

digestive s. 消化〔器〕系．＝alimentary s.

ecologic s. 生態系．＝ecosystem.

electron-transport s. 電子伝達系．＝respiratory *chain.*

emergency medical services s. (**EMS**) 救急医療サービスシステム（病院外での救急要請に対応し救急医療サービスを提供するシステム．通常は地域単位で構築され，救急指令，現場での救急処置，救助および病院への搬送から構成される）．

endocrine s. 内分泌系．＝endocrine *glands.*

endomembrane s. 内膜系．＝endoplasmic *reticulum.*

esthesiodic s. 感覚〔衝動〕伝導系（感覚を助ける脊髄および脳のニューロンおよび線維路系）．

exterofective s. 随意神経系（内部環境調節系または自律神経系と反対の体神経系に対してW. Cannonの用いた名称）．

extrapyramidal motor s. 錐体外路運動系（運動神経，運動領，および錐体路(皮質延髄路と皮質脊髄路)を除く，体の運動に影響を及ぼす脳のすべての部分．広い範囲の意味にもかかわらず，本語は特に線条体(基底核)，その関連核(黒質，視床腹側核)，中脳と連結する遠心性神経などを表すのに用いる）．

feedback s. フィードバック系（①ニューロン回路の複合体．これにより遠心性回路の一部が入力に戻ってその活動を調節し，系の調速機としての作用をする．②→feedback）．

female genital s. [TA]．女性生殖器系（女性の生殖器．卵巣，卵管，子宮，腟，外生殖器からなる）．＝systema genitale feminum [TA].

foot-pound-second s. (**FPS, fps**) FPS(fps)単位系（フィート，ポンド，秒に基づく絶対単位系）．

gamma motor s. ガンマ運動系．＝gamma *loop.*

genital s. [TA]．生殖〔器〕系，性器系（種の生殖機能を行う男性または女性の生殖腺，関連管，外性器からなる複合系）．＝systema genitalia [TA]; reproductive s.

genitourinary s. ＝urogenital s.

geographic information s. 地理情報システム（地図制作機能とデータ処理機能を併せもち，疫学研究に利用するオーダーメイド地図を迅速に制作するコンピュータシステム）．

glandular s. 腺組織（体の腺全体をいう）．

haversian s. ハヴァース系．＝osteon.

health information s. 保健情報システム（種々の情報源より得られる動態統計と保健統計の組み合わせ．ある特定の地域や管轄地区における保健ニーズ，保健資源，保健サービスの利用，および人々による利用の成果などの情報を入手するのに用いられる）．

hematopoietic s. 造血系（造血器官．胎生期では発達段階に応じて卵黄胞，肝，胸腺，脾，リンパ節，および骨髄．出生後は主として骨髄，胸腺，リンパ節）．

hepatic portal s. 肝門脈系（腹部内臓の大部分からの血液を集め肝臓の洞様毛細血管に注ぐ門静脈系．次頁の図参照）．

heterogeneous s. 多相系（化学において，種々の異なった，機械的に分離しうる部分または相をもつもの．例えば，懸濁液または乳液）．

hexaxial reference s. 六軸座標系（心電図の単極肢誘導の誘導線を三軸座標系triaxial reference s.に加えたときに得られる図形）．

His-Tawara s. (hiz tă-wah′ră)．ヒス‐田原系（心室心筋層内の交叉Purkinje線維の複合系．→conducting s. of heart）．

homogeneous s. 均一系（化学において，機械的に分離することができない部分で，全体が均一で，各部分の物性が同一であるもの．例えば水における塩化ナトリウム溶液）．

hypophyseoportal s. 視床下部門脈系．＝portal hypophysial *circulation.*

hypophysial portal s. 下垂体門脈系．＝portal hypophysial *circulation.*

hypophysioportal s. 下垂体門脈系．＝portal hypophysial *circulation.*

hypothalamohypophysial portal s. 視床下部下垂体門脈系（①＝portal hypophysial *circulation.* ②＝renal portal s.）．

hypoxia warning s. 低酸素〔症〕警報系（前もって決められた酸素分圧に至ると，聴覚的または視覚的信号を発するようにつくられた器械．理想的には，この系は低酸素症が生じたときに治療できる時間的余裕をもって警告できるものである）．

immune s. 免疫機構（外界から侵入した微生物や物質，あるいは体内に生じた異常な細胞などに対し，免疫応答によって防御するしくみで，細胞・遺伝子・分子成分が複雑に相互作用を及ぼしてそれらを排除する機構）．

indicator s. 指示〔薬〕系（*in vitro*での免疫学的検査において，免疫反応の結果結合した試薬量を示すのに用いる指示

S

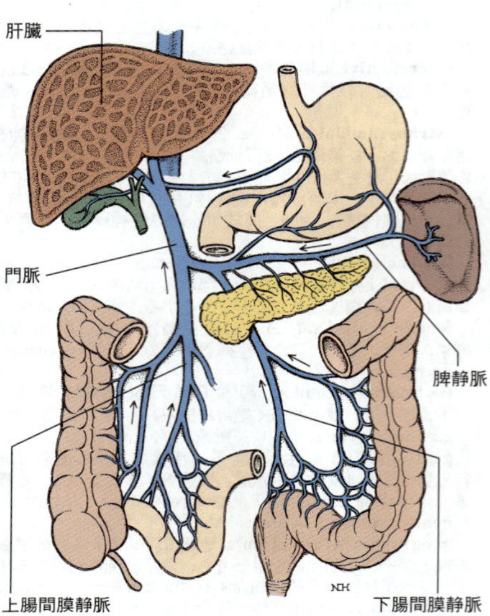

hepatic portal system
門脈静脈血流は腹腔内器官からの排液で成り立っている．

試薬等の組合せ．例えば，補体結合反応における感作赤血球やELISAにおける酵素と基質など）．

information s. 情報システム（複数の情報源からの人口，保健統計を結合したもので，保健に対する需要，保健に関するリソース，費用，保健サービスの利用，ヘルスケアの効果などについての情報収集や意志決定に利用される）．

integumentary s. 外皮系．＝integument.

intermediary s. ＝interstitial *lamella*.

interofective s. 内部環境調節系（体神経系 somatic nervous s. または随意神経系 exterofective s. の対語として，自律神経系 autonomic nervous s. について W. Cannon が用いた語）．

involuntary nervous s. ＝autonomic (visceral motor) *division* of nervous system.

kallikrein s. カリクレイン系（血清中の１つの系列．第XII因子がプレカリクレインアクチベータの産生を促し，その後，カリクレインが産生されることにより活性が発現する．カリクレインは，プラスミンにより活性化された後，キニノーゲンからブラジキニンを分離する）．

kinetic s. 運動系（①活発な運動を誘発する筋神経系．*cf.* static s. ②潜在エネルギーを運動と熱に転化する器官に対して GW Crile が提案した，現在では用いられない語．脳，甲状腺，副腎，肝臓，膵臓，筋肉が含まれる）．

limbic s.〔大脳〕辺縁系（大脳半球，特に海馬，扁桃，脳弓回など，大脳半球内側面辺縁部またはその近くの脳構造を意味する集合名詞．この名称は，これらの構造の相互連結，および中隔野，視床下部，中脳被蓋の中心部との連結を表すのにもしばしば用いる．後者の連結により，大脳辺縁系は，内分泌系と自律運動系に対して重要な役割を果たす．その機能はまた情緒にも影響を及ぼすようである）．＝visceral brain.

linnaean s. of nomenclature［Carl von *Linné*］．リンネ式命名法体系（種の名称を，属名と種の性質を表す形容詞（植物学では種名）との２部分から組み立てる命名法の体系）．＝binary nomenclature; binomial nomenclature.

lymphatic s. リンパ系．＝lymphoid s.

lymphoid s.［TA］．リンパ系（リンパ管，リンパ節，リンパ組織からなる．胸郭上孔の高さで静脈に流入する）．＝systema lymphoideum［TA］; absorbent s.; lymphatic s.; systema lymphaticum.

s. of macrophages マクロファージ（大食細胞）系．＝mononuclear phagocyte s.

male genital s.［TA］．男性生殖器系（男性の生殖器．精巣，精巣上体，精管，精嚢，前立腺，外生殖器からなる）．＝systema genitale masculinum［TA］.

masticatory s. そしゃく系（元来はそしゃく機能をもつ器官と構造．顎，支持構造をもつ歯，顎関節，そしゃく筋，舌，唇，頬，口腔粘膜）．＝dental apparatus; masticatory apparatus (1).

metameric nervous s. 体節性神経系（個体発生において分節状に並んだ体節または頭部における鰓弓から発生して，体の各構造に分布する神経系の一部．この名称は，脊髄と脳幹に特有な神経機構（感覚核，運動性ニューロン細胞群，および網膜形成の関連介在ニューロンなど）を表すこともある．厳密な定義を行う場合は，自律神経系は除外する）．

meter-kilogram-second s. MKS(mks) 単位系（メートル，キログラム，秒に基づく絶対単位．国際単位系(SI)の基礎）．

metric s. メートル法（メートルを基本単位とする重さと長さの計量単位系．科学の分野では全世界で使われている．基本単位のメートルは，もともと地球の子午線の1/4の1/1000万で，現在では光が一定時間，真空中を進む長さに基づいている(⇀meter)．メートルまたは他の基準の接頭語はメートルの分数または倍数を表し，国際単位系(International S. of Units 参照)と同一である．重さの基本単位グラムは蒸留水１立方センチメートルの重さで 15.432358 グレーンに等しい．体積の単位はリットルまたは１立方デシメートルで，1.056688 U.S. クオートに等しい．１立方センチメートルは約 16.23073 U.S. ミニム）．

mononuclear phagocyte s. (**MPS**) 単核食細胞系（骨髄にある前駆細胞から単球を経て全身に分布する遊離または組織固定性のマクロファージの集合．その旺盛な食作用は免疫グロブリンおよび補体によって仲介される．結合組織，リンパ組織ではいずれも遊離型と固定型がある．肝臓の類洞では Kupffer 細胞，肺では肺胞マクロファージ，神経系ではミクログリアとして存在する）．＝s. of macrophages.

muscular s.［TA］．筋〔肉〕系（体の筋全部）．＝systema musculare［TA］.

nervous s.［TA］．神経系（中枢部(脳，脊髄)と末梢部(脳神経，脊髄神経，自律神経節，叢，末梢神経)からなる神経の全器官）．＝systema nervosum［TA］.

neuromuscular s. 筋神経系（体全体の筋とそれに分布している神経）．

nonspecific s. ＝reticular activating s.

occlusal s. 咬合系（自然歯または義歯の人工歯の咬合と切歯単位の形，または設計と配列）．＝occlusal scheme.

oculomotor s. 眼運動系（中枢神経の眼球運動に関連する部分．大脳，脳幹，眼核の様々な分野を結合する経路からなり，多シナプス吻合を行う）．

open s. 開放系（環境との間に物資，エネルギー，および情報の連続した交換がある系）．

O-R s. oxidation-reduction s. の略．

oxidation-reduction s. (**O-R s.**) 酸化還元系（水素または１個あるいはそれ以上の電子を代謝産物間で移動させることにより酸化と還元が同時に進行する組織内の酵素系．→oxidation-reduction）．＝redox s.

parasympathetic nervous s. 副交感神経系（⇀parasympathetic *part* of autonomic (visceral motor) division of peripheral nervous system; autonomic (visceral motor) *division* of nervous system）．

pedal s. 遠心性神経系（前脳をより尾方の構造と連結する遠心性線維）．

periodic s. 周期系（類似する化学的性質(類似価電子数)をもつ元素群が同一の群にはいるように，各々の原子番号により示される一定の順序で化学元素を配列したもの．⇀Mendeléeff *law*）．

peripheral nervous s. (**PNS**)［TA］．末梢神経系（脳脊髄から根束をなして末梢にゆく神経の末梢部分．神経節・感覚神経・自律神経そして神経線維と末梢神経を派出する神経叢を含む．→autonomic (visceral motor) *division* of nervous system）．＝pars peripherica systematis nervosi［TA］;

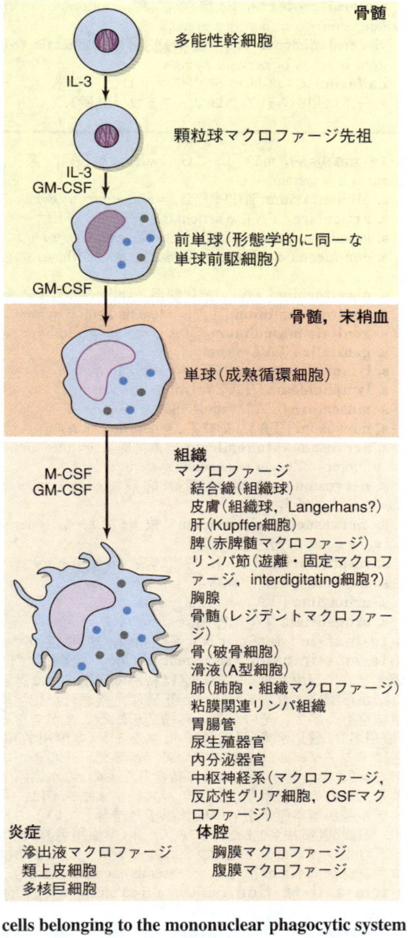

cells belonging to the mononuclear phagocytic system

IL：インターロイキン．M-CSF：マクロファージコロニー刺激因子．GM-CSF：顆粒球マクロファージコロニー刺激因子．

systema nervosum periphericum*; peripheral part of nervous system.

Pinel s. (pi-nel′). ピネル方式（精神病院の患者の治療において強制拘束を廃止する方法).

portal s. 門脈系（肝門脈系で腸からの血液が肝シヌソイドを通過するように，毛細血管を通った後の血液が第2の毛細血管を通ってから心臓へ運ばれるような血管系).

pressoreceptor s. 圧受容系，降圧受容器系（求心性線維と自律神経系との連結が動脈血圧を起こし，脈拍と血管緊張を抑制する降圧受容神経系.→baroreceptor).

projection s. 投射系（刺激を神経系の一部から他の部分に運ぶ軸索系).

properdin s. プロペルジン系（補体第二経路(alternative pathway)を構成する免疫システムの1つ．いくつかの異なる蛋白からなり，連続的に反応し，C3(補体第3成分)を活性化する．見かけ上C1, C4, C2を用いない．プロペルジンに加えて，プロペルジン系にはB，D，H，I因子が含まれる．プロペルジン系の活性化には特異抗体が必要なく，細菌内毒素，種々の多糖類やリポ多糖類，コブラ毒成分により活

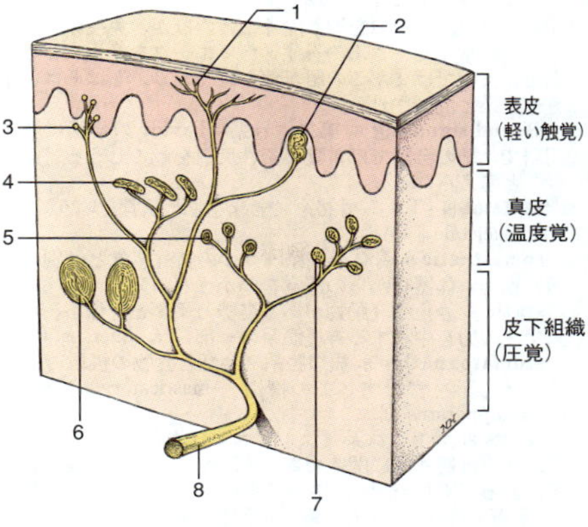

peripheral nerve terminations

1：自由神経終末．2：触覚小体(繊細な触覚)．3：触覚盤(軽い触覚)．4：Ruffini小体(熱覚)．5：Golgi-Mazzoni小体(軽い圧覚)．6：層板小体(重い圧覚)．7：Krause終末小体(冷覚)．8：求神性神経線維．

性化される).

Purkinje s. (pŭr-kin′jē). プルキンエ系．＝subendocardial conducting s. of heart.

redox s. ＝oxidation-reduction s.

renal portal s. 腎門脈系（腎糸球体から出た血液が流出小動脈を通り，近位および遠位尿細管周囲をとりまく傍尿細管毛細血管叢に流入する，一連の循環系をいう).＝hypothalamohypophysial portal s. (2).

renin-angiotensin s. レニン－アンギオテンシン系（アルドステロン生合成経路の選択的調節系で，体液量枯渇により，アルドステロンの産生を増やし，ナトリウムの停留を増やすように作用する．結果として腎臓中のレニン産生を増加させ，血漿中のアンギオテンシンⅠをアンギオテンシンⅡに変換させる).

renin-angiotensin-aldosterone s. レニン－アンギオテンシン－アルドステロン系(レニン，アンギオテンシン，およびアルドステロンの3つのホルモンが血圧調節に協調すること．血圧が持続的に低下すると腎臓からレニンを放出し，アンギオテンシンをⅠからⅡへと変換する．アンギオテンシンⅡは小動脈を直接狭窄して血圧を上昇させる他に，副腎に作用してアルドステロンを分泌させる．アルドステロンは腎の尿細管でナトリウムと水の貯留を促進する結果，血液量と血圧とが上昇する).

representational s. 表象システム（人の内的地図や外的実体性の構築に関する神経言語プログラム用語.→construct; concept-driven *perception*).

reproductive s. ＝genital s.

respiratory s. ［TA］. 呼吸〔器〕系（鼻から肺胞に至る全気道).＝systema respiratorium ［TA］; apparatus respiratorius; respiratory apparatus.

reticular activating s. (**RAS**) 網様体賦活系（生物の敏活な体と行動に大きな役割を果たす脳幹網様体を意味する生理学的名称．分散状に組織された神経装置として脳幹中心部を通って，視床下部と視床の層内核に広がる．上行結合により，行動反応性感覚における脳皮質の機能に影響を与える．下行(網様体脊髄)結合は，体の姿勢と反射機構(例えば筋緊張)，部分的にはガンマ運動ニューロンにより活性化を行う.→reticular *formation*).＝nonspecific s.

reticuloendothelial s. (**RES**) 細網内皮系，網内系（Aschoff が色素貪食能に基づいて最初に記載したマクロファージとされる細胞の集合体で，たくさんの真のマクロファージ(現在では単核食細胞系として分類されている)の他に脾臓，リンパ節，骨髄の類洞の内張りをしている細胞，さらに造血組織の線維芽細胞様網様細胞を含有している．マクロファージ以外の上述の細胞は食細胞としては活性が弱く，真性のマ

クロファージではない．網内系の働きは血中から不溶性の粒子および可溶性抗原を取り除くことのほか，免疫原刺激に対して，非常にたくさんの炎症メディエータを産生することである．文献ではまだこの語が使われており，しばしば，単核食細胞系と混同される）．

second signaling s. 第二信号系（Pavlov の会話に関する用語で，その会話では言葉が条件反射を起こしうる〝第二信号〟と考えられる）．

skeletal s. [TA]．骨格系（全身の骨と軟骨をいう）．＝systema skeletale [TA]．

somesthetic s. 身体感覚系（5つの特殊感覚とは別の，皮膚，筋肉，体器官からの感覚をつかさどる）．

static s. 静止系（動物がある姿勢と平衡とを保ち，重力と大気圧の力を中和する神経筋系の一部．*cf.* kinetic s. (2)）．

stomatognathic s. 顎口腔系（会話と食物の摂取，そしゃく，えん下を含むすべての構造．→masticatory s.）．＝masticatory apparatus (2)．

stress s. ストレス系（ストレスにより活性化される解剖学的または機能的に関連のある大脳やその周辺組織．視床下部にある CRH 分泌性細胞，脳幹のノルエピネフリン産生細胞（青斑を含む），視床下部－下垂体－副腎系，自律神経系を含む）．

subendocardial conducting s. of heart 心内膜下伝導系（特殊な刺激伝導系の心室内の末梢分枝）．＝Purkinje s.

superficial musculoaponeurotic s.（**SMAS**）表層筋腱膜システム（顔面と頸部の表層筋と腱膜層．しわ切除に重要）．

sympathetic nervous s. 交感神経系．＝sympathetic *part* of autonomic（visceral motor）division of peripheral nervous system.

T s. T系（骨格筋および心筋線維における筋細胞膜が陥入した横細管）．

thoracolumbar s. 胸腰系（→autonomic（visceral motor）*division* of nervous system; sympathetic *part* of autonomic（visceral motor）division of peripheral nervous system）．

thoracolumbar nervous s. 胸腰部神経系．＝sympathetic *part* of autonomic（visceral motor）division of peripheral nervous system.

triaxial reference s. 三軸座標系（心電図における3つの標準肢誘導の誘導線再配置により生じる図（Einthoven 三角模型）で，正三角形の辺をつくる代わりにお互いに2分するもの）．＝Dieuaide diagram.

type III secretion s. III 型分泌装置（宿主細胞の原形質膜を貫通して毒素を注入するために *Yersinia pestis* のような病原菌が用いる円筒状の装置）．

ubiquitin-proteasome s.（**UPS**）ユビキチン－プロテアソーム系（不要な蛋白を見分け，分解する複合装置で，すべての細胞の細胞質に存在する．細胞の成長と分化，DNA の複製と修復，アポトーシス，ストレスに対する反応や免疫応答に関与する）．

urinary s. [TA]．泌尿〔器〕系（尿を産出すること，貯留すること，排出することに関係するすべての器官で，腎，尿管，膀胱，尿道が含まれる）．＝systema urinarium [TA]; urinary apparatus; uropoietic s.

urogenital s. 泌尿生殖〔器〕系（生殖や尿の生成および排泄に関与するすべての器官）．＝apparatus urogenitalis; genitourinary apparatus; genitourinary s.; systema urogenitale; urogenital apparatus.

uropoietic s. 尿産生系．＝urinary s.

vascular s. 脈管系（心血管とリンパ系の集合体）．＝circulatory s.

vegetative nervous s. 自律神経系．＝autonomic（visceral motor）*division* of nervous system.

vertebral-basilar s. 椎骨－脳底動脈系（2つの椎骨動脈が結合して脳底動脈となり，その脳底動脈の直接分枝などを含めた血管の複合体）．

vertebral venous s. 椎骨静脈系，椎骨静脈叢（脊柱の周囲にあって互いに連絡し合っている4つの静脈網．すなわち椎体を囲む小規模の前外椎骨静脈叢，椎体からの突起を囲む大規模の後外椎骨静脈叢，脊柱管内の全長にわたって硬膜外の前方にある前内椎骨静脈叢，脊柱管内の全長にわたって硬膜外の後方にある後内椎骨静脈叢．後の2つは硬膜上椎骨静脈叢を形成する）．＝Batson plexus; plexus venosus vertebralis [TA]; vertebral venous plexus.

visceral motor s. 内臓運動系．＝autonomic（visceral motor）*division* of nervous system.

visceral nervous s. 内臓神経系．＝autonomic（visceral motor）*division* of nervous system.

Zaffaroni s.（ză-fă-rō′nē）．ザファロニー装置（ステロイドの分離に用いられるクロマトグラフィ装置）．

---

sys·te·ma（sis-tē′mă）[L.＜G. *systēma*][TA]．系（→apparatus）．＝system.

s. alimentarium 消化〔器〕系．＝alimentary *system*.

s. articulare [TA]．＝articular *system*.

s. cardiovasculare [TA]．＝cardiovascular *system*.

s. conducens cordis* conducting *system* of heart の公式の別名．

s. digestorium [TA]．消化器系．＝alimentary *system*.

s. genitale feminum [TA]．＝female genital *system*.

s. genitale masculinum [TA]．＝male genital *system*.

s. genitalia [TA]．＝genital *system*.

s. lymphaticum リンパ系．＝lymphoid *system*.

s. lymphoideum [TA]．＝lymphoid *system*.

s. musculare [TA]．＝muscular *system*.

s. nervosum [TA]．神経系．＝nervous *system*.

s. nervosum autonomicum 自律神経系．＝autonomic（visceral motor）*division* of nervous system.

s. nervosum centrale* 中枢神経系（central nervous *system* の公式の別名）．

s. nervosum periphericum* 末梢神経系（peripheral nervous *system* の公式の別名）．

s. respiratorium [TA]．呼吸器系．＝respiratory *system*.

s. skeletale [TA]．骨格系．＝skeletal *system*.

s. urinarium [TA]．＝urinary *system*.

s. urogenitale 尿生殖器系．＝urogenital *system*.

sys·te·mat·ic（sis′tĕ-mat′ik）．系統的の，序列〔性〕の．

sys·te·mat·ic name（sis′tĕ-mat′ik nām）．組織名（化学物質名として適用される．組織名は特別に造語または選定された語から構成され，それぞれが正確に定義された化学構造の意味をもつので，その名称から構造を知ることができる．水（慣用名）は酸化水素（組織名）．ヒスタミン（準慣用名）の組織名はイミダゾールエチルアミンで，イミダゾール基がエチルアミン（エチル基がアミノ基に結合したもの）の水素原子と置換していることを示す．ジメチルスルフォキシドは，2つのメチル基が酸素原子をもつ硫黄原子と結合していることを表す．石炭酸（慣用名）またはフェノール（準慣用名）の組織名はヒドロキシベンゼンまたはフェニルヒドロキシドまたはヒドロキシシクロヘキサトリエン．→semisystematic name）．

sys·tem·a·ti·za·tion（sis-tĕm′a-ti-zā′shŭn）．系統的配列（考えを秩序ある順序に配列すること）．

Systematized Nomenclature of Medicine（sis′tĕ-mă-tīzd nō-men′klă-chūr med′i-sin）体系的医学述語命名記法（癌分類における TNM 分類と相関する形態学的分類体系）．

Sys·tème In·ter·na·tion·al d'Un·i·tés（sēs-tĕm′ ahn-tĕr-nahs-ē′ōn-nahl′ dūn′nē-tā′）．→International System of Units.

sys·tem·ic（sis-tem′ik）．全身性の，全身系の．

sys·te·moid（sis′tĕ-moyd）．類系統性の（器官に類似する複合構造の腫瘍を表す）．

sys·to·le（sis′tō-lē）[G. *systolē*, a contracting]．〔心〕収縮〔期〕（心臓，特に心室の収縮で，これにより血液が大動脈と肺動脈を通って各々全身循環と肺循環を行う．収縮は聴診で聞くことのできる第1心音，触診可能な心尖拍動，動脈拍により示される）．

aborted s. 頓挫収縮（心室収縮の衰弱による橈骨動脈脈拍の収縮拍の欠如）．

atrial s. 心房〔性〕収縮．＝auricular s.

auricular s. ＝atrial s.

electrical s. 電気的収縮期（Q波の始まりからT波の終わりまでの時間）．

electromechanical s. 電気機械収縮（QRS 群の初めから，第2心音の最初の（大動脈の）振動までの期間）．＝QS_2 interval.

extra-s. →extrasystole.
late s. ＝prediastole.
premature s. 早期収縮．＝extrasystole.
ventricular s. 心室収縮．

sys·tol·ic (sis-tol′ik)．〔心〕収縮期〔性〕の．

sys·to·lom·e·ter (sis′tō-lom′ĕ-tĕr) [systole + G. *metron*, measure]．心収縮計（①心収縮力を測定する装置．②心音を分析する器械）．

sys·trem·ma (sis-trem′ă) [G. anything twisted]．下肢の筋痙攣（収縮筋が硬い球を形成する脚の腓腹の筋痙攣）．

sy·zyg·i·al (si-zij′ē-ăl)．連合の．

sy·zyg·i·ol·o·gy (si-zij′ē-ol′ō-jē) [G. *syzygios*, yoked (→syzygy) + *logos*, study]．総合論（特に全体の相互関係または相互依存性の研究で，各部分または孤立した機能の研究とは対照的なもの）．

sy·zyg·i·um (si-zij′ē-ŭm)．＝syzygy.

syz·y·gy (siz′i-jē) [G. *syzygios*, yoked, bound together < *syn*, together + *zygon*, a yoke]．連合（①簇胞子原生動物の，末端と末端，または体側の対合(生殖融合ではない)．②減数分裂における染色体の対合)．＝syzygium.

Sz seizure の略．

T

τ *1* タウ（ギリシア語アルファベットの 19 番目の文字 tau）．*2* 緩和時間 relaxation *time* の記号．

θ, Θ *1* シータ（ギリシア語アルファベットの 8 番目の文字 theta）．*2* 角の記号．

T *1* リボチミジン，tension（T＋でその増加を，T－で減少を示す），tera-，テスラ（磁場強度の単位），トリチウム，トレオニン，トルク，transmittance の記号．*2* 下付き文字として一回換気量 tidal *volume* を表す．*3* thoracic vertebra (T1—T12); tocopherol の略．

α-T α-トコフェロールの記号．

β-T β-トコフェロールの記号．

γ-T γ-トコフェロールの記号．

T1 縦緩和時間（核磁気共鳴において，縦緩和が 63% 生じる時間．その値は，磁場の強度と水素原子核の置かれた化学的環境に依存する．磁場強度が1.5テスラの場合，脂肪に含まれる水素原子核では約250ミリ秒，水に含まれる水素では約3,000ミリ秒である．T1 強調画像では高輝度の脂肪信号がみられる）．

T2 横緩和時間（核磁気共鳴において，横緩和が 63% 生じる時間．その値は，磁場の強度と水素原子核の置かれた化学的環境に依存する．磁場強度が1.5テスラの場合，脂肪に含まれる水素原子核では約60ミリ秒，水に含まれる水素原子核では約250ミリ秒である．T2 強調画像では高輝度の水信号がみられる）．

T2* (tē-tū′stăr)．ティーツースター（磁場不均一のため T2 よりも短い実効横緩和時間．自由誘導減衰の観測される時定数．グラディエントエコー法では画像コントラストは T2* に依存する．一方，180 度再収束パルスを使った撮像法では，画像コントラストは T2 に依存する）．

2,4,5-T (2,4,5-trichlorophenoxy)acetic acid の略．

T 絶対温度 absolute *temperature*（ケルビン）の記号．

T**m** 平均温度 *temperature* midpoint（ケルビン），融点 melting *point* を表す記号．

T3 3,5,3′-トリヨードサイロニンの記号．

T4 サイロキシンの記号．

t metric ton; time の略．

t セ氏温度，トリチウムの記号．

t**m** 温度中心点 *temperature* midpoint（セ氏）の記号．

TA *Terminologia Anatomica* の略．

T and A tonsillectomy and adenoidectomy の略．

Ta タンタルの元素記号．

tab tablet の略．

tab·a·nid (tab′ă-nid) [L. *tabanus*, gadfly]．アブ（アブ科に属するものの一般名）．

Ta·ban·i·dae (tă-ban′i-dē) [L. *tabanus*, gadfly]．アブ科（吸血双翅類の一科．アブ属 *Tabanus*，メクラアブ属 *Chrysops* を含み，数種の血液を介して感染する寄生生物を伝播する）．

Ta·ba·nus (tă-bā′nŭs) [L. a gadfly]．アブ属（アブやウマバエなどの一属．数種はスラ，ウマの伝染性貧血，炭疽などを伝播する）．

ta·bar·dil·lo (tah′bar-dē′yō) [Sp. < L. L. *tabardilii*, pustules]．ダバルディヨ（発疹チフスに対してメキシコで用いる語）．

ta·ba·ti·ère an·a·to·mique (ta-bah-tē-ār′ an-ah-to-mēk′) [Fr. snuffbox]．解剖学的嗅ぎタバコ入れ．＝anatomic snuffbox.

ta·bel·la, pl. **ta·bel·lae** (tă-bel′lă, -lē) [L. *tabula*, tablet の指小辞]．錠剤．

ta·bes (tā′bēz) [L. a wasting away]．ろう(癆)（進行性の消耗またはるいそう）．

t. dorsalis 脊髄ろう．＝tabetic *neurosyphilis.*

t. infantum 乳児脊髄ろう（先天性梅毒の児にみられる脊髄ろう）．

t. mesenterica 腸間膜結核（腸間膜と腹膜後リンパ節の結核）．

t. optica 眼ろう，視神経ろう（梅毒による視覚喪失）．

ta·bes·cence (ta-bes′ĕnts)．消耗，るいそう（進行性るいそうの状態）．

ta·bes·cent (ta-bes′ĕnt) [L. *tabesco*, to waste away < *tabes*, a wasting away]．消耗性の，るいそう性の（ろうの特徴についていう）．

ta·bet·ic (ta-bet′ik)．〔脊髄〕ろう(癆)〔性〕の．＝tabic; tabid.

ta·bet·i·form (ta-bet′i-fōrm) [不規則形 < L. *tabes*, a wasting + *forma*, form]．〔脊髄〕ろう(癆)様の．

tab·ic (tab′ik)．＝tabetic.

tab·id (tab′id) [L. *tabidus*, wasting away]．〔脊髄〕ろう(癆)〔性〕の．＝tabetic.

tab·la·ture (tab′lă-chūr) [L. *tabula*, tablet]．頭蓋骨が板間層により内外 2 層に分解されること．

ta·ble (tā′bĕl) [L. *tabula*]．*1* 骨板（板間層によって分離された頭蓋骨の内外板のうちの 1 つ）．*2* 表（データを整理，対比して，本質的な事実を理解しやすい形で示すもの）．*3* 机（物が置ける台）．

Aub-DuBois t. (awb dū-bwah′)．オーブ－デュボイス表（1 時間または 1 日当たりの，年齢別体表面積 1 m² 当たりの熱量の基礎代謝率の表）．

contingency t. 分割表，クロス表（データのクロス結果をまとめた表．1 つの特性に関する分類を行方向（横）に，もう一方の特性に関する分類を列方向（縦）に表す）．

examining t. 検査台（患者が検査中に横たわる台）．

external t. of calvaria [TA]．頭蓋外板（頭蓋骨外面の緻密層）．＝lamina externa calvaria [TA]; lamina externa cranii; outer t. of skull.

Gaffky t. (gahf′kē)．ガフキー表（喀痰中の結核菌数による結核の数的等級分類表で，1 号（標本全体に結核菌 1—4 個）から 9 号（各視野に結核菌 100 個平均）に分類されている）．＝Gaffky scale.

inner t. of skull 頭蓋内板．＝internal t. of calvaria.

internal t. of calvaria [TA]．頭蓋内板（頭蓋骨内面の緻密層）．＝lamina interna calvariae [TA]; inner t. of skull; lamina interna cranii.

life t. 生命表（ある一定の対象からなる集団において，生存・死亡がどのように起こりうるかを年次によって表現したもの．生存・死亡状況は新しい予防方法や治療方法によって変化し，また現在の集団の複雑な構造に関心があるため，生命表作成には経時的研究が主に利用される）．

occlusal t. オクルーザルテーブル（小臼歯と大臼歯の咬合面，あるいはそしゃく面）．

operating t. 手術台（外科手術中に患者が寝かされる台）．

outer t. of skull 頭蓋外板．＝external t. of calvaria.

tilt t. 体位変換台（患者を適切な体位に動かせるように，横軸で回転できる上面をもつ台．実験観察や物理療法で用いる）．

vitreous t. 頭蓋骨内板のこと．外板より緻密で堅い．＝lamina interna ossium cranii.

ta·ble·spoon (tā′bĕl-spūn)．食匙（さじ）（調剤用の大匙で，15 mL に等しい）．

tab·let (tab) (tab′lĕt) [Fr. *tablette*, L. *tabula*]．錠〔剤〕（一定量の薬剤を含む固形製剤で，適当に希釈してつくられる場合と，そのまま希釈しないでつくられる場合とがある．形状，大きさ，および重量はいろいろである．製造法により圧縮錠剤のように分類される）．＝tabule.

buccal t. バッカル錠〔剤〕（通常，小さく平たい錠剤で，頬腔に入れて溶かし，有効成分は口腔粘膜から直接吸収される．これらの錠剤は徐々に溶解または崩壊する）．

compressed t. 圧縮錠〔剤〕（圧縮してつくった錠剤で，通常，大量生産される．多くの圧縮錠剤は有効成分，賦形剤，結合剤，崩壊剤，潤滑剤などからなる）．

dispensing t. 調剤用錠剤（きわめて少量の劇薬を秤量するときの手数を省くためにつくられた錠剤で，そのまま錠剤として用いず，散剤や水剤の調剤に用いる．以前は殺菌剤のバルク溶液の調製に使用されていた．例えば塩化第二水銀．内服の使用を意図していない）．

enteric coated t. 腸溶性錠剤（胃での溶解を最小限に抑え，小腸で溶解するような物質でコーティングされた経口製剤．この剤形は刺激性の薬剤から胃を保護したり，胃の酸による薬物の分解を防止する）．

hypodermic t. 皮下注射用錠剤（注射液を調製する目的で蒸留水に完全に溶解させて用いる圧縮錠剤，または擦り込み錠剤）．

prolonged action t. 持効性錠〔剤〕．＝sustained action t.

repeat action t. 復効錠．

sublingual t. 舌下錠〔剤〕（通常，舌の下に入れる小さく平たい錠剤（例えばニトログリセリンなど）で，速やかに溶解し，有効成分は口腔粘膜から直接吸収される）．

sustained action t., sustained release t. 持効性錠，徐放性錠（初めに薬物の要求量を供給し，その後，希望する時間中その量を維持または繰り返すようにつくられた薬剤）．＝prolonged action t.

t. triturate 擦り込み錠〔剤〕，湿製錠〔剤〕（大きさの異なる圧縮または成形された，小さな，通常は円柱状の錠剤で，ブドウ糖あるいは乳糖と粉末ショ糖の混合からなる希釈剤と薬物を混合し，希アルコールのような湿潤剤や賦形剤を加えてつくる）．

ta•boo, ta•bu (tă-bū′) [Tongan, set apart]．禁制，タブー（宗教上あるいは儀式上の目的のために禁止されたこと）．

tab•u•lar (tab′yū-lăr) [L. *tabularis* < *tabula*, table]．***1*** 平板状の．***2*** 表の形に整えられた．

tab•ule (tab′yūl) [L. *tabula*]．＝tablet.

ta•bun (tä′bŭn)．タブン（きわめて有効なコリンエステラーゼ抑制神経ガス．ヒトの致死量は0.01 mg/kgとされている．安静状態のヒトにおける致死量（吸入）の中央値は約40 mg/min/m³）．

TAC transient aplastic *crisis* の略．

Tac (tak)．55 kD のポリペプチドで，IL–2 レセプタをなす二本鎖の1本．

tache (tahsh) [Fr. spot]．斑，斑点，斑紋（斑のそばかすのような，皮膚または粘膜の限局性の変色）．

t. blanche 白斑．＝*macula* albida.

t. laiteuse [Fr. milky spot]．①乳汁様小斑．＝milk *spots*．②白斑．＝*macula* albida.

ta•chis•to•scope (tă-kis′tŏ-skōp) [G. *tachistos*, very rapid < *tachys*, rapid + *skopeō*, to view]．タキストスコープ（知覚の最短時間を観察するために用いる器具）．

tach•o•gram (tak′ō-gram) [G. *tachos*, speed + *gramma*, mark]．タコグラム，速度曲線（回転速度計による記録）．

tach•o•graph (tak′ō-graf) [G. *tachos*, speed + *graphō*, to write]．タコグラフ，回転速度計（速度や率を連続的に記録するようにつくられたタコメータ）．

ta•chog•ra•phy (tă-kog′ră-fē) [G. *tachos*, speed + *graphō*, to write]．タコグラフィ，速度計測〔法〕（速度や率を記録すること）．

ta•chom•e•ter (tă-kom′ĕ-tĕr) [G. *tachos*, speed + *metron*, measure]．タコメータ，回転速度計（速度や率を測定する器械．例えば，軸の公転，心拍数（カルジオタコメータ），動脈血流（血流タコメータ），呼吸気流（呼吸タコメータ）など）．

tachy- [G. *tachys*, quick]．急速の意を表す連結形．

tach•y•ar•rhyth•mi•a (tak′ē-ă-ridh′mē-ă) [tachy- + G. *a-* 欠性辞 + *rhythmos*, rhythm]．頻拍性（型）不整脈（**[**tachyrhythmia と混同しないこと**]**．心律動障害．便宜上，整・不整にかかわらず理学的所見として心拍数が毎分100を超えるもの）．

tach•y•aux•e•sis (tak′ē-awk-sē′sis) [tachy- + G. *auxō*, to increase]．優成長（部分が全体より速く発育成長する状態）．

tach•y•car•di•a (tak′i-kar′dē-ă) [tachy- + G. *kardia*, heart]．〔心〕頻拍，頻脈（心臓の速い律動で，便宜的に毎分90を超えるものについていう）．＝polycardia; tachyrhythmia; tachysystole.

atrial t. 心房性頻拍（頻脈）（心房の異所性始点で起こる発作性頻拍）．＝auricular t.

atrial chaotic t. 多源性心房頻拍（多源性の心房性の頻拍．しばしば理学的所見の心房細動と混同される）．＝multifocal atrial t.

auricular t. ＝atrial t.

bidirectional ventricular t. 両方向性心室性頻拍（頻脈）（心電図のQRS群が交互に正・負である心室性頻拍．迷入心室伝導の形が交互に現れる心室性頻拍であることが多い）．

Coumel t. (kū′mĕl) [P. Coumel]．クーメル頻拍症（通常逆行性伝導に中隔後部の伝導路をゆっくり伝わる結節性の持続性の頻拍症）．

double t. 二重頻拍（2個の異所性ペースメーカが同時に起こす頻拍．例えば，心房性と房室接合部性頻拍など）．

ectopic t. 異所性頻拍（頻脈）（洞結節以外の始点に起こる頻拍．例えば，心房性，房室接合部性，または心室性頻拍など）．

t. en salves [Fr. *tachycardia in salvos*]．Gallavardin 型の発作性頻拍の連発．*cf*. Gallavardin *phenomenon*.

essential t. 特発性頻拍（器官の損傷が発見不可能のために起こる持続的な急速心拍を表す現在では用いられない語）．

t. exophthalmica 眼球突出性頻拍（甲状腺機能亢進症の症状の1つとして起こる急速な心拍）．

fetal t. 胎児頻拍（毎分160以上の胎児心拍数）．

junctional t. 接合部〔性〕頻拍症（房室接合部から発生する上室性頻拍症で，以前は結節性頻拍症 nodal t. とよばれた）．

multifocal atrial t. (**MAT**) 多源性心房頻拍．＝atrial chaotic t.

orthostatic t. 起立性頻拍症（立位で心拍数が増加すること）．

paroxysmal t. 発作〔性〕頻拍（頻脈）（突然発現し，しばしば突然終了する再発性の頻拍で，心房性，房室接合部性，または心室性の異所性始点から起こる）．

reflex t. 反射性頻拍症（心臓を支配する自律神経を介して刺激に応答する頻拍症）．

sinus t. 洞〔性〕頻拍（頻脈）（洞結節起因の頻拍）．

supraventricular t. (**SVT**) 上室〔性〕頻拍症（心室より上部のペースメーカによる頻拍症で，洞結節，心房，房室接合部のいずれからでも発生しうる．QRS複合体の幅は，通常，心拍数と関連する変行伝導あるいは既存の心室内伝導遅延がないかぎり狭い）．

ventricular t. 心室〔性〕頻拍（頻脈）（心室の異所性始点で起こる発作性頻拍．→torsade de pointes）．

tach•y•car•di•ac (tak′i-kar′dē-ak)．頻拍の，頻脈の．

tach•y•car•dic (tak′i-kar′dik)．頻拍性の（速い心拍数の）．

tach•y•crot•ic (tak′i-krot′ik) [tachy- + G. *krotos*, a striking]．急速脈の．

tach•y•gas•tri•a (tak-ē-gas′trē-ă)．胃頻活動（胃の電気的ペースメーカ活動の亢進で，少なくとも1分間に4サイクル以上の活動と定義される．正常の活動は経皮的胃電図で1分間2－4サイクルの電気シグナルと定義される．悪心，胃麻痺，過敏性腸症候群，機能性消化不良に関連している可能性がある）．

tach•y•ki•nin (tak′i-kī′nin) [G. *tachys*, swift + *kineō*, to move + -in]．タキキニン（ホリペプチド群の1つで，脊椎動物や無脊椎動物の組織に広く分布しており，5つの末端アミノ酸のうち4個が共通である．Phe–Xaa–Gly–Leu–Met–NH_2．薬理学的には，それらはすべて，哺乳類での高血圧，腸や膀胱の平滑筋の収縮，および唾液の分泌を起こす）．

tach•y•pac•ing (tak′i-pās′ing)．頻回ペーシング（基本調律以上で作動する人工電気的ペースメーカによって心臓を頻回にペーシングすること）．

tach•y•phy•lax•is (tak′i-fī-lak′sis) [tachy- + G. *phylaxis*, protection]．タキフィラキシー（薬理学的または生理学的有効成分の反復投与により反応が漸次減少する現象）．

tach•yp•ne•a (tak-ip-nē′ă) [tachy- + G. *pnoē*(*pnoiē*), breathing]．頻呼吸，呼吸頻数（**[**二重字 pn において，p は語頭にあるときのみ無音である．正しい発音は tachypne′a であるが，米国では広く tachyp′nea と発音される**]**）．＝polypnea.

transient t. of the newborn 新生児一過性多呼吸（全体的に軽度の多呼吸を認める症候群で，健康な児にもかかわらず，たいてい約3日間続く）．＝respiratory distress syndrome type II.

tach•y•rhyth•mi•a (tak′i-ridh′mē-ă) [tachy- + G. *rhythmos*, rhythm]．**[**tachyarrhythmia と混同しないこと**]**．＝tachycardia.

ta•chys•ter•ol (tă-kis′tĕr-ōl)．タキステロール（5,7–ジエン–3β–ステロールの紫外線照射により生成するステロールで，

T

9,10 結合が開裂している．通常，エルゴステロールとルミステロールのどちらか一方，または両方からは，タキステロール₂(エルタカルシオール，(6E,22E)-9,10-secoergosta-5(10),6,8,22-tetraen-3β-ol)，7-デヒドロコレステロールからタキステロール₃(タカルシオール，(6E,3S)-9,10-secocholesta-5(10),6,8-trien-3β-ol)を生成する．還元してその 5,7-ジエン(または 5,7,22-トリエン)体，ジヒドロタキステロール₃ (10,19-dihydrocalciol)または，ジヒドロタキステロール₂ (10,19-dihydroercalciol)にすると，抗くる病作用を発現させる．この性質は治療的興味がもたれていたが，タキステロールは真のビタミンDホルモン(カルシトリオール)とその誘導体に興味が移った)．

tach·y·sys·to·le (tak′i-sis′tō-lē) [tachy- + G. *systolē*, contracting]. 急速収縮，速心収縮. = tachycardia.

tach·y·zo·ite (tak′i-zō′īt) [tachy- + G. *zōon*, animal]. タキゾイト（急性のトキソプラスマ症でみられる *Toxoplasma gondii* のような，ある種のコクシジウム類感染において，組織内発育時に急速に増殖する発育型).

tac·rine (tak′rēn). タクリン（非特異性の中枢神経系刺激効果をもつ抗コリンエステラーゼ薬．初期の Alzheimer 病に使用されている).

tac·tile (tak′til) [L. *tactilis* < *tango*, pp. *tactus*, to touch]. 触覚の．接触の．

tac·tion (tak′shŭn) [L. *tactio* < *tango*, pp. *tactus*, to touch]. ***1*** 触覚．***2*** 接触．

tac·tom·e·ter (tak-tom′ĕ-tĕr) [L. *tactus*, touch + G. *metron*, measure]. 触覚計. = esthesiometer.

tac·tor (tak′tŏr, -tōr) [L. one who or that which touches]. 触覚器．

tac·tu·al (tak′tū-ăl). 触覚の．

TAD transient acantholytic *dermatosis* の略．

Tae·ni·a (tē′nē-ă) [→taenia]. テニア属（以前は条虫の大部分を含む一属であったが，現在では，草食動物，げっ歯類，その他の食肉類の犠牲となる動物の組織中に見出される嚢虫が食肉類に感染するという経路をもつ種に限られている.→tapeworm).

T. africana アフリカ原住民に寄生する種．その嚢虫は明らかでない．

T. armata = *T. solium.*

T. crassicollis = *T. taeniaeformis.*

T. demerariensis *Davainea madagascariensis* の旧名．

T. dentata = *T. solium.*

T. equina = *Anoplocephala perfoliata.*

T. hominis *T. saginata* の特異形．

T. hydatigena 胞状条虫（イヌ，ネコ，オオカミ，キツネなどの食肉類に寄生する条虫．幼虫は *Cysticercus tenuicollis*).

T. madagascariensis *Davainea madagascariensis* の旧名．

T. minima *Hymenolepis nana* の旧名．

T. ovis ヒツジ条虫（イヌとキツネの条虫で，その幼虫型がヒツジの筋肉に認められる．ヒツジに重度な幼虫寄生があると食肉検査で全廃棄となり著しい経済的損失となる).

T. philippina *T. saginata* の非定形型．

T. pisiformis 豆状条虫（イヌ，キツネなどの食肉類に寄生する種．幼虫は *Cysticercus pisiformis*).

T. quadrilobata 葉状条虫. = *Anoplocephala perfoliata.*

T. saginata 無鉤条虫，カギナシサナダ（ヒト感染の種．無鉤条虫の幼虫(嚢虫) *Cysticercus bovis* に汚染された牛肉を不十分な調理状態で摂取することによる．英名 beef tapeworm, hookless tapeworm, unarmed tapeworm).

T. solium 有鉤条虫，カギサナダ（ヒト感染の種．有鉤条虫の幼虫(嚢虫) *Cysticercus cellulosae* に汚染されたブタ肉を不十分な調理状態で摂取することによる．本虫が寄生するヒトの腸内で虫卵がふ化することにより，ヒトの組織中に嚢虫寄生が成立して，嚢虫症を起こす場合がある．英名 pork tapeworm, armed tapeworm, solitary tapeworm). = *T. armata*; *T. dentata.*

T. taeniaeformis ネコ条虫（飼いネコに一般的に見出される条虫の1つ．幼虫は *Cysticercus fasciolaris* とよばれる). = *Hydatigera taeniaeformis*; *T. crassicollis.*

tae·ni·a (tē′nē-ă) [L. < G. *tainia*, band, tape, a tapeworm]. ***1*** ひも（コイル状，ひも状の解剖学的構造.→tenia (1)). ***2*** サナダムシ（条虫類，特に *Taenia*属の一般名). = tenia (2).

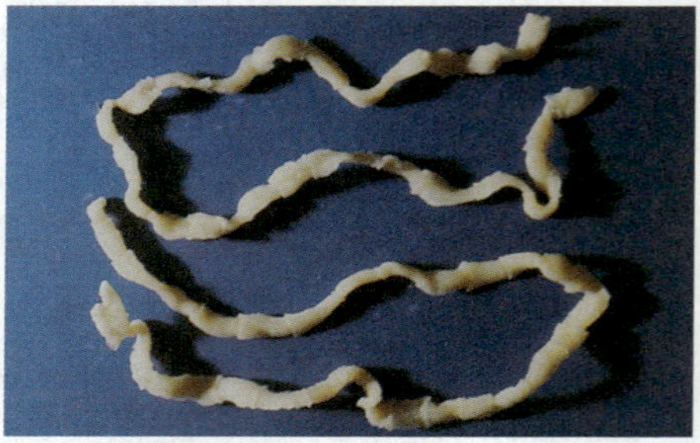

Taenia saginata
治療後に患者から得られた標本．

Tae·ni·a·rhyn·chus (tē′nē-ă-ring′kŭs) [G. *tainia*, band + *rhynchos*, snout]. *Taenia*属の中で，痕跡的な小嘴は存在するが，*Taenia*属に典型的な小鉤をもつ額嘴が欠如するような種群に対して別につくられた属．本属でよく知られたものとして *Taeniarhynchus saginatus* があるが，これは旧名で，現在は無鉤条虫 *Taenia saginata* が一般的に用いられている．

tae·ni·a·sis (tē-nī-ī′ă-sis). 条虫症（*Taenia*属の条虫感染症).

tae·ni·id (tē-nē′id). テニア科条虫の一般名．

Tae·ni·i·dae (tē-nē′i-dē). テニア科（条虫の一科．*Taenia*属，*Taeniarhynchus*属，*Multiceps*属，*Echinococcus*属を含む).

tae·ni·oid (tē′nē-oyd). テニア属の（*Taenia*属の種を示す).

Tae·ni·o·rhyn·chus (tē′nē-ō-ring′kŭs) [G. *tainia*, band + *rhynchos*, snout]. マヌカ属（カの一属・一亜属で，現在では *Mansonia* と同義とされる).

Taen·zer (tān′tzer), Paul R. ドイツ人皮膚科医，1858―1919. →T. *stain*; Unna-T. *stain*.

TAF tumor angiogenic *factor* の略．

tag (tag). ***1*** 〖v.〗標識する（→label; tracer). ***2*** 〖n.〗小さな生成物，ポリープ．***3*** 〖n.〗MRI において，組織の動きを検出するために付加される飽和波．

anal skin t. 肛門皮膚垂（肛門のすぐ外の皮膚の線維性ポリープ).

epiploic t.'s = omental *appendices*.

sentinel t. センチネル垂（裂肛下端の突き出た浮腫状の皮膚).

skin t. 懸垂線維腫（①表皮と真皮線維血管性組織のポリープ様の増殖．②発生学的には，ときとして軟骨組織を含む皮膚組織でおおわれた突起．耳珠と口角を結ぶ線上に特徴的に位置し，外耳奇型に合併する). = acrochordon; fibroepithelial polyp; fibroma molle; papilloma molle; soft papilloma.

tag·a·tose (tag′ă-tōs). タガトース（ケトヘキソースの一種．D-タガトースはD-フルクトースのエピマー).

tag·li·a·co·ti·an (ta′lē-ah-kō′shē-ăn). Tagliacozzi に関する，または彼の記した．

Ta·gli·a·coz·zi (tah-li-ă-kawtz′ē), Gaspare. イタリア人外科医，1546―1599.

TAH total abdominal hysterectomy(腹式子宮全摘出術)の略．

tail (tāl) [A.S. *taegl*][TA]. 尾（①器官その他の先が細長くなった尾状構造物. = cauda [TA]. ②獣医学解剖においては，脊柱の尾端としての付属物．皮膚，毛，羽毛，鱗屑などでおおわれている).

axillary t. of breast* axillary *process* of breast の公式の別名．

t. of caudate nucleus [TA]. 尾状核尾（側脳室中心部から下角に沿ってみられる尾状核の次第に細くなる部分). = cauda nuclei caudati [TA]; cauda striati.

t. of dentate gyrus = uncus *band* of Giacomini.

t. of epididymis [TA]. 精巣上体尾（精管に通じる精巣上体の下部．精子貯臓器の一部). = cauda epididymidis

［TA］; cauda epididymis; globus minor.

t. of helix［TA］．耳輪尾（耳輪軟骨の後下方にある平らな突起）．＝cauda helicis［TA］．

t. of pancreas［TA］．膵尾（脾腎ひだ内の膵臓の左脚）．＝cauda pancreatis［TA］．

t. of Spence (spents)．スペンスの尾．＝axillary *process* of breast.

tailbud (tāl′bŭd)［*tail* + *bud*］．尾芽．＝caudal *eminence.*

tail・gut (tāl′gŭt)．原腸尾部．＝postanal *gut.*

Tait (tāt), Robert L.　イングランド人婦人科医，1845—1899．⇀T. *law.*

Ta・ka-di・as・tase (ta′kă-dī′as-tās)．タカジアスターゼ．＝α-amylase.

Ta・ka・ha・ra (tah′kah-hah′rah), Shigeo.　20世紀の日本人耳鼻咽喉科医．⇀T. *disease.*

Ta・ka・ya・ma (tah′kah-yah′mah), Masao.　20 世紀初頭の日本人医師．⇀T. *stain.*

Ta・ka・ya・su (tah′kah-yah′sū), Michishige.　19 世紀後期の日本人眼科医．⇀T. *arteritis, disease, syndrome.*

take (tāk)．生着，善感（好結果の移植手術または接種）．

take-home (tāk-hōm)．持ち込み物質（疫学において，外部から環境中に持ち込まれた毒などの物質(例えば，労働者の服に付着し，家庭に持ち込まれた重金属のくず))．

ta・lal・gi・a (tă-lal′jē-ă)［L. *talus*, ankle + G. *algos*, pain］．距骨痛，踵痛．

ta・lar (tā′lăr)．距骨の．

Tal・bot (tal′bŏt), William Henry Fox.　英国人科学者，1800—1877．⇀Plateau-T. *law.*

talc (talk)［Ar. *talq*］．滑石，タルク（天然産の含水ケイ酸マグネシウムで，ときにケイ酸アルミニウムを含み，塩酸水溶液に粉末滑石を入れ沸騰させて精製する．沪過補助剤および散布剤として薬用に，また化粧品製造に用いられる）．＝French chalk; soapstone; talcum.

tal・co・sis (tal-kō′sis)［talc + G. *-osis*, condition］．滑石沈着症（珪肺症と関連する肺疾患．ケイ酸と混合した滑石にさらされる労働者にみられる．拘束性または閉塞性の呼吸障害を特徴とする）．

pulmonary t. 肺滑石症（滑石塵の吸入による塵肺症）．

tal・cum (tal′kŭm)［L.］．＝talc.

tal・i・on (tal′ē-on, tal′yŭn)［Welsh *tal*, compensation］．報復（精神内界の行動に懲罰が科せられるという原則）．

t. dread 報復恐怖（ある行為に対する懲罰を無意識に恐れていることを表す象徴的な不安）．

tal・i・ped・ic (tal′i-pēd′ik)．内反足の．

tal・i・pes (tal′i-pēz)［L. *talus*, ankle + *pes*, foot］．畸足（距骨を含む足の変形の総称）．

t. calcaneovalgus 外反踵足（踵足と外反が併存するもの．足部が背屈し，外がえりし，外転したもの）．

t. calcaneovarus 内反踵足（踵足と内反が併存するもの．足部が背屈し，内がえりし，内転したもの）．

t. calcaneus 踵足（腓腹筋のぜい弱化あるいは欠損による変形．その結果，踵骨の軸は地面に対して垂直方向に向かう．灰白髄炎においてしばしばみられる変形）．＝calcaneus (2)．

t. cavus 凹足（正常の足のアーチが増強したもの）．＝contracted foot; pes cavus; t. plantaris.

t. equinovalgus 外転(外反)尖足（尖足と外反が併存するもの．足部が底屈し，外がえりし，外転したもの）．＝equinovalgus; pes equinovalgus.

t. equinovarus 内転(内反)尖足（尖足と内反が併存するもの．足部が底屈し，内がえりし，内転したもの）．＝clubfoot; equinovarus; pes equinovarus.

t. equinus 尖足（母趾球だけが地面に着くような足の永久的伸展．通常，内転足と併存する）．

t. plantaris 足底凹足．＝t. cavus.

t. planus 扁平足．＝*pes* planus.

t. transversoplanus 横扁平足．＝*metatarsus* latus.

t. valgus 外転(外反)足（永久的な足の外がえりで，足底の内側部だけが地面に着く．通常，足底弓の崩れと併存する）．＝pes abductus; pes pronatus; pes valgus.

t. varus 内転(内反)足（足の内がえりで，足底の外側部だけが地面に着く．通常，ある程度の尖足と併存し，凹足を伴う場合も多い）．＝pes adductus; pes varus.

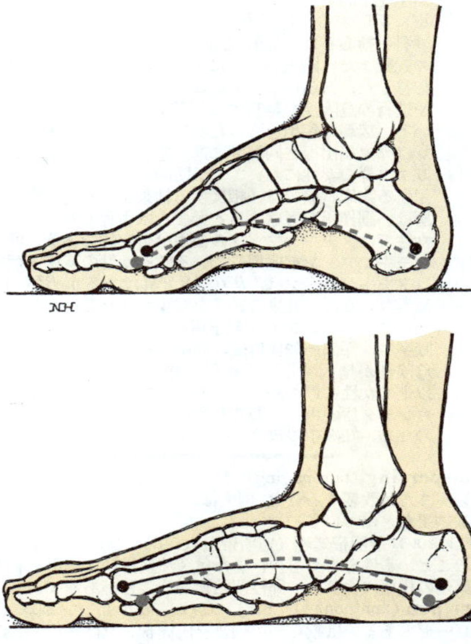

talipes cavus（上）と **talipes planus**（下）
点線は，正常な弓を表す．

tal・low (tal′ō)．獣脂（羊脂から精製された脂肪）．

prepared mutton t. 精製羊脂．＝prepared *suet.*

talo-［L. *talus*, ankle, ankle bone］．距骨を意味する連結形．

ta・lo・cal・ca・ne・al, ta・lo・cal・ca・ne・an (tā′lō-kal-kā′nē-ăl, tā-lō-kal-kā′nē-an)．距踵の（距骨と踵骨に関する）．

ta・lo・cru・ral (tā′lō-krū′răl)．距腿の（距骨および下腿骨に関する．足首関節を意味する）．

ta・lo・fib・u・lar (tā′lō-fib′yū-lăr)．距腓の（距骨と腓骨に関する）．

ta・lo・na・vic・u・lar (tā′lō-nă-vik′yū-lăr)．距舟の（距骨と舟状骨に関する）．＝astragaloscaphoid; taloscaphoid.

ta・lo・scaph・oid (tā′lō-skaf′oyd)．＝talonavicular.

tal・ose (tal′ōs)．タロース（アルドヘキソースで，グルコースの異性体．D-タロースはD-ガラクトースのエピマーである）．

ta・lo・tib・i・al (tā′lō-tib′ē-ăl)．距脛の(距骨と脛骨に関する)．

ta・lus, gen. ta・li (tā′lŭs, -lī)［L. ankle bone, heel］［TA］．距骨（足の骨で，上部では脛骨・腓骨と足首の関節を，下部では踵骨と距骨下関節，前部では舟骨と横足根関節の内側部をつくる）．＝ankle bone.

tam・a・rind (tam′ă-rind)［Mediev. L. < Ar. *tamr*］．タマリンド（インドの大木でマメ科 *Tamarindus indica* の果実の果肉．軽い緩下薬）．

tam・bour (tahm-būr′)［Fr. drum］．タンブール（脈圧計のようなグラフ式装置の記録部．円筒の開放端に張り付けた膜とこれに付けた記録針からできている）．

Tamm (tam), Igor.　20 世紀の米国人ウイルス学者．⇀T.-Horsfall *mucoprotein, protein.*

---

ta・mox・i・fen cit・rate (tă-mok′sĭ-fen sit′rāt)．クエン酸タモキシフェン（合成の非ステロイド性アンタゴニストで，乳癌の予防と治療に用いる）．

タモキシフェンは選択的エストロゲン受容体調整薬(SERMs)として知られる合成薬の分類に属する．タモキシフェンは組織細胞上の結合部位でエストロゲンと競合することによって，乳癌へのエストロゲンの刺激効果を阻害する．エストロゲン受容体が豊富に存在することが生化学的アッセイにより示された腫瘍は，最も良く治療に反応する．1985 年以来，タモキシフェンは乳癌の外科手術あるいは放射線照射が施行された患者に，再発の遅延または防止のために用いられている．腋窩結節に転移した，あるいはしていない女性において，癌の再発や進行の危険性を軽減する効果があることが見出されている．広範な疾患をもった女性において，タモキシフェンは卵巣摘出術と同程度に進行を遅延させる．乳癌の高リスク群の女性において，予防的にタモキシフェンを使用する臨床試験では，相反する結果が生じた．現在の見解は，副作用を考慮すると低または中程度のリスク群の女性ではタモキシフェンの使用は否定的である．乳癌でタモキシフェンを服用している健康女性の遺伝子解析ではタモキシフェンは，*BRCA2* 変異はあるが *BRCA1* 変異がない女性の乳癌の発症を減少させたことがわかっている．タモキシフェンを服用している女性は，子宮癌，脳卒中，深部静脈血栓症，肺動脈塞栓，および白内障の危険性が増大する．これらの有害反応の危険は，50 歳以上の女性に最も高い．タモキシフェンの長期使用は膣カンジダ症の再発と関連している．胎児への害の危険性のため，妊娠中の投与は禁忌である．

---

tam·per·ing (tam′pĕr-ing). 改ざん（違法にあるいは不当に変更または改変すること(例えば，データ，医薬品自体，試験結果などについて)).

zona t. 透明帯処理（透明帯を人工的に穿刺または傷つけること．毒性をもつもの，または突然変異誘発作用を有する薬剤の併用により，一卵性双胎を得ることがある).

tam·pon (tam′pon) [O. Fr.]. ***1*** 〖n.〗 タンポン，綿球（綿，ガーゼ，あるいは軟らかい物質を円筒状または球状にしたもの．止血，分泌物の吸収，あるいは移動させた臓器の位置を保つために管や腔内に栓または詰め物として入れる). ***2*** 〖v.〗 タンポンを挿入する（ガーゼ，綿などを詰め込む).

Corner t. (kōr′nĕr). コーナータンポン（一時的なタンポンとして，胃や腸の創部に大網を詰め込むこと).

tam·po·nade, tam·pon·age (tam′pŏ-nād′, tam′pŏ-nij). [誤った発音 tam-pō-nahd′ を避けること]. ***1*** 臓器の病的圧迫. ***2*** ＝tamponing.

cardiac t. 心〔臓〕タンポナーデ（心膜腔内に液体量が増加することにより心臓へ戻る静脈還流が圧迫障害されること). ＝heart t.

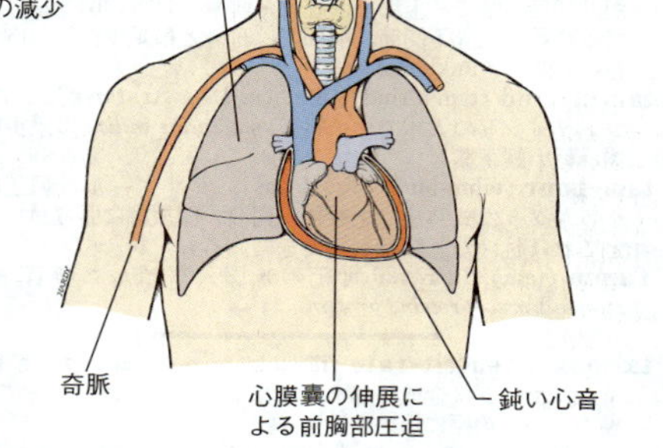

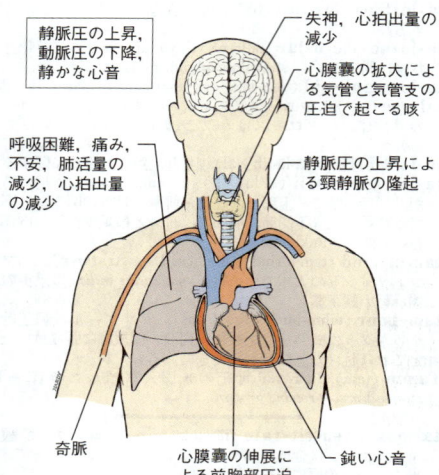

cardiac tamponade
心内膜液滲出による心タンポナーデの評価．

chronic t. 慢性タンポナーデ（心嚢腔に液貯留が増加して慢性の心圧迫症状を呈すること).

heart t. ＝cardiac t.

tam·pon·ing, tam·pon·ment (tam′pon-ing, tam-pon′ment). タンポン挿入〔法〕，栓塞〔法〕，填塞．＝tamponade(2); tamponage.

ta·nace·tol, tan·a·ce·tone (tă-nās′tol, tan-ă-sē′tōn). タナセトール．＝thujone.

tan·dem (tan′dĕm). 縦列の（互いに隣接したポリ核酸での同一の配列の多重コピーを述べるときに用いる用語).

tan·gen·ti·al·i·ty (tan-jen′shē-al′i-tē) [off on a tangent < L. *tango*, to touch]. 脱線思考（思考過程における連合の障害で，観念連合の過程で生じ，話し中に容易に一つの話題から他の話題に脱線する．双極性障害や統合失調症やある種の脳器質障害でみられる．*cf.* circumstantiality).

tan·gle (tang′ĕl). 変化，もつれ（小さな不規則な結合).

neurofibrillary t. 神経細線維もつれ，神経原線維変化（らせん状細線維の神経細胞内蓄積で，ねじれてからんだパターンを呈する．Alzheimer 病患者の海馬と大脳皮質の細胞にみられる).

tank (tank). タンク（液体を受け取ったり，または保管する容器).

Hubbard t. (hub′ărd). ハバードタンク（温水に満たされた大きなタンクで，理学療法のプログラムの中で治療体操を行うのに使用される).

tan·nase (tan′ās). タンナーゼ；tannin acylhydrolase（*Penicillium glaucum* の培養において生産され，あるタンニン産生植物にみられる酵素．それは二没食子酸塩を没食子酸塩に加水分解し，他のタンニンのエステル結合に作用する).

tan·nate (tan′āt). タンニン酸塩.

tan·nic (tan′ik). タン皮の，タンニンの.

tan·nic ac·id (tan′ik as′id). タンニン酸（多くの植物，主にブナ科の植物の樹皮に生じるタンニンの一種．止血薬，収れん薬として，また下痢の治療に用い，グリセリン加タンニン酸としても用いられる．ときに tannin と同義に用いる).

tan·nin (tan′in). タンニン（水解性タンニン(糖(通常はグルコース)と1種または数種のトリオキシベンゼンカルボン酸とのエステル)や縮合型タンニン(フラボノールの誘導体)に分類される複合した無晶形植物成分の一種．タンニンはなめし，染色，写真，およびビールとワインの清澄剤に用いられる．ときに tannic acid と同義に用いる．鉄存在下で黒色に変色する).

tan·ta·lum (Ta) (tan′tă-lŭm) [G. *Tantalus*. リディアの神話上の王]. タンタル（バナジウム族の重金属元素．原子番号 73，原子量 180.9479．腐食しないので，外科用の補てつ物に用いる).

tan·trum (tan′trŭm). 立腹，かんしゃく（主に小児に起こる不機嫌の発作).

tan·y·cyte (tan′i-sīt). タン細胞，なめし皮様細胞（上衣細胞の一種で，主として第3脳室脈絡叢にみられる．単一の突起または分枝した突起を出すことがあり，そのあるものは毛細血管やニューロンに終わっている).

tan·y·pho·ni·a (tan′i-fō′nē-ă) [G. *tanyō*, to stretch + *phonē*, sound]. タニフォニア（声帯筋の張力から起こる細くて弱い声).

TAP (tap). TAP（ペプチドを細胞質から小胞体内腔へ輸送する蛋白).

tap (tap) [M. E. *tappe* < A. S. *taeppa*]. ***1*** 〖v.〗 穿刺する（トロカール，カニューレ，中空針，カテーテルを用いて腔内の液体を採り出す). ***2*** 〖v.〗 打診する（打診法で，または腱反射を引き出すために，指やハンマーのような道具を用いて軽く打つ). ***3*** 〖n.〗 軽くたたくこと. ***4*** 〖n.〗 森林熱（病因不明の東インド熱). ***5*** 〖n.〗 タップ（ネジを挿入する前に，骨の穴に溝を切るのに用いる器具).

heel t. 踵叩打，アキレス腱反射（踵を軽くたたくと足の指が反射的運動を起こすことで，多発性硬化症や錐体路の他の疾患にみられる).

mitral t. 僧帽弁タップ(軽打)（①僧帽弁の開放音に一致して触知されるもの．②僧帽弁狭窄の第1心音が強調されて触れる場合．しばしば心尖拍動と誤解される).

pericardial t. 心嚢穿刺．＝pericardiocentesis.

pleural t. 胸腔穿刺．＝thoracentesis.

spinal t. 脊椎穿刺．＝lumbar *puncture.*

tape (tāp) [A.S. *taeppe*]．テープ，帯，巻（筋膜，腱，あるいは合成物質の細い平らな条片で，結紮や縫合に用いる）．

adhesive t. 絆創膏（片面に感圧性合成接着剤の付いた織物あるいは皮膜）．

ta·pe·to·cho·roi·dal (tă-pē′tō-kō-roy′dăl)．壁板絨毛膜の（壁板と絨毛膜に関する）．

ta·pe·to·ret·i·nal (tă-pē-tō-ret′i-năl)．壁板網膜の（網膜色素上皮と感覚網膜に関する）．

ta·pe·to·ret·in·op·a·thy (tă-pē′tō-ret-in-op′ă-thē) [tapetum + retinopathy]．壁板網膜症（網膜や色素上皮あるいは網膜神経上皮の遺伝的変性．色素性網膜症，コロイデレミア，脳回状萎縮症，先天性夜盲，先天性黒内障，遺伝性黄斑変性にみられる）．

ta·pe·tum, pl. **ta·pe·ta** (tă-pē′tŭm, -tă) [L. *tapeta*, a carpet]．***1*** 内面層（一般には膜性の層や被覆）．***2*** [TA]．壁板（神経解剖学において，側脳室の側頭角様構造の側壁にある線維からなる天蓋で，脳梁に続いている）．＝Fielding membrane; membrana versicolor. ***3*** 輝板，タペータム（ヒトを除くイヌやネコのような哺乳類の眼球の脈絡膜にある緻密層．反射性細胞，杆状体，および線維からなり，光を離散あるいは拡散させる部分をなしている．暗やみでネコなどの眼が光るのはその強い光反射性による）．

t. alveoli 歯槽骨膜．＝periodontium.

t. nigrum 網膜色素上皮層．＝pigmented *layer* of retina.

t. oculi 網膜色素上皮層．＝pigmented *layer* of retina.

tape·worm (tāp′wŏrm)．条虫類，サナダムシ（腸寄生性の蠕虫で，その成虫は脊椎動物の小腸にみられる．この用語は一般には条虫綱に属するものに限って用いる．宿主の腸壁に吸着するためのとげや吸着器を様々に備えた頭節と，数個から多数の片節をもつ片節連体(横分体)とからなるが，発生のどの段階においても消化管を欠如する．卵子は適切な中間宿主の腸内にはいってふ化し，六鉤幼虫が腸壁を貫通して特異な幼虫型(例えば，擬嚢尾虫，嚢尾虫，包虫，横分尾虫)へと発育する．この中間宿主が適切な最終宿主に摂取されると，幼虫は成虫へと発育する．広節裂頭条虫 *Diphyllobothrium latum*(broad fish t.)や他の擬葉類条虫などの水生生活環においては，遊泳性コラシジウム，プロセルコイド，プレロセルコイド(スパルガヌム)各幼虫と腸寄生性成虫とからなる三宿主性サイクルがみられる．条虫の他の重要な種は，猖粒条虫 *Echinococcus granulosus*(hydatid t.)，矮小条虫 *Hymenolepis nana* または *Hymenolepis nana* var. *fraterna* (dwarf t., dwarf mouse t.)，無鉤条虫 *Taenia saginata* (beef t., hookless t., unarmed t.)，有鉤条虫 *Taenia solium* (armed t., pork t., solitary t.)，および *Thysanosoma actinoides* (fringed t. of sheep)である）．

taph·o·phil·i·a (taf′ō-fil′ē-ă) [G. *taphos*, grave + *phileō*, to love]．墓所愛着〔症〕（墓に対する病的な愛着）．

taph·o·pho·bi·a (taf′ō-fō′bē-ă) [G. *taphos*, the grave + *phobos*, fear]．生き埋め恐怖〔症〕（生き埋めされることに対する病的な恐れ）．

Ta·pi·a (tap′ē-ā), Antonio G. スペイン人耳鼻咽喉科医，1875—1950. →T. *syndrome.*

tap·i·no·ce·phal·ic (tap′i-nō-sĕ-fal′ik, tă-pī′nō-)．扁平頭蓋の．

tap·i·no·ceph·a·ly (tap′i-nō-sef′ă-lē) [G. *tapeinos*, low + *kephalē*, head]．扁平頭蓋（長高指数 72 以下の扁平な頭蓋．chamecephaly(低頭蓋)に類似）．

tap·i·o·ca (tap′ē-ō′kă) [Braz. *tipioca*]．タピオカ（熱帯アメリカの植物，マニホット属のトウダイグサ(トウダイグサ科)の根からつくったデンプンで，消化しやすく刺激性がない）．＝cassava starch.

ta·pote·ment (tă-pot-mawn[h]′) [Fr.＜*tapoter*, to tap]．たたき法，叩打法（手の外側で軽くたたくマッサージ法．通常，いくぶん屈曲した指で行う）．＝tapping (1).

tap·ping (tap′ing)．***1*** 打診〔法〕．＝tapotement. ***2*** 穿刺〔術〕．＝paracentesis.

TAPVC total anomalous pulmonary venous connection の略．→anomalous pulmonary venous *connections*, total or partial.

TAPVR total anomalous pulmonary venous *return* の略．→anomalous pulmonary venous *connections*, total or partial.

TAR *t*hrombocytopenia と *a*bsent *r*adius の頭文字．→thrombocytopenia-absent radius *syndrome.*

tar (tahr)．タール（炭素質素材を乾留して得られる，こげ茶色で粘稠の炭化水素複合組成をもつ半固形物．個々のタールについては各々の項参照）．

rectified t. oil 精留歴油（タールを蒸留した揮発油．外用として湿疹や乾癬などの皮膚疾患の治療に用いる）．

tar·an·tism (tar′an-tizm)．タラント病（中世後期にイタリアの都市タラントの住民がタランチュラに咬まれたときに，毒を抜くために舞踏狂乱状態に陥ったことに由来する集団ヒステリーの一形態）．

ta·ran·tu·la (tă-ran′chū-lă)．タランチュラ（オオツチグモ，トリクイグモ，トリグモなどをいう．有毛の大きなクモで非常に有毒であると考えられ，しばしばひどく恐れられるが，通常は咬まれてもハチに刺された程度で比較的害のない生物である．→tarantism）．

American t. アメリカタランチュラ（非常に恐れられるが，咬まれるのは比較的まれで，ヒトにはそれほど害はない．別名 *Eurypelma hentzii*, Arkansas t.）．

black t. クロタランチュラ（パナマの大きな黒いタランチュラで，咬まれると有毒であるが，解剖学的に影響は限局性である．*Sericopelma communis*）．

European t. ヨーロッパタランチュラ（大型の欧州オオカミグモまたは真のタランチュラをいう．以前は，それに咬まれると精神錯乱を起こし，逆上して身体をねじらせて踊るために毒が身体から抜けていくと思い込まれていた．しかし実際は，ほとんどの大型有毛熱帯タランチュラ同様，無害である．*Lycosa tarentula*）．

Peruvian t. ペルータランチュラ（咬まれることにより，限局性の壊疽，血尿，神経毒性症状を起こすことがあるペルー産の有毒グモ．*Glyptocranium gasteracanthoides*）．

ta·rax·a·cum (tă-rak′să-kŭm) [Mod. L.＜Ar. *tarakhshagūn*, wild chicory]．タンポポ根（キク科セイヨウタンポポ *Taraxacum officinale* の乾燥茎および根．北半球の温帯地方に広く分布する野生植物．強壮・強肝薬といわれている）．

Tar·dieu (tar-dyu′), Ambroise A. フランス人医師，1818—1879. →T. *ecchymoses*(⇒ecchymosis), *petechiae*, *spots.*

tar·dive (tar′div)．晩発性の，晩期の．

cyanose t. 遅発性チアノーゼ．＝late *cyanosis.*

tar·get (tar′gĕt) [It. *targhetta*, a small shield]．***1*** ターゲット，標的（検査の目標または目的として向けられる物体）．***2*** 視標（眼球計のミーア）．***3*** ＝target *organ.* ***4*** X線管の陽極（→x-ray）．

tar·get·ing (tar′gĕt-ing)．ターゲッティング（ある一定のシグナルを含む蛋白がもっている過程で，その結果，蛋白はある一定の細胞部位，例えば，リソソームに特異的に向かうことになる．*cf.* processing）．

tar·gre·tin (tar′gre-tin)．ターグレチン（新規合成レチノイド類似体で多種の RXR 準クラスの受容体に結合する．低毒性であり，種々の癌細胞においてアポトーシスを誘導する）．

Tar·in (tah-ran [h]′), Pierre. フランス人解剖学者，1725—1761. →T. *space*, *tenia*, *valve*; *valvula* semilunaris tarini; *velum* tarini.

ta·ri·ric ac·id (tă-rī′rik as′id)．タリル酸（三重結合の存在が特徴である 18 個の炭素原子をもつ酸）．

Tar·lov (tar′lŏv), Isadore Max. 20 世紀の米国人外科医．→T. *cyst.*

Tar·ni·er (tar-nē-ā′), Étienne Stephane. フランス人産科医，1828—1897. →T. *forceps.*

tar·ra·gon oil (tar′ă-gon oyl)．タラゴン油（キク科 *Artemisia dranculus* の葉を蒸留してつくる揮発油．調味料）．＝estragon oil.

tars- →tarso-.

tar·sal (tar′săl)．瞼板の，足根〔骨〕の(→tarsal *bones*)．

tar·sa·le, pl. **tar·sa·lia** (tar-sā′lē, tar-sā′lē-ă) [Mod. L.＜G. *tarsos*, sole of the foot][TA]．足根骨．＝tarsal *bones.*

tar·sal·gi·a (tar-sal′jē-ă) [tarsus＋G. *algos*, pain]．足根痛．＝podalgia.

tar·sa·lis (tar-sā′lis)．瞼板筋（→inferior tarsal *muscle*; superior tarsal *muscle*）．

tar·sec·to·my (tar-sek′tŏ-mē) [tarsus＋G. *ektomē*, exci-

T

sion]．足根骨切除〔術〕，瞼板切除〔術〕（足根や眼瞼の瞼板の一部を切除すること）．

tar·sec·to·pi·a, tar·sec·to·py (tar′sek-tō′pē-ă, -sek′tō-pē) [tarsus + G. *ektopos*, out of place]．足根骨転位（1つ以上の足根骨の亜脱臼）．

tar·sen (tar′sĕn) [tarsus + G. *en*, in]．足根〔骨〕自体の，眼瞼自体の．

tar·si·tis (tar-sī′tis)．***1*** 足根骨炎．***2*** 瞼板炎．

tarso-, tars- [→tarsus]．足根，瞼板，を意味する連結形．

tar·so·cla·si·a, tar·soc·la·sis (tar′sō-klā′zē-ă, tar-sok′lă-sis) [tarso- + G. *klasis*, a breaking]．反足治療〔術〕（足根骨骨折用器具を用いて内転尖足を矯正する法）．

tar·so·ma·la·ci·a (tar′sō-mă-lā′shē-ă) [tarso- + G. *malakia*, softness]．瞼板軟化〔症〕．

tar·so·meg·a·ly (tar′sō-meg′ă-lē) [tarso- + G. *megas*, large]．足根骨肥大〔症〕，踵骨肥大〔症〕．＝Trevor *disease*.

tar·so·met·a·tar·sal (tar′sō-met′ă-tar′săl)．足根中足の（足根骨および中足骨に関する．足根骨と中足骨の間の関節やその靱帯に関する）．

tar·so·or·bi·tal (tar′sō-ōr′bi-tăl)．眼瞼眼窩の（眼瞼と眼窩に関する）．

tar·so·pha·lan·ge·al (tar′sō-fă-lan′jē-ăl)．足根指節の（足根骨と足の指節骨に関する）．

tar·sor·rha·phy (tar-sōr′ă-fē) [tarso- + G. *rhaphē*, suture]．瞼板縫合〔術〕（眼瞼裂を短くしたり，角膜炎や眼輪筋の麻痺の場合に角膜を守るために眼瞼の縁を部分的にあるいは完全に縫合する方法）．

tar·so·tar·sal (tar′sō-tar′săl)．＝intertarsal.

tar·so·tib·i·al (tar′sō-tib′ē-ăl)．足根脛骨の．＝tibiotarsal.

tar·sot·o·my (tar-sot′ŏ-mē) [tarso- + G. *tomē*, incision]．***1*** 瞼板切開〔術〕（眼瞼軟骨の切開）．***2*** 足根切開(術)を表すまれに用いる語．

tar·sus, gen. & pl. **tar·si** (tar′sŭs, -sī) ***1*** [G. *tarsos*, a flat surface, sole of the foot, edge of eyelid]．足根（骨格系の一部で，足首の7つの骨．→tarsal *bones*）．＝root of foot; ankle (3)．***2*** 瞼板（眼瞼の縁に硬さと形を与える線維性の板．誤って tarsal cartilage(瞼板軟骨)，ciliary cartilage(睫毛軟骨)とされることが多い．→inferior t.; superior t.）．＝skeleton of eyelid.

t. inferior [TA]．下瞼板．＝inferior t.

inferior t. [TA]．下瞼板（下眼瞼の線維性の板）．＝t. inferior [TA].

t. superior [TA]．上瞼板．＝superior t.

superior t. [TA]．上瞼板（上眼瞼の線維性の板）．＝t. superior [TA].

tar·tar (tar′tăr) [Mediev. L. *tartarum*, ult. etym. unknown]．***1*** 酒石（主に重酒石酸カリウムからなるブドウ酒樽内部の酒あか）．***2*** 歯石（歯肉縁茎およびその下にたまる白色，茶色，または黄茶色の沈着物で，主に有機基質中の水酸化リン灰石）．＝dental calculus (2).

cream of t. ＝*potassium* bitartrate.

t. emetic 吐酒石．＝*antimony* potassium tartrate.

soluble t. 溶性酒石．＝*potassium* tartrate.

tar·tar·ic ac·id (tar-tar′ik as′id)．酒石酸（粗製酒石からつくられる．緩下薬，清涼剤，各種の沸とう散・錠剤・顆粒の製造に用いる）．

tar·trate (tar′trāt)．酒石酸塩（[誤ったつづりまたは発音 tartarate を避けること]）．

acid t. 酸性酒石酸塩（酸性基が1個残っており塩基と結合可能な酒石酸塩．例えば酒石酸水素塩）．

normal t. 標準酒石酸塩（酒石酸の酸性基が2個とも結合している酒石酸）．

tar·trat·ed (tar′trāt-ĕd)．酒石〔酸〕含有の，酒石〔酸〕処理の．

tar·tra·zine (tar′tră-zēn) [C.I. 19140]．タルトラジン（黄色酸性色素で，コラーゲンや細胞封入体のマロリーのアニリンブルー染料の変法としてオレンジGの代わりに用いる）．＝hydrazine yellow.

tas·tant (tās′tănt)．味覚物質（味蕾の感覚細胞を刺激する化学物質の総称）．

taste (tāst) [It. *tastare*; L. *tango*, to touch]．***1*** 〘v.〙 味覚する（味覚系を通して知覚する）．***2*** 〘n.〙 味（味蕾に適当な刺激を与えることによって生じる感覚）．

after-t. →aftertaste.

bitter t. 苦味（キニンや他の多くの物質によって生じる味覚）．

color t. 色彩味覚（色感覚と味が合わさる共感覚の一種．片方を刺激するともう片方も主観的な感覚を引き起こす）．＝pseudogeusesthesia.

franklinic t. 静電気味（舌に静電気を通じるときに生じる金属味または酸味）．＝voltaic t.

salty t. 塩味（塩化ナトリウムに代表される味覚）．

sour t. 酸味（塩化水素や他の酸によって生じる味覚）．

sweet t. 甘味（ショ糖や他の糖類，サッカリンや他の合成甘味物質によって生じる味覚）．

umami t. 旨味（グルタミン酸や他のアミノ酸によって生じる甘味，酸味，苦味，塩味に次ぐ第5番目の味覚）．

voltaic t. ＝franklinic t.

TAT thematic apperception *test* の略．

tat·too (tă-tū′) [Tahiti, *tatu*]．***1*** 〘n.〙 入れ墨，刺青（皮膚に消えない顔料を故意に装飾的に刺入したり，注入したりする，または，偶然の刺入で染色効果となる）．***2*** 〘v.〙 入れ墨をする（この行為は歴史的にも地理的にも普遍的にみられ，感染症の危険を含んでいる．除去は難しいが，パルス式レーザー治療は瘢痕化の危険性が低い）．

amalgam t. アマルガム色素沈着，アマルガム入れ墨（口腔粘膜における青味がかった黒色あるいは灰色の斑状病変で，歯の修復や抜歯の際に組織内に迷入した銀アマルガムが原因である）．

tau (τ) (taw)．タウ（①ギリシア語アルファベットの第19字．② tele, relaxation time(緩和時間)を表す記号．③微小管やその他の細胞骨格に関与する蛋白で，チューブリンの重合を促進したり，微小管の安定化をはかる．Alzheimer 病患者の老人斑やその他の神経変性疾患の大脳神経細胞にも認められる）．

tauopathies (taw-op′ă-thēz)．タウオパシー，タウ障害（脳にタウ蛋白が蓄積することが特徴である神経変性疾患の一群．Alzheimer 病，Pick 病，皮質基底核変性症，他の関連疾患を含む）．

tau·rine (taw′rin, -rēn) [L. *taurinus*, of bulls < *taurus*, bull + *-inus*, pertaining to]．***1*** 〘n.〙 タウリン（アミノスルホン酸で L-システインから合成され，ある胆汁酸塩の合成などの多くの働きをする）．***2*** 〘adj.〙 雄ウシの．

tau·ro·cho·late (taw′rō-kō′lāt)．タウロコール酸塩．

tau·ro·cho·lic ac·id (taw′rō-kō′lik as′id)．タウロコール酸；cholyltaurine; *N*-choloyltaurine（コール酸とタウリンの化合物で，コール酸の COOH 基とタウリンの NH_2 基とが結合して生成する．食肉類にみられる一般的な胆汁酸塩）．＝cholaic acid.

tau·ro·don·tism (taw′rō-don′tizm) [L. *taurus*, bull + G. *odous*, tooth][MIM*272700]．タウロドンティズム，長髄歯，長胴歯（臼歯にみられる発育異常で，歯根が根尖のごく近傍で分岐しているため，髄室が異常に大きくかつ長く，根管は非常に短い）．

Taus·sig (taw′sig), Helen B．米国人小児科医，1898―1986．→T.-Bing *disease, syndrome*; Blalock-T. *operation, shunt*.

tau·to·mer·ic (taw′tō-mer′ik) [G. *tautos*, the same + *meros*, part]．***1*** 同一部分の．***2*** 互変異性の．

tau·tom·er·ism (taw-tom′ĕr-izm) [G. *tautos*, the same + *meros*, part]．互変異性（1つの化合物が，異なる2つの構造型(異性体)で平衡に存在する現象で，通常，水素原子の位置が異なる．例えば，ケト型とエノール型 $R\text{–}CH_2\text{–}C(O)\text{–}R' \rightleftharpoons R\text{–}CH{=}C(OH)\text{–}R'$）．

Ta·wa·ra (tah-wah′rah), Sunao．日本人病理学者，1873―1952．→T. *node*; His-T. *system*; *node* of Aschoff and T.

tax·a (tak′să)．taxon の複数形．

tax·anes (taks′ānz)．タキサン類（セイヨウイチイ *Taxus brevifolia* より抽出または半合成された抗悪性腫瘍剤の総称．パクリタキセル，docetaxel など）．

tax·is (tak′sis) [G. orderly arrangement]．***1*** 整復法(術)（整復操作による脱臼やヘルニアの整復）．***2*** 分類（系統的分類，規則正しい配列）．***3*** 走性（刺激に対する原形質の反応で，それによって動植物が各々の環境に応じて一定方向に運動する．各種の走行は支配する刺激を示す語を taxis の前に付けて明示される．例えば chemotaxis, electrotaxis, thermo-

taxis).
negative t. 負の走性（刺激から原形質を退ける力）.
positive t. 正の走性（刺激の方へ原形質を引っ張る力）.
taxoid タキソイド（イチイの木の産物から誘導された一連の抗癌剤．パクリタキセルやドセタキセルなどが含まれる）.
tax·on, pl. **tax·a** (tak′son, tak′să)［G. *taxis*, order, arrangement + -on］. 分類群（生物の系統的分類(分類学)における特殊な階級付けあるいは区分けに与えられた名称）.
tax·o·nom·ic (tak′sō-nom′ik). 分類学の.
tax·on·o·my (taks-on′ŏ-mē)［G. *taxis*, orderly arrangement + *nomos*, law］. 分類学（様々な生命体すなわち生物の系統的分類法．生物界は類似性の程度あるいは推測上の進化的関係を示すように区分けされる．高い階級はより包括的で広く，低い階級はより近縁の種類を含むように狭くなっている．これらの区分は順次，門，綱，目，科，属，種，および亜種(変種)である．必要な場合にはこれに，下，上，あるいは亜，超の区分けを用い，さらに連(族) tribe，節 section，級 level，群 group などの区分けも用いる）.

分類学

*Leptospira interrogans*を例にした分類	
界 kingdom	原核生物 Prokaryotae
門 phylum	グラキリクテス Gracilicutes
綱 class	スコトバクテリア Scotobacteria
目 order	スピロヘータ Spirochaetales
科 family	レプトスピラ Leptospiraceae
属 genus	レプトスピラ *Leptospira*
種 species	*Leptospira interrogans*
亜種 subspecies 血液型亜型 serovar	例：*Leptospira interrogans* icterohemorrhagiae

chemical t. 化学分類学（天然物の分布に基づく生物の分類方法）.
numeric t. 数量分類学，数値分類学（客観性に重きを置いた生物分類法で，生物の特性に等しい重み付けをし(Adanson の分類法)，生物群の関係を通常，コンピュータによって数量的に定量化する）.
Tax·us (taks′us). イチイ（セイヨウイチイ *Taxus brevifolia* を含む植物の属名．木の皮からタキソイド系抗ガン剤がつくられる）.
Tay (tā), Warren. イングランド人眼科医，1843―1927. ⇀T. cherry-red *spot*; T.-Sachs *disease*.
Tay·bi (tā′bē), Hooshang. 20 世紀の米国人小児科・放射線科医. ⇀Rubinstein-T. *syndrome*.
Tay·lor (tā′lŏr), Charles F. 米国人整形外科医，1827―1899. ⇀T. back *brace*, *apparatus*, *splint*.
Tay·lor (tā′lŏr), Robert W. 米国人皮膚科医，1842―1908. ⇀T. *disease*.
TB tuberculosis の口語省略形.
Tb テルビウムの元素記号.
TBG thyroxine-binding *globulin* の略.
tBoc *tert*-butyloxycarbonyl の略.
TBP thyroxine-binding *protein* の略.
TBPA thyroxine-binding *prealbumin* の略.
TBV total blood volume の略.
TBW total body *water* の略.
Tc テクネチウムの元素記号.
Tc T cytotoxic *cells* の略.
^{99m}**Tc** テクネチウム 99 m の記号.
^{99}**Tc** テクネチウム 99 の記号.
TCG time compensation *gain* の略.
$TCID_{50}$, TCD_{50} tissue culture infectious *dose* の略.
TCOF1 Treacher Collins syndrome *gene* の遺伝子シンボル.
T-coil (koyl). telecoil の略.
TDF testis-determining *factor* の略.
TDP ribothymidine 5′-diphosphate の略．チミジン類似体は dTDP.
TdT terminal deoxynucleotidyl *transferase* の略.
TE エコー時間（MR スピンエコーパルス系列においてエコーの発生する時間で，このとき磁化の信号強度を計測する）.
TE *Terminologia Embryologica* の略.
Te テルルの元素記号.
tea (tē)［Chinese(厦門地方の方言) *t′e*, Mod. L. *thea*］. ＝thea. ***1*** 茶（*Thea*属(*T. sinensis*)，*Camellia*属，*Gordonia*属などのツバキ科の種々の属の乾燥葉．中国，南アジア，東南アジア，日本に固有の低木である．主成分はアルカロイドのテイン(カフェイン)で１―４％含み，興奮作用の主因となる．テオフィリン(化学構造的にアルカロイドと類似)も含まれている）．***2*** 煎汁（茶に湯を注いでつくる浸出液）．***3*** 茶剤（即座につくられる浸剤や煎剤．→species (2)）.
African t. アフリカ茶．＝khat.
Arabian t. アラビア茶．＝khat.
Hottentot t. ホッテントット茶．＝buchu.
Jesuits′ t., Mexican t. イエズス茶，メキシコ茶．＝chenopodium.
Kombucha t. 紅茶キノコ茶（加糖した紅茶にはえる Kombucha とよばれる「キノコ」の滲出液による薬草健康法．いわゆる「キノコ」とよばれるものは，一般には使用者によって育てられた，多種多様な酵母やバクテリアの共生コロニーである．㊟昆布茶とは別物である）.
Paraguay t. パラグアイ茶．＝maté.
Teale (tēl), Thomas P. イングランド人外科医，1801―1868.
tear (tār). 断裂，裂傷（１つの構造の物質が不連続なこと．*cf.* laceration）.

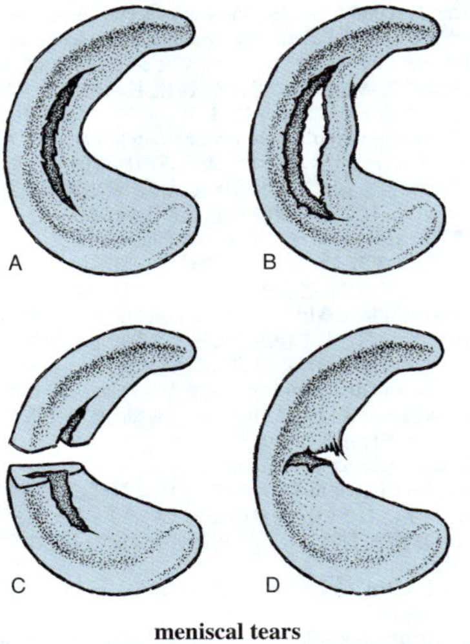

meniscal tears

A：縦断裂．B：バケツ柄状断裂．C：水平断裂．D：オウム嘴状断裂.

bucket-handle t. バケツ柄状断裂（関節半月の周辺部は正常であるが，中央部が断裂または分離した状態で，バケツの柄に似た形となる）.
Mallory-Weiss t. (mal′ŏ-rē wīs). マロリー‐ヴァイス裂傷．＝Mallory-Weiss *syndrome*.
tear (tēr)［A.S. *teár*］. 涙（涙腺によって分泌される微量の体液で，それにより結膜と角膜は湿度が保たれる）.
artificial t.'s 人工涙（自然に産生されている涙の代用として用いる液体成分の混合物）.
crocodile t.'s ⇀crocodile tears *syndrome*.
tear·ing (tēr′ing). 流涙．＝epiphora.

tears (tērz). 涙. ＝lacrimal *fluid.*
tease (tēz) [A.S. *taesan*]. 播き裂く（鏡検の目的で，組織を細い針で一部剝離する）.
tea·spoon (tē′spūn). 茶匙(さじ)（液体が約 5 mL はいる小匙で，液剤投与時に液剤の量を測るのに用いる）.
teat (tēt) [A.S. *tit*]. ***1*** 乳首，乳頭. ＝nipple. ***2*** 乳房. ＝breast. ***3*** 乳頭. ＝papilla.
teb·u·tate (teb′yū-tāt). テブテート（第四級ブチルアセテート（$(CH_3)_3C$–CH_2–CO_2^-，USAN 承認の短縮名）.
tech·ne·ti·um (Tc) (tek-nē′shē-ŭm) [G. *technetos*, artificial]. テクネチウム（原子番号 43，原子量 99 の人工の放射性元素．重陽子をモリブデンに衝突させることで 1937 年につくられた．ウラン 235 の核分裂生成物でもある．体内臓器の画像検査の放射性トレーサとして広く用いられている）.
tech·ne·ti·um 99 (^{99}Tc) (tek-nē′shē-ŭm). テクネチウム 99（テクネチウムの放射性同位元素で，テクネチウム 99m の崩壊生成物．弱いベータ線を放出し，半減期は 21 万3,000 年である）.
tech·ne·ti·um 99m (^{99m}Tc) (tek-nē′shē-ŭm). テクネチウム 99m（テクネチウムの放射性同位元素．6.01 時間の物理的半減期をもち，実質的には単一エネルギーの 142 keV のガンマ線を放出する核異性体転移によって崩壊する．通常，モリブデン 99 の放射性核種のジェネレータからつくり，放射性医薬品として，脳，耳下腺，甲状腺，肺，血液貯槽，肝臓，脾臓，腎臓，涙液排出器官，骨髄のスキャニングに用いる）.

^{99m}Tc-dimercaptosuccinic acid (dī′mĕr-kap′tō-sŭk-sin′ik as′id). テクネチウム 99m ジメルカプトコハク酸（瘢痕あるいは腎盂腎炎の診断に用いられる腎皮質に集積する放射性薬品）.

^{99m}Tc diphosphonate テクネチウム 99m ジホスホン酸（骨シンチ検査に用いる放射性核種の錯体）.

^{99m}Tc-DMSA ^{99m}Tc-dimercaptosuccinic acid の略.

^{99m}Tc-DTPA [*d*iethylene *t*riamine *p*entaacetic *a*cid]. テクネチウム 99m ジエチレントリアミンペンタ酢酸（腎臓の画像検査や腎機能検査に用いる放射性核種のキレート錯体．また，テクネチウム 99m ペンタテートとして知られている）.

^{99m}Tc-glucoheptanate (glū′kō-hep′tă-nāt). テクネチウム 99m グルコヘプタネート（腎皮質の局所的分布を示し，分泌処理特性を有する放射性医薬品で，腎皮質画像あるいはレノグラフィによる腎機能画像に使用される）.

^{99m}Tc sestamibi テクネチウム 99m セスタミビ（テクネチウム 99m 標識イソニトリル錯体で，脂溶性を示す陽イオン性化合物であり，各種臓器(例えば，脳，骨，甲状腺，乳房）における腫瘍の検出，あるいは心臓の冠動脈閉塞同定における放射性核種として使用される．本剤は心筋画像および実験的な乳房画像における^{201}Tlに取って代わりつつある）.

^{99m}Tc sulfur colloid テクネチウム 99m 硫黄コロイド（肝臓・脾臓の画像検査に用いられ，細網内皮系に取り込まれる粒状の放射性核種の錯体）.

tech·nic (tek′nik). ＝technique.
tech·ni·cal (tek′ni-kăl). ***1*** 技術の．***2*** 専門の（ある特殊な技術，科学，あるいは商業についていう）．***3*** 工業用の（化学物質の前後に付けて，その物質が多少量の不純物を含むことを示す）.
tech·ni·cian (tek-ni′shŭn) [G. *technē*, an art]. 技術者. ＝technologist.
tech·nique (tek-nēk′) [Fr. ＜ G. *technikos*: *technē*(art, skill) に関する]. 手術，術式（外科手術，実験，あるいは機械作業を行う方法またはその詳細.→method; operation; procedure）. ＝technic.

airbrasive t. エアブレイシブテクニック（歯を粉砕あるいは切削したり，天然歯や修復物の表面を粗造にするため用いられる手法．酸化アルミニウム微粒子のガス噴射装置を用い，歯に噴射した後，微粒子を強力な吸引器で除去する.→microetching t.）.

air-gap t. エアギャップ法（散乱放射線を除去する目的で，グリッドを用いる代わりに，被写体とフイルムの間に，通常 25 cm 程度の距離をとって行う胸部Ｘ線撮影法）.

atrial-well t. 心房井戸法（非直視下に心房中隔欠損および他の心奇形を修復するための，現在では使われない術式）.

ballpoint pen t. ボールペン手技（ツベルクリン皮内反応の硬結を測定する手技．皮膚反応部位の反応側 1 — 2 cm からボールペンで硬結の辺縁まで線を引く．線の内側の距離が硬結の大きさとして記録される）.

Barcroft-Warburg t. (bar′kroft vahr′bŭrg). バークロフト－ヴァルブルク法（⇀Warburg *apparatus*）.

Begg light wire differential force t. (beg). ベッグライトワイヤディファレンシャルフォーステクニック（⇀light wire *appliance*）.

cellulose tape t. セロテープ法（ぎょう虫卵の検出のために透明なセロテープを使って会陰部から標本をとり，スライドグラスに貼りつける方法）.

direct t. 直接法. ＝direct *method* for making inlays.

Ficoll-Hypaque t. (fī′kōl hī-pak). フィコール－ハイパーク法（血液の他の有形成分からリンパ球を分離するための密度勾配遠心分離法．試料は Ficoll メトリゾエートナトリウムの比重勾配の上層になる．遠心分離後，リンパ球は血漿 Ficoll 境界面から採取される）.

flicker fusion frequency t. フリッカー融合頻度法. ＝flicker *perimetry*.

fluorescent antibody t. 蛍光抗体法（蛍光抗体で抗原を検出するのに用いる方法で，通常，2 方法のうちのいずれかの方法で行う．直接法では，蛍光色素と結合した免疫グロブリン(抗体)が組織に添加され，特異抗原(微生物など)と結合し，形成された抗原抗体複合体を蛍光顕微鏡で検出する．間接法では，組織に添加された非標識免疫グロブリン(抗体)が特異抗原と結合してできた抗原抗体複合体を，フルオレセイン結合抗免疫グロブリン抗体で標識し，できた三者複合体を蛍光顕微鏡で検出する）.

flush t. 潮紅法（乳児の収縮期血圧を測定する方法．四肢の 1 つを挙上し，血液を中枢側に絞り出してから，血圧測定カフを収縮期血圧と思われる以上に膨らませてから四肢を下げ，青白くなった四肢が赤みをさすまで少しずつカフ圧を緩める）.

Hampton t. (hamp′tŏn). 急性出血を伴う消化性潰瘍における上部胃腸管について無傷で触診をしないで行う透視診断法を表す．現在では用いられない語.

Hartel t. (hahr′tel). ハルテル法（三叉神経痛を軽減するため，三叉神経節にアルコール注入を可能にする方法．まず口から注射針を入れ，上部中臼歯あたりに挿入，卵円孔の前外側の骨に針の先が届くまで押し入れる）.

high-kV t. 高圧撮影法（被写体のＸ線被曝を低減し，ラチチュードを増すために，少なくとも 125 kVp，通常 140—150 kVp の管電圧を用いて行う胸部Ｘ線撮影法）.

Ilizarov t. (i-liz′ă-rof). イリザロフ法（骨の延長および角状や回旋変形の矯正のために管理化に骨形成を促進する方法．外科的に骨切りした骨の両骨片に創外固定器をつけ，それにゆっくりと力をかけていく方法.→Ilizarov *device*）.

immunoperoxidase t. 免疫ペルオキシダーゼ法（化学的に酵素ペルオキシダーゼを結合させた抗体を用いる免疫学的試験）.

indirect t. 間接法. ＝indirect *method* for making inlays.

Jerne t. (yerd′nĕ). ヤーネ(イエルネ)テクニック（ヒツジ赤血球で感作されたマウス中にみられる脾臓の抗体産生細胞の数を定量することによって，免疫能力を測定する手技．形成されたプラーク数が，脾臓の抗体産生細胞数に対応する）.

Judkins t. (jŭd′kinz). ジャドキンズ法（経皮的大腿動脈穿刺による通常の Seldinger 法を用いた選択的冠動脈カテーテル法）.

Knott t. (not). ノット法（ミクロフィラリアを検出するために考案された濃縮法で，血液に希釈フォルマリン液を加える）.

long cone t. 平行法，ロングコーン法（口腔内のＸ線撮影時に約30cmまたは40cm 以上のコーンを使用する方法）.

McGoon t. (măk-gūn′). マクグーン法（後尖の腱索断裂による僧帽弁閉鎖不全の際に，後尖にひだをつくることにより弁の形成再建をする方法）.

Merendino t. (mer-en-dē′nō). メレンディーノ法（太い縫合絹糸を用いて内側交連部の弁輪を縫縮する僧帽弁閉鎖不全の形成再建術）.

microetching t. マイクロエッチングテクニック（細かな研磨材をガス噴射して，天然歯あるいは修復物の表面を粗糙にする方法．レジンセメントや修復材の歯面への接着力を増加させる．→airbrasive t.）．

Mohs fresh tissue chemosurgery t. (mōz)．モーズ化学的新鮮組織切除法（[誤った形 Moh および Moh's を避けること]．表在性腫瘍を *in vivo* で固定後切除する方法）．

Ouchterlony t. (ok'tĕr-lō-nē)．オークターロニー（オクタロニー）法（反応成分同士（抗原と抗体）をゲル中で互いに拡散させて，沈降反応を起こさせる方法）．

PAP t. PAP法（非標識抗体法の１つで，ウサギ抗ペルオキシダーゼ抗体（註ウサギとは限らない）と遊離の西洋ワサビペルオキシダーゼの両者に反応する抗体とが，可溶性のペルオキシダーゼ・抗ペルオキシダーゼ複合体すなわち PAP を形成する．非常に高感度な免疫組織化学法で，パラフィン包埋組織に適用できる）．

rebreathing t. 再呼吸法（呼気中の二酸化炭素を吸着して，あるいはそのままで呼気を吸入するという呼吸回路，麻酔回路を用いる方法）．

Rebuck skin window t. (rē'bŭk)．リーバック皮膚開窓法（炎症応答の *in vivo* 試験で，皮膚を剝離し，白血球の動きを視覚化するためにスライドガラスを，その剝離した皮膚に当てる）．

sealed jar t. シールドジャー法（実験小動物を広口びんに密閉して入れ，冷蔵して仮死状態にする方法）．

Seldinger t. (sel'ding-gĕr)．セルディンガー法（経皮的に血管内あるいは腔にカテーテルを挿入する方法．検査する血管を針を用いて組織を穿刺し，その針の中に細いワイヤ（鋼線）を通し針を抜去して，カテーテルをワイヤを通して血管内に挿入する．カテーテルを留置してワイヤを抜去する）．

sterile insect t. 昆虫断種法，昆虫不妊法（野生昆虫の染色体の放射線による優性致死誘導を用いて，害虫や媒介昆虫を抑制したり，根絶する手法）．

vacuum pack t. 真空パック法（孔をあけたプラスチックシートを腸と前腹壁の間に置いて仮に閉腹し，湿ったパッドを当てて吸引カテーテルを創へ入れる．欠損部全体を無孔性プラスチックシートでおおい前腹壁の硬直性を保ちつつ吸引器で腹腔のドレナージを行う）．

washed field t. ウォッシュフィールド法（歯の窩洞形成時において，切削を注水下にて行い，同時にバキューム器具により吸引を行う方法）．

tech·no·cau·sis (tek'nō-kaw'sis) [G. *technē*, art + *kausis*, a burning]. 真性焼灼〔法〕．＝actual *cautery*.

tech·nol·o·gist (tek-nol'ŏ-jist)．技術者（職業，芸術，または科学の分野で，訓練された技術を役立てる者をいう）．＝technician.

tech·nol·o·gy (tek-nol'ŏ-jē) [G. *technē*, an art + *logos*, study]. 科学技術，工芸学（職業，芸術，または科学の分野の技術に関する知識やその応用）．

assisted reproductive t. 元来，不妊症治療のための卵細胞または精子に対する操作法．排卵誘発法，採卵法，受精卵の移植，分割卵の卵管内移植（ZIFT），受精卵の卵管内移植（GIFT），受精卵の凍結，精子・受精卵の選別，受精卵の顕微操作など．⇀eugenics.

wavefront t. 波面技術（レーザー角膜切除のガイドとして使用されるもので，患者の角膜の光学的切除でのカスタムマッピングを可能にするための宇宙技術の応用による方法）．

TECTA DFNA12 遺伝子および DFNB21 遺伝子の遺伝子シンボル．

tec·tal (tek'tăl)．蓋の．

tec·ti·form (tek'ti-fōrm)．屋根状の，蓋状の．

Tec·ti·vir·i·dae (tek'ti-vir'i-dē) [L. *tectum*, roof, covering + virus]. テクティウイルス科（二量体のカプシドからなり，正二十面体でエンベロープを有さない，二本鎖 DNA バクテリオファージの名称）．

tecto- (tĕk'tō)．⇀RNA tectonics.

tec·to·ce·phal·ic (tek'tō-sĕ-fal'ik) [L. *tectum*, roof + G. *kephalē*, head]. 舟状頭〔蓋〕症の．＝scaphocephalic.

tec·to·ceph·a·ly (tek'tō-sef'ă-lē)．舟状頭〔蓋〕症．＝scaphocephaly.

tec·tol·o·gy (tek-tol'ŏ-jē) [G. *tektōn*, builder + *-logia*]. 組織形態学，組織構造論．

tec·ton·ic (tek-ton'ik) [G. *tektonikos*, relating to building]. 眼球（特に角膜）の構造における変異との関係についていう．

tec·to·ri·al (tek-tō'rē-ăl)．天蓋の（天蓋に関する，その特徴を有する）．

tec·to·ri·um (tek-tō'rē-ŭm) [L. an overlaying surface(plaster, stucco) < *tego*, pp. *tectus*, to cover]. ***1*** 天蓋（表面をおおう）．***2*** ＝tectorial *membrane* of cochlear duct.

tectoRNA ⇀RNA tectonics.

tec·to·spi·nal (tek'tō-spī'năl)．視蓋脊髄の（中脳蓋から脊髄へ下る神経線維についていう）．

tec·tum, pl. **tec·ta** (tek'tŭm, tek'tă) [L. roof, roofed structure < *tego*, pp. *tectus*, to cover]. 蓋（おおいや屋根になっているもの）．

t. mesencephali [TA]．中脳蓋．＝*lamina* of mesencephalic tectum.

t. of midbrain 中脳蓋．＝*lamina* of mesencephalic tectum.

TEDD total end-diastolic *diameter* の略．

teel oil (tēl oyl)．ゴマ油．＝*sesame* oil.

teeth (tēth)．tooth（⇒tooth）の複数形．

teeth·ing (tēth'ing)．生歯（特に乳歯が萌出すること）．＝odontiasis.

teg·men, gen. **teg·mi·nis,** pl. **teg·mi·na** (teg'men, -mi-nis, -mi-nă) [L. a covering < *tego*, to cover]. 蓋（ある部分のおおいや屋根をなしているもの）．

t. cruris *tegmentum* mesencephali（中脳被蓋）の古語．

t. mastoideum 乳突蓋（乳突蜂巣をおおう骨の板）．

t. tympani [TA]．鼓室蓋（側頭骨錐体の薄くなった前面で構成される鼓室の天蓋．その前縁は錐体鱗裂にさし込まれるので，これが楔のようになって鱗鼓室裂と錐体鼓室裂とに分けているようにみえる）．＝roof of tympanum.

t. ventriculi quarti [TA]．第４脳室蓋（第４脳室の上壁．前部は左右の上小脳脚の間を結ぶ上髄帆で，後部は第４脳室上皮性脈絡板と下髄帆とで形成されている）．＝roof of fourth ventricle [TA].

teg·men·tal (teg-men'tăl)．蓋の，被蓋の（被蓋，蓋に関する，の特徴をもつ，の方に位置する，の方を向いている）．

teg·men·tot·o·my (teg'men-tot'ŏ-mē) [tegmentum + G. *tomē*, incision]. 被蓋切開〔術〕（中脳被蓋の網様体に病変をつくること）．

teg·men·tum, pl. **teg·men·ta** (teg-men'tŭm, -tă) [L. covering structure < *tego*, to cover]. ***1*** 被蓋（被蓋構造）．***2*** 中脳被蓋．＝mesencephalic t.

t. mesencephali [TA]．中脳被蓋．＝mesencephalic t.

mesencephalic t. 中脳被蓋（黒質から中脳水道にまでのびる中脳の大部分）．＝t. mesencephali [TA]; t. of midbrain [TA]; midbrain t.; tegmentum (2).

midbrain t. ＝mesencephalic t.

t. of midbrain [TA]．＝ mesencephalic t.

t. of pons [TA]．＝dorsal *part* of pons.

t. pontis [TA]．＝ dorsal *part* of pons.

t. rhombencephali 菱脳蓋．＝rhombencephalic t.

rhombencephalic t. 菱脳蓋（中脳被蓋に続く延髄の上部．網様体，神経路，脳神経核からなり，橋背部を形成する）．＝t. of rhombencephalon; t. rhombencephali.

t. of rhombencephalon 菱脳蓋．＝rhombencephalic t.

teg·u·ment (teg'yū-ment) [L. *tegumentum(tegmentum)*]. ＝integument. ***1*** 外皮．***2*** 被膜，被包．

teg·u·men·tal, teg·u·men·ta·ry (teg'yū-men'tăl, teg-ū-men'tă-rē)．外皮の．

Teich·mann (tīk'mahn), Ludwig. ドイツ人組織学者，1823—1895．⇀T. *crystals*.

tei·cho·ic ac·ids (tī-kō'ik as'idz)．テイコ酸（グラム陽性菌の細胞壁（細胞内にもみられる）を構成する２種類の重合体の１つ（もう１つはムラミン酸またはムコペプチド）．ポリオール（リビトールリン酸またはグリセロールリン酸）の直鎖状重合体で，OH 基にエステル結合した D-アラニル残基とグリコシド結合した糖を有する）．

tei·chop·si·a (tī-kop'sē-ă) [G. *teichos*, wall + *opsis*, vision]. 閃輝暗点〔症〕（中世城壁都市の砦に類似したギザギザの閃輝性の視感覚．片頭痛での閃輝性暗点）．＝fortification *spectrum*.

tel- [G. *telos*, end]. tel-, tele- の項参照．端，終了を意味する連結形．

tel-,tele-,telo- [G. *tēle*, far away]. [接頭語 tele-(telalgia のようにまれに tel- と短縮される)とギリシア語 telos(終末)に

T

基づく連結形(例えば telangiectasia, telencephalon, および telophase)を混同しないこと．これらの語彙要素の意味はわずかに重なり合うが，元来無関係な別々のギリシア語に由来する］．*1* 遠くの．*2* 遠隔の（遠隔コルポスコピー，遠隔放射線学など，データ，通常は画像が遠隔通信線で伝えられることを示すのに用いられる）．

te•la, gen. & pl. **te•lae** (tē′lă, tē′lē) [L. a web]．組織（①薄いクモの巣状構造．②組織，特に繊細なもの）．

t. choroidea [TA]．脈絡組織（上衣性脈絡板をおおう脳軟膜．側脳室の場合には脳室の内側面にみられる）．＝choroid membrane [TA].

t. choroidea of fourth ventricle [TA]．第4脳室脈絡組織（第4脳室上衣性脈絡板の外面をおおう脳軟膜層）．＝t. choroidea ventriculi quarti [TA]; t. choroidea inferior.

t. choroidea inferior ＝t. choroidea of fourth ventricle.

t. choroidea superior ＝t. choroidea of third ventricle.

t. choroidea of third ventricle 第3脳室脈絡組織（クモ膜下組織を中に囲み，背側面は脳弓と第3脳室上衣性脈絡板，腹側面は視床との間にある脳軟膜の二重ひだ．各側縁には，側脳室の脈絡裂に向かってのびる脈管辺縁があり，その下面には，第3脳室上衣性脈絡板のひだと小脈管突起による脈絡叢がみられる）．＝t. choroidea ventriculi tertii [TA]; t. choroidea superior; triangular lamella; velum interpositum; velum triangulare.

t. choroidea ventriculi quarti [TA]．第4脳室脈絡組織．＝t. choroidea of fourth ventricle.

t. choroidea ventriculi tertii [TA]．第3脳室脈絡組織．＝t. choroidea of third ventricle.

t. conjunctiva 結合組織．＝connective *tissue.*

t. elastica 弾性組織．＝elastic *tissue.*

t. subcutanea [TA]．皮下組織．＝subcutaneous *tissue.*

t. subcutanea abdominis [TA]．＝subcutaneous *tissue* of abdomen.

t. subcutanea penis [TA]．＝subcutaneous *tissue* of penis.

t. subcutanea perinei [TA]．＝subcutaneous *tissue* of perineum.

t. submucosa 粘膜下組織．＝submucosa.

t. submucosa bronchi [TA]．＝*submucosa* of bronchus.

t. submucosa esophageae [TA]．＝*submucosa* of esophagus.

t. submucosa gastricae [TA]．＝*submucosa* of stomach.

t. submucosa intestini crassi [TA]．＝*submucosa* of large intestine.

t. submucosa intestini tenuis [TA]．＝*submucosa* of small intestine.

t. submucosa pharyngis [TA]．＝pharyngobasilar *fascia.*

t. submucosa vesicae [TA]．＝*submucosa* of bladder.

t. subserosa [TA]．漿膜下組織．＝subserosa.

t. subserosa esophagi [TA]．＝*subserosa* of esophagus.

t. subserosa gastricae [TA]．＝*subserosa* of stomach.

t. subserosa hepatis [TA]．＝*subserosa* of liver.

t. subserosa intestini crassi [TA]．＝*subserosa* of large intestine.

t. subserosa intestini tenuis [TA]．＝*subserosa* of small intestine.

t. subserosa pericardii [TA]．＝*subserosa* of pericardium.

t. subserosa peritonei [TA]．＝*subserosa* of peritoneum.

t. subserosa pleurae [TA]．＝*subserosa* of pleura.

t. subserosa testis [TA]．＝*subserosa* of testis.

t. subserosa tubae uterinae [TA]．＝*subserosa* of uterine tube.

t. subserosa uteri [TA]．＝*subserosa* of uterus.

t. subserosa vesicae [TA]．＝*subserosa* of bladder.

t. subserosa vesicae biliaris [TA]．＝*subserosa* of gallbladder.

t. vasculosa ＝choroid *plexus.*

Te•la•dor•sa•gi•a dav•ti•an•i (tē′lă-dōr-sā′jē-ă dav-shē-ān′ī) [tele- + L. *dorsum,* back]．ヒツジ・ヤギ・シカの第四胃に寄生する中等大の毛様線虫科胃虫の一種．本種は *Ostertagia trifurcata* に類似する．

tel•al•gi•a (tel-al′jē-ă) [G. *tēle,* distant + *algos,* pain]．投射痛，関連痛．＝referred *pain.*

tel•an•gi•ec•ta•si•a (tel-an′jē-ek-tā′zē-ă) [G. *telos,* end + *angeion,* vessel + *ektasis,* a stretching out]．毛細〔血〕管拡張〔症〕，末梢血管拡張〔症〕（すでに存在する一部の毛細管の拡張）．＝angiotelectasis; angiotelectasia.

cephalooculocutaneous t. 顔・眼窩・髄膜・脳の血管腫（→Sturge-Weber *syndrome*）．

essential t. *1* 本態性毛細管拡張〔症〕（原因不明の局部的毛管拡張）．*2* ＝*angioma* serpiginosum.

hereditary benign t. [MIM*187260]．遺伝性良性毛細管拡張症（顔面，上体幹，腕に毛細管拡張を呈する常染色体優性疾患）．

hereditary hemorrhagic t. [MIM*187300]．遺伝性出血性毛細管拡張〔症〕（思春期以降に発症する疾患で，皮膚および粘膜に徐々に出現する多数の小さな毛細血管および小静脈の拡張を特徴とする．顔面，口唇，舌，鼻咽頭，腸管粘膜は好発部位で，出血を度々繰り返す．常染色体優性遺伝．第9染色体長腕のエンドグリンをコードする遺伝子(*ENG*)の変異による）．＝Rendu-Osler-Weber syndrome.

t. lymphatica 末梢リンパ管拡張〔症〕．＝lymphangiectasis.

t. macularis eruptiva perstans 恒存発疹性斑状血管拡張〔症〕（紅斑性・浮腫性斑点を伴う毛管拡張症の恒久的発疹）．

primary t. 原発性毛細血管拡張症．＝*angioma* serpiginosum.

secondary t. 続発性毛細血管拡張症（日光や静脈瘤，膠原病のような長期間の真皮の血管拡張を引き起こす，よく知られた原因に関連した毛細血管拡張症．しばしば皮膚の萎縮に関連している）．

spider t. クモ状血管拡張〔症〕．＝spider *angioma.*

t. verrucosa いぼ状血管拡張〔症〕．＝angiokeratoma.

tel•an•gi•ec•ta•sis, pl. **tel•an•gi•ec•ta•ses** (tel-an′jē-ek′tă-sis, -sēz)．毛細管拡張症（拡張した毛細血管か末端動脈からなる病変で，皮膚に最もよくみられる．→telangiectasia）．

tel•an•gi•ec•tat•ic (tel-an′jē-ek-tat′ik)．毛細〔血〕管拡張〔症〕の．

tel•an•gi•ec•to•des (tel-an′jē-ek-tō′dēz) [telangiectasis + G. *-ōdēs* < *eidos,* resemblance]．毛細〔血〕管拡張〔症〕様の（高度に血管性である腫瘍を形容するために用いる）．

tel•an•gi•o•ma (tel-an′jē-ō′mă)．毛細血管腫（毛細血管または終末細動脈の拡張による血管腫）．

tel•an•gi•on (tel-an′jē-on) [G. *telos,* end + *angeion,* vessel]．終末動脈（終末細動脈または毛細血管の1つ）．＝trichangion.

tel•an•gi•o•sis (tel′an-jē-ō′sis)．毛細血管症（毛細血管および終末細動脈の疾病）．

tele (tel′ē) [G. far]．テレ（β炭素から最も離れたヒスチジンのイミダゾール環上の窒素原子のこと．*cf. pros*）．

tele- →tel-.

tel•e•can•thus (tel′ĕ-kan′thŭs) [G. *tēle,* distant + *kanthos,* canthus][MIM*187350]．眼角隔離症（両眼瞼の内眼角部の距離が広い状態）．＝canthal hypertelorism.

tel•e•car•di•o•gram (tel′ĕ-kar′dē-ō-gram)．＝telelectrocardiogram.

tel•e•car•di•o•phone (tel′ĕ-kar′dē-ō-fōn) [G. *tēle,* distant + *kardia,* heart + *phōnē,* sound]．遠隔心音聴取器（患者から離れた所で心音が聞けるような特殊な聴診器）．

tel•e•co•balt (tel′ĕ-kō′bawlt)．テレコバルト，コバルト遠隔照射（放射性コバルトを線源として使用する遠隔操作による治療法）．

telecoil (**T-coil**) (tel′ĕ-koyl)．テレコイル（電話またはループ増幅器から電磁シグナルを受信するための補聴器における誘導コイル）．

tel•e•di•ag•no•sis (tel′ĕ-dī′ag-nō′sis)．遠隔診断（遠隔地から送られてきたデータを評価して行う疾病の発見．このためには通常，患者監視装置や，患者とは離れた所にある診断センターへの伝達網が必要となる）．

tel•e•di•a•stol•ic (tel′ĕ-dī′ă-stol′ik) [G. *telos,* end + *diastolē,* dilation]．〔心室の〕拡張末期の．

tel•e•lec•tro•car•di•o•gram (tel′ē-lek′trō-kar′dē-ō-gram) [G. *tēle,* distant + electrocardiogram]．遠隔心電図（被検者

と離れた所で記録される心電図．すなわち，ほかの部屋にいる患者と線でつながっている検査室の検流計や遠隔計器から得られる心電図）．＝telecardiogram.

te·lem·e·ter (tĕ-lem′ĕ-tĕr) [G. *tēle*, distant + *metron*, measure]．テレメータ，遠隔測定装置，遠距離測定装置（物理量を検知・測定し，記録・解釈するため遠く離れたステーションに無線電信を送る電子装置）．

te·lem·e·try (tĕ-lem′ĕ-trē)．遠隔測定〔法〕（測量して，遠隔地にその結果を無線で伝送し，そこで結果を解釈，指示および(または)記録する科学技術．→biotelemetry）．

cardiac t. 心電図遠隔測定〔法〕（心電図または圧力に関する心臓の信号を受信地に伝送する方法．受信地ではこの信号を監視するために表示される）．

telemicroscopy (tel′-mī-kros′kŏ-pē)．遠隔顕微鏡検査（デジタル化した顕微鏡画像を遠隔通信で送信し，遠く離れた場所で所見を読む方法）．

tel·en·ce·phal·ic (tel′en-se-fal′ik)．終脳の．

tel·en·ceph·al·i·za·tion (tel′en-sef′ăl-i-zā′shŭn)．終脳化．＝corticalization.

tel·en·ceph·a·lon (tel′en-sef′ă-lon) [G. *telos*, end + *enkephalos*, brain][TA]．終脳（前脳の前方部分で発達して，嗅葉，大脳半球の皮質，皮質下の終脳核，基底核，特に線条体や扁桃体となる）．＝endbrain.

tel·e·ol·o·gy (tel′ē-ol′ŏ-jē) [G. *telos*, end + *logos*, study]．目的論（特に生物学における事象を，部分的に最終的原因や究極目標に関係付けることによって説明するような哲学的教義．到達点もしくは最終状況は現在の事象の原因に関与しており，過去と同様未来も現在に影響を及ぼしているとする教義）．

tel·e·o·mi·to·sis (tel′ē-ō-mī-tō′sis) [G. *teleos*, complete + mitosis]．完全有糸分裂．

tel·e·o·morph (tel′ē-ō-morf)．完全世代（細胞質融合と核の組換えの結果による真菌の繁殖のための形成物．有性世代(有性生殖)）．＝perfect stage.

tel·e·o·nom·ic (tel′ē-ō-nom′ik)．***1*** 目的論説の．***2*** 目的論的な（心理学において，推測される目的あるいは動機に基づいて機能するような行動パターンについていう．例えば，観察者側からみれば小児の行動パターンは注意喚起性のものとして目的論的に分類される）．

tel·e·on·o·my (tel′ē-on′ŏ-mē) [G. *telos*, end + *nomos*, law]．目的論説（生命は，計画または目的を与えられている点に特徴があるとする学説．すなわちある構造や機能をもつ生物が存在することは進化論的にみて生存の価値をもっていたからである，というような考え）．

tel·e·op·si·a (tel′ē-op′sē-ă) [G. *tēle*, distant + *opsis*, vision]．遠隔視（頭頂側頭領域の障害により対象の距離を判断できなくなること）．

tel·e·or·gan·ic (tel′ē-ōr-gan′ik) [G. *teleos*, complete + *organikos*, organic]．生気ある，活力ある．

tel·e·path·ine (tel′ĕ-path′ēn)．テレパシン．＝harmine.

telepathology (tel′ĕ-pa-thol′ŏ-jē)．遠隔病理診断（病理標本のデジタル画像を遠隔通信で送信し，遠く離れた場所で病理診断をくだす方法）．

te·lep·a·thy (tĕ-lep′ă-thē) [G. *tēle*, distant + *pathos*, feeling]．テレパシー（正常な感覚以外の方法で思考を伝達したり感得すること）．＝extrasensory thought transference; mind-reading.

tel·e·ra·di·og·ra·phy (tel′ĕ-rā′dē-og′ră-fē) [G. *tēle*, distant + radiography]．遠隔(遠距離)〔X線〕撮影〔法〕（フィルムからX線管球を約2m離すX線撮影法．X線の実質的平行を保つことで，幾何学的ゆがみを最小限に抑えられる．胸部X線撮影では標準的な撮影法．*cf.* air-gap *technique*）．＝teleroentgenography.

tel·e·ra·di·ol·o·gy (tel′ĕ-rā′dē-ol′ŏ-jē) [tele- + radiology]．遠隔(遠距離)放射線学（モデムで電話線を伝達されたディジタル化診断放射線画像の読影）．

tel·e·ra·di·um (tel′ĕ-rā′dē-ŭm)．ラジウム遠隔(遠距離)照射(→teleradium *therapy*)．

tel·e·re·cep·tor (tel′ĕ-rē-sep′tŏr, -tōr)．遠隔(遠距離)受容器（遠隔からの感覚刺激を受け取ることができる眼のような器官）．

tel·er·gy (tel′ĕr-jē) [G. *tēle*, far off + *ergon*, work]．自律性，遠隔作動．＝automatism.

tel·e·roent·gen·og·ra·phy (tel′ĕ-rent′gen-og′ră-fē)．＝teleradiography.

tel·e·roent·gen·ther·a·py (tel′ĕ-rent′gen-thār′ă-pē)．＝teletherapy.

tel·e·scope (tel′ĕ-skōp) [tele- + G. *skopeō*, to view]．***1*** 望遠鏡，硬性鏡（像の拡大や反射光の向度測定によって遠方または見えない物を視覚化したり撮影したりするのに使われる光学器械．医学では通常内視鏡に組み込まれている）．***2***（望遠鏡の筒のような)小さい部分が大きい部分に折りたたまれるようになった筐体．

Hopkins rod-lens t. (hop′kinz)．ホプキンスのロッド(杆状)レンズ硬性鏡（古典的レンズ群の間の空気を含むスペースが小さな〝空気レンズ〟によって区分され，末端が磨かれたガラスロッドで置き換えられたテレスコープ(内視鏡，硬性鏡)．この機構はより多くの光を通しより大きな拡大が得られるので，従来のレンズ機構より視野の深さと広さにおいて優れている）．

tel·e·sis (tel-ē′sis) [G. *telos*, end + *-osis*, condition]．計画的利用（計画された行為によって成し遂げられる目標）．

telesurgery (tel′ĕ-sŭr-jĕr-ē)．遠隔手術．＝telepresence *surgery*.

tel·e·sys·tol·ic (tel′ĕ-sis-tol′ik) [G. *telos*, end + *systolē*, a contracting]．〔心室の〕収縮末期の．

tel·e·ther·a·py (tel′ĕ-thār′ă-pē) [G. *tēle*, distant + *therapeia*, treatment]．遠隔放射線療法（身体から隔った線源により行う放射線治療．*cf.* interstitial *therapy*）．＝teleroentgen-therapy.

TeLinde (tĕ-lind′), Richard W. 20世紀の米国人婦人科医．→T. *operation*.

tel·lu·ric (tĕ-lū′rik) [L. *tellus(tellur-)*, the earth]．***1*** 地上の．***2*** テルルの（特に6価の正原子価をもつ元素テルルについていう）．

tel·lu·rism (tel′ū-rizm) [L. *tellus(tellur-)*, the earth]．土壌の瘴気（発病に影響すると思われる土壌発散物）．

tel·lu·ri·um (Te) (tel-ū′rē-ŭm) [L. *tellus* (*tellur-*), the earth]．テルル（半金属性元素．原子番号52，原子量127.60．硫黄族に属する）．

telo- →tel-.

tel·o·den·dron (tel′ō-den′dron) [G. *telos*, end + *dendron*, tree]．終末分枝（終末の樹状軸索をさしていう変則的な語）．＝end-brush.

tel·o·gen (tel′ō-jen) [G. *telos*, end + *-gen*, producing]．休止期（毛周期の休止期）．

t. effluvium 休止期脱毛．＝postpartum *alopecia*.

te·log·li·a (tĕ-log′lē-ă) [G. *telos*, end + *glia*, glue]．終末神経膠，終末グリア（神経筋接合部の神経線維鞘細胞の蓄積）．

tel·og·no·sis (tel′og-nō′sis) [G. *tēle*, distant + *gnōsis*, a knowing]．**[二重字gnにおいて，gは語頭にあるときのみ無音である]**．電送によるX線像や診療検査表を用いる診断法を表す現在では用いられない語．→teleradiology.

tel·o·ki·ne·si·a (tel′ō-ki-nē′sē-ă) [G. *telos*, end + *kinēsis*, movement]．＝telophase.

tel·o·lec·i·thal (tel-ō-les′i-thăl) [G. *telos*, end + G. *lekithos*, yolk]．端黄卵の（鳥類やは虫類の卵のように，多くの量の卵黄質が植物極に集まっている卵細胞についていう）．

---

tel·o·me·rase (tel-ō′mĕ-rās)．テロメラーゼ（TTAGGG配列の鋳型として機能するテンペレートRNAと，正常の加齢体細胞には存在しない触媒性蛋白とを包含する逆転写酵素．テロメラーゼは染色体のテロメア領域(末端配列)の修復と保護を媒介する）．

正常体細胞に起こる加齢のプロセスと，細胞が有糸分裂できる回数には限界があるという自然現象にはテロメアの段階的短小化がかかわっており，これは有糸分裂の際にテロメアの末端配列の複製ができないことによる．こうした短小化が起こらない細胞(癌細胞，胚細胞，血液幹細胞など)では一過性のテロメラーゼ発現がみられ，テロメアの欠損が遅れるばかりでなく，実際にDNA塩基がテロメアに付加される．テロメラーゼの触媒性物質の遺伝子を正常細胞に実験的にトランスフェクションすると，テロメアの伸長がみられた．テロメアの長さを元に戻すことによって，遺伝子発現，細胞形態，複製活性期間を再設定するようである．こうした過程を利用すれば，細胞の機能を治療用に修飾して，動脈硬化症や変形性関節症や黄斑変性や Alzheimer 認知症のような加齢による疾患への応用が可能であると思われる．細胞性加齢は臨床的な老化の１つの要因にすぎず，他に遺伝要因と環境要因がある．テロメラーゼの発現は悪性度の重要なマーカではあるが，それ自身は癌の原因にはならない．テロメラーゼの発現とテロメアの伸長が，正常細胞周期のコントロールや染色体相補性や細胞形態を変化させないのは明らかである．

---

tel·o·mere (tel′ō-mēr) [G. *telos*, end + *meros*, part]．テロメア（染色体腕の最末端）．

tel·o·pep·tide (tel′ō-pep′tīd)．テロペプチド（蛋白に共有結合しているペプチド．蛋白から突出しているため酵素作用，熟成修飾または架橋結合を受けやすく，また免疫原の特異性を授与する）．

tel·o·phase (tel′ō-fāz) [G. *telos*, end + *phasis*, appearance]．終期（有糸分裂または減数分裂の最終期で，染色体の細胞極への移動が完結したときに始まる．染色体が次第に長くなると同時に，２つの娘核の核膜が再構成され，赤道部の細胞膜が２つの娘細胞への分離を完了する）．＝telokinesia.

Tel·o·spo·re·a (tel′ō-spō′rē-ă)．＝Sporozoea.

Te·lo·spo·rid·i·a (tel′ō-spō-rid′ē-ă) [G. *telos*, end + *sporos*, seed]．胞子虫綱 Sporozoea の旧目名．

tel·o·tism (tel′ō-tizm) [G. *telos*, end]．機能の完全遂行（視覚または聴覚のような機能が完全に行われること）．

tem·per (tem′pĕr). ***1*** 気分，気質，気性（一般には精神の特徴的あるいは特殊な状態）．＝temperament (2). ***2*** かんしゃく（焦燥や憤怒を表すこと．→tantrum）．***3*** 鍛錬（焼きもどしや冷却をして，熱を応用して金属処理すること）．

tem·per·a·ment (tem′pĕr-ă-mĕnt)[L. *temperamentum*, proper measure, moderation, disposition]．気質（①その個人特有の心理学的および生物学的形質で，特に個人の広汎的で特徴的な認知，思考，行動様式に影響を及ぼすもの．人格を構成する１つで，他の構成が性格である．②＝temper (1)）．

tem·per·ance (tem′pĕr-ăns) [L. *temperantia*, moderation]．中庸，節制（すべてにおいて適度であること，しかしながらアルコール飲料を節制すること）．

tem·per·ate (tem′pĕr-ăt)．温和な（いかなる欲望にも耽溺せず，行動においても自制する）．

tem·per·a·ture (tem′pĕr-ă-chŭr) [L. *temperatura*, due measure, temperature < *tempero*, to proportion duly]．温度（[fever の同義語としての使用を避けること]．知覚可能な物質の熱の強度．熱振動による物質を構成する分子の平均運動エネルギー量．→scale）．

absolute t. (***T***) 絶対温度（絶対零度からケルビン目盛りで測定される温度）．

basal body t. (**BBT**) 基礎体温（早朝覚醒時の安静時体温．排卵の間接的評価に用いられる）．

critical t. 臨界温度（圧力をどんなに大きくしても気体が液化しなくなる限界の温度）．

denaturation t. of DNA DNA の変性温度，DNA の変性融点（ある条件下，二重鎖 DNA が単鎖 DNA に変化する(50%)温度．標準条件で，その DNA の塩基組成は変性温度(融点)から推定できる．それは変性温度が高ければ高いほど，その DNA のグアニン＋シトシン量(GC 量)が多いからである）．＝melting t. of DNA.

effective t. 実効温度，感覚温度．＝effective temperature *index*.

equivalent t. 相当温度（静止状態の空気の下で熱的に一様になっている囲いの温度．その中では〝十分な大きさの〟黒体は，一様でない環境に置かれた場合と同じ割合で熱を失う）．

eutectic t. 共融温度（共融混合物が液体になる温度，または溶ける温度）．

fusion t. (**wire method**) 融解温度(ワイヤ法)（①３オンス(約 85 g)の荷重のもとで，20 ゲージの針金がつぶれる温度．②磁器に光沢が出てくる温度）．

maximum t. 最高温度（細菌学において，発育がその温度以上では起こらない温度を示す）．

mean t. 平均温度（１か月とか１年というように一定期間の一定地域における平均気温）．

melting t. 融解温度．＝t. midpoint.

melting t. of DNA DNA 融解温度．＝denaturation t. of DNA.

t. midpoint (T_m, t_m) 温度中心点（温度の上昇とともに，構成重合体(DNAなど)の光学的特質(吸収，回転)として現れる変化の中心点）．＝melting t.

minimum t. 最低温度（細菌学において，発育がその温度以下では起こらない温度を示す）．

optimum t. 最適温度，至適温度（ある特殊な微生物の培養のように，ある操作が最良の状態で行われる温度）．

room t. (**RT, rt**) 室温（実験室内の大気の通常温度(約 65—80°F, 18.3—26.7°C)．室温で保たれる培養とは，培養器中ではなく実験室内で保たれるものをいう）．

sensible t. 知覚温度（人が感じる気温で，湿球温度計で測定されるものと同じとされる）．

standard t. 標準温度（0°C または 273.15K）．

tem·plate (tem′plăt) [Fr. *templet*, temple of a loom < L. *templum*, small timber]．テンプレート，鋳型（①物の形を決定する型．②*in vivo* あるいは *in vitro* で新たに核酸，ポリヌクレオチド，蛋白が合成されるとき，その手本となる高分子の一次構造（通常は核酸かポリヌクレオチド)について いう．③歯科において，歯の配列の補助に用いる彎曲した，または平らな板．④歯，骨，あるいは軟組織の形を標準に合わせるため，それらを透写するのに用いる外形．⑤抗体グロブリンの特異性を決定する型）．

surgical t. 外科用テンプレート（①即時義歯の印象表面の型をそのまま写した薄い透明なレジン床で，即時義歯を適合させるために，歯槽突起を外科的に形成するのに用いる．②種々の骨切り術に用いる．③遊離歯肉移植片の大きさと形を写し取るガイド）．

tem·ple (tem′pĕl) [L. *tempus*(*tempor*-), time, temple]．***1*** [TA]．側頭，こめかみ（頬骨弓上方の側頭窩領域）．***2*** 眼鏡のつる．

tem·po·la·bile (tem′pō-lā′bil, -bīl) [L. *tempus*, time + *labilis*, perishable]．時間的不安定性の（時とともに自然に変化または分解を起こす）．

tem·po·ra (tem′pŏ-ră) [L. *tempus* の複数形]．側頭，こめかみ．

tem·po·ral (tem′pŏ-răl) [L. *temporalis* < *tempus*(*tempor*-), time, temple]．***1*** 時間の，一時性の．***2*** 側頭の，こめかみの（→temporal *region* of head）．

tem·po·ra·lis (tem′pŏ-rā′lis) [L.]．側頭筋．＝temporalis (*muscle*).

temporo- [L. *temporalis*, temporal]．側頭の，を意味する連結形．

tem·po·ro·au·ric·u·lar (tem′pŏ-rō-aw-rik′yū-lăr)．側頭耳の（側頭部と耳介に関する）．

tem·po·ro·hy·oid (tem′pŏ-rō-hī′oyd)．側頭舌の（側頭骨と舌骨または側頭部と舌部に関する）．

tem·po·ro·ma·lar (tem′pŏ-rō-mā′lăr)．＝temporozygomatic.

tem·po·ro·man·dib·u·lar (tem′pŏ-rō-man-dib′yū-lăr)．側頭下顎の（側頭骨と下顎骨に関する．顎関節についていう）．＝temporomaxillary (2).

tem·po·ro·max·il·lar·y (tem′pŏ-rō-mak′si-lār′ē)．***1*** 側頭上顎骨の（側頭骨と上顎骨に関する）．***2*** ＝temporomandibular.

tem·po·ro·oc·cip·i·tal (tem′pŏ-rō-ok-sip′i-tăl)．側頭後頭の（側頭骨と後頭骨，または側頭部と後頭部に関する）．

tem·po·ro·pa·ri·e·tal (tem′pŏ-rō-pă-rī′ĕ-tăl)．側頭頭頂の（側頭骨と頭頂骨，または側頭部と頭頂部に関する）．

tem·po·ro·pon·tine (tem′pŏ-rō-pon′tēn)．側頭橋の（大脳皮質側頭葉から橋底部への投射線維に関する）．

tem·po·ro·sphe·noid (tem′pŏ-rō-sfē′noyd)．側頭蝶形骨の（側頭骨と蝶形骨に関する）．

tem·po·ro·zy·go·mat·ic (tem′pŏ-rō-zī′gō-mat′ik)．側頭頬の（側頭骨と頬骨または側頭部と頬部に関する）．＝temporomalar.

tem·po·sta·bile, tem·po·sta·ble (tem′pō-stā′bil, -stā′-bl) [L. *tempus*, time + *stabilis*, stable]．時間的安定性の

(時間の経過による自然変化を受けない).

temps u·tile (temp′ ū-tēl′) [Fr. service or utilization time]. 利用時間. =utilization *time.*

tem·pus, gen. **tem·po·ris,** pl. **tem·po·ra** (tem′pŭs, -pŏ-ris, -pŏ-ră) [L. time]. ***1*** 側頭, こめかみ. ***2*** 時, 時間. =time.

TEN toxic epidermal *necrolysis* の略.

te·na·cious (tĕ-nā′shŭs) [L. *tenax* (*tenac-*) < *teneo,* to hold]. 頑強な, 粘着性の, 執着性の強い.

te·nac·i·ty (tĕ-nas′i-tē) [L. *tenacitas* < *teneo,* to hold]. 粘着性, 執着性.

cellular t. 細胞執着性(ある与えられた形や活動方向を保ち続けようとする, 全細胞の固有の特質).

te·nac·u·lum, pl. **te·nac·u·la** (tĕ-nak′yū-lŭm, -lă) [L. a holder < *teneo,* to hold]. 支持鉤(剝離の際に組織を把持したり, つかんだりするための外科の鉗子. 普通, 子宮頸部の把持に用いられる).

tenacula tendinum 腱支帯(伸筋支帯や屈筋支帯のような腱性の制御組織. 歴史的には腱のひもとされていたが, これは腱の制御組織ではない).

te·nal·gi·a (te-nal′jē-ă) [G. *tenōn,* tendon + *algos,* pain]. 腱痛を表す現在では用いられない語. =tenodynia.

t. crepitans =*tenosynovitis* crepitans.

ten·as·cin (ten-as′sin). テネイシン(発生中の胚性器官で上皮の周囲にある間葉組織中に存在する蛋白質で, 上皮の誘導に関わるものと考えられている).

ten·der (ten′dĕr) [L. *tener,* soft, delicate]. 敏感な, 圧痛のある(正常な組織では不快感を覚えないほどの圧迫または接触で痛みのある).

ten·der·ness (ten′dĕr-nes). 圧痛.

cervical motion t. 子宮頸部圧痛徴候(骨盤内診時に子宮頸部を用手的に動かすことにより, 不快な感覚が誘発される徴候. 骨盤内臓器あるいは隣接臓器の炎症を示すことが多い).

pencil t. 不全骨折や骨膜下骨折の患者などで, 鉛筆のゴム尖で圧して, その部分だけに限局して感じられる疼痛.

rebound t. 反跳圧痛, 反動痛(圧迫, 特に腹部圧迫を急に取り除いたときに感じる疼痛).

ten·di·ni·tis (ten′di-nī′tis). 腱炎([本語はラテン語 tendo に基づき, その属格単数形は tendinis, 連結形は tendin(o) である. したがって tendonitis というつづりは変則である]). =tendonitis.; tenonitis (2).

plantar t. (plan′tar ten-di-nī′tis). 足底腱炎. =plantar *fasciitis.*

ten·di·no·plas·ty (ten′din-ō-plas′tē) [Mediev. L. *tendo* (*tendin-*), tendon + G. *plastos,* formed]. 腱形成〔術〕(腱の修復または形成術). =tenontoplasty; tenoplasty.

ten·di·no·su·ture (ten′di-nō-sū′chūr). =tenorrhaphy.

ten·di·nous (ten′di-nŭs). 腱の.

ten·do, gen. **ten·di·nis,** pl. **ten·di·nes** (ten′dō, -di-nis, -di-nēz) [Mediev.L. < L. *tendo,* to stretch out, extend] [TA]. 腱. =tendon.

t. Achillis アキレス腱([誤ったつづりまたは発音 tendo Achilles を避けること]). =calcaneal *tendon.*

t. calcaneus [TA]. 踵骨腱. =calcaneal *tendon.*

t. calcaneus communis 共通踵骨腱(→hamstring (2)).

t. conjunctivus☆ 結合腱(inguinal *falx* の公式の別名).

t. cricoesophageus [TA]. 輪状食道腱束. = cricoesophageal *tendon.*

t. oculi =medial palpebral *ligament.*

t. palpebrarum =medial palpebral *ligament.*

tendo- [L. *tendo*]. 腱を意味する連結形. →teno-.

ten·dol·y·sis (ten-dol′i-sis) [tendo- + G. *lysis,* dissolution]. 腱癒着剝離〔術〕. =tenolysis.

ten·do·mu·cin, ten·do·mu·coid (ten′dō-myū′sin, -mū′koyd). 腱粘素(腱の中のムチンの一型).

ten·don (ten′dŏn) [L. *tendo*][TA]. 腱(種々の長さの伸縮性のない線維性のひもあるいは帯で, 筋肉の一部を形成(筋複合体の一部とも考えられている)し筋腹部分を骨その他の付着対象物に結合している. 筋腹の末端部に付いていることもあれば両脇あるいは中心部にあることもあり, 長いことも短いこともあり, 辺縁部に筋線維が付着していることもある. 筋の長さは筋腹だけでなく腱の部分も含めて測定する. 腱は緻密に平行にそろったコラーゲン線維の束からなり細長い線維細胞が縦列をなし基質はきわめて少ない). =tendo [TA]; sinew.

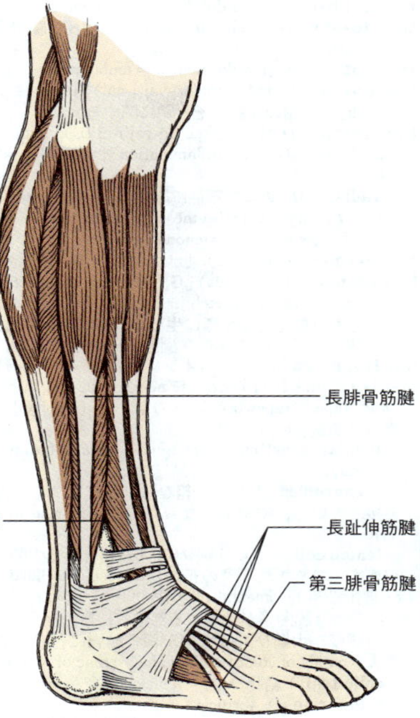

tendons and ligaments

脚と足の遠位部.

Achilles t. (ă-kil′ēz). アキレス腱. =calcaneal t.

calcaneal t. [TA]. 踵骨腱(下腿三頭筋(腓腹筋とヒラメ筋)の停止腱で, 分厚く踵骨隆起に付着している). =tendo calcaneus [TA]; Achilles t.; chorda magna; heel t.; tendo Achillis.

central t. of diaphragm [TA]. 横隔膜腱の中心(三つ葉のクローバー型をした線維膜で横隔膜の中央部にあり, 上方は線維性心膜と癒着しており横隔膜の膜線維の停止の役割を果たしている). =centrum tendineum diaphragmatis [TA]; trefoil t.

central t. of perineum [TA]. 会陰腱中心(会陰部正中面で肛門と尿生殖隔膜との間にある線維性筋塊で, いくつかの会陰筋が停止している(球海面体筋, 外肛門括約筋, 浅・深会陰横筋). 正中会陰切開はここに進められる). =centrum tendineum perinei [TA]; perineal body; Savage perineal body.

conjoined t. =inguinal *falx.*

conjoint t.☆ 鼡径鎌(inguinal *falx* の公式の別名. →*aponeurosis* of internal oblique muscle).

coronary t. =(right and left) fibrous *rings* of heart.

cricoesophageal t. [TA]. 輪状食道腱束(喉頭の輪状軟骨後部に接する食道の縦走線維). =tendo cricoesophageus [TA]; Gillette suspensory ligament; suspensory ligament of esophagus.

Gerlach anular t. (ger′lahk). ゲルラッハ輪状腱. = fibrocartilaginous *ring* of tympanic membrane.

hamstring t. →hamstring.

heel t. 踵骨腱. =calcaneal t.

Todaro t. (tō-dah′rō). トダーロ腱(心臓の右線維三角か

ら下大静脈弁へと広がる不定の腱構造).
trefoil t. ＝central t. of diaphragm.
Zinn t. (zin). ツィン腱. ＝common tendinous *ring* of extraocular muscles.
ten·don·i·tis (ten′dŏn-ī′tis). 腱炎. ＝tendinitis; tenontitis.
ten·doph·o·ny (ten-dof′ŏ-nē). ＝tenophony.
ten·do·syn·o·vi·tis (ten′dō-sin′ō-vī′tis). 腱滑膜炎. ＝tenosynovitis.
ten·dot·o·my (ten-dot′ŏ-mē). ＝tenotomy.
ten·do·vag·i·nal (ten′dō-vaj′i-năl) [tendo- + L. *vagina*, sheath]. 腱鞘の (腱とその鞘に関する).
ten·do·vag·i·ni·tis (ten′dō-vaj′i-nī′tis) [tendo- + L. *vagina*, sheath + G. *-itis*, inflammation]. 腱鞘炎. ＝tenosynovitis.
radial styloid t. 狭窄性腱鞘炎. ＝de Quervain *disease*.
te·nec·to·my (tĕ-nek′tŏ-mē) [G. *tenōn*, tendon + *ektomē*, excision]. 腱切除〔術〕. ＝tenonectomy.
te·nes·mic (tĕ-nez′mik). しぶりの, テネスムスの.
te·nes·mus (te-nez′mŭs) [G. *teinesmos*, ineffectual effort to defecate < *teinō*, to stretch]. しぶり, テネスムス (便意が高まったり尿意を催す際に生じる, 疼痛を伴った尿生殖隔膜の痙攣で, 不随意に力んでも便や尿はほとんど出ない).
ten Horn (ten hōrn), C. オランダ人外科医. →t. H. *sign*.
te·ni·a, pl. **te·ni·ae** (tē′nē-ă, tē′nē-ē) [L. < G. *tainia*, band, tape, a tapeworm]. ***1*** ひも, 紐 (解剖学上, ある種の帯状の構造をいう). ***2*** ＝taenia (2).
taeniae acusticae ＝medullary *striae* of fourth ventricle (⇒stria).
t. choroidea [TA]. 脈絡ひも (脈絡膜または叢が脳室縁と接している, やや厚くなった線). ＝choroid line [TA]; t. telae.
teniae coli [TA]. 結腸ひも (直腸を除く大腸の縦筋線維が集まってできた3つの帯で, mesocolic t.(間膜ひも), free t.(自由ひも), omental t.(大網ひも)と名付けられている. 間膜ひもは腸間膜が付着する部位に, 自由ひもは間膜ひもの反対側に, 大網ひもは大網が横行結腸に付着する部位にある). ＝bands of colon; colic teniae; teniae of Valsalva.
colic teniae 結腸ひも. ＝teniae coli.
t. fimbriae ＝t. fornicis.
t. fornicis [TA]. 脳弓ひも (側脳室の脈絡叢が脳弓に付着する縁). ＝t. fimbriae; t. of the fornix.
t. of the fornix 脳弓ひも. ＝t. fornicis.
t. of fourth ventricle 第4脳室ひも. ＝t. ventriculi quarti.
free t. [TA]. →teniae coli. ＝t. libera [TA].
t. hippocampi ＝*fimbria* hippocampi.
t. libera [TA]. 自由ひも (→teniae coli). ＝free t.
medullary teniae ＝medullary *striae* of fourth ventricle (⇒stria).
mesocolic t. →teniae coli. ＝t. mesocolica [TA].
t. mesocolica [TA]. 間膜ひも (→teniae coli). ＝mesocolic t.
omental t. [TA]. →teniae coli. ＝t. omentalis [TA].
t. omentalis [TA]. 大網ひも (→teniae coli). ＝omental t.
t. semicircularis ＝terminal *stria*.
Tarin t. (tah-ran[h]′). タラン条. ＝terminal *stria*.
t. tecta 蓋ひも (→*indusium* griseum).
t. telae 脈絡ひも. ＝t. choroidea.
t. terminalis ＝*crista* terminalis of right atrium.
t. thalami [TA]. 視床ひも (左右の視床上部と視床中間部の内面にあり, 第3脳室蓋の内膜を形成する上衣性脈絡板が付着する角張った縁または角). ＝t. ventriculi tertii; thalamic t.
thalamic t. 視床ひも. ＝t. thalami.
teniae of Valsalva (vahl-sahl′vă). ヴァルサルヴァひも. ＝teniae coli.
t. ventriculi quarti 第4脳室ひも (脈絡蓋が第4脳室縁に付着する線). ＝t. of fourth ventricle.
t. ventriculi tertii ＝t. thalami.
te·ni·a·cide (tē′nē-ă-sīd′) [L. *taenia*, tapeworm + *caedo*, to kill]. 条虫殺虫薬, 条虫駆除薬. ＝tenicide.
te·ni·a·fuge (tē′nē-ă-fūj′) [L. *taenia*, tapeworm + *fugo*, to put to flight]. 条虫殺虫薬, 条虫駆除薬. ＝tenifuge.
ten·i·al (ten′ē-ăl). ***1*** 条虫の. ***2*** ひもとよばれる構造の.
te·ni·a·sis (tē-nī′ă-sis). 条虫症 (腸管内に条虫がいる疾患).
somatic t. 体条虫症 (条虫状の虫である嚢尾虫が身体へ侵入すること).
ten·i·cide (ten′i-sīd). ＝teniacide.
ten·i·form (ten′i-fōrm). ＝tenioid.
te·nif·u·gal (te-nif′yū-găl). 条虫を殺す力のある, 条虫を駆除しうる.
ten·i·fuge (ten′i-fyūj). ＝teniafuge.
te·ni·oid (tē′nē-oyd) [G. *tainia*, a tape + *eidos*, resemblance]. ＝teniform. ***1*** 帯状の, リボン状の. ***2*** 条虫状の.
te·ni·o·la (tē-nī′ō-lă) [L. *taenia*(ribbon)の指小辞]. 小ひも ([誤った発音 tenio′la を避けること]. 細ひもまたは細帯状構造).
t. corporis callosi 嘴板. ＝rostral *lamina*.
teno-, tenon-, tenont-, tenonto- [G. *tenōn*]. 腱を意味する連結形. →tendo-.
ten·od·e·sis (ten-od′ĕ-sis) [teno- + G. *desis*, a binding]. 腱固定〔術〕(ある関節を動かす腱を固定して腱の移動を防止することにより関節を安定化すること).
ten·o·dyn·i·a (ten′ō-din′ēă) [teno- + G. *odynē*, pain]. 腱痛. ＝tenalgia.
ten·o·fi·bril (ten′ō-fī′bril) [teno- + Mod. L. *fibrilla*, a small fiber]. 張原線維, テノフィブリル. ＝tonofibril.
ten·ol·y·sis (ten-ol′i-sis). 腱剝離〔術〕(腱の癒着を解離すること). ＝tendolysis.
ten·o·my·o·plas·ty (ten′ō-mī′ō-plas′tē). ＝tenontomyoplasty.
ten·o·my·ot·o·my (ten′ō-mī-ot′ŏ-mē). 腱筋切除〔術〕. ＝myotenotomy.
Ten·on (tĕ-non[h]′), Jacques R. フランス人病理学者・眼科医, 1724—1816. →T. *capsule*, *space*.
tenon- →teno-.
ten·o·nec·to·my (ten′ō-nek′tŏ-mē) [tenon- + G. *ektomē*, excision]. 腱切除〔術〕. ＝tenectomy.
ten·o·ni·tis (ten′ō-nī′tis) [tenont- + G. *-itis*, inflammation]. トノン(テノン)嚢炎 (①眼球鞘または強膜外内結合組織の炎症. ②＝tendinitis).
ten·on·ti·tis (ten′on-tī′tis) [tenont- + G. *-itis*, inflammation]. 腱炎. ＝tendonitis.
tenonto- →teno-.
te·non·tog·ra·phy (ten′on-tog′ră-fē) [tenonto- + G. *graphē*, description]. 腱学的記述 (腱に関する記述または論説).
ten·on·tol·o·gy (ten′on-tol′ŏ-jē) [tenonto- + G. *logos*, study]. 腱学 (腱にかかわる科学の分野).
ten·on·to·my·o·plas·ty (ten′on-tō-mī′ō-plas′tē) [tenonto- + G. *mys*, muscle + *plastos*, formed]. 腱筋形成〔術〕(現在では用いられない語. 腱形成術と筋形成術の組み合わさったものでヘルニアの根治に用いる). ＝tenomyoplasty.
ten·on·to·my·ot·o·my (ten-on′tō-mī-ot′ŏ-mē). 腱筋切除〔術〕. ＝myotenotomy.
ten·on·to·plas·tic (ten-on′tō-plas-tik). 腱形成〔術〕の.
ten·on·to·plas·ty (ten-on′tō-plas′tē) [tenonto- + G. *plastos*, formed]. 腱形成〔術〕. ＝tendinoplasty.
te·noph·o·ny (te-nof′ŏ-nē) [teno- + G. *phōnē*, sound]. 腱索聴診音 (腱索の異常状態により生じると思われる心雑音). ＝tendophony.
ten·o·phyte (ten′ō-fīt) [teno- + G. *phyton*, plant]. 腱新生骨 (腱の上か腱の中に成長した骨または軟骨).
ten·o·plas·tic (ten′ō-plas′tik). 腱形成〔術〕の.
ten·o·plas·ty (ten′ō-plas′tē). 腱形成〔術〕. ＝tendinoplasty.
ten·o·re·cep·tor (ten′ō-rē-sep′tŏr, -tōr). 腱感覚器, 腱受容器 (腱の緊張を感知するレセプタ).
te·nor·rha·phy (te-nōr′ă-fē) [teno- + G. *rhaphē*, suture]. 腱縫合〔術〕. ＝tendinosuture; tendon suture; tenosuture.
ten·os·to·sis (ten′os-tō′sis) [teno- + G. *osteon*, bone + *-osis*, condition]. 腱骨化症.
ten·o·sus·pen·sion (ten′ō-sŭs-pen′shŭn). 腱懸垂法, 腱懸吊 (腱を提靱帯として, またときに遊離移植片としてあるいは切り離さないで用いること）.

ten·o·su·ture (ten′ō-sū′chūr). ＝tenorrhaphy.

ten·o·syn·o·vec·to·my (ten′ō-sin′ō-vek′tŏ-mē) ［teno- ＋ synovia ＋ G. *ektomē*, excision］. 腱鞘切除〔術〕.

ten·o·syn·o·vi·tis (ten′ō-sin′ō-vī′tis) ［teno- ＋ synovia ＋ G. *-itis*, inflammation］. 腱滑膜炎（腱とそれを包む膜の炎症）. ＝tendinous synovitis; tendosynovitis; tendovaginitis; tenovaginitis.

t. crepitans 捻髪音性腱滑膜炎（腱鞘の炎症で，腱の動きとともにコクコクとした音がする）. ＝tenalgia crepitans.

de Quervain t. (dĕ-kār-van[h]′). ド・ケルヴァン腱鞘炎（長母指外転筋腱と短母指伸筋腱とが走行する手関節第１背側区画での腱の炎症．特殊な誘発テスト(Finkelstein テスト)で診断する）.

localized nodular t. 限局性結節性腱滑膜炎. ＝giant cell *tumor* of tendon sheath.

pigmented villonodular t. 色素性絨毛結節性滑膜炎. ＝villous t.

stenosing t. 狭窄性腱鞘炎（腱と腱鞘の炎症の結果，腱鞘の拘縮を生じ，腱の滑走を障害する疾患．ばね指の原因となりうる）.

villous t. 絨毛性腱滑膜炎（色素性絨毛結節性滑膜炎に似ているが，関節滑膜中よりも関節周囲の腱鞘中に生じる．通常は手に発症する）. ＝pigmented villonodular t.

te·not·o·my (te-not′ŏ-mē) ［teno- ＋ G. *tomē*, incision］. 腱切り術，切腱術，腱切除〔術〕（内反足や斜視などのように，先天的または後天的に筋肉が短いことから起こる変形状態の治療のために行われる腱の切断術）. ＝tendotomy.

curb t. 制御切腱術. ＝tendon *recession.*

graduated t. 部分切腱術（斜視の矯正のために，眼筋の腱を部分的に切開すること）.

subcutaneous t. 皮下切腱術（開放的手術を行うことなく，小さな先のとがった尖刃で皮膚，皮下組織を通して腱を切る手法）.

ten·o·vag·i·ni·tis (ten′ō-vaj′i-nī′tis) ［teno- ＋ L. *vagina*, sheath ＋ G. *-itis*, inflammation］. 腱鞘炎. ＝tenosynovitis.

TENS (tenz). transcutaneous electrical nerve *stimulation* の略.

tense (tens) ［L. *tensus*: *tendo*(to stretch)の完了分詞］. 強靱な，張り詰めた，剛性の，緊張した（不安および心理的緊張によって特徴付けられる）.

ten·si·om·e·ter (ten′sē-om′ĕ-tĕr) ［L. *tensio*, tension ＋ G. *metron*, measure］. 張力計.

ten·sion (ten′shŭn) ［L. *tensio* ＜ *tendo*, pp. *tensus*, to stretch］. ***1*** ぴんと張ること，伸張. ***2*** ぴんと張っている状態，緊張. ***3*** 圧力，張力（気体，特に血液のような液体に溶けている気体の分圧）. ***4*** 緊張（精神的，感情的，または神経的な緊張．個人または集団間の緊張関係またはむき出しの敵意）.

arterial t. 動脈内血圧.

interfacial surface t. 界面張力（よく密着した２つの面の間に存在する液状の薄膜，すなわち義歯床と組織との間の薄い唾液膜が，この２面を引き離そうとする力に対して示す張力または抵抗）.

ocular t. (**Tn**) 眼圧（変形に対する眼球の抵抗．触診により推定または眼圧計により測定されうる）.

premenstrual t. 月経前緊張症. ＝premenstrual *syndrome.*

surface t. (γ, σ) 表面張力（液体が空気などの気体や固体あるいは別の不混和液体と接するとき，液体表面で起こる分子間の引力の現象．表面から内側へと液体の分子を凝集する傾向をもつ．ディメンションは mt^{-2}）.

tissue t. 組織間緊張（組織と細胞間の理論上の平衡状態で，それによりある部分の過剰な活動は引っ張ることで抑制される）.

ten·sor, pl. **ten·so·res** (ten′sŏr, ten-sō′rēz) ［Mod. L.＜ L. *tendo*, pp. *tensus*, to stretch］. 張筋（ある部分を固く緊張させる働きをする筋肉）.

tent (tent) ［L. *tendo*, pp. *tensus*, to stretch］. ***1*** 〖n.〗テント（種々の吸入療法で吸入空気の湿度と酸素濃度を調節するためのおおい）. ***2*** 〖n.〗栓塞杆，綿撒糸（腔や洞を開いた状態に保ったり拡張したりするためにその腔内に挿入される，通常は吸収性の材料でできた杆）. ***3*** 〖v.〗テント（定められた点で，テント状になるように皮膚，筋膜，あるいは組織の一部を挙上したりつまみ上げたりすること）.

face t. 顔面型酸素テント. ＝shovel *mask.*

oxygen t. 酸素〔吸入用〕テント（寝台の真上からつり下げて患者を包み，高濃度の酸素を供給するのに利用される透明のおおい）.

sponge t. スポンジテント，圧搾脱脂綿. ＝compressed *sponge.*

ten·ta·cle (ten′tă-kĕl) ［Mod. L. *tentaculum*, a feeler ＜ *tento*, to feel］. 触手，触糸，触毛（無脊椎動物で，感じたり，捕捉したり，歩行するための細い突起）.

ten·to·ri·al (ten-tō′rē-ăl). テントの.

ten·to·ri·um, pl. **ten·to·ria** (ten-tō′rē-ŭm, -rē-ă) ［L. tent＜ *tendo*, to stretch］［TA］. テント（膜性のおおいまたは水平の隔膜）.

cerebellar t.* t. cerebelli. の公式の別名.

t. cerebelli ［TA］. 小脳テント（中脳が貫通する前方中央の開口部を有する後頭蓋窩をおおう硬膜の丈夫な膜で，小脳テントの上面は正中線で大脳鎌と癒着する．小脳を大脳後頭葉と側頭葉の下面から分離する）. ＝cerebellar t.*.

t. of hypophysis 下垂体テント. ＝*diaphragma* sellae.

TEOAE transient evoked otoacoustic *emission* の略.

teph·ro·ma·la·ci·a (tef′rō-mă-lā′shē-ă) ［G. *tephros*, ashen-gray ＋ *malakia*, softness］. 灰白質軟化〔症〕（脳または脊髄の灰白質が軟らかくなること）.

teph·ry·lom·e·ter (tef′ri-lom′ĕ-tĕr) ［G. *tephros*, ashen ＋ *hylē*, stuff ＋ *metron*, measure］. テフリロメータ，灰白質計（脳皮質の厚さを測定する器械．薄いガラス管に目盛りがあり，それを脳実質に挿入すると灰白質の深さが読み取れる）.

TEPP tetraethyl pyrophosphate の略.

tep·ro·tide (tē′prō-tīd). テプロチド（ブラジキニンでのグリシンがトリプトファンに置換され，ロイシンと最初のプロリンが欠損し，さらにリジンがグルタミンに置換されたノナペプチド．アンギオテンシン転換酵素抑制因子）. ＝bradykinin-potentiating peptide.

TER transitional endoplasmic *reticulum* の略.

tera- (**T**) ［G. *teras*, monster］. ***1*** 10^{12} の意で，国際単位系（SI)およびメートル法で用いる接頭語. ***2*** 奇形児を意味する連結形. →terato-.

ter·as, pl. **ter·a·ta** (ter′as, ter′ă-tă) ［G.］. 奇形児（欠損，余剰，位置異常がみられるか，あるいは一見して奇形とわかる部分を有するような胎児）.

ter·at·ic (ter-at′ik). 奇形の.

ter·a·tism (ter′ă-tizm) ［G. *teratisma* ＜ *teras*］. 奇形. ＝teratosis.

terato- ［G. *teras*, monster］. 奇形児を意味する連結形. → tera- (2).

ter·a·to·blas·to·ma (ter′ă-tō-blas-tō′mă). 奇形芽腫（胎芽組織を含む腫瘍だが，すべての胚芽層が存在しているわけではないという点で，奇形腫とは異なる）.

ter·a·to·car·ci·no·ma (ter′ă-tō-kar′si-nō′mă). 奇形癌（①通常，胎生期癌に随伴して精巣に生じる悪性奇形腫．②奇形腫に発生する悪性上皮腫）.

ter·a·to·gen (ter′ă-tō-jen) ［terato- ＋ G. *-gen*, producing］. 催奇形物質，催奇物質（胎児の異常発達を誘発または増大させる因子(例えば薬剤)またはその他の要因）.

ter·a·to·gen·e·sis (ter′ă-tō-jen′ĕ-sis) ［terato- ＋ G. *genesis*, origin］. 奇形発生（先天奇形の発生の起源あるいは様式．奇形新生児の発生に認められる発育障害の過程）.

ter·a·to·gen·ic, **ter·a·to·ge·net·ic** (ter′ă-tō-jen′ik, -jĕ-net′ik). 催奇形の，催奇の，奇形発生の（①奇形発生について いう．②先天異常または先天性欠損症を引き起こすものをいう）.

ter·a·to·ge·nic·i·ty (ter′ă-tō-jĕ-nis′i-tē) ［terato- ＋ G. *genesis*, generation］. 催奇形性（先天性奇形の性質および発生可能性）.

ter·a·toid (ter′ă-toyd) ［G. *teratōdēs* ＜ *teras*(*terat-*), monster ＋ *eidos*, resemblance］. 奇形〔腫〕様の.

ter·a·to·log·ic (ter′ă-tō-loj′ik). 奇形学の.

ter·a·tol·o·gy (ter′ă-tol′ŏ-jē) ［terato- ＋ G. *logos*, study］. 奇形学（奇形胚の発生，発達，解剖，分類に関する発生学および病理学の分野. →dysmorphology）.

T

ter·a·to·ma (ter′ă-tō′mă) [terato- + G. *-oma*, tumor]. 奇形腫（複数組織からなる生殖細胞の腫瘍の一型で，その腫瘍が生じる器官には正常では認められない組織を含んでいる．卵巣に最もよく起こるが，卵巣の場合は通常，良性であって，類皮嚢腫を形成する．精巣に起こることもあり，通常は悪性である．他の部位では，特に身体の正中線上に起こることがまれにある）．＝teratoid tumor.

t. orbitae 眼窩奇形腫．＝orbitopagus.

sacrococcygeal t. 仙尾部奇形腫（胎生期の尾側原基に当たる尾骨部や直腸に発生する．新生児の腫瘍で最も多い）．

triphyllomatous t. 三胚葉性奇形腫（三胚葉由来の組織からなる腫瘍）．＝tridermoma.

ter·a·tom·a·tous (ter′ă-tōm′ă-tŭs). 奇形腫の．

ter·a·to·pho·bi·a (ter′ă-tō-fō′bē-ă) [terato- + G. *phobos*, fear]. 奇形恐怖〔症〕（奇形児を妊娠し，出産することに対する病的な恐れ）．

ter·a·to·sis (ter′ă-tō′sis) [terato- + G. *-osis*, condition]. 奇形．＝teratism.

atresic t. 閉鎖奇形（鼻孔，口，肛門，腟のような正常孔のいずれかが閉鎖している奇形）．

ceasmic t. 裂孔開存奇形（先天性口蓋裂のように，ある部分の外側半分が結合していない奇形）．

ectogenic t. 〔先天性〕部分欠損性奇形．

ectopic t. 異所性奇形（器官またはその他の部分が転位した奇形）．

hypergenic t. 肥大性奇形．

symphysic t. 融合性奇形．

ter·a·to·sper·mi·a (ter-ă-tō-sper′mē-ă) [terato- + G. *sperma*, seed]. ＝teratozoospermia.

ter·a·to·zo·o·sper·mi·a (ter′ă-tō-zō′ō-sper′mē-ă) [terato- + *zōos*, living + *sperma*, seed, semen + -ia]. 奇形精子症（精液中に奇形の精子がある状態）．＝teratospermia.

ter·bi·um (Tb) (ter′bē-ŭm) [< *Ytterby*, スウェーデンの村名]. テルビウム（原子番号 65，原子量 158.92534．ランタニドまたは希土類の金属元素）．

ter·e·bene (ter′ĕ-bēn). テレベン（主にジペンテンおよびテルピネンなどのテルペン炭化水素の混合液で，テレビン油から得られる芳香性の，希薄な無色の液体．去痰薬として，また膀胱炎，尿道炎に用いる）．

ter·e·bin·thi·nate (ter′ĕ-bin′thĭ-nāt) [G. *terebinthos*, the terebinth or turpentine-tree]. ＝terebinthine. ***1*** 〚adj.〛テレビンの，テレビン性の．***2*** 〚n.〛テレビンを含む調製品．

ter·e·bin·thine (ter′ĕ-bin′thin). ＝terebinthinate.

ter·e·bin·thin·ism (ter′ĕ-bin′thin-izm). テレビン中毒．＝turpentine *poisoning*.

ter·e·brant, ter·e·brat·ing (ter′ĕ-brant, -brā-ting) [L. *terebro*, pp. *-atus*, to bore < *terebra*, an auger]. 刺すような，掘り抜くような（t. pain(刺すような痛み)のように，比喩的に用いる）．

ter·e·bra·tion (ter′ĕ-brā′shŭn) [L. *terebro*, to bore < *terebra*, an auger]. ***1*** 穿孔〔法〕．***2*** 激痛，穿孔痛．

te·res, gen. **ter·e·tis,** pl. **ter·e·tes** (te′rēz, ter′ĕ-tis, ter′ĕ-tēz) [L. round, smooth < *tero*, to rub]. 円くて長い（筋および靱帯についていう．→teres minor (*muscle*); teres major (*muscle*); round *ligament* of uterus; round *ligament* of liver; pronator teres (*muscle*)）．

ter·gal (ter′găl) [L. *tergum*, back]. 背面の．＝dorsal (1).

ter·gum (ter′gŭm) [L.]. 背．＝dorsum.

terlipressin (ter-li-pres′in). テルリプレシン（トリグリシル－リシン－バソプレッシンに類以した合成バソプレシン）．

term (term) [L. *terminus*, a limit, an end]. ***1*** 限定された期間．***2*** 語，名称，項（→terminus; term *infant*）．

ter·mi·nad (ter′mi-nad). 終末へ，末端へ．

ter·mi·nal (ter′mi-năl) [L. *terminus*, a boundary, limit]. ***1*** 〚adj.〛終末の，末期の．***2*** 〚adj.〛四肢の，末端の（例えば，生体高分子の末端についていう）．***3*** 〚n.〛末端，終点，終末，終端．

axon t.'s 軸索終末（軸索が他の神経細胞または効果器細胞(筋肉または腺細胞)とシナプスしており，いくらか拡大していて，しばしば終末がこん棒状である．軸索終末は種々の神経伝達物質を含み，ときには1種以上を含む．それらは化学分析や免疫細胞化学的な方法で証明しうる．→synapse）．＝axonal terminal boutons; end-feet; neuropodia; pieds terminaux; synaptic boutons; synaptic endings; synaptic t.'s; terminal boutons; boutons terminaux.

carboxy t. →C *terminus*.

nerve t.'s [TA]. 神経終末（感覚性(求心性)神経線維の末梢性の突起の中で，様々な組織(例えば皮膚)に自由端で終わり，受容器として働いているもの．）＝terminationes nervorum [TA].

synaptic t.'s ＝axon t.'s.

ter·mi·nal de·ox·y·nu·cle·o·ti·dyl·trans·fer·ase (ter′mi-năl dē-ok′sē-nū′klē-ō-tī-dil-trans′fĕr-ās) [MIM *187410]. ターミナルデオキシヌクレオチジルトランスフェラーゼ．＝DNA nucleotidylexotransferase.

ter·mi·na·ti·o, pl. **ter·mi·na·ti·o·nes** (ter′mi-nā′shē-ō, -ō′nēz) [L.][TA]. 終〔末〕，終止，分界（→ending）．＝termination.

terminationes nervorum [TA]. ＝nerve *terminals*.

terminationes nervorum liberae 自由〔神経〕終末．＝free nerve *endings*.

ter·mi·na·tion (ter′mi-nā′shŭn) [L. *terminatio*]. ＝terminatio [TA]. ***1*** 終末（特に神経の終末部についていう．→ending）．***2*** 妊娠の終末に人工的に出産させる．

selective t. 減胎手術（①＝selective *reduction*. ②多胎妊娠において，1胎または複数の胎児を流産に至らしめ，少なくとも1胎の胎児の生命を継続させること）．

ter·mi·na·ti·o·nes (ter′mi-nā′shē-ō′nēz) [L.]. terminatio の複数形．

***Ter·mi·no·log·i·a An·a·tom·i·ca* (TA)** (tĕr-mē-nō-lōj′ē-ah ah-nah-tōm′ē-kah). 解剖学用語の一体系で，約 7,500 語を含み，IFAA(国際解剖学会連合)によって改訂され承認されたうえで，1997 年 8 月にブラジルのサンパウロで公表された．

IFAA は 1903 年の創設以来解剖学的概念や用語の標準化に繰り返し取り組んできた．IFAA は 1989 年に FCAT(解剖学用語委員会)を設置し，NA 第 6 版の全面改訂に着手する．全世界の解剖学者に意見を求め，委員会は検討すべき用語のリストを定めて公表した．8 年にわたる協議の上で，不正確・曖昧・不適切を理由に旧来の用語の約 10%を削除し，改訂した．約 1,000 の用語が新たに加えられるが，その多くはすでに非公式に用いられていたものである．TA は 1997 年 8 月にブラジルのサンパウロで正式に公表される．英語は多くの国で用いられ，医学・科学の意思疎通のための共通語として足るものなので，用語集出版にあたりラテン語に併記して英語が付加された．しかしながら公式用語であるのはラテン語のみである．

***Ter·mi·no·log·i·a Em·bry·o·log·i·ca* (TE)** (ter-mē-nō-lōj′ē-ă em-brē-o-lōj′i-kă). 発生学用語（国際解剖学用語委員会によって決定されたラテン語並びに英語による最新用語）．

ter·mi·nus, pl. **ter·mi·ni** (ter′mi-nŭs, -nī) [L.]. 終末，終点．

C t. C末端（遊離型カルボキシル基(–COOH)をもつペプチドや蛋白の末端）．

termini generales 一般用語（記述解剖学において一般に用いる語）．

N t. N–末端（→amino-terminal）．

ter·mo·lec·u·lar (ter′mō-lek′yū-lăr) [L. *ter*, thrice + molecular]. 三分子の（3分子を示すこと．例えば，三分子反応は3分子が反応が起こるように集まらなければならない）．

ter·mone (ter′mōn) [L. *ter*, thrice, threefold + hormone]. テルモン（ある種の無脊椎動物により分泌される外ホルモン型で，配偶子形成を左右する作用のある物質）．

ter·na·ry (ter′nă-rē) [L. *ternarius*, of three]. 三元の，三重の，三成分の（3つの化合物，元素，分子類からなるものあるいは不均一系の成分の数からなる場合などをいう）．

Ter·ni·dens (ter′nē-denz). テルニデンス属（アフリカ，インド，インドネシアの数種のサル類およびアフリカの一部でヒトの腸管に寄生する線虫の属．2重の頑丈な剛毛冠によって保護された前方に向いた口腔をもつことで鉤虫とは区別さ

れる．本属線虫は大腸壁に寄生し，そこでシスト様の結節をつくる）．

T. deminutus 幼虫が土壌中で発育する線虫種．恐らくヒトに寄生する．生活環は知られていない．

ter·ox·ide (tĕr-ok′sīd). 三酸化物．＝trioxide.

ter·pene (ter′pēn). テルペン（精油および樹脂に生じる，$C_{10}H_{16}$ の構造をもつ炭化水素の総称．非環式テルペンは，イソプレン単位からなる異性体および重合体とみなされる．環式テルペンにはメンタン，ボルナン，カンフェンが含まれる．15，20，30，40 などの炭素原子を含むテルペンは，それぞれセスキテルペン，ジテルペン，トリテルペン，テトラテルペンなどとよばれる）．

***p*-ter·phen·yl** (tĕr-fen′il). *p*-ターフェニル；C_6H_5–C_6H_4–C_6H_5（液体シンチレーションカウンターの主要な蛍光体として有用なもの）．

ter·pin (ter′pin). テルピン；$C_{10}H_{18}(OH)_2$（環式テルペンアルコール．硝酸と希硫酸をパイン油に作用させて得られる）．

t. hydrate 抱水テルピン（テルピンの一水和物．去痰薬といわれている）．＝terpinol.

ter·pin·e·ol (ter-pin′ē-ol). テルピネオール（希リン酸と抱水テルピンを熱して得られる不飽和テルペンアルコール．強力な防腐薬，香料として用いる）．

ter·pi·nol (ter′pin-ol). テルピノール．＝*terpin* hydrate.

ter·race (ter′as) [＜O.Fr.＜L. *terra*, earth]. 多層縫合（かなりの厚さの組織に及ぶ創を閉じる際，数層にわたって縫合すること）．

ter·ra ja·pon·i·ca (ter′ră jă-pon′i-kă). 阿仙薬（→gambir）．

Ter·rey (tĕr′ē), Mary. 20 世紀の米国人医師．→Lowe-T.-MacLachlan *syndrome*.

Ter·ri·en (ter-ē-en′), Felix. フランス人眼科医，1872—1940. →T. marginal *degeneration*.

Ter·ri·er (ter-ē-ā′), Louis-Felix. 胆嚢専門医，1837—1908. →T. *valve*.

ter·ri·to·ri·al·i·ty (ter′i-tō′rē-al′i-tē). 縄張り性（①個々に，または群をなして，利益や影響のある特定の領域や範囲を守ろうとする傾向．②個々の動物が自分自身の生息地として定まった場所を明確にし，そこに侵入する同種の動物と戦ってそこから排除しようとする傾向）．

Ter·ry (ter′ē), Theodore L. 米国人眼科医，1899—1946. →T. *syndrome*.

Ter·son (tĕr′sŏn), Albert. フランス人眼科医，1867—1935. →T. *glands*, *syndrome*.

ter·tian (ter′shăn) [L. *tertianus*＜*tertius*, third]. 3 日ごとの（ある出来事が起こる日を 1 日目として，3 日目ごとに起こる．実際には，48 時間ごとまたは隔日に起こる）．

double t. 重複三日熱（マラリア原虫の異なった 2 種に感染したため，発作を毎日起こす状態．→quotidian *malaria*）．

ter·ti·a·rism, ter·ti·a·ris·mus (ter′shē-ă-rizm, -riz′-mŭs). 三期症候（梅毒の第三期のすべての症状を集合的に称したもの）．

TESD total end-systolic *diameter* の略．

Tes·la (tes′lă), Nikola. セルビア系米国人電気技師，1856—1943. →tesla; T. *current*.

tes·la (T) (tes′lă) [N. *Tesla*]. テスラ（$kg \cdot sec^{-2} \cdot A^{-1}$ で表される磁束密度の国際単位(SI)．1 Wb/m^2 に等しい）．

tes·sel·lat·ed (tes′ĕ-lāt′ĕd) [L. *tessella*, a small square stone]. モザイク状の，碁盤目状の．

Tes·si·er (tĕs′yā), Paul. 20 世紀のフランス人医師．→T. *classification*.

TEST

test (test) [L. *testum*, an earthen vessel]. ***1*** 〘v.〙 試験する，検査する（試薬を用いて，ある物質の化学的性質を決定する）．***2*** 〘n.〙 テスト，試験，検査（特定の疾病の有無や，体液，組織あるいは排出物中に，ある物質があるかないか，また心理的・行動的特徴の有無・程度を決定するための方法．→assay; reaction; reagent; scale; stain）．***3*** 〘n.〙 試薬．***4*** 〘n.〙 殻，外皮（→testa (1)）．

acetone t. アセトン試験（ケトン尿の試験．被検尿をニトロプルシドナトリウム数滴と混ぜて振り，それから混合液に濃アンモニア水を静かに注ぐ．アセトンが存在すれば，境界線にマゼンタ輪を形成する．現在では，ニトロプルシドナトリウムとアルカリを含む錠剤が，より一般に用いられる）．

achievement t. アチーブメント試験（後天的に獲得した能力，例えば読字や計算などの特定の支配・対象領域の測定に用いられる標準化された検査．潜在能力や学習能力を測定する知能検査と対比される(対照的である)）．

acidified serum t. 酸性化血清試験（酸性化新鮮血清中での，患者の赤血球溶解．発作性夜間血色素尿症に特異的にみられる）．＝Ham t.

acid perfusion t. 酸灌流試験．＝Bernstein t.

acid phosphatase t. for semen 精液酸性ホスファターゼ試験（酸性ホスファターゼ含量によって精液を調べるスクリーニングテスト．精液は高濃度の酸性ホスファターゼを含み，一方，他の体液や外からの異物は，その濃度がきわめて低いので，腟吸引液や洗浄液，汚れ物の洗浄液などの酸性ホスファターゼの値が高いときは，その男性が無精液症でも，精液に関して陽性の証明が出る）．

acid reflux t. 酸逆流試験（食道下部に電極を置き，胃に酸を注入する前後の食道 pH をモニターし，胃食道逆流を診断する）．

acoustic stimulation t. 聴覚刺激試験（ブザーを用いて胎児を刺激し一過性頻脈を誘発して胎児の well-being を評価するテスト）．

ACTH stimulation t. ACTH刺激試験（副腎皮質機能試験の 1 つ．ACTHを持続静脈注射または筋肉注射でボーラス投与することにより，正常人では血漿中のコルチゾールの増加が起こる．しかし副腎皮質機能不全がある場合は，予想される血漿コルチゾールの増加は起こらないか，あっても制限される）．

Addis t. (ad′is). アディス検査（→Addis *count*）．

adhesion t. 粘着試験（免疫粘着現象を診断に応用したもの）．＝erythrocyte adherence t.; immune adhesion t.; red cell adherence t.

Adler t. (ad′lĕr). アードラー試験（benzidine を使った便潜血試験．現在は使われない）．

Adson t. (ad′sŏn). アドソン試験（胸郭出口症候群の試験．患者は座って頭部を伸展し病変側に回転する．深吸気により，病変側の橈骨動脈拍が減少するかまったく消失する．Adson 試験が陽性の患者すべてが胸郭出口症候群とは限らない）．＝Adson maneuver.

agglutination t. 凝集試験（特異抗血清と混合した際に，細胞・微生物・粒子が集合する性質に基づいた種々の試験）．

Albarran t. (ahl′bah-rahn). アルバラン試験（腎機能不全の試験．腎臓が正常な場合，大量の水を飲むとそれに比例して尿排出量が増すが，尿細管上皮に損傷があると増加はみられない）．＝polyuria t.

alkali denaturation t. アルカリ変性試験（ヘモグロビンF (Hb F)の試験で，Hb F 以外のヘモグロビンはアルカリにより変性してアルカリヘマチンになるという知見に基づく．2％以上の Hb F を検出できる）．

Allen t. (al′ĕn). アレン試験（①［A.H. Allen］．フェノールに対する試験．被検液に塩酸 5, 6 滴，そして硝酸 1 滴を加えると赤色を呈する．②［A.H. Allen］．ストリキニンに対する試験．溶液をエーテルで抽出し，加温した磁器の皿，またはるつぼに滴下して蒸発させ，残渣を少量の二酸化マンガンと希硫酸で処理する．ストリキニンが存在すると，赤青色または紫色を呈する．③［Edgar Van Nuys Allen］．橈骨または尺骨動脈の開存試験．握りこぶしをさせ，手掌から駆血させた後，検者が指で橈骨または尺骨動脈を圧迫させる．この圧迫を解除しても血液が手掌に拡散しないときは，圧迫していないほうの動脈が閉塞していることを示す）．

Allen-Doisy t. (al′ĕn-dwah′sē). アレン－ドイジー試験（エストロゲン活性を調べる試験．未成熟な，あるいは卵巣を取り去ったマウスやラットに検査物質を繰り返し注射する．腟スミアからの白血球の消失と角化細胞の出現が陽性反応の所見である）．

Almén t. for blood (awl′mĕn). アルメーン血液試験．＝guaiac t.; Schönbein t.; van Deen t.

T

Alpha t.'s アルファ試験（→Beta t.'s）．＝Army Alpha t.'s.

alternate cover t. 交代遮へい試験（斜視または斜位の検出法．小さな固視像を注視させ，一眼を数秒遮へいし，その後遮へいは速やかに瞭眼に移動される．もし，遮へいされていた眼が動いた場合，斜視または斜位が存在する）．＝cover-uncover t.

alternating light t. 交互光試験（瞳孔運動を観察し求心性障害の有無を検査する方法．患者には遠方視をさせ光を約1秒ごとに速やかに交互に両眼に入れる．光に非対称瞳孔である眼において虹彩括約筋への神経が正常であれば対光反応の弱いほうの眼に求心性瞳孔障害がある．この非対称的瞳孔運動は正常眼の前に中性フィルタを置き，両眼の対光反応が等しくなるまでフィルタの濃度を上げてゆくことにより推定することができる）．＝swinging light t.

Ames t. (āmz). エームズ(エイムス)試験（ヒスチジン生合成系を欠損しているネズミチフス菌 *Salmonella typhimurium* の菌株を用いた，発癌性の可能性を調べるスクリーニング試験法．試験する物質が突然変異を引き起こし，ヒスチジン合成能が復帰した場合，その物質には発癌性があるとする）．＝Ames assay.

Amsler t. (ahm′slĕr). アムスラー試験（Amsler 図表により視野の障害を検出する方法）．

Anderson-Collip t. (an′dĕr-sŏn-kol′ĭp). アンダーソン－コリップ試験（下垂体切除ラットを用いて，下垂体前葉の抽出物の前甲状腺刺激活性を分析する，現在では用いられない測定方法）．

anoxemia t. 無酸素血試験（冠不全の現在では用いられない検査．患者に酸素10%，窒素90%の混合気体を呼吸させ，狭心痛や心電図異常がみられる場合には，反応は陽性となる）．＝hypoxemia t.

anterior apprehension t. 前方不安感試験（①＝shoulder apprehension *sign*. ②肩関節の安定性を調べる試験．肩関節の外転・外旋により不安感を生じる場合は前方不安定性が疑われる．＝crank test）．

antibiotic sensitivity t. 抗生物質感受性試験（抗生物質治療に対する細菌の感受性を定量するため，抗生物質とともに細菌を培養する *in vitro* の試験．→Bauer-Kirby t.）．

antiglobulin t. 抗グロブリン試験．＝Coombs t.

antihuman globulin t. 抗ヒトグロブリン試験（→Coombs t.）．

anti-Jo-1 antibody t. 抗Jo–1抗体テスト（Jo–1ともよばれるヒスチジン転移 RNA 合成酵素に特異的な自己抗体の測定法．多発性筋炎の25％で陽性になる．この細胞質酵素はヒスチジンと転移 RNA とのエステル結合を触媒する．抗Jo–1抗体の結合は様々な細胞の細胞質に局在し，結合の様子を免疫蛍光染色で見ることができる．本テストは血清中の抗Jo–1抗体を検出するのに用いられ，通常 ELISA 法で行われる）．

antithrombin t. アンチトロンビン試験（トロンビンがフィブリノーゲンをフィブリンに変える作用を脱線維素血漿が抑制する効果を調べる方法）．

Apt t. (apt). アプト試験（検体に水酸化ナトリウムと水を添加することで，胎児血液を同定するための試験）．

aptitude t. 適性検査（職業方針決定のための知能検査．人の能力，才能，技量評価に用いる．職業相談に特に有益）．

Army Alpha t.'s 陸軍アルファテスト．（多人数を検査するため機械的な採点ができるよう工夫された紙と鉛筆を用いて施行される知能テスト．第一次世界大戦時，米国陸軍が読み書きができる新兵に対して最初に使用した．指示，算数問題，実際的判断，同意語と反意語，混乱した文，数字系列の完成，類推，伝達に対する知能を測定した．*cf.* Army Beta t.'s）．＝Alpha t.'s.

Army Beta t.'s 陸軍ベータテスト（文盲や英語の読み書きを苦手とする人を採用する際の絵を用いて施行されるテストの一式．テストは，絵の資料が使用され，指示は記号によってなされる．*cf.* Army Alpha t.'s）．＝Beta t.'s.

Army General Classification T. 陸軍総配属試験（軍隊へ新兵として入隊する人に行う全体的な能力の選択スクリーニング試験で，基礎訓練の終了後に各人が陸軍の専門業務のうちの1つに就く資格を有するかを決めるために用いられる）．

Ascoli t. (as′kō-lē). アスコーリ試験（組織抽出液と炭疽抗血清を用いた炭疽診断用の沈降反応）．

ascorbate-cyanide t. アスコルビン酸－シアン試験（赤血球のグルコース6–リン酸欠乏を検出する検査．血液をシアン化ナトリウムとアスコルビン酸とともにインキュベートする．生成した過酸化水素は，シアン化物がカタラーゼを阻害するために，ヘモグロビンを酸化してメトヘモグロビンにしてしまう．グルコース6–リン酸デヒドロゲナーゼ欠損赤血球では，非常に速やかに褐色に変色する）．

association t. 連想検査（単語(刺激語)を被検者に話し，初めに頭に浮かんだ別の単語(反応語)を直ちに答えさせる検査．精神医学および心理学において診断の補助として用い，手がかりは刺激語と反応語の時間差(連想時間)，反応語の性質などにより得られる）．

Astwood t. (ast′wud). アストウッド試験．＝metrotrophic t.

atropine t. アトロピン試験．＝Dehio t.

augmented histamine t. 増強ヒスタミン試験．＝histamine t.

aussage t. [Ger. *Aussage*, a declaration]. 証言検査（短時間に，見たものを正確に再生する能力の検査）．

autohemolysis t. 自己溶血試験（無菌脱線維素血を37°Cでインキュベートした場合，正常赤血球はゆっくり溶血するが，膜や代謝に欠陥のある細胞はすみやかに溶血する．赤血球の自然溶血の有無を調べる検査）．

Bachman t. (bahk′măn). バックマン試験（旋毛虫症に対する皮膚試験で，旋毛虫の幼虫の抽出物を食塩水に懸濁したものを皮内注射する方法．即時の膨疹と発赤の反応あるいは遅延型反応は感染を示す）．

Bachman-Pettit t. (bahk′măn pĕt′it). バックマン－プティ試験（Kober 試験の変法．尿中エストラジオールおよび類似のエストロゲンホルモンを検出する）．

Bagolini t. (bă-zhō-lē′nē). バゴリーニ試験（被検者に2つの線条ガラスを通して像を見させて，網膜対応を調べる方法）．

Bárány caloric t. (bah′rah-nē). バーラーヌイ温度〔刺激〕試験，バーラーヌイ温度〔眼振〕試験（前庭機能試験．冷水または温水で外耳道を刺激する．前庭器を刺激し，眼振と指示の偏向(偏示)を引き起こす．前庭器疾患があると，反応は減弱するか欠如する）．＝caloric t.; nystagmus t.

Barlow t. (bar′lō). ＝Barlow *maneuver*.

Bauer-Kirby t. (bow′ĕr kir′bē). バウアー－カービー試験（細菌感受性試験の標準化法．目的とする細菌の純培養の一定量を感受性試験用平板培地(Mueller-Hilton *agar*)に塗布し，抗生物質を含んだディスクを置いて発育を見る）．

BEI t. ＝butanol-extractable iodine t.

belt t. 腹帯試験法（現在では用いられていない試験．下腹部に強く上向きの圧力をかけると，腸下垂症の場合，不快感が消える）．

Bender gestalt t. (ben′dĕr). ベンダーゲシュタルト検査．＝Bender Visual Motor Gestalt t.

Bender Visual Motor Gestalt t. (ben′dĕr). ベンダー視覚運動ゲシュタルト検査（神経科医や臨床心理学者が用いる心理検査．一組の幾何学模様を，視覚的に模写する能力を測定する．脳損傷をみつけ出すための視覚空間的および視覚運動的協調の測定に有効である）．＝Bender gestalt t.

Benedict t. for glucose (ben′ĕ-dikt). ベネディクトブドウ糖試験（尿中ブドウ糖の銅還元試験．定性または定量法では硫酸銅に加えチオシアン酸塩を要する）．

bentiromide t. ベンチロミド検査（十二指腸挿管を行わない膵外分泌機能の検査．経口的に投与されたベンチロミドは小腸の管腔内でキモトリプシンによって分解され，遊離 *p*–アミノ安息香酸は吸収されて尿中に排泄される．*p*–アミノ安息香酸の尿中排泄の減少は膵外分泌機能不全を示唆する）．

bentonite flocculation t. ベントナイト凝集試験（関節リウマチについての現在では用いられない凝集試験．感作したベントナイト粒子を不活化血清中に加えて行う．陽性の場合は，粒子の半分は凝集塊を形成し，半分は懸濁液状態のままである）．

Bernstein t. (bern′stēn). バーンスタイン試験（胸骨下の疼痛が逆流性食道炎によるものであることをはっきりさせるための試験．下部食道に薄い塩酸をチューブで直接注入することにより行う．酸の液を生理食塩水に代えると症状は消える）．＝acid perfusion t.

Berson t. (ber′sŏn). バーソン試験（甲状腺による，血漿からの^{131}I の甲状腺清掃率）．

Beta t.'s ベータ試験．＝Army Beta t.'s.

Betke-Kleihauer t. (bet′kĕ klī′how-ĕr). ベトケ－クライハウアー試験（母親の赤血球に混在している胎児赤血球を，スライドガラス標本上で検出する試験．ヘモグロビンF以外のヘモグロビンは，pH 3.3 の緩衝液を用いると，空気乾燥した塗抹標本上の赤血球から溶出する）．

Bettendorff t. (bet′ĕn-dōrf). ベッテンドルフ試験（ヒ素の試験．被検液を塩酸と混ぜた後，塩化第一スズ溶液を加える．スズ箔の一片を加えると，茶色の沈降物が生じる）．

Bial t. (bē′ăl). ビーアル試験（オルシノールを用いる五炭糖の，現在では用いられない試験）．＝orcinol t.

Bielschowsky t. (by′el-shov′skē)［Alfred *Bielschowsky*. ドイツ人眼科医，1871 — 1940］．ビルショースキー試験（様々な頭位に対する眼球偏位の角度決定または上下複視での麻痺筋を同定するうえでの注視角を決めるための上下斜視の検査法．本検査法は上斜筋麻痺の診断に最も有用である）．

bile acid tolerance t. 胆汁酸耐性試験（肝機能不全の高感度試験．標識化または非標識化胆汁酸の経口投与後，分別減少速度測定値または 10 分間停留測定値を測る）．

bile esculin t. 胆汁エスクリン試験（O 群連鎖球菌を同定するのに用いる生化学試験．胆汁含有培地で生育する能力やエスクリンを加水分解する性質に基づく）．

bile solubility t. 胆汁溶解試験（肺炎球菌を他の α 溶血性連鎖球菌と識別する方法で，胆汁の存在で溶解されることを証明することによる）．

binaural alternate loudness balance t. (**ABLB, BALB**)〔両耳音の交代性大きさ〕バランス試験（一側耳の補充現象の検査法．いずれかの耳に交互に一連の強さの音を与え，相対的な音の大きさを比較する）．

Binet t. (bē-nā′). ビネー試験．＝Binet-Simon *scale*.

bithermal caloric t. 冷温交互試験（前庭機能検査．体温より 7 ℃低温または高温の水を両方の外耳道に交互にまたは同時に灌流させる．すると眼振が生じ，その方向，振幅，緩徐相速度，持続時間などを記録する）．

biuret t. ビウレット試験（血清蛋白測定試験．アルカリ銅試薬と，2 つ以上のペプチド結合を有する物質との反応で，青紫色を生じることによる）．

blind t. マスク(盲検)法．＝blind *study*.

block design t. 立方体構図検査，積木問題（彩色された積木を用いて描かれた図形をつくりあげる作業試験．Wechsler 知能検査の下位試験の 1 つ）．

Bonney t. ボニー検査．＝Marshall t.

breath t. 呼気検査（病気を同定するために呼気中の内因性あるいは外因性物質を測定する診断法．例えば，乳糖不耐症に対する呼気中水素ガス測定や，胃の *Helicobacter pylori* 菌感染を検出するための尿素呼気試験がある）．＝breath analysis.

breath-holding t. 息こらえ試験（心肺予備力のおよその指標．被検者が息を止めていられる時間の長さによって測る．正常な長さは 30 秒以上であるが，心臓または肺の予備力が減少している状態では，20 秒以内しか息を止められないことで示唆される）．

Brigg t. (brig). ブリッグ試験（モリブデン酸塩の還元を利用してホモゲンチジン酸を排泄させる試験）．

bromphenol t. ブロムフェノール試験（試薬紙を用いて，尿中蛋白，アルブミン，グロブリンを測定する比色試験）．

bromsulphalein t. ブロムスルファレイン試験，BSP テスト（現在では用いられない肝機能(肝排泄能力)試験．一定量の，通常は体重1 kg 当たり5 mg の染料を静脈注射する．続いて(通常は 45分 経過後)，血清中に残る染料の量を測定する．血清 100 mL 中ブロムスルファレイン 0.4 mg 以下の濃度のとき，または注入染料が 4 %を超えないときは，正常と考えられる．ブロムスルファレイン停留は，肝細胞障害だけでなく，肝血流量低下や胆道閉塞の結果として起こる）．＝BSP t.

BSP t. BSP テスト．＝bromsulphalein t.

butanol-extractable iodine t. ブタノール抽出ヨード試験（現在では用いられない甲状腺機能の試験．大量のヨウ素またはヨウ化物を摂取した患者に適用できる）．＝BEI t.

California psychological inventory t. カリフォルニア心理学的目録(検査)（人格目録．正常者を対象とする．社会相互作用変数に重点が置かれる）．

Calmette t. (kahl-met′). カルメット試験（ツベルクリンに対する結膜反応）．

caloric t. 温度〔刺激〕試験，温度〔眼振〕試験．＝Bárány caloric t.

CAMP t.［*C*hristie, *A*tkins, and *M*unch-*P*etersen，このテストの開発者］．CAMP試験（B 群 β 型溶血連鎖球菌を同定するためのテストで，この細菌がブドウ球菌の β 溶血素による溶血域を拡大させる物質(CAMP因子)を産生する性質を利用したもの）．

cancer antigen 125 t. 癌抗原 125 試験（体腔上皮細胞に由来する細胞表面抗原についての試験．この抗原の増加は，卵巣腫瘍，子宮内膜症のような良性骨盤疾患と関与する）．

capillary fragility t. 毛細血管ぜい弱性試験（ビタミンC の欠乏か血小板減少の存在を決めるために用いる駆血帯試験．前腕内側に，肘の屈曲線から4 cm 下の部位に上縁がくるように直径 2.5 cm の円形器具を吸着させる．収縮期血圧と拡張期血圧の中間の圧力を肘の上に 15 分間かけ，円形器具を吸着した部位に生じた点状出血数を数える．10 が正常，10—20 が境界，20 以上が異常である）．＝capillary resistance t.; Rumpel-Leede sign; Rumpel-Leede t.; vitamin C t.

capillary resistance t. 毛細血管抵抗性試験．＝capillary fragility t.

carbohydrate utilization t. 炭水化物利用試験（臨床的に重要な酵母菌と酵母様真菌の最終的同定法）．

carotid sinus t. 頸動脈洞試験（心拍数を低下させる神経反射を惹起させるために，片側の頸動脈洞(絶対に両側を同時に行わないこと)の刺激で収縮血圧あるいは診断と，発作性上室性頻拍症などの不整脈の治療に用いる）．

Carr-Price t. (kar prīs). カー(カール)－プライス試験（クロロホルム中での三塩化アンチモンとの反応に基づくビタミンAの定量法）．

Casoni intradermal t. (kă-sō′nē). カソーニ皮内試験（包虫症の検査で，Casoni 抗原(無菌性包虫嚢胞液)を皮内に注射する．即時または遅延型の膨疹，発赤が起これば陽性）．＝Casoni skin t.

Casoni skin t. (kă-sō′nē). カソーニ皮膚試験．＝Casoni intradermal t.

CF t. CF 試験．＝complement *fixation*.

Chick-Martin t. (chik mar′tin). チック－マーティン試験（殺菌薬の効果に対する試験管内試験法．一定量の滅菌した糞便または酵母にチフス菌の標準培養液を加えて，いろいろな濃度の石炭酸および殺菌薬で一定時間(30 分)処理して調べる．結果は石炭酸係数との比によって表される．これは，適度な時間内で菌を殺す殺菌薬の最高希釈を，菌を殺す石炭酸の最高希釈で除したものである）．

chi-square t. カイ 2 乗検定（2 つの大学にそれぞれ所属する男性，女性の数のように，2 標本以上の多標本の離散データに対し，分布の違いの有意性を判定するために利用される統計的方法）．＝χ^2 t.

cis/trans **t.** シス／トランス検定（2 つの突然変異の表現における相対的配列に関する検定）．

Clauberg t. (klō-bārg′). クラウベルク試験（未成熟のウサギを用いた物質におけるプロゲステロン活性の試験）．

clomiphene t. クロミフェン試験（クロミフェンを用いて下垂体ゴナドトロピン貯蔵を調べる試験）．

clonidine growth hormone stimulation t. クロニジン成長ホルモン刺激試験（α_2 アドレナリン受容体アゴニストであるクロニジンを投与すると正常人では成長ホルモンは上昇するが，多系統萎縮症では上昇しない）．

coccidioidin t. コクシジオイジン試験（*Coccidioides immitis* の感染の有無を判定する皮内試験．陽性は，遅延性過敏性反応を意味し，この真菌への過去あるいは現在の感染を意味するとされる）．

coin t. 貨幣試験．＝bellmetal *resonance*.

cold bend t. コールドベンド試験（針金の適合能力試験．針金を直角に曲げ，逆転させて折れる直前で角度を保てる回数を数える．歯列矯正針金の規格確立に重要である）．

cold pressor t. 寒冷昇圧試験（片手を 2 分またはそれ以

上氷冷水につけて血圧の上昇の有無を調べる心循環系の試験．左室から大循環に駆出する血流に抵抗を加え，その結果急速に後負荷を増加させる(後負荷とは左心室の壁張力))．＝Hines-Brown t.

colloidal gold t. コロイド金検査，金ゾル検査（→Lange t.）．

colorimetric caries susceptibility t. 比色分析う食感受性試験．＝Snyder t.

complement-fixation t. 補体結合試験（特殊な抗原あるいは抗体を，両者のうち一方の存在がわかっているときに証明する免疫学的方法．補体が抗原と特異抗体の存在下で〝結合〟する原理に基づく．→Bordet-Gengou *phenomenon*）．

complexed prostate-specific antigen (cPSA) t. 結合型前立腺特異抗原検査（α_1-antichymotrypsin に結合した PSA を検出する血清検査．総 PSA 値が低値である場合，cPSA による前立腺癌診断は，総 PSA 値測定や遊離型 PSA 値の割合(F/T 比)に比べ，検出の特異度が高いと思われる）．

contraction stress t. 子宮収縮負荷試験．＝oxytocin challenge t.

Coombs t. (kūmz)．クームズ(クームス)試験（抗体試験の1つ．直接 Coombs 試験または間接 Coombs 試験を用いる，いわゆる抗ヒトグロブリン試験）．＝antiglobulin t.

Corner-Allen t. (kōr′nĕr al′ĕn)．コーナー－アレン試験（プロゲステロン試験．成熟雌ウサギを発情期間に交配させ，18時間後に卵巣を除去する．5日間連続して試験物質を皮下投与する．プロゲステロン子宮内膜増殖が完成するのに要する最小量(プロゲステロン 1.25 mg に等しい)を単位とする）．

cover t. 遮へい試験（斜視角の他覚的検査法．遮へい－非遮へい試験と交代遮へい試験の2通りがある）．

cover-uncover t. 遮へい－非遮へい試験．＝alternate cover t.

CO_2-withdrawal seizure t. 二酸化炭素除去痙攣誘発試験（過換気を用いることにより脳波異常を証明したり，痙攣を誘発する方法）．

Crampton t. (kramp′tŏn)．クランプトン試験（身体的な状態と耐性の試験．横臥位および起立位の脈拍と血圧の記録を取る．その差異は，理論的完全 100(めったに生じない)から下方へ段階付ける(示数 75 は良であるが，65 は不良である)．高値は身体抵抗が良好であるが，低値は不良であることを示すといわれる）．

crank t. クランクテスト．＝anterior apprehension t.

t.'s of criminal responsibility 犯罪責任能力検査（司法精神医学において，犯罪における精神異常の決定を下す基盤となる判例．→American Law Institute *rule*; Durham *rule*; M'Naghten *rule*; New Hampshire *rule*）．

cutaneous t. 皮膚試験．＝skin t.

cutaneous tuberculin t. 皮膚ツベルクリン試験（→tuberculin t.）．

cyanide-nitroprusside t. 〔シアン－〕ニトロプルシド試験（シスチン尿症の診断に用いる定性試験．ニトロプルシドナトリウムより生成したばかりのシアン化ナトリウムを尿検体に添加すると，シスチンが存在する場合は安定した赤紫色を呈する）．

cytotropic antibody t. 細胞親和性抗体試験（マクロファージ親和性抗体についてのロゼット試験．単層に培養したマクロファージに，まずマクロファージ親和抗体を加え，次いで，抗原(これに対し抗体は特異的である)と指標となるヒツジ赤血球に暴露する．もしその抗体がヒツジ赤血球に特異的であれば，ヒツジ赤血球はマクロファージの周りに直接ロゼットを形成する．しかし，抗体が特異的ではなく，また抗原が可溶性であるときは，抗原を二ジアゾ化ベンジジンのような薬品により，ヒツジ赤血球を架橋しなくてはいけない）．

DA pregnancy t. 直接凝集妊娠試験（妊娠直接凝集反応ラテックス試験．→immunologic pregnancy t.）．

Day t. (dā)．デイ試験（血液の試験．被検液または被検汚点洗液にグアヤクチンキを加え，次に過酸化水素を加える．血液が存在すれば青色になる）．

D-dimer t. Dダイマー試験（重合フィブリン分解産物を検出する検査．高値がみられるのは一次および二次線溶，組織プラスミノゲンアクチベータを使用した血栓溶解療法または脱線維素療法中，深部静脈血栓症・肺塞栓症・DIC などの血栓性疾患，鎌状赤血球貧血の血管閉塞クリーゼ，悪性腫瘍，外科手術など）．

Dehio t. (de-hī′ō)．デーヒオ試験（アトロピン注入により徐脈が軽減すると，その状態は迷走神経の作用によるものである．軽減しなければ心臓自体の疾患によるものである）．＝atropine t.

dehydrocholate t. デヒドロコール酸塩試験（血液循環速度の判定方法．デヒドロコール酸ナトリウム溶液を静脈注射する．口中に苦みを感じるまでの時間を記録する．平均時間は13秒内外である）．

Denver Developmental Screening T. デンバー発達スクリーニング試験（心理学者や小児科医が用いる，誕生から青春期の各年齢層における発達程度，知的能力，運動能力，社会性の成熟度を評価するためのスケール）．

dexamethasone suppression t. デキサメタゾン抑制試験（Cushing 症候群の発見と診断のための検査．1.0 mg のデキサメタゾンを午後11時に投与すると，引き続いて正常人では血漿コルチゾールが低レベルに抑制されるが，Cushing 症候群の患者ではこの現象はみられない．さらに大量の投与をすることにより，Cushing 症候群が腫瘍性のものか過形成によるものか区別できる）．

Dick t. (dik)．ディック試験（猩紅熱の発疹や他の症状に関連する化膿連鎖球菌 *Streptococcus pyogenes* 発赤毒素に対する感受性の皮内試験）．＝Dick method.

differential renal function t. 分腎機能検査(試験)．＝differential ureteral catheterization t.

differential ureteral catheterization t. 〔分別〕尿管カテーテル検査（分腎機能検査，すなわち反対側腎に比較しての一側腎の種々の機能的パラメータを測るために行う検査．膀胱鏡下で両側の尿管あるいは腎盂に尿管カテーテルを挿入し，尿流率，インスリン，静脈注射してある場合は PAH(パラアミノ馬尿酸)，内因性クレアチニン，あるいは種々の尿中の溶質を同時に測定する）．＝differential renal function t.; split renal function t.

dilute Russell viper venom t. (DRVVT) 希釈ラッセルクサリヘビ毒検査（ループス抗凝固因子の存在を確認するための検査）．

dinitrophenylhydrazine t. ジニトロフェニルヒドラジン試験（メープルシロップ尿症のスクリーニング検査．2,4-ジニトロフェニルヒドラジンの塩酸溶液を尿に添加すると，ケト酸が存在する場合は灰白色の沈殿物を生じる）．

direct Coombs t. (kūmz)．直接クームズ(クームス)試験（[誤った形 Coomb および Coomb's を避けること]．胎児赤芽球症および後天性免疫性溶血性貧血の症例における感作赤血球を検出する試験．患者の赤血球を食塩水で洗い，血清および付着していない抗体蛋白を除去し，次いで，Coombs 抗ヒトグロブリン(通常，あらかじめヒトグロブリンで感作したウサギまたはヤギの血清)とともに保温する．保温後，遠心分離して凝集反応を調べる．凝集反応は，赤血球表面にいわゆる不完全または1価の抗体が存在することを示す）．

direct fluorescent antibody t. →fluorescent antibody *technique*.

discontinuation t. 投薬中止試験（ある薬物が反応の原因であるかどうかを，その薬物の使用中止後の症状の寛解を観察することにより決定するための試験）．

distracted straight-leg raising t. 散乱(精神錯乱)下肢伸展挙上試験（椅子に背筋を伸ばして座った患者の膝を他動的に伸展する試験）．

Doerfler-Stewart t. (D-S) (dōr′flĕr stū′wărt)．デルフラー－スチュアート試験（鋸歯形の隠ぺい雑音がある際の，患者の強強格語反応能力試験．特に機能的聴力欠陥と器質的聴力欠陥との区別に用いる）．＝D-S t.

double (gel) diffusion precipitin t. in one dimension 一次元二重〔ゲル〕拡散沈降試験（→gel diffusion precipitin t.'s in one dimension）．

double (gel) diffusion precipitin t. in two dimensions 二次元二重〔ゲル〕拡散沈降試験（→gel diffusion precipitin t.'s in two dimensions）．

Dragendorff t. (drā′gĕn-dōrf)．ドラーゲンドルフ試験（胆汁の定性試験．現在使われない．硝酸を1滴，胆汁色素を含む液で湿した白色沪紙や素焼磁器に落下すると，玉虫色にきらめく．本質的には尿中胆汁を調べる Gmelin 試験と同じ).

drawer t. 引き出し試験．＝drawer *sign*.

D-S t. ＝Doerfler-Stewart t.

Ducrey t. (dū-krā′). デュクレー試験（軟性下疳の診断に用いる，不活化した軟性下疳菌 *Haemophilus ducreyi* を用いた皮内テスト．遅延型反応が陽性であれば，現在感染しているか，感染の既往があることを示す）.

Duke bleeding time t. (dūk). デューク出血時間試験（耳介に切創をつくり，止血までの時間を測定する）.

dye disappearance t. 色素消失試験．＝fluorescein instillation t.

dye exclusion t. 色素排除試験（特定色素(例えば，トリパンブルー，エオシンY，ニグロシン，アルシアンブルー)の希釈液と生細胞浮遊液の混合液中で，生きた細胞を判定する方法．色素に染まらないということは，単に細胞膜の構造が完全であるということを示しているだけなので，常に正確なわけではない）.

Ebbinghaus t. (eb′ing-hows). エビングハウス検査（心理検査．言葉をいくつか省いた特定の文章を与えて患者に完成させる）.

Ellsworth-Howard t. (elz′wŏrth how′ărd). エルスワース－ハワード試験（副甲状腺抽出物の静脈内投与後の血清と尿中のリンを測定する．偽性副甲状腺機能低下症の診断に用いる）.

E-rosette t. E-ロゼット試験（Tリンパ球を同定するテスト．分離したリンパ球を血清とヒツジ赤血球と混ぜ孵置するとヒトTリンパ球の周りを赤血球が取り囲みロゼットを形成する）.

erythrocyte adherence t. 赤血球付着試験．＝adhesion t.

erythrocyte fragility t. 赤血球ぜい弱性試験．＝fragility t.

exercise t. 運動試験（運動を用いて患者の生理的反応または体力，あるいはその両方を調べる検査）.

FABER t. *f*lexion(屈曲)，*ab*duction(外転)，*e*xternal *r*otation(外回転)の頭字語.

FABERE t. *f*lexion(屈曲)，*ab*duction(外転)，*e*xternal *r*otation(外回転)，*e*xtension(伸展)の頭字語.

Farnsworth-Munsell color t. (farnz′wŏrth mŭn-sel′). ファーンスワース－マンセル色試験（色覚の検査で，作業は隣接するディスク間での色相がわずかに異なる一連の 84 色ディスク(20—22 ディスクからなる 4 つの異なる列)を配例することである）.

femoral stretch t. 大腿伸張テスト（腹臥位で股関節を伸展する試験で，大腿前面または下腿内側に疼痛が生じれば，L2-3 または L4 に椎間板ヘルニアがあることを示すテスト）.

fern t. シダ試験（①エストロゲン活性の試験．頸管粘膜塗抹標本は，排卵時のようにエストロゲン分泌が上昇したときにシダ模様を形成する．同様な変化が唾液にもみられる．②前期破水の診断に用いられる）.

ferric chloride t. 塩化〔第二〕鉄試験（フェニルケトン尿症を発見するための定性試験．フェニルケトン尿症があれば，塩化第二鉄を尿に加えると青緑色に変化する）.

Finckh t. (fink). フィンク検査（心理検査．患者に "burn the candle at both ends(自己を酷使する)" や "the early bird catches the worm(早起きは三文の得)" などの諺の意味を説明させる）.

finger-nose t. 指鼻試験（上肢の共調運動と位置覚の試験．被検者は伸展した自分の人指し指で自分の鼻先をゆっくり触れるように言われる．小脳機能を評価する）.

finger-to-finger t. 指指試験（上肢の共調運動と位置覚の検査．被検者は両方のひとさし指の先をつけるように言われる．小脳機能を評価する）.

Finkelstein t. (fink′ĕl-stīn). フィンケルスタイン試験（de Quervain 腱鞘炎の診断テストで，母指を手掌方向に屈曲し，他の指を屈曲して母指をおおい，次いで手関節を尺屈する．陽性の場合は障害腱の走行に沿って痛みと捻髪音が生じる）.

Fishberg concentration t. (fish′bĕrg). フィッシュバーグ濃縮試験（腎臓の水保持能(再吸収能)の検査．一晩の水分摂取制限の後に，早朝尿を採取し，比重を測定する）.

Fisher exact t. (fish′ĕr). フィッシャーの直接確率検定，フィッシャーの正確検定（分割表内の頻度分布を正確に計算することによる 2×2 表の関連性の検定）.

fistula t. 瘻孔試験（外耳道内空気を圧迫または希薄化すると，迷路骨壁にびらんがあれば，迷路が機能している限り眼振が誘発される）.

FIT t. ＝fusion-inferred threshold t.

Fleitmann t. (flīt′mahn). フライトマン試験（現在では用いられないヒ素の試験．被検液を入れた試験管内で水素を発生させる．液を熱し，硝酸銀溶液に浸した沪紙片を管の入口に置く．ヒ素が存在すれば，沪紙は黒変する）.

flocculation t. 綿状試験（→flocculation *reaction*）.

fluorescein instillation t. フルオレセイン滴下試験（涙器系の開放性を調べる検査．結膜嚢に滴下したフルオレセインが下鼻孔に確認される）．＝dye disappearance t.; Jones t.

fluorescein string t. フルオレセイン細糸試験（まれにしか行われない試験で，消化管出血の患者が細糸を飲み，フルオレセインを静脈内に投与する．細糸が，除去後に蛍光を発すれば，フルオレセインの注入以後に出血した血液が付着していることがわかり，出血部位の同定に用いられる）.

fluorescent antinuclear antibody t. **(FANA), FANA t.** 蛍光抗核抗体試験，FANA 試験（抗核抗体成分の検出法．特に膠原病の診断に用いる）.

fluorescent treponemal antibody-absorption t. 蛍光標識抗トレポネーマ抗体吸収試験（抗原として，梅毒トレポネーマ *Treponema pallidum* の Nichols 菌株懸濁液を用いる，梅毒に対する鋭敏かつ特異的血清検査法．患者血清中の抗体の有無は間接蛍光抗体法で示される）．＝FTA-ABS t.

foam stability t. 泡沫安定試験（胎児肺の成熟度を調べる試験で，羊水中に存在する肺の界面活性物質が，エタノールを加えて振とうした後，安定した泡沫を発生するかどうかで調べる）．＝shake t.

Folin t. (fol′in). フォーリン試験（①リンタングステン酸と塩基によりつくられる色による尿酸の定量試験．②尿素の定量試験．尿素を塩化マグネシウムと一緒に煮沸して分解し，遊離するアンモニアを測定する）.

Folin-Looney t. (fol′in lū′nē). フォーリン－ルーニー試験（現在では用いられないチロシンの試験．タングステン酸ナトリウム，リンモリブデン酸，リン酸からなる試薬を加えると，アルカリ溶液中でチロシンは青色を生じる）.

formol-gel t. フォルモールゲル化試験（内臓リーシュマニア症にみられる高度の血清蛋白の増加を検出する方法．血清にフォルマリン原液を 1 滴加え，直ちに完全な凝固が起これば陽性である）.

Fosdick-Hansen-Epple t. (fos′dik hahn′sĕn ep′ĕl). フォスディック－ハンセン－エップル試験（唾液－グルコース－エナメル混合液中における粉末状ヒトエナメル質の溶解性によって，う食活動性を決定する試験）.

Foshay t. (fō-shā′). フォッシェー試験（ネコ引っ掻き病あるいは野兎病の皮内試験．本症に罹患している患者の化膿リンパ節から作成した材料を用いる．㊟市販されていない）.

fragility t. ぜい弱性試験（赤血球の，低張食塩水中での溶血に対する抵抗性を測定する試験．被検赤血球を，通常，塩化ナトリウム 0.85%から 0.10%まで，0.05%の差で濃度の違う食塩水に加え，溶血の開始と完成を測定する．正常赤血球では，0.45%から0.39%の濃度で溶血が始まり，0.33%から0.30%の濃度で完全に溶血する．遺伝性球状赤血球症では赤血球ぜい弱性が著しく増加し，一方，地中海貧血，鎌状赤血球貧血，閉塞性黄疸では，通常，赤血球ぜい弱性は減少する）．＝erythrocyte fragility t.

Frei t. (frī). フライ試験（鼡径リンパ肉芽腫の診断のための皮内テスト．Frei抗原は通常，家禽からとったクラミジアを不活性化して無菌的に調製したものである．陽性遅延型反応は，診断上鼡径リンパ肉芽腫に特異的なわけではなく，めったに使われない）．＝Frei-Hoffmann reaction.

FTA-ABS t. ＝fluorescent treponemal antibody-absorption t.

fusion-inferred threshold t. 融合閾値検査，FIT 検査（大脳での両耳音の融合現象を，聴力検査において通常マスキングに置き換えて用いる）．＝FIT t.

Gaddum and Schild t. (gad′ŭm shild). ギャダム－シルト試験（組織または他の物質におけるエピネフリンの高感度の同定法．アルカリと酸素の存在下で紫外線にさらすと，エピネフリンが蛍光を発することによる．感度は 1：5,000 万か

T

ら1：1億の範囲である）．

galactose tolerance t. ガラクトース負荷試験（肝機能試験．肝臓のガラクトースをグリコゲンに変換する能力に基づく．ガラクトースを一定量，経口摂取または静脈注射し，その後の排出率を測定する．正常の場合，40 g の経口摂取後，5時間以内に，尿中に3 g 以下しか現れない）．

gel diffusion precipitin t.'s ゲル拡散沈降試験（一方または両方の反応体が拡散したゲル媒質(通常は寒天)中に免疫沈降物を生じる沈降試験．一般的に，一次元ゲル拡散と二次元ゲル拡散の2型に分類される）．＝gel diffusion reactions.

gel diffusion precipitin t.'s in one dimension 一次元ゲル拡散沈降試験（抗原溶液と，寒天に溶解した抗体とを試験管内に重層し，垂直方向への実効拡散のみ許容する沈降試験．抗体含有寒天は，直接抗原溶液で重層されることがある(一次元単一ゲル拡散沈降試験)）．

gel diffusion precipitin t.'s in two dimensions 二次元ゲル拡散沈降試験（一方または両方の反応体を放射状，つまり，水平二次元に拡散させる寒天層での沈降試験．二次元ゲル拡散沈降試験(Ouchterlony 試験・法)は，1枚の寒天につくった別々の穴に抗原と抗体溶液を入れ，両反応物質を放射状に拡散させる試験である．この方法は，抗原の類縁関係の判定に広く用いられる．反応物質が最適濃度で出合ったところにできる沈降帯には3つの型があり，同一反応，部分的同一反応(交差反応)，非同一反応とよばれる）．

Gellé t. (zhel′ā). ジェレー試験（振動させた音叉を乳様突起に当てると音が聞こえる．外耳道にゴム管と手球を挿入して外耳道の空気が圧迫されると，卵円窓のあぶみ骨が固定する．もし音の認知が変わらなければ，難聴は伝音であると考えられる．耳小骨運動試験）．

Gerhardt t. for acetoacetic acid (ger-hahrt′). ゲールハルトアセト酢酸試験（新鮮尿に三塩化鉄を加えると赤色を生じる．尿があらかじめ煮沸されているときは，色は生じない．特異性や感度は低い試験）．＝Gerhardt reaction.

Gerhardt t. for urobilin in the urine (ger-hahrt′). ゲールハルト尿ウロビリン試験（クロロホルムでウロビリンを抽出し，ヨウ素と水酸化カリウムを加えると，蛍光緑色を生じる）．

germ tube t. 胞子管〔形成〕試験（鵞口瘡カンジダ *Candida albicans* の同定試験．血清中で3時間培養すると *Candida* 接種材料は管状の付属物を形成する）．

glass t. 硝子圧試験（紅色または紫色の皮膚病変の性状を決める試験．平らなガラスを病変に押し当てて色調を消退させる）．

glucose oxidase paper strip t. ブドウ糖酸化酵素紙片試験（尿中ブドウ糖定性試験．ブドウ糖をブドウ糖酸化酵素で酸化し，グルコン酸に変える．アスコルビン酸が存在しない限り特異的な試験である）．

glucose tolerance t. (GTT) ブドウ糖負荷試験，耐糖能試験（糖尿病やインスリノーマでまれにみられる低血糖を診断するための試験．正常では空腹時にブドウ糖 75 g を経口摂取すると，血糖が即座に上昇し，次いで，2時間以内に正常に戻るが，糖尿病患者では，血糖増加がより大きく，正常への復帰が異常に遅延する．低血糖患者では低血糖が3，4，5時間目まで認められることがある）．

glycerol dehydration t. グリセロール〔脱水〕試験（グリセロールの経口摂取後，一部の Ménière 病患者で一時的に聴力が改善する．グリセロールの浸透圧利尿により生じる）．

Gmelin t. (guh-mā′lin). グメーリン試験（尿中または他の体液中における胆汁の試験．現在では用いられない．亜硝酸を少量含む硝酸を2—3 mL の被検物に慎重に加える．胆汁(ビリルビン)があれば，様々な程度に酸化され，その結果，(界面から外へ向かって)黄・赤・紫・青・緑色の円板状輪帯が生じる．このうち緑色と紫色の層の形成は，試験の確実性に必要である）．＝Rosenbach-Gmelin t.

Gofman t. (gōf′măn). ゴーフマン試験（コレステロール含有の種々の血清リポ蛋白の試験．アテローム病変や動脈硬化症の進行傾向の指標となる．血清を超遠心分離器にかけると，様々な大きさの分子が分画浮遊することに基づく）．

Goldscheider t. (gōldt′shī-dĕr). ゴルトシャイダー試験（温度覚の判定．種々の温度に熱した，先端のとがった金属棒を皮膚に当てる）．

gold sol t. 金ゾル試験．＝Lange t.

Goodenough draw-a-man t. (gŭd-en′ōf). グデナフ人物描画試験（人物の描画による小児および成人の個人の知的水準の評価のための簡便テスト．鉛筆と白紙を渡し，できるかぎり詳しく人物を描くように求める．描画の正確さと描かれた身体的要素の数で評価する．Goodenough draw-a-person t. ともいわれ，最新版は Goodenough-Harris 描画テスト Goodenough-Harris drawing t. とよばれる）．

goodness of fit t. 適合度検定（データがある特定の理論分布に従う集団からの無作為標本であるという仮説に対する統計的検定）．

Göthlin t. (gōrt′lin). ゲトリン試験（壊血病の有無を判定する毛細血管ぜい弱性試験）．

Graham-Cole t. (grā′ăm kōl). グレーアム－コール試験．＝cholecystography.

group t. 集団検査（心理学において，同時に複数の人に行うために考案された検査．例えば，学力試験，医科大学入学試験）．

guaiac t. グアヤック試験（氷酢酸．グアヤックゴム液または過酸化水素を用いる便潜血試験．現在は用いられない）．＝Almén t. for blood.

Günzberg t. (ginz′bĕrg). ギュンツベルク試験（フロログリシンとバニリンの混合液(Günzberg 試薬)を用いた塩酸検出法で，塩酸が存在すると鮮紅色を呈する）．

Guthrie t. (gŭth′rē). ガスリー試験（細菌抑制検査(BIA 法)による血清フェニルアラニンの直接測定法．フェニルケトン尿症の新生児の検出に広く用いている）．

Gutzeit t. (gūt′zīt). グートツァイト試験（現在では用いられないヒ素の試験．一片の亜鉛と少量の硫酸を被検液に加え，煮沸する．硝酸銀溶液に浸した沪紙を被検液上の蒸気にさらす．ヒ素があれば沪紙は黄変する）．

Ham t. (ham). ハム試験．＝acidified serum t.

Hardy-Rand-Ritter t. (har′dē rand rit′ĕr). ハーディ－ランド－リッター試験（混同色カードを用いる，色覚異常に対する検査）．

Harrington-Flocks t. (har′ing-tŏn floks). ハリングトン－フロックス試験（視野欠損に対する短時間スクリーニング．視標は瞬間的に呈示される．視標は紫外線の閃光で照明されたときのみ認められる）．

Harris t. (har′is). ハリス試験．＝Harris and Ray t.

Harris and Ray t. (ha′ris rā). ハリス－レイ試験（現在では用いられない尿中ビタミンCの試験．10%の酢酸中での，染料2,6–ジクロロインドフェノール0.05%水溶液の既知量に対する尿の微量滴定試験(通常，染料 0.05 mL を用いた場合，およそアスコルビン酸 0.025 mg に等しい)）．＝Harris t.

head-dropping t. 頭部落下試験（錐体外路系または線条体系の疾患(例えば，パーキンソン症候群，Wilson 病)の診断に用いる試験．患者を仰臥，弛緩させ，注意をそらさせておき，検査者が，患者の頭を，右手で勢いよく持ち上げ，それから頭が，その左手掌に落ちるようにする．正常者の頭は，物体のように急に落ちるが，線条体疾患の場合は，頭はゆっくり穏やかに，まるでためらうように落下する）．

heat coagulation t. 熱凝固試験（尿中蛋白の測定試験．アルブミンとグロブリンは，酸性の pH において加熱すると凝固する．それによる混濁の量から，蛋白尿の程度を定性推定する）．

heat instability t. 熱変性試験，熱〔不〕安定性試験（不安定ヘモグロビンの検出法．新鮮赤血球を蒸留水中で溶血させ，50°C に加温する．不安定ヘモグロビンが存在する場合は，1時間以内に沈殿物が生成される）．

heel-tap t. 踵叩打試験（→heel *tap*）．

heel-to-knee-to-toe t. 踵・膝・趾検査．＝heel-to-shin t.

heel-to-shin t. 踵脛検査（下肢の協調運動と位置覚の検査．被検者は片足の踵を他側の膝に置き，他側の脛に沿って，踵をすべらす）．＝heel-to-knee-to-toe t.

Heinz body t. (hīnz). ハインツ小体〔生体〕試験（グルコース6–リン酸デヒドロゲナーゼ欠損(G6PD)赤血球を調べる試験．血液に酸化剤(アセチルフェニルヒドラジン)を加え，37°C でインキュベートする．G6PD 欠損検体では，30%以上の赤血球に Heinz 小体がみられる）．

hemadsorption virus t. 血球吸着性ウイルス試験（赤血球がウイルス感染細胞に吸着することに基づいた試験で，赤血球凝集能を有するウイルスの検出方法として用いられる).

hemagglutination t. 血球凝集試験（ある種の抗原，抗体，ウイルスについて，それらの血球に対する凝集能を利用して測定する鋭敏な試験).

Hering t. (her′ing). ヘーリング試験（両眼視機能の試験．先端に糸があり，小さな球面が付いている像を装置を通して見る．両眼視機能を有する観察者は，糸の前または後に球面の位置を認識する．単眼視の場合は見分けられない).

Hershberg t. (hersh′bĕrg). ヘルシュベルグ試験（去勢雄ラットを試験物質で処置し，同化ステロイドを検査する試験).

Hines-Brown t. (hīnz brown). ハインズ-ブラウン試験．＝cold pressor t.

Hinton t. (hin′tŏn). ヒントン試験（以前広く用いられた梅毒沈降(綿状反応)試験．その〝抗原〟は，グリセロール，コレステロール，ウシの心臓エキスからなる).

Hirschberg t. (hĭrsh′bĕrg). ヒルシュベルク試験（眼前にペンライトを提示し角膜反射の位置を観察することによる両眼性の眼球運動アライメントの試験．眼球偏位がある場合の偏位量を推定できる)．＝Hirschberg method.

histamine t. ヒスタミン試験（胃液酸度の最大産出または無酸症の測定試験．抗ヒスタミン薬を予備投与後に，リン酸ヒスタミンを体重1 kg 当たり 0.04 mg の投与量で皮下注射し，胃内容物を分析する)．＝augmented histamine t.

histoplasmin-latex t. ヒストプラスミン-ラテックス試験（ヒストプラスマ症の診断のための受身凝集試験．*Histoplasma capsulatum* より抽出した抗原で感作したラテックス粒子を用いて，患者血清との凝集反応をみる検査).

Hollander t. (hol′ăn-dĕr). ホランダー試験（まれにしか用いられない試験．迷走神経が完全な患者ではインスリン投与による低血糖で胃酸分泌が刺激される).

Holmgren wool t. (holm′grĕn). ホルムグレン試験（色覚異常の検査．被験者は様々に着色された毛糸の束を組み合わせる).

homovanillic acid t. ホモバニリン酸検査（交感神経組織には，ノルエピネフリンの前駆物質としてドパミンが存在するという事実に基づくホモバニリン酸の検査．ノルエピネフリンにはホモバニリン酸を生じる代謝経路があるため，いくつかの腫瘍(例えば，神経芽細胞腫，神経節神経腫)は尿中ドパミンおよびホモバニリン酸を上昇させる原因となりうる)．＝HVA t.

Howard t. (how′ărd). ハワード(ホワード)試験（分別尿管カテーテル検査で，腎血管性高血圧の疑われる患者に対し，両側の尿管にカテーテルを挿入して尿量とナトリウム濃度を同時に測定することにより実施される．現在では用いられない).

Huhner t. (hū′nĕr). ヒューナー試験．＝postcoital t.

HVA t. ＝homovanillic acid t.

17-hydroxycorticosteroid t. 17-ヒドロキシコルチコステロイド試験（Porter-Silber 反応に基づく試験．副腎皮質機能の1つの指標として用い，尿で行われる．低値は Addison 病や下垂体機能低下症でみられ，高値は Cushing 症候群や過度のストレスでみられる)．＝17-OH-corticoids t.; Porter-Silber chromogens t.

hyperventilation t. 過換気試験（過呼吸によって呼吸性アルカローシスをつくり出す．ⓘ臨床的異常をつくり出す，例えばテタニー発作，ⓘⓘ心電図異常を起こす，ⓘⓘⓘ筋電図異常を起こす)．＝hyperventilation provocation t.

hyperventilation provocation t. 過換気誘発試験．＝hyperventilation t.

hypoxemia t. 低酸素試験．＝anoxemia t.

immune adhesion t. 免疫粘着試験．＝adhesion t.

immunologic pregnancy t. 免疫学的妊娠試験（血液中または尿中に増加したヒト絨毛性性腺刺激ホルモン(HCG)を免疫学的方法(ラテックス粒子凝集反応，赤血球凝集抑制，ラジオイムノアッセイ，ラジオレセプタアッセイ，酵素免疫法などの方法)で検出する検査法の一般名称).

impingement t. ***1*** インピンジメント試験（インピンジメント症候群の診断法の1つで，肩峰下腔に局所麻酔薬を注射する診断法．注射後誘発手技を行っても疼痛が軽快していれば，病変は肩峰下腔にあることが示される)．***2*** ＝impingement *sign*.

indirect t. 間接試験（→Prausnitz-Küstner *reaction*).

indirect Coombs t. (kūmz). 間接クームズ(クームス)試験（[誤った形 Coomb および Coomb′s を避けること]．血液交差試験や輸血反応を調べるもので，日常的に行われる試験．被検者または患者の血清を，供血者の赤血球の懸濁液とインキュベートする．特異抗体がある場合には，供血者の細胞中の抗原に抗体が付着する．食塩水で洗浄後，Coombs 抗ヒトグロブリンを加える．この時点での凝集反応は，被検血清中に存在する抗体が，完全に供血赤血球に付着したことを示す).

indirect fluorescent antibody t. →fluorescent antibody *technique*.

indirect hemagglutination t. ＝passive *hemagglutination*.

indole t. インドール検査（腸内細菌科や他のグラム陰性杆菌であることを同定する検査．トリプトファンからインドールを生成する生物の特性に基づく).

inkblot t. ＝Rorschach t.

insulin hypoglycemia t. インスリン低血糖試験（消化性潰瘍に対して行う迷走神経切断術が完全であるかどうか確かめるまれにしか行われない試験．手術後にインスリンを投与し，低血糖状態にする．迷走神経切断術が完全であれば，インスリン投与後の胃からの酸の分泌はインスリン投与前に比べ相当に減少する．分泌量に変化がない場合は，迷走神経切断術は不完全であろうと予想される．低血糖の合併症があるため，この試験はほとんど行われていない).

intelligence t. 知能検査(試験)（アチーブメントテストとは対照的に，個人の全般的知的能力や能力の水準を，十分に検討された項目を用いて，体系的な実施方法と採点法で評価するもの).

intradermal t. 皮内反応．＝skin t.

iodine t. ヨウ素試験（ヨウ素との反応に基づくデンプンを同定するのに用いられる試験).

Ishihara t. (ish-ē-hah′rah). 石原試験（色覚異常試験．数字または文字が点状に基本色相でプリントされ，その周囲が他の色相の点で囲まれている，一連の混同色テストプレートを用いる．点による図形は正常色覚者は認識しうる).

isopropanol precipitation t. イソプロパノール沈殿試験（ヘモグロビンの内部の結合が非極性溶媒で弱められるという原理を用いる試験．すなわちイソプロパノール中で不安定なヘモグロビンが他のヘモグロビンより先に沈殿する).

^{131}I uptake t. ヨウ素(^{131}I)摂取試験（甲状腺機能の試験．ヨウ素131を経口的に与え，24 時間後，甲状腺内に存在する量を測定し，正常値と比較する)．＝radioactive iodide uptake t.; RAI t.

Ivy bleeding time t. (ī′vē). アイヴィ出血時間試験（出血時間テストの1つで，上腕に血圧計を巻き，40 mmHg の圧をかけ，前腕の屈筋表面に 5 mm の深さの切開を加え出血の止まるまでの時間を計る).

Jacquemin t. (zhah-kuh-min[h]′). ジャクマン試験（フェノールの試験．被検液に同量のアニリンを加える．完全に混合した後，次亜塩素酸ナトリウム溶液を少量加える．フェノールがあれば液は青色になる).

Jaffe t. (yah′fē). ヤッフェ試験（①クレアチニンの定量試験．アルカリ溶液中でピクリン酸塩と反応することを利用したもの.→Jaffe *reaction*. ②インジカン尿の存在を調べる定性試験．尿に同量の塩酸を加えた後，さらにクロロホルムと塩化カルシウムを添加する．インジカンが存在すると，クロロホルムの小滴が青色または紫色に変化して底に沈む).

Janet t. (zhah-nā′). ジャネー検査（機能的または器質的感覚脱失の鑑別に用いる試験．患者(目は閉じている)は，検査者の指の接触を感じたか感じなかったかによって，〝はい〟，〝いいえ〟と答えるように指示される．機能的感覚脱失の場合は，感覚脱失部分に触れられても，〝いいえ〟と言うことがある．器質的感覚脱失の場合は，触れていることに気づかず，何も言わないことがある).

Jolles t. (yol′ez). ヨレス試験（胆汁の試験．腹水にクロロホルム，塩化バリウム，塩酸を加えてかくはんし，生じた沈降物を除去して，硫酸を 1，2 滴加えると，胆汁色素がある場合に，液の色調が変化する).

Jones t. (jōnz). ＝fluorescein instillation t.

Jones I t. (jōnz). ジョーンズⅠ法試験．＝primary dye t.

T

Jones II t. (jōnz). ジョーンズ II 法試験. ＝secondary dye t.

Katayama t. (kat′a-yă-mă). 片山試験（血液中に一酸化炭素ヘモグロビンが存在するかどうかを調べる定性比色試験）.

ketogenic corticoids t. [obsolete]. ケト原性コルチコイド試験. ＝17-ketogenic steroid *assay*.

Knoop hardness t. (knūp). クノープ(ヌープ)硬さ試験（→Knoop hardness *number*）.

Kober t. (kō′bĕr). コーバー試験（自然産生のエストロゲン検査. フェノールと硫酸の混合液中でエストロゲンを加熱したときに, ピンクを呈する(最大吸収 520 μm)ことに基づく）.

Kolmer t. (kōl′mĕr). コールマー試験（以前使われた Wassermann 試験の標準的定量法. 多数の変法(特に抗原に関して)がある）.

Korotkoff t. (kŏ-rot′kof). コロトコフ試験（動脈瘤直上(心臓側)の動脈を圧迫しつつ, 動脈瘤から末梢の動脈血圧を測定すること. 血圧がまずまずの高さでは, 側副血行路が保たれていると考えられる）.

Krimsky t. (krim′skē). クリムスキー試験（眼前にペンライトを提示しプリズムレンズで反射光を中心に合せることによる両眼眼球運動のアライメントの試験. これにより眼球偏位量を測定できる）.

Kurzrok-Ratner t. (kūrts′rok rat′ner). クルツローク－ラトナー試験（尿中エストロゲンを検出する検査. 酢酸エチレンで尿から抽出, 精製した後, Allen-Doisy 試験のように生物検定をする）.

Kveim t. (kvīm). クヴェーム(クベイム)試験（サルコイドーシスの検査のための皮内反応. サルコイドーシス患者の脾臓より得た Kveim 抗原を注射し, 3－6 週間後に皮膚生検を行い調べる. 陽性の場合, 典型的なサルコイド組織の結節がみられる）. ＝Kveim-Siltzbach t.; Nickerson-Kveim t.

Kveim-Siltzbach t. (kvīm siltz′bahk). クヴェーム(クベイム)－シュティルツバッハ試験. ＝Kveim t.

Lachman t. (lok′man). ラックマン試験（前十字靱帯欠損を調べる手技. 膝関節を 20—30 度屈曲位で脛骨を大腿骨に対して前方に移動させてみる. その移動感が軟性にとまる場合と 4 mm 以上移動する場合は陽性(病的)である）.

Lancaster red green t. (lan′kas′tĕr). ランカスター赤緑試験（後天性斜視, 複視の成人例において様々な注視野での眼球偏位を測定する試験法. 右眼に赤フィルタ, 左眼に緑フィルタを置き, 検者には反対の色の明りを投影し, 赤または緑色光を患者にアライメントさせることにより検査を行う）.

Landsteiner-Donath t. (lahnd′stī-nĕr dō′naht). ラントシュタイナー－ドーナト試験（→Donath-Landsteiner *phenomenon*）.

Lange t. (lahng′ĕ). ランゲ試験（髄液中の変性蛋白を調べる非特異的な試験で現在では用いられない. Lange が 1912 年に初めて使用したときは神経梅毒に特異的な試験であると考えられていたが, これは誤りであることが立証された. 生理食塩水で髄液を希釈し, これに金コロイド溶液を加える. 変性蛋白がある場合には変色をし, 沈殿物が形成される）. ＝gold sol t.; Zsigmondy t.

Lasègue t. (lah-seg′). ラゼーグ(ラセーグ)テスト. ＝straight-leg raising t.

latex agglutination t. ラテックス凝集試験（表面に抗原を吸着させたラテックス粒子を用いた受身凝集試験. 吸着抗原に対する特異抗体が存在する場合は凝集塊を形成する）. ＝latex fixation t.

latex fixation t. ラテックス吸着テスト. ＝latex agglutination t.

LE cell t. LE 細胞試験（全身性紅斑性狼瘡患者の血液や骨髄液の *in vitro* での培養によって, または患者血清を正常白血球に作用させることによって, 特徴的な LE細胞の形成が起こる）. ＝lupus erythematosus cell t.

Legal t. (la-gal′). レガール試験（アセトン試験. 尿に数滴の水酸化カリウム溶液を加えアルカリ性にしておき, これに新たに調製したニトロプルシドナトリウム 10%溶液を 2, 3 滴加えると, 赤色, 次いで黄色を呈する. さらに数滴の酢酸を試験管に滴下すると, 両液の接面部にカルミンが紫色の環を形成する）.

leishmanin t. (lēsh′man-in) [leishmania + *-in*, component, derivative]. リーシュマニア試験（皮膚リーシュマニア症に対する遅延型過敏性試験. リーシュマニアをフェノール中に懸濁した液を皮内注射した部位に, 2－3 日後に肉芽腫性の浸潤が 5 mm 以上のとき陽性である）. ＝Montenegro t.

lepromin t. レプロミン試験（Fernandez 反応や光田反応のようなレプロミン反応に基づき, Dharmendra 抗原や光田抗原のようなレプロミンの皮内注射を用いた, らいの病期を分類する検査. 結核様らいでは注射部位に陽性遅延反応がみられることにより, 悪性のらい菌 *Mycobacterium leprae* 感染であるにもかかわらず, 反応の起こらない(すなわち陰性)らい腫らいとは区別される. 正常非感染者でも反応することがあるので, 診断的価値はあまりない）.

leukocyte adherence assay t. 白血球付着能試験（白血球の細菌に対する付着能力の検定法. 付着能の測定にはナイロン線維を用い, *in vitro* で行う）.

leukocyte bactericidal assay t. 白血球殺菌能試験（白血球が生きた培養細菌を殺す能力を測定する試験）.

Liebermann-Burchard t. リーベルマン－ブルヒャルト試験. ＝Liebermann-Burchard *reaction*.

limulus lysate t. リムルス(カブトガニ)細胞分解産物試験（グラム陰性菌による細菌性髄膜炎の迅速確認法. グラム陰性菌のエンドトキシンはカブトガニ *Limulus polyphemus* の細胞溶解物のゲル形成を促す）.

line t. 線条試験（くる病試験. 標準検査条件下で, ビタミンD剤を与えられたくる病ラットの長骨の成長末端の石灰化線条を観察することに基づく. 米国薬局方(U.S.P.)によるビタミンDの生理学的定量分析に用いる）.

lipase t. リパーゼ試験（血中や尿中のリパーゼ測定に基づく診断試験. 膵疾患の指標となる）.

log-rank t. ログランク検定（生存時間に関する 2 群以上のデータを比較するための方法. データは, 死亡した患者の生存時間とまだ生存している患者の現在の年齢からなる）.

Lombard voice-reflex t. (lom′bard). ロンバード音声反射試験（マスキング音が増加または減少したときに, 患者の音声の強度の変動を観察する. 機能的聴力損失の判定に有効な試験）.

Lücke t. (lik′ē). リュッケ試験（馬尿酸試験. 尿に熱硝酸を加え, 乾燥するまで蒸発させる. さらに加熱したとき, ニトロベンゾールのにおいがあれば馬尿酸が存在する）.

lupus band t. (**LBT**) ループスバンド試験（エリテマトーデス患者の皮膚の表皮真皮接合部に帯状にみられるある免疫グロブリンを, 直接蛍光抗体法で明示する方法）.

lupus erythematosus cell t. 紅斑性狼瘡細胞試験. ＝LE cell t.

Machado-Guerreiro t. (mah-chah′dō ger-rā′rō). マチャド－ゲレーロ試験（*Trypanosoma cruzi* 感染の補体結合試験）.

Maclagan t. (mă-klag′ăn). マクラガン試験. ＝thymol turbidity t.

Maclagan thymol turbidity t. (mă-klag′ăn). マクラガンのチモール混濁試験. ＝thymol turbidity t.

macrophage migration inhibition t. マクロファージ遊走阻止試験. ＝migration inhibitory factor t.

Mantel-Haenszel t. (mahn′tel hāntz′el). マンテル－ヘンツェル検定（Mantel および Haenzel によって開発された層別データに対する要約カイ二乗検定）.

Mantoux t. (mahn-tū′). マントー試験（→tuberculin t.）.

Marshall t. (mar′shăl). マーシャル試験（腹圧性尿失禁の有無の確認のために, いきみあるいは咳をさせながら膀胱頸部を用指的に(通常腟から挿入)挙上させて, 失禁が軽減するかどうかをみる）. ＝Bonney t.; Marshall-Marchetti t.

Marshall-Marchetti t. (mar′shăl mahr-chet′ē). ＝Marshall t.

Master t. (mas′tĕr). マスター試験（虚血性心疾患を識別するための以前より用いられている運動負荷で, 22cm(9 インチ)の高さの 2 段の階段を両側に設け頂上部を平らにし, その昇降回数は患者の年齢と体重に関連して選択する. →two-step exercise t.）. ＝Master two-step exercise t.

Master two-step exercise t. (mas′tĕr). マスター二段階運動試験. ＝Master t.

Mazzotti t. (mă-zawt′ē). マゾッティ試験（オンコセルカ

症の検査．50 mg あるいは 100 mg のジエチルカルバマジンを経口投与すると，2—24 時間後に，皮内でのミクロフィラリアの死滅による急性の発赤が出現するのを利用したもの）．＝Mazzotti reaction.

McMurray t. (măk-mŭr′ē). マクマリー試験（半月板の損傷の有無を調べる検査法で，大腿骨に対し脛骨を回転させ調べる）．

McNemar t. (mak′ne-mahr). マクネマー検定（カイ二乗検定の１つの形で，マッチドペアデータに対し用いられる）．

McPhail t. (mĭk-fāl′). マクファイル（マクフェイル）試験（現在では用いられないプロゲステロンおよび類似物質の試験．未成熟雌ウサギに６日間にわたり，エストロゲン 150 国際単位を投与する．検査物質を５日間，毎日皮下投与し，子宮内膜の月経前期増殖をみる．その程度は，０から＋＋＋＋の尺度で測定する．その単位は，平均（＋＋）反応を生じるのに必要な量として測定され，プロゲステロン 0.25 mg に相当する）．

Meinicke t. (mī′nĭ-kĕ). マイニッケ試験（梅毒診断への適用が初めて成功した免疫沈降法（1917—1918）．現在は用いられない）．

Meltzer-Lyon t. (melt′zĕr lī′on). メルツァー－ライオン（リヨン）試験（胆嚢の状態の診断に用いる試験．硫酸マグネシウム 25％水溶液 25 mL を十二指腸管を通じ，胆膵管膨大部括約筋部に送り込む．これにより，胆嚢の収縮，括約筋弛緩，総胆管および胆嚢からの胆汁放出が生じる．総胆管からの胆汁は比較的淡色で，初めに放出され，次いで胆嚢より放出される．検体中の膿球，色素顆粒，上皮細胞，コレステロールなどを調べる）．

metabisulfite t. 異性重亜硫酸試験，メタバイスルファイト試験，鎌状赤血球形成試験（鎌状赤血球ヘモグロビン（Hb S）の検出試験．異性重亜硫酸ナトリウムを血液に加えると，Hb S を含む赤血球の脱酸素化は増強され，スライド上で赤血球の鎌状化がみられるようになる．ある種の他の異常ヘモグロビン（Hb C_{Harlem} と Hb I）でも，この試験により鎌状化がみられる）．

methacholine challenge t. メタ（サ）コリン吸入試験（気道過敏性の可能性ある患者に強力な気管支収縮剤の methacholine を濃度を上げながら吸入させる試験．臨床的に判然としないぜん息あるいは気管支収縮性肺疾患の診断に用いられる）．

3-methoxy-4-hydroxymandelic acid t. 3－メトキシ－4－ヒドロキシマンデル酸試験．＝vanillylmandelic acid t.

metrotrophic t. 向子宮性試験（現在では用いられないエストロゲン物質検定試験．未成熟雌ラットに 25—49 g のエストロゲンホルモンを皮下注射して６時間後に殺し，次いで子宮の重量増加（主として水吸収に依存する）を，エストロゲン活性の基準として測定する）．＝Astwood t.

MHA-TP t. ＝microhemagglutination-*Treponema pallidum* t.

microhemagglutination-*Treponema pallidum* t. 微量梅毒トレポネーマ赤血球凝集試験，微量TPHA試験（微量で行う梅毒トレポネーマ感作赤血球凝集試験の変法）．＝MHA-TP t.

microprecipitation t. 微量沈降試験（少量の試薬を使用した沈降試験）．

migration inhibition t. 遊走阻止試験．＝migration inhibitory factor t.

migration inhibitory factor t. 遊走阻止因子試験（遊走阻止因子 25kD リンホカインの存在を測定する試験．通常，腹膜マクロファージを免疫学的負荷に反応した活性化Ｔ細胞の上澄みの存在あるいは不在下で毛細管に置く．もし遊走阻止因子（MIF）が存在するならば，単球/マクロファージの移動が減少する）．＝macrophage migration inhibition t.; migration inhibition t.

milk-ring t. (**MR**) ミルク輪試験（ウシのブルセラ症に感染した個体の存在する群を検出するために，通常，群全体にわたる多くのウシの乳を混ぜて行う特殊な形の凝集反応試験）．

Millon Clinical Multiaxial Inventory t. (mē-on[h]′). ミロン（ミヨン）臨床多軸質問紙検査（175 の自己記述文から導き出される 20 の臨床スケールからなる自記式検査で，精神病理と持続的な人格の様式を評価する目的で 1977 年に開発された．特に，精神保健の専門家によって用いられる『精神疾患の分類と診断の手引き Diagnostic and Statistical Manual of Mental Disorders』に取りあげられているいくつかの人格の障害に対応するようにつくられている）．＝Millon Clinical Multiaxial Inventory.

Millon-Nasse t. (mē-on[h]′ nah′sĕ). ミロン（ミヨン）－ナス試験（蛋白試験，蛋白のチロシンを水銀イオンで短時間処理すると，硝酸と反応して呈色する）．

Minnesota Multiphasic Personality Inventory t. (**MMPI**) ミネソタ多面人格目録試験（16 歳以上の年齢を対象とする質問形式の心理検査．４つの妥当性尺度と 10 の人格尺度にコードされた 550 項目の，はい・いいえ回答式設問からなる．個別と集団の両方式が施行される）．＝Minnesota Multiphasic Personality Inventory.

mixed agglutination t. 混合凝集試験（→mixed agglutination *reaction*）．

mixed lymphocyte culture t. リンパ球混合培養試験（供給体のリンパ球と受容体のリンパ球とを培養液中で混合して行う HLA-D 抗原の組織適合性試験．不適合度は，変形および有糸分裂した細胞の数，または放射性同位元素標識チミジン摂取量で測る）．＝MLC t.

MLC t. ＝mixed lymphocyte culture t.

Molisch t. (mō′lish). モーリシュ試験（糖の呈色試験．濃硫酸中で，α－ナフトールまたはチモールと縮合し，糖をフルフラル誘導体に転化する）．

Moloney t. (mŏ-lō′nē). モロニー試験（ジフテリアトキソイドへの感受性の度合いをみる検査．皮内投与した（1/20）希釈トキソイドに対する反応が最小局所反応により大きいときは，適当な間隔で予防的トキソイドを分割接種する必要がある）．

Montenegro t. モンテネグロ試験．＝leishmanin t.

Mörner t. (mōr′nĕr). メルナー試験（①システイン試験：ニトロプルシドナトリウムを加えると明るい紫色を呈する．②チロシン試験：ホルムアルデヒドを含んだ硫酸を加え，煮沸すると緑色を呈する）．

T

Moschcowitz t. (mosh′kō-witz). モスコウィッツ試験（下肢を駆血帯または Esmarch 包帯で５分間動脈循環を遮断して貧血状態にする．圧迫をはずすと，色調が戻り，通常は数秒で足の先にまで届く．しかし動脈閉塞があると，色の戻りが遅くなる）．

Mosenthal t. (mō′sĕn-thahl). モーゼンタール試験（コントロール食を摂取し，２時間ごとに尿比重を測定することによって腎臓の濃縮力を評価するテストで，あまり使われていない）．

motility t. 細菌運動検査（軟寒天培地での顕微鏡による観察や増殖度に基づく検査．微生物の運動性を決定するのに用いられる）．

Motulsky dye reduction t. (mō-tŭl′skē). モツルスキー色素還元試験（ブリリアントクレシルブルーとグルコース 6－リン酸と NADP の混合液を用いた，血液中のグルコース 6－リン酸デヒドロゲナーゼの欠損を調べる試験）．

mucin clot t. ムチン凝塊試験（滑液（関節液）のヒアルロン酸の重合を反映する試験．滑液を数滴酢酸中に加えることにより，凝集塊が形成される．細菌性関節炎，痛風性関節炎，関節リウマチなど種々の炎症状態では，凝塊形成は不良である）．＝Ropes t.

Mulder t. (mŭl′der). →xanthoprotein *reaction*.

multiple puncture tuberculin t. 多刺ツベルクリン試験（尖叉試験の一種．→tuberculin t.）．

multiple sleep latency t. 多数睡眠潜時検査（眠りにおちいるまでの時間．多数の短い睡眠の機会の間，睡眠ポリグラフ計を施行して検査する）．

mumps sensitivity t. 流行性耳下腺炎感受性試験（流行性耳下腺炎感作を調べる皮膚試験．不活性化耳下腺炎ウイルスを抗原として用いる）．

Nagel t. (nah′gĕl). ナーゲル試験（被検者は黄色に対応するのに必要な赤色と緑色の相対量を決めることによる色覚検査．Nagel のアノマロスコープとよばれる装置が使用される）．

NBT t. nitroblue tetrazolium t. の略．

neutralization t. 中和試験．＝protection t.

niacin t. ナイアシン試験，ナイアシンテスト（ミコバクテリウムのナイアシン産生能を調べる試験．結核菌 *Mycobacterium tuberculosis* と他の菌株の区別に用いる）．

Nickerson-Kveim t. (nik′ĕr-sŏn kvīm). ニッケルソン－クヴェーム(クベイム)試験．＝Kveim t.

nitroblue tetrazolium t., NBT t. ニトロブルーテトラゾリウム試験，NBT試験（酸素依存性の白血球の殺菌能を測ることにより，多形核白血球の貪食能を調べる検査）．

nitroprusside t. ニトロプルシド試験（シスチン尿症に対する定性試験．尿にシアン化ナトリウムを加え，さらにニトロプルシドを添加すると，もしシスチンが存在するならばシアン化物がシスチンを還元してシステインにすることにより赤紫色を呈する）．

nonstress t. ノンストレス試験（胎動に対する胎児心拍の反応性を評価することにより，胎児が良好な状態かどうかを評価するテスト．ノンストレステストにおいて反応性があるということは，胎動に反応して胎児心拍が増加する場合である）．

nystagmus t. 眼振試験．＝Bárány caloric t.

Ober t. (ō′bĕr). オーベル試験（腸脛靱帯の緊張度，短縮，または炎症の存在を評価するテスト．健側下の側臥位で膝90°屈曲にして股関節の内転が可能な状態で他動的に患側股関節を外転していく．股関節の外転角度または腸脛靱帯に沿っての痛みにより炎症と拘縮の部位を明らかにすることができる）．

Obermayer t. (ō′bĕr-mā-ĕr). オーベルマイアー試験（インジカン試験．尿中の固形物を，20%酢酸水溶液で沈殿，沪過し，少量の塩化鉄液を含む発煙塩酸を沪液に加える．さらにクロロホルムを加えると，インジカンがあればインジゴが形成され，青変する）．

17-OH-corticoids t. 17-水酸化コルチコイド試験．＝17-hydroxycorticosteroid t.

oral lactose tolerance t. 経口乳糖負荷試験（乳糖分解酵素欠損症の検査．経口的に乳糖を負荷し，(経口)ブドウ糖負荷試験のときのように，血漿中のブドウ糖濃度の変化を測定する）．

orcinol t. オルシノール試験．＝Bial t.

Ortolani t. (ōr′tō-lahn′ē). ＝Ortolani *maneuver*.

Ouchterlony t. (ok′tĕr-lō-nē). オークターロニー(オクタロニー)試験（二次元二重ゲル拡散沈降試験．→gel diffusion precipitin t.'s in two dimensions)．＝Ouchterlony method.

oxidase t. オキシダーゼ試験（細胞内シトクロムオキシダーゼの存在を調べる試験．p-フェニレンジアミンとの反応に基づく．*Neisseria*属やシュードモナスの同定の助けになる）．

oxytocin challenge t. オキシトシン負荷試験（オキシトシン希釈液を静注して子宮収縮を誘発(正常と類似の陣痛を誘発)し，陣痛負荷による心拍数変動で胎児の well-being を診断する）．＝contraction stress t.

Pachon t. (pah-shōn[h]′). パション試験（動脈瘤の症例で，血圧測定によって側副血行を決定する）．

Palmer acid t. for peptic ulcer (pahl′mĕr). パルマー消化性潰瘍酸試験（十二指腸潰瘍では，十二指腸管から酸を投与すると激痛が生じる）．

palmin t., palmitin t. パルミン試験，パルミチン試験（膵臓効率の試験．胃内に脂肪がある場合は，幽門が開き膵液を分泌する．膵液はパルミンを分離するので，パルミンを含んだ食事の摂取後に胃内容物を試験すると，脂肪酸の存在がわかる）．

pancreozymin-secretin t. パンクレオチミン－セクレチン試験（→secretin t.)．

Pandy t. (pan′dē). パンディ試験．＝Pandy *reaction*.

Pap t. パップ(パプ)試験（粘膜表面より剝脱あるいは掻爬した細胞を Papanicolaou 染色し，顕微鏡で調べる検査．特に子宮頸部癌の検出に用いる）．＝Papanicolaou smear t.

Papanicolaou smear t. (pa-pă-ni′kō-low). パパニコラウ塗抹試験．＝Pap t.

parallax t. 視差試験（プリズムを用いて斜視角を中和させるとともに交代遮へい試験による斜視角の測定）．

parametric t. パラメトリックな検定（例えばデータは正規分布するなど，データの分布に関し仮定を設け，この分野を記述するパラメータに関して行う検定）．

passive cutaneous anaphylaxis t. 受動皮下アナフィラキシー試験（動物に抗体(通常 IgE)を筋注し，その24—48時間後に抗原とエバンスブルーを静注する．暗青色を示した領域が抗原抗体反応部位で，反応による色素の漏出を示す）．

patch t. 貼付試験，パッチ試験（皮膚過敏性試験．非刺激性の希釈試験液でぬらした小さな紙やテープまたはカップを上背部や上腕外側に当て，48時間後に健常部と比較する．貼付物質が接触アレルギーの原因であれば，小水疱を伴う紅斑反応が惹起される．→photo-patch t.)．

Patrick t. (pat′rik). パトリック試験（仙腸骨部の病変の有無を決める試験．仰臥した患者の股関節と膝関節を屈曲させ，足関節外果を他方の膝蓋骨の上にのせる．通常，この操作で痛みはないが，仙腸骨部に病変がある場合，膝を押すことにより疼痛が生じる．→FABERE t.)．

Paul t. (pawl). パウル試験．＝Paul *reaction*.

Paul-Bunnell t. (pawl bŭ-nĕl′). パウル－バンネル試験（伝染性単核症でみられる異好性抗体を検出する試験．→Forssman *antigen*)．

PBI t. ＝protein-bound iodine t.

pentagastrin t. ペンタガストリン試験（ヒスタミンの代用物を用い，胃酸の分泌を刺激して行う胃分析）．

performance t. 動作検査，作業検査（Wechsler 成人知能検査の11の下位テストのうちの5つのように，検査者の言語的指示をほとんど必要とせず，被検者の口頭回答も事実上必要としない試験）．

Perls t. (pĕrlz). ペルルス試験（Perlsのプルシアンブルー染色 Perls Prussian blue *stain* を用いる血鉄素試験）．

personality t. 人格検査（情動状態，精神障害などの人格特性を検査するように考案された心理検査．*cf.* intelligence t.)．

Perthes t. (pĕr′tĕz). ペルテス試験（深部大腿静脈が開通しているかどうかを調べる試験．立位で患者の膝の上に駆血帯を巻き歩かせる．もし深部静脈が開存していれば表在性の静脈瘤は不変で，もし深部静脈が閉塞していれば下肢が痛くなってくる）．

phentolamine t. フェントールアミン試験（褐色細胞腫試験．この疾病による高血圧であればフェントールアミン(5 mg)の静脈注射による投与で血圧が降下するが，本態性高血圧のように他の原因によるものであれば血圧は上昇する）．

photo-patch t. 光貼付試験（接触性光感作性試験．疑われる感作物質を2か所貼付して48時間後，もし反応がなければ紅斑量より少ない量の太陽光線，または紫外線を照射する．もし陽性であれば照射していない貼付部位より照射した貼付部位で小水疱を伴う激しい反応となる）．

photostress t. 光ストレス試験（目を強い光に暴露する前後での視力測定）．

phrenic pressure t. 横隔膜神経圧迫試験（前斜角筋上を神経が通っている鎖骨の上から両側の横隔膜神経を圧迫した際，痛みを感じて患者が頭部をその方向に傾ければ病巣は胸腔内にあり，一方に傾かなければ腹腔内にあることを示す）．

Pirquet t. (pir-kā′). ピルケー試験（皮下ツベルクリン試験．→tuberculin t.)．＝dermotuberculin reaction; Pirquet reaction.

pivot shift t. ピボットシフト試験（膝前十字靱帯断裂の検査法．膝を十分伸展位近くに伸展したときに，大腿遠位に対し脛骨外顆が急に亜脱臼すると陽性である）．

P-K t. P-K 試験．＝Prausnitz-Küstner *reaction*.

plasmacrit t. プラスマクリット試験（梅毒診断の補助として用いる血清学的スクリーニング法．ヘパリン血数滴(指を少し刺して得る)を特殊な毛細管に採り，この毛細管を遠心分離して血漿を集め，それに抗原 0.01 mL(非加熱血漿または血清により生じることがある偽陰性反応を防ぐために，抗抑制剤の塩化コリンであらかじめ処理したカルジオリピン)を混ぜる．抗原－血漿混合液を4分間，機械的にかくはん後，凝結の有無を調べる．陽性成績を確定診断と考えるべきではないが，陰性であれば梅毒の疑いはない）．

platelet aggregation t. 血小板凝集能検査（血小板同士が付着し合い，それに続いて出血を防ぐ止血血栓を形成する能力を調べる検査．凝集不良は，血小板無力症，von Willebrand 病，およびアスピリンやフェニルブタゾンやインドメタシンの投与後などの種々の状態でみられる．ADP やエピネフリンやセロトニンなどの血小板凝集惹起試薬を，1種あ

るいは数種別々に *in vitro* で，多血小板血漿に添加した際に起こる濁度の減少を定量することを原理として行われる）．

polyuria t. 多尿試験．＝Albarran t.

Porges-Meier t. (pōr′gez mī′ĕr). ポルゲス－マイアー試験（初期の梅毒綿状反応試験．抗原として，アセトン不溶性・アルコール可溶性組織分画およびレシチンを導入したことで重要）．

Porter-Silber chromogens t. (pōr′tĕr sil′bĕr). ポーター－シルバー色素原試験．＝17-hydroxycorticosteroid t.

postcoital t. 性交後〔精子疎通性〕検査（排卵期の頸管粘液の精子疎通性検査）．＝Huhner t.

precipitation t. 沈降反応．＝precipitin t.

precipitin t. 沈降反応（電解質の存在下で，溶解状態の抗原が加えた特異抗体と結合し沈降する試験管内反応．→gel diffusion precipitin t.'s; ring precipitin t.）．＝precipitation t.

primary dye t. 色素試験第Ⅰ法（フルオレセイン点眼後スワブを用いて下鼻甲介下へのフルオレセイン色素の出現を検査することによる涙道排出路の検査）．＝Jones I t.

prism cover t. プリズムカバー試験（プリズムを用いて眼球偏位量を矯正する方法と交代カバーテストを組み合わせて斜視角を測定する検査）．

prism vergence t. プリズム融像試験（複視が生じるまでプリズム度を増していき，その方向の融像振幅を測定するもの）．

progesterone challenge t. プロゲステロン負荷試験（無月経患者で内膜へのエストロゲン効果を評価するために行う黄体ホルモン製剤の投与）．

projective t. 投影法，投射検査〔法〕（自由度が高く構成された心理検査．あいまいな刺激を多く含み，それらに対する反応により被検者自身の感情，人格，精神病理が明らかになる．例えば，Rorschach テスト，主題統覚検査など）．

protection t.〔感染〕防御試験，中和試験（患者血清と被検ウイルス，あるいはその他の微生物の混合液を感受性のある動物に接種，または細胞培養によりその微生物の同定あるいは被検血清の抗微生物活性を測定する試験）．＝neutralization t.

protein-bound iodine t. 蛋白結合ヨード試験（以前用いられた甲状腺機能検査法．血清蛋白結合ヨウ素を測定し，末梢血液中の蛋白結合ホルモン量を測定する）．＝PBI t.

prothrombin t. プロトロンビン試験（トロンボプラスチンと塩化カルシウム存在下での血漿の凝固時間による血中プロトロンビン定量試験．血液凝固の外因系路と共通系路に異常がないか調べる．→prothrombin *time*）．＝Quick method; Quick t.

prothrombin and proconvertin t. プロトロンビン－プロコンバーチン試験（ビスヒドロキシクマリンとインダンジオン製剤による抗凝固治療をコントロールするための試験で，以前用いられた）．

provocative t. 誘発試験（ある異常を疑っている場合に，その異常を起こすことがわかっている条件を設定して，わざと誘発する方法）．

provocative Wassermann t. (vahs′ĕr-mahn). 誘発ヴァッセルマン（ワッセルマン）試験（歴史的意味をもつのみで現在は用いられない試験．アルスフェナミンまたはネオアルスフェナミン投与後，１－２日から１－２週間後に Wassermann 試験を行うと，投与以前に反応が陰性だったものが陽性になりうる）．

psychological t.'s 心理検査（個人の成熟度，知能，神経心理学的機能，技術，人格，個性，職業特性，能力などの測定用に考案された検査．→scale）．

psychomotor t.'s 精神運動検査（別の心理過程（例えば，感覚，知覚）に基盤を置くが，図案の模写，積木，制御操作などの運動反応を必要とする心理検査）．

pulmonary function t. (**PFT**) 肺機能検査（呼吸器系機能評価の検査で，換気，気流抵抗，肺活量，肺容量，拡散能，ピークフロー，肺プレチスモグラフなどが含まれる）．

pulp t. 歯髄試験．＝vitality t.

Q tip t. 尿道の可動性のテスト．

quadruple t. クワトロテスト（Down 症候群のリスク算出法．母体年齢および妊娠 14 週から 22 週の間に採取した４種の母体血清マーカである血清α－フェトプロテイン，非結合エストリオール，ヒト絨毛性ゴナドトロピン（総値または遊離β鎖），インヒビンＡを用いる）．

Queckenstedt-Stookey t. (kwek′ĕn-shted stūk′ē). クヴェッケンステット－スツーキー試験（健康人では頸静脈を圧迫することにより，腰部で測定した脳脊髄液圧が 10－12 秒以内に上昇し，圧迫を解除すると急激に正常圧まで低下するが，クモ膜下の閉塞があると静脈圧迫による脳脊髄圧の上昇がまったく，またはほとんどみられない）．

quellung t. 膨化試験．＝Neufeld capsular *swelling*.

Quick t. (kwik). クウィック試験．＝prothrombin t.

quinine carbacrylic resin t. キニーネカルバクリルレジン試験（胃無酸症の試験．→azuresin）．

Quinlan t. (kwin′lăn). クウィンラン試験（胆汁試験．胆汁の薄い層を分光器で見ると，吸収線が紫の所に現れる）．

radioactive iodide uptake t. 放射性ヨード取込み試験．＝^{131}I uptake t.

radioallergosorbent t. (**RAST**) ラスト〔法〕（過敏症の原因となる特異的 IgE 抗体を検出するためのラジオイムノアッセイ．アレルゲンを固相に結合させ，患者血清を反応させる．血清中にアレルゲンに対する抗体があれば，アレルゲンとの複合物を形成する．放射性ラベルされた抗ヒト IgE 抗体がアレルゲンと結合した IgE と反応する．放射能量は血清 IgE 量に比例する）．

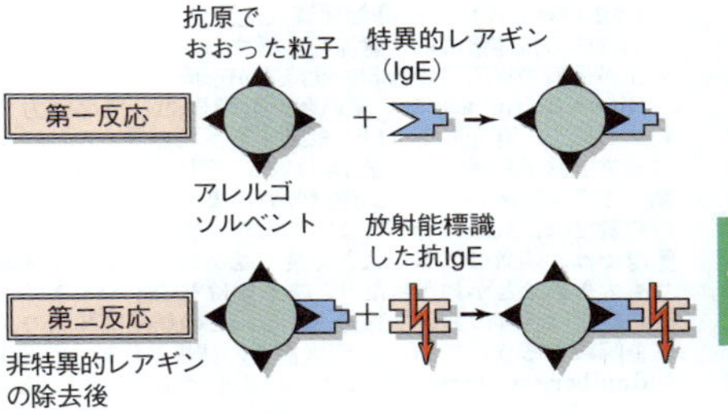

radioallergosorbent test

radioimmunosorbent t. (**RIST**) 放射性免疫測定法（試験管内で，ある抗原に対する特異的な IgE を測定するための競合試験．抗 IgE で被覆された粒子表面に対する結合について，放射性標識した既知量の IgE と，未標識の患者 IgE とが競合する．標準 IgE との比較により，患者血清中に存在する IgE による標識 IgE の結合減少が証明され，すなわち，患者の血清総 IgE 量が決定される）．

RAI t. 放射性ヨード試験．＝^{131}I uptake t.

rapid plasma reagin t. 急速血漿レアギン試験（一連の梅毒血清試験．非加熱血清または血漿を活性炭粒子を含む標準試験抗原と反応させると，陽性ならばフロキュレーションが生じる．RPR（円）カード試験とよばれる一変法はスクリーニングテストとして広く用いられる）．＝RPR t.

Rapoport t. (rap′ŏ-pōrt). ラポポート試験（腎血管性高血圧が疑われる場合の評価に用いる分別尿管カテーテル検査．両側尿管カテーテルにより各々の腎から尿検体を採取し，各腎の尿中のナトリウムとクレアチニンの濃度を測定することにより，尿細管排泄率を算出する）．

Rayleigh t. (rā′lē). レーリー試験．＝Rayleigh *equation*.

red cell adherence t. 赤血球粘着試験．＝adhesion t.

Reinsch t. (rīnsh). ラインシュ試験（ヒ素の試験．帯状の銅を被検査液中に入れ，塩酸で酸化し煮沸する．ヒ素があれば銅に灰色の沈着物が生じる．この沈着物は加熱により昇華し，銅の上につるしたガラス片上に，結晶層として付着する）．

Reiter t. (rī′tĕr). ライター試験（梅毒補体結合試験．梅毒トレポネーマ *Treponema pallidum* の Reiter 菌株から採った物質を抗原にする．医学的検査としては蛍光標識抗トレポネーマ抗体吸収試験（→fluorescent treponemal antibody-absorption t.）が，本検査に大きく取って代わった）．

relocation t. リロケーション試験（肩関節前方不安定性を調べるテスト．背臥位でベッドの縁をてこの支点として上腕を外転・外旋する．前方不安定性のある患者ではこの操作で不安感を感じる．上腕に後方に向けた力を加える(すなわち上腕骨頭を元の位置に戻す)と不安感は消失する)．

resorcinol t. レソルシノール試験（フルクトース尿症の検査．フクルトース(果糖)が存在する場合，酸性レソルシノール処理した新鮮尿中に赤色沈殿物が生じる．この沈殿物はエタノール中では赤色溶液になる)．＝Selivanoff t.

Reuss t. (rois)．ロイス試験（アトロピン試験．アトロピンを含む液に酸化剤と硫酸を加えると，オレンジの花やバラの香りが生じる)．

Rh blocking t. Rh 遮断試験（非凝集性 Rh 抗体試験．Rh 凝集反応試験を初めに行い，Rh 凝集素試験結果が陰性の場合，中力価の Rh_0 凝集血清 1 滴を Rh 陽性被検細胞を含む患者の血清に混ぜる．1 — 2 時間，37°C に保ち凝集反応が生じなければ Rh_0 遮断抗体が患者の血清中に存在すると予想される)．

Rickles t. (rik′ĕlz)．リックルズ試験（[誤った形 Rickle および Rickle's を避けること]．ショ糖中で唾液を培養し，pH の変化をみて，う食活動性を予想する比色計の試験)．

Rimini t. (ri-mē′nē)．リーミニ試験（現在では用いられない尿，牛乳，その他に含まれるホルムアルデヒドの試験．塩酸フェニルヒドラジン，ニトロプルシドナトリウム，水酸化ナトリウムの希釈液を用いる)．

ring t. 環輪試験．＝ring precipitin t.

ring precipitin t. 沈降輪検査（沈降素試験．抗原溶液を試験管中の抗体溶液に注意深く重層する．拡散が進むと，抗体比が最適の場所に円盤状の沈降物が形成される)．＝ring t.

Rinne t. (rin′nĕ)．リンネ試験（骨導聴力と気導聴力を比較する検査．耳介のそばに，振動する音叉を置くことによって聴覚刺激が気導により呈示される．そして，乳様突起に振動する音叉を置いて聴覚刺激は骨導によって呈示される．伝音難聴では，刺激は骨導によって大きく長く聴かれる．感音難聴では，刺激は気導で大きく長く聴かれる．気導は骨導よりも大きいことがわかったり，あるいはその逆のときに，検査の結果は各耳において報告される．この結果は難聴のタイプを解釈するうえで Weber 音叉検査の結果と比較される)．

Romberg t. (rom′bĕrg)．ロンベルク試験．＝Romberg *sign*.

Römer t. (rōr′mĕr)．レーマー試験（歴史的意味をもつ試験．純粋な，または希釈したツベルクリンをモルモットに皮内注射すると，その動物が結核に罹患していれば，壊死性出血性の中心部をもつ 1 個の大きな丘疹が 24 時間以内に現れる(花形帽章反応))．

Ropes t. (rōps)．ロペス試験．＝mucin clot t.

Rorschach t. (rōr′shahk)．ロールシャッハ試験（投影法的心理検査．10 枚のインクブロット図のそれぞれの中に何が見えるか述べることによって，被検者の態度，情動，人格を明らかにするもの)．＝inkblot t.

rose bengal radioactive (^{131}I) t. 放射性ローズベンガル(^{131}I)試験（肝機能検査．肝血流量，肝臓シンチレーションスキャニングによる肝の大きさ，輪郭判定，または肝内の物質塊の有無を調べる試験)．

Rosenbach t. (rō′zĕn-bahk)．ローゼンバッハ試験（現在では用いられない尿内胆汁試験．被検尿を数回，同一の沪紙に通した後，沪紙を乾燥させ，希発煙硝酸を 1 滴たらす．胆汁が存在する場合は胆汁色素に特徴的な色(黄色の点と，その周辺に赤色・紫色・青色・緑色の輪)が生じる)．

Rosenbach-Gmelin t. (rō′zĕn-bahk gĕ-mā′lĭn)．ローゼンバッハ－グメーリン試験．＝Gmelin t.

rosette t. ロゼット試験（ロゼット形成細胞(T リンパ球)のテストで，ヒツジの赤血球と培養し，軽く遠心し，顕微鏡下にて赤血球の T リンパ球への付着を観察する)．

Rose-Waaler t. (rōz wah′lĕr)．ローズ－ワーラー試験（歴史的意味をもつ試験．凝集を生じるには至らない濃度の抗ヒツジ赤血球血清でヒツジ赤血球を被覆して，関節リウマチ患者血清を加えると凝集が起こる)．

Ross-Jones t. (ros jōnz)．ロス－ジョーンズ試験（現在では用いられない脊髄液中のグロブリン過剰を調べる試験．脊髄液1 mL を注意深く濃硫酸アンモニウム溶液2 mL 上に浮遊させる．グロブリンが過剰に存在するときは，境界線部位に約 3 分後にはっきりした白い輪が生じる)．

Rothera nitroprusside t. (roth′ĕr-ah)．ロセラニトロプルシド試験（ケトン体の試験．5 mL の新鮮尿に固形硫酸アン

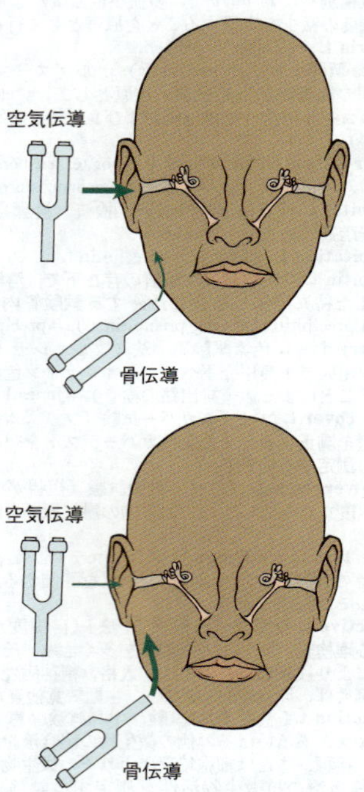

Rinne test

空気伝導による音の認識と骨伝導による音の認識の比較（振動する音叉の軸を側頭骨の乳様突起に対して置く)．

上図：Rinne試験．正常または感音難聴では音が骨伝導より空気伝導でより大きく聞こえる（すなわち音叉の振動がより長く聞こえる)．

下図：伝音難聴では音が骨伝導でより大きく聞こえる．

モニウムを加えて飽和させ，新たに調製した2%のニトロプルシドナトリウム溶液を 10 滴混ぜる．これに濃アンモニア水を 10 滴加え 15 分間放置する．アセト酢酸，多量のアセトンなどがあれば青紫色となる)．

RPR t. 急速血漿レアギン試験．＝rapid plasma reagin t.

rubella HI t. 風疹血球凝集抑制試験（風疹の感染を調べる血球凝集抑制(HI)試験．しばしば妊婦の出産前検査の一部として日常的に行われる．風疹の症状がなくて，HI 力価が上昇している場合は，以前に感染し，さらに再感染が起こって免疫性が亢進していることを示す．HI 抗体が検出されない場合，被検者は風疹に対し感受性があると考えられ，フォローアップの間それに応じた観察がなされる．→hemagglutination *inhibition*)．

Rubin t. (rū′bin)．ルービン試験（現在では用いられない卵管開存試験．カニューレを子宮頸管に入れ，炭酸ガスを圧力計付きの注射器でカニューレに圧入する．管が開いていればガスが腹腔に離散する．これは，下腹部聴診により高音の泡立ち音で確認でき，横隔膜下の遊離ガスを X 線写真でとらえることもできる)．

Rubner t. (rūb′nĕr)．ルブナー試験（現在では用いられない尿における乳糖あるいはグルコースの試験．酢酸鉛を被検尿に加えて沪過し，沪液に不溶の沈殿物ができるまでアンモニアを加える．これを加熱したとき，乳糖があると沈殿物は桃色ないし赤色を呈する．グルコースが存在すれば黄色から褐色となる)．

Rumpel-Leede t. (rūm′pĕl lēd)．ルンペル－レーデ試験．＝capillary fragility t.

Sabin-Feldman dye t. (sā′bĭn feld′măn)．セービン－フェ

ルドマン色素試験（血清中の抗トキソプラスマ抗体検査法. *Toxoplasma gondii* 細胞(マウス腹膜滲出物から採取)は，アルカリ性メチレンブルーでかなりよく染まるが，特異抗体を含む血清中の菌は色素親和性がない．さらにメチレンブルーを加えると，正常トキソプラスマ細胞は円形となり，核および細胞質は濃く染まる．一方，色素に菌と抗体を混ぜると，細胞はその半月形を保ち，収縮した核赤血球内質のみが染まるという事実に基づく試験).

Sachs-Georgi t. (saks gā′or-gē). ザックス－ゲオルギ試験（診断上，実用性を有する最初の梅毒沈降反応試験．初期の Meinicke 試験に用いたリポイド抗原(組織のアルコール抽出物)に，コレステロールを加えたことが重要で新しい点である).

Saundby t. (sawnd′bē). ソーンドビー試験（現在では用いられない便中の血液試験．ベンジジンを用いる).

scarification t. 乱切試験（Pirquet 試験のように，ある物質を皮膚に刺入するか，引っ掻いて入れる試験).

Schaffer t. (shā′fĕr). シェーファー試験（尿における亜硝酸塩の試験．尿を活性炭で脱色し，10％の酢酸溶液 4 mL と 5％のフェロシアンカリウム溶液 3 滴を加える．尿に亜硝酸が存在すれば濃黄色となる).

Schellong t. (shel′ŏng). シェロング試験（循環機能の試験．被検者を 10—20 分直立させて血圧を連続的に測定する．収縮圧が 20 mmHg 以上下がれば，循環機能の低下を示す).

Schick t. (shik). シック試験（ジフテリア菌 *Corynebacterium diphtheriae* 毒素感受性試験．Schick 試験用毒素 0.1 mL を一方の前腕(試験部位)の皮膚に注射し，等量の加熱不活性化した同物質を他方の前腕(対照部位)の皮膚に注射する．毒素中和抗体があればいずれの腕にも反応がなく(陰性反応)，試験材料中にジフテリア毒素以外の物質(抗原)が存在すれば抗体による偽陽性反応が生じる．毒素中和抗体を欠く被検者は陽性反応を示す．陽性反応の場合には皮膚の発赤が 24—36 時間後に観察され，4—5 日持続する). ＝Schick method.

Schiller t. (shil′ĕr). シラー試験（初期癌の部位となる子宮腟部のグリコゲン非含有部試験．そのような部位は，ヨウ素溶液で濃褐色とならない．びらんその他の良性症状によるグリコゲン欠乏も，陽性を示すことがある).

Schilling t. (shil′ing). シリング試験（放射性コバルト同位元素で標識したシアノコバラミンを用いて，尿中に排出されたビタミン B_{12} の量を測定する方法).

Schirmer t. (shir′mĕr). シルマー試験（沪紙片を用いて行う涙液の分泌量の試験．涙腺の基礎および反射性分泌機能を測定する).

Schober t. (shō′bĕr). ショーバー試験（腰椎の運動性を測定する方法．起立位で腰仙移行部の上 10 cm と下 5 cm に平行な水平線を引く．最大前屈位で両線の間隔が正常では 5 cm 以上開くが，強直性脊椎炎ではそれ以下である).

Schönbein t. (shĕrn′bīn). シェーンバイン試験. ＝Almén t. for blood.

Schwabach t. (shvah′bahk). シュヴァーバッハ試験（ある人の骨導音叉聴力が検者の聴力と比較される音叉検査. →Rinne t.).

scratch t. スクラッチ試験，掻爬試験（皮膚試験の一種．皮膚を引っ掻いて抗原を皮膚に入れる).

screening t. スクリーニング試験，選別試験，ふるい分け試験（はっきりした特性や性質に従って人や物を分けるよう考察された試験方法で，疾患の早期所見の検索の意図で用いられる).

Seashore t. (sē′shōr). シーショア試験（2 つの音を識別する試験．あるいは，ピッチ，強さ，リズム，その他の先天的音楽的能力の要素を測定する試験. →Halstead-Reitan *battery*).

secondary dye t. 色素試験第 II 法（涙道排出路障害部の同定．フルオレセイン点眼と色素試験第 I 法後，下涙点および涙道にチューブを挿入し生理食塩水を灌流する). ＝Jones II t.

secretin t. セクレチン試験（膵外分泌機能試験．種々行われ標準化されている．セクレチンを静脈内投与後，重炭酸塩，アミラーゼ，十二指腸液量を測定する).

Selivanoff t. (sel-i-vah′nof). ゼリヴァーノフ試験. ＝resorcinol t.

shadow t. 検影法. ＝retinoscopy.

shake t. ＝foam stability t.

short increment sensitivity index t. (**SISI t.**) SISI 検査（域値上 20 dB の音を呈示し，1 dB 大きな連続音を 200 ミリ秒間聴かせる．患者によって判断される短時間増強の割合が SISI である．内耳性難聴においてその割合は高くなり，そして正常者および蝸牛神経による難聴では低くなる．これらの増強の認知は蝸牛障害を示す).

Shuck t. シャック試験（関節弛緩性と不安定性を評価するための診断法．関節に対しある特定方向に力を加えて関節面の移動量を調べるとともに，その操作で症状の再現性があるかどうかを調べる手技).

sickle cell t. 鎌状赤血球〔形成〕試験（嫌気下で，等量の血液と 2％酸性亜硫酸ナトリウムを含む溶液中では，ヘモグロビン S を含む赤血球は形状が鎌状に変化する．赤血球 1,000 につき鎌状化した赤血球数を測定し，百分率で表す).

single (gel) diffusion precipitin t. in one dimension 一次元単一〔ゲル〕拡散沈降試験（→gel diffusion precipitin t.'s in one dimension).

single (gel) diffusion precipitin t. in two dimensions 二次元単一〔ゲル〕拡散沈降試験（→gel diffusion precipitin t.'s in two dimensions).

SISI t. SISI検査（short increment sensitivity index t. の略).

situational t. 状況検査（心理学および精神医学において，被検者が仕事をしているときや，やるべき仕事や役割を実際に行っているときの被検者を観察する．例えば第二次世界大戦時，戦略事務局のメンバーを選ぶ際に用いられた．現在でも管理職の選出に用いられている).

six-minute walk t. 6 分間歩行テスト（肺機能検査であり，通常パルスオキシメトリーとともに 6 分間に歩行可能な距離を測定することで評価する．予後，診断，および治療への反応性の評価のために用いられる).

skin t. 皮膚試験（皮膚への抗原(アレルゲン)の塗布または接種により感作(アレルギー)を判定する方法．特異抗原に対する感作(アレルギー)は，一般的に以下のどちらかの炎症反応で示される．ⓘ即時型は数分で現れ，末梢血液中の免疫グロブリン(抗体)に依存する．ⓘⓘ遅延型は 12—48 時間で生じ，抗体は関与せず，細胞性の応答および浸潤による). ＝cutaneous t.; intradermal t.; skin reaction.

skin-puncture t. 皮膚穿刺試験（Behçet 症候群に対して行う試験．消毒針で皮膚を穿刺すると，24 時間以内にこの疾患に由来する皮膚過敏性によって膿疱が生じる).

sniff t. ***1*** においかぎ試験（横隔膜機能の透視によるテスト．患者が強くにおいかぎをしたときに片側横隔膜が逆の運動をした場合は，横隔神経麻痺か片側横隔膜の不全麻痺を意味する). ***2*** 臭気テスト（腟分泌物に水酸化カリウムを滴下したときに魚様のにおいが生じること．細菌性腟症の臨床診断のための Amsel の診断基準の 1 つ). ＝whiff t. (2).

Snyder t. (snī′dĕr). スナイダー試験（う食の活動性と感受性を測る比色検査．ブドウ糖培地上での，乳酸菌のような酸発生性の口腔内微生物による酸産生率に基づいている．指示薬としてブロムクレゾールグリーンを用い，これは酸によって緑色から黄色に変わる). ＝colorimetric caries susceptibility t.

solubility t. 溶解度試験（鎌状赤血球ヘモグロビン(Hb S)のスクリーニング検査．Hb S はジチオナイトにより還元され，濃縮無機緩衝液中では不溶性になる．ジチオナイトを含む緩衝液中に Hb S 血液を加えると溶液は混濁する).

spironolactone t. スピロノラクトン試験（スピロノラクトン 400 mg を 4 日間続けて経口投与する．血清カリウムの試験中の増加と試験後の減少は，初期アルドステロン症を強く示唆するが，現在ではほとんど使用されなくなった検査法).

split renal function t. ＝differential ureteral catheterization t.

spot t. for infectious mononucleosis 伝染性単核〔球〕症の斑点分析，伝染性単核〔球〕症スポット試験（伝染性単核球症の診断に広く用いるスライド試験．伝染性単核球症患者の血清中に出現する異好性抗体はウシ赤血球で吸着されるが，モルモット腎細胞では吸着されないという原理に基づいている．これにより，ウマ赤血球(これは異好性抗体を凝集する)

T

を患者血清と混合し，ウシ赤血球の存在下で凝集がみられれば伝染性単核球症と推定診断される）．

Spurling t. (spŭr′ling). スパーリング検査（頸髄神経根の圧迫をみる検査．患者は頸を伸展し，症状がある側に頸を回転させ頭を側屈する．その姿勢で，検者は患者の頭頂部に手をあてて下方へ力を加える．典型的な根性痛が上肢に起こると，この検査は陽性である）．

staggered spondaic word t. 切断歪語音検査（分裂状に発音された歪語音を用いた中枢聴覚路の(完全性についての)検査）．

standard serologic t.'s for syphilis, STS for syphilis 〔標準〕梅毒血清反応，STS（トレポネーマ抗原を用いないで梅毒の推定診断をする検査で，確定的証明とはならない．Wassermann 反応や VDRL試験などがある）．

standing t. 立位試験（降圧薬の効果試験で，患者自身が行う．薬剤服用後，薬剤の最大効果が現れるときから始めて1分間，患者を完全に直立静止させる．投与量が適正ならば，患者はかすかな降圧反応を感じる）．

standing plasma t. 血漿直立試験（試験管に入れた血漿を4°C で直立させて放置すると，カイロミクロンは最上部に浮遊し，クリーム層を形成する）．

Stanford-Binet t. (stan′fŏrd bē-nā′). スタンフォード－ビネー試験．＝Stanford-Binet intelligence *scale*.

starch-iodine t. ヨード－デンプン試験（発汗試験の1つで，油に入れたヨードを皮膚に塗り，その上からデンプンの粉末を振りかけると，ヨードと湿気との存在下で青黒色を呈する）．

station t. 静止試験．＝Romberg *sign*.

Stein t. (stīn). スタイン試験（迷路疾患を検索するテスト．本疾患の場合，患者は目を閉じて片足立ちや，片足跳びができない）．

Stenger t. (sten′gĕr). ステンガー試験（片側性難聴の詐病を探知する試験で，閾値以下の音が検査側の耳に示され，他側にはより弱い音が示される．もし被検者が難聴と偽っていれば弱い音は評価されない）．

Stewart t. (stū′wart). スチュアート試験（下肢の主動脈の動脈瘤がある場合に，側副血行量を熱量計で測定する）．

stork t. こうのとり試験（片側起立で腰椎を過伸展すると脊椎分離症ではその部位に疼痛が生じる，この手技をいう．この際，患者は同側の股関節部に対側の足を置き，検者が腸骨稜を保持して検査する）．

straight-leg raising t. 下肢伸展挙上テスト（仰臥位で膝伸展位のまま下肢を挙上していく試験で，坐骨神経痛が生じるものをいう）．

Strassburg t. (strahs′bŭrg). シュトラスブルク試験（現在では用いられない尿中胆汁試験．まずアルブミンが存在しているときは沈殿させておく．次に，液にショ糖を加え，沪紙を浸して乾燥させる．胆汁色素が尿中にあると，沪紙に硫酸を落とせば赤紫色になる）．

---

stress t. ストレス試験（心機能と心筋灌流に対するストレスの作用を確かめる標準的な方法．ストレスは運動負荷または冠拡張物質投与による薬物負荷を用い，負荷前・中・後に心拍数，血圧，心電図を観測する．他に酸素消費量，心エコー検査，インピーダンスカルジオグラフィ，心筋灌流や壁運動の核トレーサや心臓カテーテル検査を加える場合もある）．

侵襲的な検査ほど，感度も特異性も高くないが，ストレス試験は典型的または非典型的な狭心症やパイロット・消防士などの危険な仕事に従事する職業では，冠動脈疾患の有無とその程度を同定する標準的な方法となってきた．心筋梗塞の危険度の層別，および心筋梗塞生存者のなかで危険者をみきわめ，梗塞後のリハビリ中の監視，冠バイパス手術，血管形成手術後の経過観察に有用である．また年齢，患者，家族歴から冠動脈疾患の危険因子を有する人の運動の安全性を確認するためにも用いられる(㊟日本では川崎病の既応を有する人にも用いられる)．階段昇降によるマスター2段試験は最近ではより再現性のある方法に代わりつつある．標準的な運動負荷試験は電動性トレッドミルの勾配と速度を変える多段階負荷が用いられる．他の方法として機械的な階段試験，自転車エルゴメータ，足の悪い人には手動の負荷試験がある．負荷結果の測定にも多くのプロトコルと目標値が用いられる．負荷量は代謝等量(MET)で測定され，1 MET はベッドレストで消費する酸素量(3.5 mL/kg/分)に相当する．最大負荷試験では胸内苦悶感，高血圧または低血圧，ある種の不整脈，疲労感，歩行困難，強い息切れが起こる．標準的な多段階運動負荷の Bruce プロトコルではトレッドミルで毎時 1.7 マイルの速度と 10 度の勾配で 4.6 MET から始まり，3分ごとに速度と勾配を増加させていく．脈拍数から予想する最大負荷以下から，特に症状が表れ中止せざるをえない場合を除き，年齢，健康状態，身体条件に基づく目標心拍数まで継続させる．通常，6－10 分の運動負荷となるが，運動中1 mm 以上の心電図 ST 部分の上昇または低下は冠動脈疾患を示唆する．他の所見として，T波の逆転，不整脈の増加，収縮期血圧低下，または拡張期血圧の著明な上昇も冠疾患を疑う．冠疾患を有しない人では 85—90% の精度で診断される．無症候性の成人で5％が運動負荷陽性を示すが，この中の 1/3 が血管造影で冠動脈疾患を示すに過ぎない．偽陽性は女性に頻度が高い．大規模試験からは，安静時心拍数へのもどりの遅れや変時指数 chronotropic index(運動負荷中に使用される心予備力分画)の低下および MET で表される年齢特異的な機能的予備力の低下は，原因のいかんに関わらず，すべて心血管死の強力な予知因子となる．急性心筋梗塞，重症のうっ血性心不全，重症高血圧，血行動態的に有意な弁膜症や不整脈，活動性の血栓性塞栓疾患，極端な肥満では禁忌である．運動に代わる負荷として，心拍数や血圧を身体運動時と類似した状態で上昇させる交感神経刺激物質であるドブタミン，または正常冠動脈は広げるが動脈硬化で狭窄している血管では血流を増加させないジピリダモールあるいはアデノシンの静脈内投与による薬物負荷を行ってもよい．連続心電図モニターに加えて，タリウム 201 の静注による心筋シンチグラフィ，テクネチウム 99m の投与による心プールイメージやシングルフォトンエミッションによる断層造影も加えて，負荷の影響を確かめるときがある．

---

string t. 単線試験（①まれにしか行われない胃腸出血の部位を調べる試験．重さを測った細糸を繰り返しえん下させ取り出す．細糸は腸まで挿入することができるので，出血があればその部位のおよその判定ができる．②腸管から検体を得るための同様な方法）．

Strong vocational interest t. (strŏng). ストロング職業興味検査（被験者の特定の好き嫌いや興味を種々の職業特性と合わせる検査）．

Student *t* t. (stūd′ĕnt). スチューデント *t* 検定（2つの母集団平均を違いあるいは等質性を評価するために用いられる統計的有意性検定の方法）．

sucrose hemolysis t. ショ糖溶血試験，砂糖水試験（等張ショ糖溶液は，赤血球への補体の結合を促進する．発作性夜間血色素尿症の患者では，赤血球の一部は補体を介した溶解作用に対する感受性が高く，この試験により溶血が起こる）．

sulcus t. サルカス試験（肩関節の多方向の不安定性を調べるテスト．患者は坐位または背臥位で，上腕を下方に牽引する．陽性であれば骨頭は下方に移動して肩峰下部に軟部組織の陥凹が生じる．）．

sulfosalicylic acid turbidity t. 硫酸サリチル酸混濁試験（尿中の蛋白測定試験．硫酸サリチル酸は，溶液の蛋白濃度にほぼ比例した混濁度で尿蛋白を沈殿させる）．

sweat t. 汗試験（膵嚢胞性線維症の検査．採取した汗の電解質濃度を測る．塩化ナトリウム濃度が小児で 50 mEq/L，成人で 60 mEq/L を超えた場合陽性とする）．

sweating t. 発汗試験（脊髄病変の位置を決める試験．患者の身体を温めるか発汗薬を与えると，病変部以下には発汗しない）．

swinging light t. スイング光対光反応．＝alternating light t.

***t* t.** *t* 検定（帰無仮説のもとで *t* 分布に従う統計量を用いた検定．2つの平均値が有意に異なるかどうかを検定するために用いられる）．

Tactual Performance T. 触覚実行検査．＝Halstead-Reitan *battery*.

thematic apperception t. (**TAT**) 主題統覚法（投影法による心理検査．被検者に一定の，生活場面を描いたあいまいな絵について物語らせ，自己の考え，感情を表出させる）．

thermostable opsonin t. 耐熱性オプソニン試験（易熱性補体が存在しない場合の，抗体のオプソニン活性試験）．

Thomas t. トーマス試験（股関節の屈曲拘縮の有無を調べるための診断手法．患者を仰臥位に寝かせ，非罹患側股関節と膝関節を最大屈曲(膝胸位)で調べる．対側の股関節に屈曲拘縮がある場合には，対側の大腿が無意識的に挙上され，その挙上角度が屈曲拘縮の角度を示す）．

Thompson t. (tomp′sŏn)．トンプソン試験（①アキレス腱断裂の診断法．患者を椅子または台にひざまずかせ，足を自由にさせた状態で検者がふくらはぎを強く握る．正常では足関節は底屈するが，アキレス腱断裂では底屈しない．②淋病の際に，尿を2杯のコップに採取させる．淋菌と淋糸が最初のコップのみにみられる場合は，感染は前部尿道に限られている確率が大である．現在では用いられない方法）．＝two-glass t.

Thormählen t. (tor′mā-len)．トルメーレン試験（メラニン試験．被検査液にニトロプルシドナトリウム，苛性カリ，酢酸を加えると，メラニンが存在すれば溶液は濃い青色を呈する）．

Thorn t. (thorn)．ソーン試験（副腎皮質機能推定試験．正常に機能している副腎皮質を副腎皮質刺激ホルモンで刺激すると，循環血液中の好酸球とリンパ球数が減少し，尿酸分泌量が増加する．この試験は十分な特異性に欠けるため，めったに用いない）．

three-glass t. 三杯試験（尿を3本のオンス試験管に採取して膀胱を空にし，最初と最後の試験管内容物を検査する．最初の試験管には前部尿道の洗出物が含まれ，2本目の試験管には膀胱からの試料が，3本目には後部尿道，前立腺，精嚢から出た物質が含まれる）．＝Valentine t.

thymol turbidity t. チモール混濁試験（肝疾患患者の血清にチモールを加えることにより，アルブミンやグロブリンの異常分画が沈殿する．以前にはよく用いられたが，特異蛋白の定量や肝酵素の直接の測定に取って代わられている）．＝Maclagan t.; Maclagan thymol turbidity t.

thyroid-stimulating hormone stimulation t., TSH-stimulating t. 甲状腺刺激ホルモン刺激試験，TSH 刺激試験（甲状腺刺激ホルモン投与前後の甲状腺への ^{131}I 摂取率を測定する試験．原発性甲状腺機能低下症(血清 TSH 高値)を二次性または三次性甲状腺機能低下症(血清 TSH 低値)から鑑別するのに有用）．

thyroid suppression t. 甲状腺抑制試験（甲状腺機能亢進症の診断が困難なときに施行された甲状腺機能検査法．現在ではほとんど TRHテストに代わっている．T_3 を7—10日間投与後，甲状腺への ^{131}I 摂取率が投与前に比べて半減をすれば正常反応と判定される）．＝Werner t.

thyrotropin-releasing hormone stimulation t., TRH-stimulation t. 甲状腺刺激ホルモン放出ホルモン試験，TRH刺激試験（TRH を投与した場合の下垂体反応試験．正常者では下垂体を刺激し，甲状腺刺激ホルモン(TSH，サイロトロピン)が分泌される．甲状腺機能異常が視床下部性か下垂体性かの鑑別に利用される．下垂体性の甲状腺障害の場合には TSH は上昇しないが，視床下部性の病変の場合は上昇する）．

tilt t. 傾斜試験（頭部を上昇または下降させて体位を傾けて，これに対する応答を測定する．心臓カテーテル，心エコー検査，電気生理的な手段，心電図あるいは心臓図検査に用いる）．

tine t. 尖叉試験（→tuberculin t.）．

titratable acidity t.〔尿〕滴定酸度試験（24時間蓄尿の検体を中和するのに要する 0.1NNaOH のミリリットル数）．

tolbutamide t. トルブタミド〔負荷〕試験（インスリン産生腫瘍の検出試験．1gのトルブタミドを静脈注射後，血漿中のインスリンとグルコースを，一定時間ごとに3時間まで測定する．インスリン産生腫瘍患者では，インスリン高反応とグルコース低値が特徴的である）．

tone decay t. 聴力疲労試験（連続音調を閾値で1分間鳴らす．5 dB 以上強さを増さなければ連続して知覚できない場合は，神経性難聴と考えられる）．

total catecholamine t. 全カテコールアミン試験（24時間尿検体中のカテコールアミンによる測定．褐色細胞腫，神経芽細胞腫の患者では高値を示す）．

tourniquet t. 駆血帯試験（→capillary fragility t.）．

TPHA t. ＝*Treponema pallidum* hemagglutination t.

TPI t. ＝*Treponema pallidum* immobilization t.

Trendelenburg t. (tren′dĕ-lĕn-bĕrg)．トレンデレンブルク試験（下肢の静脈弁の試験．静脈が空になるように片足を心臓の高さまで上げ，次に足を急激に下ろす．静脈瘤や弁不全がある場合，静脈が即座に拡張するが，足の周囲に駆血帯を巻くと，これより下部の静脈弁が不全状態でも静脈拡張は妨げられる）．

***Treponema pallidum* hemagglutination t.** 梅毒トレポネーマ(TP)感作赤血球凝集試験，トレポネーマ抗原間接赤血球凝集試験（感受性，特異性がともに高い梅毒の血清診断法．タンニン酸処理したヒツジ赤血球に，梅毒トレポネーマ *T. pallidum* 抗原を吸着させる．患者血清中の非特異的抗体吸収後，タンニン酸処理ヒツジ赤血球を患者血清に加え，陽性反応(凝集)がみられれば，患者血清中に梅毒トレポネーマ *T. pallidum*に対する抗体が存在することを示す）．＝TPHA t.

***Treponema pallidum* immobilization (TPI) t.** 梅毒トレポネーマ不動化試験（梅毒の試験．Wassermann 抗体以外の抗体が梅毒患者の血清中には存在し，補体があるとその抗体は，梅毒に感染したウサギの精巣から得られる能動的な梅毒トレポネーマ *Treponema pallidum* を不動化する）．＝*Treponema pallidum* immobilization reaction.

triiodothyronine uptake t. トリヨードサイロニン取り込み試験（甲状腺機能の試験．トリヨードサイロニン(T_3)を *in vitro* で患者血清に加え，T_3 に対する血清蛋白および加えた競合物質の相対的親和性を測定する．T_3 の取り込みが多いことは甲状腺機能亢進を示す）．＝T_3 uptake t.

tuberculin t. ツベルクリン試験（ヒト結核菌 *Mycobacterium tuberculosis* 感染診断のための皮膚試験．ツベルクリンまたはその精製蛋白誘導体を抗原(アレルゲン)として使用する．ツベルクリンまたは精製蛋白誘導体の段階的な量を，主として注射器(Mantoux 反応)か尖叉(尖叉試験)で注入する．また被検物質を吸収させた〝貼剤 patch〟を用いて行うこともある．しかし貼付試験は信頼性が低い．この試験は硬結と紅斑に基づいて判定するが，前者は結核菌感染の診断により有用である．この試験では疾患を伴わない抵抗性の人と，疾病が臨床的に発症している人との区別はできない）．

T_3 uptake t. T_3 摂取率試験．＝triiodothyronine uptake t.

two-glass t. 二杯〔分尿〕試験．＝Thompson t.

two-step exercise t. 二階段運動試験（主に冠不全の検査．心電図中の RS–T の有意な低下は異常と考えられ，冠不全を示唆している）．

two-tail t. 両側検定（仮説からの乖離の方向を，正・負両側ともに評価する場合の検定）．

Tzanck t. (tsahnk)．ツァンク試験（水疱液中の Tzanck 細胞(円形化し，細胞間装置の欠落した変性上皮細胞)の有無を調べる検査．周辺は好塩基性で，核は円形で大きく，明瞭な核小体がみられる．水痘，帯状疱疹，単純疱疹，尋常性天疱瘡に特徴的）．

urea clearance t. 尿素クリアランス試験（尿素クリアランスに基づく腎機能検査）．

urease t. ウレアーゼ試験（①ウレアーゼで尿素を炭酸アンモニウムに換えて，尿素を測定する方法．②ウレアーゼ産生能の検査．*Cryptococci*, *Helicobacter pylori* の同定に使う）．

urecholine supersensitivity t. ウレコリン過敏性試験（ウレコリンを皮下注射することにより，膀胱内圧測定曲線に異常がでないかをみるテスト．ある種の神経因性膀胱においては，ウレコリンにより膀胱充満に伴う排尿筋の内圧が上昇する）．

urinary concentration t. 尿濃縮力試験（患者を一定時間脱水状態にし，その後尿比重を測定することにより，腎尿細管機能を調べる検査）．

vaginal cornification t. 腟上皮角化試験（エストロゲン活性試験．試験動物の腟スミア中に上皮細胞が出現すればエストロゲンの活動を示唆する）．

vaginal mucification t. 腟粘液試験（プロゲステロン試験．ラット，モルモット，マウスの腟上皮の粘液生成を，月経誘発性因子で刺激する）．

Valentine t. (val′ĕn-tīn). ヴァレンタイン試験. ＝three-glass t.

Valsalva t. (vahl-sahl′vă). ヴァルサルヴァ(バルサルバ)試験（被検者が Valsalva 操作を行っている間，心電図，圧記録で心臓を観察する．異常がない場合は心容量が減少するが，心筋予備力が障害されている心臓は拡張する．特徴的な心臓および循環の変化の組み合わせは病気や心機能低下を示唆する）．

van Deen t. (vahn dēn). ファン・デーン試験. ＝Almén t. for blood.

van den Bergh t. (vahn den bĕrg). ファン・デン・ベルヒ試験（ジアゾスルファニル酸に対する胆汁色素(ビリルビン)の反応試験(ジアゾ反応)）.

van der Velden t. (vahn der vel′dĕn). ファン・デル・フェルデン試験（遊離塩酸試験．これが存在すれば，メチレンブルー溶液を加えると紫色から緑色に変色する）.

vanillylmandelic acid t. バニリルマンデル酸試験（24 時間尿検体に対して行う，カテコールアミン分泌腫瘍(褐色細胞腫および神経芽細胞腫)の試験．これはバニリルマンデル酸が，ノルエピネフリンとエピネフリンの主要尿代謝産物であることによる）. ＝3-methoxy-4-hydroxymandelic acid t.; VMA t.

VDRL t. VDRL試験（梅毒綿状反応試験．米国公衆衛生局性病研究所 Venereal Disease Research Laboratory of the United States Public Health Service が開発したカルジオリピン－レシチン－コレステロール抗原を用いる）.

vitality t. 歯髄生死試験（歯髄の健康状態を知るために用いる温熱的・電気的試験法）. ＝pulp t.

vitamin C t. ビタミンC試験. ＝capillary fragility t.

VMA t. VMA試験. ＝vanillylmandelic acid t.

Volhard t. (fōl′hart). フォールハルト試験（腎機能検査．胃を空にし，患者に 1,500 mL の水を飲ませる．患者が脱水状態でなく腎臓が正常なら，水は 4 時間後には全部排出され，尿比重は 1.001—1.004 となる）.

Vollmer t. (vōl′mĕr). ヴォルマー試験（ツベルクリン貼付試験）.

Wada t. (wah-dah). 和田試験（大脳の言語優位側を調べるために片側内頸動脈にアモバルビタールを注射する試験．言語優位側に注射すると一過性失語または無言症をきたす．てんかんの外科的治療の前に用いられる）.

Waldenström t. (vahl′den-strem). ヴァルデンストレーム試験（尿中ポルホビリノーゲンまたはウロビリノーゲンの検査．Ehrlich のジアゾ試薬を尿に加え，赤色になればどちらかの物質が存在する）.

Wang t. (wong). ワン試験（インジカンの定量試験．インジカンをインジゴ硫酸に変換し，過マンガン酸カリ溶液で滴定する）.

washout t. 洗い流し試験（腎臓から排出される放射性物質の消失率によって腎臓の閉塞を調べる試験）.

Wassermann t. (vahs′ĕr-mahn). ヴァッセルマン(ワッセルマン)試験（梅毒診断に用いる補体結合試験．初めその抗原は梅毒胎児肝の抽出物であったが，後に心臓を含む正常組織中にも活性物質(これをカルジオリピンと称した)が存在することがわかり，これはジホスファチジルグリセロールであることが確認された）. ＝Wassermann reaction.

water-drinking t. 飲水試験（開放隅緑内障の評価試験．5 分間で 1 クォートの水を摂取した後に眼圧を測定する）.

Watson-Schwartz t. (wot′sŏn schwōrts). ワトソン－シュヴァルツ試験（急性間欠性ポルフィリン症の診断のための定性的スクリーニング試験．尿に Ehrlich ジアゾ試薬と飽和酢酸ナトリウムを添加して行う．ピンクあるいは赤色を呈すれば，ポルホビリノーゲンあるいはウロビリノーゲンが存在することを示す．前者の存在はポルフィリン症であることを示すが，後者は示さない．したがって，陽性の結果が出た場合は，偽陽性を排除するため，さらにブタノールとクロロホルムによる分別抽出を必要とする）.

Weber t. (vā′bĕr). ヴェーバー検査（音が，どちらの耳の骨導で聴こえるかを確認するために音叉基部を頭部中央に置く検査．一側伝音難聴があるときは患耳で，一側の感音難聴があるときは患耳とは対側で音が大きく受けとめられる．本検査の結果と Rinne 検査と組み合わせて難聴のタイプを診断する）.

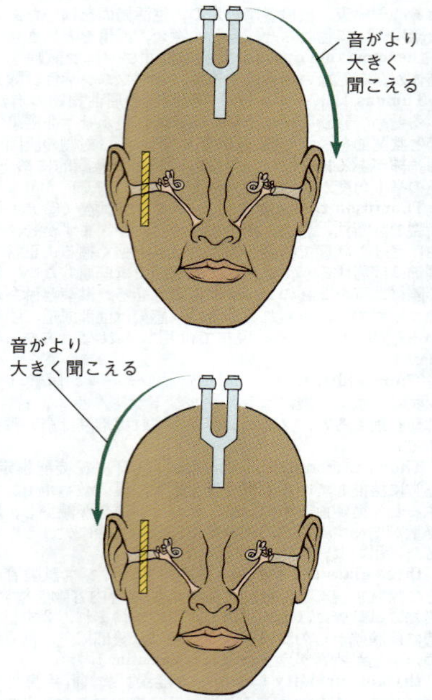

Weber test (unilateral hearing loss)

振動する音叉の軸を頭蓋の正中線に置くとき，2つの耳において知覚される音の大きさを比較.
上図：感音難聴では正常耳で音がより大きく聞こえる.
下図：伝音難聴では患耳で音がより大きく聞こえる.

Webster t. (webs′tĕr). ウェブスター試験（尿中のトリニトロトルエン試験）.

Weil-Felix t. (vīl fā′liks). ヴァイル(ワイル)－フェリックス反応（*Proteus vulgaris* のX菌株と患者血清との凝集反応によって *Rickettsia*属の菌の有無，種類を調べる検査）. ＝Weil-Felix reaction.

Werner t. (ver′nĕr). ヴェルナー(ワーナー)のテスト. ＝thyroid suppression t.

Wheeler-Johnson t. (wēl′ĕr jon′son). ホウィーラー－ジョンソン試験（ピリミジン塩基であるシトシンとウラシルの定性試験．検体を臭素水で処理したときに緑色になり，さらに水酸化バリウムを加えると紫色になるものを陽性とする）.

whiff t. ***1*** 臭気テスト（腟細菌症症例の腟分泌物に水酸化カリウム(KOH)溶液を滴下して魚臭様の臭気を検出するテスト）. ***2*** ＝sniff t. (2).

Whitaker t. (wit′ă-kĕr). ウイタカー試験（圧流試験．上部尿路からの流出障害を示す）.

Wormley t. (wōrm′lē). ワームリー(ウォームリー)試験（アルカロイド検出試験．試料をピクリン酸または希釈ヨウ素－ヨウ化カリウム液で処理する．アルカロイドが存在すれば発色する）.

Wurster t. (vūr′ster). ヴルスター試験（現在では用いられないチロシン試験．試料を沸騰水に溶解し，キノンを加える．チロシンが存在すれば，鮮紅色の呈色反応が生じ，数時間後には褐色となる）.

χ^2 t. ＝chi-square t.

xylose t. キシロース試験（キシロース(五炭糖の一種)が排泄されている状態である食事性あるいは本態性五炭糖尿症診断の補助的検査法．キシロースは Benedict 溶液の急速な還元により迅速に同定されるほか，酵母で発酵されないことや五炭糖の Bial 試験が陽性になることからも同定される）.

Yvon t. (ē′von[h]). イヴォン試験（①アルカロイド試験.

被検液に，亜硝酸ビスマス，ヨウ化カリウム，塩酸水溶液を加える．液が赤変すれば反応は陽性である．②尿中アセトアニリド試験．被検液をクロロホルムで抽出し，黄色の硝酸第一水銀とともに加熱するとアセトアニリドが存在すれば液が緑変する）．

Zimmermann t. (tsim′ĕr-mahn). ツィンメルマン試験．＝Zimmermann *reaction.*

Zsigmondy t. (tsig′mŏn-dē). ツィグモンディ試験．＝Lange t.

---

tes·ta (tes′tă) [L. shell]. ***1*** 殻，外被（原生動物学においては，通常 test と称する．ある種のアメーバ様原生動物にみられる外膜で，キチン質の基本構造に様々な土壌物質が付着したものからできている(有殻葉状仮足亜綱の殻アメーバ)か，または石灰質，珪質，有機質，あるいは硫酸ストロンチウムの骨格(有孔虫亜綱の肉質虫)からなっている）．***2*** 外種皮（植物学においては，種子の外側の，ときに唯一の外被膜をいう）．

Tes·ta·ce·a·lo·bo·sia (tes-tā′shē-ă-lō-bō′zē-ă) [L. *testa*, shell]. 有殻アメーバ亜綱（肉質虫亜門(アメーバ)の一亜綱．細胞は，しばしば土類物質が含まれる硬いキチン質性外膜からなり，これには偽足が突出する穴が存在する）．

tes·tal·gia (tes-tal′jē-ă) [testis ＋ G. *algos*, pain]. 精巣(睾丸)痛．＝orchialgia.

test·cross (test′kros). 検定交雑（未知の遺伝子型をもつ個体を劣性ホモ接合体と交雑すること．その結果，子孫の表現型は未知の遺伝子型個体の両親がもつ染色体と直接対応する）．＝backcross (2).

tes·tec·to·my (tes-tek′tŏ-mē) [testis ＋ G. *ektomē*, excision]. 精巣(睾丸)切除〔術〕，去勢．＝orchiectomy.

tes·tes (tes′tēz) [L.]. testis の複数形．

tes·ti·cle (tes′tĭ-kĕl) [L. *testiculus*: *testis* の指小辞]. 精巣，睾丸．＝testis.

tes·tic·u·lar (tes-tik′yū-lăr). 精巣の，睾丸の．

tes·tic·u·lus (tes-tik′yū-lŭs) [L.]. ＝testis.

test·ing (test′ing). 検定，検査（特定の発見を決定するための対照を用いた解析．→test）．

bench t. 卓上試験（模擬的な(実際でない)場所で，ある器具の特殊効力を試験すること）．

contrast sensitivity t. コントラスト感度試験（対象物の明るさの変化での視認識(見え方)の検査）．

---

genetic t. 遺伝子診断（遺伝性疾患を診断するための血液あるいは組織を用いた検体検査．欠損あるいは転移などの比較的大きな染色体異常は，細胞分裂過程で染色体の顕微鏡検査で診断できる(核型分析)．DNA プローブ(既知の遺伝子配列に一致する単鎖の転写 DNA)によって，より複雑な変異を検出できる．非常に広義の遺伝子診断には，遺伝子欠損あるいは異常のマーカに用いられる異常代謝産物あるいは正常代謝産物でも異常高値あるいは低値を測定する生化学テストも含まれる）．＝deoxyribonucleic acid diagnostics.

遺伝子診断はいくつかのセット検査が標準化されている．例えばヘモジデリン沈着症のスクリーニング，嚢胞性線維症の素因をもつ夫婦の挙子希望に対するスクリーニング，網膜芽腫や早発型乳癌のようにある種の癌のリスクが増大する遺伝子変異のスクリーニングなどである．さらに 99.9% の確率で 2 人の親子関係など 2 種類のヒト材料の同一性の起源を同定あるいは除外することができる．Huntington 舞踏症のような治療困難な異常を予知・診断すること，悪性腫瘍のハイリスク因子をもつ患者を選別するためのテストの利用には多くの社会問題，精神的問題，治療や法的問題が提起されている．政府は遺伝子診断を受ける患者は，テストの陽性あるいは陰性結果の説明に際して，その後のコンサルテーションを受けることを勧告している．医学的な素人は特に発癌性について，素因やリスクの概念をしばしば誤解している．癌が発生した人の大多数は遺伝的な要因ではなく自然に発現した突然変異によると考え，リスクが遺伝してもすべてが癌を発生するとは限らないと考えている．中・東欧系ユダヤ人，モルモン教徒，アンマン教徒などの集団で，ある種の遺伝変異の頻度が高いことの発見は，民族的，人種的，あるいは宗教的先入観を再燃させる危険性がある．容易に検出できる遺伝的変異をもっている社会的集団は，外部との混交よりも近親結婚の傾向が強いため遺伝子プールが明確になったものと定義される．中・東欧系ユダヤ人の 1.3% は *BRCA2* の腫瘍抑制遺伝子の変異を共有しており，すべてが一先祖からの遺伝と考えられている(先祖効果)．重症，慢性，あるいは難治性の疾患の遺伝的素因を判別する可能性で，雇用，生命保険，あるいは障害保険で差別される危険性を生じてきた．国および州政府は雇用主や保険会社が積極的に個人の遺伝情報に関与することを制限する政策を策定している．また遺伝情報で差別すること，職業上の差別，保険加入や通常の保険料率の保証を拒否することを禁止している．→BRCA1 *gene*; BRCA2 *gene*.

---

histocompatibility t. 組織適合試験（移植の際に主要な HLA の試験法）．

proficiency t. 精度管理試験（精度管理試料を定期的に臨床検査室のグループ会員に送って分析させ，それぞれの検査室の結果を仲間の検査室の結果と比べる事業．→proficiency *samples*）．

reality t. 現実検討（客観的世界または現実世界と主観的に感じるその世界への関わりを評価し認識する自我の機能で，精神医学および心理学で用いられる．外的出来事に関する正しい表象と内的な歪曲ないし空想とを区別する能力）．

susceptibility t. 感受性試験（抗生物質の細菌に対する殺傷能あるいは増殖抑制能を検定する試験）．

tes·tis, pl. **tes·tes** (tes′tis, -tēz) [L.][TA]. 精巣，睾丸（卵形をした男性の性腺で陰嚢内に位置する．精巣内の精細管は精子形成の場で，間質にある Leydig 細胞はテストステロンのみならずエストロゲンや他の男性ホルモンを分泌する．→*appendix* testis）．＝didymus; genital gland (1); male gonad; orchis; testicle; testiculus.

abdominal t. 腹腔〔内〕精巣（最初の後膜膜腔または腹腔に存在する位置のまま鼡径輪を通過して下降しない状態の停留精巣）．

cryptorchid t. 停留精巣(睾丸)．＝undescended t.

ectopic t. 異所性精巣(睾丸)（停留精巣の亜型で，精巣下降路以外の部位で生じるもの．→testis *ectopia*）．

movable t. 移動性精巣(睾丸)．＝retractile t.

peeping t. かくれ精巣（内鼡径輪の位置で出たりはいったり移動する状態の停留精巣）．

retractile t. 牽引精巣(睾丸)（精巣が陰嚢上部または鼡径管の中にまで上昇する傾向の状態で停留精巣とは対照的）．＝movable t.; pseudocryptorchism.

undescended t. 停留精巣(睾丸)，潜伏(潜在)精巣(睾丸)（陰嚢内に下降していない精巣．触知可能のものと不能のものがある）．＝cryptorchid t.

tes·ti·tis (tes-tī′tis). 精巣炎，睾丸炎．＝orchitis.

test let·ter (test let′ĕr). 検査〔用〕文字（→test types）．

tes·toid (tes′toyd) [testis ＋ G. *eidos*, resemblance]. ***1*** 〚adj.〛 精巣の（男性ホルモンについていう）．＝androgenic. ***2*** 〚n.〛 精巣ホルモン．＝androgen.

tes·tos·te·rone (tes-tos′tĕ-rōn). テストステロン（天然に存在する最も強力なアンドロゲン．精巣の間質細胞で大量に生成され，恐らく卵巣および副腎皮質でも少量分泌される．アンドロステンジオンのような前駆物質からの非腺組織中で生成される．性機能不全，潜伏精巣，ある種の癌，月経過多などの治療に用いる．種々の製剤が治療に用いられている）．

tes·to·tox·i·co·sis (tes′tō-toks′i-kō′sis). 精巣中毒症（思春期早熟に伴って自律的な精巣ホルモンの過剰産生の結果起こる G 蛋白の変異疾患）．

test sym·bols (test sim′bŏlz). 検査〔用〕記号（→test types）．

test types (test tīps). 視力表（視力測定用の種々の大きさの文字）．

Jaeger t. t. (yā′gĕr). イエーガー視力表（大きさの異なる活字で，近方視力検査に用いる）．

point system t. t. ポイント式視力表（近方視力検査表．1 ポイント(約1/72 インチ)の倍数の大きさの種々の活字と，下段にその約半分の大きさの活字が並んでいる．約 40 cm 離れて 4 ポイントの大きさが読めれば正常で，N–4 と表す）．

Snellen t. t. (snel′ĕn). スネレン視力表（黒い角形の記号

T

で，遠方視力検査に用いる．文字は様々な大きさに変化させ，特定の距離で，視角が5分になるようにする）．

tetan- →tetano-.

te·tan·ic (te-tan′ik) [G. *tetanikos*]. テタヌス〔性〕の，強直〔性〕の（[誤った発音 tet′anic を避けること]．テタヌスのような，持続的筋収縮に関する）．

te·tan·i·form (te-tan′i-fōrm). ＝tetanoid (1).

tet·a·nig·e·nous (tet′ă-nij′ĕ-nŭs) [tetanus + G. *-gen*, producing]. テタヌス発生の，破傷風発生の（破傷風またはテタヌス状痙攣を起こすことについていう）．

tet·a·nism (tet′ă-nizm). テタニズム．＝neonatal *tetany*.

tet·a·ni·za·tion (tet′ă-ni-zā′shŭn). 強直誘発，強直化（①筋肉を強縮させる行為．②テタヌス状痙攣状態）．

tet·a·nize (tet′ă-nīz). 強直させる（連続刺激を筋肉に加え，個々の筋肉の反応(収縮)を融合させて持続収縮にする．筋肉に持続性筋強直（→tetanus (2)）を起こす）．

tetano-, tetan- [G. *tetanos*, convulsive tension]. テタヌス，テタニーを意味する連結形．

tet·a·noid (tet′ă-noyd) [tetano- + G. *eidos*, resemblance]. ***1*** テタヌス様の．＝tetaniform. ***2*** テタニー様の．

tet·a·nol·y·sin (tet′ă-nol′i-sin). テタノリジン（破傷風菌 *Clostridium tetani* によってつくられる溶血素．破傷風の病因とは関係がないと思われる）．

tet·a·nom·e·ter (tet′ă-nom′ĕ-tĕr) [tetano- + G. *metron*, measure]. テタノメータ，強直計（緊張性筋痙攣の力を測定する器具）．

tet·a·no·mo·tor (tet′ă-nō-mō′tŏr) [tetano- + L. *motor*, a mover]. テタノモータ（障害された筋肉の運動神経をハンマーで打ち，力学的刺激により緊張性痙攣を起こす器具）．

tet·a·no·spas·min (tet′ă-nō-spaz′min). テタノスパスミン（破傷風菌 *Clostridium tetani* の神経毒．破傷風特有の自覚・他覚症状を起こす．主に前角細胞に作用し，痙攣は抑制シナプスの作用によるものと思われる）．

tet·a·no·toxin (tet′ă-nō-tok′sin) [tetano- + G. *toxikon*, poison]. テタノトキシン．＝tetanus *toxin*.

tet·a·nus (tet′ă-nŭs) [L. ＜ G. *tetanos*, convulsive tension]. [誤ったつづりまたは発音 tetnus を避けること．tetany と混同しないこと]．***1*** 破傷風，テタヌス，破傷風強直（痛みのある，緊張性筋収縮を特徴とする疾患．中枢神経系に作用する破傷風菌 *Clostridium tetani* の毒素(テタノスパスミン)を原因とする．*cf*. lockjaw; trismus)．***2*** 持続性筋強直，テタヌス（一連の非常にすばやい反復神経刺激を与え，個々の筋反応を融合させることにより生じた持続性筋収縮．テタヌス性攣縮を生じる．→emprosthotonos; opisthotonos)．

acoustic t. 聴性持続性筋強直（感応電流により誘発された実験的持続性筋強直．その速度は振動の高さで判定する）．

cephalic t. 頭部破傷風（局所のテタヌスの一型で顔面や頭部の創に続発する．短い(1—2日)潜伏期の後，顔面筋や眼筋は麻痺性となり，さらに強縮性攣縮を頻発する．咽頭筋や舌筋も障害されることもある）．＝cerebral t.

cerebral t. ＝cephalic t.

complete t. 完全強直（刺激間の張力低下が検出されないほど，その筋肉への刺激が早く繰り返される強直）．

drug t. 薬物性強直（ストリキニーネやその他の強直薬により生じた緊張性痙攣）．＝toxic t.

generalized t. 広汎性強直（強直の最も頻度の高い型で，しばしば最初の症状として開口障害を呈する．頭部，頸部，体幹，四肢の筋は持続性に収縮し，その後有痛性発作性強直性収縮(強直性発作)が加わる．高い死亡率(50％)は窒息または心不全による）．

incomplete t. 不完全強直（以前の収縮から筋肉が部分的にしか弛緩していないときに，各々の刺激が収縮を開始させる強直）．

local t. 限局性破傷風（最も良性の破傷風の型．感染創に近位の筋肉が持続性の不随意性収縮を起こす．しばしば種々の刺激が引き金となった一過性の強い痙攣が加わることがある．上肢の遠位部の筋肉がよりしばしば障害される．徐々であるが完全に回復するのが典型的である）．

neonatal t. 新生児破傷風．＝t. neonatorum.

t. neonatorum (nē-ō-nā′tōr-ŭm). 新生児破傷風（新生児に起こる破傷風で，通常，臍帯部の切断からの *Clostridium tetani* の感染により起こり，死亡率は60％と高い）．＝neonatal t.

postpartum t. 分娩後破傷風．＝puerperal t.

puerperal t. 産褥〔性〕破傷風（分娩損傷部の感染から産褥期に生じる破傷風）．＝postpartum t.; uterine t.

Ritter opening t. (rit′ĕr). リッター開放強直（長くのびている神経を通る強い電流が突然遮断される際に，ときとして生じる強直性収縮）．

toxic t. 中毒性強直．＝drug t.

traumatic t. 外傷性破傷風（創傷の感染に続発する破傷風）．

uterine t. 子宮破傷風．＝puerperal t.

tet·a·ny (tet′ă-nē) [G. *tetanos*, tetanus]. テタニー，強直([tetanus と混同しないこと]．筋肉のぴくつき，痙攣，手足痙攣を特徴とする臨床的神経症候群．重症の場合は喉頭痙攣と痙攣を呈する．これらの所見は中枢と末梢神経系の興奮性を反映している．イオン化カルシウムの血清レベルの低下によるのが普通であるが，まれにマグネシウムの低下による．過換気，副甲状腺機能低下症，くる病，尿毒症などが原因となる）．

t. of alkalosis アルカローシステタニー（身体からの酸の喪失またはアルカリの増加によるテタニー．血清および体液中のカルシウムイオンの減少をきたす．例えば，過換気テタニー(炭酸ガス喪失)，胃性テタニー(嘔吐による塩化水素喪失)，あるいは過量の重炭酸ナトリウムの注入または摂取などがある）．

gastric t. 胃性テタニー（特に嘔吐による胃酸の損失で，胃疾患と関連した一形態）．

hyperventilation t. 過換気テタニー（強制呼吸で生じるテタニー．血中二酸化炭素の減少による）．

hypoparathyroid t. 上皮小体機能低下テタニー．＝parathyroid t.

infantile t. 乳児テタニー（通常，食事性のビタミンD欠乏によるくる病で発症する乳児のテタニー）．

manifest t. 顕性テタニー（神経筋興奮性亢進に起因する(tetany の項に記述のような)症状が，潜伏テタニーとは反対に，はっきりと明らかに存在する，種々の原因によるテタニー）．＝symptomatic t.

neonatal t. 新生児テタニー（低カルシウムによるテタニーで，新生児や乳児期にリンを多く含有する牛乳の摂取により一過性に副甲状腺機能低下症になることにより起こる）．＝myotonia neonatorum; tetanism.

parathyroid t. 上皮小体除去テタニー（特発性または上皮小体除去後に生じるテタニーで，上皮小体機能の欠乏による）．＝hypoparathyroid t.; parathyroprival t.

parathyroprival t. ＝parathyroid t.

phosphate t. リン酸塩テタニー（アルカリ性リン酸塩(リン酸水素二ナトリウム，リン酸水素二カリウム)の過剰摂取によるもので，大部分，血中カルシウムイオンを減少させるアルカリ性リン酸塩を動物に注入することによる実験的なテタニー）．

postoperative t. 術後テタニー（頸部の手術で上皮小体の損傷または除去により生じるテタニー）．

symptomatic t. 症候性テタニー．＝manifest t.

tetra- [G. *tetra-*, four]. 4を意味する接頭語．

tet·ra·a·me·li·a (tet′ră-ă-mē′lē-ă) [tetra- + G. *a-* 欠性辞 + *melos*, limb]. 無四肢〔症〕（上肢および下肢の欠如）．

tet·ra·ba·sic (tet′ră-bā′sik). 四塩基性の（4つの酸基をもつ酸．ゆえに4当量の塩基を中和しうる）．

tet·ra·bor·ic ac·id (tet′ră-bōr′ik as′id). 四ホウ酸．＝pyroboric acid.

tet·ra·bra·chi·us (tet′ră-brā′kē-ŭs) [tetra- + G. *brachiōn*, arm]. 四腕奇形体（上肢が4本あるヒト）．

tet·ra·bro·mo·phe·nol·phthal·ein so·di·um (tet′ră-brō′mō-fē′nol-thal′ēn sō′dē-ŭm). テトラブロモフェノールフタレインナトリウム（二塩基ブロモ染料のナトリウム塩．胆嚢のX線検査に用いられていた）．

tet·ra·chi·rus (tet′ră-kī′rŭs) [tetra- + G. *cheir*, hand]. 四手奇形体（手が4つある人）．

tet·ra·chlo·ro·eth·ane (tet′ră-klō′rō-eth′ăn). テトラクロルエタン；acetylene tetrachloride (脂肪，油，ろう，樹脂などの不燃性溶剤．ペンキ・ニス除去液，写真用フイルム，ラッカー，殺虫剤などの製造に用いる．その毒性はクロロホルムや四塩化炭素より強く，昏睡，肝臓障害，胃腸炎などを引き起こす）．＝cellon.

tet·ra·chlo·ro·meth·ane (tet′tră-klō′rō-meth′ān). テトラクロロメタン．＝*carbon* tetrachloride.

tet·ra·coc·cus, pl. tet·ra·coc·ci (tet′ră-kok′ŭs, -kok′-sī) [tetra- + G. *kokkos*, berry]. 四連球菌（2 平面で分割する球形細菌を表す古語．四細胞塊形成を特徴とする）.

tet·ra·co·sac·tide, tet·ra·co·sac·tin (tet′ră-kō-sak′-tid, -tin). テトラコサクチド，テトラコサクチン．＝cosyntropin.

***n*-tet·ra·co·sa·no·ic ac·id** (tet′ră-kō′să-nō′ik as′id). テトラコサン酸．＝lignoceric acid.

tet·ra·crot·ic (tet-ră-krot′ik) [tetra- + G. *krotos*, a striking]. 四重脈の（1 周期中に 4 つの上向波がある脈拍曲線についていう）.

tet·ra·cus·pid (tet-ră-kŭs′pid). 四尖頭歯の（尖頭が 4 つある）．＝quadricuspid.

tet·ra·cy·cline (tet-ră-sī′klēn, -klin). テトラサイクリン（広域抗菌スペクトル抗生物質（ナフタセン誘導体）．オキシテトラサイクリンの母体．クロルテトラサイクリンから合成する．*Streptomyces*属の数種の培養沪過液からも得られる．塩酸テトラサイクリンおよび複合リン酸テトラサイクリンとしても用いる．テトラサイクリンの蛍光は腫瘍の成長や，骨や歯の発達過程におけるカルシウムの沈着の研究に用いられてきた）.

tet·rad (tet′rad) [G. *tetras*(*tetrad-*), the number four]. ***1*** 4 つ組（4 徴候を呈する奇形というように，共通に何らか 4 つの性質を有するものの集まり．例えば Fallot 四徴症）．＝tetralogy. ***2*** 四価元素，四価の基. ***3*** 四分染色体，四分子（遺伝学においては，減数分裂の際，4 つの染色分体に分裂する二価染色体のこと）.

Fallot t. (fah′yō). ファロー四徴．＝*tetralogy* of Fallot.

narcoleptic t. ナルコレプシー四徴（睡眠発作，カタプレキシー，睡眠麻痺，入眠時幻覚の臨床的症候群）.

tet·ra·dac·tyl (tet-ră-dak′til) [tetra- + G. *daktylos*, finger or toe]. 四指〔症〕の，四趾〔症〕の（手または足の指が 4 本しかないことについていう）．＝quadridigitate.

tet·ra·dec·a·no·ic ac·id (tet′ră-dek-ă-nō′ik). テトラデカン酸．＝myristic acid.

12-*O*-**tet·ra·dec·a·no·yl·phor·bol 13-ac·e·tate** (tet′ră-dek′ă-nō-il-fōr′bol as′ĕ-tāt). 12–*O*–テトラデカノイルホルボール13–アセテート（クロトン油に存在するホルボールの二重エステル．発癌補助物質や腫瘍プロモータ）.

te·trad·ic (te-trad′ik). ***1*** 4 つ組の. ***2*** 4 価の. ***3*** 四分染色体の.

tet·ra·eth·yl·am·mo·ni·um chlor·ide (tet′ră-eth′il-ă-mō′nē-ŭm klōr′īd). 塩化テトラエチルアンモニウム（交感・副交感神経節を通過する刺激伝導を部分的に遮断する第四級アンモニウム化合物．臨床上の有効性には限度がある．神経節伝達を阻害する薬理学的研究に用いられる．以前は降圧剤として用いられた）.

tet·ra·eth·yl·lead (tet′ră-eth′i-led). テトラエチル鉛（自動車燃料に加えるアンチノック化合物．毒作用があり，食欲不振，悪心，嘔吐，下痢，振せん，筋肉脱力，不眠症，被刺激性，神経質，不安などを惹起する．死亡することもある）．＝lead tetraethyl.

tet·ra·eth·yl py·ro·phos·phate (TEPP) (tet′ră-eth′-il pī′rō-fos′fāt). 焦性リン酸テトラエチル（有機リン化合物．殺虫薬．強力な不可逆性コリンエステラーゼ抑制薬）.

tet·ra·eth·yl·thi·u·ram di·sul·fide (tet′ră-eth′il-thī′-yū-rām dī-sŭl′fīd). 二硫化テトラエチルチウラム．＝disulfiram.

tet·ra·gast·rin (tet′ră-gas′trin). テトラガストリン（①消化液の分泌をテストするのに使用するテトラペプチド（Trp-Met-Asp-Phe-NH_2）．②多数の酵素にとって補因子として要求されるプテリン誘導体．例えば，L-フェニルアラニンからL-チロシンの転換において，悪性高フェニルアラニン血症に関連するテトラヒドロビオプテリン合成を無能にする）.

tet·ra·gly·cine hy·dro·per·i·o·dide (tet′ră-glī′sēn hī′drō-per′ē-ō-dīd). 過ヨウ化水素酸テトラグリシン（活性ヨウ素 8 ppm を生じる量の飲料水の応急消毒に用いるヨウ素化合物）.

tet·ra·gon, tet·ra·go·num (tet′ră-gon, tet′ră-gō′nŭm) [tetra- + G. *gōnia*, angle]. 四辺形，四角形，正方晶系.

t. lumbale 腰部四角（外側が外腹斜筋，内側が仙棘筋，上部が下後鋸筋，下部が内腹斜筋により境される四角の空間）.

tet·ra·go·nus (tet′ră-gō′nŭs). 四角の，四角形の（platysma (*muscle*) を表す現在では用いられない語）.

tet·ra·hy·dric (tet′ră-hī′drik). 四水素性の（イオン化可能な 4 個の水素原子（四酸基群）を有する化合物をいう）.

tetrahydro- 4 個の水素原子が付属していることを意味する接頭語．例えば，tetrahydrofolate (H_4folate).

tet·ra·hy·dro·can·nab·i·nols (THC) (tet′ră-hī′drō-kă-nab′i-nolz). テトラヒドロカナビノール（大麻中に存在する精神活性異性体で，マリファナから分離されている．→cannabis; dronabinol）.

5,6,7,8-**tet·ra·hy·dro·fo·late de·hy·dro·gen·ase** (tet′ră-hī′drō-fō′lāt dē′hī-drō′jen-ās). 5,6,7,8–テトラヒドロ葉酸デヒドロゲナーゼ．＝dihydrofolate reductase.

tet·ra·hy·dro·fo·late meth·yl·trans·fer·ase (tet′-ră-hī′drō-fō′lāt meth′il-trans′fĕr-ās). テトラヒドロ葉酸メチルトランスフェラーゼ．＝*methionine* synthase.

tet·ra·hy·dro·fo·lic ac·id (FH_4) (tet′ră-hī′drō-fō′lik as′id). テトラヒドロ葉酸（活性補酵素型の葉酸．1 炭素化合物の代謝に関与する）．＝coenzyme C; coenzyme F.

Tet·ra·hy·me·na pyr·i·for·mis (tet′ră-hī′mē-nă pir′i-fōr′mis) [tetra- + G. *hymēn*, membrane]. テトラヒメナ（口腔の一側に膜を 3 枚，他側に 1 枚有するのを特徴とする大きな群に属する繊毛虫．ゾウリムシにやや類似し，容易に培養できるため研究に広く用いる）.

tet·ra·i·o·do·phe·nol·phthal·ein so·di·um (tet′ră-ī-ō′dō-fē′nol-thal′ēn, sō′dē-ŭm). テトラヨードフェノールフタレインナトリウム．＝iodophthalein.

te·tral·o·gy (te-tral′ŏ-jē) [G. *tetralogia*]. 4 つ組．＝tetrad (1).

Eisenmenger t. (ī′zĕn-men-gĕr). アイゼンメンガー四徴．＝Eisenmenger *complex*.

t. of Fallot (fah′yō) [MIM *187500]. ファロー四徴〔症〕（先天性心疾患の集合で，心室中隔欠損，肺動脈弁狭窄または右室円錐部狭窄，動脈血ばかりでなく静脈血も受けるという大動脈の右室騎乗を含む．右室肥大は四徴の一部分と考えられているが，これは他の欠損に相対的である）．＝Fallot tetrad.

tet·ra·mas·ti·a (tet-ră-mas′tē-ă) [tetra- + G. *mastos*, breast]. 四乳房〔症〕（一人に 4 つの乳房がある状態）.

tet·ra·mas·ti·gote (tet′ră-mas′ti-gōt) [tetra- + G. *mastix*, whip]. 4 本のべん毛をもつ原生動物または他の微生物.

tet·ra·mas·tous (tet′ră-mas′tŭs). 四乳房〔症〕の（4 つの乳房を有することを示す）.

te·tram·e·lus (tĕ-tram′ĕ-lŭs) [tetra- + G. *melos*, limb]. 四脚体（4 本の上肢（四腕奇形）あるいは 4 本の下肢（四脚奇形）をもつ接着双生児．→conjoined *twins*）.

Te·tram·e·res (tĕ-tram′ĕ-rēz) [→tetrameric]. 鳥類の胃に寄生する線虫類（スプルラ科）の一属．雌虫は体内に虫卵が充満すると非常に大きくなり，球状で血赤色を呈する．種によっては，ニワトリ（ときにひなでは重度な病原性を示す），シチメンチョウ，ライチョウ，ウズラの前胃にみられ，感染したゴキブリとキリギリスが媒介する．*T. americana* と，アヒル，ガチョウ，野生の水鳥，ハト，野バトの前胃にみられるが，キジ類にはまれな *T. fissispina* がある.

tet·ra·mer·ic, te·tram·er·ous (tet′ră-mer′ik, tĕ-tram′ĕ-rŭs) [tetra- + G. *meros*, part]. 四分割の，四分裂の，四分節の（4 つの部分あるいは 4 群に配列される部分をもつ，あるいは 4 つの形態で存在することが可能なことについていう）.

tet·ra·meth·yl·am·mo·ni·um io·dide (tet′ră-meth′il-ă-mō′nē-ŭm ī′ō-dīd). ヨウ化テトラメチルアンモニウム（飲料水の応急消毒に用いるヨウ素化合物）.

tet·ra·meth·yl·di·ar·sine (tet′ră-meth′il-dī-ar′sēn). ＝cacodyl.

tetrandrine (tĕt-tran-drēn′). テトランドリン（L–型カルシウムチャネル阻害薬，またカルシウムで活性化されたカリウムチャネルをも阻害する．免疫抑制作用もあるとされてい

T

る).

tet·ra·nu·cle·o·tide (tet′rǎ-nū′klē-ō-tīd). テトラヌクレオチド（4種のヌクレチオドの化合物．以前は核酸の構造を表すと考えられていた(テトラヌクレオチド説)).

tet·ra·o·tus (tet′rǎ-ō′tǔs). 四耳の（4個の耳をもった)．= tetrotus.

tet·ra·pa·re·sis (tet′rǎ-pǎ-rē′sis). 四肢不全麻痺（四肢すべての筋力低下)．= quadriparesis.

tet·ra·pep·tide (tet′rǎ-pep′tīd). テトラペプチド（ペプチド結合をした4つのアミノ酸の化合物).

tet·ra·pe·ro·me·li·a (tet′rǎ-pē′rō-mē′lē-ǎ) [tetra- + G. *peros*, maimed + *melos*, limb]. 奇四肢症（四肢すべてが奇形の奇肢症).

tet·ra·pho·co·me·li·a (tet′rǎ-fō′kō-mē′lē-ǎ). 四肢アザラシ肢症，四肢アザラシ状奇形，四肢フォコメリー（四肢すべてのアザラシ状奇形).

tet·ra·ple·gia (tet′rǎ-plē′jē-ǎ) [tetra- + G. *plēgē*, stroke]. 四肢麻痺．= quadriplegia.

tet·ra·ple·gic (tet′rǎ-plē′jik). 四肢麻痺の．= quadriplegic.

tet·ra·ploid (tet′rǎ-ployd) [G. *tetraploos*, fourfold + *eidos*, form]. 四倍体（→polyploidy).

tet·ra·pus (tet′rǎ-pǔs) [G. *tetrapous* < tetra- + *pous*, foot]. 四足奇形体（足が4本ある奇形の人).

tet·ra·pyr·role (tet′rǎ-pir′ōl). テトラピロール（4つのピロール核を含む分子，例えばポルフィリン).

tet·ra·sac·cha·ride (tet′rǎ-sak′ǎ-rīd). 四糖類（単糖類の4分子を含有する糖．例えばスタキオース).

te·tras·ce·lus (te-tras′ě-lǔs) [tetra- + G. *skelos*, leg]. 四脚奇形体（下肢が4本ある奇形の人).

tet·ra·so·mic (tet′rǎ-sō′mik) [tetra- + chromosome]. 四染色体の（他のすべての染色体は正常な数だけ存在するのに，1つの染色体が4倍出現するような細胞核についていう).

tet·ras·ter (tet-ras′těr) [tetra- + G. *astēr*, star]. 四星（有糸分裂時の例外的異常像で，4つの星状体があるもの).

tet·ra·sti·chi·a·sis (tet′rǎ-sti-kī′ǎ-sis) [tetra- + G. *stichos*, row]. 睫毛四列症（睫毛の二重成育(4列に並ぶ)).

tet·ra·ter·penes (tet′rǎ-ter′pēnz). テトラテルペン（8つのイソプレン単位の縮合により生成される炭化水素あるいはその誘導体(4テルペン)で，炭素原子を40有する．例えばカロチノイド).

tet·ra·tom·ic (tet′rǎ-tom′ik) [tetra- + G. *atomos*, atom]. 4原子の（4価の元素または基をさす).

Tet·ra·trich·om·o·nas (tet′rǎ-trik-om′ǒ-nǎs) [tetra- + *Trichomonas*]. 寄生鞭毛虫の一属．以前は*Trichomonas*属の一部とされたが，現在では4本の前べん毛と1本の後べん毛，またペルタ(円盤状伴基体)が存在するところから，異種属に分類されている．→*Trichomonas*.

T. ovis ヒツジの盲腸や前胃に寄生する種．

tet·ra·va·lent (tet′rǎ-vā′lěnt) [tetra- + L. *valentia*, strength]. 四価の．= quadrivalent.

tet·ra·zole (tet′rǎ-zōl). テトラゾール；CN_4H_2（テトラゾリウム構造をもつ化合物).

tet·ra·zo·li·um (tet′rǎ-zō′lē-ǔm). テトラゾリウム（下記の一般構造をもつ有機塩の一群．還元反応により(2，3位結合を切る)，有色の不溶性のホルマザンを生成する．酸化酵素組織化学の試薬).

nitroblue t. (**NBT**) ニトロブルーテトラゾリウム（淡黄色色素．デヒドロゲナーゼの組織化学的検出で，着色したホルマザンの還元によって形成される．血液学において，細菌感染の存在を指摘する補助として，好中球を染色するのに用いる).

tet·ro·do·tox·in (**TTX**) (tet′rō-dō-tok′sin). テトロドトキシン（日本フグ *Sphoeroides rubripes*，その他の種のフグおよびいくつかの種のイモリの肝臓と卵巣にみられる強力な神経毒．神経節前コリン作動性線維および体運動神経の軸索ブロックをもたらす．テトロドトキシンは興奮性組織において，電位依存性のナトリウムイオンチャネルを遮断する).

tet·rose (tet′rōs). テトロース（主鎖に炭素原子が4つしかない単糖類．例えば，エリトロース，トレオース，エリトルロース).

te·tro·tus (te-trō′tǔs) [tetra- + G. *ous* (*ōt-*), ear]. 四耳奇形体（4つの耳，4つの眼，2つの顔面，ほぼ2つに分離した頭を有する奇形の人)．= tetraotus.

te·trox·ide (te-trok′sīd). 四酸化物（酸素原子を4つもつ酸化物．例えばOsO_4).

tet·ter (tet′ěr) [A.S. *teter*]. 皮疹（一般に白癬および湿疹に対して用いる不適切な口語．ときにその他の発疹についても用いる).

Teut·le·ben (toyt′lā-ben), F.E.K. von. 19世紀のドイツ人解剖学者．→T. *ligament*.

tex·ti·form (teks′tǐ-fōrm) [L. *textum*, something woven]. 網状の，細網状の．

tex·tur·al (teks′chǔr-ǎl). 組織構造〔上〕の．

tex·ture (teks′chūr) [L. *textura* < *texo*: *textus*(to weave)の完了分詞]. 組織，構造（組織あるいは器官の組成や構造).

tex·tus (teks′tǔs) [L.]. 組織．

t.connectivus laxus abdominis [TA]. = loose connective *tissue* of abdomen.

t.connectivus laxus tela [TA]. = loose connective *tissue* of subcutaneous *tissue*.

TFCI transient focal cerebral *ischemia* の略．

TGC time-varied gain *control*; time-gain *compensation* の略．

TGF transforming growth *factors* の略．

TGFα transforming growth *factor* α の略．

TGFβ transforming growth *factor* β の略．

Th ***1*** T-helper *cells* の略．***2*** トリウムの元素記号．

Thal (thal), Alan P. 20世紀の米国人外科医．→T. *procedure*.

thalam- →thalamo-.

thal·a·mec·to·my (thal′ǎ-mek′tǒ-mē) [thalamus + G. *ektomē*, excision]. 視床切除〔術〕(→chemothalamectomy).

thal·a·men·ce·phal·ic (thal′ǎ-men-se-fal′ik). 視床脳の．

thal·a·men·ceph·a·lon (thal′ǎ-men-sef′ǎ-lon) [thalamus + G. *enkephalos*, brain]. 視床脳（間脳のうちで視床およびその関連構造からなる部分).

tha·lam·ic (thǎ-lam′ik). 視床の．

thalamo-, thalam- [G. *thalamos*, bedroom (thalamus)]. 視床を意味する連結形．

thal·a·mo·cor·ti·cal (thal′ǎ-mō-kōr′ti-kǎl). 視床皮質の（視床から大脳皮質への神経線維連絡についていう).

thal·a·mo·len·tic·u·lar (thal′ǎ-mō-len-tik′yū-lǎr). 視床(通常，視床背側核)やレンズ核(被殻と淡蒼球)と関連する．

thal·a·mot·o·my (thal′ǎ-mot′ǒ-mē) [thalamus + G. *tomē*, incision]. 視床切開〔術〕，視床切断〔術〕（痛み，不随意運動，てんかん，まれには情動障害の除去を目的として，定位脳手術により視床の選定された部分を破壊すること．神経学的欠損や好ましくない性格変化は，起こるとしてもきわめてまれである).

thal·a·mus, pl. **thal·a·mi** (thal′ǎ-mǔs, -mī) [G. *thalamos*, a bed, a bedroom][TA]. 視床（間脳の大きなほうの背側部分を形成する灰白質の大きな，卵形の塊で，内包と尾状核の体部および尾部の内側に位置し，その内側面は第3脳室の側壁の背側半分を形成する．視床の背面は，側脳室の体部(中心部)の床をなす外側三角形と，中間帆におおわれる内側三角形に細分しうる．尾状核尾部は脳脚後側面の周囲を腹方方向に曲がり外側膝状体に終わる．視床は，解剖学的にも機能的にも別個の多数の細胞群または核からなり，次のように分類される．ⓘ各々が特異的な種類の知覚伝導系を受容し，それぞれを対応する大脳皮質の一次感覚野に投射する感覚中継核(後腹側核，内・外側膝状体)．ⓘⓘ小脳視床線維だけでなく淡蒼球の内側部からの線維を受容し，中心前運動皮質に投射する〝二次〟中継核(中間腹側核，前腹側核)．ⓘⓘⓘ大脳辺縁系と連絡する核．乳頭体視床路を受容し，弓隆回に投射する複合前核．ⓘⓥ各々が連合皮質に広く投射する連合系(背内側核，大視床枕を含む外側核)．ⓥ中心・層内核または〝非特異的〟核(中心正中核，外側中心核，中心傍核，結合核)．→dorsal t.).

dorsal t. 視床背側核（視床下部の背側に局在する間脳の大きな部分をなす．視床腹部と内側・外側膝状体(ときに後者2つをまとめて metathalamus とよぶ)．主要な運動と体性感覚の中継核を含み，それらの核群から大脳皮質連合野と髄板内核に放射する．→thalamus).

ventral t. = subthalamus.

thal·as·se·mi·a, thal·as·sa·ne·mia (thal′ǎ-sē′mē-ǎ, thǎ-las-ǎ-nē′mē-ǎ) [G. *thalassa*, the sea + *haima*, blood]. サ

ラセミア（グロビンのポリペプチド鎖の１つないしはそれ以上の合成障害をきたす遺伝的ヘモグロビン代謝障害をいう．数種の遺伝型があり，該当する臨床像はほとんど血液学的異常を認めないものから重症の致命的貧血まで多様である）．

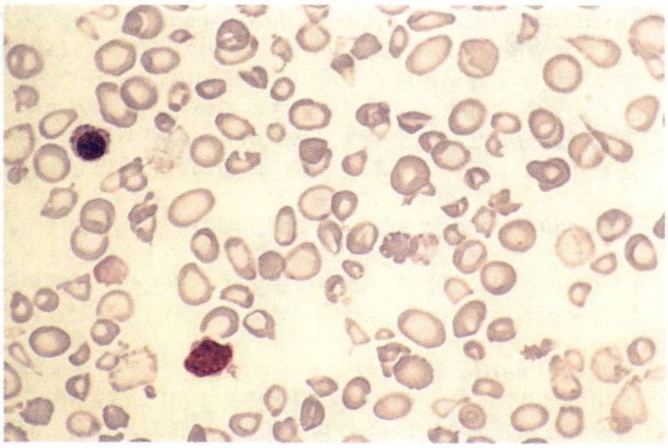

thalassemia

低色素，赤血球不同，および変形赤血球を示すホモ接合のβサラセミアの患者の血液写真．Wright-Giemsa染色，×250.

α t. αサラセミア（グロビンのα鎖合成を(高度あるいは中等度に)制御する２つ以上の遺伝子のうち１つが存在することによるサラセミア(註α鎖合成を支配する遺伝子は，16番目の染色体上にα1とα2の２つが局在し，計４つある．古典的なαサラセミアには，α鎖遺伝子の１つが機能しないαサラセミア-2トレート，２つが機能しないαサラセミア-1トレート，３つが機能しないヘモグロビンH症，４つが機能しない胎児水腫の４種がある．遺伝子が機能しない理由の多くは遺伝子の欠失によるが，遺伝子の欠失でないαサラセミアもある）．ⓘヘテロ接合体：重症型．Hb Bart を生下時５—15%認め，成人ではわずかしか認めないサラセミアマイナー(註α2遺伝子の欠失によるαサラセミア-1トレート)，Hb Bart を生下時1—2%認め，成人では認めなくなる軽症型(註α1遺伝子欠失によるαサラセミア-1トレート)などがある．ⓘⓘホモ接合体：重症型．胎児赤芽球症および胎児死亡(註胎児水腫)の例がある．Hb Bart と Hb H だけを認める．軽症型はない．→*hemoglobin* H).

A_2 t. A_2サラセミア（βサラセミアのヘテロ接合体）．

β t. βサラセミア（β鎖合成を(部分的あるいは完全)に抑制する２つ以上の遺伝子のうち１つが存在することによるサラセミア．ⓘヘテロ接合体(A_2サラセミア)：サラセミアマイナー．Hb A_2が増加し，Hb Fは正常か種々の程度に増加し，Hb Aは正常かわずかに低下する．ⓘⓘホモ接合体：サラセミアメジャー．Hb Aは程度の差はあるが著減し，Hb Fは著増している）．

β-δ t. β-δサラセミア（β鎖とδ鎖の両方のグロビン鎖の合成を制御する遺伝子によるサラセミア．ⓘヘテロ接合体：サラセミアマイナー．Hb Fがヘモグロビンのうち5—30%となるが，赤血球によって含量は異なる．Hb A_2は減少ないし正常である．ⓘⓘホモ接合体：軽度の貧血を呈し，Hb Fだけが存在し，Hb AやHb A_2を認めない）．＝F t.

F t. Fサラセミア．＝β-δ t.

t. intermedia 中等症サラセミア（サラセミアの臨床的亜型で，中等度の重症度である．患者は重篤な貧血を認めるが，通常定期的な輸血は必要としない．中等症サラセミアは遺伝子異常の不均一なグループで，β-グロビン鎖遺伝子のホモまたはヘテロ接合体異常の症例を含む）．

α t. intermedia 中間型αサラセミア（→*hemoglobin* H）．

Lepore t. [MIM*142000.0020 & others]．レポアーサラセミア（異常な構造の Hb Lepore(→hemoglobin)の産生によるサラセミア症候群．ⓘヘテロ接合体：Hb Lepore を約10%有し，Hb Fは中等度に増加し，Hb A_2は正常なサラセミアマイナー．ⓘⓘホモ接合体：Hb Fと Hb Lepore のみで，Hb AおよびHb A_2のないサラセミアメジャー）．

t. major [MIM*141800—142310 passim]．サラセミアメジャー（サラセミアの遺伝子の１つ，または Hb Lepore 遺伝子の１つのホモ接合体による重症貧血症候群．発症は乳児期および小児期．蒼白，黄疸，脱力感，脾腫，心肥大，頭蓋骨の内板および外板の菲薄化，および変形赤血球増加，赤血球大小不同，好塩基性斑点を有する赤血球，標的赤血球，有核赤血球を伴う小球性低色素性貧血がみられる．ヘモグロビンの型は多様で，関与している遺伝子により異なる）．＝Cooley anemia.

t. minor [MIM*141800—142310 passim]．サラセミアマイナー（サラセミアの遺伝子または Hb Lepore 遺伝子のヘテロ接合体．通常，無症状．血液学的には多様で，標的赤血球を伴う例，軽度低色素小球性赤血球を認める例，多少の赤血球増加を伴い軽度のヘモグロビン減少を認める例など，症例によって異なる．ヘモグロビンの型は多様で，関与する遺伝子により異なる）．

tha·las·so·pho·bi·a (thal′ă-sō-fō′bē-ă, thă-las′ō-) [G. *thalassa*, the sea + *phobos*, fear]．海洋恐怖〔症〕（海に対する病的な恐れ）．

tha·las·so·po·si·a (thal′ă-sō-pō′zē-ă, thă-las′ō-) [G. *thalassa*, the sea + *posis*, drinking]．＝mariposia.

tha·las·so·ther·a·py (thal′ă-sō-thār′ă-pē) [G. *thalassa*, the sea]．海治療法（大海の空気にさらしたり，外洋で海水浴をさせたり，海洋航海をさせて病気を治療すること）．

tha·lid·o·mide (thă-lid′ō-mīd)．サリドマイド（妊娠初期に摂取すると，フォコメリーやその他の障害をもつ児が生まれる原因となりうる催眠薬．らいの治療，HIV 感染および対宿主性移植片反応における免疫調節薬として治験的に使用される．らい性結節性紅斑の治療に対して承認されており，他の臨床領域でも試験的に使用されている）．

thal·lic (thal′lik)．葉状性（菌糸(葉体)の隔壁によって隔絶された後に拡張や生長をみずに産生される分生子をさす．親細胞全体が分節分生子となる）．

thal·li·um (Tl) (thal′ē-ŭm) [G. *thallos*, a green shoot(スペクトル中で緑色の線を発する)]．タリウム（白色の金属元素．原子番号 81，原子量 204.3833．タリウム 201(半減期は 3.038 日)は心筋スキャン検査に用いられる）．

t. 201(^{201}Tl) タリウム201（心筋の核医学画像検査に広く用いられるタリウムの放射性同位元素．また，特定の腫瘍にも取り込まれる）．

Thal·loph·y·ta (thă-lof′i-tă) [G. *thallos*, a green shoot + *phyton*, plant]．葉状植物門（古い分類体系で，多少の例外はあるが，その属が真性の根，幹および葉を欠いている植物界の一次門．バクテリア，杆菌，藻類が含まれた）．

thal·lo·phyte (thal′ō-fīt)．葉状植物（葉状植物門に属する植物）．

thal·lo·tox·i·co·sis (thal′ō-tok′si-kō′sis) [thallium + G. *toxikon*, poison + *-osis*, condition]．タリウム中毒〔症〕（タリウム中毒．口内炎，胃腸炎，末梢・球後神経炎，内分泌障害，および脱毛などを特徴とする）．

thal·lus (thal′ŭs) [G. *thallos*, a young shoot]．葉状体（根，茎および葉をもたない単体植物あるいは真菌．葉状発育した真菌）．

thanato- [G. *thanatos*, death]．死に関する連結形．→necro-.

than·a·to·bi·o·log·ic (than′ă-tō-bī′ō-loj′ik) [thanato- + G. *bios*, life + *logos*, study]．生死の（生死に関する過程についていう）．

than·a·to·gno·mon·ic (than′ă-tō-nō-mon′ik) [thanato- + G. *gnōmē*, a sign]．死期が迫った（予後が致命的であること．死の接近を意味する）．

than·a·tog·ra·phy (than′ă-tog′ră-fē) [thanato- + G. *graphē*, a writing]．***1*** 死徴学（人が死ぬときの徴候や考察を記述したもの）．***2*** 死亡論（死に関する論文）．

than·a·toid (than′ă-toyd) [thanato- + G. *eidos*, resemblance]．***1*** 死のような．***2*** 致死の．

than·a·tol·o·gy (than′ă-tol′ō-jē) [thanato- + G. *logos*, study]．死相論（死の研究に関する科学の一分野）．

than·a·to·ma·ni·a (than′ă-tō-mā′nē-ă) [thanato- + G. *mania*, frenzy]．自殺狂（魔術の効果を信じることにより生じる病気または死．悪霊，呪文，呪い，生き物が人の身体過程に及ぼす力を信じるある種の文化あるいは無学で迷信的な人々の間にみられる現象．そのような信念をもつと，恐怖の結果，自ら心身症あるいは死さえもたらす）．

than·a·to·phid·i·a (than′ă-tō-fid′ē-ă) [thanato- + G. *ophidion*: *ophis*(a serpent)の指小辞]．毒蛇．

T

than·a·to·pho·bi·a (than′ă-tō-fō′bē-ă) [thanato- + G. *phobos*, fear]. 死恐怖〔症〕(死に対する病的な恐れ).

than·a·to·phor·ic (than′ă-tō-fōr′ik) [thanato- + G. *phoros*, bearing]. 死に至る.

than·a·tos (than′ă-tos) [G. death]. タナトス，死の本能 (精神分析学において，老衰と死に向けられるすべての本能的傾向を意味する死の原理. instinct の項も参照. *cf.* eros).

Thane (thān). George D. イングランド人解剖学者，1850—1930. ⇀T. *method*.

thapsigargin (thap-si-gar′jin) [*Thopsia garganica*, plant source + -in]. タプシガーギン (筋小胞体 Ca^{2+}–ATPase に対する非常に強力で選択性の高い阻害剤. 細胞内カルシウムイオン貯留に関する研究に用いられる).

thau·mat·ro·py (thaw-mat′rŏ-pē) [G. *thauma*(*thaumat-*), a wonder + *tropē*, a turning]. 変態 (1つの組織形態が他の形態に変形すること).

Thay·er (thā′ĕr), James D. ⇀T.-Martin *medium*, *agar*.

THC tetrahydrocannabinols の略.

Thd リボチミジンの記号.

the·a (thē′ă) [Mod. L.]. 茶. =tea.

the·a·ism (thē′ă-izm). 茶中毒. =theinism.

the·a·ter (thē′ă-tĕr) [G. *theatron*, a place for seeing, theater < *theomai*, to look at]. 円形臨床講堂 (公立病院の手術室または招待客や一般外科医の手術参観が許されている手術室).

the·ba·ic (thē-bā′ik) [L. *Thebaicus*: to Thebes(以前はここからアヘンを入手した)に関する]. アヘンの，アヘンから誘導された.

the·ba·ine (thē-bā′ēn, -in). テバイン ([誤った発音 thē′bān を避けること]. アヘンから得られるアルカロイド(0.3—1.5%). 作用はストリキニンに類似し，テタヌス性痙攣を引き起こす). =paramorphine.

The·be·si·us (thĕ-bē′sē-ŭs), Adam C. ドイツ人医師，1686—1732. ⇀thebesian *foramina*(⇌foramen), *valve*, *veins*.

the·ca, pl. **the·cae** (thē′kă, thē′sē) [G. *thēkē*, a box]. 〔被〕膜.

t. cordis 心外膜. =pericardium.

t. externa =*tunica* externa thecae folliculi.

t. folliculi 卵胞膜 (胞状卵胞の膜. →*tunica* externa; *tunica* interna thecae folliculi).

t. interna =*tunica* interna thecae folliculi.

t. tendinis =synovial tendon *sheath*.

t. vertebralis =spinal *dura mater*.

the·cal (thē′kăl) [⇀theca]. 包膜の (鞘，特に腱鞘についていう).

thec·o·dont (thē′kō-dont) [G. *thēkē*, box + *odous*(*odont-*), tooth]. 槽生歯の (歯槽中に嵌植した歯をもっている).

the·co·ma (thē-kō′mă) [G. *thēkē*, box (theca) + *-oma*, tumor]. 莢膜〔細胞〕腫 (卵巣間葉組織から発した腫瘍で，しばしば脂肪小球を含む紡錘状細胞から主に構成される. この腫瘍は通常，その直径が 10 cm 以下で，それほど悪性ではない. 硬く黄色い被膜をもち，顆粒膜細胞腫に類似した肉眼所見を呈する. 莢膜腫は，かなりの量のエストロゲンを生成すると考えられる. その結果，思春期前の女子には二次性徴の早期発達を促し，また成人患者では子宮内膜過形成をもたらす). =theca cell tumor.

the·co·ma·to·sis (thē′kō-mă-tō′sis). 卵胞膜細胞腫症 (間質の過形成，あるいは卵巣の結合組織要素の増加).

The·den (tā′dĕn), Johann C.A. ドイツ人外科医，1714—1797. ⇀T. *method*.

Theile (tī′lĕ), Friedrich W. ドイツ人解剖学者，1801—1879. ⇀T. *canal*, *glands*, *muscle*.

Thei·ler (tī′lĕr), Max. 米国に在住した南アフリカ人微生物学者・ノーベル賞受賞者，1899—1972. ⇀T. *virus*.

Thei·le·ri·i·dae (thī-lĕ′rē-i-dē). タイレリア科 (胞子虫類原生動物の一科で，バベシア科とともにピロプラズマ目をつくる. 現在認められているのは *Theileria*属でマダニ類によって伝播される).

the·in (thē′in, tē′in). テイン. =caffeine.

the·in·ism, the·ism (thē′i-nizm, thē′izm, tē′-) [Mod. L. *thea*, tea]. 茶中毒 (お茶を極端に多く飲むために生じる慢性中毒. 動悸，不眠，神経質，頭痛，消化不良を特徴とする). =theaism.

thel- ⇀thelo-.

the·lar·che (thē-lar′kē) [thel- + G. *archē*, beginning]. 乳房発育開始 ([誤った発音 the′larche を避けること]. 女性の乳房発達の始まり).

The·la·zia (thē-lā′zē-ă) [G. *thēlazō*, to suck]. テラジア属 (眼の寄生虫で，種々の家畜や野生動物の涙管および眼球表面に寄生する旋尾線虫の一属. ヒト寄生例はまれであるが，多くの野鳥に寄生する種が報告されている. イエバエ中で周期的に発育した感染子虫は，ハエが宿主の眼あるいはその周辺をえさとして摂取している間に口辺部から脱出し，感染する).

T. californiensis 米国西部や南西部のイヌ，コヨーテ，アメリカクロクマ，ヒツジ，シカ，野ウサギ，ネコ，またまれにヒトの涙管，結膜嚢，瞬膜に寄生する線虫類. 重症感染の場合，羞明，流涙，眼瞼浮腫，結膜炎を起こし，ときに失明する.

T. callipaeda 東南アジアとカリフォルニアでヒト寄生例が報告されている. 眼の縁に侵入後，本虫は結膜下腫瘤中に埋没するか，あるいは房水中を浮遊し，痛み，羞明，流涙を惹起する.

the·la·zi·a·sis (thē-lă-zī′ă-sis, thel-ă-). テラジア症 (*Thelazia*属の線虫による感染症).

the·le (thē′lē) [G.]. 乳頭. =nipple.

the·li·um, pl. **the·lia** (thē′lē-ŭm, -lē-ă) [Mod. L. < G. *thēlē*, nipple]. ***1*** 乳頭のような構造. ***2*** 細胞層. ***3*** 乳頭，乳首. =nipple.

thelo-, thel- [G. *thēlē*]. 乳頭に関する連結形. *cf.* mamil-.

the·lor·rha·gi·a (thē′lō-rā′jē-ă) [thelo- + G. *rhēgnymi*, to burst forth]. 乳頭出血，乳房出血.

the·nad (thē′nad) [G. *thenar*, the palm of the hand + L. *ad*, to]. 手のひらの方向へ.

the·nal (thē′năl). =thenar.

the·nar (thē′nar) [G. the palm of the hand][TA]. 母指球の (母指の基部に関する，母指基部内の構造全体に関する. ⇀thenar *eminence*). =thenal.

the·nen (thē′nen) [G. *thenar*, palm + *en*, in]. 手掌の (特に橈骨側の手掌についていう).

then·yl (then′il). テニル (2–メチルチオフェンの基(SC_4H_3)CH_2–. *cf.* thienyl).

The·o·bald Smith (thē′ō-bahld smith). ⇀Smith.

the·o·bro·ma (thē′ō-brō′mă) [G. *theos*, a god + *brōma*, food]. カカオ. =cacao.

t. oil カカオ脂 (熟したアオギリ科カカオノキ *Theobroma cacao* から採れる油脂. ステアリン酸，パルミチン酸，オレイン酸，アリチジン酸，リノール酸のグリセリドを含有する. 坐剤，軟膏として用いる. 歯科保存修復学においては，潤滑剤，保護剤として用いる). =cacao butter; cocoa butter; cacao oil.

the·o·bro·mine (thē′ō-brō′mēn). テオブロミン (作用がカフェインに類似するアルカロイド，カカオノキ *Theobroma cacao* の熟した種を乾燥したものから加工されたり，人工的につくられる. 以前は利尿薬，心筋刺激薬，冠動脈拡張薬，平滑筋弛緩薬として広く用いられた. グルコン酸カルシウム，サリチル酸カルシウム，サリチル酸塩，酢酸ナトリウム，サリチル酸ナトリウム，との化合物があげられている).

the·o·ma·ni·a (thē′ō-mā′nē-ă) [G. *theos*, god + *mania*, frenzy]. 宗教狂 (自分が神であると信じる妄想).

the·o·pho·bi·a (thē′ō-fō′bē-ă) [G. *theos*, god + *phobos*, fear]. 神仏恐怖〔症〕(神に対する病的な恐れ).

the·oph·yl·line (thē-of′i-lin). テオフィリン (カフェインとともに茶の葉中にみられるアルカロイド(市販のテオフィリンは合成品). カフェインおよびテオブロミンと同様な化学的・薬理学的性質を有している).

t. ethylenediamine テオフィリンエチレンジアミン. =aminophylline.

t. sodium glycinate テオフィリンナトリウムグリシネート (テオフィリンナトリウム塩とグリシンとのほぼ等量の平衡合剤. 余分のグリシン1モルが緩衝剤となる. 作用と用途はアミノフィリンと同じで，空気中ではより安定しており，胃粘膜への刺激はより少ない).

the·o·rem (thē′ŏ-rem). 定理 (証明しうる命題. したがって

法則または原理として確立しうる.→law; principle; rule).

Bayes t. (bāys). ベイズの定理（事前にもつ確信の度合い(事前確率)と仮説のもとで実際のデータが有するもっともらしさ(条件付き確率)を乗じ，総和が1となるように基準化を行い(基準化したものを事後分布という)，新しく得られたデータが相反する科学的仮説のいずれと整合するかを比較する方法.→diagnostic *sensitivity*; diagnostic *specificity*; predictive *value*).

Bernoulli t. (bĕr-nū′lē). ベルヌーイの定理. = Bernoulli *law*.

central limit t. 中心極限定理（分散が有限でありさえすれば，同一の過程から生じた *n* 個の実現値の合計(または平均)は，*n* を無限大に近づけるにつれて正規分布に近づく．この定理は，正規分布に従わないデータにも正規理論を適用できるという根拠を与える．ここで述べたのは古典的なもので，より一般的に仮定を緩めることが可能である).

Gibbs t. (gibz). ギブズの定理（純粋分散媒質の表面張力を低下させる物質は分散媒質の表面に集中する傾向があり，これに対して表面張力を高める物質は，表面皮膜外にとどまる傾向がある).

THEORY

the·o·ry (thē′ŏ-rē) [G. *theōria*, a beholding, speculation, theory < *theōros*, a beholder]. 理論，〔学〕説（知られた事実や現象についての理由説明で，真実に至るための研究の基盤となる.→hypothesis; postulate).

adsorption t. of narcosis 麻酔の吸着説（薬剤は吸着されて細胞表面に集中し，透過性と代謝に変化をきたす).

aerodynamic t. 空気力学理論（発声時の声帯振動は近接した声帯を通り過ぎた呼気により生じるという一般に認められている理論．これに対し，発声時の声帯運動はその声帯振動周波数に固有の喉頭筋収縮の結果生じるという概念は現在受け入れられていない).

Altmann t. (ahlt′mahn). アルトマン説（原形質は中性の物質中に集められ，閉じ込められた顆粒状粒子(原生子とよばれる)からなっているとする説).

Arrhenius-Madsen t. (ă-rē′nē-ŭs mad′sĕn). アレーニウス－マドセン説（抗原と抗体の反応は可逆的であり，反応物質の濃度により，質量作用の法則に従って平衡状態が決定されるという説).

atomic t. 原子説（化合物はある特定の比率で結合した原子で構成されるという仮説．John Dalton により1803年に初めて現在の形で提唱された).

Baeyer t. (bī′yĕr). ベーアー説（炭素結合は，109°28′の角度で固定され，その炭素環が最も安定状態にあり，その角度におけるねじれはきわめて少ない．それゆえ炭素原子4以下または7以上からなる環よりも，5または6からなる平面環のほうが一般的であるという理論).

balance t. バランス理論（社会心理学における理論．認知単位(例えば人とその態度や行動)は安定状態と非安定状態に分けることができ，そのような単位は安定状態(平衡)を求める傾向がある．例えば，均衡は1単位の両要素が同じであると評価されたときに生じ，同じでないと評価されたとき不均衡が生じる．その結果，両要素の認知的再評価またはその分離が行われる.→cognitive dissonance t.; consistency *principle*).

beta-oxidation-condensation t. ベータ酸化－縮合説（ベータ酸化により，脂肪酸分子から分離した炭素2個の断片は，酢酸に変換され，次いで縮合したアセト酢酸になるという説).

Bohr t. (bōr). ボーア〔の量子〕論（スペクトル線は，ⓘ電子が高エネルギー準位から低エネルギー準位へ落ちるときに生じる量子化された放射エネルギーの放出，またはⓘⓘ電子が低エネルギー準位から高エネルギー準位へ上がるときに生じる放射線の吸収によってつくられるとする理論).

Brønsted t. (bron′sted). ブレンステズ(ブレンステッド)説（酸は電荷のいかんを問わず溶液中で水素イオンを遊離する物質と規定し，塩基は水素イオンを溶液から除去する物質と規定している．したがって，NH_4^+，CH_3COOH，HSO_4^- は酸であり，NH_3，CH_3COO^-，SO_4^{2-} は塩基である．弱電解質および緩衝剤の概念に有益な説．*cf.* Brønsted *acid*; Brønsted *base*).

Burn and Rand t. (bŭrn rand). バーン－ランド説（交感神経線維への刺激は，初め節後神経終末部にアセチルコリンを生成し，次いで効果細胞作用部位へ作用するノルエピネフリンを放出するという説).

Cannon t. (kan′ŏn). キャノン説（→relaxation *response*). = fight or flight *response*.

Cannon-Bard t. (kan′ŏn bahrd). キャノン－バード説（情動の感情的側面および情動行為の様式は視床下部がコントロールするという説).

catastrophe t. カタストロフィー理論（システムの重要な変数の小さな変化でもシステム全体の大きな変化につながることを扱う数学の分野．ある集団内の流行病，遺伝子型の割合，社会的行動のいくらかは，この理論によって説明される可能性がある).

cellular immune t. 細胞性免疫論（Elie Metchnikoff によって提唱された概念で，抗体ではなく，細胞が生体の免疫反応を司るとした).

celomic metaplasia t. of endometriosis 子宮内膜症腹膜中皮化生由来理論(説)（子宮内膜症の組織は腹膜中皮から直接発生するという説).

chaos t. カオス理論（小さな(あるいは微小な)，そしておそらく遠隔の引き金となるイベントが広範囲に及ぼす効果を予測するための数学の分野．流行病や悪性の転移における予測困難な経過には，カオス理論に従うものがある).

chemiosmotic t. 化学浸透説（ATP 合成やイオンポンプなどの経路に必要な細胞エネルギーが pH と膜電位勾配によって駆動されることを提唱した仮説．Peter Mitchell が1961年に提唱した).

cloacal t. 一孔仮説（神経症の成人や小児が抱く信念．子供は糞便と同様に肛門から生まれるというもの).

clonal deletion t. クローン除去説（胸腺において，自己抗原(禁止クローン)に特異的なT細胞集団は除去されるとする説.→immunologic *tolerance*).

clonal selection t. クローン選択説（各リンパ球はその細胞表面にそれぞれの抗原に特異的な反応性を有する細胞結合性免疫グロブリンレセプタを有していて，これに抗原が結合すると，抗体産生細胞(形質細胞)クローンが形成され，その細胞クローンが増殖する).

cognitive dissonance t. 認知的不協和理論（人の認知要素(態度，知覚行動など)が相互に調和しないとき(例えば，十戒を支持するにもかかわらず脱税をまったく気にしないなど)に現れる動機を説明する，態度形成と行動に関する理論．人は一貫性(協和)を得ようとし，態度変容，合理化，選択的知覚，および他の方法によって対処しようとする，ということを示す理論.→balance t.; consistency *principle*). = cognitive dissonance.

colloid t. of narcosis 麻酔のコロイド説（蛋白の凝固または凝集は脱水および代謝の低下を引き起こす).

darwinian t. ダーウィン説（種の起源，自然淘汰(生存競争における適者生存)による下等生物から高等生物への発展，共通の祖先からヒトおよび類人猿への進化，についての学説.→darwinian *evolution*).

decay t. 減衰理論，崩壊理論（記憶心像あるいは記憶痕跡は，それが賦活されないと漸進的に消えていくという前提に基づく忘却理論).

dipole t. 双極説（心臓の賦活流は動く双極子と考えられ，陽極誘導をなす).

duplicity t. of vision 視覚二重説（明光中では，網膜錐体が機能し，薄明中では，杆体が機能する).

Ehrlich t. (ār′lik). エールリッヒ説，エールリッヒ側鎖説（→side-chain t.).

t. of electrolytic dissociation 電離説（→Arrhenius *doctrine*).

emergency t. 緊急説（→relaxation *response*). = fight or flight *response*.

enzyme inhibition t. of narcosis 麻酔の酵素阻害説（麻酔薬は細胞内で高エネルギーリン酸結合の形成を抑制することによって呼吸酵素を阻害するという説).

T

Flourens t. (flūr′enz). フルラン説（思考は大脳全体の活動に依存するという古い説）.

Frerichs t. (frer′iks). フレーリックス説（尿毒症は，血漿酵素の作用により増加した尿素から形成された，炭酸アンモニウムの中毒状態であるとする説）.

Freud t. (froyd). フロイト説（正常者および情動障害者の人格形成および発達の仕方に関する包括的理論．転換ヒステリー発作は，精神的損傷を受けた時点で適切な反応を得られない場合に生じ，情動性記憶として持続する．→psychoanalysis）.

game t. ゲーム理論（ある特定の戦略に対する考えられる反応を論理的に扱う数学理論．それぞれの反応は確率が割り当てられ，ゲームにおける〝敵 adversary〟による対応反応を引き起こしうる．主にシステムの分析に用いられ，疾病のサーベイランスとコントロールにいくつか応用されている．臨床決定分析の基礎となる理論の1つである）.

gastrea t. 腸祖動物説．＝Haeckel gastrea t.

gate-control t. 門調節説（痛覚の機序を説明する説．膠様質にはいってくる細い線維の求心性刺激(特に痛覚)は太い線維の求心性刺激および下行脊髄路により調節されることがあり，上行脊髄路への伝達が遮断(関門)される）．＝gate-control hypothesis.

germ t. 細菌説（感染性疾患は微生物の存在および体内の微生物の機能活性によって起こるというもので，現在では定説となっている）.

germ layer t. 胚葉説（胚は3つの一次胚葉(外胚葉・中胚葉・内胚葉)に分化し，各胚葉は，発生中の体内で，異なった特性をもつ構造・器官を形成する能力を有するという説）.

gestalt t. ゲシュタルト理論（→gestaltism）.

Haeckel gastrea t. (hek′ĕl). ヘッケル腸祖動物説（二層性の腸胚がすべての多細胞動物の祖先型であるという説）．＝gastrea t.

Helmholtz t. of accommodation (helm′hōltz). ヘルムホルツ調節説（近い所を見る場合，毛様体筋が弛緩し，水晶体前面がより凸状になる）.

Helmholtz t. of color vision (helm′hōltz). ヘルムホルツ色覚説．＝Young-Helmholtz t. of color vision.

Helmholtz-Gibbs t. (helm′hōltz gibz). ヘルムホルツ－ギブズ説（→Gibbs-Helmholtz *equation*）.

Helmholtz t. of hearing (helm′hōltz). ヘルムホルツ聴覚説．＝resonance t. of hearing.

Hering t. of color vision (her′ing). ヘーリング色覚説（網膜中には，相対する3種の視覚過程，青－黄，赤－緑，白－黒が存在する）.

humoral t. 体液説（→humoral *doctrine*）.

hydrate microcrystal t. of anesthesia 麻酔の含水微細結晶説（非水素結合剤に関する麻酔法論．麻酔薬分子と脳中の水の分子との相互作用を仮定している）．＝Pauling t.

implantation t. of the production of endometriosis 子宮内膜症発生移植説(理論)（子宮内膜症発生の説明の1つ．月経時に子宮内膜細胞が卵管を通って骨盤腔へはいり，腹膜に移植されるという説）.

incasement t. いれこ説．＝preformation t.

information t. 情報理論（行動科学における情報処理を研究するための体系．信号のコード化，伝送，データ化などすべての処理の側面について，しばしば数学的詳細な分析を含むが，信号の内容そのものには立ち入らない）.

instructive t. 指令説（抗体は，ある特定の抗原に出合った後にその特異性を獲得するという理論）.

kern-plasma relation t. [Ger. *kern*, kernel, nucleus]. 核－細胞質比説（Hertwigによって1903年に発表されたもので，すべての細胞において，核物質の集まりと原形質の集まりとの間には通常，数量に関して一定の関係が存在するという説）.

Knoop t. (knūp). クノープ(ヌープ)説（脂肪酸の異化は段階的に行われ，各段階でβ-炭素原子での酸化の結果，炭素原子2個が失われるというもの．例えば，

$C_6H_5-\overset{\beta}{C}H_2-\overset{\alpha}{C}H_2-COOH \rightarrow C_6H_5-COOH$）.

Ladd-Franklin t. (lad frank′lin). ラッド・フランクリン説．＝molecular dissociation t.

lamarckian t. ラマルク説（獲得形質が子孫に継承しうるという説で，生物学的要因のみならず，経験が遺伝的伝達にも影響を与え，変化させうるということ）.

learning t. 学習理論（学習の説明を意図した有名な学習理論のいずれをもいう．特に Pavlov, Thorndike, Guthrie, Hull, Kohler, Spence, Miller, Skinner, および彼らのより現代的な弟子達によって発表されたものをいう．→conditioning）.

libido t. 性欲説（人間の精神生活は，主に本能的欲求または性的欲求と，それを満足しようとする試みの所産であるという Freud の説）.

Liebig t. (lē′big). リービッヒ説（容易に酸化し燃焼する炭化水素は動物体内で熱を大量に発するという説）.

lipoid t. of narcosis 麻酔のリポイド説（麻酔薬の効率は，油と水との間の分配係数と並行する．細胞中および細胞膜上のリポイドは，その親和力により薬剤を吸収するという説）．＝Meyer-Overton t. of narcosis.

mass action t. 全体活動説（脳組織の広範な領域が，全体としては学習または知的活動をしているという説）.

t. of medicine 医学理論（医学の技術あるいは実地とは区別されるような医学の科学または理論）.

membrane expansion t. 膜拡大説，膜膨張説（膜への麻酔薬の吸着が，膜の容量および(または)形態を著しく変え，このような方法で麻酔が起こるとする(麻酔作用機序を説明する1つの)説）.

Metchnikoff t. (mech′nĭ-kof). メチニコフ説（生体は，侵入してきた微生物を取り込んで破壊する白血球などの細胞によって感染から守られている，という食細胞説）.

Meyer-Overton t. of narcosis (mī′ĕr ō′vĕr-tŏn). マイアー－オーヴァートン麻酔説．＝lipoid t. of narcosis.

miasma t. 瘴気論（伝染病の起源に対する1つの説明．悪質の空気(例えば沼地や湿地の腐った草木から発せられるもの)が原因であるという誤った考えに基づいている）.

Miller chemicoparasitic t. (mil′ĕr). ミラー化学細菌説（う食について，その原因は，食物の炭水化物を発酵させ，歯を脱灰する酸を産生する口腔内細菌によるとする説）.

mnemic t. 記憶説．＝mnemic *hypothesis*.

molecular dissociation t. 分子分離説（色覚に関する説．灰色は最も早く感知される色であり，灰色が分子変化を起こし，2対の物質が生じる．それらは各々の黄色と青色を認めさせ，黄色が赤色と緑色を認めさせる対物質を生起するという説）．＝Ladd-Franklin t.

monophyletic t. 単一種族説．＝monophyletism.

myoelastic t. 筋弾性説（ヒトの音声は，声帯が下に向かう空気圧で上向きに動き，その反作用として声帯の弾性張力により下向きに動く結果生じる声帯の振動によって発するという説）.

neurochronaxic t. 神経クロナキシー説（ヒトの声の振動数の変化は喉頭筋の収縮の割合の変化により生じるという説．現在では信じられていない）.

Ollier t. (ō-lē-ā′). オリエ説（代償性成長説．1つの骨の関節端を切除すると，後にその関節の構成にあずかっている他の骨の関節軟骨の成長が増加するという説）.

omega-oxidation t. オメガ酸化説（脂肪酸の酸化は CH_3 基から始まる．それは末端基つまりオメガ基である．次いで脂肪酸鎖の両端でベータ酸化が進む）.

overproduction t. 過剰産生説．＝Weigert *law*.

oxygen deprivation t. of narcosis 麻酔の酸素剝奪説（麻酔は酸化を抑制し，それが細胞の麻痺を引き起こすという説）.

Pauling t. (pawl′ing). ポーリング説．＝hydrate microcrystal t. of anesthesia.

permeability t. of narcosis 麻酔の膜透過性説（細胞膜の透過性は脂肪族または他の中枢神経抑制薬の濃度により低下するという説）.

phlogiston t. →phlogiston.

pithecoid t. 猿祖論，類猿説（ヒトとサルの先祖は共通であるという説．→darwinian t.）.

place t.〔聴覚〕場所説（音調知覚説．音の高低は音の周波数に基づいて振動する蝸牛基底膜で知覚される．→resonance t. of hearing）.

Planck t. (plahngk). プランク説．＝quantum t.

polyphyletic t. 多元説．＝polyphyletism.

preformation t. 前成説（胚は妊娠時に配偶子中でひな型として十分に形成されるとする古い説．→homunculus. *cf.* epigenesis）．＝emboitement; incasement t.

quantum t. 量子論（エネルギーは不連続量(量子)としてのみ放出，伝達，吸収が可能であり，したがって原子および原子構成粒子は特定のエネルギー状態のみを取りうるとする理論）．＝Planck t.

recapitulation t. 反復説（E.H. Haeckel の提唱した説で，個体はその胚発生において，その個体の種が進化の途中で経過した段階と全般的に構造図式からみて類似した段階を経過するという説．より専門的にいえば，個体発生は系統発生の短縮された反復であるという説）．＝biogenetic law; law of biogenesis; Haeckel law; law of recapitulation.

Reed-Frost t. of epidemics (rēd frawst)．リード－フロスト理論（伝染病がどのように発生し，伝播するかを説明する数学モデル）．

reed instrument t. 管楽器説（ヒトの音声形成時の喉頭の機能はある意味で管楽器のそれに似ているという古い説）．

reentry t. 再入説（洞または洞房結節刺激によって開始する電気刺激が変位点に再入するために期外収縮が起こるとする説）．

resonance t. of hearing 聴覚の共鳴説（蝸牛の基底膜は，低音は頂部で高音は基底部で活性化され共鳴構造として作用するという説．もはや正しいと考えられていない．ベケシーの進行波により取って代わられている）．＝Helmholtz t. of hearing.

scientific t. 科学的理論（検証し潜在的に反証しうる理論．反証または反駁できない場合，その理論の信用度は高まるが証明されたとはみなされない）．

Semon-Hering t. (zē′mŏn her′ing)．ゼーモン－ヘーリング説．＝mnemic *hypothesis.*

sensorimotor t. 感覚運動理論（Piaget の発達理論．生後18か月までの間に行動から思考への変換が生じるという仮説．初めに先天的行動から後天的行動への緩徐な移行が生じ，次いで身体中心の行動から目的中心の行動へ，最後に意図的行動，発見的行動が可能になるという説）．

side-chain t. 側鎖説（Ehrlich の仮説．細胞は毒素の抗原決定基(toxophore：毒素活性部位)と結合する表面側鎖(haptophore：結合部位)を含有しており，細胞が刺激を受けると側鎖が循環系へ遊離して抗体となるという説．→receptor）．＝Ehrlich postulate.

somatic mutation t. of cancer 癌の体細胞突然変異説（癌は(芽細胞に対する)体細胞中の1つ以上の突然変異，特に突然変異細胞の増殖増加を伴った非致死的突然変異が原因であるという説）．

Spitzer t. (spit′sĕr)．シュピッツァー説（哺乳類の胚の心臓の分化は，一義的にはより下等な生物の成体の構造形式の発生反復に基づくという解釈．肺の系統発生によって明らかにされた動脈幹の上行大動脈および肺動脈への分化形成に関して最も頻繁に引用される）．

stringed instrument t. 弦楽器説（ヒトの発声に際し，声帯はある意味では楽器の弦と同様の機能を有するという旧説．現在では支持されていない）．

surface tension t. of narcosis 麻酔における表面張力説（水の表面張力を低下させる物質は，よりたやすく細胞中に浸透し，代謝を減じて麻痺を起こさせるという説）．

telephone t. 電話説（音調知覚説．蝸牛は音分析の能力をもたず，聴神経線維に伝わった刺激波動が音振動数と一致する．これが音の高低識別の唯一の基礎であるという説．もはや支持されていない．→traveling wave t.）．

thermodynamic t. of narcosis 麻酔の熱力学説（麻酔分子が非水液性相中へ介入することでイオン交換疎通を妨げる変化が生じるという説）．

traveling wave t. トラベリングウェーブ(進行波)理論（音響刺激に対し波動が基底板に生じ蝸牛底(基底回転)から蝸牛頂へ進行するという理論で，一般に認められている．基底板の最大振幅部位は刺激音の周波数に依存し，高温では基底回転の近くに，低温では蝸牛頂の近くに位置する）．

van't Hoff t. (vahut hof)．ファント・ホフ説（希薄溶液中の物質は気体法則に従うという説．*cf.* van't Hoff *law*）．

Warburg t. (vahr′bŭrg)．ヴァルブルク説（発癌機構を説明しようとしたもので，それによると癌は，細胞の呼吸系に不可逆的な傷害が生じ，好気性，嫌気性を問わず解糖系の亢進した細胞が選択的に増殖した結果生じるとしている）．

Wollaston t. (wol′ă-stŏn)．ウラストン説（脳の病変にみられる同名半盲症で証明された視交叉部における視神経の半交叉）．

Young-Helmholtz t. of color vision (yŭng helm′hōlts)．ヤング－ヘルムホルツ色覚説（網膜中には色知覚の3組の要素があり，赤色，緑色，青色の3色にそれぞれ対応する．他の色の知覚は以上の組の要素の組合せによる．上記の組の要素のいずれか1つが欠如すると，色の知覚不能やその色が構成部分である他の色の誤知覚が生じるという説）．＝Helmholtz t. of color vision.

---

the·o·ther·a·py (thē′ō-thār′ă-pē)［G. *theos*, god＋*therapeia*, therapy］．祈禱療法，信仰療法（祈りや宗教儀式による疾病治療）．

thèque (tek)［Fr. a small box］．表皮内細胞巣，テク（表皮内の母斑細胞および他の細胞の胞巣あるいは集合）．

ther·a·peu·sis (thār′ă-pyū′sis)．***1*** ＝therapeutics. ***2*** ＝therapy.

ther·a·peu·tic (thār′ă-pyū′tik)［G. *therapeutikos*］．治療の，治療学の，治療法の．

ther·a·peu·tics (thār′ă-pyū′tiks)［G. *therapeutikē*, medical practice］．療法，治療（疾病や障害の治療にかかわる医学の実施分野）．＝therapeusis (1); therapia (2).

ray t. 放射線療法（radiotherapy を表す現在では用いられない語）．

suggestive t. 暗示療法（暗示によって治療する方法）．

ther·a·peu·tist (thār′ă-pyū′tist)．療法士，テラピスト，治療家，医師（治療法に熟達した人を表すより古い語）．

ther·a·pi·a (thār′ă-pē′ă)［L.＜G. *therapeia*, therapy］．***1*** ＝therapy. ***2*** ＝therapeutics.

t. magna sterilisans 強殺菌療法，大根絶療法（感染性疾患，特に原虫によるものは，全組織の消毒か微生物が保有されている全体を破壊するような強い治療で治せるという考え）．

ther·a·pist (thār′ă-pist)．療法士，テラピスト（専門的にある特定の治療法の訓練を受け，技能を有する人）．

THERAPY

ther·a·py (thār′ă-pē)［G. *therapeia*, medical treatment］．療法，治療（①様々な手法で疾病を治療すること．→therapeutics. ②精神医学と臨床心理学においては，精神療法 psychotherapy の省略形として用いる．→psychotherapy; psychiatry; psychology; psychoanalysis）．＝therapeusis (2); therapia (1).

alkali t. アルカリ療法（→alkalitherapy）．

allergy vaccine t. アレルゲンワクチン療法．＝allergen *immunotherapy.*

analytic t. 分析療法（psychoanalytic t. の省略形）．

anticoagulant t. 抗凝固療法（抗凝固薬を用い，脈管内，心臓内の凝血を減少または阻止すること）．

antisense t. アンチセンス療法（治療の目的で，ある特定の遺伝子または遺伝子産物の転写や翻訳を抑制するアンチセンスDNA を用いること）．

autoserum t. 自家血清療法（患者自身の血液から得た血清による治療）．

aversion t. 嫌悪療法（行動療法技法の1つで，不快刺激と望ましくない行動とを結び付け，その行動を避けるように患者に学習させること．→aversive *training*）．

behavior t. 行動療法（身体よりも精神的な出来事が行動をコントロールするという概念に基づいた治療．行動は分析され，その選択された行動は刺激，条件付け，学習に焦点付けした特殊な技法を用いて修正され，健康と機能の向上を目的とする．→systematic *desensitization*; conditioning; learning. →cognitive t. *cf.* psychotherapy）．＝behavior modification;

T

conditioning t.

client-centered t. クライアント中心療法（非指示的精神療法体系．患者が自由に問題を話し，自己実現に達するための自己洞察が行えるような許容的，受容的，寛大な雰囲気を治療者がつくることができるならば，クライアント(患者)は自己の性格障害を改善する内的資質を有し，かつ解決をするに最も適切な人物である，という仮説に基づいている）.

cognitive t. 認知療法（体験をどのように理解し，それをどのように行動的に反応するのかということは，その人の信念によって決定されるという概念をもとにした治療．誤った情報の処理，ゆがんだ認知，問題解決をするのに不十分な非適応的認知が特殊な技法によって修正されていく．→psychotherapy.→behavior t.; reality *testing*）.

cognitive-behavioral t. (**CBT**) 認知行動療法（行動療法から発展して，認知過程の検討を含み，患者に環境に対する適応的な認知，解釈，反応ができるような認知的スキルを教えるための特異的な技法を用いる．→cognitive t.; psychotherapy）.

collapse t. 虚脱療法（肺結核の外科的療法．この方法により，罹患肺の全部または一部を一時的あるいは永久に機能のない退縮・固定状態に置く．現在ではまれで例外的に行われる）.

conditioning t. 条件付け療法．＝behavior t.

conjoint t. 同席療法（治療者は患者の配偶者，親または子，あるいは他のパートナーを同席させて診る療法の一形式）.

convulsive t. 痙攣療法．＝electroshock t.

cytoreductive t. 細胞減少療法（通常，悪性疾患において，病変部の細胞数を減じる目的で行う治療）．＝cytoreduction.

depot t. 貯蔵療法（薬剤の放出を遅らせ，作用を長引かせる物質を一緒に注射すること）.

diathermic t. ジアテルミー療法，電気透徹療法（透熱療法で，種々の病巣を治療すること）.

directly observed t. (**DOT**) 直接監視下治療（例えば結核の経口治療のようにコンプライアンスを得ることが困難あるいは長期投与する治療薬で患者の服用を保健従事者によって監視すること．WHOプログラムの長期の様相）.

electroconvulsive t. (**ECT**) 電気痙攣療法．＝electroshock t.

electroshock t. (**EST**) 電気ショック療法（脳内へ電流を流して痙攣を起こす，精神障害の一療法）．＝convulsive t.; electroconvulsive t.

electrotherapeutic sleep t. 電気療法的睡眠療法（電気睡眠を用いる治療法）.

---

estrogen replacement t. (**ERT**) エストロゲン補充療法（閉経後あるいは卵巣摘出術後婦人に対する性ホルモンの投与法）．＝hormone replacement t.

20世紀後期の数十年の間に，エストロゲン補充療法(ERT)は閉経後女性の心血管系疾患や骨粗しょう症に対する標準的な予防手段となった．1980年代には，エストロゲン単独投与が子宮内膜癌のリスクを上昇させることが認識され，閉経後女性への投与法にプロゲストーゲンを加えることが始まった．2000年には，50歳から75歳までのアメリカの女性の少なくとも1/3がエストロゲン作用を有するホルモン剤を服用していた．ERTは，萎縮性膣炎や血管運動性の不安定さ("hot flashes ホットフラッシュ")を克服するために広く使用されるが，それだけでなく，心血管系疾患の予防にも有効であるという見解が出てきた．それは，女性における心血管系イベントのリスクは閉経後に急激に上昇するという統計に一部基づくものであった．しかし，確かに過去の多くの観察研究がエストロゲンの有する予防効果を証明しているようにみえるものの，後の大規模で確実な臨床研究によりエストロゲン投与が，期待されていた利点を有していないばかりか，冠動脈疾患，脳卒中，肺塞栓，浸潤乳癌および Alzheimer 病のリスクをむしろ上昇させるということが証明された．自然の閉経および手術により閉経となった女性へのエストロゲンの投与は血管運動性の症状や萎縮性膣炎に対する治療としては有効であるし，HDL コレステロールを上昇，総コレステロールと LDL コレステロール，アポリポプロテインB，リポプロテインLp(a)，ホモシステイン，フィブリノゲン，レニンを減少させ，また，骨粗しょう症や大腸直腸癌のリスクを低下させる．乳癌や前立腺癌の患者の一部には緩和療法としてエストロゲンを用いることもある．それでもなお閉経後女性に対して心血管系疾患の予防としてエストロゲンを使用することはもはや認められない．多くの女性で副作用のリスクが期待される効果を上回ると考えられるからである．エストロゲン治療が閉経後の骨量減少予防に有効とされているにもかかわらず，骨折のリスクを減少させるというエビデンスには乏しいのである．さらに，エストロゲンが2型糖尿病やパーキンソン病，Alzheimer 病の発症や進行を遅らせるという報告がいくつかあるが，それらは強固な実験科学的な証左を欠いている．実際，Women's Health Initiative Memory Study では，エストロゲン・プロゲステロン併用療法で認知症のリスクがわずかながら上昇した．心血管系疾患を有する閉経後女性でエストロゲンを服用した場合，静脈血栓症のリスクが約3倍に上昇することが認められる．虚血性発作の既往のある女性がエストロゲンを服用すると，致死的な発作を起こすリスクが高い．エストロゲンを服用している閉経後女性では胆嚢疾患のリスクが40％上昇する．乳腺，卵巣，子宮内膜の癌の発症頻度が増すとする報告もいくつかみられる．エストロゲンとプロゲストーゲンを併用し周期的に投与すると，子宮を有する女性の場合に月経周期が再開する．しかしそれでも癌発症のリスクを減少させることがないというのは明らかであって，むしろ上昇させる可能性もある．最後に，最近の研究では，エストロゲン単独のほうが，エストロゲン・プロゲストーゲン併用よりも心血管系への悪影響を起こしにくくとされていることを追加する．

---

extended family t. 拡大家族療法（核家族の他に密接な関係のある，また影響力のある同家族の人をも治療対象に含める家族療法の一型）.

family t. 家族療法（集団心理療法の一型．対立する家族が治療者と集団で会合し，家族の関係や成り立ちを探求する．焦点は，個々の成員の問題よりも現在の成員間の相互作用の解決に置かれる）.

fast-neutron radiation t. 速中性子照射療法（サイクロトロン，陽子加速器による高エネルギー中性子による照射療法）.

fever t. 発熱療法（→pyrotherapy）.

foreign protein t. 異種蛋白〔質〕療法．＝protein shock t.

functional orthodontic t. 機能的矯正療法．＝functional jaw *orthopedics*.

---

gene t. 遺伝子治療（病気の治療や予防のために体細胞あるいは生殖細胞系列のDNAを改変すること．遺伝的欠陥を修正したり，治療のために新たな生物学的性質や機能を加えたりする目的で，生物のゲノムに人工的に遺伝子を挿入する操作）.

体細胞遺伝子治療では，特定の遺伝子を欠いていたり，その遺伝子機能が果たせない細胞に機能的なDNA配列を挿入する．増殖欠損ウイルスやリポソームやプラスミドがベクターとして用いられる．遺伝物質をウイルス感染によって伝達しようとする場合(形質導入とよばれる)，ベクターとしてはレトロウイルスが最適である．なぜならそのRNAは逆転写酵素によってDNAに変換され，感染細胞のゲノムの一部となるからである．アデノウイルスとヘルペスウイルスもまた用いられる．重症複合免疫不全病，嚢胞性線維症，血友病Bなどのいくつかの先天性疾患の治療で進展がみられている．遺伝子治療は腫瘍学においてもいくつもの応用が考えられている．宿主の抗腫瘍反応を増大させるために，サイトカインや補助活性化因子をコードする遺伝子を悪性腫瘍に導入したり，悪性細胞の化学療法に対する感受性を増強させるために，癌抑制遺伝子，とりわけp53(ヒト癌で最も高頻度に変異している遺伝子)を導入する．ウイルスベクターを使用した場合，サイトカインによる局所あるいは全身性の炎症が発生する危険性があり，致死的になり得る．生殖細胞系列治療では，特定の遺伝子を直接，精子，卵，胎児に挿入してゲノムに遺伝可能な変化をもたらす．

geriatric t. 老人治療．＝gerontotherapy.

gestalt t. ゲシュタルト療法（精神療法の一型．個人療法，集団療法に適用される．人間を全体として治療し，人間の生物学的構成部分，部分の有機的機能，知覚形態，外界との相互関係などを全体として治療することに重点を置く．過去の再生，未来への期待よりはむしろ現在の経験に対する知覚認識に焦点をあてる．役割演技や他の技法を用い，患者の成長を促進させ，潜在能力を十分に開発する）．

heterovaccine t. 異種ワクチン療法（治療中の疾病に直接関係のない，生体由来のワクチンによる治療法）．

highly active antiretroviral t.（**HAART**）HAART 療法（エイズ治療のための多剤併用療法．通常２種のヌクレオシド系逆転写酵素阻害剤と，１種か２種のプロテアーゼ阻害剤を併用するか，２種のヌクレオシド系逆転写酵素阻害剤と１種の非ヌクレオシド系逆転写酵素阻害剤を併用する）．

hormone replacement t.（**HRT**）ホルモン補充療法．＝estrogen replacement t.

hyperbaric oxygen t. 高圧酸素療法（密閉室を環境気圧１気圧以上にし，酸素を与える治療法．→hyperbaric *oxygenation*）．

implosive t. 内破療法（内破を用いる行動療法の一型）．

individual t. 個人療法．＝dyadic *psychotherapy*.

inhalation t. 吸入療法（気体または煙霧質を吸引する治療法）．

insulin coma t. →insulin coma *treatment*.

interstitial t. 組織内治療（照射）（照射されるべき組織内に，直接放射性のシードあるいは針を埋め込む放射線治療）．

intralesional t. 病変内局注療法（病変部に直接注射する治療法で，例えば，皮膚病変に副腎皮質ステロイドを注射するなどの場合をいう）．

maintenance drug t. 薬物維持療法（化学療法において，病勢悪化防御が保たれる程度に，投与量を系統的に行う療法）．

marital t. 夫婦療法．＝marriage t.

marriage t. 結婚療法（家族療法の一型．夫婦ともに対象とし，配偶者の個々の人格，行動，精神病理に影響を与える結婚関係に焦点を当てる．この方法に対する理論的解釈は，家族構成内およびその結婚の社会構成内の感情あるいは精神病理学的作用が，個々の精神病理学的人格構造を存続させ，この人格構造が障害のある結婚で表出し，配偶者間のフィードバックにより悪化する，という仮説に基づく）．＝marital t.

microwave t. マイクロ波療法，極超短波療法．＝microkymatotherapy.

milieu t. 環境療法（社会環境を患者の利益になるように操作する精神医学的治療法．例えば，病棟内で生活している患者の日々の経験を議論や治療的変化のための刺激として用いることなど）．

myofunctional t. 筋機能療法，機能的筋訓練法（咬合異常その他の歯科疾患や言語障害に対する舌と口唇の筋緊張の強化訓練による治療法．舌刺激えん下の治療によく利用される）．

nonspecific t. 非特異〔的〕療法（原因に直接関連しない治療法．例えば，ある種の疾患，特に変性梅毒の治療に異種蛋白，腸チフスワクチンを接種し，発熱させること）．＝phlogotherapy.

occupational t.（**OT**）作業療法（機能の自立を高め，発達を促し，無能力になることを防ぐために，個人生活，仕事，趣味活動を治療的に用いること．最大の自立と理想的な生活の質を獲得するために仕事や環境へ適応することが含まれる）．

orthodontic t. 矯正治療（→orthodontics）．

orthomolecular t. 体化学成分正常化療法（生体の正常化学成分の欠乏を治すように考えられた治療法）．

oxygen t. 酸素療法（鼻カテーテル，酸素テント，酸素室，酸素吸入器などを通して，酸素濃度を増す治療法）．

parenteral t. 注射療法（消化管よりも，通常，注射による経路により行う治療）．

photodynamic t.（**PDT**）光線力学療法（レーザーを用いた治療法（加齢黄斑変性の治療のため）であり，治療を必要とする眼の対象部位に光化学効果を生じさせるための光線の照射により光感受性物質が活性化される）．

photoradiation t. 光放射線治療．＝photoradiation.

physical t.（**PT**）理学療法（①物理的手法により疼痛，疾患，あるいは外傷を治療する方法．＝physiotherapy. ②健康の増進，身体的廃疾の予防，疼痛，疾患，あるいは外傷によって不具となった人の評価と社会復帰，内科的，外科的，放射線的方法に対立するものとしての物理的治療手法による治療などに携わる職業）．

plasma t. 血漿療法．

play t. 遊戯療法（小児に適用する治療法の一型．人形，あるいは他の玩具，図画などで遊ばせることによって，その小児のもつ問題と空想を明らかにする）．

proliferation t. 増殖治療（靱帯や腱に十分な力学的強度がない場合，それらに細胞の増殖をもたらすような物質を注射または注入することにより瘢痕形成をさせたり，靱帯や腱を強化すること．まれに用いる語）．

protein shock t.〔蛋白〕ショック療法（異種蛋白を注入し，発熱させて，特定の疾病を治療する方法）．＝foreign protein t.

psychedelic t. サイケデリック療法（精神異常発現薬を用いる精神医学的療法）．

psychoanalytic t. 精神分析療法．＝psychoanalysis (1).

psychohormonal t. 精神ホルモン療法（行動の変化に対するホルモンレベルの予測値や，関連する行動の表現を支配している特定のホルモンレベルの改善に基づく治療法）．

pulse t. パルス療法（通常，週単位または月単位の間隔をあけて行う短期の強力な薬物療法．悪性疾患の化学療法によく用いられる）．

quadrangular t. 四角療法（夫と妻，およびそれぞれに対する治療者達を含めて行う結婚療法）．

radiation t. 放射線治療（X 線または放射性核種での治療．→radiation *oncology*）．

radium beam t. ラジウムビーム療法．＝teleradium t.

rational t. 合理療法（情報の欠乏あるいは非論理的思考様式が，患者の問題の根本的原因であるという前提に基づいた，Albert Ellis により導入された治療方法．患者は治療者の指示・命令・助言的接近により，問題克服の助力を得られると考えられる）．

reflex t. 反射療法（家庭療法で，頸椎に氷塊を当てて鼻出血を治療するように，反射作用を喚起して病的な状態を治療すること）．＝reflexotherapy.

replacement t. 代償療法，置換療法（栄養不良，（腺分泌不全などの）機能障害，（出血などの）損失により生じる欠乏や障害を補う治療法）．

rescue t. レスキュー療法．＝salvage t. (2).

respiratory t. 呼吸療法（①分泌亢進や気管支収縮のような種々の呼吸気道病態の治療．②呼吸器系および呼吸器にかかわる治療の実施に携わる職業）．

root canal t.〔歯〕根管治療（歯科の治療法で，歯髄が損傷を受けた際，歯髄を除去した後，根管を消毒し，充填すること）．

rotation t. 回転照射療法（放射線量分布を理想的なものにするために，腫瘍の中心を通る軸のまわりを照射装置あるいは患者が回転しながら行う遠隔照射治療法）．

salvage t. *1* ＝salvage *chemotherapy*. *2* 抗ウイルス剤併用療法後の耐性ウイルスの抑制を企図した治療．＝rescue t.

sclerosing t. 硬化療法．＝sclerotherapy.

serum t. 血清療法．＝serotherapy.

shock t. ショック療法，衝撃療法（→shock *treatment*）．

social t. 社会療法（患者の社会的機能を改善する精神医学的社会復帰療法）．

social network t. ソーシャルネットワーク療法（患者の行動変容に影響することを目的とした，患者にとって情動的または機能的に重要な人々のすべてがかかわる治療の一型）．

solar t. 光線療法（日光照射による疾患の治療方法）．＝solar treatment.

specific t. 特異〔的〕療法（対症療法と異なり，疾病の原因に向けられた治療）．

substitution t. 補充療法（特に置き換えが生理的なものではなく，代用物質を用いる場合の置き換え療法）．

T

substitutive t. 変換療法．＝allopathy.

teleradium t. 遠隔ラジウム〔照射〕療法（ラジウム光線を利用した療法．その線源は大量のラジウムで，患者から離れて設置される）．＝radium beam t.

---

thrombolytic t. 血栓溶解療法（心筋梗塞(MI)，脳梗塞や末梢動・静脈血栓症の急性虚血を起こす血栓の溶解剤を静脈内投与する治療法．薬剤として止血や血栓過程に関係する天然に存在するプラスミノゲンを活性化してフィブリンを分解させる．プラスミノゲンは肝臓で生産され，流血中に存在し，血小板，内皮細胞やフィブリンと結合する．血管損傷部位では血栓を形成し，組織性プラスミノゲン活性化因子(TPA)が内皮細胞で生産され，プラスミノゲンの 560 と 561 番目のアルギニン－バリン結合を加水分解してフィブリンと結合したプラスミノゲンをプラスミンに変える．血小板凝集と付着に必要な糖蛋白と同様，フィブリン糸を分解して血栓を最終的に溶解させる．現在用いられている溶解剤は天然のTPA と似た作用を有し，アルテプラーゼは遺伝子組み換え技術によりつくられ，レーテプラーゼも遺伝子技術によりつくられた．ウロキナーゼはヒト培養腎細胞から得られた蛋白であり，ストレプトキナーゼはプラスミノゲンをプラスミンに触媒するβ-溶血連鎖球菌の産物であり，アンチストレプラーゼはストレプトキナーゼと結合した不活性なプラスミノゲンを脱アセチル化してプラスミノゲンを不可逆的に活性化する．後の 2 つは抗原性があり過敏反応を起こしうる.→tissue plasminogen *activator*）.

血栓溶解治療法は心筋梗塞で入院中も，1 年後の死亡率も早期(最初の 100 分以内)に投与すれば 20—40% 死亡率を改善する．6—12 時間遅れた場合でも多少の効果は期待される．急性心筋梗塞で血栓溶解治療を受けた患者の約半数は 90 分後に冠動脈が再開している．しかしながら，30%では 3 か月以内に同一の場所に再梗塞がみられる．緊急の経皮的冠形成術(PTCA)によりさらに生存率は向上するが，PTCA に失敗した際に緊急の冠動脈バイパス手術(CABG)が可能な施設に限るべきである．急性心筋梗塞では TPA よりストレプトキナーゼのほうが安価なため好まれるが，多数症例の検討では特に前壁梗塞の場合，TPA が採算性があることが示されている．血栓溶解剤が血小板を活性化させるため一部その効果を減弱させる．TPA とヘパリンと血小板抑制抗体（abciximab）の併用は冠動脈の開存率を向上させる．脳梗塞の場合，最初の 3 時間以内に TPA を投与すれば 90 日後の予後は改善する．脳梗塞の際の血栓溶解治療は脳出血の場合を除外し，また治療の副作用として出血の危険が大きいために限定される．また TPA のみが現在推奨されている．脳溢血と心筋梗塞の他に血栓溶解療法は肺塞栓，深部静脈血栓症，末梢動脈閉塞に用いられる．下肢の(または動脈バイパス血行路の)動脈では多くの患者の死亡率や切断術に移行する割合を増加させず，外科手術の必要数を減少させる．実に 80 %の患者で再開通が認められる．血栓溶解治療の主な危険性は出血である．活動性のまたは最近の出血，活動性の糖尿病性の出血性網膜症，手術，頭蓋内腫瘍，最近の頭部外傷，脳出血の既往，大動脈解離，急性心外膜炎，遷延性または外傷性の心肺蘇生術，妊娠中または特定の薬物に対する過敏症は禁忌である．

---

thyroid t. 甲状腺療法（甲状腺機能低下症の治療法）.

Time-Line t. 時間軸療法（陰性の情緒の開放と限界決断の修正のために，解離状態おいて重要な過去の出来事に新しい力を用いて戻るようにクライアントを指示する，神経言語学的プログラム理論に基づいた技法.→dissociation (4)）.

tinnitus rehabilitation t. (**THT**)＝tinnitus retraining t.

tinnitus retraining t. (**TRT**) 耳鳴順応療法（カウンセリングや耳鳴に対する神経生理学的概念に基づいた音の利用によって，患者の態度を変えたり耳鳴の評価をする精神科学的手法）．＝tinnitus rehabilitation t.

total push t. 全面推進治療（病院内で精神障害の患者の治療に当たる際，すべての可能な治療法を適用すること）.

ultrasonic t. 超音波療法（熱を与えるために超音波を使用する筋骨格疾患の治療法）.

viral t. ウイルス性治療（治療の目的で，特定部位に遺伝子を届けるために遺伝的に改変したウイルス粒子を使用すること）.

x-ray t. X線治療（X線を用いて放射線治療を行うこと．ときに，診断による被曝が過剰な場合に皮肉的にいうこともある）.

---

ther·en·ceph·a·lous (thēr′en-sef′ă-lŭs) ［G. *thēr*, wild beast + *enkephalos*, brain］. 広頭蓋の（ホルミオンの部分で，イニオンとナジオンからの線のなす角度が116—129度である頭蓋をいう）.

the·ri·a·ca (thē-rī′ă-kă) ［L. antidote to snake bite < G. *thēriakos*, pertaining to wild beasts］. テリアカ（きわめて数多くの成分を含む混合物．中世に用いられ，奇跡的な解毒力と治癒力があると信じられていた）.

therio- ［G. *thēr*, *thērion*, beast］. 動物に関する連結形.

the·ri·o·mor·phism (thē′rē-ō-mōr′fizm) ［therio- + *morphē*, form］. 動物の特性を人間に与えること．*cf.* anthropomorphism.

therm (therm) ［G. *thermē*, heat］. サーム（熱単位として無差別に用いられる語．ⓘ小カロリー，ⓘⓘ大カロリー，ⓘⓘⓘ 1,000 大カロリー，ⓘⓥ100,000 B.T.U.）.

therm- ⇀thermo-.

ther·ma·co·gen·e·sis (ther′mă-kō-jen′ĕ-sis) ［G. *thermē*, heat + *pharmakon*, drug + *genesis*, production］. 発熱（薬の作用による体温の上昇）.

ther·mal (ther′măl). 熱〔性〕の，温熱の.

ther·mal·ge·si·a (ther′măl-jē′zē-ă) ［therm- + G. *algēsis*, sense of pain］. 温熱性痛覚過敏（熱に対する感覚過敏．わずかな熱でも痛みが生じる）．＝thermoalgesia.

ther·mal·gi·a (ther-mal′jē-ă) ［therm- + G. *algos*, pain］. 疼痛性熱感（→complex regional pain *syndrome* type I）.

therm·an·al·ge·si·a (therm′an-ăl-jē′zē-ă) ［therm- + analgesia］. 温覚消失〔症〕．＝thermoanesthesia.

therm·an·es·the·si·a (therm′an-es-thē′zē-ă). ＝thermoanesthesia.

ther·ma·tol·o·gy (ther′mă-tol′ŏ-jē) ［therm- + G. *logos*, study］. 温熱治療学（熱利用を行う治療学の一分野.→thermotherapy）.

ther·me·lom·e·ter (ther′mĕ-lom′ĕ-tĕr) ［therm- + electric + G. *metron*, measure］. 電気寒暖計（電動式寒暖計．特に温度のわずかな変化の記録に用いる）.

therm·es·the·si·a (therm′es-thē′zē-ă). ＝thermoesthesia.

therm·es·the·si·om·e·ter (therm′es-thē′zē-om′ĕ-tĕr). ＝thermoesthesiometer.

therm·is·tor (therm′is-tŏr) ［G. *thermē*, heat］. サーミスタ（温度を測定する計器．温度制御をモニターする用途もある）.

thermo-, therm- ［G. *thermē*, heat; *thermos*, warm or hot］. 熱に関する連結形.

ther·mo·ac·id·o·philes (ther′mō-as′id-ō-fīlz). 好熱好酸菌（低 pH で，熱い硫黄泉で生長する古細菌）.

thermoacoustics (thĕr′mō-ă-kū′stiks). 熱音響学．＝optoacoustic *imaging*.

ther·mo·al·ge·si·a (ther′mō-al-jē′zē-ă). ＝thermalgesia.

ther·mo·an·al·ge·si·a (ther′mō-an′ăl-jē′zē-ă). ＝thermoanesthesia.

ther·mo·an·es·the·si·a (ther′mō-an-es-thē′zē-ă) ［thermo- + G. *an-* 欠性辞 + *aisthēsis*, sensation］. 温覚消失〔症〕，温熱性無感覚（温覚・冷熱識別能力の欠如．温熱変化に対する感覚麻痺）．＝thermanalgesia; thermanesthesia; thermoanalgesia.

ther·mo·cau·ter·ec·to·my (ther′mō-kaw′tĕr-ek′tŏ-mē) ［thermocautery + G. *ektomē*, excision］. 焼灼切除〔術〕（焼灼器による組織の除去）.

ther·mo·cau·ter·y (ther′mō-kaw′tĕr-ē) ［thermo- + G. *kautērion*, branding iron(cautery)］. 焼灼〔法〕，焼灼器（真性焼灼器(例えば電気焼灼器)を入れること）.

ther·mo·chem·is·try (ther′mō-kem′is-trē). 熱化学（化学作用と熱との相互関係を究める学問）.

ther·mo·chro·ic (ther′mō-krō′ik). ***1*** 熱色性の．***2*** 熱線に対し選択的に作用する.

ther·moch·ro·ism (ther′mok′rō-izm). ＝thermochrosis.
ther·mo·chrose (ther′mō-krōz)［thermo- ＋ *chrōsis*, coloring］. 熱色性（反射，屈折，吸収など，光線に似た熱線の性質）. ＝thermochrosy.
ther·mo·chro·sis (ther′mō-krō′sis)［thermo- ＋ G. *chrōsis*, coloring］. 熱色作用（ある種の物質がもつ熱放射に対する選択的作用. すなわち熱線の一部を吸収し，他は反射または透過させる）. ＝thermochroism.
ther·moch·ro·sy (ther′mok′rŏ-sē). ＝thermochrose.
ther·mo·co·ag·u·la·tion (ther′mō-kō-ag′yū-lā′shŭn). 熱凝固〔法〕（組織を熱でゲル化する方法）. ＝endocoagulation.
ther·mo·cou·ple (ther′mō-kŭp′ĕl). 熱電対（わずかな温度変化を測定する道具. 互いに異質な２本の金属線からなり，その一方の接点を一定の低温に保ち，他方の接点を測定すべき組織または物質中に埋める. 熱電流が流れ，それを電位差計で測定する）. ＝thermojunction.
ther·mo·cur·rent (ther′mō-kŭr′ĕnt). 熱電流.
ther·mo·dif·fu·sion (ther′mō-di-fyū′zhŭn). 熱拡散（温度効果のため，気体，液体を問わず，流体が拡散すること）.
ther·mo·di·lu·tion (ther′mō-di-lū′shŭn). 熱希釈（液体をそれより低い温度の液に入れたときに生じる温度低下. 低温度液の体積はその温度上昇量から算出できる）.
ther·mo·du·ric (ther′mō-dū′rik)［thermo- ＋ L. *durus*, hard, enduring］. 耐熱性の（高温暴露作用への抵抗. 特に微生物に関して用いる）.
ther·mo·dy·nam·ics (ther′mō-dī-nam′iks)［thermo- ＋ G. *dynamis*, force］. 熱力学（①物理化学の一分野，熱およびエネルギーあるいは力学的作用を含むそれらの一方から他方へのエネルギー変換を扱う. ②熱の流れの研究）.
ther·mo·e·lec·tric (ther′mō-ē-lek′trik). 熱電流の.
ther·mo·e·lec·tric·i·ty (ther′mō-ē-lek-tris′i-tē). 熱電流（熱電堆に生じる電流）.
ther·mo·es·the·si·a (ther′mō-es-thē′zē-ă)［thermo- ＋ G. *aisthēsis*, sensation］. 温覚（温度差の識別能力）. ＝temperature sense; thermal sense; thermic sense; thermesthesia.
ther·mo·es·the·si·om·e·ter (ther′mō-es-thē′zē-om′ĕ-tĕr)［thermo- ＋ G. *aisthēsis*, sensasation ＋ *metron*, measure］. 温覚計（温覚を検査する装置. 温度計を取り付けた金属盤からなり，利用するときの円盤の正確な温度をとらえる）. ＝thermesthesiometer.
ther·mo·ex·ci·to·ry (ther′mō-ek-sī′tŏ-rē). 熱興奮〔性〕の，熱産生刺激〔性〕の（熱発生を刺激することについていう）.
ther·mo·gen·e·sis (ther′mō-jen′ĕ-sis)［thermo- ＋ G. *genesis*, production］. 熱発生，熱産生，産熱，高温発生（熱の産生，特に体内の熱産生の生理学的過程）.
nonshivering t. 非ふるえ性熱産生〔性〕（交感神経系の神経伝達物質であるエピネフリンとノルエピネフリンの効果による熱産生. 骨格筋や他の組織の細胞代謝率を増加させて熱産生を増やす. 脂肪組織の特殊な型である褐色脂肪では，交感神経の神経伝達物質はミトコンドリアによる非共役酸化的リン酸化の率を増加させ，アデノシン 5′-三リン酸の形成なしに熱産生を増加させる効果がある）.
shivering t. 身震い性熱産生（筋肉がブルブル震えて代謝を亢進させることにより熱を産生すること）.
ther·mo·ge·net·ic, ther·mo·gen·ic (ther′mō-jĕ-net′ik, -jen′ik). *1*〘adj.〙熱発生の，高温発生の. ＝thermogenous. *2*〘n.〙熱産生物質. ＝calorigenic (2).
ther·mo·gen·ics (thĕr-mō-jen′iks). 発熱学，発熱療法.
ther·mo·gen·in (ther′mō-jen′in). サーモゲニン（褐色脂肪組織に見出される蛋白で，酸化的リン酸化の発熱性脱共役性蛋白として働く. この種の組織での発熱を引き起こす）.
ther·mog·e·nous (ther-moj′ĕ-nŭs). ＝thermogenetic (1).
ther·mo·gram (ther′mō-gram)［thermo- ＋ G. *gramma*, a writing］. 温度記録〔図〕，サーモグラム，自記温度図（①赤外線感覚装置で，直接接触せずに記録された身体表面の体域体温図. 環境が一定の場合，放射線，皮下血流を測定する. ②温度記録計による記録図）.
ther·mo·graph (ther′mō-graf)［thermo- ＋ G. *graphō*, to write］. 温度記録計，サーモグラフ，自記温度計（温度記録を作成する装置）.
ther·mog·ra·phy (ther-mog′ră-fē). 温度記録〔法〕，熱像法，サーモグラフィ，自記温度法（温度記録図を作成する方法）.
infrared t. 赤外線サーモグラフィ（赤外線検出器でとらえ局所の皮膚温度を測定する方法）.
liquid crystal t. 液晶サーモグラフィ（温度の変化により色が変化する液晶よりなるフレキシブルな板を接着させることによって局所の皮膚温度を測定する方法）.
ther·mo·hy·per·al·ge·si·a (ther′mō-hī′per-al-jē′zē-ă)［thermo- ＋ G. *hyper*, over ＋ *algēsis*, sense of pain］. 温熱性痛覚過敏.
ther·mo·hy·per·es·the·si·a (ther′mō-hī′pĕr-es-thē′zē-ă)［thermo- ＋ G. *hyper*, over ＋ *aisthēsis*, sensation］. 温度〔感〕覚過敏（きわめて鋭敏な温覚または温度感覚. 熱さと冷たさの誇張された認識）.
ther·mo·hyp·es·the·si·a (ther-mō-hīp-es-thē′zē-ă)［thermo- ＋ G. *hypo*, under ＋ *aisthēsis*, sensation］. 温度〔感〕覚減退，温度〔感〕覚鈍麻（温度覚の減退）. ＝thermohypoesthesia.
ther·mo·hy·po·es·the·si·a (ther′mō-hī′pō-es-thē′zē-ă). ＝thermohypesthesia.
ther·mo·in·hib·i·to·ry (ther′mō-in-hib′i-tō′rē). 体温発生抑制の（熱発生を抑制または阻止することについていう）.
ther·mo·in·te·gra·tor (ther′mō-in′tĕ-grā-tŏr). 熱積算計（生体が感じる環境の実効的寒暖を，放射，対流，および伝導も含めて，評価するための装置. 通常，生体の熱的モデルと認められる標準的形(例えば，球，円柱)につくられ，それを内側からある一定の割合で加熱しながら，表面温度を測定するようになっている）.
ther·mo·junc·tion (ther′mō-jŭngk′shŭn). 熱電対. ＝thermocouple.
ther·mo·ker·a·to·plas·ty (ther′mō-ker′ă-tō-plas′tē)［thermo- ＋ G. *keras*, horn ＋ *plassō*, to form］. 加熱角膜形成〔術〕（角膜実質の膠原線維を熱により収縮させ，角膜を平坦化させる方法. これにより近視を弱めることができる. ⇀refractive *keratoplasty*）.
ther·mo·la·bile (ther′mō-lā′bīl, -bil)［thermo- ＋ L. *labilis*, perishable］. 易熱〔性〕の，熱不安定の，不耐熱性の（熱により変化または崩壊しやすいことについていう）.
ther·mol·o·gy (ther-mol′ŏ-jē)［thermo- ＋ G. *logos*, study］. 熱〔科〕学. ＝thermotics.
ther·mol·y·sis (ther-mol′i-sis)［thermo- ＋ G. *lysis*, dissolution］.［誤った発音 thermoly′sis を避けること］. *1* 放熱（蒸発，放射による体熱の消耗）. *2* 加熱分解（熱による化学的分解）.
ther·mo·lyt·ic (ther′mō-lit′ik). *1*〘adj.〙放熱の. *2*〘n.〙熱散逸促進薬.
ther·mo·mas·sage (ther′mō-mă-sahzh′). 温熱マッサージ（熱とマッサージを組み合わせた物理療法）.
ther·mom·e·ter (ther-mom′ĕ-tĕr)［thermo- ＋ G. *metron*, measure］. 温度計，寒暖計，体温計（すべての物質の温度を示す装置. 一般に，水銀のはいった密閉真空の管で，水銀は熱で膨張し，冷却で収縮し，それに伴ってその高さが管内を上下する. その高さの変化の正確な度合は目盛りで示される. または，最近では水銀を使用しないで電子的方法で温度を表示するものもある. →scale）.
air t. ⇀gas t.
axilla t. 腋窩温度計（腋窩に置き，上腕を体幹に付けて体温を計る温度計）. ＝axillary t.
axillary t. ＝axilla t.
clinical t. 体温計（人体の温度を測定する器具）.
differential t. 示差温度計. ＝thermoscope.
gas t. 気体温度計（乾燥空気または気体を封入した温度計で，これら気体の膨張や圧力の上昇が温度を指示する. 高温の測定に用いる）.
resistance t. 抵抗寒暖計（金属線の電気抵抗の変化から温度を測定する装置）. ＝resistance pyrometer.
self-registering t. 自記寒暖計（観察期間の最高温度または最低温度を特殊な装置により記録する温度計. 体温計の場合は最高温度のみが記録される. 水銀柱上の鋼鉄棒または気泡で主柱から離れた水銀の部分が，通常作用する. 最高温度が記録されると，水銀棒または水銀部は水銀線が収縮するときに上昇した場所にとどまる）.
spirit t. アルコール温度計（寒冷の極限度を測るために用

いる，アルコールを満たした温度計）.

surface t. 表面温度計（測る部位の皮膚部分の大まかな温度を示す円盤状または帯状の体温計）.

wet and dry bulb t. 乾湿球寒暖計．＝psychrometer.

ther·mo·met·ric (ther′mō-met′rik). 温度測定の，検温の.

ther·mom·e·try (ther-mom′ĕ-trē) [thermo- + G. *metron*, measure]. 温度測定，検温.

ther·mo·neu·ro·sis (ther′mō-nū-rō′sis). 神経症性体温上昇（情動の影響で体温が上昇すること）.

ther·mo·nu·cle·ar (ther′mō-nū′klē-ăr). 熱〔的〕核の（水素が 100,000,000°C 以上の温度でヘリウムに融合するとき（〝水爆〟の反応）のような高温で生じる核融合についていう）.

ther·mo·pen·e·tra·tion (ther′mō-pen′ĕ-trā′shŭn). 熱透過〔法〕．＝medical *diathermy*.

ther·mo·phile, ther·mo·phil (ther′mō-fīl, -fil) [thermo- + G. *phileō*, to love]. 高温生物，好熱生物（50°C 以上の温度で最もよく成長する生物）.

ther·mo·phil·ic (ther′mō-fil′ik). 高温体の，高温性の，好熱性の.

ther·mo·pho·bi·a (ther′mō-fō′bē-ă) [thermo- + G. *phobos*, fear]. 高温恐怖〔症〕（熱に対する病的な恐れ）.

ther·mo·phore (ther′mō-fōr) [thermo- + G. *phoros*, bearing]. ***1*** 伝熱装置（熱をある部分に加えるための装置で，水加熱器，温水をコイルに送る管，温水を加熱器に戻す別の管からなる）. ***2*** テルモフォール（一定の塩を入れた平らな袋．しめらせると熱を発する．湯タンポの代用品）.

ther·mo·phy·lic (ther′mō-fī′lik) [thermo- + G. *phylaxis*, protection]. 好温性（熱に抵抗性を有すること．特定の微生物に用いる）.

ther·mo·pile (ther′mō-pīl) [thermo- + pile]. 熱電堆（熱電気型の電池で，アンチモンとビスマスとを接続した棒がいくつもつながっており，それらの接続点を熱すると電流を生じる．温度差測定器として用いる）．＝thermoelectric pile.

ther·mo·pla·cen·tog·ra·phy (ther′mō-plă-sen-tog′ră-fē) [thermo- + L. *placenta*, placenta + G. *graphō*, to write]. 胎盤サーモグラフィ（現在では用いられない方法．胎盤に多量の血液が流れるため，赤外線検出によって胎盤の位置を決定する）.

Ther·mo·plas·ma (ther′mō-plaz′mă) [thermo- + G. *plasma*, something formed]. サーモプラスマ属（マイコプラスマ目細菌の一属．*Mycoplasma*属の微生物と同じ特徴を有するが，発育のためステロールを必要としないことと，至適温度55—59°C，至適 pH 1.0—2.0，出芽によって複製する点で異なる．標準種は *T. acidophilum*）.

T. acidophilum 自家発熱を経た石炭のくず山に見出される一種で，酸性の温泉でも見出される．*Thermoplasma* の標準種.

ther·mo·plas·ma, pl. ther·mo·plas·ma·ta (ther′mō-plaz′mă, -plaz′mah-tă). サーモプラスマ（*Thermoplasma*属の一種を表すのに用いる通称）.

ther·mo·plas·tic (ther′mō-plas′tik). 熱〔可〕塑性（熱を加えると軟化し，冷却すると固まる物質に対する名称）.

ther·mo·ple·gi·a (ther′mō-plē′jē-ă) [thermo- + G. *plēgē*, stroke]. sunstroke（日射病）を表すまれに用いる語.

ther·mo·re·cep·tor (ther′mō-rē-sep′tŏr, -tōr). 温度受容器（熱を感じる受容器）.

ther·mo·reg·u·la·tion (ther′mō-reg′yū-lā′shŭn). 温度調節，体温調節（定温器によって温度を調節すること）.

ther·mo·reg·u·la·tor (ther′mō-reg′yū-la′tŏr, -tōr). ＝thermostat.

ther·mo·scope (ther′mō-skōp) [thermo- + G. *skopeō*, to view]. 測温器（記録はしないが温度のわずかな差異を示す器具）．＝differential thermometer.

ther·mo·set (ther′mō-set). 熱硬化性（熱を加えることにより硬化する物質に対する名称）.

ther·mo·sta·bile, ther·mo·sta·ble (ther′mō-stā′bil, -stā′bl) [thermo- + L. *stabilis*, stable]. 耐熱〔性〕の，熱安定〔性〕の（熱にあってもなかなか変化せず，破壊しない性質）．＝heat-stable.

ther·mo·stat (ther′mō-stat) [thermo- + G. *statos*, standing]. 定温器，恒温槽，サーモスタット（温度を自動的に一定に保つ装置．ふ卵器などに用いられている）．＝thermoregulator.

ther·mo·ste·re·sis (ther′mō-stĕ-rē′sis) [thermo- + G. *sterēsis*, deprivation, loss]. 熱剝奪，熱消失.

ther·mo·stro·muhr (ther′mō-stro′mūr). 熱流量計，熱血流計（２点の熱要素からなる流量計で，血管外から測定する．２点間の温度差から血流が計算される）.

ther·mo·sys·tal·tic (ther′mō-sis-tal′tik) [thermo- + G. *systaltikos*, contractile]. 熱性筋肉攣縮の（温度の刺激による筋肉の攣縮現象についていう）.

ther·mo·sys·tal·tism (ther′mō-sis′tăl-tizm) [→thermosystaltic]. 熱性筋肉攣縮（熱の影響を受けて筋肉などが収縮すること）.

ther·mo·tac·tic, ther·mo·tax·ic (ther′mō-tak′tik, tak′sik). 熱走性の.

ther·mo·tax·is (ther′mō-tak′sis) [thermo- + G. *taxis*, orderly arrangement]. 熱走性，走熱性（①原形質の熱刺激に対する反応．*cf.* thermotropism. ②体温の調節）.

negative t. 負の温度走性（動植物が熱に反発すること）.

positive t. 正の温度走性（動植物が熱に引き付けられること）.

ther·mo·ther·a·py (ther′mō-thār′ă-pē) [thermo- + G. *therapeia*, treatment]. 〔温〕熱療法（熱を利用して病気を治療すること）.

ther·mot·ic (ther-mot′ik). 熱学の.

ther·mot·ics (ther-mot′iks) [G. *thermotēs*, heat]. 熱学．＝thermology.

ther·mo·to·nom·e·ter (ther′mō-tō-nom′ĕ-tŏr) [thermo- + G. *tonos*, tone, tension + *metron*, measure]. 熱攣縮計（熱の影響下における筋肉の攣縮現象の度合いを測定する器具）.

ther·mot·ro·pism (ther-mot′rō-pizm) [thermo- + G. *tropē*, a turning]. 温度屈性（生物の一部（例えば，葉や茎）が，ある熱源に向かったり遠ざかったりする運動．*cf.* thermotaxis）.

the·roid (thē′royd) [G. *thēr*, a wild beast + *eidos*, resemblance]. 野獣性の（本能や性癖が動物に類似することについていう）.

the·rol·o·gy (thē-rol′ŏ-jē) [G. *thēr*, a wild beast + *logos*, study]. 哺乳動物学.

the·sau·ris·mo·sis (thē′saw-riz-mō′sis) [G. *thēsauros*, store, storehouse + G. *-osis*, condition]. 蓄積症，沈着症，貯蔵症（ある細胞内に生体成分が通常，多量に蓄積あるいは貯蔵される代謝病を表すのにまれに用いる語）.

the·sau·ris·mot·ic (thē′saw-riz-mot′ik). 貯蔵症の，蓄積症の.

the·sau·ro·sis (thē′saw-rō′sis) [G. *thēsauros*, store, storehouse]. 貯蔵症（正常な物質または異物が体内に異常に過度に貯蔵されること）.

the·sis, pl. the·ses (thē′sis, -sēz) [G. a placing, a position, thesis]. ***1*** 命題（討論の基礎として提出される学理または仮説）. ***2*** 学位請求論題目（大学で博士号を取るために志願者から提出される論題で，反対意見を論破しなければならない）. ***3*** 卒業論文（卒業する学生から提出される医学論文）.

the·ta (θ, Θ) (thā′ta). シータ（①ギリシア語アルファベットの第８字，*θ*．②シリーズの８番目．カルボキシル基や他の官能基から８番目の原子に位置する置換基の場所を示す．③角度の記号）.

the·tins (thē′tinz). テチン（海藻類に多く含まれるメチルスルホニウム化合物で，*S*–メチル基が〝活性 active〟であり，メチル供与体として植物中で活動する．例えばジメチルプロプリオテチン$(CH_3)_2S^+–CH_2–CH_2–COO^-$）.

Thevetia peruviana (the-vē′shĭ-ă pĕr-ū-vē-an′ă). キバナキョウチクトウ（有毒性強心配糖体テベチン A および B，ネリフォリンおよびペルボサイドの主原料．スリランカ地方で毒殺や自殺目的で頻繁に用いられる）．＝yellow oleander.

thevetins (thev′ĕ-tins). テベチン（キバナキョウチクトウ *Thevetia peruviana* 中に見出される毒性の強心配糖体）.

THF tetrahydrofolate の略．→5,6,7,8-tetrahydrofolate dehydrogenase; tetrahydrofolate methyltransferase.

thia- [G. *theion*]. 環，鎖の中で炭素が硫黄に置換したことをさす接頭語．*cf.* thio-.

thi·a·min (thī′ă-min) [*thia-* + vitamin]. チアミン（牛乳，イースト菌，穀物の胚や殻の中に含有され，人工的に合成もされて，成長に重要である．チアミン欠乏が脚気や Wernicke-Korsakoff 症候群にみられる）．＝aneurine; antiberiberi factor; antiberiberi vitamin; antineuritic factor; antineuritic vitamin; thiamine; vitamin B_1.

t. hydrochloride 塩酸チアミン（補酵素の 1 つ．脚気，その他食事中のチアミン欠乏に関連する症状の予防に用いる）．＝aneurine hydrochloride.

t. mononitrate 硝酸チアミン（塩酸チアミンと同じ作用を示す）．

t. pyridinylase チアミンピリジニラーゼ（ピリジンやその他の塩基をチアミンのピリミジンの位置へ転移する反応を触媒する酵素．例えば，チアミンはピリジンと反応してヘテロピリチアミンと 4–メチル–5–(2′–ヒドロキシエチル)–チアゾールを生成する）．＝pyrimidine transferase; thiaminase I.

t. pyrophosphate (TPP) チアミンピロリン酸（チアミンの二リン酸エステル．数種の(デ)カルボキシラーゼ，トランスケトラーゼと α–オキソ酸の補酵素）．＝aneurine pyrophosphate; cocarboxylase; diphosphothiamin.

thi·am·i·nase (thī-am′i-nās). チアミナーゼ（①生魚中に存在する，チアミンを破壊する酵素で，生魚が大部分を占める食事をとっている動物に，チアミン欠乏を生じる．②チアミンをピリミジン部分(2-methyl-4-amino-5-hydroxymethylpyrimidine)とチアゾール部分(4-methyl-5-(2′-hydroxyethyl) thiazole)に開裂する水解酵素．ピリミジン部分はピラミンとして尿中に現れる．＝t. II）．

t. I ＝*thiamin* pyridinylase.

t. II ＝thiaminase (2).

thi·a·mine (thī′ă-min, -mēn). チアミン．＝thiamin.

Thi·a·ra (thī-ah′ră). トゲカワニナ属（分布の広い有蓋巻貝の一属(前鰓亜綱トゲカワニナ科)で，主としてアフリカやアジアの熱帯性・亜熱帯性地方の淡水および汽水中にみられる．ヌノメカワニナ *T. tuberculata* は，ヒト肺吸虫 *Paragonimus westermani* およびヒトや食魚性哺乳類に寄生する魚媒介性の数種の異形吸虫の第一中間宿主の 1 つである）．

thi·a·zides (thī′ă-zīdz). benzothiadiazides の口語体．

thi·a·zin (thī′ă-zin). チアジン（メチレンブルー，チオニン，トルイジンブルーなどの生物学的染料の親物質となるもの）．

thi·a·zol·i·din·e·di·one (thī′ă-zōl′i-dēn-dī′ōn). チアゾリジンジオン．＝glitazone.

thick·ness (thik′nes). ***1*** 厚さ（物の長さや幅に対し，厚さまたは深さのこと）．***2*** 層．

Breslow t. (bres′lō). ブレスロー厚さ（原発性の悪性黒色腫における，最も隆起した部位から腫瘍の底辺までの厚さ(潰瘍形成のある場合は潰瘍底から腫瘍の底辺までの厚さ)．転移率がこの腫瘍の厚さによく比例する）．

nuchal fold t. 項部厚（15—22 週において胎児の後頸部の皮膚の厚みを超音波で測定したもの．肥厚は染色体数異常および染色体に起因する疾患のリスクの増大を示唆する所見である）．

thi·el (thī′el). ＝sulfhydryl.

thi·e·mi·a (thī-ē′mē-ă) [G. *theion*, sulfur + *haima*, blood]. 硫黄血〔症〕（循環血液中に硫黄が存在すること）．

thi·en·a·my·cin (thī′-en-mī-sin). チエナマイシン（最初の des-thia-carbapenem 系抗生物質で，融合された五員環のエナミン部分にチオエチルアミン側鎖を有する）．

thienopyridine (thī-en-ō′pir′a-dēn). チエノピリジン（血小板凝集を阻害するチクロピジンおよびクロピドグレルを含む化合物の一群）．

thi·e·nyl (thī′ĕ-nil). チエニル；SC_4H_3–（チオフェンの基．*cf.* thenyl）．

thi·e·nyl·al·a·nine (thī′ĕ-nil-al′ă-nēn). チエニルアラニン（構造的にフェニルアラニンに類似した化合物で，L–フェニルアラニンを基質とする酵素の競合的阻害によって大腸菌 *Escherichia coli* の成長を抑制するものと考えられる）．

Thier (tēr), Carl Jörg. 20 世紀のドイツ人医師．→Weyers-T. *syndrome*.

Thiers (te-ā′), Joseph. フランス人医師．→Achard-T. *syndrome*.

Thiersch (tērsh), Karl. ドイツ人外科医，1822—1895．→T. *graft, canaliculi* (⇒canaliculus)；Ollier-T. *graft*.

thigh (thī) [TA]. 大腿（下肢のうち股関節部と膝の間の部分をいう）．＝femur (1) [TA].

Heilbronner t. (hīl′brŏn-ĕr). ハイルブロンナー大腿（器質性麻痺患者が堅いマットレスに仰臥するときにみられる，幅が広く扁平な大腿で，ヒステリー性麻痺ではこの徴候はみられない）．

thig·mes·the·si·a (thig′mes-thē′zē-ă) [G. *thigma*, touch + *aisthēsis*, sensation]. 触覚．

thig·mo·tax·is (thig′mō-tak′sis) [G. *thigma*, touch + *taxis*, orderly arrangement]. 接触走性，触走性（圧走性の一型．動植物の原形質が固体に触れると示す反応を意味する．*cf.* thigmotropism）．

thig·mot·ro·pism (thig-mot′rō-pizm) [G. *thigma*, touch + *tropē*, a turning]. 接触屈性，屈触性（葉やつるのように，生物の体部が接触刺激を受けて一定の方向をとる反応．*cf.* thigmotaxis）．

thi·mer·o·sal (thī-mer′ō-săl). チメロサール（局所消毒薬あるいはワクチン調整時の保存薬）．＝thiomersal; thiomersalate.

think·ing (think′ing). 思考．

abstract t. 抽象的思考（概念や一般原理で思考すること．例えば，テーブルと椅子を家具として理解すること．具象的思考と対比される．*cf.* concrete t.）．

archaic-paralogical t. 太古的錯論理思考．＝prelogical t.

concrete t. 具象的思考（より一般的な概念としての抽象的表現ではなくて，むしろある特定のものとして，事柄あるいは概念を考えること．例えば，椅子や机を包括的な概念としての家具の 1 つとしてではなく，個人的な便利な品ととらえること．*cf.* abstract t.）．

creative t. 創造的思考（通常よりも新しい結果あるいは要素を生み出す生産的思考）．

magical t. 呪術思考（状況や出来事を考えることや願うことによって，それができると考える不合理な信念．就学前の子供や統合失調症にみられる）．

prelogical t. 前論理的思考（原始的な思考過程による考え．→prelogical *mind*）．＝archaic-paralogical t.

primary process t. 一次的思考過程（シンボルやメタファーを使ってのエスに対する無意識的な思考．本能的な欲求や欲動への即時的喜びに焦点をおき，合理性を無視し，特に夢をみている間，精神病状態，小さい子供に体験されやすい．→concretization; displacement; symbolic *representation*; prelogical t. *cf.* secondary process t.）．

secondary process t. 第 2 次過程思考（内的な空想と外的な現実を区別したり，正確な内的表象を創り上げたり，自分の行動の結果を審査したり，出来事を順序立てて整理したり，問題を解決したり，はっきりとコミュニケーションしたりといったことを遂行できる自我による論理的思考のこと．*cf.* primary process t.）．

t. through 洞察的思考（自分自身の行動を洞察をもって理解するという心理学的過程）．

thin·ning (thin′ing). 低粘稠化，非薄化（溶剤の添加のような化学的方法などの希釈によるか，あるいはずれ揺変のような機械的方法によって粘度を低下させること）．

shear t. ずれ揺変（ずれの割合を増加して重合体，高分子，あるいはゲルの粘度を減少させること．必ずしも時間の関数ではない．→thixotropy）．

thio- [G. *theion*, sulfur]. 硫黄がその化合物中の酸素に置換していることを意味する接頭語．*cf.* thia-.

thi·o·ac·id (thī′ō-as′id). チオ酸（1 つ以上の酸素原子が，硫黄原子によって置換されている有機酸．例えばチオ硫酸）．＝sulfacid; sulfoacid (1).

thi·o·al·co·hol (thī′ō-al′kŏ-hol). チオアルコール．＝mercaptan (1).

thi·o·am·ide (thī′ō-am′īd). チオアミド（O が S に置換しているアミド基）．

thi·o·ate (thī′ō-āt). チオ酸塩またはエステル．

thi·o·bar·bi·tu·rates (thī′ō-bar-bi′chū-ritz). チオバルビツール酸塩（[誤ったつづりまたは発音 thiobarbituate を避けること]．バルビツール酸塩群の睡眠薬．例えば，チオペンタールは C–2 の酸素原子が硫黄に置換されている）．

thi·o·car·ba·mide (thī′ō-kar′bă-mīd). チオカルバミド．＝thiourea.

thi·o·car·lide (thī′ō-kar′līd). チオカルリド（分子が，3 つ

T

の結核菌に有効な群すなわち*p*–アミノサリチル酸，*p*–アミノベンズアルデヒドチオセミカルバゾン，チオカルバミド群からなる合成化合物．抗結核菌薬）．

thi·o·chrome (thī′ō-krōm). チオクロム（チアミンを酸化して生成される蛍光化合物．チアミンの検出および測定に用いる）．

thi·oc·tic ac·id (thī-ok′tik as′id). チオクト酸．＝lipoic acid.

thi·o·cy·a·nate (thī′ō-sī′ă-nāt). チオシアン酸塩（チオシアン酸またはスルホシアン酸の塩）．＝rhodanate; sulfocyanate.

thi·o·cy·an·ic ac·id (thī′ō-sī-an′ik as′id). チオシアン酸；HSCN; hydrogen thiocyanate.＝rhodanic acid; sulfocyanic acid.

thi·o·dep·si·pep·tide (thī′ō-dep′sē-pep′tīd) [thio- + G. *depseō*, to knead, blend + peptide]. チオデプシペプチド（数個のアシル化チオール基(例えばシステイン)を含有するペプチド）．

thi·o·di·phen·yl·am·ine (thī′ō-dī′fen-il-am′ēn). チオジフェニルアミン．＝phenothiazine.

thi·o·es·ter (thī′ō-es′tĕr). チオエステル（酵素学で，基質や生成物のカルボニル炭素と酵素を架橋された酸素が，硫黄(通常 Cys 残基により)によって置換されているエステル．多くの酵素での高エネルギー中間体である）．＝acylmercaptan.

thi·o·es·ter·ase (thī′ō-es′tĕr-ās). チオエステラーゼ（チオエステルを加水分解する酵素．例えば，パルミチン酸を遊離させる脂肪酸の生合成の最終段階での脱アシル化活性）．＝thiolesterase.

thi·o·eth·a·nol·a·mine a·ce·tyl·trans·fer·ase (thī′ō-eth′ă-nol′ă-mēn a-sē′til-trans′fĕr-ās). チオエタノールアミンアセチルトランスフェラーゼ（アセチル基をアセチル CoA からチオエタノールアミンの硫黄原子へ転移する酵素，すなわち CoA と *S*–アセチルチオエタノールアミンを生成する）．＝thiotransacetylase B.

thi·o·e·ther (thī′ō-ē′thĕr). チオエーテル（有機スルフィド．酸素が硫黄に置換されているエーテル．硫酸エーテルの一種．R–S–R′）．

thi·o·fla·vine S (thī′ō-flā′vin) [C.I. 49010]. チオフラビンS（プリムリンのメチル化およびスルホン化された誘導体．生体染色の際に，蛍光顕微鏡に用いる黄色染料）．

thi·o·fla·vin T (thī′ō-flā′vin) [C.I. 49005]. チオフラビンT（チアゾール黄色色素．組織病理学において，ヒアリンおよびアミロイドの蛍光色素として用いる）．

thi·o·fu·ran (thī′ō-fyū′ran). チオフラン．＝thiophene.

thi·o·glu·co·si·dase (thī′ō-glū-kō′si-dās). チオグルコシダーゼ（チオグリコシドをチオールと糖に変換する，カラシの種子に含まれている酵素）．＝myrosinase; sinigrase; sinigrinase.

thi·o·gly·co·late, thi·o·gly·col·late (thī′ō-glī′kō-lāt). チオグリコール酸塩またはエステル．細菌培地の酸素含量を減じ，嫌気性菌の成長に適した状態をつくるのに用いることが多い．また，接種物に混入している水銀の塩を不活性化する．

thi·o·gly·col·ic ac·id (thī′ō-glī-kol′ik as′id). チオグリコール酸（鉄，モリブデン，銀，スズなどの金属の検出試薬として用いる．アンモニウム塩やナトリウム塩は家庭用パーマネントに用いられ，カルシウム塩は脱毛薬として用いる）．＝mercaptoacetic acid.

-thioic ac·id –C(S)OH 基，–C(O)SH 基，すなわちカルボン酸の硫黄類似体を意味する接尾語．チオカルボン酸．

thi·o·ki·nase (thī′ō-kī′nās). チオキナーゼ（対応する脂肪酸と CoA とからアシルCoA 化合物を生成させる酵素のグループ名．その結合は CoA の硫黄原子を形成している）．

thi·ol (thī′ol). チオール（①炭素に付いた単価基 –SH．水硫化物．メルカプタン．②アンモニアで精製した硫黄化合石油と硫酸化石油の混合物．皮膚病の治療に用いる）．

thi·o·lase (thī′ō-lās). チオラーゼ．＝*acetyl-CoA* acetyltransferase.

thi·ole (thī′ōl). チオール．＝thiophene.

thi·ol·es·ter·ase (thī′ōl-es′tĕr-ās). チオールエステラーゼ．＝thioesterase.

thi·ol·his·ti·dyl·be·ta·ine (thī′ol-his′ti-dil-bē′tă-ēn). チオールヒスチジルベタイン．＝ergothioneine.

thi·ol·trans·a·cet·y·lase A (thī′ol-trans′ă-set′i-lās). チオールトランスアセチラーゼA．＝dihydrolipoamide *S*-acetyltransferase.

thi·ol·y·sis (thī-ol′i-sis). チオ開裂（[誤った発音 thioly′sis を避けること]．補酵素Aに一部分付加する化学結合の開裂．加水分解，加リン酸分解の類語）．

thi·o·mer·sal (thī′ō-mer′săl). チオメルサール．＝thimerosal.

thi·o·mer·sa·late (thī′ō-mer′să-lāt). チオメルサレート．＝thimerosal.

thi·o·meth·yl·a·den·o·sine (thī′ō-meth′il-ă-den′ō-sēn). チオメチルアデノシン．＝methylthioadenosine.

β-thi·o·nase (thī′ō-nās). *β*–チオナーゼ．＝cystathionine *β*-synthase.

-thione ケトンの硫黄類似体 >C=S をさす接尾語．すなわちチオカルボニル基．

thi·o·nein (thī′ō-nēn). チオネイン（メタロチオネインのアポ蛋白）．

thi·o·ne·ine (thī′ō-ne′in). チオネイン．＝ergothioneine.

thi·on·ic (thī-on′ik). 硫黄の．

thi·o·nine (thī′ō-nēn) [C.I. 52000]. チオニン；amidophenthiazine（暗緑色の粉末で，水に溶け紫色溶液になる．組織学の分野では，その異染性のためにクロマチンやムチンに対する塩基性染料として有用である）．＝Lauth violet.

thiono- しばしばチオキソ基に用いる接頭語．

thi·o·pan·ic ac·id (thī′ō-pan′ik as′id). チオパン酸．＝pantoyltaurine.

thi·o·phene (thī′ō-fēn). チオフェン（基本的環式化合物）．＝thiofuran; thiole.

thi·o·re·dox·in (thī′ō-rē-doks′in) [MIM*187700]. チオレドキシン（DNA の生合成に関連する酸化還元反応に働く蛋白）．

t. reductase チオレドキシンレダクターゼ（DNA の生合成において NADPH を利用し，チオレドキシンを再還元するフラビン蛋白）．

thi·o·sem·i·car·ba·zide (thī′ō-sem′ē-kar′bă-zīd). チオセミカルバジド（結核菌抑制作用をもつチオセミカルバゾン群の1つ．金属の検出試薬として用いる）．

thi·o·sem·i·car·ba·zone (thī′ō-sem′ē-kar′bă-zōn). チオセミカルバゾン（①チオセミカルバジド基＝N–NH–C(S)–NH_2を含む化合物．②チオセミカルバジド，ベンズアルデヒドチオセミカルバゾン，4–アミノアセチルベンズアルデヒドチオセミカルバゾンを含む結核菌抑制薬群の1つ）．

thi·o·sul·fate (thī′ō-sŭl′fāt). チオ硫酸塩；$S_2O_3^{2-}$（チオ硫酸の陰イオン．モリブデン補因子欠損の患者で上昇する）．

t. cyanide transsulfurase チオ硫酸シアニドトランススルフラーゼ．＝t. sulfurtransferase.

t. sulfurtransferase [MIM*180370]. チオ硫酸スルフルトランスフェラーゼ（シアン化物とチオ硫酸塩からチオシアン酸塩と亜硫酸塩の生成を触媒するトランスフェラーゼ）．＝rhodanese; t. cyanide transsulfurase; t. thiotransferase.

t. thiotransferase チオ硫酸チオトランスフェラーゼ．＝t. sulfurtransferase.

thi·o·sul·fur·ic ac·id (thī′ō-sŭl-fyūr′ik as′id). チオ硫酸；$H_2S_2O_3$（1酸素原子が1硫黄原子で置換された硫酸）．

thi·o·trans·a·cet·y·lase B (thī′ō-trans′ă-set′i-lās). チオトランスアセチラーゼB．＝thioethanolamine acetyltransferase.

2-thi·o·ur·a·cil (thī′ō-yūr′ă-sil). 2–チオウラシル（転移 RNA のまれな化合物．甲状腺ホルモンの合成を抑制するチオアミド誘導体．そのためゴイトロゲンともよばれる．プロピルチオウラシルと類似）．

4-thi·o·ur·a·cil (thī′ō-yūr′ă-sil). 4–チオウラシル（4の位置のOがSに置換されたウラシル．2–チオウラシルの異性体である．転移 RNA のまれな成分）．

thi·o·u·re·a (thī′ō-yū-rē′ă). チオ尿素（チオアミド基をもつ抗甲状腺化合物．作用と用法はチオウラシルと同じ．数種の誘導体はらい病に有効である）．＝thiocarbamide.

thi·o·xan·thene (thī′ō-zan′thēn). チオキサンテン（フェノチアジンに類似している三環式化合物の一群であるが，中央の環の窒素原子が炭素原子で置換されている．現在は精神安定薬，制吐薬として用いる).

thioxo- チオケトン中の＝Sをさす接頭語.

thi·ox·o·lone (thī-ok′sō-lōn). チオキソロン（抗脂漏薬).

THIP γ-アミノ酪酸(GABA)タイプAレセプタアゴニスト. このタイプの他のアゴニストと異なり，全身投与で THIP は血液脳関門を透過し，脳および脊髄における GABA レセプタ機能を診査する薬理学的ツールとして用いられる.

thirst (thĭrst) [A.S. *thurst*]. 渇，渇き（口と咽頭に不快感を伴う飲水渇望).

false t. 偽性口渇（水を飲んでも満足しない渇き. 口は渇くが，身体的には水を必要としない渇き). ＝pseudodipsia.

insensible t. 無感覚口渇. ＝hypodipsia.

morbid t. 病的口渇，大渇. ＝dipsesis.

subliminal t. 閾値下口渇. ＝hypodipsia.

true t. 真性口渇（飲水すれば満足する渇き).

Thi·ry (tē′rē), Ludwig. オーストリア人生理学者，1817―1897. ⇀T. *fistula*; T.-Vella *fistula*.

thix·o·la·bile (thik′sō-lā′bil, -bīl). チキソトロピーの，揺変性の.

thix·o·trop·ic (thik′sō-trop′ik). チキソトロピーの，揺変性の.

thix·ot·ro·py (thik-sot′rŏ-pē) [G. *thixis*, a touching ＋ *tropē*, turning]. チキソトロピー，揺変性（①振動または剪断力を受けると粘性が減少し，静置すると元の粘性に戻るゲルの性質. 例えば，滑液，水酸化第一鉄ゲルなど. ②通常，時間の関数で剪断速度が増加すると粘性の減少を示す系の特徴). ＝reclotting phenomenon.

Tho·go·to·vi·rus·es (thō′gō-tō-vī′rus̆-ĕz). トゴトウイルス（オルソウイルスに類似し，アミノ酸配列にある程度の相同性をもつ分類未定のウイルス群).

Tho·ma (tō′mah), Richard. ドイツ人組織学者，1847―1923. ⇀T. *ampulla*, *fixative*, *laws*.

Thom·as (tom′ăs), Hugh Owen. 英国人外科医，1834―1891. ⇀T. *splint*.

Thomp·son (tomp′sŏn), Henry. イングランド人外科医，1820―1904. ⇀T. *test*.

Thom·sen (tom′sen), Asmus J. デンマーク人遺伝学者，1815―1896. ⇀T. *disease*.

Thom·son (tom′sŏn), Frederic H. イングランド人医師，1867―1938. ⇀T. *sign*.

Thom·son (tom′sŏn), Matthew Sidney. イングランド人皮膚科医，1894―1969. ⇀Rothmund-T. *syndrome*.

thorac- ⇀thoraco-.

tho·ra·cal (thō′rǎ-kǎl). ＝thoracic.

tho·ra·cal·gi·a (thō′rǎ-kal′jē-ǎ) [thoraco- ＋ G. *algos*, pain]. 胸壁痛，胸郭痛. ＝thoracodynia.

tho·ra·cen·te·sis (thō′rǎ-sen-tē′sis) [thoraco- ＋ G. *kentēsis*, puncture]. 胸腔穿刺〔術〕. ＝pleuracentesis; pleural tap; pleurocentesis; thoracocentesis.

tho·rac·ic (thō-ras′ik). 胸の，胸郭の. ＝thoracal.

thoracico- ⇀thoraco-.

tho·rac·i·co·ab·dom·i·nal (thō-ras′i-kō-ab-dom′i-nǎl). 胸腹の. ＝thoracoabdominal.

tho·rac·i·co·a·cro·mi·al (thō-ras′i-kō-ǎ-krō′mē-ǎl). ＝thoracoacromial.

tho·rac·i·co·hu·mer·al (thō-ras′i-kō-hyū′mĕr-ǎl). 胸上腕の（胸郭と上腕骨に関する).

thoraco-, thorac-, thoracico- [G. *thōrax*]. 胸郭を意味する連結形.

tho·ra·co·ab·dom·i·nal (thō′rǎ-kō-ab-dom′i-nǎl). 胸腹の（胸郭と腹部に関する). ＝thoracicoabdominal.

tho·ra·co·a·cro·mi·al (thō′rǎ-kō-ǎ-krō′mē-ǎl). 胸肩峰の（肩峰と胸郭に関する. 特に胸肩峰動脈 thoracoacromial *artery* についていう). ＝acromiothoracic; thoracicoacromial.

tho·ra·co·ce·los·chi·sis (thō′rǎ-kō-sē-los′ki-sis) [thoraco- ＋ G. *koilia*, belly ＋ *schisis*, fissure]. 胸腹壁破裂〔症〕（胸腔と腹腔を包含する体幹の先天的裂溝). ＝thoracogastroschisis.

tho·ra·co·cen·te·sis (thō′rǎ-kō-sen-tē′sis). ＝thoracentesis.

tho·ra·co·cyl·lo·sis (thō′rǎ-kō-si-lō′sis) [thoraco- ＋ G. *kyllōsis*, a crippling]. 胸郭奇形.

tho·ra·co·cyr·to·sis (thō′rǎ-kō-sĭr-tō′sis) [thoraco- ＋ G. *kyrtōsis*, a being crooked]. 胸壁異常彎曲，胸部突出.

tho·ra·co·del·phus (thō′rǎ-kō-del′fŭs). ＝thoradelphus.

tho·ra·co·dor·sal (thō′rǎ-kō-dōr′sǎl). 胸背の（後胸壁の外側の. 特に動脈・静脈・神経についていう).

tho·ra·co·dyn·i·a (thō′rā-kō-din′ē-ǎ) [thoraco- ＋ G. *odynē*, pain]. ＝thoracalgia.

tho·ra·co·gas·tros·chi·sis (thō′rǎ-kō-gas-tros′ki-sis) [thoraco- ＋ G. *gastēr*, belly ＋ *schisis*, fissure]. ＝thoracoceloschisis.

tho·ra·co·lap·a·rot·o·my (thō′rǎ-kō-lap-ǎ-rot′ŏ-mē) [thoraco- ＋ laparotomy]. 開胸開腹〔術〕（胸部および腹部を切開(胸腹部切開)して横隔膜部を露出すること).

tho·ra·co·lum·bar (thō′rǎ-kō-lŭm′bar). 胸腰の（①脊柱の胸部および腰部に関する. ②自律神経系の交感神経系の起始に関する. ⇀autonomic (visceral motor) *division* of nervous system).

tho·ra·col·y·sis (thō′rǎ-kol′i-sis) [thoraco- ＋ G. *lysis*, dissolution]. 胸膜剝離〔術〕（[誤った発音 thoracoly′sis を避けること]. 胸膜癒着を剝離する法).

tho·ra·com·e·lus (thō′rǎ-kom′ĕ-lŭs) [thoraco- ＋ G. *melos*, limb]. 胸部付着寄生児（通常，１本の上肢または下肢の寄生体が，自生体の胸部に付着した不等接着双生児. ⇀conjoined *twins*).

tho·ra·com·e·ter (thō′rǎ-kom′ĕ-tĕr) [thoraco- ＋ G. *metron*, measure]. 測胸器（胸の周囲と，その呼吸時の変化を測定する装置).

tho·ra·co·my·o·dyn·i·a (thō′rǎ-kō-mī′ō-din′ē-ǎ) [thoraco- ＋ G. *mys*, muscle ＋ *odynē*, pain]. 胸筋痛.

tho·ra·cop·a·gus (thō′rǎ-kop′ǎ-gŭs) [thoraco- ＋ G. *pagos*, something fastened]. 胸結合体（胸部または胸部近くで癒合した接着双生児. ⇀conjoined *twins*). ＝synthorax.

tho·ra·co·par·a·ceph·a·lus (thō′rǎ-kō-par′ǎ-sef′ǎ-lŭs) [thoraco- ＋ G. *para*, beside ＋ *kephalē*, head]. 胸副頭結合体（原基痕跡寄生体の頭が自生体の胸部に付着した不等接着双生児. ⇀conjoined *twins*).

tho·ra·cop·a·thy (thō′rǎ-kop′ǎ-thē) [thoraco- ＋ G. *pathos*, suffering]. 胸病質（胸部の臓器および組織の病気に対してまれに用いる語).

tho·ra·co·plas·ty (thō′rǎ-kō-plas-tē) [thoraco- ＋ G. *plastos*, formed]. 胸〔郭〕形成〔術〕（胸壁の変形を治す手術. かつては，結核や膿胸にみられる硬化した胸壁を除去して胸腔を縮小する手技にだけ用いられた用語).

conventional t. 通常の胸〔郭〕形成〔術〕（胸壁が内側に退縮するように肋骨を切除して胸腔の容積を減じる法. 膿胸の治療に用いられる).

tho·ra·co·pneu·mo·plas·ty (thō′rǎ-kō-nū′mō-plas′tē) [thoraco- ＋ G. *pneumōn*, lung ＋ *plastos*, formed]. 胸肺形成〔術〕（[二重字 pn の p は通常は語頭にあるときのみ無音であるが，連結形 pneum(o)- の一部である場合，長い伝統によりそれは単語の中にあっても無音である]. 肺を含む胸郭の形成).

tho·ra·cos·chi·sis (thō′rǎ-kos′ki-sis) [thoraco- ＋ G. *schisis*, fissure]. 胸裂〔症〕，胸郭披裂（胸壁の先天的裂溝. 肺組織のヘルニアの原因になる).

tho·ra·co·scope (thō-rā′kō-skōp) [thoraco- ＋ G. *skopeō*, to view]. 胸腔鏡（胸腔内の構造物を観察するための内視鏡. ときにテレビ映像下になされる. ⇀VATS).

tho·ra·cos·co·py (thō′rǎ-kos′kŏ-pē) [thoraco- ＋ G. *skopeō*, to view]. 胸腔鏡検査〔法〕（内視鏡を用いて胸腔を検診する法). ＝pleuroscopy.

tho·ra·co·ste·no·sis (thō′rǎ-kō-stĕ-nō′sis) [thoraco- ＋ G. *stenōsis*, narrowing]. 胸郭狭窄〔症〕.

tho·ra·co·ster·not·o·my (thō′rǎ-kō-stĕr-not′ŏ-mē). 肋間切開と胸骨横切開を組み合わせた胸部切開.

transverse t. 肋間切開と胸骨横切開を組み合わせた胸部切開.

tho·ra·cos·to·my (thō′rǎ-kos′tŏ-mē) [thoraco- ＋ G. *stoma*, mouth]. 胸部造瘻〔術〕，胸部フィステル形成〔術〕（膿胸の排膿のために胸腔に開口部を設けること).

tho·ra·cot·o·my (thō′rǎ-kot′ŏ-mē) [thoraco- ＋ G. *tomē*, incision]. 開胸〔術〕（胸壁を切開して胸腔に達すること). ＝

T

pleurotomy.

anterior t. 前方開胸〔術〕（開胸のための前方切開．通常は乳房下におく）．

axillary t. 腋窩開胸〔術〕（腋毛の底側の横切開または縦切開で行う側方開胸）．

clamshell t. ＝clamshell *incision*.

minithoracotomy〔口語〕．小開胸〔術〕（典型的な後側方開胸と比べて筋切離の少ない開胸法）．

muscle-sparing t. 筋肉温存開胸〔術〕（広背筋 latissimus dorsi *muscle* と前鋸筋 serratus anterior *muscle* を極力切離しないで行う開胸法）．

posterolateral t. 後側方開胸〔術〕（広背筋 latissimus dorsi *muscle* と前鋸筋 serratus anterior *muscle* を切離する開胸法）．

tho·ra·del·phus (thō′rǎ-del′fŭs)［thoraco- ＋G. *adelphos*, brother］．胸〔部〕癒合二重体（臍部上方から癒合し，一体となっている後部二重体．→conjoined *twins*）．＝thoracodelphus.

tho·rax, gen. **tho·ra·cis,** pl. **tho·ra·ces** (thō′raks, thō-rā′sis, -rā′sēz)［L. ＜G. *thōrax*, breastplate, the chest ＜ *thōrēssō*, to arm］［TA］．胸郭（首と腹の間にある体幹上部．12 の胸椎，12 対の肋骨，胸骨，これらに付着した筋肉，筋膜から形成されている．下部は横隔膜で腹部と分けられる．循環器系，呼吸器系の主な器官を収容している）．＝chest.

barrel-shaped t. ビア樽型胸郭．＝barrel *chest*.

Peyrot t. (pā-rō′)．ペーロー胸郭（著しく多量の胸水のため胸郭が卵を斜めにしたような形に変形すること）．

tho·ri·um (Th) (thō′rē-ŭm)［*Thor*，ノルウェーの雷神］．トリウム（放射性金属元素．原子番号 90，原子量 232.0381．天然に存在する唯一の核種は，半減期 1.4×10^{10} 年のトリウム 232 である．コロイド状にしたトリウムは，ムコ多糖酸の電子顕微鏡用染色剤として用いる）．

Thor·mäh·len (tor′mā-len), Johann．19 世紀のドイツ人医師．→T. *test*.

Thorn (thorn), George W．20 世紀の米国人医師．→T. *test*, *syndrome*.

thorn (thōrn)．棘（解剖学において，棘状あるいは針状構造をさす）．

dendritic t.'s 樹状突起棘．＝dendritic *spines*.

thorn ap·ple (thōrn ap′ĕl)．さんざし〔の実〕．＝*Datura stramonium*.

Thorn·waldt (tōrn′vahlt), Gustavus Ludwig．→Tornwaldt.

thought (thawt)．思考（①理論化の能力．②考えの過程または行動．③考えの結果）．

t. broadcasting 考想伝播（自分が考え付いた途端にその思考が外界に伝播され，他者に聞かれるという妄想）．

t. insertion 思考吹入（自己の思考が自分自身のものではなく，外的力によって心の中に吹き込まれるという妄想）．

trend of t. 思考の傾向（特定の感情を伴う特定の考え方を中心にすえるような傾向のある考え）．

t. withdrawal 思考奪取（思考が頭から抜き取られ，減るという妄想）．

Thr トレオニンまたはその基を示す記号．

thread (thred)［M.E. ＜A.S. *thraed*］．糸（①縫合糸．②糸状構造）．

terminal t. 終糸．＝terminal *filum*.

thread·worm (thred′wŏrm)．線虫（糞線虫属 *Strongyloides* の種に対する一般名．ときに小さな寄生性線虫すべてをさす）．

thre·on·ic ac·id (thrē-on′ik as′id)．トレオン酸（トレオースの CHO 基を COOH に酸化して得られる酸．次亜ヨウ素酸塩でアスコルビン酸を酸化したときの産物）．

thre·o·nine (T, Thr) (thrē′ō-nēn)．トレオニン，スレオニン；2-amino-3-hydroxybutyric acid（L-異性体は天然に存在するアミノ酸の１つ．多くの蛋白に含まれ，ヒトやその他の哺乳類に栄養的必須である）．

t. deaminase トレオニン(スレオニン)デアミナーゼ．＝t. dehydratase.

t. dehydratase トレオニン(スレオニン)デヒドラターゼ（L-トレオニンを嫌気的に脱アミノ化し，2-ケト酪酸とアンモニアにする反応を触媒する酵素．トレオニンの異化での中心的段階）．＝serine deaminase; t. deaminase.

thre·ose (thrē′ōs)．トレオース；aldotetrose（４炭素原子を有する２種のアルドース，すなわちアルドテトロースの１つ．異性体はエリトロース）．

thresh·old (thresh′ōld)［A.S. *therxold*］．閾値（［誤ったつづりまたは発音 threshhold を避けること］．①刺激を初めに感じる点．②刺激が知覚される最低の限界値．③組織に興奮を与える最小の刺激．例えば運動性応答を引き出す最小刺激）．＝limen (2)［TA］．

absolute t. 絶対閾値（任意の知覚の最低限界．*cf.* differential t.）．＝stimulus t.

achromatic t. ＝visual t.

auditory t. 可聴閾〔値〕（可聴レベル）．

brightness difference t. 明度差閾値（明るさの較差として知覚しうる最小較差）．＝light difference (2).

t. of consciousness 意識閾値（刺激感覚が知覚されうる最低点）．

convulsant t. 痙攣閾値（痙攣を起こすのに必要な刺激，電流，薬物の最小量）．

differential t. 弁別閾値，識別閾値（２つの刺激を区別しうる最低限界）．＝threshold differential.

displacement t. 偏位閾値（輪郭線の断絶を知覚できる最低限界）．

double-point t. 二点閾値（同時に与えられた２つの触覚刺激が２点として知覚されうる最小距離で，体表面に適用される）．

erythema t. 紅斑閾〔値〕（紫外線やガンマ線またはＸ線を照射して皮膚に紅斑を生じさせる量）．

fibrillation t. 細動閾値（細動を発生する最小の強さの電気刺激）．

galvanic t. 基電流，基電圧．＝rheobase.

t. of island of Reil (rīl)．＝*limen* insulae.

light differential t. 光弁別閾〔値〕（感知しうる光の強さの最小弁別）．

minimum light t. 最小光閾値．＝visual t.

t. of nose ＝*limen* nasi.

pain t. 痛覚閾値（痛みを認知する最低の痛み刺激強度）．

phenotypic t. 表現型しきい(閾)（連続的分布をもった量的遺伝形質は，表現型の急激な変化が起こるような重大な限界しきいを越えているかいないかによって，病気になるかならないかの２種類の表現型を生じるであろう．例えば，血中尿酸値はだいたい Gauss 分布をもった易罹病度である．化学飽和の臨界点(しきい)で結晶化が起こり，その結果痛風になるかならないかは，しきい形質である）．

relational t. 差別閾値（２つの刺激が差異として知覚されうる最小の度合い）．

renal t. 腎閾値（血漿物質が尿中に現れる濃度）．

speech awareness t. 語音弁別閾値（言葉を聞き取ることのできる最小音量）．＝speech detection t.

speech detection t. ＝speech awareness t.

speech reception t. 語音聴取閾値（言葉が意味のある文字として認識される音の大きさ．語音聴力検査で被検者が，強強格の２音節語のうちの 50％を正確に反復できた音の大きさ(dB)）．

stimulus t. 刺激閾値．＝absolute t.

swallowing t. えん下閾値（①食物をそしゃくした後のえん下作用の開始時間．②えん下作用前に最小刺激で起こる反射反応の臨界時間）．

visual t., t. of visual sensation 視覚閾値（視感覚を呼び起こす最小光度）．＝achromatic t.; minimum light t.

thrill (thril)．振せん（触診で感じうる心臓または血管の雑音を伴う振動．→fremitus）．

diastolic t. 拡張期振せん（心室拡張期に前胸部，血管に感じる振動）．

hydatid t. 包虫嚢振せん（包虫嚢胞を触診したときに感じる独特の振動）．＝Blatin syndrome; hydatid fremitus.

presystolic t. 前収縮期振せん（僧帽弁狭窄のように心室が収縮する直前に心尖上を触診したときに感じる振動）．

systolic t. 収縮期振せん（心室収縮期に前胸部，血管上に触診する振動）．

thrix (thriks)［G.］［TA］．毛髪．＝hair.

throat (thrōt)［A.S. *throtu*］．***1*** 咽喉，のど．＝gullet．***2*** 首の

前面．=jugulum．***3*** のど（空洞部への入口の狭い部分）．

sore t. 咽喉炎，咽喉痛（えん下時に苦痛や不快感が著しい状態で，扁桃，咽頭，喉頭のいずれかの炎症によると思われる）．

throb (throb)．***1***〖v.〗鼓動する．***2***〖n.〗拍動，脈動．

thromb- ⇀thrombo-．

throm·base (throm′bās)．トロンバーゼ．=thrombin.

throm·bas·the·ni·a (throm′bas-thē′nē-ă)［thromb- + G. *asthenia*, weakness］．血小板無力症（Glanzmann 血小板無力症独特の血小板の異常．→Bernard-Soulier *syndrome*）．=thromboasthenia.

Glanzmann t. (glahntz′mahn)［MIM*187800］．グランツマン血小板無力症（正常または延長した出血時間，正常な凝固時間，血餅退縮障害，数は正常であるが形態学的または機能的異常を示す血小板を特徴とする出血性素因である．血小板の異常は一様ではない．血小板の膜糖蛋白 IIb–IIIa 複合体の欠損が原因である．常染色体劣性遺伝で第 17 染色体の血小板膜糖蛋白 IIb–IIIa 複合体遺伝子(*ITGA2B*)の変異が原因である）．=constitutional thrombopathy; Glanzmann disease; hereditary hemorrhagic t.

hereditary hemorrhagic t. 遺伝性出血性血小板無力症．=Glanzmann t.

throm·bec·to·my (throm-bek′tŏ-mē)［thromb- + G. *ektomē*, excision］．血栓摘出〔術〕．

throm·bi (throm′bī)．thrombus の複数形．

throm·bin (throm′bin)．トロンビン（①出血後，血液中に形成される酵素(蛋白分解酵素)で，L-アルギニンのペプチド(およびアミド，エステル)を加水分解してフィブリノーゲンをフィブリンに転化する．第 Xa 因子やその他の蛋白分解酵素がプロトロンビンに作用して形成される．②カルシウム存在下でトロンボプラスチンとの相互作用により，ウシのプロトロンビンから得られる無菌の蛋白性物質．全血，血漿，フィブリノーゲン溶液を凝血する．一般外科的・形成外科的処置としてフィブリン泡とともに，または別に毛細管性出血の局所的止血薬に用いる）．=factor IIa; fibrinogenase; thrombase; thrombosin.

human t. ヒトトロンビン（ヒトの血漿を適当な塩と有機溶媒で沈降させて得られる．用法はトロンビンと同じ）．

throm·bin·o·gen (throm-bin′ō-jen)．トロンビノゲン．=prothrombin.

throm·bi·no·gen·e·sis (throm′bi-nō-jen′ĕ-sis)．トロンビン生成．

thrombo-, thromb-［G. *thrombos*, clot(thrombus)］．凝塊，凝固，トロンビンを表す連結形．

throm·bo·an·gi·i·tis (throm′bō-an′jē-ī′tis)［thrombo- + G. *angeion*, vessel + *-itis*, inflammation］．血栓〔性〕血管炎，血栓〔性〕脈管炎（血栓症とともに起こる血管内膜の炎症）．

t. obliterans 閉塞性血栓〔性〕血管炎（中程度の動脈や静脈の壁全層と周辺結合組織の炎症で，特に若年および中年の男性の足に多い．血栓症を併発し，通常は壊疽になる）．=Buerger disease; Winiwarter-Buerger disease.

throm·bo·ar·ter·i·tis (throm′bō-ar′tĕr-ī′tis)．血栓〔性〕動脈炎（血栓形成を伴う動脈の炎症）．

throm·bo·as·the·ni·a (throm′bō-as-thē′nē-ă)．=thrombasthenia.

throm·bo·blast (throm′bō-blast)［thrombo- + G. *blastos*, germ］．血小板母細胞．=megakaryocyte.

throm·bo·clas·tic (throm′bō-klas′tik)．=thrombolytic.

throm·bo·cyst, throm·bo·cys·tis (throm′bō-sist, -sis′tis)［thrombo- + G. *kystis*, a bladder］．血栓嚢腫（血栓を囲む膜状の袋）．

throm·bo·cy·tas·the·ni·a (throm′bō-sī′tas-thē′nē-ă)［thrombocyte + G. *astheneia*, weakness］．血小板無力症（血小板数がわずかに減少する(または正常範囲でも)が，形態学的異常であったり，凝血に必要な因子を欠如していたりする一群の出血性疾患をさす用語）．

throm·bo·cyte (throm′bō-sīt)［thrombo- + G. *kytos*, cell］．血小板，栓球．=platelet.

throm·bo·cy·the·mi·a (throm′bō-sī-thē′mē-ă)［thrombocyte + G. *haima*, blood］．血小板血症．=thrombocytosis.

throm·bo·cy·tin (throm′bō-sī′tin)．トロンボシチン．=serotonin.

throm·bo·cy·top·a·thy (throm′bō-sī-top′ă-thē)［thrombocyte + G. *pathos*, suffering］．血小板病(症)（血小板機能障害による凝血機序の障害を表す一般用語）．

throm·bo·cy·to·pe·ni·a (throm′bō-sī′tō-pē′nē-ă)［thrombocyte + G. *penia*, poverty］．血小板減少〔症〕，栓球減少〔症〕（循環血液中の血小板数が異常に少ない状態）．=thrombopenia.

autoimmune neonatal t. 自己免疫性新生児血小板減少〔症〕．=isoimmune neonatal t.

essential t. 本態性血小板減少〔症〕（血小板減少症の本態性型で，骨髄を傷害する転移性腫瘍，結核，白血病に伴ったり，化学物質の使用または他の条件により骨髄の直接的抑制に伴って起こる続発性型と対比される）．

immune t. 免疫性血小板減少〔症〕（抗血小板抗体の関与する血小板減少症．⇀isoimmune neonatal t.）．

isoimmune neonatal t. 同種免疫性新生児血小板減少〔症〕（母体胎児間血小板不適合の結果生じる免疫性血小板減少症）．=autoimmune neonatal t.

throm·bo·cy·to·poi·e·sis (throm′bō-sī′tō-poy-ē′sis)［thrombocyte + G. *poiēsis*, a making］．血小板新生，血小板形成（血小板，すなわち栓球の形成過程）．

throm·bo·cy·to·sis (throm′bō-sī-tō′sis)［thrombocyte + G. *-osis*, condition］．血小板増加症，血小板血症，栓球血症（循環血液中の血小板数の増加）．=thrombocythemia.

throm·bo·e·las·to·gram (throm′bō-ē-las′tō-gram)．血栓弾性記録図（血栓弾性記録計による凝固過程の記録）．

throm·bo·e·las·to·graph (throm′bō-ē-las′tō-graf)［thromb- + G. *elastreō*, to push + *graphō*, to write］．血栓弾性記録計（凝固の過程における血栓の弾性の変化を記録するための装置）．

throm·bo·em·bo·lec·to·my (throm′bō-em′bō-lek′tŏ-mē)［thrombo- + G. *embolos*, embolus + *ektomē*, excision］．血栓子除去〔術〕（塞栓性の血栓を除去すること）．

throm·bo·em·bo·lism (throm′bō-em′bŏ-lizm)［thrombo- + G. *embolismos*, embolism］．血栓塞栓症．

throm·bo·end·ar·ter·ec·to·my (throm′bō-end′ar-tĕr-ek′tŏ-mē)［thrombo- + endarterectomy］．血栓内膜摘出〔術〕（動脈を切開し，内膜とアテローム様物質を含めて閉塞している血栓を除去し，外膜の内側のきれいで新鮮な内層を残す手術）．

throm·bo·en·do·car·di·tis (throm′bō-en′dō-kar-dī′tis)．血栓〔性〕心内膜炎，単純性心内膜炎．=nonbacterial thrombotic *endocarditis*.

throm·bo·gen (throm′bō-jen)［thrombo- + G. *-gen*, producing］．トロンボゲン．=prothrombin.

throm·bo·gene (throm′bō-jēn)．トロンボゲン．=*factor* V.

throm·bo·gen·ic (throm′bō-jen′ik)．***1*** トロンボゲンの．***2*** トロンボゲン形成の（血栓症や血液凝固を引き起こすものについていう）．

throm·boid (throm′boyd)［thrombo- + G. *eidos*, resemblance］．血栓様の．

throm·bo·kat·i·ly·sin (throm′bō-kat′i-lī′sin)．トロンボカチリシン（factor VIII を表す現在では用いられない語）．

throm·bo·ki·nase (throm′bō-kī′nās)．トロンボキナーゼ．=thromboplastin.

throm·bol·ic (throm-bol′ik)．塞栓の．

throm·bo·lus (throm′bō-lŭs)［thrombo- + G. *embolos*, embolus］．血小板塞栓（主に凝集した血小板からなる塞栓）．

throm·bo·lym·phan·gi·tis (throm′bō-lim′fan-jī′tis)．血栓性リンパ管炎（リンパ凝塊の形成を伴うリンパ管の炎症）．

throm·bol·y·sis (throm-bol′i-sis)［thrombo- + G. *lysis*, dissolving］．血栓崩壊（［誤った発音 thromboly′sis を避けること］．血栓が液体化すなわち溶解すること）．

throm·bo·lyt·ic (throm′bō-lit′ik)．血栓崩壊〔性〕の．=thromboclastic.

throm·bo·mod·u·lin (throm′bō-mod′yū-lin)［thrombo- + modulate + -in］［MIM*188040］．トロンボモジュリン（トロンビンと結合する内皮細胞の原形質膜に存在する糖蛋白．血液凝固の付加的な制御機構に関与する）．

throm·bon (throm′bon)．トロンボン（循環血小板やそれらの原基である蜂巣状のもの(血小板母細胞，巨核球)の総称．赤血球，白血球の赤血球組織系，白血球生成系に類似してい

T

る).

throm·bo·ne·cro·sis (throm′bō-nĕ-krō′sis). 血栓壊死 (内腔に血栓のある血管壁の壊死).

throm·bop·a·thy (throm-bop′ă-thē) [thrombo- + G. *pathos*, disease]. 血小板障害, トロンボパシー (血小板の数や外見には明らかな異常がないのに, トロンボプラスチン生成障害を起こす血小板疾患に対する一般用語).

constitutional t. 体質性栓球機能異常症. = Glanzmann *thrombasthenia*.

throm·bo·pe·ni·a (throm′bō-pē′nē-ă). = thrombocytopenia.

throm·bo·phil·i·a (throm′bō-fil′ē-ă) [thrombo- + G. *philos*, fond][MIM*188050]. 血栓形成傾向, 栓友病 (血栓症を生じやすい造血器系疾患).

throm·bo·phle·bi·tis (throm′bō-flĕ-bī′tis) [thrombo- + G. *phleps*, vein + *-itis*, inflammation]. 血栓〔性〕静脈炎 (血栓形成を伴う静脈の炎症).

t. migrans 移行性血栓〔性〕静脈炎 (緩やかに進行する血栓性静脈炎. 最初1つの静脈に現れ, 次いで他へ移行する).

t. saltans 跳躍性血栓〔性〕静脈炎 (同一静脈の原病巣から離れた部位に起こるか, または遠隔静脈に突然現れる血栓性静脈炎).

throm·bo·plas·tid (throm′bō-plas′tid) [thrombo- + G. *plastos*, formed]. ***1*** 血小板. = platelet. ***2*** 哺乳類以下の血液中の有核紡錘体細胞.

throm·bo·plas·tin (throm′bō-plas′tin). トロンボプラスチン (組織, 血小板および白血球中に存在する凝血に必要な物質. カルシウムイオンの存在下で, 凝血の重要な一段階であるプロトロンビンからトロンビンへの転化に必要である. 現在, トロンボプラスチンの活性は血液(内因性)や組織(外因性)系を通して進行するというのが一般的である. 組織トロンボプラスチン(第 III 因子)は第 VII 因子およびカルシウムと相互作用し第X因子を活性化する. 活性型第X因子は, カルシウムやリン脂質の存在下で第V因子と結合するとトロンボプラスチン活性(一般には thromboplastin とよばれる)を示す). = platelet tissue factor; thrombokinase; thrombozyme; tissue factor; zymoplastic substance.

throm·bo·plas·tin·o·gen (throm′bō-plas-tin′ō-jen). トロンボプラスチノゲン (factor VIII を表す現在では用いられない語).

throm·bo·poi·e·sis (throm′bō-poy-ē′sis) [thrombo- + G. *poiēsis*, a making]. 血小板新生, 栓球新生 (厳密には血液中の凝塊形成過程をさすが, 一般的には血小板形成に関して用いる).

throm·bo·poi·e·tin (throm′bō-poy′ĕ-tin) [thrombo- + G. *poiētēs*, maker + in][MIM*600044]. トロンボポエチン (c-mpl 受容体活性を介して血小板の産生を調整する体液性調節因子として働くサイトカイン). = megakaryocyte growth and development factor; megapoietin.

throm·bosed (throm′bōsd). ***1*** 凝塊した. ***2*** 血栓が形成された (血栓床のある血管についていう).

throm·bo·ses (throm-bō′sēz). thrombosis の複数形.

throm·bo·sin (throm′bō-sin). トロンボシン. = thrombin.

throm·bo·sis, pl. **throm·bo·ses** (throm-bō′sis, -sēz) [G. *thrombōsis*, a clotting < *thrombos*, clot]. 血栓症 (①血栓の形成または存在. ②血管内での凝固をいい, その血管の支配領域の組織の梗塞を起こすことがある).

atrophic t. 血流緩徐性血栓症, 血液渋滞性血栓症 (消耗症のように, 循環渋滞による血栓症). = marantic t.; marasmic t.

cerebral t. 脳血栓症 (脳の血管に血栓ができること).

compression t. 圧迫〔性〕血栓症 (腫瘍などの圧迫により, 血行が阻止されて起こる血栓症).

coronary t. 冠〔状〕動脈血栓症 (血栓形成による冠状動脈の閉塞で, 通常, 動脈壁のアテローム性変化の結果起こる. 通常, 心筋梗塞に至る).

creeping t. 移行性血栓症 (静脈の一部から他へ移行し, 漸次増加する血栓症).

deep vein t. (DVT) 深在性静脈血栓症 (深部静脈に1つあるいは数個の血栓を形成した状態. 通常, 下肢や骨盤内にみられる. 肺血栓塞栓症の高危険因子となる).

dilation t. 静脈拡張性血栓症 (静脈拡張の結果, 緩徐循環となり引き起こされる血栓症).

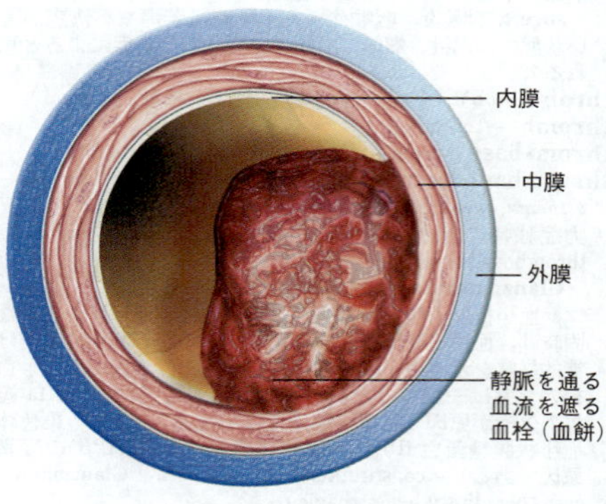

deep vein thrombosis
静脈の断面.

effort-induced t. 努力起因性血栓症. = Paget-von Schrötter *syndrome*.

marantic t., marasmic t. 衰弱性血栓症. = atrophic t.

mural t. 壁在血栓症 (心腔の内膜に接して形成される血栓. 大血管の内膜に形成される血栓の場合も, もしそれが閉塞性でなければ用いられる).

placental t. 胎盤血栓症 (胎盤側の子宮静脈血栓症).

plate t., platelet t. 血小板性血栓症 (血小板の異常蓄積により起こる血栓症).

posttraumatic arterial t., posttraumatic venous t. 外傷後動脈血栓症, 外傷後静脈血栓症, 後外傷性血栓症 (血管壁の損傷によって起こる血脈管内凝塊).

throm·bos·ta·sis (throm-bos′tă-sis) [thrombo- + G. *stasis*, a standing]. うっ血性血栓症 (血栓症によって生じる局所循環停止).

throm·bo·sthe·nin (throm-bō-sthē′nin). トロンボステニン. = platelet *actomyosin*.

throm·bot·ic (throm-bot′ik). 血栓の.

throm·bo·to·nin (throm′bō-tō′nin). トロンボトニン. = serotonin.

throm·box·ane (throm′bok-zān). トロンボキサン (トロンボキサンの形式的基体. –COOH が還元されて $-CH_3$ になり, 酸素原子が C–11 と C–12 に挿入されたプロスタン酸).

throm·box·anes (throm-boks′ānz). トロンボキサン類 (形式的にはトロンボキサンを基本とし末端 COOH基をもつエイコサノイドに属する化合物群であるが, 生化学的にはプロスタグランジンと関連があり, それから次のような一連の過程を経て生合成される. すなわちシクロオキシゲナーゼによりエンドペルオキシドの生成(プロスタグランジンの C–9 と C–11 とに O–O 架橋がある), 続いて転位(トロンボキサンシンセターゼにより触媒される)が起こり, C–11 と C–12 間に2個の酸素原子のうち1個が挿入され, もう一方はそのまま C–9 と C–11 とに架橋をつくる. トロンボキサンは, いわゆる血小板凝集に影響することや含酸素六員環(ピランまたはオキサン)を形成することから命名された. プロスタグランジンのように各トロンボキサン(TX と略す)は, 文字(A, B, Cなど)および構造的特徴を示す下付き数字を付ける).

throm·bo·zyme (throm′bō-zīm). トロンボザイム. = thromboplastin.

throm·bus, pl. **throm·bi** (throm′bŭs, -bī) [L. < G. *thrombos*, a clot]. 血栓 (心血管系統の凝塊で, 生存中に血液成分から形成される. 閉塞性のこともあり, 内腔を閉塞せずに血管または心臓壁に付着することもある).

agglutinative t. 凝集血栓. = hyaline t.

agonal t. 死戦期血栓 (長期間の心不全後, 死に際して形成された心臓内血栓).

antemortem t. 生前血栓 (生存中に循環血液中に形成された凝塊).

ball t. 球状血栓（通常，僧帽弁狭窄の場合に左心房または右心房にみられる壁と付着していない球状の生前からある血栓）.

ball-valve t. 球状弁血栓（僧帽弁口または三尖弁口を断続的に閉塞する球状血栓）.

bile t. 胆汁栓，胆管栓塞（胆汁の細管内沈着で，通常は胆汁排出障害による）.

currant jelly t. ＝postmortem t.

fibrin t. 線維素性血栓，フィブリン性血栓（循環血液中に繰り返し線維素が沈着して形成される血栓．通常，血管を完全には閉塞しない）.

globular t. 球状血栓（豆粒大からクルミ大の種々の大きさを有し，心臓腔内にあり，繊細なフィブリン網で連なる多数の血栓の１つ）.

hyaline t. ヒアリン〔様〕血栓（半透明無色の栓子，毛細血管，小動脈または小静脈を部分的または完全に満たす，赤血球の凝集により形成される）.＝agglutinative t.

infective t. 感染性血栓（敗血病性静脈炎のときに形成される血栓）.

laminated t. 成層血栓（継続的に層となって凝血し徐々に形成される血栓）.

marantic t., marasmic t. 血流緩徐性血栓（消耗症や一般的衰弱時に形成される血栓）.

mixed t. 混合血栓，層状血栓（異なる色や硬度をもつ，異なった年代にできた層からなる成層血栓の一種）.＝stratified t.

mural t. 壁性血栓，心壁血栓（弁や大血管の側面にではなく，心内膜の病変部に形成・付着する血栓.→parietal t.）.

obstructive t. 閉塞性血栓，閉鎖性血栓（圧迫，その他の原因による血管の閉塞によって起こる血栓）.

pale t. 灰白色血栓.＝white t.

parietal t. 壁在血栓，管壁血栓（脈管壁の側に付着する動脈血栓.→mural t.）.

postmortem t. 死後血栓（死後，心臓内や血管に形成される凝塊．通常，主に赤血球からなる）.＝currant jelly t.

propagated t. 広汎性血栓，びまん性血栓（⇀creeping *thrombosis*）.

red t. 赤色血栓（停滞した血液の凝固によって急速に形成される血栓．主として血小板より赤血球によって構成されている）.

secondary t. 続発性血栓（核としての塞栓子の周囲に形成されるもの）.

stratified t. 成層血栓.＝mixed t.

valvular t. 弁膜血栓，弁状血栓（血管内腔に突出する壁在血栓）.

white t. 白色血栓（本質的には血小板から構成される不透明灰白色の血栓）.＝pale t.

through·put (thrū′put). 処理能力（分析機器が一定時間内に処理できる検体数を示す言葉）.

thrush (thrŭsh)［< thrush fungus, *Candida albicans*］. 鵞口瘡（*Candida albicans* の感染による口腔組織の感染症．エイズをはじめとして，免疫不全に陥っている人々に，しばしば日和見感染としてみられる．抗生物質治療を受けた正常な乳児にもよく発生する）.

THT tinnitus rehabilitation *therapy* の略.

thu·ja (thū′jă, -yă)［G. *thyia*，芳香材となるアフリカ産の高木］. ニオイヒバ（北アメリカ東部に産する装飾用常緑樹であるマツ科ニオイヒバ *Thuja occidentalis* の新芽．ニオイヒバ油の源である．去痰薬，通経薬，駆虫薬として内用で用いられ，また弱い反対刺激薬として外用で用いられてきた）.＝thuya.

t. oil ニオイヒバ油.＝cedar leaf *oil*.

thu·jol (thū′jol). ツヨール.＝thujone.

thu·jone (thū′jōn). ツヨン，ツジョン（ニオイヒバ油の主成分．樟脳に似た興奮薬であり痙攣薬）. ＝absinthol; tanacetol; tanacetone; thujol; thuyol; thuyone.

thu·li·um (Tm) (thū′lē-ŭm)［L. *Thule*，スカンジナビアの最古の名前］. ツリウム（ランタニド族の金属元素．原子番号 69，原子量 168.93421）.

thumb (thŭmb)［A.S. *thuma*］［TA］. 母指（手の橈側の第一指）.＝pollex［TA］; digitus (manus) primus［I］*; first finger.

bifid t. 二分母指（末節骨が二分している母指の先天奇形．橈側の重複はどのレベルでも起こりうるが，最も多いのは重複した基節骨が二分した中手骨頭に支えられている型である．二分母指はアジア人で最もみられ，白人では多くなく，アフリカ系アメリカ人では少ない）.

gamekeeper's t. 母指中手指節関節の慢性の橈側への亜脱臼.

hitchhiker t. ヒッチハイカー母指（第一中手骨短縮の結果，母指が手の面上で手の橈側縁に直角に変位していること．変形性小人症の特徴的徴候）.

tennis t. テニス母指（長母指屈筋腱の石灰化を伴う腱炎で，テニスなどの場合にみられる摩擦や歪力により生じる．また，母指に繰り返し圧迫や歪力が加わるようなその他の運動でも生じる）.

thumb·print·ing (thŭm′print-ing). 母指圧痕像（通常，腸壁の血腫形成，浮腫を伴う小腸障害のX線学的徴候．肥厚した浮腫状の組織が，空気または造影剤で充満した腸管腔を浸潤するのがX線でみられる）.

thumps (thŭmps). 横隔膜の痙性収縮すなわちしゃっくり．ときに動物にみられる.

thus (thŭs, thoos)［L. incense］. 乳香.＝olibanum.

thu·ya (thū′yă).＝thuja.

thu·yol, thu·yone (thū′yol, thoo′yōn).＝thujone.

Thy thymine の略.

Thy·ge·son (thē′gĕs-ŭn), Phillips. 米国人眼科医，1903—? ⇀T. *disease*.

thym- ⇀thymo-.

thyme (tīm)［G. *thymon*, thyme］. タイム（シソ科タチジャコウソウ *Thymus vulgaris* の葉と花頂を乾燥したもの．調味料として用いられ，揮発油(チミアン油)を含有し，またチモールの源である）.

t. oil, oil of t. タイム油，チミアン油（タチジャコウソウ *Thymus vulgaris* や *T. zygis* の花を蒸留してできる揮発油．調味料）.

thy·mec·to·my (thī-mek′tŏ-mē)［thymus + G. *ektomē*, excision］. 胸腺摘出〔術〕，胸腺切除〔術〕.

extended t. 拡大胸腺摘出〔術〕（胸骨切開と頸部切開を併用して，腺外の胸腺組織まで切除する手術）.＝maximal t.

maximal t. ＝extended t.

transcervical t. 頸部切開だけで行う胸腺摘出術.

thy·mel·co·sis (thī′mel-kō′sis)［thymus＋G. *helkōsis*, ulceration］. 胸腺潰瘍を表す現在では用いられない語.

thymi- ⇀thymo-.

-thymia［G. *thymos* 激しい感情または情熱が存在する場としての心］. 心，魂，感情などに関する接尾語.→thymo- (2).

thy·mic (thī′mik). 胸腺の.

thy·mic ac·id (thī′mik as′id)［⇀thyme］. チミン酸.＝thymol.

thy·mi·co·lym·phat·ic (thī′mi-kō-lim-fat′ik). 胸腺リンパ体質の（胸腺およびリンパ系に関する）.

thy·mi·dine (dThd) (thī′mi-dēn). チミジン；1-(2-deoxyribosyl)thymine（DNA の４つの主要ヌクレオシドの１つ．他の３つはデオキシアデノシン，デオキシシチジン，デオキシグアノシン）.＝deoxythymidine; thymine deoxyribonucleoside.

t. phosphorylase チミジンホスホリラーゼ（チミジンの加リン酸分解を触媒するホスホリラーゼ．すなわちチミジンと Pi が反応し，ケミンと 2–デオキシ-ᴅ-リボース 1–リン酸を生成する）.

tritiated t. トリチウムチミジン（水素の放射性同位元素でアルファ線放出をするトリチウム(^{3}H または水素–3)を含むチミジン．DNA 合成(チミジンが組み込まれる)でオートラジオグラフィによる測定，位置決めの標識物質として用いる）.

thy·mi·dine 5′-di·phos·phate (dTDP) (thī′mi-dēn dī-fos′fāt). チミジン 5′–二リン酸（5′ 位が二リン酸でエステル化されたチミジン）.

thy·mi·dine 5′-mon·o·phos·phate (dTMP) (thī′mi-dēn mon′ō-fos′fāt). チミジン 5′–一リン酸.＝thymidylic acid.

thy·mi·dine 5′-tri·phos·phate (dTTP) (thī′mi-dēn trī-fos′fāt). チミジン 5′–三リン酸（5′ 位が三リン酸でエステル化されたチミジン．DNA のチミジン酸の中間前駆体）.

thy·mi·dyl·ate syn·thase (thī′mi-dil′āt sin′thās). チミジル酸シンターゼ（デオキシウリジン5′─リン酸のチミジン5′─リン酸への変換を触媒する酵素．そのメチル基は N^5,N^{10}─メチレンテトラヒドロ葉酸から供給される）．

thy·mi·dyl·ic ac·id (dTMP) (thī′mi-dil′ik as′id). チミジル酸（DNAの主な成分）．＝thymidine 5′-monophosphate; thymine nucleotide.

thy·min (thī′min). チミン（→thymopoietin）．

thy·mine (Thy) (thī′mēn, -min). チミン；5-methyluracil（チミジル酸およびDNAの成分．高ウラシルチミン尿症で上昇する）．

t. deoxyribonucleoside チミンデオキシリボヌクレオシド．＝thymidine.

t. deoxyribonucleotide チミンデオキシリボヌクレオチド．＝deoxythymidylic acid.

t. nucleotide チミンヌクレオチド．＝thymidylic acid.

thy·mi·nu·ri·a (thī′min-yū′rē-ă). チミン尿〔症〕（→hyperuracil thyminuria）．

thy·mi·tis (thī-mī′tis). 胸腺炎．

thymo-, thym-, thymi- ***1*** [G. *thymos*]. 胸腺を意味する連結形． ***2*** [G. *thymos* 激しい感情や情熱が存在する場としての心]．精神，魂，情動との関連を意味する連結形． ***3*** [G. *thymos, thymion*]. いぼ，いぼ状の，を意味する連結形．

thy·mo·cyte (thī′mō-sīt) [thymus + G. *kytos*, cell]. 胸腺細胞（骨髄や胎児肝臓の幹細胞から発達すると思われる胸腺において発育する細胞で，細胞性(遅延型)反応に作用する胸腺由来のリンパ球(T–リンパ球)の前駆体である）．

thy·mo·gen·ic (thī′mō-jen′ik) [G. *thymos*, mind + *genesis*, origin]. 情動性の．

thy·mo·ki·net·ic (thī′mō-ki-net′ik) [thymus + G. *kinēsis*, movement]. 胸腺刺激性の．

thy·mol (thī′mol). チモール（タチジャコウソウ *Thymus vulgaris* や *Mentha longifolia* などの揮発油中に存在するフェノール．外用で防腐薬，悪臭排出物の防臭薬に，内用で鉤虫症の特効薬として用いる）．＝thyme camphor; thymic acid.

t. blue [C.I. 52025]. チモールブルー（酸－塩基指示薬として用いる染料で，1.7および8.9にpK値をもつ．1.2以下のpH値では赤色，2.8—8では黄色，9.6以上では青色である）．

t. iodide ヨウ化チモール（乾燥粉末の消毒薬．皮膚疾患，創傷，潰瘍，化膿性鼻炎，耳炎などにヨードホルムの代用として用いる）．

thy·mo·ma (thī-mō′mă) [thymus + G. *-oma*, tumor]. 胸腺腫（前縦隔にある新生物で胸腺由来のもの．通常は良性で，被膜があることが多い．ときに浸潤性であるが，転移はきわめてまれである．組織学的には，通常，豊富なリンパ球，ならびに胸腺上皮細胞よりなる．胸腺を侵す悪性リンパ腫，例えば，Hodgkin病は胸腺腫とはみなされない）．

thy·mo·nu·cle·ase (thī′mō-nū′klē-ās). チモヌクレアーゼ．＝*deoxyribonuclease* I.

thy·mo·poi·et·in (thī′mō-poy-ē′tin) [MIM*188380]. サイモポイエチン（以前はチミンthyminとよばれた．リンパ球の胸腺細胞への分化を誘導するポリペプチドホルモン．→thymic lymphopoietic *factor*）．

thy·mo·pri·val, thy·mo·priv·ic, thy·mo·pri·vous (thī′mō-prī′văl, -priv′ik, -prī′vŭs) [thymus + L. *privus*, deprived of]. 胸腺欠損の（胸腺の早発性萎縮や除去に関する，または特徴とするものについていう）．

thy·mo·sin (thī′mō-sin). サイモシン（胸腺摘出動物でのT細胞機能を回復させるポリペプチドホルモン．→thymic lymphopoietic *factor*）．

thy·mox·a·mine (thī-mok′să-mēn). チモキサミン．＝moxisylyte.

thy·mus, pl. **thy·mi, thy·mus·es** (thī′mŭs, thī′mī, thī′mus-ez) [G. *thymos*, excrescence, sweetbread][TA]. 胸腺（上縦隔および前縦隔と頸の下部に位置するリンパ様器官．免疫学的機能の正常な発達に必要な発育初期にみられる構造である．生後すぐに最大比重量になり，青春期に最大絶対重量になり，それから退縮し始める．リンパ様組織は脂肪により置換される．胸腺は，結合組織の被膜により結合された2つの不規則な形状の部分からなる．各部は結合組織隔壁によって，直径0.5—2 mmの小葉に部分的に細分されている．1つの小葉は，隣接小葉の髄質と連なる内方の髄質と外方の皮質からなる．これは下甲状腺動脈と内胸動脈により血液を供給され，その神経は迷走神経と交感神経からくる）．＝thymus gland.

thyr- →thyro-.

thyreo- →thyro-.

thyro-, thyr- [→thyroid]. 甲状腺を意味する連結形．

thy·ro·a·ce·tic ac·id (thī′rō-ă-sē′tik as′id). サイロ酢酸（アラニン側鎖が酢酸基に還元されたサイロニンの分解産物．サイロニンそれ自身は，サイロキシンの分解産物または前駆物質）．

thy·ro·ad·e·ni·tis (thī′rō-ad′ĕ-nī′tis) [thyro- + G. *adēn*, gland + *-itis*, inflammation]. 甲状腺炎．＝thyroiditis.

thy·ro·a·pla·si·a (thī′rō-ă-plā′zē-ă) [thyro- + G. *a-* 欠性辞 + *plasis*, a molding]. 甲状腺無形成〔症〕（甲状腺の先天性欠損や甲状腺分泌物の欠乏の患者にみられる異常）．

thy·ro·ar·y·te·noid (thī′rō-ar′i-tē′noyd). 甲状披裂軟骨の（甲状軟骨および披裂軟骨に関する．→thyroarytenoid (*muscle*)）．

thy·ro·cal·ci·to·nin (thī′rō-kal′si-tō′nin). サイロカルシトニン．＝calcitonin.

thy·ro·car·di·ac (thī′rō-kar′dē-ak). 甲状腺心臓性の（甲状腺機能低下症または甲状腺機能亢進症の結果，心臓に影響を及ぼすことについていう）．

thy·ro·cele (thī′rō-sēl) [thyro- + G. *kēlē*, tumor]. 甲状腺腫．

thy·ro·cer·vi·cal (thī′rō-ser′vi-kăl). 甲状頸の（甲状腺と頸部に関する．特に動脈についていう）．

thy·ro·col·loid (thī′rō-kol′oyd). 甲状腺コロイド，甲状腺膠質．

thy·ro·ep·i·glot·tic (thī′rō-ep′i-glot′ik). 甲状喉頭蓋の（甲状軟骨と喉頭蓋に関する）．

thy·ro·fis·sure (thī′rō-fish′ĕr). 甲状軟骨切開〔術〕．＝laryngofissure.

thy·ro·gen·ic, thy·rog·e·nous (thī′rō-jen′ik, -roj′ĕ-nŭs) [thyroid + G. *-gen*, producing]. 甲状腺由来の．

thy·ro·glob·u·lin (thī′rō-glob′yū-lin) [MIM*188450]. サイログロブリン（①甲状腺ホルモンの前駆物質を含有する蛋白．通常，甲状腺沪胞内にコロイド状で貯蔵される．この蛋白のチロシン基がヨード化され，ついで2つのヨードチロシンが縮合して甲状腺ホルモン(サイロキシン：完全にヨード化されたサイロニン)が合成される．甲状腺ホルモンの分泌にはサイログロブリンの蛋白分解が必要である．蛋白の加水分解により遊離した甲状腺ホルモンはひとりでに血中に分泌される．サイログロブリンの代謝異常は甲状腺機能低下症を生じる．＝iodoglobulin; thyroprotein (1)．②ブタ *Sus scrofa* の甲状腺より部分精製した物質で，少なくとも0.7%のヨードを含んでいる．甲状腺機能低下症の治療に甲状腺ホルモンとして用いる）．

thy·ro·glos·sal (thī′rō-glos′ăl). 甲状舌の（甲状腺と舌に関する．特に胎生期の甲状舌管についていう）．＝thyrolingual.

thy·ro·hy·al (thī′rō-hī′ăl). 舌骨大角．

thy·ro·hy·oid (thī′rō-hī′oyd). 甲状舌骨の（甲状軟骨と舌骨に関する．→thyrohyoid (*muscle*)）．

thy·roid (thī′royd) [G. *thyreoeidēs* < *thyreos*, an oblong shield + *eidos*, form]. ***1*** 〚adj.〛甲状の（このような型をした甲状腺，甲状軟骨についていう）． ***2*** 〚n.〛乾燥甲状腺製剤（食用家畜から得る純粋な乾燥した粉末甲状腺．0.17—0.23%のヨウ素を含有．甲状腺機能低下症，クレチン病や粘液水腫の治療，いくつかの肥満症，皮膚疾患に以前，広く用いられた）．

accessory t. 副甲状腺．＝accessory thyroid *gland*.

thy·roi·de·a (thī-roy′dē-ă). 甲状腺．＝thyroid *gland*.

t. accessoria, t. ima 副甲状腺．＝accessory thyroid *gland*.

thy·roi·dec·to·my (thī′roy-dek′tŏ-mē) [thyroid + G. *ektomē*, excision]. 甲状腺摘出〔術〕，甲状腺切除〔術〕．

chemical t. 抗甲状腺薬の投与による甲状腺の機能低下をさす用語．→radiothyroidectomy.

near-total t. 甲状腺全摘術（喉頭に反回神経がはいる部分のみを残して，甲状腺組織を全部摘出してしまう手術法）．

subtotal t. 甲状腺亜全摘術（甲状腺の片葉を全摘し，他側の片葉もほとんど摘出する甲状腺摘出術）．

thy·roid·ism (thī′roy-dizm). *1* hyperthyroidism を表す現在では用いられない語. ＝hyperthyroidism. *2* 甲状腺エキス剤の過量服用による中毒を表す現在では用いられない語.

thy·roi·di·tis (thī′roy-dī′tis) [thyroid + G. *-itis*, inflammation]. 甲状腺炎. ＝thyroadenitis.

autoimmune t. 自己免疫性甲状腺炎. ＝Hashimoto t.

chronic atrophic t. 慢性萎縮性甲状腺炎（甲状腺の線維組織による置換像で，老年者の粘液水腫の最大原因となっている）.

chronic fibrous t. 慢性線維性甲状腺炎. ＝Riedel t.

chronic lymphadenoid t. 慢性リンパ節様甲状腺炎. ＝Hashimoto t.

chronic lymphocytic t. 慢性リンパ球性甲状腺炎. ＝Hashimoto t.

de Quervain t. (dĕ-kār-van[h]′). ド・ケルヴァン甲状腺炎. ＝subacute granulomatous t.

focal lymphocytic t. 限局性リンパ球性甲状腺炎（リンパ球とプラスマ細胞とによる甲状腺の限局性浸潤. →Hashimoto t.）.

giant cell t. 巨細胞性甲状腺炎. ＝subacute granulomatous t.

giant follicular t. 巨大沪胞性甲状腺炎（甲状腺内にリンパ球が浸潤して巨大なリンパ沪胞を形成している Hashimoto 病の一病態）.

Hashimoto t. (hah-shē-mō′tō). 橋本甲状腺炎（リンパ球の甲状腺実質への広範な浸潤により，結果として実質の広汎性甲状腺腫および進行性破壊と甲状腺機能低下を招来する）. ＝autoimmune t.; chronic lymphadenoid t.; chronic lymphocytic t.; Hashimoto disease; Hashimoto struma; lymphocytic t.; struma lymphomatosa.

ligneous t. 木様甲状腺炎（腺腫）. ＝Riedel t.

lymphocytic t. リンパ球性甲状腺炎. ＝Hashimoto t.

parasitic t. 寄生虫性甲状腺炎（粘液水腫を生じた甲状腺腫を伴う慢性南アメリカトリパノソーマ症）.

Riedel t. (rē′del). リーデル甲状腺炎（まれな甲状腺の線維性硬化で，隣接組織への癒着により気管の圧迫を起こす）. ＝chronic fibrous t.; ligneous struma; ligneous t.; Riedel disease; Riedel struma.

subacute granulomatous t. 亜急性肉芽腫性甲状腺炎（円形細胞（通常はリンパ球）の浸潤，甲状腺細胞の閉塞，上皮巨細胞の増殖および再生の組織像のある甲状腺炎. 全身の系統性感染の反映であって，真の慢性甲状腺炎ではないとされる）. ＝de Quervain t.; giant cell t.

subacute lymphocyte t. 亜急性リンパ球性甲状腺炎（Hashimoto 病の亜急性型）.

thy·roi·dol·o·gy (thī′roy-dol′ŏ-jē) [thyroid + G. *logos*, study]. 甲状腺学（甲状腺の生理および病理を研究する学問領域）.

thy·roi·do·to·my (thī′roy-dot′ŏ-mē) [thyroid + G. *tomē*, incision]. 甲状〔軟骨〕切開〔術〕. ＝laryngofissure.

thy·ro·in·tox·i·ca·tion (thī′rō-in-tok′si-kā′shŭn). 甲状腺中毒. ＝hyperthyroidism.

thy·ro·la·ryn·ge·al (thī′rō-lă-rin′jē-ăl). 甲状〔軟骨〕喉頭の（甲状腺または甲状軟骨および喉頭に関する）.

thy·ro·lib·er·in (thī′rō-lib′ĕr-in) [thyrotropin + L. *libero*, to free + -in]. サイロリベリン（視床下部に由来するトリペプチドで，下垂体前葉を刺激して甲状腺刺激ホルモンの分泌を促す. L-ピログルタミル-L-ヒスチジル-L-プロリンアミド）. ＝thyroid-stimulating hormone-releasing factor; thyrotropin-releasing hormone.

thy·ro·lin·gual (thī′rō-ling′gwăl) [thyro- + L. *lingua*, tongue]. ＝thyroglossal.

thy·ro·lyt·ic (thī′rō-lit′ik) [thyro- + G. *lytikos*, dissolving]. 甲状腺〔細胞〕破壊〔性〕の.

thy·ro·meg·a·ly (thī′rō-meg′ă-lē) [thyro- + G. *megas*, large]. 巨甲状腺〔症〕（甲状腺の腫大）.

thy·ro·nine (thī′rō-nēn, -nin). サイロニン（側鎖にジフェニルエーテル基をもつアミノ酸. サイロキシンのような蛋白中にヨウ化誘導体（ヨードサイロニン）の型でのみ存在する）.

thy·ro·pal·a·tine (thī′rō-pal′ă-tīn). 甲状口蓋の（口蓋咽頭筋についていう）.

thy·ro·par·a·thy·roi·dec·to·my (thī′rō-par′ă-thī′roy-dek′tŏ-mē). 甲状腺上皮小体切除〔術〕.

thy·rop·a·thy (thī-rop′ă-thē) [thyro- + G. *pathos*, suffering]. サイロパシー，甲状腺障害.

thy·ro·per·ox·i·dase (thī′rō-pĕr-oks′i-dās). 甲状腺ペルオキシダーゼ（甲状腺沪胞内またはその周辺部でヨード代謝に関与している蛋白. H_2O_2 を用いて I^+ を産生する）.

thy·ro·pha·ryn·ge·al (thī′rō-fă-rin′jē-ăl). 甲状咽頭の（下咽頭収縮筋の甲状咽頭部についていう）.

thy·ro·plas·ty (thī′rō-plas′tē) [thyro- + G. *plastos*, formed]. 甲状軟骨形成術（甲状軟骨の位置を変えることによって声の質を回復する手術法）.

thy·ro·pri·val (thī′rō-prī′văl) [thyro- + L. *privus*, deprived of]. 甲状腺欠損の（疾病あるいは甲状腺切除によって生じる甲状腺の機能低下についていう）. ＝thyroprivic; thyroprivous.

thy·ro·priv·i·a (thī′rō-priv′ē-ă). 甲状腺欠損（甲状腺の機能低下を特徴とする状態）.

thy·ro·priv·ic, thy·ro·pri·vous (thī′rō-priv′ik, -priv′ŭs). ＝thyroprival.

thy·ro·pro·tein (thī′rō-prō′tēn). 甲状腺蛋白（① ＝thyroglobulin (1). ②サイロキシン作用をもつヨウ素化された蛋白で，通常はヨードカゼイン）.

thy·rop·to·sis (thī′rop-tō′sis) [thyro- + G. *ptōsis*, a falling]. 甲状腺下垂〔症〕（甲状腺の下方転位をいう）.

thy·rot·o·my (thī-rot′ŏ-mē) [thyro- + G. *tomē*, a cutting]. *1* 甲状軟骨切開〔術〕. *2* ＝laryngofissure.

thy·ro·tox·ic (thī′rō-tok′sik). 甲状腺中毒性の.

thy·ro·tox·i·co·sis (thī′rō-tok′si-kō′sis) [thyro- + G. *toxikon*, poison + *-osis*, condition]. 甲状腺中毒〔症〕（内因性または外因性の甲状腺ホルモン過剰によって生じる状態）.

apathetic t. 無欲性甲状腺中毒〔症〕（心臓病または衰弱症候群として現れる慢性甲状腺中毒症で，近位筋の萎縮とうつ病を伴うが，典型的な甲状腺中毒症の臨床症状はあまり認められない）.

t. medicamentosa 薬剤誘発性甲状腺機能亢進症（甲状腺ホルモンを過剰に摂取したために生じた甲状腺機能亢進症）.

thy·ro·tox·in (thī′rō-tok′sin). 甲状腺毒素（①Graves 病患者のびまん性増殖性甲状腺の異常生成物とされ，その病状の（単なる甲状腺機能亢進症と対照して）特有な徴候や症状の原因物質と推定されていた. ②甲状腺疾患に関連する補体結合性の抗原因子. ③甲状腺組織に対して毒性のある物質に関してまれに用いられる語）.

thy·ro·troph (thī′rō-trof). 向甲状腺細胞（甲状腺刺激ホルモンを生成する下垂体の前葉細胞）.

thy·ro·troph·ic (thī′rō-trof′ik) [thyro- + G. *trophē*, nourishment]. ＝thyrotropic.

thy·rot·ro·phin (thī-rot′rō-fin, thī-rō-trō′fin). ＝thyrotropin.

thy·ro·tro·pic (thī-rō-trop′ik) [thyro- + G. *tropē*, a turning]. 甲状腺刺激の（甲状腺に刺激を与えたり，栄養を与えることについていう）. ＝thyrotrophic.

thy·rot·ro·pin (thī-rot′rō-pin, thī-rō-trō′pin) [for thyrotrophin < thyro- + G. *throphē*, nourishment; corrupted to *-tropin*, and reanalyzed as < G. *tropē*, a turning]. 甲状腺刺激ホルモン（下垂体前葉で生成される糖蛋白ホルモン. 甲状腺の成長と機能を刺激する. 甲状腺機能不全症が原発性か二次性かの鑑別診断にも用いる）. ＝thyroid-stimulating hormone; thyrotrophin; thyrotropic hormone.

thy·rox·ine (T_4), thy·rox·in (thī-rok′sēn, -sin). サイロキシン，チロキシン（通常，L-異性体は甲状腺に存在する活性ヨウ素化合物で，治療用に結晶型で甲状腺から抽出され，合成もできる. 甲状腺機能低下症，クレチン病，粘液水腫の軽減に用いる）.

labeled t. 標識サイロキシン. ＝radioactive t.

radioactive t. 放射性サイロキシン（ヨウ素の放射性同位元素（I-125，I-131）がその分子に結合しているサイロキシン. サイロキシンの代謝を追跡する実験に用いる）. ＝labeled t.; radiolabeled t.; radiothyroxin.

radiolabeled t. 放射性標識サイロキシン. ＝radioactive t.

Thys·a·no·so·ma ac·ti·noi·des (this′ă-nō-sō′mă ak′ti-noy′dēz). ヒツジに寄生するふさ飾りをもつ条虫. 比較的短い厚みのある蠕虫（裸頭条虫科）で，片節の後縁にふさ飾りが

ある．本虫は小腸に寄生するが，しばしば胆管に侵入し，そのため肝が食用にならなくなってしまう．本質的には非病原性で畜産国に多く，多種の反すう類に感染する．ササラダニが媒介すると思われる．

TI 反転時間，遅延時間（MRI における反転回復法(IR 法)での反転パルスと読み出しパルス間の遅延時間）．

Ti チタンの元素記号．

TIA transient ischemic *attack* の略．

TIBC total iron-binding *capacity* の略．

tib·ia, gen. & pl. **tib·i·ae** (tib′ē-ă, tib′ē-ē) [L. the large shinbone][TA]．脛骨（下腿の 2 つの骨のうち内側にある大きい骨．大腿骨，腓骨，距骨と関節するもの）．＝shin bone.

saber t. サーベル鞘脛骨（三期梅毒やイチゴ腫で生じる脛骨の変形で，ゴム腫や骨膜炎の形成の結果，骨が著しく前方に凸状となる）．

t. valga 外反脛骨．＝*genu* valgum.

t. vara [MIM*188700]．内反脛骨．＝*genu* varum.

tib·i·ad (tib′ē-ad) [tibia + L. *ad*, to]．脛骨方向へ．

tib·i·al (tib′ē-ăl) [L. *tibialis*][TA]．脛骨の，脛側の（脛骨についての．脛骨に由来する名称をもつ構造についての．下肢の内側面・脛側面についての）．＝tibialis [TA].

tib·i·a·le pos·ti·cum (tib′ē-ā′lē pos-tī′kŭm)．＝*os* tibiale posterius.

tib·i·a·lis (tib′ē-ā′lis) [L.][TA]．脛側の（[本形容詞は男性名詞(nervus tibialis，複数形 nervi tibiales)および女性名詞(arteria tibialis，複数形 arteriae tibiales)とともに用いられる．中性名詞では tibiale の形(corpus tibiale，複数形 corpora tibialia)で用いられる．tibiale の最後の e は発音される]）．＝tibial.

tibio- [L. *tibia*, the large shinbone]．脛骨を意味する連結形．

tib·i·o·cal·ca·ne·an (tib′ē-ō-kal-kā′nē-ăn)．脛踵の（脛骨と踵骨に関する）．

tib·i·o·fas·ci·a·lis (tib′ē-ō-fas′ē-ā′lis)．脛骨筋膜筋（musculus tibiofascialis の項参照）．

tib·i·o·fem·o·ral (tib′ē-ō-fem′ŏ-răl)．脛大腿〔骨〕の．

tib·i·o·fib·u·lar (tib′ē-ō-fib′yū-lăr)．脛腓の（脛骨と腓骨に関する．特にこの 2 つの骨を連結する関節や靱帯についていう）．＝peroneotibial; tibioperoneal.

tib·i·o·na·vic·u·lar (tib′ē-ō-nă-vik′yū-lăr)．脛舟の（脛骨と足根の舟状骨に関する）．＝tibioscaphoid.

tib·i·o·per·o·ne·al (tib′ē-ō-per′ō-nē′ăl)．＝tibiofibular.

tib·i·o·scaph·oid (tib′ē-ō-skaf′oyd)．＝tibionavicular.

tib·i·o·tar·sal (tib′ē-ō-tar′săl)．脛足根の（足根骨と脛骨に関する）．＝tarsotibial.

tic (tik) [Fr.]．チック（[tick と混同しないこと]．ある筋肉の習慣性に繰り返す収縮．随意的には短時間しか抑制できない型にはまった個人的行動．例えば，咳ばらい，鼻をすする動作，舌なめずり，多過ぎるまばたき．ストレスがあると特に強くなる．異常基質は知られていない．→spasm）．＝Brissaud disease; habit chorea; habit spasm.

convulsive t. 痙攣性チック．＝facial t.

t. de pensée [Fr. of thought]．思考時チック（頭に生じた思考を不随意に表現してしまう習慣を表すまれに用いる語）．

t. douloureux [Fr. painful]．疼痛〔性〕チック．＝trigeminal *neuralgia*.

facial t. 顔面筋痙攣（顔面筋の不随意的痙攣で，ときに片側性である）．＝Bell spasm; convulsive t.; facial spasm; palmus (1).

glossopharyngeal t. 舌咽チック．＝glossopharyngeal *neuralgia*.

habit t. 習慣性チック（顔をしかめること，肩をすくめること，頭をねじることなどを習慣的に反復すること）．

local t. 局所性チック（まばたきや指がピクピクするなど，ごく限られた部分におけるチック）．

psychic t. 精神チック（抑制できない病的欲求から身振りや絶叫をすること）．

rotatory t. 回転チック，回転痙攣．＝spasmodic *torticollis*.

spasmodic t. 痙性チック（筋または生理学的関連筋群の突発的痙性協調運動が不規則な間隔で起こる障害）．＝Henoch chorea.

tick (tik)．マダニ（[tic と混同しないこと]．マダニ科やヒメダニ科のダニ．ヒト，家畜，家禽の重要な害虫である多くの吸血性の種を含む．伝播する病原菌の数と種類の多さは，他のすべての節足動物をしのぐと思われる．ずっと小さい真正コナダニ mite と異なる点は，有棘の口丘と，第三または第四歩脚の基節の外後方に 1 対の気門をもつことである．幼虫(幼ダニ)は 6 脚で，脱皮後は 8 脚の若ダニとなる．重要な種として次のものがある．アメリカキララマダニ *Amblyomma americanum*(Lone Star t.)，ヘブライキララマダニ *A. hebraeum*(South African bont t.)，ナガヒメダニ *Argas persicus* (adobe t., fowl t., Persian t.)，ハトダニ *A. reflexus*(pigeon t.)，オウシマダニ *Boophilus*(cattle t.)，シロモンカクマダニ *Dermacentor albopictus*(horse t., winter t.)，アンダーソンカクマダニ *D. andersoni*(ロッキー山紅斑熱ダニ，wood t.)，熱帯ウマカクマダニ *D. nitens*(tropical horse t.)，セイブカクマダニ *D. occidentalis*(Pacific t., wood t.)，イヌカクマダニ *D. variabilis*(American dog t.)，トリチマダニ *Haemaphysalis chordeilis*(bird t.)，ウサギチマダニ *H. laporis-palustris*(rabbit t.)，カリフォルニアマダニ *Ixodes pacificus*(California black-legged t.)，ケブカマダニ *I. pilosus* (paralysis t.)，ベールマダニ *I. ricinus*(ヒマ種子ダニ，castor bean t.)，セナカマダニ *I. scapularis*(black-legged t., shoulder t.)，パハロエヨカズキダニ *Ornithodoros coriaceus* (pajaroello t.)，アフリカカズキダニ *O. moubata*(アフリカ回帰熱ダニ，tampan t.)，アフリカ赤色コイタマダニ *Rhipicephalus everti*(African red t.)，クリイロコイタマダニ *R. sanguineus*(brown dog t.)，クロモンコイタマダニ *R. simus*(black-pitted t.)）．

tick·ling (tik′ling)．くすぐり感，むずがゆさ（特異なそう痒や刺痛の感覚で，皮膚を軽くたたくなどして表面の神経を刺激することによって生じる）．

t.i.d. ラテン語 *ter in die*(1 日 3 回)の略．

ti·dal (tī′dăl)．潮汐の，干満の（交互に昇降を繰り返す潮汐現象またはそれに似た現象についていう）．

tide (tīd) [A.S. *tīd*, time]．潮，時機（上昇と下降，引き潮と満潮，増加と減少などが交互に起こることをいう）．

acid t. 酸性時機（絶食中に起こる尿の酸度の一時的増加）．＝acid wave.

alkaline t. アルカリ性時機（高酸性の胃液を分泌するため，水素イオンが奪われて起こる食後の尿の中性またはアルカリ性の時機）．＝alkaline wave.

fat t. 脂肪時機（食物摂取後の血液およびリンパ中の脂肪分の増加をみる時機）．

red t. 赤潮（[原因生物が高濃度になると，水が赤褐色に変わることから]．魚類や他の海洋生物の大量死を引き起こす自然(および一般的な)現象．藻類の *Karenis brevis* あるいは増殖全盛期の *Pfeisteria piscicida* によって起こる）．

Tie·de·mann (tē′dĕ-mahn), Friedrich．ドイツ人解剖学者，1781—1861．→T. *gland, nerve*.

Tiet·ze (tēt′sĕ), Alexander．ドイツ人外科医，1864—1927．→T. *syndrome*.

tig·late (tig′lāt)．チグリン酸塩またはエステル．

tig·li·an (tig′lē-ăn) [＜*Croton tiglium*(Euphorbiaceae)]．ホルボールの飽和した形をさして用いた最初の俗称．

tig·lic ac·id (tig′lik as′id)．チグリン酸（クロトン油のグリセリンエステル中に存在する不飽和脂肪酸）．

tig·lyl-CoA (tig′lil)．チグリル CoA（L-イソロイシンの分解中間体）．＝tiglyl-coenzyme A.

tig·lyl-coen·zyme A (tig′lil-kō-en′zīm)．チグリル CoA．＝tiglyl-CoA.

ti·groid (tī′groyd) [G. *tigroeidēs*＜*tigris*, tiger＋*eidos*, appearance]．虎斑〔物質〕（→chromophil *substance*）．

ti·grol·y·sis (tī-grol′i-sis) [tigroid＋G. *lysis*, dissolution]．虎斑溶解（[誤った発音 tigroly′sis を避けること]）．＝chromatolysis.

TIL tumor-infiltrating *lymphocytes* の略．

TILL (til)．ティル（treble *increase* at low levels の略）．

Tillaux (tē-yō′), Paul J．フランス人外科医，1834—1904．→*spiral* of T.

til·or·one (til′ōr-ōn)．チロロン（マウスにインターフェロンを誘導するのに用いられる小合成分子）．

TILS (tilz). tumor-infiltrating *lymphocytes* の頭字語.
tilt (tilt). 傾斜.
pantoscopic t. 汎視性傾斜（球面レンズの傾斜により生じる斜め方向の乱視．光線は非垂直方向の角度でレンズに当たり，レンズの球面および円柱屈折力が変化する）.
tim・bre (tim′bêr, tam′bêr) [Fr.]. 音色（音質の識別性で，これによって音源(例えば，楽器の種類，主に倍音の分布に基づいた人の声)を区別できる）. ＝tone color.
time (t) (tīm) [A.S. *tima*]. 時間（①過去・現在・未来として表現され，秒・分・時・日・月・年のような単位で測定される事象の関係．②ある限定された事柄または決定された事柄が完了する一定期間）. ＝tempus (2).
activated clotting t. (ACT) 活性凝固時間（心血管外科において，最も一般的に用いられる凝固試験）.
activated partial thromboplastin t. (aPTT) 活性化部分トロンボプラスチン時間（カルシウムとリン脂質試薬を添加後，血漿がフィブリン塊を形成するのに要する時間．内因系凝固機能の評価に用いる）.
AH conduction t. ⇀atrioventricular *conduction*.
association t. 連想時間（ある１つの刺激とそれに対する言語反応の間の経過時間）.
biologic t. 生理学的時間（我々の時間認識は年齢とともに変わり，人の神経器官に支配されているという概念．算術法的というより対数法的である）.
bleeding t. (BT) 出血時間（耳朶や指の穿刺後の第１滴から最後の１滴までの時間で，通常１－３分間．これは血小板と毛細血管の機能の評価法である．全般的ではあるが不正確である）.
circulation t. 循環時間（血液が血管系の任意の回路を通過する時間．例えば，腕からもう一方の腕へ，腕から舌へ，腕から肺への肺循環あるいは体循環など．血管系の到着点で検出されうる物質，つまりデヒドロコール酸ナトリウム，エーテル，フルオレセイン，ヒスタミン，ラジウム塩などを腕静脈に注入して測定する）.
clot retraction t. 血餅退縮時間，血餅収縮時間（血餅が管壁から離れ，血清を放出するまでの時間．通常 18—24 時間で完了するが，血小板減少性紫斑病では遅延するか，退縮は起こらない）.
clotting t. ＝coagulation t.
coagulation t. 凝固時間（血液が凝固するのに要する時間）. ＝clotting t.
doubling t. 倍加時間（腫瘍中の細胞数が２倍になるのにかかる時間．短いと腫瘍の増殖が速いことを意味する）.
euglobulin clot lysis t. オイグロブリン溶解時間（プラスミノゲンアクチベータおよびプラスミンの凝塊溶解能の測定．正常では，凝塊溶解時間は，線維素溶解を活性化する因子(プラスミノゲンアクチベータとプラスミン)と線維素溶解を阻害する因子のバランスにより決定される．ある状態(例えば，癌，肝不全など)では，活性化因子が優勢であり，このことは，オイグロブリン溶解時間を記録することにより判断できる．血漿のオイグロブリン分画(線溶阻害物質を含まない)が凝塊を形成するまでの時間は除かれる）.
fading t. 消滅時間（末端視野の固定域に与えられた一定刺激が消滅するのに要する時間）.
t. of flight 飛行時間〔法〕（電子－陽電子対消滅によって生成された光子が検出器に到達するまでの時間．消滅光子は対で生成され，反対方向に約3×10^{10}cm/秒で進むので，ナノ秒以下の精度で検出器への到達時間の差を測定すれば，対消滅の発生位置が計算で求められる．陽電子消滅断層撮影法(PET)の基礎の物理）.
forced expiratory t. (FET) 努力呼気時間（努力肺活量測定時に一定肺気量や肺活量の一部を呼出するのに要する時間．付帯サブスクリプトにより，測定された実際のパラメータを特定する）.
HR conduction t. ⇀intraventricular *conduction*.
HV conduction t. ⇀intraventricular *conduction*.
inertia t. 惰性時間（神経から刺激を受けて筋肉が収縮するまでの時間）.
interatrial conduction t. 心房間伝導. ＝intraatrial conduction t. (2).
intraatrial conduction t. ***1*** 心房内伝導時間（一心周期内の心房の電気的活動の全持続時間）. ***2*** 心房間伝導時間（右心房と左心房の活動の時間間隔）. ＝interatrial conduction t.
kaolin clotting t. (KCT) カオリン凝固時間（ループス抗凝血素を検出するための感度の高い検査法．患者の乏血小板血漿にコントロールの乏血小板血漿を混ぜ合わせたものにカオリンを添加すると，カオリンが接触因子を介して内因性凝固経路の活性化を引き起こす）.
left ventricular ejection t. (LVET) 左心室駆出時間（頸動脈拍の開始から頸動脈または他の脈波の切痕まで臨床上測定される時間．大動脈弁の開放から始まり，閉鎖で終わる血液の駆出時間を用いるほうが適切である）.
PA conduction t. ⇀atrioventricular *conduction*.
partial thromboplastin t. (PTT) 部分トロンボプラスチン時間（⇀activated partial thromboplastin t.）.
pH conduction t. ⇀atrioventricular *conduction*.
prothrombin t. (PT) プロトロンビン時間（フィブリノーゲン濃度が正常な血液に，トロンボプラスチンとカルシウムを適量加えた後，凝固に要する時間．プロトロンビンが減少していれば，凝固時間は延長する．外因系の評価に使う．→prothrombin *test*）.
reaction t. 反応時間（刺激の出現から応答反応の出現までの時間）.
recognition t. 認識時間（刺激を与えてからその刺激が何であるかを知覚するまでの時間）.
relaxation t. (τ) 緩和時間（酵素的または化学的反応において最初の値の 1/e まで低下する基質にとって必要な時間）.
repetition t. (TR) 繰返し時間（MRI において，パルス系列が繰り返される時間間隔）.
rise t. 上昇時間（①脈拍または反響音の起始点から頂点までの時間．②脈拍または反響音が，最大振幅の 10％から 90％に上昇するのに要する時間）.
running t. 運転時間，稼働時間，実働時間（ある活動(例えばクロマトグラフの作成)が継続している時間）.
Russell viper venom clotting t. (rŭs′ĕl). ラッセルクサリヘビ毒凝固時間（クエン酸化した血小板欠乏血漿を，ラッセルクサリヘビ毒 Russell viper *venom* を活性化因子として用い，凝固時間を判定する．これは，第Ｘ因子を他の凝固因子なしで直接活性化し，第Ｘ因子欠乏を確定するのに用いられる）.
sensation t. 知覚時間，感覚時間（ある視覚像が知覚されるまでの最小露出時間）.
sinoatrial conduction t. (SACT) 洞房伝導時間（刺激が洞結節から心房へ伝わるのに要する時間．心房の期外収縮より，次の正常洞性収縮までの平均時間を２等分することにより，洞房結節をリセットする間に間接的に概算できる）.
sinoatrial recovery t. (SART) 洞房回復時間（ペーシングにより生じる最終のＰ波より，次の最初の洞性Ｐ波までの時間．毎分 120—140 の速度で，2—5 分間右房ペーシングを行った後に測り，基本周期に対する百分率で表せば，正常では 115—159％である）.
survival t. ***1*** 生存期間，生存時間（ある処置が行われた後から死に至るまでの経過時間）. ***2*** 寿命，生存期間（生物学的または物理学的に標識を付けられた赤血球またはその他の細胞の生存期間）.
thrombin t. トロンビン時間（クエン酸加血漿にトロンビンを加えた後，フィブリン塊を形成するのに要する時間．ヘパリン療法を受けている患者では，トロンビン時間の延長がみられる）.
tissue thromboplastin inhibition t. 組織トロンボプラスチン抑制テスト（lupus anticoagulant を検出するためのテスト．インヒビターに対する感度を高めるために希釈したトロンボプラスチンを用いたプロトロンビンテスト）.
utilization t. 利用時間（基電流の強さの刺激が，興奮を生じさせるのにちょうど十分になるまでの最小時間）. ＝temps utile.
TIMI *t*hrombolysis *i*n *m*yocardial *i*nfarction の頭字語．大規模多施設対照臨床試験の名称.
tim・no・don・ic ac・id (tim′nō-don′ok as′id). ティムノドン酸（5, 8, 11, 14, 17 位炭素に５個の *cis* 二重結合をもつ 20 炭素脂肪酸．魚油の重要な成分．３群のプロスタグランジンの前駆物質）.
tin (Sn) (tin) [AS.tin]. スズ（金属元素．原子番号 50，原

T

子量 118.710). =stannum.

t. oxide 酸化スズ. =stannic oxide.

tin 113 (^{113}**Sn**) (tin). スズ 113 (物理的半減期 115.1 日のスズの放射性同位元素. インジウム 113 m を生成する放射性核種ジェネレータ).

tinct. (tinght). ラテン語 *tinctura* の略.

tinc·ta·ble (tingk′tă-bĕl). 可染性の.

tinc·tion (tingk′shŭn) [L. *tingo*, pp. *tinctus*, to dye]. ***1*** 染料, 着色剤. ***2*** 染色, 着色.

tinc·to·ri·al (tingk-tō′rē-ăl) [L. *tinctorius* < *tingo*, to dye]. 染料の, 着色の.

tinc·tu·ra, gen. & pl. **tinc·tu·rae** (tingk- tū′ră, -rē) [L. a dyeing < *tingo*, pp. *tinctus*, to dye]. チンキ〔剤〕. = tincture.

tinc·ture (tingk′chūr). チンキ〔剤〕(植物あるいは化学物質から製造されるアルコールやアルコール水溶液. 多くのチンキ剤は, 浸出するかまたは水に溶かして製造される. 種々のチンキ剤の薬の割合は一定したものはなく, 制定基準書によってそれぞれ異なる. 有効チンキ剤は, 100 mL 中に 10 g の活性分を含み, 効力は評価分析後に調整される. 他の多くのチンキ剤は, 100 mL 中に 20 g の薬を含有する. 合成チンキ剤は長期制定公式に従ってつくられる). =tinctura.

alcoholic t. アルコールチンキ (不希釈アルコールでつくったチンキ剤).

ammoniated t. アンモニアチンキ (芳香性アンモニア精油でつくったチンキ剤).

belladonna t. ベラドンナチンキ (抗コリン薬の植物源である *Atropa belladonnna* の葉から抽出されたアルカロイドであるアトロピン, スコポラミン, および他の物質を含有する緑色の含水アルコール溶液. 本チンキは, 服用する製剤の滴数をカウントすることにより用量を漸次滴定して投与する. 以前は潰瘍治療または下痢の対症療法に, 単独または制酸剤および不溶性クレーと併用して広く用いられていた).

digitalis t. ジギタリスチンキ (キツネノテブクロ(ジギタリス) *Digitalis purpurea* または *D. lanata* の葉の配糖体を含有する含水アルコール溶液. ジギタリス製剤は広く用いられているが, 現在では精製グリコシドであるジゴキシンおよびジギトキシンとして用いられている. 本チンキは以前広く用いられ, カエル, ネコ, またはハトを用いたバイオアッセイにより標準化されていた).

ethereal t. エーテルチンキ (エーテル 1, アルコール 2 の溶剤に薬が 10%浸出したものからなる製剤の 1 つ).

glycerinated t. グリセリンチンキ (希釈アルコールでつくられたチンキ剤で, 抽出を促進し製剤を保護するためグリセリンを加えてある).

green soap t. 緑石けんチンキ (カリウム石けんとアルコールを含む液体製剤. 皮膚の洗浄に用いられる. 特にウルシなどの植物毒素への暴露後に用いられる).

hydroalcoholic t. 水性アルコールチンキ (いろいろな比率の水で希釈したアルコールでつくったチンキ).

tine (tīn) [A.S. *tind*, a prong]. ***1*** 尖叉 (歯科で用いるエキスプロラーの細い先端). ***2*** 皮膚にツベルクリンなどのような抗原を植え込むのに用いる器具. 通常, 数種類ある.

tin·e·a (tin′ē-ă) [L. worm, moth]. 白癬, 輪癬 (髪, 皮膚, 爪のケラチン構成物質に生じる真菌感染症(皮膚糸状菌症). 小胞子菌属 *Microsporum*, 白癬菌属 *Trichophyton*, 表面菌属 *Epidermophyton* の真菌によって起こる). =ringworm; serpigo (1).

t. barbae 須毛白癬 (毛包性感染あるいは肉芽腫性病変として生じる顎ひげの部分の真菌感染. 初発病巣は丘疹と膿疱である). =barber's itch; folliculitis barbae; ringworm of beard; t. sycosis.

t. capitis 頭部白癬 (頭皮の真菌感染症の中の一般的な型で, 毛幹もしくは毛幹内に生じ, 小胞子菌属 *Microsporum* および白癬菌属 *Trichophyton* の中の種々の真菌が原因となる. 最も一般的には小児に生じ, あちこちに種々の大きさの脱毛斑をつくる. この脱毛斑は頭皮表面における毛髪の破壊によって生じる. この他, 落屑, 黒点(→black-dot *ringworm*), ときに紅斑や膿皮症もみられる). =ringworm of scalp.

t. circinata 連環状白癬, 連圏状白癬. =t. corporis.

t. corporis 体部白癬 (皮膚糸状菌症の境界明瞭, 鱗屑を伴う斑状皮疹で, しばしば環状の病巣を形成し, 身体のあらゆる部位に生じる). =ringworm of body; t. circinata.

t. facialis, t. faciei 顔面白癬 ([誤った形 tinea faciale を避けること]. 顔面の白癬のこと).

t. favosa 黄癬. =favus.

t. glabrosa 無毛部白癬 (無毛皮膚の白癬).

t. imbricata 渦状癬 (多数の同心円をなして重なる鱗屑からなる発疹で, 散在性の丘疹落屑性局面を形成する. 熱帯地方にみられ, 渦状白癬菌 *Trichophyton concentricum* による). =Oriental ringworm; scaly ringworm; Tokelau ringworm.

t. incognita 匿名白癬 ([誤った発音 tinea incogni′ta および誤ったラテン語句 tinea incognito を避けること]. ①真菌が同定されない白癬症. ②ステロイド外用薬の使用により非典型的な臨床像を呈する白癬皮疹に対する不適切で不正確な用語. 病棟用語).

t. kerion 炎症性頭部白癬, 禿瘡性白癬 (頭皮, 顎ひげの炎症性真菌感染症, 周辺部に膿疱, 浸潤巣が著しい. オードアン小胞子菌 *Microsporum audouinii* によるものが多い).

t. manus 手白癬 (手の白癬, 通常は手掌表面の感染によるもの. →t. corporis).

t. nigra 黒色〔輪〕癬 (*Exophiala werneckii* による真菌感染. 点在性の黒色病変をきたし, 手に最も好発する). =pityriasis nigra.

t. pedis 足〔部〕白癬 (足部, 主に足趾の間に皮膚糸状菌の一種(通常は白癬菌属 *Trichophyton* や表皮菌属 *Epidermophyton*)が感染してできる. 足趾間や足底面に, 小水疱, 皸屑, 鱗屑, 浸軟, びらんを生じる. 皮膚の他の部位にも感染する). =athlete's foot; dermatomycosis pedis; ringworm of foot.

t. profunda 深在性白癬. =Majocchi *granulomas*.

t. sycosis 白癬性毛瘡. =t. barbae.

t. tonsurans 頭部白癬 (*Trichophyton tonsurans* による真菌感染症. 他菌種による頭部白癬に比べて局面が小さく, 破折した毛髪が少ないのが特徴).

t. unguium 爪白癬 (皮膚糸状菌による爪の白癬).

t. versicolor でん(癜)風, 黒なまず, なまず (体幹の皮膚にできる褐色または茶色の糠状斑. 夏の日光を浴びて色が黒くなった皮膚と比べると白くみえることが多い. 角質層における癜風菌 *Malassezia furfur* の増殖により生じ, 軽度の炎症反応を伴う). =pityriasis versicolor.

Tin·el (tē-nel′), Jules. フランス人神経科医, 1879—1952. →T. *sign*.

tin·foil (tin′foyl). スズ箔 (①スズを非常に薄い板にしたもの. ②分離材として用いる金属箔で, レジンのフラスク塡入, 重合のとき, 石膏模型と義歯床との間に用いる).

tin·gi·bil·i·ty (tin′ji-bil′i-tē). 可染性.

tin·gi·ble (tin′ji-bĕl) [L. *tingo*, to dye]. 可染性の.

tin·gle (ting′gĕl). 〔チクチク〕痛む, うずく (独特の刺すような感じのする).

ting·ling (ting′ling). 刺痛 (異常感覚の刺すような型).

distal t. on percussion (DTP) 叩打時遠位刺痛. =Tinel *sign*.

tin·ni·tus (ti-nī′tŭs) [L. a jingling < *tinnio*, pp. *tinnitus*, to jingle, clink]. 耳鳴(じめい), 響鳴 ([誤った発音 tin′nitus を避けること]. 外環境から聴刺激が欠如したなかで音を受容すること. 耳内で音は純音または雑音(呼び鈴音, 口笛音, シッという音, うなり, ブーンという音など)である. 耳鳴りは通常, 難聴を伴う. 末梢聴覚系で始まっているとしても, 音受容の起源部位は中枢聴覚伝導路の中にあるかもしれない).

t. aurium 耳鳴 (中耳, 内耳, 中枢聴覚路の障害に関連して, 一方または両方の耳に音を感じること). =syrigmus.

t. cerebri 大脳性耳鳴 (耳よりむしろ頭の中に聞こえる雑音).

clicking t. クリック様耳鳴 (慢性中耳カタルの場合に聞こえる, ピチッピチッと鳴る他覚的な音. 患者と同様, 他人にも聞き取れる. 耳管の入口部の開閉, 口蓋帆の律動的痙攣によると考えられている).

Leudet t. (lū-dā′). ルデー耳鳴 (乾性の痙攣的なピチッピチッという音. オトスコープを通しても聞こえるが, 耳管のカタル性炎症の際に, 口蓋帆張筋の反射痙攣を生じることによって聞こえる).

tinnitus masker (tin′i-tŭs mask′ĕr). 耳鳴マスカー（耳鳴を遮蔽するために耳に音を発する電気機器．場合によりマスクした後も耳鳴を一時的に阻害できる．→residual *inhibitor*).

tint (tint) [L. *tingo*, pp. *tinctus*, to dye]. 色合い（色素に混合された白色の量に従って異なる色の濃淡).

tip (tip). 尖，先端（①多少ともとがった末端．②同じ構造あるいは別の構造の一端で，分離しているが付着している部位の末端を形成する).

t. of auricle 耳介尖．＝*apex* of auricle.

t. of ear* *apex* of auricle の公式の別名．

t. of elbow 肘頭．＝olecranon.

t. of nose* 鼻尖（*apex* of nose の公式の別名).

t. of posterior horn 後角尖．＝*apex* of posterior horn.

root t. 根尖．＝root *apex*.

t. of tongue* 舌尖（*apex* of tongue の公式の別名).

t. of tooth root 歯根尖．＝root *apex*.

Woolner t. ウルナー尖．＝*apex* of auricle.

tip·ping (tip′ing). 傾斜（歯の長軸の角度が変わるような歯の移動).

TIPS (tipz). transjugular intrahepatic portosystemic *shunt* の頭字語．

Tiselius (tē-sā′lē-ŭs), Arne W.K. スウェーデン人生化学者・ノーベル賞受賞者，1902—1971. →T. *apparatus*, electrophoresis *cell*.

Tis·si·er·el·la prae·a·cuta (tis′si-ĕr-el′ă prē-ă-kū′tă). ＝*Bacteroides praeacutus*.

Tissot (tē-sō′), Jules. 20 世紀初頭のフランス人生理学者．→T. *spirometer*.

tis·sue (tish′yū) [Fr. *tissu*, woven < L. *texo*, to weave]. 組織（類似の細胞とその周囲の細胞間物質の集合．身体には，上皮，脂肪組織・血液・骨・軟骨を含む結合組織，筋組織，神経組織，の 4 つの基本的種類の組織がある).

accessory thymic t. 副胸腺組織（発達中の胸腺組織からなり，頸部や下上皮小体に見出される).

accessory thyroid t. 副甲状腺組織（発達中の甲状腺組織から発生し，舌や胸腺に見出される異所性の細胞集団).

adenoid t. 腺組織（上皮に密に関連したリンパ組織．→lymphatic t.; epithelium)

adipose t. 脂肪組織（網状線維に囲まれ，小葉群に並べられた，あるいは小血管の経路に沿った，主として脂肪細胞からなる結合組織の一型).＝fat (1); fatty t. (1); white fat (1).

areolar t. 疎性結合組織（まばらで配列が不規則な結合組織で，膠原線維，弾性線維，プロテオグリカン・糖蛋白・グリコサミノグリカンに富んだ間質，線維芽細胞・マクロファージ・肥満細胞・ときには脂肪細胞・形質細胞・白血球・色素細胞といった結合組織細胞からなる).

bone t. ＝osseous t.

bronchus-associated lymphoid t. (**BALT**) 傍気管支リンパ組織（B および T リンパ球を主体として構成されるリンパ組織片で，肺の気管支気道全体に広がる).

brown adipose t. 褐色脂肪組織．＝brown *fat*.

cancellous t. 海綿骨組織（格子状あるいは海綿様骨組織).

cardiac muscle t. 心筋組織（→cardiac *muscle*).

cartilaginous t. 軟骨組織（→cartilage).

cavernous t. 海綿組織．＝erectile t.

chondroid t. 軟骨様組織（①成人において軟骨に類似する組織．＝fibrohyaline t.; pseudocartilage. ②胚における軟骨形成の初期).

chromaffin t. クロム親和性組織（脈管の，神経の豊富な細胞組織．主にクロム親和性細胞からなる．副腎髄質，パラガングリオンに小集合としてみられる).

connective t. 結合組織（動物体を物理・機能的に支持する組織で，種々の細胞に加え，細胞外基質・蛋白線維・構造糖蛋白から形成される．中胚葉から発生する間葉に由来する．結合組織は多様で以下のような多くの基準で分類される．細胞間マトリックスの割合(疎性と密性)，線維配列(交織密性と平行密性)，組織のタイプ(膠質性と弾性)，細胞のタイプ(脂肪性，リンパ性，造血性)，分化の程度(間葉性と粘液性)，位置(皮下，骨膜，軟骨膜)，外観(網状と顆粒状)，基質の性質(軟骨性，骨性，および血液とリンパの場合では液性)).＝interstitial t.; supporting t.; tela conjunctiva.

dartoic t. 肉様組織（肉様膜に類似する組織).

elastic t. 弾性組織（弾性線維が優位を占める結合組織の一型．脊椎動物の黄色靱帯，特に四足獣の頂靱帯を構成する動脈壁，気管支樹壁にもあり，また喉頭軟骨を連結する).＝elastica (2); tela elastica.

epithelial t. 上皮組織（→epithelium).

erectile t. 勃起組織（多数の充血する脈管空間をもつ組織).＝cavernous t.

fatty t. 脂肪組織（①＝adipose t. ②ある種の動物では褐色脂肪 brown *fat* をさす).

fibrohyaline t. ＝chondroid t. (1).

fibrous t. 線維組織（白色の膠原線維束からなる組織．線維の間に結合織細胞の列がある．腱，靱帯，腱膜，硬膜のような膜のいくつかを含む).

Gamgee t. (gam′jē). ギャンジー包帯（2 つの吸収性ガーゼの間に吸収性綿の厚い層のある包帯で，外科の創被覆に用いられる).

gelatinous t. 膠様組織．＝mucous connective t.

gingival t.'s 歯肉組織（→gingiva).

granulation t. 肉芽組織（治癒過程にある創，潰瘍，炎症組織の表面に肉芽隆起を形成する血管結合組織．→granulation).

gut-associated lymphoid t. (**GALT**) 消化管関連リンパ系組織（消化管のリンパ系組織で，特に B 細胞が豊富．細菌，ウイルス，寄生虫などの病原微生物に対する局所免疫に関与する).

Haller vascular t. (hah′lĕr). ハラー脈管組織．＝vascular *lamina* of choroid.

hard t. 硬組織（①鉱物化した組織．②硬い細胞間物質をもつ組織．軟骨，骨など).

hemopoietic t. 造血組織（血液細胞，あるいは他の形成要素の発育がある組織).

indifferent t. 未分化組織（未分化で特殊化していない胚組織).

interstitial t. ＝connective t.

investing t.'s 被覆組織（構造を被覆する，または囲む組織).

islet t. 島組織．＝*islets* of Langerhans.

loose connective t. of abdomen [TA]. 腹部の疎性結合組織（筋膜の間や，漿膜下組織，あるいは腹部の血管に沿って，小葉状に並んでいる脂肪組織).＝textus connectivus laxus abdominis [TA].

loose connective t. of subcutaneous t. [TA]. 皮下組織の疎性結合組織（皮下組織の脂肪組織．必ずしも，はっきりした脂肪や膜状の層にはまとまっていない).＝textus connectivus laxus tela [TA].

lymphatic t., lymphoid t. リンパ組織（細網線維と細網細胞の立体的な網とその網目の中を占めるリンパ球からなる結合組織．リンパ球の密度は様々で，結節性・びまん性・疎性リンパ組織に分かれる).

mesenchymal t. 間葉組織（胎生期の結合組織．→mesenchyme).

mesonephric t. 中腎性組織（胚芽または胎児の胸部，腰部にある中胚葉．中腎およびその関連構造のもとになる).

metanephric t. 後腎組織（中腎の尾側の中間中胚葉から起こり，後腎の腎小体の形成に関与する組織).＝metanephrogenic t.

metanephrogenic t. 後腎発生組織．＝metanephric t.

mucosa-associated lymphoid t. (**MALT**) 粘膜関連リンパ組織（呼吸器，消化器や泌尿系のような湿った粘膜でみられる結節性集合体よりなるリンパ組織).

mucous connective t. 粘液様結合組織（結合組織の 1 つであるが，間葉期以後はほとんど分化しない．プロテオグリカン，グリコサミノグリカン，および糖蛋白の基質は多くあり，細い膠原線維や線維芽細胞を含む．その最も特徴的な型は，臍帯にみられ，血管を支持し，Wharton 臍帯膠質とよばれる).＝gelatinous t.

multilocular adipose t. 多房性脂肪組織．＝brown *fat*.

muscular t. 筋組織（刺激に対し収縮可能なことを特徴とする組織．骨格筋，心筋，平滑筋組織の 3 つに分かれる．→muscle).＝flesh (1).

T

muscular t. of prostate〔前立腺〕筋質（前立腺支質中の平滑筋）．＝substantia muscularis prostatae［TA］; musculus prostaticus.

myeloid t. 骨髄組織（骨髄静脈洞を有し，細網細胞と線維の間質に幼若，成熟の各段階の赤血球，顆粒球，巨核球とからなっている骨髄）．

nasion soft t. 軟組織鼻点（S–N線と軟組織の側貌とが交わる外側の点）．

nephrogenic t. 腎発生組織（前腎，中腎，後腎が発生する組織）．

nervous t. 神経組織（神経細胞，神経線維，樹状突起，支持組織である神経膠からなる高度に分化した組織）．

nodal t. 結節組織（→atrioventricular *node*; sinuatrial *node*）．

osseous t. 骨組織（その基質が膠原線維，間質物質からなる結合組織の一型．その中にカルシウム塩(リン酸塩，炭酸塩フッ化物)がリン灰石の形で沈着する）．＝bone t.

osteogenic t. 造骨組織（骨組織を形成する能力をもつ線維結合組織）．

osteoid t. 類骨組織（石灰沈着前の骨組織）．

periapical t. 根尖周囲組織（根尖，特に歯根靱帯と骨に近接した構造）．

reticular t., retiform t. 細網組織（好銀性の膠原性線維が網絡を形成する，通常，線維と結合した細網細胞をもつ組織）．

retrodiscal t. 円板後方組織．＝bilaminar *zone.*

rubber t. 外科ゴム布（創被覆用として用いるゴムの薄片）．

skeletal muscle t. 骨格筋組織（→skeletal *muscle*）．

smooth muscle t. 平滑筋組織（→smooth *muscle*）．

subcutaneous t.［TA］．皮下組織（皮膚の下方で深筋膜の浅層にある脂肪性の疎性結合組織・支質・膜の不規則な層で，通常は主として疎性結合組織か脂肪層であるがその中の筋層や線維層を含む．ときにほとんど含まないこともある(例えば耳介，眼瞼，陰嚢，陰茎など)．皮膚支帯が貫通して真皮と深筋膜を結合し，この層を支持している．皮膚神経や浅層血管はこの層にあり，その末端が皮膚に分布する．身体の被覆のうち，この層が性や栄養状態に応じて最も大きく変動する．TAは従来十分な定義もないままに国際的にまちまちな意味で使われてきた〝浅筋膜 superficial fascia〟〝深筋膜 deep fascia〟の語の使用を取り止め，前者については〝皮下組織 subcutaneous tissue〟とよび，後者については〝筋筋膜 muscular fasci〟，〝内臓筋膜 visceral fascl〟の語を用いるよう勧めている）．＝tela subcutanea［TA］; hypodermis*; fascia superficialis; hypoderm; stratum subcutaneum; subcutis; superficial fascia.

subcutaneous t. of abdomen 腹部の皮下組織（腹部前側壁の皮膚深部の線維脂肪の層．臍の高さおよび上部では，疎性結合組織からなるが，下腹壁では概して，かなりはっきりした２つの層，浅層の脂肪層と深層の膜状層からなる）．＝tela subcutanea abdominis［TA］．

subcutaneous t. of penis［TA］．陰茎皮下組織（浅層のもので，浅会陰筋膜につながる）．＝fascia penis superficialis; superficial fascia of penis; tela subcutanea penis［TA］．

subcutaneous t. of perineum［TA］．会陰皮下組織（泌尿生殖部の皮下組織の膜で，後方は尿生殖隔膜の縁に，側方では坐骨枝および恥骨下枝に，前方では腹壁に，それぞれ付着する）．＝Colles fascia; Cruveilhier fascia; fascia perinei superficialis; membranous layer of superficial fascia of perineum (1); membranous layer of superficial fascia (1); superficial fascia of perineum; tela subcutanea perinei［TA］．

supporting t. 支持組織．＝connective t.

trabecular t. of sclera［TA］．小柱網，線維柱網（眼球の虹彩角膜角で強膜の静脈洞と前眼房とにはさまれたところにみられる線維網(櫛状靱帯)で線維の間には眼房水が流れることのできる隙間がある．角膜強膜部(強膜に付着する)とブドウ膜部(虹彩に付着する)とに分かれる）．＝reticulum trabeculare sclerae［TA］; Gerlach valvula; Hueck ligament; ligamentum anulare bulbi; pectinate ligaments of iridocorneal angle; pillar of iris; trabecular meshwork; trabecular network; trabecular reticulum; trabecular zone.

tis·sue-trim·ming (tish′yū-trim′ing). ＝border *molding.*

tis·su·lar (tish′yū-lăr). 組織の．

ti·ta·ni·um (Ti) (tī-tā′nē-ŭm)［*Titans.* ギリシア神話の大地の息子］．チタン（金属元素．原子番号 22，原子量 47.88）．

t. dioxide 二酸化チタン；TiO_2（乾燥主薬で換算して 99.0—100.5％の TiO_2 を含有する．外的刺激や太陽光線に対する保護薬として乳剤および散剤の形で用いる）．

ti·ter (tī′tĕr)［Fr. *titre*, standard］．滴定量，〔力〕価，滴定濃度（容量分析の試液の濃度基準．容量分析によって未知の量を評価した値）．

TITh 3,5,3′-triiodothyronine の略．

tit·il·la·tion (tit′i-lā′shŭn)［L. *titillatio* < *titillo*, pp. *-atus*, to tickle］．くすぐること，くすぐり感，軽痒．

ti·tin (tī′tin)［MIM*188840］．タイチン（サルコメア(筋節)のＺ線へ厚いミオシンフィラメントを結合させる異常に大きい線維蛋白）．

ti·trant (tī′trănt). 滴定液（化学において，滴定される溶液のこと）．

ti·trate (tī′trāt). 滴定する（既知の濃度の溶液(滴定液)で終点まで容量分析する）．

ti·tra·tion (tī-trā′shŭn)［Fr. *titre*, standard］．滴定（被検液に一定量の基準溶液を加えて行う容量分析）．

colorimetric t. 比色滴定（突然起こる色の変化によって終点が指示される滴定）．

formol t. ホルモル滴定（中性溶液にホルムアルデヒドを加えて，アミノ酸のアミノ基を滴定する法．ホルムアルデヒドは NH_3^+ 基と反応し，等価の H^+ を遊離して，NaOH の滴定によって評価される）．

potentiometric t. 電位差滴定，電圧滴定（終点として適当なある pH を決めて，その点まで pH が継続的に測定される滴定）．

tit·u·ba·tion (tit′ū-bā′shŭn)［L. *titubo*, pp. *-atus*, to stagger］．***1*** よろめき（歩こうとしてよろめくこと）．***2*** 揺動，頭部振せん（小脳に起因する頭部の振せんまたは揺れ）．

t.i.w.［JCAHO は，three times a day または twice weekly とこの略語の読み間違いを避けるため，three times a week または three times weekly は完全表記するよう指導している］．three times a week(１週間に３回)の略．

Tizzoni (tē-tzō′nē), Guido. イタリア人医師，1853—1932．→ T. *stain.*

TKO to keep(veneous infusion line)open(静脈を開存状態に保つ)の略．

Tl タリウムの元素記号．

^{201}**Tl** *thallium* 201 の略．

TLC thin-layer *chromatography*; total lung *capacity* の略．

TLE thin-layer *electrophoresis* の略．

TLR toll-like *receptors* の略．

TLV threshold limit *value* の略．

TM transcendental meditation の略．

Tm ***1*** ツリウムの元素記号．***2*** 最大輸送量 transport *maximum*，尿細管最大量 tubular *maximum* の記号．

TMD temporomandibular joint *dysfunction* の略．

TMJ temporomandibular joint *dysfunction* の口語略．

TM-mode (mōd). ＝M-mode.

TMP ribothymidylic acid; trimethoprim; ときに deoxyribothymidylic acid の略．

TMPRSS3 DFNB10 遺伝子の遺伝子シンボル．

T-my·co·plas·ma (mī′kō-plaz′mă). T-マイコプラスマ．＝*Ureaplasma.*

Tn ocular *tension* の略．

TNF tumor necrosis *factor* の略．

TNM Tumor-Node-Metastasis の頭字語．→TNM *staging.*

TNP-470 腫瘍の血管形成を減少させる癌治療法に使用される血管新生阻害剤．

TNT trinitrotoluene の略．

---

to·bac·co (tō-bak′ō). タバコ（南アメリカ由来の薬用植物の一種，*Nicotiana tabacum.* 大きな卵形または槍先状の葉をもち，先端に房状の白色または桃色の管状花をつける．タバコの葉はニコチンを２－８％含有し，喫煙用タバコおよびかみタバコまたはかぎタバコの原料となる．タバコの煙は，ニコチン，一酸化炭素(４％)，一酸化窒素，および発癌性が知ら

れているベンツピレン，β–ナフチルアミン，ニトロソアミン類を含む多くの芳香性炭化水素や他の物質を含んでいる).

喫煙は，米国において毎年 44 万名の死亡者(全死亡者数の 20%)と健康に関連しては約 1,570 億ドルの経済的損失をまねいているが，最も予防可能な死亡原因である．紙巻きタバコを 1 日 2 パック喫煙し続けると寿命が 8.3 年短くなる．どのようなタバコの種類(紙巻きタバコ，葉巻，刻みタバコ)でも喫煙は，動脈硬化症，急性心筋梗塞，不安定狭心症，脳卒中，および突然死に対する独立した強い危険因子である．タバコは虚血性心疾患による毎年 8 万1,000名の死亡者の原因であり(65 歳以下の男性においては，冠動脈疾患による全死亡数の 45%を含んでいる)，また 65 歳以下の男女においては全脳卒中の 50%以上が喫煙によるものである．喫煙は，HDL コレステロールを低下させ，LDL と VLDL コレステロールを増加させ，間欠性跛行と大動脈瘤の危険性を増大させる．経口避妊薬を服用している女性では，血栓塞栓性疾患の危険性が 30 倍程度増大する．喫煙は，肺癌により毎年 12 万 4,000 名の死亡者をまねいている．また，他の癌，特に口腔，喉頭，食道，腎臓，膀胱，子宮頸，および膵臓の癌の危険性を顕著に増大させる．紙巻きタバコの喫煙は，主に慢性気管支炎と肺気腫の原因となる．無意識の，あるいは受動喫煙(非喫煙者の間接または副流煙の吸入)は，毎年 5 万 3,000 名の死亡の原因となっており，そのうちの 3 万 7,000 名は冠動脈疾患によるものである．妊娠中の女性の喫煙は，流産，死産，および出生時低体重の危険性と関連している．喫煙者の子供は，乳幼児突然死症候群，髄膜炎菌性髄膜炎，および虫歯の危険性を増大させる．無煙タバコ(口腔内粘膜に適用するかみタバコ，かぎタバコ)は，口腔の癌と前悪性病変の危険性を顕著に増大させる．ニコチンの使用は強い常用性を示すようになり，習慣性，耐性，および依存へと導く．米国では毎日 3,000 名の子供が喫煙を始めているが，喫煙者の 90%は 21 歳前に喫煙して習慣性が現れている．多年にわたる充実した教育とは反比例して，喫煙の開始や喫煙し続ける可能性が増している．禁煙は，あらゆる原因からの死亡の危険性を 30%にまで減少させる．禁煙への効果的な戦略には，行動変容療法，ニコチン代替(ガム，スキンパッチ，吸入液，鼻腔用スプレー)，催眠薬，および薬物療法(ブプロピオン，クロニジン，ノルトリプチリン)があるが，禁煙後 3 か月での再喫煙率は 60%である．

---

wild t. ＝lobelia.

toco- [G. *tokos*, birth]. 分娩を意味する連結形.

to·co·chro·ma·nol-3 (tō′kō-krō′mă-nol). α-tocotrienol の 1 つ. ⇀tocotrienol.

to·co·dy·na·graph (tō′kō-dī′nă-graf, tok-ō-) [toco- + G. *dynamis*, force + *graphē*, a writing]. 陣痛〔記録〕図（子宮の収縮力を記録したもの). ＝tocograph.

to·co·dy·na·mom·e·ter (tō′kō-dī′nă-mom′ĕ-tĕr) [toco- + G. *dynamis*, force + *metron*, measure]. 陣痛計（陣痛の強さを測定する器械). ＝tocometer.

toc·o·graph (tō′kō-graf). 陣痛〔記録〕図. ＝tocodynagraph.

to·cog·ra·phy (tō-kog′ră-fē) [toko- + G. *graphō*, to write]. 陣痛記録法（子宮筋収縮を記録する方法).

to·col (tō′kol). トコール（トコフェロールの基本単位．クロマノール型では 6-phytylhydroquinone になる．2-methyl-2-(4,8,12-trimethyltridecyl)chroman-6-ol).

to·col·o·gy (tō-kol′ŏ-jē) [toco- + G. *logos*, study]. 産科〔学〕. ＝obstetrics.

to·co·lyt·ic (tō′kō-lit′ik) [G. *tokos*, childbirth, labor + *lysis*, loosening]. 早産防止薬（子宮収縮を防止するために使用される薬剤をいう．早期分娩収縮を抑えるためによく用いられる．例えばリトドリンあるいはテルブタリン).

to·com·e·ter (tō-kom′ĕ-tĕr). ＝tocodynamometer.

to·coph·er·ol (T) (tō-kof′ĕr-ol). トコフェロール（①発見者がビタミンEに与えた名称．現在は，ビタミンEや生物学的活性の有無にかかわらず化学的にビタミンEと関連した化合物に用いる総称的用語．化学的構造と性質において，ビタミンK，補酵素Qに似ている．②メチルアルコール含有トコール，メチルアルコール含有トコトリエノールのこと).

mixed t.'s concentrate トコフェロール濃縮合剤（食用油やその副産物を真空蒸留して得るビタミンE源).

α-to·coph·er·ol (α-T) (tō-kof′ĕr-ol). α-トコフェロール（ビタミンE類の 1 つ．淡黄色で粘性のある無臭の油性液体であり，光照射されると劣化する．麦芽油または合成により得られる．生物学的にはα-トコフェロール類の中で最も強いビタミンE活性を示す．脂肪の自動酸化を抑制し酸敗を遅延させる抗酸化物質である). ＝vitamin E (1).

β-to·coph·er·ol (β-T) (tō-kof′ĕr-ol). β-トコフェロール（α-トコフェロールの同族体で，ベンゼン核上のメチル基が 1 個少なく，生物学的活性は弱い．α-T，γ-β-Tを伴う).

γ-to·coph·er·ol (γ-T) (tō-kof′ĕr-ol). γ-トコフェロール（α-γ-T より生物学的活性は弱い).

to·coph·er·ol·qui·none (TQ) (tō-kof′ĕr-ol-kwī′nōn). トコフェロールキノン（酸化トコフェロール．トコフェロールの場合と同じくα，βなどを前に付けて TQと略し，メチル化の度合いを示す). ＝tocopherylquinone.

to·coph·er·yl·qui·none (tō-kof′ĕr-il-kwī′nōn). ＝tocopherolquinone.

to·co·pho·bi·a (tō′kō-fō′bē-ă, tok′ō-) [toco- + G. *phobos*, fear]. 分娩恐怖〔症〕（分娩に対する病的な恐れ).

to·co·qui·none (tō′kō-kwī′nōn). トコキノン（2,3,5-トリメチル-6-マルチフェニル-1,4-ベンゾキノンのクラス名).

to·co·tri·en·ol (tō′kō-trī′en-ol). トコトリエノール（側鎖に 3 つの二重結合をもつトコール．天然生成物はクロマノールの 5，7，8 の位置のうち 1 つ以上にメチル基をもち，フィチル様側鎖の不飽和性を除けば，トコフェロールと同一である．クロマノール誘導体を形成する環化とトコトリエノールキノン(またはクロメノール)を形成する酸化は類似している．トコフェロール同様，α-，β-などを前に付けてT-*n*(ヒドロキノン型)，TQ-*n*(キノン型)と略し，メチル化の度合いを示す(*n* はクロマノール型やクロメノール型のままである無傷のイソプレンやプレニル単位の数を示す)．トコトリエノールはトコールやトコエノール(ビタミンEに似た)と関連を示し，クロマノールはビタミンK，補酵素Q族のイソプレン化合物との関連を示すために用いる).

to·co·tri·en·ol·qui·none (tō′kō-trī′en-ol-kwī′nōn). トコトリエノールキノン（ヒドロキノンがキノンに酸化された(クロマノールがクロメノールになった)トコトリエノール．メチル化の度合いに従って，トコトリエノールと同様にα，β，γ，δ が前に付く).

TOCP triorthocresyl phosphate(リン酸トリオルトクレシル)の略.

Tod (tod), David. 英国人外科医，1794—1856. ⇀T. *muscle*.

Todaro (tō-dah′rō), Francesco. イタリア人解剖学者，1839—1918. ⇀T. *tendon*.

Todd (tod), Robert B. イングランド人医師，1809—1860. ⇀T. *paralysis*, postepileptic *paralysis*.

toe (tō) [A.S. *ta*][TA]. 趾，足指. ＝digitus pedis [TA]; digits of foot*.

claw t. かぎ(鉤)爪〔様〕趾（中足趾節関節の過伸展と亜脱臼を呈するもので，趾節間関節の屈曲変形を伴い，荷重部が中足骨頭に移動する．神経障害，筋力不均衡，関節疾患により生じることが多く，通常第一趾を除く全趾に生じる．しばしば疼痛，歩行障害，胼胝を生じる．次頁の図参照).

fourth t. [IV] [TA]. 第四趾(指)（足の 4 番目の指). ＝digitus (pedis) quartus [IV] [TA].

great t. [I] [TA]. 母趾(指)，第一趾(指). ＝hallux [TA]; digitus pedis primus [I]*; hallex; hallus; pollex pedis; primary digit of foot.

hammer t. ハンマー〔状〕足ゆび(趾)，ハンマートウ（趾節間関節での趾の永続的な屈曲変形．次頁の図参照).

little t. [V] [TA]. 小趾(指)，第五趾(指)（足の 5 番目の指). ＝digitus (pedis) minimus [V][TA]; digitus (pedis) quintus [V]*.

Morton t. モートン趾（中足骨痛を生じる疾患のなかで最も多い疾患で，足指神経の肥大により生じる．*cf.* Morton *syndrome*).

painful t. ＝*hallux* dolorosus.

second t. [II] [TA]. 第二趾(指)（足の 2 番目の指). ＝digitus (pedis) secundus [II] [TA].

stiff t. 強直性屈趾症. ＝*hallux* rigidus.

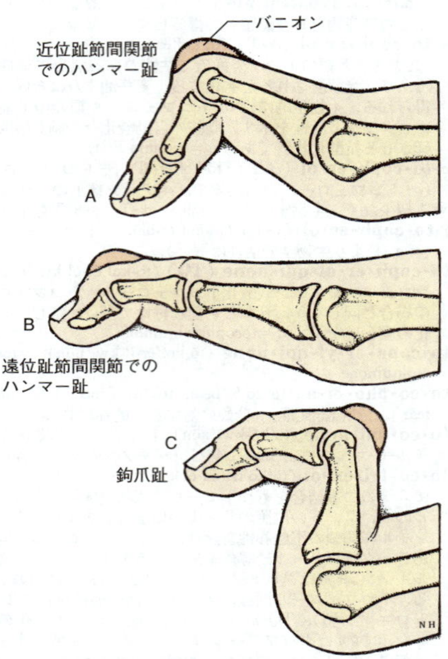

toe deformities
A, B：ハンマー趾．C：鉤爪趾．

third t. **[III]** ［TA］．第三趾(指)（足の３番目の指）．＝digitus (pedis) tertius［III］［TA］．

webbed t.'s 水かき趾〔症〕（足指の合指症）．

toe-drop (tō′drop).〔下〕垂趾（趾の背屈ができないことで，通常，趾伸筋の麻痺が原因）．

toe·nail (tō′nāl). 足指爪，趾爪（→nail）．

ingrowing t. ＝ingrown *nail*.

To·ga·vir·i·dae (tō′gă-vir′i-dē). トガウイルス科（東部ウマ脳炎ウイルス，西部ウマ脳炎ウイルス，ベネズエラウマ脳炎ウイルスを含む *Alphavirus*属，および風疹ウイルスを含む *Rubivirus*属の２属からなるウイルスの一科．ウイルス粒子は直径 70 nm，エンベロープをもち，エーテル感受性である．カプシドは二十面体相称でプラスセンスの一重鎖 RNA を含有する）．

to·ga·vi·rus (tō′gă-vī′rŭs)［L. *toga*, garment covering + virus］．トガウイルス科ウイルスの総称．

toi·let (toy′let)［Fr. *toilette*］．***1*** 清拭（分娩後に体を清潔にすること）．***2*** 清拭（手術後に包帯の使用に備えて傷を清潔にすること）．***3***〔窩洞〕清掃（歯科において，窩洞内を清浄化すること．歯に修復物を装着する前に，窩洞内を清掃し，すべての汚染物質を取り除くことをいう）．

pulmonary t. 肺洗浄（深呼吸，強い呼吸，体位ドレナージ，タッピングなどにより，気管や気管支から粘液や分泌物を取り除くこと）．

Toi·son (twah-zōn [h]′), J. フランス人組織学者，1858—1950. →T. *stain*.

To·ker (tō′kĕr), Cyril. 20 世紀の米国人病理学者．→T. cell.

TOLAC trial of *labor* after cesarean section の略．

Toldt (tōlt), Karl. ハプスブルク帝国の解剖学者，1840—1920. →T. *fascia, membrane*; white *line* of T.

tol·er·ance (tol′ĕr-ăns)［L. *tolero*, pp. *-atus*, to endure］．耐性（①特に連続的露出期間中に，刺激に対して耐える力または感受性をより少なくしうる能力．②毒物の作用に抵抗する力，または薬物を有害な作用を現さないで連続または大量投与させる力）．

acoustic t. 聴覚耐性（正常人において，永久聴覚閾値上昇，疼痛などを生じないで経験しうる最大音圧水準）．

cross t. 交差耐性（薬理学的類似化合物によって誘導された化合物の一種または数種の作用に対する耐性）．

decreased sound t. 音耐性低下（低音圧の音に対しても耐性が低下している状態．→misophonia; phonophobia; hyperacusis）．

frustration t. 欲求不満の耐性（感情的に乱れたり，神経症になったりするなどの不適当な反応形態に発展することなく，欲求不満に抗しうる人の能力水準）．

high dose t. 大量寛容（大量の抗原に暴露することで得られる寛容の誘導）．

immunologic t. 免疫学的寛容（抗原に対する免疫反応の欠如．寛容誘導論には，クローン除去やクローンアネルギーも含まれる．クローン除去においては，細胞クローンが実際に消失するのに対し，クローンアネルギーでは，細胞は存在するが機能しないとする）．＝immunotolerance; nonresponder t.

immunologic high dose t. 免疫学的大量寛容（大量の蛋白抗原への暴露によって寛容を誘導すること）．

impaired glucose t. グルコース寛容減損（高炭水化物食や試験量グルコース(通常 75 g)によって生じる血中グルコース過剰(110—126 mg/dL)．必ずしも糖尿病の診断はできない）．

individual t. 個体耐性（被検者が投与されたことのない薬物に対する耐性）．

ischemic t. 虚血耐性（短時間の一過性虚血の後，脳の虚血に対する耐性が高まること）．

nonresponder t. ＝immunologic t.

pain t. 疼痛耐性，耐痛限界（被験者が耐えうる疼痛刺激の最高限度）．

species t. 種耐性（ある種族が，ある特別な薬物に対して無感覚であること）．

split t. 部分免疫寛容（１個の細胞表面上に存在する１つ(あるいはそれ以上)の抗原には反応するが他の抗原には反応しないこと）．＝immune deviation (1).

vibration t. 振動耐性（ヒトが苦痛なしに体験し，耐えうる最大の振動．耐性限界は，振動数と振幅の関数であり，適用方法により変わる）．

tol·er·ant (tol′ĕr-ănt). 耐毒性のある，許容の，耐性の．

tol·er·ize (tol′ĕr-īz). 寛容化する（寛容を誘起する）．

tol·er·o·gen (tol′ĕr-ō-jen). 寛容原（免疫学的寛容を招来する物質）．

tol·er·o·gen·ic (tol′ĕr-ō-jen′ik). 免疫寛容を生じる．

to·lo·ni·um chlor·ide (tō-lō′nē-ŭm klōr′īd). 塩化トロニウム（抗ヘパリン化合物として用いられる医療用等級のトルイジンブルーO）．

To·lo·sa (tō-lō′sah), Eduardo. 20 世紀のスペイン人神経外科医．→T.-Hunt *syndrome*.

tol·u·ene (tol′yū-ēn). トルエン（トルーバルサムやその他の樹脂の乾燥蒸留により，またはコールタールから得る無色の液体．物理的・化学的性質はベンゼンに似ている．爆薬，染料，植物から各種成分を抽出するのに用いる）．＝methylbenzene; toluol.

to·lu·ic ac·id (tō-lū′ik as′id). トルイル酸；methylbenzoic acid（キシレンの酸化生成物）．

to·lu·i·dine (tō-lū′i-dēn,-din). トルイジン（アミノトルエン．トルエンから派生する３つの異性体の１つ）．

alkaline t. blue O アルカリ性トルイジンブルーO（ホウ砂溶液中のトルイジンブルーO．エポキシ樹脂包埋組織のやや厚い切片の染色に加熱して用いる）．

t. blue O［C.I. 52040］．トルイジンブルーO（青色塩基性色素．抗菌薬として，また核染色に用いる．メタクロマジー的に，ある構造(例えばヘパリンを含むと考えられている巨細胞の顆粒やコンドロイチン硫酸が多い軟骨基質)を染色する．また電気泳動において，RNA, RNase，ムコ多糖類を染色する．また，ヘパリンの抗凝固作用に拮抗する．→tolonium chloride）．

tol·u·ol (tol′ū-ol). トルオール．＝toluene.

tol·u·o·yl (tol-ū′ō-il). トルオイル；$CH_3C_6H_4CO-$（トルイル酸基）．

tol·u·yl·ene red (tol-ū′i-lēn red). トルイレンレッド．＝neutral red.

tol·yl (tol′il). トリル（トルエンの1価の基）.

Toma sign (tō′mah). ⇒sign.

-tome [G. *tomos*, cutting, sharp; a cutting(section or segment)]. ***1*** 切開器具を意味する接尾語．複合語の最初には，通常，切開される部位名がくる．***2*** 分節，部分，を意味する接尾語．***3*** 断層撮影法を意味する接尾語．***4*** 手術を意味する接尾語．

to·men·tum, to·men·tum ce·re·bri (tō-men′tŭm, tō-men′tŭm ser′ĕ-brī) [L. a stuffing for cushions]. 大脳血管網（軟膜と大脳皮質との間を走っている多数の小血管）.

Tomes (tōmz), Charles S. イングランド人歯科医，1846—1928. ⇀T. *processes*.

Tomes (tōmz), John. イングランド人歯科医・解剖学者，1815—1895. ⇀T. *fibers*, granular *layer*.

Tom·ma·sel·li (tom-ă-sel′ē), Salvatore. イタリア人医師，1834—1906. ⇀T. *disease*.

to·mo·gram (tō′mō-gram) [G. *tomos*, a cutting (section) + *gramma*, a writing]. 断層X線図（断層X線撮影器で得られるX線写真）.

to·mo·graph (tō′mō-graf) [G. *tomos*, a cutting (section) + *graphō*, to write]. 断層X線撮影器（断層撮影法で使用する機械）.

to·mog·ra·phy (tō-mog′ră-fē). 断層撮影法（フイルムカセットを反対に回しながらX線管を直線的あるいは曲線的に動かすことにより，その他のすべての部分がフイルム上で相対的に動くため，抹消されるかまたは像がぼやけて見える）. = conventional t.; planigraphy; planography; sectional radiography; stratigraphy.

computed t. (CT) CT，コンピュータ連動断層撮影（身体の横断面から得られる解剖学的情報を集めたもので，与えられた平面上の多数の異なった方向で得られたX線透過性のデータをコンピュータで合成することにより得られた像として表される）. = computerized axial t.

computerized axial t. (CAT) = computed t.

conventional t. 通常の断層撮影. = tomography.

dynamic computed t. ダイナミックCT（造影剤を急速注入し，通常1つかあるいは少数のレベルで連続スキャンを行うCT撮影法．血管あるいは多血管性組織をエンハンスする目的で用いる）. = dynamic CT.

electrical impedance t. 電気インピーダンス断層撮影〔法〕（いまだ実験的で試験段階の画像撮影法．註電流を対象に注入した場合の対象周辺電圧を測定し，対象の導電率分布を断層画像として得ようとするもの.→tomography).

electron beam t. (EBT) 電子ビーム断層撮影法（X線管が環状運動するコンピュータ断層撮影は，環状の金属ターゲット(陽極)に向かう陰極からの光線が急速に電気的にポジショニングされる方式によって取って代わられ，数十ミリ秒で完全なスキャンが可能になった）. = ultrafast CT.

helical computed t. = spiral computed t.

high-resolution computed t. (HRCT) 高分解能CT（容積平均効果を少なくするために細く絞ったX線を使用し，画像を鮮明にするために辺縁強調再構成アルゴリズムを用いたCT撮影法．撮像部のピクセル(画素)サイズを最小にするために撮像視野を制限することもある．特に肺の画像に用いられる）.

hypocycloidal t. 下環状断層撮影（三つ葉のクローバーに似た型の複雑な動きを用いて，身体の横断面のX線写真を撮影すること）.

nuclear magnetic resonance t. 核磁気共鳴断層撮影法. = magnetic resonance *imaging*.

optic coherence t. (OCT) 光干渉断層計（網膜の高解像断層像を得るための光線を用いた非侵襲的画像法．黄斑または網膜異常に適応される）.

optical Doppler t. (ODT) 光学ドップラー(ドプラ)断層撮影（光波を利用して血流または組織の動きの測定を可能にするDoppler効果と光干渉断層を結びつけた非侵襲性画像技術）.

---

positron emission t. (PET) 陽電子断層撮影法（放射性に標識された物質が組織内に投与され，それから放出される陽電子をコンピュータで解析することによって生体組織の特定の生化学的性質を反映する断層画像を合成する撮影方法．PETで使用される放射性トレイサーは，短い半減期(2—110分)の陽電子放出同位元素が組み込まれた生理学的，薬学的薬剤の誘導体である．放射性同位元素は，サイクロトロンで産生する陽子線を安定な同位元素に衝突させることによって人工的に生成される．これら陽電子放出物質の取り込みや代謝は，少なくても部分的に，同種の天然放射性物質によく似ている．特別な臓器や組織への集積や代謝過程への取り込みは，生化学的機能または機能不全を反映する．グルコース誘導体F18–FDGは，エネルギー代謝の高い領域を特定するために広く使用されている．放射性トレイサーから放出された陽電子が電子と衝突したとき，両粒子は消滅し，2つのγ線が反対方向(180度方向)に放出される．放射性トレイサーの静注後，被験者はスキャナー内に配置される．スキャナーはγ線を可視光の閃光に変換するシンチレーション結晶のリングで構成されている．これら閃光は電気的に検出され記録される．コンピュータプログラムは，このデータを用いて集積密度を反映するカラー三次元画像に仕上げる）.

他の画像装置とは異なり，PETは解剖構造より代謝活性度や生理的な機能を評価するものである．放射性核種の半減期が短く，装置が高価なため，臨床では広範囲に使用されていなかった．しかし，1970年代半ばの開発以来ずっと，生きている脳が，健常であるか，外傷を受けているか，または病的であるかどうか実験的に調べる最も重要な手段である．Alzheimerや他の認知症，パーキンソン症候群，Huntington病の重要な診断情報の提供に加えて，PETは，外科的手術のためにてんかん性病巣を局限化できたり，頭蓋内の新生物を評価したり，急性発作の直接の治療法の選択の助けとなる．悪性度を判断する場合のPETの有病正診率，無病正診率は，腫瘍学における低分化型腫瘍に対する穿刺の回避や，腫瘍を放射線壊死から非侵襲的に鑑別したり，効果のない化学療法の早期の方針変更，不必要な診断目的や治療目的の手術の回避において価値あるものである．PETは心臓病学においては，冠状動脈疾患のスクリーニングや，流速や流量の評価や，バイパス術や移植に適さない心筋層を区別するのに使用される．

---

single photon emission computed t. (SPECT) シングルフォトンエミッションCT（組織の代謝および生理的機能を断層像として得る方法で，患者に投与された放射性同位元素(RI)から放出される単一エネルギーの光子をとらえ，コンピュータ分析することにより画像がつくられる）.

spiral computed t. スパイラル(らせん)CT（縦軸方向に動いている患者のまわりを，X線管が連続的に回転し，コンピュータ補間法により標準的な横断スキャンや任意断面画像の再構成を行うCT撮影法）. = helical computed t.; helical CT; spiral CT.

trispiral t. トリスパイラル断層撮影（より薄く，より均一の焦点平面を得るハイポサイクロイダル断層撮影法．特に内耳の断層撮影に以前用いられていた）.

to·mo·lev·el (tō′mō-lev′ĕl). 断層撮影準位（断層撮影法が行われる準位を表す現在では用いられない語）.

to·mo·ma·ni·a (tō′mō-mā′nē-ă) [G. *tomos*, cutting + *mania*, frenzy]. 手術狂（医者または患者が，不合理な手術を行うことを願望すること）.

-tomy [G. *tomē*, incision]. 切開手術を意味する接尾語.→-ectomy.

ton·a·pha·si·a (tōn′ă-fā′zē-ă) [G. *tonos*, tone + *a-* 欠性辞 + *phasis*, speech]. 旋律失語〔症〕，音〔楽〕失語〔症〕（脳病巣によって，旋律の記憶能力を失うこと）.

tone (tōn) [G. *tonos*, tone or a tone]. ***1***〚n.〛音（[本語と音符を意味するnoteを混同しないこと]．異なる周波数の音波）. ***2***〚n.〛口調（感情を表現する声の特徴）. ***3***〚n.〛緊張（休止筋肉に存在する緊張力）. ***4***〚n.〛正常〔状態〕（組織の堅固さ．すべての器官が正常に機能すること）. ***5***〚v.〛調色する.

affective t., emotional t. = feeling t.

feeling t. 感情気分，情調（すべての言動と思考に伴う精神状態(喜び，嫌悪など)）. = affective t.; emotional t.; affectivity.

fetal heart t.'s (FHT) 胎児心音（⇀fetal heart *rate*）.

fundamental t. 原音，基音（複合音の中で最も振動数の

T

少ない音).

heart t.'s 心音響. =heart *sounds.*

pure t. (pyūr tōn). 純音（単一周波数音.→complex *sound*; fundamental t.; overtone).

Traube double t. (trow′bě). トラウベ重複音（大動脈閉鎖不全症や三尖弁閉鎖不全症の場合に，大腿血管上を聴診して聞こえる重複音).

Zwicker t. (zwik′ĕr). ツヴィッカー音（10 秒以下のバンド抑制騒音(1/3オクターブギャップのある比較的広範囲)の停止後に誘発される聴覚残存). =auditory afterimage.

to·ner (tō′nĕr). 調色液，トナー（調色に用いる溶液).

tongue (tŭng) [A.S. *tunge*][TA]. 舌（①粘膜でおおわれた筋組織の可動性の塊．口腔を占め，口腔の床部を形成し，後部が咽頭の前部となる．味覚器官をもち，そしゃく，えん下，および構音を助ける. =glossa; lingua (1). ②舌に似た構造. =lingua (2)).

舌苔

基礎疾患	臨床症状	他の所見
非特異的口腔内感染	白苔（鱗屑）	発熱を伴う胃炎や腸炎による栄養吸収の低下と関連
鵞口瘡	白い膜状の斑．辺縁が赤く除去しにくい	塗沫標本に鵞口瘡カンジダ *Candida albicans* を認める
猩紅熱	舌の先端と辺縁の発赤を伴った不透明な白苔	咽頭炎，発疹および咽頭培養における β溶血性連鎖球菌 β-hemolytic streptococciの存在
ジフテリア	灰白色の膜状の舌苔，病的な甘味臭	除去しにくい舌苔．粘膜下易出血性．全身症状
腸チフス	鮮紅色の辺縁をもつ灰白色の舌苔	*Salmonella typhi* の感染．全身症状
尿毒症	瘤状の褐色の舌苔	腎不全

baked t. チフス舌（腸チフスや他の疾病をもつ患者が脱水状態になったときにみられる乾性黒色舌).

bald t. =atrophic *glossitis.*

beet-t. ビート舌（ペラグラ患者の舌に対してときに用いる語．強い紅斑が，最初舌の先に，さらにその辺縁に沿って，ついには舌背に現れる．痛みがあり，隆起が多くなる．慢性ペラグラの場合を除き，萎縮ではなく浮腫の結果として光沢がでる).

bifid t. 分裂舌，二裂舌（前部が多少の間隔をもって縦に分割されている舌の先天的構造的欠損.→diglossia). =cleft t.

black t. =black hairy t.; lingua nigra; melanoglossia; nigrities linguae. ***1*** 黒舌症（イヌ科動物ではニコチン酸の欠乏に伴う疾病). ***2*** 黒〔色〕舌，黒毛舌（タバコの成分のような外因性の物質により黒色や黄褐色に変色した舌の背面．通常は毛舌と重なる).

black hairy t. =black t.

burning t. 舌灼熱痛（舌の灼熱感を特徴とする状態). =glossopyrosis.

t. of cerebellum 小脳小舌. =*lingula* of cerebellum.

cleft t. =bifid t.

coated t. 苔舌（上表面に白色層がある舌．上皮残屑，食物粒子，細菌からなる．消化不良や高熱の徴候であることが多い). =furred t.

t. crib 舌架（口腔悪習慣を矯正する装置．内臓性(幼児性)えん下や舌の突出しを防止し，舌体の形態と機能の成熟を促すために使われる装置).

dotted t. 点状舌（各乳頭が白色沈着物でおおわれた舌). =stippled t.

fissured t. 亀裂舌（舌の表面に多数のひだや溝をもつが，痛みを伴わない溝状舌や陰嚢舌など). =grooved t.; lingua fissurata; lingua plicata; scrotal t.

furred t. =coated t.

geographic t. 地図〔状〕舌（糸状乳頭の萎縮症の結果，末端部が白い帯で包まれた特発性無症候性の紅斑性環状斑点．病巣の消散や癒着とともに分布が変わってくる．しばしばわ状舌に合併しておこる). =benign migratory glossitis; glossitis areata exfoliativa; pityriasis linguae; lingua geographica.

grooved t. =fissured t.

hairy t. 毛舌（乳頭が異常に伸張した結果，厚い毛でおおわれた外観を呈する舌). =glossotrichia; trichoglossia.

hobnail t. 鋲釘舌（乳頭の肥大といぼ状変化を伴う間質性舌炎．後天的梅毒のいくつかの症例にみられる).

magenta t. マゼンタ色舌（浮腫と毛状乳頭の平板化を伴う舌が紫紅色を呈すること．リボフラビン欠乏から生じる．*cf.* cyanosis).

mandibular t. =*lingula* of mandible.

raspberry t. イチゴ舌（暗紅色の舌).

red strawberry t. イチゴ舌（Kawasaki 病における臨床症状の1つ).

scrotal t. 陰嚢舌. =fissured t.

smoker's t. leukoplakia を表す現在では用いられない語.

stippled t. =dotted t.

strawberry t. イチゴ舌（伸長乳頭が紅点として突起し，その周りに白色の外被をもつ舌．猩紅熱や川崎病の特徴).

t.-swallowing (tŭng-swal′ō-ing). 舌えん(嚥)下，舌沈下（舌が咽頭方向に沈下すること．窒息を起こす).

t. thrust 舌刺激（えん下の最初の段階で，舌が切歯あるいは顎堤の間におかれる哺乳えん下の幼児型であり，ときに前歯部の開咬，顎の変形および機能異常がその結果としてみられることがある).

t.-tie (tŭng′tī). 舌小帯短縮〔症〕，短舌，小舌. =ankyloglossia.

ton·ic (ton′ik) [G. *tonikos* < *tonos*, tone]. ***1***《adj.》持続性の，緊張性の，強直性の（連続性の絶え間ない活動状態についていう．特に筋肉の収縮を意味する). ***2***《adj.》強壮性の（活気付ける．肉体的または精神的な調子や強さを増大させる). ***3***《n.》強壮薬（弱化した機能を回復し，活力や安寧感を促進すると言われている治療薬．強壮薬が作用する器官や器官系に従って，心臓・消化器・血液・血管・神経・子宮・全身強壮薬などと限定される).

bitter t. 苦味強壮薬（キニーネ，ゲンチアナ，ニガキのような，主に食欲を刺激し，消化を改善する苦い味の強壮薬.→bitters).

to·nic·i·ty (tō-nis′i-tē) [G. *tonos*, tone]. ***1*** 緊張〔性〕（組織の正常な張力状態．それによって各部分は形を保たれ，敏活で，また適当な刺激に反応していつでも機能できる状態にある．筋肉の場合には，物理的性質に関するものを超える持続的活動や張力の状態をさす．例えば，伸張に対する積極的抵抗力．骨格筋の場合には，遠心性神経支配による). =tonus. ***2*** 張度（溶液の浸透圧または張力．通常，血液の浸透圧に関連する.→isotonicity).

ton·i·co·clon·ic (ton′i-kō-klon′ik). 強直間代〔性〕の（強直性，間代性の両方を示す．反復性筋収縮をさす). =tonoclonic.

to·nin (tō′nin). トニン（アンギオテンシンⅠをアンギオテンシンⅡに変換する酵素で，アンギオテンシン変換酵素と類似するか同一のものである).

ton·ing (tōn′ing). 調色（塩化金溶液で処理することによって，浸透した組織切片において銀の沈着物を金の沈着物で置き換えること).

ton·i·tro·pho·bi·a (tōn′i-trō-fō′bē-ă) [L. *tonitrus*, thunder + G. *phobos*, fear]. 雷恐怖〔症〕. =brontophobia.

tono- [G. *tonos*]. 調子，緊張，圧力，に関する連結形.

ton·o·clon·ic (ton′ō-klon′ik). =tonicoclonic.

ton·o·fi·bril (ton′ō-fī′bril). 張原線維（上皮細胞の原形質にみられる線維系の1つ.→cytoskeleton; tonofilament). =epitheliofibril; tenofibril.

ton・o・fil・a・ment (ton′ō-fil′ă-ment). トノフィラメント（細胞質の構造蛋白で，フィラメントの中間体として知られている層の1つ．その束が張原線維を形成する．トノフィラメントは多数の蛋白または関連のある蛋白やケラチンで構成されている．ほとんどの上皮細胞にみられるが，特に表皮によく形成されている）．

ton・o・graph (ton′ō-graf, tō′nō-) [tono- + G. *graphō*, to write]. トノグラフ，張力記録器（眼内圧を記録する器具）．

to・nog・ra・phy (tō-nog′ră-fē). トノグラフィ，張力記録法（記録眼圧計を用いて眼内圧を継続的に測定する法．房水の流出能を決定する）．

to・nom・e・ter (tō-nom′ĕ-tĕr) [tono- + G. *metron*, measure]. ***1***〘n.〙圧力計，眼圧計（圧力や張力を測定する器械．特に眼内圧力を測定する器械）．***2*** 液体張力計（通常，ある定められた温度の下で，液体(血液など)と気体の平衡を保たせるのに用いる容器．元来この名称は，小さな気体対血液比で使用されたため，気体の圧力が血液の酸素圧に近づき，その気体圧が酸素圧の尺度となることから付けられたものである．現在では一般に，血液を気体の酸素圧に調整し，大きな気体対血液比で使用されている）．＝aerotonometer (2).

applanation t. 圧平眼圧計（角膜に小平板を当て，眼内圧を決定する器具）．

Gärtner t. (gart′nĕr). ゲルトナー圧力計（圧迫環によって囲まれた指で，水銀柱の高さで表される力を記録することにより，脈拍を止めるに必要とされる血圧を測る装置）．

Goldmann applanation t. (gōldt′mahn). ゴルトマン圧平眼圧計（角膜の3 mm² だけを扁平にする圧平眼圧計で，細隙灯とともに用いる）．

Mackay-Marg t. (mă-kā′ marg). マッケー－マーグ眼圧計（記録用電子圧平眼圧計）．

Mueller electronic t. (mū′lĕr). ミュラー電子眼圧計（角膜圧入の広がりを示すために，耳管形の電子装置が付着している Schiötz 型眼圧計．継続して圧力を記録する装置(トノグラフィ)も付いている）．

pneumatic t. 気動眼圧計（ガスで操作される記録用圧平眼圧計）．

Schiøtz t. (shē-ertz′). シエッツ眼圧計（角膜が陥凹される程度により眼圧を測定する装置）．

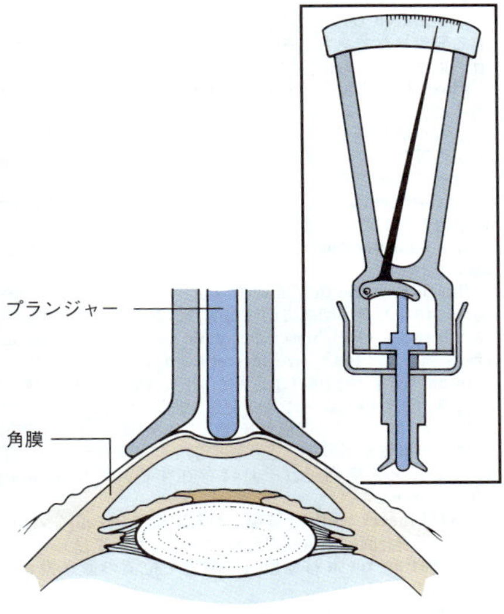

Schiøtz tonometer

プランジャー(ここでは実際より大きく見せている)で麻酔された角膜を圧入し眼圧を計る．眼圧計全体をはめ込む．

to・nom・e・try (tō-nom′ĕ-trē). ***1*** 圧力測定〔法〕（脈管内圧，血圧などの一部の圧力を測定する法）．***2*** 眼圧測定〔法〕（眼内圧を測定する法）．

ton・o・phant (tōn′ō-fant, ton′ō-) [tono- + G. *phainō*, to appear]. トノファント，音波可視器（音波を可視化する機器）．

ton・o・plast (tōn′ō-plast, ton′ō-) [tono- + G. *plastos*, formed]. 空胞膜，液胞膜，トノプラスト（細胞内構造や空胞）．

to・nos・cil・lo・graph (tō-nos′i-lō-graf) [tono- + L. *oscillo*, to swing + G. *graphō*, to write]. 圧力曲線記録器，トノシログラフ（動脈，毛細血管の圧力とともに脈拍の性状を図式で記録する器械）．

to・no・top・ic (tō-nō-top′ik) [tono- + G. *topos*, place]. 空間的の（聴覚路におけるように種々の周波数を補助する伝導路の空間的配置を示す）．

to・no・trop・ic (tō′nō-trop′ik) [G. *tonikos*, *tonos*, tone + *tropos*, a turning]. 亢張〔力〕の（筋が静止時の長さより短縮することについていう）．

ton・sil (ton′sil) [L. *tonsilla*, a stake(複数では the tonsils)]. 扁桃（①リンパ球の粘膜内集簇あるいは上皮に密接し集簇したリンパ組織．咽頭扁桃，口蓋扁桃，舌扁桃を含んでおり，集まって咽頭リンパ上皮輪を形成する．→pharyngeal lymphatic *ring*. ②＝palatine t. ③形が口蓋扁桃に類似している解剖学的構造）．

cerebellar t. 小脳扁桃．＝t. of cerebellum.

t. of cerebellum [TA]. 小脳扁桃（各小脳半球の下面にある円形小葉．内側は小脳虫部垂に続く）．＝tonsilla cerebelli [TA]; cerebellar t.

eustachian t. エウスターキオ〔管〕扁桃．＝tubal t.

faucial t. 口蓋扁桃．＝palatine t.

Gerlach t. (ger′lahk). ゲルラッハ扁桃．＝tubal t.

laryngeal t.'s 喉頭扁桃．＝laryngeal lymphoid *nodules*.

lingual t. [TA]. 舌扁桃（舌背の後方または咽頭部にあるリンパ様組織の集合）．＝tonsilla lingualis [TA].

Luschka t. (lūsh′kah). ルシュカ扁桃．＝adenoid.

palatine t. [TA]. 口蓋扁桃（口蓋弓間の両側にある咽頭側壁に埋まったリンパ様組織の大きな卵形のもの）．＝tonsilla palatina [TA]; faucial t.; tonsil (2); tonsilla.

pharyngeal t. 咽頭扁桃．＝adenoid.

submerged t. 埋没扁桃（口蓋弓の位置より下にある平らな口蓋扁桃）．

third t. ＝adenoid.

tubal t. [TA]. 耳管扁桃（耳管の咽頭口近くにあるリンパ様組織の集合）．＝tonsilla tubaria [TA]; eustachian t.; Gerlach t.

ton・sil・la, pl. **ton・sil・lae** (ton-sil′ă, -ē) [L. (→tonsil)]. 扁桃．＝palatine *tonsil*.

t. adenoidea ＝adenoid.

t. cerebelli [TA]. 小脳扁桃．＝*tonsil* of cerebellum.

t. intestinalis →aggregated lymphoid *nodules* of the small intestine.

t. lingualis [TA]. 舌扁桃．＝lingual *tonsil*.

t. palatina [TA]. 口蓋扁桃．＝palatine *tonsil*.

t. pharyngealis [TA]. 咽頭扁桃．＝adenoid.

t. tubaria [TA]. 耳管扁桃．＝tubal *tonsil*.

ton・sil・lar, ton・sil・lary (ton′si-lăr, ton′si-lă-rē). 扁桃の（扁桃，特に口蓋扁桃についていう）．＝amygdaline (3).

ton・sil・lec・to・my (ton′si-lek′tŏ-mē) [tonsil + G. *ektomē*, excision]. 扁桃摘出〔術〕，扁摘（[本語は英語 tonsil ではなくラテン語 tonsilla に基づいているので，tonsilitis というつづりは誤りである]．扁桃全体を切除すること）．

ton・sil・li・tis (ton′si-lī′tis) [tonsil + G. *-itis*, inflammation]. 扁桃炎（扁桃，特に口蓋扁桃の炎症）．

lacunar t. 腺窩性扁桃炎，陰窩性扁桃炎（扁桃陰窩をおおう粘膜の炎症）．

Vincent t. ヴァンサン扁桃炎（主に口蓋扁桃に限定されるアンギナ．Vincent 微生物(杆菌，らせん菌)によって起こる）．

tonsillo- [L. *tonsilla*]. 扁桃を意味する連結形．

ton・sil・lo・lith (ton-sil′ō-lith) [tonsillo- + G. *lithos*, stone]. 扁桃結石（肥大した扁桃陰窩の石灰性結石）．＝tonsillar calculus; tonsilolith.

T

ton·sil·lop·a·thy (ton′si-lop′ă-thē) [tonsillo- + G. *pathos*, suffering]. 扁桃病.

ton·sil·lo·tome (ton-sil′ō-tōm) [tonsillo- + G. *tomos*, cutting]. 扁桃切除器（扁桃を切除するのに用い，ときにギロチンを模してつくられる器具）.

ton·sil·lot·o·my (ton′si-lot′ŏ-mē) [tonsillo- + G. *tomē*, incision]. 扁桃切除〔術〕（肥大した口蓋扁桃の一部分を切除すること）.

ton·sil·o·lith (ton-sil′ō-ith). ＝tonsillolith.

to·nus (tō′nŭs) [L. < G. *tonos*]. 緊張，張力，トーヌス．＝tonicity (1).

baseline t. 基線トーヌス(緊張度)（陣痛間欠期の子宮内圧(緊張度)）.

myogenic t. 筋原性緊張（筋肉の内因特性または内因神経支配によって起こる筋収縮）.

neurogenic t. 神経原性緊張（外因性神経支配の影響による筋収縮）.

Tooth (tūth), Howard H. イングランド人神経科医，1856—1925. ⇀Charcot-Marie-T. *disease*.

TOOTH

tooth, pl. **teeth** (tūth, tēth) [A.S. *tōth*][TA]. 歯（上下顎の歯槽内にある硬い円錐形構造の1つ．そしゃく時に用いられ，咬合に関与する．歯は，エナメル質，ぞうげ質，セメント質より構成される体の表層構造物で，ぞうげ質とそれをおおうエナメル質よりなる解剖学的歯冠と，ぞうげ質とそれをおおうセメント質よりなる解剖学的歯根に分けられる．また，歯槽内に埋まっている歯根部，歯肉におおわれた歯頸部，口腔内に露出している歯冠部からなる．中心部には歯髄腔があって，細網結合組織(歯髄)で満たされており，1つあるいは複数の根尖孔より進入した血管や神経が走行している．20本の乳歯が生後6—9か月から24か月の間に萌出し，その後脱落して，5—7歳から17—23歳の間に萌出する32本の永久歯に代わる．切歯，犬歯，小臼歯，大臼歯の4歯種がある）．＝dens (1) [TA].

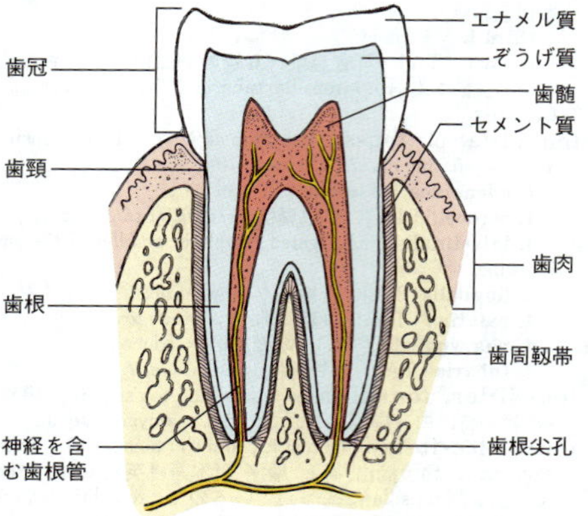

tooth and supporting tissues

acoustic teeth [TA]. 聴歯（蝸牛管のラセン板の前庭唇にみられる歯状形成物または稜）．＝dentes acustici [TA]; auditory teeth; Corti auditory teeth; Huschke auditory teeth.

acrylic resin t.〔アクリル〕レジン歯（アクリル樹脂からなる人工歯）.

anatomic t. 解剖学的人工歯（天然歯の解剖学的形態を模した人工歯）.

ankylosed t. 強直歯（⇀dental *ankylosis*）.

anterior t. 前歯（中切歯，側切歯，犬歯のことで，切断用器官として，両顎の前方部に位置する）．＝oral teeth.

t. arrangement 人工歯配列（①義歯床上に人工歯を意図的に配置すること．②基礎床上に人工歯を配列すること）.

auditory teeth 聴歯．＝acoustic *teeth*.

baby t. 乳歯．＝deciduous t.

back t. 後方歯（犬歯より後方の歯）.

bicuspid t. 小臼歯．＝premolar t.

buck t. 前突歯（唇側転位している前歯）.

canine t. [TA]. 犬歯（厚い円錐形の歯冠と長くやや平らな円錐形の歯根をもつ歯．上下顎に2本の犬歯が左右に1本ずつあり，それぞれ側切歯の遠心面に隣接している．乳歯列および永久歯列それぞれに存在する）．＝dens caninus [TA]; canine (3); cuspid t.; cuspidate t.; cuspid (2); dens angularis; dens cuspidatus; eye t.

carnassial t. 裂肉歯（①肉を切断するのに適した歯．②ある種の食肉動物の上顎最後部前臼歯，下顎最前部臼歯）.

cheek t. 臼歯，後方歯．＝molar t.

Corti auditory teeth (kōr′tē). コルティ(コルチ)聴歯．＝acoustic *teeth*.

crossbite t. 交叉咬合〔配列〕用人工歯（上顎臼歯の咬頭を修正して下顎歯の咬合面窩に対応するようにした人工臼歯）.

cuspid t., cuspidate t. 犬歯．＝canine t.

cuspless t. 無咬頭〔人工〕歯（①咬頭形成が障害された歯．②咬合面が著しく咬耗した歯．③人工歯の一種）.

cutting teeth 切歯（上下顎の前歯のうち犬歯を除いた歯）.

dead t. 死歯，失活歯（pulpless t. の誤称）.

deciduous t. [TA]. 乳歯，脱落歯（最初に生える一揃いの歯．全部で20本あり，生後6—24か月に萌出する）．＝dens deciduus [TA]; baby t.; deciduous dentition; dens lacteus; first dentition; milk t.; primary dentition; primary t.; temporary t.

devitalized t. 失活歯（無髄歯 pulpless t. の誤称）.

extruded teeth 挺出歯（⇀*extrusion* of a tooth）.

eye t. ＝canine t.

fluoridated t. フッ〔素〕化歯（歯牙形成中にフッ化塩にさらされた歯）.

fused teeth [MIM*273000]. 融合歯（胎生学的な融合，または2本の歯胚が近接している結果として，ぞうげ歯により結合した歯）.

geminated teeth 双生歯（1つの歯胚の分裂によって生じる発育異常であり，その結果，2歯の不完全な形成が行われ，通常，1つの歯根に2つの歯冠が生じる）.

ghost t. 幻影歯（局所的な歯牙形成不全症にみられるX線濃度の低い歯）.

green t. 緑色歯（赤芽球に罹患した幼児の第一生歯が緑色から茶色に変色する状態．発育中の歯にヘモグロビン色素が沈着して起こる）.

Horner teeth (hōr′nĕr). ホーナー歯（形成不全溝が水平に走行している切歯）.

Huschke auditory teeth (hūsh′kĕ). フシュケ聴歯．＝acoustic *teeth*.

Hutchinson teeth (hŭtsh′ĭn-sŏn). ハッチンソン歯（先天梅毒に特有の歯．切縁に切痕があり，歯冠の切縁部幅が歯頸部より狭い．→Hutchinson crescentic *notch*）．＝Hutchinson incisors; notched teeth; screwdriver teeth; syphilitic teeth.

impacted t. 埋伏歯（①正常な萌出が隣接歯や骨に妨げられた歯．②外傷によって歯槽突起や周囲組織に埋入した歯）.

incisor t. [TA]. 切歯（チゼル(のみ)状の歯冠と先細で円錐形の単根をもつ歯．上下顎の前部に4歯ずつあり，乳歯列および永久歯列それぞれに存在する）．＝dens incisivus [TA]; incisor.

metal insert teeth 金属咬合面人工歯，メタルインサート人工歯（咬合面に金属性の刃をはめ込んだ人工歯）.

migrating teeth 移転歯（自然力で位置の置き換わった歯）.

milk t. 乳歯．＝deciduous t.

molar t. [TA]. 大臼歯（咬合面に4つまたは5つの咬頭を有し，歯冠が四角形に近い形の歯．歯根は下顎では2つに分かれるが，上顎では3つの円錐形根がある．大臼歯は上下顎に6歯ずつあり，永久歯列では左右に3歯ずつ小臼歯の後方にある．乳歯列では，上下顎に4歯ずつあるのみで，左右に2歯ずつ犬歯の後方にある)．＝dens molaris［TA］; cheek t.; molar (2); multicuspid t.
mottled t. 斑状歯（→mottled *enamel*)．
multicuspid t. ＝molar t.
natal t. 出産歯，誕生歯（出生時に萌出している過剰乳歯)．
neonatal t. 新生児歯（生後30日までに萌出する歯)．
nonanatomic teeth 非解剖学的人工歯（①解剖学的基本形態に基づかない咬合面をもつ歯．②咬合面が，自然形態からの模写でなく，そしゃく，咬合圧負担，その他考慮すべき面における必要条件を最大限満たすように設計された人工歯)．
nonvital t. 失活歯（歯髄が失活している歯)．
normally posed t. 正常位歯（対合歯に対して，正常な位置関係にある歯)．
notched teeth 切痕歯．＝Hutchinson teeth.
oral teeth ＝anterior t.
pegged t. 栓状歯（歯頸部から切端部に向かって栓状をなす歯)．
permanent t.［TA］．永久歯（第二生歯，すなわち永久歯は32歯ある．永久歯は5—7歳で萌出し始め，17—23歳に最後の第三大臼歯が萌出して完了する)．＝dens permanens［TA］; dens succedaneus; second t.; secondary dentition; succedaneous dentition; succedaneous t.
perpetually growing t. 恒久性発育歯（歯が継続的にまたは常時，成長し，石灰化し，萌出する生理学的現象．例えばネズミの切歯)．＝persistently growing t.
persistently growing t. 恒久性発育歯．＝perpetually growing t.
plastic teeth プラスチック歯（合成樹脂でつくられた人工歯)．
posterior t. 臼歯，後方歯（そしゃく器官を構成し，両顎の後部に位置する小臼歯および大臼歯)．
premolar t.［TA］．小臼歯（通常，咬合面に2個の隆起または咬頭があり平らな歯根をもつ歯．下顎の小臼歯および上顎の第二小臼歯は単根をもち，上顎第一小臼歯は歯根に溝をもつ．小臼歯は上下顎に4歯であり，左右に2歯ずつ犬歯と大臼歯の間にある．乳歯列には小臼歯がない)．＝dens premolaris［TA］; bicuspid t.; dens bicuspidus.
primary t. 第一生歯．＝deciduous t.
protruding teeth 突出歯（歯列弓の正常な外形よりも外に向かって生えている歯．通常，前方向についていう)．
pulpless t. 無髄歯（歯髄死をきたした歯または歯髄が摘出された歯)．
sclerotic teeth 硬〔化〕歯（生まれつき硬い歯で，う食に罹患しにくい歯)．
screwdriver teeth ＝Hutchinson teeth.
second t. ＝permanent t.
spaced teeth 離間歯（隣接歯との接触点をもたず，独立している歯)．
t. squeeze ＝barodontalgia.
stomach t. 下顎犬歯．
succedaneous t. 代生歯，後継歯．＝permanent t.
swimmer's t. スイマー歯（水泳中にプール内の塩素に繰り返しさらされることにより脱灰された歯)．
syphilitic teeth 梅毒歯．＝Hutchinson teeth.
temporary t. 乳歯，脱落歯．＝deciduous t.
third molar t.［TA］．第三大臼歯（上下顎の両側にある8番目の歯で，ヒト歯列中で最後方位にある．一般に17—23歳の間に萌出する．根はしばしば癒合し，溝のみが認められる．前上方に萌出する傾向にあるため，下顎の第三大臼歯はしばしば第二大臼歯の下に埋伏してしまう．1つまたはそれ以上の第三大臼歯の発育不良はよくみられる)．＝dens molaris tertius［TA］; dens serotinus*; dens sapientiae; third molar; wisdom t.
tricuspid t. 三咬頭歯（三咬頭の歯冠をもつ歯)．
tube t. チューブ〔人工〕歯（人工歯基底部中央から歯の体部に向かって，縦に円筒形の孔がつくられている人工歯．その孔にピンを挿入し，人工歯を義歯床に装置する)．
Turner t. (tŭr′nĕr)．ターナー〔の〕歯（単一の永久歯に生じるエナメル質形成不全．乳歯の感染症によりその直下の後継永久歯の形成不全をきたしたものや，歯の形成期間中における外傷により形成不全をきたしたものをさす)．
unerupted t. 未萌出歯（①いまだに萌出していない歯．②歯槽組織から口腔に萌出できない歯)．
vital t. 生活歯（歯髄が生活している歯)．
wisdom t. 智歯．＝third molar t.
zero degree teeth 0°(零度)人工歯（水平面に対して咬頭傾斜角のない臼歯部用人工歯)．

---

tooth·ache (tūth′āk)．歯痛（う食，感染，外傷の結果，歯髄または歯周靱帯が傷害されて生じる歯の痛み)．＝dentalgia; odontalgia; odontodynia.
tooth-borne (tūth′bōrn)．歯牙負担の（支持を支台歯に完全に頼っている義歯全体またはその一部を述べるのに用いられる語)．
top- →topo-.
top·ag·no·sis (top′ag-nō′sis)［top- + G. *a-* 欠性辞 + *gnōsis*, recognition］．局所感覚(知覚)消失，局所触覚消失（［二重字gnにおいて，gは語頭にあるときのみ無音である．topognosisと混同しないこと］．触覚の局所認知が不可能であること)．＝topoanesthesia.
top·es·the·si·a (top′es-thē′zē-ă)［top- + G. *aisthēsis*, sensation］．局所認知，局所触覚（皮膚のどこかに軽く触れられたとき，その部位を認知できる能力)．
to·pha·ceous (tō-fā′shŭs)［L. *tophaceus*］．堅い，強固な（砂状の，ザラザラした．歯石の特質についていう)．
to·phi (tō′fī)．tophusの複数形．
to·phus, pl. **to·phi** (tō′fŭs, tō′fī)［L. a calcareous deposit from springs, tufa］．***1*** 痛風結節，痛風灰（→gouty t.)．***2*** 唾石，歯石．＝gouty pearl.
gouty t. 痛風結節，痛風灰（痛風において，関節周囲線維組織，外耳軟骨，あるいは腎にみられる尿酸や尿酸塩の沈着物)．＝arthritic calculus; uratoma.
top·i·ca (top′i-kă)［Mod.L. *topicus* (local) の中性・複数形］．局所薬（局所的に外用する薬剤)．
top·i·cal (top′i-kăl)［G. *topikos* < *topos*, place］．局所〔性〕の，局所的な．＝local.
To·pi·nard (tō-pē-nahr′), Paul. フランス人人類学者，1830—1911. →T. facial *angle*, *line*.
to·pis·tic (tō-pis′tik)［G. *topos*, place］．局所の（神経系において，解剖学的に限定された領域をさしていう)．
topo-, top-［G. *topos*］．場所，局所の，を意味する連結形．
top·o·an·es·the·si·a (top′ō-an′es-thē′zē-ă, tō′pō-)［topo- + anesthesia］．局所感覚(知覚)消失，局所触覚消失．＝topagnosis.
top·og·no·sis, top·og·no·sia (top′og-nō′sis, -nō′zē-ă)［topo- + G. *gnōsis*, knowledge］．局所認知，局所知覚（［二重字gnにおいて，gは語頭にあるときのみ無音である．topagnosisと混同しないこと］．感覚の局所認知．触覚の場合は局所触覚)．
top·o·gom·e·ter (top′ō-gom′ĕ-tĕr)［topo- + G. *gonia*, angle + *metron*, measure］．トポゴメータ（角膜曲率計の前部に装着された可動性固視標で，コンタクトレンズを合わせる際，角膜周辺部の彎曲を測定するのに用いる)．
to·pog·ra·phy (tō-pog′ră-fē)［topo- + G. *graphē*, a writing］．局所解剖学（解剖学において，身体の部分の記述，特に表面から明確に限定された領域に関する記述)．
to·po·i·so·mer·ase (tō′pō-i-som′ĕr-ās)［topo- + isomerase］．トポイソメラーゼ（DNAの1つのトポロジー状態を他の状態へ変換(異性化)させる酵素の一群．DNAのリン酸ジエステル結合の切断や再結合を触媒することにより働く)．
To·po·lan·ski (tō′pō-lan′skē), Alfred. オーストリア人眼科医，1861—1960. →T. *sign*.
to·pol·o·gy (tō-pol′ŏ-jē)［topo- + G. *logos*, study］．***1*** 局所解剖学．＝regional *anatomy*. ***2*** トポロジー，位相〔幾何〕学（人格の次元を扱う学問)．
top·o·nar·co·sis (top′ō-nar-kō′sis)［topo- + narcosis］．局所麻酔（局所皮膚麻酔)．
top·o·nym (tōp′ō-nim)［topo- + G. *onyma*, name］．局所名，トポニーム（構造，体系，または器官の名称と区別して，領域を示す用語)．
to·pon·y·my (tō-pon′i-mē)［topo- + G. *onyma*, name］．局

所命名法（局所または領域命名法で，器官命名法とは区別される）．

top·o·path·o·gen·e·sis (tōp′ō-path′ō-jen′ĕ-sis) [topo- + pathogenesis]. 局所病因〔論〕，トポパソジェネシス（病因からみた病変部の局所解剖学）．

top·o·pho·bi·a (tōp′ō-fō′bē-ă) [topo- + G. *phobos*, fear]. 場所恐怖〔症〕（特定の場所に対する神経症性の恐れ）．

top·o·phy·lax·is (tōp′ō-fī-lak′sis) [topo- + G. *phylaxis*, protection]. 局所防衛，局所感染防御（注射部位の上の肢部に圧迫帯を用いて，アルスフェナミンショックを防衛すること．その際，圧迫帯は5, 6分後にゆっくりと解く）．

TORCH (tōrch). *t*oxoplasmosis, *o*ther infections, *r*ubella, *c*ytomegalovirus infection, and *h*erpes simplex の頭字語．→ TORCH *syndrome*.

tor·cu·lar he·roph·i·li (tōr′kyū-lăr hĕ-rof′i-lī) [L. winepress of *Herophilus* < *torqueo*, to twist]. 静脈洞交会（*confluence* of sinuses の古語）．

To·rek (tō′rek), Franz J.A. 米国人外科医，1861—1938. → T. *operation*.

to·ric (tō′rik). 円環状の（円環体の弯曲をなすことについていう）．

Tor·kild·sen (tor′kild-sĕn), Arne. ノルウェー人神経外科医，1899—1968. → T. *shunt*.

Torn·waldt (tōrn′vahlt), Gustavus Ludwig. ドイツ人医師，1843—1910. → T. *abscess*, *cyst*, *disease*, *syndrome*.

to·rose, to·rous (tō′rōs, -rŭs) [L. *torosus*, fleshy < *torus*, a knot, bulge]. 隆起性の，膨隆する．

To·ro·vi·rus (tō′rō-vī′rŭs). コロナウイルス科の一属で，動物の腸管感染症の原因となる．

tor·pent (tōr′pĕnt) [L. *torpeo*, pres. p. *-ens*, to be sluggish]. ***1***〘adj.〙消沈の，不活発な．＝torpid. ***2***〘n.〙刺激緩和薬（感覚を消失させる薬剤）．

tor·pid (tōr′pid) [L. *torpidus* < *torpeo*, to be sluggish]. 遅鈍な，無力な．＝torpent (1).

tor·pid·i·ty (tōr-pid′i-tē). ＝torpor.

tor·por (tōr′pŏr, pōr) [L. sluggishness, numbness]. ***1*** 遅鈍，鈍麻（不活動，無気力，緩慢）．***2*** 休止（冬眠でみられるような状態）．＝torpidity.

torque (T) (tōrk) [L. *torqueo*, to twist]. ***1*** トルク，ねじりモーメント（回転させる力）．***2*** トルク（歯科において，歯冠や歯根の移動を生じさせたり，または保つために歯に加えられる回転力）．

torr (tōr) [Evangelista *Torricelli*]. トール（圧力の単位．1 トールは北緯45°での標準重力加速度(980.621 cm/sec²)に対して，0°C で水銀柱1 mm を支えるのに必要な圧力．または，1,333.224 ダイン/cm²，1.333224 ミリバール，1.35951 cmH_2O，133.3224 ニュートン/m²(または Pa)である．1 標準大気圧は 760 トールに等しい）．

Tor·re (tor′ē), Douglas P. 20 世紀の米国人皮膚科医． → T. *syndrome*; Muir-T. *syndrome*.

tor·re·fac·tion (tōr′ē-fak′shŭn) [L. *torre-facio*, pp. *-factus*, to make dry by heat < *torreo*, to parch]. 焙炒，乾燥，あぶり，焙焼（熱を加えてあぶること，または乾燥させること．薬剤を粉末にするための調製上の操作）．

tor·re·fy (tōr′ē-fī). あぶる．

Tor·ri·cel·li (tō′rē-chel′ē), Evangelista. イタリア人科学者，1608—1647. →torr.

tor·sade de pointes (tōr-sad′ dĕ pwant′) [Fr. *torsade*, fringe, twist, or coil + *pointe*, point or tip(“wave burst” の快音)]. トルサード・ド・ポワント（[本語は個々の QRS について述べているのではなく，QRS の全体的な変動パターンをさしていう．正しくは単数形で用い，複数形 torsades de pointes は用いない]．〝点のねじれ〟を意味する心室頻脈の一型．ほとんどの場合，投薬によって起こり，QT 時間が延長し，発作直前の心拍が〝短－長－短〟となる特徴を示す．QRS 波はこのとき一連の上向きの波から下向きの波に移行し，両者の間は QRS 波が狭くなり，T 波は明らかでなくなる．以前は〝心臓バレー cardiac ballet〟とよばれた）．

torsin (tōr′sin). トルシン（DYT1 遺伝子と関係する蛋白で，特発性全身性ジストニーでみられる）．

tor·sion (tōr′shŭn) [L. *torsio* < *torqueo*, to twist]. ***1*** 捻転，回転，ねじれ（ある部分が，その長軸あるいは腸間膜の周囲に回旋すること．しばしば血流に危険を伴う）．***2*** 出血を止めるために，動脈の切端をねじること．***3*** 回し運動（眼球をその前後軸を中心に回旋させること．→intorsion; extorsion; dextrotorsion; levotorsion）．

t. of appendage 精巣または精巣上体の捻転症．

extravaginal t. 鞘膜外捻転（精巣捻転のうち，精巣鞘膜より高位で捻転が起こったもの．新生児期に起こりやすい）．

intravaginal t. 鞘膜内捻転（精巣捻転のうち，精巣鞘膜内で捻転が起こったもの．最も一般的な精巣捻転の形．→bell clapper *deformity*）．

perinatal t. 周産期精巣捻転（鞘膜外捻転であることが多い）．

t. of testis 精巣(睾丸)捻転（精索の回転が精巣の阻血を起こす）．

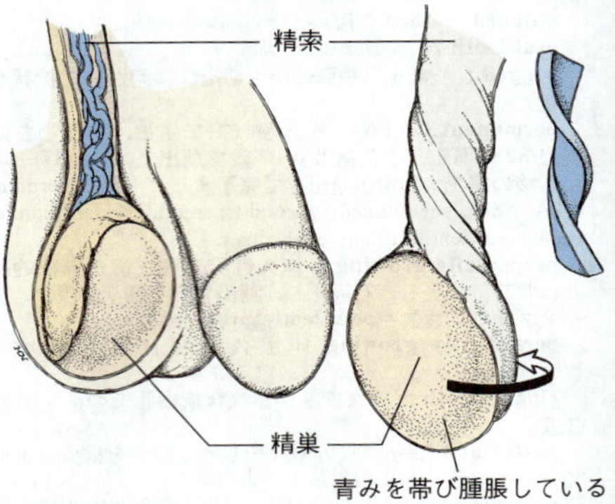

torsion of the spermatic cord

ねじれた精巣は静脈うっ血のために青く腫脹しているようにみえる．

t. of a tooth 歯の捻転（歯槽内における歯の回転）．

tor·sion·om·e·ter (tōr′shŭn-om′ĕ-tĕr). 脊柱捻転計（脊柱の回転度を測定する器械）．

tor·si·ver·sion (tōr′si-ver′zhŭn).〔歯軸〕捻転（長軸上で回転している状態の歯の不正位置）．＝torsive occlusion; torsoclusion (2).

tor·so (tōr′sō) [It.]. トルソ，胴（体幹．頭部および四肢以外の身体部分）．

tor·so·clu·sion (tōr′sō-klū′zhŭn) [L. *torqueo*, to twist + *claudo*(*cludo*), to close]. ***1*** 串針止血〔法〕（動脈と平行した組織に針を掛けてから，それが動脈をちょうど横切るように回転させ，その血管の反対側の組織にその針を掛けて圧迫を行う止血法．現在では用いられない語）．***2*** 旋軸咬合．＝torsiversion.

tor·ti·col·lar (tōr′ti-kol′ăr). 斜頸の．

tor·ti·col·lis (tōr′ti-kol′is) [L. *tortus*, twisted + *collum*, neck][MIM*189600]. 斜頸（頸部筋肉の，主に副神経[XI]で支配されている部分の収縮または短縮．頭部は一方に傾き，顎先が反対方向に向くようにいつも回旋した状態にある．→dystonia）．＝wry neck; wryneck.

benign paroxysmal t. of infancy 幼児良性発作性斜頸（間欠的に頭部を傾け，斜頸を生じる．通常嘔吐を伴う．月齢 2—8 か月に最も多く認められ，3 歳までに消退する．後の小児期に片頭痛を発症する前駆症状が起こることがある）．

congenital t. 先天性斜頸（胸鎖乳突筋の一側性線維症による斜頸．出生時に腫脹としてみられ，消失したりまたは筋の短縮によって斜頸となったりする）．＝muscular t.

dermatogenic t. 皮膚性斜頸（頸部に広範な皮膚疾患があるため，自由に動かすことのできない，疼痛を伴う斜頸）．

dystonic t. ＝spasmodic t.

fixed t. 固定斜頸（片方だけに生じる頸部筋肉の拘縮）．

hysteric t. ヒステリー性斜頸（転換(→conversion)に基づく心因性斜頸を表す古語．→hysteria）．

labyrinthine t. 迷路性斜頸（前庭障害により生じる斜

頸）.

muscular t. 筋性斜頸．＝congenital t.

ocular t. 眼性斜頸（外眼筋，特に斜筋の麻痺に付随する斜頸）.

psychogenic t. 心因性斜頸（頸部筋肉の痙攣性収縮で，心身症と考えられる病因や転換症状に基づいている病因により起こる．→spasmodic t.）.

spasmodic t. 痙性斜頸（原因不明の疾患で，限局性ジストニーを呈する．特に胸鎖乳突筋と僧帽筋など首の筋肉の一部に限局する．成人に発症し，徐々に進行する．頭の運動は立位と歩行時に増強し，顎や首をさわったりする刺激で減弱する）．＝dystonic t.; rotatory tic.

tor·ti·pel·vis (tōr′ti-pel′vis)．よじれ腰.

tor·tu·ous (tōr′chū-ŭs)［L. *tortuosus* < *torqueo*, to twist］．蛇行〔性〕の（［torturous と混同しないこと］．多くの弯曲がある，曲がりやねじれの多いことについていう）.

Tor·u·lop·sis (tōr′ū-lop′sis)．トルロプシス属（親細胞に幅広く付着している比較的小さな分芽胞子（2－4 nm）のみられる酵母菌の一属．*T. glabrata* は現在 *Candida glabrata* とよばれており，ヒトのカンジダ症の原因となる）.

tor·u·lus, pl. **tor·u·li** (tōr′ū-lŭs, -lī)［L. *torus*(a protuberance, swelling)の指小辞］．小隆起，乳頭．＝papilla.

toruli tactiles［TA］．触覚小球．＝tactile *elevations*.

to·rus, pl. **to·ri** (tō′rŭs, tō′rī)［L. swelling, knot, bulge］．***1***［TA］．隆起（収縮筋によって生じるような円形の膨らみ）．＝elevation (1)［TA］．***2*** 円環体（円がある弧を基底に回転して形成される幾何学的形態で，柱の底面にかたどられる凸形のようなもの）.

t. frontalis 前頭隆起（鼻根にある前頭鼻の小隆起）.

t. levatorius［TA］．挙筋隆起（耳管口の下にある鼻咽頭側壁の隆起．口蓋帆挙筋によって生じる）．＝elevation of levator palati; levator cushion; levator swelling.

mandibular t., t. mandibularis 下顎隆起（下顎骨の舌側面にみられる外骨症．通常，小臼歯部に対峙している）.

t. manus 手隆起（carpal bones の古語）.

t. occipitalis 後頭隆起（後頭骨の上項線近くにときに存在する隆線）.

palatine t., t. palatinus 口蓋隆起（硬口蓋の正中に隆起している外骨症）.

t. tubarius［TA］．耳管隆起（耳管口の後ろで鼻咽頭壁にある隆線．耳管の軟骨部の隆起による）．＝eustachian cushion; tubal prominence.

t. uretericus 尿管隆起．＝interureteric *crest*.

t. uterinus 子宮隆起（子宮頸管の後部にある横行隆線．直腸子宮ひだの結合によって形成される）.

TOS thoracic outlet *syndrome* の略.

to·syl (tō′sil)．トシル（トルエンスルホニル基のことで，薬剤や他の生物活性化合物の有機合成反応において，アミノ（$-NH_2$）基の保護に広く用いられている）.

to·syl·ate (tō′si-lāt)．*p*-toluenesulfonate に対する USAN 承認の短縮形.

to·tem (tō′tĕm)［Amer. Indian］．トーテム（一家や一門の象徴として，多くは祖先の思い出としての役目をする物（通常は動植物）．崇拝象徴としてあるもの）.

to·tem·ism (tō′tĕm-izm)．トーテム崇拝，トーテム信仰（一族や個人のトーテムとの間に血族関係あるいは神秘的関係があるとする信仰）.

to·tem·is·tic (tō′tĕm-is′tik)．トーテム崇拝の，トーテム信仰の.

to·ti·po·ten·cy, to·tip·o·tence (tō′tē-pō′ten-sē, tō-tip′ō-tens)［L. *totus*, entire + *potentia*, power］．全能（1つの細胞が，あらゆる型の細胞に分化することができ，その結果，新しい生物体を形成したり，あるいは生物体の一部を再生することのできる能力．例えば，受精卵や完全な新個体を再生する能力をもつプラナリアの小切除部など）.

to·tip·o·tent, to·ti·po·ten·tial (tō-tip′ŏ-tĕnt, tō′ti-pō-ten′shăl)．全能の.

touch (tŭch)［Fr. *toucher*］．***1*** 触覚（皮膚や粘膜に軽く接触しても感知しうる感覚）．＝tactile sense. ***2*** 触診，指診.

royal t. 王触，王の触れ（王が患者に触れることで，病気が治ると考えられていた．腺病の患者に通常用いられたが，ペストに関連する肥大リンパ腺（横痃）患者にも用いられた）.

Tou·pet (tū-pā′), A. フランス人外科医．→T. *fundoplication*.

Tou·rette (tū-ret′)．→Gilles de la Tourette.

Tour·nay (tūr-nā′), Auguste. フランス人眼科医，1878－1969．→T. *sign*.

tour·ni·quet (tūr′ni-ket)［Fr. < *tourner*, to turn］．止血帯，駆血器，圧迫帯（器具を巻き付け，圧力を加えて末梢部への，または末梢部からの血流を一時的に止める器具）.

Dupuytren t. (dū-pwē-tren[h]′)．デュピュイトラン止血帯（腹部大動脈を圧迫する器具）.

Rummel t. ルンメル止血帯（血管の周囲に臍テープを通し，その両端を赤い短いゴムのカテーテルを通してつくられた止血帯．血管から最も遠いカテーテル端に直角に止血鉗子を置いて締めつけるようにする）.

Tourtual (tūr′tū-ăl), Kaspar. プロイセン人解剖学者，1802－1865．→T. *membrane, sinus*.

Touton (tū-tawn′), Karl. 19世紀のドイツ人皮膚科医．→T. giant *cell*.

Tovell (tō-vel′), Ralph M. 米国人麻酔科医，1901－1967．→T. *tube*.

Towne (town), E.B. 米国人耳咽喉科医，1883－1957．→T. *projection*, projection *radiograph*, *view*.

tox- →toxico-.

tox·al·bu·mins (toks′al-byū′minz)．有毒アルブミン類（蛋白合成を阻害する植物毒素）.

tox·a·ne·mi·a (tok′să-nē′mē-ă)［G. *toxikon*, poison + anemia］．中毒性貧血（溶血毒の作用により生じる貧血）.

tox·a·phene (tok′să-fēn)．トキサフェン（塩素化炭化水素系の駆虫薬）.

Tox·as·ca·ris le·o·ni·na (tok-sas′kă-ris lē′ō-nī′nă)［G. *toxon*, bow + *Ascaris*］．イヌ小回虫（イヌに寄生する回虫上科に属する線虫．本虫は *Toxocara* 属と異なり，幼虫は肺に体内移行をせず，その全発育環を消化管で行う．本虫のヒト寄生例が数例報告され，また幼児の幼虫内臓移行症の原因となるが，イヌ回虫 *Toxocara canis* に比べてその頻度は低い）.

T

tox·e·mi·a (tok-sē′mē-ă)［G. *toxikon*, poison + *haima*, blood］．毒血症（①ある種の感染症罹患者中にみられる臨床的所見で，毒素や感染因子によってつくられた他の毒性物質によって起こると考えられる．グラム陰性菌のある種の感染では，細菌の細胞壁が破壊したときに，内毒素が働いて複合脂質多糖類が放出されるものと考えられる．しかし他の細菌物質の役割は，ジフテリアと破傷風菌の特異的外毒素の場合以外は明確でない．②血液中の毒性物質を原因とする臨床症候群．③妊娠高血圧に関連する俗語（㊟日本では〝妊娠中毒症〟として標準用語である））．＝toxicemia.

tox·e·mic (tok-sē′mik)．毒血〔症〕の.

toxi- →toxico-.

tox·ic (tok′sik)［G. *toxikon*, an arrow-poison］．***1*** 有毒な，毒性の．＝poisonous. ***2*** 毒素の.

tox·i·cant (tok′si-kănt)．***1***〖adj.〗毒性の，有毒な．＝poisonous. ***2***〖n.〗毒，毒薬，毒物（有毒物質の総称．特に，一般に中毒と称される症状を起こすアルコールや他の毒物をいう）.

tox·i·ce·mi·a (tok′si-sē′mē-ă)．＝toxemia.

tox·ic·i·ty (tok-sis′i-tē)．毒性，毒力（有毒である状態）.

oxygen t. 酸素中毒，酸素毒性（①高分圧酸素を呼吸した結果生じる身体障害．視聴覚異常，異常な疲労を伴う呼吸，筋攣縮，不安，混乱，協調不能，および痙攣を特徴とする．急性呼吸促迫症候群のように過剰の酸素が投与されたときに生じ，肺浸潤臨床症状の悪化をきたす．この状態の発生機序は明確でないが，フリーラジカルの生成による酵素活性の破壊のためと考えられる．*cf.* retrolental *fibroplasia*. ②肺が60％以上の酸素に24－48時間さらされると，高度の不可逆性肺線維症となる）．＝oxygen poisoning.

toxico-, tox-, toxi-, toxo-［G. *toxikon*, bow，このことから (arrow) poison］．毒物，毒素を意味する連結形.

Tox·i·co·den·dron (tok′si-kō-den′dron)［toxico- + G. *dendron*, tree］．トキシコデンドロン属（有毒植物の一属（ウルシ科）で，ウルシ属 *Rhus* としても知られている果実が平滑で接触性皮膚炎（ウルシ皮膚炎）を起こす化合物のウルシオールを含む葉をもつ．毒ツタ（キヅタ）（ツタウルシ *T. radicans*），毒オーク（*T. diversilobum*），および毒ウルシ（*T. vernix*）などの種がある）.

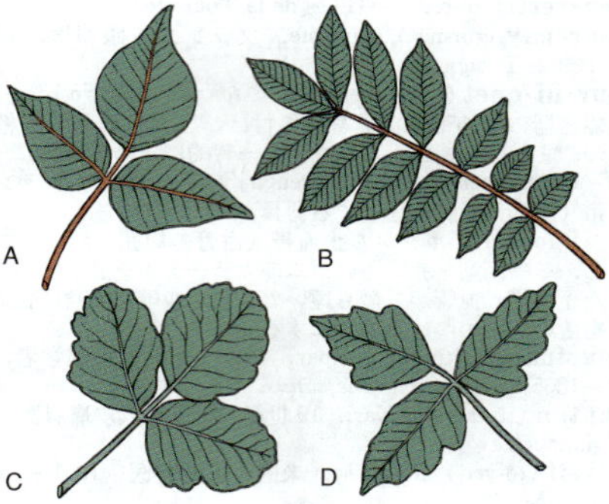

Toxicodendron

A：ツタウルシ．B：毒ウルシ．C：アメリカツタウルシ(西部)．D：アメリカツタウルシ(東部)．

tox·i·co·gen·ic (tok′si-kō-jen′ik) [toxico- + G. *-gen*, producing]. *1* 毒素産生の．*2* 毒素性の（毒が原因となることについていう）．

tox·i·coid (tok′si-koyd) [toxico- + G. *eidos*, resemblance]. 毒様の，中毒様の（毒物様の作用がある．一時的に有毒なことについていう）．

tox·i·co·log·ic (tok′si-kō-loj′ik). 毒物学の．

tox·i·col·o·gist (tok′si-kol′ŏ-jist). 毒物学者（毒物学の専門的知識を有する人）．

tox·i·col·o·gy (tok′si-kol′ŏ-jē) [toxico- + G. *logos*, study]. 毒物学，中毒学（原因，化学組成，作用，試験，解毒薬など毒物に関する科学）．

tox·i·co·path·ic (tok′si-kō-path′ik). 中毒の（毒物の作用によって生じる病状一般についていう）．

tox·i·co·pho·bi·a (tok′si-kō-fō′bē-ă) [toxico- + G. *phobos*, fear]. 毒物恐怖〔症〕（毒を飲まされることへの病的な恐れ）．＝toxiphobia.

tox·i·co·sis (tok′si-kō′sis) [toxico- + G. *-osis*, condition]. 中毒〔症〕（毒に起因する疾病の総称）．＝systemic poisoning.

endogenic t. 内因性中毒症．＝autointoxication.

exogenic t. 外因性中毒〔症〕（体内で生成されたものでなく，外部からもたらされた毒物に起因する中毒の総称）．

thyroid t. 甲状腺中毒〔症〕．＝triiodothyronine t.

triiodothyronine t., T_3 t. トリヨードサイロニン中毒〔症〕（T_3(3,5,3′-トリヨードサイロニン)が過度に血液中に循環することによる甲状腺機能亢進症）．＝thyroid t.

tox·i·drome (tok′si-drōm). 中毒症候（特定の毒物の摂取により引き起こされる一群の徴候と症状）．

tox·if·er·ines (tok-sif′ĕr-ēnz). トキシフェリン（最も有力なクラーレアルカロイド群．主要源はフジウツギ科植物 *Strychnos toxifera* である）．

tox·if·er·ous (tok-sif′ĕr-ŭs) [toxi- + L. *fero*, to bear]. 中毒誘発性の．＝poisonous.

tox·i·gen·ic (tok′si-jen′ik). ＝toxinogenic.

tox·i·ge·nic·i·ty (tok′si-jĕ-nis′i-tē). ＝toxinogenicity.

tox·il·ic ac·id (tok-sil′ik as′id). トキシル酸．＝maleic acid.

tox·in (tok′sin) [G. *toxikon*, poison]. トキシン，毒素（有害または有毒物質で，ある種の微生物または高等植物や動物類の代謝と成長間に，細胞や組織の肝要部分(菌体内毒素)，あるいは細胞外生成物(菌体外毒素)，または2つの状態の組合せとして形成される）．

animal t. 動物毒素．＝zootoxin.

anthrax t. 炭疽毒素（炭疽菌 *Bacillus anthracis* の培養沪液は，浮腫因子，致死因子，防御抗原の，少なくとも3つの抗原的に異なる成分を有する外毒素）．＝*Bacillus anthracis* t.

***Bacillus anthracis* t.** 炭疽菌毒素．＝anthrax t.

bacterial t. 細菌毒素（細菌細胞中に形成された，または外につくり出された細胞内あるいは細胞外毒素一般）．

bee t. ハチ毒素（ハチの針から放出される毒素．3種類の活性成分(有機アミン，活性ペプチド，およびある種の加水分解酵素)を含有する）．

botulinum t. (**BTX**) ボツリヌス毒素（グラム陽性，偏性嫌気性桿菌のボツリヌス菌 *Clostridium botulinum* が産生するきわめて強力な神経毒．菌に汚染された食品中に産生された毒素を摂取することによりボツリヌス中毒が生じる．本毒素は神経伝達物質であるアセチルコリンの放出を抑制する）．

botulinus t. ボツリヌス毒素（ボツリヌス菌 *Clostridium botulinum* 由来の強い神経毒性をもつ強力な毒素．A—Gの7つのセロタイプ(血清型)が存在する(A，BおよびE型は多くのヒト疾患に関与)．A型は医学研究でよく使用される）．＝botulin; botulismotoxin.

cholera t. コレラ毒素（→*Vibrio cholerae*）．

***Clostridium perfringens* alpha t.** ウェルチ菌アルファ毒素（ウェルチ菌 *Clostridium perfringens* によりつくられるホスホリパーゼで，血管透過性を増し，壊死を生じる）．

***Clostridium perfringens* beta t.** ウェルチ菌ベータ毒素（ウェルチ菌 *Clostridium perfringens* によってつくられる物質で壊死を生じ，カテコーラミン分泌を促すことにより高血圧を誘導する）．

***Clostridium perfringens* epsilon t.** ウェルチ菌イプシロン毒素（ウェルチ菌 *Clostridium perfringens* によってつくられる毒素で消化管壁の透過性を増す）．

***Clostridium perfringens* iota t.** ウェルチ菌アイオータ毒素（ウェルチ菌 *Clostridium perfringens* によってつくられる二元的毒素で，壊死と血管透過性亢進を生じる）．

cobra t. コブラ毒．＝cobrotoxin.

***Crotalus* t.** ガラガラヘビ毒（ガラガラヘビの毒素．→crotoxin）．

diagnostic diphtheria t. 診断的ジフテリア毒素．＝Schick test t.

Dick test t. (dik). ディック試験毒素．＝streptococcus erythrogenic t.

dinoflagellate t. 渦鞭毛藻〔類〕毒素（ボツリヌス毒素と同様に，アセチルコリン合成または遊離を妨げることによって働くと考えられる神経毒．貝の〝赤潮〟の被害の原因）．

diphtheria t. ジフテリア毒素（→*Corynebacterium diphtheriae*）．

erythrogenic t. 発赤毒素．＝streptococcus erythrogenic t.

extracellular t. 細菌外毒素．＝exotoxin.

intracellular t. 細胞内毒素，細菌内毒素．＝endotoxin.

normal t. 標準毒素（1 mL 中，厳密に 100 致死量を含有する毒素溶液）．

paralytic shellfish t. 麻痺性貝毒（ムズムズ感，眠気，麻痺など多彩な症状を起こし，命を脅かすこともある．*Alexandrium*属および *Gonyaulax*属の菌に汚染された貝の摂取により生じる）．

***Pfeisteris* t.** ファイステリス毒素（記憶喪失，混迷，灼熱感，胃腸障害などの多彩な症状を起こす．感染した魚に触れたり，汚染された空気を吸い込んだり，食べたりして起こる．米国東部の Chesapeake 湾では珍しくなく，魚の死骸が大量に浜辺に上げられた際にはしばしばみられる）．

plant t. 植物毒素．＝phytotoxin.

scarlet fever erythrogenic t. ＝streptococcus erythrogenic t.

Schick test t. (shik). シック試験毒素（接種量(0.1 または 0.2 mL)にモルモットの最小致死量の1/ 50 を含むよう希釈したジフテリア菌毒素 *Corynebacterium diphtheriae* t. →Schick *test*）．＝diagnostic diphtheria t.

Shiga t. 志賀毒素（1 型赤痢菌 *Shigella dysenteriae* の産生する外毒素）．

Shigalike t. 志賀毒素．＝vero *cytotoxin*.

streptococcus erythrogenic t. 連鎖球菌発赤毒素（溶原化したA群 β 型溶血連鎖球菌株の培養沪液．敏感な患者の皮膚に接種すると発赤を生じる．猩紅熱回復期に出現する抗体によって中和される．3つの免疫型(A，B，C)が認められている）．＝Dick test t.; erythrogenic t.; scarlet fever erythrogenic t.

T-2 t. T-2 トキシン（穀類に感染する *Fusarium*属の真菌に由来するマイコトキシンであり，家畜の溶血性疾患の原因．ヒトにおいても消化器系疾患を引き起こす可能性があ

る).

tetanus t. 破傷風毒素(神経作用で熱に不耐性の破傷風菌 *Clostridium tetani* 外毒素で,破傷風を引き起こす.結晶蛋白(分子量 67,000)として分離されており,知られている最も毒性が強い物質で,阻止的に働くシナプス刺激の遮断によって効果を現すようである).=tetanotoxin.

tox·in·ic (tok-sin′ik). トキシンの,毒素の.

tox·i·no·gen·ic (tok′si-nō-jen′ik) [toxin + G. *-gen*, producing]. 毒素原性の,毒素産生性の(毒素を産生すること.菌についていう).=toxigenic.

tox·i·no·ge·nic·i·ty (tok′si-nō-jĕ-nis′i-tē). 毒素産生能,毒素産生性(毒素産生の能力).=toxigenicity.

tox·i·nol·o·gy (tok′si-nol′ŏ-jē) [toxin + G. *logos*, study]. 毒素学(毒素の研究.狭義には,特に微生物性,植物性あるいは動物性の比較的不安定な蛋白性物質の研究).

tox·i·no·sis (tok′si-nō′sis) [toxin + G. *-osis*, condition]. 中毒〔症〕(毒素の作用によって起こる疾病または病変の総称).=toxonosis.

tox·i·pho·bi·a (tok′si-fō′bē-ă). =toxicophobia.

tox·is·ter·ol (tok-sis′tĕr-ol). トキシステロール(エルゴステロールまたはカルシフェロールの過剰照射により形成される毒物).

toxo- →toxico-.

Tox·o·ca·ra (tok′sō-ka′ră) [G. *toxon*, bow + *kara*, head]. トキソカラ属(回虫上科の線虫の一属.主として肉食動物に寄生し,トキソカラ症の原因となる).

T. canis イヌ回虫(イヌの小腸に寄生する一般的な回虫.先天感染が子イヌの一般的な感染経路である.ネコ,オオカミ,キツネ,コヨーテ,アナグマの感染例も報告されている.二期幼虫は,小児の肝臓に発生する幼虫内臓移行症の最も主要な原因である).

T. mystax ネコに一般に寄生している回虫の種で,イヌの感染例は報告されていない.子ネコの先天感染は起きない.感染は感染卵によって起こる.感染卵はヒトの回虫 *Ascaris lumbricoides* のように腸でふ化し,二期幼虫を放出し,心臓,肺,気管,口,腸を移行する.マウスや他の脊椎動物,あるいは無脊椎動物の数種(ミミズやゴキブリ)が媒介宿主として働くと思われる.媒介宿主中には,移行幼虫が組織中に嚢に包まれて存在する.

tox·o·ca·ri·a·sis (tok′sō-kă-rī′ă-sis). トキソカラ症(*Toxocara*属回虫感染症.主にイヌ回虫 *Toxocara canis* の腸管外移行幼虫が幼虫内臓移行症を引き起こす.本症に随伴して,眼に幼虫が侵入することにより,網膜に孤立性肉芽腫,末梢炎症,あるいは慢性内眼球炎が引き起こされる).

tox·oid (tok′soyd) [toxin + G. *eidos*, resemblance]. トキソイド,類毒素(毒素を破壊し,その抗原性,つまり抗毒素抗体産生を刺激して活性免疫状態をつくる性質が残るように(通常はホルムアルデヒドで)処置された毒素.特異トキソイドについては vaccine の項参照).=anatoxin.

tox·on, tox·one (tok′sŏn, tok′sōn). トキソン(弱い毒性と抗毒素に対する弱い親和力を有する仮説的細菌生産物).

tox·o·neme (tok′sō-nēm) [G. *toxon*, bow + *nema*, thread]. トクソネーム,短糸.=rhoptry.

tox·o·no·sis (tok′sō-nō′sis) [toxo- + G. *nosos*, disease].=toxinosis.

tox·o·phil, tox·o·phile (tok′sō-fil, -fīl) [toxo- + G. *philos*, fond]. 毒素親和性の(毒物の作用に感受性のある.毒素に親和性をもつ).

tox·o·phore (tok′sō-fōr) [toxo- + G. *phoros*, bearing]. 毒素族,坦毒体(毒性成分を有する毒素分子の原子群をいう).

tox·oph·o·rous (tok-sof′ŏr-ŭs). 毒素族の,坦毒体の(毒素分子の毒素族群についていう).

Tox·o·plas·ma gon·di·i (tok′sō-plaz′mă gon′dē-ī) [G. *toxon*, bow or arc + *plasma*, anything formed]. トキソプラスマ(世界中に豊富に分布する胞子虫(トキソプラスマ科)の一種で,きわめて多様な脊椎動物種に宿主非特異的に細胞内寄生する.トキソプラスマ *T. gondii* は,ネコや他のネコ科動物中でのみ有性生活環を営み,オーシストを産生する.広範囲の動物が,オーシストや感染肉の摂取,臓器移植により感染を受けると増殖型虫体(タキゾイト)および組織シスト(ブラディゾイトを含む)が増殖する.経胎盤移行により胎内感染を起こす).

Tox·o·plas·mat·i·dae (tok′sō-plaz-mat′i-dē). トキソプラスマ科(*Toxoplasma*属と *Frankelia*属を含む球虫類胞子虫の一科.エンドジオゲニー(内生出芽)を行うこと,宿主の腸管外でブラディゾイト(シスト内型虫体)を含む囊胞(偽囊胞とよばれることもある)を形成することが特徴.シゾント(分裂体)とガモント(生殖母細胞)が腸細胞内部につくられ,ガモントは接合子囊を生じる.トキソプラスマの最終宿主はネコなどのネコ科動物で,フランケリアの最終宿主は知られていない).

tox·o·plas·mo·sis (tok′sō-plaz-mō′sis). トキソプラスマ症(原虫性寄生虫の *Toxoplasma gondii* による疾患で,ヒツジでは流産,ミンクでは脳炎,ヒトでは種々の症状を起こす.ヒトが胎児期に感染すると,出生時に小頭症,幼児期に肝脾腫大を伴う黄疸,髄膜脳炎,小児期後期の脈絡網膜炎のような眼障害の遅発性出現をみる.ヒトの出生後の感染は通常,無症状である.臨床症状が起こるとすれば,発熱,リンパ節腫脹,頭痛,筋肉痛,倦怠感であって,最終的には回復するが,免疫無防備状態宿主では,しばしば致命的な脳炎が起こる).

congenital t. 先天性トキソプラスマ症(本症は明らかに,感染した母親の子宮内で胎児にトキソプラスマが伝播されることにより発生する.先天性トキソプラスマ症には,3つの症候群がみられる.ⓘ急性型:発熱,黄疸,脳脊髄炎,肺炎,皮膚疹,眼病変,肝腫および脾腫を伴い,大多数の器官が壊死巣をもつ.ⓘⓘ亜急性型:大部分の病変が治癒するか石灰化する.しかし,罹患児の 80%以上に脈絡網膜炎が観察されることから,脳および眼の病変は活動的と思われる.ⓘⓘⓘ慢性型:新生児期には看過され,出生後数週から数か月後に,脈絡網膜炎および脳病変が見出される).

reactivated t. in adults 再活性化成人トキソプラスマ症(発熱,脳脊髄炎,脈絡網膜炎,斑点状丘疹,関節痛,筋痛,心筋炎,肺炎を起こすことがある.リンパ節炎型は成人罹患者に一般にみられ,発熱,リンパ節炎,倦怠,頭痛が発現する.エイズ患者の症状によくみられる).

tox·o·py·rim·i·dine (tok′sō-pi-rim′i-dēn). トキソピリミジン(チアミナーゼによるチアミンの加水分解から生じる生成物の1つで,尿中に現れる.ピリドキサールの競合的阻害剤).=pyramin; pyramine.

Toyn·bee (toyn′bē), Joseph. イングランド人耳科医,1815—1866.→T. *corpuscles*, *muscle*, *tube*.

TPA, tPA tissue plasminogen *activator* の略.

TPN total parenteral *nutrition* の略.

TPP *thiamin* pyrophosphate の略.

TPR total peripheral *resistance* の略.

TQ tocopherolquinone の略.

TR 磁気共鳴画像法(MRI)における repetition *time* の略.

tr. ラテン語 *tinctura*; または tincture の略.

tra·bec·u·la, gen. & pl. **tra·bec·u·lae** (tră-bek′yū-lă, -lē) [L. *trabs*(a beam)の指小辞][TA]. ***1*** 小柱(網様構造.構造物を横断する支持線維束.通常,被膜または線維中隔から出てくる).***2*** 小柱(骨の海綿質の小片で,通常,他の小片と連結している).***3*** 腫瘍細胞索(組織病理学において,2つ以上の細胞幅をもった帯状の腫瘍組織).

anterior chamber t. 前房線維柱帯(房水が眼外に排出される前房隅角部の組織).

arachnoid t. [TA]. クモ膜小柱(硬膜に付着するクモ膜と脳に固着する軟膜との間のクモ膜下腔を横切って走る線維芽細胞とコラーゲンからなる繊細な糸状構造).=trabeculae arachnoideae [TA].

trabeculae arachnoideae [TA].= arachnoid t.

trabeculae carneae of (right and left) ventricles [TA]. 肉柱(左右心室内壁の筋束).=columnae carneae; Rathke bundles; trabeculae carneae ventriculorum (dextri et sinistri) [TA].

trabeculae carneae ventriculorum (dextri et sinistri) [TA].= trabeculae carneae of (right and left) ventricles.

trabeculae of corpora cavernosa [TA]. 陰茎海綿体小柱(筋束帯および筋束索.線維外膜と陰茎中核海綿体から発し,海綿静脈を分離する).=trabeculae corporum cavernosorum [TA].

trabeculae corporis spongiosi [TA].〔陰茎の〕尿道海綿体小柱.=trabeculae of corpus spongiosum.

T

trabeculae corporum cavernosorum [TA]．陰茎海綿体小柱．＝trabeculae of corpora cavernosa.

trabeculae of corpus spongiosum [TA]．〔陰茎の〕尿道海綿体小柱（海綿体と陰茎亀頭の脈管隙をとをより合わせる線維帯）．＝trabeculae corporis spongiosi [TA].

trabeculae cranii 梁柱軟骨（胎生初期に軟骨性脳頭蓋基底部にみられる一対の軟骨性骨化中心．脳下垂体の前に位置し，発達してトルコ鞍を形成する）．

trabeculae lienis* 脾柱（splenic trabeculae の公式の別名）．

trabeculae of lymph node [TA]．リンパ節小柱（脾臓の被膜から実質内に広がる結合組織の支持線維）．＝trabeculae nodi lymphoidei [TA].

trabeculae nodi lymphoidei [TA]．＝trabeculae of lymph node.

septomarginal t. [TA]．中隔縁柱（右心室の肉柱の 1 つ．この肉柱はAV束の右脚の一部を心室中隔から対壁の前乳頭筋へ運ぶ）．＝t. septomarginalis [TA]; moderator band; Reil band (1).

t. septomarginalis [TA]．中隔縁柱．＝septomarginal t.

trabeculae of spleen 脾柱．＝splenic trabeculae.

splenic trabeculae [TA]．脾柱（小線維帯．脾被膜から発し，脾臓の骨組み構造を構成する）．＝trabeculae splenicae [TA]; trabeculae lienis*; trabeculae of spleen.

trabeculae splenicae [TA]．＝splenic trabeculae.

t. testis ＝*septula* of testis(⇀septulum).

tra･bec･u･lar (tră-bek′yū-lăr).〔小〕柱の（小柱についていう）．＝trabeculate.

tra･bec･u･late (tră-bek′yū-lāt)．＝trabecular.

tra･bec･u･la･tion (tră-bek′yū-lā′shŭn). 肉柱形成，梁状突起，小柱形成（①器官または部位の壁に柱ができること．②海綿骨におけるように，柱を形成する過程）．

tra･bec･u･lec･to･my (tră-bek′yū-lek′tŏ-mē) [trabecula + G. *ektomē*, excision]．トラベクレクトミー，柵状織切除〔術〕，線維柱〔帯〕切除〔術〕（前眼房と結膜下腔の間に網状柵状織領域の強膜下切除を行うことにより，瘻孔をつくる緑内障の沪過手術）．

tra･bec･u･lo･plas･ty (tră-bek′yū-lō-plas′tē). 線維柱帯形成術（緑内障治療においてレーザーを用いての眼の線維柱帯の光凝固）．

---

laser t. (**LTP**) レーザー線維柱帯形成術（緑内障に対する手術でレーザーエネルギーを線維柱帯に応用するもの）．

開放隅角緑内障のレーザー治療の研究は 1970 年代に始まったが，1980 年代後半までLTP は同状態に対する一般的な治療法として採用されなかった．本治療法においては，房水流出路である線維柱帯メッシュワークに小さな穴をあけるのに使用される．結果として房水の排出を改善させ，眼圧を低下させる．レーザー虹彩切除術はしばしば同時に行われる．LTP は術後の感染と出血の機会を減少させ，基本的に外来での処置を可能とした．本法は 2 年成功率で 70%（5 年後には 59%に低下）を得ているが，ある種の緑内障のタイプ（特に嚢性および色素性緑内障）にのみ有効である．

---

tra･bec･u･lot･o･my (tră-bek′yū-lot′ŏ-mē) [trabekula + G. *tomē*, incision]．線維柱帯切開術（緑内障治療のための強膜静脈洞(Schlemm 管)の手術的切開）．

trace (trās). *1* 痕跡（ある物体，現象，事件などの過去の存在，影響または作用の証拠）．*2* 極微量（ある物で，きわめて少量またはかろうじて認知できるほどの量を示す）．

trac･er (trās′ĕr) [M.E. track < O. Fr. *tracier*, to make one's way < L. *traho*, pp. *tractum*, to draw + *-er*, agent suffix]．トレーサ（①元素または化合物で，通常の元素または化合物と物理的手段(例えば，放射線分析法や質量分析法)で区別できるような原子を含ませたもの．そのため，通常，物質の代謝の追跡に用いられる．②腫瘍部分(例えば，メラノーマ，乳癌)に注入される色のついた，あるいは放射性の物質．腫瘍から最も近接するリンパ節へのリンパ流を明らかにしてセンチネルリンパ節を発見するために用いられる．③水の流れを追跡するトレーサとして用いる着色物質(例えば染料)．④神経および血管解剖に用いる装置．⑤一方の顎に付いた描記針と，他方の顎に付けた軌跡板または描記板をもつ機械的装置．下顎運動の方向と範囲の記録に用いる．→tracing (2)）．

trache- →tracheo-.

tra･che･a, pl. **tra･che･ae** (trā′kē-ă, -kē-ē) [G. *tracheia artēria*, rough artery][TA]．気管（空気の通る管で，喉頭から胸郭の中を第 5 から第 6 胸椎の高さまでのびており，ここで分岐して左右の気管支となる．気管は，膜，輪状靱帯で結び付けられた不完全な硝子軟骨輪16—20でできている．輪の後部では軟骨が周囲の1/5から1/3欠落し，膜壁を形成する部分は平滑筋を含む線維膜によってできている．内部の粘膜は粘液杯細胞を伴う多列線毛円柱上皮からなる．多数の小さな粘液腺と漿液腺の混合腺があり，その導管は上皮表面に開いている）．＝windpipe.

saber-sheath t. サーベル鞘気管（慢性閉塞性肺疾患でみられる気管虚脱の一型で，気管下部 2/3 を含む左右径が狭まり外側後部気管径が増加している）．

scabbard t. サーベル鞘気管，鞘状気管（気管の奇形．側壁の平坦化および近接により生じる．多少ともはっきりした狭窄症をきたす）．

tra･che･al (trā′kē-ăl). 気管の．

tra･che･al･gi･a (trā-kē-al′jē-ă) [trachea + G. *algos*, pain]．気管痛．

tra･che･a･lis (trā′kē-ā′lis). 気管筋（→trachealis (*muscle*)）．

tra･che･i･tis (trā-kē-ī′tis) [trachea + G. *-itis*, inflammation]．気管炎（気管内膜の炎症）．＝trachitis.

trachel- →trachelo-.

trach･e･la･lis (trak-ĕ-lā′lis). longissimus capitis (*muscle*) の古語．

trach･e･lec･to･my (trak′ĕ-lek′tŏ-mē) [trachel- + G. *ektomē*, excision]．子宮頸部切除〔術〕．＝cervicectomy.

trach･e･le･ma･to･ma (trak′ĕ-lĕ-mă-tō′mă) [trachel- + hematoma]．頸部血腫．

tra･che･li･an (tră-kē′lē-ăn) [G. *trachēlos*, neck]．cervical の古語．

trach･e･lism, trach･e･lis･mus (trak′ĕ-lizm, -liz′mŭs) [G. *trachēlismos*, a seizing by the throat]．頸筋痙攣（頸が後方に曲がること．ときとして，てんかん発作の前徴として現れる）．

trach･e･li･tis (trak′ĕ-lī′tis). 子宮頸〔部〕炎．＝cervicitis.

trachelo-, trachel- [G. *trachēlos*]．[本連結形と tracheo- を混同しないこと]．頸を意味する連結形．

trach･e･lo･cele (trak′ĕ-lō-sēl) [trachelo- + G. *kēlē*, tumor, hernia]．気管瘤，気管ヘルニア．＝tracheocele.

trach･e･lo･mas･toid (trak′ĕ-lō-mas′toyd). longissimus capitis (*muscle*) の古語．

trach･e･lo･oc･cip･i･ta･lis (trak′ĕ-lō-ok-sip′i-tā′lis). semispinalis capitis (*muscle*) の古語．

trach･e･lo･pa･nus (trak′ĕ-lō-pā′nŭs) [trachelo- + L. *panus*, tumor, swelling]．*1* 頸部リンパ管腫脹．*2* 子宮頸リンパ管腫脹．

trach･e･lo･pex･i･a, trach･e･lo･pexy (trak′ĕ-lō-pek′sē-ă, -pek-sē) [trachelo- + G. *pēxis*, fixation]．子宮頸固定〔術〕．

trach･e･lo･plas･ty (trak′ĕ-lō-plas′tē) [trachelo- + G. *plastos*, formed]．子宮頸形成〔術〕（子宮頸部の手術に対してまれに用いる語）．

trach･e･lor･rha･phy (trak′ĕ-lōr′ă-fē) [trachelo- + G. *rhaphē*, suture]．子宮頸縫合〔術〕（子宮頸部の裂傷を縫合し修復する方法）．＝Emmet operation.

trach･e･los (trak′ĕ-los) [G. *trachēlos*]．頸，くび（collum の古語）．

trach･e･los･chi･sis (trak′ĕ-los′ki-sis) [trachelo- + G. *schisis*, fissure]．頸椎裂（頸部の先天性裂溝）．

trach･e･lot･o･my (trak′ĕ-lot′ŏ-mē) [trachelo- + G. *tomē*, incision]．〔子宮〕頸切開〔術〕．＝cervicotomy.

tracheo-, trache- [→trachea]．[本連結形と trachelo- を混同しないこと]．気管を意味する連結形．

tra･che･o･aer･o･cele (trā′kē-ō-ār′ŏ-sēl) [tracheo- + G. *aēr*, air + *kēlē*, hernia]．気管気腫（気管瘤の拡張によって起こる頸部の空気嚢胞）．

tra･che･o･bil･i･ar･y (trā′kē-ō-bil′ē-ār′ē). 気管胆道の（気管または気管支および胆道系に関する）．

tra·che·o·bron·che·o·pa·thi·a os·te·o·plas·ti·ca (trā′kē-ō-brong′kē-ōpa′thē-ă os′tē-ō-plas′ti-kă). 気管気管支骨新生症（良性粘膜下腫瘍あるいは腫瘍群で気管壁の近くで骨化する）.

tra·che·o·bron·chi·al (trā′kē-ō-brong′kē-ăl). 気管気管支の（気管と気管支の両方に関する，特にリンパ節についていう）.

tra·che·o·bron·chi·tis (trā′kē-ō-brong-kī′tis). 気管気管支炎（気管および気管支の粘膜の炎症）.

tra·che·o·bron·cho·meg·a·ly (trā′kē-ō-brong′kō-meg′-ă-lē) [tracheo- + bronchus + G. *megas*, large] [MIM* 275300]. 巨大気管気管支（気管および主気管支が大きく広がるもので，通常は先天性）. = Mounier-Kuhn syndrome.

tra·che·o·bron·chos·co·py (trā′kē-ō-brong-kos′kŏ-pē) [tracheo- + bronchus + G. *skopeō*, to view]. 気管気管支鏡〔検査〕法（気管と気管支内部の視診）.

tra·che·o·cele (trā′kē-ō-sēl) [tracheo- + G. *kēlē*, hernia]. 気管瘤（気管壁の欠損を通しての粘膜の突出）. = trachelocele.

tra·che·o·e·soph·a·ge·al (trā′kē-ō-ē-sof′ă-jē′ăl). 気管食道の（気管と食道に関する）.

tra·che·o·la·ryn·ge·al (trā′kē-ō-lă-rin′jē-ăl). 気管喉頭の（気管と喉頭に関する）.

tra·che·o·ma·la·ci·a (trā′kē-ō-mă-lā′shē-ă) [tracheo- + G. *malakia*, softness]. 気管軟化〔症〕（気管軟骨の軟化）.

tra·che·o·meg·a·ly (trā′kē-ō-meg′ă-lē) [tracheo- + G. *megas* (*megal-*), large]. 気管肥大症（気管支拡張症のように感染や長期の陽圧換気に基づく異常に拡張した気管）.

tra·che·o·path·i·a, tra·che·op·a·thy (trā′kē-ō-path′ē-ă, -op′ă-thē) [tracheo- + G. *pathos*, disease]. 気管病〔症〕（気管の様々な病気）.

t. osteoplastica [MIM*189961]. 気管骨形成〔症〕，気管骨新生〔症〕（気管と気管支の軟骨および骨の増殖を特徴とするまれな疾患．管腔内に突出し，部分的に管腔をふさぐ無茎ポリープと斑を形成する）.

tra·che·o·pha·ryn·ge·al (trā′kē-ō-fă-rin′jē-ăl). 気管咽頭の（気管と咽頭の両方に関する．咽頭下部括約筋から気管へと通じる，ときにみられる筋線維帯についていう）.

tra·che·o·pho·ne·sis (trā′kē-ō-fō-nē′sis) [tracheo- + G. *phōnēsis*, a sounding]. 気管聴診法（胸骨切痕部における心音の聴診）.

tra·che·oph·o·ny (trā′kē-of′ŏ-nē) [tracheo- + G. *phōnē*, voice]. 気管聴診音（気管上の聴診で聞かれる空洞声音.→bronchophony）.

tra·che·o·plas·ty (trā′kē-ō-plas′tē) [tracheo- + G. *plastos*, formed]. 気管形成〔術〕（気管の修復や形成）.

slide t. スライド式気管形成〔術〕（長い気管狭窄の修復に対して行われる手術．弁状にした気管壁の前後壁を軸方向にずらして縫合し気管を再建する）.

tra·che·or·rha·gi·a (trā′kē-ō-rā′jē-ă) [tracheo- + G. *rhēgnymi*, to burst forth]. 気管出血（気管粘膜からの出血）.

tra·che·os·chi·sis (trā′kē-os′ki-sis) [tracheo- + G. *schisis*, fissure]. 気管裂（気管への裂溝）.

tra·che·o·scope (trā′kē-ō-skōp). 気管鏡（気管内部の視診のために用いる装置）.

tra·che·o·scop·ic (trā′kē-ō-skop′ik). 気管鏡〔検査〕法の.

tra·che·os·co·py (trā-kē-os′kŏ-pē) [tracheo- + G. *skopeō*, to examine]. 気管鏡〔検査〕法（気管内部の視診）.

tra·che·o·ste·no·sis (trā′kē-ō-stě-nō′sis) [tracheo- + G. *stenōsis*, constriction]. 気管狭窄〔症〕.

tra·che·os·to·ma (trā′kē-os′tŏ-mă) [tracheo- + G. *stoma*, mouth]. 気管瘻，気管フィステル（頸から気管への永久的な開口．喉頭切除術後の開口部のことをいう）.

tra·che·os·to·my (trā′kē-os′tŏ-mē) [tracheo- + G. *stoma*, mouth]. 気管開口〔形成〕術，気管切開〔術〕（気管に開窓する手術.→tracheotomy）.

tra·che·o·tome (trā′kē-ō-tōm). 気管切開刀（気管切開手術で用いるナイフ）.

tra·che·ot·o·my (trā′kē-ot′ŏ-mē) [tracheo- + G. *tomē*, incision]. 気管切開〔術〕（気管の切開を行う手術．通常一時的に使用する目的で行われる.→tracheostomy）.

Tra·chi·plei·stoph·or·a (trā′kē-plī-stof′ŏr-ă). トラキプ

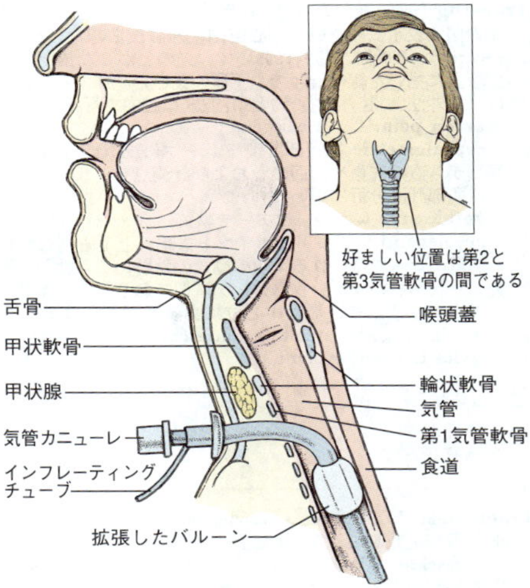

tracheostomy

リストフォーラ属（ヒトに寄生する可能性のある微胞子虫の一属で，免疫抑制を受けているヒトでは筋炎，角結膜炎，副鼻腔炎を起こす）.

tra·chi·tis (tră-kī′tis). = tracheitis.

tra·cho·ma (tră-kō′mă) [G. *trachōma* < *trachys*, rough, harsh]. トラコーマ，トラホーム（微小な灰色または黄色透明の顆粒形成を特徴とする慢性接触伝染性微生物性炎症で，*Chlamydia trachomatis* が病因である．結膜の肥厚を伴う）. = Egyptian ophthalmia; granular lids; granular ophthalmia.

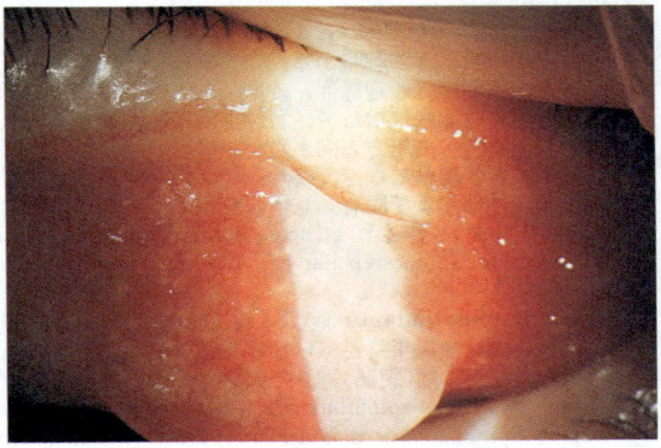

trachoma

上瞼板の混合乳頭状小胞反応は結膜の瘢痕後に生じる.

follicular t. 沪胞性トラコーマ（結膜上の顆粒を特徴とする一般的なトラコーマの型）. = granular t.

granular t. 顆粒状トラコーマ. = follicular t.

tra·cho·ma·tous (tră-kō′mă-tŭs). トラコーマの，トラコーマにかかった.

tra·chy·chro·mat·ic (tra′kē-krō-mat′ik) [G. *trachys*, rough + *chrōmatikos*, chromatic]. 強染色性の，濃染性の（きわめて濃く染まる染色質をもつ核についていう）.

tra·chy·o·nych·i·a (tra′kē-ō-nik′ē-ă) [G. *trachys*, rough + *onyx*, *onychos*, nail + *-ia*, condition]. 粗糙爪（表面が粗糙な爪）.

tra·chy·pho·ni·a (tra′kē-fō′nē-ǎ) [G. *trachys*, rough + *phōnē*, voice]. 嗄声（声が粗いこと）.

trac·ing (trās′ing). *1* 追跡（電気的または機械的心臓脈管事象の図的表示一般をいう．心電図，静脈波曲線などがある．→curve）. *2* 軌跡（歯科において，先のとがった描記針で描記板上に描いた線のことで，下顎の動きを記録する．描記法には口外法(口腔外で行う)と口内法(口腔内で行う)がある）.

arrow point t. ＝needlepoint t.

cephalometric t. 頭部計測トレース〔法〕（頭部計測Ｘ線写真から直接に歯や顔面の骨および計測点をトレースすること．頭部計測分析に用いる）.

gothic arch t. ゴシックアーチ軌跡．＝needlepoint t.

needlepoint t. ニードルポイント描記（上下歯列弓に付けた装置によって得られる下顎の動きの軌跡．この軌跡の形は矢じり状あるいはゴシックアーチに似ており，この器具が弓の頂点をさすとき，顎は中心位にあると考えられる）．＝arrow point t.; gothic arch t.; gothic arch; stylus t.

stylus t. ＝needlepoint t.

TRACT

tract (trakt) [L. *tractus*, a drawing out][TA]. 路，道（[track と混同しないこと]．①延長した区域．通路，経路のこと．→fascicle. ②異常な経路のこと．（例えば，膿瘍空洞と連絡する瘻管や洞））．＝tractus [TA].

alimentary t. ＝digestive t.

anterior corticospinal t. 前皮質脊髄路（脊髄前索中で小束をなす非交叉性の線維束．→pyramidal t.→corticospinal t.）．＝tractus corticospinalis anterior [TA]; anterior pyramidal fasciculus; anterior pyramidal t.; direct pyramidal t.; fasciculus corticospinalis anterior; fasciculus pyramidalis anterior; tractus pyramidalis anterior; Türck bundle; Türck column; Türck t.

anterior pyramidal t. 錐体前索路，前錐体路（錐体路の中で非交叉性の小束）．＝anterior corticospinal t.

anterior raphespinal t. [TA]. 前縫線脊髄路（主として延髄および橋尾側部から起こり前索の中を下行する神経線維束）．＝tractus raphespinalis anterior [TA]; ventral raphespinal t. [TA].

anterior spinocerebellar t. [TA]. 前脊髄小脳路（脊髄腰仙骨部の後角基部の細胞から起こる線維束で，交叉して対側の側索の腹側半分の辺縁部，菱形脳を上行し，次いで三叉神経運動核の吻側縁に沿って，背側方向に鋭く曲がり，上小脳脚の表面を通って尾方方向から小脳にはいり，小脳虫部皮質顆粒層の苔状線維となって終わる．この伝導路は，反対側の下肢から外部および固有知覚情報を伝えるが一部の線維は小脳内で対側に戻る）．＝tractus spinocerebellaris anterior [TA]; ventral spinocerebellar t.*; Gowers column; Gowers t.

anterior spinothalamic t. [TA]. 前脊髄視床路（前脊髄視床路と外側脊髄視床路とからなる脊髄の前外側部を構成する索複合のなかで前(腹側)寄りの部分．これらの線維は触覚に関係している．→spinothalamic t.→anterolateral *system*）．＝tractus spinothalamicus anterior [TA]; ventral spinothalamic t.

anterior trigeminothalamic t. [TA]. 前三叉神経視床路（脊髄の三叉神経核から起こり正中線を越えて対側を上行して腹側後内側核に終わる神経束．途中で橋吻側部と中脳で対側の感覚性核から発し腹側後内側核に終わる線維が加わる）．＝tractus trigeminothalamicus anterior [TA]; ventral trigeminothalamic t. [TA].

anterolateral t. 〔脊髄〕前外側路．＝anterolateral *system*.

Arnold t. (ar′nōld). アルノルト路．＝temporopontine t.

association t. 連合〔神経〕路（→association *system*）.

auditory t. ＝lateral *lemniscus*.

bulboreticulospinal t. [TA]. 延髄網様体脊髄路（延髄の巨細胞網様体核から起こり同側を下行して Rexed の脊髄節 VII と VIII とに終わる）．＝lateral reticulospinal t. [TA]; medullary reticulospinal t. [TA]; tractus bulboreticulospinalis [TA].

Burdach t. ブルダッハ路．＝cuneate *fasciculus*.

caerulospinal t. [TA]. 青斑核脊髄路（青斑核および青斑核下野から起こり両側性に下行して脊髄全レベルの灰白質に投射する線維束で，脊髄へのノルアドレナリン性投射の主たるものである）．＝tractus caeruleospinalis [TA].

central tegmental t. [TA]. 中心被蓋路（赤核より起こり中脳橋被蓋を縦走し，同側のオリーブ核に至る太い線維群で，それよりわずかに密集した線維束の構成から，隣接する縦走網様体線維束群とは区別できる．中脳の横断面では，この線維群は，内側縦束の外側に位置する大きな三角部を占め，さらに尾方では前(腹側)方向に広がり，最後に(下)オリーブ核外側の上を通り，オリーブ核に至る線維束の一部分になる．中心被蓋路には，この他，中脳被蓋および中心灰白質を囲む部分からオリーブ核へと下行する線維をも有する．さらに延髄橋および中脳網様体から視床および視床腹部へと上行する多数の線維も有する）．＝tractus tegmentalis centralis [TA]; central tegmental fasciculus.

cerebellorubral t. 小脳赤核路（歯状核から対側の赤核に至る経路で上小脳脚(結合腕)の主成分をなす）．＝tractus cerebellorubralis.

cerebellothalamic t. 小脳視床路（小脳核より起こり，上小脳脚(結合腕)を通り，上小脳脚交叉で交叉して対側の赤核傍を通り，視床の前腹側核，外腹側核，中間腹側核，腹側後外側核，中外側核で終わる）．＝dentatothalamic t.; tractus cerebellothalamicus.

Collier t. (kol′yĕr). コリアー路．＝medial longitudinal *fasciculus*.

comma t. of Schultze (shūlt′zĕ). シュルツェコンマ束．＝semilunar *fasciculus*.

corticobulbar t. 皮質延髄路（→corticonuclear *fibers*）．＝tractus corticobulbaris.

corticopontine t. 皮質橋〔核〕路（大脳皮質の主要細分割部のほとんどすべてから発する多数の線維の集合路．内包から大脳脚を経て下行し，橋腹側部の核に終わる．この大線維束系はさらに大脳皮質を始点として，前頭橋線維，頭頂橋線維，側頭橋線維，後頭橋線維に分かれる）．＝tractus corticopontinus [TA].

corticospinal t. 皮質脊髄路（皮質から脊髄への線維束複合で脊髄内を下行し外側皮質脊髄路および前皮質脊髄路を形成する．線維は大脳皮質第５層の錐体細胞から発したもので，中心前運動野(Brodmann の４野)，運動前野(６野)と少数ながら中心後回からも出ている．４野の起始細胞は Betz の巨大錐体細胞である．ここからの線維は内包を下行し大脳脚の中央 1/3 を通り橋底部を経て脊髄腹側に錐体として現れる．さらに下行する際大部分の線維は錐体交叉で反対側に移り脊髄側索の背側半を外側皮質脊髄路となって下行し脊髄全長の灰白質中間帯の介在ニューロンに分布する．体肢に関係する脊髄膨大部では特に手や手指，足や足指の運動に関わる体肢筋を支配する運動ニューロンに直接連絡している．錐体交叉で反対側に移らない少数の線維は前皮質脊髄路となって同側の脊髄前索を下行し前角の内側半の介在ニューロンに終止する．吻側から錐体交叉への皮質脊髄路線維が障害されると反対側の体運動に支障を生じ，特に腕や脚で深刻となり筋力低下，痙攣，反射亢進，指運動が適格に行えないなどの障害が起こる．吻側から錐体交叉への外側皮質脊髄路線維が損傷すると体の同側で同様の障害が起こる．Babinski 徴候もこのような片麻痺状態に起因する）．＝tractus pyramidalis [TA]; tractus corticospinalis.

crossed pyramidal t. ＝lateral corticospinal t.

cuneocerebellar t. 楔状束小脳路（副楔状束核から起こり下小脳脚の大部分を占める索状体を経て小脳にはいる神経線維系）．＝cuneocerebellar fibers [TA]; fibrae cuneocerebellares [TA].

dead t.'s 死帯（ぞうげ芽細胞突起の変性を生じているぞうげ質の部分で，う食，咬耗，磨耗，または窩洞形成の傷害によって生じることがある）.

deiterospinal t. ＝lateral vestibulospinal t.

dentatothalamic t. ＝cerebellothalamic t.

descending t. of trigeminal nerve 三叉神経下行路．＝spinal t. of trigeminal nerve.

digestive t. 消化管（口から，咽頭，食道，胃，腸を通

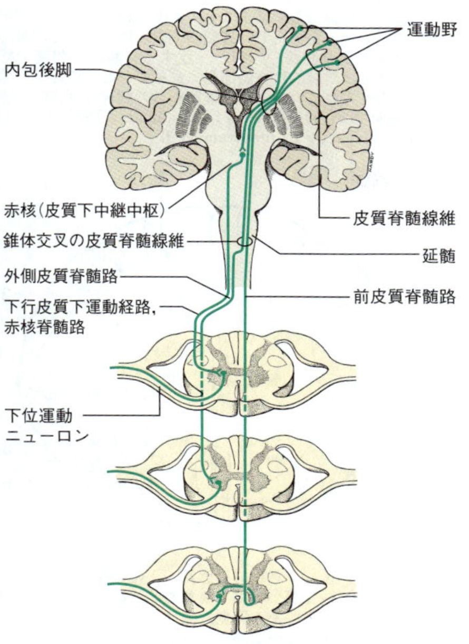

corticospinal tract

直接経路(皮質脊髄路)，皮質下中継核(赤核脊髄路)を介する脊髄への運動経路の模式図．交叉の存在は脳の一側が身体の反対側の骨格筋を支配していることを意味する．

り，肛門に通じる道)．＝alimentary canal; alimentary t.; digestive tube; tubus digestorius.

direct pyramidal t. ＝anterior corticospinal t.

dorsal spinocerebellar t.* posterior spinocerebellar t. の公式の別名．

dorsal trigeminothalamic t. [TA]．＝ posterior trigeminothalamic t.

dorsolateral t.* dorsolateral *fasciculus* の公式の別名．

fastigiobulbar t. 室頂核延髄路（左右の室頂核(視蓋核)から発する線維束で，下小脳脚(索状体)内側を通って小脳を通過し，その線維は前庭神経核および延髄内の他の神経核に分枝する．交叉神経の多くは，前方(腹側)に曲がる前に上小脳脚面上で環状になり，Russell 鉤状束を形成する)．＝tractus fastigiobulbaris.

fastigiospinal t. [TA]．室頂核脊髄路（→ fastigiospinal *fibers*)．＝ tractus fastigiospinalis [TA]．

Flechsig t. (flek′sig)．フレクシッヒ路．＝posterior spinocerebellar t.

frontopontine t. [TA]．前頭橋〔核〕路（→frontopontine *fibers*)．＝tractus frontopontinus.

frontotemporal t. ＝unciform *fasciculus*.

gastrointestinal t. **(G.I.t.)** 胃腸管（胃，小腸，および大腸．しばしば消化管と同義に用いる)．

geniculocalcarine t. ＝optic *radiation*.

genital t. 生殖管（泌尿生殖器のうちの生殖器部分)．＝genital duct.

t. of Goll (gol)．ゴル路．＝gracile *fasciculus*.

Gowers t. (gow′ĕrz)．ガウアーズ路．＝anterior spinocerebellar t.

habenulointerpeduncular t., habenulopeduncular t. [TA]．手綱核脚間路．＝retroflex *fasciculus*.

Hoche t. (hok′ĕ)．ホーヘ路（→semilunar *fasciculus*)．

hypothalamohypophysial t. [TA]．視床下部下垂体路．＝supraopticohypophysial t.

iliopubic t. [TA]．腸恥靭帯（鼡径靭帯の深部をこれと平行して走る横筋膜の肥厚した下縁で，外側の腸骨大腿血管群が鼡径靭帯下の間隙を通るところで上前腸骨棘から裂孔靭帯にかけて鼡径管の外壁を形成する．深鼡径輪の下縁，大腿管の前縁をなす．このあたりは腹腔を内部から観察したときに見られるものであるので腹腔鏡検査のときやヘルニアの修復のときのよい目安となる)．＝tractus iliopubicus [TA]; deep crural arch; Thompson ligament.

iliotibial t. [TA]．腸脛靭帯（大腿外側部の大腿筋膜の補強線維束．腸骨稜(特に結節)から脛骨外側顆へのびる)．＝tractus iliotibialis [TA]; iliotibial band; Maissiat band.

interpositospinal t. [TA]．中位核脊髄路（小脳の前・後中位核から起こり脊髄に下行する線維束)．＝tractus interpositospinalis [TA]．

interstitiospinal t. [TA]．間質核脊髄路（中脳の間質核から起こり同側を下行して Rexed の脊髄節 VII と VIII に終わる線維束)．＝tractus interstitiospinalis [TA]．

James t.'s (jāmz)．ジェームズ索．＝James *fibers*.

lateral corticospinal t. [TA]．外側皮質脊髄路（皮質脊髄路交叉(錐体交叉)で反対側へ移行し脊髄側索の後半部を下行する線維束で，脊髄の全長にわたって灰白質中間帯，後角の諸核，前角の介在ニューロンに分布している．→corticospinal t.)．＝tractus corticospinalis lateralis [TA]; crossed pyramidal t.; fasciculus corticospinalis lateralis; fasciculus pyramidalis lateralis; lateral pyramidal fasciculus; lateral pyramidal t.; tractus pyramidalis lateralis.

lateral pyramidal t. 錐体側索路．＝lateral corticospinal t.

lateral raphespinal t. [TA]．外側縫線核脊髄路（大縫線核から起こり側索後部を下行して脊髄後角に終わる線維束．このセロトニン性線維は後角で痛覚情報の抑制に関わっている)．＝tractus raphespinalis lateralis [TA]．

lateral reticulospinal t. [TA]．＝ bulboreticulospinal t.

lateral spinothalamic t. [TA]．外側脊髄視床路（前脊髄視床路と外側脊髄視床路とからなる脊髄の前外側部を構成する索複合のなかでより後方または後外側寄りの部分．これらの線維は痛覚と温度覚の伝達に関係している．→spinothalamic t.)．＝tractus spinothalamicus lateralis [TA]．

lateral vestibulospinal t. 外側前庭脊髄路（延髄の外側前庭核(Deiters 核)から起こり交叉せず，前正中裂外側の脊髄前索を下行する線維束．この伝導路は脊髄の全長にわたっており，それぞれの高さで前角内側部に線維を送っている．この神経路の運動興奮によって伸筋群の活動が強まる)．＝tractus vestibulospinalis lateralis [TA]; deiterospinal t.; tractus vestibulospinalis.

Lissauer t. (lis′ow-ĕr)．リッサウアー路．＝dorsolateral *fasciculus*.

Loewenthal t. (lev′en-tal)．レーヴェンタル路．＝tectospinal t.

mammillothalamic t. ＝mammillothalamic *fasciculus*.

Marchi t. (mahr′kē)．マルキ路．＝tectospinal t.

medial reticulospinal t. [TA]．＝ pontoreticulospinal t.

medial vestibulospinal t. [TA]．内側前庭脊髄路（内側前庭核から起こり脊髄中を内側縦束として下行する線維束)．＝tractus vestibulospinalis medialis [TA]．

medullary reticulospinal t. [TA]．＝ bulboreticulospinal t.

mesencephalic t. of trigeminal nerve [TA]．三叉神経中脳路（中脳中心灰白質に沿って位置し，単一の知覚神経からなり，その起点の細胞は三叉神経中脳路核からなる)．＝tractus mesencephalicus nervi trigemini [TA]．

Monakow t. (mō-nah′kof)．モナーコヴ(モナーコフ)路．＝rubrospinal t.

t. of Münzer and Wiener (mūnt′zĕr vē′nĕr)．ミュンツァー－ウィーナー路．＝tectopontine t.

nerve t. 神経路（脳あるいは脊髄の神経線維束または神経線維群)．

occipitocollicular t. 後頭被蓋路．＝occipitotectal t.

occipitopontine t. 後頭橋〔核〕路（→occipitopontine *fibers*)．＝tractus occipitopontinus.

occipitotectal t. 後頭被蓋路（→occipitotectal *fibers*)．＝occipitocollicular t.

olfactory t. [TA]．嗅索（前頭葉下面で嗅球と嗅三角を結ぶ神経線維の白い束で，主として嗅球の僧帽細胞と房飾細胞，この他，恐らく嗅覚に関与していると考えられる散在性の細胞とから起こる神経線維から構成される．嗅索の基部は嗅三角で大脳半球内側面に連結し，その線維束は外側嗅条を通って嗅結節に至り，さらに大多数の線維は海馬傍回の鉤周辺にみられる皮質嗅覚中枢に終わる．→olfactory *nerves* [CN I])．＝tractus olfactorius [TA]; olfactory peduncle.

olivocerebellar t. [TA]．オリーブ小脳路（オリーブ核から起こる線維束で，オリーブ核から出て，絨帯オリーブ間層と対側のオリーブ核を貫き，延髄で交叉し，対側の下小脳脚の大部分を占める索状体に合流する．その線維は登上線維として小脳皮質と小脳核の全体に終わる．オリーブ小脳路のすべての線維は交叉して対側へ行く）．＝tractus olivocerebellaris [TA].

olivocochlear t. [TA]．オリーブ蝸牛路（左右のオリーブ周囲核から起こり前庭神経上で脳幹を出て内耳で蝸牛神経に合流し外有毛細胞に終わる神経線維）．＝tractus olivocochlearis [TA]; bundle of Rasmussen.

olivospinal t. オリーブ脊髄路（→olivospinal *fibers*）.

optic t. [TA]．視索（視交叉と外側膝状体の間の視覚路．左右の対称な視索は各々同側網膜の外側半から起こる神経線維と，対側網膜の内側半からのほぼ同数の神経線維とで構成される．密集し，厚みをもった線維束は，視床下部基底部の後外側からさらに大脳脚基底部を回って後外方へ走る．ほとんどの線維は外側膝状体に終わるが，少数の線維は背内側に沿い，上丘腕となって上丘と視蓋前域に終わる）．＝tractus opticus.

parietopontine t. 頭頂橋〔核〕路（→parietopontine *fibers*）．＝tractus parietopontinus.

pontoreticulospinal t. [TA]．橋網様体脊髄路（橋網様核から起こり両側(同側優位)を下行して Rexed の脊髄節 VII と VIII に終わる線維束）．＝medial reticulospinal t. [TA]; tractus pontoreticulospinalis [TA].

posterior spinocerebellar t. [TA]．後脊髄小脳路（脊髄側索の後半部の周辺部を占める有髄神経線維束．脊髄と同側の胸髄核から起こる太い線維束からなり，下小脳脚を経て小脳虫部皮質顆粒層内の苔状線維として末端まで上行して終わり，また側枝によって小脳核にも終止する．この伝導路は，とりわけ筋紡錘内筋線維の核袋をらせん状に取り巻く神経終末 Golgi 腱紡錘から発する固有知覚情報を中枢神経に伝える）．＝tractus spinocerebellaris posterior [TA]; dorsal spinocerebellar t.*; Flechsig t.

posterior trigeminothalamic t. [TA]．後三叉神経視床路（主知覚核後内側部から起こり同側を上行して腹側後内側核に終わる線維束）．＝dorsal trigeminothalamic t. [TA]; tractus trigeminothalamicus posterior [TA].

posterolateral t. [TA]．＝ dorsolateral *fasciculus*.

prepyramidal t. ＝rubrospinal t.

pyramidal t. [TA]．錐体路（不正確な用語であり，一般的には大脳皮質からの軸索で，錐体に入り錐体交叉の吻側の皮質脊髄路となる．外側皮質脊髄路を指す用語として用いられる場合は，その実体としては錐体側索路が示されるべきである．→corticospinal t.）.

respiratory t. 気道（鼻から咽頭，喉頭，気管，気管支を通じ肺胞に至る空気の通路）.

reticulospinal t. 網様体脊髄路（橋と延髄の網様体から脊髄に向かって下る様々な線維束をさす集合語．これらの線維の一部は，循環機能および呼吸機能を調節する中枢から出る刺激をそれぞれの臓器を支配する脊髄のニューロンに導く．他の線維は，筋緊張と身体運動をコントロールする錐体外路運動神経路を形成し，前運動皮質，小脳，線条体の活動を脊髄運動神経に伝達する．→bulboreticulospinal t.; pontoreticulospinal t.）．＝tractus reticulospinalis.

rubrobulbar t. [TA]．赤核網様体路（①赤核から橋および延髄の網様体へ至る神経路の線維束．②非交叉性の赤核オリーブ路神経線維束）．＝tractus rubrobulbaris.

rubropontine t. [TA]．赤核橋路（中脳の赤核から起こり橋底部の橋核に終わる線維束）．＝tractus rubropontinus [TA].

rubroreticular t. 赤核延髄路（赤核脊髄路のうちで，脊髄ではなく延髄の菱脳蓋の外側部にいく線維束）.

rubrospinal t. [TA]．赤核脊髄路（ヒトではきわめて小さい局在性の神経線維束で，赤核から起こりいったん上行し，直ちに腹側被蓋交叉をなして他側に移行してから脳幹外側面に近い部位を下行し，脊髄の側索にはいる．この神経路は，外側皮質脊髄路の分布と一致する脊髄の中間帯で終わる．後者とは対照的に脊髄運動ニューロンとの直接的連絡はないと考えられている．この経路からの興奮は間接的に屈筋の収縮を強める）．＝tractus rubrospinalis [TA]; Monakow bundle; Monakow t.; prepyramidal t.

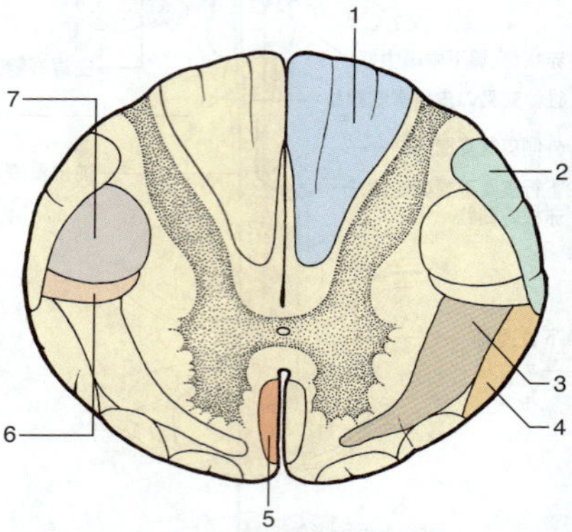

（1）後柱：意識的筋感覚，正確な触覚
（2）後脊髄小脳路：無意識的筋感覚
（3）前外側系：痛覚，温度覚，軽い触覚
（4）前脊髄小脳路：無意識的筋感覚
（5）前皮質脊髄路：骨格筋の随意的制御
（6）赤核脊髄路：骨格筋の制御
（7）外側皮質脊髄路：骨格筋の随意的制御

principal fiber tracts of the spinal cord

主要な経路を示す脊髄の断面模式図．すべての路は両側性である．上行路は右側に，下行路は左側に番号を付けた．

t. of Schütz (shits)．シュッツ路．＝dorsal longitudinal *fasciculus*.

sensory t. 知覚〔神経〕路（→lemniscus）.

septomarginal t. 中隔縁路（→semilunar *fasciculus*）.

solitariospinal t. [TA]．孤束核脊髄路（孤束核から起こり両側性に下行して主に側索の背部に終わる線維束）．＝tractus solitariospinalis [TA].

solitary t. [TA]．孤束（髄質の後外側部を縦走する細いが明瞭な線維束．孤束核で囲まれ，閂の下方で左右のものが中心管の背側で交叉し，ある距離上を下り頸髄上部へとはいる．迷走・舌咽・顔面神経の一次知覚線維の一部からなり，孤束の一部の線維は，循環・呼吸・消化器系路壁の伸張受容器と化学容器からくる情報を，残りの部分は舌粘膜の味蕾の受容細胞が発した刺激を伝える線維からなり，孤束核に終わる）．＝tractus solitarius [TA]; fasciculus rotundus; fasciculus solitarius; funiculus solitarius; Gierke respiratory bundle; Krause respiratory bundle; round fasciculus; solitary bundle; solitary fasciculus.

sphincteroid t. of ileum 回腸括約筋様部．＝basal *sphincter*.

spinal t. 脊髄路（脊髄を上行または下行する多くの線維束の1つ）.

spinal t. of trigeminal nerve [TA]．三叉神経脊髄路（延髄から橋の横断面上にコンマ状に明確に認められる線維束．三叉神経知覚根の一次知覚線維からなり，橋の上部で三叉神経が脳幹にはいる高さから起こり，菱被蓋の後外側部から延髄下位の後外側面に三叉神経隆起(灰白結節)として隆起している三叉神経脊髄路核の外側に沿って下行し，第三または第四頸髄に達する．その線維は三叉神経・脊髄路核から頸髄最上部にかけての灰白質に終わる）．＝tractus spinalis nervi trigemini [TA]; descending t. of trigeminal nerve; tractus descendens nervi trigemini.

spinocerebellar t.'s 脊髄小脳路（→anterior spinocerebellar t.; posterior spinocerebellar t.）.

spinocervical t. [TA]．頚髄〔視床〕路（III―V 層から起こり同側を上行して外側頚核に至り，ニューロンを代えて内側毛帯を経て反対側の視床に投射する）．＝tractus spinocervicalis [TA]; spinocervicothalamic t.

spinocervicothalamic t. 頚髄視床路．＝spinocervical t.

spinoolivary t. [TA]．オリーブ脊髄路（脊髄灰白質から起こり同側を上行して背側および内側副オリーブ核群に終止する多様な線維束の総称．→olivospinal t.）．＝ tractus spinoolivaris [NA].

spinoreticular t. [TA]．脊髄網様体路．＝spinoreticular *fibers*.

spinotectal t. [TA]．脊髄視蓋路（脊髄の前外側部を構成する索複合のなかで比較的小部分を構成する線維束で，上丘の中間層と深層に終止するもの．大きな脊髄中脳路線維束の一部で，その中には中脳水道周囲灰白質に投射する線維も含まれる）．＝tractus spinotectalis [TA].

spinothalamic t. 脊髄視床路（脊髄側索の腹側半を上行する大きな線維束の包括名称．脊髄の全長にわたって後角の細胞から起こりその水準の白交連で反対側へ移行する．しばしば脊髄毛帯路あるいは前外側路（前外側路系）とよばれている大きな線維束の一部で，脊髄視床線維，脊髄網様体線維，脊髄視床下部線維，脊髄中脳線維（脊髄視蓋線維と脊髄水道傍線維として），下オリーブ核複合体への投射線維などを含む．対側を上行する線維は分節間線維と混じり合う．線維は脊髄の腹外側を占めて脳幹まで続き菱脳や中脳の網様体，副オリーブ核，中脳中心灰白質の外側部，上丘の深層と中間層に達する．少数の線維（10―20%）は間脳にはいり後腹側核（尾側部），髄板内核に終わる．この上行線維束は当初は痛覚や温度覚に関係する背側部（外側脊髄視床路）と触覚に関係する腹側部（前脊髄視床路）の 2 つに区別されていたが，現在は従来思われていたほどには明瞭に分けられるものでないことがわかっている．→anterolateral *system*）．＝tractus spinothalamicus.

spinovestibular t. [TA]．脊髄前庭路（腰仙骨レベルの脊髄から起こり，同側を後脊髄小脳路束と密接して上行し，外側前庭核・内側前庭核・脊髄前庭核に終わる線維束．一部は後脊髄小脳路線維の側索かもしれない）．＝tractus spinovestibularis [TA].

spiral foraminous t. ラセン孔列．＝*tractus* spiralis foraminosus.

Spitzka marginal t. (spits'kă)．スピッツカ辺縁路．＝dorsolateral *fasciculus*.

sulcomarginal t. 溝縁束（前正中裂壁に沿って脊髄前索を下行する線維束，すなわち tectospinal t., medial longitudinal fasciculus, anterior pyramidal t. の集合語）.

supraopticohypophysial t. [TA]．視索上核下垂体路（主として視索上核の細胞と視床下部の室傍核の細胞の恐らく20%の細胞から起こり，漏斗および下垂体茎を通って下垂体後葉へ至る無髄神経線維束で，その線維の中を神経分泌物質であるバソプレシンとオキシトシンが下垂体後葉に運ばれてここに貯留される．また，下垂体後葉から循環血液の中に放出される．→pituitary *gland*; neurosecretion）．＝hypothalamohypophysial t. [TA]; tractus supraopticohypophysialis [TA].

tectobulbar t. [TA]．視蓋延髄路（上丘深層部から起こり，視蓋脊髄路に伴行するが，後者と違って橋内側部および菱脳蓋に終わる）．＝tractus tectobulbaris [TA].

tectopontine t. [TA]．視蓋橋〔核〕路（上丘から起こる線維束．外側毛帯内側部に沿って同側を下行し，中脳被蓋外側層で終わる線維を出し，さらに腹側橋灰白質の外側部に達する）．＝tractus tectopontinus [TA]; t. of Münzer and Wiener.

tectospinal t. [TA]．視蓋脊髄路（上丘深層部から起こり下行する，かなり有髄化の進んだ太い神経線維束で被蓋交叉で交叉して対側の内側縦束の腹側と，内側毛帯の背側の間を下行し，脊髄前索へとはいる．この伝導路は頚髄前角の内側部に連絡しており，視覚および聴覚の反射運動に携わると考えられる．脳幹を下行する間は視蓋延髄路と随伴する）．＝tractus tectospinalis [TA]; Held bundle; Loewenthal bundle; Loewenthal t.; Marchi t.; predorsal bundle.

temporofrontal t. ＝unciform *fasciculus*.

temporopontine t. 側頭橋〔核〕路（→temporopontine *fibers*）．＝Arnold bundle; Arnold t.; tractus temporopontinus.

trigeminospinal t. [TA]．三叉神経脊髄路（三叉神経の脊髄核から起こり同側脊髄を下行する線維束）．＝tractus trigeminospinalis [TA].

trigeminothalamic t. 三叉神経視床路（三叉神経脊髄路核と末梢の知覚核とから視床へ投射する神経線維の総称．→trigeminal *lemniscus*）.

tuberoinfundibular t. 灰白隆起漏斗路（灰白隆起の小細胞性の核，特に弓状核から起こり，下垂体漏斗部正中隆起に終わる無髄の細い神経線維束．軸索末端は視床下部下垂体門脈の洞様毛細血管に接する．→pituitary *gland*; neurosecretion）．＝tractus tuberoinfundibularis.

Türck t. (tērk)．チュルク路．＝anterior corticospinal t.

urinary t. 尿路（腎盂から，尿管，膀胱，尿道を通り，尿道口に至る通路）.

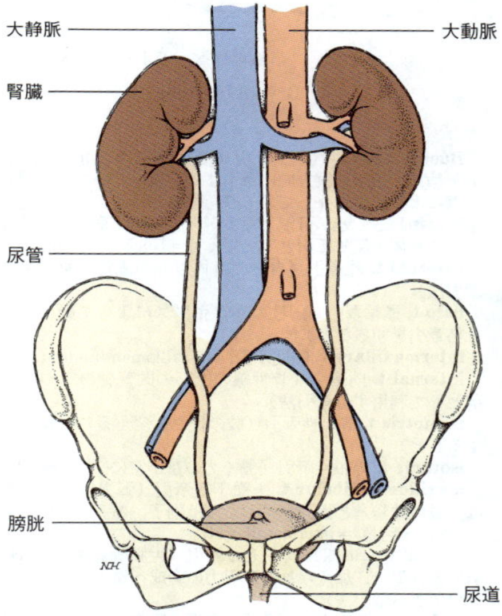

female urinary tract

uveal t. ＝vascular *layer* of eyeball.

ventral raphespinal t. [TA].＝ anterior raphespinal t.

ventral spinocerebellar t.* 前脊髄小脳路（anterior spinocerebellar t. の公式の別名）.

ventral spinothalamic t. 前脊髄視床路．＝anterior spinothalamic t.

ventral trigeminothalamic t. [TA].＝ anterior trigeminothalamic t.

vestibulospinal t.'s 前庭脊髄路（→medial vestibulospinal t.）.

vocal t. 声道（（咽頭，口腔，鼻腔，副鼻腔を含んだ）声帯上方の気道で，声質に関与する）.

Waldeyer t. (vahl'dī-ĕr)．ヴァルダイアー（ワルダイエル）路．＝dorsolateral *fasciculus*.

---

trac·tel·lum, pl. **trac·tel·la** (trak-tel'ŭm, -ă) [Mod.L.: *tractus* の指小辞]．運動性べん毛（原生動物の体前部にある運動性べん毛）.

trac·tion (trak'shŭn) [L. *tractio* < *traho*, pp. *tractus*, to draw]．牽引（①弾力またはばねの力によって引き出す行為，引く行為．②四肢に働いてこれを遠位方向に引く力）.

Bryant t. (brī'ănt)．ブライアント牽引（両下肢を垂直に

T

挙上する牽引法．特に小児の骨折に用いる）．

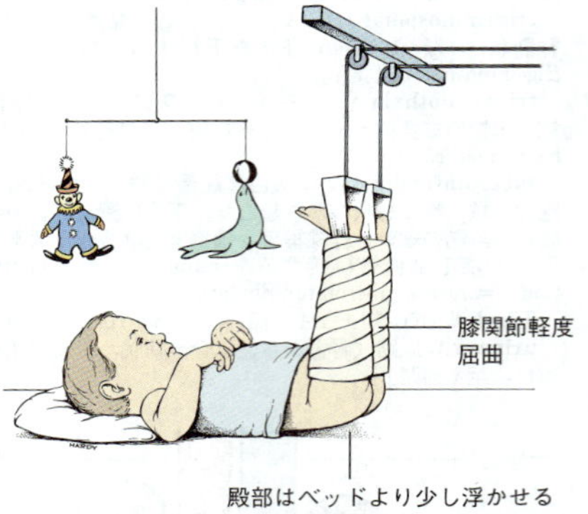

Bryant traction

Buck t. (bŭk). バック牽引（接着テープを用いて皮膚に力を加え，下腿を縦方向に牽引する装置．テープと皮膚との摩擦により滑車を介しておもりを付けたひもに加わった力が患部に加わることが可能となる．ベッドの足側を上げることにより身体が反対牽引として働く）．＝Buck extension.

external t. 外牽引（自分の身体以外の固定源を利用する牽引法）．

halo t. 頭輪牽引（円柱のかさギプスによって頭に対して骨格牽引をすること）．

intermaxillary t. 顎間牽引．＝maxillomandibular t.

internal t. 内牽引（骨折線の上部の頭蓋骨の１つを固定部として利用する牽引法）．

isometric t. 等尺性牽引（肢の長さを変えることなく牽引すること）．

isotonic t. 等張性牽引（働く力の量が常に一定の牽引）．

maxillomandibular t. 上顎下顎牽引（弾力性結紮糸または金属性結紮糸と歯間ワイヤまたは副子，あるいは両方を用いて行う牽引）．＝intermaxillary t.

Russell t. (rŭs′ĕl). ラッセル牽引（大腿骨骨折用 Buck 牽引の改良型で，加えられた牽引力の合成ベクトルを変えることのできる牽引法）．

skeletal t. 骨格牽引（長骨の骨折を整復するために，骨に差し込んだ金属釘や鋼線で骨を牽引すること）．＝skeletal extension.

skin t. 皮膚牽引（四肢に絆創膏やその他の種類の帯状テープを当てて行う四肢の牽引）．

trac·tor (trak′tŏr, tōr) [Mod.L. a drawer. →traction]. 牽引器（内臓や組織を牽引または引き出すための器具）．

Lowsley t. (lows′lē). ロースレー牽引器（細身のやや弯曲した器具で，先端には手元のネジを回して開いたり閉じたりする刃が付いている．近位端のネジを回すと先端が開閉する．経会陰的前立腺切除術の最初の時期に，尿道を通して膀胱内に挿入して前立腺を下方に牽引して術野に出すのに用いる）．

Syms t. (simz). シムズ牽引器（一端に伸縮可能のゴム袋を付けた管．会陰創から膀胱に管を挿入し，袋を膨らませて肥大した前立腺をより視野のいい会陰切開創の中に引き下ろすのに用いる）．

Young prostatic t. (yŭng). ヤング前立腺牽引〔器〕（短い直線上の管状の器具．管を回転させることにより先端の翼状杆を開閉できる．開放性経会陰的前立腺切除術の後半に，前立腺切開部を通して前立腺部尿道を通過させ，先端を膀胱内にまで挿入する．この器具によって前立腺を直接下方に牽引して術野に引き出すことができるので，摘出術を容易に行うことができる）．

trac·tot·o·my (trak-tot′ŏ-mē) [L. *tractus*, tract＋G. *tomē*, incision]. 〔神経路〕切路〔術〕（椎弓切除術，開頭術，定位手術により，脳幹および脊髄の神経路を切断すること）．

anterolateral t. 前側索切路〔術〕．＝anterolateral *cordotomy*.

intramedullary t. 髄内切路〔術〕．＝trigeminal t.

pyramidal t. 錐体切路〔術〕（錐体路の分割．中脳（脳脚切路または下脳脚切路），延髄（延髄錐体切路）または脊髄（脊髄錐体切路）について行われる）．

Schwartz t. (shwōrts). シュヴァルツ切路術（髄質の脊髄視床神経切路術）．

Sjöqvist t. (shŏr′kvist). シェークヴィスト切路術．＝trigeminal t.

spinal t. 脊髄神経切路〔術〕．＝anterolateral *cordotomy*.

spinothalamic t. 脊髄視床切路〔術〕（脊髄（脊髄神経切路術），延髄（Schwartz 切路術），中脳（Walker 切路術）について行う）．

trigeminal t. 三叉神経路切断〔術〕（延髄の三叉神経路の下降性線維を切断すること）．＝intramedullary t.; Sjöqvist t.

Walker t. (wah′kĕr). ウォーカー切路術（中脳の脊髄視床神経切路術）．

TRACTUS

trac·tus (trak′tŭs) [L. a drawing, drawing out, extent, tract ＜*traho*, pp. *tractus*, to draw][TA]. 路，索，道．＝tract (1).

t. anterolaterales [TA]．〔脊椎〕前外側路．＝anterolateral *system*.

t. bulboreticulospinalis [TA]．＝bulboreticulospinal *tract*.

t. caeruleospinalis [TA]．＝caerulospinal *tract*.

t. cerebellorubralis 小脳赤核路．＝cerebellorubral *tract*.

t. cerebellothalamicus 小脳視床路．＝cerebellothalamic *tract*.

t. corticobulbaris 皮質延髄路．＝corticobulbar *tract*.

t. corticopontinus [TA]．皮質橋〔核〕路．＝corticopontine *tract*.

t. corticospinalis 皮質脊髄路．＝corticospinal *tract*.

t. corticospinalis anterior [TA]．前皮質脊髄路．＝anterior corticospinal *tract*.

t. corticospinalis lateralis [TA]．外側皮質脊髄路．＝lateral corticospinal *tract*.

t. descendens nervi trigemini ＝spinal *tract* of trigeminal nerve.

t. dorsolateralis [TA]．後外側路．＝dorsolateral *fasciculus*.

t. fastigiobulbaris 室頂核延髄路．＝fastigiobulbar *tract*.

t. fastigiospinalis [TA]．室頂核脊髄路（→ fastigiospinal *fibers*）．＝fastigiospinal *tract*.

t. frontopontinus 前頭橋〔核〕路．＝frontopontine *tract*.

t. habenulointerpeduncularis [TA]．手綱脚間路．＝retroflex *fasciculus*.

t. iliopubicus [TA]．＝iliopubic *tract*.

t. iliotibialis [TA]．腸脛靱帯．＝iliotibial *tract*.

t. interpositospinalis [TA]．＝interpositospinal *tract*.

t. interstitiospinalis [TA]．＝interstitiospinal *tract*.

t. mesencephalicus nervi trigemini [TA]．三叉神経中脳路．＝mesencephalic *tract* of trigeminal nerve.

t. occipitopontinus 後頭橋〔核〕路．＝occipitopontine *tract*.

t. olfactorius [TA]．嗅索．＝olfactory *tract*.

t. olivocerebellaris [TA]．オリーブ小脳路．＝olivocerebellar *tract*.

t. olivocochlearis [TA]．→ olivocochlear *bundle*．＝olivocochlear *tract*.

t. opticus 視索．＝optic *tract*.

t. parietopontinus 頭頂橋〔核〕路．＝parietopontine *tract*.

t. pontoreticulospinalis [TA]．＝pontoreticulospinal *tract*.

t. posterolateralis [TA]．＝dorsolateral *fasciculus*.

t. pyramidalis [TA]．錐体路．＝corticospinal *tract*.

t. pyramidalis anterior 錐体前索路. =anterior corticospinal *tract*.

t. pyramidalis lateralis 錐体側索路. =lateral corticospinal *tract*.

t. raphespinalis anterior [TA]. = anterior raphespinal *tract*.

t. raphespinalis lateralis [TA]. = lateral raphespinal *tract*.

t. reticulospinalis 網様体脊髄路. =reticulospinal *tract*.

t. rubrobulbaris =rubrobulbar *tract*.

t. rubropontinus [TA]. = rubropontine *tract*.

t. rubrospinalis [TA]. 赤核脊髄路. =rubrospinal *tract*.

t. solitariospinalis [TA]. = solitariospinal *tract*.

t. solitarius [TA]. 孤束. =solitary *tract*.

t. spinalis nervi trigemini [TA]. 三叉神経脊髄路. = spinal *tract* of trigeminal nerve.

t. spinocerebellaris anterior [TA]. 前脊髄小脳路. = anterior spinocerebellar *tract*.

t. spinocerebellaris posterior [TA]. 後脊髄小脳路. = posterior spinocerebellar *tract*.

t. spinocervicalis [TA]. = spinocervical *tract*.

t. spinoolivaris [NA]. = spinoolivary *tract*.

t. spinotectalis [TA]. 脊髄視蓋路. =spinotectal *tract*.

t. spinothalamicus 脊髄視床路. =spinothalamic *tract*.

t. spinothalamicus anterior [TA]. 前脊髄視床路. = anterior spinothalamic *tract*.

t. spinothalamicus lateralis [TA]. 外側脊髄視床路. = lateral spinothalamic *tract*.

t. spinovestibularis [TA]. = spinovestibular *tract*.

t. spiralis foraminosus [TA]. ラセン孔列（蝸牛神経線維が頭蓋腔より内耳道を通って骨ラセン板へ進入するため貫通する蝸牛底部にみられる多数の部分外孔）. =spiral foraminous *tract*.

t. supraopticohypophysialis [TA]. 視索上核下垂体路. =supraopticohypophysial *tract*.

t. tectobulbaris [TA]. 視蓋延髄路. =tectobulbar *tract*.

t. tectopontinus [TA]. 視蓋橋〔核〕路. =tectopontine *tract*.

t. tectospinalis [TA]. 視蓋脊髄路. =tectospinal *tract*.

t. tegmentalis centralis [TA]. 中心被蓋路. =central tegmental *tract*.

t. temporopontinus 側頭橋〔核〕路. =temporopontine *tract*.

t. trigeminospinalis [TA]. = trigeminospinal *tract*.

t. trigeminothalamicus anterior [TA]. = anterior trigeminothalamic *tract*.

t. trigeminothalamicus posterior [TA]. = posterior trigeminothalamic *tract*.

t. tuberoinfundibularis 灰白隆起漏斗路. =tuberoinfundibular *tract*.

t. vestibulospinalis 前庭脊髄路. =lateral vestibulospinal *tract*.

t. vestibulospinalis lateralis [TA]. = lateral vestibulospinal *tract*.

t. vestibulospinalis medialis [TA]. = medial vestibulospinal *tract*.

---

traf·fick·ing (traf′ik-ing). 〔細胞内〕輸送（→targeting）. = processing (1).

trag·a·canth, trag·a·can·tha (trag′ă-kanth, -kan′thă; -santh) [G. *tragakantha*, a gum-producing shrub < *tragos*, goat + *akanthos*, thorn]. トラガカント（地中海東端の低木など，マメ科レンゲ属 *Astragalus* の *A. gummifer* を含む種から出るゴム状滲出物．粘性のゴム状物質の帯または糸状を呈し，水50%を加えるとゼリー様粘液になる）.

tra·gal (trā′găl). 耳珠の，耳毛の.

tra·gi (trā′jī). ***1*** tragus の複数形. ***2*** [NA]. 耳毛，みみげ（外耳道入口に成育する毛）.

tra·gi·cus (trā′ji-kŭs). →tragicus (*muscle*).

trag·i·on (trāj′ē-on). トラギオン（生体計測学上の点で，耳介の耳珠の直上にある切痕上の点．触察できる耳輪棘の1－2 mm下にあたる）.

trag·o·mas·chal·i·a (trag′ō-mas-kal′ē-ă) [G. *tragomaschalos*, with smelling armpits < *tragos*, goat + *maschalē*, the axilla]. 悪臭，腋汗，わきが（腋の臭汗症）.

trag·o·pho·ni·a, tra·goph·o·ny (trag′ō-fō′nē-ă, tră-gof′ō-nē) [G. *tragos*, goat + *phōnē*, voice]. ヤギ声. =egophony.

tra·gus, pl. **tra·gi** (trā′gŭs, -jī) [G. *tragos*, goat, 顎ひげのように一部に生える毛を風刺して]. ***1*** [TA]. 耳珠（外耳道の入口の前にあり，外耳道軟骨に続く耳介軟骨の舌状突起）. =antilobium; hircus (3). ***2*** →tragi (2).

accessory t. 副耳珠（出生時に耳珠の前方にみられる小結節で，第一鰓弓の遺残に由来し，しばしば内部に軟骨を含む）.

TRAIL 腫瘍壊死因子リガンドファミリーのメンバー，形質転換した様々な細胞株のアポトーシスを誘導する. =apo-2L.

train·ing (trān′ing). トレーニング，訓練，修練，養成，練習（教育，指導，または訓練の組織化された体系）.

assertive t. 主張訓練法（行動変容または行動療法の1つで，クライアントは以前，別の形で反応した状況下で，自由に妥当な要求や拒絶を行うように教えられる）. =assertive conditioning.

aversive t. 嫌悪訓練法（行動療法の1つまたは変容で，好ましくない行動を罰したり消滅させるために不快な出来事を用いる. →aversion *therapy*）. =aversive conditioning.

avoidance t. 回避訓練. =avoidance *conditioning*.

escape t. =escape *conditioning*.

toilet t. トイレット訓練（子供に，膀胱・便通機能の適切な制御法を教えることを目的とした訓練．精神分析的人格理論では，この訓練に関係する両親と子供双方の態度が，子供のその後の発達に重要な心理学的意味をもつことがあると信じられている）.

trait (trāt) [Fr. < L. *tractus*, a drawing out, extension]. 特性，特徴，体質，素質，形質（①質に関する特徴．②量的な特徴に対比した抽象的な特性．形質は量的分析よりも分離になりやすい．表現型の特性であり，遺伝型の特性ではない）.

Bombay t. ボンベイ表現型（→Bombay *phenomenon*）.

categoric t. 分類形質（遺伝学において，特徴を便宜的，有効的に分析するために，クラス分けされるような特徴のこと．それを評価する満足な方法がない場合(血液型)や，それが自然の種に分類されるために，種間の変異が大きすぎて分類からはずれる場合(多くの酵素の多型性による表現効果)などに使われる．分類によって，主要，簡素，根元的な原因の作用が示唆されるが，証明するものではない）. =qualitative t.

chromosomal t. 染色体形質（再発性の染色体の異常型による形質）.

codominant t. 相互優性形質（→codominant）.

dominant t. 優性形質（→*dominance* of traits）.

dominant lethal t. 優性致死形質（もし遺伝子型として存在するならば表現型としては発現するが，子孫をもつのは不可能な形質．古典的遺伝学で通常用いられる方法では，高齢の父親というような弱い論拠以外どんな遺伝的要素も明らかにする手段がないので，このような事例はすべて必然的に散発性であり，新しい突然変異を代表しているということになる．もし形質を隠している上位遺伝子が存在するならば，複雑であるが論理的にはもっと扱いやすい）.

galtonian t. ガルトン形質（連続形質に類似する，複数の遺伝子座が貢献していることによる量的遺伝形質）.

intermediate t. 中間形質（単純な1つの主原因の作用がある程度明確ではあるが，推定の範囲での多様性から重複がみられるような形質のことで，いかなる詳細な論文の分類にもあるあいまいな表現である）.

liminal t. 発端形質. =threshold t.

marker t. マーカ形質（それ自身にはほとんど重要性がなくとも，関連・連鎖などの方法によって病気の検出・予想・理解を容易にしたり(遺伝的疾患で)，核型上での原因遺伝子の位置を突き止めやすくできる形質）.

mendelian t. メンデル形質（単一遺伝子座に従って分離するような範疇の形質）.

nonpenetrant t. 非侵入性形質（非遺伝的要因であるために，表現型としては明確でない遺伝形質．したがって劣性遺伝や，上位性，下位性，両側性は含まれないが，環境要因やライオニゼーションのような純粋に無作為な作用は含まれる).

penetrant t. 浸透性形質（特定の遺伝子型に支配される形質が表現型として現れたもの．厳密には，浸透した形質のことで遺伝子のことではない．→penetrance).

personality t. パーソナリティ特性（パーソナリティの持続的で独特な側面のことで，一連の価値，信念，思考，態度，意向，感情，行動とは別個に発現する．→temperament).

qualitative t. 実質的形質．＝categoric t.

recessive t. 劣性形質（→*dominance* of traits).

sickle cell t. 鎌状赤血球形成傾向（鎌状赤血球貧血にみられるヘモグロビンS遺伝子の異型接合状態).

threshold t. しきい(閾)形質（分類上明白な原因によるのでなく，結果が決定的な値に達するかどうかで区分けされる形質．例えば，胆石は明白な原因あるいはまったくグループ分けされないような異常なレベルの原因の因子による場合もあるであろう)．＝liminal t.

tra·jec·tor (trǎ-jek′tǒr, -tōr) [L. < *tra-jicio*, pp. *-jectus*, to throw over or across]. 弾丸探索器（まれに用いられる創の中で弾道を探す道具).

tra·ma·dol (trah′mǎ-dol). トラマドール（鎮痛剤．作用機序は光学異性体の１つが典型的なオピオイド様作用を有し，もう一方の異性体が神経末端のノルエピネフリンおよびセロトニンの再吸収および(または)放出と相互作用するという点で変わっている).

TRANCE (trans) [*T*NF-*r*elated activati*on*-induced cyto-kin*e*]. tumor necrosis factor-related activation-induced cytokine(腫瘍壊死因子活性化促進サイトカイン)の略．これにより破骨細胞の分化が誘発される．＝OPG ligand.

trance (trans) [L. *transeo*, to go across]. トランス（催眠状態，カタレプシー，恍惚におけるような意識の変化した状態)．＝osteoclast differentiation factor.

death t. 死状トランス（仮死状態，無意識およびほとんど知覚できないくらいの呼吸と心臓の動きを特徴とする).

induced t. 誘発性トランス（人為的に誘発された催眠状態あるいは夢遊状態).

somnambulistic t. 夢遊性トランス（深催眠中の暗示により誘発される夢遊症，麻痺，無感覚，カタレプシーなどの状態).

tran·ex·am·ic ac·id (tran′eks-am′ik as′id). トラネキサム酸（プラスミノゲンの活性化およびプラスミンの競合阻害薬で，血友病による出血の減少および防止に用いる).

tran·qui·liz·er (trang′kwi-līz′ěr). トランキライザ，精神安定薬（患者を鎮静あるいは機能低下状態にせずに平静にし，静穏とし，心を和らげ，あるいは平穏にすることで落着きを促進する薬物).

major t. 強トランキライザ，強力精神安定薬．＝antipsychotic *agent.*

minor t. 弱トランキライザ，緩和精神安定薬．＝antianxiety *agent.*

trans- [L. *trans*, through, across]. ***1*** 横切って，通って，…を超えて，を意味する接頭語．cis- の対語．***2*** 遺伝学において，相同対の相対染色体上の２つの遺伝子の位置についていう．***3*** 有機化学において，原子が二重結合の炭素原子の反対側に位置している幾何異性をいう．***4*** 生化学において，一方の化合物から他方の化合物のその基を転移する酵素名または反応の中で基の名称に付ける接頭語．例えば，transformylase（ホルミル基を転移する)，transpeptidation など．

trans·a·cet·y·lase (trans′ǎ-set′i-lās). トランスアセチラーゼ．＝acetyltransferase.

trans·a·cet·y·la·tion (trans′ǎ-set′i-lā′shǔn). アセチル基転移（アセチル基(CH_3CO–)の，一方の化合物から他方の化合物への転移．そのような反応は，通常，アセチル CoA 形成を要し，アセチル基がオキザロ酢酸に転移することによりクエン酸を形成するトリカルボン酸回路の開始段階で起こるのはよく知られている).

trans·ac·tion (tranz-ak′shǔn). 相互作用，交流（①２人以上の人々の出会いから生じる相互作用．②相互作用(交流)分析においては，社会的刺激や反応を含む分析の単位).

trans·ac·y·las·es (trans-as′i-lās′ez). トランスアシラーゼ．＝acyltransferases.

trans·ac·yl·a·tion (trans-as′il-ā′shǔn). アシル基転移（アシル基の相互変換).

trans·al·do·lase (trans-al′dō-lās). トランスアルドラーゼ（転移酵素で，セドヘプツロース–7–リン酸と D–グリセルアルデヒド–3–リン酸，および D–エリトロース–4–リン酸と D–フルクトース–6–リン酸との相互交換をする．ペントースリン酸経路の一部分．→transketolase).

trans·al·do·la·tion (trans-al′dō-lā′shǔn). アルドール基転移（アルドール基(CH_2OH–CO–CHOH–)が一方の化合物から他方へ転移する反応．こうした反応は，通常，糖リン酸エステルを必要とし，糖質異化のホスホグルコン酸酸化経路中に存在する).

trans·am·i·da·tion (trans-am′i-dā′shǔn). アミノ基転移(NH_2 基をアミド部分より(例えばグルタミンより)他の分子へ移動させること).

trans·am·i·di·nas·es (trans-am′i-di-nās′ěz). トランスアミジナーゼ．＝amidinotransferases.

trans·am·i·di·na·tion (trans-am′i-di-nā′shǔn). アミジン基転移（アミジン基(NH_2C=NH)が一方の化合物から他方へと転移する反応．アミジン供与体は通常，L–アルギニンであり，その反応はクレアチンの生合成の際重要である).

trans·am·i·nas·es (trans-am′i-nās-ěz). トランスアミナーゼ．＝aminotransferase.

trans·am·i·na·tion (trans′am-i-nā′shǔn). アミノ基転移（アミノ酸とα–ケト酸との反応．この反応でアミノ基は，前者から後者へ転移する．ある場合にはこの反応はアミノ酸とアルデヒド間で起こる(例えば，オルニチントランスアミラーゼによりグルタミン酸とグルタミン酸セミアルデヒドとの間で)).

trans·au·di·ent (trans-aw′dē-ěnt) [trans- + L. *audio*, pres. p. *audiens*, to hear]. 音波透過性の.

trans·ca·lent (trans-kā′lent) [trans- + L. *caleo*, to be warm]. 熱線透過性の．＝diathermanous.

trans·cap·si·da·tion (trans′kap-si-dā′shǔn). カプシド転換（SV 40 アデノウイルス〝ハイブリッド〟ウイルスカプシドが，他種のアデノウイルスカプシドと入れ替わる現象．他のウイルスでの同様の現象にも拡大的に用いられる).

trans·car·ba·moy·las·es (trans-kar′bǎ-moy′lās-ěz). トランスカルバモイラーゼ．＝carbamoyltransferases.

trans·car·ba·moy·la·tion (trans-kar-bǎ-moy-il-lā′shǔn). カルバモイル基転移反応（カルバモイル基のある分子から他の分子への移動．例えば，尿素回路のオルニチントランスカルバモイラーゼによって触媒される反応).

trans·car·box·yl·as·es (trans-kar-boks′i-lās-ěz). トランスカルボキシラーゼ．＝carboxyltransferases.

trans·cen·den·tal med·i·ta·tion (TM) (tranz′en-den′tal med′i-tā′shǔn). 超越瞑想（アジア文化で 2500 年前から行われている瞑想の一種で，エネルギー増大，ストレス解消，精神身体健康増進の手段として，Maharishi Mahesh Yogi によって欧米で流行した．まっすぐに 20 分間座り，目を閉じて，考えが起きたときに静かにマントラ(瞑想状態に戻るのに用いられる，実行者によって異なる鍵となる言葉)を唱える).

trans·co·bal·a·mins (trans′kō-bal′ǎ-minz). トランスコバラミン（〝R バインダー〟に属する化合物，コバラミン結合蛋白のファミリーに与えられた名称．その欠乏により，血清コバラミン値も低くなり，巨大赤血球性貧血になる).

trans·con·dy·lar (trans-kon′di-lǎr). 経顆的な（顆を横断する．顆を通る．Carden 切断術での骨切開線をさす).

trans·cor·ti·cal (trans-kōr′ti-kǎl). 皮質間の，超皮質〔性〕の（①脳，卵巣，腎臓などの皮質を横切ってまたは通っているものについていう．②大脳皮質の一方から他方へ，種々の連合路をさす).

trans·cor·tin (tranz-kōr′tin). トランスコルチン（コルチゾンやコルチコステロンと結合する血中α–グロブリン．血漿成分のコルチコステロイド結合蛋白)．＝corticosteroid-binding globulin; corticosteroid-binding protein.

tran·scrip·tase (tran-skrip′tās) [L. *transcribo*, pp. *transcriptum*, to copy + -ase]. トランスクリプターゼ，転写酵素（転写の過程に関係するポリメラーゼ．RNA 依存性または DNA 依存性といわれている).

reverse t. 逆トランスクリプターゼ（RNA 依存性DNAポリメラーゼ．RNA 腫瘍ウイルスのビリオン中に存在する）．

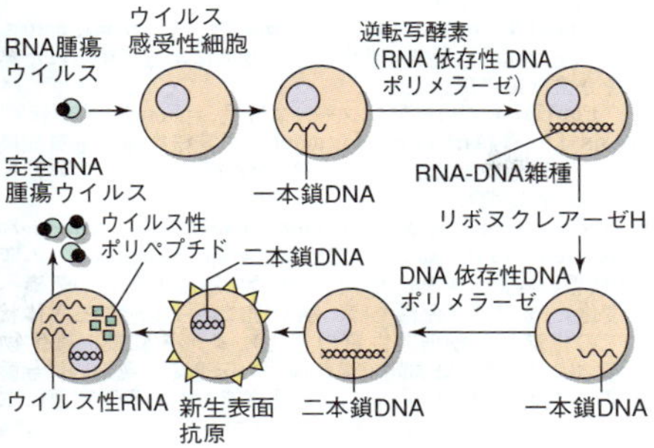

reverse transcriptase

RNA腫瘍ウイルスの細胞性DNAへの組み込み．

tran·scrip·tion (tran-skrip′shŭn). 転写（[誤ったつづり transscription を避けること]．ある種の核酸の遺伝暗号の情報が，他の種の核酸へ写されること．特に mRNA が RNA ポリメラーゼによって DNA を鋳型とし，塩基酸配列の相補性によって合成される過程をいう）．

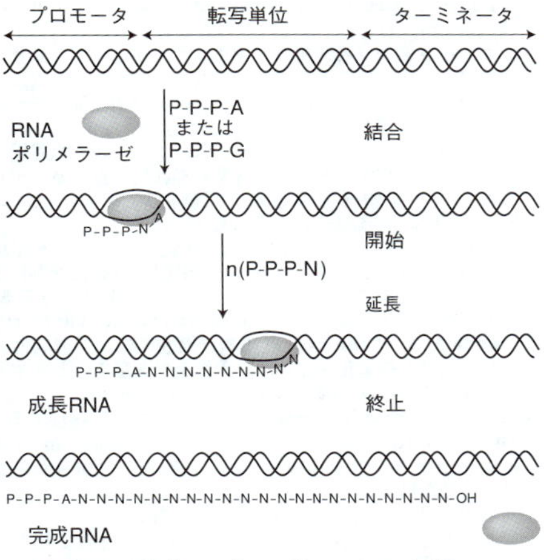

transcription; schematic representation

P-P-P-A：ATP．P-P-P-G：GTP．P-P-P-N：4種(ATP,CTP,UTP,およびGTP)のヌクレオシド三リン酸．

reverse t. 逆転写（正常な転写(DNA から RNA)の逆反応．有効な手段としては，ウイルス酵素の逆転写酵素がある）．

transcriptome (tran-skrip′tōm) [*transcrip*tion + gen*ome*]. トランスクリプトーム（特定のゲノムから転写された RNA すべて）．

trans·cu·ta·ne·ous (tranz′kyū-tā′nē-ŭs). 経皮性の，経皮的な．＝percutaneous.

trans·cy·to·sis (tranz′sī-tō′sis). トランスサイトーシス（経細胞輸送メカニズムのこと．細胞が細胞膜の陥入で細胞外物質を取り込み小胞を形成し(エンドサイトーシス)，その小胞を細胞内で移動させ，逆反応により逆の細胞膜から物質を排出させる(エキソサイトーシス)．多くの蛋白が Golgi 装置や原形質膜へ移動するメカニズム．リソソームを標的とする小胞で，分泌性貯蔵顆粒がクラスリンでおおわれている）．＝cytopempsis; vesicular transport.

trans·der·mic (tranz-der′mik). 経皮性の，経皮的な．＝percutaneous.

trans·duce (tranz-dūs′). 形質導入する．

trans·duc·er (tranz-dū′sĕr). 変換器，トランスデューサ（エネルギーを一方の形から他の形へ変換するよう考案された装置．→transduction）．

piezoelectric t. 圧電(ピエゾ)変換器(振動子)（電気的エネルギーを機械的エネルギーに変換，またはその逆の変換をする変換器．超音波診断・治療で用いる）．

ultrasound t. 超音波振動子（超音波診断で用いられる圧電変換器）．

trans·duc·in (tranz-dū′sin). トランスデューシン（網膜杆体や網膜錐体で見出されるグアニンヌクレオチド(例えばG蛋白)結合蛋白．シグナル伝達の主要な作用をする．脊椎動物の杆体細胞では cGMP ホスホジエステラーゼとロドプシンの光分解との仲介として働く）．

trans·duc·tant (tranz-dŭk′tănt). 形質導入体（形質導入によって新しい性質を獲得した細胞．ゲノム中に導入遺伝子断片が組み込まれた場合を完全導入体といい，遺伝子断片が組み込まれずに，分裂時に 2 つの娘細胞の一方にのみ伝えられる場合は不全導入体である）．

trans·duc·tion (tranz-dŭk′shŭn) [trans- + L. *duco*, pp. *ductus*, to lead across]. ***1*** 形質導入（遺伝物質(およびその形質発現)をバクテリオファージの感染によって 1 つのバクテリアから他のバクテリアに移入すること）．***2*** 導入，形質導入（バクテリアの遺伝的組換えの一型）．***3*** エネルギー変換（1 つの形態から他の形態へのエネルギーの変換）．

abortive t. 不全形質導入，不稔形質導入（供与菌の遺伝子片が受容菌のゲノムに組み込まれない導入．したがって，受容菌が分裂するとき娘細胞の一方にのみ伝達される）．

complete t. 完全形質導入（伝達された遺伝子片が，受容菌のゲノム中に完全に組み込まれる形質導入）．

Davis battery model of t. (dā′vĭs). デービスのエネルギー変換バッテリーモデル（蝸牛内の陽性電位と有毛細胞内の陰性電位により Corti 器の小皮板を通過する起電力が供給されるという概念）．

general t. 普遍形質導入（形質導入を行うバクテリオファージが，供与菌のどの遺伝子をも伝達しうる形質導入）．

high-frequency t. 高頻度形質導入（供与菌が，形質導入欠損プロバクテリオファージだけでなく，〝ヘルパー〟ウイルスとなる非欠損型プロファージを有することによって，大部分の欠損プロファージ粒子が形質導入因子として十分な機能を発揮するような特殊形質導入）．

low-frequency t. 低頻度形質導入（機能不完全なため，ごく一部のプロファージ粒子のみが，有効な形質導入体として機能できるような特殊形質導入）．

mechanoelectric t. メカノエレクトリック(機械電気)変換（蝸牛や前庭の有毛細胞のような感覚細胞により物理的エネルギーを電気的エネルギーに変換すること）．

specialized t. 特殊形質導入（バクテリオファージ株による供与菌遺伝子のごく一部，あるいは 1 つしか導入できないバクテリオファージ株による形質導入）．＝specific t.

specific t. ＝specialized t.

tran·sec·tion (tran-sek′shŭn) [trans- + L. *seco*, pp. *sectus*, to cut]. ＝transsection. ***1*** 横断面．***2*** 横断，離断．

trans·eth·moi·dal (trans′eth-moy′dăl). 経篩骨の（篩骨を横切って，または通り抜けて）．

trans·fec·tion (trans-fek′shŭn). トランスフェクション（核酸(レトロウイルス由来のような)を細胞の感染に用いた遺伝子導入法．その結果，トランスフェクションされた細胞でのウイルス複製へと続く）．

trans·fer (trans′fĕr) [L. *trans-fero*, to bear across]. ＝transmission (1). ***1*** 転移（除去あるいは移動）．***2*** 転嫁，移入（1 つの状況での学習が他の場面での学習に影響を与える状態．学習の持ち越し．1 つの行動学習が他の学習を促進する際のように，効果がプラスであることもあり，また 1 つの習慣が後の習慣獲得を妨げる際のように，効果がマイナスであることもある）．

cytoplasmic t. 卵子細胞質注入（若い卵細胞の細胞質を老齢卵子に注入するという再生医療技術の一部．処理後の卵子は授精され，母親の子宮に戻される）．

embryo t. 胎芽移植（胎外受精後，桑実胚期または胞胚期の胎芽を不妊症患者の子宮または卵管に移植する方法）.

Fourier t. (fūr-ē-ā′). フーリエ変換. ＝Fourier *analysis.*

gamete intrafallopian t. (**GIFT**) 卵管内配偶子移植法（卵および精子を卵管膨状部内に置く方法．生殖補助技術の一種）.

group t. 基移動（ある分子から他の分子への官能基の移動）.

Jones t. (jōnz). ジョーンズ式腱移行術（母趾のかぎ(鉤)爪変形に対する手術法で，長母趾伸筋腱を母趾中足骨頸部に移行する方法．小趾のかぎ(鉤)爪変形を矯正するのにも用いられる）.

linear energy t.(**LET**) 線エネルギー付与（単位飛程当たりに放射線によって付与されたエネルギーの総量．keV/μm の単位で表す．陽子，中性子，α粒子はγ線やX線よりかなり高い LET をもつ．放射線防護を考えるときの放射線の性質．→relative biologic *effectiveness*）.

tendon t. 腱移行術（摩耗している筋の機能と力のバランスを再建するために，正常の筋を腱付着部で切離して，再建すべき腱に再縫着する手術法(例えば，尺骨神経損傷後の母指内転再建に環指深指屈筋を移行する)）.

trans·fer·as·es (trans′fĕr-ās′ĕz). トランスフェラーゼ，転移酵素；enzymes (EC class 2) transferring (一炭素基(2.1 でメチルトランスフェラーゼ 2.1.1，ホルミルトランスフェラーゼ 2.1.2，カルボキシルトランスフェラーゼ，カルバモイルトランスフェラーゼ 2.1.3，アミジノトランスフェラーゼ 2.1.4 を含む)，アシル残基(アシルトランスフェラーゼ 2.3)，グリコシル残基(グリコシルトランスフェラーゼ 2.4 で，ヘキソシルトランスフェラーゼ 2.4.1 とペントシルトランスフェラーゼ2.4.2 を含む)．アルキルまたはアリル基(2.5)，窒素含有基(2.6)，リン含有基(2.7 で，ホスホトランスフェラーゼ)，硫黄含有基(2.8 で，スルフルトランスフェラーゼ 2.8.1，スルホトランスフェラーゼ 2.8.2，CoA トランスフェラーゼ 2.8.3 を含む))．＝transferring enzymes.

terminal t. ターミナルトランスフェラーゼ（ヌクレオチドをポリ核酸の 3′ 末端へ共有結合的に付加させる酵素．例えば，DNA ヌクレオチジルエキソトランスフェラーゼ）.

terminal deoxynucleotidyl t. (**TdT**) ターミナルデオキシヌクレオチジルトランスフェラーゼ（特殊 DNA ポリメラーゼで，未熟なプレ B，プレ T リンパ系細胞や急性リンパ芽球白血病/リンパ腫細胞で発現する）.

trans·fer·ence (trans-fer′ents). ***1*** 移転，移動（ある物体を他の場所に移すこと）．***2*** 転移（転換ヒステリーの症例でみられるように，症状が身体の一側から他側へと移動すること）．***3*** 転移（ある人またはある観念についての感情を他の人(観念)へと置き換えること．精神分析において，患者の過去における人物を代表するようになった分析者に対して，感情，思考および願望を投射することについて通常用いる）.

counter t. →countertransference.

extrasensory thought t. 超感覚的考想転送．＝telepathy.

t. love 転移恋愛（転移状況の１つの現れとして，患者が精神分析医に示す恋愛感情）.

negative t. 陰性転移，負の転移（患者が分析者に対して敵意をもつことを特徴とする転移）.

passive t. 受動転移（症患に対し活動免疫をもった動物またはヒトの血清を注射することによって得られる免疫またはアレルギーの継代をいう）.

positive t. 陽性転移，正の転移（患者が分析者に対して友好と尊敬などの陽性の感情をもつことを特徴とする転移）.

trans·fer·rin (trans-fer′in) [trans- + L. *ferrum*, iron + -ia][MIM*190000]．トランスフェリン（①血漿非ヘムβ_1-グロブリンの１つ．1g当たり1.25 μgまでの鉄と可逆的に結合でき，そのため鉄輸送蛋白として作用する．②糖蛋白，哺乳類の乳(ラクトフェリン)，卵白(コンアルブミン，オボトランスフェリン)に存在し，鉄(Fe^{3+})を結合し，輸送する）.

gamma-carbohydrate-deficient t. ガンマ炭水化物欠損トランスフェリン（炭水化物欠損(アシアロ)トランスフェリン値とγ-グルタミルトランスフェラーゼ値を合計した計算値で，長期にわたるエタノール暴露を評価するのに有用）.

trans·fer-RNA (trans′fer). ribonucleic acid の項を参照.

trans·fix (trans′fiks) [L. *trans-figo*, pp. *-fixus*, to pierce through < *figo*, to fasten]．貫通，穿刺（鋭い器具で突き通すこと）.

trans·fix·ion (trans-fik′shŭn) [L. *transfixio*(→transfix)]．貫通切断（切断技術．ナイフを骨の近くの軟部に通し，次いで筋を内部から外部へと分割する）.

trans·form (trans-fōrm′) [L. *transformo* < *trans*, across + *forma*, form]．変換（数学では，変換によって得られた結果をさすために用いる）.

Fourier t. (fūr-ē-ā′). フーリエ変換. ＝Fourier *analysis.*

trans·for·mant (trans-fōr′mănt). 形質転換体（形質転換によって，他の細菌から遺伝物質(およびその形質表現性)を受け取った細菌）.

trans·for·ma·tion (trans′fōr-mā′shŭn) [L. *trans-formo*, pp. *-atus*, to transform]．***1*** 変態．＝metamorphosis．***2*** 変換（軟骨から骨の変換のように，１つの組織から他の組織への変化）．***3*** 変質（金属では，熱処理によって起こる固体状態での相変化と物理的性質の変化）．***4*** 形質転換（微生物遺伝学において，細菌間で遺伝情報を伝達する現象．供与菌由来の〝裸の〟細胞 DNA 断片を受容能力のある受容菌に取り込ませることによる）．***5*** トランスフォーメーション（哺乳動物細胞が癌化すること）.

cavernous t. of portal vein [MIM*601004]．門脈海綿状変化（血栓の結果生じる門脈のいくつもの側副血行路による置き換え）.

cell t. 細胞トランスフォーメーション（腫瘍ウイルスの感染によって起こる動物細胞の形態学的・生理学的変化．接触阻止現象がみられなくなる）.

Haldane t. (hawl′dān). ホールデーン変換（開放回路法による酸素消費または呼吸商の計算で，吸入酸素濃度に呼出対吸入窒素濃度比を乗ずる）.

Lobry de Bruyn-van Ekenstein t. (lō′brē dĕ brūn vahn ek′ĕn-shtīn). ロブリー・ド・ブリュイアン－ファン・エーケンスタイン変換（希アルカリ中で，カルボニル基の隣接部位がエノール化することによりエンジオールが生じ，グルコースがフルクトースおよびマンノースに変換する反応で，生化学的変換に類似している）.

logit t. ロジット変換（ラジオイムノアッセイの用量・反応曲線を直線化する方法．結合型の標識抗原量をＢ，ゼロ標準品に対する結合型の標識抗原量を B_0 とすると，Logit B/B_0 = $Log(B/B_0/1-B/B_0)$となる）.

lymphocyte t. リンパ球幼若化[現象]（リンパ球を組織不適合抗原にさらしたり(混合白血球培養)，分裂促進剤にさらしたりしたときに，リンパ球が大型の，芽細胞(免疫芽細胞)様の形態に変化すること．→mixed lymphocyte culture *test*）.

nodular t. of the liver 肝臓の結節性変化（過形成性の肝細胞の結節が線維化あるいは小葉構築の改変を伴わず生じるまれな状態）．＝nodular regenerative hyperplasia.

trans·fuse (trans-fyūz′). 輸液する，移入する，輸注する.

trans·fu·sion (trans-fyū′zhŭn) [L. *trans-fundo*, pp. *-fusus*, to pour from one vessel to another]．輸血（供血者から受血者へ血液を移すこと）.

drip t. 点滴輸血（長時間にゆっくり輸血する）.

exchange t. 交換輸血（患者の血液の大半を抜き出し，等量の供血者の血液を入れること）．＝exsanguination t.; substitution t.; total t.

exsanguination t. しゃ血輸血．＝exchange t.

fetomaternal t. 胎児母体輸血（胎児血液が，胎盤の膜の欠損を通じて母体循環血中に移行すること）.

indirect t. 間接輸血（事前に供血者から採り，適当な容器に保存しておいた血液を患者に注入すること）．＝mediate t.

intramedullary t. 骨髄輸液（新生児に最も一般的で，たいてい大腿骨，脛骨などの長管骨の髄腔内に行われる）.

intrauterine t. 子宮内輸血（胎児赤芽球症を治療するために Rh 陰性血液を胎児の腹腔内に注入すること）.

mediate t. ＝indirect t.

placental t. 胎盤血輸血（臍帯を介して胎盤残留血を新生児にかえす方法）.

reciprocal t. 相互輸血（供血者から採った血液を，同じ疾患にかかっている受血者に輸血して免疫を与える試み．バランスは受血者から採った同量の血液を供血者に輸血することで保たれる）.

subcutaneous t. 皮下輸液（吸収性溶液を皮膚下に注入す

ること).

substitution t. 変換輸血，全輸血．＝exchange t.

total t. ＝exchange t.

twin-twin t. 双胎児輸血（双胎の胎盤内の動静脈の直接的な吻合).

trans·gene (tranz′gēn). トランスジーン，導入遺伝子（新しく導入された遺伝子).

trans·gen·e·sis (tranz-jen′e-sis). 遺伝子導入（卵子に異なった種の DNA を導入した生殖).

trans·gen·ic (trans-jen′ik). トランスジェニック（胚細胞の卵核内に新しい DNA を導入された生物についていう).

trans·glot·tic (trans-glot′ik). 経声門型の（声門上部から下部にかけて癌が広がっているときのように声門を垂直に横切っていること).

trans·glu·co·syl·ase (trans-glū′kō-sil′ās). トランスグルコシラーゼ．＝glucosyltransferase.

trans·glu·ta·min·ase (tranz′glū-ta′min-ās). トランスグルタミナーゼ（カルシウム依存性アシル基転移反応を触媒する酵素群で，ペプチド結合グルタミニル残基のアミド基がアシルドナーとなる．特異的トランスグルタミナーゼはフィブリン分子をグルタミンとリシル残基の ε-アミノ基との間を架橋し，より安定なフィブリン血餅を形成させる．他のトランスグルタミナーゼとしてはケラチノサイトの末端分化で，角質層の化学的耐性膜の形成に関与するものがある).

trans·gly·co·si·da·tion (trans-glī′kō-si-dā′shŭn). グリコシド転移（グリコシル結合した糖を他の分子へ転移させる反応).

trans·gly·co·syl·ase (trans′glī-kō′sil-ās). トランスグリコシラーゼ．＝glycosyltransferase.

trans·hi·a·tal (trans′hī-ā′tăl). 経裂孔的（裂孔を経て．例えば，経裂孔的食道切除術．一部の操作は経裂孔的に行われる).

tran·sient (trans′shĕnt, -sē-ĕnt)［L. *transeo*, pres. p. *transiens*, to cross over］. ***1*** 短命な，通りがかりの，永久的でない，疾病または発作についていう．***2*** 雑音とは異なる，持続期間がほとんどない(0.12 秒以下)短命の心臓音．例えば，第1·第2·第3·第4音，クリックおよび弁開放音がこれに相当する．

trans·il·i·ac (trans-il′ē-ak). 腸骨間の．

tran·sil·i·ent (tran-sil′ē-ĕnt)［L. *transilio*, to leap across ＜ *salio*, to leap］. 飛び越すこと．脳中の 1 つの脳回から別の非近接の脳回を通る皮質連合線維についていう．

trans·il·lu·mi·na·tion (trans′i-lū′mi-nā′shŭn)［trans- ＋ L. *illumino*, pp. *-atus*, to light up］. 徹照〔法〕，透視〔法〕（光を組織や体腔に通し，試験する方法).

trans·in·su·lar (trans-in′sū-lăr). 経島の（Reil 島を横切っているものについていう).

trans·is·chi·ac (trans-is′kē-ak). 坐骨間の．

trans·isth·mi·an (trans-is′mē-ăn). 峡を越えて（厳密には弓隆回峡を横切ること．移行回についていう).

tran·si·tion (tran-si′shŭn)［L. *transitio* ＜ *transeo*, pp. *-itus*, to go across］. 遷移（①ある状態あるいはある部分が他所に移ること．②ポリ核酸でのプリン塩基やピリミジン塩基をそれぞれ別の塩基で入れ換えること).

cervicothoracic t. 頸胸遷移（最終頸椎と第一胸椎間の連結).

isomeric t. 異性体遷移（核異性体がさらに低いエネルギーをもつ量子状態に遷移すること．例えば $^{131m}Xe \rightarrow {}^{131}Xe + \gamma$).

tran·si·tion·al (tran-si′shŭn-ăl, -zish-). 移行性の，遷移性の．

trans·ke·to·lase (trans-kē′tō-lās)[MIM*606781]. トランスケトラーゼ（セドヘプツロース-7-リン酸と D-グリセルアルデヒド-3-リン酸から D-リボース-5-リン酸と D-キシルロース-5-リン酸への可逆的相互変換をする転移酵素．ヒドロキシピルビン酸とアルデヒドから CO_2 と延長したヒドロキシピルビン酸への変化は同様な反応である．ペントースリン酸経過の非酸化的段階の一部分．→transaldolase)．＝glycolaldehydetransferase.

trans·ke·to·la·tion (trans′kē-tō-lā′shŭn). ケトール基転移（ケトール基群($HOCH_2CO$–)が 1 つの化合物から他の化合物へ転移する反応).

trans·la·tion (trans-lā′shŭn)［L. *translatio*, a transferring ＜ *trans-fero*, pp. *-latus*, to carry across］. ***1*** 翻訳（別の形態に変化または変換すること). ***2*** 翻訳，トランスレーション（メッセンジャー RNA の塩基配列の指令に従って，リボソームが転移 RNA を介してアミノ酸から固有の蛋白を合成する複雑な蛋白合成反応の総称). ***3*** 平行移動，歯体移動（歯科において，歯軸の傾斜を変えないで，歯槽骨を通して歯を移動すること).

nick t. ニックトランスレーション，切れ目移動（バクテリア DNA ポリメラーゼを使った手法で，切れ目(ニック)がはいった DNA の一本鎖を分解し，しばしば標識されたヌクレオシド三リン酸でその鎖を再合成すること).

trans·lo·ca·tion (trans-lō-kā′shŭn)［trans- ＋ L. *location*; placement ＜ *loco*, to place］. ***1*** 転座（異常切断とその結果生じた分節が再癒合することによって生じる非相同染色体間での 2 つの分節の転位). ***2*** トランスロケーション（生体膜を横切った代謝産物の輸送).

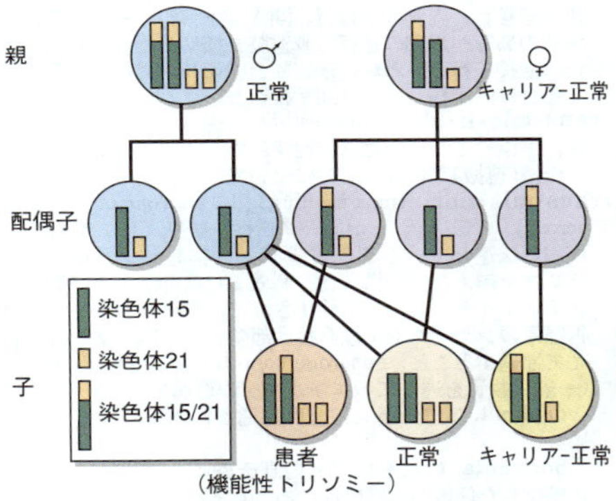

inheritance of translocation trisomy

bacterial t. 細菌転位（細菌あるいは細菌産物の腸管粘膜を横切っての移動で，リンパ系あるいは内臓循環に出現する).

balanced t. 平衡転座（末端動原体型染色体の長腕が他の染色体に転座すること．平衡転座をもつ個体は正常な二倍体のゲノムをもち，臨床的には正常であるが，染色体数が 45 であり，非対称的な減数分裂の結果として，転座断片上の遺伝子を欠損するかトリソミーとして有する子供が産まれる可能性がある).

group t. グループ転移（生体膜を通過する能動輸送の 1 型．そこでは輸送分子は輸送の過程で変更を受ける).

reciprocal t. 相互転座（証明しうるような遺伝物質の欠損を伴わない転座).

robertsonian t.［W.R.B. *Robertson*．米国人遺伝学者］. ロバートソン転座（2 つの末端動原体型染色体の動原体が融合した結果，2 つの異なった染色体の長腕と無短腕を呈する異常染色体を形成する転座．平衡を保った Robertson 転座のキャリアは 45 本しか染色体がないが，ほぼ正常な染色体相補性と臨床的に正常な表現型を呈する．しかしながら子供が非平衡型染色体相補性を有するリスクがある．非平衡型 Robertson 転座では，染色体長腕トリソミーである)．＝centric fusion.

unbalanced t. 非平衡転座（転座染色体をもつ配偶子が，正常配偶子と受精した結果生じる状態．染色体異常にもかかわらず個体が生きているとすれば，個体は染色体を 46 もつが，転座染色体の分節は個体の各細胞で 3 倍体として現れ，部分的または完全なトリソミー状態が存在することになる).

translucency (trans-lū′sen-sē). 半透明（光を一部だけ通す物質の特性).

nuchal t. (nū′kăl trans-lū′sen-sē). 後頸部透明帯（超音波診断で，胎児頸部後方に隔壁をもたない単一の無エコー域を認める所見．妊娠 11—14 週に測定されるものをいう．同部の厚さの増大は染色体数異常および非染色体異常性疾患のリスクが高いことを示唆する).

trans·lu·cent (trans-lū′sent) [L. *translucens* < trans- + *luceo*, to shine through]. 半透明の（光の拡散的透過を許すものについていう).

trans·mem·brane (trans-mem′brān). 膜内外（粘膜を通るまたは横切ること).

trans·meth·y·lase (trans-meth′i-lās). トランスメチラーゼ. ＝methyltransferase.

trans·meth·y·la·tion (trans′meth-i-lā′shŭn). メチル基転移（メチル基の，1つの化合物から別の化合物への転移．例えばL-ホモシステインは，メチル基が転移することにより，L-メチオニンに変換される.→*methionine* synthase).

trans·mi·gra·tion (trans′mī-grā′shŭn) [L. *transmigro*, pp. *-atus*, to remove from one place to another]. 移行，遊出（一側から他側への動き．多くは血管壁を通して血液細胞が通る(漏出)際のように通常，障壁の交差を伴う).

ovular t., external ovular t., direct ovular t., internal ovular t., indirect ovular t. 卵子移行，外側卵子移行，直接卵子移行，内側卵子移行，間接卵子移行（一方の卵巣から他側の卵管への卵の移行．骨盤腔を横切る場合は外側移行または直接移行といわれ，子宮腔を横切り，対側の卵管にはいる場合は内側移行または間接移行という).

trans·mis·si·ble (trans-mis′i-bĕl). 送ることのできる（伝播性，感染性または接触感染性疾患のように，ヒトからヒトへと伝播(運搬)されうるものについていう).

trans·mis·sion (trans-mish′ŭn) [L. *transmissio*, a sending across]. ***1*** 伝達. ＝transfer. ***2*** 伝播，伝染（ヒトからヒトへ疾病が伝達していくこと. ***3*** 伝達（神経インパルスが，シナプスを越えた側の構造物を刺激または抑制する特異的化学メディエイタによって活性化されて，自律神経系または中枢神経系のシナプスや神経筋接合部のような解剖学的裂溝を越えて通過すること.→neurohumoral t.). ***4*** 透過，伝達，伝送（一般に物質を通してのエネルギーの通過をさす).

duplex t. 二重伝達（神経幹を通る，衝撃の両方向への通過).

horizontal t. 水平伝播（垂直伝播とは対照的に，病原体が感染した個体から感染性のあるヒトに伝播すること).

iatrogenic t. 医原性感染（汚染された注射針による感染のような医療行為による患者への病原体の感染).

neurohumoral t. 神経液伝達（興奮したシナプス細胞が特殊化学物質(神経伝達物質)を発し，シナプスと交差し，後シナプス細胞を刺激または抑制する過程). ＝neurotransmission.

neuromuscular t. 神経筋伝達（運動神経インパルスが筋収縮を起こす機序．インパルスが運動神経終末(終板)に到達するとアセチルコリンを含有する小胞が放出され，アセチルコリンがシナプス間隙を横切り，シナプス後膜に到着すると筋活動電位を起こす).

transovarial t. 経卵伝播，経卵巣感染（雌宿主から卵巣を通して卵へ寄生虫または病原体が伝播されること．リケッチアやウイルスを保有するダニ幼虫による感染のように，次世代の幼虫が病原体を伝播する能力をもつことの説明のため，一般にある種の節足動物について用いられる).

transstadial t. ウイルスまたはリケッチアのような微生物寄生体が，特にダニで認められるように特定宿主の一発育段階から次の段階または状態へ進行して伝染すること.→transovarial t.

vertical t. 垂直伝播（①ウイルスゲノムが組み込まれた細胞の遺伝装置によってウイルス(例えばRNA腫瘍ウイルス)が伝播すること．②病原体一般では，個体からその子孫へ，すなわちある世代から次の世代へ伝播すること. *cf.* horizontal t.).

trans·mu·ral (trans-myū′răl) [trans- + L. *murus*, wall]. 経壁の（身体，嚢胞あるいはすべての空洞構造の壁を通る).

trans·mu·ta·tion (trans′myū-tā′shŭn) [L. *transmuto*, pp. *-atus*, to change, transmute]. 変種，変換. ＝conversion (1).

trans·oc·u·lar (trans-ok′yū-lăr). 経眼的な.

tran·so·nance (trans′ō-năns) [trans- + L. *sonans*, sounding]. 共鳴音伝達（1つの器官で生じた音が別の器官を通じて伝達されること).

tran·son·ic (tran-son′ik) [trans- + sonic]. トランソニック（超音波検査で，比較的減衰しない媒体部分を描写する．トランソニック部と音響エコーとの区別がなされる).

trans·pa·ri·e·tal (trans′pă-rī′ĕ-tăl). 壁域，壁部，壁構造を通して，または越えているものについていう.

trans·pep·ti·dase (trans-pep′ti-dās). トランスペプチダーゼ（ペプチド転移反応を触媒する酵素．多くの蛋白分解酵素(トリプシン，パパインなど)は，蛋白分解過程でペプチド転移酵素として作用し，その過程の中間物質としてアシル化酵素を形成する．例えば γ-グルタミルトランスペプチダーゼ).

trans·pep·ti·da·tion (trans′pep-ti-dā′shŭn). ペプチド転移（1つ以上のアミノ酸が1つのペプチド鎖からトランスペプチダーゼ作用によるように，他のペプチド鎖に転移するか，あるいはバクテリア細胞壁合成におけるように，ペプチド鎖自身に転移する反応).

trans·per·i·to·ne·al (trans′per-i-tō-nē′ăl). 経腹膜の（例えば，腹膜切開による腎切除術をいう).

trans·phos·pha·tas·es (trans-fos′fă-tās′ĕz). トランスホスファターゼ. ＝phosphotransferases.

trans·phos·phor·y·las·es (trans′fos-fōr′i-lās′ĕz). トランスホスホリラーゼ（→phosphotransferases; phosphorylases; kinase).

trans·phos·phor·y·la·tion (trans′fos-fōr′i-lā′shŭn). リン酸基転移（リン酸基が一化合物から他の化合物へと転移する反応．ホスホトランスフェラーゼまたはキナーゼの作用する場合のように，しばしばアデノシン三リン酸(ATP)が関与する).

tran·spi·ra·ble (tran-spī′ră-bĕl). 発散しうる.

tran·spi·ra·tion (tran′spī-rā′shŭn) [trans- + L. *spiro*, pp. *-atus*, to breathe]. 蒸散，不感蒸泄，不感発汗（皮膚または粘膜から水蒸気が蒸散すること.→insensible *perspiration*).

pulmonary t. 呼吸器官を通じて，血液から水蒸気が空中に移行すること.

tran·spire (tran-spīr′) [trans- + L. *spiro*, to breathe]. 蒸散する，発汗する（皮膚または呼吸器粘膜から蒸気を発散する).

trans·pla·cen·tal (trans′plă-sen′tăl). 経胎盤の（胎盤を通過するものについていう).

trans·plant (trans′plant) [trans- + L. *planto*, to plant]. ***1*** 〚v.〛移植する（組織移植のように，ある部分を他の部分へ移し換える). ***2*** 〚n.〛移植組織，移植片（移植手術に用いる組織や器官.→graft).

Gallie t. (gal′ē). ギャリー移植片（縫合材料に用いる大腿筋膜の細い索状組織).

hair t. 毛髪移植（有毛部皮膚のパンチバイオプシーによる自家移植．例えば男性型禿髪において，後頭部頭皮を前頭部頭皮へ移植する).

trans·plan·tar (trans-plan′tar). 経足底の（ある筋線維または靱帯構造をいう).

trans·plan·ta·tion (trans′plan-tā′shŭn) [L. *transplanto*, pp. *-atus*, to transplant]. 移植〔術〕（ある部位または他の人から採った組織や臓器を，他の部位に植え付けること.→graft).

bone marrow t. 骨髄移植（骨髄組織を移植すること．再生不良性貧血，原発性免疫不全，急性白血病(全身照射に引き続いて行われる)，および癌患者(例えば乳癌)で骨髄破壊を伴う強力化学療法を施行した症例に有用である).

cardiopulmonary t. ＝heart-lung t.

t. of cornea 角膜移植. ＝keratoplasty.

corneal t. 角膜移植〔術〕. ＝keratoplasty.

heart t. 心臓移植〔術〕（受供者の極度に障害された心臓を脳死提供者からの健全な心臓で置換する手術).

heart-lung t. 心肺移植（心臓と両方の肺の同時移植). ＝cardiopulmonary t.

pancreaticoduodenal t. 膵十二指腸移植〔術〕（膵臓と十二指腸の両者の移植術で，技術的に可能な方法).

renal t. 腎移植〔術〕（腎障害の被移植者の腎機能を回復させるため，適合する提供者からの腎臓を移植すること).

tendon t. 腱移植〔術〕（遊離移植腱を用いて，同じ長さを置き換えること).

tooth t. 歯の移植〔術〕（ある歯槽から別の歯槽へ歯を移すこと).

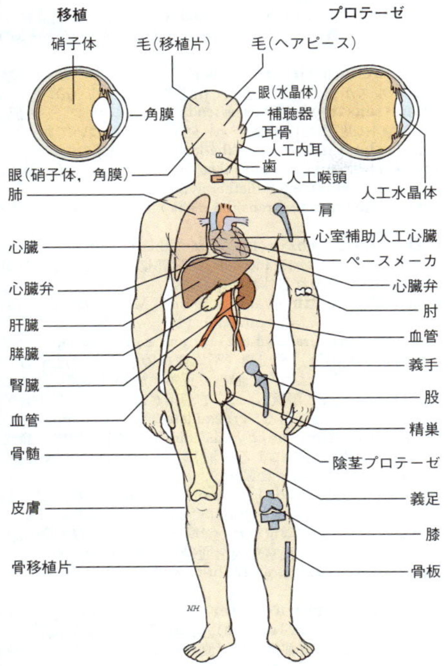

transplants and prostheses

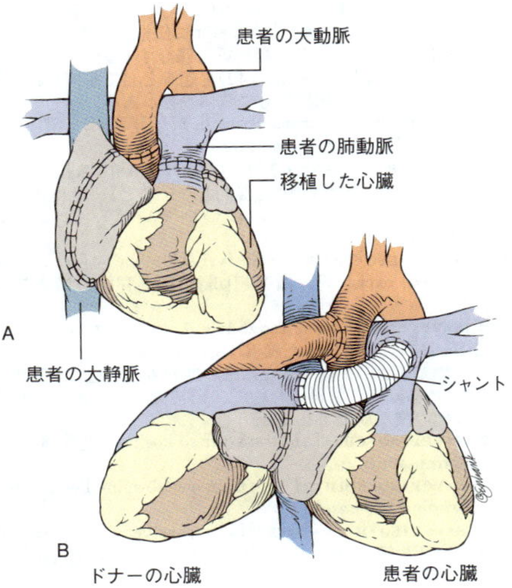

heart transplantation

A：同所性の方法．B：異所性の方法．

trans·pleu·ral (trans-plū′răl). 経胸膜の（胸膜を通過するまたは胸膜腔を横切るものについていう．胸膜の他側にあるものをいう）.

trans·port (trans′pōrt) [L. *transporto*, to carry over < trans- + *porto*, to carry]. 移送，運搬，輸送（生物学的機能における生化学物質の転移あるいは移動）.

active t. 能動輸送（イオンまたは分子の細胞粘膜横断．受動拡散でなく，細胞内で進行する分解産物反応を伴う熱消費反応により生じる．能動輸送では，電気化学的勾配に対して活動が生じる）.

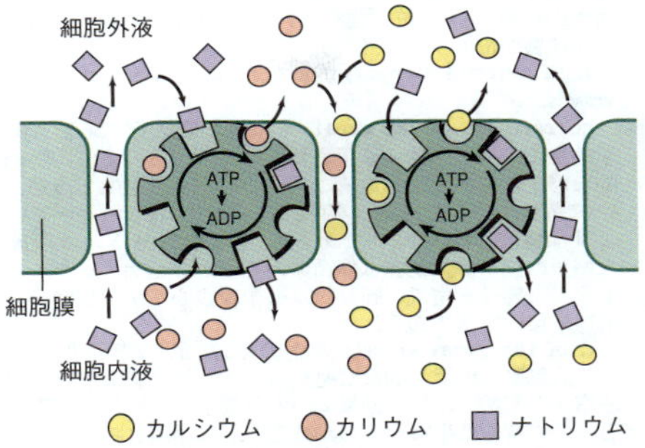

active transport

ナトリウムイオンは細胞膜孔が細胞内に拡散し，輸送系によって細胞外に能動的にくみ出される．カルシウムイオンやカリウムイオンは細胞外へ拡散し，能動的に細胞内へ再びくみ上げられる．この輸送に必要なエネルギーはアデノシン三リン酸（ATP）から得られる．ADP：アデノシン二リン酸．

anterograde t. 前行性輸送，前向性輸送（→anterograde）.

axoplasmic t. 軸索原形質輸送，軸〔索〕漿輸送（軸索原形質の流れによる輸送で，細胞体に向かうのを逆行性，軸索終末に向かうのを順行性という）.

facilitated t. 促進輸送（イオンによる駆動力を用いない蛋白介在による物質の生体膜輸送．飽和輸送系）. = passive t.

hydrogen t. 水素輸送（ある代謝物(水素供与体)から他方(水素受容体)へ酵素系の作用での水素転移．供与体は酸化され，受容体は還元される）.

mucociliary t. 粘膜線毛輸送. = mucociliary *clearance*.

paracellular t. 傍細胞輸送（細胞間のタイト結合を経由し上皮細胞層を通過する溶媒移動．*cf.* transcellular t.）.

passive t. 受動輸送. = facilitated t.

retrograde t. 逆行性輸送，逆向性輸送（→retrograde）.

transcellular t. 経細胞輸送（細胞間を上皮細胞層を通しての溶質の移動．*cf.* paracellular t.）.

vesicular t. 小胞輸送. = transcytosis.

transporter (trans-pōr′tĕr). 転送因子，輸送体（物質を能動的に輸送するための蛋白複合体）.

dopamine t. (**DAT**) ドパミン輸送体，ドパミントランスポータ（シナプス前ニューロンの終末などにみられる蛋白で，シナプス前ニューロンへの再取り込みをすることによりシナプス付近のドパミン濃度を減らす）.

multidrug resistance t. 1 薬物を細胞外に輸送することでその薬物に対する耐性を付与する細胞膜蛋白．㊟一般にP-糖蛋白，MDR1 とよばれる．

norepinephrine t. (**NET**) ノルエピネフリン輸送体，ノルエピネフリントランスポータ（シナプス前ニューロン終末にある蛋白で，シナプス前ニューロンへのノルエピネフリンの再取り込みをすることで，シナプス付近のノルエピネフリン濃度を減少させる）.

serotonin t. (**SERT**) セロトニン輸送体，セロトニントランスポータ（シナプス前ニューロンの終末などにみられる蛋白で，シナプス前ニューロンへの再取り込みをすることによりシナプス付近のセロトニンの濃度を減らす.→presynaptic）.

trans·pos·ase (trans-pōz′ās) [L. *trans-pono*, pp. *transpositum*, to set across, transfer + -ase]. トランスポザーゼ

(DNA 部分が転位する際に働く酵素).

trans·pose (trans-pōz′) [L. *trans-pono*, pp. *-positus*, to place across, transfer]. 転位する(ある組織や器官を別の組織または器官のある場所に転移すること).

trans·po·si·tion (trans-pō-zi′shŭn). ***1*** 転移(一方から他方への移動). =metathesis. ***2*** 逆位(身体の正常でない位置または反対側にある状態. 例えば, 左側にある肝臓や右側にある心尖などの内臓逆位). ***3*** 転移(ゲノムの中での新たな箇所への移動). ***4*** 転位(歯列弓内において, 正常な配列でない所に歯が位置すること).

t. of arterial stems 動脈幹転位(転換). =t. of the great vessels.

corrected t. of the great vessels 修正大血管転位(解剖学的または生理学的に修正されている大血管の変位. 解剖学的な修正転位では両大血管は正しい心室から起始するが, 互いに異常な結合である(実際には転位 transposition というよりは変位 malposition である). 生理学的あるいは機能的な修正転位では大動脈は体循環の心室から起始するが, その心室の形態は右室で, 肺動脈は肺循環の心室から起始するが形態的には左室である).

t. of the great vessels 大血管転位〔症〕(先天性の奇形で, 大動脈は形態学的な右室から, また肺動脈は形態学的な左室から起始し, その結果2つの分離された平行な循環となる. この状態は生後いくらかの交通が体循環と肺循環にないかぎり致死的で, さもなければ酸素化されない静脈血が不適切に体循環に入り, 酸素化された肺静脈血が不適切に肺循環に来る. 生命維持のための交通は心房内交通か動脈管による). =t. of arterial stems.

penoscrotal t. 陰茎会陰部転位(尿道下裂に合併してみられる発生異常. 陰嚢の半分が分離して陰茎軸の側方に存在したり上方に位置することさえある).

trans·po·son (tranz-pō′son) [L. *transpono*, pp. *transpositum*, to transfer + -on]. トランスポゾン(各末端に挿入配列因子の繰返しをもち, 同一細菌内の1つのプラスミドから他のプラスミドへ, または細菌の染色体へ, あるいはバクテリオファージへと, 移動することのできる DNA の分節(例えばR因子遺伝子). この転移の機構は宿主の通常の組換え機構とは無関係のようである. ⇀jumping *gene*; transposable *element*).

trans·sec·tion (trans-sek′shŭn). =transection.

trans·seg·men·tal (trans′seg-men′tăl). 分節を越えて延長する.

trans·sep·tal (trans-sep′tăl). 中隔を越えて.

trans·sex·u·al (trans-sek′shū-ăl). [誤ったつづり transexual を避けること]. ***1*** 〖n.〗 性転換〔者〕(男あるいは女のどちらか1つの性の外性器と二次性徴を有するが, 本人の自己性的同一化と心理・社会的構造は異性のものであるような人. 形態学的, 遺伝学的, 生殖腺構造の研究では, 生殖器の性と一致していることもあり不一致であることもある). ***2*** 〖adj.〗 性転換〔者〕の(***1*** の性質をもつ人を示す, または***1*** の性質をもつ人に関する). ***3*** 〖adj.〗 性転換〔手術〕の(異性のそれに似せるために患者の外的性徴を変えるようにする内科的および外科的処置に関する).

trans·sex·u·al·ism (trans-sek′shū-ă-lizm). ***1*** 性転換状態(性転換をしている状態). ***2*** 性転換症(性同一性障害. 自分が, 本来男性であるならば女性, 女性であるならば男性の一員であるという自己認知をもち, できれば一日中その性としての役割をして生活したいという希望があるため, 自分の解剖学的特徴をその性に身体的にも見合うように変えたいという欲求).

trans·sphe·noi·dal (trans′sfē-noy′dăl). 経蝶形骨の.

trans-splic·ing (trans-splīs′ing). トランススプライシング(2つの異なった転写物部分を含有するスプライシング生成物の形成).

trans·sul·fu·rase (trans-sŭl′fĕr-ās). トランススルフラーゼ(特に下記の含硫化合物の反応を触媒する酵素は, その反応に従って各々名称が付いている. ⓘシスタチオニン→システイン + α-ケト酪酸 + NH_3(シスタチオンγ-リアーゼ), ⓘⓘシスタチオニン→ホモシステイン + ピルビン酸 + NH_3(シスタチオニンβ-リアーゼ), ⓘⓘⓘシステイン→チオシステイン + ピルビン酸 + NH_3(シスタチオニンγ-リアーゼ), ⓘⓥシスタチオニン→セリン + ホモシステイン(シスタチオニンシンターゼ)). =transulfurase.

trans·sul·fur·a·tion (trans-sŭl′fĕr-ā′shŭn). 含硫置換基移動(2つの異なる化合物間の硫黄または硫黄含有置換基の交換).

trans·sy·nap·tic (trans′si-nap′tik). 経シナプスの(神経インパルスがシナプスを通って伝達することをいう).

trans·ten·to·ri·al (trans′ten-tō′rē-ăl). 経テント〔切痕〕の(テント切痕または小脳テントを通ることについていう).

trans·tha·lam·ic (trans′tha-lam′ik). 経視床の.

trans·ther·mi·a (trans-ther′mē-ă) [trans- + G. *thermē*, heat]. 透熱〔療法〕. =diathermy.

trans·tho·rac·ic (trans′thō-răs′ik). 胸郭を経由して, 経胸腔的の.

trans·tho·ra·cot·o·my (trans′thōr-ă-kot′ŏ-mē) [trans- + thorax + G. *tomē*, incision]. 胸郭切開〔術〕(胸壁の切開を経由して行われる外科手術).

trans·thy·re·tin (trans-thī′rē-tin) [MIM* 176300]. トランスサイレチン. =prealbumin (1).

tran·su·date (tranz′yū-dāt) [trans- + L. *sudo*, pp. *-atus*, to sweat]. 漏出液, 沪出液(不均衡な静水圧や浸透圧力により, 毛細管壁のような, 恐らく正常と思われる膜を通過してきた液体(溶媒と溶質). 二次的濃縮がないかぎり蛋白濃度の低いことが特徴である. *cf.* exudate). =transudation (2).

tran·su·da·tion (tranz′yū-dā′shŭn). ***1*** 漏出, 沪出(静水圧または浸透圧勾配による, 液体または溶質の粘膜通過. ⇀transudate). ***2*** =transudate.

tran·sude (tranz′yūd) [⇀transudate]. 漏出する, 沪出する(一般には, 液体が膜を少しずつ通過する, あるいはにじみ出ること. さらに限定された意味として, 不均衡な静水圧や浸透圧力により, 正常な膜を通過する場合に用いる).

tran·sul·fu·rase (tran-sŭl′fu-rās). トランスルフラーゼ. =transsulfurase.

trans·u·re·ter·o·u·re·ter·os·to·my (TUU) (tranz′-yū-rē′tĕr-ō-yū-rē′tĕr-os′tŏ-mē). 対側尿管尿管吻合〔術〕(一方の尿管の切断端を健常の反対側の尿管へ吻合すること. 直接あるいは楕円端側吻合法を用いる. ⇀ureteroureterostomy). =transureteroureteral anastomosis.

trans·u·re·thral (trans′yū-rē′thrăl). 経尿道の.

trans·va·a·lin (trans-vā′ă-lin). =*scillaren* A.

trans·vag·i·nal (trans-vaj′i-năl). 経腟の, 経腟的な.

trans·vec·tor (trans-vek′tŏr, -tōr). 伝播媒介動物(自身は毒物質を産生しないが, 毒物質を媒介する動物. 毒物質は, 動物(双鞭毛藻類)や植物(藻類)を起源として蓄積されることもある. 例えば沪過胃をもつ軟体動物がある).

trans·ver·sa·lis (trans′vĕr-sā′lis) [L.][TA]. 横の (⇀transversalis *fascia*). =transverse.

trans·verse (trans-vers′) [L. *transversus*][TA]. 横径の, 横行の, 横の([traverse と混同しないこと]. 身体または部位の長軸と直行するものについていう). =transversalis [TA]; transversus [TA].

trans·ver·sec·to·my (trans′ver-sek′tō-mē) [transverse + G. *ektomē*, excision]. 横突起切除〔術〕(脊椎の横突起の切除).

trans·ver·sion (trans-ver′zhŭn). ***1*** トランスバージョン, 変異, 転換(DNA または RNA 鎖中, 変異によってピリミジン塩基がプリン塩基またはその逆の置換を起こす変化のこと). ***2*** 移転位(歯科において, 正常では別の歯が占める位置に他の歯が萌出すること).

trans·ver·so·cos·tal (trans-ver′sō-kos′tăl). 肋骨横突の. =costotransverse.

trans·ver·so·spin·al·es (trans-ver′sō-spin-al′es). = transversospinales (*muscles*).

trans·ver·so·u·re·thra·lis (trans-ver′sō-yū-rē-thrā′lis). 横尿道括約筋(恥骨弓から発する尿道括約筋の横行線維についていう).

trans·ver·sus (trans-ver′sŭs) [L. < *trans*, across + *verto*, pp. *versus*, to turn][TA]. 横の. =transverse.

trans·ves·tism (trans-ves′tizm) [trans- + L. *vestio*, to dress]. 服装倒錯〔症〕, 異性変装〔症〕(異性の洋服を着たがったり, 着て出歩くこと. 特に男性が女性のしぐさをしたり衣装を身に着けること). =transvestitism.

trans·ves·tite (trans-ves′tīt). 服装倒錯者(服装倒錯を行う

人).

trans·ves·ti·tism (trans-ves′ti-tizm). =transvestism.

Tran·tas (trahn′tas), Alexios. ギリシア人眼科医, 1867—1960. ⇀T. *dots*; Horner-T. *dots*.

TRAP (trap). twin reversed arterial perfusion *sequence* の頭字語.

tra·pe·zi·al (tra-pē′zē-ăl). 梯形の.

tra·pe·zi·form (tra-pē′zi-fōrm). 不等辺四辺形の. =trapezoid (1).

tra·pe·zi·o·met·a·car·pal (tra-pē′zē-ō-met′ă-kar′păl). 菱形中手骨の（大菱形骨と中手骨に関する）.

tra·pe·zi·um, pl. tra·pe·zia, tra·pe·zi·ums (tra-pē′zē-ŭm, -ă) [G. *trapezion*, a table or counter, a trapezium: *trapeza* (a table) の指小辞 < *tra-* (=*tetra-*), four + *pous* (*pod-*), foot]. ***1*** 不等辺四辺形, 梯形, 台形（2辺が平行でない4辺の幾何学的図形）. ***2*** 大菱形骨. =trapezium (*bone*).

tra·pe·zi·us (tra-pē′zē-ŭs). 僧帽筋（⇀trapezius (*muscle*)).

trap·e·zoid (trap′ĕ-zoyd) [G. *trapeza*, table + *eidos*, resemblance][TA]. 台形の（①不等辺四辺形に似た. =trapeziform. ②1対の対辺が平行であることを除けば, 不等辺四辺形に似た幾何図形. ③=trapezoid (*bone*). ④=trapezoid *body*).

Trapp (trop), Julius. ロシア人薬剤師, 1815—1908. ⇀T. *formula*; T.-Häser *formula*.

TRAPS tumor necrosis factor (TNF)-receptor associated periodic syndrome(腫瘍壊死因子(TNF)受容体関連周期性症候群)の略. 高熱および限局性の高度炎症が特徴的である.

trastuzumab (tras-tū′zū-mab). トラスツズマブ. =herceptin.

Trau·be (trow′bĕ), Ludwig. ドイツ人医師・病理学者, 1818—1876. ⇀T. *bruit*, *corpuscle*, *dyspnea*, *plugs*, semilunar *space*, *sign*, double *tone*; T.-Hering *curves*, *waves*.

Trau·gott (trow′got). Carl. 20世紀初頭のドイツ人内科医. ⇀Staub-T. *effect*.

traum- ⇀traumato-.

trau·ma, pl. trau·ma·ta, trau·mas (traw′mă, -mă-tă) [G. wound]. 外傷, 損傷, 傷害（身体的, 精神的な傷）. =traumatism.

birth t. ***1*** 分娩時外傷（分娩により起こる新生児の身体的損傷）. ***2*** 出産時外傷（出産に伴う種々の出来事によって小児の情動面に悪影響が及ぶという仮説に基づいて用いられ, 精神疾患の患者に象徴的な形で現れるといわれている）.

t. from occlusion 咬合による外傷（歯の過剰移動によって生じる歯周組織の可逆性病変）.

occlusal t. 咬合性外傷（異常な咬合力であり, 歯およびその周囲構造に病的な変化を生じる可能性をもつ, あるいはすでに生じている）.

psychic t. 心的外傷, 精神的外傷（精神障害を誘発あるいは悪化させるようなショック体験）.

trau·ma·ta (traw′mă-tă). trauma の複数形.

trau·mat·ic (traw-mat′ik) [G. *traumatikos*]. 外傷〔性〕の.

trau·ma·tism (traw′mă-tizm). =trauma.

trau·ma·tize (traw′mă-tīz) [G. *traumatizō*, to wound]. 傷つける（外傷を負わせる, 損傷を与える）.

traumato-, traumat-, traum- [G. *trauma*]. けが, 外傷に関する連結形.

trau·ma·tol·o·gy (traw′mă-tol′ŏ-jē) [traumato- + G. *logos*, study]. 外傷学, 災害外科学（傷害者を扱う外科学の分野）.

trau·ma·to·ne·sis (traw′mă-tō-nē′sis, -ton′ē-sis) [traumato- + G. *nēsis*, a spinning]. 創傷縫合〔術〕（災害外傷の外科的修復）.

trau·ma·top·a·thy (traw′mă-top′ă-thē) [traumato- + G. *pathos*, suffering]. 外傷性疾患（暴力や傷害で生じた病理状態についていう）.

trau·ma·top·ne·a (traw′mă-top-nē′ă) [traumato- + G. *pnoē*, breath]. 外傷性呼吸困難〔症〕, 外傷性気胸（胸壁の外傷部を通して空気が出入りすること）.

trau·ma·to·py·ra (traw′mă-tō-pī′ră) [traumato- + G. *pyr*, fire, fever]. traumatic *fever* を表す現在では用いられない語.

trau·ma·to·sep·sis (traw′mă-tō-sep′sis) [traumato- + G. *sēpsis*, putrefaction]. 外傷〔性〕感染, 外傷性敗血症（外傷の感染. 外傷後敗血症）.

trau·ma·to·ther·a·py (traw′mă-tō-thār′ă-pē). 外傷治療.

Traut·mann (trowt′mahn), Moritz F. ドイツの耳科医, 1832—1902. ⇀T. triangular *space*.

tra·verse (tra-vers′) [M.E. < O.Fr. < L.L. *transverso* < L. *trans-verto*, to turn across]. トラバース（CT検査で, 初期の移動型・回転型CT器械でみられるように, ガントリーがスキャン対象を横断して完全な直線移動を行うこと）.

tray (trā). トレー, 盆（縁が高い, 平らな容器）.

acrylic resin t. アクリリックレジントレー（歯科において用いる可塑性印象用トレー. 通常, 常温重合アクリリックレジンから患者個々の型につくる）.

annealing t. アニーリングトレー, 焼還トレー（電気的に加熱する温度調節性装置. 凝着性金箔表面をおおう保護被膜性アンモニアガスを取り除くときに用いる）.

impression t. 印象用トレー（口腔組織の印象採得を行うとき, 印象材を運びかつ限局するために用いる容器）.

Trea·cher Collins (trē′chĕr kol′ĭnz), Edward. [Treacher と Collins をハイフンで結ばないこと]. イングランド人眼科医, 1862—1919. ⇀T. C. *syndrome*.

trea·cle (trē′kĕl) [M.E. *triacle*, antidote < L. *theriaca*, antidote to snake bite < G. *thēriakos*, pertaining to wild beasts]. ***1*** 糖蜜（砂糖精製(流し)型から流出する粘着性シロップ）. ***2*** サッカリン溶液. ***3*** 以前は解毒薬, それ以後効果のある治療薬全般をいう.→theriaca. ***4*** Treacher Collins 症候群の原因遺伝子がコードされていると推定される核小体-細胞質輸送蛋白.

treadmilling (tred′mil-ing). トレッドミル運動（微細管の中で片方の端が伸びて, もう片方の端が縮む運動）.

treat (trēt) [Fr. *traiter* < L. *tracto*, to drag, handle, perform]. 治療する, 処置する, 処理する（内科的・外科的療法, あるいはその他の手段で疾患を処置する. 内科的または外科的に患者を治療する）.

treat·ment (Tx) (trēt′mĕnt) [Fr. *traitement* (⇀treat)]. 治療, 療法, 処理, 処置（患者の内科的または外科的治療.→therapy; therapeutics）.

active t. 積極的治療（支持治療や姑息的治療と異なり, 疾患自体を改善させる治療. *cf.* causal t.).

Carrel t. (kah-rel′). カレル療法（Dakin 液を用いた間欠的な洗浄による傷の表面の処置治療）. =Dakin-Carrel t.

causal t. 原因治療（疾患の原因に対する治療）.

conservative t. 保存療法（危険のある治療法よりも利益は少ないが, 害も少ない治療法）.

Dakin-Carrel t. (dā′kin kah-rel′). デーキン－カレル療法. =Carrel t.

dietetic t. 食事療法（特別な食事による臨床状態の治療）.

empiric t. 経験〔的〕療法, 経験的治療（経験に基づいた治療法で, 通常それを支持する十分なデータはない）.

endodontic t. 歯内療法. =root canal t.

Goeckerman t. (gōer′kĕr-măn). ゲッケルマン療法（乾癬に対する治療法の1つ. 疾患部にコールタール溶液か未純化のコールタール軟膏を塗り, 次いで中波長紫外線(UVB)を照射するもの）.

heat t. 熱処理（歯科において, 調節した温度の下での金属の処理方法. その微細構造, したがって物理的性質を変えるほどのものをいう.→temper; anneal）.

insulin coma t. インスリン昏睡療法（インスリンによって引き起こされた低血糖性昏睡を用いる大精神病の治療で, 以前用いられた語）. =insulin shock t.

insulin shock t. インスリンショック療法. =insulin coma t.

isoserum t. 同病性血清療法（治療中の患者と同じ疾患にかかっている, またはかかったことのあるヒトの血清を用いる治療で, 現在では行われない）.

Kenny t. (ken′ē). ケニー療法（前角灰白髄炎の治療法. 筋有痛性痙縮を改善するため, 患部を熱湯につけて絞った毛織物でくるむ. 急性期が経過した後では, 四肢は受動的にしか動かず, 麻痺筋への訓練が必要）.

light t. 光線療法. =phototherapy.

medical t. 内科療法（衛生および薬剤による疾病療法. 外科療法と区別される）.

Mitchell t. (mitch′ĕl). ミッチェル療法（安静と栄養のあ

T

る食事と環境を変えることによって行う精神障害の治療法).＝Weir Mitchell t.

moral t. 道徳療法（19世紀に行われた環境療法の1つで，日常生活活動において宗教的教義と博愛を強調した．身体療法(しゃ血，しゃ下)とは対照をなす，精神療法の一型).

Nauheim t. (now′hīm) [*Bad Nauheim*, ドイツの町]. ナウハイム療法（炭酸ガス気泡が出ている水に浴し，次いで抵抗運動を行う心臓疾患の治療法で，現在では行われない).＝Nauheim bath; Schott t.

palliative t. 待期療法（疾患を治療せずに症状を軽減させる療法).＝palliative care.

preventive t. ＝prophylactic t.

prophylactic t. 予防療法，予防的治療（ヒトが疾患にさらされていたり，さらされやすい場合，その疾患の発病から守るように考えられた手段や方法).＝preventive t.

root canal t.〔歯〕根管治療（①有髄で疼痛，疾病のある歯を健康な状態に回復する方法．②生化学的かつ機械的方法で，正常歯髄，疾患歯髄，または壊死性歯髄を除去し，根管の拡大，消毒および充填を行い，疾患のある根尖性周囲組織の回復に効果を与える．③歯髄の疾患および余病の診断と治療).＝endodontic t.

Schott t. (shot). ショット療法.＝Nauheim t.

shock t. ショック療法，衝撃療法（→electroshock *therapy*).

solar t. 光線療法.＝solar *therapy*.

symptomatic t. 対症療法（症状を改善する治療で，必ずしも症状の原因を改善するわけではない).

Tallerman t. (tahl′ĕr-măn). タラーマン療法（リウマチ疾患，外傷性捻挫，およびその他の疾患や状態に対し特殊な器械を用いて乾熱治療を行う方法).

thymus t. 胸腺療法（胸腺抽出物を投与する病気の治療法).

Tweed edgewise t. (twēd). トウィードエッジワイズ療法（→ edgewise *appliance*).

Weir Mitchell t. (wēr mitch′ĕl). ウィア・ミッチェル治療.＝Mitchell t.

tre·ha·la (trē-hah′lă) [Fr. < Turk. *tigala* < Pers. *tighāl*]. トレハラ（寄生性甲虫 *Larinus maculatus* から分泌されるトレハロースを含む，マンナに似たサッカリン様物質).

tre·ha·lase (trē-hă′lās) [MIM* 275360]. トレハラーゼ（十二指腸で分泌されるグリコシダーゼ．α-グリコシド1-1結合を加水分解する．この酵素が欠損したり不足したりすると，トレハロース分解欠損症になる(常染色体劣性)).

tre·ha·lose (trē′hă-lōs). トレハロース；(α-D-glucosido)-α-D-glucoside（非還元性二糖類の1つ．トレハラ中に含まれる．ベニテングダケ *Amanita muscaria* などの真菌中にも見出される．トレハラーゼ欠損症で上昇する).＝mycose.

Treitz (trīts), Wenzel. ハプスブルク帝国の病理学者，1819—1872. → T. *arch*, *fascia*, *fossa*, *hernia*, *ligament*, *muscle*.

Tré·lat (trā-lah′), Ulysse. フランス人外科医，1828—1890. → T. *stools*; Leser-T. *sign*.

tre·ma (trē′mă) [G. *trēma*, a hole]. 正中隙（①＝foramen. ②外陰.＝vulva).

tre·ma·cam·ra (trē′mă-kam′ră). トレマカムラ（細胞表面の接着分子 ICAM-1 の細胞外部分．ライノウイルスが粘膜細胞に付着するのに関与している).

Trem·a·to·da (trem′ă-tō′dă) [G. *trēmatōdēs*, full of holes < *trēma*, a hole + *eidos*, appearance]. 吸虫綱（扁形動物門(扁形虫)の一綱．木の葉状の外形で2つの筋肉性の吸盤をもち，実質組織が体腔を満たした無体腔類が属す．循環系や感覚器官はなく，不完全な消化管がみられる(肛門はない)．医学および獣医学上関心がもたれる吸虫類は二世亜綱で，生活環を完遂するためには第一中間宿主である軟体動物中での胚増殖が含まれる．他の目として単世類があり，これは主に魚類の寄生虫で，単一宿主で直接発育する単純な生活環をもつ).

trem·a·tode, trem·a·toid (trem′ă-tōd, trem′ă-toyd). ***1***〘n.〙吸虫綱に属する吸虫類の一般名．***2***〘adj.〙吸虫綱に属する吸虫類についていう．

trem·bles (trem′bĕlz) [L. *tremulus*, trembling < *tremo*, to tremble]. マルバフジバカマ(white snakeroot, *Eupatorium urticaefolium*)を食することにより生じるウシなどの家畜，イヌ，ヤギ，ウマ，ウサギ，およびヒツジの中毒症．毒性成分は高級アルコール，トレメトールで，中毒を起こしたウシではその牛乳中に排泄され，これをヒトが摂取した場合に牛乳病を引き起こす．

trem·bling (trem′bling). 振せん，震え．

trem·el·loid, trem·el·lose (trem′ĕ-loyd, -lōs) [L. *tremulus*, trembling]. 膠質様の．

trem·o·gram (trem′ō-gram). 振せん描画図（振せん描画器またはキモグラフで取った振せんの図示).＝tremorgram.

trem·o·graph (trem′ō-graf) [L. *tremor*, a shaking＋G. *graphō*, to write]. 振せん描画器（振せんの図的記録を取る装置).

trem·o·la·bile (trem′ō-lā′bil, -bīl) [L. *tremor*, a shaking＋*labilis*, perishable]. 振とう不安定性の（振とうで不活性化された，または破壊されたものについていう).

trem·o·pho·bi·a (trem′ō-fō′bē-ă) [L. *tremor*, trembling＋G. *phobos*, fear]. 振せん恐怖〔症〕（振せんに対する病的な恐れ).

trem·or (trem′ŏr, -ōr) [L. a shaking]. 振せん，震え（①反復性でしばしば規則性の震える運動．対立筋群の交代性または同期性の不規則収縮による．通常，不随意性．②物を注視している間に起こる眼球のかすかな動き).

action t. ＝intention t.

alcoholic withdrawal t. アルコール禁断性振せん（2つの型の片方を呈するアルコール禁断時にみられる企図振せん．ⓘ持続性拮抗筋活性を伴う8 Hz 以上の振せん，ⓘⓘ間欠性自発性拮抗筋活性を伴う8 Hz 以下の振せん).

alternating t. 交代振せん（過運動症の一形態．規則的・対称的前後運動(毎秒約4回)を特徴とし，筋肉と拮抗筋のパターン化した変動収縮により生じる).

alternative t. 交互性振せん，交代性振せん（筋肉とその拮抗筋が交互に収縮して起こる粗な低周波数(3—8 Hz)病的振せん．パーキンソン病や運動優位動作振せんでみられる).

benign essential t. 良性本態性振せん.＝heredofamilial t.

coarse t. 粗大振せん（振幅が大きく，振動は通常，不規則で遅い振せん).

continuous t. ＝persistent t.

essential t. 本態性振せん（通常成人期初期に起こる4—8 Hz の周波数の動作振せん．上肢と頭部に限局している．家族の数人に出現した場合は，家族性とよばれる).

familial t. 家族性振せん.＝heredofamilial t.

fine t. 微小振せん（振幅が小さく周波数が通常 12Hz 以上の振せん).

flapping t. 羽ばたき振せん.＝asterixis.

head t.'s ＝head-nodding.

heredofamilial t. [MIM*190300]. 遺伝性家族性振せん（優性遺伝する良性の振せん．甲状腺中毒症にみられる振せんに似た急激な振動であったり，また静止時に生じ，意思の力で抑制できる粗大振せんのときや，運動中のみに生じる振せんのこともある．常染色体優性遺伝).＝benign essential t.; familial t.

Holmes t. (holmz). ホームズ振せん（通常，安静時にも活動時にも存在するゆっくりした不規則な振せん．中脳の病変が原因で，赤核の部位が多い).＝midbrain t.; myorhythmia; rubral t.

hysteric t. ヒステリー〔性〕振せん（心因性振せんを表す古語).

intention t. 企図振せん（細かい随意運動を行っているときに起こる振せん．小脳またはその連絡路の疾患による).＝action t.; kinetic t.; volitional t. (2).

kinetic t. 運動性振せん.＝intention t.

midbrain t. 中脳性振せん.＝Holmes t.

palatal t. 口蓋振せん（オリーブ小脳経路の病変と関係した，軟口蓋，顔面，横隔膜の，不随意で持続する急速で規則的な振せん．本態性と症候性の2つの型がある).＝palatal myoclonus.

passive t. 受動〔性〕振せん.＝resting t.

persistent t. 持続性振せん（被検者が静止中であろうと運動中であろうと一定して生じる).＝continuous t.

physiologic t. 生理的振せん（周波数 8—13 Hz の細かい振せんで，正常現象である).

pill-rolling t. 丸薬丸め振せん（パーキンソン病でみられる親指と他の指の安静時振せん).

postural t. 姿勢振せん（肢や体幹をある位置に保ったとき，肢や体幹を能動的に動かしたときに出現する振せん．通常，拮抗筋群のほぼ同期性の規則性収縮による）．＝static t.

primary writing t. 原発性書字振せん（障害された肢のみに出現する特異的な振せんで，他には神経学的異常はない．障害された肢で書こうとしたり，書く位置に肢を置いた時のみに振せんが出現する）．

progressive cerebellar t. 進行性小脳性振せん．＝Hunt *syndrome* (1).

psychogenic t. 心因性振せん（しばしば間欠的で，粗大，非定型の振せんで１つの肢に限られる．転換によるものか，心理的障害の存在のもと，ただ増悪するものがある）．

resting t. 安静時振せん（周波数 3—5 Hz の粗な律動性振せん．手と前腕に限局していることが多い．肢を安静にしたときに出現し，自分で肢を動かすと消失する．パーキンソン病の特徴）．＝passive t.

rubral t. 赤核性振せん．＝Holmes t.

senile t. 老年(老人)〔性〕振せん（老人になって症候性となった本態性振せん）．

static t. 起立振せん，体位性振せん．＝postural t.

vocal fold t. 声帯振せん（長母音で最も明白な発声ピッチと大きさの調節障害．→adductor spasmodic *dysphonia*; abductor spasmodic *dysphonia*）．

volitional t. 随意振せん（①強い意思の力で抑制できる振せん．②＝intention t.）．

wing-beating t. 羽ばたき振せん（四肢を伸ばしたとき，最も顕著になる荒い，不規則な振せん．鳥が羽ばたくような振せんで，肩を外転させた位置での腕の上下運動による Wilson 病で最もよくみられる）．

trem·or·gram (trem′ŏr-gram). ＝tremogram.

trem·or·ine (trem′ŏr-ēn). トレモリン（実験室でパーキンソン振せんに似た振せんを起こす化学物質．実験的パーキンソン症候群をつくるのに用いられる）．

trem·o·sta·ble (trem′ō-stā′bĕl) [L. *tremor*, a shaking + *stabilis*, stable]. 振とう安定性の（振動によって変化または破壊されないものについていう）．

trem·u·lor (trem′yū-lŏr, -lōr). 振動発生器（振動マッサージをする器具）．

trem·u·lous (trem′yū-lŭs). 振せん〔性〕の．

Tre·nau·nay (trā-nō-nā′), Paul. 20 世紀初頭のフランス人医師．⇀Klippel-T.-Weber *syndrome*.

Tren·de·len·burg (tren-del′ĕn-bĕrg), Friedrich. ドイツ人外科医，1844 — 1924．⇀T. *gait*, *operation*, *position*, *sign*, *symptom*, *test*; reverse T. *position*.

trep·a·na·tion (trep′ă-nā′shŭn). 穿孔〔術〕．＝trephination.

corneal t., t. of cornea 角膜開孔〔術〕，角膜穿孔〔術〕．＝keratoplasty.

treph·i·na·tion (tref′i-nā′shŭn). 穿孔〔術〕，頭蓋開口〔術〕（穿孔器で，頭蓋の円形片(ボタン)を除去すること）．＝trepanation.

tre·phine (trē-fīn′, -fēn′) [L. *tres fines*(three ends)から考案]. ***1***〘n.〙トレフィン，トレパン，穿孔器，穿頭器，管錐．＝perforator. ***2***〘v.〙穿孔する，穿頭する（***1***を用いて，骨やその他の組織を円盤状に除去する）．

treph·o·cyte (tref′ō-sīt) [G. *trephō*, to nourish + *kytos*, cell]. ＝trophocyte.

trep·i·da·ti·o cor·dis (trep′i-dā′shē-ō kōr′dis). 心悸亢進，動悸．＝palpitation.

trep·i·da·tion (trep′i-dā′shŭn) [L. *trepidatio* < *trepido*, to tremble, to be agitated]. 戦慄，恐怖．

Trep·o·ne·ma (trep′ō-nē′mă) [G. *trepō*, to turn + *nēma*, thread]. トレポネーマ属（嫌気性細菌(スピロヘータ目)の一属．長さ 3—8 μm で，先のとがった規則的または不規則ならせん状だが明らかな原形質構造をもたない細胞からなる．末端線維が存在することがある．Giemsa 染色液または銀染色以外は染色がむずかしい．ヒトや他の動物に病原性および寄生性の種もあり，一般に組織中に局所的病変を起こす．標準種は *T. pallidum*）．

T. carateum ピンタすなわち熱帯白斑性皮膚病の原因細菌種．

T. cuniculi 家兎トレポネーマ（家兎のスピロヘータ症の原因細菌種）．

T. denticola 炭水化物を発酵しない培養可能細菌種で，ヒト口腔より分離される．

T. genitalis ヒトの性器にみられる非病原性の細菌種．

T. hyodysenteriae ブタ赤痢を惹起する腸管病原性の細菌種．

T. mucosum 粘液トレポネーマ（歯槽膿漏にみられる化膿原性がある細菌種）．

T. pallidum 梅毒トレポネーマ（ヒトの梅毒の原因細菌種．この細菌は実験的に類人猿や家兎に伝染させることができる．*Treponema*属の標準種）．

T. pertenue フランベジアトレポネーマ（イチゴ腫の原因細菌種．この疾患にかかった患者は梅毒血清反応が陽性になる）．

trep·o·ne·ma·to·sis (trep′ō-nē′mă-tō′sis). ＝treponemiasis.

trep·o·neme (trep′ō-nēm). トレポネーマ（*Treponema*属に属する種の通称）．

trep·o·ne·mi·a·sis (trep′ō-nē-mī′ă-sis). トレポネーマ症（*Treponema*属による感染）．＝treponematosis.

trep·o·ne·mi·ci·dal (trep′ō-nē′mi-sī′dăl) [*Treponema* + L. *caedo*, to kill]. 殺トレポネーマ性の（*Treponema*属のすべての種，通常は梅毒の原因となる梅毒トレポネーマ *T. pallidum* を破壊するものについていう）．＝antitreponemal.

trep·pe (trep′eh) [Ger. *Treppe*, staircase]. 階段現象（[本語のドイツ語つづりはすべての名詞同様に大文字で始まるが，英語はそうではない]．H.P. Bowditch により初めて観察された心筋の現象．同じ強さの刺激を何回か続けて静態期間後に送ると，初めの数回の痙攣は徐々に振幅(または強度)の増加を示す）．＝staircase phenomenon.

Tre·sil·i·an (trē-sil′ē-ăn), Frederick J. イングランド人医師，1862—1926．⇀T. *sign*.

tre·sis (trē′sis) [G. *trēsis*, a boring]. 穿孔．＝perforation.

tret·i·no·in (tret′i-nō′in). トレチノイン（ケトン体分解薬．⇀retinoic acid）．

Treves (trēvs), Frederic. イングランド人外科医，1853—1923．⇀T. *fold*.

Treves (trēvs), Norman. 米国人外科医，1894 — 1964．⇀Stewart-T. *syndrome*.

Tre·vor (trev′ŏr), David. 20 世紀の英国人整形外科医．⇀T. *disease*.

TRF thyrotropin-releasing *factor* の略．

TRH thyrotropin-releasing *hormone* の略．

tri- [L. and G.]. 3を意味する接頭語．*cf.* tris-.

tri·a·ce·tic ac·id (trī′ă-sē′tik as′id). 三酢酸（脂肪酸合成過程でアセチル CoA およびマロニル CoA の縮合により形成される）．

tri·ac·e·tin (trī-as′ĕ-tin). トリアセチン（塩基性色素の溶媒，香料調製の際の揮発保留剤，局所用抗真菌薬として用いる）．＝glyceryl triacetate; triacetylglycerol.

tri·ac·e·tyl·glyc·er·ol (trī-as′i-til-glis′ĕr-ol). トリアセチルグリセロール．＝triacetin.

tri·ac·yl·glyc·er·ol (trī-as′il-glis′ĕr-ol). トリアシルグリセロール（３つの水酸基の各々が，脂肪(脂肪族)酸でエステル化したグリセロール．例えばトリステアロイルグリセロール）．＝triglyceride.

t. lipase トリアシルグリセロールリパーゼ（膵液中の脂肪分解酵素．この酵素はトリアシルグリセロールを加水分解し，ジアシルグリセロールと脂肪酸アニオンを生成する．その肝酵素の欠損により高コレステロール血症や高トリグリセリド血症になる）．＝lipase (2); steapsin; tributyrase; tributyrinase.

tri·ad (trī′ad) [G. *trias*(*triad-*), the number 3 < *treis*, three]. ***1*** 三つ組（共通な何かを有する３つのものの集合）．***2*** 三つ組（骨格筋線維内の横行細管と，その両側の終槽）．***3*** 三管．＝portal t. ***4*** 三構造（集団精神療法で投影的に経験される父親・母親・子供の関係）．

acute compression t. 急性加圧三徴（心臓タンポナーデによる静脈圧上昇，動脈圧低下，心音減衰）．＝Beck t.

Beck t. (bek). ベック三徴．＝acute compression t.

Charcot t. (shahr′kō). シャルコー三徴（①多発性(全身性)硬化症の三症状．眼振，振せん，断続性言語．②胆管炎の結果生じる，黄疸，発熱，上腹部痛の組合せ）．

T

Fallot t. (fah′yō). ファロー三徴〔症〕. =*trilogy* of Fallot.

female athlete t. 女性運動選手三徴（摂食障害，無月経，骨粗鬆症からなる症候群で，過度の身体的訓練が原因である）.

hepatic t. 肝三つ組. =portal t.

Hull t. (hŭl). ハル三徴（心拡張期奔馬律，全身浮腫，小脈圧の合併）.

Hutchinson t. (hŭch′ĭn-sŏn). ハッチンソン三徴（実質性角膜炎，迷路疾患，Hutchinson 歯．先天梅毒を示唆する）.

Kartagener t. (kahr-tag′ĕ-nĕr). カルタゲナー三徴. =Kartagener *syndrome*.

portal t. 門脈三管（門静脈の枝と肝動脈と胆管の 3 管が線維性鞘膜に包まれたもの．あるいは門脈の肝実質内での 3 分枝）. =hepatic t.; triad (3).

pulmonary arteriovenous malformation t. 肺動静脈奇形の三徴（チアノーゼ，ばち状指，多血症）.

Saint t. (sānt). セイント三徴（裂孔ヘルニア，憩室症，および胆石症の合併）.

Virchow t. (fēr′kow). フィルヒョー(ウイルヒョウ)三徴（血栓症の病因に関与している機能的三徴．ⓘ血管壁の変化．ⓘⓘ血液パターンの変化(血流量)．ⓘⓘⓘ血液構成要素の変化(過凝固能亢進状態)）.

tri·age (trē′ahzh) [Fr. sorting]. トリアージ，負傷兵の分類（①患者の治療優先順位を決めるための医学的ふるい分け．②軍隊または民間災害の医療処置をする際に，大量の死傷者を 3 群に分ける．ⓘ治療しても回復の見込みのない者，ⓘⓘ治療しなくても回復する者，ⓘⓘⓘ治療しなければ救命できないであろう最優先群）.

economic t. 経済的トリアージ（財政面に基づいて患者保護の効果を評価することであり，これは臨床医にとって重要な事柄である．すなわち，患者本人あるいは適用可能な保険は，その治療による利益を臨床医にもたらすだけの支払いができるか．反対に，高価な治療を行うと，臨床医一人当たりの経費に基づく収入の減少をもたらさないかについて評価を行う）.

tri·al (trī′ăl). 試行，治験（通常，特定の条件下で行われる検査または実験）.

---

clinical t. 臨床試験（臨床的な事項を調査結果とする，ある一定の組の人について行われる対照実験で，薬，ワクチン，診断検査，外科的手技あるいはその他の医学的手段の有効性または安全性に関する科学的に妥当な情報を明らかにするように計画されたもの）.

臨床試験は 4 つの相(Phase)に分けられる．第一相試験は通常 100 人未満の健康なボランティアに対し，新薬の投与あるいは新しい処置が施される．目的は至適用量および最適投与経路を確立し，副作用を検出することである．第二相試験は一般的には 200—500 人の対象者を研究群と対照群に無作為に割り付け行われる．これはワクチンであれば免疫活性，薬剤・処置・装置では効果と安全性の相対的な関係に重点がおかれた，最初の有効性をみる試験である．第三相試験はしばしば多施設で行われ何千人もの対象者を研究群と対照群に無作為に割り付け行われる．目的は統計的に適切なデータを得ることである．第四相試験は薬剤認可当局(米国であれば FDA)により新薬の製造，販売の承認が下された後に行われ，特定の薬剤効果，副作用，長期効果などが検討される．

---

randomized controlled t. (**RCT**) 無作為化試験（ある集団の中の対象を，実験(または研究)群と対照群とよばれる群に，すなわち実験治療または予防的レジメン，手続き，方針，介入を，受ける，受けないという群に無作為に割り付ける疫学的実験）.

single-patient t. 単一患者試験（ランダム化比較試験の変法で，一連の異なる治療レジメンを同一患者に対してランダムに割り付ける方法．その患者のアウトカムは厳密に評価される）. =*N*-of-one study.

tri·al and er·ror (trī′ăl er′ōr). 試行錯誤，手さぐり（新情報と適応の獲得にしばしば先行する，明らかにランダムな行動，行き当たりばったりの行動，探索的行動．ネズミの迷路走行のように外顕的試行錯誤や，ある状況に対処する種々の方法を考える際のような内潜的(代償的)な方法とがある）.

tri·a·me·li·a (trī′ă-mē′lē-ă) [tri- + G. *a-* 欠性辞 + *melos*, limb]. 三肢欠損症.

TRIANGLE

tri·an·gle (trī′ang-gĕl) [L. *triangulum* < *tri-*, three + *angulus*, angle][TA]. 三角（解剖学や外科学において，人為的または自然の境界によって示される三角形の領域.→trigonum; region）.

anal t. [TA]. 肛門三角（会陰部の後部で，ここに肛門が開く．左右の坐骨結節，仙結節靱帯，尾骨を結ぶ線で囲まれる）. =regio analis [TA]; anal region.

anterior t. of neck* 前頸三角（anterior cervical *region* の公式の別名）.

Assézat t. (ah-sā-zah′). アセザー三角（ナジオン，プロスチオン，バジオンを結ぶ線がなす三角形．比較頭蓋学において，顎前突の程度を表すのに用いる）.

t. of atrioventricular node [TA]. 房室結節三角（三尖弁の中隔尖基底部，冠状静脈洞口の前内側縁，心臓の線維性骨格である右線維三角から下大静脈弁へと走るのがよくわかる心内膜下の膠原線維束(Todaro 腱)の三者によってできる三角形の領域．この領域の心房中隔部に房室結節が存在する）. =t. of Koch.

auricular t. 耳介三角（耳底(線)と，耳(介)尖と耳底線下端を結ぶ線とで囲まれた三角形の領域）.

ausculatory t. [TA]. 聴診三角（僧帽筋下縁，広背筋，肩甲骨の内側縁で境界される空間．ここには筋肉がなく聴診器で呼吸音が明瞭に聞きとれる）. =trigonum auscultationis [TA]; t. of auscultation*.

t. of auscultation* 聴診三角（ausculatory t. の公式の別名）.

axillary t. 腋窩三角（痘瘡の初期点状出血皮疹の好発部位の 1 つである，上腕内側面，腋窩，胸部を囲む三角．現在では用いられない考え.→axillary *region*）.

Béclard t. (bā-klahr′). ベクラール三角（舌骨舌筋後縁，顎二腹筋後腹，舌骨大角で囲まれた部分）.

Bonwill t. (bon′wil). ボンウィル三角（下顎中切歯の接触点あるいは下顎残存顎堤の正中線から両側の下顎頭への線と，片側の下顎頭から他の側の下顎頭への線からなる二等辺三角形）.

Burger t. (bŭrg′ĕr). ブルゲル三角（Einthoven 三角に比べ，より正確な心電図の前額面誘導の不等辺三角形.→Einthoven t.）.

Bürow t. (būr′ov). ビューロー三角（皮膚と皮下脂肪によってできる楔形の部分．通常，皮弁移植や皮弁伸展のとき，創を縫合した後，きれいな縫合創を得るために切除する）.

Calot t. (kah-lō′) [TA]. カロー(カロット)の三角. =cystohepatic t.

cardiohepatic t. 心肝三角. =cardiohepatic *angle*.

carotid t. [TA]. 頸動脈三角（肩甲舌骨筋上腹，胸鎖乳突筋前縁，顎二腹筋後腹で境される三角形の部位．通常，頸動脈の分岐点にあたる）. =trigonum caroticum [TA]; fossa carotica; Gerdy hyoid fossa; Malgaigne fossa; Malgaigne t.; superior carotid t.

cephalic t. 頭蓋三角（メトピオン，ポゴニオン，オピストクラニオンを結ぶ線からなる頭蓋の三角形）.

cervical t. 頸三角（頸部にみられる三角形領域の総称）.

clavipectoral t. [TA]. 鎖骨胸筋三角，鎖骨下窩（上は鎖骨，内側は大胸筋，外側は三角筋で囲まれた区域で，ここで橈側皮静脈が浅層から深層へはいり胸肩峰動脈の胸筋枝が出る）. =trigonum clavipectorale [TA]; trigonum deltopectorale*; deltoideopectoral t.; deltopectoral t.; trigonum deltoideopectorale.

Codman t. (kahd′man). コッドマン三角（放射線科学において，増殖する骨腫瘍と正常骨との間において骨膜が不完全な三角形をなすのをいう）.

crural t. 脚三角（痘瘡の初期点状出血性皮疹の好発部位．下腹部，鼡径部，陰部，大腿内側を占め，この三角の底部は臍を横切る).

cystohepatic t. [TA]. 胆肝三角 (胆嚢管・総肝管・肝臓に囲まれた区域. 胆嚢動脈は胆肝三角内にあり, 腹腔鏡胆嚢切除術の際に胆嚢動脈を特定するために用いられる). = Calot t. [TA]; trigonum cystohepaticum [TA].

deltoideopectoral t. = clavipectoral t.

deltopectoral t. = clavipectoral t.

digastric t. = submandibular t.

Einthoven t. (īn′tō-vĕn). アイントホーフェン(アイントーフェン)三角 (その中心に心臓がくる想定上の正三角形. 心電図の三標準肢誘導が3頂点としてつくられる).

Elaut t. (e-lōw′). エーラウト三角 (2本の総腸骨動脈と仙骨岬角とがなす三角形).

t. of elbow 肘三角. = cubital *fossa*.

facial t. 顔面三角 (バジオン, プロスチオン, ナジオンを結ぶ線がなす三角形).

Farabeuf t. (fahr-ă-būf′). ファラブフ(ファラブェフ)三角 (内頸静脈, 顔面静脈, 舌下神経で形成される三角).

femoral t. [TA]. 大腿三角 (縫工筋, 長内転筋, 鼡径靱帯に囲まれた大腿上部の三角形の部位で床の部分は外側が腸腰筋, 内側が恥骨筋からなり, 大腿神経が走っている. 三角を二分するように大腿血管が通過し, 下端部で内転筋管にはいる). = trigonum femorale [TA]; trigonum femoris*; fossa scarpae major; Scarpa t.; subinguinal t.

t. of fillet 毛帯三角. = *trigone* of lateral lemniscus.

frontal t. 前頭三角 (上部は前頭最大横径で境をなし, 外側はこの直径の両端とグラベラを結ぶ線で境をなす三角形).

Garland t. (gar′lănd). ガーランド三角 (胸膜滲出の存在する側の脊椎に隣接した背下部に認められる打診音が比較的清明な三角形の部位).

Gombault t. (gom-bō′). ゴンボー三角 (⇀semilunar *fasciculus*).

Grocco t. (grok′ō). グロッコ三角 (脊柱に沿う胸郭底部の濁音三角部. 反対側に胸膜滲出液がある). = paravertebral t.

Grynfeltt t. (grin′felt). グランフェルト三角 (上方は, 第十二肋骨と下後鋸筋に境界され, 前方は内腹斜筋と接し, 後方は腰方形筋が境をなす三角形の空間. 腰ヘルニアはこの部に生じる). = Lesshaft t.

Hesselbach t. (hes′ĕl-bahk). ヘッセルバッハ三角. = inguinal t.

inferior carotid t. 下頸動脈三角. = muscular t. (of neck).

inferior lumbar t. [TA]. 腰三角, 下腰三角 (後腹壁内側にみられる部位. 広背筋, 外腹斜筋および腸骨稜により境された部分. ときとして, この部位にヘルニアが生じる). = trigonum lumbale inferius [TA]; lumbar t.; Petit lumbar t.

inferior occipital t. 下後頭三角 (外後頭隆起を頂点とする三角形. 底辺は2つの乳様突起を結ぶ線からなる).

infraclavicular t. 鎖骨下三角. = infraclavicular *fossa*.

inguinal t. [TA]. 鼡径三角 (腹壁下部の三角形の部位. 下縁外方は鼡径靱帯, 内方は腸恥路, 内側縁は腹直筋外縁, 外側縁は下腹壁動脈(外側臍索)で境される部位. 直接鼡径ヘルニアが生じる部位に当たる). = trigonum inguinale [TA]; Hesselbach t.; inguinal trigone.

interscalene t. 斜角筋三角. = scalene *hiatus*.

Killian t. (kil′ē-ăn). キリアン三角 (咽頭部下部収縮筋の斜走線維によって境される頸部食道と咽頭食道憩室が起こる輪状咽頭筋横行線維でつくられる三角形の部分).

t. of Koch (kok). コッホ三角. = t. of atrioventricular node.

Labbé t. (lah-bā′). ラベー三角 (左第九肋軟骨の下端に接する水平線が下縁をなし, 左側は仮肋線, 右側は肝臓により境界される部分. 通常, この部位において胃は腹壁と接する).

Langenbeck t. (lahng′ĕn-bek). ランゲンベック三角 (上前腸骨棘から大転子と大腿骨外科頸へ引いた線からなる三角形. この部を貫通する損傷は関節に達することが多い).

lateral pelvic wall t. [TA]. 外側骨盤壁三角 (内閉鎖筋とその筋膜のうち, 肛門挙筋腱弓の上で坐骨切痕の前で腸骨弓状線の下にある骨盤壁の区域). = trigonum parietale laterale pelvis [TA].

Lesser t. (les′ĕr). レッサー三角 (顎二腹筋腹と舌下神経の間の空間).

Lesshaft t. (les′hahft). レスハフト三角. = Grynfeltt t.

Lieutaud t. (lyū-tō′). リュトー三角. = *trigone* of bladder.

lumbar t. 腰三角. = inferior lumbar t.

lumbocostal t. of diaphragm [TA]. 〔横隔膜の〕腰肋三角 (横隔膜の腰椎部の肋骨部の間で外側腰肋弓靱帯の上方にある三角形の領域. 筋線維を欠いており, 上は胸膜, 下は腹膜でおおわれる. 先天性形成不全(胚胎期の胸腹孔の閉鎖欠陥)の場合, その結果の Bochdalek 孔は腹腔内臓器の横隔膜ヘルニアが起きる最も一般的な部位である). = trigonum lumbocostale diaphragmatis [TA]; Bochdalek gap; vertebrocostal trigone.

lumbocostoabdominal t. 腰肋腹三角 (下後鋸筋, 外腹斜筋, 内腹斜筋, 脊柱起立筋により境界される部分).

Macewen t. (mă-kū′ĕn). マキューエン三角. = suprameatal t.

Malgaigne t. (mahl-gān′). マルゲーニュ三角. = carotid t.

Marcille t. (mahr-sēl′). マルシーユ三角 (大腰筋内側縁, 脊柱の外側縁, および下方より腸腰靱帯により境界される区分. 閉鎖神経がここを横断する).

muscular t. (of neck) [TA]. 〔頸の〕筋三角 (胸鎖乳突筋, 肩甲舌骨筋上腹, および正中線に囲まれた領域. 主に舌骨下筋群によって占められている). = trigonum musculare (regionis cervicalis anterioris) [TA]; omotracheal t.*; trigonum omotracheale*; inferior carotid t.; tracheal t.

occipital t. 後頭三角 (僧帽筋, 胸鎖乳突筋, 肩甲舌骨筋が囲む頸の三角. →inferior occipital t.).

omoclavicular t. [TA]. 肩甲鎖骨三角. = supraclavicular t.

omotracheal t.* 〔頸の〕筋三角 (muscular t. (of neck) の公式の別名).

palatal t. 口蓋三角 (口蓋の最大横径と, その頂点からプロスチオンへ引いた線を境にする三角部). = trigonum palati.

paravertebral t. 脊柱傍三角. = Grocco t.

Petit lumbar t. (pĕ-tē′). プティ(プチ)腰三角. = inferior lumbar t.

Philippe t. (fi-lēp′). フィリープ三角 (⇀semilunar *fasciculus*).

Pirogoff t. (pē′rō-gof). ピロゴッフ三角 (二腹筋中間腱, 顎舌骨筋後縁, 舌下神経からなる三角形).

posterior t. of neck* 後頸三角 (lateral cervical *region* の公式の別名).

pubourethral t. 恥骨尿道三角 (会陰横筋, 坐骨海綿体筋, 球海綿体筋がつくる会陰部の三角形).

Reil t. (rīl). ライル三角. = *trigone* of lateral lemniscus.

retromolar t. [TA]. 臼後三角 (下顎第三大臼歯の後方の区域). = trigonum retromolare [TA].

sacral t. 仙骨三角 (体表からみて仙骨に相当する三角形の部分).

t. of safety 安全三角 (心膜が肺でおおわれていない, 胸骨下方左縁にある部分で, 心嚢内容物を穿刺採取する場合に好んで用いられる部位である).

Scarpa t. (skar′pah). スカルパ三角. = femoral t.

sternocostal t. 胸肋三角. = *trigonum* sternocostale.

sternocostal t. (of diaphragm) [TA]. 横隔膜胸肋三角 (筋のない線維性の区域で, 胸骨部と肋骨部の間の筋の裂け目. 先天的形成不全では Morgani 孔となり腹部内臓が胸部へとヘルニアを起こす恐れがある). = trigonum sternocostale diaphragmatis [TA].

subclavian t.* supraclavicular t. の公式の別名.

subinguinal t. = femoral t.

submandibular t. [TA]. 顎下三角 (頸部の筋間隙. 下顎骨と顎二腹筋の両腹との間の三角部. 顎下腺をおさめる). = trigonum submandibulare [TA]; digastric t.; submaxillary t.

submaxillary t. = submandibular t.

submental t. [TA]. おとがい下三角 (左右の顎二腹筋上腹と舌骨と正中線との間にある三角形の領域. おとがい舌骨筋で占められている). = trigonum submentale [TA].

suboccipital t. 後頭下三角 (下頭斜筋, 上頭斜筋, 大後頭

T

直筋により境される深部の三角形の領域).

superior carotid t. ＝carotid t.

supraclavicular t.［TA］. 肩甲鎖骨三角（鎖骨，肩甲舌骨筋，胸鎖乳突筋による三角．内部に鎖骨下動脈と静脈がある). ＝omoclavicular t.［TA］; trigonum omoclaviculare［TA］; subclavian t.*.

suprameatal t.［TA］. 道上三角（道上棘，乳突上稜，および骨性外耳道後壁に接する垂直面によって囲まれる三角領域．この領域の内側に乳突洞が位置するため，乳様突起手術時の目安となる). ＝foveola suprameatica［TA］; foveola suprameatalis*; Macewen t.; mastoid fossa; fossa mastoidea; supramastoid fossa; suprameatal pit.

tracheal t.〔頸の〕筋三角. ＝muscular t. (of neck).

Tweed t. (twēd). トウィード三角（側貌頭部X線規格写真上において，顔面と歯によって規定される三角で，基準としてFrankfort 水平面を用い，矯正治療の計画や評価の指針として用いようとするものである).

umbilicomammillary t. 臍乳頭三角（臍を頂点とし，左右の乳頭を結ぶ線を底辺とする三角形).

urogenital t.［TA］. 尿生殖三角（女性では尿道口と膣口，男性では尿道と陰茎の基部を含む会陰の前部). ＝regio urogenitalis［TA］; urogenital region.

t. of vertebral artery 椎骨動脈三角（首の付け根にある三角部分で外側は前斜角筋，内側は頸長筋で囲まれており三角の先端に当たる第六頸椎横突起の前結節で両筋は出合って付着している．椎骨動脈はこの三角の基底部で鎖骨下動脈から起こり，三角を二分するように三角の先端に向かって走り第六頸椎横突孔にはいる).

vesical t. 膀胱三角. ＝*trigone* of bladder.

Ward t. (wōrd). ウォード三角（X線や標本の肉眼所見でも認められる，大腿骨頸部の骨梁の粗な部分).

Weber t. (vā′bĕr). ヴェーバー三角（足底の第一・第五中足骨頭と踵の足底面の中央とで示される部分).

Wilde t. (wīld). ワイルド三角. ＝light *reflex* (3).

---

tri·an·gu·la·ris (trī-ang′gyū-lā′ris)［L. triangular］. おとがい三角の（→triangular *muscle*).

tri·an·gu·lum (trī-ang′gyū-lŭm)［L.］. 三角形（→triangle).

Tri·at·o·ma (trī-at-ō′mă). サシガメ属（昆虫の一属(サシガメ科，サシガメ亜科)で，南アメリカトリパノソーマ症原虫 *Trypanosoma cruzi* の重要な媒介昆虫，例えば，*T. dimidiata*, *T. infestans*, *T. maculata* を含む).

Tri·a·to·mi·nae (trī′ă-tō′mi-nē). サシガメ亜科（昆虫の一亜科(半翅目，サシガメ科)で，脊椎動物を吸血する．*Panstrongylus*属，*Rhodnius*属，サシガメ属 *Triatoma* のような重要な病原媒介昆虫を含む．通常，conenose bugs または kissing bugs とよばれる).

triazole (trī′a-zōl). トリアゾール（窒素原子を3つ含む一連のヘテロ環化合物の仲間で，アゾール系に属する．イトラコナゾールのようなトリアゾールの一群の抗真菌薬をさすこともある).

tri·a·zo·lo·gua·nine (trīā′zō-lō-gwah′nēn). トリアゾログアニン. ＝8-azaguanine.

tri·ba·sic (trī-bā′sik). 三塩基性の（滴定可能な，水素3原子をもつ酸の塩基性度3のものについていう).

tri·bas·i·lar (trī-bas′i-lăr). 三塩基の.

tribe (trīb)［L. *tribus*］. 族，連（生物学的分類において科と属との間で，ときに応じて用いる区分．しばしば亜科に等しい).

tri·bol·o·gy (tri-bol′ŏ-jē)［G. *tribō*, to rub + *logos*, study］. 摩擦学（生物系における摩擦とその作用に関する学問．特に骨格関節表面に関する学問).

tri·bo·lu·mi·nes·cence (trib′ō-lū′mi-nes′ĕns)［G. *tribō*, to rub + luminescence］. 摩擦発光.

tri·bra·chi·a (trī-brā′kē-ă)［tri- + G. *brachiōn*, arm］. 三腕奇形（接着双生児にみられる状態． 2つの身体に上肢が3本しかないもの．→conjoined *twins*).

tri·bra·chi·us (trī-brā′kē-ŭs). 三腕奇形児（三腕奇形を呈する接着双生児).

tri·bu·ty·rase (trī-byū′ti-rās). トリブチラーゼ. ＝*triacylglycerol* lipase.

tri·bu·tyr·in (trī-byū′tir-in). トリブチリン（リパーゼの定量用の合成基質). ＝glyceryl tributyrate; tributyrylglycerol.

tri·bu·tyr·i·nase (trī-byū′tir-i-nās). トリブチリナーゼ. ＝*triacylglycerol* lipase.

tri·bu·tyr·yl·glyc·er·ol (trī-byū′ti-ril-glis′ĕr-ol). トリブチリルグリセロール. ＝tributyrin.

TRIC (trĭk). *tr*achoma and *i*nclusion *c*onjunctivitis の頭字語. →TRIC *agents*.

tri·cal·ci·um phos·phate (trī-kal′sē-ŭm fos′fāt). リン酸三カルシウム. ＝tribasic *calcium* phosphate.

tri·ceph·a·lus (trī-sef′ă-lŭs)［tri- + G. *kephalē*, head］. 三頭体.

tri·ceps, pl. triceps, tricepses (trī′seps)［L. < *tri-*, three + *caput*, head］. 三頭の（［正しい単数形は triceps である．tricep という語はない］．特に t. brachii(上腕三頭の)，t. surae(下腿三頭の)の2筋についていう. →muscle).

trich- →tricho-.

trich·al·gi·a (trik-al′jē-ă)［trich- + G. *algos*, pain］. 毛髪痛（毛髪を触ることによって生じる痛み．異型狭心症に伴って生じうる毛髪の痛み). ＝trichodynia.

trich·an·gi·on (trik-an′jē-on)［trich- + G. *angeion*, vessel］. ＝telangion.

trich·a·tro·phi·a (trik-ă-trō′fē-ă)［trich- + G. *atrophia*, atrophy］. 毛髪萎縮〔症〕（毛球の萎縮で，毛髪のもろさ，断裂，脱毛を伴う).

trich·aux·is (trik-awk′sis)［trich- + G. *auxis*, increase］. 多毛〔症〕（毛の長さと量が過度に発生したもの).

trichi- →tricho-.

-trichia［G. *thrix*(*trich-*), hair + *-ia*, condition］. 毛髪の状態または型をさす連結形.

tri·chi·a·sis (tri-kī′ă-sis)［trich- + G. *-iasis*, condition］. 睫毛乱生〔症〕，さか〔さ〕まつげ（自然の開口部隣接の毛髪が内側に向いて，刺激する状態．例えば，眼瞼の内反(眼瞼内反症)の場合，睫毛が目を刺激する). ＝trichoma; trichomatosis.

trich·i·lem·mo·ma (trik′i-le-mō′mă)［trichi- + G. *lemma*, husk + *-ōma*, tumor］. 〔外〕毛根鞘腫（毛嚢(毛包)の外毛根鞘上皮に由来する良性腫瘍．糖原を含む明調な細胞質を有する細胞からなる．多発性外毛根鞘腫は Cowden 病の顔面にみられる). ＝tricholemmoma.

Tri·chi·na (tri-kī′nă). 線虫の一属に対する旧名．正しくは *Trichinella* と称する.

tri·chi·na, pl. tri·chi·nae (tri-kī′nă, -nē)［Mod. L. < G. *thrix*(*trich-*), a hair］. トリキナ（ブタ肉中に見出される感染型の旋毛虫属 *Trichinella* の幼虫).

Trich·i·nel·la (trik′i-nel′ă)［Mod. L. < trichina + 指小接尾語 *-ella*］. 旋毛虫属（ヒトや他の肉食動物に旋毛虫症を起こす双器類線虫の一属).

T. nativa *T. spiralis*の北方系(極北の)生物型.

T. pseudospiralis 小型肉食獣で正常な生活環をもつ線虫種．ヒトは偶発宿主となる.

T. spiralis 旋毛虫（旋毛虫症を引き起こす寄生虫の一種．世界中のほぼあらゆる地域に分布するが，北半球に多い．感染は，被嚢幼虫を含む肉(特にブタ肉であるが，最近ではしばしばクマやセイウチなどの狩猟動物とも結びついている)を生または不十分な調理の状態で摂取することにより生じる．感染した幼虫は成虫になり，約6週間，空腸または回腸に寄生する．雌は胎生で，未発達の幼虫を約1,500匹産み出す．幼虫は粘膜深部に産み出され，粘膜下の毛細血管にはいり，肝臓を経て心臓，肺，体循環に運ばれる．最終的に幼虫は毛細血管を破り，筋線維に侵入し，虫体をコイル状に巻き，被嚢する．その結果，強い異常感，痛み，発熱，浮腫，あるいは旋毛虫症に特徴的な好酸球増加症をもたらす．英名 pork worm, trichina worm).

trich·i·nel·li·a·sis (trik′i-nel-ī′ă-sis). ＝trichinosis.

Trich·i·nel·li·cae (trik′i-nel′i-kē). ＝Trichinelloidea.

Trich·i·nel·loi·de·a (trik′i-nel-oy′dē-ă). 旋毛虫上科（線虫の一上科．以下のヒト寄生性線虫を含む．旋毛虫 *Trichinella spiralis*(旋毛虫科)，ヒト鞭虫 *Trichuris trichiura*，肝毛頭虫 *Capillaria hepatica*，フィリピン毛様虫 *C. philippinensis*(鞭虫科)). ＝Trichinellicae.

trich·i·nel·lo·sis (trik′i-nel-ō′sis). ＝trichinosis.

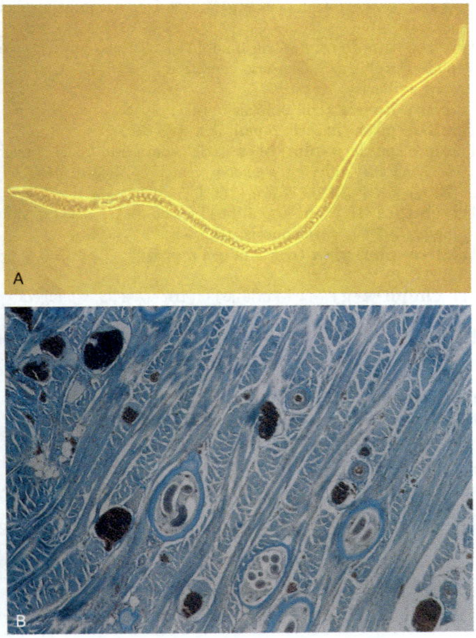

Trichinella spiralis

A：成虫の雌，位相差顕微鏡検査，×32．B：ヒト有紋筋内のせん毛虫*T. spiralis*の病理学標本(低倍率)．

trich·i·ni·a·sis (trik′i-nī′ă-sis). 旋毛虫症．＝trichinosis.

trich·i·nif·er·ous (trik′i-nif′ĕ-rŭs). 旋毛虫幼虫を含む．

trich·i·ni·za·tion (trik′i-ni-zā′shŭn). 旋毛虫幼虫による感染．

trich·i·no·scope (trik′i-nō-skōp) [trichina + G. *skopeō*, to view]. 旋毛虫検出器（旋毛虫感染が疑われる肉を検査するときに使う拡大鏡）．

trich·i·no·sis (trik′i-nō′sis) [*Trichinella*(trichina) + G. *-osis*, condition]. 旋毛虫症（本症は糸状の寄生虫，旋毛虫 *Trichinella spiralis* の被嚢幼虫を含むブタ肉(あるいはクマ肉，アラスカのセイウチの肉)を生または不十分な調理の状態で摂取することにより起こる．ヒトの病気の最初の症状は，小腸における寄生虫の成長に伴う腹痛，腹部痙攣，下痢である．幼虫が筋肉組織に移動し，侵入すると，顔面および眼周囲の浮腫，筋痛，発熱，そう痒，じんま疹，結膜炎，心筋炎の徴候などの第２の症状群が現れる）．＝trichinelliasis; trichinellosis; trichiniasis.

trich·i·nous (trik′i-nŭs). 旋毛虫症の，旋毛虫症にかかった．

trich·i·on (trik′ē-on) [G. *thrix*, hair]. トリキオン（生体計測学上の点で，前額における頭髪の生え際の正中点）．

trich·ite (trik′īt). ＝trichocyst.

tri·chlo·ral (trī-klō′răl). トリクロラール．＝*m*-chloral.

tri·chlor·fon (trī-klōr′fon). トリクロルフォン（ビルハルツ住血吸虫 *Schistosoma haematobium* の幼虫および成虫に対し有効な有機リン化合物．しかし，ヒトにおける他の住血吸虫属 *Schistosoma* の種に対しては無効である）．＝metrifonate.

tri·chlor·ide (trī-klōr′īd). 三塩化物（分子中に塩素原子を３個持つ塩化物，例えばPCl_3）．

tri·chlor·o·a·ce·tic ac·id (trī-klōr′ō-ă-sē′tik as′id). 三塩化酢酸（1—5%溶液で収れん防腐薬としてまたは性病いぼおよびその他のいぼの腐食薬に用いる物質．蛋白沈殿薬として広く用いる）．

tri·chlor·o·eth·ane (trī-klōr′ō-eth′ān). トリクロロエタン（顕著な吸入麻酔作用をもつ工業溶剤）．＝methylchloroform.

tri·chlor·o·fluor·o·meth·ane (trī-klōr′ō-flōr-ō-meth′ān). トリクロロフルオロメタン（広く用いられる噴霧用プロペラント．高濃度で吸入すると麻酔，不整遺伝子作用が現れる）．＝trichloromonofluoromethane.

tri·chlor·o·meth·ane (trī-klōr′ō-meth′ān). トリクロロメタン．＝chloroform.

tri·chlor·o·mon·o·fluor·o·meth·ane (trī-klōr′ō-mon′ō-flōr′ō-meth′ān). トリクロロモノフルオロメタン．＝trichlorofluoromethane.

tri·chlor·o·phe·nol (trī-klōr′ō-fē′nol). トリクロロフェノール（防腐薬，消毒薬，殺菌薬として用いる物質）．

(2,4,5-tri·chlor·o·phen·ox·y) a·ce·tic ac·id (**2,4,5-T**) (trī-klōr′ō-fe-nok′sē-a-sē′tik as′id). (2,4,5–トリクロロフェノキシ)酢酸（除草剤や枯葉剤の１つで，クロロ酢酸と2,4,5–トリクロロフェノールとの縮合により合成され，エージェントオレンジの主成分として用いる）．

tricho-, trich-, trichi- [G. *thrix*(*trich-*)]. 毛髪または毛髪様構造をさす連結形．

Trich·o·ceph·a·lus (trik′ō-sef′ă-lŭs) [tricho- + G. *kephalē*, head]. *Trichuris* の誤称．

trich·o·chrome (trīk′ō-krōm) [tricho- + G. *chrōma*, color]. トリコクローム（メラニン関連の黄橙色と紫色の天然色素．ヒトの赤毛，赤褐色毛の部分的原因である）．

trich·o·cyst (trik′ō-sist) [tricho- + G. *kystis*, bladder]. トリコシスト，毛胞，糸胞（原生動物の種々な細胞内構造物の１つで，虫体の周縁近くに並んでいる小さな細長いシスト様構造である．内容液を放出するとそれが攻撃あるいは防御に役立つといわれている．ゾウリムシのような繊毛虫の虫体内にみられる）．＝trichite.

Trich·o·dec·tes (trik′ō-dek′tēz) [tricho- + G. *dektēs*, a beggar]. ケモノハジラミ属（ハジラミの一属．イヌハジラミ *T. canis*(*T. latus*) はイヌを刺咬するシラミで，通常，イヌのウリザネ条虫 *Dipylidium caninum* の中間宿主の役をする．その他に，ヤギハジラミ *T. climax*(*Bovicola caprae*)，ウマハジラミ *T. parumpilosus*(*B. equi*)，ウシハジラミ *T. scalaris*(*B. bovis*)，ヒツジハジラミ *T. sphaerocephalus*(*B. ovis*) が含まれる．→*Bovicola*; *Damalinia*）．＝*Bovicola*.

Trich·o·der·ma (trik′ō-der′mă) [tricho- + G. *derma*, skin]. トリコデルマ属（抗生物質グルオトキシンを供給する土中真菌類の一属．まれに日和見感染を引き起こす）．

trich·o·dis·co·ma (trik′ō-dis-kō′mă). 毛盤腫（優性遺伝性もしくは非家族性に生じる，楕円形の毛嚢周囲の中胚葉性奇形腫）．

trich·o·dyn·i·a (trik′ō-din′ē-ă) [tricho- + G. *odynē*, pain]. ＝trichalgia.

trich·o·dys·tro·phy (trik′ō-dis′trō-fē) [tricho- + G. *dys-*, abnormal + *trophē*, growth]. 栄養障害毛（毛髪の栄養不足あるいは成長障害で，しばしば脱毛に至る．後天性あるいは先天性に生じる．後者ではしばしば代謝系や他の生来の欠損を伴う）．

trich·o·ep·i·the·li·o·ma (trik′ō-ep′i-thē′lē-ō′mă) [tricho- + epithelioma][MIM*132700]. 毛包上皮腫（多発性の良性小結節．主として顔面皮膚に生じ，毛嚢基底細胞に由来し，それが小角質嚢腫を取り囲んでいる．常染色体優性遺伝）．＝Brooke tumor; epithelioma adenoides cysticum; hereditary multiple t.

desmoplastic t. 線維形成性〔硬化性〕毛包上皮腫（多くは女性の顔面にみられる単発性の，硬く，環状で中心部は陥凹した丘疹．真皮の硬化性線維性間質中には，好塩基細胞と小角質嚢胞を認める）．

hereditary multiple t. 遺伝性多発性毛包上皮腫．＝trichoepithelioma.

trich·o·es·the·si·a (trik′ō-es-thē′zē-ă) [tricho- + G. *aisthēsis*, sensation]. 毛髪〔性〕感覚（①毛髪に触れたときに感じる感覚．②皮膚，口腔粘膜，あるいは結膜上に毛髪があるような感じがする知覚異常の一種）．

trich·o·fol·lic·u·lo·ma (trik′ō-fol-ik′yū-lō′mă) [tricho- + L. *folliculus*, fountain, spring + G. *-oma*, tumor]. 毛包腫（通常孤立性の腫瘍か過誤腫で，不全型の毛包が中心部の嚢腫あるいは皮表とつながる空隙に開口するもの）．

trich·o·gen (trik′o-jen) [tricho- + G. *-gen*, producing]. 発毛薬，発毛促進〔性〕物質．

trich·o·glos·si·a (trik′ō-glos′ē-ă) [tricho- + G. *glōssa*, tongue]. 毛舌症. = hairy *tongue*.

trich·o·hy·a·lin (trik′ō-hī′ă-lin) [MIM* 190370]. 毛硝子質, トリコヒアリン (ケラトヒアリンの性質を有する物質で, 毛包の成長期内毛根鞘にみられる).

trich·oid (trik′oyd) [tricho- + G. *eidos*, resemblance]. 毛髪様の, 毛に似た.

trich·o·lem·mo·ma (trik′ō-le-mō′mă). 毛根鞘腫. = trichilemmoma.

trich·o·lo·gi·a (trik′ō-lō′jē-ă) [G. *trichologeō*, to pluck hairs < tricho- + *legō*, to pick out, gather]. 抜毛癖 (毛髪を引っ張る神経性の習慣). = trichology (2).

tri·chol·o·gy (tri-kol′ŏ-jē). ***1*** [tricho- + G. *logos*, study]. 毛髪学 (毛髪の解剖学, 発育, 疾患などに関する学問). ***2*** [G. *trichologeo* < tricho- + *legō*, to pick out]. = trichologia.

tri·cho·ma (tri-kō′mă) [tricho- + G. *-oma*, tumor]. = trichiasis.

tri·cho·ma·to·sis (tri-kō-mă-tō′sis). = trichiasis.

trich·o·meg·a·ly (trik′ō-meg′ă-lē) [tricho- + G. *megas*, large] [MIM* 190330]. 長睫毛症 (睫毛が先天的に異常に長い状態. 小人症に合併する).

trich·o·mo·na·cide (trik′ō-mō′nă-sīd). トリコモナシド (*Trichomonas*属の微生物に対し殺菌的に作用する薬物).

trich·o·mo·nad (trik′ō-mō′nad, trik′ō-mon′ad). トリコモナド (トリコモナス科に属する原生動物の一般名).

Trich·o·mo·nad·i·dae (trik′ō-mō-nad′i-dē). トリコモナス科 (*Trichomonas*属を含む鞭毛虫の一科).

Trich·o·mo·nas (trik-ō-mō′nas) [tricho- + G. *monas*, single (unit)]. トリコモナス属 (**[正しい発音は trichom′onas であるが, 米国では示した発音がより一般的である]**. 寄生鞭毛虫の一属(トリコモナス亜科, トリコモナス科). ヒトやその他の霊長類および鳥類にトリコモナス症を引き起こす. 感染特異性は宿主種よりもその微小生息環境のほうに顕著に表れる. 本属は *Trichomonas*属, *Pentatrichomonas*属, *Tetratrichomonas*属, *Tritrichomonas*属などいくつかの属に分けられるようになった).

T. buccalis 口腔トリコモナス. = *T. tenax*.

T. foetus *Tritrichomonas foetus* の旧名.

T. gallinarum *Tetratrichomonas gallinarium* の旧名.

T. hominis *Pentatrichomonas hominis* の旧名.

T. ovis *Tetratrichomonas ovis* の旧名.

T. suis *Tritrichomonas suis* の旧名.

T. tenax 口腔トリコモナス (ヒトや他の霊長類の口腔中, 特に歯石, う歯の欠損部中に片利共生的に生息する種. 直接的な病原菌であるという証拠はないが, しばしば膿袋や, 歯根で化膿菌と一緒に生息している). = *T. buccalis*.

T. vaginalis 腟トリコモナス (しばしば, 女性の腟, 尿道(腟トリコモナス症の原因), あるいは男性の尿道, 前立腺に寄生する種(ヒトが唯一の既知宿主). その病原性は菌株によりかなり異なる).

trich·o·mo·ni·a·sis (trik′ō-mō-nī′ă-sis). トリコモナス症 (*Trichomonas*属またはそれに関連のある属の原生動物の感染により生じる疾患).

t. vaginitis 腟トリコモナス症 (腟トリコモナス *Trichomonas vaginalis* の感染で生じる急性の腟炎や尿道炎. 腟トリコモナスは, 粘膜や組織には侵入しないが炎症反応を引き起こす. 性交または他の接触によって感染する. ヒトに広く感染がみられ, 通常は無症状であるが, 腟あるいは陰唇のそう痒症を伴う腟炎や, 泡の多い水っぽい分泌物を伴う白帯下を起こし, まれには男性の化膿性尿道炎を引き起こすことがある).

trich·o·my·ce·to·sis (trik′ō-mī′sē-tō′sis). = trichomycosis.

trich·o·my·co·sis (trik′ō-mī-kō′sis) [tricho- + G. *mykēs*, fungus + G. *-osis*, condition]. 毛髪糸状菌症, 毛髪真菌症 (以前は, 真菌による毛髪疾患一般を意味して用いられた語. 今日では, 毛髪ノカルジア症, 腋毛ノカルジア症と同義に用いている. 毛髪糸状菌症の原因菌は *Nocardia*属(真菌と細菌の中間)または *Corynebacterium*属であり, 真菌ではないところから毛髪糸状菌症の現用法は誤りである). = trichomycetosis.

t. axillaris 腋窩菌毛〔症〕, 腋窩毛髪糸状菌症 (腋毛および陰毛の *Corynebacterium*属の感染症で, 毛幹の周りに黄色(黄菌毛), 黒色(黒菌毛), あるいは紅色(紅菌毛)の塊状物を生じるもの. しばしば無症候性である). = lepothrix; trichonodosis.

trich·o·no·do·sis (trik′ō-nō-dō′sis) [tricho- + L. *nodus*, node (swelling) + G. *-osis*, condition]. 結毛症. = *trichomycosis* axillaris.

trich·o·no·sis (trik′ō-nō′sis). = trichopathy.

trich·o·path·ic (trik′ō-path′ik). 毛髪病の.

trich·o·path·o·pho·bi·a (trik′ō-path′ō-fō′bē-ă) [tricho- + G. *pathos*, suffering + *phobos*, fear]. 毛髪病恐怖〔症〕(毛髪の疾患や色調や成育異常に関する過度の心配).

tri·chop·a·thy (tri-kop′ă-thē) [tricho- + G. *pathos*, suffering]. 毛髪病. = trichonosis; trichosis.

trich·o·pha·gi·a (trik′ō-fā′jē-a). 食毛症 (髪や羊毛を食べること).

tri·choph·a·gy (tri-kof′ă-jē) [tricho- + G. *phagein*, to eat]. 食毛〔症〕(毛髪をかむ習慣).

trich·o·pho·bi·a (trik′ō-fō′bē-ă) [tricho- + G. *phobos*, fear]. 毛髪恐怖〔症〕(衣類, その他の場所にある脱け毛をみることにより生じる病的な不快感).

trich·o·phyt·ic (trik′ō-fit′ik). 白癬〔症〕の.

trich·o·phy·to·be·zoar (trik′ō-fī′tō-bē′zōr) [tricho- + G. *phyton*, plant + bezoar]. 毛髪植物胃石 (毛髪, 食物が混ざった結石. 植物性繊維, 果物の種, 皮, 動物の毛からなり, ヒト, 動物, 特に反すう類の胃中で絡まって結石を形成する). = phytotrichobezoar.

Tri·choph·y·ton (tri-kof′i-tŏn) [tricho- + G. *phyton*, plant]. 白癬菌属 (ヒトおよび動物に皮膚糸状菌症を引き起こす病原真菌のうちの一属. ヒト寄生性, 動物寄生性, または土壌生息性の種類で, 毛髪, 皮膚, 爪を攻撃する. 毛髪での成育によって特徴付けられる. 毛内菌類は皮膚から毛包内へと成育し, 毛軸を貫いてその中で成長し, 菌糸が分節して有節胞子を生じる. 毛軸の外表では成育しない. 毛外菌類は, 大胞子類と小胞子類の 2 種類があり, 両方とも毛包内へと成育し, 毛軸を取り囲んで中に侵入するが, 毛軸の内部でも外側でも成長し続ける. 分節分生子を外生的に産生する).

T. concentricum 渦状白癬菌 (渦状癬の起因菌で, ヒト寄生性真菌の一種. シェーンライン白癬菌 *T. schoenleinii* に類似する).

T. equinum ウマの毛内性糸状菌感染を起こす動物寄生性真菌の一種. この動物からヒトが感染することもある. 成育にはニコチン酸を必要とする.

T. megninii 好人性, 鎖状胞子をもった皮膚糸状真菌の毛外菌種. ヒトに伝染する. ヒスチジン要求性である点で小胞子菌属の一種 *Microsporum gallinae* と区別される.

T. mentagrophytes 毛瘡白癬菌 (好獣性の小胞子毛外寄生を呈する真菌の種で, 被毛, 皮膚, 爪に感染を起こす. イヌ, ウマ, ウサギ, マウス, ラット, チンチラ, キツネ, ヒト(特に著しい炎症を伴う足白癬と体部白癬)で皮膚糸状菌症の原因となる).

T. rubrum 紅色白癬菌 (皮膚, 特に足白癬や股部白癬, および爪の慢性感染症を引き起こす分布の広い好人性の真菌で, 治療抵抗性のものは少ない. 毛髪に侵入することはまれであるが, 侵入すると毛外菌性の性質をもつ. ときには皮下あるいは全身の感染が報じられる).

T. schoenleinii シェーンライン白癬菌 (ヒトに黄癬を引き起こす好人性皮膚毛内性糸状真菌の一種. ユーラシアおよびアフリカ全般にわたり風土病性であるが, 旅行のために西半球の方に頻度が高い. 毛軸内にトンネルをつくるため, 菌糸が退化した後では中は空気の泡だらけになる).

T. simii 赤毛ザル, イヌ, ヒトに感染を起こす動物寄生性真菌の一種. ほとんどの感染症例の起点はインド.

T. tonsurans ヨーロッパ, 南アメリカ, 米国で流行性皮膚真菌症を引き起こす好人性毛内真菌の一種. ある種の動物にも感染する. 成育にはチアミンを必要とする. 米国では頭部白癬の最も頻度の高い原因菌である. 皮膚表面で毛が破折した部位に一致して黒色点(black dot)が形成される.

T. verrucosum 動物寄生性真菌の一種. ウシの白癬の原因となり, その動物からヒトが感染する.

T. violaceum 紫色白癬菌 (ヒト寄生性真菌の一種. 黒斑輪癬あるいは頭皮の黄癬感染症の原因となる. 毛髪への感染は毛内菌型である. 通常, 南アメリカ, ヨーロッパ, アジ

ア，アフリカにみられる）．

trich·o·phy·to·sis (trik′ō-fī-tō′sis) ［tricho- ＋ G. *phyton*, plant ＋ *-osis*, condition］．白癬〔症〕（白癬菌属 *Trichophyton* を原因とする表在性真菌感染症）．

Trich·o·pleu·ris (trik′ō-plū′ris)［tricho- ＋ G. *pleura*, rib, side］．ケモノハジラミ科の一属．反すう類，例えば，アメリカジカに寄生する *T. lipeuroides*, *T. parallelus* など．一部では，*Damalinia*属の一亜属と考えられている．

trich·o·po·li·o·dys·tro·phy (trik′ō-pō′lē-ō-dis′trō-fē)．白髪ジストロフィ．＝kinky-hair *disease*.

trich·o·po·li·o·sis (trik′ō-pō′lē-ō′sis)［tricho- ＋ G. *polios*, gray ＋ *-osis*, condition］．白毛〔髪〕症．＝poliosis.

Tri·chop·ter·a (tri-kop′tĕr-ă)［tricho- ＋ G. *pteron*, wing］．トビケラ目（昆虫の一目で，水生幼虫（イサゴムシ）は，沈水物質の小片群から非常に特異な形をした防護筒を構築する．通常，淡水の水流中の石の下に付着している．成虫のトビケラは，毛のある羽をもち，その毛や上皮を脱皮し，過敏症のヒトに枯草熱様（アレルギー性）症状を引き起こす）．

trich·o·pti·lo·sis (trik′ō-ti-lō′sis, tri-kop-ti-lō′sis)［tricho- ＋ G. *ptilōsis*, plumage ＋ *-osis*, condition］．毛髪縦裂〔症〕（毛幹の縦裂状態．羽毛状を呈する）．

trich·or·rhex·is (trik′ō-rek′sis)［tricho- ＋ G. *rhēxis*, a breaking］．裂毛〔症〕（毛髪が切れているか裂けている状態）．

t. invaginata 重積性裂毛〔症〕．＝bamboo *hair*.

t. nodosa 結節性裂毛〔症〕（微小結節が毛幹に形成される先天的または後天的な状態．分裂や切断が完全にあるいは不完全にこの結節や点に生じる）．

tri·chos·chi·sis (tri-kos′ki-sis)［tricho- ＋ G. *schisis*, a cleaving］．分裂と分断がみられる毛髪．→trichorrhexis.

tri·cho·sis (tri-kō′sis)［tricho- ＋ G. *-osis*, condition］．毛髪病，異所発毛〔症〕．＝trichopathy.

t. carunculae 涙丘毛髪病，涙丘異所発毛〔症〕（涙丘上に毛が発育すること）．

t. sensitiva 毛髪敏感症（毛髪部位の知覚過敏症）．

t. setosa 硬毛症（毛が荒く粗大なこと）．

trich·o·so·ma·tous (trik′ō-sō′mă-tŭs)［tricho- ＋ G. *sōma*, body］．小さな虫体にべん毛をもつことについていう．ある種の原生動物類を示す．⇀*Trichomonas*.

Tri·chos·po·ron (tri-kos′pō-ron, trik-ō-spōr′on)［tricho- ＋ G. *sporos*, seed(spore)］．トリコスポロン属（不完全菌類の一属．分節分生子，分芽分生子をもつ分岐有隔菌糸をもつ．これらの微生物はヒトの腸管の正常細菌叢の一部である．バイゲル毛芽胞菌 *T. beigelii* は白色砂毛症やトリコスポロン症および免疫不全の患者では致死的な真菌血症の原因となる）．

trich·o·spor·o·no·sis (trik′ō-spōr′o-nō′sis)．トリコスポロン症（バイゲル毛芽胞菌 *Trichosporon beigelii* による全身感染症．発熱や肺炎を特徴とし死亡率が高い．白血球の減少した患者に認められる．*T. beigelii* の限局性感染は trichosporosis（トリコスポロン症）として知られる白色砂毛症である）．

trich·o·spo·ro·sis (trik′ō-spō-rō′sis)［*Trichosporon* ＋ G. *-osis*, condition］．砂毛〔症〕（バイゲル毛芽胞菌 *Trichosporon beigelii* の感染）．

tri·chos·ta·sis spi·nu·lo·sa (tri-kos′tă-sis spī′nyū-lō′să)［tricho- ＋ G. *stasis*, a standing; L. *spinulosus*, thorny］．小棘性束毛〔症〕（毛孔が多数の軟毛を含む角栓でふさがれ，そう痒性丘疹を形成する）．

trich·o·stron·gyle (trik′ō-stron′jil)．毛様線虫（毛様線虫科の線虫の通称）．

Trich·o·stron·gyl·i·dae (trik′ō-stron-jil′i-dē)．毛様線虫科（線虫類の一科（毛様線虫目 Strongylida，または旧分類で Strongylata）．本科には重要な属で，*Cooperia*属，*Ostertagia*属，*Haemonchus*属，*Trichostrongylus*属，*Nematodirus*属，*Hippostrongylus*属が含まれる．⇀*Trichostrongylus*）．

trich·o·stron·gy·lo·sis (trik′ō-stron′ji-lō′sis)．毛様線虫症（毛様線虫属 *Trichostrongylus* の線虫による感染症）．

Trich·o·stron·gy·lus (trik′ō-stron′ji-lŭs)［tricho- ＋ G. *strongylos*, round］．毛様線虫属（bankrupt worm, black scour worm など小型で細長い線虫で，経済的に重要な一属（毛様線虫科，約 30 種）．本属は種々の草食動物や鶉鶏類の小腸，ときとして胃に寄生する．粘膜に侵入し，吸血する．多数寄生例では特に幼若宿主において重大な障害を生じる）．

T. axei ウシに寄生する毛様線虫の中で最もよくみられる種．ヒツジ，ウマ，カモシカ，野牛，ラマ，シカの第四胃，およびブタ，ウマの胃に寄生する．

T. capricola ヒツジ，ヤギ，シカ，プロングホーン（アンテロープ）の小腸および第四胃に寄生する種．

T. colubriformis ヒツジ，ヤギ，ウシ，ラクダ，他の野生反すう類の小腸前部，ときとして第四胃に，またヒトを含む霊長類，ウサギ，リスの胃に寄生する種．全世界に分布するが，米国に多く，特にヒツジにはごく一般に見出される．

T. longispicularis ウシ，ヒツジ，ヤギの小腸に寄生する種．全世界に分布するが，米国ではまれである．

T. tenuis アヒル，ガチョウ，シチメンチョウ，キジ，ヤマウズラを含む鳥類の盲腸および小腸に寄生する種．本種は病原性があり，広く分布する．

T. vitrinus 子ヒツジの重大な病原体で，主としてヒツジ，ラクダ，ウサギ，ヤギの十二指腸に寄生する種．ヒトあるいはブタの寄生例も報告されている．

trichothecenes (trĭk-kō-the-sēnz)．トリコテセン（*Fusarium tricinctum*, *F. sporotrichoides*, *F. poae*, *Trichothecium*属，*Stachybotrys*属のマイコトキシン．ヒトおよび家畜の呼吸器有害性の無白血症の原因．→mycotoxin）．

Trich·o·the·ci·um (trik′ō-thē′sē-ŭm)．トリコテシウム属（不完全菌類の一属．通常，一般的な腐生菌と考えられている）．

trich·o·thi·o·dys·tro·phy (trik′ō-thī′ō-dis′trŏ-fē)［tricho- ＋ thio- ＋ G. *dys*, bad ＋ *trophē*, nourishment］［MIM *234050, MIM*601675］．裂毛症（先天性のもろい毛髪で，毛髪の硫黄含有アミノ酸（システイン）量が少ない．ときに精神障害，低身長を伴う．常染色体劣性遺伝）．

trich·o·til·lo·ma·ni·a (trik′ō-til′ō-mā′nē-ă)［tricho- ＋ G. *tillo*, pull out ＋ *mania*, insanity］．抜毛癖，抜毛狂，トリコチロマニー（自分自身の毛を抜く強迫行為）．

tri·chot·o·my (tri-kot′ŏ-mē)［G. *trichia*, threefold ＋ *tomē*, a cutting］．三分割．

trich·o·tox·in (trik′ō-tok′sin)．上皮細胞毒素（有毛上皮に特異的に損傷作用を及ぼす細胞毒素）．

tri·chot·ro·phy (tri-kot′rŏ-fē)［tricho- ＋ G. *trophē*, nourishment］．毛髪栄養．

tri·chro·ic (trī-krō′ik)．三位相異色の．

tri·chro·ism (trī′krō-izm)［G. *trichroos*, three-colored < tri- ＋ *chroa*, color］．三位相異色（異なる 3 方向に異なる色を発する，ある種の結晶の性質）．

tri·chro·mat (trī-krō′mat)［tri- ＋ G. *chrōma*, color］．3 色覚者（三原色がわかる人．すなわち正常色覚者）．

tri·chro·mat·ic (trī′krō-mat′ik)．＝trichromic. ***1*** 三色の，三原色の（三原色（赤，黄，青）に関するまたは有することを示す）．***2*** 三色識別の，正常色覚の（三原色を知覚可能な，正常色覚をもつことを示す）．

tri·chro·ma·tism (trī-krō′mă-tizm)［tri- ＋ G. *chrōma*, color］．3 色覚，三色型色覚，三色性色感覚（三原色を知覚しうる状態）．

anomalous t. 異常 3 色覚（網膜錐体の 3 種類の基本的色素のうちの 1 種類の異常あるいは不足による色覚障害．⇀protanomaly; deuteranomaly; tritanomaly）．

tri·chro·ma·top·si·a (trī-krō′mă-top′sē-ă)［tri- ＋ G. *chrōma*, color ＋ *opsis*, vision］．3 色覚，三色型色覚（正常色覚．三原色知覚能力）．

tri·chro·mic (trī-krō′mik)．＝trichromatic.

trich·ter·brust (trich′tĕr-brūst)［Ger. *Trichterbrust*, funnel chest］．漏斗胸．＝*pectus* excavatum.

trich·u·ri·a·sis (trik′yū-rī′ă-sis)．鞭虫症（鞭虫属 *Trichuris* の線虫による感染症．ヒト鞭虫 *T. trichiura* のヒト寄生の場合，通常は無症状で末梢血好酸球増加症はみられない．大量の感染では下痢あるいは直腸脱が生じることもある）．

Trich·u·ris (trik′yū′ris)［tricho- ＋ G. *oura*, tail］．鞭虫属（旋毛虫 *Trichinella spiralis* に近縁のファスミドを欠如した線虫の一属．ときに *Trichocephalus*属と称されるが適当ではない．虫体前半部は細長く，宿主の結腸や大腸粘膜中に縫い込むようにはいっており，虫体後半部は太く，そこに生殖器および虫卵が存在する．本属には約 70 種あり，すべて哺乳類に寄生する）．

T

T. suis ブタ鞭虫（ブタにみられる線虫種．成虫はヒトからも見出されている）．

T. trichiura ヒト鞭虫（ヒトに寄生する鞭虫で，ヒトの鞭虫症の原因となる種．虫体前部3/5は毛状に細く，虫体後部は太い．雌は4—5 cmで雄はそれより短い(らせん状尾部と，1本の外反可能な交接棘を有する)．虫卵は樽状で長径50—56 μm，短径20—22 μm，卵殻は2重で，両極には半透明のノブが存在する．人間が唯一の感受性をもつ宿主で，通常，直接指から口への接触，または子虫形成卵(適度の温度と湿度下において3—6週間で土壌中で発育する．このために分布は主に熱帯である)を含む土壌，水，食物の摂取により感染する．回腸内で虫卵から脱出した幼虫は約1か月で成熟し，回虫 *Ascaris lumbricoides* にみられる腸管外移行を経ず，直接，盲腸に進む．成虫は2—7年寄生する）．

T. vulpis イヌ鞭虫（イヌにみられる線虫種．ヒトの虫垂から性的に成熟した成虫がみられている）．

tri·cip·i·tal (trī-sip′i-tăl). 三頭性の，三頭筋の．

tri·corn (trī′kōrn) [tri- + L. *cornu*, horn]. ***1*** 〚n.〛 側脳室. ***2*** 〚adj.〛＝tricornute. ***3*** 〚adj.〛 3つの角状突起のある．

tri·cor·nute (trī-kōr′nūt) [tri- + L. *cornutus*, horned < *cornu*, a horn]. 三突起性の（3つの角または突起を有する）．＝tricorn (2)．

tri·cre·sol (trī-krē′sol). トリクレゾール．＝cresol.

tri·crot·ic (trī-krot′ik) [tri- + G. *krotos*, a beat]. 三拍脈の，三段脈の（動脈圧走査で3つの波を特徴とする）．＝tricrotous.

tri·cro·tism (trī′krō-tizm). 三拍脈，三段脈．

tri·cro·tous (trī′krō-tŭs). ＝tricrotic.

Tric·u·la (trik′yū-lă). 前鰓亜綱イツマデガイ科 Triculinae 亜科に属する，ヘタをもつ淡水産巻貝の一属．*Oncomelania* 属(中間宿主としての日本住血吸虫 *Schistosoma japonicum*)に近縁である．本属には，メコン住血吸虫 *Schistosoma mekongi* の中間宿主である *T. aperta* がある．

tri·cus·pid, tri·cus·pi·dal, tri·cus·pi·date (trī-kŭs′pid, -kŭs′pi-dăl, -kŭs′pi-dāt). ***1*** 三尖の（解剖学において，心臓の三尖弁のように3つの尖端をもつ）．***2*** 三咬頭の，三結節の（歯科学において，上顎第二大臼歯が(ときに)，第三大臼歯が(通常)示すような三咬頭または三結節をもつ）．＝tritubercular.

tri·dac·ty·lous (trī-dak′ti-lŭs). ＝tridigitate.

tri·dent (trī′dent). ＝tridentate.

tri·den·tate (trī-den′tāt) [tri- + L. *dentatus*, toothed]. 三歯の，三叉の，三尖端の．＝trident.

tri·der·mic (trī-der′mik) [tri- + G. *derma*, skin]. 三胚葉性の（胚の3つの一次胚葉(外胚葉，内胚葉，中胚葉)に関する，またはそこから派生したことを示す）．

tri·der·mo·ma (trī-der-mō′mă) [tri- + G. *derma*, skin + *-oma*, tumor]. 三胚葉腫．＝triphyllomatous *teratoma*.

tri·dig·i·tate (trī-dij′i-tāt) [tri- + L. *digitus*, digit]. 三指の，三趾の（1手に3指あるいは1足に3趾をもつこと）．＝tridactylous.

trid·y·mite (trid′i-mīt) [< G. *tridymos*, threefold]. 鱗石魚（歯科の鋳型埋没材に用いるシリカの一型）．

trid·y·mus (trid′i-mŭs) [L. < G. *tridymos*, threefold]. ＝triplet (1).

tri·el·con (trī-el′kon) [tri- + G. *helkō*, to draw]. 三尖鉗子（長い三尖鉗子．傷や管から異物を取り出すときに用いる）．

tri·en·tine hy·dro·chlor·ide (trī′en-tēn hī′drō-klōr′īd). 塩酸トリエンチン（Wilson病において体内から過剰の銅を除去するために用いるキレート剤）．＝triethylenetetramine dihydrochloride.

tri·eth·a·nol·a·mine (trī′eth-ă-nol′ă-mēn). トリエタノールアミン（モノエタノールアミン，ジエタノールアミン，トリエタノールアミンの混合物．軟膏，ローション剤の調製における乳化剤，薬物の皮膚吸収補助剤として用いる）．

tri·eth·y·lene gly·col (trī-eth′i-lēn glī′kol). トリエチレングリコール（空気殺菌薬として噴霧状で用いる．低濃度で，空気中のバクテリア，菌類，ウイルスに対し毒性を発揮する．空気湿度の変化は殺菌効果を制限する）．

tri·eth·y·lene·tet·ra·mine di·hy·dro·chlor·ide (trī-eth′i-lēn-tet′ră-mēn dī-hī′drō-klōr′īd). 二塩酸トリエチレンテトラミン．＝trientine hydrochloride.

tri·fa·cial (trī-fā′shăl) [tri- + L. *facies*, face]. 三叉神経の．

tri·fid (trī′fid) [L. *trifidus*, three-cleft]. 三裂の．

tri·fluor·o·a·ce·tyl (trī-flōr′ō-as′ĕ-til). トリフルオロアセチル（ペプチド合成中にアミノ酸のアミノ部分とペプチドを保護するために用いる基）．

5-tri·fluor·o·meth·yl·de·ox·y·u·ri·dine (trī-flōr′ō-meth′il-dē-ok′sē-yū′ri-dēn). 5-トリフルオロメチルデオキシウリジン（単純疱疹の局所治療に用いるピリミジン類似体の一種）．

tri·fo·cal (trī′fō-kăl). 三焦点の（→trifocal *lens*）．

tri·fur·ca·tion (trī′fŭr-kā′shŭn) [tri- + L. *furca*, fork]. 三分枝（①3つの枝に分かれること．②歯根が3つの部分に分かれる部位）．

tri·gas·tric (trī-gas′trik) [tri- + G. *gastēr*, belly]. 三腹筋の（膨大部が3つある．腱性断絶が2か所ある筋についていう）．

tri·gem·i·nal (trī-jem′i-năl) [L. *trigeminus*, threefold]. 三叉神経の．＝trigeminus.

tri·gem·i·nus (trī-jem′i-nŭs) [L. threefold < tri- + *geminus*, twin]. ＝trigeminal.

tri·gem·i·ny (trī-jem′i-nē) [L. *trigeminus*, threefold]. 三連脈，三段脈．＝trigeminal *rhythm*.

trig·e·nol·line (trig′ĕ-nol′ēn). ＝trigonelline.

trig·ger (trig′ĕr). トリガー（比較的小さい入力により，比較的大きい出力をもたらす装置や道具などを表す語．入力と出力の大きさの間には直接関係はない）．

ECG t. 心電図トリガー（心電図を用い，通常R波で電気的な記録または画像装置を制御すること．→cardiac *gating*）．＝EKG t.

EKG t. 心電図トリガー．＝ECG t.

tri·glyc·er·ide (trī-glis′ĕr-īd). トリグリセリド．＝triacylglycerol.

tri·go·na (trī-gō′nă) [L.]. trigonum の複数形．

trig·o·nal (trig′ō-năl). 三角の．

tri·gone (trī′gōn) [L. *trigonum* < G. *trigōnon*, triangle] [TA]. ***1*** 三角．＝trigonum. ***2*** 上顎臼歯の三錐（集合的にとらえた，上顎大臼歯の最初の3つの顕著な咬頭(プロトコーヌス，パラコーヌス，メタコーヌス)）．

t. of auditory nerve 聴神経三角（第4脳室の外側陥凹床の微小突起．下には蝸牛管，前庭核が対応している）．＝acoustic tubercle; trigonum nervi acustici.

t. of bladder [TA]. 膀胱三角（左右の尿管と尿道の開口部との間の，膀胱基底部の三角形の平らな部分）．＝trigonum vesicae [TA]; Lieutaud body; Lieutaud triangle; Lieutaud t.; vesical triangle.

cerebral t. ＝fornix.

collateral t. [TA]. 側副三角（後角と下角との間の移行部の側脳室床にみられる三角形の隆起．前端で側副隆起に続いており，下角同様，側頭葉下面の副側溝の深い貫入により形成される）．＝trigonum collaterale [TA]; t. of lateral ventricle; trigonum ventriculi; ventricular t.

deltoideopectoral t. ＝infraclavicular *fossa*.

fibrous t.'s of heart 〔心臓の〕線維三角（→right fibrous t. (of heart); left fibrous t. (of heart)）．

t. of fillet 毛帯三角．＝t. of lateral lemniscus.

t. of habenula 手綱三角．＝habenular t.

habenular t. [TA]. 手綱三角（視床髄条尾方部の視床後内側面上の小三角．手綱核の上に位置する）．＝trigonum habenulae [TA]; t. of habenula.

hypoglossal t. [TA]. 舌下神経三角（第4脳室底の下部にみられる小隆起．その下に舌下神経起始核がある）．＝trigonum nervi hypoglossi [TA]; t. of hypoglossal nerve*; eminentia hypoglossi; hypoglossal eminence; trigonum hypoglossi; tuberculum hypoglossi.

t. of hypoglossal nerve* 舌下神経三角（hypoglossal t. の公式の別名）．

inguinal t. 鼡径三角．＝inguinal *triangle*.

t. of lateral lemniscus [TA]. 毛帯三角（中脳の尾方半の外側面にある三角形の部位．尾方は外側毛帯小隆起，背側は下丘と上丘腕の基部，腹側は大脳脚によって境される）．＝lemniscal t.; Reil triangle; triangle of fillet; t. of fillet; trigonum lemnisci lateralis [TA].

t. of lateral ventricle = collateral t.
left fibrous t. (of heart) 左線維三角（左房室孔を取り囲む線維輪の左側の部分と大動脈口を取り囲む線維輪との間にある線維性の骨格部分）. = trigonum fibrosum sinistrum.
lemniscal t. 毛帯三角. = t. of lateral lemniscus.
Lieutaud t. (lyū-tō′). リュトー三角. = t. of bladder.
Müller t. (mil′ĕr). ミュラー三角（視交叉上での第3脳室の陥凹にみられる）.
olfactory t. [TA]. 嗅三角（灰色がかった三角形の部位．前有孔質の前境界部で大脳底面に嗅神経脚(嗅神経または嗅索)が付着する部位にあたる）. = trigonum olfactorium [TA].
right fibrous t. (of heart) [TA]. 右線維三角（左右の房室口を取り囲む線維輪と大動脈口を取り囲む線維輪との間にある線維性の骨格部分）. = trigonum fibrosum dextrum.
vagal (nerve) t. [TA]. 迷走神経三角，灰白翼（迷走神経背側運動核の表面にある第4脳室底の小隆起）. = trigonum nervi vagi [TA]; t. of vagus nerve*; trigonum vagale*; ala cinerea; ashen wing; gray wing; vagi eminentia.
t. of vagus nerve* 迷走神経三角（vagal (nerve) t. の公式の別名）.
ventricular t. = collateral t.
vertebrocostal t. 椎肋三角，腰肋三角. = lumbocostal *triangle* of diaphragm.

trig·o·nel·line (trig′ō-nel′ēn). トリゴネリン（ニコチン酸のメチルベタイン．ニコチン酸の代謝産物．尿中に排出される）. = caffearine; trigenolline.

tri·gon·id (trī-gon′id, -gō′nid). 下顎臼歯の三錐（下顎大臼歯の最初の3つの顕著な咬頭.→trigone).

tri·go·ni·tis (trī′gō-nī′tis) [trigone + G. *-itis*, inflammation]. 〔膀胱〕三角炎（膀胱の炎症で三角部に生じる）.

trig·o·no·ce·phal·ic (trig′ō-nō-se-fal′ik). 三角頭〔蓋〕症の.

trig·o·no·ceph·a·ly (trig′ō-nō-sef′ă-lē, trī′gō-nō-) [trigone + G. *kephalē*, head][MIM*190440, MIM*275600]. 三角頭〔蓋〕症（頭蓋の形が三角形をなすことを特徴とする奇形．大脳半球圧迫を伴う．一部頭蓋骨の早期癒合症による）.

tri·go·num, pl. **tri·go·na** (trī-gō′nŭm, -nă) [L. < G. *trigōnon*, a triangle][TA]. 三角（三角形の部位の総称.→triangle). = trigone (1) [TA].
t. auscultationis [TA]. = ausculatory *triangle*.
t. caroticum [TA]. 頸動脈三角. = carotid *triangle*.
t. cerebrale [最後の e は発音される]. = fornix (2).
t. cervicale 頸三角（頸部にみられる三角形領域の総称）. = t. colli.
t. cervicale anterius* anterior cervical *region* の公式の別名.
t. cervicale posterius* lateral cervical *region* の公式の別名.
t. clavipectorale [TA]. = clavipectoral *triangle*.
t. collaterale [TA]. 側副三角. = collateral *trigone*.
t. colli 頸三角. = t. cervicale.
t. colli anterius* 前頸三角（anterior cervical *region* の公式の別名）.
t. colli laterale* 外側頸三角（lateral cervical *region* の公式の別名）.
t. cystohepaticum [TA]. = cystohepatic *triangle*.
t. deltoideopectorale 三角〔筋大〕胸筋三角. = clavipectoral *triangle*.
t. deltopectorale* clavipectoral *triangle* の公式の別名.
t. femorale [TA]. 大腿三角（[最後の e は発音される]）. = femoral *triangle*.
t. femoris* femoral *triangle* の公式の別名.
trigona fibrosa cordis 〔心臓の〕線維三角（→right fibrous *trigone* (of heart); left fibrous *trigone* (of heart)）.
t. fibrosum dextrum 右線維三角. = right fibrous *trigone* (of heart).
t. fibrosum sinistrum 左線維三角. = left fibrous *trigone* (of heart).
t. habenulae [TA]. 手綱三角. = habenular *trigone*.
t. hypoglossi = hypoglossal *trigone*.
t. inguinale [TA]. 鼡径三角（[最後の e は発音される]）. = inguinal *triangle*.
t. lemnisci lateralis [TA]. 毛帯三角. = *trigone* of lateral lemniscus.
t. lumbale inferius [TA]. 腰三角. = inferior lumbar *triangle*.
t. lumbocostale diaphragmatis [TA]. 〔横隔膜の〕腰肋三角. = lumbocostal *triangle* of diaphragm.
t. musculare (regionis cervicalis anterioris) [TA]. 〔前頸部の〕筋三角，肩甲気管三角. = muscular *triangle* (of neck).
t. nervi acustici = *trigone* of auditory nerve.
t. nervi hypoglossi [TA]. 舌下神経三角. = hypoglossal *trigone*.
t. nervi vagi [TA]. 迷走神経三角，灰白翼. = vagal (nerve) *trigone*.
t. olfactorium [TA]. 嗅三角. = olfactory *trigone*.
t. omoclaviculare [TA]. 肩甲鎖骨三角. = supraclavicular *triangle*.
t. omotracheale* 〔頸の〕筋三角（muscular *triangle* (of neck) の公式の別名）.
t. palati 口蓋三角. = palatal *triangle*.
t. parietale laterale pelvis [TA]. = lateral pelvic wall *triangle*.
t. retromolare [TA]. = retromolar *triangle*.
t. sternocostale 胸肋三角（[最後の e は発音される]．肋骨部と胸骨部の間で横隔膜の筋欠損部分）. = Larrey cleft; sternocostal triangle.
t. sternocostale diaphragmatis [TA]. = sternocostal *triangle* (of diaphragm).
t. submandibulare [TA]. 顎下三角. = submandibular *triangle*.
t. submentale [TA]. おとがい下三角（[最後の e は発音される]）. = submental *triangle*.
t. vagale* [最後の e は発音される]. vagal (nerve) *trigone* の公式の別名.
t. ventriculi = collateral *trigone*.
t. vesicae [TA]. 膀胱三角. = *trigone* of bladder.

tri·hex·o·syl·cer·a·mide (trī-heks′ō-sil-ser′ă-mīd). トリヘキソシルセラミド. = globotriaosylceramide.

tri·hy·brid (trī-hī′brid) [tri- + L. *hybrida*, hybrid]. 三因子雑種，三遺伝子雑種（3つのメンデル遺伝形質について異なっている両親から生まれた子供）.

tri·hy·dric (trī-hī′drik). 三水素化合物の（置換可能な水素原子を3個もつ化合物をいう）.

tri·hy·drox·y·es·trin (trī′hī-drok′sē-es′trin). トリヒドロキシエストリン. = estriol.

1,3,8-trihydroxy-6-methylanthraquinone 1, 3, 8-トリヒドロキシ-6-メチルアントラキノン. = emodin.

tri·in·i·od·y·mus (trī-in′ē-od′i-mŭs) [tri- + G. *inion*, nape of the neck + *didymos*, twin]. 三後頭部結合奇形（体幹が1つで，後頭部において3つの頭部が融合している，極度の奇形胎児）.

tri·i·o·dide (trī-ī′ō-dīd). 三ヨウ化物（KI_3 のように分子中にヨウ素原子を3個もつヨウ化物の一種）.

3,5,3′-tri·i·o·do·thy·ro·nine (TITh, T_3) (trī-ī′ō-dō-thī′rō-nēn). 3,5,3′-トリヨードサイロニン（通常，サイロキシンよりも合成量が少ない甲状腺ホルモン．血液中，甲状腺中に存在し，サイロキシンと同様の生物学的効果を及ぼすが，分子レベルの濃度ではより強力であり，その始まりはより迅速である）.

tri·ke·to·hy·drin·dene hy·drate (trī-kē′tō-hī-drin′dēn hī′drāt). ninhydrin の旧名.

tri·ke·to·pu·rine (trī-kē′tō-pyū′rēn). トリケトプリン. = uric acid.

tri·labe (trī′lāb) [tri- + G. *labē*, a handle, hold]. トリラーブ（膀胱内異物摘出用の三牙状鉗子）.

tri·lam·i·nar (trī-lam′i-nar). 三層の.

tri·lat·er·al (trī-lat′ĕr-ăl). 三側の.

tri·lo·bate, tri·lobed (trī-lō′bāt, trī′lobd). 三葉の.

tri·loc·u·lar (trī-lok′yū-lăr). 三室の（空洞や小洞が3つあることについていう）.

tril·o·gy (tril′ŏ-jē) [G. *trilogia* < tri- + *logos*, study, dis-

T

course]. 三部作（主題が相互に関連している三つの組合せ）.

t. of Fallot (fah′yō). ファロー三徴〔症〕（肺動脈狭窄，心房中隔欠損および右室肥大を伴う先天的欠損の一群）. ＝Fallot triad.

tri·mas·ti·gote (trī-mas′ti-gōt) [tri- ＋ G. *mastix*, whip]. 三べん毛性（ある種の原生動物にみられるように，３本のべん毛をもつこと）.

tri·mer (trī′mĕr). 三量体（３つの成分よりなる化合物，複合体，構造物）.

tri·mes·ter (trī′mes-tĕr, trī-mes′ter) [L. *trimestris*, of 3-months' duration]. トリメスター（全妊娠期間の1/3）.

tri·met·a·phan cam·sy·late (trī-meth′ă-fan kam′sĭ-lāt). カンシル酸トリメタファン（神経節遮断薬．短期間，血管を拡張させる．外科，特に神経外科で用い，比較的無血的手術野(制御低血圧症)を生起させる）.

tri·meth·o·prim (trī-meth′ō-prim). トリメトプリム（抗菌薬．スルホンアミド，スルホンの相乗効果を促す．通常は，スルファメトキザールと併用する）.

tri·meth·o·prim-sul·fa·meth·ox·a·zole (trī-meth′ō-prim sŭl′fă-meth-oks′ă-zōl). トリメトプリム－スルファメトキサゾール（ジヒドロ葉酸還元酵素阻害剤(トリメトプリム)およびスルホンアミド系抗菌薬(スルファメトキサゾール)からなる配合剤．この配合剤は，微生物による葉酸の合成/利用における２つの連続的なステップを阻害する薬物として相乗的である．多くの感染症の治療に使用される）.

tri·meth·yl·am·ine (trī-meth′il-am′ēn). トリメチルアミン（窒素性植物と動物物質の減成生成物，テンサイ糖の残余物やニシン塩水のような窒素を含有する植物性・動物性物質の分解生成物(しばしば腐敗による)．生体では，恐らくコリンの分解により生じる）.

tri·meth·yl·am·i·nu·ri·a (trī-meth′il-am′i-nyūr′ē-ă). トリメチルアミン尿〔症〕（尿中，汗中，および唾液中にトリメチルアミンの排泄が増加する．独特の不快な魚臭い体臭または息を伴う）. ＝fish-odor syndrome.

tri·meth·yl·car·bin·ol (trī-meth′il-kar′bin-ol). トリメチルカルビノール（三級ブチルアルコール. →*butyl* alcohol）.

tri·meth·yl·ene (trī-meth′il-ēn). トリメチレン. ＝cyclopropane.

tri·meth·yl·eth·yl·ene (trī-meth′il-eth′il-ēn). トリメチルエチレン. ＝amylene.

$N^ε$-tri·meth·yl·ly·sine (trī-meth′il-lī′sēn). $N^ε$-トリメチルリシン（L-リシル残基への *S*-アデノシル-L-メチオニンの作用により得られた蛋白中に見出されるアミノ酸残基．蛋白分解により遊離され，$N^ε$-トリメチルリシンはカルニチンの前駆物質となる）.

tri·mor·phic (trī-mōr′fik). ＝trimorphous.

tri·mor·phism (trī-mōr′fizm) [tri- ＋ G. *morphē*, form]. 三様変態（幼虫，さなぎ，成虫の３段階を経過する完全変態の昆虫類の場合のように，三態を経過する存在）.

tri·mor·phous (trī-mōr′fŭs). 三様変態の（三態を経過する存在についていう）. ＝trimorphic.

trimoxazole (trī-moks′ă-zōl). トリモキサゾール（トリメトプリムおよびスルファメトキサゾールの合剤(英国)）.

tri·ni·tro·cel·lu·lose (trī′nī-trō-sel′yū-lōs). トリニトロセルロース（可溶性綿火薬の成分．コロジオン，ピロキシリンの調合に用いる）.

tri·ni·tro·glyc·er·in (trī′nī-trō-glis′ĕ-rin). トリニトログリセリン. ＝nitroglycerin.

tri·ni·tro·tol·u·ene (TNT) (trī′nī-trō-tol′yū-ēn). トリニトロトルエン（トルエンのニトロ化によりつくられる火薬．弾薬工場の作業員は，これがもとで胃腸障害や皮膚炎などを起こす）. ＝trinitrotoluol.

tri·ni·tro·tol·u·ol (trī′nī-trō-tol′yū-ol). トリニトロトルオール. ＝trinitrotoluene.

tri·nu·cle·o·tide (trī-nū′klē-ō-tīd). トリヌクレオチド（３つの隣接核酸塩の，遊離した状態，ポリヌクレオチドあるいは核酸分子中での結合．遺伝コードの表現で，特定のアミノ酸を明確化する単位(コドンまたはアンチコドン)と特に関連して用いられる）.

tri·o·ki·nase (trī′ō-kī′nās). トリオキナーゼ（D-グリセルアルデヒドがATPにより，D-グリセルアルデヒド-3-リン酸とADPになるリン酸化反応を触媒するホスホトランスフェラーゼ．D-フルクトース代謝段階の１つ）. ＝triosekinase.

tri·ol (trī-ol). トリオール（３つのヒドロキシル基をもつ化合物）.

tri·o·le·in (trī-ō′lē-in). トリオレイン. ＝olein.

tri·oph·thal·mos (trī′of-thal′mos) [tri- ＋ G. *ophthalmos*, eye]. 三眼性顔面重複奇形（顔の部分の癒合を伴った接着双生児．結合側の眼を共有している．二顔単体の変型. →conjoined *twins*）.

tri·or·chism (trī-ōr′kizm). 三重精巣(睾丸)〔症〕（精巣が３つある状態）.

tri·orth·o·cres·yl phos·phate (TOCP) (trī′ōrth-ō-kres′il fos′fāt). リン酸トリオルトクレシル（リン酸トリアリル．遅発性神経毒性を引き起こす．ジャマイカショウガの抽出物中に出現し，忌まわしい事件を引き起こし，禁酒法期間の間に数千例の麻痺の原因となった）.

tri·ose (trī′ōs). 三炭糖，トリオース（三炭素単糖類．例えば，グリセルアルデヒド，ジヒドロキシアセトン）.

tri·ose·ki·nase (trī′ōs-kī′nās). トリオースキナーゼ. ＝triokinase.

tri·ose·phos·phate i·som·er·ase (trī′ōs-fos′fāt ī-som′ĕr-ās). トリオースホスフェートイソメラーゼ（D-グリセルアルデヒド-3-リン酸とジヒドロキシアセトンリン酸の可逆的相互変換を触媒する異性化酵素．解糖や糖新生における重要な反応の１つ．この酵素の欠損により溶血性貧血や重篤な神経性欠陥をきたす）. ＝phosphotriose isomerase.

tri·o·tus (trī-ō′tŭs) [tri- ＋ G. *ous*, ear]. 三耳体（耳が３つある二顔奇形胎児の一種）.

tri·ox·ide (trī-oks′īd). 三酸化物（３個の酸素原子を含む分子）. ＝teroxide.

tri·ox·sa·len (trī-ok′să-len). トリオキサレン（経口着色感光剤の１つ．タンニン酸療法，白斑治療に用いる）.

tri·ox·y·meth·y·lene (trī′ok-sē-meth′i-lēn). 三酸化メチレン. ＝paraformaldehyde.

tri·pal·mi·tin (trī-pal′mi-tin). トリパルミチン. ＝palmitin.

tri·pep·ti·das·es (trī-pep′ti-dās′ĕs). トリペプチダーゼ（トリペプチドの加水分解反応を触媒し，ジペプチドとアミノ酸を与える異なった特異性をもつ酵素の一群）.

tri·pep·tide (trī-pep′tīd). トリペプチド（３つのアミノ酸がペプチド結合した化合物）.

tri·pha·lan·gi·a (trī′fă-lan′jē-ă) [tri- ＋ phalanx]. 母指骨数過多症，母指(母趾)三指(三趾)節症（母指(母趾)の指節が３つある奇形）.

Tripier (trē-pē-ā′), Léon. フランス人外科医，1842－1891. →T. *amputation*.

tri·plant (trī′plant). トリプラント（→triplant *implant*）.

tri·ple·gi·a (trī-plē′jē-ă) [tri- ＋ G. *plēgē*, stroke]. ***1*** 三肢麻痺（片側の上下肢と反対側の１肢の合わせて３肢の麻痺）. ***2*** 三部麻痺（上肢１肢と下肢１肢と顔面の麻痺）.

trip·let (trip′lĕt). ***1*** 三胎，三つ児（同じ分娩で娩出した３人の子供）. ＝tridymus. ***2*** トリプレット（平凸レンズ３つからなる，顕微鏡の複合レンズのように３つの同様な物の１組）. ***3*** トリプレット，三重項. ＝codon.

nonsense t. ナンセンストリプレット(コドン)（①トリプレット中の塩基の終末コドンへの変化により，ポリペプチド鎖の成長が未成熟のまま停止し，その結果，不完全蛋白分子をもたらすトリヌクレオチド(コドン)．②終末コドン）.

trip·lo·blas·tic (trip′lō-blas′tik) [G. *triploos*, threefold ＋ *blastos*, germ]. 三胚葉性の（胎生最初期の３胚葉(内胚葉，中胚葉，外胚葉)から形成されているの意．３胚葉に由来する組織を含んでいるの意）.

trip·loid (trip′loyd) [tri- ＋ -ploid]. 三倍体の.

trip·loi·dy (trip′loy-dē). 三倍体性（全細胞中に染色体の一倍体セットが２組でなく３組存在すること．これは胎児期または新生児期死亡をもたらす）.

trip·lo·pi·a (trip-lō′pē-ă) [G. *triploos*, triple ＋ *opsis*, sight]. 三重視（１つの対象物が３つの像に見える視覚障害）. ＝triple vision.

tri·pod (trī′pod) [G. *tripous* ＜ tri- ＋ *pous*, foot]. ***1*** 〚adj.〛三脚の. ***2*** 〚n.〛三脚台（三脚または３個の支えがある台）.

Haller t. (hah′lĕr). ハラー三脚. ＝celiac (arterial) *trunk*.

vital t. 生命三脚（生命に必要な３つの器官と考えられる

脳，心臓および肺）．

tri·po·di·a (trī-pō′dē-ă) [tri- + G. *pous*, foot]. 三脚癒合奇形（下肢が結合部で癒合し，足が1つとなり，2つの体に3つの足のみある接着双生児の状態．→conjoined *twins*）．

tri·pro·so·pus (trī′prō-sō′pŭs) [tri- + G. *prosōpon*, face]. 三顔癒合奇体（頭が3つ癒合し，3つの顔の部分のみ残している胎児）．

trip·sis (trip′sis) [G. a rubbing]. ***1*** ＝trituration (1). ***2*** 按摩，マッサージ．＝massage.

triptan (trĭp′tan). トリプタン（名称中に「トリプタン」を含む片頭痛治療薬を表す短縮形の口語）．

tri·que·trous (trī-kwē′trŭs, -kwet-) [L. *triquetrus*, three-cornered]. 三角の，三者に関係のある．

tri·que·trum (trī-kwē′trŭm, -kwet-) [L. *triquetrus*, three-cornered][TA]. 三角骨．＝triquetrum (*bone*); os triquetrum [TA]; cubital bone; os pyramidale; os triangulare; pyramidal bone; pyramidale; three-cornered bone.

tri·ra·di·al, tri·ra·di·ate (trī-rā′dē-ăl, trī-rā′dē-āt). 三放線の（3方向に放射することについていう）．

tri·ra·di·us (trī-rā′dē-ŭs). 三叉，三射（皮膚紋理学において，母指を除く4指の基底部の手掌にみられる皮膚隆線の図形．3方向に走る真皮乳頭の列で形づくられ，三角形を呈する）．＝Galton delta (2).

Tris tris(hydroxymethyl)aminomethane ; tris(hydroxymethyl) methylamine の略．緩衝剤．慣用名として用いる．

tris- 化学において，続いて別個に結合する3つの同じ置換基があることを示す接頭語．*cf.* tri-.

tri·sac·cha·ride (trī-sak′ă-rīd). 三糖類（3つの単糖類残基（例えばラフィノース）を含む炭水化物）．

tris(hy·drox·y·meth·yl)a·mi·no·meth·ane (Tris) (tris-hī-drok′sē-meth′il-ă-mē′nō-meth′ān). トリス(ヒドロキシメチル)アミノメタン．＝tromethamine.

tris(hy·drox·y·meth·yl)meth·yl·a·mine(Tris) (tris′hī-drok′sē-meth′il-meth′il-a′mēn). ＝tromethamine.

tris·kai·dek·a·pho·bi·a (tris′kī-dek′ă-fō′bē-ă) [G. *triskaideka*, thirteen + *phobos*, fear]. 13恐怖〔症〕（13という数字に対する迷信的な恐れ）．

tris·mic (triz′mik). 開口障害の．

tris·moid (triz′moyd) [trismus + G. *eidos*, resemblance]. ***1*** 〖adj.〗開口障害様の．***2*** 〖n.〗トリスモイド（新生児開口障害で，以前は分娩時の後頭圧迫による別種の様態と考えられていた）．

tris·mus (triz′mŭs) [L. < G. *trismos*, a creaking, rasping]. 開口障害（中枢抑制障害による咬筋の持続性収縮．全身性破傷風の初発症状のことがしばしばある）．＝*Ankylostoma* (2); lockjaw.

t. capistratus 歯肉頬癒着性開口障害（頬部から歯肉部への先天的癒着）．

t. nascentium 新生児開口障害（新生児強縮．通常，顎筋の硬化から始まる）．＝t. neonatorum.

t. neonatorum 新生児開口障害．＝t. nascentium.

t. sardonicus 痙笑．＝*risus* caninus.

tri·so·mic (trī-sō′mik). 三染色体の．

tri·so·my (trī′sō-mē) [tri- + (chromo)some]. トリソミー，三染色体性（相同染色体の正常な対の代わりに，1本の余分な染色体をもつ個体または細胞の状態．ヒトでは47本の正常染色体が1個の細胞にある状態．トリソミー症候群の種々の型については，syndrome の項を参照）．

tri·splanch·nic (trī-splangk′nik) [tri- + G. *splanchnon*, viscus]. 三大体腔の（3つの内臓腔(頭蓋，胸郭，腹腔)についていう）．

tri·ste·a·rin (trī-stē′ă-rin). トリステアリン．＝stearin.

tri·stich·i·a (trī-stik′ē-ă) [G. *tristichos*, in three rows < *tri-*, three + *stichos*, row]. 三列睫毛症．

tri·sul·cate (trī-sŭl′kāt). 三溝のある．

tri·ta·nom·a·ly (trī′tă-nom′ă-lē) [G. *tritos*, third + *anōmalia*, irregularity]. 3型3色覚（青色に対する網膜光感覚色素の不足による部分色覚異常の一型）．

tri·ta·no·pi·a (trī′tă-nō′pē-ă) [G. *tritos*, third + *an-* 欠性辞 + *ōps*, eye] [MIM*190900]. 3型2色覚（網膜錐体の青感覚性色素の欠如がある色覚欠損）．

tri·ter·penes (trī-tĕr′pēnz). トリテルペン（イソプレン6単位(テルペン3単位)の縮合により形成される炭化水素またはその誘導体．したがって炭素原子30を有する．例えばスクアレン，ある種のステロイド，強心配糖体）．

trit·i·at·ed (trit′ē-āt′ĕd). 分子中にトリチウム(三重水素)(^{3}H)原子を含むことを表す．

tri·ti·ce·o·glos·sus (tri-tish′ē-ō-glos′ŭs) [L. *triticeum* + G. *glōssa*, tongue]. 麦粒軟骨舌筋（→*musculus* triticeoglossus）．

tri·tice·ous (tri-tish′ŭs) [L. *triticeus* < *triticum*, a grain of wheat]. 麦粒様の（コムギの種子に似た，または種子状のことについていう）．

tri·tic·e·um (tri-tish′ē-ŭm) [L. *triticeus*, triticeous, like a grain of wheat]. ＝triticeal *cartilage*.

trit·i·um (T, *t*) (trit′ē-ŭm, trish′-). トリチウム．＝hydrogen-3.

Tri·trich·o·mo·nas (trī-trik′ō-mō′nas) [G. *tri-*, three + *Trichomonas*]. 三鞭毛トリコモナス属（寄生鞭毛虫の一属．以前は，*Trichomonas*属の一部とされたが，現在では，ペルタの欠如，および3本の前べん毛の存在から別属に分類されている．これに属する種としては，ウシのトリコモナス症の原因となる *T. foetus* や，ブタの鼻腔，盲腸，結腸に生息する *T. suis* がある．→*Trichomonas*）．

tri·tu·ber·cu·lar (trī′tū-ber′kyū-lăr). 三結節性の，三咬頭性の．＝tricuspid (2).

trit·ur·a·ble (trich′ŭr-ă-bĕl). 粉砕されうる．

trit·ur·ate (trich′yŭr-āt). ***1*** 〖v.〗完全に粉砕する．***2*** 〖n.〗粉砕されたもの．

trit·ur·a·tion (trich′yŭr-a′shŭn) [L. *trituratio* < *trituro*, to thresh < *tero*, pp. *tritus*, to rub]. すりつぶし，粉砕，研和，摩砕（①薬剤を微粉末にし，乳鉢中で乳糖と完全に練り合わせること．＝tripsis (1). ②歯科用アマルガムを，乳鉢中または機械的方法で乳棒を用い混ぜ合わせること）．

tri·tyl (trī′til). トリチル（トリフェニルメチル基 Ph_3C–）．

tri·va·lence, tri·va·len·cy (trī-vā′lents, -len-sē). 三価性，三原子価性．

tri·va·lent (trī-vā′lent). 三価の，三原子価の．

tri·valve (trī′valv). 三弁の（三方に開く平面部をもつ鏡のように，3弁をもつことについていう）．

triv·i·al name (triv′ē-ăl nām). 慣用名（化学物質の名称．組織的な意味で用いられている部分がないので，化学構造を知る手がかりにはならない．このような名称は薬剤，ホルモン，蛋白，その他の生物学的物質に広くみられ，一般的には用いられるが，非専売名と違い公的には認められていない．慣用名は広範な使用により，公的な非専売名に採用されることがある．その例として水，アスピリン，クロロフィル，ヘム，メトトレキセート，葉酸，カフェイン，サイロキシン，エピネフリン，バルビタールなどがある．さらに化学的に定義された物質に対する共通略語(ACTH, MSH, BAL, DDT)が挙げられる．これらは略語で用いられ，その該当する語は用いられない．慣用名と準慣用名の区別はほとんどなされていない．tetrahydrofolate, methylglycine, glucosamine などはそれぞれ正しい組織的意味で用いられる組織名部分を含んではいるが，しばしば慣用名とされる(4つの水素原子を表す tetrahydro，CH_3基を表す methyl，NH_2 基を表す amine，が上の例では組織名部分)．慣用名はしばしば化学化合物に，化学構造に従って組織名が与えられる前に，任意に特に自然源から付けられる．加えて，記述可能であっても組織名が長い場合，短縮したほうが便利な場合には短縮される．大部分の短縮形は部分的に組織名を含むことから，準慣用名であることがわかる）．

tri·zo·nal (trī-zō′năl). 三帯性の（3区域ある，また3層ある，またはそのようにつくられたものについていう）．

tRNA transfer RNA の略．

tro·car (trō′kar) [Fr. *trocart* < *trois*, three + *carre*, side (of a sword blade)]. トロカール，套管針（体腔から液体を抜き取るために，または穿刺術で用いる器具．金属管(カニューレ)と，その中を通す三角の尖頭をもつ栓子からなり，体腔に挿入した後この栓子を引き抜く．トロカールという語は通常，栓子を意味し，器具全体はトロカールとカニューレとよぶ）．

Hasson t. ハッソントロカール（小切開をおいた後に腹腔内に挿入される先端が鈍なトロカール．気腹および腹腔鏡の

T

挿入に用いられる).

troch trochiscus の略.

tro·chan·ter (trō-kan′tĕr) [G. *trochantēr*, a runner < *trechō*, to run]. 転子(大腿骨に近い独立骨格から発達した骨隆起の1つ. 人間には2つ, ウマには3つある).

greater t. [TA]. 大転子(大腿骨幹の近位, 外側部にある大きな突起で, 頸部の基部におおいかぶさっている. 中小殿筋, 梨状筋, 内・外閉鎖筋, 双子筋が付着している). =t. major [TA].

lesser t. [TA]. 小転子(幹と頸の結合線部で, 大腿骨幹の近位内側部にある角錐状突起. 大腰筋と腸骨筋(腸腰筋)が付着している). =t. minor [TA]; small t.; trochantin.

t. major [TA]. 大転子. =greater t.

t. minor [TA]. 小転子. =lesser t.

small t. 小転子. =lesser t.

t. tertius [TA]. 第三転子. =third t.

third t. [TA]. 第三転子(大腿骨粗線の外側唇の近位端にときにみられる突起. 小転子とほぼ同じ高さである. 大部分, 大殿筋が付着している. →gluteal *tuberosity*). =t. tertius [TA].

tro·chan·ter·ic, tro·chan·ter·i·an (trō′kan-ter′ik, -ter′ē-an). 転子の, 大転子の.

tro·chan·ter·plas·ty (trō-kan′tĕr-plas′tē) [trochanter + G. *plastos*, formed]. 転子形成〔術〕(転子および大腿骨頸の形成手術).

tro·chan·tin (trō-kan′tin). 小転子. =lesser *trochanter*.

tro·chan·tin·i·an (trō′kan-tin′ē-ăn). 小転子の.

tro·che (trōk, trō′kē) [L. *trochiscus* < G. *trochiskos*, a little wheel < *trochos*, a wheel]. トローチ〔剤〕, 口内錠([誤った発音 trōsh を避けること]. 小さい, 円盤状または菱形の錠剤で, 収れん薬, 防腐薬, 保護薬を含む凝固泥膏剤からなる. 口腔または咽頭の局所治療に, 溶けるまで口中に含んで用いる. 通常, 砂糖を賦形剤(基剤)とし, アラビアゴム, トラガカント, 黒スグリや赤スグリのペースト, バラのシロップ, トルーバルサムなどを混和して粘着性を高めている). =lozenge; morsulus; pastil (2); pastille; trochiscus.

tro·chis·cus (troch), pl. **tro·chis·ci** (trō-kis′kŭs, -kī) [L. < G. *trochiskos*, a small wheel, a lozenge < *trochos*, a wheel]. トローチ〔剤〕. =troche.

troch·le·a, pl. **troch·le·ae** (trok′lē-ă, -lē-ē) [L. pulley < G. *trochileia*, a pulley < *trechō*, to run][TA]. 滑車(①滑車として役立つ構造をしていること. ②骨の関節の平滑面. その上を別の関節面が滑る).

t. femoris =patellar *surface* of femur.

fibular t. of calcaneus [TA]. 踵骨の腓骨筋滑車(長腓骨筋と短腓骨筋の腱の間にあって, 踵骨外側から出ている突起). =t. fibularis calcanei [TA]; peroneal t. of calcaneus*; t. peronealis*; peroneal pulley; processus trochlearis; spina peronealis; trochlear process.

t. fibularis calcanei [TA]. 〔踵骨〕腓骨筋滑車. =fibular t. of calcaneus.

t. humeri [TA]. 上腕骨滑車. =t. of humerus.

t. of humerus [TA]. 上腕骨滑車(尺骨滑車切痕と関節する上腕骨下端の凹面). =t. humeri [TA]; pulley of humerus.

muscular t. [TA]. 筋滑車(筋腱が通る線維わな. 顎二腹筋と肩甲舌骨筋の中間腱はこのような滑車を通る). =t. muscularis [TA]; muscular pulley.

t. muscularis [TA]. 筋滑車. =muscular t.

t. musculi obliqui superioris bulbi [TA]. =t. of superior oblique (muscle).

peroneal t. of calcaneus* 踵骨の腓骨筋滑車(fibular t. of calcaneus の公式の別名).

t. peronealis* 腓骨筋滑車(fibular t. of calcaneus の公式の別名).

trochleae of phalanges of hand and foot [TA]. 〔手または足の〕指節滑車(指節骨頭部の顆間溝の掌側または足底面で長指(趾)屈筋腱が走行する部位). =t. phalangis (manus et pedis) [TA].

t. phalangis (manus et pedis) [TA]. 〔手または足の〕指節滑車. =trochleae of phalanges of hand and foot.

t. of superior oblique (muscle) 上斜筋の滑車(眼窩の線維性ループで, 前頭骨の鼻側突起近くにある. この部位を介して眼球の上斜筋の腱が通過する). =t. musculi obliqui superioris bulbi [TA].

t. tali [TA]. 距骨滑車. =t. of the talus.

t. of the talus [TA]. 距骨滑車(脛骨と腓骨の遠位と関節する距骨上方の丸い関節面). =t. tali [TA]; pulley of talus.

troch·le·ar (trok′lē-ăr). 滑車の(①特に眼の上斜筋滑車についていう. =trochlearis (1). ②=trochleiform).

troch·le·ar·i·form (trok′lē-ar′i-fōrm). =trochleiform.

troch·le·a·ris (trok′lē-ā′ris) [L.]. ***1*** 滑車の. =trochlear (1). ***2*** =trochleiform.

troch·le·i·form (trok′lē-i-fōrm). 滑車状の. =trochlear (2); trochleariform; trochlearis (2).

troch·o·car·di·a (trok′ō-kar′dē-ă) [G. *trochos*, wheel + *kardia*, heart]. 軸転心臓(軸を中心とする心臓の回転性変位).

tro·choid (trō′koyd) [G. *trochōdēs* < *trochos*, wheel + *eidos*, resemblance]. 回転する, 滑車状の, 車輪状の(回転関節または車輪様関節を意味する).

tro·chor·i·zo·car·di·a (trō′kōr-ī′zō-kar′dē-ă). trochocardia(軸転心臓)と horizocardia(水平心)の複合語.

Trog·lo·tre·ma sal·min·co·la (trog′lō-trē′mă sal-mingk′ō-lă). =*Nanophyetus salmincola*.

Troi·si·er (twah-zē-ā′), Charles Émile. フランス人病理学者, 1844—1919. ⇀T. *ganglion*, *node*.

tro·la·mine (trō′lă-mēn). トロラミン(トリエタノールアミン $N(CH_2CH_2OH)_3$ に対する USAN 承認の短縮形).

Tro·land (trō′lănd), L.T. 米国人医師, 1889—1932. ⇀troland.

tro·land (trō′lănd). トローランド(1ルクス照度の面から瞳孔が平方ミリメートル当たり受ける照度と等しい, 網膜上の視覚刺激の単位).

Tro·lard (trō-lahr′), Paulin. フランス人解剖学者, 1842—1910. ⇀T. *vein*.

Tröltsch (trerlch), Anton F. von. ドイツ人耳科医, 1829—1890. ⇀T. *corpuscles*, *pockets*, *recesses*.

Trom·bic·u·la (trom-bik′yū-lă). ツツガムシ属(ツツガムシ科の一属. その幼虫(ツツガムシ, アカムシ)はヒトおよび他の動物に有害な虫で, リケッチア疾患を媒介する種を含む).

T. akamushi アカツツガムシ. =*Leptotrombidium akamushi*.

T. alfreddugesi アメリカ各地の第二次生長域や草の多い低木地域によくみられるダニの一種. 幼虫はヒトにも寄生し(は虫類, 鳥類, 家畜にも), 激しいそう痒性皮膚炎を起こす.

T. deliensis デーリーツツガムシ(⇀*Leptotrombidium akamushi*).

trom·bic·u·li·a·sis (trom-bik′yū-lī′ă-sis). ツツガムシ病(ツツガムシ属のダニに寄生された状態).

trom·bic·u·lid (trom-bik′yū-lid). ツツガムシダニ類(ツツガムシ科に属するダニの総称).

Trom·bic·u·li·dae (trom-bik′yū-lī′dē). ツツガムシ科(小型のダニの一科. その幼虫(アカムシ, 収穫ダニ, アキダニ, 草原ダニ, ツツガムシ)は脊椎動物に寄生し, その若虫および成虫は, 鮮紅色をした自由生活性のダニで, 土中の昆虫卵, 微生物を常食としている. 6脚の幼虫は, 辛うじて見える赤色ないし橙色の寄生虫で, 数日から1か月間皮膚に付着し, 極度に刺激的な反応を生じさせる. アジアでは, これらのダニの中でアカツツガムシ属 *Leptotrombidium* のツツガムシが, 卵巣経由で次世代へ伝えられる *Rickettsia tsutsugamushi* により生じるツツガムシ病を媒介する).

Trom·bi·di·i·dae (trom′bi-dī′i-dē). ナミケダニ科(以前はツツガムシ亜科を含んでいたダニの一科. 現在では, ツツガムシ亜科はツツガムシ科に昇格(ツツガムシ病の媒介種を含む)した. ナミケダニ科の幼虫は昆虫に寄生することが特徴であり, ツツガムシ科の幼虫のように脊椎動物に寄生することはない).

tro·meth·a·mine (trō-meth′ă-mēn). トロメタミン(アルカリ化物質として, また酵素反応の緩衝剤として用いる弱塩基性化合物). =tris(hydroxymethyl)aminomethane; tris(hydroxymethyl)methylamine.

Tröm·ner (trōrm′nĕr), Ernest L.O. ドイツ人神経科医，1868—? ⇀T. *reflex*.

tro·na (trō′nă). トロナ（天然炭酸カルシウム）.

tro·pa·ic ac·id (trō-pā′ik as′id). ＝tropic acid.

tro·pane (trō′pān). トロパン（①二環式炭化水素．トロピン，アトロピン，およびその他の生理学的活性物質の基本構造．②複数形で，①の構造をもつアルカロイドの一種）.

tro·pate (trō′pāt). トロパ酸塩またはエステル.

tro·pe·ic ac·id (trō-pē′ik as′id). ＝tropic acid.

tro·pe·ine (trō′pē-in). トロペイン（トロピンのエステル．天然に存在するアルカロイド，または合成されたアルカロイドのいずれに対してもいう）.

tro·pe·o·lins (trō-pē′ō-linz) [G. *tropaios*, pertaining to a turning or change < *tropē*, a turn]. トロペオリン（メチルオレンジなどのように，指示薬として用いる一群のアゾ染料）.

troph- ⇀tropho-.

troph·ec·to·derm (trof-ek′tō-derm) [troph- + ectoderm]. 栄養外胚葉（哺乳類の胚盤胞の最外層の細胞層で，子宮内膜と接触し，胚の栄養摂取の確立に関与する．栄養芽層が分化する細胞層）.

Tro·pher·y·ma whip·pel·i·i (trō-fer′i-mă wi-pel′ē-ī). Whipple 病の原因と考えられている未分類で培養できない菌で 1992 年に命名された．電子顕微鏡により固定され，DNA 増幅法により調べられている.

troph·ic (trof′ik, trō′fik) [G. *trophē*, nourishment]. 栄養の（①栄養に関する，栄養に依存することについていう．②神経供給の障害の結果生じる）.

-trophic [G. *trophē*, nourishment]. 栄養に関する接尾連結形. *cf.* -tropic.

tro·phic·i·ty (trō-fis′i-tē). 栄養価値，栄養機能．＝trophism (1).

troph·ism (trof′izm) [G. *trophē*, nourishment]. ***1*** ＝trophicity. ***2*** 栄養．＝nutrition (1).

tropho-, troph- [G. *trophē*, nourishment]. 食物または栄養に関する連結形.

troph·o·blast (trof′ō-blast, trō′fō-blast) [tropho- + G. *blastos*, germ]. 栄養膜，トロホブラスト（胞胚をおおう中外胚葉細胞層で子宮粘膜に侵入し，ここを通して胚が母体から栄養を摂取する．細胞は胚自体の形成にかかわらないが，胎盤形成に機能する．栄養胚葉は，後に脈管中胚葉核を摂取し，次いで絨毛膜として知られる突起を形成する．まもなく，ⓘ合胞体絨毛細胞：多核合胞体細胞塊(シンシチウム)を形成する絨毛外層，およびⓘⓘ栄養膜細胞層：間質に接するそれぞれに細胞膜をもつ絨毛内層，の 2 層となる）．＝chorionic ectoderm.

　plasmodial t. ＝syncytiotrophoblast.

　polar t. 栄養膜極（胚結節が胚盤胞の胚子極で接触する栄養膜の部位）.

　syncytial t. ＝syncytiotrophoblast.

troph·o·blas·tic (trōf′ō-blas′tik). 栄養膜の.

troph·o·blas·tin (trōf′ō-blas′tin). ＝*interferon*-tau.

troph·o·chro·ma·tin (trof′ō-krō′mă-tin) [tropho- + G. *chrōma*, color]. 栄養染色質．＝trophochromidia.

troph·o·chro·mid·i·a (trof′ō-krō-mid′ē-ă). 栄養性染色質（ある種の原生動物に見出される非生殖性すなわち栄養性の核外染色質塊をいう．例えばゾウリムシを含む数種の繊毛虫に見出される大核）．＝trophochromatin.

troph·o·cyte (trof′ō-sīt) [tropho- + G. *kytos*, cell]. 栄養細胞（栄養を供給する細胞．例えば輸精管中の Sertoli 細胞）．＝trephocyte.

troph·o·derm (trof′ō-derm) [tropho- + G. *derma*, skin]. 栄養膜（胞胚壁初期外層または栄養膜．その下に脈管性中胚葉層がある．→serosa (2)）.

troph·o·der·ma·to·neu·ro·sis (trof′ō-der′mă-tō-nū-rō′-sis). 栄養性皮膚神経症（当該神経支配領域皮膚の神経栄養障害性変化(乾燥，菲薄化，易感染性など)）.

troph·o·dy·nam·ics (trof′ō-dī-nam′iks) [tropho- + G. *dynamis*, power]. 栄養力学（栄養または代謝の力学）．＝nutritional energy.

troph·o·neu·ro·sis (trof′ō-nū-rō′sis) [tropho- + G. *neuron*, nerve + *-osis*, condition]. 栄養神経症(萎縮，肥大，皮膚発疹のような栄養障害．その部位の神経の疾病，傷害の結果生じる）.

troph·o·neu·rot·ic (trof′ō-nū-rot′ik). 栄養神経症の.

troph·o·nu·cle·us (trof′ō-nū′klē-ŭs). 栄養核．＝macronucleus (2).

troph·o·plast (trof′ō-plast) [tropho- + G. *plastos*, formed]. 色素体．＝plastid (1).

troph·o·spon·gi·a (trof′ō-spon′jē-ă) [tropho- + G. *spongia*, a sponge]. ***1*** 栄養海綿体（特定の細胞の原形質内の細管構造で，かつて栄養物の循環に役立っていると考えられていた）. ***2*** 血管性子宮内膜（子宮筋層と栄養膜の間にある）.

troph·o·tax·is (trof′ō-tak′sis) [tropho- + G. *taxis*, arrangement]. 栄養走性．＝trophotropism.

troph·o·trop·ic (trof′ō-trop′ik). 栄養向性の，向養素性の.

tro·phot·ro·pism (trō-fot′rō-pizm) [tropho- + G. *tropē*, a turning]. 栄養向性，向養素性（栄養物質に関連した，生きている細胞の化学走性．陽性(栄養物質に向かう)と陰性(栄養物質から遠のく)とがある）．＝trophotaxis.

troph·o·zo·ite (trof′ō-zō′īt) [tropho- + G. *zōon*, animal]. 栄養型（マラリアや関連する寄生虫変形体の分裂体のように，ある種の胞子虫類の，アメーバ状で植物性の無性型）.

-trophy [G. *trophē*, nourishment]. 食物，栄養を表す接尾語.

tro·pi·a (trō′pē-ă) [G. *tropē*, a turning]. 斜視（眼の異常な偏位．⇀strabismus）.

-tropic [G. *tropē*, a turning]. 向性，親和性の意を表す接尾語. *cf.* -trophic.

trop·ic ac·id (trop′ik as′id). トロパ酸（アトロピン，スコポラミンの成分）．＝tropaic acid; tropeic acid.

tro·pine (trō′pēn). トロピン（アトロピン，スコポラミンの主成分．それらの加水分解で得られる）.

　t. mandelate マンデル酸トロピン．＝homatropine.

　t. tropate ＝atropine.

tro·pism (trō′pizm) [G. *tropē*, a turning]. 向性，屈性（光，熱，その他の刺激などの焦点に向かう(正の屈性 **positive t.**)，または遠ざかる(負の屈性 **negative t.**)生体の現象．通常は生体全体としての運動を意味する taxis(走性)と反対に，生体の一部分のみの運動を意味する）.

　viral t. ウイルストロピズム（ウイルスが特定の宿主組織にのみ特異的に親和性を有することで，一部は，ウイルスの表面構造と宿主細胞表面受容体との相互関係によって決定される）.

tro·po·col·la·gen (trō′pō-kol′ă-jen). トロポコラーゲン（三重らせん状連鎖ペプチドからなる膠原線維の基礎単位）.

tro·po·e·las·tin (trō′pō-ē-las′tin). トロポエラスチン（エラスチンの前駆物質．トロポエラスチンは，デスモシンやイソデスモシン架橋を含有しない）.

tro·pom·e·ter (trō-pom′ĕ-tĕr) [G. *tropē*, a turning + *metron*, measure]. 捻転角度計（眼球，長骨幹などの軸転，捻転の度合いを測る計器）.

tro·po·my·o·sin (trō′pō-mī′ō-sin). トロポミオシン（筋肉から抽出される線維状の蛋白．しばしば，軟体動物で多くみられるトロポミオシンAと区別するため，トロポミオシンBとよばれる）.

tro·po·nin (trō′pō-nin). トロポニン（トロポミオシンに結合して，カルシウムイオンに対して強いアビディティをもつ筋の球状蛋白．筋収縮の主要な制御蛋白．トロポニンTはトロポミオシンと結合する．トロポニンIはF-アクチン-ミオシン相互作用を阻害する．トロポニンCはカルシウム結合蛋白で，筋収縮で重要な働きをする）.

trough (trawf). 溝（①長く，狭く，浅い経路や凹窩．②種々の測定基準における最下部の点）.

　gingival t. クレーター（歯間組織が破壊した結果としてできる噴火口状溝．実際には，まったく隣接面のつながりのない歯肉の唇側および舌側のカーテンができる）.

　Langmuir t. (lang′mwĕr). ラングミュアートロフ（皮膜面圧縮を研究するためにつくられたもので，可動性の側壁面をもつ溝槽）.

　synaptic t. シナプス陥凹（運動終板に連なる横紋筋線維面の陥凹部）.

Trousseau (trū-sō′), Armand. フランス人内科医，1801—1867. ⇀T. *point*, *sign*, *spot*, *syndrome*; T.-Lallemand *bodies*.

Trp トリプトファン，トリプトファン基の記号．

TRT tinnitus retraining *therapy* の略．

trun·cal (trŭn′kăl). 体幹の，動脈幹の，神経幹の．

trun·cate (trŭn′kāt) [L. *trunco*, pp. *-atus*, to maim, cut off]. 長軸に対して直角に切断する．あるいはそのように切断されたように見える．

trun·cus, gen. & pl. **trun·ci** (trŭn′kŭs, trun′sī) [L. stem, trunk][TA]. 体幹，幹，リンパ本幹（[本語の複数形の誤った発音 trŭn′kī を避けること]）．＝trunk.

t. arteriosus 総動脈幹（胚において左右の心室から開く総動脈幹で，後に共通動脈幹の発達により大動脈，肺動脈に分離する）．

t. arteriosus communis →t. arteriosus.

t. brachiocephalicus [TA]．腕頭動脈．＝brachiocephalic (arterial) *trunk.*

t. celiacus [TA]．腹腔動脈．＝celiac (arterial) *trunk.*

t. corporis callosi [TA]．脳梁幹．＝*trunk* of corpus callosum.

t. costocervicalis [TA]．肋頸動脈．＝costocervical (arterial) *trunk.*

t. encephali [TA]．＝ brainstem.

t. fascicularis atrioventricularis 房室束幹（→conducting *system* of heart)．＝atrioventricular *bundle.*

t. inferior plexus brachialis [TA]．＝inferior *trunk* of brachial plexus.

t. linguofacialis [TA]．舌顔面動脈．＝linguofacial (arterial) *trunk.*

t. lumbosacralis [TA]．腰仙骨神経幹．＝lumbosacral (nerve) *trunk.*

trunci (lymphatici) intestinales [TA]．腸リンパ本幹．＝intestinal (lymphatic) *trunks.*

trunci (lymphatici) lumbales [TA]．腰リンパ本幹．＝lumbar (lymphatic) *trunks.*

t. (lymphaticus) bronchiomediastinalis [TA]．気管支縦隔リンパ本幹．＝bronchomediastinal (lymphatic) *trunk.*

t. (lymphaticus) jugularis [TA]．頸リンパ本幹．＝jugular lymphatic *trunk.*

t. medius plexus brachialis [TA]．＝middle *trunk* of brachial plexus.

t. nervi accessorii [TA]．＝ accessory nerve *trunk.*

persistent t. arteriosus 総動脈幹症（正常心では胎生期に両心室から起始する共通動脈幹が回転しながら成長する過程で大動脈と肺動脈に分かれるが，この共通動脈幹が分割せずにそのまま残ったもの）．

trunci plexus brachialis [TA]．〔腕神経叢〕神経幹．＝*trunks* of brachial plexus.

t. pulmonalis [TA]．肺動脈幹．＝pulmonary *trunk.*

t. subclavius [TA]．鎖骨下リンパ本幹．＝subclavian lymphatic *trunk.*

t. superior plexus brachialis [TA]．＝superior *trunk* of brachial plexus.

t. sympathicus [TA]．交感神経幹．＝sympathetic *trunk.*

t. thyrocervicalis [TA]．甲状頸動脈．＝thyrocervical (arterial) *trunk.*

t. vagalis 迷走神経幹．＝vagal (nerve) *trunk.*

Tru·ne·cek (trū′nĕ-chek), Karel. 19世紀のハプスブルク帝国の医師．→T. *sign.*

trunk (trŭnk) [L. *truncus*][TA]. ＝truncus [TA]. ***1*** 体幹（頭部と四肢を除く体部）．***2*** 幹（分枝を出す前の神経や血管の基本幹部）．***3*** リンパ本幹（リンパ管の太い集合部）．

accessory nerve t. [TA]．副神経幹（頭蓋内部で伝統的な意味での延髄根と脊髄根とが合体した部分．合体後頸静脈孔の中で内枝と外枝とに分かれ，内枝は迷走神経と合し，外枝は頸静脈孔を出て独立枝となる．一般にはこの最後の部分を副神経とよんでいる．副神経延髄根の概念は多様であり，この副神経幹が一般に存在するかという問題とともに疑問が呈されてきた．近年の研究では延髄根は常に迷走神経の一部だと考えられている）．＝truncus nervi accessorii [TA].

t. of atrioventricular bundle 房室束幹．＝atrioventricular *bundle.*

t.'s of brachial plexus [TA]．〔腕神経叢〕神経幹（上・中・下神経幹からなり，C5—T1の脊髄神経でつくられる．腋窩にはいる際，それぞれの神経幹が前部・後部に分岐し，合計6本が再合流して外側・内側・後神経束をつくる）．＝trunci plexus brachialis [TA].

brachiocephalic (arterial) t. [TA]．腕頭動脈（大動脈弓より起こり，右鎖骨下動脈，右総頸動脈に分枝する．しばしば最下甲状腺動脈を出す）．＝truncus brachiocephalicus [TA].

bronchomediastinal (lymphatic) t. [TA]．気管支縦隔リンパ本幹（左右の気管支リンパ節と縦隔リンパ節からの輸出リンパ管の結合によりできるリンパ管．左側では大部分が胸管へ直接流入してしまっている）．＝truncus (lymphaticus) bronchiomediastinalis [TA].

celiac (arterial) t. [TA]．腹腔動脈（横隔膜直下の腹大動脈より起こり，左胃動脈，肝動脈，脾動脈に分枝する）．＝truncus celiacus [TA]; arteria celiaca; celiac artery; celiac axis; Haller tripod.

t. of corpus callosum [TA]．脳梁幹（主に脳梁の弓状部）．＝truncus corporis callosi [TA]; body of corpus callosum☆.

costocervical (arterial) t. [TA]．肋頸動脈（左右の鎖骨下動脈より起こり，深頸動脈と最上肋間動脈に分枝する短い動脈で，上肋間動脈は第一・第二肋間動脈になる）．＝truncus costocervicalis [TA]; costocervical artery.

inferior t. of brachial plexus [TA]．腕神経叢の下神経幹（第八頸神経と第一胸神経の前枝が結合してできる神経束．腕神経叢の前神経束および後神経束に神経線維を送る）．＝truncus inferior plexus brachialis [TA].

intestinal (lymphatic) t.'s [TA]．腸リンパ本幹（肝臓底部，胃，脾臓，膵臓，小腸からリンパを運ぶ管．乳び槽に注ぎ，しばしば重複することがある）．＝trunci (lymphatici) intestinales [TA].

jugular lymphatic t. [TA]．頸リンパ本幹（頭部，頸部からリンパを運ぶ左右のリンパ管．右方は右リンパ本管に，左方は胸管に注ぐ）．＝truncus (lymphaticus) jugularis [TA]; jugular duct.

linguofacial (arterial) t. [TA]．舌顔面動脈（外頸動脈より別々に起こる舌動脈と顔面動脈がときとして共同幹をなしている場合の呼称）．＝truncus linguofacialis [TA].

lumbar (lymphatic) t.'s [TA]．腰リンパ本幹（下肢，骨盤臓器，骨盤壁，大腸，腎臓，副腎被膜からリンパを送る2つのリンパ管で，乳び槽に運ぶ）．＝trunci (lymphatici) lumbales [TA].

lumbosacral (nerve) t. [TA]．腰仙骨神経幹（第五腰神経と第一仙骨神経が結合してできる太い神経で，仙骨神経叢の一部を構成する）．＝truncus lumbosacralis [TA].

middle t. of brachial plexus [TA]．腕神経叢の中神経幹（第七頸神経の前枝の延長で，腕神経叢の後神経束と外側神経束に線維を供する）．＝truncus medius plexus brachialis [TA].

nerve t. 神経幹（神経上膜に包まれた神経線維束の集合体）．

pulmonary t. [TA]．肺動脈幹（右心室から起こり，右肺動脈，左肺動脈に分かれて右肺と左肺にはいり，区気管支に沿って分枝する）．＝truncus pulmonalis [TA]; arteria pulmonalis; pulmonary artery; venous artery.

subclavian lymphatic t. [TA]．鎖骨下リンパ本幹（左右上肢からのリンパを排出する管の結合によって形成されている幹で，左方では首の根元にある胸管，右方ではリンパ本管に注ぐ）．＝truncus subclavius [TA]; subclavian duct.

superior t. of brachial plexus [TA]．腕神経叢の上神経幹（第五・第六頸神経の前枝と第四頸神経の前枝の結合によって形成される神経束．腕神経叢の後神経束，外側神経束に神経線維を供する）．＝truncus superior plexus brachialis [TA].

sympathetic t. [TA]．交感神経幹（頭蓋骨底から尾骨に至る脊柱の横に沿う2つの長い交感神経索．灰白交通枝によって各脊髄神経と連絡し，胸神経と腰神経を結ぶ白交通枝を介して脊髄から神経線維を受ける）．＝truncus sympathicus [TA]; gangliated cord; ganglionic chain.

thoracoacromial t. ＝thoracoacromial *artery.*

thyrocervical (arterial) t. [TA]．甲状頸動脈（鎖骨下動脈から起こる短い動脈幹で，肩甲上動脈を分枝した後(この動脈は鎖骨下動脈から直接起こることもある)上行頸動脈および下甲状腺動脈となって終わる). =truncus thyrocervicalis [TA]; thyroid axis.

vagal (nerve) t. 迷走神経幹 (前後2つの神経束. 横隔膜を貫くと食道神経叢となる). =truncus vagalis.

tru・sion (trū′zhŭn) [L. *trudo*, pp. *trusus*, to thrust]. 転位 (個体, 例えば歯が元の位置から移動すること).

truss (trŭs) [Fr. *trousser*, to tie up, to pack]. ヘルニアバンド, 脱腸帯 (還納されたヘルニアの再発あるいはヘルニアの増大を防ぐための装具. 圧迫用のパッドがベルトに付いていて, ずれないようにバネや革帯で固定するようになっている).

Try tryptophan の旧略語.

try-in (trī′in). 試適 (適合性, 審美性, 上下顎関係などを調べるために, 総義歯ワックスアップ(ろう義歯), 部分義歯鋳造物または完成した修復物を予備的に挿入すること).

try・pan blue (trī′pan blū) [C.I. 23850]. トリパンブルー (細網内皮系, 尿細管, 組織培養細胞の生体染色のため, または実験的奇形発生物質として用いる酸性アゾ染料. 以前は殺トリパノソーマ薬として用いられた).

try・pan・i・ci・dal (tri′pan-i-sī′dăl). =trypanocidal.

try・pan・i・cide (tri-pan′i-sīd). =trypanocide.

tryp・a・nid (trip′ă-nid). =trypanosomatid.

try・pan・o・ci・dal (tri-pan′ō-sī′dăl, trip′ă-nō-). 殺(抗)トリパノソーマの. =trypanicidal.

try・pan・o・cide (tri-pan′ō-sīd, trip′ă-nō-) [trypanosome + L. *caedo*, to kill]. トリパノソーマ撲滅薬, 殺(抗)トリパノソーマ薬. =trypanicide; trypanosomicide.

Try・pan・o・plas・ma (tri-pan′ō-plaz′mă, trip′ă-nō-) [G. *trypanon*, auger + *plasma*, anything formed]. トリパノプラスマ属 (鞭毛虫(Cryptobiidae 科)の一属. 虫体は波状膜と前後いずれか一端より出るべん毛をもって種々の体形をなし, 魚の血液中に寄生する).

Try・pan・o・so・ma (tri-pan′ō-sō′mă, trip′ă-nō-) [G. *trypanon*, an auger + *sōma*, body]. トリパノソーマ属 (無性生殖で増殖する2宿主性の寄生鞭毛虫(トリパノソーマ科)の一属. 本虫は1本の前べん毛, 片側に波動膜をもち紡錘形をなし, またキネトプラストを有する. 多くの脊椎動物の血漿中に寄生し(数種だけが病原性をもつ), 原則として, ヒル, ダニ, 昆虫などの吸血無脊椎動物を中間宿主とする. 主要な病原型はヒトのトリパノソーマ症および家畜のトリパノソーマ症の原因となりうる).

T. avium フクロウ, カラス, 他の鳥類に寄生する種. 本虫はカ, アブ, ハエを含む吸血節足動物が媒介する. 多くの名称で報告されているが, 現在それらは本種の生理的諸系統と考えられている.

T. brucei 現在では *T. b. brucei*, *T. b. rhodesiense*, *T. b. gambiense* の3亜種に分類されている種.

T. brucei brucei ブルーストリパノソーマ (アフリカにおいてナガナ病の原因となるトリパノソーマの一亜種. 本亜種はラクダには致死的症状を, ウマのような動物, イヌ, ネコには急性症状を, またブタ, ウシ, ヒツジ, ヤギには慢性症状を引き起こす. 主として *Glossina*属のツェツェバエによって媒介される. アフリカの野生有蹄類では広範な感染がみられるが, 死ぬものはほとんどない).

T. brucei gambiense ガンビアトリパノソーマ (ヒトにおけるガンビアトリパノソーマ症の原因となる原生動物の亜種. 数種のツェツェバエ, 特に *Glossina palpalis* によって媒介される). =*T. gambiense*; *T. hominis*; *T. ugandense*.

T. brucei rhodesiense ローデシアトリパノソーマ (ローデシアトリパノソーマ症の原因となる原生動物の亜種. 数種のツェツェバエ, ヒトにおいて特に *Glossina morsitans* によって媒介される. 種々の狩猟獣が保虫宿主として働く). =*T. rhodesiense*.

T. cruzi クルーズトリパノソーマ (南アメリカトリパノソーマ症の原因となる種で, メキシコおよび中央・南アメリカの各国に風土病として分布する. 媒介と感染はトリアトーマ類のサシガメにより行われる. サシガメは吸血中に排糞するが, その糞中には病原体が含まれており, 皮膚を掻いたり, 粘膜表面に付着することによってのみ感染するのが一般的である. 血液からトリポマスティゴート型虫体が, また組織中からは細胞内に集団を形成したアマスティゴート型虫体が見出される. 内臓リーシュマニア症の場合, 虫体はマクロファージ中に局在するのに対し, 南アメリカトリパノソーマ症では原生動物は心臓の筋線維, あるいは他の多くの臓器内細胞に寄生する. 通常, 本虫の脊椎動物性宿主はヒト, イヌ, ネコ, 家ネズミ, アルマジロ, コウモリ, サル, オポッサムなどであり, サシガメ科の昆虫により媒介される. 本虫は別名 *Schizotrypanum cruzi* とよばれるが, この独特の属名は流行地で広く用いられている). =*T. escomelis*; *T. triatomae*.

T. dimorphon アフリカのウマ, ウシ, ヒツジ, ヤギ, ブタ, イヌに寄生する種で, 以前は *T. congolense* と同一種と考えられていたが, 現在では別種とされ, ウシ, ヒツジ, イヌにおいてはより強い病原性を示す. ツェツェバエによって媒介され, 中央アフリカに広く分布している.

T. escomelis =*T. cruzi*.

T. gambiense =*T. brucei gambiense*.

T. hominis =*T. brucei gambiense*.

T. ignotum *T. simiae* の旧名.

T. lewisi 世界的に分布する非病原性の種で, ラットの血液中に寄生し, 広く実験室内研究に用いられている. ラットに寄生するノミ *Nosopsyllus fasciatus* が媒介する.

T. melophagium 世界中のヒツジ, ヤギに見出される非病原性種(*T. theileri* の近縁). ヒツジシラミバエ *Melophagus ovinus* が媒介する.

T. rangeli 南アメリカでヒトを含む多種類の哺乳類に寄生する種で, 半翅目昆虫(*Rhodnius prolixus* や *Tiratoma dimidiata*)により媒介される. 本種は明らかに非病原性であるが, 半翅目昆虫に対しては病原性をもつ.

T. rhodesiense =*T. brucei rhodesiense*.

T. theileri アフリカのカモシカや世界中のウシに寄生する比較的病原性の弱い大型の種. 本種は吸血性アブ類によって媒介される.

T. triatomae =*T. cruzi*.

T. ugandense =*T. brucei gambiense*.

try・pan・o・so・mat・id (trī-pan′ō-sō-mat′id). トリパノソーマ類 (トリパノソーマ科に属する原生動物の一般名). =trypanid.

Try・pan・o・so・mat・i・dae (trī-pan′ō-sō-mat′i-dē). トリパノソーマ科 (住血性鞭毛虫の一科(鞭毛虫亜門動物性鞭毛虫綱キネトプラスト目)で, ヒル, 昆虫, 脊椎動物の血液, 組織に寄生したり, あるいは植物の樹液に生息する単性の寄生虫である. 虫体は円形または細長形をなし単核で細長いミトコンドリア(核との位置関係が各属の特徴となる), および1本の前べん毛(波動膜に接している属もある)をもっている. 本科に含まれる *Crithidia*属, *Herpetomonas*属, *Leptomonas*属, *Blastocrithidia*属はいずれも1宿主性で, 昆虫に見出される. また *Phytomonas*属(植物中に見出される), *Endotrypanum*属, *Leishmania*属, *Trypanosoma*属はいずれも2宿主性である. *Leishmania*属, *Trypanosoma*属はヒトや動物の重要な病原体を含む. 多くのトリパノソーマはその発育もしくは生活環の各段階で各属に特徴的な虫体型と同一の形態を示す. これらの虫体型にはアマスティゴート型, コアノマスティゴート型, オピストマスティゴート型, プロマスティゴート型, エピマスティゴート型, トリポマスティゴート型がある).

try・pan・o・some (tri-pan′ō-sōm, trip′ă-nō-) [G. *trypanon*, an auger + *sōma*, body]. トリパノソーマ類 (*Trypanosoma*属またはトリパノソーマ科のいく種類かの原生動物の一般名).

try・pan・o・so・mi・a・sis (tri-pan′ō-sō-mī′ă-sis, trip′ă-nō-). トリパノソーマ症. =trypanosomosis.

acute t. 急性トリパノソーマ症. =Rhodesian t.

African t. アフリカトリパノソーマ症 (熱帯アフリカの重篤な風土病. ガンビアまたは西アフリカトリパノソーマ症とローデシアまたは東アフリカトリパノソーマ症の2種がある).

American t. →South American t.

chronic t. 慢性トリパノソーマ症. =Gambian t.

Cruz t. (krūz). クルーズトリパノソーマ症. =South American t.

East African t. 東アフリカトリパノソーマ症. =Rhodesian t.

T

Gambian t. ガンビアトリパノソーマ症（*Trypanosoma brucei gambiense* によって起こるヒトの慢性病で，セネガル東部からスーダン，ウガンダにかけての北および南サハラアフリカにみられる．脾腫，傾眠，嗜眠，精神症状の出現を特徴とする．基底核と小脳病変は舞踏病とアテトーシスを引き起こす．末期には，消耗，食欲不振，るいそうが特徴的で，ゆっくりと昏睡に至り，通常は併発する感染症で死亡する）．＝chronic African sleeping sickness; chronic t.; gambiense sleeping sickness; West African sleeping sickness; West African t.

Rhodesian t. ローデシアトリパノソーマ症（*Trypanosoma brucei rhodesiense* によって起こるヒトの病気で，東アフリカのエチオピア，ウガンダから南はジンバブエにかけてみられる．ガンビアトリパノソーマ症に似るが，病気の持続は短く，より急性型である．患者は繰り返す熱発作に苦しみ，貧血になり，しばしば心不全で死亡する）．＝acute African sleeping sickness; acute t.; East African sleeping sickness; East African t.

South American t. 南アメリカトリパノソーマ症（*Trypanosoma cruzi*(*Schizotrypanum cruzi*)感染により引き起こされる疾病．ある種のトリアトーマ類サシガメにより媒介される．急性症は年少小児に高頻度に見出され，侵入局所(顔が最も多い)の皮膚の腫脹および局所リンパ節腫大がみられる．慢性症ではいくつかの様相があるが，心筋症が最も普通で，巨大結腸，巨大食道もみられる．自然界の保虫宿主に，イヌ，アルマジロ，げっ歯類，およびその他の家畜や定住性および野生哺乳類がある）．＝Chagas disease; Chagas-Cruz disease; Cruz t.

West African t. 西アフリカトリパノソーマ症．＝Gambian t.

try·pan·o·so·mic (tri-pan′ō-sō′mik, trip′ă-nō-). トリパノソーマに関連する事柄を意味し，特にその原生動物の感染についていう．

try·pan·o·so·mi·cide (tri-pan′ō-sō′mi-sīd). ＝trypanocide.

try·pan·o·so·mid (tri-pan′ō-sō-mid) ［trypanosome + G. *-id* (1)］. トリパノソーマ〔病変〕疹（トリパノソーマ性疾患による免疫学的変化に起因する皮膚病変）．

tryp·an·o·so·mo·sis (trip′an-ō-sō-mō′sis, tri-pan′). ＝trypanosomiasis.

try·pan red (trī′pan red, trip′) ［C.I. 22850］. トリパンレッド（トリパノソーマ症の治療に以前用いたアゾ染料）．

tryp·o·mas·ti·gote (trip′ō-mas′ti-gōt) ［G. *trypanon*, auger + *mastix*, whip］. トリポマスティゴート，錘鞭毛期（旧名の trypanosome stage(トリパノソーマ型)が鞭毛虫の *Trypanosoma*属としばしば混同されることから，新しく用いられている語．この発育型(南アメリカトリパノソーマ症，アフリカトリパノソーマ症における感染期の発育型で，後者においては罹患者に見出される唯一の発育型)は，鞭毛が核後方に位置するキネトプラストから発し，体側より虫体外に出て，長軸に沿って走る波動膜を伴っている）．

tryp·sin (trip′sin). トリプシン（蛋白分解酵素で，十二指腸粘膜からのエンテロキナーゼ，ペプチダーゼによってトリプシノゲンから小腸で活性化される．L-アルギニルや L-リシルのカルボキシル基の結合したペプチド，アミド，エステルなどを加水分解するセリン蛋白分解酵素である．また，メロミオシンを産生する）．

crystallized t. 結晶トリプシン（膵臓の酵素を精製したもの．壊死的創傷や潰瘍の組織除去に補助薬として用いる）．

tryp·sin·o·gen, tryp·so·gen (trip-sin′ō-jen, trip′sō-jen). トリプシノ〔ー〕ゲン，トリプソゲン（膵臓から分泌される物質で，エンテロキナーゼの作用によりトリプシンに転化される）．＝protrypsin.

trypt·a·mine (trip′tă-mēn, -min). トリプタミン（L-トリプトファンの脱カルボキシル化産物．植物やある種の食物(例えばチーズ)中にあり，節後の交感神経末端におけるノルエピネフリンの放出による血管収縮作用により血圧を上げる．モノアミンオキシダーゼ抑制薬(例えば塩酸パルギリン)による治療後に起こる高血圧発作の原因となる因子の１つである）．

tryp·ta·mine-stro·phan·thi·din (trip′tă-mēn-strō-fan′-thi-din). トリプタミン－ストロファンチジン（ストロファンチジンとトリプタミンの縮合物である半合成強心配糖体．経口投与され，強心作用の開始は速やかで，作用持続期間は短い）．

tryptase (trip′tās) ［trypt- ＜ *trypsin* ＜ G. *tripsis*, a rubbing or grinding + -ase］. トリプターゼ（肥満細胞より細胞の活性化および脱顆粒時に放出される中性プロテアーゼ）．

tryp·tic (trip′tik). トリプシンの．

tryp·tone (trip′tōn). トリプトン（トリプシンの蛋白分解作用によってできたペプトン）．

tryp·to·ne·mi·a (trip′tō-nē′mē-ă). トリプトン血症（循環血液中にトリプトンが存在すること）．

tryp·to·phan (Trp, W) (trip′tō-fan). トリプトファン；2-amino-3-(3-indolyl)propionic acid (L-異性体は蛋白の構成成分．栄養学的必須アミノ酸である）．

t. decarboxylase トリプトファンデカルボキシラーゼ．＝aromatic D-amino acid decarboxylase.

t. desmolase トリプトファンデスモラーゼ．＝t. synthase.

t. 2,3-dioxygenase トリプトファン2,3-ジオキシゲナーゼ（L-トリプトファンと O_2 から L-*N*-ホルミルキヌレニンを生成する反応を触媒する酸化還元酵素．適応酵素であり，(肝臓中の)そのレベルは副腎ホルモンにより制御されている．トリプトファン異化の一段階であり，またトリプトファンから NAD^+ の合成の一段階である）．＝pyrrolase; t. oxygenase; t. pyrrolase; tryptophanase (1).

t. oxygenase トリプトファンオキシゲナーゼ．＝t. 2,3-dioxygenase.

t. pyrrolase トリプトファンピロラーゼ．＝t. 2,3-dioxygenase.

t. synthase トリプトファンシンターゼ（L-セリンインドール-3-グリセロールリン酸を L-トリプトファンとリン酸グリセルアルデヒドに縮合する非哺乳類のヒドロリアーゼ．リン酸ピリドキサールが必要とされる．L-セリンとインドールの反応も触媒する）．＝t. desmolase; t. synthetase.

t. synthetase ＝t. synthase.

tryp·to·pha·nase (trip′to-fă-nās). トリプトファナーゼ（①＝*tryptophan* 2,3-dioxygenase. ②L-トリプトファンのインドール，焦性ブドウ酸，アンモニアへの開裂を触媒する細菌中にみられる酵素．リン酸ピリドキサールが補酵素）．

tryp·to·pha·nu·ri·a (trip′tō-fă-nyū′rē-ă). トリプトファン尿〔症〕（トリプトファンの尿中排出が増大すること）．

t. with dwarfism ［MIM*276100］. 小人症トリプトファン尿〔症〕（トリプトファン尿に，小人症，精神障害，皮膚光線過敏症，および歩行障害が合併した症候群．常染色体劣性遺伝形式をとる）．

tset·se (tset′sē, tsē′tsē) ［南アフリカの現地名］. ツェツェバエ（アフリカに生息する吸血性のハエの一般名．→*Glossina*）．

TSH thyroid-stimulating *hormone* の略．

TSH-RF thyroid-stimulating hormone-releasing *factor* の略．

TSI thyroid-stimulating *immunoglobulins* の略．

TSS toxic shock *syndrome* の略．

TSTA tumor-specific transplantation *antigens* の略．

TTP ribothymidine 5′-triphosphate(リボチミジン三リン酸)の略．

TTP-HUS thrombotic thrombocytopenic purpura and hemolytic uremic syndrome の略．→thrombotic thrombocytopenic *purpura*; hemolytic uremic *syndrome*.

TTS tarsal tunnel *syndrome* の略．

TTX tetrodotoxin の略．

TU toxic *unit*; toxin *unit* の略．

tu·ba, gen. & pl. **tu·bae** (tū′bă, too′bē) ［L. a straight trumpet］［TA］. 管．＝tube.

t. acustica ＝pharyngotympanic (auditory) *tube*.

t. auditiva ［TA］. 耳管．＝pharyngotympanic (auditory) *tube*.

t. auditoria☆ 耳管（pharyngotympanic (auditory) *tube* の公式の別名）．

t. eustachiana, t. eustachii (yū′stā-kē-an′ă) ＝pharyngotympanic (auditory) *tube*.

t. fallopiana, t. fallopii (fă-lō-pē-an′ă, tū′ba fal-lō′pē-ē). ＝uterine *tube*.

t. uterina ［TA］. 卵管．＝uterine *tube*.

tu·bage (tū′băj). 挿管〔法〕（管の内腔への導入法．→intubation).

tu·bal (tū′băl). 管の（特に卵管についていう).

tu·ba·tor·sion (tū′bă-tōr′shŭn). 卵管捻転. ＝tubotorsion.

TUBE

tube (tūb) [L. *tubus*][TA]. ＝tuba [TA]. 【重複的な表現 hollow tube を避けること】. ***1*** 管. ***2*** 中空の円筒や管.

Abbott t. (ab′ŏt). アボット管. ＝Miller-Abbott t.

air t. 気管（気管，気管支，または肺に空気を運ぶその分枝).

auditory t.☆ 耳管（pharyngotympanic (auditory) t. の公式の別名).

Babcock t. (bab′kok). バブコック管（ミルクを硫酸で処理した後に，遠心分離機にかけ，その脂肪容量を目盛り容器で決定するときに用いる管).

Bouchut t. (bū-shū′). ブシュ管（喉頭の挿管に用いる円筒状管).

bronchial t.'s 気管支（①狭義の気管支と気管支枝のこと．②気管を通して気管支に挿入されるエアウェイ).

Cantor t. (kan′tŏr). キャントー管（小腸に挿入する長い単管のチューブで，先端に水銀で満たされたゴム袋が付いていて，小腸の減圧またはステントのために用いる).

cardiac t. 心管（胎児において心房，心室に分かれる以前の原始管状心臓).

Carlen t. (kar′lin). カーレン(カーレンス)管(チューブ)（左右別肺機能検査に用いられる二重管腔の柔軟性のある気管支内挿管チューブ．対側肺よりの混交(ガスなどあるいは汚染の)や分泌を避けたり，一側肺換気のために片肺を分離する場合にも使う).

cathode ray t. (**CRT**) 陰極線管，ブラウン管（真空管の一種．その中で発生させた電子ビームを偏向させ，蛍光スクリーンのいろいろな場所に投射できるようにしたもの．陰極線オシロスコープ(シンクロスコープ)で用いる).

Celestin t. (sel-es-tan[h]′). セレスタン管（食道の腫瘍を貫通して挿入する合成樹脂の管．これによってえん下を可能にする).

Coolidge t. (kū′lij). クーリッジ管（焦点集束用のカップで囲まれたらせん状のタングステン陰極をもつX線管．タングステン陰極は電流によって加熱される．発生するX線の線質と線量は，陰極の温度と陰極－陽極間の電圧を変化させることで調整される).

Crookes-Hittorf t. (kruks hit′ōrf). クルックス〔－ヒットルフ〕管（陰極を封じてある単純な真空管で，電流がガラスエンベロープを通過するときにそこからX線が放出される．Roentgen がX線を発見した際に使用した型式の管).

digestive t. 消化管. ＝digestive *tract.*

drainage t. ドレナージ管，排液(排膿)管（液体の除去を容易にするために創や内腔に挿入する管).

Durham t. (dūr′ăm). ダラム管（継ぎ目のある気管切開術用の管).

empyema t. 膿胸排膿管（膿胸の膿を排出するのに用いるカテーテル).

endobronchial t. 気管支内挿管（単腔あるいは二重管腔の挿入管で先端に空気で膨らませるカフが付いている．喉頭，気管を通した後，換気を片側肺のみに制限するように装置する．単腔になった部分は主気管支に位置させ，二重管腔の部分は気管分岐部に装置させることにより，どちらか一方あるいは両方の換気を(別々に)行いうる).

endocardial heart t. 心内膜筒（胎児の胸部中央で，一対の管が癒合し，心臓の原基となる原始心筒となる).

endotracheal t. 気管内チューブ（気管内挿管として，気道を確保するために気管内に経鼻的に，経口で，あるいは気管切開を通じて挿入された柔軟性チューブ). ＝intratracheal t.; tracheal t.

eustachian t. エウスターキオ管. ＝pharyngotympanic (auditory) t.

extension t. エクステンションチューブ. ＝spacer.

fallopian t. ファローピウス管. ＝uterine t.

feeding t. 栄養管（流動食を与えるために，鼻を通して消化管に挿入する柔軟な管).

Ferrein t. (fer-ān′). フェラン管. ＝convoluted *tubule* of kidney.

field emission t. 電界放出型X線管（冷陰極を使用し，管電圧だけで陰極から陽極に電子を引き出すX線管).

Geiger-Müller t. (gī′gĕr mil′ĕr). ガイガー－ミュラー管（→Geiger-Müller *counter*).

germ t. 芽管（酵母菌細胞体や胞子から成長した若い菌糸，すなわち菌糸体の始まり．*Candida albicans* を他の *Candida*属の種から区別するための迅速試験としても用いる).

Haldane t. (hawl′dān). ホールデーン管（ヒト肺胞気の試料を採るための管．口金をもつ細い注入管で，急に最大呼気をさせた際の最終呼気を回収する).

intratracheal t. ＝endotracheal t.

laryngotracheal t. 喉頭気管管（呼吸憩室が気管食道ひだにより上部の喉頭と中部の気管に分けられる際の間の部位).

Levin t. (lĕ-vin′). レヴィン管（軟らかい管で，鼻から上部消化管に挿入する管．胃内圧の減圧に用いる).

Martin t. (mar′tin). マルティン管（空洞から滑脱しないように末端に十字の付いたドレナージ管).

medullary t. ＝neural t.

Miescher t.'s (mē′shĕr). ミーシャー管（細長い紡錘状あるいは円筒形のシストで，筋肉内に肉胞子虫属 *Sarcocystis* の原生動物における被包性筋肉期のものを含有する).

Miller-Abbott t. (mil′ĕr ab′ŏt). ミラー－アボット管（2つの内腔を有するチューブで，1つは小さな軟らかいバルーンに，もう1つは小さな孔のたくさん開いた金属性の先端に通じている．内圧の減圧または小腸のステントに用いる). ＝Abbott t.

molybdenum target t. モリブデンX線管（陽極表面にタングステンの代わりにモリブデンを使用したX線管．乳房撮影に用いる).

Moss t. (mos). モス管（①栄養補給と減圧が同時にできるように工夫された，経鼻的に挿入する三管式のチューブ．胃内のバルーンを膨らませて食道噴門接合部を閉鎖することにより，食道内の吸引と胃内への食物の注入を同時に行うことができるようになっている．②胃洗浄に用いる二管式のチューブ．小口径のチューブを通して連続的に生理食塩水を送り，同時に大口径のチューブからその液と胃内残渣を吸引する).

nasogastric t. 経鼻胃管（鼻孔から胃減圧のために胃に通す軟らかい管).

nasotracheal t. 鼻気管チューブ（鼻腔を経由して挿入された気管チューブ).

nephrostomy t. 腎瘻チューブ（ドレナージ，診断試験や結石除去のために腎盂などに設置するチューブで，到達経路としては経皮的や外科的に(腎盂に)到達させる方法がある).

neural t. 神経管（神経溝の閉鎖によって早期胚子の外胚葉から形成される上皮管．細胞増殖およびその器官化の両者の過程により，脳および脊髄に発育する). ＝medullary t.

O'Dwyer t. (ō-dwī′ĕr). オドワイアー管（O'Dwyer 法により喉頭の挿管に用いる金属管で，以前用いられた).

orotracheal t. 口腔気管チューブ（口から挿入された気管内チューブ).

otopharyngeal t. ＝pharyngotympanic (auditory) t.

pharyngotympanic (auditory) t. [TA]. 耳管（鼓室から鼻咽腔へ通じる管．鼓室端の骨部(後外側部)と，咽頭端の線維軟骨部(前内側部)からなる．蝶錐体裂でそれらが連結し，管の最細部(峡)にあたる．耳管は鼓室内圧と大気圧を均衡させ，その際通常ポップ音が聴取される.) ＝tuba auditiva [TA]; auditory t.☆; tuba auditoria☆; eustachian t.; guttural duct; otopharyngeal t.; otosalpinx; tuba acustica; tuba eustachiana; tuba eustachii.

photomultiplier t. 光電子増倍管（電磁放射の信号を，光陰極から放出された電子を一連のダイノードによって加速することによって 10^6 倍程度に増幅する検出器．ダイノードに衝突した各々の電子によって3－4個の電子が飛び出し，次のダイノードへと加速される).

Pitot t. (pē-tō′). ピトー管（液体流中に固定して置かれた

L字型管で，上流に開口部を向け，第2の管を側方または下流に開口部を向けて比較し，第1の管にあたる液体により生じた圧力によって，その地点における流体速度を測定するために用いられる).

pressure-equalization (PE) t. 圧均衡管（耳管機能不全によって引き起こされる液体貯留あるいは中耳感染など中耳の問題を治療するために鼓膜切開を通じて設置する小さい円柱状の装置).

pus t. 卵管留膿腫. ＝pyosalpinx.

rectifier t. 整流〔真空〕管（X線変圧器で用いられる，交流を直流に変換する電子真空管).

Rehfuss stomach t. (rā′fus). レーフス胃管（目盛りがある注射器の付いた管で，胃液検査の際，胃内容を吸引するために以前用いられた．現在は合成樹脂製で使い捨ての胃管が使用されている).

Robertshaw t. (rob′ĕrt-shaw). ロバートショー管(チューブ) (Carlen チューブを機能改良した(左右肺分離換気用)チューブ).

roll t. 回転培養管（皿培養の変法の1つ．寒天培地を試験管に入れ，培地が管内部に十分凝結するまで水平に回転する).

rotating anode t. 回転陽極型X線管（ターゲットを回転させることによって，熱の蓄積をより大きな容積に分配する近代的X線管).

Ruysch t. (roysh). ライシュ管（鼻中隔両面の下部および前部に開口する小さな管．鋤鼻器(Jacobson 器官)に関連して，胎生初期に最もよくみられる).

Ryle t. (rīl). ライル管（8番カテーテルと類似の内腔をもつ薄いゴム管で，オリーブ状の先端をもち，試験食を与えるときに用いる).

Sengstaken-Blakemore t. (seng′stā′kĕn blāk′mōr). セングズテークン(セングズターケン)－ブレークモアー管（3つの内腔をもつ管．1つは胃の内容吸引のための腔で，残りの2つは付属した胃と食道の風船を膨らませるための腔．出血性食道静脈瘤の緊急治療に用いる).

Southey t.'s (sow′thē). サウジー管（小さい毛細口径のカニューレ(套管)で，套管針を用いて皮下組織に挿入し，全身水腫の排液を行う．現在は用いられていない).

speaking t. スピーキングチューブ（補聴器を形成する，一端がイヤホン，他端が円錐型であるチューブ．円錐形を通じて会話が増幅される).

stomach t. 胃管，胃消息子（洗浄や食事を与えるために胃に挿入する柔軟な管).

T t. T字管（T字型で，その上端を総胆管のような管腔構造内に挿入し，柄の部分は皮膚を通して留置する管．減圧のために用いられる).

test t. 試験管（一方の端が閉じているガラス管で，尿の検査，化学実験，細菌培養などに用いる).

thoracostomy t. 胸腔ドレーン（胸膜腔から排液する管．胸壁を通して置かれる).

Tovell t. (tō-vel′). トーヴェルチューブ（チューブが圧迫されたりよじれたり鋭角に曲げられた際，内腔が閉塞するのを防ぐために，壁に針金をらせん状に埋め込んだ気管内チューブ).

Toynbee t. (toyn′bē). トインビー管（ポーリツァー法を行う間，患者の耳から音を聞くための管).

tracheal t. 気管チューブ. ＝endotracheal t.

tracheostomy t. 気管カニューレ（気管切開術後，開口部を保つために用いる屈曲した管．金属製またはプラスチック製のものがある). ＝tracheotomy t.

tracheotomy t. 気管カニューレ. ＝tracheostomy t.

tympanostomy t. 中耳腔換気用チューブ（中耳腔を換気するために鼓膜切開を行った後に，鼓膜を通して挿入された小さいチューブ．滲出性中耳炎でしばしば用いられる).

uterine t. [TA]. 卵管（大きく卵管漏斗部でおおわれた卵巣の上または外側端から子宮底へ通じる管．卵子が卵巣から子宮へ送られていく通路をなし，もし卵子が受精していれば子宮に着床する．漏斗部，膨大部，峡部，子宮部からなる). ＝tuba uterina [TA]; salpinx*; fallopian t.; gonaduct (2); oviduct; salpinx uterina; tuba fallopiana; tuba fallopii.

vacuum t. 真空管（空気を排除したガラス管で，電流やスパークが流れる2つ以上の電極をもつ．X線の発生や回路制御に用いる．以前は広く用いられたが，電子回路のトランジスタに取って替わられた).

Venturi t. (ven-tū′rē). ヴェンツーリ管（特殊な流線形のくびれをもつ管で，管内を流れる液体のエネルギー消費を最小にし，Bernoulli の法則に従って，くびれでの圧力の低下を最大にするようになっている．Venturi 計の基本である).

Wangensteen t. (wang-en-stēn). ワンゲンスティーン管. ＝Wangensteen *suction*.

x-ray t. X線管（→x-ray).

---

tu・bec・to・my (tū-bek′tŏ-mē) [L. *tuba*, tube + G. *ektomē*, excision]. 卵管切除〔術〕. ＝salpingectomy.

tu・ber, pl. **tu・bera** (tū′bĕr, too′ber-ă) [L. protuberance, swelling]. ***1*** [TA]. 隆起，結節（局所的な隆起). ＝knob. ***2*** 塊茎（例えば，ジャガイモのように短く肥えて太い地下茎).

t. anterius ＝t. cinereum.

ashen t. 灰白隆起. ＝t. cinereum.

calcaneal t. 踵骨隆起. ＝calcaneal *tuberosity*.

t. calcanei [TA]. 踵骨隆起. ＝calcaneal *tuberosity*.

t. calcis ＝calcaneal *tuberosity*.

t. cinereum [TA]. 灰白隆起（尾方は乳頭体，吻方は視神経交叉，両外側は視索で区切られ，腹側は漏斗および脳下垂体柄へとのびる視床下部底の隆起). ＝ashen t.; gray t.; t. anterius.

t. cochleae ＝*promontory* of tympanic cavity.

t. corporis callosi ＝*splenium* of corpus callosum.

t. dorsale ＝t. vermis.

eustachian t. エウスターキオ〔管〕隆起，耳管隆起（前庭窓(卵形嚢)直下の中耳壁にみられる迷路壁からの小さい突起).

frontal t. [TA]. 前頭結節（前頭骨の最も突出している部分で左右1対ある). ＝t. frontale [TA]; eminentia frontalis*; frontal eminence*.

t. frontale [TA]. 前頭結節. ＝frontal t.

gray t. 灰白隆起. ＝t. cinereum.

t. ischiadicum [TA]. 坐骨結節. ＝ischial *tuberosity*.

t. of ischium 坐骨結節. ＝ischial *tuberosity*.

t. maxillae [TA]. 上顎結節. ＝maxillary *tuberosity*.

omental t. 小網隆起. ＝omental *eminence* of pancreas.

t. omentale hepatis [TA]. ＝ omental *tuberosity* of liver.

t. omentale pancreatis [TA]. ＝ omental *eminence* of pancreas.

parietal t. [TA]. 頭頂結節（頭頂部の隆起部．頭頂骨外表面の中央より少し上にあり，通常，最大頭幅測定点にあたる). ＝t. parietale [TA]; eminentia parietalis*; parietal eminence*.

t. parietale [TA]. 頭頂結節. ＝parietal t.

t. radii ＝radial *tuberosity*.

t. valvulae ＝t. vermis.

t. of vermis ＝t. vermis.

t. vermis 虫部隆起（小脳虫部下方の後部で，虫部葉と虫部錐体の間に位置する). ＝t. dorsale; t. of vermis; t. valvulae.

t. zygomaticum 頬骨隆起. ＝articular *tubercle* of temporal bone.

tu・ber・cle (tū′bĕr-kĕl) [L. *tuberculum*, *tuber*(a knob, swelling, tumor) の指小辞]. ***1*** [TA]. 結節（病理学的にではなく，解剖学的にみられるもの). ***2*** 隆起（皮膚・粘膜・器官や骨の表面などにみられる輪郭のはっきりした丸い固い高まり．骨の表面は筋肉もしくは靱帯の付着によって高まっている). ***3*** 隆起（歯科における歯表面上の小さい隆起). ＝tuberculum [TA]. ***4*** 結核結節（ヒト結核菌 *Mycobacterium tuberculosis* の感染による肉芽腫病巣．大きさ(0.5—3mm)，組織学的要素の比率においていくぶん異なるものがあり，通常，不規則な形態だが比較的明らかな3つの区域からなる限局性，楕円形の，硬い病巣のものが多い．3つの区域とは以下の区域である．ⓘ中心壊死巣は初め凝固性で，その後乾酪性になる．ⓘⓘ中間層は大きい単核食細胞(マクロファージ)が密に集積している．これは上皮細胞に類似して，いくぶん放射状配列(壊死質に関して)をしているため類上皮細胞といわれる．Langhans の多核巨細胞も存在する．ⓘ外層は多数のリンパ球といくらかの単核細胞，形質細胞からなる．治癒が始まった所では，線維組織の第四層が周囲に形成される．他の病因で形態学的には分別不可能な病巣が他の病気でできる場合があり，これを非特異性 nonspecifically という．例えば肉芽腫のようなものがある．しかし tubercle を結核菌による病巣にだけ用い，原因不明のものは epithelioid-cell granulomas(類上皮細胞肉芽腫)という臨床医もいる)．

accessory t. *1* 副突起．=accessory *process* of lumbar vertebra. *2* =*dens* evaginatus.

acoustic t. =*trigone* of auditory nerve.

adductor t. of femur [TA]．内転筋結節（大腿骨内側上顆の上方にある突起で，大内転筋の腱が付着している）．=tuberculum adductorium femoris [TA].

amygdaloid t. 扁桃結節（側脳室の側頭角前方端にある蓋からの突起．扁桃核の位置を示す）．

anatomic t. 死体結節．=postmortem *wart*.

anomalous t. of tooth [TA]．歯の異常結節（歯の異常な結節）．=tuberculum anomale dentis [TA].

anterior t. of atlas [TA]．〔環椎〕前結節（前弓の前表面上の三角形隆起）．=tuberculum anterius atlantis [TA].

anterior t. of calcaneus =calcaneal t.

anterior t. of cervical vertebrae [TA]．〔頸椎〕前結節（横突起にある隆起のうち腹側のもの）．=tuberculum anterius vertebrarum cervicalium [TA].

t. of anterior scalene muscle 前斜角筋結節．=scalene t.

anterior thalamic t. [TA]．視床前結節（視床前核に相当する視床前端の小結節）．=tuberculum anterius thalami [TA]; anterior t. of thalamus.

anterior t. of thalamus〔視床〕前結節．=anterior thalamic t.

areolar t.'s [TA]．乳輪結節（女性乳輪にみられる小隆起で妊娠授乳期に顕著になる．乳輪腺の構造の反映とみられる）．=tubercula areolae [TA].

articular t. of temporal bone [TA]．側頭骨の関節結節（側頭骨関節窩の前方にある骨の隆起で頬骨突起の前基底部をなす．関節窩とともに顎関節の関節包に包まれている．開口時，関節頭は関節円板とともにこの結節を越えてしまう）．=tuberculum articulare ossis temporalis [TA]; articular eminence of temporal bone; eminentia articularis ossis temporalis; tuber zygomaticum.

ashen t. 灰白結節．=trigeminal t.

auricular t. [TA]．耳介結節（耳輪の内側屈曲自由縁の後上方内縁にみられる不規則な小隆起）．=tuberculum auriculae [TA]; darwinian t.; tuberculum superius.

calcaneal t. [TA]．踵骨結節（踵骨の底面で長足底靱帯の付着位にしばしば対性にみられる突起）．=tuberculum calcanei [TA];tuberculum anterior calcanei [TA]; anterior t. of calcaneus.

Carabelli t. (kah-ră-bel′ē)．カラベリ結節（過剰咬頭に似た小結節で，永久上顎第一大臼歯の近心舌側咬頭の舌面にときにみられる）．

carotid t. [TA]．頸動脈結節（頸動脈を指で圧迫することができる第六頸椎横突起前方の結節）．=tuberculum caroticum [TA]; Chassaignac t.

caseous t. 乾酪性結節．=soft t.

Chassaignac t. (shahs-ăn-yahk′)．シャセニャック結節．=carotid t.

conoid t. (of clavicle) [TA]．円錐靱帯結節（鎖骨の肩峰端近くの下面にある隆起で，円錐靱帯が付着している）．=tuberculum conoideum (claviculare) [TA]; conoid process.

corniculate t. [TA]．小角結節（粘膜下にある小角軟骨によって形成されている披裂喉頭蓋ひだ後部にみられる円形隆起のうち内側の小さいもの）．=tuberculum corniculatum [TA]; Santorini t.

crown t. 歯冠結節．=dental t.

cuneate t. 楔状束結節（楔状束の球上の吻側端に楔状束核によってできる隆起で，薄束結節の外側にある．この結節は後外側溝によって外側にある三叉神経結節(側索)と隔てられる）．=tuberculum cuneatum; wedge-shaped t.

cuneiform t. [TA]．楔状結節（粘膜下にある楔状軟骨によって形成されている披裂喉頭蓋ひだ後部にみられる円形隆起のうち外側の大きいもの）．=tuberculum cuneiforme [TA]; Wrisberg t.

darwinian t. ダーウィン結節．=auricular t.

deltoid t. (of spine of scapula) [TA]．肩甲棘の三角筋結節（肩甲棘根より外側にみられる顕著な骨隆起で，僧帽筋中部最下部からの三角形の腱が付着している）．=tuberculum deltoideum (spinae scapulae) [TA].

dental t. [TA]．歯冠結節（エナメル質でおおわれていて歯冠にみられる小隆起）．=tuberculum dentis [TA]; crown t.;t. of tooth; tuberculum coronae.

dorsal t. of radius [TA]．〔橈骨の〕背側結節（橈骨遠位端背側面で長母指伸筋腱溝の外側にみられる小隆起で，滑車として働いている）．=tuberculum dorsale radii [TA]; Lister t.

epiglottic t. [TA]．喉頭蓋結節（甲状喉頭蓋靱帯の上部をおおう喉頭蓋基部にみられる突起）．=tuberculum epiglotticum [TA]; cushion of epiglottis.

fibrous t. 線維結節（線維芽細胞が蜂窩層内や周囲に増殖して，その結節の周囲に蜂窩線維組織や膠原質の壁または縁を形成しているもの）．

genial t. おとがい棘．=mental *spine*.

genital t. 性器結節．=phallic t.

Gerdy t. (zher-dē′)．ジェルディ結節（前脛骨筋線維や腸脛靱帯に連結する脛骨上端の前外側方にある隆起）．

Ghon t. (gon)．ゴーン結節（肺実質(通常は中肺野)の石灰化病変のことで，以前，通常は小児期に結核にかかってできる．時々肺実質病変と石灰化したリンパ節の組み合わせと混同されるが，このほうは Ranke 複合体とよぶのが正しい）．=Ghon complex; Ghon focus; Ghon primary lesion.

gracile t. 薄束結節（薄束核上にできる薄束のいくぶん肥厚した上端部）．=clava; tuberculum gracile.

gray t. 灰白結節．=trigeminal t.

greater t. (of humerus) [TA]．〔上腕骨〕大結節（上腕骨頭に隣接する2つの結節のうち大きいほうをいう．棘上筋，棘下筋，小円筋が付着する）．=tuberculum majus (humeri) [TA]; greater tuberosity of humerus.

hard t. 硬〔性〕結節（壊死を欠いた結節）．

hyaline t. ヒアリン結節（蜂窩線維組織や膠原質線維が，均一で非蜂窩性の好酸性硬塊に変性した線維結節の一型）．

iliac t. =t. of iliac crest.

t. of iliac crest [TA]．腸骨稜結節（腸骨稜外唇において上前腸骨棘の後方約 5 cm のところにみられる隆起）．=tuberculum iliacum [TA]; iliac t.

inferior thyroid t. [TA]．下甲状結節（左右の甲状軟骨板の斜線下端にある小隆起）．=tuberculum thyroideum inferius [TA].

infraglenoid t. (of scapula) [TA]．〔肩甲骨の〕関節下結節（上腕三頭筋長頭が付着している肩甲骨関節窩の下方にある粗面）．=tuberculum infraglenoidale (scapulae) [TA]; infraglenoid tuberosity.

intercolumnar t. 小柱間結節（→subfornical *organ*）．

intercondylar t. [TA]．顆間結節（顆間隆起の両側にある脛骨の内外の関節面の中央唇から発している内・外両隆起）．=tuberculum intercondylare (mediale et laterale) [TA].

intervenous t. (of right atrium) [TA]．〔右心房の〕静脈間隆起（大動脈開口の間にある右心房壁上の小隆起）．=tuberculum intervenosum (atrii dextri) [TA]; Lower t.

jugular t. of occipital bone [TA]．後頭骨の頸静脈結節（後頭骨の底部と外側部が連結するところの頭蓋腔面(内面)にみられる卵形の隆起で，大後頭孔の両側にあり，その下縁の内側で舌下神経管開口部の前上方にある）．=tuberculum jugulare ossis occipitalis [TA].

labial t. 上唇結節．=t. of upper lip.

lateral t. (of posterior process) of talus [TA]．〔距骨後突起の〕外側結節（長母指屈筋腱溝の外側にある隆起）．=tuberculum laterale (processus posterioris) tali [TA].

lesser t. (of humerus) [TA]．〔上腕骨〕小結節（上腕骨頭にみられる2つの結節のうち，前方のもの．肩甲下筋が付着する）．=tuberculum minus (humeri) [TA]; lesser tuberosity of humerus.

Lisfranc t. (lis-frahnk′)．リスフラン結節．=scalene t.

Lister t. (lis′tĕr)．リスター結節．=dorsal t. of radius.

T

Lower t. (lō′wĕr). ローアー結節. ＝intervenous t. (of right atrium).

mammillary t. 乳頭突起. ＝mammillary *process* of lumbar vertebra.

mammillary t. of hypothalamus ＝mammillary *body*.

marginal t. 〔頬骨〕縁結節. ＝marginal t. (of zygomatic bone).

marginal t. (of zygomatic bone) [TA]. 頬骨縁結節(頬骨側頭縁にみられる不規則な隆起で, 側頭筋膜が付着する). ＝tuberculum marginale (ossis zygomatici) [TA]; marginal t.

medial t. (of posterior process) of talus [TA]. 〔距骨後突起の〕内側結節(長母指屈筋腱溝の内側にある隆起). ＝tuberculum mediale (processus posterioris) tali [TA].

mental t. (of mandible) [TA]. 〔下顎骨の〕おとがい結節(おとがい隆起にある左右一対の高まり). ＝tuberculum mentale (mandibulae) [TA]; eminentia symphysis.

molar t. [TA]. 臼歯結節(臼歯の歯冠にときにみられる咬合に関与しない突起で, その大きさは多様である). ＝tuberculum molare [TA].

Montgomery t.'s (mont-gŏm′ĕr-ē). モントゴメリー結節(通常, 妊娠と関連する, 赤く隆起した乳輪腺).

Morgagni t. (mōr-gah′nyē). モルガニー結節. ＝cuneiform *cartilage*.

Müller t. (mil′ĕr). ミュラー結節(胎児の背壁から尿生殖洞に突出する中央隆起. 中腎傍管の融合した尾方端から形成され, 胎児子宮および膣の最も初期の発現である). ＝sinus t.

nuchal t. ＝*vertebra* prominens.

obturator t. (anterior and posterior) [TA]. 〔前・後〕閉鎖結節(閉鎖溝終端と連絡している閉鎖孔の恥骨縁上にみられる前後2つの結節であるが, 後閉鎖結節は不定である). ＝tuberculum obturatorium (anterius et posterius) [TA].

olfactory t. 嗅結節(大脳半球の底部で, 2つに分かれた内側および外側嗅条の間にあり, 前有孔質の前内側部にある小さな卵円形の部位. Calleja 島を特徴とする不等皮質の小部により構成される. 霊長類を除く哺乳類(特にげっ歯類や食虫類)の高度に発達した構造によれば, 嗅結節は中間嗅条により嗅球から線維連絡を受ける. 嗅結節は, 視床下部や視床内背側核と遠心性線維連絡を有する). ＝tuberculum olfactorium [TA].

orbital t. (of zygomatic bone) [TA]. 頬骨の眼窩隆起(頬骨の眼窩面にある軽い高まりで, 前頭頬骨縫合の約1cmほど下の眼窩縁のすぐ内側にある. 眼球の外側固定靱帯, 外側眼瞼靱帯, 眼球の提靱帯などが付着する). ＝tuberculum orbitale ossis zygomatici [TA]; eminentia orbitalis (ossis zygomatici); orbital eminence of zygomatic bone; Whitnall t.

phallic t. 陰茎結節(性器結節に由来する, 陰茎あるいは陰核の原基). ＝genital t.

pharyngeal t. (of basilar part of occipital bone) [TA]. 〔後頭骨底部の〕咽頭結節(後頭骨の底部下面にある突起で, 咽頭縫線が付着する). ＝tuberculum pharyngeum (partis basilaris ossis occipitalis) [TA].

posterior t. of atlas [TA]. 〔環椎〕後結節(小後頭直筋が付着する環椎後弓の後端の棘突起の痕跡的突起). ＝tuberculum posterius atlantis [TA].

posterior t. of cervical vertebrae [TA]. 〔頸椎〕後結節(横突起にある隆起のうち背側のもの). ＝tuberculum posterius vertebrarum cervicalium [TA].

Princeteau t. (prans-tō′). プランストー結節(上錐体洞が始まる錐体部頂近くにある側頭骨の小隆起).

pterygoid t. 翼状結節(翼突管の内側下方にある蝶形骨内側板後面の小隆起).

pubic t. [TA]. 恥骨結節(恥骨稜前端で恥骨結合から2cmほどのところにある触察できる小隆起で, 鼡径靱帯の停止位置にあたる). ＝tuberculum pubicum [TA]; pubic spine; spina pubis.

quadrate t. [TA]. 方形筋結節(大腿骨転子間稜にある浅い隆起. 大腿方形筋の停止によって形成される). ＝tuberculum quadratum.

t. of rib [TA]. 肋骨結節(肋骨の後面にあるこぶ状の高まりで, 肋骨体と肋骨頭の間にあり, 同番号の椎骨の横突起と関節して肋横突関節を形成している). ＝tuberculum costae [TA].

Rolando t. (rō-lan′dō). ロランド結節. ＝trigeminal t.

t. of saddle 鞍結節. ＝*tuberculum* sellae.

Santorini t. (sahn-tō-rē′nē). サントリーニ結節. ＝corniculate t.

scalene t. [TA]. 前斜角筋結節(前斜角筋停止部をなす第一肋骨の内縁にある小隆起. これによって前方の鎖骨下動脈の溝と後方の鎖骨下静脈の溝とが境されている). ＝tuberculum musculi scaleni anterioris [TA]; Lisfranc t.; scalene t. of Lisfranc; t. of anterior scalene muscle.

scalene t. of Lisfranc (lis-frahnk′). リスフラン斜角結節. ＝scalene t.

t. of scaphoid (bone) [TA]. 舟状骨結節(舟状骨の下外側角にある突起で, 母指で触れることができる. 手根横靱帯すなわち屈筋支帯の付着部となっている). ＝tuberculum ossis scaphoidei [TA].

sinus t. 洞結節. ＝Müller t.

soft t. 軟〔性〕結節(乾酪壊死を示す結節). ＝caseous t.

superior thyroid t. [TA]. 上甲状結節(左右の甲状軟骨板外側面の斜線上端にある軽度の隆起). ＝tuberculum thyroideum superius [TA].

supraglenoid t. (of scapula) [TA]. 〔肩甲骨の〕関節上結節(上腕二頭筋長頭腱が肩関節腔内で付着する肩甲骨関節窩上方の粗面). ＝tuberculum supraglenoidale (scapulae) [TA].

supratragic t. [TA]. 珠上結節(耳珠の上端に現れることの多い不規則な小結節). ＝tuberculum supratragicum [TA].

t. of tooth 歯冠結節. ＝dental t.

t. of trapezium (bone) 大菱形骨結節. ＝*tuberculum* of trapezium bone.

trigeminal t. [TA]. 三叉神経隆起(楔状束結節の外側縁に沿って延髄の後外側面にみられる縦の隆起で, その中には尾方で後外側束に連なる三叉神経脊髄路核を有する). ＝tuberculum trigeminale [TA]; ashen t.; gray t.; Rolando t.

t. of upper lip [TA]. 上唇結節(上唇の中央人中の最下方の自由縁にある小隆起). ＝tuberculum labii superioris [TA]; labial t.; procheilon; prochilon.

wedge-shaped t. 楔状束結節. ＝cuneate t.

Whitnall t. (wit′năl). ホウィットナル結節. ＝orbital t. (of zygomatic bone).

Wrisberg t. (ris′bĕrg). ヴリスベルク結節. ＝cuneiform t.

tubercul- →tuberculo-.

tu·ber·cu·la (tū-ber′kyū-lă). tuberculum の複数形.

tu·ber·cu·lar, tu·ber·cu·lat·ed (too-ber′kyu-lăr, -lāt-ed). 結節の([tuberculous と混同しないこと]. *cf.* tuberculous).

tu·ber·cu·la·tion (tū-ber′kyū-lā′shŭn). 結節形成(ある部分に結節や小節が並んでできていること).

tu·ber·cu·lid (tū-ber′kyū-lid) [tubercul- + G. *-id* (1)]. 結核疹(遠隔部の活動性結核病巣より散布された結核菌抗原に対する過敏性によって起こる, 皮膚または粘膜の病変).

nodular t. 小結節性結核. ＝*erythema* induratum.

papular t. 丘疹状結核疹. ＝*lichen* scrofulosorum.

papulonecrotic t. 丘疹性壊疽性結核疹(四肢に好発する非肉芽腫性血管病変を伴う暗赤色丘疹で, やがて痂皮と潰瘍をきたす. 深在性の結核病巣あるいは結核の既往のある若年成人に多い). ＝tuberculosis papulonecrotica.

rosacealike t. しゅさ(酒皶)様結核疹. ＝granulomatous *rosacea*.

tu·ber·cu·lin (tū-ber′kyū-lin). ツベルクリン(①ヒト結核菌 *Mycobacterium tuberculosis* の肉汁培地培養を 100°C で 1/10 容に濃縮し, 沪過したもの. Robert Koch によって結核症の治療用に開発されたが, 今日では主に診断試験用に用いられている. 初めは Koch の旧ツベルクリン(OT)として知られていたもの. ②OT とは異なる結核菌培養から得られる比較的多数の抽出物の1つまたはいくつかで, 今日では用いない).

Koch old t. (OT) (kok). コッホの旧ツベルクリン(→tuberculin (1)).

purified protein derivative of t. (PPD) 精製ツベルクリ

ン蛋白〔分画〕（活性蛋白分画を含む精製ツベルクリン．ここで産生されるツベルクリンは，t. (1) とは異なり，主に細菌が肉汁培地ではなく合成培地で発育したときにできるツベルクリン）．

tu·ber·cu·li·tis (tū-ber′kyū-lī′tis) [tubercul- + G. *-itis*, inflammation]．結核結節の炎症．

tuberculo-, tubercul- [L. *tuberculum*, tubercle]．結節，結核を意味する連結形．

tu·ber·cu·lo·cele (tū-ber′kyū-lō-sēl′) [tuberculo- + G. *kēlē*, tumor, hernia]．精巣(睾丸)結核〔症〕．

tu·ber·cu·lo·che·mo·ther·a·peu·tic (tū-ber′kyū-lō-kē′mō-thār′ă-pyū′tik)．結核化学療法の（結核菌静菌薬や結核菌殺菌薬を用いての結核治療についていう）．

tu·ber·cu·lo·ci·dal (tū-ber′kyū-lō-sī′dăl)．結核菌殺菌性の．

tu·ber·cu·lo·der·ma (tū-ber′kyū-lō-der′mă)．***1*** 皮膚結核．***2*** 結核疹（結核の皮膚症状）．

tu·ber·cu·lo·fi·broid (tū-ber′kyū-lō-fī′broyd)．線維変性を起こした結核（孤立性・限局性で，通常は楕円体で，中程度または高度の硬度をもつ被包化小結節．結核性肉芽腫炎症の病巣が治癒する過程で形成される）．

tu·ber·cu·loid (tū-ber′kyū-loyd) [tuberculo- + G. *eidos*, resemblance]．類結核の（結核症あるいは結節に似ていることについていう）．

tu·ber·cu·lo·ma (tū-ber′kyū-lō′mă) [tuberculo- + G. *-oma*, tumor]．結核腫（局所的結核感染により，通常，肺や脳にある円形の腫瘤状をしているが，非新生物である塊状物）．

tu·ber·cu·lo·pro·tein (tū-ber′kyū-lō-prō′tēn)．結核菌蛋白〔質〕（結核菌体内にある蛋白の1種，数種，あるいはすべての混合物で，これらすべてがツベルクリンのある性質を有していることが見出された）．

---

tu·ber·cu·lo·sis (TB) (tūber′kyū-lō′sis) [tuberculo- + G. *-osis*, condition]．結核〔症〕（ヒト型結核菌 *Mycobacterium tuberclosis*，すなわち結節状の杆菌の感染に起因する特異的な疾患であり，全身のほとんどすべての組織や器官を侵すが，最も普遍的な侵襲部位は肺である．初期結核は，典型的には軽度あるいは無症候性の肺の局所の感染症である．局所のリンパ節が侵されることはあるが，健康な人では直ちに全身疾患に進展することはない．細胞性免疫応答は，菌の拡散を抑え，感染域を壁で仕切ってしまう．感染した組織とリンパ節は最終的に石灰化することがある．ツベルクリン皮内反応は数週間以内に陽性となり，生涯陽性のまま残る．初期病巣の結核菌は生きたまま残り，数か月か数年後に再度活性化して二次結核を生じることがある．第二期への進行は，結局，初期結核に罹患した人の10—15%にみられ，そのうち半数は2年以内に起こる．再活性化するリスクは，糖尿病，低栄養，HIV 感染，珪肺症，そしてアルコール中毒，注射薬物乱用者，介護施設居住者，副腎皮質ステロイドや免疫抑制療法を受けている人など，各種の全身性または悪性の病態を持っている場合に高くなる．二次または再活性化した結核では，通常，慢性で広範囲の肺病変となり，肺上葉を侵すことが最も多い．肉眼でみられうる小肉芽腫(結節)は，肺組織内に発達し，それぞれが慢性炎症細胞(類上皮組織球と巨細胞)に囲まれた乾酪化した壊死域を形成する．これらの病変から結核と命名されたのであろうが，この病変は疾患が拡散した他組織(リンパ節，腸管，腎，皮膚)にもみられる．まれに，再活性化が全身に及んで全身性播種法結核(粟粒結核)となることもある．活動性肺結核の症状は，疲労，食欲不振，体重減少，微熱，寝汗，慢性の咳，血痰などである．局所症状は侵襲された部位による．活動性肺結核は容赦のない慢性疾患で，治癒されなければ，肺組織の進行性破壊を起こす．肺には空洞が形成され，肺血管の侵襲は致命的な出血を起こすことがある．栄養状態や全身状態の緩徐な悪化には，最終的に消耗，感染，あるいは多臓器不全やより死に至る．変異症候群(小児の結核性リンパ節炎，エイズ全患者の重篤な全身疾患)は，トリ型結核菌群 *Mycobacterium avium-intracellular* (MAIC) の菌種によって引き起こされる．結核の診断は皮内反応(活動性結核患者の20%は陰性であるが)，画像診断(通常の胸部単純撮影と比較してCT検査では胸膜浸潤，粟粒病変，空洞形成などの検出感度が良い)，および喀痰や組織サンプルから好酸染色，蛍光染色，PCR，または培養により結核菌を検出することによる)．

1933 年，世界保健機関(WHO)は，結核は世界規模の緊急事態と宣言した．世界人口の1/3は結核に罹患している．世界規模でいうと，結核は死に至る感染症の中で第1位に位置づけられている．全世界の症例の2/3はアジアでみられるが，アフリカの一部(人口当たりの発生率が最も高い地域がある)や東欧地域においても流行している．戦争と社会変動は流行地域を越えて結核の広がりに関与している．結核の罹患率は難民や移民において比較的高率である．米国の全結核患者の1/3は国外で生まれた人であり，新規に診断された人の半数以上は国外で生まれた人達である．結核の治療に抗生物質が用いられ始めた1950年代から1980年代までに，米国におけるこの疾患の罹患率と死亡率は着実に低下した．1980年代になって発生率が増加し始めた．これは，エイズ感染者の新たな感染例が多数加わったことと，多剤耐性結核菌株の罹患者の増加である．1993年以降，その数は再び減少した．その主因は各州と地方保健当局における国からの財政援助の増加による結核の予防と制圧計画の改善にある．エイズ患者の少なくとも1/3は結核に罹患しており，結核は，エイズ患者死亡の1/3の死因になっている．抗生剤耐性のヒト型結核菌 *M. tuberculosis* がここ数年来問題にされてから，通常，イソニアジド，リファンピン，ピラジンアミドなどを含む多剤の処方が標準になっている．ethambutol，ストレプトマイシン，kanamycin，capreomycin などを加えたり，代替薬に使用することもある．治療の成功は，数種の薬剤に対する菌の耐性によって制約されるだけでなく，標準薬による重篤な毒性作用の危険によっても制約される．抗生物質によって治療される多くの感染症と異なり，結核は，数日ないし数週ではなく，むしろ数か月，数年の治療が行われる．長期にわたる治療薬服用継続は，非定住者，貧困者，教育程度の低い人々では十分に守られない．WHO によれば，ヒト型結核菌 *M.tuberculosis* の多剤耐性株拡大の主因は，特に発展途上国における結核制圧計画の非効果的な管理にあるといわれる．不適切で不十分な化学療法は，患者を伝染性の疾患のまま残してしまうだけでなく，菌の耐性獲得を容易にしてしまう．世界の5,000万人の結核患者が多剤耐性結核菌によるものと推定されている．薬剤耐性菌による結核の流行は旧ソ連邦諸国で特に高い．最近，WHO は世界の結核制圧計画が直接観察療法(DOT)の実施を採択するよう推進している．すなわち，介護者が各患者のそれぞれの薬剤の服用を観察するものである．米国のいくつかの保健センターで実施された研究では，結核に対する DOT は，実際の費用は高くつくものの，再発や治療の失敗による費用が自己管理による治療費に加えられた場合を考慮すると，費用効率がよいとされている．米国公衆衛生当局は，2010年までに結核根絶(人口100万人当たりの発生を1人以下と定義)を国家目標としている．

---

adult t. 成人結核．＝secondary t.

aerogenic t. 経気感染性結核（感染性小滴の吸入によって広がった結核菌感染）．

anthracotic t. じん肺結核症．＝pneumoconiosis.

arrested t. 静止結核．＝inactive t.

attenuated t. 弱毒性結核〔症〕（皮膚の乾酪結核結節と冷膿瘍を特徴とする結核の軽症慢性型）．

basal t. 基底部結核〔症〕（肺の基底部の結核症）．

cerebral t. 脳結核（①＝tuberculous *meningitis*．②脳結核腫）．

childhood t. 小児期結核（*Mycobacterium tuberculosis* による初(原発)感染症のうち，空洞形成はまれな中肺野の肺炎様病変および，肺門部や気管周囲のリンパ節への急速な進展を伴う様式は小児期により多く認められる．しかしこの様式は小児に限られるものではない）．

childhood type t. 小児型結核〔症〕．＝primary t.

cutaneous t. 皮膚結核（ヒト結核菌 *Mycobacterium tuberculosis* による皮膚の病的変化）．＝t. cutis.

t. cutis 皮膚結核．＝cutaneous t.

t. cutis orificialis 開口部皮膚結核（口腔や肛門の中および周辺における結核性病巣）．

T

t. cutis verrucosa いぼ状皮膚結核（慢性炎症性の基底部をもち，表面がいぼ状の結核性皮膚病巣．成人の手や小児の下肢にみられ，結核抗原に対し著しい反応性の亢進を伴う．→postmortem *wart*）．＝tuberculous wart.

disseminated t. 播種性結核〔症〕．＝miliary t.

enteric t. 腸結核（空洞性肺結核の合併症で，結核菌を喀出・えん下して相対的な内容の停滞があるか，あるいはリンパ組織に富んでいる消化管部位に感染する．ウシ型結核菌を含む牛乳の摂取によるとも考えられる．今日ではほとんどみられない．→tuberculous *enteritis*）．

exudative t. 滲出性結核（結核菌感染の１つの病期で，高度の浮腫と細胞性炎症反応を伴う．壊死や線維化はあまりみられない）．

generalized t. 全身性結核〔症〕．＝miliary t.

healed t. 治癒型結核（退縮した先行結核から生じる肺胸膜，リンパ節，または他臓器の瘢痕化あるいは石灰化した線維性または乾酪性小結節．もし実際に治癒していれば，結核菌はみつからず，再発は起こらない）．

inactive t. 不活性結核（以前の活動性結核が退行して線維化または結節となった部位で，病巣は長期間残存し，石灰化するが再発は起こらない）．＝arrested t.

miliary t. 粟粒結核（血中の結核菌の全身性播種により各種の器官や組織に粟粒結核を形成し，ときにひどい毒血症の症状を示す）．＝disseminated t.; generalized t.

open t. 開放性結核（肺結核，潰瘍性結核その他で，排出物や分泌物に結核菌が存在するもの．肺においては通常空洞形成の結果である）．

t. papulonecrotica 壊死性丘疹状結核〔症〕．＝papulonecrotic *tuberculid*.

postprimary t. 初感染後結核．＝secondary t.

primary t. 一次（初期）結核〔症〕，初感染結核〔症〕（肺辺縁部病巣とその肺門あるいは傍気管リンパ節への進展から形成される初期変化群の肺内での形成を特徴とする結核菌の初感染で，特に小児にみられるものであるが成人にもみられる．空洞化したり，瘢痕で治癒したり，悪化進展しうる）．＝childhood type t.

pulmonary t. 肺結核〔症〕．

reactivation t. 再燃性結核．＝secondary t.

reinfection t. 再感染結核〔症〕．＝secondary t.

secondary t. 二次性結核（成人にみられる結核症で，上葉の肺尖部近くに病巣がみられ，空洞を形成するか，または瘢痕を形成して治癒し，リンパ節に及ぶことはない．理論的には，再感染あるいは潜伏性内因感染の再発によるものとされている）．＝adult t.; postprimary t.; reactivation t.; reinfection t.

tu·ber·cu·lo·stat·ic (tū-ber′kyū-lō-stat′ik) [tuberculo- ＋ G. *statikos*, causing to stand]. 結核菌静菌的な（結核菌の発育を抑制する薬についていう）．

tu·ber·cu·lous (tū-ber′kyū-lŭs). 結核性の，結核菌による（[tubercular と混同しないこと]．*cf.* tubercular).

TUBERCULUM

tu·ber·cu·lum, pl. **tu·ber·cu·la** (tū-ber′kyū-lŭm, -lă) [L. *tuber*(a knob, swelling, tumor)の指小辞][TA]．結節．＝tubercle (3).

t. adductorium femoris [TA]．＝adductor *tubercle* of femur.

t. anomale dentis [TA]．＝anomalous *tubercle* of tooth.

t. anterior calcanei [TA]．＝calcaneal *tubercle*.

t. anterius atlantis [TA]．〔環椎〕前結節．＝anterior *tubercle* of atlas.

t. anterius thalami [TA]．〔視床〕前結節．＝anterior thalamic *tubercle*.

t. anterius vertebrarum cervicalium [TA]．〔頸椎〕前結節．＝anterior *tubercle* of cervical vertebrae.

tubercula areolae [TA]．＝areolar *tubercles*.

t. arthriticum 関節炎性結節（①＝Heberden *nodes*．②関節の中やその周辺にできる痛風性結節）．

t. articulare ossis temporalis [TA]．＝articular *tubercle* of temporal bone.

t. auriculae [TA]．耳介結節．＝auricular *tubercle*.

t. calcanei [TA]．踵骨結節．＝calcaneal *tubercle*.

t. caroticum [TA]．頸動脈結節．＝carotid *tubercle*.

t. cinereum 灰白結節（楔状束結節の外側縁に沿って延髄の後外側面にみられる縦の隆起で，その中には尾方で後外側束に連なる三叉神経脊髄路核を有する）．

t. conoideum (claviculare) [TA]．円錐靱帯結節．＝conoid *tubercle* (of clavicle).

t. corniculatum [TA]．小角結節．＝corniculate *tubercle*.

t. coronae ＝dental *tubercle*.

t. costae [TA]．肋骨結節．＝*tubercle* of rib.

t. cuneatum ＝cuneate *tubercle*.

t. cuneiforme [TA]．楔状結節．＝cuneiform *tubercle*.

t. deltoideum (spinae scapulae) [TA]．＝ deltoid *tubercle* (of spine of scapula).

t. dentis [TA]．歯冠結節．＝dental *tubercle*.

t. dorsale radii [TA]．〔橈骨の〕背側結節．＝dorsal *tubercle* of radius.

t. epiglotticum [TA]．喉頭蓋結節．＝epiglottic *tubercle*.

t. gracile ＝gracile *tubercle*.

t. hypoglossi ＝hypoglossal *trigone*.

t. iliacum [TA]．腸骨稜結節．＝*tubercle* of iliac crest.

t. impar 不対結節．＝median lingual *swelling*.

t. infraglenoidale (scapulae) [TA]．〔肩甲骨の〕関節下結節．＝infraglenoid *tubercle* (of scapula).

t. intercondylare (mediale et laterale) [TA]．〔内側または外側〕顆間結節．＝intercondylar *tubercle*.

t. intervenosum (atrii dextri) [TA]．〔右心房の〕静脈間隆起．＝intervenous *tubercle* (of right atrium).

t. jugulare ossis occipitalis [TA]．＝ jugular *tubercle* of occipital bone.

t. labii superioris [TA]．上唇結節．＝*tubercle* of upper lip.

t. laterale (processus posterioris) tali [TA]．〔距骨後突起の〕外側結節．＝lateral *tubercle* (of posterior process) of talus.

t. majus (humeri) [TA]．〔上腕骨〕大結節．＝greater *tubercle* (of humerus).

t. mallei ＝lateral *process* of malleus.

t. marginale (ossis zygomatici) [TA]．〔頬骨〕縁結節．＝marginal *tubercle* (of zygomatic bone).

t. mediale (processus posterioris) tali [TA]．〔距骨後突起の〕内側結節．＝medial *tubercle* (of posterior process) of talus.

t. mentale (mandibulae) [TA]．〔下顎骨の〕おとがい結節．＝mental *tubercle* (of mandible).

t. minus (humeri) [TA]．〔上腕骨〕小結節．＝lesser *tubercle* (of humerus).

t. molare [TA]．＝molar *tubercle*.

t. musculi scaleni anterioris [TA]．前斜角筋結節．＝scalene *tubercle*.

t. obturatorium (anterius et posterius) [TA]．〔前・後〕閉鎖結節．＝obturator *tubercle* (anterior and posterior).

t. olfactorium [TA]．嗅結節．＝olfactory *tubercle*.

t. orbitale ossis zygomatici [TA]．頬骨の眼窩隆起．＝orbital *tubercle* (of zygomatic bone).

t. ossis scaphoidei [TA]．舟状骨結節．＝*tubercle* of scaphoid (bone).

t. ossis trapezii [TA]．大菱形骨結節．＝t. of trapezium bone.

t. pharyngeum (partis basilaris ossis occipitalis) [TA]．〔後頭骨底部の〕咽頭結節．＝pharyngeal *tubercle* (of basilar part of occipital bone).

t. posterius atlantis [TA]．〔環椎〕後結節．＝posterior *tubercle* of atlas.

t. posterius vertebrarum cervicalium [TA]．〔頸椎〕後結節．＝posterior *tubercle* of cervical vertebrae.

t. pubicum [TA]．恥骨結節．＝pubic *tubercle*.

t. quadratum ＝quadrate *tubercle*.

t. sellae [TA]．鞍結節（蝶形骨体上面の下垂体窩（トルコ鞍)前方にある小隆起). =tubercle of saddle.

t. septi narium 鼻中隔結節（中鼻甲介前端と向かい合っている左右の鼻中隔壁にみられる平面隆起. 腺の集塊による).

t. superius =auricular *tubercle.*

t. supraglenoidale (scapulae) [TA]. 〔肩甲骨の〕関節上結節. =supraglenoid *tubercle* (of scapula).

t. supratragicum [TA]. 珠上結節. =supratragic *tubercle.*

t. thyroideum inferius [TA]. 下甲状結節. =inferior thyroid *tubercle.*

t. thyroideum superius [TA]. 上甲状結節. =superior thyroid *tubercle.*

t. of trapezium bone [TA]. 大菱形骨結節（大菱形骨の隆起線で, 橈側手根屈筋腱が通っている溝の橈側境界を形成しており, 手根横靱帯(屈筋支帯)の一部がここに付着している). =t. ossis trapezii [TA]; oblique ridge of trapezium; tubercle of trapezium (bone).

t. trigeminale [TA]. = trigeminal *tubercle.*

---

tu·ber·if·er·ous (tū′bĕr-if′ĕr-ŭs) [tuber + L. *ferro*, to bear]. 結節性の. =tuberous.

tu·ber·ose (tū′bĕr-ōs). =tuberous.

tu·ber·os·i·tas (tū′bĕr-os′i-tas) [L.L. < L. *tuberosus*, full of lumps < *tuber*, a knob][TA]. 粗面. =tuberosity.

t. coracoidea 烏口粗面. =*tuberosity* for coracoclavicular ligament.

t. costalis 肋骨粗面. =*impression* for costoclavicular ligament.

t. deltoidea (humeri) [TA]. 〔上腕骨の〕三角筋粗面. =deltoid *tuberosity* (of humerus).

t. glutea [TA]. 殿筋粗面. =gluteal *tuberosity.*

t. iliaca [TA]. 腸骨粗面. =iliac *tuberosity.*

t. ligamenti coracoclavicularis [TA]. = *tuberosity* for coracoclavicular ligament.

t. masseterica [TA]. 咬筋粗面. =masseteric *tuberosity.*

t. musculi serrati anterioris [TA]. 前鋸筋粗面. = *tuberosity* for serratus anterior (muscle).

t. ossis cuboidei [TA]. 立方骨粗面. =*tuberosity* of cuboid (bone).

t. ossis metatarsalis primi [I] [TA]. 第一中足骨粗面. =*tuberosity* of first metatarsal (bone) [I].

t. ossis metatarsalis quinti [V] [TA]. 第五中足骨粗面. =*tuberosity* of fifth metatarsal (bone) [V].

t. ossis navicularis [TA]. 舟状骨粗面. =*tuberosity* of navicular bone.

t. ossis sacri [TA]. =sacral *tuberosity.*

t. phalangis distalis (manus et pedis) [TA]. 〔手または足の〕末節骨粗面. =*tuberosity* of distal phalanx (of hand and foot).

t. pronatoria [TA]. = pronator *tuberosity.*

t. pterygoidea (mandibulae) [TA]. 〔下顎骨の〕翼突筋粗面. =pterygoid *tuberosity* (of mandible).

t. radii [TA]. 橈骨粗面. =radial *tuberosity.*

t. sacralis [TA]. 仙骨粗面. =sacral *tuberosity.*

t. tibiae [TA]. 脛骨粗面. =tibial *tuberosity.*

t. ulnae [TA]. 尺骨粗面. =*tuberosity* of ulna.

t. unguicularis 〔手または足の末節骨の〕爪粗面. =*tuberosity* of distal phalanx (of hand and foot).

tu·ber·os·i·ty (tū′bĕr-os′i-tē) [TA]. 粗面（特に骨面にみられる大きな結節, あるいは丸みのある隆起). =tuberositas [TA].

bicipital t. =radial t.

calcaneal t. [TA]. 踵骨隆起（踵の突出部を形成する踵骨の後端部分). =tuber calcanei [TA]; calcaneal tuber; tuber calcis.

t. for coracoclavicular ligament [TA]. 烏口鎖骨靱帯粗面（肩甲骨烏口突起の円錐靱帯と僧帽筋線を併せた呼び名で, 前者には円錐靱帯が付着し, 後者には僧帽筋靱帯が付着している(両方を併せて烏口鎖骨靱帯という)). =tuberositas ligamenti coracoclavicularis [TA]; coracoid t.; tuberositas coracoidea.

coracoid t. 烏口粗面. =t. for coracoclavicular ligament.

costal t. 肋骨粗面. =*impression* for costoclavicular ligament.

t. of cuboid (bone) [TA]. 立方骨粗面（立方骨外側面上の小隆起. 長腓骨筋腱溝の種子骨に対する咬合面でおおわれる). =tuberositas ossis cuboidei [TA].

deltoid t. (of humerus) [TA]. 〔上腕骨の〕三角筋粗面（上腕骨幹外側の中央にある粗な隆起. 三角筋が付着する). =tuberositas deltoidea (humeri) [TA]; deltoid crest; deltoid eminence; deltoid impression.

t. of distal phalanx (of hand and foot) [TA]. 〔手または足の〕末節骨粗面（各手指, 足指の先端または末節骨末端の手掌面において馬蹄形をした粗な隆起面. 指腹の支持の役目をする). =tuberositas phalangis distalis (manus et pedis) [TA]; tuberositas unguicularis; ungual t.

t. of fifth metatarsal (bone) [V] [TA]. 第五中足骨粗面（中足骨の基底部にある隆起で, 短腓骨筋腱がその後部に付着する). =tuberositas ossis metatarsalis quinti [V] [TA].

t. of first metatarsal (bone) [I] [TA]. 第一中足骨粗面（長腓骨筋が付着する骨基底部の隆起). =tuberositas ossis metatarsalis primi [I] [TA].

gluteal t. [TA]. 殿筋粗面（大腿骨幹上方にあって大殿筋の深小部が停止している粗面. 著しく発達するとこの粗面は第三転子とよばれる. →third *trochanter*). =tuberositas glutea [TA]; crista glutea; gluteal crest; gluteal ridge.

greater t. of humerus =greater *tubercle* (of humerus).

iliac t. [TA]. 腸骨粗面（腸骨翼内側面上の耳状面上にある粗な部分. 骨間仙腸骨靱帯と後仙腸骨靱帯が付着する). = tuberositas iliaca [TA].

infraglenoid t. 関節下結節. =infraglenoid *tubercle* (of scapula).

ischial t. [TA]. 坐骨結節（坐骨体下端と坐骨枝との連結部にみられる粗大な骨隆起で, 椅子に座ったとき体重のかかるところ. 仙結節靱帯の付着部であり膝屈曲筋の起始するところでもある). =tuber ischiadicum [TA]; tuber of ischium.

lateral femoral t. 大腿骨外側上顆. =lateral *epicondyle* of femur.

lesser t. of humerus =lesser *tubercle* (of humerus).

masseteric t. [TA]. 咬筋粗面（下顎角外面の粗面. 咬筋線維が付着する). =tuberositas masseterica [TA].

maxillary t. [TA]. 上顎結節（上顎骨体後面の膨隆した最下端で, 第三大臼歯根の後方にある). =tuber maxillae [TA]; eminentia maxillae*; maxillary eminence.

medial femoral t. 大腿骨内側上顆. =medial *epicondyle* of femur.

t. of navicular bone [TA]. 舟状骨粗面（舟状骨内側面の円形隆起. 後脛骨筋腱の一部が付着する). =tuberositas ossis navicularis [TA]; scaphoid t.

omental t. of liver [TA]. 肝臓の小網隆起（静脈管の左側にある肝臓の左葉の内臓表面上にある隆起部分). =tuber omentale hepatis [TA].

pronator t. [TA]. 回内筋隆起（橈骨体外側面の中程にみられる粗面で回内筋が付着する). =tuberositas pronatoria [TA].

pterygoid t. (of mandible) [TA]. 〔下顎骨の〕翼突筋粗面（下顎骨内面の粗な部分. 内側翼突筋線維が付着する). = tuberositas pterygoidea (mandibulae) [TA].

radial t. [TA]. 橈骨粗面（橈骨頸部から遠位の, 橈骨内側面から出た卵形の隆起. その後半部に上腕二頭筋腱が停止する). =tuberositas radii [TA]; bicipital t.; tuber radii; t. of radius.

t. of radius 橈骨粗面. =radial t.

sacral t. [TA]. 仙骨粗面（耳状面後部の仙骨外側面上にある隆起で, 後仙腸骨靱帯が付着する). =tuberositas sacralis [TA]; tuberositas ossis sacri [TA].

scaphoid t. 舟状骨粗面. =t. of navicular bone.

t. for serratus anterior (muscle) [TA]. 前鋸筋粗面（第二肋骨の外面下縁中央部近くにある卵形の粗な部分. 前鋸筋が付着する). =tuberositas musculi serrati anterioris [TA].

T

tibial t. [TA]．脛骨粗面（関節面から3cmほど遠位の脛骨前面上の卵形隆起．その遠位部に膝蓋骨靱帯が付着する）．＝tuberositas tibiae [TA]．

t. of ulna [TA]．尺骨粗面（烏口突起の前面下縁にある隆起．上腕筋が停止する）．＝tuberositas ulnae [TA]．

ungual t.〔手または足の末節骨の〕爪粗面．＝t. of distal phalanx (of hand and foot)．

tu·ber·ous (tū′bĕr-ŭs) [L. *tuberosus*]．結節状の，塊茎状の（多数の結節や隆起を有するものについていう）．＝tuberiferous; tuberose.

tubo- [L. *tubus*, *tuba*, tube]．管状の，または管，を意味する連結形．→salpingo-．

tu·bo·ab·dom·i·nal (tū′bō-ab-dom′i-năl)．卵管腹腔の（卵管と腹腔に関する）．

tu·bo·cu·ra·rine chlo·ride (tū′bō-kyū-ra′rin klōr′īd)．塩化ツボクラリン（*Chondodendron*属植物(特に *C. tomentosum*)の幹から得られるアルカロイド．受容器を競合的に支配して，神経筋接合部でのアセチルコリンの作用を遮断し，また神経節伝達を遮断しヒスタミンを遊離する．手術中の筋弛緩薬として用いる）．

tu·bo·lig·a·men·tous (tū′bō-lig′ă-men′tŭs)．卵管靱帯の（卵管と子宮の靱帯に関する）．

tu·bo·o·var·i·an (tū′bō-ō-vār′ē-ăn)．卵管卵巣の（卵管と卵巣に関する）．

tu·bo·o·var·i·ec·to·my (tū′bō-ō-var′ē-ek′tŏ-mē)．卵管卵巣切除〔術〕．＝salpingo-oophorectomy．

tu·bo-o·va·ri·tis (tū′bō-ō′vă-rī′tis)．卵管卵巣炎．＝salpingo-oophoritis．

tu·bo·per·i·to·ne·al (tū′bō-per′i-tō-nē′ăl)．卵管腹膜の（卵管と腹膜に関する）．

tu·bo·plas·ty (tū′bō-plas′tē)．卵管形成〔術〕．＝salpingoplasty．

tu·bo·tor·sion (tū′bō-tōr′shŭn) [tubo- ＋L. *torsio*, torsion]．管捻転（卵管のような管状構造のねじれ）．＝tubatorsion．

tu·bo·tym·pan·ic, tu·bo·tym·pa·nal (tū′bō-tim-pan′ik, -tim′pă-năl)．耳管鼓室の（耳管と中耳の鼓室に関する）．

tu·bo·u·ter·ine (tū′bō-yū′tĕr-in)．卵管子宮の（卵管と子宮に関する）．

tu·bo·vag·i·nal (tū′bō-vaj′i-năl)．卵管腟の（卵管と腟に関する）．

tu·bu·lar (tū′byū-lăr)．管状の，尿細管の，気管の．＝tubuliform．

tu·bu·la·ture (tu′byū-lă-chūr)．レトルトの短頸．

tu·bule (tū′byūl) [L. *tubulus*: *tubus*(tube)の指小辞][TA]．細管，小管．＝tubulus [TA]．

Albarran y Dominguez t.'s (ahl′bah-rahn ē dō-min′gez)．アルバラン・イ・ドミンゲ細管．＝Albarran *glands*．

connecting t. 連結管（腎臓の遠位曲尿細管と集合管を結合する）．

convoluted t. of kidney 曲尿細管（腎迷路にあるネフロンの複雑に屈曲している部分で，近位曲尿細管と遠位曲尿細管とからなる．前者は糸球体嚢から尿細管わなの太い下行脚まで，後者は尿細管わなの太い上行脚から集合管までをいう）．＝Ferrein tube; tubuli contorti (1); tubulus renalis contortus．

convoluted seminiferous t. 曲精細管．＝seminiferous t.'s．

dental t.'s ぞうげ細管．＝dentinal t.'s．

dentinal t.'s ぞうげ細管（ぞうげ質にある管で，微細な波形を描き枝分かれしている．ぞうげ芽細胞の長い細胞質突起を含み，歯髄からエナメルぞうげ境および象牙セメント境へ放射状に広がる）．＝dental t.'s; dentinal canals; canaliculi dentales; tubuli dentales．

discharging t. 排泄細管（いくつかの連結管が集まって乳頭管として終わる）．

Henle t.'s (hen′lĕ)．ヘンレ細管（尿細管わな(Henle わな)を形成する尿細管の直線部．Henle 下降細管と上昇細管に分けられる）．

Kobelt t.'s (kō′belt)．コーベルト〔細〕管（女性の中腎小管の遺残物で，卵巣上体(副卵巣)内に含まれる）．＝wolffian t.'s．

malpighian t.'s マルピーギ〔細〕管（昆虫の細い管状または毛髪状の排泄性構造．中腸と肛門部(後腸)の間の消化管，すなわちしばしば幽門とよばれる部位から出る．管の数は1から100本以上と様々で，ある昆虫では同じ大きさの束に分類しうる）．

mesonephric t. 中腎〔小〕管（中腎の排泄管）．＝segmental t．

metanephric t. 後腎〔小〕管（後腎または永久腎の排泄単位）．

paragenital t.'s 性器傍管（胎児中腎小管の遺残物で，そのあるものは精巣傍体を形成する）．

pronephric t. 前腎〔小〕管（前腎の排出単位．ヒト胚中に痕跡としてのみ存在する）．

segmental t. ＝mesonephric t．

seminiferous t.'s 精細管（各精巣小葉の中にある2－4本の強く屈曲した小管で，その中で精子が形成されている）．＝tubuli seminiferi recti [TA]; convoluted seminiferous t.; tubuli contorti (2)．

Skene t.'s (skēn)．スキーン細管（前立腺の雌性相同構造である胚尿道腺）．

spiral t. ラセン細管（近位曲尿細管の後に続く尿細管の名称）．

straight t. 直細管（腎臓の直尿細管．髄質および皮質の放線部に存在する）．

straight seminiferous t.* 直精細管（straight t. of testis の公式の別名）．

straight t. of testis [TA]．直精細管（曲精細管の続きで縦隔にはいって精巣網を形成する直前にまっすぐになる部分）．＝tubuli seminiferi recti testi [TA]; straight seminiferous t.*; tubulus rectus．

T t. T系の細管．＝*tubulus* transversus．

uriniferous t. 尿細管（腎臓の機能単位で，長い渦巻き状の部分(ネフロン)と腎内集合管からなる）．

wolffian t.'s ヴォルフ〔細〕管．＝Kobelt t.'s．

tu·bu·li (tū′byū-lī)．tubulus の複数形．

tu·bu·li·form (tū′byū-li-fōrm)．小管状の．＝tubular．

tu·bu·lin (tū′byū-lin)．チューブリン（微細小管のサブユニット蛋白．2つの球状ポリペプチドである．α-チューブリンとβ-チューブリンよりなる二量体である．→dynein）．

t.-tyrosine ligase チューブリンチロシンリガーゼ（チューブリンのC末端グルタミル残基へチロシンを共有結合で連絡させる．同時にATP の加水分解によりADP と正リン酸塩を与える反応が共役する反応を触媒する酵素．これはユニークな翻訳後の修飾反応であり，細胞骨格の輸送や設計および安定性に重要な働きをする）．

tu·bu·li·za·tion (tū′byū-li-zā′shŭn)．造管術，包管術（神経縫合後，周辺組織が侵入して癒合を阻止するのを防ぐために，パラフィンまたは吸収の遅い物質で円筒内に，離断した神経の縫合部を封入すること）．

tu·bu·lo·cyst (tū′byū-lō-sist)．管状嚢胞（閉塞細管の拡張によって生じる嚢胞）．＝tubular cyst．

tu·bu·lo·der·moid (tū′byū-lō-der′moyd)．管状類皮腫（遺存胚細管構造から発する類皮腫）．

tubulointerstitial (tū′byū-lō-in-tĕr-stish′ăl)．尿細管間質性（糸球体を除く，腎のすべての尿細管および結合織）．

tu·bu·lo·neo·gen·e·sis (tū′byū-lō-nē′ō-jen′ĕ-sis) [tubule ＋neogenesis]．尿細管新生(新しい尿細管の形成．通常 Wilms 腫瘍や中腎芽腫などの腎腫瘍における尿細管の増殖に対して用いられる）．

tu·bu·lo·rac·e·mose (tū′byū-lō-ras′ĕ-mōs)．管状ブドウ状の（細管状およびブドウ状構造の腺についていう）．

tu·bu·lor·rhex·is (tū′byū-lō-rek′sis) [tubule＋G. *rhēxis*, a breaking]．尿細管壊死（腎細管の局所分節の上皮の内張りの壊死を特徴とする病理学的過程．基底膜の局所的破裂や欠如を伴う）．

tu·bu·lose, tu·bu·lous (tū′byū-lōs, -lŭs)．〔細〕管状の．

tu·bu·lus, pl. tu·bu·li (tū′byū-lŭs, -lī) [L. *tubus*(a pipe)の指小辞][TA]．細管．＝tubule．

tubuli biliferi 集合胆管．＝biliary *ductules*．

tubuli contorti *1* 曲尿細管．＝convoluted *tubule* of kidney．*2* 曲精細管．＝seminiferous *tubules*．

tubuli dentales ぞうげ細管．＝dentinal *tubules*．

tubuli epoophori 卵巣上体細管．＝transverse *ductules* of

epoophoron.
tubuli galactophori 乳管．＝lactiferous *ducts.*
tubuli lactiferi 乳管．＝lactiferous *ducts.*
tubuli paroophori 卵巣傍体細管．＝*ductuli* paroophori (⇒*ductulus*).
t. rectus 直細管．＝straight *tubule* of testis.
t. renalis contortus 曲尿細管．＝convoluted *tubule* of kidney.
tubuli seminiferi recti [TA]．直精細管．＝seminiferous *tubules.*
tubuli seminiferi recti testi [TA].＝ straight *tubule* of testis.
t. transversus 横細管，T細管（心筋や骨格筋細胞の筋形質膜が筋原線維を横切るようにはいり込んでつくる細管で，骨格筋では三つ組，心筋では二つ組からなる．形質膜の収縮刺激を内部の筋原線維にまで伝達する）．＝T tubule.

tu·bus, pl. **tu·bi** (tū′bŭs, -bī) [L.]．管．
t. digestorius ＝digestive *tract.*
t. medullaris ＝central *canal.*
t. vertebralis 脊柱管．＝vertebral *canal.*

Tuck·er (tŭk′ĕr), Ervin Alden．米国人産科医，1862—1902．⇀T.-McLean *forceps*.

tuft (tŭft)．ふさ状分岐．
enamel t. エナメル叢（エナメル質にみられる石灰化不全を示す構造物で，エナメルぞうげ境に始まり，エナメル質深層約1/2の範囲まで及ぶ）．
malpighian t. マルピーギふさ状分岐．＝glomerulus (2).
synovial t.'s ＝synovial *villi*(⇒*villus*).

tuft·sin (tŭf′sin) [*Tufts* University + -in]．タフトシン（免疫グロブリンのFc領域に由来する四量体ペプチドで，マクロファージ機能を増強する）．

tug, tug·ging (tŭg, tŭg′ing)．牽引．
tracheal t. 気管牽引（①気管の下方牽引．甲状腺軟骨の下方運動で，心臓の活動と同時に現れる．大動脈弓の動脈瘤の症候．この症状は，患者が首を後方に曲げ，口を閉じている間に，母指と示指で輪状軟骨を引っ張ると，きわめて簡単に誘発される．②肋間筋と横隔膜胸肋部が全身深麻酔または筋弛緩薬で麻痺したときに，痙動型呼吸がみられる．横隔膜疵面および心膜，肺根，気管気管支樹を，各吸息中に脚から引っ張るという反作用に由来する）．

tu·la·re·mi·a (tū-lă-rē′mē-ă) [*Tulare*，カリフォルニア州の湖・郡名 ＋G. *haima*, blood]．ツラレミア，野兎病（*Francisella tularensis* による疾患．*Chrysops discalis* および他の吸血昆虫に刺されたげっ歯類からヒトに伝播する．感染動物に咬まれたり，また感染動物の死体を扱うことにより直接感染することもある．症状は，波状熱やペストと同様で，長期の間欠性または弛張性発熱およびしばしば感染部位近くのリンパ節の腫脹と化膿がみられる．野兎は主要な保菌宿主である）．＝deer-fly disease; deer-fly fever; Pahvant Valley fever; Pahvant Valley plague; rabbit fever.
glandular t. リンパ節型野兎病（野兎病で，主としてリンパ節感染症状が著しい病態）．
pulmonary t. 肺野兎病（肺を侵す野兎病．野兎病性肺炎）．＝pulmonic t.
pulmonic t. 肺野兎病．＝pulmonary t.

tulle gras (tūl grā′) [Fr. oily net]．ツルグラ（外傷用包帯．主にフランスで用いられる．目の大きな幕状の網を真四角に切り，液性パラフィン(98/100)，ペルーバルサム(1/100)，オリーブ油(1/100)に浸したもの）．

Tulp (Tul·pi·us) (tŭlp), Nicholas (Nicolaus)．オランダ人解剖学者，1593—1674．⇀T. *valve*.

tu·me·fa·cient (tū′mĕ-fā′shĕnt) [L. *tume-facio*, to cause to swell < *tumeo*, to swell]．腫脹する，腫脹しそうな．＝tumefactive.

tu·me·fac·tion (tū′mĕ-fak′shŭn) [⇀tumefacient]．腫脹，腫大（①＝tumentia．②＝tumescence）．

tumefactive (tū-mĕ-fak′tiv)．腫脹性の，腫脹した．＝tumefacient.

tu·me·fy (tū′mĕ-fī)．腫脹する，腫脹を引き起こす．

tu·men·ti·a (tū-men′shē-ă) [L. < *tumeo*, to swell]．腫脹，腫大．＝tumefaction (1).

tu·mes·cence (tū-mes′ents) [L. *tumesco*, to begin to swell]．腫脹（腫れてくる，または腫れた状態）．＝tumefaction (2); turgescence.

tu·mes·cent (tū-mes′ĕnt)．腫脹〔性〕の，腫大〔性〕の．＝turgescent.

tu·mid (tū′mid) [L. *tumidus*]．腫脹した（うっ血，水腫，充血による腫れた状態）．＝turgid.

TUMOR

tu·mor (tū′mŏr) [L. *tumor*, a swelling]．腫瘍，腫瘤，腫脹（[neoplasm の同義語としての隠語的使用を避けること]．①腫脹，または腫大の総称．②＝neoplasm．③ Celsus により発表された4つの炎症症状(腫瘍，熱，疼痛，発赤)の1つ）．
acinar cell t. 腺房細胞腫瘍（膵臓の固形嚢胞状腫瘍で，若年女性に好発する．腫瘍細胞はチモーゲン顆粒を有している）．
acoustic t. 聴神経腫瘍．＝vestibular *schwannoma.*
acute splenic t. 急性脾腫（急性脾炎，脾臓の肥大および軟化．通常，菌血症か重症敗血症により生じる）．
adenoid t. 腺腫（腺様空間をもつ腺腫または新生物）．
adenomatoid t. 類腺腫瘍（男性の精巣上体，女性の生殖路に生じる小さな良性腫瘍．線維組織または平滑筋からなり，結合した腺様の空間には酸性の粘液多糖類を含み，超微形態的に中皮細胞の特徴をもつ平坦な細胞におおわれている）．＝benign mesothelioma of genital tract.
adenomatoid odontogenic t. 腺様歯原性腫瘍（青年または若年成人にみられる，良性の上皮性歯原性腫瘍で，X線写真上，通常，埋伏歯の歯冠を取り囲む透過像と不透過像が混在した境界明瞭な病変としてみられる．組織学的には，円柱細胞の腺管状配列が特徴であり，紡錘形の細胞と徐々に異栄養性石灰化をうけるアミロイド様の沈着物が散在する）．＝adenoameloblastoma; ameloblastic adenomatoid t.
adipose t. 脂〔肪〕腫．＝lipoma.
ameloblastic adenomatoid t. ＝adenomatoid odontogenic t.
amyloid t. 類デンプン腫．＝nodular *amyloidosis.*
angioglomoid t. 血管糸球様腫瘍．＝epithelioid *hemangioendothelioma.*
aortic body t. 大動脈体腫瘍．＝chemodectoma.
Bednar t. (bed′năr)．ベトナール腫瘍．＝pigmented *dermatofibrosarcoma protuberans.*
benign t. 良性腫瘍（転移をせず，周囲の正常組織に侵入したり破壊したりしない腫瘍）．＝innocent t.
blood t. 血腫（動脈瘤，出血性嚢胞，または血腫を意味してときに用いる語）．
borderline ovarian t. 境界悪性卵巣腫瘍（上皮性卵巣腫瘍で，発育形成が良性と悪性の中間型を示すもの．粘液性・漿液性・類内膜・Brenner 腫瘍を含む．治癒率はきわめて高いがまれに摘出後再発する）．＝low malignant potential t.
Brenner t. (bren′ĕr)．ブレンナー腫〔瘍〕（比較的まれな良性卵巣腫瘍．ムチンを含む腺様構造と，主に移行型上皮に似た細胞巣を含む組織からなる．由来は論議下にあるが，Walthard 細胞遺残から発すると思われる．通常，特に中年以後の女性の，腫瘍以外の原因で除去した卵巣内に付随的に見出される）．
Brooke t. (bruk)．ブルック腫〔瘍〕．＝trichoepithelioma.
brown t. 褐色腫（ヘモジデリン沈着のあるマクロファージや多核巨細胞をもつ線維性組織の塊．原発性上皮小体機能亢進症のときに骨の一部と置き換わって増大する）．
t. burden 全身腫瘍組織量（悪性疾患の患者の体内にある腫瘍組織の総量）．
calcifying epithelial odontogenic t. 歯原性石灰化上皮腫（良性で上皮性の歯原性腫瘍で，エナメル器の中間層由来である．無痛性で発育は緩慢であり，X線写真上においては透過像と不透過像の混在した像を認める．組織学的には，多角形の上皮細胞の索状配列，アミロイド沈着，類円形の石灰化物を特徴とする）．＝Pindborg t.
carcinoid t. カルチノイド，類癌腫（通常，緩徐に増大する小さな腫瘍で，正常粘膜におおわれ，割面は黄色を呈す

T

る．やや小型の染色性に乏しい核をもった，好酸性の円形または紡錘形の細胞が島嶼状に散在する．腫瘍細胞は小腫瘍巣の辺縁に柵状になっていることが多く，周囲組織へ浸潤する傾向がある．この新生物は消化管のどこにでも(肺および他の部位にも)発生するが，約 90％は虫垂で発生し，残りは主に回腸にみられるが，胃，小腸の他の部分，結腸，直腸でもみられる．虫垂のカルチノイドと小さいカルチノイドはほとんど転移することはないが，他の原発部位あるいは，直径 2 cm 以上の腫瘍からの転移率の報告は，25—75％と差がみられる．腹部のリンパ節と肝臓は著しく侵されるが，横隔膜から上の転移はまれにしかない．症例の約 1％にカルチノイド症候群がみられるが，肝転移により門脈・大循環シャントを生じた後に多い．→carcinoid *syndrome*)．

carotid body t. 頸動脈小体腫瘍．＝chemodectoma.

cellular t. 細胞性腫瘍（主に緊密に詰まった細胞からなる腫瘍)．

cerebellopontine angle t. 小脳橋角腫瘍．＝vestibular *schwannoma.*

chromaffin t. クロム親和性腫瘍．＝chromaffinoma.

Codman t. (kod′mǎn)．コッドマン腫〔瘍〕（上腕骨近位の軟骨芽細胞腫)．

collision t. 衝突腫瘍（本来は 2 つの腫瘍，特に癌腫と肉腫が，偶然近接して発生し発育したと考えられるもので，2 つの異なる腫瘍細胞が混在している部分がある．→carcinosarcoma)．

connective t. 結合組織腫瘍（骨腫，線維腫，肉腫などのような結合組織からなる腫瘍)．

Dabska t. (dab′skǎ)．ダブスカ腫瘍．＝papillary intralymphatic *angioendothelioma.*

dermal duct t. 真皮内汗管腫瘍（頭部と頸部にしばしば起こる良性小型の腫瘍．エクリン汗管の真皮部由来)．

dermoid t. 類皮腫．＝dermoid *cyst.*

desmoid t. 類腱腫．＝desmoid (2).

desmoplastic small cell t. 結合組織形成性小細胞腫瘍（多くは青年男子の腹部にできる悪性度の高い腫瘍．典型的には腫瘍細胞はデスミンとケラチンの両者を有し，胎児の中皮細胞のようにハイブリッドの特徴を呈す．これら細胞の正確な由来は不明である)．

diffuse type giant cell t. びまん型巨細胞腫（関節とその周囲の軟部組織の局所侵襲性腫瘍で，単核の線維芽細胞，ヘモジデリンが充満したマクロファージからなる．細胞分裂が著明で，大きなものは侵襲性の発育と再発傾向を示す．軟部組織の局所性巨細胞腫に似ているが，細胞が豊富で核が異形性を示し，核小体が明瞭で，染色体異常がはっきりしている点が異なる．再発が 30 — 50％にみられる．まれに明らかな悪性所見を示すことがある)．

dysembryoplastic neuroepithelial t. 腫瘍的性格の低いまれな脳の新生物で，小児期にみられることが多く，痙攣や，大脳皮質の異形成を伴う．多結節性，多嚢胞性の腫瘍は，しばしば希突起神経膠様細胞で構成される．

eighth nerve t. 第八神経腫．＝vestibular *schwannoma.*

embryonal t., embryonic t. 胚芽腫（子宮内または出生直後の発育過程で器官原基痕跡あるいは未成熟組織から発生する通常は悪性の新生物．もとの器官あるいは組織の特徴を有する未熟な構造物を形成するが，まったく別な組織をつくることもある．本腫瘍には，神経芽細胞腫と Wilms 腫瘍が含まれるが，本名称は，後に現れるある種の新生物を含めても用いられる．この方法は，そのような腫瘍が胎生時組織遺残から発生するという考えに基づいている．→teratoma)．＝embryoma.

embryonal t. of ciliary body 毛様体の胚芽腫．＝embryonal *medulloepithelioma.*

endocervical sinus t. 悪性胚細胞性腫瘍．卵巣にしばしば発生する．原始胚細胞より発生し，羊膜嚢に類似の組織像で胚外組織に浸潤する．＝yolk sac carcinoma.

endodermal sinus t. 内胚葉洞腫瘍（性腺，仙尾骨奇形腫，および縦隔に生じる悪性新生物．初期内胚葉細胞に由来すると考えられる α-胎児性蛋白を産生する)．＝yolk sac t.

endometrioid t. 類内膜腫瘍（子宮内膜に類似の上皮または間質部分を含む卵巣の腫瘍)．

Erdheim t. (er′hīm)．エールトハイム腫〔瘍〕．＝craniopharyngioma.

Ewing t. (yū′ing)．ユーイング腫〔瘍〕，骨髄原発性肉腫（悪性新生物の一種．この新生物は通常 20 歳以前に発生し，男性には約 2 倍多く，患者の 75％は，上肢帯を含めた四肢の骨，特に骨端線を侵される．組織学的には小型で，規則的で，きわめて細胞質に乏しい円形または卵形の細胞(赤血球の直径の 2 — 3 倍の大きさ)からなる不規則な形の腫瘤で壊死巣が顕著に認められる)．＝endothelial myeloma; Ewing sarcoma.

extrapulmonary sugar t. 肺外明細胞腫(糖腫瘍)．＝PEComa.

fecal t. 糞石．＝fecaloma.

fibroid t. 類線維腫（ある種の線維腫および平滑筋腫の旧名)．

gastrointestinal autonomic nerve t. 消化管自律神経腫瘍（組織学的に腸筋神経叢に関連した胃および小腸の良性・悪性腫瘍，家族性のこともあり，消化管の神経異形成に関連する)．

gastrointestinal stromal t. [MIM* 606764]．消化管間質腫瘍（分類不能の紡錘細胞からなる良性あるいは悪性の腫瘍．免疫組織学的には平滑筋腫瘍，Schwann 細胞腫瘍とは異なる)．

giant cell t. of bone 骨巨細胞腫（ときに悪性のこともある軟らかい赤褐色の骨破壊性腫瘍．多核巨大細胞と卵円形または紡錘状細胞からなり，青壮年の長骨端に最も頻発する)．＝giant cell myeloma; osteoclastoma.

giant cell t. of low malignant potential 低悪性巨細胞腫．＝giant cell t. of soft tissue.

giant cell t. of soft tissue 軟部巨細胞腫（骨の巨細胞腫瘍に相当する軟部組織の腫瘍．血管に富んだ間質中に円形または楕円形の線維芽細胞と多核細胞がみられる)．＝giant cell t. of low malignant potential; osteoclastoma of soft tissue.

giant cell t. of tendon sheath 腱鞘巨細胞腫（通常，母指を含む指の屈筋鞘から発生し，線維組織，脂肪またはヘモシデリン含有マクロファージ，多核巨大細胞からなる，恐らくは炎症性の小結節)．＝localized nodular tenosynovitis.

glomus t. [MIM*138000]．グロムス腫瘍，球腫（特殊な発達をとげた血管周囲細胞(ときにグロムス細胞とよばれる)からなる血管腫．通常，単一の被膜で包まれた結節状の腫瘤で，直径が数 mm，ほとんど皮膚に発生し，しばしば上肢の爪下にみられる．グロムス腫瘍はきわめて圧痛が強く，患者は痛みが激しいために患肢を動かそうとしないので，ときに筋肉の萎縮をもたらすことがある．多発性グロムス腫瘍はときとして常染色体優性遺伝により起こる．グロムス細胞に裏打ちされた海綿状の空胞からなるときはグロムス血管腫 *glomangiomas* とよばれる)．

glomus jugulare t. 頸静脈グロムス腫瘍（頸静脈小体から生じるグロムス腫瘍で，下鼓室に最初現れることが多い)．

glomus tympanicum t. 鼓室〔型〕グロムス腫瘍（中耳内側壁に発生するグロムス腫瘍)．

Godwin t. (god′win)．ゴッドウィン腫〔瘍〕．＝benign lymphoepithelial *lesion.*

granular cell t. 顆粒細胞腫（Schwann 細胞由来の顕微鏡学的に特異な，一般に良性な新生物．しばしば皮膚，粘膜，結合組織中の末梢神経を侵す．細胞質は豊富でリソソーム顆粒を含み，細胞の成長は遅いが周囲組織間に浸潤し，隣接する表面上皮は過形成を呈することがある)．

granulosa cell t. 顆粒膜細胞腫（卵巣の良性または悪性腫瘍．胞状卵胞の顆粒膜から発生し，しばしばエストロゲンを分泌する．軟らかく充実性で，白色または黄色を呈する．小円形細胞からなり，ときに Call-Exner 小体を封入する．大きな脂質含有細胞が存在することもある)．＝folliculoma (1).

Grawitz t. (grah′vits)．グラーヴィッツ腫〔瘍〕（renal *adenocarcinoma* の冠名で古語)．

hemorrhagic spindle cell t. with amianthoid fibers アミアントイド線維を伴う出血性紡錘細胞腫．＝palisaded or intranodal *myofibroblastoma.*

heterologous t. 異種組織腫瘍（発生した部分の組織とは異なる組織からなる腫瘍)．

hilar cell t. of ovary 内細胞腫．＝steroid cell t.

histoid t. 類組織腫（単一の，分化した組織からなる腫瘍の古語．→histoma)．

homologous t. 同種組織腫瘍（発生した部位の組織と同種組織からなる腫瘍）.

hyalinizing spindle cell t. with giant rosettes 巨大ロゼットを伴う硝子化紡錘細胞腫瘍. ＝low-grade fibromyxoid *sarcoma*.

inflammatory myofibroblastic t. 炎症性筋線維芽腫瘍（筋線維芽細胞，形質細胞，その他の慢性炎症細胞からなる形態学的に類似した病変を呈する様々な腫瘍の一群．子供や若年成人では軟部組織と内臓に好発し，クローン性増殖を示す．成人ではどこにでも生じ，通常クローン性はない.→pseudotumor). ＝omental mesenteric myxoid hamartoma; plasma cell pseudotumor.

inflammatory myxohyaline t. 炎症性粘液ヒアリン腫瘍. ＝myxoinflammatory fibroblastic *sarcoma*.

inflammatory myxohyaline t. of distal extremities with virocytes 四肢遠位部の異形リンパ球を伴う炎症性粘液ヒアリン腫瘍. ＝myxoinflammatory fibroblastic *sarcoma*.

innocent t. ＝benign t.

interstitial cell t. of testis ＝Leydig cell t.

intravascular bronchioloalveolar t. 血管内細気管支肺胞腫瘍. ＝epithelioid *hemangioendothelioma*.

islet cell t. ランゲルハンス島細胞腫瘍（正常の Langerhans 島内に存在する細胞の腫瘍．良性も悪性もある．一般にホルモン産生性であり，インスリノーマ，グルカゴノーマ，ビポーマ，ソマトスタチノーマ，ガストリノーマ，膵性ポリペプチド産生腫瘍などがある．また数種類のホルモンを産生するものやまったくホルモンを産生しないものもある）.

juxtaglomerular cell t. 傍糸球体細胞腫瘍（傍糸球体細胞由来の腫瘍で通常，腫瘍がレニンを産生するために生じると考えられる著明な拡張期高血圧を伴う二次性アルドステロン症の徴候を示す．組織所見は血管周囲細胞種 hemangiopericytoma の所見と類似している）.

Klatskin t. (klat′skin). クラツキン腫瘍（総肝管分岐部の腺癌）.

Krukenberg t. (krū′kĕn-berg). クルーケンベルク腫〔瘍〕（卵巣への転移癌．通常，両側性で粘液の充満した印環細胞を有する胃の粘膜癌から二次的に発生する）.

Landschutz t. (lahnd′shūtz). ラントシュッツ腫〔瘍〕（移植可能で，同種抗原性と思われる悪性度の高い新生物．どの系統のハツカネズミにも発育させることができ，宿主は，明らかな未分化癌によって2－3日で死亡する）.

Leydig cell t. (lī′dig). ライディヒ細胞腫〔瘍〕（Leydig 細胞による精巣，まれには卵巣に起こる腫瘍で，通常は良性だが悪性のこともある．アンドロゲンまたはエストロゲンを分泌する）. ＝interstitial cell t. of testis.

Lindau t. (lin′dow). リンダウ腫〔瘍〕. ＝hemangioblastoma.

low malignant potential t. ＝borderline ovarian t.

malignant t. 悪性腫瘍（周辺組織を侵し，通常は転移する腫瘍．除去しても再発することがあり，適切に処置しないと死に至りやすい.→cancer).

malignant mixed ganglioneuronal t. 悪性混合性節神経腫（膠細胞と神経細胞からなる中枢神経系腫瘍）.

malignant mixed müllerian t. (**MMMT**) 悪性ミュラー管混合腫瘍. ＝mixed mesodermal t.

melanotic neuroectodermal t. of infancy 乳児黒色神経外胚葉腫（生後1年以内の乳児の上顎骨前方部に好発する神経外胚葉起源の良性腫瘍．臨床的には，急速に成長する濃い藍色の病変として発現し，骨破壊性のX線透過像を示す．組織学的には，小さな円形の未分化な腫瘍細胞が胞巣状に存在することが特徴であり，やや大きな多形性のメラニン産生細胞の散在を認める）. ＝melanoameloblastoma; pigmented ameloblastoma; pigmented epulis; progonoma of jaw; retinal anlage t.

Merkel cell t. (mĕr′kĕl). メルケル細胞腫（高齢者の日光裸露部にみられるまれな悪性皮膚腫瘍の1つ．真皮内で細胞質の乏しい小円形細胞が，索状配列をとり結節性に増殖する．腫瘍細胞は，Merkel 細胞にみられる神経分泌顆粒に似た細胞質内に dense core granule を認める）. ＝primary neuroendocrine carcinoma of the skin; trabecular carcinoma.

mesonephroid t. ＝mesonephroma.

mixed t. 混合腫瘍（2種あるいはそれ以上の種類の組織からなる腫瘍）.

mixed mesodermal t. 混合性中胚葉腫瘍（老年女性に生じる子宮体の肉腫で，2つ以上の間葉組織からなり特に横紋筋細胞をもつ組織からなる）. ＝malignant mixed müllerian t.

mixed t. of salivary gland 唾液腺混合腫瘍. ＝pleomorphic *adenoma*.

mixed t. of skin 皮膚混合腫瘍. ＝chondroid *syringoma*.

mucoepidermoid t. 粘液類上皮腫. ＝mucoepidermoid *carcinoma*.

Nelson t. (nel′sŏn). ネルソン腫〔瘍〕（Nelson 症候群(⇀syndrome)の症状を惹起する下垂体腫瘍）.

oil t. 油腫. ＝lipogranuloma.

oncocytic hepatocellular t. ＝fibrolamellar liver cell *carcinoma*.

organoid t. 奇形腫（腺組織に発生し，上皮，結合組織を含む複合構造の腫瘍）.

Pancoast t. (pan′kōst). パンコースト腫瘍（上腕神経叢と星状神経節への浸潤または圧迫による Pancoast 症候群を引き起こす肺尖部の癌）. ＝superior pulmonary sulcus t.

papillary t. 乳頭状腫瘍. ＝papilloma.

paraffin t. パラフィン腫. ＝paraffinoma.

perivascular epithelioid cell t. (**PECT**) 血管周囲類上皮細胞腫瘍. ＝PEComa.

phantom t. ファントム腫瘤（うっ血性心不全によって起こる肺の葉間への液貯留．放射線学的には新生物に類似する）. ＝pseudotumor; vanishing t.

phyllodes t. 葉状腫瘍（良性の上皮成分と様々な細胞密度，異型性を示す間質の混在からなる一連の新生物．良性の葉状腫瘍から葉状嚢肉腫までいろいろある．乳房に最も好発する）.

pilar t. of scalp 頭皮の毛髪腫瘍（老年女性の頭皮の単発性腫瘍で潰瘍化することもある．組織学的にはグリコゲンに富む淡明細胞からなる扁平上皮癌に類似するが，毛髪嚢腫は良性である）. ＝proliferating tricholemmal cyst.

Pindborg t. (pind′bōrg). ピンドボルグ腫瘍. ＝calcifying epithelial odontogenic t.

Pinkus t. (pink′ŭs). ピンカス腫瘍. ＝fibroepithelioma.

placental site trophoblastic t. 胎盤性絨毛腫瘍（生殖期の経産婦子宮に発生する．組織学的には中間型の絨毛細胞に富み線維性増殖，血管浸潤を伴う）.

plexiform fibrohistiocytic t. 叢状線維組織球腫瘍（悪性度の低い軟部組織腫瘍で，小児にみられる．筋線維芽細胞，組織球様細胞，多核巨細胞が結節と結節間を結ぶ索状構造物を形成している）.

pontine angle t.〔小脳〕橋角部腫瘍（小脳と橋外側とで形成される角部にできる腫瘍．しばしば聴神経鞘腫のことをさす）.

potato t. of neck 頸芋腫（頸にできる硬い結節状の腫瘤．通常，頸動脈小体腫瘍(非クロム親和性傍神経節腫)）.

pregnancy t. 妊娠腫. ＝*granuloma* gravidarum.

primitive neuroectodermal t. 未分化神経外胚葉性腫瘍（中枢および末梢神経系に生じる，形態学的によく似た胚芽性腫瘍の一群をさす病名．細胞分化の程度は様々である．髄芽腫，松果体芽腫などがある）.

ranine t. ガマ腫. ＝ranula (2).

Rathke pouch t. (raht′kĕ). ラトケ嚢腫〔瘍〕. ＝craniopharyngioma.

retinal anlage t. 網膜原基腫瘍. ＝melanotic neuroectodermal t. of infancy.

Rous t. (rows). ラウス腫〔瘍〕. ＝Rous *sarcoma*.

sand t. 砂腫. ＝psammomatous *meningioma*.

Sertoli cell t. (sĕr-tō′lē). セルトーリ(セルトリ)細胞腫〔瘍〕（精巣または卵巣の Sertoli 細胞からなる腫瘍．ほとんど良性だが悪性のこともある）.

Sertoli-Leydig cell t. (sĕr-tō′lē lī′dig). セルトーリ(セルトリ)－ライディッヒ細胞腫（Sertoli 細胞および Leydig 細胞成分を含む卵巣腫瘍．アンドロゲンを分泌する）. ＝arrhenoblastoma; gynandroblastoma (1).

Sertoli-stromal cell t. (sĕr-tō′lē). セルトーリ(セルトリ)間質細胞腫（Sertoli 細胞，Leydig 細胞，類網上皮細胞成分を含む性索間質性卵巣腫瘍の総称．単純性，複合性を含む）.

solitary fibrous t. 単発性線維性腫瘍（線維組織の良性腫

瘍．肋膜腔に生じることが多いが，その他の部位にもみられる）．＝benign mesothelioma.

squamous odontogenic t. 扁平歯原性腫瘍（良性で上皮性の歯原性腫瘍で，Malassez の上皮遺残由来と考えられている．臨床的には，歯根に近接してX線透過性の病変を認める．組織学的には，腫瘍胞巣が，扁平な辺縁細胞で囲まれ，その中に扁平上皮の集団が島状に認められる）．

steroid cell t. ステロイド産生腫瘍（ステロイド産生ルテイン細胞類似細胞の組成をもつ卵巣腫瘍の総称．間質性ルテイン腫，Leydig 細胞腫，特記されないステロイド細胞腫でホルモン活性があり良・悪性を含む）．＝hilar cell t. of ovary.

sugar t. 糖腫瘍（グリコゲンを多量に含む肺の良性透明細胞腫瘍）．

superior pulmonary sulcus t. 上肺溝腫瘍．＝Pancoast t.

teratoid t. 奇形腫．＝teratoma.

theca cell t. 卵胞膜細胞腫．＝thecoma.

triton t. トリトン腫瘍（神経線維腫症でよくみられる横紋筋分化を伴う末梢神経腫瘍．ホラ貝（トリトン）において運動神経線維が筋肉に転換するという Masson 仮説から名付けられた）．

turban t. ターバン〔頭巾〕腫（多発性頭皮円柱腫．過成長したときはターバンに似ることがある）．

vanishing t. 自然消失腫瘤．＝phantom t.

villous t. 乳頭腫．＝villous *papilloma.*

Warthin t. (warth′in). ウォーシン腫〔瘍〕（通常，耳下腺に発生する２列の好酸性の上皮細胞よりなる良性の腺管腫瘍．しばしばリンパ系組織類似の間質を伴って嚢胞状や乳頭状になる）．＝adenolymphoma; papillary cystadenoma lymphomatosum.

Wilms t. (wilmz). ウィルムス腫〔瘍〕（[誤ったつづり Wilm および Wilm's を避けること]．幼児の悪性腎腫瘍．小紡錘細胞，細管を含めた様々な型の組織，ときとして胎児糸球体に似た構造，横紋筋，軟骨などからなる．しばしば常染色体優性[MIM*194070, *194080, *194090]に遺伝する）．＝nephroblastoma.

yolk sac t. 卵黄嚢腫瘍．＝endodermal sinus t.

Zollinger-Ellison t. (zŏl′inj-er el′i-son). ゾリンジャー－エリソン腫〔瘍〕（膵島非ベータ細胞腫瘍．Zollinger-Ellison 症候群を惹起する）．

---

tumoral (tūm′or-al). 腫瘍の（腫瘍に関係する，腫瘍によって起こる）．

tu·mor·i·ci·dal (tū′mŏr-i-sī′dăl) [tumor + L. *caedo*, to kill]. 殺腫瘍性の（腫瘍を破壊する薬剤についていう）．

tu·mor·i·gen·e·sis (tū′mŏr-i-jen′ĕ-sis) [tumor + G. *genesis*, origin]. 腫瘍形成，腫瘍発生．

foreign body t. 異物性腫瘍形成（化学性発癌物質の含有が確認されていない生着性のない非吸収性の固形物によって組織内に悪性腫瘍を誘発されること）．

tu·mor·i·gen·ic (tū′mŏr-i-jen′ik). 腫瘍形成〔性〕の（腫瘍を引き起こしたり生み出したりすることについていう）．

tu·mor·lets (tū′mŏr-lets). 多発小腫瘍（多病巣性にみられる異型細気管支上皮過形成の微小病巣．現在は良性と考えられているが，以前は癌の前駆体と考えられていた）．

tu·mor·ous (tū′mŏr-ŭs). 腫瘍状の．

tu·mul·tus cor·dis (tū-mŭl′tŭs kōr′dis). 心悸亢進（心臓の動悸と不規則な動き）．

TUNEL (tun′el). TUNEL（タネル）法（terminal deoxynucleotidyl transferasemediated dUTP-biotin end labeling of fragmented DNA（断片化した DNA のターミナルデオキシヌクレオチジルトランスフェラーゼによる dUTP–ビオチンの末端標識化）の略．アポトーシスが起こっている細胞の核内で DNA 断片化を確認する免疫組織化学法として用いられる）．

Tun·ga pen·e·trans (tŭng′gă pen′ĕ-tranz). スナノミ（ノミ目スナノミ科の一種で，通常，chigger flea, sand flea, chigoe, jigger として知られている．微小な雌が皮膚，ときに足指の爪の下に侵入する．卵とともに，エンドウマメほどの大きさに膨張するにつれ，その部位に炎症，痛みを伴う潰瘍が生じる）．＝*Sarcopsylla penetrans.*

tun·gi·a·sis (tŭng-gī′ă-sis). スナノミ症（スナノミ *Tunga penetrans* が皮内に侵入すること）．

Tung·i·dae (tŭng′i-dē). スナノミ科（スナノミすなわちチゴ－ *Tunga penetrans* を含むノミの一科）．

tung·state (tŭng′stāt). タングステン酸塩（タングステンの陰イオン）．

calcium t. タングステン酸カルシウム（X線に対する高い阻止能をもつ蛍光体．以前はX線撮影で蛍光（透視）板や増感紙として広く使用された）．

tung·sten (W) (tŭng′stĕn) [Swed. *tung*, heavy + *sten*, stone]. タングステン（金属元素．原子番号 74，原子量 183.85）．＝wolfram; wolframium.

t. carbide タングステンカーバイド（既知の，最も硬い金属の１つ．研磨剤，歯の切断器具製造に用いる）．

tu·nic (tū′nik) [L. *tunica*]. 層，膜（身体の一部をおおう層．特に血管または他の管腔構造の被膜．→layer）．＝tunica.

Bichat t. (bē-shah′). ビシャ層（血管の内膜）．

Brücke t. (brŭ′ke). ブリュッケ層．＝*tunica* nervea.

fibrous t. of corpus spongiosum 尿道海綿体白膜．＝*tunica* albuginea of corpus spongiosum.

fibrous t. of eye 眼球線維膜．＝fibrous *layer* of eyeball.

mucosal t.'s, mucous t.'s 粘膜．＝mucosa.

muscular t.'s 筋層（→ muscular *layer*）．

muscular t. of gallbladder〔胆嚢〕筋層．＝muscular *layer* of gallbladder.

nervous t. of eyeball 眼球の神経層．＝inner *layer* of eyeball.

serous t. 漿膜．＝serosa.

vascular t. of eye 眼球血管膜．＝vascular *layer* of eyeball.

TUNICA

tu·ni·ca, pl. **tu·ni·cae** (tū′ni-kă, too′ni-sē) [L. a coat]. 膜，層．＝tunic.

t. adventitia [TA]. 外膜．＝adventitia.

t. albuginea 白膜（構造をおおう濃い白色の膠原被膜）．

t. albuginea of corpora cavernosa [TA]. 陰茎海綿体白膜（左右の陰茎海綿体を包む厚い線維膜）．＝t. albuginea corporum cavernosorum [TA].

t. albuginea corporis spongiosi [TA]. 尿道海綿体白膜．＝t. albuginea of corpus spongiosum.

t. albuginea corporum cavernosorum [TA]. 陰茎海綿体白膜．＝t. albuginea of corpora cavernosa.

t. albuginea of corpus spongiosum [TA]. 尿道海綿体白膜（尿道海綿体をおおう厚い線維組織層．左右の陰茎海綿体周囲のこれに相当する線維組織層より薄い）．＝t. albuginea corporis spongiosi [TA]; fibrous tunic of corpus spongiosum.

t. albuginea oculi 眼球白膜．＝sclera.

t. albuginea ovarii [TA]．＝ t. albuginea of ovary.

t. albuginea of ovary [TA]. 卵巣白膜（卵巣を包む膜状構造で胚上皮の直下にある）．＝t. albuginea ovarii [TA].

t. albuginea testis [TA]. 〔精巣〕白膜．＝t. albuginea of testis.

t. albuginea of testis [TA]. 精巣白膜（精巣の外膜を形成する厚い白色線維膜）．＝t. albuginea testis [TA]; perididymis.

t. carnea ＝dartos *fascia.*

t. conjunctiva [TA]. 結膜．＝conjunctiva.

t. conjunctiva bulbi [TA]. ＝bulbar *conjunctiva.*

t. conjunctiva palpebrarum [TA]. ＝palpebral *conjunctiva.*

t. dartos [TA]. 肉様膜（→*dartos* muliebris）．＝dartos *fascia.*

t. elastica 弾性膜（大動脈の中膜）．

t. externa [TA]. 外膜（①あらゆる構造体をおおう２つ以上の層の最外層．②特に血管やリンパ管の弾性線維性外膜）．＝t. extima [TA].

t. externa oculi 眼球外膜．＝fibrous *layer* of eyeball.

t. externa thecae folliculi〔卵胞膜〕外膜（よく発達した

胞状卵胞の卵胞膜の外線維層．細胞と線維は同心円状に配列する）．=theca externa.

t. extima [TA]. =t. externa.

t. fibromusculocartilaginea bronchi [TA]. = fibromusculocartilagenous *layer* of bronchi.

t. fibrosa [TA]．線維膜．=fibrous *capsule*.

t. fibrosa bulbi [TA]．眼球線維膜．=fibrous *layer* of eyeball.

t. fibrosa hepatis [TA]．〔肝臓〕線維膜．=fibrous *capsule* of liver.

t. fibrosa lienis〔脾臓〕線維膜．=fibrous *capsule* of spleen.

t. fibrosa renis 腎線維被膜．=fibrous *capsule* of kidney.

t. fibrosa splenica*〔脾臓〕線維膜（fibrous *capsule* of spleen の公式の別名）．

tunicae funiculi spermatici 精索被膜．=*coverings* of spermatic cord.

Haller t. vasculosa (hah′lĕr)．ハラー血管膜．=vascular *layer* of eyeball.

t. interna bulbi [TA]．眼球内膜．=inner *layer* of eyeball.

t. interna thecae folliculi〔卵胞膜〕内膜（胞状卵胞の内細胞脈管層．類上皮細胞はアンドロゲンを生成し，排卵後の黄体形成を促す）．=theca interna.

t. intima [TA]．内膜（血管あるいはリンパ管の最内層．内皮，通常は薄い弾性線維性の内皮下層，および内弾性板または縦線維からなる）．

t. media [TA]．中膜（動脈または他の管腔構造の中膜．通常は筋層）．=media (1).

t. mucosa [TA]．粘膜．=mucosa.

t. mucosa bronchi [TA]．気管支粘膜．=*mucosa* of bronchi.

t. mucosa cavitas nasi [TA]. =*mucosa* of nose.

t. mucosa cavitatis tympani [TA]．鼓室粘膜．=*mucosa* of tympanic cavity.

t. mucosa coli〔結腸〕粘膜．=*mucosa* of colon.

t. mucosa ductus deferentis [TA]．〔精管〕粘膜．=*mucosa* of ductus deferens.

t. mucosa esophagi [TA]．〔食道〕粘膜．=*mucosa* of esophagus.

t. mucosa gastrica [TA]. =*mucosa* of stomach.

t. mucosa glandulae vesiculosae [TA]. =*mucosa* of seminal gland.

t. mucosa intestini crassi [TA]. = *mucosa* of large intestine.

t. mucosa intestini tenuis [TA]．〔小腸〕粘膜．=*mucosa* of small intestine.

t. mucosa laryngis [TA]．〔喉頭〕粘膜．=*mucosa* of larynx.

t. mucosa linguae [TA]．舌粘膜．=*mucosa* of tongue.

t. mucosa nasi [TA]．鼻粘膜．=*mucosa* of nose.

t. mucosa oris [TA]．口腔粘膜．=*mucosa* of mouth.

t. mucosa partis intermediae urethrae masculinae [TA]. =*mucosa* of the intermediate part of the male urethra.

t. mucosa partis prosticae urethrae masculinae [TA]. =*mucosa* of the prostatic part of the male urethra.

t. mucosa partis spongiosae urethrae masculinae [TA]. =*mucosa* of spongy part of the male urethra.

t. mucosa pelvis renalis [TA]. = *mucosa* of renal pelvis.

t. mucosa pharyngis [TA]．〔咽頭〕粘膜．=*mucosa* of pharynx.

t. mucosa tracheae [TA]．〔気管〕粘膜．=*mucosa* of trachea.

t. mucosa tubae auditivae [TA]．〔耳管〕粘膜．=*mucosa* of pharyngotympanic (auditory) tube.

t. mucosa tubae auditoriae =*mucosa* of pharyngotympanic (auditory) tube.

t. mucosa tubae uterinae [TA]．〔卵管〕粘膜．=*mucosa* of uterine tube.

t. mucosa ureteris [TA]．〔尿管〕粘膜．=*mucosa* of ureter.

t. mucosa urethrae femininae [TA]．〔女の尿道の〕粘膜．=*mucosa* of female urethra.

t. mucosa uteri [TA]．〔子宮〕粘膜．=endometrium.

t. mucosa vaginae [TA]．〔膣〕粘膜．=*mucosa* of vagina.

t. mucosa vesicae biliaris [TA]．〔胆嚢〕粘膜．=*mucosa* of gallbladder.

t. mucosa vesicae felleae*〔胆嚢〕粘膜（*mucosa* of gallbladder の公式の別名）．

t. mucosa vesicae urinariae [TA]．〔膀胱〕粘膜．=*mucosa* of (urinary) bladder.

t. mucosa vesiculae seminalis*〔精嚢〕粘膜（*mucosa* of seminal gland の公式の別名）．

t. muscularis [TA]．筋層．=muscular *layer*.

t. muscularis bronchiorum [TA]．〔気管支〕筋層．=muscular *layer* of bronchi.

t. muscularis coli [TA]．〔結腸〕筋層．=muscular *layer* of colon.

t. muscularis ductus deferentis [TA]．〔精管〕筋層．=muscular *layer* of ductus deferens.

t. muscularis esophagi [TA]．〔食道〕筋層．=muscular *layer* of esophagus.

t. muscularis gastrica [TA]. =muscular *layer* of stomach.

t. muscularis glandulae vesiculosae [TA]. = muscular *layer* of seminal gland.

t. muscularis intestini crassi [TA]. = muscular *layer* of large intestine.

t. muscularis intestini tenuis [TA]．〔小腸〕筋層．=muscular *layer* of small intestine.

t. muscularis partis intermediae urethrae masculinae [TA]. = muscular *layer* of intermediate part of (male) urethra.

t. muscularis partis prostaticae urethrae masculinae [TA]. = muscular *layer* of prostatic urethra.

t. muscularis partis spongiosae urethrae masculinae [TA]. = muscular *layer* of spongy (male) urethra.

t. muscularis pelvis renalis [TA]. = muscular *layer* of renal pelvis.

t. muscularis pharyngis [TA]．咽頭筋層．=pharyngeal *muscles*.

t. muscularis recti [TA]．〔直腸〕筋層．=muscular *layer* of rectum.

t. muscularis tubae uterinae [TA]．〔卵管〕筋層．=muscular *layer* of uterine tube.

t. muscularis ureteris [TA]．〔尿管〕筋層．=muscular *layer* of ureter.

t. muscularis urethrae femininae [TA]．〔女の尿道の〕筋層．=muscular *layer* of female urethra.

t. muscularis urethrae masculinae [TA]. = muscular *layer* of male urethra.

t. muscularis uteri [TA]．〔子宮〕筋層．=myometrium.

t. muscularis vaginae [TA]．〔膣〕筋層．=muscular *layer* of vagina.

t. muscularis ventriculi〔胃〕筋層．=muscular *layer* of stomach.

t. muscularis vesicae biliaris [TA]．〔胆嚢〕筋層．=muscular *layer* of gallbladder.

t. muscularis vesicae felleae*〔胆嚢〕筋層（muscular *layer* of gallbladder の公式の別名）．

t. muscularis vesicae urinariae [TA]．〔膀胱〕筋層．=muscular *layer* of urinary bladder.

t. nervea 以前，杆状体および錐状体層を除く網膜をさした古語．=Brücke tunic.

t. propria 固有層（いくつかの部位に共通の腹膜，または他の被膜とは異なる１つの部位に特有な被膜）．

t. propria corii〔真皮〕固有層．=*stratum* reticulare corii.

t. propria lienis = fibrous *capsule* of spleen.

t. reflexa 反転層（陰嚢を包む精巣血管膜の反転した層）．

t. sclerotica 強膜．=sclera.

t. serosa [TA]．漿膜．=serosa.

t. serosa coli〔結腸〕漿膜．=*serosa* of large intestine.

t. serosa esophagi [TA]. = *serosa* of esophagus.

t. serosa gastrica [TA]. =*serosa* of stomach.

t. serosa hepatis [TA]．〔肝臓〕漿膜．=*serosa* of liver.

T

t. serosa intestini crassi [TA]. = serosa of large intestine.

t. serosa intestini tenuis [TA]. 〔小腸〕漿膜. = serosa of small intestine.

t. serosa pericardii serosi [TA]. = serosa of serous pericardium.

t. serosa peritonei [TA]. 〔腹膜〕漿膜. = serosa of peritoneum.

t. serosa pleurae parietalis [TA]. = serosa of parietal pleura.

t. serosa pleurae visceralis [TA]. = serosa of visceral pleura.

t. serosa splenica [TA]. = serosa of the spleen.

t. serosa tubae uterinae [TA]. 〔卵管〕漿膜. = serosa of uterine tube.

t. serosa uteri [TA]. 〔子宮〕漿膜. = perimetrium; serosa of uterus.

t. serosa ventriculi 〔胃〕漿膜. = serosa of stomach.

t. serosa vesicae biliaris [TA]. 胆嚢漿膜. = serosa of gallbladder.

t. serosa vesicae felleae[*] 〔胆嚢〕漿膜 (serosa of gallbladder の公式の別名).

t. serosa vesicae (urinariae) [TA]. 〔膀胱〕漿膜. = serosa of (urinary) bladder.

t. spongiosa urethrae femininae [TA]. = spongy *layer* of female urethra.

t. spongiosa vaginae [TA]. = spongy *layer* of vagina.

t. submucosa = submucosa.

t. vaginalis communis 総鞘膜. = internal spermatic *fascia*.

t. vaginalis testis 精巣鞘膜 (精巣，精巣上体の漿膜性の鞘. 外層の壁側板と内層の臓側板とからなる).

t. vasculosa 血管膜〔層〕(血管層一般).

t. vasculosa bulbi [TA]. 眼球血管膜. = vascular *layer* of eyeball.

t. vasculosa lentis 水晶体血管膜 (胎児の眼の水晶体をおおう栄養脈管層. 瞳孔野では瞳孔膜からなる).

t. vasculosa oculi 眼球脈管膜. = vascular *layer* of eyeball.

t. vasculosa testis [TA]. = vascular *layer* of testis.

t. vitrea 硝子体膜. = posterior limiting *lamina* of cornea.

---

tun·nel (tŭn′ĕl). トンネル (伸張した通過路. 通常，両端は開いている).

aortico-left ventricular t. 大動脈左室トンネル (冠動脈口より上の大動脈と左室の間の先天的な結合).

carpal t. [TA]. 手根管 (手根横靱帯の下の通路で，橈側の舟状骨結節と小菱形骨，尺側の有鉤骨鉤と豆状骨の間にあり，正中神経と指の屈筋腱が通っている. 正中神経圧迫(手根管症候群)はここで起こる). = canalis carpi [TA]; carpal canal (1).

Corti t. (kōr′tē). コルティ(コルチ)トンネル (Corti 器内のラセン管，内外柱細胞または Corti 杆状体で形成される. 液で満たされ，ときに無髄神経線維が交叉する). = Corti canal.

outer t. of the organ of Corti コルティ(コルチ)器外側トンネル. = Nuel space.

Tuohy (tū′hē), Edward B. 20 世紀の米国人麻酔科医. ⇀T. *needle*.

TUR transurethral *resection* の略.

tu·ran·ose (tū′ră-nōs). ツラノース (還元二炭糖類).

Tur·ba·trix (tŭr-bā′triks) [L. *turbare*, to disturb]. 酢線虫属 (Cephalobidae 科の自由生活性線虫の一属).

T. aceti 古くなった酢や腐った果物および植物にみられる種で，ときとして実験室内の溶液の汚染物質となる. = vinegar eel.

tur·bid (tŭr′bid) [L. *turbidus*, confused, disordered]. 混濁した，混濁状の (溶液中の沈殿物あるいは不溶性物質によるような混濁についていう).

tur·bi·dim·e·ter (tŭr′bi-dim′ĕ-tĕr). 濁度計 (混濁度を測る装置).

tur·bid·i·met·ric (tŭr′bid-i-met′rik). 比濁の，混濁測定

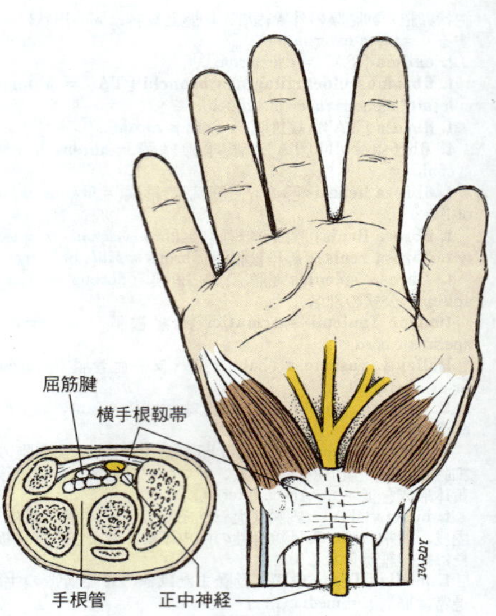

carpal tunnel

正中神経および指と親指の屈筋腱を含んでいる.

の.

tur·bi·dim·e·try (tŭr′bi-dim′ĕ-trē) [turbidity + G. *metron*, measure]. 濁度測定 (物質が引き起こす溶液の混濁度または混濁の清澄度によって溶液中の濃度を測定する方法).

tur·bid·i·ty (tŭr-bid′i-tē) [L. *turbiditas* < *turbidus*, turbid]. 混濁，濁り，混濁度，濁り度 (沈殿物または不溶解物質による混濁あるいは透明度消失性).

tur·bi·nal (tŭr′bi-năl). = turbinated *body* (1).

tur·bi·nate (tŭr′bi-nāt). 鼻甲介 (子供のおもちゃのコマに似た形をした骨，特に鼻甲介骨についていう. ⇀inferior nasal *concha*; middle nasal *concha*; superior nasal *concha*; supreme nasal *concha*).

paradoxic t. 奇異性鼻甲介 (中甲介が外側に彎曲し，篩骨漏斗および中鼻道を閉塞するため副鼻腔炎を再発させる).

tur·bi·nat·ed (tŭr′bi-nāt′ĕd) [L. *turbinatus*, shaped like a top]. 渦巻き形の.

tur·bi·nec·to·my (tŭr′bi-nek′tō-mē) [turbinate + G. *ektomē*, excision]. 鼻甲介切除〔術〕.

tur·bin·o·tome (tŭr′bin′ō-tōm). 甲介切除刀 (鼻甲介切開や鼻甲介切除術で用いる器具).

tur·bi·not·o·my (tŭr′bi-not′ō-mē) [turbinate + G. *tomē*, incision]. 鼻甲介切開〔術〕.

tur·bu·lence (tŭr′byū-lĕnts) [L. turbulentus, stirred up < turbo, to disturb]. 乱流 (循環器学では，不規則な動き).

heart rate t. 心拍数不整 (心室性期外収縮の後に心電図上周期時間が乱れること).

Türck (tērk), Ludwig. オーストリア－ハンガリー人神経科医, 1810—1868. ⇀T. *bundle, column, degeneration, tract*.

tur·ges·cence (tŭr-jes′ens) [L. *turgesco*, to begin to swell < *turgeo*, to swell]. 膨満状態. = tumescence.

tur·ges·cent (tŭr-jes′ĕnt). 腫脹〔性〕の，腫大〔性〕の. = tumescent.

tur·gid (tŭr′jid) [L. *turgidus*, swollen < *turgeo*, to swell]. 腫脹した，膨満した. = tumid.

tur·gor (tŭr′gōr) [L. < *turgeo*, to swell]. トルゴール (皮膚の緊張感). = fullness.

t. vitalis 血管の正常膨満性 (毛細血管の正常な緊張).

tu·ris·ta (tū-rēs′tă) [Sp. tourist]. トゥリスタ (旅行者下痢 traveler's *diarrhea* を意味する語で，メキシコ語由来).

Türk (tērk), Wilhelm. ハプスブルク帝国の血液学者, 1871—

1916. ⇀T. *cell*, *leukocyte*.

Türk (tērk), Siegmund．20 世紀のスイス人眼科医．⇀Ehrlich-T. *line*.

Tur·key red (tŭr′kē red)．トルコレッド．＝madder.

tur·mer·ic (tŭr′mĕr-ik)．[誤ったつづりまたは発音 tumeric を避けること]．***1*** ウコン．***2*** ウコンの乾燥させた根茎から調製された香辛料であり，創傷治癒の促進のために生薬として使用される．

turn (tŭrn) [A.S. *tyrnan*]．回転する，回転させる（特に子宮内の胎児の位置を変えて，異常胎位を正常分娩可能な胎位に変える）．

Tur·ner (tŭr′nĕr), George Grey．イングランド人外科医，1877—1951. ⇀Grey T. *sign*.

Tur·ner (tŭr′nĕr), Henry H．米国人内分泌学者，1892—1970. ⇀T. *syndrome*.

Tur·ner (tŭr′nĕr), Joseph G．イングランド人歯科医，？—1955. ⇀T. *tooth*.

Tur·ner (tŭr′nĕr), William．イングランド人解剖学者，1832—1916. ⇀intraparietal *sulcus* of T.; T. *sulcus*.

turn·o·ver (tŭrn′ō-vĕr)．交替，交代，転換，代謝回転，ターンオーバー（通常，一定の時間内に代謝または処理される物質の量）．

tur·pen·tine (tŭr′pen-tīn) [G. *terebinthinos*, pertaining to *terebinthos*, the terebinth tree]．テルペンチン，テレビン，マツヤニ（*Pinus palustris* および他のマツ属 *Pinus* から採れる樹油樹脂．テレビン油のもと．刺激軟膏の一成分）．

Canada t. カナダテルペンチン．＝Canada *balsam*.

Chian t. (kē′ăn)．キオステルペンチン（地中海のキオス島の東部に分布する低木 *Pistacia terebinthus* の滲出液．空気にさらすと，濁って乳香に似た半透明黄色塊を形成する）．

larch t. カラマツテルペンチン（透明の黄色っぽい濃い液．マツ科 *Larix europaea* から採れる精油樹脂）．＝Venice t.

Venice t. ベニステルペンチン．＝larch t.

white t. 白色テルペンチン（ダイオウマツ *Pinus palustris* から採るテルペンチン）．

tur·pen·tine oil (tŭr′pen-tīn oyl)．テレビン油（テルペンチンから蒸留した揮発油．利尿薬，駆風薬，駆虫薬，去痰薬，引赤薬，誘導刺激薬に用いる）．＝oleum terebinthinae; turpentine spirit.

rectified t. o. テルペンチン精（テレビン油に水酸化ナトリウムを加え，再蒸留して得られる．誘導刺激薬として外用される）．

tur·pen·tine spir·it (tŭr′pen-tīn spēr′it)．テルペンチン精．＝turpentine oil.

turps (tŭrps)．テレビン油，テルペンチン油，マツヤニの一般名．

tur·ri·ceph·a·ly (tūr′i-sef′ă-lē) [L. *turris*, tower + G. *kephalē*, head]．塔状頭〔蓋〕症．＝oxycephaly.

tu·run·da, pl. **tu·run·dae** (tū-rŭn′dă, -dē) [L.]．外科テント，ガーゼドレーン，タンポン．

tus·sal (tŭs′ăl)．＝tussive.

tus·sic·u·lar (tŭ-sik′yū-lăr) [L. *tussicularis* < *tussicula*, a slight cough: *tussis*(cough)の指小辞]．＝tussive.

tus·sic·u·la·tion (tŭ-sik′yū-lā′shŭn)．頻発から咳．

tus·si·gen·ic (tŭs′ĭ-jen′ik) [L. *tussis*, cough + *-gen*, producing]．咳を引き起こす，咳をもたらす．

tus·sis (tŭs′is) [L.]．咳．

tus·sive (tŭs′iv) [L. *tussis*, a cough]．咳の．＝tussal; tussicular.

tu·ta·men, pl. **tu·ta·mi·na** (tū-tā′men, -tā′mi-nă) [L. protection]．保護器（防御または保護構造一般）．

tutamina cerebri 脳保護器（頭皮，頭蓋，脳髄膜）．

tutamina oculi 眼保護器（眉毛，眼瞼，睫毛）．

Tut·tle (tŭt′ĕl), James P．米国人外科医，1857—1913. ⇀T. *proctoscope*.

TUU transureteroureterostomy の略．

TVG time-varied *gain* の略．

TVUS transvaginal *ultrasound* の略．

TWAR [最初に分離された2つの株に検査室で命名したTW-83とAR-39 にちなむ．TaiWan Acute Respiratory disease の意]．＝*Chlamydia pneumoniae*.

Tweed (twēd), Charles H．米国人矯正歯科医，1895—1970. ⇀T. edgewise *treatment*, *triangle*.

tweez·ers (twēz′ĕrz) [A.S. *twisel*, fork]．毛抜き，鉗子，ピンセット（細かい物をつかんだり，引き抜いたりするためにしっかりつまめるような先端の付いた器具．⇀forceps）．

laser t. レーザーピンセット．＝optic t.

optic t. 光学ピンセット（小粒子(例えば，細胞や分子)を捕捉し，操作するために用いるレーザービームの概念記述．これらの光のビームは，媒体とその媒体の中に浮遊する粒子との間の屈折率の差により力が発生し，小さなピンセットのように振舞う．強く絞りこんだ絞りを通して焦点を結んだレーザービームは，顕微鏡下の粒子の位置を固定する能力をもつ．これはレーザー捕捉として知られている）．＝laser t.

twig (twig) [A.S.]．小枝（動脈の微細末端支脈．小支脈または枝）．

twi·light (twī′līt) [A.S. *twi-*, two]．***1***〘n.〙薄明（比喩的に，微光を意味する）．***2***〘adj.〙もうろう〔状態〕の（もうろう状態 twilight *state* のような，かすかなあるいはぼんやりとした意識をさす）．

twin (twin) [A.S. *getwin*, double]．***1***〘n.〙双生児，双胎

T

接着双生児の分類

身体上部重複奇形	身体下部重複奇形	中央結合奇形
下半身で結合しているもの，または上半身が2つあり，下半身が1つであるもの	上半身が1つで下半身が2つであるもの，または体の数か所で結合しているもの	体の中心部で結合しているもの
a）殿部結合体 背中を向けあい，尾骨と仙骨が結合しているもの	a）頭結合体 頭蓋が結合するもの	a）胸結合体 胸部に沿って癒合しているもの．胸部・腹部臓器は異常であることが多い
b）坐骨結合体 下部の仙骨と尾骨が結合し，脊柱が分離しているもの	b）頭部結合体 顔が結合しているもの．胸部から結合することが多い（頭胸部癒着体）	b）臍帯結合体 臍帯から剣状軟骨までが癒合しているもの
c）二頭体 体は1つで2つの別々の頭をもつ	c）二殿体 顔と胸と腹部が1つで（腹部は重複も可），骨盤，外性器，下肢が重複するもの	c）脊柱結合重複体 仙骨の上部で脊柱が癒合しているもの
d）二顔体 1つの頭と1つの体に2つの顔をもつ		

（１回の出産で生まれた２人の子供または２個の動物．）．*2*〚adj.〛双生児の（一卵性または二卵性である）．

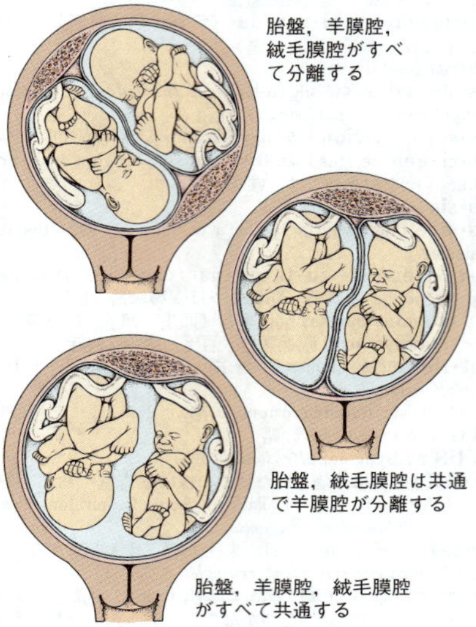
胎盤，羊膜腔，
絨毛膜腔がすべ
て分離する
胎盤，絨毛膜腔は共通
で羊膜腔が分離する
胎盤，羊膜腔，絨毛膜腔
がすべて共通する

twins

一卵性双胎で胎児膜の関係を示す模式図．

allantoidoangiopagous t.'s 尿膜血管癒合双生児（不等絨毛膜双生児．胎盤内の尿膜動脈管が融合している．小さいほうの双生児は元来大きい双生児の胎盤循環に寄生している）．

conjoined t.'s 重視双生児，接着双生児（結合の程度が様々で，残余重複の度合いが異なる単一接合子双生児．結合の型は，結合部をさす接頭語と，接合を表す接尾語 *-pagus* を加えて名付ける（例えば，craniopagus（頭で結合），thoracopagus（胸で結合）など）．種々ある残余重複型は，重複部位をさす接頭語と双生児を意味する接尾語 *-didymus* または *-dymus* を加えて名付ける（例えば，cephalodidymus, cephalodymus など）．前頁の表参照）．

conjoined asymmetric t.'s 接続した非対称性双胎．＝conjoined unequal t.'s.

conjoined equal t.'s 均等接着双生児（両者ともほぼ同じ大きさで，融合部を除けばかなり正常である）．＝conjoined symmetric t.'s.

conjoined symmetric t.'s 均等接着双生児．＝conjoined equal t.'s.

conjoined unequal t.'s 不等接着双生児（一方（宿主または自生体）はかなり正常で，他方（寄生体）は小さく不完全で，前者のほうにその栄養を依存する接着双生児）．＝conjoined asymmetric t.'s.

dichorial t.'s ＝dizygotic t.'s.

diovular t.'s ＝dizygotic t.'s.

dizygotic t.'s 二卵〔性〕双生児（双胎）（２つの接合体から派生した双生児）．＝dichorial t.'s; diovular t.'s; fraternal t.'s; heterologous t.'s.

enzygotic t.'s ＝monozygotic t.'s.

fraternal t.'s ＝dizygotic t.'s.

heterologous t.'s ＝dizygotic t.'s.

identical t.'s ＝monozygotic t.'s.

incomplete conjoined t.'s 不完全接着双生児（接着双生児で，両者の個々の構成要素は互いに等しいが，その大きさは正常児より小さい）．

locked t.'s 懸鉤双胎（双胎で，１児が骨盤位，他児が頭位で分娩中，顎が懸鉤して分娩が停止する）．

monoamniotic t.'s 一羊膜〔一卵〕性双生児（双胎）（正常羊膜内の双生児．こうした双生児は，元来一卵性であり接着することがある）．

monochorial t.'s 単一絨毛膜性双生児（双胎）．＝monozygotic t.'s.

monochorionic t.'s 一絨毛膜双胎（一卵性双胎であり，単一の絨毛膜をもつが，通常羊膜は分離している（二羊膜性））．

monovular t.'s ＝monozygotic t.'s.

monozygotic t.'s 一卵〔性〕双生児（双胎）（単一接合体から生じた双生児．発達の初期段階で，独立に成長する細胞集合に分離し，同性で，遺伝構造が同一の２つの個体を発生する）．＝enzygotic t.'s; identical t.'s; monochorial t.'s; monovular t.'s; uniovular t.'s.

parasitic t. 寄生性双生児（双胎）（不等接着双生児の小さいほうをいう）．

placental parasitic t. 胎盤寄生双生児（胎児）．＝omphalosite.

polyzygotic t.'s 多卵性双生児（双胎）（１回の排卵期に排出した２つ以上の卵細胞の受精による双生児）．

Siamese t.'s シャム双生児（もともとは 19 世紀に広く公表されたシャム（現在のタイ）で生まれた接着双生児（剣状突起結合体）のこと．以来本語は，接着双生児のすべての型をさす一般名となった．本語は不適切な用語）．

uniovular t.'s ＝monozygotic t.'s.

twinge (twinj). 激痛，刺痛（急激で瞬間的な鋭い痛み）．

twin·ning (twin′ing). 双晶形成（分割により等しい構造を生成すること．分割部位は対称関係をとる傾向がある）．

twitch (twich)［A.S. *twiccian*］. *1*〚v.〛単収縮する，攣縮する．*2*〚n.〛単収縮，攣縮（筋線維の瞬間的痙攣性収縮）．

Twort (twort), Frederick W. 英国人細菌学者，1877−1950. →T. *phenomenon*; T.-d'Herelle *phenomenon*.

TX 個々の thromboxanes の略．構造的特徴を示す下付き文字を付けて称する．

Tx treatment の略．

ty·lec·to·my (tī-lek′tŏ-mē)［G. *tylē*, lump＋*ektomē*, excision］. 腫瘤切除〔術〕（局所的な腫瘤を外科的に摘出すること．→lumpectomy）．

tyl·i·on, pl. **tyl·ia** (til′ē-on, -lē-ă; tī′lē-on)［G. a small pin: *tylē*（a lump）の指小辞］. チリオン（視神経交叉前溝の前端中央の頭蓋計測点）．

ty·lo·ma (tī-lō′mă)［G. a callus］. べんち（胼胝）〔腫〕．＝callosity.

t. conjunctivae 結膜べんち（胼胝）〔腫〕（結膜が局所的に角化することで結膜乾燥症の際に生じる）．

ty·lo·sis, pl. **ty·lo·ses** (tī-lō′sis, -sēz)［G. a becoming callous］. 肥厚〔化〕，べんち（胼胝）形成．

t. ciliaris 眼瞼肥厚〔化〕．＝pachyblepharon.

t. linguae 口腔白斑症（舌の白斑症）．

t. palmaris et plantaris 手掌足底角化〔症〕．＝palmoplantar *keratoderma*.

ty·lox·a·pol (tī-loks′ă-pol). チロキサポール（吸入薬として痰の液化に用いる洗浄薬および粘液溶解薬）．

tympan- →tympano-.

tym·pa·nal (tim′pă-năl). *1* ＝tympanic (1). *2* 反響する，共鳴する．*3* ＝tympanitic (2).

tym·pa·nec·to·my (tim′pă-nek′tŏ-mē)［tympan-＋G. *ektomē*, excision］. 鼓膜〔全〕切除〔術〕．

tym·pan·i·a (tim-pan′ē-ă). ＝tympanites.

tym·pan·ic (tim-pan′ik). *1* 鼓室の，鼓膜の．＝tympanal (1). *2* 共鳴音の．*3* ＝tympanitic (2).

tym·pan·i·chord (tim-pan′i-kōrd). 鼓索神経．＝*chorda* tympani.

tym·pan·i·chor·dal (tim-pan′i-kōr′dăl). 鼓索神経の．

tym·pa·nic·i·ty (tim′pă-nis′i-tē). 鼓音性．

tym·pa·nism (tim′pă-nizm). 鼓脹．＝tympanites.

tym·pa·ni·tes (tim′pă-nī′tēz)［L.＜G. *tympanitēs*, 腹が太鼓のように張る，*tympanon*］. 鼓脹〔症〕（腸または腹膜内のガスで腹が腫脹すること）．＝meteorism; tympania; tympanism.

uterine t. 子宮鼓脹〔症〕．＝physometra.

tym·pa·nit·ic (tim′pă-nit′ik). *1* 鼓脹の．＝tympanous. *2* 鼓音〔性〕の（膨張した腸や大きな肺の空洞上の打診で生じる音の性質についていう）．＝tympanal (3); tympanic (3).

tym·pa·ni·tis (tim′pă-nī′tis). 鼓室炎，中耳炎．＝myringitis.

tympano-, tympan-, tympani- [G. *tympanon*, drum]. 鼓室，または鼓膜，を意味する連結形.
tym·pa·no·cen·te·sis (tim′pă-nō-sen-tē′sis) [tympano- + G. *kentēsis*, puncture]. 鼓室穿刺〔術〕(中耳液を吸引するために針を用いて鼓膜を穿刺すること).
tym·pa·no·eu·sta·chian (tim′pă-nō-yū-stā′shŭn, -stā′kē-an). 鼓室耳管の（鼓室と耳管に関する).
tym·pan·o·gram (tim′pă-nō-gram). ティンパノグラム（外耳道内圧を変化させることにより，中耳構造の硬さやコンプライアンスを示すイミタンスを描いたもの).
tym·pa·no·hy·al (tim′pă-nō-hī′ăl). 鼓室舌骨の（鼓室と舌骨弓との関係についての).
tym·pa·no·mal·le·al (tim′pă-nō-mal′ē-ăl). 鼓室つち骨の（鼓膜とつち骨に関する).
tym·pa·no·man·dib·u·lar (tim′pă-nō-man-dib′yū-lăr). 鼓室下顎の（鼓室と下顎骨に関する).
tym·pa·no·mas·toid (tim′pă-nō-mas′toyd). 鼓室乳〔様〕突〔起〕の（鼓室と乳様突起蜂巣に関する).
tym·pa·no·mas·toi·dec·to·my (tim′pă-nō-mas′toy-dek′tŏ-mē). 鼓室乳突削開術. =radical *mastoidectomy.*
tym·pa·no·mas·toi·di·tis (tim′pă-nō-mas′toy-dī′tis). 鼓室乳〔様〕突〔起〕炎（中耳および乳様突起蜂巣の炎症).
tym·pa·nom·et·ry (tim′pă-nom′ĕ-trē). ティンパノメトリ（様々な気圧における中耳のイミタンスを測定する手技．中耳滲出液，耳管機能，中耳炎などの診断に役立つ).
tym·pa·no·pho·ni·a, tym·pa·noph·o·ny (tim′pă-nō-fō′nē-ă, tim′pă-nof′ō-nē) [tympano- + G. *phōne*, sound]. 耳鳴(じめい). =autophony.
tym·pa·no·plas·ty (tim′pă-nō-plas′tē) [tympano- + G. *plassō*, to form]. 鼓室形成〔術〕(損傷した中耳を手術で矯正すること).
tym·pan·o·scle·ro·sis (tim′pă-nō-sklĕ-rō′sis) [tympano- + sclerosis]. 鼓室硬化症（中耳腔に密集した結合織を形成するもので，耳小骨が含まれると聴力低下をきたすことが多い. ⇀myringosclerosis).
tym·pa·no·squa·mo·sal (tim′pă-nō-skwā-mō′săl). 鼓室鱗の（鼓室と側頭骨の鱗部に関する). =squamotympanic.
tym·pa·no·sta·pe·di·al (tim′pă-nō-stā-pē′dē-ăl). 鼓室あぶみ骨の（鼓室とあぶみ骨に関する).
tym·pan·os·to·my (tim′pan-os′tŏ-mē) [tympano- + G. *ostium*, mouth]. 鼓膜切開（鼓膜に開窓する手術. →myringotomy).
tym·pa·no·tem·po·ral (tim′pă-nō-tem′pō-răl). 鼓室側頭の（鼓室と側頭部または側頭骨に関する).
tym·pa·not·o·my (tim′pă-not′ŏ-mē) [tympano- + G. *tomē*, incision]. 鼓膜切開〔術〕，鼓膜穿刺. =myringotomy.
tym·pa·nous (tim′pă-nŭs). =tympanitic (1).
tym·pa·num, pl. tym·pa·na, tym·pa·nums (tim′pă-nŭm, tim′pă-nă) [L. < G. *tympanon*, a drum]. 鼓室. =eardrum.
tym·pa·ny (tim′pă-nē). 鼓脹，鼓音（気胸を伴うこともある膨満した腹または胸郭のように，空気を含む大きな空間を打診することにより得られる低音調，共鳴，鼓音性音). =tympanitic resonance.
Skoda t. (skō′dah). スコダ鼓音. =skodaic *resonance.*
Tyndall (tin′dĕl), John. イングランド人物理学者，1820—1893. ⇀T. *effect*; tyndallization; T. *phenomenon.*
tyn·dal·li·za·tion (tin′dăl-i-zā′shŭn) [John *Tyndall*]. ティンダル〔間欠滅菌〕法. =fractional *sterilization.*
type (tīp) [G. *typos*, a mark, a model]. ***1*** 型，類型（通常，型または複合型．その類の他のすべては多少とも密接に似ている．原型，特に類の特質や特徴になる疾患または症候複合をさす. →constitution; habitus; personality). ***2*** 基型（化学において，分子中の原子の配列が，その種類の他の物質を代表すると考えうる物質). ***3*** [TA]. 型（構造の特異的な違い). = typus [TA]; variation (2).
ampullary t. of renal pelvis [TA]. 膨脹型腎盂（腎杯が拡張した共通の腎盂に開口して嚢状になった状態). =typus ampullaris pelvis renalis [TA].
basic personality t. 基本的人格型（①個人に独特の，潜在的または基礎的な人格傾向．それが行動上で顕現・明白であるなしにかかわらずいう．②社会集団の構成員の大多数にも共通するある個人の人格特性).
branching t. of renal pelvis [TA]. 〔樹〕枝状型腎盂（腎盂の形で拡大した嚢状の共通の腎盂がない状態が起こる．その主な腎杯はまれにしか尿管に合流しない). =typus dendriticus pelvis renalis [TA].
buffalo t. バッファロー型（上部胸椎の上後方にみられる脂肪沈着の型を表現するのに用いられる．副腎皮質機能亢進症（Cushing 症候群)の際にみられる). =buffalo hump.
nomenclatural t. 命名法上のタイプ（分類群の構成員で，その分類群の名称の永久的な基礎となるもの．種のタイプは1系統であることが望ましい(特殊な場合には，それは記載でもよいし，また1個の保存標本すなわち模式標本あるいは図解のこともある). 属のタイプは種(標準種)であり，目，科，族のタイプは，これら上位の分類群の名称の基になっている属(標準属)である).
test t. ⇀test types.
wild t. 野生型（ある遺伝子座において考えられるすべての遺伝子，表現型，遺伝子型の中で圧倒的高頻度に観察される型．実際には標準的な性質であり，有害ではないと考えられる).
ty·phin·i·a (tī-fin′ē-ă) [G. *typhos*, smoke, stupor arising from fever]. 回帰熱. =relapsing *fever.*
typhl- ⇀typhlo-.
typh·lec·ta·sis (tif-lek′tă-sis) [G. *typhlon*, cecum + *ektasis*, a stretching out]. 盲腸拡張〔症〕，盲腸肥大〔症〕.
typh·lec·to·my (tif-lek′tŏ-mē). 盲腸切除〔術〕. =cecectomy.
typh·len·ter·i·tis (tif′len-tĕr-ī′tis). 盲腸小腸炎. =cecitis.
typh·li·tis (tif-lī′tis). 盲腸炎. =cecitis.
typhlo-, typhl- [本連結形を typho- と混同しないこと]. ***1*** [G. cecum]. 盲腸を意味する連結形. →ceco-. ***2*** [G. *typhlos*, blind]. 盲目を意味する連結形.
typh·lo·dic·li·di·tis (tif′lō-dik′li-dī′tis) [G. *typhlon*, cecum + *diklis*(*diklid*-), double-folding (of doors) + *-itis*, inflammation]. 回盲弁炎.
typh·lo·em·py·e·ma (tif′lō-em′pī-ē′mă) [G. *typhlon*, cecum + *empyēma*, abscess]. 盲腸性膿腹膜症（盲腸炎に続く膿瘍の存在).
typh·lo·en·ter·i·tis (tif′lō-en′ter-ī′tis). 回盲炎. =cecitis.
typh·lo·li·thi·a·sis (tif′lō-li-thī′ă-sis) [G. *typhlon*, cecum + *lithos*, stone]. 盲腸結石〔症〕(盲腸内の糞便固結).
typh·lo·meg·a·ly (tif′lō-meg′ă-lē) [G. *typhlon*, cecum + *megas*(*megal*-), large]. 盲腸巨大〔症〕を意味する古語.
typh·lon (tif′lon) [G.]. 盲腸. =cecum (1).
typh·lo·pex·y, typh·lo·pex·ia (tif′lō-pek′sē, tif-lō-pek′sē-ă). 盲腸固定〔術〕. =cecopexy.
typh·lor·rha·phy (tif-lōr′ă-fē). 盲腸縫合〔術〕. =cecorrhaphy.
typh·lo·sis (tif-lō′sis) [G. *typhlos*, blind]. 盲，盲目. =blindness.
typh·los·to·my (tif-los′tŏ-mē). 盲腸造瘻術，盲腸フィステル形成〔術〕. =cecostomy.
typh·lot·o·my (tif-lot′ŏ-mē). 盲腸切開〔術〕. =cecotomy.
typho- [G. *typhos*, smoke, dullness]. [本連結形を typhlo- と混同しないこと]. 発疹チフス，腸チフス，を意味する連結形.
ty·phoid (tī′foyd) [typhus + G. *eidos*, resemblance]. ***1*** 〖adj.〗チフス様の（発熱によって昏睡するものについていう). ***2*** 〖n.〗腸チフス. =typhoid *fever.*
abdominal t. =typhoid *fever.*
ambulatory t. =walking t.
apyretic t. 無熱性チフス（体温が1—2°C程度しか上昇しない腸チフス).
bilious t. of Griesinger (grī′sing-ĕr). グリージンガー胆汁性チフス. =relapsing *fever.*
fowl t. 家禽のチフス（ニワトリまたはシチメンチョウの敗血症．トリチフス菌 *Salmonella gallinarum* が原因．ヒトの感染例がいくつか報告されている).
latent t. 潜伏性チフス. =walking t.
provocation t. 誘発性チフス（潜伏期間後期に腸チフス-パラチフスAおよびBワクチン(T.A.B.)接種により発症を早められた腸チフス．ときに異常な重症となる).
walking t. 歩行性チフス（患者の日常生活の妨げになる

T

ほどの重篤度を呈さない腸チフス)．＝ambulatory t.; latent t.

ty·phoi·dal (tī-foy′dăl). 腸チフスの，腸チフス様の.

ty·phol·y·sin (tī-fŏl′i-sin). 腸チフス菌溶血素 (腸チフス菌 *Salmonella typhi* が形成する溶血素).

ty·pho·ma·ni·a (tī′fō-mā′nē-ă) [typho- + G. *mania*, frenzy]. チフスせん妄，チフス性せん言 (腸チフス，発疹チフスに特徴的なつぶやくようなせん妄).

ty·pho·sep·sis (tī′fō-sep′sis). 腸チフス性敗血症. ＝typhoid *septicemia*.

ty·phous (tī′fŭs). 発疹チフス〔性〕の.

ty·phus (tī′fŭs) [G. *typhos*, smoke, stupor]. 発疹チフス ([ドイツ語で，Typhus (abdominalis) は発疹チフスではなく腸チフスを表す．発疹チフスはドイツ語で Fleckfieber または Flecktyphys とよばれる]．節足動物によって媒介されるリケッチアが病因の一群の急性感染症，伝染病．流行性発疹チフスと地方病性発疹熱(ネズミ)の主要な2型の発生型がある．典型的な症状にはひどい頭痛，悪寒戦慄，高熱，倦怠感，発疹などがある)．＝jail fever; ship fever.

Australian tick t. オーストラリアマダニチフス (*Rickettsia australis* によって起こる，オーストラリア東部にみられる，まれに死亡例がある型のチフス．マダニに刺されることにより伝搬され，激しい頭痛と結膜炎を特徴とする．げっ歯類や有袋類が待機宿主となる)．＝Queensland tick t.

endemic t. ＝murine t.

epidemic t. 発疹チフス，流行性発疹チフス (発疹チフスリケッチア *Rickettsia prowazekii* によって起こり，体ジラミにより伝播するチフスで，高熱，心身機能低下，小斑点丘疹を特徴とする．大勢の人が集まったり，人が不衛生であるときに発生し，およそ2週間継続し衰退する)．＝European t.; hospital fever; louse-borne t.; prison fever t.

European t. ヨーロッパチフス. ＝epidemic t.

exanthematous t. 発疹チフス (通常点状出血の皮疹を伴うチフス熱).

flea-borne t. ＝murine t.

Indian tick t. ＝Mediterranean spotted *fever*.

louse-borne t. シラミ〔発疹〕チフス. ＝epidemic t.

Manchurian t. 満州チフス (*Rickettsia sibirica* によって起こるマダニ媒介性の感染症.→Korean hemorrhagic *fever*).

Mexican t. メキシコチフス (発疹熱リケッチア *Rickettsia typhi* によって起こる感染症で，流行性チフスに類似した症候群を示すが，ケオプスネズミノミ *Xenopsylla cheopis* によってネズミからヒトに伝播される．ネズミからネズミへはネズミジラミ *Polyplax spinulosa* が媒介する．米国では最も一般的にみられる型のチフスである．本症は発生がみられる地域によって様々な地方名をもっている).

mite t. ダニチフス. ＝tsutsugamushi *disease*.

mite-born t. ＝rickettsialpox.

t. mitior 小チフス (軽症または頓挫性発疹チフス).

murine t. 発疹熱 (発疹熱リケッチア *Rickettsia typhi* によって起こり，ネズミノミ，ハツカネズミノミによってヒトに伝播される流行性発疹チフスの軽症型)．＝Congolian red fever; endemic t.; flea-borne t.; red fever; red fever of the Congo.

North Queensland tick t. 北クイーンズランドダニチフス (*Rickettsia australis* によって起こるチフス).

prison fever t. ＝epidemic t.

Queensland tick t. クイーンズランドマダニチフス. ＝Australian tick t.

recrudescent t. 再燃チフス. ＝Brill-Zinsser *disease*.

Sao Paulo t. サンパウロチフス (斑点熱リケッチア *Rickettsia rickettsii* によって起こる感染症で，マダニの刺咬により媒介される.→Rocky Mountain spotted *fever*).

scrub t. ＝tsutsugamushi *disease*.

shop t. ショップチフス (都市部でみられる軽度の症状を示すチフス．地中海地方で報告されている)．＝urban t.

Siberian tick t. シベリアマダニチフス (*Rickettsia sibirica* の感染によって起こるマダニ媒介性のリケッチア症).

tick t. チック(大型ダニ)チフス. ＝Mediterranean spotted *fever*.

tropic t. ＝tsutsugamushi *disease*.

urban t. 都市チフス. ＝shop t.

typ·ing (tīp′ing). 型別 (型(→type)による分類).

bacteriophage t. バクテリオファージタイピング (一見，均一な細菌種または菌株を型特異バクテリオファージで型別する微生物学的手段．疫学上，重要である).

HLA t. HLA タイピング (レシピエントとなる患者が，臓器提供可能なドナーの HLA に対して抗体を有するか否かを決定するために行われる試験．抗体が存在するならば，移植片は直ちに拒否されることを意味する．親権確立や法医学領域でも用いられる).

ty·pus (tī′pŭs) [TA]. ＝type (3).

typus ampullaris pelvis renalis [TA]. 膨脹型腎盂. ＝ampullary *type* of renal pelvis.

typus dendriticus pelvis renalis [TA]. 〔樹〕枝状型腎盂. ＝branching *type* of renal pelvis.

Tyr チロシン，チロシル基の記号.

ty·ra·mi·nase (tī′ră-mi-nās, tir′ă-). チラミナーゼ. ＝*amine* oxidase (2).

ty·ra·mine (tī′ră-mēn, tir′ă-). チラミン；decarboxylated tyrosine (ある点でエピネフリンと似た作用を有する交感神経興奮性アミン．麦角，やどり木，熟成チーズ，ビール，赤ワイン，腐敗した動物物質中にある．II 型チロシン血症の患者で上昇している).

t. oxidase チラミンオキシダーゼ. ＝*amine* oxidase (2).

tyr·an·nism (tir′ă-nizm) [G. *tyrannos*, a tyrant]. 虐待，淫虐性 (サディズムの一種．結果として相手の自尊心を傷つけるような支配と残酷さへの欲望が特徴).

ty·rem·e·sis (tī-rem′ĕ-sis) [G. *tyros*, cheese + *emesis*, vomiting]. 凝乳嘔吐〔症〕(幼児の凝乳物質の嘔吐)．＝tyrosis (1).

ty·ro·ci·din, ty·ro·ci·dine (tī-rō-sī′din). チロシジン (抗菌性のシクロポリペプチドで，短バチルス *Bacillus brevis* から得られる.→tyrothricin).

Ty·rode (tī′rōd), Maurice V. 米国人薬理学者，1878−1930. →T. *solution*.

ty·rog·e·nous (tī-roj′ĕ-nŭs) [G. *tyros*, cheese + G. *-gen*, producing]. 乾酪性の (乾酪(チーズ)から産生される，また乾酪(チーズ)中に発生するものについていう).

Ty·rog·ly·phus lon·gi·or (tī-rog′li-fŭs lon′gē-ōr, tī′rō-glif′ŭs) [G. *tyros*, cheese + *glyphē*, carving]. ＝*Tyrophagus putrescentiae*.

ty·roid (tī′royd) [G. *tyrōdēs* < *tyros*, cheese + *eidos*, resemblance]. チーズ様の. ＝caseous.

ty·ro·ke·to·nu·ri·a (tī′rō-kē′tō-nyū′rē-ă). チロシンケトン尿〔症〕(*p*-ヒドロキシフェニルピルビン酸のような，チロシンのケトン体代謝産物の尿排出).

ty·ro·ma (tī-rō′mă) [G. *tyros*, cheese + *-oma*, tumor]. 乾酪腫.

ty·ro·pa·no·ate so·di·um (tī′rō-pă-nō′āt sō′dē-ŭm). チロパノエートナトリウム (胆嚢造影法に用いる経口造影剤).

Ty·roph·a·gus pu·tres·cen·ti·ae (tī-rof′ă-gŭs pū′trĕ-sen′tē-ē) [G. *tyros*, cheese + *phagō*, to eat]. ケナガコナダニ (コナダニの一種．食物や農産物中にいるコナダニによって感作される結果，種々の皮膚炎を引き起こす．特に貯蔵庫で働く人や食物を取り扱う人に皮膚炎を引き起こす)．＝*Tyroglyphus longior*.

ty·ro·si·nase (tī-rō′si-nās) [MIM* 606933]. チロシナーゼ. ＝monophenol monooxygenase (1).

β-ty·ro·si·nase (tī-rō′si-nās). β-チロシナーゼ. ＝tyrosine *phenol*-lyase.

ty·ro·sine (Tyr, Y) (tī′rō-sēn, -sin). チロシン；2-amino-3-(4-hydroxyphenyl)propionic acid; 3-(4-hydroxyphenyl)-alanine (L-異性体は多くの蛋白に存在する α-アミノ酸).

ty·ro·si·ne·mi·a (tī′rō-si-nē′mē-ă) [tyrosine + G. *haima*, blood] [MIM*276600, *276700, *276710]. チロシン血〔症〕(血中のチロシン高値と尿中チロシンとチロシン代謝産物の排泄量増加などのチロシン代謝異常を呈する一群の常染色体劣性遺伝疾患．I 型チロシン血症はフマリルアセトアセターゼ(FAH)欠損症であり，肝脾腫大，結節性肝硬変，腎尿細管での再吸収障害やビタミンD抵抗性くる病を呈する．第15染色体長腕にある FAH 遺伝子の突然変異により生じる．II 型チロシン血症はチロシンアミノトランスフェラーゼ(TAT)欠損症であり，角膜潰瘍，指・手掌・足底の角化症を呈する．第16染色体長腕にある TAT 遺伝子の突然変異による．III 型チロシン血症は，間欠性の運動失調と肝機能障害を伴わない傾眠を呈し，4–ヒドロキシフェニルピルビン酸ジオキシゲナーゼ(4HPPD)酵素欠損により生じる)．＝hypertyrosinemia.

ty·ro·si·no·sis (tī′rō-si-nō′sis) [tyrosine + G. *-osis*, condition][MIM*276800]．チロシン症（非常にまれな，遺伝性のチロシン代謝異常症．*p*–ヒドロキシフェニルピルビン酸酸化酵素やチロシン・アミノ基転移酵素の欠損により生じる．チロシンやチロシン含有性蛋白の摂取により，尿中に大量の *p*–ヒドロキシフェニルピルビン酸やその他のチロシン代謝産物が排泄させるのを特徴とする．常染色体劣性遺伝)．

ty·ro·si·nu·ri·a (tī′rō-si-nyū′rē-ă) [tyrosine + G. *ouron*, urine]．チロシン尿〔症〕(尿中にチロシン流出がみられること)．

ty·ro·sis (tī-rō′sis) [G. *tyros*, cheese]．***1*** 凝乳嘔吐〔症〕．＝tyremesis. ***2*** 乾酪性変性．＝caseation.

ty·ro·sy·lu·ri·a (tī′rō-sil-yū′rē-ă)．チロシル尿〔症〕(*p*–ヒドロキシフェニルピルビン酸のようなチロシンのある種の代謝産物の尿中排出が増加すること．チロシン症，壊血病，悪性貧血，その他の疾患に現れる)．

ty·ro·thri·cin (tī′rō-thrī′sin)．チロスリシン（短バチルス *Bacillus brevis* のペプトン培養から得られる抗菌性混合物．殺菌および静菌薬であり，グラム陽性菌に対して有効である．結晶性抗菌薬のグラミシジン，チロシジンを産生する．グラミシジンの成分は，L–トリプトファン，D–ロイシン，D–バリン，L–バリン，L–アラニン，グリシン，アミノエタノールを含むポリペプチドである．チロシジンの成分は，チロシン，オルニチン，および数種の他のアミノ酸を含むシクロポリペプチドである)．

ty·ro·tox·ism (tī′rō-tok′sizm) [G. *tyros*, cheese + *toxikon*, poison]．チーズや多くの乳製品による中毒．

Tyr·rell (tī-rel′), Frederick．イングランド人解剖学者・外科医，1797—1843．⇀T. *fascia*.

Ty·son (tī′sŏn), Edward．イングランド人解剖学者，1649—1708．⇀T. *glands*.

Tyz·ze·ri·a (tī-zē′rē-ă)．チゼリヤ属（生殖母細胞が 8 個の裸のスポロゾイトを含む球虫類(アイメリア科)の一属．重要な種は，家畜および野生のガチョウ，野生ハクチョウ，ある種のカモなどの小腸にみられる *T. anseris* と北アメリカやヨーロッパのアヒルの小腸にいて，アヒルのひなに対し病原性のある *T. perniciosa* とである)．

Tzanck (tsahnk), Arnault．ロシア人皮膚科医，1886—1954．⇀T. *cells*, *test*.

T

U

υ *1* ウプシロン（ギリシア語アルファベットの 20 番目の文字 upsilon）．*2* 運動粘性率 kinematic *viscosity* の記号．

U ［JCAHO は，略号Uはしばしば誤解されるので，unit と完全表記するように指導している］．*1* unit の略．*2* キロウラン単位，重合体におけるウリジン，ウラシル，および尿濃度 urinary concentration を示す記号．ウランの元素記号．位置や化学種を示す下付き文字を付す．

U 内部エネルギー internal *energy* の記号．

UA urinalysis の略．

UARS upper airway resistance *syndrome* の略．

u·bi·hy·dro·qui·none (ū′bi-hī′drō-kwī′nōn). ユビヒドロキノン．＝ubiquinol.

u·bi·qui·nol (**QH$_2$, H$_2$Q**) (ū′bi-kwī′nol, ū-bik′wi-nol). ユビキノール（ユビキノンの還元生成物）．＝ubihydroquinone.

ubi·qui·none (ū′bi-kwī′nōn, ū-bik′wi-nōn). ユビキノン（マルチプレニル側鎖をもつ2,3–ジメトキシ–5–メチル–1,4–ベンゾキノン．電子伝達担体．→coenzyme Q)．

u·bi·qui·none-6 (**-Q$_6$**) (ū′bi-kwī′nōn). ユビキノン 6 ; ubiquinone-30; coenzyme Q$_6$; 2,3-dimethoxy-5-methyl-6-hexaprenyl-1,4-benzoquinone.

u·bi·qui·none-10 (**-Q$_{10}$**) (ū′bi-kwī′nōn). ユビキノン 10 ; ubiquinone-50; coenzyme Q$_{10}$; 2,3-dimethoxy-5-methyl-6-decaprenyl-1,4-benzoquinone.

u·biq·ui·tin (ū-bik′kwi-tin) [MIM* 191320]. ユビキチン（高等生物の全細胞で見出された小さな(76 個のアミノ酸残基の)蛋白で，その構造は進化の過程でわずかだけ変化した．そこには少なくとも 2 つの過程がある．ヒストンの修飾と細胞内蛋白分解である）．

UDP *uridine* 5′-diphosphate の略．

UDP-*N*-a·ce·tyl·glu·co·sam·ine: ly·so·som·al en·zyme *N*-a·ce·tyl·glu·co·sam·in·yl-1-phos·pho·trans·fer·ase (a-sē′til-glū′kō-sam′ēn-līsō-sōm′ăl en′zīm,a-sē′til-glū′kō-sam′in-il-fos′fō-trans′fĕr-ās). UDP–*N*–アセチルグルコサミン：リソソーマル酵素 *N*–アセチルグルコサミニル–1–ホスホトランスフェラーゼ（多くのリソソーム蛋白の翻訳後修飾で関与する酵素．この酵素の欠損や欠陥により 2 種類のムコリピドーシス，すなわち I 細胞病や偽性 Hurler ポリジストロフィになる）．

UDPG uridine diphosphoglucose の略．

UDPGal uridine diphosphogalactose の略．

UDPga·lac·tose (gă-lak′tōs). ＝uridine diphosphogalactose.

UDPga·lac·tose 4-e·pim·er·ase (gă-lak′tōs ĕ-pim′ĕr-ās). UDP ガラクトース 4–エピメラーゼ．＝UDPglucose 4-epimerase.

UDPGlc uridine diphosphoglucose の略．

UDP-GlcUA uridine diphosphoglucuronic acid の略．

UDPglu·cose (glū′kōs). ＝uridine diphosphoglucose.

UDPglu·cose 4-e·pim·er·ase (glū′kōs ĕ-pim′ĕr-ās). UDP グルコース 4–エピメラーゼ（ウリジン二リン酸グルコースのウリジン二リン酸ガラクトースへの可逆的 Walden 反転を触媒する酵素．この酵素の欠損はある種のガラクトース血症でみられる）．＝UDPgalactose 4-epimerase; uridine diphosphoglucose 4-epimerase.

UDPglu·cose-hex·ose-1-phos·phate u·ri·dyl·yl·trans·fer·ase (glū′kōs-heks′ōs-fos′fāt ū′ri-dil′il-trans′fĕr-ās). UDPグルコース－ヘキソース–1–ホスフェートウリジリルトランスフェラーゼ（*α*–D–グルコース 1–リン酸とUDPガラクトースから UDP グルコースと *α*–D–ガラクトース 1–リン酸が生成する可逆的反応を触媒する酵素．→UDPglucose 4-epimerase)．＝hexose-1-phosphate uridylyltransferase; phosphogalactoisomerase.

UDPglu·cur·o·nate-bil·i·ru·bin·glu·cu·ron·o·side glu·cu·ron·o·syl·trans·fer·ase (glū′kūr-ō-nāt bil-ē-rū′bin glū-kū-ron-o-sīd-glū-kū-ron-o-sil-tranz′fĕr-ās). UDPグルクロネート・ビリルビングルクロノシド・グルクロノシルトランスフェラーゼ．＝UDPglucuronate-bilirubin glucuronosyltransferase.

UDPglu·cu·ro·nate-bil·i·ru·bin glu·cu·ron·o·syl·trans·fer·ase (glū-kyū′rō-nāt-bil′i-rū′bin glū-kyū′ron-ō-sil-trans′fĕr-ās). UDP グルクロネート・ビリルビングルクロノシルトランスフェラーゼ（肝臓のトランスフェラーゼで，UDP–グルクロン酸のグルクロン酸成分のビリルビンやビリルビングルクロニドへの変換を触媒し，UDP およびビリルビングルクロニシド，またはビリルビンビスグルクロノシドを産生する．これらの胆汁抱合は引き続き胆汁中に分泌される）．＝UDPglucuronate-bilirubinglucuronoside glucuronosyltransferase.

UDP·xy·lose (zī′lōs). UDP キシロース（ウリジンの 5′ 位と D–キシロースの 1 位とをピロリン酸基で連結した糖誘導体の 1 つ．UDP グルコン酸の脱炭酸により生成される．プロテオグリカンの合成に必要である．UDP グルコースデヒドロゲナーゼを阻害する）．

Uehlinger (yū′ling-gĕr), E. 20世紀初頭のスイス人病理学者．→Meyenburg-Altherr-U. *syndrome*.

UFA unesterified free *fatty acid* の略．

Uf·fel·mann (ūf′ĕl-mahn), Jules A.C. ドイツ人医師，1837—1894．→U. *reagent*.

UFT フロラフールとウラシルの 1 : 4 のモル比の合剤．→florafur; uracil.

UGI upper gastrointestinal series の略．

UGIS upper gastrointestinal *series* の略．

Uhl (yūl), Henry S.M. 20世紀の米国人内科医．→U. *anomaly*.

Uht·hoff (ut′hof), Wilhelm. ドイツ人眼科医，1853—1927．→U. *sign, symptom*.

UIP usual interstitial *pneumonia* of Liebow の略．

u·kam·bin (ū-kam′bin). ウカンビン（キョウチクトウ科の植物から得られるアフリカの矢毒．作用においてジギタリスまたは *Strophanthus*属に類似する心臓毒）．

ULCER

ul·cer (ŭl′sĕr) [L. *ulcus*(*ulcer-*), a sore, ulcer]. 潰瘍（皮膚または粘膜の病巣で，表層の組織欠損により生じ，通常，炎症を伴う）．＝ulcus.

acute decubitus u. 急性褥瘡性潰瘍（片麻痺または対麻痺の際に起こる褥瘡の重症型で，神経栄養性の原因による）．

anastomotic u. 吻合性潰瘍（胃腸吻合術後の空腸に生じる潰瘍）．

Buruli u. [*Buruli*, ウガンダの一地区]. ブルーリ潰瘍（皮下脂肪の広範な壊死を伴う皮膚の潰瘍で，*Mycobacterium ulcerans* 感染による．ウガンダ地方のナイル川両岸に住む人々に生じる）．

chrome u. クロム性潰瘍（クロム化合物にさらされることによって生じる四肢あるいは鼻中隔の潰瘍）．＝tanner's u.

chronic u. 慢性潰瘍（潰瘍底に線維性瘢痕組織を伴う難治の潰瘍）．

Curling u. (kŭrl′ing). カーリング潰瘍．＝stress u.

decubitus u. 褥瘡性潰瘍（寝たきりの衰弱した患者の，圧力がかかる骨突出した皮膚の部位に現れる慢性の潰瘍．循環不全による）．＝bedsore; decubital gangrene; hospital gangrene; pressure gangrene; pressure sore; pressure u.

dendritic corneal u. 樹枝状角膜潰瘍（単純ヘルペスウイルスによる角膜炎）．

dental u. 歯性潰瘍（破損した歯の鋭縁で咬んだり，こすったりして生じる口腔粘膜の潰瘍）．

diphtheritic u. ジフテリア性潰瘍（灰色で，癒着性の膜でおおわれた潰瘍．ジフテリア菌 *Corynebacterium diphtheriae* によって生じる）．

distention u. 拡張性潰瘍（狭窄部より口側の拡張部分に起こる小腸潰瘍）．

duodenal u. 十二指腸潰瘍（十二指腸の潰瘍．90 %は *Helicobacter pylori* 感染に伴う．→peptic u.)．

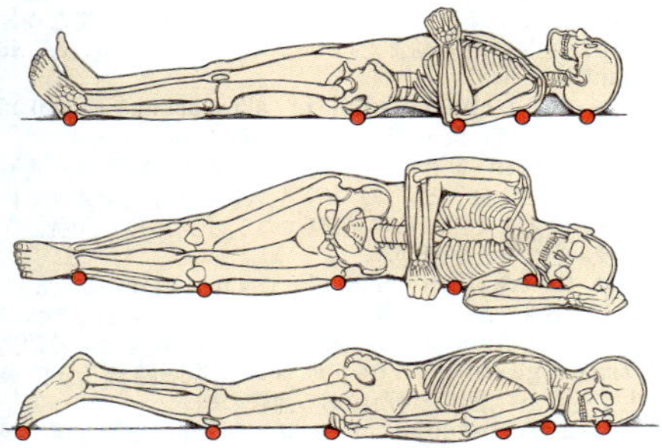

decubitus ulcer

皮膚の直下に骨が存在する部位に生じやすい．

elusive u. ＝Hunner u.

fascicular u. 束状潰瘍（角膜潰瘍の部位に限局して血管が侵入した状態）．

Fenwick-Hunner u. (fen′wik hŭn′ĕr). フェンウィック－ハナー潰瘍．＝Hunner u.

Gaboon u. ［*Gaboon*，アフリカの一地方］．ガブーン潰瘍（一定地域の居住者を侵す熱帯潰瘍の一種．特に瘢痕の出現において梅毒性潰瘍に類似する）．

gastric u. 胃潰瘍．

gravitational u. 沈下性潰瘍（下肢の下方に位置しているために，また大腿，下腿の深部静脈系の弁機能不全のために治癒が悪い下肢の慢性潰瘍．静脈還流が停滞し，局所の低酸素症を引き起こす．→varicose u.）．

gummatous u. ゴム腫性潰瘍（晩期梅毒に起こる皮膚病変）．

hard u. 硬性下疳．＝chancre.

healed u. 治癒潰瘍（上皮の再生によっておおわれた潰瘍．上皮の下は瘢痕となり，腺や付属器などが欠損していることがある）．

herpetic u. 疱疹性潰瘍（単純ヘルペスウイルスによって起こる潰瘍）．

Hunner u. (hŭn′ĕr). ハナー潰瘍（慢性間質性膀胱炎のとき膀胱壁のすべての層を侵す局所性でしばしば多発性の病変．表層の上皮は炎症によって破壊され，初期には青白い病変も膀胱の拡張とともにひび割れが起こり出血が起こる）．＝elusive u.; Fenwick-Hunner u.

hypopyon u. 前房蓄膿性潰瘍（①角膜の進行した中心性化膿性潰瘍．→hypopyon. ②前房に膿をもつ角膜潰瘍）．

indolent u. 無痛潰瘍（硬い隆起縁をもち，肉芽はほとんどまたはまったくみられない慢性潰瘍で，治癒する傾向を示さない）．

inflamed u. 炎症性潰瘍（排膿および境界の炎症がみられる潰瘍）．

Mann-Williamson u. (man wil′yăm-sŏn). マン－ウィリアムソン潰瘍（→Mann-Williamson *operation*）．

marginal ring u. of cornea 角膜辺縁輪状潰瘍（角膜周辺部を輪状に侵襲し緩慢に進行する潰瘍）．

Marjolin u. (mahr-zhō-lan′). マルジョラン潰瘍（骨髄炎の病巣部をおおう皮膚瘢痕組織に通じる膿瘻の上皮縁に生じる，よく分化しているが，侵襲性の強い扁平上皮癌）．

Meleney u. (mĕ-lē′nē). メレニー潰瘍（皮膚および皮下組織の穿掘性潰瘍で，微好気性非溶血性連鎖球菌と好気性溶血性ブドウ球菌の相乗感染により起こる．場合によっては他の好気性・嫌気性菌によることもある）．＝Meleney gangrene; progressive bacterial synergistic gangrene.

Mooren u. (mō′rĕn). モーレン潰瘍（角膜菲薄化および，ときに穿孔を生じつつ角膜中央に徐々に進行する周辺角膜の慢性または急性の炎症）．

Oriental u. オリエンタル潰瘍（皮膚リーシュマニア症にみられる病変）．

penetrating u. 穿通性潰瘍（器官の深部組織にのびる潰瘍）．

peptic u. 消化性潰瘍（酸性胃腸分泌液にさらされている，通常は胃または腸の消化器粘膜の潰瘍）．

perforated u. 穿孔性潰瘍（器官の壁を貫通する潰瘍）．

perforating u. of foot 足穿孔性潰瘍（疾病や外傷に引き続いて足底部に起こる円形の深い神経栄養性の潰瘍で，その領域を支配する神経の走行に沿って中枢から末梢までどの部分にでも生じる）．

phagedenic u. 侵食性潰瘍（拡大性の腐肉形成を伴う急速に広がる潰瘍）．＝sloughing u.

phlegmonous u. フレグモーネ性潰瘍（隣接組織の炎症を伴う潰瘍）．

pressure u. 圧迫潰瘍．＝decubitus u.

recurrent aphthous u.'s 再発性アフタ．＝aphtha (2).

ring u. of cornea 角膜の輪状潰瘍（角膜辺縁の比較的広い部位または全部位にみられる炎症）．

rodent u. 蚕食性潰瘍（通常は顔面にできる，ゆっくり増大する潰瘍性基底細胞癌を表す．歴史的な語）．

Saemisch u. (sā′mish). ゼーミッシュ潰瘍（しばしば前房蓄膿を伴うほ行性角膜炎）．

serpent u. of cornea ほ行性角膜潰瘍．＝serpiginous *keratitis.*

serpiginous u. 蛇行性潰瘍，ほ行性潰瘍（一方が治癒すると同時に反対側に広がり，波状の縁を形成する潰瘍）．

serpiginous corneal u. ほ行性角膜潰瘍（感染による角膜のほ行性潰瘍，肺炎球菌 *Streptococcus pneumoniae* によるものが最も多い）．

simple u. 単純性潰瘍（顕著な痛みまたは炎症を伴わない局所的潰瘍．体質的なものではない）．

sloughing u. ＝phagedenic u.

soft u. 軟性下疳．＝chancroid.

solitary rectal u. 孤立性直腸潰瘍．＝stercoral u.

stasis u. うっ血性潰瘍．＝varicose u.

stercoral u. 宿便性潰瘍（宿便の圧力と刺激による直腸の潰瘍）．＝solitary rectal u.

stomal u. 吻合部潰瘍（胃空腸吻合術後に，空腸粘膜の胃と空腸間の開口部〔吻合口〕付近に生じる腸潰瘍）．

stress u. ストレス潰瘍（広範な皮膚の熱傷，頭蓋内病変，身体に重傷を負った人に生じる十二指腸潰瘍）．＝Curling u.

Sutton u. (sŭt′ŏn). サットン潰瘍（頬粘膜または性器粘膜の孤立性，深在性，有痛性の潰瘍）．

syphilitic u. 梅毒性潰瘍（①＝chancre. ②梅毒感染によって生じた潰瘍）．

Syriac u., Syrian u. diphtheria の古語．

tanner's u. 革なめし工潰瘍．＝chrome u.

trophic u. 栄養〔障害〕性潰瘍（皮膚感覚喪失の結果生じる潰瘍．→perforating u. of foot）．＝trophic gangrene.

tropic u. 熱帯潰瘍（①皮膚リーシュマニア症にみられる病変．→cutaneous *leishmaniasis.*＝tropic sore. ②抗酸菌を含む様々な微生物によって起こる熱帯侵食性潰瘍．ナイジェリア北部に多くみられる）．

undermining u. 穿掘性潰瘍（おおいかぶさるような辺縁をもつ慢性の皮膚潰瘍．溶血性連鎖球菌，結核菌またはその他の細菌に起因する）．

varicose u. 静脈瘤性潰瘍（うっ滞または感染症による，通常は脚の静脈瘤排液部の皮膚表面の消失．→gravitational u.）．＝stasis u.; venous u.

venereal u. 性病性潰瘍．＝chancroid.

venous u. 静脈性潰瘍．＝varicose u.

Zambezi u. ザンベジ潰瘍（アフリカの Zambezi Delta の労働者の足または脚に直径 3cm ぐらいのものが，通常は1個だけ現れる潰瘍．侵食表面をもつが広がらず，全身性徴候や腺の拡大は生じない．スピリルムと大きな紡錘菌の存在によって生じる．一度罹患すると部分免疫ができると思われる）．

---

ul·cer·ate (ŭl′sĕr-āt). 潰瘍を起こす，潰瘍化する．

ul·cer·at·ed (ŭl′sĕr-āt′ĕd). 潰瘍を起こした，潰瘍化した．

ul·cer·a·tion (ŭl′sĕr-ā′shŭn). ***1*** 潰瘍化，潰瘍形成．***2*** 潰瘍．

tracheal u. 気管潰瘍（ときとして気管軟骨輪の露出を伴う気管粘膜のびらん形成．カフ付きの気管カニューレをしばらく置いた部位にできる）．

U

ul·cer·a·tive (ŭl′sĕr-ă-tiv). 潰瘍〔性〕の（潰瘍に関する，潰瘍によって引き起こされる，潰瘍によって特徴付けられる）.

ul·cer·o·gen·ic (ŭl′sĕr-ō-jen′ik). 潰瘍発生〔性〕の.

ul·cer·o·gland·u·lar (ŭl′sĕr-ō-gland′yū-lăr). 潰瘍腺〔性〕の（局所性または全身性リンパ節疾患の後に感染した部位に生じる局所性潰瘍についていう）.

ul·cer·o·mem·bra·nous (ŭl′sĕr-ō-mem′bră-nŭs). 潰瘍〔偽〕膜〔性〕の（潰瘍化と偽膜の形成に関する，または特徴付けられる）.

ul·cus, pl. **ul·cer·a** (ŭl′kŭs, ŭl′sĕr-ă) [L.]. 潰瘍. ＝ulcer.

ule- →ulo-.

u·le·gy·ri·a (yū′lē-jī′rē-ă) [G. *oulē*, scar＋*gyros*, ring]. 瘢痕回（細く曲がった大脳回を特徴とする大脳皮質の欠陥．先天的または瘢痕の結果生じると考えられている．しかし通常脳虚血性傷害による）.

u·ler·y·the·ma (yū′ler-i-thē′mă) [G. *oulē*, scar＋*erythēma*, redness of the skin]. 瘢痕〔性〕紅斑.

u. ophryogenes 眉毛瘢痕〔性〕紅斑（瘢痕形成と脱毛症をもたらす眉毛の毛包炎）.

u·lex eu·ro·pae·us (yū′leks yū-rō-pē′ŭs). コマツナギ（レクチンで特異的にα-L-フコースと反応する．パラフィン切片上の内皮細胞のマーカとして用いられる）.

Ull·mann (ūl′mahn), Emerich. ハンガリー人外科医，1861—1937. →U. *line*, *syndrome*.

Ull·rich (ŭl′rik), Otto. ドイツ人医師，1894—1957. →Morquio-U. *disease*.

ul·na, gen. & pl. **ul·nae** (ŭl′nă, ŭl′nē) [L. elbow, arm ＜G. *ōlenē*][TA]. 尺骨（前腕の2つの骨の内側の大きい骨）. ＝cubitus (2).

ul·nad (ŭl′nad) [ulna＋L. *ad*, to]. 尺骨の方へ.

ul·nar (ŭl′năr) [TA]. 尺骨の，尺側の（尺骨または尺骨にちなむ構造(動脈，神経など)に関する．上肢の尺側あるいは内側に関する）. ＝ulnaris [TA].

ul·na·ris (ŭl-nā′ris) [Mod. L.][TA]. 尺骨の，尺側の. ＝ulnar.

ul·nen (ŭl′nen) [ulna＋G. *en*, in]. 独立尺骨の（他の構造からは独立している尺骨に関する）.

ul·no·car·pal (ŭl′nō-kar′păl). 尺手根の（尺骨と手根骨または手首の尺側に関する）.

ul·no·ra·di·al (ŭl′nō-rā′dē-ăl). 尺橈骨の（尺骨と橈骨の両方に関する．両骨の間の2つの関節，靱帯などについていう）.

ulo-, ule- ***1*** [G. *oulē*]. 瘢痕または瘢痕形成を意味する連結形. ***2*** [G. *oulon*]. 歯肉を意味する連結形で，現在では用いられない.→gingivo-. ***3*** [G. *oulo-*, *ouli-*, woolly]. 渦巻き状の，を意味する連結形.

u·loid (yū′loyd) [G. *oulē*, scar＋*eidos*, resemblance]. ***1*** 〘adj.〙瘢痕様の. ***2*** 〘n.〙偽瘢痕，仮性瘢痕（皮膚深層の変性過程による瘢痕様の病巣）.

u·lot·ri·chous (yū-lot′ri-kŭs) [G. *oulotrichos*, curly haired ＜*oulos*, wooly＋*thrix* (*trich-*), hair]. 縮毛の（カールした毛髪についていう. *cf.* leiotrichous）.

ul·ti·mo·phar·yn·ge·al (ŭl′ti-mō-far-in′jē-ăl) [L. *ultimus*, last＋G. *branchia*, gills]. 咽頭嚢の最尾側の（発生学において，咽頭嚢の最尾側に関する）.

ul·ti·mum mo·ri·ens (ŭl′ti-mŭm mō′rē-enz) [L. the last thing dying]. 右心房（心臓の他の部分の静止後も収縮するといわれる）.

ultra- [L. beyond]. 過剰，誇張，…を超えて，を意味する接頭語.

ul·tra·brach·y·ce·phal·ic (ŭl′tră-brak′ē-se-fal′ik). 超短頭の（頭蓋指数が少なくとも90以上の極端に短い頭についていう）.

ul·tra·cen·tri·fu·ga·tion (ŭl′tră-sen′tri-fyū-gā′shŭn). 超遠心分離（超遠心分離機にかける操作）.

ul·tra·cen·tri·fuge (ŭl′tră-sen′tri-fyūj). 超遠心〔分離〕器（大きい分子，例えば蛋白や核酸の分子を，実用的な速度で沈降させる高速度遠心分離器(100,000 rpm以内)．大きい分子の分子量の測定，分画，均質化の指標，構造研究などに用いる）.

ul·tra·cy·to·stome (ŭl′tră-sī′tō-stōm) [ultra-＋G. *kytos*, cell＋*stoma*, mouth]. 微細胞孔（microporeの旧名）.

ul·tra·di·an (ŭl-trā′dē-ăn) [ultra-＋L. *dies*, day]. 超概日性の，ウルトラディアン（24時間ごとよりも頻繁な周期で生じる生物学的変動またはリズムに関していう. *cf.* circadian; infradian）.

ul·tra·dol·i·cho·ce·phal·ic (ŭl′tră-dol′i-kō-se-fal′ik). 超長頭の（頭蓋指数が65以下の長い頭についていう）.

ul·tra·fil·ter (ŭl′tră-fil′tĕr). 限外沪過器（半透膜を通過する水や小さい分子と，コロイドや大きい分子を分離するのにフィルタとして用いる半透膜(コロジオン，魚の膀胱，ゲルを浸み込ませた沪紙)）.

ul·tra·fil·tra·tion (ŭl′tră-fil-trā′shŭn). 限外沪過〔法〕（コロイド溶液と晶質の分離，またはコロイド混合物中の大きさの異なる粒子の分解をする半透膜または沪紙を用いる沪過）.

ul·tra·li·ga·tion (ŭl′tră-lī-gā′shŭn). 遠隔結紮（分枝が発生する点から離れた場所にある血管の結紮）.

ul·tra·mi·cro·scope (ŭl′tră-mī′krō-skōp). 超顕微鏡，限外顕微鏡（直接光を用いる普通の顕微鏡では見えない小さな物体を見るための反射光を用いた顕微鏡）.

ul·tra·mi·cro·scop·ic (ŭl′tră-mī-krō-skop′ik). 超顕微鏡の，限外顕微鏡の. ＝submicroscopic.

ul·tra·mi·cro·tome (ŭl′tră-mī′krō-tōm). 超ミクロトーム（電子顕微鏡用に厚さ0.1 μm，またはそれ以下の切片をつくるのに用いるミクロトーム）.

ul·tra·mi·crot·o·my (ŭl′tră-mī-krot′ŏ-mē). 超薄切片法（超薄切片器を用いて電子顕微鏡用の超薄切片をつくること）.

ul·tra·son·ic (ŭl′tră-son′ik) [ultra-＋L. *sonus*, sound]. 超音波の（音波と同じエネルギー波動であるが，より高い周波数(20,000 Hz以上)をもつものについていう）.

ul·tra·son·ics (ŭl′tră-son′iks). 超音波学（超音波の特性と現象などに関する超音波の科学と技術）.

ul·tra·son·o·gram (ŭl′tră-son′ō-gram). 超音波記録（超音波検査によって得られる像.→echogram）. ＝sonogram.

ul·tra·son·o·graph (ŭl′tră-son′ō-graf) [ultra-＋L. *sonus*, sound＋G. *graphō*, to write]. 超音波検査器（超音波を使用して画像をつくるために用いるコンピュータ制御の機器）. ＝sonograph.

ul·tra·so·nog·ra·pher (ŭl′tră-sŏ-nog′ră-fĕr). 超音波検査士（超音波検査を施行し読影する者）. ＝echographer; sonographer.

ul·tra·so·nog·ra·phy (ŭl′tră-sŏ-nog′ră-fē) [ultra-＋L. *sonus*, sound＋G. *graphō*, to write]. 超音波検査〔法〕（高周波音波または超音波の反射または透過量を測定して，深部構造の位置観察，測定，または描写を行うこと．音波を反射または吸収する面までの距離のコンピュータ計算に音波ビームの既知の方向を加味することで二次元の画像が得られる.→ultrasound）. ＝echography; sonography.

Doppler u. (dop′lĕr). 超音波ドップラー(ドプラ)法（Doppler効果の応用で，反射のエコーの周波数の変化を解析し，反射物体(普通は赤血球細胞)の動きを超音波で検出する方法）.

画像検査法の選択に関して，患者に既知のリスクを何も与えず，非侵襲的で，検査料金が適度なため，超音波検査は多くの場合においてX線検査に取って代わる．Doppler用に調整された超音波は，他の方法では不可能な組織，血流，臓器の実時間観察を可能にする．特に心臓病学および産科学において有効である.

---

duplex u. 複式超音波検査法（リアルタイム超音波検査法と超音波Doppler法を併用した超音波検査法）.

endovaginal u. 経腟超音波検査（腟内プローブを挿入して行う骨盤内超音波検査）.

gray-scale u. グレースケール超音波検査〔法〕（超音波エコーの振幅すなわち信号強度を灰色の濃度の異なる陰影として表示する方法で，以前の白黒表示のものと比較して画質が改善されている）.

real-time u. リアルタイム超音波検査法（セクタ走査またはリニア走査の探触子を用いて高速に連続超音波画像を得る方法．心臓の弁や胎児の動きのビデオ画像が得られる）.

ul·tra·son·o·sur·ger·y (ŭl′tră-son′ō-sŭr′jĕr-ē). 超音波外科（特に中枢神経系の細胞，組織，または神経路を破壊するために超音波技術を用いること).

ul·tra·sound (**US**) (ŭl′tră-sownd). 超音波 (30,000 Hz 以上の振動数を有する音).

diagnostic u. 診断用超音波 (1.6—10 MHz の周波数をもつ超音波で，診断用の画像をつくるために用いるもの).

endoscopic u. 超音波内視鏡 (内視鏡先端に超音波装置を装着して消化管壁および隣接臓器の診断を行う検査法．食道・胃・膵・直腸腫瘍の病期診断に利用されることが多い).

obstetric u. 産科的超音波検査 (妊娠中に行う超音波診断法).

quantitative u. (**QUS**) 超音波骨密度測定法 (踵骨の超音波伝播速度と超音波減衰率から硬さを算出して骨塩量を測定する検査法).

therapeutic u. 超音波治療 (高出力超音波により組織の凝固壊死を起こす治療方法．子宮筋腫などの良性腫瘍の治療に用いる).

transvaginal u. (**TVUS**) 経腟超音波 (→transvaginal *scanning*).

ul·tra·struc·ture (ŭl′tră-strŭk′chūr). 超微〔細〕構造 (電子顕微鏡によって観察される構造または粒子). = fine structure.

ul·tra·therm (ŭl′tră-therm) [ultra- + G. *thermē*, heat]. ウルトラサーム (短波ジアテルミーに用いる装置).

ul·tra·vi·o·let (ŭl′tră-vī′ō-let). 紫外線〔の〕 (可視スペクトルの紫色端よりも高周波数の電磁波の名称).

u. A (**UVA**) A 波長紫外線，長波長紫外線 (波長 320—400 nm の紫外線．皮膚黒化を起こすが，日焼けを引き起こす力や悪性変化を起こす力は非常に弱い).

u. B (**UVB**) B 波長紫外線，中波長紫外線 (波長 290—320 nm の紫外線．最も効果的に日焼けや黒化を起こす．過剰な UVB 暴露は正常皮膚の癌の原因となる).

u. C C 波長紫外線，短波長紫外線 (波長 200—290 nm の紫外線．日光の UVC は地表には到達しない．殺菌灯，水銀アーク灯により日焼けや光線性角膜炎を起こすことがある).

extravital u. 遠紫外線 (2,900—1,850 Å の波長をもつ).

intravital u. 近紫外線 (3,900—3,200 Å の波長をもつ).

ul·tro·mo·tiv·i·ty (ŭl′trō-mō-tiv′i-tē) [L. *ultro*, beyond, on one's own part + L. *motio*, movement]. 自発運動能.

ul·u·la·tion (ŭl′yū-lā′shŭn) [L. *ululo*, pp. *-atus*, to howl]. 号泣 (感情が乱れた人の発音不明瞭な泣き叫びに対してまれに用いる語).

U·lys·ses (yū-lis′ēz). ユリシーズ (ギリシア神話の登場人物のラテン形. →Ulysses *syndrome*).

um·bil·i·cal (ŭm-bil′i-kăl). 臍帯の，臍の. = omphalic.

um·bil·i·cate, um·bil·i·cat·ed (ŭm-bil′i-kāt, -kāt-ed) [L. *umbilicatus*]. 臍状の，穴状の，くぼみの.

um·bil·i·ca·tion (ŭm-bil′i-kā′shŭn). ***1*** 臍形陥凹 (点状または臍状の陥凹). ***2*** 臍窩形成 (丘疹，小水疱，または膿疱尖端にある陥凹形成).

um·bil·i·cus, pl. **um·bil·i·ci** (ŭm-bil′i-kŭs, ŭm-bi-lī-kŭs; -i-sī, -lī′kī) [L. navel] [TA]. 臍，へそ (腹壁の中心にあり，臍帯が胎児の中にはいっていた個所を示すくぼみ). = belly button; navel.

um·bo, gen. **um·bo·nis,** pl. **um·bo·nes** (ŭm′bō, -bō-nis, -bō-nēs) [L. boss of a shield, a knob]. 臍 (①表面から突出した部分．② [TA]. = u. of tympanic membrane).

u. membranae tympani [TA]. 鼓膜臍. = u. of tympanic membrane.

u. of tympanic membrane [TA]. 鼓膜臍 (つち骨柄末端部にある鼓膜内表面の突起．これは外側面から見たときに膜の最もくぼんだ個所に相当し，通常，これを臍とよんでいる). = u. membranae tympani [TA].

UMP *uridine* 5′-monophosphate の略.

UMP syn·thase (sin′thās). UMP シンターゼ. = uridylic acid.

un- [M.E.]. ***1*** 否定を意味する接頭語で，ラテン語の *in-*，ギリシア語の *a-*, *an-* と類似の語. ***2*** 逆転，移動，解放，喪失を意味する接頭語. ***3*** 激しい行動を表す接頭語.

un·a·ware·ness (ŭn-ă-wār′nes). 無認識 (何かを認識できていない状態のこと).

hypoglycemia u. 低血糖不感知 (血漿ブドウ糖濃度の著しい低下を警告する自律神経症候を感知できないこと).

un·cag·ing (un-kāj′ing). アンケージング (選択された場所において不活性な保護的囲いからの活発な分子の放出).

un·cal (ŭng′kăl). 鉤の.

un·ci (ŭn′sī). uncus の複数形.

un·ci·a (ŭn′sē-ă) [L. a twelfth part, an ounce]. オンス.

un·ci·form (ŭn′si-fōrm) [L. *uncus*, hook + *forma*, form]. = uncinate.

un·ci·for·me (ŭn′si-fōr′mē) [Mod. L. unciform]. 有鉤骨. = hamate (*bone*).

Un·ci·nar·i·a (ŭn′si-nar′ē-ă) [LL. *uncinus*, a hook]. ウンシナリア属 (種々の哺乳類に感染する鉤虫類線虫の一属．ヨーロッパ産のイヌ，ネコ，および種々の野生肉食動物の鉤虫である狭頭鉤虫 *U. stenocephala* を含む．狭頭鉤虫はイヌ鉤虫 *Ancylostoma caninum* よりずっと一般的ではないが北アメリカでもみられ，ヒトの皮膚幼虫移行症に関与している).

un·ci·na·ri·a·sis (ŭn′si-nă-rī′ă-sis). 鉤虫症. = ancylostomiasis.

un·ci·nate (ŭn′si-nāt) [L. *uncinatus*]. = unciform. ***1*** 鉤状の (鉤線状の，鉤形の). ***2*** 鉤の (鉤に関係のある，特に大脳の鉤回，膵臓の鉤突起，椎骨の鉤突起についていう).

un·ci·na·tum (ŭn′si-nā′tŭm). 有鉤骨. = hamate (*bone*).

un·ci·pres·sure (ŭn′si-presh′ŭr) [L. *uncus*, hook]. 鉤圧法 (鈍い鉤で圧力をかけて切断動脈の出血を止めること).

un·com·ple·ment·ed (ŭn-kom′plĕ-ment′ĕd). 補体非結合の (補体と結合しておらず，そのため不活性であることについていう).

un·con·scious (ŭn-kon′shŭs). ***1*** 〖adj.〗 無意識の. = insensible (1). ***2*** 〖n.〗 無意識 (精神分析において，本人が気づいていない衝動と感情からなる心的構造).

collective u. 集合無意識，普遍的無意識 (Jung学派の心理学において，個人の系統発生的過去から受け継がれた共同の潜在記憶．言い換えればアーキタイプが存在する無意識のより深い層. →archetype (2). →personal u.).

personal u. 個人的無意識 (無意識のより表層的な部分で，コンプレックスが存在するとユング心理学ではいう. →collective u.; complex (3)).

un·con·scious·ness (ŭn-kon′shŭs-ness). 意識消失 (自己と周囲の環境の認識が高度に障害されていることを表す不正確な用語．昏睡または無反応と同義に使われることが多い).

un·co-os·si·fied (ŭn′kō-os′i-fīd). 骨癒合不全の.

un·coup·lers (ŭn-kŭp′lĕrz). アンカップラー，脱共役剤 (通常付随して起こる ATP を生成するリン酸化を伴わないで，ミトコンドリア中の酸化を進めるジニトロフェノールのような物質．これらの毒物はこのようにして酸化とリン酸化を脱共役する). = uncoupling factors.

un·co·ver·te·bral (ŭn′kō-ver′tĕ-brăl). 椎体鉤状突起の.

unc·tion (ŭngk′shŭn) [L. *unctio* < *ungo*, pp. *unctus*, to anoint]. 塗油，軟膏塗擦 (軟膏や油を塗布またはすり込むこと).

unc·tu·ous (ŭngk′shū-ŭs, shŭs) [L. *unctuosus* < *unctio*, unction]. 油状の，油性の.

unc·ture (ŭnk′chūr). 軟膏. = ointment.

un·cus, pl. **un·ci** (ŭn′kŭs, ŭn′sī) [L. a hook < G. *onkos*] [TA]. 鉤 (①鉤形の突起または構造．②海馬傍回の前端で，側頭葉底内側面に鉤でかかったようになっているところ．その前面は嗅皮質に，腹側面は内鼻野にそれぞれ相当する．深部には扁桃体がある．解剖学では〝鉤〞を使う. = uncinate gyrus; u. gyri parahippocampalis).

u. gyri parahippocampalis 〔海馬傍回〕鉤. = uncus (2).

un·dec·e·no·ic ac·id (ŭn′des-ĕ-nō′ik as′id). ウンデセン酸. = undecylenic acid.

un·de·co·yl·i·um chlor·ide-i·o·dine (ŭn′de-kō-il′ē-ŭm klōr′īd-ī′ō-dīn). ヨード塩化ウンデコイリウム (塩化ウンデコイリウムとヨウ素の錯体．局所的に殺菌薬として用いる陽イオン洗浄薬).

un·dec·y·len·ic ac·id (ŭn′des-i-len′ik as′id). ウンデシレン酸 (汗の中に少量存在する酸．その亜鉛塩とともに軟膏に，または粉末として用いる). = undecenoic acid; zincundecate.

un·der·a·chieve·ment (ŭn′dĕr-ă-chēv′mĕnt). 達成不全，過小成就 (自分の能力で可能だと思われる程度にまで成し遂げられないこと).

un·der·a·chiev·er (ŭn′dĕr-ă-chēv′ĕr). 達成不全者，過小成

U

就者．

un·der·bite (ŭn′dĕr-bīt). 下顎の発育不全または上顎の過剰発育を意味する非専門用語．

un·der·cut (ŭn′dĕr-kŭt). アンダーカット，添窩（①サベーライン(最大豊隆部)と歯肉間の歯の部分．②義歯挿入を妨げる残存顎堤または歯列弓断面の輪郭．③部分的に分裂するのを防ぐような方法で連結するフラスコ内埋没材の輪郭）．

un·der·drive pac·ing (ŭn′dĕr-drīv pās′ing). アンダードライブペーシング（現在ある頻拍の心拍数よりも低い設定レートで心臓を電気的に刺激することで，心拍間に心室を補えるように設定する．その頻拍を止める目的で，リエントリー回路を断つために行う）．

un·der·nu·tri·tion (ŭn′dĕr-nū-tri′shŭn). 栄養不足（食物の供給量減少または必要な栄養素の消化・吸収・活用ができないために生じる一種の栄養不良）．

un·der·sens·ing (ūn′dĕr-sens′ing). 感知低下（心房あるいは心室の脱分極信号をペースメーカが感知できないこと）．

un·der·shoot (ŭn′dĕr-shūt). アンダーシュート（最終的定常状態値以下になる一時的な減少で，その値を上昇させていた影響を除去させるように急速に生じる．すなわち逆方向のオーバーシュート）．

un·der·stain (un′dĕr-stān). 十分染まらない（通常より薄く染まる）．

un·der·ven·ti·la·tion (ŭn′dĕr-ven′ti-lā′shŭn). 換気低下，呼吸低下，低換気．＝hypoventilation.

un·der·wind·ing (ŭn′dĕr-wīnd′ing). アンダーワインディング，弛緩ねじれ（ネガティブな超コイル形成のDNA構造への効果）．

un·dif·fer·en·ti·at·ed (ŭn′dif-ĕr-en′shē-āt′ĕd). 未分化の（原始的，幼弱，未熟，特異構造や機能を有しない）．

un·dine (ŭn′dēn, -dīn) [Mod. L. *undina* < L. *unda*, wave]. 洗眼瓶（結膜の洗浄に用いる小さなガラス製フラスコ）．

un·di·ver·sion (ŭn′di-ver′shŭn). 再交通〔術〕（種々の臓器系において，以前変更されていた流れの連続性を外科的に回復すること．例えば，上膀胱性尿路変更術後の上部尿路と膀胱の間の再交通）．

un·do·ing (ŭn-dū′ing). 打ち消し，復元（心理学と精神医学において，先に行った許容できない行為とは逆の行為を象徴的に行うことによる無意識の防衛機制）．

un·du·late (ŭn′dū-lāt) [Mod. L. *undula*: *unda*(wave)の指小辞]．波形の，波状の（不規則な波状の縁をもつこと．細菌集落の形についていう）．

un·du·li·po·di·um, pl. **un·du·li·po·dia** (ŭn′dū-li-pō′dē-ŭm, -ă) [LL. *undulo*, to move in waves < L. *unda*, wave + Mod. L. *podium* < G. *podion*, *pous*(foot) の指小辞]．アンデュリポディウム（多くの真核細胞の柔軟性のある，泡立ってみえる細胞内突起のこと．特徴的な9回対称をもつ．周辺に9組と中心に2組の微小管を配置して，しばしば(9＋2)対称という．細胞の基底小体(キネトソーム)から成長していて，真核細胞の基本的要素である．繊毛および真核性べん毛((9＋2)構造をもたない細菌のべん毛ではない)の総称）．

ung. ラテン語 *unguentum*(軟膏)の略．

un·gual (ŭng′gwăl) [L. *unguis*, nail]．爪の．＝unguinal.

un·guent (ŭng′gwent) [L. *unguentum*]．軟膏．＝ointment.

un·gues (ŭng′gwēz). unguis の複数形．

Un·guic·u·la·ta (ŭng-gwik′yū-lā′tă) [L. *unguiculus*, nail or claw]．有爪類（扁爪またはかぎ(鉤)爪をもつすべての哺乳動物を含む哺乳類の一区分で，有蹄類とは区別される）．

un·guic·u·late (ŭng-gwik′yū-lāt). 爪のある（蹄とは区別されるような爪をもつ）．

un·guic·u·lus (ŭn-gwik′yū-lŭs) [L. *unguis*(nail)の指小辞]．小鉤，小爪．

un·gui·nal (ŭng′gwi-năl). ＝ungual.

un·guis, pl. **un·gues** (ŭng′gwis, -gwēz) [L.] [TA]．爪．＝nail (1).

u. aduncus 嵌入爪〔甲〕．＝ingrown *nail*.

u. avis ＝calcarine *spur*.

Haller u. (hah′lĕr). ハラー爪．＝calcarine *spur*.

u. incarnatus 嵌入爪〔甲〕，刺爪．＝ingrown *nail*.

Un·gu·la·ta (ŭng′gyū-lā′tă). 有蹄類（蹄をもつ哺乳動物を含む哺乳類の一区分で，有爪類とは区別される）．

un·gu·late (ŭng′gyū-lāt) [L. *ungulatus* < *ungula*, hoof]．蹄のある．

un·gu·li·grade (ŭng′gyū-li-grād) [L. *ungula*, a hoof + *gradus*, a step]．蹄行の（ウマ，ブタ，反すう類などの歩行についていう）．

uni- [L. *unus*]．1つ，単一，または対になっていないことを意味する接頭語．ギリシア語の *mono-* に相当する．

u·ni·ar·tic·u·lar (yū′nē-ar-tik′yū-lăr). 単関節の，一関節の．＝monarticular.

u·ni·ax·i·al (yū′nē-ak′sē-ăl). 単軸の，一軸の（軸を1つだけもつこと，主に一方向に成長することについていう）．

u·ni·bas·al (yū′ni-bā′săl). 一基の．

Un·i·blue A (yū′nē-blū) [C.I. 14553]．ユニブルーA（電気泳動で用いる蛋白染料）．

u·ni·cam·er·al, **uni·cam·er·ate** (yū-nē-kam′ĕr-ăl, -kam′ĕ-rāt). 単房の．＝monolocular.

u·ni·cel·lu·lar (yū′ni-sel′yū-lăr). 単細胞の（原生動物のようにたった1個の細胞からなる．このような単細胞生物は他の細胞とは独立して生命活動を行う能力をもつことから，非細胞という語も用いられる）．

u·ni·cen·tral (yū′ni-sen′trăl). 一中心の（成長または骨化などのように1つの中心をもつ）．

u·ni·corn (yū′ni-kōrn). ＝unicornous.

u·ni·cor·nous, **u·ni·cor·nu·ate,** **u·ni·cor·nate** (yū′ni-kōr′nŭs, -nū-āte, -nāte) [L. *unicornis* < uni- + *cornu*, horn]．単角の，一角の．＝unicorn.

u·ni·cus·pid, **uni·cus·pi·date** (yū′ni-kŭs′pid, -kŭs′pi-dāt). 単尖の（犬歯などのように1個の尖突起しかもたない）．

u·ni·fa·mil·i·al (yū′nē-fă-mil′ē-ăl). 一家族〔性〕の（一家族に関する，あるいは一家族内に起こる．特に遺伝的形質のみられない同じ家族の中で数人の小児を襲う神経病についていう）．

u·ni·flag·el·late (yū′ni-flaj′ĕ-lāt). 単べん毛の．＝monotrichous.

u·ni·fo·rate (yū′ni-fō′rāt). 単孔の（孔，細孔，あるいは穴を1つだけもつ）．

u·ni·form (yū′ni-fōrm) [L. *uniformis* < uni- + *forma*, form]．***1*** 一様な，不変の（1つの形しかもたない．形が変わらない）．***2*** 同形(同型)の（他の構造または物体と同じ形，型についていう）．

u·ni·ger·mi·nal (yū′ni-jer′mi-năl). 一胚葉〔性〕の，単胚の（単胚または単一接合体についていう，例えば一卵性の）．＝monogerminal; monozygotic; monozygous.

u·ni·glan·du·lar (yū′ni-glan′dyū-lăr). 単腺〔性〕の，一腺の．

u·ni·lam·i·nar, **uni·lam·i·nate** (yū′ni-lam′i-năr, lam′-i-nāt). 単層の．

u·ni·lat·e·ral (yū′ni-lat′ĕ-răl). 片側〔性〕の，一側〔性〕の．

u·ni·lo·bar (yū′ni-lō′băr). 単葉の．

u·ni·lo·cal (yū′ni-lō′kăl). 単一座性（厳密には，遺伝的構成成分がただ1つの遺伝子座のみに由来する形質を表現する用語ではあるが，実際的には，1つの遺伝子座からの寄与が非常に大である由，データがメンデル遺伝で容易に解釈できるような形質についても用いる）．

u·ni·loc·u·lar (yū′ni-lok′yū-lăr) [uni- + L. *loculus*, compartment]．単房〔性〕の，単室の（脂肪細胞のように1つの室または腔しかない）．

u·ni·mo·lec·u·lar (yū′ni-mō-lek′yū-lăr). 一分子の，単分子の（→molecularity)．＝monomolecular (1).

u·ni·nu·cle·ar, **uni·nu·cle·ate** (yū′ni-nū′klē-ăr, -noo′-klē-āt). 単核の（*cf.* mononuclear)．

u·ni·oc·u·lar (yū′ni-ok′yū-lăr). ***1*** 一眼の．***2*** 単眼のみの場合の視力．

un·ion (yūn′yŭn) [L. *unus*, one]．***1*** 結合，融着（2つ以上の体の接合）．***2*** 癒合（構造的癒着または傷の端が一緒に成長すること）．***3*** 骨折の治癒，骨折片の間に連続性が形成されることで示される．

autogenous u. 自家融着（歯科において，2片の金属の鑞を用いない接合）．

faulty u. 癒合不全，偽関節．＝fibrous u.

fibrous u. 線維性癒合（線維性組織による骨折の癒合．→

nonunion). =faulty u.
primary u. 一次癒合. =*healing* by first intention.
secondary u. 二次癒合. =*healing* by second intention.
vicious u. 不整癒合. =malunion.

u·ni·o·val, uni·ov·u·lar (yū′nē-ō′văl, -ov′ū-lăr). 一卵性の, 一卵子の, 一卵の.

u·ni·pen·nate* (yū′ni-pen′āt) [uni- + L. *penna*, feather]. 単羽状の, 半羽状の (semipennate を表す公式の別名).

u·ni·po·lar (yū′ni-pō′lăr). 単極の, 一極の (①一極だけをもつ. 枝が一方のみから突出している神経細胞を表す. ②細胞の片方の末端にのみある).

u·ni·port (yū′ni-pōrt) [uni- + L. *porto*, to carry]. ユニポート (他の分子またはイオン輸送と既知の連動をしないで, キャリア(輸送担体)機構(ユニポータ)による, ある分子またはイオンの膜輸送. *cf.* antiport; symport).

u·ni·port·er (yū′ni-pōrt′ĕr). ユニポータ (他の分子またはイオンの輸送に対して既知の連動をしないで, ある分子またはイオンの膜輸送を媒介する蛋白).

u·ni·po·tent (yū′ni-pō′tĕnt). 単能性の (ある単一のタイプの細胞のみをつくり出すような細胞についていう. *cf.* pluripotent *cells*).

u·ni·sep·tate (yū′ni-sep′tāt). 単中隔の (1つの仕切りをもつ).

UNIT

u·nit (**U**) (yū′nit) [L. *unus*, one]. [手書き資料では, 略号Uは頻繁に誤解されるので, 本語を完全表記することが推奨される]. ***1*** 単数 (一, 1つ, 1人. 1人の人または1つの物). ***2*** 単位 (尺度, 重さ, その他の基準で, これの倍加または分数により目盛りまたは系がつくられる). ***3*** 単位体, セット (共通の作用または機能により全体として考えられる人または物の集り). ***4*** →international u.

absolute u. 絶対単位 (場所や時間に関係なく常に一定の値をとる単位で, 重力に依存せずに導かれる単位).

alexin u. アレキシン単位. =complement u.

Allen-Doisy u. (al′ĕn-dwah′sē). アレン-ドイジー単位 (去勢ネズミの膣上皮に特有の変化(白血球消失と角化細胞の出現)を起こすことのできるエストロゲン単位の約1/2に等しい). =mouse u.

alpha u.'s アルファ単位 (ロゼットに配列した細胞質グリコゲン顆粒).

amboceptor u. アンボセプタ単位, 両受体単位. =hemolysin u.

androgen u. (**international**) アンドロゲン単位(国際単位) (去勢した雄鶏の鶏冠の成長により測定する結晶アンドロステロン 100 μg(0.1 mg)のアンドロゲン作用).

angstrom u. (**Å**) (ang′strŏm). オングストローム(オングストレーム)〔単位〕(⇀angstrom).

antigen u. 抗原単位 (特異抗血清の存在下で, 一補体単位を結合させる抗原の最小量).

antitoxin u. 抗毒素単位 (抗毒素の力価を表す単位. 一般に, 抗毒素の標準品と比べて決定される. →L *doses*).

antivenene u. 抗蛇毒素単位 (耳静脈に注射した場合, 蛇毒の致死量に対してウサギの体重1gを保護しうる抗蛇毒素の量).

atomic mass u. (**amu**) 原子質量単位 (C-12 の原子の質量($1.6605402 \times 10^{-27}$ kg に相当)の1/12 に等しい質量の単位. エネルギーに換算すると, 1 amu=931.49432 MeV である. *cf.* dalton).

base u.'s 基本単位 (国際単位系(SI)における長さ, 質量, 時間, 電流, 温度, 物質量, および光度の基本単位. これらの量に対する単位の名称と記号は, メートル(m), キログラム(kg), 秒(s), アンペア(A), ケルビン(K), モル(mol), カンデラ(cd). →International System of Units).

Bethesda u. [*Bethesda*, メリーランド州の都市]. ベセスダ単位 (阻止因子活性を表す尺度の1つ. 孵置後にある凝固因子の 50%または 0.5 単位を不活化する阻止因子の量を 1 ベセスダ単位とする).

biologic standard u. 生物学的標準単位 (生物活性対照物質(例えば抗生物質, 抗毒素, 酵素, ホルモン, ビタミン)の固有量).

bird u. トリ単位 (ハトの嗉嚢腺の質量を一定量増加させるのに必要なホルモンの最小量で, プロラクチン活性の単位).

Bodansky u. (bō-dan′skē). ボダンスキー単位 (β-グリセロリン酸ナトリウムを含む基質緩衝液で1時間インキュベートしたとき無機リン酸としてリン 1 mg を遊離するホスファターゼの量).

British thermal u. (**BTU**) 英国熱量単位 (1ポンドの水を 3.9°C から 4.4°C に上昇させるのに必要な熱量. 251.996 cal または 1055.056 J に等しい). =u. of heat (2).

capon u. 去勢雄ニワトリ単位 (ニワトリの去勢雄で, 鶏冠の表面を 20% 増加させるのに必要なアンドロゲンの量). =capon-comb u.

capon-comb u. =capon u.

cat u. ネコ単位 (静脈内投与でネコを殺すのに十分な kg 当たりの薬物の投与量. ジキタリス類の標準化に用いられた).

centimeter-gram-second u., CGS u., cgs u. CGS(cgs)単位 (センチメートル, グラム, 秒を基本単位とする絶対単位).

chlorophyll u. クロロフィル単位 (光合成によって炭酸ガスの1分子を還元するのに必要なクロロフィル分子の数).

chorionic gonadotropin u. (**international**) 絨毛性性腺刺激ホルモン単位(国際単位) (妊婦の尿や胎盤に由来する絨毛性性腺刺激ホルモンの標準品 0.1 mg の特異性腺刺激活性).

Clauberg u. (klō-bārg′). クラウベルク単位 (⇀Clauberg *test*).

colony-forming u. コロニー形成ユニット (骨髄内の細胞のユニットで血液細胞を新生したり増殖を増やしたりする).

complement u. 補体単位 (一溶血素単位の存在下で一定量単位の赤血球を溶血させる補体の最小量(最高希釈)). =alexin u.

Corner-Allen u. (kōr′nĕr al′ĕn). コーナー-アレン単位 (プロゲステロン活性の最小量の家兎単位. その量を 5 等分して 5 日間投与すると, 正常妊娠で 8 日目に生じる特有の変化を 6 日目に生じさせる. この単位は国際単位とほぼ同一の効力を有する).

coronary care u. (**CCU**) 冠〔状〕〔動脈〕疾患集中治療〔病棟〕, 冠〔状〕〔動脈〕疾患〔監視〕病室 (心筋梗塞のある, またはその疑いのある患者の看護のために病院内で確保してある一群のベッド).

corpus luteum hormone u. 黄体ホルモン単位. =progesterone u.

critical care u. (**CCU**) =intensive care u.

CT u. CT単位 (CT画像における, 各画素ごとのX線減弱の単位. ⇀Hounsfield u.).

Dam u. (dahm). ダム単位 (ビタミンKの活性単位. 経口投与3日後, ビタミンK欠乏ひなの血液中に正常凝固性をもたらすことのできる体重1g当たりの1日のビタミンKの最小量).

digitalis u. (**international**) ジギタリス単位(国際単位) (国際標準粉末ジギタリス 0.1 g の活性).

diphtheria antitoxin u. ジフテリア抗毒素単位 (標準ジフテリア抗毒素 0.0628 mg の活性を一単位とした抗毒素活性).

dog u. イヌ単位 (毎日投与すると, 副腎切除イヌを 7—10 日間良好な状態に保つ, 体重 1 kg 当たりの副腎皮質抽出物の量).

electromagnetic u. (**emu**) 電磁単位 (電流の磁気作用に用いる絶対単位系(すなわちCGS). 例えば, abampere, abfarad, abhenry, abohm, abvolt).

electrostatic u. (**esu**) 静電単位 (静電気に用いる絶対単位系(CGS). 例えば, statampere, statcoulomb, statfarad, stathenry, statvolt).

u. of energy エネルギーの単位 (ⓘCGS単位系ではエルグとジュール, ⓘⓘMKS単位系ではニュートンメートル(ジュール), ⓘⓘⓘFPS単位系ではフートポンダル, ⓘⓥ重力単位ではグラムセンチメートル, グラムメートル, キログラムメートル，フートポンド，ⓥ国際単位系(SI)ではジュール，で示される).

epidermal-melanin u. 表皮メラニン単位（1つのメラノサイトとそれを取り囲むいくつかの表皮角化細胞の集まりをさす．その重要な役割はメラノサイトからメラニン顆粒を角化細胞に供給することであると思われる).

equine gonadotropin u.（international） ウマ性腺刺激ホルモン単位(国際単位)（妊娠雌ウマ血清の性腺刺激ホルモン成分の標準品 0.25 mg の特異性腺刺激活性).

estradiol benzoate u.（international） 安息香酸エストラジオール単位(国際単位)（安息香酸エストラジオールの標準品 0.1 μg のエストロゲン活性).

estrone u.（international） エストロン単位(国際単位)（結晶エストロンの標準品 0.1 μg(0.0001 mg)のエストロゲン活性).

Fishman-Lerner u. (fish′man lĕr′nĕr). フィッシュマン－ラーナー単位（血清酸性ホスファターゼ活性の単位で，フェニルホスフェイトの基質から遊離するフェノールの量を測定することにより求められる).

Florey u. (flōr′ē). フローリー単位. ＝Oxford u.

foot-pound-second u., FPS u., fps u. FPS(fps)単位（フート，ポンド，秒を基本単位とする絶対単位).

u. of force 力の単位（ⓘCGS単位系ではダイン，ⓘⓘFPS単位系ではポンダル，ⓘⓘⓘMKS単位系および国際単位系(SI)ではニュートン，で示される).

gravitational u.'s（G） 重力単位（エネルギーの重力単位としてグラムセンチメートル，グラムメートル，キログラムメートル，フートポンドがある).

G u. of streptomycin ストレプトマイシンのG単位（→streptomycin u.'s).

u. of heat 熱量の単位（①＝calorie (gram calorie; kilocalorie). ②＝British thermal u. ③＝joule).

hemolysin u., hemolytic u. 溶血素単位，溶血単位（標準補体が完全溶血を起こさせるように赤血球の標準懸濁液を感作する不活性化免疫血清の最小量(最高希釈)). ＝amboceptor u.

heparin u. ヘパリン単位（ネコの血液 1mL を0°C で 24 時間保つのに必要なヘパリンの量．約 0.002 mg の純ヘパリンに等しい). ＝Howell u.

Holzknecht u.（H） (hōlts′knekt). ホルツクネヒト単位（紅斑線量の1/5に等しいX線線量の単位．現在では用いない).

Hounsfield u. (hownz′fēld). ハウンスフィールド単位（X線の減衰を表す標準指標で，水を0として－1,000(空気)から＋1,000(骨)までの値をとるように決められる．CT画像で用いる).

Howell u. (how′ĕl). ハウエル単位. ＝heparin u.

insulin u.（international） インスリン単位(国際単位)（亜鉛－インスリン結晶の国際標準品の1/22 mg に相当する活性).

intensive care u.（ICU） 集中治療室（重症患者の治療を集中的に行うための病院の施設で，質量ともに高度の看護および医療監督を連続的に行い，またむずかしいモニターや蘇生装置を用いることが特徴である．特殊な患者群の管理のために組織化されることがある．例えば新生児ICU，神経学的ICU，呼吸器ICUなど). ＝critical care u.

u. of intermedin インテルメジン単位（下垂体切除カエルにおける黒色素細胞の拡張を起こすホルモンの作用に基づく単位．1単位はアルカリ処理 USP 脳下垂体標準品 1 μg に等しい).

international u.（IU） 国際単位（国際団体によって定義され，国際的に受け入れられている特定の効果を生じさせる，薬物，ホルモン，ビタミン，酵素などの物質の量．酵素に対しては，1分間に生成する生成物(または消費する基質)の μmole 数).

International System of U.'s →International System of Units.

Jenner-Kay u. (jen′ĕr kā). ジェンナー－ケイ単位（リン 1mg を遊離するホスファターゼの量．1単位は約 2 Bodansky単位，または1 King単位).

Kienböck u.（X） (kēn′bōrk). X線線量の単位．現在では用いない.

King u. (king). キング単位（過剰のフェニルリン酸ナトリウムに pH 9 で 30 分間作用するとフェノール 1mg を遊離するホスファターゼの量). ＝King-Armstrong u.

King-Armstrong u. (king arm′strong). キング－アームストロング単位. ＝King u.

u. of length 長さの単位（ⓘメートル法と国際単位系(SI)ではメートル，ⓘⓘCGS単位系ではセンチメートル，ⓘⓘⓘ英国系では不定(短距離はインチ，中程度の距離と高度はフート，長距離はマイル)，で示される).

u. of light 光の単位（→candela; lux).

light-curing u. 光照射器（光重合型レジンの重合に用いる，可視光照射装置．光源には，ハロゲンランプ，ダイオード，プラズマアークランプを用いる).

L u. of streptomycin ストレプトマイシンL単位（→streptomycin u.'s).

u. of luminous flux 光束の単位（→lumen).

u. of luminous intensity 光度単位（→candela).

lung u. 肺単位（①呼吸小気管支とその呼吸小気管支がはいっていく肺胞管，肺胞嚢，肺胞．②終末小気管支とその細区域を含むとみなして，肺細葉 pulmonary *acinus* とよばれることもある).

u. of luteinizing activity（international） 黄体形成活性単位(国際単位). ＝progesterone u.

Mache u.（Mu） マッヘ単位（1930 年に定義された放射能濃度単位．国際単位では約 13.5×10^{-3} ベクレル/ cm^3 に相当する).

u. of magnetic field intensity 磁場の強さの単位（→gauss; tesla).

u. of magnetic flux intensity →gauss; tesla.

u. of mass 質量の単位（ⓘメートル法ではグラム，ⓘⓘ国際単位系(SI)ではキログラム，ⓘⓘⓘ英国系ではポンド，で示される).

meter-kilogram-second u., MKS u., mks u. MKS(mks)単位（メートル，キログラム，秒を基本単位とする絶対単位).

Montevideo u.'s (mon-tĕ-vi-dā′ō). [Montevideo, Argentina, wheredeveloped]. モンテビデオ単位（分娩中の子宮収縮の強度の計測単位．10 分間の収縮強度の合計．陣痛強度は収縮極期圧から静止圧を差引いて算出する).

motor u. 運動単位（単一体運動ニューロンと，それが神経支配する筋線維の一群).

mouse u.（m.u.） マウス単位. ＝Allen-Doisy u.

u. of ocular convergence 輻輳の単位. ＝meter *angle*.

ostiomeatal u. ＝ostiomeatal *complex*.

Oxford u. オックスフォード単位（標準培養基の直径 26 mm の部分で黄色ブドウ球菌 *Staphylococcus aureus* の増殖を防ぐペニシリンの最小量．1単位はペニシリン結晶ナトリウム塩 0.6 μg に等しい). ＝Florey u.

u. of oxytocin オキシトシン単位（USP脳下垂体標準品 0.5 mg のオキシトシン活性．合成オキシトシン 1 mg は 500 IU に相当する).

u. of penicillin（international） ペニシリン単位(国際単位)（ペニシリンG 0.6 μg のペニシリン活性).

phosphatase u. ホスファターゼ単位（→Bodansky u.; King u.).

physiologic u. 生理〔的〕単位（①Spencer の着想による原形質の終局(仮説的の)生活単位．②器官として機能を果たす最小区分，例えば尿細管).

postanesthesia care u.（PACU） 麻酔〔後〕回復室（麻酔後の患者回復のために専門のスタッフと設備をもつ部屋または部門). ＝recovery room.

practical u.'s 実用単位（実用上便利な大きさをもつ電気の単位．アンペア，クーロン，ファラデー，ヘンリー，ジュール，オーム，ボルト，ワットなどがある．元来の定義によれば，これらの単位は，絶対単位(CGS 電磁単位の倍数)である).

u. of progestational activity（international） プロゲステロン活性単位(国際単位)（→progesterone u. (international)).

progesterone u.（international） プロゲステロン単位(国際単位)（プロゲステロン活性単位(国際単位)1mg のプロゲステロン活性．純プロゲステロンの標準品. →Clauberg *test*;

Corner-Allen u.). ＝corpus luteum hormone u.; u. of luteinizing activity (international).

prolactin u. (international) プロラクチン単位(国際単位)(下垂体前葉腺の催乳物質の標準品 0.1 mg 中に含まれる特異催乳活性).

u. of radioactivity 放射能の単位（⇀becquerel).

riboflavin u. リボフラビン単位（通常，リボフラビンの重量で表す効力.→Sherman-Bourquin u. of vitamin B_2). ＝vitamin B_2 u.

roentgen u. レントゲン単位（⇀Roentgen).

Schwann cell u. (shwahn). シュヴァン〔細胞〕単位（1個の Schwann 細胞と鋸歯状表面をもつ溝に収まる軸索をさす．末梢神経系で無髄線維とみなされる).

sector u. セクタ単位（リアルタイム技術を用いてつくられる二次元断面画像).

Sherman u. (shĕr′măn). シャーマン単位（ビタミンCの単位．最小有効量．毎日投与して体重 300 g のモルモットを壊血病から 90 日間守ることのできるビタミンCの最小量．アスコルビン酸 0.5—0.6 mg に等しい).

Sherman-Bourquin u. of vitamin B_2 (shĕr′măn būr′-kwin). シャーマン－ブアクウィンビタミン B_2 単位（標準試験ラットが週平均3gの体重増加を 8 週間維持するための毎日の食事に必要なビタミン B_2量．1単位は上記の検定で用いる欠乏食事に加えるリボフラビン 1 — 7 μg(0.001—0.007 mg)に等しい).

Sherman-Munsell u. (shĕr′măn mŭn-sel′). シャーマン－マンセル単位（ラット成長単位．標準試験ラットで，体重増加率を週3gに維持する毎日のビタミンA量).

SI u.'s SI 単位（⇀base u.'s; International System of Units).

Somogyi u. (sō-mō′jē). ソモギー単位（Somogyi法(最も頻繁に用いられる方法)によって分析したときの血清中のアミラーゼ活性値の尺度．最大活性を得るために塩化ナトリウムを加えた標準デンプンの基質と血清を混ぜ，一定時間反応させたとき，血清 100 mL 当たり，ブドウ糖として 1mg の還元糖が遊離されたとき 1 単位とする．正常範囲は 80—150 単位であるが，通常 200 単位以上でないと臨床的に有意とみなされない).

S u. of streptomycin ストレプトマイシンの S 単位（⇀streptomycin u.'s).

Steenbock u. (stēn′bok). スティーンボック単位（ビタミンDの単位．標準くる病ラットの橈骨・尺骨末端のくる病にかかった骨幹端にカルシウム沈着の細い線を 10 日以内に生じる総ビタミンD量).

step-down u. 中等治療病棟，ステップダウン室（集中治療室と通常の入院病棟との中間のケアをする病棟).

streptomycin u.'s ストレプトマイシン単位（①G単位では結晶物質1gまたは約 1,000,000S 単位に等しい．②L単位では 1,000S 単位に等しい．③S単位では普通ブロスまたは他の適当な培地 1mL 中の大腸菌 *Escherichia coli* の標準株の増殖を抑制するストレプトマイシンの量).

Svedberg u. (S) (sfed′bĕrg). スヴェードベリー単位（1×10^{-13} sec の沈降定数).

terminal respiratory u. 終末呼吸単位（中枢性呼吸細気管支よりも最も末梢のすべての肺胞および肺胞道で，肺胞道 100 個と肺胞 2,000 個を含む).

tetanus antitoxin u. 破傷風抗毒素単位（標準破傷風抗毒素 0.3094 mg の抗毒素活性).

thiamin chloride u. 塩化チアミン単位. ＝thiamin hydrochloride u. (international).

thiamin hydrochloride u. (international) 塩酸チアミン単位(国際単位)（標準結晶塩酸ビタミン B_1，0.003 mg の抗神経炎活性). ＝vitamin B_1 hydrochloride u.

u. of thyrotrophic activity 甲状腺刺激活性単位（5日間毎日投与するとモルモット(体重 200 g)の甲状腺が 600 mg の重量に達する下垂体前葉抽出物の活性).

Todd u. トッド単位（抗ストレプトリジンO(ASO)価の試験結果を表す単位．連鎖球菌酵素ストレプトリジンOの標準製剤の中性化を持続させる試験血清の最大希釈の逆数を意味する).

toxic u. (TU) 毒素単位（以前はモルモットでの最小致死量と同義であったが，毒素の不安定性のために，現在では毒素が結合する標準抗毒素量によって測定されている.→L doses; minimal lethal *dose*). ＝toxin u.

toxin u. (TU) 毒素単位. ＝toxic u.

USP u. USP単位（米国薬局方 *United States Pharmacopeia* が定義して採用した単位).

u. of vasopressin バソプレッシン単位（USP脳下垂体標準品 0.5 mg の昇圧活性．合成バソプレッシン 1 mg は 600 IU に相当する).

vitamin A u. (international) ビタミンA単位(国際単位)（ビタミンA(アルコール型)0.3 μg の特異生物学活性.→Sherman-Munsell u.).

vitamin B_2 u. ビタミン B_2 単位. ＝riboflavin u.

vitamin B_6 u. ビタミン B_6 単位（純結晶ピリドキシンの重量で表す効力).

vitamin B_1 hydrochloride u. 塩酸ビタミン B_1 単位. ＝thiamin hydrochloride u.

vitamin C u. (international) ビタミンC単位(国際単位)（標準結晶レボアスコルビン酸 0.05 mg のビタミンC活性．結晶ビタミンC 1mg は，20 USP 単位である.→Sherman u.).

vitamin D u. (international) ビタミンD単位(国際単位)（結晶ビタミン D_3(活性化 7-デヒドロコレステロール)標準品 0.025 μg に含まれる抗くる病活性.→Steenbock u.).

vitamin E u. ビタミンE単位（通常，純 α-トコフェロールの重量で表す効力).

vitamin K u. ビタミンK単位（⇀Dam u.).

volume u. (VU) VU（音声や音楽などの低周波信号の強さを対数で表した単位．1ミリワットに対するデシベルで表示される).

u. of wavelength 波長の単位（⇀angstrom; nanometer).

u. of weight 重量の単位（⇀u. of mass).

Wood u.'s (wud). ウッド単位（肺血管抵抗を測定する簡易方法．圧の上昇を利用する．肺毛細血管楔入圧を平均肺動脈圧から差し引き，心拍出量(L/分)で除することで求める).

u. of work 仕事の単位（⇀u. of energy).

U

U·ni·ted States A·dopt·ed Names (USAN) (yū-nī′-tĕd stāts a-dopt′ĕd nāmz). USAN評議会が関連製薬会社と協力して採用した(医薬品の)一般名称．USAN は 1961 年 6 月以降に造語された一般名のみに適用できる．

U·ni·ted States Phar·ma·co·pe·ia (USP) (yū-nī′tĕd stāts far′ma-kō-pē′ă). 米国薬局方（⇀*Pharmacopeia*).

U·ni·ted States Pub·lic Health Ser·vice (USPHS) (yū-nī′tĕd stāts pŭb′lik helth ser′vis). 米国公衆衛生局（米国保健福祉省の一部門．公衆衛生局長官の指揮下にある医療専門官集団によって業務が行われる．主な業務は科学研究，国内および属島の防疫，国立病院の管理，衛生レポートの出版および統計であり，関連機関には国立衛生研究所 National Institutes of Health や疾病管理予防センター Centers for Disease Control and Prevention などがある).

u·ni·va·lence, uni·va·len·cy (yū′ni-vā′lents, -vā′lent-sē). 一価. ＝monovalence.

u·ni·va·lent (yū′ni-vā′lĕnt). 一価の. ＝monovalent (1).

U·ni·ver·sal Pre·cau·tions (yū′ni-ver′săl prē-kaw′shŭnz). 普遍的予防手段，予防原則（正式には，Universal Blood and Body Fluid Precautions(普遍的血液および体液予防手段)．1987 年 8 月に米国 CDC(疾病管理予防センター)が(医療現場での HIV 感染予防のための勧告として)公表した一連の予防法指示書とガイドラインで，医療関係者が非経口的，粘膜，および正常の皮膚が血液病原体に暴露されるのを防ぐことを目的としている．1991 年 12 月には，OSHA(米国職業安全保健局)は，〝職業性血液病原体暴露基準〞を公布し，普遍的予防手段と，工学的対策，防御具の設置，バイオハザードに関する基本的表示，労働者に対する普遍的予防対策の強制的な教育，偶発的な非経口暴露事件の管理，および労働者のB型肝炎に対するワクチンの利用など，医療関係の事業主に対する詳細な責務を課している).

普遍的予防手段の基本原理は，保健医療のすべてのレシピエントの血液やその他の体液は，ヒト免疫不全ウイルス(HIV)，B型肝炎ウイルス(HBV)，およびその他の血液病原体に感染していると考えるということである．普遍的予防手段の対象は，血液，未固定組織(無傷の皮膚を除く)，脳脊髄液，滑液，胸水，腹水，心囊水，羊水，精液，腟分泌物であり，糞便，鼻汁，喀痰，汗，涙，尿，ないし肉眼的に血液を含んでいない嘔吐物は対象としていない．口対口人工呼吸，手術，侵襲的診断術，産科，腎透析，歯科，臨床検査，死体安置所，葬儀業に対しては，特別の予防対策が記述されている．手袋，ガウン，耐水エプロン，マスク，および防御眼鏡などの防具が，特定の作業で血液およびその他の有害生物試料への暴露を防ぐため不可欠とされている．OSHA の基本では，静脈切開や口腔内検査および治療には手袋着用を義務づけている．その他，ランドリー，体表洗浄，および汚染物の処理の基準もある．使用後の針，メス，その他の鋭利な器具に対しても特別の予防対策が勧奨されている．血液に暴露された医療関係者に対して，HBV ワクチン接種が重要な対策として付記されている．この普遍的予防手段は，手洗いや手の汚染を防ぐための手袋の使用などの日常行動の感染対策法の代わりとなるものでなく，それを補うものである．普遍的予防手段を実施することで，感染性下痢に対する腸管対策や肺結核に対する呼吸隔離などの，その他のカテゴリーあるいは疾病特異性の隔離対策の必要性がなくなるということではない．

---

un·med·ul·lat·ed (ŭn-med′yū-lāt′ĕd). ＝unmyelinated.

un·my·e·li·nat·ed (ŭn-mī′ĕ-li-nāt′ed). 無髄の（ミエリン鞘を欠く神経線維(軸索)についていう）．＝amyelinated; amyelinic; nonmedullated; nonmyelinated; unmedullated.

Unna (ūn′ah), Paul G. ドイツ人皮膚科医・染色法の専門家，1850—1929. ⇀U. *disease*, *nevus*, *stain*; U.-Pappenheim *stain*; U.-Taenzer *stain*; U.-Thost *syndrome*.

un·of·fi·cial (ŭn′ō-fi′shăl). 局方外の，非公式の（米国薬局方 United States Pharmacopeia または国民医薬品集 National Formulary に記載されていない薬品を示す）.

un·phys·i·o·log·ic (ŭn-fiz′ē-ō-loj′ik). 非生理的な（生体の異常な状態を示す．正常に存在していた物質の量が，異常に身体に生じることについていう）.

un·san·i·tar·y (ŭn-san′i-tār′ē). 非衛生的な，健康によくない．＝insanitary.

un·sat·ur·at·ed (ŭn-sach′ŭr-āt′ĕd). 不飽和の（①溶媒がさらに多くの溶質を溶かすことができる状態の溶液を示す．②全結合性が満たされているわけではないので，さらに他の原子，基を付加することができる化合物をもさす．③有機化学において，二重結合ないしは三重結合を含む化合物を示す）.

un·sex (ŭn′seks). 去勢する，性腺を除去する．

un·stri·at·ed (ŭn-strī′āt-ĕd). 無線条の（線条のないこと，縞のないことについていう．平滑筋すなわち不随意筋の構造についていう）.

un·thrif·ty (ŭn-thrif′tē). 発育不全の（動物において，疾患のため正常に発育できないことについていう）.

Un·ver·richt (ūn′fĕr-ikt), Heinrich. ドイツ人内科医，1853—1912. ⇀U. *disease*.

UPJ ureteropelvic *junction* の略．

up·reg·u·la·tion (ŭp′reg-yū-lā′shŭn). アップレギュレーション（ダウンレギュレーションの逆）.

UPS ubiquitin-proteasome *system* の略．

up·si·loid (ŭp′si-loyd). V字形の，U字形の．＝hypsiloid.

up·si·lon (up′si-lon). ウプシロン（ギリシア語アルファベットの 20 番目の文字．Υ）.

up·stream (ŭp′strēm). 上流（発現とは逆方向に進む核酸塩基配列についていう）.

up·take (ŭp′tāk). 取込み，摂取（物質，食物，鉱物の組織による吸収，およびその永久的または一時的貯留）.

Ura uracil の略．

u·ra·chal (yūr′ă-kăl). 尿膜管の．

u·ra·chus (yūr′ă-kŭs) [G. *ourachos*, the urinary canal of a fetus]. 尿膜管（膀胱尖と臍の間の尿膜の部分．生後は正常では単に線維索であるが，尿膜管が尿膜管瘻として存続することもある）.

u·ra·cil (Ura, U) (yūr′ă-sil). ウラシル（リボ核酸に存在するピリミジン塩基）.

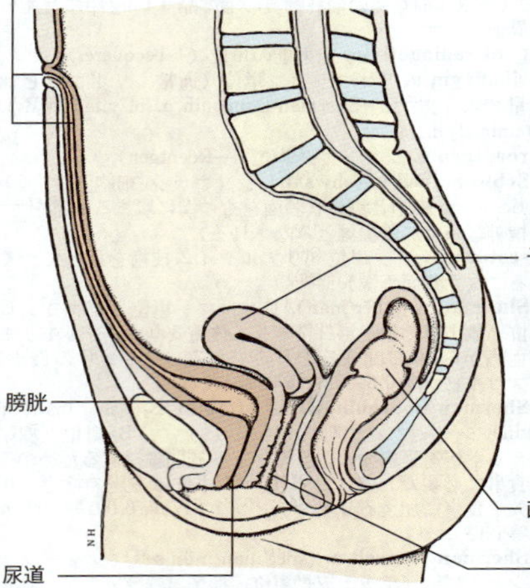

patent urachus

u. dehydrogenase ウラシルデヒドロゲナーゼ（ウラシルのバルビツール酸への酸化を触媒する酸化還元酵素．チミンをも酸化する）．＝u. oxidase.

u. mustard ウラシルマスタード（アルキル化性抗腫瘍薬）．＝uramustine.

u. oxidase ウラシルオキシダーゼ．＝u. dehydrogenase.

u. phosphoribosyltransferase ⇀phosphoribosyltransferase.

u·ra·cil-6-car·box·yl·ic ac·id (yūr′ă-sil-kar′boks-il′ik as′id). ウラシル-6-カルボン酸．＝orotic acid.

Ur·a·go·ga (yūr′ă-gō′gă). アカネ科熱帯植物の一属．*U. ipecacuanha*(*Cephaelis ipecacuanha*)はリオ吐根またはブラジル吐根の原植物．*U. acuminata*(*C. acuminata*)はカルタヘナ，ニカラグア，あるいはパナマ吐根の原植物．＝*Cephaelis*.

ur·a·mus·tine (yūr′ă-mŭs′tēn). ウラムスチン．＝*uracil* mustard.

u·ra·nin (yū′ră-nin). ウラニン．＝*fluorescein* sodium.

u·ran·i·nite (yū-ran′i-nīt). 閃ウラン鉱．＝pitchblende.

uranisco- ⇀urano-.

u·ra·nis·co·chasm (yū′ră-nis′kō-kazm) [uranisco- ＋G. *chasma*, cleft]. 口蓋披裂．＝uranoschisis.

u·ra·nis·co·ni·tis (yū′ră-nis′kō-nī′tis). 口蓋炎．＝palatitis.

u·ra·nis·co·plas·ty (yū′ră-nis′kō-plas′tē) [uranisco- ＋G. *plassō*, to form]. 口蓋形成〔術〕．＝palatoplasty.

u·ra·nis·cor·rha·phy (yū′ră-nis-kōr′ă-fē) [uranisco- ＋G. *rhaphē*, suture]. 口蓋縫合〔術〕．＝palatorrhaphy.

u·ra·nis·cus (yū′ră-nis′kŭs) [G. *ouraniskos*, roof of the mouth: *ouranos*(sky)の指小辞]. 口蓋．＝palate.

u·ra·ni·um (U) (yū-rā′nē-ŭm) [*Uranus*, ギリシア神話の登場人物]. ウラン（放射性金属元素．原子番号 92，原子量 238.0289．主に瀝青ウラン鉱石(ピッチブレンド)に見出される．ウラン 238 とウラン 235 の 2 種類の同位元素がよく知られている(存在比はそれぞれ 99.2745 % と 0.720 % で，残りはウラン 234 である)．ウラン 235 は自己核分裂連鎖反応を起こすことが示された最初の物質である）.

urano-, uranisco- [G. *ouranos*, sky vault, *ouraniskos*, roof of mouth (palate)]. 硬口蓋に関する連結形．

u·ra·no·plas·ty (yū′ră-nō-plas′tē). 口蓋形成〔術〕．＝palatoplasty.

u·ra·nor·rha·phy (yū′ră-nōr′ă-fē) [urano- ＋G. *rhaphē*, suture]. 口蓋縫合〔術〕．＝palatorrhaphy.

u·ra·nos·chi·sis (yū′ră-nos′ki-sis) [urano- ＋G. *schisis*, fissure]. 〔硬〕口蓋〔披〕裂（硬口蓋の披裂）. ＝uraniscochasm.

u·ra·no·staph·y·lo·plas·ty (yū′rǎ-nō-staf′i-lō-plas′tē) [urano- + G. *staphylē*, uvula + *plassō*, to form]. 軟硬口蓋裂形成〔術〕（硬口蓋と軟口蓋の両方の裂の修復）. ＝uranostaphylorrhaphy.

u·ra·no·staph·y·lor·rha·phy (yū′rǎ-nō-staf′i-lōr′ǎ-fē). 軟硬口蓋裂縫合〔術〕. ＝uranostaphyloplasty.

u·ra·no·staph·y·los·chi·sis (yū′rǎ-nō-staf′i-los′ki-sis) [urano- + G. *staphylē*, uvula + *schisis*, fissure]. 軟硬口蓋裂（軟口蓋と硬口蓋の両方の披裂）. ＝uranoveloschisis.

u·ra·no·ve·los·chi·sis (yū′rǎ-nō-vě-los′ki-sis). ＝uranostaphyloschisis.

u·ra·nyl (yūr′ǎ-nil). ウラニル（イオン UO_2^{2+}. 通常，硝酸ウラニル$UO_2(NO_3)_2$のような塩にみられる基. 酢酸ウラニル $UO_2(CH_3COO)_2$ は電子顕微鏡法で用いられる）.

u·ra·ro·ma (yū′rǎ-rō′mǎ) [G. *ouron*, urine + *arōma*, spice]. 尿香，尿臭（尿の，鼻をつくような芳香臭を表す現在では用いられない語）.

u·rar·thri·tis (yū′rar-thrī′tis) [urate + arthritis]. 尿酸〔性〕関節炎，痛風〔性〕関節炎（関節の痛風性炎症）.

u·rate (yū′rāt). 尿酸塩.

u. oxidase [MIM*191540]. 尿酸オキシダーゼ（尿酸を酸化する銅含有酸素依存性酸化還元酵素. 増加した尿酸濃度の臨床診断に用いる）. ＝uricase.

u·ra·te·mi·a (yū′rā-tē′mē-ǎ) [urate + G. *haima*, blood]. 尿酸血〔症〕，尿酸塩血〔症〕（血液中に尿酸塩，特に尿酸ナトリウムが存在すること）.

ur·ate·ri·bo·nu·cle·o·tide phos·phor·y·lase (yūr′-āt-rī′bō-nū′klē-ō-tīd fos-fō′ril-ās). ウレイトリボヌクレオチドホスホリラーゼ（尿酸 D-リボヌクレオチドと正リン酸より尿酸と D-リボース 1-リン酸を生成する反応を触媒するリボシルトランスフェラーゼ）.

u·rat·ic (yū-rat′ik). 尿酸性の.

u·ra·tol·y·sis (yū′rǎ-tol′i-sis) [urate + G. *lysis*, solution]. 尿酸〔塩〕分解（尿酸塩の分解または溶解）.

u·ra·to·ly·tic (yū′rǎ-tō-lit′ik). 尿酸〔塩〕分解の（組織からの，尿酸塩の分解または溶解，および除去を起こすことについていう）.

u·ra·to·ma (yū′rǎ-tō′mǎ) [urate + G. *-oma*, tumor]. 尿酸塩腫. ＝gouty *tophus*.

u·ra·to·sis (yū′rā-tō′sis). 尿酸塩症（血液または組織中に尿酸塩があるために生じる病的状態）.

u·ra·tu·ri·a (yū′rā-tyū′rē-ǎ) [urate + G. *ouron*, urine]. 尿酸〔塩〕尿（尿中への尿酸塩排泄増加）.

Ur·bach (ŭr′bak), Erich. 米国人皮膚科医，1893—1946. → U.-Wiethe *disease*.

Ur·ban (ŭr′bǎn), Jerome A. 20世紀の米国人外科医. → U. *operation*.

ur·ce·i·form (yūr-sē′i-fōrm) [L. *urceus*, pitcher + *forma*, form]. つぼ形の. ＝urceolate.

ur·ce·o·late (yūr-sē′ō-lāt) [L. *urceolus*: *urceus*(pitcher)の指小辞]. ＝urceiform.

Urd uridine の略.

ur-de·fens·es (yūr′dē-fens′ěz). 基本防衛，原防衛（原始的防衛に対してまれに用いる語）.

ure-, urea-, ureo- [G. *ouron*, urine]. 尿素，尿を意味する連結形. →urin-; uro-.

u·re·a (yū-rē′ǎ) [G. *ouron*, urine]. 尿素（哺乳類の窒素代謝の主終末生成物. Krebs-Henseleitサイクルによって肝臓中に形成される. 健康成人の尿中に 1 日約 32 g(体から排泄される窒素の約85%)が排泄される. また，人工的にはシアン酸アンモニウム溶液を加熱して得られる. 無色または白色角柱結晶として発生し，無臭であるが冷却食塩水の味があり，水溶性. 酸とともに塩を形成する. 腎機能試験の利尿薬として，または局所的に種々の皮膚炎に用いられてきた）.

u. peroxide 尿素過酸化物（白色の結晶化合物. 酸化口内洗剤として水溶液で用いる）.

u. stibamine 尿素スチバミン（スチバニル酸の尿素誘導体. カラアザール，その他ある種の熱帯病の治療に用いる）.

u·re·a·gen·e·sis (yū-rē′ǎ-jen′ě-sis) [urea + G. *genesis*, production]. 尿素形成（尿素をつくること，通常，アミノ酸から尿素への代謝をさす）. ＝ureapoiesis.

u·re·al (yū-rē′ǎl). 尿素の. ＝ureic.

U·re·a·plas·ma (yū-rē′ǎ-plaz′mǎ). ウレアプラスマ属（微好気性から嫌気性の非運動性細菌（マイコプラスマ科）の一属で，細胞壁をもたない. グラム陰性，主に直径約 0.3 μm の球形または球杆形の要素からなり，しばしば短糸状に発育する. 集落は一般に小さく，直径 20—30 μm で，表面増殖域をもたないことがある. この細菌は尿素を水解してアンモニアを産生し，ヒトの泌尿生殖器と，ときに咽頭と直腸に見出され，男性では，非淋菌性尿道炎や前立腺炎に，また女性では，泌尿生殖器感染や生殖不全に関連する. 新生児では肺炎や髄膜炎を起こすことがある. 標準種は *U. urealyticum*）. ＝T-mycoplasma.

U. urealyticum 新生児の呼吸器および中枢神経系から分離されている種. 泌尿生殖器の感染症，特に尿道炎の原因となる. 性交渉を通して，また母体から乳児に伝搬すると考えられている. 実験室内診断は，尿素含有寒天培地を用いることにより簡素化されており，そこでは小形のコロニーが検出される.

u·re·a·poi·e·sis (yū-rē′ǎ-poy-ē′sis) [urea + G. *poiēsis*, a making]. 尿素生成. ＝ureagenesis.

u·re·ase (yūr′ē-ās). ウレアーゼ，尿素分解酵素（尿素を加水分解し二酸化炭素とアンモニアを生成する反応を触媒する酵素. 抗癌性酵素として用いられる. この酵素は腸内細菌に存在し，哺乳類での尿素から生成するアンモニアのほとんどに寄与する）.

u·re·de·ma (yū′re-dē′mǎ) [G. *ouron*, urine + *oidēma*, swelling]. 尿〔浸潤〕性水腫（浮腫）（皮下組織への尿の浸潤による水腫）.

u·re·ic (yū-rē′ik). ＝ureal.

u·re·ide (yūr′ē-īd). ウレイド（水素原子の 1 つ以上が酸基で置換された尿素の化合物）.

3-u·re·i·do·hy·dan·to·in (yū-rē′i-dō-hī′dan-tō′in). 3-ウレイドヒダントイン. ＝allantoin.

3-u·re·i·do·i·so·bu·tyr·ic ac·id (yū-rē′i-dō-ī′sō-byū-tir′ik as′id). 3-ウレイドイソ酪酸（チミン異化の中間産物）.

3-u·re·i·do·pro·pi·on·ic ac·id (yū-rē′i-dō-prō′pi-on′ik as′id). 3-ウレイドプロピオン酸（ウラシル異化の中間産物）.

u·re·i·do·suc·cin·ic ac·id (yū-rē′i-dō-sŭk-sin′ik as′id). ウレイドコハク酸（ピリミジンの前駆物質）. ＝*N*-carbamoylaspartic acid.

u·rel·co·sis (yū′rel-kō′sis) [G. *ouron*, urine + *helkōsis*, ulceration]. 尿路潰瘍を表す現在では用いられない語.

u·re·mi·a (yū-rē′mē-ǎ) [G. *ouron*, urine + *haima*, blood]. 尿毒症（①血液中，過剰に尿素と他の窒素性廃棄物があること. ②透析で軽減できる重症の持続性腎不全による症候群）.

hypercalcemic u. カルシウム過剰血性尿毒症，高カルシウム血性尿毒症（カルシウム過剰血と腎石灰症によって起こる腎不全に由来する尿毒症）.

u·re·mic (yū-rē′mik). 尿毒症〔性〕の.

u·re·mi·gen·ic (yū-rē′mi-jen′ik). ***1*** 尿毒症由来の. ***2*** 尿毒症誘発の.

ureo- →ure-.

u·re·o·tele (yū′rē-ō-tēl). 尿素排出生物（尿素を排出する生物. 例えば霊長類）.

u·re·o·tel·i·a (yū′rē-ō-tēl′ē-a) [urea + G. *telos*, end, outcome + -ia]. 尿素排出（尿素が主要最終産物である窒素排出方法または様式）.

u·re·o·tel·ic (yū′rē-ō-tel′ik) [ureo- + G. *telos*, end]. 主として尿素の形で窒素を排泄する.

ur·er·y·thrin (yuūr-ěr′i-thrin). ウレリトリン. ＝uroerythrin.

u·re·si·es·the·si·a (yū-rē′si-es-thē′zē-ǎ) [G. *ourēsis*, a urinating + *aisthēsis*, sensation]. 尿意（排尿したいという欲望）. ＝uriesthesia.

u·re·sis (yū-rē′sis) [G. *ourēsis*]. ＝urination.

u·re·ter (yū-rē′tĕr, yū′rē-ter) [G. *ourētēr*, urinary canal] [TA]. 尿管（[伝統的に正しい発音は最後から 2 番目の音節にアクセントを置く(ure′ter)が，米国ではしばしば第 1 音節にアクセントを置く(ur′eter). 本語およびその派生語と，urethraおよびその派生語を混同しないこと]. 腎盂から膀胱へ尿を導く管. 腹部と骨盤部からなる. 輪層と縦層の平滑筋

U

に囲まれた移行上皮によって裏打ちされ，外部は外膜でおおわれている）．

curlicue u. 渦巻き状尿管（画像診断上，捻転所見を呈する尿管を示す用語．尿管の坐骨孔ヘルニアによる．非常にまれな状態）．

ectopic u. 尿管異所開口（尿管が膀胱壁以外，例えば膀胱頸部などに開口すること）．

ileal u. 回腸尿管．＝ureteroileoneocystostomy.

postcaval u. 下大静脈後尿管（右尿管が下大静脈の背側に深くはいり込んで走行し膀胱に開口する先天性奇形）．

retrocaval u. 下大静脈後尿管（尿路造影所見で右尿管は内側に偏位し，実際には尿管は下大静脈は尿管後側を走行し，骨盤内にはいる）．

retroiliac u. 腸骨動脈後尿管（尿管が腸骨動脈下を走行する先天性の奇形）．

wide u. 巨大尿管〔症〕．＝megaureter.

u·re·ter·al (yū-rē′tĕr-ăl). 尿管の．＝ureteric.

u·re·ter·al·gi·a (yū′rē-tĕr-al′jē-ă) ［ureter＋G. *algos*, pain］. 尿管痛．

u·re·ter·cys·to·scope (yū-rē′tĕr-sis′tō-skōp). 尿管膀胱鏡．＝ureterocystoscope.

u·re·ter·ec·ta·si·a (yū-rē′tĕr-ek-tā′zē-ă) ［ureter＋G. *ektasis*, a stretching out］. 尿管拡張〔症〕．＝hydroureter; megaloureter; megaureter.

u·re·ter·ec·to·my (yū′rē-tĕr-ek′tŏ-mē) ［ureter＋G. *ektomē*, excision］. 尿管切除〔術〕（尿管の一部または全部の切除）．

u·re·ter·ic (yū′rē-ter′ik). 尿管の．＝ureteral.

u·re·ter·i·tis (yū′rē-tĕr-ī′tis). 尿管炎（尿管の炎症）．

uretero- ［G. *ourētēr*, urinary canal］. 尿管に関する連結形．

u·re·ter·o·cal·i·cos·to·my (yū-rē′tĕr-o-kal-ĭ-kos′tŏ-mē) ［uretero-＋G. *kalyx*, cup of a flower＋*stoma*, mouth］. 尿管腎杯吻合術（腎下極の腎実質部分の切除後に尿管を下腎杯に吻合する方法）．

u·re·ter·o·cele (yū-rē′tĕr-ō-sēl′) ［uretero-＋G. *kēlē*, hernia］［MIM*191650］. 尿管瘤（膀胱内腔へ突出する尿管終末部の嚢状拡張で，恐らく尿管口の先天的な狭窄に起因する）．

ectopic u. 異所性尿管瘤（尿管瘤が膀胱頸部まで遠位に延長した状態）．

orthotopic u. 正位性(型)尿管瘤（尿管瘤全体が膀胱内にある状態）．

u·re·ter·o·ce·lor·ra·phy (yū-rē′tĕr-ō-se-lōr′ă-fē) ［ureterocele＋G. *raphē*, suture］. 尿管瘤縫合〔術〕（観血的膀胱切開をして尿管瘤を切除し縫合すること）．

u·re·ter·o·col·ic (yū-rē′tĕr-ō-kol′ik). 尿管結腸の（尿管と結腸の吻合，特に下尿路病変の吻合に関する）．

u·re·ter·o·co·los·to·my (yū-rē′tĕr-ō-kō-los′tŏ-mē) ［uretero-＋G. *kolon*, colon＋*stoma*, mouth］. 尿管結腸移植〔術〕，尿管結腸吻合〔術〕（尿管の結腸への移植吻合）．＝ureterosigmoidostomy.

u·re·ter·o·cys·to·plas·ty (yū-rē′tĕr-ō-sis′tō-plas′tē). 尿管膀胱形成術（本来の拡張尿管を用いて膀胱拡張術を行うこと）．

u·re·ter·o·cys·to·scope (yū-rē′tĕr-ō-sis′tŏ-skōp) ［uretero-＋G. *kystis*, bladder＋*skopeō*, to view］. 尿管膀胱鏡（尿管カテーテルの付いた膀胱鏡．カテーテルは膀胱鏡で尿管口が見えるようになったときに尿管に通す）．＝uretercystoscope.

u·re·ter·o·cys·tos·to·my (yū-rē′tĕr-ō-sis-tos′tō-mē) ［uretero-＋G. *kystis*, bladder＋*stoma*, mouth］. 尿管膀胱吻合〔術〕．＝ureteroneocystostomy.

u·re·ter·o·en·ter·ic (yū-rē′tĕr-ō-en-ter′ik). 尿管腸の（尿管と腸に関する）．

u·re·ter·o·en·ter·os·to·my (yū-rē′tĕr-ō-en′tĕr-os′tŏ-mē) ［uretero-＋G. *enteron*, intestine＋*stoma*, mouth］. 尿管腸吻合〔術〕（尿管と腸管との開口形成）．

u·re·ter·og·ra·phy (yū-rē′tĕr-og′ră-fē) ［uretero-＋G. *graphē*, a writing］. 尿管造影(撮影)〔法〕（造影剤を直接注入して行う尿管のX線撮影）．

u·re·ter·o·hy·dro·ne·phro·sis (yū-rē′tĕr-ō-hī′drō-ne-frō′sis). 尿管水腎〔症〕（尿管をも侵す水腎症）．＝hydroureteronephrosis; nephroureterectasis.

u·re·ter·o·il·e·o·ne·o·cys·tos·to·my (yū-rē′tĕr-ō-il′ē-ō-nē′ō-sis-tos′tŏ-mē) ［uretero-＋ileum＋G. *neos*, new＋*hystis*, bladder＋*stoma*, mouth］. 尿管回腸〔新〕膀胱吻合〔術〕（一部破壊された尿管の上部を回腸分節に吻合し，その下端を膀胱内へ埋没吻合して連続性を回復すること）．＝ileal ureter.

u·re·ter·o·il·e·os·to·my (yū-rē′tĕr-ō-il′ē-os′tŏ-mē) ［uretero-＋ileum＋G. *stoma*, mouth］. 尿管回腸吻合〔術〕（尿管を遊離した回腸分節に吻合して，その腹壁開口部を通して排液すること）．

u·re·ter·o·li·thi·a·sis (yū-rē′tĕr-ō-li-thī′ă-sis) ［ureterolith＋G. *-iasis*, condition］. 尿管結石症（一側または両側の尿管内に結石が形成される，または存在すること）．

u·re·ter·o·li·thot·o·my (yū-rē′tĕr-ō-li-thot′ŏ-mē) ［ureterolith＋G. *tomē*, incision］. 尿管切石〔術〕，尿管結石切除〔術〕（尿管内にある石の摘出手術）．

u·re·ter·ol·y·sis (yū′rē′tĕr-ol′i-sis) ［uretero-＋G. *lysis*, a loosening］. 尿管授動〔術〕（周囲の病変あるいは癒着から尿管を外科的に遊離すること）．

u·re·ter·o·ne·o·cys·tos·to·my (yū-rē′tĕr-ō-nē′ō-sis-tos′-tŏ-mē) ［uretero-＋G. *neos*, new＋*kystis*, bladder＋*stoma*, mouth］. 尿管膀胱吻合〔術〕（尿管を膀胱と吻合すること．→detrusorrhaphy）．＝neocystostomy; ureteral reimplantation; ureterocystostomy; ureterovesicostomy.

u·re·ter·o·ne·phrec·to·my (yū-rē′tĕr-ō-nĕ-frek′tŏ-mē) ［uretero-＋G. *nephros*, kidney＋*ektomē*, excision］. 尿管腎切除〔術〕．＝nephroureterectomy.

u·re·ter·op·a·thy (yū-rē′tĕr-op′ă-thē) ［uretero-＋G. *pathos*, suffering］. 尿道障害．

u·re·ter·o·plas·ty (yū-rē′tĕr-ō-plas′tē) ［uretero-＋G. *plastos*, formed］. 尿管形成〔術〕（尿管の再建手術）．

u·re·ter·o·proc·tos·to·my (yū-rē′tĕr-ō-prok-tos′tŏ-mē) ［uretero-＋G. *prōktos*, rectum＋*stoma*, mouth］. 尿管直腸吻合〔術〕（尿管と直腸との開口形成）．＝ureterorectostomy.

u·re·ter·o·py·e·li·tis (yū-rē′tĕr-ō-pī′ĕ-lī′tis) ［uretero-＋G. *pyelos*, pelvis＋*-itis*, inflammation］. 尿管腎盂腎炎（尿管と腎盂の炎症）．

u·re·ter·o·py·e·log·ra·phy (yū-rē′tĕr-ō-pī′ĕ-log′ră-fē). 尿管腎盂造影(撮影)〔法〕．＝pyelography.

u·re·ter·o·py·e·lo·plas·ty (yū-rē′tĕr-ō-pī′ĕ-lō-plas′tē) ［uretero-＋G. *pyelos*, pelvis＋*plastos*, formed］. 尿管腎盂形成〔術〕（尿管と腎盂の手術による再建術で，通常は先天性腎尿管接合部閉塞に対して行う）．

u·re·ter·o·py·e·los·to·my (yū-rē′ter-ō-pī′ĕ-los′tŏ-mē) ［uretero-＋pelvis＋*stōma*, mouth］. 尿管腎盂吻合〔術〕（尿管と腎盂の接合部の形成）．

u·re·ter·o·py·o·sis (yū-rē′tĕr-ō-pī-ō′sis) ［uretero-＋G. *pyōsis*, suppuration］. 尿管化膿症（尿管内に膿が貯留すること）．

u·re·ter·o·rec·tos·to·my (yū-rē′tĕr-ō-rek-tos′tŏ-mē). ＝ureteroproctostomy.

u·re·ter·or·rha·gi·a (yū-rē′tĕr-ō-rā′jē-ă) ［uretero-＋G. *rhēgnymi*, to burst forth］. 尿管出血（尿管からの出血）．

u·re·ter·or·rha·phy (yū-rē′tĕr-ōr′ă-fē) ［uretero-＋G. *rhaphē*, suture］. 尿管縫合〔術〕．

u·re·ter·o·scope (yū-rē′tĕr-ō-skōp). 尿管鏡（膀胱より逆行性に尿管に挿入し，尿管内腔および腎盂，腎杯を検索する内視鏡）．

u·re·ter·o·sig·moid (yū-rē′tĕr-ō-sig′moyd). 尿管S状結腸の（尿管とS状結腸，特に2者間の吻合についていう）．

u·re·ter·o·sig·moi·dos·to·my (yū-rē′tĕr-ō-sig′moy-dos′-tŏ-mē). 尿管S状結腸吻合〔術〕．＝ureterocolostomy.

u·re·ter·o·ste·no·sis (yū-rē′tĕr-ō-ste-nō′sis) ［uretero-＋G. *stenōsis*, a narrowing］. 尿管狭窄〔症〕．

u·re·ter·os·to·my (yū-rē′tĕr-os′tŏ-mē) ［uretero-＋G. *stoma*, mouth］. 尿管造瘻術，尿管フィステル形成〔術〕（尿管に外開口部をつくること）．

cutaneous u. 尿管皮膚〔造〕瘻〔術〕（尿のドレナージのために，尿管で皮下にストーマをつくること．通常は，遠位に閉塞がある場合に行われる．尿管端をストーマにする場合と，尿管ループを作成する場合がある）．＝cutaneous loop u.

cutaneous loop u. ＝cutaneous u.

u·re·ter·ot·o·my (yū-rē′tĕr-ot′ō-mē) [uretero- + G. *tomē*, incision]. 尿管切開〔術〕(尿管を切開すること).

u·re·ter·o·tri·go·no·en·ter·os·to·my (yū-rē′tĕr-ō-tri-gō′nō-en′tĕr-os′tŏ-mē) [uretero- + trigone (of bladder) + enterostomy]. 尿管三角腸吻合〔術〕(尿管と膀胱三角の部分を腸管に移植すること).

u·re·ter·o·u·re·ter·al (yū-rē′tĕr-ō-yū-rē′tĕr-ăl). 尿管間の(同一尿管の2か所，または両方の尿管に関する．特に両者間の人工吻合についていう).

u·re·ter·o·u·re·ter·os·to·my (yū-rē′tĕr-ō-yū-rē′tĕr-os′tŏ-mē). 尿管尿管吻合〔術〕，尿管二部吻合〔術〕(2本の尿管間，または同一尿管2か所間の吻合．→transuretero-ureterostomy).

u·re·ter·o·ves·i·cal (yū-rē′ter-ō-ves′i-kăl). 尿管膀胱の(特に尿管と膀胱の接合部に関する).

u·re·ter·o·ves·i·cos·to·my (yū-rē′tĕr-ō-ves′i-kos′tŏ-mē) [uretero- + L. *vesica*, bladder + *stoma*, mouth]. 尿管膀胱吻合〔術〕. =ureteroneocystostomy.

u·re·than, ure·thane (yū′rĕ-than, -thān). ウレタン(抗有糸分裂活性を有する物質．以前は医学的に催眠薬として用いられたが，現在は実験動物の麻酔薬として用いることが多い). =ethyl carbamate.

urethr- →urethro-.

u·re·thra (yū-rē′thră) [G. *ourēthra*][TA]. 尿道([本語およびその派生語を，ureter およびその派生語と混同しないこと]．膀胱から出る管で，尿を体外に排泄する).

anterior u. 前部尿道(尿生殖隔膜(外括約筋)より遠位の尿道のこと).

female u. [TA]. 女の尿道(膀胱から出る約4cmの管で，膣の縦軸に平行に膣前壁に密接して下降し，陰核の後方・膣口の前方で膣前庭に開口する). =u. feminina [TA]; u. muliebris.

u. feminina [TA]. 女の尿道. =female u.

male u. [TA]. 男の尿道(長さ約20 cmの管で，陰茎亀頭先端に開口する．壁内部と前立腺部の上半を除く部分は尿と精液の両方を通す．壁内部，前立腺部，中間部(隔膜部)，海綿体部からなる). =u. masculina [TA]; u. virilis.

u. masculina [TA]. 男の尿道. =male u.

membranous u.* intermediate *part* of male urethra を表す公式の別名.

u. muliebris =female u.

penile u. =spongy u.

posterior u. 後部尿道(尿生殖隔膜(外括約筋)よりも後部の尿道をいう).

prostatic u. [TA]. 尿道前立腺部(長さ約2.5cm，前立腺を貫く男性尿道の前立腺部分で，精丘があり射精管と前立腺管が開口する). =pars prostatica urethrae [TA].

spongy u. [TA]. 尿道の海綿体部(長さ約15cm，尿道海綿体を通る男性尿道の部分). =pars spongiosa urethrae masculinae [TA]; pars cavernosa; penile u.; spongy part of the male urethra.

u. virilis =male u.

u·re·thral (yū-rē′thrăl). 尿道の.

u·re·thral·gi·a (yū′rē-thral′jē-ă) [urethr- + G. *algos*, pain]. 尿道痛. =urethrodynia.

u·re·threc·to·my (yū′rĕ-threk′tŏ-mē) [urethr- + G. *ektomē*, excision]. 尿道切除〔術〕(尿道の一部または全部の切除).

u·re·threm·or·rha·gi·a (yū-rē′threm-ō-rā′jē-ă) [urethr- + G. *haima*, blood + *rhēgnymi*, to burst forth]. 尿道出血. =urethrorrhagia.

u·re·thrism, ure·thris·mus (yū′rĕ-thrizm, -thriz′mŭs). 尿道痙攣(尿道の過敏性または痙性狭窄). =urethrospasm.

u·re·thri·tis (yū′rĕ-thrī′tis) [ureth- + G. *-itis*, inflammation]. 尿道炎.

anterior u. 前部尿道炎(三角靱帯の前の尿道部分の炎症).

follicular u. 沪胞性尿道炎(粘膜内の結節性リンパ球浸潤を伴う慢性のもの). =granular u.

gonorrheal u. 淋菌性尿道炎(淋菌 *Neisseria gonorrhoeae* による排膿を伴う尿道の感染).

granular u. 顆粒性尿道炎. =follicular u.

nongonococcal u. 非淋菌性尿道炎(淋菌以外の感染による尿道炎．性行為感染による *Chlamydia trachomatis* が病原菌として最も多い).

nonspecific u. 非特異性尿道炎(淋菌，クラミジア属の細菌，もしくは他の特異感染菌に起因しない尿道炎). =simple u.

u. petrificans 石化性尿道炎(通風に由来することもある尿道炎で，尿道壁に石灰質沈着がある).

posterior u. 後部尿道炎(尿道の膜性および前立腺部分の炎症).

simple u. 単純性尿道炎. =nonspecific u.

urethro-, urethr- [G. *ourēthra*]. 尿道を意味する連結形.

u·re·thro·bul·bar (yū-rē′thrō-bŭl′băr). 尿道球の. =bulbourethral.

u·re·thro·cele (yū-rē′thrō-sēl) [urethro- + G. *kēlē*, tumor, hernia]. 尿道脱，尿道瘤(女性尿道の脱出).

u·re·thro·cys·to·me·trog·ra·phy (yū-rē′thrō-sis′tō-me-trog′ră-fē) [urethro- + G. *kystis*, bladder + *metron*, measure + *skopeō*, to view]. =urethrocystometry.

u·re·thro·cys·tom·e·try (yū-rē′thrō-sis-tom′ĕ-trē) [urethro- + G. *kystis*, bladder + *metron*, measure]. 尿道膀胱計検査〔法〕(膀胱と尿道の圧力を同時に測定する方法). =urethrocystometrography.

u·re·thro·cys·to·pex·y (yū-rē′thrō-sis′tō-pek′sē) [urethro- + G. *kystis*, bladder + *pēxis*, fixation]. 尿道膀胱固定(緊張性失禁に対して行う，尿道と膀胱の固定). =urethropexy.

u·re·thro·dyn·i·a (yū-rē′thrō-din′ē-ă) [urethro- + G. *odynē*, pain]. 尿道痛. =urethralgia.

u·re·throg·ra·phy (yū′rē-throg′ră-fē) [urethra + G. *graphō*, to write]. 尿道造影〔法〕(男性あるいは女性の尿道の造影撮影法．造影剤を逆行性に注入するか，あるいは膀胱内の造影剤が排尿される間に撮影(膀胱尿道造影法)する).

u·re·throm·e·ter (yū′rē-throm′ĕ-tĕr) [urethro- + G. *metron*, measure]. 尿道計(尿道の径を測定する器械).

u·re·thro·pe·nile (yū-rē′thrō-pē′nīl). 尿道陰茎の(尿道と陰茎に関する).

u·re·thro·per·i·ne·al (yū-rē′thrō-per′i-nē′ăl). 尿道会陰の(尿道と会陰に関する).

u·re·thro·per·i·ne·o·scro·tal (yū-rē′thrō-per′i-nē′ō-skrō′tăl). 尿道会陰陰嚢の(尿道，会陰，陰嚢に関する).

u·re·thro·pex·y (yū-rē′thrō-pek-sē) [urethro- + G. *pēxis*, fixation]. 尿道固定術. =urethrocystopexy.

u·re·thro·plas·ty (yū-rē′thrō-plas′tē) [urethro- + G. *plastos*, formed]. 尿道形成〔術〕(尿道の手術による再建).

Cecil u. セシル尿道形成術(複次的な尿道形成術．腹側皮膚が不十分なため陰茎の尿道部分を陰嚢内に一時的に埋入させ，これを後に再手術によって切離して尿道形成を行う).

u·re·thro·pros·tat·ic (yū-rē′thrō-pros-tat′ik). 尿道前立腺の(尿道と前立腺に関する).

u·re·thro·rec·tal (yū-rē′thrō-rek′tăl). 尿道直腸の(尿道と直腸に関する).

u·re·thror·rha·gi·a (yū-rē′thrō-rā′jē-ă). 尿道出血(尿道からの出血). =urethremorrhagia.

u·re·thror·rha·phy (yū′rē-thrōr′ă-fē) [urethro- + G. *rhaphē*, suture]. 尿道縫合〔術〕.

u·re·thror·rhe·a (yū-rē′thrō-rē′ă) [urethro- + G. *rhoia*, a flow]. 尿道漏(尿道からの正常でない排泄).

u·re·thro·scope (yū-rē′thrō-skōp) [urethro- + G. *skopeō*, to view]. 尿道鏡(尿道内部を見る器具).

u·re·thro·scop·ic (yū-rē′thrō-skop′ik). 尿道鏡の，尿道鏡検査の.

u·re·thros·co·py (yū′rē-thros′kŏ-pē). 尿道鏡検査〔法〕(尿道鏡による尿道の視診).

u·re·thro·spasm (yū-rē′thrō-spazm). 尿道痙攣. =urethrism.

u·re·thro·stax·is (yū-rē′thrō-stak′sis) [urethro- + G. *staxis*, trickling]. 尿道血漏(尿道から血液が滲出すること).

u·re·thro·ste·no·sis (yū-rē′thrō-ste-nō′sis) [urethro- + G. *stenōsis*, a narrowing]. 尿道狭窄〔症〕.

u·re·thros·to·my (yū′rĕ-thros′tŏ-mē) [urethro- + G. *stoma*, mouth]. 尿道造瘻術，尿道フィステル形成〔術〕(尿道と皮膚の間に永久的開口をつくる外科的処置).

perineal u. 会陰的尿道〔造〕瘻術（会陰皮膚切開を介して尿道球部に永久的な開口部をつくること）.

u·re·thro·tome (yū-rē′thrō-tōm) [urethro- + G. *tomos*, cutting]. 尿道切開刀（尿道狭窄を切開する器具）.

u·re·throt·o·my (yū′rĕ-throt′ŏ-mē) [urethro- + G. *tomē*, incision]. 尿道切開〔術〕（尿道狭窄の切開手術）.

external u. 外尿道切開〔術〕（会陰または陰茎の皮膚から加刀して行う尿道切開術）. ＝perineal u.

internal u. 内尿道切開〔術〕（尿道に器具を通して行う尿道切開術）.

perineal u. 会陰尿道切開〔術〕. ＝external u.

u·re·thro·tri·gon·i·tis (yū-rē′thrō-tri-gō-nī′tis). 尿道・膀胱三角部炎（尿道と膀胱三角部の炎症）.

chronic glandular u. 慢性腺性尿道・膀胱三角部炎. ＝functional bladder *syndrome*.

u·re·thro·vag·i·nal (yū-rē′thrō-vaj′i-năl). 尿道膣の（尿道と膣に関する）.

u·re·thro·ves·i·cal (yū-rē′thrō-ves′i-kăl). 尿道膀胱の（尿道と膀胱に関する）.

u·re·thro·ves·i·co·pex·y (yū-rē′thrō-ves′i-kō-pek′sē) [urethro- + L. *vesica*, bladder + G. *pexis*, fixation]. 尿道膀胱固定術（ストレス性尿失禁の矯正のために，恥骨結合部の後面に尿道と膀胱基部(あるいは前腹壁あるいはCooper 靱帯）を外科的に牽引すること）.

-uretic [G. *ourētikos*, relating to the urine]. 尿を意味する連結形.

URF unidentified *reading frame* の略.

ur·gen·cy (ŭr′jen-sē). 尿意促迫(緊迫)（強い排尿への願望）.

motor u. 筋性尿意促迫（利尿筋の過度の活動から起こる尿意促迫）.

sensory u. 神経性尿意促迫（膀胱尿道の過度過敏性による尿意促迫）.

ur·gin·ea (ŭr-jin′ē-ă) [L. *urgeo*, to press, referring to the shape of the seeds]. カイソウ(海葱)根（*Urginea indica*(インドカイソウ)と *Urginea maritima*(白色カイソウまたは地中海カイソウ)の球根，カイソウコンの原料）.

URI upper respiratory *infection* の略.

uri-, uric-, urico- [G. *ouron*, urine]. 尿酸に関する連結形.

u·ri·an (yūr′ē-ăn). ウリアン. ＝urochrome.

u·ric (yūr′ik). 尿の.

u·ric ac·id (yūr′ik as′id). 尿酸；2,6,8-trioxypurine（難溶性の白色結晶．溶液では哺乳類の尿に，固形では鳥類や虫類の尿に含まれる．ときに石や結晶のような小塊，結石のような大きな石に固化することもある．ナトリウムや他の塩基とともに尿酸塩を形成する．痛風で高値になる）. ＝lithic acid; triketopurine.

u. a. oxidase 尿酸オキシダーゼ（→*urate* oxidase）.

u·ri·case (yūr′i-kās). ウリカーゼ. ＝*urate* oxidase.

urico- →uri-.

u·ri·col·y·sis (yūr′i-kol′i-sis) [urico- + G. *lysis*, a loosening]. 尿酸分解.

u·ri·co·lyt·ic (yūr′i-kō-lit′ik). 尿酸分解〔性〕の（尿酸の加水分解に関する，あるいはその結果生じる）.

u·ri·cos·o·me (yūr′i-kō-sōm). ウリコソーム（尿酸塩酸化酵素に富んだマイクロボディ(ペルオキシソームのこと)）.

u·ri·co·su·ri·a (yŭr′i-kō-syū′rē-ă) [urico- + G. *ouron*, urine]. 尿酸尿（尿中に尿酸が過剰に存在すること）.

u·ri·co·su·ric (yūr′i-kō-sū′rik). 尿酸排泄の（尿酸排泄を増す傾向のある）.

u·ri·co·tele (yūr′i-kō-tēl). 尿酸排出生物（尿酸を排出する生物．例えば鳥類と陸上生息性は虫類）.

u·ri·co·tel·i·a (yūr-i′kō-tēl-ē-ă) [uric (acid) + G. *telos*, end, outcome + -ia]. 尿酸排出（尿酸が主要排出物である窒素排出方法または様式）.

u·ri·co·tel·ic (yūr′i-kō-tel′ik) [urico- + G. *telos*, end]. 尿酸排出の（窒素代謝物の主な排泄生成物として尿酸を産生する）.

u·ri·dine (Urd) (yūr′i-dēn). ウリジン；uracil ribonucleoside（RNA の主ヌクレオシドの１つ．ピロリン酸塩(UDP, UDPG など)として，ウリジンは糖代謝において活性である）. ＝1-β-D-ribofuranosyluracil.

cyclic u. 3′,5′-monophosphate (cUMP) サイクリックウリジン 3′,5′-一リン酸（代謝の調節を司る環状ヌクレオチド．ある種の腫瘍の増殖を抑制する）.

u. 5′-diphosphate (UDP) ウリジン5′-二リン酸；uridine 5′-pyrophosphate（ウリジンとピロリン酸との縮合生成物）.

u. 5′-monophosphate (UMP) ウリジン 5′-一リン酸. ＝uridylic acid.

u. phosphorylase [MIM*191730]. ウリジンホスホリラーゼ（ウリジンと正リン酸からウラシルと α-D-リボース 1-リン酸を生成させる反応を触媒するリボシルトランスフェラーゼ）.

u. 5′-triphosphate (UTP) ウリジン5′-三リン酸（5′ 位に三リン酸がエステル化されたウリジン，RNA でウリジル酸残基の中間前駆体）.

u·ri·dine di·phos·pho·ga·lac·tose (UDPGal) (yūr′i-dēn dī-fos′fō-gă-lak′tōs). ウリジンジホスホガラクトース（ピロリン酸基でウリジンの 5′ 位と D-ガラクトースの１位が連結されたもの）.

u. d. 4-epimerase →UDPglucose 4-epimerase.

u·ri·dine di·phos·pho·glu·cose (UDPG, UDPGlc) (yūr′i-dēn dī-fos′fō-glū′kōs). ウリジンジホスホグルコース（ピロリン酸基でウリジンの 5′位と D-グルコースの１位とを連結させたもの．グリコゲン生合成の中間体の１つ）. ＝UDPglucose.

u. d. 4-epimerase ウリジンジホスホグルコース 4-エピメラーゼ. ＝UDPglucose 4-epimerase.

u·ri·dine di·phos·pho·glu·cu·ron·ic ac·id (UDPGlcUA) (yūr′i-dēn dī-fos′fō-glū-kū-ron′ik). ウリジン二リン酸グルクロン酸（ウリジン二リン酸グルコースのグルコース部分 6-CH_2OH が COOH に酸化されグルクロニル基になったもの．ビリルビンやアスピリンのような薬剤の抱合体の生成に関与する）.

u·ri·dine di·phos·pho·xy·lose (yūr′i-dēn dī-fos′fō-zī′lōs). ウリジンジホスホキシロース. ＝xylose.

u·ri·dro·sis (yūr′i-drō′sis) [uri- + G. *hidrōs*, sweat]. 尿汗〔症〕（汗中への尿素または尿酸の排泄）.

u. crystallina 結晶性尿汗〔症〕. ＝urea *frost*.

u·ri·dyl·ic ac·id (yūr′i-dil′ik as′id). ウリジル酸（１個以上の糖ヒドロキシル基がリン酸によってエステル化されたウリジン．UMP は一般的にはウリジン5′-一リン酸である．2′ や 3′-誘導体も生じる．他のピリミジンヌクレオチドの生合成の前駆物質である）. ＝UMP synthase; uridine 5′-monophosphate.

u. a. synthase ウリジル酸シンターゼ（二元機能酵素で，オロチン酸ホスホリボシルトランスフェラーゼとオロチジン-5′-一リン酸デカルボキシラーゼの両方の活性をもつ．ピリミジン生合成の重要段階を触媒する．この酵素の欠損によりオロチン酸尿症になる）.

u·ri·dyl·trans·fer·ase (yūr′i-dil-trans′fĕr-ās). ウリジルトランスフェラーゼ；UDPglucose-hexose-1-phosphate uridylyltransferase.

u·ri·es·the·si·a (yūr′ē-es-thē′zē-ă). ＝uresiesthesia.

urin-, urino- [G. *ouron*]. 尿を意味する連結形. →ure-; uro-.

u·ri·nal (yūr′i-năl). 蓄尿器，蓄尿びん（尿を排泄する容器）.

u·ri·nal·y·sis (UA) (yūr′i-nal′i-sis). 尿検査，検尿.

u·ri·nary (yūr′i-nār′ē). 尿の.

urinary slime (yūr′i-nār-ē slīm). 尿中粘液. ＝Tamm-Horsfall *mucoprotein*.

u·ri·nate (yūr′i-nāt). 排尿する，放尿する. ＝micturate.

u·ri·na·tion (yūr′i-nā′shŭn). 排尿，放尿（尿を排泄すること）. ＝miction; micturition (1); uresis.

stuttering u. 断続放尿（膀胱の間欠性痙攣性収縮によって生じる尿の噴射）.

u·rine (yūr′in) [L. *urina*; G. *ouron*]. 尿（腎臓が排泄する液体と溶解物質）.

ammoniac u. アンモニア〔性〕尿. ＝ammoniuria.

black u. 黒色尿（メラニン尿またはヘモグロビン尿による暗黒色の尿）.

chylous u. 乳び尿〔症〕（乳汁様の尿で乳びを含む）. ＝milky u.

cloudy u. 混濁尿（混濁を示す尿で，通常は膿，結晶，細

尿

一般的性質	
量（mL/24hr）	500—2,000
比重	1.010—1.025
固体（g/24hr，100%乾燥重量）	40—60
凝固点降下（℃）	0.1—2.5
浸透圧（mosm/L）	50—1,400
pH	4.8—7.5
全酸性度（mval/24hr）	50—60
酸性度（滴定による）	20—60
総窒素（g/24hr）	7—17
アミノ酸-N（対総窒素%）	<2
アンモニア-N	4.6
クレアチニン-N	3.7
尿酸-N	1.6
尿素-N	82.7

無機成分（特に表記のない場合は単位はmg/24hr）	
アンモニア	0.3—1.2
カルシウム	130—330
塩素（g/24hr）	4.3—8.5
鉄	0.4—0.15
ヨウ素	0.02—0.5
カリウム（g/24hr）	1.4—3.1
銅	0.03—0.07
マグネシウム	60.7—220
ナトリウム（g/24hr）	2.8—5.0
総リン（g/24hr）	0.8—2.0
総硫黄（g/24hr）	1.24—1.50
無機硫黄（g/24hr）	1.07—1.30
中性硫黄（g/24hr）	0.05—0.08
エステル化硫黄（g/24hr）	0.08—0.10
鉛	0.14—0.70

有機成分（特に表記のない場合は単位はmg/24hr）	
アセトン体	10—100
全アミノ酸（g/24hr）	1.3—3.2
遊離アミノ酸（g/24hr）	0.35—1.20
アミノ酸-N	40—130
クレアチニン♂	10—190
クレアチニン♀	10—270
クレアチニン	500—2,500
ジアゾ体	微量
脂肪酸	8—50
ビリルビン	0.02—1.9
ウロビリノーゲン	0.05—2.5
胆汁酸（g/24hr，グリココール酸およびタウロコール酸として）	5—10
グルクロン酸	200—600
尿酸	80—1,000
尿素（g/24hr）	12—30
馬尿酸（g/24hr）	1.0—2.5
ヒドロキシインドール酢酸	1.0—14.7
インジカン	4.0—20.0
インドキシ硫酸	15—100
乳酸	100—600
シュウ酸	10—25
アミノレブリン酸	1.5—7.0
コプロポルフィリン	0.02—0.2
ポルホビリノーゲン	0.4—2.4
ウロポルフィリン	0.004—0.02
蛋白	10—100
プリン塩基（g/24hr）	0.2—0.5
クエン酸	150—1,200
糖（還元性物質）	500—1,500
ガラクトース	3—25
グルコース	15—130
ラクトース	0—90

菌，血液や遊離脂肪球による）．＝nebulous u.

crude u. 希薄尿（ほとんど沈渣のない，低比重の，色の薄い尿）．

febrile u. 熱性尿（強いにおいがする暗色の濃縮尿．発熱している人が排泄する）．＝feverish u.

feverish u. ＝febrile u.

gouty u. 痛風尿（過剰の尿酸を含む濃色尿）．

honey u. *diabetes* mellitus を表す現在では用いられない語．

maple syrup u. ⇀maple syrup urine *disease*.

milky u. ＝chylous u.

nebulous u. ＝cloudy u.

residual u. 残尿（排尿終末時に膀胱に残っている尿．前立腺性閉塞，膀胱弛緩などの場合にみられる）．

u·ri·nif·er·ous (yūr′i-nif′ĕr-ŭs) [urine + L. *fero*, to carry]. 尿輸送の（尿を運ぶ．腎臓の尿細管についていう）．

u·ri·nif·ic (yūr′i-nif′ik) [urine + L. *facio*, to make]. ＝uriniparous.

u·ri·nip·a·rous (yūr′i-nip′ă-rŭs) [urine + L. *pario*, to produce]. 尿産生の，尿生成の（尿を産生または排泄する．腎皮質中にある Malpighi 小体と尿細管を意味する）．＝urinific.

urino- ⇀urin-.

u·ri·no·gen·i·tal (yūr′i-nō-jen′i-tăl). 尿生殖器の．＝genitourinary.

u·ri·nog·e·nous (yūr′i-noj′ĕ-nŭs). ＝urogenous. ***1*** 尿産生の，尿生成の（尿を産生または排泄する）．***2*** 尿原〔性〕の（尿に由来する）．

u·ri·no·ma (yūr′i-nō′mă). 尿瘤（溢流した尿の嚢胞状の集積）．＝urinary cyst.

u·ri·nom·e·ter (yūr′i-nom′ĕ-tĕr) [urine + G. *metron*, measure]. 尿比重計（尿の比重を測定する器具）．＝urogravimeter; urometer.

u·ri·nom·e·try (yūr′i-nom′ĕ-trē). 尿比重測定〔法〕（尿の比重の測定）．

u·ri·nos·co·py (yūr′i-nos′kŏ-pē). ＝uroscopy.

u·ri·no·sex·u·al (yūr′i-nō-sek′shū-ăl). 尿生殖器の．＝genitourinary.

u·ri·nous (yūr′i-nŭs). 尿の（尿の性質に関する）．

u·ri·po·si·a (yūr′i-pō′sē-ă) [urine + G. *posis*, drinking]. 飲尿．

uro- [G. *ouron*]. 尿に関する連結形．→ure-; urin-.

u·ro·am·mo·ni·ac (yūr′ō-ă-mo′nē-ak). 尿〔酸〕アンモニア〔性〕の（尿酸とアンモニアに関する．一種の尿結石についていう）．

u·ro·an·the·lone (yūr′ō-an′thĕ-lōn). ＝urogastrone.

u·ro·bi·lin (yūr′ō-bī′lin). ウロビリン（ウロポルフィリンの1つ．非環式テトラピロール．コレグロビン，ベルドヘモクロム，ビリベルジン，ビリルビン，*d*-ウロビリノーゲンを経るヘムの自然分解生成物の1つ．これは尿中の色素で，その酸化段階の違いにより，橙色から赤色に尿を着色させる）．＝urohematin; urohematoporphyrin.

u·ro·bi·lin IXα (yūr′ō-bī′lin). ウロビリン IX α．＝mesobilene.

u·ro·bi·li·ne·mi·a (yūr′ō-bil′i-nē′mē-ă). ウロビリン血〔症〕(血液中にウロビリンが存在すること).

u·ro·bi·lin·o·gen (yūr′ō-bī-lin′ō-jen). ウロビリノーゲン(ウロビリンの前駆物質).

u·ro·bi·lin·o·gen IX*α* (yūr′ō-bī-lin′ō-jen). ウロビリノーゲン IX *α*. ＝mesobilane.

u·ro·bil·i·nu·ri·a (yūr′ō-bil′i-nyū′rē-ă). ウロビリン尿〔症〕(主としてヘモグロビンから形成される過剰のウロビリンが尿中に存在すること).

u·ro·can·ase (yūr′ō-kā′nās). ウロカナーゼ. ＝*urocanate* hydratase.

ur·o·can·ate (yūr′ō-kan′āt). ウロカネート(ウロカニン酸の塩またはエステル).

u. hydratase ウロカニン酸ヒドラターゼ(水とウロカニン酸より4-イミダゾロン-5-プロピオン酸を生成する反応を触媒する酵素. L-ヒスチジン異化の一段階である. この酵素はウロカニン酸尿症で欠損している). ＝urocanase.

ur·o·can·ic ac·id (yūr′ō-kan′ik as′id). ウロカニン酸;4-imidazoleacrylic acid (L-ヒスチジンの酸化的脱アミノによって生じる酸. 汗およびイヌの尿に存在する. ウロカニン酸ヒドラターゼ欠乏症例においては高値となる. そのシス体は, UV照射により生成され, サプレッサT細胞を活性化する).

ur·o·can·ic ac·i·du·ri·a (yūr′ō-kan′ik as′i-dū′rē-ă). ウロカニン酸尿症(尿中のウロカニン酸の上昇をいう).

ur·o·can·i·case (yūr′ō-kan′i-kās). ウロカニカーゼ(ウロカニン酸をグルタミン酸へ変換する少なくとも3つの酵素群の1つ).

u·ro·cele (yū′rō-sēl) [uro- ＋ G. *kēlē*, hernia]. 陰嚢尿腫(陰嚢へ尿が溢出すること).

u·roch·er·as (yū-rok′ĕr-as) [uro- ＋ G. *cheras*(*cherados* の不正確な形), gravel]. 尿砂(①＝gravel. ②＝uropsammus (2)).

u·ro·che·si·a (yūr′ō-kē′zē-ă) [uro- ＋ G. *chezō*, to defecate]. 肛門排尿(肛門からの尿の排泄).

ur·o·chrome (yūr′ō-krōm). ウロクローム(尿の主色素. ウロビリンと構造不明のペプチドの化合物). ＝urian.

ur·o·chro·mo·gen (yūr′ō-krō′mō-jen). ウロクロモゲン(元来は尿中に存在する物質で, 酸素を取り込みウロクロムを形成. 現在ではウロビリノーゲンと考えられている).

ur·o·cris·i·a (yūr′ō-kris′ē-ă, -kriz′ē-ă) [uro- ＋ G. *krinō*, to separate, judge]. ***1*** ＝urocrisis. ***2*** 尿検の結果に基づく診断を表す現在では用いられない語.

ur·o·cri·sis (yūr′ō-krī′sis) [uro- ＋ G. *krisis*, crisis]. 尿発症, 尿クリーゼ(①多量の排尿を伴う疾患過程の危険期を表す, 現在では用いられない語. ②脊髄ろうに発生する尿器や尿路の激痛). ＝urocrisia (1).

ur·o·cy·a·nin (yūr′ō-sī′ă-nin) [uro- ＋ G. *kyanos*, a blue substance]. ウロシアニン(ある種の疾患, 特に猩紅熱の際, 尿中にときにみられるインジゴブルー色素). ＝uroglaucin.

ur·o·cy·an·o·gen (yūr′ō-sī-an′ō-jen). ウロシアノゲン(コレラ症例の尿中にときにみられる青色色素).

ur·o·cy·a·no·sis (yūr′ō-sī′ă-nō′sis). 青色尿(インジカン尿症にみられ, 脱色されて青みを呈する尿).

u·ro·cyst (yū′rō-sist) [uro- ＋ G. *kystis*, bladder]. 膀胱. ＝urinary *bladder*.

u·ro·cys·tic (yū′rō-sis′tik). 膀胱の.

u·ro·cys·tis (yū′rō-sis′tis). 膀胱. ＝urinary *bladder*.

u·ro·di·ol·e·none (yū-rō-dī-ol-ah-nōn′). ウロディオレノン(高血圧患者の約30%の尿中に存在するファイトアレキシンの異性体).

u·ro·dy·nam·ics (yūr′ō-dī-nam′iks) [uro- ＋ G. *dynamis*, force]. 尿力学(尿路から排泄または通過する尿の貯留と流動を調べる学問).

ur·o·dyn·i·a (yūr′ō-din′ē-ă) [uro- ＋ G. *odynē*, pain]. 排尿痛(排尿時の痛み).

ur·o·en·ter·one (yūr′ō-en′tĕr-ōn). ＝urogastrone.

ur·o·er·y·thrin (yūr′ō-er′i-thrin). ウロエリトリン(尿酸塩の沈着物をピンクにする尿色素. メラニンからできると考えられる). ＝purpurin (1); urerythrin.

ur·o·fla·vin (yūr′ō-flā′vin). ウロフラビン(哺乳類の尿と糞便中にみられるリボフラビン異化作用の蛍光生成物またはリボフラビン自体).

ur·o·flow·me·ter (yūr′ō′flō-mē-tĕr). 尿流量測定器(排尿における尿流量を測定する装置. 最大排尿速度, 平均排尿速度, 排尿量, 排尿時間を測定する).

ur·o·fol·li·tro·pin (yūr′ō-fol′i-trō′pin). 尿性卵胞性刺激ホルモン(閉経後女性の尿から抽出されるゴナドトロピンの製剤で, ヒト絨毛性ゴナドトロピンとの併用で排卵を誘発させるために用いる. →menotropins).

ur·o·fus·co·hem·a·tin (yūr′o-fŭs′kō-hē′mă-tin). ウロフスコヘマチン(らい病症例の尿にみられる赤褐色色素).

ur·o·gas·trone (yūr′ō-gas′trōn). ウロガストロン(尿から抽出される蛍光色素. 胃の分泌と運動性の阻害薬. *cf.* enterogastrone). ＝anthelone U; anthelone; uroanthelone; uroenterone.

ur·o·gen·i·tal (yūr′ō-jen′i-tăl). 尿生殖〔器〕の, 〔泌〕尿性器の. ＝genitourinary.

u·rog·e·nous (yū-roj′ĕ-nŭs). ＝urinogenous.

ur·o·glau·cin (yūr′ō-glaw′sin) [uro- ＋ G. *glaukos*, bluish gray]. ウログラウシン. ＝urocyanin.

ur·o·go·nad·o·tro·pin (yūr′ō-gō-nad′ō-trō′pin). →human menopausal *gonadotropin*.

ur·o·graf·fin (yūr′ō-graf′fin). ウログラフィン(ジアトリゾイン酸塩類の混合液. 密度勾配を得るのに使われる).

ur·o·gram (yūr′ō-gram). 尿路造影(撮影)図(尿路造影によって得るX線像).

u·rog·ra·phy (yū-rog′ră-fē) [uro- ＋ G. *graphō*, to write]. 尿路造影(撮影)〔法〕(尿路の一部(腎, 尿管, 膀胱)のX線撮影. →pyelography).

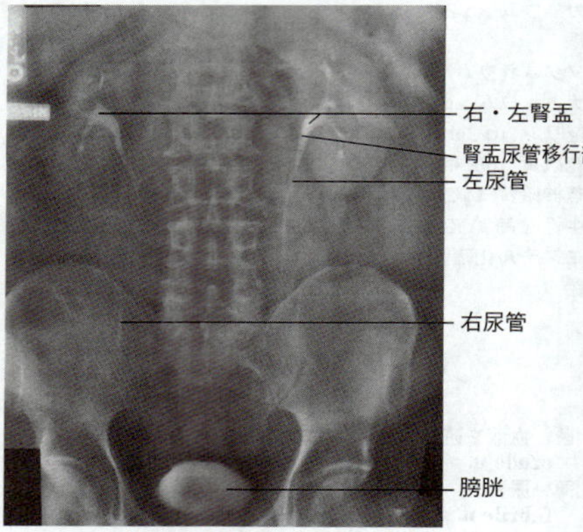

urography

腎盂, 尿管, および膀胱を示す経静脈的尿路造影図.

antegrade u. 順行性尿路造影術(針あるいはカテーテルで造影剤を腎杯や腎盂に(順行性腎盂造影), あるいは膀胱に(順行性膀胱造影)経静脈または経皮的に注射して行うX線撮影).

cystoscopic u. 膀胱鏡尿路造影(撮影)〔法〕. ＝retrograde u.

intravenous u., excretory u. 経静脈的尿路造影(撮影)〔法〕, 排泄性尿路造影(撮影)〔法〕(腎, 尿管, および膀胱のX線撮影で, 造影剤を静脈に注入して行う).

retrograde u. 逆行性尿路造影術(尿路のX線撮影で, 造影剤を直接膀胱, 尿管, または腎盂に注入して行う). ＝cystoscopic u.

ur·o·gra·vim·e·ter (yūr′ō-gră-vim′ĕ-tĕr) [uro- ＋ L. *gravis*, heavy ＋ G. *metron*, measure]. 尿比重計. ＝urinometer.

uro·hem·a·tin (yūr′ō-hēm′ă-tin). ウロヘマチン. ＝urobilin.

uro·hem·a·to·por·phy·rin (yūr′ō-hēm′ă-tō-pōr′fi-rin). ウロヘマトポルフィリン. ＝urobilin.

ur·o·hep·a·rin (yūr′ō-hep′ă-rin). ウロヘパリン(尿中に排泄されるヘパリンの不活性型).

ur·o·hy·per·ten·sin (yūr′ō-hī′pĕr-ten′sin). ウロヒペルテンシン（尿に由来する昇圧物質）.
ur·o·ki·nase (yūr′ō-kī′nās). ウロキナーゼ. ＝plasminogen *activator*.
ur·o·lag·ni·a (yūr′ō-lag′nē-ă) [uro- + G. *lagneia*, lust]. 尿愛狂（排尿中の人を見ることによって引き起こされる性的刺激）.
ur·o·leu·cin·ic ac·id, uro·leu·cic ac·id (yūr′ō-lū-sin′ik as′id, yū-rō-lū′sik). ウロロイシン酸（アルカプトン尿患者の尿中に排泄される芳香族化合物）.
ur·o·lith (yūr′ō-lith) [uro- + G. *lithos*, stone]. 尿〔結〕石. ＝urinary *calculus*.
ur·o·li·thi·a·sis (yūr′ō-li-thī′ă-sis). 尿石症（泌尿器系に結石があること）.
ur·o·lith·ic (yūr′ō-lith′ik). 尿〔結〕石の.
ur·o·li·thol·o·gy (yūr′ō-li-thol′ŏ-jē) [uro- + G. *lithos*, stone + *logos*, study]. 尿石学（尿石の形成，組成，作用，除去に関する医学の分野）.
ur·o·log·ic, uro·log·i·cal (yūr′ō-loj′ik, i-kăl). 泌尿器科学の.
u·rol·o·gist (yū-rol′ŏ-jist). 泌尿器科〔専門〕医. ＝genitourinary surgeon.
u·rol·o·gy (yū-rol′ŏ-jē) [uro- + G. *logos*, study]. 泌尿器科学（尿生殖路の疾患の研究，診断，および治療に関する医学の専門分野）.
ur·o·lu·te·in (yūr′ō-lū′tē-in). ウロルテイン（尿中の黄色色素に付けられた名称. →urochrome; uroporphyrin (1)）.
ur·o·mel·a·nin (yūr′ō-mel′ă-nin). ウロメラニン（尿中にみられることがある黒色色素. ウロクロームの分解生成物と考えられる）.
u·rom·e·ter (yū-rom′ĕ-tĕr). ＝urinometer.
u·ro·mu·coid (yū-rō-myū′koyd). ウロムコイド. ＝Tamm-Horsfall *mucoprotein*.
u·ron·cus (yū-rong′kŭs) [uro- + G. *onkos*, mass(tumor)]. 尿嚢腫（尿が限局的に溢出した部分）.
u·ron·ic ac·ids (yū-ron′ik as′idz). ウロン酸（単糖類のカルボニル基から最も離れている第一アルコール基(–CH_2OH)をカルボキシル基(–COOH)に酸化して得られる酸，例えばグルクロン酸）.
ur·o·nos·co·py (yūr′ō-nos′kŏ-pē). ＝uroscopy.
u·rop·a·thy (yū-rop′ă-thē) [uro- + G. *pathos*, suffering]. 尿路疾患（尿路に関係ある障害）.
  obstructive u. 閉塞性尿路疾患（解剖学的または機能的に尿路が閉塞される病態をいう）.
ur·o·phan·ic (yūr-ō-fan′ik) [uro- + G. *phainō*, to appear]. 尿中出現性の（尿中に現れる. 尿中の正常または病的成分についていう）.
ur·o·phe·in (yūr′ō-fē′in) [uro- + G. *phaios*, gray]. ウロフェイン（尿中にときにみられる灰色がかった色素. ウロビリンと同一物と思われる）.
u·ro·plak·in (yū-rō-plak′in). ウロプラキン（膀胱上皮細胞表面にある形質膜蛋白複合体）.
ur·o·poi·e·sis (yūr′ō-poy-ē′sis) [uro- + G. *poiēsis*, a making]. 尿産生（尿の産生あるいは分泌および排出）.
ur·o·poi·e·tic (yūr′ō-poy-et′ik). 尿産生の.
ur·o·por·phy·rin (yūr′ō-pōr′fi-rin). ウロポルフィリン（①ポルフィリン尿症において尿中に排泄されるポルフィリン. 例えばウロビリン. ②1位から8位までに4つの酢酸基と4つのプロピオン酸基を有する全ポルフィリンの種名. →porphyrinogens）.
  u. I ウロポルフィリンI（ポルフィン–1,3,5,7–四酢酸–2,4,6,8–四プロピオン酸. 光がウロポルフィリノーゲンIに作用してできる. ある種のポルフィリン症で上昇する）.
  u. III ウロポルフィリンIII（ポルフィン–1,3,5,8–四酢酸–2,4,6,7–四プロピオン酸. 光がウロポルフィリノーゲンIIIに作用してできる. ある種のポルフィリン症で上昇する）.
ur·o·por·phy·rin·o·gen (yūr′ō-pōr′fi-rin′ō-jen). →porphyrinogens.
  u. decarboxylase ウロポルフィリノーゲンデカルボキシラーゼ（ヘムの生合成に関与する酵素. ウロポルフィリノーゲンIIIの脱炭酸によりコプロポルフィリノーゲンIIIを産生する反応を触媒する. またウロポルフィリノーゲンIにも作用する. この酵素の欠損は晩発性皮膚ポルフィリン症や肝造血性ポルフィリン症を生じる）.
  u. III cosynthase ウロポルフィリノーゲンIIIコシンターゼ（ウロポルフィリノーゲンIIIの生成に関与するヘムの生合成酵素. この蛋白の欠損は先天性造血性ポルフィリン症を生じる）.
u·ro·psam·mus (yū′rō-sam′ŭs) [uro- + G. *psammos*, sand]. 尿砂（[二重字psにおいて，pは語頭にあるときのみ無音である]. ①＝gravel. ②無機尿のまたは尿酸塩尿の沈渣. ＝urocheras (2)）.
u·rop·ter·in (yū-rop′tĕr-in). ウロプテリン. ＝urothion.
ur·o·pur·pur·in (yūr′ō-pŭr′pūr-in). ウロプルプリン（尿中の紫色色素）.
ur·o·ra·di·ol·o·gy (yūr′ō-rā′dē-ol′ŏ-jē). 泌尿器放射線学（尿路の放射線科学の研究）.
ur·o·rec·tal (yūr′ō-rek′tăl). 尿直腸の（尿路と直腸に関する）.
ur·o·ro·se·in (yūr′ō-rō′zē-in). ウロロゼイン（硝酸の添加により赤色を呈する尿中のクロモゲン. 正常にはごく微量存在するが，結核や他の消耗性疾患では増加する. インドール化合物の摂取に関連する）.
ur·o·ru·bin (yūr′ō-rū′bin). ウロルビン（塩酸処理によってより鮮明にみられる尿中の赤色色素）.
ur·o·ru·bro·hem·a·tin (yūr′ō-rū′brō-hē′mă-tin). ウロルブロヘマチン（種々の慢性疾患の尿にときに存在する赤味がかった色素）.
u·ros·che·sis (yū-ros′kĕ-sis) [uro- + G. *schesis*, a checking]. ***1*** 尿貯留. ***2*** 尿閉.
ur·o·scop·ic (yūr′ō-skop′ik). 尿検査の.
u·ros·co·py (yū-ros′kŏ-pē) [uro- + G. *skopēō*, to view]. 尿検査（通常は顕微鏡による尿の検査）. ＝urinoscopy; uronoscopy.
ur·o·sem·i·ol·o·gy (yūr′ō-sem′ē-ol′ŏ-jē) [uro- + G. *sēmeion*, a sign + *logos*, study]. 尿症候学（診断の補助としての尿の研究）.
ur·o·sep·sin (yūr′ō-sep′sin). ウロセプシン（尿の分解によって形成される物質. 尿溢出後の敗血性中毒の原因と推定される. 現在では用いられない語）.
ur·o·sep·sis (yūr′ō-sep′sis) [uro- + G. *sēpsis*, decomposition]. 尿路性敗血症（①溢流した尿の感染に由来する敗血症. ②感染尿の閉塞により起こる敗血症）.
ur·o·spec·trin (yūr′ō-spek′trin). ウロスペクトリン（尿中にみられる色素. ウロビリンと同一物と思われる）.
ur·o·the·li·um (yūr′ō-thē′lē-ŭm) [uro- + epithelium]. 尿路上皮（尿路における上皮の配列）.
ur·o·thi·on (yūr′ō-thī′on). ウロチオン（尿から分離される硫黄含有のプテリジン誘導体）. ＝uropterin.
ur·o·thor·ax (yūr′ō-thōr′aks). 尿胸（胸腔内に尿が存在すること. 通常，複雑な多臓器損傷後に起こる）.
ur·o·xan·thin (yūr′ō-zan′thin). ウロキサンチン. ＝indican (2).
u·rox·in (yū-rok′sin). ウロキシン. ＝alloxantin.
ur·so·de·ox·y·chol·ic ac·id (ŭr′sō-dē-oks′ē-kōl′ik as′id). ウルソデオキシコール酸. ＝ursodiol.
ur·so·di·ol (ŭr′sō-dī′ōl). ウルソジオール（胆石溶解に用いられる胆汁酸. 胆嚢摘除術の代りになりうる）. ＝ursodeoxycholic acid.
ur·ti·ca (ŭr′tī-kă, er′ti-) [L. a nettle ＜ *uro*, pp. *ustus*, to burn]. イラクサ（薬草，イラクサ科ホソバイラクサ *Urtica dioica*. 葉が皮膚に触れると刺すような感じがする雑草. 利尿薬，および子宮出血，鼻血，および吐血の止血薬として用いられてきた）. ＝nettle.
ur·ti·cant (ŭr′ti-kant) [L. *urtica*, nettle. →urtica]. じんま疹発生性の，そう痒を起こす.
ur·ti·car·i·a (ŭr′ti-kar′i-ă) [L. *urtica*]. じんま疹（通常，全身性のかゆみのある膨疹からなる発疹. 食物または薬物，感染病巣，物理的因子(熱，寒冷，光，摩擦)，精神的刺激に対する過敏性に起因する）. ＝hives (1); urtication (2).
  acute u. 急性じんま疹. ＝febrile u.
  u. bullosa 水疱性じんま疹（表皮下水疱を頂部にもつ膨疹性のもの）. ＝u. vesiculosa.
  cholinergic u. コリン性じんま疹（物理的または非アレル

U

ギー性のじんま疹の一型で，温浴，身体運動，高熱，日光や温熱への暴露などによって，あるいは精神的興奮によって引き起こされる．いくぶん特徴的な発疹として，鮮紅色斑に囲まれた直径1—2mm のそう痒性領域を呈する）．＝heat u.

chronic u. 慢性じんま疹（膨疹がしばしば再発したり持続したりするじんま疹の一型）．＝u. chronica.

u. chronica 慢性じんま疹．＝chronic u.

chronic idiopathic u. (**CIU**) 特発性慢性じんま疹（病因が不明で慢性に経過するかゆみのある膨疹を呈する皮膚科疾患）．

cold u. 寒冷じんま疹（低温にさらされた後に発生する膨疹形成．証明できる受動伝達抗体を伴うときと伴わないときとがある）．

u. endemica, u. epidemica 地方病性じんま疹，流行性じんま疹（ある種の毛虫の刺毛によって起こるじんま疹）．

factitious u. 人工じんま疹．＝dermatographism.

febrile u. 熱性じんま疹（微熱を伴うじんま疹）．＝acute u.

giant u. 巨大じんま疹．＝angioedema.

heat u. 温熱じんま疹．＝cholinergic u.

u. hemorrhagica 出血性じんま疹（滲出液が血性の，水疱性じんま疹）．

u. maculosa 斑状じんま疹（赤色の病変でほとんど浮腫を伴わないじんま疹の慢性型）．

u. medicamentosa 薬物〔性〕じんま疹．

papular u. 丘疹状じんま疹（虫刺症，とくにヒトやペットのノミに対する過敏性反応で，膨疹として出現，後に丘疹を呈する．露出部にみられ，通常は幼小児に好発する）．

u. perstans 固定じんま疹（膨疹が長時間変化しないで持続する慢性じんま疹の一型．じんま疹様血管炎を含む）．

u. pigmentosa 色素〔性〕じんま疹（→diffuse cutaneous *mastocytosis*）．

pressure u. 圧迫性じんま疹（皮膚局所に対する圧力が加わった後に生じる病因不明のじんま疹）．

solar u. 日光じんま疹（日光にさらされて起こるじんま疹の一型．受動伝達抗体を有する者とそうでない者とがいる）．

u. subcutanea 皮下じんま疹（膨疹がなく，かゆみがあるじんま疹）．

u. vesiculosa ＝u. bullosa.

vibratory u. 振動性じんま疹（振動性の刺激により起こるじんま疹の一種）．

ur·ti·car·i·al (ŭr′ti-kar′ē-ăl). じんま疹の．

ur·ti·cate (ŭr′ti-kāt) [L. *urticatus*]. ***1***〘v.〙イラクサで刺す（イラクサ刺激を行う）．***2***〘adj.〙じんま疹様の（膨疹の存在を特徴とする）．

ur·ti·ca·tion (ŭr′ti-kā′shŭn) [L. *urticatio*]. ***1*** 灼熱感（じんま疹によって生じるのに似た，またはイラクサ中毒による灼熱感）．***2*** じんま疹．＝urticaria.

u·ru·shi·ol (ū-rū′shē-ōl) [Jap. *urushi*, lac + L. *oleum*, oil]. ウルシオール（側鎖の C_{14} に，C_{14}，C_{17} 位に，あるいは C_{14}，C_{17}，C_{20} 位に不飽和結合をもつカテコール誘導体の混合物．ツタウルシ葉 *Toxicodendron radicans*，毒ツタ *T. diversilobum*，およびアジアウルシノキ(仮ウルシ) *T. verniciferum* の刺激性油の活性アレルゲンを構成する）．

u. oxidase ウルシオールオキシダーゼ．＝laccase.

US ultrasound の略．

USAN United States Adopted Names(米国公用名，米国承認名)の略．

USH1C Usher 1C 型症候群遺伝子の遺伝子シンボル．

USH2A Usher 2A 型症候群遺伝子の遺伝子シンボル．

Ush·er (ŭsh′ĕr), Barney D. カナダ人皮膚科医，1899—1978. →Senear-U. *disease, syndrome*.

Ush·er (ŭsh′ĕr), Charles Howard. イングランド人眼科医，1865—1942. →U. *syndrome*.

usherin (ŭsh′ĕr-in). アシェリン（Usher タイプ 2A 症候群の原因遺伝子であり，蝸牛の基底板と細胞外マトリックスを構成している可能性のある蛋白）．

USP United States Pharmacopeia の略．→*Pharmacopeia*.

USPHS United States Public Health Service(米国公衆衛生局)の略．

us·ti·lag·i·nism (ŭs′ti-laj′i-nizm). 黒穂菌中毒〔症〕（四肢の灼熱感，そう痒感，充血，先端チアノーゼ，浮腫を起こすトウモロコシ黒穂菌 *Ustilago maydis* による中毒．麦角中毒，ペラグラ，乳児肢端性チアノーゼに類似する）．

Us·ti·la·go (ŭs′ti-lā′gō) [L. a kind of thistle < *ustio*, a burning]. 黒穂菌属（黒穂菌目の一属）．

U. maydis トウモロコシ黒穂菌（オオムギの麦角に類似した代謝作用を有する黒穂病を起こす種．トウモロコシの実の上の黒色胞子は風で散って実験室での培養物を汚染することがある）．＝corn ergot; corn smut; *U. zeae*.

U. zeae トウモロコシ黒穂菌．＝*U. maydis*.

us·tu·la·tion (ŭs′tyū-lā′shŭn) [L. *ustulo*, pp. *-atus*, to scorch]. ***1*** 焙焼によって鉱石から硫黄を除く過程のような，熱による化合物の分離．***2*** 加熱乾燥（粉末に調製するために，熱によって薬を乾燥すること）．

u·sur·pa·tion (yū′sŭr-pā′shŭn) [L. *usurpo*, pp. *-atus*, to seize]. 捕捉（副次的刺激電動中枢の自動能の亢進によって心臓ペースメーカの機能を推定すること．例えば，房室結節のペースメーカが洞調律の頻度を超えると，この促進した接合部のペースメーカが支配する）．

u·ta (ū′tă) [Sp.]. ウタ（*Leishmania peruana* によって起こる皮膚粘膜リーシュマニア症の一種．ペルーとボリビアのアンデス渓谷に発生する．多数の小さな皮膚の病変で，ほとんど露出された皮膚表面にのみ起こるという特性がある．イヌは主要な保菌動物である．他のすべての型のアメリカ皮膚リーシュマニア症と異なり，本疾患は低地熱帯森林よりも海抜2,000—2,500 m の樹木の少ない平坦な荒地にみられる）．

uter- →utero-.

u·ter·ine (yū′tĕr-in, ū′ter-īn). 子宮の．

utero-, uter- [L. *uterus*]. 子宮に関する連結形．→hystero-(1); metr-.

u·ter·o·ab·dom·i·nal (yū′tĕr-ō-ab-dom′i-năl). 子宮腹部の（子宮と腹部に関する）．＝uteroventral.

u·ter·o·cer·vi·cal (yū′tĕr-ō-ser′vi-kăl). 子宮頸部の．

u·ter·o·cys·tos·to·my (yū′tĕr-ō-sis-tos′tŏ-mē) [utero- + G. *kystis*, bladder + *stoma*, mouth]. 子宮頸部膀胱吻合〔術〕（子宮頸と膀胱との交通路を形成する手術）．

u·ter·o·fix·a·tion (yū′tĕr-ō-fik-sā′shŭn). 子宮固定術．＝hysteropexy.

u·ter·o·glo·bin (yū′tĕr-ō-glō′bin) [MIM*192020]. ウテログロビン（ステロイド誘導性で，進化的保存性が高く，ホモ二量体の分泌蛋白であり，炎症誘発性効果，可溶性リポ蛋白－リパーゼ A_2 の阻害作用，好中球や単球の化学走性など多くの生物活性をもつ．数種の細胞型でのいくつかの仮想的な受容体と結合して細胞外マトリックスの細胞浸潤を阻害する．ウテログロビンは血液や尿そして子宮その他多くの組織に存在するが，腎臓にはない．マウスのウテログロビンはフィブロネクチン(Fn)と結合することによりFn の自己凝集やこれに続く異常な組織沈着(特に糸球体の中での)を防いでおり，またマウスの正常な腎機能の維持に不可欠なことが示されている）．＝blastokinin.

u·ter·o·glo·bin·ad·du·cin (yū′tĕr-ō-glō′bin-ă-dū′sin). ウテログロビン－アデュシン（腎尿細管細胞にある α/β ヘテロダイマー型蛋白で，アクチン細胞骨格でのチャネル経由のイオン輸送を制御すると考えられている．ある対立遺伝子(アレル)が若干の高血圧患者でみつかり，食塩感受性の本態性高血圧に関連している可能性がある）．

u·ter·o·lith (yū′tĕr-ō-lith) [utero- + G. *lithos*, stone]. 子宮結石．＝uterine *calculus*.

u·ter·om·e·ter (yū′tĕr-om′ĕ-tĕr). 子宮計．＝hysterometer.

u·ter·o·o·var·i·an (yū′tĕr-ō-ō-vār′ē-ăn). 子宮卵巣の（子宮と卵巣に関する）．

u·ter·o·pa·ri·e·tal (yū′tĕr-ō-pă-rī′ĕ-tăl). 子宮腹壁の（子宮と腹壁に関する）．

u·ter·o·pel·vic (yū′tĕr-ō-pel′vik). 子宮骨盤の（子宮と骨盤に関する）．

u·ter·o·pex·y (yū′tĕr-ō-pek′sē). 子宮固定術．＝hysteropexy.

u·ter·o·pla·cen·tal (yū′tĕr-ō-plă-sen′tăl). 子宮胎盤の（子宮と胎盤に関する）．

u·ter·o·plas·ty (yū′tĕr-ō-plas′tē) [utero- + G. *plastos*, formed]. 子宮形成〔術〕（子宮の形成手術）．＝hysteroplasty; metroplasty.

u·ter·o·sa·cral (yū′tĕr-ō-sā′krăl). 子宮仙骨の（子宮と仙骨に関する）．

u·ter·o·sal·pin·gog·ra·phy (yū′tĕr-ō-sal′ping-gog′ră-fē). 子宮卵管造影(撮影)〔法〕. = hysterosalpingography.
u·ter·o·scope (yū′tĕr-ō-skōp). 子宮鏡. = hysteroscope.
u·ter·os·co·py (yū′tĕr-os′kŏ-pē). 子宮鏡検査〔法〕. = hysteroscopy.
u·ter·ot·o·my (yū′tĕr-ot′ŏ-mē). 子宮切開〔術〕. = hysterotomy.
u·ter·o·ton·ic (yū′tĕr-ō-ton′ik) [utero- + G. *tonos*, tone, tension]. ***1***〚adj.〛子宮緊縮性の（子宮筋肉に緊張を与えることについていう）. ***2***〚n.〛子宮収縮薬，子宮緊縮薬（子宮筋の弛緩を消失させる薬物）.
u·ter·o·tro·pic (yū′tĕr-ō-trō′pik). 子宮に効果を生じる.
u·ter·o·tub·al (yū′tĕr-ō-tū′băl). 子宮卵管の（子宮と卵管に関する）.
u·ter·o·tu·bog·ra·phy (yū′tĕr-ō-tū-bog′ră-fē). 子宮卵管造影(撮影)〔法〕. = hysterosalpingography.
u·ter·o·vag·i·nal (yu′tĕr-ō-vaj′i-năl). 子宮腟の（子宮と腟に関する）.
u·ter·o·ven·tral (yū′tĕr-ō-ven′trăl) [utero- + L. *venter*, belly]. = uteroabdominal.
u·ter·o·ver·dine (yū′tĕr-ō-vĕr′dēn). ウテロベルジン（イヌの胎盤からのビリベルジン）.
u·ter·o·ves·i·cal (yū′tĕr-ō-ves′i-kăl). 子宮膀胱の（子宮と膀胱に関する）.
u·ter·us, pl. uteri (yū′tĕr-ŭs, ū′ter-ī) [L.][TA]. 子宮（成熟卵が胎芽および胎児に発達する中空筋肉器官．非妊娠女性では長さ約 7.5 cm で，主部(体部)と先端に開口部(外子宮口)のある細長い下部(頸部)からなる．外子宮口の反対側の子宮上部の丸くなった部分は底で，その各先端が偶角となり，そこで卵管が子宮と結合し，桑実胚が卵管を出た後，そこを通って子宮腔に到達する．子宮は膀胱の上位に位置し，正常子宮の前傾・前屈および腟とその周囲組織によって骨盤腔内で受動的に支持される．また骨盤底筋群の緊張および収縮で能動的に支持される）. = metra; womb.

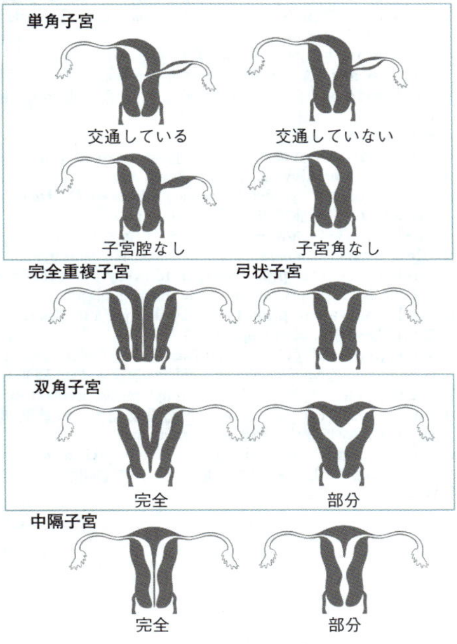

developmental anomalies of the uterus

u. acollis 無頸子宮（閉鎖している，あるいは頸のない子宮）.
anomalous u. 異常子宮（中腎傍管の異常発育と融合によって起こる形成異常子宮）.
arcuate u. 弓状子宮（底に陥凹のある子宮．不完全双角子宮）. = u. arcuatus.
u. arcuatus = arcuate u.
bicornate u. 双角子宮（中腎傍管の不完全癒合のために，子宮がほとんど完全に2本の外側角に分割されること．外見的な分離徴候のない中隔子宮とは異なる．双角子宮では頸は単一(単頸双角子宮 u. bicornis unicollis)が2つ(双頸双角子宮 u. bicornis bicollis)である）. = bifid u.; u. bicornis; u. bifidus.
u. bicornis = bicornate u.
u. bicornis bicollis 双頸双角子宮（⇀bicornate u.）.
u. bicornis unicollis 単頸双角子宮（⇀bicornate u.）.
bifid u. = bicornate u.
u. bifidus = bicornate u.
biforate u. 二分子宮（頸が中隔により二分されている中隔子宮）. = u. biforis.
u. biforis = biforate u.
u. bilocularis 二房子宮. = septate u.
bipartite u. = septate u.
u. bipartitus 分裂子宮. = septate u.
cordiform u. 心臓形子宮（底に楔状陥凹を有する不完全双角子宮）. = heart-shaped u.; u. cordiformis.
u. cordiformis = cordiform u.
Couvelaire u. (kū-vĕ-lār′) クヴレール子宮（重症の常位胎盤早期剝離に合併する子宮筋層内と子宮漿膜下への血液溢出）. = uteroplacental apoplexy.
u. didelphys [G. *di-*, two + *delphys*, womb]. 完全重複子宮（頸部と腟を2個ずつ有する．中腎傍管の癒合不全に起因する）.
duplex u. 重複子宮（管腔を2本もつ子宮．完全重複子宮，双頸双角子宮，中隔子宮をいう）. = u. duplex.
u. duplex 重複子宮. = duplex u.
gravid u. 妊娠子宮（妊娠した子宮の状態）.
heart-shaped u. 心臓形子宮. = cordiform u.
incudiform u. きぬた形子宮（双角子宮で，2角間の底部が広く扁平なもの）. = triangular u.; u. incudiformis; u. triangularis.
u. incudiformis = incudiform u.
masculine u. = prostatic *utricle*.
u. parvicollis 小頸部子宮（不釣合いに異常に小さい頸管をもつ正常形態の子宮）.
septate u. 中隔子宮（前後に走る中隔により2つの腔に分けられる子宮）. = bipartite u.; u. bilocularis; u. bipartitus; u. septus.
u. septus = septate u.
subseptate u. 亜中隔子宮（不完全な中隔子宮）. = u. subseptus.
u. subseptus = subseptate u.
triangular u. 三角子宮. = incudiform u.
u. triangularis = incudiform u.
unicorn u. 単角子宮（外側の半分だけが存在し，残り半分は発達しないか欠損している子宮）. = u. unicornis.
u. unicornis = unicorn u.
UTI urinary tract *infection* の略.
u·til·i·ty (yū′-til′i-tē). 有用，有効，有益（生物医学倫理と臨床決定分析において，ある決定による結果が満足できるか経済的に効果があること）.
UTP *uridine* 5′-triphosphate の略.
u·tri·cle (yū′tri-kĕl) [L. diminutive form of *uter*, leather bag]. 卵形嚢（①骨膨大部を受ける膜迷路の膨大部で，小さな嚢になっている．感覚上皮領域である卵形嚢斑を含む．②= u. of vestibular labyrinth; sacculus communis; utriculus (1)）.
prostatic u. [TA]. 前立腺小室（精丘の頂上にある前立腺開口部の小室で，女性の子宮と腟が相同のもの．中腎傍管の癒合した尾側末端の残遺物である）. = utriculus prostaticus [TA]; masculine uterus; Morgagni sinus (2); sinus pocularis; vagina masculina; vesica prostatica; Weber organ.
u. of vestibular labyrinth [TA]. 前庭迷路の卵形嚢（迷路の前庭中にある2つの膜性の袋のうち大きいほうで，楕円形の陥凹中にある．ここから5つの開口部をつなぐ3本の半規管が出ている．連嚢管はここから前庭迷路の球形嚢に広がる）．＝utricle (2); utriculus (2).

u·tric·u·lar (yū-trik′yū-lăr). 卵形嚢の．

u·tric·u·li (yū-trik′yū-lī). utriculus の複数形．

u·tric·u·li·tis (yū-trik′yū-lī′tis) [utriculus + G. *-itis*, inflammation]. 卵形嚢炎（内耳の炎症）．

u·tric·u·lo·sac·cu·lar (yū-trik′yū-lō-sak′yū-lăr). 卵形嚢球形嚢の（迷路の卵形嚢と球形嚢に関する，特に両嚢を連結する管についていう）．

u·tric·u·lus, pl. **u·tric·u·li** (yū′trik′yū-lŭs, -lī) [L. *uter*(leather bag)の指小辞]. 卵形嚢（①＝utricle. ②＝*utricle* of vestibular labyrinth）．

u. prostaticus [TA]. 前立腺小室．＝prostatic *utricle*.

u·tri·form (yū′tri-fōrm) [L. *uter*, a skin bag + *forma*, form]. 革袋形の（例えば，皮革製ブドウ酒入れの形に似た）．

UV, uv ultraviolet の略．

UVA *ultraviolet* A の略．

u·vae·for·mis (yū′vē-fōr′mis) [L. *uva*, grape + *forma*, form]. ＝vascular *lamina* of choroid.

uva ur·si (yū′vă ŭr′sī) [L. *uva*, grape + *ursus*, bear]. ウワウルシ（北部温帯で一般にみられるツツジ科 *Arctostaphylos uvaursi* の葉を乾燥したもの．防腐性の配糖体，アルブチン，メチルアルブチン，およびタンニンを含む．尿路の慢性炎症に用いる）．

UVB *ultraviolet* B の略．

u·ve·a (yū′vē-ă) [L. *uva*, grape]. ブドウ膜．＝vascular *layer* of eyeball.

u·ve·al (yū′vē-ăl). ブドウ膜の．

u·ve·it·ic (yū′vē-it′ik). ブドウ膜炎の．

u·ve·i·ti·des (yū′vē-it′i-dēz). uveitis の複数形．

u·ve·i·tis, pl. **uve·i·ti·des** (yū′vē-ī′tis, -it′ĭ-dēz) [uvea + G. *-itis*, inflammation]. ブドウ膜炎（ブドウ膜の炎症．虹彩，毛様体，脈絡膜の炎症）．

anterior u. 前部ブドウ膜炎（毛様体と虹彩を含む炎症）．

Förster u. (fōrs′tĕr). フェルスターブドウ膜炎（梅毒性炎症で，脈絡膜，網膜血管を侵すびまん性結節を伴う）．

Fuchs u. (fūks). フックスブドウ膜炎．＝heterochromic u.

heterochromic u. 異色素性ブドウ膜炎（前部ブドウ膜炎と虹彩の脱色素）．＝Fuchs u.

intermediate u. 中間部ブドウ膜炎（前部と後部ブドウ膜の間のブドウ膜炎で，毛様体と毛様体扁平部を含む傾向にある）．

lens-induced u. 水晶体原性ブドウ膜炎．＝phacoanaphylactic u.

phacoanaphylactic u. 水晶体過敏性ブドウ膜炎（眼内炎で，水晶体嚢外摘出の術後にみられる．患者の遊離した水晶体蛋白への免疫反応と考えられる）．＝lens-induced u.

phacogenic u. 水晶体起因性ブドウ膜炎（過熟白内障に続発するブドウ膜炎）．

posterior u. 後部ブドウ膜炎．＝choroiditis.

sympathetic u. 交感性ブドウ膜炎（ブドウ膜を障害する片眼の穿孔性外傷によって起こる両側性ブドウ膜の炎症）．

u·ve·o·en·ceph·a·li·tis (yū′vē-ō-en-sef′ă-lī′tis). ブドウ膜脳炎．＝Harada *syndrome*.

u·ve·o·scle·ri·tis (yū′vē-ō-sklĕ-rī′tis). ブドウ膜強膜炎（ブドウ膜から波及した強膜の炎症）．

u·vi·form (yū′vi-fōrm) [L. *uva*, grape + *forma*, form]. ブドウ状の．＝botryoid.

u·vi·o·fast (yū′vē-ō-fast) [uviol(*ultraviolet*) + fast]. 紫外線抵抗性の（紫外線照射を受けても弱まらないか，または破壊されないことについていう）．＝uvioresistant.

u·vi·ol (yū′vē-ol) [*ultraviolet*]. ユビオール（紫外線または活性線を特に透過しやすい特殊ガラス）．

u·vi·om·e·ter (yū-vē-om′ĕ-ter) [uviol(*ultraviolet*) + meter]. 紫外線計（紫外線を測定する器具）．

u·vi·o·re·sis·tant (yū′vē-ō-rē-zis′tant). ＝uviofast.

u·vi·o·sen·si·tive (yū′vē-ō-sen′si-tiv) [uviol(*ultraviolet*) + sensitive]. 紫外線感受性の，紫外線過敏の．

u·vi·tex 2B (ū′vi-teks) ユビテックッス 2B（キチンと反応する蛍光染料．微胞子虫やクリプトスポリジウムの感染の診断に役立つ）．

UVJ ureterovesical *junction* の略．

u·vo·mo·ru·lin (yū′vō-mō′rū-lin) [L. *uva*, bunch of grapes + Mod. L. *morula*, dim. of L. *morum* < G. *moron*, mulberry + -in]. ウボモルリン（膜貫通型蛋白で Ca^{2+} 依存性に作用して隣接細胞の形質膜を結び付ける．細胞層の硬性を維持するのを助ける）．＝E-cadherin.

uvul- →uvulo-.

u·vu·la, pl. **uvu·li** (yū′vyū-lă, -lī) [Mod. L.: L. *uva* (a grape, the uvula)の指小辞][TA]. 垂（下垂した肉塊．口蓋垂を連想させる構造）．

bifid u. [MIM*192100]. 口蓋垂裂（口蓋垂の分岐で，部分的な軟口蓋裂からなる）．

u. of bladder [TA]. 膀胱垂（通常，特に老年者に顕著な膀胱内腔へのわずかな突起で，尿道口の真後ろにあり，前立腺中葉の位置を示す）．＝u. vesicae [TA]; Lieutaud u.

u. cerebelli ＝uvula [TA] of cerebellum.

u. [TA] **of cerebellum** 小脳虫部垂（小脳虫部上の三角形の隆起で，錐体の前方の２つの扁桃の間にある）．＝u. cerebelli; u. vermis.

Lieutaud u. (lyū-tō′) リュトー垂．＝u. of bladder.

u. palatina [TA]. 口蓋垂．＝u. of soft palate.

palatine u. 口蓋垂．＝u. of soft palate.

u. of soft palate [TA]. 口蓋垂（軟口蓋の中央後縁から出る円錐形の突起．多数の房状腺と若干の筋線維(口蓋垂筋)を含む結合組織からなる）．＝u. palatina [TA]; palatine u.; pendulous palate.

u. vermis 虫部垂．＝uvula [TA] of cerebellum.

u. vesicae [TA]. 膀胱垂．＝u. of bladder.

u·vu·lap·to·sis (yū′vyū-lap-tō′sis). 口蓋垂下垂．＝uvuloptosis.

u·vu·lar (yū′vyū-lăr). 口蓋垂の．

u·vu·la·ris (ū′vyū-lā′ris). 口蓋垂筋．＝*muscle* of uvula.

u·vu·la·tome (ū′vyū-lă-tōm). ＝uvulotome.

u·vu·lec·to·my (yū′vyū-lek′tŏ-mē) [uvula- + G. *ektomē*, excision]. 口蓋垂切除〔術〕．＝staphylectomy.

u·vu·li·tis (yū′vyū-lī′tis). 口蓋垂炎（口蓋垂の炎症）．

uvulo-, uvul- [L. *uvula*]. 垂を表す連結形．→staphylo-.

u·vu·lo·pal·a·to·pha·ryn·go·plas·ty (yū′vyū-lō-pal′ă-tō-fa-rin′gō-plas′tē). ＝palatopharyngoplasty.

u·vu·lo·pal·a·to·plas·ty (yū′vyū-lō-pal′ă-tō-plas′tē). 口蓋垂口蓋形成術．＝palatoplasty.

u·vu·lop·to·sis (yū′vyū-lop-tō′sis) [uvulo- + G. *ptōsis*, a falling]. 口蓋垂下垂〔症〕（口蓋垂の弛緩または延長）．＝falling palate; staphylodialysis; staphyloptosis; uvulaptosis.

u·vu·lo·tome (yū′vyū-lō-tōm). 口蓋垂切開刀，口蓋垂切除器（口蓋垂を切開する器具）．＝uvulatome.

u·vu·lot·o·my (yū-vyū-lot′ō-mē) [uvulo- + G. *tomē*, a cutting]. 口蓋垂切開〔術〕（口蓋垂の何らかの切開術）．

UW ＝University of Wisconsin *solution*.

𝔙

V *1* vision; visual *acuity*; volt の略．1，2，3 などの下付き文字を伴い単極心電図誘導を示す略．*2* バナジウムの元素記号．バリン，バリルの記号．容量，体積の記号で，しばしば位置，化学種，状態を示す下付き文字を伴う．

V_D 生理学的死腔 physiologic dead *space* の記号．

V_T 一回換気(呼吸気)量 tidal *volume* の記号．

$\dot{V}$ [volume + overdot]．*1* ガス流量 gas *flow* の記号で，位置や化学種を示す下付き文字を伴うことが多い．→flow (3)．*2* 換気量の記号で，下付き文字を伴うことが多い．ventilation (3) の項参照．

$\dot{V}_A$ 肺胞換気量 alveolar *ventilation* の記号．

$\dot{V}_{CO_2}$ 炭酸ガス放出 carbon dioxide *elimination* を示す記号．

$\dot{V}_{O_2}$ 酸素消費量 oxygen *consumption* を示す記号．

V volume の略．

V_{max} 最大速度 maximum *velocity* を表す記号．

v *1* volt; initial rate velocity; velocity; vel の略．*2* 下付き文字として静脈血 venous *blood* を示す．

$\bar{v}$ 下付き文字として，混合静脈(肺動脈)血を示す．

VA ventriculoatrial の略．

VAC ventriculoatrial *conduction* の略．

vac·cen·ic ac·id (vak-sen′ik as′id)．バクセン酸（不飽和脂肪酸で，*cis* と *trans* 異性体の両方がバターや他の動物性脂肪中に見出される）．

vac·ci·na (vak-si′nă)．＝vaccinia.

vac·ci·nal (vak′si-năl)．ワクチン，あるいは接種に関する．

vac·ci·nate (vak′si-nāt)．ワクチンを接種する．

vac·ci·na·tion (vak′si-nā′shŭn)．予防接種．

immunization v. 能動的ワクチン接種．＝active *prophylaxis.*

vac·ci·na·tor (vak′si-nā′tŏr)．*1* ワクチン接種者，種痘実施者．＝vaccinist．*2* ワクチン接種器（ワクチン接種に用いる乱切器または他の器具）．

VACCINE

vac·cine (vak′sēn, vak-sēn′) [L. *vaccinus*, relating to a cow]．ワクチン，痘瘡ワクチン（[正しいアクセントは第1音節に置くが，米国の用法ではしばしば2番目の音節にアクセントを置く]．元来は，天然痘の予防として皮膚に接種された生ワクチン(ワクシニア，牛痘)で，種ウイルスを接種したウシの皮膚から得られる．意味が拡大して実際には活性のある免疫学的予防を意図するあらゆる材料，すなわち有毒株の死菌または弱毒化株(変株または変異株)の生菌材料にも用いられる．この材料には微生物，真菌，植物，原生動物，後生動物またはその生産物も含まれる．適用法は接種が最も一般的であるが，ワクチンにより異なり，経口投与が好ましい例もあり，まれに鼻内噴霧にも用いる)．＝vaccinum.

adjuvant v. アジュバントワクチン（アジュバントを含むワクチン．抗原(免疫原)が油中水乳剤(Freund 不完全アジュバント)中に含まれるか，無機ゲル(アラム，水酸化アルミニウム，またはリン酸アルミニウム)上に吸着しているか，または宿主からの速い消失を防止するために他の物質と混合されている）．

aqueous v. 水液ワクチン（乳剤とは区別される液体溶媒(例えば生理食塩水)にはいったワクチン）．

attenuated v. 弱毒化ワクチン（毒性を失っているが，病原性の毒素に対する防御免疫反応を誘導する能力を有する病原体．例えば，Sabin ポリオワクチン）．

autogenous v. 自己(自家)ワクチン（患者自身の微生物の培養からつくられるワクチン）．

bacillus Calmette-Guérin v. (kahl′met gā-rĭn[h]′)．カルメット－ゲラン杆菌ワクチン．＝BCG v.

BCG v. BCGワクチン（ヒト型結核菌 *Mycobacterium tuberculosis* の弱毒化株(Calmette-Guérin 杆菌)の懸濁液で，結核予防のため皮膚に接種される）．＝bacillus Calmette-Guérin v.; Calmette-Guérin v.; tuberculosis v.

brucella strain 19 v. ブルセラ 19 型株ワクチン（ウシ流産菌 *Brucella abortus*(19 型株)の弱毒化変株からつくられる生菌ワクチン．ウシのブルセラ症の予防接種に用いる）．

Calmette-Guérin v. (kahl-met′ gā-rĭn[h]′)．カルメット－ゲランワクチン．＝BCG v.

cholera v. コレラワクチン（寒天上または肉汁のいずれかで発育し，フェノール中で保存された稲葉型および小川型株コレラ菌 *Vibrio cholerae* の不活化懸濁液）．

crystal violet v. クリスタルバイオレットワクチン（→hog cholera v.'s）．

diphtheria toxoid, tetanus toxoid, pertussis v. (DTP) ジフテリア・破傷風・百日咳三種混合ワクチン（ジフテリアトキソイドと破傷風トキソイドに百日咳ワクチン(DTP)，破傷風トキソイドとジフテリアトキソイドからなる成人型(Td)，破傷風トキソイド(T)の3つの形で用いる．ジフテリア・破傷風・百日咳に対して能動免疫を行う際に用いる．米国ではDTPは無細胞DTP(aDTP)に切り替えられている）．

DNA v. DNA ワクチン（免疫誘導のために微生物の DNA 自体を投与するワクチン．使用は実験段階にとどまっている）．

duck embryo origin v. (DEV) ふ化鴨卵ワクチン（→rabies v.）．

Flury strain v. (flūr′ē)．フラリー株ワクチン（→rabies v., Flury strain egg-passage）．

foot-and-mouth disease virus v.'s 口蹄疫ウイルスワクチン（感染したウシの舌上皮からの不活化ウイルス，あるいは最近では，ふ化卵またはマウス継代接種で弱毒化し，組織培養で増殖した生ウイルス）．

***Haemophilus influenzae* type B v.** B型インフルエンザワクチン（*H. influenzae* B 型の莢膜抗体のオリゴ糖とジフテリア CRM 蛋白との結合体）．＝Hib v.

Haffkine v. (haf′kēn)．ハフキンワクチン（① 2つの強度をもつコレラ菌 *Vibrio cholerae* の死菌液で，弱いほうは初回接種に，強いほうは初回後 7 —10 日目の 2 回目接種に用いる．②ペスト菌 *Yersinia pestis* の死菌ワクチン）．

hepatitis B v. B型肝炎ワクチン（元来はB型肝炎ウイルス表面抗原(HBsAg)から調製され，ホルマリンで不活化されたワクチン．抗原はウイルス保有者のヒト血漿から以前は得ていた．今日，米国では精製 HBsAg は DNA 遺伝子組換え技術によって主に調製され，免疫のためほぼ独占的に用いられている）．

heterogenous v. 異株ワクチン（自己ワクチンではないワクチンで，同一種の細菌でつくられる）．

Hib v. Hibワクチン．＝*Haemophilus influenzae* type B v.

high-egg-passage v., HEP v. 鶏卵高継代(HEP)ワクチン（→rabies v., Flury strain egg-passage）．

hog cholera v.'s 豚コレラワクチン（感染ブタの血液からのウイルスをクリスタルバイオレットで不活化したもの，あるいは家兎または組織培養中で弱毒化した生ウイルスでしばしば豚コレラウイルス抗血清と一緒に用いるもののいずれかのワクチン）．

human diploid cell v. (HDCV) ヒトディプロイドセルワクチン（狂犬病ワクチンに対する保護のために用いられるヨード化ウイルスワクチンで，通常ヒトディプロイドセル WI–38 において調製される）．＝human diploid cell rabies v.

human diploid cell rabies v. (HDCV) ヒト二倍体細胞狂犬病ワクチン．＝human diploid cell v.

inactivated poliovirus v. (IPV) 不活性化ポリオウイルスワクチン（→poliovirus v.'s (1)）．

influenza virus v.'s インフルエンザウイルスワクチン（受精卵中で発育し，通常，ホルマリン添加により不活化されたインフルエンザウイルス．赤血球凝集素およびノイラミニダーゼを含む全ウイルスおよびサブユニット製剤の両方が用いられる．インフルエンザウイルスの抗原変異が顕著であるために，含まれる株はごく最近分離されたA型およびB型インフルエンザの流行株を含むように，インフルエンザのそれぞれの流行に従って規則的に変えられる）．

live v. 生ワクチン（生の，弱毒化された微生物でつくられたワクチン）．

live oral poliovirus v. 経口ポリオ生ワクチン（→poliovirus v.'s (2)）．

low-egg-passage v., LEP v. 鶏卵低継代(LEP)ワクチン（→rabies v., Flury strain egg-passage）．

measles, mumps, and rubella v. (**MMR**) 弱毒生麻疹・おたふくかぜ・風疹混合ワクチン（麻疹，おたふくかぜ，および風疹弱毒生ウイルスを混合した水溶性懸濁液．各疾病に対する免疫に用いる）．

measles virus v. 麻疹ウイルスワクチン（麻疹ウイルスの弱毒株の生ワクチンで，ニワトリ胚細胞で組織培養されたもの．→measles, mumps, and rubella v.）．

multivalent v. ＝polyvalent v.

mumps virus v. 流行性耳下腺炎ワクチン（ニワトリ胚の細胞培養中でつくられた生の弱毒化流行性耳下腺炎ウイルスワクチン．→measles, mumps, and rubella v.）．

oil v. 油液ワクチン（→adjuvant v.）．

oral poliovirus v. (**OPV**) 経口ポリオウイルスワクチン（→poliovirus v.'s (2)）．

Pasteur v. (pahs-tūr′)．パスツールワクチン（→rabies v.）．

pertussis v. 百日咳ワクチン（→diphtheria toxoid, tetanus toxoid, pertussis v.）．

plague v. ペストワクチン（米国で使用が認められているワクチンは，ペスト菌 *Yersinia pestis* を培養してつくられ，ホルムアルデヒドで不活化され，0.5% フェノールで防腐される．筋肉注射で，追加接種は危険地域にいる間は 6 —12 か月ごとに行われることが望ましい．弱毒性生ワクチンや化学的分画のワクチンも入手可能である）．

pneumococcal v. 肺炎球菌ワクチン（肺炎連鎖球菌 *Streptococcus pneumoniae* の 23 種類の菌型(米国で報告された肺炎球菌による疾病の大部分はこれらの菌型が原因である)から精製された莢膜ポリサッカリド抗原を含有するワクチン．2 歳未満の小児において，ある種のものは蛋白と結合し，抗体を産生する）．

poliomyelitis v.'s 灰白髄炎ウイルスワクチン．＝poliovirus v.'s.

poliovirus v.'s ポリオウイルスワクチン，灰白髄炎ウイルスワクチン（ⓘinactivated poliovirus v. (IPV) 不活化ポリオウイルスワクチン（注射で用いるポリオウイルス(1 型，2 型，3 型)の不活性化株の水性懸濁液．経口ワクチンによって取って代わられてきている．→Salk v.）．ⓘⓘoral poliovirus v. (OPV) 経口ポリオウイルスワクチン（ポリオウイルス(1 型，2 型，3 型)の，生の弱毒化株の水性懸濁液で，灰白髄炎の能動免疫のために経口的に投与される．→Sabin v.)）．＝poliomyelitis v.'s.

polysaccharide conjugated v. 多糖類結合型ワクチン(髄膜炎に対するB型インフルエンザワクチンのように，蛋白と結合させた微生物の莢膜多糖類からなるワクチン）．

polyvalent v. 多価ワクチン（同一の種または微生物の 2 つ以上の株の培養からつくられたワクチン）．＝multivalent v.

rabies v. 狂犬病ワクチン（狂犬病の動物に咬まれた後の治療法として Pasteur により導入された．非感染性から完全に感染性の固定毒まで徐々に毒性を高めたウイルスを毎日(14—21 日間)注射することにより，中枢神経が毒性ウイルスに侵されないようにする．Pasteur の方法はわずかな変更(例えば Semple ワクチン)を伴いながら約 75 年にわたって用いられてきたが，ウイルスとともに接種された大量の異種神経組織がまれにアレルギー性(免疫学的)脱髄を起こすことがあるという重大な欠点をもっている．ヒトの場合には，ふ化鴨卵に感染した固定毒を β-プロピオラクトンで不活性化したふ化鴨卵狂犬病ワクチン(DEV)に代わってきている．現在，DEV は WI-38 細胞で成長するヒト二倍体細胞ワクチン(HDCV)あるいはアカゲザルの胎児細胞で発育した狂犬病吸着ワクチンに代わってきている．両者とも不活化されており副作用の発現頻度は低く，より少量の注射ですむ製剤である）．

rabies v., Flury strain egg-passage 狂犬病ワクチン・フラリー株鶏卵継代（①鶏卵高継代ワクチン(HEP ワクチン)は，180—190 代鶏卵(ふ化卵)を継代した狂犬病ウイルス生 Flury 株．ウシとネコの予防接種に用いる．②鶏卵低継代ワクチン(LEPワクチン)は，40—50 代継代したもので，マウス 50% 致死量(LD50)の1,000—10,000 倍含む．イヌには非病原性だが，ウシとネコには多少の病原性を残している）．

rickettsia v., attenuated 弱毒化リケッチアワクチン（→typhus v.）．

Rocky Mountain spotted fever v. ロッキー山紅斑熱ワクチン（不活化された *Rickettsia rickettsii* の懸濁液で，家禽卵のふ化卵黄嚢でリケッチアを増殖させてつくる）．

rubella virus v., live 風疹ウイルス生ワクチン（生ワクチンで，元来，アヒル胚からつくられたが，現在は風疹ウイルス(RA27/3)に感染させたヒト二倍体細胞培養からつくられ，1 回の皮下注射で投与される．→measles, mumps, and rubella v.）．

Sabin v. (sā′bĭn)．セービンワクチン，経口ポリオ生ワクチン（ポリオウイルスの生の，弱毒化された株を含む経口投与ワクチン．→poliovirus v.'s）．

Salk v. (sawk)．ソーク(ソールク)ワクチン，非経口ポリオ生ワクチン（サルの腎組織培養中で増殖，不活化されたウイルスワクチンよりなる．最初のポリオウイルスワクチン．→poliovirus v.'s）．

Semple v. (sem′pĕl)．センプルワクチン（最初の(Pasteur)狂犬病ワクチンの変法で，米国では以前には広く用いられていた．ウサギの神経組織からつくられフェノールで不活性化されている．14—21 日間毎日注射によって投与される．様々な効力があり，接種後の脱髄の発生率が高い）．

smallpox v. 痘瘡ワクチン（ウシの皮膚のワクシニア病巣(牛痘漿)あるいはニワトリ胚起源でつくられた痘苗(ワクシニア)ウイルス懸濁液．痘瘡の世界的消失により現在は使用されていない）．

split-virus v. ウイルス成分ワクチン（→subunit v.）．

staphylococcus v. ブドウ球菌ワクチン（ブドウ球菌属 *Staphylococcus* の 1 つ以上の菌株の培養でつくられる微生物の懸濁液で，癤症，痤瘡，および他の化膿状態に用いる）．

stock v. (stok)．同種菌ワクチン（自己ワクチンに対比して，ある微生物株からつくったワクチン）．

subunit v. サブユニットワクチン（化学的抽出により，ウイルスの核酸を含まず，投与されたウイルスの特異的蛋白質サブユニットのみを含むワクチン．このようなワクチン(例えばインフルエンザワクチン)は，完全な基本的ウイルス粒子を含むワクチンで生じるような副作用が相対的に少ない）．

T.A.B. v. ＝typhoid-paratyphoid A and B v.

tetanus v. 破傷風ワクチン（→diphtheria toxoid, tetanus toxoid, pertussis v.）．

tuberculosis v. 結核ワクチン．＝BCG v.

typhoid v. 腸チフスワクチン（加熱，または防腐剤を加えた化学薬品(アセトン)により不活化された腸チフス菌 *Salmonella typhi* の懸濁液．米国ではパラチフスAおよびB成分の薬効が証明されないため，単価の腸チフスワクチンが腸チフスとパラチフスAおよびBの混合ワクチンに代わって広く用いられるようになってきた）．

typhoid-paratyphoid A and B v. 腸チフス－パラチフスAおよびBワクチン（腸チフスとパラチフスAおよびBの死菌の懸濁液．→typhoid v.）．＝T.A.B. v.

typhus v. 発疹チフスワクチン（ふ化鶏卵中で増殖した発疹チフスリケッチア *Rickettsia prowazekii* をホルムアルデヒドで不活化した懸濁液．シラミで伝播される発疹チフスに有効．一次免疫は 4 週間以上の間隔で 2 回皮下注射をすることによって得られ，追加投与は，感染の可能性が存在する限り 6—12 か月ごとに必要とされる．発疹チフスリケッチアの弱毒化株の生リケッチアを含むワクチンもまた用いられてきた）．

whooping-cough v. →diphtheria toxoid, tetanus toxoid, pertussis v.

yellow fever v. 黄熱ワクチン（①ふ化家禽卵で増殖させた弱毒黄熱ウイルス株(17D)の生ワクチン．②黄熱ウイルスのフランス向神経性株(Dakar)を感染させたマウスの乾燥脳懸濁液で，擦過法によって局所的に投与される．髄膜脳炎症状のため，米国では公式な使用は推奨されていない）．

---

vac·cin·i·a (vak-sin′ē-ă) [L. *vaccinus*, relating to a cow <

vacca, a cow]. ワクシニア，痘疹（天然痘(痘瘡)に対する抵抗力を与えることを目的にした *Orthopoxvirus*属(ポックスウイルス科)の標準種であるワクシニアウイルス接種によって起こる感染で，元来局在性で接種部位に限られている．このワクチン接種後約3日目に丘疹が接種部位にでき，臍窩を伴った小水疱に変わり，後に膿疱となる．次いで乾燥し，約21日目には痂皮が落ち，小窩を伴った瘢痕を残す．多少とも明らかな全身性の障害が起こることもある．天然痘の世界的な根絶により，現在ではルーチンのワクチン接種は実施されていない）．＝primary reaction; vaccina; variola vaccine; variola vaccinia.

v. gangrenosa 壊疽痘．＝progressive v.

generalized v. 汎発性〔種〕痘疹，全身性痘疱（ワクチン接種に続く皮膚の二次病変で，以前に健康であった皮膚にもみられるが，特に湿疹(種痘性湿疹)の場合のような外傷性皮膚の場合に最も一般的にみられる．後者の例では，汎発性痘疹はワクチンを接種されたヒトに接触するだけで起こることもある．二次ワクチン病変はまた，指により接種部分から他の部位にウイルスを移すことによって起こることがある）．

progressive v. 進行性〔種〕痘疹（痘疹の重症型または致死的な場合もある型で，主として免疫不全または障害をもつ患者にみられ，一次および二次的病巣の進行性の拡大を特徴とする）．＝v. gangrenosa.

variola v. ＝vaccinia.

vac·cin·i·al (vak-sin′ē-ăl). ワクシニアの，完全痘疱の，〔種〕痘疹の．

vac·cin·i·form (vak-sin′i-fōrm). 痘瘡状の，痘疱状の．

vac·ci·nist (vak′si-nist). ＝vaccinator (1).

vac·cin·i·za·tion (vak′sin-i-zā′shŭn). 種痘化，完全種痘〔法〕（もうこれ以上つかなくなるまで短い間隔で繰り返されるワクチン接種）．

vac·cin·o·gen (vak-sin′-ō-jen). 痘苗原（ワクチンを得る原料で，痘苗を接種された雌ウシのようなもの）．

vac·ci·nog·e·nous (vak′si-noj′ĕ-nŭs). ワクチンの（ワクチンの生成に関する）．

vac·ci·noid (vak′si-noyd). 仮〔牛〕痘の（ワクシニアに類似した）．

vac·ci·no·style (vak-si-nō-stīl). 種痘刀，種痘針（ワクチン接種用の先のとがった器具）．

vac·ci·num (vak′si-nŭm) [L.]. ワクチン．＝vaccine.

vac·u·o·lar (vak-yū-ō′lăr). 空胞の，空胞状の．

vac·u·o·late, vac·u·o·lat·ed (vak′yū-ō-lāt, -lāt′ed). 空胞のある．

vac·u·o·la·tion (vak′yū-ō-lā′shŭn). ＝vacuolization. ***1*** 空胞形成．***2*** 空胞化．

vac·u·ole (vak′yū-ōl) [Mod. L. ***vacuolum***: L. ***vacuum***(an empty space)の指小辞]. ***1*** 小胞（すべての組織の微小スペース）．***2*** 空胞，液胞（細胞実質中の透明な空隙で，ときには退化的特徴を示し，またときには取り込んだ異物を囲み，その異物の消化のための一時的な細胞胃として働く）．

autophagic v. 自己貪食空胞．＝cytolysosome.

contractile v. 収縮胞，拍動小胞（原生動物の外形質中への液の蓄積により形成される空洞．しばらく拡張した後に，急激な収縮により外に向けて中身をあける．特に淡水産原生動物において，水分平衡を保つ浸透調節として機能する）．

digestive v. ＝secondary *lysosomes*.

parasitophorous v. 寄生菌含有空胞（小胞体が細胞内寄生菌の周囲を層状に包んでできた空胞で，寄生菌を隔離し，囲い込んでライソザイムで処理するのに役立っているものと思われる）．

vac·u·o·li·za·tion (vak′yū-ō-li-zā′shŭn). ＝vacuolation.

vac·u·ome (vak′yū-ōm) [vacuole + G. *-oma*, tumor]. 中性赤空胞（生体細胞中でニュートラルレッドで染出される空胞系）．

vac·uum (vak′yūm) [L. ***vacuus***(empty)の中性形]. 真空（物質が存在しない空間．実際には空気やガスを排出した空間を意味する）．

va·dum (vā′dŭm) [L. a ford]. 脳溝内隆起，浅溝（脳溝の底部にときにみられる隆起で，溝を短距離間ほぼ消失させてしまう）．

va·gal (vā′găl). 迷走神経〔性〕の．

va·gec·to·my (vā-jek′tŏ-mē). 迷走神経切除〔術〕（迷走神経の分節の手術による除去）．

va·gi (vā′jī). vagus の複数形．

vagin- →vagino-.

va·gi·na, gen. & pl. **va·gi·nae** (vă-jī′nă, -nē) [L. sheath, the vagina]. [vulva の同義語としての口語的および隠語的使用を避けること]. ***1*** 鞘．＝sheath (1). ***2*** [TA]. 膣（女性の生殖管の一部で，子宮頸と前庭の間に広がる．性交時に陰茎を受け入れる交尾器官である）．

bipartite v. ＝septate v.

v. bulbi [TA]. 眼球鞘．＝fascial *sheath* of eyeball.

v. carotica [TA]. 頸動脈鞘．＝carotid *sheath*.

v. cellulosa 神経または筋肉の結合組織鞘．それぞれ神経周膜，筋周膜という．

v. communis tendinum musculorum fibularium [TA]. ＝ common tendinous *sheath* of fibulares.

v. communis tendinum musculorum flexorum (manus) [TA]. 指屈筋総腱鞘．＝common flexor *sheath* (of hand).

v. communis tendinum musculorum peronearum* common tendinous *sheath* of fibulares の公式の別名．

v. externa nervi optici [TA]. 視神経外鞘．＝outer *sheath* of optic nerve.

v. fibrosa* fibrous tendon *sheath* の公式の別名．

vaginae fibrosae digitorum manus [TA]. 手指の線維鞘（→anular *part* of fibrous digital sheath of digits of hand and foot; cruciform *part* of fibrous digital sheaths of hand and foot）．＝fibrous *sheaths* of digits of hand.

vaginae fibrosae digitorum pedis [TA]. 足指の線維鞘（→anular *part* of fibrous digital sheath of digits of hand and foot; cruciform *part* of fibrous digital sheaths of hand and foot）．＝fibrous *sheaths* of toes.

v. fibrosa tendinis 腱の線維鞘．＝fibrous tendon *sheath*.

v. interna nervi optici [TA]. 視神経内鞘．＝inner *sheath* of optic nerve.

v. masculina ＝prostatic *utricle*.

v. mucosa tendinis ＝synovial tendon *sheath*.

v. musculi recti abdominis [TA]. 腹直筋鞘．＝rectus *sheath*.

vaginae nervi optici 視神経鞘（視神経の鞘で，脳の髄膜の延長したもので形成されている．→inner *sheath* of optic nerve; external *sheath* of optic nerve）．

v. oculi ＝fascial *sheath* of eyeball.

v. plantaris tendinis musculi fibularis longi [TA]. ＝ plantar tendon *sheath* of fibularis longus muscle.

v. plantaris tendinis musculi peronei longi* plantar tendon *sheath* of fibularis longus muscle の公式の別名．

v. processus styloidei [TA]. 茎状突起鞘．＝*sheath* of styloid process.

septate v. 膣中隔（多少完全な縦の中隔が存在することにより生じる2分された膣）．＝bipartite v.

vaginae synoviales digitorum manus [TA]. 手指の滑液鞘．＝synovial *sheaths* of digits of hand.

vaginae synoviales digitorum pedis [TA]. ＝synovial *sheaths* of toes.

v. synovialis [TA]. ＝ synovial *sheath*.

v. synovialis tendinis [TA]. 腱の滑液鞘．＝synovial tendon *sheath*.

v. synovialis trochleae 滑車滑液鞘．＝tendinous *sheath* of superior oblique muscle.

v. tendinis intertubercularis [TA]. ＝ intertubercular tendon *sheath*.

v. tendinis musculi extensoris carpi ulnaris [TA]. 尺側手根伸筋腱鞘．＝tendinous *sheath* of extensor carpi ulnaris muscle.

v. tendinis musculi extensoris digiti minimi [TA]. 小指伸筋腱鞘．＝tendinous *sheath* of extensor digiti minimi muscle.

v. tendinis musculi extensoris hallucis longi [TA]. 〔足の〕長母指伸筋腱鞘．＝tendinous *sheath* of extensor hallucis longus muscle.

v. tendinis musculi extensoris pollicis longi [TA]. 長母指伸筋腱鞘．＝tendinous *sheath* of extensor pollicis longus muscle.

V

v. tendinis musculi flexoris carpi radialis [TA]. 橈側手根屈筋腱鞘. =tendinous *sheath* of flexor carpi radialis muscle.

v. tendinis musculi flexoris hallucis longi [TA]. 長母趾(指)屈筋腱鞘. =tendinous *sheath* of flexor hallucis longus muscle.

v. tendinis musculi flexoris pollicis longi [TA]. 長母指屈筋腱鞘. =tendinous *sheath* of flexor pollicis longus muscle.

v. tendinis musculi obliqui superioris [TA]. =tendinous *sheath* of superior oblique muscle.

v. tendinis musculi tibialis anterioris [TA]. 前脛骨筋腱鞘. =tendinous *sheath* of tibialis anterior muscle.

v. tendinis musculi tibialis posterioris [TA]. 後脛骨筋腱鞘. =tendinous *sheath* of tibialis posterior muscle.

vaginae tendinum carpales [TA]. = carpal tendinous *sheaths*.

vaginae tendinum carpales dorsales [TA]. = dorsal carpal tendinous *sheaths*.

vaginae tendinum carpales palmares [TA]. = palmar carpal tendinous *sheaths*.

vaginae tendinum digitorum pedis [TA]. = synovial *sheaths* of toes.

vaginae tendinum membri inferioris [TA]. =tendinous *sheaths* of lower limb.

vaginae tendinum membri superioris [TA]. =tendinous *sheaths* of upper limb.

v. tendinum musculi extensoris digitorum (pedis) longi [TA]. 長趾(指)伸筋腱鞘. =tendinous *sheath* of extensor digitorum longus muscle of foot.

v. tendinum musculi flexoris digitorum (pedis) longi [TA]. 長趾(指)屈筋腱鞘. =tendinous *sheath* of flexor digitorum longus muscle (of foot).

v. tendinum musculorum abductoris longi et extensoris brevis pollicis [TA]. 母指の長外転筋および短伸筋腱鞘. =tendinous *sheath* of abductor pollicis longus and extensor pollicis brevis muscles.

v. tendinum musculorum extensoris digitorum et extensoris indicis [TA]. 〔総〕指伸筋および示指伸筋腱鞘. =tendinous *sheath* of extensor digitorum and extensor indicis muscles.

v. tendinum musculorum extensorum carpi radialium [TA]. 橈側手根伸筋腱鞘. =tendinous *sheath* of extensor carpi radialis muscles.

vaginae tendinum tarsales anteriores [TA]. = anterior tarsal tendinous *sheaths*.

vaginae tendinum tarsales fibulares [TA]. = fibular tarsal tendinous *sheaths*.

vaginae tendinum tarsales tibiales [TA]. = tibial tarsal tendinous *sheaths*.

vaginae vasorum 血管鞘, 脈管鞘. =vascular *sheaths*.

vag·i·nal (vaj′i-năl) [Mod.L. *vaginalis*]. 腟の, 鞘の ([誤った発音 vagi′nal を避けること]).

va·gi·na·pex·y (va-jī′nă-pek′sē). 腟〔壁〕固定〔術〕. =vaginofixation.

vag·i·nate (vaj′i-nāt). ***1*** 〖v.〗 鞘で包む, 鞘の中に包み込む. ***2*** 〖adj.〗 有鞘性の, 鞘で包んだ. *cf.* invaginate.

vag·i·nec·to·my (vaj′i-nek′tŏ-mē) [vagina + G. *ektomē*, excision]. 腟切除〔術〕. =colpectomy.

vag·i·nism (vaj′i-nizm). =vaginismus.

vag·i·nis·mus (vaj′i-niz′mŭs) [vagina + L. *-ismus*, action, condition]. 腟痙 (疼痛性の腟痙攣で, 性交を妨げる). =vaginism; vulvismus.

posterior v. 後部腟痙 (腟の痙攣性狭窄で, 肛門挙筋の収縮によって起こる).

vag·i·ni·tis, pl. **vag·i·ni·ti·des** (vaj′i-nī′tis, -nī′ti-dēz) [vagina + G. *-itis*, inflammation]. 腟炎, 腱鞘炎, 鞘膜炎.

v. adhesiva =adhesive v.

adhesive v. 癒着〔性〕腟炎 (腟粘膜の炎症で, 腟壁間の癒着を伴う). =v. adhesiva.

amebic v. アメーバ性腟炎 (赤痢アメーバ *Entamoeba histolytica* により起こる腟炎).

atrophic v. 萎縮性腟炎 (腟上皮の菲薄化および萎縮で, 通常, エストロゲン刺激の減少によって起こる. 閉経後の女性に一般的にみられる).

v. cystica 嚢胞性腟炎. =v. emphysematosa.

desquamative inflammatory v. 剥離性炎症性腟炎 (原因不明の急性の腟の炎症で, 灰色がかった偽膜, 遊離した分泌物, および外傷による容易な出血を特徴とする. 分泌物は膿と未成熟な表皮細胞とを含むが, エストロゲンのレベルは正常である).

v. emphysematosa 気腫腟炎 (異物巨大細胞で囲まれた結合組織の小さな腔内へのガス蓄積を特徴とする腟炎). =pachyvaginitis cystica; v. cystica.

***Gardnerella* v.** =bacterial *vaginosis*.

nonspecific v. =bacterial *vaginosis*.

pinworm v. ぎょう虫性腟炎 (*Enterobius vermicularis* によって起こる腟炎).

senile v. 老年(老人)性腟炎 (萎縮性腟炎は粘膜へのエストロゲン刺激の消退による癒着性腟炎の形が考えられる). =v. senilis.

v. senilis =senile v.

vagino-, vagin- [L. *vagina*, sheath]. 腟, 鞘, を意味する連結形. →colpo-.

vag·i·no·ab·dom·i·nal (vaj′i-nō-ab-dom′i-năl). 腟腹の (腟と腹に関する).

vag·i·no·cele (vaj′i-nō-sēl′). 腟脱. =colpocele (1).

vag·i·no·dyn·i·a (vaj′i-nō-din′ē-ă). 腟痛, 腟痙. =colpodynia.

vag·i·no·fix·a·tion (vaj′i-nō-fik-sā′shŭn). 腟〔壁〕固定〔術〕(弛緩し, 脱出した腟の腹壁への縫合). =colpopexy; vaginapexy; vaginopexy.

vag·i·no·hys·ter·ec·to·my (vaj′i-nō-his′tĕr-ek′tō-mē). 腟式子宮摘出〔術〕. =vaginal *hysterectomy*.

vag·i·no·la·bi·al (vaj′i-nō-lā′bē-ăl). 腟陰唇の (腟と陰唇に関する).

vag·i·no·my·co·sis (vaj′i-nō-mī-kō′sis). 腟真菌症 (真菌による腟の感染). =colpomycosis.

vag·i·nop·a·thy (vaj′i-nop′ă-thē) [vagino- + G. *pathos*, suffering]. 腟病〔質〕(腟のすべての病気の症状).

vag·i·no·per·i·ne·al (vaj′i-nō-per′i-nē′ăl). 腟会陰の (腟と会陰に関する).

vag·i·no·per·i·ne·o·plas·ty (vaj′i-nō-per′i-nē′ō-plas′tē) [vagino- + perineum + G. *plastos*, formed]. 腟会陰形成〔術〕(腟と会陰の手術). =colpoperineoplasty.

vag·i·no·per·i·ne·or·rha·phy (vaj′i-nō-per′i-nē-ōr′ă-fē) [vagino- + perineum + G. *rhaphē*, suture]. 腟会陰縫合〔術〕(腟と会陰の裂創の修復). =colpoperineorrhaphy.

vag·i·no·per·i·ne·ot·o·my (vaj′i-nō-per′i-nē-ot′ŏ-mē) [vagino- + perineum + G. *tomē*, incision]. 腟会陰切開〔術〕. =episiotomy.

vag·i·no·per·i·to·ne·al (vaj′i-nō-per′i-tō-nē′ăl). 腟腹膜の (腟と腹膜に関する).

vag·i·no·pex·y (vaj′i-nō-pek′sē). 腟〔腹壁〕固定〔術〕. =vaginofixation.

vag·i·no·plas·ty (vaj′i-nō-plas′tē) [vagino- + G. *plastos*, formed]. 腟形成〔術〕. =colpoplasty.

vag·i·nos·co·py (vaj′i-nos′kŏ-pē). 腟鏡検査〔法〕(通常, 器具を用いる腟の検鏡検査).

vag·i·no·sis (vaj′i-nō′sis). 腟の病気.

bacterial v. 細菌性腟炎 (嫌気性菌, 特に *Mobiluncus* や *Gardnerella vaginalis* の感染によるヒトの腟炎. 多量の悪臭のある帯下が特徴である). =*Gardnerella* vaginitis; nonspecific vaginitis.

vag·i·not·o·my (vaj′i-not′ŏ-mē). 腟切開〔術〕. =colpotomy.

vag·i·no·ves·i·cal (vaj′i-nō-ves′i-kăl). 腟膀胱の (腟と膀胱に関する).

vag·i·no·vul·var (vaj′i-nō-vŭl′văr). 腟外陰の (腟と外陰に関する).

Vag·i·nu·lus ple·be·i·us (vaj′i-nū′lŭs plē′bē-ē-ŭs). アシヒダナメクジの一種. コスタリカ住血線虫 *Angiostrongylus costaricensis* の媒介をするナメクジ.

va·gi·tus u·ter·i·nus (va-jī′tŭs yū′tĕr-ī′nŭs) [L. < *vagio*, to squall; L. < *uterus*, womb]. 子宮内啼泣, 子宮内呱声 (まだ子宮内にいる胎児の泣き声で, 破膜後に空気が子宮腔

にはいった後は可能と思われる).

vago- [L. *vagus*]. 迷走神経を意味する連結形.

va·go·ac·ces·so·ri·us (vā′gō-ak′ses-sō′rē-ŭs). 迷走副神経(迷走神経と副神経延髄根(副部)で，両者併せて1つの神経とされた場合の名称. →accessory *nerve* [CN XI]).

va·go·glos·so·pha·ryn·ge·al (vā′gō-glos′ō-fă-rin′jē-ăl). 迷走舌咽神経の(迷走および舌咽神経に関する. 起点と末端のそれらの隣接するまたは共通の核または咽頭の筋肉など，両神経により支配される部分についていう).

va·gol·y·sis (vā-gol′i-sis) [vago- + G. *lysis*, a loosening]. 迷走神経剝離〔術〕(迷走神経の手術による破壊).

va·go·lyt·ic (vā′gō-lit′ik). ***1*** 〚adj.〛迷走神経剝離の. ***2*** 〚n.〛迷走神経抑制薬(迷走神経に対し抑制効果をもつ治療的あるいは化学的物質). ***3*** 〚adj.〛迷走神経抑制〔薬〕の(***2*** のような効果をもつ薬剤についていう).

va·go·mi·met·ic (vā′gō-mi-met′ik). 迷走神経〔様〕作用の，迷走神経模倣性の(迷走神経の遠心性線維の作用を模倣する).

va·got·o·my (vā-got′ŏ-mē) [vago- + G. *tomē*, incision]. 迷走神経切断〔術〕.

va·go·to·ni·a (vā′gō-tō′nē-ă) [vago- + G. *tonos*, strain]. 迷走神経緊張〔症〕，迷走神経活動亢進(副交感神経系が機能亢進の状態にあるとする古語). = parasympathotonia; sympathetic imbalance.

va·go·ton·ic (vā′gō-ton′ik). 迷走神経緊張〔症〕の，迷走神経活動亢進の.

va·go·trop·ic (vā′gō-trop′ik) [vago- + G. *tropos*, turning]. 迷走神経向性の(迷走神経により引き付けられ，迷走神経に作用する).

va·go·va·gal (vā′gō-vā′găl). 〔迷走〕迷走神経〔性〕の(求心性および遠心性迷走神経線維がともに用いられる過程についていう).

va·gus, gen. & pl. **va·gi** (vā′gŭs; vā′jī) [L. wandering, 神経の広い分布によりこうよばれる]. 迷走神経. = vagus *nerve* [CN X].

Val バリンとバリルを示す記号.

va·lence, va·len·cy (vā′lĕns, -len-sē) [L. *valentia*, strength]. 価，原子価(1元素(または基)の1原子の結合力で，水素原子のそれが比較の単位となり，原子の外殻の電子の数，価電子の数によって決められる. 例えば，HCl では塩素が1価で，H_2O では酸素が2価，NH_3では窒素が3価である).

negative v. 負原子価(1原子が奪いうる価電子数).

positive v. 正原子価(1原子が放しうる価電子数).

valencene (val-en-sēn′). バレンセン(柑橘類の香気成分).

va·lent (vā′lĕnt). 原子価の(原子価をもつ).

Val·en·tin (val′ĕn-tin), Gabriel G. ドイツ系スイス人生理学者，1810—1883. →V. *corpuscles, ganglion, nerve*.

Val·en·tine (val′ĕn-tīn), Ferdinand C. 米国人外科医，1851—1909. →V. *position, test*.

val·e·po·tri·ates (val′ē-pō′trē-āts). *Valeriana* sp.および *Kentranthus* sp.由来の iridoid アルカロイド類. 例えば，バルトラートはこの類の1つである.

val·er·ate (val′ĕr-āt). 吉草酸塩(このうち数種はいまだ現代医学で用いられている). = valerianate.

va·le·ri·an (vă-lē′rē-ăn). = vandal root. ***1*** 〚n.〛ワレリアナ根，吉草根(南ヨーロッパと北アジアに自生する草で，英国や米国でも栽培されるオミナエシ科セイヨウカノコソウ *Valeriana officinalis* の根茎および根. ヒステリーおよび閉経期に用いる鎮静薬). ***2*** 〚adj.〛***1*** から得られるテルペンアルカロイド類を示す.

va·le·ri·a·nate (vă-lē′rē-ă-nāt). = valerate.

va·le·ric ac·id (vă-lē′rik as′id). 吉草酸(一塩基性脂肪酸. ワレリアナ根からの蒸留により得られる. この塩類のうち数種は医薬に用いる. ヒトの結腸中に検出される). = pentanoic acid.

va·leth·a·mate bro·mide (vă-leth′ă-māt brō′mīd). 臭化バレタメート(抗コリン作用薬).

val·e·tu·di·nar·i·an (val′ĕ-tū′-di-nār′ē-ăn) [L. *valetudinarius*, sickly]. 虚弱者，病弱者(①病人または慢性的に健康がすぐれない人. ②病弱であることまたは健康でないことが主な関心事である人).

val·e·tu·di·nar·i·an·ism (val′ĕ-tū′di-nār′ē-ăn-izm). 虚弱質(病弱による虚弱な状態).

val·goid (val′goyd) [L. *valgus*, bow-legged + G. *eidos*, resemblance]. 外反様の(外反，X脚に関する，外反足により起こることについていう).

val·gus (val′gŭs) [Mod.L. turned outward < L. bow-legged]. 外反(**[本形容詞は男性名詞(hallux valgus，複数形 halluces valgi)でのみ用いられる. 女性名詞では valga の形(coxa valga，複数形 coxae valgae)で，中性名詞では valgum の形(genu valgum，複数形 genua valga)で用いられる. varus と混同しないこと]**. 末梢の関節を形容するラテン語形容詞. 外反膝のように，関節をなす2つの骨の遠位側の骨が中心線から遠ざかるような変形が起きた場合に用いられる).

val·id (val′id) [L. *valeo*, to be strong]. 有効な(効果のある. 望む結果をもたらす).

val·i·da·tion (val′i-dā′shŭn). 確証，確認(有効となるようにする作用または過程).

consensual v. 合意的確認(ある人の経験または判断が他の人により確認されること).

va·lid·i·ty (vă-lid′i-tē). 妥当性(テストまたは手続きが測定しようとしているものを実際どの程度よく測定しているかを表す指標. テストまたは手続きがどれだけ妥当なものであるかを記述する客観的な指標).

concurrent v. 併存的(同時)妥当性(テストまたは手続きとほぼ同時に与えられる実生活上の課題の遂行を予測するために用いる基準関連妥当性の指標. あるテストで得られた指標の，別のテストのそれとの相関の程度. 例えば，知能テストの点数とある適性検査との相関).

construct v. 構成概念妥当性(テストや手続きがより限定された特殊な次元を測定するのとは違って，より高次の推理された理論的構成概念や特性をどの程度測定しているようにみえるかを表す概念. →construct (2)).

content v. 内容妥当性(テストや手続きの項目が測定しようとしているものをどの程度実際に代表するサンプルであるかを表す概念. 例えば，算数や単語の能力についての項目は知能検査にふさわしい).

criterion-related v. 基準関連妥当性(テストや手続きでの遂行が実生活状況での遂行を予測するのにどの程度有効であるかを表す概念. 例えば，学校適性試験のような知能検査の得点と4年制大学での成績の平均とは強い相関がある).

face v. 表面的妥当性(テストや手続きの項目が測定しようとしているものをどの程度，外見上測定しているようにみえるかを表す概念).

predictive v. 予測的妥当性(将来の実生活上の課題の遂行を予測するのに用いる基準関連妥当性. →construct v.; criterion-related v.).

val·ine (Val, V) (val′in). バリン; 2-amino-3-methylbutanoic acid (L-異性体はほとんどの蛋白の成分. 栄養学的に必須アミノ酸である).

val·in·o·my·cin (val′i-nō-mī′sin). バリノマイシン(*Streptomyces fulvissius* により産生されるシクロドデカデプシペプチドであるイオノホア抗生物質. 殺虫剤や抗線虫薬として用いられる).

val·la (val′ă). vallum の複数形.

val·late (val′āt) [L. *vallo*, pp. *-atus*, to surround with < *vallum*, a rampart]. 有郭の(隆起したもので囲まれている. 例えば茶碗形の，特に舌乳頭のあるもの(有郭乳頭)についていう. →circumvallate).

val·lec·u·la, pl. **val·lec·u·lae** (vă-lek′yū-lă, -lē) [L. *vallis*(valley)の指小辞][TA]. 谷(面をなしているところにある裂け目あるいは陥凹. 特に喉頭蓋と舌根との間にみられる裂け目をいう). = valley.

v. cerebelli [TA]. 小脳谷(小脳の下面で半球の間にある深いくぼみ. その中に延髄と小脳鎌がある). = v. of cerebellum [TA]; vallis.

v. of cerebellum [TA]. = v. cerebelli.

epiglottic v. [TA]. 喉頭蓋谷(舌根直後の左右両側にみられる正中舌喉頭蓋ひだと外側舌喉頭蓋ひだの間の陥凹). = v. epiglottica [TA].

v. epiglottica [TA]. 喉頭蓋谷. = epiglottic v.

v. sylvii (sil′vē-ē). シルヴィウス小窩. = lateral cerebral *fossa*.

V

v. unguis ＝*sulcus* matricis unguis.

Val·leix (vahl-ē′), François L.I. フランス人医師，1807—1855. →V. *points*.

val·ley (val′ē). 谷. ＝vallecula.

val·lis (val′is)［L. valley］. 小脳谷. ＝*vallecula* cerebelli.

val·lum, pl. val·la (val′ŭm, -ă)［L. a rampart ＜ *vallus*, a stake］. 郭（①［NA］．多少とも円形の隆起した縁．②円い陥凹の周りでわずかにもち上がった外壁で，舌の有郭乳頭を囲む）.

v. unguis［TA］. 爪郭. ＝nail *wall*.

val·oid (val′oyd)［L. *valeo*, to be strong］. バロイド. ＝equivalent *extract*.

Val·sal·va (vahl-sahl′vă), Antonio M. イタリア人解剖学者，1666—1723. →*aneurysm* of sinus of V.; V. *antrum*, *ligaments*, *maneuver*, *muscle*, *sinus*, *test*; *teniae* of V. (⇒tenia).

val·ue (val′yū)［M.E. ＜ O.Fr. ＜ L. *valeo*, to be of value］. ***1*** 価値，値（値打ち，用度，利点に関する標準または品質．値打ちがあるまたは望ましいとされる物や理想.→index; number）. ***2*** 数値（測定または計算された正確な量）.

acetyl v. アセチル化価（アセチル化脂肪 1 g の加水分解により生成した酢酸を中和するのに要する水酸化カリウムのミリグラム数．グリセリド中のヒドロキシ酸の測定．ヒマシ油では著しく高い）.

buffer v. 緩衝値（pH を変化させないで酸またはアルカリを吸収する溶液中の物質の能力．これはその緩衝液対の酸のほうの pK_a 値に等しい pH 値において，最大である.→buffer *capacity*）. ＝buffer index.

buffer v. of the blood 血液緩衝価（血液が酸またはアルカリの添加により pH 値が変動しないよう代償する能力）.

C v. C 価（一倍体ゲノムに存在する DNA 総量）.

caloric v. カロリー値（食物の燃焼または代謝により発生する熱量）.

Hehner v. (hā′ner). ヘーナー（ヘーネル）値. ＝Hehner *number*.

homing v. ホーミング値（ホメオスタシスのようなサイバネティック系において，復元力が保持する方向に働く重要な特性値）.

iodine v. ヨウ素価. ＝iodine *number*.

maturation v. 成熟度（腟上皮の成熟レベルの指標で，内分泌的細胞学の評価の一要素として用いる．成熟指数より得られ，傍基底細胞では 0.0，中層細胞では 0.5，表在細胞では 1.0 と値が付けられる．特殊な研究用に主要細胞型の亜型は異なった値を与えられる）.

normal v.'s 正常値（明らかに健康な人を特徴付けるのに用いる検査室における一連の検査値．現在では参照値 reference v. という用語が多く使われる）.

pH v. pH 値（→pH）.

phenotypic v. 表現型値（統計的遺伝学において，特定の表現型に関与する形質の数量をいう）.

predictive v. 予測価，的中度（与えられた検査結果の疾病の有無に対するもっともらしさを表現したもの．正の予測価（陽性反応的中度 positive predictive v.）は有病かつ検査結果が陽性のものと検査結果が陽性なものの人数の比であり，負の予測価（negative predictive v.）は検査結果が陰性かつ疾病をもたないものと検査結果が陰性であるものの人数の比である）.

R_f v. R_f 値（→R_f）.

reference v.'s 参照値，レファレンス値（健康と定義される状態にある個人あるいは集団より得られた，検査室における一連の検査値．明らかな健康というよりは健康と定義される状態に基づくので，本用語が正常値 normal v. に代わってよく用いられる）.

thiocyanogen v. チオシアノーゲン値. ＝thiocyanogen *number*.

threshold limit v. (**TLV**) 許容濃度，許容限界値，閾限界値（繰り返し暴露しても，労働者に健康上の悪影響のない化学物質の最高濃度で，米国産業衛生専門者会議 the American Conference of Government Industrial Hygienists で勧告されたもの）.

val·va, pl. val·vae (val′vă, -vē)［L. one leaf of a double door］［TA］. 弁. ＝valve.

v. aortae［TA］. 大動脈弁. ＝aortic *valve*.

v. atrioventricularis dextra［TA］. 右房室弁. ＝tricuspid *valve*.

v. atrioventricularis sinistra［TA］. 左房室弁. ＝mitral *valve*.

v. ileocecalis 回盲弁. ＝ileal *papilla*.

v. mitralis* 僧帽弁（mitral *valve* の公式の別名）.

v. tricuspidalis* 三尖弁（tricuspid *valve* の公式の別名）.

v. trunci pulmonalis［TA］. 肺動脈弁. ＝pulmonary *valve*.

val·val, val·var (val′văl, val′văr). 弁の.

val·vate (val′vāt). 弁状の，有弁の. ＝valvular.

valve (valv)［L. *valva*］［TA］. ＝valva［TA］. ***1*** 弁（管または他の中空器官の内張り膜のひだで，流体の逆流を遅延または阻止するのに役立つ）. ***2*** 弁，ひだ（あらゆる弁に似た組織の重複ひだ，またはヒラヒラするもの，また弁に似たもの，弁のように働くもの.→valvule; plica）.

Amussat v. (ah-mū-sah′). アミュサー弁. ＝spiral *fold* of cystic duct.

anal v.'s［TA］. 肛門弁（繊細な半月形の粘膜ひだで，隣接する肛門柱の下端の間を通る．このようにして形成された小さい膨らみが肛門洞である）. ＝valvulae anales［TA］; Morgagni v.'s.

anterior urethral v. 前部尿道弁（近位尿道海綿体の中にある半月形の水平なひだ）.

aortic v.［TA］. 大動脈弁（左心室と上行大動脈の間にある弁で，3つの線維性の半月尖（半月弁）からなり，成人では前，右後ろ，および左後ろに位置する．しかし名称は胎生期の発生の由来から定められており，前のものは右弁葉（この上方から右冠状動脈がでる），左後ろものもは左弁葉（この上方から左冠状動脈がでる），右後ろのものは後弁葉または無冠状動脈弁葉とよばれる）. ＝valva aortae［TA］.

atrioventricular v.'s 房室弁（→tricuspid v.; mitral v.）.

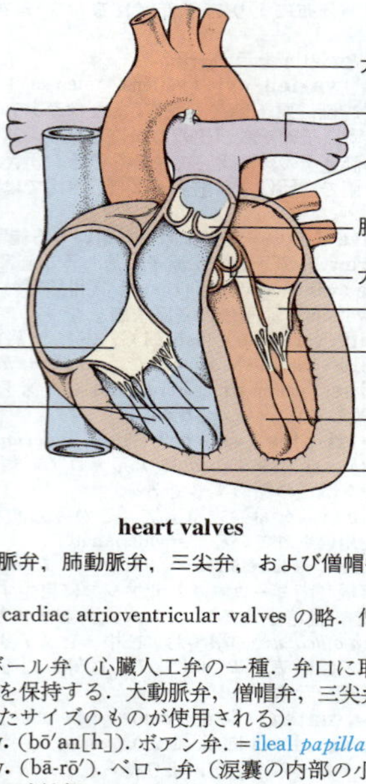

heart valves
大動脈弁，肺動脈弁，三尖弁，および僧帽弁.

A-V v.'s cardiac atrioventricular valves の略．僧帽弁と三尖弁.

ball v. ボール弁（心臓人工弁の一種．弁口に取り付けた籠でボールを保持する．大動脈弁，僧帽弁，三尖弁部にそれぞれ適合したサイズのものが使用される）.

Bauhin v. (bō′an[h]). ボアン弁. ＝ileal *papilla*.

Béraud v. (bā-rō′). ベロー弁（涙嚢の内部の小さいひだで，涙道との連結部にみられる）. ＝Krause v.

bicuspid v. 二尖弁. ＝mitral v.

bileaflet v. 二葉弁（流出路へのより障害の少ない低いプロフィールの心臓機械弁．特に小さいサイズにおいて）.

biologic v. 生体弁. ＝tissue v.

Björk-Shiley v. (byōrk shī′lē). ビジョルク-シャイリー弁（低いプロフィール傾斜ディスク心臓機械弁）.

Blom-Singer v. (blom sing′ĕr). ブロム-シンガー弁（喉

頭切除の後の発声リハビリテーションの目的で気管食道穿刺の開通性を保つためのプロテーゼ(人工器官)).

Bochdalek v. (bok′dă-lek). ボホダレク弁(涙点での涙小管の粘膜のひだ). =Foltz valvule.

Braune v. (brow′ně). ブラウネ弁(食道と胃の連結部の粘膜のひだ).

Carpentier-Edwards v. (kar-pen-tē-ā′ ed′wărdz). カルパンティエ－エドワーズ弁(生体弁で，ブタの保存大動脈弁よりつくられる).

caval v. =v. of inferior vena cava.

congenital v. 先天性弁(通過を妨げる異常な内張りひだ. 例えば尿道の粘膜).

coronary v. =v. of coronary sinus.

v. of coronary sinus [TA]. 冠状静脈弁(冠状静脈洞の右心房への開口部の繊細な心内膜のひだ). =valvula sinus coronarii [TA]; coronary v.; thebesian v.

eustachian v. エウスターキオ弁. =v. of inferior vena cava.

external nasal v. 外鼻弁(鼻孔の外壁(下方外側)の軟骨と軟部組織によって形成された弁状ひだ. 通常の鼻閉は吸気時に弁が作動せず，鼻孔が機能しないことによる).

v. of foramen ovale [TA]. 卵円孔弁(胎児の卵円孔縁から左心房中に突き出ているひだ. 初呼吸時に，左心房中の血圧が増加すると弁が閉じ，その縁が卵円孔の縁に密着して孔をふさぐ). =valvula foraminis ovalis [TA]; falx septi; v. of oval foramen.

Gerlach v. (ger′lahk). ゲルラッハ弁. =v. of vermiform appendix.

Guérin v. (gā-rĭn[h]′). ゲラン弁. =v. of navicular fossa.

Heister v. (hīs′tĕr). ハイスター弁. =spiral *fold* of cystic duct.

Heyer-Pudenz v. (hī′yer pū-dents′). ハイヤー－ピューデンズ弁(水頭症に対するシャント手術で用いる弁. 脳室内カテーテルにより脳脊髄液を一方通行ポンプに誘導し，そこから液を遠位のカテーテルを通して右心房へ誘導するカテーテルと弁のシステムからなる).

Hoboken v.'s (hōbō-kĕn). ホボーケン弁(臍動脈管腔へのひだ様の突出で，臍帯内でその走行に従ってねじれるかよれている).

Huschke v. (hūsh′kĕ). フシュケ弁. =lacrimal *fold*.

ileocecal v. 回盲弁. =ileal *papilla*.

ileocolic v. =ileal *papilla*.

v. of inferior vena cava [TA]. 下大静脈弁(下大静脈の前下縁から卵円窩縁の前部分までのびる心内膜のひだ). =valvula venae cavae inferioris [TA]; caval v.; eustachian v.; sylvian v.

internal nasal v. 内鼻弁(鼻中隔前端と，上外側軟骨前端の関節面によって形成される構造. 鼻側壁と内鼻弁が不安定であるとき，鼻閉の原因としてよくみられる).

Kerckring v.'s (kerk′ring). ケルクリング弁. =circular *folds* of small intestine.

Krause v. (krows). クラウゼ弁. =Béraud v.

left atrioventricular v.* 左房室弁(mitral v. の公式の別名).

Mercier v. (mĕr-sē-ā′). メルシェ弁(まれに部分的に尿管口を閉塞する膀胱粘膜のひだ).

mitral v. [TA]. 僧帽弁(心臓の左心房と左心室の間にある口を閉じる弁で，その2つの尖は，前尖，後尖とよばれる). =valva atrioventricularis sinistra [TA]; left atrioventricular v.*; valva mitralis*; bicuspid v.; valvula bicuspidalis.

Morgagni v.'s (mōr-gah′nyē). モルガニー弁. =anal v.'s.

nasal v. 鼻弁(鼻中隔と上外側鼻軟骨下縁との間の様々な開口部).

v. of navicular fossa [TA]. 舟状窩弁(尿道舟状窩の根にときにみられる粘膜のひだ). =valvula fossae navicularis [TA]; Guérin fold; Guérin v.

nonrebreathing v. 再呼吸防止弁(呼気ガスと吸気ガスの混合を防ぐための弁の型).

O'Beirne v. (ō-bārn). オーバーンひだ. =rectosigmoid *sphincter*.

v. of oval foramen 卵円孔弁. =v. of foramen ovale.

parachute mitral v. パラシュート僧帽弁(僧帽弁の先天異常で，単一の乳頭筋のみが存在し，そこから2つの弁尖の腱索が起始しているため，パラシュートに類似している. この状態で腱索が強く引っ張られて弁尖間が狭くなるため，僧帽弁狭窄症を引き起こすことが多い). =parachute deformity.

porcine v. ブタ〔心臓〕弁(ブタ由来のステントの付いた異種生体弁).

posterior urethral v.'s 後部尿道弁(尿道前立腺部における精丘のレベルでみられる異常なひだ). =Amussat valvula.

prosthetic v.'s 人工弁(ヒトの心臓弁を置換するのに用いられる弁. 機械弁と生体弁に分けられ，生体弁は同種と異種に分けられる).

pulmonary v. [TA]. 肺動脈弁(右心室から肺動脈弁への入口にある弁. 3枚の半月形の弁葉からなり，成人では右前・左前・後方に位置する. しかし名称は胎生期の発生の由来から定められており，後方のものは左弁葉，右前のものは右弁葉，左前のものは前弁葉とよばれている). =valva trunci pulmonalis [TA]; pulmonic v.; v. of pulmonary trunk.

v. of pulmonary trunk 肺動脈弁. =pulmonary v.

pulmonic v. =pulmonary v.

rectal v.'s =transverse *folds* of rectum.

reducing v. 減圧弁(高圧下で圧縮されたガスを含むシリンダーからのガスの圧力を下げるための弁).

right atrioventricular v.* 右房室弁(tricuspid v. の公式の別名).

Rosenmüller v. (rō′zĕn-mi′lĕr). ローゼンミュラー弁. =lacrimal *fold*.

semilunar v. [TA]. 半月弁(3枚の半月形の弁葉を1セットとする心臓の弁. すなわち肺動脈弁と大動脈がこれにあたる). =valvula semilunaris [TA].

sinoatrial v. 洞房弁. =sinuatrial v.

sinuatrial v. 洞房弁(静脈洞の開口部で，原始右心房にはいる静脈洞口の弁). =sinoatrial v.

spiral v. of cystic duct 胆嚢管のラセン弁. =spiral *fold* of cystic duct.

Starr-Edwards v. (stahr ed′wărdz). スター－エドワーズ弁(かごとボールからなる人工心臓弁で，高い信頼性と耐久性をもつ).

sylvian v. シルヴィウス弁. =v. of inferior vena cava.

Tarin v. (tah-ran[h]′). タラン弁. =inferior medullary *velum*.

Terrien v. (ter-ē-en′). テリエン弁(胆嚢と胆嚢管の間の弁様ひだ. 胆嚢管のラセンひだの最初の隆起).

thebesian v. テベージウス弁. =v. of coronary sinus.

tilting disc v. 傾斜ディスク弁(多彩な心臓弁で，1つあるいは2つのディスクからなる).

tissue v. 生体弁(ブタの心臓，ウシ心膜，または他の生物学的材料に由来する人工(代用)心臓弁. →prosthesis). =biologic v.

tricuspid v. [TA]. 三尖弁(心臓の右心房と右心室の間にある口を閉じる弁で，その3つの尖は，前尖，後尖，中隔尖とよばれる). =valva atrioventricularis dextra [TA]; right atrioventricular v.*; valva tricuspidalis*; valvula tricuspidalis.

Tulp v., Tulpius v. (tŭlp). ツルプ弁，ツルピウス弁. =ileal *papilla*.

urethral v.'s 尿道弁(尿道粘膜のひだ. →anterior urethral v.; posterior urethral v.'s).

v. of Varolius ヴァローリウス弁. =ileal *papilla*.

venous v. [TA]. 静脈弁(血液の逆流を防ぐための静脈の内層のひだ. 次頁の図参照). =valvula venosa (2) [TA].

v. of vermiform appendix 虫垂弁(弁状を呈する粘膜のひだで，ときに虫垂起始部にみられる). =Gerlach v.; valvula processus vermiformis.

vesicoureteral v. 膀胱尿管弁(膀胱壁内尿管の開口機構で，通常，尿の逆流を防ぐ).

v. of Vieussens (vyū-sŏn[h]′). ビューサン弁(大心静脈が冠静脈洞になるために鈍角(縁)で曲がる部分にある重要な弁).

Vieussens v. (vyū-sŏn[h]′). ビューサン弁. =superior medullary *velum*.

V

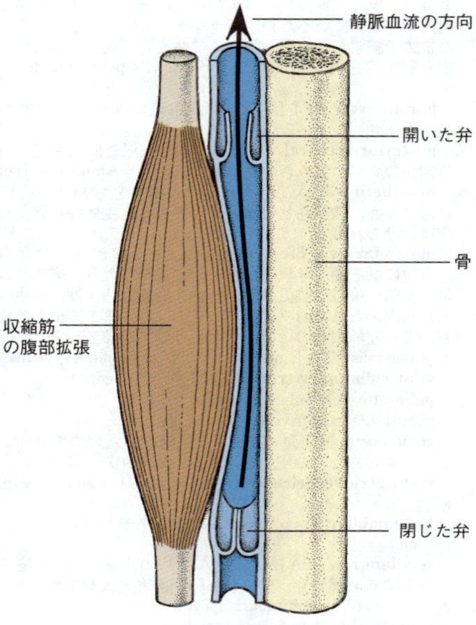

venous valves
静脈血流の原理.

valve·less (valv′les). 無弁の (ほとんどの静脈にあるような弁が付いていない, 例えば門脈のような静脈についていう).

val·vi·form (val′vi-fōrm). 弁状の.

val·vo·plas·ty (val′vō-plas′tē) [valve + G. *plastos*, formed]. 弁形成〔術〕(弁狭窄症や弁不全症の治療のために変形した心臓の弁を手術により形成し再建すること). =valvuloplasty.

val·vot·o·my (val-vot′ŏ-mē) [valve + G. *tomē*, incision]. 弁膜切開〔術〕(①閉塞症を軽減するための狭窄化した心臓弁の切開. =valvulotomy. ②弁構造の切開).

mitral v. 僧帽弁切開 (狭窄している僧帽弁に指を入れ, 慎重に切開あるいは拡大すること).

rectal v. 直腸弁切開〔術〕(硬すぎるか大きすぎる直腸ひだの切開).

val·vu·la, pl. **val·vu·lae** (val′vyū-lă, -lē) [Mod.L. *valva* の指小辞][TA]. 弁. =valvule.

Amussat v. (ah-mū-sah′). アミュサー〔小〕弁. =posterior urethral *valves*.

valvulae anales [TA]. 肛門弁. =anal *valves*.

v. bicuspidalis 二尖弁. =mitral *valve*.

valvulae conniventes 〔小腸の〕輪状ひだ. =circular *folds* of small intestine.

v. coronaria dextra (valvae aortae)☆ 〔大動脈弁の〕右冠状動脈弁尖 (right semilunar *cusp* of aortic valve の公式の別名).

v. coronaria sinistra (valvae aortae)☆ 〔大動脈弁の〕左冠状動脈弁尖 (left semilunar *cusp* of aortic valve の公式の別名).

v. foraminis ovalis [TA]. 卵円孔弁. =*valve* of foramen ovale.

v. fossae navicularis [TA]. 舟状窩弁. =*valve* of navicular fossa.

Gerlach v. (ger′lahk). ゲルラッハ〔小〕弁. =trabecular *tissue* of sclera.

v. lymphatica [TA]. リンパ管弁. =lymphatic *valvule*.

v. noncoronaria (valvae aortae)☆ 〔大動脈弁の〕無冠状動脈弁尖 (posterior semilunar *cusp* of aortic valve の公式の別名).

v. processus vermiformis 虫様突起弁. =*valve* of vermiform appendix.

v. semilunaris [TA]. 半月弁. =semilunar *valve*.

v. semilunaris anterior valvae trunci pulmonalis [TA]. 肺動脈弁の前半月弁尖.

v. semilunaris dextra valvae aortae [TA]. 大動脈弁の右半月弁尖.

v. semilunaris dextra valvae trunci pulmonalis [TA]. 肺動脈弁の右半月弁尖.

v. semilunaris posterior valvae aortae [TA]. 大動脈弁の後半月弁尖.

v. semilunaris sinistra valvae aortae [TA]. 大動脈弁の左半月弁尖.

v. semilunaris sinistra valvae trunci pulmonalis [TA]. 肺動脈の左半月弁尖.

v. semilunaris tarini (tah-rē′nē). =inferior medullary *velum*.

v. sinus coronarii [TA]. 冠状静脈弁. =*valve* of coronary sinus.

v. spiralis ラセン弁. =spiral *fold* of cystic duct.

v. tricuspidalis 三尖弁. =tricuspid *valve*.

v. venae cavae inferioris [TA]. 下大静脈弁. =*valve* of inferior vena cava.

v. venosa [TA]. 静脈弁 (①胎児における, 大静脈から右心房への開口部にある弁. ②[NA]. =venous *valve*).

v. vestibuli v. venosa (1) を表す現在では用いられない語.

val·vu·lar (val′vyū-lăr). 弁の. =valvate.

val·vule (val′vyūl) [L. *valvula*][TA]. 小弁 (特に小さい弁). =valvula [TA].

Foltz v. (fōlts) フォルツ弁. =Bochdalek *valve*.

lymphatic v. [TA]. リンパ管弁 (リンパ管にみられる繊細な半月弁で, 通常, 対をなしており, 静脈弁に構造が似ていて管壁に近接して存在する). =valvula lymphatica [TA].

val·vu·li·tis (val-vyū-lī′tis) [Mod.L. *valvula*, valve + G. *-itis*, inflammation]. 〔心〕弁膜炎 (弁, 特に心臓弁の炎症).

rheumatic v. リウマチ性弁膜炎 (急性段階では, 閉鎖線に沿った小フィブリンゆう腫と尖頭の Aschoff 体を特徴とし, 慢性段階では瘢痕, 交連癒着, 狭窄, および(または)逆流を特徴とする).

val·vu·lo·plas·ty (val′vyū-lō-plas′tē). =valvoplasty.

val·vu·lo·tome (val′vyū-lō-tōm). 弁〔膜〕切開刀, 弁切開器 (弁を切開するための器具).

val·vu·lot·o·my (val′vyū-lot′ŏ-mē). =valvotomy (1).

val·yl (Val, V) (val′il). バリル (バリンの基).

Van, van この形で始まり以下に記載のない語は特定名参照.

van·a·date (van′ă-dāt). バナジン酸塩.

va·nad·ic ac·id (vă-nad′ik as′id). バナジン酸 ; H_3VO_4 (バナジウムから誘導される酸で, 種々の塩基と塩をつくる).

va·na·di·um (V) (vă-nā′dē-ŭm) [*Vanadis*, スカンジナビア神話の女神]. バナジウム (金属元素. 原子番号 23, 原子量 50.9415. 生体元素. その欠乏により異常な骨成長になったり, コレステロールやトリアシルグリセロール濃度が上昇する).

v. group バナジウム族 (化学的や冶金学的性質においてバナジウムと類似の元素. バナジウム, ニオブ, タンタルの総称).

van Bo·gaert (vŏn bō′gĕrt), Ludo. 20 世紀のベルギー人神経科医. →Canavan-v. B.-Bertrand *disease*; v. B. *encephalitis*.

van Bu·chem (vahn bū′kĕm), Francis Steven Peter. 20 世紀のオランダ人内科医. →van B. *syndrome*.

van Bur·en (van byūr′ĕn), William H. 米国人外科医, 1819—1883. →van B. *sound*, *disease*.

van·co·my·cin (van′kō-mī′sin). バンコマイシン (*Nocardia orientalis* の培養により単離される抗生物質. グラム陽性菌に対して殺菌作用がある. 塩酸塩として利用可能である).

van Crev·eld (van krev′ĕlt), S. 20 世紀初頭のオランダ人小児科医. →Ellis-van C. *syndrome*.

van·dal root (van′dăl rūt). =valerian.

van Deen (vahn dēn), Izaak A. オランダ人生理学者, 1804—1869. →van D. *test*.

van den Bergh (van den bĕrg), A.A.H. オランダ人医師,

1869—1943. →van den B. *test*.
van der Spie·ghel (fon dĕr schpĭg′el). →Spigelius.
van der Vel·den (vahn der vel′dĕn), Reinhardt. ドイツ人医師，1851—1903. →van der V. *test*.
van der Waals (fŏn′dĕr vahls), Johannes D. オランダ人物理学者・ノーベル賞受賞者，1837—1923. →van der W. *forces*.
van Ek·en·stein (fŏn′ĕk′ĕn-shtīn), W.A. 19 世紀の科学者. →Lobry de Bruyn-van E. *transformation*.
van Er·men·gen (vahn er′mĕn-gĕn), Emile P. ベルギー人細菌学者，1851—1932. →van E. *stain*.
van Gie·son (van gē′sŏn), Ira. 米国人組織・細菌学者，1865—1913. →van G. *stain*.
van Hel·mont (vahn hel′mŏnt), Jean B. フランダース人医師・化学者，1577—1644. →van H. *mirror*; blas.
van Horne (Hoorne, Hoorn) (vahn hōrn), Jan (Johannes). オランダ人解剖学者，1621—1670. →van H. *canal*.
va·nil·la (vă-nil′ă) [Sp. *vainilla*, little pod]. バニラ（メキシコで自生するラン科のラン，*Vanila planifolia*(メキシコバニラまたはブルボンバニラ)または *V. tahitensis*(タヒチバニラ)の成熟果実を乾燥したもので，他の熱帯地方でも栽培される．香料）．
va·nil·late (vă-nil′āt). バニリン酸塩またはエステル．
va·nil·lic ac·id (vă-nil′ik as′id). バニリン酸（香料）．
va·nil·lin (vă-nil′in). バニリン（バニラから得られ，合成的にも製造される．香料．オルニチン，糖アルコール，フェノール，いくつかのステロールを検出するのに用いられる）．
va·nil·lism (vă-nil′izm). バニラ症，バニラ中毒，バニラ皮膚炎（①皮膚，鼻粘膜，および結膜の過敏症状で，バニラを扱う労働者がときにかかる．②バニラのさやの中に見出される疥癬虫様のダニによる皮膚の侵襲）．
va·nil·lyl·man·del·ic ac·id (VMA) (vă-nil′il-man-del′ik as′id). バニリルマンデル酸（4-hydroxy-3-methoxymandelic acid(α,3-dihydroxy-2-methoxybenzeneacetic acid) の誤称．副腎および交換神経性のカテコールアミンの主な尿中代謝産物(例えば，エピネフリンやノルエピネフリンから生成する)．多くクロム親和細胞腫患者で上昇する）．
Van Slyke (van slīk), Donald D. 米国人生化学者，1883—1971. →slyke; Van S. *apparatus*, *formula*.
van't Hoff (vahnt hof), Jacobus H. オランダ人化学者・ノーベル賞受賞者，1852—1911. →van't H. *equation*, *law*, *theory*; Le Bel-van't H. *rule*.
va·por (vā′pŏr) [L. steam]. ***1*** 蒸気（気体にさらされた固体または液体物質の気相中の分子）．***2*** 発散（液体の細かい粒子の可視的発散物）．***3*** 吸入剤（吸入により投与される医薬品）．
　anesthetic v. 麻酔薬蒸気（液体麻酔薬の気相で，室温で吸入させると全身麻酔をかけるのに十分な分圧をもつ）．
va·por·i·za·tion (vā′pŏr-i-zā′shŭn). ***1*** 気化，蒸発（固体または液体の気体状態への変化）．***2*** 蒸気療法（蒸気を治療に適用すること）．
va·por·ize (vā′pŏr-īz). ***1*** 気化する（固体や液体を蒸気に変える）．***2*** 蒸気療法をする（蒸気を治療に適用する）．
va·por·iz·er (vā′pŏr-īz′ĕr). 気化器（①医薬液を，接触可能な粘膜へ吸入または適用しやすいように蒸気の状態に変える装置．→nebulizer; atomizer．②液状麻酔薬を蒸発させる装置）．
　flow-over v. フローオーバー気化器（液状の麻酔薬にガスを通し，あるいはその麻酔薬で飽和した物質にガスを通すことにより麻酔薬を気化する装置）．
　temperature-compensated v. 温度補償〔式〕気化器（流量の変化や気化で生じる温度低下にかかわらず，特定の麻酔薬で既知の一定の濃度を発生するよう補償された目盛りをセットした，揮発性麻酔薬の麻酔気化器）．
va·por·tho·rax (vā′pŏr-thō′raks). 蒸気胸〔症〕（高度 19,200 m 以上，すなわち気圧が 47 mmHg 以下の場所で，体温で水が液体から気体に気化する状態下に置かれた無防備なヒトの肺と胸壁間の胸膜腔中に大量の蒸気泡が生じるもの）．
va·po·ther·a·py (vā′pō-ther′ă-pē). 蒸気療法（蒸気または噴霧による疾病治療法）．
$\dot{V}$a:Q ventilation/perfusion *ratio* の略．
Vaquez (vah-kā′), Louis H. フランス人心臓病専門医，1860—1936. →V. *disease*.
var·i·a·bil·i·ty (var′ē-ă-bil′i-tē). ***1*** 変動性，変異性（変化しうる可能性）．***2*** 〔遺伝的〕差異，変異性（遺伝学において，個体間の表現型について，量的または質的な潜在的あるいは実質的な差異）．
　baseline v. of fetal heart rate 胎児心拍基線〔微〕動変動（胎児心拍数図上における基準心拍数の心拍間隔の変化）．
　beat-to-beat v. of fetal heart rate 胎児心拍変動（児頭心電で誘導された心拍の QRS–QRS 間隔の変化で計測される各心拍間の心拍変動）．
var·i·a·ble (var′ē-ă-bĕl) [L. *vario*, to vary, change, differ]. ***1*** 〘n.〙 変数，変量（不定で，変化しうるまたは変化するもの．定数または常数とは対照をなす）．***2*** 〘adj.〙 変異の，変異する（構造，形態，生理，または行動の型から外れることについていう）．
　continuous v. 連続変数（ある区間または区間の集合(領域)において，いかなる値をとることもできる変数）．
　continuous random v. 連続確率変数（ある範囲内において，確率的にいかなる値もとりうるが，そのどの値も確率をもたず，確率密度のみをもつ連続変数）．
　dependent v. 従属変数（実験上，独立変数の変化に影響されるかまたは依存している変数．例えば，暗記するために許される時間(独立変数)の関数としての，記憶される文章の量(従属変数)）．
　discrete v. 離散変数（(通常は有限の)計数値のみしかとらないと考えられる変数）．
　discrete random v. 離散確率変数（計数値をとると考えられる確率変数で，それぞれの値において 0 より大きな確率をもつ）．
　independent v. 独立変数（研究の一定の範囲内で，ある事象や現象の出現(従属変数)に影響を与えるという仮定のもとで測定，観察される要因．すなわち独立変数は事象や現象の出現の影響は受けず，それらの原因となるか，その変動のもととなる．→dependent v.）．
　intermediate v. 中間媒介変数（因果過程の中で，従属変数の変動の原因となり，それ自身も独立変数の影響で変化する変数）．
　intervening v. 仲介変数（生体内で刺激と反応の間に起こると推測される心的態度や情動のような事柄で，反応に影響し，反応を決定する）．
　mixed discrete-continuous random v. 混合確率変数（いくつかの点で 0 より大きな確率をもち，他では確率密度をもつ確率変数．例えば家族性大腸ポリポーシスをもつ 35 歳の男性において悪性疾患が発症するまでの時間の分布は，彼がすでに悪性腫瘍をもつ(待ち時間は 0 が割り当てられる)確率，未来においてそのようなことが起こる確率密度，そして彼が悪性腫瘍で死亡する前に他の原因で死亡するであろう確率によって構成される）．
　moderator v. 調節変数（因果過程において，先行する，または中間媒介変数となることによって交互作用を呈する変数）．
　random v. 確率変数（とりうる値の集合が決められており，それぞれの値が確率または確率密度(確率分布)をもち，その確率分布に割り当てられた確率の総和が 1 となるような変数．離散，連続，混合型がある）．
var·i·ance (var′ē-ăns). 分散（①変化し，隔たり，分離し，偏位した状態あるいはその程度の尺度．②一連の観察値の示すばらつきの尺度．平均からの偏差の 2 乗和をその自由度で除したものとして定義される）．
　ball v. ボール変化（ボール弁におけるボールの形および硬度の膨化と変化で，特に大動脈弁置換において生じる）．
var·i·ant (var′ē-ănt). ***1*** 変異体（変化しうる物やヒト）．***2*** 変種，変株（変化し，多様性を示し，相似せず，または類型とは異なる傾向をもつもの）．
　inherited albumin v.'s [MIM*103600]. 遺伝性アルブミン変種（ヒト血清アルブミンの変異型で，電気泳動上の特有な移動パターンにより識別される．それぞれのタイプはアルブミン合成を支配する遺伝子の変異に由来する．変異遺伝子はアルブミンAに対する正常遺伝子と相互優性であり，遺伝的多形性の系をなしている．変異種には以下のものが含まれる．ベルギーの Ghent で最初に発見されたアルブミン Ghent(fast)，メキシコのインディアンと米国南西部で発見されたアルブミン Mexico(slow), Naskapi および北アメリカ北部のインディアンに発見されたアルブミン Naskapi(fast), および英国の Reading で最初に発見されたアルブミン Reading(fast)).

L-phase v.'s L 相変異体, L 型菌 (様々な量の細胞壁物質をもつが, 硬い細胞壁をもたない細菌変異体. 形は球形から球杆状で, 細菌を通さないフィルタを通る小体から細菌型より大きいものまで大きさは変化する. グラム陰性菌でペニシリンに抵抗性である. これら変異体は増殖, 生理, 栄養要求性, 個体および集落の形態が親の細菌細胞とは著しく異なる. L 相変異体はたとえ病原細菌に由来しても非病原性であると考えられる).

splice v. スプライスバリアント (①切断と連結によってできあがった成熟 mRNA, すなわちスプライス部位(エクソン－イントロン接合部)の5′末端と3′末端のリン酸ジエステル結合を正確に削除し終った RNA 転写物. ②種々の供与体に由来する DNA を切断・連結することによってできあがった組換え DNA 分子).

var·i·ate (var′ē-āt). 変量 (多くの値をとることができる測定しうる量. これには二値的(2 つの値をとることができる), 連続的(ある実数の範囲内ですべての値をとることができる), 離散的(ある実数の範囲内で有限数の値をとることができる)が考えられる).

var·i·a·tion (var′ē-ā′shŭn) [L. *variatio* < *vario*, to change, vary]. ***1*** 変動, 変異, 変位, 異形 (類型, 特に親型からの構造, 形状, 生理, または行動の偏位). ***2*** ＝type (3).

continuous v. 連続変位 (一連のきわめてわずかな変化).

var·i·ca·tion (var′i-kā′shŭn). 静脈瘤形成.

var·i·ce·al (var′ĭ-sē′ăl, vă-ris′ē-ăl). 静脈瘤の.

var·i·cel·la (var-i-sel′ă) [Mod.L. *variola* の指小辞]. 水痘 (ヘルペスウイルス科に属する水痘－帯状疱疹ウイルスによる急性の伝染性疾患で, まばらな丘疹からなる発疹, 通常は小児だけにみられる. 天然痘ほど重症ではないが, よく似た小水疱と次いで膿疱になるものを特徴とし, 種々の段階がある. 通常, 軽い全身症状もみられる. 潜伏期間は約 14—17 日. →*herpes* zoster). ＝chickenpox.

breakthrough v. 破綻水痘 (最近水痘ワクチンを打った患者に起こる軽い水痘).

v. gangrenosa 壊疽性水痘 (水痘の発疹が壊疽性潰瘍をきたしたもので, 二次感染を伴う場合と伴わない場合とがある. 主に重篤な基礎疾患のある小児に生じる).

var·i·cel·la·tion (var′i-sĕ-lā′shŭn). 水痘予防接種 (水痘の予防のための水痘ウイルスの接種).

var·i·cel·li·form (var′i-sel′i-fōrm). 水痘様の. ＝varicelloid.

var·i·cel·loid (var′i-sel′oyd). ＝varicelliform.

Var·i·cel·lo·vi·rus (var′i-sel′ō-vi′rŭs). 水痘ウイルス. ＝varicella-zoster *virus*.

va·ri·ces (vār′i-sēz). varix の複数形.

var·ic·i·form (var-is′i-fōrm, vă-ris′ĭ-form). 静脈瘤様の. ＝cirsoid; varicoid.

varico- [L. *varix*, a delated vein]. 静脈瘤または静脈瘤様腫脹を意味する連結形.

var·i·co·bleph·a·ron (var′i-kō-blef′ă-ron) [varico- ＋ G. *blepharon*, eyelid]. 眼瞼静脈瘤, 眼瞼血管腫 (眼瞼の静脈瘤様腫脹).

var·i·co·cele (var′i-kō-sēl′) [varico- ＋ G. *kēlē*, tumor, hernia]. 精索静脈瘤 (内精索静脈の弁不全のため, 患者が立位をとると血液が下方へ逆流することから生じる精索静脈の異常に拡張した状態). ＝pampinocele.

ovarian v. 卵巣静脈瘤 (広靱帯内の蔓状静脈叢の静脈瘤症状). ＝tuboovarian v.; utero-ovarian v.

symptomatic v. 症候性精索静脈瘤 (通常は腎細胞癌の浸潤による腎静脈の高さでの内精索静脈の閉塞によって生じる静脈瘤. 患者が横臥位をとっても拡張した精索の静脈が虚脱しないのが特徴である).

tuboovarian v. 卵管卵巣静脈瘤. ＝ovarian v.

utero-ovarian v. 子宮卵巣静脈瘤. ＝ovarian v.

var·i·co·ce·lec·to·my (var′i-kō-sĕ-lek′tŏ-mē) [varicocele ＋ G. *ektomē*, excision]. 精索静脈瘤切除〔術〕(精索静脈瘤の治療のために静脈瘤を結紮切除し, その周辺の拡張した静脈を結紮する手術).

var·i·cog·ra·phy (var′ĭ-kog′ră-fē) [varico- ＋ G. *graphō*, to write]. 静脈瘤造影〔法〕(静脈瘤静脈へ造影剤を注入した後の静脈の X 線撮影).

var·i·coid (var′i-koyd). 静脈瘤様の. ＝variciform.

var·i·com·pha·lus (var′i-kom′fă-lŭs) [varico- ＋ G. *omphalos*, navel]. 臍部静脈瘤 (臍部での静脈瘤により形成される腫脹).

var·i·co·phle·bi·tis (var′i-kō-flĕ-bī′tis) [varico- ＋ G. *phleps*, vein ＋ *-itis*, inflammation]. 静脈瘤性静脈炎.

var·i·cose (var′i-kōs). 静脈瘤の, 結節状構造の, 静脈怒張の.

var·i·co·sis, pl. **var·i·cos·es** (var′i-kō′sis, -sēz) [varico- ＋ G. *-osis*, condition]. 静脈怒張, 静脈瘤〔症〕(静脈の拡張あるいは怒張した状態).

var·i·cos·i·ty (var′i-kos′i-tē). 静脈瘤様腫脹, 結節状構造 (静脈瘤あるいは静脈瘤症状).

var·i·cot·o·my (var′i-kot′ŏ-mē) [varico- ＋ G. *tomē*, a cutting]. 静脈瘤切開〔術〕(皮下切開による静脈瘤に対する手術).

va·ric·u·la (vă-rik′yū-lă) [L. *varix* の指小辞]. 結膜静脈瘤. ＝conjunctival varix.

var·i·cule (var′i-kyūl) [L. *varicula*: *varix* の指小辞]. 皮膚小静脈瘤 (通常, 皮膚にみられる小静脈瘤. 静脈うっ血, 静脈湖, またはより大きい静脈瘤を伴う).

var·i·e·ga·tion (var′ē-ĕ-gā′shŭn). 斑(ふ)入り (体細胞発生中に遺伝子型の変化によって生み出される表現型の多様化あるいは変化. 個体に簡単に見分けられる性質の異なる細胞が混在する状態).

va·ri·o·la (vă-rī′ō-lă) [Med.L.: L. *varius*(spotted)の指小辞]. 痘瘡, 天然痘 ([誤った発音 vario′la を避けること]). ＝smallpox.

v. benigna 良性痘瘡. ＝varioloid (2).

v. hemorrhagica 出血性痘瘡. ＝hemorrhagic *smallpox*.

v. major 大痘瘡. ＝smallpox.

v. maligna 悪性痘瘡 (通常, 出血性の悪性天然痘). ＝malignant smallpox.

v. miliaris 粟粒性痘瘡 (発疹が膿疱を形成せずアワ粒大の小水疱からなる仮痘の一型).

v. minor 小痘瘡. ＝alastrim.

v. pemphigosa 天疱瘡性痘瘡 (発疹が天疱瘡様の水疱からなる痘瘡の一型).

v. sine eruptione 無疹性痘瘡, 無疹痘 (痘瘡の頓挫型. この場合, 疾患は発疹の発現をみないで, または決して化膿しないでせいぜい 2, 3 個の丘疹をみる程度で消退する).

v. vaccine, v. vaccinia 牛痘ワクチン, 牛痘性痘瘡. ＝vaccinia.

v. vera 真正痘瘡 (ワクチンを接種しない場合は, 通常重症になる痘瘡).

v. verrucosa いぼ状痘瘡 (発疹が主として丘疹からなり, ときにその頂部に小水疱をもつ仮痘の軽症型あるいは頓挫型. 小水疱は一定期間いぼ様の病変となって存続する). ＝wartpox.

va·ri·o·lar (vă-rī′ō-lăr). 痘瘡〔性〕の. ＝variolic; variolous.

var·i·o·late (var′ē-ō-lāt). ***1*** 〚v.〛 痘苗を接種する. ***2*** 〚adj.〛 痘瘡状の (痘瘡の場合にみられるような, あばたのある, または瘢痕のあることについていう).

var·i·o·la·tion (var′ē-ō-lā′shŭn). 種痘 (痘瘡患者の水疱からの材料を感染しうるヒトに接種する, 現在では用いられない方法). ＝variolization.

var·i·ol·ic (var′ē-ol′ik). ＝variolar.

va·ri·ol·i·form (vā′rē-ōl′i-fōrm, var-ē-ō′li-fōrm) [variola ＋ L. *forma*, form]. ＝varioloid (1).

var·i·o·li·za·tion (var′ē-ō-li-zā′shŭn). 人痘接種〔法〕. ＝variolation.

var·i·o·loid (var′ē-ō-loyd) [variola ＋ G. *eidos*, resemblance]. ***1*** 〚adj.〛 痘瘡様の, 痘瘡状の. ＝varioliform. ***2*** 〚n.〛 仮痘 (通常, 以前のワクチン接種の結果, 比較的抵抗力をもつようになったヒトに起こる痘瘡の軽症型). ＝modified smallpox; varicelloid smallpox; variola benigna.

va·ri·o·lous (vă-rī′ō-lŭs). ＝variolar.

va·ri·o·lo·vac·cine (vă-rī′ō-lō-vak′sēn). 痘瘡ワクチン (ヒトからの痘瘡を若い雄ウシに接種した後の発疹から得ら

れるワクチン).

var·ix, pl. **va·ri·ces** (var′iks, var′i-sēz) [L. *varix* (*varic*-), a dilated vein]. 静脈瘤 (①拡張した静脈. ②拡張，および蛇行した静脈，動脈，またはリンパ管).

v. anastomoticus 吻合性静脈瘤. ＝aneurysmal v.

aneurysmal v. 動脈瘤性静脈瘤 (隣接する動脈と後天的に直接交通することにより生じる静脈の拡張と蛇行). ＝Pott aneurysm; v. anastomoticus.

cirsoid v. 蔓状静脈瘤. ＝cirsoid *aneurysm*.

conjunctival v. 結膜静脈瘤. ＝varicula.

esophageal varices 食道静脈瘤 (門脈圧亢進の結果としての，食道下端における縦の静脈の静脈瘤. 表在性で潰瘍化しやすく大量の出血を起こす).

gastric varices 胃静脈瘤 (胃粘膜に存在する静脈瘤. 多くは胃噴門部あるいは底部にみられ，門脈圧亢進の結果生じる. 潰瘍形成，大量出血しやすい. 胃静脈瘤は内視鏡的治療は困難で，TIPS が必要となることがある).

gelatinous v. 結節性臍帯 (臍帯の塊状，または結節性の状態).

lymph v. リンパ管怒張 (遠心性リンパ管閉鎖の結果としての，リンパ結節における静脈瘤または嚢胞の形成).

turbinal v. 鼻介静脈瘤 (鼻介，特に下鼻甲介の静脈の永続する拡張状態).

var·nish (den·tal) (var′nish den′tăl). 歯科用バーニッシュ (天然の樹脂およびゴムの適当な溶媒中の溶液. 薄い被膜が，修復物の成分に対する歯への保護剤として，修復物装着以前に窩洞形成の表面に塗布される). ＝cavity liner; vernix.

Va·ro·li·us (Va·ro·li·o) (vă-rō′lē-ŭs), Constantius (Costanzio). イタリア人解剖学者・医師，1543－1575. → ileal *sphincter*; *valve* of V.; *pons* varolii.

var·us (va′rŭs) [Mod.L. bent inward < L. knock-kneed]. 内反 ([この形の形容詞は男性名詞(metatarsusu varus，複数形 metatarsi vari)に対してのみ用いられる. 女性名詞に対しては vara(tibia vara，複数形 tibiae varae)が，そして中性名詞に対しては varum(genu varum，複数形 genua vara)が用いられる. 本語と valgus を混同しないこと]. 末梢の関節を形容するラテン語形容詞. 内反膝のように，関節をなす 2 つの骨の遠位側の骨が中心線に近付くような変形が起きた場合に用いられる).

vas, gen. **va·sis,** pl. **va·sa,** gen. & pl. **va·so·rum** (vas, vā′sis, vā′să, vā-sō′rŭm) [L. a vessel, dish][TA]. 〔脈〕管 (血液，リンパ液，乳び，精液のような液体を運ぶ管または導管. →vessel).

v. aberrans hepatis, pl. **vasa aberrantia hepatis** 肝迷管 (盲端に終わったり，萎縮した胆管遺残物で，肝の線維性付属物および肝左葉の辺縁や下大静脈に接する肝被膜中にみられる).

v. aberrans of Roth (roth). ロートの迷管 (精巣網または精管にときにみられる憩室).

vasa aberrantia ＝aberrant *ductules*.

v. afferens, pl. **vasa afferentia** 輸入管，輸入リンパ管. ＝afferent glomerular *arteriole* of kidney.

v. anastomoticum [TA]. 吻合脈管. ＝anastomotic *vessel*.

vasa brevia ＝short gastric *arteries*.

v. capillare [TA]. 毛細管 (→blood *capillary*; lymph *capillary*). ＝capillary (2).

vasa chylifera 乳び管 (→lacteal (2)).

v. collaterale [TA]. 側副脈管. ＝collateral *vessel*.

v. deferens, pl. **vasa deferentia** ＝*ductus* deferens.

v. efferens, pl. **vasa efferentia** 輸出管，輸出リンパ管 (①ある部分から血液を運び去る静脈. ＝efferent lymphatic; v. lymphaticum efferens. ②＝efferent glomerular *arteriole* of kidney. ③＝efferent *ductules* of testis).

Ferrein vasa aberrantia (fer-ān′). フェラン迷管 (肝小葉と連結のない細い胆管).

Haller v. aberrans (hah′lĕr). ハラー迷管. ＝inferior aberrant *ductule*.

vasa lymphatica リンパ管. ＝lymph *vessels*.

v. lymphaticum [TA]. リンパ管. ＝lymphatic (3).

v. lymphaticum afferens ＝afferent *lymphatic*.

v. lymphaticum efferens ＝v. efferens (1).

v. lymphaticum profundum [TA]. 深リンパ管. ＝deep lymph *vessel*.

v. lymphaticum superficiale [TA]. 浅リンパ管. ＝superficial lymph *vessel*.

vasa nervorum 神経の脈管 (神経に分布する血管).

vasa previa 前置血管 (胎児頭の前にある臍帯血管. 通常，卵膜に付着し内子宮口を横断する).

v. prominens ductus cochlearis 蝸牛管のラセン隆起血管 (蝸牛管のラセン隆起実質中の血管).

vasa recta 直細血管 (髄質近接の糸球体からの輸出細動脈から分岐するまっすぐな血管. 血管網を形成するが，錐体底部で始まり，髄質を通って各錐体先端へ達し，さらにU字形に逆方向に向きを変えて再び錐体底部に真っすぐに戻る).

vasa recta renis [TA]. 腎直細動脈 (腎髄質(腎錐体)に貫入してこれに分布する動脈). ＝arteriolae rectae renis [TA]; straight arteries*.

vasa sanguinea auris internae [TA]. ＝ *vessels* of internal ear.

vasa sanguinea choroideae [TA]. ＝ choroid *blood vessels*.

vasa sanguinea intrapulmonalia [TA]. ＝ intrapulmonary *blood vessels*.

vasa sanguinea retinae [TA]. 網膜血管. ＝retinal *blood vessels*.

v. sanguineum [TA]. ＝ blood vessel.

v. sinusoideum [TA]. ＝sinusoid.

v. spirale [TA]. ラセン血管 (Corti 器のトンネルの真下にある基底板の中の血管. 周囲の血管より大きい).

vasa vasorum [TA]. 脈管の脈管 (比較的太い血管の外膜と中膜に分布する小動脈，およびそれに対応する小静脈). ＝vessels of vessels.

vasa vorticosa ＝vorticose *veins*.

vas- [L. *vas*]. 脈管，血管に関する連結形. →vasculo-; vaso-.

va·sa (vā′să). vas の複数形.

va·sal (vā′săl). 〔脈〕管の.

vas·cu·lar (vas′kyū-lăr) [L. *vasculum*, a small vessel: *vas* の指小辞]. 脈管の，血管の.

vas·cu·lar·i·ty (vas′kyū-lar′i-tē). 血管分布〔像〕(血管の存する状態).

vas·cu·lar·i·za·tion (vas′kyū-lăr′i-zā′shŭn). 血管新生 (部分的な新生血管の形成). ＝arterialization (3).

vas·cu·lar·ized (vas′kyū-lăr-īzd). 血管化の (新しい血管形成によって血管が分布することについていう).

vas·cu·la·ture (vas′kyū-lă-chūr). 脈管構造，血管系 (器官の血管網).

vas·cu·li·tis (vas′kyū-lī′tis). 脈管炎. ＝angiitis.

cutaneous v. 皮膚血管炎 (皮膚のみを侵す血管炎の急性型で，他の臓器を侵すこともある. 小血管(真皮の血管)の壁の中や周囲に多核球が浸潤する. 核の破片は白血球の核崩壊により生じる小さい皮膚血管に生じる. →leukocytoclastic v.). ＝hypersensitivity v.

hypersensitivity v. 過敏性血管炎. ＝cutaneous v.

hypocomplementemic v. 低補体血症性血管炎. ＝urticarial v.

leukocytoclastic v. [G. *leukos*, white + *kytos*, cell + *klastos*, broken < *klao*, to break]. 白血球破砕性血管炎 (皮膚の急性血管炎であり，臨床的には特に下肢に触知できる紫斑をみることが特徴. また組織学的には，好中球とときに真皮小静脈周囲のフィブリンの滲出が特徴である. 核の細破や赤血球の溢出を伴う. 皮膚に限定される場合と Henoch-Schönlein 紫斑病のように皮膚以外の他の組織にも病変をみる場合がある. →cutaneous v.).

livedo v. 皮斑〔様〕血管炎 (クリオグロブリン血症または白色萎縮に認められる閉塞を伴う皮膚小血管壁の硝子様変性. 壊死はみられない).

nodular v. 結節性脈管炎 (慢性または反復性の，皮下組織の結節性病変. 特に，老年女性の脚に小葉皮下脂肪組織炎，多核巨細胞を伴う肉芽腫性炎症，巣状壊死，小血管の閉塞性炎症を伴って生じる. 硬結性紅斑に類似するが，結核との関連は証明されていない).

urticarial v. じんま疹様血管炎 (じんま疹類似の有痛性，紫斑性の皮疹が 24 時間以上持続し，白血球破砕性血管炎の組織像を呈する．また様々な全身性変化，通常は低補体血症なども認められる）．＝hypocomplementemic v.

vasculo- ［L. *vasculum*, a small vessel: *vas* の指小辞］．血管に関する連結形．→vas-; vaso-.

vas·cu·lo·car·di·ac (vas′kyū-lō-kar′dē-ak)．血管心臓性の．＝cardiovascular.

vas·cu·lo·gen·e·sis (vas′kyū-lō-jen′ĕ-sis) ［vasculo- + G. *genesis*, production］．脈管形成（①血管系ができること．②内皮細胞から血管が新生されること）．

vas·cu·lo·mo·tor (vas′kyū-lō-mō′tŏr)．＝vasomotor.

vas·cu·lo·my·e·li·nop·a·thy (vas′kyū-lō-mī′ĕ-li-nop′ă-thē)．血管ミエリン障害，血管髄鞘障害（小さな脳血管の血管障害とそれに続く血管周囲の脱髄で，循環免疫複合体によると考えられている）．

vas·cu·lop·a·thy (vas′kyū-lop′ă-thē) ［vasculo- + G. *pathos*, disease］．血管症（血管の疾患）．

vas·cu·lum, pl. **vas·cu·la** (vas′kyū-lŭm, -lă) ［L. *vas*(a vessel)の指小辞］．小脈管．

va·sec·to·my (va-sek′tō-mē) ［vas- + G. *ektomē*, excision］．精管切除〔術〕（前立腺切除と関連して，または避妊のために行う輸精管部の切除）．＝deferentectomy.

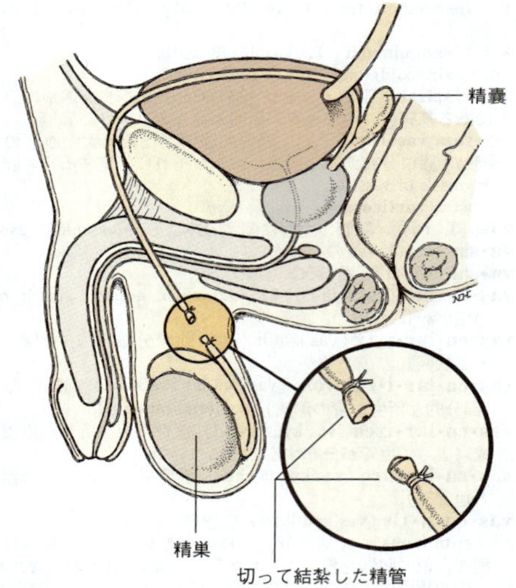

vasectomy

vas·i·fac·tion (vas′i-fak′shŭn)．血管形成．＝angiopoiesis.

vas·i·fac·tive (vas′i-fak′tiv)．血管形成性の．＝angiopoietic.

vas·i·form (vas′i-fōrm)．脈管状の（脈管または管状構造の形をした）．

vas·i·tis (va-sī′tis)．精管炎．＝deferentitis.

v. nodosa 結節性精管炎（筋層あるいは外膜に上皮株配列を示す多数の間隙が認められるのを特徴とする精管の炎症．ときに無精子症を伴う．通常精管結紮術後にみられる．臨床的あるいは顕微鏡的に腺癌に類似することがある．→*vas deferens*）．

vaso- ［L. *vas*, a vessel］．脈管，血管に関する連結形．→vas-; vasculo-.

va·so·ac·tive (vā′sō-ak′tiv, vas-ō-)．血管作用性の（血管の緊張および口径に影響する）．

va·so·con·stric·tion (vā′sō-kon-strik′shŭn, vas′ō-)．***1*** 血管収縮．***2*** 血管狭窄（血管が狭くなること）．

active v. 能動的血管収縮（血管壁における平滑筋の緊張増加によって起こる血管内径の縮小）．

passive v. 受動的血管収縮（管腔内圧減少による血管内径の縮小）．

va·so·con·stric·tive (vā′sō-kon-strik′tiv, vas′ō-)．***1*** 〚adj.〛血管収縮〔性〕の（血管が縮小を起こすことについていう）．***2*** ＝vasoconstrictor (1).

va·so·con·stric·tor (vā′sō-kon-strik′tŏr, vas′ō-)．***1*** 血管収縮薬（血管の縮小を起こす薬剤）．＝vasoconstrictive (2)．***2*** 血管収縮神経（刺激によって血管の収縮を起こす神経）．

va·so·den·tin (vā′sō-den′tin, vas-ō-)．脈管ぞうげ質（原始毛細血管が石灰化せずに残っているぞうげ質．毛細血管は血液の形成要素が通過できる太さがある）．＝vascular dentin.

va·so·de·pres·sion (vā′sō-dĕ-presh′ŭn, vas′ō)．血管抑制（血管拡張に伴う血管緊張性の減少と，その結果として生じる血圧の下降）．

va·so·de·pres·sor (vā′sō-dĕ-pres′ŏr, vas′ō)．***1*** 〚adj.〛血管抑制性の（血管抑制を生じること）．***2*** 〚n.〛血管抑制薬．＝depressor (4).

va·so·di·la·ta·tion (vā′sō-di′lă-tā′shŭn, vas′ō-)．血管拡張．＝vasodilation.

va·so·di·la·tion (vā′sō-dī-lā′shŭn, vas-ō-)．血管拡張（血管内腔の拡張）．＝vasodilatation.

active v. 能動的血管拡張（血管壁における平滑筋の緊張減少によって起こる血管拡張）．

passive v. 受動的血管拡張（脈管管腔における圧増大に関係した血管拡張）．

va·so·di·la·tive (vā′sō-dī-lā′tiv, vas′ō-)．***1*** 〚adj.〛血管拡張の．***2*** ＝vasodilator (1).

va·so·di·la·tor (vā′sō-dī-lā′tŏr, vas′ō-)．***1*** 血管拡張薬．＝vasodilative (2)．***2*** 血管拡張神経（その刺激が血管の拡張をもたらす神経）．

balanced v. 均衡的血管拡張〔薬〕（血管拡張作用を介して，前負荷または後負荷のいずれか一方のみではなく，両方の負荷を減じる治療薬．例えば硝酸薬など）．

va·so·ep·i·did·y·mos·to·my (vā′sō-ep′i-did′i-mos′tō-mē) ［vaso- + epididymis + G. *stoma*, mouth］．精管精巣上体吻合〔術〕（輸精管の精巣上体への外科的吻合．中部および遠位精巣上体あるいは近位輸精管の高さでの閉塞をバイパスするために行う）．

va·so·fac·tive (vā′sō-fak′tiv, vas-ō-)．血管形成性の．＝angiopoietic.

va·so·for·ma·tion (vā′sō-fōr-mā′shŭn, vas-ō-)．血管形成．＝angiopoiesis.

va·so·for·ma·tive (vā′sō-fōr′mă-tiv, vas-ō-)．血管形成性の，管形成性の．＝angiopoietic.

va·so·gan·gli·on (vā′sō-gang′glē-on, vas-ō-)．血管節，血管網（血管の塊）．

va·sog·ra·phy (vā-sog′ră-fē) ［vas + G. *graphō*, to write］．精管造影(撮影)〔法〕（精管のX線撮影．経尿道的または精管切開によって，管腔内に造影剤を注入し，その開存性を判定する）．

va·so·in·hib·i·tor (vā′sō-in-hib′i-tŏr, vas′ō-)．血管抑制因子，血管抑制物質（血管運動神経の機能を制限または抑制する薬剤）．

va·so·in·hib·i·tor·y (vā′sō-in-hib′i-tōr′ē, vas′ō)．血管抑制性の（血管運動作用を抑制する）．

va·so·la·bile (vā′sō-lā′bil, -bīl; vas-ō-)．血管不安定〔性〕の（血管の不安定で変化しやすい状態，または活発な血管運動が存在する状態を特徴とする）．

va·so·li·ga·tion (vā′sō-li-gā′shŭn, vas′ō-)．精管結紮〔法〕（輸精管の結紮．通常，輸精管の分割後に行う）．

va·so·mo·tion (vā′sō-mō′shŭn, vas-ō-)．血管運動（血管の口径の変化）．

va·so·mo·tor (vā′sō-mō′tŏr, vas-ō-)．＝vasculomotor. ***1*** 血管運動の（血管の拡張や収縮を起こすことについていう）．***2*** 血管運動神経の．

va·so·neu·rop·a·thy (vā′sō-nū-rop′ă-thē, vas′ō-) ［vaso- + G. *neuron*, nerve + *pathos*, suffering］．血管神経障害（神経および血管の両方を含む疾病）．

va·so·or·chi·dos·to·my (vā′sō-ōr′ki-dos′tō-mē, vas′ō-) ［vaso- + G. *orchis*, testis + *stoma*, mouth］．精管精巣吻合〔術〕（精巣上体細管または精巣網の細管を輸精管の分断された端へ連結することによって，中断された輸精道を確立すること）．

va·so·pa·ral·y·sis (vā′sō-pă-ral′i-sis, vas′ō-)．血管神経麻痺（血管の麻痺，無緊張症，低張）．＝angiohypotonia; angioparalysis.

va·so·pa·re·sis (vā′sō-pă-rē′sis, -par′ē-sis; vas′ō-) [vaso- + G. *paresis*, weakness]. 血管神経不全麻痺（血管神経麻痺の軽いもの）. ＝angioparesis; vasomotor paralysis.

va·so·pres·sin (VP) (vā′sō-pres′in, vas-ō-) [vaso- + L. *premo*, pp. *pressum*, to press down + -in]. バソプレッシン（オキシトシンおよびバソトシンに関連したノナペプチド脳下垂体ホルモン．合成的に製造されるか，または健康な家畜の脳下垂体後葉から得られる．薬理学的用量で，本品は平滑筋，特にすべての血管に対して水分保持および収縮を起こす．大量では脳動脈または冠状動脈の攣縮を起こすことがある）. ＝antidiuretic hormone; Pitressin.

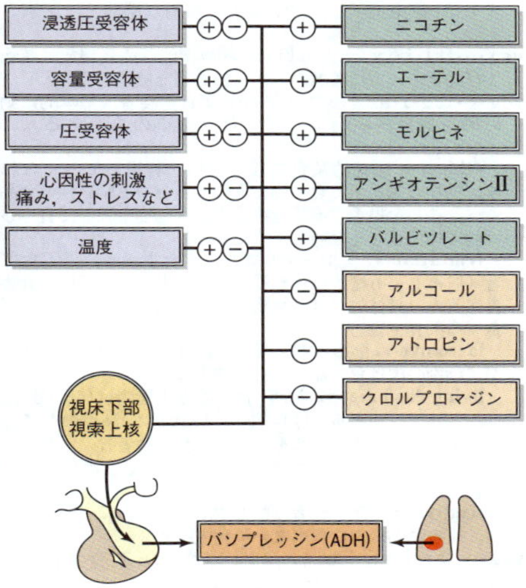

vasopressin

ADH分泌の調節．視床下部視索上核への様々な神経性および機械的因子の効果(+＝刺激，－＝抑制)．ある種の悪性新生物(例えば，気管支原生癌)もADHを分泌する可能性のあることに留意のこと．

arginine v. (AVP) [MIM*192340]. アルギニンバソプレッシン（8位にアルギニン残基を有するバソプレッシン（ヒトを含む多くの哺乳類およびニワトリにみられる）．ブタのバソプレッシンは，8位のリジン残基を有する．すべて昇圧剤である）. ＝argipressin.

va·so·pres·sor (vā′sō-pres′ŏr, vas-ō-). ***1***〘adj.〙昇圧の，血管収縮の（血管を収縮し，血圧を上昇させる．血圧は特定されていなければ，通常全身動脈圧をさす）. ***2***〘n.〙昇圧薬，血管収縮薬（***1*** の効果をもつ薬物）.

vasoprotector (vāz-ō′prō-tĕk′tōr). 血管保護薬（妊娠期などに，静脈ドレナージを促進するために投与される薬物）.

va·so·punc·ture (vā′sō-pŭnk′chūr, vas-ō-). 精管穿刺.

va·so·re·flex (vā′sō-rē′fleks, vas′ō-). 血管反射（血管の口径に影響する反射）.

va·so·re·lax·a·tion (vā′sō-rē′lak-sā′shŭn, vas-ō). 血管緊張低下（血管壁の緊張の低下）.

va·so·sec·tion (vā′sō-sek′shŭn, vas-ō-). 精管切断. ＝vasotomy.

va·so·sen·sor·y (vā′sō-sen′sŏr-ē, vas-ō-). ***1*** 血管感覚の（血管における感覚に関する）. ***2*** 血管感覚神経の（血管を神経支配する感覚神経線維についていう）.

va·so·spasm (vā′sō-spazm, vas′ō-). 血管痙攣，血管攣縮（血管の筋肉被膜の攣縮または緊張亢進）. ＝angiohypertonia; angiospasm.

va·so·spas·tic (vā′sō-spas′tik, vas-ō-). 血管痙攣〔性〕の，血管攣縮〔性〕の. ＝angiospastic.

vasostatins (vā-sō-stat′ins) [vaso- + G. *statos*, stalled, standing still + -in]. バソスタチン（カルレティキュリンやクロモグラニンAのN末端分解産物で，内皮細胞の増殖を抑制する．一部の癌により産生される）.

va·so·stim·u·lant (va′sō-stim′yū-lănt). ***1***〘adj.〙血管刺激〔性〕の（血管運動作用を刺激することについていう）. ***2***〘n.〙血管刺激薬（血管運動神経に作用を起こさせる薬剤）. ***3*** ＝vasotonic (2).

va·sos·to·my (vă-sos′tŏ-mē) [vaso- + G. *stoma*, mouth]. 精管造瘻術，精管フィステル形成〔術〕（輸精管への開口設立）.

va·so·throm·bin (vā′sō-throm′bin, vas-ō-). バソトロンビン（血管の管壁細胞から出されるトロンビン）.

va·so·to·cin (vā′sō-tō′sin, vas-ō-) [*vaso*, pressin + oxy*tocin*]. バソトシン（バソプレッシンおよびオキシトシンと類似の作用をもつ，一部の脊椎動物の下垂体後葉の9個のアミノ酸からなるノナペプチドホルモン．3位のイソロイシン残基を除いて，ヒトのバソプレッシンと化学的に同じである．[3-isoleucine]vasopressin，または [Ile³]vasopressin）.

arginine v. アルギニンバソトシン（8位がアルギニンであるバソトシン(アルギニンオキシトシンのそれと同一)．→arginine *vasopressin*）.

va·sot·o·my (vā-sot′ŏ-mē) [vaso- + G. *tomē*, incision]. 精管切開〔術〕（輸精管の切開または分割）. ＝vasosection.

va·so·to·ni·a (vā′sō-tō′nē-ă, vas-ō-) [vaso- + G. *tonos*, tone]. 血管緊張（血管，特に細動脈の緊張状態）.

va·so·ton·ic (vā′sō-ton′ik, vas-ō-). ***1***〘adj.〙血管緊張性の. ***2***〘n.〙血管緊張物質（血管の緊張を増大させる薬剤）. ＝vasostimulant (3).

va·so·troph·ic (vā′sō-trof′ik, vas-ō-) [vaso- + G. *trophē*, nourishment]. 血管栄養の（血管またはリンパ管の栄養についていう）.

va·so·tro·pic (vā′sō-trō′pik, vas-ō-) [vaso- + G. *tropē*, a turning]. 向血管性の（血管に作用する傾向のある）.

va·so·va·gal (vā′sō-vā′găl, vas-ō-). 血管迷走神経の（迷走神経の血管への作用に関する）.

va·so·va·sos·to·my (vā′sō-vă-sos′tŏ-mē, vas′ō-) [vaso- + vaso- + G. *stoma*, mouth]. 精管吻合〔術〕（精管切除術を受けた男性の授精能を回復させるために行う精管の外科的吻合）.

va·so·ve·sic·u·lec·to·my (vā′sō-vě-sik′yū-lek′tō-mē) [vaso- + L. *vesicula*, vesicle + G. *ektomē*, excision]. 精管精嚢切除〔術〕（輸精管および貯精嚢の切除）.

vas·tom·y (vas′tŏ-mē) [vas + G. *tomē*, a cutting]. 精管切断〔術〕（精管の切断．通常は結紮による）.

vas·tus (vas′tŭs) [L.]. 広筋（→vastus intermedius (*muscle*); vastus lateralis (*muscle*); vastus medialis (*muscle*)）.

VATER (vah′tĕr). *v*ertebral defects, *a*nal atresia, *t*racheoesophageal fistula with *e*sophageal atresia, and *r*adial and *r*enal anomalies の頭字語. →VATER *complex*.

Va·ter (fah′tĕr), Abraham. ドイツ人解剖・植物学者，1684―1751. →*ampulla* of Vater; V. *corpuscles*, *fold*; V.-Pacini *corpuscles*.

VATS video-assisted thoracic *surgery* の略.

vault (vawlt) [< O.Fr. < L. *volvo*, pp. *volutus*, to turn round]. ***1*** 円蓋（弓形の屋根または丸天井に似た部分．例えば，咽頭円蓋，鼻咽頭の非筋性部，口蓋，膣円蓋など）. ***2*** 約1,300万ダルトンの粒子で，真核生物細胞中に存在する最も大きなリボ核酸蛋白粒子のうちの1つである．通常は核孔近傍に見出される．孔の形状から核膜孔複合体輸送系における中心的な役割が示唆されている．

cranial v. 頭蓋円蓋部. ＝neurocranium.

v. of pharynx [TA]. 咽頭円蓋（鼻咽頭の上端で筋層がなく，咽頭粘膜が固く蝶形骨と咽頭頭底板に付いている）. ＝fornix pharyngis [TA]; pharyngeal fornix.

VBAC vaginal birth after cesarean(帝王切開後の経腟出産)の略.

V-bends (bendz). V形屈曲（アーチワイヤに取り入れられるV字形の屈曲で，通常，犬歯の近心または遠心に置かれ，ねじり傾向を生じるようにアーチワイヤの死帯として用いる）.

VC colored *vision*; vital *capacity* の略.

V

VCUG voiding *cystourethrogram*(排尿膀胱尿道撮影像)の略.

VDRL Venereal Disease Research Laboratories(米国性病研究所)の略. →VDRL *test*.

vec·tion (vek′shŭn) [L. *vectio*, conveyance]. 病原菌伝播(媒介物によって感染者から非感染者へ病原菌が運ばれること).

vec·tis (vek′tis) [L. a lever, bar]. ベクティス(産科の鉗子の葉に類似した器具. 胎児先進部を牽引して分娩の補助として用いる).

vec·tor (vek′tŏr, tōr) [L. *vector*, a carrier]. ***1*** ベクター, 媒介動物, 媒介者, 媒介体(病原体を脊椎動物間に伝染させる無脊椎動物(例えば, マダニ, その他のダニ, カ, 吸血性のハエなど)). ***2*** ベクトル(大きさと方向をもち, 適当な長さと方向をもつ直線によって表現されるもの(例えば, 速度, 機械的力, 起電力など)). ***3*** ベクトル(心電図波形のあらゆる波(通常はQRS波)の総和電気軸で矢の長さは起電力の大きさに比例し, 方向はその向きを示し, 矢印の先は電力の正極を表す). ***4*** ベクター(クローン生物作成におけるように, それ自身が増殖能をもち, 他のDNA断片が挿入されて細胞中で自律的に増殖する染色体あるいはプラスミドのようなDNA). ***5*** 組換えベクター. = recombinant v. ***6*** 細菌, 酵母, 昆虫, あるいは哺乳類細胞系で多量の特定蛋白を産生するのに特に適した組換えDNAシステム.

biologic v. 生物学的ベクター(マラリア病原体に対するハマダラカ属 *Anopheles* のカ, アフリカ睡眠病原体に対するツェツェバエのような媒介者. 病原体は他の宿主に伝播される前に, その体内で増殖する).

cloning v. クローニングベクター(細菌内での増殖に不要な部分をもち, そこに外来のDNAを挿入できる自己複製可能なプラスミドまたはファージのこと. 外来性のDNAはあたかもベクターの正常構成成分のように複製され, 増殖する).

expression v. 発現ベクター(実験的に外来性の遺伝物質を宿主細胞に導入し, 外来性のDNAを組換え分子(組み替えDNAクローニング)として複製・増殖させるためのベクター(プラスミド, 酵母, 動物ウイルスゲノム)).

instantaneous v. 瞬時ベクトル(心臓の各瞬間における活動電流. 通常, 適当な大きさと方向をもつ矢印で表される).

manifest v. 空間的心臓ベクトルの一平面への投射.

mean v. 平均ベクトル(与えられた時間内の, すべての心臓ベクトルの平均を表す1本のベクトル). = mean manifest v.

mean manifest v. 平均の明瞭なベクトル. = mean v.

mechanical v. 機械的ベクター(病原体の媒介だけをするもので, 被感染体の体内での生活環を営まないもの. 例えば, イエバエの足や口による腐敗菌の運搬).

recombinant v. 組換えベクター(外来DNAが挿入されたベクター). = vector (5).

retroviral v. レトロウイルスベクター(特別に構築されたレトロウイルスで, ある遺伝性疾患をただすために1個以上の遺伝子を含んでいる).

shuttle v. シャトルベクター(バクテリアおよび真核生物の複製シグナルを両方もつベクター. したがって複製は両型の細胞で起こることができる. →vector (4)).

spatial v. 空間ベクトル(同時に一面以上の面に表される心臓ベクトル. ベクトルの二次元または三次元定位).

vec·tor-borne (vek′tŏr-bōrn). ベクターにより運ばれた(無脊椎性ベクターにより伝達された病気あるいは感染をいう).

vec·tor·car·di·o·gram (vek′tŏr-kar′dē-ō-gram). ベクトル心電図(ベクトルループの形によって, 心臓の刻々の活動電流の大きさおよび方向をグラフで表したもの).

vec·tor·car·di·og·ra·phy (vek′tŏr-kar′dē-og′ră-fē). ベクトル心電図〔記録〕法, ベクトルカルジオグラフィ(心電図の全波形を一定時間間隔で区切った環状(リサージュ)図形よりつくられるベクトル心電図で, 2—3面のスカラー心電図から合成される).

spatial v. 空間ベクトル心電図法(ベクトルループが前額面, 矢状面, および水平面で表される三次元のベクトル心電図法).

vec·to·ri·al (vek-tō′rē-ăl). ***1*** ベクターの, 媒介動物の. ***2*** ベクトルの.

ve·cu·ro·ni·um bro·mide (ve′kyū-rō′nē-ŭm brō′mīd). 臭化ベクロニウム(相対的に作用時間が短い非脱分極性の神経筋弛緩薬. パンクロニウムのモノ第四級アミン同族体).

VEE Venezuelan equine *encephalomyelitis* の略.

veg·an (veg′ăn). 厳格菜食主義者(どんな動物も酪農物も食べない菜食主義者. *cf.* vegetarian).

veg·e·ta·ble (vej′ĕ-tă-bĕl) [M.E. < L. *vegetabilis*(→vegetation)]. ***1*** 〘n.〙 野菜(特に人が食用とする植物). ***2*** 〘adj.〙 植物〔性〕の(動物や鉱物と区別して, 植物についていう). = vegetal (1).

veg·e·tal (vej′ĕ-tăl). ***1*** 植物〔性〕の. = vegetable (2). ***2*** 植物機能の, 成長現象の(呼吸, 代謝, 成長, 生殖のように, 植物および動物に共通な生命に必須な機能を意味する. 意識的感覚や精神的機能のような, 動物に特有な機能とは区別される).

veg·e·tal·i·ty (vej′ĕ-tal′i-tē). 植物機能, 成長現象(植物および動物の両方に共通の, 生命に必須な機能の総称).

veg·e·tar·i·an (vej′ĕ-tār′ē-ăn). 菜食主義者(基本的に動物の肉を避け, 植物でつくられた食事のみをとる人. *cf.* vegan).

ethical v. 倫理的菜食主義(動物を利用してつくられたり, 動物の味がする食べ物を含む, あらゆる動物性の食品を食べることを拒否する菜食主義者. 註動物を殺して食べるのは倫理的に正しくないと感じている).

fruitarian v. フルータリアン, 果食主義者, 果実食主義者(収穫しても植物自体を殺さないと考えられている食物を食べる人. 具体的には, 果物, ナッツ類, 種, ベリーなどを食べる菜食主義者).

lacto-ovo-v. 酪農・卵・菜食主義者(酪農物と卵は食べるが, 動物の肉は食べない菜食主義者).

living food diet v. 非加熱食品菜食主義者((48 ℃以上には加熱せず, できるだけ自然に近い状態で)調理のしていない果実や野菜, ナッツ類を食べる菜食主義者).

ovo-v. 卵菜食主義者(卵は食べるが, 酪農物や動物の肉は食べない菜食主義者).

semi-v. 半菜食主義者(酪農物, 卵, 鶏肉, 魚は食べるが, 他の動物の肉は食べない菜食主義者).

veg·e·tar·i·an·ism (vej′ĕ-tār′ē-ăn-izm). 菜食主義(ある種の菜食主義食事に基づいた実施).

veg·e·ta·tion (vej′ĕ-tā′shŭn) [Mod.L. *vegetatio*, growth]. ***1*** 植物の成長過程. ***2*** 活気のない生活, 無為(植物の生活のように不活発で沈滞した状態). ***3*** 病的増殖物(あらゆる余分なできもの). ***4*** ゆうぜい(疣贅)形成(病的心弁膜または弁口に付着した, 主として融合した血小板, フィブリン, ときに微生物からなる凝血塊. しばしば, 弁, 弁口部の感染から始まる).

bacterial v.'s 細菌性ゆうぜい(疣贅)(細菌性心内膜炎での障害で, 心内膜のどこにでも形成されるが, 選択的にはより高圧部で傷害された領域で, 特に弁に起こる. 動脈内膜と動脈管および他の心臓の内外の短絡部位にも起りうる).

verrucous v.'s ゆうぜい(疣贅)形成(いぼ状のゆうぜいで, ときに心内膜炎により, また心臓弁の退行変性とアミロイドーシスにも関係する).

veg·e·ta·tive (vej′ĕ-tā′tiv) [→vegetation]. ***1*** 植物〔性〕の(植物的生活様式にみられるように, 不随意的または無意識的に生長したり機能することについていう. 特に, 重度の頭部外傷や脳疾患後のように, 随意的に合目的的な行動はできず, 痛み刺激に反射的に反応するだけのような, かなり障害された意識状態を意味する). ***2*** 休止期の(核分裂の過程が静止している場合の細胞, またはその核の時期を意味する).

veg·e·to·an·i·mal (vej′ĕ-tō-an′i-măl). 動植物共通の(植物および動物の両方に関する).

VEGF vascular endothelial growth *factor* の略.

ve·hi·cle (vē′hi-kĕl) [L. *vehiculum*, a conveyance < *veho*, to carry]. ***1*** 賦形剤(通常は治療効果がないが, 薬剤の投与のために量を増す手段として用いられる物質). ***2*** 媒介物, 媒体(病原体が感染宿主から感染可能宿主へと通過する非生物物質(例えば, 食物, 牛乳, 塵埃, 衣類, 道具). 結果的に重要な感染源となる).

veil (vāl) [L. *velum*]. ***1*** = velum (1). ***2*** ベール. = caul (1).

aqueduct v. 中脳水道を閉塞する膜(隔壁), 非交通性水頭症の原因となる.

Jackson v. (jak′sŏn). ジャクソンベール. ＝prececocolic *fascia.*

Sattler v. (sat′lĕr). ザットラーベール（コンタクトレンズの使用によって起こる角膜上皮のびまん性浮腫）.

Veil·lo·nel·la (vā′yō-nel′ă) [Adrien *Veillon*, フランスの細菌学者, 1864—1931]. ベイヨネラ属（非運動性・無芽胞性・嫌気性細菌(ベイヨネラ科)の一属. 短鎖の双球菌状および塊状で存在する小さい(径が 0.3—0.5 μm)グラム陰性球菌. 発育に炭酸ガスが必要とされ, 炭水化物を発酵しない. これらの微生物はヒトおよび他の動物の口腔, 腸管, および気道に寄生する. これらは発熱原性およびウサギに Schwartzman 現象を誘導する, 血清学的に特異的な内毒素(リポ多糖類)を産生する. ヒトでは咬傷による感染症に関与しており, また多種微生物性膿瘍の構成員として働く. 標準種は *V. parvula*).

V. alcalescens ヒトおよび他の動物の唾液中に見出される一細菌種.

V. alcalescens subsp. ***alcalescens*** 主としてヒトの口腔に見出されるが, ときにウサギおよびラットの頬面腔にもみられる細菌の一亜種. *V. alcalescens* の標準亜種である.

V. alcalescens subsp. ***dispar*** ヒトの口腔および気道に見出される一亜種.

V. atypica ＝*V. parvula* subsp. *atypica.*

V. parvula 自然の休洞, 特にヒトおよび他の動物の口腔および消化管に, 無害な寄生体として通常見出される一細菌種. *Veillonella* の標準種.

V. parvula subsp. ***atypica*** ラットおよびヒトの頬面腔に見出される細菌の一亜種. ＝*V. atypica.*

V. parvula subsp. ***parvula*** ヒトの口腔, 腸管, または気道に見出される細菌の一亜種. *V. parvula* の標準亜種.

V. parvula subsp. ***rodentium*** ハムスター, ラット, およびウサギの頬面腔および腸管に見出される細菌の一亜種. ＝*V. rodentium.*

V. rodentium ＝*V. parvula* subsp. *rodentium.*

Veil·lo·nel·la·ce·ae (vā′yō-nĕ-lā′sē-ē). ベイヨネラ科（非運動性・無芽胞性・嫌気性細菌(真正細菌目)の一科. グラム陰性(脱色に抵抗する傾向をもつ)の直径が小(0.3—0.5 μm)から大(2.5 μm)まで種々の球菌を好む. 特徴として, これらは対になっているが, 単独あるいは塊状にもなる. 鎖状で存在することもあるが, この鎖は基本的には双球菌配列を物語る間隔を示している. これら微生物は有機栄養要求性で, 炭水化物が発酵するものとしないものとがある. ヒト, 反すう類, げっ歯類, およびブタのような定温動物に寄生し, 主として消化管に存在する. 標準属は *Veillonella*).

VEIN

vein (vān) [L. *vena*][TA]. 静脈（心臓へ血液を運ぶ血管. 肺静脈を除くすべての静脈は, 暗色の, 酸素の少ない血液を運ぶ）. ＝vena [TA].

accessory cephalic v. [TA]. 副橈側皮静脈（前腕の橈側縁に沿って流れ, 肘の近くで橈側皮静脈に加わる変異の多い静脈）. ＝vena cephalica accessoria [TA].

accessory hemiazygos v. [TA]. 副半奇静脈（第四から第七左肋間静脈の合流によって形成され, 第五・第六・第七胸椎体の側面に沿って下行し, 大動脈, 食道, および胸管の背後で正中線を横切り奇静脈へ注ぐ. ときには半奇静脈と合体している）. ＝vena hemiazygos accessoria [TA]; vena azygos minor superior.

accessory saphenous v. [TA]. 副伏在静脈（ところどころで大伏在静脈と平行に大腿を走り, 大伏在静脈が大腿静脈に注ぐ直前に流入する）. ＝vena saphena accessoria [TA].

accessory vertebral v. [TA]. 副椎骨静脈（椎骨静脈に伴うが, 第七頸椎の横突起の孔を通過し独立して腕頭静脈にはいる静脈）. ＝vena vertebralis accessoria [TA].

accompanying v. 伴行静脈. ＝*vena* comitans.

accompanying v. of hypoglossal nerve ＝*vena* comitans of hypoglossal nerve.

anastomotic v.'s 吻合静脈（→inferior anastomotic v.; superior anastomotic v.）.

angular v. [TA]. 眼角静脈（眼窩上静脈と滑車上静脈によって形成され, 顔面静脈に続く内眼角の短い静脈）. ＝vena angularis [TA].

anterior v. [TA]. 前上葉静脈（左右の肺の上葉前部から酸素で飽和した血液を集めて, 左右の上肺静脈に注ぐ静脈）. ＝anterior branch of the superior pulmonary vein; ramus anterior venae pulmonalis dextrae/sinistrae superioris; vena anterior.

anterior auricular v. [TA]. 前耳介静脈（外耳と外耳道から集まって下顎後静脈へ注ぐ数本の静脈）. ＝vena auricularis anterior [TA]; vena preauricularis.

anterior basal v. [TA]. 前肺底静脈（右・左肺臓下葉の前肺底部から, 酸素を含んだ血液を流出する右・左下肺静脈の上肺底静脈の枝）. ＝vena basalis anterior [TA]; anterior basal branch of superior basal vein (of right and left inferior pulmonary veins)*; ramus basalis anterior venae basalis superioris*.

anterior cardiac v.'s [TA]. 前心臓静脈（冠状静脈洞に関係なく直接右心房へ開口している右心室前壁における2本または3本の小静脈）. ＝venae cardiacae anteriores [TA].

anterior cerebral v.'s [TA]. 前大脳静脈（前大脳動脈に平行して走り, 脳底静脈へはいる小静脈）. ＝venae anteriores cerebri [TA].

anterior ciliary v.'s [TA]. 前毛様体静脈（毛様体の前後から集まる数本の静脈）. ＝venae ciliares anteriores [TA].

anterior circumflex humeral v. [TA]. 前上腕回旋静脈（同名の動脈に伴行する静脈で, 上腕骨の外科頸の前を通って腋窩静脈に流入する）. ＝vena circumflexa humeri anterior [TA].

anterior facial v. 前顔面静脈. ＝facial v.

anterior intercostal v.'s [TA]. 前肋間静脈（肋間隙の前部から筋横隔静脈または内胸静脈へ注ぐ枝）. ＝venae intercostales anteriores [TA].

anterior interventricular v. [TA]. 前室間静脈（文字通り, 前室間溝を通って大心臓静脈に注ぐ静脈で, 左辺縁静脈と合流して大心臓静脈を形成する）. ＝vena interventricularis anterior [TA].

anterior jugular v. [TA]. 前頸静脈（おとがいの下で始まり, 下唇およびおとがい部からの血液を集める静脈. 頸筋膜の浅層または深層を下行し, 前斜角筋の外側縁で外頸静脈にはいる）. ＝vena jugularis anterior [TA].

anterior labial v.'s [TA]. 前陰唇静脈（恥丘および大陰唇からの血液を集め大腿静脈または外陰部静脈に注ぐ静脈）. ＝venae labiales anteriores [TA].

anterior pontomesencephalic v. 前橋中脳静脈（橋の上前部の脚間窩の正中線上にある静脈で, 上方は脳底静脈に下方は錐体静脈に吻合する）. ＝vena pontomesencephalica anterior.

(anterior and posterior) vestibular v.'s [TA]. 〔前または後〕前庭静脈（球形嚢および卵形嚢からの血液を集める静脈. 迷路静脈と前庭小管静脈両方の枝）. ＝venae vestibulares (anterius et posterius) [TA].

anterior scrotal v.'s [TA]. 前陰嚢静脈（陰嚢および陰茎体・陰茎基部の皮膚や肉様膜からの血液を集め, 大腿静脈または外陰部静脈に注ぐ静脈）. ＝venae scrotales anteriores [TA].

anterior v. of septum pellucidum [TA]. 前透明中隔静脈（透明中隔の前方の血液を集めて上視床線条体静脈へ注ぐ静脈）. ＝vena anterior septi pellucidi [TA].

anterior temporal diploic v. [TA]. 前側頭板間静脈（前頭骨後部, 頭頂骨前部の板間層の血液を集め, 蝶形骨大翼の内板を貫き, 蝶形頭頂静脈洞か前深側頭静脈に注ぐ静脈）. ＝vena diploica temporalis anterior [TA].

anterior tibial v.'s [TA]. 前脛骨静脈（前脛骨動脈の伴行静脈で膝窩静脈に注ぐ）. ＝venae tibiales anteriores [TA].

anterior vertebral v. [TA]. 前椎骨静脈（上行頸動脈に伴う静脈. 下方で椎骨静脈にはいる）. ＝vena vertebralis anterior [TA].

apical v. [TA]. 肺尖静脈（右肺の先端領域から酸素を含んだ血液を流出する右上肺静脈の枝）. ＝vena apicalis [TA]; apical branch of right superior pulmonary vein*; ra-

V

mus apicalis venae pulmonalis dextrae superioris*.

apicoposterior v. [TA]．肺尖後静脈（左肺上葉の肺尖後区に分布する静脈）．＝vena apicoposterior [TA]; apicoposterior branch of left superior pulmonary vein*; ramus apicoposterior venae pulmonalis sinistrae superioris*.

appendicular v. [TA]．虫垂静脈（虫垂動脈に伴行する回結腸静脈の枝）．＝vena appendicularis [TA].

aqueous v. 房水静脈（強膜の静脈洞から房水を受け取り前毛様体静脈に注ぐ静脈）．

arciform v.'s of kidney〔腎臓の〕弓状静脈．＝arcuate v.'s of kidney.

arcuate v.'s of kidney [TA]．〔腎臓の〕弓状静脈（弓状動脈に平行し，小葉間静脈および直細静脈から血液を受け，葉間静脈に注ぐ）．＝arciform v.'s of kidney; venae arcuatae renis.

arterial v. 動脈性静脈（動脈のように分枝したり(門脈)，心臓から出ているが，静脈のように血中に酸素を含まない(肺動脈)ためにこうよばれる静脈）．＝vena arteriosa.

articular v.'s [TA]．顎関節静脈（顎関節からの血液を集めて，翼突筋静脈叢に注ぐ静脈）．＝venae articulares [TA].

ascending lumbar v. [TA]．上行腰静脈（大腰筋の起始の後方，脊柱の近くをこれに沿って後腹壁を垂直に上行する1対の静脈．椎骨に沿った線上で総腸骨静脈・腸腰静脈・腰静脈と連結し，右側のものは右肋下静脈と合して奇静脈となり，左側のものは左肋下静脈と合して半奇静脈となる）．＝vena lumbalis ascendens [TA].

auricular v.'s 耳介静脈（→anterior auricular v.; posterior auricular v.）．

axillary v. [TA]．腋窩静脈（尺側皮静脈および上腕静脈の続きで，大円筋の下縁から第一肋骨の外縁へ走り，ここで鎖骨下静脈となる）．＝vena axillaris [TA].

azygos v. [TA]．奇静脈（右上行腰静脈と右肋下静脈との合流として起こり，ときとして下大静脈との交通枝もみられる静脈．後縦隔の中を胸椎の右側に沿って上行し，右肺根を後ろから前へ回り込んで上大静脈に後方から流入して終わる）．＝vena azygos [TA]; azygos (2); vena azygos major.

basal v. [TA]．脳底静脈（眼窩部皮質の前大脳静脈，島皮質領域の深中大脳静脈，島静脈が合流して生じた大きな静脈で，側頭葉の内側面に沿って尾背側方に進み大大脳静脈に注ぐ．脳底静脈にはその経路沿いの多くの部位から静脈が合流している．嗅回静脈，下視床線条体静脈，下脳室静脈，下脈絡叢静脈，大脳脚静脈．→common basal v.; inferior basal v.; superior basal v.）．＝vena basalis [TA]; basal v. of Rosenthal; Rosenthal v.

basal v. of Rosenthal (rō′zĕn-thahl)．ローゼンタール脳底静脈．＝basal v.

basilic v. [TA]．尺側皮静脈（手背静脈叢の尺側から起こり前腕内側を回って尺側皮静脈となり肘正中皮静脈を経て橈側皮静脈と交通し上腕の内側を上行して腋窩静脈に流入する）．＝vena basilica [TA].

basilic v. of forearm [TA]．前腕尺側皮静脈（尺側皮静脈の一部分で，手と肘正中皮静脈の間を走る）．＝vena basilica antebrachii [TA].

basivertebral v.'s [TA]．椎体静脈（椎体の海綿質中の多数の静脈．前内椎骨静脈叢へ注ぐ）．＝venae basivertebrales [TA].

Baumgarten v.'s (bawm′gar-tĕn)．バウムガルテン静脈（臍静脈が出生後も消滅せずに残存したものをいう）．

Boyd communicating perforation v. (boyd)．ボイドの交通貫通静脈（下腿前閉側部で深浅静脈系を連結する貫通静脈）．

brachial v.'s [TA]．上腕静脈（上腕動脈の伴行静脈で腋窩静脈に注ぐ）．＝venae brachiales [TA].

Breschet v. (brĕ-shā′)．ブレシェ静脈．＝diploic v.

bronchial v.'s [TA]．気管支静脈（気管支の前後を走る多数の静脈．2つの主幹に合一し，右側では奇静脈へ，左側では副半奇静脈または左上肋間静脈へ注ぐ）．＝venae bronchiales [TA].

Browning v. (brown′ing)．ブラウニング静脈．＝inferior anastomotic v.

v. of bulb of penis [TA]．陰茎静脈（尿道球からの血液を集め内陰部静脈に導く静脈）．＝vena bulbi penis [TA].

v. of bulb of vestibule [TA]．前庭球静脈（前庭球からの血液を集める静脈．内陰部静脈に注ぐ枝）．＝vena bulbi vestibuli [TA]; v. of vestibular bulb.

Burow v. (būr′ov)．ブーロウ静脈（①下腹壁静脈からつくる静脈で，ときにみられる．膀胱からの支流を受けることがあり，門脈へ流入する．②腎静脈の1つ）．

capillary v. ＝venule.

capsular v.'s [TA]．腎被膜静脈（腎被膜からの血液を集めて，腎静脈に注ぐ静脈）．＝venae capsulares [TA].

cardiac v.'s 心臓の静脈（→anterior cardiac v.'s; great cardiac v.; middle cardiac v.; smallest cardiac v.'s）．

cardinal v.'s 主静脈（主静脈は，原始脊椎動物の成体，および高等脊椎動物の胎児における静脈道の主系である．前主静脈 **anterior cardinal v.'s** は身体の頭方部からの，後主静脈 **posterior cardinal v.'s** は尾方部からの主な経路である．前主静脈と後主静脈の吻合によってできる総主静脈 **common cardinal v.'s** は心臓への重要な返還路であって，古い文献では，ときにCuvier管ともよばれる）．

v.'s of caudate nucleus [TA]．尾状核静脈（尾状核からの血液を集める静脈で，上視床線条体静脈に注ぐ）．＝venae nuclei caudati [TA].

cavernous v.'s of penis [TA]．陰茎海綿体静脈（陰茎の勃起組織である海綿体の静脈流入隙）．＝venae cavernosae penis [TA].

central v.'s of liver [TA]．〔肝臓の〕中心静脈（肝臓の静脈系の出発点となる静脈で，概念的肝小葉の中心に位置し，類洞からの血液を受け取り集合静脈に集まって肝静脈となる）．＝Krukenberg v.'s.; venae centrales hepatis [TA].

central retinal v. [TA]．網膜中心静脈（網膜静脈の合流によってつくられ，視神経の中を同名の動脈に伴行する）．＝vena centralis retinae [TA].

central v. of suprarenal gland [TA]．〔副腎の〕中心静脈（副腎からの血液を集める単一の静脈．多数の髄質静脈を受ける．右側は直接下大静脈に注ぎ，左側は左腎静脈へ注ぐ）．＝vena centralis glandulae suprarenalis [TA].

cephalic v. [TA]．橈側皮静脈（手背静脈網の橈側縁から始まり，肘の前を上腕の外側に沿って上行し，腋窩静脈の上部へ注ぐ皮下の静脈）．＝vena cephalica [TA].

cephalic v. of forearm [TA]．前腕橈側皮静脈（橈側皮静脈のうち手と肘の間にある部分）．＝vena cephalica antebrachii [TA].

cerebellar v.'s [TA]．小脳静脈（小脳からの血液を集める静脈の総称．→inferior v.'s of cerebellar hemisphere; superior v.'s of cerebellar hemisphere; petrosal v.; precentral cerebellar v.; inferior v. of vermis; superior v. of vermis）．＝venae cerebelli [TA]; v.'s of cerebellum.

v. of cerebellomedullary cistern [TA]．小脳延髄槽の静脈（上虫部静脈と後脊髄静脈とをつなぐ静脈で，小脳延髄槽を通過する）．＝vena cisterna cerebellomedullaris [TA]; inferior retrotonsillar v.

v.'s of cerebellum 小脳静脈．＝cerebellar v.'s.

cerebral v.'s [TA]．大脳の静脈（→anterior cerebral v.'s; deep middle cerebral v.; great cerebral v.; superficial middle cerebral v.）．

cervical v. 頸静脈（→deep cervical v.）．

choroid v. 脈絡叢静脈（→inferior choroid v.; superior choroid v.）．

choroid v.'s of eye 眼球脈絡膜静脈．＝vorticose v.'s.

circumflex v.'s 回旋静脈（→anterior circumflex humeral v.; circumflex scapular v.; deep circumflex iliac v.; lateral circumflex femoral v.'s; medial circumflex femoral v.'s; posterior circumflex humeral v.; superficial circumflex iliac v.）．

circumflex scapular v. [TA]．肩甲回旋静脈（同名の動脈に伴行する静脈で，肩甲骨外側面の棘下窩の組織から血液を集め肩甲下静脈に注ぐ）．

v. of cochlear aqueduct 蝸牛小管静脈．＝v. of cochlear canaliculus.

v. of cochlear canaliculus 蝸牛小管静脈（蝸牛の基底回転，球形嚢，卵形嚢の一部からの血液を集める静脈．蝸牛小管を通る外リンパ管(蝸牛水道)に伴行して頸静脈上球へ注ぐ）．＝v. of cochlear aqueduct; vena aqueductus cochleae;

vena canaliculi cochleae.

v. of cochlear window [TA]. 蝸牛窓の静脈（正円窓あたりの血液を集め前庭蝸牛静脈に注ぐ）. =vena fenestrae cochleae [TA].

Cockett communicating perforating v.'s (cŏk′et). コケットの交通貫通静脈（大腿中央部の貫通静脈で深浅静脈系を連結している）.

colic v.'s 結腸静脈（⇀right colic v.; middle colic v.; left colic v.）.

common basal v. [TA]. 総肺底静脈（上・下肺底静脈から血液を受ける，下肺静脈(右および左)への枝）. =vena basalis communis [TA].

common cardinal v.'s 総主静脈（⇀cardinal v.'s）.

common facial v. 総顔面静脈（顔面静脈と下顎後静脈との合流によってできる短い血管で内頸静脈に流入する．NAでは顔面静脈の連続と考えられている）. =vena facialis communis.

common iliac v. [TA]. 総腸骨静脈（骨盤上縁で外・内腸骨静脈の合流によってつくられる．内腸骨動脈の後ろを第五腰椎体の右側へ上行し，そこで対側のものと合一して下大静脈となる．左総腸骨静脈は右総腸骨動脈による拍動圧を脊柱へ向かって受け，そのために静脈の部分的閉鎖が起こりうる）. =vena iliaca communis [TA].

common modiolar v. [TA]. 総蝸牛軸静脈（蝸牛軸内をらせん状に進む静脈．迷路静脈と蝸牛小管静脈へ注ぐ）. =vena modioli communis [TA]; spiral v. of modiolus; vena spiralis modioli.

companion v.'s =*venae* comitantes(⇒vena).

condylar emissary v. [TA]. 顆導出静脈（後頭骨の顆管を通じて，S 状静脈洞と外椎骨静脈叢とをつなぐ静脈）. =vena emissaria condylaris [TA]; emissarium condyloideum.

conjunctival v.'s [TA]. 結膜静脈（結膜の静脈で眼静脈に注ぐ）. =venae conjunctivales [TA].

coronary v. =left gastric v.

v. of corpus striatum =superior thalamostriate v.

costoaxillary v. 肋腋窩静脈（第一から第七肋間隙の肋間静脈と，外側胸静脈または胸腹壁静脈とを結合するいくつかの吻合静脈の１つ）.

cutaneous v. 皮静脈. =superficial v.

Cuvier v.'s (kū-vē-ā′). キュヴィエ静脈（胎児の総主静脈. ⇀cardinal v.'s）.

cystic v.'s [TA]. 胆嚢静脈（通常は前後の２本からなり，胆嚢と総胆管からの血液を集め総胆管に沿って進み門脈の右枝に流入する．周囲の胃・十二指腸・膵臓からの静脈と広範囲に吻合している）. =vena cystica [TA].

deep cerebral v.'s [TA]. 深大脳静脈（大脳半球の深部からの血液を集め，大大脳静脈に注ぐ多数の静脈）. =venae profundae cerebri [TA].

deep cervical v. [TA]. 深頸静脈（同名の動脈とともに頭半棘筋と頸半棘筋の間を走る大きな静脈で，後頸部深部の筋からの血液を集め腕頭静脈または椎骨静脈に注ぐ）. =vena cervicalis profunda [TA]; vena colli profunda☆.

deep circumflex iliac v. [TA]. 深腸骨回旋静脈（同名の動脈に対応する静脈．鼡径靱帯と並走して内側へ進み総下腹壁静脈の近くで，または共通幹で外腸骨静脈に注ぐ）. =vena circumflexa ilium profunda [TA].

deep v.'s of clitoris [TA]. 陰核深静脈（陰核背から膀胱静脈叢に通じる静脈）. =venae profundae clitoridis [TA].

deep dorsal v. of clitoris [TA]. 深陰核背静脈（膀胱静脈叢への枝．これは陰核の背面の筋膜の深部を走る）. =vena dorsalis clitoridis profunda [TA].

deep dorsal v. of penis [TA]. 深陰茎背静脈（陰茎背面の陰茎筋膜の深部を前立腺静脈叢へ走る枝）. =vena dorsalis penis profunda [TA].

deep epigastric v. =inferior epigastric v.

deep facial v. [TA]. 深顔面静脈（側頭下窩の翼突筋静脈叢から顔面静脈へ流れる交通静脈で，無弁である）. =vena profunda faciei [TA].

deep femoral v. 大腿深静脈. =profunda femoris v.

deep lingual v. [TA]. 舌深静脈（舌深動脈に伴い，舌静脈にはいる舌の主な静脈．舌体と舌先からの血液を集め正中面の近くを後方に走る．舌下面舌小帯の両側の粘膜下にしばしば透けてみえる）. =vena profunda linguae [TA].

deep middle cerebral v. [TA]. 深中大脳静脈（大脳外側溝の深部を中大脳動脈に伴行し，脳底静脈へ注ぐ静脈）. =vena media profunda cerebri [TA].

deep v.'s of penis 陰茎深静脈 [TA].（陰茎筋膜の深部にある静脈で，内陰部静脈を経て内腸骨静脈に注ぐ）. =venae profundae penis [TA].

deep temporal v.'s [TA]. 深側頭静脈（同名の動脈に対応する静脈．翼突筋静脈叢に注ぐ）. =venae temporales profundae [TA].

deep v. of thigh☆ profunda femoris v. の公式の別名.

digital v.'s 指の静脈（⇀dorsal digital v.'s of foot; palmar digital v.'s; plantar digital v.'s）.

diploic v. [TA]. 板間静脈（頭蓋骨の板間層内を走る静脈．導出静脈で硬膜静脈洞とつながる．主なものは前頭板間静脈，前側頭板間静脈，後頭板間静脈，および後側頭板間静脈である）. =vena diploica [TA]; Breschet v.; Dupuytren canal.

direct lateral v.'s [TA]. 外側直静脈（視床上部の上衣下を横走し内大脳静脈に注ぐ静脈）. =venae directae laterales [TA]; surface thalamic v.'s.

dorsal callosal v. =posterior v. of corpus callosum.

dorsal v.'s of clitoris 陰核背静脈（⇀deep dorsal v. of clitoris; superficial dorsal v.'s of clitoris）.

dorsal v. of corpus callosum [TA]. 後脳梁静脈. =posterior v. of corpus callosum.

dorsal digital v.'s of foot [TA]. 足の背側指静脈（足底静脈弓から底側中足静脈の貫通枝を受け，結合して４本の背側指静脈をつくり足背静脈指にはいる）. =venae digitales dorsales pedis [TA]; dorsal digital v.'s of toes.

dorsal digital v.'s of toes 背側指静脈. =dorsal digital v.'s of foot.

dorsal lingual v. [TA]. 舌背静脈（舌背の血液を集める多数の静脈で舌根へ近づくにつれて合流して太さを増してくる）. =venae dorsales linguae [TA].

dorsal metacarpal v.'s [TA]. 背側中手静脈（４本の内側の指からの血液を手背静脈網に注ぐ手背の３つの静脈）. =venae metacarpales dorsales [TA].

dorsal metatarsal v.'s [TA]. 背側中足静脈（背側指静脈から起こり足背静脈弓を形成する）. =venae metatarsales dorsales [TA].

dorsal v.'s of penis 陰茎背静脈（⇀deep dorsal v. of penis; superficial dorsal v.'s of penis）.

dorsal v.'s of posterior intercostal veins [TA]. 肋間静脈の背側枝（背筋や背部の皮膚からの血液を集めて肋間静脈に注ぐ枝）. =vena dorsalis venae intercostales posteriores [TA]; dorsal branch of posterior intercostal veins☆; ramus dorsalis venae intercostales posteriores.

dorsal scapular v. [TA]. 背側肩甲静脈（下行肩甲動脈に伴行する静脈．鎖骨下静脈または外頸静脈へ流入している）. =vena scapularis dorsalis [TA].

dorsispinal v.'s 脊椎背静脈（脊椎の椎弓および突起の周囲の叢を形成する静脈）.

emissary v. [TA]. 導出静脈（硬膜静脈洞と板間および頭皮の静脈との交通静脈. →condylar emissary v.; mastoid emissary v.; occipital emissary v.; parietal emissary v.）. =vena emissaria [TA]; emissarium; emissary (2).

epigastric v.'s 腹壁静脈（⇀inferior epigastric v.; superficial epigastric v.; superior epigastric v.'s）.

episcleral v.'s [TA]. 強膜上静脈（角膜縁に近い強膜における一連の小静脈で毛様体静脈へ注ぐ）. =venae episclerales [TA].

esophageal v.'s [TA]. 食道静脈（食道の粘膜下の血液を集める一連の静脈で，食道頸部から下行して下甲状腺静脈・上肋間静脈・副半奇静脈・半奇静脈・奇静脈と合流して最終的には上大静脈に流入する．食道噴門部からの最下食道静脈は，左胃静脈の食道枝から門脈に流入し門脈大静脈間吻合血管を形成するので，門脈圧亢進に際して静脈瘤を発生しやすい）. =venae esophageae [TA].

ethmoidal v.'s [TA]. 篩骨静脈（前・後篩骨動脈に伴行し上眼静脈に流入する静脈．篩骨洞からの血液を運ぶ）. =venae ethmoidales [TA].

external iliac v. [TA]. 外腸骨静脈（鼡径靱帯より上で大腿静脈と直接つながっている．内腸骨静脈と合一して総腸骨静脈をつくる）. = vena iliaca externa [TA].

external jugular v. [TA]. 外頸静脈（後耳介静脈および下顎後静脈の合流によってつくられる浅在静脈．頸の側面を下り胸鎖乳突筋を横切って下行し，鎖骨下静脈へ注ぐ）. = vena jugularis externa [TA].

external nasal v.'s [TA]. 外鼻静脈（外鼻からの血液を集め，眼角静脈または顔面静脈に注ぐ数本の静脈）. = venae nasales externae [TA].

external palatine v. [TA]. 外口蓋静脈（口蓋の血液を集め顔面静脈に注ぐ）. = vena palatina externa [TA].

external pudendal v.'s [TA]. 外陰部静脈（同名の動脈に対応する．大伏在静脈または直接大腿静脈に注ぎ，浅陰茎（浅陰核）背静脈と前陰嚢（前陰唇）静脈を受ける）. = venae pudendae externae [TA].

v.'s of eyelids 眼瞼静脈. = palpebral v.'s.

facial v. [TA]. 顔面静脈（内眼角での眼角静脈の続きで下外側方へ流れ，内頸静脈へ流入する前に，下顎縁の下で下顎後静脈と合流する）. = vena facialis [TA]; anterior facial v.; vena facialis anterior.

femoral v. [TA]. 大腿静脈（膝窩静脈の続きで，大腿動脈に伴行して内転筋管を通り，大腿三角の筋膜下に至る．鼡径靱帯の下を上行して外腸骨静脈となる）. = vena femoralis [TA].

fibular v.'s [TA]. 腓骨静脈（腓骨動脈に伴う静脈．後脛骨静脈と合流して膝窩静脈にはいる）. = venae fibulares [TA]; peroneal v.'s*; venae peroneae*.

frontal v.'s *1* 前頭葉静脈（前頭葉に発し，上矢状静脈洞に注ぐ前頭葉上の静脈）. *2* 前頭静脈. = supratrochlear v.'s.

frontal diploic v. [TA]. 前頭板間静脈（前頭骨前部の板間層の静脈で，眼窩上切痕かその近くで，前頭骨の外板を貫いて，眼窩上静脈に注ぐ）. = vena diploica frontalis.

v.'s of Galen (gā'lĕn). ガレン静脈（① = internal cerebral v.'s. ② → great cerebral v.）.

gastric v.'s 胃静脈（→ short gastric v.'s; right gastric v.; left gastric v.）.

gastroepiploic v.'s 胃大網静脈（→ right gastroomental v.; left gastroomental v.）.

genicular v.'s [TA]. 膝静脈（膝動脈に伴行する静脈．膝の周囲の構造から血液を集め，膝窩静脈にはいる）. = venae geniculares [TA]; v.'s of knee.

gluteal v.'s 殿静脈（→ inferior gluteal v.'s; superior gluteal v.'s）.

great cardiac v. [TA]. 大心臓静脈（心尖（ここでは中心臓静脈と吻合している）から始まり，まず前室間動脈に伴行して前室間溝を上行し，次いで左に曲がって冠状溝にはいり左冠状動脈の回旋枝に伴行し，左心房斜静脈と合流した後，冠状静脈洞となって終わる）. = vena cordis magna* [TA]; left coronary v.; vena cardiaca magna [TA].

great cerebral v. [TA]. 大大脳静脈. = great cerebral v. of Galen.

great cerebral v. of Galen (gā'lĕn). ガレン大大脳静脈（第3脳室の脈絡組織の尾方で2本の内大脳静脈の合流によってつくられる大きな無対の静脈．脳梁膨大と松果体の間を尾方へ走り背方へ曲がって下矢状静脈洞とともに直静脈洞に注ぐ）. = great cerebral v. [TA]; vena magna cerebri [TA]; great v. of Galen.

great v. of Galen (gā'lĕn). ガレン大静脈. = great cerebral v. of Galen.

great saphenous v. [TA]. 大伏在静脈（足の母指の背側指静脈と足背静脈弓の合流によりつくられ，内果の前方，大腿骨内側顆の後方を上行し，大腿広筋膜の伏在裂孔を横切り，大腿三角の上部で大腿静脈に注ぐ）. = vena saphena magna [TA]; large saphenous v.; long saphenous v.

v.'s of heart [TA]. 心臓の静脈（心臓にあるすべての静脈の総称で冠状静脈洞なども含む）. = venae cordis [TA].

hemiazygos v. [TA]. 半奇静脈（左上行腰静脈と左肋下静脈との合流として起こり，ときとして下大静脈との交通枝もみられる．横隔膜の左脚を貫通し，下部胸椎の左側に沿って上行し，第八胸椎の高さで胸大動脈・胸管・食道の後方で正中線を越えて反対側に移り，ときには副半奇静脈ともども奇静脈に流入して終わる）. = vena hemiazygos [TA]; inferior hemiazygos v.; vena azygos minor inferior.

hemorrhoidal v.'s rectal v.'s を表す現在では用いられない語. → inferior rectal v.'s; middle rectal v.'s; superior rectal v.

hepatic v.'s [TA]. 肝静脈（肝臓の血液を集める静脈．中心静脈からの血液を集めて横隔膜の下で下大静脈へ開口する3本の大きい静脈となる．それより下で下大静脈へはいる数本の不定の静脈もある）. = venae hepaticae [TA].

hepatic portal v. [TA]. = vena portae hepatis [TA]; portal v.; vena portalis.

highest intercostal v. 最上肋間静脈. = supreme intercostal v.

hypogastric v. 下腹静脈（internal iliac v. を表す現在では用いられない語）.

ileal v.'s 回腸静脈（→ jejunal and ileal v.'s）. = venae ileales [TA].

ileocolic v. [TA]. 回結腸静脈（回結腸動脈と平行して走る上腸間膜静脈の大きい枝．回腸末部，虫垂，盲腸，および上行結腸下部からの血液を集める）. = vena ileocolica [TA].

iliac v.'s 腸骨静脈（→ common iliac v.; external iliac v.; internal iliac v.; deep circumflex iliac v.; superficial circumflex iliac v.）.

iliolumbar v. [TA]. 腸腰静脈（同名の動脈に伴行し，腰静脈および深腸骨回旋静脈と吻合し，内腸骨静脈へ注ぐ）. = vena iliolumbalis [TA].

inferior anastomotic v. [TA]. 下吻合静脈（浅中大脳静脈から後方へ側頭葉の外面を走り，横静脈洞へ流入する不定の静脈）. = vena anastomotica inferior [TA]; Browning v.; Labbé v.

inferior basal v. [TA]. 下肺底静脈（各肺の下葉の中部および後部から血液を集める総肺底静脈の枝）. = vena basalis inferior [TA].

inferior cardiac v. = middle cardiac v.

inferior v.'s of cerebellar hemisphere [TA]. 下小脳半球静脈（小脳半球の下部の血液を集める静脈で，錐体静脈に注ぐ）. = venae inferiores cerebelli [TA].

inferior cerebral v.'s [TA]. 下大脳静脈（大脳半球の下面を流れ海綿静脈洞および横静脈洞へ注ぐ多数の大脳静脈．次の静脈が注ぐ．鉤からの鉤静脈，眼窩部皮質からの眼窩静脈，側頭葉からの側頭葉静脈）. = venae inferiores cerebri [TA].

inferior choroid v. [TA]. 下脈絡叢静脈（側脳室脈絡叢下部から血液を集めて脳底静脈に注ぐ静脈. → basal v.）. = vena choroidea inferior [TA].

inferior epigastric v. [TA]. 下腹壁静脈（同名の動脈に伴行し鼡径靱帯のすぐ近位で外腸骨静脈へ注ぐ）. = vena epigastrica inferior [TA]; deep epigastric v.

v.'s of inferior eyelid 下眼瞼静脈. = inferior palpebral v.'s.

inferior gluteal v.'s [TA]. 下殿静脈（下殿動脈と伴行する静脈．坐骨孔で合流して共同幹をつくり，内腸骨静脈へ注ぐ）. = venae gluteae inferiores [TA].

inferior hemiazygos v. = hemiazygos v.

inferior hemorrhoidal v.'s inferior rectal v.'s を表す現在では用いられない語.

inferior labial v. [TA]. 下唇静脈（下口唇から血液を集めて顔面静脈へ注ぐ）. = vena labialis inferior [TA].

inferior laryngeal v. [TA]. 下喉頭静脈（喉頭の下部から不対の甲状腺静脈叢へ注ぐ静脈）. = vena laryngea inferior [TA].

inferior mesenteric v. [TA]. 下腸間膜静脈（骨盤縁で上直腸静脈に続いて始まり，大動脈の左側で腹膜の後方を上行し，脾静脈あるいは上腸間膜静脈，またはまれにこれらの両静脈の合流角に注ぐ）. = vena mesenterica inferior [TA].

inferior ophthalmic v. [TA]. 下眼静脈（下眼瞼静脈と涙腺静脈から始まり，2枝に分かれ，1つは翼突筋静脈叢に，もう1つは上眼静脈と合流するかまたは海綿静脈洞に注ぐ）. = vena ophthalmica inferior [TA].

inferior palpebral v.'s [TA]. 下眼瞼静脈（下眼瞼から始まり，眼角静脈に注ぐ）. = venae palpebrales inferiores [TA]; v.'s of inferior eyelid.

inferior phrenic v. [TA]．下横隔静脈（横隔膜実質からの血液を集め，右側は下大静脈に，左側は左副腎静脈に注ぐ．しばしば右側には横隔膜を横切って食道裂孔の前で，下大静脈にはいる第2の静脈がある）．＝vena phrenica inferior [TA].

inferior rectal v.'s [TA]．下直腸静脈（肛門周囲の下直腸静脈叢から内陰部静脈にはいる静脈）．＝venae rectales inferiores [TA].

inferior retrotonsillar v. ＝v. of cerebellomedullary cistern.

inferior thalamostriate v.'s [TA]．下視床線条体静脈（視床と線条体からの血液を集め，前有孔質を抜けて脳底静脈に注ぐ静脈．→basal v.）．＝venae thalamostriatae inferiores [TA]; striate v.'s; venae striatae.

inferior thyroid v. [TA]．下甲状腺静脈（甲状腺の峡部・右葉・左葉，および甲状腺静脈叢からの静脈からなる不対の静脈．左腕頭静脈にはいる）．＝vena thyroidea inferior [TA]; vena thyroidea ima.

inferior ventricular v. [TA]．下脳室静脈（側頭葉上部および外側部の深部白質からの血液を集める静脈．側脳室中心部に始まり，下角の脈絡裂を出て脳底静脈に注ぐ．→basal v.）．＝vena ventricularis inferior [TA].

inferior v. of vermis [TA]．下虫部静脈（小脳下部の血液を集め，虫部の下面を通って直静脈洞に注ぐ静脈）．＝vena inferior vermis [TA].

infrasegmental v.'s 〔肺〕区内静脈（⇀intersegmental v.）.

innominate v.'s 無名静脈（(left and right) brachiocephalic v.'s を表す現在では用いられない語）.

innominate cardiac v.'s 無名心〔臓〕静脈（心臓表面の小静脈）．＝Vieussens v.'s.

insular v.'s [TA]．島静脈．＝*venae* insulares(⇌vena).

intercapitular v.'s [TA]．骨頭間静脈（手の背側と掌側の静脈の間，または足の背側と底側の静脈の間を結ぶ静脈）．＝venae intercapitulares.

intercostal v.'s 肋間静脈（⇀anterior intercostal v.'s; posterior intercostal v.'s; supreme intercostal v.; left superior intercostal v.）.

interlobar v.'s of kidney [TA]．腎葉間静脈（弓状静脈から血液を受け，葉間動脈に平行して走り，腎静脈で終わる）．＝venae interlobares renis [TA].

interlobular v.'s of kidney [TA]．腎小葉間静脈（小葉間動脈に平行して走る．尿細管周囲毛細管網から血液を集め弓状静脈へ注ぐ）．＝venae interlobulares renis [TA].

interlobular v.'s of liver [TA]．肝小葉間静脈（肝小葉間を走り，肝洞様毛細血管へ注ぐ門脈の終末枝）．＝venae interlobulares hepatis [TA].

intermediate antebrachial v. 前腕中間皮静脈，前腕正中皮静脈．＝median antebrachial v.

intermediate basilic v. [TA]．尺側正中皮静脈（前腕正中皮静脈の内側枝で，尺側皮静脈に注ぐ．しばしば肘正中皮静脈とよび変えられている）．＝vena intermedia basilica [TA]; median basilic v.; vena mediana basilica.

intermediate cephalic v. [TA]．橈側正中皮静脈（前腕正中皮静脈の外側枝で，肘の辺りで橈側皮静脈に注ぐ．しばしば肘正中皮静脈とよび変えられている）．＝vena intermedia cephalica [TA]; median cephalic v.; vena mediana cephalica.

intermediate cubital v. 肘中間皮静脈，肘正中皮静脈．＝median cubital v.

intermediate v. of forearm 前腕正中皮静脈．＝median antebrachial v.

intermediate hepatic v.'s [TA]．中肝静脈（肝臓の中央部すなわち右葉上前区(VIII)の左側・右葉下前区(V)・左葉内側区(IV)の右側の血液を集め，合流して1本になり，約90％の例で左肝静脈の合流血管と合した後，下大静脈の左側部に流入する）．＝venae hepaticae intermediae [TA]; middle hepatic v.'s.; venae hepaticae mediae.

internal auditory v.'s ＝labyrinthine v.'s.

internal cerebral v.'s [TA]．内大脳静脈（脈絡叢静脈，視床線条体静脈(分界静脈)，および透明中隔静脈の合流によってつくられ，第3脳室の脈絡組織の中を正中線に近く尾方へ流れる有対の静脈．尾方で2本が合流して大大脳静脈となる）．＝venae internae cerebri [TA]; v.'s of Galen (1).

internal iliac v. [TA]．内腸骨静脈（小骨盤の中を大坐骨切痕の上縁から骨盤上縁へ走る．そこで外腸骨静脈と合流して総腸骨静脈をつくる．これは内腸骨動脈によって供給される領域の大部分からの血液を集める）．＝vena iliaca interna [TA].

internal jugular v. [TA]．内頸静脈（頸部の重要な静脈．硬膜のS状静脈洞の続きで頸動脈鞘の中に包まれて頸部を下降し胸鎖関節の後ろで鎖骨下静脈に合流し腕頭静脈となる）．＝vena jugularis interna [TA].

internal pudendal v. [TA]．内陰部静脈（内陰部動脈に単一で，または2本で伴行し，内腸骨静脈に流入する．会陰からの血液を集める）．＝vena pudenda interna [TA].

internal thoracic v. [TA]．内胸静脈（内胸動脈の伴行静脈で胸郭上部で1本となり同側の腕頭静脈に注ぐ．前胸壁の血液を集める）．＝vena thoracica interna [TA].

intersegmental v. 〔肺〕区間静脈（隣接する肺区域から血液を受ける静脈．肺区域の下縁から起こり，肺静脈の枝に注ぐ）．＝intersegmental part of pulmonary vein [TA]; partes intersegmentales venarum pulmonum [TA]; infrasegmental part.

intervertebral v. [TA]．椎間静脈（脊髄神経に伴行する多数の静脈で，脊髄や椎骨静脈叢からの血液を椎間孔を経て集め，頸部では椎骨静脈へ，胸部では肋間静脈へ，腰部および仙骨部において腰静脈および仙骨静脈へ注ぐ多数の静脈）．＝vena intervertebralis [TA].

intrarenal v.'s [TA]．腎内静脈（腎臓実質内の静脈）．＝venae intrenales.

intrasegmental v.'s 〔肺〕区内静脈．＝intrasegmental *part* of pulmonary veins.

jejunal and ileal v.'s [TA]．空回腸静脈（空腸および回腸からの血液を集める静脈．上腸間膜静脈へはいる）．＝venae jejunales et ilei [TA].

jugular v.'s 頸静脈（⇀anterior jugular v.; external jugular v.; internal jugular v. →posterior anterior jugular v.; jugular venous *arch*）.

key v. 鍵静脈（深部に位置し，拡張した静脈で，表面での深在性静脈瘤 spider-burst を起こす）.

v.'s of kidney [TA]．腎臓の静脈（腎臓の血液を集める腎静脈．腎内で動脈と平行に走り，小葉間静脈，弓状静脈，および葉間静脈からなる）.

v.'s of knee 膝静脈．＝genicular v.'s.

Krukenberg v.'s (krū′kĕn-berg). クルーケンベルク静脈．＝central v.'s of liver.

Labbé v. (lah-bā′). ラベー静脈．＝inferior anastomotic v.

labial v.'s ⇀anterior labial v.'s; posterior labial v.'s; inferior labial v.; superior labial v.

labyrinthine v.'s [TA]．迷路静脈（迷路動脈に伴行する左右両側1本以上の静脈．内耳からの血液を集め内耳道を通って出て，横静脈洞または下錐体静脈洞へ注ぐ）．＝venae labyrinthi [TA]; internal auditory v.'s.

lacrimal v. [TA]．涙腺静脈（涙腺からの血液を集め，涙腺動脈とともに眼窩を通り，後方へ走り上眼静脈へ注ぐ小静脈）．＝vena lacrimalis [TA].

large v. 大静脈（中膜が薄いかまたは欠如し，縦に配列された平滑筋の大きな束を含む外膜が特徴である静脈．例えば下大動脈）.

large saphenous v. 大伏在静脈．＝great saphenous v.

laryngeal v.'s 喉頭静脈（⇀inferior laryngeal v.; superior laryngeal v.）.

Latarget v. (lah-tar-zhā′). ラタルジェ静脈．＝prepyloric v.

lateral atrial v. 外側側脳室静脈．＝lateral v. of lateral ventricle.

lateral circumflex femoral v.'s [TA]．外側大腿回旋静脈（外側大腿回旋動脈に伴行する静脈で，通常は大腿静脈に注ぐ）．＝venae circumflexae femoris laterales [TA].

lateral direct v.'s [TA]．外側直静脈（視床上部の上衣下を横走し内大脳静脈に注ぐ静脈）.

lateral v. of lateral ventricle [TA]．外側側脳室静脈（側頭葉や頭頂葉の深部からの血液を集め，側脳室の外側壁を通って上視床線条体静脈に注ぐ静脈）．＝vena lateralis

V

ventriculi lateralis [TA]; lateral atrial v.; vena atrii lateralis.

lateral marginal v. of foot [TA]. 足の外側辺縁静脈(足底および足背静脈弓の外側端をつなぐ静脈で，小伏在静脈に注ぐ). ＝vena marginalis lateralis pedis [TA].

v. of lateral recess of fourth ventricle [TA]. 第4脳室外側陥凹静脈（小脳扁桃に始まり，第4脳室の外側陥凹を通って錐体静脈に注ぐ小静脈). ＝vena recessus lateralis ventriculi quarti [TA].

lateral sacral v.'s [TA]. 外側仙骨静脈（仙骨静脈叢と仙骨部の椎間静脈とからの血液を受ける数本の静脈で，同名の動脈に伴行して内腸骨静脈に注ぐ). ＝venae sacrales laterales [TA].

lateral thoracic v. [TA]. 外側胸静脈（外側胸壁からの血液を集める腋窩静脈の枝．胸腹壁静脈および肋間静脈と連結する). ＝vena thoracica lateralis [TA].

left atrial v.'s [TA]. 左心房静脈（左心房の心筋の血液を集め，左心房に直接注ぐ最小の心静脈). ＝venae atriales sinistrae [TA].

left colic v. [TA]. 左結腸静脈（左結腸動脈に伴行し，左結腸曲および下行結腸からの血液を集める下腸間膜静脈の枝). ＝vena colica sinistra [TA].

left coronary v. ＝great cardiac v.

left gastric v. [TA]. 左胃静脈（胃の噴門部と食道の噴門部とからの静脈の合流によって形成される静脈で，小網中を走り門脈へ注ぐ．→esophageal v.'s). ＝vena gastrica sinistra [TA]; coronary v.; vena coronaria ventriculi.

left gastroepiploic v.* 左胃大網静脈（left gastroomental v. の公式の別名).

left gastroomental v. [TA]. 左胃大網静脈（胃の大弯に沿って左胃大網動脈と伴行する静脈．脾静脈へ注ぐ). ＝left gastroepiploic v.*; vena gastroepiploica sinistra*; vena gastroomentalis sinistra.

left hepatic v. [TA]. 左肝静脈（内側区(IV)と肝左葉外側区(II，III)の血液を集める静脈で，1本または2本の様々な太さの静脈に合流して，約90％の例で中肝静脈の合流血管と合した後，上大静脈の最末端部に流入する). ＝venae hepaticae sinistrae [TA].

left inferior pulmonary v. [TA]. 左下肺静脈（左肺下葉から左心房に酸素化された血液を戻す静脈．左下葉からの上肺底静脈や総肺底静脈が流入する). ＝vena pulmonalis inferior sinistra [TA].

left marginal v. [TA]. 左辺縁静脈（左心室の辺縁に沿って走り，大心臓静脈に注ぐ静脈). ＝vena marginalis sinistra [TA].

left ovarian v. [TA]. 左卵巣静脈（卵巣門の蔓状静脈叢に始まり，左腎静脈に注ぐ). ＝vena ovarica sinistra [TA].

(left and right) brachiocephalic v.'s [TA]. 〔左または右〕腕頭静脈（内頸静脈および鎖骨下静脈の合流によってできる．右椎骨静脈，右内胸静脈，および右リンパ本管を受ける右腕頭静脈と，左椎骨静脈，左内胸静脈，左上肋間静脈，最下甲状腺静脈，前心膜静脈，気管支静脈，縦隔静脈と胸管を受ける左腕頭静脈がある). ＝venae brachiocephalicae (dextrae et sinistrae) [TA].

left superior intercostal v. [TA]. 左上肋間静脈（左第二・第三・第四肋間静脈の結合によって形成された静脈．大動脈弓を横切って前方へ流れ，左腕頭静脈へ注ぐ．しばしば副半奇静脈とも交通する). ＝vena intercostalis superior sinistra [TA].

left superior pulmonary v. [TA]. 左上肺静脈（左肺上葉から左心房に酸素化された血液を戻す静脈．左上葉からの肺尖後静脈，前上葉静脈，肺舌静脈が流入する). ＝vena pulmonalis superior sinistra [TA].

left suprarenal v. [TA]. 左副腎(腎上体)静脈（左腎上体門から下行し，左腎静脈に注ぐ静脈．通常は左下横隔静脈がこれにつながる). ＝vena suprarenalis sinistra [TA].

left testicular v. [TA]. 左精巣静脈（蔓状静脈叢として起こる左側精巣からの血液を運ぶ静脈で左腎静脈に注ぐ). ＝vena testicularis sinistra [TA].

left umbilical v. 左臍静脈（胎盤から胎児に血液を戻す静脈．臍帯を通り，臍で胎児体内にはいり，さらにそこから肝臓にはいり門脈とつながる．血液はその後，静脈管と下大静脈を通って右心房にはいる). ＝vena umbilicalis [TA].

levoatriocardinal v. 左心房主静脈（左上大静脈または冠状静脈洞以外で，系統的静脈が左心房につながるもの．遺残としての右上大静脈があると思われる).

lingual v. [TA]. 舌静脈（舌，舌下腺，顎下腺，および口腔底の筋肉からの血液を受け，内頸静脈または顔面静脈へ注ぐ). ＝vena lingualis [TA].

lingular v. [TA]. 肺舌静脈（左上肺静脈の下枝). ＝ramus lingularis venae pulmonis sinistrae superioris*; vena lingularis [TA].

long saphenous v. ＝great saphenous v.

v.'s of lower limb [TA]. 下肢の静脈（下肢からの血液を集めるすべての静脈). ＝venae membri inferioris [TA].

lumbar v.'s [TA]. 腰静脈（5本あり，これらの静脈は腰動脈に伴行し，後部体壁および腰椎静脈叢からの血液を集め，前方で，第一・第二は上行腰動脈，第三・第四は下大静脈，第五は腸腰静脈にはいる．すべて上行腰静脈によって連絡している). ＝venae lumbales [TA].

Marshall oblique v. (mar′shăl). マーシャル斜静脈. ＝oblique v. of left atrium.

masseteric v.'s 咬筋静脈（咬筋動脈に伴行する叢状静脈．翼突筋静脈叢に注ぐ).

mastoid emissary v. [TA]. 乳突導出静脈（乳突孔を通って，S状静脈洞と後頭静脈または頸静脈支流の1つとをつなぐ静脈). ＝vena emissaria mastoidea [TA]; emissarium mastoideum.

maxillary v. [TA]. 顎静脈（翼突筋静脈叢の後方への延長．浅側頭静脈と合一して下顎後静脈を形成する). ＝vena maxillaris [TA].

Mayo v. (mā′ō). メーオー(メーヨー)静脈. ＝prepyloric v.

medial atrial v. 内側側脳室静脈. ＝medial v. of lateral ventricle.

medial circumflex femoral v.'s [TA]. 内側大腿回旋静脈（内側大腿回旋動脈と平行に走る伴行静脈). ＝venae circumflexae femoris mediales [TA].

medial v. of lateral ventricle [TA]. 内側側脳室静脈（側頭葉および頭頂葉深部の血液を集め，側脳室の内側壁を通って内包静脈あるいは大大脳静脈に注ぐ静脈). ＝vena medialis ventriculi lateralis [TA]; medial atrial v.; vena atrii medialis.

medial marginal v. of foot [TA]. 足の内側辺縁静脈（足底および足背静脈弓の内側端をつなぐ静脈で，大伏在静脈に注ぐ). ＝vena marginalis medialis pedis [TA].

median antebrachial v. [TA]. 前腕正中皮静脈（母指基部背面から起こり橈側を回って前腕屈側中央を上行し，肘窩の直下で分岐して尺側中間皮静脈と橈側中間皮静脈になる．ときには下方で分枝して尺側皮静脈と肘中間皮静脈に合流することもある). ＝vena mediana antebrachii [TA]; median v. of forearm*; intermediate antebrachial v.; intermediate v. of forearm; vena intermedia antebrachii.

median basilic v. 尺側正中皮静脈. ＝intermediate basilic v.

median cephalic v. 橈側正中皮静脈. ＝intermediate cephalic v.

median cubital v. [TA]. 肘正中皮静脈（肘窩前面を横切って橈側皮静脈と尺側皮静脈を結ぶ静脈．通常，中間橈側皮静脈と中間尺側皮静脈とよび変えられている．しばしば静脈穿刺に用いられる). ＝vena mediana cubiti [TA]; intermediate cubital v.; vena intermedia cubiti.

median v. of forearm* 前腕正中皮静脈（median antebrachial v. の公式の別名).

median v. of neck 頸正中静脈（しばしば2つの前頸静脈が合一して存在する静脈).

median sacral v. [TA]. 正中仙骨静脈（正中仙骨動脈に伴行し，仙骨静脈叢から血液を受け左総腸骨静脈に注ぐ一対の静脈). ＝vena sacralis mediana [TA].

mediastinal v.'s [TA]. 縦隔静脈（縦隔から腕頭静脈または上大静脈へ注ぐ数本の小静脈). ＝venae mediastinales [TA].

medium v. 中静脈（対応する動脈よりも薄い壁で，より大きい管腔を有し，かなりの結合組織で分けられた輪状筋の小束からなる中膜をもった静脈．また弁を有する).

v.'s of medulla oblongata 延髄静脈（延髄から血液を集める静脈で，前脊髄静脈や錐体静脈に注ぐ．前内側延髄静脈，前外側延髄静脈，横延髄静脈，背側延髄静脈，後内側延髄静脈が含まれる）．＝venae medullae oblongatae［TA］.

meningeal v.'s［TA］．硬膜静脈（硬膜動脈に伴行する静脈．静脈洞および板間静脈と交通し，頭蓋冠外部の局所の静脈へ血液を導く）．＝venae meningeae［TA］.

mesencephalic v.'s 中脳静脈（中脳からの血液を集める静脈．後枝は大大脳静脈に，外側枝は脳底静脈に注ぐ．主な流入枝は橋中脳静脈，脚間静脈，丘間静脈，外側静脈である）．＝venae mesencephalicae.

mesenteric v.'s 腸間膜静脈（→inferior mesenteric v.; superior mesenteric v.）.

metacarpal v.'s 中手静脈（→dorsal metacarpal v.'s; palmar metacarpal v.'s）.

middle cardiac v.［TA］．中心臓静脈（大心臓静脈と吻合のある心尖に始まり，後室間溝を上行して冠状静脈洞へ流れる）．＝vena cordis media*; inferior cardiac v.; vena cardiaca media［TA］; vena interventricularis posterior*; posterior interventricular v.

middle colic v.［TA］．中結腸静脈（中結腸動脈に伴行する上腸間膜静脈の枝で横行結腸から血液を集める）．＝vena colica media［TA］.

middle hemorrhoidal v.'s middle rectal v.'s を表す現在では用いられない語.

middle hepatic v.'s 中肝静脈．＝intermediate hepatic v.'s.

middle lobe v. of right lung［TA］．右肺中葉静脈（右上肺静脈の中葉枝）．＝vena lobi medii pulmonis dextri［TA］; middle lobe branch of right superior pulmonary vein; ramus lobi medii venae pulmonalis dextrae superioris.

middle meningeal v.'s［TA］．中硬膜静脈（翼突筋静脈叢に注ぐ中硬膜動脈の伴行静脈）．＝venae meningeae mediae［TA］.

middle rectal v.'s［TA］．中直腸静脈（直腸静脈叢(この中で上直腸静脈と吻合している)から出て内腸骨静脈にはいる数本の静脈で最終的には下大静脈に流入する．上直腸静脈は最終的には門脈と連絡しているので，中直腸静脈は門脈大静脈間吻合血管として機能する．門脈圧亢進がない場合には直腸静脈叢に静脈瘤が起こりやすい）．＝venae rectales mediae［TA］.

middle temporal v.［TA］．中側頭静脈（外眼角付近から発し，浅側頭静脈と合流して下顎後静脈をつくる）．＝vena temporalis media［TA］.

middle thyroid v.［TA］．中甲状腺静脈（甲状腺から出て総頸動脈を横切り下甲状腺動脈に少し離れて伴行して内頸静脈に注ぐ）．＝vena thyroidea media［TA］.

musculophrenic v.'s［TA］．筋横隔静脈（筋横隔動脈に伴い，上腹壁，下位肋間隙の前部，および横隔膜から血液を集める静脈）．＝venae musculophrenicae［TA］.

nasofrontal v.［TA］．鼻前頭静脈（眼窩の前内側部にあり，上眼静脈と眼角静脈を結ぶ静脈）．＝vena nasofrontalis［TA］.

nutrient v.［TA］．栄養静脈（骨内を流れる静脈で，栄養孔から出る）．＝vena nutricia［TA］.

oblique v. of left atrium［TA］．左心房斜静脈（左心房の後壁の小静脈で大心臓静脈と合流して冠状静脈洞に至る．発生期の左総主静脈に由来するもので，ときとして左上大静脈となって残ることもある）．＝vena obliqua atrii sinistri［TA］; Marshall oblique v.

obturator v.'s［TA］．閉鎖静脈（股関節，閉鎖筋，大腿内転筋群の血液を集める枝の合流した静脈で，閉鎖動脈に伴行して閉鎖孔を通って骨盤にはいり内腸骨静脈に流入する）．＝vena obturatoria［TA］.

occipital v.［TA］．後頭静脈，後頭葉静脈（後頭部からの血液を集め内頸静脈あるいは後頭下静脈叢に注ぐ）．＝vena occipitalis［TA］.

occipital cerebral v.'s 後頭葉静脈（後頭葉の血液を集め上矢状静脈洞や横静脈洞に注ぐ）．＝venae encephali occipitales［TA］.

occipital diploic v.［TA］．後頭板間静脈（後頭骨の板間層の静脈で，様々な部位，すなわち後頭静脈，静脈洞交会近くの横静脈洞，あるいは後頭導出静脈に注ぐ）．＝vena diploica occipitalis［TA］.

occipital emissary v.［TA］．後頭導出静脈（後頭静脈と静脈洞交会とを後頭鱗を貫通してつなぐ不定の静脈）．＝vena emissaria occipitalis［TA］; emissarium occipitale.

v. of olfactory gyrus［TA］．嗅回静脈（内側嗅条から血液を集めて脳底静脈に注ぐ枝．→basal v.）．＝vena gyri olfactorii［TA］.

ophthalmic v.'s 眼静脈（→inferior ophthalmic v.; superior ophthalmic v.）.

orbital v.'s［TA］．眼窩静脈（眼窩内に位置する静脈で，眼静脈とその枝からなる）．＝venae orbitae［TA］.

ovarian v.'s 卵巣静脈（→right ovarian v.; left ovarian v.）.

palmar digital v.'s［TA］．掌側指静脈（固有指動脈および総指動脈に伴行する1対の静脈で浅掌静脈弓へ注ぐ）．＝venae digitales palmares［TA］.

palmar metacarpal v.'s［TA］．掌側中手静脈（橈骨静脈と尺骨静脈が起こる深掌静脈弓に注ぐ）．＝venae metacarpales palmares［TA］.

palpebral v.'s［TA］．眼瞼静脈（上眼瞼後方の血液を集め上眼静脈に注ぐ）．＝venae palpebrales［TA］; v.'s of eyelids.

pancreatic v.'s［TA］．膵静脈（膵臓から出て脾静脈および上腸間膜静脈に注ぐ静脈）．＝venae pancreaticae［TA］.

pancreaticoduodenal v.'s［TA］．膵十二指腸静脈（上下の膵十二指腸動脈に伴行し，上腸間膜静脈または門脈に注ぐ）．＝venae pancreaticoduodenales［TA］.

paraumbilical v.'s［TA］．臍傍静脈（臍周囲の皮静脈から出発し肝円索に沿って進み，副門静脈として肝臓の実質内に終わる数個の小静脈．これらの小静脈は門脈大静脈間吻合血管をなしており，門脈圧が亢進すると静脈瘤を起こしやすい．静脈瘤を起こした臍傍静脈は〝メズサの頭〟となって現れる）．＝venae paraumbilicales［TA］; Sappey v.'s.

parietal v.'s［TA］．頭頂葉静脈（頭頂葉の表在静脈で，上矢状静脈洞に注ぐ）．＝venae parietales.

parietal emissary v.［TA］．頭頂導出静脈（上矢状静脈洞と浅側頭静脈などの頭皮静脈とを結合する静脈）．＝vena emissaria parietalis［TA］; emissarium parietale; Santorini v.

parotid v.'s［TA］．耳下腺静脈（耳下腺の一部からの血液を集め，下顎後静脈に注ぐ）．＝venae parotideae［TA］; posterior parotid v.'s.

pectoral v.'s［TA］．胸筋静脈（胸筋からの血液を集め，直接鎖骨下静脈に注ぐ静脈）．＝venae pectorales［TA］.

peduncular v.'s［TA］．大脳脚静脈（大脳脚から脳底静脈に注ぐ数本の小静脈．→basal v.）．＝venae pedunculares［TA］.

perforating v.'s［TA］．貫通静脈（①大腿深動脈からの貫通動脈に伴う静脈．外側広筋と大腿屈筋群から血液を集めて，大腿深静脈に注ぐ．②特に下肢において浅在性の静脈が深在性の筋膜下の静脈に注ぐところにある弁をもった静脈で，それにより筋静脈ポンプによって血液を重力に逆らって心臓に戻すことができる）．＝venae perforantes［TA］.

pericardiacophrenic v.'s［TA］．心膜横隔静脈（心膜横隔動脈に伴い，腕頭静脈または上大静脈に注ぐ静脈）．＝venae pericardiacophrenicae［TA］.

pericardial v.'s［TA］．心膜静脈（心膜から始まり直接腕頭静脈または上大静脈に注ぐ小静脈）．＝venae pericardiacae［TA］.

peroneal v.'s* 腓骨静脈（fibular v.'s. の公式の別名）.

petrosal v.［TA］．錐体静脈（上錐体静脈洞からの枝で，中脳，橋，小脳前葉外側部からの静脈を受ける）.

pharyngeal v.'s［TA］．咽頭静脈（咽頭静脈叢から内頸静脈に注ぐ数個の静脈）．＝venae pharyngeae［TA］.

phrenic v.'s 横隔静脈（→inferior phrenic v.; superior phrenic v.'s）.

plantar digital v.'s［TA］．底側指静脈（足指の底側から，また背側先端から血液を集め，後方へ走って4本の中足静脈となり足底静脈弓へ注ぐ）．＝venae digitales plantares［TA］.

plantar metatarsal v.'s［TA］．底側中足静脈（足の底側指静脈から血液を受け深足底静脈弓に流入し，内側および外側足底静脈に注ぐ）．＝venae metatarsales plantares［TA］.

V

v.'s of pons 橋静脈．＝pontine v.'s.

pontine v.'s 橋静脈（橋の表面を横走する数本の静脈で錐体静脈に注ぐ．以下の静脈からなる．前内側橋静脈，前外側橋静脈，横橋静脈，外側橋静脈）．＝venae pontis［TA］; v.'s of pons.

pontomesencephalic v. →anterior pontomesencephalic v.

popliteal v.［TA］．膝窩静脈（膝窩筋下縁で前・後脛骨静脈が合流して形成され，膝窩を上行して小伏在静脈の流入を受けた後，内転筋裂孔を通って大腿静脈となって内転筋管にはいる）．＝vena poplitea［TA］.

portal v. 門脈．＝hepatic portal v.

posterior v.［TA］．後上葉静脈（右肺の上葉後部から酸素で飽和した血液を集めて，右上肺静脈に注ぐ静脈）．＝posterior branch of right superior pulmonary vein［TA］; ramus posterior venae pulmonalis dextrae superioris［TA］; vena posterior［TA］.

posterior anterior jugular v. 外側浅頸静脈（頸の上後部より起こる，外頸静脈に注ぐ不定枝）．

posterior auricular v.［TA］．後耳介静脈（耳の後ろの血液を集め下顎後静脈と合流して外頸静脈となる）．＝vena auricularis posterior［TA］.

posterior cardinal v.'s 後主静脈（→cardinal v.'s）．

posterior circumflex humeral v.［TA］．後上腕回旋静脈（同名の動脈に伴行する静脈で，上腕骨外科頸の後ろを通り，それから前に四角間隙を経て腋窩静脈に注ぐ）．＝vena circumflexa humeri posterior［TA］.

posterior v. of corpus callosum［TA］．後脳梁静脈（脳梁上面からの血液を集め，後方に走って大大脳静脈に注ぐ静脈）．＝dorsal v. of corpus callosum［TA］; vena posterior corporis callosi［TA］; vena dorsalis corporis callosi*; dorsal callosal v.; posterior marginal v.; posterior pericallosal v.

posterior facial v. 後顔面静脈．＝retromandibular v.

v. of posterior horn 後角静脈（側脳室後角表面の血液を集めて大大脳静脈に注ぐ静脈）．＝vena cornus posterioris［TA］.

posterior intercostal v.'s［TA］．肋間静脈（肋間隙から後方に血液を集める静脈．第1肋間隙からの静脈は腕頭静脈へ，第2－3間隙からの静脈は左右の上肋間静脈へ，右の第4－11間隙からの静脈は奇静脈へ，左の第4－11間隙からの静脈は半奇静脈もしくは副半奇静脈へ流入する）．＝venae intercostales posteriores［TA］.

posterior interventricular v. 後室間静脈．＝middle cardiac v.

posterior labial v.'s［TA］．後陰唇静脈（大陰唇，小陰唇から後方へ走り内陰部静脈へ注ぐ）．＝venae labiales posteriores［TA］.

posterior v.(s) of left ventricle［TA］．左心室後静脈（心尖に近い横隔面から発し，後室間溝に平行して左方に進み冠状静脈洞に注ぐ）．＝vena(e) posterior(es) ventriculi sinistri.

posterior marginal v. ＝posterior v. of corpus callosum.

posterior parotid v.'s ＝parotid v.'s.

posterior pericallosal v. ＝posterior v. of corpus callosum.

posterior scrotal v.'s［TA］．後陰嚢静脈（陰嚢の後面から出て内陰部静脈に注ぐ静脈）．＝venae scrotales posteriores［TA］.

posterior v. of septum pellucidum［TA］．後透明中隔静脈（透明中隔の後方の血液を集めて上視床線条体静脈へ注ぐ静脈）．＝vena posterior septi pellucidi［TA］.

posterior temporal diploic v.［TA］．後側頭板間静脈（頭頂骨後部の板間層を下方に走る静脈で，骨の内板を貫くか乳突孔を通って，横静脈洞かS状静脈洞に注ぐ）．＝vena diploica temporalis posterior.

posterior tibial v.'s［TA］．後脛骨静脈（後脛骨動脈に伴行する静脈で前脛骨動脈に伴行する静脈と合流して膝窩静脈となる）．＝venae tibiales posteriores［TA］.

precentral cerebellar v.［TA］．小脳中心前静脈（小脳中心前裂に起こり山頂の前上方を通過する途中で大大脳静脈に注ぐ）．＝vena precentralis cerebelli［TA］.

prefrontal v.'s 前前頭回静脈（前前頭回の表在静脈で，上矢状静脈洞に注ぐ）．＝venae prefrontales［TA］.

prepyloric v.［TA］．幽門前静脈（幽門の前，十二指腸に続く部分を通る右胃静脈の源流）．＝vena prepylorica［TA］; Latarget v.; Mayo v.

profunda femoris v.［TA］．大腿深静脈（大腿深動脈に伴行し大腿の後外側面から貫通静脈を受ける静脈．大腿三角で通常は内側・外側大腿回旋静脈とともに大腿静脈にはいる）．＝vena profunda femoris［TA］; deep v. of thigh*; deep femoral v.

v. of pterygoid canal［TA］．翼突管静脈（神経および動脈とともに翼突管を通り咽頭静脈叢へ注ぐ静脈）．＝vena canalis pterygoidei［TA］; vidian v.

pubic v.［TA］．恥骨静脈（恥骨体の後面を上行して下腹壁静脈に注ぐ静脈．本静脈はしばしば(約20％の頻度で)，副閉鎖静脈あるいは閉鎖静脈に代わる静脈として機能している）．＝vena pubica［TA］; pubic branch of inferior epigastric vein*［TA］; ramus pubicus venae epigastricae inferioris*［TA］; vena obturatoria accessoria*.

pudendal v.'s 陰部静脈（→external pudendal v.'s; internal pudendal v.）．

pulmonary v.'s［TA］．肺静脈（肺から左心房へ有酸素血液を運ぶ左右2本ずつ，合計4本の静脈．左肺からのものと右肺下葉からのものは同名の葉静脈とよばれ，右上肺静脈が右肺上葉と中葉の血液を集める．→left inferior pulmonary v.; left superior pulmonary v.; right inferior pulmonary v.; right superior pulmonary v.）．＝venae pulmonales［TA］.

pyloric v. ＝right gastric v.

radial v.'s［TA］．橈骨静脈（深手掌動脈弓の橈側から出る橈骨動脈に伴行する静脈で肘窩で上腕動脈の伴行静脈に流入する）．＝venae radiales［TA］.

renal v.'s［TA］．腎静脈（腎動脈の前で腎区静脈が合流して腎門の中で形成される太い静脈で，第二腰椎の高さで下大静脈に直角に流入する．左腎静脈は左副腎静脈と左精巣・卵巣静脈の流入を受けた後，腹大動脈と上腸間膜動脈の間を通過する(そこで圧迫されることがある))．＝venae renales.

retromandibular v.［TA］．下顎後静脈（耳の前で浅側頭静脈と上顎静脈とが合流して形成され，下顎枝の後方へ進んで耳下腺を通過し後耳介静脈と合流して外頸静脈となる．通常は顔面静脈との長い交通枝を有する）．＝vena retromandibularis［TA］; posterior facial v.; temporomaxillary v.; vena facialis posterior.

retroperitoneal v.'s 腹膜後静脈（例えば上行結腸・下行結腸など腹膜後器官からの静脈によって形成される門脈大静脈間吻合血管をいう．これらの器官からの静脈は門脈に流入せず体後壁で下大静脈に流入する）．＝Retzius v.'s; Ruysch v.'s; venae retroperitoneales.

Retzius v.'s (ret′zē-ŭs)．レッチウス静脈．＝retroperitoneal v.'s.

right atrial v.'s［TA］．右心房静脈（右心房壁の心筋の血液を集め，右心房に直接注ぐ最小の心静脈）．＝venae atriales dextrae.

right colic v.［TA］．右結腸静脈（右結腸動脈と平行して流れ，上行結腸および右結腸曲部から血液を集める静脈）．＝vena colica dextra［TA］.

right gastric v.［TA］．右胃静脈（胃の上部の両面から静脈を受け，胃の小弯に沿って右方へ走り，門脈へ注ぐ）．＝vena gastrica dextra［TA］; pyloric v.

right gastroepiploic v.* 右胃大網静脈（right gastroomental v. の公式の別名）．

right gastroomental v.［TA］．右胃大網静脈（右胃大網動脈に伴行して胃の大弯に沿って走り，上腸間膜静脈に注ぐ）．＝vena gastroomentalis dextra［TA］; right gastroepiploic v.*; vena gastroepiploica dextra*.

right hepatic v.'s［TA］．右肝静脈（肝臓右葉の大部分(後外側区 VII)，右の前外側区 VI，後および下前内側区 V，VIII の血液を集める静脈で，通常は1本ときに2本で肝上面と横隔膜との間で下大静脈の肝上部の右側部に注ぐ．1本のときは肝臓で最大の静脈となる）．＝venae hepaticae dextrae［TA］.

right inferior pulmonary v.［TA］．右下肺静脈（右肺下葉から左心房に酸素化された血液を戻す静脈．右下葉からの上肺底静脈や総肺底静脈が流入する）．＝vena pulmonalis inferior dextra［TA］.

right marginal v. [TA]. 右辺縁静脈（心臓の右辺縁(右心室)に沿って走り，右冠状溝で小心臓静脈に注ぐ静脈）. = vena marginalis dextra [TA].

right ovarian v. [TA]. 右卵巣静脈（卵巣門の蔓状静脈叢に始まり，下大静脈に注ぐ）. = vena ovarica dextra [TA].

right superior intercostal v. [TA]. 右上肋間静脈（右第二・第三・第四肋間静脈の結合によって形成される奇静脈の枝）. = vena intercostalis superior dextra [TA].

right superior pulmonary v. [TA]. 右上肺静脈（右肺上葉および中葉から左心房に酸素化された血液を戻す静脈．右上葉からの前肺尖静脈，後肺尖静脈と中葉からの静脈が流入する）. = vena pulmonalis superior dextra [TA].

right suprarenal v. [TA]. 右副腎(腎上体)静脈（右副腎門から下大静脈にはいる短い静脈）. = vena suprarenalis dextra [TA].

right testicular v. [TA]. 右精巣静脈（蔓状静脈叢として発し上行して下大静脈にはいる）. = vena testicularis dextra [TA].

Rosenthal v. (rō′zen-thahl). ローゼンタール静脈. = basal v.

Ruysch v.'s (roysh). ライシュ静脈. = retroperitoneal v.'s.

sacral v.'s 仙骨静脈（⇀lateral sacral v.'s; median sacral v.）.

Santorini v. (sahn-tō-rē′nē). サントリーニ静脈. = parietal emissary v.

saphenous v.'s 伏在静脈（⇀accessory saphenous v.; great saphenous v.; small saphenous v.）.

Sappey v.'s (sah-pā′). サペー静脈. = paraumbilical v.'s.

v. of scala tympani [TA]. 鼓室階の静脈（蝸牛鼓室階の血液を集め総蝸牛軸静脈に注ぐ）. = vena scalae tympani [TA].

v. of scala vestibuli [TA]. 前庭階の静脈（蝸牛前庭階の血液を集め総蝸牛軸静脈に注ぐ）. = vena scalae vestibuli [TA].

scleral v.'s [TA]. 強膜静脈（強膜の血液を集め前毛様体静脈に注ぐ枝）. = venae sclerales [TA].

scrotal v.'s 陰嚢静脈（⇀anterior scrotal v.'s; posterior scrotal v.'s）.

v.'s of semicircular ducts [TA]. 半規管の静脈（半規管，特に膨大部の血液を集め前庭水管の静脈に注ぐ）. = venae ductuum semicircularium [TA].

v. of septum pellucidum 透明中隔静脈（⇀anterior v. of septum pellucidum; posterior v. of septum pellucidum）.

short gastric v.'s [TA]. 短胃静脈（胃底および胃壁の左側から流れ出る小静脈で，脾静脈へ注ぐ）. = venae gastricae breves [TA].

short saphenous v. = small saphenous v.

sigmoid v.'s [TA]. S 状結腸静脈（S 状結腸からの血液を集める．下腸間膜静脈の数本の枝）. = venae sigmoideae [TA].

small v. 小静脈（薄い静脈で，3 膜層はほとんど区別しにくい．縦走の弾力網が存在し，輪状に配列する中膜の平滑筋は不完全で 1 層または 2 層である）.

small cardiac v. [TA]. 小心〔臓〕静脈（右心室の右縁から冠状溝を冠状動脈に伴行し，冠状静脈洞または中心臓静脈へ注ぐ不定の静脈）. = vena cardiaca parva [TA]; vena cordis parva*.

smallest cardiac v.'s [TA]. 細小心〔臓〕静脈（心臓壁における毛細血管床から直接心室へ開口している多数の小無弁静脈管で心臓に特有の側副路を形成している）. = venae cardiacae minimae [TA]; venae cordis minimae*; thebesian v.'s.

small saphenous v. [TA]. 小伏在静脈（足の外側の，小指の背側指静脈と足背静脈弓の合流から発し，外果の後方を踵骨腱の外側縁に沿い，次いでふくらはぎの中央を通って膝窩の下面へ上り，膝窩静脈に注ぐ）. = vena saphena parva [TA]; short saphenous v.

spermatic v. 精巣の静脈（⇀right testicular v.; left testicular v.）.

spinal v.'s [TA]. 脊髄静脈（脊髄からの血液を集める前と後ろの静脈．脊髄の表面で静脈叢を形成し，ここから脊髄根に沿って内椎骨静脈叢に注ぎ，次いでその領域の区静脈すなわち胸郭の肋間静脈に流入する）. = venae spinales [TA].

v.'s of spinal cord [TA]. 脊髄の静脈（脊髄の表面にある前・後脊髄静脈）. = venae medullae spinalis [TA].

spiral v. of modiolus 蝸牛軸ラセン静脈. = common modiolar v.

splenic v. [TA]. 脾静脈（脾臓の前面の脾門でいくつかの小静脈と短胃静脈，左胃大網静脈との合流によって始まり，脾腎ひだを通って左腎の方へ後走し，膵臓上縁の後方を走り，膵頭と膵体の境にわたって上腸間膜静脈と合流して門脈となる）. = vena splenica [TA]; vena lienalis*.

stellate v.'s 星状静脈. = *venulae* stellatae(⇌venula).

stellate v.'s of kidney [TA]. 腎臓の星状細静脈（腎臓の被膜下にある星形をした静脈．小葉間静脈に注ぐ）. = venae stellatae renis [TA].

Stensen v.'s (sten′sěn). ステンセン静脈. = vorticose v.'s.

sternocleidomastoid v. [TA]. 胸鎖乳突筋静脈（胸鎖乳突筋に発し後頭動脈の胸鎖乳突筋枝に伴行し内頸静脈もしくは上甲状腺静脈に流入する静脈）. = vena sternocleidomastoidea [TA].

striate v.'s = inferior thalamostriate v.'s.

stylomastoid v. [TA]. 茎乳突孔静脈（鼓室の血液を集め顔面神経管を横切り茎乳突孔を通って下顎後静脈に流入する静脈）. = vena stylomastoidea [TA].

subclavian v. [TA]. 鎖骨下静脈（第一肋骨の外側縁からの腋窩静脈の直接の続き．両側とも内側方に走り内頸静脈と合流して腕頭静脈となる）. = vena subclavia [TA].

subcostal v. [TA]. 肋下静脈（同名の動脈に伴って第十二肋骨の下縁を走る静脈．上行腰静脈に注いで，(右側では)奇静脈，(左側では)半奇静脈の形成に関与する）. = vena subcostalis [TA].

subcutaneous v.'s of abdomen 腹皮下静脈（腹壁浅層の静脈網で胸腹壁静脈，浅腹壁静脈，上腹壁静脈に流入し，臍傍静脈との交通枝によって門脈大静脈間吻合血管を形成している）. = venae subcutaneae abdominis.

sublingual v. [TA]. 舌下静脈（口腔底で舌下動脈に伴行する静脈で舌下神経の外側を通り深舌静脈と合流して舌静脈となるか舌下神経の伴行静脈に合流する）. = vena sublingualis [TA].

submental v. [TA]. おとがい下静脈（おとがい下にあり舌下静脈と吻合し，前頸静脈と結合して顔面静脈に注ぐ）. = vena submentalis [TA].

subscapular v. [TA]. 肩甲下静脈（胸背静脈と肩甲回旋静脈が合流してできる静脈で，同名の動脈に伴行し，腋窩静脈に注ぐ）. = vena subscapularis [TA].

superficial v. [TA]. 皮静脈，浅静脈（皮下組織を走り深静脈へ流入する多数の静脈．四肢において顕著な走系を形成し，通常は動脈に伴行しない．次頁の図参照）. = vena cutanea [TA]; vena superficialis [TA]; cutaneous v.

superficial cerebral v.'s [TA]. 浅大脳静脈（大脳半球に表在する静脈で，上・中・下の 3 群からなる）. = venae superficiales cerebri [TA].

superficial circumflex iliac v. [TA]. 浅腸骨回旋静脈（同名の動脈に対応し，通常は大伏在静脈に，ときには大腿静脈に注ぐ）. = vena circumflexa ilium superficialis [TA].

superficial dorsal v.'s of clitoris [TA]. 浅陰核背静脈（陰核の背の上の一対の静脈．両側で外陰部静脈への枝となる）. = venae dorsales clitoridis superficiales [TA].

superficial dorsal v.'s of penis [TA]. 浅陰茎背静脈（陰茎背を陰茎筋膜の浅層を走る一対の静脈．両側の外陰部静脈の枝）. = venae dorsales penis superficiales [TA].

superficial epigastric v. [TA]. 浅腹壁静脈（前腹壁の下部および内側部の血液を集め，大伏在静脈へ注ぐ）. = vena epigastrica superficialis [TA].

superficial femoral v. 大腿浅静脈（大腿深静脈になる前の浅層の大腿静脈部分に対して，一般的に用いられている誤称）.

superficial v.'s of the lower limb [TA]. 下肢の浅静脈（⇀superficial v.）. = venae superficiales membri inferioris [TA].

superficial middle cerebral v. [TA]. 浅中大脳静脈（大脳外側溝の線に沿って流れ，海綿静脈洞につながる大きな静

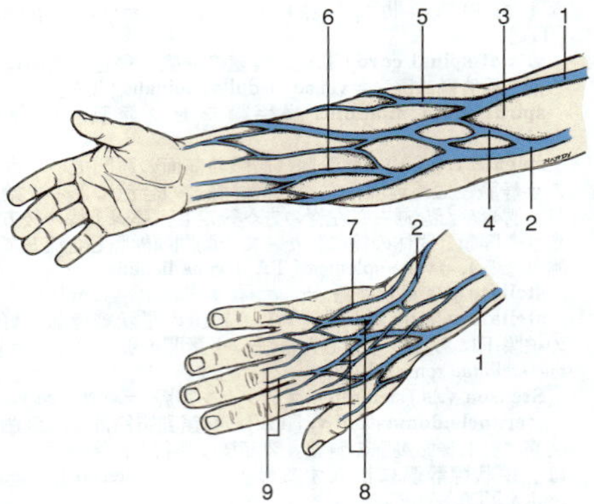

superficial veins of the hand and forearm

非経口的に液，薬物，血液生成物などを注入するための静脈注射針やカテーテルの挿入部位を示している．1：橈側皮静脈，2：尺側皮静脈，3：前肘窩，4：肘正中皮静脈，5：副橈側皮静脈，6：前正中皮静脈，7：手背静脈網，8：中手静脈，9：指の静脈．

脈．これは上矢状静脈洞および横静脈洞と上・下吻合静脈によってそれぞれ連結する）．＝vena media superficialis cerebri.

superficial temporal v.'s [TA]．浅側頭静脈（側頭部から出て上顎静脈に合流して下顎後静脈となる静脈）．＝venae temporales superficiales [TA].

superficial v.'s of the upper limb [TA]．上肢の浅静脈（→superficial v.）．＝venae superficiales membri superioris [TA].

superior v. [TA]．上下葉静脈（右肺の下葉上部から酸素で飽和した血液を集めて，右下肺静脈に注ぐ静脈）．＝vena superior.

superior anastomotic v. [TA]．上吻合静脈（浅中大脳静脈と上矢状静脈洞との間の大きな交通静脈．外側溝から上方へ，しばしば中心溝に沿って走る）．＝vena anastomotica superior [TA]; Trolard v.

superior basal v. [TA]．上肺底静脈（各肺の下葉の外側部および前部からの血液を集める総肺底静脈の枝）．＝vena basalis superior [TA].

superior v.'s of cerebellar hemisphere [TA]．上小脳半球静脈（小脳半球の上部から血液を集める静脈で，上錐体静脈洞および錐体静脈に注ぐ）．＝venae hemispherii cerebelli superiores [TA].

superior cerebral v.'s [TA]．上大脳静脈（半球皮質の凸面部の血液を集め上矢状静脈洞へ注ぐ多数（8－10）の静脈．硬膜とクモ膜の境界面を通り吻側へ曲がり，鋭い前角をつくって洞にはいる．流出する皮質領域によって次の5群に分けられる．前頭前静脈，前頭静脈，頭頂静脈，側頭静脈，後頭静脈）．＝venae superiores cerebri [TA].

superior choroid v. [TA]．上脈絡叢静脈（側脳室の脈絡叢にまつわる屈曲した静脈で，上視床線条体静脈および前透明中隔静脈と合して内大脳静脈となる）．＝vena choroidea superior [TA].

superior epigastric v.'s [TA]．上腹壁静脈（同名の動脈に伴行し内胸静脈へ注ぐ）．＝venae epigastricae superiores [TA].

v.'s of superior eyelid 上眼瞼静脈．＝superior palpebral v.'s.

superior gluteal v.'s [TA]．上殿静脈（上殿静脈と伴行し，骨盤へ2本の静脈としてはいった後，合流して内腸骨静脈へ注ぐ）．＝venae gluteae superiores [TA].

superior hemorrhoidal v. superior rectal v. を表す，現在では用いられない語．

superior intercostal v. →left superior intercostal v.; right superior intercostal v.

superior labial v. [TA]．上唇静脈（上口唇から血液を集め顔面静脈へ注ぐ）．＝vena labialis superior [TA].

superior laryngeal v. [TA]．上喉頭静脈（上喉頭動脈に伴行し，上甲状腺静脈へ注ぐ静脈）．＝vena laryngea superior [TA].

superior mesenteric v. [TA]．上腸間膜静脈（右腸骨窩の回腸から始まり，腸間膜根の中を上行し，膵臓の後方で脾静脈と合流して門脈となる）．＝vena mesenterica superior [TA].

superior ophthalmic v. [TA]．上眼静脈（前方で鼻前頭静脈から発し，眼窩内側壁上部に沿って走り，上眼窩裂を通って海綿静脈洞に注ぐ）．＝vena ophthalmica superior [TA].

superior palpebral v.'s [TA]．上眼瞼静脈（上眼瞼からの血液を集め眼角静脈に注ぐ）．＝venae palpebrales superiores [TA]; v.'s of superior eyelid.

superior phrenic v.'s [TA]．上横隔静脈（横隔膜上面からの血液を集める小静脈．奇静脈および半奇静脈に流入する）．＝venae phrenicae superiores [TA].

superior posterior pancreaticoduodenal v. [TA]．後上膵十二指腸静脈（膵頭部の(ほぼ)上半分後部の血液を集め，門脈に注ぐ静脈）．＝vena pancreaticoduodenalis superior posterior [TA].

superior rectal v. [TA]．上直腸静脈（直腸静脈叢の大部分からの血液を集め，直腸間膜の間を骨盤縁に上行し，下腸間膜静脈になる．門脈の枝として門脈大静脈間吻合血管をなし，直腸静脈叢を経て中・下直腸静脈(大静脈の枝)と吻合する）．＝vena rectalis superior [TA].

superior thalamostriate v. [TA]．上視床線条体静脈（視床と尾状核の間の溝を前方へ走る長い静脈で，付着板におおわれ，外側から数条の横尾状核静脈が流入し，Monro孔の尾側壁で脈絡叢静脈および透明中隔静脈と合して内大脳静脈となる）．＝vena thalamostriata superior [TA]; terminal v.*; vena terminalis*; v. of corpus striatum.

superior thyroid v. [TA]．上甲状腺静脈（甲状腺と喉頭上部からの血液を受け，同名動脈に伴い内頸静脈に注ぐ）．＝vena thyroidea superior [TA].

superior v. of vermis [TA]．上虫部静脈（小脳上部の血液を集め，虫部の上面を通って内大脳静脈に注ぐ静脈）．＝vena superior vermis [TA].

supraorbital v. [TA]．眼窩上静脈（頭皮前面からの血液を集め，滑車上静脈と合流して眼角静脈をつくる）．＝vena supraorbitalis [TA].

suprarenal v.'s 副腎(腎上体)静脈（→right suprarenal v.; left suprarenal v.）．

suprascapular v. [TA]．肩甲上静脈（肩甲上動脈に伴う静脈．外頸静脈にはいる）．＝vena suprascapularis [TA]; transverse v. of scapula; vena transversa scapulae.

supratrochlear v.'s [TA]．滑車上静脈（頭皮前部からの血液を集め，眼窩上静脈と合流して眼角静脈をつくる数個の静脈）．＝venae supratrochleares [TA]; frontal v.'s (2); venae frontales [TA].

supreme intercostal v. [TA]．最上肋間静脈（第一肋間隙からの血液を集め，椎骨静脈または腕頭静脈へ注ぐ）．＝vena intercostalis suprema [TA]; highest intercostal v.

sural v.'s [TA]．腓腹静脈（下腿後面上部で同名の動脈に伴行し，膝窩静脈に注ぐ静脈）．＝venae surales [TA].

surface thalamic v.'s ＝direct lateral v.'s.

temporal v.'s 側頭静脈（→middle temporal v.; deep temporal v.'s; superficial temporal v.'s）．

v.'s of temporomandibular joint 顎関節静脈（顎関節から下顎後静脈に注ぐ数本の静脈．→articular v.'s）．＝venae articulares temporomandibulares.

temporomaxillary v. ＝retromandibular v.

terminal v.* 分界静脈（superior thalamostriate v. の公式の別名）．

testicular v.'s 精巣静脈（→right testicular v.; left testicular v.）．

thalamostriate v.'s 視床線条体静脈（→inferior thalamostriate v.'s; superior thalamostriate v.）．

thebesian v.'s テベージウス静脈．＝smallest cardiac v.'s.

thoracic v.'s 胸静脈（→internal thoracic v.; lateral thoracic v.）．

thoracoacromial v. [TA]．胸肩峰静脈（同名動脈に対

応し，ときには橈側皮静脈と合流して腋窩静脈に注ぐ）．＝vena thoracoacromialis［TA］; thoracic axis (2).

thoracodorsal v.［TA］．胸背静脈（同名の動脈に伴行する静脈で，広背筋上部の血液を集め，肩甲回旋静脈と合流して肩甲下静脈を形成する）．＝vena thoracodorsalis［TA］．

thoracoepigastric v.［TA］．胸腹壁静脈（浅腹壁静脈の領域から出て腋窩静脈または外側胸静脈にはいる２本，ときに１本の静脈で，上大静脈と下大静脈の吻合もしくは側副路をなしている）．＝vena thoracoepigastrica［TA］．

thymic v.'s［TA］．胸腺静脈（胸腺から出て，左腕頭静脈に注ぐいくつかの小静脈）．＝venae thymicae［TA］．

thyroid v.'s 甲状腺静脈（→inferior thyroid v.; middle thyroid v.; superior thyroid v.; *plexus* venosus thyroideus impar）．

tracheal v.'s［TA］．気管静脈（気管から出発する数本の小静脈で，腕頭静脈または上大静脈に注ぐ）．＝venae tracheales［TA］．

transverse cervical v.'s［TA］．頸横静脈（同名動脈に伴う静脈で，外頸静脈またときには鎖骨下静脈に注ぐ）．＝venae transversae cervicis［TA］; venae transversae colli☆; transverse v.'s of neck.

transverse v. of face 顔面横静脈．＝transverse facial v.

transverse facial v.［TA］．横顔面静脈（浅側頭静脈および下顎後静脈の枝で顔面静脈と吻合する）．＝vena transversa faciei［TA］; transverse v. of face.

transverse v.'s of neck 頸横静脈．＝transverse cervical v.'s.

transverse v. of scapula 肩甲横静脈．＝suprascapular v.

Trolard v. (trō-lahr′)．トロラール静脈．＝superior anastomotic v.

tympanic v.'s［TA］．鼓室静脈（鼓室から出て錐体鼓室裂を鼓索とともに通り，下顎後静脈に注ぐ静脈）．＝venae tympanicae［TA］．

ulnar v.'s［TA］．尺骨静脈（浅手掌動脈弓から出て橈骨動脈と連結する尺骨動脈の伴行静脈で肘窩の上腕静脈となる）．＝venae ulnares［TA］．

umbilical v.［TA］．臍静脈（→left umbilical v.）．

v. of uncus［TA］．鉤静脈．＝*vena* uncalis.

v.'s of upper limb［TA］．上肢の静脈（上肢の血液を集める浅・深の静脈）．＝venae membri superioris［TA］．

uterine v.'s［TA］．子宮静脈（子宮静脈叢から出て，広靱帯の一部，さらに腹膜のひだを通って内腸骨静脈に注ぐ各側２本ずつの静脈）．＝venae uterinae［TA］．

varicose v.'s［MIM*192200］．拡張蛇行静脈（静脈の永続的な拡張および蛇行．先天的な不完全弁により，最も一般的には下脚にみられる．長時間立っていなければならない職業の人および妊婦に起こる傾向がある）．

vertebral v.［TA］．椎骨静脈（上位の６頸椎の横突孔を通り，椎骨動脈の周囲の静脈叢をつくる枝(交通枝)からなる静脈．１本になって腕頭静脈に注ぐ）．＝vena vertebralis［TA］．

v.'s of vertebral column［TA］．脊柱の静脈（内外椎骨静脈叢，椎骨底静脈，前後脊髄静脈の総称）．＝venae columnae vertebralis［TA］．

Vesalius v. (vĕ-sā′lē-ŭs)．ヴェサリウス静脈（静脈孔を通る導出静脈）．

vesical v.'s［TA］．膀胱静脈（膀胱静脈叢からの血液を集める静脈．内腸骨静脈にはいる）．＝venae vesicales［TA］．

v. of vestibular aqueduct［TA］．前庭小管静脈（内リンパ節に伴行する小静脈．迷路前庭部の大部分の血液を集め下錐体静脈洞に注いで終わる）．＝vena aqueductus vestibuli［TA］．

v. of vestibular bulb 前庭球静脈．＝v. of bulb of vestibule.

vestibulocochlear v.［TA］．前庭蝸牛静脈（同名の動脈に伴行する静脈で，蝸牛小管静脈に注ぐ）．＝vena vestibulocochlearis［TA］．

vidian v. ヴィディウス静脈．＝v. of pterygoid canal.

Vieussens v.'s (vyū-sŏn［h］′)．ビューサン静脈．＝innominate cardiac v.'s.

vitelline v. 卵黄静脈（卵黄嚢から胚子に血液を戻す静脈）．＝vena vitellina.

vortex v.'s 渦静脈．＝vorticose v.'s.

vorticose v.'s［TA］．渦静脈（毛様体および毛様体動脈に伴行する静脈による眼球の血管膜から出る通常４本の静脈で上下眼静脈に流入する）．＝venae vorticosae［TA］; choroid v.'s of eye; Stensen v.'s; vasa vorticosa; venae choroideae oculi; vortex v.'s.

---

veined (vānd)．静脈のある，静脈様の．

vein·let (vān′let)．小静脈，細静脈．＝venule.

Ve·jo·vis (vē-jō′vis)．サソリの一属(いわゆる北アメリカの悪魔サソリ)．縞尾悪魔サソリ *V. spinigerus*，南悪魔サソリ *V. carolinianus*，および細長悪魔サソリ *V. flavus* を含む．

vel (vel)［L. or］．あるいは，または，もしくは．

ve·la (vē′lă)．velum の複数形．

ve·la·men, pl. ve·lam·i·na (vĕ-lā′men, vĕ-lam′i-nă)［L. a veil］．被膜，卵膜．＝velum (1).

v. vulvae 小陰唇の過形成を表す現在では用いられない語．

vel·a·men·tous (vel′ă-men′tŭs)．被模様の（シーツあるいはベールのように，膜をおおったように広がっている）．＝veliform.

vel·a·men·tum, pl. vel·a·men·ta (vel′ă-men′tŭm, -tă)［L. a cover］．被膜，卵膜．＝velum (1).

ve·lam·i·na (vĕ-lam′i-nă)．velamen の複数形．

ve·lar (vē′lăr)．帆の，膜の（帆，特に口蓋帆に関する）．

ve·li·form (vel′i-fōrm)［L. *velum*, veil＋*forma*, form］．＝velamentous.

Vel·la (vā′lah), Luigi. イタリア人生理学者，1825—1886．→V. *fistula*; Thiry-V. *fistula*.

vel·li·cate (vel′i-kāt)［L. *vellico*, pp. *-atus*, to pluck, to twitch ＜ *vello*, to deprive of hair, pluck］．筋攣縮する（痙攣的に収縮する．特に線維性の筋痙縮をいう）．

vel·li·ca·tion (vel′i-kā′shŭn)．筋攣縮（線維性の筋痙縮）．

vel·lus (vel′ŭs)［L. fleece］．***1*** うぶ毛，軟毛（身体の大部分をおおっている細い非色素性の毛）．***2*** 細毛（外観が白毛状または軟毛状のもの）．

v. olivae inferioris 下オリーブ線維（下オリーブ周囲の神経線維の層）．

ve·loc·i·ty (v) (vĕ-los′i-tē)［L. *velocitas* ＜ *velox* (*veloc-*), quick, swift］．速度（運動の大きさ．特に，指定された方向へ単位時間に移動した距離あるいは変化した量．*cf.* speed）．

initial v. 初速度（生成物濃度が観測される速度に重要な影響を及ぼさないような，反応(例えば，酵素触媒反応)の初期段階の反応速度．一般的に，初速度は反応が平衡点に対し10% 以下の時点で観測される）．＝initial rate.

maximum v. (V_{max}) 最高速度（①所定の酵素濃度で基質濃度を連続的に増加させることにより達成しえる酵素触媒反応の最高速度．基質阻害では，V_{max} はそのような阻害がないときの外挿した値である．*cf.* Michaelis-Menten *equation*．②零負荷で得られる心筋線維の短縮の最大初期速度．線維の収縮性を評価する）．

nerve conduction v. (NCV) 神経伝導速度（末梢神経またはその種々の成分線維におけるインパルス伝達の速度．通常は，m/sec で表す）．

PSA v. 前立腺特異抗原進行速度，PSA 進行速度（個人の前立腺特異抗原(PSA)の変化の速さを測定すること）．

sedimentation v. 沈降速度（物質(一般的には高分子)の遠心分離での移動速度．これらの遠心分離実験により高分子構造に関するデータを与える）．

steady-state v. 定常状態速度（実験時間中は，どのような酵素種でも濃度が一定である場合での酵素触媒反応速度．すなわち，酵素基質二元複合体 ES に対し，$d[ES]/dt \cong 0$ である．このためには，全酵素濃度は初期基質濃度よりいっそう低くなければならない）．＝steady-state rate.

vel·o·gen·ic (vel′ō-jen′ik)［L. *velox*, rapid＋G. *-gen*, producing］．短潜伏期性の，速現性の（短期間の潜伏期後，胚，幼若宿主，および成熟宿主に激烈で，しばしば致命的な疾病を起こすウイルスの毒力についていう．Newcastle 病ウイルスの特徴を表すのに用いる）．

vel·o·pha·ryn·ge·al (vēl′ō-fă-rin′jē-ăl)．口蓋帆咽頭の（軟口蓋(口蓋帆)および咽頭壁に関する）．

vel·o·syn·the·sis (vēl′ō-sin′thě-sis). 口蓋帆縫合〔術〕. = palatorrhaphy.

Vel·peau (vel-pō′), Alfred A.L.M. フランス人外科医, 1795—1867. → V. *bandage, canal, fossa, hernia.*

ve·lum, pl. **ve·la** (vē′lŭm, -lă) [L. veil, sail]. ***1*** 帆 (ベールまたはカーテン様の構造). = veil (1); velamen; velamentum. ***2*** = caul (1). ***3*** = greater *omentum.* ***4*** 被膜 (漿膜, または膜性の鞘または外被).

anterior medullary v. = superior medullary v.

inferior medullary v. [TA]. 下髄帆 (小脳扁桃に隠れ, 小葉脚に沿い, かつ正中線で, または正中線の近くで虫部小結節と付着した白質の薄い板. これは尾部で第4脳室の上皮板および脈絡叢に接続する). = v. medullare inferius [TA]; posterior medullary v.; Tarin valve; valvula semilunaris tarini; v. semilunare; v. tarini.

v. interpositum = *tela* choroidea of third ventricle.

v. medullare inferius [TA]. 下髄帆. = inferior medullary v.

v. medullare superius [TA]. 上髄帆. = superior medullary v.

v. palatinum* 口蓋帆 (soft *palate* の公式の別名).

v. pendulum palati = soft *palate.*

posterior medullary v. = inferior medullary v.

v. semilunare = inferior medullary v.

superior medullary v. [TA]. 上髄帆 (2つの上小脳脚の間にあって, 第4脳室の上陥凹の被蓋を形成する白質の薄い層). = v. medullare superius [TA]; anterior medullary v.; Vieussens valve.

v. tarini = inferior medullary v.

v. terminale = *lamina* terminalis of cerebrum.

transverse v. 横帆 (終脳と間脳の境界位置で胎児脳の背壁にあるひだ). = v. transversum.

v. transversum 横帆. = transverse v.

v. triangulare = *tela* choroidea of third ventricle.

VENA

ve·na, gen. & pl. **ve·nae** (vē′nă, -nē) [L.][TA]. 静脈. = vein.

v. advehens, pl. **venae advehentes** 輸入静脈 (初期胚子において臍静脈系もしくは卵黄静脈系からの血液を受けてその混合血を肝臓の類洞へ送る一連の血管枝の総称で, 肝門脈の終末枝となる). = v. afferens hepatis.

v. afferens hepatis 肝輸入静脈. = v. advehens.

v. anastomotica inferior [TA]. 下吻合静脈. = inferior anastomotic *vein.*

v. anastomotica superior [TA]. 上吻合静脈. = superior anastomotic *vein.*

v. angularis [TA]. 眼角静脈. = angular *vein.*

v. anterior = anterior *vein.*

venae anteriores cerebri [TA]. = anterior cerebral *veins.*

v. anterior septi pellucidi [TA]. = anterior *vein* of septum pellucidum.

v. apicalis [TA]. 肺尖静脈. = apical *vein.*

v. apicoposterior [TA]. = apicoposterior *vein.*

v. appendicularis [TA]. 虫垂静脈. = appendicular *vein.*

v. aqueductus cochleae 蝸牛小管静脈. = *vein* of cochlear canaliculus.

v. aqueductus vestibuli [TA]. 前庭小管静脈. = *vein* of vestibular aqueduct.

venae arcuatae renis 〔腎臓の〕弓状静脈. = arcuate *veins* of kidney.

v. arteriosa 動脈性静脈. = arterial *vein.*

venae articulares [TA]. = articular *veins.*

venae articulares temporomandibulares 顎関節静脈. = *veins* of temporomandibular joint.

venae atriales dextrae = right atrial *veins.*

venae atriales sinistrae [TA]. = left atrial *veins.*

v. atrii lateralis 外側側脳室静脈. = lateral *vein* of lateral ventricle.

v. atrii medialis 内側側脳室静脈. = medial *vein* of lateral ventricle.

v. auricularis anterior [TA]. 前耳介静脈. = anterior auricular *vein.*

v. auricularis posterior [TA]. 後耳介静脈. = posterior auricular *vein.*

v. axillaris [TA]. 腋窩静脈. = axillary *vein.*

v. azygos [TA]. 奇静脈. = azygos *vein.*

v. azygos major = azygos *vein.*

v. azygos minor inferior = hemiazygos *vein.*

v. azygos minor superior = accessory hemiazygos *vein.*

v. basalis [TA]. 脳底静脈. = basal *vein.*

v. basalis anterior [TA]. 前肺底静脈. = anterior basal *vein.*

v. basalis communis [TA]. 総肺底静脈. = common basal *vein.*

v. basalis inferior [TA]. 下肺底静脈. = inferior basal *vein.*

v. basalis superior [TA]. 上肺底静脈. = superior basal *vein.*

v. basilica [TA]. 尺側皮静脈. = basilic *vein.*

v. basilica antebrachii [TA]. = basilic *vein* of forearm.

venae basivertebrales [TA]. 椎体静脈. = basivertebral *veins.*

Billroth venae cavernosae (bĭl′rōt). ビルロート海綿体静脈. = venae cavernosae of spleen.

venae brachiales [TA]. 上腕静脈. = brachial *veins.*

venae brachiocephalicae (dextrae et sinistrae) [TA]. 〔右または左〕腕頭静脈. = (left and right) brachiocephalic *veins.*

venae bronchiales [TA]. 気管支静脈. = bronchial *veins.*

v. bulbi penis [TA]. 陰茎静脈. = *vein* of bulb of penis.

v. bulbi vestibuli [TA]. 前庭球静脈. = *vein* of bulb of vestibule.

v. canaliculi cochleae 蝸牛小管静脈. = *vein* of cochlear canaliculus.

v. canalis pterygoidei [TA]. 翼突管静脈. = *vein* of pterygoid canal.

venae capsulares [TA]. = capsular *veins.*

venae cardiacae anteriores [TA]. = anterior cardiac *veins.*

venae cardiacae minimae [TA]. = smallest cardiac *veins.*

v. cardiaca magna [TA]. = great cardiac *vein.*

v. cardiaca media [TA]. = middle cardiac *vein.*

v. cardiaca parva [TA]. = small cardiac *vein.*

v. cava, inferior (IVC) [TA]. 下大静脈 (下肢および骨盤と腹部の器官の大部分から血液を受ける. 右側の第五腰椎の高さで左右総腸骨静脈の合流として始まり, 第八胸椎の高さで横隔膜を貫き, 右心房の後下方へ注ぐ) = postcava.

v. cava, superior [TA]. 上大静脈 (頭・頸・上肢・胸郭の血液を右心房後上部に返す静脈で, 上縦隔の中で2つの腕頭静脈が合流して形成される). = precava.

venae cavernosae penis [TA]. 陰茎海綿体静脈. = cavernous *veins* of penis.

venae cavernosae of spleen 脾海綿体静脈 (脾髄における脾静脈の小枝). = Billroth venae cavernosae.

venae centrales hepatis [TA]. 〔肝臓の〕中心静脈. = central *veins* of liver.

v. centralis glandulae suprarenalis [TA]. 〔副腎の〕中心静脈. = central *vein* of suprarenal gland.

v. centralis retinae [TA]. 網膜中心静脈. = central retinal *vein.*

v. cephalica [TA]. 橈側皮静脈. = cephalic *vein.*

v. cephalica accessoria [TA]. 副橈側皮静脈. = accessory cephalic *vein.*

v. cephalica antebrachii [TA]. = cephalic *vein* of forearm.

venae cerebelli [TA]. 小脳静脈. = cerebellar *veins.*

v. cervicalis profunda [TA]. 深頸静脈. = deep cervical

vein.

venae choroideae oculi 眼球脈絡膜静脈. ＝vorticose *veins.*

v. choroidea inferior [TA]. 下脈絡叢静脈＝inferior choroid *vein.*

v. choroidea superior [TA]. 上脈絡叢静脈. ＝superior choroid *vein.*

venae ciliares anteriores [TA]. 前毛様体静脈. ＝anterior ciliary *veins.*

venae circumflexae femoris laterales [TA]. 外側大腿回旋静脈. ＝lateral circumflex femoral *veins.*

venae circumflexae femoris mediales [TA]. 内側大腿回旋静脈. ＝medial circumflex femoral *veins.*

v. circumflexa humeri anterior [TA].＝ anterior circumflex humeral *vein.*

v. circumflexa humeri posterior [TA].＝ posterior circumflex humeral *vein.*

v. circumflexa ilium profunda [TA]. 深腸骨回旋静脈. ＝deep circumflex iliac *vein.*

v. circumflexa ilium superficialis [TA]. ＝superficial circumflex iliac *vein.*

v. cisterna cerebellomedullaris [TA]. ＝*vein* of cerebellomedullary cistern.

v. colica dextra [TA]. 右結腸静脈. ＝right colic *vein.*

v. colica media [TA]. 中結腸静脈. ＝middle colic *vein.*

v. colica sinistra [TA]. 左結腸静脈. ＝left colic *vein.*

v. colli profunda* deep cervical *vein* の公式の別名.

venae columnae vertebralis [TA]. 脊柱静脈. ＝*veins* of vertebral column.

v. comitans [TA]. 伴行静脈 (他の構造と伴行する静脈). ＝accompanying vein.

v. comitans of hypoglossal nerve [TA]. 舌下神経伴行静脈 (舌骨舌筋の下外側を舌下神経とともに走り, 通常は舌下静脈に注ぐ). ＝v. comitans nervi hypoglossi [TA]; accompanying vein of hypoglossal nerve.

v. comitans nervi hypoglossi [TA]. 舌下神経伴行静脈. ＝v. comitans of hypoglossal nerve.

venae comitantes [TA]. 伴行静脈 (動脈の拍動が静脈の帰還流を助けるほど, 動脈と密着して伴行する1対以上の静脈). ＝companion veins.

venae conjunctivales [TA]. 結膜静脈. ＝conjunctival *veins.*

venae cordis [TA]. 心臓の静脈. ＝*veins* of heart.

v. cordis magna* [TA]. 大心〔臓〕静脈 (great cardiac *vein* の公式の別名).

v. cordis media* 中心臓静脈 (middle cardiac *vein* の公式の別名).

venae cordis minimae* 細小心臓静脈 (smallest cardiac *veins* の公式の別名).

v. cordis parva* 小心〔臓〕静脈 (small cardiac *vein* の公式の別名).

v. cornus posterioris [TA]. 後角静脈. ＝*vein* of posterior horn.

v. coronaria ventriculi 胃冠状静脈. ＝left gastric *vein.*

v. cutanea [TA]. 皮静脈. ＝superficial *vein.*

v. cystica [TA]. 胆嚢静脈. ＝cystic *veins.*

venae digitales dorsales pedis [TA]. 背側指静脈. ＝dorsal digital *veins* of foot.

venae digitales palmares [TA]. 掌側指静脈. ＝palmar digital *veins.*

venae digitales plantares [TA]. 底側指静脈. ＝plantar digital *veins.*

v. diploica [TA]. 板間静脈. ＝diploic *vein.*

v. diploica frontalis ＝frontal diploic *vein.*

v. diploica occipitalis [TA]. ＝occipital diploic *vein.*

v. diploica temporalis anterior [TA]. ＝anterior temporal diploic *vein.*

v. diploica temporalis posterior ＝posterior temporal diploic *vein.*

venae directae laterales [TA]. 外側直静脈. ＝direct lateral *veins.*

venae dorsales clitoridis superficiales [TA]. 浅陰核背静脈. ＝superficial dorsal *veins* of clitoris.

venae dorsales linguae [TA]. 舌背静脈. ＝dorsal lingual *vein.*

venae dorsales penis superficiales [TA]. 浅陰茎背静脈. ＝superficial dorsal *veins* of penis.

v. dorsalis clitoridis profunda [TA]. 深陰核背静脈. ＝deep dorsal *vein* of clitoris.

v. dorsalis corporis callosi* posterior *vein* of corpus callosum の公式の別名.

v. dorsalis penis profunda [TA]. 深陰茎背静脈. ＝deep dorsal *vein* of penis.

v. dorsalis venae intercostales posteriores [TA]. ＝dorsal *veins* of posterior intercostal veins.

venae ductuum semicircularium [TA]. ＝ *veins* of semicircular ducts.

v. emissaria, pl. **venae emissariae** [TA]. 導出静脈. ＝emissary *vein.*

v. emissaria condylaris [TA]. 顆導出静脈. ＝condylar emissary *vein.*

v. emissaria mastoidea [TA]. 乳突導出静脈. ＝mastoid emissary *vein.*

v. emissaria occipitalis [TA]. 後頭導出静脈. ＝occipital emissary *vein.*

v. emissaria parietalis [TA]. 頭頂導出静脈. ＝parietal emissary *vein.*

venae encephali occipitales [TA]. ＝ occipital cerebral *veins.*

venae epigastricae superiores [TA]. 上腹壁静脈. ＝superior epigastric *veins.*

v. epigastrica inferior [TA]. 下腹壁静脈. ＝inferior epigastric *vein.*

v. epigastrica superficialis [TA]. 浅腹壁静脈. ＝superficial epigastric *vein.*

venae episclerales [TA]. 強膜上静脈. ＝episcleral *veins.*

venae esophageae [TA]. 食道静脈. ＝esophageal *veins.*

venae ethmoidales [TA]. 篩骨静脈. ＝ethmoidal *veins.*

v. facialis [TA]. 顔面静脈. ＝facial *vein.*

v. facialis anterior 前顔面静脈. ＝facial *vein.*

v. facialis communis 総顔面静脈. ＝common facial *vein.*

v. facialis posterior 後顔面静脈. ＝retromandibular *vein.*

v. femoralis [TA]. 大腿静脈. ＝femoral *vein.*

v. fenestrae cochleae [TA]. ＝ *vein* of cochlear window.

venae fibulares [TA]. 腓骨静脈. ＝fibular *veins.*

venae frontales [TA]. 前頭葉静脈, 前頭静脈. ＝supratrochlear *veins.*

v. gastrica dextra [TA]. 右胃静脈. ＝right gastric *vein.*

venae gastricae breves [TA]. 短胃静脈. ＝short gastric *veins.*

v. gastrica sinistra [TA]. 左胃静脈. ＝left gastric *vein.*

vena gastroepiploica dextra* right gastroomental *vein* の公式の別名.

vena gastroepiploica sinistra* left gastroomental *vein* の公式の別名.

v. gastroomentalis dextra [TA]. 右胃大網静脈. ＝right gastroomental *vein.*

v. gastroomentalis sinistra 左胃大網静脈. ＝left gastroomental *vein.*

venae geniculares [TA]. ＝ genicular *veins.*

venae gluteae inferiores [TA]. 下殿静脈. ＝inferior gluteal *veins.*

venae gluteae superiores [TA]. 上殿静脈. ＝superior gluteal *veins.*

v. gyri olfactorii [TA]. 嗅回静脈 (→basal *vein*). ＝*vein* of olfactory gyrus.

v. hemiazygos [TA]. 半奇静脈. ＝hemiazygos *vein.*

v. hemiazygos accessoria [TA]. 副半奇静脈. ＝accessory hemiazygos *vein.*

venae hemispherii cerebelli superiores [TA]. 上小脳半球静脈. ＝superior *veins* of cerebellar hemisphere.

venae hemorrhoidales inferiores inferior rectal *veins* を表す, 現在では用いられない語.

venae hemorrhoidales mediae middle rectal *veins* を表

V

す，現在では用いられない語．

v. hemorrhoidalis superior superior rectal *vein* の不適切な語．

venae hepaticae［TA］．肝静脈．＝hepatic *veins.*

venae hepaticae dextrae［TA］．右肝静脈．＝right hepatic *veins.*

venae hepaticae intermediae［TA］．＝ intermediate hepatic *veins.*

venae hepaticae mediae 中肝静脈．＝intermediate hepatic *veins.*

venae hepaticae sinistrae［TA］．左肝静脈．＝left hepatic *vein.*

v. hypogastrica 下腹静脈（internal iliac *vein* を表す現在では用いられない語）．

venae ileales［TA］．→jejunal and ileal *veins.* ＝ileal *veins.*

v. ileocolica［TA］．回結腸静脈．＝ileocolic *vein.*

v. iliaca communis［TA］．総腸骨静脈．＝common iliac *vein.*

v. iliaca externa［TA］．外腸骨静脈．＝external iliac *vein.*

v. iliaca interna［TA］．内腸骨静脈．＝internal iliac *vein.*

v. iliolumbalis［TA］．腸腰静脈．＝iliolumbar *vein.*

venae inferiores cerebelli［TA］．＝ inferior *veins* of cerebellar hemisphere.

venae inferiores cerebri［TA］．＝ inferior cerebral *veins.*

v. inferior vermis［TA］．＝ inferior *vein* of vermis.

v. innominata 無名静脈（(left and right) brachiocephalic *veins* を表す，現在では用いられない語）．

venae insulares［TA］．島静脈（島皮質から血液を集め深中大脳静脈に注ぐ枝）．＝insular veins［TA］．

venae intercapitulares 骨頭間静脈．＝intercapitular *veins.*

venae intercostales anteriores［TA］．前肋間静脈．＝anterior intercostal *veins.*

venae intercostales posteriores［TA］．肋間静脈．＝posterior intercostal *veins.*

v. intercostalis superior dextra［TA］．右上肋間静脈．＝right superior intercostal *vein.*

v. intercostalis superior sinistra［TA］．左上肋間静脈．＝left superior intercostal *vein.*

v. intercostalis suprema［TA］．最上肋間静脈．＝supreme intercostal *vein.*

venae interlobares renis［TA］．腎葉間静脈．＝interlobar *veins* of kidney.

venae interlobulares hepatis［TA］．肝小葉間静脈．＝interlobular *veins* of liver.

venae interlobulares renis［TA］．腎小葉間静脈．＝interlobular *veins* of kidney.

v. intermedia antebrachii 前腕中間皮静脈，前腕正中皮静脈．＝median antebrachial *vein.*

v. intermedia basilica［TA］．尺側正中皮静脈．＝intermediate basilic *vein.*

v. intermedia cephalica［TA］．橈側正中皮静脈．＝intermediate cephalic *vein.*

v. intermedia cubiti 肘中間皮静脈，肘正中皮静脈．＝median cubital *vein.*

venae internae cerebri［TA］．＝ internal cerebral *veins.*

v. interventricularis anterior［TA］．＝anterior interventricular *vein.*

v. interventricularis posterior* middle cardiac *vein* の公式の別名．

v. intervertebralis［TA］．椎間静脈．＝intervertebral *vein.*

venae intrenales ＝intrarenal *veins.*

venae jejunales et ilei［TA］．空回腸静脈．＝jejunal and ileal *veins.*

v. jugularis anterior［TA］．前頸静脈．＝anterior jugular *vein.*

v. jugularis externa［TA］．外頸静脈．＝external jugular *vein.*

v. jugularis interna［TA］．内頸静脈．＝internal jugular *vein.*

venae labiales anteriores［TA］．前陰唇静脈．＝anterior labial *veins.*

venae labiales posteriores［TA］．後陰唇静脈．＝posterior labial *veins.*

v. labialis inferior［TA］．下唇静脈．＝inferior labial *vein.*

v. labialis superior［TA］．上唇静脈．＝superior labial *vein.*

venae labyrinthi［TA］．迷路静脈．＝labyrinthine *veins.*

v. lacrimalis［TA］．涙腺静脈．＝lacrimal *vein.*

v. laryngea inferior［TA］．下喉頭静脈．＝inferior laryngeal *vein.*

v. laryngea superior［TA］．上喉頭静脈．＝superior laryngeal *vein.*

v. lateralis ventriculi lateralis［TA］．＝ lateral *vein* of lateral ventricle.

v. lienalis* 脾静脈（splenic *vein* の公式の別名）．

v. lingualis［TA］．舌静脈．＝lingual *vein.*

v. lingularis［TA］．＝ lingular *vein.*

v. lobi medii pulmonis dextri［TA］．＝ middle lobe *vein* of right lung.

venae lumbales［TA］．腰静脈．＝lumbar *veins.*

v. lumbalis ascendens［TA］．上行腰静脈．＝ascending lumbar *vein.*

v. magna cerebri［TA］．＝ great cerebral *vein* of Galen.

v. mammaria interna internal thoracic *vein* を表す現在では用いられない語．

v. marginalis dextra［TA］．＝right marginal *vein.*

v. marginalis lateralis pedis［TA］．＝lateral marginal *vein* of foot.

v. marginalis medialis pedis［TA］．＝medial marginal *vein* of foot.

v. marginalis sinistra［TA］．＝left marginal *vein.*

v. maxillaris, pl. **venae maxillares**［TA］．顎静脈．＝maxillary *vein.*

v. medialis ventriculi lateralis［TA］．＝ medial *vein* of lateral ventricle.

v. mediana antebrachii［TA］．前腕正中皮静脈．＝median antebrachial *vein.*

v. mediana basilica 尺側正中皮静脈．＝intermediate basilic *vein.*

v. mediana cephalica 橈側正中皮静脈．＝intermediate cephalic *vein.*

v. mediana cubiti［TA］．肘正中皮静脈．＝median cubital *vein.*

v. media profunda cerebri［TA］．＝ deep middle cerebral *vein.*

venae mediastinales［TA］．縦隔静脈．＝mediastinal *veins.*

v. media superficialis cerebri ＝ superficial middle cerebral *vein.*

venae medullae oblongatae［TA］．延髄静脈．＝*veins* of medulla oblongata.

venae medullae spinalis［TA］．＝ *veins* of spinal cord.

venae membri inferioris［TA］．＝ *veins* of lower limb.

venae membri superioris［TA］．＝ *veins* of upper limb.

venae meningeae［TA］．硬膜静脈．＝meningeal *veins.*

venae meningeae mediae［TA］．中硬膜静脈．＝middle meningeal *veins.*

venae mesencephalicae 中脳静脈．＝mesencephalic *veins.*

v. mesenterica inferior［TA］．下腸間膜静脈．＝inferior mesenteric *vein.*

v. mesenterica superior［TA］．上腸間膜静脈．＝superior mesenteric *vein.*

venae metacarpales dorsales［TA］．背側中手静脈．＝dorsal metacarpal *veins.*

venae metacarpales palmares［TA］．掌側中手静脈．＝palmar metacarpal *veins.*

venae metatarsales dorsales［TA］．背側中足静脈．＝dorsal metatarsal *veins.*

venae metatarsales plantares［TA］．底側中足静脈．＝

plantar metatarsal *veins*.
v. modioli communis [TA]. = common modiolar *vein*.
venae musculophrenicae [TA]. 筋横隔静脈. =musculophrenic *veins*.
venae nasales externae [TA]. 外鼻静脈. =external nasal *veins*.
v. nasofrontalis [TA]. 鼻前頭静脈. =nasofrontal *vein*.
venae nuclei caudati [TA]. 尾状核静脈. =*veins* of caudate nucleus.
v. nutricia [TA]. =nutrient *vein*.
v. obliqua atrii sinistri [TA]. 左心房斜静脈. =oblique *vein* of left atrium.
v. obturatoria, pl. **venae obturatoriae** [TA]. 閉鎖静脈. =obturator *veins*.
v. obturatoria accessoria* pubic *vein* の公式の別名.
v. occipitalis [TA]. 後頭静脈. =occipital *vein*.
v. ophthalmica inferior [TA]. 下眼静脈. =inferior ophthalmic *vein*.
v. ophthalmica superior [TA]. 上眼静脈. =superior ophthalmic *vein*.
venae orbitae [TA]. =orbital *veins*.
v. ovarica dextra [TA]. 右卵巣静脈. =right ovarian *vein*.
v. ovarica sinistra [TA]. 左卵巣静脈. =left ovarian *vein*.
v. palatina externa [TA]. 外口蓋静脈. =external palatine *vein*.
venae palpebrales [TA]. 眼瞼静脈. =palpebral *veins*.
venae palpebrales inferiores [TA]. 下眼瞼静脈. =inferior palpebral *veins*.
venae palpebrales superiores [TA]. 上眼瞼静脈. =superior palpebral *veins*.
venae pancreaticae [TA]. 膵静脈. =pancreatic *veins*.
venae pancreaticoduodenales [TA]. 膵十二指腸静脈. =pancreaticoduodenal *veins*.
v. pancreaticoduodenalis superior posterior [TA]. = superior posterior pancreaticoduodenal *vein*.
venae paraumbilicales [TA]. 臍傍静脈. =paraumbilical *veins*.
venae parietales 頭頂葉静脈. =parietal *veins*.
venae parotideae [TA]. 耳下腺静脈. =parotid *veins*.
venae pectorales [TA]. 胸筋静脈. =pectoral *veins*.
venae pedunculares [TA]. 大脳脚静脈 (→basal *vein*). =peduncular *veins*.
venae perforantes [TA]. 貫通静脈. =perforating *veins*.
venae pericardiacae [TA]. 心膜静脈. =pericardial *veins*.
venae pericardiacophrenicae [TA]. 心膜横隔静脈. = pericardiacophrenic *veins*.
venae peroneae* 腓骨静脈 (fibular *veins* の公式の別名).
v. petrosa [TA]. 錐体静脈 (→petrosal *vein*).
venae pharyngeae [TA]. 咽頭静脈. =pharyngeal *veins*.
venae phrenicae superiores [TA]. 上横隔静脈. =superior phrenic *veins*.
v. phrenica inferior [TA]. 下横隔静脈. =inferior phrenic *vein*.
venae pontis [TA]. 橋静脈. =pontine *veins*.
v. pontomesencephalica [TA]. →anterior pontomesencephalic *vein*.
v. pontomesencephalica anterior 前橋中脳静脈. =anterior pontomesencephalic *vein*.
v. poplitea [TA]. 膝窩静脈. =popliteal *vein*.
v. portae hepatis [TA]. 門脈. =hepatic portal *vein*.
v. portalis 門脈. =hepatic portal *vein*.
v. posterior [TA]. =posterior *vein*.
v. posterior corporis callosi [TA]. = posterior *vein* of corpus callosum.
v. posterior septi pellucidi [TA]. = posterior *vein* of septum pellucidum.
v.(e) posterior(es) ventriculi sinistri 左心室後静脈. = posterior *vein*(s) of left ventricle.
v. preauricularis 耳介前静脈. =anterior auricular *vein*.
v. precentralis cerebelli [TA]. 小脳中心前静脈. =precentral cerebellar *vein*.
venae prefrontales [TA]. 前前頭回静脈. =prefrontal *veins*.
v. prepylorica [TA]. 幽門前静脈. =prepyloric *vein*.
venae profundae cerebri [TA]. = deep cerebral *veins*.
venae profundae clitoridis [TA]. 陰核深静脈. =deep *veins* of clitoris.
v.profunda faciei [TA]. 深顔面静脈. =deep facial *vein*.
venae profundae penis [TA]. 陰茎深静脈. =deep *veins* of penis.
v. profunda femoris [TA]. 大腿深静脈. =profunda femoris *vein*.
v. profunda linguae [TA]. 舌深静脈. =deep lingual *vein*.
v. pubica [TA]. =pubic *vein*.
venae pudendae externae [TA]. 外陰部静脈. =external pudendal *veins*.
v. pudenda interna [TA]. 内陰部静脈. =internal pudendal *vein*.
venae pulmonales [TA]. 肺静脈. =pulmonary *veins*.
v. pulmonalis inferior dextra [TA]. 右下肺静脈. = right inferior pulmonary *vein*.
v. pulmonalis inferior sinistra [TA]. 左下肺静脈. = left inferior pulmonary *vein*.
v. pulmonalis superior dextra [TA]. 右上肺静脈. = right superior pulmonary *vein*.
v. pulmonalis superior sinistra [TA]. 左上肺静脈. = left superior pulmonary *vein*.
venae radiales [TA]. 橈骨静脈. =radial *veins*.
v. recessus lateralis ventriculi quarti [TA]. 第4脳室外側陥凹静脈. =*vein* of lateral recess of fourth ventricle.
venae rectae 直細静脈 (腎臓の髄質にある直細血管のうちの上行血管).
venae rectales inferiores [TA]. 下直腸静脈. =inferior rectal *veins*.
venae rectales mediae [TA]. 中直腸静脈. =middle rectal *veins*.
v. rectalis superior [TA]. 上直腸静脈. =superior rectal *vein*.
venae renales 腎静脈. =renal *veins*.
v. retromandibularis [TA]. 下顎後静脈. =retromandibular *vein*.
venae retroperitoneales = retroperitoneal *veins*.
v. revehens, pl. **venae revehentes** 輸出静脈 (胎児において肝臓の洞様毛細血管から下大静脈に通じる静脈. 合流して肝静脈になる).
venae sacrales laterales [TA]. 外側仙骨静脈. =lateral sacral *veins*.
v. sacralis mediana [TA]. 正中仙骨静脈. =median sacral *vein*.
v. saphena accessoria [TA]. 副伏在静脈. =accessory saphenous *vein*.
v. saphena magna [TA]. 大伏在静脈. =great saphenous *vein*.
v. saphena parva [TA]. 小伏在静脈. =small saphenous *vein*.
v. scalae tympani [TA]. = *vein* of scala tympani.
v. scalae vestibuli [TA]. = *vein* of scala vestibuli.
v. scapularis dorsalis [TA]. 背側肩甲静脈. =dorsal scapular *vein*.
venae sclerales [TA]. 強膜静脈. =scleral *veins*.
venae scrotales anteriores [TA]. 前陰嚢静脈. =anterior scrotal *veins*.
venae scrotales posteriores [TA]. 後陰嚢静脈. =posterior scrotal *veins*.
venae sigmoideae [TA]. S状結腸静脈. =sigmoid *veins*.
venae spinales [TA]. 脊髄静脈. =spinal *veins*.
v. spiralis modioli 蝸牛軸ラセン静脈. =common modiolar *vein*.
v. splenica [TA]. 脾静脈. =splenic *vein*.
venae stellatae renis [TA]. =stellate *veins* of kidney.

v. sternocleidomastoidea [TA]. 胸鎖乳突筋静脈. ＝sternocleidomastoid *vein.*

venae striatae ＝inferior thalamostriate *veins.*

v. stylomastoidea [TA]. 茎乳突孔静脈. ＝stylomastoid *vein.*

v. subclavia [TA]. 鎖骨下静脈. ＝subclavian *vein.*

v. subcostalis [TA]. ＝subcostal *vein.*

venae subcutaneae abdominis 腹皮下静脈. ＝subcutaneous *veins* of abdomen.

v. sublingualis [TA]. 舌下静脈. ＝sublingual *vein.*

v. submentalis [TA]. おとがい下静脈. ＝submental *vein.*

v. subscapularis [TA]. ＝subscapular *vein.*

venae superficiales cerebri [TA]. ＝ superficial cerebral *veins.*

venae superficiales membri inferioris [TA]. 下肢の皮静脈. ＝superficial *veins* of the lower limb.

venae superficiales membri superioris [TA]. 上肢の皮静脈. ＝superficial *veins* of the upper limb.

v. superficialis [TA]. ＝ superficial *vein.*

v. superior ＝superior *vein.*

venae superiores cerebelli [TA]. →superior *veins* of cerebellar hemisphere.

venae superiores cerebri [TA]. ＝superior cerebral *veins.*

v. superior vermis [TA]. ＝ superior *vein* of vermis.

v. supraorbitalis [TA]. 眼窩上静脈. ＝supraorbital *vein.*

v. suprarenalis dextra [TA]. 右副腎(腎上体)静脈. ＝right suprarenal *vein.*

v. suprarenalis sinistra [TA]. 左副腎(腎上体)静脈. ＝left suprarenal *vein.*

v. suprascapularis [TA]. 肩甲上静脈. ＝suprascapular *vein.*

venae supratrochleares [TA]. 滑車上静脈. ＝supratrochlear *veins.*

venae surales [TA]. ＝sural *veins.*

venae temporales profundae [TA]. 深側頭静脈. ＝deep temporal *veins.*

venae temporales superficiales [TA]. 浅側頭静脈. ＝superficial temporal *veins.*

v. temporalis media [TA]. 中側頭静脈. ＝middle temporal *vein.*

v. terminalis* 分界静脈 (superior thalamostriate *vein* の公式の別名).

v. testicularis dextra [TA]. 右精巣静脈. ＝right testicular *vein.*

v. testicularis sinistra [TA]. 左精巣静脈. ＝left testicular *vein.*

venae thalamostriatae inferiores [TA]. 下視床線条体静脈, 線条体静脈. ＝inferior thalamostriate *veins.*

v. thalamostriata superior [TA]. 上視床線条体静脈. ＝superior thalamostriate *vein.*

v. thoracica interna [TA]. 内胸静脈. ＝internal thoracic *vein.*

v. thoracica lateralis [TA]. 外側胸静脈. ＝lateral thoracic *vein.*

v. thoracoacromialis [TA]. 胸肩峰静脈. ＝thoracoacromial *vein.*

v. thoracodorsalis [TA]. ＝thoracodorsal *vein.*

v. thoracoepigastrica [TA]. 胸腹壁静脈. ＝thoracoepigastric *vein.*

venae thymicae [TA]. 胸腺静脈. ＝thymic *veins.*

v. thyroidea ima 最下甲状腺静脈. ＝inferior thyroid *vein.*

v. thyroidea inferior [TA]. 下甲状腺静脈. ＝inferior thyroid *vein.*

v. thyroidea media [TA]. 中甲状腺静脈. ＝middle thyroid *vein.*

v. thyroidea superior [TA]. 甲状腺静脈. ＝superior thyroid *vein.*

venae tibiales anteriores [TA]. 前脛骨静脈. ＝anterior tibial *veins.*

venae tibiales posteriores [TA]. 後脛骨静脈. ＝posterior tibial *veins.*

venae tracheales [TA]. 気管静脈. ＝tracheal *veins.*

venae transversae cervicis [TA]. ＝ transverse cervical *veins.*

venae transversae colli* 頸横静脈 (transverse cervical *veins* の公式の別名).

v. transversa faciei [TA]. 顔面横静脈. ＝transverse facial *vein.*

v. transversa scapulae 肩甲横静脈. ＝suprascapular *vein.*

venae tympanicae [TA]. 鼓室静脈. ＝tympanic *veins.*

venae ulnares [TA]. 尺骨静脈. ＝ulnar *veins.*

v. umbilicalis [TA]. 臍静脈. ＝left umbilical *vein.*

v. uncalis [TA]. 鉤静脈 (鉤から血液を集め同側の下大脳静脈に注ぐ静脈). ＝vein of uncus [TA].

venae uterinae [TA]. 子宮静脈. ＝uterine *veins.*

v. ventricularis inferior [TA]. 下脳室静脈 (→basal *vein*). ＝inferior ventricular *vein.*

v. vertebralis [TA]. 椎骨静脈. ＝vertebral *vein.*

v. vertebralis accessoria [TA]. 副椎骨静脈. ＝accessory vertebral *vein.*

v. vertebralis anterior [TA]. 前椎骨静脈. ＝anterior vertebral *vein.*

venae vesicales [TA]. 膀胱静脈. ＝vesical *veins.*

venae vestibulares (anterius et posterius) [TA]. 〔前または後〕前庭静脈. ＝(anterior and posterior) vestibular *veins.*

v. vestibulocochlearis [TA]. ＝vestibulocochlear *vein.*

v. vitellina 卵黄静脈. ＝vitelline *vein.*

venae vorticosae [TA]. 渦静脈. ＝vorticose *veins.*

---

ve·na·ca·vog·ra·phy (vē′nă-kā-vog′ră-fē). 大静脈造影(撮影)図 (大静脈の血管造影). ＝cavography.

ve·na·tion (vē-nā′shŭn) [L. *vena*, vein]. 静脈相, 静脈系 (静脈の配置と分布).

vene- [L. *vena* vein] [L. *venenum*, poison]. 毒を意味する連結形.

ve·nec·ta·si·a (vē′nek-tā′sē-ă). 静脈拡張〔症〕. ＝phlebectasia.

ve·nec·to·my (vē-nek′tŏ-mē). 静脈切除〔術〕. ＝phlebectomy.

ve·neer (vĕ-nēr′) [Fr. *fournir*, to furnish]. ***1*** ベニア (一般材料をおおう薄い菲膜). ***2*** 前装, 被覆 (歯科において, 金属冠または天然歯の表面に接着し, それをおおう歯に近い色調の材料の薄層. 一般的には, ポーセレンまたは複合樹脂を用いる).

ven·e·na·tion (ven′ĕ-nā′shŭn, vē-nĕ-) [L. *veneno*, pp. *-atus*, to poison < *venenum*, poison]. 毒創 (刺創あるいは咬創からの中毒).

ven·e·nif·er·ous (ven′ĕ-nif′ĕr-ŭs) [L. *venenifer* < *venenum*, poison + *fero*, to carry]. 有毒の (刺創あるいは咬創によって毒を運ぶ).

ven·e·no·sal·i·var·y (ven′ĕ-nō-sal′i-vār′ē). 毒唾液の (毒性唾液を分泌する, 有毒な虫類についていう). ＝venomosalivary.

ven·e·nos·i·ty (ven′ĕ-nos′i-tē) [L. *venenosus*, poisonous]. 有毒性 (毒をもつ, または有毒である状態).

ven·e·nous (ven′ĕ-nŭs) [L. *venenosus*]. 毒性の. ＝poisonous.

ve·ne·re·al (ve-nē′rē-ăl) [L. *Venus* (*vener-*), 愛の女神]. 性病の (性交に関する, または性交に起因する).

ve·ne·re·ol·o·gy (ve-nē′rē-ol′ŏ-jē) [venereal (disease) + G. *logos*, study]. 性病学 (性病の研究).

ve·ne·re·o·pho·bi·a (ve-nē′rē-ō-fō′bē-ă) [venereal (disease) + G. *phobos*, fear]. 性病恐怖〔症〕(性病に対する病的な恐れ).

ven·e·sec·tion (ven′ĕ-sek′shŭn) [L. < *vena*, vein + *sectio*, cutting]. 静脈切開, しゃ(瀉)血. ＝phlebotomy.

veni- →veno-.

ven·in (ven′in) [→venom]. ベニン (蛇毒から発見された有毒物質).

ven·i·punc·ture (ven′i-pŭnk′chūr, vē′ni-). 静脈穿刺 (主に

採血したり，溶液を注入する目的で行う静脈の穿刺).

Venn (ven), John. イングランド人論理・哲学者，1834—1923. →V. *diagram*.

veno-, veni- [L. *vena*]. 静脈を意味する連結形.

ve·noc·ly·sis (vē-nok′li-sis) [veno- + G. *klysis*, a washing out]. 静脈注射. = phleboclysis.

ve·no·fi·bro·sis (vē′nō-fī-brō′sis). 静脈線維症. = phlebosclerosis.

ve·no·gram (vē′nō-gram) [veno- + G. *gramma*, a writing]. *1* 静脈造影(撮影)図，静脈造影(撮影)像. *2* = phlebogram.

ve·nog·ra·phy (vē-nog′ră-fē) [veno- + G. *graphō*, to write]. 静脈造影(撮影)〔法〕(造影剤を注入し，静脈をX線像にすること). = phlebography (2).

splenic portal v. 脾門脈造影(撮影)〔法〕. = splenoportography.

transosseous v. 経骨髄性静脈造影(撮影)〔法〕(椎骨静脈造影法と同様に，骨髄内に造影剤を注入し，骨髄から流出する静脈をX線像として描出すること).

vertebral v. 椎骨静脈造影(撮影)〔法〕(造影剤を脊椎突起に注入して，硬膜外静脈叢をX線像として描出すること).

ven·om (ven′ŏm) [M.Eng, O. Fr. *venim* < L. *venenum*, poison]. 毒物，毒液（ヘビ，クモ，サソリなどから分泌される有毒な液).

kokoi v. ココイ毒（ドクガエルの一種 *Phyllobates bicolor* がもつ強力な神経毒．分子量が約400の非蛋白化合物．マイクログラム程度の量で致命的である).

Russell viper v. (rŭs′ĕl). ラッセルクサリヘビ毒，ラッセル蛇毒（Russellクサリヘビ(*Vipera russelli*)由来の毒で，内因性トロンボプラスチンとして作用する．第X因子の欠損の臨床検査に用いられたり，血友病の場合での局所的出血を止めるために用いる).

ven·o·mo·sal·i·var·y (ven′ō-mō-sal′i-var′ē). = venenosalivary.

ve·no·mo·tor (vē′nō-mō′tŏr) [veno- + L. *motor*, a move]. 静脈運動の（静脈の口径に変化をもたらすことについていう).

ve·no·per·i·to·ne·os·to·my (vē′nō-per′i-tō-nē-os′tŏ-mē) [veno- + peritoneum + G. *stoma*, mouth]. 〔大伏在〕静脈腹膜吻合〔術〕(腹水の場合に，大伏在静脈の切端を腹膜腔に挿入する．腹水が静脈内に流れ，弁を用いて血液が腔に逆流するのを防ぐために静脈を逆転させる術式で，現在では行われていない).

ve·no·pres·sor (vē′nō-pres′ŏr). 静脈血圧の（静脈血圧，すなわち心臓右側の静脈供給量についていう).

ve·no·scle·ro·sis (vē′nō-sklĕ-rō′sis). 静脈硬化〔症〕. = phlebosclerosis.

ve·nose (vē′nōs) [L. *venosus*]. 静脈をもつ，豊富な静脈を有する.

ve·no·si·nal (vē′nō-sī′năl). 大静脈右心房の（大静脈と右心房に関する).

ve·nos·i·ty (vē-nos′i-tē). *1* 静脈の1つの状態で，動脈からの血液が静脈内にうっ血している状態. *2* 静脈血あるいは低酸素状態の動脈血が酸素化されていない状態.

ve·no·sta·sis (vē′nō-stā′sis, vē-nos′tă-sis) [veno- + G. *stasis*, a standing]. 静脈うっ血，静脈血うっ滞. = phlebostasis.

ve·no·stat (vē′nō-stat) [veno- + G. *statos*, standing, stationary]. ベノスタット，静脈血うっ滞用器（静脈の出血を止める器具).

ve·nos·to·my (vē-nos′tŏ-mē). 静脈吻合〔術〕. = cutdown.

ve·not·o·my (vē-not′ŏ-mē). 静脈切開〔術〕. = phlebotomy.

ve·no·ton·ic (vēn-ō-ton′ik). 静脈緊張薬（典型的には静脈ドレナージを促進するために投与される一群の薬物).

ve·nous (vē′nŭs) [L. *venosus*]. 静脈〔性〕の（単一または複数の静脈に関する). = phleboid (2).

ve·no·ve·nos·to·my (vē′nō-vē-nos′tŏ-mē) [veno- + veno- + G. *stoma*, mouth]. 静脈静脈吻合〔術〕(2つの静脈間に吻合をつくること). = phlebophlebostomy.

vent (vent) [O. Fr. *fente*, a chink, cleft]. 孔，口（空洞または管の開口．特に肛門などのように空洞の内容物が排出される開口部).

ven·ter (ven′tĕr) [L. *venter(ventr-)*, belly] [TA]. *1* 腹. = abdomen. *2* [NA]. 筋腹. = belly (2). *3* 体腔（身体内部の大きな空洞). *4* 子宮.

v. anterior musculi digastrici [TA]. 〔顎二腹筋〕前腹. = anterior *belly* of digastric muscle.

v. frontalis musculi occipitofrontalis [TA]. = frontal *belly* of occipitofrontalis muscle.

v. inferior musculi omohyoidei [TA]. 〔肩甲舌骨筋〕下腹. = inferior *belly* of omohyoid muscle.

v. occipitalis musculi occipitofrontalis [TA]. = occipital *belly* of occipitofrontalis muscle.

v. posterior musculi digastrici [TA]. 〔顎二腹筋〕後腹. = posterior *belly* of digastric muscle.

v. superior musculi omohyoidei [TA]. 〔肩甲舌骨筋〕上腹. = superior *belly* of omohyoid muscle.

ven·ti·late (ven′ti-lāt) [L. *ventilo*, pp. *-atus*, to fan < *ventus*, the wind]. 換気する，通気する（肺毛細血管の血液に空気または酸素を与える). = air (2).

ven·ti·la·tion (ven-ti-lā′shŭn) [→ventilate]. 換気，通気（①ある空間内の空気またはその他の気体を新しく入れ換えること．②肺への気体の吸入および呼出運動. = oxidative metabolism; respiration (2). ③($\dot{V}$). 生理学において，呼吸時の肺と大気間の呼吸気変化. →respiration).

airway pressure release v. 気道圧解除換気法（持続的気道圧で治療されている患者に，間欠的に気道圧および換気量を増加させるよりも減少させる機械的換気法).

alveolar v. ($\dot{V}_A$) 肺胞換気〔量〕(1分間に肺胞から体外に呼出される気体量．呼吸容量から死腔を減じたもの(V_T—V_D)に呼吸数(f)を乗じて計算される．単位はmL/min BTPS).

artificial v. 人工換気(呼吸)（自身の呼吸システムによって動かされるのではない肺と周囲の空気を機械的または用手でガス交換を行う方法). = artificial respiration.

assist-control v. 補助－調節換気(呼吸)（患者の自発呼気努力に引き続いて，自動的に全呼吸が機械によって行われる人工陽圧換気．患者がこのような努力をしないときには，機械が基線のまたはバックアップの呼吸回数を提供する).

assisted v. 補助換気(呼吸)（ガスを肺内に移動させるのを増強する手段として，吸気中に，機械または用手で発生させた陽圧を気道内または周辺のガスに加えること). = assisted respiration.

bag v. = manual v.

collateral v. 側副換気（肺の最小換気単位(肺胞など)において，そこに存在する肺胞壁の穴を通して隣接する肺胞腔とガスをやりとりする過程．気管支閉塞によってもその末梢気腔が無気肺とならないことを説明する．ときに側副空気流ともいう).

continuous positive pressure v. (**CPPV**) 持続的陽圧換気(呼吸). = controlled mechanical v.

controlled v. 調節換気(呼吸)（自発呼吸をしようとする力がない場合に，ガスを肺内へ無理に送り込む手段として，機械または用手で発生させた陽圧を気道内または周辺のガスに，間欠的に加えること). = controlled respiration.

controlled mechanical v. (**CMV**) 調節機械換気(呼吸)（呼吸における患者自身の努力に関係なく，全吸気相に，気道に陽圧をかけることによる人工換気．現在の臨床ではほとんど用いられない方法). = continuous positive pressure v.; intermittent positive pressure v.

high-frequency v. (**HFV**) 高周波換気法（通常の換気法のある合併症を避けるために毎分300—3,000呼吸のいずれかの頻度で呼吸するジェットを用いる換気法).

high-frequency jet v. (**HFJV**) 高頻度ジェット換気（→high-frequency v.).

high-frequency oscillatory v. (**HFOV**) 高頻度振動換気（機械換気システムの1つ．気道に連続した膨張圧をかけながら，小さな一回換気量で，高速に振動する換気周期により，適正な換気を得る).

high-frequency positive pressure v. (**HFPPV**) 高頻度陽圧換気（機械換気システムの1つ．呼吸回数を毎分60回以上で換気する場合をいう).

intermittent mandatory v. (**IMV**) 間欠的強制換気(呼吸)（気道に対しあらかじめ決められた頻度で陽圧容量を機械的に送るもので，人工呼吸器回路を通じて患者自身の自発呼吸の間に挿入される).

intermittent positive pressure v. (**IPPV**) 間欠的陽圧換気(呼吸). ＝controlled mechanical v.

inverse-ratio v. 逆転換気法 (より標準的な換気法とは異なって，吸気時間が呼気時間より長い機械的換気法).

liquid v. 液体換気法 (重症肺損傷に罹患した肺の実験的換気法で，液体中のペルフルオロカーボンに酸素と炭酸ガスを溶解させて使用することで，理論的には無気肺やその他の問題の頻度を減少させる).

mandatory minute v. 強制的微量換気法 (必要時にのみ少量の換気が得られるように設定された機械的換気法).

manual v. 用手呼吸 (患者の肺内に強制的にガスを送り込むガスを満たした呼吸バッグを間欠的に用手圧迫して無呼吸あるいは低換気の際に酸素投与と炭酸ガス排出を維持する). ＝bag v.

maximum voluntary v. (**MVV**) 最大換気〔量〕(一定時間内(例えば 15 秒)にできるだけの深呼吸をできるだけ早く繰り返したときの換気量. 通常は 1 分以上で最大呼吸量に達する). ＝maximum breathing capacity.

mechanical v. 機械換気(呼吸) (陽圧または陰圧の器械を用いる機械的補助呼吸法. ある陽圧器機は気管内挿管を必要とし，他のものは口または鼻にマスクをするだけでよい. ここ数十年間は呼吸不全患者の機械的換気の標準法は気管内挿管で，気管内チューブを通じて肺に圧依存性または容量依存性陽圧を送るものである. 現在では，どんな症例でも挿管が必要かどうか疑問視され，多くの慢性呼吸不全患者は非侵襲的器機で適切に換気されうる).

minute v. 毎分換気量. ＝pulmonary v.

mouth-to-mouth v. 口対口人工呼吸法 (患者の口の中に呼気を吹き込んで換気を行う手技. 心肺蘇生時に行われる. →cardiopulmonary *resuscitation*).

negative pressure v. 陰圧換気法 (胸郭拡張による吸気を惹起する陰圧あるいは大気圧より低い圧をつくり出す，胸郭をおおう種々の装具による機械的換気法. 陰圧を解除すると胸郭の弛緩をもたらし肺が呼出する. このタイプの換気法はポリオ患者の大多数で使用された〝鉄の肺〟で有名となった. 他のこのような換気法は胴よろいやボディスーツを含む).

noninvasive positive pressure v. 非侵襲的陽圧換気法 (鼻あるいは鼻と口の全面マスクを通じて陽圧を送るもので，気道あるいは気管に直接的に到達する方法と同様な換気法で反復される. この型の換気は，気管内挿管を避けて患者の治療を短期間にするために，しばしば用いられる).

patient-triggered v. 〔患者〕呼吸感知作動型換気装置 (補助換気装置において患者側の呼吸努力を感知して，補助の換気の制御に用いるもの).

percutaneous transtracheal v. 経皮気管〔静脈カテーテル〕換気 (しっかりした外科的手技による気道造設までの，一般的輪状甲状軟骨貫通針と高圧による緊急的酸素投与手技. 本手技は定義上も不十分な換気チューブ(静脈カテーテルが使われる)と 50 psi(約 70 cm 水柱に相当)が酸素投与に必要であり，姑息的なものである. →needle; cricothyrotomy).

permissive hypercapnic v. 高炭酸ガス許容換気法 (患者に与えられる機械的援助量を最少にするために炭酸ガス血中濃度が正常値を超えるのを許す機械的換気法で，気圧による損傷のようなこの治療法の合併症を最も少なくさせる. この換気法は通常重症ぜん息患者に用いられるが，伝統的な換気がなされると気道内の著しい圧力をつくり出し，気胸を引き起こす).

positive pressure v. (**PPV**) 陽圧換気法 (機械換気モードの一種. 体表の外気圧より高く気道開放圧を上昇させることにより，陽圧の内外呼吸圧差を生じさせる).

pressure-controlled v. 圧制御換気法 (患者の自発呼吸とはかかわりなく行われる機械的換気法で，どのくらいの空気を受けとるかでは濃度と時間とともに圧が主要な変数である).

pressure-support v. (**PSV**) 圧維持換気法 (呼吸が一定圧で規定された量の維持を誘導する機械換気補助法).

proportional assist v. 比例補助換気法 (患者の努力に比例して補助する機械換気法で，患者の自己呼吸と同調する. 機械によって補助される量を患者が完全に決めることができる).

pulmonary v. 肺換気〔量〕(最小呼吸容量，すなわち 1 分間に吸入(V_I)または呼出(V_E)される気体量を 1 分間当たりのリットル数で表したもの. 死腔気体交換も含んでおり，肺胞換気とは異なる). ＝minute v.

synchronized intermittent mandatory v. (**SIMV**) 同調性間欠的強制換気 (予定量まで 1 回換気量を増やすための患者による自然誘発される間欠的強制換気で，結果として患者の呼吸周期と同調する. 患者が呼吸努力をしなければ，機械が自動的にあらかじめ定められた呼吸を提供する).

wasted v. 無効換気 (酸素および二酸化炭素を肺毛細管血と交換する場合に無効となる肺換気の部分をいい，生理的死腔に呼吸数を乗じて計算する).

ven·ti·la·tion/per·fu·sion mis·match (ven′ti-lā′shŭn-pĕr-fyū′ zhūn mis′mach). 呼吸 /還流不適合 (肺胞換気と肺毛細管血流量の間のアンバランス).

ven·ti·la·tor (ven′ti-lā′tŏr) [L. *ventilo*, to fan < *ventus*, wind + *-ator*, agent suffix]. 人工呼吸器. ＝respirator.

cuirass v. 胴よろい型呼吸器 (胸の前側をおおってフィットするように装着し陰圧では停止する堅い胸用の板が，胸壁を動かして患者を呼吸させる). ＝cuirass respirator.

vent·plant (vent′plant). ベントプラント (通常はチタンでつくられる骨内インプラントで，粘膜上の突起様構造によって歯科補てつ物の支持・固定を行うのに役立つ. インプラント全体の総称として用いることもある).

ven·trad (ven′trad) [L. *venter*, belly + *ad*, to]. 腹側へ (dorsad の対語).

ven·tral (ven′trăl) [L. *ventralis*][TA]. 腹側の，腹面の，腹の (①腹，腹部に関する. ②＝anterior (1). ③獣医解剖学において，動物の下方表面. ある組織の位置を他に対比して示すのによく用いる. すなわち身体の下方表面に近い方に位置している).

ven·tra·lis (ven-trā′lis) [L.][TA]. 腹側の. ＝anterior (1).

ven·tral par·a·floc·cu·lus (ven′trăl par′a-flok′yū-lŭs). 腹側傍片葉 (小脳後葉の小さな半球部(第 IX 小葉)で，小脳扁桃(第 HIX 小葉)，垂(虫部第 IX 葉)と構造的に関連している). ＝paraflocculus ventralis.

ven·tri·cle (ven′tri-kĕl) [L. *ventriculus*: *venter*(belly)の指小辞][TA]. 室，心室，脳室 (脳または心臓などに正常に存在する空洞). ＝ventriculus (2) [TA].

Arantius v. (ă-ran′shŭs). アランティウス〔脳〕室. ＝*calamus* scriptorius.

cerebral v.'s 脳室 (→lateral v.; fourth v.; third v.; *cavity* of septum pellucidum).

v. of cerebral hemisphere ＝lateral v.

common v. 共通心室 (心室中隔が欠損するため異常形態の単心室となり，三腔心となる).

v. of diencephalon ＝third v.

double outlet right v. 両大血管右室起始〔症〕(先天性異常の異種でまだ分類されていない. 基本的には両大血管がひとかたまりになるかあるいは部分的に右室あるいは漏斗部の腔から起始し，心室中隔欠損がほとんど常に存在する).

Duncan v. (dŭn′kăn). ダンカン〔脳〕室. ＝*cavity* of septum pellucidum.

fifth v. 第 5 脳室. ＝*cavity* of septum pellucidum.

fourth v. [TA]. 第 4 脳室 (不規則な形のテント状の脳室で，門から上方に中脳水道に向かってのび，後方から小脳，前方から菱脳被蓋に囲まれ，菱形の床(菱形窩)とテント状の天井をもつ. 天井の下部は脈絡組織と下髄帆によって，天井の中部は小脳の白質によって，細くなった天井の上部(上陥凹)は上髄帆によって構成される. 第 4 脳室の幅は橋と延髄の移行部で最大になり，ここでは脳室が小脳脚の後ろを側方に，呑口状の外側陥凹内に広がる. 脳室の最大高は室頂陥凹で認められ，ここでは小脳白質の中に広がっている. 脳室系とクモ膜下腔の唯一の直接の連結は第 4 脳室で認められ，脈絡組織の正中部にある正中口，第 4 脳室正中口によって大槽(小脳延髄槽)に通じ，そして脳底槽(外側小脳延髄槽)と外側陥凹は外側口，第 4 脳室外側口によって両側性に互いに通じている). ＝ventriculus quartus [TA]; v. of rhombencephalon.

laryngeal v. [TA]. 喉頭室 (前庭ひだと声帯ひだの間で，左右の側壁にある 1 対の陥凹で咽頭小嚢はここに開口し

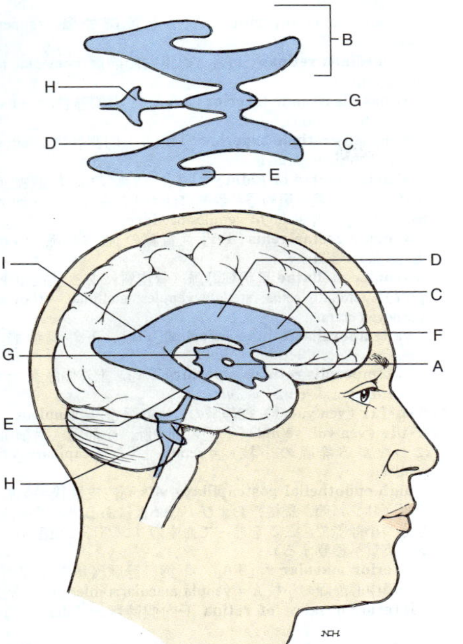

ventricles of the brain

上から見た図および側面図．A：中間質．B：左側脳室．C：右側脳室の前角．D：右側脳室の中心部(体部)．E：右側脳室の後角．F：室間孔．G：第3脳室．H：第4脳室．I：側脳室房．

ている)．＝ventriculus laryngis［TA］; laryngeal sinus; Morgagni sinus (3); Morgagni v.; sinus laryngeus.

lateral v.［TA］．側脳室（大脳半球の基本形と一致して馬蹄形に似た形をした腔．Monro 室間孔によって第3脳室に通じ，室間孔から，前方には前角として前頭葉内にのび，後方には中心部または体部として視床上に広がり，視床の後ろで外方に曲がり，下角として側頭葉内を前方にのび，この腹外方への曲がりの頂点(側脳室房)から，大きさは一定しないが後頭葉の白質内に後角がのびる．側脳室のよく発達した脈絡叢は中心部・側脳室房と下角(前角や後角ではない)のところで内方からはいり込む)．＝ventriculus lateralis［TA］; v. of cerebral hemisphere.

left v. (LV)［TA］．左心室（左心房からの動脈血を受け入れ，壁の収縮によりこれを大動脈に送り出す心臓の左側の下方の腔所)．＝ventriculus sinister［TA］.

Morgagni v. (mōr-gah′nyē)．モルガニー室．＝laryngeal v.

parchment right v. ＝Uhl *anomaly*.

v. of rhombencephalon ＝fourth v.

right v. (RV)［TA］．右心室（右心房からの静脈血を受け入れ，壁の収縮により血液を肺動脈に送り出す心臓の右側の下方の腔所)．＝ventriculus dexter［TA］.

(right/left) v.'s of heart［TA］．〔右または左〕心室（心臓の下方の2つの室)．=ventriculus cordis dexter / sinister［TA］.

single v. 単心室（心室中隔の先天的欠損または完全欠損)．

sixth v. 第6脳室．＝Verga v.

sylvian v. シルヴィウス〔脳〕室．＝*cavity* of septum pellucidum.

v. of Sylvius (sil′vē-ŭs)．シルヴィウス脳室．＝*cavity* of septum pellucidum.

terminal v.［TA］．終室（脊髄円錐の下端における脊髄中心管の拡張部)．＝ventriculus terminalis［TA］.

third v.［TA］．第3脳室（狭く垂直に向いた不規則な四角形の脳室．正中に位置し，終板から後方に向かって中脳水道の上端までのび，脳室の前側角部で左右の側脳室と Monro 室間孔によって通じている．その狭い天井は両側の視床ひもの間に張られている脈絡組織によってつくられ，側壁は視床の内側面と，視床下溝より下方では床も含めて視床下部によってつくられている．側方からみて第3脳室はいくつかの陥凹を示す．その床に前方から後方に向かって，ⓘ終板の基部と視束交叉の背面の間に鋭角をなして存在する視索上陥凹，ⓘⓘ(ヒトの場合は)下垂体茎でなく，漏斗内に腹側にのびる漏斗陥凹，ⓘⓘⓘ脳室への乳頭体の突出によりつくられた乳頭または乳頭下陥凹．また，第3脳室の背側下角では，松果陥凹・松果体上陥凹が松果体に対して尾側にのびる)．＝ventriculus tertius［TA］; v. of diencephalon.

Verga v. (ver′gah)．ヴェルガ〔脳〕室（胎児の成長時に，脳梁の後部1/3と，その下にある脳弓交連(海馬交連，脳琴)の間の交連板が完全に融合しなかった結果生じた同部の不定形，水平のスリット状の空間．透明中隔腔と同様に，この空隙は，神経管の神経腔から発生したのではないという意味では真の脳室ではない)．＝cavum psalterii; cavum vergae; sixth v.

Vieussens v. (vyū-sŏn[h]′)．ビューサン〔脳〕室．＝*cavity* of septum pellucidum.

Wenzel v. (vent′sel)．ヴェンツェル〔脳〕室．＝*cavity* of septum pellucidum.

ven·tri·cose (ven′tri-kōs)．膨れた，肥満した（片側のみ，あるいは左右不均等に飛び出したり膨れたりすること)．

ven·tric·u·lar (ven-trik′yū-lăr)．心室の，脳室の．＝ventricularis (1).

ven·tric·u·la·ris (ven-trik-yū-lā′ris)［Mod. L. ＜L. *ventriculus*］．*1*〖adj.〗心室の，脳室の．＝ventricular. *2*〖n.〗甲状喉頭蓋筋．＝thyroepiglottic *part* of thyroarytenoid (muscle).

ven·tric·u·lar·i·za·tion (ven-trik′yū-lăr-i-zā′shŭn)．心室化（心室の刺激のために起こる心房現象の変形，特に三尖弁閉鎖不全時の右房圧波形の変形)．

ven·tric·u·lar pon·der·ance (ven-trik′yū-lăr pon′dĕr-ănts)．心室の変調（片側の心室が対側の心室よりも大きく，厚いことを示す心電図用語で，最近は用いられない)．

ven·tric·u·lec·to·my (ven-trik′yū-lek′tŏ-mē)［ventricul- + -ectomy］．心室切除術（心室壁の一部を切除し，拡大した心室の容積を縮小する手術)．

partial left v. 部分左心室心筋切除術．＝left ventricular volume reduction *surgery*.

ven·tric·u·li·tis (ven-trik′yū-lī′tis)［ventricle + G. *-itis*, inflammation］．脳室炎．

ventriculo-［L. *ventriculus*］．室を意味する連結形．

ven·tric·u·lo·a·tri·al (VA) (ven-trik′yū-lō-ā′trē-ăl)．室房の（心室と心房の両者，特に電気伝導経路が心室から心房に逆行性に順次伝導する場合)．

ven·tric·u·lo·cis·ter·nos·to·my (ven-trik′yū-lō-sis′tĕr-nos′tō-mē)［ventriculo- + L. *cisterna*, cistern + G. *stoma*, mouth］．脳室大槽吻合〔術〕（脳室と大槽間の人工的な短絡造設術．→shunt (2))．

ven·tric·u·log·ra·phy (ven-trik′yū-log′ră-fē)［ventriculo- + G. *graphē*, a writing］．*1* 脳室造影(撮影)〔法〕（気体または造影剤を注入して脳室系をX線像として描出すること．本法は1918年に Dandy により，開発され，記載された．*cf.* pneumoencephalography)．*2* 心室機能造影（放射性同位元素(RI)あるいはX線造影剤を経静脈的に投与後，その心内分布を記録することにより心室収縮機能を描出する方法)．

radionuclide v. RI心室造影法．＝radionuclide *angiocardiography*.

ven·tric·u·lo·mas·toi·dos·to·my (ven-trik′yū-lō-mas′-toy-dos′tŏ-mē)［ventriculo- + mastoid + G. *stoma*, mouth］．脳室乳突造瘻術，脳室乳突フィステル形成〔術〕（水頭症を治療するためにポリエチレンチューブを用いて，側脳室と乳突洞間を連結させる手術．→shunt (2))．

ven·tric·u·lo·nec·tor (ven-trik′yū-lō-nek′tŏr, -tōr) [ventriculo- + L. *necto*, to join]. ＝atrioventricular *bundle.*

ven·tric·u·lo·pha·sic (ven-trik′yū-lō-fā′zik). 心室拍相の(心室収縮に影響された．心室収縮により変化したときの心房拍に適用する．完全房室ブロックの心室洞性不整脈においては，心室収縮に直接続く洞性拍は普通，平常よりも速い)．

ven·tric·u·lo·plas·ty (ven-trik′yū-lō-plas′tē) [ventriculo- + G. *plastos*, formed]. 心室形成〔術〕(心室の欠陥を修復する外科的手段)．

reduction left v. ＝left ventricular volume reduction *surgery.*

ven·tric·u·lo·punc·ture (ven-trik′yū-lō-pŭnk′chūr). 脳室穿刺（針を脳室に挿入すること)．

ven·tric·u·los·co·py (ven-trik′yū-los′kŏ-pē) [ventriculo- + G. *skopeō*, to view]. 脳室鏡検査〔法〕，脳室内視法（内視鏡を用いる脳室の直接検査)．

ven·tric·u·los·to·my (ven-trik′yū-los′tŏ-mē) [ventriculo- + G. *stoma*, mouth]. 脳室吻合術（脳室に開口部を設けることで，通常，水頭症を寛解させるために第3脳室底を通してクモ膜下腔に交通をつける．→shunt (2))．

third v. 第3脳室造瘻術，第3脳室吻合術（第3脳室から前視交叉槽と脚間槽に，または第3脳室から脚間槽に交通をつける手術．前者は Stookey-Scarff 手術，後者は Dandy 手術)．

ven·tric·u·lo·sub·a·rach·noid (ven-trik′yū-lō-sŭb′ă-rak′noyd) [ventriculo- + subarachnoid]. 脳室クモ膜下の（脳脊髄液のはいった空間についていう)．

ven·tric·u·lot·o·my (ven-trik′yū-lot′ŏ-mē) [ventriculo- + G. *tomē*, incision]. 脳室(心室)切開〔術〕(脳室(心室)に切開をいれること．例えば水頭症の寛解のために第3脳室を切開するとか，心奇形を矯正するために心室に切開をいれること)．

ven·tric·u·lus, pl. **ven·tric·u·li** (ven-trik′yū-lŭs, -lī) [L. *venter*(belly)の指小辞][TA]. ***1*** 胃．＝stomach. ***2*** 室．＝ventricle. ***3*** 腔，胃（消化を行う昆虫消化管の中腸の拡大した後方の部分)．

v. cordis dexter/sinister [TA]. 〔右または左〕心室．＝(right/left) *ventricles* of heart.

v. dexter [TA]. 右心室．＝right *ventricle.*

v. laryngis [TA]. 喉頭室．＝laryngeal *ventricle.*

v. lateralis [TA]. 側脳室．＝lateral *ventricle.*

v. quartus [TA]. 第4脳室．＝fourth *ventricle.*

v. quintus 第5脳室．＝*cavity* of septum pellucidum.

v. sinister [TA]. 左心室．＝left *ventricle.*

v. terminalis [TA]. 終室．＝terminal *ventricle.*

v. tertius [TA]. 第3脳室．＝third *ventricle.*

ven·tri·duct (ven′tri-dŭkt) [L. *venter*, belly + *duco*, pp. *ductus*, to lead]. 腹側へ導く（腹部に向かって引き寄せる)．

ven·tri·duc·tion (ven′tri-dŭk′shŭn). 導腹（腹部あるいは腹壁のほうに引き寄せること)．

ventro- [L. *venter*, belly]. 腹部の，を意味する連結形．

ven·tro·cys·tor·rha·phy (ven′trō-sis-tōr′ă-fē) [ventro- + G. *kystis*, cyst + *rhaphē*, suture]. 膀胱腹壁縫合〔術〕．＝cystopexy.

ven·tro·dor·sad (ven′trō-dōr′săd). 腹背方向の（腹から背の方向についていう)．

ven·tro·in·gui·nal (ven′trō-ing′gwi-năl). 腹鼡径の（腹と鼡径部に関する)．

ven·tro·lat·er·al (ven′trō-lat′ĕ-răl). 腹側外側の（腹側と外側の両方に関する．すなわち前方と側方に関する)．

ven·tro·me·di·an (ven′trō-mē′dē-ăn). 腹側正中の，前正中の（腹側面の正中線に関する)．

ven·trop·to·sis, ven·trop·to·sia (ven′trŏp-tō′sis, -tō′sē-ă) [ventro- + G. *ptōsis*, a falling]. 胃下垂．＝gastroptosis.

ven·tros·co·py (ven-tros′kŏ-pē) [ventro- + G. *skopeō*, to view]. 腹腔鏡検査〔法〕．＝peritoneoscopy.

ven·trot·o·my (ven-trot′ŏ-mē) [ventro- + G. *tomē*, incision]. 開腹〔術〕，腹腔切開〔術〕．＝celiotomy.

Ven·tu·ri (ven-tū′rē), Giovanni B. イタリア人物理学者，1746—1822. →V. *effect*, *meter*, *tube.*

ven·u·la, pl. **ven·u·lae** (ven′yū-lă, -lē) [L. *vena*(vein)の指小辞][TA]. 細静脈，小静脈．＝venule.

v. macularis inferior [TA]. 下黄斑静脈．＝inferior macular *venule.*

v. macularis superior [TA]. 上黄斑静脈．＝superior macular *venule.*

v. medialis retinae [TA]. 網膜内側静脈．＝medial *venule* of retina.

v. nasalis retinae inferior [TA]. 下内側静脈．＝inferior nasal retinal *venule.*

v. nasalis retinae superior [TA]. 上内側静脈．＝superior nasal retinal *venule.*

venulae rectae of kidney [TA]. 〔腎臓の〕直細静脈（腎錐体からの血液を集め弓状静脈に注ぐ小静脈)．＝venulae rectae renis [TA]; straight venules of kidney.

venulae rectae renis [TA]. 〔腎臓の〕直細静脈．＝venulae rectae of kidney.

venulae stellatae 星状細静脈（腎皮質にある星状の小静脈群)．＝stellate veins; stellate venules; stellulae verheyenii; Verheyen stars.

v. temporalis retinae inferior [TA]. 下外側静脈．＝inferior temporal retinal *venule.*

v. temporalis retinae superior [TA]. 上外側静脈．＝superior temporal retinal *venule.*

ven·u·lar (ven′yū-lăr). 細静脈の，小静脈の．＝venulous.

ven·ule (ven′yūl, vē′nūl) [TA]. 細静脈，小静脈（毛細血管につながる静脈の小枝)．＝venula [TA]; capillary vein; veinlet.

high endothelial postcapillary v.'s 高内皮性後毛細管小静脈（リンパ節，扁桃，および Payer 板にある丈の高い内皮をもつ小静脈で，ここを通って血中のリンパ球は血液からリンパ実質へ移動する)．

inferior macular v. [TA]. 下黄斑静脈（黄斑下部からの網膜中心静脈の小枝)．＝venula macularis inferior [TA].

inferior nasal v. of retina 下内側静脈．＝inferior nasal retinal v.

inferior nasal retinal v. [TA]. 下内側静脈（網膜下内側(鼻側)部からの血液を集め中心静脈にはいる小静脈)．＝venula nasalis retinae inferior [TA]; inferior nasal v. of retina.

inferior temporal v. of retina 下外側静脈．＝inferior temporal retinal v.

inferior temporal retinal v. [TA]. 下外側静脈（網膜下外側(側頭)部から集まり中心静脈に注ぐ小静脈)．＝venula temporalis retinae inferior [TA]; inferior temporal v. of retina.

medial v. of retina [TA]. 網膜内側静脈（黄斑部と視神経円板間の網膜領域を通り，中心静脈に連なる小静脈)．＝venula medialis retinae [TA].

nasal v.'s of retina 内側静脈（→inferior nasal retinal v.; superior nasal retinal v.)．

pericytic v.'s ＝postcapillary v.'s.

postcapillary v.'s 後毛細管小静脈（毛細血管にすぐ続く細小血管系で，直径 10—50 μm，周皮細胞で被膜されている．ここは血球が溢血する場所で，特にヒスタミンに敏感であり，血液と組織液が交換されるのに大切な役割を果たしていると考えられている)．＝pericytic v.'s.

stellate v.'s 星状細静脈．＝*venulae* stellatae.

straight v.'s of kidney 〔腎臓の〕直細静脈．＝*venulae* rectae of kidney(⇒venula).

superior macular v. [TA]. 上黄斑静脈（黄斑上部からの網膜中心静脈の小枝)．＝venula macularis superior [TA].

superior nasal v. of retina 上内側静脈．＝superior nasal retinal v.

superior nasal retinal v. [TA]. 上内側静脈（網膜上内側(鼻側)部からの血液を集め中心静脈にはいる小静脈)．＝venula nasalis retinae superior [TA]; superior nasal v. of retina.

superior temporal v. of retina 上外側静脈．＝superior temporal retinal v.

superior temporal retinal v. [TA]. 上外側静脈（網膜上外側(側頭)部から集まり中心静脈に注ぐ小静脈)．＝venula temporalis retinae superior [TA]; superior temporal v. of retina.

temporal v.'s of retina 外側静脈（⇀inferior temporal retinal v.; superior temporal retinal v.）.

ven·u·lous (ven'yū-lŭs). 小静脈の，細静脈の．＝venular.

VER visual evoked response の略．⇀evoked *response*.

ve·rat·ric ac·id (vĕ-rat'rik asid). ベラトルム酸（プロトカテク酸をメチル化した後に酸化して得られる物質．*Schoenocaulon officinale*(*Sabadilla officinarum*) の種子に存在する）.

ver·a·tri·dine (ver'ă-trī'dēn). ベラトリジン（*Veratrum viridae* および *V. album* 由来のアルカロイドの一種．恐らくこの種のアルカロイドの血圧降下作用発揮に起因していると考えられている）.

ver·a·trine (ver'ă-trēn, -trin). ベラトリン（ユリ科の薬用植物 *Schoenocaulon officinale*(*Sabadilla officinarum*) の種子から得られるアルカロイド混合物で，セビン，セバジン，セバジリン，サバジン，ベラトリジンが含まれる．辛味をもつ，鼻粘膜を激しく刺激する粉末．神経痛と関節炎に鎮痛・反対刺激薬として用いられてきた）.

Ve·ra·trum (vĕ-rā'trŭm) [L. hellebore]. バイケイソウ属（ユリ科植物の毒性のある一属）.

V. album シロバイケイソウ（根茎は催吐およびしゃ下作用をもつ）.

V. viride ベラトラムバリッド（乾燥根茎と根は治療に重要なアルカロイドを含有し（セバジン，ベラトリジン，ジェルビン，プソイドジェルビン，ルビジェルビン，および塩基性ジェルミンの数種のエステルアルカロイド），高血圧障害の治療に用いる）.

ver·big·er·a·tion (ver-bij'ĕr-ā'shŭn) [L. *verbum*, word + *gero*, to carry about]. 〔反復〕語唱（意味のない言葉または文章を絶えず繰り返すこと．統合失調症でみられる）. ＝oral stereotypy.

ver·bo·ma·ni·a (ver'bō-mā'nē-ă) [L. *verbum*, word + G. *mania*, frenzy]. 多弁〔症〕，饒舌〔症〕（異常なおしゃべり，精神病的な饒舌に対してまれに用いる語）.

ver·di·gris (ver'di-grēs, -gris, -grē) [O. Fr. *verd*, green + *de*, of + *Gris*, Greeks]. 緑青（酢酸第二銅）.

ver·dine (ver'din). ベルジン．＝biliverdin.

ver·do·glo·bin (ver'dō-glō'bin). ベルドグロビン（choleglobin を表す現在では用いられない語）.

ver·do·he·mo·chrome (ver'dō-hē'mō-krōm). ベルドヘモクロム（胆汁色素を生成するヘモグロビン分解の中間体．ヘモグロビンはコレグロビン（ベルドヘモグロビン）を生成し，グロビン欠如によりビリベルジンの前駆体であるベルドヘモクロムが残る）.

ver·do·he·mo·glo·bin (ver'dō-hē'mō-glō'bin). ベルドヘモグロビン．＝choleglobin.

ver·do·per·ox·i·dase (ver'dō-pĕr-oks'i-dās). ベルドペルオキシダーゼ（白血球に存在するペルオキシダーゼで，緑色をしたフェリヘムを含む．膿のペルオキシダーゼ作用に関与する）.

Verga (ver'gah), Andrea. イタリア人神経科医，1811―1895. ⇀V. *ventricle*; *cavum* vergae.

verge (verj). 端，辺縁．＝edge; margin.

anal v. 肛門縁（肛門管の湿潤で無毛の変性皮膚と肛門周囲皮膚との移行帯）.

ver·gence (ver'jĕnts) [L. *vergo*, to incline, to turn]. よせ運動（輻輳，開散におけるように，固視線が平行でない非共同性眼球運動）.

v. of lens 平行光線の分散または収束の尺度として用いる主焦点距離の逆数.

Ver·he·yen (ver-hī'en), Philippe. フランダース人解剖学者，1648―1710. ⇀V. *stars*; *stellulae* verheyenii(⇌stellula).

Ver·hoeff (ver'hef), Frederick H. 米国人眼科医，1874―1968. ⇀V. elastic tissue *stain*.

Ver·mes (vĕr'mēz) [L. *vermis*, worm]. 蠕虫亜界（蠕虫や蠕虫様生物を含む動物界の亜界をさす旧名．現在では分類学的に用いられない不自然な区分）.

vermi- [L. *vermis*]. 虫，虫様の，を意味する連結形.

ver·mi·ci·dal (ver'mi-sī'dăl) [vermi- + L. *caedo*, to kill]. 殺寄生虫〔性〕の，駆虫〔性〕の（駆虫を意味し，特に腸内寄生虫の駆虫についていう）.

ver·mi·cide (ver'mi-sīd) [vermi- + L. *caedo*, to kill]. 殺寄生虫薬，駆虫薬（腸内寄生虫の駆虫薬）.

ver·mic·u·lar (ver-mik'yū-lăr) [L. *vermiculus*: *vermis* (worm)の指小辞]. 虫の，虫様の.

ver·mic·u·la·tion (ver-mik'yū-lā'shŭn). 蠕虫運動，ぜん動.

ver·mi·cule (ver'mi-kyūl) [L. *vermiculus*, a small worm]. ***1*** 小虫．***2*** ウジ．＝ookinete.

ver·mic·u·lose, ver·mic·u·lous (ver-mik'yū-lōs, -lŭs). ***1*** 寄生虫感染の．***2*** 虫状の（→vermiform）.

ver·mi·cu·lus (ver-mik'yū-lŭs) [L. *vermis*(worm)の指小辞]. (⇀vermicule).

ver·mi·form (ver'mi-fōrm) [vermi- + L. *forma*, form]. 虫様の（虫の形をした，虫に似た，特に盲腸の虫様突起についていう．→lumbricoid; scolecoid (2)）.

ver·mif·u·gal (ver-mif'yū-găl) [vermi- + L. *fugo*, to chase away]. 駆虫〔性〕の．＝anthelmintic (2).

ver·mi·fuge (ver'mi-fyūj) [vermi- + L. *fugo*, to chase away]. 駆虫薬．＝anthelmintic (1).

ver·mil·ion (ver-mil'yŏn) [C.I. 77766]. バーミリオン（辰砂または赤色硫化第二水銀からつくられる赤色色素）. ＝vermillion.

ver·mil·ion·ec·to·my (ver-mil'yŏn-ek'tŏ-mē) [vermilion border + G. *ektomē*, cutting out]. 唇紅部切除〔術〕.

ver·mil·lion (vĕr-mil'yŏn). ＝vermilion.

ver·min (ver'min) [L. *vermis*, a worm]. 外寄生虫，寄生動物，害虫（シラミやナンキンムシなどの寄生昆虫）.

ver·mi·nal (ver'mi-năl). ＝verminous.

ver·mi·na·tion (ver'mi-nā'shŭn). ***1*** 寄生虫発生．***2*** 寄生虫感染.

ver·min·ous (ver'mi-nŭs) [L. *verminosus*, wormy]. 寄生虫〔性〕の．＝verminal.

ver·mis, pl. ver·mes (ver'mis, -mēz) [L. worm]. ***1*** 虫，蠕虫（蠕虫に似た構造あるいは部分をもつあらゆるもの）. ***2*** [TA]. 小脳虫部（2つの小脳半球間の狭い帯状の部分．半球の上部表面の上に突出している部分は superior v.（上虫部）とよばれる．2つの半球の間に沈み，小脳谷を形成している下方の部分は inferior v.（下虫部）という）.

ver·mix (ver'miks). 虫垂．＝appendix (2).

Ver·ner (ver'nĕr), John 20世紀の米国人内科医. ⇀V.-Morrison *syndrome*.

Ver·net (ver-nā'), Maurice. フランス人神経科医，1887―1974. ⇀V. *syndrome*.

Ver·ni·er (ver'nē-er), Pierre. フランス人数学者，1580―1637. ⇀V. *acuity*.

ver·nix (ver'niks) [Mod.L.]. ワニス，ニス．＝varnish (dental).

v. caseosa 胎脂（落屑上皮細胞，柔らかな胎毛，皮脂質からなり胎児の皮膚をおおう脂肪様チーズ状の物質で，防水効果を発揮することにより，胎児が羊水に浸軟することを防いでいる）.

Ver·o·cay (ver'ō-kā), José. ハプスブルグ帝国下のチェコ人病理学者，1876―1927. ⇀V. *bodies*.

Ver·on·al (ver'ō-năl). 註商標．＝barbital.

ver·ru·ca, pl. ver·ru·cae (vĕ-roo'kă, -kē) [L.]. ゆうぜい（疣贅），いぼ（表皮の胚芽層，顆粒層，および角質層の肥厚を伴う真皮乳頭の限局性肥大を特徴とする肉色の増殖．ヒト乳頭腫ウイルスによって起こる．この名称はまた，非ウイルス性の表皮性いぼ状腫瘍にも適用される）. ＝verruga; wart.

v. digitata 指状ゆうぜい（乳頭が指のように突出したいぼ．これらのいぼは集簇性に，しばしば頭皮に生じる）. ＝digitate wart.

v. filiformis 糸状ゆうぜい（単発または多発性の非常に細長い乳頭からなるいぼ．顔面や頸部に好発する）. ＝filiform wart.

v. peruana, v. peruviana ペルーいぼ病．＝*verruga peruana*.

v. plana 扁平ゆうぜい（滑らかな，平らで肉色をした小さないぼで，群れをなして発生し，特に青年の顔面にみられる．しばしば手に，ヒト乳頭腫ウイルス（主に3型と10型）による尋常性ゆうぜいをもつ）. ＝flat wart; plane wart; v. plana juvenilis.

v. plana juvenilis 青年性扁平ゆうぜい．＝v. plana.

V

v. plana senilis 老年(老人)性扁平ゆうぜい．＝actinic *keratosis.*

v. plantaris 足底ゆうぜい．＝plantar *wart.*

seborrheic v. 脂漏性ゆうぜい．＝seborrheic *keratosis.*

v. senilis 老年(老人)性ゆうぜい．＝actinic *keratosis.*

v. simplex 単純性ゆうぜい．＝v. vulgaris.

v. vulgaris 尋常性ゆうぜい（感染性のヒト乳頭腫ウイルス(通常は2型と4型)によって起こる表皮の角化性乳頭腫．局所感染の結果として，青年に最も好発する．病変の持続は様々で，自然退縮もみられる．病変はまた，角層増殖，錯角化，顆粒層肥厚，空胞変成，乳頭腫症を伴い，外方向性と内方向性増殖をする)．＝common wart; infectious wart; v. simplex; viral wart.

ver·ru·ci·form (vĕ-rū′si-fōrm)［L. *verruca*, wart + *forma*, form］．いぼ状の．

ver·ru·cose (vĕ-rū′kōs)［L. *verrucosus*］．いぼ状の（いぼに似た，いぼ状隆起を意味する)．＝verrucous.

ver·ru·co·sis (ver′ū-kō′sis)［L. *verruca*, wart + G. *-osis*, condition］．いぼ症，ゆうぜい(疣贅)症（多くのいぼの出現を特徴とする状態)．

lymphostatic v. リンパうっ滞性ゆうぜい症．＝mossy *foot.*

ver·ru·cous (vĕ-rū′kŭs)．＝verrucose.

ver·ru·ga (vĕ-rū′gă)［Sp.］．ゆうぜい(疣贅)，いぼ．＝verruca.

v. peruana ペルーいぼ病（バルトネラ症の後期・皮疹期，粟粒大から種々の大きさにわたる柔らかな円錐形または有茎性血管性丘疹により特徴付けられる．皮膚または粘膜のいたる所に出現し，数か月後，瘢痕を残さず，消退する)．＝Peruvian wart; verruca peruana; verruca peruviana.

ver·sic·o·lor (ver-sik′ŏ-lŏr)［L. particolored < *verso*, to turn, twist + *color*, color］．種々の色の，雑色の，色が変わる．

ver·sion (ver′zhŭn, -shŭn)［L. *verto*, pp. *versus*, to turn］．***1*** 傾（器官全体が，それ自身は曲がらずに傾くような子宮の傾き．傾きの種には，前傾，後傾，側傾がある)．***2*** 回転〔術〕(自然に，または用手的操作で子宮内の胎児の位置が変化すること)．***3*** 傾斜．＝inclination. ***4*** 両眼共同運動（同一方向への両眼共同運動．この運動には，右向き，左向き，上向き，下向きがある)．

bimanual v. 双手回転〔術〕，双合回転〔術〕，両極回転〔術〕(両手を用い，胎児の四肢に対して操作を加えることにより，子宮内の胎児を回転させること．外回転または内外併用回転がある)．＝bipolar v.

bipolar v. ＝bimanual v.

cephalic v. 頭位回転〔術〕(頭部を先進させるために胎児を回転させること．→external cephalic v.; internal cephalic v.)．

combined v. 内外併用回転〔術〕(一方の手は膣内に入れ，もう一方は腹壁に当てて行う双手回転術)．

external cephalic v. 外回転〔術〕(外部操作により行う回転術．→cephalic v.)．

internal cephalic v. 内回転〔術〕(片方の手を子宮内に入れて行う手技．→cephalic v.)．

internal podalic v. 足位内回転術（術者の手を子宮腔内に挿入し，片側または両側の胎児足を把持して足位で分娩させる手技．双胎第2子への適応以外には最近ほとんど用いられない)＝podalic v.

pelvic v. 骨盤回転〔術〕(胎児の殿部を操作して，横位または斜位を骨盤位に変える回転術)．

podalic v. 足位回転〔術〕．＝internal podalic v.

postural v. 体位による回転〔術〕(母親の姿勢を変えることにより，無操作的に行う回転術)．

spontaneous v. 自己回転（子宮筋の自発的な収縮による胎児の回転)．

Wright v. (rīt)．ライト回転〔術〕(肩甲位に用いられる産科の手技で，片手で肩を上に押し上げている間にもう一方の手で殿部を子宮中心に向かって動かす．その後，頭部を骨盤内に誘導する)．

ver·te·bra, gen. & pl. **ver·te·brae** (ver′tĕ-bră, -brē)［L. joint < *verto*, to turn］［TA］．椎骨，椎（［誤った発音 verte′bra を避けること］．脊柱の分節．ヒトの場合は7個の

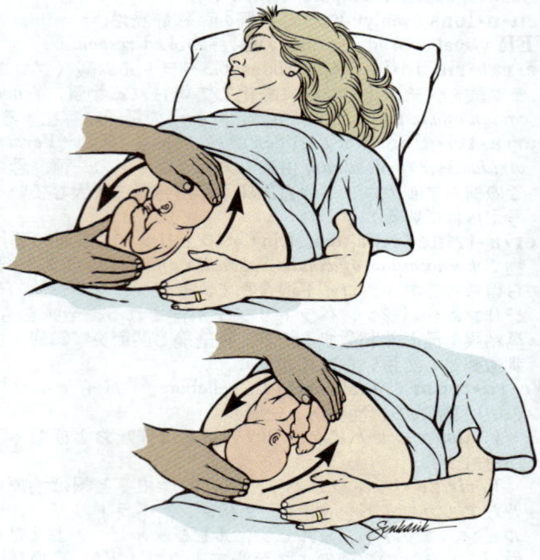

external cephalic version

胎児は外部からの圧迫で回転され頭位となる．

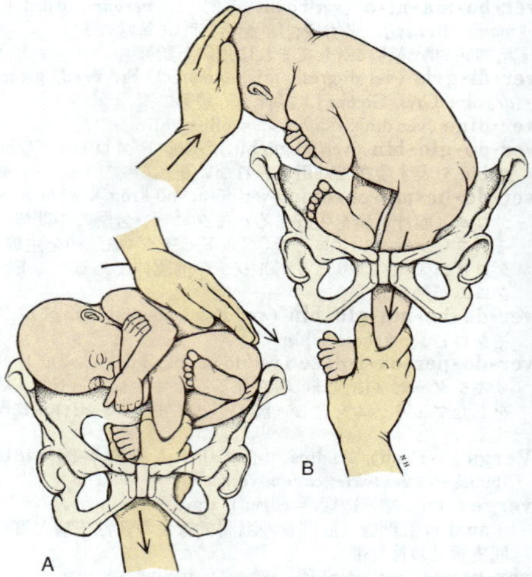

internal podalic version

児背後方横位を骨盤位に回転する．A：術者の右手で胎児の足を子宮内で把持し，同時に左手で腹壁上から胎児殿部を骨盤入口方向に回転するよう圧迫する．B：術者は胎児下肢を長軸方向に牽引すると同時に腹壁上から児頭を子宮底の方向に向ける．それによって骨盤位として分娩を進行できる．

頸椎，12個の胸椎，5個の腰椎，5個の仙椎(1つの仙骨に融合)と4個の尾椎(1つの尾骨に融合)の33個からなる)．

basilar v. 基底椎骨（最も下にある腰椎)．

block vertebrae 塊〔状〕椎（先天性に融合した低形成の椎体で，X線写真では1個の骨にみえる．→Klippel-Feil *syndrome*)．

butterfly v. 蝶形椎（X線写真正面像でチョウのような形状を呈する半椎や矢状脊椎裂．先天性である)．

v. C1☆ atlas の公式の別名．

v. C2* axis (4) の公式の別名.
caudal vertebrae 尾椎（尾の骨格を形成する椎骨）.
cervical vertebrae [C1–C7] ［TA］. 頸椎（頸部にある脊柱の7分節）. ＝vertebrae cervicales［CI–CVII］.
vertebrae cervicales [CI–CVII] 頸椎. ＝cervical vertebrae［CI–C7］.
vertebrae coccygeae [CoI–CoIV] ［TA］. 尾椎. ＝coccygeal vertebrae［Co1–Co4］.
coccygeal vertebrae [Co1–Co4] ［TA］. 尾椎（通常は融合して尾骨となる脊柱の末端分節）. ＝vertebrae coccygeae［CoI–CoIV］［TA］; tail vertebrae.
codfish vertebrae タラ形椎（椎体の上下の終板が極端に凹となりタラの椎骨のようになる．種々の骨減少病変のX線写真においてみられる）.
cranial v. 頭蓋椎部（脊柱分節と相同とみなされる頭蓋の一部）.
v. dentata ＝axis (4).
dorsal vertebrae [L1–L4] thoracic vertebrae を表す現在では用いられない語.
false vertebrae 偽脊椎（融合して仙骨および尾骨になっている脊椎分節）. ＝vertebrae spuriae.
first cervical v. ＝ atlas.
hourglass vertebrae 漏刻形椎，砂時計椎（遅発性骨形成不全症のX線写真でみられるある椎体の形）.
H-shape vertebrae H型脊椎（脊椎端板の中心部の明瞭に境界がつけられる陥凹．X線写真上，H型を示す．鎌状赤血球貧血で認められる）.
ivory v. 象牙椎（X線写真で濃く写る脊椎骨．通常，腫瘍の転移で起こり，単発性のときは特にリンパ腫のことが多い）.
vertebrae lumbales [LI–LV] ［TA］. 腰椎. ＝lumbar vertebrae［L1–L5］.
lumbar vertebrae [L1–L5] ［TA］. 腰椎（通常は5個，腰部にある椎骨）. ＝vertebrae lumbales［LI–LV］［TA］.
v. magna ＝sacrum.
odontoid v. ＝axis (4).
picture frame v. 額縁様椎体（X線上で，椎体の骨皮質の骨濃度が比較的保たれているのに比べ海綿骨の濃度が減少している椎体をいう．骨減少の徴候である）.
v. plana 扁平椎（椎体が薄い円板になる脊椎炎）.
v. prominens［TA］. 隆椎，第七頸椎（最も隆起した棘突起をもつ頸胸部の椎骨．全体の70% は第七頸椎，20% は第六頸椎，10% は第一胸椎）. ＝nuchal tubercle.
rugger jersey v. ラグビージャージー椎体（終板に接している部分が水平，帯状に硬化している椎体．腎性骨異栄養症でみられる）.
vertebrae sacrales [SI–SV] 仙椎. ＝sacral vertebrae［S1–S5］.
sacral vertebrae [S1–S5] 仙椎（通常は5個で，融合して仙骨をつくる脊柱分節）. ＝vertebrae sacrales［SI–SV］.
second cervical v. 第二頸椎. ＝axis (4).
vertebrae spuriae ＝false vertebrae.
tail vertebrae 尾椎. ＝coccygeal vertebrae［Co1–Co4］.
thoracic vertebrae [T1–T12] ［TA］. 胸椎（肋骨と結合して胸郭を形成する，通常12個の脊柱分節）. ＝vertebrae thoracicae［TI–TXII］［TA］.
vertebrae thoracicae [TI–TXII] ［TA］. 胸椎. ＝thoracic vertebrae［T1–T12］.
toothed v. ＝axis (4).
true v. 真脊椎（頸椎，胸椎，および腰椎）. ＝v. vera.
v. vera 真脊椎. ＝true v.

ver·te·bral (ver′tĕ-brăl).〔脊〕椎骨の（【誤った発音 verte′bral を避けること】. 1つまたは複数の椎骨に関する）.
ver·te·bra·ri·um (ver′tĕ-brā′rē-ŭm)［Mod. L.］. 脊柱. ＝vertebral *column*.
Ver·te·bra·ta (ver′tĕ-brah′tă)［L. *vertebratus*, jointed］. 脊椎動物亜門（脊索動物門の主要な一亜門で，軟骨または骨性脊柱におおわれた背部の中空神経索をもつ動物からなる．魚類，両生類，は虫類，鳥類，哺乳類を含む）. ＝Craniata.
ver·te·brate (ver′tĕ-brāt). ***1***〚adj.〛脊柱をもつ. ***2***〚n.〛脊椎動物（脊椎をもつ動物）.
ver·te·brat·ed (ver′tĕ-brāt′ĕd). 椎骨状の，脊椎状の（ある種の器具にみられるように，縦に並んだ分節からなることについていう）.
ver·te·brec·to·my (ver′tĕ-brek′tŏ-mē)［vertebra ＋ G. *ektomē*, excision］. 脊椎切除〔術〕.
vertebro-［L. *vertebra*］. 椎骨を意味する連結形.
ver·te·bro·ar·te·ri·al (ver′tĕ-brō-ar-tē′rē-ăl). 脊椎動脈の（脊椎と動脈，または椎骨動脈に関する）.
ver·te·bro·chon·dral (ver′tĕ-brō-kon′drăl)［vertebro- ＋ G. *chondros*, cartilage］. 脊椎肋軟骨の（3つの仮肋(第八，第九，第十)を意味し，一方の端で椎骨と，もう一方の端で肋軟骨と結合する．この軟骨は直接には胸骨とは結合しない）. ＝vertebrocostal (2).
ver·te·bro·cos·tal (ver′tĕ-brō-kos′tăl)［vertebro- ＋ L. *costa*, rib］. ***1*** ＝costovertebral. ***2*** ＝vertebrochondral.
ver·te·bro·fem·o·ral (ver′tĕ-brō-fem′ŏ-răl). 脊椎大腿骨の（脊椎および大腿骨に関する）.
ver·te·bro·il·i·ac (ver′tĕ-brō-il′ē-ak). 脊椎腸骨の（脊椎および腸骨に関する）.
ver·te·bro·plas·ty (ver-tĕ′brō-plas′tē)［vertebra ＋ -plasty］. 椎体形成〔術〕（外科用セメントを注入することなどにより骨折した椎体を安定化させる術式）.
ver·te·bro·sa·cral (ver′tĕ-brō-sā′krăl). 脊椎仙骨の（脊椎および仙骨に関する）.
ver·te·bro·ster·nal (ver′tĕ-brō-ster′năl). ＝sternovertebral.
ver·te·por·fin (vĕr-tē-pōr′fin). ベルテポルフィン（加齢黄斑変性に続発する脈絡膜新生血管を治療するための光線力学療法で用いられる光感受性薬物）.
ver·tex, pl. **ver·ti·ces** (ver′teks, vĕr′ti-sēz)［L. whirl, whorl］［TA］. 頂，頭頂（①［NA］. 頭蓋計測における頭蓋の最高点．②産科において，先端に小泉門をもつ，頸眉間と両頭頂骨径により仕切られた胎児の頭の一部）.
v. cordis ＝*apex* of heart.
v. of cornea 角膜頂. ＝corneal v.
v. corneae［TA］. 角膜頂. ＝corneal v.
corneal v.［TA］. 角膜頂（周囲部分より少し薄い角膜の中心部）. ＝v. corneae［TA］; v. of cornea.
ver·ti·cal (ver′ti-kăl)［TA］. ＝verticalis［TA］. ***1*** 頂の（頂または頭頂に関する）. ***2*** 垂直の. ***3*** 垂直の（解剖学的位置において身体を長軸方向に通過する面または線についていう）.
ver·ti·ca·lis (ver′ti-kā′lis)［L.］［TA］. 垂直の. ＝vertical.
ver·ti·ces (ver′ti-sēz). vertex の複数形.
ver·ti·cil (ver′ti-sil)［L. *verticillus*, the whirl of a spindle: *vertex*(a whirl)の指小辞］. 輪生，環生（類似部分がいくつもの同一軸から放射状に広がっていること）. ＝vortex (1); whorl (4).
ver·ti·cil·late (ver′ti-sil′āt). 渦巻き状の，輪生の.
Ver·ti·cil·li·um (ver′ti-sil′ē-ŭm)［L. *verticillus*, the whirl of a spindle］. バーティシリウム属（臨床材料中にしばしば不純物として見出される糸状菌の一属．ときに外耳炎患者の外耳道から分離されるが，病原性は疑わしい）.
ver·ti·co·men·tal (ver′ti-kō-men′tăl). 頭頂おとがい(頤)の（頭頂とおとがいに関する．頭蓋計測の直径についていう）.
ver·tig·i·nous (ver-tij′i-nŭs). めまいの（めまいに関する，めまいに苦しむことについていう）.
ver·ti·go (ver-ti-gō)［L. *vertigo*(*vertigin-*), dizziness < *verto*, to turn］.【正しいアクセントは2番目の音節に置くが，米国の用法ではしばしば最初の音節にアクセントを置く】. ***1*** めまい(眩暈)（自分自身または外部の物体が回転またはぐるぐると動いているという感覚．めまいは，その人自身が回転している(自身性めまい)か，その人の周りを物がある面で回転している(周囲性めまい)といった，はっきりした感覚を意味する）. ***2*** めまい感（一般用語として，不正確に用いられる）.
aural v. 耳性めまい（①内耳疾患または鼓膜の耳垢による圧力によって起こるめまい．②内耳迷路障害によるめまいの非特異的用語）.
benign paroxysmal positional v. 良性発作性頭位めまい症（繰り返し生じる短時間の頭位めまい症．半規管，通常は後半規管の卵形嚢内の耳石の遺残物による刺激に起因するとされる). =canalithiasis; cupulolithiasis.

benign positional v. 良性頭位めまい(眩暈)症（頸部伸展など，頭部のある動きや位置に伴って生じる短時間の発作性めまいと眼振．内耳の機能低下による). =positional v. of Bárány; postural v. (1).

Charcot v. シャルコーめまい. =cough *syncope*.

chronic v. 慢性めまい. =*status* vertiginosus.

endemic paralytic v. 地方病性麻痺性めまい. =vestibular *neuronitis*.

epidemic v. 流行性めまい. =vestibular *neuronitis*.

height v. 高所めまい（非常に高い所から下を見たとき，または高い建物や崖を見上げたときに感じるめまい感). =vertical v. (1).

horizontal v. 水平位めまい（横になったときに感じるめまい感).

hysteric v. ヒステリー性めまい（転換に基づく心因性めまいを表す古語. →conversion; hysteria;somatoform *disorder*.)

laryngeal v. 喉頭性めまい. =cough *syncope*.

lateral v. 側方〔性〕めまい（速く動いている乗物の窓から縦の物体(電信柱，木，フェンス)の列を見たときに感じるめまい感).

mechanical v. 機械的めまい（身体の連続的な回転または振動によるめまい).

nocturnal v. 夜間めまい（眠りに落ちるときの落下感).

ocular v. 視性めまい（外筋の反射誤差または不均衡によるめまい感).

organic v. 器質性めまい（脳損傷によるめまい).

paralyzing v. 麻痺性めまい. =vestibular *neuronitis*.

physiologic v. 生理的めまい. =space *sickness*.

positional v. 頭位めまい症（体位変換に伴い生じるめまい).

positional v. of Bárány バーラーヌー頭位めまい症. =benign positional v.

postural v. 体位性めまい（①=benign positional v. ②通常は，横になったり腰かけた姿勢から立ち上がったときの体位変化に伴い，特に老年者に生じるめまい感．起立性低血圧による).

psychogenic v. 心因性めまい（回転した際に生じるようなめまい感で，その病因は心身症的か転換性に基づく. →somatoform *disorder*; hysteria).

sham-movement v. 偽〔性〕運動めまい（身体が回転または身体の周りを物が回転しているような印象を伴うめまい感).

vertical v. 垂直性めまい（①=height v. ②まっすぐに立ったときに感じるめまい感).

visual v. 視性めまい（視性刺激に誘発される).

ver·tom·e·ter (ver-tom′ĕ-tĕr) [vertex + G. *metron*, measure]. レンズ屈折計. =lensometer.

ve·ru·mon·ta·num (vē′rū-mon-tā′nŭm) [L. *veru*, a spit + *montanus*, mountainous]. 精丘. =seminal *colliculus*.

ve·sa·li·a·num (ve-sā′lē-ā′nŭm). ヴェサリウス骨. =*os* vesalianum.

Ve·sa·li·us (We·sal, Ve·sal) (vĕ-sā′lē-ŭs), Andreas (Andre). フランダース人解剖学者，1514—1564. →V. *bone, foramen, vein*.

vesic- →vesico-.

ve·si·ca, gen. & pl. **ve·si·cae** (vĕ-sī′kă) [L.][TA]. 嚢（[誤った発音 ves′ica を避けること]．① [NA]. =urinary *bladder*. ②正常に，あるいは疾病のために，漿液を貯留してできた空洞または袋).

v. biliaris [TA]. 胆嚢. =gallbladder.

v. fellea☆ gallbladder の公式の別名.

v. prostatica =prostatic *utricle*.

v. urinaria [TA]. 膀胱. =urinary *bladder*.

ves·i·cal (ves′i-kăl). 膀胱の（[vesicle と混同しないこと]．嚢，通常は膀胱についていう).

ves·i·cant (ves′i-kănt). 発疱薬，引赤薬（小水疱を生じさせる薬剤). =blister agent.

ves·i·cate (ves′i-kāt). 発疱させる，発疱する.

ves·i·ca·tion (ves′i-kā′shŭn). =vesiculation (1).

ves·i·cle (ves′i-kăl) [L. *vesicula*, a blister: *vesica*(bladder)の指小辞]. [vesical と混同しないこと]. ***1*** [TA]. 小胞（小形の胞状体または胞状体様の構造). =vesicula[TA]. ***2*** 小疱，小水疱，小疱疹（液体がはいっている皮膚の小さい(直径 1.0 cm 以下)限局性の隆起. →bleb; blister; bulla). ***3*** 小胞，小嚢，分泌小胞（液体または気体を含む小さい嚢). ***4*** 小胞（単層の膜に囲まれた小包状構造物). ***5*** 頂嚢（真菌における，*Aspergillus*属やいくつかの *Penicillium*属の種の分生子柄の膨大した頂端，あるいはいくつかの接合菌類における胞子嚢柄の膨大した頂端).

acoustic v. =otic v.

acrosomal v. 先体小胞（精子完成時に Golgi 装置からつくられる小胞で，その限界膜は核膜に付着する．小胞内の先体小顆粒とともに核極の上方に薄層をなして広がり，アクロソーム(先体帽)を形成する).

air v.'s 肺胞. =pulmonary *alveolus*.

allantoic v. 尿膜嚢胞（尿膜の空洞部分).

amniocardiac v. 羊心小胞（最も原始的な胚内腔の吻側部).

auditory v. 耳〔小〕胞. =otic v.

blastodermic v. 胞胚. =blastocyst.

cerebral v. 脳胞（3つに分かれた初期の胚脳のそれぞれの部分．前部は前脳，中部は中脳，後部は菱脳である). =encephalic v.; primary brain v.

cervical v. 頸胞，頸洞（異常に存続する頸洞痕跡部またはそれに関連した鰓溝).

chorionic v. 絨毛膜小胞. =chorionic *sac*.

coated v. 被覆小胞（クラスリン蛋白によっておおわれた生体膜からできた小胞．細胞膜の一側から他側へ蛋白を運搬する役目をする).

encephalic v. =cerebral v.

endosomal carrier v. エンドソーム輸送小胞（細胞膜の近傍にある初期エンドソームから Golgi 装置周囲にある後期エンドソームへ物質を輸送する中間的な小胞．微小管に沿って移動する. →multivesicular *bodies*).

forebrain v.☆ 前脳，前脳小胞（prosencephalon の公式の別名).

germinal v. 卵核胞，胚胞（卵母細胞が成熟分裂を完了する以前にみられる大型の核).

hindbrain v.☆ 菱脳，菱脳小胞（rhombencephalon の公式の別名).

lens v. 水晶体胞（眼杯の反対側の部分をつくる胚の外胚葉陥入．眼の水晶体の原基). =lenticular v.

lenticular v. =lens v.

malpighian v.'s マルピーギ小胞（拡張した肺の表面にある，気体の詰まった微小な小胞).

matrix v.'s 基質小胞（ぞうげ芽細胞，骨芽細胞，および一部軟骨細胞から分泌されるハイドロキシアパタイトを含む膜封入小胞．ぞうげ質，骨，および石灰化軟骨の鉱化過程の核形成中心として働くと考えられている).

metanephric v. 後腎胞（集合管の末端は中胚葉の後腎組織塊の間葉細胞集団を形成する．細胞塊の内腔は後腎胞となり，細長く伸び腎細管となる．腎細管の発達とともにその中枢端は糸球体が陥入する). =renal v.

midbrain v.☆ 中脳（mesencephalon の公式の別名).

ocular v. 眼胞. =optic v.

olfactory v. 嗅胞（後に嗅球および嗅索に分化する胚子嚢).

ophthalmic v. 眼胞. =optic v.

optic v. 眼胞（胚における，前脳の腹外側壁からの対になった膨出の一対で，ここから網膜の感覚層と色素層が発達する). =ocular v.; ophthalmic v.; vesicula ophthalmica.

otic v. 耳胞（対をなして存在する陥入外胚葉性の嚢の一対で，発達すると内耳の膜性迷路になる). =acoustic v.; auditory v.

pinocytotic v. 飲小胞（エンドサイトーシス(飲食作用)により細胞内に取り込まれた液体または溶質を含む直径 1 μm の小胞. →pinocytosis).

primary brain v. 原始脳胞. =cerebral v.

renal v. 腎胞. =metanephric v.

seminal v.☆ 精嚢（seminal *gland* の公式の別名).

synaptic v.'s シナプス小胞（化学的シナプスにおいて，連結部を横切り神経インパルスの伝達を媒介する伝達物質を含み，神経筋連結の前シナプス膜の付近にある小さい(平均直径 30 nm)細胞内の膜に結合した小胞．→synapse).

telencephalic v. 終脳〔小〕胞（前脳胞より発生した一対の憩室で，前脳を形成する).

umbilical v. 臍嚢．＝yolk *sac*.

vesico-, vesic-［L. *vesica*, bladder］．膀胱，嚢，小嚢，小胞，小水疱を意味する連結形．→vesiculo-.

ves·i·co·ab·dom·i·nal (ves′i-kō-ab-dom′i-năl)．膀胱腹部の（膀胱と腹壁に関する).

ves·i·co·bul·lous (ves′i-kō-bul′ŭs)．小水疱水疱性の（液体を含む種々の大きさの病変からなる発疹を意味する).

ves·i·co·cele (ves′i-kō-sēl′)．膀胱ヘルニア，膀胱瘤．＝cystocele.

ves·i·co·cer·vi·cal (ves′i-kō-ser′vi-kăl)．膀胱子宮頸の（膀胱と子宮頸に関する).

ves·i·coc·ly·sis (ves′i-kok′li-sis)［vesico- ＋ G. *klysis*, a washing out］．膀胱洗浄〔法〕（膀胱の洗い出しまたは洗浄).

ves·i·co·in·tes·ti·nal (ves′i-kō-in-tes′ti-năl)．膀胱腸の（膀胱と腸に関する．例えば膀胱皮膚瘻についていう).

ves·i·co·li·thi·a·sis (ves′i-kō-li-thī′ă-sis)［vesico- ＋ G. *lithos*, stone ＋ *-iasis*, condition］．膀胱結石〔症〕．＝cystolithiasis.

ves·i·co·pros·ta·tic (ves′i-kō-pros-tat′ik)．膀胱前立腺の（膀胱と前立腺に関する).

ves·i·co·pu·bic (ves′i-kō-pyū′bik)．膀胱恥骨の（膀胱と恥骨に関する).

ves·i·co·pus·tu·lar (ves′i-kō-pŭs′tyū-lăr)．膿疱性水疱性の（膿疱性水疱に属する).

ves·i·co·pus·tule (ves′i-kō-pŭs′tyūl)．膿疱性水疱（膿を形成する水疱).

ves·i·co·rec·tal (ves′i-kō-rek′tăl)．膀胱直腸の（膀胱と直腸に関する).

ves·i·co·rec·tos·to·my (ves′i-kō-rek-tos′tŏ-mē)［vesico- ＋ rectum ＋ G. *stoma*, mouth］．膀胱直腸吻合〔術〕（後膀胱壁と直腸の吻合によって，外科的に尿路変更をすること).

ves·i·co·sig·moid (ves′i-kō-sig′moyd)．膀胱 S 状結腸（膀胱と S 状結腸に関する).

ves·i·co·sig·moi·dos·to·my (ves′i-kō-sig′moy-dos′tŏ-mē)［vesico- ＋ sigmoid ＋ G. *stoma*, mouth］．膀胱 S 状結腸吻合〔術〕（膀胱と S 状結腸の間に連結部を形成する手術).

ves·i·co·spi·nal (ves′i-kō-spī′năl)．膀胱脊髄の（膀胱と脊髄に関する．脊髄の第二腰椎と第二仙椎にある，膀胱の貯留と排出を調節する神経機構を意味する).

ves·i·cos·to·my (ves′i-kos′tŏ-mē)［vesico- ＋ G. *stoma*, mouth］．膀胱瘻術，膀胱造瘻術．＝cystostomy.

ves·i·cot·o·my (ves′i-kot′ŏ-mē)．＝cystotomy.

ves·i·co·um·bi·li·cal (ves′i-kō-ŭm-bil′i-kăl)．膀胱臍の（膀胱と臍に関する)．＝omphalovesical.

ves·i·co·u·re·ter·al (ves′i-kō-yū-rē′tĕr-ăl)．膀胱尿管の（膀胱と尿管に関する).

ves·i·co·u·re·thral (ves′i-kō-yū-rē′thrăl)．膀胱尿道の（膀胱と尿道に関する).

ves·i·co·u·ter·ine (ves′i-kō-yū′tĕr-in)．膀胱子宮の（膀胱と子宮に関する).

ves·i·co·u·ter·o·vag·i·nal (ves′i-kō-yū′tĕr-ō-vaj′i-năl)．膀胱子宮膣の（膀胱，子宮，膣に関する).

ves·i·co·vag·i·nal (ves′i-kō-vaj′i-năl)．膀胱膣の（膀胱と膣に関する).

ves·i·co·vag·i·no·rec·tal (ves′i-kō-vaj′i-nō-rek′tăl)．膀胱膣直腸の（膀胱，膣，直腸に関する).

ves·i·co·vis·cer·al (ves′i-kō-vis′ĕr-ăl)．膀胱内臓の（膀胱と他の隣接器官または内臓に関する).

ve·sic·u·la, gen. & pl. **ve·sic·u·lae** (vĕ-sik′yū-lă, -lē)［L. blister, vesicle: *vesica*(bladder)の指小辞］［TA］．嚢．＝vesicle (1).

v. fellis 胆嚢．＝gallbladder.

v. ophthalmica 眼胞．＝optic *vesicle*.

v. seminalis* 精嚢（seminal *gland* の公式の別名).

v. umbilicalis 臍嚢．＝yolk *sac*.

ve·sic·u·lar (vĕ-sik′yū-lăr)．***1*** 小胞の，小嚢の，小水疱の．***2*** 小胞性の，小嚢性の，小水疱性の．＝vesiculate (2).

ve·sic·u·late (vĕ-sik′yū-lāt)．***1***〚v.〛小胞を形成する．***2***〚adj.〛＝vesicular (2).

ve·sic·u·la·tion (vĕ-sik′yū-lā′shŭn)．***1*** 小胞形成．＝blistering; vesication．***2*** 水疱発生（多くの小胞や水疱があること).

ve·sic·u·lec·to·my (vĕ-sik′yū-lek′tŏ-mē)［L. *vesicula*, vesicle ＋ G. *ektomē*, excision］．精嚢摘出〔術〕，精嚢切除〔術〕（両側精嚢の一部または全部の切除).

ve·sic·u·li·tis (vĕ-sik′yū-lī′tis)［L. *vesicula*, vesicle ＋ G. *-itis*, inflammation］．精嚢炎，小胞炎（すべての小胞の炎症，特に精嚢の炎症).

vesiculo-［L. *vesicula*, vesicle: *vesica*(bladder)の指小辞］．小胞，水疱を表す連結形.

ve·sic·u·lo·bron·chi·al (vĕ-sik′yū-lō-brong′kē-ăl)．肺胞気管支性の（肺胞と気管支の両方の性質をもつ聴診音についていう).

ve·sic·u·lo·cav·er·nous (vĕ-sik′yū-lō-kav′ĕr-nŭs)．***1*** 小泡空洞音〔性〕の（小泡性の性質と空洞性の性質をもつ聴診音についていう)．***2*** ある種の腫瘍における構造.

ve·sic·u·log·ra·phy (vĕ-sik′yū-log′ră-fī)［vesiculo- ＋ G. *graphō*, to write］．精嚢造影(撮影)〔法〕（精嚢の X 線造影検査).

ve·sic·u·lo·pap·u·lar (vĕ-sik′yū-lō-pap′yū-lăr)．〔小〕水疱丘疹性の（ⓘ小水疱と丘疹の両方を併せてさす場合，ⓘⓘ小水疱と丘疹の両方が混じって存在する状態をさす場合，ⓘⓘⓘ丘疹が浮腫性になり，水様内容物を貯留して小水疱になりかけた状態をさす場合がある).

ve·sic·u·lo·pros·ta·ti·tis (vĕ-sik′yū-lō-pros′tă-tī′tis)［vesiculo- ＋ prostate ＋ G. *-itis*, inflammation］．膀胱前立腺炎（膀胱と前立腺の炎症).

ve·sic·u·lot·o·my (vĕ-sik′yū-lot′ŏ-mē)［vesiculo- ＋ G. *tomē*, incision］．精嚢切開〔術〕.

ve·sic·u·lo·tu·bu·lar (vĕ-sik′yū-lō-tū′byū-lă)．肺胞気管〔性〕の（肺胞音と気管音の両方の性質をもつ聴診音についていう).

ve·sic·u·lo·tym·pan·ic (vĕ-sik′yū-lō-tim-pan′ik)．肺胞鼓音〔性〕の（肺胞音と鼓音の両方の性質をもつ打診音についていう).

Ve·si·cu·lo·vi·rus (vĕ-sik′yū-lō-vī′rŭs)．ベシクロウイルス属（(ウシの)水疱性口内炎ウイルスおよびその近縁種を含む，ラブドウイルス科ウイルスの一属).

vesp.［L. evening］．ラテン語 *vesper*(夜)の略.

ves·sel (ves′ĕl)［O.Fr. ＜ L. *vascellum*: *vas* の指小辞］［TA］．〔脈〕管（流体を運ぶ管．→vas).

absorbent v.'s ＝lymph v.'s.

afferent v. 輸入管（①血液をある部分へ運び込む動脈．②＝afferent glomerular *arteriole* of kidney．③＝afferent *lymphatic*).

anastomosing v. 吻合脈管．＝anastomotic v.

anastomotic v.［TA］．吻合脈管（動脈間，静脈間，またはリンパ管間の流通性結合を果たしている管)．＝vas anastomoticum［TA］; anastomosing v.

capillary v. 毛細管（→blood *capillary*; lymph *capillary*)．＝capillary (2).

chyle v. 乳び管．＝lacteal (2).

collateral v.［TA］．側副血管（①本幹と平行して走る動脈枝．②血管，神経，その他細長い構造に平行して走る血管)．＝vas collaterale［TA］.

corkscrew v.'s コルク栓抜き状血管．＝hairpin v.'s.

deep lymph v.［TA］．深リンパ管（身体の深部からリンパ液を排出する管．血管に沿って所定の局部リンパ節に達する場合が多い)．＝vas lymphaticum profundum［TA］.

efferent v. 輸出管，輸出リンパ管．＝efferent glomerular *arteriole* of kidney.

hairpin v.'s ヘヤピン状血管（頸部コルポスコピー所見で 2 重に屈曲した血管走行．初期浸潤癌にみられる)．＝corkscrew v.'s.

v.'s of internal ear［TA］．内耳の脈管（迷路動脈とその枝および迷路静脈とその枝)．＝vasa sanguinea auris internae［TA］.

lacteal v. 乳び管．＝lacteal (2).

lymph v.'s［TA］．リンパ管（リンパを運ぶ管で，相互に吻合している)．＝lymphatic v.'s［TA］; absorbent v.'s;

V

lymphatics; vasa lymphatica.

lymphatic v.'s [TA]. ＝lymph v.'s.

nutrient v. ＝nutrient *artery*.

superficial lymph v. [TA]. 浅リンパ管（皮膚および皮下組織中に存在するリンパ管．深リンパ管と連結している）．＝vas lymphaticum superficiale [TA].

v.'s of vessels 脈管の脈管．＝*vasa* vasorum(⇀vas).

vitelline v.'s 卵黄の血管（→vitelline *artery*; vitelline *vein*）．

ves·tib·u·la (ves-tib′yū-lă). vestibulumの複数形．

ves·tib·u·lar (ves-tib′yū-lăr). 前庭の（前庭，特に耳の前庭に関する）．＝vestibularis.

ves·ti·bu·la·ris (ves-tib′yū-lā′ris) [L]. 前庭の．＝vestibular.

ves·tib·u·late (ves-tib′yū-lăt). 前庭をもつ．

ves·ti·bule (ves′ti-byūl) [L. *vestibulum*][TA]. 前庭（①管の入口にある小腔または空隙．②特に後部は半規管と，前部は蝸牛と連結する骨迷路の中心にある多少楕円形をした空洞）．＝vestibulum [TA].

aortic v. [TA]. 大動脈前庭（左心室の上前部で大動脈口の直下にあり，線維性の壁をもち，大動脈弁が閉じたときに各半月弁にゆとりを与える）．＝vestibulum aortae [TA]; Sibson aortic v.

buccal v. 頰前庭（口腔前庭の頰に関連する部分）．

esophagogastric v. ＝gastroesophageal v.

gastroesophageal v. 胃食道前庭（噴門入口直上の食道腹部の拡張で，通常は食道腹部腔(横隔膜より下)のことをいうが，前庭と横隔膜との位置関係は様々である）．＝esophagogastric v.

labial v. 唇側前庭（口腔前庭の口唇に関連する部分）．

v. of larynx [TA]. 喉頭前庭（喉頭腔の上方部分で喉頭上口から室ひだまたは前庭裂までの部分．前方は喉頭蓋で，両側は四角膜をおおう粘膜で，後方は披裂軟骨をおおう粘膜や披裂筋で仕切られている）．＝vestibulum laryngis [TA]; atrium glottidis; superior laryngeal cavity.

v. of mouth 口腔前庭．＝oral v.

nasal v. [TA]. 鼻前庭（鼻腔の前部で，鼻翼軟骨で囲まれ，後方は鼻限で画される．扁平上皮がおおっている）．＝vestibulum nasi [TA]; v. of nose.

v. of nose 鼻前庭．＝nasal v.

v. of omental bursa [TA]. 網囊前庭（網囊孔のすぐ内部，肝臓の尾状葉の後ろにある網囊上部）．＝vestibulum bursae omentalis [TA].

oral v. [TA]. 口腔前庭（外側は唇と頰，内側は歯と歯肉またはそのどちらか，上部と下部は唇と頰から歯肉への粘膜の反転によって囲まれる口の一部）．＝vestibulum oris [TA]; buccal cavity; v. of mouth.

Sibson aortic v. (sib′sŏn). シブソン大動脈前庭．＝aortic v.

v. of vagina [TA]. 腟前庭（小陰唇の間の陰核亀頭の後ろの空間で，腟，尿道，および大前庭腺が開口する）．＝vestibulum vaginae [TA]; vaginal introitus; vestibulum pudendi.

ves·tib·u·li·tis (ves-tib′yū-lī′tis). 腟前庭炎（腟前庭の腺周囲あるいは上皮下間質の炎症．灼熱感あるいは性交痛がある）．

vestibulo- [L. *vestibulum*]. 前庭を意味する連結形．

ves·tib·u·lo·cer·e·bel·lum (ves-tib′yū-lō-ser′ĕ-bel′ŭm) [vestibulo- + L. *cerebellum*][TA]. 前庭小脳（主な求心性線維が前庭神経節と前庭神経核からくる小脳皮質の領域．本用語に含まれる構造は，小節，片葉，虫部垂の腹側，小舌の小腹側部である）．＝archeocerebellum.

ves·tib·u·lo·co·chle·ar (ves-tib′yū-lō-ko′klē-ăr). ***1*** 前庭蝸牛の（前庭と蝸牛に関する）．***2*** 平衡聴覚の．＝statoacoustic.

ves·tib·u·lop·a·thy (ves-tib′yū-lop′ă-thē). 前庭障害（前庭器官のいかなる異常をも含む．Ménière病など）．

idiopathic bilateral v. 特発性両側性前庭障害（若年から中年層を侵す緩徐進行性の障害．回転性めまいや聴力低下を伴わない歩行の不安定さ(特に視覚を欠く場合)と動揺視を特徴とする）．

migraine-related v. 片頭痛関連性前庭障害（体動時平衡障害，不安定感，空間や動作の不快感，めまいなどが特徴となる障害で，頭痛発症の前に起こる）．

ves·tib·u·lo·plas·ty (ves-tib′yū-lō-plas′tē) [vestibulo- + G. *plassō*, to form]. 口腔前庭形成〔術〕（顎の頰側，唇側，および舌側部に付着する筋を下げることにより歯槽隆線の修復を行う一連の外科的過程）．

ves·tib·u·lo·spi·nal (ves-tib′yū-lō-spī′năl). 前庭脊髄の（→lateral vestibulospinal *tract*）．

ves·tib·u·lot·o·my (ves-tib′yū-lot′ŏ-mē) [vestibulo- + G. *tomē*, incision]. 前庭切開〔術〕（迷路の前庭を開く手術）．

ves·tib·u·lo·u·re·thral (ves-tib′yū-lō-yū-rē′thrăl). 腟前庭尿道の（腟前庭と尿道に関する）．

ves·tib·u·lum, pl. ves·tib·u·la (ves-tib′yū-lŭm, -lă) [L. antechamber, entrance court][TA]. 前庭．＝vestibule.

v. aortae [TA]. 大動脈前庭．＝aortic *vestibule*.

v. bursae omentalis [TA]. 網囊前庭．＝*vestibule* of omental bursa.

v. laryngis [TA]. 喉頭前庭．＝*vestibule* of larynx.

v. nasi [TA]. 鼻前庭．＝nasal *vestibule*.

v. oris [TA]. 口腔前庭．＝oral *vestibule*.

v. pudendi ＝*vestibule* of vagina.

v. vaginae [TA]. 腟前庭．＝*vestibule* of vagina.

ves·tige (ves′tij) [L. *vestigium*][TA]. 痕跡〔部〕（形跡．原基構造．胚子または胎児に実際に生じた構造の退化した名残り）．＝vestigium [TA].

v. of ductus deferens 精管の痕跡（男性なら精管になる胎児の中腎管が女性で退化せずに残ったもの）．＝ductus deferens vestigialis [TA].

v. of processus vaginalis [TA]. 鞘状突起痕跡（精索に残っている腹膜鞘状突起の不完全閉塞遺残物）．＝vestigium processus vaginalis [TA]; v. of vaginal process.

v. of vaginal process 鞘状突起痕跡．＝v. of processus vaginalis.

ves·tig·i·al (ves-tij′ē-ăl). 痕跡の．

ves·tig·i·um, pl. ves·tig·ia (ves-tij′ē-ŭm, -ă) [L. footprint (trace) < *vestigo*, to track, trace][TA]. 痕跡．＝vestige.

v. processus vaginalis [TA]. 鞘状突起痕跡．＝*vestige* of processus vaginalis.

ve·su·vin (vĕ-sū′vin) [*Vesuvius*, イタリアの火山] [C.I. 21000]. ベスービン．＝Bismarck brown Y.

vet·er·i·nar·i·an (vet′ĕr-i-nār′ē-ăn) [→veterinary]. 獣医〔師〕（獣医学において学位をもっている人．獣医学に従事する免許を受けている人）．

vet·er·i·nar·y (vet′ĕr-i-nār-ē) [L. *veterinarius* < *veterina*, beast of burden]. 獣医学の（動物の疾病予防および疾病管理に関する．食肉衛生，ヒトと動物の共通感染症，および疫学も包含する）．

via, pl. vi·ae (vī′ă, vī′ē; vē′ă) [L. way, road]. 路，道路，通路（腸，腟など体内にある通路）．

vi·a·bil·i·ty (vī′ă-bil′i-tē) [Fr. *viabilité* < L. *vita*, life]. 成育可能，生活〔能〕力（子宮外で独立して成育しうる能力．生活する能力．通常は体重が500 gおよび妊娠20週(受精後18週)に達した胎児を表す．註日本では22週以降の胎児）．

vi·a·ble (vī′ă-bĕl) [Fr. < *vie*, life < L. *vita*]. 生活可能な，成育可能な，生存可能な（子宮外で独立して生活できる胎児についていう）．

vi·al (vī′ăl) [G. *phialē*, a drinking cup]. バイアル，小びん（薬などの液体を入れる小さなびんまたは容器）．＝phial.

vi·bes·ate (vī′bĕ-sāt). ビベサート（ポルビネートやマルロシノールの混合物を有機溶媒に溶かしたもので，噴射用剤，創傷の局所用噴射剤として用いる変性ポリビニル樹脂）．

vi·bra·tion (vī-brā′shŭn) [L. *vibratio* < *vibro*, pp. *-atus*, to quiver, shake]. ***1*** 振とう法．***2*** 振動（前後運動）．

vi·bra·tive (vī′bră-tiv). ＝vibratory.

vi·bra·tor (vī′brā-tŏr, tōr). 振動器，バイブレータ，振動子（振動を伝えるのに用いられる器械）．

vi·bra·to·ry (vī′bră-tō′rē). 振動〔性〕の．＝vibrative.

Vib·ri·o (vib′rē-ō) [L. *vibro*, to vibrate]. ビブリオ属（単一に存在することが多いが互いに結合してS字状またはらせん状になることのある，短く(0.5—3.0 μm)曲がったまたは直線状の杆菌で，運動性(まれには非運動性)，無芽胞性，好気

性から通性嫌気性のラセン菌科細菌の一属．運動性細胞は１個の極べん毛をもつ．１個の極小房内に２つ以上のべん毛をもつ種もある．これらの微生物の中には，海水中，淡水中，および土壌中に存在する腐生菌もある．他は寄生体または病原菌．標準種は *V. cholerae*）．

V. alginolyticus 外創や外耳の感染および免疫不全や熱傷の患者の菌血症に関連した細菌種．

V. cholerae コレラ菌（可溶性外毒素を産生する細菌種で，ヒトのコレラの原因菌．*Vibrio*属の標準種）．＝cholera bacillus; comma bacillus.

V. fetus *Campylobacter fetus* の旧名．

V. fluvialis ヒトの下痢症に関連する *Aeromonas*属の菌株に類似の細菌種．

V. furnissii 下痢症や胃腸炎の発現に関連した *V. fluvialis* に類似のガス産生性の細菌．

V. hollisae ビブリオホリセ（ヒトに下痢を起こす細菌種）．

V. metschnikovii ひな鳥や他の鳥類にみられる急性腸疾患を起こす細菌種．またヒトの糞便からも分離される．

V. mimicus *V. cholerae* に類似のスクロース陰性の細菌株で，下痢症のヒトの糞便およびヒトの耳道感染から分離される．

V. parahaemolyticus 通常，汚染した魚貝類を食べることにより胃腸炎と血液性の下痢を引き起こす海産のビブリオ菌．

V. sputorum *Campylobacter sputorum* の旧名．

V. vulnificus 肝硬変あるいは免疫障害を有する患者に致命的な敗血症を起こしうる胃腸炎や皮膚病変を起こす可能性のある菌種．通常，汚染したカキからの創傷感染，特に貝類を扱っていることに関連している場合も原因となる．

vib·ri·o (vib′rē-ō). ビブリオ菌（*Vibrio*属に含まれる菌）．

El Tor v. エルトールビブリオ（コレラ菌 *V. cholerae* の一種とみなされる細菌．最初，シナイ半島の Tor 検疫所において，赤痢または結腸壊疽で死んだ６人の巡礼者から分離された）．

Nasik v. ナシクビブリオ（短く，太く，あまりコンマ形をしていないことで，コレラ菌と異なる菌．培養液は実験動物の静脈内に注射すると高い毒性を示す）．

Vi·bri·on sep·tique (vē-brē-on′ sep-tēk′) [Fr. septic vibrio]. 敗血症菌．＝*Clostridium septicum.*

vib·ri·o·sis, pl. vib·ri·o·ses (vib′rē-ō′sis). ビブリオ症（*Vibrio*属の細菌によって起こる感染症）．

vi·bris·sa, gen. & pl. vi·bris·sae (vī-bris′ă, vī-bris′ē) [L. *vibrissae*(複数形のみで使用される)＜*vibro*, to quiver] [TA]. 鼻毛，はなげ．＝*hairs* of vestibule of nose.

vib·ris·sal (vib-ris′ăl). 鼻毛の．

vi·bro·car·di·o·gram (vī′brō-kar′dē-ō-gram) [L. *vibro*, to shake + G. *kardia*, heart + *gramma*, a drawing]. 振動心電図（心周期の血液動態によって生じる胸の振動の描画記録．これによって，等容性収縮と放出時間が間接的に外部から測定される）．

vi·bro·mas·seur (vī′brō-ma-sĕr′). 振動マッサージ器（振動マッサージを行うバイブレータの一型）．

vi·bro·ther·a·peu·tics (vī′brō-thār′ă-pyū′tiks). 振動療法．＝vibratory *massage.*

Vi·bur·num pru·ni·fo·li·um (vī-bŭr′nŭm prū′ni-fō′lē-ŭm). ビブルニンプルニフォリウム（スイカズラ科ガマズミ属 *Viburnum prunifolium* の地下茎皮から得られる薬効成分．ビブルニン，苦味樹脂，タンニン，糖質，クエン酸，リンゴ酸，シュウ酸，吉草酸を含む．以前は平滑筋弛緩薬や子宮内鎮痙薬として用いられた）．

vi·car·i·ous (vī-kar′ē-ŭs) [L. *vicarius* ＜ *vicis*, supplying place of]. 代償〔性〕の（代理をする．正常な場所以外の部位に起こることについていう）．

vi·cine (vī′sēn) [*Vicia* (genus name) + -ine]. ビシン（イタチササゲ *Lathyrus sativus* を混入汚染する雑草 akta，またその実が赤レンズ豆の代用品として用いられるカラスノエンドウ(*Vicia sativa*)に見出されるグルコシドで，イタチササゲ中毒症状を起こす本体と考える臨床医もいる）．

Vicq d'A·zyr (vēk dah-zēr′), Félix. フランス人解剖学者，1748—1794. ⇀V. d'A. *bundle, centrum* semiovale, *foramen.*

Vic·to·ri·a blue (vik-tō′rē-ă blū) [Queen *Victoria*]. ビクトリアブルー（数種の青色のジフェニルナフチルメタン誘導体．組織学において，染料として用いる）．

Vic·to·ri·a or·ange (vik-tō′rē-ă ōr′ănj). ビクトリアオレンジ（ジニトロクレゾールのアルカリ塩．赤味がかった黄色染料．以前は組織学の分野で用いた）．

vi·dar·a·bine (vī-dar′ă-bēn). ビダラビン（*Streptomyces antibioticus* の発酵培養により得られるプリンヌクレオシド．単純疱疹感染症の治療に用いる）．

vid·e·o·en·do·scope (vid′ē-ō-en′dō-skōp). ビデオ内視鏡（ビデオカメラを組み込んだ内視鏡）．

vid·e·o·en·dos·co·py (vid′ē-ō-en-dos′kŏ-pē). ビデオ内視鏡検査（ビデオカメラを組み込んだ器械による内視鏡検査）．

vid·e·o·en·do·strob·os·copy (vid′ē-ō-en′dō-strob-os′-kō′pē). ビデオエンドストロボスコピー（声帯を可視化する手技．臨床医が生理学的異常を見えるようにするために，声帯がゆっくり動きあるいは止まっているように見えるようにして，声帯の可視像を提供する）．

vid·e·o·ker·a·to·scope (vid′ē-ō-ker′ă-tō-skōp). ビデオケラトスコープ（ビデオカメラを組み込んだケラトスコープ）．

vid·e·o·lap·a·ros·co·py (vid′ē-ō-lap-ă-ros′kŏ-pē). ビデオ装置付腹腔鏡検査（記録可能なビデオカメラ付腹腔鏡検査）．

vid·i·an (vid′ē-ăn). Vidius の名にちなむ，または Vidius の記した．

Vi·di·us (Vi·dus) (vē′dē-yūs), Guidi (Guido). イタリア人解剖学者・内科医，1500—1569. ⇀vidian *artery*; vidian *canal*; vidian *nerve*; vidian *vein.*

Vi·er·ra (vē-er′ah), J.P. 20 世紀のブラジル人皮膚科医．⇀V. *sign.*

Vi·eus·sens (vyū-sŏn[h]′), Raymond de. フランス人解剖学者，1641—1715. ⇀V. *anulus, ansa, centrum, foramina* (⇀foramen), *ganglia*(⇀ganglion), *isthmus, limbus, loop, ring, valve, veins, ventricle; valve* of V.

view (vyū). 投影法．＝projection (8).

axial v. ＝axial *projection.*

base v. ＝submentovertex *radiograph.*

Caldwell v. (kawld′wĕl). コールドウェル投影．＝Caldwell *projection.*

half axial v. 半軸位像．＝Towne *projection.*

Judet v. (zhū-dā′). 骨盤斜位像（前斜位像と後斜位像の２つの股関節斜位撮影法．Ｘ線入射方向は，真の前後像の方向に対して，45度内側に，または外側に傾けられる．臼蓋窩の骨折や変形の診断に役立つ）．

long axis v. 長軸像（心エコー図または MRI(磁気共鳴画像)で，左心室の軸と平行で心室中隔と直交する断層像で，四腔像 four-chamber view に対する）．

Stenvers v. (sten′vĕrz). ステンヴァーズ撮影．＝Stenvers *projection.*

Stryker notch v. ストライカー像（手を頭頂部に置き，Ｘ線入射角を 10 度頭側として撮影する肩関節の単純Ｘ線撮影法．肩関節脱臼後の Hill-Sacks 病変(⇀lesion)の評価に用いる．→Hill-Sachs *defect*）．

Towne v. (town). タウン投影．＝Towne *projection.*

verticosubmental v. ＝axial *projection.*

Waters v. (wah′terz). ＝Waters *projection.*

West Point v. ウエストポイント撮影法（肩関節の特殊なＸ線撮影法．Ｘ線照射方向が関節窩の前下角に対して接線方向となるよう肩甲骨を位置してＸ線を下方，内方それぞれ 25 度の方向に照射する腋窩撮影法の変法．前方脱臼後の関節窩縁の骨性 Bankart 病変の描出に用いる）．

vig·a·bat·rin (vī-ga′bă-trin). ビガバトリン（抑制性神経伝達物質である γ-アミノ酪酸(GABA)を分解するアミノ基転移酵素に対する不可逆的阻害剤．GABA の作用を増強し，中枢神経系を抑制する．抗痙攣薬として用いる）．

vig·il (vij′ĭl) [L. *vigilia*, wakefulness, alertness ＜ *vigeo*, to be active, to rouse]. 不眠，覚醒〔状態〕．

coma v. 可知覚性昏睡，覚醒昏睡．＝akinetic *mutism.*

vig·il·am·bu·lism (vij′il-am′byū-lizm) [L. *vigil*, awake, alert + *ambulo*, to walk about]. 覚醒遊行症（自分の周囲に関しては無意識で自動症を伴う状態を表す古語．夢遊症に似ているが覚醒時に現れる）．

vig·i·lance (vij′i-lăns) [L. *vigilantia*, wakefulness]. 覚醒〔状態〕，覚性（起こりうることのすべてについて注意深く機

V

敏で用心深い状態).

vil·li (vil′ī). villus の複数形.

vil·lin (vil′in) [MIM*193040]. ビリン (アクチン結合蛋白で, 低カルシウムイオン濃度において, アクチンフィラメントの重合反応の核をなす. マイクロモル濃度の Ca^{2+} によって, ビリンがアクチンフィラメントを切断し短いフィラメントが形成される).

vil·li·tis (vi-lī′tis). = villositis.

vil·lose (vil′ōs). = villous (2).

vil·lo·si·tis (vil′ō-sī′tis) [villous + G. *-itis*, inflammation]. 絨毛組織炎 (胎盤の絨毛表面の炎症). = villitis.

vil·los·i·ty (vi-los′i-tē). 絨毛性, 絨毛の多い状態. = shagginess.

vil·lous (vil′ŭs). [本形容詞と名詞 villus を混同しないこと]. ***1*** 絨毛の. ***2*** 絨毛性の, 絨毛状の (絨毛でおおわれた). = villose.

vil·lus, pl. **vil·li** (vil′ŭs, vil′ī) [L. shaggy hair (of beasts)]. [形容詞 villous と混同しないこと]. ***1*** 絨毛 (特に粘膜の表面からの突起. この突起が小さく細胞表面から出ている場合は微絨毛とよばれる). ***2*** 絨毛状突起 (表皮内水疱または裂隙内に突出する延長した真皮乳頭. →festooning).

anchoring v. 付着絨毛 (基底脱落膜に付着する絨毛膜絨毛).

arachnoid villi クモ膜絨毛 (軟膜クモ膜の叢状延長部分で硬膜の内層をつらぬいて静脈洞内に突出しており, 薄い境界膜をもつ. 絨毛は集まってクモ膜顆粒を形成し, 上矢状洞の辺縁で静脈腔内にみられる. 絨毛の海綿状構造は脳脊髄液をクモ膜下腔から静脈系へと一方通行で流す弁の役割を果たしている. 絨毛および顆粒は脳脊髄液還流の主要な部位である. →arachnoid *granulations*).

branching v. 分枝絨毛 (幹絨毛の側面から伸びる絨毛は分枝絨毛とよばれる. 終末絨毛とも).

chorionic villi 絨毛膜絨毛 (胎盤形成にはいる胚子の絨毛膜の血管突起).

floating v. = free v.

free v. 自由絨毛 (基底脱落膜に付着せず, 絨毛間腔の母体血液内で自由に動く絨毛). = floating v.

intestinal villi [TA]. 腸絨毛 (腸粘膜突起(長さ 0.5—1.5 mm). 十二指腸内では葉の形をしているが, 回腸内ではもっと短く指状で, まばらになる). = villi intestinales [TA].

villi intestinales [TA]. 腸絨毛. = intestinal villi.

villi pericardiaci [TA]. 心外膜絨毛. = pericardial villi.

pericardial villi 心外膜絨毛 (漿膜性心膜の表面からの微細な糸状の突起物(滑膜絨毛)). = villi pericardiaci [TA].

peritoneal villi [TA]. 腹膜絨毛 (腹膜表面の滑膜絨毛). = villi peritoneales [TA].

villi peritoneales [TA]. 腹膜絨毛. = peritoneal villi.

pleural villi [TA]. 胸膜絨毛 (肋骨縦隔洞の近くの胸膜上にある密生した付属物(滑膜絨毛)). = villi pleurales [TA].

villi pleurales [TA]. 胸膜絨毛. = pleural villi.

primary v. 一次絨毛 (絨毛膜発生の第1段階で, 栄養膜合胞体層によりおおわれた栄養膜細胞層の細胞の円柱を伴う).

secondary v. 二次絨毛 (結合組織の芯がはいり込んだ後に引き続いて起こる漿膜絨毛発生の中間段階).

stem v. 幹絨毛. = tertiary v.

synovial villi [TA]. 滑膜絨毛 (滑膜から発生する小血管突起). = villi synoviales [TA]; synovial fringe; synovial tufts.

villi synoviales [TA]. 滑膜絨毛. = synovial villi.

tertiary v. 三次絨毛 (結合組織, 栄養膜細胞層, 栄養膜合胞体層により母体血液から分離された血管の芯をもつ最終絨毛). = stem v.

vi·men·tin (vī-men′tin) [MIM*193060]. ビメンチン (他のサブユニットと共重合して間葉系細胞の中間フィラメント細胞骨格を形成する主要なポリペプチド. ある種の細胞の内部構造を維持する役目をしている可能性がある. →desmins).

vin·blas·tine sul·fate (vin-blas′tēn sŭl′fāt). 硫酸ビンブラスチン (ツルニチニチソウ *Vinca rosea* から得られる二量体のアルカロイド. 有糸分裂を中期で阻止する(ただしビンクリスチンはこの観点からみればより活性である). ビンクリスチンよりも代謝拮抗作用は大きい. Hodgkin 病, 絨毛膜癌, 急性および慢性の白血病, その他の腫瘍の治療に用いる. 微小管の重合を阻害する). = vincaleucoblastine.

vin·ca·leu·co·blas·tine (ving′kă-lū′kō-blas′tēn). ビンカロイコブラスチン. = vinblastine sulfate.

Vin·ca ro·se·a (ving′kă rō′zē-ă). ツルニチニチソウ (家庭薬として世界各地で用いられているキョウチクトウ科の一種. これから得られる2個の活性二量体アルカロイドはビンブラスチン, ビンクリスチン).

Vin·cent (van[h]-sawn[h]′), Henri. フランス人医師, 1862—1950. →V. *angina, bacillus, disease, infection, spirillum, tonsillitis*.

vin·cris·tine sul·fate (vin-kris′tēn sŭl′fāt). 硫酸ビンクリスチン (ツルニチニチソウ *Vinca rosea* から得られる二量体アルカロイド. 抗腫瘍作用はビンブラスチンと類似するが, この2薬剤の間には交差耐性は生じない. リンパ性リンパ肉腫や急性白血病に対してはビンブラスチンより有効). = leurocristine.

vin·cu·lin (ving′kyū-lin) [L. *vinculum*, bond < *vincio*, to bind + -in][MIM*193065]. ビンキュリン, ビンクリン (アクチンのミクロフィラメントと結合した蛋白. 心筋の介在板や焦点性癒着斑にみられる. 腫瘍ウイルスがどのようにトランスフォメーションの多面的効果を引き起こすかということに役割をもっているかもしれない).

vin·cu·lum, pl. **vin·cu·la** (ving′kyū-lŭm, -lă) [L. a fetter < *vincio*, to bind][TA]. ひも (小帯または靭帯).

v. breve digitorum manus [TA].→ vincula tendinea of digits of hand and foot. = v. breve of fingers.

v. breve of fingers [TA]. 短いひも (各指の屈筋腱の背側面から近くの指節間関節包と腱付着部より近位にある指節にのびる三角形の帯). = v. breve digitorum manus [TA]; short v.

v. linguae = *frenulum* of tongue.

vincula lingulae cerebelli 小脳小舌ひも (小脳脚の背側面にある小脳虫部の小舌の外側への小突起).

long v. 長いひも. = v. longum of fingers.

v. longum digitorum manus [TA].→ vincula tendinea of digits of hand and foot. = v. longum of fingers.

v. longum of fingers [TA]. 長いひも (各指の屈筋腱の背側面から近位指節にのびる長い糸状の帯). = v. longum digitorum manus [TA]; long v.

v. preputii = *frenulum* of prepuce.

short v. 短いひも. = v. breve of fingers.

vincula tendinea of digits of hand and foot [TA]. 腱のひも (手足の指の各屈筋腱から指節間関節包および指節にのびる線維状の帯. これらは小血管を腱に伝達する). = synovial frena; synovial frenula; vincula of tendons; vincula tendinum digitorum manus et pedis [TA].

vincula tendinum digitorum manus et pedis [TA].→v. breve of fingers; v. longum of fingers. = vincula tendinea of digits of hand and foot.

vincula of tendons 腱のひも. = vincula tendinea of digits of hand and foot.

vin·de·sine (vin′dĕ-sēn). ビンデシン (ビンブラスチンの合成誘導体で, 同様の抗腫瘍活性を有する. リンパ性小児白血病の治療に用いられる).

Vine·berg (vīn-bĕrg), Arthur M. カナダ人胸部外科医, 1903—1988. →V. *procedure*.

vin·e·gar (vin′ĕ-găr) [Fr. *vinaigre* < *vin*, wine + *aigre*, sour]. 酢剤, す(酢) (ワイン, リンゴ酒, 麦芽などからつくられる純粋でない希酢酸). = acetum.

mother of v. [A.S. *modder*, mud]. 酢母 (酢中で糸状の沈殿物を呈する酢酸発酵を示す真菌).

pyroligneous v. = wood v.

wood v. 木酢 ; pyracetic acid (パインタールと木材の乾留によって生成する純粋でない酢酸). = pyroligneous v.

vi·nic (vī′nik) [L. *vinum*, wine]. ブドウ酒の.

vi·nous (vī′nŭs). ブドウ酒の.

Vin·son (vin′sŏn), Porter P. 米国人外科医, 1890—1959. → Plummer-V. *syndrome*.

vi·nyl (vī′nĭl). ビニル (炭化水素基 CH_2=CH−). = ethenyl.

v. carbinol ビニルカルビノール. = *allyl* alcohol.

v. chloride 塩化ビニル（プラスチック工業で用いる物質で，潜在性発癌物質の疑いがある）. = chloroethylene.

vi·nyl·ben·zene (vī′nil-ben′zēn). ビニルベンゼン. = styrene.

vi·nyl·ene (vī′nil-ēn). ビニレン（2価の基 –CH=CH–）. = ethenylene.

vi·nyl·i·dene (vī-nil′i-dēn). ビニリデン（2価の置換基 H_2C=C=）.

vi·o·la·ceous (vī′ō-lā′shŭs) [L. *viola*, violet]. 紫色の（通常，皮膚が紫色に変色したことを意味する）.

vi·o·let (vī′ō-let) [L. *viola*]. 紫色（可視スペクトルの 450 nm より短い波長で生じる色．個々の紫色素については各々の項参照）.

Hoffmann v. (hof′mahn). ホフマンバイオレット. = dahlia.

visual v. 視紫. = iodopsin.

vi·os·ter·ol (vī-os′tĕr-ōl). ビオステロール. = ergocalciferol.

VIP vasoactive intestinal *polypeptide* の略.

vi·per (vī′pĕr) [L. *vipera*, serpent, snake]. クサリヘビ（クサリヘビ科に属するヘビ）.

Russell v. (rŭs′ĕl). ラッセルクサリヘビ（東南アジアに生息する特徴のある模様の猛毒のヘビ(*Vipera russelli*)．毒液は凝血性で，一部の地域では血友病の出血阻止のために 1:10,000 溶液が用いられている）.

Vi·per·i·dae (vī-per′i-dē) [L. *vipera*, viper]. クサリヘビ科（旧世界毒蛇すなわち真正クサリヘビの一科で，約 50 種よりなる．特徴は，上顎の前面にある 2 本の比較的長い犬歯状の毒歯が可動性の骨に付着していて，開口して咬むときは隆起し，顎が閉まると口蓋の皮膚のくぼみの中に折りたたまれることである）.

vi·po·ma (vi-pō′mă) [*v*asoactive *i*ntestinal *p*olypeptide + G. *-ōma*, tumor]. ビポーマ（内分泌腫瘍で，通常は膵臓に起源し，血管作用性腸管性ポリペプチドを産生する．この物質は強度の心血管および電解質変化を起こし，血管拡張性，低血圧，水様性下痢，低カリウム血症，および脱水をきたすものと信じられている）.

vi·ra·gin·i·ty (vī′ră-jin′i-tē) [L. *virago* (*viragin-*), a female warrior]. ビラジニティー（女性に顕著な男性的心理状態が存在することを表すまれに用いる語）.

vi·ral (vī′răl). ウイルス〔性〕の（ウイルス性肺炎のように，ウイルスに関連する）.

Vir·chow (fēr′kow), Rudolf L.K. ドイツ人病理学者・政治家，1821—1902. → V. *angle*, *cells*, *corpuscles*, *crystals*, *disease*, *node*, *psammoma*; V.-Holder *angle*; V.-Hassall *bodies*; V.-Robin *space*.

vi·re·mi·a (vī-rē′mē-ă) [virus + G. *haima*, blood]. ウイルス血症（血流中にウイルスが存在すること）.

vi·res (vī′rēz). vis の複数形.

vir·ga (vir′gă) [L. a rod]. 陰茎. = penis.

vir·gin (vĭr′jin) [L. *virgo* (*virgin-*), maiden]. ***1***〘n.〙処女（性交の経験がない人）. ***2***〘adj.〙処女の，純潔の. = virginal (2).

vir·gin·al (vĭr′ji-năl) [L. *virginalis*]. 処女の（①virgin(処女)に関する．② = virgin (2)）.

vir·gin cleans·ing (vir′jin klenz′ing).〔処女による〕性病浄化（→rape; virgin）.

vir·gin·i·ty (vĭr-jin′i-tē) [L. *virginitas*]. 処女性.

vir·go·phre·ni·a (vĭr′gō-frē′nē-ă) [L. *virgo*, maiden + G. *phrēn*, mind]. 処女性精神（感受性が豊かで，度量が広く，忍耐強い青年の心を表すまれに用いる語）.

vir·i·ci·dal (vīr′i-sī′dăl). = virucidal.

vir·i·cide (vīr′i-sīd). = virucide.

-viridae [L. *vir* < *virus*, venom]. ウイルス科を表す接尾語.

vir·ile (vir′il) [L. *virilis*, masculine < *vir*, a man]. ***1*** 男性の，雄性の. ***2*** 男性的な. ***3*** 男性体質の.

vir·i·les·cence (vir′i-les′ĕns). 男性化，雄性化（女性が男性の特徴を見かけ上もつことを表すまれに用いる語）.

vi·ril·ia (vi-ril′ē-ă) [L. *virilis*(virile)の中性・複数形]. 男性器.

vir·i·lism (vir′i-lizm) [L. *virilis*, masculine]. 男性化（女児，女性，または思春期前の男性が，成熟した男性の身体的特徴を生じること．原因に応じて，出生時に存在するもの，生後早い時期に現れる軽症のもの(例えば多毛性早熟症)から重症のものまである．通常は生殖腺または副腎皮質の機能亢進，またはアンドロゲン治療により起こる）.

adrenal v. 副腎性男性化（副腎皮質ステロイドの過剰または過剰分泌によって起こる男性化）. = adrenal virilizing syndrome.

vi·ril·i·ty (vi-ril′i-tē) [L. *virilitas*, manhood < *vir*, man]. 生殖能力，男盛り（男らしい状態）.

vir·i·li·za·tion (vir′i-li-zā′shŭn). 男性化.

vir·i·liz·ing (vir′i-līz′ing). 男性化作用のある.

-virinae ウイルス亜科を表す接尾語.

vi·ri·on (vī′rē-on, vir′ē-on). ビリオン（構造的に完全で感染力のある完全ウイルス粒子）.

vi·rip·o·tent (vī-rip′ō-tent) [L. *viripotens* < *vir*, man + *potens*, having power]. 男性として性的に成熟したことを意味する現在では用いられない語.

vi·roid (vī′royd) [virus + G. *eidos*, resemblance]. ウイロイド，バイロイド，ウイルス様体（植物の病原体で，ウイルスより小さく(分子量 75,000—100,000)，ウイルスとは一本鎖の環状RNA のみからなる点，蛋白のおおい(カプシド)を欠く点で異なる．複製はヘルパーウイルスに依存せず，宿主細胞の酵素の働きによる）.

vi·rol·o·gist (vī-rol′ŏ-jist). ウイルス学者（ウイルス学の専門家）.

vi·rol·o·gy (vī-rol′ŏ-jē, vi-) [virus + G. *logos*, study]. ウイルス学（ウイルスとウイルス疾患の学問）.

vi·ro·pex·is (vī′rō-pek′sis) [viro- + G. *pēxis*, fixation]. ウイルス定着（ウイルスの細胞への結合と，それに続く細胞によるウイルス粒子の吸着(取り込み)）.

vi·ro·ther·a·py (vī-rō-ther′ă-pē). ウイルス療法（癌細胞を標的とするウイルスを用いた悪性腫瘍の治療法）.

vi·ru·ci·dal (vī′rŭ-sī′dăl). 殺ウイルス〔性〕の，ウイルス破壊性の. = viricidal.

vi·ru·cide (vī′rŭ-sīd) [virus + L. *caedo*, to kill]. 抗ウイルス薬（ウイルス感染に対して活性をもつ薬）. = viricide.

vi·ru·co·pri·a (vī′rŭ-kō′prē-ă) [virus + G. *kopros*, feces]. 糞便ウイルス症（糞便中にウイルスが存在すること）.

vir·u·lence (vir′yū-lĕns) [L. *virulentia* < *virulentus*, poisonous]. ビルレンス，毒力，毒性（病原体の病気を起こす強さ．免疫検査により測定できるような感染を受けた者の総数に対する明らかな感染の成立をみた者の数の比として数量的に表される）.

vir·u·lent (vir′yū-lĕnt) [L. *virulentus*, poisonous]. 有毒の，毒性の，ビルレント（猛毒の．顕著な病原性をもつ微生物についていう）.

vir·u·lif·er·ous (vir′yū-lif′ĕr-ŭs). ウイルス運搬性の.

vir·u·ri·a (vir′yū′rē-ă) [virus + G. *ouron*, urine]. 尿中にウイルスが存在すること.

VIRUS

vi·rus, pl. **vi·rus·es** (vī′rŭs) [L. poison]. ***1***〘n.〙ウイルス（以前は，感染症に特異な原因因子をさした）. ***2***〘n.〙〔沪過性〕ウイルス（大部分の細菌を通さないような目の細かいフィルタを，ほとんど例外なく通過できて，通常，光学顕微鏡ではみることができず，独立した代謝を行わず，しかも生きた細胞を離れては成長や増殖のできない，一群の感染因子に対する用語．原核生物的な遺伝様式をもつが，細菌とは他のいくつかの点ではっきり異なっている．完全な粒子は通常 DNA か RNA のどちらか一方を含み，両方は含まない．そして通常，核酸を保護する蛋白殻すなわちカプシドにおおわれている．大きさは 15 nm から数百 nm に及ぶ．ウイルス分類は，ウイルス粒子の特徴によってだけでなく，伝播の様式，宿主範囲，症候学，その他の要因によってなされている．下記に記載のないウイルスについては個々の名称参照）. = filtrable v. ***3***〘adj.〙ウイルス〔性〕の（ウイルスに関する，ウイルスによって生じる．例えば virus disease のようにいう）. ***4***〘n.〙病原体（現在では用いられない語．細菌学が発展する以前は，疾患の原因となると考えられるあらゆる物質，ヘビ毒類似の酵素(ferment)のような化学物質なども含めてよんだ語．この時代は毒と同義語だった)．

Abelson murine leukemia v. (ā′bĕl-sŏn). エーベルソンマウス白血病ウイルス（レトロウイルス科C型亜科に属するレトロウイルス．白血病に関連し，ある決まったマウス細胞の形質転換を *in vitro* で誘導する)．

adeno-associated v. (**AAV**) アデノ随伴ウイルス．＝*Dependovirus.*

adenoidal-pharyngeal-conjunctival v. アデノイド－咽喉－結膜親性ウイルス．＝adenovirus.

adenosatellite v. ＝*Dependovirus.*

AIDS-related v. エイズ関連ウイルス（human immunodeficiency v. を表す現在では用いられない語)．

Akabane v. (ă-kă-bă-nā). アカバネウイルス（イスラエル，日本，およびオーストラリアにおいてみられるウシの流産やウシ胎子の関節拘縮症と内水頭症の原因となるブンヤウイルス科 *Bunyavirus*属のウイルス．カによって媒介される)．

amphotropic v. 両種向性ウイルス，アンフォトロピックウイルス（自然宿主に加えて，一種以上の細胞内で増殖可能なウイルス)．

Andes v. (an′dēz). アンデスウイルス（ハンタウイルス性肺症候群をもたらすアルゼンチンのハンタウイルス種)．

animal viruses 動物ウイルス（不顕性感染や疾病をもたらすヒトをはじめとした動物に感染するウイルス)．

A-P-C v. A–P–Cウイルス．＝adenovirus.

Argentine hemorrhagic fever v. アルゼンチン出血熱ウイルス（アレナウイルスの１つ)．

attenuated v. 弱毒〔化〕ウイルス（防御抗体の産生を促すが，病気を起こさないような病原性ウイルスの変異株)．

Aujeszky disease v. (ow-yes′kē). アウエスキー(オーエスキー)病ウイルス．＝pseudorabies v.

Australian X disease v. オーストラリアX病ウイルス．＝Murray Valley encephalitis v.

avian encephalomyelitis v. トリ脳脊髄炎ウイルス（ひなにトリ伝染性脳脊髄炎を起こすピコルナウイルス科 *Enterovirus*属のウイルス)．

avian influenza v. トリインフルエンザウイルス（ニワトリなどの家禽類に感染して高病原性トリインフルエンザ(家禽ペスト)を引き起こすことがある *Influenza* A virus属のインフルエンザA型ウイルス．通常の状態ではヒトへ感染することは少ないが，いくつかのアジア諸国において，種の壁を乗り越えたとの報告がある)．

avian lymphomatosis v. トリリンパ腫症ウイルス．＝avian neurolymphomatosis v.

avian neurolymphomatosis v. トリ神経リンパ腫症ウイルス（鳥類のリンパ腫症(Marek 病)の原因となるヘルペスウイルス．他の型の白血症を起こすものとは異なる)．＝avian lymphomatosis v.; Marek disease v.

avian pneumoencephalitis v. ＝Newcastle disease v.

avian viral arthritis v. トリウイルス性関節炎ウイルス（ニワトリの腱滑膜炎と関節炎の原因となるレオウイルス科 *Reovirus*属のウイルス)．

B v. Bウイルス．＝cercopithecrine *herpesvirus.*

B19 v. B19 ウイルス（血管炎，関節痛，伝染性紅斑や溶血性貧血における再生不良発作などのいくつかの特殊な臨床像に関与するヒトパルボウイルス)．

bacterial v. 細菌ウイルス（細菌に感染するウイルス．バクテリオファージ)．

Barmah Forest v. [このウイルスは1974年に南東オーストラリアのバーマフォレストで収集したカから初めて単離された]．バーマフォレストウイルス（アルファウイルスの一種で，オーストラリアでヒトに多発性関節炎の爆発的流行を生じた．カにより媒介される)．

Bayou v. バイユウウイルス（ハンタウイルス性肺症候群を起こす米国のハンタウイルス種．コメネズミによって伝播される)．

Bittner v. (bit′ner). ＝mammary tumor v. of mice.

BK v. [最初に分離された患者の頭文字]．BK ウイルス（腎臓に感染するが免疫が保たれているヒトでは，通常，臨床症状を呈さない．世界中に分布するパポバウイルス科のヒトポリオーマウイルス)．

Black Creek Canal v. [フロリダのブラッククリークカナルで綿ネズミが捕獲され，ウイルスが最初に分離された]．ブラッククリークカナルウイルス（ハンタウイルス性肺症候群を起こす北国のハンタウイルス種．綿ネズミによって伝播される)．

bluetongue v. ブルータングウイルス（ヒツジのブルータングの原因となるレオウイルス科の *Orbivirus*属のウイルス)．

Bolivian hemorrhagic fever v. ボリビア出血熱ウイルス（単鎖 RNA ウイルスのアレナウイルスの１つで，Machupo ウイルスとしても知られる．げっ歯類が主たるレザバー(宿主)である．種々の凝固系異常をきたすが，広範な毛細血管漏出症候群は致死的になりうる)．

Borna disease v. [Borna，ドイツのサクソニー地方の町]．ボルナ病ウイルス（ウマ中枢神経系に感染して重篤なボルナ病を引き起こす未分類のマイナス鎖一本鎖 RNA ウイルス)．＝enzootic encephalomyelitis v.

Bornholm disease v. ボーンホールム病ウイルス．＝epidemic pleurodynia v.

bovine leukemia v. (**BLV**) ウシ白血病ウイルス（一般にウシ，特に乳牛に感染するレトロウイルス科に属する BLV-HTLV レトロウイルス．感染牛のうち，少数だが，地方病型白血病を引き起こす)．＝bovine leukosis v.

bovine leukosis v. ウシ白血病ウイルス．＝bovine leukemia v.

bovine papular stomatitis v. ウシ丘疹性口内炎ウイルス（北アメリカ，アフリカ，ヨーロッパで報告されている，ウシ丘疹性口内炎の原因となる *Parapoxvirus*属のポックスウイルス)．

bovine virus diarrhea v. ウシウイルス性下痢ウイルス（ウシのウイルス性下痢症の原因となるトガウイルス科 *Pestivirus*属のウイルス．ニューヨーク株，オレゴン株，インディアナ株がしられている)．＝mucosal disease v.

Bunyamwera v. [*Bunyamwera*，最初に分離されたウガンダの森林]．ブニヤンベラウイルス（*Bunyavirus*属の血清グループの１つ．ブニヤウイルス属には 150 種以上のウイルス型が含まれる)．

Bwamba v. [*Bwamba*，最初に分離されたウガンダの森林]．ブワンダウイルス（ブニヤウイルス科 *Bunyavirus*属．ウガンダの Bwamba 熱の原因)．

CA v. CA ウイルス（croup-associated v. の略)．

California v. カリフォルニアウイルス（*Bunyavirus*属の血清グループの１つ．La Crosse v. と Tahyna v. をはじめとして，およそ 14 種よりなる．標準株は California v. で，主として 4—14 歳の年齢群に，脳炎を引き起こす)．

canine distemper v. イヌジステンパーウイルス（イヌのジステンパーの原因となるパラミクソウイルス科 *Morbillivirus*属の RNA ウイルス)．＝dog distemper v.

Capim viruses *Bunyavirus*属の血清グループの１つ．標準種は Capim v.

Caraparu v. ブニヤウイルス脳炎の原因となる *Bunyavirus*属C群に属するウイルス．

Catu v. (kā′tū). ブニヤウイルス脳炎の原因となるブニヤウイルス科 *Bunyavirus*属のアルボウイルス．

CELO v. CELO ウイルス（アヴィアデノウイルス属に属し，ウズラ気管支炎ウイルスに類似するウイルス)．＝chicken embryo lethal orphan v.

Central European tick-borne encephalitis v. *Flavivirus*属B群のアルボウイルスに属するダニ媒介脳炎ウイルスの１つ．ダニ媒介脳炎(中央ヨーロッパ亜型)の病因．

C group viruses C群ウイルス（*Bunyavirus*属の血清グループの１つ(以前はC群のアルボウイルスとよばれた)．Caraparu v., Murutucu v., Oriboca v. を含む 14 種よりなる)．

Chagres v. (shahg′rĕs). ブニヤウイルス脳炎の原因となるブンヤウイルス科 *Phlebovirus*属のウイルス．

chicken embryo lethal orphan v. ＝CELO v.

chickenpox v. 水痘ウイルス．＝varicella-zoster v.

chikungunya v. [感染患者の〝反り返り〟の姿勢にちなむ]．チクングニヤウイルス（アフリカ各地，インド，タイ，マレーシアでみられるトガウイルス科 *Alphavirus*属のアルボウイルスで，カによって媒介される．関節痛を伴う熱性疾病の原因）．

Coe v. (kō). 血清学的にはコクサッキーウイルスの A–21 株と同一．軍隊の新兵にみられる感冒に似た病気の原因．

cold v. 感冒ウイルス．＝common cold v.

Colorado tick fever v. コロラドチック熱ウイルス（アンダーソンカクマダニ *Dermacentor andersoni* によって媒介され，米国のロッキー山脈地方でみられるヒトに熱病を起こすレオウイルス科 *Coltivirus*属のウイルス．コロラドチック熱の原因）．

Columbia S. K. v. コロンビアS.K.ウイルス（脳心筋炎ウイルスの一株）．

common cold v. 感冒ウイルス（感冒の原因として関与するウイルス株のすべてをいう．主としてライノウイルスであるが，アデノウイルス，コクサッキーウイルス，エコーウイルス，パラインフルエンザウイルスも含まれる）．＝cold v.

contagious ecthyma (pustular dermatitis) v. of sheep ヒツジ伝染性膿瘡(膿疱性皮膚炎)ウイルス（ヒツジの接触伝染性膿瘡(膿疱性皮膚炎)の原因となる *Parapoxvirus*属のポックスウイルス）．＝soremouth v.

contagious pustular stomatitis v. 伝染性膿疱性口内炎ウイルス（①＝horsepox v. ②＝orf v.）．

Côte-d'Ivoire v. 象牙海岸ウイルス，コートジボアールウイルス（エボラウイルスの一変種）．＝Ebola v. Côte-d'Ivoire.

cowpox v. 牛痘ウイルス（牛痘の原因となる *Orthopoxvirus*属のウイルス）．

Coxsackie v. ⇀Coxsackievirus.

Crimean-Congo hemorrhagic fever v. クリミア－コンゴ出血熱ウイルス（アフリカ由来のブニヤウイルス科 *Nairovirus*属のウイルス．マダニ類(イボマダニ属 *Hyalomma* およびキララマダニ属 *Amblyomma*)によって伝播され，ヒトの血液内に見出される．クリミア－コンゴ出血熱の原因）．

croup-associated v. (**CA v.**) クループ関連ウイルス（パラインフルエンザウイルス 1 型および 2 型．⇀parainfluenza viruses）．

cytopathogenic v. 細胞変性ウイルス（その増殖により宿主細胞が変性を受けるウイルス．→cytopathic *effect*）．

defective v. 欠損ウイルス（ウイルスを構成するために必須なすべての成分を産生するには不十分な核酸しか含有していないウイルス粒子．したがって，感染性ウイルスは特別な条件が与えられないかぎり産生されない(例えば，宿主細胞がヘルパーウイルスの感染も受けている場合)）．

delta v. デルタウイルス．＝hepatitis D v.

dengue v. デング熱ウイルス（直径約 50 nm の *Flavivirus* 属のウイルス．ヒトのデング熱の病因であり，サルやチンパンジーにも感染するが，通常，不顕性感染である．4 つの血清型が知られている．媒介はヤブカ属 *Aedes* のカによる）．

disabled infectious single cycle v. 単回感染性ウイルス(遺伝子欠損により感染性の子孫を産生できないウイルス)．

distemper v. ジステンパーウイルス（⇀canine distemper v.）．

DNA v. DNA ウイルス（コア中の遺伝情報がデオキシリボ核酸(DNA)からなるウイルス．パルボウイルス，パポバウイルス，アデノウイルス，ヘルペスウイルス，ポックスウイルスなど）．＝deoxyribovirus.

Dobrava-Belgrade v. [スロベニアの Dobrava（キクビアカネズミから最初に分離された)およびセルビアの Belgrade(ヒトから初めて分離された)]．ドブラヴァ－ベオグラードウイルス（バルカン半島にみられるハンタウイルスの一種で，腎症候性出血熱を起こす）．

dog distemper v. ＝canine distemper v.

duck embryo v. (**DEV**) アヒル胚ウイルス（アヒル胚細胞(すなわちアヒル受精卵)で培養したウイルス，またはそうした培養で産生されたワクチン）．

duck hepatitis v. アヒル肝炎ウイルス（アヒルのウイルス性肝炎の原因となるヘパドナウイルス科 *Hepadnavirus*属の DNA ウイルス）．

duck influenza v. アヒルインフルエンザウイルス（血清凝集阻止反応により，ヒトインフルエンザA型株と区別される，オルソミクソウイルス科のインフルエンザA型ウイルス）．

典型的なDNA腫瘍ウイルス

ウイルス	原宿主	自然腫瘍（原宿主）
パポバウイルス		
ポリオーマウイルス	マウス	なし
SV40	サル	なし
BK，JC	ヒト	なし
パピローマウイルス		
ヒト	ヒト	あり
ウサギ	ウサギ	あり
ウシ	ウシ	あり
アデノウイルス		
ヒト	ヒト	なし
サル	サル	なし
ヘルペスウイルス		
ヒト		
単純ヘルペス2型ウイルス	ヒト	
Epstein-Barrウイルス	ヒト	あり
サイトメガロウイルス	ヒト	
サル	サル	なし
鳥類（Marek）	ニワトリ	あり
カエル（Lucké）	カエル	あり
ヘパドナウイルス		
ヒトB型肝炎ウイルス	ヒト	あり
ウッドチャック肝炎ウイルス	ウッドチャック	あり
ポックスウイルス		
軟属腫ウイルス		
伝染性軟属腫ウイルス	ヒト	あり
ヤバウイルス	サル	あり
線維腫－筋腫ウイルス	ウサギ，シカ	あり

duck plague v. アヒルペストウイルス（アヒルペストの原因となるヘルペスウイルス）．

Duvenhage v. (dū-ven′neg′ĕ) [南アフリカのプレトリアの近くで最初に感染し犠牲となった人の名前にちなむ]．狂犬病のウイルスの一種でアフリカで狂犬病類似の症状を起こす．食虫性のコウモリにかまれることにより伝播される．

eastern equine encephalomyelitis v. 東部ウマ脳脊髄炎ウイルス（米国東部にみられるトガウイルス科 *Alphavirus* 属(以前のA群アルボウイルス)のウイルス．通常，ある種の野鳥あるいは小型のげっ歯類に不顕性感染して存在するが，ナミカに刺されることによって伝播され，ウマとヒトに東部ウマ脳脊髄炎を起こすことがある）．＝EEE v.

EB v. ＝Epstein-Barr v.

Ebola v. (ēb′ō-lă)．エボラウイルス（フィロウイルス科のウイルスで，Marburg ウイルスと形態的には類似しているが抗原的には異なる．エボラ熱(ウイルス性出血熱)の原因ウイルスである．伝搬は非経口である．約 1 週間の潜伏期の後，発熱，頭痛，嘔吐，下痢，衰弱，多発性丘疹で急性発症する．腸管内出血や散在性血管内凝固などの出血性徴候が起こるであろう．致死率はおよそ 80% である．特異的な予防や治療法はない）．

Ebola v. Côte-d'Ivoire ＝Côte-d'Ivoire v.

Ebola v. Reston＝ Reston v.

Ebola v. Sudan ＝Sudan v.

Ebola v. Zaire ＝Zaire v.

ECHO v. エコーウイルス（ヒトから分離され，ピコルナウイルス科に属する多様な集団の中の 1 つのエンテロウイルス．不顕性感染が多いが，ある種の血清型の中には発熱や無菌性髄膜炎に関連するものもあり，軽い呼吸器疾患を起こすようなものもある）．＝echovirus; enteric cytopathogenic human orphan v.

ECMO v. エクモウイルス，腸細胞病原性サルオーファン

V

（みなしご）ウイルス（サルの腎細胞と糞便から分離されたサルピコルナウイルス）．＝enteric cytopathogenic monkey orphan v.

ecotropic v. 同種指向性ウイルス，自己向性ウイルス，エコトロピックウイルス（自然宿主では疾病の原因とならないが，宿主動物種由来の組織培養細胞では増殖するレトロウイルス）．

ECSO v. エクソウイルス（ブタの腸炎流行例から分離されたピコルナウイルスであるが，本来の病原体かどうかは知られていない）．＝enteric cytopathogenic swine orphan v.

ectromelia v. エクトロメリアウイルス．＝infectious ectromelia v.

EEE v. EEE ウイルス．＝eastern equine encephalomyelitis v.

EMC v. ＝encephalomyocarditis v.

emerging viruses 顕現性ウイルス（古くからヒトや動物に感染してきたが，最近になって大流行したり，疫学上の問題を人類社会に提起するようになってきた，一群のウイルスの呼称．その原因としては，人類による熱帯雨林の開発，海外旅行の増加，突然変異などの関与が考えられる．いくつかのウイルスが顕現性と規定されている．代表的な例としては，出血性ウイルス属としてエボラ，マールブルグ，ハンタ，狂犬病様ウイルス属としてモコラ，デュベナゲ，さらにげっ歯類媒介性ウイルスとしてジニン，ラッサ，節足動物媒介性ウイルスとしてデングがある．ウイルス学者はエイズの原因である HIV もこの中に含まれると考えている．すなわち，５万年もの間，サルに感染してきたウイルスがサルと人類との接触の結果，人類社会に侵入してきたと考えている）．

encephalitis v. 脳炎ウイルス（脳炎の原因となる様々なウイルス）．

encephalomyocarditis v. 脳心筋炎ウイルス（ピコルナウイルス科に属するカルディオウイルスで，通常はげっ歯類に由来する．ヒト，他の霊長類，ブタ，ウサギの血液と糞便から分離される．ときにヒトに中枢神経系障害を含む熱性疾患を起こし，またしばしばチンパンジー，サル，ブタの致死性心筋炎の原因となる．本ウイルス株として，Columbia S. K. v. と Mengo v. がある）．＝EMC v.

enteric viruses *Enterovirus*属のウイルス．

enteric cytopathogenic human orphan v. 腸管由来の細胞変性を起こすヒトみなしごウイルス．＝ECHO v.

enteric cytopathogenic monkey orphan v. ＝ECMO v.

enteric cytopathogenic swine orphan v. ＝ECSO v.

enteric orphan viruses 腸管オーファン（みなしご）ウイルス（ヒトや他の動物から分離されたエンテロウイルス．"orphan" は，分離されたときに病気との関連性がわからなかったことを意味しているが，現在では，この群の多くのウイルスは病原性があることが知られている．ECBO ウイルス，ECHO ウイルス，ECSO ウイルスが含まれる）．

enzootic encephalomyelitis v. 動物地方病性脳脊髄炎ウイルス．＝Borna disease v.

ephemeral fever v. 一日熱ウイルス（ウシの一日熱の原因となるラブドウイルス）．

epidemic gastroenteritis v. 流行性胃腸炎ウイルス（直径約 27 nm の大きさを有する RNA ウイルスで，いまだ *in vitro* では培養されていない．流行性非細菌性胃腸炎の病因で，Norwalk 因子をはじめとして，少なくとも５つの抗原的に異なる血清型が認められている．カリシウイルス科の *Calicivirus*属に分類される）．＝gastroenteritis v. type A.

epidemic keratoconjunctivitis v. 流行性角結膜炎ウイルス（特に造船所の労働者の間に流行性角結膜炎を起こし，またプール熱の流行にも関係するアデノウイルス（８型））．＝shipyard eye.

epidemic myalgia v. 流行性筋痛ウイルス．＝epidemic pleurodynia v.

epidemic parotitis v. ＝mumps v.

epidemic pleurodynia v. 流行性胸膜痛ウイルス（流行性胸膜痛の原因となる，ピコルナウイルス科のコクサッキーウイルスＢ型）．＝Bornholm disease v.; epidemic myalgia v.

Epstein-Barr v. (**EBV**) (ep′stīn băr)．エプスタイン－バーウイルス（[誤った発音 ep′stēn を避けること]．伝染性単核球症の原因ウイルスである．*Lymphocryptovirus*属のヘルペスウイルスの一種．Burkitt リンパ腫細胞の培養細胞中にも見出される鼻咽頭癌にも関連性がある）．＝EB v.; human herpesvirus 4.

FA v. FA ウイルス（マウス脳脊髄炎ウイルスの一株）．

fibrous bacterial viruses ＝filamentous bacterial viruses.

filamentous bacterial viruses 線維状細菌ウイルス（性線毛をもち，グラム陰性細菌に感染・複製するデオキシリボ核蛋白．通常のバクテリオファージと異なり，細胞を破壊せずに感染細菌から放出される．２種類からなり，１種はＦ線毛に，もう１種はＩ線毛に特異的であると考えられている）．＝fibrous bacterial viruses.

filtrable v. 沪過性ウイルス．＝virus (2).

fixed v. 固定毒（ウサギ内で実験的に何代にもわたって継代したことにより，ウサギに対する病原性が安定化した狂犬病ウイルス．→street v.）．

Flury strain rabies v. (flūr′ē)．→rabies v., Flury strain.

FMD v. ＝foot-and-mouth disease v.

foamy viruses フォーミーウイルス（霊長類や他の哺乳類に見出されるレトロウイルス科 *Spumavirus*属のウイルス．サルの腎細胞中に生じるレース状の変化のためにこのように命名された．合胞体も形成される）．＝foamy agents.

foot-and-mouth disease v. 口蹄疫ウイルス（ウシ，ブタ，ヒツジ，ヤギ，野生の反すう類の口蹄疫の原因となるピコルナウイルス科 *Aphthovirus*属のウイルス．アフリカとアジア全域に広がり，経済的に大きな損失を与えている．本ウイルスは感染動物の唾液や排泄物により汚染した動物環境から広がる）．＝FMD v.

Four Corners v. [米国南西部の一部で，ニューメキシコ，コロラド，ユタ，アリゾナの４州が主発病地に一致する]．フォーコーナーズウイルス．＝sin nombre v.

Friend v. (frend)．フレンドウイルス（Moloney ウイルスと Rauscher ウイルスに近縁なマウス白血病ウイルス）．＝Friend leukemia v.; Swiss mouse leukemia v.

Friend leukemia v. (frend)．フレンド白血病ウイルス．＝Friend v.

GAL v. GAL ウイルス（アデノウイルスの特徴をもつウイルス．自然界にみられる疾病に関連することは知られていない）．＝gallus adenolike v.

gallus adenolike v. ニワトリアデノ様ウイルス．＝GAL v.

gastroenteritis v. type A Ａ型胃腸炎ウイルス．＝epidemic gastroenteritis v.

gastroenteritis v. type B Ｂ型胃腸炎ウイルス．＝rotavirus.

GB viruses GB ウイルス（フラビウイルス科の仲間．ヒト由来のウイルスを感染させたタマリンから GBV–A と GBV–B が分離されている．GBV–C はヒトに病原性があり，Ｇ型肝炎ウイルスの近縁種）．

German measles v. ＝rubella v.

Germiston v. [最初に分離された南アフリカのトランスバール州の都市]．ジャーミストンウイルス（ブニヤウイルス科 *Bunyavirus*属のウイルス）．

goatpox v. ヤギ痘ウイルス（ヤギ痘の原因となる *Capripoxvirus*属のウイルス）．

Graffi v. (graf′ē)．グラッフィウイルス（移植可能な腫瘍の沪過抽出物から得られるＣ型マウス骨髄性白血病ウイルス．Gross ウイルスと近縁と思われる）．

green monkey v. ミドリザルウイルス．＝Marburg v.

Gross v. (grōs)．グロスウイルス（マウス白血病ウイルスの最初の分離株）．＝Gross leukemia v.

Gross leukemia v. (grōs)．グロス白血病ウイルス．＝Gross v.

Guama v. グアマウイルス（*Bunyavirus*属の一血清グループ．Catu v. および Guama v.（標準株）を含む６種よりなる）．

Guanarito v. [ベネズエラ出血熱の最初のすべての症例が確認されたベネズエラの都市にちなむ]．グアナリトウイルス（アレナウイルスの一種で，ベネズエラ出血熱を起こす）．

Guaroa v. グアロアウイルス（ブニヤウイルス脳炎の病因である *Bunyavirus*属 Bunyamwera 群に属するウイルス）．

HA1 v. HA1 ウイルス（→parainfluenza viruses）．＝hemadsorption v. type 1.

HA2 v. HA2 ウイルス（→parainfluenza viruses）．＝hemadsorption v. type 2.

hand-foot-and-mouth disease v. 手足口病ウイルス（手足口病の原因となるウイルス．コクサッキーウイルスA–16型が主だが，A–4，A–5，A–7，A–9，あるいはA–10型も原因となる）．

Hantaan v. ハンタンウイルス（腎症候群を伴う朝鮮出血熱を起こすブニヤウイルス科のハンタウイルス）．

helper v. ヘルパーウイルス（複製により，同じ宿主細胞中に存在する欠損ウイルスあるいはウイルソイドを完全な感染性ウイルスとして増殖させることができるウイルス）．

hemadsorption v. type 1 血球吸着ウイルス１型（パラインフルエンザウイルス３型の旧名．→parainfluenza viruses）．＝HA1 v.

hemadsorption v. type 2 血球吸着ウイルス２型（パラインフルエンザウイルス１型の旧名．→parainfluenza viruses）．＝HA2 v.

Hendra v. ［ウイルスが最初に分離されたオーストラリアのブリスベン近郊のHendraに由来］．ヘンドラウイルス．＝equine *Morbillivirus*.

hepatitis A v. (**HAV**) A型肝炎ウイルス（ピコルナウイルス科*Hepatovirus*属のRNAウイルス．ウイルス性A型肝炎の病原体）．＝infectious hepatitis v.

hepatitis B v. (**HBV**) B型肝炎ウイルス（ヘパドナウイルス科*Orthohepadnavirus*属のDNAウイルス．ウイルス性B型肝炎の病原体）．＝serum hepatitis v.

hepatitis C v. (**HCV**) C型肝炎ウイルス（1988年以前，輸血後非A非B肝炎の原因ウイルスとよばれていたRNAウイルス．フラビウイルス科に属する．現行のスクリーニングシステムでは，輸血，血液製剤による新たなC型肝炎の発生はほとんどない）．

hepatitis D v. D型肝炎ウイルス（ウイロイド，ウイルソイドに似た小さな欠損RNAウイルス．増殖にはB型肝炎ウイルスの存在が必要である．臨床経過は様々であるが，通常は他の肝炎より重篤である）．＝delta agent; delta antigen; delta v.; hepatitis delta v.

hepatitis delta v. (**HDV**) デルタ(D型)肝炎ウイルス．＝hepatitis D v.

hepatitis E v. (**HEV**) E型肝炎ウイルス(HEV)（RNAウイルス，恐らくカルシウイルス．消化管を介した，飲料水媒介の，主としてアジアやアフリカで発生する流行性非A非B肝炎の主要原因ウイルスである）．

hepatitis G v. (**HGV**) G型肝炎ウイルス（C型肝炎ウイルスに似たRNAウイルスでC型肝炎ウイルスと重感染することがある）．

herpes v. →herpesvirus.

herpes simplex v. (**HSV**) 単純ヘルペスウイルス（→*herpes* simplex）．

herpes zoster v. 帯状疱疹ウイルス．＝varicella-zoster v.

hog cholera v. ブタコレラウイルス（ブタコレラの原因であるフラビウイルス科*Pestivirus*属のRNAウイルス）．＝swine fever v.

horsepox v. ウマポックスウイルス（馬痘の原因であるポックスウイルス）．＝contagious pustular stomatitis v. (1).

human immunodeficiency v. (**HIV**) ヒト免疫不全ウイルス（ヒトTリンパ球向性ウイルスIII型．レトロウイルス科レンチウイルス亜科に属する細胞傷害性レトロウイルスで，直径100—120 nm，脂質エンベロープを有し，コア蛋白とRNAゲノムを含んだ特徴的な緻密な円筒状ヌクレオイドをもつ．２つの型が知られている．HIV-1はヒトとチンパンジーのみに感染し，HIV-2より病原性が強い．HIV-2はよりサルのウイルスに近縁であり，西アフリカで初めて発見された．HIV-1ほど広域に分布しない．レトロウイルスでみられる基本的な遺伝子の他に，その増殖を調節する少なくとも６つの遺伝子がある．後天性免疫不全症候群(エイズ)の原因ウイルスである．以前はリンパ節腫脹症ウイルス(LAV)あるいはヒトTリンパ球向性ウイルスIII型ともよばれていた．1984年にLuc Montagnierの研究グループにより同定された）．＝lymphadenopathy-associated v.

human immunodeficiency v.-2 ヒト免疫不全ウイルス－２型（西アフリカで初めて発見されたウイルスで，AIDSに比して緩やかな病態を呈す．サルのウイルス株により近縁である）．

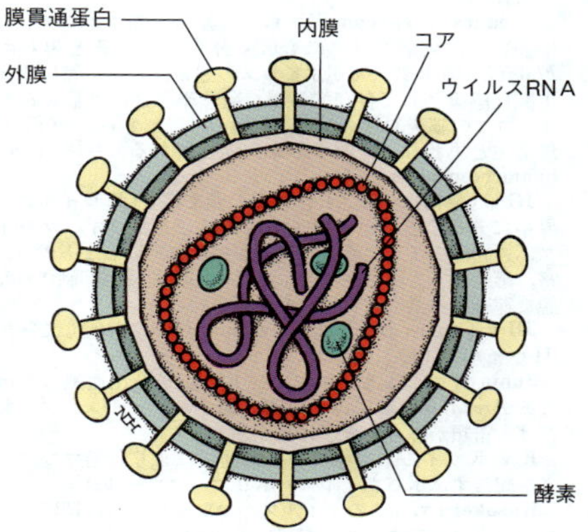

HIV

human T-cell lymphoma/leukemia v. (**HTLV**) ヒトT細胞リンパ腫/白血病ウイルス（レトロウイルス科BLTV–HTLV属に属する一群のリンパ球向性ウイルスで，Tリンパ球の中でも，ヘルパー/インデューサ細胞に特異的親和性を有する．HTLV–1は，成人T細胞白血病(ATL)やHTLV–1関連脊髄症(HAM)/熱帯性痙性対麻痺(TSP)と関連がある．HTLV–2は，核酸レベルでHTLV–1と70 %以上相同であるが，白血病との関連は明らかではない）．＝human T-cell lymphotropic v.

human T-cell lymphotropic v. ヒトTリンパ球向性ウイルス．＝human T-cell lymphoma/leukemia v.

human T lymphotrophic v. ヒトTリンパ球向性ウイルス（ヒトリンパ球細胞に親和性を有するウイルス）．

Ilhéus v. イルヘウス(イレウス)ウイルス（最初，ブラジルで分離され，後にコロンビア，中央アメリカ，カリブ海沿岸諸国で分離された*Flavivirus*属のB群アルボウイルス．イルヘウス脳炎やイルヘウス熱の原因）．

inclusion conjunctivitis viruses 封入体結膜炎ウイルス（*Chlamydia trachomatis*の旧名）．

infantile gastroenteritis v. 乳児胃腸炎ウイルス．＝rotavirus.

infectious ectromelia v. 伝染性エクトロメリアウイルス（形態学的にはワクシニアウイルスに類似のポックスウイルス科に属するウイルス．実験用マウスに潜伏感染して存在するが，放射線照射や運搬などのストレスにより活性化され，疾病を起こす．足底に接種すると浮腫や壊疽を生じる）．＝ectromelia v.; mousepox v.; pseudolymphocytic choriomeningitis v.

infectious hepatitis v. 感染性肝炎ウイルス．＝hepatitis A v.

infectious papilloma v. ＝human papillomavirus.

infectious porcine encephalomyelitis v. ブタ伝染性脳脊髄炎ウイルス．＝Teschen disease v.

influenza viruses インフルエンザウイルス（ヒトやその他の動物にインフルエンザおよびインフルエンザ様感染症を起こすオルソミクソウイルス科のウイルス．分節状の一本鎖RNAからなり，これが流行しやすい理由の説明の一部となる．*Influenzavirus*属には，インフルエンザウイルスA型とB型があり，それぞれA型インフルエンザとB型インフルエンザを起こす．インフルエンザウイルスC型は別の属に属しており，C型インフルエンザを起こす）．

insect viruses 昆虫ウイルス（昆虫に対して病原性をもつウイルス）．

iridescent v. イリデスセントウイルス（イリドウイルス科の昆虫ウイルス）．

Jamestown Canyon v. ジェームズタウンキャニオンウイルス（北アメリカでヒトの微熱性疾患を起こしてきたブニヤウイルス科のアルボウイルスカリフォルニア群に属するウイ

ルス).

Japanese B encephalitis v. 日本脳炎Ｂ型ウイルス（日本に多いが，東南アジアにも広く分布していると思われる *Flavivirus*属Ｂ群アルボウイルス．通常，ヒト，特に小児に不顕性感染として存在するが，発熱やときには脳炎を起こす．ウマの脳炎やブタの流産を起こすこともある．野鳥が自然宿主と思われ，ナミカが媒介動物である）．＝Russian autumn encephalitis v.

JC v. ［最初に分離された患者の頭文字］．JCウイルス（世界中に分布するパポバウイルス科のヒトポリオーマウイルス．遅発性ウイルス感染で免疫が保たれているヒトでは，通常，感染しても臨床症状を示さないが，免疫が抑制された状態で進行性多巣性白質脳症を発症させる）．

JH v. ［*J*ohns *H*opkins University, 最初に分離した場所］．JHウイルス（ヒトライノウイルス1A株）．

Junin v. フニンウイルス（アルゼンチン出血熱の原因となる *Arenavirus*属 Tacaribe 群に属するウイルス．ダニおよびげっ歯類からも分離される）．

K v. Ｋウイルス（種々の接種経路により幼若マウスに肺炎を起こすパポバウイルス科ポリオーマウイルス）．

Kasokero v. ［このウイルスがコウモリから最初に分離されたウガンダのカソケロ洞窟にちなむ］．カソケロウイルス（ブンヤウイルス科の一種．ヒトに感染し，発熱，頭痛，腹痛，下痢，高度の筋肉痛，関節痛を生じる）．

Kelev strain rabies v. (ke′lev). →rabies v., Kelev strain.

Kilham rat v. (kil′ăm). ラットに不顕性感染を起こす *Parvovirus*属のウイルス．ラット腫瘍からも分離される．＝latent rat v.

Koongol viruses クーンゴルウイルス（*Bunyavirus*属の血清グループの１つで，Koongol v.(標準種)と Wongal v. の２種よりなる）．

Korean hemorrhagic fever v. 朝鮮出血熱ウイルス（→Hantavirus）．

Kyasanur Forest disease v. キャサヌール森林病ウイルス（インドのサルから分離された，ヒトの Kyasanur 森林病の原因となるフラビウイルス科Ｂ群アルボウイルス．軽微感染サルや鳥によって伝播される．媒介動物はチマダニ属 *Haemaphysalis* の一種と考えられる）．

La Crosse v. ラクロスウイルス（ブニヤウイルス科のカリフォルニア群に属するウイルス．ブニヤウイルス脳炎の病原体）．

lactate dehydrogenase v. 乳酸デヒドロゲナーゼウイルス（種々の移植可能なマウス腫瘍に passenger として存在すると思われるアルテリウイルス．生涯継続した感染をする可能性があり，血漿中の乳酸デヒドロゲナーゼの増加で発見されることがある）．＝LDH agent.

Lassa v. ラッサ（死亡率の高い急性発熱疾患，ラッサ熱の原因となるアレナウイルス科 *Arenavirus*属のウイルス）．

latent rat v. 潜伏ラットウイルス．＝Kilham rat v.

LCM v. LCM ウイルス．＝lymphocytic choriomeningitis v.

louping-ill v. 跳躍病ウイルス（跳躍病の原因となる *Flavivirus*属のウイルス．マダニの一種である *Ixodes ricinus* によって媒介される）．

Lucké v. (lik′ē). リュッケウイルス（Lucké 癌と関連のあるヘルペスウイルス）．

Lunyo v. リフトバレー熱ウイルスの非定型株．

lymphadenopathy-associated v. **(LAV)** ＝human immunodeficiency v.

lymphocytic choriomeningitis v. リンパ球脈絡髄膜炎ウイルス（マウス，サル，イヌ，モルモットに感染し，リンパ球性脈絡膜炎の原因となるアレナウイルス科の RNAウイルス．ヒトの場合は不顕性感染であるが，ときとしてインフルエンザ様疾患，髄膜炎，まれには髄膜脳脊髄炎を起こすこともある．マウスの子宮内感染では，ある種の免疫学的寛容を成立させる）．＝LCM v.

lymphogranuloma venereum v. 性病性リンパ肉芽腫ウイルス（*Chlamydia trachomatis* の旧名）．

Machupo v. マチュポウイルス（ボリビア出血熱の原因となるアレナウイルス科 *Arenavirus*属 Tacaribe 群に属するウイルス）．

malignant catarrhal fever v. 悪性カタル熱ウイルス（ウシの悪性カタル熱の原因となる，広く分布しているヘルペスウイルス．ヒツジや野生の動物は不顕性感染状態にあって，ウシにウイルスを伝播する）．

mammary cancer v. of mice マウス乳癌ウイルス．＝mammary tumor v. of mice.

mammary tumor v. of mice マウス乳癌ウイルス（抗原的にマウス白血病－肉腫群と区別される哺乳類Ｂ型レトロウイルスの一種．乳腺の腺癌性腫瘍に関与し，野生および動物実験用マウスに通常は潜伏性に存在するが，遺伝的に感受性の高い系統にのみある種のホルモン環境下で癌を引き起こす）．＝Bittner agent; Bittner milk factor; Bittner v.; mammary cancer v. of mice; milk factor; mouse mammary tumor v.

Marburg v. マールブルグウイルス（フィロウイルス科 *Filovirus* 属の RNA ウイルス．Marburg 大学(ドイツ)で，ミドリザル研究者の間で高死亡率の出血熱の病原体として初めて認められた）．＝green monkey v.

Marek disease v. (măr′ek). マレク病ウイルス．＝avian neurolymphomatosis v.

marmoset v. マーモセットウイルス（新世界サルの咽頭スワブや組織から繰り返し得られるヘルペスウイルス）．

masked v. 潜在性ウイルス（通常は非感染状態で宿主中に存在するが，実験動物で無計画に植え継いでいくなど特殊な状況によって，活性化され証明されるウイルス）．

Mason-Pfizer v. (mā′son fī′zĕr). マソン－ファイザーウイルス（レトロウイルス科に属するＤ型レトロウイルスで，アカゲザルの乳癌から分離された）．

Mayaro v. マヤロウイルス（南アメリカで未分化型熱流行の原因となるトガウイルス科 *Alphavirus*属のウイルス）．

measles v. 麻疹ウイルス（ヒトの麻疹(はしか)の原因となるパラミクソウイルス科 *Morbillivirus*属の RNA ウイルス．本ウイルスは呼吸器伝播性である．赤血球凝集性，赤血球吸着性，溶血性を有する）．＝rubeola v.

Menangle v. (men′ang-gĕl) ［ウイルスが最初に分離された研究所のあったオーストラリアの地名に由来］．オーストラリアでブタ，ヒト，およびフルーツバットに感染を起こすパラミクソウイルス科の一ウイルス．ヒトに感染すると皮疹を伴うインフルエンザ様疾患となる．

Mengo v. メンゴウイルス（脳心筋炎ウイルスの一株）．

milker's nodule v. 搾乳者結節ウイルス（ポックスウイルス科のウイルス）．

mink enteritis v. ミンク腸炎ウイルス（ミンクの腸炎の原因となるパルボウイルス）．

MM v. MMウイルス（脳心筋炎ウイルスの一株）．

Mokola v. モコラウイルス（アフリカでヒトとネコに致命的な神経系疾患を起こすラブドウイルス科 *Lyssavirus*属の狂犬病近縁のウイルス．ナイジェリアのトガリネズミ(*Crocidura* spp.)から最初に分離された）．

molluscum contagiosum v. 伝染性軟属腫ウイルス（ヒトの伝染性軟属腫の原因となるポックスウイルス）．

Moloney v. (mŏ-lō′nē). モロニーウイルス（レトロウイルス科のマウスリンパ性白血病レトロウイルスで，最初は S 37 マウス肉腫の増殖時に分離された）．

monkey B v. サルＢウイルス．＝cercopithecrine *herpesvirus*.

monkeypox v. サル痘ウイルス（サル痘の原因となる *Orthopoxvirus*属のウイルス）．

mouse encephalomyelitis v. マウス脳脊髄炎ウイルス（通常は不顕性感染で，感染マウスの腸管で見出されるピコルナウイルス科 *Enterovirus*属のウイルス．感受性のマウスに実験的に接種すると，しばしば脳脊髄炎を引き起こす）．＝mouse poliomyelitis v.; Theiler v.

mouse hepatitis v. マウス肝炎ウイルス（乳離れしたばかりのマウスに *Eperythrozoon coccoides* が共存する場合には致死性肝炎を引き起こし，共存しない場合には不顕性感染を起こすコロナウイルス科のコロナウイルス）．

mouse leukemia viruses マウス白血病ウイルス（マウスの白血病，ときにリンパ肉腫の原因となる，Abelron 株，Gross 株，Moloney 株，Friend 株，Rauscher 株からなるマウス白血病－肉腫群のレトロウイルス．本ウイルスは自然発生リンパ性白血病を高率で発症する近交系マウスから分離されてきた）．

mouse mammary tumor v. ＝mammary tumor v. of mice.

mouse parotid tumor v. マウス耳下腺腫ウイルス．＝polyoma v.

mouse poliomyelitis v. マウスポリオウイルス．＝mouse encephalomyelitis v.

mousepox v. マウスポックスウイルス．＝infectious ectromelia v.

mouse thymic v. マウス胸腺ウイルス（幼若マウスの胸腺壊死の原因となる，エーテル感受性ヘルペスウイルス）．

mucosal disease v. 粘膜病ウイルス．＝bovine virus diarrhea v.

mumps v. ムンプスウイルス（ヒトの耳下腺炎の原因となるパラミクソウイルス科 *Rubulavirus*属のウイルス．ときには精巣炎，卵巣炎，膵炎，髄膜脳炎その他の合併症を伴う．感染したヒトの唾液によって伝播される）．＝epidemic parotitis v.

murine sarcoma v. マウス肉腫ウイルス（ヘルパーウイルス(例えばマウス白血病ウイルス)の存在下で増殖してマウスに肉腫を起こす欠損様レトロウイルス）．

Murray Valley encephalitis v. (**MVE**) マレー渓谷脳炎ウイルス（マレー渓谷脳炎の原因となる *Flavivirus*属Ｂ群アルボウイルス．イエカ属 *Culex* のカによって媒介され，鳥やウマにも伝染する）．＝Australian X disease v.; MVE v.

Murutucu v. マルックウイルス（*Bunyavirus*属Ｃ群に属するウイルスで，カによって媒介される．ブラジルとフランス領ギニアで未分化型熱の原因となってきた）．

MVE v. MVE ウイルス．＝Murray Valley encephalitis v.

myxomatosis v. 粘液腫症ウイルス．＝rabbit myxoma v.

naked v. 裸のウイルス（ヌクレオカプシドだけからできているウイルス．すなわち，周りを包むエンベロープをもたないウイルス）．

ND v. ND ウイルス．＝Newcastle disease v.

negative strand v. マイナス鎖ウイルス（メッセンジャーRNAに相補的な RNA 鎖のゲノムをもつウイルス．本ウイルスは，メッセンジャー RNA の合成に必要な RNAポリメラーゼも有する）．

Negishi v. (ne-gē-shē). ネギシウイルス（*Flavivirus*属Ｂ群アルボウイルスのダニ媒介脳炎群ウイルスの１つ．日本の致死性感染例から分離された）．

neonatal calf diarrhea v. 新生子ウシ下痢ウイルス（新生子ウシに下痢を引き起こす２つのウイルスの１つ．ロタウイルス様ウイルスが新生子ウシの疾患に関連する．またコロナウイルスが５日齢以上の子ウシの疾患に関連する）．

neurotropic v. 神経向性ウイルス，向神経性ウイルス(神経組織に対して親和性をもつウイルス．例えば，ポリオウイルス，黄熱病ウイルスの神経向性変種，狂犬病の固定毒)．

Newcastle disease v. ニューカッスル病ウイルス（パラミクソウイルス科 *Rubulavirus*属のウイルス．ニワトリ，および頻度は少ないがシチメンチョウをはじめとした鳥類でニューカッスル病の原因となる．ときには実験室や家禽産業で働くヒトに感染することがあって，結膜炎とリンパ節炎を起こす）．＝avian pneumoencephalitis v.; ND v.

New York v. ニューヨークウイルス（ハンタ肺症候群を起こす米国のハンタウイルス種）．

Nipah v. ［ニパーは，最初のヒトの症例が 1999 年に報告されたマレーシアの一地方］．ニパーウイルス（ヒトで致死性疾患を起こすことがあるパラミクソウイルス．脳炎や髄膜炎の症候がみられる．本ウイルスはブタからヒトへ伝播する）．

non-A, non-B hepatitis v. 非Ａ非Ｂ肝炎ウイルス（ヒトに肝炎を起こすウイルスのうち，Ａ型，Ｂ型以外のすべての肝炎ウイルスについて用いられる語）．

nonoccluded v. 非閉塞ウイルス（封入体の中に封入されていないウイルス．通常，昆虫ウイルスに関していう）．

Norwalk v. ノーウォークウイルス（急性ウイルス性胃腸炎に関与するウイルスで，カリシウイルス科に属する．［註］2002 年に Norwalk virus は Norovirus に分類し直され，そのときに Caliciviridae の一属となった）．

occluded v. 閉塞ウイルス（封入体の中に封入されているウイルス．通常，昆虫ウイルスに関していう）．

Omsk hemorrhagic fever v. オムスク出血熱ウイルス（オムスク出血熱の原因となる *Flavivirus*属のダニ媒介ウイルス）．

oncogenic v. 腫瘍ウイルス（腫瘍を誘発できるあらゆるウイルス．RNA 腫瘍ウイルス(レトロウイルス科)は良く定義されていて比較的均一である．一方 DNA 腫瘍ウイルスには腫瘍誘導可能な何種かのウイルスがあり，ポックスウイルス，ヘルペスウイルス，パピローマウイルス，ポリオーマウイルスなどである．次頁の表参照）．＝tumor v.

O'nyong-nyong v. オニオニオンウイルス（ウガンダ，ケニヤ，コンゴ共和国で発見された，O'nyong-nyong 熱の原因となるトガウイルス科 *Alphavirus*属のウイルス）．

orf v. オルフウイルス（ヒツジ，ヤギ，ときにヒトに伝染性深膿痂疹を起こすパラポックスウイルス）．＝contagious pustular dermatitis; contagious pustular stomatitis v. (2).

Oriboca v. オリボカウイルス（ブニヤウイルス脳炎の病因となる *Bunyavirus*属Ｃ群に属するウイルス）．

ornithosis v. *Chlamydia psittaci* の旧名．

orphan viruses オーファン(みなしご)ウイルス（腸管みなしごウイルスのように，発見された当初は特定の病気との関連性は見出されなかったウイルス．これまでにその多くが病原性であることがわかり，再分類された）．

Pacheco parrot disease v. (pah-chē′kō). パチェコオウム病ウイルス（伝染性喉頭気管炎のウイルスに関連するであろうヘルペスウイルス科のウイルス）．＝parrot v. (2).

pantropic v. 向汎性ウイルス（黄熱病ウイルスの一般的な株で，向神経株とは区別され，種々の組織に対する親和性を有する）．

papilloma v. パピローマウイルス．＝*Papillomavirus.*

pappataci fever viruses パパタシ熱ウイルス．＝phlebotomus fever viruses.

parainfluenza viruses パラインフルエンザウイルス(*Paramyxovirus*属のウイルスで，４種よりなる．ⓘ１型(hemadsorption v. type 2)：小児，ときに成人に急性喉頭気管炎を起こす．センダイウイルスを含む．ⓘⓘ２型(croup-associated v.)：年少小児の急性喉頭気管炎やクループ，および成人の軽症上気道感染を示す．ⓘⓘⓘ３型(hemadsorption v. type 1; shipping fever v.)：幼児の咽頭炎，細気管支炎，肺炎から分離され，ときに成人の呼吸気感染を起こす．ウシ株は輸送熱のウシから分離され，またヒツジからも分離されている．ⓘⓥ４型：軽い呼吸器疾患の少数の小児から分離された)．

paravaccinia v. パラワクシニアウイルス．＝pseudocowpox v.

parrot v. オウムウイルス（① *Chlamydia psittaci* を表す現在では用いられない語．②＝Pacheco parrot disease v.）．

Patois v. (pa-twah′). パトワウイルス（*Bunyavirus*属の血清グループ．４種よりなる）．

pharyngoconjunctival fever v. 咽頭結膜熱ウイルス（アデノウイルスの一種で，特に兵舎や寄宿学校で流行する発熱と咽頭炎，ときに結膜炎を伴う疾患に関与する）．

phlebotomus fever viruses サシチョウバエ熱ウイルス（ブニヤウイルス科に属する少なくとも５種のウイルス集団．抗原的には無関係である．パパタシサシチョウバエ *Phlebotomus papatasi*(スナバエ)によって媒介され，サシチョウバエ熱を引き起こす）．＝pappataci fever viruses; sandfly fever viruses.

plant viruses 植物ウイルス（高等植物に対して病原性をもつウイルス）．

pneumonia v. of mice マウス肺炎ウイルス（通常は実験用マウスに潜伏感染して存在するが，鼻腔内で持続感染を続けるうちに活性化され肺炎を起こすパラミクソウイルス科 *Pneumovirus*属の RNA ウイルス）．＝PVM v.

poliomyelitis v. ポリオウイルス（ヒトの灰白髄炎の原因となるピコルナウイルス科 *Enterovirus*属の小型一本鎖 RNA ウイルス．感染経路は消化管であるが，血流や神経系にはいり，ときに四肢麻痺，まれには脳炎を起こすこともある．多くの感染は不顕性．血清型１・２・３型が知られているが，１型がほとんどの麻痺性灰白髄炎や流行病の原因）．＝poliovirus hominis.

polyoma v. ポリオーマウイルス（二本鎖環状 DNA を有する小型でエンベロープのないウイルス．通常は実験マウスや野生マウスに不顕性感染して存在するが，組織培養による増殖後はマウスの耳下腺腫瘍，ハムスターの肉腫，その他実験動物の腫瘍の原因となるパポバウイルス科 *Polyomavirus*

腫瘍ウイルス			
ウイルス科	ウイルス	原宿主	関連する腫瘍
ヘルペスウイルス科	カエル，ヘルペスウイルス	ヒョウガエル	腺癌
	Marek病ウイルス	家禽	神経リンパ腫症（T細胞）
	ヘルペスウイルス	サル	リンパ腫，白血病
	Epstein-Barrウイルス（EBV）	ヒト	Burkittリンパ腫，鼻咽頭癌
	単純ヘルペスウイルス（2型）	ヒト	頸部癌
	8型単純ヘルペスウイルス（HHVS）	ヒト	Kaposi肉腫
ポックスウイルス科	Shope線維腫ウイルス	ウサギ	線維腫
	Yabaウイルス	サル	結節性線維腫性過形成
	伝染性軟属腫ウイルス	ヒト	結節性表皮過形成
ヘパドナウイルス科	B型肝炎ウイルス群	ヒト，ショウジョウ科のサル，げっ歯類，カモ	原発性肝細胞癌
パポバウイルス科	ポリオーマウイルス	マウス	種々の癌と肉腫
	SV40	サル	（げっ歯類の）肉腫
	BKとJC	ヒト	ヒトにはなし．げっ歯類とサルの神経腫瘍
	乳頭腫ウイルス	ヒト	生殖器，喉頭，皮膚のいぼ．子宮頸部癌，喉頭癌，皮膚癌に発展しうる
		ウシ	生殖器，食事性，皮膚のいぼ．食事が原因の癌，皮膚癌に発展しうる
		その他の哺乳類	乳頭腫：癌に発展する

属)．＝mouse parotid tumor v.

porcine hemagglutinating encephalomyelitis v. ブタ血球凝集脳脊髄炎ウイルス（子ブタに嘔吐，るいそうおよび脳脊髄炎を起こすコロナウイルス）．

Powassan v. [*Powassan*, 最初に分離されたカナダオンタリオ州]．ポワッサンウイルス（フラビウイルス科 *Flavivirus*属のウイルスで，マダニ類のダニによって媒介され，小児にポワッサン脳炎を起こす．またウサギや小児に脳脊髄膜炎を起こすこともある）．

pseudocowpox v. 偽牛痘ウイルス（ヒトとウシに偽牛痘を起こす *Parapoxvirus*属のウイルス．オルフウイルスおよび丘疹性口内炎ウイルスとごく近縁である）．＝paravaccinia v.

pseudolymphocytic choriomeningitis v. 偽リンパ球脈絡髄膜炎ウイルス．＝infectious ectromelia v.

pseudorabies v. 仮性狂犬病ウイルス（ブタの仮性狂犬病の原因となるヘルペスウイルス）．＝Aujeszky disease v.

psittacosis v. *Chlamydia psittaci* の旧名．

Puumala v. [最初に分離されたフィンランド南東の地域]．プーマラウイルス（ヨーロッパで発見された腎症を伴い出血熱をおこす *Hantavirus* の一種である）．

PVM v. PVM ウイルス．＝pneumonia v. of mice.

quail bronchitis v. ウズラ気管支炎ウイルス（抗原的にはCELOウイルスと近縁の *Aviadenovirus*属のウイルス）．

Quaranfil v. クアランフィルウイルス（ヒトの血液とオオサギから分離された未分類のアルボウイルス）．

rabbit fibroma v. ウサギ線維腫ウイルス（ポックスウイルス科の *Leporipoxvirus*属のポックスウイルス．ワクシニアウイルスと粘液腫ウイルスとごく近縁で，Shope 線維腫を起こす）．＝Shope fibroma v.

rabbit myxoma v. ウサギ粘液腫ウイルス（ウサギの粘液腫症の原因となる *Leporipoxvirus*属のポックスウイルス）．＝myxomatosis v.

rabbitpox v. ウサギ痘ウイルス（実験用家兎の水痘様流行病の原因となるオルソポックスウイルス．免疫学上，ワクシニアウイルスとごく近縁であるが，家兎においてはより有毒）．

rabies v. 狂犬病ウイルス（ラブドウイルス科 *Lyssavirus* 属の大形の弾丸形の1本鎖 RNA のウイルス．狂犬病の原因となる．→rabies）．

rabies v., Flury strain (flur′ē). 狂犬病ウイルス・フラリー株（ヒトの脳から分離され，非哺乳類宿主内での連続的増殖により弱毒化され，その後，発育鶏卵培養で樹立されたウイルス）．

rabies v., Kelev strain (kel′ev). 狂犬病ウイルス・ケレヴ株（弱毒化され，発育鶏卵で継代された株）．

Rauscher v. (row′shĕr). ラウシャーウイルス．＝Rauscher leukemia v.

Rauscher leukemia v. (row′shĕr). ラウシャー白血病ウイルス（げっ歯類の白血病に関連する RNA レトロウイルス．Friend ウイルスに類似している）．＝Rauscher v.

REO v. レオウイルス．＝respiratory enteric orphan v.

respiratory enteric orphan v. 呼吸器・腸管・オーファン(みなしご)ウイルス（エンベロープのない正二十面体のウイルスで，２本鎖 RNA が多分節状となったゲノムからなる２層のカプシドを有する．レオウイルス科で，呼吸器と消化管からしばしば分離される）．＝REO v.

respiratory syncytial v. (RSV, RS) RSウイルス（パラミクソウイルス科 *Pneumovirus*属の RNAウイルスで，組織培養で合胞体を形成する傾向があり，成人には鼻炎や咳を伴う軽症の呼吸器感染症を惹起するが，年少小児では重篤な気管支炎や気管支肺炎の原因となることがある．呼吸器疾患のチンパンジーから初めて分離された）．＝chimpanzee coryza agent; Rs v.

Reston v. (res′ton). レストンウイルス（エボラウイルスの一変種）．＝Ebola v. Reston.

Rida v. リダウイルス（スクラピー因子の変異体）．

Rift Valley fever v. [Rift Valley, Kenya]．リフトバレー熱ウイルス（中央および南アフリカのヒツジ，ヤギ，ウシの流産，特に子ヒツジの重症熱病の原因となるブンヤウイルス科 *Phlebovirus*属のウイルス．ヒト，特に牧童や獣医が感染動物と接触することにより感染し，デング熱に似た病気を発症する．本ウイルスは，スイギュウ，ラクダ，カモシカにも感染する．カによって媒介されるが，接触や気道からも感染すると思われる）．

RNA v. RNA ウイルス（ゲノムが RNA で構成されているウイルス群．動物ウイルスの主要グループで，ピコルナウイルス科，レオウイルス科，トガウイルス科，フラビウイルス科，ブンヤウイルス科，アレナウイルス科，パラミクソウイルス科，レトロウイルス科，コロナウイルス科，オルソミクソウイルス科，ラブドウイルス科を含む）．=ribovirus.

RNA tumor viruses RNA 腫瘍ウイルス（腫瘍を誘発するレトロウイルス科の RNA ウイルス）．

Ross River v. ロスリバーウイルス（流行性多関節炎の原因となるトガウイルス科のカが媒介するアルファウイルス）．

Rous-associated v. (**RAV**) (rows). ラウス関連ウイルス（レトロウイルス科に属する鳥類Ｃ型レトロウイルス(白血病－肉腫複合体)の白血病ウイルス．Rous 肉腫ウイルスの欠損(非感染性)ウイルスと表現型混合によって，本ウイルスの抗原性を有するエンベロープをもった感染性肉腫ウイルスの産生に影響を与える）．

Rous sarcoma v. (**RSV**) (rows). ラウス肉腫ウイルス（肉腫を形成するレトロウイルス科鳥類Ｃ型レトロウイルス（白血病－肉腫複合体）．1911 年に Rous によって発見された）．

Rs v. =respiratory syncytial v.

Rubarth disease v. (rū′bahrt). ルバース病ウイルス．=canine *adenovirus* 1.

rubella v. 風疹ウイルス（トガウイルス科 *Rubivirus*属の RNA ウイルス．ヒトで風疹(三日はしか)を起こす）．=German measles v.

rubeola v. =measles v.

Russian autumn encephalitis v. ロシア秋脳炎ウイルス．=Japanese B encephalitis v.

Russian spring-summer encephalitis v. ロシア春夏脳炎ウイルス．=tick-borne encephalitis v.

Sabia v. (să′bē-ă). サビアウイルス（溶血熱に関連したアレナウイルス）．

Salisbury common cold viruses ソールズバリー感冒ウイルス（歴史的なライノウイルスの株．早期の研究で感冒のウイルス性病因として確立された）．

salivary v. 唾液腺ウイルス．=human *herpesvirus* 5.

salivary gland v. =human *herpesvirus* 5.

sandfly fever viruses スナバエ熱ウイルス．=phlebotomus fever viruses.

San Miguel sea lion v. サンミゲルアシカウイルス（カリフォルニア沿岸沖の San Miguel 島のアシカから最初に分離されたカリシウイルス科のカリシウイルス．生物物理学的にはブタに発生する水疱性疾患という観点から臨床的にも，ブタ水疱性発疹ウイルスと区別が困難である）．

Semliki Forest v. まれにヒトの病気に関与するトガウイルス科に属するアルファウイルス．

Sendai v. センダイウイルス（多くの動物で不顕性感染を起こしていることが報告されているパラインフルエンザウイルス１型．組織培養細胞の細胞融合のためにも広く用いられるウイルス）．

Seoul v. [ウイルスが最初に分離された都市である韓国のソウルで命名された]．ソウルウイルス（腎症を伴い出血熱を起こす極東での Hantavirus の一種である）．

serum hepatitis v. 血清肝炎ウイルス．=hepatitis B v.

sheep-pox v. ヒツジ痘ウイルス（ヒツジ痘の原因となる *Capripoxvirus*属のポックスウイルス）．

shipping fever v. 輸送熱ウイルス（パラインフルエンザウイルス３型．→parainfluenza viruses）．

Shope fibroma v. (shōp). ショープ線維腫ウイルス．=rabbit fibroma v.

Shope papilloma v. (shōp). ショープ乳頭腫ウイルス（野生のコットンテールウサギに感染するパピローマウイルス．→Shope *papilloma*）．

Simbu v. シンブウイルス（*Bunyavirus*属の血清グループの１つ．標準株 Simbu v. を含む多くの種からなる）．

simian v. (**SV**) シミアンウイルス（サルあるいはサル培養細胞から分離される種々の科のウイルスすべて）．=vacuolating v.

simian v. 40 シミアンウイルス 40．=simian vacuolating v. No. 40.

simian vacuolating v. No. 40 (**SV40**) サル空胞形成ウイルス No. 40（パポバウイルス科，ポリオーマウイルス属の小形(40—45 nm)DNA ウイルス．サル，とりわけアカゲザルに不顕性感染を起こすようであり，サルの細胞培養でその汚染がよくみられる．ヒトに不顕性感染し，小児の糞便中に数週間にわたって排泄される．新生ハムスターに線維肉腫を形成し，ヒト二倍体細胞をトランスフォームする可能性がある．ある種のアデノウイルス感染細胞中ではハイブリッドウイルスをも形成する）．=simian v. 40.

Sindbis v. [最初に分離されたエジプトの村の名]．シンドビスウイルス（トガウイルス科 *Alphavirus*属の標準種で，通常，*Culex*属のカによって媒介される．シンドビス熱の病原体）．

sin nombre v. [Sp., without a name]．シンノンブルウイルス（ハンタウイルス性肺症候群で北米のハンタウイルス種）．=Four Corners v.

slow v. スローウイルス（数か月から数年の長い潜伏期をもって徐々に発症し，しばしば重篤な疾病，および死に至る病気と病因学的に関連する，ウイルスあるいはウイルス様物質）．

smallpox v. =variola v.

snowshoe hare v. 雪靴野ウサギウイルス（北アメリカでヒトに発熱，激しい頭痛，吐気を引き起こすブニヤウイルス科 *Bunyavirus*属カリフォルニア群に属するアルボウイルス）．

soremouth v. ただれ口ウイルス．=contagious ecthyma (pustular dermatitis) v. of sheep.

Spondweni v. スポンドウェニウイルス（アフリカのカから分離された *Flavivirus*属のアルボウイルス．ヒトに病原性がある）．

St. Louis encephalitis v. セントルイス脳炎ウイルス（米国，トリニダード，パナマに見出されるフラビウイルス科 *Flavivirus*属Ｂ群アルボウイルス．通常，ヒトに不顕性感染として存在するが，ときに脳炎を起こす．パナマにいる鳥類と数種のカ，特に *Psorophora*属から分離されている）．

street v. 街上毒（自然感染した家畜から分離された狂犬病ウイルス）．

Sudan v. スーダンウイルス（エボラウイルスの一変種）．=Ebola v. Sudan.

swine encephalitis v. ブタ脳炎ウイルス（ブタの脳炎の原因となるコロナウイルス科のコロナウイルス）．

swine fever v. =hog cholera v.

swine influenza viruses ブタインフルエンザウイルス（ブタのインフルエンザの原因となるインフルエンザウイルスＡ型株で，ヒトにも感染する）．

swinepox v. 豚痘ウイルス（ワクシニアウイルスとは区別され，豚痘の原因となる *Suipoxvirus*属のポックスウイルス．ブタジラミが伝播に重要な役割を果たす）．

Swiss mouse leukemia v. スイスマウス白血病ウイルス．=Friend v.

Tacaribe v. タカリベウイルス（アレナウイルス科 *Arenavirus*属 Tacaribe 群の標準ウイルスで，トリニダードのコウモリとカから分離された）．

Tahyna v. タヒナウイルス（中央ヨーロッパ由来のブニヤウイルス科 *Bunyavirus*属のカリフォルニア群アルボウイルス．ヒトに感染することが知られている）．

temperate v. テンペレートウイルス（宿主を即座には溶解しないが，潜伏状態で存在しえて，最終的には宿主を溶解するファージをさす．→lysogeny）．

Teschen disease v. (tesh′en) [Teschen in Silesia, Germany]．テッシェン病ウイルス（ブタの疾病の原因となるピコルナウイルス．通常は病原性のない腸内ウイルスだが，動物流行病を起こす悪性株がある）．=infectious porcine encephalomyelitis v.

Tete viruses テテウイルス（*Bunyavirus*属の血清グループの１つで，数種のウイルスを含む）．

TGE v. TGEウイルス．=transmissible gastroenteritis v. of swine.

Theiler v. (tī′lĕr). セイラー(タイラー)ウイルス．=mouse encephalomyelitis v.

Theiler mouse encephalomyelitis v. (tī′lĕr). セイラー(タイラー)マウス脳脊髄炎ウイルス（ピコルナウイルス科 *Cardiovirus*属のウイルス）．=Theiler original v.

Theiler original v. (tīl′ĕr). 原セイラー(タイラー)ウイルス．=Theiler mouse encephalomyelitis v.

tick-borne v. ダニ媒介ウイルス．=tick-borne encephalitis v.

tick-borne encephalitis v. ダニ媒介脳炎ウイルス（中央ヨーロッパおよびロシアにみられる *Flavivirus*属のアルボウ

V

イルス．多種の亜型がある．ヒトに2種類の脳炎，すなわちダニ媒介脳炎(中央ヨーロッパ亜型)とダニ媒介脳炎(東洋亜型)，を起こす．媒介はマダニ属 *Ixodes* のダニ)．＝Russian spring-summer encephalitis v.; tick-borne v.

TO v. TO ウイルス（Theiler 原ウイルス．→mouse encephalomyelitis v.).

Topografov v. トポグラフォフウイルス（シベリアでみつかったハンタウイルス).

trachoma v. *Chlamydia trachomatis* の旧名．

transmissible gastroenteritis v. of swine ブタ伝染性胃腸炎ウイルス（ブタの伝染性胃腸炎の原因となるコロナウイルス属)．＝TGE v.

tumor v. 腫瘍ウイルス．＝oncogenic v.

Turlock v. (tūr′lok)．タ一ロックウイルス（*Bunyavirus* 属アルボウイルスの中の血清学的に未分類のグループだが，抗原的には無関係である).

Umbre v. アンバーウイルス（血清学的に Turlock ウイルスに近縁のアルボウイルス).

vaccine v. ワクチンウイルス（→vaccine).

vaccinia v. ワクシニアウイルス（痘瘡(天然痘)に対してヒトを免疫するために用いられた *Orthopoxvirus*属のポックスウイルス．通常，局所的反応を起こすが，ときに全身性ワクシニアを，特に小児に惹起することがある．本ウイルスは，血清学的に痘瘡ウイルスおよび牛痘ウイルスとごく近縁である．明らかにこの3者は独立した3種の株として区別されるが，属としては痘瘡－ワクシニア－牛痘群として分類されている．現存のワクシニアウイルス株の起源は明らかでないが，Jenner が最初に分離したウイルスがそのまま継代されたものではないと思われる)．＝poxvirus officinalis.

vacuolating v. ＝simian v.

varicella-zoster v. 水痘－帯状疱疹ウイルス（形態学的には単純ヘルペスウイルスと同一で，ヒトの水痘と帯状疱疹の原因となるヘルペスウイルス．ウイルスの初回感染で水痘が起こる．同一ウイルスの二次的侵入によって，あるいは多くの場合，長年の無症状期の後，感染再燃して帯状疱疹が起こる)．＝chickenpox v.; herpes zoster v.; human herpesvirus 3; Varicellovirus.

variola v. 痘瘡ウイルス（ヒトの痘瘡(天然痘)の病原体である *Orthopoxvirus*属のポックスウイルス)．＝smallpox v.

VEE v. VEE ウイルス．＝Venezuelan equine encephalomyelitis v.

Venezuelan equine encephalomyelitis v. ベネズエラウマ脳脊髄炎ウイルス（ベネズエラその他の南アメリカ諸国，パナマ，トリニダード，ときに米国でみられるトガウイルス科 *Alphavirus*属A群アルボウイルス．ヒトやウマにベネズエラウマ脳脊髄炎を惹起する．神経向性ウイルスというより内臓向性ウイルスであると思われる．イエカによって媒介される)．＝VEE v.

vesicular exanthema of swine v. ブタ小水疱性発疹ウイルス（ブタの小水疱性発疹の原因となるカリシウイルス．→San Miguel sea lion v.).

vesicular stomatitis v. 水疱性口内炎ウイルス（ウマ，ウシ，ヒツジ，ブタの水疱性口内炎の原因となるラブドウイルス科 *Vesiculovirus*属の RNA ウイルス)．＝VS v.

viral hemorrhagic fever v. ウイルス性出血熱ウイルス（出血熱を生じる15種以上のウイルスのいずれをもさす).

v. III of rabbits［分離された3番目の株が研究に使われたため］．ウサギのウイルスIII（ウサギの潜伏感染を起こすヘルペスウイルスを表す現在では用いられない名称).

visceral disease v. ＝Cytomegalovirus.

visna v. ビスナウイルス（ビスナの原因となるレトロウイルス科のレンチウイルスの RNA ウイルス．類似のマエディウイルスと抗原的にごく近縁である).

VS v. VS ウイルス．＝vesicular stomatitis v.

WEE v. WEE ウイルス．＝western equine encephalomyelitis v.

Wesselsbron disease v. ヴェッセルスブロン病ウイルス（ヴェッセルスブロン熱の原因となる *Flavivirus*属B群アルボウイルス．カによって媒介される).

western equine encephalomyelitis v. 西部ウマ脳脊髄炎ウイルス（米国西部と南アメリカの一部にみられるトガウイルス科 *Alphavirus*属A群アルボウイルス．自然に存在し，通常，鳥類では無症状感染であるが，ウマやヒトでは，カ，主に *Culex tarsalis* に刺された後に西部ウマ脳脊髄炎が発症する．→western equine *encephalomyelitis*)．＝WEE v.

West Nile v.（**WNV**）ウエスト(西)ナイルウイルス（フラビウイルス科に属するカ媒介性ウイルス．ヒトへの感染は通常不顕性に終わるが，特に老年者では，致死的な脳炎を発症する可能性もある．→*Aedes albopictus*; *Culex pipiens*; *Culex quinquefasciatus*; *Culex restuans*)．＝Kunjin virus strain.

WNV は1937年に初めてウガンダの脳炎患者から分離され，その後は，アフリカ，アジア，ヨーロッパにわたって，弧発性症例として認識されてきた．ときとして脳炎を伴う発熱疾患として流行することがあった．北米で初めて WNV 感染が発見されたのは，1999年夏，ニューヨークである．結果的には62例のヒトへの感染が認められ，そのうちの7名は死亡した．次の5年間でウイルスは東海岸沿いにフロリダまで南下し，さらに大陸横断して西海岸にまで広がった．2004年の終わりまでに，地続きの48州のうち3州以外のすべてでヒトへの感染が発生している．WNV は北米に生息する20種以上のカによって伝播される．ほとんどはイエカ属 *Culex* であるが，ヒトスジシマカ *Aedes albopictus* の場合もある．主要な宿主は野性のカラス科の鳥で，特にカラスとカケスがあげられる．鳥が季節ごとに移動することによって，ウイルスの地理的分布が広がっていると考えられている．ヒトやウマなどの哺乳類は，ときとして宿主になるが，ウイルス血症の程度が明らかに低いので，カがベクターとなってさらに感染を広げるには不十分である．わずかであるが，輸血，臓器移植，実験室での針刺し事故による感染が報告されている．子宮内感染もまた認められている．ヒトへの感染は春の終わりから秋の初めにかけて起こり，米国では8月終わりと9月初めにそのピークがある．流行の季節はカの刺す季節，すなわち土地の緯度による．ヒトの症例では，南部の州での発生ピークは北部の州より約1週間早い．ヒトに感染してもほとんどは不顕性である．初期の症状は非特異的であり，発熱，悪寒，倦怠感，頭痛，眼痛，あるいは光恐怖症，筋肉痛，ときとして斑状丘疹(小児によくみられる)，胃腸症状などである．感染者の1％以下で，脳炎や無菌性髄膜炎が発生するが，反射亢進，ミオクローヌス，振せん，嗜眠状態，せん妄あるいは昏睡に至る錯乱状態，髄膜症，てんかんなどで明らかになる場合もある．発生頻度はやや低く，非対称性弛緩性麻痺へと発展する筋肉の脆弱がみられる症候が発生するが，その原因は脊髄前角細胞の破壊か末梢運動神経の脱髄である．発症患者の致死率は5—15％である．潜伏期は3—15日，発症期間は数日から数週と幅広い．病気の重篤度と致死的な予後となるリスクは年齢が上がるにつれて高まる．WNV によって脳炎や髄膜炎を呈した患者の平均年齢は70歳である．小児ではだいたいが自然治癒するが，大人では神経・筋肉の後遺症が残る場合もある．WNV 感染から回復した大人の1/3以上は，12か月過ぎても，筋力低下，認識障害(精神の混乱，集中力低下)，あるいはこの両者を患い続けている．ウイルスに対する血清あるいはCSF中の抗体を証明するか，CSF または剖検で得られた脳組織中にウイルス核酸を証明するかによって診断される．治療は単なる対症療法のみである．ワクチンは開発途中である．当面の予防法としてはカのコントロールにかかっている．公衆衛生教育，カの繁殖場所(例えば，よどんだ池と窪地，あるいは雨水のたまるようなむき出しになった容器)の除去，殺虫剤の使用，適した服装や駆虫剤を用いることによっての各個人への暴露の回避などがある．

West Nile encephalitis v. ウエスト(西)ナイル脳炎ウイルス（→West Nile v.).

xenotropic v. 異種指向性ウイルス（自然宿主には疾病を引き起こさないで，宿主とは別の種から由来した組織培養細胞中でのみ複製するレトロウイルス).

Yaba v. ヤバウイルス（ポックスウイルス科のヤタポックスウイルスで，サルポックスウイルスとは異なっており，サルに Yaba 腫瘍を起こさせる)．＝Yaba monkey v.

Yaba monkey v. ＝Yaba v.

yellow fever v. 黄熱ウイルス（かつてアルボウイルスに分類されていた，フラビウイルス科 *Flavivirus*属の標準種．サハラ南部の熱帯アフリカと熱帯南アメリカに散在性にみられるが，ときにこれらの地方以外の国へ広がることもある．ヒトその他の霊長類で黄熱病の原因となる．本ウイルスは野生霊長類に存在するが，恐らく貧歯類，有袋類，げっ歯類にもみられ，ヒトでは，樹木に住む哺乳類の血を吸って生きている，梢に生息するネッタイシマカ *Aedes Aegypti* と *Haemagogus* 群に媒介され感染する）．

Zaire v. (zah-ēr′). ザイールウイルス（エボラウイルスの一変種）. ＝Ebola v. Zaire.

Zika v. [*Zika*, 最初に分離されたウガンダの森林]．ジカウイルス（フラビウイルス科 *Flavivirus*属のカによって媒介されるウイルスで，アジアの一部やマレーシアでみられ，ジカ熱の原因となる）．

-virus ウイルス属を表す接尾語．

vi·rus·oid (vī′rŭs-oyd) [virus + G. *eidos*, resembling]．ウイルソイド，ビルソイド（ビロイドに類似しているが，より大型の環状あるいは線状の RNA 区分とカプシドをもつ植物病原体．複製の際には関連ウイルス(ヘルパーウイルス)の RNA を必要とする不完全ウイルスとなる）．

vi·rus shed·ding (vī′rŭs shed′ing). ウイルスの出芽（感染している宿主からいずれかの経路でウイルスが排出されること．感染や疾患の病態によって排出の経路と期間は異なっている）．

vis, pl. **vi·res** (vis, vī′rēs) [L. force]．力．

v. conservatrix 保存力（生物内で傷害に対して抵抗する内在力）．

v. a fronte 前から妨害または抑制する力．

v. a tergo 後ろからの力．押出または促進する力．

v. vitae, v. vitalis ＝vitalism.

vis·cance (vis′kants). ビスカンス（粘性系で，流れによるエネルギー散逸の計測．医学や生理学の場合，細胞や組織内の液体，ゾル，ゲルの流出，あるいは管内の液体(例えば血液や呼吸気)の流れにおけるエネルギー散逸の計測．単位流出が生じる場合，流出路の一端から他端への圧力の傾斜をいう．ビスカンスと粘性の間の関係は，導体物質の抵抗率とその物質からなる特殊導体の間の関係と同じ性質のものである）．

vis·cer·a (vis′ĕr-ă). viscus の複数形. ＝vitals (1).

vis·cer·ad (vis′ĕr-ad) [viscera + L. *ad*, to]．内臓方向へ．

vis·cer·al (vis′ĕr-ăl). 内臓の. ＝splanchnic.

vis·cer·al·gi·a (vis′ĕr-al′jē-ă) [viscera + G. *algos*, pain]．内臓痛，臓器痛．

vis·cer·i·mo·tor (vis′ĕr-i-mō′tŏr). ＝visceromotor.

viscero- [L. *viscus*, pl. *viscera*, the internal organs]．内臓を意味する連結形. →splanchno-.

vis·cer·o·cra·ni·um (vis′ĕr-ō-krā′nē-ŭm) [viscero- + cranium][TA]．内臓頭蓋，顔面頭蓋（頭蓋のうち胎性咽頭弓に由来する部分をいう．顔面骨格の顔面骨を含み脳を包む脳頭蓋の部分と区別される）. ＝facial skeleton*; cranium viscerale; visceral cranium; jaw skeleton; splanchnocranium.

cartilaginous v. 軟骨性顔面頭蓋（咽頭弓軟骨から生じた胎児頭骨の諸部分．例えば耳小骨）．

membranous v. 膜性顔面頭蓋（顔面頭蓋のうち軟骨性の前駆構造からではなく膜性の前駆構造から生じる部分．下顎骨も第一咽頭弓から起こる部分以外は周囲に発達する膜から形成される）．

vis·cer·o·gen·ic (vis′ĕr-ō-jen′ik) [viscero- + G. *-gen*, producing]．内臓起源の（様々な感覚およびその他の反射についていう）．

vis·cer·o·graph (vis′ĕr-ō-graf) [viscero- + G. *graphō*, to write]．内臓造影(撮影)器（内臓の機械的活動を記録する器械）．

vis·cer·o·in·hib·i·to·ry (vis′ĕr-ō-in-hib′i-tō′rē). 内臓運動抑制の（内臓の機能的活動力を制限あるいは停止することについていう）．

vis·cer·o·meg·a·ly (vis′ĕr-ō-meg′ă-lē) [viscero- + G. *megas*, large]．内臓巨大症（臓器の異常肥大で，巨人症や他の疾患によくみられる）. ＝organomegaly; splanchnomegaly.

vis·cer·o·mo·tor (vis′ĕr-ō-mŏ′tŏr). ＝viscerimotor. ***1*** 内臓運動〔神経〕の（内臓，特に腸を神経支配する自律神経についていう）．***2*** 内臓運動の（内臓と関係がある運動についていう．また内臓疾患の場合，腹壁の反射筋収縮をさす）．

vis·cer·o·pa·ri·e·tal (vis′ĕr-ō-pă-rī′ĕ-tăl) [viscero- + L. *paries*, wall]．内臓腹壁の（内臓と腹壁に関する）．

vis·cer·o·per·i·to·ne·al (vis′ĕr-ō-per′i-tō-nē′ăl). 内臓腹膜の（腹膜と腹部内臓に関する）．

vis·cer·o·pleu·ral (vis′ĕr-ō-plū′răl). 内臓胸膜の（胸膜と胸部内臓に関する）. ＝pleurovisceral.

vis·cer·op·to·sis, vis·cer·op·to·sia (vis′ĕr-op-tō′sis, -tō′sē-ă) [viscero- + G. *ptōsis*, a falling]．内臓下垂〔症〕（内臓が正常位置より下にあること）. ＝splanchnoptosis; splanchnoptosia.

vis·cer·o·sen·sor·y (vis′ĕr-ō-sen′sōr-ē). 内臓感覚の（内部器官の感覚神経支配に関する）．

vis·cer·o·skel·e·tal (vis′ĕr-ō-skel′ĕ-tăl). 内臓骨格の. ＝splanchnoskeletal.

vis·cer·o·skel·e·ton (vis′ĕr-ō-skel′ĕ-tŏn). 内臓骨格（①ある種の動物の心臓，舌，陰茎など，ある器官における骨形成．気管，気管支の軟骨輪も含める解剖学者もいる．②内臓を保護している骨格(例えば，肋骨，胸骨，骨盤，頭骨前部）. ＝splanchnoskeleton; visceral skeleton).

vis·cer·o·so·mat·ic (vis′ĕr-ō-sō-mat′ik) [viscero- + G. *sōma*, body]．内臓身体の. ＝splanchnosomatic.

vis·cer·o·tome (vis′ĕr-ō-tōm) [viscero- + G. *tomos*, cutting]．内臓切除刀，内臓切開刀（死体から，器官の一部，例えば肝臓などを検査のため全身解剖しないで切り取る器具）．

vis·cer·ot·o·my (vis′ĕr-ot′ŏ-mē) [viscero- + G. *tomē*, incision]．内臓切開（内臓を，特に死後，切開し詳細に調べること）．

vis·cer·o·to·ni·a (vis′ĕr-ō-tō′nē-ă) [viscero- + G. *tonos*, tone]．内臓〔緊張〕型（食事を好み，社交性があり，一般にくつろいでおり，友好性，愛情などがある人格特性）．

vis·cer·o·troph·ic (vis′ĕr-ō-trof′ik) [viscero- + G. *trophē*, nourishment]．内臓栄養の（内臓の状態により左右される栄養上の変化に関する）．

vis·cer·o·tro·pic (vis′ĕr-ō-trop′ik) [L. *viscero*, internal organs + G. *tropē*, a turning]．内臓向性の（内臓に作用することについていう）．

vis·cid (vis′id) [L. *viscidus*, stick < *viscum*, birdlime]．粘着性の，粘質の（**[**誤った発音 vis′kid を避けること**]**）．

vis·cid·i·ty (vi-sid′i-tē). 粘着性，粘質性．

vis·ci·do·sis (vis′i-dō′sis). 粘液過剰〔症〕. ＝cystic *fibrosis*.

viscocanalostomy (vis′kō-kan-ăl-os′tŏ-mē) [visco (elastic) + canal + -stomy]．粘弾性(シュレムム)管開放術．(Schlemm 管を粘弾性物の注入により拡張する緑内障治療法)．

vis·co·e·las·tic (vis′kō-ĕ-las′tik) [viscous + elastic]．粘弾性物質（前房深度維持，角膜内皮細胞の保護，および硝子体の安定のため眼科手術中に前房に注入されるゲル）．

vis·co·e·las·tic·i·ty (vis′kō-ē′las-tis′i-tē). 粘弾性（弾性もある粘着性物質の性質）．

vis·com·e·ter (vis-kom′ĕ-tĕr). ＝viscosimeter.

vis·co·sim·e·ter (vis′kō-sim′ĕ-tĕr). 粘度計（液体の粘度を測定する器具．医学においては，血液に用いる）. ＝viscometer.

vis·co·sim·e·try (vis′kō-sim′ĕ-trē) [viscosity + G. *metron*, measure]．粘度測定〔法〕（血液など液体粘度の測定）．

vis·cos·i·ty (vis-kos′i-tē) [L. *viscositas* < *viscosus*, viscous]．粘〔稠〕度，粘性，粘性率（一般に，分子凝集力の結果として，物質が流動や形態変化に抵抗すること．ずれ力に起因する液体の流動抵抗として液体に最もしばしば用いる）．

absolute v. 絶対粘度（流体に接線方向に適用される単位面積当たりの力．単位距離により分離される平行面の変位単位率がでる．長さをcm，重さをg，時間を秒で測るCGS 単位系の単位はポアズ）．

anomalous v. 異常粘性（血液などのような，不均質流体あるいは懸濁液の粘性．流動あるいはずれ率が 0 に下がるにつれて，見かけ粘度は増大する）．

apparent v. 見かけ粘度（任意の流動，管径で，Poiseuille

V

の法則から計算される粘度．血液など異常粘性を示す懸濁液や Fahraeus-Lindqvist 効果に用いる）．

dynamic v. (μ) 動粘性率（ニュートンの粘性法則による，流体の内部あるいは分子摩擦抵抗．（力によってつくられる）隣接液体層の相対速度に対する，単位面積当たりに適用される力の割合）．

kinematic v. (υ) 運動粘性率，動粘度（流体流動の研究に用いる．ポアズ単位の動粘性率 μ を流体の密度で除したもの．単位はストークス）．

newtonian v. ニュートン粘性（ニュートン流体の特徴である粘性）．

relative v. 相対粘度，比粘度（ある溶液または分散の粘度の溶媒または連続相の粘度に対する割合）．

vis·co·tox·ins (vis′kō-toks′ins). ビスコトキシン類（植物毒の一種で，降圧作用と心拍数減少作用を有する）．

vis·cous (vis′kŭs) [→viscid, viscosity]. 粘着性の，粘っこい（[本形容詞と名詞 viscus を混同しないこと]．高い粘性を特徴とすることについていう）．

vis·cum (vis′kŭm). ヤドリギ（①リンゴ，ナシ，その他の樹木に寄生するヤドリギ科ヤドリギ *Viscum album* の実で，分娩促進薬に用いられてきた．＝mistletoe. ②アメリカヤドリギ *Phoradendron flavescens* の茎葉．分娩促進薬および月経促進薬として用いられてきた）．

vis·cus, pl. vis·cer·a (vis′kŭs, vis′er-ă) [L. the soft parts, internal organs]. 内臓（[本名詞と形容詞 viscous を混同しないこと]．消化器，呼吸器，泌尿生殖器，内分泌系，および脾臓，心臓，大血管．内臓学において，研究される有腔性・多層壁性の器官）．

vi·sion (vizh′un) [L. *visio* < *video*, pp. *visus*, to see]. 視覚，視力（見る行為．→sight）．

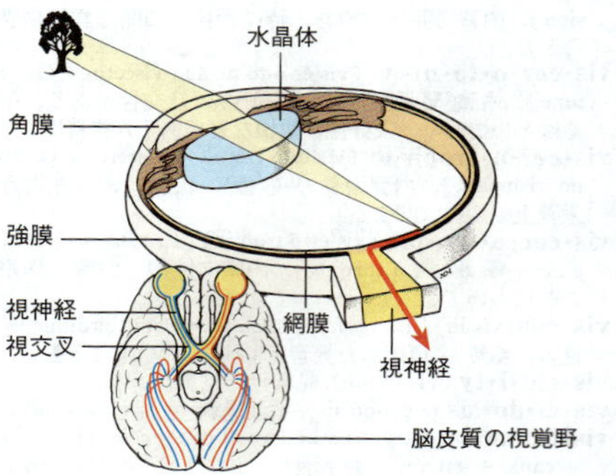

vision

光線は角膜を透過し水晶体により網膜上に焦点を結ぶ．この情報は網膜内の細胞，次いで視神経を介して脳皮質の視覚野に伝えられる．

achromatic v. 1 色覚．＝achromatopsia.

binocular v. 両眼視，両眼視力（両眼同時の単一視力）．

blue v. 青〔色〕視〔症〕．＝cyanopsia.

central v. 中心視〔覚〕，中心視力（中心窩に結像する像により生じる視力）．＝direct v.

chromatic v. 色視．＝chromatopsia.

colored v. (VC) 色覚．＝chromatopsia.

cone v. 錐体視．＝photopic v.

direct v. 直接視．＝central v.

double v. 複視．＝diplopia.

facial v. 顔面視（盲人，あるいは普通の人が暗い場所にいるかまたは眼をおおわれている場合，顔の神経で物体の位置を感知すること）．

green v. 緑〔色〕視〔症〕．＝chloropsia.

halo v. 輪状視〔症〕（光の周囲に色の付いた，または光を発する輪が見える状態）．

haploscopic v. 立体視（ハプロスコープ，あるいは鏡形立体鏡により生じる立体視）．

indirect v. 間接視．＝peripheral v.

multiple v. 複視，多視〔症〕．＝polyopia.

night v. 夜間視力．＝scotopic v.

oscillating v. 振動視，動揺視．＝oscillopsia.

peripheral v. 周辺視〔覚〕，周辺視力（黄斑部を外れて網膜刺激を受けたときの視覚）．＝indirect v.

photopic v. 明所視（明順応時の視覚．→light *adaptation*; light-adapted *eye*）．＝cone v.; photopia.

red v. 赤〔色〕視〔症〕．＝erythropsia.

rod v. 杆体視．＝scotopic v.

scotopic v. 暗所視（暗順応時の視覚．→dark *adaptation*; dark-adapted *eye*）．＝night v.; rod v.; scotopia; twilight v.

stereoscopic v. 立体視（各々の眼でわずかに異なる像の融合像）．＝stereopsis.

subjective v. 自発視（中枢性に生じ，眼への刺激により生じるのではない視覚）．

tinted v. ＝chromatopsia.

triple v. 三重視．＝triplopia.

tubular v. 管状視（穴開き管から見るような視野狭窄）．＝tunnel v.

tunnel v. トンネル視．＝tubular v.

twilight v. ＝scotopic v.

yellow v. 黄〔色〕視〔症〕．＝xanthopsia.

vis·u·al (vizh′yū-ăl) [Late L. *visualis* < *visus*, vision]. ＝visile (3). ***1*** 視覚の，視力の．***2*** 視覚型の（聴覚よりも視覚によってより能率よく学び記憶する人についていう．→internal *representation*）．

functional v. loss 機能的視機能障害（対応する所見を有しない視力または視野の低下，欠損．しばしば視機能についての心配，不安などによる．納得させることにより改善される）．

vis·u·al·ize (vizh′yū-ă-līz). 心に描くまたは感じること．多くは技術的に視覚化することと間違って用いられている．

vis·u·o·au·di·tor·y (vizh′yū-ō-aw′di-tōr′ē). 視聴覚の（視覚と聴覚の両方に関する．視聴覚中枢を連結する神経についていう）．

vis·u·og·no·sis (vizh′yū-og-nō′sis) [L. *visus*, vision + G. *gnōsis*, knowledge]. 視像判断，視覚認識（視覚映像を認識し理解すること）．

vis·u·o·mo·tor (viz′yū-ō-mō′tŏr). 視覚運動の（視覚情報を物理的運動と同調させる能力についていう．例えば，自動車の運転，テレビゲームをうまくやること）．

vis·u·o·psy·chic (vizh′yū-ō-sī′kik) [L. *visus*, vision + G. *psychē*, mind]. 視覚精神〔的〕の（視覚映像統合に関係する大脳皮質部分についていう）．

vis·u·o·sen·so·ry (vizh′yū-ō-sen′sō-rē). 視覚〔感覚〕の（視覚刺激の認識についていう）．

vis·u·o·spa·tial (viz′yū-ō-spā′shăl). 視覚空間の（仕事を覚え行ううえで，視覚表示と空間関係を理解し概念化する能力についていう）．

vis·u·scope (viz′yū-skōp). ビズスコープ（患者の眼底に黒星を投影する装置の付いた検眼鏡）．

vi·tal (vī′tăl) [L. *vitalis* < *vita*, life]. 生体の，生命の，生活の．

vi·tal·ism (vī′tăl-izm) [L. *vitalis*, pertaining to life]. 生気説(論)，活力説(論)（動物機能は物理的な力とは違うエネルギーの特殊形態，すなわち生命力に依存しているとする説）．＝vis vitae; vis vitalis.

vi·tal·is·tic (vī′tăl-is′tik). 生気説(論)の，活力説(論)の．

vi·tal·i·ty (vī-tal′i-tē). 生命力，活力．

vi·tal·ize (vī′tăl-īz). 生命力を与える，活力を賦与する．

vi·ta·lom·e·ter (vī′tă-lom′ĕ-tĕr). 電気歯髄診断器（電気を用いて歯髄の生死を判定する装置）．

vi·tal red (vī′tăl red) [C.I. 23570]. バイタルレッド（スルホン酸化ジアゾ色素の三ナトリウム塩(ジトリル群をジアゾ化して得たスルホン酸化アミノナフタレン残渣)．生体染色に用いる）．＝brilliant vital red.

vi·tals (vī′tălz). ＝***1*** viscera. ***2*** ＝vital *signs*.

vi·ta·mer (vī′tă-mĕr). ビタマー（体内でビタミンの固有機能を果たしうる 2 個以上の類似化合物．例えば，ナイアシンやナイアシンアミド）．

VITAMIN

vi·ta·min (vī′tă-min) [L. *vita*, life + amine]. ビタミン(天然食品中に微量存在する一群の有機物質．正常な物質代謝に必須であり，食物中にこれが欠乏すると欠乏症が起こることがある．次頁の表参照)．

v. A ビタミンA(①プロビタミンAカロチノイドを除くβ-イオノン誘導体．定性的にレチノールの生物学的作用を有する．欠乏によりロドプシン産生と再合成が阻害され，そのため夜盲を起こす．また，上皮細胞の角化を生じさせ，臨床的には眼球乾燥症，角化，感染感受性増加，成長遅延を起こす．②最初にビタミンAと呼ばれた物質は現在レチノールとして知られている)．＝axerophthol.

v. A_1 ビタミンA_1．＝retinol.

v. A_1 acid ビタミンA_1酸．＝retinoic acid.

v. A_1 alcohol ビタミンA_1アルコール．＝retinol.

v. A aldehyde ビタミンAアルデヒド．＝retinaldehyde.

v. A_2 aldehyde ビタミンA_2アルデヒド．＝dehydroretinaldehyde.

antiberiberi v. 抗脚気ビタミン．＝thiamin.

antihemorrhagic v. 抗出血性ビタミン．＝v. K.

antineuritic v. 抗神経炎ビタミン．＝thiamin.

antirachitic v.'s 抗くる病ビタミン(エルゴカルシフェロール(v. D_2)，コレカシルフェロール(v. D_3))．

antiscorbutic v. 抗壊血病ビタミン．＝ascorbic acid.

antisterility v. 抗不妊ビタミン．＝v. E (2).

v. B ビタミンB(最初は1つのビタミンと考えられていた一群の水溶性物質)．

v. B_1 ビタミンB_1．＝thiamin.

v. B_2 ビタミンB_2(①＝riboflavin. ②葉酸，ニコチン酸，ニコチンアミド，パントテン酸，リボフラビンの複合体を表す，現在では用いられない語)．

v. B_3 ***1*** nicotinamideおよび(または) nicotinic acidを表す現在では用いられない語．***2*** pantothenic acidを表す現在では用いられない語．

v. B_4 ビタミンB_4(①以前はひなの栄養に必要な要素と考えられていた．現在では単にある種の必須アミノ酸および(または)アデニンと同定された．② adenineを表す現在では用いられない語)．

v. B_5 現在ではパントテン酸あるいはニコチン酸が原因とされている生物学的活性を述べるのに以前用いられた．

v. B_6 ビタミンB_6(ピリドキシンと関連化合物(ピリドキサール，ピリドキサミン))．

v. B_{12} ビタミンB_{12}(シアノコバラミンの生物学的活性を示す化合物の一般名．肝エキスの抗貧血因子で，コバミド構造中にコバルト，シアノ基，およびコリンを含む．類似の構造をもつ物質で特徴的な造血作用を有するいくつかの物質が分離，命名されている．B_{12a}，ヒドロキシコバラミン；B_{12b}，アクアコバラミン；B_{12c}，ニトリトコバラミン；B_{12r}，コブ(II)アラミン；B_{12s}，コブ(I)アラミン；B_{12III}，A因子，V_{1a}因子(コブリン酸)，プソイドビタミンB_{12}などである．B_{12a}およびB_{12b}は互変異性の化合物として知られている．B_{12b}は*Streptomyces aureofaciens*の培養から得られる．B_{12c}は*Streptomyces griseus*の培養から得られ，吸収スペクトルの差異からB_{12}と区別される．生理活性ビタミンB_{12}補酵素はメチルコバラミンとデオキシアデノシンコバラミン．ビタミンB_{12}の欠乏はしばしば，ある種のメチルマロン酸尿症でみられる)．＝animal protein factor; antianemic factor; antipernicious anemia factor (1); erythrocyte maturation factor; maturation factor; methylcobalamin.

v. B_T ビタミンB_T．＝carnitine.

v. B_X ビタミンB_X．＝*p*-aminobenzoic acid.

v. B complex ビタミンB複合体(ビタミンB，通常B_1, B_2, B_3, B_5, B_6の混合物を含む製剤をさして用いる薬学上の語)．

v. B_c conjugase ビタミンB_cコンジュガーゼ(プテロイルポリグルタミン酸をプテロイルモノグルタミン酸に加水分解する酵素．ビタミン活性が増大する．ビタミンB_cはfolic acidを表す現在では用いられない語)．

v. B_{12} with intrinsic factor concentrate ビタミンB_{12}内因子濃縮剤(ビタミンB_{12}を，食用家畜の胃粘膜または腸粘膜の適当な製剤と結合させたもの)．

v. C ビタミンC．＝ascorbic acid.

coagulation v. v. Kを表す現在では用いられない語．

v. D ビタミンD(エルゴカルシフェロールあるいはコレカルシフェロールの生物学的作用を示すすべてのステロイドの一般名．〝日光ビタミン sun-ray v.'s〟と一般にいわれる抗くる病ビタミン．カルシウムとリンの適正利用を促進し，骨・歯形成とともに幼児の成長を助ける．水溶性の複合体である硫酸塩は人乳の水相に見出される．ビタミンD_1はルミステロールとビタミンD_2の1:1の混合物である)．

v. D_2 ビタミンD_2．＝ergocalciferol.

v. D_3 ビタミンD_3．＝cholecalciferol.

v. E ビタミンE(①＝α-tocopherol. ②α-トコフェロールの生物学的活性を有するトコールとトコトリエノールの誘導体の一般名．各種の油(例えば，麦芽，綿実，ヤシ，米)および穀類全粒の中に含まれ，不けん化成分．動物組織(例えば，肝臓，膵臓，心臓)やレタスにも含有する．欠乏により雌ラットの胎子の吸収あるいは流産，雄ラットの生殖不能を起こす．＝antisterility factor; antisterility v.; fertility v.)．

v. F ビタミンF(必須不飽和脂肪酸，リノレン酸，リノール酸，アラキドン酸をさしてときに用いる語)．

fat-soluble v.'s 脂溶性ビタミン(脂肪溶剤(すなわち非極性溶媒)に可溶，水に比較的不溶のビタミン．分子中に大きな炭化水素成分のある化学構造が特徴である．例えばビタミンA，D，E，K)．

fertility v. ＝v. E (2).

v. G riboflavinを表す現在では用いられない語．

v. H [Ger, H for *Haut*, skin]. ＝biotin.

v. K ビタミンK(フィロキノンの生物学的活性を有する化合物の一般名．ムラサキウマゴヤシ，ブタ肝臓，魚粉，植物油にみられる脂溶性で熱安定性のある化合物．プロトロンビンの正常量形成に必須である)．＝antihemorrhagic factor; antihemorrhagic v.

v. K_1, v. K_1(20) ビタミンK_1，ビタミンK_1(20)．＝phylloquinone.

v. K_4 ビタミンK_4．＝menadiol diacetate.

v. K_5 ビタミンK_5(抗出血性ビタミン)．

microbial v. 微生物ビタミン(ある種の微生物の成長に必要な物質．例えば，ビオチン，パラアミノ安息香酸)．

v. P ビタミンP(毛細管透過因子．植物(特に柑橘類)から抽出された生体フラボン類の混合物．毛細血管の透過性とぜい弱性を減退させ，ビタミンC治療に抵抗のある紫斑病の治療に有用である．→hesperidin; quercetin; rutin)．＝capillary permeability factor; citrin; permeability v.

permeability v. ＝v. P.

v. PP ビタミンPP．＝nicotinic acid.

v. U ビタミンU(新鮮なキャベツの汁にあり，消化性潰瘍の治癒を促進する因子に与えられた名称)．

---

vit·el·lar·i·um (vit′ĕl-lar′ē-ŭm). 卵黄巣，卵黄腺(条虫類や吸虫類において，2本の卵黄輸管から卵黄物質を受ける共通の室．卵黄物質は卵形成腔にいき，卵を栄養卵黄顆粒で取り囲み，さらにそれらは特徴的につくられる卵殻によって封じ込まれる)．＝vitelline reservoir.

vi·tel·li·form (vī-tel′i-fōrm). 卵黄の，卵黄様の．

vi·tel·lin (vī-tel′in). ビテリン，卵黄素(リポリン蛋白．卵黄にあるレシチンと結合した蛋白)．＝lipovitellin; ovovitellin.

vi·tel·line (vī-tel′in, -ēn). 卵黄の(→yolk *sac*)．

vi·tel·lo·gen·e·sis (vī′tel-ō-jen′ĕ-sis, vī′tĕ-lō-) [L. *vitellus*, yolk + G. *genesis*, production]. 卵黄形成(卵黄の生成と卵黄嚢中における蓄積)．

vi·tel·lo·gen·in (vī′tel-ō-jen′in) [L. *vitellus*, egg yolk + *-gen* + -in]. 卵黄の前駆蛋白．エストロゲンで産生刺激．

vi·tel·lo·lu·te·in (vī′tel-ō-lū′tē-in). ビテロルテイン(卵黄から得られるルテイン)．

vi·tel·lo·ru·bin (vī′tel-ō-rū′bin). ビテロルビン(卵黄から得られる赤味がかった色素)．

V

vi·tel·lose (vī-tel′ōs). ビテロース（卵黄から得られる蛋白小片）.

vi·tel·lus (vī-tel′ŭs) [L.]. 卵黄. ＝yolk (1).

v. ovi 卵黄（薬学において，油脂と樟脳を乳化するのに用いる）.

vit·i·a·tion (vish-ē-ā′shŭn) [L. *vitiatio* ＜ *vitio*, pp. *vitiatus*, to corrupt ＜ *vitium*, vice]. 無効化（有用性を損なう，または効果を減じること）.

vit·i·lig·i·nes (vit′i-lij′i-nēz). vitiligo の複数形.

vit·i·lig·i·nous (vit′i-lij′i-nŭs). 白斑の.

vit·i·li·go, pl. **vit·i·lig·i·nes** (vit′i-lī′gō, vit′i-lij′i-nēz) [L. a skin eruption ＜ *vitium*, blemish, vice] [MIM*193200]. 白斑（正常皮膚が色素を失って白色斑となった状態をいい，大きさは様々でしばしば対称的な分布を示し，周辺部に色素が増加した部分を伴うことが多い．疾患部の毛髪は通常，白色である．表皮内メラノサイトは自己免疫機序によって脱色素斑部では完全に失われている）. ＝acquired leukoderma.

v. iridis 虹彩白斑（褐色の虹彩にできる小白斑）.

vi·trec·to·my (vi-trek′tŏ-mē) [vitreous + G. *ektomē*, excision]. 硝子体切除〔術〕（吸引や切断による硝子体の除去と生食水や他の溶液の置換が同時に行える装置を用いた硝子体の除去法）.

anterior v. 前部硝子体切除〔術〕（中央硝子体ゲルの切除）.

posterior v. 後部硝子体切除〔術〕（後部皮質性硝子体および，ときに網膜前膜の切除）.

vit·re·in (vit′rē-in). ビトレイン（膠原質様蛋白で，ヒアルウロン酸とともに硝子体のゲル状態の原因となる）. ＝vitrosin.

vit·re·i·tis (vit′rē-ī′tis) [L. *vitreus*, glassy + G. *-itis*, inflammation]. 硝子体炎（硝子体の炎症）. ＝hyalitis.

vitreo- [L. *vitreus*, glassy]. 硝子体を意味する連結形.

vit·re·o·den·tin (vit′rē-ō-den′tin). 硝子状ぞうげ質（特にぜい弱な性質をもつぞうげ質）.

ビタミンとミネラル

ビタミン/ミネラル	含有食物など	利益	欠乏	推奨摂取量（RDA）
ビタミンA**	さつまいも，人参，牛乳	感染への皮膚抵抗の増進．良い視力	夜盲，眼球乾燥	100 μgレチノール等量（5,000国際単位）
ビタミンD**	日光，乳製品	強い骨の発達	くる病	5—10 μg（1,000—1,200国際単位）
ビタミンE**	緑黄野菜，木の実，全粒穀物，小麦胚芽	赤血球の酸化防御	貧血，抗酸化物質の損失	8—10mg（30国際単位）
ビタミンK**	緑黄野菜，トマト	血液凝固カスケード	出血性素質	70—140 μg
ビタミンB_1*（チアミン）	全穀物，野菜，木の実，小麦胚芽	炭水化物代謝	脚気	1—1.5mg
ビタミンB_2*（リボフラビン）	動物製品，マッシュルーム，ブロッコリー	蛋白代謝，皮膚と眼の予防保護剤	口角炎，眼瞼炎	1.2—1.5mg
ビタミンB_6*（ピリドキシン）	ビール酵母，全粒穀物，木の実，肉	中枢神経系調節を助ける	末鞘神経障害，発作	1.7—2mg
ビタミンB_{12}*	動物製品，魚，大豆	赤血球形成	精神状態の変化	3 μg
葉酸	緑黄野菜，レバー，酵母	出生児欠損に対する予防，赤血球産生	貧血，ホモシスチン血症，胎児神経管欠損	0.4mg（または400 μg）
ビタミンC*	ブロッコリー，トマト，芽キャベツ，柑橘類	ストレスへの抵抗．口腔衛生．創傷治癒	壊血病	60mg
ニコチン酸	木の実，鳥，魚	コレステロール低下作用物質，酸化，還元の補酵素	ペラグラ	13—16mg
カルシウム	乳製品	骨の成長．神経，筋機能	くる病，骨軟化症，骨粗しょう症	800mg
カリウム	トマト，柑橘類	細胞機能	腸閉塞，筋脱力	1.8—6g
ナトリウム	ほとんどの食物	細胞機能	脱力，錯乱	1—3.3g
リン	穀類，乳製品	細胞機能	精神状態の変化，骨軟化症	800mg
鉄	緑黄野菜，乾燥果物，肉，小麦胚芽	赤血球形成	貧血	10—18mg
ヨウ素	乳製品，魚介類，ヨウ素添加塩	正常な甲状腺機能，局所的防腐作用	甲状腺腫	150 μg

＊：水溶性
＊＊：脂溶性

vit・re・o・ret・i・nal (vit′rē-ō-ret′i-năl). 硝子体網膜の（網膜と硝子体に関する）.

vit・re・o・ret・i・nop・a・thy (vit′rē-ō-ret′i-nop′ă-thē). 硝子体網膜症（硝子体合併症を伴う網膜症）.

exudative v. [MIM*193220]. 滲出性硝子体網膜症（家族性で徐々に進行する眼疾患．後部硝子体剝離，硝子体膜，黄斑部偏位，網膜剝離，血管新生，再発性出血が特徴である）.

vit・re・ous (vit′rē-ŭs) [L. *vitreus*, glassy < *vitrum*, glass]. ***1*** 〖adj.〗 ガラス状の，ガラス様の. ***2*** 〖n.〗 硝子体. ＝vitreous *body*.

persistent anterior hyperplastic primary v. 前部一次硝子体過形成遺残（満期産新生児にみられる片眼性先天異常．一次硝子体の遺残，硝子体動脈の遺残によって形成された水晶体後面の線維性血管膜，白色瞳孔，小眼球症，浅前房，毛様突起の延長を併発）.

persistent posterior hyperplastic primary v. 後部一次硝子体過形成遺残（満期産新生児にみられる片眼性先天異常．先天性網膜ひだ形成，硝子体動脈の遺残を含む茎状硝子体膜様物を有する）.

primary v. 一次硝子体（眼杯と水晶体胞の間に胎生期に初めて形成され，後に硝子体動脈とその分枝が血管新生する硝子体）.

secondary v. 二次硝子体（一次硝子体の周囲に形成される無血管硝子体）.

tertiary v. 三次硝子体（毛様体神経上皮に由来し毛様体小帯を形成する硝子体線維）.

vit・re・um (vit′rē-ŭm) [L. *vitreus*(glassy)の中性形]. 硝子体. ＝vitreous *body*.

vit・ri・fi・ca・tion (vit′ri-fi-kā′shŭn) [L. *vitrium*, glassy + *facio*, to make]. 透化（歯科用のポーセレン(フリット)を熱と融解により，ガラス状にすること）.

vit・ri・ol (vit′rē-ol) [L. *vitreolus*, glassy]. ばん(礬)（種々の硫酸塩．例えば blue v.(硫酸銅)，green v.(硫酸鉄)，white v.(硫酸亜鉛)）.

vit・ro・nec・tin (vit′rō-nek′tin) [MIM*193190]. ビトロネクチン（組織損傷部位における炎症性ならびに修復反応に関与する血漿糖蛋白）.

vit・ro・sin (vit′rō-sin). ビトロシン. ＝vitrein.

Vit・ta・for・ma (vē′tă-fōr′ma). ビタフォルマ属（微胞子虫類の一属で，ヒトに感染して免疫応答性がある場合は角膜炎を，免疫無防備状態では播種性の感染を引き起こす．以前は*Nosema*属に入れられていた）.

vi・var・i・um, pl. vi・var・ia (vī-var′ē-ŭm, -ă) [L. *vivarius*, pertaining to living creatures]. 動物飼養場，動物施設（動物，特に医学研究用の動物が飼われる場所）.

vivi- [L. *vivus*, alive]. 生きていることを意味する連結形.

viv・i・di・al・y・sis (viv′i-dī-al′i-sis). 生体透析（例えば，腹膜腔の洗浄のように透析による除去）.

viv・i・dif・fu・sion (viv′i-di-fyū′zhŭn) [vivi- + diffusion]. 生体拡散（循環血液を空気や他の有害因子にさらさずに体外で透析を行い，元の体循環に戻す方法を表す古語．この原理は人工腎臓による腎臓透析を行うことに用いている）.

viv・i・fi・ca・tion (viv′i-fi-kā′shŭn) [L. *vivifico*, pp. *-atus* < *vivus*, alive + *facio*, to make]. ＝revivification (2).

viv・i・par・i・ty (viv′i-pār′i-tē). 胎生（卵生と区別して，出産時に生存している子を産むこと）. ＝zoogony.

vi・vip・a・rous (vī-vip′ă-rŭs) [vivi- + L. *pario*, to bear]. 胎生の（卵生と区別して，生存している仔を産むことについていう）. ＝zoogonous.

viv・i・per・cep・tion (viv′i-pĕr-sep′shŭn) [vivi- + perception]. 生体観察法，生活現象研究法（生体解剖をせずに生物の生命過程を観察すること）.

viv・i・sect (viv-i-sekt′). 生体解剖を行う.

viv・i・sec・tion (viv′i-sek′shŭn) [vivi- + section]. 生体解剖，生体実験（生きている動物を動物実験のために切開する手術．さらに広い意味で，しばしば動物実験のあらゆるものをさす）.

viv・i・sec・tion・ist, viv・i・sec・tor (viv′i-sek′shŭn-ist, vi-vi-sek′tŏr). 生体解剖施行者.

Vlad・i・mi・roff (vlad′ē-mĭ-rof), Vladimir D. ロシア人外科医，1837—1903. →Mikulicz-V. *amputation*; V.-Mikulicz *amputation*.

VLDL very low density lipoprotein の略. →lipoprotein.

VMA vanillylmandelic acid の略.

V-max → V_{max}.

VMC void metal composite の略.

V-MI Volpe-Manhold *Index* の略.

VN visiting *nurse*; Vocational Nurse(職業看護師)の略.

VO vocal order(口頭指示)の略.

vo・cal (vō′kăl) [L. *vocalis*]. 声の，音声の（声あるいは発声器官についていう）.

vo・cal fry (vō′kal frī) ボーカルフライ（不自然に低音を発声することにより，低音がポンとかカチカチと聞こえること）. ＝glottalization.

Vo・ges (fō′ges), Otto. 19—20世紀のドイツ人微生物学者. →V.-Proskauer *reaction*.

Vogt (fōkt), Alfred. スイス人眼科医，1879—1943. →V.-Koyanagi *syndrome*.

Vogt (fōkt), Cécile. ドイツ人神経科医，1875—1962. →V. *syndrome*.

Vogt (fōkt), Heinrich W. 20世紀初頭のドイツ人神経科医. →Spielmeyer-V. *disease*.

Vogt (fōkt), Karl C. ドイツ人生理学者，1817—1895. →V. *angle*.

Vogt (fōkt), Oskar. ドイツ人神経科医，1870—1959. →V. *syndrome*.

Vogt ceph・a・lo・dac・ty・ly (vōt sef′ă-lō-dak′ti-lē). ＝*acrocephalosyndactyly* type II.

Voh・wink・el (fō′vink-el), H.H. 20 世紀のドイツ人皮膚科医. →V. *syndrome*.

voice (voys) [L. *vox*]. 音声，声（喉頭と上気道を通って出ていく空気によって起こる声帯の振動によってつくられる音．このとき声帯粘膜は接近する）. ＝vox.

amphoric v. 空洞音（患者が話したりささやいたりするとき，肺腔の上に聞こえる，うつろで，吹くような感じの音）. ＝amphorophony.

bronchial v. 気管支声. ＝bronchophony.

cavernous v. 空洞音（肺空洞上で聞かれる空虚な，あるいは金属性の音）.

epigastric v. 心窩部由来音（心窩部から音が出ているという妄想）.

eunuchoid v. 宦官様音声（成人男性の高い声．未成熟な少年の声に似ている．通常，機能的なものである）.

myxedema v. 粘液水腫性音声（粘液水腫の患者の，無理をして出す粗いしわがれ声．声帯粘膜の粘液水腫性の肥厚が原因と思われる）.

void (voyd). 排尿する，排泄する（排泄物を出す）.

flow v. フローボイド，液流無信号化（① MRI で，血流内の励起されたプロトンが，磁化の計測時には撮像スライス面からはずれるために，血管腔からの信号が減少すること. →signal v. ② MRI で，乱流とボクセル内の位相の散逸の組み合わせによるあらゆる信号の喪失）.

signal v. シグナルボイド（MRI で，RF(ラジオ波)信号を発しない領域．血流などにより撮像部に励起プロトンが存在しない場合，カルシウムのような他の元素が多くある場合，あるいは肺の空気－組織境界面において起こるような非代償的位相散逸をした場合にみられる）.

void met・al com・pos・ite (VMC) (voyd met′ăl kŏm-poz′it). 多孔性合金（多孔性の金属で，その開口部に組織が増殖し，長時間にわたって義歯と組織との接着を保つ）.

vol. ラテン語 *volatilis*,volatile(揮発性の，爆発性の)の略.

vo・la (vō′lă) [L.]. 手掌，足底（手のひらまたは足の裏）.

vo・lar (vō′lăr) [TA]. 手掌の，掌側の，足底の，底側の. ＝volaris [TA].

vo・la・ris (vō-lā′ris) [TA]. ＝volar.

vol・a・tile (vol.) (vol′ă-til) [L. *volatilis* < *volo*, to fly]. ***1*** 揮発性の（速やかに蒸発する傾向のある）. ***2*** 激しやすい，爆発しそうな，変わりやすい.

vol・a・til・i・za・tion (vol′ă-til′i-zā′shŭn) [< L. *volatilis*, volatile < *volo*, pp. *volatus*, to fly]. 揮発. ＝evaporation.

vol・a・til・ize (vol′ă-til-īz). 揮発させる，蒸発させる. ＝evaporate.

Vol・hard (fōl′hart), Franz. ドイツ人内科医，1872—1950.

→V. *test*.

vo·li·tion (vō-liʹshŭn) [L. *volo*, to wish]. 意欲，意志（何かの行為を実行するか，またはその実行を止めようとする意識的な衝動．自発的な行為のこと）．

vo·li·tion·al (vo-liʹshŭn-ăl). 意志〔的〕の，随意の．

Volk·mann (fōlkʹmahn), Alfred W. ドイツ人生理学者，1800—1877. →V. *canals*.

Volk·mann (fōlkʹmahn), Richard. ドイツ人外科医，1830—1889. →V. *cheilitis*, *contracture*, *spoon*.

vol·ley (volʹē) [Fr. *volée* < L. *volo*, to fly]. 斉射（神経線維あるいは筋線維に人工的刺激を与えると同時に誘発される一群の同時性インパルス）．

Voll·mer (vōlʹmĕr), Herman. 米国人小児科医，1896—1959. →V. *test*.

Vol·pe (vōlʹpē), Anthony R. 20世紀の米国人歯科医. →V.-Manhold *Index*.

vol·sel·la (vol-selʹă) [→vulsella]. ＝vulsella *forceps*.

volt (v, V) (vōlt) [Alessandro *Volta*, イタリア人医師，1745—1827]. ボルト（起電力の単位．1ボルトの起電力は，抵抗が1オームの回路に1アンペアの電流を流す．ジュール/クーロンに等しい）．

vol·tage (vōlʹtăj). 電圧量，ボルト数（起電力．ボルトで表される電圧あるいは電位）．

vol·ta·ic (vōl-tāʹik). ボルタ電気の．＝galvanic.

vol·ta·ism (vōlʹtă-izm). ボルタ電気，流電気．＝galvanism.

vol·tam·e·ter (vōl-tamʹĕ-tĕr) [volt + G. *metron*, measure]. ボルタメータ，電解電量計（電解作用を利用してGalvani電流の強さを測定する装置）．

volt·am·pere (vōltʹam-pēr). ボルトアンペア（電力の単位．1ボルトと1アンペアの積．1ワット，1/1000キロワットに等しい）．

volt·me·ter (vōltʹmē-tĕr). 電圧計（起電力あるいは電位差を測定する装置）．

Vol·to·li·ni (vōlʹtō-lēʹnē), Friedrich E.R. ドイツ人喉頭科医，1819—1889. →V. *disease*.

vol·ume (*V*, V) (volʹyŭm) [L. *volumen*, something rolled up, scroll < *volvo*, to roll]. 体積，容積，容量（【誤ったつづり volumn を避けること】．物質が占有する空間．通常，立方ミリメートル，立方センチメートル，リットルなどで表す．→water. →capacity）．

atomic v. 原子容（元素の原子量をその固体状態の密度で除した値．固体元素の1グラム原子が占める容積）．

v. averaging 容積平均〔効果〕（CTあるいはMRIで，ボクセル内の平均濃度(密度)が表現される現象．スライス厚が厚ければ厚いほど，この現象は必然的となり濃度分解能は劣化する）．

closing v. (CV) 閉鎖容積（気道閉鎖が原因と思われるが，呼息中に肺下部からの流出が非常に減少するかまたは停止する時点での肺の容積．残気量から開始して，呼吸の開始点で吸入したトレーサガスの呼気濃度中の急激な上昇により測定される）．

distribution v. 分布容積（加えたトレーサが均等に分布した量．平衡後に，加えたトレーサをその濃度で除し計算する）．

end-diastolic v. 拡張末期容量（心収縮を始める直前の心室の血液容量．拡張機能と関連する心拍間の心室充満の尺度）．

end-systolic v. 収縮末期容量（駆出終了時で心室拡張が始まる直前の心室の血液容量．収縮機能と関連する心室空虚が十分に行われていることの尺度）．

expiratory reserve v. (ERV) 予備呼気量（正常呼息後に肺から出しうる最大空気量(約1000 mL)）．＝reserve air; supplemental air.

extracellular fluid v. (ECFV) 細胞外液量（細胞内以外の体液量．体重の約20%．血漿水(体重の4%)，細胞間水(間質性水リンパ，体重の15%)，硬骨および結合組織中の水(体重の1%)からなる．→intracellular *fluid*）．

forced expiratory v. (FEV) 努力呼気量（最大吸気位から一定時間内に呼出される最大量．患者が呼出している秒数を示す下に書いた字．例えば$FEV_{30\text{–}60}$）．

inspiratory reserve v. (IRV) 予備吸気量（正常吸息後に吸息されうる量から一回換気量を減じた最大空気量．深呼気

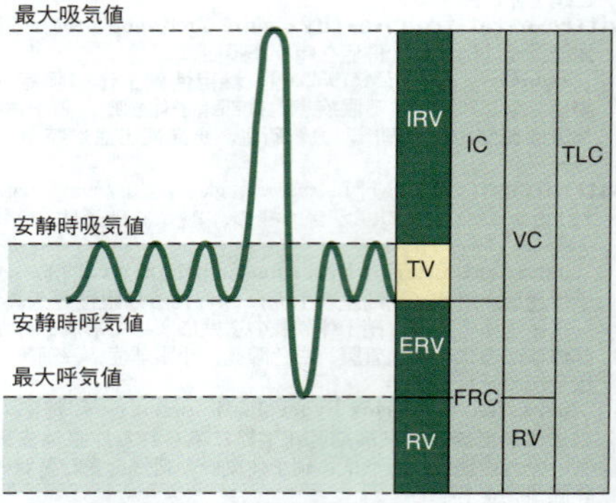

lung volume compartments and subdivisions

容量-時間肺活量測定器による．ERV：呼気予備量．安静時最終呼吸（最終呼気）時点で呼出されうる最大空気量．FRC：機能的残気量．一回呼吸量の最終呼気時に肺内にある空気量．RVとERVの和．IC：吸気能．一回呼吸量の最終呼気時から吸い込める空気の最大量．IRVとTVの和．この吸気能は健康人の最大肺活量の60—70%となるのが普通である．IRV：吸気予備量．吸気最終点から吸い込める最大空気量．RV：残気量．最大呼気のあとに残っている空気量．TLCからVCを引いたもの．TLC：全肺容量．最大吸気後の全容量の合計あるいは肺内の空気量．TV：一回換気量．安静呼吸時に毎回の呼吸で吸入されるか呼出される空気の量．VC：最大呼吸量．最大吸気点から呼出される空気の最大量．VCはTV,IRV,ERVの合計としても記述されうる．健康人ではVCはTLCの約70%である．

量は一回換気量より少ない）．＝complemental air.

mean corpuscular v. (MCV) 平均赤血球容積（赤血球の平均容量で，ヘマトクリットと赤血球数から計算される）．

minute v. 分時拍出量（気体や流動体が毎分動く量．例えば，心拍出量または呼吸分時量）．

packed cell v. 充塡赤血球量，赤血球沈殿容積（サンプル血液をヘマトクリット管で遠心分離した後の赤血球容積．通常，試料血液の45%に相当する）．

partial v. 分体積，分容積（溶液中で1種の分子あるいは粒子が実際に占める容積．分子密度の逆数）．

residual v. (RV) 残気量（最大呼息努力の後，肺に残存する空気量）．＝residual air; residual capacity.

respiratory minute v. (RMV) 分時呼吸量（1分間の呼吸量．一回換気量と呼吸数の積．→pulmonary *ventilation*）．

resting tidal v. 安静時一回換気量（正常状態下での一回換気量，すなわち運動や呼吸を刺激するその他の状態にないときの一回換気量）．

standard v. 基準容積（標準温度，標準圧力下の理想気体の量．約22.414 L）．

stroke v. 一回拍出量，心拍血液量（1回の拍動で心室から拍出される量）．＝stroke output.

tidal v. (V_T) 一回換気量，一回呼吸〔気〕量（正常呼吸中1回の呼吸で吸入または呼出される空気量）．＝tidal air.

vol·u·me·nom·e·ter (volʹyū-mĕ-nomʹĕ-tĕr) [volume + G. *metron*, measure]. 容積計，体積計（固体が押しのける液体の量を測定することにより，固体の容積を決定する器具）．＝volumometer.

vol·u·met·ric (volʹyū-metʹrik). 容積測定の．

vol·u·mom·e·ter (volʹyū-momʹĕ-tĕr). ＝volumenometer.

vol·un·tar·y (volʹŭn-tārʹē) [L. *voluntarius* < *voluntas*, will < *volo*, to wish]. 随意の，任意の，自発的の（強制的にではなく意志に従ってかかわる，あるいは働くことについていう）．

vo·lup·tu·ous (vō-lŭpʹtyū-ŭs) [L. *voluptuosus* < *voluptas*, pleasure]. 肉感的な（感覚的快感を生じさせる，あるいは感覚的満足を与えられることについていう）.

vo·lute (vō-lūt′) [L. *voluta*, a scroll < *volvo*, pp. *volutus*, to roll]. 回転した，巻いた.

vo·lu·tin (vō-lū′tin). ボルチン〔顆粒〕（ある種の細菌，酵母，原生動物（トリパノソーマ鞭毛虫など）に細胞質顆粒としてみられる核蛋白複合体で，食料貯蔵の役割を果たす）. = volutin granules.

Vol·vox (vol′voks) [L. *volvo*, to roll]. 植物性鞭毛虫綱の一属で，緑色の高度に組織化されたコロニーを形成する鞭毛虫.

vol·vu·lo·sis (vol-vyū-lō′sis). = onchocerciasis.

vol·vu·lus (vol′vyū-lŭs) [L. *volvo*, to roll, L. *volvaire*, to twist around]. 軸捻，腸捻転（腸あるいは胃軸念のような他の器管がねじれて，閉塞を起こすこと．放置しておくと，ねじれた腸や器管が血行障害を起こす可能性がある）.

cecal v. 盲腸捻転（左上腹部への盲腸の回転および捻れで，上行結腸の閉塞を伴う．盲腸腸間膜が長いことに起因する）.

gastric v. 胃捻転（①ヒトでは胃のねじれで閉塞を生じ，胃への血液供給が阻害される．傍食道ヘルニアと，ときに横隔膜脱出で起こる．⇀organoaxial. ②獣医学領域ではよく認められる状態であり，深い胸郭を有する犬種において最も多い．血流が完全に遮断される360度の完全捻転および不完全捻転があり，脾臓も同様に捻転する．重度の捻転の場合は集中的な治療と早期の整復を行わないと致死的となることが多い．胃の鼓脹症から始まることが多い）.

mesenteroaxial v. 腸間膜軸捻転（胃腸内膜のラインに平行に軸捻転した胃軸捻転の一型．→organoaxial）.

sigmoid v. S状結腸捻転（比較的多い腸捻転の部位で，S状結腸の近位側あるいは遠位側の閉塞を伴う）.

vo·mer, gen. **vo·me·ris** (vō′mĕr, vō′mer-is) [L. ploughshare][TA]. 鋤骨（⇀vomer (*bone*)）.

v. cartilagineus = vomeronasal *cartilage*.

vo·mer·ine (vō′mĕr-ēn). 鋤骨の.

vo·mer·o·bas·i·lar (vō′mĕr-ō-bas′i-lăr). 鋤〔骨〕頭底の（鋤骨と頭蓋底に関する）.

vo·mer·o·na·sal (vō′mĕr-ō-nā′săl). 鋤〔骨〕鼻の（鋤骨と鼻骨に関する）.

vom·it [L. *vomo*, pp. *vomitus*, to vomit]. ***1***〖v.〗吐く（胃から口を通して物を出す）. ***2***〖n.〗吐物，嘔吐物（胃から吐き出された物）. = vomitus (2).

Barcoo v. バークー嘔吐（大食を伴う悪心嘔吐の発作．オーストラリア南部奥地の住民に起こる）.

bilious v. 胆汁性嘔吐（大量の胆汁を含んだ嘔吐．Vater乳頭部よりも遠位の腸閉塞を示唆する）.

black v. 黒色吐物（コーヒーかす濃度の吐物，特に重症の黄熱病にみられる．→coffee-grounds v.）. = vomitus niger.

coffee-grounds v. コーヒーかす（残渣）様吐物（新鮮出血あるいは陳旧性出血が混ざった嘔吐物．→black v.）.

vom·it·ing (vom′it-ing). 嘔吐（胃から食道と口を通して逆行性に物を吐き出すこと）. = emesis (1); vomition; vomitus (1).

cerebral v. 脳性嘔吐（頭蓋内疾患，特に頭蓋内圧亢進による嘔吐）.

cyclic v. 周期性嘔吐症（言語習得前の小児に特に多くみられる，繰り返す嘔吐発作．本症に罹患した児の多くは，後に典型的な片頭痛を起こす）.

dry v. 空嘔吐. = retching.

epidemic v. 流行性嘔吐症（カリシウイルス科の27 nmのRNAウイルスであるNorwalkウイルスにより起こる嘔吐．ある集団（例えば，学校や小規模地域社会）に起こる．発症は突発的で，前駆症状，倦怠感はない．持続中は激しい症状を示すが，24–48時間後に突然消失する．多くの場合，頭痛，腹痛，めまい，下痢を伴い，約75%に極度の疲はいがみられる）. = epidemic nausea.

fecal v. 吐糞症（糞便の性状および臭いのするものの嘔吐．長期間の遠位小腸あるいは大腸の閉塞を示唆する）. = copremesis; stercoraceous v.

morning v. 早朝嘔吐（妊娠初期の女性に起こる，起床時あるいは朝食直後の嘔吐）. = morning *sickness*.

pernicious v. 悪性嘔吐，悪阻（手におえない嘔吐）.

成人における嘔吐の原因
機能的原因
心因性，妊娠，機能的食道疾患
器質的原因
食道：腫瘍，感染，狭窄，憩室，気管支原性癌を含む縦隔腫瘍
胃：急性胃炎，潰瘍，瘢痕や腫瘍による狭窄（手術後の胃アトニー），幽門痙攣（小児）
小腸，大腸：急性胃腸炎，機械的イレウス，閉塞
肝臓，胆嚢，膵臓：感染，胆石，腫瘍
腹膜：急性腹膜炎（広範囲あるいは限局性）
腹部外疾患
大脳：髄膜炎，脳炎，Ménière病，片頭痛，腫瘍，頭部外傷，出血，高血圧発作
代謝異常：糖尿病性前昏睡，乳酸アシドーシス，尿毒症，甲状腺中毒，Addison病
外因性原因
多種の薬（ジギタリス，細胞増殖抑制薬，抗生物質，アヘンなど）
中毒（毒キノコ，アルコール，腐った食物など）

v. of pregnancy 妊娠嘔吐，つわり（妊娠初期に起こる嘔吐）.

projectile v. 噴出性嘔吐（非常な勢いで胃内容物を噴出すること）.

psychogenic v. 心因性嘔吐（精神的な苦痛や不安に関係して生じる嘔吐）.

retention v. 停留性嘔吐（機械的閉塞により生じる嘔吐で，通常，食後数時間してみられる）.

stercoraceous v. = fecal v.

vo·mi·tion (vō-mi′shŭn) [L. *vomitio* < *vomo*, to vomit]. 嘔吐. = vomiting.

vomitoxin (vom-i-toks′in). ボミトキシン（穀物中にみられる*Fusarium*属の真菌によって産生されるカビ毒（マイコトキシン））. = deoxynivalenol; DON.

vom·it·u·ri·tion (vom′it-yū-rish′ŭn). 悪心，吐き気，空嘔，頻回嘔吐. = retching.

vom·i·tus (vom′i-tŭs) [L. a vomiting, vomit]. ***1*** 嘔吐. = vomiting. ***2*** 吐物. = vomit (2).

v. cruentus 吐血. = hematemesis.

v. marinus 船酔い. = seasickness.

v. niger 黒色嘔吐. = black *vomit*.

von (von). しばしばv.と略す．この接頭語の付く姓名で以下にないものは，その姓名の主部を参照.

von Bruns (fŏn brūnz). ⇀Bruns.

von Eb·ner (fŏn eb′nĕr), A.G.Victor. ハプスブルク帝国の組織学者，1842—1925. ⇀E. *glands*, *reticulum*; imbrication *lines* of von E.; incremental *lines* of von E.

von Han·se·mann (fŏn hahn′se-mahn), D.P. ドイツ人病理学者，1858—1920. ⇀H. *macrophage*.

von Hip·pel (fŏn hip′el), Eugen. ドイツ人眼科医，1867—1939. ⇀von H.-Lindau *syndrome*.

von Kos·sa (făn kos′ă), Julius. 19世紀のオーストリア系ハンガリー人病理学者. ⇀von K. *stain*.

von Mey·en·burg (fŏn mī-yen′bĕrg). ⇀Meyenburg.

von Reck·ling·hau·sen (fŏn rek′ling-how′zen). ⇀von R. *disease*; Recklinghausen.

von Schröt·ter (fŏn shret′ĕr), Leopold. ハプスブルク帝国の喉頭病学者，1837—1908. ⇀Paget-von S. *syndrome*.

von Wil·le·brand (fŏn vil-le-brahnt′), E.A. フィンランド人内科医，1870—1949. ⇀von W. *disease*.

V

Voor·hoev·e (vōr-hōv′ă), N. オランダ人放射線科医，1879—1927. ⇀V. *disease*.

vor·tex, pl. **vor·ti·ces** (vōr′teks, vōr′ti-sēz) [L. whirlpool, whorl < *verto, vorto*, to turn around]. ***1*** ＝verticil. ***2*** 渦. ＝whorl (5). ***3*** ＝v. lentis.

  v. coccygeus 尾骨渦（尾骨部にときにみられる渦巻き状の粗い毛）．＝coccygeal whorl.

  v. cordis [TA]．心渦．＝v. of heart.

  Fleischer v. (flī′shĕr)．フライシャーの渦状パターン．＝*cornea* verticillata.

  v. of heart [TA]．心渦（心尖にある筋線維のらせん状の配列）．＝v. cordis [TA]; whorl (2).

  v. lentis 水晶体星（眼の水晶体表面にみえる星状形の1つ）．＝vortex (3).

  vortices pilorum [TA]．毛渦．＝hair *whorls*.

Vor·ti·cel·la (vōr′ti-sel′ă) [Mod. L.: L. *vortex*(a whorl)の指小辞]．ツリガネムシ属（周毛目の繊毛虫の一属．口辺部周囲に渦状の繊毛をもち，鈴の形をした虫体である．多数の自由生活性の種が，糞便，尿，粘液性排出物中に，ときに見出される）．

vor·ti·ces (vōr′ti-sēz). vortex の複数形.

vor·ti·cose (vōr′ti-kōs) [L. *vorticosus* < *vortex*, a whorl]．渦状の．

Vos·si·us (vos′ē-ŭs), Adolf. ドイツ人病理学者，1855—1925. ⇀V. lenticular *ring*.

vox (voks) [L.]．声．＝voice.

  v. choleraica コレラかれ声，コレラ嗄声（コレラ末期の患者独特の，しわがれたほとんど聞き取れない声）．

vox·el (vok′sel)．ボクセル（容積要素の最小単位．これは，CT または MR 再構成の基本的単位であり，CT または MR 像の表示では画素(ピクセル)として表される）．

voy·eur (voy-yur′)．窃視者．

voy·eur·ism (voy′yur-izm) [Fr. *voir*, to see]．窃視〔症〕（他人の裸体や性器，あるいは他の人間の色情行為を見て性的快感を得る習慣）．＝scopophilia.

VP vasopressin; variegate *porphyria* の略.

VR vocal *resonance* の略.

VS volumetric *solution*; vital *signs* の略.

VSC volatile sulfur *compound* の略.

VU volume *unit* の略.

vul·ga·ris (vŭl-gā′ris) [L. < *vulgus*, a crowd]．尋常〔性〕の，普通の．

vul·ner·a·bil·i·ty (vŭl′nĕr-ă-bil′i-tē) [L. *vulnerabilis*, susceptible to injury < *vulnero*, to wound < *vulnus*, wound]．脆弱性，易傷性（傷害に対して弱いこと）．

  predisposing v's 脆弱性素因（精神的および身体的疾患を導く，母胎内，体質的，生理的，環境的に不利な要因のこと．⇀risk *factor*. *cf.* predisposing *factors*）．

vul·ner·ar·y (vul′nĕr-ar′ē) [L. *vulnus*, a wound]．傷や傷の治療に関する．

Vul·pi·an (vūl′pē-an[h]′), Edme F.A. フランス人神経科医，1826—1887. ⇀V. *atrophy*.

vul·sel·la, vul·sel·lum (vŭl-sel′ă, -lŭm) [L. pincers < *vello*, pp. *vulsus*, to pluck]．＝vulsella *forceps*.

vul·va, pl. **vul·vae** (vŭ′vă) [L. a wrapper, covering, seed covering, womb < *volvo*, to roll] [TA] [NA]．外陰〔部〕，陰門（女性の外部生殖器．恥丘，大・小陰唇，陰核，腟前庭，腟前庭腺，尿道口，腟口からなる）．＝cunnus; trema (2).

vul·var, vul·val (vŭl′văr, vŭl′văl)．外陰〔部〕の．

vul·vec·to·my (vŭl-vek′tŏ-mē) [vulva + G. *ektomē*, excision]．外陰切除〔術〕（部分的，完全，あるいは根治的な外陰の切除）．

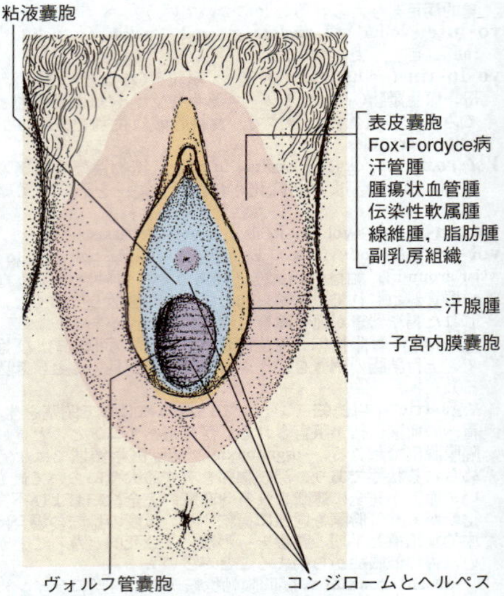

vulva

位置による外陰の腫瘍および囊胞の鑑別．紫：腟と尿道，青：前庭，黄：小陰唇，桃：大陰唇．

vul·vis·mus (vŭl-viz′mŭs)．腟痙．＝vaginismus.

vul·vi·tis (vŭl′vī′tis) [vulva + G. *-itis*, inflammation]．外陰炎（外陰部の炎症）．

  chronic atrophic v. 慢性萎縮性外陰炎（萎縮性外陰皮膚の炎症．通常は重症のそう痒症を伴う）．

  chronic hypertrophic v. 慢性肥大性外陰炎（リンパ管閉鎖が原因の外陰組織の膨化．フィラリア症により起こる場合もあり，皮膚が硬化あるいは潰瘍化する．現在では用いられない語）．＝elephantiasis vulvae.

  follicular v. 沪胞性外陰炎（外陰毛小胞の炎症）．

vulvo- [L. *vulva*]．外陰を意味する連結形．

vul·vo·cru·ral (vŭl′vō-krū′răl)．陰門大腿の（外陰部と大腿に関する）．

vul·vo·dyn·i·a (vŭl′vō-din′ē-ă)．表在性の刺激あるいは灼熱感を訴える慢性の外陰病変．

vul·vo·u·ter·ine (vŭl-vō-yū′tĕr-in)．陰門子宮の（外陰部と子宮に関する）．

vul·vo·vag·i·nal (vŭl′vō-vaj′i-năl)．陰門腟の（外陰部と腟に関する）．

vul·vo·vag·i·ni·tis (vŭl′vō-vaj′i-nī′tis)．外陰〔部〕腟炎（外陰と腟両方の炎症，あるいは外陰腟腺の炎症）．

Vve·den·skii (vē′densk′yē), Wedensky. Nikolai I. の別姓.

VX 有機リン系の神経毒性が強い物質．

V-Y plas·ty (plas′tē)．V-Y 形成術．＝V-Y *flap*.

VZIG varicella-zoster immune *globulin* の略.

W

W タングステンの元素記号．ワット，トリプトファン，トリプトファニルの記号．

Waa·ge (vah′gĕ), P. ノルウェー人化学者，1833—1900. ⇀ Guldberg-W. *law*.

Waal·er (vāl′ĕ), Erik. 20世紀のノルウェー人生物学者. ⇀ Rose-W. *test*.

Waar·den·burg (vār-den′berg), Petrus Johannes. オランダ人眼科医，1886—1979. ⇀ W. *syndrome*.

Wach·en·dorf (vahk′en-dōrf), Eberhard J. ドイツ人植物・解剖学者，1702—1758. ⇀ W. *membrane*.

Wach·stein (wak-stīn′), Max. 米国人組織・病理学者，1905 — 1965. ⇀ W.-Meissel *stain* for calcium-magnesium-ATPase.

Wäch·ter (vak′tĕr), Herman J.G. 20世紀のドイツ人病理学者. ⇀ Bracht-W. *lesion*.

Wa·da (wah-dah), Juhn A. 20 世紀の日系カナダ人神経科医. ⇀ W. *test*.

wad·ding (wahd′ing). ***1*** 塡綿（布状にすいた綿あるいは羊毛．外科包帯に用いる）．***2*** 薬きょうを包む際に使用される繊維性の物質．しばしば近距離で発射された銃弾による傷にみられる．

Wad·ding·ton (wahd-ing-tin′), Conrad H. 英国人発生・遺伝学者，1905—1975. ⇀ waddingtonian *homeostasis*.

wad·dle (wahd′ĕ). よたよた歩く，動揺しながら歩く. ＝waddling *gait*.

wa·fer (wā′fĕr) [M.E. < O.Fr. *waufre* < Germanic]. オブラート，カシェ剤（乾燥したコムギ粉ペーストの薄い紙様シート．粉末を包むのに用い，水で湿してその薬剤を包み込むと，味を感じないで飲み込むことができる）．

Wag·ner (vahg′ner), Hans. スイス人眼科医，1905—1989. ⇀ W. *disease*, *syndrome*.

Wag·staffe (wag′staf), William. イングランド人外科医，1843—1910.

waist (wāst) [A.S. *waext*]. 腰（肋骨と骨盤の間の胴の部分）．

Walch·er (văIk′ĕr), Gustav A. ドイツ人産科医，1856—1935. ⇀ W. *position*.

Wal·den·ström (vahl′den-strēm), Jan G. スウェーデン人血液学者，1906—1996. ⇀ W. *macroglobulinemia*, *purpura*, *syndrome*, *test*.

Wal·dey·er (Wal·dey·er-Hartz) (vawl′dī-er, hahrts), Heinrich W.G. von. ドイツ人解剖・病理学者，1836—1921. ⇀ W. *fossae*(⇌fossa), *glands*, zonal *layer*, throat *ring*, *sheath*, *space*, *tract*.

walk (wahk) [M.E. *walken* < O.E. *wealcen*, to roll]. ***1*** 〘v.〙歩く．***2*** 〘n.〙歩行（→gait）．

Walk·er (wah′kĕr), Arthur Earl. 米国人神経科医，1907—1995. ⇀ W. *tractotomy*; Dandy-W. *syndrome*.

Walk·er (wah′kĕr), J.T. Ainsile. イングランド人化学者，1868—1930. ⇀ Rideal-W. *coefficient*, *method*.

Walk·er (wah′kĕr), James. 20世紀の英国人婦人科医. ⇀ W. *chart*.

wall (wawl) [L. *vallum*][TA]. 壁（胸腔や腹腔などの腔を取り囲む部分，または細胞あるいは形態単位をおおう部分）．＝paries [TA].

anterior w. of middle ear〔鼓室〕頸動脈壁．＝carotid w. of tympanic cavity.

anterior w. of stomach [TA].〔胃〕前壁（腹膜腔に面した胃壁の部分）．＝paries anterior gastris [TA].

anterior w. of tympanic cavity 鼓室前壁．＝carotid w. of tympanic cavity.

anterior w. of vagina [TA]. 腟前壁（後壁よりわずかに短く，上端は子宮頸が貫く）．＝paries anterior vaginae [TA].

axial w.'s of the pulp chambers 髄室軸壁（歯の長軸と平行な壁．近心，遠心，頰側，舌側がある）．

carotid w. of middle ear〔鼓室〕頸動脈壁．＝carotid w. of tympanic cavity.

carotid w. of tympanic cavity [TA]. 鼓室前壁（頸動脈管と耳管口がある）．＝paries caroticus cavi tympani [TA]; anterior w. of middle ear; anterior w. of tympanic cavity; carotid w. of middle ear.

cavity w. 窩壁（窩洞の境である面）．

cell w. 細胞壁（①ある種の動物および植物細胞の外層あるいは外膜．植物の場合はセルロースが主である．②細菌においては通常，ペプチドグリカンの層を含む堅固な構造で，浸透圧を規定し，細菌形態や染色性を特徴付けている）．

chest w. 胸壁（呼吸生理学において，呼吸の一部として運動する肺より外側の構造全体．肋骨，横隔膜，腹壁，腹部臓器を含む）．＝thoracic w.

enamel w. エナメル壁（歯科において，エナメル質からなる窩洞壁部分）．

external w. of cochlear duct〔蝸牛管の〕外壁．＝external *surface* of cochlear duct.

inferior w. of orbit〔眼窩〕下壁．＝*floor* of orbit.

inferior w. of tympanic cavity ＝jugular w. of middle ear.

jugular w. of middle ear [TA].〔鼓室〕頸静脈壁（頸静脈窩と鼓室を分ける薄い骨板）．＝paries jugularis cavi tympani [TA]; floor of tympanic cavity☆; fundus tympani; inferior w. of tympanic cavity.

labyrinthine w. of middle ear〔鼓室〕迷路壁．＝labyrinthine w. of tympanic cavity.

labyrinthine w. of tympanic cavity [TA]. 鼓室内側壁（頸静脈窩と鼓室を分ける薄い骨板）．＝paries labyrinthicus cavi tympani [TA]; medial w. of tympanic cavity☆; labyrinthine w. of middle ear; medial w. of middle ear.

lateral w. of middle ear ＝membranous w. of tympanic cavity.

lateral w. of orbit [TA].〔眼窩〕外側壁（頰骨，蝶形骨大翼，前頭骨小部分から形成される三角形の壁．後方は上・下眼窩裂で区切られる）．＝paries lateralis orbitae [TA].

lateral w. of tympanic cavity☆ 鼓室外側壁（membranous w. of tympanic cavity の公式の別名）．

mastoid w. of middle ear〔鼓室〕乳突壁．＝mastoid w. of tympanic cavity.

mastoid w. of tympanic cavity [TA]. 鼓室後壁（乳突洞口を含む）．＝paries mastoideus cavi tympani [TA]; posterior w. of tympanic cavity☆; mastoid w. of middle ear; posterior w. of middle ear.

medial w. of middle ear ＝labyrinthine w. of tympanic cavity.

medial w. of orbit [TA].〔眼窩〕内側壁（薄い正方形の壁．篩骨，涙骨，前頭骨の各眼窩板と蝶形骨小部分から形成される．涙嚢窩はその縁にある）．＝paries medialis orbitae [TA].

medial w. of tympanic cavity☆ 鼓室内側壁（labyrinthine w. of tympanic cavity の公式の別名）．

membranous w. of middle ear〔鼓室〕鼓膜壁．＝membranous w. of tympanic cavity.

membranous w. of trachea [TA].〔気管〕膜性壁（気管軟骨に補強されない気管後壁）．＝paries membranaceus tracheae [TA].

membranous w. of tympanic cavity [TA]. 鼓室外側壁（中耳の外側の壁．主に鼓膜によって形成される）．＝paries membranaceus cavi tympani [TA]; lateral w. of tympanic cavity☆; lateral w. of middle ear; membranous w. of middle ear.

nail w. [TA]. 爪郭（爪の壁で，爪の外側縁と近位縁をおおう皮膚のひだ）．＝vallum unguis [TA]; nail fold.

parietal w. 胞胚体壁（体壁あるいはそれが形成される壁側板）．

posterior w. of middle ear 中耳後壁．＝mastoid w. of tympanic cavity.

posterior w. of stomach [TA].〔胃〕後壁（網嚢に面する胃壁部分）．＝paries posterior gastris [TA].

posterior w. of tympanic cavity* 鼓室後壁（mastoid w. of tympanic cavity の公式の別名）.

posterior w. of vagina [TA]. 腟後壁（前壁より長く，中央にほぼ全長にわたって低い稜を有する）. = paries posterior vaginae [TA].

pulpal w. ***1*** 〔歯〕髄壁（歯髄腔の壁の1つ）. ***2*** 髄側壁（窩壁のうち，歯髄腔の側を向いているもの．例えば近心髄壁）.

splanchnic w. 胞胚内壁（内臓壁あるいはそれが形成される臓側板）.

superior w. of orbit 〔眼窩〕上壁. = *roof* of orbit.

tegmental w. of middle ear 鼓室蓋壁. = tegmental w. of tympanic cavity.

tegmental w. of tympanic cavity [TA]. 鼓室蓋壁（側頭骨の鼓室蓋でできている鼓室の上壁あるいは天井）. = paries tegmentalis cavi tympani [TA]; tegmental root of tympanic cavity*; roof of tympanic cavity; tegmental w. of middle ear.

thoracic w. = chest w.

tympanic w. of cochlear duct 鼓室階壁. = tympanic *surface* of cochlear duct.

vestibular w. of cochlear duct 前庭階壁. = vestibular *surface* of cochlear duct.

Wal·len·berg (vahl′en-berg), Adolf. ドイツ人医師，1862—1949. ⇀W. *syndrome*.

Wal·ler (wawl′ĕr), Augustus V. イングランド人生理学者，1816—1870. ⇀wallerian *degeneration*; wallerian *law*.

wal·le·ri·an (waw-lē′rē-ăn). A.V. Waller に関する，または彼の記した.

wall-eye (wawl′ī). ***1*** 外斜視. = exotropia. ***2*** 角膜白斑（虹彩に色が欠けていること，あるいは角膜の白斑）.

Walsh (wahlsh), Patrick Craig. 20世紀の米国人泌尿器科医. ⇀neurovascular *bundle* of W.; W. *procedure*.

Wal·thard (val′tahrd), Max. スイス人婦人科医，1867—1933. ⇀W. cell *rest*.

Wal·ther (vah′tĕr), August F. ドイツ人解剖学者，1688—1746. ⇀W. *dilator*, *canals*, *ducts*, *ganglion*, *plexus*.

wan·der·ing (wahn′dĕr-ing) [A.S. *wandrian*, to wander]. 遊走〔性〕の（動き回ること，固定していないこと，異常な自動性についていう）.

Wang (wang), Chung Yik. 中国人病理学者，1889—1931. ⇀W. *test*.

Wan·gen·steen (wan′gen-stēn), Owen H. 米国人外科医，1898—1981. ⇀W. *drainage*, *suction*, *tube*.

Wang·i·el·la (wang′gē-el′ă). 真菌のうち黒色を呈する菌の一属で，襟のないフィアリド，酵母型の酵母様黒色集落，および後に発育する菌糸を特徴とする．本菌は 40°C で発育良好である．*W.* (*Exophiala*) *dermatitidis* はクロモブラストミコーシスの原因菌である.

warble (war′bĕl) [O.E. *wearr*, callus + *blawan*, to blow, inflate]. ウシバエ幼虫〔症〕（ウマバエ同様に幼虫が寄生している瘤）.

war·bles (wahr′bilz). ウシバエ幼虫〔症〕（①ウシに影響を及ぼすウシバエ *Hypoderma bovis* とキスジウシバエ *H. lineatum* の幼虫が寄生した皮下の嚢胞．ウシバエの嚢胞は動物の皮膚に損傷を与える．一般的でない場所(例えば，脊椎)への幼虫の移動は，不全麻痺，完全麻痺，および，まれに死亡を含む神経系の機能不全に至る場合がある. = ox w. ②ハエの幼虫の侵入から生じている状態．複数形 warbles で表す）.

ox w. ウシバエ幼虫〔症〕. = warbles.

War·burg (vahr′bŭrg), Otto H. ドイツ人生化学者・ノーベル賞受賞者，1883—1970. ⇀W. *apparatus*, respiratory *enzyme*, old yellow *enzyme*, *theory*; W.-Lipmann-Dickens-Horecker *shunt*; Barcroft-W. *apparatus*, *technique*.

Ward (wōrd), Frederick O. 英国人骨学者，1818—1877. ⇀W. *triangle*.

Ward (wōrd), Owen C. 20 世紀の小児科医. ⇀Romano-W. *syndrome*.

ward (wōrd) [A.S. *weard*]. 病棟，病室（医療施設における大部屋などの場所．そこには同様の疾患であったり同様の治療を受けたりする患者が収容されている. →unit）.

Ward·rop (wawr′drop), James. 英国人外科医，1782—1869. ⇀W. *method*.

warfarin (wōr′fă-rin). ワルファリンナトリウム（ジクマロールと同作用を有する抗凝固薬．殺鼡薬としても用いる．カリウム塩も同様の作用と用途をもつ）.

super w. スーパーワルファリン（ワルファリン類でのいろいろな長時間作用型抗凝固剤）.

warm-blood·ed (wŏrm′blŏd′ĕd). 温血の. = homeothermic.

warn·ing (wōrn′ing). 警告（行為または医薬品において生じうる危険または禁忌に関する強い注意勧告）.

boxed w. 囲み警告（ある医薬品に関する重大な有害作用の可能性，禁忌またはその他の特別な問題についての，医療従事者に対する警告で，FDA による表示型式において特定された位置に囲みけいで記載される）.

War·ren (war′en), Dean. 米国人外科医，1924—1989. ⇀W. *shunt*.

wart (wōrt). いぼ，ゆうぜい(疣贅). = verruca.

anatomic w. = postmortem w.

asbestos w. 石綿いぼ. = asbestos *corn*.

common w. 尋常性ゆうぜい. = *verruca* vulgaris.

digitate w. = *verruca* digitata.

filiform w. 糸状ゆうぜい. = *verruca* filiformis.

flat w. 扁平いぼ. = *verruca* plana.

fugitive w. 一過性いぼ（持続しないもの）.

genital w. 性器いぼ. = *condyloma* acuminatum.

Henle w.'s (hen′lĕ). ヘンレゆうぜい. = Hassall-Henle *bodies*.

infectious w. 感染性いぼ. = *verruca* vulgaris.

mosaic w. モザイク様足底いぼ（足底にモザイク模様を形成している多数の密集したいぼ．しばしばヒト乳頭腫ウイルス2型によって引き起こされる）.

Peruvian w. ペルーいぼ. = *verruga* peruana.

pitch w. ピッチいぼ（ピッチとコールタール誘導体を扱う労働者に多い前癌性の角化性表皮性腫瘍. ⇀pitch-worker's *cancer*）.

plane w. 扁平いぼ. = *verruca* plana.

plantar w. 足底いぼ（[誤った表現 planter's wart を避けること]．足底にできるいぼ．しばしば痛みを伴う．通常，ヒト乳頭腫ウイルス1型によって引き起こされる）. = verruca plantaris.

postmortem w. 死毒性いぼ（検死を行う者の手にできる結核性のいぼ状増殖(皮膚いぼ状結核)）. = anatomic tubercle; anatomic w.

senile w. 老人性いぼ. = actinic *keratosis*.

soot w. ばい煙性いぼ（煙突掃除人癌の前駆性病変）.

telangiectatic w. 毛細血管拡張性いぼ. = angiokeratoma.

tuberculous w. 結核〔性〕いぼ. = *tuberculosis* cutis verrucosa.

venereal w. 性病いぼ. = *condyloma* acuminatum.

viral w. ウイルス性いぼ. = *verruca* vulgaris.

War·ten·berg (vahr′ten-berg), Robert. ドイツ人神経科医，1887—1956. ⇀W. *symptom*.

War·thin (wahr′thin), Aldred S. 米国人病理学者，1866—1931. ⇀W. *tumor*; W.-Finkeldey *cells*; W.-Starry silver *stain*.

wart·pox (wōrt′poks). ゆう痘. = *variola* verrucosa.

wart·y (wōrt′ē). いぼの多い，いぼ状の.

wash (wahsh). 洗浄，洗浄液，洗剤（ある部分をきれいにしたり洗浄するのに用いる液体．洗浄の型については eyewash, mouthwash など特定名参照）.

Was·mann (vahs′mahn), Adolphus. 19 世紀のドイツ人解剖学者. ⇀W. *glands*.

Was·ser·mann (vahs′ĕr-mahn), August P. von. ドイツ人細菌学者，1866—1925. ⇀W. *antibody*, *reaction*, *test*; provocative W. *test*.

Was·ser·mann-fast (vahs′ĕr-mahn-fast). ヴァッセルマン(ワッセルマン)〔反応〕固定性（Wassermann 反応がいかなる治療にもかかわらず常に陽性である症例を述べるのに用いる語）.

wast·ing (wāst′ing). ***1*** 〚n.〛 るいそう. = emaciation. ***2*** 〚adj.〛 るいそうの（るいそうを特徴とする疾患を示す）.

salt w. 塩分消耗（体には明らかに保持する必要があるのに，大量の塩分を腎臓より不適当に排出すること）.

wa·ter (wah′tĕr) [A.S. *waeter*]. 水，常水（①H_2O. 透明な

無味無臭の液体．0°C(32°F)で固化し，100°C(212°F)で沸騰する．すべての動植物組織中に存在し，他のどの液体よりも多くの物質を溶解する．→volume．②尿の婉曲語句．③(特に指示のないかぎり)揮発性油，または他の芳香性あるいは揮発性物質の透明な飽和水溶液である薬局方製剤．蒸留または溶解(かくはんとその後の沪過)操作を含む過程によって調製される．＝aromatic w.)．

w. of adhesion 付着水（固形表面と接触する場合，分子引力によって保持されているが，それらの組成の重要な部分は形成していない水）．

alkaline w. アルカリ水（大量のカルシウム，リチウム，カリウム，またはナトリウムの重炭酸塩を含む水）．

aromatic w. 芳香水剤．＝water (3).

baryta w. バリタ水，バリット水（水酸化バリウムの飽和水溶液．アルカリ性試薬として用いる）．

bitter w. 硫苦水（Epsom 塩を含有する天然鉱泉水）．

bound w. 結合水（コロイドや他の物質に保持されていて単純沪過で除去できない水）．

bromine w. 臭素水（治療量のマグネシウム，カリウム，またはナトリウムの臭化物を含有する水）．

calcic w. 石灰水（溶液中に著量のカルシウム塩を含有する水）．

carbonated w., carbonic w. 炭酸水（相当量の炭酸を溶解している水溶液）．

carbon dioxide-free w. 無炭酸水（５分以上活発に沸騰させた精製水）．

chalybeate w. 炭酸鉄泉（大量の鉄塩を含む水）．

chlorine w. 塩素水（種々の量のナトリウム，カリウム，カルシウム，およびマグネシウムの塩化物を含む水）．

w. of combustion 燃焼水．＝w. of metabolism.

w. of constitution 組成水（その分子の成分としてではなく，組成の必要部分として１つの構造単位で保持されている水．→w. of crystallization）．

w. of crystallization 結晶水（ある種の塩と結合し，結晶形におけるそれらの塩の配列に必要な組成水．例えば $CuSO_4 \cdot 5H_2O$）．

deionized w. 脱イオン水（イオン交換カラムを通して精製された水）．

distilled w. 蒸留水．

earthy w. 地水（大量の鉱物，主として硫酸塩を溶液中に含む水）．

free w. 遊離水（限外沪過によって除去でき，物質を溶解することのできる生体内の水）．

gentian aniline w. ゲンチアナアニリン水（飽和アニリン水を含んだゲンチアナバイオレット．単純ゲンチアナバイオレットよりも有効な染料）．

hard w. 硬水（脂肪酸と不溶塩を形成する Mg^{2+}，Ca^{2+} などのイオンを含み，普通の石けんがその中で泡立たない水）．

heavy w. 重水；D_2O（水素原子が重水素(^2H)である水で，常水とは性状が著しく異なる．存在量が増加すると代謝活性の減少をきたす．中性子を吸収することができるため，原子炉の減速剤として用いられる）．＝deuterium oxide．

indifferent w. 通常水（塩物質を少量しか含まない鉱泉水）．

w. for injection 注射用蒸留水（非経口用製剤を調製するために蒸留によって精製した水）．

intracellular w. ＝intracellular *fluid*.

lime w. 石灰水，水酸化カルシウム溶液（水酸化カルシウム３ｇを冷精製水１Ｌ中でかくはんすることにより調製した飽和溶液．溶解していない水酸化カルシウムを沈殿させ，かくはんせずに溶液を分配する．石灰水はローション剤の一般的な成分であり，獣医学においては内用剤として広く使用されている）．

lung w. 肺内水分量（ある時点で肺に含まれる水分量．正常肺組織では約 80 %が水からなる．肺内水分量，あるいは血管外肺水分量が増加した状態を肺水腫 pulmonary *edema* という）．

w. of metabolism 代謝水（食物の水素の酸化によって生体内に形成される水．脂肪の代謝の場合，最大量(脂肪 100 g について約 117 g の水)が生成される）．＝w. of combustion．

mineral w.〔鉱〕泉水（治療効果をもたらすある種の塩を大量に含有する水）．

potable w. 飲用水（汚染がなく，鉱泉水とみなされるほどには塩分を含まない，飲料に適した水）．

purified w. 純水（蒸留または脱イオン化によって得られる水）．

saline w. 塩性水（大量の中性塩(例えば，塩化物，臭化物，ヨウ化物，硫酸塩)を含む水）．

Selters w., Seltzer w.［Nieder *Selters*，プロシアの鉱泉］．セルツァ〔水〕（ナトリウム，カルシウム，およびマグネシウムの炭酸塩，およびナトリウムの塩化物を含む鉱泉水）．

soft w. 軟水（脂肪酸と不溶塩を形成する Mg^{2+}，Ca^{2+} などのイオンを含まないので，普通の石けんがその中で容易に泡立つ水）．

sulfate w. 硫酸塩水（溶液中に多量のカルシウム，マグネシウム，またはナトリウムの硫酸塩を含有する水）．

sulfur w. 硫黄水（硫化水素または金属硫化物を含む水）．

total body w.（**TBW**）循環血液量（細胞内外の血液量の総計．体重の約 60%）．

transcellular w. 細胞透過水，細胞間水（細胞外液のうち髄液，消化液，上皮分泌物，眼房水，胸水，汗，関節液などに含まれる部分．体重の約 1.5%）．

water brash (wah'tĕr brash)．水様塊（胃食道逆流による唾液あるいは胃液の逆流．食道の酸性化により口腔，咽頭分泌が刺激される）．

wa·ter·fall (wah'tĕr-fawl)．滝〔現象〕（血管を虚脱しようとする側圧が，静脈圧をはるかに超える血管床における血液の状態．血流は静脈圧に関係なく，動脈圧が側圧を超える場合にのみ流れる．ちょうどダムにたまっている水の高さを動脈圧に，水門の高さを側圧に，ダムの下で外へ流れていく水の高さを静脈圧にたとえると，水の流れがせきまたはダムの水門から滝のように流れていくのに似ているために，このようにいう）．＝sluice．

Wa·ter·house (wah'tĕr-hows), Rupert．英国人医師，1873—1958．→W.-Friderichsen *syndrome*.

Wa·ters (wah'tĕrs), Charles Alexander．米国人放射線科医，1885—1961．→W. view *radiograph*.

Wa·ters (wah'tĕrs), Edward G．20世紀の米国人産婦人科医．→W. *operation*.

wa·ters (wah'tĕrs)．羊水（amnionic *fluid* の口語）．

false w. 偽羊水（胎胞の外にたまった液で，分娩前または分娩初期にこれが漏れると破水と混同される）．

wa·ter·shed (wah'tĕr-shed)．分水界（①血管床の最も末梢にある辺縁の血流域．②背臥位において，腰椎の隆起部と骨盤の辺縁からなる腹腔内の傾斜した部位．腹腔内の滲出液がこの傾斜に沿って流れて貯留する）．

Wa·ter·ston (wah'tĕr-stŏn), David J．20世紀の英国人胸部・小児外科医．W. *operation*, *shunt*.

Wat·son (waht'son), Cecil J．米国人医師，1901—1983．→W. Schwartz *test*.

Wat·son (waht'son), James Dewey．20世紀の米国人遺伝学者・ノーベル賞受賞者．→W.-Crick *helix*.

watt（**W**）(waht)［James *Watt*．スコットランド人技術者，1736—1819］．ワット（電力の国際単位系(SI)の組立単位．記号 W．電流が１アンペアで電圧が１ボルトのときに得られるパワー．１ワットは１ジュール(10^7 エルグ)毎秒，または１ボルトアンペアに等しい）．

wave (wāv)［A.S. *wafian*, to fluctuate］．***1*** 波動（固体，液体を問わず，弾性体中の粒子の運動．それによって上昇と下降，または粗と密の交互の進行が生じる）．***2*** 波（指で感じとるか，または脈波図で示される脈の増加）．***3*** 波（時間とともに繰り返し変化するエネルギー準位における変化の完全な周期．心電図と脳波では波は本質的に電圧時間図である．→rhythm）．

A w. A波（①網膜電位図での初めの陰性波．視細胞の活動を反映するものとされている．②心臓の心房内から記録された心電図にみられる心房の動揺．③心房収縮による心房と静脈波のなかの最初の陽性偏位成分）．

acid w. 酸性波．＝acid *tide*.

alkaline w. アルカリ性波．＝alkaline *tide*.

alpha w. アルファ(α)波．＝alpha *rhythm*.

arterial w. 動脈波（頸静脈波にみられる，頸動脈の拍動の伝達波）．

W

B w. B波（網膜電位図での初めの陽性波．網膜内顆粒層で発生すると思われる）．

beta w. ベータ(β)波．＝beta *rhythm.*

brain w. 脳波（electroencephalogram の口語）．

C w. C波（①網膜電位図での単相性の陽性波で，網膜色素上皮由来．②閉じた房室弁(僧帽弁あるいは三尖弁)が急速に圧勾配をつくる結果，心房内に変移するときにつくる心室等容性収縮期の静脈と動脈の脈波）．

cannon w. 大砲波（心室性期外収縮や完全房室ブロックのように，心室収縮が三尖弁を閉鎖した後に起こる右心房収縮によりみられる強い頸動脈A波）．

D w. D波（網膜電位図での陽性または陰性の波で，光刺激がなくなったこと(off 応答)で起こる）．

delta w. デルタ(δ)波（Wolff-Parkinson-White 症候群における心房心室間のバイパスによる QRS 波形の早期開始部）．

dicrotic w. 重拍〔脈〕波（重拍脈の軌跡における2番目の上昇）．＝recoil w.

electrocardiographic w. 心電図波（心筋の一部の電気的活動を示す心電図特有の形や大きさの振れ）．

epsilon w. イプシロン波（不整脈源性右室異形成症に認められる遅延した右室の活動が V_1 誘導に遅いR波として記録される）．

excitation w. 興奮波（収縮準備中の筋線維に沿って伝播する電気的状態の変化していく波）．

F w.'s F波（心電図のII，III および aVF 誘導で認められる心房粗動の波）．

f w., ff w.'s ff波（心房細動）．＝fibrillary w.'s; fibrillatory w.'s; flutter-fibrillation w.'s.

fibrillary w.'s 心房細動波．＝f w.

fibrillatory w.'s 細動波．＝f w.

flat top w.'s 扁平頂上波（扁平頂上を示唆する型を有する脳波の活動．これらの波は側頭葉放電にみられることが多い）．

fluid w. 液体波（腹腔内の遊離液体を示す徴候．腹部の片側を打診すると反対側で波動の伝達が感じられる）．

flutter-fibrillation w.'s ＝f w.

Jewett w.'s (jew′ĕt). ジューエト(ジュウェット)波（聴性脳幹反応の波．I 波— VII 波とよばれる7つの陽性波として描出される）．

microelectric w.'s 微小電波．＝microwaves.

mucosal w. 粘膜波動（発声時の声帯粘膜の動きのこと）．

overflow w. 過剰波（棘波頂から最初の上行脚隆起までの心脈波曲線上の下行波）．

P w. P波（心電図の第一棘波群．洞と心房調律間の脱分極を示す．電気軸や波型が逆行性か異所性の場合は P′ とよぶ）．

percussion w. 衝撃波（動脈波の波形上の主な陽性波）．

postextrasystolic T w. 期外収縮後T波（期外収縮直後の拍動の修飾されたT波）．

pulse w. 脈波（左心室の各収縮とともに起こる動脈の進行性膨張）．

Q w. Q波（QRS群の陰性(下行性)の初期動揺）．

R w. R波（心電図の QRS群の第1陽性(上行性)動揺．同 QRS群内でこれに続く上行性動揺は R′，R″ などとよぶ）．

random w.'s 不規則波（発作的および不同期的に発生する脳波）．

recoil w. ＝dicrotic w.

retrograde P w. 逆行〔性〕P波（心房の脱分極を表す心電図内のP波型．刺激は房節接合部または下部心房から上方に広がる）．

S w. S波（R波後の QRS群の陰性(下行性)動揺．同 QRS群内のこれに引き続く下行性動揺は S′，S″ などとよぶ）．

sonic w.'s 音波（超音波と区別される可聴音波）．

supersonic w.'s 超音波（人が聞き取ることができるレベルより高い振動数をもつ音波）．

T w. T波（心電図の QRS群後の動揺．心室再分極を表す）．

theta w. シータ(θ)波．＝theta *rhythm.*

tidal w. 潮浪波（動脈波上の下行脚の衝撃波と重複波間の波）．

Traube-Hering w.'s (trow′bē her′ing). トラウベ–ヘーリング波．＝Traube-Hering *curves.*

U w. U波（心電図のT波後の陽性波．逆転したT波に続いて陰性を示す）．

ultrasonic w.'s 超音波（30,000 Hz 以上の振動数をもつ音がつくるエネルギーの周期的配置）．

V w. V波（心房またはそれに流入する静脈の記録にみられる大きな圧の波．正常では静脈還流のために生じるが，記録を行っている心房の先の心室から房室弁を通って血液が逆流する場合には，非常に大きくなる．この逆流による波は受動的な(充満)圧であり，真のV波ではない）．

x w. X波(X谷)（心室の駆出が左右の心房床を心尖部に向かって移動させるときの動脈あるいは静脈の陰性脈波）．

y w. Y波(Y谷)（房室弁開放直後の心室の急速充満を反映する動脈あるいは静脈の陰性脈波）．

wave·form (wāv′fōrm). 波形（例えば動脈圧や，偏移波形のような圧や音の波形またはオシロスコープ上での音やペースメーカでみられる波形）．

pressure w. 圧波形（心周期に関連した血管内または心腔内圧のグラフ表示で，オシロスコープのモニター画面またはそのハードコピーとして呈示される）．

wave·length (*Λ*) (wāv′length). 波長（波(正弦曲線状)上の一点から同じ相の点までの距離，例えば，頂上から頂上または谷から谷）．

wave·num·ber (*σ*) (wāv′nŭm-bĕr). 波数（1 cm 当たりの波数(cm^{-1})．波長を表す際の大きな扱いにくい数値を簡略化するために用いる．→wave *number*）．

wave·shape (wāv′shāp). 波形．＝wave *form.*

wax (waks) [A.S. *weax*]. ろう(蝋)（①室温で柔軟性をもち，ハチが巣をつくるために分泌する物質．＝beeswax; cera. ②動物，植物，鉱物由来の密ろうに似た物理的性状を有する物質(例えば，室温で固形の油類，脂質，または脂肪)．③1価アルコールまたは2価アルコール(脂肪族または環式の)を有する，室温で固形の，高分子量脂肪酸のエステル．しばしば遊離脂肪酸が混入している）．

animal w. 動物ろう（密ろう，鯨ろう，および動物界から得られるろう）．

baseplate w. ベースプレートろう（歯科において，咬合床をつくるのに用いる硬いピンクのろう）．

bleached w. ＝white w.

bone w. 骨ろう（骨の露出部分を塞栓して出血を止めるために用いる，防腐薬，油，およびろうの混合物）．＝Horsley bone w.

boxing w. ボクシングろう（印象の型取りに用いるろう．→boxing）．

Brazil w. ブラジルろう．＝carnauba w.

carnauba w. カルナウバろう（ブラジルロウシュロ *Copernica cerifera* から得るろう．製剤において，徐放性製剤中の成分あるいは錠剤の表面をおおうのに用いる．木材や金属用ろうとして用いる）．＝Brazil w.; palm w.

casting w. 鋳造ろう（歯科においてあらゆる種類の型や他の多くの目的で広く用いる比較的軟らかい固形ワックス．ほとんどの基材はパラフィンであるが，種々の用途に合わせ，ゴムダンマル脂，カルナウバろう，その他の成分を添加して用いる．通常，ワックスパターン(ろう型)は石膏系埋没材に埋没された後，気化するまで加熱され，埋没材の中で金属に置き替えられる）．＝inlay w.

Chinese w. 虫白ろう，支那ろう，イボタろう（①植物ろう(蜜ろうに類似の植物性ろう)．②カイガラムシ *Coccus ceriferus* または *C. pela* が分泌し，セイヨウトネリコの一種の植物の小枝に沈着するろう．中国では医薬品に，またろうそくの製造にも用いる）．

ear w. 耳垢．＝cerumen.

earth w. 地ろう．＝ceresin.

emulsifying w. 乳化ろう（セトステアリルアルコール，ラウリル硫酸ナトリウム，および水の混合物からなる．水溶性軟膏基剤）．

grave w. 屍ろう．＝adipocere.

Horsley bone w. (hōrs′lē). ホースリー骨ろう．＝bone w.

inlay w. インレーろう．＝casting w.

Japan w. 和ろう，日本ろう（*Rhus succedanea* と *Toxicodendron verniciferum* から得る植物ろう）．

mineral w. 地ろう（①＝paraffin w. ②＝ceresin. ③ろう

と同じ物理的性質をもつ無機物質).

montan w. [L. *montanus*, of a mountain < *mons*, mountain]. モンタンろう (リグナイトから抽出された鉱ろう).

palm w. シュロろう. = carnauba w.

paraffin w. パラフィンろう (石油から得られるろう). = mineral w. (1).

vegetable w. 植物ろう (シュロろう, またはヤマモモのような植物から得られるろう).

white w. 白ろう (薄く巻いて光と空気にさらして漂白するか, または化学酸化薬で漂白した黄色ろう. 黄ろうと同じ軟膏, ろう膏, 硬膏, 坐剤に調剤して使用する). = bleached w.; white beeswax.

wool w. = *adeps* lanae.

yellow w. 黄ろう (ミツバチ *Apis mellifera* の蜂巣から調製した黄色がかった固形のもろい物質. 主成分はミリシン(パルミチン酸ミリシル). 他はセロチン酸(セリン), メリス酸, ヘプタコサン, ヘントリアコンタン. 軟膏, ろう膏, 石膏, 坐薬の調製に用いる).

wax·ing, wax·ing-up (wak′sing). ろう引き, ワックスアップ, 歯肉形成 (ろう型の形成. 一般に, 歯冠修復において, 金属で鋳造する前にろうで歯冠の形態をつくること. また, 試適用義歯の外面をろうで仕上げること).

Wb ウェーバーの記号.

WBC white blood *cell* の略.

WC ward clerk(病棟事務員, 病棟クラーク)の略.

WD well-developed(発育良好)の略.

WDLL well-differentiated lymphocytic *lymphoma* の略.

weak·ness (wēk′nes). 弱さ, 脱力, 衰弱, 虚弱 (①力や能力のないこと. ②正常に活動できないこと).

directional w. 方向性の減弱 (右または左の眼振の減少で, 両耳の冷温水を用いたカロリーテストの反応から計算される).

wean (wēn) [A.S. *wenian*]. 離乳させる.

wean·ing (wēn′ing). ***1*** 離乳 (乳児において, 母乳や人工乳から他の食物での栄養に移行し, 与え始めること). ***2*** 離脱 (患者を生命維持装置あるいは他の治療状態への依存状態から徐々に切り離していくこと). ***3*** 離脱 (有害な, もしくは別の不適切な物質や活動への身体的なまたは心理的な依存状態の段階的な中止). ***4*** 獣医学領域では, 母親から産まれた子を引き離すことをさし, 飼育場所の完全な分離は養育補助を断ち切ることとなり, 母親から引き離された動物では哺乳びんに入れた乳が栄養源となる. この過程の前に creep feed (子だけがはいることができるようにした囲いで餌を食べさせること)を行う.

wean·ling (wēn′ling). 離乳仔畜 (母親または他の供給源からの乳以外の食物に慣れた若い動物. 多くの動物ではもはや母親の庇護や保育に依存しない).

wear (wār). 摩耗 (摩擦によって起こる消耗と劣化).

occlusal w. 咬耗 (対合する咬合単位または咬合面の物質の摩耗による消失. →abrasion (3)).

wea·ver's bot·tom (wē′vĕrz bot′ŏm). 織工の殿部. = ischial *bursitis*.

web (web) [A.S.]. みずかき, 網, 膜 (空間を橋渡しする組織あるいは膜. →tela).

esophageal w. 食道ウェッブ (食道の粘膜, ときに粘膜下組織にできる横走するひだで, 先天性のことも後天性のこともある. しばしばえん下障害を起こす. 食道の下1/2にみられることが多い).

w. of fingers/toes 指のみずかき (指の間にみられる皮膚のひだまたはその痕跡). = interdigital folds; plica interdigitalis.

laryngeal w. 喉頭横隔膜症 (声帯の腹側から背側にかけて, 可変性の結合織におおわれた粘膜を認める先天奇形で, 新生児期の嗄声と気道閉塞の原因となる).

terminal w. 線維網構造, 末端網 (円柱上皮細胞の先端近くにみられるアクチンフィラメントの網工で接着帯に付着している).

web·bing (web′ing). みずかき形成 (隣接構造が正常ではみられないほど幅広い組織の帯状物によって結合される先天的な状態).

We·ber (vā′bĕr), Ernst Heinrich. ドイツ人生理・解剖学者, 1795—1878. → W. *glands, law, paradox, test*; Fechner-W. *law*; W.-Fechner *law*.

Web·er (web′ĕr), Frederick Parkes. イングランド人医師, 1863—1962. → W.-Christian *disease*; W.-Cockayne *syndrome*; Rendu-Osler-W. *syndrome*; Sturge-Kalischer-W. *syndrome*; Sturge-W. *disease, syndrome*; Klippel-Trenaunay-W. *syndrome*; Parkes W. *syndrome*.

Web·er (web′ĕr), Hermann. イングランド人医師, 1823—1918. → W. *sign, syndrome*.

We·ber (vā′bĕr), Moritz Ignaz. ドイツ人解剖学者, 1795—1875. → W. *organ*.

We·ber (we′bĕr), Rainer. 20 世紀の米国人病理学者. → W. *stain*.

We·ber (web′ĕr), Wilhelm E. ドイツ人物理学者, 1804—1891. → W. *point, triangle*.

web·er (Wb) (web′ĕr) [Wilhelm E. Weber. 1804—1891]. ウェーバー (磁束の国際単位系(SI). ボルト・秒(V·s)に相当する).

WEBINO wall-eyed bilateral internuclear *ophthalmoplegia* の頭字語.

Web·ster (web′stĕr), John. イングランド人化学者, 1878—1927. → W. *test*.

Web·ster (web′stĕr), John C. 米国人婦人科医, 1863—1950.

Wech·sler (weks′lĕr), David. 米国人心理学者, 1896—1981. → W. intelligence *scales*; W.-Bellevue *scale*.

wed·del·lite (wed′del-īte) [*Weddell* Sea < James Weddell (英国人海洋探検家(1787—1834)) + -ite]. ウェデライト (シュウ酸カルシウム二水和塩. 腎結石中にみられる. *cf.* whewellite).

We·den·sky (Vve·den·skii) (vĕ-densk′yē), Nikolai I. ロシア人神経科医, 1852—1922. → W. *effect, facilitation, inhibition*.

wedge (wej) [A.S. *weeg*]. 楔, ウェッジ (鋭形な三角形プリズムの形を有する固体).

dental w. 歯科用楔, 歯科用ウェッジ (歯を離開するために用いる両側の傾斜面. 一度得た離開を維持し, マトリックスを適所に保つもの).

WEE western equine *encephalomyelitis* の略.

Weeks (wēks), John E. 米国人眼科医, 1853—1949. → W. *bacillus*; Koch-W. *bacillus*.

Week·sel·la (wēk-sel′a). ウェクセラ属 (非酸化性, 好気性のグラム陽性杆菌の一属).

w. zoohelcum イヌやネコによる咬傷や引っ掻き傷によって感染を引き起こす菌種.

We·ge·ner (vĕg′ĕ-nĕr), Friedrich. ドイツ人病理学者, 1907—1990. → W. *granulomatosis*.

Weg·ner (veg′ner), Friedrich R.G. ドイツ人病理学者, 1843—1917. → W. *disease, line*.

Wei·bel (vī′bel), Ewald R. 20世紀のスイス人医師. → W.-Palade *bodies*.

Weich·sel·baum (vī-sel′bowm), Anton. オーストリア人病理学者, 1845—1920. → W. *coccus*.

Wei·del (vī′del), Hugo. オーストリア人化学者, 1849—1899. → W. *reaction*.

Wei·gert (vī′gert), Carl. ドイツ人病理学者, 1845—1904. → W. *law*, iodine *solution*. stain の項を参照.

weight (wāt) [A.S. *gewiht*]. ***1*** 重量, 重さ (科学的な使用法では, 国際的に9.80665m/sec² と定められている重力加速度と物質量との積). ***2*** 体重 (一般的な語法では, 校正された標準質量との比較によって空気中で測定した見かけの体重. 空気による浮力は無視される). ***3*** おもり (物体の重さを測るために規準として用いられる, 通常は金属製の質量が既知の物体). ***4*** 重み (統計において, 他の観測値と対照して, 特定の観測値に対して特別な重みを割りあてる手順, またはこのような手順を実施したときに用いられる数値変数).

apothecaries' w.'s 薬用式重量 (小麦1粒の重量に基づく, 重量体系. 何世紀もの間, 薬や貴金属の重量測定に用いられてきた(Troy measure). 長期間使用されてきた薬物の中には, 今でもしばしばグレーンで示されるものもある(アスピリン5グレーン, コデイン1/2グレーン, ニトログリセリン1/100グレーンなど). この重量体系は, 大部分メートル法(グラムに基づく)に取って代わられた. 1グレーンは64.8ミリグラムに等しい. 1スクルプルは20グレーン, 1ドラ

W

ムは60グレーン，1薬用オンスは8ドラム(480グレーン)，1薬用ポンドは12オンス(5,760グレーン)に相当する．apothecaryは今日のpharmacist(薬剤師)やdruggist(薬種商)の前身)．

atomic w. (**at. wt., AW**) 原子量（原子種の1モル(6.02 $\times 10^{23}$ 原子)のグラム質量．炭素12(^{12}C)の原子量を12.000とし，これと相対的に定められる化学元素の原子の質量．これは比率であって，無次元である(ただし，実際の質量はダルトンで表されることがあり，数値的には原子量に等しい)．大部分の元素は異なった質量の数種の同位体を含み，必ずしも元素の個々の原子の質量ではない．例えば，塩素の原子量は35.4527であるが，これはこの元素が ^{35}Cl と ^{37}Cl からなり，平均35.4527の原子量を与えるためである．→molecular w.)．

birth w. 生下〔時〕体重，出生時体重（ヒトでは，生後60分間に計測された乳児の最初の体重．正規体重児は2,500 g以上の児である．2,500 g未満は低出生時体重である．1,500 g未満は極低出生時体重，1,000 g未満は超低出生時体重である)．

combining w. 化合量．＝gram *equivalent.*

dry w. 乾燥重量（水分を除去した後の物質の重量(例えば100°C以上に加熱した後の重量))．

equivalent w. 等量．＝gram *equivalent.*

gram-atomic w. グラム原子量（グラムで表された原子量．*cf.* mole)．

gram-molecular w. グラム分子量（グラムで表された分子量．*cf.* mole)．

ideal body w. (**IBW**) 理想体重（性別，年齢，体格，筋肉量などを考慮して主に身長から計算された最も健康的と考えられる体重)．

molecular w. (**mol. wt., MW**) 分子量（分子を構成する全原子の原子量の和．標準とする原子として現在では ^{12}C の質量(12.000とする)が用いられ，^{12}C に対して相対的に決定される．相対分子量(M_r)はダルトンに関係した量であり，無単位である．→atomic w.)．＝molecular mass; molecular weight ratio; relative molecular mass.

weight·less·ness (wāt′les-nĕs). 無重量感（真空状態での自由落下の際に体験するような無重力状態での精神生理学的影響(例えば，静止軌道上の宇宙飛行士)．一時的無重量感は，重力による引力と遠心力が互いに相殺し，逆放物線を描いて運動する大気圏内飛行での急降下の間に達成できる)．

Weil (vīl), Adolf. ドイツ人医師，1848—1916. ⇀W. *disease.*

Weil (vīl), Edmund. オーストリア人医師，1880—1922. ⇀W.-Felix *reaction, test.*

Weil (vīl), Ludwig A. ドイツ人歯科医，1849—1895. ⇀W. basal *layer*, basal *zone.*

Weill (vīl), Georges J. フランス人眼科医，1866—1952. ⇀W.-Marchesani *syndrome.*

Weill (vīl), Jean A. 20世紀のフランス人医師. ⇀Leri-W. *disease, syndrome.*

Wein·berg (vīn′bĕrg), Michel. フランス人病理学者，1868—1940. ⇀W. *reaction.*

Wein·berg (vīn′bĕrg), Wilhelm. ドイツ人医師，1862—1937. ⇀Hardy-W. *equilibrium, law.*

Weir Mitch·ell (wēr mich′el), Silas. 米国人神経科医・詩人・小説家，1829—1914. ⇀Mitchell *treatment*; Gerhardt-Mitchell *disease*; W. M. *treatment.*

Weis·bach (vīs′bahk), Albin. ハプスブルク帝国の人類学者，1837—1914. ⇀W. *angle.*

Weis·mann (vīs′man), August Friedrich Leopold. ドイツ人生物学者，1834—1914. ⇀weismannism.

weis·mann·ism (vīs′man-izm). ヴァイスマン(ワイスマン)説（獲得形質の非遺伝説)．

Weiss (wīs), Nathan. ハプスブルク帝国の医師，1851—1883. ⇀W. *sign.*

Weiss (wīs), Soma. 米国人医師，1898—1942. ⇀Charcot-W.-Baker *syndrome*; Mallory-W. *lesion, syndrome, tear.*

Weit·brecht (vīt′brĕkt), Josias. St. Petersburgに在住したドイツ系ロシア人解剖学者，1702—1747. ⇀W. *cartilage, cord, fibers, foramen, ligament*; *apparatus* ligamentosus weitbrechti.

We·lan·der (vel′ăn-dĕr), Lisa. スウェーデン人神経科医，1909—2001. ⇀Kugelberg-W. *disease*; Wohlfart-Kugelberg-W. *disease.*

Welch (welch), William H. 米国人病理学者，1850—1934. ⇀W. *bacillus.*

Wel·cker (vel′ker), Hermann. ドイツ人人類・解剖学者，1822—1898. ⇀W. *angle.*

---

well·ness (wel′nĕs). ウエルネス，健全（健康は単に病気がないということでなく，その人の肉体的および精神的な能力を最大限発揮することという考え方に基づく生命および個人的な衛生に関する哲学．それは積極的態度，フィットネス訓練，低脂肪高繊維食，および非健康的生活習慣(喫煙，薬物，およびアルコールの乱用，過食)の排除によって達成される)．

ウエルネスプログラムは，事業主，健康保険プログラム，および社会サービス機関より広く提供されている．正式のプログラムには，一般的には予防法(例えば，高齢者における肺炎球菌性肺炎やインフルエンザのワクチンなど)および一般病(例えば，高血圧，糖尿病，乳癌，大腸癌など)のサベイランスが入れられている．このようなプログラムはすでに保健的態度や行動を志す人には魅力的であるが，その有用性やその費用の正当性を支持する臨床的証拠はほとんどない．

Wells (welz), G.C. 20世紀の英国人皮膚科医. ⇀W. *syndrome.*

Wells (welz), Michael Vernon. 20世紀のイングランド人医師. ⇀Muckle-W. *syndrome.*

welt (welt) [O.E. *waelt*]. みみずばれ，呇痕．＝wheal.

wen (wen) [A.S.]. 皮脂嚢胞（pilar *cyst* の古語)．

Wen·cke·bach (ven-kĕ-bak′), Karel F. オランダ人内科医，1864—1940. ⇀W. *block, period, phenomenon.*

Wen·zel (ventz′el), Joseph. ドイツ人解剖・生理学者，1768—1808. ⇀W. *ventricle.*

Wep·fer (vĕp′fĕr), Johann J. 1620—1695. ⇀W. *glands.*

Werd·nig (verd′nig), Guido. ハプスブルク帝国の神経科医，1862—1919. ⇀W.-Hoffmann *disease*, muscular *atrophy.*

Werl·hof, Paul G. ドイツ人医師，1699—1767. ⇀W. *disease.*

Wer·mer (wĕrm′ĕr), Paul L. 米国人内科医，1898—1975. ⇀W. *syndrome.*

Wer·ne·kinck (**Wer·ne·king**) (vĕrn′ĕ-kink), Friedrich C.G. ドイツ人解剖学者・医師，1798—1835. ⇀W. *commissure, decussation.*

Wer·ner (vĕr′nĕr), F.F. 20世紀初頭のドイツ人化学者. ⇀W. *test.*

Wer·ner (vĕr′nĕr), Otto. 20世紀初頭のドイツ人医師. ⇀W. *syndrome.*

Wer·nic·ke (ver′ni-kĕ), Karl. ドイツ人神経科医，1848—1905. ⇀W. *aphasia, area, center, disease, encephalopathy, field, radiation, reaction, region, sign, syndrome, zone*; W.-Korsakoff *encephalopathy, syndrome.*

Wert·heim (ver′tīm), Ernst. オーストリア人婦人科医，1864—1920. ⇀W. *operation.*

Wer·ther (ver′tĕr), J. 20世紀のドイツ人医師. ⇀W. *disease.*

West (west), Charles. イングランド人医師，1816—1898. ⇀W. *syndrome.*

West (west), John B. 20世紀のオーストラリア系米国人肺生理学者.

West·berg (vest′berg), Friedrich. 19世紀のドイツ人医師. ⇀W. *space.*

Wes·ter·gren (wes′tĕr-gren), Alf. スウェーデン人医師，1891—1968. ⇀W. *method.*

West·phal (vest′fahl), Karl F.O. ドイツ人神経科医，1833—1890. ⇀W. pupillary *reflex*; W.-Piltz *phenomenon*; Edinger-W. *nucleus.*

Wet·zel (wet′zel), Norman C. 20世紀の米国人小児科医. ⇀W. *grid.*

Wev·er (wēv′ĕr), Ernest Glen. 米国人心理学者，1902—1991. ⇀W.-Bray *phenomenon.*

Wey·ers (vī′ĕrz), Helmut. 20世紀のドイツ人小児科医. ⇀W.-Thier *syndrome.*

WF Working Formulation for Clinical Usageの略．リンパ腫を

類別する旧分類法．現在では，REAL 分類，さらに最近は WHO 分類による悪性リンパ腫分類が使用される．→lymphoma.

Whar·ton (wŏr′tŏn), Thomas. イングランド人解剖学者・医師，1614—1673. ⇀W. *duct, jelly.*

wheal (wēl) [A.S. *hwēle*]. 膨疹，じんま疹（限局性，一過性の皮膚の浮腫による丘疹や不規則な局面で，じんま疹様病変として生じ，軽度発赤を伴い，しばしば大きさと形を変えて周囲に拡大する．通常，激しいそう痒を伴う．皮内注射や試験，あるいはアレルゲンとなる物質に暴露されることにより，過敏性のある人に起こる．疱疹状皮膚炎にもみられる（Darier 徴候））．＝hives (2); welt.

Wheat·stone (wēt′stōn), Charles. イングランド人物理学者，1802—1875. ⇀W. *bridge.*

wheel (wēl). 軸の周りを回転するようにつくられた円形のフレームまたは円板.

Burlew w. (bŭr′lū). バールーホイール（歯科において，研磨に用いるナイフエッジのラバーホイール）．＝Burlew *disc.*

Wheel·er (wēl′ĕr), Henry Lord. 米国人化学者，1867—1914. ⇀W.-Johnson *test.*

Wheel·er (wēl′ĕr), John M. 米国人眼科医，1879—1938. ⇀W. *method.*

wheeze (wēz) [A.S. *hwēsan*]. ***1***〚v.〛ゼイゼイ（ハアハア）と息をする（苦しげに騒々しく呼吸する）．***2***〚n.〛ぜん鳴（息を吐く際に咽頭，声門，または狭窄気管気管支を通る空気によってつくられるゼイゼイハアハアという音（笛声，呻軋音など））．

asthmatoid w. ぜん息様ぜん鳴（気管あるいは気管支内に異物のある患者の開けた口の前部で呼気時に聞かれるあえぐようなまたは音楽的な音）．

whe·wel·lite (wē′wel-īt) [William *Whewell*（英国人哲学者（1794—1866））＋-ite]. ワーウェライト（シュウ酸カルシウム一水和塩．腎結石中にみられる．*cf.* weddellite）．

whey (wā) [A.S. *hwaeg*]. 乳清，乳漿（カゼイン分離後に残る乳汁の水状部）．＝serum lactis.

alum w. ミョウバン乳漿（微粉ミョウバンを用いて凝乳してつくる乳漿）．

whip·lash (wip′lash). むち打ち（⇀whiplash *injury*）．

Whip·ple (wip′ĕl), Allen O. 米国人外科医，1881—1963. ⇀W. *operation.*

Whip·ple (wip′ĕl), George H. 米国人病理学者・ノーベル賞受賞者，1878—1976. ⇀W. *disease.*

whip·worm (wip′wŏrm). 鞭虫（⇀*Trichuris trichiura*）．

whis·ky, whis·key (wis′kē) [Gael, *usquebaugh*, water of life]. ウイスキー（全部または部分的に麦芽化した穀粒の発酵麦芽汁の蒸留によって得られるアルコール飲料．15.56°C で，エタノールを容量で 47—53％（またはそれ以上）含む．2 年間以上燻蒸した木の容器に保存しなければならない．ウイスキーの製造に用いる穀粒はオオムギ，トウモロコシ，ライムギ，コムギである）．

whis·per (wis′pĕr) [A.S. *hwisprian*]. ささやく（発声せずに声門後方を開大させたまま話す）．

whis·tle (wis′ĕl) [A.S. *hwistle*]. ***1*** 笛音（唇をすぼめ狭く開けた口から空気を無理に送って出す音）．***2*** 笛（笛音を出す器具）．

Galton w. (gahl′tŏn). ガルトン笛（音の振動数を調節するねじ付属器のある，圧縮性球に付けられた円筒状笛．オージオメータ以前に聴覚を試験するのに用いた）．

Whit·a·ker (wit′ă-kĕr), Robert. 20世紀の英国人外科医. ⇀W. *test.*

White (wīt), Paul Dudley. 米国人心臓病専門医，1886—1973. ⇀Lee-W. *method*; Wolff-Parkinson-W. *syndrome.*

white (wīt) [A.S. *hwīt*]. 白，白色（スペクトルを構成する全光線の混合によってもたらされる色．白墨や新雪の色）．＝albicans (1).

w. of eye 白眼（強膜の白くみえる部分）．

White·head (wīt′hed), Walter. イングランド人外科医，1840—1913. ⇀W. *deformity, operation.*

white·head (wīt′hed). ***1*** ＝milium. ***2*** 白色面皰．＝closed *comedo.*

white·pox (wīt′poks). 白痘．＝alastrim.

whites (wīts). 白帯下（leukorrhea（帯下）または blennorrhea（膿漏）の口語）．

whit·ing (wīt′ing). 白亜，チョーク（金属やプラスチック器具を磨くのに用いるチョーク（$CaCO_3$））．

whit·loc·kite (wit′lok-īt) [Herbert P. *Whitlock*. 19世紀の米国人鉱物学者＋-ite]. ＝tribasic *calcium* phosphate.

whit·low (wit′lō) [M.E. *whitflawe*]. 瘭疽（爪郭部より始まる化膿性の炎症で，指の末節の球部に膿瘍を生じる）．＝felon.

herpetic w. 疱疹性瘭疽（無防備な爪床周囲への直接接種による指の有痛性の単純疱疹ウイルス感染症で，しばしばリンパ管炎や所属リンパ節炎を合併し，5—6 週間持続することがある．内科医，歯科医，看護師に多く，患者の口腔内のウイルスにさらされる結果起こる）．

thecal w. 鞘性瘭疽（末節骨の化膿性病変．腱鞘と骨を侵す）．

Whit·man (wit′măn), Royal. 米国人外科医，1857—1946. ⇀W. *frame.*

Whit·more (wit′mōr), Alfred. イングランド人外科医，1876—1946. ⇀W. *disease.*

Whit·nall (wit′nawl), Samuel E. イングランド人解剖学者，1876—1952. ⇀W. *tubercle.*

WHO World Health Organization（世界保健機関）の略および頭字語．

whoop (hūp). フープ（百日咳で喉頭（声門）の攣縮のために生じる咳発作が終わるときの大きな高音の吸気）．

systolic w. 収縮期フープ．＝systolic *honk.*

whorl (wŏrl). ***1*** ラセン（耳の蝸牛管の回転）．***2*** 心渦．＝*vortex* of heart. ***3*** 鼻甲介の彎曲．***4*** 輪生．＝verticil. ***5*** 渦巻き（旋回またはねじれを示しながら放射状に成長する毛の部分．⇀hair w.'s）．＝vortex (2). ***6*** 渦状紋（Galton 指紋分類法に含まれる，特色ある型の 1 つ）．＝digital w.

coccygeal w. 尾骨渦．＝*vortex* coccygeus.

digital w. 渦状紋．＝whorl (6).

hair w.'s [TA]. 毛渦（頭頂などにある毛髪の渦巻き状の配列）．＝vortices pilorum [TA].

whorled (wŏrld). 渦巻きのある，輪生の（→vorticose; turbinate; convoluted; verticillate）．

Wick·ham (wik′am), Louis-Frédéric. フランス人皮膚科医，1860—1913. ⇀W. *striae*（⇌ stria）．

Wi·dal (vē-dahl′), Georges F.I. フランス人医師，1862—1929. ⇀W. *reaction, syndrome*; Gruber-W. *reaction*; Hayem-W. *syndrome.*

wide·band (wīd-band). 広範囲周波数帯（広い周波数帯のこと．⇀white *noise*）．

wid·ow cleans·ing (wid′ō klenz′ing). 未亡人の清め，未亡人浄化（サハラ南方で信じられていることがある儀式で，死亡した男性の妻に対する精神的束縛を，未亡人が男性の親類と性交することにより解消する）．

wid·ow's peak (wid′ōz pēk) [MIM*194000]. 富士額（頭皮前縁正中部におけるV字形の毛髪の成育．通常，こめかみ部の毛髪の後退に由来するか，あるいは頭髪の先天性分布形態として発生する）．

width (width, with). 幅（物体または領域の一方の側から他の側までの距離）．

biologic w. 生物学的幅径（歯槽突起の骨頂上部に存在する結合組織性および上皮性付着を合わせた幅）．

orbital w. 眼窩幅（ダクリオンと眼窩の外前縁上の最も遠い点の間の距離（Broca）．または，後者の前頭涙骨縫合と涙嚢溝後縁の出合う点との間の距離）．

window w. ウインドウ幅（CT 画像をグレースケールでビデオモニターに表示するときの（Hounsfield 単位の）CT 値の幅のこと．機種にもよるが，1 から 2,000 また 3,000 の範囲の値をとる．または，シンチレーションカメラのような画像装置の電子スクリーン部を通過する電磁波エネルギーの帯域．→ window *level*）．

Wie·de·mann (vē′dĕ-mahn), Hans Rudolf. 20世紀のドイツ人小児科医．⇀Beckwith-W. *syndrome.*

Wi·gand (vē′gant), Justus Heinrich. ドイツ人産科婦人科医，1769—1817. ⇀W. *maneuver.*

Wilde (wīld), Sir William R.W. アイルランド人眼科・耳科医，1815—1876. ⇀W. *cords, triangle.*

Wil·der (wīld′ĕr), Helenor C. 米国人眼科医・病理学者，

1895—1998. ⇀W. *stain* for reticulum.

Wil·der (wīld′ĕr), Joseph F. 米国人神経精神科医，1895—1976.

Wil·der (wīld′ĕr), William H. 米国人眼科医，1860—1935. ⇀W. *sign*.

Wil·der·muth (vil′dĕr-mūt), Hermann A. ドイツ人精神科医，1852—1907. ⇀W. *ear*.

Wil·der·vanck (vil′dĕr-fahnk), L.S. 20 世紀のオランダ人遺伝学者. ⇀W. *syndrome*.

wild·fire (wīld′fīr). ＝fogo selvagem.

Wil·hel·my (vil′em-ē), Ludwig F. ドイツ人科学者，1812—1864. ⇀W. *balance*.

Wil·kie (wil′kē), David P.D. スコットランド人外科医，1882—1938. ⇀W. *disease*.

Wil·kin·son (wilk′in-son), Daryl Sheldon. 20 世紀のイングランド人皮膚科医. ⇀Sneddon-W. *disease*.

will (wil) [M.E. ＜ O.E. *willa*]. 意志，遺言（死後の個人財産の処分に関し，作成者の意志を表明する法的文書）.

living w. (liv′ing wil) リビングウィル（終末期に意思能力を失ったり，永続的な昏睡となりつつある場合に，望む・あるいは望まない医療に関して明記する事前の指示のこと. 本人以外にそうした決定をするように指示した文書は，永続的な委任状として知られている. 事前指示はいずれの指示も含められる. ⇀advance *directive*）.

Wil·le·brand (vil′ĕ-brahnt), E.A. von. ⇀von Willebrand.

Wil·lett (wil′et), J. Abernethy. 20世紀のイングランド人産科医. ⇀W. *forceps*.

Wil·li (vil′ĭ), Heinrich. 20 世紀のスイス人小児科医. ⇀Prader-W. *syndrome*.

Wil·liams (wil′yămz), Anna W. 米国人細菌学者，1863—1955. ⇀W. *stain*; Park-W. *fixative*.

Wil·liams, Howard. 20 世紀のオーストラリア人医師. ⇀Williams-Campbell *syndrome*.

Wil·liams (wil′yămz), J.C.P. 20 世紀のニュージーランド人心臓学者. ⇀W. *syndrome*.

Wil·liam·son (wil′yăm-săn), Carl S. 米国人外科医，1896—1952. ⇀Mann-W. *operation, ulcer*.

Wil·lis (wil′ĭs), Thomas. イングランド人医師，1621—1675. ⇀W. *centrum* nervosum, *cords, pancreas, paracusis*; *circle* of W.; *accessorius* willisii; *chordae* willisii(⇀chorda).

Wil·lis·ton (wil′is-tŏn), Samuel Wendell. 米国人古生物学者，1852—1918. ⇀W. *law*.

wil·low (wil′ō) [A.S. *welig*]. ヤナギ（シダレヤナギ属 *Salix* の木. 数種の樹皮，特に *S. fragilis* はサリシン源である）.

Wilms (vilmz), Max. ドイツ人外科医，1867—1918. ⇀W. *tumor*.

Wil·son (wil′sŏn), Clifford. イングランド人医師，1906—1997. ⇀Kimmelstiel-W. *disease*.

Wil·son (wil′sŏn), James. イングランド人解剖・生理学者・外科医，1765—1821. ⇀W. *muscle*.

Wil·son (wil′sŏn), Miriam G. 20世紀の米国人小児科医. ⇀W.-Mikity *syndrome*.

Wil·son (wil′sŏn), Samuel A. Kinnier. イングランド人神経科医，1878—1937. ⇀W. *disease*.

Wil·son (wil′sŏn), William J.E. イングランド人皮膚科医，1809—1884. ⇀W. *disease*.

wind·age (win′dăj). 風撃傷，気擦傷（外表に損傷のない内臓器の損傷. 圧縮された気体またはその気体により推進された物体に衝突することにより起こる）.

wind·burn (wind′bŭrn). 風焼け，風傷（風にさらされて生じる顔面の紅斑）.

win·dow (win′dō). 窓（①＝fenestra. ②空間における間隙またはある出来事が必ず起こるか絶対に起こり得ないような特に重要な時間間隔. ③画像全体にわたりグレースケールのすべての色調が分布するように設定したコンピュータ断層(CT)値(Haunsfield 単位)の範囲. 同等の密度の組織同士のわずかなX線吸収率の差を強調する. →CT *number*; window *level*; window *width*）.

aorticopulmonary w. ＝aortic septal *defect*.

aortic-pulmonic w. 大動脈－肺動脈窓. ＝aortopulmonary w.

aortopulmonary w. 大動脈－肺動脈窓（胸部X線写真の前後像に認められる大動脈弓と左肺動脈によって挟まれる肺の縦隔の左縁陥凹部）. ＝aortic-pulmonic w.

cochlear w. 蝸牛窓. ＝round w.

lung w. 肺野条件（肺野を詳細に描出するために調節されたウインドウレベルとウインドウ幅での CT 表示）.

mediastinal w. 縦隔条件（軟部組織構造を描出するために調節されたウインドウレベルとウインドウ幅での CT 表示）. ＝soft tissue w.

oval w. [TA]. 卵円窓（鼓室の内側壁の膜におおわれた卵形開口で，前庭に通じ生体ではあぶみ骨底によって閉ざされる）. ＝fenestra vestibuli [TA]; fenestra of the vestibule; fenestra ovalis; vestibular w.

round w. [TA]. 正円窓（中耳の内壁にある孔で，蝸牛に開くが，生体では第二鼓膜によって閉ざされる）. ＝fenestra cochleae [TA]; cochlear w.; fenestra of the cochlea; fenestra rotunda.

soft tissue w. ＝mediastinal w.

tachycardia w. 頻拍ウインドウ（リエントリー型の発作性頻拍において，発作を誘発しうる最も早い期外収縮と最も遅い期外収縮の間の時間(ウインドウ)）.

vestibular w. 前庭窓. ＝oval w.

wind·pipe (wind′pīp). 気管. ＝trachea.

wine (wīn) [Fr. *vin*; L. *vinum*]. ***1*** ワイン，ブドウ酒（植物(一般的にはブドウ)に由来する発酵した汁で，飲料として消費される）. ＝vinous liquor. ***2*** 酒剤（１種以上の薬物のワイン溶液からなる一群の製品. 比較的タンニンが少ないので，通常，白ワインを用いる. しかし，そのような目的に使用するために公的に指定されたワインはない）.

high w. ウイスキー製造で low wine の精留または再蒸留によって得られる強アルコール.

low w. ウイスキーの製造過程で麦芽汁から最初に得られる弱いアルコール.

red w. 赤ブドウ酒；claret（ブドウ *Vitis vinifera* の果実を皮(色をつける)とともに発酵させてつくるアルコール飲料. 強壮薬として用いられてきた）.

sherry w. シェリー酒（元来スペインの Jerez で得られるコハク色のワイン. 約 20% のアルコールを含む. 薬用酒剤の調製に用いられる）.

wing (wing) [Fr. Middle English *winge, wenge* ＜ Old Norse *vaenger*, wing]. 翼，羽根，飛膜（①コウモリや鳥類において認められる飛ぶことに適応した脊椎動物の前肢のこと. ②昆虫において認められる飛ぶことに適応した付属器. ③[TA]. 側方に突き出した平らな突起）. ＝ala (1).

angel w. 天使の翼（両側の肩甲骨が著しく突出している変形. →winged *scapula*）.

ashen w. ＝vagal (nerve) *trigone*.

w. of central lobule [TA]. 中心小葉翼（小脳中心小葉の側方翼状突出で，Larsell の II 葉の外側部である下部と III 葉の外側部である上部とからなる）. ＝ala central lobule [TA]; ala lobulis centralis [TA]; pars inferior alae lobuli centralis[TA]; pars superior alae lobuli centralis[TA]; ala cerebelli.

w. of crista galli 鶏冠翼. ＝*ala* of crista galli.

gray w. ＝vagal (nerve) *trigone*.

greater w. of sphenoid (bone) [TA]. 蝶形骨大翼（蝶形骨体から上外側へ幅広く弯曲してのびている強力な鱗状の骨突起. 4 面をもつ. ⓘ大脳面は中頭蓋窩の前 1/3 を形成し，ⓘⓘ側頭面は側頭窩の最深部をなし，ⓘⓘⓘ側頭下面は側頭下窩の天井をなし，ⓘⓥ眼窩面は眼窩の後外側面をなす. また上眼窩裂の下縁を形成し，その根部には正円孔・卵円孔，棘孔そして翼突管が開いている）. ＝ala major ossis sphenoidalis [TA]; ala temporalis.

w. of ilium* 腸骨翼（*ala* of ilium の公式の別名）.

lesser w. of sphenoid (bone) [TA]. 蝶形骨小翼（蝶形骨体上外側から外側へのびた先尖り三角形の１対の骨板で，前頭蓋窩の後端をなし，先尖りの部分は前頭蓋窩と中頭蓋窩を分ける鋭い骨縁をなしている. 内側端は二脚をもって骨体に付着し，視神経管を形成するとともに上眼窩裂の上縁を形成する）. ＝ala minor ossis sphenoidalis [TA]; ala orbitalis; Ingrassia process.

w. of nose 鼻翼，こばな. ＝*ala* of nose.

w. of sacrum* 仙骨翼（ala of sacrum の公式の別名）.
w. of vomer 鋤骨翼．＝ala of vomer.

Wi·ni·war·ter (vi-ni′vahrt-ĕr), Felix von. ドイツ人外科医，1852—1931．→W.-Buerger *disease*.

wink (wink)［A.S. *wincian*］．瞬目．＝blink.

Wins·low (winz′lō), Jacques B. パリに在住したデンマーク人解剖・物理学者・外科医，1669—1760．→*foramen* of W.; W. *ligament*, *pancreas*, *stars*; *stellulae* winslowii (⇒stellula).

Win·ter·bot·tom (win′tĕr-bot′ŭm), Thomas Masterman. イングランド人医師，1765—1859．→W. *sign*.

win·ter·green oil (win′tĕr-grēn oyl). ウインターグリーン油．＝methyl salicylate.

Win·ter·nitz (vin′ter-nits), Wilhelm. ハプスブルク帝国の医師，1835—1917．→W. *sound*.

Win·ter·stei·ner (vint-ĕr-shtīn′ĕr), Hugo. ハプスブルク帝国の眼科医，1865—1918．→W. *rosettes*.

Win·ter·stein·er (win-ter-stin′er), O.P. 20 世紀のオーストリア生まれの米国人化学者．→Wintersteiner *compound* E; Wintersteiner *compound* F.

wire (wīr). ワイヤ，針金，鋼線（柔軟性のある細い金属棒あるいは金属線．外科や歯科で用いられる）.
arch w. ＝archwire.
guide w. ガイドワイヤ．→guidewire.
Kirschner w. (**K-wire**) (kirsh′nĕr). キルシュナー鋼線（長骨骨折時の骨牽引または骨折部固定に用いる細い金属鋼線）．＝Kirschner apparatus.
ligature w. リガチャーワイヤ（ステンレススチールの柔らかい細いワイヤで，歯科においてはアーチワイヤをバンドアタッチメントやブラケットに結び付けるために用いる）.
separating w. 歯間分離用ワイヤ（通常，柔らかい真ちゅう製のワイヤで，歯間分離に用いる．→separation (2)）.
wrought w. 加工ワイヤ（歯型によっては望ましい形と大きさに形成されるワイヤ．歯科においては，部分床義歯のクラスプおよび矯正装置のために用いる）.

wir·ing (wīr′ing). 結紮法（ワイヤにより骨折骨の両端を再結合すること）.
circumferential w. 骨周囲の囲繞結紮法（下顎骨折の固定法で，骨片と口腔の周囲に針金を通す．すなわち下顎骨周囲および頬骨周囲の結紮法．→circumzygomatic w.）.
circumzygomatic w. 頬骨周囲ワイヤリング（下顎骨骨折を固定する方法で，下顎骨を頬骨弓にワイヤーで固定する方法）.
continuous loop w. 連続ループ結紮法（顎間弾性固定のために上・下顎歯に針金ループを形成すること．骨折の整復と固定に用いる）．＝Stout w.
craniofacial suspension w. 頭蓋顔面懸垂結紮法（骨折顎骨片（梨状口，頬弓，前頭骨頬突起など）を支えるために口腔に隣接しない骨の部分を用いる結紮方法）.
Gilmer w. (gil′mĕr). ギルマー結紮法（顎間固定の方法で，単一対合歯を針金でしばり，針金を一緒にねじり合わせる）.
Ivy loop w. (ī′vē). アイヴィループ結紮法（顎間弾性固定のために 2 本の隣接歯の周囲を針金で結紮する）.
perialveolar w. 歯槽周囲結紮法（歯槽突起を通って頬側から口蓋へ針金を通して副子を上顎歯列弓に固定する）.
pyriform aperture w. 梨状口結紮法（顎骨折の安定のために梨状口の領域を通して結紮する方法）.
Stout w. (stowt). スタウト結紮法．＝continuous loop w.

Wir·sung (vĕr′sung), Johann G. イタリア(Padua)に在住したドイツ人解剖学者，1589—1643．→W. *canal*, *duct*.

wir·y (wīr′ē). 針金様の（①硬い糸状の針金の感じをもつか，似ている．②小さく細かい圧迫できない脈についていう）.

Wis·kott (vis′kaht), Arthur. 20 世紀のドイツ人小児科医．→W.-Aldrich *syndrome*.

Wiss·ler (vis′lĕr), Hans. スイス人小児科医，1906—1983．→W. *syndrome*.

Wis·tar (wis′tăr), Caspar. 米国人生物学者，1761—1818. Wistar Institute は彼の名にちなんで付けられた．→W. *rats*.

witch ha·zel (wich hā′zĕl). ウイッチヘーゼル．＝hamamelis.

with·draw·al (with-draw′ăl). ***1*** 撤退（除去または後退の行為）. ***2*** 離脱症状，退薬症状，禁断症状（習慣性薬物の使用を急速にやめることによって生じる精神および(または)身体症候群．→withdrawal *symptoms*; withdrawal *syndrome*）. ***3*** 停止，中止（禁断を避けるために薬物を中止する治療過程）. ***4*** 引きこもり（統合失調症とうつ病にみられる行動のパターンで，対人接触と社会的関与からの病的後退と自己没入を特徴とする）.
conditioned w. 条件離脱（環境のきっかけとの関連によって促進または悪化させられた離脱）.

wit·kop (vit′kop)［Afrikaans white head］．白頭症＝favus.

wit·zel·sucht (vit′sĕl-zŭkht)［Ger. *witzeln*, to affect wit + *Sucht*, mania］．諧謔症，ふざけ症（しゃれを言ったり，へたな冗談を言ったり，意味のない話をする病的傾向を伴う過度で異常な陽気さ．特に前頭葉症候群の患者にみられる）.

WN well-nourished(栄養状態良好)の略.

WNV West Nile *virus* の略.

wob·ble (wah′bĕl). ウォブル，ゆらぎ（分子生物学において，アンチコドンの 5′ 末端の塩基と，それと対の塩基間(コドンの 3′ 部位)の通常と異なる対合のこと．アンチコドン 3′–UCU–5′ は 5′–AGA–3′ と結合する場合(正常，すなわち Watson-Crick 結合)もあるし，5′–AGG–3′(ウォブル)もありうる．ウォブル結合はアンチコドンが 5′ 位にある場合，まれな塩基のヒポキサンチンとアデニン，ウラシル，シトシン，またはウラシルとグアニン，またはグアニンとウラシルでみられる．→wobble *base*）.

Wohl·fahr·ti·a (vōl-far′tē-ă)［P. *Wohlfahrt*. ドイツ人医学書著述家，？—1726］．ヴォールファールトニクバエ属（ニクバエ科に属する卵胎性の双翅類ニクバエの一属．これらのうちのいくつかの種の幼虫はヒトや動物の潰瘍表面や筋肉の創部位を常食とする．→wohlfahrtiosis）.
W. magnifica 世界に広く分布する偏性ニクバエであり，組織破壊性のあるウジ虫は家畜やヒトの創傷や頭蓋内腔を侵す.
W. nuba ヨーロッパ大陸の通性ニクバエ類であり，頭部外傷あるいは頭蓋内腔よりみつかるが皮膚の潰瘍からは認められない.
W. vigil, ***W. opaca*** 米国北部およびカナダ南部でみられるヒト幼児の皮膚ハエ幼虫症を引き起こす．皮膚に侵入し感染すると腫張し瘤状病変を呈する．毛皮農場の北米イタチやキツネ，および恐らくウサギやげっ歯類もこの種のハエに侵される.

wohl·fahr·ti·o·sis (vōl-far′tē-ō′sis). ヒフヤドリニクバエ症（*Wohlfahrtia*属のハエの幼虫による動物およびヒトの感染症．重要な種としては，組織破壊性のウジが動物およびヒトの頭部創傷あるいは頭腔(目，鼻腔，耳孔)に侵入する真性寄生のニクバエで広い地域に分布する *Wohlfahrtia magnifica* や，旧世界に分布し，同じく頭部創傷あるいは頭腔にみられるが，皮膚炎症部にはみられない通性寄生のニクバエ *Wohlfahrtia nuba* がある．さらには米国北部およびカナダ南部の小児にみられる皮膚ハエウジ症の原因となる *Wohlfahrtia vigil* は，幼虫が皮膚を穿通し瘤あるいは癤のような病変をつくる．毛皮農場のミンクや子ギツネ，そして恐らくウサギおよびげっ歯類もこのハエに寄生される．→*Wohlfahrtia*）.

W

Wohlfart (vōl′fahrt), Gunnar. スウェーデン人神経科医，1910—1961．→W.-Kugelberg-Welander *disease*.

Wol·bach·i·a (wōl′băk-ēă). ウォールバキア（バンクロフト糸状虫 *Wuchereria bancrofti*，回旋糸状虫 *Onchocerca volvulus*，その他のフィラリアと腸管で共生する細菌で，除菌により寄生虫症も治癒する）.

Wolf (wulf), A. 20 世紀の米国人病理学者．→W.-Orton *bodies*.

Wolfe (wulf), John R. スコットランド人眼科医，1824—1904．→W. *graft*; W.-Krause *graft*.

Wolff (volf), Julius. ドイツ人解剖学者，1836—1902．→W. *law*.

Wolff (volf), Kaspar F. ロシアに在住したドイツ人発生学者，1733—1794．→wolffian *body*, *cyst*, *duct*, *rest*, *ridge*, *tubules*.

Wolff (volf), Louis. 米国人心臓学者，1898—1972．→W.-Chaikoff *block*, *effect*; W.-Parkinson-White *syndrome*.

wolff·i·an (wulf′ē-ăn). 発生学者 Kaspar Wolff に関する，または彼の記した.

Wölf·ler (vĕl′fler), Anton. ボヘミア人外科医，1850—1917.

→W. *gland*.

wolf·ram, wolf·ram·i·um (wulf′ram, wulf-ram′ē-ŭm) [< *wolframite*]. ウォルフラム，ウォルフラミウム (→Wolfram *syndrome*). ＝tungsten.

Wolf·ring (vōlf′ring), Emilj F. von. ポーランド人眼科医，1832—1906. →W. *glands*.

wolfs·bane (wulfs′bān). →aconite.

Wo·lin·el·la (wō′li-nel′ă). ウォリネラ属（グラム陰性，微好気性の細菌の一属で，らせん形ないし弯曲した体をもつ．単一の端べん毛により運動性を示す．ヒトの歯肉溝および歯根管，並びにウシの第一胃から分離された．標準種は *W. succinogenes*）.

Wol·las·ton (wul′as-ton), William H. イングランド人医師・物理学者，1766—1828. →W. *doublet*, *theory*.

Wol·man (wōl′man), Moshe. 20 世紀のイスラエル人神経病理学者. →W. *disease*, *xanthomatosis*.

womb (wūm) [A.S. the belly]. 子宮. ＝uterus.

falling of the w. 子宮下垂. ＝*prolapse* of the uterus.

Wood (wud), Paul. 米国人心臓学者，1907—1962. →W. *units*.

Wood (wud), Robert. 米国人物理学者，1868—1955. →W. *glass*, *lamp*, *light*.

wood al·co·hol (wud al′kŏ-hol). 木精. ＝methyl *alcohol*.

wood wool (wud wul). マツの鉋屑（外科用包帯に用いる特別に調製された，圧縮していない木の繊維）.

wool (wul). 羊毛（ヒツジの毛．脱脂して外科用包帯として用いることもある）. ＝lana.

w. alcohols 羊毛アルコール（羊毛ろうのけん化によってつくる，またコレステロール(30% 以上)と他のアルコールを含有する分画を分離してつくる．羊毛軟膏の調製に用いる）.

w. fat 羊毛脂（羊毛から得る精製無水脂肪様物質. →*adeps* lanae）. ＝lanolin.

hydrous w. fat 含水羊毛脂. ＝*adeps* lanae.

Woolf (wulf), B. 20 世紀の英国人生化学者. →W.-Lineweaver-Burk *plot*.

Wool·ner (wul′ner), Thomas. イングランド人彫刻家，1826—1892. →W. *tip*.

word sal·ad (werd sal′ăd). 言葉のサラダ（ある種の統合失調症患者が発する無意味で無関係な語の寄せ集め）.

Wo·ring·er (vō-ran[h]′zhā), M.M.F. 20 世紀のフランス人皮膚科医. →W.-Kolopp *disease*.

work (werk). ***1*** 作業（成果を得るためになされる身体的または精神的努力）. ***2*** 仕事（運動を生じるために抵抗に抗して働く力の産物）.

---

work·a·hol·ic (werk-ă-hol′ik) [*alcoholic* の類推により]. ワーカホリック（たとえ家族の責任，社会生活，健康を犠牲にまでしても強迫的に仕事を必要とする人）.

情緒的苦痛，社会面の機能不全，身体的疾患の原因としてますます認識されるようになっても，すべてのエネルギーを目標設定し，労働に集中するある種の人々の病的欲求については深く研究されておらず，精神疾患の診断・統計マニュアル(*DSM-IV*)においても診断名や診断基準が決められていない．ワーカホリックは肉体または頭脳労働やその両方に就き，個人または会社のために働いたり，自営をしたり，またボランティア活動に報酬なしで従事することもある．典型的ワーカホリックはリラックスをすることができなく，仕事を生計の根源とするだけでなく，社会化，趣味，スポーツ，芸術や文化的楽しみといった昔からのレジャー代わりのレクリエーションの一種として行う．この意味では仕事が依存性薬物と似た機能を果たしている．ワーカホリックは食事を延ばしたり省いたり，同僚が帰宅した後も仕事で深夜まで働き続け，大量の残業時間になったり(時々報酬をめぐってクレームがつくことがある)，ストレスを和らげたり倦怠感を耐えるのにニコチン・カフェイン・アルコールやその他の薬物を使用する傾向にある．ワーカホリックの生活様式は，成功達成への強迫や認められることやまたはその人が所属する分野での発展に努めることという様々な人格障害の特徴と共通しており，富の取得のための病的な熱中，ストレスや日常生活からの気晴らしとして自分を仕事に没頭させる欲求などもある．ワーカホリックの中には家族，社会，文化からの期待が引き金になっていることもある．多くのワーカホリックは小児のときから仕事への強迫があり，これは精力的な親，親戚，家族，友人，世間の人々による成功例の影響を受ける．ワーカホリックの精神構造は従業員総数を制限し，特別給付の費用を縮小する手段として，必要以上に要求の厳しい雇用主や，時間外労働を強制もしくはきわめて報酬のよいものにする人によって引き起こされる．過重労働の長期的な健康効果は慢性疲労，一般健康の低下，病気や怪我の発生率の増加，体重増加，タバコやアルコール摂取の増加，認知機能遂行の悪化，情動不安定やうつの悪化，死亡率の増加があげられる．日本においては，仕事のしすぎからの死(過労死)は，補償される労働災害の１つとして公に認められている．日本の司法当局は，心不全，脳卒中，そして自殺さえも過労死の例として認めている．

Work·ing Form·u·la·tion for Clin·i·cal Us·age (WF) (werk′ing fōrm′yū-lā′shŭn klin′i-kăl yūs′ij). 臨床実用分類（1982 年に国立癌研究所により提唱された悪性リンパ腫の分類．様々なリンパ腫の臨床所見と組織病理学所見の相関性に基づいている）.

work·ing through (werk′ing thrū). 徹底操作，反復工作（精神分析において，葛藤，または問題点について反復的に様々な検討を通じて付加的な洞察および人格変化を得る過程．自由連想と，抵抗，解釈および徹底操作との相互作用が本過程の基本的な側面を構成する）.

work·sta·tion (werk′stā′shŭn). ワークステーション（グラフ画像または臨床画像を研究したり作製したりするコンピュータや調整テレビモニタ）.

World Health Or·ga·ni·za·tion (WHO) (wŏrld helth ōr′ga-ni-zā′shŭn). 世界保健機関（国際連合の一機関．設立目的はすべての人々が可能な限りの最高レベルの健康を得ることである(国連憲章第一章)．主要な健康問題においては，その解決のためには感染症や癌，心疾患に対する戦いなど，多くの国々の協調は当然のことであると考えられている．WHOは生物学的な備えの国際標準や殺虫剤などの薬剤の国際基準を確立し，現代の国際的な薬種や国際的な健康管理を維持し，疫学情報を集め，普及し，科学的知識の交換を奨励する．地域的なプログラムではメンタルヘルス，母子保健，歯科衛生，公衆衛生管理，健康医療の専門家と一般大衆両方への健康教育を促進している．大規模な研究プログラムを行い，無数の国際科学会議を招集する．そしていくつかの言語で定期刊行物や報告書を出版している．また医学用語の標準化にも重要な役割を果たしている）.

Worm (verm), Ole. デンマーク人解剖学者，1588—1654. →wormian *bones*.

worm (werm) [A.S. *wyrm*]. ***1*** 虫様構造（解剖学において，虫に似た構造のこと．例えば小脳の正中部）. ***2*** 蠕虫（無脊椎動物群，すなわち以前の蠕虫亜界(分類学的には使われなくなった集合体用語)の構成員を示すのに用いていた語．現在では，環形動物門(有体節あるいは真正蠕虫類)，線形動物門(円虫類)，扁形動物門(扁虫類)の諸門の構成員を示すのに通常用いる．重要な種としては，メジナ虫 *Dracunculus medinensis*(dragon w., guinea w., Medina w., serpent w.)，蟯虫 *Enterobius vermicularis*(seat w., pinworm)，ロア虫 *Loa loa*(African eye w.)，鎖状鉤頭虫 *Moniliformis*(鉤頭虫門, thorny-headed w.'s)，マンソン眼虫 *Oxyspirura mansoni*(Manson eye w.)，舌虫類 *Pentastomida*(tongue w.)，円虫類 *Strongylus*(palisade w.)，テラジア類 *Thelazia*(eye w.)，旋毛虫 *Trichinella spiralis*(pork w., trichina w.) が含まれる．以下に記載のない worm については(通常１語として記載されるので)，フルネームを参照）.

caddis w. イサゴムシ（毛翅目昆虫の水生幼虫）.

Manson eye w. ＝*Oxyspirura mansoni*.

meal w. ゴミムシダマシ属 *Tenebrio* の甲虫の幼虫．幼虫，成虫ともに重要な毛虫で，コムギ粉，オートミール，あるいは他の穀物に害を与える．また本虫は線虫の *Gongylonema* 属，膜様条虫属 *Hymenolepis* の種々の条虫の中間宿主となる．

worm bark (werm bark). ＝andira.

wor·mi·an (wer′mē-ăn). Ole Worm に関する，または彼の

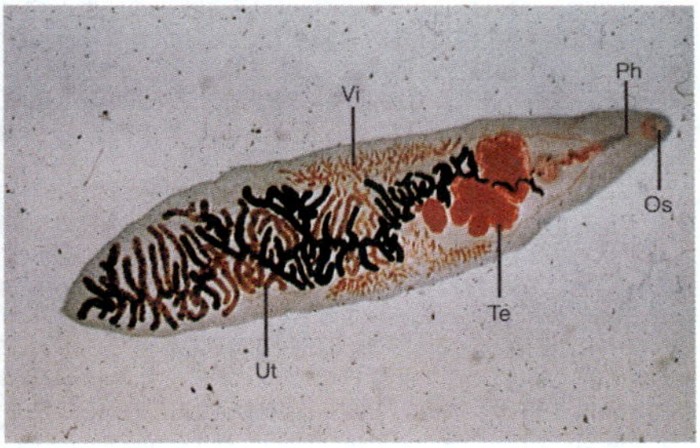

worm

槍形吸虫*Dicrocoelium dendriticum*の成虫標本．Os：口吸盤．Ph：咽頭．Te：精巣．Ut：子宮．Vi：卵黄巣．

記した．

Worm·ley (wōrm′lē), Theodore G. 米国人化学者，1826―1897. ⇀W. *test*.

worm·seed (werm′sēd). 駆虫草（①セメンシナ santonica. ②＝chenopodium).

worm·wood (werm′wud). ニガヨモギ. ＝absinthium.

wort (wōrt)［A.S. *wyrt*, a plant］. ***1*** liverwort(ゼニゴケ), lungwort, woundwort(傷薬草)のような，多数の植物の俗名の接尾語. ***2*** 麦芽汁（麦芽の滲出液).

St. John's w. セイヨウオトギリソウ（花弁が黒く縁取られた橙黄色の花を多くつける多年生の低木(*Hypericum perforatum*). 抗うつ薬として広く使用されているにもかかわらず，大うつ病治療の臨床試験においてプラセボに比べて優れていることは示されていない).

Worth (wŏrth), Claud. A. 英国人眼科医，1869―1936. ⇀W. *amblyoscope*.

Woulfe (wulf), Peter. イングランド人化学者，1727―1803. ⇀W. *bottle*.

wound (wūnd)［O.E. *wund*］. 創傷（①体組織の損傷で，特に物理的外力によって起こるもの．組織の連続性の離断を伴う．②外科的切開．③傷を負わせる).

abraded w. 擦過創. ＝abrasion (1).

avulsed w. 剝離創（剝離(引き裂き，または強制的分離)によって生じる創).

crease w. ＝gutter w.

glancing w. ＝gutter w.

gunshot w. (**GSW**) 射創，銃創（火器から発射された弾丸または他の飛行弾によってできた創).

gutter w. 溝創（皮膚を穿通せずに溝をつくる接線方向の傷). ＝crease w.; glancing w.

incised w. 切創，切り傷（鋭利な器具でできたような創縁平滑な切開).

nonpenetrating w. 非穿通創（体表面の破裂を伴わない，特に胸腔または腹部内の損傷).

open w. 開放創（組織が露出した創).

penetrating w. 穿通創（深部組織や体腔にまで及ぶ体表面の離開を伴う創).

perforating w. 穿孔創（創入口と創出口のある創傷).

puncture w. 刺創（深さに比較して開口部が比較的小さい創．幅の狭いとがった物によってできる).

septic w. 感染創，汚染創（感染をきたした創).

seton w. 串線創（体幹，頭部，四肢の穿孔創で創入口と創出口が同側にあるもの).

stab w. 刺創（ナイフあるいはナイフ状の物で刺すことによってできたもの).

subcutaneous w. 皮下創（皮膚の下，皮下組織に至るが，その下方の骨や内臓には及ばない外傷あるいは創傷).

sucking chest w. ＝open *pneumothorax*.

tangential w. 接線創（損傷部が同側に限られる穿孔創あるいは串線創).

W-plas·ty (plas′tē). W形成〔術〕（帯状の瘢痕拘縮の解除と瘢

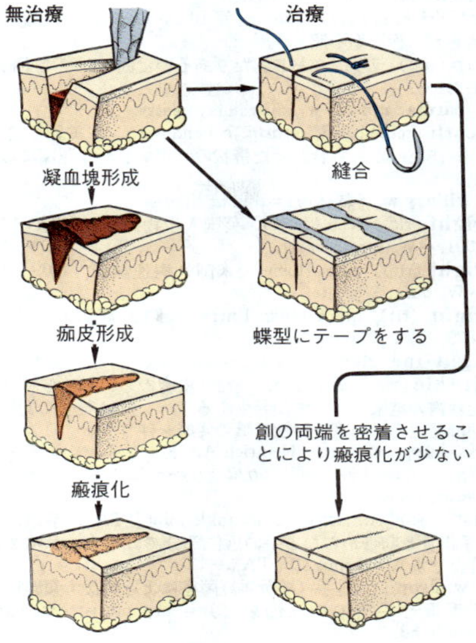

wound healing

創傷

型	原因
擦過傷	皮膚表皮を摩擦するか擦る．皮膚の最上層を擦りむく
剝離	正常な解剖位置から構造を裂く．血管，神経，他の構造への可能な損傷
化学の	毒物（例えば，薬物，酸，アルコール，金属，および細胞壊死から放出された物質)
挫傷，打撲傷	鈍い道具による，通常は打撲に伴う．皮膚表面の分裂
切開	切削工具またはとがった物体．傷は食い込み，一直線である
照射	紫外線または放射線への曝露
裂傷	鈍いか不規則な道具で皮膚と組織を裂く．傷は一直線ではなく，しばしば皮膚・組織弁はたれ下がる
微生物	菌体外毒素の分泌あるいは生物による菌体内毒素の放出
貫入	高速度で皮膚にはいり込む異物．破片は恐らく組織の全体に渡って分散
穿刺	皮膚を刺すとがった道具．故意（例えば静脈穿刺）または事故
熱	高温または低温．細胞壊死が生じる可能性あり

痕の質の改善の目的で，局所的な皮膚陥凹の方向と垂直の方向に瘢痕を変換する手術法．瘢痕の角は切除され，縫合され

た創はWが連続したようになる．*cf.* Z-plasty).

W.r. Wassermann *reaction* の略．

Wr[a] Wright *antigens* の略．付録 Blood Groups の低頻度に認められる血液型参照．

wrap (rap). ラップ（おおったりあるいは囲ったりする特別のおおい）．

cardiac muscle w. ＝cardiomyoplasty.

wreath (rēth)［A.S. *wraeth*, a bandage］．冠（より合わせた，またはからみ合わせた帯状のリボンまたは花環に似た構造）．

ciliary w. 毛様体冠．＝*corona* ciliaris.

Wright (rīt), Basil Martin. 英国人生物工学臨床医，1912—2001. ⇀W. *respirometer*.

Wright (rīt), James Homer. 米国人病理学者，1869—1928. ⇀W. *stain*.

Wright (rīt), Marmaduke Burr. 米国人産科医，1803—1879. ⇀W. *version*.

wright·ine (rīt′ēn). リチン．＝conessine.

wrin·kle (ring′kĕl). しわ，ひだ（皮膚のしわやひだ．特に日光暴露の結果として増加発生する，もしくは喫煙により口周囲に発生する．真皮弾性組織の変成を伴う）．

Wris·berg (ris′berg), Heinrich A. ドイツ人解剖学者・婦人科医，1739—1808. ⇀W. *cartilage*, *ganglia* (⇀ganglion), *ligament*, *nerve*, *tubercle*.

wrist (rist)［A.S. wrist joint, ankle joint］［TA］．手根，手首（手根骨と靱帯からなる手の近位部分で，本来の意味での手首をさす）．＝carpus (1)［TA］．

w.-drop〔下〕垂手（橈骨神経障害によって最も頻繁に起こる手根と手指の伸筋の麻痺）．＝carpoptosis; carpoptosia; drop hand.

wry·neck (rī′nek). 斜頸．＝torticollis.

Wu·cher·e·ri·a (vū′kĕr-e′rē-ă). ブケレリア属（糸状虫の一属(糸状虫上科，オンコセルカ科)．特徴はその成虫が主としてリンパ管に寄生し，多数の胚すなわちミクロフィラリアを生じ，それが血液中を循環する(ミクロフィラリア血症)ことである．しばしば末梢血液中に規則的な時間間隔で出現する．この感染(ブケレリア症あるいはフィラリア症)の極端な病像は象皮症あるいは硬皮症である）．

W. bancrofti バンクロフト糸状虫（南太平洋諸島や中国，インド，ミャンマーの沿岸地方，および熱帯アフリカや南アメリカ北東部(一部のカリブ諸島を含む)に地方的に分布する種．本種はカ，特にネッタイイエカ *Culex quinquefasciatus* や *Aedes pseudoscutellaris* によってヒト(明らかに唯一の固有宿主)に伝播されるが，地理的な区域によって，それぞれイエカ属 *Culex*，ヤブカ属 *Aedes*，ハマダラカ属 *Anopheles*，マンソニア属 *Mansonia* に属する数種のカによって伝播される．成虫は白色で 40—100 mm の類円柱形の糸状をなす．ミクロフィラリアは被鞘し，虫体前端は丸く，後端は先細りとなり，核のない尾部をもつ．成虫は，大リンパ節(例えば，下肢，乳房，精索，腹膜後腔組織)，リンパ節洞(例えば，膝窩・大腿・鼡径群，滑車上節，腋窩節)に寄生し，ときとしてリンパ流の一時的閉塞や軽度または中等度の炎症を起こす）．

W. malayi マレー糸状虫（*Brugia malayi* の旧名）．

wu·cher·e·ri·a·sis (vū′kĕr-ē-rī′ă-sis).〔バンクロフト〕糸状虫症（*Wuchereria*属糸状虫の感染症. →filariasis).

Wur·ster (vūr′ster), Casimir. ドイツ人化学者，1856—1913. ⇀W. *reagent*, *test*.

Wy·burn-Ma·son (wī-burn-mā′son), Roger. 20世紀の英国人リウマチ学者. ⇀W.-M. *syndrome*.

Wy·man (wī′măn), Jeffries. 米国人生化学者，1901—1995. ⇀Monod-W.-Changeux *model*.

𝔛

χ^2 chi-square の略.

X Kienböck 単位(⇌unit)量を表す場合に用いる，キサントシン，ハロゲン原子，不特定のアミノ酸の記号(Xaaとも表す).

X オーム(抵抗)で記述する際のリアクタンスの記号.

Xaa 不特定のアミノ酸 unspecified amino acid を表す記号．X とも表記される.

Xan xanthine の略.

xanth- →xantho-.

xan·the·las·ma (zan′thĕ-laz′mă) [xanth- + G. *elasma*, a beaten metal plate]. = x. palpebrarum.

generalized x. 全身性黄色腫（血中脂質量は正常な扁平黄色腫．扁平黄色腫が首，体幹，四肢，および眼瞼に発生したもので血漿中脂質量は正常である).

x. palpebrarum 眼瞼黄色板症（眼瞼や内眥部に生じる軟らかい黄橙色の局面で，最も一般的な黄色腫の型である．特に若年成人の場合，LDL(低密度リポ蛋白)に関連しているらしい). = xanthelasma; xanthoma palpebrarum.

xan·them·a·tin (zan-thēm′ă-tin). キサントヘマチン（硝酸で処理してヘマチンから得る黄色物質).

xan·the·mi·a (zan-thē′mē-ă) [xanth- + G. *haima*, blood]. 黄色血〔症〕. = carotenemia.

xan·thene (zan′thēn). キサンテン（①多数の天然産物，薬剤，染料(例えば，フルオレセイン，ピロニン，エオシン)，指示薬，殺虫薬，抗生物質などの基本構造．②①の基本構造をもつ分子の一群).

xan·thic (zan′thik). ***1*** 黄色の，帯黄色の．***2*** キサンチンの.

xan·thi·dyl·ic ac·id (zan′thi-dil′ik as′id). キサンチジル酸. = *xanthosine* 5′-monophosphate.

xan·thine (Xan) (zan′thēn). キサンチン（尿酸の前駆物質であるグアニンとヒポキサンチンの酸化生成物．多くの臓器と尿中に発生し，尿結石を形成することがある．モリブデン補因子欠損症およびキサンチン尿症で上昇する).

x. dehydrogenase キサンチンデヒドロゲナーゼ（NAD^+を酸化剤としてキサンチンを尿酸塩に酸化するオキシドレダクターゼ．モリブデン補因子の欠損している人において低酸化活性である).

x. nucleotide キサンチンヌクレオチド. = *xanthosine* 5′-monophosphate.

x. ribonucleoside キサンチンリボヌクレオシド. = xanthosine.

xan·thi·nol ni·a·cin·ate, xan·thi·nol nic·o·tin·ate (zan′thi-nōl nī′ă-sin′āt). キサンチノールナイアシネート（末梢血管拡張薬).

xan·thi·nu·ri·a (zan′thi-nyū′rē-ă) [xanthine + G. *ouron*, urine]. キサンチン尿〔症〕（①尿中に異常に多量のキサンチンを排泄すること．② [MIM*278300]．尿素の代わりにキサンチンの尿中排泄，低尿酸血症，しばしばキサンチン結石の形成を特徴とする．2型があり，I型はキサンチンデヒドロゲナーゼ(XDH)の欠損により，II型は XDH とアルデヒド酸化酵素の欠損により生じる．常染色体劣性遺伝であり，一部は第2染色体短腕にある XDH 遺伝子の突然変異により生じる). = xanthiuria; xanthuria.

xan·thism (zan′thizm) [G. *xanthos*, yellowish] [MIM *278400]. 黄色色素異常症（黒人の色素異常症．赤色または黄赤色の毛髪，銅赤色の皮膚，および，しばしば淡い虹彩色素を特徴とする．常染色体劣性遺伝で，第9染色体のチロシナーゼ関連蛋白1遺伝子(*TYRP1*)の変異による). = rufous albinism.

xan·thi·u·ri·a (zan′thi-yū′rē-ă). = xanthinuria.

xantho-, xanth- [G. *xanthos*]. 黄色，帯黄色を意味する連結形.

xan·tho·as·tro·cy·to·ma (zan′thrō-as′trō-sī-tō′mă) [xantho- + astrocytoma]. 黄色星状膠細胞腫. = pleomorphic x.

pleomorphic x. 多形性黄色星状膠細胞腫（細胞の多形性と黄色腫様変化を特徴とする，一般に悪性度の低い星状膠細胞腫．てんかんの既往歴のある小児に多い). = xanthoastrocytoma.

xan·tho·chro·mat·ic (zan′thō-krō-mat′ik). 黄色調の，黄変〔染〕性の. = xanthochromic.

xan·tho·chro·mi·a (zan′thō-krō′mē-ă) [xantho- + G. *chrōma*, color]. キサントクロミー，皮膚黄変症（皮膚に黄色斑が発生することで，黄色腫に似るが小結節や板状構造はない). = xanthoderma (1); yellow disease; yellow skin (1).

xan·tho·chro·mic (zan′thō-krō′mik). = xanthochromatic.

xan·tho·der·ma (zan′thō-der′mă) [xantho- + G. *derma*, skin]. 皮膚黄変（① = xanthochromia. ②皮膚の黄色着色. = yellow skin (2)).

xan·tho·dont (zan′thō-dont) [xantho- + G. *odous*, tooth]. 黄色歯を有する者.

xan·tho·gran·u·lo·ma (zan′thō-gran′yū-lō′mă). 黄色肉芽腫（脂質マクロファージによる後腹膜組織の浸潤．女性により多く発生する).

juvenile x. 若年性黄色肉芽腫（単発性または多発性の赤色から黄色の丘疹や結節で，通常は幼児にみられ，組織球および Touton 巨細胞の皮膚浸潤よりなり，線維形成増加を伴う). = nevoxanthoendothelioma.

necrobiotic x. 壊死性黄色肉芽腫（病巣部の壊死を伴った皮膚および皮下の黄色肉芽腫で，多数の大きな，ときとして潰瘍化した巨細胞を伴った赤色―黄色の肉芽腫性結節(しばしば目の周囲)を呈し，類蛋白血症に合併する(通常は単一クローン性高ガンマグロブリン血症)).

xan·tho·gran·u·lo·ma·tous (zan′thō-gran′yū-lō′mă-tŭs). 黄色肉芽腫〔性〕の.

xan·tho·ma (zan-thō′mă) [G. *xantho-*, blond + G. *-oma*, tumor]. 黄色腫，キサントーマ（特に皮膚の黄色の小結節または斑で，脂質を貪食した組織球からなる).

x. diabeticorum 糖尿病性黄色腫（重篤な糖尿病に伴う発疹状黄色腫). = eruptive x.

x. disseminatum 播種性黄色腫（成人にまれに起こる良性の正脂血性の疾患で，体表屈曲部に非X組織球で構成される融合性の皮膚黄色腫を生じ，しばしば軽度の尿崩症を伴う).

eruptive x. 発疹状黄色腫（突然群をなして発症する1―4 mm の黄ろう状の，または紅暈を伴った黄褐色の丘疹で，重症高脂血症患者，しばしば家族性のあるいはまれではあるが重症糖尿病患者の肘部や膝部の伸展側，および背部や殿部に発症する).

fibrous x. 線維性黄色腫（→fibroxanthoma).

x. multiplex 多発性黄色腫. = xanthomatosis.

x. palpebrarum 眼瞼黄色腫. = *xanthelasma* palpebrarum.

x. planum 扁平黄色腫（真皮内に黄色平板状あるいは微小な直方形に触知するのを特徴とする黄色腫の一型．正脂血症あるいは高脂血症の II_a もしくは III 型に伴う).

tendinous x. 腱黄色腫（通常四肢に出現し，正常皮膚の下に可動性のある深在性で，平滑な，ときに有痛性の結節．腱・靱帯・筋膜に生じる脂質代謝異常または閉塞性肝疾患を合併する．脂質代謝異常の場合は家族性で β-リポ蛋白が上昇することが多い).

x. tuberosum 結節性黄色腫，単純性結節性黄色腫（家族性II型およびときにIII型の高脂血症に伴う黄色腫症). = x. tuberosum simplex.

x. tuberosum simplex 単純性結節性黄色腫. = x. tuberosum.

verrucous x. いぼ状黄色腫（口粘膜と皮膚の乳頭腫の一種で，扁平上皮が大型泡沫状の組織球が集簇した結合組織乳頭をおおっている). = histiocytosis Y.

xan·tho·ma·to·sis (zan′thō-mă-tō′sis). 黄色腫症（特に肘と膝に生じる広範な黄色腫で，ときに粘膜も侵し，代謝障害と関連することもある). = lipid granulomatosis; lipoid granulomatosis; xanthoma multiplex.

biliary x. 胆汁性黄色腫症（高コレステロール症を伴う黄色腫症．胆汁性肝硬変が原因). = Rayer disease.

x. bulbi 角膜脂肪変性（外傷後の角膜の潰瘍性脂肪変性).

cerebrotendinous x. [MIM*213700]．脳腱黄色腫症（コレスタノールとコレステロールの脳およびその他の組織中への沈着を伴う代謝性疾患．血漿コレスタノール値は高値であるが，血漿コレステロール値は正常である．この疾患は思春期以後に発症する進行性の小脳失調と白内障，脊髄障害，若年性動脈硬化症，および腱または結節状黄色腫を特徴とする．胆汁酸の生合成に必要な肝ミトコンドリア内のステロール27 水酸化酵素の障害により生じる．常染色体劣性遺伝で，第 2 染色体長腕の C27 位(*CYP27*)にあるシトクロム P450 遺伝子の突然変異により生じる)．

chronic idiopathic x. 慢性特発性黄色腫症（黄色腫を形成する遺伝性の脂質代謝異常症につけられた定義の不明瞭な疾患名．例えば原発性家族性黄色腫症)．

familial hypercholesteremic x. 家族性高コレステロール血症性黄色腫症（→familial *hyperlipoproteinemia* type II)．

generalized plane x. 汎発性扁平黄色腫症（多発性骨髄腫 multiple *myeloma* や家族性高リポ蛋白血症 familial *hyperlipoproteinemia* に伴う汎発性の黄色腫症．ときに原発性胆汁性肝硬変 primary biliary *cirrhosis* に伴って生じる例や，基礎疾患なしに生じる例もある)．

normal cholesteremic x. 正常コレステロール血症性黄色腫症．＝Hand-Schüller-Christian *disease.*

Wolman x. ウォルマンのキサントマトーシス．＝cholesterol ester storage *disease.*

Xan·tho·mo·nas (zan′thō-mō′nas). キサントモナス属（シュードモナス科の属．好気性，グラム陰性，有機栄養体の正杆菌で，線毛運動性を有する．標準種は *Xanthomonas campestris*)．

X. maltophilia キサントモナスマルトフィラ（［誤ったつづりまたは発音 maltophila を避けること］．主に臨床検体から検出されるが，水，乳汁，冷凍食品からも発見される．しばしば，院内感染や免疫不全患者の感染の原因となる．通常，使用されている抗生物質の多くに耐性である．以前は *Pseudomonas maltophilia* とよばれた．→*Stenotrophomonas maltophilia*)．

xan·tho·phyll (zan′thō-fil). キサントフィル，葉黄素（カロチンの酸化誘導体．黄色植物色素．卵黄中黄体にも存在する)．＝lutein (2); luteol; luteole.

xan·tho·pro·te·ic (zan′thō-prō′tē-ik). キサントプロテインの．

xan·tho·pro·te·ic ac·id (zan′thō-prō′tē-ik as′id). キサントプロテイン酸（蛋白を硝酸で処理して得られる非結晶性黄色のニトロフェニル化合物)．

xan·tho·pro·tein (zan′thō-prō′tēn). キサントプロテイン（蛋白を熱硝酸で処理した際，フェニル基のニトロ化により生成されると思われる黄色のニトロフェニル物質)．

xan·thop·si·a (zan-thop′sē-ă) [xantho- + G. *opsis*, vision]. 黄〔色〕視〔症〕（すべての物体が黄色に見える視覚状態．ピクリン酸中毒，サントニン中毒，黄疸，ジギタリス中毒に発生する)．＝yellow vision.

xan·tho·puc·cine (zan′thō-pŭk′sēn). キサントプクシン．＝canadine.

xan·tho·sine (X, Xao) (zan′thō-sēn, -sin). キサントシン；9-β-D-ribosylxanthine（グアノシンの脱アミノ生成物($-NH_2$ を O が置換する))．＝xanthine ribonucleoside.

x. 5′-monophosphate (XMP) キサントシン 5′-一リン酸（キサントシンの一リン酸エステル．GMP 生合成の中間体)．＝xanthidylic acid; xanthine nucleotide; xanthylic acid.

x. 5′-triphosphate (XTP) キサントシン 5′-三リン酸（5′ 位がエステル化されている三リン酸を含有するキサントシン)．

xan·tho·sis (zan-thō′sis) [xantho- + G. *-osis*, condition]. 黄変（変性組織の帯黄変色．特に悪性腫瘍にみられる)．

xan·thous (zan′thŭs) [G. *xanthos*, yellow]. 黄色がかった，黄色の．

xanth·u·ren·ic ac·id (zan′thū-rēn′ik as′id). キサンツレン酸；$C_{10}H_7NO_4$（トリプトファンのインドール 2,3-ジオキシゲナーゼ(IDO)により分解によって生じる代謝産物で，ヒト水晶体細胞に蓄積し，老人性水晶体病理学に関与し，水晶体細胞アポトーシスを引き起こす．ピリドキシン欠乏動物のトリプトファン摂取後の尿や線維素だけで飼育されたラットの尿から排泄され，この黄色結晶は，Millon 試薬により赤色生成物を生成し，硫酸第一鉄で濃緑色生成物を生成する)．

xan·thu·ri·a (zan-thyū′rē-ă). ＝xanthinuria.

xan·thyl (zan′thil). キサンチル（水素原子を除いたキサンチンからなる基)．

xan·thyl·ic (zan-thil′ik). キサンチンの．

xan·thyl·ic ac·id (zan′thil′ik as′id). キサンチル酸．＝*xanthosine* 5′-monophosphate.

Xao キサントシンの記号．

Xe キセノンの元素記号．

^{133}Xe キセノン 133 の記号．

xem·il·of·i·ban (zem′il-of′ĭ-ban). ゼミロフィバン（抗血小板剤で，フィブリノーゲンが特異的な膜 GPIIb/IIIa のインテグリンレセプタと結合するのを阻害し，既知の血小板アゴニストによる血小板凝集を阻害する)．

xeno- [G. *xenos*, guest, host, stranger, foreign]. ［本連結形は zē′nō ではなく正しくは zĕn′ō と発音される］．奇妙な，異物，寄生虫を示す連結形．→hetero-; allo-.

xen·o·bi·ot·ic (zen′ō-bī-ot′ik) [xeno- + G. *bios*, life + -ic]. ***1*** 〘n.〙生体異物（薬理学的，内分泌学的，または毒物学的に活性な物質であり，内因的には産生されず，したがって生体にとっては異物である)．***2*** 〘adj.〙異種生物の（寄生関係とは異なり，依存関係のない 2 種の動物種の交流に関する．通常，昆虫類で用いられる)．

xen·o·di·ag·no·sis (zen′ō-dī′ag-nō′sis). 外因診断法（①ヒトの *Trypanosoma cruzi* 感染症(Chagas 病)の急性期または早期の診断法．研究室で飼育された未感染のサシガメ属 *Triatoma* の昆虫に擬似患者の組織を吸血させ，一定期間飼育後，サシガメの腸内容物中のトリパノソーマを顕微鏡で検査する．②同様な生物学的診断法で，問題とする微生物を増殖させることのできる未感染の正常な宿主動物を実験的に暴露することに基づく方法．これにより簡単にかつ確実に検出できる)．

xenoestrogen (zē-nō-ĕs-trō′jin). ゼノエストロゲン（エストロゲン作用をもつ，工業的または化学的過程で生産されるあらゆる副産物)．

xen·o·ge·ne·ic (zen′ō-jĕ-nē′ik) [xeno- + G. *-gen*, producing]. 組織移植片に関して異種の（特に提供側と被移植側が広くかけ離れた種に属する場合をいう．*cf.* allogeneic; autogenic; isogenic)．＝xenogenic (2); xenogenous (2).

xen·o·gen·ic (zen′ō-jen′ik) [xeno- + G. *-gen*, producing]. ***1*** 外因性の（生体外から，または生体内に導入された異物から発生する)．＝xenogenous (1). ***2*** ＝xenogeneic; xenogeneic *graft*.

xe·nog·e·nous (zĕ-noj′ĕ-nŭs). ***1*** ＝xenogenic (1). ***2*** ＝xenogeneic.

xen·o·graft (zen′ō-graft). 異種移植〔片〕（他種間での組織移植．*cf.* allograft; autograft; isograft)．＝heterograft; heterologous graft; heteroplastic graft; xenogeneic graft.

xe·non (Xe) (zē′non) [G. *xenos*, a stranger]. キセノン（気体元素．原子番号 54，原子量 131.29．乾燥した大気中に微少の割合(0.087ppm)で存在する．70 %の濃度で全身麻酔を引き起こす)．

xe·non 133 (^{133}Xe) (zē′non). キセノン 133（キセノンの放射性同位元素．81keV のガンマ線を放出し，5.243 日の物理学的半減期をもつ．肺機能と臓器血流の検査に用いる)．

xen·o·par·a·site (zen′ō-par′ă-sīt). 異物化寄生体（ふだんは病原性がないが，宿主側の抵抗が弱まったため，病原性を発揮するようになった寄生生物)．

xen·o·pho·bi·a (zen′ō-fō′bē-ă) [xeno- + G. *phobos*, fear]. 他人恐怖〔症〕（他人あるいは見知らぬ人，外国人に対する異常な恐れ)．

xen·o·pho·ni·a (zen′ō-fō′nē-ă) [xeno- + G. *phōnē*, voice]. アクセントと抑揚の変化を特徴とする言語障害．

Xen·op·syl·la (zen′op-sil′ă) [xeno- + G. *psylla*, flea]. ネズミノミ属（［二重字 ps において，p は語頭にあるときのみ無音である］．ラットに寄生し，腺ペストの媒介に関与するノミの一属．インド(ケオプス)ネズミノミ *X. cheopis* はペスト菌 *Yersinia pestis* の強力な媒介動物の役をする．主たる理由は，その腸がペスト菌の塊で詰まって，ノミが正常に食事できなくなると，ヒトや他の宿主を襲うようになるからである．インドのような古来からの流行地域では重要な感染源となっている．*X. astia* と *X. braziliensis* もペストの強力な媒介動物である)．

xen·yl (zen′il). キセニル（水素原子を除いたビフェニルから

なる基).

xe·ran·sis (zē-ran′sis) [G. *xēransis* < *xēros*, dry]. 乾燥(組織の水分が徐々に消失すること).

xe·ran·tic (zē-ran′tik). 乾燥性の.

xe·ra·si·a (zē-rā′zē-ă) [G. *xērasia* < *xēros*, dry]. 毛髪乾燥〔症〕(乾燥ともろさを特徴とする毛髪の状態).

xero- [G. *xeros*]. [本連結形の誤ったつづり zero- を避けること]. 乾燥を意味する連結形.

xe·ro·chi·li·a (zē′rō-kī′lē-ă) [xero- + G. *cheilos*, lip]. 口唇乾燥〔症〕.

xe·ro·der·ma (zē′rō-der′mă) [xero- + G. *derma*, skin]. 乾皮症, 乾燥皮膚(角質層の軽度の肥厚と, 発汗の減少, 風にさらされること, 低湿度による皮膚角質層の水分含有量の減少による皮膚の過剰乾燥を特徴とする軽症型の魚鱗癬. 老化, アトピー性皮膚炎, ビタミンA欠乏症に伴ってみられる).

x. pigmentosum [MIM*278700]. 色素性乾皮症(小児期に発生する露出部皮膚の発疹. 特徴は, 乳児期に重症の日焼けを起こす日光過敏があり, そばかすに似た多数の色素斑の増加と, より大きな萎縮性病変で, それは終局的には拡張した毛細血管に取り囲まれた光沢ある白色皮膚菲薄化と, 若年期に悪性変化をきたす多発性日光角化症とをもたらす. 本疾患はまれではあるが常染色体劣性遺伝をきたすいくつかの相補群からなり, DNA の修復過程に欠損があり, そのため紫外線への暴露時に染色体の破壊を生じやすく, 癌化を起こしやすくなる. 重度な眼科的, 神経学的異常もみられる. →De Sanctis-Cacchione *syndrome*).

xe·ro·gram (zē′rō-gram). ゼログラム. = xeroradiograph.

xe·rog·ra·phy (zē-rog′ră-fē). = xeroradiography.

xe·ro·ma (zē-rō′mă). = xerophthalmia.

xe·ro·mam·mog·ra·phy (zē′rō-mam-og′ră-fē). 乾式乳房撮影〔法〕, ゼロ乳房撮影〔法〕(ゼロラジオグラフィ(乾式X線撮影)による乳房撮影法).

xe·ro·me·ni·a (zē′rō-mē′nē-ă) [xero- + G. *mēniaia*, menses]. 月経期に性器出血がなく, 通常の月経期にみられる身体症状が出現することを表す語. 現在では用いられない.

xe·ro·myc·te·ri·a (zē′rō-mik-tē′rē-ă) [xero- + G. *myktēr*, the nose]. 鼻粘膜乾燥症(鼻粘膜の極度の乾燥).

xe·ro·pha·gi·a, xe·roph·a·gy (zē′r-ō-fā′jē-ă, zēr-of′ă-jē) [xero- + G. *phagō*, to eat]. 乾燥食摂取(乾燥食を食べること. 乾燥食事で生存すること).

xe·roph·thal·mi·a (zē′r-of-thal′mē-ă) [xero- + G. *ophthalmos*, eye]. 眼球乾燥〔症〕, 乾燥眼(結膜と角膜の極度の乾燥で, 光沢を失い, 角化する. 局部疾患またはビタミンAの全身欠乏による). = conjunctivitis arida; xeroma; xerophthalmus.

xe·roph·thal·mus (zē′rof-thal′mŭs). = xerophthalmia.

xe·ro·ra·di·o·graph (zē′rō-rā′dē-ō-graf). ゼロラジオグラフ(ゼロラジオグラフィにより得られた画像の永久的記録). = xerogram.

xe·ro·ra·di·og·ra·phy (zē′rō-rā′dē-og′ră-fē). 乾式X線撮影〔法〕, ゼロラジオグラフィ(X線フイルムの代わりに特殊な被覆を施した帯電板を用いるX線撮影法. 液体化学薬品の代わりに乾燥粉末で現像する. その粉末画像を紙に転写して保存用画像とする. 特有の輪郭強調画像が得られる). = xerography.

xe·ro·sis (zē-rō′sis) [xero- + G. *-osis*, condition]. 乾燥〔症〕, 乾皮症(皮膚(乾皮症), 結膜(眼球乾燥), または粘膜の病的乾燥).

x. parenchymatosus 実質性乾燥〔症〕(涙腺開口部の閉鎖を伴う, びまん性瘢痕による結膜の表層乾燥).

xe·ro·sto·mi·a (zē′rō-stō′mē-ă) [xero- + G. *stoma*, mouth]. 口内乾燥〔症〕(病因は様々だが, 唾液分泌の阻害, 減少または無唾液症による口の乾燥).

xe·rot·ic (zē-rot′ik). 乾燥した, 乾燥症にかかった.

xe·ro·trip·sis (zē′rō-trip′sis) [xero- + G. *tripsis*, a rubbing < *tribō*, to rub]. 乾燥性摩擦, 乾燥マッサージ.

Xg blood group (blŭd grūp). 付録 Blood Groups 参照.

XIC X-inactivation center(X染色体不活化中心)の略.

X-in·ac·ti·va·tion (in′ak-ti-vā′shŭn). X染色体不活性化. = lyonization.

xiph- → xipho-.

xiph·i·ster·nal (zif′i-ster′năl). 剣状突起の.

xiph·i·ster·num (zif′i-ster′nŭm) [xiphoid + G. *sternon*, chest]. 剣状突起. = xiphoid *process*.

xipho-, xiph-, xiphi- [G. *xiphos*, sword]. 剣状の, 通常は剣状突起に関する連結形.

xiph·o·cos·tal (zif′ō-kos′tăl) [xipho- + L. *costa*, rib]. 剣肋の(剣状突起と肋骨に関する).

xiph·o·dyn·i·a (zif′ō-din′ē-ă) [xipho- + G. *odynē*, pain]. 剣状突起痛(剣状軟骨部の神経痛様の痛み. →hypersensitive xiphoid *syndrome*). = xiphoidalgia.

xi·phoid (zi′foyd) [xipho- + G. *eidos*, appearance] [TA]. 剣状の([誤ったつづり xyphoid を避けること]. 特に剣状突起についていう). = ensiform; gladiate; mucronate.

xi·phoi·dal·gi·a (zi′foy-dal′jē-ă) [xiphoid + G. *algos*, pain]. = xiphodynia.

xi·phoi·di·tis (zi′foy-dī′tis) [xiphoid + G. *-itis*, inflammation]. 剣状突起炎(胸骨の剣状突起の炎症).

xi·phop·a·gus (zi-fop′ă-gŭs) [xipho- + G. *pagos*, something fixed]. 剣状突起結合体(胸骨の剣状突起部分で結合している接着双生児. → conjoined *twins*).

XLA X-linked *agammaglobulinemia* の略.

X-linked (linkt). X〔染色体〕連鎖([sex-linked と混同しないこと]. X染色体上にある遺伝子に関与していること).

XLP X-linked lymphoproliferative *disease* の略.

XMP *xanthosine* 5′-monophosphate の略.

x-ra·di·a·tion (eks′rā′dē-ā′shŭn). X線放射(X線管から発する放射エネルギー. →x-ray).

x-ray (eks′rā). ***1*** X線(高真空管から放出される電離性電磁放射線で, 熱陰極からの電子流がターゲット陽極に衝突して内殻軌道電子の励起が起こるために発生する. *cf.* glass *rays*; indirect *rays*). = roentgen ray. ***2*** X線(他の過程, 例えば原子核の崩壊とその後の過程などにより, 原子の内殻軌道電子が励起することで発生する電離性電磁放射線). ***3*** = radiograph.

hard x.-ray 硬X線(エネルギーの高い線質, 通常は放射線診断領域).

monochromatic x.-ray 単色X線(単一の光子エネルギーをもつ線質放射性核種から放出されるガンマ線と同等の純粋な状態のもの).

polychromatic x.-ray 白色X線, 連続X線(連続した広スペクトルのエネルギーをもつX線で, 臨床の現場で用いられているX線である. →bremsstrahlung).

XTP *xanthosine* 5′-triphosphate の略.

Xy xylose の略.

Xyl xylose の略.

xyl-, xylo- [G. *xylon*]. 木または xylose, xylene に関する連結形.

xy·la·zine (zī′lă-zēn). キシラジン(鎮静剤・催眠剤・麻酔剤として獣医療や実験動物で広く使用されている).

xy·lene (zī′lēn). キシレン. = xylol.

x. cyanol FF [C.I. 43535]. キシレンシアノール FF(酸性トリフェニルメタン色素で, ヘモグロビンペルオキシダーゼの組織化学的染色に用いたり, 電動泳動での DNA 配列決定法に対し, 追跡用色素として用いる).

xy·le·nol (zī′lĕ-nol). キシレノール(6つの異性体をもつ. コールタール殺菌薬と合成樹脂の製造に用いる). = dimethylphenol.

xy·li·dine (zī′li-dēn). キシリジン(試薬として, または色素の製造に用いる).

xy·li·tol (zī′li-tol). キシリトール(光学不活性な糖アルコール. 糖尿病食において砂糖の代用品としてしばしば用いられる. 特発性ペントース尿症の患者では, L-キシルロースからのキシリトールの合成が阻害されている).

xy·li·tol de·hy·dro·gen·ase (zī′li-tol dē′hī-drō′jen-ās). キシリトールデヒドロゲナーゼ. = *xylulose* reductase.

xylo- → xyl-.

xy·lo·bi·ose (zī′lō-bī′ōs). キシロビオース(2つのキシロース残基(両方がピラノース環である)が β1→4 結合している二糖).

xy·loi·din (zī-loy′din). キシロイジン. = pyroxylin.

xy·lo·ke·tose (zī′lō-kē′tōs). キシロケトース. = xylulose.

xy·lol (zī′lol). キシロール(ベンゼンに類似の物理的および

化学的性質をもつコールタールから得られる揮発性液体．3つの異性体 *m*–，*o*–，*p*–キシロールがあり，溶媒として用いる．化学物質や合成繊維の製造，および組織学で清浄剤として用いる）．＝dimethylbenzene; xylene.

xy·lon·ic ac·id (zi′lon-ik as′id). キシロン酸（キシロースの緩和な酸化生成物）.

xy·lo·pyr·a·nose (zī′lō-pir′ă-nōs). キシロピラノース（ピラノース型のキシロース）.

xy·lose (Xy, Xyl) (zī′lōs). キシロース（リボースの異性体であるアルドペントース．天然に存在する炭水化物，例えば，木の線維中の物質の発酵または水解により得られる．草食動物の重要な食事成分．ʟ–異性体は木糖またはブナ糖である）．＝uridine diphosphoxylose.

xy·lu·lose (zī′lū-lōs). キシルロース；*threo*-pentulose (2–ケトペントース．ʟ–キシルロースは真性ペントース尿症の尿に出る．グルクロン酸経路の中間体でもある）．＝xyloketose.

x. 5-phosphate キシルロース 5–リン酸（その ᴅ–異性体はペントースリン酸経路およびトランスケトール化反応の中間体である）.

x. reductase キシルロースレダクターゼ（キシルロースから NADH(ᴅ–キシルロースレダクターゼ)または NADPH(ʟ–キシルロースレダクターゼ)を用いキシリトールへの可逆的変換を触媒する酵素．この ʟ 型酵素の欠損が，本態性ペントース尿症患者にみられる）．＝xylitol dehydrogenase.

ʟ-**xy·lu·lo·su·ri·a** (zī′lū-lō-syū′rē-ă). ʟ–キシルロース尿〔症〕．＝essential *pentosuria.*

xy·lyl (zī′lil). キシリル（キシレン(キシロール)から水素原子１個を除去した基(原子団)）.

x. bromide 臭化キシリル（*o*–，*m*–，*p*–型は強力な催涙薬）.

xy·ly·lene (zī′li-lēn). キシリレン（キシレン(キシロール)から２個の水素原子を除いた基(原子団)）.

xys·ma (ziz′mă) [G. filings, shavings < *xyō*, to scrape]. 下痢便偽膜（糞便中に排泄される膜状小片）.

Y

Y イットリウムの元素記号．チロシン，ピリミジンヌクレオシドの記号．

Y- yotta- の略．

y^+ →system (5).

y- yocto- の略．

YAC yeast artificial *chromosomes* の略．

YAG yttrium-aluminum-garnet の略および頭字語．

yang (yang). 陽 (→yin-yang).

yang・go・na (yang′gō-nă). ＝yaqona.

Yang-Monti catheterizable channel (yang-mahn′tē kath′ĕ-tĕr-ī′a-bil chan′el). ヤングーマンティ(モンティ)の導尿路造設（腸管の短い遊離切片を用いて長い管を形成し膀胱と皮膚との間を連結し，間欠的導尿を可能とする尿路変向術式．Mitrofanoff の変法．→Mitrofanoff; appendicovesicostomy).

ya・qo・na (ya′kō-nă)［フィジー語］．ヤンゴナ（コショウ科 *Piper methysticum* の粉末根から得られるフィジー島の飲料．飲み過ぎると，過度の興奮状態や，脚力の欠如をきたす．慢性中毒は皮膚荒れと衰弱状態を誘発する．→methysticum). ＝kava (2); kava kava; yanggona.

Yato-byo (yah′tō-bi-ō′). 野兎病（tularemia に対する日本語). ＝Ohara disease.

yaw (yaw). フランベジア，イチゴ腫（イチゴ腫の発疹の個々の病巣).

mother y. 母イチゴ腫（イチゴ腫の最初の感染病巣と考えられ，最も一般的には，手，下肢，足に現れる大きな肉芽腫性の病巣). ＝buba madre; frambesioma; protopianoma.

yawn (yawn)［A.S. *gānian*］. ***1***《v.》あくびする．***2***《n.》あくび（通常は呼息を伴う無意識の開口．出血後などの意識もうろうや生命力低下の徴候と考えられているが，暗示によっても生じる).

yawn・ing (yawn′ing). あくびをすること．＝oscitation.

yaws (yawz)［元々はカリブ海周辺の病気．Calinago yaya 病に似ている］．フランベジア，イチゴ腫（フランベジアトレポネーマ *Treponema pertenue* によって起こる伝染性熱帯病．四肢に，痂皮の付着した肉芽腫性潰瘍の発生をみるのが特徴．骨に現れることもあるが，梅毒とは異なり，中枢神経系や心血管系は侵さない．→nonvenereal *syphilis*). ＝boubas; frambesia tropica; granuloma tropicum; mycosis framboesioides; pian; zymotic papilloma.

bosch y. 皮膚フランベジア，皮膚イチゴ腫，皮膚リーシュマニア〔症〕．＝*pian* bois.

bush y. 皮膚フランベジア，皮膚イチゴ腫，皮膚リーシュマニア〔症〕．＝*pian* bois.

foot y. 足フランベジア，足イチゴ腫（手掌と足底の角皮症と潰瘍形成を伴う足のイチゴ腫).

Yb イッテルビウムの元素記号．

year (yēr)［O.E. *gēar*］. 年，一年（およそ 365 日間．地球が太陽の周りを回転する期間).

disability-adjusted life y.'s (DALYs, DALY)［1990 年，ハーバード大学 /WHO Global Burden of Disease study の C.L. Murray と A. Lopez により開発された］．障害調整生存年数（通常は国民全体となるが，ある集団における，疾病による負荷の程度を示す尺度．国の保健統計に基づいて，長期にわたる疾病負荷を調整した平均余命によって与えられる．DALY は，国の平均的な健康レベルに基づいて国の順位を作成するため世界保健機構(WHO)によって積極的に用いられている).

y.'s of potential life lost (YPLL) 種々の疾病と致死力が社会に与える相対的なインパクト指標．外傷，癌，心臓病，または他の原因による若年死亡がなかったと仮定したときに，その人々が生きたであろう期間(年)を推定することにより計算される．

yeast (yēst)［A.S. *gyst*］. 酵母，イースト（サッカロミセス科 Saccharomycetaceae の真菌類を表す一般名．糖を含む基質(例えば果実)や，土壌，動物の排出物，草木の栄養性部分などに広く分布している．炭水化物を発酵させる能力のため，ある種のものは醸造業やパン製造業にとって重要となっている).

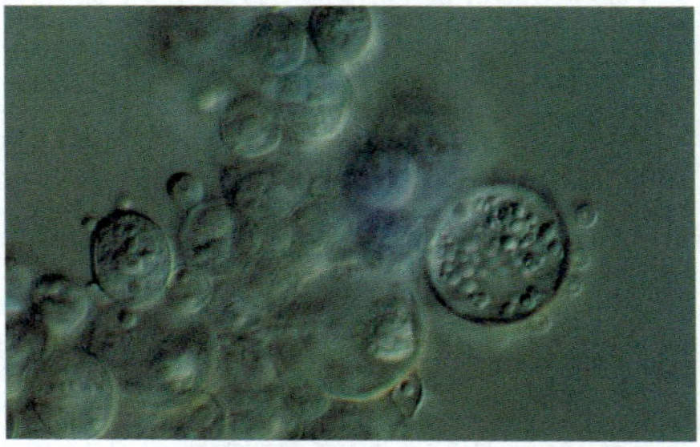

yeast

*Paracoccidioides brasilliensis*の組織段階の微視的な外観は多極出芽酵母形を明示する（Nomarski光学系，×1,250).

brewer's y. ビール酵母（ビール酵母菌 *Saccharomyces cerevisiae* の乾燥粉細胞．ビール醸造の際の副産物).

compressed y. 圧搾酵母（デンプンまたは吸収質と結合したビール酵母菌 *Saccharomyces cerevisiae* の湿気を含んだ生細胞).

cultivated y. 培養酵母（培養により成長した酵母の一型で，パンの製造，醸造などに用いる).

dried y. 乾燥酵母（ビール酵母菌 *Saccharomyces cerevisiae* の適当な菌種の乾燥細胞．ビール乾燥酵母，脱苦味性ビール乾燥酵母，または一次乾燥酵母は乾燥酵母の原料．蛋白を45%以上含み，1 g につきニコチン酸を 0.3 mg 以上，リボフラビンを 0.04 mg 以上，塩酸チアミンを 0.12 mg 以上含み，食物補充物として用いる).

primary dried y. 一次乾燥酵母（ビールの製造に必要なもの以外の培地の中で成長するビール酵母菌 *Saccharomyces cerevisiae* の適切な菌種から得られる乾燥酵母の原料).

wild y. 野生酵母（発酵体としては使えず，病気の原因にもなりうる非培養性の酵母菌).

yel・low (yel′ō)［A.S. *geolu*］. 黄色（橙色と緑色のスペクトルの間にある色．個々の黄色色素については，各名称を参照).

corralin y. コラリンイエロー（ロソリン酸のナトリウム塩).

indicator y. インジケータイエロー（光によるロドプシンの退色過程でつくられる化合物．pH 3.3—4.0 でクロムイエローを，pH 9.0—10.0 でレモンイエローを呈する).

turmeric yellow ウコン(鬱金)，キョウオウ(薑黄). ＝curcumin.

visual y. 視黄．＝all-*trans*-retinal.

yel・low root (yel′ō rūt). ＝hydrastis.

yer・ba san・ta (yer′bă san′tă)［Sp. sacred herb］. サンタ草．＝eriodictyon.

Yer・sin・i・a (yer-sin′ē-ă)［A.J.E. *Yersin*. スイス人細菌学者，1862—1943］. エルジニア属（グラム陰性，無莢膜性の卵形から杆状の細胞をもつ，運動性および非運動性の無芽胞性細菌(腸内細菌科)の一属．これらの微生物は 37°C では非運動性であるが，30°C 以下では運動性の種もある．運動性細胞は周毛性である．クエン酸塩が唯一の炭素源として利用されているわけではない．これらの微生物はヒトやその他の動物に寄生する．標準種は *Y. pestis*).

Y. enterocolitica ヒトにエルジニア症を起こす細菌の一種．発病の有無を問わず，ヒトをはじめ動物の糞便およびリンパ節，あるいは糞便に汚染されたと思われる物質中に見出される種．ウシ，家兎，野兎，イヌ，モルモット，ウマ，サル，ブタ，ヒツジの死体にも存在する．この菌は冷蔵庫の温度で増殖し，血液や血液製剤の汚染もみられている．

Y. frederiksenii *Y. enterocolitica* により再分類された．

ヒトの腸炎のまれな原因．

Y. intermedia *Y. enterocolitica* により再分類された．ヒトの腸炎のまれな原因．

Y. kristensenii エルシニアクリステンセニ（*Y. enterocolitica* の新学名．病原性不詳）．

Y. pestis ペスト菌（ヒト，げっ歯類，および他の哺乳類にペストを起こす細菌種．ネズミノミ属 *Xenopsylla* ネズミノミによってラットからラット，ラットからヒトに伝播される．*Yersinia*属の標準種）．＝Kitasato bacillus; *Pasteurella pestis*; plague bacillus.

Y. pseudotuberculosis 偽結核エルシニア菌（鳥類，げっ歯類，まれにヒトに偽結核症を起こす細菌種）．＝*Pasteurella pseudotuberculosis*.

yer·sin·i·o·sis (yer-sin′ē-ō′sis)．エルシニア症（*Yersinia enterocolitica* によるありふれたヒトの感染性疾患で，下痢，腸炎，偽性虫垂炎，回腸炎，結節性紅斑，およびときに敗血症あるいは急性関節炎を特徴とする）．

pseudotubercular y. 偽結節性エルシニア症．＝pseudotuberculosis.

yield (yēld)．収量，収率（生成した量の総量．しばしば，原料の百分率で計量する．例えば，酵素精製における収率は精製の最後の段階で得られた酵素活性単位を出発原料で得られた全単位で除した値に等しい）．

quantum y. (φ) 量子収量（吸収光の量子に対する転換された(例えば，反応によって)分子数．要求量子数の逆）．＝quantum efficiency.

yin-yang (yin′yang)．陰陽（古代中国思想において，すべての自然の基礎をなし，それを制御する陰と陽の２つの補完し対立する影響の概念．中国医学の目的は陰と陽の適当なバランスをもたらすことであった．現在では１つの影響が促進的に働き対立する影響が抑制的に働く，またはその逆の二元相反制御系の特徴を記述するのに用いられている．例えば，生物学的制御の陰陽仮説ではサイクリック GMP とサイクリック AMP が細胞機能を制御するのに二元相反的に作用すると考えられている）．

-yl ある物質がH原子またはOH基を失うことにより生成する基であることを示す化学的接尾語．例えば，前者では alkyl, methyl, phenyl，後者では acyl, acetyl, carbamoyl.

-ylene ２価の炭化水素基または二重結合をもつことを表す化学的接尾語．例えば，前者では methylene, $-CH_2-$，後者では ethylene, $CH_2{=}CH_2$.

yl·ides (il′idz)．イリド（周期表のⅤまたはⅥ族の正荷電の陰性元素(例えば，N，O，S，P)が非共有電子対をもつ炭素原子と結合している化合物の一群．イリドは，多くの酵素触媒反応にみられる）．

Y-link·age (link′ij)．Ｙ連鎖（遺伝因子(遺伝子)がＹ染色体にある状態．この考えはＸ連鎖と類似しているが，Ｙ染色体はキアズマ形成や組換えには関係していないことを考慮すると，通常用いられる連鎖法による解析はできない．その遺伝子についてはほとんどわかっていない．H-Y 抗原に対する遺伝子があり，また間接的な論拠によると，胎児の精巣形成や筋肉発達を決定する因子があることが示唆されてはいるが，その位置は範囲が狭まっているが確定していない）．

yocto-(y) [y- ＋ L.*octo*, eight (*yocto-* (1000^{-8}) being 8th in the series of SI submultiple prefixes)]．ヨクト（メートル法および SI 単位系での 10 のマイナス 24 乗(10^{-24})を表す接頭語）．

yo·gurt, yo·ghurt (yō′gŭrt) [Turkish]．ヨーグルト（ブルガリア菌 *Lactobacillus bulgaricus*，アシドフィルス菌 *L. acidophilus*，乳連鎖菌 *Streptococcus lactis* の混合培養を添加して，50°C で 12 時間保持することによりつくられる，発酵し，いくらか濃縮した全乳をいう．食品として消費される）．

yo·him·bine (yō-him′bēn)．ヨヒンビン（キナ樹の一属 *Corynanthe yohimbi*(アカネ科)の樹皮ヨヒンビの活性成分であるアルカロイド．αアドレナリン作用性受容体を限られた期間，拮抗的に遮断する．また疑わしいが，催淫薬として用いられてきた）．

yoke (yōk) [A.S. *geoc*][TA]．ヨーク，隆起．＝jugum (1).

alveolar y.'s [TA]．歯槽隆起（切歯根によって形成される上顎または下顎の歯槽突起外側面上の隆起）．＝juga alveolaria [TA].

sphenoidal y.* *jugum* sphenoidale の公式の別名．

yolk (yōk, yōlk) [A.S. *geolca*; *geolu*, yellow]．***1*** 卵黄（胚の栄養物として卵細胞の中にある栄養物質の１つ．鳥類の卵の中に特に豊富に，顕著に存在する）．＝vitellus．***2*** 羊毛脂（羊毛内にある脂肪物質．抽出，精製するとラノリンになる）．

white y. 白色卵黄（黄色卵黄よりずっと細かい粒子からなる卵黄．黄色卵黄帯間に白色卵黄の薄い層があり，ラテブラを形成する）．

yellow y. 黄色卵黄（鳥類の卵黄の主要成分．貯蔵食物の比較的粗い粒子からなり，白色卵黄の薄い層が間にはいった同心円帯にある）．

Yorke au·to·lyt·ic re·ac·tion (yōrk)．⇒reaction.

yotta-(Y) [y- ＋ It. *otto*, eight (*yotta-* (1000^{8}) being 8th in the series of SI multiple prefixes)]．ヨタ（メートル法および SI 単位系で用いられる 10 の 24 乗(10^{24})を表す接頭語）．

Young (yŭng), Hugh H. 米国人泌尿器科医，1870—1945. ⇀ Y. prostatic *tractor*.

Young (yŭng), William John. 20 世紀のオーストラリア人生化学者. ⇀Harden-Y. *ester*.

Young (yŭng), Thomas. イングランド人医師・物理学者，1773—1829. ⇀Y. *modulus*, *rule*; Y.-Helmholtz *theory* of color vision.

yperite (ē′pă-rīt) [この毒ガスが戦争(1917 年)で最初に用いられた場所 Fr. *Ypres*, Flanders から]．イペリット（化学兵器の１つで，皮膚，目，肺を激しく刺激する）．

YPLL *years* of potential life lost の略．

yp·sil·i·form (ip-sil′i-fōrm) [G. *ypsilon*, *upsilon*，文字 u または y ＋ L. *forma*, form]．Ｙ字形の．＝hypsiloid.

yt·ter·bi·um (Yb) (i-tĕr′bē-ŭm) [*Ytterby*，スウェーデンの村名]．イッテルビウム（ランタニド族の金属元素．原子番号 70，原子量 173.04．半減期が 32.03 日の ^{169}Yb は，大槽造影撮影や脳断層撮影に使用される）．

yt·tri·um (Y) (it′rē-ŭm) [*Ytterby*，スウェーデンの村名]．イットリウム（金属元素．原子番号 39，原子量 88.90585）．

yt·tri·um-90 (it′rē-ūm)．イットリウム 90（人工的放射性同位元素．物理学的半減期は 2.67 日で，2.282 MeV の β 線正崩壊により放出する．下垂体照射のための埋没療法として用いる）．

Y·von (ē-von[h]′), Paul. フランス人医師・化学者，1848—1913. ⇀Y. *test*.

Z

Z benzyloxycarbonyl (carbobenzoxy-) の略．グルタミン酸，グルタミン，ペプチドの酸加水分解によってグルタミン酸を生成する物質(例えば，4-カルボキシグルタミン酸または5-オキシプロリン)のいずれかのアミノ酸を示す記号．カルボベンゾキシ基の記号．イタリック体(*Z*)で，立体異性体の記号．

Z atomic *number* の略．

Z- zetta- の略．

z zepto- の略．

z- zepto- の略．

Zaf·fa·ro·ni (zah-fah-rō-nē), Alejandro. 20世紀のウルグアイ系米国人化学・生化学者．→Z. *system*.

Za·fir·lu·kast (za′fir-lū′kast). ザフィルルーカスト（アナフィラキシーの遅発反応性物質(SRSA)を構成するロイコトリエン D_4 および E_4(LTD_4 および LTE_4)阻害剤．ぜん息発作の予防に用いられる)．

Zag·las (zag-las′), John. エジンバラに在住した19世紀の解剖学助手．→Z. *ligament*.

Zahn (zahn), Friedrich W. ドイツ人病理学者，1845—1904. →Z. *infarct*; *lines* of Z.; *striae* of Z.(⇌stria).

Zam·busch (zam′bush), Leo von. 20世紀のドイツ人医師．→generalized pustular *psoriasis* of Z.

zan·am·i·vir (zan-am′i-vir). ザナミビル（インフルエンザのノイラミニダーゼを阻害する薬剤)．

ZAP-70 (zap). ザップ70（zeta-chain-associated *protein* の頭字語)．

Zap·pert (tsap′ert), Julius. オーストリア人医師，1867—1942. →Z. counting *chamber*.

Zav·a·nel·li (za-va-nel′ē), William. 20世紀の米国人産科医．→Z. *maneuver*.

ze·a (zē′ă) [Mod.L. maize]. トウモロコシ（イネ科インドトウモロコシ *Zea mays* の花柱と柱頭．以前は利尿薬，抗痙攣薬として用いられた)．＝cornsilk.

ze·a·ral·e·none (zē-ă-ral′e-nōn). ゼラレノン（レソルサイリック酸ラクトンの一種．同化剤として獣医療で用いる)．

ze·a·tin (zē′ă-tin). ゼアチン（トウモロコシの穀粒から初めて分離されたシトキニン)．＝maize factor.

ze·a·xan·thin (zē′ă-zan′thin) [Mod.L. *Zea*, Indian corn＜L. *zea*, grain＋G. *xanthos*, yellow＋-in]. ゼアキサンチン（トウモロコシ，果実，種子，卵黄に存在するカロチノイドで，キサントフィルの異性体)．＝zeaxanthol.

ze·a·xan·thol (zē′ă-zan′thol). ＝zeaxanthin.

Zee·man (tsē′man), Pieter. オランダ人医師・ノーベル賞受賞者．1865—1943. →Z. *effect*.

ZEEP zero end-expiratory *pressure* の略．

ze·in (zē′in). ゼイン（トウモロコシに存在するプロラミン．主にL-トリプトファンとL-リシンが含まれず，シスチンの含有量も低い．トウモロコシの主要貯蔵蛋白である)．

Zeis (zīs), Eduard. ドレスデンの眼科医，1807—1868. →Z. *glands*; zeisian *sty*.

zeis·i·an (zīs′ē-ăn). Eduard Zeis に関する，または彼の記した．

zeit·geist (zīt′gīst) [Ger. *Zeit*, time＋*Geist*, spirit]. 時代精神（心理学における用語で，その時代の文化，芸術，科学の中にいつでもみられる世論の動向，思潮，目立たない影響，疑問をもたれない仮定をいい，人もこの時代精神に貫かれ，影響を受けている)．

Zell·we·ger (zel′weg-ĕr), Hans U. 米国人小児科医，1909—1990. →Z. *syndrome*.

ze·lo·pho·bi·a (zē′lō-fō′bē-ă) [G. *zēlos*, zeal＋*phobos*, fear]. 嫉妬恐怖〔症〕（嫉妬に対する病的な恐れ)．

ze·lo·typ·i·a (zē′lō-tip′ē-ă) [G. *zēlotypia*, rivalry, envy＜*zēlos*, zeal＋*typtō*, to strike]. 熱狂症（ある説を主張して，病的なほどに熱狂すること)．

Zen·ker (zen′kĕr), Friedrich A. ドイツ人病理学者，1825—1898. →Z. *degeneration*, *diverticulum*, *fixative*, *paralysis*; formol-Z. *fixative*.

ze·o·lite (zē′ō-līt). ゼオライト（天然に存在するアルミニウムケイ酸ナトリウム水和物 $Na_2O \cdot Al_2O_3 \cdot (SiO_2)_x \cdot (H_2O)_x$. 水の Ca^{2+} を Na^+ に変えることにより硬水を軟化するのに用いる．合成イオン交換体には化学的に関連がなくても合成ゼオライトとよぶものもある)．

ze·o·scope (zē′ō-skōp) [G. *zeō*, to boil＋*skopeō*, to examine]. 沸騰計（正確な沸点を確かめることにより，液中のアルコール含有量を測定する装置)．

zep·to- (z) ゼプト（10^{-21} の分量単位を表すために SI やメートル法で用いられる接頭語)．

ze·ro (zē′rō) [Sp.＜Ar. *sifr*, cipher]. 零，零点（[JCAHO は，小数点の前に他の数字がない場合，常に0を小数点の前に記入するように(例えば .5mg ではなく0.5mg)，また小数点の後に他の数字がない場合，決して0を小数点の後に記入しないように(例えば 5.0mg ではなく 5mg)指導している]．①大きさのないこと，または無を意味する数字の0．②温度測定においては，目盛りの数字が2方向に分かれる点．セ氏および Réaumur 目盛りで0は蒸留水の氷点を表す．カ氏目盛りでは水の氷点から32°F低い温度)．

absolute z. 絶対零度（考えられる最低の温度，すなわちその温度では熱となる分子運動がもはや存在しないとみなされ，−273.15°C または0 K と定められる)．

ze·ro grav·i·ty (zē′rō grav′i-tē). 無重力（放物線滑走または回転の遠心力が重力を打ち消す場合に，空間またはときに飛行中に存在する物理的状態)．

ZES Zollinger-Ellison *syndrome* の略．

ze·ta (ζ) (zā′tă). ゼータ（①ギリシア語アルファベットの第6字．②化学では系列の6番目を表す．例えば，官能基から第6番目の炭素．③界面動電位の記号)．

ze·ta·crit (zā′tă-krit). ゼータクリット（毛細管に入れた血液を垂直面内で遠心し，測定したヘマトクリット値．条件を一定にして赤血球の集密と分散を繰り返すことができる．通常のヘマトクリット値とともに測定してゼータ沈降比 zeta sedimentation ratio を求める)．

ze·ta·pro·tein (zā′tă-prō′tēn). ゼータ蛋白．＝fibronectins.

zetta-(Z) [var. of L. *septem*, seven (*zetta*- being 7th in the series of SI multiple prefixes)]. ゼタ（メートル法および SI 単位系で用いられる接頭語．10の21乗(10^{21})を表す)．

zeug·ma·tog·ra·phy (zūg′mă-tog′ră-fē) [G. *zeugma*, that which joins together]. ズーグマトグラフィ（1972年に Lauterbur によって命名された語で，RF と空間的に定義された磁場勾配を結びつけて，組織中の水素原子核密度と緩和時間の2次元像を合成すること，およびその技術．初めて核磁気共鳴による画像を得た方法)．

zi·do·vu·dine (zī-dō′vū-dēn). ジドブジン（エイズとエイズ関連症候群の原因物質である HIV ウイルスの *in vitro* における複製を阻害するチミジン類似化合物．これらの病気の治療に用いる)．＝azidothymidine.

Zieg·ler (zēg′ler), Samuel L. 米国人眼科医，1861—1926.

Zie·hen (zē′hen), Georg T. ドイツ人精神科医，1862—1950. →Z.-Oppenheim *disease*.

Ziehl (zēl), Franz. ドイツ人細菌学者，1857—1926. →Z. *stain*; Z.-Neelsen *stain*.

Zie·mann (tsē-mahn′), Hans R. P. ドイツ人病理学者，1865—1939. →Z. *dots*, *stippling*.

Zieve (zēv), Leslie. 20世紀の米国人医師．→Z. *syndrome*.

Zim·mer·lin (zim′er-lin), Franz. スイス人医師，1858—1932. →Z. *atrophy*.

Zim·mer·mann (zim′er-mahn), Karl W. ドイツ人組織学者，1861—1935. →Z. *corpuscle*, *granule*, elementary *particle*; *polkissen* of Z.

Zim·mer·mann (zim′er-mahn), Wilhelm. 20世紀のドイツ人医師．→Z. *reaction*, *test*.

zinc (Zn) (zingk) [Ger. *Zink*]. 亜鉛（金属元素．原子番号30，原子量65.39．必須生体成分．亜鉛を含む塩の多くは薬品として用いる．多くの蛋白の補助因子)．

z. acetate 酢酸亜鉛（催吐薬，止血薬，収れん薬)．

z. caprylate カプリル酸亜鉛（局所に適用される抗真菌薬)．

z. chloride 塩化亜鉛；$ZnCl_2$（以前は皮膚癌，母斑などを除去するための腐食薬として，また薄い溶液にして淋疾や結膜炎の治療に用いられた）．＝butter of zinc.

z. gelatin ゼラチン亜鉛（酸化亜鉛，ゼラチン，グリセリン，精製水を含む．保護薬として局所的に用いる）．

z. iodide ヨウ化亜鉛；ZnI_2（殺菌薬，収れん薬として用いる）．

medicinal z. peroxide 薬用過酸化亜鉛（過酸化亜鉛，炭酸亜鉛，水酸化亜鉛の混合物．局所消毒薬，収れん薬，脱臭薬）．

z. oxide 酸化亜鉛；ZnO（散布剤，軟膏で保護薬として用いる．炭酸鉛の代わりに塗料にも含まれる）．＝flowers of zinc; z. white.

z. oxide and eugenol 酸化亜鉛ユージノール（金属歯科修復物の下に入れる基材として，一時的な充塡物質または印象材として用いる．凝結や硬化は，粉末とユージノールとの複合反応による）．

z. permanganate 過マンガン酸亜鉛（過マンガン酸カリウムと類似する作用をもつが，収れん作用はより強い．尿道炎において，1:4000 溶液で注入または洗浄に用いる）．

z. peroxide 過酸化亜鉛；ZnO_2（水に不溶の黄白色粉末．酸により分解する．薬剤の調製に用いる）．＝z. superoxide.

z. phenolsulfonate フェノールスルホン酸亜鉛（腸の殺菌薬として，または局所用として慢性の粘膜炎症時の収れん薬として用いる）．＝z. sulfocarbolate.

z. phosphide リン化亜鉛；Zn_3P_2（ラットやマウスを駆除するための毒餌として用いる）．

z. stearate ステアリン酸亜鉛（ステアリン酸とパルミチン酸を種々の割合で含む化合物．湿疹，痤瘡，その他の皮膚病の治療に粉末や軟膏として用いる，水をはじく防護薬）．

z. sulfate 硫酸亜鉛（淋疾，無痛潰瘍，結膜炎，およびその他の皮膚病の治療に局所性収れん薬として用いる．内用では催吐薬として用いる）．

z. sulfocarbolate ＝z. phenolsulfonate.

z. superoxide ＝z. peroxide.

z. undecylenate, z. undecenoate ウンデシレン酸亜鉛（ウンデシレン酸の亜鉛塩．乾癬を含む皮膚の真菌やその他の感染症の治療に用いる）．

z. white ＝z. oxide.

zinc 65 (**^{65}Zn**) (zingk). 亜鉛 65（亜鉛の放射性同位元素．半減期 243.8 日で主に K 電子捕捉により崩壊．亜鉛代謝の研究にトレーサとして用いる）．

zinc·if·er·ous (zing-kif′ĕr-ŭs). 亜鉛含有の．

zinc·oid (zing′koyd) [G. *eidos*, resemblance]. 亜鉛の，亜鉛様の．

zin·cun·de·cate (zingk′ŭn-dĕ-kāt). ＝undecylenic acid.

zin·gi·ber (zin′ji-bĕr). ショウガ．＝ginger.

Zinn (zin), Johann G. ドイツ人解剖学者，1727—1759. → Z. *artery*, vascular *circle*, *corona*, *ligament*, *membrane*, *ring*, *tendon*, *zonule*.

Zins·ser (zinz′sĕr), Hans. 米国人細菌・免疫学者，1878—1940. → Brill-Z. *disease*.

zir·co·ni·um (Zr) (zir-kō′nē-ŭm) [*zircon*, a mineral < Ar. *zarkūn*, cinnabar, Pers. *zargun*, goldlike]. ジルコニウム（金属元素．原子番号 40，原子量 91.224．自然界に広く存在するが，1 か所に多量に発見されたことはない）．

zir·co·ni·um ox·ide (zir-kō′nē-ŭm oks′īd). 酸化ジルコニウム（皮膚疾患の保護薬あるいは絵具の色素として使用される）．

zm zeptometer（ゼプトメートル）の略．註メートルの補助単位で 10^{-21} メートルを表す．Z が大文字の場合はゼダメートルで，10^{21} メートルのことである．ym（ヨクメートル）は 10^{-24} メートル，Ym（ヨタメートル）は 10^{24} メートルを表す．

Zn 亜鉛の元素記号．

^{65}Zn 亜鉛 65 の記号．

Zo_2 精子 10^8 個が時間当たり吸収する酸素量（μL）を表す記号．その値は温度関数として変化する．

zo- → zoo-.

zo·an·throp·ic (zō′an-throp′ik). 獣化妄想の．

zo·an·thro·py (zō-an′thrō-pē) [G. *zōon*, animal + *anthrōpos*, man]. 獣化妄想（イヌのような，動物であるという妄想）．

zo·et·ic (zō-et′ik) [G. *zōē*, life]. 生命の，生物の．

zo·ic (zō′ik) [G. *zōikos*, relating to an animal]. 動物の，生物の．

zo·ite (zō′īt) [G. *zōon*, animal]. ＝sporozoite.

Zol·lin·ger (zol′in-jer), Robert M. 20世紀初頭の米国人外科医．→ Z.-Ellison *syndrome*, *tumor*.

Zöll·ner (zel′ner), Johann F. ドイツ人物理学者，1834—1882. → Z. *lines*.

zol·pi·dem (zol′pi-dĕm). ゾルピデム（不安の治療薬として有用な鎮静催眠薬で，その薬理活性はベンゾジアゼピン系薬物と類似するが，化学構造はかなり異なる．ベンゾジアゼピン系薬物と異なり，著明な抗痙攣作用は有さず，耐性も生じにくい）．

zo·me·pir·ac so·di·um (zō′mĕ-pir′ak sō′dē-ŭm). ゾメピラックナトリウム（鎮痛薬，抗炎症薬．現在では市販されていない）．

zo·na, pl. **zo·nae** (zō′nă, zō′nē) [L. < G. *zōnē*, a girdle, one of the zones of the sphere][TA]. ***1*** 帯．＝zone. ***2*** 帯状疱疹，帯状ヘルペス．＝*herpes* zoster.

z. arcuata 弓状帯．＝arcuate *zone*.

z. ciliaris 毛様体領域．＝ciliary *zone*.

z. corona ＝costal *fringe*.

z. dermatica 皮膚帯（二分脊椎の突出部位を囲む肥厚した皮膚隆起縁）．

z. epithelioserosa 上皮漿膜帯（皮膚帯内にあり，脊椎披裂の突出物を囲む膜の輪）．

z. externa medullae renalis [TA]. ＝outer *zone* of renal medulla.

z. fasciculata 束状帯（副腎皮質の球状帯と網状帯の間にある放射状配列をした細胞索の層で，コーチゾルとデヒドロエピアンドロステロンを分泌する）．

z. glomerulosa 球状帯（副腎皮質の外層で，被膜の直下にあり，アルドステロンを分泌する）．

z. hemorrhoidalis 痔帯，痔輪．＝hemorrhoidal *zone*.

zonae hypothalamicae [TA]. ＝*zones* of hypothalamus.

z. incerta [TA]. 不確帯（視床束(Forel の被蓋野 H_1)とレンズ束(Forel の被蓋野 H_2)との間にある視床腹部にみられる平坦な斜めになった板状の灰白質．内側では赤核前野(Forel の被蓋野H)と接し，外側では視床のレンズ核に続いている．視床腹部に由来する構造で中心前回の運動皮質と小脳から出る投射線維が集まる）．

z. interna medullae renalis [TA]. ＝ inner *zone* of renal medulla.

z. lateralis [TA]. 〔視床下部の〕外側層．（→ *zones* of hypothalamus）．＝lateral *zone*.

z. medialis [TA]. 〔視床下部の〕内側層．（→ *zones* of hypothalamus）．＝medial *zone*.

z. medullovasculosa 脊髄血管帯（髄膜脊髄瘤内の囊胞を背部から閉じる脊髄の披裂部分）．

z. ophthalmica 眼性帯状疱疹，眼性帯状ヘルペス（眼神経が分布する部分の帯状疱疹）．

z. orbicularis (articulationis coxae) [TA]. 〔股関節の〕輪帯（大腿骨頸部を囲む股関節の関節胞の線維）．＝orbicular zone of hip joint; ring ligament; zonular band.

z. pectinata 櫛状帯．＝pectinate *zone*.

z. pellucida 透明帯（卵母細胞周囲の糖蛋白に富んだ細胞外被覆物で，卵母細胞の微小絨毛，胞状卵胞の細胞突起を含む．光学顕微鏡では均一透明にみえる）．＝pellucid zone.

z. perforata ＝*foramina* nervosa(⇀ foramen).

z. periventricularis [TA]. 〔視床下部の〕脳室周囲層．（→ *zones* of hypothalamus）．＝periventricular *zone*.

z. pupillaris 瞳孔領域．＝pupillary *zone*.

z. radiata 放射帯．＝z. striata.

z. reticularis 網状帯（副腎皮質の内層で，細胞索が網状に吻合している）．

z. striata 線条帯（ある種の両生類などの生物の卵細胞の肥厚化した細胞膜で，光学顕微鏡下では放射線の縞状にみえる．電子顕微鏡を用いると，縞は微小絨毛として見ることができる）．＝membrana striata; striated membrane; z. radiata.

z. tecta ＝arcuate *zone*.

z. transitionalis analis [TA]. ＝ anal transitional *zone*.

z. vasculosa 脈管帯．＝vascular *zone*.

zon·al (zō′năl). 帯〔状〕の.
zo·nar·y (zō′năr-ē). 帯状の.
zo·nate (zō′nāt). 帯状の，帯状配列の（異なる組織または着色の同心円の層をもつことを示す).

ZONE

zone (zōn) [L. *zona*][TA]. 帯（外部・内部・縦走・横走のいずれを問わず何かを囲む構造またはベルト状の構造.→area; band; region; space; spot). ＝zona (1) [TA].

abdominal z.'s ＝abdominal *regions*.

anal transitional z. [TA]. 肛門移行部（肛門管で単層円柱上皮から重層扁平上皮への移行部で癌の好発部位である). ＝zona transitionalis analis [TA].

androgenic z. *1* ＝X z. (1). *2* 男性ホルモン帯，アンドロゲン領域. ＝fetal suprarenal *cortex*; fetal reticularis (2).

arcuate z. 弓状帯（蝸牛管基底板の内側 1/3 の部分で，骨ラセン板の鼓室唇から Corti 器の外柱細胞までをいう). ＝zona arcuata; zona tecta.

Barnes z. (barnz). バーンズ帯（妊娠した子宮の下部 1/4 で，この部分に胎盤が付着すると危険な出血を起こす). ＝cervical z.

bilaminar z. (bī-lam′i-nar-zōn). 2 層部（顎関節の関節円板の後縁に付着する粗な結合組織の塊. 関節包後方の粗雑なヒダに広がり，同部を満たしている). ＝retrodiscal tissue.

cell-free z. 細胞希薄層. ＝Weil basal *layer*.

cell-poor z. 細胞希薄層（歯髄組織のうち，細胞稠密層(→cell-rich z.)とぞうげ芽細胞層との間に存在する層. 細胞が通常みられないが，修復ぞうげ質の形成時には，線維芽細胞(ときには間葉系細胞)が，細胞希薄層を通過し，死滅したぞうげ芽細胞に置き換わる).

cell-rich z. 細胞稠密層（歯髄組織のうち，歯髄中心部と細胞希薄層(→cell-poor z.)との間に存在する層. 線維芽細胞および間葉性細胞が豊富に含まれる. 修復ぞうげ質を形成することにより，細菌の侵襲から歯髄を防御する役割を担う).

cervical z. ＝Barnes z.

cervical z. of tooth ＝*neck* of tooth.

ciliary z. 毛様体領域（虹彩前面の外側にある広い領域で，小環により内側の瞳孔領域と分けられる). ＝zona ciliaris.

comfort z. 快感帯（震えまたは発汗なしに裸体で熱平衡を保ちうる 28—30°C の温度範囲. 服着用の場合には 13—21°C).

z.'s of discontinuity 中断帯（細隙灯生体顕微鏡検査でみられるような，眼の水晶体の種々の光学的濃度の同心円帯).

dolorogenic z. ひきがね帯，発痛帯. ＝trigger *point*.

entry z. 入口帯（脊髄後角の先端の内側にある後索部で，この中で，はいってくる後根線維が上向性，下向性に分枝する).

ependymal z. ＝ependymal *layer*.

epileptogenic z. てんかん発生帯（刺激を受けると患者の自発性発作あるいは前兆を起こす皮質領域).

equivalence z. 等量域（沈降反応において，抗体も抗原も過剰でない範囲.→precipitation). ＝equivalence point.

erogenous z.'s, erotogenic z.'s 性感〔発生〕帯（刺激により性的感情を興奮させる性器あるいは乳頭などの体の一部).

fetal z. ＝fetal suprarenal *cortex*.

gingival z. 歯槽帯（歯を囲み，下にある歯槽骨に固く結合する口腔粘膜部分).

Golgi z. (gol′jē). ゴルジ帯，ゴルジ領域（①Golgi 装置によって占められる細胞質部分. ②外分泌腺の分泌細胞で核と分泌腔表面の中間にある).

grenz z. [Ger. *Grenze*, borderline, boundary]. 境界帯（病理組織用語. 表皮直下の狭い帯状領域が，それより下方の真皮にみられる細胞浸潤や病変から免れていること).

Head z.'s (hed). ヘッド帯. ＝Head *lines*.

hemorrhoidal z. 痔核領域（肛門管の一部で，痔静脈叢を含む). ＝anulus hemorrhoidalis; zona hemorrhoidalis.

z.'s of hypothalamus [TA]. 視床下部の諸層（吻端から尾端にかけて細胞群の特徴や位置によって分けられた層構造. 脳室周囲層は第 3 脳室壁にある小細胞からなる薄い層. 内側層は脳室周囲層と，乳頭体視床路および後交連弓との間に引いた頭尾方向の線との間にあって視索上核，隆起核，乳頭体核からなる. 外側層は内側層の外側にあり隆起核と内側前頭葉性線維を含む). ＝zonae hypothalamicae [TA].

inner z. of renal medulla [TA]. 腎髄質の内層（腎乳頭を含む腎錐体の先端部分). ＝zona interna medullae renalis [TA].

intermediate z. [TA]. 中間帯. ＝intermediate *column*.

intermediate z. of iliac crest [TA]. 腸骨稜中間線（腸骨稜の中間線. 内唇と外唇の間にある腸骨稜上の線で，内腹斜筋の起始を示す). ＝linea intermedia cristae iliacae [TA]; intermediate line of iliac crest.

interpalpebral z. 瞼裂領域，〔眼〕瞼間帯（開瞼時に露出する角膜と強膜の部分).

intertubular z. 管間ぞうげ質（管周ぞうげ質の間に存在するぞうげ質. 管周ぞうげ質よりも石灰化が少なく膠原線維を多く含む).

isoelectric z. 等電領域（等電性沈殿が起こる水素イオン濃度(pH)の範囲).

isopycnic z. 等密度帯（密度勾配遠心沈殿法で，目的とする高分子の浮遊密度と同じ密度をもった領域).

language z. 言語帯（言語に関する記憶と連合の中枢があると考えられている，大脳皮質の左半球(右利きの人の場合)にある大きな領域).

latent z. 潜伏帯（大脳皮質の局在において，刺激をしても運動が誘発されなかったり，障害を受けても症状が出現しない部位. 主に前頭葉のより前方の部位).

lateral z. [TA]. 〔視床下部の〕外側層. (→ z.'s of hypothalamus). ＝zona lateralis [TA].

Lissauer marginal z. (lis′ow-ĕr). リッサウアー辺縁帯. ＝dorsolateral *fasciculus*.

Looser z.'s (lō′zĕr). ローザー帯. ＝Looser *lines*.

mantle z. マントルゾーン（①＝mantle *layer*. ②リンパ沪胞中の淡染色性の胚中心を取り囲む小 B リンパ球の層).

Marchant z. (mahr-shŏn[h]′). マルシャン帯（頭蓋基底部の蝶形骨と後頭骨にある脳硬膜が分離しやすい領域).

marginal z. *1* 辺縁帯（脾臓内で赤脾髄と白脾髄との境界に存在する層で，無数の大食細胞を含み洞様毛細血管が分布し白脾髄でつくられた抗体を含んだ細動脈が合流している). *2* 縁帯，辺縁層. ＝marginal *layer*.

medial z. [TA]. 〔視床下部の〕内側層 (→ z.'s of hypothalamus). ＝zona medialis [TA].

motor z. 運動帯（刺激を受けると運動を生じ，傷つけると痙攣あるいは麻痺を起こす，主に前頭葉後部，中心溝付近の大脳皮質部分).

neutral z. 中立帯（歯科において，唇と頬の側と舌の側との間にある潜在的間隙. この部分にある自然歯または人工歯は周囲の筋組織から等しく，反対方向の力を受けることになる).

nucleolar z. ＝nucleolar *organizer*.

Obersteiner-Redlich z. (ō′bĕr-stī-nĕr red′lik). オーベルシュタイナー－レートリッヒ帯（神経路(または神経根)に沿って神経軸索を支える Schwann 細胞と結合組織が神経膠細胞と置き換わるところにある狭い線. この領域が中枢神経系と末梢神経系の間の真の境界となる. 通常，脊髄または脳幹の表面またはその近くに位置するが，数ミリメートル離れた部分にのびていることもある(例えば第八脳神経内)). ＝Obersteiner-Redlich line.

odontoblastic z. ぞうげ芽細胞層（歯髄の最外層. ぞうげ質形成に関与するぞうげ芽細胞からなる. ぞうげ芽細胞は，その細胞突起をぞうげ細管内に伸ばす. また，ぞうげ芽細胞層の直下には細胞希薄層が存在する.→odontoblastic *layer*).

orbicular z. of hip joint 〔股関節の〕輪帯. ＝*zona* orbicularis (articulationis coxae).

outer z. of renal medulla [TA]. 腎髄質の外層（腎錐体の基底部分). ＝zona externa medullae renalis [TA].

pectinate z. 櫛状帯（蝸牛管基底板の外側 2/3 の部分). ＝zona pectinata.

pellucid z. 透明帯. ＝*zona* pellucida.

peritubular z. 管周ぞうげ質（ぞうげ芽細胞突起を取り囲むぞうげ基質. 他の部分のぞうげ基質に比べ，石灰化が強

Z

く，細い膠原線維を含む）．

periventricular z. [TA]．〔視床下部の〕脳室周囲層（→z.'s of hypothalamus）．＝zona periventricularis [TA]．

polar z. 電極部（身体に取り付けた電極に近い部分．→electrotonus）．

protective z. 保護時相（心周期内の一時相で，受攻期のすぐ後に続く．この時期には，受攻期の間に加えられたその前の刺激のために，２つめの刺激を与えても心室細動の開始が防止されることになる．恐らくエントリーの回路をブロックしているためと思われる）．

pupillary z. 瞳孔領域（小環と瞳孔縁の間にある虹彩表面の中央部分）．＝zona pupillaris．

pupillary z. of iris 虹彩の瞳孔領．＝inner *border* of iris．

reflexogenic z. 反射帯（刺激により一定の反射を起こす領域または帯）．

secondary X z. 二次X層，二次X帯（ある種のげっ歯類，特に雄のマウスの思春期以後に生殖腺切除をしたときに現れる内部索状帯に位置する副腎皮質の層．この層の発達は脳下垂体の生殖腺刺激ホルモンにより刺激されると信じられている）．

segmental z. 分節帯（初期胚子の未分化沿軸中胚葉の背側肥厚部で体節的に分離して中胚葉性の体節となる）．＝segmental plate．

Spitzka marginal z. (spits'kă)．スピッツカ辺縁帯．＝dorsolateral *fasciculus*．

subplasmalemmal dense z. ＝corneocyte *envelope*．

sudanophobic z. スダン嫌性帯（ラットの副腎皮質内の索状帯周辺部の細胞帯で，スダンで染色されない）．

tender z.'s 圧痛帯，知覚過敏帯．＝Head *lines*．

thymus-dependent z. 胸腺依存帯．＝paracortex．

trabecular z. ＝trabecular *tissue* of sclera．

transformation z. 移行帯（頸管上皮で扁平上体と腺上皮の移行帯．移行帯の位置はホルモン状態で変動する）．

transitional z. 移行圏，移行領域（①前部水晶体上皮細胞が水晶体線維に移行する水晶体の赤道部．②強膜レンズの角膜部と強膜部との間の境界部）．

transitional z. of lips [TA]．口唇移行部，赤唇（朱色の縁で始まる薄い無毛の皮膚で，赤いのは皮下の毛細血管網のためである）．

trigger z. ＝trigger *point*．

trophotropic z. of Hess (hĕs)．ヘス栄養向性帯（正の身体感覚に関連した視床下部の部位）．

vascular z. 脈管帯（側頭骨乳突部からの多くの小血管が分布する外耳道の部分）．＝spongy spot; zona vasculosa．

vermilion z., vermilion transitional z. 赤唇縁，赤唇（上下両口唇の赤色の縁で，口腔内口唇粘膜の外縁(湿線)で始まって外部に広がり，口腔外口唇皮膚移行部までのびる．角化層の薄い重層扁平上皮に血管乳頭が深くくい込み，これが表皮を透けてみえて典型的な赤唇を形成する．*cf.* vermilion *border*）．

Weil basal z. (vīl')．ヴァイル基底帯．＝Weil basal *layer*．

Wernicke z. (ver'nik-ĕ)．ヴェルニッケ帯．＝Wernicke *center*．

z. 1, 2, 3, 4 of West ウェストの1, 2, 3, 4域（肺生理学において，肺胞気圧，毛細血管圧，肺静脈圧の関係に基づく肺垂直位の高さを定義する）．

X z. X層，X帯（①ある種のげっ歯類，特にマウスの出生時に一時的にみられる副腎皮質の一層．網状帯と副腎髄質の間に位置する．雄では思春期のホルモン分泌に伴い，また雌では最初の妊娠時に退化する．思春期を過ぎても交尾しない雌では徐々に大きくなって，中年期まで退化しない．X層はホルモンを分泌しないようである．＝androgenic z. (1)．②霊長類の胎生期副腎皮質 fetal adrenal *cortex* の誤称．＝fetal reticularis (3)）．

---

zo·nes·the·si·a (zōn'es-thē'zē-ă) [G. *zōnē*, girdle + *aisthēsis*, sensation]．帯状感，絞扼感，緊括感（ひもが体に巻き付き締め付けられるような感覚）．＝girdle sensation; strangalesthesia．

zon·ing (zōn'ing)．帯形成（梅毒の診断で用いる血清試験にときに観察される現象．梅毒の疑いのあるごく少量の血清で強い反応が起こる．この反応は高い抗体価によるものと思われる）．

zon·og·ra·phy (zōn-og'ră-fē) [zone + G. *graphō*, to write]．狭角断層撮影法（比較的厚い焦点平面をもつ断層撮影法の一種．特に腎の断層撮影に用いる）．

zo·no·skel·e·ton (zō'nō-skel'ĕ-tŏn) [L. *zona*, zone + skeleton]．肢帯骨，帯脚骨（四肢の骨のうち最も近位にあるもの，すなわち肩甲骨，鎖骨，寛骨）．

zo·nu·la, pl. **zo·nu·lae** (zō'nyū-lă, zon'ū-; -lē) [L. *zona* (zone)の指小辞]．小帯．＝zonule．

z. adherens 接着帯（円柱上皮細胞同士を接着させるデスモソーム様の帯状構造物．細胞質フィラメントで支えられている）．＝intermediate junction．

z. ciliaris [TA]．毛様〔体〕小帯．＝ciliary *zonule*．

z. occludens 閉鎖帯（隣接する上皮細胞の側壁細胞膜の蛋白が癒合して形成された固い結合で上皮の透過性を抑制している）．＝impermeable junction; tight junction．

zo·nu·lar (zō'nyū-lăr, zon'ū-)．小帯の．

zon·ule (zōn'yūl)．小帯．＝zonula．

ciliary z. [TA]．毛様〔体〕小帯（毛様体輪の内部表面から生じる細い経線線維からなる．毛様体突起の間では束となり，上部では薄い膜となって走る．毛様体冠の内境界部で線維は２つのグループに分かれ，水晶体赤道近くの前面上および後面上の被膜に放散する．この２層の線維間の空隙は眼房水で満たされている）．＝Zinn z. [TA]; zonula ciliaris [TA]; apparatus suspensorius lentis; suspensory ligament of lens．

Zinn z. (zin) [TA]．ツィン小帯．＝ciliary z．

zo·nu·li·tis (zō'nyū-lī'tis) [zonule + G. *-itis*, inflammation]．毛様小帯炎（毛様小帯または水晶体の懸垂靱帯の炎症と思われる）．

zo·nu·lol·y·sis, zo·nu·ly·sis (zō'nyū-lol'i-sis, -lī'sis) [zonule + G. *lysis*, dissolution]．毛様小帯溶解（白内障の外科的除去を行いやすくするための，酵素(α-キモトリプシン)による毛様小帯の融解）．＝Barraquer method．

zoo-, zo- [G. *zōon*]．動物または動物の生活を意味する連結形．

zo·o·an·thro·po·no·sis (zō'ō-an'thrō-pō-nō'sis) [zoo- + G. *anthrōpos*, man + *nosos*, disease]．通常，ヒトにより維持されているが，他の脊椎動物に伝染することの可能な人畜共通伝染病(例えば，イヌのアメーバ症，結核)．*cf.* anthropozoonosis; amphixenosis．

zo·o·blast (zō'ō-blast) [zoo- + G. *blastos*, germ]．動物細胞．

zo·o·chrome (zō'ō-krōm)．動物色素（自然に発現する動物色素．ヒトの色素も含まれている）．

zo·o·der·mic (zō'ō-der'mik) [zoo- + G. *derma*, skin]．動物の皮膚の．

zo·o·e·ras·ti·a (zō'ō-ĕ-ras'tē-ă) [zoo- + G. *erastēs*, lover]．獣姦．＝zoophilia．

zo·o·ful·vin (zō'ō-fŭl'vin)．ゾオフルビン（ある種の鳥類の羽から得られる黄色色素）．

zo·o·gen·e·sis (zō'ō-jen'ĕ-sis) [zoo- + G. *genesis*, origin]．動物生殖論，動物発生論（動物の生殖と発生に関する学説）．

zo·o·ge·og·ra·phy (zō'ō-jē-og'ră-fē)．動物地理学（地表上の動物分布に関する研究）．

zo·o·gle·a (zō'ō-glē'ă) [zoo- + G. *glia*, glue]．粘着集落（細菌学において，透明なゼラチン物質に包まれて存在する細菌塊に対する古語）．

zo·og·o·nous (zō-oj'ŏ-nŭs)．胎生の．＝viviparous．

zo·og·o·ny (zō-oj'ŏ-nē)．胎生．＝viviparity．

zo·o·graft (zō'ō-graft)．移植用動物組織片，動物移植片（ヒトの移植のために動物から取った組織片）．＝animal graft; zooplastic graft．

zo·o·graft·ing (zō'ō-graft'ing)．[誤った発音 zū'graft-ing を避けること]．＝zooplasty．

zo·oid (zō'oyd) [G. *zoōdēs* < *zōon*, animal + *eidos*, resemblance]．***1***〘adj.〙動物様の（動物に類似している，あるいは動物様の外観をもつ生物または物体）．***2***〘n.〙卵子や精子，あるいは条虫類の体節のような，独立して存在または運動することが可能な動物細胞．***3***〘n.〙個虫（サンゴのような，群体を形成する無脊椎動物の個体）．

zo·o·lag·ni·a (zō'ō-lag'nē-ă) [zoo- + G. *lagneia*, lust]．動

物性愛〔症〕（動物に対する性的愛着を表す古語）.

zo·o·lite, zo·o·lith (zō′ō-līt, zō-ō-lith) [zoo- + G. *lithos*, stone]. 化石動物，動物化石（化石化した動物）.

zo·ol·o·gist (zō-ol′ŏ-jist). 動物学者.

zo·ol·o·gy (zō-ol′ŏ-jē) [zoo- + G. *logos*, study]. 動物学（[誤った発音 zū-ŏl′ō-jē を避けること]）.

zoom (zūm). ズーム（物体像に焦点を合わせたままレンズを物体に近づけたり遠ざけたりすることができるカメラまたは顕微鏡の可変焦点レンズ系の作用．この効果は2個以上の構成レンズを，互いに比例関係をもつような割合で動かすことによって得ることができる）.

zo·o·ma·ni·a (zō′ō-mā′nē-ă) [zoo- + G. *mania*, frenzy]. 動物マニア（動物に対する過度で異常な愛）.

zo·o·mar·ic ac·id (zō′ō-mer′ik as′id). ゾーマリン酸．= palmitoleic acid.

Zo·o·mas·ti·gi·na (zō′ō-mas′ti-jī′nă) [zoo- + G. *mastix*, whip]. 動物性鞭毛虫綱．= Zoomastigophorea.

Zo·o·mas·ti·go·pho·ras·i·da (zō′ō-mas′ti-gō′fō-ras′i-dă). = Zoomastigophorea.

Zo·o·mas·ti·go·pho·re·a (zō′ō-mas′ti-gō-fō′rē-ă) [zoo- + G. *mastix*, whip + *phoros*, bearing]. 動物性鞭毛虫綱（肉質鞭毛虫門(鞭毛虫およびアメーバ状原生動物)の中の鞭毛虫類(鞭毛虫上綱)の一綱で，植物状に対比して動物状の特性をもつもの．葉緑体を欠く．1本あるいは多くのべん毛がある．一方，アメーバ状のものにはべん毛はない．ある種の群には性差が知られている．トリパノソーマ類やトリコモナス類のような多くの寄生性生物を含み，さらに他にも多くの寄生性あるいは共生性のものがある）. = Zoomastigina; Zoomastigophorasida.

zo·o·no·sis (zō′ō-nō′sis) [zoo- + G. *nosos*, disease]. 人獣共通伝染病，ゾーノーシス（ヒトと他の動物が共有する伝染病または侵襲疾患.→anthropozoonosis; cyclozoonosis; metazoonosis; saprozoonosis; zooanthroponosis）.

direct z. 直接伝播性人獣共通伝染病（接触，飛沫ないし微小滴，または伝染をさせるある種の媒体によって感受性宿主に感染したものからヒトとその他の動物間で伝達される動物原性感染症．これは生活環の完成に1個の脊椎動物宿主を必要とするが，伝達中には成長や大きな変化はみられない．anthropozoonoses(狂犬病)，zooanthroponoses(アメーバ症)，および amphixenoses(ある種のブドウ球菌感染症)も含むと考えられる）.

zo·o·not·ic (zō′ō-not′ik). 人獣共通伝染病の.

zo·o·par·a·site (zō′ō-par′ă-sīt). 動物性寄生体（寄生体として存在する動物）.

zo·o·pa·thol·o·gy (zō′ō-pă-thol′ŏ-jē). 動物病理学（下等動物の疾病に関する学問あるいは科学）.

zo·oph·a·gous (zō-of′ă-gŭs) [G. *zōophagos* < *zōon*, animal + *phagein*, to eat]. 肉食の．= carnivorous.

zo·o·phile (zō′ō-fīl) [zoo- + G. *philos*, fond]. 動物愛好者（①特に人間よりも動物を好む人．②動物実験に反対する人．→antivivisection）.

zo·o·phil·i·a (zō′ō-fil′ē-ă). 動物性愛（性的興奮やオルガズムが動物との性的活動に関わることで助長されるような性倒錯）. = bestiality; zooerastia.

zo·o·phil·ic (zō′ō-fil′ik) [zoo- + G. *philos*, fond, loving]. ***1*** 動物愛の．***2*** 動物好性の（動物を欲しがる，または好む．ヒトより動物宿主を好む寄生生物についていう）.

zo·oph·i·lism (zō-of′i-lizm). 動物愛，動物愛玩（動物に対する過度の愛情）.

erotic z. 性愛的動物嗜好，動物性愛（動物をなでさすることによって性的喜びを得ること.→zoophilia; bestiality）.

zo·o·pho·bi·a (zō′ō-fō′bē-ă) [zoo- + G. *phobos*, fear]. 動物恐怖〔症〕（動物に対する病的な恐れ）.

zo·o·phyte (zō′ō-fīt) [zoo- + G. *phyton*, plant]. 植虫類（海綿やイソギンチャク類のように植物に似ている動物）.

zo·o·plas·ty (zō′ō-plas′tē). 動物皮膚移植〔法〕（動物からヒトへ組織を移植すること）. = zoografting.

zo·o·sa·dism (zō′ō-sā′dizm). 動物サディズム（動物を虐待することにより得られる性的な喜び）.

zo·os·mo·sis (zō′os-mō′sis) [G. *zōos*, living + osmosis]. 動物組織浸透〔現象〕（生体組織における浸透過程）.

zo·o·sper·mi·a (zō′ō-sper′mē-ă) [G. *zoon*, living + *sperma*, seed + -ia]. 運動精子（射精された精液中に存在する生きている精子）.

zo·o·ster·ol (zō′ō-stēr′ol). 動物性ステロール（動物のステロール）.

zo·o·tech·nics (zō′ō-tek′niks) [zoo- + G. *technē*, art]. 畜産（家畜または捕獲動物の扱い，繁殖および飼育を含む管理技術）.

zo·ot·ic (zō-ot′ik). 動物の，獣の（ヒト以外の動物についていう）.

zo·o·tox·in (zō′ō-tok′sin). 動物〔性〕毒素（バクテリア毒素抗原に類似する活性をもつ物質で，ある種の動物の体液中にみられる．蛇毒，毒性昆虫の分泌液，ウナギの血液に含まれる）. = animal toxin.

zo·o·troph·ic (zō′ō-trof′ik) [zoo- + G. *trophē*, nourishment]. 動物栄養の（下等動物の栄養となる，あるいは下等動物の栄養に関する）.

zo·ru·bi·cin (zō-rŭ′bĭ-sin). ゾルビシン（半合成のダウノルビシン誘導体．ドキソルビシンにも類似している．これらの化合物と同様，ゾルビシンも重篤な心筋毒性を示す．乳癌の化学療法に用いる）.

zos·ter (zos′tĕr) [G. *zōstēr*, a girdle]. 帯状疱疹，帯状ヘルペス．= *herpes* zoster.

geniculate z. 顔面神経節帯状疱疹．= *herpes* zoster oticus.

zos·ter·i·form (zos-ter′i-fōrm). 帯状疱疹状(様)の，帯状ヘルペス状(様)の．= zosteroid.

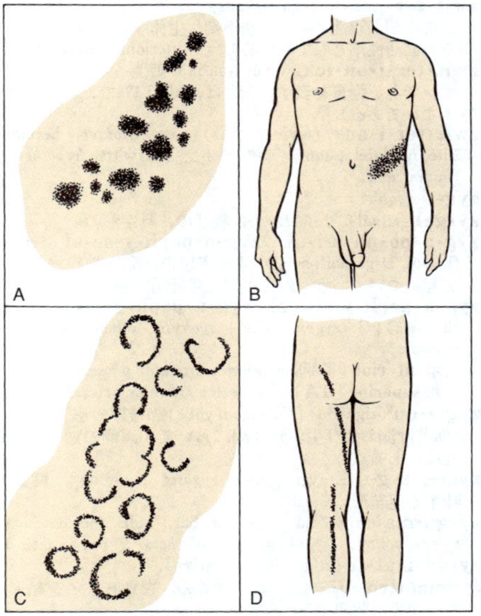

different configurations of skin lesions

A：集簇．B：帯状．C：環状および弧状．D：線状.

zos·ter·oid (zos′tĕr-oyd) [zoster + G. *eidos*, resemblance]. 帯状疱疹状(様)の，帯状ヘルペス状(様)の．= zosteriform.

zox·a·zo·la·mine (zok′să-zō′lă-mēn). ゾキサゾラミン（中枢作用性の骨格筋弛緩薬として用いられたが，肝毒性のため現在では用いられない）.

Z-plas·ty (plas′tē). Z形成〔術〕（軟部組織の長さを選択した軸に沿って増大させる方法．瘢痕拘縮の方向を90度変えることによって，水かきを形成したり披裂をつくったり，(例えば合指(趾)症や第一指間の拘縮)あるいは表面の輪郭を変える．Z字形の中央の線を緊張や収縮の最も強い線に沿って描き，相対する2つの先端角30—90度の三角弁を作成しこれらを置き換えることで，中央の軸は90度回転される）.

nonskewed Z-p. 等角Z形成術（瘢痕に対する三角弁の角

度がすべて同一のZ形成術．すなわち互いの三角弁の辺がすべて平行）．

skewed Z-p. 不等角Z形成術（新しく考案された皮弁の辺縁が瘢痕に対してすべて平行ではない，あるいはすべての三角弁の角度が同一ではない，連続Z形成術．これは例えば，内嘴などの領域の拘縮を解除するのに特に適している）．

Zr ジルコニウムの元素記号．

Zsigmondy (tsig′mŏn-dē), Richard A. オーストリア系ドイツ人化学者・ノーベル賞受賞者，1865―1929. →Z. *test*; brownian-Z. *movement*.

ZSR zeta sedimentation *ratio* の略．

Zuc·ker·kan·dl (tsuk′ĕr-kahn-dĕl), Emil. ハプスブルク帝国の解剖学者，1849―1910. →Z. *bodies*, *convolution*, *fascia*; *organs* of Z.

zu·sam·men (Z) (zu-sam′men)［Ger. together］. Z（①＝cis- (3). ②炭素に結合した4つの置換基すべてが異なっている炭素-炭素二重結合に関する幾何学的異性の1つ．もし，法則により高優先性の置換基が二重結合の同じ側に位置するとき，Zを用いる．→entgegen）．

zwei·back (zwī′bak)［Ger. twice-baked］. ツヴィーバック（二度焼いた甘いパンで，歯生を控えた乳児の食事に適している）．

Zwicker (zwik′ĕr), E. ドイツ人聴覚学者，1924―1990.

Zwis·chen·fer·ment (tsvish′en-fĕr-ment′)［Ger. *zwischen*, between + *Ferment*, fermentation］. 中間酵素. ＝glucose-6-phosphate dehydrogenase.

zwit·ter·gents (tsvit′ĕr-jents)［*zwitter*ion + deter*gent*］. 両性洗浄剤（双性イオンの洗浄剤．生体膜から蛋白を遊離させる界面活性剤として用いる）. ＝zwitterionic detergent.

zwit·ter·i·on·ic (tsvit′ĕr-ī-on′ik). 両性イオン性の（両性イオンである物質を表す，例えば，pH 6.11 でアラニンは両性イオンである）．

zwit·ter·i·ons (tsvit′ĕr-ī′onz)［Ger. *Zwitter*, hermaphrodite, mongrel + ion］. 両性イオン（→zwitter *hypothesis*）. ＝dipolar *ions*.

zyg- →zygo-.

zy·gal (zī′găl). ザイゴンの，軛状の，H字形の．

zyg·a·po·phys·i·al, zyg·a·poph·y·se·al (zī′gă-pō-fiz′ē-ăl, zī-gă-pof′i-se′ăl). 関節突起の（脊椎動物椎骨の関節突起についていう．例えば関節突起間関節）．

zyg·a·poph·y·sis, pl. zyg·a·poph·y·ses (zī′gă-pof′i-sis, -sēz)［G. *zygon*, yoke + *apohysis*, offshoot］. ＝articular *process*.

z. inferior［TA］. ＝ inferior articular *process*.

z. superior［TA］. ＝ superior articular *process* of vertebra.

zyg·i·on (zig′ē-on)［G. *zygon*(yoke)の後期の形］. ジギオン（頭蓋計測および生体頭計測において，両側の頬骨弓の最も外側にある点）．

zygo-, zyg-［G. *zygon*, yoke, *zygōsis*, a joining］. 関節を意味する連結形．

zy·go·ma (zī-gō′mă)［G. a bar, bolt, the os jugale < *zygon*, yoke］. ***1*** 頬骨. ＝zygomatic *bone*. ***2*** ＝zygomatic *arch*.

zy·go·mat·ic (zī′gō-mat′ik). 頬骨の．

zygomatico-［G. *zygōma*］. 頬骨の，を意味する連結形．通常は頬骨に関連する．→zygo-.

zy·go·mat·i·co·au·ric·u·lar (zī′gō-mat′i-kō-aw-rik′yū-lăr). 頬骨耳介の（頬骨と耳介に関する）．

zy·go·ma·ti·co·au·ri·cu·lar·is (zī′gō-mat′i-kō-aw-rik′yū-lār′is). ＝auricularis anterior (*muscle*).

zy·go·mat·i·co·fa·cial (zī′gō-mat′i-kō-fā′shăl). 頬骨顔面の（頬骨と顔面に関する）．

zy·go·mat·i·co·fron·tal (zī′gō-mat′i-kō-fron′tăl). 頬骨前頭の（頬骨と前頭骨に関する）．

zy·go·mat·i·co·max·il·lar·y (zī′gō-mat′i-kō-mak′si-lār′ē). 頬骨上顎の（頬骨と上顎に関する）．

zy·go·mat·i·co·or·bi·tal (zī′gō-mat′i-kō-ōr′bi-tăl). 頬骨眼窩の（頬骨と眼窩に関する）．

zy·go·mat·i·co·sphe·noid (zī′gō-mat′i-kō-sfē′noyd). 頬骨蝶形骨の（頬骨と蝶形骨に関する）．

zy·go·mat·i·co·tem·po·ral (zī′gō-mat′i-kō-tem′pŏ-răl). 頬骨側頭の（頬骨と側頭骨に関する）．

zy·go·max·il·la·re (zī′gō-mak′si-lā′rē). チゴマキシラーレ（頭蓋計測学上の点で，頬骨上顎縫合の外表面での最下点）. ＝key ridge; zygomaxillary point.

zy·go·max·il·lar·y (zī′gō-mak′si-lār′ē). 頬骨上顎の（頬骨と上顎に関する）．

Zy·go·my·ce·tes (zī′gō-mī-sē′tēz)［zygo- + G. *mykēs*(*mykēt-*), fungus］. 接合菌綱（接合胞子を形成する有性生殖と，胞子嚢柄または分生子器とよばれる非運動性胞子により無性生殖を行うことが特徴の真菌類の一綱）. ＝Phycomycetes.

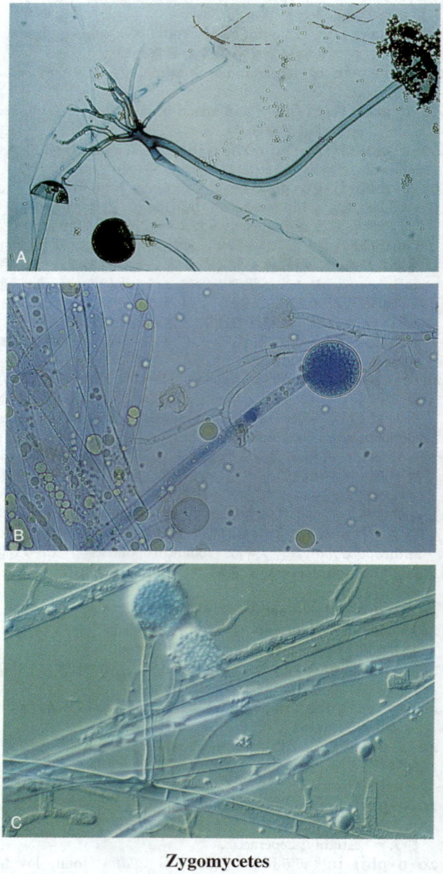

Zygomycetes

種の例．A：クモノスカビ属*Rhizopus*（×300）．B：ケカビ属*Mucor*（×600）．C：アブシディア属*Absidia*（Nomarski光学系，×625）．

zy·go·my·co·sis (zī′gō-mī-kō′sis). 接合真菌症（ムコール菌症とエントモフトラ症を含む広範な語．一般に培養ができず，臨床的な全体像がはっきりしない場合に用いられる）. ＝phycomycetosis.

zy·gon (zī′gon)［G. crossbar, yoke］. ザイゴン（軛状裂溝分枝を結合する短いかんぬき）．

zy·go·ne·ma (zī′gō-nē′mă)［zygo- + G. *nēma*, thread］. ＝zygotene.

zy·go·po·di·um (zī′gō-pō′dē-ŭm)［zygo- + G. *podion*, small foot］. 軛脚（肢体骨格の遠位中間分節，すなわち橈骨と尺骨，脛骨と腓骨）．

zy·go·sis (zī-gō′sis)［G. a joining］. 接合生殖（真の接合あ

るいは2個の単細胞生物の有性結合をいう．本質的には2つの細胞の核が融合することにより成立する)．

zy·gos·i·ty (zī-gos′i-tē). 接合生殖性（接合体に由来する個々の性質．例えば，1個の接合体の分裂から分かれた(一卵性)遺伝的に同一である場合か，あるいは2個の別個の接合体(二卵性)に由来するのか，ということ)．

zy·go·sperm (zī′gō-sperm) [zygo- + G. *sperma*, seed]. 接合〔胞〕子．= zygospore.

zy·go·spore (zī′gō-spōr). 接合胞子（①藻菌類の間で，互いに異なる交配型の核をもった形態的に同じ2個の構造，すなわち一般には菌条端(配偶子嚢)，の融合によって生じる壁の厚い有性胞子．②接合菌類における休眠有性胞子．2つの類似した配偶子嚢の融合によってつくられる)．= zygosperm.

zy·go·syn·dac·tyl·y (zī′gō-sin-dak′til-ē) [zygo- + syndactyly]. 合指症（指または趾の完全または不完全なみずかき形成)．

zy·gote (zī′gōt) [G. *zygōtos*, yoked]. 接合体，接合子（①精子と二次卵母細胞の結合の結果生じる二倍体細胞．*cf.* conceptus. ②受精卵から発達する初期胚)．

zy·go·tene (zī′gō-tēn) [zygo- + G. *tainia* (L. *taenia*), band]. 合糸期（相同染色体の点対合に対する正確な点が決まり始める減数分裂の前期段階)．= zygonema.

zy·got·ic (zī-got′ik). 接合体の，接合子の，接合生殖の．

zy·go·to·blast (zī-gō′tō-blast) [G. *zygōtos*, yoked + *blastos*, germ]. = sporozoite.

zy·go·to·mere (zī-gō′tō-mēr) [G. *zygōtos*, yoked + *meros*, part]. = sporoblast.

zym- → zymo-.

zy·mase (zī′mās). ***1*** 酵素の混合物を表す，現在では用いられない語．***2*** チマーゼ（特にアルコール発酵を促進する酵母の細胞内酵素)．

zymo-, zym- [G. *zymē*, leaven]. 発酵または酵素を意味する連結形．

zy·mo·deme (zī′mō-dēm) [zymo- + G. *dēmos*, populace]. ザイモデーム（アイソザイムパターンのこと．アイソザイムの電気泳動によって同定される)．

zy·mo·gen (zī′mō-jen). チモーゲン，酵素原．= proenzyme.

zy·mo·gen·e·sis (zī′mō-jen′ĕ-sis) [zymo- + G. *genesis*, production]. 酵素発生（前酵素(酵素原)の活性酵素への変化)．

zy·mo·gen·ic (zī′mō-jen′ik). ***1*** チモーゲンの，酵素原の．= zymogenous. ***2*** 酵素発生の．

zy·mog·e·nous (zī-moj′ĕ-nŭs). = zymogenic (1).

zy·mo·gram (zī′mō-gram) [zymo- + G. *gramma*, something written]. 電気泳動像，ザイモグラム（細長い紙やゲルなどの上に，電気泳動その他の方法で，分離した酵素の位置を組織化学的手法で示したもの)．

zy·mo·hex·ase (zī′mō-heks′ās). チモヘキサーゼ．= fructose-bisphosphate aldolase.

zy·mo·san (zī′mō-san). ザイモサン（酵母細胞壁から得られる炭水化物(グリコースポリマー)．補体と干渉する)．

zy·mo·scope (zī′mō-skōp) [zymo- + G. *skopeō*, to view]. CO_2 の放出量から酵母の強さを測定する装置．

zy·mos·ter·ol (zī-mos′tĕr-ol). チモステロール（ラノステロールからのコレステロールの生合成における中間体)．

zyx·in (ziks′in) [MIM*602002]. ザイキシン（多くの，明らかにされた種類の接着結合部分に見出される細胞質蛋白．膜－細胞骨格接着の構築に働く)．

ZZ → ZZ *genotype*.

付　録　目　次

付録 1：Weights and Measures［度量衡］—— 2

付録 2：Temperature Equivalents［温度換算表］—— 6

付録 3：Comparative Temperature Scales［温度目盛り比較］—— 7

付録 4：Greek and Latin in Medical Terminology
［医学用語におけるギリシア語とラテン語］—— 8

付録 5：Medical Prefixes, Suffixes, and Combining Forms
［接頭辞、接尾辞、連結形］—— 12

付録 6：Common Medical Abbreviations［医学略語一覧］—— 16

付録 7：Symbols［記号］—— 28

付録 8：Physical Terminology［解剖用語表］
人体の動脈 32
人体の筋肉 46
人体の神経 59
人体の靱帯と腱 69
人体の骨 76

付録 9：Laboratory Reference Range Values［検査参照範囲数値］—— 81

付録10：Table of Elements and Their Atomic Weights
［元素とその原子量］—— 99

付録11：Blood Groups［血液型］—— 101

付録1：Weights and Measures［度量衡］

メートル法と国際単位系（SI）の尺度

接頭語	記号	累乗
ヨタ	Y	10^{24}
ゼタ	Z	10^{21}
エクサ	E	10^{18}
ペタ	P	10^{15}
テラ	T	10^{12}
ギガ	G	10^{9}
メガ	M	10^{6}
キロ	k	10^{3}
ヘクト	h	10^{2}
デカ	da	10^{1}
基本単位		
デシ	d	10^{-1}
センチ	c	10^{-2}
ミリ	m	10^{-3}
マイクロ	μ	10^{-6}
ナノ	n	10^{-9}
ピコ	p	10^{-12}
フェムト	f	10^{-15}
アト	a	10^{-18}
ゼプト	z	10^{-21}
ヨクト	y	10^{-24}

SI基本単位

量	名称	記号
長さ	メートル	m
重さ*	キログラム†	kg
時間	秒	s
電流	アンペア	A
温度	ケルビン‡	K
輝度	カンデラ	cd
質量	モル	mol

* 商業的にあるいは日常用いる“重さ weight”は通常質量を意味する。例えば，ヒトの体重についていうとき，その量は質量である。

† 歴史的理由から，キログラムは唯一の基本単位である。キログラムの倍数または約数は根語“グラム”に適切な接頭語を付して称される（例えばミリグラム）。そして記号としては適切な接頭語の記号に“g”を付して称される（例えばmg）。

‡ セ氏（°C）は温度を表すのに広く受け入れられている。Celsius（かつては centigrade）温度は 273.16 を加算することによって Kelvin 温度に換算される。温度間隔 1°C と 1K は等しい。

SI組立単位の例

量	名称	記号
面積	平方メートル	m^2
体積*	立方メートル	m^3
比重	立方メートル/キログラム	m^3/kg
速度	メートル/秒	m/s
加速度	メートル/s^2	m/s^2
密度	キログラム/立方メートル	kg/m^3
濃度	モル/立方メートル	mol/m^3
輝度	カンデラ/平方メートル	cd/m^2

* リットル(L, l)，$10^{-3}m^3$は立方デシメートルの特殊な名称として認められている。

特別な名称をもつSI組立単位の例

量	名称	記号	式
周波数	ヘルツ	Hz	s^{-1}
力	ニュートン	N	$m\,kg\,s^{-2}$
圧力	パスカル	Pa	$m^{-1}\,kg\,s^{-2}$
エネルギー	ジュール	J	$m^2\,kg\,s^{-2}$
仕事率	ワット	W	$m^2\,kg\,s^{-3}$
電荷	クーロン	C	s A
電位	ボルト	V	$m^2\,kg\,s^{-3}\,A^{-1}$
静電容量	ファラッド	F	$m^{-2}\,kg^{-1}\,s^4\,A^2$
電気抵抗	オーム	Ω	$m^2\,kg\,s^{-3}\,A^{-2}$
コンダクタンス	ジーメンス	S	$m^{-2}\,kg^{-1}\,s^3\,A^2$
磁束	ウェーバー	Wb	$m^2\,kg\,s^{-2}\,A^{-1}$
磁束密度	テスラ	T	$kg\,s^{-2}\,A^{-1}$
放射能	ベクレル*	Bq	s^{-1}
吸収線量	グレイ†	Gy	$m^2\,s^{-2}$
照射線量	クーロン/キログラム‡	C/kg	$kg^{-1}\,s\,A$

* キュリー(Ci，$3.7\times10^{10}\,s^{-1}$)に代わるもの
† ラド(rad，$10^{-2}\,j\,kg^{-1}$) に代わるもの
‡ レントゲン(R，$2.58\times10^{-4}\,C\,kg^{-1}$)に代わるもの

長さ

マイクロメートル	ミリメートル	センチメートル	メートル	キロメートル	マイル	ヤード	フート	インチ
1	0.001	10^{-4}						0.000039
10^3	**1**	10^{-1}					0.00328	0.03937
10^4	10	**1**	0.01			0.0109	0.03281	0.3937
254,000	25.4	2.54	0.0254			0.0278	0.0833	**1**
	304.8	30.48	0.3048			0.333	**1**	12
10^6	10^3	10^2	**1**	0.001	0.0006213	1.0936	3.2808	39.37
914,400	914.40	91.44	0.9144	0.009	0.0005681	**1**	3	36
10^9	10^6	10^5	10^3	**1**	0.6215	1093.6121	3280.8	
			1609.0	1.609	**1**	1760.0	5280.0	

換算法

ミリメートル→インチ：ミリメートル÷25.4
インチ→ミリメートル：インチ×25.4

センチメートル→フート：センチメートル÷30.7
フート→センチメートル：フート×30.7

メートル→ヤード：メートル×1.09375
ヤード→メートル：ヤード×0.9143

キロメートル→マイル：キロメートル×0.625
マイル→キロメートル：マイル×1.6

重量
［常用単位］

				メートル法単位		
グレン	ドラム	オンス	ポンド	ミリグラム	グラム	キログラム
1	0.0366	0.0023	0.00014	64.8	0.0648	0.000065
27.34	**1**	0.0625	0.0039		1.772	0.001772
437.5	16	**1**	0.0625		28.350	0.028350
7,000	256	16	**1**		453.5924	0.453592
0.0154				**1**	0.001	
15.4324	0.5648	0.0353	0.002205	1000	**1**	0.001
15,432.358	564.32	35.27	2.2046		1000	**1**

換算法（概算）

キログラム→常用ポンド：キログラム×2.2
常用ポンド→キログラム：常用ポンド×0.454

グラム→常用オンス：グラム×0.03527
常用オンス→グラム：常用オンス×28.35

重量
[薬用単位]

グレン	スクループル	ドラム	オンス	ポンド	メートル法単位 ミリグラム	グラム	キログラム
1	0.05	0.0167	0.0021	0.00017	64.8	0.0648	0.000065
20	**1**	0.333	0.042	0.0035		1.296	0.001296
60	3	**1**	0.125	0.0104		3.888	0.000389
480	24	8	**1**	0.0833		31.103	0.031103
5,760	288	96	12	**1**		373.2418	0.373242
0.0154					**1**	0.001	
15.4324		0.2572	0.0322	0.0027	1000	**1**	0.001
15,432.358		257.2	32.15	2.6792		1000	**1**

液量
[薬用単位]

ミニム	液量ドラム	液量オンス	米パイント	クオート	米ガロン	メートル法単位 リットル	ミリリットル
1	0.0166	0.002	0.00013			0.0006	0.06161
60	**1**	0.125	0.0078	0.0039		0.0037	3.6967
480	8	**1**	0.0625	0.0312	0.0078	0.0296	29.5737
7,680	128	16	**1**	0.5	0.125	0.4732	473.166
15,360	256	32	2	**1**	0.25	0.9464	946.358
61,440	1024	128	8	4	**1**	3.7854	3785.434
16,230	270.52	33.8418	2.1134	1.0567	0.2642	**1**	1000
16.23	0.2705	0.0338	0.00212	0.00106	0.000265	0.001	**1**

換算法(概算)

1 英ガロン＝1.201 米ガロン
1 米ガロン＝0.8327 英ガロン

リットル→米ガロン：リットル×0.264
米ガロン→リットル：米ガロン×3.788

リットル→米パイント：リットル×2.1
米パイント→リットル：米パイント×0.4762

家庭で用いられるおおよその度量衡*

茶匙	食匙	コップ	ドラム	液量オンス	ミリリットル	グラム
1			**1**	0.125	5	5
3	**1**		4	0.50	15	15
48	16***	**1**	64	8**	237	240

* 滴(drop)は非常に不確かな量で，液の性質によって変化し，滴下させる容器の形状・口径によっても異なる。水 1 滴はほぼ 1 ミニムに等しい。
** タンブラー(tumbler)またはグラス(glass)は通常 8 液量オンスを意味する。
*** 乾量では，12 食匙は 1 カップに等しい。

付録2：**Temperature Equivalents**［温度換算表］

セ氏からカ氏				カ氏からセ氏					
℃	℉	℃	℉	℉	℃	℉	℃	℉	℃
−50	−58.0	49	120.0	−50	−46.7	99	37.2	157	69.4
−40	−40.0	50	122.0	−40	−40.0	100	37.7	158	70.0
−35	−31.0	51	123.8	−35	−37.2	101	38.3	159	70.5
−30	−22.0	52	125.6	−30	−34.4	102	38.8	160	71.1
−25	−13.0	53	127.4	−25	−31.7	103	39.4	161	71.6
−20	−4.0	54	129.2	−20	−28.9	104	40.0	162	72.2
−15	5.0	55	131.0	−15	−26.6	105	40.5	163	72.7
−10	14.0	56	132.8	−10	−23.3	106	41.1	164	73.3
−5	23.0	57	134.6	−5	−20.6	107	41.6	165	73.8
0	**32.0**	58	136.4	0	−17.7	108	42.2	166	74.4
1	33.8	59	138.2	1	−17.2	109	42.7	167	75.0
2	35.6	60	140.0	5	−15.0	110	43.3	168	75.5
3	37.4	61	141.8	10	−12.2	111	43.8	169	76.1
4	39.2	62	143.6	15	−9.4	112	44.4	170	76.6
5	41.0	63	145.4	20	−6.6	113	45.0	171	77.2
6	42.8	64	147.2	25	−3.8	114	45.5	172	77.7
7	44.6	65	149.0	30	−1.1	115	46.1	173	78.3
8	46.4	66	150.8	31	−0.5	116	46.6	174	78.8
9	48.2	67	152.6	**32**	**0**	117	47.2	175	79.4
10	50.0	68	154.4	33	0.5	118	47.7	176	80.0
11	51.8	69	156.2	34	1.1	119	48.3	177	80.5
12	53.6	70	158.0	35	1.6	120	48.8	178	81.1
13	55.4	71	159.8	36	2.2	121	49.4	179	81.6
14	57.2	72	161.6	37	2.7	122	50.0	180	82.2
15	59.0	73	163.4	38	3.3	123	50.5	181	82.7
16	60.8	74	165.2	39	3.8	124	51.1	182	83.3
17	62.6	75	167.0	40	4.4	125	51.6	183	83.8
18	64.4	76	168.8	41	5.0	126	52.2	184	84.4
19	66.2	77	170.6	42	5.5	127	52.7	185	85.0
20	68.0	78	172.4	43	6.1	128	53.3	186	85.5
21	69.8	79	174.2	44	6.6	129	53.8	187	86.1
22	71.6	80	176.0	45	7.2	130	54.4	188	86.6
23	73.4	81	177.8	46	7.7	131	55.0	189	87.2
24	75.2	82	179.6	47	8.3	132	55.5	190	87.7
25	77.0	83	181.4	48	8.8	133	56.1	191	88.3
26	78.8	84	183.2	49	9.4	134	56.6	192	88.8
27	80.6	85	185.0	50	10.0	135	57.2	193	89.4
28	82.4	86	186.8	55	12.7	136	57.7	194	90.0
29	84.2	87	188.6	60	15.5	137	58.3	195	90.5
30	86.0	88	190.4	65	18.3	138	58.8	196	91.1
31	87.8	89	192.2	70	21.1	139	59.4	197	91.6
32	89.6	90	194.0	75	23.8	140	60.0	198	92.2
33	91.4	91	195.8	80	26.6	141	60.5	199	92.7
34	93.2	92	197.6	85	29.4	142	61.1	200	93.3
35	95.0	93	199.4	86	30.0	143	61.6	201	93.8
36	96.8	94	201.2	87	30.5	144	62.2	202	94.4
37	**98.6**	95	203.0	88	31.0	145	62.7	203	95.0
38	100.4	96	204.8	89	31.6	146	63.3	204	95.5
39	102.2	97	206.6	90	32.2	147	63.8	205	96.1
40	104.0	98	208.4	91	32.7	148	64.4	206	96.6
41	105.8	99	210.2	92	33.3	149	65.0	207	97.2
42	107.6	**100**	**212.0**	93	33.8	150	65.5	208	97.7
43	109.4	101	213.8	94	34.4	151	66.1	209	98.3
44	111.2	102	215.6	95	35.0	152	66.6	210	98.8
45	113.0	103	217.4	96	35.5	153	67.2	211	99.4
46	114.8	104	219.2	97	36.1	154	67.7	**212**	**100.0**
47	116.6	105	221.0	98	36.6	155	68.3	213	100.5
48	118.4	106	222.8	**98.6**	**37.0**	156	68.8	214	101.1

付録3：Comparative Temperature Scales［温度目盛り比較］

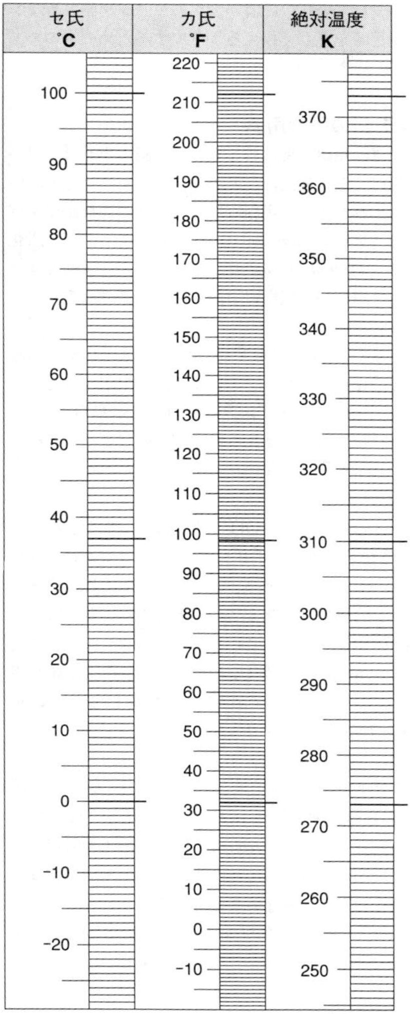

セ氏（Celsius），カ氏（Fahrenheit）から絶対温度（Kelvin）への換算法：

C→K：Cに273.16を加算
（例）10°C→K：10＋273.16＝283.16K
F→K：Cに換算し，次いで273.16を加算
（例）63°F→K：17.2°C＋273.16＝290.36K

カ氏（Fahrenheit）からセ氏（Celsius），セ氏からカ氏への換算法：

0˚C，32˚F以上
F→C：（F－32）×5÷9
（例）63°F→C：（63－32）×5÷9＝17.2°C
C→F：C×9÷5＋32
（例）37°C→F：37×9÷5＋32＝98.6°F

付録4：Greek and Latin in Medical Terminology
[医学用語におけるギリシア語とラテン語]

John H. Dirckx, MD

歴史

近代西洋医学の起源をたどれば，紀元前5世紀，ギリシアの医師ヒポクラテス(前460〜377)が初めて，病気は物理的原因によって起こると唱え，医療を僧侶の仕事から切り離し，観察による診断と自然治癒の促進・復活による治療を説いたことに始まる。ヒポクラテスとその弟子や，ガレノス(西暦130〜201)に代表される後継者たちは，ギリシア語の大量かつ多様な医学文献の集大成を行なった。それらの文献にみられる解剖学，病理学，治療学に関する用語の多くは現在でも使われており，その一部は意味もほとんどまたは全く変わっていない。

西暦紀元の始まりから19世紀初期まで，ラテン語は学術的情報伝達のための共通語の役割を果たした。ラテン語がその役を担った当初の理由は，それが，ヨーロッパの大部分，アジアの一部，アフリカをも支配していたローマ帝国の言語だったからである。後になると，ラテン語は他の地域的言語や方言よりも広く知られていたために，国際語として使われ続けた。さらに後になると，ラテン語は話し言葉としては死語となったが，ラテン語に基づく科学技術的専門用語は，各地の言語による用語に比べて意味のずれやくずれが生じにくいと考えられた。

近代の始めまで，医学の言葉は主として，ラテン語の用語で成り立っており，その多くはギリシア語から派生，または応用した語幹を含んでいた。今日でも，ラテン語は解剖学用語と分類学用語の正式言語である。分類学用語はラテン語の形をとっているが，その多くにはギリシア語の語彙が取り入れられており，また特定の人物や場所の名前のような固有名詞から作られているものも多い(*Leishmania donovani*, *Salmonella arizonae*)。加えて，生理学，病理学，薬理学の用語の多くはラテン語またはラテン語化されたギリシア語である。これらは，ギリシア語・ラテン語の語彙要素から作られてはいても，基本的に形態も機能も英語である医学用語(例えばcanalization, jejunectomy, periapical)とは区別されるべきである。

1世紀前には，ラテン語の授業が西洋世界のどこでも初等教育の必須項目であり，ギリシア語がほとんどの大学のカリキュラムに掲げられていたが，今日，そのような教育を受ける者はほとんどいない。以下の短い手引きは，本辞書本体で提供されている情報とあいまって，古典教育を受けていない読者が大半のギリシア語とラテン語の医学用語を正しく扱えるようにするためのものである。

ギリシア語の医学用語

現代の専門用語に使われるギリシア語の単語は，ローマ字を用いて書き換えた(つづり直した)ものである。いくつかのギリシア語の単語はギリシア語の屈折語尾を残している(*chorion*, *dartos*)が，そのほかはラテン語化している(*antrum*, *bronchus*)。ギリシア語の用語は一般にラテン語と同じ規則にしたがって発音される。

k，*y*，*z* の3文字と二重字 *ch*，*ph*，*th* はギリシア語起源の単語に見られるが，ラテン語起源の単語には見られない。*f*，*j*，*q*，*v* はラテン語起源の語には見られるが，ギリシア語起源の語には見られない。*w* はギリシア語にもラテン語にも見られない。

ギリシア語の κ(カッパ)は，時には *c*，時には *k* (leu*k*ocytosis)で示される。ギリシア語の υ(ウプシロン)は，時には *u*，時には *y* (leukocytosis)となる。米式英語では，ギリシア語の二重字 αι と οι は通常 ***e*** に書き換えられ(*anemia*, *diarrhea*)，ギリシア語の ου は ***u*** に書き換えられる(anuria)。しかし，イギリス英語と分類学用語においては αι と οι がそれぞれ *ae* と *oe* になる(*anaemia*, *diarrhoea*, *Haemophilus*)。

大文字と小文字の区別ならびに固有名詞(*Addison disease*)・固有形容詞(*African sleeping sickness*)における大文字の使用は，古典的なものではなく近代の慣習である。ラテン語の医学用語における固有名詞・形容詞は大文字になることもならないこともある：
caput medusae または *Medusae* = “Medusa's head”，*sella turcica* または *Turcica* = “Turkish saddle”。

古典文法の名残

医学英語に取り入れられた古典的単語や句については，古典言語に特有の文法的パターンと規則が，ある程度残され守られている。ギリシア語とラテン語は英語に比べて語形変化がはるかに多い言語である。すなわち両言語は，(単数から複数へのような)意味の変化を示すため，および句や文中の単語間の統語論的関係を示すために，単語の末尾の変化を広範かつ多様に用いている。

複数形　ラテン語の形を維持している用語は，必ずではないが通常，元の言語の場合と同じ複数形を用いる。英語の名詞の複数形が *-s* または *-es* を付加して作られる(*children* や *sheep* のような少数の例外はあるが)のに対し，ラテン語の名詞の複数形は，その名詞の格・性・数によって様々な形が作られ，以下のようになる：
arteria, *arteriae; diverticulum*, *diverticula; ductus*, *ductus; femur*, *femora; lentigo*, *lentigines; nucleus*, *nuclei; species*, *species*。

完全にラテン語化されなかったギリシア語の単語はギリシア語のパターンにしたがって複数形を作る：
ankylosis, *ankyloses; arthritis*, *arthritides; condyloma*, *condylomata*。

一部のギリシア語・ラテン語の用語については，-s を使って複数形とすることもできる：
enemas または *enemata; hernias* または *herniae*。そうすることがむしろ好まれることもあり，例えば *colons*, *fetuses*, *hematomas* などがそうである。

属格　名詞の属格語形とは，所有またはそれに類似する関係を示すもので，英語では通常前置詞 *of* で表すことのできるものである。多くの標準的医学語句は，2種類の名詞，すなわち主格名詞と属格名詞から成り立っている：
abruptio placentae = "tearing loose *of* the placenta", *hyperemesis gravidarum* = "excessive vomiting *of* pregnant women", *taeniae coli* = "bands *of* the colon"。

文法的一致　ラテン語では，名詞を修飾するどの形容詞も(格に加えて)数と性においてその名詞に一致しなければならない。例えば，*linea alba* = "white line" という句においては，名詞も形容詞も女性・単数であるが，*nervi thoracici* = "thoracic nerves" の場合には名詞・形容詞ともに男性・複数である。この2例のように，文法的一致の結果，音声的一致や韻を生じることがあるが，これは単なる偶然である。多くの場合，ラテン語の名詞＋形容詞の句ではそのような韻は生じない：
condyloma acuminatum, *foramen magnum*, *labium majus*, *lichen planus*, *nervi digitales plantares communes*, *proctalgia fugax*。

上記の例に見られるように，大半のラテン語の医学用語は主格である。語句が属格の名詞を含む場合には，その名詞を修飾するどの形容詞も属格でなければならない：
(*musculus*) *extensor digiti minimi* = "extender *of the little finger*", (*musculus*) *tensor fasciae latae* = "tightener *of the wide fascia*"。

ラテン語の現在の発音

英語を話す人々が古代ギリシア語とラテン語からの借用語である医学用語やその他を発音する様式は十分標準化されてもいないし，内部的な一貫性もない。さらに，今の発音の仕方は，せいぜい，それらの言葉が話されていた古代の発音を大まかに真似たものに過ぎない。

この1世紀の間，英国と米国のラテン語教育では，少なくとも三つの異なる発音様式が使われてきた。そのいずれも古代の音声に正確に一致しているとは考えられない。現代の発音様式は三つの方式からかき集めたごった煮であり，しかも，多くの点で英国式と米国式は異なっている。

多くの医学用語は，古典的つづりをとどめながらも，部分的には英語であるかのように発音されている。したがって，ギリシア語の名詞末尾の **e** は，*syncope* や *systole* に見るように，通常は発音されるのであるが，時には *hydrocele* や *syndrome* のように，無音となる。ラテン語の母音の連続 *ie* は，しばしば英語の *brief* の場合と同じように長母音として発音される：*caries*, *scabies*。

以下に述べるのは，現代の用法についての一般的指針であり，あまねく受け入れられた確定的規則とみなされるべきではない。

子音　文字 *b*, *d*, *f*, *h*, *j*, *k*, *m*, *n*, *p*, *q*, *r*, *v*, *x*, *z* で表される子音の発音は，英語における場合と同様である。先頭の *x* は(*xylophone* の場合のように) *z* のように発音する。ギリシア語の単語のローマ字化したつづりにおいては，ギリシア文字 χ(カイ)を表す二重字 *ch* は，*k* のように発音し，Φ(ファイ)を表す *ph* は *f* のように発音する。また θ(シータ)を表す *th* は thing の場合と同じように発音する。

文字 *c*, *g*, *n*, *s*, *t* が表す子音の発音は以下の例に示すように様々である。

a, *o*, *u* または他の子音の前の *c* は，k のように発音する：*calculus*, *sacrum*。
ae, *e*, *i*, *oe*, または *y* の前の *c* は，s のように発音する：*africae*, *acinus*, *pancytopenia*。
別の母音の前の *c* + *e* または，*i* は *ocean*, *facial* の場合のように発音する：
rosacea [ro-sa′sha], *Providencia* [pro-vi-den′sha].
e, *i*, *y* の前の *cc* は，*x* (ks)のように発音する：

coccygeus, *succedaneum*。

a, *o*, *u* または他の子音の前の *g* は，*go* の場合のように発音する：*galea*, *gumma*。

ae, *e*, *i*, *oe*, または *y* の前の *g* は，*j* のように発音する：*agenesis*, *gyrus*。

ch, *k*, 硬音の *c*, または硬音の *g* の前の *n* は，*ng* のように発音する：*syncope*, *meningocele*。

j, 軟音の *c*, または軟音の *g* の前の *n* は，*n* と発音する：*conjugata*, *lymphangitis*。

s は通常，*sister* や *joyous* の場合のように発音する。ただし…

語尾の **e** の後に続く *s* は，*z* のように発音する：*ascites*, *varices*。

別の母音の前の *s* + *i* は，*leisure* の場合のように発音することがある：*atresia* [a-tre′zha]。

別の母音の前の *sc* + *e* または *i* は，*sh* と発音する：*fascia* [fash′a]。

t は通常，*take* や *late* の場合のように発音する。ただし…

別の母音の前の *t* + *i* は *nation* の場合のように発音することがある：

abruptio [ab-rup′sho], *syncytium* [sin-sish′um]。

ギリシア語起源の単語では，p が，単語の始めの部分にある *n*, *s*, *t* (*th*) の直前にあるとき，それは無音となる(発音されない)：*pneusis* [nū′sis], *psoas* [so′as], *ptosis* [to′sis]。*apnea*, *hemoptysis* の場合のように，単語の途中で *pn*, *ps*, *pt* という組み合わせが生じた場合，p は通常発音される。*cn*, *ct*, *gn* が単語の先頭にある場合，二文字のうちの最初の子音は無音となる：*cnidocyst* [nido-sist], *Ctenocephalides* [teno-se-fali-dez], *gnathoschisis* [na-tho-ski-sis]。これらの組み合わせが単語の途中で生じると，*anticnemion*, *polyctenid*, *prognathism* の場合のように，通常両方の子音が発音される。

母音　古典的単語の現代の発音において最も一貫性がないのは，母音および二重(長)母音である。したがって，以下は現代の発音法の一般的解説に過ぎないと考えるべきである。

それぞれの母音文字の発音は，以下のように長い音と短い音に区別される。

a ——長音は *baby* におけるように，短音は *hand* におけるように

e ——長音は *be* におけるように，短音は *bed* におけるように

i ——長音は *lie* におけるように，短音は *lip* におけるように

o ——長音は *go* におけるように，短音は *got* におけるように

u ——長音は *juvenile* (ū) または *cube* (yū) におけるように，短音は gum におけるように

y ——長音は *fly* におけるように，短音は *gym* におけるように

母音の長さは複雑な使用パターンに左右され，通常持ち出される法則では十分説明しきれない：

- 単語には，それの持つ母音・二重(長)母音の数と同数の音節がある。
- 二つの母音にはさまれた単独の子音は，後ろの母音とともに発音される (*a•la•na•si*)。
- 二つ以上の子音が母音にはさまれている場合は，可能な限り多数の子音が後ろの母音とともに発音される (*en•do•me•tri•um*, *phil•trum*)。
- 開音節(子音で終わらない音節)の母音は長く発音される。
- 閉音節(子音で終わる音節)の母音は短く発音される。

上記の法則に対する重要な例外は以下の通り：

- 末尾の **a** (語の途中で強勢を受けない a もほぼ同じく)は，*lig•a•men•tum*, *ve•na* におけるように，あいまい母音 "*uh*" となる。
- 別の母音の前では，強勢を受けない i はしばしば *e* と発音される：*brachium* [bra′ke-um]。
- 二重子音は分割される (*la•mel•la*)。
- 合成語は音声的要素ではなく，意味論的要素によって分けられることが多い：
  hy•per•a•cu•sis, *path•o•gen•e•sis*。
- 強勢を受ける音節の母音は，しばしば次に来る単独の子音を自らに引き寄せる：*thal•a•mus*, *tib•i•a*。

二重母音　二重母音とは，*ng* や *oy* のように二つの音(文字)が融合されて，第三の音が形成されたものをさす。二つの母音から作られた古典的二重母音の，現代における扱い方は種々様々である。

- *ae* は *e* のように発音する：*alae*, *Haemophilus*。
- *au* は *taut* の場合のように発音する：
  cauda, *trauma*。
- *ei* はギリシア語起源の語では二重母音であり，この場合長音の *i* のように発音される (*meiosis* [mi-o′sis]) が，ラテン語起源の語ではそうならない (*cuneiformis* [kyu-ne-i-form′is])。

- *eu* はギリシア語起源の語では二重母音であり，この場合長音の **u**（*pneumonia* [nū-mo′ne-a]）または *yu*（*eukinesia* [yu-ki-ne′zha]）のように発音されるが，ラテン語起源の語ではそうならない（*cutaneous* [kyu-ta′ne-us]）。
- *oe* は *e* のように発音する：*coelom, Entamoeba*。
- oi はギリシア語起源の語の一部では二重母音であり，この場合 *oil* におけるように発音する（*koilonychia* [koy-lo-nik′e-a]）が，そうでない場合もあり（*allantois* [a-lan′to-is]），ラテン語起源の語では二重母音にならない（*introitus* [in-tro′i-tus]）。

ギリシア語の *αι* を表す *ae*，同じく *οι* を表す *oe* と同様に，ラテン語の *ae* と *oe* は米式のつづりでは *e* に縮められる（*previa, fetor*）。イギリス式のつづりでは，これらの二重字はそのまま用いられ（*praevia, foetor*），また分類学用語においても同様である（*Streptococcus faecalis, Peptostreptococcus foetidus*）。さらに，ラテン語起源の用語末尾の **ae** は米式つづりにおいてもそのまま用いられる（*trabeculae, os coxae*）。

音節の強勢　ラテン語およびラテン語化されたギリシア語の単語における音節の強勢は，複雑な規則に従うもので，ここでは主なものを要約するにとどめる。

- 2音節語では，強勢は第1音節にに置かれる（*fe′mur, la′rynx*）。
- 3音節以上の語では，その後が y（*hypopy′on*）または二重母音（*apneu′sis*）を含む場合，後ろから2番目の音節に強勢が置かれる。同じく，後ろから2番目の音節の直後に二つの子音または二重子音（*x; ks* を含む）が続く場合にも，同音節に強勢が置かれる：*abort′us, asterix′is, patel′la*。（例外：後ろから2番目の音節の母音に続く2番目の子音が **l** または **r** である場合，音節の強勢は後ろから3番目の音節に置かれることがある：*mul′tiplex, ver′tebra*）。
- 上記以外の場合，後ろから2番目の音節の母音の長さ（単語によって異なる）によって，後ろから2番目または3番目の音節に強勢が置かれる。

多くのよく使われる単語（*angi′na, gin′giva, rubeo′la, tin′nitus, ver′tigo*）の通常の発音は上記の規則に反している。ギリシア語・ラテン語起源の単語においては，よりよく知られている英語の単語の発音に影響されて，音節の強勢がしばしば誤ったところに置かれている。したがって，英語では *sin′ister* でもラテン語では *sinis′ter* が正しく，英語では *ves′ical* でもラテン語では *vesi′ca* が正しい。

付録5：Medical Prefixes, Suffixes, and Combining Forms ［接頭辞，接尾辞，連結形：医学用語語源］

a- not, without, less
ab- from, away from, off
abs- from, away from, off
acantho- thorn
acou- hearing
acro- extremity
acu- hearing
ad- increase, adherence, motion toward, very
-ad toward, in the direction of, -ward
adeno- gland
adip- fat
adipo- fat
-agogue, -agogue promoter, stimulator
aidoio- genitals
-al pertaining to
alb- white
albo- white
alge- pain
algesi- pain
algio- pain
algo- pain
allo- other, different
ambi- around, on (both) sides, on all sides, both
ambly- dull
amblyo- dull
amyl- starch, polysaccharide
amylo- starch, polysaccharide
an- not, without, -less
ana- up, toward, apart
andro- male
angi- vessel
angio- vessel
ankylo- crooked
ante- before
anthraco- coal, carbon
anti- 1 against, opposing, **2** curative, **3** antibody
apo- separated from, derived from
aque- water
aqueo- water
-ar pertaining to
-arche beginning
arteri- artery
arterio- artery
arthr- joint, articulation
arthro- joint, articulation
-ary pertaining to
-ase an enzyme
-ate a salt or ester of an "-ic" acid
athero- pasty, fatty
atto- one quintillionth (10^{-18})
audi- hearing
audio- hearing
aur- ear
auri- ear
auro- ear
aut- self, same
auto- self, same
bacteri- bacteria
bacterio- bacteria
balano- penis
bi- twice, double
bio- life
blasto- budding by cells or tissue
blephar- eyelid
blepharo- eyelid
brachi- arm
brachio- arm
brachy- short
bronch- bronchus
bronchi- bronchus
broncho- bronchus
carcin- cancer
carcino- cancer
cardi- 1 heart, **2** esophageal opening of stomach
cardio- 1 heart, **2** esophageal opening of stomach
carpo- wrist
cata- down
caud- tail, lower part of body
caudo- tail, lower part of body
-cele hernia, swelling
celio- abdomen
-centesis surgical puncture
centi- one hundredth (10^{-2})
cephal- the head
cephalo- the head
cervic- 1 neck, **2** uterine cervix
cervico- 1 neck, **2** uterine cervix
cheil- lip
cheilo- lip
cheir- hand
cheiro- hand
chem- 1 chemistry, **2** drug
chemo- 1 chemistry, **2** drug
chir- hand
chiro- hand
chlor- 1 green, **2** chlorine
chloro- 1 green, **2** chlorine
chol- bile
chondrio- 1 cartilage; **2** granular; **3** gritty
chondro- 1 cartilage, **2** granular, **3** gritty
chrom- color
chromat- color
chromo- color
chron- time
chrono- time
-cidal killing, destroying
-cide killing, destroying
cis- on this side, on the near side
-clast breaker
-clysis washing
co- with, together, in association, very, complete
col- with, together, in association, very, complete
colp- vagina
colpo- vagina
com- with, together, in association, very, complete
con- with, together, in association, very, complete
conio- dust
cor- with, together, in association, very, complete
coreo- pupil
cost- rib
costo- rib
crani- cranium
cranio- cranium
-crine secretion
cry- cold
cryo- cold
crypt- hidden
crypto- hidden
culdo- cul-de-sac
cyan- 1 blue, **2** cyanide
cyano- 1 blue, **2** cyanide
cycl- 1 circle, cycle, **2** ciliary body
cyst- 1 bladder, **2** cyst, **3** cystic duct
cysti- 1 bladder, **2** cyst, **3** cystic duct
cysto- 1 bladder, **2** cyst, **3** cystic duct
cyt- cell
-cyte cell
cyto- cell
dacry- tears
dacryo- tears
dactyl- finger, toe
dactylo- finger, toe
de- away from, cessation
deca- ten
deci- one-tenth (10^{-1})
deka- ten
dent- tooth
denti- tooth
derm- skin
derma- skin
dermat- skin
dermato- skin
dermo- skin
-desis binding
dextr- right, toward or on the right side
dextro- right, toward or on the right side
di- separation, taking apart, reversal, not, un-
dif- separation, taking apart, reversal, not, un-
dipso- thirst
dir- separation, taking apart, reversal, not, un-
dis- separation, taking apart, reversal, not, un-
duo- two
duodeno- duodenum
-dynia pain
dynamo- force, energy
dys- bad, difficult
ect- outer, on the outside
-ectasia dilatation, stretching
-ectasis dilatation, stretching
ecto- outer, on the outside
-ectomy excision
-emphraxis obstruction
encephal- brain
encephalo- brain

end- within, inner
endo- within, inner
enter- intestine
entero- intestine
ent- inner, within
ento- inner, within
epi- upon, following, subsequent to
ergo- work
erythr- red, redness
erythro- red, redness
eso- inward
esthesio- sensation, perception
eu- good, well
ex- out of, from, away from
exo- exterior, external, outward
extra- outside of, without
ferri- ferric ion (Fe^{3+})
ferro- **1** metallic iron, **2** ferrous ion (Fe^{2+})
fibr- fiber
fibro- fiber
-form in the form or shape of
galact- milk
galacto- milk
gastr- **1** stomach, **2** belly
gastro- **1** stomach, **2** belly
-gen **1** producing, coming to be, **2** precursor
gen- **1** producing, coming to be, **2** precursor
giga- one billion (10^9)
gingiv- gums
gingivo- gums
gloss- tongue
glosso- tongue
gluco- glucose
glyco- sugars
gnath- jaw
gnatho- jaw
gon- seed, semen
gonio- angle
gono- seed, semen
-gram a recording
granul- granular, granule
granulo- granular, granule
-graph recording instrument
gyn- woman
gyne- woman
gyneco- woman
gyno- woman
hecto- one hundred (10^{10})
hem- blood
hema- blood
hemat- blood
hemato- blood
hemi- one half
hemo- blood
hepat- liver
hepatico- liver
hepato- liver
hept- seven
hepta- seven
hidr- sweat
hidro- sweat
hist- tissue
histio- tissue
histo- tissue
homeo- same, constant
hydr- water, hydrogen
hydro- water, hydrogen
hyper- excessive, above normal
hypo- beneath, diminution, deficiency, the lowest
hyster- **1** uterus, hysteria, **2** late, following
hystero- **1** uterus, hysteria, **2** late, following
-ia a condition
-iasis condition, state
-ic pertaining to
-ics organized knowledge, practice, treatment
ileo- ileum
ilio- ilium
in- **1** in, **2** not
-in chemical suffix
-ine chemical suffix
infra- below
inguino- groin
inter- between, among
intra- within
intro- within
irid- iris
irido- iris
ischi- ischium
ischio- ischium
-ism **1** condition, disease, **2** practice, doctrine
-ismus spasm, contraction
iso- **1** equal, like, **2** isomer, **3** sameness
-ite the nature of, resembling
-ites -y, -like
-itides plural of -itis
-itis inflammation
kal- potassium
kali- potassium
karyo- nucleus
karat- cornea
kerato- cornea
kilo- one thousand (10^3)
kin- movement
kine- movement
kinesi- motion
kinesio- motion
kineso- motion
kino- movement
labio- lip
lacrim- tears
lacrimo- tears
lact- milk
lacti- milk
lacto- milk
laparo- abdomen, abdominal wall
laryng- larynx
laryngo- larynx
lateri- lateral, to one side, side
latero- lateral, to one side, side
-lepsis seizure
-lepsy seizure
lepto- light, slender, thin, frail
leuk- white
leuko- white
linguo- tongue
lip- fat, lipid
lipo- fat, lipid
lith- stone, calculus, calcification
litho- stone, calculus, calcification
-log speech, words
log- speech, words
logo- speech, words
-logy **1** study of, **2** collecting
lymph- lymph
lympho- lymph
lys- lysis, dissolution
lyso- lysis, dissolution
macr- large, long
macro- large, long
mal- bad, deficient
-malacia softening
mamm- breast
mamma- breast
mammo- breast
mast- breast
masto- breast
meg- large, oversize
mega- **1** large, oversize, **2** one million (10^6)
megal- large
megalo- large
-megaly, enlargement
melan- black
melano- black
men- menstruation
mening- meninges
meningo- meninges
meno- menstruation
ment- chin
mento- chin
-mer member of a series
mes- **1** middle, mean, intermediate, **2** attaching membrane
meso- **1** middle, mean, intermediate, **2** attaching membrane
meta- **1** after, behind, **2** joint action, sharing
-meter measurement, measuring device
metr- uterus
metro- uterus
micr- small, microscopic
micro- **1** small, microscopic, **2** one-millionth (10^{-6})
milli- one-thousandth (10^{-3})
mon- single
mono- single
morph- form, shape, structure
morpho- form, shape, structure
my- muscle
myo- muscle
myel- **1** bone marrow, **2** spinal cord
myelo- **1** bone marrow, **2** spinal cord
myring- tympanic membrane
myringo- tympanic membrane
myx- mucus
myxo- mucus
nano- **1** dwarf, **2** one billionth (10^{-9})
nas- nose
naso- nose
natr- sodium
natri- sodium
necr- death, necrosis
necro- death, necrosis
neo- new
nephr- kidney
nephro- kidney
neur- nerve, nervous system
neuri- nerve, nervous system
neuro- nerve, nervous

system
norm- normal
normo- normal
octo- eight
oculo- eye, ocular
odont- tooth
odonto- tooth
odyn- pain
odyno- pain
-oid resemblance to
olig- few, little
oligo- few, little
-oma tumor, neoplasm
-omata plural of -oma
oncho- onco-
onco- tumor, bulk, volume
-one ketone (-CO-group)
onych- fingernail, toenail
onycho- fingernail, toenail
oo- egg, ovary
oophor- ovary
oophoro- ovary
ophthalm- eye
ophtthalmo- eye
-opia vision
-opsia vision
or- mouth
orchi- testis
orchido- testis
orchio- testis
ori- mouth
oro- mouth
-ose sugar
-oses plural of -osis
-osis process, condition, state
ossi- bone
osseo- bony
ost- bone
oste- bone
osteo- bone
ovari- ovary
ovario- ovary
ovi- egg
ovo- egg
oxa- oxygen
oxo- oxygen
oxy- 1 sharp, acid, **2** acute, shrill, quick, **3** oxygen
pachy- thick
pan- all, entire
pant- all, entire
panto- all, entire
para- 1 abnormal, **2** involvement of two like parts
pari- equal
path- disease
patho- disease
-pathy disease
ped- 1 child, **2** foot
pedi- 1 child, **2** foot
pedo- 1 child, **2** foot
-penia deficiency
penta- five
per- through, thoroughly, intensely
peri- around, about
-pexy fixation, usually surgical
phaco- lens
-phage eating, devouring
-phagia eating, devouring
phago- eating, devouring
-phagy eating, devouring
phako- lens
phanero- visible, evident
pharmaco- drugs, medicine
pharyng- pharynx
pharyngo- pharynx
phil- 1 attraction, **2** chemical affinity
-philia 1 attraction, **2** chemical affinity
philo- 1 attraction, **2** chemical affinity
phleb- vein
phlebo- vein
-phobia fear
phon- sound, speech
phono- sound, speech
phor- carrying, bearing
phoro- carrying, bearing
phos- light
phot- light
photo- light
phren- 1 diaphragm, **2** mind, **3** phrenic
phreni- 1 diaphragm, **2** mind, **3** phrenic
-phrenia of mind
phrenico- 1 diaphragm, **2** mind, **3** phrenic
phreno- 1 diaphragm, **2** mind, **3** phrenic
-phylaxis protection
phyll- leaf
phyllo- leaf
physi- 1 physical, **2** natural
physio- 1 physical, **2** natural
physo- 1 swelling, inflation, **2** air, gas
phyt- plants
phyto- plants
pico- one trillionth (10^{-12})
plan- flat
plani- flat
plano- flat
-plasia formation
plasma- plasma
plasmat- plasma
plasmato- plasma
plasmo- plasma
platy- wide, flat
-plegia paralysis
pleo- more
plesio- near, similar
pleur- rib, side, pleura
pleura- rib, side, pleura
pleuro- rib, side, pleura
pluri- several, more
-pnea breath, respiration
pneo- breath, respiration
pneum- 1 air, gas, **2** lung, **3** breathing
pneuma- 1 air, gas, **2** lung, **3** breathing
pneumat- 1 air, gas, **2** lung, **3** breathing
pneumato- 1 air, gas, **2** lung, **3** breathing
pod- foot, foot-shaped
-pod foot, foot-shaped
podo- foot, foot-shaped
-poiesis production
poikilo- irregular, variable
polio- gray
poly- 1 multiplicity, **2** polymer
post- after, behind, posterior
pre- anterior, before
presby- old
pro- 1 before, forward, **2** precursor
proct- anus, rectum
procto- anus, rectum
prot- first
proto- first
pseud- false
pseudo- false
psych- mind
psyche- mind
psycho- mind
-ptosis sagging, falling
pyel- (renal) pelvis
pyelo- (renal) pelvis
pykn- dense, compact
pykno- dense, compact
pyo- suppuration, pus
pyreto- fever
pyro- fire, heat, fever
quadr- four
quadri- four
rachi- spinal column
rachio- spinal column
radio- 1 radiation, x-ray, **2** radius
re- again, backward
rect- rectum, straight
recto- rectum, straight
ren- kidney
reno- kidney
retro- backward, behind
rhin- nose
rhino- nose
-rrhagia discharge
-rrhaphy surgical suturing
-rrhea flow
-rrhexis rupture
salping- tube
salpingo- tube
sarco- flesh, muscle
schisto- split, cleft
schiz- split, cleft, division
schizo- split, cleft, division
scler- hardness (induration), sclerosis, ocular sclera
sclero- hardness (induration), sclerosis, ocular sclera
scolio- crooked
-scope instrument for viewing
-scopy viewing
scot- shadow, darkness
scoto- shadow, darkness
semi- one-half, partly
sept- 1 seven, **2** septum, **3** sepsis, infection
septi- seven
septo- 1 seven, **2** septum, **3** sepsis, infection
sial- saliva, salivary gland
sialo- saliva, salivary gland
sider- iron
sidero- iron
sigmoid- 1 S-shaped, **2** sigmoid colon
sigmoido- 1 S-shaped, **2** sigmoid colon
sin- sinus
sino- sinus
sinu- sinus
sito- food, grain
somat- body, bodily
somato- body, bodily
somatico- body, bodily
somno- sleep
son- 1 sound, **2** ultrasound
sono- 1 sound, **2** ultrasound

spasmo- spasm
spermato- semen, spermatozoa
spermo- semen, spermatozoa
sperma- semen, spermatozoa
sphygmo- pulse
spir- breathing
spiro- breathing
splanchn- viscera
splanchni- viscera
splanchno- viscera
splen- spleen
spleno- spleen
staphyl- grape, bunch of grapes, staphylococci
staphylo- grape, bunch of grapes, staphylococci
-stasis stopping
-stat arresting change or movement
steno- narrowness, constriction
stereo- solid
stheno- strength, force, power
stom- mouth
stoma- mouth
stomat- mouth
stomato- mouth
sub- beneath, less than normal, inferior
super- in excess, above, superior, in the upper part
supra- above
sy- together
syl- together
sym- together
syn- together
sys- together
tachy- rapid
tel- distant
tele- distant
ten- tendon
tendin- tendon
teno- tendon
tenont- tendon
tenonto- tendon
tera- one quadrillion (10^{15})
tetra- four
thel- nipple
thelo- nipple
therm- heat
thermo- heat
thorac- chest, thorax
thoracico- chest, thorax
thoraco- chest, thorax
thromb- blood clot
thrombo- blood clot
thyr- thyroid gland
thyro- the thyroid gland
toco- childbirth
-tome 1 cutting instrument, **2** segment, section
-tomy cutting operation
tono- tone, tension, pressure
top- place, topical
topo- place, topical
tox- toxin, poison
toxi- toxin, poison
toxico- toxin, poison
toxo- toxin, poison
trache- trachea
tracheo- trachea
trans- across, through, beyond
tri- three
trich- hair
trichi- hair
-trichia hair
tricho- hair
tris- three
-trophic food, nutrition
tropho- food, nutrition
-trophy food, nutrition
-tropia turning
-tropic turning toward, affinity
ultra- beyond
uni- one, single
uri- uric acid
-uria urine, urination
uric- uric acid
urico- uric acid
uro- 1 urine, **2** urinary tract
vas- duct, blood vessel
vasculo- blood vessel
vaso- duct, blood vessel
vesic- urinary bladder, vesicle
vesico- urinary bladder, vesicle
xanth- yellow, yellowish
xantho- yellow, yellowish
xero- dry
zo- 1 animal, **2** life
zoo- 1 animal, **2** life
zym- fermentation, enzymes
zymo- fermentation, enzymes

付録6：Common Medical Abbreviations［医学略語一覧］

α alpha: Bunsen solubility coefficient; first in a series; specific rotation term; heavy chain class corresponding to IgA
α-h the right handed helical form assumed by meny proteins
α-T **α** tocopherol
a (specific) absorption (coefficient) (USUALLY ITALIC); (total) acidity; area; (systemic) arterial (blood) (SUBSCRIPT); asymmetric; atto-
A absorbance
A adenosine (or adenylic acid); alveolar gas (SUBSCRIPT); ampere
Å angstrom; Ångström unit
āā [G.] ana of each (USED in prescriptions)
AA amino acid; aminoacyl
Ab antibody
AB abortion
ABG arterial blood gas
ABI ankle-brachial index
abl Abelson murine leukemia virus
ABLB alternate binaural loudness balance (test)
ABO blood group system
ABR abortus Bang ring (test); auditory brainstem response (audiometry)
γ-Abu γ-aminobutyric acid
ABVD Adriamycin (doxorubicin), bleomycin, vinblastine, and dacarbazine
ac acetyl
a. c. [L.] *ante cibum*, before a meal
aC arabinosylcytosine
Ac acetyl; actinium
AC acetate; acromioclavicular; air conduction; alternating current; atriocarotid
AC:A accommodation convergence accommodation (ratio)
ACE angiotension converting enzyme
ACEI angiotensin converting enzyme inhibitor
AcG accelerator globulin
ac-g accelerator globulin
ACh, Ach acetylcholine
aCL anticardiolipin (antibody)
ACP acyl carrier protein
ACTH adrenocorticotropic hormone (corticotropin)
AD Alzheimer disease
⃠**AD** [L.] *auris dextra*, right ear
ADD attention deficit disorder
Ade adenine
ADH antidiuretic hormone
ADHD attention deficit hyperactivity disorder
ad lib [L.] *ad libitum*, freely, as desired
ADLs activities of daily living
Ado adenosine
ADP adenosine 5′ diphosphate
ADR adverse drug reaction
A-E above-the-elbow (amputation)
AECB acute exacerbation of chronic bronchitis
AED automated external defibrillator
AFB acid fast bacillus
AFORMED alternating failure of response, mechanical, to electrical depolarization
AFP **α**-fetoprotein
Ag antigen; [L.] argentum, silver
A:G R albumin globulin ratio
AHF antihemophilic factor
AHG antihemophilic globulin
AID artificial insemination donor
AIDS acquired immunodeficiency syndrome
AIH artificial insemination by husband; artificial insemination, homologous
A-K above the knee (amputation)
Al aluminum
Ala alanine (or its monoradical or diradical)
ALA δ-aminolevulinic acid
ALD adrenoleukodystrophy
ALL acute lymphocytic leukemia
ALS advanced life support; amyotrophic lateral sclerosis; antilymphocyte serum
ALT alanine aminotransferase
Am americium
AML acute myelogenous leukemia
AMP adenosine monophosphate (adenylic acid)
amu atomic mass unit
ANA antinuclear antibody
ANF antinuclear factor
ANOVA analysis of variance
ANS autonomic nervous system
ANUG acute necrotizing ulcerative gingivitis
AP anteroposterior
APA antipernicious anemia (factor)
APAP acetaminophen
APC antigen presenting cell
A-P-C adenoidal pharyngeal conjunctival (virus)
aPS antiphospholipid antibody syndrome
APTT activated partial thromboplastin time
Ar argon
araC arabinosylcytosine (cytarabine)
ARDS adult *or* acute respiratory distress syndrome
ARF acute renal failure; acute rheumatic fever
Arg arginine (or its monoradical or diradical)
AROM active range of motion
⃠**AS** [L.] *auris sinistra*, left ear
As arsenic
ASA acetylsalicylic acid (aspirin)
ASCP American Society of Clinical Pathologists
ASC-US atypical squamous cells of undetermined significance
ASHD arteriosclerotic heart disease
Asn asparagine (or its mono-or diradical)
ASO antistreptolysin O
Asp aspartic acid (or its radical forms)
AST aspartate aminotransferase
At astatine
ATFL anterior talofibular ligament
ATL adult T cell leukemia; adult T cell lymphoma
atm (standard) atmosphere
ATP adenosine 5′ triphosphate
ATPase adenosine triphosphatase
ATPD ambient temperature and pressure,

禁制シンボル（⃠）は，米国医療施設評価合同委員会（JCAHO）により禁止された省略形の横に示す。各々の禁止の説明は，本文の見出し語内の語法に示してある。

dry
ATPS ambient temperature and pressure, saturated (with water vapor)
at. wt. atomic weight
⃠**AU** [L.] *auris utraque*, each ear, both ears
Au [L.] *aurum*, gold
AUC area under the curve
AV arteriovenous
A-V arteriovenous; atrioventricular
AVM arteriovenous malformation
AVN atrioventricular node
AVP antiviral protein
AW atomic weight
ax. axis
AZT azidothymidine (zidovudine)
β second in a series
B barometric (pressure) (SUBSCRIPT); boron
b blood (SUBSCRIPT)
Ba barium
BADLs basic activities of daily living
BAER brainstem auditory evoked response
BAL British anti-Lewisite (dimercaprol); bronchoalveolar lavage
BALB binaural alternate loudness balance (test)
BBB blood brain barrier; bundle branch block
BBT basal body temperature
BCG bacille bilié de Calmette Guérin (vaccine)
BE barium enema
B-E below the elbow (amputation)
Be beryllium
Bi bismuth
b.i.d. [L.] *bis in die*, twice a day
BIDS brittle hair, impaired intelligence, decreased fertility, and short stature (syndrome)
BIPAP bilevel positive airway pressure
Bk berkelium
BM bowel movement
BMD bone mineral density
BMI body mass index
BNEd Bachelor of Nursing Education
BNP brain natriuretic peptide
BNSc Bachelor of Nursing Science
bp base pair
BP blood pressure; boiling point; *British Pharmacopoeia*
BPF bronchopleural fistula
BPH Bachelor of Public Health
BPH benign prostatic hyperplasia
Bq becquerel (SI unit of radionuclide activity)
Br bromine
BRAT (diet) banana, rice cereal, applesauce, toast
BS, BSc Bachelor of Science (Baccalaueus Scientiae)
BSA body surface area
BSE breast self-examination
BSER brainstem evoked response (audiometry)
BSN Bachelor of Science in Nursing
BSO bilateral salpingo-oophorectomy
BT bleeding time
BTPS body temperature, ambient pressure, saturated (with water vapor)
BTU British thermal unit
BTX botulinum toxin
BUN blood urea nitrogen
BUS Bartholin glands, urethra, Skene glands
BVMS Bachelor of Veterinary Medicine and Surgery
Bx biopsy
C calorie (large); carbon; Celsius; centigrade; clearance (rate, renal), compliance; concentration; cylindric (lens); cytidine
c calorie (small) ; capillary (blood); centi-
c. [L.] *cum*, with
ca. [L.] *circa*, about, approximately
c-a cardioarterial
Ca calcium; cathodal; cathode
CA cancer;carcinoma; cardiac arrest; chronologic age;croup associated (virus); cytosine arabinoside
CABG coronary artery bypass graft
CAD coronary artery disease
cal calorie (small)
Cal calorie (large)
CAM complementary and alternative medicine
cAMP cyclic AMP (adenosine monophosphate)
CAO conscious, alert, oriented
cap capsule
CAP catabolite (gene) activator protein; community-acquired pneumonia
CAPD continuous ambulatory peritoneal dialysis
CAT computerized axial tomography (obsolete)
CBC complete blood (cell) count
CBG corticosteroid binding globulin
CBT cognitive-behavioral therapy
Cbz carbobenzoxy (chloride)
C. C. chief complaint
⃠**cc, c. c.** cubic centimeter
CCK cholecystokinin
CCNU chloroethylcyclohexylnitrosourea (lomustine)
CCU coronary care unit; critical care unit
cd candela
Cd cadmium
CD compact disc
CDA Certified Dental Assistant
CDC (U. S) Centers for Disease Control and Prevention
cDNA complementary DNA
CDP cytidine 5′ diphosphate
Ce cerium
CEA carcinoembryonic antigen; carotid endar terectomy
CELO chicken embryo lethal orphan (virus)
CEP congenital erythropoietic porphyria
CEU continuing education unit
Cf californium
CF complement fixation; cystic fibrosis; coupling factor
CG chorionic gonadotropin
CGA catabolite gene activator
cGMP cyclic guanosine monophosphate
cgs,CGS centimeter-gramsecond (system, unit)
Ch[1] Christchurch (chromosome)
ChB Bachelor of Surgery (Chirurgiae Baccalaureus)
ChD, Chir Doct Doctor of Surgery (Chirurgiae Doctor)
CHF congestive heart failure
ChM Master of Surgery (Chirurgiae Magister)
CHO carbohydrate
Ci curie
CI color index; *Colour Index*; confidence interval
CIE counterimmunoelectrophoresis
CIN cervical intraepithelial neoplasia
CIQ cognitive laterality quotient
CIU chronic idiopathic nrticaria
CJD Creutzfeldt-Jakob disease

禁制シンボル（⃠）は，米国医療施設評価合同委員会（JCAHO）により禁止された省略形の横に示す。各々の禁止の説明は，本文の見出し語内の語法に示してある。

CK creatine kinase
CK-MB creatine kinase MB isoenzyme
Cl chlorine
CL cardiolipin
CLA (ASCP) Clinical Laboratory Assistant (American Society of Clinical Pathologists)
CLIA Clinical Laboratory Improvement Amendments
CLL chronic lymphocytic leukemia
cm centimeter
cM centimorgan
Cm curium
CMA Certified Medical Assistant
CMC carpometacarpal
CME continuing medical education
CMI cell mediated immunity
CML chronic myelogenous leukemia
CMO Chief Medical Officer
CMP cytidine 5′ phosphate (or any cytidine monophosphate)
CMT Certified Medical Transcriptionist
CMV controlled mechanical ventilation; cytomegalovirus
CNM Certified Nurse Midwife
CNP Community Nurse Practitioner
CNS central nervous system
Co cobalt
c/o complains of
CoA coenzyme A
COG center of gravity
conA concanavalin A
COPD chronic obstructive pulmonary disease
COS Chief of Staff
CP cerebral palsy; costophrenic
CPAP continuous (or constant) positive airway pressure
CPD cephalopelvic disproportion
CPK creatine phosphokinase
CPM continuous passive motility
CPPB continuous (or constant) positive pressure breathing
CPPV continuous positive pressure ventilation
CPR cardiopulmonary resuscitation
cps cycles per second
CPT *Current Procedural Terminology*
Cr chromium; creatinine
CR conditioned reflex; crown rump (length)
CRD chronic respiratory disease
CRH corticotropin releasing hormone
CRL crown rump length
CRNA Certified Registered Nurse Anesthetist
CRNP Cetified Registered Nurse Practitioner
CRP cross reacting protein
CRST calcinosis cutis, Raynaud phenomenon, sclerodactyly, and telangiectasia (syndrome)
CRT Cetified Respiratory Therapist
CS cesarean section; Chief of Staff
Cs cesium
C&S culture and sensitivity
CSD catscratch disease
CSF cerebrospinal fluid; colony-Stimulating factor
CT computed tomography
CTP cytidine 5′ triphosphate
CTR cardiothoracic ratio
Cu [L.] cuprum, copper
CV cardiovascular
CVA cerebral vascular (cerebrovascular) accident; costovertebral angle
CVP central venous pressure
CVS cardiovascular system; chorionic villus sampling
CXR chest x-ray
Cyd cytidine
cyl cylinder; cylindric (lens)
CYP cytochrome P-450 (enzyme)
Cys cysteine
Cyt cytosine
Δ delta; change; heat
δ delta; heavy chain class corresponding to IgD
D Dalton; dead (space gas) (SUBSCRIPT); deciduous; deuterium; diffusing (capacity); dihydrouridine (in nucleic acids); diopter; [L.] dexter, right (opposite of left); vitamin D potency of cod liver oil
d deci; day
d deuterium
d- dextrorotatory
D- prefix indicating that a molecule is sterically analogous to D glyceraldehyde
da deca
dA deoxyadenosine
Da dalton
DA developmental age
dAdo deoxyadenosine
dAMP deoxyadenylic acid
DANS 1-dimethylaminonaphthalene 5 sulfonic acid
db decibel
dB decibel
DC Dental Corps; Doctor of Chiropractic direct current
⃠**D/C** discharge; discontinue
D & C dilatation and curettage
DCG dacryocystography
DCh Doctor of Surgery (Doctor Chirurgiae)
DCI dichloroisoproterenol
dCMP deoxycytidylic acid
DDS Doctor of Dental Surgery
DDT dichlorodiphenyltrichloroethane (chlorophenothane)
D & E dilatation and evacuation
def decayed, extracted, or filled (deciduous teeth)
DEF decayed, extracted, or filled (permanent teeth)
DES diethylstilbestrol
DET diethyltryptamine
DEV duck embryo vaccine; duck embryo virus
DEXA dual energy x-ray absorptiometry
df decayed and filled (deciduous teeth)
DF decayed and filled (permanent teeth)
Df deficiency (absence or inactivation of a gene)
dGMP deoxyguanosine monophosphate (deoxyguanylic acid)
DH Dental Hygienist
DHEA dehydro-3-epiandrosterone
DIC disseminated intravascular coagulation
DIF direct immunofluorescence
DIP desquamative interstitial pneumonia; distal interphalangeal (joint)
DJD degenerative joint disease
dk deca-, deka-
DKA diabetic ketoacidosis
dL deciliter
dM decimorgan
DM diabetes mellitus
DMARD disease-modifying antirheumatic drug
DMD Doctor of Dental Medicine; Duchenne muscular dystrophy
DME Director of Medical Education
dmf decayed, missing, or filled (deciduous teeth)
DMF decayed, missing, or filled (permanent teeth)
DMSO dimethyl sulfoxide
DMT *N*, *N* dimethyltryptamine

禁制シンボル（⃠）は，米国医療施設評価合同委員会（JCAHO）により禁止された省略形の横に示す。各々の禁止の説明は，本文の見出し語内の語法に示してある。

DMV Doctor of Veterinary Medicine
DN dibucaine number
DNA deoxyribonucleic acid
DNB Diplomate of the National Board (of Medical Examiners)
DNE Director of Nursing Education; Doctor of Nursing Education
DNP deoxyribonucleoprotein; 2, 4 dinitrophenol
DNR do not resuscitate
DNS Director of Nursing Service (s)
DO Doctor of Osteopathy
DOA dead on arrival
DOB date of birth
DOC deoxycholic acid; deoxycorticosterone
DOE dyspnea on exertion
DOM 2, 5-dimethoxy-4-methylamphetamine
DON Director of Nursing
DOT directly observed therapy
DP Doctor of Podiatry
Dp duplication of a gene or chromosomal segment
2, 3 DPG 2, 3 diphosphoglycerate
DPharm Doctor of Pharmacy
DPH Doctor of Public Health; Doctor of Public Hygiene
DPI dry powder inhaler
DPM Doctor of Physical Medicine; Doctor of Podiatric Medicine
DPN diphosphopyridine nucleotide
DPT dipropyltryptamine; diphtheria, pertussis, and tetanus (vaccines)
dr dram
DR degeneration reaction, reaction of degeneration
Dr Med Doctor of Medicine
DRE digital rectal examination
DRG diagnosis-related group
DrPH Doctor of Public Health; Doctor of Public Hygiene
DRVVT dilute Russell viper venom test
D-S Doerfler-Stewart (test)
DSA digital subtraction angiography
DSc Doctor of Science
DSD dry sterile dressing
dsDNA double-stranded DNA
DSM *Diagnostic and Statistical Manual of Mental Disorders of the American Psychiatric Association*
dT deoxythymidine
DT delirium tremens; duration of tetany
dTDP deoxythymidine 5 diphosphate
dThd thymidine
DTIC dimethyltrizenoimidazole carboxamide (dacarbazine)
dTMP deoxythymidylic acid
DTP diphtheria and tetanus toxoids and pertussis vaccine; distal tingling on percussion (Tinel sign)
DTPA diethylenetriamine pentaacetic acid
DTR deep tendon reflex
dTTP deoxythymidine 5′ triphosphate
DVM Doctor of Veterinary Medicine
DVT deep vein thrombosis
Dx diagnosis
Dy dysprosium
ε epsilon; molar absorption coefficient; heavy chain class corresponding to IgE
E exa ; extraction (ratio)
EB Epstein Barr (virus)
EBV Epstein Barr virus
ECF extended care facility;extracellular fluid
ECF-A eosinophilic chemotactic factor of anaphylaxis
ECG electrocardiogram
ECHO enterocytopathogenic human orphan (virus)
ECM erythema chronicum migrans
ECMO extracorporeal membrane oxygenation
ECS electrocerebral silence
ECT electroconvulsive therapy
ED eating disorder;effective dose; emergency department; erectile dysfunction
EDC expected date of confinement
EDTA ethylenediaminetetraacetic acid (edathamil, edetic acid)
EEG electroencephalogram
EENT eye, ear, nose, and throat
EIA enzyme immunoassay
EKG [German] *Elektrokardiogramme*, electrocardiogram
EKY electrokymogram
ELISA enzyme-linked immunosorbent assay
EMC encephalomyocarditis (virus)
EMF electromotive force
EMG electromyogram; exomphalos, macroglossia, and gigantism (syndrome)
EMS eosinophilia-myalgia syndrome
EMT Emergency Medical Technician
ENG electronystagmography
ENT ear, nose, and throat
EOG electrooculography
EOM extraocular muscle (s)
EPAP expiratory positive airway pressure
EPO erythropoietin
ER endoplasmic reticulum; emergency room
Er erbium
ERBF effective renal blood flow
ERCP endoscopic retrograde cholangiopancreatography
ERG electroretinogram
ERPF effective renal plasma flow
ERT estrogen replacement therapy
ERV expiratory reserve volume
Es einsteinium
ESEP pxtreme somatosensory evoked potential
ESP extrasensory perception
ESR electron spin resonance; erythrocyte sedimentation rate
ESRD end stage renal disease
ESWL extracorporeal shock-wave lithotripsy
EtOH ethyl alcohol
Eu europium
ev electron volt
eV electron volt
F Fahrenheit; faraday (constant); fertility (factor); field (of vision); fluorine; force; fractional (concentration); free (energy)
f femto-; (respiratory) frequency
F_1 first filial generation
F1.2 (prothrombin) fragment 1.2
FAAN Fellow of the American Academy of Nursing
FAAP Fellow of the American Academy of Pediatrics
Fab fragment of antibody molecule involved in antigen binding
FACA Fellow of the American College of Anesthesiology
FACAL Fellow of the American College of Allergy

FACC Fellow of the American College of Cardiologists
FACD Fellow of the American College of Dentists
FACFP Fellow of the American College of Family Physicians
FACO Fellow of the American College of Otolaryngology
FACOG Fellow of the American College of Obstetricians and Gynecologists
FACOS Fellow of the American College of Orthopaedic Surgeons
FACP Fellow of the American College of Physicians
FACR Fellow of the American College of Radiology
FACS Fellow of the American College of Surgeons
FAD flavin(e) adenine dinucleotide; familial Alzheimer disease
FAMA Fellow of the American Medical Association
FANA fluorescent antinuclear antibody (test)
FAP familial adenomatous polyposis
FB foreign body
FBS fasting blood sugar
Fc constant fragment of an antibody molecule
FDA Food and Drug Administration
Fe [L.] ferrum, iron
FEF forced expiratory flow
FET forced expiratory time
FEV forced expiratory volume
FF filtration fraction
FFD focus film distance
FHR fetal heart rate
FHT fetal heart tones
FIA fluorescent immunoassay
FIGLU formiminoglutamic (acid)
FISH fluorescent in situ hybridization
Fm fermium
FMN flavin(e) mononucleotide
FNA fine-needle aspiration
fps, FPS foot pound second (system, unit)
Fr francium; French (gauge, scale)
FRC functional residual capacity (of lungs)
French (catheter gauge)
FRF follicle stimulating hormone releasing factor
FRS first rank symptom
Fru fructose
FSH follicle stimulating hormone
FSH-RF follicle stimulating hormone releasing factor
FSH-RH follicle-stimulating hormone releasing hormone
FTA-ABS fluorescent treponemal antibody absorption (test)
FU fluorouracil
F/U follow-ap
FUO fever of unknown origin
FVC forced vital capacity
Fw F wave (fibrillary wave, flutter wave)
Fx fracture
γ gamma; Ostwald solubility coefficient; the third in a series; heavy chain class corresponding to IgG
g gram
G giga ; glucose; gravitation (newtonian constant of); guanosine (or guanylic acid) residues in polynucleotides; gravida (obstetric history)
G1 gap 1
G2 gap 2
G6P glucose 6 phosphate
Ga gallium
GABA γ-aminobutyric acid
GABHS group-A β-hemolytic *Streptococcus*
Gal galactose
GC gonococcus; gonorrhea
GCS Glasgow coma scale
Gd gadolinium
GDP mannose 1 phosphate guanylyltransferase
Ge germanium
GERD gastroesophageal reflux disease
GFR glomerular filtration rate
GGT γ-glutamyl transferase
GH glenohumeral; growth hormone
GHB γ-hydroxybutyrate
GHRF growth hormonereleasing factor
GH-RF growth hormonereleasing factor
GHRH growth hormonereleasing hormone
GH-RH growth hormonereleasing hormone
GI gastrointestinal; Gingival Index
GIP gastric inhibitory polypeptide
GLC gas liquid chromatography
Gln glutamine; glutaminyl
Glu glutamic acid; glutamyl
Gly glycine; glycyl
GMO General Medical Officer
GMP guanosine monophosphate (guanylic acid)
GMS Gomori (or Grocott) methenamine silver (stain)
GN Graduate Nurse
GnRH gonadotropin-releasing hormone
GOT glutamic-oxaloacetic transaminase (aspartate aminotransferase)
GPI Gingival-Periodontal Index
GPT glutamic-pyruvic transaminase (alanine aminotransferase)
gr grain
GSH reduced glutathione
GSR galvanic skin response
GSSG oxidized glutathione
GSW gunshot wound
gt. [L.] *gutta*, a drop
GTP guanosine 5′ triphosphate
gtt. [L.] *guttae*, drops
GTT glucose tolerance test
GU genitourinary
Guo guanosine
GVHD graft versus host disease
Gy gray (unit of absorbed dose of ionizing radiation)
GYN gynecology
H henry; hydrogen; hyperopia; hyperopic
H^+ hydrogen ion
h hecto
h Planck constant
^{1}**H** hydrogen-1 (protium, light hydrogen)
^{2}**H** hydrogen-2 (deuterium, heavy hydrogen)
^{3}**H** hydrogen-3 (tritium, radioactive hydrogen)
Ha hahnium
HA hyaluronic acid; hemagglutinin
HAART highly active antiretroviral therapy
HAV hepatitis A virus
Hb hemoglobin
HbA adult hemoglobin
HbA_1 major component of adult hemoglobin
HbA_2 minor fraction of adult hemoglobin
HbAS heterozygosity for hemoglobin A and hemoglobin S (sickle cell trait)
HB_cAg hepatitis B core antigen
HbCO carboxyhemoglobin
HB_e hepatitis B early antigen
HB_eAb hepatitis B early antibody

Hb_eAg hepatitis B early antigen
HbF fetal hemoglobin
Hbg hemoglobin
HBIG hepatitis B immune globulin
HBO hyperbaric oxygen
HbO_2 oxyhemoglobin, oxygenated hemoglobin
HbS sickle cell hemoglobin
HB_sAb hepatitis B surface antibody
HB_sAg hepatitis B surface antigen
HBV hepatitis B virus
HCFA Health Care Financing Administration
HCG human chorionic gonadotropin
HCl hydrochloric acid; hydrochloride
HCS human chorionic somatomammotropin (human placental lactogen)
Hct hematocrit
HCV Hepatitis C virus
h. d. [L.] *hora decubitus*, at bedtime
HDL high-density lipoprotein
HDRV human diploid (cell strain) rabies vaccine
He helium
H & E hematoxylin and eosin
HEMPAS hereditary erythroblastic multinuclearity associated with positive acidified serum
Hf hafnium
HFJV high frequency jet ventilation
HFOV high frequency oscillatory ventilation
HFPPV high frequency positive pressure ventilation
HFV high frequency ventilation
Hg [L.] *hydrargyrum*, mercury
Hgb hemoglobin
HGE human granulocytic ehrlichiosis
HGH human (pituitary) growth hormone
HGSIL high-grade squamous intraepithelial lesion
H & H hematocrit and hemoglobin
HI hemagglutination inhibition (test, titer)
5-HIAA 5-hydroxyindoleacetic acid
HIDA hepatobiliary iminodiacetic acid (scan)
HIPAA Health Insurance Portability and Accountability Act
His histidine
His- histidyl
-His histidino
HIV human immunodeficiency virus
Hl hyperopia, latent
HLA human lymphocyte antigen; human leukocyte antigen
Hm hyperopia, manifest (hypermetropia)
HME human monocytic ehrlichiosis
HMG human menopausal gonadotropin
HMG-CoA 3 hydroxy 3 methylglutaryl coenzyme A
HMO Health Maintenance Organization
HMWK high molecular weight kininogen (Fletcher factor)
Ho holmium
h/o history of
HPF high power field
HPI history of present illness
HPL human placental lactogen
HPLC high-performance liquid chromatography
HPV human papilloma virus
HRCT high-resolution computed tomography
⃠**h. s., HS** [L.] *hora somni*, at bedtime
HSV herpes simplex virus
5-HT 5-hydroxytryptamine (serotonin)
Ht hyperopia, total
HTLV human T cell lymphocytotrophic virus; human T cell lymphoma/leukemia virus
HTN hypertension
HVL half-value layer
Hx (medical) history
Hyp hydroxyproline
Hz hertz
I inspired (gas) (SUBSCRIPT); iodine
^{123}I iodine 123 (radioisotope)
^{125}I iodine 125
^{131}I iodine 131
IADL instrumental activities of daily living
IAP intermittent acute porphyria
IBD inflammatory bowel disease
IBS irritable bowel syndrome
IBW ideal body weight
ICA internal carotid artery
ICD *International Classification of Diseases of the World Health Organization*; implantable cardioverter-defibrillator
ICDA *International Classification of Diseases, Adapted for Use in the United States*
ICF intracellular fluid
ICP intracranial pressure
ICSH interstitial cell stimulating hormone
ICU intensive care unit
ID infective dose; injecting/injection drug user
I & D incision and drainage
IDU idoxuridine
IF initiation factor; intrinsic factor
IFN interferon
Ig immunoglobulin
IGF insulin like growth factor
IL interleukin
ILA insulin like activity
Ile isoleucine
IM internal medicine; intramuscular(ly); infectious mononucleosis
IMP inosine monophosphate (inosinic acid)
IMS Indian Medical Service
IMV intermittent mandatory ventilation
In indium
IND investigational new drug
Ino inosine
INR international normalized ratio
I & O (fluid)intake and output
IOML infraorbitomeatal line
IP interphalangeal; intraperitoneal(ly)
IPAP inspiratory positive airway pressure
IPPB intermittent positive pressure breathing
IPPV intermittent positive pressure ventilation
IPV inactivated poliovirus vaccine
IQ intelligence quotient
Ir iridium
IRB institutional review board
IRV inspiratory reserve volume
ISI International Sensitivity Index
ITP idiopathic thrombocytopenic purpura; inosine 5′ triphosphate
IU International Unit
IUCD intrauterine contraceptive device
IUD intrauterine device
IV intravenous; intravenously; intraventricular
IVDA intravenous drug

禁制シンボル（⃠）は，米国医療施設評価合同委員会（JCAHO）により禁止された省略形の横に示す。各々の禁止の説明は，本文の見出し語内の語法に示してある。

abuse (r)
IVF in vitro fertilization
IVP intravenous pyelogram
J joule
J flux (density)
JMS Junior Medical Student
JVD jugular venous distention
k kilo
K [Modern L.] *kalium*, potassium; kelvin
K_m Michaelis constant
kat katal
kb kilobase
kc kilocycle
kcal kilocalorie
KCT kaolin clotting time
kDa kilodalton
kg kilogram
KJ knee jerk
KOH potassium hydroxide
KP keratic precipitate
Kr krypton
KS Kaposi sarcoma
17-KS 17-ketosteroid
KUB kidneys, ureters, bladder
kv kilovolt
kVp kilovolt peak
KW Kimmelstiel Wilson (disease); Keith Wagener (retinal changes)
l liter (use of CAPITAL letter preferred)
L inductance; left; [L.] limes, boundary limit; liter
L- prefix indicating that a molecule is sterically analogous to L-glyceraldehyde
La lanthanum
LA lupus anticoagulant
LAD left anterior descending (coronary artery)
LAO left anterior oblique (coronary artery)
LAP leucine aminopeptidase
LATS long acting thyroid stimulator
LBT lupus band test
LBW low birth weight
LC lethal concentration
LCA left coronary artery
LCAT lecithin cholesterol acyltransferase
LCM left costal margin; lymphocytic choriomeningitis (virus)
LD lethal dose
LDH lactate dehydrogenase
LDL low-density lipoprotein
LE left eye; lupus erythematosus
LEEP loop electrosurgical excision procedure
LES lower esophageal sphincter
LETS large external transformation sensitive (fibronectin); liver function test
Leu leucine
LFA left frontoanterior (fetal position)
LFP left frontoposterior (fetal position)
LFT left frontotransverse (fetal position); liver function test
LGSIL low grade squamous intraepithelial lesion
LGV lymphogranuloma venereum
LH luteinizing hormone
LH/FSH-RF luteinizing hormone/follicle stimulating hormone releasing factor
LH-RF luteinizing hormone releasing factor
LH-RH luteinizing hormone releasing hormone
Li lithium
LLQ left lower quadrant
LM Licentiate in Midwifery
LMA left mentoanterior (fetal position)
LMP last menstrual period; left mentoposterior (fetal position)
LMT left mentotransverse (fetal position)
LNPF lymph node permeability factor
LOA left occipitoanterior (fetal position)
LOC level of consciousness; loss of consciousness
LOP left occipitoposterior (fetal position)
LOT left occipitotransverse (fetal position)
LP lumbar puncture
LPF low-power field
LPH lipotropic pituitary hormone (lipotropin)
LPN Licensed Practical Nurse
Lr lawrencium
LRCP Licentiate of the Royal College of Physicians
LRCS Licentiate of the Royal College of Surgeons
LRH luteinizing hormone releasing hormone
LSA left sacroanterior (fetal position)
LSD lysergic acid diethylamide
LSP left sacroposterior (fetal position)
L:S R lecithin: sphingomyelin ratio
LST left sacrotransverse (fetal position)
LTH luteotropic hormone
LTM long-term memory
LTR long terminal repeat
Lu lutetium
LUQ left upper quadrant
LV left ventricle
LVEF left ventricular ejection fraction
LVET left ventricular ejection time
LVH left ventricular hypertrophy
LVN Licensed Visiting Nurse; Licensed Vocational Nurse
Lw (former symbol for) lawrencium (now Lr)
Lys lysine (or its radicals in peptides)
⃠**μ** mu; micro ; heavy chain class corresponding to IgM
⃠**μCi** microcurie
⃠**μg** microgram
⃠**μl, μL** microliter
⃠**μμ** micromicro
⃠**μm** micrometer
m mass; meter; milliminim; molar
m- *meta*
M mega , meg ; molar; moles (per liter); morgan; myopic; myopia
M molar; moles (per liter)
m moles (per liter)
mA milliampere
MA Master of Arts (Magister Artium); Medical Assistant; mental age
MAA macroaggregated albumin
MAb monoclonal antibody
M + Am compound myopic astigmatism
MAC *Mycobacterium avium* complex
MAI *Mycobacterium aviumintracellulare*
MAO monoamine oxidase
MAOI monoamine oxidase inhibitor
MAP morning after pill
mA-S milliampere second
MAST military antishock trousers
Mb myoglobin
MBC maximum breathing capacity
MbCO carbon monoxided myoglobin
MbO_2 oxymyoglobin
MC Medical Corps
MCH mean corpuscular hemoglobin
MCHC mean corpuscular hemoglobin concentration
mCi millicurie
MCL midclavicular line
mcm millimicron
MCP metacarpophalangeal
MCV mean corpuscular volume

禁制シンボル（⃠）は，米国医療施設評価合同委員会（JCAHO）により禁止された省略形の横に示す。各々の禁止の説明は，本文の見出し語内の語法に示してある。

MD [L.] *Medicinae Doctor*, Doctor of Medicine
Md mendelevium
MDF myocardial depressant factor
MDI metered dose inhaler
MDR multidrug-resistant
ME Medical Examiner
Me methyl
Med Tech Medical Technician; Medical Technologist
MEDLARS Medical Literature Analysis and Retrieval System
MEP maximal expiratory pressure
meq, mEq milliequivalent
MeSH Medical Subject Headings
Met methionine
MET metabolic equivalent of task
metHb methemoglobin
metMb metmyoglobin
MEV million electron volts (10^6ev)
mg milligram
Mg magnesium
MHC major histocompatibility complex
mho siemens unit
MHz megahertz
MI myocardial infarction
MID minimal infecting dose
MIP maximum inspiratory pressure
MK menaquinone (vitamin K2)
mks, MKS meter kilogram second (system, unit)
ml, mL milliliter
MLC mixed lymphocyte culture (test)
MLD minimal lethal dose
mm millimeter
mmHg millimeters of mercury (torr)
mmol millimole
MMPI Minnesota Multiphasic Personality Inventory (test)
MMR measles-mumpus-rubella (vaccine)
MMSE Mini-Mental State Examination
Mn manganese
Mo molybdenum
MO Medical Officer; mineral oil
MOC Medical Officer on Call
MOD Medical Officer of the Day
mol mole
mol wt molecular weight
MOM Milk of Magnesia
MOPP Mustargen (mechlorethamine hydrocholoride), Oncovin (vincristine sulfate), procarbazine hydrochloride, and prednisone
MPD maximal permissible dose
MPH Master of Public Health
MPS mononuclear phagocyte system
MR milk ring (test); mitral regurgitation
M_r molecular (weight) ratio
MRA magnetic resonance augiography
MRCP Member of the Royal College of Physicians
MRCS Member of the Royal College of Surgeons
mrd, MRD minimal reacting dose
MRI magnetic resonance imaging
mRNA messenger RNA
MRSA methicillin-resistant *Staphylococcus aureus*
MS Master of Science
MS I, II, III, IV medical student: first, second, third, and fourth year
⃠**MS** multiple sclerosis; magnesium sulfate; morphine sulfate
msec millisecond
m/sec meters per second
MSG monosodium glutamate
MSH melanocyte stimulating hormone
MSM men who have sex with men
MSN Master of Science in Nursing
MT Medical Technologist; Medical Transcriptionist; Monitor Technician
mtDNA mitochondrial DNA
MTP metatarsophalangeal (joint)
Mu Mache unit
MUGA multiple gated acquisition (imaging)
mV millivolt
Mv mendelevium
MVA motor vehicle accident
MVE Murray Valley encephalitis (virus)
MVV maximal voluntary ventilation
MW molecular weight
My myopia
ν nu; kinematic viscosity
n index of refraction; nano
N newton; nitrogen; normal (concentration)
ɴ normal (SMALL caps)
Na [Modern L.] *natrium*, sodium
NA *Nomina Anatomica*
NAD nicotinamide adenine dinucleotide; no apparent (or acute) distress
NAD⁺ nicotinamide adenine dinucleotide (oxidized form)
NADH nicotinamide adenine dinucleotide (reduced form)
NADP nicotinamide adenine dinucleotide phosphate
NADP⁺ nicotinamide adenine dinucleotide phosphate (oxidized form)
NADPH nicotinamide adenine dinucleotide phosphate (reduced form)
NAME nevi, atrial myxoma, myxoid neurofibromas, and ephelides (syndrome)
NANDA North American Nursing Diagnosis Association
Nb niobium
NCV nerve conduction velocity
Nd neodymium
Nd:YAG neodymium: yttriumaluminum-garnet [laser]
NDA New Drug Application
Ne neon
NE norepinephrine; not examined
NEEP negative end expiratory pressure
NF National Formulary
ng nanogram
NGF nerve growth factor (antigen)
Ni nickel
NIH National Institutes of Health
NK natural killer (cell)
NKA no known allergies
NLM National Library of Medicine
nm nanometer
NMN nicotinamide mononucleotide
No nobelium
NP Nurse Practitioner
Np neptunium
NPO [L.] *nihil per os*, nothing by mouth
NREM non rapid eye movement (sleep)
nRNA nuclear RNA
NS normal saline
NSAID nonsteroidal anti-inflammatory drug
NSR normal sinus rhythm
NUG necrotizing ulcerative gingivitis
Ω omega; ohm
o- *ortho*
O [L.]*oculus*, eye; opening (in formulas for electrical reactions); oxygen
OAV oculoauriculovertebral

禁制シンボル（⃠）は，米国医療施設評価合同委員会（JCAHO）により禁止された省略形の横に示す。各々の禁止の説明は，本文の見出し語内の語法に示してある。

(dysplasia, syndrome)
OB obstetrics
OB/GYN obstetrics (and) gynecology
OBS organic brain syndrome
OC oral contraceptive
OCD obsessive compulsive disorder
OD Doctor of Optometry; Officer of Day; overdose
⃠**OD** [L.] *oculus dexter*, right eye
ODD oculodentodigital (dysplasia, syndrome)
Oe oersted (centimeter gram second unit of magnetic field strength)
OFD orofaciodigital (dysostosis,syndrome)
OKT Ortho-Kung T (cell)
OML orbitomeatal line
OMM ophthalmomandibulomelic (dysplasia, syndrome)
OMS organic mental syndrome
OP osmotic pressure; outpatient
O & P ova and parasites
OPV oral poliovirus vaccine
OR operating room
ORD optical rotatory dispersion
ORIF open reduction and internal fixation
Orn ornithine (or its radical)
Oro orotate; orotic acid
Os osmium
⃠**OS** [L.] *oculus sinister*, left eye
OSA obstructive sleep apnea
OSHA Occupational Safety and Health Administration
OT occupational therapy; Koch old tuberculin
OTC over the counter (nonprescription drug)
⃠**OU** [L.] *oculus uterque*, each eye (both eyes)
OXT oxytocin
oz ounce
p pico ; pupil
p- para
P partial (pressure); peta ; phosphorus, phosphoric (residue); plasma (concentration); pressure; para (obstetric history)
^{32}**P** phosphorus-32
P_1 first parental generation
Pa pascal; protactinium
PA Physician Assistant; posteroanterior; pulmonary artery
PABA para-aminobenzoic acid
PAF platelet-aggregating (platelet-activating) factor
PAH para aminohippuric (acid)
PA_{O_2} partial pressure of arterial oxygen
PAS para aminosalicylic (acid); periodic acid Schiff (reagent)
PASA para-aminosalicylic acid
PAT paroxysmal atrial tachycardia
Pb [L.] *plumbum*, lead
PBG porphobilinogen
pc [L.] *post cibum*, after a meal
PCB polychlorinated biphenyl
P_{CO_2} partial pressure of carbon dioxide
PCP phencyclidine; plasma cell pneumonia (Pneumocystic carinii pneumonia); primary care provider
PCR polymerase chain reaction
PCT percutaneous transhepatic cholangiography
PCWP pulmonary capillary wedge pressure
Pd palladium
PD prism diopter
PDA patent ductus arteriosus; posterior descending artery
PDGF platelet derived growth factor
PDLL poorly differentiated lymphocytic lymphoma
PDR *Physicians' Desk Reference*
PEEP positive end expiratory pressure
PEG polyethylene glycol
PET positron emission tomography
PF_4 platelet factor 4
PFT pulmonary function test
pg picogram
PG prostaglandin
PGA prostaglandin A
PGB prostaglandin B
PGE prostaglandin E
PGF prostaglandin F
pH hydrogen ion concentration; p (power) of $[H^+]_{10}$
Ph phenyl
Ph^1 Philadelphia (chromosome)
PHA phytohemagglutinin (antigen)
Pharm D Doctor of Pharmacy (Pharmaciae Doctor)
PhD Doctor of Philosophy (Philosophiae Doctor)
Phe phenylalanine (or its radical)
PhG Graduate in Pharmacy
PhG [L.] *Pharmacopoeia Germanica*, German Pharmacopeia
PHN Public Health Nurse; postherpetic neuralgia
PICC peripherally inserted central catheter
PID pelvic inflammatory disease
PIF prolactin inhibiting factor
PIP proximal interphalangeal (joint)
pK negative logarithm of the ionization constant (Ka) of an acid
PK pyruvate kinase
PKU phenylketonuria
pm picometer
Pm promethium
PM post mortem
PMI point of maximum intensity
PMN polymorphonuclear (leukocyte)
PMS premenstrual syndrome
PN Practical Nurse
PND paroxysmal nocturnal dyspnea; postnasal drip
PNP platelet neutralization procedure
PNPB positive negative pressure breathing
PNS peripheral nervous system
Po polonium
PO [L.] per os, by mouth
PO_2,P_{O_2} partial pressure of oxygen
POEMS polyneuropathy, organomegaly, endocrinopathy, monoclonal protein, and skin changes (syndrome)
POMP prednisone, Oncovin (vincristine sulfate), methotrexate, and Purinethol (6-mercaptopurine)
POR problem-oriented (medical) record
PP pyrophosphate
PPCA proserum prothrombin conversion accelerator
PPD purified protein derivative (of tuberculin)
PPLO pleuropneumonia-like organism
ppm parts per million
PPO 2,5-diphenyloxazole
PPPPP pain, pallor, pulselessnes, paresthesia, paralysis
PPPPPP pain, pallor, pulselessness, paresthesia, paralysis, prostration
PPV positive pressure ventilation
Pr praseodymium; presbyopia
PR per rectum
PRA plasma renin activity
PRF prolactin releasing

禁制シンボル（⃠）は，米国医療施設評価合同委員会（JCAHO）により禁止された省略形の横に示す。各々の禁止の説明は，本文の見出し語内の語法に示してある。

factor
PRL prolactin
prn,PRN [L.] *pro re nata*, as needed
Pro proline (or its radicals)
PROM passive range of motion; premature rupture of membranes
psi pounds per square inch
PSV pressure-supported ventilation
PT physical therapy; prothrombin time
Pt platinum
PTA plasma thromboplastin antecedent; phosphotungstic acid; prior to admission
PTAH phosphotungstic acid hematoxylin
PTCA percutaneous transluminal coronary angioplasty
PTH parathyroid hormone
PTT partial thromboplastin time
PTU prophylthiouracil
Pu plutonium
PUO pyrexia of unknown origin
PUPPP pruritic urticarial papules and plaques of pregnancy
PUVA (oral administration of) psoralen (and subsequent exposure to) ultraviolet light of A wavelength (UV A)
PVC polyvinyl chloride; premature ventricular contraction
PVL plasma viral load
PVP polyvinylpyrrolidone (povidone)
q [L.] *quisque*, every
Q coulomb; volume of blood flow
Qco$_2$ microliters CO_2 given off per milligram of dry-weight of tissue per hour
⃠**q.d.** [L.] *quaque die*, every day
q. i. d [L.] *quater in die*, four times a day
QNS quantity not sufficient
Qo oxygen consumption
Qo$_2$ oxygen consumption
⃠**q.o.d.** every other day
q. s. [L.] *quantum satis*, as much as is enough; [L.] *quantum sufficiat*, as much as may suffice; quantity sufficient
r recemic; roentgen
R gas constant (8.315 joules); (organic) radical; Réamur (scale); [L.] recipe, take; resistance determinant (plasmid); resistance (electrical); resistance (unit) (in the cardiovascular system); resolution; respiration; respiratory (exchange ratio); roentgen
Ra radium
RA rheumatoid arthritis
rad radian
RAD reactive airways disease
RAS reticular activating system
RAST radioallergosorbent test
RAV Rous-associated virus
RAW resistance, airway
Rb rubidium
rbc red blood cell; red blood (cell) count
RBC red blood cell; red blood (cell) count
RBF renal blood flow
RCM right costal margin
RD reaction of degeneration; reaction of denervation; Registered Dietitian
RDA recommended daily allowance
RDH Registered Dental Hygienist
rDNA ribosomal DNA
RDS respiratory distress syndrome
RDW red (blood cell) diameter (ordistribution) width
Re rhenium
RE right ear; right eye
rem roentgen equivalent, man
REM rapid eye movement (sleep); reticular erythematous mucinosis
rep roentgen equivalent, physical
RF release factor; rheumatoid factor
RFA right frontoanterior (fetal position)
RFLP restriction fragment length polymorphism
RFP right frontoposterior (fetal position)
RFT right frontotransverse (fetal position)
Rh Rhesus (Rh blood group); rhodium
RH releasing hormone
RIA radioimmunoassay
Rib ribose
RLL right lower lobe
RLQ right lower quadrant
RMA right mentoanterior (fetal position)
RML right middle lobe
RMP right mentoposterior (fetal position)
RMT right mentotransverse (fetal position)
Rn radon
RN Registered Nurse
RNA Registered Nurse Anesthetist; ribonucleic acid
RNase ribonuclease
RNC Registered Nurse, Certified
RNP Registered Nurse Practitioner
RNP ribonucleoprotein
R/O rule out
ROA right occipitoanterior (fetal position)
ROM range of motion
ROP right occipitoposterior (fetal position)
ROS review of systems
ROT right occipitotransverse (fetal position)
RP retinitis pigmentosa
RP Registered Pharmacist
RPF renal plasma flow
RPh Registered Pharmacist
rpm revolutions per minute
RPR rapid plasma reagin (test)
RQ respiratory quotient
rRNA ribosomal RNA
RR relative risk
RRR relative risk reduction
Rs resolution
RS respiratory syncytial (virus)
RSA right sacroanterior (fetal position)
RSD reflex sympathetic dystrophy
RSP right sacroposterior (fetal position)
RST right sacrotransverse (fetal position)
RSV Rous sarcoma virus; respiratory syncytial virus
RT Radiologic Technologist; Registered Technologist; Respiratory Therapist
RTE renal tubular epithelium
rTMP ribothymidylic acid
Ru ruthenium
RUL right upper lobe
RUQ right upper quadrant
RV residual volume; right ventricle
RVEF right ventricular ejection fraction
RVH right ventricular hypertrophy
℞ [L.] *recipe*, (the first word on a prescription), take; prescription; treatment
σ sigma; reflection coefficient; standard deviation; 1 millisecond (0.001sec)
s [L.] *semis*, half; steady state (SUBSCRIPT); [L.] sinister, left
s sine, without

禁制シンボル（⃠）は，米国医療施設評価合同委員会（JCAHO）により禁止された省略形の横に示す。各々の禁止の説明は，本文の見出し語内の語法に示してある。

s/s signs and symptoms
S [L.] *sinister*, left; saturation of hemoglobin (percentage of) (followed by subscript O_2 or CO_2); siemens; spheric; spheric (lens); sulfur; Svedberg (unit)
S_1 first selfing generation
SA sinuatrial
S-A sinoatrial
SAD seasonal affective disorder
Sa$_{O_2}$ oxygen saturation (of) arterial (oxyhemoglobin)
SARS severe acute respiratory syndrome
Sb [L.] *stibium*, antimony
SBE subacute bacterial endocarditis
sc subcutaneous(ly)
Sc scandium
SC sternoclavicular; subcutaneous(ly)
ScD Doctor of Science
SCID severe combined immunodeficiency
SD standard deviation; streptodornase
SDA specific dynamic action
Se selenium
Ser serine
SERM selective estrogen receptor modulator
Sf Svedberg flotation (constant, unit)
SGA small for gestational age
SGOT serum glutamicoxaloacetic transaminase (aspartate aminotransferase)
SGPT serum glutamicpyruvic transaminase (alanine aminotransferase)
SH serum hepatitis
SI [French] Système International d'Unités; International System of Units
Si silicon
SID source-to-image (-receptor) distance
SIDS sudden infant death syndrome
sig. [L.] *signa*, affix a label, inscribe
SIMV spontaneous intermittent mandatory ventilation; synchronized intermittent mandatory ventilation
SIRD source-to-imagereceptor distance
SISI small increment (or short increment) sensitivity index (test)
SK streptokinase
SL sublingual (ly)
SLE systemic lupus erythematosus
SLR straight leg raising
Sm samarium
SMS Senior Medical Student
Sn [L.] *stannum*, tin
SN Student Nurse
SOAP subjective data, objective data, assessment, and plan (problem oriented medical record)
SOB short (ness) of breath
sol. solution
soln. solution
SP Speech Pathologist
S/P status post
sp. species
SPA single proton absorptiometry
SPCA serum prothrombin conversion accelerator (factor VII)
SPECT single photon emission computed tomography
SPF sun protection (or protective) factor
sp. gr. specific gravity
sph spheric (lens)
spm suppression and mutation
spp. species (plural)
SQ subcutaneous
Sr strontium
SRF somatotropin releasing factor
SRF-A slow reacting factor of anaphylaxis
SRIF somatotropin-releaseinhibiting factor
sRNA soluble RNA
SRS slow-reacting substance (of anaphylaxis)
SRS-A slow-reacting substance of anaphylaxis
ssDNA single stranded DNA
ssp. subspecies
SSRI selective serotonin reuptake inhibitor
ST scapulothoracic
stat, STAT [L.] *statim*, immediately, at once
STD sexually transmitted disease
STEL short term exposure limit
STH somatotropic hormone
STI sexually transmitted infection
STM short-term memory
STPD standard temperature (0℃) and pressure (760mmHg absolute), dry
STS serologic test for syphilis
Sv sievert (unit)
SV sievert (unit)
SVT supraventricular tachycardia
Sz seizure
t metric ton
t temperature (Celsius); tritium
T temperature, absolute (kelvin); tension (intraocular); tera; tesla; tetanus (toxoid); tidal (volume) (SUBSCRIPT); tocopherol; transverse (tubule); tritium; tumor (antigen)
T absolute temperature (kelvin)
T_3 3,5,5′triiodothyronine
T_4 tetraiodothyronine (thyroxine)
T! decreased tension (pressure)
T+ increased tension (pressure)
Ta tantalum
TA *Terminologia Anatomica*
T & A tonsillectomy and adenoidectomy
TAD transient acantholytic dermatosis
TAF tumor angiogenesis factor
TAH total abdominal hysterectomy
TAR thrombocytopenia with absent radii (syndrome)
TAT thematic apperception test
Tb terbium
TB tuberculosis
TBG thyroid-binding globulin
TBP thyroxine-binding protein
TBV total blood volume
Tc technetium
^{99m}Tc technetium 99m
T&C type and crossmatch
TCA tricarboxylic acid; trichloracetic acid
TCN talocalcaneonavicular (joint)
Td tetanus-diphtheria (toxoids, adult type)
TDP ribothymidine 5′ diphosphate
Te tellurium
TEDD total end-diastolic diameter
TEN toxic epidermal necrolysis
TESD total end-systolic diameter
TFCI transient focal cerebral ischemia
Th thorium
THC tetrahydrocannabinol
Thr threonine (or its radicals)
Ti titanium
t_1/t_{tot} duty cycle
TIA transient ischemic attack
TIBC total iron-binding
t. i. d. [L.] *ter in die*, three times a day
tinct. tincture

禁制シンボル（⊘）は，米国医療施設評価合同委員会（JCAHO）により禁止された省略形の横に示す。各々の禁止の説明は，本文の見出し語内の語法に示してある。

TITh 3,5,3′-triiodothyronine
⊘**t.i.w.** three times a week
TKO to keep (venous infusion line) open
Tl thallium
TLC thin layer chromatography; total lung capacity; tender, loving care
TLV threshold-limit value
$\mathbf{t_m}$ temperature midpoint (Celsius)
$\mathbf{T_m}$ temperature midpoint (Kelvin)
Tm thulium; tubular maximal (excretory capacity of kidneys)
TM transport maximum
TMJ temporomandibular joint
TMP ribothymidine 5′ monophosphate
TMT tarsometatarsal
TMV tobacco mosaic virus
Tn (ocular) tension; (intraocular) tension normal
TNF tumor necrosis factor
TNM tumor, node, metastasis (tumor staging)
TORCH toxoplasmosis, other, rubella, cytomegalovirus, and herpes simplex (maternal infections)
t-PA, TPA tissue plasminogen activator
TPHA *Treponema pallidum* hemagglutination (test)
TPI *Treponema pallidum* immobilization (test)
TPN total parenteral nutrition
TPR temperature, pulse, and respirations
tr. tincture
TRH thyrotropin releasing hormone (stimulation test)
TRIC trachoma inclusion conjunctivitis (organism)
tRNA transfer RNA
Trp tryptophan (and its radicals)
TSH thyroid stimulating hormone
TSS toxic shock syndrome
TSTA tumor-specific transplantation antigen
TTP thrombotic thrombocytopenic purpura
TU toxic unit; toxin unit
TUR transurethral resection
TVUS transvaginal ultrasound
Tx treatment
Tyr tyrosine (and its radicals)
U ; uranium; uridine (in polymers); urinary (concentration)
⊘**U** unit
UA urinalysis
UDP uridine diphosphate
UDPG urigine diphosphate glucose
UGIS upper gastrointestinal series
UMP uridine monophosphate (uridylic acid)
u-PA urokinase
UPJ ureteropelvic junction
Urd uridine
URI upper respiratory infection
US ultrasound
USAN United States Adopted Names (Council)
USP *United States Pharmacopeia*
USPHS United States Public Health Service
UTI urinary tract infection
UTP uridine triphosphate
UV ultraviolet
UVB ultraviolet B
UVJ ureterovesical junction
v venous (blood); volt
V vanadium; vision; visual (acuity); volt; volume (frequently with subscripts denoting location, chemical species, and conditions)
$\dot{\mathbf{V}}$ ventilation; gas flow (frequently with subscripts indicating location and chemical species); ventilation;
$\mathbf{V_1CV_6}$ unipolar precordial electrocardiogram chest leads
$\dot{\mathbf{V}}$**A** viral antigen
$\dot{\mathbf{V}}_\mathbf{A}$ alveolar ventilation
V-A ventriculoatrial
Val valine (and its radicals)
$\dot{\mathbf{V}}\mathbf{a}/\dot{\mathbf{Q}}$ ventilation/perfusion ratio
VATER vertebral defects, imperforate anus, tracheoesophageal fistula with esophageal atresia, and radial and renal dysplasia (complex)
VBAC vaginal birth after cesarean
VC vision, color; vital capacity
VCE vagina, (ecto) cervix, endocervical canal
$\mathbf{V_D}$ (physiologic) dead apace
VDRL Venereal Disease Research Laboratory (test)
VHDL very high density lipoprotein
VIP vasoactive intestinal polypeptide
VLDL very low density lipoprotein
VMA vanillylmandelic acid (test)
$\mathbf{V_{max}}$ maximal velocity
VN Visiting Nurse, Vocational Nurse
VO vocal order
VP vasopressin
VR vocal resonance
VS vital signs; volumetric solution
$\mathbf{V_T}$ tidal volume
VZIG varicella-zoster immune globulin
W watt; [German] *Wolfram*, tungsten
Wb weber
WBC white blood cell; white blood (cell) count
WC Ward Clerk
WD well-developed
WDLL well-differentiated lymphocytic (or lymphatic) lymphoma
WEE western equine encephalomyelitis
WHO World Health Organization
WN well nourished
X xanthosine
Xao xanthosine
Xe xenon
^{133}**Xe** xenon 133
XU excretory urogram
Y yttrium
YAG yttrium-aluminumgarnet (laser)
Yb ytterbium
Z carbobenzoxy (chloride)
ZEEP zero end-expiratory pressure
ZES Zollinger Ellison syndrome
Zn zinc
^{65}**Zn** zinc 65
Zr zirconium
ZSR zeta sedimentation ratio

禁制シンボル（⊘）は，米国医療施設評価合同委員会（JCAHO）により禁止された省略形の横に示す。各々の禁止の説明は，本文の見出し語内の語法に示してある。

付録7：Symbols［記号］

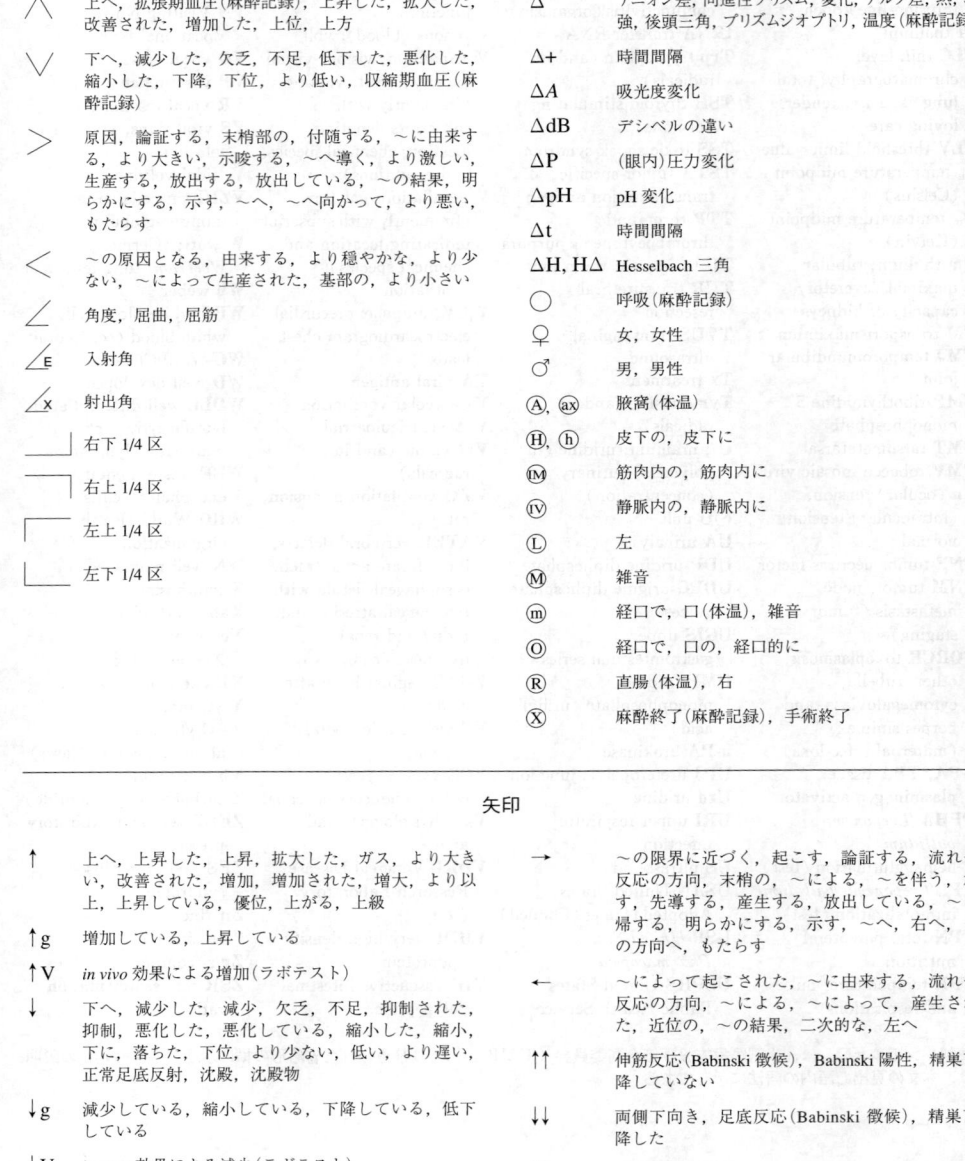

二角，三角，円

∧	上へ，拡張期血圧(麻酔記録)，上昇した，拡大した，改善された，増加した，上位，上方
∨	下へ，減少した，欠乏，不足，低下した，悪化した，縮小した，下降，下位，より低い，収縮期血圧(麻酔記録)
>	原因，論証する，末梢部の，付随する，～に由来する，より大きい，示唆する，～へ導く，より激しい，生産する，放出する，放出している，～の結果，明らかにする，示す，～へ，～へ向かって，より悪い，もたらす
<	～の原因となる，由来する，より穏やかな，より少ない，～によって生産された，基部の，より小さい
∠	角度，屈曲，屈筋
∠E	入射角
∠x	射出角
┘	右下 1/4 区
┐	右上 1/4 区
┌	左上 1/4 区
└	左下 1/4 区
Δ	アニオン差，向進性プリズム，変化，デルタ差，熱，増強，後頭三角，プリズムジオプトリ，温度(麻酔記録)
Δ+	時間間隔
Δ*A*	吸光度変化
ΔdB	デシベルの違い
ΔP	(眼内)圧力変化
ΔpH	pH 変化
Δt	時間間隔
ΔH, HΔ	Hesselbach 三角
◯	呼吸(麻酔記録)
♀	女，女性
♂	男，男性
Ⓐ, ⓐⓧ	腋窩(体温)
Ⓗ, ⓗ	皮下の，皮下に
(IM)	筋肉内の，筋肉内に
(IV)	静脈内の，静脈内に
Ⓛ	左
Ⓜ	雑音
ⓜ	経口で，口(体温)，雑音
Ⓞ	経口で，口の，経口的に
Ⓡ	直腸(体温)，右
Ⓧ	麻酔終了(麻酔記録)，手術終了

矢印

↑	上へ，上昇した，上昇，拡大した，ガス，より大きい，改善された，増加，増加された，増大，より以上，上昇している，優位，上がる，上級
↑g	増加している，上昇している
↑V	*in vivo* 効果による増加(ラボテスト)
↓	下へ，減少した，減少，欠乏，不足，抑制された，抑制，悪化した，悪化している，縮小した，縮小，下に，落ちた，下位，より少ない，低い，より遅い，正常足底反射，沈殿，沈殿物
↓g	減少している，縮小している，下降している，低下している
↓V	*in vovo* 効果による減少(ラボテスト)
↗	それた，置き換えられた，増加している
↘	減少している
→	～の限界に近づく，起こす，論証する，流れや反応の方向，末梢の，～による，～を伴う，示す，先導する，産生する，放出している，～に帰する，明らかにする，示す，～へ，右へ，～の方向へ，もたらす
←	～によって起こされた，～に由来する，流れや反応の方向，～による，～によって，産生された，近位の，～の結果，二次的な，左へ
↑↑	伸筋反応(Babinski 徴候)，Babinski 陽性，精巣下降していない
↓↓	両側下向き，足底反応(Babinski 徴候)，精巣下降した
↓↑	可逆反応，上下に
⇄, ⇌	可逆性〔化学〕反応

遺伝学記号

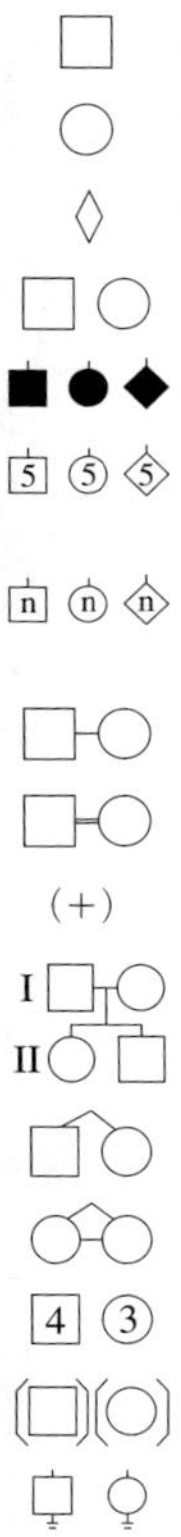

- 男性
- 女性
- 性別特定されていない
- 正常な人
- 罹患者
- 人数がわかっている複数の個人（数を記号の中に書く）
- 人数が不明の複数の個人（特定の数の代わりにnを使用）
- 結婚
- 血族結婚
- 遺伝子の正常でないまたは不確かなモード
- 両親と子供（世代で）
- 二卵性双生児
- 一卵性双生児
- 性別による子供の数
- 養子
- 子孫を残さずに亡くなった人

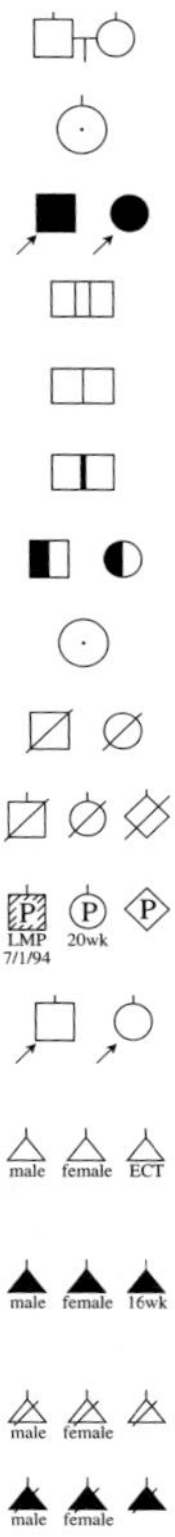

- 子供なし
- 流産または死産，性別特定されていない
- 発端者（医学的に注目される影響を受けた最初の家族）
- 専門的に検査された，正常
- 未検査，以前の検査は疑わしい
- 未検査，以前の検査は信頼できる
- 常染色体劣性遺伝子の異種接合体
- 伴性遺伝子性のキャリア
- 死亡
- 死産（SB）
- 妊娠（P）．記号の下に在胎齢と核型（もしわかれば）
- コンサルタント（遺伝子カウンセリングやテストを求めている個人）
- 自然流産（SAB）（記号の下のECTは異常性妊娠を示す）
- 影響を受けた自然流産（もしわかれば記号の下に在胎齢，凡例を黒く塗る）
- 妊娠の停止（TOP）
- 影響を受けた妊娠の停止（凡例を黒く塗る）

出典：遺伝子記号には著作権はない．これらの記号の出所である*American Journal of Human Genetics*（56: 746-747, 1995）に感謝の意を表する．

数量

0	完全に消失（脈拍），反応なし（反射）
+1, 1+	著しく弱い（脈拍）
1+	やや低い正常値，やや減少（反射），軽度の反応や極微量（ラボテスト）
+2, 2+	中等度の減少（脈拍）
2+	平均値または正常（反射），目立つ反応または痕跡（ラボテスト）
+3, 3+	軽度の減少（脈拍）
3+	中等度の反応（ラボテスト），平均より活発（反射）
+4, 4+	正常（脈拍）
4+	亢進（反射），大量（ラボテスト），顕著な反応（ラボテスト），非常に活発（反射）
$\dot{\bar{1}}$	便意（一定期間の排便指数）
1×	1度，1回
2×, ×2	2度，2回
3×, ×3	3度，3回

数量

アラビア数字	ローマ数字
0	
1	I, i
2	II, ii
3	III, iii
4	IV, iv
5	V, v
6	VI, vi
7	VII, vii
8	VIII, viii
9	IX, ix
10	X, x
11	XI, xi
12	XII, xii
13	XIII, xiii
14	XIV, xiv
15	XV
16	XVI

アラビア数字	ローマ数字
17	XVII
18	XVIII
19	XIX
20	XX
30	XXX
40	XL
50	L
60	LX
70	LXX
80	LXXX
90	XC
100	C
1,000	M
5,000	$\overline{V}$
10,000	$\overline{X}$
100,000	$\overline{C}$
1,000,000	$\overline{M}$

プラス，マイナス，イコール

+	酸化(反応)，加えられた，凸レンズ，減少または縮小した(反応)，過剰，溶血反応が 50%以下(Wassermann)，低い正常値(反射)，顕著な障害(脈拍)，軽度の(重症度)，プラス，陽性(ラボテスト)，存在する，軽度の反応や痕跡(ラボテスト)，鈍い(反応)，わずかな減少(反射)
(+)	意味のある
(+)ive	陽性
+ to ++	軽度の痛み
++	平均値(反応)，溶血反応が 50% (Wassermann)，中等度の(痛み，重症度)，中等度の障害(脈拍)，正常の活動性(反射)，目立つ反応や痕跡(ラボテスト)
+++	亢進した反射，溶血反応が 75% (Wassermann)，中等度の量，中等度の反応(ラボテスト)，中等度の多動(反射)，中等度重症の(痛み，重症度)，平均より活発な(反射)，軽度の障害(脈拍)
++++	完全な溶血反応(Wassermann)，大量の(ラボテスト)，顕著な多動(反射)，顕著に重症の(痛み，重症度)，通常(脈拍)，顕著な反応(ラボテスト)，非常に活発な(反射)
−	欠落，アルカリ性(反応)，凹レンズ，欠損，欠損した，マイナス，陰性(ラボテスト)，無，減じる，〜なしの
(−)	無意味な
±	確定しない，陽性もしくは陰性，不確かな(反射，定性試験)，フリッカー(反射)，不確定の，多少の，プラスまたはマイナス，可能性あり，疑わしい，示唆する，一定しない，ごく軽度の(反応，重症度，痕跡)，伴うまたは伴わない
(±)	有意の可能性あり
± to +	かすかな痛み
∓	マイナスまたはプラス
‡	中等度の(重症度)，正常の活動性(反射)
#	骨折，ゲージ，番号，ポンド，体重
∼	約，だいたい，おおよそ，適当な
≈	ほぼ等しい
=	〜に等しい
≠	〜に等しくない
≍	〜と結合した
≎	同等の
≎̸	同等でない
≡	同一の，〜と一致する
≢	同一でない，〜と一致しない
≒	〜にほぼ等しい
≑	ほぼ等しい
≅	ほぼ，ほぼ等しい，合同の
≐	〜に近い
⊥	同側の
≜	同角の
>	より多い
≯	より多くない
<	より少ない
≮	より少なくない
≥, ⩾	より多いか等しい
≤, ⩽	より少ないか等しい

アクセント，チェック，点

?	疑わしい，どちらともとれる(反射)，フリッカー(反射)，試験していない(重症度)，可能性がある，疑いの余地がある，示された，示唆的(重症度)，不明の
!	階乗
†	死亡した
/	～分の，～も意味する，内線，伸筋，比率，～の，～につき，～へ
′	フィート，分，一価の
″	二価の，同じ，インチ，秒，1/60 度
‴	ライン(1/12 インチ)，三価の
√	チェック，～を観察せよ，尿，排尿した
√.	排尿と排便，排泄と便意
√c̄	～でチェック
√d	チェックした，観察した
√g, √ing	チェックしている
√qs	十分な量を排泄した
$\sqrt{\ }$	根
$\sqrt[2]{\ }$	平方根
$\sqrt[3]{\ }$	立方根
*	出生，増殖サイン(遺伝学)，確かめられていない，指定された，推測する
°	度，角度，重篤度(火傷，傷)，温度，時間
:	することになっている，割合
…	データなし(一定のカテゴリー内において)
∴	それゆえ
∵	～なので
∷	～なので，同じ割合，比重，～の比重

統計記号

α	第一種の過誤の確率，有意水準
β	第二種の過誤の確率
$1-\beta$	検定の検出力
${}_nC_k;\binom{n}{k}$	二項係数，n 個の対象から k 個を選びだす組合せの数
χ^2	カイ 2 乗統計量
E	分割表のセルにおける期待度数
$E(X)$	確率変数 X の期待値
F	F 統計量(分散比)
f	頻度
H_0	帰無仮説
H_1	対立仮説
μ	母集団平均
N	母集団の大きさ
n	標本の大きさ
$n!$	n の階乗
O	分割表において観察された頻度
Φ	ϕ 係数
P	確率
p	個々の試行の成功確率
$P(A)$	事象 A が起こる確率
$P(A \backslash B)$	B が起きたときに A が起こる条件付き確率
r	標本相関係数，通常は Pearson 積率相
r^2	決定係数
r_s	Spearman 順位相関係数
ρ	母集団相関係数
s	標本標準偏差
s^2	標本分散
SE	推定値の標準誤差
σ	母集団標準偏差
σ^2	母集団分散
$\sigma_{diff.}$	スコア間の差の標準誤差
$\sigma_{est.}$	推定値の標準誤差
$\sigma_{meas.}$	測定値の標準誤差
$\sum_{i=1}^{n} x_i, \Sigma_{i\,=}^{n} x_i$	$x_1 + x_2 + \ldots + x_n$
t	Student t 統計量
θ	潜在変数
U	Mann-Whitney 順位和統計量
W	Wilcoxon 順位和統計量
$\bar{X}$	標本平均
$\lvert x \rvert$	x の絶対値
$\sqrt{x}$	x の平方根
$=$	等しい
$\neq$	等しくない
$\approx$	ほぼ等しい
$>$	～より多い
$\ngtr$	～より多くない
$<$	～より少ない
$\nless$	～より少なくない
$\geq, \geqslant$	～より多いか等しい
$\leq, \leqslant$	～より少ないか等しい
∞	無限大

付録8： Physical Terminology［解剖用語表］

arteries of the human body　人体の動脈

動脈名	起始	経路	分枝・分布
abdominal aorta 腹大動脈	胸大動脈の続き	腰椎体前面を走行	内臓枝：腹腔動脈，上・下腸間膜動脈，腎動脈，中副腎動脈，精巣(卵巣)動脈．体壁枝：腰動脈，正中仙骨動脈
angular 眼角動脈	顔面動脈の最終枝	内眼角へ向かう	頬上部と下眼瞼
anterior cerebral 前大脳動脈	中大脳動脈とともに内頸動脈の最終枝	前方へ進み脳梁膝で反転して大脳縦裂を後方へ進む	A1区域：視床，線条体．A2区域：前頭葉・頭頂葉の皮質内側面
anterior ciliary 前毛様体動脈	眼動脈の筋枝(直筋)	直筋付着部で強膜を貫き虹彩と毛様体の中で網工を形成	虹彩と毛様体
anterior communicating 前交連動脈	前大脳動脈	視交叉前槽の中で前大脳動脈を連結して大脳動脈輪を完成させている	前内側中心貫通動脈
anterior division of internal iliac 内腸骨動脈の前部	内腸骨動脈	小骨盤外壁に沿って下腹壁筋膜中を前方へ進み内臓枝と体壁枝に分かれる	体壁枝：閉鎖動脈．内臓枝：臍動脈，下膀胱動脈，子宮動脈，腟動脈，中直腸動脈，陰部動脈
anterior ethmoidal 前篩骨動脈	眼動脈	前篩骨孔から前頭蓋窩に進みさらに鼻腔にはいり鼻の皮膚に枝を送る	篩骨蜂巣の前部と中部，前頭蓋窩の硬膜，鼻腔前上部，鼻背の皮膚
anterior inferior cerebellar 前下小脳動脈	脳底動脈の下部(起始部)	後外側方に進みしばしば内耳道の内外でループを形成する	小脳外側葉の下面，橋の下外側部，小脳橋角の脈絡叢，通常は迷路動脈を派出する
anterior intercostal (brs.) 前肋間動脈(枝)	第一－六肋間は内胸動脈，第七－九肋間は筋横隔動脈	内肋間筋と最内肋間筋の間を進む	肋間筋とその表面の皮膚，壁側胸膜
anterior interventricular (br.) 前室間動脈(枝)	左冠状動脈	前IV溝に沿って心尖に進む	左・右心室壁，IV中隔の大部分，房室束
anterior spinal 前脊髄動脈	上方で左右椎骨動脈の頭蓋内部分から各1枝が出て下行し種々の髄節で分かれる前区髄節動脈となる	連続した血管網工を派出しながら前正中裂の入り口を下行する	溝枝を出して脊髄前半部に分布し前正中裂内にも広がり軟膜上に血管網工を形成して脊髄表面に分枝する
anterior superior alveolar 前上歯槽動脈	眼窩下動脈	眼窩下管の中で分枝し前歯槽管を下行する	上顎洞粘膜，上顎切歯と犬歯
anterior tibial 前脛骨動脈	後脛骨動脈とともに膝窩動脈の最終枝	下腿前区の脛骨と腓骨の間の骨間膜の隙間を通り前脛骨筋と長指伸筋の間を下行する	下腿前区
appendicular 虫垂動脈	回結腸動脈	虫垂間膜中を進む	虫垂
arch of aorta 大動脈弓	上行大動脈の続き	後方へアーチ状に進み気管と食道の左側を左肺根上部に至る	腕頭動脈，左総頸動脈，左鎖骨下動脈
arcuate (of foot) 〔足の〕弓状動脈	足背動脈の続き	中足骨底背側を外側に進む	第二・三・四背側中足動脈

動脈名	起始	経路	分枝・分布
artery of bulb of penis or vestibule of vagina 尿道球動脈，腟前庭動脈	内陰部動脈	会陰膜を貫通して尿道球，腟前庭に至る	男では尿道球と尿道球腺，女では腟前庭と大前庭腺
artery to ductus deferens 精管への動脈	下（または上）膀胱動脈	腹膜の後ろで精管に分布	精管
artery of pterygoid canal 翼突管動脈	顎動脈の第三部または大口蓋動脈から	後方へ進んで翼突管に入る	咽頭最上部（咽頭陥凹），耳管，鼓室
ascending aorta 上行大動脈	左心室の動脈口	約 5 cm上行して胸骨角の高さで大動脈弓に移行する	左・右冠状動脈
ascending cervical 上行頸動脈	下甲状腺動脈とともに甲状頸動脈の最終枝	椎前筋膜中を上行する	椎前筋に分布し広く頸部の諸動脈と吻合する
ascending palatine 上行口蓋動脈	顔面動脈	上咽頭収縮筋の上縁に沿って上行しこれを越えて軟口蓋と扁桃窩に至る	咽頭外側壁，扁桃，耳管，軟口蓋
ascending pharyngeal 上行咽頭動脈	外頸動脈の内側面	内頸動脈と咽頭の間を上行して脳底に達し頸静脈管と舌下神経管に枝を出す	咽頭壁，口蓋扁桃，軟口蓋，後頭蓋窩の硬膜
atrioventricular (AV) nodal (br.) 房室結節動脈（枝）	後IV区動脈起始部近くの右冠状動脈	心室中隔最上部を前走して房室結節に至る	房室結節
axillary 腋窩動脈	鎖骨下動脈の続きで第一肋骨以遠の部分	腋窩の外側を下行し大円筋下縁を過ぎて上腕動脈となる．内側部（第一部），後部（第二部），外側部（第三部）からなり小胸筋に至る	第一部から最上胸動脈．第二部から胸肩峰動脈と外側胸動脈．第三部から肩甲下動脈と前・後上腕回旋動脈
basilar 脳底動脈	左右の椎骨動脈が合流してできる	橋槽中を斜台に沿って上行し左右の後大脳動脈に分枝して終わる	分枝：前下小脳動脈，迷路動脈，橋動脈，中脳動脈，上小脳動脈
brachial 上腕動脈	腋窩動脈の続きで大円筋下縁以遠の部分	内側筋間中隔中を正中神経と伴行し肘窩で橈骨動脈と尺骨動脈に分岐するところで終わる	上腕の主要な動脈．分枝：上腕深動脈，筋枝，栄養動脈，上・下尺側側副動脈
brachiocephalic (trunk) 腕頭動脈	大動脈弓の最初の最も太い枝	右後外側方へ進み前へ回り気管の右に出て胸鎖関節の深部で 2 分して終わる	右総頸動脈と右鎖骨下動脈
bronchial (1–2 brs.) 気管支動脈（1－2 枝）	胸大動脈の第一部前面または右第三肋間動脈	主気管支の背面から気管支に沿って走行	気管支および周辺組織，臓側胸膜
buccal 頬動脈	顎動脈	頬神経に伴行し下顎枝前縁で分枝する	頬筋と皮膚，口腔粘膜に分布し顔面動脈や眼窩下動脈と吻合する
carpal branches, dorsal and palmar 背側・掌側手根枝	橈骨動脈・尺骨動脈の手首の高さからの枝	両者吻合して背側・掌側動脈弓を形成する	手首での側副血行路を形成
celiac trunk 腹腔動脈	腹大動脈が横隔膜の大動脈裂孔を抜けてすぐのところから分枝	約1.25cmで左胃動脈を出し次いで脾動脈と総肝動脈に分岐	食道最下部，胃，十二指腸のうち総胆管開口部より近位部，肝臓，胆嚢および胆管，膵臓
central artery of retina 網膜中心動脈	眼動脈	視神経硬膜中を進み眼球の近くで神経中に侵入し視神経乳頭で分枝して網膜細動脈となる	網膜視部（杆状体，錐状体を除く）．分枝：黄斑部，鼻側部，側頭部に網膜細動脈を出す

動脈名	起始	経路	分枝・分布
circumflex (br.) 回旋枝	左冠状動脈	房室間溝を左へ進み心臓後面に達する	主として左の心房と心室．左心房枝，左心室枝，辺縁枝
circumflex humeral, anterior and posterior 前・後上腕回旋動脈	腋窩動脈の第三部から．典型的には鎖骨下動脈起始部の反対側	両動脈は吻合して上腕骨外科頸を囲む．太いほうの後上腕回旋動脈は腋窩神経に伴行して腋窩を通過する	肩関節，上腕近位部の筋すなわち三角筋・大円筋・小円筋・上腕三頭筋の長頭と外側頭
circumflex scapular 肩甲回旋動脈	胸背動脈とともに肩甲下動脈の最終枝	肩甲骨の腋窩縁を回って棘下窩にはいる	肩甲下筋，棘下筋．肩甲骨を回る側副血行路に吻合
common carotid, left and right 総頸動脈	左：大動脈弓の第二枝．右：右鎖骨下動脈とともに腕頭動脈の最終枝	胸鎖関節の深部で頸筋膜にはいり胸鎖乳突筋下を上行して第四頸椎または舌骨の高さに達する	最終枝は内頸動脈と外頸動脈
common hepatic 総肝動脈	脾動脈とともに腹腔動脈の最終枝	膵臓上縁に沿って右に進み門静脈の前方を進む	最終枝は固有肝動脈と胃十二指腸動脈
common iliac, left and right 左・右総腸骨動脈	腹大動脈の最終枝	第四腰椎体の前で分岐して始まり下降して第五腰椎または第一仙椎の高さで仙腸関節の前面で終わる	最終枝は内腸骨動脈と外腸骨動脈
common interosseous 総骨間動脈	肘窩で上腕動脈から尺骨動脈が分岐してすぐのところから	深部にはいってすぐ最終枝に分岐する	最終枝は前骨間動脈と後骨間動脈
common palmar digital 総掌側指動脈	浅掌動脈弓	虫様筋の前を前方に進み指が分かれるところで分岐して終わる	深掌動脈弓からの掌側中手動脈と吻合．最終枝は固有掌側指動脈
common plantar digital 総底側指動脈	底側中足動脈の最終部分	母指内転筋横頭の遠位のごく短い部分で指が分かれるところで分岐して終わる	最終枝は固有底側指動脈
costocervical (trunk) 肋頸動脈	鎖骨下動脈の第二部	胸膜頂の上を後方へ第一肋骨頸まで進む短い動脈でここで最終枝に分岐する	最終枝は最上肋間動脈と深頸動脈
cremasteric 精巣挙筋動脈	下腹壁動脈	精索に伴って鼡径管を通り精嚢に達する	男：精巣挙筋とその周囲組織．女：子宮円靱帯
cystic 胆嚢動脈	右肝動脈	肝十二指腸間膜の中を走行	胆嚢と胆嚢管
deep artery of penis or clitoris 陰茎(陰核)深動脈	内陰部動脈の最終枝	会陰膜を貫通して陰茎(陰核)の勃起組織に達する	最終枝(ラセン動脈)がほどけると血液が勃起組織中に充満する
deep artery of thigh 大腿深動脈	大腿動脈の大腿三角(鼡径靱帯から 4 cm下方)	内側筋間中隔を下行して長内転筋の深部に至る	貫通枝は大内転筋を通過して大腿の後区と外側区に至る
deep auricular 深耳介動脈	上顎動脈の第一部	耳下腺の中を上行して顎関節後方に出て外耳道壁を貫く	顎関節，外耳道の皮膚，鼓膜
deep cervical 深頸動脈	肋頸動脈	第七頸椎横突起と第一肋骨頸との間を後方へ進み頸半棘筋と頭半棘筋の間を第二頸椎の高さまで上行する	深後頸筋群に分布し後頭動脈や椎骨動脈の枝と吻合する
deep circumflex iliac 深腸骨回旋動脈	外腸骨動脈	前腹壁の内面を鼡径靱帯に並行して走る	腸骨筋，前外側腹壁の下部
deep lingual 深舌動脈	舌動脈第三部の続き	舌骨舌筋上縁近くで上行し舌小帯の脇を前方へ進み舌粘膜に達する	おとがい舌筋，下縦舌筋，舌下面の粘膜，舌尖

動脈名	起始	経路	分枝・分布
deep palmar arch 深掌動脈弓	橈骨動脈の続きが内側で尺骨動脈の深枝と合流して完成	内側へ半円を描き長い屈筋腱の下層で中手骨底に接して走る	掌側中手動脈
deep plantar arch 深足底動脈弓	外側足底動脈の続き	足底筋第３層と第４層の間を前内側方に走る．第一・第二中足骨底の間で深足底動脈を経て足背動脈と吻合する	底側中足動脈
deep temporal, anterior and posterior 前・後側頭動脈	顎動脈の第二部	側頭筋と側頭窩の骨の間を上行	側頭筋，骨膜，骨
descending genicular 下行膝動脈	内転筋管の中で大腿動脈から	内側広筋の中を下行し大内転筋腱の前で上内側膝動脈と吻合する	伏在枝・伏在神経に伴行して下腿内側の皮膚・内側広筋・大内転筋
descending palatine 下行口蓋動脈	顎動脈の第三部	翼口蓋窩で起こり口蓋管を下行する	大口蓋動脈，小口蓋動脈
dorsal artery of penis or clitoris 陰茎(陰核)背動脈	内陰部動脈の最終枝	会陰膜を貫通して陰茎(陰核)提靱帯を通過し陰茎(陰核)背面に至る	陰茎皮膚，陰茎(陰核)の勃起組織
dorsal carpal arch 背側手根動脈弓	橈骨動脈と尺骨動脈	手背筋膜中の動脈弓	背側中手動脈
dorsal digital (of fingers) 〔手の〕背側指動脈	背側中手動脈	内側１本半の指節骨の後外側面を指尖に走る	内側１本半の指の背面
dorsal digital (of toes) 〔足の〕背側趾動脈	背側中足動脈	内側１本半の趾節骨の後外側面を指尖に走る	内側１本半の趾の背面
dorsal metacarpal 背側中手動脈	背側手根動脈弓	第二—四骨間筋の上を走行	背側指動脈に分岐し手背と中節骨中央までの皮膚・筋・骨
dorsal metatarsal 背側中足動脈	第一：足背動脈の最終枝．第二—四：弓状動脈	各背側骨間筋の表層を指尖に走る	背側趾動脈
dorsal nasal 鼻背動脈	眼動脈	鼻の背面を走り表層に分布	鼻の背面を走り表層に分布
dorsal pancreatic 後膵動脈	脾動脈	膵臓の後ろを下降し左右２枝に分かれる	膵臓の中部
dorsal scapular (variation—1/3 of time it is replaced by a deep branch of the transverse cervical a.) 背側(下行)肩甲動脈(破格：約1/3例で頸横動脈の深枝で置き換わる)	鎖骨下動脈の第三(二)部	腕神経叢を外側へ抜けて肩甲挙筋深部に出て肩甲背神経に伴行して肩甲骨内側縁に沿って下行し菱形筋の深部に至る	僧帽筋，菱形筋，広背筋．肩甲骨周辺の動脈枝と吻合
dorsal pedis 足背動脈	下伸筋支帯の遠位で前脛骨動脈の続きとして	前内側へ下行して第一骨間筋に至り分岐して足底動脈と弓状動脈となる	足背の筋．第一骨間筋を貫通して深足底動脈となり足底動脈弓形成に加わる
esophageal (4–5 brs.) 食道動脈(４—５枝)	胸大動脈の前面から	前方へ進み食道へ	食道

動脈名	起始	経路	分枝・分布
external carotid 外頸動脈	甲状軟骨上縁の高さで総頸動脈から分岐	少し前方に上行した後，後外側方に進み乳様突起と下顎骨の間から耳下腺に入り下顎頸の深部で最終枝に分岐する	前枝：上甲状腺動脈，顔面動脈，舌動脈．後枝：後頭動脈，後耳介動脈．内側枝：上行咽頭動脈．最終枝：顎動脈，浅側頭動脈
external pudendal, superficial and deep 浅・深外陰部動脈	大腿動脈	大腿を横切って内側へ進み陰嚢または大陰唇に達する	女：恥丘と大陰唇前部．男：陰茎根部と陰嚢前部
facial 顔面動脈	外頸動脈	顎下腺深部を上行し下顎骨下縁を回って顔面に出て斜めに上行して頬を横切り鼻の脇から内眼角に至る	上行口蓋動脈，扁桃動脈，腺枝，おとがい下枝，上・下口唇動脈，外側鼻枝．最終枝は眼角動脈
femoral 大腿動脈	外腸骨動脈の続きで鼡径靱帯より遠位の部分	大腿三角を出て下行し内転筋管を通り抜けて内転筋裂孔を出たところから膝窩動脈となる	大腿の前部と前内側部
gastroduodenal 胃十二指腸動脈	肝動脈	腹膜の外で胃十二指腸移行部を下行する	胃，膵臓，十二指腸初部，胆管遠位部
gastroepiploic 胃大網動脈	胃十二指腸動脈	大網の中を進んで胃大弯に至る	胃大弯の右方部
genicular (superior lateral and medial, inferior lateral and medial, and middle) 膝動脈 （上外側・上内側・下外側・下内側・中膝動脈）	膝窩動脈	膝関節の四方から起こって膝蓋骨・大腿骨顆・脛骨顆の回りに分布する．中膝動脈は膝蓋靱帯を斜めに貫いて関節包後部に達する	下行膝動脈とともに外側大腿回旋動脈・腓骨回旋動脈・脛骨反回動脈の下行枝を形成する．膝では動脈は互いに吻合している
greater pancreatic 大膵動脈	脾動脈	膵臓の左部を貫通し左右 2 枝に分かれ膵管に並走する	主として膵臓動脈と吻合して膵臓尾部と膵管に分布
hepatic artery proper 固有肝動脈	腹腔動脈	腹膜後部を肝十二指腸間膜へ進みその中を肝門に達して左・右肝動脈に分岐する	左・右肝動脈は肝臓と胆嚢に分布（右胃動脈，上十二指腸動脈は胃，十二指腸，膵臓に分布）
ileal and jejunal (n＝15–18) 空腸動脈・回腸動脈	上腸間膜動脈	腸間膜 2 層の間を進む	空腸と回腸
ileocolic 回結腸動脈	上腸間膜動脈の最終枝	腸間膜根に沿って走り回腸枝と結腸枝を出す	回腸，盲腸，上行結腸
iliolumbar 腸腰動脈	内腸骨動脈後部	仙腸関節の前で総腸骨動脈や大腰筋の後ろを上行する	大腰筋，腸骨筋，腰方形筋，脊柱管中の馬尾
inferior alveolar 下歯槽動脈	顎動脈の第一部	後方へ下行して下歯槽神経に伴行し内側翼突筋と下顎枝の間で下顎孔から下顎管にはいる	顎舌骨筋枝，歯枝，おとがい枝が口腔底の筋・下顎骨・下顎歯・おとがいの軟組織に分布
inferior epigastric 下腹壁動脈	外腸骨動脈	上行して腹直筋鞘に入り腹直筋深部を進む	腹直筋と前外側腹壁の内側部
inferior gluteal 下殿動脈	内腸骨動脈前部	骨盤を出て殿部にはいり梨状筋の下で大坐骨孔を通り坐骨神経の内側を下行する．上殿動脈と吻合して大腿の十字吻合に加わり大腿深動脈の第一貫通動脈や内側・外側回旋動脈に関係する	骨盤隔膜（尾骨筋と肛門挙筋），梨状筋，大腿方形筋，ハムストリングス上部，大殿筋，坐骨神経
inferior labial 下唇動脈	顔面動脈の口角のあたりから	下唇を内側に走る	下唇とおとがい

動脈名	起始	経路	分枝・分布
inferior mesenteric 下腸間膜動脈	腹大動脈	腹膜の後ろを下行して腹大動脈の左方へ進む	胃腸管の一部で発生学的に後腸に由来する部分
inferior pancreaticoduodenal, anterior and posterior 前・後下膵十二指腸動脈	上腸間膜動脈	腹膜後部で膵臓の頭部を上行する	十二指腸遠位部，膵臓頭部下方と鉤状突起
inferior phrenic 下横隔動脈	腹大動脈の第一枝として（ときに腹腔動脈から，またはこれと共通幹として）	横隔膜の脚から天蓋下面を上行する．内側枝は相互にまた心膜横隔動脈と吻合．外側枝は胸壁に行き後肋間動脈や筋横隔動脈と吻合	分枝：上副腎動脈．分布：横隔膜，下大静脈（右枝），食道（左枝），副腎
inferior rectal 下直腸動脈	内陰部動脈	陰部神経管を出て坐骨直腸窩を横切り肛門管に至る	肛門管遠位部（主に櫛状線より下方）
inferior suprarenal 下副腎動脈	腎動脈	垂直に副腎に向かって上行	副腎の後部と下部
inferior thyroid 下甲状腺動脈	上行頸動脈とともに甲状頸動脈の最終枝	前斜角筋の前を上行し内側に回って椎骨動脈と頸筋膜鞘の間を通り長頸筋のところで下行して甲状腺の下縁に至る	下喉頭動脈，咽頭枝，気管枝，食道枝，下および上行腺枝（後者は上皮小体へも）．頸部内臓への主動脈
inferior vesical (male) 下膀胱動脈（男）	内腸骨動脈の前部	腹膜後部を膀胱下部に向かって進む	膀胱下部，精管，精嚢，前立腺
infraorbital 眼窩下動脈	顎動脈第三部	眼窩下管を経て眼窩下孔から顔面に出る	下直筋，下斜筋，下眼瞼，涙嚢，上顎洞，上顎の切歯と犬歯，頬前部
internal carotid 内頸動脈	甲状軟骨上縁の高さで総頸動脈から	頸部を垂直上行し頸動脈管に入り水平に転じて海綿洞を前外側に進み前床突起の下で180°旋回して前・中大脳動脈に分岐する	海綿洞，脳下垂体，三叉神経節に枝を出し眼窩，眼球，鼻腔上部，鼻，脳への主たる分布動脈
internal iliac 内腸骨動脈	総腸骨動脈	骨盤縁を越えて骨盤腔に入る	骨盤内臓，殿筋，会陰への主たる分布動脈
internal pudendal 内陰部動脈	内腸骨動脈の前部	大坐骨孔から骨盤を出て坐骨棘を回って小坐骨孔から会陰に出て陰部神経管を経て尿生殖三角に至る	会陰への主動脈で肛門や尿生殖三角の筋や皮膚，勃起組織に分布（殿部には分布しない）
internal thoracic 内胸動脈	鎖骨下動脈の下面	前内側方へ傾きながら下行し，鎖骨の胸骨端と肋軟骨の後ろ，胸骨の外側，胸横筋の前に至り，第六肋軟骨の高さで上腹壁動脈と筋横隔動脈に分岐する	胸骨とその前面の皮膚へ，前肋間動脈によって第一―六肋間へ，貫通動脈によって乳房の内側へ分布する
interosseus, anterior and posterior 前・後骨間動脈	総骨間動脈	骨間膜の前と後ろへ行く	前腕の前区と後区．前骨間動脈は前区・後区の遠位部に分布，後骨間動脈は反回骨間動脈を出して肘部周辺の動脈網に加わる
labyrinthine 迷路動脈	脳底動脈または前下小脳動脈と共通幹で	内耳道から頭蓋腔を出て骨迷路に入る	膜迷路
lacrimal 涙腺動脈	眼動脈	外側直筋の上縁に沿って進み涙腺，結膜，眼瞼に至る	外側直筋の上縁に沿って進み涙腺，結膜，眼瞼に至る
lateral circumflex femoral 外側大腿回旋動脈	大腿深動脈．大腿動脈から出ることもある	縫工筋と大腿直筋の深部を外側に進み３枝に分かれる	上行枝は殿部前部に，横行枝は大腿を回り，下行枝は膝と膝関節周囲血管網に加わる

動脈名	起始	経路	分枝・分布
lateral nasal branch (facial) 顔面動脈の外側鼻動脈	顔面動脈が鼻の脇を上行する部分	鼻翼へ進む	鼻翼と鼻背の皮膚
lateral plantar 外側足底動脈	内側足底動脈とともに後脛骨動脈の最終枝	踵骨の内側に起こり，足底筋第１層と第２層の間を前外側方へ進み第五中足骨底に至り，さらに足底筋第３層と第４層の間を前内側方へ進み深足底動脈弓となる	筋枝は足底筋第１層と第２層に，浅枝は足底外側の皮膚と皮下組織に，吻合枝は外側中足動脈と弓状動脈と，踵骨枝は踵骨に分布する
lateral sacral, superior and inferior 上・下外側仙骨動脈	内腸骨動脈の後部	梨状筋前内側面を進んで枝を仙骨孔に出す	梨状筋，仙骨管の諸構造，脊柱起立筋とその表面の皮膚
lateral thoracic 外側胸動脈	腋窩動脈の第二部	小胸筋外側縁に沿って下行し胸壁に至る	外側胸壁(胸筋，前鋸筋，肋間筋)と乳房
left colic 左結腸動脈	下腸間膜動脈	腹膜後部を左へ進んで下行結腸に至る	下行結腸
left coronary 左冠状動脈	左大動脈洞	房室溝を進み前室間枝と回旋枝を出す	左心房と左心室の大部分，IV中隔，房室束，恐らくは房室結節も
left gastric 左胃動脈	腹腔動脈	腹膜後部を上行して食道裂孔に至り肝胃間膜の中を進む	食道の遠位部と胃の小弯
left gastroomental (gastroepiploic) 左胃大網動脈	脾動脈の脾門部から	胃脾間膜の中を進んで胃の大弯に至る	胃の大弯の左側部
left marginal (br.) 左心室縁動脈	冠状動脈の回旋枝	心臓の左縁を進む	左心室
left pulmonary 左肺動脈	肺動脈幹	気管支や肺静脈とともに肺根を形成し肺臓に入る	左肺．分枝：胎児期には動脈管，上葉動脈，下葉動脈(以下区動脈に続く)
lesser palatine 小口蓋動脈	下行口蓋動脈	小口蓋管の中を下後方へ下行する	軟口蓋
lingual 舌動脈	外頸動脈	舌骨大角を回って舌骨舌筋の内側を通り舌の外側縁に沿って上行する	舌骨上枝，舌背動脈，舌下動脈を出した後，深舌動脈となる
lingular, inferior and superior 上・下肺舌動脈	斜裂中で左肺上葉動脈から	前方へ下行して小舌へ	左肺小舌部(S4/S5気管支区域)
long posterior ciliaries 長後毛様体動脈	眼動脈	硬膜を貫通して毛様体と虹彩に分布	硬膜を貫通して毛様体と虹彩に分布
lumbar 腰動脈	腹大動脈	水平に腰椎体を後方へ回ってから後腹壁沿いに外側に走る	後枝は背筋と皮膚に，脊髄枝は椎骨・脊柱管内容物・脊髄神経根に，少数は髄節動脈として脊髄に分布する
marginal (of colon) 結腸縁動脈	右・中・左結腸動脈とＳ状結腸動脈とで形成される弓状吻合から	結腸に並行する吻合連結は時々結腸縁で中断されている	分枝は結腸の前面と後面に分布
masseteric 咬筋動脈	顎動脈の第二部	側頭筋腱の後ろへ進み咬筋神経とともに下顎切痕を通過する	咬筋，顎関節．顔面動脈や顔面横動脈と吻合

動脈名	起始	経路	分枝・分布
maxillary 顎動脈	浅側頭動脈とともに外頸動脈の最終枝	第一部は後内側方へ下顎頸に向かい，第二部は浅層または深層を外側翼突筋下頭へ進み，第三部は翼突口蓋窩へ入る	第一部：深耳介動脈，前鼓室動脈，中硬膜動脈，副硬膜動脈，下歯槽動脈．第二部：深側頭動脈，翼突筋枝，咬筋動脈，頬動脈．第三部：後上歯槽動脈，下行口蓋動脈，翼突管枝，咽頭枝，蝶口蓋動脈，眼窩下動脈
medial circumflex femoral 内側大腿回旋動脈	大腿深動脈，ときに大腿動脈から	恥骨筋と腸腰筋の間を内側から後方へ進み殿部で２枝に分岐する	主に大腿骨頭と大腿骨頸に分布，横枝は大腿部の動脈網工に加わる，上行枝は下殿動脈に合流する
medial plantar 内側足底動脈	外側足底動脈とともに後脛骨動脈の最終枝	踵骨の内側で起こり足の内側縁に沿って足底筋第１層と第２層の間を指先方向へ進む	筋枝：短母指屈筋・母指外転筋．浅枝：足底内側部の皮膚と皮下組織．浅指枝は第一―三中足動脈と合流
median sacral 正中仙骨動脈	腹大動脈の後面	正中線上を下行し第四・五腰椎や仙骨を経て尾骨に達する	下位腰椎，仙骨，尾骨
mental (br.) of inferior alveolar おとがい動脈(枝)	下歯槽動脈の最終枝	おとがい孔を出ておとがいに分布する	おとがいの顔面筋と皮膚
middle cerebral 中大脳動脈	前大脳動脈とともに内頸動脈の最終枝(太いほう)	外側溝に沿って進み次いで後上方の島葉に進む	島葉と大脳半球外側面の大部分
middle colic 中結腸動脈	上腸間膜動脈	腹膜後部を上行し横行結腸間膜の中へ進む	横行結腸
middle collateral 中側副動脈	上腕深動脈	下行して反回骨間動脈と吻合	肘部の側副血行路の１つで上腕三頭筋の内外側頭に分布
middle meningeal 中硬膜動脈	顎動脈の第一部	棘孔を垂直に上行進入し中頭蓋窩に入り外側に進んで前頭枝と頭頂枝に分かれ，さらに分枝しながら外側壁の脳硬膜中を上行する	分枝：神経節枝，錐体枝，上鼓室動脈，側頭枝，涙腺動脈との吻合枝．主として骨膜，骨，赤色骨髄に分布
middle rectal 中直腸動脈	内腸骨動脈の前部	骨盤中を下行し直腸の下部に至る	精嚢と直腸下部
middle suprarenal 中副腎動脈	腹大動脈	上腸間膜動脈と同じ高さで起こり横隔膜脚上をわずかに進む	副腎．下横隔動脈の副腎枝や腎動脈と吻合
musculophrenic 筋横隔動脈	上腹壁動脈とともに内胸動脈の最終枝	第六肋間に起こり下外側方へ下行し肋骨縁に沿って進む	第七―九肋間動脈を出し腹筋上部や心膜にも分布
mylohyoid (br.) 顎舌骨筋枝	下歯槽動脈の下顎孔に入る直前の部位から	蝶下顎靱帯を貫通して神経とともに前下方に進み下顎枝内側面の溝にはいる	口腔底の筋に分布しおとがい下動脈と吻合する
obturator 閉鎖動脈	内腸骨動脈の前部	骨盤外側壁を前下方へ進み閉鎖管を通って骨盤の外に出る	骨盤の筋，腸骨の栄養血管，大腿骨頭，大腿内側区の筋
occipital 後頭動脈	外頸動脈	顎二腹筋後腹と乳様突起の内側を進み後頭部では後頭神経に伴行する	後頭部から頭頂までの頭皮
ophthalmic 眼動脈	内頸動脈	視神経管を通って眼窩に入る	視神経管を通って眼窩に入る
ovarian 卵巣動脈	腹大動脈の腎動脈の下方から	大腰筋の上を下外側方へ下行し骨盤縁を越えて内側に進み卵巣提靱帯の中を下行する	尿管枝，卵管枝，卵巣枝．後２者は子宮動脈の同名枝と吻合する

動脈名	起始	経路	分枝・分布
palmar metacarpal 掌側中手動脈	深掌動脈弓(橈骨動脈から)	母指内転筋と骨間筋の間を指先方向へ進む	遠位で総掌側指動脈と吻合
pericardiacophrenic 心膜横隔動脈	内胸動脈	壁側胸膜縦隔部と心膜との間を横隔神経と並走下行する	壁側胸膜縦隔部と心膜とに分布し横隔動脈および筋横隔動脈と吻合する
perineal 会陰動脈	内陰部動脈	陰部神経管から出て浅会陰間隙に入る	浅会陰筋群・陰嚢または陰唇に分布する
peroneal 腓骨動脈	後脛骨動脈	後筋間中隔の近くで下腿後区を下行する	下腿後区．貫通枝は外側区に分布
plantar metatarsal 底側中足動脈	第一：外側足底動脈と背側指動脈との連結部から．第二一四：深足底動脈弓から	骨間筋群の底側面で中足骨の間を指先に向かって走行	分枝：貫通枝・総底側指動脈
popliteal 膝窩動脈	大腿動脈の続きで大内転筋の内転筋裂孔を出たところから	膝窩を通過して下腿へ行き膝窩筋の下縁まで．ここで前・後脛骨動脈に分岐する	上・中・下膝動脈が膝の内側面と外側面に分布
posterior auricular 後耳介動脈	外頸動脈	耳下腺の深部を後方へ進み乳様突起と耳介の間を茎状突起に沿って進む	分枝：耳介枝，後頭枝，茎乳突孔動脈．中耳，乳突蜂巣，耳介，耳下腺
posterior cerebral 後大脳動脈	脳底動脈の最終枝	外側方へ進み大脳脚を回ってテントの大脳面に達する	側頭葉下面と後頭葉
posterior communicating 後交連動脈	内頸動脈と後大脳動脈の吻合枝	動眼神経の上を進む	視交叉，大脳脚，内包，視床
posterior division of internal iliac 内腸骨動脈の後部	内腸骨動脈	後方に進んで壁側枝を出す	骨盤壁と殿部
posterior ethmoidal 後篩骨動脈	眼動脈	後篩骨孔を通って篩骨蜂巣後部へ	後篩骨孔を通って篩骨蜂巣後部へ
posterior gastric 後胃動脈	脾動脈	腹膜後部(大網後壁)を上行し胃横隔間膜の中を胃底に進む	胃の後壁
posterior inferior cerebellar 後下小脳動脈	椎骨動脈の頭蓋内部	後方へ延髄を回り小脳の下面に達する	小脳下面の内側部(扁桃と歯状核)，延髄の後外側部，第 4 脳室脈絡叢
posterior intercostal 後肋間動脈	第一・二肋間は上肋間動脈から，他は胸大動脈から	内肋間筋と最内肋間筋の間を進む	肋間筋，皮膚，壁側胸膜
posterior interventricular (IV) 後室間動脈	右冠状動脈	後IV溝から心尖へ	左・右心室，IV中隔
posterior lateral nasal 後外側鼻動脈	蝶口蓋動脈	鼻甲介や鼻道に分枝し篩骨動脈や大口蓋動脈と吻合する	鼻腔側壁後下部，篩骨蜂巣，上顎洞，蝶形骨洞
posterior scrotal or labial 後陰嚢(陰唇)動脈	会陰動脈の最終枝	陰嚢後部(大陰唇)の浅筋膜中を進む	陰嚢(陰唇)の皮膚
posterior septal 中隔後鼻枝	蝶口蓋動脈	蝶形骨体下面を横切って鼻中隔に行き鋤骨上を前下方へ進んで切歯管に入る	鼻中隔．大口蓋動脈や上唇動脈の中隔枝と吻合する

動脈名	起始	経路	分枝・分布
posterior spinal 後脊髄動脈	上方では椎骨動脈の頭蓋内部分から，下方では各髄節の後区からの分枝に続く	連続する吻合血管網が脊髄後外側溝の全長にわたって広がり脊髄神経後根にも広がる	軟膜の血管網やその辺縁枝によって脊髄の後外側面に分布
posterior superior alveolar 後上歯槽動脈	顎動脈の第三部	翼口蓋窩から翼上顎裂を通って出て分枝して上顎骨の側頭下面に貫入，ある枝は歯槽管に他の枝は歯槽突起にまで伸びる	上顎洞粘膜，上顎大臼歯，上顎小臼歯，歯肉
posterior tibial 後脛骨動脈	膝窩動脈	下腿後区を下行通過して屈筋支帯の遠位に終わり，そこで内側・外側足底動脈に分岐する	下腿後区および外側区．腓側回旋枝は膝の血管網と吻合，脛骨への栄養動脈
princeps pollicis 母指主動脈	橈骨動脈が手掌に移るところから	第一中手骨の掌側面を下行し基節骨底で2枝に分岐して母指の両側を指先へ進む	手の母指
profunda brachii 上腕深動脈	上腕動脈の起始部近く	上腕骨の橈骨神経溝を神経に伴行し最終枝は肘関節のあたりで網工を形成する	三角筋枝，上腕三頭筋頭枝，上腕骨栄養動脈．最終枝は中および橈側側副枝
proper palmar digitals 固有掌側指動脈	総掌側指動脈	第二―五指の両側を進み中節骨底で背枝を出す．これは背側指動脈と入れ替わる	指の掌側全部，指の背側遠位部(爪床を含む)
prostatic (brs.) 前立腺枝	下膀胱動脈	前立腺の後外側面を下行	前立腺
radial 橈骨動脈	尺骨動脈とともに肘窩で分かれる上腕動脈の最終枝の細いほう	腕橈骨筋の筋膜下を下外側方に進み橈側手根屈筋腱の外側へ行き橈骨の外側を回って解剖学的臭ぎたばこ入れの床を横切って深掌動脈弓に合流して終わる	前腕の前後外側区の筋，手首外側面，手背と指の近位部の皮膚，手掌深部の筋
radial collateral 橈側側副動脈	中側副動脈とともに上腕深動脈の最終枝	外側の筋間中隔を橈骨神経とともに貫通し上腕筋と腕橈骨筋の間を進んで橈側反回動脈と吻合し上腕骨外側顆の前に至る	肘部血管網に加わり上腕筋と腕橈骨筋の上部と肘関節の前外側に分布
radial recurrent 橈側反回動脈	橈骨動脈の起始直後に外側面から	回外筋上を上行して上腕筋と腕橈骨筋の間を進んで橈側側副動脈と吻合し上腕骨外側顆の前に至る	肘部血管網に加わり回外筋や上腕筋と腕橈骨筋の下部と肘関節の前外側に分布
radialis indicis 示指橈側動脈	橈骨動脈，ときに母指主動脈	示指の外側面を指尖まで	示指背側の遠位部(爪床を含む)と外側掌側部
radicular, anterior and posterior 前根・後根動脈	体節性の動脈の脊髄枝(椎骨動脈，後肋間動脈，腰動脈，仙骨動脈)	脊髄神経の前後根に沿って走るが縦走する前・後脊髄動脈に達しないで終わる	脊髄神経前・後根とその被覆(硬膜とクモ膜)
renal, left and right 左・右腎動脈	腹大動脈の後外側面，通常は第二腰椎の高さから	水平から外側方へ横隔膜と大腰筋の上を横切る，腎静脈の後ろにあり腎門で前部と後部に分岐するかまたは腎区動脈に分枝する	腎臓．分枝：下副腎動脈，被膜枝，前部から上区・前上区・前下区・下区動脈，後部から後区動脈
retroduodenal 十二指腸後動脈	胃十二指腸動脈	起こるとすぐに後方へ進み十二指腸第一部に入る	十二指腸第一部，胆管，膵頭
right colic 右結腸動脈	上腸間膜動脈	腹膜後部を進んで上行結腸に至る	上行結腸
right coronary 右冠状動脈	右大動脈洞	房室溝を進む	右心房，洞房結節，房室結節，IV中隔後部

動脈名	起始	経路	分枝・分布
right gastric 右胃動脈	肝動脈	肝胃間膜の中を進む	胃小弯の右方部
right marginal 右心室縁動脈	右冠状動脈	心臓の下縁から心尖に進む	右心室，心尖
right pulmonary 右肺動脈	肺動脈幹	大動脈弓の下を通り気管支・静脈とともに肺根を形成し肺臓内に下行する	右肺臓．分枝：上・中・下葉動脈（次いで区動脈となる）
segmental arteries of kidney(superior, anterior superior,anterior inferior, inferior, and posterior) 腎区動脈 （上区・前上区・前下区・下区・後区）	腎動脈の前部と後部（または直接に）	腎門で起こり腎洞の脂肪体中を進み腎盤を回って腎区に行く	腎区（腎区動脈は終動脈であって腎区動脈間の吻合はない）
segmental arteries of liver (right anterior, right posterior, left medial, and left lateral) 肝区動脈 （右前区・右後区・左内側区・左外側区）	左右の固有肝動脈	肝臓内で起こり左右に水平に進む．右枝は前区動脈と後区動脈に，左枝は内側区動脈と外側区動脈になる	各動脈は肝臓の一部に分布．内側区以外はさらに2区に分かれる．左右枝とも尾状葉に枝を送る
segmental arteries of lung 肺区動脈	肺葉動脈	肺臓内で肺動脈の第3次分枝として起こる	各区動脈は各気管支区に分布する
segmental medullary, anterior and posterior 前・後脊髄髄節動脈	髄節動脈の脊髄枝（椎骨動脈，後肋間動脈，腰動脈，仙骨動脈）	脊髄神経の前後根に沿って内側に走り縦走する前・後脊髄動脈と吻合する	脊髄神経前根・後根と脊髄．前髄節動脈が最大で胸部下方，腰部下方にみられ65%は左側にみられる
short gastric (n=4–5) 短胃動脈	脾動脈の脾門部から	胃脾間膜中を胃底へ進む	胃底
short posterior ciliaries 短後毛様体動脈	眼動脈	視神経周辺の硬膜を貫通して脈絡層にはいり網膜の杆状体・錐状体に栄養を与える	視神経周辺の硬膜を貫通して脈絡層にはいり網膜の杆状体・錐状体に栄養を与える
sigmoid (n=3–4) S状結腸動脈	下腸間膜動脈	腹膜後部を左方へ進み下行結腸へ	下行結腸とS状結腸
sinuatrial (SA) nodal 洞房結節動脈	右冠状動脈の起始部から（60%）または左冠状動脈回旋枝から（40%）	上行大動脈の右（60%）または左（40%）を回って洞房結節へ上行する	左心房と洞房結節
sphenopalatine 蝶口蓋動脈	顎動脈の第3部	蝶口蓋孔を内側へ抜けるとすぐに中隔枝と後外側鼻動脈に分岐する	鼻腔の後下半の粘膜，篩骨蜂巣，上顎洞，蝶形骨洞
splenic 脾動脈	腹腔動脈	腹膜後部を膵臓の上縁に沿って進み脾腎間膜の中を脾門に向かう	膵臓体部，脾臓，胃の大弯部
stylomastoid 茎乳突動脈	後耳介動脈	茎乳突孔にはいり顔面神経とともに顔面神経管を上行する	分枝：鼓膜へ行く後鼓室動脈，乳突蜂巣へ行く乳突枝，アブミ骨枝（アブミ骨，アブミ骨筋，第二鼓膜）
subclavian 鎖骨下動脈	左は大動脈弓，右は腕頭動脈	胸鎖関節の後ろで起こり肺尖前の胸膜頂をまたぎ前斜角筋の後ろで第一肋骨を越えたところで腋窩動脈となる	第一部から椎骨動脈，内胸動脈，甲状頸動脈（右では肋頸動脈も）．第二部から肩甲背動脈（左では肋頸動脈も）．第一部は内側部，第二部は後部，第三部は外側部で前斜角筋へ行く

動脈名	起始	経路	分枝・分布
subcostal 肋下動脈	胸大動脈	第十二肋骨の下縁に沿って	前外側腹壁の筋
sublingual 舌下動脈	深舌動脈とともに舌動脈の最終枝	顎舌骨筋の上方でおとがい舌骨筋上を進む	口底部の筋と粘膜，舌側歯肉の前部
submental おとがい下動脈	顔面動脈のおとがい下三角で顎下腺の遠位から	顎舌骨筋が下顎骨に付着する近くの下面に沿って下顎骨前端に進む	顎舌骨筋，顎二腹筋前腹，おとがい下リンパ節，さらに下唇動脈やおとがい動脈との吻合によって下唇にも分布
subscapular 肩甲下動脈	腋窩動脈の第三部	腋窩動脈の短い（4 cm）が最も太い枝で，肩甲下筋外側縁，肩甲骨内側縁に沿って下行し肩甲骨下角の高さで2分岐する	最終枝である肩甲回旋動脈や胸背動脈によって肩甲骨両面の筋群，広背筋，後胸壁
superficial cervical (variant, replacing superficial branch of transverse cervical artery) 浅頸動脈 （破格では頸横動脈の浅枝で代替）	甲状頸動脈	胸鎖乳突筋と前斜角筋の間を外側方に進み腕神経叢と後頸三角を横切って分枝しながら僧帽筋深部を副神経と伴行する	前斜角筋，胸鎖乳突筋，腕神経叢，後頸三角の筋（主に僧帽筋）
superficial circumflex iliac 浅腸骨回旋動脈	大腿動脈	浅筋膜中を鼡径靱帯に沿って進む	前外側腹壁下部の皮膚と皮下組織
superficial epigastric 浅腹壁動脈	大腿動脈	浅筋膜中を臍に向かって進む	恥骨上部の皮膚と皮下組織
superficial palmar arch 浅掌動脈弓	尺骨動脈の続き．弓状構造は橈骨動脈その他の動脈の浅枝が外側から連結して完成する	手掌腱膜の深部で長指屈筋腱の浅層を外側へ曲がる．弓の位置は外転した母指遠位端のレベルで手掌を横切る	3本の総掌側指動脈
superficial temporal 浅側頭動脈	外頸動脈の細いほうの最終枝	耳介の前を側頭部へ上行して頭皮に至る	顔面筋，前頭部・側頭部の皮膚
superior cerebellar 上小脳動脈	脳底動脈の上部（最終部）	大脳脚を回る	小脳上面，四丘体，小脳核の大部分，橋，松果体，上髄帆，第3脳室の脈絡叢
superior epigastric 上腹壁動脈	内胸動脈	腹直筋深部腹直筋鞘の中を下行	腹直筋，前外側腹壁の上部
superior gluteal 上殿動脈	内腸骨動脈の後部	大坐骨切痕から梨状筋の上方を通って殿部に入り浅枝と深枝に分岐，下殿動脈や内側大腿回旋動脈と吻合	梨状筋．浅枝は大殿筋に，深枝は中殿筋と小殿筋の間を通って両筋と大腿筋膜張筋に分布
superior labial 上唇動脈	口角の近くで顔面動脈から	内側へ進んで上唇へ	上唇，鼻翼側面，鼻中隔
superior laryngeal 上喉頭動脈	上甲状腺動脈	甲状舌骨筋の深層を通って内喉頭神経とともに甲状舌骨膜に貫入する	喉頭
superior mesenteric 上腸間膜動脈	腹大動脈	腸間膜根の中を通って回盲部に向かう	消化管のうち中腸に由来する部分
superior pancreaticoduodenal, anterior and posterior 前・後上膵十二指腸動脈	胃十二指腸動脈	膵頭を下行する	十二指腸近位部と膵頭

動脈名	起始	経路	分枝・分布
superior phrenic (vary in number) 上横隔動脈(数は不定)	胸大動脈の前部	大動脈裂孔で起こり横隔膜上面へ進む	横隔膜，心膜横隔部，臓側胸膜
superior rectal 上直腸動脈	下腸間膜動脈の最終枝	左総腸骨動脈を横切ってS状結腸間膜の中を骨盤内に下降する	直腸上部．中・下直腸動脈と吻合する
superior suprarenal 上副腎動脈	下横隔動脈	下横隔動脈が横隔膜脚を上行するとき短い多数の枝を出し副腎上内側面に分布する	副腎上部
superior thoracic 最上胸動脈	腋窩動脈第一部の唯一の枝	小胸筋上縁に沿って前内側方へ進み小胸筋と大胸筋の間を通って胸壁へ行く	第一・二肋間と前鋸筋上部
superior thyroid 上甲状腺動脈	外頸動脈前部からの最初の枝	舌下筋の深部を下内側方へ進み甲状腺上端に至る．ここで下甲状腺動脈と吻合して外頸動脈と鎖骨下動脈の重要なバイパスを形成する	上喉頭動脈，舌下筋枝，胸鎖乳突筋枝，輪状甲状筋枝，前・後外側腺枝
superior vesical 上膀胱動脈	臍動脈の近位部	通常数本で膀胱の上面に分布	膀胱上面，尿管の骨盤部
supraduodenal 十二指腸上動脈	胃十二指腸動脈，肝動脈，右胃動脈，または十二指腸後動脈	通常2本で上行して十二指腸の上面へ行く	十二指腸の近位上部
supraorbital 眼窩上動脈	眼動脈の最終枝	眼窩上孔を出て上後方へ進み前額と頭皮へ行く	前額と頭皮(頭頂まで)の筋と皮膚
suprascapular 肩甲上動脈	甲状頸動脈	前斜角筋と横隔神経の上を下外側方へ進み鎖骨下動脈と腕神経叢を横切り鎖骨の後ろをこれに並行して走る．次いで肩甲横靱帯の上を越えて棘上窩に入り肩峰の下から棘下窩に入る	棘上筋，棘下筋，肩甲骨周辺の血管網に加わる
supratrochlear 滑車上動脈	眼窩上動脈とともに眼動脈の最終枝	滑車上切痕を出て前額と頭皮へ	前額内側部と頭皮
supreme intercostal 最上肋間動脈	肋頸動脈	胸膜と第一肋骨頸の間を下行し第三後肋間動脈と吻合	分岐：第一・二肋間動脈．第一・二肋間筋
sural, right and left 左・右腓腹動脈	膝窩動脈	大腿骨顆の高さで起こる太い枝で真っすぐ腓腹筋頭に向かいヒラメ筋にも枝を出す	腓腹筋内側・外側頭，膝窩筋，ヒラメ筋
testicular 精巣動脈	腹大動脈の腎動脈起始部の下方から	下外側方に大腰筋を越え鼡径管の中を精索の一部となって通過し精巣と陰嚢に至る	腹部からは尿管・腸リンパ節に，鼡径陰嚢部からは精巣挙筋・精索の被覆・精巣に分布
thoracic aorta 胸大動脈	大動脈弓の続き	脊柱左側の縦隔中を下行しながら次第に右に寄って正中線上で横隔膜の大動脈裂孔に入る	後肋間動脈，肋下動脈，横隔動脈，気管枝，食道枝
thoracoacromial 胸肩峰動脈	小胸筋深部で腋窩動脈の第二部から	小胸筋上内側縁を回って胸鎖筋膜を貫き4枝に分かれる	肩峰枝，鎖骨枝，胸筋枝，三角筋枝
thoracodorsal 胸背動脈	肩甲下動脈	肩甲下動脈の続きで胸背神経と伴行して広背筋に至る	広背筋
thyrocervical trunk 甲状頸動脈	鎖骨下動脈第一部の前面	短い太い枝として前斜角筋内側縁の近くで頸筋膜鞘の後ろを上行する	頸横動脈または浅頸動脈と肩甲上動脈を出した後で上行頸動脈と下甲状腺動脈に分岐

動脈名	起始	経路	分枝・分布
thyroid ima 最下甲状腺動脈	腕頭動脈または大動脈弓	気管の前を上行して甲状腺に至る	甲状腺左・右葉の内側部
transverse cervical （variant: may be replaced by superficial cervical and dorsal scapular arteries） 頸横動脈 （破格としては浅頸動脈や肩甲背動脈が代行）	甲状頸動脈	後頸三角で前斜角筋や腕神経叢を越え僧帽筋の深部で浅枝と深枝に分岐	浅枝は上行枝と下行枝に分かれ副神経とともに僧帽筋に入り，深枝は肩甲背神経とともに菱形筋の深部に入る
transverse facial 顔面横動脈	耳下腺の中で浅側頭動脈から	咬筋の浅層で顔面を横切り頬骨弓の下方へ行く	耳下腺と耳下腺管，顔面の筋と皮膚
ulnar 尺骨動脈	肘窩の中で上腕動脈から太いほうの最終枝	下内側方に進んだ後，真っすぐ下行し円回内筋・長掌筋・浅指屈筋の深部を進んで前腕の内側に至る．手首では屈筋支帯の浅層を越えて深掌枝を深掌動脈弓に出し浅掌動脈弓に続く	前腕前部の内側，手首と手，手掌中央の諸構造，指の背面掌面の大部分
ulnar collateral, superior and inferior 上・下尺側側副動脈	上尺側側副動脈は上腕中央で上腕動脈から，下尺側側副動脈は上腕動脈から肘の直上で出る	上尺側側副動脈は尺骨神経に伴行して肘の後面に行く．下尺側側副動脈は前後の2枝に分かれる．両者とも肘の血管網に加わる	遠位で前・後尺側反回動脈と吻合する
ulnar recurrent, anterior and posterior 前・後尺側反回動脈	肘関節の直上で尺骨動脈から	前尺側反回動脈は上方に，後尺側反回動脈は後方に進む	上・下尺側側副動脈と吻合
umbilical 臍動脈	内腸骨動脈の前部	骨盤腔内の部分は閉鎖して臍動脈索となっており途中から上膀胱動脈を派出している	上膀胱動脈を経て膀胱上面を，ときに男性で精管にも分布
uterine 子宮動脈	内腸骨動脈の前部	基靱帯上方の子宮広間膜基部を内側方に走り尿管上方を横切って子宮側面へ行く	子宮，子宮広間膜，卵管，膣
vaginal 膣動脈	子宮動脈	尿管外側で起こりその下方を下行して膣へ進む	膣，膀胱下部，尿管最末端部
vertebral 椎骨動脈	鎖骨下動脈の第一部	第六－二頸椎の横突孔を垂直に上行し外側方へ回って第一頸椎を横切り水平内側へ走ってから大後頭孔にはいる．頭蓋内では対側の動脈と合して脳底動脈となる	頸椎枝：脊髄枝（根動脈と髄節動脈）と筋枝（後頭下筋）．頭蓋内枝：硬膜枝，前・後脊髄動脈，後下小脳動脈，内側・外側延髄動脈

muscles of the human body 人体の筋肉

筋名	起始	停止	支配神経	主な作用
abductor digiti minimi of foot 小趾外転筋	踵骨隆起の内側・外側結節，足底腱膜，筋間中隔	第五趾基節骨底外側	外側足底神経(S2, 3)	第五趾の外転と屈曲
abductor digiti minimi of hand 小指外転筋	豆状骨，豆鉤靱帯，屈筋支帯	小指基節骨底内側	尺骨神経深枝(C8, T1)	第五指の外転
abductor hallucis 母趾外転筋	踵骨隆起の内側結節，足底腱膜，屈筋支帯	第一趾基節骨底内側	内側足底神経(S2, 3)	第一趾の外転と屈曲
abductor pollicis brevis 短母指外転筋	屈筋支帯，舟状骨結節，大菱形骨結節	第一指基節骨底外側	正中神経反回枝(C8, T1)	第一指の外転，対立の補助
abductor pollicis longus 長母指外転筋	尺骨・橈骨・骨間膜の後面	第一中手骨底	橈骨神経深枝の続きである後骨間神経	第一指を外転し手根中手関節で伸展する
adductor brevis 短内転筋	恥骨体と恥骨枝	恥骨筋線，大腿骨粗線近位部	閉鎖神経(L2–4)前部の枝	大腿の内転とある程度の屈曲
adductor hallucis 母趾内転筋	斜頭：第二―四中足骨底．横頭：中足指節関節の底側靱帯	両頭の腱が合して母趾基節骨底外側に停止	外側足底神経(S2, 3)の深枝	第一趾の内転と横足弓の維持
adductor longus 長内転筋	恥骨稜下方の恥骨体	大腿骨粗線の中央部1/3	閉鎖神経(L2–4)前部の枝	大腿の内転
adductor magnus 大内転筋	近位部：恥骨下枝，坐骨枝坐骨結節	近位部：殿筋粗面，大腿骨粗線，内側顆上線．大腿骨内転筋結節	近位部：閉鎖神経(L2–4)後部の枝．坐骨神経(L4)の脛骨神経部	大腿の近位部：大腿の伸展も行う
adductor minimus 小内転筋	恥骨下枝	大腿骨粗線内側唇の上端	閉鎖神経(L2–4)	大腿の内転と外側への回旋
adductor pollicis 母指内転筋	斜頭：第二・三中手骨底，有頭骨，近隣の手根骨．横頭：第三中手骨体前面(掌側面)	母指基節骨底内側	尺骨神経深枝(C8, T1)	母指の内転
anconeus 肘筋	上腕骨外側上顆	肘頭外側面，尺骨後面上部	橈骨神経(C7, 8, T1)	上腕三頭筋を助けて前腕を伸展．肘関節の固定．回内運動時に尺骨を外転
articularis cubiti 肘関節筋	上腕骨体後面遠位部	肘関節包後部	橈骨神経(C7, 8)	肘関節伸展時に関節包後部を牽引
articularis genus 膝関節筋	大腿骨体前部の遠位部	膝関節の膝蓋骨滑液包の滑膜	大腿神経(L2–4)	膝関節伸展時に滑膜を牽引
arytenoid, transverse and oblique 横・斜披裂筋	披裂軟骨の後外側縁	対側の披裂軟骨の後外側縁	迷走神経(CN X)の枝である反回神経	声門裂の軟骨間部を狭める
auricularis anterior, posterior, and superior 前・後・上耳介筋	帽状腱膜と側頭骨の乳様部	外耳の耳介	顔面神経(CN VII)	耳介を前・後・上方へ動かす
biceps brachii 上腕二頭筋	短頭：肩甲骨烏口突起．長頭：肩甲肩関節上結節	橈骨粗面，二頭筋腱膜によって前腕筋膜に停止	筋皮神経(C5, 6)	前腕を回外しその姿勢で前腕を屈曲する

筋名	起始	停止	支配神経	主な作用
biceps femoris 大腿二頭筋	長頭：坐骨結節．短頭：粗線および外側上顆へ延びる線上	腓骨頭外側部，停止腱は外側側副靱帯の中へ放散する	長頭：坐骨神経脛骨神経部(L5, S1, 2)．短頭：坐骨神経総腓骨神経部(L5, S1–2)	下腿を屈曲する．膝関節が固定されているときは下腿を外旋する．例えば歩き始めのときなどに大腿を伸展する
brachialis 上腕筋	上腕骨前面の遠位2/3	尺骨鉤状突起と尺骨粗面	筋皮神経(C5, 6)	前腕の屈曲
brachioradialis 腕橈骨筋	上腕骨外側顆上隆起の近位2/3	橈骨遠位端の外側面	橈骨神経(C5–7)	前腕の屈曲
buccinator 頬筋	下顎骨，蝶下顎縫線，上・下顎骨の歯槽突起	口角	顔面神経(CN VII)	頬を大臼歯に押しつけることでそしゃくを助ける．呼吸機器使用の際，呼気を排出する．片方のみ収縮させれば口を片方へ引く
bulbospongisosus 球海綿体筋	男：尿道球腹側面，会陰中心腱，正中の縫線．女：会陰中心腱	男：尿道海綿体，陰茎海綿体，尿道球筋膜．女：陰核海綿体筋膜	陰部神経(S2, 3, 4)の枝である会陰神経の深枝	外肛門括約筋とともに会陰中心腱を支持固定する．男：尿道球を圧迫して尿や精液を絞りだす，勃起時には陰茎に血液を送り込み静脈を圧迫して流出を妨げる．女：膣の括約筋のように働く，陰核の勃起を助ける
ciliary 毛様体筋	強膜岬	経線状・放線状・輪状の内在性筋	動眼神経内の副交感神経と毛様体神経節	近いところを見るとき水晶体の緊張を緩めて凸隆させる
coccygeus (ischiococcygeus) 坐骨尾骨筋	坐骨棘	仙骨下端	仙骨神経(S4, 5)の枝	骨盤隔膜の小部分をなし骨盤内臓を支える．尾骨を曲げる
coracobrachialis 烏口腕筋	肩甲骨烏口突起先端	上腕骨内側面の中1/3	筋皮神経(C5–7)	腕の屈曲と内転を助ける
corrugator supercilii 皺眉筋	前頭骨眉上弓内側端	眉中央部皮膚	顔面神経(CN XII)	眉を内側下方に引く．鼻の上方に縦じわをよせる
cremaster 精巣挙筋	内腹斜筋と鼡径靱帯	精索と精巣鞘膜	陰部大腿神経(L1–2)の陰部枝	精巣の挙上
cricopharyngeus 輪状咽頭筋	輪状軟骨の後外側部	対側の輪状軟骨の後外側部	迷走神経(CN X)	食道上部で括約筋として働く
cricothyroid 輪状甲状筋	輪状軟骨の前外側部	甲状軟骨の下縁と下角	外喉頭神経	声帯を緊張させる
deep transverse perineal 深会陰横筋	坐骨恥骨枝内面と坐骨結節	会陰中心腱，正中の縫線，外肛門括約筋	陰部神経(S2, 3, 4)の枝である会陰神経の深枝	会陰中心腱(骨盤底)を支えて固定し腹部骨盤部内臓を支える．腹圧が増加したときはこれに抵抗する
deltoid 三角筋	鎖骨の外側1/3，肩峰，肩甲棘	上腕骨三角筋粗面	腋窩神経(C5, 6)	前部：腕を曲げ内側に回す．中部：腕を外転する．後部：腕を伸展し外側に回す
depressor labii inferioris/anguli oris 下唇下制筋・口角筋	下顎骨体前外側面	下唇，口角	顔面神経(CN VII)の下顎縁枝	下唇を下制する．口角と口唇軸を下方へ引く

筋名	起始	停止	支配神経	主な作用
depressor septi nasi 鼻中隔下制筋	上顎骨の切歯窩	鼻中隔の可動部	顔面神経(CN VII)	深呼吸時に鼻孔を広げ鼻中隔を下に引く
diaphragm 横隔膜	胸骨剣状突起，下方 6 肋軟骨と肋骨，弓状靱帯，第一－三腰椎の前縦靱帯と椎体と椎間板	横隔膜腱中心	横隔神経(C3–5)	横隔膜を引き下げ胸腔内圧を下げて膨らませ，また静脈血が心臓に戻るのを助ける
digastric 顎二腹筋	前腹：下顎骨の顎二腹筋窩．後腹：側頭骨の乳突切痕	中間腱で舌骨体と大角	前腹：下歯槽神経の枝である顎舌骨筋神経．後腹：顔面神経(CN VII)	下顎骨を引き下げる．舌骨を引き上げる．嚥下時や発声時には舌骨を固定する
dorsal interossei (4 muscles) of foot 足の背側骨間筋(４)	全中足骨の隣り合った面から	第一は第二趾基節骨内側面に，第二－四は各趾の外側面に	外側足底神経(S2, 3)	趾(第二－四)の外転，中足指節関節を曲げる
dorsal interossei 1–4 of hand 手の背側骨間筋(１－４)	全中手骨の隣り合った面から(羽状筋)	伸筋の延長部と第二－四指基節骨底	尺骨神経(C8, T1)の深枝	指の外転，虫様筋とともに中手指節関節を曲げ指節間関節を伸ばす
erector spinae 脊柱起立筋	腸骨稜後部，仙骨背面，下部腰椎と仙骨の棘突起，棘上靱帯からの広い腱膜として起こる	腸肋筋(腰部・胸部・頸部)：筋線維は上行して肋骨角，頸椎横突起に行く．最長筋(胸部・頸部・頭部)：筋線維は上行して肋骨角と肋骨結節の間に行き頭部では側頭骨乳様突起に行く．棘筋(胸部・頸部・頭部)：筋線維は上行して胸部上位の棘突起または頭骨に行く	脊髄神経後枝	両側とも収縮すれば脊柱と頭を起立させ背を曲げるときは筋線維を徐々に伸ばして運動を調整する．片側だけ働くときは脊柱を外側に曲げる
extensor carpi radialis brevis 短橈側手根伸筋	上腕骨外側上顆	第三中手骨底	橈骨神経(C7, 8)の深枝	手を手首で伸展・外転する
extensor carpi radialis longus 長橈側手根伸筋	上腕骨外側顆上稜	第二中手骨底	橈骨神経(C6, 7)	手を手首で伸展・外転する
extensor carpi ulnaris 尺側手根伸筋	上腕骨外側上顆，尺骨後縁	第五中手骨底	橈骨神経(C7, 8)	手を手首で伸展・外転する
extensor digiti minimi 小指伸筋	上腕骨外側上顆	第五指伸筋延長部	後骨間神経(C7,8)，橈骨神経深枝の続き	第五指を中手指節関節・指節間関節で伸展する
extensor digitorum 〔総〕指伸筋	上腕骨外側上顆	内側四指伸筋延長部	後骨間神経(C7, 8)，橈骨神経深枝の続き	内側 4 指を中手指節関節で伸展，手首で手を伸展
extensor digitorum brevis 短趾伸筋	踵骨の上外側面の最前部	長趾伸筋腱の外側部，一部は第二－四趾の基節骨まで	深腓骨神経(L5, S1)	中央 3 趾の伸展の補助
extensor digitorum longus 長趾伸筋	脛骨外側顆，腓骨内側面の上3/4，骨間膜	外側 4 趾の中末節骨	深腓骨神経(L5, S1)	外側 4 趾の伸展と足首での背屈
extensor hallucis brevis 短母趾伸筋	踵骨の上面の最前部	母趾基節骨底背面	深腓骨神経(L5, S1)	母趾の伸展
extensor hallucis longus 長母趾伸筋	腓骨前面の中央と骨間膜	母趾末節骨底背面	深腓骨神経(L5, S1)	母趾の伸展と足首での背屈

筋名	起始	停止	支配神経	主な作用
extensor indicis 示指伸筋	尺骨後面と骨間膜	第二指伸筋腱の延長部	橈骨神経の延長である後骨間神経(C7,8)	第二指の伸展，手首での伸展の補助
extensor pollicis brevis 短母指伸筋	橈骨後面と骨間膜	母指基節骨底	橈骨神経の延長である後骨間神経(C7,8)	手根中手関節での母指の伸展
extensor pollicis longus 長母指伸筋	尺骨中部1/3の後面	母指末節骨底	橈骨神経の延長である後骨間神経(C7,8)	中手指節関節と指節間関節での母指末節骨の伸展
external anal sphincter 外肛門括約筋	肛門周囲の筋膜と皮膚，肛門尾骨靱帯を介しての尾骨	会陰中心腱	下肛門神経	肛門管を閉じる．球海綿体筋とともに会陰中心腱を支え固定する
external intercostal 外肋間筋	肋骨下面の結節から肋軟骨との連結部まで	すぐ下の肋骨の上面	肋間神経	肋骨を挙上(上位肋骨が斜角筋や胸鎖乳突筋によって固定されているとき)
external oblique 外腹斜筋	第五－十二肋骨の外側面	白線，恥骨結節，腸骨稜前半	胸腹神経(下位 6 胸神経)，肋下神経	腹部内臓を引き締め支える，前屈時や回旋時
external urethral sphincter 外尿道括約筋	坐骨恥骨枝内面，坐骨結節	尿道の周囲．男では前立腺前面を上行，女では一部筋線維が腟を囲む(尿道腟括約筋)	陰部神経(S2-4)の枝である会陰神経の深枝	尿漏れを起こさないように尿道を圧迫．女では尿道腟括約筋部が腟を圧迫
fibularis (peroneus) brevis 短腓骨筋	腓骨外側面の下2/3	第五中足骨底外側の結節の背面	浅腓骨神経(L5,S1,2)	足の外反，足首で軽く足底屈
fibularis (peroneus) longus 長腓骨筋	腓骨外側面の上2/3と腓骨頭	第一中足骨底，内側楔状骨	浅腓骨神経(L5,S1,2)	足の外反，足首で軽く足底屈
fibularis (peroneus) tertius 第三腓骨筋	腓骨前面の下1/3と骨間膜	第五中足骨底背側	深腓骨神経(L5,S1)	足の背屈，足の外反の補助
flexor carpi radialis 橈側手根屈筋	上腕骨内側上顆	第二中手骨底	正中神経(C6,7)	手の屈曲と外転
flexor carpi ulnaris 尺側手根屈筋	上腕頭：上腕骨内側上顆．尺骨頭：肘頭，尺骨後縁	豆状骨，有鉤骨鉤，第五中手骨	尺骨神経(C7,8)	手の屈曲と内転
flexor digiti minimi brevis of foot 足の短小趾屈筋	第五中足骨底	第五趾基節骨底	外側足底神経(S2,3) の浅枝	第五趾基節骨の屈曲を助ける
flexor digiti minimi brevis of hand 手の短小指屈筋	有鉤骨鉤，屈筋支帯	第五趾基節骨底内側	尺骨神経(C8,T1)深枝	第五趾基節骨の屈曲
flexor digitorum brevis 短趾屈筋	踵骨隆起の内側結節，足底腱膜，筋間中隔	外側 4 趾の中節骨両側	内側足底神経(S2,3)	外側 4 趾の屈曲
flexor digitorum longus 長趾屈筋	脛骨後面内側部でヒラメ筋線より下方，広い腱で腓骨から	外側 4 趾の末節骨底	脛骨神経(S2,3)	外側 4 趾の屈曲，足首での足底屈．縦足弓の維持
flexor digitorum profundus 深指屈筋	尺骨前内側面の近位3/4と骨間膜	内側 4 指の末節骨底	内側部：尺骨神経(C8,T1)，外側部：正中神経(C8,T1)	内側 4 指末節骨を遠位指節間関節で屈曲．手の屈曲を補助

筋名	起始	停止	支配神経	主な作用
flexor digitorum superficialis 浅指屈筋	上腕尺骨頭：上腕骨内側上顆，尺側側副靱帯，鉤状突起．橈骨頭：橈骨前縁の上半	内側 4 指の中節骨体	正中神経(C7, 8, T1)	内側 4 指中節骨を近位指節間関節で屈曲．強く収縮するときは基節骨を中手指節関節での屈曲や手の屈曲も助ける
flexor hallucis brevis 短母趾屈筋	立方骨と外側楔状骨の足底面	母趾基節骨底の両側	正中神経(S2, 3)	母趾基節骨の屈曲
flexor hallucis longus 長母趾屈筋	腓骨後面の下2/3と骨間膜の下部	母趾末節骨底	脛骨神経(S2, 3)	母趾の両関節での屈曲と軽度の足底屈．内側縦足弓の維持
flexor pollicis brevis 短母指屈筋	屈筋支帯，舟状骨結節，大菱形骨	母指基節骨底外側	正中神経(C8, T1)の反回枝	母指の屈曲
flexor pollicis longus 長母指屈筋	橈骨前面と骨間膜	母指末節骨底	正中神経(C8, T1)からの前骨間神経	母指の屈曲
gastrocnemius 腓腹筋	外側頭：大腿骨外側顆の外側面．内側頭：大腿骨の内側顆上方の膝窩面	踵骨腱(アキレス腱)によって踵骨後面	脛骨神経(S1, 2)	膝が伸展しているときは足首で足底屈，歩行時は踵を挙上，膝関節での下腿の屈曲
gemelli, superior and inferior 上・下双子筋	上双子筋：坐骨棘．下双子筋：坐骨結節	大腿骨大転子内側面(転子窩)	上双子筋：内閉鎖筋への神経(L5, S1)．下双子筋：大腿方形筋への神経(L5, S1)	伸展している大腿を回し屈曲している大腿を外転する．大腿骨頭を寛骨臼内に固定
genioglossus おとがい舌筋	下顎骨おとがい棘の上部	舌背と舌骨体	舌下神経(CN XII)	舌の下制，後部線維は舌を引いて前方に突出させる
geniohyoid おとがい舌骨筋	下顎骨おとがい棘の下部	舌骨体	舌下神経を経由する頸神経(C1)	舌骨を前上方に引く．口腔底を短くして咽頭を広げる
gluteus maximus 大殿筋	腸骨の後殿筋線より後方部，仙尾骨背面，仙結節靱帯	大部分の筋線維は腸脛靱帯に終わる(腸脛靱帯は脛骨外側顆に付く)．一部の筋線維は殿筋粗面に停止	下殿神経(L5, S1, 2)	大腿の伸展(特に屈曲位からの)，外側方への回旋の補助．座位から立つときに大腿を安定させる
gluteus medius 中殿筋	腸骨の外面で前・後殿筋線の間	大腿骨大転子の外側面	上殿神経(L5, S1)	大腿を外転し内側に回旋する．歩行時対側の脚を挙上したとき骨盤の位置を維持する
gluteus minimus 小殿筋	腸骨の外面で前・下殿筋線の間	大腿骨大転子の前面	上殿神経(L5, S1)	大腿を外転し内側に回旋する．歩行時対側の脚を挙上したとき骨盤の位置を維持する
gracilis 薄筋	恥骨下枝と恥骨体	脛骨内側面の上部	閉鎖神経(L2, 3)	大腿の内転，下腿の屈曲，下腿の回旋を助ける
hyoglossus 舌骨舌筋	舌骨体と大角	舌の側面と下面	舌下神経(CN XII)	舌の下制と奥へ引く
iliacus 腸骨筋	腸骨稜，腸骨窩の上2/3，仙骨翼，前仙腸靱帯	大腿骨小転子とその下方の大腰筋腱まで	大腿神経(L2–4)	大腿の屈曲，股関節の固定．大腰筋とともに働く

筋名	起始	停止	支配神経	主な作用
inferior constrictor of pharynx 下咽頭収縮筋	甲状軟骨の斜線，輪状軟骨の側面	正中咽頭縫線	上方は副神経(CN XI)の延髄根，それに迷走神経(CN X)の外喉頭神経と反回神経の枝が加わる	えん下時に咽頭壁を収縮させる
inferior longitudinal muscle of tongue 下縦舌筋	舌根と舌骨体	舌尖	舌下神経(CN XII)	舌尖を下に曲げ舌体を短くする
inferior oblique 下斜筋	眼窩の床の前部	外側直筋深部の眼球強膜	動眼神経(CN III)	眼球の外転・挙上・外側回旋
inferior rectus 下直筋	眼窩の共通の輪状腱	角膜のすぐ後ろの強膜	動眼神経(CN III)	眼球の圧迫・内転・内側回旋
infraspinatus 棘上筋	肩甲骨棘上窩	上腕骨大結節中部	肩甲上神経(C5, 6)	腕を外側に回旋．上腕骨頭を肩甲骨関節窩に保持する
innermost intercostal 最内肋間筋	肋骨角から肋骨肋軟骨連結部までの肋骨の下縁	すぐ下の肋骨の上縁	肋間神経	肋骨の下制
internal intercostal 内肋間筋	肋骨の下縁	すぐ下の肋骨の上縁	肋間神経	肋骨の下制
internal oblique 内腹斜筋	胸腰筋膜，腸骨稜の前方2/3，鼡径靱帯の外側半	第十一十二肋骨の下縁，白線，合流腱とともに恥骨櫛	下位6胸神経の前枝である胸腹神経，第一腰神経	内臓を押さえて支持，体幹を屈曲あるいは回旋
interspinales 棘間筋	頸椎と腰椎の棘突起の上面	すぐ上の棘突起の下面	脊髄神経後枝	脊柱の伸展・回旋を助ける
intertransversarii 横突間筋	頸椎と腰椎の横突起	隣りの横突起	脊髄神経前枝と後枝	脊柱の側屈を助ける．左右同時に働けば脊柱を固定する
ischiocavernosus 坐骨海綿体筋	坐骨恥骨枝の内面，坐骨結節	陰茎脚，陰核脚	陰部神経(S2–4)の枝である会陰神経の深枝	陰茎・陰核の勃起を維持し静脈を圧迫し血液を陰茎・陰核に流入させる
lateral cricoarytenoid 外側輪状披裂筋	輪状軟骨のアーチ	披裂軟骨の筋突起	迷走神経(CN X)の枝である反回神経	声帯ひだ(靱帯間部)を内転する
lateral pterygoid 外側翼突筋	上頭：蝶形骨大翼の側頭下面と側頭下稜．下頭：外側翼突板外側面	下顎頸の翼突筋窩，関節円板，顎関節包	下顎神経(CN V3)前部から出る翼突筋神経で筋の深層からはいる	左右が一緒に働くと下顎骨を突出させおとがいを引く．左右別々に働くと下顎骨を横に動かす
lateral rectus 外側直筋	眼窩の共通輪状腱	結膜の後方の強膜	外転神経(CN VI)	眼球の外転
latissimus dorsi 広背筋	下位6胸椎の棘突起，胸腹筋膜，腸骨稜，下位3－4肋骨	上腕骨結節間溝	胸背神経(C6–8)	上腕骨の伸展・内転・内側回旋．高いところへのぼるときは胴体を胸のほうに引き上げる
levator anguli oris 口角挙上筋	上顎骨犬歯窩	口輪筋と口角の皮膚	顔面神経(CN VII)	笑ったとき口角を挙上する

筋名	起始	停止	支配神経	主な作用
levator ani (pubococcygeus, puborectalis, and iliococcygeus) 肛門挙筋 (恥骨尾骨筋・恥骨直腸筋・腸骨尾骨筋)	恥骨体，閉鎖膜の腱弓，坐骨棘	会陰中心腱，尾骨，肛門尾骨靭帯，前立腺または膣の壁，直腸，肛門管	第四仙骨神経の枝である肛門挙筋神経，下肛門(直腸)神経，尾骨神経叢	骨盤内臓を支持し腹圧の増加に抵抗する
levatores costarum 肋骨挙筋	第七頸椎から第十一胸椎までの棘突起	下外側方へ進んで下方の肋骨の結節と肋骨角の間	第八頸神経から第十一胸神経までの後枝	肋骨の挙上，吸気運動の補助，脊柱側屈の補助
levator labii superioris 上唇挙筋	上顎骨前頭突起，眼窩下部	上唇の皮膚，鼻翼軟骨	顔面神経(CN VII)	上唇の挙上，鼻孔の開大，口角の引き上げ
levator palpebrae superioris 上眼瞼挙筋	視神経管の上前部で蝶形骨小翼から	上眼瞼の瞼板と皮膚	動眼神経(CN III)，深部(上瞼板筋)は交感神経	上眼瞼の挙上
levator scapulae 肩甲挙筋	第一－四頸椎横突起後結節	肩甲骨内側縁の上部	肩甲背神経(C5)，第三・四頸神経	肩甲骨の挙上，肩甲骨を回して関節窩を下向きにする
levator veli palatini 口蓋帆挙筋	耳管軟骨，側頭骨錐体部	口蓋腱膜	副神経(CN XI)脊髄部から迷走神経(CN X)咽頭部，咽頭神経叢を経て	えん下とあくびのときの軟口蓋の挙上
longus capitis 頭長筋	後頭骨底部	第三－六頸椎横突起の前結節	第一－三頸神経前枝	頭の屈曲
longus colli 頸長筋	第一頸椎(環椎)の前結節，第一－三頸椎体，第三－六頸椎横突起	第五－七頸椎および第一－三胸椎の椎体，第三－五頸椎の横突起	第二－六脊髄神経前枝	片側のみ収縮すれば頸部で屈曲して対側に回旋する
lumbricals of foot 足の虫様筋	長趾屈筋腱	外側 4 趾基節骨底の内側面	内側の 1 個は内側足底神経(S2, 3)，外側の 3 個は外側足底神経(S2, 3)	外側 4 趾の基節骨を屈し中末節骨を伸ばす
lumbricalis 1 and 2 of hand 手の第一・二虫様筋	外側 2 本の深指屈筋腱(半羽状筋)	外側第二・三指背面腱膜の外側面	正中神経(C8, T1)	中手指節関節で屈し指節間関節を伸展する
lumbricalis 3 and 4 of hand 手の第三・四虫様筋	内側 3 本の深指屈筋腱(羽状筋)	外側第四・五指背面腱膜の外側面	尺骨神経(C8, T1)の深枝	中手指節関節で屈し指節間関節を伸展する
masseter 咬筋	頬骨弓の下縁と内側面	下顎骨下顎枝外側面と筋突起	下顎神経(CN V3)から咬筋神経が出て深部へ	下顎骨の挙上と前突．口を閉じる．深部筋線維は下顎骨を後ろへ引く
medial pterygoid 内側翼突筋	深頭：外側翼突板内側面，口蓋骨錐体突起．浅頭：上顎骨の隆起	下顎骨下顎枝内側面で下顎孔より下方の部分	下顎神経(CN V3)から翼突筋神経を経て	左右同時に働いて下顎骨を挙上し口を閉じる．下顎前突の補助．片側だけ働くとその側を前突，左右交互に働くと擦りつぶし運動が起こる
medial rectus 内側直筋	眼窩の共通輪状腱	結膜直後の強膜	動眼神経(CN III)	眼球の内転
mentalis おとがい筋	下顎骨の切歯窩	おとがいの皮膚	顔面神経(CN VII)	下唇の挙上と突出

筋名	起始	停止	支配神経	主な作用
middle constrictor of pharynx 中咽頭収縮筋	茎突舌骨靱帯，舌骨の大角と小角	正中の咽頭縫線	副神経(CN XI)の延髄根から迷走神経(CN X)の下喉頭神経と反回神経を経て	えん下時に咽頭を収縮
mylohyoid 顎舌骨筋	下顎骨の顎舌骨筋線	舌骨体と縫線	下顎神経(CN V3)の下歯槽枝の枝である顎舌骨筋神経	えん下時発声時に舌骨・口底・舌の挙上
nasalis 鼻筋	上顎骨の犬歯稜の上部	鼻翼軟骨	顔面神経(CN VII)	鼻翼を鼻中隔のほうへ引く
obliquus capitis inferior 下頭斜筋	軸椎(C2)の棘突起	環椎(C1)の横突起	後頭下神経	頭部を環軸関節で回転させる
obliquus capitis superior 上頭斜筋	環椎(C1)の棘突起	後頭骨下項線の外側1/3	後頭下神経	頭部を環軸関節で回転させる
obturator externus 外閉鎖筋	閉鎖孔周縁の骨，閉鎖膜	大腿骨転子窩	閉鎖神経(L3, 4)	大腿を外側に回旋．大腿骨頭を寛骨臼に固定
obturator internus 内閉鎖筋	閉鎖膜骨盤面とその周辺の骨	大腿骨大転子(転子窩)の内側面	内閉鎖筋枝(L5, S1)	伸展した大腿を外側に回旋，屈曲した大腿を外転．大腿骨頭を寛骨臼に固定
occipitofrontalis (occipital belly/frontal belly) 後頭前頭筋 (後頭腹・前頭腹)	後頭骨上項線外側2/3，側頭骨乳様突起，帽状腱膜	帽状腱膜，前額や眉の皮膚	顔面神経(CN VII)の後頭枝と側頭枝	頭皮を引く，眉と前額皮膚の挙上
omohyoid 肩甲舌骨筋	肩甲骨上縁の肩甲切痕の近く	舌骨の下縁	頸神経わなの枝で第一—三頸神経から	舌骨の下制・牽引・固定
opponens digiti minimi 小指対立筋	有鉤骨鉤，屈筋支帯	第五中手骨内側縁	尺骨神経(C8, T1)の深枝	第五中手骨を前に引いて回す．第五指を母指と対立させる
opponens pollicis 母指対立筋	屈筋支帯，舟状骨結節，大菱形骨	第一中手骨外側面	正中神経(C8, T1)の反回枝	第一中手骨を外側へ引いて手掌中央で母指と対立させる．母指を内側に回す
orbicularis oculi 眼輪筋	眼窩の内側縁，内側眼瞼靱帯，涙骨	眼窩周囲の皮膚，瞼板	顔面神経(CN VII)	眼裂を閉じる．眼瞼部はそっとまぶたを閉じる．眼窩部はしっかりとまぶたを閉じる
orbicularis oris 口輪筋	ある筋線維は上顎骨の正中面近くから上方へ下顎骨から下方へ起こる．他の筋線維は皮膚深部から起こる	口唇粘膜	顔面神経(CN VII)	口の括約筋のように口唇を圧迫したり突出させたりする(口笛を吹いたり吸うときに口をすぼめるように)
palatoglossus 口蓋舌筋	口蓋腱膜	舌の側面	副神経(CN XI)の延髄部から迷走神経(CN X)の咽頭枝を通り咽頭神経叢を経て	舌の後部を挙上，軟口蓋を舌のほうへ引く
palatopharyngeus 口蓋咽頭筋	硬口蓋と口蓋腱膜	咽頭の外側壁	副神経(CN XI)の延髄部から迷走神経の咽頭枝を通り咽頭神経叢を経て	軟口蓋を緊張させ咽頭壁を前上方へ引く．えん下時には内側へ引く

筋名	起始	停止	支配神経	主な作用
palmar interossei 1–3 第一―三掌側骨間筋	第二・四・五中手骨の掌側面	指の伸筋腱の延長部，第二・四・五基節骨底	尺骨神経(C8, T1)の深枝	指の内転・虫様筋を助けて中手指節関節を曲げ指節間関節を伸ばす
palmaris brevis 短掌筋	手掌腱膜中央部の尺側	手の尺側の皮膚	浅尺骨神経(T1)	手の掌側の皮膚にしわをよせる
palmaris longus 長掌筋	上腕骨内側上顆	屈筋支帯の遠位部と手掌腱膜	正中神経(C7, 8)	手首で手を曲げる．手掌腱膜を緊張させる
pectineus 恥骨筋	恥骨上枝	大腿骨小転子のすぐ下の恥骨筋線	大腿神経(L2, 3)．閉鎖神経からも枝を受けることがある	大腿を内転し屈曲する．大腿の内側への回旋を助ける
pectoralis major 大胸筋	鎖骨頭：鎖骨内側半の前面．胸肋頭：胸骨前面，上位 6 肋軟骨，外腹斜筋の腱膜	上腕骨の結節間溝の外側唇	外側・内側胸筋神経(鎖骨頭は第五・六頸神経，胸肋頭は第七・八頸神経と第一胸神経)	上腕骨を内転し内側に回旋する．肩甲骨を前下方へ引く．片方だけ働くとき鎖骨頭は上腕骨を屈曲し胸肋頭は伸展する
pectoralis minor 小胸筋	肋軟骨近くの第三―五肋骨	肩甲骨烏口突起内側縁と上面	内側胸筋神経(C8, T1)	肩甲骨を前下方へ引いて胸郭に固定する
piriformis 梨状筋	仙骨前面と仙結節靱帯	大腿骨大転子の上縁	第一・二腰神経の前枝の枝	伸展している大腿骨を外側に回し，屈曲している大腿骨を外転する．大腿骨を寛骨臼に固定する
plantar interossei 1–3 第一―三底側骨間筋	第三―五中足骨底と内側面	第三―五基節骨底の内側面	外側足底神経(S2, 3)	第二―四趾を内転し中足趾節関節で曲げる
plantaris 足底筋	大腿骨外側顆上線の下端，斜膝窩靱帯	踵骨腱によって踵骨後面に	脛骨神経(S1, 2)	足首で足底屈したり膝を曲げたりするとき腓腹筋を助ける
platysma 広頸筋	三角筋や胸筋の浅筋膜	下顎骨，頬の皮膚，口角，口輪筋	顔面神経(CN VII)	下顎骨を下制し顔面下部や頸部の皮膚を引く
popliteus 膝窩筋	大腿骨外側顆の外側面，外側半月	脛骨後面でヒラメ筋線より上方	脛骨神経(L4, 5, S1)	膝をやや屈し緩める
posterior cricoarytenoid 後輪状披裂筋	輪状軟骨板の後面	披裂軟骨の筋突起	迷走神経(CN X)の枝である反回神経	声帯ひだの外転
procerus 鼻根筋	鼻根部の腱膜	左右の眉の間の前額の皮膚	顔面神経(CN XII)	眉を内側に寄せる．鼻根の皮膚に縦じわをよせる．注意を集中している顔貌をつくる
pronator quadratus 方形回内筋	尺骨前面の遠位1/4	橈骨前面の遠位1/4	正中神経(C8, T1)の枝の前骨間神経	前腕の回内．深層線維は尺骨と橈骨を 1 つにくくる
pronator teres 円回内筋	上腕骨内側上顆，尺骨の鉤状突起	橈骨外側面の中部	正中神経(C6, 7)	前腕の回内と屈曲
psoas major 大腰筋	第十二胸椎から第五腰椎までの椎体側面と椎間板，腰椎の肋骨突起	大腿骨小転子	腰神経前枝(L1–3)	大腿骨の屈曲と外側への回旋．股関節が固定されているときは腰椎を前外側へ屈曲
psoas minor 小腰筋	第十二胸椎と第一腰椎の椎体側面と椎間板	恥骨筋線，腸恥弓により腸恥隆起に	腰神経前枝(L1, 2)	大腰筋と同じ働き．股関節の固定

筋名	起始	停止	支配神経	主な作用
pyramidalis 錐体筋	恥骨稜	白線の下部	肋下神経	白線の緊張
quadratus femoris 大腿方形筋	坐骨結節の外側縁	大腿骨転子間稜の方形筋結節とその下方部分	大腿方形筋神経枝(L5, S1)	大腿骨の外側回旋．大腿骨頭を寛骨臼内に固定
quadratus lumborum 腰方形筋	第十二肋骨下縁内側半，腰椎肋骨突起先端	腸腰靱帯，腸骨稜内唇	第十二胸神経から第一一四腰神経までの前枝	脊柱を伸展し外側に曲げる．吸気時に第十二肋骨を固定
quadratus plantae 足底方形筋	踵骨足底面の内側面と外側縁	長趾屈筋腱の後外側縁	外側足底神経(S2, 3)	長趾屈筋が外側4趾を曲げるのを補助
rectus abdominis 腹直筋	恥骨結合，恥骨稜	胸骨剣状突起，第五一七肋軟骨	下位6胸神経の前枝である胸腰神経	体幹の屈曲と腹部内臓の圧迫(横隔膜に対抗)
rectus capitis anterior 前頭直筋	環椎(C1)外側塊の前面	頭骨底で後頭顆のすぐ前	第一・二頸神経間のループからの枝	環椎後頭関節で頭部を前屈
rectus capitis lateralis 外側頭直筋	環椎(C1)横突起	後頭骨頸静脈突起	第一・二頸神経間のループからの枝	頭部前屈，関節の固定
rectus capitis posterior major 大後頭直筋	軸椎(C2)棘突起	後頭骨下項線の中央	後頭下神経	環椎後頭関節で頭部を伸展
rectus capitis posterior minor 小後頭直筋	環椎(C2)後結節	後頭骨下項線の内側1/3	後頭下神経	環椎後頭関節で頭部を伸展
rectus femoris 大腿直筋	下前腸骨棘，寛骨臼の上方部分	膝蓋骨底，膝蓋靱帯によって脛骨粗面	大腿神経(L2–4)	下腿の伸展．股関節の固定．大腰筋を助けて大腿の屈曲
rhomboid minor and major 大・小菱形筋	小菱形筋：項靱帯，第七頸椎と第一胸椎との棘突起．大菱形筋：第二一五胸椎の棘突起	肩甲骨内側縁	肩甲背神経(C4, 5)	肩甲骨を内側へ引く．肩甲骨を回して関節窩で上腕骨頭に押しつける．肩甲骨を胸郭に押しつける
risorius 笑筋	広頸筋と咬筋の筋膜	口輪筋，口角の皮膚，口唇軸	顔面神経(CN VII)	口角を引き口裂の幅を大きくする
salpingopharyngeus 耳管咽頭筋	耳管の軟骨部	口蓋咽頭筋に混入	副神経の延髄部から迷走神経咽頭枝と咽頭神経叢を経て	えん下時や発声時に咽頭喉頭を挙上(短縮・拡大)する
sartorius 縫工筋	上前腸骨棘とその直下の部分	脛骨内側面上部	大腿神経(L2, 3)	大腿骨の屈曲・外転・外側回旋．下腿の膝関節での屈曲
scalenus anterior 前斜角筋	第四一六頸椎横突起	第一肋骨	第四一六頸神経	第一肋骨の挙上．首を外側に屈曲回旋する
scalenus medius 中斜角筋	第四一六頸椎横突起の後結節	第一肋骨上面で鎖骨下動脈溝の後方	頸神経前枝	首を外側に曲げる．吸気時に第一肋骨を挙上
scalenus posterior 後斜角筋	第四一六頸椎横突起の後結節	第二肋骨外縁	第七，八頸神経の前枝	首を外側に曲げる．吸気時に第二肋骨を挙上

筋名	起始	停止	支配神経	主な作用
semimembranosus 半膜様筋	坐骨結節	脛骨内側顆後部．腱の一部が反転して斜膝蓋靱帯となり大腿骨外側顆に行く	坐骨神経(L5, S1, 2)の脛骨神経部	大腿骨の伸展．下腿の屈曲，膝が曲がっているときは下腿の内側回旋．股関節が曲がり膝関節が伸展しているときは体幹を重力の逆方向に挙上
semitendinosus 半腱様筋	坐骨結節	脛骨上部内側面	坐骨神経(L5, S1, 2)の脛骨神経部	大腿骨の伸展．下腿の屈曲，膝が曲がっているときは下腿の内側回旋．股関節が曲がり膝関節が伸展しているときは体幹を重力の逆方向に挙上
serratus anterior 前鋸筋	第一―八肋骨外側部の外面	肩甲骨内側縁の前面	長胸神経(C5–7)	肩甲骨を前方へ引き胸郭に押しつける．肩甲骨を回す
serratus posterior inferior 下後鋸筋	第十一胸椎から第二腰椎までの棘突起	第八―十二肋骨下縁の肋骨角の近く	第九―十二胸神経前枝	肋骨を下制する
serratus posterior superior 上後鋸筋	第七頸椎から第三胸椎までの棘突起，項靱帯	第二―四肋骨上縁	第二―五肋間神経	肋骨を挙上する
soleus ヒラメ筋	腓骨頭後面，腓骨後面上1/4，脛骨ヒラメ筋線と内側縁	踵骨腱によって踵骨後面	脛骨神経(S1, 2)	足の足首での背屈(膝関節と無関係)，下腿を足の上に固定
splenius capitis et cervicis 頭・頸板状筋	項靱帯下半，第七頸椎から第四胸椎までの棘突起	頭板状筋：筋線維は上行して側頭骨乳様突起と後頭骨上項線の外側1/3．頸板状筋：第一―三，あるいは第四頸椎横突起の後結節	脊髄神経後枝	片側だけ働くと頭を外側に曲げ回旋する．左右同時に働くと頭と頸を伸展する
stapedius アブミ骨筋	鼓室後壁の錐体隆起の内壁	アブミ骨頸	顔面神経(CN VII)	大きな音に反応して起こるアブミ骨の振動を和らげる
sternocleidomastoid 胸鎖乳突筋	側頭骨乳様突起の外側面，上項線の外側半	胸骨頭：胸骨柄前面．鎖骨頭：鎖骨内側1/3の上面	副神経(CN VII)の脊髄根(運動)，第二・三頸神経(痛覚と固有覚)	頭を外側に傾ける．頸を回して顔が反対側上方を向くようにする．左右同時に働くときはおとがいを前に突き出すように頸を傾ける
sternohyoid 胸骨舌骨筋	胸骨柄，鎖骨の内側端	舌骨体	頸神経わなの枝(C1–3)	えん下の際，挙上されているときの舌骨を下制する
sternothyroid 胸骨甲状筋	胸骨柄後面	甲状軟骨斜線	頸神経わなの枝(C2, 3)	舌骨と喉頭の下制
styloglossus 茎突舌筋	茎状突起，茎突靱帯	舌の下面と側面	舌下神経(CN VII)	舌を後ろに引きえん下を助ける
stylohyoid 茎突舌骨筋	側頭骨茎状突起	舌骨体	顔面神経(CN VII)の頸枝	舌骨を挙上して後ろへ引くことで口腔底が伸ばされる
stylopharyngeus 茎突咽頭筋	側頭骨茎状突起	口蓋咽頭筋とともに甲状軟骨後上縁に	舌咽神経(CN IX)	えん下や発声の際に咽頭を挙上(短縮・拡大)する
suclavius 鎖骨下筋	第一肋骨と肋軟骨の連結部	鎖骨下面の中央1/3	鎖骨下筋神経(C5, 6)	鎖骨の固定と下制
subcostal 肋下筋	下位肋骨の肋骨角近くの内面	2または3個下の肋骨の上縁	肋間神経	肋骨の挙上

筋名	起始	停止	支配神経	主な作用
subscapularis 肩甲下筋	肩甲下窩	上腕骨小結節	上・下肩甲下神経(C5–7)	腕の内側回旋と内転．上腕骨頭を関節窩に固定
superficial transverse perineal 浅会陰横筋	坐骨枝	会陰中心腱	陰部神経(S2–4)の枝である会陰神経の深枝	会陰中心腱を支持固定して骨盤内臓を支え腹圧に対抗する
superior constrictor of pharynx 上咽頭収縮筋	翼突鉤，翼突下顎縫線，下顎骨顎舌骨筋線，舌の側縁	正中咽頭縫線，後頭骨底部咽頭結節	副神経の延髄根から迷走神経咽頭枝や咽頭神経叢を経て	えん下時に咽頭を収縮
superior longitudinal muscle of tongue 上縦舌筋	舌粘膜下線維層と線維性中隔	舌の辺縁と粘膜	舌下神経(CN XII)	舌の先端や側縁を丸め短くする
superior oblique 上斜筋	蝶形骨体	その腱は滑車の中をくぐり抜け方向を変えて上直筋深部で強膜に停止する	滑車神経(CN IV)	眼球の外転・下制・内側回旋
superior rectus 上直筋	眼窩の共通輪状腱	結膜のすぐ後ろの強膜	動眼神経(CN III)	眼球の挙上・内転・内側回旋
supinator 回外筋	上腕骨外側上顆，橈側側副靱帯，橈骨輪状靱帯，回外筋窩，尺骨稜	橈骨近位1/3の外側・後・前面	橈骨神経(C5, 6)の深枝	前腕の回外
supraspinatus 棘上筋	肩甲骨棘上窩	上腕骨大結節の上面	肩甲上神経(C4–6)	腕の外転の開始と三角筋の補助，回旋筋腱板の構成筋
temporalis 側頭筋	側頭窩と側頭筋膜深層	下顎骨筋突起先端と内側面，下顎枝の前縁	下顎神経(CN V3)の深側頭枝	下顎骨を挙上して口を閉じる．後方の筋線維は下顎骨を後ろに引く(→ masseter)
tensor of fascia latae 大腿筋膜張筋	上前腸骨棘，腸骨稜の前方部	腸脛靱帯(これは脛骨外側顆に付く)	上殿神経(L4, 5)	大腿の外転・内側回旋・屈曲．膝関節の伸展を助ける．体幹を大腿骨上に安定させる
tensor tympani 鼓膜張筋	側頭骨錐体部の鼓膜張筋管と耳管軟骨	ツチ骨柄	耳神経節を通る下顎神経の枝(V3)	大きな音のとき振動を和らげるために鼓膜を緊張させる
tensor veli palatini 口蓋帆張筋	内側翼突板の舟状窩，蝶形骨棘，耳管軟骨	口蓋腱膜	下顎神経(V3)の枝が耳神経節を経て内側翼突筋神経として	軟口蓋を緊張させる．えん下時に(あくび時にも)耳管の口を開く
teres major 大円筋	肩甲骨下角の背側面	上腕骨結節間溝の内側縁	肩甲下神経下部	上腕の内転と内側回旋
teres minor 小円筋	肩甲骨外側縁上部	上腕骨大結節の下方	腋窩神経(C5, 6)	上腕の外側回旋．上腕骨頭を関節窩に固定するのを助ける
thyroarytenoid 甲状披裂筋	甲状軟骨の後面	披裂軟骨の筋突起	反回神経	声帯を緩める
thyrohyoid 甲状舌骨筋	甲状軟骨の斜線	舌骨体下縁と大角	第一頸神経から舌下神経とともに	舌骨を下制し喉頭を挙上する
tibialis anterior 前脛骨筋	脛骨の外側顆と外側面上半，骨間膜	内側楔状骨内側下面，第一中足骨底	深腓骨神経(L4, 5)	足の背屈と内反

筋名	起始	停止	支配神経	主な作用
tibialis posterior 後脛骨筋	脛骨後面ヒラメ筋線下方，腓骨後面，骨間膜	舟状骨結節，楔状骨，立方骨，第二—四中足骨底	脛骨神経(L4,5)	足底屈と内反
transverse muscle of tongue 横舌筋	舌の線維性中隔	舌縁の線維組織	舌下神経(CN XII)	舌をせばめて長くする．舌を前突する
transversospinalis 横突棘筋	椎骨横突起．半棘筋：第四頸椎から第十二胸椎までの横突起．多裂筋：仙骨，腸骨，第一—三胸椎の横突起，第四—七頸椎関節突起．回旋筋：全椎骨の横突起(胸部でよく発達)	棘突起．半棘筋(胸・頸・頭)：上内側へ進んで後頭骨と4—6個上位の棘突起に．多裂筋：上内側へ進んで3—4個上位の棘突起に．回旋筋：上内側へ進んで椎弓と横突起の連結部または1—2個上位の棘突起に停止	脊髄神経後枝	頭と頸胸部脊柱を伸展し対側に回す．脊柱の部分運動(伸展・回旋)の際に不動部分の安定．固有感覚器としても機能している可能性
transversus abdominis 腹横筋	第七—十二肋軟骨内面，胸腰筋膜，腸骨稜，鼡径靱帯の外側1/3	白線，内腹斜筋腱膜，恥骨稜，恥骨櫛	第七—十二肋間神経，腸骨下腹神経，腸骨鼡径神経	腹部内臓の圧迫と支持
transversus thoracis 胸横筋	胸骨下部後面	第二—六肋軟骨の内面	肋間神経	肋骨の下制
trapezius 僧帽筋	上項線の内側1/3，外後頭隆起，項靱帯，第七頸椎から第十二胸椎までの棘突起	鎖骨の外側1/3，肩峰，肩甲棘	副神経(CN XI)の脊髄根(運動)，第三・四頸神経(痛覚と固有覚)	肩甲骨を挙上・牽引・回旋する(上部は挙上，中部は後ろへ引く，下部は下制，上部下部がともに働くと回旋)
triceps brachii 上腕三頭筋	長頭：肩甲骨関節下結節．外側頭：上腕骨後面で橈骨神経溝の上方．内側頭：上腕骨後面で橈骨神経溝の下方	尺骨肘頭の近位端，前腕筋膜	橈骨神経(C6-8)	前腕の伸展の主力筋．長頭は外転した上腕骨の骨頭を固定
uvula 口蓋垂筋	後鼻棘，口蓋腱膜	口蓋垂粘膜	副神経(CN XI)の延髄根から迷走神経(CN X)咽頭枝と咽頭神経叢を経て	口蓋垂を縮め挙上
vastus intermedius 中間広筋	大腿骨体前外側面	膝蓋骨底，膝蓋靱帯を経て脛骨粗面	大腿神経(L2-4)	下腿の伸展
vastus lateralis 外側広筋	大腿骨粗線の外側唇と大転子	膝蓋骨底，膝蓋靱帯を経て脛骨粗面	大腿神経(L2-4)	下腿の伸展
vastus medialis 内側広筋	大腿骨粗線の内側唇と転子間線	膝蓋骨底，膝蓋靱帯を経て脛骨粗面	大腿神経(L2-4)	下腿の伸展
vertical muscle of tongue 垂直舌筋	舌縁の上面	舌縁の下面	舌下神経(CN XII)	舌を平らに広げると同時に前突する
vocalis 声帯筋	披裂軟骨の声帯突起	声帯靱帯	迷走神経(CN X)の枝である反回神経	後声帯靱帯を緩め前部の緊張を保つ
zygomaticus major and zygomaticus minor 大・小頬骨筋	頬骨の側頭骨との縫合の前・後	口角，上唇の口輪筋	顔面神経(CN VII)	上唇の挙上と反転

nerves of the human body　人体の神経

神経名	起始	経路	支配対象構造・部位
abdominopelvic splanchnic 腹部骨盤内臓神経	交感神経幹の下位胸部と腰部	内側下方へ進み大動脈傍神経叢の椎前神経節に入る	遠心性：交感神経節前線維が腹部と骨盤内臓の血管を支配
abducent (CN VI) 外転神経	橋	斜台の硬膜に入り，海綿静脈洞を横切って上眼窩裂から眼窩に入る	運動性：外側直筋
accessory (CN XI) 副神経	延髄根：延髄．脊髄根：頸髄	脊髄根は上行して大後頭孔から頭蓋腔内に入り，頸静脈孔から外に出て後頸三角を横切る	運動性：胸鎖乳突筋と僧帽筋
ansa cervicalis 頸神経わな	上根：舌下神経(C1, 2)，下根：頸神経叢(C2, 3)	頸筋膜鞘外側面と胸骨甲状筋を下行	運動性：肩甲舌骨筋，胸骨舌骨筋
anterior ethmoidal 前篩骨神経	鼻毛様体神経(V1)	眼窩内に起こり，前篩骨孔から頭蓋腔内に入り，篩骨板から鼻腔に分布する	感覚性：前頭蓋腔の硬膜，蝶形骨洞・篩骨蜂巣・鼻腔の粘膜
anterior femoral cutaneous 前大腿皮神経	大腿神経(L2, 3)	大腿三角に起こり大腿広筋膜を貫通して縫工筋に並走する	感覚性：大腿内側と前面の皮膚
anterior interosseous 前骨間神経	肘窩遠位部で正中神経から	下方へ進み骨間膜へ	運動性：深指屈筋，長母指屈筋，方形回内筋
auriculotemporal 耳介側頭神経	下顎神経(V3)	下顎神経後部から出て下顎頸と外耳道の間を進んで浅側頭動脈に伴行する	感覚性：耳介前の皮膚，側頭後部，耳珠，耳輪の一部，外耳道の天井，鼓膜上部
axillary 腋窩神経	腕神経叢後神経束の最終枝	上腕の後面へ行き後上腕回旋動脈とともに四角間隙を通り上腕骨の外科頸を回る，外側上腕皮神経を出す	運動性：大円筋，三角筋．感覚性：肩関節，三角筋下部の皮膚
buccal 頬神経	下顎神経(V3)	側頭下窩で下顎神経前部から起こり前方へ進んで頬に達する	感覚性：頬の皮膚と粘膜，第二・三大臼歯に向いた頬側歯肉
calcaneal branches 踵骨枝	脛骨神経と腓腹神経	下腿後面遠位部から起こり踵の皮膚に行く	感覚性：踵の皮膚
cardiac plexus 心臓神経叢	迷走神経の頸枝と心臓枝，交感神経からの心肺内臓神経	大動脈弓と心臓後面からの線維が冠状動脈に伴行して洞房結節へ行く	洞房結節と冠状動脈．副交感神経はリズムを遅くし拍動の力を弱め動脈管を締め付ける．交感神経はその反対に働く
cardiopulmonary splanchnic 心肺内臓神経	交感神経幹の頸部神経節と上位胸部神経節	前内側に下行して心臓神経叢，肺神経叢，食道神経叢に入る	遠心性：交感神経節前線維を胸部内臓の神経叢に送る
cavernous nerves of penisand clitoris 海綿体神経	前立腺神経叢からの副交感神経	会陰膜を貫通して陰茎の勃起組織に至る	遠心性：海綿体のラセン動脈，この刺激で充血が起こり血圧が高まる(勃起)
cervical splanchnic 頸内臓神経	交感神経幹の頸部神経節	内側下方へ進んで心臓と肺臓の神経叢に入る	刺激伝導系(洞房結節と房室結節)，冠状動脈
chorda tympani 鼓索神経	顔面神経管で顔面神経(VII)から	鼓室を横切り，ツチ骨とキヌタ骨の間を通って錐体鼓室裂を抜けて側頭骨側頭下窩に出て，ここで舌神経と合流する	遠心性：顎下腺と舌下腺．感覚性：舌の前2/3の味覚

神経名	起始	経路	支配対象構造・部位
ciliary, long and short 長・短毛様体神経	長：鼻毛様体神経(V1).	眼球後面	感覚性：結膜，角膜．遠心性：毛様体，虹彩
clunial, superior, middle, and inferior 上・中・下殿皮神経	上：第一－三腰神経後枝．中：第一－三仙骨神経後枝．下：後大腿皮神経	上殿皮神経は腸骨稜を越える，中殿皮神経は後仙骨孔を出て殿部へ，下殿皮神経は大殿筋の下縁を回る	感覚性：大転子までの殿部皮膚
coccygeal (Co) 尾骨神経	脊髄円錐	第四・五仙骨神経の近くで前枝と後枝が合流する．前枝は尾骨神経を形成するがここから肛門尾骨神経が出る	感覚性：尾骨あたりの皮膚
cochlear 蝸牛神経	内耳神経(CN VIII)の一部	内耳道を通り抜け，ラセン神経節を通って蝸牛軸に入り，末梢の突起をラセン板に出す	感覚性：ラセン器(聴覚)
common fibular (peroneal) 総腓骨神経	脛骨神経とともに坐骨神経(L4–S2)の最終枝	膝窩上端で起こり大腿二頭筋の内側縁に沿って腓骨頭後面に達し腓骨頭を回りながら二分岐して浅・深腓骨神経となる	感覚性：外側腓腹皮神経となって下腿後面外側部の皮膚，関節枝によって膝関節．運動性：大腿二頭筋短頭
common palmar digital 総掌側指神経	正中神経，尺骨神経浅枝	長指屈筋腱の間を指先方向に進み手掌遠位部で二分岐する	固有掌側指神経を出し手掌と指の関節と背面の皮膚に分布する
common plantar digital 総底側指神経	中・外側足底神経	屈筋腱の間を進み足底の遠位部で二分岐する	固有底側指神経を出し足底と趾の関節と背面の皮膚に分布する
deep branch of radial nerve 橈骨神経深枝	肘の直下の橈骨神経から	回外筋の中で橈骨頸を回って前腕後区に入り後骨間神経となる	運動性：短橈側手根伸筋，回外筋
deep branch of ulnar nerve 尺骨神経深枝	尺骨神経が手首で豆状骨と有鉤骨との間を通るところから(T1)	小指球筋の間を通り深掌動脈弓とともに手掌を横切る	運動性：小指球筋(外転・屈曲・対立)，第四・五指虫様筋，全骨間筋，母指内転筋，短母指屈筋の深頭
deep fibular (peroneal) 深腓骨神経	総腓骨神経	長腓骨筋と腓骨頸の間で起こり，長指伸筋を通り抜けて骨間膜を下行し，伸筋支帯の深部で脛骨を越えて足背に入る	運動性：下腿前区の筋，足背の筋．感覚性：第一趾と第二趾の間の皮膚，そのあたりの関節に関節枝を送る
deep petrosal 深錐体神経	内頸動脈神経叢	破裂孔軟骨を横切り翼突管の入り口で大錐体神経と合流する	交感神経節後線維を涙腺，鼻腔粘膜，口蓋，咽頭上部に送る
deep temporal 深側頭神経	下顎神経(V3)	側頭窩を上行し側頭筋深部へ	運動性：側頭筋．感覚性：側頭窩の骨膜
dorsal branch of ulnar nerve 尺骨神経手背枝	屈筋支帯より 5 cmほど近位の尺骨神経から	尺側手根屈筋の深部を遠位に進んで深筋膜を背側に貫通し手背内側に沿って進んで 2－3 本の背側指枝に分岐する	感覚性：手背内側の皮膚，小指と薬指内側半の近位部の皮膚(ときに薬指・中指の近位部隣接面の皮膚)
dorsal scapular 肩甲背神経	第五頸神経前枝(多くの場合第四からも)	中斜角筋を貫通して肩甲挙筋深部を下行し菱形筋深部に達する	運動性：菱形筋，ときに肩甲挙筋
esophageal plexus 食道神経叢	迷走神経，交感神経節，大内臓神経	気管分岐部の遠位で迷走神経と交感神経が食道周囲に神経叢を形成	迷走神経と交感神経が食道下2/3の平滑筋と腺
external nasal 外鼻神経	前篩骨神経(V1)	鼻腔にはいり鼻骨と外側鼻軟骨の間の顔面に至る	感覚性：鼻尖を含む鼻背の皮膚

神経名	起始	経路	支配対象構造・部位
facial (CN VII) 顔面神経	橋後縁	内耳道と側頭骨岩様部の顔面神経管を通り抜け茎乳突孔から外へ出る．主部は耳下腺内神経叢を形成	運動性：あぶみ骨筋，顎二腹筋後腹，茎突舌骨筋，顔面と頭部の筋．感覚性：外耳道の一部の皮膚(中間神経も参照せよ)
femoral 大腿神経	第二―四腰神経	鼡径靱帯中央部の下を抜け大腿血管の外側に出て筋枝と皮枝に分岐する	運動性：大腿前部の筋．感覚性：股関節，膝関節，大腿下腿前部の皮膚
frontal 前頭神経	眼神経(CN V1)	上眼瞼挙筋の上面で眼窩を横切り眼窩上神経と滑車上神経に分岐する	感覚性：前額・頭皮・上眼瞼・鼻の皮膚，上眼瞼の結膜・前頭洞の粘膜
genitofemoral 陰部大腿神経	腰神経叢(第一・二腰神経)	大腰筋前面を下行し陰部枝と大腿枝に分岐	運動性：陰部枝が精巣挙筋に．感覚性：大腿枝が大腿三角の皮膚に，陰部枝が陰嚢または大陰唇に
glossopharyngeal (CN IX) 舌咽神経	延髄の上端	頸静脈孔から頭蓋腔を出て上・中咽頭収縮筋の間を通って扁桃窩に抜け舌の後1/3に分布	運動性：茎突咽頭筋．遠心性：副交感神経節前線維が耳下腺へ．感覚性：舌の後2/3(味覚を含む)，咽頭，鼓室，耳管，頸動脈小体，頸動脈洞
great auricular 大耳介神経	頸神経叢(第二・三頸神経)	胸鎖乳突筋の上面を真っすぐ上行し外頸静脈の前を並走上行する	感覚性：耳介・その近辺の頭皮・下顎角上方の皮膚，耳下腺筋膜
greater occipital 大後頭神経	第二頸神経後枝の内側枝	頸部筋肉と僧帽筋を貫通して後部頭皮を上行し頭頂に達する	運動性：多裂筋，頭半棘筋．感覚性：後頭部の頭皮
greater palatine 大口蓋神経	上顎神経の翼口蓋神経節の枝	下方へ進み大口蓋管を抜けて大口蓋孔を出る	遠心性：副交感神経節後線維が口蓋腺に．感覚性：硬口蓋の粘膜
greater petrosal 大錐体神経	顔面神経膝(CN VII)	大錐体神経裂溝から顔面神経管を出て鼓室蓋を横切り破裂孔軟骨を通って翼突管開口部で深錐体神経と合流	遠心性：副交感神経節前線維が翼口蓋神経節へ入り涙腺，鼻腺，口蓋腺，上咽頭粘膜に分布
greater splanchnic 大内臓神経	交感神経幹の第五―十胸神経節	腹部骨盤内臓神経の最上位のもの．胸椎体の前内側方へ進み横隔膜を貫通して腹腔動脈根に分布	遠心性：交感神経節前線維が腹腔神経叢に入り腹腔動脈とその枝とこれが分布する腸管に
hypogastric 下腹神経	上下腹神経叢からの枝が骨盤へ入る	仙骨の前で下腹神経鞘の中を通過し下下腹神経叢の中で骨盤内臓神経と合流する	遠心性：骨盤内臓に分布する交感神経節前節後線維．感覚性：腹膜内骨盤内臓の痛覚(子宮体，子宮底など)
hypoglossal (CN XII) 舌下神経	延髄錐体とオリーブ核の間	舌下神経管を抜けて下前方に進み下顎角の内側へ回り顎舌骨筋と舌骨舌筋の間を通って舌筋に分布する	運動性：外舌筋と内舌筋(口蓋舌筋を除く)
iliohypogastric 腸骨下腹神経	腰神経叢(L1)	腸骨稜に並走し腹横筋を貫通する．分枝は外腹斜筋腱膜を貫通して鼡径部と恥部に出る	運動性：内腹斜筋と腹横筋．感覚性：外側皮枝が殿部上外側1/4に，腸骨稜表面の皮膚，下腹部の皮膚
ilioinguinal 腸骨鼡径神経	腰神経叢(L1)	腹筋第２層と第３層の間を進み鼡径管を抜けてから大腿枝と陰嚢(陰唇)枝に分岐する	運動性：内腹斜筋と腹横筋の下方部．感覚性：大腿枝は大腿三角の皮膚，陰部枝は恥丘と陰嚢(陰唇)の皮膚
inferior alveolar 下歯槽神経	舌神経とともに下顎神経(V3)後部の最終枝	外側・内側翼突筋の間で側頭窩を下行し下顎骨の下顎管に入る	感覚性：下顎の歯，歯骨膜，歯肉，骨膜(顎舌骨筋神経やおとがい神経も参照せよ)
inferior anal (rectal) 下直腸神経	陰部神経(S2-4)	陰部神経管の入り口あたり(坐骨棘)で起こり坐骨肛門脂肪体の中を内側へ肛門管に向かう	運動性：外肛門括約筋．感覚性：肛門の粘膜と皮膚
inferior gluteal 下殿神経	仙骨神経叢(L5-S2)	大坐骨孔を抜けて骨盤の外に出て梨状筋の下方で数枝に分岐する	運動性：大殿筋

神経名	起始	経路	支配対象構造・部位
infraorbital 眼窩下神経	上顎神経(V2)の最終枝	眼窩の床を通って眼窩下孔から外に出る	感覚性：頬・下眼瞼・鼻の外側・鼻中隔下部・上唇の皮膚，上顎切歯と犬歯，上顎洞と上唇の粘膜
infratrochlear 滑車下神経	鼻毛様体神経(V1)	眼窩の内側壁を伝い上眼瞼へ	感覚性：上眼瞼の結膜と皮膚
intercostals 肋間神経	第一—十一胸神経前枝	肋間隙を内肋間筋と最内肋間筋の間を進む	運動性：肋間筋,下位のものは前外側腹壁の筋．感覚性：支配筋をおおう胸膜・腹膜と皮膚
intermediary 中間神経	顔面神経の一部として橋から	内耳道を通ってその先端で顔面神経の大部とともに放散	遠心性：副交感神経節前線維として翼口蓋神経節，顎下神経節へ大錐体神経，鼓索神経として入る．感覚性：舌の前2/3の味覚，軟口蓋
lacrimal 涙腺神経	眼神経(CN V1)	外眼角の近くで上眼瞼筋膜の中を進む	感覚性：上眼瞼外側部の結膜と皮膚の小部分
lateral branch of median nerve 正中神経外側枝	正中神経が手掌にはいるところから	外側方へ進んで母指掌側と示指橈側へ	運動性：第一虫様筋．感覚性：母指掌側の皮膚，母指背側遠位部の皮膚，示指橈側半の皮膚
lateral cutaneous nerve of forearm 前腕外側皮神経	筋皮神経(C6,7)の続き	前腕外側に沿って手首まで	感覚性：前腕外側の皮膚
lateral cutaneous nerve of thigh 大腿外側皮神経	腰神経叢(L2,3)	鼡径靱帯の深部を通って上前腸骨棘の2—3cm内側へ出る	感覚性：大腿前外側面の皮膚
lateral pectoral 外側胸筋神経	腕神経叢(C5–7)の外側神経束	鎖骨胸筋筋膜を貫通して胸筋の深面に達する	運動性：主として大胸筋，内側胸筋神経にループを送り小胸筋にも及ぶ
lateral plantar 外側足底神経	脛骨神経(S1,2)の小終末枝	足の足底方形筋と短指屈筋の間を外側へ進み浅枝と深枝に分岐する	運動性：足底方形筋，小指外転筋，短小指屈筋，深枝は足底背側骨間筋，外側の3虫様筋，母指内転筋．感覚性：第四指軸線より外側の皮膚
least splanchnic 最小内臓神経	交感神経幹の第十二胸神経節	交感神経幹とともに横隔膜を貫通し腎神経叢に終わる	遠心性：交感神経節前線維を腎動脈とその枝に送る
lesser occipital 小後頭神経	頸神経叢(C2,3)	胸鎖乳突筋の前上縁に沿って後上方へ上行する	感覚性：耳介後面とその近くの皮膚
lesser palatine 小口蓋神経	上顎神経(CN V2)の翼口蓋神経節	下方へ口蓋管へ入り小口蓋孔から出る	遠心性：副交感神経節後線維が口蓋腺に．感覚性：軟口蓋の粘膜
lesser petrosal 小錐体神経	舌咽神経(CN IX)の鼓室神経叢	鼓室蓋を貫通して鼓室から中頭蓋窩に出て前下方に進み蝶錐体裂か卵円孔から下行する	遠心性：副交感神経節後線維が耳神経節へ行き耳下腺の分泌を支配する
lesser splanchnic 小内臓神経	交感神経幹の第十一・十二神経節	前内側へ下行し横隔膜を貫通して大動脈腎神経節に入る	遠心性：交感神経節前線維が椎前神経節にはいる．求心性：大腸からの内臓求心性線維
lingual 舌神経	下歯槽神経とともに下顎神経(V3)後部の最終枝	側頭下窩で鼓索と合流し前下方へ内側・外側翼突筋の間を進み顎舌骨筋の上で口腔に入る	遠心性：副交感神経節前線維が顎下神経節を経て顎下腺と舌下腺の分泌を支配．感覚性：舌の前2/3の味覚，口腔底，下顎の舌側歯肉
long thoracic 長胸神経	第五—七頸神経前枝	第八頸神経から第一胸神経まで後方へ下行し前鋸筋上を遠位に進む	運動性：前鋸筋

神経名	起始	経路	支配対象構造・部位
lower subscapular 下肩甲下神経	腕神経叢の後神経束(C5,6)	下外側方へ進み肩甲下動静脈の深部で肩甲下筋と大円筋に達する	運動性：肩甲下筋後部と大円筋
lumbar splachnic 腰内臓神経	交感神経幹の腰神経節	腰椎体の上を進み大動脈傍神経叢の椎前神経節に	遠心性：交感神経節前線維が下腹骨盤内臓へ．求心性：同所からの内臓求心性線維
mandibular (CN V3) 下顎神経	知覚根は三叉神経節から，運動根は橋から	卵円孔を抜けて側頭下窩に出てここで前部と後部に分かれる．前部はすぐに数本に分散し後部は舌神経と下歯槽神経に分かれる	運動性：そしゃく筋，顎舌骨筋，顎二腹筋前腹，鼓膜張筋，口蓋帆張筋．感覚性：下顎角を除く下顎の皮膚，口の後半(歯，歯肉，口腔と口腔前庭の粘膜，舌の前2/3)，顎関節
maseteric 咬筋神経	下顎神経(CN V3)の前部	下顎切痕を外側へ進む	運動性：咬筋．感覚性：顎関節
maxillary (CN V2) 上顎神経	三叉神経節	前方へ進み正円孔を抜けて翼口蓋窩に出て感覚枝を翼口蓋神経節に送る(この神経節の枝は上顎神経とみなされている)．主枝はさらに前方へ進み下眼窩裂を通って眼窩下神経となる	遠心性：最初は自律性線維はまったく含まれていないが，翼口蓋神経節からの副交感神経節後線維として涙腺，鼻腔粘液腺，口蓋，咽頭に分布する．感覚性：上顎の皮膚，鼻腔後下部，上顎洞，口の前半(歯，歯肉，口蓋，口腔前庭，頬の粘膜)
medial branch of median nerve 正中神経内側枝	正中神経が手掌に入るところから	内側方へ進み第二―四指の隣接面に行く	運動性：第二虫様筋．感覚性：第二―四指隣接面の掌側および遠位背側
medial cutaneous nerve of arm 上腕内側皮神経	腕神経叢の中神経束(C8, T1)	腋窩静脈の内側に沿って進み肋間上腕神経と合流する	感覚性：上腕内側面
medial cutaneous nerve of forearm 前腕内側皮神経	腕神経叢の中神経束(C8, T1)	腋窩動脈と腋窩静脈の間を進む	感覚性：前腕内側面の皮膚
medial cutaneous nerve of leg 下腿内側皮神経	伏在神経	下腿内側を大伏在静脈に伴行	感覚性：下腿前内側と足の内側の皮膚
medial dorsal cutaneous 背内側皮神経	浅腓骨神経	外果を横切って前下方へ進み足背内側に達する	足背と趾の大部分の皮膚(母趾と第二趾との間を除く)
medial pectoral 内側胸筋神経	腕神経叢の中神経束(C8, T1)	腋窩動脈と腋窩静脈の間を通り小胸筋の深面に入る	運動性：小胸筋と大胸筋の一部
medial plantar 内側足底神経	脛骨神経(L4,5)最終枝の太いほう	母趾外転筋と短趾屈筋の間を指先方向へ進み筋枝と皮枝に分かれる	運動性：母趾外転筋，短趾屈筋，短母趾屈筋，第一虫様筋．感覚性：足底内側および内側三趾の皮膚
median 正中神経	2根から起こる：1つは腕神経叢の外側神経束から(C6,7)，もう1つは内側神経束から(C8, T1)	上腕動脈の内側を上腕の全長にわたって進み円回内筋の2頭の間で肘窩を出て前腕前区の中間層と深層の間を進み手首の手前で浅層に出るが屈筋支帯の深層に入り手根管を抜けて手に行く	運動性：前腕屈筋群(尺側手根屈筋と深指屈筋の尺側半を除く)，母指球筋(母指内転筋と短母指屈筋の深頭を除く)，第二・三指の虫様筋外側部．感覚性：外側三指半の掌側背側皮膚とその近くの手掌皮膚
mental おとがい神経	下歯槽神経(CN V3)の最終枝	下顎管を通っておとがい孔から出る	感覚性：おとがいの皮膚，下唇の皮膚と粘膜
musculocutaneous 筋皮神経	腕神経叢の外側神経束(C5–7)	烏口腕筋の深面に入り上腕二頭筋と上腕筋の間を下行する	運動性：上腕屈筋群(烏口腕筋，上腕二頭筋，上腕筋)．感覚性：外側前腕皮神経に続いていく

神経名	起始	経路	支配対象構造・部位
nasociliary 鼻毛様体神経	眼神経(CN V1)	上眼窩裂内で起こり眼球後部で眼窩を前内側へ横切って求心性線維を毛様体神経節に送り滑車下神経と鼻枝として終わる	遠心性：当初は含まれていないが毛様体神経節から発する交感副交感神経節後線維が毛様体と虹彩に分布する．感覚性：眼球(結膜と角膜)の触覚，篩骨蜂巣と鼻腔前上壁の粘膜，鼻根・鼻背・鼻尖の皮膚
nasopalatine 鼻口蓋神経	翼口蓋神経節(CN V2)	蝶口蓋孔から翼口蓋窩を出て鼻中隔を前下方へ横切り切歯孔を通って口蓋に達する	遠心性：副交感神経節後線維が鼻中隔の粘液腺に分布．感覚性：鼻中隔粘膜，硬口蓋の最前部
nerve to lateral/medial pterygoid 内側・外側翼突筋神経	下顎神経(CN V3)の前部	卵円孔のすぐ下方で側頭下窩に起こる	運動性：内側・外側翼突筋
nerve to mylohyoid 顎舌骨筋神経	下歯槽神経	下顎孔の外側で下歯槽神経の後面から起こり顎舌骨筋神経溝を下行して下顎枝の内側面に至る	運動性：顎舌骨筋，顎二腹筋の前腹
nerve to obturator internus 内閉鎖筋神経	仙骨神経叢(L5, S1, 2)	梨状筋の下で大坐骨孔を抜けて殿部に入り坐骨棘の後ろを下行して小坐骨孔に入り内閉鎖筋に行く	運動性：上双子筋，内閉鎖筋
nerve of pterygoid canal 翼突管神経	大錐体神経と深錐体神経との合流で	翼突管を抜けて翼口蓋窩の中で翼口蓋神経節に入る	遠心性：交感神経節後線維と副交感神経節前線維が翼口蓋神経節にはいる
nerve to quadratus femoris 大腿方形筋神経	仙骨神経叢(L5, S1, 2)	坐骨神経の深部で大坐骨孔から骨盤を出る	運動性：下双子筋，大腿方形筋．感覚性：股関節
nerve to stapedius muscle アブミ骨筋神経	顔面神経(CN VII)	顔面神経として起こり顔面神経管の中で筋の後ろを下行する	運動性：アブミ骨筋
nerve to tensor tympani muscle 鼓膜張筋神経	耳神経節(下顎神経CN V3)	耳管軟骨に沿って鼓膜張筋半管へ進む	運動性：鼓膜張筋
nerve to tensor veli palatini muscle 口蓋帆張筋神経	下顎神経(CN V3)前部	内側翼突筋神経からの枝として	運動性：口蓋帆張筋
obturator 閉鎖神経	腰神経叢(L2–4)	閉鎖孔を抜けて大腿に出て前枝と後枝に分岐する．前枝は長短内転筋の間を下行し，後枝は短内転筋と大内転筋の間を下行する	運動性：前枝は長・短内転筋，薄筋，恥骨筋，後枝は外閉鎖筋，大内転筋．感覚性：膝より上の大腿内側の皮膚
oculomotor (CN III) 動眼神経	中脳の脚間窩	後床突起の外側で硬膜を貫通し海綿静脈洞の外側壁を進み上眼窩裂から眼窩に入り上下の2枝に分かれる	運動性：上斜筋と外側直筋を除く外眼筋．遠心性：副交感神経節前線維が毛様体神経節に入って毛様体と瞳孔括約筋に分布
olfactory (CN I) 嗅神経	鼻腔天井の嗅粘膜中の嗅細胞	約20束の神経線維束が篩骨板の小孔を通過して前頭蓋窩の嗅球に入る	感覚性：嗅粘膜
ophthalmic (CN V1) 眼神経	三叉神経節	海綿静脈洞外側壁を前方へ進んで上眼窩裂から眼窩に入り前頭神経，鼻毛様体神経，涙腺神経に分かれる	感覚性：眼球(結膜と角膜)の感覚，篩骨蜂巣・前頭洞・前頭蓋窩の硬膜・大脳鎌・小脳テント・鼻腔前上部の粘膜，前額・上眼瞼・鼻根・鼻背・鼻尖の皮膚

神経名	起始	経路	支配対象構造・部位
optic (CN II) 視神経	網膜の視神経細胞	視神経管を抜けて眼窩から出る．眼球鼻側半の網膜からの線維は視交叉により反対側へ移り，視索によって外側膝状体，上丘，中脳蓋前部へ行く	感覚性：網膜からの視覚
palmar cutaneous branch of median nerve 正中神経の掌側皮枝	正中神経の屈筋支帯直前のところで起こる	長掌筋腱と橈側手根屈筋腱の間を通って屈筋支帯の上を進む	感覚性：手掌中央の皮膚
palmar cutaneous branch of ulnar nerve 尺骨神経の掌側皮枝	前腕の中央で尺骨神経から出る	尺骨動脈の上を下行し前腕の遠位1/3のところで深筋膜を貫通する	感覚性：手掌内側の手根部の皮膚，手根部内側面の皮膚
pelvic splanchnic 骨盤内臓神経	仙骨神経叢(S2–4)	前下方に進み下下腹神経と合流する	遠心性：副交感神経節前線維が骨盤内臓，下行結腸，S状結腸に．求心性：腹膜外の骨盤内臓からの求心性自律神経(子宮頸，膣上部，膀胱底，直腸，上部肛門管，前立腺)
perineal 会陰神経	陰茎背神経とともに陰部神経(S2–4)の最終枝	陰部神経が陰部神経管を出るところから起こり会陰浅層を進み浅皮枝(陰唇，陰嚢)と深筋枝に分かれる	運動性：尿生殖三角の筋(浅・深会陰横筋)．感覚性：尿生殖三角後部の皮膚(大・小陰唇後部，膣前庭，陰嚢後面)
pharyngeal 咽頭神経	翼口蓋神経節	口蓋骨鞘突管を通って後方へ進む	耳管より後方の鼻咽頭の粘膜
phrenic 横隔神経	頸神経叢(C3–5)	胸郭上口から入って縦隔胸膜と心膜との間を進む	運動性：横隔膜．感覚性：心嚢，縦隔胸膜，横隔胸膜，腹膜の横隔膜部
posterior auricular 後耳介神経	顔面神経(CN VII)の頭蓋外での最初の枝	後方へ耳のほうへ進み後頭部に枝を出す	運動性：後耳介筋，耳介固有筋，頭蓋表筋の後頭筋
posterior cutaneous nerve of arm 後上腕皮神経	橈骨神経(C5–8)	三角筋後縁の下から出て上腕三頭筋の長頭と外側頭との間を進む	感覚性：上腕後面の皮膚
posterior cutaneous nerve of forearm 後前腕皮神経	橈骨神経(C5–8)の上腕部から	上腕三頭筋の外側頭を貫通し上腕外側に沿って下行し前腕から手首に達する	感覚性：上腕遠位部後面の皮膚，前腕後面の皮膚
posterior cutaneous nerve of thigh 後大腿皮神経	仙骨神経叢(S1–3)	梨状筋の下から大坐骨孔を抜けて骨盤の外に出て大殿筋の深部を通ってその下縁に至る	感覚性：下殿枝によって殿部・大腿後面・下腿後面の皮膚，会陰枝によって会陰外側と大腿内側の皮膚
posterior ethmoidal 後篩骨神経	鼻毛様体神経	後篩骨孔から眼窩を出る	感覚性：篩骨蜂巣と蝶形骨洞
posterior inferior nasal 後下鼻神経	大口蓋神経	大口蓋神経管の中で起こり口蓋骨垂直板を貫通する	感覚性：下鼻甲介・下鼻道・中鼻道の粘膜
posterior interosseus 後骨間神経	橈骨神経深枝の最終枝(回外筋枝を出した後の深橈骨神経の続き)	前腕後部の深層と浅層の間を通って長母指伸筋と骨間膜の間を進む	運動性：尺側手根伸筋，〔総〕指伸筋，長母指外転筋
posterior labial 後陰唇神経	会陰神経	陰部神経管から出て皮下に放散する	感覚性：大陰唇後部の皮膚
pudendal 陰部神経	仙骨神経叢(S2–4)	梨状筋の下から大坐骨孔を抜けて仙棘靱帯の後ろを下行し小坐骨孔から会陰に入る	会陰の運動・感覚(殿部は無関係)
pulmonary plexus 肺神経叢	迷走神経，交感神経幹の心肺内臓神経	主気管支上に広がり肺根から気管支の分岐に沿って広がる	遠心性：副交感神経が細気管支を収縮させ交感神経が拡張させる

神経名	起始	経路	支配対象構造・部位
radial 橈骨神経	腕神経叢(C5–8, T1)後神経束の最終枝	腋窩動脈の後ろを下行し深上腕動脈とともに橈骨神経溝に入り上腕三頭筋の長頭と内側頭の間を抜け肘窩で浅・深橈骨神経に分岐する	運動性：分岐する前の部位から上腕三頭筋，肘筋，腕橈骨筋，長橈側手根伸筋．感覚性：後皮枝によって上腕前腕の後面の皮膚
recurrent (thenar) branch of median nerve 正中神経の反回枝	正中神経の屈筋支帯を抜けてすぐのところから	屈筋支帯の遠位縁を回って母指球筋に入る	運動性：短母指外転筋，母指対立筋，短母指屈筋の浅頭
recurrent laryngeal 反回神経	迷走神経(CN X)	右側では鎖骨下動脈を回り，左側では大動脈弓を回って気管と食道の間を上行する	運動性：喉頭の固有筋(輪状甲状筋を除く)．感覚性：声帯より下方の粘膜
saphenous 伏在神経	大腿神経	大腿の血管に伴行して大腿三角から内転筋管を通り抜け大伏在静脈とともに下行する	感覚性：下腿と足の内側面の皮膚
sciatic 坐骨神経	仙骨神経叢(L4–S3)	梨状筋の下で大坐骨孔を抜け大腿後面に沿って下行し膝の手前で脛骨神経と総腓骨神経に分岐する	運動性：脛骨神経部によってハムストリング筋群(大腿二頭筋短頭のみは総腓骨神経部から)．感覚性：股関節や膝関節に関節枝を出す
subclavian 鎖骨下筋神経	腕神経叢の上幹(C5–6, ときにC4)	鎖骨の後ろで腕神経叢や鎖骨下動脈の前を下行	運動性：鎖骨下筋．感覚性：胸鎖関節
subcostal 肋下神経	第十二胸神経の前枝	肋間神経と同様に第十二肋骨下縁を進む	運動性：前外側腹壁の筋．感覚性：外側皮枝によって腸骨稜下方の皮膚
suboccipital 後頭下神経	第一頸神経後枝	後頭骨と環椎の間で椎骨動脈横走部下方に進み後頭下三角に入り後頭神経に合流する	運動性：後頭下筋群(大・小頭直筋，上・下頭斜筋)
superficial branch of radial nerve 橈骨神経浅枝	肘窩で深枝を出した後の橈骨神経の続き	円回内筋の前で腕橈骨筋の深部を遠位に進み手首で深筋膜を貫通し手背に行く	感覚性：手背と母指の外側半の皮膚，第二・三指背側の近位部の皮膚，第四指外側半の背面の皮膚
superficial branch of ulnar nerve 尺骨神経浅枝	手首で尺骨神経から起こり豆状骨と有鉤骨の間を進む	短掌筋を通り抜けて2本の総掌側指神経に分岐する	運動性：短掌筋．感覚性：第五指の掌側と背側遠位部の皮膚，第四指内側面の皮膚，手掌の近位部の皮膚
superficial fibular (peroneal) 浅腓骨神経	総腓骨神経	長腓骨筋と腓骨頭の間で起こり下腿外側区を下行し下腿深筋膜を遠位1/3のところで貫通して皮枝となり足と指に行く	運動性：長短腓骨筋．感覚性：下腿遠位1/3の皮膚，足と指の背面の皮膚(第五指の外側と第一・二指の隣接面を除く)
superior alveolar 上歯槽神経	上顎神経(CN V2)あるいはその続きの眼窩下神経から	後束：翼上顎裂から側頭下窩に出て上顎骨の後面を貫通する．中間束と前束：上顎洞天井で眼窩下神経から起こり上顎洞壁を下行する	感覚性：上顎洞の粘膜，上顎の歯と歯肉
superior gluteal 上殿神経	仙骨神経叢(L4–S1)	梨状筋の上で大坐骨孔から骨盤を出て中殿筋と小殿筋の間を進む	運動性：中殿筋，小殿筋，大腿筋膜張筋
superior laryngeal 上喉頭神経	迷走神経(CN X)	咽頭傍隙を下行し甲状軟骨の外側で内外の2枝に分かれる．内枝は甲状舌骨膜を貫き，外枝は下内側に進み輪状軟骨と甲状軟骨の間に入る	運動性：輪状甲状筋(外喉頭神経)．感覚性：声門上部粘膜
supraclavicular, lateral, intermediate, and medial 外側・中間・内側鎖骨上神経	頸神経叢（C3, 4）	1本の共通幹として起こり胸鎖乳突筋後縁中央で扇状に放散しながら下頸部，上胸部，肩部に広がる	感覚性：頸の前外側下部・上胸部・肩部の皮膚

神経名	起始	経路	支配対象構造・部位
supraorbital 眼窩上神経	前頭神経の続き(CN V1)	眼窩上切痕(孔)を出て細枝に分かれる	感覚性：前頭洞粘膜，上眼瞼の結膜，前頭部の皮膚
suprascapular 肩甲上神経	腕神経叢の上神経幹(C5,6ときにC4)	外側へ進み後頸三角を横切り上肩甲横靱帯の下で肩甲切痕を通る	運動性：棘上筋，棘下筋．感覚性：肩関節の上後部
supratrochlear 滑車上神経	前頭神経(CN V1)	眼窩上神経の内側を上方に進み2本以上に分枝する	感覚性：髪の生え際までの前額
sural 腓腹神経	通常は脛骨神経・総腓骨神経の枝である内側・外側腓腹皮神経が分枝するところから起こる	腓腹筋の2頭の間を下行して下腿中央で浅層に出て小伏在静脈とともに下行し外果の後ろを通って足の外側に行く	感覚性：下腿の後外側の皮膚，足の外側の皮膚
tentorial テント枝	眼神経(V1)の頭蓋内部から	小脳テント上面のテント切痕縁を急に曲がって行く反回枝として起こり大脳鎌の後肢に沿って上行する	感覚性：テント上硬膜(小脳テントや大脳鎌の上面)
thoracic splanchnic 胸内臓神経	交感神経幹の胸部神経節	胸椎体上を前内側に進み下心肺内臓神経として胸部自律神経叢(心臓，肺臓，食道)へ，上腹部骨盤内臓神経として大動脈傍神経叢の椎前神経節へ	遠心性：第一―五胸神経節からの交感神経節後線維が心臓，肺臓，食道へ，第六―十二胸神経節からの交感神経節前線維(大内臓神経，小内臓神経，最小内臓神経)が椎前神経節へ
thoracoabdominal 胸腹神経	第七―十一肋間神経の続き	肋骨縁を越えて腹筋群第2層と第3層の間を進む	運動性：前外側腹壁の筋．感覚性：腹壁表面の皮膚，内部の腹膜，横隔膜の周辺
thoracodorsal 胸背神経	腕神経叢の後神経束(C6–8)	上・下肩甲下神経の間で起こり腋窩後壁に沿って下外側方へ進み広背筋に達する	運動性：広背筋
tibial 脛骨神経	坐骨神経(L4–S3)	膝窩上端で坐骨神経が二分岐して起こり膝窩を横切り膝窩筋の上を越え後脛骨筋の上を脛骨動静脈とともに下行し屈筋支帯の中で内側・外側足底神経に分岐して終わる	運動性：大腿後区の筋(大腿二頭筋短頭を除く)，膝窩筋，下腿後区と足底の筋．感覚性：膝関節，下腿の皮膚(内側腓腹皮神経)，足底(内側・外側足底神経)
transverse cervical 頸横神経	頸神経叢(C2,3)	胸鎖乳突筋後縁中央から出てこの筋の前を横切る	感覚性：前頸三角の皮膚
trigeminal (CN V) 三叉神経	橋外側面から運動知覚の2根として	側頭骨錐体稜の内側を越え蝶形骨体と海綿静脈洞の外側で硬膜の三叉神経窩に入る．知覚根は三叉神経節に入り運動根はそのかたわらを通過して下顎神経に合流する	運動性：そしゃく筋，顎舌骨筋，顎二腹筋の前腹，鼓膜張筋，口蓋帆張筋．遠心性：頭部の副交感神経節後線維．感覚性：前・中頭蓋窩の硬膜，顔面の皮膚，歯，歯肉，鼻腔の粘膜，副鼻腔，口唇
trochlear (CN IV) 滑車神経	下丘のすぐ下で中脳の背外側面から(脳神経で脳幹の背面から出る唯一の神経)	頭蓋腔中の経過が最も長く脳幹を回り込み後床突起近くでテントの自由縁の硬膜に入り海綿静脈洞の外側壁を通って上眼窩裂から眼窩に入る	運動性：上斜筋
tympanic 鼓室神経	舌咽神経(IX)の頭蓋外での最初の枝で下舌咽神経節から出る	反回するように進んで鼓室神経管を経て鼓室に入り迷路の岬角上で分枝して鼓室神経叢となる	遠心性：副交感神経節前線維が耳神経節にはいり耳下腺の分泌を支配する．感覚性：鼓室粘膜，乳突蜂巣，耳管
ulnar 尺骨神経	腕神経叢の内側神経束の最終枝(C8, T1,ときにC7)	腕神経叢の内側神経束の最終枝(C8, T1,ときにC7)	運動性：手の筋の大部分(小指筋，骨間筋，母指内転筋，短母指屈筋深頭，内側虫様筋)．感覚性：内側1本半の指の掌側と背束遠位部の皮膚，その近辺の掌側皮膚

神経名	起始	経路	支配対象構造・部位
upper subscapular 上肩甲下神経	腕神経叢の後神経束の枝(C5, 6)	後方へ進んで肩甲下筋に入る	運動性：肩甲下筋の上部
vagus (CN X) 迷走神経	延髄から 8 －10根として	胸鎖関節と腕頭静脈の後ろで縦隔上部に入り反回神経を出した後で腹部に入る	遠心性：喉頭と食道上部の随意筋，気管支樹の不随意筋と腺，左結腸角までの腸管，肺神経叢を経て心臓，食道神経叢，心臓神経叢．求心性：咽頭，喉頭，前記各部位からの求心性線維
vestibular 前庭神経	内耳神経の一部	内耳道を通り抜けて内耳道底で前庭神経節に入り分枝は骨迷路の前庭に進む	感覚性：半規管膨大部稜，卵形嚢斑，球形嚢斑(平衡覚)
vestibulocochlear (CN VIII) 内耳神経	橋と中脳の境の溝から	内耳道を通り抜けて前庭神経と蝸牛神経とに分かれる	感覚性：ラセン器(聴覚)，半規管膨大部稜，卵形嚢斑，球形嚢斑(平衡覚)
zygomatic 頬骨神経	上顎神経(V2)	眼窩の床で起こって頬骨顔面神経と頬骨側頭神経に分かれ同名の孔を通り抜ける．交通枝は涙腺神経と合流する	感覚性：頬骨弓の皮膚，側頭前部の皮膚．遠心性：副交感神経節後線維が翼口蓋神経節から涙腺に入る

ligamnets and tendons of the human body　人体の靱帯と腱

Shoulder/Upper Arm　肩・上腕

ラテン語名	英語名	日本語名	連結
Lm. acromioclaviculare	acromioclavicular l.	肩鎖靱帯	肩峰を鎖骨に連結．関節嚢を強化
Lm. anulare radii	anular l. of radius	橈骨輪状靱帯	橈骨切痕内に橈骨頭を連結
Lm. collaterale ulnare	ulnar collateral l.	肘関節の内側側副靱帯	上腕骨内側上顆を尺骨の鉤状突起と肘頭に連結
Lm. conoideum	conoid l.	円錐靱帯	肩甲骨烏口突起を鎖骨に連結
Lm. coracoacromiale	coracoacromial l.	烏口肩峰靱帯	烏口突起を肩峰に連結
Lm. coracoclaviculare	coracoclavicular l.	烏口鎖骨靱帯	肩甲骨烏口突起を鎖骨に連結
Lm. coracohumerale	coracohumeral l.	烏口上腕靱帯	肩甲骨烏口突起を上腕骨に連結
Lm. costoclaviculare	costoclavicular l.	肋鎖靱帯	第一肋軟骨を鎖骨に連結
Lm. glenohumeralia	glenohumeral ligs.	関節上腕靱帯	上腕骨の関節包を関節窩と上腕骨解剖頸に連結
Lm. interclaviculare	interclavicular l.	鎖骨間靱帯	鎖骨を対側の鎖骨に連結
Lm. orbiculare radii	anular l. of radius	橈骨輪状靱帯	尺骨の橈骨切痕内に橈骨頭を抱え取り巻く
Lm. sternoclaviculare anterius	anterior sternoclavicular l.	前胸鎖靱帯	胸鎖関節を前方から補強する線維帯
Lm. sternoclaviculare posterius	posterior sternoclavicular l.	後胸鎖靱帯	胸鎖関節を後方から補強する線維帯
Lm. suspensorium axillae	suspensory l. of axilla	腋窩堤靱帯	鎖骨胸筋筋膜に続き，下方で腋窩筋膜に連結
Lm. transversum humeri	transverse humeral l.	横上腕靱帯	上腕骨の大結節から小結節に斜めに連結
Lm. transversum scapulae inferius	inferior transverse scapulae l.	下肩甲横靱帯	肩甲骨を関節窩に連結．血管・神経のために肩甲骨で膜組織の孔をつくる
Lm. transversum scapulae superius	superior transverse scapulae l.	上肩甲横靱帯	烏口突起を肩甲切痕に連結
Lm. trapezoideum	trapezoid l.	菱形靱帯	烏口突起を鎖骨に連結

Hand/Forearm　手・前腕

ラテン語名	英語名	日本語名	連結
Lm. anulare radii	anular l. of radius	橈骨輪状靱帯	橈骨を尺骨に連結
Lm. carpi radiatum	radiate carpal l.	放線状手根靱帯	中手骨掌側面の多数の線維帯
Lm. carpi transversum	transverse carpal l.	横手根靱帯	前腕筋膜につながる
Lm. carpi volare	transverse carpal l.	掌側腕靱帯	前腕筋膜，手根掌側面における強い線維
La. carpometacarpalia dorsalia	dorsal carpometacarpal ligs.	背側手根中手靱帯	手根骨と中手骨底を連結

ラテン語名	英語名	日本語名	連結
La. carpometacarpalia palmaria	palmar carpometacarpal ligs.	掌側手根中手靱帯	手根骨と中手骨を連結
La. collateralia articulationum interphalangealium manus	collateral ligs. of interphalangeal articulations	指節間関節の側副靱帯	指節間関節の両側の線維帯
La. collateralia articulationum metacarpophalangealium	collateral ligs. of metacarpophalangeal articulations	中手指節関節の側副靱帯	中手指節関節の両側の線維帯
Lm. collaterale carpi radiale	radial collateral ligament of wrist joint	外側手根側副靱帯	橈骨茎状突起を舟状骨に連結
Lm. collaterale carpi ulnare	ulnar collateral ligament of wrist joint	内側手根側副靱帯	尺骨茎状突起を三角骨と豆状骨に連結
Lm. collaterale radiale	radial collateral l.	外側側副靱帯	上腕骨外側上顆を橈骨輪状靱帯に連結
La. intercarpalia dorsalia	dorsal intercarpal ligs.	背側手根間靱帯	手根骨を連結
La. intercarpalia interossea	interosseous intercarpal ligs.	骨間手根間靱帯	様々な手根骨を連結
La. intercarpalia palmaria	palmar intercarpal ligs.	掌側手根間靱帯	様々な手根骨を連結
La. metacarpalia dorsalia	dorsal metacarpal ligs.	背側中手靱帯	中手骨底を相互連結
La. metacarpalia interossea	interosseous metacarpal ligs.	骨間中手靱帯	中手骨底を相互連結
La. metacarpalia palmaria	palmar metacarpal ligs.	掌側中手靱帯	中手骨底を相互連結
Lm. metacarpeum transversum profundum	deep transverse metacarpal l.	深横中手靱帯	中手骨骨頭を相互連結
Lm. metacarpale transversum superficiale	superficial transverse metacarpal l.	浅横中手靱帯	三角形の手掌筋膜底の最遠位部の深筋膜の肥厚部
Lm. palmaria	palmar l.	掌側靱帯	各中手指節関節および指骨間関節の前面上を連結
La. palmaria articulationis interphalangeae manus	palmar ligs. of interphalangeal joints of the hand	手の指節間関節の掌側靱帯	側副靱帯間の手の指節間関節
La. palmaria articulationis metacarpop halangeae	palmar ligs. of metacarpophalangeal joints	中手指節関節の掌側靱帯	中手指節関節を側副靱帯に連結
Lm. pisohamatum	pisohamate l.	豆鉤靱帯	豆状骨を有鉤骨鉤に連結
Lm. pisometacarpeum	pisometacarpal l.	豆中手靱帯	豆状骨を中手骨底に連結
Lm. quadratum	quadrate l.	方形靱帯	尺骨の橈骨切痕を橈骨頸に連結
Lm. radiocarpale dorsale	dorsal radiocarpal l.	背側橈骨手根靱帯	橈骨を手根骨に連結
Lm. radiocarpale palmare	palmar radiocarpal l.	掌側橈骨手根靱帯	橈骨を月状骨，三角骨，有頭骨，有鉤骨に連結
Lm. ulnocarpale palmare	palmar ulnocarpal l.	掌側尺骨手根靱帯	尺骨茎状突起を手根骨に連結

Spine 脊柱

ラテン語名	英語名	日本語名	連結
La. alaria	alar ligs.	翼状靱帯	軸椎を後頭に連結．頭部の回転を制限
Lm. apicis dentis	apical l. of dens	歯尖靱帯	軸椎を後頭に連結
Lm. atlantooccipitale laterale	lateral atlantooccipital l.	外側環椎後頭靱帯	後頭を環椎に連結
Lm. capitis costae intraarticulare	intraarticular l. of head of rib	関節内肋骨頭靱帯	肋骨稜を椎間円板に連結
Lm. capitis costae radiatum	radiate l. of head of rib	放線状肋骨頭靱帯	肋骨頭に隣接する椎体または椎間円板に連結
Lm. caudale integumenti communis	caudal retinaculum	尾骨支帯	尾骨窩を形成
Lm. costotransversarium	costotransverse l.	肋横突靱帯	肋骨頸を対応する椎骨の横突起に連結
Lm. costotransversarium laterale	lateral costotransverse l.	外側肋横突靱帯	横突起を対応する肋骨に連結
Lm. costotransversarium superius	superior costotransverse l.	上肋横突靱帯	肋骨頸をその上の椎骨の横突起に連結
Lm. cruciforme atlantis	cruciform l. of atlas	環椎十字靱帯	環椎横靱帯を縦走筋膜に連結
La. flava	yellow ligs.	黄色靱帯	2つの隣接した椎弓をつなぐ
Lm. iliofemorale	iliofemoral l.	腸骨大腿靱帯	下前腸骨棘と大腿骨の転子間を連結
Lm. iliolumbale	iliolumbar l.	腸腰靱帯	第四—第五腰椎を腸骨稜に連結
Lm. interspinale	interspinous l.	棘間靱帯	棘突起を相互連結
Lm. intertransversarium	intertransverse l.	横突間靱帯	脊椎の横突起を相互連結
Lm. longitudinale anterius	anterior longitudinal l.	前縦靱帯	後頭から尾骨に及ぶ
Lm. longitudinale posterius	posterior longitudinal l.	後縦靱帯	後頭／環椎から仙骨に及ぶ
Lm. lumbocostale	lumbocostal l.	腰肋靱帯	第十二肋骨を第一—第二腰椎の横突起に連結
Lm. sacrococcygeum anterius	anterior sacrococcygeal l.	前仙尾靱帯	仙骨を尾骨に連結
Lm. sacrococcygeum laterale	lateral sacrococcygeal l.	外側仙尾靱帯	第一尾椎を仙骨に連結．第五仙椎の孔をつくる
Lm. sacrococcygeum posterius profundum	deep posterior sacrococcygeal l.	深後仙尾靱帯	後縦靱帯の末端部．第五仙椎と尾骨を連結
Lm. sacrococcygeum posterius superficiale	superficial posterior sacrococcygeal l.	浅後仙尾靱帯	仙骨裂孔を尾骨に連結
La. sacroiliaca anteriora	anterior sacroiliac lig.	前仙腸靱帯	仙骨を腸骨に連結
La. sacroiliaca interossea	interosseous sacroiliac ligs.	骨間仙腸靱帯	腸骨粗面と仙骨粗面を連結する多数の束
La. sacroiliaca posteriora	posterior sacroiliac ligs.	後仙腸靱帯	腸骨と腸骨棘を仙骨に連結

ラテン語名	英語名	日本語名	連結
Lm. sacrospinale	sacrospinous l.	仙棘靱帯	坐骨を仙骨の外側縁に連結
Lm. sacrotuberale	sacrotuberous l.	仙結節靱帯	坐骨結節を仙骨・尾骨・腸骨棘に連結
Lm. supraspinale	supraspinous l.	棘上靱帯	椎骨の棘突起の先端を相互連結
Lm. transversum atlantis	transverse l. of atlas	環椎横靱帯	環椎十字靱帯の水平部

Abdominal/Pelvic　腹・骨盤

ラテン語名	英語名	日本語名	連結
Lm. arcuatum laterale	lateral arcuate l.	外側弓状靱帯	第一腰椎と第十二肋骨を横隔膜に連結
Lm. arcuatum mediale	medial arcuate l.	内側弓状靱帯	第一腰椎を横突起に連結
Lm. arcuatum pubis	inferior pubic l.	恥骨弓靱帯	恥骨結合を横切る弓状
Lm. falciforme	falciform process of sacrotuberous l.	仙結節靱帯の鎌状突起	坐骨結節から腸骨・仙骨・尾骨へ走る
Lm. laterale vesicae	lateral l. of bladder	膀胱外側靱帯	膀胱の両端から出て骨盤筋膜とつながる
Lm. pectineale	pectineal l.	恥骨櫛靱帯	恥骨櫛状線に沿って裂孔靱帯から外側に走る太い強靱な線維帯
Lm. pubicum inferius	inferior pubic l.	恥骨弓靱帯	恥骨結合下方を横切る弓状
Lm. pubicum superius	superior pubic l.	上恥骨靱帯	恥骨結合上を横走する
Lm. pubofemorale	pubofemoral l.	恥骨大腿靱帯	恥骨の上枝から大腿骨転子に向かって連結
Lm. sacrodurale	sacrodural l.	仙骨硬膜靱帯	硬膜の袋の下端から仙骨の後縦靱帯に向かって連結
Lm. sacroiliacum posterius	posterior sacroiliac l.	後仙腸靱帯	仙腸関節後方を腸骨から仙骨へ連結
Lm. sacrospinale	sacrospinous l.	仙棘靱帯	坐骨棘と仙骨と尾骨の間を連結

Hip/Thigh　腰・大腿

ラテン語名	英語名	日本語名	連結
Lm. capitis femoris	l. of head of femur	大腿骨頭靱帯	大腿骨，寛骨臼切痕，寛骨臼横靱帯を連結
Lm. inguinale	inguinal l.	鼡径靱帯	恥骨に腸骨を連結
Lm. ischiofemorale	ischiofemoral l.	坐骨大腿靱帯	大腿骨に坐骨を連結
Lm. transversum acetabuli	transverse acetabular l.	寛骨臼横靱帯	寛骨臼切痕に寛骨臼唇の寛骨臼唇を連結

Knee/Calf　膝・ふくらはぎ

ラテン語名	英語名	日本語名	連結
Lm. capitis fibulae anterius	anterior l. of fibular head	前腓骨頭靱帯	腓骨頭を脛骨外側顆に連結

ラテン語名	英語名	日本語名	連結
Lm. capitis fibulae posterius	posterior l. of fibular head	後腓骨頭靱帯	腓骨頭を脛骨外側顆に連結
Lm. collaterale fibulare	fibular collateral l.	膝関節の外側側副靱帯	大腿骨外側上顆を腓骨頭に連結
Lm. collateral tibiale	tibial collateral l.	膝関節の内側側副靱帯	大腿骨内側上顆を内側半月と脛骨に連結
Lm. cruciatum anterius genus	anterior cruciate l. of knee	前十字靱帯	大腿骨外側顆を脛骨の顆間に連結
La. cruciata genus	cruciate ligs. of knee	膝十字靱帯	膝関節で大腿骨顆間に包まれる
Lm. cruciatum posterius genus	posterior cruciate l. of knee	後十字靱帯	大腿骨内側顆を脛骨の顆間に連結
Lm. menisci lateralis	posterior meniscofemoral l.	後半月大腿靱帯	大腿骨内側顆間を外側半月の後方に連結
Lm. meniscofemorale anterius	anterior meniscofemoral l.	前半月大腿靱帯	外側半月を後十字靱帯に連結
Lm. meniscofemorale posterius	posterior meniscofemoral l.	後半月大腿靱帯	外側半月を大腿骨内側顆に連結
Lm. patellae	patellar l.	膝蓋靱帯	膝蓋骨を脛骨粗面に連結
Lm. popliteum arcuatum	arcuate popliteal l.	弓状膝窩靱帯	腓骨を関節包に連結
Lm. popliteum obliquum	oblique popliteal l.	斜膝窩靱帯	脛骨内側顆を大腿骨外側上顆に連結
Lm. capitis femoris	l. of head of femur	大腿骨頭靱帯	大腿骨頭窩から寛骨臼切痕縁へ連結
Lm. tibiofibulare anterius anterior	tibiofibular l.	脛腓靱帯	脛骨を腓骨に連結
Lm. tibiofibulare posterius	posterior tibiofibular l.	後脛腓靱帯	脛骨を腓骨遠位部に連結
Lm. tibionaviculare	tibionavicular part of medial l. of ankle joint	脛舟靱帯	脛骨内果から足根骨へ向かって連結
Lm. transversum genus	transverse l. of knee	膝横靱帯	外側半月を内側半月に連結

Foot and Ankle 足・足首

ラテン語名	英語名	日本語名	連結
Lm. bifurcatum	bifurcate l.	二分靱帯	足背．踵舟靱帯と踵立方靱帯を含む
Lm. calcaneocuboideum	calcaneocuboid l.	踵立方靱帯	踵骨を立方骨に連結
Lm. calcaneocuboideum plantare	"plantar calcaneocuboid l., short plantar l."	底側踵立方靱帯	踵骨を立方骨に連結
Lm. calcaneofibulare	calcaneofibular l.	踵腓靱帯	腓骨を踵骨に連結
Lm. calcaneonaviculare	calcaneonavicular l.	踵舟靱帯	踵骨を舟状骨に連結
Lm. calcaneonaviculare dorsale	dorsal calcaneonavicular l.	背側踵舟靱帯	踵骨を舟状骨に連結
Lm. calcaneonaviculare plantare	plantar calcaneonavicular l.	底側踵舟靱帯	載距突起を舟状骨に連結．距骨を支える
Lm. calcaneotibiale	calcaneotibial l.	踵脛靱帯	内果を踵骨の載距突起に連結

ラテン語名	英語名	日本語名	連結
La. collateralia articulationum	collateral ligs. of metatarsophalangeal articulations	中足趾節関節の側副靱帯	中足趾節関節の両側の線維帯
Lm. crucialtum cruris	inferior extensor retinaculum	足の下伸筋支帯	果を足背につなぐ
Lm. cuboideonaviculare dorsale	dorsal cuboideonavicular l.	背側立方舟靱帯	立方骨と舟状骨を連結
Lm. cuboideonaviculare plantare	plantar cuboideonavicular l.	底側立方舟靱帯	立方骨と舟状骨を連結
Lm. cuneocuboideum dorsale	dorsal cuneocuboid l.	背側楔立方靱帯	立方骨と外側楔状骨を連結
Lm. cuneocuboideum interosseum	interosseous cuneocuboid l.	骨間楔立方靱帯	立方骨と外側楔状骨を連結
Lm. cuneocuboideum plantare	plantar cuneocuboid l.	底側楔立方靱帯	立方骨と外側楔状骨を連結
La. cuneometatarsalia interossea	interosseous cuneometatarsal ligs.	骨間楔中足靱帯	楔状骨と中足骨を連結
La. cuneonavicularia dosalia	dorsal cuneonavicular ligs.	背側楔舟靱帯	舟状骨と楔状骨を連結
La. cuneonavicularia plantaria	plantar cuneonavicular llligs.	底側楔舟靱帯	舟状骨を楔状骨に連結
La. intercuneiformia dorsalia	dorsal intercuneiform ligs.	背側楔間靱帯	楔状骨の背面に連結
La. intercuneiformia interossea	interosseous intercuneiform ligs.	骨間楔間靱帯	隣接の楔状骨を連結
La. intercuneiformia plantaria	plantar intercuneiform ligs.	底側楔間靱帯	楔状骨の足底表面をつなぐ
Lm. laterale articulationis talocruralis	lateral l. of ankle joint	距腿関節の外側靱帯	距腿関節の外側
Lm. mediale articulationis talocruralis	medial l. of ankle joint	距腿関節の内側靱帯	脛骨の内果を足根骨に連結
La. meniscofemoralia	meniscofemoral ligs.	半月大腿靱帯	外側半月の後部から内側半月の外側表面へ連結
Lm. metatarsale transversum profundum	deep transverse metatarsal l.	深横中足靱帯	中足骨頭をつなぐ
Lm. metatarsale transversum superficiale	superficial transverse metatarsal l.	浅横中足靱帯	中足骨頭の下の足底に横たわる
La. metatarsalia dorsalia	dorsal metatarsal ligs.	背側中足靱帯	中足骨底を相互連結
La. metatarsalia interossea	interosseous metatarsal ligs.	骨間中足靱帯	中足骨底を相互連結
La. metatarsalia plantaria	plantar metatarsal ligs.	底側中足靱帯	中足骨の足底面
La. plantaria articulationis interphalangealium pedis	plantar ligs. of interphalangeal joints of foot	趾節間関節の底側靱帯	側副靱帯間の趾節間関節
La. plantaria articulationis metatarsophalangeae	plantar ligs. of metatarsophalangeal joints	中足趾節関節の底側靱帯	側副靱帯間の中足趾節関節の足底面
Lm. plantare longum	long plantar l.	長足底靱帯	踵骨を中足骨底に連結
Lm. talocalcaneum	talocalcaneal l.	距踵靱帯	距骨を踵骨に連結

ラテン語名	英語名	日本語名	連結
Lm. talocalcaneum laterale	lateral talocalcaneal l.	外側距踵靱帯	距骨を踵骨に連結
Lm. talocalcaneum mediale	medial talocalcaneal l.	内側距踵靱帯	距骨の結節を踵骨の載距突起に連結
Lm. talocalcaneare interosseum	talocalcaneal interosseous l.	骨間距踵靱帯	踵骨を距骨に連結
Lm. talofibulare anterius	anterior talofibular l.	前距腓靱帯	腓骨の外果を距骨の後突起に連結
Lm. talonaviculare	talonavicular l.	距舟靱帯	距骨頸を舟状骨に連結
Lm. talotibiale medial	tibiotalar l.	脛距靱帯	足根骨の脛骨の内果から下方へ連結
La. tarsi	tarsal ligs.	足根靱帯	足根骨の脛骨内果から下方へ連結
La. tarsi dorsalia	dorsal tarsal ligs.	背側足根靱帯	以下の総称．二分靱帯，背側立方舟靱帯，楔立方靱帯，楔舟靱帯，楔間靱帯，距舟靱帯
La. tarsi interossea	tarsal interosseous ligs.	骨間足根靱帯	以下の総称．距踵靱帯，楔立方靱帯，楔間靱帯
La. tarsi plantaria	plantar tarsal ligs.	底側足根靱帯	以下の総称．長足底靱帯，底側踵立方靱帯，底側踵舟靱帯，底側楔舟靱帯，底側立方舟靱帯，底側楔間靱帯，底側楔立方靱帯
La. tarsometatarsalia dorsalia	dorsal tarsometatarsal ligs.	背側足根中足靱帯	中足骨底を背側立方骨・楔状骨に連結
La. tarsometatarsalia plantaria	plantar tarsometatarsal ligs.	底側足根中足靱帯	中足骨を立方骨・楔状骨に連結
Lm. transversum cruris	superior extensor retinaculum	足の上伸筋支帯（下腿横靱帯）	頸骨を腓骨に連結．適所に伸筋腱を保持
tendo calcaneus	"achilles tendon, calcaneal tendon"	アキレス腱，踵骨腱	下腿三頭筋を踵骨隆起に連結

bones of the human body　人体の骨

Cranium　頭蓋

Cranial Bones　頭蓋骨

骨名	定義説明	連結	コメント
conchae, inferior nasal (turbinate) 下鼻甲介	縁が彎曲した薄い海綿状骨板．中鼻道と下鼻道に分かれ，巻貝のような形をしている	篩骨，涙骨，上顎骨，口蓋骨	
ethmoid 篩骨	水平位の篩板，正中面の垂直板と２つの外側塊を４つの部分をもつ．非常に軽い海綿状の立方体様の骨	蝶形骨，前頭骨，鋤骨，下鼻甲介，涙骨，口蓋骨，上顎骨	頭蓋の最も深部に位置し，鼻を二分する
frontal 前頭骨	前額を形成する前頭鱗と眼窩上壁と鼻腔を形成する眼窩部の２つの部分をもつ	蝶形骨，篩骨と両側の頭頂骨，鼻骨，上顎骨，涙骨，頬骨，	
occipital 後頭骨	頭蓋の後壁と底部の台形の骨．大後頭孔と呼ばれる大きな卵形の開口によって頭蓋腔が脊柱管に交通する	頭頂骨，蝶形骨，側頭骨，環椎	
parietal 頭頂骨	頭蓋冠の上部の大部分．頭頂骨の連結は冠状縫合，鱗状縫合，矢状縫合，ラムダ状縫合がある	前頭骨，後頭骨，蝶形骨，側頭骨	
sphenoid 蝶形骨	頭蓋底に位置する，体，大翼，小翼，翼状突起からなる，くさび形の骨	全ての頭蓋の骨	視神経管，上眼窩裂，正円孔，卵円孔，棘孔の５つの重要な開口部をもつ
temporal 側頭骨	鱗部，鼓室部，乳様突起，錐体部，茎状突起からなる．頭蓋骨の下外側と頭蓋底の一部を形成する	後頭骨，蝶形骨，下顎骨，頭頂骨，頬骨	感染症が乳突蜂巣から脳まで広がることがある

Facial bones　顔面骨

骨名	定義説明	連結	コメント
lacrimal 涙骨	顔面で最も小さく，最も壊れやすい骨	上部で前頭骨，後部で篩骨，前部で上顎骨，下部で下鼻甲介	涙を排出する涙嚢を含む
mandible 下顎骨	水平の下顎骨体と２本の直立した下顎枝よりなる下顎を形成するＵ字型の骨	側頭骨	下顎骨体は下歯を固定する
maxilla 上顎骨	上顎骨体と頬骨突起，前頭突起，歯槽突起，口蓋突起からなる上顎を形成している一対の骨	下顎骨体以外のすべての顔面骨	上歯を支持する
nasal 鼻骨	鼻橋を形成する小さな一対の長方形の骨．	上部で前頭骨，後部で篩骨，反対側の鼻骨，外側で上顎骨	
palatine 口蓋骨	硬口蓋，鼻腔と眼窩底の外壁の一部を形成する一対のＬ字状の骨	蝶形骨，篩骨，上顎骨，下鼻甲介，鋤骨と反対側の口蓋骨	
vomer 鋤骨	鼻腔の位置し，鼻中隔の下部を形成する台形の骨	蝶形骨，篩骨，上顎骨，口蓋骨	
zygomatic 頬骨	一般に cheekbone とよばれた．頬部の隆起と不規則に形づくられる眼窩底の外側を形成する	蝶形骨，前頭骨，上顎骨，側頭骨	

Middle Ear 中耳

骨名	定義説明	連結	コメント
incus キヌタ骨	中耳の3つの耳小骨の中央の骨．体と長い脚と短い脚からなる砧に似た形の骨．	ツチ骨，アブミ骨	哺乳類のみにある
malleus ツチ骨	耳小骨の最も外側のこん棒（槌）に似た形の骨．鼓膜からキヌタ骨まで音を伝える	中央でキヌタ骨	哺乳類のみにある
stapes アブミ骨	耳小骨の最も内側の骨．最も小さく，鐙の形に似ている．キヌタ骨から卵円窓まで音を伝える	キヌタ骨	卵円窓へのアブミ骨底の癒合は耳硬化症を引き起す

Neck 頸部

骨名	定義説明	連結	コメント
atlas 環椎	第一頸椎(C1)．頭蓋を支持する	上部で後頭骨，下部で軸椎	
axis 軸椎	第二頸椎(C2)．環椎と頭蓋の回転のための中心軸として用いられる歯突起を含む	上部で後頭骨と環椎，下部で第三頸椎	外傷では頭蓋は下部へ追いやられ，脳幹を歯突起のほうへ追いやる．鞭打ち症を含む自動車事故では歯突起は頸部脊髄の後方へ追いやられる
hyoid 舌骨	体と2つの大角，2つの小角からなる．移動可能な舌の根元にあり，頸筋に付着し，茎突舌骨靱帯によって吊るされている	なし	頭蓋骨のなかで他の骨と連結していない唯一の骨

Shouder Girdle 上肢帯

骨名	定義説明	連結	コメント
clavicle 鎖骨	一般に collar bone とよばれた．中軸骨格に付随し，肩甲骨と共に腕の自由な可動を可能にする	内側で胸骨，外側で肩峰，肩甲骨の一部	しばしば肩または伸ばした腕から倒れこんだときに骨折する
scapula 肩甲骨	上肢帯の後部をなす平坦で三角形状の骨．上腕骨を鎖骨に結びつける	鎖骨，上腕骨	

Thorax 胸部

骨名	定義説明	連結	コメント
sternum 胸骨	一般に breast bone とよばれた．長い扁平な骨で，胸部の前正中線にある．胸骨柄，体，剣状突起からなる	外側に鎖骨，第一—第七肋骨	剣状突起への外傷は，心臓または肝臓を巻き込むと大量出血を引き起す可能性がある
ribs 肋骨	12対の扁平な弓形の骨で，後部で胸椎に連結し，前部に弯曲している．上部7対の肋骨は直接胸骨に連結し真肋を形成する．下部5対の肋骨は仮肋を形成する．第十一，十二肋骨は浮遊肋とよばれる．長さは第一—七肋骨まで増大し，第八〜十二肋骨までは減少する	後部で胸椎，上部7対は前部で胸骨	肋骨骨折の最も頻度が高い原因は胸部に対する鈍的外傷である．それは肺実質損傷，心挫傷，気胸症を引き起すことがある

骨名	定義説明	連結	コメント
vertebra 椎骨	脊柱は33個に分かれた骨からなる．頸部(7個)，胸部(12個)，腰部(5個)，仙骨(5個癒合)，尾骨(4個癒合)．		脊柱側弯症は脊椎の異常な側方回旋弯曲を含み，脊柱後弯症は病的な胸部の弯曲，脊柱前弯症は腰部の病的な弯曲である

Upper Extremitis　上肢

Arm and Forearm　上腕・前腕

骨名	定義説明	連結	コメント
humerus 上腕骨	上肢の最大最長の骨	肩で肩甲骨，肘で橈骨および尺骨	外科頸は最も頻繁な骨折部分
radius 橈骨	尺骨の外側．プリズム形．近位で薄く，遠位でより広い	近位で上腕骨と尺骨，遠位で手根骨と尺骨	橈骨手根関節機能に非常に寄与する
ulna 尺骨	橈骨の内側．橈骨よりわずかに長い．プリズム形．近位に肘頭突起．橈骨切痕，尺骨粗面．遠位に茎状突起	近位で上腕骨と橈骨，遠位で橈骨	肘関節機能に非常に寄与する

Carpal Bones　手根骨

骨名	定義説明	連結	コメント
carpal 手根骨	2列に並んだ8個の骨．遠位列は大菱形骨，小菱形骨，有頭骨，有鉤骨からなる．近位列は舟状骨，月状骨，三角骨，豆状骨からなる		骨折の約60%は舟状骨に関係する
capitate 有頭骨	手根骨中最大の骨で，遠位列に存在し，頭蓋のような形	近位で舟状骨と月状骨，遠位で第二・第三・第四中手骨，橈側で大菱形骨，尺側で有鉤骨	
hamate 有鉤骨	手根の遠位列の最も内側の骨で，鉤のような形．鉤様突起は手掌の屈筋腱の連結のため	近位で月状骨，遠位で第四・第五中手骨，内側で三角骨，外側で有頭骨	
lunate 月状骨	手根の近位列の骨で，三日月のような形	近位で橈骨，遠位で有頭骨と有鉤骨，外側で舟状骨，内側で三角骨	
pisiform (lentiform) 豆状骨	手根の近位列の骨で，大きさや形がグリンピースに似ている	三角骨	
scaphoid 舟状骨	手根の近位列の最も外側の骨で，こぎ船のような形．解剖的かぎタバコ入れの底部をつくる	近位で橈骨，大菱形骨，小菱形骨，有頭骨，月状骨	比較的容易に骨折する．血行不良のためゆっくり治癒する．
trapezium (greater mutangular) 大菱形骨(大多角骨)	手根の遠位列の最も外側の骨	遠位で第一中手骨，内側で小菱形骨と第二中手骨，近位で舟状骨	
trapezoid (lesser multangular) 小菱形骨(小多角骨)	手根の遠位列の骨	近位で舟状骨，遠位で第二中手骨，外側で大菱形骨，内側で有頭骨	
triquetrum 三角骨	手根の近位列の最も内側の骨で，三角錐あるいはピラミッドのような形	有鉤骨，月状骨，豆状骨	尺骨には連結しない

Hands　手

骨名	定義説明	連結	コメント
metacarpal 中手骨	手の５つの長骨で，掌側でわずかに陥凹．円柱形	基節骨とともに，①大菱形骨，②大菱形骨，小菱形骨，有頭骨，第三中手骨，③有頭骨，第二・第四中手骨，④有頭骨，有鉤骨，第三・第五中手骨，⑤有鉤骨，第四中手骨	
sesamoid 種子骨	腱中に形成される短い骨．ゴマに似ているのでそう名づけられた		
phalanges 指節骨	基節骨，中節骨，末節骨からなる．手の14個の小型の長骨	基節骨，末節骨	母指は中節骨を欠く

Lower Extremitis　下肢

Pelvis　骨盤

骨名	定義説明	連結	コメント
hip（coxal） 寛骨	一般に hip bone とよばれ，os c-oxae とか innominate bone とも称される．腸骨(上部)，恥骨(中部)，坐骨(下部)からなる	大腿骨，後方で仙骨	
ilium 腸骨	寛骨の上部をなし，幅広く外方に張り出している．下方の腸骨体と上方の腸骨翼(翼の上縁は腸骨稜)とからなる	仙骨，恥骨	出生時には別個の骨であるが，後に坐骨および恥骨と癒合
ischium 坐骨	寛骨の後方下部にあたる．寛骨臼をつくる坐骨体，および坐骨枝からなる	腸骨，恥骨，大腿骨	出生時には別個の骨であるが，後に腸骨および恥骨と癒合
pubis 恥骨	寛骨の前下方部にあり，Ｖ字形．上枝と下枝からなる	坐骨，腸骨，大腿骨	出生時には別個の骨であるが，後に腸骨および坐骨と癒合．恥骨弓の鋭さは性の識別を助ける
sacrum 仙骨	骨盤後壁をつくる脊柱基底部にある大きな三角の骨．前方に陥凹彎曲	上方で腰椎，下方で尾骨	

Leg　脚

骨名	定義説明	連結	コメント
femur 大腿骨	近位で頭部と頸部，遠位で骨幹と２つの顆からなる．体中で最も長く大きく強い骨．下方に膝蓋骨	上方で寛骨臼(骨盤の陥凹)，下方に脛骨，膝蓋骨	頸部は最も弱い部分で，しばしば骨折し，股関節骨折を導く
fibula 腓骨	脛骨の外側．最も細長い骨	近位で脛骨，遠位で脛骨と膝蓋骨	体重を支えない．筋肉を付ける役目をする．
tibia 脛骨	一般に shin bone とよばれる．腓骨の内側．大腿骨から足へ体重を移動させる	近位で大腿骨と腓骨，遠位で距骨と腓骨	

Foot　足

骨名	定義説明	連結	コメント
calcaneus 踵骨	最も大き足根骨で，踵を形成する．後方でふくらはぎの筋肉の腱が付着	前方で立方骨，上方で距骨	骨はほとんどの体重を支える

骨名	定義説明	連結	コメント
cuboid 立方骨	外側の足根骨で，立方体	踵骨，外側楔状骨，第四・第五中足骨，舟状骨	
cuneiform 楔状骨	内側，中間，外側の３つの楔状骨からなり，くさび形	舟状骨，第一・第二・第三中足骨，立方骨の内側	
metatarsal 中足骨	足の５つの長骨で，プリズム形．足根骨から趾節骨へ徐々に細くなる．わずかに背面で凸弯，足底で陥凹	足根骨と基節骨．①内側楔状骨，②３個の楔状骨すべて，③外側楔状骨，④外側楔状骨と立方骨，⑤立方骨	第一中足骨は体重を支える
navicular 舟状骨	扁平な内側の足根骨．手根骨において scaphoid(舟状骨)ともよばれる	距骨，３個の楔状骨	
phalanges 趾節骨	基節骨，中節骨，末節骨からなる．足の14個の小型の長骨	基節骨，末節骨	母趾は中節骨を欠く
sesamoid 種子骨	腱中に形成される短い骨．ゴマの形		
talus 距骨	足首	上方で脛骨と腓骨，下方で踵骨．前方で舟状骨	
tarsals 足根骨	距骨，踵骨，立方骨，舟状骨，内側楔状骨，中間楔状骨，外側楔状骨の７つの骨からなる		

付録9：Laboratory Reference Range Values［検査参照範囲数値］

Show-Hong Duh, Ph D, DABCC, Department of Pathology,
University of Maryland School of Medicine
Janine Denis Cook, Ph D, Department of Medical and Research Technology,
University of Maryland School of Medicine

基準範囲数値は，表面上の健常人に関するものであるが，しばしば病人の数値とかなりオーバーラップする。実際の数値は，分析方法や標準化の違いによってかなり変動する可能性がある。医療機関は，それが対象としている特定の母集団に基づいて独自の基準範囲を設ける場合もあり，そのため地域差も存在する。したがって，個々の検査室によって報告される数値は，ここに掲げられているものとは異なる場合がある。

すべての数値は，慣用的な単位とSI単位（国際単位）で示されている。しかしSI単位が広く受容されていない場合には，慣用的な単位が使用されている。測定される物質が不均質であったり，化合物の正確な分子量が不確定である場合には，SI単位系に準じることができないため，容積当たりの質量が濃度の単位として使用されている。

略号

ACD：酸–クエン酸–右旋糖
AMP：アデノシン–リン酸
CEA：癌胎児抗原
CHF：うっ血性心不全
Cit：クエン酸塩
Cl：塩素
CNS：中枢神経系
CSF：脳脊髄液
cyclic AMP：アデノシン3′, 5′–サイクリックリン酸
EDTA：エチレンジアミン四酢酸
Hb：ヘモグロビン
HDL：高比重リポ蛋白
Hep：ヘパリン
LDL-C：低比重リポ蛋白–コレステロール
MB：ミオグロビン
NaCit：クエン酸ナトリウム
NAPA：*N*–アセチルプロカインアミド
Ox：シュウ酸
RBC：赤血球
RIA：放射免疫測定法
SD：標準偏差
WBC：白血病

参考文献

Burtis CA, Ashwood ER. eds. Tietz textbook of clinical chemistry, 3rd ed. Philadelphia; WB Saunders, 1998.

Children's Hospital, St. Louis, The Department of Clinical Laboratories, High Density Lipoprotein Lipid Panel: Cholesterol, HDL, Cholesterol, LDL (calculated), Cholesterol, Total, Triglycerides, Parathyroid Hormone (PTH). Available at http://webserver01.bjc.org/slch/pro/Professional.htm?http://webserver01.bjc.org/labtestguide/Lab%20Test%20Guidebook/slchlabsiteoutline.htm. Accessed April 20, 2004.

Clinical chemistry laboratory: Reference range values in clinical chemistry. Professional services manual. Baltimore, Department of Pathology, University of Maryland Medical System, 1999.

Harmening DM, ed. Hematologic values in chemical hematology and fundamentals of hemostasis, 2nd ed. Philadelphia; FA Davis, 1992.

Laboratory Corporation of America, Erythrocyte Sedimentation Rate, Westergren. Available at http://www.labcorp.com/datasets/labcorp/html/chapter/mono/he005000.htm. Accessed April 20, 2004.

Laboratory Corporation of America. Fecal Fat. Quantitative. Available at http://www.labcorp.com/datasets/labcorp/html/chapter/mono/sc008000.htm. Accessed April 20.2004.

National cholesterol education program: Report of the expert panel on detection, evaluation, and treatment of high blood cholesterol in adults. *Arch Intern Med* 1988;148:36-69.

Triglyceride, high density lipoprotein and coronary heart disease. National Institute of Health Consensus Statement, NIH Consensus Development Conference, 1992:10(2).

University of Texas Health Center at San Antonio. Neonatal Bilirubin. Available at http://labs-sec.uhs-sa.com/clinical_ext/dols/soprefrange.aps. Accessed April 20, 2004.

University of Texas Medical Branch. Erythrocyte Sedimentation Rate, Wintrobe. Available at http://www.utmb.edu/lsg/LabSurvivalGuide/hem/Sedimentation_Rate.htm. Accessed April 20, 2004.

University of Virginia Children's Medical Center. Therapy Review: Warfarin (Coumadin®). *Pediatric Pharmacotherapy*. January 1995;1(5):386. Available at http://www.people.virginia.edu/~smb4v/cmchome.html. Accessed April 20, 2004.

Wafarin Therapy in Children Who Require Long-Term Total Parenteral Nutrition. *Pediatrics* [electronic article]. November 2003;112(5):386. Available at http://pediatrics.aappublications.org/cgi/content/full/112/5/e386. Accessed April 20, 2004.

検査種目	慣用単位	SI単位
Acetaminophen, serum or plasma (Hep or EDTA)		
Therapeutic	10–30 μg/mL	66–199 μmol/L
Toxic	>200 μg/mL	>1,324 μmol/L
Acetone		
Serum		
Qualitative	Negative	Negative
Quantitative	0.3–2.0 mg/dL	0.05–0.34 mmol/L
Urine		
Qualitative	Negative	Negative
Acid hemolysis test (Ham)	<5% lysis	<0.05 lysed fraction
Adrenocorticotropin (ACTH) plasma		
8 AM	<120 pg/mL	<26 pmol/L
Midnight (supine)	<10 pg/mL	<2.2 pmol/L
*Alanine aminotransferase (ALT, SGPT), serum		
Male	13–40 U/L (37°C)	0.22–0.68 μkat/L (37°C)
Female	10–28 U/L (37°C)	0.17–0.48 μkat/L (37°C)
Albumin		
Serum		
Adult	3.5–5.2 g/dL	35–52 g/L
>60 y	3.2–4.6 g/dL	32–46 g/L
	Avg. of 0.3 g/dL higher in patients in upright position	Avg. of 3 g/L higher in patients in upright position
Urine		
Qualitative	Negative	Negative
Quantitative	50–80 mg/24 h	50–80 mg/24 h
CSF	10–30 mg/dL	100–300 mg/L
*Aldolase, serum	1.0–7.5 U/L (30°C)	0.02–0.13 μkat/L (30°C)
Aldosterone		
Serum		
Supine	3–16 ng/dL	0.08–0.44 nmol/L
Standing	7–30 ng/dL	0.19–0.83 nmol/L
Urine	3–19 μg/24 h	8–51 nmol/24 h
Amikacin, serum or plasma (EDTA)		
Therapeutic		
Peak	25–35 μg/mL	43–60 μmol/L
Trough		
Less severe infection	1–4 μg/mL	1.7–6.8 μmol/L
Life-threatening infection	4–8 μg/mL	6.8–13.7 μmol/L
Toxic		
Peak	>35–40 μg/mL	>60–68 μmol/L
Trough	>10–15 μg/mL	>17–26 μmol/L
∂-Aminolevulinic acid, urine	1.3–7.0 mg/24 h	10–53 μmol/24 h
Amitriptyline, serum or plasma (Hep or EDTA); trough (≥12 h after dose)		
Therapeutic	80–250 ng/mL	289–903 nmol/L
Toxic	>500 ng/mL	>1,805 nmol/L
Ammonia		
Plasma (Hep)	9–33 μmol/L	9–33 μmol/L

*検査値は検査方法によって異なる。

検査種目	慣用単位	SI単位
*Amylase		
Serum	27–131 U/L	0.46–2.23 μkat/L
Urine	1–17 U/h	0.017–0.29 μkat/h
Amylase: creatinine clearance ratio	1–4%	0.01–0.04
Androstenedione, serum		
Male	75–205 ng/dL	2.6–7.2 nmol/L
Female	85–275 ng/dL	3.0–9.6 nmol/L
Anion gap		
(Na – [Cl + HCO_3])	7–16 mEq/L	7–16 mmol/L
([Na + K] – [Cl + HCO_3])	10–20 mEq/L	10–20 mmol/L
α_1-Antitrypsin, serum	78–200 mg/dL	0.78–2.00 g/L
Apolipoprotein A-1		
Male	94–178 mg/dL	0.94–1.78 g/L
Female	101–199 mg/dL	1.01–1.99 g/L
Apolipoprotein B		
Male	63–133 mg/dL	0.63–1.33 g/L
Female	60–126 mg/dL	0.60–1.26 g/L
Arsenic		
Whole blood (Hep)	0.2–2.3 μg/dL	0.03–0.31 μmol/L
Chronic poisoning	10–50 μg/dL	1.33–6.65 μmol/L
Acute poisoning	60–930 μg/dL	7.98–1.24 μmol/L
Urine, 24 h	5–50 μg/d	0.07–0.67 μmol/L
Ascorbic acid, plasma (Ox, Hep, EDTA)	0.4–1.5 mg/dL	23–85 μmol/L
*Aspartate aminotransferase (AST, SGOT), serum	10–59 U/L (37°C)	0.17–1.00 –2 to +3 kat/L (37°C)
Base excess, blood (Hep)	–2 to +3 mEq/L	–2 to +3 mmol/L
Bicarbonate, serum (venous)	22–29 mEq/L	22–29 mmol/L
*†Bilirubin		
Bilirubin, direct		
Birth–death	0.0–0.4 mg/dL	
Bilirubin, total		
Birth–1 day	1.0–6.0 mg/dL	
1–2 days	6.0–7.5 mg/dL	
2–5 days	4.0–13.5 mg/dL	
5 days–death	0.2–1.2 mg/dL	
Total bilirubin, neonatal		
Birth–1 day	1.0–6.0 mg/dL	
1–2 days	6.0–7.5 mg/dL	
2–5 days	4.0–13.5 mg/dL	
5 days–1 month	0.0–1.8 mg/dL	
1 month–death	0.0–1.8 mg/dL	
Bone marrow, differential cell count		
Adult		
Undifferentiated cells	0–1%	0–0.01
Myeloblast	0–2%	0–0.02
Promyelocyte	0–4%	0–0.04
Myelocytes		
Neutrophilic	5–20%	0.05–0.20
Eosinophilic	0–3%	0–0.03
Basophilic	0–1%	0–0.01

*検査値は検査方法によって異なる。
†ビルビン値：出典 – Source: https://labs-sec.uhs-sa.com/clinical_ext/dols/soprefrange.asp

検査種目	慣用単位	SI単位
Metamyeolocytes and bands		
Neutrophilic	5–35%	0.05–0.35
Eosinophilic	0–5%	0–0.05
Basophilic	0–1%	0–0.01
Segmented neutrophilis	5–15%	0.05–0.15
Pronormoblast	0–1.5%	0–0.015
Basophilic normoblast	0–5%	0–0.05
Polychromatophilic normoblast	5–30%	0.05–0.30
Orthochromatic normoblast	5–10%	0.05–0.10
Lymphocytes	10–20%	0.10–0.20
Plasma cells	0–2%	0–0.02
Monocytes	0–5%	0–0.05
CA–125, serum	<35 U/mL	<35 kU/L
CA 15–3, serum	<30 U/mL	<30 kU/L
CA 19–9, serum	<37 U/mL	<37 kU/L
Cadmium, whole blood (Hep)	0.1–0.5 μg/dL	8.9–44.5 nmol/L
Toxic	10–300 μg/dL	0.89–26.70 μmol/L
Cadmium, urine, 24 h	<15 μg/d	<0.13 μmol/d
Calcitonin, serum or plasma		
Male	≤100 pg/mL	≤100 ng/L
Female	≤30 pg/mL	≤30 ng/L
Calcium, serum	8.6–10.0 mg/dL (Slightly higher in children)	2.15–2.50 mmol/L (Slightly higher in children)
Calcium, ionized, serum	4.64–5.28 mg/dL	1.16–1.32 mmol/L
Calcium, urine		
Low calcium diet	50–150 mg/24 h	1.25–3.75 mmol/24 h
Usual diet; trough	100–300 mg/24 h	2.50–7.50 mmol/24 h
Carbamazepine, serum or plasma (Hep or EDTA), trough		
Therapeutic	4–12 μg/mL	17–51 μmol/L
Toxic	>15 μg/mL	>63 μmol/L
Carbon dioxide, total serum/plasma (Hep)	22–28 mmol/L	22–28 mmol/L
Carbon dioxide (PCO_2), blood, arterial	Male 35–48 mmHg Female 32–45 mmHg	4.66–6.38 kPa 4.26–5.99 kPa
Carbon monoxide as carboxyhemoglobin (HbCO), whole blood (EDTA)		
Nonsmokers	0.5–1.5% total Hb	0.005–0.015 HbCO fraction
Smokers		
1–2 packs/d	4–5% total Hb	0.04–0.05 HbCO fraction
>2 packs/d	8–9% total Hb	0.08–0.09 HbCO fraction
Toxic	>20% total Hb	>0.20 HbCO fraction
Lethal	>50% total Hb	>0.5 HbCO fraction
Carotene, serum	10–85 μg/dL	0.19–1.58 μmol/L
Catecholamines, plasma (EDTA)		
Dopamine	<30 pg/mL	<196 pmol/L
Epinephrine	<140 pg/mL	<764 pmol/L
Norepinephrine	<1,700 pg/mL	<10,047 pmol/L

検査種目	慣用単位		SI単位
Catecholamines, urine			
Dopamine	65–400 μg/24 h		425–2,610 nmol/24 h
Epinephrine	0–20 μg/24 h		0–109 nmol/24 h
Norepinephrine	15–80 μg/24 h		89–473 nmol/24 h
CEA, serum			
Nonsmokers	<5.0 ng/mL		<5.0 μg/L
*Cell counts, adult			
Erythrocytes			
Male	4.7–6.1 × 10^{6}/μL		4.7–6.1 × 10^{12}/L
Female	4.2–5.4 × 10^{6}/μL		4.2–5.4 × 10^{12}/L
Leukocytes			
Total	4.8–10.8 × 10^{3}/μL		4.8–10.8 × 10^{6}/L
Differential	Percentage	Absolute	Absolute (SI)
Myelocytes	0	0/μL	0/L
Neutrophils			
Band	3–5	150–400/μL	150–400 × 10^{6}/L
Segmented	54–62	3,000–5,800/μL	3,000–5,800 × 10^{6}/L
Lymphocytes	20.5–51.1	1.2–3.4 × 10^{3}/μL	1.2–3.4 × 10^{9}/L
Monocytes	1.7–9.3	0.11–0.59 × 10^{3}/μL	0.11–0.59 × 10^{9}/L
Granulocytes	42.2–75.2	1.4–6.5 × 10^{3}/μL	1.4–6.5 × 10^{9}/L
Eosinophils		0–0.7 × 10^{3}/μL	0–0.7 × 10^{9}/L
Basophils		0–0.2 × 10^{3}/μL	0–0.2 × 10^{9}/L
Platelets	130–400 × 10^{3}/μL		130–400 × 10^{9}/L
Reticulocytes	0.5–1.5% RBCs 24,000–84,000/μL		0.005–0.015 of RBCs 24–84 × 10^{9}/L
Cells, CSF	0–10 lymphocytes/mm^{3} 0 RBC/mm^{3}		0–10 lymphocytes/mm^{3} 0 RBC/mm^{3}
Ceruloplasmin, serum	20–60 mg/dL		0.2–0.6 g/L
Chloramphenicol, serum or plasma (Hep or EDTA); trough			
Therapeutic	10–25 μg/mL		31–77 μmol/L
Toxic	>25 μg/mL		>77 μmol/L
Chloride			
Serum or plasma (Hep)	98–107 mmol/L		98–107 mmol/L
Sweat			
Normal	5–35 mmol/L		5–35 mmol/L
Cystic fibrosis	60–200 mmol/L		60–200 mmol/L
Urine, 24 h (vary greatly with Cl intake)			
Infant	2–10 mmol/24 h		2–10 mmol/24 h
Child	15–40 mmol/24 h		15–40 mmol/24 h
Adult	110–250 mmol/24 h		110–250 mmol/24 h
CSF	118–132 mmol/L (20 mmol/L higher than serum)		118–132 mmol/L (20 mmol/L higher than serum)
Cholesterol, serum			
Adult desirable	<200 mg/dL		<5.2 mmol/L
borderline	200–239 mg/dL		5.2–6.2 mmol/L
High-risk	≥240 mg/dL		≥6.2 mmol/L
*Cholinesterase, serum	4.9–11.9 U/mL		4.9–11.9 kU/L
Dibucaine inhibition	79–84%		0.79–0.84
Fluoride inhibition	58–64%		0.58–0.64

*検査値は検査方法によって異なる。

検査種目	慣用単位	SI単位
*Chorionic gonadotropin, intact		
Serum or plasma (EDTA)		
Male and nonpregnant female	<5.0 mIU/mL	<5.0 IU/L
Pregnant female	Varies with gestational age	
Urine, qualitative		
Male and nonpregnant female	Negative	Negative
Pregnant female	Positive	Positive
Clonazepam, serum or plasma (Hep or EDTA); trough		
Therapeutic	15–60 ng/mL	48–190 nmol/L
Toxic	>80 ng/mL	>254 nmol/L
Coagulation tests		
Antithrombin III (synthetic substrate)	80–120% or normal	0.8–1.2 or normal
Bleeding time (Duke)	0–6 min	0–6 min
Bleeding time (Ivy)	1–6 min	1–6 min
Bleeding time (template)	2.3–9.5 min	2.3–9.5 min
Clot retraction, qualitative	50–100% in 2 h	0.5–1.0/2 h
Coagulation time (Lee-White)	5–15 min (glass tubes) 19–60 min (siliconized tubes)	5–15 min (glass tubes) 19–60 min (siliconized tubes)
Cold hemolysin test (Donath-Landsteiner)	No hemolysis	No hemolysis
Complement components		
Total hemolytic complement activity, plasma (EDTA)	75–160 U/mL	75–160 kU/L
Total complement decay rate (functional), plasma (EDTA)	10–20% Deficiency: >50%	Fraction decay rate: 0.10–0.20 >0.50
Clq, serum	14.9–22.1 mg/dL	149–221 mg/L
Clr, serum	2.5–10.0 mg/dL	25–100 mg/L
Cls (Cl esterase), serum	5.0–10.0 mg/dL	50–100 mg/L
C2, serum	1.6–3.6 mg/dL	16–36 mg/L
C3, serum	90–180 mg/dL	0.9–1.8 g/L
C4, serum	10–40 mg/dL	0.1–0.4 g/L
C5, serum	5.5–11.3 mg/dL	55–113 mg/L
C6, serum	17.9–23.9 mg/dL	179–239 mg/L
C7, serum	2.7–7.4 mg/dL	27–74 mg/L
C8, serum	4.9–10.6 mg/dL	49–106 mg/L
C9, serum	3.3–9.5 mg/dL	33–95 mg/L
Coombs test		
Direct	Negative	Negative
Indirect	Negative	Negative
Copper		
Serum		
Male	70–140 μg/dL	11–22 μmol/L
Female	80–155 μg/dL	13–24 μmol/L
Urine	3–35 μg/24 h	0.05–0.55 μmol/24 h
Corpuscular values of erythrocytes (values are for adults; in children, values vary with age)		
Mean corpuscular hemoglobin (MCH)	27–31 pg	0.42–0.48 fmol
Mean corpuscular hemoglobin concentration (MCHC)	33–37 g/dL	330–370 g/L
Mean corpuscular volume (MCV)	Male　80–94 μm^3 Female 81–99 μm^3	80–94 fL 81–99 fL

*検査値は検査方法によって異なる。

検査種目	慣用単位	SI単位
Cortisol, serum		
Plasma (Hep, EDTA, Ox)		
8 AM	5–23 μg/dL	138–635 nmol/L
4 PM	3–16 μg/dL	83–441 nmol/L
10 PM	<50% of 8 AM value	<0.5 of 8 AM value
Free, urine	<50 μg/24 h	<138 mmol/24 h
*†Creatine kinase (CK), serum		
Male	15–105 U/L (30°C)	0.26–1.79 μkat/L (30°C)
Female	10–80 U/L (30°C)	0.17–1.36 μkat/L (30°C)
Note: Strenuous exercise or intramuscular injections may elevate transient CK levels.		
*Creatine kinase MB isoenzyme, serum	0–7 ng/mL	0–7 μg/L
*Creatinine		
Serum or plasma, adult		
Male	0.7–1.3 mg/dL	62–115 μmol/L
Female	0.6–1.1 mg/dL	53–97 μmol/L
Urine		
Male	14–26 mg/kg body weight/ 24 h	124–230 μmol/kg body weight/24 h
Female	11–20 mg/kg body weight/24 h	97–177 μmol/kg body weight/24 h
*Creatinine clearance, serum or plasma and urine		
Male	94–140 mL/min/1.73 m^2	0.91–1.35 mL/s/m^2
Female	72–110 mL/min/1.73 m^2	0.69–1.06 mL/s/m^2
Cryoglobulins, serum	0	0
Cyanide		
Serum		
Nonsmokers	0.004 mg/L	0.15 μmol/L
Smokers	0.006 mg/L	0.23 μmol/L
Nitroprusside therapy	0.01–0.06 mg/L	0.38–2.30 μmol/L
Toxic	>0.1 mg/L	>3.84 μmol/L
Whole blood (Ox)		
Nonsmokers	0.016 mg/L	0.61 μmol/L
Smokers	0.041 mg/L	1.57 μmol/L
Nitroprusside therapy	0.05–0.5 mg/L	1.92–19.20 μmol/L
Toxic	>1 mg/L	>38.40 μmol/L
Cyclic AMP		
Plasma (EDTA)		
Male	4.6–8.6 ng/mL	14–26 nmol/L
Female	4.3–7.6 ng/mL	13–23 nmol/L
Urine, 24 h	0.3–3.6 mg/d or 0.29–2.1 mg/g creatinine	1.0–10.9 μmol/d or 100–723 μmol/mol creatinine
Cystine or cysteine, urine, qualitative	Negative	Negative
*C-Peptide, serum	0.78–1.89 ng/mL	0.26–0.62 nmol/L
C-Reactive protein, serum	<0.5 mg/dL	<5 mg/L
*‡Cyclosporine, whole blood		
Therapeutic, trough	100–200 ng/mL	83–166 nmol/L
Dehydroepiandrosterone (DHEA), serum		
Male	180–1,250 ng/L	6.2–43.3 nmol/L
Female	130–980 ng/dL	4.5–34.0 nmol/L

*検査値は検査方法によって異なる。
†検査値は患者の人種によって異なる。
‡投与量は個々の患者に応じて調整する。

検査種目	慣用単位	SI単位
Dehydroepiandrosterone sulfate (DHEAS), serum or plasma (Hep, EDTA)		
Male	59–452 μg/mL	1.6–12.2 μmol/L
Female		
Premenopausal	12–379 μg/mL	0.8–10.2 μmol/L
Postmenopausal	30–260 μg/mL	0.8–7.1 μmol/L
Desipramine, serum or plasma (Hep or EDTA); trough (12 h after does)		
Therapeutic	75–300 ng/mL	281–1,125 nmol/L
Toxic	>400 ng/mL	>1,500 nmol/L
Diazepam, serum or plasma (Hep or EDTA); trough		
Therapeutic	100–1,000 ng/mL	0.35–3.51 μmol/L
Toxic	>5,000 ng/mL	>17.55 μmol/L
Digitoxin, serum or plasma (Hep or EDTA); 7.8 h after dose		
Therapeutic	20–35 ng/mL	26–46 nmol/L
Toxic	>45 ng/mL	>59 nmol/L
Digoxin, serum or plasma (Hep or EDTA); ≥12 h after does		
Therapeutic		
CHF	0.8–1.5 ng/mL	1.0–1.9 nmol/L
Arrhythmias	1.5–2.0 ng/mL	1.9–2.6 nmol/L
Toxic		
Adult	>2.5 ng/mL	>3.2 nmol/L
Child	>3.0 ng/mL	>3.8 nmol/L
Disopyramide, serum or plasma (Hep or EDTA); trough		
Therapeutic arrhythmias		
Atrial	2.8–3.2 μg/mL	8.3–9.4 μmol/L
Ventricular	3.3–7.5 μg/mL	9.7–22 μmol/L
Toxic	>7 μg/mL	>20.7 μmol/L
Doxepin, serum or plasma (Hep or EDTA); trough (≥12 h after does)		
Therapeutic	150–250 ng/mL	537–895 nmol/L
Toxic	>500 ng/mL	>1,790 nmol/L
*Estradiol, serum		
Adult		
Male	10–50 pg/mL	37–184 pmol/L
Female	Varies with menstrual cycle	
Ethanol (alcohol), whole blood (Ox) or serum		
Depression of CNS	>100 mg/dL	>21.7 mmol/L
Fatalities reported	>400 mg/dL	>86.8 mmol/L
Ethosuximide, serum or plasma (Hep or EDTA); trough		
Therapeutic	40–100 μg/mL	283–708 μmol/L
Toxic	>150 μg/mL	>1,062 μmol/L
Euglobin lysis	No lysis in 2 h	No lysis in 2 h

*検査値は検査方法によって異なる。

検査種目	慣用単位	SI単位
α-Fetoprotein (AFP, serum	<15 ng/mL	<15 μg/L
††Fat, fecal, F, 72 h		
Infant, breast-fed	<1 g/d	
Pediatrics (0–6 y)	<2 g/d	
Adult	<7 g/d	
Adult (fat-free diet)	<4 g/d	
§Fatty acids, total, serum	190–240 mg/dL	7–15 mmol/L
Nonesterified, serum	8–25 mg/dL	0.28–0.89 mmol/L
Ferritin, serum		
Male	20–150 ng/mL	20–250 μg/L
Female	10–120 ng/mL	10–120 μg/L
Ferritin values of <20 ng/mL (20 μg/L) have benn reported to be generally associated with depleted iron stores.		
Fibrin degradation products	<10 μg/mL	<10 mg/L
*Fibrinogen, plasma (NaCit)	200–400 mg/dL	2–4 g/L
Fluoride		
Plasma (Hep)	0.01–0.2 μg/mL	0.5–10.5 μmol/L
Urine	0.2–3.2 μg/mL	10.5–168 μmol/L
Urine, occupational exposure	<8 μg/mL	<421 μmol/L
*Folate, Serum RBCs	3–20 ng/mL	7–45 nmol/L
Erythrocytes	140–628 ng/mL RBC	317–1,422 nmol/L RBC
*Follicle-stimulating hormone (FSH), serum and plasma (Hep)		
Male	1.4–15.4 mIU/mL	1.4–15.4 IU/L
Female		
Follicular phase	1–10 mIU/mL	1–10 IU/L
Mid-cycle	6–17 mIU/mL	6–17 IU/L
Luteal phase	1–9 mIU/mL	1–9 IU/L
Postmenopausal	19–100 mIU/mL	19–100 IU/L
*Free thyroxine index (FTI), serum	4.2–13	4.2–13
Gastrin, serum	<100 pg/mL	<100 ng/L
Gentamicin, serum or plasma (EDTA)		
Therapeutic		
Peak		
Less severe infection	5–8 μg/mL	10.4–16.7 μmol/L
Severe infection	8–10 μg/mL	16.7–20.9 μmol/L
Trough		
Less severe infection	<1 μg/mL	<2.1 μmol/L
Moderate infection	<2 μg/mL	<4.2 μmol/L
Severe infection	<2–4 μg/mL	<4.2–8.4 μmol/L
Toxic		
Peak	>10–12 μg/mL	>21–25 μmol/L
Trough	>2–4 μg/mL	>4.2–8.4 μmol/L
Glucose (fasting)		
Blood	65–95 mg/dL	3.5–5.3 mmol/L
Plasma or serum	74–106 mg/dL	4.1–5.9 mmol/L
Glucose, 2 h postprandial, serum	<120 mg/dL	<6.7 mmol/L

*検査値は検査方法によって異なる。

††基準値は研究所ごとに評価されるが，通常，5–7 g/dの範囲内である。小児（特に幼児）が試験のために必要とされる脂肪100 g/dを摂取することができない点に留意する必要がある。したがって，脂肪保持係数は摂取された脂肪と糞便の脂肪との差を計量することで測定し，割合でその差を表している。数値（脂肪保持係数とよばれている）は健常な小児と成人の95%以上である。低値は脂肪便を示す。
http://www.labcorp.com/datasets/babcorp/html/chapter/mono/sc008000.htm

§“Fatty acids”には種々の分子量の脂肪族系酸の混合物が含まれている。平均分子量は284ダルトンと推測される。

検査種目	慣用単位	SI単位
Glucose, urine		
Quantitative	<500 mg/24 h	<2.8 mmol/24 h
Qualitative	Negative	Negative
Glucose, CSF	40–70 mg/dL	2.2–3.9 mmol/L
*Glucose-6-phosphate dehydrogenase in erythrocytes, whole blood (ACD, EDTA, or Hep)	12.1 ± 2.1 U/g Hb (SD) 351 ± 60.6 U/10^{12} RBC 4.11 ± 0.71 U/mL RBC	0.78 ± 0.13 mUmol Hb 0.35 ± 0.06 nU/RBC 4.11 ± 0.71 kU/L RBC
γ-Glutamyltransferase serum		
Males	2–30 U/L (37˚C)	0.03–0.51 μkat/L (37˚C)
Females	1–24 U/L (37˚C)	0.02–0.41 μkat/L (37˚C)
Glutethimide, serum		
Therapeutic	2–6 μg/mL	9–28 μmol/L
Toxic	>5 μg/mL	>23 μmol/L
Glycated hemoglobin (Hemoglobin A1c), whole blood (EDTA)	4.2–5.9%	0.042–0.059
Growth hormone, serum		
Male	<5 ng/mL	<5 μg/L
Female	<10 ng/mL	<10 μg/L
Haptoglobin, serum	30–200 mg/dL	0.3–2.0 g/L
†HDL-lipd panel		
Cholesterol, HDL	>40 mg/dL	
Cholesterol, LDL (calculated)		
optimal	<100 mg/dL	
near optimal	100–129 mg/dL	
borderline high	130–159 mg/dL	
high	>160 mg/dL	
Cholesterol, total		
0–1 year	50–120 mg/dL	
1–2 years	70–190 mg/dL	
2–16 years	120–220 mg/dL	
>16 years	0–199 mg/dL	
desirable	<200 mg/dL	
borderline	200–239 mg/dL	
high	>240 mg/dL	
¶Tryglycerides		
desirable	<150 mg/dL	
borderline high	150–199 mg/dL	
high	>200 mg/dL	
Hematocrit		
Males	42–52%	0.42–0.52
Females	37–47%	0.37–0.47
Newborn	53–65%	0.53–0.65
Children (varies with age)	30–43%	0.30–0.43
Hemoglobin (Hb)		
Males	14.0–18.0 g/dL	2.17–2.79 mmol/L
Females	12.0–16.0 g/dL	1.86–2.48 mmol/L
Newborn	17.0–23.0 g/dL	2.64–3.57 mmol/L
Children (varies with age)	11.2–16.5 g/dL	1.74–2.56 mmol/L
Hemoglobin, fetal	≥1 y old: <2% of total Hb	≥1 y old: <0.02 of total Hb
Hemoglobin, plasma	<3 mg/dL	<0.47 μmol/L

*検査値は検査方法によって異なる。
†検査値は患者の人種によって異なる。
¶トリグリセリド値が>400 mg/dLの場合，LDL算出は無効である。
http://webserver01.bjc.org/slch/pro/Professional.htm?http://webserve01.bjc.org/labtestguide/Lab%20Test%20Guidebook/slchlabsiteoneline.htm

検査種目	慣用単位	SI単位
Hemoglobin and myoglobin, urine, qualitative	Negative	Negative
Hemoglobin electrophoresis, whole blood (EDTA, Cit or Hep)		
HbA	>95%	>0.95 Hb fraction
HbA_2	1.5–3.7%	0.015–0.037 Hb fraction
HbF	<2%	<0.02 Hb fraction
Homogentisic acid, urine, qualitative	Negative	Negative
β-Hydroxybutyric acid, serum, plasma	0.21–2.81 mg/dL	20–270 μmol/L
17-Hydroxycorticosteroids		
Urine		
Males	3–10 mg/24 h	8.3–27.6 μmol/24 h (as cortisol)
Females	2–8 mg/24 h	5.5–22 μmol/24 h (as cortisol)
5-Hydroxyindoleacetic acid, urine		
Qualitative	Negative	Negative
Quantitative	2–7 mg/24 h	10.4–36.6 μmol/24 h
Imipramine, serum or plasma (Hep or EDTA); trough (≤12 h after dose)		
Therapeutic	150–250 ng/mL	536–893 nmol/L
Toxic	>500 ng/mL	>1,785 nmol/L
Immunoglobulins, serum		
IgG	700–1,600 mg/dL	7–16 g/L
IgA	70–400 mg/dL	0.7–4.0 g/L
IgM	40–230 mg/dL	0.4–2.3 g/L
IgD	0–8 mg/dL	0–80 mg/L
IgE	3–423 IU/mL	3–423 kIU/L
Immunoglobulin G (IgG), CSF	0.5–6.1 mg/dL	0.5–6.1 g/L
Insulin, plasma (fasting)	2–25 μU/mL	13–174 pmol/L
*Iron, serum		
Males	65–175 μg/dL	11.6–31.3 μmol/L
Females	50–170 μg/dL	9.0–30.4 μmol/L
Iron binding capacity, serum total (TIBC)	250–425 μg/dL	44.8–71.6 μmol/L
Iron saturation, serum		
Male	20–50%	0.2–0.5
Female	15–50%	0.15–0.5
17-Ketosteroids, urine		
Males	10–25 mg/24 h	38–87 μmol/24 h
Females	6–14 mg/24 h (decreases with age)	21–52 μmol/24 h (decreases with age)
L-Lactate		
Plasma (NaF)		
Venous	4.5–19.8 mg/dL	0.5–2.2 mmol/L
Arterial	4.5–14.4 mg/dL	0.5–1.6 mmol/L
Whole blood (Hep), at bed rest		
Venous	8.1–15.3 mg/dL	0.9–1.7 mmol/L
Arterial	<11.3 mg/dL	<1.3 mmol/L
Urine, 24 h	496–1,982 mg/d	5.5–22 mmol/d
CSF	10–22 mg/dL	1.1–2.4 mmol/L

*検査値は検査方法によって異なる。

検査種目	慣用単位	SI単位
*Lactate dehydrogenase		
Total (L→P), 37°C, serum		
Newborn	290–775 U/L	4.9–13.2 µkat/L
Neonate	545–2,000 U/L	9.3–34 µkat/L
Infant	180–430 U/L	3.1–7.3 µkat/L
Child	110–295 U/L	1.9–5 µkat/L
Adult	100–190 U/L	1.7–3.2 µkat/L
>60 y	110–210 U/L	1.9–3.6 µkat/L
*Isoenzymes, serum by agarose gel electrophoresis		
Fraction 1	14–26% of total	0.14–0.26 fraction of total
Fraction 2	29–39% of total	0.29–0.39 fraction of total
Fraction 3	20–26% of total	0.20–0.26 fraction of total
Fraction 4	8–16% of total	0.08–0.16 fraction of total
Fraction 5	6–16% of total	0.06–0.16 fraction of total
*Lactate dehydrogenase, CSF	10% of serum value	0.10 fraction of serum value
LDL-cholesterol (LDL-C), serum or plasma (EDTA)		
Adult desirable	<130 mg/dL	<3.37 mmol/L
borderline	130–159 mg/dL	3.37–4.12 mmol/L
high risk	≥160 mg/dL	≥4.13 mmol/L
Lead		
Whole blood (Hep)	<25 µg/dL	<0.48 µmol/L
Urine, 24 h	<80 µg/d	<0.39 µmol/d
Lecithin-sphingomyelin (L:S) ratio, amniotic fluid	2.0–5.0 indicates probable fetal lung maturity; >3.5 in diabetic patients	2.0–5.0 indicates probable fetal lung maturity; >3.5 in diabetic patients
Lidocaine, serum or plasma (Hep or EDTA); 45 min after bolus dose		
Therapeutic	1.5–6.0 µg/mL	6.4–26 µmol/L
Toxic		
CNS, cardiovascular depression	6–8 µg/mL	26–34.2 µmol/L
Seizures, obtundation, decreased cardiac output	>8 µg/mL	>34.2 µmol/L
*Lipase, serum	23–300 U/L (37°C)	0.39–5.1 µkat/L (37°C)
Lithium, serum or plasma (Hep or EDTA); 12 h after last dose		
Therapeutic	0.6–1.2 mEq/L	0.6–1.2 mmol/L
Toxic	>2 mEq/L	>2 mmol/L
Lorazepam, serum or plasma (Hep or EDTA), therapeutic	50–240 ng/mL	156–746 nmol/L
*Luteinizing homone (LH), serum or plasma (Hep)		
Male	1.24–7.8 mIU/mL	1.24–7.8 IU/L
Female		
Follicular phase	1.68–15.0 mIU/mL	1.68–15.0 IU/L
Mid-cycle peak	21.9–56.6 mIU/mL	21.9–59.6 IU/L
Luteal phase	0.61–16.3 mIU/mL	0.61–16.3 IU/L
Postmenopausal	14.2–52.5 mIU/mL	14.2–52.3 IU/L
Magnesium		
Serum	1.3–2.1 mEq/L	0.65–1.07 mmol/L
	1.6–2.6 mg/dL	16–26 mg/L

*検査値は検査方法によって異なる。

検査種目	慣用単位	SI単位
Urine	6.0–10.0 mEq/24 h	3.0–5.0 mmol/24 h
Mercury		
Whole blood (EDTA)	0.6–59 μg/L	<0.29 μmol/L
Urine, 24 h	<20 μg/d	<0.1 μmol/d
Toxic	>150 μg/d	>0.75 μmol/d
Metanephrines, total, urine	0.1–1.6 mg/24h	0.5–8.1 μmol/24 h
Methemoglobin (hemoglobin), whole blood (EDTA, Hep or ACD)	0.06–0.24 g/dL or 0.78 ± 0.37% of total Hb (SD)	9.3–37.2 μmol/L or Mass fraction of total Hb: 0.008 ± 0.0037 (SD)
Methotrexate, serum or plasma (Hep or EDTA)		
Therapeutic	Variable	Variable
Toxic		
1–2 wk after low dose therapy	≥0.02 μmol/L	≥0.02 μmol/L
post IV infusion 24 h	≥5 μmol/L	≥5 μmol/L
48 h	≥0.5 μmol/L	≥0.5 μmol/L
72 h	≥0.05 μmol/L	≥0.05 μmol/L
Myelin basic protein, CSF	<2.5 ng/mL	<2.5 μg/L
Myoglobin, serum	<85 ng/mL	<85 μg/L
Nortriptyline, serum or plasma (Hep or EDTA); trough (≥12 h after dose)		
Therapeutic	50–150 ng/mL	190–570 nmol/L
Toxic	>500 ng/mL	>1,900 nmol/L
*5′-Nucleotidase, serum	2–17 U/L	0.034–0.29 μkat/L
N-Acetylprocainamide, serum or plasma (Hep or EDTA); trough		
Therapeutic	5–30 μg/mL	18–108 μmol/L
Toxic	>40 μg/mL	>144 μmol/L
Occult blood, feces, random	Negative (<2 mL blood/150 g stool/d)	Negative (<13.3 mL blood/kg stool/d)
Qualitative, urine, random	Negative	Negative
Osmolality		
Serum	275–295 mOsm/kg serum water	275–295 mmol/kg serum water
Urine	50–1,200 mOsm/kg water	50–1,200 mmol/kg water
Ratio, urine:serum	1.0–3.0 3.0–4.7 after 12 h fluid restriction	1.0–3.0 3.0–4.7 after 12 h fluid restriction
Osmotic fragility of erythrocytes	Begins in 0.45–0.39% NaCl Complete in 0.33–0.30% NaCl	Begins in 77–67 mmol/L NaCl Complete in 56–51 mmol/L NaCl
Oxazepam, serum or plasma (Hep or EDTA), therapeutic	0.2–1.4 μg/mL	0.70–4.9 μmol/L
Oxygen, blood		
Capacity	16–24 vol% (varies with hemoglobin)	7.14–10.7 mmol/L (varies with hemoglobin)
Content		
Arterial	15–23 vol%	6.69–10.3 mmol/L
Venous	10–16 vol%	4.46–7.14 mmol/L
Saturation		
Arterial and capillary	95–98% of capacity	0.95–0.98 of capacity

*検査値は検査方法によって異なる。

検査種目	慣用単位	SI単位
Venous	60–85% of capacity	0.60–0.85 of capacity
Tension		
pO_2 arterial and capillary	83–108 mmHg	11.1–14.4 kPa
Venous	35–45 mmHg	4.6–6.0 kPa
P50, blood	25–29 mmHg (adjusted to pH 7.4)	3.33–3.86 kPa
Partial thromboplastin time activated (APTT)	<35 sec	<35 sec
Pentobarbital, serum or plasma (Hep or EDTA); trough		
Therapeutic		
Hypnotic	1–5 μg/mL	4–22 μmol/L
Therapeutic coma	20–50 μg/mL	88–221 μmol/L
Toxic	>10 μg/mL	>44 μmol/L
pH		
Blood, arterial	7.35–7.45	7.35–7.45
Urine	4.6–8.0 (depends on diet)	4.6–8.0 (depends on diet)
Phenacetin, plasma (EDTA)		
Therapeutic	1–30 μg/mL	6–167 μmol/L
Toxic	50–250 μg/mL	279–1,395 μmol/L
Phenobarbital, serum or plasma (Hep or EDTA); trough		
Therapeutic	15–40 μg/mL	65–172 μmol/L
Toxic		
Slowness, ataxia, nystagmus	35–80 μg/mL	151–345 μmol/L
Coma with reflexes	65–117 μg/mL	280–504 μmol/L
Coma without reflexes	>100 μg/mL	>430 μmol/L
Phenolsulfonphthalein (PSP) excretion, urine	28–51% in 15 min 13–24% in 30 min 9–17% in 60 min 3–10% in 2 h (After injection of 1 mL PSP intravenously)	0.28–0.51 in 15 min 0.13–0.24 in 30 min 0.09–0.17 in 60 min 0.03–0.10 in 2 h (After injection of 1 mL PSP intravenously)
Phenylalanine, serum	0.8–1.8 mg/dL	48–109 μmol/L
Phenytoin, serum or plasma (Hep or EDTA); trough		
Therapeutic	10–20 μg/mL	40–79 μmol/L
Toxic	>20 μg/mL	>79 μmol/L
*Phosphatase, acid, prostatic, serum radioimmunoassay	<3.0 ng/mL	<3.0 μg/L
*Phosphatase, alkaline, total, serum	38–126 U/L (37°C)	0.65–2.14 μkat/L
Phosphate, inorganic, serum		
Adults	2.7–4.5 mg/dL	0.87–1.45 mmol/L
Children	4.5–5.5 mg/dL	1.45–1.78 mmol/L
Phosphatidylglycerol, amniotic fluid		
Fetal lung immaturity	absent	absent
Fetal lung maturity	present	present
Phospholipids, serum	125–275 mg/dL	1.25–2.75 g/L
Phosphorus, urine	0.4–1.3 g/24 h	12.9–42 mmol/24 h
Porphobilinogen, urine		
Qualitative	Negative	Negative

*検査値は検査方法によって異なる。

検査種目	慣用単位	SI単位
Quantitative	<2.0 mg/24 h	<9 μmol/24 h
Porphyrins, urine		
Coproporphyrin	34–230 μg/24 h	52–351 nmol/24 h
Uroporphyrin	27–52 μg/24 h	32–63 nmol/24 h
Potassium, plasma (Hep)		
Males	3.5–4.5 mEq/L	3.5–4.5 mmol/L
Females	3.4–4.4 mEq/L	3.4–4.4 mmol/L
Potassium		
Serum		
Premature		
Cord	5.0–10.2 mEq/L	5.0–10.2 mmol/L
48 h	3.0–6.0 mEq/L	3.0–6.0 mmol/L
Newborn, cord	5.6–12.0 mEq/L	5.6–12.0 mmol/L
Newborn	3.7–5.9 mEq/L	3.7–5.9 mmol/L
Infant	4.1–5.3 mEq/L	4.1–5.3 mmol/L
Child	3.4–4.7 mEq/L	3.4–4.7 mmol/L
Adult	3.5–5.1 mEq/L	3.5–5.1 mmol/L
Urine, 24 h	25–125 mEq/d; varies with diet	25–125 mmol/d; varies with diet
CSF	70% of plasma level or 2.5–3.2 mEq/L; rises with plasma hyperosmolality	0.70 of plasma level or 2.5–3.2 mmol/L; rises with plasma hyperosmolality
Prealbumin (transthyretin), serum	10–40 mg/dL	100–400 mg/L
Primidone, serum or plasma (Hep or EDTA); trough		
Therapeutic	5–12 μg/mL	23–55 μmol/L
Toxic	>15 μg/mL	>69 μmol/L
Procainamide, serum or plasma (Hep or EDTA); trough		
Therapeutic	4–10 μg/mL	17–42 μmol/L
Toxic (also consider effect of metabolite, i.e., NAPA)	>10–12 μg/mL	>42–51 μmol/L
*Progesterone, serum		
Adult		
Male	13–97 ng/dL	0.4–3.1 nmol/L
Female		
Follicular phase	15–70 ng/dL	0.5–2.2 nmol/L
Luteal phase	200–2,500 ng/dL	6.4–79.5 nmol/L
Pregnancy	Varies with gestational week	
*Prolactin, serum		
Males	2.5–15.0 ng/mL	2.5–15.0 μg/L
Females	2.5–19.0 ng/mL	2.5–19.0 μg/L
Propoxyphene, plasma (EDTA)		
Therapeutic	0.1–0.4 μg/mL	0.3–1.2 μmol/L
Toxic	>0.5 μg/mL	>1.5 μmol/L
Propranolol,serum or plasma (Hep or EDTA); trough		
Therapeutic	50–100 ng/mL	193–386 nmol/L
*Prostate-specific antigen (PSA), serum		
Male	<4.0 ng/mL	<4.0 μg/L
*Protein, serum		
Total	6.4–8.3 g/dL	64–83 g/L
Albumin	3.9–5.1 g/dL	39–51 g/L

*検査値は検査方法によって異なる。

検査種目	慣用単位	SI単位
Globulin		
α_1	0.2–0.4 g/dL	2–4 g/L
α_2	0.4–0.8 g/dL	4–8 g/L
β	0.5–1.0 g/dL	5–10 g/L
γ	0.6–1.3 g/dL	6–13 g/L
Urine		
Qualitative	Negative	Negative
Quantitative	50–80 mg/24 h (at rest)	50–80 mg/24 h (at rest)
CSF, total	8–32 mg/dL	80–320 mg/dL
Prothrombin consumption	>20 sec	>20 sec
Prothrombin time-international normalized ratio (see NOTES below)		
INR: birth–6 mo	1.0–1.6	
INR: 6 mo–adult	0.9–1.2	
Protoporphyrin, total, WB	<60 μg/dL	<600 μg/L
Pyruvate, blood	0.3–0.9 mg/dL	34–103 μmol/L
Quinidine, serum or plasma (Hep or EDTA); trough		
Therapeutic	2–5 μg/mL	6–15 μmol/L
Toxic	>6 μg/mL	>18 μmol/L
Salicylates, serum or plasma (Hep or EDTA); trough		
Therapeutic	150–300 μg/mL	1.09–2.17 mmol/L
Toxic	>500 μg/mL	>3.62 mmol/L
#Sedimentation rate, erythrocyte		
Westergren		
Male: 0–50 y	0–15 mm/h	
Male: >50 y	0–20 mm/h	
Female: 0–50 y	0–20 mm/h	
Female: >50 y	0–30 mm/h	
Wintrobe		
Males	<10 mm/h	
Females	<20 mm/h	
Critical value	>75 mm/h	
Sodium		
Serum or plasma (Hep)		
Premature		
Cord	116–140 mEq/L	116–140 mmol/L
48 h	128–148 mEq/L	128–148 mmol/L
Newborn, cord	126–166 mEq/L	126–166 mmol/L
Newborn	133–146 mEq/L	133–146 mmol/L
Infant	139–146 mEq/L	139–146 mmol/L
Child	138–145 mEq/L	138–145 mmol/L
Adult	136–145 mEq/L	136–145 mmol/L
Urine, 24 h	40–220 mEq/d (diet dependent)	40–220 mmol/d (diet dependent)
Sweat		
Normal	10–40 mEq/L	10–40 mmol/L
Cystic fibrosis	70–190 mEq/L	70–190 mmol/L
Specific gravity, urine	1.002–1.030	1.002–1.030

#http://www.labcorp.com/datasets/labcorp/html/chapter/mono/he005000.htm;
http://www.utmb.edu/lsg/LabSurvivalGuide/hem/Sedimentation_Rate.htm

検査種目	慣用単位	SI単位
*Testosterone, serum		
Male	280–1,100 ng/dL	0.52–38.17 nmol/L
Female	15–70 ng/dL	0.52–2.43 nmol/L
Pregnancy	3–4 × normal	3–4 × normal
Postmenopausal	8–35 ng/dL	0.28–1.22 nmol/L

NOTE: INR=[(Patient PT)/(Normal PT)]*ISI where ISI is the international sensitivity index, a value provided by the reagent manufacturer.

NOTE: ...target therapeutic range (international normalized ratio) of 2.0–3.0. http://pediatrics. aappublications.org/cgi/content/full/112/5/e386

NOTE: The American College of Chest Phyicians has recommended a therapeutic INR range for adults of 2.0–3.0, except in patients with mechanical cardiac valves who should have an INR of 2.5–3.5. 1...target INR range of 2.6–3.8 for children with heart disease and a slightly lower range of 2.1–3.3 for treating children with established venous thrombosis. Clinicians at Toronto's Hospital for Sick Children used an INR range of 2.0–3.0 initially but later found that a lower target of 1.3–1.8 was as effective and resulted in no bleeding complications. http://www.healthsystem.virginia.edu/internet/pediatrics/pharma-news/jan95.pdf

NOTE: The recommended therapeutic target for the treatment and prevention of venous thromboembolisms and pulmonary embolisms in an INR of 2.5 with a range between 2.0–3.0, and children with mechanical prosthetic heart valves have a recommended therapeutic INR range of 3.0 INR range between 2.5–3.5. Evaluate at that time. http://www.warfarinfo.com/pediatrics.htm

Theophylline, serum or plasma (Hep or EDTA)		
Therapeutic		
Bronchodilator	8–20 μg/mL	44–111 μmol/L
Prem. apnea	6–13 μg/mL	33–72 μmol/L
Toxic	>20 μg/mL	>110 μmol/L
Thiocyanate		
Serum or plasma (EDTA)		
Nonsmoker	1–4 μg/mL	17–69 μmol/L
Smoker	3–12 μg/mL	52–206 μmol/L
Therapeutic after nitroprusside infusion	6–29 μg/mL	103–499 μmol/L
Urine		
Nonsmoker	1–4 mg/d	17–69 μmol/d
Smoker	7–17 mg/d	120–292 μmol/d
Thiopental, serum or plasma (Hep or EDTA); trough		
Hypnotic	1.0–5.0 μg/mL	4.1–20.7 μmol/L
Coma	30–100 μg/mL	124–413 μmol/L
Anesthesia	7–130 μg/mL	29–536 μmol/L
Toxic concentration	>10 μg/mL	>41 μmol/L
*Thyroid-stimulating hormone (TSH), serum	0.4–4.2 μU/mL	0.4–4.2 mU/L
Thyroxine serum	5–12 μg/dL (varies with age, higher in children and pregnant women)	65–155 nmol/L (varies with age, higher in children and pregnant women)
*Thyroxine, free, serum	0.8–2.7 ng/dL	10.3–35 pmol/L
Thyroxine binding globulin (TBG), serum	1.2–3.0 mg/dL	12–30 mg/L
Tobramycin, serum or plasma (Hep or EDTA)		
Therapeutic		
Peak		
Less severe infection	5–8 μg/mL	11–17 μmol/L
Severe infection	8–10 μg/mL	17–21 μmol/L

*検査値は検査方法によって異なる。

検査種目	慣用単位	SI単位
Trough		
Less severe infection	<1 μg/mL	<2 μmol/L
Moderate infection	<2 μg/mL	<4 μmol/L
Severe infection	<2–4 μg/mL	<4–9 μmol/L
Toxic		
Peak	>10–12 μg/mL	>21–26 μmol/L
Trough	>2–4 μg/mL	>4–9 μmol/L
Transferrin, serum		
Newborn	130–275 mg/dL	1.30–2.75 g/L
Adult	212–360 mg/dL	2.12–3.60 g/L
>60 y	190–375 mg/dL	1.9–3.75 g/L
Triglycerides, serum, fasting		
Desirable	<250 mg/dL	<2.83 mmol/L
Borderline high	250–500 mg/dL	2.83–5.67 mmol/L
Hypertriglyceridemia	>500 mg/dL	>5.65 mmol/L
*Triiodothyronine, total (T_3) serum	100–200 ng/dL	1.54–3.8 nmol/L
*Troponin-I, cardiac, serum	undetectable	undetectable
Troponin-T, cardiac, serum	undetectable	undetectable
Urea nitrogen, serum	6–20 mg/dL	2.1–7.1 mmol urea/L
Urea nitrogen:creatinine ratio, serum	12:1 to 20:1	48–80 urea:creatinine mole ratio
*Uric acid		
Serum, enzymatic		
Male	4.5–8.0 mg/dL	0.27–0.47 mmol/L
Female	2.5–6.2 mg/dL	0.15–0.37 mmol/L
Child	2.0–5.5 mg/dL	0.12–0.32 mmol/L
Urine	250–750 mg/24 h (with normal diet)	1.48–4.43 mmol/24 h (with normal diet)
Urobilinogen, urine	0.1–0.8 Ehrlich unit/2 h 0.5–4.0 Eu/d	0.1–0.8 Eu/2 h 0.5–4.0 Eu/d
Valproic acid, serum or plasma (Hep or EDTA); trough		
Therapeutic	50–100 μg/mL	347–693 μmol/L
Toxic	>100 μg/mL	>693 μmol/L
Vancomycin, serum or plasma (Hep or EDTA);		
Therapeutic		
Peak	20–40 μg/mL	14–28 μmol/L
Trough	5–10 μg/mL	3–7 μmol/L
Toxic	>80–100 μg/mL	>55–69 μmol/L
Vanillylmandelic acid (VMA), urine (4-hydroxy-3-methoxymandelic acid)	1.4–65 mg/24 h	7–33 μmol/d
Viscosity, serum	1.00–1.24 cP	1.00–1.24 cP
Vitamin A, serum	30–80 μg/dL	1.05–2.8 μmol/L
Vitamine B^{12}, serum	110–800 pg/mL	81–590 pmol/L
Vitamine E, serum		
Normal	5–18 μg/mL	12–42 μmol/L
Therapeutic	30–50 μg/mL	69.6–116 μmol/L
Zinc, serum	70–120 μg/dL	10.7–18.4 μmol/L

*検査値は検査方法によって異なる。

付録10：Table of Elements and Their Atomic Weights
［元素とその原子量］

（アルファベット順）

元素	記号	原子番号	原子量
Actinium	Ac	89	227.0278*
Aluminum	Al	13	26.981539
Americium	Am	95	243.0614*
Antimony	Sb	51	121.760
Argon	Ar	18	39.948
Arsenic	As	33	74.92159
Astatine	At	85	209.9871*
Barium	Ba	56	137.327
Berkelium	Bk	97	247.0703*
Beryllium	Be	4	9.012182
Bismuth	Bi	83	208.98037
Boron	B	5	10.811
Bromine	Br	35	79.904
Cadmium	Cd	48	112.411
Calcium	Ca	20	40.078
Californium	Cf	98	251.0796*
Carbon	C	6	12.011
Cerium	Ce	58	140.115
Cesium	Cs	55	132.90543
Chlorine	Cl	17	35.4527
Chromium	Cr	24	51.9961
Cobalt	Co	27	58.93320
Copper	Cu	29	63.546
Curium	Cm	96	247.0703*
Dysprosium	Dy	66	162.50
Einsteinium	Es	99	252.083*
Erbium	Er	68	167.26
Europium	Eu	63	151.965
Fermium	Fm	100	257.0951*
Fluorine	F	9	18.9984032
Francium	Fr	87	223.0197*
Gadolinium	Gd	64	157.25
Gallium	Ga	31	69.723
Germanium	Ge	32	72.61
Gold	Au	79	196.96654
Hafnium	Hf	72	178.49
Helium	He	2	4.002602
Holmium	Ho	67	164.93032
Hydrogen	H	1	1.00794
Indium	In	49	114.818
Iodine	I	53	126.90447
Iridium	Ir	77	192.217
Iron	Fe	26	55.845
Krypton	Kr	36	83.80
Lanthanum	La	57	138.9055
Lawrencium	Lr	103	262.11*
Lead	Pb	82	207.2
Lithium	Li	3	6.941
Lutetium	Lu	71	174.967
Magnesium	Mg	12	24.3050
Manganese	Mn	25	54.93805
Mendelevium	Md	101	258.10*
Mercury	Hg	80	200.59
Molybdenum	Mo	42	95.94
Neodymium	Nd	60	144.24
Neon	Ne	10	20.1797
Neptunium	Np	93	237.0482*
Nickel	Ni	28	58.6934
Niobium	Nb	41	92.90638
Nitrogen	N	7	14.00674
Nobelium	No	102	259.1009*
Osmium	Os	76	190.23
Oxygen	O	8	15.9994
Palladium	Pd	46	106.42
Phosphorus	P	15	30.973762
Platinum	Pt	78	195.08
Plutonium	Pu	94	244.0642*
Polonium	Po	84	208.9824*
Potassium	K	19	39.0983
Praseodymium	Pr	59	140.90765
Promethium	Pm	61	144.9127*
Protactinium	Pa	91	231.0388*
Radium	Ra	88	226.0254*
Radon	Rn	86	222.0176*
Rhenium	Re	75	186.207
Rhodium	Rh	45	102.90550
Rubidium	Rb	37	85.4678
Ruthenium	Ru	44	101.07
Samarium	Sm	62	150.36
Scandium	Sc	21	44.955910
Selenium	Se	34	78.96
Silicon	Si	14	28.0855
Silver	Ag	47	107.8682
Sodium	Na	11	22.989768
Strontium	Sr	38	87.62
Sulfur	S	16	32.066
Tantalum	Ta	73	180.9479
Technetium	Tc	43	97.9072*
Tellurium	Te	52	127.60
Terbium	Tb	65	158.92534
Thallium	Tl	81	204.3833
Thorium	Th	90	232.0381
Thulium	Tm	69	168.93421
Tin	Sn	50	118.710
Titanium	Ti	22	47.867
Tungsten	W	74	183.84
Unnilhexium	Unh	106	263.118*
Unnilpentium	Unp	105	262.114*
Unnilquadium	Unq	104	261.11*
Unnilseptium	Uns	107	262.12*
Uranium	U	92	238.0289
Vanadium	V	23	50.9415
Xenon	Xe	54	131.29
Ytterbium	Yb	70	173.04
Yttrium	Y	39	88.90585
Zinc	Zn	30	65.39
Zirconium	Zr	40	91.224

Based on 1993 IUPAC Table of Standard Atomic Weights of the Elements.

*最長の半減期をもつことが知られている同位体元素の原子量.

（原子番号順）

原子番号	元素	記号	原子量	原子番号	元素	記号	原子量
1	Hydrogen	H	1.00794	55	Cesium	Cs	132.90543
2	Helium	He	4.002602	56	Barium	Ba	137.327
3	Lithium	Li	6.941	57	Lanthanum	La	138.9055
4	Beryllium	Be	9.012182	58	Cerium	Ce	140.115
5	Boron	B	10.811	59	Praseodymium	Pr	140.90765
6	Carbon	C	12.011	60	Neodymium	Nd	144.24
7	Nitrogen	N	14.00674	61	Promethium	Pm	144.9127*
8	Oxygen	O	15.9994	62	Samarium	Sm	150.36
9	Fluorine	F	18.9984032	63	Europium	Eu	151.965
10	Neon	Ne	20.1797	64	Gadolinium	Gd	157.25
11	Sodium	Na	22.989768	65	Terbium	Tb	158.92534
12	Magnesium	Mg	24.3050	66	Dysprosium	Dy	162.50
13	Aluminum	Al	26.981539	67	Holmium	Ho	164.93032
14	Silicon	Si	28.0855	68	Erbium	Er	167.26
15	Phosphorus	P	30.973762	69	Thulium	Tm	168.93421
16	Sulfur	S	32.066	70	Ytterbium	Yb	173.04
17	Chlorine	Cl	35.4527	71	Lutetium	Lu	174.967
18	Argon	Ar	39.948	72	Hafnium	Hf	178.49
19	Potassium	K	39.0983	73	Tantalum	Ta	180.9479
20	Calcium	Ca	40.078	74	Tungsten	W	183.84
21	Scandium	Sc	44.955910	75	Rhenium	Re	186.207
22	Titanium	Ti	47.867	76	Osmium	Os	190.23
23	Vanadium	V	50.9415	77	Iridium	Ir	192.217
24	Chromium	Cr	51.9961	78	Platinum	Pt	195.08
25	Manganese	Mn	54.93805	79	Gold	Au	196.96654
26	Iron	Fe	55.845	80	Mercury	Hg	200.59
27	Cobalt	Co	58.93320	81	Thallium	Tl	204.3833
28	Nickel	Ni	58.6934	82	Lead	Pb	207.2
29	Copper	Cu	63.546	83	Bismuth	Bi	208.98037
30	Zinc	Zn	65.39	84	Polonium	Po	208.9824*
31	Gallium	Ga	69.723	85	Astatine	At	209.9871*
32	Germanium	Ge	72.61	86	Radon	Rn	222.0176*
33	Arsenic	As	74.92159	87	Francium	Fr	223.0197*
34	Selenium	Se	78.96	88	Radium	Ra	226.0254*
35	Bromine	Br	79.904	89	Actinium	Ac	227.0278*
36	Krypton	Kr	83.80	90	Thorium	Th	232.0381*
37	Rubidium	Rb	85.4678	91	Protactinium	Pa	231.0388*
38	Strontium	Sr	87.62	92	Uranium	U	238.0289
39	Yttrium	Y	88.90585	93	Neptunium	Np	237.0482*
40	Zirconium	Zr	91.224	94	Plutonium	Pu	244.0642*
41	Niobium	Nb	92.90638	95	Americium	Am	243.0614*
42	Molybdenum	Mo	95.94	96	Curium	Cm	247.0703*
43	Technetium	Tc	97.9072*	97	Berkelium	Bk	247.0703*
44	Ruthenium	Ru	101.07	98	Californium	Cf	251.0796*
45	Rhodium	Rh	102.90550	99	Einsteinium	Es	252.083*
46	Palladium	Pd	106.42	100	Fermium	Fm	257.0951*
47	Silver	Ag	107.8682	101	Mendelevium	Md	258.10*
48	Cadmium	Cd	112.411	102	Nobelium	No	259.1009*
49	Indium	In	114.818	103	Lawrencium	Lr	262.11*
50	Tin	Sn	118.710	104	Unnilquadium	Unq	261.11*
51	Antimony	Sb	121.760	105	Unnilpentium	Unp	262.114*
52	Tellurium	Te	127.60	106	Unnilhexium	Unh	263.118*
53	Iodine	I	126.90447	107	Unnilseptium	Uns	262.12*
54	Xenon	Xe	131.29				

*最長の半減期をもつことが知られている同位体元素の原子量．

付録 11：Blood Groups ［血液型］

この付録において，また辞書の中で定義されている関連用語において，“blood group（血液型）”という用語は赤血球抗原からなる全体の血液型系を指して用いた。この赤血球抗原の特異性は，一連の対立遺伝子，または現在の遺伝学的方法によって対立遺伝子とは区別できない単一の染色体と密に連結している一連の遺伝子によって制御される。“blood type（血液型）”および“phenotype（表現型）”という用語は，系内での試験抗血清に対する特異的反応様式を指して用いた。しかし，この使用法は普遍的ではない。最近の文献では単一系は複数形（ABO blood groups）で示し，“blood group（血液型）”という用語は単一の表現型（blood group A）を示すのに用いられていることに注意を喚起したい。

各血液型は系の発見に使われた独自の抗血清との反応によって決められ，系に関連のあることが証明された付随する抗血清の発見に従って用語上の変化・拡大が行われる。既知の抗血清とは異なる反応を示す抗血清が証明されることによって新しい血液型抗原が定義される。もし新しい抗原が遺伝的に既知の血液型系とは無関係であることが証明できるならば，新しい血液型の基本型抗原とみなすことができる。新しい抗原が1種以上の既知の血液型遺伝子と対立する遺伝子によって制御されていることが証明できるならば，その対立遺伝子の血液型とみなされる。多くの既知の抗原がある種の他の既知の抗原と関係がないのか，あるのかは証明されておらず，それらの状態は相変わらず疑問である。

血液型の定義においては，遺伝子，抗原，抗血清，表現型に対する記号の確定が強調されてきている。これらの記号は，血液型を指していることが明確に記されずに文献上に表れることが多い。ここで一般的申し合わせについて注意を促す。遺伝子および遺伝子型の記号は斜体で示し，遺伝子産物または抗原，抗血清，および表現型は立体で示す。Rh型のRh-Hrの用語では，立体は抗原物質を示すのに使われ，太字は血清学的因子およびそれに対応する抗体を示すのに使われる。これらの申し合わせは広く使われているが，すべての著者が一致してそれに従っているわけではない。

ABO血液型

自然同種抗体である抗A，抗Bおよび関連した抗血清との赤血球の凝集反応によって決められる古典的血液型系（Landsteiner，1900）。正常ヒト血中では赤血球表面のABO抗原または凝集原と血清中にある自然抗体または同種凝集素との間に逆の関係がある。O型の人は赤血球にAおよびB抗原をもっていないが，血清中には抗Aおよび抗B凝集素がある。A型の人は赤血球にA抗原を，血清中に抗Bをもっている。B型の人は赤血球にB抗原を，血清中に抗Aをもっている。AB型の人は赤血球にAおよびB抗原をもっているが，血清中に同種凝集素はない。A型およびAB型は，抗A_1血清によってA_1およびA_2，A_1BおよびA_2B型に細別される。A_2抗原はA_1より反応が弱いが，その差は質的でもある。

ABO抗原の産生は一連の対立遺伝子であるA_1，A_2，BおよびO（ときにI^{A_1}，I^{A_2}，I^{B}，iまたはi^{A_1}，i^{A_2}，i^{B}，iまたはA_1，A_2，a^{B}，aとよばれる）によって制御されている。A_1はA_2より優性で，両者はOより優性である。A_1およびBまたはA_2およびBの間に優位はない。

普通の血液型決定法ではA_1またはA_2抗原を含む血球を凝集する力価の高い抗A血清が使われる。この血清によって凝集するが抗Bによって凝集しない血球はA型であるが，遺伝子型ではA_1A_1，A_1A_2，A_1O，A_2A_2，A_2Oである。抗A_1によって凝集するA型の人の血球はA_1型で，遺伝子型ではA_1A_1，A_1A_2，A_1Oである。抗A_1によって凝集しないA型の血球はA_2型で，遺伝子型はA_2A_2，A_2Oである。抗Bによって凝集するが抗Aによって凝集しない血球はB型で，遺伝子型ではBBまたはBOである。抗Aおよび抗Bの両者によって凝集する血球はAB型で，抗A_1によってA_1B（遺伝子型A_1B）およびA_2B（遺伝子型A_2B）に分けられる。抗Aおよび抗Bのいずれによっても凝集しない血球はO型で，遺伝子型ではOOである。

O型は単に抗原物質が欠如しているのではなく，大部分はHとよばれる抗原をもっている。Hは化学的にAおよびB抗原に類似していて遺伝子A_1，A_2，Bの影響によってそれらの対応する抗原に変化する抗原前駆物質と考えられる。

まれにH抗原を形成できない人があり，ABO遺伝子型に関係なく，A，BまたはH抗原を産生しない。このような人はhまたはxとよばれる劣性遺伝子のホモ接合と考えられる。対立遺伝子HまたはXは，ムコ多糖類の前駆物質をH抗原に転換するために明らかに必要なため仮定されている。Bombay表現型とよばれる用語は，赤血球にA，BおよびH抗原が欠如し，血清に抗A，抗Bおよび抗Hを含む人をいう。Oh表現型ともよばれる。さらにA抗原の反応の弱い亜型としてA_3，A_4，A_5，A_x，A_zとよばれる表現型が報告されており，また，よりまれなBの反応の弱い亜型がみつかっている。ABO型は輸血に関しては最も重要で，母体-胎児の不適合は胎児死亡および胎児赤芽球症の頻繁な原因である。

Auberger血液型

頻回の輸血を受けたAuberger夫人の血清中に発見され，抗Au^{a}と名付けられた抗体との反応によって決められる赤血球抗原(Salmon, Salmon, Liberge, Andre, Tippett, Sanger, 1961)。Au^{a}抗原は優性に遺伝し白人と黒人の約80%に存在する。

Diego血液型

最初ベネズエラで胎児赤芽球症の原因として発見された抗Di^{a}抗体によって決められる赤血球抗原(Layrisse, Arends, Dominguez, 1955)。対照的反応を示す抗体である抗Di^{b}が1967年に発見された。抗原型は2種の対立遺伝子Di^aとDi^bによって制御されている。Di^{a}抗原はアメリカインディアンおよびアジア人に一般にみられるが，白人には明らかに存在しない。この分布は，アメリカインディアンが蒙古人かアジア人の先祖に由来するとの説を支持する有力な人類学的事実と考えられる。

Dombrock血液型

抗Do^{a}抗体との反応によって決められる赤血球抗原(Swanson, Polesky, Tippett, Sanger, 1965)。Do^{a}抗原は常染色体優性遺伝を示し，北部ヨーロッパ人，米国の白人，およびイスラエル人の約65—66%に，米国の黒人およびアメリカインディアンの約45—55%に，タイ人の約13%にみられる。

Duffy血液型

頻回の輸血を受けたDuffyという名の血友病の患者に初めて発見された抗Fy^{a}とよばれる免疫血清(Cutbush, Mollison, Parkin, 1950)および対照的反応を示す血清，抗Fy^b(Ikin, Mourant, Peffenkofer, Blumenthal, 1951)との反応によって決められる赤血球抗原。実際にすべての白人の血液はこれらの抗血清の一方または両方によって凝集されるが，黒人の大部分およびイエメンのユダヤ人の一部は両方の抗血清に対して陰性の反応を示す。それゆえ，Duffy抗原の産生は少なくとも3種の対立遺伝子Fy^a，Fy^b，Fyの系によって制御されていると考えられる。これらは今日知られている系の前2者のみに対する特異的な抗体と反応する。抗Fy^{a}と陽性に反応し，抗Fy^{b}に反応しない人は表現型Fy(a+b−)で，その遺伝子型は$Fy^a Fy^a$または$Fy^a Fy$である。表現型Fy(a+b+)の人は遺伝子型が$Fy^a Fy^b$である。表現型Fy(a−b+)の遺伝子型は$Fy^b Fy^b$または$Fy^b Fy$である。表現型Fy(a−b−)の遺伝子型は$FyFy$である。Duffy抗体はときに輸血反応または胎児赤芽球症の原因となる。

高頻度に認められる血液型

ほとんどすべての人に認められるが，ごく少数の家系には認められない抗原群。非常に高頻度に認められるので，しばしばpublic antigen(公共の抗原)とよばれる。輸血または妊娠によって免疫された抗原のない患者血清中によく抗体が証明される。公共の抗原に使われる名称または記号にはVel，Yt^a，Ge，Lan，Smがある。“低頻度に認められる血液型”の項も参照。

I血液型

抗I(Wiener, Unger, Cohen, Feldman, 1956)および抗iとよばれる抗体に対する反応によって決められる赤血球抗原。抗原Iはその発達が緩慢なこと，個人により反応の強さに幅がある点で他の血液型抗原と異なる。範囲は正常分布曲線に近い。抗Iは反応の幅が広く，2種の型でみられる。自己抗Iは寒冷凝集素型の後天性溶血性貧血の患者の血清および非特異的完全寒冷自己凝集素を含むとされる血清中によくみられる抗体で，自然の抗Iまたは同種抗Iは，表現型iの人の血清中に常にみられる。表現型iはi_1およびi_2に分けられるが，ともに成人ではまれである。

Kell血液型

Kell夫人の血清中に初めて発見された免疫抗体である抗K(Coombs, Mourant, Race, 1946)および抗k(Levine, Backer, Wigod, Ponder, 1949)によって決められる赤血球抗原。抗kは抗Kの対照的反応であることが確認されるまでは抗Cellanoとして知られていた。初め抗Siとよばれていた抗血清は，抗Kと同じであることが判明した。抗原Kおよびkは優位を示さない1対の対立遺伝子によって制御される。3種の遺伝子型(KK，Kk，kk)は，抗Kのみ，抗Kおよび抗k，または抗kのみによる赤血球の凝集によって確認される。ヒト血清により証明されるこの系の亜型の抗原はKp^{a}およびKp^{b}とよばれる。Kell型のすべての抗血清に反応しない赤血球を有するきわめてまれな家系が発見されている。この表現型はK-k-Kp(a−b−)とよばれる。輸血反応および胎児赤芽球症の原因として，Kell型はABO型，Rh型に次いで臨床上重要である。

Kidd血液型

赤芽球症の子を産んだことのあるKidd夫人の血清に発見された抗Jk^{a}とよばれる抗体(Allen, Diamond, Niedziela, 1951)およびその対照的血清，抗Jk^b(Plaut, Ikin, Mourant, Sanger, Race, 1953)に対する反応によって決められる赤血球抗原。抗原は，優位を示さない1対の遺伝子Jk^aおよびJk^bによって制御される。これは遺伝的に他の血液型遺伝子とは無関係である。抗Jk^{a}によって凝集されるが，抗Jk^{b}によって凝集されない赤血球をもつ人の表現型はJk(a+b−)で遺伝子型は$Jk^a Jk^a$である。両者の抗血清による凝集は表現型Jk(a+b+)，遺伝子型$Jk^a Jk^b$を，抗Jk^{b}のみによる凝集は表現型Jk(a−b+)，遺伝子型$Jk^b Jk^b$を示す。両者の抗血清に対して反応しない赤血球をもつまれな人(アジア人または南アメリカインディアンの先祖に通常みられる)の発見によって，この遺伝子座に第3

の対立因子の存在する可能性，またはこの遺伝子座にある遺伝子の機能を抑制する変更遺伝子の存在する可能性が考えられている。Kidd抗体はときに輸血反応や胎児赤芽球症の原因となる。

Lewis血液型

Lewis夫人の血清中に初めてみつけられた抗Le^a抗体(Mourant, 1946)，および関連のある血清(特に抗Le^b)に対する反応，分泌因子との相互作用によって決められる赤血球，唾液，その他の体液の抗原。Lewis抗原は*Le*および*le*とよばれる遺伝子の制御のもとで組織づくられて体液中に放出される。赤血球表面に吸着され，抗血清に対する赤血球の反応を決定する。小児のLewis型赤血球型は約6歳になるまでは十分に発達しない。Lewis遺伝子は分泌因子(*Se*および*se*)を制御している遺伝子とは遺伝学的に無関係であるが，その産物はある種の表現型の効果のうえで相互に作用し合っている。複雑な免疫学的および遺伝学的知見を説明するためにいくつかの説が提出されている。GrubbおよびCeppelliniの説はRaceおよびSanger(1962)によって**表1**に示すようにまとめられた。

この系の亜型の抗体として，抗Le^a＋抗Le^bと思われるLe^x(元来抗Xとよばれていた)，Le(a−b−)細胞を凝集する免疫家兎血清である抗Le^c，およびA_1Le(a−b−)分泌者の血球を強く，A_2Le(a−b−)分泌者の血球を前者には劣るが強く凝集する胃癌患者血清から得られたMagard抗血清がある。Lewis抗体はときに輸血反応の原因として関与している。

表1 分泌型とLewis型との相互関係*

遺伝子型	抗原				
	唾液				赤血球
	ABH	Le^a	Le^{bL}	Le^{bH}	
SeSe LeLe *SeSe Lele* *Sese LeLe* *Sese Lele*	+	+	+	+	Le(a−b+)
sese LeLe *sese Lele*	−	+	−	−	Le(a+b−)
SeSe lele *Sese lele*	+	−	−	+	Le(a−b−)
sese lele	−	−	−	−	Le(a−b−)

* From Race, R. R., and Sanger, R.: *Blood Groups in Man*, Ed. 4, Blackwell Scientific Publications, Ltd., Oxford, England, 1962.

低頻度に認められる血液型

特別の抗血清によって決められ，非常に少ない家系にのみ認められる一群の赤血球抗原。まれなためにprivate antigen(個人の抗原)とよくいわれる。抗体は通常，輸血を受けた患者血清または胎児赤芽球症の母親に認められている。これらには初めて発見された家系の名が付けられていることが多い。いくつかの個人抗原に付けられた名称や記号には，Levay, Jobbins, Becker, Ven, Chr^a, WrightまたはWr^a, Be^a, By, SwannまたはSw^a, Good, BilesまたはBi, Tr^a, Stobo, Ot, Ho, Webbがある。“高頻度に認められる血液型”の項も参照。

Lutheran血液型

頻回の輸血を受けた患者の血清中に初めて発見された抗Lu^aとよばれる抗体(Callender, Race, Paykoc, 1945)およびその逆の抗Lu^b(Cutbush, Chanarin, 1956)に対する反応によって決められる血液型抗原。抗原の産生は優位のない1対の対立遺伝子Lu^aおよびLu^bによって制御される。遺伝子型Lu^aLu^aの人の赤血球は抗Lu^aによって凝集するが抗Lu^bでは凝集されず，遺伝子型Lu^aLu^bのそれは両者の抗血清によって凝集し，遺伝子型Lu^bLu^bのそれは抗Lu^bによって凝集するが，抗Lu^aでは凝集されない。これらの抗体は輸血反応の原因となることは少ない。

MNSs血液型

本来は抗Mおよび抗N(Landsteiner, Levine, 1927)とよばれる免疫家兎血清との反応によって，範囲が拡大されてからは抗S，抗s，その他の血清に対する反応によって決められる赤血球抗原系。容易に使用できる抗Mおよび抗N血清のみで調べると，すべての人の赤血球は3種のクラス，すなわちM，N，MNの1つに割り当てられ，それは抗血清のいずれかまたは両者によって凝集されることになる。MおよびN抗原の産生は2種の対立遺伝子*M*および*N*によって制御される。遺伝子型*MM*の人はM型，遺伝子型*NN*の人はN型，ヘテロ接合の遺伝子型*MN*の人はMN型である。抗Mおよび抗N血清は市販されており，反応は単純かつ信頼できるもので，父系論争における法医学的血液検査として，また遺伝子連鎖と頻度の研究に広く使われている。*MN*の遺伝子座は遺伝学的に他の主な血液型系の遺伝子座と関連がない。MNSs抗原が輸血の溶血反応の原因となることはまれである。
抗S血清(1947)およびその逆の抗s(1951)の発見によって，MNSs型は複雑で4種の抗血清によって決められる10種の遺伝子型を示す9種の表現型のあることが示された(**表2**)。黒人の血液の約1%はSおよびsの両者が欠如している。また，Sおよびs抗原の両者と反応する抗Uとよばれる抗体が発見されている。ある抗Mまたは抗N血清とは反応するが他とは反応しないMおよびN抗原の反応の弱い亜型は，M_2およびN_2とよばれる。Mの質的亜型はM_1とよばれる。中間反応を示す抗原はM^cとよばれる。特別の血清によって証明されるMのきわめてまれな亜型はM^gとよばれる。HuおよびHeとよばれる抗原は，ある黒人の血液で免疫した家兎から得た血清によって証明され，アフリカ人を先祖とするほとんどすべての人に認められる。抗HuはNをも含む細胞とのみ明らかな反応を示し，抗Heに陽性を示す人の大部分はNおよびSをもっている。MNSs型と関連のある他のまれな抗原または亜型は，Mi^2，Vw(Grと同じ)，Muとよばれる。

表2 MNSsの表現型と遺伝子型

抗血清				遺伝子型
M	N	S	s	
+	−	+	−	*MS/MS*
+	−	+	+	*MS/Ms*
+	−	−	+	*Ms/Ms*
+	+	+	−	*MS/Ns*
+	+	+	+	*MS/Ns* or *Ms/NS*
+	+	−	+	*Ms/Ns*
−	+	+	−	*NS/NS*
−	+	+	+	*NS/Ns*
−	+	−	+	*Ns/Ns*

P血液型

本来は抗P(Landsteiner, Levine, 1927)とよばれる免疫家兎血清との反応によって決められる赤血球抗原型であるが，その後，関連する抗原をも含むように拡大された。抗Tj^aとして知られていた抗体が1955年に抗Pと関係のあることが明らかにされ，Sangerによって**表3**に示す用語が提案された。この用語法によるP_1は以前P＋とよばれた表現型，P_2は以前P−とよばれた表現型，pは以前Tj(a−)とよばれた表現型である。P^kとよばれるまれな亜型も発見されている。

表3 P型*

表現型		表現型の記号	遺伝子型
anti-P ＋ P_1 (Tj^a)	anti-P_1 (P)		
+	+	P_1	P_1P_1 ; P_1P_2 ; P_1p
+	−	P_2	P_2P_2 ; P_2p
−	−	p	pp

* From Race, R. R., and Sanger, R.: *Blood Groups in Man*, Ed. 4, Blackwell Scientific Publications, Ltd., Oxford, England, 1962.

Rh血液型

元来はアカゲザルの血液で免疫した家兎またはモルモットの血清への反応によって決められた(Landsteiner, Wiener, 1940)が，現在では通常，輸血または妊娠によって免疫された人からの一連のヒト抗血清への反応によって決められる複雑な赤血球抗原系。この系の遺伝子，抗原，および抗血清の命名法は1940年以後新しい知識の獲得を反映して発展し，命名法が不統一のまま使われてきた。最も広く使われている命名法はWienerによって提案された命名法(Rh-Hr系)，およびFisherおよびRaceによって提案された命名法(CDE系)で，いずれもしばしば変更・拡大され，1962年にはRosenfield, Allen, Swisher, Kochwaによる命名法(番号系)が提案された。免疫学および遺伝学の理論的解釈の差異が種々の命名法に現れている。Rh抗原の産生は単一の染色体上にある遺伝子複合体によって制御されていて，質的に異なった抗原の産生を制御する8種の主な遺伝子または遺伝子複合体がある。これら8種の遺伝子のうちの1対の組合せから5種の市販標準抗血清との反応によって確認できる18種の表現型または赤血球型が生じる。量的および質的に差異のあるさらに多くの抗原，または抗原の組合せがあり，この差異は免疫学的および遺伝学的な幅広い変異を反映する，一般には入手できない反応特異性をもつ一連の他の抗血清によって確認することができる。Rh-Hr命名法は，すべてのRh遺伝子が単一の染色体の座にある多数の対立遺伝子の1組を構成していること，異なった抗体特異性を示す多くの因子をそれぞれもっている赤血球抗原または凝集原の産生を単一の遺伝子が制御していることを意味している。CDE命名法は，3種の隣接した染色体の座，すなわち遺伝情報の場があって，それぞれが2種の主な対立遺伝子と恐らくは数種の副次的対立遺伝子をもっていて，それぞれが特異的赤血球抗原の産生を制御していることを意味している。番号系では，5種の標準抗血清には1から5の番号，他の抗血清にはそれ以上の番号を用いてそれぞれの既知の抗血清に任意の番号を定め，用いた抗血清に対して陽性または陰性の反応を示すことにより分類する。遺伝子，表現型，および抗血清の名称について3種の命名法の対応を**表4，5，6**に示す。

記号D^uはCDE命名法で使われ，ある抗D血清では凝集するが，他の抗D血清では凝集しない抗原を指す。これらは明らかにD抗原の反応の弱い，不完全な型を示す。D^uには多くの亜型がある。D^uをもっている人はD陰性(d)と誤って型別されるが，D^u血はD陰性の受血者に輸血されると抗Dの形成を促す。D^u型の何人かはD陽性血を輸血されると抗Dを形成する。Rh-Hr命名法では反応の弱い亜型はドイツ語書体(例えば $\mathfrak{Rh}_o$)で示される。Rh-Hr命名法はまた，rh′-hr′およびrh″-hr″の因子対を欠いているきわめてまれな表現型を，特定の記号の上に2重の線を示すことによって表す($\bar{\bar{\mathrm{R}}}\mathrm{h_o}$; $\bar{\bar{\mathrm{R}}}\mathrm{h^w}$)。CDE命名法ではこれに相当する表現型は—D—で表す。

Sutter血液型

以前輸血されたSutter氏の血清中に最初に発見された抗Js^aとよばれる抗体との反応によって決められる赤血球抗原(Giblett, 1958)。Js^a抗原は優性に遺伝される。米国の黒人の約20%にみられるが，他の人種ではまれである。

表4 3種の命名法におけるRh遺伝子の名称*

Rh-Hr (Wiener)	CDE (Fisher-Race)	番　号 (Rosenfield *et al.*)
r	*cde*	$R^{-1,-2,-3,4,5}$
R^1	*CDe*	$R^{1,2,-3,-4,5}$
R^2	*cDE*	$R^{1,-2,3,4,-5}$
R^o	*cDe*	$R^{1,-2,-3,4,5}$
r′	*Cde*	$R^{-1,2,-3,-4,5}$
r″	*cdE*	$R^{-1,-2,3,4,-5}$
R^z	*CDE*	$R^{1,2,3,-4,-5}$
r^y	*CdE*	$R^{-1,2,3,-4,-5}$

(上記の遺伝子の組合せにより36種の遺伝子型を生じる)

* Tables 4 and 5 are modified from Rosenfield, R. E., Allen, F. H., Jr., Swisher, S. N., and Kochwa, S.: A review of Rh serology and presentation of a new terminology. *Transfusion*, **2:** 287, 1962 (official journal of the American Association of Blood Banks, J. B. Lippincott Co., publisher).

Xg血液型

頻回の輸血を受けたある患者の血清中に発見された抗Xg^a(Mann, Cahan, Gelb, Fisher, Hamper, Tippett, Sanger, Race, 1962)とよばれる抗体との反応によって決められる赤血球抗原。既知の他のすべての血液型抗原とは異なり，Xg^aはX染色体上にある遺伝子によって制御されており，唯一の伴性血液型である。抗Xg^aは伴性遺伝子によって起こる疾患の遺伝学的連鎖の研究に使われてきた。

表5 3種の命名法におけるRh抗血清の名称*

Rh-Hr (Wiener)	CDE (Fisher-Race)	番　号 (Rosenfield *et al.*)
Standard antisera		
Rh_0	D	Rh1
rh′	C	Rh2
rh″	E	Rh3
hr′	c	Rh4
hr″	e	Rh5
Other antisera		
hr	f, ce	Rh6
rh	Ce	Rh7
rh^{w1}	C^w	Rh8
rh^x	C^x	Rh9
hr^V	V, ce^s	Rh10
rh^{w2}	E^w	Rh11
rh^G	G	Rh12
Rh^A	No term	Rh13
Rh^B	No term	Rh14
Rh^C	No term	Rh15
Rh^D	No term	Rh16
Hr_0	No term	Rh17
Hr	No term	Rh18
hr^s	No term	Rh19
Hr^H plus hr^V	VS, e^s	Rh20
No term	C^G	Rh21

表6 5種の標準抗血清によるRhの表現型

抗血清反応					表現型		
Rh_o D Rh1	**rh′** C Rh2	**rh″** E Rh3	**hr′** c Rh4	**hr″** e Rh5	Rh-Hr (Wiener)	CDE (Fisher-Race)	番　号 (Rosenfield *et al.*)
−	−	−	+	+	rh	cde/cde	Rh: −1, −2, −3, 4, 5
+	+	−	+	+	Rh_1rh	CDe/cde*	Rh: 1, 2, −3, 4, 5
+	+	−	−	+	Rh_1Rh_1	CDe/CDe*	Rh: 1, 2, −3, −4, 5
+	+	+	+	+	Rh_zRh_o	CDe/cDE*	Rh: 1, 2, 3, 4, 5
+	−	+	+	+	Rh_2rh	cDE/cde*	Rh: 1, −2, 3, 4, 5
+	−	−	+	+	Rh_o	cDe/cde*	Rh: 1, −2, −3, 4, 5
+	−	+	+	−	Rh_2Rh_2	cDE/cDE*	Rh: 1, −2, 3, 4, −5
−	+	−	+	+	rh′rh	Cde/cde	Rh: −1, 2, −3, 4, 5
−	−	+	+	+	rh″rh	cdE/cde	Rh: −1, −2, 3, 4, 5
+	+	+	−	+	Rh_zRh_1	CDE/CDe*	Rh: 1, 2, 3, −4, 5
+	+	+	+	−	Rh_zRh_2	CDE/cDE*	Rh: 1, 2, 3, 4, −5
−	+	+	+	+	rh_yrh	Cde/cdE*	Rh: −1, 2, 3, 4, 5
−	+	−	−	+	rh′rh′	Cde/Cde	Rh: −1, 2, −3, −4, 5
−	−	+	+	−	rh″rh″	cdE/cdE	Rh: −1, −2, 3, 4, −5
−	+	+	−	+	rh_yrh'	CdE/Cde	Rh: −1, 2, 3, −4, 5
−	+	+	+	−	rh_yrh''	CdE/cdE	Rh: −1, 2, 3, 4, −5
+	+	+	−	−	Rh_zRh_z	CDE/CDE*	Rh: 1, 2, 3, −4, −5
−	+	+	−	−	rh_yrh_y	CdE/CdE	Rh: −1, 2, 3, −4, −5

* この表現型の2種以上の遺伝子型のうち最もよくみられる遺伝子型を示した。

和英索引

索 引 凡 例

◇本文中の見出し語から抽出し，英語に対応させ，和英辞典として活用できるようにした。

◇索引は五十音順に配列した。

◇２通りに読めるものは両方の読みから検索できるようにした。

《例》頭蓋⟶トウガイ
　　　　　　ズガイ

◇〔 〕内の語は省略してもよいことを意味し，配列上は無視した。ただし冒頭に〔 〕がある場合は両方から検索できるようにした。

《例》偽〔性〕凝集〔反応〕⟶ギギョウシュウ
　　〔完〕全流産⟶カンゼンリュウザン
　　　　　　　　ゼンリュウザン

◇( )内の語は直前の語と取り換え可能を意味し，配列上は無視した。原則的に直前の語は（ ）内の語より優位を示すが，同等の場合は便宜上統一した。頻出のものを以下に示すので検索する際の参考にされたい。複合語については，その構成上の個々の語を検索することにより，便宜上統一された語を見い出すことが可能である。

感覚(知覚)	造影(撮影)
感染(伝染)	脱失(消失)
水腫(浮腫)	片側(半側)
先端(肢端)	老年(老人)

◇語頭の〔　〕内に複数の語がある場合、引きやすいように〔　〕の語を入れ換えたケースがある。したがって本文に掲載した語と語順が異なっている場合がある。英語も変更してある。

〈例〉〔手または足の〕指節骨頭 **head of phalanx (of hand or foot)**
　　〔足または手の〕指節骨頭 **head of phalanx (of hand or foot)**

ア

アーヴァイン-ガス症候群 Irvine-Gass syndrome 1808
アーガイル・ロバートソン瞳孔 Argyll Robertson pupil 1527
アーク arc 124
アーチキュロスタット articulostat 158
アーチバー arch bar 196
アーチファクト artifact 158
アーチファクトの artifactual 158
アーディー症候群 Adie syndrome 1795
アーティクラーレ(アルティクラーレ) articulare 156
アーテスネート artesunate 154
アーテミシニン artemisinin 133
アーテミシン artemisin 133
アードラー試験 Adler test 1853
アーバン手術 Urban operation 1306
アーベックの法則 Abegg rule 1625
アーミテージ-ドールモデル Armitage-Doll model 1162
アーム arm 131
アールL線維肉腫 Earle L fibrosarcoma 695
アール〔溶〕液 Earle solution 1698
R抗原 R antigen 105
R〔ピリ〕線毛 R pili 1424
R波 R wave 2042
Rバンディング〔染色法〕 R-banding stain 1735
Rバンド(バンディング)染色〔法〕 R-banding stain 1735
ras癌遺伝子 ras oncogene 1300
R_f値 R_f value 1984
RhD溶血性疾患 RhD hemolytic disease 539
Rh_0(D)免疫グロブリン Rh_0 (D) immune globulin 779
Rh因子 Rh factor 669
Rh陰性症候群 Rh null syndrome 1818
Rh抗原 Rh antigens 105
Rh遮断試験 Rh blocking test 1864
R.I. residual inhibition 933
RI心室造影法 radionuclide ventriculography 2011
RNアーゼ(リボヌクレアーゼ)アルファ RNase α 1612
RNアーゼ(リボヌクレアーゼ)I RNase I 1612
RNアーゼ(リボヌクレアーゼ)II RNase II 1612
RNアーゼ(リボヌクレアーゼ)III RNase III 1612
RNアーゼD ribonuclease D (RNase D) 1612
RNアーゼ(リボヌクレアーゼ)P RNase P 1612
RNアーゼ(リボヌクレアーゼ)T_1 RNase T_1 1612
RNアーゼ(リボヌクレアーゼ)T_2 RNase T_2 1612
RNアーゼ(リボヌクレアーゼ)U_2 RNase U_2 1612
RNAウイルス RNA virus 2028
RNA干渉 ribonucleic acid interference (RNAi) 944
RNA腫瘍ウイルス RNA tumor viruses 2029
RNAポリメラーゼ RNA polymerase 1613
ROC曲線 receiver operating characteristic curve 451
RonT現象 R-on-T phenomenon 1405
R-R間隔 R-R interval 948
RSウイルス respiratory syncytial virus (RSV, RS) 2028
RST部分 RST segment 1655
藍色細菌 blue-green bacterium 191
藍〔色〕細菌門 Cyanobacteria 453
アイヴィ出血時間試験 Ivy bleeding time test 1859
アイヴィループ結紮法 Ivy loop wiring 2047
アイエルサ(アイエルザ)症候群 Ayerza syndrome 1797
アイカップ eye cup 449
合釘 dowel 558
合釘 pivot 1427
合釘 post 1470
アイケン法 Eicken method 1143
アイコニックサイン iconic sign 1681
アイザック症候群 Isaacs syndrome 1808
合決(あいじゃくり) rabbeting 1540
愛情剝脱(愛情遮断)による小人症 deprivation dwarfism 568
愛情剝奪症候群 maternal deprivation syndrome 1811
アイスパック ice pack 902
アイゼンメンガー症候群 Eisenmenger syndrome 1803
アイゼンメンガー複合体 Eisenmenger complex 401
アイソエンザイム isoenzyme 960
アイソ〔エン〕ザイム電気泳動 isoenzyme electrophoresis 597
アイソクライン isocline 960
アイソザイム isozyme 963
アイソタイプ isotype 963
アイソタイプスイッチ isotype switch 963
アイソトープ isotope 963
アイソトープクリアランス isotope clearance 372
藍染細菌 blue-green bacteria 190
愛着 attachment 174
アイナーソンのガロシアニン-クロムミョウバン染色〔法〕 Einarson gallocyanin-chrome alum stain 1730
アイバメクチン ivermectin 964
アイバンク eye bank 196
アイピース eyepiece 660
アイヒホルスト小体 Eichhorst corpuscles 426
愛撫的態度 stroking 1759
アイメリア科 Eimeriidae 591
アイメリア属 *Eimeria* 591
アイユーム ainhum 40
アインシュタイン einstein 591
アインスタイニウム einsteinium (Es) 591
アイントホーフェン(アイントーフェン)弦検流計 Einthoven string galvanometer 751
アイントホーフェン(アイントーフェン)三角 Einthoven triangle 1927
アイントホーフェン(アイントーフェン)の法則 Einthoven law 1006
I抗原 I antigens 104
I細胞 I cell 322
I〔ピリ〕線毛 I pili 1424
I帯 I band 194
I領域 I region 1585
ICAO標準気圧 ICAO standard atmosphere 170
ICU精神病 ICU psychosis 1520
IgG(免疫グロブリンG)欠損 immunoglobulin G subclass deficiency 913
IgM上昇を伴う免疫不全 immunodeficiency with elevated IgM 912
IMPデヒドロゲナーゼ IMP dehydrogenase 938
IRS蛋白 IRS protein 957
ITO法 ITO method 1144
アウアー(アウエル)〔小〕体 Auer bodies 225
アヴェリス症候群 Avellis syndrome 1797
アウエルバッハ神経節 Auerbach ganglia 752
アウエンブルッガー徴候 Auenbrugger sign 1678
アヴォガドロ(アボガドロ)数 Avogadro number (Λ, N_A) 1282
アヴォガドロの法則 Avogadro law 1005
アウスピッツ血露現象 Auspitz sign 1678
アウトカムリサーチ outcomes research 1591
アウトライヤー outlier 1327
アウベルト現象 Aubert phenomenon 1403
アウラ aura 177
アウリクラーレ auriculare 177
アウリクラーレ間の biauricular 208
アウリクラーレ軸 biauricular axis 184
アエビー平面 Aeby plane 1430
アエロコッカス属 *Aerococcus* 32
アエロバクター属 *Aerobacter* 31
アエロモナス菌 aeromonad 32
アエロモナス属 *Aeromonas* 32
亜鉛 zinc (Zn) 2057
亜鉛65 zinc 65 (^{65}Zn) 2058
亜鉛含有の zinciferous 2058
亜鉛仙痛 zinc colic 389
亜塩素酸 chlorous acid 347
亜塩素酸塩 chlorite 347
亜鉛フィンガー zinc finger 701
亜鉛様の zincoid 2058
青 blue 224
亜黄疸〔性〕の subicterus 1763
青おむつ(ブルーダイアパー)症候群 blue diaper syndrome 1798
アオルトグラフィ aortography 112
アオンコテーカ属 *Aonchotheca* 111
赤 red 1575
亜科 subfamily 1763
亜界 subkingdom 1763
アカイエカ *Culex pipiens* 447
あかぎれの chapped 339
アカゲザル rhesus 1607
アカザ油 oil of chenopodium 1294
アカシア acacia 7
赤潮 red tide 1892
赤・白・青徴候 red, white, and blue sign 1683
アカツツガムシ *Leptotrombidium akamushi* 1022
アカツツガムシ *Trombicula akamushi* 1936
アカバネウイルス Akabane virus 2022
アカパンカビ属 *Neurospora* 1252
アガピズム agapism 34
赤ブドウ酒 red wine 2046
アガモフィラリア Agamofilaria 34
アガモント agamont 34
アガラクシア agalactia 34
アカラシア achalasia 13
アガリン酸 agaric (agaricic) acid 35
アガリン酸 agaric acid 14
アガロース agarose 35
アガロペクチン agaropectin 35
アカンセスセジア acanthesthesia 8
亜感染症 subinfection 1763
アカンチオン acanthion 8
アカンテラ幼生 acanthella 8
アカントアメーバ症 acanthamebiasis 8
アカントアメーバ属 *Acanthamoeba* 8
アカントアメーバ培地 *Acanthamoeba* medium 1117
アカントケイロネマ属 *Acanthocheilonema* 8
アギ asafetida 159
アキシオン axion 183
アキソグラフ axograph 185
アキソノグラフィ axonography 185
秋熱 autumn fever 683
アキノ徴候 Aquino sign 1678

あきやみ(秋疫) akiyami …… 41
亜急性移動性皮下脂肪〔組〕織炎 subacute migratory panniculitis …… 1343
亜急性壊死性脊髄炎 subacute necrotizing myelitis …… 1209
亜急性炎〔症〕 subacute inflammation …… 929
亜急性海綿状脳障害(脳症) subacute spongiform encephalopathy …… 610
亜急性硬化性全(汎)脳炎 subacute sclerosing panencephalitis (SSPE) …… 1342
亜急性細菌性心内膜炎 subacute bacterial endocarditis (SBE) …… 612
亜急性肉芽腫性甲状腺炎 subacute granulomatous thyroiditis …… 1891
亜急性の subacute …… 1762
亜急性リウマチ subacute rheumatism …… 1607
アキュメンチン acumentin …… 22
アキラルの achiral …… 13
アキレス Achilles …… 13
アキレス腱 tendo Achillis …… 1849
アキレス腱滑液包炎 achillobursitis …… 13
アキレス腱切り〔術〕 achillotenotomy …… 13
アキレス腱の滑液包 Achilles bursa …… 267
アキレス腱の滑液包 bursa Achillis …… 267
アキレス腱反射 Achilles reflex, Achilles tendon reflex …… 1577
アキレス腱反射 heel tap …… 1840
灰汁 lye …… 1075
アクアポリン aquaporin …… 122
亜区域気管支 subsegment …… 1765
亜区域性無気肺 subsegmental atelectasis 168
悪疫 pestilence …… 1396
悪疫 plague …… 1429
悪液質 cachexia …… 274
悪液質 dyscrasia …… 571
悪液質下痢 cachectic diarrhea …… 511
悪液質性黒皮症 melanoderma cachecticorum …… 1121
悪液質性痤瘡 acne cachecticorum …… 16
悪液質性水腫(浮腫) cachectic edema …… 587
悪事不行 nonmaleficence …… 1266
悪臭 cacosmia …… 274
悪臭 fetor …… 682
悪臭 tragomaschalia …… 1915
悪臭の fetid …… 681
悪循環 vicious circle …… 364
悪性〔度〕 malignancy …… 1096
悪性萎縮性丘疹症 malignant atrophic papulosis …… 1347
悪性横痃 malignant bubo …… 263
悪性嘔吐 pernicious vomiting …… 2037
悪性悪寒熱 algid pernicious fever …… 682
悪性外耳道炎 malignant external otitis 1326
悪性カタル熱ウイルス malignant catarrhal fever virus …… 2026
悪性肝〔細胞〕癌 malignant hepatoma …… 840
悪性眼球突出〔症〕 malignant exophthalmos …… 654
悪性強膜炎 malignant scleritis …… 1646
悪性近視 malignant myopia …… 1215
悪性高血圧〔症〕 malignant hypertension 888
悪性高熱 malignant hyperthermia …… 888
悪性高フェニルアラニン血症 malignant hyperphenylalaninemia …… 885
悪性黒子 lentigo maligna …… 1020
悪性黒子黒色腫 malignant lentigo melanoma …… 1122
悪性黒子症候群 malignant mole syndrome …… 1811
悪性黒色腫 malignant melanoma …… 1122
悪性混合性節神経腫 malignant mixed ganglioneuronal tumor …… 1951
悪性昏迷 malignant stupor …… 1761
悪性腫瘍 malignant tumor …… 1951
悪性猩紅熱 scarlatina maligna …… 1641
悪性腎硬化〔症〕 malignant nephrosclerosis …… 1231
悪性心内膜炎 malignant endocarditis …… 612
悪性水腫菌 *Clostridium septicum* …… 376
悪性髄膜腫 malignant meningioma …… 1129
悪性赤痢 malignant dysentery …… 571
悪性線維性組織球腫 malignant fibrous histiocytoma …… 854
悪性爪炎 onychia maligna …… 1301
悪性組織球増殖〔症〕 malignant histiocytosis …… 854
悪性多形性腺腫 carcinoma ex pleomorphic adenoma …… 299
悪性痘瘡 variola maligna …… 1988
悪性度分類 grade …… 793
悪性内皮性乳頭状血管内皮腫 malignant endothelial papillary angioendothelioma 84
悪性の malignant …… 1096
悪性の pernicious …… 1394
悪性膿疱 malignant pustule …… 1529
悪性瘢痕 vicious cicatrix …… 362
悪性貧血 pernicious anemia …… 78
悪性貧血型前赤芽球 pernicious anemia type prorubricyte …… 1500
悪性ヘパトーム malignant hepatoma …… 840
悪性黒子 lentigo maligna …… 1020
悪性黒子黒色腫 malignant lentigo melanoma …… 1122
悪性黒子症候群 malignant mole syndrome …… 1811
悪性発作 accès pernicieux …… 9
悪性マラリア pernicious malaria …… 1095
悪性三日熱〔マラリア〕 malignant tertian malaria …… 1095
悪性毛様体上皮腫 malignant ciliary epithelioma …… 632
悪性緑内障 malignant glaucoma …… 777
悪性リンパ腫 malignant lymphoma …… 1084
アクセサリー分子 accessory molecules 1164
アクセス access …… 9
アクセプタ acceptor …… 9
アクセプタ部位 acceptor site …… 1689
アクセルレータ accelerator …… 9
アクソネーム axoneme …… 185
アグーチ *Dasyprocta* …… 471
アグーチ関連蛋白 agouti-related protein (AGRP) …… 1502
アグーチ関連ペプチド agouti-related peptide (AgRP) …… 1382
アクチナイド actinides …… 20
アクチニウム actinium (Ac) …… 20
アクチノバチルス症 actinobacillosis …… 20
アクチノバチルス属 *Actinobacillus* …… 20
アクチノファージ actinophage …… 21
アクチノヘマチン actinohematin …… 20
アクチノマイシン actinomycins …… 20
アクチノマイシンA actinomycins A …… 20
アクチノマイシンF_1 actinomycins F_1 …… 20
アクチノミクシジア目 Actinomyxidia …… 21
アクチノミセス症 actinomycosis …… 20
アクチノミセス性虫垂炎 actinomycotic appendicitis …… 119
アクチノミセス属 *Actinomyces* …… 20
アクチビン activin …… 21
アクチン actin …… 19
F-アクチン F-actin …… 19
G-アクチン G-actin …… 20
アクチンフィラメント actin filament …… 697
アクトクランピン actoclampin …… 22
アクトミオシン actomyosin …… 22
アクネ acne …… 16
あくび scordinema …… 1649
あくび yawn …… 2055
あくびをする oscitate …… 1318
悪魔的な demoniac …… 486
悪魔の握りしめ devil's grippe …… 800
悪味 cacogeusia …… 274
悪夢 incubus …… 921
悪夢 nightmare …… 1257
アクメンチン acumentin …… 22
アグラッフ agraffe …… 39
アグリコン aglycon, aglycone …… 38
アクリジン acridine …… 17
アクリジンイエロー acridine yellow …… 17
アクリジンオレンジ acridine orange …… 17
アクリジン染料 acridine dyes …… 569
アクリフラビン acriflavine …… 17
握力計 dynamometer …… 570
アクリリックレジントレー acrylic resin tray …… 1923
アクリルアミド acrylamide …… 19
アクリル酸 acrylic acids …… 19
アクリル樹脂 acrylic resin …… 1592
アクリル樹脂床 acrylic resin base …… 199
アクリルの acrylic …… 19
〔アクリル〕レジン歯 acrylic resin tooth 1902
アクリルレジン床 acrylic resin base …… 199
アグルコン aglucon …… 38
アグレカン aggrecan …… 37
アグレッシン aggressin …… 38
アグレトープ agretope …… 39
アクレモニウム属 *Acremonium* …… 17
アクロシン acrosin …… 19
アクロソミン acrosomin …… 19
アクロソーム acrosome …… 19
アクロテカ属 *Acrotheca* …… 19
アクロデキストリン achroodextrin …… 14
アクロパチー acropachy …… 19
アクロブラスト acroblast …… 17
アクロモバクター属 *Achromobacter* …… 14
アクワスピリルム属 *Aquaspirillum* …… 122
悪をせず nonmaleficence …… 1266
亜結晶性の submorphous …… 1764
アゲーネ工程 agene process …… 1488
あけぼの現象 dawn phenomenon …… 1404
顎 jaw …… 967
亜綱 subclass …… 1762
亜硬化〔性〕の subsclerotic …… 1765
アコカンテラ acokanthera …… 16
アゴニー agony …… 38
アゴニスト agonist …… 38
アコニチン aconitine …… 16
アコニット aconite …… 16
アコニテートヒドラターゼ aconitate hydratase …… 16
顎の gnathic …… 789
アコレプラスマ属 *Acholeplasma* …… 13
アサ(麻) cannabis …… 287
あざ birthmark …… 216
痣 blotch …… 224
浅いほうの溝 minor groove …… 802
アサガオ異常 morning glory anomaly …… 94
朝顔症候群 morning glory syndrome …… 1813
8-アザグアニン 8-azaguanine …… 185
アザスピロデカネジオン azaspirodecanedione …… 185
アザチオプリン azathioprine …… 185
アザピロン azapirone …… 185
アザピロン azapirones …… 185
アザラシ肢症 phocomelia, phocomely …… 1411
アザラシ状奇形 phocomelia, phocomely 1411
アザラシ裂頭条虫 *Diphyllobothrium hians* …… 523
アサルム属 *Asarum* …… 159
亜酸化 suboxidation …… 1764
亜酸化窒素 nitrous oxide …… 1259
足 foot …… 724
足 pes …… 1396
足 foot region …… 1585
味 taste …… 1842
アジア〔型〕インフルエンザ Asian influenza …… 930
アジア肝蛭 *Fasciolopsis rathouisi* …… 677

アジアスピロミコーシス adiaspiromycosis 28
アシアログリコプロテイン asialoglycoprotein 160
アシアロ糖蛋白レセプタ(受容体) asialoglycoprotein receptor 1570
アシェリン usherin 1976
アジ化合物 azide 186
足形充塡器 foot plugger 1446
足関節 ankle joint 969
足関節炎 podarthritis 1452
足関節固定〔術〕 ankle arthrodesis 155
足関節天蓋 mortise 1171
足奇形体(奇形児) peropus 1394
あしくび ankle region 1584
あしくび regio talocruralis 1584
足首-上腕血圧比 ankle-brachial index (ABI) 921
足クローヌス ankle clonus 375
葦状爪 reedy nail 1220
足穿孔〔症〕 malum perforans pedis 1097
足穿孔性潰瘍 perforating ulcer of foot 1961
アジソン(アディソン)貧血 addisonian anemia 76
アジソン(アディソン)臨床平面 Addison clinical planes 1430
足治療 pedicure 1376
アシドーシス acidosis 15
アシドフィルス菌 *Lactobacillus acidophilus* 994
アシドフィルス乳 acidophilus milk 1157
アシネトバクター属 *Acinetobacter* 15
足の pedal 1376
足の裏 planta 1431
足の裏 planta pedis 1431
足の裏 sole 1697
足の回外 supination of the foot 1778
足の外側縁 lateral border of foot 235
足の外側縁 margo lateralis pedis 1104
足の外側辺縁静脈 lateral marginal vein of foot 1998
足の回内〔運動〕 pronation of foot 1498
〔足の〕下伸筋支帯 inferior extensor retinaculum 1600
〔足の〕下伸筋支帯 inferior retinaculum of extensor muscles 1600
〔足の〕下伸筋支帯 retinaculum musculorum extensorum inferius 1600
足の関節 articulationes pedis 157
足の関節 articulations of foot 158
足の関節 joints of foot 970
足の基節骨 proximal phalanx of foot 1399
〔足の〕弓状動脈 arteria arcuata (pedis) 134
〔足の〕弓状動脈 arcuate artery (of foot) (inconstant) 142
〔足の〕屈筋支帯 retinaculum of flexor muscles 1600
あしのこう dorsum of foot 556
あしのこう dorsum pedis 556
足の甲 instep 940
〔足の〕指節滑車 trochleae of phalanges of foot 1936
〔足の〕指節骨頭 caput phalangis (pedis) 292
〔足の〕指節骨頭 head of phalanx (of foot) 817
足の指放線 digital rays of foot 1561
〔足の〕舟状骨 navicular (bone) 233
〔足の〕舟状骨 navicular 1222
〔足の〕舟状骨 os naviculare 1318
〔足の〕上伸筋支帯 retinaculum musculorum extensorum superius 1600
〔足の〕上伸筋支帯 superior extensor retinaculum 1601
〔足の〕上伸筋支帯 superior retinaculum of extensor muscles 1601
〔足の〕伸筋支帯 retinacula of extensor muscles 1600
〔足の〕虫様筋 musculus lumbricalis pedis 1201
〔足の〕虫様筋 lumbricals (lumbrical muscles) of foot 1189
足の内在筋 intrinsic muscles of foot 1187
足の内側縁 medial border of foot 235
足の内側縁 margo medialis pedis 1104
足の内側辺縁静脈 medial marginal vein of foot 1998
〔足の〕背側骨間筋 musculus interosseus dorsalis pedis 1200
〔足の〕背側骨間筋 dorsal interossei (interosseous muscles) of foot 1184
足の背側指静脈 dorsal digital veins of foot 1995
足の背側指神経 dorsal digital nerves of foot 1233
足の背側指神経 nervi digitales dorsales pedis 1242
足の腓側縁 fibular margin of foot 1103
足の腓側縁 margo fibularis pedis 1104
足の骨 bones of foot 232
足の末節骨 distal phalanx of foot 1399
〔足の〕末節骨粗面 tuberositas phalangis distalis (pedis) 1947
〔足の〕末節骨粗面 tuberosity of distal phalanx (of foot) 1947
〔足または手の末節骨の〕爪粗面 ungual tuberosity 1948
足場依存性 anchorage dependence 492
足〔部〕白癬 tinea pedis 1894
アジピオドン adipiodone 29
アジピン酸 adipic acid 29
アジポキニン adipokinin 29
アジマリン ajmaline 41
唖者 mute 1206
アジャスタブルアキシスフェイスボー adjustable axis face-bow 661
アシャール症候群 Achard syndrome 1795
アシャール-ティエール症候群 Achard-Thiers syndrome 1795
亜周期性 subperiodic periodicity 1390
アジュバント adjuvant 29
アジュバントワクチン adjuvant vaccine 1979
足指 toe 1897
アシュビー法 Ashby method 1143
亜硝酸 nitrous acid 1259
亜硝酸アミル amyl nitrite 67
亜硝酸イソブチル isobutyl nitrite 959
亜硝酸塩 nitrite 1258
亜硝酸塩尿〔症〕 nitrituria 1258
亜硝酸ナトリウム sodium nitrite 1696
アショフ細胞 Aschoff cell 319
アショフ体 Aschoff bodies 225
アショフ-田原結節 node of Aschoff and Tawara 1260
アジョワン油 ajowan oil 41
アシル acyl 22
アシルアデニレート acyladenylate 22
N-アシルアミノ酸 *N*-acylamino acid 22
アシル化 acylation 22
O-アシルカルニチン *O*-acylcarnitine 22
アシル基転移 transacylation 1916
アシルCoA acyl-CoA 22
アシルCoAシンセターゼ acyl-CoA synthetase 22
アシルCoAデヒドロゲナーゼ acyl-CoA dehydrogenase (NADPH) 22
N-アシルスフィンゴシン *N*-acylsphingosine 23
アシル担体蛋白 acyl carrier protein (ACP) 1502
アシルトランスフェラーゼ acyltransferases 23
アシルメルカプタン結合 acylmercaptan bond 230
アジン染料 azin dyes 569
亜錐体の subpyramidal 1764
アスカリドール ascaridole 159
小豆電球 mignon lamp 999
アスク-アップマーク腎 Ask-Upmark kidney 983
アスコーリ試験 Ascoli test 1854
アスコーリ反応 Ascoli reaction 1563
アスコルビン酸 ascorbic acid 160
アスコルビン酸オキシダーゼ ascorbate oxidase 160
アスコルビン酸-シアン試験 ascorbate-cyanide test 1854
アスコルビン酸パルミテート ascorbyl palmitate 160
アスタチン astatine (At) 163
アズテック耳 Aztec ear 580
アステリオトキシン asteriotoxins 164
アステリオン asterion 164
アステリオン間の biasterionic 208
アステリオン間の interasteric 943
アステリクシス asterixis 164
アストラ-コラー分類 Astler-Coller classification 371
アストロウイルス属 *Astrovirus* 166
アスパラガス属 *Asparagus* 160
アスパラギナーゼ asparaginase 160
アスパラギニル asparaginyl (N, N) 160
アスパラギン asparagine (N, Asn) 160
アスパラギン酸 aspartic acid (Asp) 161
アスパラギン酸アミノトランスフェラーゼ aspartate aminotransferase (AST) 160
アスパラギン酸アンモニアリアーゼ aspartate ammonia-lyase 160
アスパラギン酸カルバモイルトランスフェラーゼ aspartate carbamoyltransferase 160
アスパラギン酸キナーゼ aspartate kinase 161
アスパラギン酸4-デカルボキシラーゼ aspartate 4-decarboxylase 161
アスパラギン酸分解酵素 aspartate ammonia-lyase 160
アスパラギンリガーゼ asparagine ligase 160
アスパルチル aspartyl 161
β-アスパルチル(アセチルグルコサミン) *β*-aspartyl (acetylglucosamine) 161
アスパルチルグリコサミニダーゼ aspartylglycosaminidase 161
アスパルチルグリコサミン aspartylglycosamine 161
アスパルチルグリコサミン尿〔症〕 aspartylglycosaminuria 161
アスピドスペルミン aspidospermine 162
アスピリン aspirin 162
アスピリンアルミニウム aluminum aspirin 54
アスベスト asbestos 159
アスベスト(石綿)小体 asbestos bodies 225
アスペルガー障害 Asperger disorder 544
アスペルギリン aspergillin 161
アスペルギルス腫 aspergilloma 161
アスペルギルス症 aspergillosis 161
アスペルギルス属 *Aspergillus* 161
アスペルギローム aspergilloma 161
アズール AZOOR 186
アズール azure 186
アズール〔好,親和〕〔性〕顆粒 azurophil granule 796
アズール好性球増多症 azurophilia 186
アズール好性の azurophil, azurophile 186
アズール〔親和〕性の azurophil, azurophile 186
アズールの爪半月 azure lunula of nails 1073
アズールI azure I 186
アズールII azure II 186

アズールA azure A 186
アズールB azure B 186
アズールC azure C 186
アズレジン azuresin 186
アスレル結節腫(ガングリオン) Acrel ganglion 752
汗 perspiration 1396
汗 sudor 1769
汗 sweat 1789
亜正中の submedial, submedian 1764
アセザー三角 Assézat triangle 1926
アセスメント assessment 163
アセタケ属 *Inocybe* 938
アセタゾラミド acetazolamide 11
アセタール acetal 11
アセチュレート aceturate 12
アセチラーゼ acetylase 12
アセチル acetyl (Ac) 12
N-アセチルアスパラギン酸 *N*-acetylaspartate 12
アセチルアデニレート acetyladenylate 12
アセチルオルニチンデアセチラーゼ acetylornithine deacetylase 13
アセチル化 acetylation 12
アセチル化価 acetyl value 1984
O-アセチルカルニチン *O*-acetylcarnitine 12
アセチル基転移 transacetylation 1916
N-アセチルグルコサミン *N*-acetylglucosamine 12
N-アセチルグルタミン酸 *N*-acetylglutamate (NAG) 12
アセチルCoA acetyl-CoA 12
アセチルCoAアシルトランスフェラーゼ acetyl-CoA acyltransferase 12
アセチルCoAアセチルトランスフェラーゼ acetyl-CoA acetyltransferase 12
アセチルCoA:α-グルコサミニドアセチルトランスフェラーゼ acetyl-CoA: α-glucosaminide acetyltransferase 12
アセチルCoAカルボキシラーゼ acetyl-CoA carboxylase 12
アセチルCoAヒドロラーゼ acetyl-CoA hydrolase 12
アセチルCoAリガーゼ acetyl-CoA ligase 12
アセチルコリン acetylcholine (ACH, Ach) 12
アセチルコリンエステラーゼ acetylcholinesterase 12
アセチルコリン性 acetylcholinergic 12
アセチルサリチル酸アンチピリン antipyrine acetylsalicylate 108
アセチルシステイン acetylcysteine, *N*-acetylcysteine 12
N^1-アセチルスルファニルアミド N^1-acetylsulfanilamide 13
N^4-アセチルスルファニルアミド N^4-acetylsulfanilamide 13
アセチルトランスフェラーゼ acetyltransferase 13
N-アセチルノイラミン酸 *N*-acetylneuraminic acid (NeuAc) 13
3-アセチルピリジン 3-acetylpyridine 13
アセチルリン酸 acetyl phosphate 12
アセテート acetate 11
アセテートキナーゼ acetate kinase 11
アセトアセチルCoA acetoacetyl-CoA 11
アセトアセチルCoAレダクターゼ acetoacetyl-CoA reductase 11
アセトアセテートデカルボキシラーゼ acetoacetate decarboxylase 11
アセトアミド acetamide 11
アセトアミノフェン acetaminophen (APAP) 11
アセトアルデヒド acetaldehyde 11
アセトイン acetoin 11
アセトオルセイン染色〔法〕 acetoorcein stain 1729
アセト酢酸 acetoacetic acid 11
アセト酢酸塩 acetoacetate 11
アセトニトリル acetonitrile 12
汗止め anhidrotic 90
アセトリシス acetolysis 12
アセトン acetone 12
アセトン血〔症〕 acetonemia 12
アセトン固定液 acetone fixative 708
アセトン試験 acetone test 1853
アセトン体分解の ketolytic 982
アセトン尿〔症〕 acetonuria 12
アセファリナ類 acephaline 10
アセリ腺 Aselli gland 772
アセロラ acerola 11
亜せん(譫)妄 subdelirium 1763
阿仙薬 gambir 751
アゾかゆみ〔症〕 azo itch 964
アゾカルミン azocarmine 186
アゾカルミンB azocarmine B 186
アゾカルミンG azocarmine G 186
アゾカルミン色素 azocarmine dyes 569
亜属 subgenus 1763
亜族 subtribe 1768
アゾ染料 azo dyes 569
アゾ蛋白 azoprotein 186
アゾビリルビン azobilirubin 186
アゾリトミン azolitmin 186
アゾール azole 186
アダー adder 23
値 value 1984
アタキシン ataxin 168
亜脱臼 subluxation 1764
アタッチメント attachment 174
アダプタ adapter, adaptor 23
アダプタ説 adaptor hypothesis 898
アダプチン adaptin 23
頭 caput 291
アタマジラミ寄生症 pediculosis capitis 1376
頭と頸の筋膜 fascia of head and neck 673
頭の cranial 434
頭の部位 regiones capitis 1583
頭の部位 regions of head 1585
頭割り医療費 capitation 289
アダマンチノーマ adamantinoma 23
アダムキエヴィチ動脈 artery of Adamkiewicz 141
アダムズ(アダムス)-ストークス失神 Adams-Stokes syncope 1794
アダムズ(アダムス)-ストークス症候群 Adams-Stokes syndrome 1795
アダンソン分類〔法〕 adansonian classification 370
アチーブメント試験 achievement test 1853
亜中隔子宮 subseptate uterus 1977
圧 pressure (P, *P*) 1482
圧維持換気法 pressure-support ventilation (PSV) 2010
軋音 crepitation 436
悪化 deterioration 500
圧開らせん jackscrew 966
圧覚 pressure sense 1661
圧覚計 baresthesiometer 197
圧覚失認 baragnosis 196
圧覚点 pressure point 1454
悪気 damp 471
アッキー中毒 ackee poisoning 1455
圧均衡管 pressure-equalization (PE) tube 1942
圧痕 impressio 916
圧痕 impression 916
圧痕水腫(浮腫) pitting edema 587
厚さ thickness 1883
圧挫 crush 444
圧搾 compression 405
圧搾 expression 656
圧搾カラシ油 expressed mustard oil 1205
圧搾酵母 compressed yeast 2055
圧挫症候群 crush syndrome 1802
軋歯(あっし) odontoprisis 1292
軋歯(あっし) odonterism 1292
アッシャー症候群 Ascher syndrome 1797
アッシャー症候群 Usher syndrome 1824
アッシャー症候群1C型遺伝子 Usher type 1C syndrome gene 764
アッシャー症候群1D型遺伝子 Usher type 1D syndrome gene 764
アッシャー症候群2A型遺伝子 Usher type 2A syndrome gene 764
圧縮 compression 405
圧縮 condensation 407
圧縮 electrostriction 598
圧縮化学 piezochemistry 1423
圧縮強度 compressive strength 1753
圧縮筋 compressor 405
圧縮錠〔剤〕 compressed tablet 1836
圧縮スポンジ compressed sponge 1723
圧縮性海綿体 compressible cavernous bodies 226
圧縮成形 compression molding 1163
圧縮制限 compression limiting 405
圧縮熱 heat of compression 821
圧出 expression 656
圧出 pulsion 1525
圧出〔性〕憩室 pulsion diverticulum 552
アッシュマン現象 Ashman phenomenon 1403
圧受容器 baroreceptor 197
圧受容機構 pressoreceptive mechanism 1114
圧受容器神経 pressoreceptor nerve 1238
圧受容器反射 pressoreceptor reflex 1581
圧受容系 pressoreceptor system 1833
圧受容〔体〕の pressoreceptive 1482
圧制御換気法 pressure-controlled ventilation 2010
圧走性 barotaxis 197
圧注〔器〕 douche 558
圧調節器 barostat 197
圧調節呼吸器 pressure-controlled respirator 1596
圧痛 tenderness 1849
圧痛計 algesiometer 47
圧抵器 depressor 494
圧電気 piezoelectricity 1423
圧電効果 piezoelectric effect 589
圧電(ピエゾ)変換器(振動子) piezoelectric transducer 1917
圧入 indentation 921
圧入硬度 indentation hardness 815
圧排法 exclusion 652
圧迫 pressure (P, *P*) 1482
圧迫萎縮 pressure atrophy 174
圧迫壊疽 decubital gangrene 755
圧迫壊疽 pressure gangrene 756
圧迫ガーゼ compress 405
圧迫潰瘍の decubital 475
圧迫〔性〕感覚(知覚)脱失(消失) pressure anesthesia 80
圧迫器 compressor 405
圧迫虚脱 pressure collapse 390
圧迫〔性〕血栓症 compression thrombosis 1888
圧迫黒内障 pressure amaurosis 56
圧迫骨折 compression fracture 737
圧迫止血 astriction 165
圧迫性眼振 compressive nystagmus 1286
圧迫性ニューロパシー(神経障害) compression neuropathy 1250
圧迫性じんま疹 pressure urticaria 1976
圧迫性足部丘疹 piezogenic pedal papule 1347
圧迫性脱毛〔症〕 pressure alopecia 53
圧迫性チアノーゼ compression cyanosis 453

圧迫〔性〕知覚麻痺 pressure anesthesia …… 80
圧迫性麻痺 compression paralysis …… 1350
圧迫性麻痺 pressure palsy …… 1340
圧迫性ミエロパシー compressive myelopathy …… 1211
圧迫性網膜症 compression retinopathy 1602
圧迫帯 tourniquet …… 1905
圧迫プレート compression plate …… 1435
圧迫プレート法 compression plating …… 1436
圧迫包帯 pressure dressing …… 560
圧迫麻痺 pressure paralysis …… 1351
圧波形 pressure waveform …… 2042
圧反射 baroreflex …… 197
圧反射 mechanoreflex …… 1114
アッヒェンバッハ症候群 Achenbach syndrome …… 1795
アッププロモータ性突然変異 up promoter mutation …… 1206
アップレギュレーション upregulation …… 1968
アップレギュレーション/ダウンレギュレーション仮説 upregulation/downregulation hypothesis …… 899
圧平 applanation …… 120
圧平眼圧計 applanation tonometer …… 1901
圧平眼圧測定〔法〕 applanometry …… 120
アッベ唇〔皮〕弁 Abbe flap …… 709
圧脈拍微分 pressure pulse differentiation 516
圧-容積指数 pressure-volume index …… 923
圧力 pressure (P, *P*) …… 1482
圧力曲線 tension curve …… 451
圧力曲線記録器 tonoscillograph …… 1901
圧力計 manometer …… 1101
圧力計 piesimeter, piesometer …… 1423
圧力計 tonometer …… 1901
圧力原性 piezogenic …… 1423
圧力障害 barotrauma …… 197
圧力測定〔法〕 tonometry …… 1901
圧力プレチスモグラフ pressure plethysmograph …… 1437
アディス検査 Addis test …… 1853
アディス〔尿沈渣定量的検査〕法 Addis count …… 431
アディソン(アジソン)貧血 addisonian anemia …… 76
アディソン(アジソン)臨床平面 Addison clinical planes …… 1430
アディポカイン adipokine …… 29
アディポネクチン adiponectin …… 29
アテトーシス athetosis …… 169
アテトーシス様の athetoid …… 169
アテニュエータ attenuator …… 175
アデニリル adenylyl …… 28
アデニリロコハク酸 adenylylosuccinic acid …… 28
アデニル adenyl …… 27
アデニル酸 adenylic acid …… 27
アデニル酸(アデニレート)キナーゼ adenylate kinase …… 27
アデニル酸(アデニレート)シクラーゼ adenylate cyclase …… 27
アデニルシクラーゼ adenyl cyclase …… 27
アデニレート adenylate …… 27
アデニレート(アデニル酸)キナーゼ adenylate kinase …… 27
アデニレート(アデニル酸)シクラーゼ adenylate cyclase …… 27
アデニロコハク酸 adenylosuccinic acid (sAMP) …… 28
アデニロコハク酸シンターゼ adenylosuccinate synthase …… 28
アデニロコハク酸リアーゼ adenylosuccinate lyase …… 27
アデニン adenine (A, Ade) …… 24
アデニンデアミナーゼ adenine deaminase 24
アデニンホスホリボシルトランスフェラーゼ adenine phosphoribosyltransferase …… 24
アデノイド adenoid …… 25
アデノイド咽頭炎 adenoiditis …… 25
アデノイド顔〔貌〕 adenoid facies …… 662
アデノイド口蓋扁桃摘出〔術〕 adenotonsillectomy …… 27
アデノイド切除〔術〕 adenoidectomy …… 25
アデノイド切除〔術〕 adenotomy …… 27
アデノイド内の intraadenoidal …… 949
アデノイド扁桃炎 adenoiditis …… 25
アデノウイルス adenovirus …… 27
アデノウイルス科 Adenoviridae …… 27
アデノーマ adenoma …… 25
アデノシル adenosyl …… 27
アデノシルコバラミン adenosylcobalamin 27
S-アデノシル-L-ホモシステイン *S*-adenosyl-L-homocysteine …… 27
S-アデノシル-L-メチオニン *S*-adenosyl-L-methionine (SAM, AdoMet, SAM-e) …… 1630
アデノシン adenosine (Ado) …… 26
アデノシンキナーゼ adenosine kinase …… 26
アデノシン3′,5′-サイクリック一リン酸 adenosine 3′,5′-cyclic monophosphate (cAMP) …… 27
アデノシン3′,5′-サイクリックリン酸ホスホジエステラーゼ adenosine 3′,5′-cyclic phosphate phosphodiesterase …… 27
アデノシンデアミナーゼ adenosine deaminase(ADA) …… 26
アデノシントリホスファターゼ adenosine triphosphatase (ATPase) …… 27
アデノシンヌクレオシダーゼ adenosine nucleosidase …… 27
アデノシンホスフェート adenosine phosphate …… 27
アデノシン5′-ホスホ硫酸 adenosine 5′-phosphosulfate (APS) …… 27
アデノシン5′-ホスホ硫酸キナーゼ adenosine 5′-phosphosulfate kinase …… 27
アデノシン一リン酸 adenosine monophosphate (AMP) …… 27
アデノシン二リン酸 adenosine diphosphate …… 26
アデノシン四リン酸 adenosine tetraphosphate …… 27
アデノシン3′-リン酸 adenosine 3′-phosphate …… 27
アデノシン3′-リン酸5′-ホスホ硫酸 adenosine 3′-phosphate 5′-phosphosulfate (PAPS) …… 27
アデノシン5′-リン酸 adenosine 5′-phosphate …… 27
アデノシン5′-二リン酸 adenosine 5′-diphosphate (ADP) …… 27
アデノシン5′-三リン酸 adenosine 5′-triphosphate (ATP) …… 27
アデノ随伴ウイルス adeno-associated virus (AAV) …… 2022
アデノパシー adenopathy …… 26
あてはまりの良さ goodness of fit …… 793
アデューシン adducin …… 24
アテレクターゼ atelectasis …… 168
アテレクトミー atherectomy …… 168
アテロピドトキシン atelopidtoxin …… 168
アテローム atheroma …… 168
アテローム血栓症 atherothrombosis …… 169
アテローム〔性動脈〕硬化〔症〕 atherosclerosis …… 168
アテローム硬化性動脈瘤 atherosclerotic aneurysm …… 81
アテローム塞栓症 atheroembolism …… 168
アテローム発生 atherogenesis …… 168
アテローム発生の atherogenic …… 168
アテローム変性 atheromatous degeneration …… 480
後味(あとあじ) aftertaste …… 34
後産 afterbirth …… 33
後産 secundina …… 1653
後産 secundines …… 1654
アドソン試験 Adson test …… 1853
アドソン摂子 Adson forceps …… 727
アトニー atony …… 170
アトニー発作 atonic seizure …… 1657
アドニス草 adonis …… 30
アドハリン adhalin …… 28
アトピー atopy …… 170
アトピー性ぜん息 atopic asthma …… 164
アトピー性白内障 atopic cataract …… 311
アトピー〔性〕皮膚炎 atopic dermatitis …… 495
アトペン atopen …… 170
アトポビウム属 *Atopobium* …… 170
アトマイザ atomizer …… 170
アトラクチン attractin …… 175
アトラクリウム atracurium besylate …… 171
アドリアマイシン adriamycin …… 31
アトリプリシズム atriplicism …… 171
アドレシン addressin …… 24
アドレスリガンド addressin ligands …… 1046
アドレナリン〔作用,作動〕遮断 adrenergic blockade …… 222
アドレナリン作用(作動)性レセプタ(受容体) adrenergic receptors …… 1570
アドレナリン作用(作動)性神経伝達物質 adrenergic neurotransmitter …… 1253
アドレナリン〔作用,作動〕性線維 adrenergic fibers …… 687
アドレナリン作用(作動)性ニューロン遮断薬 adrenergic neuronal blocking agent …… 36
アドレナリン作用(作動)〔性〕の adrenergic 30
アドレナリン〔様〕作用(作動)の adrenomimetic …… 30
アドレナリン遮断薬 adrenergic blocking agent …… 36
アドレナリン受容〔体〕の adrenoceptive …… 30
アドレナリン反応性の adrenoreactive …… 30
アドレナロン adrenalone …… 30
アドレノコルチコトロピン adrenocorticotropin …… 30
アドレノステロン adrenosterone …… 30
アドレノトロピン adrenotropin …… 31
アドレノメデュリン adrenomedullin …… 30
アトロスシン atroscine …… 174
アトロピン atropine …… 174
アトロピン中毒症 atropinism …… 174
アトロピン投与 atropinization …… 174
アトロピン様の atropinic …… 174
穴 pit …… 1426
アナスチグマート anastigmats …… 72
アナトキシン anatoxin …… 74
アナトピズム anatopism …… 74
アナフィラキシー anaphylaxis …… 72
アナフィラキシー好酸球遊走因子 eosinophil chemotactic factor of anaphylaxis (ECF-A) …… 667
アナフィラキシーショック anaphylactic shock …… 1673
アナフィラキシー性腸炎 enteritis anaphylactica …… 619
アナフィラキシー性の anaphylactogenic …… 72
アナフィラキシーの anaphylactic …… 71
アナフィラキシーの薬理学的伝達物質 pharmacologic mediators of anaphylaxis …… 1115
アナフィラキシー発現 anaphylactogenesis 72
アナフィラキシー誘発の anaphylactogenic 72
アナフィラキシー様紫斑病 anaphylactoid purpura …… 1528
アナフィラキシー様ショック anaphylactoid shock …… 1673
アナフィラクトゲン anaphylactogen …… 72
アナフィラトキシン anaphylatoxin …… 72
アナフィラトキシン不活化物質

anaphylatoxin inactivator …… 72
アナフォレーシス anaphoresis …… 71
アナプラストロジー anaplastology …… 72
アナプレロティック anaplerotic …… 72
アナプレロティック反応 anaplerosis …… 72
アナベナ属 *Anabaena* …… 69
アナボリック(蛋白同化)ステロイド anabolic steroid …… 1745
アナライジングロッド analyzing rod …… 1619
アナンカズム anancasm …… 71
アナンダミド anadamide …… 69
アナンダミド anandamide …… 71
アニオノトロピー anionotropy …… 92
アニオンギャップ(差) anion gap …… 756
アニサキス anisakid …… 92
アニサキス科 Anisakidae …… 92
アニサキス症 anisakiasis …… 92
アニサキス属 *Anisakis* …… 92
アニス anise …… 92
アニス酸 anisic acid …… 92
アニス酸塩 anisate …… 92
アニス油 oil of anise …… 1294
アニソール anisole …… 92
アニマ anima …… 91
アニマティズム animatism …… 91
アニミズム animism …… 91
アニムス animus …… 91
アニリド anilide …… 91
アニリン aniline …… 91
アニーリングトレー annealing tray …… 1923
アニリン親和性の anilinophil, anilinophile …… 91
アニリン中毒〔症〕 anilism …… 91
アニリンフクシン aniline fuchsin …… 743
アニリンブルー aniline blue …… 91
アニール anneal …… 93
アネキシン annexins …… 93
アネリド annellide …… 93
アネルギー anergy …… 78
アネルギーの anergic …… 78
アネル法 Anel method …… 1143
アネロイド圧力計 aneroid manometer 1101
アネロイドの aneroid …… 78
アネロ〔型〕分生子 annelloconidium …… 93
アネロボプラズマ目 Anaeroboplasma …… 69
亜捻髪音〔発生〕 subcrepitation …… 1763
亜捻髪音の subcrepitant …… 1763
亜捻髪ラ音 subcrepitant rale …… 1547
アノクロマジア anochromasia …… 93
アノマー anomer …… 94
アノマー炭素 anomeric carbon …… 294
アノマロスコープ anomaloscope …… 93
アノミー anomie …… 94
アバーネシー筋膜 Abernethy fascia …… 672
アパタイト apatite …… 112
アパチスコア APACHE score …… 1649
亜白血性白血病 subleukemic leukemia 1025
アバットメント abutment …… 7
アバンダンス abundance …… 7
アビー皮弁 Abbe flap …… 709
アピコロケータ apicolocator …… 115
亜ヒ酸 arsenous acid …… 133
亜ヒ酸第二銅 cupric arsenite …… 449
亜ヒ酸の arsenous …… 133
アビジン avidin …… 183
アビディティ avidity …… 183
アビディティ抗体 avidity antibody …… 100
亜病原性の mesogenic …… 1136
アピラーゼ apyrase …… 122
アピリミジン酸 apyrimidinic acid …… 122
アヒルインフルエンザウイルス duck influenza virus …… 2023
アヒル肝炎ウイルス duck hepatitis virus …… 2023
アヒル胚ウイルス duck embroy virus (DEV) …… 2023
アヒルペストウイルス duck plague virus …… 2023
アヒル歩行 waddling gait …… 749
アブ gadfly …… 748
アブ tabanid …… 1836
アブアンペア abampere …… 1
アフィニティ affinity(A) …… 33
アフィニティクロマトグラフィ affinity chromatography …… 357
アフィニティ抗体 affinity antibody …… 99
アフィピア属 *Afipia* …… 33
アフェレーシス apheresis …… 114
アブオーム abohm …… 3
アブ科 Tabanidae …… 1836
アプガースコア Apgar score …… 1649
アブサン absinthe …… 6
アブ(ブ)サンス absence …… 6
アブサンス発作 absence seizure …… 1657
アブシディア属 *Absidia* …… 6
アブシンチウム absinthium …… 6
アブシンチン absinthin …… 6
アブスコパル abscopal …… 6
アブスコパル効果 abscopal effect …… 588
アブ属 *Tabanus* …… 1836
アフタ aphtha …… 115
アフタクロミング afterchroming …… 33
アフタケア aftercare …… 33
アフタ症 aphthosis …… 115
アフタ性口内炎 aphthous stomatitis …… 1748
アフタ様の aphthoid …… 115
アフターローディング放射線治療 afterloading radiation …… 1541
アフトウイルス属 *Aphthovirus* …… 115
アプト試験 Apt test …… 1854
アブファラッド abfarad …… 3
アブフラクション abfraction …… 3
アブフラクション〔病変〕 abfraction lesion …… 1022
アブヘンリー abhenry …… 3
アブボルト abvolt …… 7
あぶみ(アブミ)骨 stapes …… 1737
あぶみ骨 stirrup …… 1748
あぶみ骨可動術 stapes mobilization …… 1161
あぶみ骨筋 musculus stapedius …… 1203
あぶみ骨筋 stapedius …… 1737
あぶみ骨筋 stapedius (muscle) …… 1194
あぶみ骨筋腱切開〔術〕 stapediotenotomy …… 1737
あぶみ骨筋神経 nerve to stapedius muscle …… 1238
あぶみ骨筋神経 nervus stapedius …… 1243
あぶみ骨上の suprastapedial …… 1779
あぶみ骨切除〔術〕 stapedectomy …… 1737
あぶみ骨前庭の stapediovestibular …… 1737
あぶみ骨底 base of stapes …… 200
あぶみ骨底 basis stapedis …… 201
あぶみ骨底開窓術 stapedotomy …… 1737
あぶみ骨摘出〔術〕 stapedectomy …… 1737
あぶみ骨頭 caput stapedis …… 292
あぶみ骨頭 head of stapes …… 818
あぶみ骨動脈 stapedial artery …… 152
〔あぶみ骨の〕後脚 posterior crus of stapes …… 443
〔あぶみ骨の〕後脚 posterior limb of stapes …… 1047
〔あぶみ骨の〕前脚 anterior crus of stapes …… 443
〔あぶみ骨の〕前脚 anterior limb of stapes …… 1047
あぶみ骨ひだ stapedial fold …… 720
あぶみ骨膜 membrana stapedis …… 1124
あぶみ骨膜 stapedial membrane …… 1127
あぶみ骨輪状靱帯 anular ligament of stapes …… 1033
あぶみ骨輪状靱帯 ligamentum anulare stapedis …… 1042
油 oil …… 1293
アブラスチン ablastin …… 3
アフラトキシン aflatoxin …… 33
アフラトキシン〔中毒〕症 aflatoxicosis …… 33
アブラハムズ(エーブラハムズ)徴候 Abrahams sign …… 1678
あぶり torrefaction …… 1904
アフリカ出血熱 African hemorrhagic fever …… 682
アフリカ心内膜線維症 African endomyocardial fibrosis …… 695
アフリカダニ熱 African tick-bite fever 682
アフリカ茶 African tea …… 1843
アフリカトリパノソーマ症 African trypanosomiasis …… 1939
アフリカヒストプラスマ症 African histoplasmosis …… 855
アプリケー形 appliqué forms …… 729
アブリン abrin …… 4
アプリン酸 apurinic acid …… 122
アプロソディ aprosody …… 122
亜閉塞結紮〔法〕 suboccluding ligature …… 1046
アペキシフィケーション apexification …… 114
アベー集光器 Abbé condenser …… 407
アペセド症候群 autoimmune polyendocrinopathy-candidiasis-ectodermal dystrophy (APECED) …… 578
アベニン avenin …… 182
アベル-ケンダル法 Abell-Kendall method …… 1143
アペール症候群 Apert syndrome …… 1796
アベルメクチン類 avermectins …… 182
アヘン opium …… 1308
アヘン安息香チンキ paregoric …… 1355
アヘン〔製〕剤 opiate …… 1308
アヘン剤レセプタ(受容体) opiate receptors …… 1571
アヘン散 powdered opium …… 1309
アヘンチンキ laudanum …… 1005
アヘン誘導体 opiate …… 1308
アポB-37を伴う低ベータリポ蛋白血症 hypobetalipoproteinemia with apo B-37 …… 891
アポインデューサ apoinducer …… 116
アボガドロ(アヴォガドロ)数 Avogadro number (Λ, N_A) …… 1282
アポクリン apocrine …… 116
アポクリン化生 apocrine metaplasia …… 1140
アポクリン癌 apocrine carcinoma …… 296
アポクリン汗腺 apocrine sweat glands …… 772
アポクリン色汗症 apocrine chromhidrosis …… 358
アポクリン腺 apocrine gland …… 772
アポクロマート対物レンズ apochromatic objective …… 1288
アポ酵素 apoenzyme (apo) …… 116
アポスチルブ apostilb …… 118
アポソーム aposome …… 118
アポ蛋白 apoprotein …… 118
アボット動脈 Abbott artery …… 140
アボット胞子染色〔法〕 Abbott stain for spores …… 1729
アボツロク *cassia fistula* …… 308
アポトーシス apoptosis …… 118
アポフィーゼの apophysial, apophyseal 117
アポフィソミセス属 *Apophysomyces* …… 117
アポフェリチン apoferritin …… 116
アポプトーシス apoptosis …… 118
アポプトソーム apoptosome …… 118
アポ誘導物質 apoinducer …… 116
アポ抑制体(リプレッサー) aporepressor 118
アポリポ蛋白 apolipoprotein (apo) …… 116
アポリポ蛋白A-I apolipoprotein A-I …… 116
アポリポ蛋白A-II apolipoprotein A-II …… 116
アポリポ蛋白A-IV apolipoprotein A-IV 116
アポリポ蛋白B apolipoprotein B …… 116

アポリポ蛋白B–48 apolipoprotein B-48 … 116
アポリポ蛋白B–100 apolipoprotein B-100 116
アポリポ蛋白C–I apolipoprotein C-I … 116
アポリポ蛋白C–II apolipoprotein C-II … 116
アポリポ蛋白C–III apolipoprotein C-III 117
アポリポ蛋白D apolipoprotein D … 117
アポリポ蛋白E apolipoprotein E … 117
アポリポ蛋白J apolipoprotein J … 117
アマガサヘビ krait … 989
アマガサヘビ毒素 bungarotoxins … 266
亜膜性の submembranous … 1764
アマクリン細胞 amacrine cell … 319
亜麻仕上げ工病 flax-dresser's disease … 533
アマゾン型メキシコリーシュマニア *Leishmania mexicana amazonensis* … 1017
アマトキシン amatoxin … 56
アマドリ転位 Amadori rearrangement 1569
アマニ linseed … 1054
アマニ油 linseed oil … 1055
甘味 sweet taste … 1842
アマメシバ *Sauropus androgynus* … 1637
アマランス amaranth, amaranthum … 56
アマランス液 amaranth solution … 1698
アマリン amarine … 56
アマルガム amalgam … 55
アマルガム入れ墨 amalgam tattoo … 1842
アマルガム化 amalgamation … 55
アマルガムキャリア amalgam carrier … 305
アマルガム色素沈着 amalgam tattoo … 1842
アマルガムストリップ amalgam strip … 1757
アマルガムの辺縁破折抵抗 marginal integrity of amalgam … 943
アマルガムマトリックス amalgam matrix … 1110
アマルガメータ amalgamator … 55
アミアントイド amianthoid … 58
アミグダリン amygdalin … 67
アミジノトランスフェラーゼ amidinotransferases … 59
アミジノヒドロラーゼ amidinohydrolases 59
アミジン amidine … 59
アミジン基転移 transamidination … 1916
アミダーゼ amidase … 59
アミド amide … 59
アミドキシム amidoximes … 59
アミドキシル amidoxyl … 59
アミドナフトールレッド amidonaphthol red … 59
アミドヒドロラーゼ amidohydrolases … 59
アミドブラック10B amido black 10B … 59
アミド分解 deamidation, deamidization 473
アミノアジピン酸δ–セミアルデヒドシンターゼ aminoadipic δ-semialdehyde synthase … 60
アミノアシラーゼ aminoacylase … 60
アミノアシル aminoacyl (AA, aa) … 60
アミノアシルアデニル酸 aminoacyl adenylate … 60
アミノアシル–tRNA aminoacyl-tRNA … 60
アミノアシル–tRNAシンテターゼ aminoacyl-tRNA synthetases … 60
o–アミノ安息香酸 *o*-aminobenzoic acid … 60
アミノ安息香酸ブチル butyl aminobenzoate … 272
5–アミノイミダゾール–4–*N*–サクシノカルボキサミドリボヌクレオチド 5-aminoimidazole-4-*N*-succinocarboxamide ribonucleotide … 60
5–アミノイミダゾールリボース5′–ホスフェート 5-aminoimidazole ribose 5′-phosphate (AIR) … 60
アミノ化 amination … 59
アミノ化する aminate … 59
アミノカプロン酸塩 aminocaproiate … 60
アミノ基転移 transamidation … 1916
アミノ基転移 transamination … 1916
アミノ基転移酵素 aminotransferase … 61
アミノクエン酸 aminocitric acid … 60
アミノ酢酸ジヒドロキシアルミニウム dihydroxyaluminum aminoacetate … 519
アミノサリチル酸カリウム potassium aminosalicylate … 1472
アミノサリチル酸カルシウム calcium aminosalicylate … 277
アミノサリチル酸フェニル phenyl aminosalicylate … 1406
アミノ酸 amino acid (AA, aa) … 59
アミノ酸活性化 amino acid activation … 21
アミノ酸血〔症〕 aminoacidemia … 59
アミノ酸酸化酵素 amino acid oxidases … 59
アミノ酸試薬 amino acid reagent … 1568
アミノ酸デヒドロゲナーゼ amino acid dehydrogenases … 59
アミノ酸分析 amino acid analysis … 70
アミノ酸–tRNAリガーゼ aminoacid-tRNA ligases … 59
アミノ糖 amino sugars … 1769
アミノトランスフェラーゼ aminotransferase … 61
アミノトリアゾール aminotriazole … 61
アミノトリペプチダーゼ aminotripeptidase … 61
アミノ配糖体 aminoglycoside … 60
p–アミノ馬尿酸クリアランス *p*-aminohippurate clearance … 372
アミノピリン aminopyrine … 61
アミノフィリン aminophylline … 61
アミノ分解 aminolysis … 61
アミノペニシリン〔類〕 aminopenicillins … 61
アミノペプチダーゼ(総称) aminopeptidase … 61
アミノペプチダーゼ(細胞内液の) aminopeptidase (cytosol) … 61
アミノペプチダーゼ(ミクロソームの) aminopeptidase (microsomal) … 61
アミノ末端基 amino-terminal … 61
4–アミノ酪酸経路 4-aminobutyrate pathway … 1372
アミメカクマダニ *Dermacentor reticulatus* … 494
アミラーゼ amylase … 67
アミラーゼ過剰血〔症〕 hyperamylasemia 878
アミラーゼ–クレアチニンクリアランス比 amylase-creatinine clearance ratio … 1560
アミラーゼ尿〔症〕 amylasuria … 67
アミリン amylin … 67
アミル amyl … 67
アミルアルコール amyl alcohol … 67
アミル発酵 amylic fermentation … 680
アミレン amylene … 67
アミレンクロラール amylene chloral … 67
アミロイド amyloid … 67
アミロイドβペプチド amyloid-β peptide … 1382
アミロイド血管症 amyloid angiopathy … 86
アミロイドーシス amyloidosis … 67
アミロイド症 amyloidosis … 67
アミロイド〔小〕体 corpus amylaceum … 425
アミロイド腎 amyloid kidney … 983
アミロイド前駆体蛋白 amyloid-precursor protein … 1502
アミロイド体 amylaceous corpuscle, amyloid corpuscle … 426
アミロイド苔癬 lichenoid amyloidosis … 67
アミロイド蛋白 amyloid protein … 1502
アミロイド変性 amyloid degeneration … 480
アミロイドーマ amyloidoma … 67
アミロ–1,6–グルコシダーゼ amylo-1,6-glucosidase … 67
アミロース amylose … 68
アミロデキストリン amylodextrin … 67
アミロプシン amylopsin … 68
アミロプラスト amyloplast … 68
アミロペクチン amylopectin … 68
アミロペクチン1,6–グルコシダーゼ amylopectin 1,6-glucosidase … 68
アミロペクチン症 amylopectinosis … 68
アミン amine … 59
アミンオキシダーゼ amine oxidase … 59
アミン作動(作用)〔性〕の aminergic … 59
アミン酸尿〔症〕 aminoaciduria … 60
アミン尿〔症〕 aminuria … 61
アムスラー試験 Amsler test … 1854
アムスラー図表 Amsler chart … 340
アムセルの診断基準 Amsel criteria … 441
雨恐怖〔症〕 ombrophobia … 1298
アメーバ ameba … 57
アメーバ〔性肉芽〕腫 ameboma … 57
アメーバ症 amebiasis … 57
〔体内寄生性〕アメーバ症 entamebiasis … 618
アメーバ状の amebiform … 57
アメーバ状胞子 amebule … 58
アメーバ性大腸(結腸)炎 amebic colitis 389
アメーバ性膣炎 amebic vaginitis … 1982
アメーバ性肉芽腫 amebic granuloma … 797
アメーバ〔性〕の amebic … 57
アメーバ性膿瘍 amebic abscess … 4
アメーバ赤痢 amebic dysentery … 571
アメーバ属 *Amoeba* … 63
アメーバ尿〔症〕 ameburia … 58
アメーバ胚子 amebula … 57
アメーバ様運動 ameboid movement … 1173
アメーバ様運動性〔の〕 ameboidism … 57
アメーバ様運動能 ameboididity … 57
アメーバ様細胞 amebocyte … 57
アメーバ様細胞 ameboid cell … 319
アメーバ様の amebic … 57
アメーバ様の ameboid … 57
アメーボテニア属 *Amoebotaenia* … 63
アメリカイヌカクマダニ *Dermacentor variabilis* … 494
アメリカオビキンバエ属 *Callitroga* … 279
アメリカ鉤虫症 necatoriasis … 1223
アメリカ鉤虫属 *Necator* … 1223
アメリカザクラ *Prunus serotina* … 1510
アメリカ手話 American Sign Language (ASL) … 1000
アメリカタランチュラ American tarantula … 1841
アメリシウム americium (Am) … 58
アメロジェニン amelogenins … 58
アメンチア amentia … 58
アモキシリン amoxicillin … 63
アモク amok … 63
亜目 suborder … 1764
アモバルビタール amobarbital … 63
アモルフ amorph … 63
亜門 subphylum … 1764
誤りがちのポリメラーゼ連鎖反応 error-prone polymerase chain reaction 1564
アヤーラ指数 Ayala index … 921
アライグマ回虫 *Baylisascaris procyonis* 202
アライグマ徴候 raccoon sign … 1683
洗い流し試験 washout test … 1868
アラキジン酸 arachidic acid … 123
アラキドン酸 arachidonic acid … 123
アラキドン酸カスケード arachidonic acid cascade … 123
アラクニア属 *Arachnia* … 123
アラクノリジン arachnolysin … 123
アラジル症候群 Alagille syndrome … 1796
アラストリム alastrim … 42
アラニル alanyl(A) … 42
アラニン alanine (A, Ala) … 41
アラニンアミノトランスフェラーゼ alanine aminotransferase (ALT) … 41
アラニン–オキソマロネートアミノトランスフェラーゼ alanine-oxomalonate

aminotransferase …… 41
アラニン-グリオキシレートアミノトランスフェラーゼ alanine-glyoxylate aminotransferase …… 41
アラニンラセマーゼ alanine racemase …… 42
アラノシン alanosine …… 42
アラバン araban …… 122
アラビアゴム gum arabic …… 805
アラビア茶 Arabian tea …… 1843
あらびき粉 meal …… 1112
アラビトール arabitol …… 123
アラビノシルシトシン arabinosylcytosine (aC, araC) …… 123
アラビノース arabinose (Ara) …… 122
アラビノース症 arabinosis …… 123
アラビノース尿〔症〕 arabinosuria …… 123
アラビノース5-リン酸 arabinose 5-phosphate …… 123
アラビノース5-リン酸2-エピメラーゼ arabinose 5-phosphate 2-epimerase …… 123
アラビノフラノシルアデニン arabinofuranosyladenine …… 122
D-アラビリ-2-ヘキスロース D-arabino-2-hexulose …… 122
アラビン arabin …… 122
アラーモン alarmone …… 42
アララ ALARA …… 42
アランソン切断術 Alanson amputation …… 65
アラントイナーゼ allantoinase …… 49
アラントイン allantoin …… 49
アラントイン酸 allantoic acid …… 49
アラントイン尿〔症〕 allantoinuria …… 49
アラントデンプン alant starch …… 42
アラントール alantol …… 42
アリ ant …… 96
アリアス-ステヤ(アリアス-ステラ)現象 Arias-Stella phenomenon …… 1403
アリイン alliin …… 50
アリコート aliquot …… 47
アリザリン alizarin …… 48
アリザリンシアニン alizarin cyanin …… 48
アリザリン指示薬 alizarin indicator …… 924
アリザリンレッドS alizarin red S …… 48
アリシン allicin …… 50
アリシン allysine …… 52
アリス鉗子 Allis forceps …… 727
アリストテレス異常 Aristotle anomaly …… 93
アリストテレス法 aristotelian method …… 1143
アリストロキン酸 aristolochic acids …… 131
アリゾナ属 *Arizona* …… 131
アリの formic …… 729
アリバチ velvet ant …… 96
亜硫酸 sulfurous acid …… 1777
亜硫酸塩 sulfite …… 1776
亜硫酸塩尿症 sulfituria …… 1776
亜硫酸オキシダーゼ sulfite oxidase …… 1776
亜硫酸カルシウム calcium sulfite …… 277
亜硫酸水素塩 bisulfite …… 217
亜硫酸水素ナトリウム sodium bisulfite 1696
亜硫酸水素ナトリウム sodium hydrogen sulfite …… 1696
亜硫酸デヒドロゲナーゼ sulfite dehydrogenase …… 1776
亜硫酸レダクターゼ sulfite reductase …… 1776
アリューロネート aleuronate …… 46
アリューロン aleuron …… 46
アリューロン様の aleuronoid …… 46
アリル allyl …… 52
アリール aryl …… 158
アリールアシルアミダーゼ aryl acylamidase …… 158
アリルアミン allylamine …… 52
アリルアルコール allyl alcohol …… 52
アリールスルファターゼ arylsulfatase …… 158
亜リン酸 phosphorous acid …… 1415
亜リン酸塩 phosphite …… 1413
亜リン酸カリウム potassium hypophosphite …… 1472
アルアルキル aralkyl …… 123
アルガ鉗子 Arruga forceps …… 727
アルカジエン alkadiene …… 48
アルカトリエン alkatriene …… 48
アルカネット alkanet …… 48
アルカノバクテリウム属 *Arcanobacterium* …… 125
アルカプトン尿〔症〕 alcaptonuria, alkaptonuria …… 44
アルカプトン尿性関節炎 ochronotic arthritis …… 155
アルカプトン尿〔性〕の alcaptonuric, alkaptonuric …… 44
アルカベルバー alkavervir …… 48
アルカリ alkali …… 48
アルカリ液 lye …… 1075
アルカリ化 alkalization …… 48
アルカリ化薬 alkalizer …… 48
アルカリ金属 alkali metal …… 1139
アルカリ血〔症〕 alkalemia …… 48
アルカリゲネス属 *Alcaligenes* …… 44
アルカリ食 alkaline-ash diet …… 514
アルカリ水 alkaline water …… 2041
アルカリ性時機 alkaline tide …… 1892
アルカリ性トルイジンブルーO alkaline toluidine blue O …… 1898
アルカリ〔性〕の alkaline …… 48
アルカリ性反応 alkaline reaction …… 1563
アルカリ中和性の antalkaline …… 97
アルカリ度 alkalinity …… 48
アルカリ土〔類〕金属 alkali earth metal 1139
アルカリ土類 alkaline earths …… 580
アルカリ土類 alkaline earth elements …… 598
アルカリ尿〔症〕 alkalinuria …… 48
アルカリ変性試験 alkali denaturation test …… 1853
アルカリホスファターゼ alkaline phosphatase …… 1412
アルカリ予備 alkali reserve …… 1592
アルカリ療法 alkalitherapy …… 48
アルカリ療法 alkali therapy …… 1877
アルカロイド alkaloid …… 48
アルカローシス alkalosis …… 48
アルカローシステタニー tetany of alkalosis …… 1870
アルガロバ algaroba …… 47
アルカン alkane …… 48
アルカンニン alkannin …… 48
アルギナーゼ arginase …… 131
アルギニノコハク酸 argininosuccinic acid …… 131
アルギニノコハク酸尿〔症〕 argininosuccinicaciduria …… 131
アルギニノコハク酸尿症 argininosuccinic aciduria …… 15
アルギニノコハク酸分解酵素 argininosuccinate lyase …… 131
アルギニル arginyl …… 131
アルギニン arginine (Arg) …… 131
アルギニンオキシトシン arginine oxytocin …… 1333
アルギニンデイミナーゼ arginine deiminase …… 131
アルギニンバソトシン arginine vasotocin …… 1991
アルギニンバソプレッシン arginine vasopressin (AVP) …… 1991
アルギプレシン argipressin …… 131
アルキル alkyl …… 48
アルキール archil …… 127
アルキルアミン alkylamine …… 49
アルキル化 alkylation …… 49
アルキル化薬 alkylating agent …… 36
アルギン algin …… 47
アルギン酸塩 alginate …… 47
アルク-1-エニル alk-1-enyl …… 48
アルク-1-エニルグリセロリン脂質 alk-1-enylglycerophospholipid …… 48
アルケニル alkenyl …… 48
アルケン alkene …… 48
アルコゲル alcogel …… 44
アルコラート alcoholate …… 45
アルゴリズム algorithm …… 47
アルコール alcohol …… 44
アルコール飲料 ardent spirits …… 1717
アルコールエキス alcoholic extract …… 657
アルコール温度計 spirit thermometer …… 1881
アルコール化 alcoholization …… 45
アルコール恐怖〔症〕 alcoholophobia …… 45
アルコール禁断性振せん alcoholic withdrawal tremor …… 1924
アルコール-グリセリン固定液 alcohol-glycerin fixative …… 708
アルコール健忘症候群 alcohol amnestic syndrome …… 1796
アルコール酸 alcohol acids …… 45
アルコール症 alcoholism …… 45
アルコール性肝硬変 alcoholic cirrhosis …… 367
アルコール性心筋症 alcoholic cardiomyopathy …… 300
アルコール精神病 alcoholic psychoses …… 1519
アルコール性多発ニューロパシー(多発神経障害) alcoholic polyneuropathy …… 1461
アルコール性認知症 alcoholic deterioration …… 500
アルコール性の alcoholic …… 45
アルコール性の spirituous …… 1718
アルコール性肺炎 alcoholic pneumonia 1449
アルコール注射 alinjection …… 47
アルコールチンキ alcoholic tincture …… 1894
アルコールデヒドロゲナーゼ alcohol dehydrogenase (ADH) …… 45
アルコールデヒドロゲナーゼ(受容体) alcohol dehydrogenase (acceptor) …… 45
アルコールデヒドロゲナーゼ(NADP⁺) alcohol dehydrogenase (NADP⁺) …… 45
アルコール同族体 congener of alcohol …… 410
アルコール発酵 alcoholic fermentation …… 680
アルコール分解 alcoholysis …… 45
アルコールランプ spirit lamp …… 1000
アルコール離脱〔性〕せん妄 alcohol withdrawal delirium …… 483
アルコール利尿 alcohol diuresis …… 550
アルゴン argon (Ar) …… 131
アルコン咬合器 arcon articulator …… 158
アルゴンレーザー argon laser …… 1003
アルザイム alzyme …… 55
アルサセチン arsacetin …… 133
アルシアンブルー Alcian blue …… 44
アルジトール alditol …… 46
アルシャンイエロー-トルイジンブルー(リュング)染色 Alcian yellow-toluidine blue (Leung) stain …… 1730
アルシン arsine …… 133
アルスチノール arsthinol …… 133
アルストレーム症候群 Alström syndrome …… 1796
アルスフェナミン arsphenamine …… 133
アルスフェナミン後黄疸 postarsphenamine jaundice …… 967
アルセナマイド arsenamide …… 133
アルゼノオキシド arsenoxides …… 133
アルセロキシロン alseroxylon …… 53
アルゼンチン出血熱 Argentinean hemorrhagic fever …… 683
アルゼンチン出血熱ウイルス Argentine hemorrhagic fever virus …… 2022
アルー族(ファミリー) Alu family …… 671
アルソニウム arsonium …… 133
アルソン酸 arsonic acid …… 133

アルダー異常 Alder anomaly 93
アルダー〔小〕体 Alder bodies 225
アルダン酸 aldaric acid 45
アルツス現象 Arthus phenomenon 1403
アルツス反応 Arthus reaction 1563
アルツハイマーI型〔神経膠〕星状細胞 Alzheimer type I astrocyte 165
アルツハイマーII型星状〔神経〕膠細胞 Alzheimer type II astrocyte 165
アルツハイマー硬化〔症〕 Alzheimer sclerosis 1647
アルツハイマー病 Alzheimer disease (AD) 527
アルテア althea 54
アルティクラーレ(アーティクラーレ) articulare 156
アルデヒド aldehyde 45
アルデヒドデヒドロゲナーゼ(アシル化) aldehyde dehydrogenase (acylating) 45
アルデヒドデヒドロゲナーゼ(NAD$^+$) aldehyde dehydrogenase (NAD$^+$) 45
アルデヒドデヒドロゲナーゼ(NAD$^+$またはNADP$^+$) aldehyde dehydrogenase (NAD(P)$^+$) 45
アルデヒド反応 aldehyde reaction 1563
アルデヒドフクシン aldehyde fuchsin 743
アルデヒド-リアーゼ aldehyde-lyases 45
アルテプラーゼ alteplase 53
アルデホール aldehol 45
アルテメテル artemether 133
アルテルナリア属 *Alternaria* 53
アルテレノール arterenol 133
アルテロモナス *Alteromonas* 54
アルドキシム aldoxime 46
アルドシド aldoside 46
アルドース aldose 46
アルドース1-エピメラーゼ aldose 1-epimerase 46
アルドステロン aldosterone 46
アルドステロン拮抗薬(アンタゴニスト) aldosterone antagonist 96
アルドステロン合成 aldosteronogenesis 46
アルドステロン症 aldosteronism 46
アルドースレダクターゼ aldose reductase 46
アルドテトロース aldotetrose 46
アルドトリオース aldotriose 46
アルドビウロン酸 aldobiuronic acid 46
アルドヘキソース aldohexose 46
アルドペントース aldopentose 46
アルトマイアー手術 Altemeier operation 1304
アルトマン-ガーシュ法 Altmann-Gersh method 1143
アルトマン固定液 Altmann fixative 708
アルトマン説 Altmann theory 1875
アルトマンのアニリン酸性フクシン染料 Altmann anilin-acid fuchsin stain 1730
アルトマン嚢 Hartmann pouch 1474
アルトマン法 Hartmann operation 1304
アルドラーゼ aldolase 46
アルドリン aldrin 46
アルドール基転移 transaldolation 1916
アルドール縮合 aldol condensation 407
アルドレーテ(オールドリート)スコア Aldrete score 1649
アルトロース altrose 54
アルトロバクター属 *Arthrobacter* 155
アルドン酸 aldonic acids 46
アルニカ arnica 132
アルネート期 Arneth stages 1727
アルネート計算 Arneth count 431
アルネート〔公〕式 Arneth formula 730
アルネート指数 Arneth index 921
アルネート分類〔法〕 Arneth classification 371
アルノルト-キアーリ奇形 Arnold-Chiari deformity 479
アルノルト-キアーリ奇形 Arnold-Chiari malformation 1096
アルノルト〔小〕体 Arnold bodies 225
アルバート染色〔液,法〕 Albert stain 1730
アルバラン試験 Albarran test 1853
アルバラン腺 Albarran glands 772
アルビーニ小〔結〕節 Albini nodules 1261
アルファα 1
アルファ alpha 53
α-アクチニン α-actinin 20
α-*N*-アセチルガラクトサミニダーゼ α-*N*-acetylgalactosaminidase 12
α-*N*-アセチルグルコサミニダーゼ α-*N*-acetylglucosaminidase 12
α-アセト乳酸 α-acetolactic acid 12
αアドレナリン作用(作動)性レセプタ(受容体) α-adrenergic receptors 1570
α-アドレナリン遮断薬 α-adrenergic blocking agent 36
α-アマニチン α-amanitin 55
α-アミノアジピン酸 α-aminoadipic acid (Aad) 60
α-アミノイソ酪酸 α-aminoisobutyric acid 60
α-アミノ酸 α-amino acid 59
α-アミノ-β-ケトアジピン酸 α-amino-β-ketoadipic acid 60
アルファアミラーゼ alpha amylase 53
α-アミラーゼ α-amylase 67
α-アロコルトール α-allocortol 50
α-アロコルトロン α-allocortolone 50
α-アロプレグナンジオール α-allopregnanediol 51
α_1-アンチキモトリプシン α_1-antichymotrypsin 102
α_1-アンチ(抗)トリプシン α_1-antitrypsin 110
α_1-アンチトリプシン欠損症 α_1-antitrypsin deficiency 478
α_1-アンチトリプシン欠損性脂肪〔組〕織炎 α_1-antitrypsin deficiency panniculitis 1343
α-L-イズロニダーゼ α-L-iduronidase 905
アルファウイルス属 *Alphavirus* 53
アルファ角 alpha angle 88
α型溶血連鎖球菌 α-hemolytic streptococci 1754
α-D-ガラクトシダーゼ α-D-galactosidase 749
アルファ顆粒 alpha granule 796
アルファ顆粒 α granules 796
アルファカルシドール alfacalcidol 47
α-キモトリプシン緑内障 α-chymotrypsin-induced glaucoma 777
4-α-D-グルカノトランスフェラーゼ 4-α-D-glucanotransferase 782
1,4-α-D-グルカン6-α-D-グルコシルトランスフェラーゼ 1,4-α-D-glucan 6-α-D-glucosyltransferase 782
1,4-α-D-グルカン分枝酵素 1,4-α-D-glucan-branching enzyme 782
α-D-グルコシダーゼ α-D-glucosidase 783
α-グルコシダーゼ阻害薬 α-glucosidase inhibitor 934
α-コルトール α-cortol 429
α-コルトロン α-cortolone 429
アルファ鎖病 alpha chain disease 527
α鎖病 α-chain disease 530
αH鎖病 α-heavy-chain disease 534
αサラセミア α thalassemia 1873
α-サルシン α-sarcin 1634
アルファ酸化 alpha-oxidation, α-oxidation 1330
アルファ試験 Alpha tests 1854
アルファ遮断薬 alpha-blocker 53
α線 alpha radiation 1541
アルファ線維 alpha fibers 687
アルファ単位 alpha units 1965
α-デキストリンエンド-1,6-α-グルコシダーゼ α-dextrin endo-1,6-α-glucosidase 504
α-トコフェロール α-tocopherol (α-T) 1897
α-ナフチルチオ尿素 α-naphthylthiourea (ANTU) 1221
α-ナフトール naphthol 1220
アルファ(α)波 alpha rhythm 1611
アルファ(α)波 alpha wave 2041
アルファ(α)波の抑制 alpha blocking 223
α-ファルネセン α-farnesene 671
α-フェト蛋白 α fetoproteins 682
α-フコシダーゼ α-fucosidase 743
アルファ物質 alpha substance 1765
α-ブロッカー alpha-blocker 53
アルファブロッキング alpha blocking 223
αヘリックス α helix 823
アルファヘルペスウイルス科 Alphaherpesvirinae 53
α′溶血 α′ hemolysis 834
α′溶血素 α′ hemolysin 834
5-アルファリダクターゼ 5-alpha reductase 53
アルファ(α)律動 alpha rhythm 1611
アルファ(α)粒子 alpha particle (α) 1369
5-アルファレダクターゼ 5-alpha reductase 53
5-アルファレダクターゼ阻害薬 5α-reductase inhibitors 935
アルブテロール albuterol 44
アルブミネート albuminate 43
アルブミネート尿〔症〕 albuminaturia 43
アルブミノイド albuminoid 43
アルブミン albumin 43
アルブミン喀痰〔症〕 albuminoptysis 43
アルブミン-グロブリン比 albumin:globulin ratio (A:G ratio) 1560
アルブミン状腫脹 albuminous swelling 1789
アルブミン生成の albuminiferous 43
アルブミン生成の albuminiparous 43
アルブミン生成の albuminogenous 43
アルブミン〔性〕の albuminous 43
アルブミン鉄 albuminized iron, iron albuminate 957
アルブミン尿〔症〕 albuminuria 43
アルブミン様の albuminoid 43
アルブレヒト骨 Albrecht bone 231
アルプロスタジル alprostadil 53
アルベド albedo 42
アルベルト(アルベル)縫合 Albert suture 1786
アルボウイルス arbovirus 124
アルポート症候群 Alport syndrome 1796
アルマニ-エブスタイン腎 Armanni-Ebstein kidney 983
アルミニウム aluminum (Al) 54
アルミニウム族 aluminum group 54
アルミニウムニコチネート aluminum nicotinate 54
アルミニウム肺〔症〕 aluminosis 54
アルミニウムヒドロキシクロリド aluminum hydroxychloride 54
アルミノン aluminon 54
アルミン酸ビスマス bismuth aluminate 216
アルルト手術 Arlt operation 1304
アルルト洞 Arlt sinus 1687
アルロバクター属 *Arcobacter* 127
亜鈴状〔神経〕節細胞腫 dumbbell ganglioneuroma 755
アレウリオ(粉状)型分生子 aleurioconidium 46
アレカイジン arecaidine 130
アレキサンダー難聴 Alexander hearing impairment 820
アレキサンダー病 Alexander disease 527
アレキシン alexin 46
アレグザンダー(アレクサンダー)の法則 Alexander law 1005
アレコリン arecoline 130

アレスチン arrestin …… 132
アレスリン allethrins …… 50
アレスロロン allethrolone …… 50
アレー点 Hallé point …… 1454
アレナウイルス科 Arenaviridae …… 130
アレナウイルス属 *Arenavirus* …… 130
アレーニウス学説 Arrhenius doctrine …… 554
アレーニウス式 Arrhenius equation …… 634
アレーニウス-マドセン説 Arrhenius-Madsen theory …… 1875
アレルギー allergy …… 49
アレルギー学 allergology …… 49
アレルギー患者のあいさつ allergic salute 49
アレルギー〔性〕結膜炎 allergic conjunctivitis …… 412
アレルギー疾患 allergosis …… 49
アレルギー症 allergosis …… 49
アレルギー性気管支肺アスペルギルス症 allergic bronchopulmonary aspergillosis 161
アレルギー性コリーザ allergic coryza …… 430
アレルギー性湿疹 allergic eczema …… 586
アレルギー性紫斑病 allergic purpura …… 1528
アレルギー性接触皮膚炎 allergic contact dermatitis …… 495
アレルギー性肉芽腫性血管炎 allergic granulomatous angiitis …… 82
アレルギー〔性〕の allergic …… 49
アレルギー〔性〕反応 allergic reaction …… 1563
アレルギー性鼻炎 allergic rhinitis …… 1608
アレルギー専門医 allergist …… 49
アレルゲン allergen …… 49
アレルゲンエキス allergenic extract …… 657
アレルゲン免疫療法 allergen immunotherapy …… 914
アレルゲンワクチン療法 allergy vaccine therapy …… 1877
アレロケミカル allelochemicals …… 49
アレロタクシス allelotaxis, allelotaxy …… 49
アレン試験 Allen test …… 1853
アレン-ドイジー試験 Allen-Doisy test 1853
アレン-ドイジー単位 Allen-Doisy unit 1965
アレン-マスターズ症候群 Allen-Masters syndrome …… 1796
アロ異性機能 allomeric function …… 744
アロ異性体 alloisomer …… 50
アロイソロイシン alloisoleucine (aIle) …… 50
アロイル aroyl …… 132
アロイン aloin …… 52
アロエ aloe …… 52
アロ感作 allosensitization …… 51
アロギー alogia …… 52
アロキサン alloxan …… 52
アロキサンチン alloxantin …… 52
アロキサン糖尿病 alloxan diabetes …… 505
アロクスール血〔症〕 alloxuremia …… 52
アロクスール尿〔症〕 alloxuria …… 52
アロ抗原 allogeneic antigen …… 103
アロコレステロール allocholesterol …… 50
アロース allose …… 51
アロスターシス allostasis …… 51
アロステリズム allosterism, allostery …… 51
アロステリック酵素 allosteric enzyme …… 623
アロステリック部位 allosteric site …… 1690
アロタイプ allotype …… 51
アロタイプ決定基 allotypic determinants 500
アロチノイド arotinoid …… 132
アロデオキシコール酸 allodeoxycholic acid …… 50
アロトープ allotope …… 51
アロトレオニン allothreonines (aThr) …… 51
アロパシー allopathy …… 51
アロヒドロキシリシン allohydroxylysine (aHyl) …… 50
アロファン酸 allophanic acid …… 51
アロプラスト alloplast …… 51
アロプリノール allopurinol …… 51
アロプレグナン allopregnane …… 51
アロマターゼ過剰症候群 aromatase excess syndrome …… 1796
アロマターゼ欠損症候群 aromatase deficiency syndrome …… 1796
アロマターゼ阻害薬 aromatase inhibitors 934
アロメトロン allometron …… 51
アロモン allomone …… 51
アロラクトース allolactose …… 50
粟粒 millet seed …… 1158
哀れな pathetic …… 1371
鞍 col …… 388
鞍 saddle …… 1630
鞍 sella …… 1658
アンカー anchor …… 74
アンガーカメラ Anger camera …… 281
鞍隔膜 diaphragma sellae …… 510
鞍隔膜孔 foramen diaphragmatis sellae 724
鞍隔膜孔 foramen of sellar diaphragm …… 726
アンカップラー uncouplers …… 1963
鞍関節 articulatio sellaris …… 157
鞍関節 saddle joint …… 971
アンギオスタチン angiostatin …… 87
アンギオストロンギルス症 angiostrongylosis …… 87
アンギオソーム angiosome …… 87
アンギオテンシナーゼ angiotensinase …… 87
アンギオテンシノゲン angiotensinogen …… 87
アンギオテンシン angiotensin …… 87
アンギオテンシンI angiotensin I …… 87
アンギオテンシンII angiotensin II …… 87
アンギオテンシンII受容体遮断薬 angiotensin II receptor blocker …… 223
アンギオテンシンIII angiotensin III …… 87
アンギオテンシンアミド angiotensin amide …… 87
アンギオテンシン受容体 angiotensin receptor …… 1570
アンギオテンシン受容体遮断薬 angiotensin receptor blocker (ARB) …… 223
アンギオテンシン変換酵素 angiotensin-converting enzyme (ACE) 623
アンギオテンシン変換酵素阻害薬 ACE inhibitor …… 933
暗記学習 rote learning …… 1015
アンギナ angina …… 82
アンギナ後敗血症 postanginal sepsis …… 1662
アンギナ性猩紅熱 anginose scarlatina, scarlatina anginosa …… 1641
アンギナ続発性 postanginal …… 1470
アンギナ様の anginiform …… 83
アンキリン ankyrin …… 93
アングル不正咬合分類〔法〕 Angle classification of malocclusion …… 370
アンクロド ancrod …… 75
アンケージング uncaging …… 1963
鞍結節 tubercle of saddle …… 1944
鞍結節 tuberculum sellae …… 1946
アンゲリカ根 angelica root …… 82
暗号鎖 coding strand …… 1751
暗号の codogenic …… 386
暗黒化 obfuscation …… 1288
暗黒期 eclipse period …… 1389
暗細胞 dark cells …… 320
安産 eutocia …… 649
暗示 suggestion …… 1770
アンジェルッチ症候群 Angelucci syndrome …… 1796
暗示精神療法 suggestive psychotherapy 1521
暗写器 scotograph …… 1650
暗視野顕微鏡 dark-field microscope …… 1154
暗視野集光器 dark-field condenser …… 407
暗視野照明〔法〕 dark-field illumination …… 907
暗順応 dark adaptation …… 23
暗順応眼 dark-adapted eye …… 659
暗順応の scotopic …… 1650
鞍状塞栓症 saddle embolism …… 601
鞍状頭 clinocephaly …… 374
鞍上の suprasellar …… 1779
暗所恐怖〔症〕 nyctophobia …… 1285
暗所視 scotopic vision …… 2032
暗所嗜好 nyctophilia …… 1285
暗所視野測定〔法〕 scotopic perimetry …… 1388
アンジラ andira …… 75
暗示療法 suggestive therapeutics …… 1877
安静 rest …… 1597
安静関係 rest relation …… 1588
安静狭心症 angina pectoris decubitus …… 83
安静空隙 freeway space …… 1703
安静〔位〕空隙 interocclusal distance …… 549
安静高径 rest vertical dimension …… 520
安静呼吸 eupnea …… 648
安静時一回換気量 resting tidal volume 2036
安静時振せん resting tremor …… 1925
安静時唾液 resting saliva …… 1631
アンセリン anserine …… 96
安全限界 margin of safety …… 1103
安全三角 triangle of safety …… 1927
安全〔な〕性行為 safe sex …… 1669
安全レンズ safety lens …… 1020
安息香 benzoin …… 206
安息香酸 benzoic acid …… 206
安息香酸アンモニウム ammonium benzoate …… 61
安息香酸エストラジオール単位(国際単位) estradiol benzoate unit (international) …… 1966
安息香酸ナトリウム sodium benzoate …… 1695
安息香酸ベンジル benzyl benzoate …… 206
安息香酸マグネシウム magnesium benzoate …… 1092
安息香豚脂 benzoinated lard …… 1001
アンダーカット undercut …… 1964
アンダーカットゲージ undercut gauge …… 761
アンダーシュート undershoot …… 1964
アンダーソンカクマダニ *Dermacentor andersoni* …… 494
アンダーソン副子 Anderson splint …… 1721
アンダーソンフレーム Anderson frame 739
アンダードライブペーシング underdrive pacing …… 1964
アンタラーミン antalarmin …… 97
アンダーワインディング underwinding 1964
アンチオキシダント antioxidant …… 107
アンチゲノム antigenome …… 106
アンチコドン anticodon …… 102
アンチコドン鎖 anticoding strand …… 1751
アンチセンスDNA antisense DNA …… 491
アンチセンスRNA antisense RNA …… 1613
アンチセンス療法 antisense therapy …… 1877
アンチターミネーション antitermination 109
α_1-アンチ(抗)トリプシン α_1-antitrypsin 110
アンチ(抗)トリプシン antitrypsin …… 110
アンチトリプシン欠損〔症〕 antitrypsin deficiency …… 478
アンチトロンビン antithrombin …… 109
アンチトロンビンIII antithrombin III …… 109
アンチトロンビン試験 antithrombin test …… 1854
アンチネオプラストン antineoplastons …… 107
アンチパイン antipain …… 108
アンチパラレル鎖 antiparallel strand …… 1751
アンチピリン antipyrine …… 108
アンチフラックス antiflux …… 102
アンチプロトロンビン antiprothrombin 108
アンチホルモン antihormones …… 106
アンチモン antimony (Sb) …… 107
アンチモン化合物 antimonid …… 107
アンチモン剤 antimonials …… 107
アンチモンチオグリコールアミド antimony thioglycollamide …… 107
アンチモン中毒〔症〕 stibialism …… 1746

アンチモン添加(投与) stibiation … 1746
アンチモンバター butter of antimony … 272
アンチルス en thyrse … 622
安定因子 stable factor … 669
安定化 stabilization … 1727
安定器 stabilizer … 1727
安定基礎床 stabilized baseplate … 200
安定系統〔株〕 stabilate … 1726
安定槓杆線 stabilizing fulcrum line … 1052
安定骨折 stable fracture … 738
安定コロイド stable colloid … 391
安定性 stability … 1726
安定性サーカムファレンシャルクラスプアーム stabilizing circumferential clasp arm … 132
安定度 constancy … 414
安定度 stability … 1726
安定同位体 stable isotope … 963
安定病態 stable disease … 541
安定部 stabilizer … 1727
安定平衡 stable equilibrium … 635
安定薬 stabilizer … 1727
アンティルス法 Antyllus method … 1143
アンデスウイルス Andes virus … 2022
アンデュリポディウム undulipodium … 1964
〔視野〕暗点 scotoma … 1650
〔中心〕暗点計 scotometer … 1650
暗点〔視野〕測定(計測)〔法〕 scotometry 1650
暗点視野計 scotometer … 1650
暗点の scotomatous … 1650
アントシアニン anthocyanins … 97
アントニーヌス顔〔貌〕 facies antonina … 662
アントニA型神経鞘腫 Antoni type A neurilemoma … 1245
アントニB型神経鞘腫 Antoni type B neurilemoma … 1245
9,10-アントラキノン〔化合物〕 9,10-anthraquinone … 98
アントラサイクリン anthracycline … 98
アントラセン〔化合物〕 anthracene … 98
アントラニル酸 anthranilic acid … 98
アントラニロイル anthraniloyl … 98
アントラプルプリン anthrapurpurin … 98
アントラムチン anthramucin … 98
アンドラル臥位 andral decubitus … 475
アンドロゲン androgen … 75
アンドロゲン強化〔性〕の synandrogenic 1792
アンドロゲン結合蛋白 androgen binding protein (ABP) … 1502
アンドロゲン単位(国際単位) androgen unit (international) … 1965
アンドロゲン領域 androgenic zone … 2059
アンドロスタン androstane … 76
アンドロスタンジオール androstanediol … 76
アンドロスタンジオン androstanedione … 76
アンドロステノール androstenol … 76
アンドロステロン androsterone … 76
アンドロステン androstene … 76
アンドロステンジオール androstenediol … 76
アンドロステンジオン androstenedione … 76
アンドロメドトキシン andromedotoxin … 76
アントロン anthrone … 98
アントン症候群 Anton syndrome … 1796
アンナット annotto … 93
鞍背 dorsum sellae … 556
アンバーウイルス Umbre virus … 2030
アンバーグ外側〔静脈〕洞線 Amberg lateral sinus line … 1049
アンバーコドン amber codon … 386
アンバーコドン umber codon … 386
アンバー撮影法 advanced multiple-beam equalization radiography (AMBER) 1543
暗発色菌 scotochromogens … 1650
アンバー〔突然〕変異 amber mutation … 1206
アンバー突然変異 umber mutation … 1206
アンバー突然変異体 amber mutant … 1205
アンバー抑圧遺伝子 amber suppressor 1779
暗反応 dark reaction … 1564
鞍鼻 saddle nose … 1268
アンビヴァレンス ambivalence … 56
アンピシリン ampicillin … 64
アンヒドラーゼ anhydrase … 91
3,6-アンヒドロガラクトース 3,6-anhydrogalactose … 91
アンヒドロロイコボリン anhydroleucovorin … 91
按撫〔法〕 effleurage … 590
アンフィド amphid … 63
アンフィメルス属 *Amphimerus* … 64
アンフェタミン amphetamine … 63
アンフォトロピックウイルス amphotropic virus … 2022
アンプル〔剤〕 ampule, ampul … 64
アンブロシン ambrosin … 57
アンペア ampere (A) … 63
アンペア数 amperage … 63
罨法 malagma … 1094
アンボセプタ amboceptor … 57
アンホテリシン amphotericin … 64
アンホテリシンB amphotericin B … 64
アンホマイシン amphomycin … 64
按摩 foulage … 735
按摩器 masseur … 1108
暗幕 screen … 1650
アンモニア ammonia … 61
アンモニアク ammoniac … 61
アンモニア血〔症〕 ammonemia, ammoniemia … 61
アンモニア解毒 ammonia detoxication … 501
アンモニアチンキ ammoniated tincture 1894
アンモニア同化 ammonia assimilation … 163
アンモニア尿〔症〕 ammoniuria … 61
アンモニア排出 ammonotelism … 62
アンモニア排泄 ammonotelia … 61
アンモニアリアーゼ ammonia-lyases … 61
アンモニアを排出する ammonotelic … 62
アンモニウム ammonium … 61
アンモノリシス ammonolysis … 61
アンモン角 cornu ammonis … 423
アンモン角 Ammon's horn … 864
アンモン隆起 Ammon prominence … 1497
アンモン裂〔溝〕 Ammon fissure … 702
暗夜恐怖〔症〕 noctiphobia … 1260
安楽死 euthanasia … 649
アンレー onlay … 1301
アンレップ現象 Anrep phenomenon … 1403
アンレップ効果 Anrep effect … 588

イ

胃 gaster … 757
胃 stomach … 1748
胃 ventriculus … 2012
イーグル基礎培地 Eagle basal medium 1118
イーグル最小必須培地 Eagle minimum essential medium (MEM) … 1118
イーグル症候群 Eagle syndrome … 1803
イースト yeast … 2055
イースト抽出物寒天〔培地〕 yeast extract agar … 35
イーディー-ホフステープロット Eadie-Hofstee plot … 1446
イールズ病 Eales disease … 532
E entgegen (*E*) … 621
E型ウイルス性肝炎 viral hepatitis type E … 840
E型肝炎ウイルス hepatitis E virus (HEV) … 2025
E-セレクチン E-selectin … 642
Eセレクチン E selectin … 1657
Eロゼット E rosette … 1623
E-ロゼット試験 E-rosette test … 1857
EACロゼット EAC rosette … 1623
EAHF複合症 EAHF complex … 401
EMIスキャン法 EMI scan … 1640
epi-コプロスタノール *epi*-coprostanol … 420
ETSドメインファミリー ETS-domain family … 671
EXIT法 ex utero intrapartum therapy procedure … 1487
EXIT法 EXIT procedure … 1487
〔肝臓の〕胃圧痕 impressio gastrica hepatis … 916
〔肝臓の〕胃圧痕 gastric impression on liver … 917
イアトロ化学 iatrochemistry … 902
イアトロ化学派の iatrochemical … 902
胃アルブミン漏 gastroalbumorrhea … 757
胃胃吻合 gastroanastomosis … 757
委員会 board … 224
イヴォン試験 Yvon test … 1868
胃運動描写器 gastrograph … 759
異栄養〔症〕 dystrophia … 577
異栄養〔症〕 dystrophy … 577
イエーガー視力表 Jaeger test types … 1869
イエカ属 *Culex* … 447
胃液 gastric juice … 973
胃液検査 gastric analysis … 70
胃液分泌過多〔症〕 gastrorrhea … 760
胃液分泌欠乏〔症〕 achylia gastrica … 14
胃液漏 gastrorrhea … 760
イエタナグモ *Tegenaria agrestis* … 1845
イエダニ属 *Ornithonyssus* … 1315
イエネズミジラミ属 *Polyplax* … 1463
イエバエ housefly … 866
イエバエ科 Muscidae … 1180
イエバエ属 *Musca* … 1180
イエバエ類の muscoid … 1198
イエリネクの式 Jellinek formula … 730
イエルネ(ヤーネ)テクニック Jerne technique … 1844
イエルネ(ヤーネ)の溶血斑形成法 Jerne plaque assay … 163
イエローコラリン yellow corallin … 421
胃炎 gastritis … 757
胃円蓋 fornix of stomach … 731
イエンセン〔乳酸杆〕菌 *Lactobacillus jensenii* … 994
イエンセン肉腫 Jensen sarcoma … 1635
イエンドラッシク操作 Jendrassik maneuver … 1099
硫黄 sulfur (S) … 1776
硫黄35 sulfur 35 (^{35}S) … 1777
硫黄オートトロフィー sulfur autotrophy 182
胃横隔間膜 gastrodiaphragmatic ligament … 1035
胃横隔間膜 gastrophrenic ligament … 1035
胃横隔間膜 ligamentum gastrophrenicum … 1043
胃横隔膜の gastrophrenic … 759
硫黄血〔症〕 thiemia … 1883
硫黄水 sulfur water … 2041
硫黄族 sulfur group … 1777
硫黄独立栄養 sulfur autotrophy … 182
硫黄乳 lac sulfuris … 992
硫黄の thionic … 1884
萎黄病 chlorosis … 347
萎黄病 green sickness … 1677
硫黄棒 roll sulfur … 1776
硫黄ムチン sulfomucin … 1776
イオキサグレート ioxaglate … 955

イオキシタラム酸塩 ioxithalamate …… 955
イオキシラン ioxilan …… 955
イオジキサノール iodixanol …… 954
イオータ ι …… 902
イオータ iota (ι) …… 955
イオトロラン iotrolan …… 955
イオノフォ(ボ)ア ionophore …… 955
イオノン ionone …… 955
イオパミドール iopamidol …… 955
イオプロミド iopromide …… 955
イオヘキソール iohexol …… 954
イオベルソル ioversol …… 955
イオペントール iopentol …… 955
イオメータ iometer …… 954
イオン ion …… 954
イオン化 ionization …… 955
イオン化原子 ionized atom …… 170
イオン強度 ionic strength (I) …… 1753
イオン交換 ion exchange …… 955
イオン交換クロマトグラフィ ion exchange chromatography …… 357
イオン交換樹脂 ion-exchange resin …… 1593
イオン交換体 ion exchanger …… 955
イオン浸透療法 iontophoresis …… 955
異温性の heterothermic …… 849
イオン選択性電極 ion-selective electrodes …… 594
イオンチャネル ion channel …… 339
イオンチャネル疾患 ion channel disorders …… 546
イオン〔電気〕導入〔法〕 iontophoresis …… 955
異温動物 heterotherm …… 849
イオンポンプ ion pump …… 1526
異化 disassimilation …… 525
異化〔作用〕 catabolism …… 310
胃回腸炎 gastroileitis …… 759
胃回腸反射 gastroileac reflex …… 1579
胃回腸吻合〔術〕 gastroileostomy …… 759
胃潰瘍 gastric ulcer …… 1961
医化学 iatrochemistry …… 902
医化学派の iatrochemical …… 902
異核 heteronuclear …… 848
医学 medicine …… 1116
医学 physic …… 1420
異角化性の dyskeratotic …… 573
胃角括約筋 sphincter angularis, angular sphincter …… 1712
異核共存体 heterokaryon …… 848
医学記録 medical record …… 1574
医学記録転写士 medical transcriptionist (MT) …… 1116
医学研修生 intern …… 946
医学真菌学 medical mycology …… 1208
医〔学〕生物学の medicobiologic, medicobiological …… 1117
医学生物物理学 medical biophysics …… 213
胃拡張 gastrectasis, gastrectasia …… 757
胃拡張 wallet stomach …… 1748
胃拡張捻転 gastric dilatation and volvulus (GDV) …… 519
医学的心理学 medicopsychology …… 1117
医学的心理学 medical psychology …… 1519
医〔学〕的選択 medical selection …… 1658
医学的モデル medical model …… 1162
医学徒 philiater …… 1408
医学の medical …… 1116
医学理学的な medicophysical …… 1117
医学理論 theory of medicine …… 1876
異化亢進 hypercatabolism …… 879
異化産物制御 catabolite repression …… 1591
イカ状赤血球 burr cell …… 320
胃下垂 descensus ventriculi …… 499
胃下垂 ventroptosis, ventroptosia …… 2012
胃下垂〔症〕 gastroptosis, gastroptosia …… 760
鋳型 die …… 514
鋳型 matrix …… 1110
鋳型 mold …… 1163
鋳型 template …… 1848
異化代謝産物 catabolite …… 310
胃活動緩慢 bradygastria …… 241
異化の亢進している hypercatabolic …… 879
胃過分泌 gastric hypersecretion …… 887
胃カメラ photogastroscope …… 1417
怒り rage …… 1546
異顆粒皮質 dysgranular cortex …… 427
胃管 stomach tube …… 1942
異感覚〔症〕 dysesthesia …… 571
異汗症 dyshidrosis …… 573
胃冠状静脈 vena coronaria ventriculi …… 2005
易感染性宿主 compromised host …… 866
維管束間の interfascicular …… 944
胃肝の gastrohepatic …… 759
胃間膜 mesogastrium …… 1136
息 breath …… 256
生き埋め恐怖〔症〕 taphophobia …… 1841
域外診療 extramural practice …… 1475
域外値 outlier …… 1327
閾下自我 subliminal self …… 1658
閾下知覚 subception …… 1762
閾限界値 threshold limit value (TLV) 1984
息こらえ breath-holding …… 256
息こらえ試験 breath-holding test …… 1855
閾値 limes (L) …… 1048
閾値 threshold …… 1886
閾値下刺激 subliminal stimulus …… 1747
閾値下刺激 subthreshold stimulus …… 1747
閾値下の subliminal …… 1763
閾値計 liminometer …… 1048
閾値刺激 threshold stimulus …… 1747
閾値刺激の liminal …… 1048
閾値上の supraliminal …… 1779
閾値打診〔法〕 threshold percussion …… 1384
閾値変動 threshold shift …… 1673
息づまり chokes …… 348
行き止まり宿主 dead-end host …… 866
域内診療 intramural practice …… 1475
生残り survival …… 1785
意義不明(良・悪性不明の)異型腺細胞 atypical glandular cells of undetermined significance …… 319
意義不明(良・悪性不明の)異型扁平上皮細胞 atypical squamous cells of undetermined significance (ASCUS) …… 319
異嗅覚 allotriosmia …… 51
胃鏡 gastroscope …… 760
胃鏡検査〔法〕 gastroscopy …… 760
胃狭窄 gastrostenosis …… 760
イ行吶 iotacism …… 955
胃巨大〔症〕 gastromegaly …… 759
胃巨大ひだ giant gastric folds …… 719
イギリスゴム British gum …… 805
〔胃〕筋層 tunica muscularis ventriculi …… 1953
〔胃筋層の〕縦〔筋〕層 stratum longitudinale tunicae muscularis ventriculi …… 1752
〔胃筋層の〕輪〔筋〕層 stratum circulare tunicae muscularis ventriculi …… 1751
胃筋電計 electrogastrograph …… 595
胃筋電図 electrogastrogram …… 595
胃筋電図記録(検査)〔法〕 electrogastrography …… 595
胃空腸結腸の gastrojejunocolic …… 759
胃空腸吻合〔術〕 gastrojejunostomy …… 759
胃空腸吻合〔術〕 gastronesteostomy …… 759
育児嚢 marsupium …… 1106
育〔児〕嚢 brood capsules …… 290
育種 breeding …… 256
イクタモール ichthammol …… 902
イグナチア ignatia …… 905
胃クリーゼ gastric crisis …… 439
胃痙 gastrospasm …… 760
異形 variation …… 1988
〔同種〕異系移植片 allograft …… 50
異型遺伝子接合体 heterogenote …… 847
異〔常〕形〔態〕学 dysmorphology …… 574
異型核分裂 heterotype mitosis …… 1160
異形吸虫科 Heterophyidae …… 848
異形吸虫症 heterophyiasis …… 848
異形吸虫属 *Heterophyes* …… 848
異型狭心症 variant angina pectoris …… 83
異型三叉神経痛 atypical trigeminal neuralgia …… 1244
異形歯 heterodont …… 847
異形質の allophenic …… 51
異形症 allomorphism …… 51
異形症 dysmorphism …… 573
異形成 heteroplasia …… 848
異形成〔症〕 dysplasia …… 575
胃形成〔術〕 gastroplasty …… 759
異形(異型)性 heteromorphism …… 848
異型性脂肪腫 atypical lipoma …… 1057
異形成性母斑 dysplastic nevus …… 1255
異型性乳管過形成 atypical ductal hyperplasia …… 885
異型接合 heterogamy …… 847
異型接合〔性〕 heterozygosity, heterozygosis …… 849
異型接合体 heterozygote …… 849
〔良・悪性不明の〕異型腺細胞 atypical glandular cells of undetermined significance …… 319
異型染色体 heterotypical chromosome …… 359
異型染色体 heterosome …… 849
異形(異型)の heteromorphous …… 848
異型肺炎 atypical pneumonia …… 1449
異形配偶 anisogamy …… 92
異型配偶子の heterogametic …… 847
異型配偶子の胚 heterogametic embryo …… 601
〔良・悪性不明の〕異型扁平上皮細胞 atypical squamous cells of undetermined significance (ASCUS) …… 319
異型ポルフィリン症 variegate porphyria (VP) …… 1467
異型らい〔病〕 paraleprosis …… 1350
胃痙攣 gastrospasm …… 760
池状骨折 pond fracture …… 738
異血圧〔症〕 dysarteriotony …… 570
胃結腸炎 gastrocolitis …… 758
胃結腸下垂〔症〕 gastrocoloptosis …… 758
胃結腸間膜 gastrocolic ligament …… 1035
胃結腸間膜 ligamentum gastrocolicum 1043
胃結腸の gastrocolic …… 758
胃結腸フィステル(瘻) gastrocolic fistula 705
胃結腸吻合 gastrocolostomy …… 758
医原性感染 iatrogenic transmission …… 1920
医原性気胸 iatrogenic pneumothorax …… 1451
異原性抗原 heterogenetic antigen …… 104
医原性の iatrogenic …… 902
医原性メトヘモグロビン血症 iatrogenic methemoglobinemia …… 1142
移行 transmigration …… 1920
移行回 transitional convolution …… 419
移行回 transitional gyrus …… 809
移行型小胞体 transitional endoplasmic reticulum (TER) …… 1599
移行義歯 transitional denture …… 490
移行圏 transitional zone …… 2060
異虹彩色性毛様体炎 heterochromic cyclitis …… 456
移行細胞 transitional cell …… 327
移行上皮 transitional epithelium …… 633
移行上皮癌 transitional cell carcinoma …… 299
移行性血栓症 creeping thrombosis …… 1888
移行性血栓〔性〕静脈炎 thrombophlebitis migrans …… 1888
異好性抗体 heterophile antibodies …… 101
移行性の transitional …… 1919
異好〔性〕の heterophil, heterophile …… 848
異好性溶血素 heterophil hemolysin …… 834

移行性幼虫 larva migrans …… 1001
移行帯 ecotone …… 584
移行帯 transformation zone …… 2060
移行対象 transitional object …… 1288
囲口部 peristome …… 1392
〔胃〕後壁 posterior wall of stomach …… 2039
移行領域 transitional zone …… 2060
イコソーム iccosomes …… 902
イコタ ikota …… 905
胃〔腹壁〕固定〔術〕 gastropexy …… 759
鋳込法 casting …… 309
異混和症 dyscrasia …… 571
イサゴムシ caddis worm …… 2048
異作動 dysergia …… 571
イサミンブルー Isamine blue …… 957
遺産 inheritance …… 932
遺残 rest …… 1597
遺残 retention …… 1598
胃酸過多 acid indigestion …… 924
胃酸過多〔症〕 hyperchylia …… 879
胃酸過多性消化不良 hyperpepsia …… 885
胃酸性歯牙酸蝕症 perimolysis …… 1388
胃酸正常 euchlorhydria …… 647
遺残総排泄腔 urogenital sinus …… 1689
遺残体 residual body …… 229
胃酸分泌腺 acid gland …… 772
石 calculus …… 278
石 concrement …… 407
石 concretion …… 407
石 stone …… 1749
意志 volition …… 2036
意志 will …… 2046
意思 bulesis …… 265
医師 doctor …… 554
医師 healer …… 818
医師 physician …… 1420
維持 maintenance …… 1093
維持 retention …… 1598
胃弛緩〔期〕 gastric diastole …… 511
意識 consciousness …… 413
意識閾値 threshold of consciousness …… 1886
意識下鎮静法 conscious sedation …… 1654
意識下の infrapsychic …… 931
意識混濁 clouding of consciousness …… 413
意識消失 unconsciousness …… 1963
意識性 awareness …… 183
意識清明期 lucid interval …… 948
異色素性ブドウ膜炎 heterochromic uveitis …… 1978
意識野 field of consciousness …… 413
意志決定樹図 decision tree …… 475
維持槓杆線 retentive fulcrum line …… 1052
維持鉤腕 retentive arm, retention arm …… 132
異視症 heterometropia …… 848
意志障害 dysbulia …… 571
医師助手 physician assistant (P.A., PA) …… 1420
医師処方の magistral …… 1092
異時性 heterochronia …… 847
異時性の metachronous …… 1138
維持装置 maintainer …… 1093
維持装置 retainer …… 1598
異時値〔性〕の heterochron …… 847
異質二倍体 allodiploid …… 50
異質三倍体 allotriploid …… 51
異質四倍体 allotetraploid …… 51
異質五倍体 allopentaploid …… 51
異質六倍体 allohexaploid …… 50
胃疾患 gastropathy …… 759
異質形成 heteromorphosis …… 848
異質性 heterogeneity …… 847
異質染色質 heterochromatin …… 847
異質〔多〕倍数性 allopolyploidy …… 51
異質〔多〕倍数体 allopolyploid …… 51
異質同形 allomerism …… 51
異質倍数性 alloploidy …… 51
異質倍数体 alloploid …… 51
異質分泌の heterocrine …… 847
維持点 retention point …… 1454
維持投薬 maintenance medication …… 1116
イジトール iditol …… 905
医師の iatric …… 902
意志薄弱 dysbulia …… 571
石原試験 Ishihara test …… 1859
異枝吻合の heterocladic …… 847
医師幇助自殺 physician-assisted suicide (PAS) …… 1770
イシムカデ属 *Lithobius* …… 1061
石目やすり雑音 bruit de rape …… 262
異尺性自己調節 heterometric autoregulation …… 181
異種アルブミン血〔症〕 alloalbuminemia …… 50
異種移植〔片〕 heterograft …… 848
異種移植〔片〕 xenograft …… 2052
異種移植片 heteroplastid …… 849
異種遺伝子型の heterogenic, heterogeneic …… 847
胃周囲炎 perigastritis …… 1387
胃周囲の circumventricular …… 367
胃周囲の perigastric …… 1387
胃十二指腸炎 gastroduodenitis …… 758
胃十二指腸鏡検査〔法〕 gastroduodenoscopy …… 758
胃十二指腸動脈 arteria gastroduodenalis 135
胃十二指腸動脈 gastroduodenal artery …… 145
胃十二指腸の gastroduodenal …… 758
胃十二指腸フィステル(瘻) gastroduodenal fistula …… 705
胃十二指腸吻合〔術〕 gastroduodenostomy 758
〔胃十二指腸〕幽門開大筋 musculus dilator pylori gastroduodenalis …… 1199
異種核形成 heterogeneous nucleation …… 1271
異種角膜移植 heterogenous keratoplasty 980
異種角膜移植〔術〕 heterokeratoplasty …… 848
異種感覚 heteresthesia …… 846
異種起源の heterogenous …… 848
異種寄生 heterecism …… 846
異種凝集素 heteroagglutinin …… 846
萎縮〔症〕 atrophia …… 172
萎縮〔症〕 atrophy …… 173
萎縮腎 atrophic kidney …… 983
萎縮腎 contracted kidney …… 983
萎縮性胃炎 atrophic gastritis …… 757
萎縮性咽頭炎 atrophic pharyngitis …… 1401
萎縮性炎〔症〕 atrophic inflammation …… 928
萎縮性角結膜炎 atopic keratoconjunctivitis …… 978
萎縮性陥凹 atrophic excavation …… 651
萎縮性筋緊張〔症〕 myotonia atrophica 1216
萎縮性虹彩異色〔症〕 atrophic heterochromia …… 847
萎縮性舌炎 atrophic glossitis …… 781
萎縮性脱毛〔症〕 pseudopelade …… 1514
萎縮性膣炎 atrophic vaginitis …… 1982
萎縮性白色ひこう疹 pityriasis alba atrophicans …… 1427
萎縮性鼻炎 atrophic rhinitis …… 1608
萎縮性皮膚疾患 atrophodermatosis …… 173
萎縮性皮膚線条 striae atrophicae …… 1756
萎縮性皮膚線条 striae cutis distensae …… 1756
萎縮性皮膚病 atrophodermatosis …… 173
萎縮性扁平苔癬 atrophic lichen planus 1031
萎縮性扁平苔癬 lichen planus atrophicus …… 1031
萎縮性ミオトニー myotonia atrophica 1216
萎縮線条 lineae atrophicae …… 1053
萎縮治療薬 antatrophic …… 97
萎縮斑 macula atrophica …… 1091
萎縮抑制の antatrophic …… 97
異種結合体 heterodymus …… 847
異種結合体 heteropagus …… 848
異種血清 foreign serum …… 1668
異種抗血清 heterologous antiserum …… 109
異種抗原 heterophile antigen …… 104
異種抗体 heterogenetic antibody …… 101
異種抗体 heteroantibody …… 847
異種交配 intercross …… 944
異種再成の homeotic …… 859
胃主細胞 chief cell of stomach …… 320
異種細胞向性の heterocytotropic …… 847
異種細胞親和抗体 heterocytotropic antibody …… 101
異種細胞の heterocellular …… 847
異種刺激 heterologous stimulus …… 1747
異種指向性ウイルス xenotropic virus …… 2030
異種受容体 heteroreceptor …… 849
異株性の heterothallic …… 849
異種組織形成 heterometaplasia …… 848
異種組織腫瘍 heterologous tumor …… 1950
異種脱感作 heterologous desensitization 499
異種蛋白 foreign protein …… 1503
医術 physic …… 1420
胃出血 gastrorrhagia …… 760
胃出血 gastric hemorrhage …… 835
異種動物の heterozoic …… 849
異種特異的の heterospecific …… 849
異種の heterologous …… 848
異種皮質 allocortex …… 50
異種不同視 antimetropia …… 107
異種溶解 heterolysis …… 848
異株ワクチン heterogenous vaccine …… 1979
異種ワクチン療法 heterovaccine therapy …… 1879
異所〔症〕 dystopia …… 577
異所移植 heterotopic graft …… 795
胃床 bed of stomach …… 204
異常 aberration …… 2
異常 anomaly …… 93
異常〔性〕 abnormality …… 3
胃小窩 alveolus …… 55
胃小窩 foveola gastrica …… 735
胃小窩 gastric pit …… 1426
異常回転 malrotation …… 1097
異常角化〔症〕 dyskeratosis …… 573
胃小窩細胞 foveolar cells of stomach …… 321
胃消化不全 ischochymia …… 958
異常感覚 dysesthesia …… 571
異常ガンマグロブリン血〔症〕 dysgammaglobulinemia …… 572
異常QRS群 anomalous complex …… 400
異常嗅覚 cacosmia …… 274
異常強収縮 hypersystole …… 887
異常凝縮 heteropyknosis …… 849
異常緊張 hypersthenia …… 887
胃小区 gastric area …… 129
異〔常〕形〔態〕学 dysmorphology …… 574
異常形態 pathomorphism …… 1372
異常形態発生 dysmorphogenesis …… 574
異常血色素症 hemoglobinopathy …… 834
異常血糖 dysglycemia …… 572
異常口渇 paradipsia …… 1348
異常行動 dystropy …… 579
異常興奮 hypersthenia …… 887
異常3色覚 anomalous trichromatism …… 1931
異常色素沈着 chromatism …… 356
異常子宮 anomalous uterus …… 1977
異常刺激伝導 anomalous conduction …… 408
異常者 deviant …… 502
異常性感〔症〕 dyspareunia …… 574
異〔常〕成熟 dysmaturity …… 573
異常早期興奮 preexcitation …… 1477
異常僧帽弁弧 anomalous mitral arcade 124
胃消息子 stomach tube …… 1942
異常組織発生 histopathogenesis …… 855
〔異常〕体位眼振 positional nystagmus …… 1286
異常蛋白 pathologic proteins …… 1505
異常蛋白血〔症〕 dysproteinemia …… 576
異常蛋白血網膜症 dysproteinemic

retinopathy …… 1602
〔異常〕低〔気〕圧〔病〕 hypobarism …… 891
異常な perverted …… 1396
異常粘性 anomalous viscosity …… 2031
異常の abnormal …… 3
異常の pathologic, pathological …… 1372
異常発生 heterology …… 848
異常発毛〔症〕 paratrichosis …… 1355
異常フィブリノ〔ー〕ゲン血〔症〕 dysfibrinogenemia …… 571
異常分娩 dystocia …… 577
異常ヘモグロビン症 hemoglobinopathy …… 834
〔皮膚〕異常変色 dyschromia …… 571
異常房室興奮 anomalous atrioventricular excitation …… 652
胃漿膜 serosa of stomach …… 1667
〔胃〕漿膜 tunica serosa ventriculi …… 1954
胃漿膜下組織 subserosa of stomach …… 1765
異常味覚 cacogeusia …… 274
胃静脈 gastric veins …… 1996
胃静脈瘤 gastric varices …… 1989
異常溶解素 heterolysin …… 848
異症療法 allopathy …… 51
異所感覚 allachesthesia …… 49
異色〔症〕 heterochromia …… 847
異食〔症〕 pica …… 1422
移植 graft …… 795
移植 interplanting …… 947
移植〔術〕 grafting …… 795
移植〔術〕 plasty …… 1434
移植〔術〕 transplantation …… 1920
〔体内〕移植 implantation …… 916
移植遺伝学 transplantation genetics …… 766
移植後リンパ球増殖症 posttransplant lymphoproliferative disease …… 539
異食作用 heterophagy …… 848
移植する implant …… 915
異色性の heterochromous …… 847
移植組織 transplant …… 1920
胃食道炎 gastroesophagitis …… 759
胃食道逆流 esophageal reflux, gastroesophageal reflux …… 1583
胃食道逆流性疾患 gastroesophageal reflux disease (GERD) …… 533
胃食道前庭 gastroesophageal vestibule 2018
胃食道の gastroesophageal …… 759
胃食道吻合〔術〕 gastroesophagostomy …… 759
胃食道ヘルニア gastroesophageal hernia 842
移植肺症候群 transplant lung syndrome 1823
移植片 graft …… 795
移植片 implant …… 915
移植片 interplant …… 947
移植片 scion …… 1646
移植片 transplant …… 1920
移植片対宿主反応 graft versus host reaction (GVHR) …… 1564
移植片対宿主病 graft versus host disease (GVHD) …… 534
移植用動物組織片 zoograft …… 2060
異所骨 heterotopic bones …… 232
異所細胞の paracytic …… 1348
異所性 heterotopia …… 849
異所性ACTH産生症候群 ectopic ACTH syndrome …… 1803
異所性化骨 parosteosis, parostosis …… 1357
異所性肝吸虫症 ectopic schistosomiasis 1643
異所性奇形 ectopic teratosis …… 1852
異所性睾丸(精巣) testis ectopia …… 585
異所性睾丸(精巣) ectopic testis …… 1869
異所性口腔性胃小腸囊胞 heterotrophic oral gastrointestinal cyst …… 459
異所性甲状腺腫 aberrant goiter …… 790
異所性再生 aberrant regeneration …… 1583
異所性刺激 ectopic impulse …… 917
異所性刺激 heterotopic stimulus …… 1747
異所性収縮 ectopic beat …… 203
異所性睫毛 ectopic eyelash …… 660
異所性心臓 cardiectopia …… 299
異所性精巣(睾丸) testis ectopia …… 585
異所性精巣(睾丸) ectopic testis …… 1869
異所性爪甲〔症〕 onychoheterotopia …… 1301
異所性脱落膜 ectopic decidua …… 474
異所性調律 ectopic rhythm …… 1611
異所性同時妊娠 heterotropic pregnancies …… 1478
異所性尿管瘤 ectopic ureterocele …… 1970
異所〔性〕妊娠 ectopic pregnancy …… 1478
異所性の ectopic …… 585
異所性の socia …… 1695
異所性拍動間間隔 interectopic interval …… 948
異所性頻拍(頻脈) ectopic tachycardia 1837
異所性ペースメーカ ectopic pacemaker 1334
異所性ホルモン ectopic hormone …… 863
異触覚〔症〕 dysaphia …… 570
異所発毛〔症〕 trichosis …… 1931
異所萌出歯 allotriodontia …… 51
維持量 maintenance dose …… 557
石綿 asbestos …… 159
石綿鶏眼 asbestos corn …… 423
石綿〔沈着〕症 asbestosis …… 159
石綿(アスベスト)小体 asbestos bodies …… 225
石綿状の amiantaceous …… 58
石綿ライナー asbestos liner …… 1053
胃神経支配不全〔症〕 agastroneuria …… 35
胃神経叢 gastric nerve plexuses …… 1440
〔自律神経系の〕胃神経叢 gastric plexuses of autonomic system …… 1440
〔自律神経系の〕胃神経叢 plexus gastrici systematis autonomici …… 1440
胃神経の neurogastric …… 1247
胃心臓症候群 gastrocardiac syndrome …… 1805
胃心の gastrocardiac …… 757
胃親和性の gastrotropic …… 760
胃膵ひだ gastropancreatic fold …… 719
胃膵ひだ plica gastropancreatica …… 1445
異数性 aneuploidy …… 81
異数性 heteroploidy …… 849
異数仙骨 assimilation sacrum …… 1630
異数体の aneuploid …… 81
異数体の heteroploid …… 849
いす形 chair form …… 729
胃ステープリング gastric stapling …… 1738
イスラエル放線菌 *Actinomyces israelii* …… 20
α-L-イズロニダーゼ α-L-iduronidase …… 905
イズロネート iduronate …… 905
イズロン酸 iduronic acid …… 905
イズロン酸スルファターゼ iduronate sulfatase …… 905
異性 isomerism …… 961
異性愛 heterosexuality …… 849
異性愛者 heterosexual …… 849
異性化 isomerization …… 961
異性機能 isomeric function …… 744
胃性下痢 gastrogenous diarrhea …… 511
異性重亜硫酸試験 metabisulfite test …… 1861
異〔常〕成熟 dysmaturity …… 573
胃性神経衰弱〔症〕 gastric neurasthenia 1245
異性体 isomer …… 961
異性体遷移 isomeric transition …… 1919
異性体バラスト isomeric ballast …… 193
胃性テタニー gastric tetany …… 1870
医〔学〕生物学の medicobiologic, medicobiological …… 1117
異性変装〔症〕 transvestism …… 1922
胃石 bezoar …… 208
胃石 gastric calculus …… 278
胃石 gastrolith …… 759
胃石症 gastrolithiasis …… 759
イセチオン酸 isethionic acid …… 958
胃切開〔術〕 gastrotomy …… 760
胃切開刀 gastrotome …… 760
胃切除〔術〕 gastrectomy …… 757
胃切除後症候群 postgastrectomy syndrome …… 1816
胃腺 gastric glands …… 773
胃腺 glandulae gastricae …… 775
胃線維炎 linitis …… 1054
異染顆粒〔小体〕 metachromatic granules 797
胃腺頸部粘液細胞 mucous neck cell …… 323
胃腺欠損〔症〕 anadenia ventriculi …… 69
胃洗浄 gastrolavage …… 759
胃洗〔浄〕器 stomach pump …… 1526
異染〔小〕体 metachromatic bodies …… 228
異染〔色〕性 metachromasia …… 1138
異染〔性〕の heterophil, heterophile …… 848
異染性白質萎縮〔症〕 metachromatic leukodystrophy …… 1027
異染染色〔法〕 metachromatic stain …… 1733
胃仙痛 gastric colic …… 389
胃ぜん動 peristole …… 1392
〔胃〕前壁 anterior wall of stomach …… 2039
イソアクセプタトランスファーRNA isoacceptor tRNA …… 959
イソアミラーゼ isoamylase …… 959
イソアロキサジン isoalloxazine …… 959
移送 transport …… 1921
位相 phase …… 1401
位相エンコード phase encoding …… 1402
位相〔幾何〕学 topology …… 1903
位相画像 phase image …… 908
位相結合アレイ型コイル phased-array coil …… 388
位相差顕微鏡 phase microscope, phase-contrast microscope …… 1154
位相(フェーズ)シフト phase shift …… 1673
位相情報付加 phase encoding …… 1402
位相の散逸 dephasing …… 492
位相の不一致 out of phase …… 1327
胃造襞術 gastroplication …… 759
胃造瘻〔術〕 gastrostomy …… 760
イソエンザイム isoenzyme …… 960
イソエンチーム isoenzyme …… 960
イソ吉草酸 isovaleric acid …… 963
イソ吉草酸血〔症〕 isovaleric acidemia …… 963
イソキノリン isoquinoline …… 962
イソクエン酸 isocitric acid …… 959
イソクエン酸デヒドロゲナーゼ isocitrate dehydrogenase …… 959
イソクエン酸リアーゼ isocitrate lyase …… 959
異側性の heteromeric …… 848
異側〔性〕半盲 heteronymous hemianopia 828
イソグルタミン isoglutamine …… 960
イソ酵素電気泳動 isoenzyme electrophoresis …… 597
イソコナゾール isoconazole …… 960
イソコハク酸 isosuccinic acid …… 962
イソシアネート isocyanate …… 960
イソシアン化物 isocyanide …… 960
イソシアン酸 isocyanic acid …… 960
胃組織炎 linitis …… 1054
イソシゾマー isoschizomer …… 962
イソシトレート isocitrate …… 959
イソ受容トランスファーRNA isoacceptor tRNA …… 959
イソスポーラ症 isosporiasis …… 962
イソスポラ属 *Isospora* …… 962
イソスルファンブルー isosulfan blue …… 962
イソ制限酵素 isoschizomer …… 962
イソソルビド isosorbide …… 962
イソソルビドジニトレート isosorbide dinitrate …… 962
イソチオシアン酸アリル allyl isothiocyanate …… 52
イソチーム isozyme …… 963
イソデスモシン isodesmosine …… 960
イソトレチノイン isotretinoin …… 963
イソニアジド isoniazid …… 961
イソニアジド〔性〕ニューロパシー(神経障害)

isoniazid neuropathy …… 1251
イソニアジド多発ニューロパシー(多発神経障害) isoniazid polyneuropathy …… 1462
イソニコチン酸 isonicotinic acid …… 961
イソニトリル isonitrile …… 961
イソニトロソアセトン isonitrosoacetone 961
イソバルチン isovalthine …… 963
イソバレリルCoA isovaleryl-CoA …… 963
イソバレリルCoAデヒドロゲナーゼ isovaleryl-CoA dehydrogenase …… 963
イソフェンインスリン isophane insulin 942
イソブタン isobutane …… 959
イソブチルアルコール butyl alcohol …… 272
イソブテイン isobuteine …… 959
イソフルロフェート isofluorphate …… 960
イソプレナリン isoprenaline …… 961
イソプレニル化 isoprenylation …… 962
イソプレノイド isoprenoids …… 961
イソプレン isoprene …… 961
イソプレン法則 isoprene rule …… 1626
イソプロカルシフェロール isopyrocalciferol …… 962
イソプロスタン isoprostane …… 962
イソプロテレノール isoproterenol …… 962
イソプロパノール isopropanol …… 962
イソプロパノール沈殿試験 isopropanol precipitation test …… 1859
イソプロピルアルコール isopropyl alcohol …… 962
イソプロピルアルテレノール isopropylarterenol …… 962
イソプロピルカルビノール isopropylcarbinol …… 962
イソプロピルチオガラクトシド isopropylthiogalactoside (iPrSGal, IPTG) …… 962
イソプロピルミリステート isopropyl myristate …… 962
イソペプチド isopeptide …… 961
イソペプチド結合 isopeptide bond …… 231
イソペンテニルピロリン酸 isopentenylpyrophosphate …… 961
イソマルトース isomaltose …… 961
イソメラーゼ isomerase …… 961
イソ酪酸 butyric acid …… 272
イソ酪酸 isobutyric acid …… 959
イソリボフラビン isoriboflavin …… 962
イソロイシル isoleucyl …… 961
イソロイシン isoleucine (Ile, I) …… 961
依存 dependency …… 492
依存〔症〕 dependence …… 492
依存ウイルス *Dependovirus* …… 492
依存性 dependence …… 492
依存性薬 addictive drug …… 561
依存的精神療法 anaclitic psychotherapy 1520
依存的な anaclitic …… 69
依存的抑うつ〔症〕 anaclitic depression …… 493
板 lamina …… 996
板 plate …… 1434
胃体 body of stomach …… 229
イタイイタイ病 itai-itai disease …… 535
胃体管 gastric canal …… 283
胃大腸反射 gastrocolic reflex …… 1579
胃大網静脈 gastroepiploic veins …… 1996
胃大網動脈 gastroepiploic arteries …… 145
胃大網動脈 gastroomental arteries …… 145
胃大網の gastroepiploic …… 758
依託的な anaclitic …… 69
イタコン酸 itaconic acid …… 964
イタチササゲ中毒 lathyrism …… 1004
痛み ache …… 13
痛み sore …… 1701
〔チクチク〕痛む tingle …… 1894
イタリア皮弁 Italian flap …… 710
異蛋白血症を伴う血管免疫芽球性リンパ節症 angioimmunoblastic lymphadenopathy with dysproteinemia (AILD) …… 1075
位置 catastasis …… 312
位置 lie …… 1032
位置 locus …… 1067
位置 position …… 1468
イチイ *Taxus* …… 1843
位置異常 malposition …… 1096
一遺伝子性の monomeric …… 1167
位置エネルギー potential energy …… 617
一塩基酸 monobasic acid …… 15
一塩基多型 single nucleotide polymorphism (SNP) …… 1461
一塩基の monobasic …… 1166
位置覚失認 position agnosia …… 38
位置確認 localization …… 1067
一家族〔性〕の unifamilial …… 1964
I型インターフェロン type I interferon …… 945
I型コラーゲン type I collagen …… 390
1型3色覚 protanomaly …… 1502
1型糖尿病 Type 1 diabetes …… 507
1型糖尿病 Type 1 diabetes mellitus …… 507
1型2色覚 protanopia …… 1502
1型2色覚者 protanope …… 1502
I型肺胞細胞 type I pneumonocyte …… 1451
I型脈絡膜血管新生 Type 1 choroidal neovascularization …… 1228
一カリウムリン酸塩 monopotassium phosphate …… 1412
一眼の monocular …… 1166
一眼の uniocular …… 1964
一金属原子性の monometallic …… 1167
一原子価 monovalence, monovalency …… 1169
1原子の monatomic …… 1165
一元論 monism …… 1165
市子 psychic …… 1517
位置効果 position effect …… 589
一孔仮説 cloacal theory …… 1875
イチゴ腫 frambesia tropica …… 739
イチゴ腫 pian …… 1422
イチゴ腫 yaw …… 2055
イチゴ腫 yaws …… 2055
一語症 monophasia …… 1168
イチゴ状頸管 strawberry cervix …… 336
イチゴ状血管腫 strawberry hemangioma 825
イチゴ状胆嚢 strawberry gallbladder …… 750
イチゴ状母斑 strawberry nevus …… 1255
イチゴ舌 raspberry tongue …… 1900
イチゴ舌 red strawberry tongue …… 1900
イチゴ舌 strawberry tongue …… 1900
イチゴツナギ皮膚炎 meadow dermatitis, meadow grass dermatitis …… 495
位置錯聴 paracusis loci …… 1348
一次〔宇宙〕線 primary rays …… 1562
一次〔X〕線 primary rays …… 1562
一次過程 primary process …… 1490
一次感覚 primary sensation …… 1661
一次乾燥酵母 primary dried yeast …… 2055
1色覚 achromatopsia, achromatopsy …… 14
1色覚 monochromatism …… 1166
一色型色覚 monochromatism …… 1166
一次気管支芽 primary bronchial buds …… 264
一次強化 primary reinforcement …… 1587
一次拒絶〔反応〕 primary rejection …… 1588
イチジク fig …… 697
一軸〔性〕関節 uniaxial joint …… 972
一軸の uniaxial …… 1964
一次形成体 primary organizer …… 1313
一次(初期)結核〔症〕 primary tuberculosis …… 1946
一次元ゲル拡散沈降試験 gel diffusion precipitin tests in one dimension …… 1858
一次元免疫拡散〔法〕 single immunodiffusion …… 912
一次口蓋 primary palate …… 1338
一次構造 primary structure …… 1760
一次コクシジオイデス真菌症 primary coccidioidomycosis …… 384
一次視覚皮質 primary visual cortex …… 428
一次視覚野 primary visual area …… 130
一次刺激原 primary irritant …… 957
一次刺激性皮膚炎 primary irritant dermatitis …… 495
一次止血 primary hemostasis …… 836
一次疾患 primary disease …… 539
一次絨毛 primary villus …… 2020
一次硝子体 primary vitreous …… 2035
一次〔性〕ショック primary shock …… 1674
一次〔性〕進行性小脳変性 primary progressive cerebellar degeneration …… 481
一次医療(診療) primary medical care …… 302
一次ずれ primary deviation …… 502
一時性狭窄〔症〕 temporary stricture …… 1757
一次性月経困難〔症〕 primary dysmenorrhea …… 573
一次性消化 primary digestion …… 516
一次性腎結石 primary renal calculus …… 278
一次性代謝産物 primary metabolite …… 1138
一次性徴 primary sex character …… 339
一次性認知症 primary dementia …… 485
一時性の temporal …… 1848
一次〔性〕の primary …… 1484
一次性副腎皮質不全 primary adrenocortical insufficiency …… 941
〔一次〕精母細胞 primary spermatocyte 1710
一次性利得 primary gain …… 748
一次セメント質 primary cement …… 329
一次〔宇宙〕線 primary rays …… 1562
一次代謝 primary metabolism …… 1138
一次中隔 septum primum …… 1664
一時的寄生生物 temporary parasite …… 1354
一次的思考過程 primary process thinking …… 1883
一時的停止 suspension …… 1785
一次的ナルシシズム primary narcissism 1221
一次〔的〕治癒 healing by first intention 819
一次〔的〕〔治癒〕の per primam intentionem …… 1395
一次胚細胞 primary embryonic cell …… 325
一次肺小葉 primary pulmonary lobule 1065
一次反応 first-order reaction …… 1564
一次皮膚移植〔片〕 primary skin graft …… 795
一次不分離 primary nondisjunction …… 1266
一次プロテオース primary proteose …… 1507
一次分離片 primary sequestrum …… 1665
一次偏位 primary deviation …… 502
〔一時〕変異 modification …… 1162
一次放射線 primary radiation …… 1541
一次麻酔薬 primary anesthetic …… 81
一次免疫反応 primary immune response …… 1596
一次毛 primary hair …… 812
一重項酸素 singlet oxygen …… 1332
一重項状態 singlet state …… 1739
一絨毛膜双胎 monochorionic twins …… 1956
一宿主性 monogenesis …… 1167
一次抑圧 primal repression …… 1591
一次予防 primary prevention …… 1483
一次卵胞 primary ovarian follicle …… 722
一次卵胞 folliculus ovaricus primarius …… 723
一次卵母細胞 primary oocyte …… 1302
一次リソソーム primary lysosomes …… 1087
一次リンパ小節 primary nodule …… 1262
一生歯性の monophyodont …… 1168
一染色体性 monosomy …… 1168
I相遮断 phase I block …… 222
一側〔性〕の unilateral …… 1964
一炭素単位 one-carbon fragment …… 738
一置換体の monosubstituted …… 1169
一中心の unicentral …… 1964
I度星状細胞腫 grade I astrocytoma …… 166
I度熱傷 first-degree burn …… 267
一ナトリウムリン酸塩 monosodium

phosphate ………… 1412
一日許容量 recommended daily allowance (RDA) ………… 52
一日熱 ephemeral fever ………… 684
一日熱ウイルス ephemeral fever virus 2024
1日量 daily dose ………… 557
一年 year ………… 2055
一倍体セット haploid set ………… 1668
一倍体の haploid ………… 815
一胚葉〔性〕の unigerminal ………… 1964
一部 piece ………… 1422
一部調節性内斜視 mixed esotropia ………… 643
一部分 aliquot ………… 47
1分子の monomolecular ………… 1167
一分子反応 monomolecular reaction ………… 1565
一方向性ブロック unidirectional block … 222
異中心性の heterocentric ………… 847
イチョウ *Ginkgo biloba* ………… 770
胃腸炎 gastroenteritis ………… 758
胃腸カクテル gastrointestinal cocktail ………… 386
胃腸カクテル GI cocktail ………… 386
胃腸下垂〔症〕 gastroenteroptosis ………… 758
胃腸管 gastrointestinal tract (G.I. tract) ………… 1911
一様緊張の homotonic ………… 861
胃腸形成〔術〕 gastroenteroplasty ………… 758
胃腸結腸炎 gastroenterocolitis ………… 758
胃腸結腸吻合 gastroenterocolostomy ………… 758
胃腸性キノコ中毒 mycetism gastrointestinalis ………… 1207
胃腸切開〔術〕 gastroenterotomy ………… 758
一様な uniform ………… 1964
胃腸の gastrointestinal (GI) ………… 759
胃腸反射 enterogastric reflex ………… 1578
胃腸病 gastroenteropathy ………… 758
胃腸病学 gastroenterology ………… 758
胃腸病学者(専門医) gastroenterologist ………… 758
胃腸フィステル(瘻) gastrointestinal fistula ………… 705
胃腸吻合〔術〕 gastroenteroanastomosis ………… 758
胃腸吻合〔術〕 gastroenterostomy ………… 758
一羊膜〔一卵〕性双生児(双胎) monoamniotic twins ………… 1956
一羊膜性の monoamniotic ………… 1166
一卵〔性〕双生児(双胎) monozygotic twins ………… 1956
一卵〔性〕の monozygotic, monozygous … 1169
一卵性の unioval, uniovular ………… 1965
一卵の unioval, uniovular ………… 1965
胃痛 stomach ache ………… 13
胃痛 gastralgia ………… 757
異痛〔症〕 allodynia ………… 50
一価 monovalence, monovalency ………… 1169
一価アルコール monohydric alcohol ………… 44
一回換気量 tidal volume (V_T) ………… 2036
一回呼吸〔気〕量 tidal volume (V_T) ………… 2036
1回仕事量係数(指数) stroke work index 923
一塊として en bloc ………… 606
一回拍出量 stroke volume ………… 2036
1回分 draft ………… 559
一価基 monad ………… 1165
一価銀〔化合物〕の argentous ………… 131
一角妊娠 cornual pregnancy ………… 1478
一角の unicornous, unicornuate, unicornate ………… 1964
一価元素 monad ………… 1165
一価抗血清 monovalent antiserum ………… 109
一価抗体 univalent antibody ………… 101
一過性いぼ fugitive wart ………… 2040
一過性局所脳虚血 transient focal cerebral ischemia (TFCI) ………… 958
一過性棘融解性皮膚症 transient acantholytic dermatosis ………… 498
一過性近視 transient myopia ………… 1215
一過性黒内障 amaurosis fugax ………… 56
一過性骨髄無形成発作 transient aplastic crisis (TAC) ………… 439
一過性周期性上強膜炎 episcleritis periodica fugax ………… 630
一過性腫脹 fugitive swelling ………… 1789
一過性全健忘 transient global amnesia ………… 62
一過性蛋白尿〔症〕 transient albuminuria … 44
一過性聴力閾値上昇 temporary threshold shift ………… 1673
一過性直腸〔神経〕痛 proctalgia fugax … 1492
一過性軟骨 temporary cartilage ………… 307
一過性乳児低ガンマグロブリン血症 transient hypogammaglobulinemia of infancy ………… 893
一過性熱 ephemeral fever ………… 684
一過性の fugitive ………… 743
一過性脳虚血(乏血)発作 transient ischemic attack (TIA) ………… 175
〔一過性〕誘発耳音響放射 transient evoked otoacoustic emission (TEOAE) ………… 604
5日目ごとの quintan ………… 1539
一貫性の原則 consistency principle ………… 1485
一基の unibasal ………… 1964
一期梅毒 primary syphilis ………… 1828
一級アミド amide ………… 59
一級アミン amine ………… 59
一極の unipolar ………… 1965
一頸二頭体 dicephalus monauchenos ………… 512
溢血 suffusion ………… 1769
溢血点 petechiae ………… 1397
一酸化鉛 lead monoxide ………… 1014
一酸化炭素 carbon monoxide (CO) ………… 294
一酸化炭素血色素 carboxyhemoglobin (HbCO) ………… 294
一酸化炭素血色素血〔症〕 carboxyhemoglobinemia ………… 294
一酸化炭素中毒 carbon monoxide poisoning ………… 1455
一酸化炭素ヘモグロビン carboxyhemoglobin (HbCO) ………… 294
一酸化炭素ヘモグロビン血〔症〕 carboxyhemoglobinemia ………… 294
一酸化窒素 nitric oxide (NO) ………… 1258
一酸化窒素還元酵素 nitric oxide reductase ………… 1258
一酸化窒素シンターゼ nitric oxide synthase (NO synthase, NOS) ………… 1258
一酸化バリウム barium oxide, barium monoxide ………… 197
一酸化物 monoxide ………… 1169
逸散度 fugacity (f) ………… 743
一肢欠損症 monoamelia ………… 1166
一種細菌性の monomicrobic ………… 1167
溢出 extravasation ………… 658
溢出物 extravasate ………… 658
一食主義 monophagism ………… 1168
一色性 monochromatism ………… 1166
一心同体 alteregoism ………… 53
一水化の monohydrated ………… 1167
一水素性の monohydric ………… 1167
一腺の uniglandular ………… 1964
一層性原始卵胞 unilaminar primary follicle ………… 722
一足合足体 sympus monopus ………… 1792
一側心臓〔症〕 hemicardia ………… 828
一側性透過性亢進肺 unilateral hyperlucent lung ………… 1073
一側性半陰陽 unilateral hermaphroditism 842
一側優位 laterality ………… 1004
一側優位成立 lateralization ………… 1004
逸脱 deviance ………… 502
逸脱 deviation ………… 502
逸脱 escape ………… 641
一致 concordance ………… 407
一致 harmony ………… 815
一対 dyad ………… 569
5つ組 pentad ………… 1381
五つ児 quintuplet ………… 1539
一定分量 aliquot ………… 47
イッテルビウム ytterbium (Yb) ………… 2056
一頭胴八肢体 synadelphus ………… 1792
一頭二顔体 janiceps ………… 966
イットリウム yttrium (Y) ………… 2056
イットリウム90 yttrium-90 ………… 2056
一般医 generalist ………… 764
一般医療 general practice ………… 1475
一般化 generalization ………… 764
一般感覚 panesthesia ………… 1342
一般感覚 general sensation ………… 1660
一般感覚異常 paracenesthesia ………… 1348
一般生理学 general physiology ………… 1420
一般体性遠心性細胞柱 general somatic efferent column ………… 395
一般体性求心性細胞柱 general somatic afferent column ………… 395
一般的な generic ………… 765
一般内臓遠心性細胞柱 general visceral efferent column, splanchnic efferent column ………… 395
一般内臓求心性細胞柱 general visceral afferent column ………… 395
一般妊孕率 general fertility rate ………… 1559
一般の constitutional ………… 415
一般病院 general hospital ………… 865
一般病棟看護師 general duty nurse ………… 1283
一般名 generic name ………… 765
一般用語 termini generales ………… 1852
一片 piece ………… 1422
一方性複製 unidirectional replication ………… 1591
一本鎖切断 single-strand break ………… 255
溢流 spill ………… 1715
溢流尿失禁 overflow incontinence ………… 920
逸話的な anecdotal ………… 76
胃底 fundus of stomach ………… 744
胃底 fundus ventriculi ………… 744
イディオグラム idiogram ………… 904
イディオ・サヴァン idiot-savant ………… 905
イディオソーム idiosome ………… 905
イディオタイプ idiotype ………… 905
イディオタイプ抗体 idiotypic antibody … 101
イディオタイプ自己抗体 idiotype autoantibody ………… 178
イディオトープ idiotope ………… 905
イディオトープ set of idiotopes ………… 905
胃底腺 gastric glands ………… 773
胃底腺ポリープ fundic gland polyp ………… 1463
胃底ひだ形成〔術〕 fundoplication ………… 744
イデオロギー ideology ………… 904
医〔学〕的選択 medical selection ………… 1658
移転 eventration ………… 650
移転 transference ………… 1918
遺伝 heredity ………… 841
遺伝 inheritance ………… 932
遺伝暗号 genetic code ………… 386
移転位 transversion ………… 1922
遺伝医学 medical genetics ………… 765
遺伝因子 gene ………… 762
遺伝栄養性の genetotrophic ………… 766
遺伝疫学 genetic epidemiology ………… 626
遺伝学 genealogy ………… 764
遺伝学 genetics ………… 765
遺伝学カウンセリング genetic counseling ………… 431
遺伝学者 geneticist ………… 765
遺伝学的開拓 genetic colonization ………… 393
遺伝学的ヒト男性 genetic human male 1095
遺伝学的平衡 genetic equilibrium ………… 635
遺伝〔的〕キャリア genetic carrier ………… 305
遺伝形質 inherited character ………… 339
遺伝〔的〕形質(体質) inheritance ………… 932
移転歯 migrating teeth ………… 1902
遺伝死 genetic death ………… 473
遺伝子 factor ………… 665

遺伝子 gene …… 762
遺伝子異質性 genetic heterogeneity …… 847
遺伝子活性化 gene activation …… 21
遺伝子間相補性 intergenic complementation …… 400
遺伝子間の intergenal …… 945
遺伝子間抑制 intragenic suppression …… 1779
遺伝子組換え型ヒト成長ホルモン recombinant human growth hormone (rh-GH) …… 864
遺伝子組換えヒトインターロイキン-11 recombinant human interleukin 11 …… 945
遺伝子型 genotype …… 767
遺伝子型模写 genocopy …… 766
遺伝子欠失 gene deletion …… 483
遺伝子工学 genetic engineering …… 617
〔遺伝子〕交差(交叉) crossing-over …… 441
遺伝子固定 genetic fixation …… 707
遺伝子座 genetic locus …… 1067
遺伝子座間相加 interlocal additivity …… 24
遺伝子座内相加 intralocal additivity …… 24
遺伝子診断 genetic testing …… 1869
遺伝した inherited …… 933
遺伝子地図 genetic map …… 1101
遺伝子調節 gene regulation …… 1587
遺伝子治療 gene therapy …… 1878
遺伝子導入 transgenesis …… 1919
遺伝子導入の congenic …… 410
遺伝子毒性 genotoxic …… 767
遺伝子内相補性 intragenic complementation …… 400
遺伝子内の intragenal …… 950
遺伝子内抑制 intergenic suppression …… 1779
遺伝〔子の〕連鎖 genetic linkage …… 1054
遺伝子発現 gene expression …… 656
遺伝子頻度分布 gene frequency …… 740
遺伝子ファミリー gene family …… 671
遺伝子プール gene pool …… 1466
遺伝種 genospecies …… 767
遺伝上の女性 genetic female …… 680
遺伝子ライブラリー gene library …… 764
遺伝子流動 gene flow …… 714
遺伝子量効果 gene dosage effect …… 588
遺伝子量補償 gene dosage compensation 399
遺伝浸透度 genetic penetrance …… 1380
遺伝性アルブミン変種 inherited albumin variants …… 1987
遺伝生化学 biochemical genetics …… 765
遺伝性家族性振せん heredofamilial tremor …… 1924
遺伝性果糖不耐症 hereditary fructose intolerance …… 949
遺伝性感覚〔性〕根性ニューロパシー(神経障害) hereditary sensory radicular neuropathy …… 1251
遺伝性球状赤血球症 hereditary spherocytosis …… 1712
遺伝性血管神経症性水腫(浮腫) hereditary angioneurotic edema (HANE) …… 587
遺伝性血管浮腫 hereditary angioedema …… 83
遺伝性限局性そう痒症 hereditary localized pruritus …… 1510
遺伝性甲状腺機能亢進〔症〕 hereditary hyperthyroidism …… 889
遺伝性好中球過分葉 hereditary hypersegmentation of neutrophils …… 887
遺伝性コプロポルフィリン症 hereditary coproporphyria …… 420
遺伝性手掌紅斑 erythema palmare hereditarium …… 639
遺伝性出血性毛細管拡張〔症〕 hereditary hemorrhagic telangiectasia …… 1846
遺伝性小脳性運動失調 hereditary cerebellar ataxia …… 167
遺伝性腎炎 hereditary nephritis …… 1228
遺伝性進行性関節眼症(障害) hereditary progressive arthro-ophthalmopathy …… 155
遺伝性腎性低尿酸尿症 hereditary renal hypouricuria …… 899
遺伝性脊髄性運動失調 hereditary spinal ataxia …… 167
遺伝性挿間性〔筋〕無力〔症〕 adynamia episodica hereditaria …… 31
遺伝性多発性外骨〔腫〕症 hereditary multiple exostoses …… 654
遺伝性致死〔性〕疾患 genetic lethal …… 1023
遺伝性遅発性皮膚ポルフィリン症 porphyria cutanea tarda hereditaria …… 1467
遺伝性低身長 genetic short stature …… 1740
遺伝性低リン血症性くる病 hereditary hypophosphatemic rickets …… 1614
遺伝性難聴 hereditary hearing impairment …… 820
遺伝〔性〕の hereditary …… 841
遺伝性ばち指〔形成〕 hereditary clubbing 377
遺伝性光ミオクロ〔ー〕ヌス hereditary photomyoclonus …… 1417
遺伝性皮膚症 genodermatosis …… 766
遺伝性非ポリポーシス大腸癌 hereditary nonpolyposis colorectal cancer …… 286
遺伝性ヘモクロマトーシス hereditary hemochromatosis …… 831
遺伝性ミオキミア hereditary myokymia 1214
遺伝性葉酸吸収不全症 hereditary folate malabsorption …… 1093
遺伝性良性毛細管拡張症 hereditary benign telangiectasia …… 1846
遺伝性リンパ浮腫 hereditary lymphedema …… 1077
遺伝的アルゴリズム genetic algorithm …… 47
遺伝的隔離 genetic isolate …… 960
遺伝的荷重 genetic burden …… 267
遺伝的荷重 genetic load …… 1063
遺伝的関連 genetic association …… 163
遺伝的組換え genetic recombination …… 1573
遺伝〔的〕形質(体質) inheritance …… 932
遺伝的決定基 genetic determinant …… 500
遺伝的孤立 genetic isolate …… 960
〔遺伝的〕差異 variability …… 1987
遺伝的増幅 genetic amplification …… 64
遺伝的多型 genetic polymorphism …… 1461
遺伝的適合性 genetic fitness …… 707
遺伝的特質 genetics …… 765
遺伝的不均衡 genetic disequilibrium …… 542
遺伝的浮動 genetic drift …… 560
遺伝的保因者 genetic carrier …… 305
遺伝的優位 genetic dominance …… 555
遺伝毒 genotoxin …… 767
遺伝の genetic …… 765
遺伝皮膚病学 genodermatology …… 766
遺伝標識 marker …… 1105
遺伝物 heritage …… 842
遺伝物質 genetic material …… 1110
遺伝マーカ genetic marker …… 1105
遺伝モデル genetic model …… 1162
遺伝薬理学 pharmacogenetics …… 1400
遺伝率 heritability …… 841
遺伝力 heritability …… 841
遺伝〔子の〕連鎖 genetic linkage …… 1054
糸 filum …… 700
糸 thread …… 1886
意図 bulesis …… 265
意図 intention …… 943
イド id …… 904
医道 medical ethics …… 645
移動 migration …… 1157
移動 shift …… 1673
移動 transference …… 1918
〔染色分体〕移動 metakinesis, metakinesia …… 1139
胃洞括約筋 sphincter antri …… 1712
移動期 diakinesis …… 508
伊東細胞 Ito cells …… 322
移動〔性〕痙攣 mobile spasm …… 1706
移動性接合部 sliding lock …… 1067
移動性の floating …… 713
移動〔性〕盲腸 mobile cecum …… 318
胃透析 gastrodialysis …… 758
移動中転移巣 in-transit metastasis …… 1141
移動の locomotor …… 1067
伊藤のメラニン減少症 hypomelanosis of Ito …… 894
伊藤母斑 Ito nevus …… 1255
胃動脈 gastric arteries …… 145
異糖類 heterosaccharide …… 849
イドース idose …… 905
イドクスウリジン idoxuridine (IDU) …… 905
イトグモ属 *Loxosceles* …… 1069
意図痙攣 intention spasm …… 1706
意図的再移植〔術〕 intentional replantation …… 1590
糸巻き形ひずみ〔歪〕〔像〕 pincushion distortion …… 550
糸様脈 filiform pulse …… 1525
糸様脈 pulsus filiformis …… 1525
糸様脈 thready pulse …… 1525
胃内圧計 gastrotonometer …… 760
胃内圧測定〔法〕 gastrotonometry …… 760
胃内空気貯留 aerogastria …… 32
胃内残渣 saburra …… 1628
胃内消化 gastric digestion …… 516
胃内生双胎奇形 gastroparasitus …… 759
胃内の endogastric …… 613
胃内の intragastric …… 950
稲妻状模様 keraunographic marking …… 1105
異軟骨骨症 dyschondrosteosis …… 571
イニオン inion …… 935
イニシエーション initiation …… 935
移入 transfer …… 1917
移入マラリア induced malaria …… 1094
遺尿〔症〕 enuresis …… 622
イヌアカルス症 demodicosis …… 486
イヌアデノウイルス canine adenovirus …… 27
イヌアデノウイルス1 canine adenovirus 1 (CAV-1) …… 27
イヌ科 Canidae …… 287
イヌ回虫 *Toxocara canis* …… 1907
イヌ恐怖〔症〕 cynophobia …… 457
イヌ鉤虫 *Ancylostoma caninum* …… 75
イヌ糸状虫 *Dirofilaria immitis* …… 524
イヌ糸状虫属 *Dirofilaria* …… 524
イヌジステンパーウイルス canine distemper virus …… 2022
イヌ小回虫 *Toxascaris leonina* …… 1905
イヌ条虫 *Dipylidium caninum* …… 524
イヌ条虫症 dipylidiasis …… 524
イヌ小胞子菌 *Microsporum canis* …… 1155
イヌ単位 dog unit …… 1965
イヌ憑(つ)き cynanthropy …… 457
イヌ・ネコの外耳炎 canker …… 287
イヌの canine …… 287
イヌのアメーバ症 canine amebiasis …… 57
イヌの癌腫 canine carcinoma 1 …… 297
イヌノミ属 *Ctenocephalides* …… 447
イヌの耳 dog ear …… 580
イヌのリーシュマニア症 canine leishmaniasis …… 1017
イヌハッカ cataria …… 312
イヌ鞭虫 *Trichuris vulpis* …… 1932
イヌ様頭〔蓋〕 cynocephaly …… 457
イヌリナーゼ inulinase …… 952
イヌ流産菌 *Brucella canis* …… 261
イヌリン inulin (In) …… 952
イヌリンクリアランス inulin clearance 372
易熱〔性〕の thermolabile …… 1881
イネホオズキ nightshade …… 1257
イネルミカプチフェル *Inermicapsifer* …… 925
イネルミカプチフェルマダガスカリエンシス

イ

Inermicapsifer madagascariensis ……… 925
胃粘液漏 gastroblennorrhea ………………… 757
胃粘液漏 gastromyxorrhea ………………… 759
胃粘素 gastric mucin …………………… 1175
胃捻転 gastric volvulus ………………… 2037
胃粘膜 gastric mucosa ………………… 1176
胃粘膜 mucosa of stomach ……………… 1177
胃粘膜下組織 submucosa of stomach …… 1764
胃粘膜皺 rugae of stomach ……………… 1625
胃粘膜毒性の gastrotoxic ………………… 760
胃粘膜ひだ gastric folds ………………… 719
胃粘膜ひだ plicae gastricae …………… 1445
胃の gastricus …………………………… 757
イノウイルス科 Inoviridae ……………… 939
〔胃の〕角切痕 angular incisure of stomach …………………………………… 919
〔胃の〕角切痕 incisura angularis gastricae …………………………………… 919
胃の筋層 muscular coat of stomach …… 383
胃の筋層 muscular layer of stomach …… 1012
イノサミン inosamine ………………… 938
イノシトール inositol ………………… 938
meso-イノシトール *meso*-inositol ……… 938
myo-イノシトール *myo*-inositol ………… 938
イノシトール1,4,5-三リン酸 inositol 1,4,5-trisphosphate (IP_3) …………… 938
イノシトール1,3,4,5-四リン酸 inositol 1,3,4,5-tetraphosphate ……………… 938
イノシトール血〔症〕 inosemia ………… 938
イノシトール尿〔症〕 inosituria ………… 939
イノシナカーゼ inosinicase …………… 938
イノシニル inosinyl …………………… 938
胃の斜線維 oblique fibers of muscular layer of stomach ………………………… 690
〔胃の〕縦走筋層 longitudinal layer of muscular coat (of stomach) ………… 1011
イノシン inosine (I, Ino) ……………… 938
イノシン5′-二リン酸 inosine 5′-diphosphate (IDP) ………………………………… 938
イノシン5′-三リン酸 inosine 5′-triphosphate (ITP) ………………………………… 938
イノシン酸 inosinic acid ……………… 938
イノス iNOS ……………………………… 938
〔胃の〕噴門腺 cardial glands of stomach 772
〔胃の〕噴門部 pars cardiaca gastricae … 1358
〔胃の〕噴門部 pars cardiaca ventriculi 1358
〔胃の〕噴門部 cardiac part of stomach 1363
〔胃の〕幽門部 pars pylorica ventriculi … 1360
〔胃の〕幽門部 pyloric part of stomach 1367
〔胃の〕輪走筋層 circular layer of muscular coat (of stomach) …………………… 1009
異倍数性 heteroploidy ………………… 849
胃バイパス gastric bypass ……………… 273
異胚葉性の heteroblastic ………………… 847
胃発症 gastric crisis …………………… 439
胃破裂 gastrorrhexis …………………… 760
胃半切除〔術〕 hemigastrectomy ………… 829
胃斑点 stigma ventriculi ……………… 1746
胃脾間膜 gastrolienal ligament ……… 1035
胃脾間膜 gastrosplenic ligament ……… 1035
胃脾間膜 ligamentum gastrolienale …… 1043
胃脾間膜 ligamentum gastrosplenicum 1043
いびき snore …………………………… 1694
いびき stertor ………………………… 1746
胃ひだ形成術 gastroplication …………… 759
イヒチオトキシン ichthyotoxin ………… 903
胃脾の gastrosplenic …………………… 760
胃皮フィステル(瘻) gastrocutaneous fistula …………………………………… 705
胃病 gastropathy ………………………… 759
胃病学 gastrology ……………………… 759
胃病学者(専門医) gastrologist ………… 759
胃表面粘液細胞 surface mucous cells of stomach ………………………………… 326
胃頻活動 tachygastria ………………… 1837
胃ファイバースコープ fiberoptic gastroscope …………………………………… 760
胃フィステル(瘻) gastric fistula ………… 705
胃フィステル形成〔術〕 gastrostomy …… 760
衣服 suit ……………………………… 1771
胃〔腹壁〕固定〔術〕 gastropexy ………… 759
イプシロン ε …………………………… 580
イプシロン epsilon ……………………… 633
イプシロン波 epsilon wave …………… 2042
胃不全麻痺 gastroparesis ……………… 759
異物 foreign body (FB) ……………… 226
異物化寄生体 xenoparasite …………… 2052
異物〔使用〕角膜移植〔術〕 allokeratoplasty 50
異物巨細胞 foreign body giant cell …… 321
異物嗜好 parorexia …………………… 1357
異物性腫瘍形成 foreign body tumorigenesis …………………………………… 1952
異物性卵管炎 foreign body salpingitis … 1631
異物虫垂炎 foreign-body appendicitis …… 119
異物肉芽腫 foreign body granuloma …… 797
イブプロフェン ibuprofen ……………… 902
イプラトロピウム ipratropium ………… 955
イプロニアジド iproniazid …………… 955
胃分析 gastric analysis ………………… 70
胃閉鎖〔症〕 atretogastria ……………… 171
胃壁軟化〔症〕 gastromalacia …………… 759
胃壁〔破〕裂〔症〕 gastroschisis ………… 760
イペリット yperite …………………… 2056
胃ヘルニア gastrocele ………………… 757
異変態上目の heterometabolous ………… 848
イベント event ………………………… 650
異鞭毛虫 heteromastigote ……………… 848
いぼ verruca ………………………… 2013
いぼ verruga ………………………… 2014
いぼ wart …………………………… 2040
胃泡 stomach bubble ………………… 1748
胃縫合〔術〕 gastrorrhaphy …………… 760
胃膀胱形成術 gastrocystoplasty ……… 758
異方性脂質 anisotropic lipid ………… 1056
異方性の anisotropic …………………… 92
イボガイン ibogaine ………………… 902
イボサシチョウバエ *Phlebotomus verrucarum* ……………………………… 1409
いぼ症 verrucosis …………………… 2014
いぼ状黄色腫 verrucous xanthoma …… 2051
いぼ状癌 verrucous carcinoma ………… 299
いぼ状強皮(硬皮)症 pachyderma verrucosa …………………………………… 1335
いぼ状ジスケラトーマ warty dyskeratoma …………………………………… 573
いぼ状湿疹 eczema verrucosum ………… 586
いぼ状心内膜炎 vegetative endocarditis, verrucous endocarditis ……………… 612
いぼ状痘瘡 variola verrucosa ………… 1988
いぼ状皮膚結核 tuberculosis cutis verrucosa …………………………………… 1946
いぼ状母斑 verrucous nevus ………… 1256
イホスファミド ifosfamide …………… 905
イボタノキ性咳 privet cough ………… 431
イボタろう Chinese wax ……………… 2042
イポデート ipodate …………………… 955
イボテン酸 ibotenic acid ……………… 902
イボマダニ属 *Hyalomma* ……………… 868
イポメア ipomea ……………………… 955
イポメヤ脂 ipomea resin ……………… 1593
イボール・ルイス食道切除 Ivor Lewis esophagectomy ………………………… 642
イマースルンド-グラスベック症候群 Imerslünd-Grasbeck syndrome ………… 1808
イマチニブ imatinib …………………… 908
胃麻痺 gastroparalysis ………………… 759
イミキモッド imiquimod ……………… 909
イミダクロプリド imidacloprid ………… 909
イミダゾリル imidazolyl ……………… 909
イミダゾリン受容体 imidazoline receptor …………………………………… 1570
イミダゾール imidazole ……………… 909
イミダゾールアルカロイド imidazole alkaloids ……………………………… 909
4-イミダゾロン-5-プロピオン酸 4-imidazolone-5-propionate ……………… 909
イミタンス immittance ………………… 909
イミド imide ………………………… 909
イミドジペプチド尿症 imidodipeptiduria 909
イミノ加水分解酵素 iminohydrolases …… 909
イミノカルボニル iminocarbonyl ……… 909
イミノグリシン尿〔症〕 iminoglycinuria … 909
イミノ酸 imino acids ………………… 909
イミノスチルベン類 iminostilbenes …… 909
イミノヒドロラーゼ iminohydrolases …… 909
意味不明の単クローン性高ガンマグロブリン血症 monoclonal gammopathy of unknown significance (MGUS) ………… 752
イミペネム imipenem ………………… 909
意味論 semantics …………………… 1659
医務室 infirmary ……………………… 928
胃無漿膜野 bare area of stomach ……… 128
イムノサイトーマ immunocytoma ……… 911
イムノソルベント immunosorbent ……… 913
イムノフィリン immunophilins ………… 913
イムノブラスト immunoblast ………… 911
イムノラジオメトリックアッセイ immunoradiometric assay ……………… 162
イムラック脂肪パッド Imlach fat-pad …. 678
異名 synonym ………………………… 1826
異名視差 heteronymous parallax ……… 1350
異名像 heteronymous image …………… 908
異名の heteronymous ………………… 848
イメージアンプリファイアー image amplifier ……………………………… 64
イメージング imaging ………………… 908
イメージングプレート phosphor plate 1435
異毛症 heterotrichosis ………………… 849
イモガイ属 *Conus* ……………………… 418
鋳物 cast ……………………………… 308
鋳物 casting …………………………… 309
イモムシ caterpillar …………………… 313
イヤープラグ earplug ………………… 580
医薬 physic …………………………… 1420
医薬機械的な medicomechanical ……… 1117
医薬の iatric …………………………… 902
医薬の medicinal ……………………… 1116
医薬品 drug …………………………… 561
医薬品安全監視 pharmacovigilance …… 1401
医薬品注解 *Dispensatory* ……………… 547
医薬品標示 label ……………………… 991
易融金属 fusible metal ……………… 1139
易融合金 eutectic ……………………… 649
胃幽門の gastropyloric ………………… 760
胃癒着剝離〔術〕 gastrolysis …………… 759
意欲 volition ………………………… 2036
意欲錯誤 parabulia …………………… 1348
胃抑制性ポリペプチド gastric inhibitory polypeptide (GIP) ……………………… 1463
イラクサ urtica ………………………… 1975
囲卵の perivitelline …………………… 1394
入口 aditus …………………………… 29
入口 inlet ……………………………… 937
入口 introitus ………………………… 951
入口 iter ……………………………… 964
イリザロフ装置 Ilizarov device ……… 503
イリザロフ法 Ilizarov technique ……… 1844
イリジウム iridium (Ir) ……………… 956
イリジン iridin ………………………… 956
イリデスセントウイルス iridescent virus …………………………………… 2025
イリド ylides ………………………… 2056
イリドウイルス科 Iridoviridae ………… 957
イリドウイルス属 *Iridovirus* …………… 957
猬粒条虫 *Echinococcus granulosus* ……… 582
医療 care ……………………………… 301
医療 medical care ……………………… 302
医療 medicine ………………………… 1116

医療過誤 malpractice 1096
医療過誤ストレス反応 malpractice stress syndrome 1811
医療記録 medical record 1574
医療記録リンケージ medical record linkage 1054
医療サービス費保険 fee-for-service insurance 942
異量性の heterometric 848
医療隊(班) medical corps 1116
医療物理学派の iatrophysical 902
医療保険責任法(医療保険の相互運用性と説明責任に関する法律) Health Insurance Portability and Accountability Act (HIPAA) 819
胃リンパ小節 gastric lymphoid nodules 1261
イルヘウス(イレウス)ウイルス Ilhéus virus 2025
イルヘウス熱 Ilhéus fever 684
イルヘウス脳炎 Ilhéus encephalitis 607
イルミニズム illuminism 907
イルリガートル irrigator 957
イレウス ileus 906
イレウス(イルヘウス)ウイルス Ilhéus virus 2025
イレウスの ileac 905
いれこ emboitement 600
入籠PCR nested polymerase chain reaction 1566
入れ墨 tattoo 1842
入れ歯師 denturist 490
色 color 393
色合い tint 1895
胃フィステル(瘻) gastric fistula 705
胃瘻洗浄 gastrostolavage 760
胃瘻造設〔術〕 gastrostomy 760
色消し achromatism 14
色消し対物レンズ achromatic objective 1288
色消しレンズ achromatic lens 1019
色失認〔症〕 color agnosia 38
色収差 chromatic aberration 2
色収差矯正 achromatism 14
イロスヴェー試薬 Ilosvay reagent 1569
色スペクトル chromatic spectrum 1709
色整合 color match 393
色の chromatic 356
色立体 color solid 394
陰圧 negative pressure 1482
陰圧換気法 negative pressure ventilation 2010
陰圧吸引器 vacuum aspirator 162
陰圧式ポーリツァー法 negative politzerization 1457
陰イオン anion (A^-) 91
陰イオン交換 anion exchange 91
陰イオン交換樹脂 anion-exchange resin 1592
陰イオン交換体 anion exchanger 91
陰イオン洗〔浄〕剤 anionic detergents 500
陰イオンの anionic 92
陰影 shadow 1669
陰影核 shadow nucleus 1280
陰影欠損 filling defect 477
陰窩 crypt 445
陰窩 crypta 445
陰窩炎 cryptitis 445
陰核 clitoris 375
陰核炎 clitoriditis 375
陰核海綿体 corpus cavernosum clitoridis 425
陰核海綿体 corpus cavernosum of clitoris 425
陰核海綿体神経 cavernous nerves of clitoris 1232
陰核海綿体神経 nervi cavernosi clitoridis 1241
陰核海綿体中隔 septum corporum cavernosorum clitoridis 1663
陰核亀頭 glans clitoridis 776
陰核亀頭 glans of clitoris 776
陰核亀頭の balanic 192
陰核脚 crus clitoridis 443
陰核脚 crus of clitoris 443
陰核巨大〔症〕 clitoromegaly 375
陰核筋膜 fascia clitoridis 672
陰核筋膜 fascia of clitoris 672
陰核形成術 clitoroplasty 375
陰核垢 smegma clitoridis 1693
陰核骨 os clitoridis 1317
〔有痛性〕陰核持続勃起〔症〕 clitorism 375
陰核縮小術 clitoral recession 1572
陰核小帯 frenulum clitoridis 740
陰核小帯 frenulum of clitoris 740
陰核深静脈 deep veins of clitoris 1995
陰核深静脈 venae profundae clitoridis 2007
陰核深動脈 arteria profunda clitoridis 137
陰核深動脈 deep artery of clitoris 144
陰核スメグマ smegma clitoridis 1693
陰核切除〔術〕 clitoridectomy 375
陰核体 body of clitoris 226
陰核体 corpus clitoridis 425
陰核中隔 septum clitoridis 1663
陰核中隔 septum of corpora cavernosa of clitoris 1663
陰核提靭帯 fundiform ligament of clitoris 1035
陰核提靭帯 suspensory ligament of clitoris 1040
陰核提靭帯 ligamentum suspensorium clitoridis 1045
陰核背静脈 dorsal veins of clitoris 1995
陰核背神経 dorsal nerve of clitoris 1233
陰核背神経 nervus dorsalis clitoridis 1242
陰核背動脈 arteria dorsalis clitoridis 135
陰核背動脈 dorsal artery of clitoris 144
陰核包皮 prepuce of clitoris 1480
陰核包皮 preputium clitoridis 1480
インカ骨 Inca bone 232
隠花植物 cryptogamia 445
引火性の flammable 709
陰窩性扁桃炎 lacunar tonsillitis 1901
陰窩切除〔術〕 cryptectomy 445
因果的独立 causal independence 921
引火点 flash point 1454
陰窩膿瘍 crypt abscesses 5
因果律 causality 315
印環細胞 signet cell 326
印環細胞癌 signet-ring cell carcinoma 298
淫虐性 tyrannism 1958
インキュベータ incubator 921
陰極 cathode (Ca, C) 314
陰極線 cathode rays 1561
陰極線オシロスコープ cathode ray oscilloscope (CRO) 1318
陰極線管 cathode ray tube (CRT) 1941
陰極電気緊張 catelectrotonus 312
陰極分解 catholysis 314
インクレチン incretin 920
陰型 counterdie 432
陰茎 penis 1381
陰茎 phallus 1400
陰茎陰嚢尿道下裂 penoscrotal hypospadias 897
陰茎陰嚢の penoscrotal 1381
陰茎インプラント(補てん術) penile implant 915
陰茎会陰部転位 penoscrotal transposition 1922
陰茎海綿体 corpus cavernosum penis 425
陰茎海綿体脚 crus corporis cavernosi penis 443
陰茎海綿体小柱 trabeculae of corpora cavernosa 1907
陰茎海綿体小柱 trabeculae corporum cavernosorum 1908
陰茎海綿体静脈 cavernous veins of penis 1994
陰茎海綿体静脈 venae cavernosae penis 2004
陰茎海綿体神経 cavernous nerves of penis 1232
陰茎海綿体神経 nervi cavernosi penis 1241
陰茎海綿体洞 cavernae corporum cavernosorum 315
陰茎海綿体洞 caverns of corpora cavernosa 315
陰茎海綿体洞 cavities of corpora cavernosa 316
陰茎海綿体洞 cavernous spaces of corpora cavernosa 1703
陰茎海綿体白膜 tunica albuginea corporum cavernosorum 1952
陰茎海綿体白膜 tunica albuginea of corpora cavernosa 1952
陰茎貫通動脈 perforating arteries of penis 149
陰茎陥没 phallocrypsis 1399
陰茎亀頭 glans penis 776
陰茎亀頭の balanic 192
陰茎脚 crus of penis 443
陰茎脚 crus penis 443
陰茎強直〔症〕 priapism 1484
陰茎筋膜 fascia of penis 674
陰茎筋膜 fascia penis 674
陰茎形成〔術〕 phalloplasty 1400
陰茎結節 phallic tubercle 1944
陰茎根 radix penis 1546
陰茎根 root of penis 1622
陰茎周囲の peripenial 1391
陰茎腫脹(腫瘤) phalloncus 1400
陰茎静脈 vein of bulb of penis 1994
陰茎静脈 vena bulbi penis 2004
陰茎深静脈 deep veins of penis 1995
陰茎深静脈 venae profundae penis 2007
陰茎深動脈 arteria profunda penis 137
陰茎深動脈 deep artery of penis 144
陰茎切開〔術〕 phallotomy 1400
陰茎体 body of penis 228
陰茎体 corpus penis 425
陰茎体尿道下裂 penile hypospadias 897
陰茎体尿道上裂 penile epispadias 631
陰茎中隔 septum penis 1664
陰茎提靭帯 suspensory ligament of penis 1041
陰茎提靭帯 ligamentum suspensorium penis 1045
陰茎動脈 arteries of penis 149
陰茎の penile 1381
〔陰茎の〕亀頭頸 collum glandis penis 392
〔陰茎の〕亀頭頸 neck of glans of penis 1223
〔陰茎の〕尿道海綿体小柱 trabeculae corporis spongiosi 1907
〔陰茎の〕尿道海綿体小柱 trabeculae of corpus spongiosum 1908
〔陰茎の〕尿道面 facies urethralis penis 665
〔陰茎の〕尿道面 urethral surface of penis 1784
陰茎背 dorsum of penis 556
陰茎背 dorsum penis 556
陰茎背静脈 dorsal veins of penis 1995
陰茎背静脈圧縮筋 compressor venae dorsalis penis 405
陰茎背神経 dorsal nerve of penis 1233
陰茎背神経 nervus dorsalis penis 1242
陰茎背動脈 arteria dorsalis penis 135
陰茎背動脈 dorsal artery of penis 145
陰茎皮下組織 subcutaneous tissue of penis 1896
陰茎プロテーゼ penile prosthesis 1501
陰茎縫線 penile raphe 1558
陰茎縫線 raphe of penis 1558

陰茎縫線 raphe penis …… 1558
陰茎縫線正中嚢胞 median raphe cyst of the penis …… 459
陰茎包皮 prepuce of penis …… 1480
陰茎補てん術(インプラント) penile implant …… 915
陰茎ラセン動脈 helicine arteries of penis …… 145
陰茎裂 penischisis …… 1381
陰茎わな靱帯 fundiform ligament of penis …… 1035
陰茎わな靱帯 ligamentum fundiforme penis …… 1043
陰茎彎曲勃起 phallocampsis …… 1399
インゲルフィンガー規定(ルール) Ingelfinger rule …… 1626
咽喉 gullet …… 805
咽喉 throat …… 1886
咽喉炎 sore throat …… 1887
咽喉痙攣 gutturotetany …… 806
咽喉痛 sore throat …… 1887
咽喉頭逆流症 laryngopharyngeal reflux (LPR) …… 1583
咽喉頭切除〔術〕 laryngopharyngectomy …… 1002
咽喉の guttural …… 806
咽後膿瘍 retropharyngeal abscess …… 6
飲細胞 pinocyte …… 1425
飲細胞運動 pinocytosis …… 1425
飲作用 pinocytosis …… 1425
飲作用胞 pinosome …… 1425
因子 factor …… 665
〔作用〕因子 agent …… 35
インジウム indium (In) …… 924
インジウム111 indium 111 …… 924
インジウム113m indium 113m …… 924
インジカン indican …… 923
インジカン汗〔症〕 indicanidrosis …… 923
インジカン尿〔症〕 indicanuria …… 923
インジケータ indicator …… 923
インジケータイエロー indicator yellow 2055
インジゴ indigo …… 924
インジゴカルミン indigo carmine …… 924
インジゴ尿〔症〕 indigouria, indiguria …… 924
隠耳症 cryptotia …… 446
インシデント incident …… 918
飲酒癖 dipsomania …… 524
飲酒癖 inebriety …… 925
インジュリン indulin …… 925
インジュリン好染色の indulinophil, indulinophile …… 925
印象 impression …… 916
印象域 impression area …… 129
印象材 impression material …… 1110
飲小胞 pinocytotic vesicle …… 2016
印象用トレー impression tray …… 1923
飲食物 ingesta …… 932
陰唇陰嚢隆起 labioscrotal folds …… 719
陰唇陰嚢隆起 labioscrotal swellings …… 1789
陰唇小帯 frenulum labiorum pudendi …… 740
陰唇小帯 frenulum of labia minora …… 740
陰唇小帯 frenulum of pudendal lips …… 740
陰唇嚢 pudendal sac …… 1628
陰唇ヘルニア cremnocele …… 436
陰唇ヘルニア labial hernia …… 843
陰唇隆起 labial swelling …… 1789
飲水性 hydroposia …… 874
因数 factor …… 665
インストルメンテーション instrumentation …… 941
インスリノーマ insulinoma …… 942
インスリン insulin …… 941
インスリン亜鉛懸濁液 insulin zinc suspension …… 1785
インスリン依存性糖尿病 insulin-dependent diabetes mellitus (IDDM) …… 506
インスリン炎 insulitis …… 942
インスリン拮抗物質 insulin antagonist …… 96
インスリン血症 insulinemia …… 942
インスリン持続皮下注入法 continuous subcutaneous insulin infusion …… 932
インスリン〔性〕脂肪異栄養〔症〕 insulin lipodystrophy …… 1057
インスリン受容体基質-1 insulin receptor substrate-1 (IRS-1) …… 1767
インスリン受容体基質-2 insulin receptor substrate-2 (IRS-2) …… 1767
インスリン受容体基質蛋白 insulin receptor substrate protein (IRS protein) …… 1503
インスリンショック insulin shock …… 1674
インスリン生成 insulinogenesis …… 942
インスリン単位(国際単位) insulin unit (international) …… 1966
インスリン注射 insulin injection …… 936
インスリン低血糖試験 insulin hypoglycemia test …… 1859
インスリン抵抗性 insulin resistance …… 1594
インスリン抵抗性症候群 lnsulin resistance syndrome …… 1808
インスリン非依存性糖尿病 non-insulin-dependent diabetes mellitus (NIDDM) …… 507
インスリン不足〔性〕糖尿病 insulinopenic diabetes …… 506
インスリンポンプ insulin pump …… 1526
インスリン様活性 insulinlike activity (ILA) …… 21
インスリン様成長因子 insulinlike growth factor (IGF) …… 667
陰性 negative …… 1225
陰性アネルギー negative anergy …… 78
陰性期 negative phase …… 1402
陰性元素 electronegative element …… 598
陰性呼気終圧 negative end-expiratory pressure (NEEP) …… 1482
陰性残像 negative afterimage …… 33
陰性支持反応 supporting reactions …… 1567
陰性周期変動 negative chronotropism …… 360
陰性症状 negative symptom …… 1792
陰性触媒 negative catalyst …… 310
陰性染色〔法〕 negative stain …… 1734
陰性相 negative phase …… 1402
陰性像 cold nodule …… 1261
陰性走電性 negative electrotaxis …… 598
陰性転移 negative transference …… 1918
陰性白血球走性 leukocytotaxia …… 1027
引赤薬 rubefacient …… 1625
引赤薬 vesicant …… 2016
隠足症 cryptopodia …… 446
インターカレーション intercalation …… 943
インダクタンス inductance (L) …… 924
インターナリン internalin …… 946
インターネット中毒障害 internet addiction disorder …… 546
インターフェロン interferon (IFN) …… 944
インターフェロンアルファ(α) interferon alpha …… 945
インターフェロンアルファ2b interferon alfa 2b …… 945
インターフェロンベータ(β) interferon beta …… 945
インターフェロンベータ1b interferon beta 1b …… 945
インターフェロンガンマ(γ) interferon gamma …… 945
インターフェロンタウ(τ) interferon-tau 945
インターフェロンオメガ(ω) interferon-omega …… 945
インターベンショナルラジオロジー interventional radiology …… 1544
インターベンション専門医 interventionalist …… 948
インターロイキン interleukin (IL) …… 945
インターロイキン-1 interleukin-1 …… 945
インターロイキン-2 interleukin-2 …… 945
インターロイキン-3 interleukin-3 …… 945
インターロイキン-4 interleukin-4 …… 945
インターロイキン-5 interleukin-5 …… 946
インターロイキン-6 interleukin-6 …… 946
インターロイキン-7 interleukin-7 …… 946
インターロイキン-8 interleukin-8 …… 946
インターロイキン-9 interleukin-9 …… 946
インターロイキン-10 interleukin-10 …… 946
インターロイキン-11 interleukin-11 …… 946
インターロイキン-12 interleukin-12 …… 946
インターロイキン-13 interleukin-13 …… 946
インターロイキン-14 interleukin-14 …… 946
インターロイキン-15 interleukin-15 …… 946
インターロイキン-16 interleukin-16 …… 946
インターロイキン-17 interleukin-17 …… 946
インターロイキン-18 interleukin-18 …… 946
インターン intern …… 946
インダンジオン indanediones …… 921
いんちき医者 charlatan …… 340
いんちき医術 charlatanism …… 340
引張力 tensile strength …… 1753
インテグリン integrins …… 943
インテグレリン integrelin …… 942
インデックス index …… 921
インデューサ inducer …… 924
インテルメジン単位 unit of intermedin 1966
陰電子 negatron …… 1226
インドインク莢膜染色〔法〕 India ink capsule stain …… 1732
咽頭 pharynx …… 1401
咽頭炎 pharyngitis …… 1401
咽頭炎 pharyngolaryngitis …… 1401
咽頭円蓋 pharyngeal fornix …… 731
咽頭円蓋 vault of pharynx …… 1991
咽頭下垂体 hypophysis pharyngealis …… 896
咽頭下垂体 pharyngeal hypophysis …… 896
咽頭下垂体 pharyngeal pituitary …… 1427
咽頭下の subpharyngeal …… 1764
咽頭陥凹 pharyngeal recess …… 1572
咽頭陥凹 recessus pharyngeus …… 1573
咽頭器官 pharyngeal apparatus …… 119
咽頭弓 pharyngeal arches …… 126
咽頭弓軟骨 pharyngeal cartilages …… 306
咽頭鏡 pharyngoscope …… 1401
咽頭鏡検査〔法〕 pharyngoscopy …… 1401
咽頭狭窄〔症〕 pharyngostenosis …… 1401
咽頭峡部 isthmus of pharynx …… 964
咽頭峡部 pharyngeal isthmus …… 964
咽頭筋 pharyngeal muscles …… 1191
咽頭筋 muscles of pharynx …… 1191
咽頭筋 musculi laryngis …… 1201
咽頭筋層 muscular coat of pharynx …… 383
咽頭筋層 muscle layer of pharynx …… 1011
咽頭筋層 tunica muscularis pharyngis … 1953
咽頭腔 cavitas pharyngis …… 316
咽頭腔 cavity of pharynx …… 316
咽頭腔 cavum pharyngis …… 317
咽頭腔 pharyngeal space …… 1704
咽頭形成〔術〕 pharyngoplasty …… 1401
咽頭痙攣 pharyngismus …… 1401
咽頭結石 pharyngolith …… 1401
〔後頭骨底部の〕咽頭結節 pharyngeal tubercle (of basilar part of occipital bone) …… 1944
〔後頭骨底部の〕咽頭結節 tuberculum pharyngeum (partis basilaris ossis occipitalis) …… 1946
咽頭結膜熱ウイルス pharyngoconjunctival fever virus …… 2027
咽頭溝 pharyngeal grooves …… 802
咽頭口蓋の pharyngopalatine …… 1401
咽頭口蓋不全 palatopharyngeal incompetence …… 920
咽頭口腔の pharyngo-oral …… 1401

咽頭後隙 retropharyngeal space 1705
咽頭後隙 spatium retropharyngeum 1707
咽頭喉頭炎 laryngopharyngitis 1002
咽頭喉頭炎 pharyngolaryngitis 1401
咽頭喉頭部 laryngopharynx 1002
〔咽頭〕喉頭部 pars laryngea pharyngis 1359
〔咽頭〕喉頭部 laryngeal part of pharynx 1365
咽頭後〔方〕の postpharyngeal 1471
咽頭後〔方〕の retropharyngeal 1604
咽頭後部 retropharynx 1604
咽頭口部 pars oralis pharyngis 1360
咽頭口部 oral part of pharynx 1366
咽頭後リンパ節 retropharyngeal lymph nodes 1080
咽頭鰓管 pharyngobranchial ducts 564
咽頭枝 pharyngeal branches 251
咽頭枝 rami pharyngeales 1555
〔翼口蓋神経節の〕咽頭枝 pharyngeal nerve 1237
咽頭周囲隙 peripharyngeal space 1704
咽頭周囲隙 spatium peripharyngeum 1707
咽頭周囲の peripharyngeal 1391
咽頭小窩 lacuna pharyngis 995
咽頭小窩 pharyngeal lacuna 995
咽頭上顎隙 pharyngomaxillary space 1704
咽頭上顎の pharyngomaxillary 1401
咽頭小嚢 sacculus laryngis 1629
咽頭静脈 pharyngeal veins 1999
咽頭静脈 venae pharyngeae 2007
咽頭静脈叢 pharyngeal (nerve) plexus of vagus nerve 1443
咽頭食道狭窄 pharyngoesophageal constriction 415
咽頭食道憩室 pharyngoesophageal diverticulum 552
咽頭食道形成〔術〕 pharyngoesophagoplasty 1401
咽頭食道静脈叢 pharyngoesophageal cushions 451
咽頭神経ひだ fold of laryngeal nerve 719
咽頭切開〔術〕 pharyngotomy 1401
咽頭切除〔術〕 pharyngectomy 1401
咽頭腺 pharyngeal glands 774
咽頭洗浄剤 gargle 756
咽頭脱 pharyngocele 1401
咽頭中胚葉 pharyngeal mesoderm 1136
咽頭頭底板 fascia pharyngobasilaris 674
咽頭頭底板 pharyngobasilar fascia 674
咽頭粘膜 mucosa of pharynx 1177
咽頭粘膜 pharyngeal mucosa 1177
〔咽頭〕粘膜 tunica mucosa pharyngis 1953
咽頭の pharyngeal 1401
咽頭嚢 bursa pharyngea 269
咽頭嚢 pharyngeal bursa 269
咽頭嚢 pharyngeal pouches 1474
咽頭嚢症候群 pharyngeal pouch syndrome 1815
咽頭嚢の最尾側の ultimopharyngeal 1962
咽頭反射 gag reflex 1579
咽頭反射 pharyngeal reflex 1581
咽頭鼻鏡検査〔法〕 pharyngorhinoscopy 1401
咽頭鼻腔の pharyngonasal 1401
咽頭鼻部 pars nasalis pharyngis 1360
咽頭鼻部 nasal part of pharynx 1366
咽頭ヘルニア pharyngocele 1401
咽頭弁 pharyngeal flap 710
咽頭扁桃 tonsilla pharyngealis 1901
咽頭扁桃炎 pharyngotonsillitis 1401
咽頭扁桃切除〔術〕 adenoidectomy 25
咽頭扁桃切除〔術〕 adenotomy 27
〔咽頭扁桃の〕扁桃小窩 fossulae tonsillarum (pharyngealis) 734
咽頭傍間隙 parapharyngeal space 1704
咽頭縫線 pharyngeal raphe 1558
咽頭縫線 raphe pharyngis 1558
咽頭膜 pharyngeal membranes 1126
咽頭麻痺 pharyngoplegia 1401
咽頭瘻 pharyngeal fistula 705
インド型ドノバンリーシュマニア *Leishmania donovani donovani* 1017
インドキシル indoxyl 924
インドキシル尿〔症〕 indoxyluria 924
インドゴム Indian gum 805
インドシアニングリーン indocyanine green 924
インドシアニングリーンアンギオグラフィ indocyanine green angiography 84
インドジャボク属 *Rauwolfia* 1561
イントネーション intonation 949
インドネズミノミ *Ceratophyllus punjabensis* 334
インド皮弁 Indian flap 710
インドフェノール法 indophenol method 1144
インドポドフイルム Indian podophyllum 1453
インドポドフイルム樹脂 Indian podophyllum resin 1592
インドメタシン indomethacin 924
イントランジットメタスターシス in-transit metastasis 1141
インドリル indolyl 924
インドール indole 924
インドール検査 indole test 1859
インドール酢酸尿〔症〕 indolaceturia 924
インドール酸 indolic acids 924
インドール産生〔性〕の indologenous 924
インドール尿〔症〕 indoluria 924
イントロン intron 951
院内感染性肺炎 hospital-acquired pneumonia 1450
院内の nosocomial 1268
院内肺炎 nosocomial pneumonia 1450
飲尿 uriposia 1973
引熱薬 calefacient 278
陰嚢 scrotum 1651
陰嚢炎 scrotitis 1651
陰嚢形成〔術〕 scrotoplasty 1651
陰嚢静脈 scrotal veins 2001
陰嚢舌 scrotal tongue 1900
陰嚢切除〔術〕 scrotectomy 1651
陰嚢象皮病 elephantiasis scroti 599
陰嚢中隔 scrotal septum 1664
陰嚢中隔 septum scroti 1664
陰嚢動脈 scrotal arteries 152
陰嚢内の intrascrotal 951
陰嚢尿腫 urocele 1974
陰嚢尿道下裂 scrotal hypospadias 897
陰嚢膿腫 empyocele 606
陰嚢の尿瘻 watering-can scrotum 1651
陰嚢ヘルニア scrotal hernia 844
陰嚢縫線 raphe of scrotum 1558
陰嚢縫線 raphe scroti 1558
陰嚢縫線 scrotal raphe 1558
陰嚢様陰茎亀頭 scrotal glans penis 776
陰嚢様の scrotiform 1651
陰嚢隆起 scrotal swellings 1789
インパクトインデックス impact index 922
インパクトファクター impact factor 667
インバーテッドコーンバー inverted cone bur 267
インパルス impulse 917
インピーダンス impedance 914
インピーダンス角 impedance angle 89
インピーダンス整合 impedance matching 1110
インピーダンス・プレチスモグラフィ impedance plethysmography 1437
インピーダンス法 impedance method 1144
インビック試験 IMViC 917
インヒビン inhibin 933
インピンジメント試験 impingement test 1859
インピンジメント徴候 impingement sign 1681
インファンジブリン infundibulin 931
インフェステーション infestation 928
インフォマティックス(情報科学) informatics 930
インフォームドコンセント informed consent 930
インフォルモファー informofers 931
隠伏ヘルニア concealed hernia 842
陰部静脈 pudendal veins 2000
陰部神経 pudendal nerve 1238
陰部神経 pudic nerve 1238
陰部神経 nervus pudendus 1243
陰部神経管 pudendal canal 284
陰部神経管 canalis pudendalis 286
陰部神経小体 genital corpuscles 426
陰部神経小体 corpuscula genitalia 427
陰部大腿神経 genitocrural nerve 1234
陰部大腿神経 genitofemoral nerve 1234
陰部大腿神経 nervus genitofemoralis 1242
陰部大腿神経の陰部枝 genital branch of genitofemoral nerve 247
陰部大腿神経の陰部枝 ramus genitalis nervi genitofemoralis 1551
陰部大腿神経の大腿枝 femoral branch of genitofemoral nerve 246
陰部大腿神経の大腿枝 ramus femoralis nervi genitofemoralis 1551
陰部大腿の genitofemoral 766
陰部ヘルペス herpes genitalis, genital herpes 844
陰部疱疹 herpes genitalis, genital herpes 844
陰部麻酔〔法〕 pudendal anesthesia 80
インフラデンターレ infradentale 931
インプラントデンチャー implant denture 489
インプラントデンチャー下部構造 implant denture substructure 1767
インプラントデンチャー上部構造 implant denture superstructure 1778
インフリキシマブ infliximab 929
インフルエンザ influenza 929
インフルエンザA型 influenza A 930
インフルエンザB型 influenza B 930
インフルエンザC型 influenza C 930
インフルエンザウイルス influenza viruses 2025
インフルエンザウイルス性肺炎 influenza virus pneumonia 1450
インフルエンザウイルス属 Influenza virus 930
インフルエンザウイルスワクチン influenza virus vaccines 1979
インフルエンザ菌 *Haemophilus influenzae* 811
インフルエンザ後の postinfluenzal 1471
インフルエンザ肺炎 influenzal pneumonia 1450
隠ぺい masking 1106
隠ぺい screen 1650
隠ぺい記憶 screen memory 1128
隠ぺい亀頭 concealed penis 1381
隠ぺいした masked 1106
隠ぺいの masked 1106
隠ぺい防衛 screen defense 477
インベーシン invasin 952
インペチゴ impetigo 914
インポテンス impotence, impotency 916
インボルクリン involucrin 953
淫夢 wet dream 559
淫夢女精 succubus 1768
陰毛 pubic hair 812
陰毛 pubes 1523
陰門 cunnus 448

陰門 vulva 2038
陰門子宮の vulvouterine 2038
陰門大腿の vulvocrural 2038
陰門膣の vulvovaginal 2038
陰陽 yin-yang 2056
飲用水 potable water 2041
淫乱 incontinence 920
淫乱な libidinous 1031
韻律学 prosody 1500
引力 attraction 175
インレー inlay 937
インレー間接法 indirect method for making inlays 1144
インレー作製の直接法 direct method for making inlays 1143
陰裂 pudendal cleavage 373
陰裂 pudendal cleft 373
陰裂 rima pudendi 1617
陰裂 pudendal slit 1692

ウ

羽 pinna 1425
ウートホフ症状 Uhthoff symptom 1792
ウートホフ徴候 Uhthoff sign 1684
ウール奇形 Uhl anomaly 94
ヴァージンレイプ virgin rape 1558
ヴァーナー-モリソン症候群 Verner-Morrison syndrome 1824
ヴァーヘフ弾性組織染色〔法〕 Verhoeff elastic tissue stain 1736
ヴァーレンティーン小体 Valentin corpuscles 427
ヴァーレンティーン神経 Valentin nerve 1240
ヴァーレンティーン神経節 Valentin ganglion 755
ヴァイゲルト-グラム染色〔法〕 Weigert-Gram stain 1736
ヴァイゲルト鉄ヘマトキシリン染料 Weigert iron hematoxylin stain 1736
ヴァイゲルトの法則 Weigert law 1008
ヴァイゲルトヨウ素〔溶〕液 Weigert iodine solution 1698
ヴァイスバッハ角 Weisbach angle 90
ヴァイスマン(ワイスマン)説 weismannism 2044
ヴァイデル反応 Weidel reaction 1568
ヴァイトブレヒト孔 Weitbrecht foramen 726
ヴァイベル-パラーデ〔小〕体 Weibel-Palade bodies 230
ヴァイル基底層 Weil basal layer 1014
ヴァイル(ワイル)病 Weil disease 542
ヴァイル(ワイル)-フェリックス反応 Weil-Felix test 1868
ヴァイル-マルケサーニ症候群 Weill-Marchesani syndrome 1825
ヴァインベルク(ワインバーグ)反応 Weinberg reaction 1568
ヴァッセルマン(ワッセルマン)抗体 Wassermann antibody 101
ヴァッセルマン(ワッセルマン)〔反応〕固定性 Wassermann-fast 2040
ヴァッセルマン(ワッセルマン)試験 Wassermann test 1868
ウアバイン ouabain 1327
ウアバゲニン ouabagenin 1327
ヴァルサルヴァ(バルサルバ)試験 Valsalva test 1868
ヴァルサルヴァ(バルサルバ)手技 Valsalva maneuver 1099
ヴァルサルヴァ(バルサルバ)洞動脈瘤 aneurysm of sinus of Valsalva 82
ヴァルダイアー(ワルダイエル)鞘(層) Waldeyer sheath 1672
ヴァルダイアー(ワルダイエル)腺 Waldeyer glands 775
ヴァルター拡張器 Walther dilator 519
ヴァルタルト細胞遺残 Walthard cell rest 1597
ヴァルデンストレーム試験 Waldenström test 1868
ヴァルデンストレームマクロ(大)グロブリン血〔症〕 Waldenström macroglobulinemia 1090
ヴァルテンベルク症状 Wartenberg symptom 1792
ヴァルテンベルク徴候 Wartenberg sign 1684
ヴァルブルク説 Warburg theory 1877
ヴァルブルク装置 Warburg apparatus 119
ヴァレー点 Valleix points 1455
ヴァレンタイン体位 Valentine position 1470
ヴァン・エルマンジェン染色〔法〕 van Ermengen stain 1736
ヴァン・ギーソン染料 van Gieson stain 1736
ヴァンサンアンギナ Vincent angina 83
ヴァンサン桿菌 Vincent bacillus 188
ヴァンサンスピリルム Vincent spirillum 1717
ヴァンサン扁桃炎 Vincent tonsillitis 1901
ヴァン・スライク〔公〕式 Van Slyke formula 730
ヴァン・デル・ウォーデ症候群 van der Woude syndrome 1824
ヴァン・ビューレンゾンデ van Buren sound 1703
ヴァン・ローウィーゼン症候群 Van Lohuizen syndrome 1824
右位 dextroposition 505
ヴィーガント操作 Wigand maneuver 1100
ヴィース-ミュラー円 Vieth-Müller circle 364
ヴィエラ徴候 Vierra sign 1684
ウイキョウ anise 92
ウイキョウ fennel 680
ウイキョウ油 oil of fennel 1294
初産 primiparity 1484
右胃症 dextrogastria 505
右胃静脈 right gastric vein 2000
右胃静脈 vena gastrica dextra 2005
ウイスキー whisky, whiskey 2045
ヴィスコット-オールドリッチ症候群 Wiskott-Aldrich syndrome 1825
ウィスコンシン大学溶液 University of Wisconsin solution 1698
ウィスターラット Wistar rats 1559
ヴィスラー症候群 Wissler syndrome 1825
右胃大網静脈 right gastroepiploic vein 2000
右胃大網静脈 right gastroomental vein 2000
右胃大網静脈 vena gastroomentalis dextra 2005
右胃大網動脈 arteria gastroomentalis dextra 135
右胃大網動脈 right gastroepiploic artery 151
右胃大網動脈 right gastroomental artery 151
右胃大網動脈の胃枝 gastric branches of right gastroomental arteries 247
右胃大網リンパ節 right gastroepiploic lymph nodes 1081
右胃大網リンパ節 right gastroomental lymph nodes 1081
ウイタカー試験 Whitaker test 1868
ウィタカー(ホウィーテカー)症候群 Whitaker syndrome 1825
ヴィダル反応 Widal reaction 1568
ウィッカム線条 Wickham striae 1756
ウィッティゴ(ウィンディゴ)精神病 Windigo psychosis, Wittigo psychosis 1520
ウィップル病 Whipple disease 542
ヴィディウス動脈 vidian artery 154
右胃動脈 arteria gastrica dextra 135
右胃動脈 right gastric artery 151
ウィトコップ症候群 witkop syndrome 1825
ヴィポン徴候 Vipond sign 1684
ウィリアムス-キャンベル症候群 Williams-Campbell syndrome 1825
ウィリアムス症候群 Williams syndrome 1825
ウィリアムス染色〔法〕 Williams stain 1736
ウィリス帯 Willis cords 422
ウィリストンの法則 Williston law 1008
ヴィリダンス型連鎖球菌 *Streptococcus viridans* 1754
右胃リンパ節 right gastric lymph nodes 1081
ウイルス virus 2021
ウイルス運搬性の viruliferous 2021
ウイルスX病 virus X disease 542
ウイルスエンベロープ viral envelope 623
ウイルス学 virology 2021
ウイルス学者 virologist 2021
ウイルス関連血球貪食症候群 virus-associated hemophagocytic syndrome 1824
ウイルス〔赤〕血球凝集〔反応〕 viral hemagglutination 824
ウイルス血症 viremia 2021
ウイルス鎖 viral strand 1751
ウイルス遮断 virus blockade 223
ウイルス性肝炎 viral hepatitis 839
ウイルス性出血〔性〕熱 viral hemorrhagic fever 687
ウイルス性心外膜炎(心嚢炎) viral pericarditis 1386
ウイルス性赤痢 viral dysentery 571
ウイルス性前庭神経炎 viral vestibular neuritis 1246
ウイルス性治療 viral therapy 1880
ウイルス性トランスフォーム細胞 virus-transformed cell 328
ウイルス〔性〕脳脊髄炎 viral encephalomyelitis, virus encephalomyelitis 608
ウイルス成分ワクチン split-virus vaccine 1980
ウイルス性膀胱炎 viral cystitis 462
ウイルス中和 viral neutralization 1254
ウイルス定着 viropexis 2021
ウイルストロピズム viral tropism 1937
ウイルスの出芽 virus shedding 2031
ウイルス破壊性の virucidal 2021
ウイルス様体 viroid 2021
ウイルス療法 virotherapy 2021
ウイルソイド virusoid 2031
ウィルソン筋 Wilson muscle 1198
ウィルソン病 Wilson disease 542
ウィルソン法 Wilson method 1146
ウィルダー食 Wilder diet 515
ヴィルデルムート耳 Wildermuth ear 580
ウイルヒョウ(フィルヒョー)三徴 Virchow triad 1926
ヴィルヘルミーはかり Wilhelmy balance 192
ウィルムス腫〔瘍〕 Wilms tumor 1952
ウイロイド viroid 2021
ウィンスロー小星 stellulae winslowii 1741
ウインターボトム徴候 Winterbottom sign 1684
ウィンディゴ(ウィッティゴ)精神病 Windigo psychosis, Wittigo psychosis 1520
ウィンデミア夫人症候群 Lady Windemere's syndrome 1809
ヴィンテルシュタイナーロゼット Wintersteiner rosettes 1623
ヴィンテルニッツゾンデ Winternitz sound

…… 1703
ウインドウ期 window period …… 1390
ウインドウ幅 window width …… 2045
ウインドウレベル window level …… 1029
ヴェーゲナー肉芽腫症 Wegener granulomatosis …… 798
ウェーバー weber (Wb) …… 2043
ウェーバー-クリスチャン病 Weber-Christian disease …… 542
ヴェーバー検査 Weber test …… 1868
ウェーバー-コケーン症候群 Weber-Cockayne syndrome …… 1825
ヴェーバー三角 Weber triangle …… 1928
ウェーバー症候群 Weber syndrome …… 1825
ヴェーバー腺 Weber glands …… 775
ウェーバー染色〔法〕 Weber stain …… 1736
ヴェーバー点 Weber point …… 1455
ヴェーバーパラドックス Weber paradox …… 1349
ヴェーバー-フェヒナーの法則 Weber-Fechner law …… 1008
ウェーベライト結石 whewellite calculus …… 278
ウェクセラ属 *Weeksella* …… 2043
ヴェグナー線 Wegner line …… 1052
植込み型(埋め込み型)補聴器 implantable hearing aid …… 819
植込み剤 pellet …… 1378
植込み縫合 implanted suture …… 1787
ヴェサリウス骨 Vesalius bone …… 234
ヴェサリウス骨 os vesalianum …… 1318
ヴェサリウス静脈 Vesalius vein …… 2003
ウェスターグレン(ヴェステルグレン)法 Westergren method …… 1145
ウェスターマーク徴候 Westermark sign …… 1684
ウエスタンブロット解析 Western blot analysis …… 71
ヴェステルマン肺吸虫 *Paragonimus westermani* …… 1349
ウェスト症候群 West syndrome …… 1825
ウエスト(西)ナイルウイルス West Nile virus (WNV) …… 2030
ウエスト(西)ナイル脳炎 West Nile encephalitis …… 607
ウエスト(西)ナイル脳炎ウイルス West Nile encephalitis virus …… 2030
ウェストの1,2,3,4域 zone 1, 2, 3, 4 of West …… 2060
ウエスト-ヒップ比 waist-hip ratio …… 1561
ヴェストベルク腔(隙) Westberg space …… 1705
ウエストポイント撮影法 West Point view …… 2019
植え継ぎ培養 subculture …… 1763
ウェックスラー知能スケール Wechsler intelligence scales …… 1640
ウェックスラー-ベルビュ知能スケール Wechsler-Bellevue scale …… 1639
ウェッジ wedge …… 2043
ヴェッセルスブロン熱 Wesselsbron fever 687
ヴェッセルスブロン病ウイルス Wesselsbron disease virus …… 2030
ウェッツェルグリッド Wetzel grid …… 800
ウェッブ抗原 Webb antigen …… 106
ウェデライト weddellite …… 2043
ウェデライト結石 weddellite calculus …… 278
ヴェデンスキー効果 Wedensky effect …… 589
ヴェデンスキー促通 Wedensky facilitation …… 665
ヴェデンスキー抑制 Wedensky inhibition …… 933
上の superior …… 1778
上ひき supraduction …… 1779
ウェブスター試験 Webster test …… 1868
ウェルカウンター well counter …… 432
ヴェルガ〔脳〕室 Verga ventricle …… 2011
ウェルチ(ウェルシュ)菌 *Clostridium perfringens* …… 376
ウェルチ菌アイオータ毒素 *Clostridium perfringens* iota toxin …… 1906
ウェルチ菌アルファ毒素 *Clostridium perfringens* alpha toxin …… 1906
ウェルチ菌イプシロン毒素 *Clostridium perfringens* epsilon toxin …… 1906
ウェルチ菌ベータ毒素 *Clostridium perfringens* beta toxin …… 1906
ヴェルトハイム手術 Wertheim operation …… 1306
ヴェルナー症候群 Werner syndrome …… 1825
ヴェルニエ視力 Vernier acuity …… 22
ヴェルニッケ(ウエルニッケ)-コルサコフ症候群 Wernicke-Korsakoff syndrome …… 1825
ヴェルニッケ(ウエルニッケ)症候群 Wernicke syndrome …… 1825
ヴェルニッケ中枢 Wernicke center …… 331
ヴェルニッケ反応 Wernicke reaction …… 1568
ヴェルネキンク交連 Wernekinck commissure …… 398
ヴェルネー症候群 Vernet syndrome …… 1824
ウエルネス wellness …… 2044
ヴェルポーヘルニア Velpeau hernia …… 844
ヴェルポー包帯 Velpeau bandage …… 196
ヴェレス針 Veress needle …… 1225
ヴェロツァイ〔小〕体 Verocay bodies …… 230
う(迂)遠 circumstantiality …… 367
〔心臓の〕右縁 right margin of heart …… 1103
〔心臓の〕右縁 margo dexter cordis …… 1104
ウェンケバッハ現象 Wenckebach phenomenon …… 1406
ウェンケバッハ周期 Wenckebach period …… 1390
ウェンケバッハブロック Wenckebach block …… 222
ヴェン図 Venn diagram …… 508
ヴェンツーリ管 Venturi tube …… 1942
ヴェンツーリ計 Venturi meter …… 1142
ヴェンツーリ効果 Venturi effect …… 589
ヴェンツーリマスク Venturi mask …… 1106
ウォーカー(ワーカー)A配列とウォーカー(ワーカー)Bボックス Walker-A sequence and Walker-B box …… 1665
ウォーカー図表 Walker chart …… 340
ウォーカー切路術 Walker tractotomy …… 1914
ウォーカー(ワーカー)Bボックス Walker-B box …… 239
ヴォーゲル(フォーゲル)の法則 Vogel law …… 1008
ウォーシン腫〔瘍〕 Warthin tumor …… 1952
ウォーシン-スターリー銀染色〔法〕 Warthin-Starry silver stain …… 1736
ウォーシン-フィンケルデー細胞 Warthin-Finkeldey cells …… 328
ウォーターズ手術 Waters operation …… 1306
ウォーターズ投影 Waters projection …… 1496
ウォーターストンシャント〔術〕 Waterston shunt …… 1675
ウォーターストン手術 Waterston operation …… 1306
ウォーターハウス-フリーデリックセン症候群 Waterhouse-Friderichsen syndrome 1825
ウォード三角 Ward triangle …… 1928
ウォードロップ法 Wardrop method …… 1145
ウォーミングアップ現象 warmup phenomenon …… 1406
ウォームリー(ワームリー)試験 Wormley test …… 1868
ウォーラーの法則 wallerian law …… 1008
ウォーラー変性 wallerian degeneration 481
ウォールバキア Wolbachia …… 2047
ヴォールファールトニクバエ属 *Wohlfahrtia* …… 2047
魚形白内障 pisciform cataract …… 311
ヴォッシウス水晶体輪 Vossius lenticular ring …… 1618
ウォッシュアウトカニューレ washout cannula …… 287
ウォッシュフィールド法 washed field technique …… 1845
ウォッブル塩基 wobble base …… 200
うおのめ clavus …… 372
うおのめ corn …… 423
ウォブル wobble …… 2047
ウォリネラ属 *Wolinella* …… 2048
ウォルシュ手技 Walsh procedure …… 1488
ウォルシュの神経血管束 neurovascular bundle of Walsh …… 266
ヴォルトリーニ病 Voltolini disease …… 542
ヴォルピー-マンホールドの歯石指数 Volpe-Manhold Index (V-MI) …… 923
ヴォルフ-オートン〔小〕体 Wolf-Orton bodies …… 230
ヴォルフ〔管〕嚢胞(嚢腫) wolffian cyst …… 461
ヴォルフの法則 Wolff law …… 1008
ヴォルマー試験 Vollmer test …… 1868
ウォルマン病 Wolman disease …… 542
ウォレンシャント〔術〕 Warren shunt …… 1675
ヴォン・ヴィレブランド(フォン・ヴィレブランド)病 von Willebrand disease …… 542
右外縁枝(右冠状動脈の) right marginal branch (of right coronary artery) …… 253
うがい薬 collutorium …… 392
うがい薬 mouthwash …… 1173
うがいする gargle …… 756
迂回槽 ambient cistern …… 368
迂回槽 cisterna ambiens …… 368
右下行肺動脈 right descending pulmonary artery (RDPA) …… 151
右下肺静脈 right inferior pulmonary vein …… 2000
右下肺静脈 vena pulmonalis inferior dextra …… 2007
〔右〕下肺静脈の上枝 superior branch of the right inferior pulmonary vein …… 254
〔右下肺静脈の〕上肺底静脈の前肺底静脈 anterior basal branch of superior basal vein (of right inferior pulmonary vein) …… 242
〔右下肺動脈の〕肺底部 pars basalis arteriarum lobarium inferiorum pulmonis dextri …… 1358
〔右下肺動脈の〕肺底部 basal part of left and right inferior pulmonary artery …… 1362
右肝管 right hepatic duct …… 564
右肝管 ductus hepaticus dexter …… 566
右肝管の後枝 posterior branch of right hepatic duct …… 252
右冠状動脈 arteria coronaria dextra …… 135
右冠状動脈 right coronary artery (RCA) 151
右冠状動脈の(右外縁枝) right marginal branch (of right coronary artery) …… 253
右冠状動脈の右心房枝 right atrial branch of right coronary artery …… 253
右冠状動脈の外側心房枝 lateral atrial branch of right coronary artery …… 248
右冠状動脈の中間心房枝 intermediate atrial branch of right coronary artery …… 247
右冠状動脈の洞房結節枝 ramus nodi sinuatrialis arteriae coronariae dextrae …… 1554
〔大動脈弁の〕右冠状動脈弁尖 valvula coronaria dextra (valvae aortae) …… 1986
右肝静脈 right hepatic veins …… 2000
右肝静脈 venae hepaticae dextrae …… 2006
右肝動脈 right hepatic artery …… 151
右冠動脈の心室中隔枝 interventricular septal branches of right coronary artery …… 248
ウカンビン ukambin …… 1960
浮石〔末〕 pumice …… 1526
浮きかす scum …… 1651

浮秤 areometer ……… 131
浮袋 air bladder ……… 218
〔横隔膜の〕右脚 crus dextrum diaphragmatis ……… 443
〔横隔膜の〕右脚 right crus of diaphragm 444
右胸管 ductus thoracicus dexter ……… 566
右胸心 dextrocardia ……… 504
右傾 dextroversion ……… 505
受け器 receiver ……… 1570
右結腸曲 flexura coli dextra ……… 712
右結腸曲 right colic flexure ……… 713
右結腸曲括約筋 sphincter of hepatic flexure of colon ……… 1712
右結腸曲動脈 right flexural artery ……… 151
右結腸静脈 right colic vein ……… 2000
右結腸静脈 vena colica dextra ……… 2005
右結腸動脈 arteria colica dextra ……… 134
右結腸動脈 right colic artery ……… 151
右結腸リンパ節 right colic lymph nodes ……… 1081
受身凝集反応 passive agglutination ……… 37
受身〔赤〕血球凝集〔反応〕 passive hemagglutination ……… 824
受身の passive ……… 1370
受身皮膚アナフィラキシー passive cutaneous anaphylaxis (PCA) ……… 72
右後外側肝区 (right) posterior lateral hepatic segment [VII] ……… 1655
烏口肩峰弓 coracoacromial arch ……… 125
烏口肩峰靱帯 coracoacromial ligament 1034
烏口肩峰靱帯 ligamentum coracoacromiale ……… 1042
烏口肩峰の coracoacromial ……… 421
烏口鎖骨靱帯 coracoclavicular ligament 1034
烏口鎖骨靱帯 ligamentum coracoclaviculare ……… 1042
烏口鎖骨靱帯粗面 tuberosity for coracoclavicular ligament ……… 1947
烏口鎖骨の coracoclavicular ……… 421
烏口状の coracoid ……… 421
烏口上腕〔骨〕の coracohumeral ……… 421
烏口上腕靱帯 coracohumeral ligament 1034
烏口上腕靱帯 ligamentum coracohumerale ……… 1042
烏口粗面 tuberositas coracoidea ……… 1947
烏口粗面 coracoid tuberosity ……… 1947
烏口突起 coracoid process ……… 1488
烏口突起 processus coracoideus ……… 1491
烏口突起上の epicoracoid ……… 626
烏口突起切除〔術〕 coronoidectomy ……… 424
右後内側肝区 (right) posterior medial hepatic segment [VIII] ……… 1655
烏口の coronoid ……… 424
烏口腕筋 coracobrachial muscle ……… 1183
烏口腕筋 coracobrachialis muscle ……… 1183
烏口腕筋 musculus coracobrachialis ……… 1199
烏口腕筋〔の滑液〕包 coracobrachial bursa ……… 268
烏口腕筋〔の滑液〕包 bursa musculi coracobrachialis ……… 269
烏口腕の coracobrachialis ……… 421
動き反射 mechanoreflex ……… 1114
ウサギ lagomorph ……… 995
ウサギ〔形〕目 Lagomorpha ……… 995
ウサギ症候群 rabbit syndrome ……… 1817
ウサギジラミ *Haemodipsus ventricosus* … 811
ウサギ線維腫ウイルス rabbit fibroma virus ……… 2028
ウサギ痘ウイルス rabbitpox virus ……… 2028
ウサギ粘液腫ウイルス rabbit myxoma virus ……… 2028
ウサギヒフバエ属 *Cuterebra* ……… 452
右左シャント right-to-left shunt ……… 1675
〔肝臓の〕右三角間膜 right triangular ligament of liver ……… 1040
〔肝臓の〕右三角間膜 ligamentum triangulare dextrum hepatis ……… 1046
右枝 right branch ……… 253
右枝 ramus dexter ……… 1550
ウジ grub ……… 803
ウジ maggot ……… 1092
ウシアミロイド型海綿状脳症 bovine amyloidotic spongiform encephalopathy ……… 609
ウシウイルス性下痢ウイルス bovine virus diarrhea virus ……… 2022
ウシ〔型〕結核菌 *Mycobacterium bovis* …… 1207
ウシ丘疹性口内炎ウイルス bovine papular stomatitis virus ……… 2022
右軸偏位 right axis deviation ……… 502
ウシ血清アルブミン bovine serum albumin (BSA) ……… 43
ウシ抗毒素 bovine antitoxin ……… 109
右矢状裂溝 right sagittal hepatic fissure 704
右室低形成 hypoplasia of right ventricle 896
右室あるいは右室流出路の動脈瘤 aneurysm of the right ventricle or right ventricular outflow tract ……… 82
右室不全 right ventricular failure ……… 670
ウシの bovine ……… 238
ウシの海綿状脳症 bovine spongiform encephalopathy (BSE) ……… 609
ウシのケトン症 bovine ketosis ……… 983
ウシの不全麻痺 milk fever ……… 685
ウシのブルセラ症 bovine brucellosis …… 262
ウシの分娩麻痺 milk fever ……… 685
ウシ肺疫菌様微生物 pleuropneumonialike organisms (PPLO) ……… 1312
ウシバエ warble botfly ……… 237
ウシバエ幼虫〔症〕 ox warbles ……… 2040
ウシバエ幼虫〔症〕 warble ……… 2040
ウシ白血病ウイルス bovine leukemia virus (BLV) ……… 2022
ウシ放線菌 *Actinomyces bovis* ……… 20
右主気管支 bronchus principalis dexter 260
右主気管支 right main bronchus ……… 261
羽状〔筋〕の bipennate, bipenniform ……… 215
羽状の plumose ……… 1446
右上肺静脈 right superior pulmonary vein ……… 2001
右上肺静脈 vena pulmonalis superior dextra ……… 2007
右上肺静脈の中葉静脈 ramus lobi medii venae pulmonalis dextrae superioris 1552
右上肺静脈の中葉静脈の外側部 lateral part of middle lobe vein (of right superior pulmonary vein) ……… 1365
右上肺静脈の中葉静脈の内側部 medial part of middle lobe vein (of right superior pulmonary vein) ……… 1365
右上肺静脈の肺尖静脈 apical branch of right superior pulmonary vein ……… 243
右上肺静脈の肺尖静脈 ramus apicalis venae pulmonalis dextrae superioris ……… 1548
右上肋間静脈 right superior intercostal vein ……… 2001
右上肋間静脈 vena intercostalis superior dextra ……… 2006
う蝕 caries ……… 302
う蝕 decay ……… 474
う食 caries ……… 302
う食 decay ……… 474
う食(蝕)〔症〕 dental caries ……… 302
う食(蝕)学 cariology ……… 303
う食(蝕)原性 cariogenicity ……… 303
う食(蝕)原性の cariogenic ……… 303
う食(蝕)発生 cariogenesis ……… 303
う食予防性の anticarious ……… 101
ウシ流産菌 *Brucella abortus* ……… 261
後 posterior ……… 1471
後前方向撮影 PA projection ……… 1496
右心 pulmonary heart ……… 820
右心 right heart ……… 820
右心耳 right auricular appendage ……… 119
右心耳 auricle of right atrium ……… 177
右心耳 right auricle ……… 177
〔右〕心室 (right) ventricle of heart …… 2011
右心室 right ventricle (RV) ……… 2011
右心室 ventriculus dexter ……… 2012
右心室上稜下の infracristal ……… 931
右腎上体(副腎)静脈 right suprarenal vein ……… 2001
右腎上体(副腎)静脈 vena suprarenalis dextra ……… 2008
右心〔電〕図 dextrogram ……… 505
右心性P P-dextrocardiale ……… 1374
右心電図 dextrocardiogram ……… 505
右心バイパス right heart bypass ……… 273
右心房 atrium dextrum cordis ……… 172
右心房 right atrium of heart ……… 172
右心房 ultimum moriens ……… 1962
右心房静脈 right atrial veins ……… 2000
〔右心房の〕静脈間隆起 intervenous tubercle (of right atrium) ……… 1943
〔右心房の〕静脈間隆起 tuberculum intervenosum (atrii dextri) ……… 1946
右心房の分界溝 sulcus terminalis atrii dextri ……… 1774
〔右心房の〕分界溝 sulcus terminalis cordis ……… 1775
薄い gracilis ……… 793
うずく tingle ……… 1894
ウズベク出血〔性〕熱 Uzbekistan hemorrhagic fever ……… 687
渦鞭毛藻〔類〕毒素 dinoflagellate toxin … 1906
渦鞭毛藻類 dinoflagellate ……… 521
渦鞭毛虫目 Dinoflagellida ……… 521
渦巻き whorl ……… 2045
渦巻き形の turbinated ……… 1954
渦巻き状角膜 cornea verticillata ……… 423
渦巻き状クロストリジウム *Clostridium cochlearium* ……… 376
渦巻き状尿管 curlicue ureter ……… 1970
ウズラ気管支炎ウイルス quail bronchitis virus ……… 2028
右精巣静脈 right testicular vein ……… 2001
右精巣静脈 vena testicularis dextra …… 2008
右旋 dextrogyration ……… 505
右旋 dextrorotation ……… 505
右線維三角 right fibrous trigone (of heart) ……… 1933
右線維三角 trigonum fibrosum dextrum 1933
右前外側肝区 right anterior lateral hepatic segment [VI] ……… 1655
右旋性の dextrorotatory ……… 505
右前内側肝区 (right) anterior medial hepatic segment [V] ……… 1655
右側結腸周囲炎 pericolitis dextra ……… 1387
うそ発見器 lie detector ……… 1032
ウタ uta ……… 1976
内から外へ entoectad ……… 622
打ち切り censoring ……… 330
うちくるぶし malleolus medialis ……… 1096
うちくるぶし medial malleolus ……… 1096
打ち消し undoing ……… 1964
打抜き植皮〔片〕 punch grafts ……… 795
打抜鑿(うちぬきたがね) punch ……… 1526
内の interior ……… 945
内の internal ……… 946
内の internus ……… 947
内の intestinum ……… 949
内張〔り〕 lining ……… 1054
内ひき adduction ……… 24
内巻き involution ……… 953
内回し斜位 incyclophoria ……… 921
内回しひき incycloduction ……… 921
宇宙医学 space medicine ……… 1117
〔航空〕宇宙医学 aerospace medicine …… 1116

宇宙生物学 astrobiology 165
宇宙生物学 bioastronautics 212
宇宙線 cosmic rays 1561
宇宙適応症候群 space adaptation syndrome 1820
宇宙酔い space sickness 1677
内寄せ不全型外斜視 divergence insufficiency exotropia 655
うっ血 congestion 410
うっ血 hemostasis 836
うっ血 stagnation 1729
うっ血 stasis 1738
うっ血除去の decongestant 475
うっ血除去薬 decongestant 475
うっ血性壊疽 static gangrene 756
うっ血性巨脾〔症〕 congestive splenomegaly 1720
うっ血性血栓症 thrombostasis 1888
うっ血性湿疹 stasis eczema 586
うっ血性低酸素〔症〕 stagnant hypoxia 900
うっ血(滞)性皮膚炎 stasis dermatitis 496
うっ血性無酸素〔症〕 stagnant anoxia 96
うっ血肺 cardiac lung 1071
うっ積 engorgement 617
うっ滞 retention 1598
うっ滞性乳腺炎 stagnation mastitis 1109
うっ滞(血)性皮膚炎 stasis dermatitis 496
ウッドガラス Wood glass 776
ウッド光〔線〕 Wood light 1047
ウッド単位 Wood units 1967
ウッド灯 Wood lamp 1000
うつ病 depression 493
うつ病 melancholia 1121
ウッフェルマン試薬 Uffelmann reagent 1569
腕 arm 131
腕 brachium 239
腕付きブジー elbowed bougie 238
ウテログロビン uteroglobin 1976
ウテログロビン-アデュシン uteroglobin-adducin 1976
ウテロベルジン uteroverdine 1977
うとうと状態 drowsiness 561
ウナギ eel 588
うなじ nape 1220
うなじ nucha 1271
うなり beat 203
ウニ状赤血球 burr cell 320
ウニ状赤血球症 echinosis 582
ウニ肉芽腫 sea urchin granuloma 798
乳母 wet nurse 1283
右肺 pulmo dexter 1523
右肺下葉動脈の上動脈 apical branch of inferior lobar branch of right pulmonary artery 243
右肺下葉動脈の肺尖動脈 apical segmental artery of superior lobar artery of right lung 142
右肺静脈後枝の葉下部 infralobar part of posterior vein (of right superior pulmonary vein) 1364
右肺水平裂 transverse fissure of the right lung 704
右肺中葉静脈 middle lobe vein of right lung 1999
右肺動脈 arteria pulmonalis dextra 137
右肺動脈 right pulmonary artery 151
右肺動脈中葉動脈の外側枝 ramus lateralis rami lobaris medii arteriae pulmonalis dextrae 1552
右肺動脈の下葉上動脈 ramus apicalis lobi inferioris arteriae pulmonalis dextrae 1548
右肺動脈の中葉動脈 ramus lobi medii arteriae pulmonalis dextrae 1552
右肺動脈の中葉動脈の内側枝 ramus medialis rami lobaris medii arteriae pulmonalis dextrae 1553
〔右肺の〕下葉 inferior lobe of (right) lung 1063
〔右肺の〕下葉 lobus inferior pulmonis (dextri) 1066
右肺の奇静脈葉 azygos lobe of right lung 1063
〔右肺の〕上葉 superior lobe of (right) lung 1064
〔右肺の〕上葉 lobus superior pulmonis (dextri) 1067
〔右肺の〕水平裂 fissura horizontalis pulmonis dextri 701
〔右肺の〕水平裂 horizontal fissure of right lung 702
〔右肺の〕前区動脈の下行枝 descending branch of anterior segmental artery of right lung 245
〔右肺の〕中葉 middle lobe of right lung 1064
〔右肺の〕中葉 lobus medius pulmonis dextri 1066
〔大動脈弁の〕右半月弁尖 right semilunar cusp of aortic valve 452
〔肝臓の〕右尾状葉胆管 right duct of caudate lobe of liver 564
〔肝臓の〕右尾状葉胆管 ductus lobi caudati dexter hepatis 566
右副腎(腎上体)静脈 right suprarenal vein 2001
右副腎(腎上体)静脈 vena suprarenalis dextra 2008
うぶ毛 vellus hair 812
うぶ毛 pappus 1347
うぶ毛 vellus 2003
ウプシロン υ 1960
ウプシロン upsilon 1968
うぶひげ pappus 1347
右偏 dextroposition 505
右辺縁静脈 right marginal vein 2001
〔核〕右方移動 shift to the right 1673
右房室口 right atrioventricular orifice 1314
右房室口 tricuspid orifice 1314
右房室口 ostium atrioventriculare dextrum 1325
右房室弁 valva atrioventricularis dextra 1984
右房室弁 right atrioventricular valve 1985
右方捻転 dextrotorsion 505
ウボモルリン uvomorulin 1978
ウマ円虫 *Strongylus equinus* 1759
ウマ回虫 *Parascaris equorum* 1354
ウマ性腺刺激ホルモン単位(国際単位) equine gonadotropin unit (international) 1966
ウマの equine 635
ウマの脳脊髄炎 equine encephalomyelitis 608
ウマの慢性肺気腫 heaves 821
ウマバエ horsefly 865
ウマバエ科 Gasterophilidae 757
ウマビル *Limnatis nilotica* 1048
ウマポックスウイルス horsepox virus 2025
旨味 umami taste 1842
生まれつきの反射 inborn reflex 1579
膿 pus 1529
海治療法 thalassotherapy 1873
ウミヘビ科 Hydrophyidae 873
膿む fester 681
埋め込み型(植込み型)補聴器 implantable hearing aid 819
ウメモドキ多発〔性〕神経障害 buckthorn polyneuropathy 1461
羽毛〔状〕の pennate 1381
右門脈裂 right portal fissure 704
右葉 right lobe 1064
右葉 lobus dexter 1066
〔肝臓の〕右葉 right lobe of liver 1064
〔肝臓の〕右葉 lobus hepatis dexter 1066
右腰リンパ節 right lumbar lymph nodes 1081
ウラシル uracil (Ura, U) 1968
ウラシルデヒドロゲナーゼ uracil dehydrogenase 1968
ウラシルマスタード uracil mustard 1968
ウラストン説 Wollaston theory 1877
ウラストン接合(二重)レンズ Wollaston doublet 558
ウラニル uranyl 1969
ウラン uranium (U) 1968
ウラン腎炎 uranium nephritis 1229
右卵巣静脈 right ovarian vein 2001
右卵巣静脈 vena ovarica dextra 2007
ウリカーゼ uricase 1972
ウリコソーム uricosome 1972
ウリザネ条虫 *Dipylidium caninum* 524
ウリザネ条虫症 dipylidiasis 524
ウリジル酸 uridylic acid 1972
ウリジル酸シンターゼ uridylic acid synthase 1972
ウリジン uridine (Urd) 1972
ウリジン5′-二リン酸 uridine 5′-diphosphate (UDP) 1972
ウリジン5′-三リン酸 uridine 5′-triphosphate (UTP) 1972
ウリジンジホスホガラクトース uridine diphosphogalactose (UDPGal) 1972
ウリジンジホスホグルコース uridine diphosphoglucose (UDPG, UDPGlc) 1972
ウリジン二リン酸グルクロン酸 uridine diphosphoglucuronic acid (UDP-GlcUA) 1972
ウリジンホスホリラーゼ uridine phosphorylase 1972
右リンパ本幹 right lymphatic duct 564
右リンパ本幹 ductus lymphaticus dexter 566
ウルシオール urushiol 1976
ウルシ属 Rhus 1611
ウルシ皮膚炎 rhus dermatitis 496
ヴルスター試薬 Wurster reagent 1569
ウルソジオール ursodiol 1975
ウルソデオキシコール酸 ursodeoxycholic acid 1975
ウルトラサーム ultratherm 1963
ウルトラディアン ultradian 1962
ウルトラレンテインスリン ultralente insulin 942
ウルトロパク法 ultropaque method 1145
ウルフ移植〔片〕 Wolfe graft 795
ウルフ(ヴォルフ)-チャイコフ阻害 Wolff-Chaikoff block 222
ウルフ(ヴォルフ)-パーキンソン-ホワイト症候群 Wolff-Parkinson-White syndrome 1825
ウルフびん Woulfe bottle 238
ウルマン症候群 Ullmann syndrome 1824
ウルマン線 Ullmann line 1052
ウレアーゼ urease 1969
ウレアーゼ試験 urease test 1867
ウレアプラスマ属 *Ureaplasma* 1969
ウレイド ureide 1969
3-ウレイドイソ酪酸 3-ureidoisobutyric acid 1969
ウレイドコハク酸 ureidosuccinic acid 1969
3-ウレイドプロピオン酸 3-ureidopropionic acid 1969
ウレイトリボヌクレオチドホスホリラーゼ urateribonucleotide phosphorylase 1969
ウレコリン過敏性試験 urecholine supersensitivity test 1867
ウレタン urethan, urethane 1971
ウレタンキニーネ quinine urethan 1538
ウロエリトリン uroerythrin 1974
ウロガストロン urogastrone 1974
ウロカニカーゼ urocanicase 1974
ウロカニン酸 urocanic acid 1974

ウロカニン酸尿症 urocanic aciduria …… 1974
ウロカニン酸ヒドラターゼ urocanate hydratase …… 1974
ウロカネート urocanate …… 1974
ウロキナーゼ urokinase …… 1975
ウログラフィン urograffin …… 1974
ウロクローム urochrome …… 1974
ウロクロモゲン urochromogen …… 1974
鱗 squama …… 1726
鱗 squamosa …… 1726
ウロシアニン urocyanin …… 1974
ウロシアノゲン urocyanogen …… 1974
ウロスペクトリン urospectrin …… 1975
ウロチオン urothion …… 1975
ウロディオレノン urodiolenone …… 1974
ウロヒペルテンシン urohypertensin …… 1975
ウロビリノーゲン urobilinogen …… 1974
ウロビリノーゲンIXα urobilinogen IXα 1974
ウロビリン urobilin …… 1973
ウロビリン血〔症〕 urobilinemia …… 1974
ウロビリン尿〔症〕 urobilinuria …… 1974
ウロビリンIXα urobilin IXα …… 1973
ウロフェイン urophein …… 1975
ウロフスコヘマチン urofuscohematin …… 1974
ウロプラキン uroplakin …… 1975
ウロフラビン uroflavin …… 1974
ウロプルプリン uropurpurin …… 1975
ウロヘパリン uroheparin …… 1974
ウロポルフィリノーゲンIIIコシンターゼ uroporphyrinogen III cosynthase …… 1975
ウロポルフィリノーゲンデカルボキシラーゼ uroporphyrinogen decarboxylase …… 1975
ウロポルフィリン uroporphyrin …… 1975
ウロポルフィリンI uroporphyrin I …… 1975
ウロポルフィリンIII uroporphyrin III … 1975
ウロムコイド uromucoid …… 1975
ウロメラニン uromelanin …… 1975
ウロルテイン urolutein …… 1975
ウロルビン urorubin …… 1975
ウロルブロヘマチン urorubrohematin … 1975
ウロロイシン酸 uroleucinic acid, uroleucic acid …… 1975
ウロロゼイン urorosein …… 1975
ウロン酸 uronic acids …… 1975
ウワウルシ uva ursi …… 1978
上唇 labium superius oris …… 992
上唇 upper lip …… 1055
上澄み〔液〕 supernatant fluid …… 715
上のせ移植 onlay graft …… 795
うわまぶた palpebra superior …… 1339
上むき supraversion …… 1780
〔右〕腕頭静脈 venae brachiocephalicae (dextrae) …… 2004
〔右〕腕頭静脈 (right) brachiocephalic vein …… 1998
暈 areola …… 130
運行 navigation …… 1222
ウンシナリア属 *Uncinaria* …… 1963
雲状浮遊物 nubecula …… 1271
暈状母斑 halo nevus …… 1255
ヴンターシュタイナー化合物E Wintersteiner compound E …… 405
暈徴候 halo sign …… 1681
ウンデシレン酸 undecylenic acid …… 1963
ウンデシレン酸亜鉛 zinc undecylenate, zinc undecenoate …… 2058
運転時間 running time …… 1893
運転失行 amaxoapraxia …… 56
運動 motion …… 1172
運動 movement …… 1173
運動異常〔症〕 dyskinesia …… 573
運動異常症候群 dyskinesia syndrome …… 1803
運動エネルギー kinetic energy (*K*) …… 617
運動解構 decomposition of movement … 1174
運動〔感〕覚 kinesthesia …… 985
運動〔感〕覚 kinesthetic sense …… 1661
運動学 kinematics …… 985
運動学 kinesiology …… 985
運動学 kinetics …… 985
運動〔感〕覚消失 akinesthesia …… 41
運動〔感〕覚脱失(消失) kinanesthesia …… 985
運動過剰〔症〕 hyperkinesis, hyperkinesia 882
運動過剰血〔症〕 hyperkinemia …… 882
運動過多性構語障害〔症〕 hyperkinetic dysarthria …… 570
運動型の〔人〕 motile …… 1172
運動感覚計 kinesthesiometer …… 985
運動感覚性前兆 kinesthetic aura …… 177
運動感覚性の kinesthetic …… 985
運動緩徐 bradykinesia …… 241
運動器〔官〕 locomotorium …… 1067
運動器成形組織 plastic motor …… 1172
運動機能亢進〔症〕 hyperanakinesia, hyperanakinesis …… 878
運動機能低下〔症〕 hypanakinesia, hypanakinesis …… 878
運動恐怖〔症〕 kinesophobia …… 985
運動記録器 kymograph …… 990
運動記録図 kymogram …… 990
運動幻覚 kinesthesia hallucination …… 813
運動原形質 kinetoplasm …… 985
運動〔神経〕細胞 motor cell …… 323
運動錯誤 parakinesia, parakinesis …… 1349
運動刺激受容の recipiomotor …… 1573
運動試験 exercise test …… 1857
運動失行〔症〕 motor apraxia …… 122
運動失調 ataxia …… 167
〔歩行性〕運動失調 motor ataxia …… 167
運動失調〔筋〕脱力(無力)〔症〕 ataxiadynamia …… 168
運動失調図 ataxiagram …… 168
運動失調〔筋〕脱力〔症〕 ataxiadynamia …… 168
運動失調描画器 ataxiagraph …… 168
運動失調〔筋〕無力〔症〕 ataxiadynamia …… 168
運動惹起の kinetogenic …… 985
運動終板 motor endplate …… 616
運動障害 dyskinesia …… 573
運動神経核の motorial …… 1172
運動〔神経〕線維 motor fibers …… 689
運動神経の motorial …… 1172
運動神経の nervimotor …… 1241
〔自動〕運動性 motility …… 1172
運動〔性〕解除(解放)反応 motor abreaction 4
運動精子 zoospermia …… 2061
運動性失音楽〔症〕 motor amusia …… 66
〔皮質〕運動性失語〔症〕 motor aphasia …… 114
運動性失書〔症〕 motor agraphia …… 39
運動性斜視 kinetic strabismus …… 1750
運動正常 eukinesia …… 648
運動性神経 motor nerve …… 1237
運動性蛋白尿〔症〕 albuminuria of athletes 43
運動性テスト培地 motility test medium 1118
運動〔性〕の motor …… 1172
運動性白血球 motile leukocyte …… 1026
運動性べん毛 tractellum …… 1913
運動選手性心 athlete's heart …… 820
運動前〔野〕症候群 premotor syndrome …… 1817
運動〔線〕毛 kinocilium …… 986
運動像 motor image …… 908
運動促進性の excitomotor …… 652
運動帯 motor zone …… 2059
運動単位 motor unit …… 1966
運動中枢損傷性てんかん focal epilepsy 628
運動中枢の centrostaltic …… 332
運動低下〔症〕 hypokinesis, hypokinesia … 894
運動定量計 kinesimeter …… 985
運動点 motor point …… 1454
運動動態撮影装置 photokymograph …… 1417
運動ニューロン motoneuron …… 1172
運動ニューロン motor neuron …… 1249
運動ニューロン疾患 motor neuron disease (MND) …… 538
運動粘性率 kinematic viscosity (*υ*) …… 2032
運動の locomotor …… 1067
運動発生の kinetogenic …… 985
〔同〕運動反復〔症〕 palikinesia, palicinesia …… 1338
運動皮質 motor cortex …… 428
暈倒病 blind staggers …… 1729
運動描写器 motormeter …… 1172
運動負荷放射線核種(RI)心血管造影 exercise radionuclide angiocardiography …… 83
運動不能〔症〕 akinesia …… 41
運動分解 decomposition of movement … 1174
運動妨害 drag …… 559
運動補助の auxiliomotor …… 182
運動摩擦 dynamic friction …… 741
運動麻痺 motor paralysis …… 1350
運動野 motor area …… 129
運動誘発〔性〕気管支収縮 exercise-induced bronchoconstriction …… 259
運動誘発〔性〕気管支攣縮 exercise-induced bronchospasm (EIB) …… 260
運動誘発〔性〕ぜん息 exercise-induced asthma (EIA) …… 165
運動誘発性の motofacient …… 1172
運動療法 kinesitherapy …… 985
運動療法者 kinesipathist …… 985
ウンナ染料 Unna stain …… 1735
ウンナ-パッペンハイム染料 Unna-Pappenheim stain …… 1735
ウンナ母斑 Unna nevus …… 1256
運搬 transport …… 1921
〔麻薬〕運搬者 courier …… 432
運搬体蛋白 carrier protein …… 1503
運搬媒介 paratenesis …… 1355
ウンフェルリヒト病 Unverricht disease 542
雲霧検影法 fogging retinoscopy …… 1603
雲霧法 fogging …… 718
雲母症 micatosis …… 1149

エ

柄 manubrium …… 1101
柄 petiolus …… 1397
柄 seta …… 1669
柄 stalk …… 1736
エージェントオレンジ Agent Orange …… 37
エータ eta …… 644
エーディンガー-ヴェストファル核 Edinger-Westphal nucleus …… 1275
エーテル ether …… 645
エーテル化 etherification …… 645
エーテルチンキ ethereal tincture …… 1894
エーデル-プストフブジー Eder-Pustow bougie …… 238
エーテル麻酔〔法〕 etherization …… 645
エーテル溶液 ethereal solution …… 1698
エーブラハムズ(アブラハムズ)徴候 Abrahams sign …… 1678
エーブラムズ心臓反射 Abrams heart reflex …… 1577
エーベルソンマウス白血病ウイルス Abelson murine leukemia virus …… 2022
エーベルト周皮〔細胞〕 Eberth perithelium …… 1393
エーベルト線 Eberth lines …… 1049
エームズ(エイムス)試験 Ames test …… 1854
エーラース(エーレルス)-ダンロー(ダンロス)症候群 Ehlers-Danlos syndrome (EDS) …… 1803

エーラウト三角 Elaut triangle ············ 1927
エーリッヒ弓状バー Erich arch bar ······ 196
エールトハイム(エルドハイム)-チェスター病 Erdheim-Chester disease ············ 532
エールリッヒ三酸染色〔法〕 Ehrlich triacid stain ·· 1730
エールリッヒ現象 Ehrlich phenomenon 1404
エールリッヒ三重染料 Ehrlich triple stain ·· 1730
エールリッヒ酸性ヘマトキシリン染色〔液,法〕 Ehrlich acid hematoxylin stain ··· 1730
エールリッヒ説 Ehrlich theory ··········· 1875
エールリッヒ-チュルク線 Ehrlich-Türk line ·· 1049
エールリッヒ内〔小〕体 Ehrlich inner body ·· 226
エールリッヒのアニリンクリスタル紫染色〔液,法〕 Ehrlich aniline crystal violet stain ·· 1730
エールリッヒベンズアルデヒド反応 Ehrlich benzaldehyde reaction ·················· 1564
エールリヒア症 ehrlichiosis ················ 591
エールリヒア属 *Ehrlichia* ················· 590
エールリヒア族 Ehrlichieae ················ 591
エーレット現象 Ehret phenomenon ······ 1404
エーレルス(エーラース)-ダンロー(ダンロス)症候群 Ehlers-Danlos syndrome (EDS) ·· 1803
エーロゾル〔剤〕 aerosol ······················ 32
エーロゾル適用(投与) aerosolization ······ 32
エーロゾル発生器 aerosol generator ······ 765
Aアルブミン albumin A ······················ 43
A外斜視 A-pattern exotropia ··············· 655
A型ウイルス性肝炎 viral hepatitis type A ·· 839
A型肝炎ウイルス hepatitis A virus (HAV) ·· 2025
A型行動 type A behavior ··················· 204
A型斜視 A-strabismus ······················ 1750
A型内斜視 A-pattern esotropia ············ 643
A型連鎖球菌性壊死性筋膜炎 group A streptococcal necrotizing fasciitis ······· 677
A型DNA A-DNA ······························ 491
A群連鎖球菌 group A streptococci (GAS) ·· 1754
A鎖 A chain ····································· 337
A細胞 A cells ·································· 318
A線維 A fibers ································· 687
A帯 A bands ···································· 194
A胆汁 A bile ···································· 210
A波 A wave ···································· 2041
A波長紫外線 ultraviolet A (UVA) ······ 1963
Aモード A-mode ······························· 63
A_2サラセミア A_2 thalassemia ············ 1873
aaa病 aaa disease ····························· 527
AAアミロイドーシス AA amyloidosis ····· 67
A.B.C.法 A.B.C. process ··················· 1488
ABC誘導 ABC leads ························· 1014
ABC輸送体蛋白 ABC transporter proteins ·· 1502
ABO型新生児溶血性疾患 ABO hemolytic disease of the newborn ·················· 527
ABO血液型 ABO blood group ················ 3
ABOの抗原 ABO antigens ·················· 103
ACE阻害薬 ACE inhibitor ·················· 933
ACPアセチルトランスフェラーゼ ACP-acetyltransferase ······················· 17
ACPマロニルトランスフェラーゼ ACP-malonyltransferase ······················ 17
ACTH産生腺腫 ACTH-producing adenoma ·· 25
ACTH刺激試験 ACTH stimulation test 1853
ACTH分泌刺激因子 adrenocorticotropin releasing factor ······························ 666
a-c間隔 a-c interval ··························· 948
AFORMED現象 AFORMED phenomenon ·· 1403
ADPアーゼ ADPase ···························· 30
ADPリボシル化 ADP ribosylation ······ 1614
AFA固定液 AFA fixative ···················· 708
AH間隔 AH interval ·························· 948
AIDS関連リポジストロフィ/インスリン抵抗性症候群 AIDS-associated lipodystrophy/insulin resistance syndrome ·· 1796
ALT:AST比 ALT:AST ratio ············ 1560
Alu相当族(ファミリー) Alu-equivalent family ·· 671
Alu族 Alu family ····························· 671
Alu配列 Alu sequences ···················· 1664
Aluファミリー Alu family ················· 671
AMPAレセプタ(受容体) AMPA receptor ·· 1570
AMPデアミナーゼ AMP deaminase ······· 63
Am抗原 Am antigens ························ 103
ANPレセプタ(受容体) ANP receptors 1570
ANP浄化レセプタ(受容体) ANP clearance receptors ·································· 1570
AN間隔 AN interval ·························· 948
APC製剤 APC compound ··················· 403
APS1型 autoimmune polyendocrine syndrome, type I (APS I) ·············· 1797
APUD細胞 APUD cells ······················ 319
ARF蛋白 ARF proteins ···················· 1502
ATPアーゼ adenosine triphosphatase (ATPase) ·· 27
ATP:クエン酸リアーゼ ATP:citrate lyase ·· 170
ATPクエン酸(*pro*-3*S*)-リアーゼ ATP: citrate (*pro*-3*S*)-lyase ···················· 369
ATPコバラミンアデノシルトランスフェラーゼ ATP: cobalamin adenosyltransferase ·· 383
A/Tクローニング A/T cloning ············ 375
Au(オベルジェ)血液型 Auberger blood group, Au blood group ················· 175
Au抗原 Au antigen ·························· 103
AV間隔 AV interval ·························· 948
エアウェイ airway ····························· 40
エアギャップ撮影法 air-gap radiography ·· 1543
エアギャップ法 air-gap technique ······· 1844
エアゾール噴霧式吸入器 aerosol delivery system ·· 1829
エアトラッピング airtrapping ··············· 40
エアーブラシ Ayre brush ··················· 262
エアブレイシブテクニック airbrasive technique ······································ 1844
エアブロンコグラム air bronchogram ····· 259
エアリーディスク Airy disc ················ 525
エアレーション aeration ······················ 31
エアロゾル aerosol ···························· 32
エアロポーズ aeropause ······················ 32
エアロン徴候 Aaron sign ·················· 1678
鋭角 acute angle ······························ 88
鋭感気圧計 baroscope ························ 197
永久歯 dens permanens ······················ 487
永久歯 permanent tooth ···················· 1903
永久修復 permanent restoration ·········· 1597
永久的聴力閾値上昇 permanent threshold shift ·· 1673
永久塗抹染色標本検査 permanent stained smear examination ······················· 651
影響妄想 delusion of control, delusion of being controlled ························· 485
英国熱量単位 British thermal unit (BTU) ·· 1965
英国薬局方 British Pharmacopoeia (BP) 257
英国ロック English lock ···················· 1067
エイコサノイド eicosanoids ················· 591
英語対応手話 Signed Exact English ····· 1685
エイコノメータ eikonometer ················ 591
鋭匙 osteotrite ································ 1325
鋭匙 sharp spoon ····························· 1724
嬰児殺し infanticide ·························· 925
営実(エイジツ) rose hips ················· 1623
映写幕 screen ································ 1650
エイズ AIDS ···································· 39
エイズ関連複合体 AIDS-related complex (ARC) ·· 400
エイズ関連リポジストロフィ/インスリン抵抗性症候群 AIDS-associated lipodystrophy/insulin resistance syndrome ·· 1796
エイズ認知症複合症 AIDS dementia complex (ADC) ························· 400
衛生 sanitation ······························· 1634
衛生〔学〕 hygiene ······························ 877
衛生化 sanitization ··························· 1634
衛生学 hygieiology ···························· 877
衛生技師 sanitarian ························· 1633
衛星現象 satellitism ························· 1637
衛星細胞 satellite cells ······················ 326
衛生士 hygienist ······························ 877
衛星転移 satellite metastasis ·············· 1141
衛星膿瘍 satellite abscess ···················· 6
衛星病変 satellitosis ························· 1637
永続義歯 definitive prosthesis ············ 1501
永続(永年)平衡 secular equilibrium ······ 635
泳動型 electromorph ·························· 595
鋭敏度 sensitivity ···························· 1661
鋭敏な exquisite ······························ 656
エイブル *abl* ···································· 3
鋭脈 pulsus celer ····························· 1525
エイムス(エームズ)試験 Ames test ······ 1854
栄養 gavage ···································· 761
栄養 nutrition ································ 1284
栄養外胚葉 trophectoderm ················· 1937
栄養海綿体 trophospongia ················· 1937
栄養過給 superalimentation ··············· 1777
栄養核 trophonucleus ······················· 1937
栄養学 nutrition ······························ 1284
栄養過剰 supernutrition ···················· 1778
栄養型 trophozoite ··························· 1937
栄養型小脳萎縮 nutritional type cerebellar atrophy ·· 174
栄養価値 trophicity ·························· 1937
栄養管 nutrient canal ························ 284
栄養管 canalis nutricius, canales nutriens ·· 285
栄養管 feeding tube ························· 1941
栄養機能 trophicity ·························· 1937
栄養機能食品 nutraceutical ················ 1284
栄養共生 syntrophism ······················· 1827
栄養欠乏 athrepsia, athrepsy ··············· 169
栄養孔 foramen nutricium ·················· 725
栄養孔 nutrient foramen ···················· 725
栄養向性 trophotropism ····················· 1937
栄養細胞 trophocyte ························· 1937
栄養士 dietitian ······························· 516
栄養失調 malnutrition ······················ 1096
栄養失調〔症〕 dystrophia ···················· 577
栄養失調〔症〕 dystrophy ····················· 577
栄養障害型表皮水疱症 epidermolysis bullosa dystrophica ····························· 626
栄養障害症候群 trophic syndrome ········ 1823
栄養〔障害〕性潰瘍 trophic ulcer ·········· 1961
栄養障害毛 trichodystrophy ··············· 1929
栄養状態 nutriture ··························· 1284
栄養静脈 nutrient vein ····················· 1999
栄養神経症 trophoneurosis ················ 1937
栄養神経性萎縮 trophoneurotic atrophy 174
栄養性肝硬変 nutritional cirrhosis ········ 367
栄養性血鉄症 nutritional hemosiderosis ··· 836
栄養性弱視 nutritional amblyopia ·········· 57
栄養生殖 vegetative reproduction ········ 1591
栄養性水腫(浮腫) nutritional edema ······ 587
栄養性染色質 trophochromidia ············ 1937

栄養性大球性貧血 nutritional macrocytic anemia 78
栄養性多発〔性〕神経障害 nutritional polyneuropathy 1462
栄養性皮膚神経症 trophodermatoneurosis 1937
栄養性貧血 nutritional anemia 77
栄養性浮腫 nutritional dropsy 561
栄養性ヘモジデリン沈着〔症〕 nutritional hemosiderosis 836
栄養性盲 nutritional blindness 221
栄養選択〔性〕の idiotrophic 905
栄養素 nutrient 1284
〔必須〕栄養素 nutrilites 1284
栄養素要求株 auxotroph 182
栄養素要求性〔突然〕変異体 auxotrophic mutant 1205
栄養〔的〕平衡 nutritive equilibrium 635
栄養動脈 arteria nutricia 136
栄養動脈 nutrient artery 149
栄養の nutritive 1284
栄養の trophic 1937
栄養不足 undernutrition 1964
栄養物 ingesta 932
栄養物 pabulum 1334
栄養不良 oligotrophia, oligotrophy 1297
栄養不良性消耗症 nutritional marasmus 1102
〔栄〕養分 nutrient 1284
栄養法 alimentation 47
栄養補給 feeding 679
栄養補給食品 nutriceutical 1284
栄養補充性女性化乳房 refeeding gynecomastia 807
栄養補助食品 nutriceutical 1284
栄養膜 trophoblast 1937
栄養膜 trophoderm 1937
栄養膜芽 trophoblastic sprout 1725
栄養膜極 polar trophoblast 1937
栄養膜細胞層 cytotrophoblast 469
栄養膜細胞層外皮 cytotrophoblastic shell 1672
栄養膜の ectoplacental 585
栄養膜弁蓋 trophoblastic operculum 1306
栄養膜裂孔 trophoblastic lacuna 995
栄養要求性菌株 auxotrophic strains 1750
栄養力学 trophodynamics 1937
栄養良好 eutrophia 649
エイリアシングアーチファクト aliasing artifact 158
鋭利な incisive 919
会陰(えいん) perineum 1389
会陰浅筋膜の膜状層 membranous layer of superficial fascia of perineum 1011
会陰圧測定器 perineometer 1388
会陰陰嚢の perineoscrotal 1388
会陰横靱帯 transverse ligament of perineum 1041
会陰横靱帯 transverse perineal ligament 1041
会陰横靱帯 ligamentum transversum perinei 1046
会陰外の extraperineal 658
会陰曲 anorectal flexure 712
会陰曲 perineal flexure of anal canal 713
〔直腸の〕会陰曲 flexura perinealis (canalis ani) 712
〔直腸の〕会陰曲 perineal flexure of rectum 713
会陰筋 perineal muscles 1190
会陰筋 musculi perinei 1202
会陰筋膜 perineal fascia 674
会陰形成〔術〕 perineoplasty 1388
会陰血腫 pudendal hematocele 825
会陰腱中心 centrum tendineum perinei 332
会陰腱中心 central tendon of perineum 1849
会陰交連 commissura bulborum (vestibuli) 397
会陰交連 commissure of bulbs (of vestibule) 397
会陰交連 commissure of vestibular bulb 398
会陰神経 perineal nerves 1237
会陰神経 nervi perineales 1243
会陰整復〔術〕 perineosynthesis 1388
会陰切開〔術〕 episiotomy 630
会陰切開〔術〕 perineotomy 1388
会陰切開〔術〕 perineal section 1653
会陰造瘻術 perineostomy 1388
会陰帯 anogenital band 194
会陰脱臼 luxatio perinealis 1074
会陰腟の perineovaginal 1388
会陰腟フィステル(瘻) perineovaginal fistula 705
会陰的尿道〔造〕瘻術 perineal urethrostomy 1972
会陰動脈 arteria perinealis 137
会陰動脈 perineal artery 149
会陰動脈の後陰唇枝 posterior labial branches of perineal artery 251
会陰動脈の後陰嚢枝 posterior scrotal branches of perineal artery 252
会陰尿道下裂 perineal hypospadias 897
会陰の perineal 1388
会陰の部位 regio perinealis 1584
会陰皮下組織 subcutaneous tissue of perineum 1896
会陰部 perineal region 1586
会陰ヘルニア perineal hernia 843
会陰ヘルニア perineocele 1388
会陰縫合〔術〕 perineorrhaphy 1388
会陰縫線 perineum 1389
会陰縫線 perineal raphe 1558
会陰縫線 raphe perinei 1558
会陰膜 membrana perinei 1124
会陰膜 perineal membrane 1126
エヴァンズ鉗子 Evans forceps 727
エヴァンズ症候群 Evans syndrome 1804
エヴァンズブルー Evans blue 649
エウスターキオ〔管〕隆起 eustachian tuber 1942
会厭軟骨炎 epiglottitis 627
エオシン eosin 624
エオシンB eosin B 624
エオシンy(Y) eosin y, eosin Y 624
エオシン-メチレンブルー寒天〔培地〕 eosin-methylene blue agar 34
エオタキシン eotaxin 625
エカ eka- 592
エカルディ症候群 Aicardi syndrome 1796
液 humor 867
液 juice 973
液 liquor 1060
液 minim (m) 1159
液-液クロマトグラフィ liquid-liquid chromatography 357
腋窩 armpit 132
腋窩 axilla 183
腋窩 axillary cavity 316
腋窩 axillary fossa 731
腋窩 fossa axillaris 731
液化 liquefaction 1060
液化 synchysis 1794
液化壊死 liquefactive necrosis 1225
腋窩温度計 axilla thermometer 1881
腋窩開胸〔術〕 axillary thoracotomy 1886
腋窩下の subaxillary 1762
腋窩汗腺 axillary sweat glands 772
腋窩弓 axillary arch 125
腋窩筋膜 axillary fascia 672
腋窩筋膜 fascia axillaris 672
腋窩菌毛〔症〕 trichomycosis axillaris 1930
疫学 epidemiology 626
疫学遺伝学 epidemiologic genetics 765
疫学者 epidemiologist 626
疫学専門看護師 nurse epidemiologist 1283
疫学的記述 epidemiography 626
液化下痢 colliquative diarrhea 511
液化剤 liquefacient 1059
腋窩周囲の circumaxillary 366
腋窩上の supraaxillary 1779
腋窩静脈 axillary vein 1994
腋窩静脈 vena axillaris 2004
腋窩神経 axillary nerve 1232
腋窩神経 nervus axillaris 1241
腋窩線 axillary line 1049
腋窩線維鞘 axillary sheath 1670
腋窩〔部〕多汗〔症〕 maschalyperidrosis 1106
腋窩中心リンパ節 central axillary lymph nodes 1078
腋窩中線 midaxillary line 1051
腋窩頂リンパ節 apical axillary lymph nodes 1077
腋窩提靱帯 suspensory ligament of axilla 1040
腋窩動脈 arteria axillaris 134
腋窩動脈 axillary artery 143
腋下の infraaxillary 931
腋窩の axillary 183
腋窩ヒグローマ hygroma axillare 877
腋窩ひだ axillary fold 718
腋窩部 regio axillaris 1583
腋窩部 axillary region 1585
液化変性 liquefaction degeneration 481
腋下麻酔〔法〕 axillary anesthesia 79
腋窩毛髪糸状菌症 trichomycosis axillaris 1930
腋窩リンパ管叢 axillary lymphatic plexus 1439
腋窩リンパ管叢 axillary plexus 1439
腋窩リンパ節 axillary lymph nodes 1077
腋汗 tragomaschalia 1915
液剤 solution (sol., soln.) 1697
エキシマレーザー excimer laser 1003
腋臭 hircismus 853
腋臭 hircus 853
液状D-グルコース liquid D-glucose 783
液晶サーモグラフィ liquid crystal thermography 1881
液状信号減衰反転回復法 fluid attenuated inversion recovery 1574
易傷性 vulnerability 2038
液状の liquid (l) 1060
液状フェノール liquefied phenol 1403
液状変性 liquefaction degeneration 481
液浸 immersion 909
液浸系対物レンズ immersion objective 1288
エキス extract 657
エキス extractives 657
エキスカベータ excavator 651
エキスタチン echistatin 582
エキスプロラ explorer 656
エキセンディン exendin 653
エキソアミラーゼ exoamylase 653
エキソ-1,4-α-D-グルコシダーゼ exo-1,4-α-D-glucosidase 654
エキソガミー exogamy 654
エキソゲノート exogenote 654
エキソサイトーシス exocytosis 653
エキソスポリウム exosporium 654
エキソヌクレアーゼ exonuclease 654
エキソペプチダーゼ exopeptidase 654
エキソリボヌクレアーゼII exoribonuclease II 654
エキソルフィン exorphin 654
エキソン exon 654
液体 liquor 1060
液体〔の〕 liquid (l) 1060
液体換気法 liquid ventilation 2010
液体凝固点測定 cryoscopy 445

液体空気 liquid air 40
液体シンチレータ liquid scintillator 1646
液体張力計 tonometer 1901
液体波 fluid wave 2042
液体排泄過多 colliquation 391
液体比重計 stereometer 1744
〔液体〕比重計 hydrometer 873
〔液体〕比重測定〔法〕 hydrometry 873
液体比重測定法 stereometry 1744
液体ヒト血清 liquid human serum 1668
液体網膜癒着術 fluid retinopexy 1603
エキノカスマス属 *Echinochasmus* 582
エキノキャンディン echinocandin 582
エキノコックス症 echinococcosis 582
エキノコックス属 *Echinococcus* 582
エキノサイト echinocyte 582
エキノストーマ症 echinostomiasis 582
疫病の lemic 1018
液胞 vacuole 1981
液胞膜 tonoplast 1901
腋毛 axillary hairs 811
腋毛 hircus 853
疫痢 ekiri 592
液流無信号化 flow void 2035
液量オンス fluidounce 715
液量ドラム fluidrachm, fluidram 715
エキリン equilin 635
エキレニン equilenin 634
エクィバレントエキス equivalent extract 657
エクオリン aequorin 31
エクゴニン ecgonine 582
エクサ exa- (E) 650
エクスタシー ecstasy 584
エクスターン extern 656
エクステンションチューブ extension tube 1941
エクストラクタント extractant 657
エクストン試薬 Exton reagent 1569
エクスナー神経叢 Exner plexus 1440
エクセロヒルム *Exserohilum* 656
エクソウイルス ECSO virus 2024
エクソフィアラ属 *Exophiala* 654
エクソレバー exolever 654
エクソン exon 654
エクソンシャッフル exon shuffle 654
エクタイプ ectype 586
エクディシスト ecdysist 582
エクトクリン ectocrine 585
エクト酵素 ectoenzyme 585
エクトホルモン ectohormone 585
エクトメロゴニー ectomerogony 585
エクトロメリア ectromelia 586
エクトロメリアウイルス ectromelia virus 2024
エクビヨン écouvillon 584
えくぼ dimple 521
えくぼ形成(症状) dimpling 521
えくぼ徴候 dimple sign 1680
エクモウイルス ECMO virus 2023
エグリ腺 Eglis glands 772
エクリプス期 eclipse period 1389
エクリン汗孔腫 eccrine poroma 1467
エクリン汗腺 eccrine gland 772
エクリンらせん腺腫 eccrine spiradenoma 1717
エクレクティシズム eclecticism 584
エクレーシス ecuresis 586
エコー echo 582
エコーウイルス ECHO virus 2023
エコーウイルス28 Echovirus 28 583
エコーグラム echogram 583
エコー源性 echogenic 583
エコー時間 TE 1843
エコー信号 echo 582
エコースコープ echoscope 583
エコタクシス ecotaxis 584
エコトロピックウイルス ecotropic virus 2024
エコトーン ecotone 584
エコノミークラス症候群 economy class syndrome 1803
エコーノモ・フォン・サンセルフ(サン・サーフ)病 Economo von San Serff disease 532
エコープラナー〔法〕 echo planar 583
壊死 necrosis 1224
エシェリキア属 *Escherichia* 641
壊死化 sphacelism 1711
壊死杆菌 *Fusobacterium necrophorum* 746
壊死杆菌症 necrobacillosis 1223
壊死形成 sphacelation 1711
壊死後性肝硬変 postnecrotic cirrhosis 367
壊死後の postnecrotic 1471
壊死歯髄 necrotic pulp 1524
壊死性炎〔症〕 necrotic inflammation, necrotizing inflammation 929
壊死性黄色肉芽腫 necrobiotic xanthogranuloma 2051
壊死性潰瘍性歯肉炎 necrotizing ulcerative gingivitis (NUG) 770
壊死性角膜炎 necrotizing keratitis 978
壊死性強膜炎 necrotizing scleritis 1646
壊死性筋膜炎 necrotizing fasciitis 677
壊死性クモ咬傷 necrotic arachnidism 123
壊死性血管炎 necrotizing angiitis 82
壊死性結節性皮膚炎 dermatitis nodularis necrotica 495
壊死性細動脈炎 necrotizing arteriolitis 139
壊死性出血性白質脊髄炎 necrotizing hemorrhage leukomyelitis 1028
壊死性唾液腺化生 necrotizing sialometaplasia 1676
壊死性腸炎 necrotizing enterocolitis 620
壊死性脳炎 necrotizing encephalitis 607
壊死性嚢胞 necrotic cyst 460
壊死巣分離 sequestration 1665
壊死組織 sphacelus 1711
壊死組織除去〔術〕 necrotomy 1225
壊死組織切除〔法〕 débridement 473
壊死組織切除術 necrosectomy 1224
壊死組織片性腸炎 psorenteritis 1516
エシック細胞帯 Essick cell bands 194
壊死部切除〔術〕 necrectomy 1223
エジプト住血吸虫症 schistosomiasis haematobium 1643
エジプト人巨脾〔症〕 Egyptian splenomegaly 1720
エジプトヘモフィルス *Haemophilus aegyptius* 811
壊死片 sequestrum 1665
壊死片の sequestral 1665
壊死融解性移動性紅斑 necrolytic migratory erythema 639
エジュルップ操作 Ejrup maneuver 1099
エス id 904
エスカッシャン escutcheon 642
エスキュラピウスのつえ staff of Aesculapius 1727
エスクリン esculin 642
エスコルシノール escorcin, escorcinol 641
エスコルシン escorcin, escorcinol 641
エスティズ手術 Estes operation 1304
エステラーゼ esterase 643
エステル ester 643
エステル化 esterification 643
エステル分解酵素 esterase 643
エストラジオール estradiol (E_2) 644
エストラトリエン estratriene 644
エストラン estrane 644
エストランダー唇〔皮〕弁 Estlander flap 709
エストリオール estriol 644
エストロゲン estrogen 644
エストロゲンエステル esterified estrogens 644
エストロゲン拮抗物質 estrogen antagonist 96
エストロゲン受容体 estrogen receptor (ER) 1570
エストロゲン補充療法 estrogen replacement therapy (ERT) 1878
エストロゲン様の estrogenic 644
エストロン estrone (E_1) 644
エストロン単位(国際単位) estrone unit (international) 1966
エスバッハ試薬 Esbach reagent 1568
エスマルヒ帯(バンド) Esmarch bandage 195
エズリン ezrin 660
S因子 S factor 669
S期 synthesis period 1390
S抗原 S antigen 105
S字型 sigmoidicity 1678
S状結腸 colon sigmoideum 392
S状結腸 sigmoid colon 392
S状結腸炎 sigmoiditis 1678
S状結腸間陥凹 intersigmoid recess 1572
S状結腸間陥凹 recessus intersigmoideus 1573
S状結腸間膜 mesentery of sigmoid colon 1135
S状結腸間膜 mesosigmoid 1137
S状結腸間膜炎 mesosigmoiditis 1137
S状結腸間膜窩ヘルニア intersigmoid hernia 843
S状結腸間膜固定〔術〕 mesosigmoidopexy 1137
S状結腸鏡 sigmoidoscope 1678
S状結腸鏡検査〔法〕 sigmoidoscopy 1678
S状結腸固定〔術〕 sigmoidopexy 1678
S状結腸周囲炎 perisigmoiditis 1392
S状結腸静脈 sigmoid veins 2001
S状結腸静脈 venae sigmoideae 2007
S状結腸人工肛門形成〔術〕 sigmoidostomy 1678
S状結腸切開〔術〕 sigmoidotomy 1678
S状結腸切除〔術〕 sigmoidectomy 1678
S状結腸直腸吻合〔術〕 sigmoidoproctostomy 1678
S状結腸直腸連結部 rectosigmoid junction 973
S状結腸動脈 arteriae sigmoideae 138
S状結腸動脈 sigmoid arteries 152
S状結腸捻転 sigmoid volvulus 2037
S状結腸膀胱瘻 sigmoidovesical fistula 706
S状結腸リンパ節 sigmoid lymph nodes 1081
S状静脈洞 sigmoid sinus 1688
S状静脈洞 sinus sigmoideus 1688
S状腎臓 sigmoid kidney 984
S状洞溝 groove for sigmoid sinus 802
S状洞溝 sigmoid sulcus 1774
S状洞溝 sulcus sinus sigmoidei 1774
S状の sigmoid 1678
S–錐体 s-cone 1649
S–錐体単色症 blue cone monochromatism 1166
S蛋白 S protein 1505
S電位 S potential 1473
S波 S wave 2042
S1ヌクレアーゼマッピング S1 nuclease mapping 1102
SAF固定液 SAF fixative 708
SAR1蛋白 SAR1 proteins 1506
S–BP線 S-BP line 1052
SCIDマウス severe combined immunodeficient mice (SCID mice) 1669
SISI検査 short increment sensitivity index 923
SISI検査 short increment sensitivity index test (SISI test) 1865
SISI検査 SISI test 1865
SI単位 SI units 1967
SLE様症候群 SLE-like syndrome 1820
SMC(染色体構造維持)ファミリー structural

エ

maintenance of chromosomes (SMC) family 671
Sm抗原 Sm antigen 105
S-N-A角 S-N-A angle 89
S-N-B角 S-N-B angle 89
S-N線 S-N line 1052
S/N比 signal:noise ratio 1561
SOS遺伝子 SOS genes 764
SOS修復 SOS repair 1590
SPEECH1遺伝子 SPEECH1 gene 764
ST部分 ST segment 1655
SV40-アデノウイルス雑種 SV40-adenovirus hybrid 869
Sw_a抗原 Sw_a antigen 105
エセリジン eseridine 642
壊疽 gangrene 755
壊疽 sphacelation 1711
壊疽〔傾向〕 necropathy 1224
壊疽化 sphacelism 1711
壊疽形成 sphacelation 1711
壊疽性咽頭炎 gangrenous pharyngitis 1401
壊疽性口内炎 gangrenous stomatitis 1748
壊疽性侵食潰瘍 phagedena gangrenosa 1398
壊疽性水痘 varicella gangrenosa 1988
壊疽性虫垂炎 gangrenous appendicitis 119
壊疽性腸炎 enteritis necroticans 619
壊疽性天疱瘡 pemphigus gangrenosus 1379
壊疽性膿皮症 pyoderma gangrenosum 1532
壊疽性肺炎 gangrenous pneumonia 1450
壊疽性鼻炎 cancrum nasi 286
壊疽性鼻炎 gangrenous rhinitis 1608
壊疽性蜂窩織炎 gangrenous cellulitis 328
壊疽組織 sphacelus 1711
壊疽痘 vaccinia gangrenosa 1981
枝 branch 242
枝 ramus 1547
エタクリン酸 ethacrynic acid 644
枝状の dendriform 486
エタナーセプト/エンブレル Etanercept/enbrel 644
枝の ramal 1547
エタノール ethanol 644
エタノールアミンホスホトランスフェラーゼ ethanolaminephosphotransferase 645
エタモキシトリフェトール ethamoxytriphetol 644
エタン ethane 644
エチオコラノロン etiocholanolone 646
エチオニン ethionine 645
エチオピアリーシュマニア *Leishmania aethiopica* 1016
エチオポルフィリン etioporphyrin 646
エチジウムブロマイド ethidium bromide 645
エチニルエストラジオール ethynyl estradiol 644
エチリジン ethylidyne 646
エチリデン ethylidene 646
エチル ethyl (Et) 646
エチルアルコール alcohol 44
エチルジクロロアルシン ethyldichloroarsine (ED) 646
エチル水銀 ethyl mercury 1133
エチルセルロース ethylcellulose 646
エチルパラベン ethylparaben 646
エチレート ethylate 646
エチレン ethylene 646
エチレンオキシド ethylene oxide 646
エチレンジアミン ethylenediamine 646
エチレンジアミン四酢酸 ethylenediaminetetraacetic acid (EDTA) 646
エチレンジブロミド ethylene dibromide 646
エッガー線 Egger line 1049
エッグクラスター egg cluster 590
X外斜視 X-pattern exotropia 655
X型内斜視 X-pattern esotropia 643
*x*歳平均余命 expectation of life at age *x* 655
X斜視 X-strabismus 1750
X症候群 syndrome X 1825
X線 X ray 1562
X線 x-ray 2053
X線〔医〕学 roentgenology 1620
X線解剖学 radiologic anatomy 74
X線管 x-ray tube 1942
X線キモグラフ roentgenkymograph 1620
X線蛍光撮影〔法〕 photofluorography 1417
X線顕微鏡 x-ray microscope 1154
X線骨盤計測 radiographic pelvimetry 1378
X線骨盤測定〔法〕 radiopelvimetry 1545
X線撮影〔法〕 radiography 1543
X線撮影〔法〕 roentgenography 1620
X線撮影技師 radiographer 1543
X線写真 radiograph 1543
X染色体性魚鱗癬 X-linked ichthyosis 903
X染色体不活性化中心ライオニゼーション X-inactivation center lyonization 1086
X〔染色体〕連鎖 X-linked 2053
X〔染色体〕連鎖遺伝子 X-linked gene 764
X線専門家 roentgenologist 1620
X線治療 x-ray therapy 1880
X線透視〔法〕 fluororoentgenography 717
〔X線〕透視〔検査〕 fluoroscopy 717
〔X線〕透視装置 fluoroscope 717
X線動態記録器 roentgenkymograph 1620
X線動態撮影図 roentgenkymogram 1620
X線(放射線)の透過性がよい状態 radiolucency 1544
X線発生装置 x-ray generator 765
X線不透過 radiopacity 1545
X線放射 x-radiation 2053
X線量計測〔法〕 roentgenometry 1620
X層(帯) X zone 2060
X波(X谷) x wave 2042
X病 X disease 542
X連鎖遺伝 X-linked inheritance 933
X連鎖遺伝子座 X-linked locus 1068
X連鎖低(無)ガンマグロブリン血症 X-linked hypogammaglobulinemia, X-linked infantile hypogammaglobulinemia 893
X連鎖無ガンマグロブリン血症 X-linked agammaglobulinemia (XLA) 34
X連鎖リンパ増殖症候群 X-linked lymphoproliferative syndrome 1825
Xg抗原 Xg antigen 106
XO症候群 XO syndrome 1825
XO女性 XO female 680
XXY症候群 XXY syndrome 1825
XX男性 XX male 1095
XYY症候群 XYY syndrome 1825
エックフィステル(瘻) Eck fistula 705
エッシヒ型副子 Essig splint 1722
エッジワイズ装置 edgewise appliance 120
H因子 factor H 667
H型気管食道瘻 H-type fistula 705
H型脊椎 H-shape vertebrae 2015
H凝集素 H agglutinin 37
H抗原 H antigen 104
Hコロニー H colony 393
H鎖 heavy chain 337
H鎖 H chain 817
H鎖病 heavy chain disease 534
H字形の zygal 2062
Hシャント H shunt 1675
H集落 H colony 393
H字裂溝 zygal fissure 704
H線 H rays 1562
H帯 H band 194
H反射 H reflex 1579
Hフィコリン H-ficolin 697
Hメロミオシン H-meromyosin, heavy-meromyosin 1133
H野 H fields 697
H-2抗原 H-2 antigens 104
H-2複合体 H-2 complex 401
HA2ウイルス HA2 virus 2024
HAART療法 highly active antiretroviral therapy (HAART) 1879
HAIR-AN症候群 HAIR-AN syndrome 1806
HB_c抗原 hepatitis B core antigen (HB_cAb, HB_cAg) 104
〔抗〕HB_c抗体 anti-HB_c 106
HB_e抗原 hepatitis B e antigen (HB_eAb, HBe, HB_eAg) 104
〔抗〕HB_e抗体 anti-HB_e 106
〔抗〕HB_s抗体 anti-HB_s 106
HB_s抗原 hepatitis B surface antigen (HB_sAb, HB_sAg) 104
HEMPAS細胞 HEMPAS cells 322
HER2/neu遺伝子 HER2/neu gene 763
HEV(E型肝炎ウイルス) hepatitis E virus (HEV) 2025
He抗原 He antigens 104
HFR(Hfr)菌株 HFR strain, Hfr strain 1750
HIV関連脂肪再分布症候群 HIV-associated adipose redistribution syndrome 1807
HIV歯周炎 HIV periodontitis 1390
HIV歯肉炎 HIV gingivitis 770
HL-A抗原 HL-A antigens 104
HLAタイピング HLA typing 1958
HLA複合体 HLA complex 401
HMG-CoA還元酵素阻害薬 HMG CoA-reductase inhibitors 934
Ho抗原 Ho antigen 104
5-HT(5-ヒドロキシトリプタミン)拮抗薬(アンタゴニスト) 5-hydroxy tryptamine antagonists 96
HV間隔 HV interval 948
H-Y抗原 H-Y antigen 104
エッピン Eppin 633
エディピズム oedipism 1293
エディプス期 oedipal phase 1402
エディプスコンプレックス Oedipus complex 402
エディプス神経症 oedipal neurosis 1252
エデスチン edestin 587
エデテートカルシウム二ナトリウム edetate calcium disodium 587
エデト酸塩 edetate 587
エトモイダーレ ethmoidale 646
エトルフィン etorphine 647
エドレフセン試薬 Edlefsen reagent 1568
エドワードシエラ属 *Edwardsiella* 588
エナメリン enamelins 606
エナメル芽細胞 ameloblast 58
エナメル芽細胞腫様頭蓋咽頭腫 ameloblastomatous craniopharyngioma 434
エナメル芽細胞層 ameloblastic layer 1009
エナメル冠 enamel cap 288
エナメル陥凹 enamel crypt 445
エナメル器 enamel organ 1311
エナメルクリーバー enamel cleaver 373
エナメル原基 enamel germ 768
エナメル質 enamel 606
エナメル質 enamelum 606
エナメル質形成 amelogenesis 58
エナメル質形成不全〔症〕 amelogenesis imperfecta 58
エナメル質形成不全〔症〕 enamel hypoplasia 896
エナメル質石灰化不全〔症〕 enamel hypocalcification 891
エナメル質分割 enamel cleavage 373
エナメル腫 enameloma 606
エナメル小柱 prismata adamantina 1485
エナメル小柱の走向 enamel rod inclination 919
エナメル小皮 enamel cuticle 452

エナメル上皮 enamel epithelium …… 632
エナメル上皮歯牙腫 ameloblastic odontoma …… 1292
エナメル上皮腫 ameloblastoma …… 58
エナメル上皮線維腫 ameloblastic fibroma …… 694
エナメル上皮線維肉腫 ameloblastic fibrosarcoma …… 695
エナメル上皮肉腫 ameloblastic sarcoma 1635
エナメル髄 enamel pulp …… 1523
エナメルセメント境 cementoenamel junction …… 973
エナメル叢 enamel tuft …… 1949
エナメル滴 enamel nodule …… 1261
エナメル突起 enamel projection …… 1496
エナメル壁 enamel wall …… 2039
エナメル壁龕(へきがん) enamel niche 1256
エナメル膜 enamel membrane …… 1125
エナメル葉板 enamel lamella …… 996
エナメル裂溝 enamel fissure …… 702
エナンチオマー enantiomer …… 606
エヌノス nNOS …… 1259
N-末端 N terminus …… 1852
NAD⁺シンテターゼ NAD⁺ synthetase …… 1219
NAD⁺ヌクレオシダーゼ NAD⁺ nucleosidase …… 1219
NAD⁺ピロホスホリラーゼ NAD⁺ pyrophosphorylase …… 1219
NADHデヒドロゲナーゼ NADH dehydrogenase …… 1219
NADHデヒドロゲナーゼ(キノン) NADH dehydrogenase (quinone) …… 1219
NADHヒドロキシルアミンレダクターゼ NADH-hydroxylamine reductase …… 1219
NAD(P)⁺ヌクレオシダーゼ NAD(P)⁺ nucleosidase …… 1219
NADPH-シトクロムc_2レダクターゼ(還元酵素) NADPH-cytochrome c_2 reductase 1219
NADPHデヒドロゲナーゼ NADPH dehydrogenase …… 1219
NADPHデヒドロゲナーゼ(キノン) NADPH dehydrogenase (quinone) …… 1219
NADPH-フェリヘモプロテイン還元酵素(レダクターゼ) NADPH-ferrihemoprotein reductase …… 1219
NBT試験 nitroblue tetrazolium test, NBT test …… 1862
NGF血清 nerve growth factor antiserum 109
NK細胞白血病 natural killer cell leukemia …… 1025
NMDAレセプタ(受容体) NMDA receptor …… 1571
NNN培地 NNN medium …… 1118
NOR(核小体形成部位)染色法 NOR-banding …… 196
NOシンターゼ nitric oxide synthase (NO synthase, NOS) …… 1258
NYHA(ニューヨーク心臓協会)の心機能分類 New York Heart Association classification …… 371
エネルガーゼ energase …… 616
エネルギー energy (E) …… 617
エネルギー学 energetics …… 617
エネルギー吸収性の endergonic …… 611
エネルギーサブトラクション energy subtraction …… 1768
エネルギー代謝 energy metabolism …… 1138
エネルギーの単位 unit of energy …… 1965
エネルギーの保存 conservation of energy …… 414
エネルギー変換 transduction …… 1917
エネルギー論 energetics …… 617
エノイル enoyl …… 618
エノイルACPレダクターゼ enoyl-ACP reductase …… 618
エノイルACPレダクターゼ(NADPH) enoyl-ACP reductase (NADPH) …… 618
エノイルCoAヒドラターゼ enoyl-CoA hydratase …… 618
エノキサパリン enoxaparin …… 618
エノグ ENoG …… 618
エノス eNOS …… 618
エノラーゼ enolase …… 618
エノール enol …… 618
エノール化 enolization …… 618
エノールピルビン酸塩 *enol* pyruvate …… 618
エピアンドロステロン epiandrosterone …… 625
エピジェネシス epigenesis …… 627
エピゲノム epigenome …… 627
エピケラトファキア epikeratophakia …… 627
エピサーマル化学 epithermal chemistry 341
エピサーマル中性子 epithermal neutron 1254
エピスタシス epistasis …… 631
エピソード episode …… 630
エピソードケア episode of care …… 630
エピソード性高血圧 episodic hypertension …… 888
エピソーム episome …… 631
エピタクシー epitaxy …… 631
エピツベルクローシス epituberculosis …… 633
エピツベルクローゼ性浸潤 epituberculous infiltration …… 928
エピディアスコープ epidiascope …… 627
エピデルモイド epidermoid …… 626
エビデンスに基づいた医学 evidence-based medicine …… 1117
エピトキソイド epitoxoid …… 633
エピトープ epitope …… 633
エピネフリン epinephrine …… 629
エピネフリン逆転 epinephrine reversal 1605
エピネフリンの塩化第二鉄反応 ferric chloride reaction of epinephrine …… 1564
エピネフリンのヨウ素酸塩反応 iodate reaction of epinephrine …… 1565
エピネフリンのヨウ素反応 iodine reaction of epinephrine …… 1565
エビはさみ奇形(変形) lobster-claw deformity …… 480
エピバチジン epibatidine …… 625
エピポドフィロトキシン epipodophyllotoxin …… 630
エピマー epimer …… 629
エピマスティゴート epimastigote …… 629
エピメラーゼ epimerase …… 629
エピメラーゼ欠損性ガラクトース血症 epimerase deficiency galactosemia …… 749
ᴅ-エピラムノース ᴅ-epirhamnose …… 630
エピルミネセンスマイクロスコープ epiluminescence microscopy …… 1154
エビングハウス検査 Ebbinghaus test …… 1857
エファプス ephapse …… 625
エフェクター effector …… 589
エフェドリン ephedrine …… 625
エプスタイン奇形 Ebstein anomaly …… 93
エプスタイン症状 Epstein symptom …… 1792
エプスタイン真珠 Epstein pearls …… 1375
エプスタイン徴候 Ebstein sign …… 1680
エプスタイン徴候 Epstein sign …… 1680
エプスタイン-バーウイルス Epstein-Barr virus (EBV) …… 2024
エブナー小網 Ebner reticulum …… 1599
エブナー腺 Ebner glands …… 772
エプーリス epulis …… 633
エプリー操作 Epley maneuver …… 1099
エプリー(エプレー)法 Epley maneuver 1099
F-アクチン F-actin …… 19
F型肝炎 hepatitis F …… 839
F線毛 F pilus …… 1424
F〔ピリ〕線毛 F pili …… 1424
F波 F waves …… 2042
Fプラスミド F plasmid …… 1432
F分布 f distribution …… 550
Fabフラグメント Fab fragment …… 738
FAB分類 FAB classification …… 371
FANA試験 fluorescent antinuclear antibody test (FANA), FANA test …… 1857
FAPA症候群 FAPA syndrome …… 1804
FAウイルス FA virus …… 2024
Fcレセプタ(受容体) Fc receptor …… 1570
Fcフラグメント Fc fragment …… 738
FDAの認可外 off-label …… 1293
ff波 f wave, ff waves …… 2042
FITC(フルオレセインイソチオシアネート) fluorescein isothiocyanate (FITC) …… 716
FIT検査 fusion-inferred threshold test 1857
FPS(fps)単位 foot-pound-second unit, FPS unit, fps unit …… 1966
FPS(fps)単位系 foot-pound-second system (FPS, fps) …… 1831
Fy血液型 Fy blood group …… 747
Fy抗原 Fy antigens …… 103
エポエチンアルファ epoetin alfa …… 633
エポキシ epoxy …… 633
エポキシ樹脂 epoxy resin …… 1592
2,3-エポキシスクアレン 2,3-epoxysqualene …… 633
エボラウイルス Ebola virus …… 2023
エマナチオン emanation …… 599
エマナチオン療法 emanotherapy …… 600
エマネーション emanation …… 599
エマノン emanon …… 600
エマルジョン emulsion …… 606
エミット enzyme-multiplied immunoassay technique (EMIT) …… 911
エムイーアールアールエフ MERRF …… 1134
エムタラ EMTALA …… 606
エムテノス mtNOS …… 1175
エムルシン emulsin …… 606
エムレーシス emuresis …… 606
M殻 M shell …… 1672
M期 mitotic period …… 1389
m吃 mimmation …… 1158
M抗原 M antigen …… 104
M-錐体 m-cone …… 1112
M線(帯) M line …… 1051
M濃度 M concentration …… 406
Mモード M-mode …… 1161
M_1抗原 M_1 antigen …… 104
M_2抗原 M_2 antigen …… 104
MALTリンパ腫 MALT lymphoma …… 1084
MASS症候群 MASS syndrome …… 1811
M_c抗原 M_c antigen …… 104
M:E比 M:E ratio …… 1561
M_g抗原 M_g antigen …… 104
MHC拘束 MHC restriction …… 1597
MIM番号 MIM number …… 1282
MKS(mks)単位 meter-kilogram-second unit, MKS unit, mks unit …… 1966
MKS(mks)単位系 meter-kilogram-second system …… 1832
MMウイルス MM virus …… 2026
MNSs血液型 MNSs blood group …… 1161
MNSs抗原 MNSs antigens …… 104
MP関節 MP joints …… 971
Mplリガンド mpl ligand …… 1046
MR血管撮影法 MR angiography (MRA) 85
MRスペクトロスコピー magnetic resonance spectroscopy …… 1708
MSBトリクローム染色 MSB trichrome stain …… 1734
Mu抗原 Mu antigen …… 104
MWCモデル Monod-Wyman-Changeux model (MWC model) …… 1162
MYO7A遺伝子 MYO7A gene …… 764
MYO15遺伝子 MYO15 gene …… 764
エメチン emetine …… 603
エメット針 Emmet needle …… 1225
エメリー emery …… 603

エメリーディスク emery discs …… 525
エメリー-ドライフス筋ジストロフィ Emery-Dreifuss muscular dystrophy …… 578
エモジン emodin …… 604
エモンシア属 *Emmonsia* …… 604
エヤン(ハイエム)〔溶〕液 Hayem solution …… 1698
鰓 branchia …… 255
エライジン eleidin …… 598
エライジン酸 elaidic acid …… 592
エラウニン elaunin …… 593
鰓器官の branchial …… 255
エラスターゼ elastase …… 592
エラスタンス elastance …… 592
エラスチン elastin …… 592
エラスチンのヴァイゲルト染料 Weigert stain for elastin …… 1736
エラスティックバンド固定 elastic band fixation …… 707
エラストイジン elastoidin …… 592
エラストイド変性 elastoid degeneration 481
エラストムチン elastomucin …… 592
エラストリシス elastolysis …… 592
鰓由来の branchiogenic, branchiogenous 255
エランコ蛍光染色〔法〕 Eranko fluorescence stain …… 1731
エリオジクチオン eriodictyon …… 637
エリオット手術 Elliot operation …… 1304
エリオット体位 Elliot position …… 1469
エリオットの法則 Elliott law …… 1006
エリキシル〔剤〕 elixir …… 599
エリサ ELISA …… 599
エリシフェーク erisophake …… 637
エリジペロスリックス属 *Erysipelothrix* 638
エリスロイジン erythroidin …… 640
エリスロデキストリン erythrodextrin …… 640
エリスロポ〔イ〕エチン erythropoietin (EPO) …… 641
エリスロマイシン erythromycin …… 641
エリー束 Helie bundle …… 265
エリック吸引器 Ellik evacuator …… 649
エリテマトーデス lupus erythematosus (LE, L.E.) …… 1073
エリテマトーデス(紅斑性狼瘡)性脂肪〔組〕織炎 lupus erythematosus panniculitis …… 1343
エリトリトール erythritol …… 639
エリトルロース erythrulose …… 641
エリトロキシリン erythroxyline …… 641
エリトロシンB erythrosin B …… 641
エリトロース erythrose …… 641
エリトロース4-リン酸 erythrose 4-phosphate …… 641
エリトロフィル erythrophil …… 641
エリトロポイエチン erythropoietin (EPO) …… 641
エリニン elinin …… 599
襟ボタン様霰粒腫 collar-stud chalazion 338
エルカ酸 erucic acid …… 637
エルキア属 *Ehrlichia* …… 590
エルグ erg …… 636
エルゴカルシフェロール ergocalciferol …… 636
エルゴグラフ ergograph …… 636
エルゴステロール ergosterol …… 636
エルゴタミン ergotamine …… 636
エルゴチオネイン ergothioneine …… 636
エルゴトキシン ergotoxine …… 636
エルゴノビン ergonovine …… 636
エルゴリン類 ergolines …… 636
エルシー ELSI …… 599
エルシニアクリステンセニ *Yersinia kristensenii* …… 2056
エルジニア症 yersiniosis …… 2056
エルジニア属 *Yersinia* …… 2055
エルシュニッヒ真珠 Elschnig pearls …… 1375
エルシュニッヒ斑〔点〕 Elschnig spots …… 1725
エルステッド oersted (Oe) …… 1293
エルスワース-ハワード試験 Ellsworth-Howard test …… 1857
エルドハイム(エールトハイム)-チェスター病 Erdheim-Chester disease …… 532
エルトマン試薬 Erdmann reagent …… 1568
エルトールビブリオ El Tor vibrio …… 2019
エルビウム erbium (Er) …… 636
エルブ(エルプ)麻痺 Erb palsy …… 1340
エルレンマイアーフラスコ Erlenmeyer flask …… 711
エルレンマイアーフラスコ奇形 Erlenmeyer flask deformity …… 480
L殻 L shell …… 1672
L型 L form …… 729
L型菌 L-phase variants …… 1988
L型腎 L-shaped kidney …… 984
L鎖 light chain …… 337
L鎖関連性アミロイドーシス light chain-related amyloidosis …… 68
L-錐体 l-cone …… 1014
Lセレクチン L selectin …… 1658
L相変異体 L-phase variants …… 1988
Lフィコリン L-ficolin …… 697
L放射線 L-radiation …… 1541
Lメロミオシン L-meromyosin, light-meromyosin …… 1133
L-AP_4レセプタ(受容体) L-AP_4 receptor …… 1571
LCAT欠損〔症〕 LCAT deficiency …… 479
LDL受容体病 LDL receptor disorder …… 546
LE因子 LE factors …… 668
LE〔細胞〕現象 LE phenomenon …… 1405
Le抗原 Le antigens …… 104
LE細胞 LE cell …… 323
LE細胞試験 LE cell test …… 1860
LE体 LE body …… 227
L-L因子 L-L factor …… 668
L/S比 lecithin/sphingomyelin ratio (L:S ratio) …… 1561
Lu抗原 Lu antigens …… 104
Lyt抗原 Lyt antigens …… 104
エレオステアリン酸 eleostearic acid …… 598
エレクトラコンプレックス Electra complex …… 401
エレクトロヒステログラフ electrohysterograph …… 595
エレクトロフェログラム electropherogram …… 596
エレクトロポレーション electroporation 597
エレクトロレチノグラム electroretinogram (ERG) …… 597
エレクトロンボルト electron-volt (eV, ev) …… 596
エレッサー皮弁 Eloesser flap …… 709
エレッサー法 Eloesser procedure …… 1487
エレドイシン eledoisin …… 598
エレバトリウム levator …… 1029
エレベータ elevator …… 599
エレベータ病 elevator disease …… 532
エロス eros …… 637
円 circle …… 364
縁 border …… 234
縁 brim …… 257
縁 edge …… 587
縁 limbus …… 1047
縁 margin …… 1103
縁 margo …… 1104
縁 ora …… 1309
縁 rim …… 1617
鉛 lead (Pb) …… 1014
鉛 plumbum …… 1446
塩 sal …… 1630
塩 salt …… 1632
遠位横足弓 distal transverse arch of foot …… 125
遠位型筋障害(ミオパシー) distal myopathy …… 1215
遠位細葉性肺気腫 distal acinar emphysema …… 605
遠位指節間関節 distal interphalangeal joints (DIP) …… 969
遠位小腸閉塞症候群 distal intestinal obstructive syndrome …… 1803
遠位中間肢短縮性小人症 acromesomelic dwarfism …… 568
遠位中心小体 distal centriole …… 331
遠位橈尺関節の嚢状陥凹 sacciform recess of distal radioulnar joint …… 1572
遠位の distal …… 549
遠位の distalis …… 549
遠位脾静脈腎静脈吻合 distal splenorenal shunt …… 1674
遠位ラセン中隔 distal spiral septum …… 1663
演繹法 deduction …… 476
塩化亜鉛 zinc chloride …… 2058
塩化アセチル acetyl chloride …… 12
塩化アンモニウム ammonium chloride …… 61
円蓋 fornix …… 731
円蓋 vault …… 1991
円塊形成 conglobation …… 410
円回内筋 pronator teres (muscle) …… 1191
円回内筋 round pronator muscle …… 1193
円回内筋 musculus pronator teres …… 1202
円回内筋の尺骨頭 caput ulnare musculi pronatoris teretis …… 292
円回内筋の上腕骨頭 caput humerale musculi pronatoris teretis …… 291
塩化インジウム-111 indium 111 chloride, indium 111 trichloride …… 924
エンカウンターグループ encounter group …… 803
塩化エチル ethyl chloride …… 646
塩化エドロホニウム edrophonium chloride …… 588
塩化カリウム potassium chloride …… 1472
塩化カルシウム calcium chloride …… 277
塩化カルバミルコリン carbamylcholine chloride …… 346
塩化銀 silver chloride …… 1685
沿革 history …… 856
遠隔(遠距離)〔X線〕撮影〔法〕 teleradiography …… 1847
遠隔記憶 remote memory …… 1128
遠隔結紮 ultraligation …… 1962
遠隔顕微鏡検査 telemicroscopy …… 1847
遠隔視 teleopsia …… 1847
遠隔手術 telepresence surgery …… 1784
遠隔手術 telesurgery …… 1847
遠隔(遠距離)受容器 telereceptor …… 1847
遠隔受容体 distance ceptor …… 334
遠隔心音聴取器 telecardiophone …… 1846
遠隔診断 telediagnosis …… 1846
遠隔心電図 telelectrocardiogram …… 1846
遠隔装填式近接照射療法 remote afterloading brachytherapy …… 240
遠隔測定〔法〕 telemetry …… 1847
遠隔測定装置 telemeter …… 1847
遠隔治癒 distant healing …… 818
遠隔の tel-, tele-, telo- …… 1845
遠隔皮弁 distant flap …… 709
遠隔病理診断 telepathology …… 1847
遠隔(遠距離)放射線学 teleradiology …… 1847
遠隔放射線療法 teletherapy …… 1847
遠隔ラジウム〔照射〕療法 teleradium therapy …… 1880
塩化コバルト cobaltous chloride …… 383
塩化コリン choline chloride …… 352
塩化シアン cyanogen chloride …… 453
塩化水素 hydrogen chloride …… 872
塩化スクシニルコリン succinyldicholine 1768
塩化セチルピリジニウム cetylpyridinium chloride …… 337

塩化第二水銀 mercuric chloride 1132
塩化第二スズ stannic chloride 1737
塩化〔第二〕鉄試験 ferric chloride test 1857
塩化ツボクラリン tubocurarine chloride 1948
塩化テトラエチルアンモニウム tetraethylammonium chloride 1871
塩化トロニウム tolonium chloride 1898
塩化ナトリウム sodium chloride 1696
塩化の muriatic 1179
塩化バリウム barium chloride 197
塩化ビニル vinyl chloride 2021
塩化物 chloride 346
塩化物定量〔法〕 chloridimetry 346
塩化物定量器 chloridometer 346
塩化物尿〔症〕 chloruresis 347
塩化プラリドキシム pralidoxime chloride 1475
塩化ベンザルコニウム benzalkonium chloride 206
塩化ベンゼトニウム benzethonium chloride 206
塩化ベンゾイル benzoyl chloride 206
塩化メタコリン methacholine chloride 1142
塩化メチルベンゼトニウム methylbenzethonium chloride 1146
塩化メチレン methylene chloride 1147
塩化ヨウ化油 chloriodized oil 347
塩化ヨウ素の chloriodized 347
沿岸細胞 littoral cell 323
鉛管状結腸 lead-pipe colon 392
円環状の toric 1904
遠肝性 hepatofugal 840
円環体 torus 1905
鉛管様硬直 lead-pipe rigidity 1616
円環レンズ toric lens 1020
塩基 base 199
塩基異染〔性〕の basometachromophil, basometachromophile 201
塩基過剰 base excess 652
塩基欠乏 base deficit 479
塩基親和〔性〕の basophilic 201
塩基性 basicity 200
塩基性アミノ酸 basic amino acid 59
塩基性塩 basic salt 1632
塩基性塩 subsalt 1764
嫌気性菌性肺炎 anaerobic pneumonia 1449
塩基性酢酸アルミニウム aluminum subacetate 54
塩基性酢酸塩 subacetate 1762
塩基性サリチル酸アルミニウム aluminum salicylate, basic 54
塩基性酸化物 basic oxide 1330
演技性人格障害 histrionic personality disorder 545
塩基性赤血球 basoerythrocyte 201
塩基性赤血球増加〔症〕 basoerythrocytosis 201
塩基性染料 basic dyes 569
塩基性染料 basic stain 1730
塩基性炭酸アルミニウム aluminum carbonate, basic 54
塩基性蛋白 basic protein 1502
塩基性フクシン basic fuchsin 743
塩基性フクシン-メチレンブルー染色〔法〕 basic fuchsin-methylene blue stain 1730
塩基組成 base composition 403
塩基対 base pair (b.p., bp) 1337
塩基対置換〔突然〕変異 transition mutation 1206
塩基対転換型〔突然〕変異 transversion mutation 1206
塩基度 basicity 200
塩基の解離定数 dissociation constant of a base (K_b) 414
塩基の積み重ね base-stacking 200
塩基配列決定 sequencing 1665
塩基配列タグ部位 sequence-tagged sites (STSs) 1690
塩橋 salt bridge 257
円鋸歯形成 crenation 436
円鋸歯状 crenation 436
円鋸歯状赤血球 crenocyte 436
円鋸歯状赤血球症 crenocytosis 436
遠距離(遠隔)〔X線〕撮影〔法〕 teleradiography 1847
遠距離(遠隔)受容器 telereceptor 1847
遠距離測定装置 telemeter 1847
遠距離(遠隔)放射線学 teleradiology 1847
〔遠近〕調節反射 accommodation reflex 1577
遠近縫合 far-and-near suture 1787
エンクラニウス encranius 610
エングラム engram 617
エングラム形成 engraphia 617
えん下閾値 swallowing threshold 1886
円形後部円錐角膜 circumscribed posterior keratoconus 979
塩形成性の salifiable 1631
円〔形〕体 corps ronds 424
円形脱毛〔症〕 alopecia areata 52
円形の orbicular 1310
円形バー round bur 267
円型無気肺 rounded atelectasis 168
円形臨床講堂 theater 1874
えん(嚥)下困難 dysphagia, dysphagy 574
えん(嚥)下障害 dysphagia, dysphagy 574
えん(嚥)下する swallow 1789
えん下性失神 deglutition syncope 1794
えん下〔性〕肺炎 aspiration pneumonia 1449
えん下性無呼吸 deglutition apnea 116
〔頬骨〕縁結節 marginal tubercle 1944
〔頬骨〕縁結節 tuberculum marginale (ossis zygomatici) 1946
えん下反射 swallowing reflex 1582
エンケファリナーゼ enkephalinase 617
エンケファリン enkephalins 617
エンケファリン作用〔性〕の enkephalinergic 617
えん(嚥)下不能 aglutition 38
えん(嚥)下不能〔症〕 aphagia 114
炎光光量測定器 flame photometer 1417
塩枯渇 salt depletion 492
円骨 humpback 867
エンザイム enzyme 623
塩酸 hydrochloric acid (HCl) 871
塩酸アザシクロノール azacyclonol hydrochloride 185
塩酸アポモルフィン apomorphine hydrochloride 117
塩酸アマンタジン amantadine hydrochloride 56
塩酸アミトリプチリン amitriptyline hydrochloride 61
塩酸アミロライド amiloride hydrochloride 59
塩酸アルギニン arginine hydrochloride 131
塩酸塩 hydrochloride 871
塩酸エンカイニド encainide hydrochloride 606
塩酸キナクリン quinacrine hydrochloride 1538
塩酸キニーネ尿素 quinine and urea hydrochloride 1538
塩酸キノーシド quinocide hydrochloride 1538
塩酸ケタミン ketamine 981
塩酸欠乏〔症〕 achlorhydria 13
塩酸コカイン cocaine hydrochloride 384
演算子 operator 1306
塩酸ジアフェン diaphen hydrochloride 510
塩酸シクロペンタミン cyclopentamine hydrochloride 456
塩酸ジクロロフェナルシン dichlorophenarsine hydrochloride 513
塩酸ジシクロミン dicyclomine hydrochloride 513
塩酸ジフェンヒドラミン diphenhydramine hydrochloride 522
塩酸チアミン thiamin hydrochloride 1883
塩酸チアミン単位(国際単位) thiamin hydrochloride unit (international) 1967
塩酸ドパミン dopamine hydrochloride 556
塩酸トリエンチン trientine hydrochloride 1932
塩酸ナトレキソン natrexone hydrochloride 1222
塩酸ナロキソン naloxone hydrochloride 1220
塩酸ヒドロコルタメート hydrocortamate hydrochloride 872
塩酸ヒドロモルホン hydromorphone hydrochloride 873
塩酸フェナゾピリジン phenazopyridine hydrochloride 1403
塩酸フェニレフリン phenylephrine hydrochloride 1407
塩酸ブスピロン buspirone hydrochloride 271
塩酸プソイドエフェドリン pseudoephedrine hydrochloride 1512
塩酸プロカイン procaine hydrochloride 1486
塩酸プロカインアミド procainamide hydrochloride 1486
塩酸プロカルバジン procarbazine hydrochloride 1487
塩酸プロプラノロール propranolol hydrochloride 1499
塩酸プロポキシフェン propoxyphene hydrochloride 1499
塩酸ベカントン becanthone hydrochloride 203
塩酸ベスヒスチン betahistine hydrochloride 207
塩酸ベタイン betaine hydrochloride 207
塩酸ベタゾール betazole hydrochloride 208
塩酸メカミラミン mecamylamine hydrochloride 1114
塩酸メタドン methadone hydrochloride 1142
塩酸メタンフェタミン methamphetamine hydrochloride 1142
塩酸メチルシステイン methyl cysteine hydrochloride 1146
塩酸メペリジン meperidine hydrochloride 1132
塩酸モルヒネ morphine hydrochloride 1170
塩酸リドカイン lidocaine hydrochloride 1032
塩酸レボブノロール levobunolol hydrochloride 1030
塩酸レボブピバカイン levobupivacaine hydrochloride 1030
塩酸レミフェンタニル remifentanil hydrochloride 1589
塩酸ロピバカイン ropivacaine hydrochloride 1622
遠視 hyperopia (H) 884
エンジェルマン症候群 Angelman syndrome 1796
エンジオール enediol 616
遠紫外線 extravital ultraviolet 1963
遠視患者 hyperope 884
沿軸中胚葉 paraxial mesoderm 1136
遠視性単乱視 hyperopic astigmatism 165
援助 aid 39
炎症 inflammation 928
塩漿 salted plasma 1432
縁上回 supramarginal convolution 419
縁上回 gyrus supramarginalis 809
縁上回 supramarginal gyrus 809
炎状構造 flame figure 697
炎症性潰瘍 inflamed ulcer 1961
炎症性癌 inflammatory carcinoma 297
炎症性筋炎 inflammatory myositis 1216
炎症性筋線維芽腫瘍 inflammatory

エ

myofibroblastic tumor …… 1951
炎症性硬結 poroma …… 1467
炎症性水腫(浮腫) inflammatory edema 587
炎症性線維性過形成〔症〕 inflammatory fibrous hyperplasia …… 886
炎症性線状ゆうぜい(疣贅)様表皮母斑 inflammatory linear verrucous epidermal nevus …… 1255
炎症性腸疾患 inflammatory bowel disease (IBD) …… 535
炎症性頭部白癬 tinea kerion …… 1894
炎症性乳頭状過形成〔症〕 inflammatory papillary hyperplasia …… 886
炎症性粘液ヒアリン腫瘍 inflammatory myxohyaline tumor …… 1951
炎症性(反応性)変化 reactive changes …… 339
炎症性マクロファージ inflammatory macrophage …… 1090
炎症性リウマチ inflammatory rheumatism …… 1607
炎症リンパ inflammatory lymph …… 1075
塩食症 haliphagia …… 812
遠心〔分離〕機 centrifuge …… 331
遠心咬合 distal occlusion …… 1290
〔下顎〕遠心咬合 distoclusion …… 549
〔下顎〕遠心咬合の distoclusal …… 549
遠心高速分析器 centrifugal fast analyzer 71
遠心根 radix distalis dentis …… 1546
遠心根 distal root of tooth …… 1621
〔歯の〕遠心小窩 distal fovea of tooth …… 735
遠心髄面の distopulpal …… 549
遠心性環状紅斑 erythema annulare centrifugum …… 638
遠心性後天性白斑 leukoderma acquisitum centrifugum …… 1027
遠心性収縮 eccentric contraction …… 417
遠心性神経 efferent nerve …… 1233
遠心性神経系 pedal system …… 1832
遠心性線維 efferent fibers …… 688
遠心〔性〕の centrifugal …… 331
遠心〔性〕の efferent …… 589
遠心性肥大 eccentric hypertrophy …… 889
遠心舌側咬合面の distolinguo-occlusal …… 549
遠心端 distal end …… 610
遠心端局部〔床〕義歯 partial denture, distal extension …… 489
遠心端部分〔床〕義歯 partial denture, distal extension …… 489
遠心鋳造 centrifugal casting …… 310
遠〔心〕沈〔殿法〕 centrifugation …… 331
遠心沈殿器 sedimentator …… 1654
遠心転位 distoversion …… 550
円刃刀 scalpel …… 1640
遠心の distal …… 549
遠心法 centrifugation …… 331
遠心面う食(蝕) distal caries …… 302
遠心面頬面咬合面の distobucco-occlusal 549
遠心面頬面髄面の distobuccopulpal …… 549
遠心面頬面の distobuccal …… 549
遠心面咬合面の distoclusal …… 549
遠心面歯頸面の distocervical …… 549
遠心面歯肉面の distogingival …… 549
遠心面唇面髄面の distolabiopulpal …… 549
遠心面唇面の distolabial …… 549
遠心面切端面の distoincisal …… 549
遠心面舌面の distolingual …… 549
エンジンリーマー engine reamer …… 1569
遠心路遮断 deefferentation …… 476
塩親和〔性〕の halophilic …… 813
円錐 conus …… 418
円錐〔体〕 cone …… 409
延髄 medulla oblongata …… 1118
〔延髄〕外側核 nucleus lateralis medullae oblongatae …… 1276
延髄化学受容器(受容体) medullary chemoreceptor …… 342
延髄核の bulbonuclear …… 265
円錐角膜 conic cornea …… 423
円錐角膜 keratoconus …… 979
〔延髄〕弓状核 arcuate nucleus …… 1273
〔延髄〕弓状核 nucleus arcuatus of medulla oblongata …… 1273
延髄橋の bulbopontine …… 265
延髄巨大細胞核 gigantocellular nucleus of medulla oblongata …… 1275
延髄巨大細胞核 nucleus gigantocellularis medullae oblongatae …… 1275
延髄空洞症 syringobulbia …… 1828
〔延髄〕後正中溝 sulcus medianus posterior medullae oblongatae …… 1773
〔延髄〕後正中溝 posterior median sulcus of medulla oblongata …… 1774
円錐状カテーテル conic catheter …… 313
円錐小体 conoid …… 413
円錐状の conular …… 418
延髄静脈 veins of medulla oblongata …… 1999
延髄静脈 venae medullae oblongatae …… 2006
円錐靭帯 conoid ligament …… 1034
円錐靭帯 ligamentum conoideum …… 1042
円錐靭帯結節 conoid tubercle (of clavicle) …… 1943
円錐靭帯結節 tuberculum conoideum (claviculare) …… 1946
円錐水晶体 lenticonus …… 1020
〔延髄〕錐体 pyramid of medulla oblongata …… 1532
〔延髄〕錐体 pyramis medullae oblongatae …… 1533
延髄性皮質核線維 bulbar corticonuclear fibers …… 688
延髄脊髄の bulbospinal …… 265
塩水癤 salt water boils …… 230
円錐切除〔術〕 conization …… 411
延髄仙髄の bulbosacral …… 265
〔延髄〕側索核 lateral nucleus of medulla oblongata …… 1276
延髄卒中 bulbar apoplexy …… 118
円錐〔状〕体 conoid …… 413
円錐動脈幹異常顔貌症候群 conotruncal anomaly-face syndrome …… 1801
延髄内の intramedullary …… 950
円錐乳頭 conic papillae …… 1344
円錐乳頭 conical papillae …… 1344
円錐乳頭 papillae conicae …… 1344
延髄の bulbar …… 265
延髄の medullary …… 1119
〔延髄の〕〔前〕正中裂 anterior median fissure of medulla oblongata …… 702
〔延髄の〕〔前〕正中裂 fissura mediana anterior medullae oblongatae …… 702
〔延髄の〕前柱 anterior column of medulla oblongata …… 395
延髄の網様体核 reticular nuclei of medulla oblongata …… 1279
延髄縫線 raphe medullae oblongatae …… 1558
延髄麻痺 bulbar paralysis …… 1350
延髄盲孔 foramen caecum medullae oblongatae …… 724
延髄網様体脊髄路 bulboreticulospinal tract …… 1910
縁成形 border molding …… 1163
厭世主義 pejorism …… 1377
塩性水 saline water …… 2041
延性の ductile …… 565
塩析 salting out …… 1632
エンセファリトゾーン属 *Encephalitozoon* 608
エンセファロパシー encephalopathy …… 609
エンセファロミエロパシー encephalomyelopathy …… 609
鉛線 lead line …… 1051
縁前〔方〕の prelimbic …… 1479
塩素 chlorine (Cl) …… 347
塩素イオン移動 chloride shift …… 1673
塩素化パラフィン chlorinated paraffin 1349
炎足 ignipedites …… 905
塩素ざ瘡 chloracne …… 346
塩素酸 chloric acid …… 346
塩素酸カリウム potassium chlorate …… 1472
塩素水 chlorine water …… 2041
塩素族 chlorine group …… 347
塩素低下症 chloropenia …… 347
塩素定量法 chlorometry …… 347
猿祖論 pithecoid theory …… 1876
縁帯 marginal zone …… 2059
円〔形〕体 corps ronds …… 424
エンタクチン entactin …… 618
エンタルピー enthalpy (*H*) …… 621
円柱 cast …… 308
円柱 cylinder (cyl., C) …… 457
円虫 strongyle …… 1759
円虫科 Strongylidae …… 1759
円柱関節 cylindric joint …… 969
円柱検影法 cylinder retinoscopy …… 1603
円柱腫 cylindroma …… 457
円柱腫症 cylindromatosis …… 457
円柱腫様癌 cylindromatous carcinoma …… 297
円虫症 strongylosis …… 1759
円虫上科 Strongyloidea …… 1759
円柱状気管支拡張〔症〕 cylindric bronchiectasis …… 258
円柱上皮 columnar epithelium …… 632
円柱層 stratum cylindricum …… 1751
円虫属 *Strongylus* …… 1759
円柱尿〔症〕 cylindruria …… 457
円柱縫合 quilted suture …… 1788
円柱レンズ cylindric lens (cyl., C) …… 1019
延長 allongement …… 51
延長 elongation …… 599
延長 extension …… 656
延長因子 elongation factor …… 667
延長性血管炎 consecutive angiitis …… 82
沿腸中胚葉 gastral mesoderm …… 1136
延長反応 lengthening reaction …… 1565
延長ブリッジ cantilever bridge …… 257
延長腕鉤 extended clasp …… 370
遠〔心〕沈〔殿法〕 centrifugation …… 331
エンテロウイルス属 *Enterovirus* …… 621
エンテロガストロン enterogastrone …… 620
エンテロコッカス属 *Enterococcus* …… 620
エンテロシトゾーン属 *Enterocytozoon* …… 620
エンテロトキシン enterotoxin …… 621
エンテロトキシン(腸毒素)産生性 enterotoxigenic …… 621
エンテロバクター属 *Enterobacter* …… 619
エンテロペプチダーゼ enteropeptidase …… 621
エンテロモナス属 *Enteromonas* …… 620
遠点 far point …… 1454
延展機 spreader …… 1725
エンドアミラーゼ endoamylase …… 611
エントアメーバ属 *Entamoeba* …… 618
エンドアメーバ属 *Endamoeba* …… 610
エントアメーバモシュコフスキー *Entamoeba moshkovskii* …… 618
授動〔術〕 mobilization …… 1161
遠藤寒天〔培地〕 Endo agar …… 34
猿頭症 cebocephaly …… 317
エンド型加水分解 endohydrolysis …… 613
エンドカッティングバー end-cutting bur 266
エンドガミー endogamy …… 613
エンドカルジオグラフィ endocardiography …… 611
エンドグリン endoglin …… 613
エンドゲノート endogenote …… 613
エンドサイトーシス endocytosis …… 613
エンドサック endosac …… 615
エンドジオゲニー endodyogeny …… 613
エンドスタチン endostatin …… 615
エンドスタチン類 endostatins …… 615

エンドゼピン endozepine ………… 616
エンドセリン endothelin ………… 615
エンドソーム endosome ………… 615
エンドソーム輸送小胞 endosomal carrier vesicle ………… 2016
煙突掃除人癌 chimney sweep's cancer … 286
エンドトキシンショック endotoxin shock ………… 1674
エンドナチオン endognathion ………… 613
エントナー-ドゥドロフ経路 Entner-Douderoff pathway ………… 1373
エンドヌクレアーゼ endonuclease ………… 614
エンドヌクレアーゼ(霊菌) endonuclease *Serratia marcescens* ………… 614
エンドヌクレアーゼS_1(アスペルギルス;コウジカビ) endonuclease S_1 *Aspergillus* … 614
エンドバジオン endobasion ………… 611
エントブラスト entoblast ………… 622
エンドペプチダーゼ endopeptidase ………… 614
エンドペルオキシド endoperoxide ………… 614
エンドポリゲニー endopolygeny ………… 614
エントミオン entomion ………… 622
エンドミセス目 Endomycetales ………… 614
エンドメトリオーシス endometriosis ………… 614
エンドメロゴニー endomerogony ………… 613
エントモフソーラ属 *Entomophthora* ………… 622
エントモフトラ症 entomophthoramycosis 622
エントモポックスウイルス属 *Entomopoxvirus* ………… 622
エントラップメントニューロパシー(神経障害) entrapment neuropathy ………… 1250
エンドリマックス属 *Endolimax* ………… 613
エンドルフィン作用〔性〕の endorphinergic ………… 615
エンドルフィン類 endorphins ………… 615
エントロピー entropy (*S*) ………… 622
塩の muriatic ………… 1179
円背 kyphosis ………… 990
〔食〕塩排泄 saluresis ………… 1632
塩剝離術 salabrasion ………… 1630
エンパシー empathy ………… 604
円板 discus ………… 527
円板陥凹 excavatio disci ………… 651
円板後方組織 retrodiscal tissue ………… 1896
エンハンサー enhancers ………… 617
円板状エリテマトーデス discoid lupus erythematosus ………… 1073
円板状角膜炎 disciform keratitis ………… 978
円板状角膜炎 keratitis disciformis ………… 978
円板状紅斑性狼瘡 discoid lupus erythematosus ………… 1073
円盤状腎 disc kidney ………… 984
円板状胎盤 discoplacenta ………… 527
円板状の disciform ………… 526
円板状の discoid ………… 527
円板状変性 disciform degeneration ………… 481
円盤腎 pancake kidney ………… 984
円板脱出〔症〕 disc prolapse ………… 1496
エンブデンエステル Embden ester ………… 643
エンブデン-マイアーホフ経路 Embden-Meyerhof pathway ………… 1373
塩分計 salimeter ………… 1631
塩分計 salinometer ………… 1631
塩分消耗 salt wasting ………… 2040
エンペリポレシス emperipolesis ………… 605
エンベリン embelin ………… 600
エンベール徴候 Hennebert sign ………… 1681
エンベロープ envelope ………… 622
エンベロープフラップ envelope flap ………… 709
円偏光二色性 circular dichroism (CD) … 513
エンボリ embole ………… 600
煙霧 smog ………… 1694
煙霧発生器 aerosol generator ………… 765
延命〔法〕 apothanasia ………… 118
延命学 macrobiotics ………… 1089
延命の macrobiotic ………… 1089
塩溶 salting in ………… 1632
円葉目 Cyclophyllidae ………… 456
塩類下剤 saline purgative ………… 1528
塩類作用 salt action ………… 21
塩類しゃ下薬 salt ………… 1632
塩類喪失性腎炎 salt-losing nephritis ………… 1229
塩類尿排泄亢進の chloruretic ………… 347
塩類の saline ………… 1631

オ

尾 cauda ………… 314
尾 tail ………… 1838
オーエン線 Owen lines ………… 1051
オーカーコドン ochre codon ………… 386
オーカー突然変異 ochre mutation ………… 1206
オーガナイザー organizer ………… 1313
オーキシン auxins ………… 182
オーキネート(ネット) ookinete ………… 1302
オークソグルック auxogluc ………… 182
オークターロニー(オクタロニー)試験 Ouchterlony test ………… 1862
オークターロニー(オクタロニー)法 Ouchterlony technique ………… 1845
オークメロミア属 *Auchmeromyia* ………… 176
オーケールンド変形 Åkerlund deformity 479
オーサイ現象 Houssay phenomenon ………… 1405
オーサイ症候群 Houssay syndrome ………… 1807
オーサイ動物 Houssay animal ………… 91
オージェ電子 Auger electron ………… 596
オージオグラム audiogram ………… 176
オージオメータ audiometer ………… 176
オージオメトリ〔ー〕 audiometry ………… 176
オージオロジスト audiologist ………… 176
オーシスト oocyst ………… 1302
オースティン・フリント現象 Austin Flint phenomenon ………… 1404
オーストハウス尿症(病) oasthouse urine disease ………… 538
オーストラリアQ熱 Australian Q fever ………… 683
オーストラリア抗原 Australia antigen ………… 103
オーストラリアマダニチフス Australian tick typhus ………… 1958
オースポラ属 *Oospora* ………… 1302
オースラー(オスラー)結節 Osler node 1261
オータコイド autacoid ………… 178
オータコイド autocoid ………… 179
オータコイド物質 autacoid substance … 1765
オーダリ orderly ………… 1311
オーチッド ootid ………… 1302
オードアン小胞子菌 *Microsporum audouinii* ………… 1155
オートガミー autogamy ………… 179
オートクライン autocrine ………… 179
オートクライン仮説 autocrine hypothesis 898
オートクレーブ autoclave ………… 179
オートジェネシス autogenesis ………… 179
オートトロフィー autotrophy ………… 182
オートファゴソーム autophagosome ………… 181
オートファゴリソソーム autophagolysosome ………… 181
オートブラスト autoblast ………… 179
オートフルオロスコープ autofluoroscope 179
オートポリマー autopolymer ………… 181
オートミール-トマトペースト寒天〔培地〕 oatmeal-tomato paste agar ………… 35
オートラジオグラフ autoradiograph ………… 181
オートラジオグラフィ autoradiography 181
オーニッシュの逆食事療法 Ornish reversal diet ………… 515
オーニッシュ予防食事 Ornish prevention diets ………… 515
オーバークロージャー overclosure ………… 1328
オーバージェット overjet, overjut ………… 1328
オーバーシュート overshoot ………… 1329
オーバー〔レイ〕デンチャー overlay denture ………… 489
オーバーバイト overbite ………… 1328
オーバーハング overhang ………… 1328
オーバーラップ overlap ………… 1328
オーファン(みなしご)遺伝子 orphan gene ………… 764
オーファン(みなしご)ウイルス orphan viruses ………… 2027
オーファン(みなしご)核〔内〕受容体 orphan nuclear receptor ………… 1571
オーファン(みなしご)製品 orphan products ………… 1494
オーブ-デュボイス表 Aub-DuBois table 1836
オープンスタディ open study ………… 1761
オープンバイト open bite ………… 217
オープンラパロスコピー open laparoscopy ………… 1001
オープンラベルスタディ open-label study ………… 1761
オープンリーディングフレーム open reading frame ………… 1568
オーベル試験 Ober test ………… 1862
オーベルシュタイナー-レートリッヒ帯 Obersteiner-Redlich zone ………… 2059
オーベルマイアー試験 Obermayer test 1862
オーム ohm (Ω) ………… 1293
オームアンメータ ohmammeter ………… 1293
オーム計 ohmmeter ………… 1293
オームの法則 Ohm law ………… 1007
オーメン症候群 Omenn syndrome ………… 1814
オーラミンO auramine O ………… 177
オーラミンO蛍光染色〔法〕 auramine O fluorescent stain ………… 1730
オーラルシールド oral shields ………… 1673
オーリン aurin ………… 177
オーリントリカルボン酸 aurintricarboxylic acid ………… 177
オールドフィールド症候群 Oldfield syndrome ………… 1814
オールドリート(アルドレーテ)スコア Aldrete score ………… 1649
オールブライト遺伝性骨形成異常〔症〕 Albright hereditary osteodystrophy … 1321
オールブライト症候群 Albright syndrome ………… 1796
オール-*trans*-レチナール all-*trans*-retinal 52
オーレン病 Owren disease ………… 538
オーロラキナーゼ aurora kinase ………… 985
オーングレン線 Ohngren line ………… 1051
O殻 O shell ………… 1672
O脚 bowleg, bow-leg ………… 239
O凝集素 O agglutinin ………… 37
O抗原 O antigen ………… 104
Oコロニー O colony ………… 393
O集落 O colony ………… 393
OB蛋白 OB protein ………… 1505
OPGリガンド OPG ligand ………… 1046
Ot抗原 Ot antigen ………… 104
オイグリセミック euglycemic ………… 647
オイグロブリン euglobulin ………… 647
オイグロブリン溶解時間 euglobulin clot lysis time ………… 1893
オイゲノール eugenol ………… 647
オイチスコピー euthyscopy ………… 649
オイチスコープ euthyscope ………… 649
横位 transverse lie ………… 1032
横位 transverse presentation ………… 1481
黄化 etiolation ………… 646
凹窩 delle ………… 484

オ

凹窩 dellen …… 484
凹窩 hollow …… 858
横隔下陥凹 subphrenic recesses …… 1572
横隔下陥凹 subphrenic space …… 1705
横隔胸膜 diaphragmatic pleura …… 1437
横隔胸膜 pleura diaphragmatica …… 1437
横隔胸膜筋膜 fascia phrenicopleuralis …… 674
横隔胸膜筋膜 phrenicopleural fascia …… 674
横隔結腸ひだ phrenicocolic ligament …… 1038
横隔結腸ひだ ligamentum phrenicocolicum …… 1044
横隔縦隔洞 phrenicomediastinal recess 1572
横隔縦隔洞 recessus phrenicomediastinalis …… 1573
横隔食道靭帯 phrenicoesophageal ligament …… 1038
横隔神経 phrenic nerve …… 1237
横隔神経 nervus phrenicus …… 1243
横隔神経圧挫〔術〕 phrenemphraxis …… 1418
横隔神経圧挫〔術〕 phreniclasia …… 1418
横隔神経圧挫〔術〕 phrenicotripsy …… 1419
横隔神経核 nucleus of phrenic nerve …… 1278
横隔神経核 phrenic nucleus …… 1278
〔横隔神経〕心膜枝 ramus pericardiacus nervi phrenici …… 1555
横隔神経節 ganglia phrenica …… 754
横隔神経節 phrenic ganglia …… 754
横隔神経切除〔術〕 phrenicectomy …… 1418
横隔神経切断〔術〕 phrenicotomy …… 1419
横隔神経叢 phrenic plexus, plexus phrenicus …… 1443
横隔神経電気刺激呼吸 electrophrenic respiration …… 1595
横隔神経捻除〔術〕 phrenicoexeresis …… 1418
横隔神経の横隔腹枝 phrenicoabdominal branches of phrenic nerve …… 251
横隔神経の横隔腹枝 rami phrenicoabdominales nervi phrenici …… 1555
横隔神経の心膜枝 pericardial branch of phrenic nerve …… 251
横隔痛 phrenalgia …… 1418
横隔脾ひだ phrenicosplenic ligament …… 1038
横隔脾ひだ ligamentum phrenicolienale 1044
横隔脾ひだ ligamentum phrenicosplenicum …… 1044
横隔〔膜〕腹膜炎 diaphragmatic peritonitis …… 1393
横隔膜 diaphragm …… 510
横隔膜 diaphragma …… 510
横隔膜 interseptum …… 948
横隔膜 midriff …… 1156
横隔膜胃の phrenicogastric …… 1418
横隔膜胃の phrenogastric …… 1419
横隔膜運動描写器 phrenograph …… 1419
横隔膜下垂〔症〕 phrenoptosia …… 1419
横隔膜下の infradiaphragmatic …… 931
横隔膜下の subdiaphragmatic …… 1763
横隔膜下膿気胸 subdiaphragmatic pyopneumothorax, subphrenic pyopneumothorax …… 1532
横隔膜下膿瘍 subphrenic abscess …… 6
横隔膜肝臓の phrenicohepatic …… 1418
横隔膜肝の phrenohepatic …… 1419
横隔膜逆運動現象 paradoxic diaphragm phenomenon …… 1405
〔横隔膜〕胸骨部 pars sternalis diaphragmatis …… 1361
〔横隔膜〕胸骨部 sternal part of diaphragm …… 1367
横隔膜胸肋三角 sternocostal triangle (of diaphragm) …… 1927
横隔膜挙上症 diaphragmatic eventration 650
横隔膜痙攣〔症〕 phrenospasm …… 1419
横隔膜結腸の phrenicocolic …… 1418
横隔膜結腸の phrenocolic …… 1419
横隔膜腱の中心 central tendon of diaphragm …… 1849
横隔膜弛緩〔症〕 eventration of the diaphragm …… 650
横隔膜上の epiphrenic, epiphrenal …… 629
横隔膜上の supradiaphragmatic …… 1779
横隔膜上部憩室 epiphrenic diverticulum 552
横隔膜神経圧迫試験 phrenic pressure test …… 1862
横隔膜〔神経刺激〕ペースメーカ diaphragmatic pacemaker …… 1334
横隔膜性脱出〔症〕 eventration of the diaphragm …… 650
横隔膜声門の phrenicoglottic …… 1418
横隔膜粗動 diaphragmatic flutter …… 717
横隔膜の phrenic …… 1418
〔横隔膜の〕右脚 crus dextrum diaphragmatis …… 443
〔横隔膜の〕右脚 right crus of diaphragm 444
横隔膜の腱中心 centrum tendineum diaphragmatis …… 332
〔横隔膜の〕左脚 left crus of diaphragm 443
〔横隔膜の〕左脚 crus sinistrum diaphragmatis …… 444
横隔膜の無漿膜野 bare area of diaphragm …… 128
〔横隔膜の〕腰肋三角 lumbocostal triangle of diaphragm …… 1927
〔横隔膜の〕腰肋三角 trigonum lumbocostale diaphragmatis …… 1933
横隔膜脾臓の phrenicosplenic …… 1419
横隔〔膜〕腹膜炎 diaphragmatic peritonitis …… 1393
横隔膜ヘルニア diaphragmatic hernia …… 842
横隔膜膨大部 phrenic ampulla …… 65
横隔膜麻痺 phrenoplegia …… 1419
横隔膜腰部 pars lumbalis diaphragmatis …… 1359
〔横隔膜〕腰部 lumbar part of diaphragm …… 1365
〔横隔膜〕肋骨部 pars costalis diaphragmatis …… 1358
〔横隔膜〕肋骨部 costal part of diaphragm …… 1363
〔心臓・肝臓・肺臓・脾臓〕横隔面 facies diaphragmatica (cordis, hepatis, pulmonis, splenica) …… 663
〔心臓・肝臓・肺臓・脾臓〕横隔面 diaphragmatic surface (of heart, liver, lung, spleen) …… 1781
凹窩状態 status lacunaris …… 1740
凹窩頭蓋 lückenschädel …… 1070
横臥の recumbent …… 1575
横顔面静脈 transverse facial vein …… 2003
扇形心エコー図法 sector echocardiography …… 583
応急 emergency …… 603
応急処置 first aid …… 701
横橋線維 transverse pontine fibers …… 691
横橋線維 fibrae pontis transversae …… 692
横筋筋膜 fascia transversalis …… 675
横筋筋膜 transversalis fascia …… 675
横径 diameter transversa …… 509
横径 transverse diameter …… 509
応形機能 molding …… 1163
横径の transverse …… 1922
横脛腓靭帯 transverse tibiofibular ligament …… 1041
横弧 auricular arc, binauricular arc …… 124
横口蓋ひだ transverse palatine fold …… 720
横口蓋ひだ plica palatina transversa …… 1445
横口蓋ひだ transverse palatine ridge …… 1616
横口蓋縫合 sutura palatina transversa 1786
横口蓋縫合 transverse palatine suture …… 1788
横行結腸 colon transversum …… 392
横行結腸 transverse colon …… 392
横行結腸間膜 mesentery of transverse colon …… 1135
横後頭溝 sulcus occipitalis transversus 1773
横後頭溝 transverse occipital sulcus …… 1775
横行の transverse …… 1922
横骨折 transverse fracture …… 738
横細管 tubulus transversus …… 1949
王様病 king's evil …… 986
黄〔色〕視〔症〕 yellow vision …… 2032
黄〔色〕視〔症〕 xanthopsia …… 2052
応軸鉗子 axis-traction forceps …… 727
王室病 royal malady …… 1094
雄ウシの taurine …… 1842
横収差 lateral aberration …… 2
応需型ペースメーカ demand pacemaker …… 1334
横手根靭帯 transverse carpal ligament 1041
横手根靭帯 ligamentum carpi transversum …… 1042
横小頭靭帯 ligamenta capitulorum transversa …… 1042
横静脈洞 sinus transversus …… 1689
横静脈洞 transverse sinus …… 1689
横上腕靭帯 transverse humeral ligament …… 1041
王触 royal touch …… 1905
黄色 yellow …… 2055
黄色アスペルギルス *Aspergillus flavus* 161
黄色肝萎縮 yellow atrophy of the liver 174
黄色肝変 yellow hepatization …… 840
黄色血〔症〕 xanthemia …… 2051
黄色酵素 yellow enzyme …… 624
黄色骨髄 yellow bone marrow …… 1106
黄色酸化第二水銀 mercuric oxide, yellow …… 1133
黄色色素異常症 xanthism …… 2051
黄色腫 xanthoma …… 2051
黄色腫症 xanthomatosis …… 2051
黄色靭帯 yellow ligaments …… 1042
黄色靭帯 ligamenta flava …… 1043
黄色星状膠細胞腫 xanthoastrocytoma …… 2051
黄色爪〔症〕 yellow nail …… 1220
黄色蛋白 flavoprotein …… 711
黄色調 flavedo …… 711
黄色調の icteroid …… 903
黄色調の xanthochromatic …… 2051
黄色肉芽腫 xanthogranuloma …… 2051
黄色肉芽腫性腎盂腎炎 xanthogranulomatous pyelonephritis …… 1530
黄色肉芽腫性胆嚢炎 xanthogranulomatous cholecystitis …… 349
黄色の xanthic …… 2051
黄色斑眼底 fundus flavimaculatus …… 744
黄色ブドウ球菌 *Staphylococcus aureus* 1737
黄色卵黄 yellow yolk …… 2056
王水 aqua regia, aqua regalis …… 122
王水 nitrohydrochloric acid …… 1259
横舌筋 transverse muscle of tongue …… 1197
横舌筋 musculus transversus linguae …… 1204
黄癬 favus …… 678
黄癬 tinea favosa …… 1894
黄癬菌属 *Achorion* …… 14
黄癬シャンデリア favic chandeliers …… 678
黄癬疹 favid …… 678
凹足 talipes cavus …… 1839
横束 fasciculi transversi …… 677
横束 transverse fasciculi …… 677
横足弓 transverse arch of foot …… 126
横足弓 arcus pedis transversus …… 127
横足根関節 articulatio tarsi transversa …… 157
横足根関節 transverse tarsal articulation 158
横足根関節 transverse tarsal joint …… 972
横側頭回 transverse temporal convolutions …… 419
横側頭回 gyri temporales transversi …… 809
横側頭回 transverse temporal gyri …… 809
横側頭溝 sulci temporales transversi …… 1774

横側頭溝 transverse temporal sulcus 1775
黄体 corpus luteum 425
黄体化 luteinization 1074
黄体化閉鎖卵胞 luteinized unruptured follicle 721
黄体化ホルモン/卵胞刺激ホルモン放出因子 luteinizing hormone/follicle-stimulating hormone-releasing factor (LH/FSH-RF) 668
黄体化ホルモン/卵胞刺激ホルモン放出ホルモン lunteinizing hormone/follicle-stimulating hormone-releasing hormone 863
黄体から胎盤への機能転換 luteoplacental shift 1673
黄体期 luteal phase 1402
〔月経周期の〕黄体期 luteal phase of endometrial menstrual cycle 1402
黄体期欠損 luteal phase defect 477
黄体機能不全症候群 corpus luteum deficiency syndrome 1801
黄体形成 luteinization 1074
黄体細胞 luteal cell, lutein cell 323
黄体刺激〔性〕の luteotropic, luteotrophic 1074
黄体刺激ホルモン luteotropic hormone (LTH) 863
黄体刺激ホルモン prolactin (PRL) 1496
黄体腫 luteoma 1074
黄体脱〔出症〕 prolapse of the corpus luteum 1496
黄体の luteal 1074
黄体嚢胞 corpora lutea cyst 459
黄体ホルモン progesterone 1494
黄体ホルモン性の gestagenic 768
黄体融解 luteolysis 1074
黄体融解素 luteolysin 1074
横対輪溝 transverse anthelicine groove 803
横対輪溝 sulcus anthelicis transversus 1771
殴打酩酊 punch-drunk 1526
横断 transection 1917
黄疸 choloplania 352
黄疸 icterus 903
黄疸 jaundice 966
黄疸血色素尿〔症〕 icterohemoglobinuria 903
黄疸出血性熱 icterohemorrhagic fever 684
黄疸性血尿の icterohematuric 903
黄疸性貧血 icteroanemia 903
横断脊髄炎 transverse myelitis 1209
横断切断〔術〕 transverse amputation 66
横断切片の cross-sectional 442
横断像 axial 183
横断的方法 cross-sectional method 1143
黄疸の icteric 903
横断面 axial plane 1430
横断面 transverse plane 1431
横断面 transverse section 1653
横断面 transection 1917
黄疸様の icteroid 903
横中隔 transverse septum 1664
黄鉄鉱 iron pyrites 957
応答 response 1596
嘔吐 vomiting 2037
嘔吐 vomition 2037
嘔吐 vomitus 2037
横頭 caput transversum 292
横頭 transverse head 818
横洞溝 groove for transverse sinus 803
横洞溝 sulcus sinus transversi 1774
横洞溝 sulcus for transverse sinus 1775
横突間筋 intertransversales 948
横突間筋 intertransversarii (muscles) 1187
横突間筋 intertransverse muscles 1187
横突間筋 musculi intertransversarii 1201
横突間靱帯 intertransverse ligament 1036
横突間靱帯 ligamentum intertransversarium 1044
横突間の intertransverse 948
横突起 transverse process of vertebra 1490
〔椎骨の〕横突起 processus transversus vertebrae 1492
横突起後〔方〕の posttransverse 1472
横突起切除〔術〕 transversectomy 1922
横突棘筋 transversospinal muscle 1197
横突棘筋 transversospinales (muscles) 1197
横突棘筋 musculi transversospinales 1204
横突起肋骨窩 transverse costal facet 662
横突起肋骨窩 fovea costalis processus transversi 735
横突孔 foramen of transverse process 726
横突孔 foramen processus transversi 726
横突孔 transverse foramen 726
凹凸の concavoconvex 405
凹凸の convexoconcave 419
凹凸レンズ concavoconvex lens 1019
凹凸レンズ convexoconcave lens 1019
横突肋骨窩 costal pit of transverse process 1426
嘔吐反射 vomiting reflex 1582
横尿道括約筋 transversourethralis 1922
黄熱 yellow fever 687
黄熱ウイルス yellow fever virus 2031
黄熱ワクチン yellow fever vaccine 1980
黄の luteus 1074
王の触れ royal touch 1905
横帆 transverse velum 2004
横帆 velum transversum 2004
黄斑 macula flava 1091
黄斑 macula of retina 1091
黄斑 macula retinae 1091
黄斑 yellow spot 1725
横盤 transverse disc 526
黄斑症 maculopathy 1091
黄斑障害 maculopathy 1091
黄斑神経束 fasciculus macularis 676
黄斑神経束 macular fasciculus 676
黄斑〔大〕脳の maculocerebral 1091
黄斑動脈 macular arteries 148
黄斑ドルーゼン drusen of the macula 562
黄斑の macular, maculate 1091
黄斑部欠損〔症〕 macular coloboma 392
黄斑偏位 ectopia maculae 585
黄斑変性 macular degeneration 481
黄斑領域 macular area 129
横披裂筋 transverse arytenoid (muscle) 1196
横披裂筋 musculus arytenoideus transversus 1198
凹部 crevice 438
往復音 to-and-fro sound 1702
往復雑音 to-and-fro murmur 1180
往復式麻酔〔法〕 to-and-fro anesthesia 80
横分尾虫 strobilocercus 1757
黄変 xanthosis 2052
黄変〔染〕性の xanthochromatic 2051
横膀胱ひだ transverse vesical fold 720
横膀胱ひだ plica vesicalis transversa 1445
オウムウイルス parrot virus 2027
オウム嘴状爪 parrot-beak nail 1220
オウム状顎 parrot jaw 967
オウム熱 parrot fever 685
オウム病 psittacosis 1516
オウム病クラミジア *Chlamydia psittaci* 345
オウム病封入体 psittacosis inclusion bodies 229
オウム類の psittacine 1516
凹面鏡 concave mirror 1159
凹面反射鏡 lieberkühn 1032
凹〔面〕レンズ concave lens 1019
横紋 stripe 1757
横紋筋 striated muscle 1195
横紋筋芽細胞 rhabdomyoblast 1606
横紋筋腫 rhabdomyoma 1606
横紋筋性括約筋 rhabdosphincter 1606
横紋筋肉腫 rhabdomyosarcoma 1606
横紋筋融解〔症〕 rhabdomyolysis 1606
応用化学 applied chemistry 341
応用人類学 applied anthropology 98
横稜 crista transversalis 440
応力 stress 1755
応力遮へい(蔽) stress shielding 1755
応力集中部 stress riser 1755
応力-ひずみ曲線 stress-strain curve 451
黄ろう yellow wax 2043
オエール筋 Oehl muscles 1190
おおい cap 288
オオウイキョウ illicium 907
オオウイキョウ属 *Ferula* 681
大型細胞の magnocellular 1093
大型弱視鏡 major amblyoscope 57
大型弱視鏡 synoptophore 1826
大型ダニ(チック)チフス tick typhus 1958
オオカミ憑(つ)き lycanthropy 1075
大きさ dimension 520
大きさ magnitude 1093
大きさ mass (m) 1107
オオサシチョウバエ *Phlebotomus major* 1409
太田母斑 Ota nevus 1255
オオバコ ispaghula 963
大原病 Ohara disease 538
オオムカデ属 *Scolopendra* 1649
オオムギダニ *Acarus hordei* 9
岡崎断片(フラグメント) Okazaki fragment 738
悪寒 ague 39
悪寒 chill 344
悪寒期 cold stage 1727
悪寒の algid 47
置き換え displacement 548
オキサシリンナトリウム oxacillin sodium 1330
オキサジン oxazin 1330
オキサジン染料 oxazin dyes 569
オキサゾリジノン oxazolidinone 1330
オキサゾリジン-ジオン類 oxazolidinediones 1330
オキサゾール oxazole 1330
オキサノグラフィ auxanography 182
オキサノグラフィの auxanographic 182
オキサノグラフ法 auxanographic method 1143
オキサノグラム auxanogram 182
オキサリル oxalyl 1330
オキサリル尿素 oxalylurea 1330
オキサルル酸 oxaluric acid 1330
オキサロ oxalo 1330
オキサロコハク酸 oxalosuccinic acid 1330
オキサロ酢酸 oxaloacetic acid 1330
オキシ塩化ビスマス bismuth oxychloride 216
オキシカム oxicam 1330
オキシゲナーゼ oxygenase 1332
オキシコドン oxycodone 1332
11-オキシコルチコイド 11-oxycorticoids 1332
オキシセルロース oxycellulose 1332
オキシダーゼ oxidase 1330
オキシダーゼ試験 oxidase test 1862
オキシダーゼ反応 oxidase reaction 1566
オキシタラン oxytalan 1332
オキシチアミン oxythiamin 1333
オキシトシン oxytocin (OXT) 1333
オキシトシン単位 unit of oxytocin 1966
オキシトシン負荷試験 oxytocin challenge test 1862
オキシドレダクターゼ oxidoreductase 1331
オキシバルビツール酸塩類 oxybarbiturates 1332
オキシビオチン oxybiotin 1332
オキシプリン oxypurine 1332
オキシヘモグロビン oxyhemoglobin (HbO_2)

…… 1332
オキシポリゼラチン oxypolygelatin …… 1332
オキシミオグロビン oxymyoglobin (MbO_2) …… 1332
オキシム oxime …… 1331
オキシメトリー oximetry …… 1331
オキシルシフェリン oxyluciferin …… 1332
2–オキソアジピン酸 2-oxoadipic acid …… 1331
3–オキソアシルACPシンターゼ 3-oxoacyl-ACP synthase …… 1331
3–オキソアシル–ACPレダクターゼ 3-oxoacyl-ACP reductase …… 1331
2–オキソ–5–グアニドバレリン酸 2-oxo-5-guanidovaleric acid …… 1331
2–オキソグルタル酸 2-oxoglutaric acid 1331
2–オキソグルタル酸デヒドロゲナーゼ 2-oxoglutarate dehydrogenase …… 1331
3–オキソ酸CoAトランスフェラーゼ 3-oxoacid-CoA transferase …… 1331
オキソトレモリン oxotremorine …… 1331
5–オキソプロリナーゼ 5-oxoprolinase …… 1331
5–オキソプロリン 5-oxoproline (Glp) …… 1331
2–オキソヘキサン二酸 2-oxohexanedioic acid …… 1331
荻野–クナウスの学説 Ogino-Knaus rule 1626
オグストン線 Ogston line …… 1051
オグストン–リュック手術 Ogston-Luc operation …… 1305
オクタ OCTA …… 1290
オクタアセチルスクロース sucrose octaacetate …… 1769
オクタコサン酸 octacosanoic acid …… 1290
オクタフルオロプロパン octafluoropropane …… 1290
オクタペプチド octapeptide …… 1291
オクタメチルピロホスホラミド octamethyl pyrophosphoramide (OMPA) …… 1290
オクタロニー(オークターロニー)試験 Ouchterlony test …… 1862
オクタロニー(オークターロニー)法 Ouchterlony technique …… 1845
小口病 Oguchi disease …… 538
オクツロース octulose …… 1291
オクツロソン酸 octulosonic acid …… 1291
オクトース octose …… 1291
オクトパミン octopamine …… 1291
オクトミタス科 Octomitidae …… 1291
オクトレオチド octreotide …… 1291
おくび belching …… 205
おくび eructation …… 637
おくび ructus …… 1625
奥行覚 depth perception …… 1384
オグラ手術 Ogura operation …… 1305
オクラトキシン ochratoxin …… 1290
オクラトキシンA ochratoxin A …… 1290
オクリレート ocrylate …… 1290
オクルーザルテーブル occlusal table …… 1836
オクルダー occluder …… 1289
遅れ lag …… 995
オクロノーシス ochronosis …… 1290
オクロバクトラム属 *Ochrobactrum* …… 1290
汚言 coprolalia …… 420
汚溝 cloaca …… 375
怒りっぽい splenetic …… 1720
オサゾン osazone …… 1318
押込み硬さ indentation hardness …… 815
おしゃぶり pacifier …… 1335
汚食症 coprophagia …… 420
オジルヴィ症候群 Ogilvie syndrome …… 1814
オシロ〔グラフ〕 oscillograph …… 1318
オシログラフィ oscillography …… 1318
オシロスコープ oscilloscope …… 1318
オシロメータ oscillometer …… 1318
悪心 nausea …… 1222
悪心 vomiturition …… 2037
雄 male …… 1095
オズグッド–シュラッター病 Osgood-Schlatter disease …… 538
オステオカルシン osteocalcin …… 1321
オステオネクチン osteonectin …… 1323
オステオパシー osteopathia …… 1323
オステオパシー osteopathy …… 1323
オステオプロテゲリン osteoprotegerin (OPG) …… 1324
オステオペニア osteopenia …… 1323
オステオポイキリー osteopoikilosis …… 1323
オステオポローシス osteoporosis …… 1323
オステオポンチン osteopontin …… 1323
オステオン osteon, osteone …… 1323
オステロポニン osteoponin …… 1323
オストヴァルト(オストワルド)溶解度係数 Ostwald solubility coefficient (Λ) …… 387
オストミー ostomy …… 1325
オストラム–ファースト症候群 Ostrum-Furst syndrome …… 1814
オスミウム osmium (Os) …… 1319
オスミウム酸 osmic acid …… 1319
オスミウム酸塩 osmate …… 1319
オスミウム酸嫌性の osmiophobic …… 1319
オスミウム酸固定液 osmic acid fixative 708
オスミウム酸親性の osmiophilic …… 1319
オスミウム酸染色〔法〕 osmication, osmification …… 1319
オスミン酸 osmic acid …… 1319
オスラー(オースラー)結節 Osler node …… 1261
オセオムコイド osseomucoid …… 1319
オセオムチン osseomucin …… 1319
オセロ症候群 Othello syndrome …… 1814
汚染 contamination …… 416
汚染 pollution …… 1457
汚染創 septic wound …… 2049
汚染物質 pollutant …… 1457
汚染量 immission …… 909
悪阻(おそ) hyperemesis …… 880
悪阻 pernicious vomiting …… 2037
オゾケライト ozokerite …… 1333
オゾニド ozonide …… 1333
オゾン ozone …… 1333
オゾン化物 ozonide …… 1333
オゾン観測紙 ozonoscope …… 1333
オゾン測定計 ozonometer …… 1333
オゾン発生器 ozonator …… 1333
オゾン分解 ozonolysis …… 1333
汚濁物質 pollutant …… 1457
オタネニンジン Asian ginseng …… 771
オタネニンジン Panax ginseng …… 771
おたふくかぜ mumps …… 1178
オタマジャクシ状瞳孔 tadpole-shaped pupil …… 1527
オチョア症候群 Ochoa syndrome …… 1814
オチョアの法則 Ochoa law …… 1007
オツェーナ ozena …… 1333
オッカムのかみそり Occam's razor …… 1289
オックスナー鉗子 Ochsner clamp …… 370
オックスフォード単位 Oxford unit …… 1966
オッズ odds …… 1292
オッズ比 odds ratio …… 1561
オッディ括約筋機能不全 sphincter of Oddi dysfunction …… 572
オット病 Otto disease …… 538
オッペンハイム反射 Oppenheim reflex 1580
汚泥 sludge …… 1692
オディノフォミア odynophonia …… 1293
汚点 stigma …… 1746
音 sound …… 1701
音 tone …… 1899
音運動性反応 sonomotor response …… 1597
おとがい(頤) chin …… 344
おとがい(頤) mentum …… 1132
おとがい横筋 transverse muscle of chin 1197
おとがい横筋 transversus menti (muscle) …… 1197
おとがい横筋 musculus transversus menti …… 1204
おとがい下三角 submental triangle …… 1927
おとがい下三角 trigonum submentale …… 1933
おとがい下静脈 submental vein …… 2001
おとがい下静脈 vena submentalis …… 2008
おとがい下頭頂X線像 submentovertex radiograph …… 1543
おとがい下動脈 arteria submentalis …… 138
おとがい下動脈 submental artery …… 152
おとがい(頤)下の submental …… 1764
おとがい下リンパ節 submental lymph nodes …… 1081
おとがい棘 mental spine …… 1716
〔下または上〕おとがい棘 spina mentalis (inferior et superior) …… 1716
おとがい筋 mentalis (muscle) …… 1189
おとがい筋 musculus mentalis …… 1201
おとがい(頤)形成〔術〕 genioplasty …… 766
おとがい(頤)形成〔術〕 mentoplasty …… 1132
おとがい結合 mandibular symphysis …… 1791
おとがい結合 mental symphysis …… 1791
おとがい結合 symphysis mentalis …… 1791
〔下顎骨の〕おとがい結節 mental tubercle (of mandible) …… 1944
〔下顎骨の〕おとがい結節 tuberculum mentale (mandibulae) …… 1946
おとがい孔 foramen mentale …… 725
おとがい孔 mental foramen …… 725
おとがい(頤)三角の triangularis …… 1928
おとがい小骨 ossicula mentalia …… 1320
おとがい(頤)上の supramental …… 1779
おとがい(頤)唇筋 mentolabialis …… 1132
おとがい神経 mental nerve …… 1236
おとがい神経 nervus mentalis …… 1242
おとがい神経のおとがい枝 mental branches of mental nerve …… 250
おとがい神経のおとがい枝 rami mentales nervi mentalis …… 1553
おとがい神経の下唇枝 inferior labial branches of mental nerve …… 247
おとがい神経の下唇枝 rami labiales inferiores nervi mentalis …… 1552
おとがい神経の唇枝 labial branches of mental nerve …… 248
おとがい唇溝 mentolabial furrow …… 746
おとがい唇溝 mentolabial sulcus …… 1773
おとがい唇溝 sulcus mentolabialis …… 1773
おとがい舌筋 genioglossus (muscle) …… 1186
おとがい舌筋 musculus genioglossus …… 1200
おとがい(頤)舌筋 genioglossus …… 766
おとがい舌骨筋 geniohyoid (muscle) …… 1186
おとがい舌骨筋 musculus geniohyoideus 1200
おとがい(頤)舌骨筋 geniohyoid …… 766
おとがい(頤)舌骨筋 geniohyoideus …… 766
おとがい動脈 arteria mentalis …… 136
おとがい動脈 mental artery …… 148
おとがい動脈 mental branch (of inferior alveolar artery) …… 250
おとがい(頤)の mental …… 1131
おとがい反射 chin jerk …… 968
おとがい部 regio mentalis …… 1584
おとがい部 mental region …… 1585
おとがい隆起 mental protuberance …… 1509
おとがい隆起 protuberantia mentalis …… 1509
音〔声〕恐怖〔症〕 phonophobia …… 1411
男嫌い misandry …… 1159
男盛り virility …… 2021
男の masculinus …… 1106
男の外生殖器 male external genitalia …… 766
男の外生殖器 external male genital organs …… 1311
男の内生殖器 male internal genitalia …… 766
男の内生殖器 internal male genital organs …… 1311
男の乳房 male breast …… 255

男の乳房 mamma masculina 1097
男の尿道 male urethra 1971
男の尿道 urethra masculina 1971
男の尿道腺 glands of the male urethra 773
男の尿道腺 urethral glands of male 775
男の尿道稜 urethral crest of male 438
男結び granny knot 988
音写真〔法〕phonophotography 1411
音〔覚〕受容器 phonoreceptor 1411
オトスコープ otoscope 1327
音耐性低下 decreased sound tolerance 1898
音の phonal 1411
音の phonic 1411
音の強さ intensity of sound 943
オトビウス症 otobiosis 1326
オトビウス属 *Otobius* 1326
オトミコーシス otomycosis 1327
オドラチズム odoratism 1292
オドランド小体 Odland body 228
おとり細胞 decoy cell 320
オドワイアー管 O'Dwyer tube 1941
オドンチノイド odontinoid 1292
オドントスコープ odontoscope 1292
オドントスコープ法 odontoscopy 1292
オナガザル上科 Cercopithecoidea 334
オナガザル属 *Cercopithecus* 334
オナガザルヘルペスウイルス cercopithecrine herpesvirus 845
オナニー masturbation 1110
オニアライ onyalai 1301
オニウム -onium 1301
オニオニオンウイルス O'nyong-nyong virus 2027
オニツノガイ属 *Cerithidea* 335
鬼手 ghoul hand 814
オニョンニョン熱 O'nyong-nyong fever 685
オヌフ核 Onuf nucleus 1277
オノディ小胞(小房) Onodi cell 324
オパルスキー細胞 Opalski cell 324
オパール様(乳白色)ぞうげ質 opalescent dentin 488
帯 band 194
帯 cingulum 363
帯 cord 421
帯 fasciculus 675
帯 girdle 771
帯 tape 1841
帯 zone 2059
オピウム opium 1308
オピオイド opioid 1308
オピオイド〔受容体〕拮抗薬(アンタゴニスト) opioid antagonists 97
オピオイド中毒症候群 opiate intoxication syndrome 1814
オピオメラノコルチン opiomelanocortin 1308
オビキンバエ属 *Chrysomyia* 361
帯状の tenioid 1850
帯状の zonary 2059
帯状の zonate 2059
帯〔状〕の zonal 2059
オピスチオン opisthion 1308
オピスチオンナジオンの opisthionasial 1308
オピスチオンバジオンの opisthiobasial 1308
オピストクラニオン maximum occipital point 1454
オピストマスティゴート opisthomastigote 1308
オピストルキス opisthorchid 1308
オピストルキス科 Opisthorchiidae 1308
オピストルキス症 opisthorchiasis 1308
オピストルキス属 *Opisthorchis* 1308
オピン opine 1308
オフィス高血圧 office hypertension 888
オフサルモトロープ ophthalmotrope 1308
オプシノゲン opsinogen 1309
オフジ病 Ofuji disease 538
オプシン opsin 1309
オプソニン opsonin 1309
オプソニン化 opsonization 1309
オプソニン指数 opsonic index 922
オプソニン〔指数〕測定〔法〕opsonometry 1309
オプソニン食菌の opsonocytophagic 1309
オプソニン親和性 opsonophilia 1309
オフタルミン酸 ophthalmic acid 1307
汚物 soil 1697
汚物 sordes 1701
汚物恐怖〔症〕rhypophobia 1611
オプトメータ optometer 1309
オフポンプ off-pump 1293
オブラート wafer 2039
オフリオン ophryon 1307
オブリーク oblique section 1653
オペラント operant 1303
オペラント行動 operant behavior 204
オペラント条件付け operant conditioning 407
オベリオン obelion 1287
オベルジェ(Au)血液型 Auberger blood group, Au blood group 175
オペレータ operator 1306
オペレータ遺伝子 operator gene 764
オペロン operon 1306
オボアルブミン ovalbumin 1327
オボグロブリン ovoglobulin 1329
オボシストン ovosiston 1329
オポッサム属 *Didelphis* 513
オポバルサム opobalsamum 1309
オボフラビン ovoflavin 1329
オボムコイド ovomucoid 1329
オボムチン ovomucin 1329
オマヤレザバー Ommaya reservoir 1592
オムスク出血〔性〕熱 Omsk hemorrhagic fever 685
オムスク出血熱ウイルス Omsk hemorrhagic fever virus 2027
おむつかぶれ diaper rash 1559
おむつ皮膚炎 diaper dermatitis 495
オメガΩ 1287
ω-3脂肪酸 ω-3 fatty acids 678
オメガ酸化 omega-oxidation, ω-oxidation 1330
オメガ酸化説 omega-oxidation theory 1876
思い出しバイアス recall bias 208
重み weight 2043
重湯〔様〕便 rice-water stool 1750
おもり weight 2043
親 parent 1355
親子の filioparental 699
親殺し〔人〕parricide 1357
親世代(P_1) parental generation (P_1) 765
おやゆび pollex 1457
オラーレ orale 1309
オランダハッカ spearmint 1707
おり cage 275
オリエ移植〔片〕Ollier graft 795
オリエ説 Ollier theory 1876
オリエンタル潰瘍 Oriental ulcer 1961
オリエンティア属 *Orientia* 1313
折返し因子 fold-back element 598
折り重ね overlap 1328
オリゴ oligo 1296
オリゴ-α-1,6-グルコシダーゼ oligo-α-1,6-glucosidase 1297
オリゴクローナルバンド oligoclonal band 194
オリゴ糖 oligosaccharide 1297
オリゴヌクレオチド oligonucleotide 1297
オリゴペプチド oligopeptide 1297
オリゴマー oligomer 1297
オリセニン orycenin 1317
折りたたみ(フォルダブル)眼内レンズ foldable intraocular lens 1019
折りたたみ式ランセット thumb lancet 1000
折りたたみナイフ〔様〕痙攣 clasp-knife spasticity 1706
折りたたみナイフ〔様〕硬直 clasp-knife rigidity 1616
オリーブ oliva 1297
オリーブ olive 1297
オリーブ〔核〕dentoliva 489
オリーブ蝸牛束 olivocochlear bundle 266
オリーブ蝸牛路 olivocochlear tract 1912
オリーブ核間の interolivary 947
オリーブ核莢状部 siliqua olivae 1685
オリーブ核脊髄線維 spinoolivary fibers 691
オリーブ核傍の parolivary 1356
オリーブ橋小脳萎縮 olivopontocerebellar atrophy 174
オリーブ橋小脳の olivopontocerebellar 1298
オリーブ小脳路 olivocerebellar tract 1912
オリーブ小脳路 tractus olivocerebellaris 1914
オリーブ小脳路線維 cerebelloolivary fibers 688
オリーブ脊髄路 olivospinal tract 1912
オリーブ脊髄路 spinoolivary tract 1913
オリーブ脊髄路線維 olivospinal fibers 690
オリーブ中脳蓋前核線維 pretectoolivary fibers 690
オリーブ傍核 periolivary nuclei 1278
オリーブ油 olive oil 1294
オリボカウイルス Oriboca virus 2027
オリンピア額 olympian forehead 728
オルガズム orgasm 1313
オルシ-グロッコ法 Orsi-Grocco method 1145
オルシノール orcinol 1311
オルシン orcin 1311
オルセイン orcein 1310
オルソスコピック眼鏡 orthoscopic spectacles 1708
オルソスコピックレンズ orthoscopic lens 1019
オルソスコープ orthoscope 1317
オルソ(オルト)ミクソウイルス科 Orthomyxoviridae 1316
オルタネータ alternator 54
オルテガ神経膠染色〔法〕Hortega neuroglia stain 1732
オルトキネティックス orthokinetics 1316
オルト固定液 Orth fixative 708
オルト酸 orthoacid 1315
オルト染色〔法〕Orth stain 1734
オルトトリジン orthotolidine 1317
オルトポックスウイルス属 *Orthopoxvirus* 1317
オルト(オルソ)ミクソウイルス科 Orthomyxoviridae 1316
オルトラーニ手技 Ortolani maneuver 1099
o-アミノ安息香酸 *o*-aminobenzoic acid 60
o-クロロベンザルマロノニトリル *o*-chlorobenzalmalononitrile 347
o-フタルアルデヒド *o*-phthalaldehyde 1419
オルニチン ornithine (Orn) 1314
オルニチンカルバモイルトランスフェラーゼ ornithine carbamoyltransferase 1314
オルニチン血症 ornithinemia 1314
オルニチンデカルボキシラーゼ ornithine decarboxylase 1314
オルニチンδ-アミノトランスフェラーゼ ornithine δ-aminotransferase 1314
オルニチントランスカルバモイラーゼ ornithine transcarbamoylase 1314
オルニチン尿 ornithinuria 1314
オルニトーシス ornithosis 1315
オルビウイルス属 *Orbivirus* 1310
オルビターレ orbitale 1310
オルファクティー olfactie, olfacty 1296
オルファクト olfactie, olfacty 1296
オルフウイルス orf virus 2027

オルベーリ効果 Orbeli effect …… 589
オルムステッド症候群 Olmsted syndrome …… 1814
オレアンダー oleander …… 1295
オレイルアルコール oleyl alcohol …… 1296
オレイルCoA oleyl-CoA …… 1296
オレイン olein …… 1295
オレイン酸 oleic acid …… 1295
オレイン酸アルミニウム aluminum oleate 54
オレイン酸エチル ethyl oleate …… 646
オレイン酸剤 oleate …… 1295
オレイン酸第二水銀 mercuric oleate …… 1132
オレオステアリン酸塩 oleostearate …… 1295
オレオパルミチン酸塩 oleopalmitate …… 1295
オレオビタミン oleovitamin …… 1296
オレオレジン oleoresin …… 1295
オレキシン orexin (ORX) …… 1311
オレンジ orange …… 1310
オレンジG orange G …… 1310
オレンジウッド orange wood …… 1310
おろ(悪露) lochia …… 1067
おろ(悪露)過多 lochiorrhea …… 1067
オロソムコイド orosomucoid …… 1315
おろ(悪露)滞留 lochiometra …… 1067
オロチジル酸 orotidylic acid (OMP) …… 1315
オロチジル酸デカルボキシラーゼ orotidylic acid decarboxylase …… 1315
オロチシレート orotidylate (OMP) …… 1315
オロチジン orotidine (O, Ord) …… 1315
オロチジン尿症 orotidinuria …… 1315
オロチン酸 orotic acid (Oro) …… 1315
オロチン酸尿〔症〕 orotic aciduria …… 1315
オロチン酸ホスホリボシルトランスフェラーゼ orotate phosphoribosyltransferase 1315
オロノスコープ olonoscope …… 1298
オロフォニー olophonia …… 1298
オロポーチ熱 Oropouche fever …… 685
オロヤ熱 Oroya fever …… 685
音圧 acoustic pressure …… 1482
音圧レベル sound pressure level (SPL) 1029
音圧レベル依存性周波数特性変化 level-dependent frequency response …… 1596
音運動性 sonomotor …… 1701
オンオフ現象 on-off phenomenon …… 1405
音化学 sonochemistry …… 1701
温覚 temperature sense …… 1661
温覚 thermoesthesia …… 1881
音楽家痙攣 musician's cramp …… 433
音楽狂 melomania …… 1123
温覚計 thermoesthesiometer …… 1881
音〔楽〕失語〔症〕 tonaphasia …… 1899
音〔覚〕受容器 phonoreceptor …… 1411
温覚消失〔症〕 thermoanesthesia …… 1880
温覚脱失(消失) thermal anesthesia, thermic anesthesia …… 80
音楽盲 musical alexia …… 46
音楽療法 musicotherapy …… 1205
温-寒冷溶血素 warm-cold hemolysin …… 834
温気マッサージ pneumothermomassage 1451
音響 sound …… 1701
音響陰影 acoustic shadow …… 1669
音響インピーダンス acoustic impedance 914
音響外傷性難聴 acoustic trauma hearing loss …… 820
音響学 acoustics …… 17
音響恐怖〔症〕 acousticophobia …… 16
音響増強 acoustic enhancement …… 617
音響レンズ acoustic lens …… 1019
音曲線 phonogram …… 1411
オングストローム angstrom (Å) …… 90
オングストローム(オングストレーム)〔単位〕 angstrom unit (Å) …… 1965
オングストローム(オングストレーム)スケール Ångström scale …… 1638
オングストローム(オングストレーム)の法則 Ångström law …… 1005
温血動物 warm-blooded animal …… 91
オンコジーン oncogene …… 1300
オンコスタチンM oncostatin M …… 1300
オンコセルカ onchocercid …… 1299
オンコセルカ科 Onchocercidae …… 1299
オンコセルカ腫瘤 onchocercoma …… 1299
オンコセルカ症 onchocerciasis …… 1299
オンコセルカ属 *Onchocerca* …… 1299
音叉 tuning fork …… 728
音視〔症〕 phonopsia …… 1411
音写真〔法〕 phonophotography …… 1411
音場 sound field …… 697
音色 tone color …… 393
音色 timbre …… 1893
温浸法 infusion …… 932
オンス ounce (oz.) …… 1327
オンス uncia …… 1963
温水浴毛包炎 hot-tub folliculitis …… 722
温成 dental curing …… 449
音声 voice …… 2035
音声医学 phoniatrics …… 1411
音声学 phonetics …… 1411
音声下言語 subvocal speech …… 1709
音〔声〕恐怖〔症〕 phonophobia …… 1411
音性筋間代 phonomyoclonus …… 1411
音声均衡 phonetic balance …… 192
音声計 phonometer …… 1411
音声手術 phonosurgery …… 1411
音声衰弱〔症〕 phonasthenia …… 1411
音声治療学 phoniatrics …… 1411
音声認識能低下 phonemic regression …… 1587
音性の sonic …… 1701
音声の phonetic …… 1411
音声の phonic …… 1411
音声範囲 vocal spectrum …… 1709
音声疲労症候群 voice fatigue syndrome 1824
音声変調 paraphonia …… 1353
音節錯誤 syllable-stumbling …… 1789
温泉〔治〕療法 balneotherapeutics, balneotherapy …… 193
温泉泥 fango …… 671
温泉場 spa …… 1703
温泉療法学 balneotherapeutics, balneotherapy …… 193
温泉療養所 spa …… 1703
音素 phoneme …… 1411
温暖凝集素 warm agglutinin …… 37
温暖自己抗体 warm autoantibody …… 178
音痴 amusia …… 66
温度 temperature …… 1848
温度〔感〕覚 temperature sense …… 1661
温度〔感〕覚過敏 hyperthermoesthesia …… 888
温度〔感〕覚過敏 thermohyperesthesia …… 1881
温度〔感〕覚減退 thermohypesthesia …… 1881
温度〔感〕覚鈍麻 thermohypesthesia …… 1881
温度感受性〔突然〕変異体 temperature-sensitive mutant …… 1205
温度(熱)眼振 caloric nystagmus …… 1286
温度〔眼振〕試験 caloric test …… 1855
温度記録〔図〕 thermogram …… 1881
温度記録〔法〕 thermography …… 1881
温度記録計 thermograph …… 1881
温度屈性 thermotropism …… 1882
温度計 thermometer …… 1881
温度係数 temperature coefficient …… 387
温度〔刺激〕試験 caloric test …… 1855
温度〔刺激,眼振〕試験 caloric test …… 1855
温度受容器 thermoreceptor …… 1882
温度測定 thermometry …… 1882
温度測定の thermometric …… 1882
温度中心点 temperature midpoint (T_m, t_m) …… 1848
温度調節 thermoregulation …… 1882
温度点 temperature spot …… 1725
温度補償〔式〕気化器 temperature-compensated vaporizer …… 1987
女家長主義 momism …… 1164
女嫌い misogyny …… 1159
女の外生殖器 female external genitalia 766
女の外生殖器 external female genital organs …… 1311
女の内生殖器 female internal genitalia …… 766
女の内生殖器 internal female genital organs …… 1311
女の尿道 female urethra …… 1971
女の尿道 urethra feminina …… 1971
女の尿道腺 glands of the female urethra 773
女の尿道腺 urethral glands of female …… 775
女の尿道の筋層 muscular coat of female urethra …… 383
女の尿道の筋層 muscular layer of female urethra …… 1012
〔女の尿道の〕筋層 tunica muscularis urethrae femininae …… 1953
〔女の尿道の〕粘膜 mucosa of female urethra …… 1176
〔女の尿道の〕粘膜 tunica mucosa urethrae femininae …… 1953
女の尿道稜 urethral crest of female …… 438
温熱人工産物(アーチファクト) thermal artifact …… 158
温熱性痛覚過敏 thermalgesia …… 1880
温熱性痛覚過敏 thermohyperalgesia …… 1881
温熱性無感覚 thermoanesthesia …… 1880
温熱治療学 thermatology …… 1880
温熱の thermal …… 1880
温熱マッサージ thermomassage …… 1881
〔温〕熱療法 thermotherapy …… 1882
音波 sonic waves …… 2042
音波可視器 tonophant …… 1901
音波検査器 sonograph …… 1701
音波検査者 sonographer …… 1701
音波検査図 sonogram …… 1701
温パック hot pack …… 1335
音波透過性の transaudient …… 1916
音波破砕 sonication …… 1701
オンブルダーヌ手術 Ombrédanne operation …… 1305
音律錯誤 paramusia …… 1352
温和な mitis …… 1160
温和な temperate …… 1848
穏和の lissive …… 1060

カ

カ(蚊) mosquito …… 1171
渦 vortex …… 2038
科 family …… 671
果 malleolus …… 1096
架 shelf …… 1672
華 flowers …… 714
窩 absconsio …… 6
窩 cave …… 315
窩 cavity …… 316
窩 excavatio …… 651
窩 excavation …… 651
窩 fossa …… 731
窩 fovea …… 735
窩 pouch …… 1474
窩 socket …… 1695
顆 condyle …… 408
顆 condylus …… 409
価 valence, valency …… 1983
〔力〕価 titer …… 1896
カーウェオール kahweol …… 975

カーク切断術 Kirk amputation …… 66
カークランド刀 Kirkland knife …… 987
カージオイド集光器 cardioid condenser 407
カーシノサイセミア carcinocythemia …… 295
カーディオ(カルジオ)ウイルス *Cardiovirus* …… 301
カーディング carding …… 299
カーデン切断術 Carden amputation …… 65
カート khat …… 983
カード curd …… 449
カーニー症候群 Carney syndrome …… 1799
カーニー複合疾患 Carney complex …… 401
カーネギーステージ Carnegie stages …… 1727
カーネル kernel …… 981
カーノハン(ケルノハン)切痕 Kernohan notch …… 1270
カー-パーセル〔パルス〕系列 Carr-Purcell experiment …… 655
カーブアウト carve-out …… 308
カー(カール)-プライス試験 Carr-Price test …… 1855
カーペットバイパー *Echis* …… 582
カーペンター症候群 Carpenter syndrome …… 1799
カーマ Kerma …… 981
カーマンカニューレ Karman cannula …… 287
カーモディ-バトソン手術 Carmody-Batson operation …… 1304
カーリー・クームス(ケアリー・クームズ)雑音 Carey Coombs murmur …… 1179
カーリーのA線 Kerley A lines …… 1050
カーリーのB線 Kerley B lines …… 1050
カーリーのC線 Kerley C lines …… 1050
カーリング潰瘍 Curling ulcer …… 1960
カール CURL …… 449
カールス曲線 Carus curve …… 450
カール(カー)-プライス試験 Carr-Price test …… 1855
カール-プライス反応 Carr-Price reaction …… 1563
カーレン(カーレンス)管(チューブ) Carlen tube …… 1941
牙 fang …… 671
芽 bud …… 263
ガーゼ gauze …… 761
ガーゼタンポン Mikulicz drain …… 559
ガーゼ付絆創膏 adhesive bandage …… 195
ガーゼドレーン turunda …… 1955
ガーゼ包帯 gauze bandage …… 195
ガード gastroesophageal reflux disease (GERD) …… 533
ガートナー管嚢胞 Gartner duct cyst …… 459
ガードナー症候群 Gardner syndrome …… 1805
ガードルストーン法 Girdlestone procedure …… 1487
ガーナム型メキシコリーシュマニア *Leishmania mexicana garnhami* …… 1017
カーバー carver …… 308
カーバイド calcium carbide …… 277
カーバイド carbide …… 293
ガーランド三角 Garland triangle …… 1927
ガーリック garlic …… 756
下亜種の infrasubspecific …… 931
加圧逆転 pressure reversal …… 1605
加圧〔蒸気〕滅菌器 autoclave …… 179
カアピ caapi …… 274
火蟻 fire ant …… 96
カイ chi …… 343
回 convolution …… 419
回 gyrus …… 807
塊 mass (m) …… 1107
塊 massa …… 1108
界 kingdom …… 986
階 scala …… 1638
蓋 roof …… 1620
蓋 tectum …… 1845
蓋 tegmen …… 1845
臥位 decubitus …… 475
カイアシ目 Copepoda …… 420
カイアシ類 copepod …… 420
ガイアナ型ブラジルリーシュマニア *Leishmania braziliensis guyanensis* …… 1016
外〔移〕植 explantation …… 656
外陰〔部〕 vulva …… 2038
外陰異形成 genital ambiguity …… 56
外陰会陰縫合〔術〕 episioperineorrhaphy …… 630
外陰炎 vulvitis …… 2038
外陰かゆみ(そう痒)〔症〕 pruritus vulvae …… 1510
外陰狭窄〔症〕 episiostenosis …… 630
外陰形成〔術〕 episioplasty …… 630
外因子 extrinsic factor …… 667
外陰ジストロフィ vulvar dystrophy …… 579
外陰上皮内新生腫瘍 vulvar intraepithelial neoplasia …… 1228
外因診断法 xenodiagnosis …… 2052
外因性アレルギー性肺胞炎 extrinsic allergic alveolitis …… 55
外因性うつ病 exogenous depression …… 493
外因性クレアチニンクリアランス exogenous creatinine clearance …… 372
外因性高グリセリド血〔症〕 exogenous hyperglyceridemia …… 881
外因性色素沈着 exogenous pigmentation …… 1423
外因性ぜん息 extrinsic asthma …… 165
外因性組織褐変症 exogenous ochronosis 1290
外因性中毒〔症〕 exogenic toxicosis …… 1906
外因性(外発的)動機付け extrinsic motivation …… 1172
外因性の adventitious …… 31
外因性の extrinsic …… 658
外因性の xenogenic …… 2052
外因〔性〕の ectogenous …… 585
外因性発熱物質 exogenous pyrogens …… 1534
外因性ヘモクロマトーシス exogenous hemochromatosis …… 830
外陰切除〔術〕 vulvectomy …… 2038
外陰〔部〕腟炎 vulvovaginitis …… 2038
外陰腟肛門 vestibular anus, vulvovaginal anus …… 111
外陰白板症 leukoplakia vulvae …… 1028
外陰部 pudendum …… 1523
外陰部静脈 external pudendal veins …… 1996
外陰部静脈 venae pudendae externae …… 2007
外陰部動脈 arteriae pudendae externae (profunda et superficialis) …… 137
〔浅・深〕外陰部動脈 (superficial and deep) external pudendal arteries …… 152
外陰部表面の progenitalis …… 1494
外陰閉鎖 infibulation …… 928
外陰縫合〔術〕 episiorrhaphy …… 630
下位運動ニューロン lower motor neuron …… 1249
下位運動ニューロン性構語障害〔症〕 lower motor neuron dysarthria …… 570
下位運動ニューロン病変 lower motor neuron lesion …… 1023
外エナメル上皮 external dental epithelium, external enamel epithelium …… 632
外エナメル上皮 outer enamel epithelium 632
外果 lateral malleolus …… 1096
外果 malleolus lateralis …… 1096
ガイガー-ミュラー計数管(器) Geiger-Müller counter …… 431
回外 supination …… 1778
回外筋 supinator (muscle) …… 1195
回外筋 musculus supinator …… 1204
回外筋 supinator …… 1778
〔尺骨の〕回外筋稜 supinator crest (of ulna) …… 438
〔尺骨の〕回外筋稜 crista musculi supinatoris ulnae …… 440
外界〔精神〕の allopsychic …… 51
外回旋 restitution …… 1597
外回転〔術〕 external cephalic version …… 2014
外果窩 fossa malleoli fibulae …… 733
外果窩 fossa malleoli lateralis …… 733
外果窩 fossa of lateral malleolus …… 733
〔腓骨〕外果関節面 articular facet of lateral malleolus …… 661
開〔放〕角測定計 apertometer …… 112
外果靭帯 ligamentum malleoli lateralis 1044
快活な exhilarant …… 653
外果動脈 lateral malleolar arteries …… 147
外果動脈 lateral malleolar branch (of fibular [peroneal] artery) …… 248
外果動脈網 lateral malleolar network …… 1244
外果動脈網 rete malleolare laterale …… 1598
外果皮下包 lateral malleolar subcutaneous bursa …… 269
外果皮下包 lateral malleolus bursa …… 269
外果皮下包 subcutaneous bursa of lateral malleolus …… 270
〔距骨〕外果面 lateral malleolar surface of talus …… 1782
貝殻爪 shell nail …… 1220
外顆粒層 outer nuclear layer …… 1012
外観 aspect …… 161
外眼角 lateral angle of eye …… 89
外眼角 angulus oculi lateralis …… 90
外眼角耳道面 canthomeatal plane …… 1430
〔外〕眼角切除〔術〕 canthectomy …… 287
快感過敏 hyperhedonia, hyperhedonism 881
開眼器 eye speculum …… 1709
外眼球軸 external axis of eye …… 184
外眼筋 extraocular muscles (EOM) …… 1185
〔外〕眼筋 muscles of eyeball …… 1185
〔外〕眼筋 musculi bulbi …… 1199
外眼筋の筋膜鞘 fascial sheaths of extraocular muscles …… 1670
外眼筋の先天性線維症 congenital fibrosis of the extraocular muscles …… 696
外眼筋の総腱輪 common tendinous ring of extraocular muscles …… 1617
外眼筋麻痺 ophthalmoplegia externa …… 1307
快感減退 hyphedonia …… 890
外眼疾患 external ophthalmopathy …… 1307
快感消失〔症〕 anhedonia …… 90
快感帯 comfort zone …… 2059
回帰 palindromia …… 1338
回帰 recidivation …… 1573
回帰 recurrence …… 1575
回帰 regression …… 1587
回帰 relapse …… 1588
回帰下疳 chancre redux …… 338
外基質 external matrix …… 1110
回帰周期 returning cycle …… 455
回帰収縮 echo beat …… 203
回帰収縮 reciprocal beat …… 203
外〔部〕寄生植物 ectophyte …… 585
外寄生する infest …… 928
外〔部〕寄生生物 ectoparasite …… 585
外〔部〕寄生生物撲滅薬 ectoparasiticide …… 585
外寄生虫 vermin …… 2013
回帰性DNA palindromic DNA …… 491
外〔部〕寄生動物 ectozoon …… 586
回帰性の palindromic …… 1338
回帰調律 reciprocating rhythm …… 1611
回帰二連(二段)脈 reciprocal bigeminy …… 210
回帰熱 relapsing fever …… 686
回帰熱ボレリア *Borrelia recurrentis* …… 237
回帰分析 regression analysis …… 70
諧謔症 witzelsucht …… 2047
〔消化管〕外吸収 external absorption …… 7
外弓状線維 external arcuate fibers …… 689
外弓状線維 fibrae arcuatae externae …… 691
懐郷 nostalgia …… 1269

海峡 fretum … 741
開胸〔術〕 thoracotomy … 1885
開業 practice … 1475
開業医 practitioner … 1475
開胸開腹〔術〕 thoracolaparotomy … 1885
外境界膜 outer limiting layer … 1012
外境界膜 limiting membrane of retina 1126
開胸器 rib spreader … 1725
開胸心マッサージ open chest massage 1108
買い癖 oniomania … 1301
塊茎 tuber … 1942
外形 contour … 416
外形質 ectoplasm … 585
塊茎状の tuberous … 1948
外頸静脈 external jugular vein … 1996
外頸静脈 vena jugularis externa … 2006
外頸動脈 arteria carotis externa … 134
外頸動脈 external carotid artery … 145
外頸動脈神経 external carotid nerves … 1234
外頸動脈神経 nervi carotici externi … 1241
外頸動脈神経叢 external carotid (nerve) plexus … 1440
外結合線 external conjugate … 411
回結腸炎 ileocolitis … 905
回結腸重積〔症〕 ileocolic intussusception 952
回結腸静脈 ileocolic vein … 1996
回結腸静脈 vena ileocolica … 2006
回結腸動脈 arteria ileocolica … 135
回結腸動脈 ileocolic artery … 146
回結腸動脈の結腸枝 colic branch of ileocolic artery … 244
回結腸の ileocolic … 905
回結腸リンパ節 ileocolic lymph nodes 1078
壊血病 scorbutus … 1649
壊血病 scurvy … 1651
壊血病じゅず(数珠) scorbutic rosary … 1649
壊血病発生の scorbutigenic … 1649
壊血病貧血 scorbutic anemia … 78
ガイゲル反射 Geigel reflex … 1579
外牽引 external traction … 1914
開瞼器 eye speculum … 1709
外見上の apparent … 119
外原腸胚 exogastrula … 654
外原腸胚形成 extrogastrulation … 658
開咬 apertognathia … 112
開咬 open bite … 217
開口 apertura … 112
開口 aperture … 113
開口 débouchement … 473
開口 pore … 1466
開口〔部〕 opening … 1302
開口〔部〕 orifice … 1313
解膠〔作用〕 peptization … 1383
外向〔性〕 extraversion … 658
外向圧力 eccentropiesis … 581
開口運動 opening movement … 1174
開口運動軸 opening axis … 184
外口蓋静脈 external palatine vein … 1996
外口蓋静脈 vena palatina externa … 2007
開口角 angle of aperture … 88
開口角 angular aperture … 113
開口器 gag … 748
開口期の分娩停止 arrest of active phase dystocia … 577
外抗原 ectoantigen … 584
外虹彩輪 outer border of iris … 235
開口絞り aperture diaphragm … 510
開口障害 lockjaw … 1067
開口障害 trismus … 1935
開口障害の trismic … 1935
開口数 numeric aperture (N.A.) … 113
外向性 extravert … 658
開口性咬筋痙攣 antitrismus … 110
外向性の sociocentric … 1695
〔細胞〕外酵素 extracellular enzyme … 623
カイ構造 chi structure … 1760
外後頭隆起 external occipital protuberance … 1509
外後頭隆起 protuberantia occipitalis externa … 1509
外後頭稜 external occipital crest … 437
外後頭稜 crista occipitalis externa … 440
開口部皮膚結核 tuberculosis cutis orificialis … 1945
外肛門括約筋 musculus sphincter ani externus … 1203
外肛門括約筋 external anal sphincter … 1712
外肛門括約筋浅部 superficial part of external anal sphincter … 1367
外肛門括約筋の深部 deep part of external anal sphincter … 1364
外肛門括約筋の皮下部 subcutaneous part of external anal sphincter … 1367
外呼吸 external respiration … 1595
咳後吸音 posttussive suction … 1769
懐古症 monoscenism … 1168
外骨格 exoskeleton … 654
外骨〔腫〕症 exostosis … 654
咳〔嗽〕骨折 cough fracture … 737
外骨切除〔術〕 exostectomy … 654
骸骨様手 skeleton hand … 814
外固定 external fixation … 707
介護の継続性 continuity of care … 302
塊根 tuberous root … 1622
カイザー-フライシャー輪 Kayser-Fleischer ring … 1617
介在 mediation … 1115
介在核 intercalated nucleus … 1275
介在核 nucleus intercalatus … 1275
介在性成長 interstitial growth … 803
外在性の extrinsic … 658
介在層板 interstitial lamella … 996
介在導管 intercalated ducts … 564
介在ニューロン interneurons … 947
介在ニューロン internuncial … 947
介在ニューロン internuncial neuron … 1249
介在の intercalary … 943
介在の internuncial … 947
介在板 intercalated disc … 525
開散 divergence … 551
改ざん tampering … 1840
開散過多型外斜視 divergence excess exotropia … 655
開散不全 divergence insufficiency … 941
開散不全麻痺 divergence paresis … 1356
外耳 auris externa … 177
外耳 ear … 580
外耳 external ear … 580
開始因子 initiation factor (IF) … 667
外耳炎 otitis externa … 1326
外痔核 external hemorrhoids … 836
下意識 subconsciousness … 1762
下意識記憶 subconscious memory … 1128
外色素 extrinsic color … 393
〔外〕子宮口 opening of uterus … 1303
〔外〕子宮口 external os of uterus … 1318
〔外〕子宮口 ostium uteri … 1325
外子宮口後唇 labium posterius ostii uteri … 991
外子宮口前唇 labium anterius ostii uteri 991
外子宮口前唇 anterior lip of external os of uterus … 1055
外子宮口の後唇 posterior lip of external os of uterus … 1055
外耳孔 opening of external acoustic meatus … 1303
外耳孔 porus acusticus externus … 1468
開始コドン initiating codon … 386
開始コドン initiation codon … 386
カイ2乗 chi-square (χ^2) … 345
カイ2乗検定 chi-square test … 1855
開嘴虫 *Syngamus trachea* … 1826
外質 ectoplasm … 585
概日振動体 circadian oscillator … 1318
概日の circadian … 364
概日リズム circadian rhythm … 1611
開始点 initiation … 935
外耳道 external auditory canal … 283
外耳道 external acoustic meatus … 1113
外耳道 external auditory meatus … 1113
外耳道 meatus acusticus externus … 1113
外耳道峡 isthmus of external acoustic meatus … 963
外耳道峡 isthmus meatus acustici externi … 964
外耳道後壁保存乳突削開術 canal wall up mastoidectomy … 1109
外耳道骨部 bony part of external acoustic meatus … 1362
外耳道神経 nerve to external acoustic meatus … 1234
外耳道神経 nervus meatus acustici externi … 1242
外耳道腺 ceruminous glands … 772
外耳道軟骨 cartilage of acoustic meatus 305
外耳道軟骨 cartilago meatus acustici … 307
外耳道軟骨切痕 incisura cartilaginis meatus acustici … 919
外耳道軟骨切痕 notch in cartilage of acoustic meatus … 1269
外耳道軟骨部 cartilaginous part of external acoustic meatus … 1363
開始トランスファーRNA initiation tRNA … 1613
外耳毛 barbula hirci … 197
外斜位 exophoria … 654
解釈 interpretation … 947
外斜視 exotropia … 655
外斜視性両眼性核間眼球麻痺 wall-eyed bilateral internuclear ophthalmoplegia (WEBINO) … 1308
回収エンドソーム recycling endosome … 615
解重合酵素 depolymerase … 492
外種皮 testa … 1869
外受容器 exteroceptor … 657
外受容性の exteroceptive … 657
外鞘 intussuscipiens … 952
外傷 injury … 936
外傷 lesion … 1022
外傷 trauma … 1923
外上顆炎 epicondylitis … 625
外傷学 traumatology … 1923
外上顆痛 epicondylalgia … 625
外上顆の epicondylic … 625
鎧状癌 cancer en cuirasse … 286
外傷〔性〕感染 traumatosepsis … 1923
外傷〔性〕健忘 traumatic amnesia … 62
外傷後頸〔部〕症候群 posttraumatic neck syndrome … 1816
外傷後症候群 posttraumatic syndrome 1816
外傷後心外膜炎 posttraumatic pericarditis … 1386
外傷後頭痛 posttraumatic headache … 818
外傷後精神病 posttraumatic psychosis … 1520
外傷後せん妄 posttraumatic delirium … 484
外傷後てんかん posttraumatic epilepsy … 628
外傷後動脈血栓症 posttraumatic arterial thrombosis, posttraumatic venous thrombosis … 1888
外傷後認知症 posttraumatic dementia … 485
外傷後の posttraumatic … 1472
鎧状心 armor heart … 820
外傷〔性〕神経腫 traumatic neuroma … 1248
外傷〔性〕神経症 traumatic neurosis … 1252
外傷性仮死 traumatic asphyxia … 162
外傷性感覚消失(脱失) traumatic anesthesia … 80
外傷性気胸 traumatic pneumothorax … 1452

外傷性気胸 traumatopnea ………………… 1923
外傷性頸椎椎間板症 traumatic cervical discopathy ………………………………… 527
外傷性睾丸(精巣)炎 traumatic orchitis 1311
外傷性咬合 traumatogenic occlusion …… 1290
外傷性呼吸困難〔症〕 traumatopnea ……… 1923
外傷性疾患 traumatopathy ………………… 1923
外傷性神経炎 traumatic neuritis ………… 1246
外傷性進行性脳障害(脳症) traumatic progressive encephalopathy ……………… 610
外傷精神病 traumatic psychosis ………… 1520
外傷性水頭〔症〕 posttraumatic hydrocephalus ……………………………… 871
外傷性精巣(睾丸)炎 traumatic orchitis 1311
外傷性切断〔術〕 traumatic amputation …… 66
外傷性知覚消失(脱失,麻痺) traumatic anesthesia ……………………………………… 80
外傷性動脈瘤 traumatic aneurysm ………… 82
外傷性軟膜嚢胞 posttraumatic leptomeningeal cyst ……………………… 460
外傷性脳障害(脳症) traumatic encephalopathy ……………………………… 610
外傷性敗血症 traumatosepsis …………… 1923
外傷性ハエウジ病 wound myiasis ……… 1212
外傷〔性〕白内障 traumatic cataract ……… 312
外傷性破傷風 traumatic tetanus ………… 1870
外傷性皮膚炎 traumatic dermatitis ……… 496
外傷性ヘルペス traumatic herpes ………… 845
外傷性疱疹 traumatic herpes …………… 845
外傷性無月経 traumatic amenorrhea ……… 58
外傷直後自動症 immediate posttraumatic automatism …………………………………… 180
外傷直後性痙攣 immediate posttraumatic convulsion ……………………………………… 419
外傷治療 traumatotherapy ………………… 1923
塊〔状〕椎 block vertebrae ………………… 2014
街上毒 street virus ……………………… 2029
外傷熱 traumatic fever …………………… 686
階乗の factorial …………………………… 670
塊状の aggregated ………………………… 38
蓋状の tectiform ………………………… 1845
外傷防衛器反射 nocifensor reflex ……… 1580
外〔移〕植 explantation …………………… 656
灰色肝変 gray hepatization ……………… 840
灰色白内障 gray cataract ………………… 311
外植片 explant …………………………… 656
解除反応 abreaction ………………………… 4
開心術 open heart surgery ……………… 1784
外滲出性網膜症 external exudative retinopathy ………………………………… 1602
外診法 ectoscopy ………………………… 585
海水着型母斑 bathing trunks nevus …… 1255
海水石けん marine soap ………………… 1695
外水頭〔症〕 external hydrocephalus ……… 871
海水浴発疹 seabather's eruption ………… 638
外頭蓋底 external surface of cranial base ……………………………………………… 1781
下位性 hypostasis ………………………… 897
外性器 edea ……………………………… 586
外性器 external genitalia ………………… 766
外性器形成不全 ambiguous external genitalia …………………………………… 766
外精筋膜 external spermatic fascia ……… 673
外精筋膜 fascia spermatica externa ……… 674
海青組織球病 sea-blue histiocyte disease 540
外生胞子 exospore ……………………… 654
外脊椎管内出血 hematorrhachis externa 827
回折 diffraction ………………………… 516
回折暈計 halometer ……………………… 813
外赤血球期 exoerythrocytic cycle ……… 454
回折格子 diffraction grating …………… 516
カイゼルリング固定 Kaiserling fixative 708
回旋 rotation …………………………… 1623
疥癬 itch ………………………………… 964
疥癬 mange ……………………………… 1100
疥癬 scabies ……………………………… 1637
改善 amelioration …………………………… 58
外旋 excycloduction ……………………… 653
回前位 prone position …………………… 1470
外線維 exogenous fibers ………………… 688
回旋眼振 rotatory nystagmus …………… 1286
回旋奇形体 strophosomia ……………… 1760
回旋筋 rotator muscle …………………… 1192
回旋筋 rotatores (muscles) …………… 1192
回旋筋 musculi rotatores ………………… 1203
外旋筋 extortor …………………………… 657
回旋筋腱板 rotator cuff of shoulder …… 447
回旋骨折 torsion fracture ……………… 738
回旋糸状虫 *Onchocerca volvulus* ……… 1299
回旋した circumflex ……………………… 366
回旋斜位 cyclophoria …………………… 456
外旋斜位 excyclophoria ………………… 653
外旋斜視 excyclotropia ………………… 653
回旋〔状〕の convolute …………………… 419
回旋静脈 circumflex veins ……………… 1994
回旋性線状魚鱗癬 ichthyosis linearis circumflexa ……………………………… 903
回旋側弯〔症〕 rotoscoliosis …………… 1624
疥癬虫 *Sarcoptes scabiei* ……………… 1636
疥癬虫性ダニ症 sarcoptic acariasis ………… 8
疥癬虫撲滅薬 scabicide ………………… 1637
開扇徴候 fan sign ………………………… 1680
疥癬トンネル cuniculus ………………… 448
回旋の circumflex ………………………… 366
〔視〕蓋前野 pretectal area ………………… 130
回想 retrospection ……………………… 1604
開窓 fenestration ………………………… 680
階層 hierarchy …………………………… 852
外相 external phase ……………………… 1402
階層介護 step care ……………………… 302
階層介護 stepped care …………………… 302
開創器 écarteur …………………………… 581
開創器 retractor ………………………… 1603
咳そう後吸入音 posttussis suction sound ……………………………………………… 1702
咳〔嗽〕骨折 cough fracture ……………… 737
カイソウコン(海葱根) squill …………… 1726
カイソウ(海葱)根 urginea ……………… 1972
〔内耳〕開窓術 fenestration operation …… 1304
咳そう振とう音 tussive fremitus ………… 740
階層別ケア stratified care ……………… 302
解像力 definition ………………………… 479
外側咽頭隙 lateral pharyngeal space …… 1704
外側咽頭隙 spatium lateropharyngeum 1707
外側腋窩リンパ節 lateral axillary lymph nodes ………………………………………… 1079
外側腋窩リンパ節 nodi lymphoidei axillares laterales ………………………………… 1263
外側縁 lateral border …………………… 235
外側縁 lateral margin …………………… 1103
外側縁 margo lateralis ………………… 1104
外側延髄枝 rami medullares laterales … 1553
外側顆 lateral condyle …………………… 408
外側顆 condylus lateralis ……………… 409
〔外側〕顆間結節 tuberculum intercondylare (laterale) ………………………………… 1946
〔肩甲骨の〕外側角 lateral angle of scapula ……………………………………………… 89
〔延髄〕外側核 nucleus lateralis medullae oblongatae ……………………………… 1276
〔視床〕外側核 lateral nucleus of thalamus ……………………………………………… 1276
〔視索副核の〕外側核 lateral nucleus …… 1276
外側下膝動脈 arteria genus inferior lateralis ……………………………………………… 135
外側下膝動脈 inferior lateral genicular artery ………………………………………… 146
外側下膝動脈 lateral inferior genicular artery ………………………………………… 147
外側眼瞼交連 commissura palpebrarum lateralis ……………………………………… 397
外側眼瞼交連 lateral palpebral commissure ……………………………………………… 397
外側眼瞼靱帯 lateral palpebral ligament ……………………………………………… 1037
外側眼瞼靱帯 ligamentum palpebrale laterale ………………………………………… 1044
〔外側〕眼瞼動脈 arteriae palpebrales (laterales) ……………………………………… 137
〔外側〕眼瞼動脈 (lateral) palpebral arteries ……………………………………………… 147
外側眼瞼縫線 lateral palpebral raphe … 1558
外側眼瞼縫線 raphe palpebralis lateralis ……………………………………………… 1558
外側環軸関節 articulatio atlantoaxialis lateralis ……………………………………… 157
外側環軸関節 lateral atlantoaxial joint … 970
外側環軸関節 lateral atlantoepistrophic joint ……………………………………………… 970
外側環椎後頭靱帯 lateral atlantooccipital ligament …………………………………… 1037
外側脚 crus laterale ……………………… 443
外側脚 lateral crus ……………………… 443
外側脚 lateral limb ……………………… 1047
外側脚傍核 lateral parabrachial nucleus 1276
外側嗅回 lateral olfactory gyrus ………… 808
外側弓状靱帯 lateral arcuate ligament 1037
外側弓状靱帯 ligamentum arcuatum laterale ……………………………………………… 1042
外側嗅路核 nucleus of the lateral olfactory tract ………………………………………… 1276
外側胸筋神経 lateral pectoral nerve …… 1235
外側胸筋神経 nervus pectoralis lateralis 1243
外側〔前〕胸筋神経 lateral anterior thoracic nerve ………………………………………… 1235
外側胸静脈 lateral thoracic vein ……… 1998
外側胸静脈 vena thoracica lateralis …… 2008
外側胸動脈 arteria thoracica lateralis …… 138
外側胸動脈 lateral thoracic artery ……… 147
外側胸動脈の外側乳腺枝 lateral mammary branches of lateral thoracic artery …… 248
〔直腸の〕外側曲 lateral flexures of rectum ……………………………………………… 713
外側距踵靱帯 lateral talocalcaneal ligament ……………………………………………… 1037
外側距踵靱帯 ligamentum talocalcaneum laterale ………………………………………… 1045
外側区 lateral segment ………………… 1654
外側区 lateral bronchopulmonary segment [S IV] ………………………………………… 1655
外側区 segmentum laterale ……………… 1656
外側区域 lateral bronchopulmonary segment [S IV] ………………………………………… 1655
外側楔状骨 lateral cuneiform (bone) …… 233
外側楔状骨 os cuneiforme laterale ……… 1317
外側楔状束周囲核 lateral pericuneate nucleus ………………………………………… 1276
外側頸核 lateral cervical nucleus ……… 1276
外側頸三角 trigonum colli laterale ……… 1933
外側頸リンパ節 lateral cervical lymph nodes ………………………………………… 1079
〔外側頸リンパ節の〕下深リンパ節 inferior deep lateral cervical lymph nodes …… 1078
〔外側頸リンパ節の〕上深リンパ節 superior deep lateral cervical lymph nodes …… 1081
〔距骨後突起の〕外側結節 lateral tubercle (of posterior process) of talus ………… 1943
〔距骨後突起の〕外側結節 tuberculum laterale (processus posterioris) tali 1946
外側瞼板棚状法 lateral tarsal strip procedure ……………………………………… 1487
外側溝 lateral sulcus …………………… 1772
外側口蓋突起 lateral palatine processes 1489
外側広筋 lateral great muscle ………… 1187
外側広筋 lateral vastus (muscle) ……… 1188
外側広筋 vastus lateralis (muscle) ……… 1197
外側広筋 musculus vastus lateralis ……… 1204
外側咬合 lateral occlusion ……………… 1290

カ

外側甲状舌骨靱帯 lateral thyrohyoid ligament …… 1037
外側後頭溝 lateral occipital sulcus …… 1772
外側後頭溝 sulcus occipitalis lateralis … 1773
外側後頭側頭回 gyrus occipitotemporalis lateralis …… 808
外側後頭側頭回 lateral occipitotemporal gyrus …… 808
外側後頭動脈 arteria occipitalis lateralis 136
外側後頭動脈 lateral occipital artery …… 147
外側後頭動脈の後側頭枝 posterior temporal branches of lateral occipital artery …… 252
外側後頭動脈の中間側頭葉枝 intermediate temporal branches of lateral occipital artery …… 247
外側後鼻動脈 arteriae nasales posteriores laterales …… 136
外側後鼻動脈 posterior lateral nasal arteries …… 150
〔後大脳動脈〕外側後脈絡枝 choroid branches …… 244
外側骨盤壁三角 lateral pelvic wall triangle …… 1927
外側固有束 lateral fasciculus proprius …… 676
〔視索〕外側根 radix lateralis tractus optici …… 1546
〔視索〕外側根 lateral root of optic tract 1621
〔正中神経〕外側根 radix lateralis nervi mediani …… 1546
〔正中神経〕外側根 lateral root of median nerve …… 1621
外側臍ひだ lateral umbilical fold …… 719
外側臍ひだ plica umbilicalis lateralis … 1445
外側鎖骨上神経 lateral supraclavicular nerve …… 1235
外側鎖骨上神経 nervus supraclavicularis lateralis …… 1243
外側枝 lateral branches …… 248
外側枝 rami laterales …… 1552
外側視索前核 lateral preoptic nucleus … 1276
外側視索前核 nucleus preopticus lateralis …… 1279
外側視床下部 lateral hypothalamic area 129
外側視床脚 lateral thalamic peduncle … 1377
外側視床脚 pedunculus thalami lateralis …… 1377
外側枝像 lateral ramus radiograph …… 1543
外側膝蓋支帯 lateral patellar retinaculum …… 1600
外側膝蓋支帯 retinaculum patellae laterale …… 1601
外側膝窩腱 hamstring …… 814
外側膝状体 lateral geniculate body …… 227
外側膝状体 corpus geniculatum laterale 425
外側膝状体核 lateral geniculate nucleus 1276
外側膝状体核 nucleus of lateral geniculate body …… 1276
外側膝状体枝 rami corporis geniculati lateralis …… 1550
外側膝状体背側核 dorsal lateral geniculate nucleus …… 1274
外側質脊髄路 tractus corticospinalis lateralis …… 1914
蟹足(かいそく)腫 keloid …… 977
外側縦条 lateral longitudinal stria …… 1756
外側縦条 stria longitudinalis lateralis …… 1756
外側手綱核 lateral habenular nucleus … 1276
外側手根側副靱帯 external collateral ligament of wrist …… 1035
外側手根側副靱帯 lateral ligament of wrist …… 1037
外側手根側副靱帯 radial collateral ligament of wrist joint …… 1039
外側手根側副靱帯 ligamentum collaterale carpi radiale articulationis radiocarpalis …… 1042
外側上顆線 lateral supracondylar line … 1051
外側上顆稜 lateral supracondylar crest … 437
外側上顆稜 crista supracondylaris lateralis …… 440
外側上顆稜 lateral supracondylar ridge 1615
外側上顆稜 lateral supraepicondylar ridge …… 1615
外側上膝動脈 lateral superior genicular artery …… 147
外側上膝動脈 superior lateral genicular artery …… 153
外側小脳延髄槽 lateral cerebellomedullary cistern …… 368
外側静脈 temporal venules of retina …… 2013
〔腕神経叢の〕外側神経束 fasciculus lateralis plexus brachialis …… 676
外側心膜リンパ節 lateral pericardial lymph nodes …… 1079
外側脊髄視床路 lateral spinothalamic tract …… 1911
外側脊髄視床路 tractus spinothalamicus lateralis …… 1915
外側舌芽 lateral lingual bud …… 263
外側舌喉頭蓋ひだ lateral glossoepiglottic fold …… 719
外側舌喉頭蓋ひだ plica glossoepiglottica lateralis …… 1445
外側楔状骨 lateral cuneiform (bone) …… 233
外側楔状骨 os cuneiforme laterale …… 1317
外側楔状束周囲核 lateral pericuneate nucleus …… 1276
外側舌隆起 lateral lingual swellings …… 1789
外側〔前〕胸筋神経 lateral anterior thoracic nerve …… 1235
外側浅頸静脈 posterior anterior jugular vein …… 2000
外側仙骨静脈 lateral sacral veins …… 1998
外側仙骨静脈 venae sacrales laterales … 2007
外側仙骨動脈 arteriae sacrales laterales 137
外側仙骨動脈 lateral sacral arteries …… 147
外側仙骨稜 lateral sacral crest …… 437
外側前枝 ramus anterior lateralis …… 1548
外側線条体動脈 lateral striate arteries …… 147
外側前庭脊髄路 lateral vestibulospinal tract …… 1911
外側前頭脳底動脈 arteria frontobasalis lateralis …… 135
外側前頭脳底動脈 lateral frontobasal artery …… 147
外側仙尾靱帯 lateral sacrococcygeal ligament …… 1037
外側仙尾靱帯 ligamentum sacrococcygeum laterale …… 1045
外側前腕皮神経 lateral antebrachial cutaneous nerve …… 1235
外側前腕皮神経 lateral cutaneous nerve of forearm …… 1235
外側前腕皮神経 nervus cutaneus antebrachii lateralis …… 1241
〔視床下部の〕外側層 lateral zone …… 2059
外側足根動脈 arteria tarsalis lateralis …… 138
外側足根動脈 lateral tarsal artery …… 147
外側足底神経 lateral plantar nerve …… 1235
外側足底神経 nervus plantaris lateralis 1243
外側足底神経の深枝 deep branch of the lateral plantar nerve …… 245
外側足底神経の浅枝 superficial branch of the lateral plantar nerve …… 253
外側足底動脈 arteria plantaris lateralis … 137
外側足底動脈 lateral plantar artery …… 147
外側側脳室静脈 lateral atrial vein …… 1997
外側側脳室静脈 lateral vein of lateral ventricle …… 1997
外側側脳室静脈 vena atrii lateralis …… 2004
外側足背皮神経 dorsal lateral cutaneous nerve …… 1233
外側足背皮神経 lateral dorsal cutaneous nerve …… 1235
外側足背皮神経 nervus cutaneus dorsalis lateralis …… 1241
〔膝関節の〕外側側副靱帯 fibular collateral ligament …… 1035
〔膝関節の〕外側側副靱帯 ligamentum collaterale fibulare …… 1042
外側鼡径窩 fossa inguinalis lateralis …… 732
外側鼡径窩 lateral inguinal fossa …… 733
外側大静脈リンパ節 lateral caval lymph nodes …… 1079
外側大腿回旋静脈 lateral circumflex femoral veins …… 1997
外側大腿回旋静脈 venae circumflexae femoris laterales …… 2005
外側大腿回旋動脈 arteria circumflexa femoris lateralis …… 134
外側大腿回旋動脈 lateral circumflex artery of thigh …… 147
外側大腿回旋動脈 lateral circumflex femoral artery …… 147
外側大腿回旋動脈の横枝 transverse branch of lateral femoral circumflex artery …… 254
外側大腿回旋動脈の下行枝 descending branch of lateral circumflex femoral artery …… 245
外側大腿皮神経 lateral cutaneous nerve of thigh …… 1235
外側大腿皮神経 lateral femoral cutaneous nerve …… 1235
外側大腿皮神経 nervus cutaneus femoris lateralis …… 1241
外側大動脈リンパ節 lateral aortic lymph nodes …… 1079
外側恥骨前立腺靱帯 lateral puboprostatic ligament …… 1037
外側恥骨前立腺靱帯 ligamentum puboprostaticum laterale …… 1045
外側恥骨膀胱靱帯 lateral pubovesical ligament …… 1037
外側中央手掌間隙 lateral central palmar space …… 1704
外側中隔核 lateral septal nucleus …… 1276
外側中葉区 segmentum laterale …… 1656
外側直筋 lateral rectus (muscle) …… 1188
〔眼球の〕外側直筋 musculus rectus lateralis (bulbi) …… 1203
外側直筋腱膜 lacertus musculi recti lateralis bulbi …… 993
外側直筋腱膜 lacertus of lateral rectus muscle …… 993
外側直静脈 direct lateral veins …… 1995
外側直静脈 lateral direct veins …… 1997
外側直静脈 venae directae laterales …… 2005
外側つち骨靱帯 lateral ligament of malleus …… 1037
外側つち骨靱帯 ligamentum mallei laterale …… 1044
外側頭 caput laterale …… 292
外側頭 lateral head …… 817
〔外側〕頭頂葉動脈 arteriae parietales (laterales) …… 137
〔外側〕頭頂葉動脈 (lateral and medial) parietal arteries …… 147
外側頭直筋 lateral rectus muscle of the head …… 1188
外側頭直筋 rectus capitis lateralis (muscle) …… 1192
外側頭直筋 musculus rectus capitis lateralis …… 1202
〔つち骨〕外側突起 lateral process of malleus …… 1489
〔つち骨〕外側突起 processus lateralis mallei …… 1491
外側内臓動脈 lateral splanchnic arteries 147

外側二頭筋溝 lateral bicipital groove … 801
外側二頭筋溝 sulcus bicipitalis lateralis 1771
外側乳腺枝 lateral mammary branches … 248
外側乳腺枝 rami mammarii laterales … 1552
外側の lateral … 1004
外側の lateralis … 1004
外側バー labial bar … 196
外側肺底区 lateral basal(bronchopulmonary) segment [S IX] … 1654
外側肺底動脈 lateral basal segmental artery … 147
外側肺底動脈 lateral basal branch … 248
外側肺底動脈 ramus basalis lateralis … 1548
外側板 lateral plate … 1435
外側半規管 canalis semicircularis lateralis … 286
外側半規管隆起 prominence of lateral semicircular canal … 1497
外側半規管隆起 prominentia canalis semicircularis lateralis … 1497
外側半月 lateral meniscus … 1130
外側半月 meniscus lateralis … 1130
外側皮枝 lateral cutaneous branch … 248
外側皮枝 ramus cutaneus lateralis … 1550
外側皮質脊髄路 lateral corticospinal tract … 1911
外側ひだ lateral folds … 719
外側鼻動脈 lateral nasal artery … 147
外側鼻軟骨 lateral cartilage of nose … 306
外側鼻軟骨 cartilago nasi lateralis … 307
外側腓腹皮神経 lateral cutaneous nerve of calf … 1235
外側腓腹皮神経 lateral sural cutaneous nerve … 1235
外側腓腹皮神経 nervus cutaneus surae lateralis … 1242
外側鼻隆起 lateral nasal prominence … 1497
〔視床〕外側腹側核 ventral lateral nucleus of thalamus … 1281
〔眼窩〕外側壁 paries lateralis orbitae … 1356
〔眼窩〕外側壁 lateral wall of orbit … 2039
外側偏位 laterotrusion … 1004
外側扁桃体核 lateral amygdaloid nucleus … 1276
外側膀胱リンパ節 lateral vesical lymph nodes … 1079
外側膀胱リンパ節 nodi lymphatici vesicales laterales … 1262
外側膀胱リンパ節 nodi lymphoidei vesicalis laterales … 1265
外側縫線核脊髄路 lateral raphespinal tract … 1911
外側膨大部神経 lateral ampullar nerve 1235
外側膨大部神経 nervus ampullaris lateralis … 1241
外側面 facies externa … 663
外側面 facies lateralis … 664
外側面 external surface … 1781
外側面 lateral surface … 1782
外側毛帯 lateral lemniscus … 1018
外側毛帯 lemniscus lateralis … 1018
外側毛帯核 nuclei lemnisci lateralis … 1276
外側毛帯核 nuclei of lateral lemniscus 1276
外側網様核 lateral reticular nucleus … 1276
外側腰肋弓 lateral lumbocostal arch … 126
外側腰肋弓 arcus lumbocostalis lateralis 127
外側翼突筋 lateral pterygoid (muscle) 1188
外側翼突筋 musculus pterygoideus lateralis … 1202
外側翼突筋神経 nerve to lateral pterygoid … 1235
外側翼突筋の下頭 lower head of lateral pterygoid (muscle) … 817
外側翼突筋の上頭 upper head of lateral pterygoid muscle … 818
外側卵子移行 ovular transmigration, external ovular transmigration, direct ovular transmigration, internal ovular transmigration, indirect ovular transmigration … 1920
外側隆起核 nuclei tuberales laterales … 1281
〔視床〕外側隆起核 lateral tuberal nuclei 1276
外側輪状披裂筋 lateral cricoarytenoid (muscle) … 1187
外側輪状披裂筋 musculus cricoarytenoideus lateralis … 1199
外側裂孔 lateral lacunae of superior sagittal sinus … 995
外側裂孔 lateral venous lacunae … 995
外側裂孔リンパ節 lateral lacunar lymph node … 1079
外側裂孔リンパ節 lateral lacunar node 1261
外側肋横突靱帯 lateral costotransverse ligament … 1037
外側肋横突靱帯 ligamentum costotransversarium laterale … 1043
〔卵円孔の〕開存 probe patency (of oval foramen) … 1371
開存性 patency … 1371
開存性の open … 1302
開存〔性〕の patent … 1371
解体 disorganization … 547
解体 dissection … 548
解体型統合失調症 disorganized schizophrenia … 1644
開大筋 dilator muscle … 1183
外胎盤腔 epamniotic cavity … 316
介達骨折 indirect fracture … 737
階段 step … 1742
階段〔現象〕 staircase … 1736
階段恐怖〔症〕 climacophobia … 374
階段ケア step care … 302
階段ケア stepped care … 302
階段現象 treppe … 1925
階段標準 scale … 1638
回虫 *Ascaris lumbricoides* … 159
回虫 ascarid … 159
回虫 roundworm … 1624
害虫 vermin … 2013
回虫科 Ascarididae … 159
回虫駆除の lumbricidal … 1071
回虫駆除薬 lumbricide … 1071
回虫駆虫薬 ascaricide … 159
回虫症 ascariasis … 159
回虫症 lumbricosis … 1071
回虫上科 Ascaridoidea … 159
回虫属 *Ascaris* … 159
回虫目 Ascaridida … 159
回腸 ileum … 906
回腸 intestinum ileum … 949
回腸S状結腸吻合〔術〕 ileosigmoidostomy 906
回腸炎 ileitis … 905
回腸横行結腸吻合〔術〕 ileotransversostomy … 906
回腸回腸吻合〔術〕 ileoileostomy … 905
回腸間膜 mesoileum … 1136
回腸憩室 ileal diverticulum … 552
回腸結腸吻合〔術〕 ileocolostomy … 905
回腸口 ileal orifice … 1314
回腸口小帯 frenulum of ileal orifice … 740
外腸骨静脈 external iliac vein … 1996
外腸骨静脈 vena iliaca externa … 2006
外腸骨動脈 arteria iliaca externa … 135
外腸骨動脈 external iliac artery … 145
外腸骨リンパ管叢 external iliac lymphatic plexus … 1440
外腸骨リンパ節 external iliac lymph nodes … 1078
回腸固定〔術〕 ileopexy … 906
回腸重積〔症〕 ileal intussusception … 952
回腸静脈 ileal veins … 1996
回腸切開〔術〕 ileotomy … 906
回腸切除〔術〕 ileectomy … 905
回腸造瘻〔術〕 ileostomy … 906
開張足 metatarsus latus … 1141
開張中足〔症〕 metatarsus latus … 1141
回腸直腸吻合〔術〕 ileoproctostomy … 906
階調度 gradient … 794
回腸導管 ileal conduit … 408
回腸動脈 arteriae ileales … 135
回腸動脈 ileal arteries … 146
回腸動脈弓 arterial arches of ileum … 125
回腸乳頭 ileal papilla … 1345
回腸嚢 ileoanal pouch … 1474
回腸嚢炎 pouchitis … 1474
回腸の偽性憩室 false diverticulum … 552
回腸フィステル形成〔術〕 ileostomy … 906
回腸縫合〔術〕 ileorrhaphy … 906
回〔腸〕盲〔腸〕吻合〔術〕 ileocecostomy … 905
塊〔状〕椎 block vertebrae … 2014
外椎骨静脈叢 external vertebral venous plexus … 1440
開通器 pathfinder … 1372
開通性 patency … 1371
快適温度指数 effective temperature index … 922
外的病因 exanthrope … 651
外的病原因子 agent … 35
快適レベル most comfortable level … 1029
回転 rotation … 1623
回転 torsion … 1904
回転〔術〕 version … 2014
回転〔運動〕 gyration … 807
外転 abductio … 2
外転 abduction … 2
外転〔症〕 eversion … 650
外転位 abduction … 2
回転異常 dysversion … 579
外転運動 abductio … 2
外転型痙攣性発声障害 abductor spasmodic dysphonia … 574
回転〔型〕陽極 rotating anode … 93
回転眼振 rotational nystagmus … 1286
回転球状電極 rollerball electrode … 594
外転筋 abductor … 2
外転筋 abductor (muscle) … 1181
回転形成術 rotationplasty … 1624
回転痙攣 rotatory tic … 1892
回転後眼振 after-nystagmus … 1285
回転斜位 cyclophoria … 456
回転斜視 cyclotropia … 457
回転照射療法 rotation therapy … 1879
外転神経 abducent nerve [CN VI] … 1232
外転神経 nervus abducens [CN VI] … 1241
外転神経核 abducens nucleus, nucleus abducentis, nucleus of abducens nerve … 1272
外転神経核 nucleus nervi abducentis … 1277
回転伸展皮弁 rotation advancement flap 710
回転する turn … 1955
外転する abduct … 2
外転(外反)尖足 talipes equinovalgus … 1839
外転(外反)足 talipes valgus … 1839
回転速度計 tachograph … 1837
回転速度計 tachometer … 1837
回転チック rotatory tic … 1892
回転中心 center of rotation … 330
外転の abducens … 2
外転の abducent … 2
回転培養管 roll tube … 1942
回転盤噴霧器 spinning disc nebulizer … 1223
回転陽極型X線管 rotating anode tube … 1942
開頭〔術〕 craniotomy … 435
開頭〔術〕 craniotrypesis … 435
解糖〔作用〕 glycolysis … 788
外筒 intussuscipiens … 952
外套 pallium … 1339

〔脳〕外套異常〔症〕 dyspallia 574
外頭蓋底 external surface of cranial base 1781
開頭器 craniotome 435
外套硬化〔症〕 mantle sclerosis 1647
外套錐体圧痕 impressio petrosa pallii 916
外套錐体圧痕 petrosal impression of the pallium 917
外套層 mantle layer 1011
外套の pallial 1339
〔脳〕外套不全 dyspallia 574
〔細菌〕外毒素 exotoxin 655
外毒素菌 exoteric bacterium 191
ガイドワイヤ guidewire 805
回内〔運動〕 pronatio 1498
回内〔運動〕 pronation 1498
回内筋 pronator (muscle) 1191
回内筋 pronator 1498
回内筋症候群 pronator teres syndrome 1817
回内筋隆起 pronator tuberosity 1947
回内筋隆線 pronator ridge 1616
外軟骨形成 eccentrochondroplasia 581
外軟骨腫 ecchondroma 581
外肉 ectosarc 585
カイ2乗分布 chi-square distribution 550
介入 intervention 948
介入性の intercurrent 944
介入専門医 interventionalist 948
介入様脈 pulsus intercurrens 1526
外尿道括約筋 external urethral sphincter 1712
外尿道筋切開術 external sphincterotomy 1714
外尿道口 external opening of urethra 1303
外尿道口 external urethral orifice 1314
外尿道口 ostium urethrae externum 1325
〔外〕尿道口切開〔術〕 meatotomy 1113
外尿道切開〔術〕 external urethrotomy 1972
カイニン酸 kainic acid 975
カイニン酸レセプタ(受容体) kainate receptor 1570
外熱の exothermic 655
概念 concept 406
概念 conception 406
概念形成 concept formation 729
概念作用 conception 406
概念に基づく知覚 concept-driven perception 1384
下位の auxiliary 182
外膿頭症 external pyocephalus 1531
〔脳〕回の配列 gyration 807
海馬 hippocampus 853
外胚葉 ectoderm 585
外胚葉栄養芽層間腔 ectotrophoblastic cavity 316
外胚葉型 ectomorph 585
外胚葉割球 ectomere 585
外胚葉腫 epilepidoma 627
外胚葉症 ectodermosis 585
外胚葉性形成異常(異形成) ectodermal dysplasia 575
外胚葉〔総〕排泄(排出)腔 ectodermal cloaca 375
外胚葉頂堤 apical ectodermal ridge 1615
カイ配列 chi sequence 1664
灰白 griseus 800
灰白異栄養〔症〕 poliodystrophy 1457
灰白結節 ashen tubercle 1943
灰白結節 gray tubercle 1943
灰白結節 tuberculum cinereum 1946
灰白交通枝 gray rami communicantes 1551
灰白交連 commissura grisea 397
灰白交連 gray commissure 397
灰白質 cinerea 363
灰白質 gray matter 1111
灰白質 gray substance 1765
灰白質 substantia grisea 1766
灰白質計 tephrylometer 1851
灰白質軟化〔症〕 tephromalacia 1851
灰白色硬化 gray induration 925
灰白色浸潤 gray infiltration 928
灰白色の cineritious 363
灰白色変性 gray degeneration 481
灰白髄炎 poliomyelitis 1457
灰白髄炎ウイルスワクチン poliovirus vaccines 1980
灰白髄脳軟化症 polioencephalomalacia 1457
灰白脊髄障害 poliomyelopathy 1457
灰白前交連 commissura anterior grisea 397
灰白層 indusium griseum 925
灰白柱 gray columns 395
灰白柱 columnae griseae 396
灰白脳炎 polioencephalitis 1457
灰白脳症 polioencephalopathy 1457
灰白脳髄膜脊髄炎 polioencephalomeningomyelitis 1457
灰白脳脊髄炎 polioencephalomyelitis 1457
灰白脳脊髄炎 poliomyeloencephalitis 1457
灰白翼 trigonum nervi vagi 1933
灰白翼 vagal (nerve) trigone 1933
灰白隆起 ashen tuber 1942
灰白隆起 gray tuber 1942
灰白隆起 tuber cinereum 1942
灰白隆起枝 rami tuberis cinerei 1557
灰白隆起動脈の外側枝 lateral branches of artery of tuber cinereum 248
灰白隆起動脈の内側枝 medial branches of artery of tuber cinereum 249
灰白隆起の動脈 artery of tuber cinereum 154
灰白隆起漏斗路 tuberoinfundibular tract 1913
灰白隆起漏斗路 tractus tuberoinfundibularis 1915
外麦粒腫 hordeolum externum 862
海馬溝 dentate fissure 702
海馬溝 hippocampal fissure 702
海馬溝 hippocampal sulcus 1772
海馬溝 sulcus hippocampalis 1772
海馬硬化〔症〕 hippocampal sclerosis 1647
海馬交連 commissura hippocampi 397
海馬交連 hippocampal commissure 397
海馬采 fimbria hippocampi 700
海馬細胞層 layers of hippocampus 1010
海馬支脚 subiculum of hippocampus 1763
海馬足 foot of hippocampus 724
海馬足 pes hippocampi 1396
海馬体 formatio hippocampalis 729
外発的(外因性)動機付け extrinsic motivation 1172
〔海馬の〕錐体細胞層 pyramidal layer 1013
〔海馬の〕錐体細胞層 stratum pyramidale 1752
〔海馬の〕多形細胞層 oriens layer 1012
〔海馬の〕多形細胞層 stratum oriens 1752
〔海馬の〕放射線維層 radiant layer 1013
〔海馬の〕放射線維層 stratum radiatum 1752
〔海馬の〕網状分子層 lacunar-molecular layer 1011
〔海馬の〕網状分子層 stratum moleculare et substratum lacunosum 1752
海馬白板 alveus of hippocampus 55
海馬傍回 gyrus parahippocampalis 809
海馬傍回 parahippocampal gyrus 809
外反 ectropion, ectropium 586
外反 evagination 649
外反 extorsion 657
外反 valgus 1983
外反〔症〕 exstrophy 656
外反股 coxa valga 433
外反指(趾) digitus valgus 518
外反膝 genu valgum 767
外反膝 knock-knee 988
外反踵足 talipes calcaneovalgus 1839
外反(外転)尖足 talipes equinovalgus 1839
外反(外転)足 talipes valgus 1839
外反肘 cubitus valgus 447
外反母趾 hallux valgus 813
外反様の valgoid 1983
回避 avoidance 183
回避 evasion 650
外皮 integument 943
外皮 integumentum commune 943
外皮 pellicle 1378
外皮 shell 1672
外皮 tegument 1845
外皮 test 1853
〔血管〕外皮〔細胞〕 perithelium 1393
外被 pellicle 1378
外被 testa 1869
外鼻 nasus externus 1222
外鼻 external nose 1268
開〔放性〕鼻音症 rhinolalia aperta 1608
回避-回避型葛藤 avoidance-avoidance conflict 410
外被核 sagulum nucleus 1280
外皮寄生動物 epizoon 633
外皮寄生の epizoic 633
外皮系 integumentary system 1832
外被腱膜 aponeurosis of investment 117
外鼻孔 naris 1221
外鼻孔 nostril 1269
外鼻枝 external nasal branches 246
外鼻枝 rami nasales externi 1554
回避条件付け avoidance conditioning 407
外鼻静脈 external nasal veins 1996
外鼻静脈 venae nasales externae 2007
回避性人格障害 avoidant personality disorder 544
外鼻前弯〔症〕 rhinokyphosis 1608
外鼻弁 external nasal valve 1985
蓋ひも tenia tecta 1850
外鼻裂 cleft nose 1268
外〔部〕寄生植物 ectophyte 585
外〔部〕寄生生物 ectoparasite 585
外〔部〕寄生生物撲滅薬 ectoparasiticide 585
外〔部〕寄生動物 ectozoon 586
回復 amelioration 58
回復 recovery 1574
回復 recuperation 1575
回復 redintegration 1575
回復 revivification 1606
開腹〔術〕 celiotomy 318
開腹〔術〕 laparotomy 1001
開腹〔術〕 ventrotomy 2012
回復運動 recovery stroke 1758
回復期 convalescence 418
回復期患者 convalescent 418
回復期血清 convalescent serum 1668
回復期蛋白尿〔症〕 colliquative albuminuria 43
回復期保菌者 convalescent carrier 305
回復指数 recovery score 1650
外腹斜筋 abdominal external oblique (muscle) 1181
外腹斜筋 external oblique (muscle) 1184
外腹斜筋 musculus obliquus externus abdominis 1201
外腹斜筋腱膜 aponeurosis of external abdominal oblique muscle 117
外腹斜筋反射 external oblique reflex 1579
開腹術 peritoneotomy 1393
回復推進の restorative 1597
開腹パッド laparotomy pad 1336
回復不能の irreversible 957
外腹膜炎 ectoperitonitis 585
外部志向の other-directed 1326
外部精度管理試料 proficiency samples 1633

外部潜伏期 extrinsic incubation period 1389
外部の exoteric 655
外部の external 657
外分泌腺 exocrine gland 773
外分泌の exocrine 653
外分泌物 external secretion 1653
外閉鎖筋 obturator externus (muscle) 1189
外閉鎖筋 musculus obturator externus 1201
カイ平方 chi-square (χ^2) 345
〔蝸牛管〕外壁 paries externus ductus cochlearis 1356
〔蝸牛管〕外壁 external wall of cochlear duct 2039
開弁期弾撥音 opening snap 1694
解剖 anatomy 74
解剖 dissection 548
外包 capsula externa 290
外包 external capsule 290
解剖医学の anatomicomedical 74
開放回路法 open circuit method 1145
解剖学 anatomy 74
解剖学各論 special anatomy 74
解剖学者 anatomist 74
解剖学総論 general anatomy 74
開〔放〕角測定計 apertometer 112
解剖学的括約筋 anatomic sphincter 1712
解剖学的結合線 anatomic conjugate 411
解剖学的構造 anatomy 74
解剖学的死腔 anatomic dead space 1703
解剖学的終動脈 anatomic end artery 141
解剖学的真結合線 conjugata anatomica 411
解剖学的人工歯 anatomic tooth 1902
解剖学的体位 anatomic position 1469
解剖学的単位 anatomic element 598
解剖学的内子宮口 anatomical internal os of uterus 1318
解剖学的年齢 anatomic age 35
解剖学的の anatomic 74
解剖学的レベル anatomic level 1029
解剖〔学〕の anatomic 74
解剖学用語 *Nomina Anatomica* (NA) 1265
解剖学用語委員会 Nomenklatur Kommission (N.K.) 1265
開放〔隅〕角緑内障 open-angle glaucoma 777
開放〔性〕気胸 open pneumothorax 1451
開放系 open system 1832
〔上腕骨の〕解剖頸 collum anatomicum humeri 392
〔上腕骨の〕解剖頸 anatomical neck of humerus 1223
解放現象 release phenomenon 1405
開放骨折 compound fracture 737
開放骨折 open fracture 738
開放式病院 open hospital 865
解剖歯根 anatomical root 1621
解剖室 prosectorium 1500
開放ショック break shock 1673
開放性結核 open tuberculosis 1946
開放性脱臼 open dislocation 543
開放〔性〕頭部外傷 open head injury 936
開放性の open 1302
開〔放性〕鼻音症 rhinolalia aperta 1608
開放創 open wound 2049
外方増殖〔性〕の exophytic 654
解剖的嗅ぎタバコ入れ anatomic snuffbox 74
開放滴下麻酔〔法〕 open drop anesthesia 80
開放ドレナージ open drainage 559
解放反応 abreaction 4
解剖病理学 anatomic pathology 1372
開放面ぽう open comedo 397
外翻 extraversion 658
〔蝸牛管の〕蓋膜 membrana tectoria ductus cochlearis 1124
〔蝸牛管の〕蓋膜 tectorial membrane of cochlear duct 1127
〔正中環軸関節の〕蓋膜 posterior occipitoaxial ligament 1039
〔正中環軸関節の〕蓋膜 membrana tectoria (articulationis atlantoaxialis medianae) 1124
〔正中環軸関節の〕蓋膜 tectorial membrane (of median atlantoaxial joint) 1127
〔卵胞膜〕外膜 tunica externa thecae folliculi 1952
外膜 adventitia 31
外膜 exosporium 654
外膜 outer membrane 1126
外膜 tunica adventitia 1952
外膜 tunica externa 1952
外膜の adventitial 31
壊滅の pernicious 1394
海綿 sponge 1723
界面 interface 944
外面 superficies 1777
〔頭頂骨〕外面 external surface of parietal bone 1781
〔前頭骨の〕外面 facies externa ossis frontalis 663
〔前頭骨の〕外面 external surface of frontal bone 1781
〔頭頂骨の〕外面 facies externa ossis parietalis 663
〔頭頂骨の〕外面 external surface of parietal bone 1781
海綿芽細胞 spongioblast 1723
〔神経〕海綿芽細胞腫 spongioblastoma 1723
海綿芽腫 spongioblastoma 1723
界面活性剤 surfactant 1784
界面活性の surface-active 1784
界面活性物質 surfactant 1784
海綿間静脈洞 intercavernous sinuses 1687
海綿間静脈洞 sinus intercavernosi anterior et posterior 1687
海綿骨組織 cancellous tissue 1895
海綿質 substantia spongiosa 1767
海綿質 substantia trabecularis 1767
海綿質状態 status spongiosus 1740
海綿質脱落膜 decidua spongiosa 474
海綿質の spongy 1723
海綿状血管腫 cavernous hemangioma 825
海綿状(様)血管腫 cavernous angioma 85
海綿状脂肪腫 lipoma cavernosum 1057
海綿状態 spongiosis 1723
海綿状の cavernous 315
海綿状の spongiose 1723
海綿状の spongy 1723
海綿状脳障害(脳症) spongiform encephalopathy 610
海綿静脈洞 cavernous sinus 1687
海綿静脈洞 sinus cavernosus 1687
海綿静脈洞枝 ramus sinus cavernosi 1556
海綿静脈洞症候群 cavernous sinus syndrome 1799
海綿静脈洞神経叢 cavernous nerve plexus 1439
海綿静脈洞動脈 cavernous arteries 143
海綿状リンパ管腫 cavernous lymphangioma 1076
海綿状リンパ管腫 lymphangioma cavernosum 1076
海綿層 stratum spongiosum 1753
海綿組織 cavernous tissue 1895
海綿体炎 cavernitis 315
海綿体炎 spongiositis 1723
海綿体動脈瘤 intracavernous aneurysm 82
〔男性尿道〕海綿体部 pars spongiosa urethrae masculinae 1361
〔男性尿道〕海綿体部 spongy part of the male urethra 1367
界面張力 interfacial surface tension 1851
海綿動物門 Porifera 1466
海綿内神経叢 intracavernous plexus 1441
界面の interfacial 944
外面の ectal 584
外面へ ectad 584
海綿様骨腫 osteoma spongiosum 1322
怪網 rete mirabile 1598
回盲開大筋 dilator (muscle) of ileocecal sphincter 1183
回盲開大筋 musculus dilator pylori ilealis 1199
回盲口 ileocecal opening 1303
回盲口 ostium ileocecale 1325
外毛根鞘 external root sheath 1670
〔外〕毛根鞘腫 trichilemmoma 1928
外網状層 outer plexiform layer 1012
回盲前筋膜 prececocolic fascia 674
外毛層 epitrichial layer 1009
回〔腸〕盲〔腸〕吻合〔術〕 ileocecostomy 905
回盲の ileocecal 905
回盲ひだ ileocecal fold 719
回盲ひだ plica ileocecalis 1445
回盲部 ileocecum 905
回盲部腸重積〔症〕 ileocecal intussusception 952
回盲部膀胱形成術 ileocecocystoplasty 905
回盲弁 valva ileocecalis 1984
回盲弁 ileocecal valve 1985
回盲弁炎 typhlodiclíditis 1957
回盲弁括約筋 ileal sphincter 1713
回盲弁小帯 frenulum of ileocecal valve 740
回盲弁小帯 frenulum valvae ileocecalis 740
回盲連結部 ileocecal junction 973
外有毛細胞 outer hair cell 324
潰瘍 sore 1701
潰瘍 ulcer 1960
潰瘍 ulceration 1961
潰瘍 ulcus 1962
概要 profile 1494
概要 schema 1642
潰瘍化 ulceration 1961
潰瘍化の exulcerans 659
潰瘍〔偽〕膜〔性〕の ulceromembranous 1962
海洋恐怖〔症〕 thalassophobia 1873
潰瘍形成 ulceration 1961
潰瘍性咽頭炎 ulcerative pharyngitis 1401
潰瘍性眼瞼炎 blepharitis ulcerosa 220
潰瘍性大腸(結腸)炎 ulcerative colitis 390
潰瘍〔性〕の dieretic 514
潰瘍性膜性咽頭炎 ulceromembranous pharyngitis 1401
潰瘍腺〔性〕の ulceroglandular 1962
潰瘍発生〔性〕の ulcerogenic 1962
海洋薬理学 marine pharmacology 1400
海洋らせん菌属 *Oceanospirillum* 1290
外来患者 outpatient (OP) 1327
外来筋 extrinsic muscles 1185
外来診療室 dispensary 547
外来性括約筋 extrinsic sphincter 1712
外来性ゲノム断片 exogenote 654
外来性の adventitious 31
外来〔性〕の ecdemic 582
外来統合失調症 ambulatory schizophrenia 1644
外来の extraneous 657
外来(通院)の ambulatory, ambulant 57
外来麻酔 ambulatory anesthesia 79
快楽恐怖〔症〕 hedonophobia 821
快楽主義 sensuality 1662
外ラセン溝 external spiral sulcus 1772
外ラセン溝 outer spiral sulcus 1773
外ラセン溝 sulcus spiralis externus 1774
回卵巣 ovarium gyratum 1328
解離 detachment 500
解離 dissociation 548
解離 solution (sol., soln.) 1697
解離型ヒステリー dissociative hysteria 900
解離〔性〕眼振 dissociated nystagmus 1286

開離器 declinator …… 475
解離する受容体とリガンドのための区画 compartment for uncoupling receptors and ligands (CURL) …… 399
解離性感覚(知覚)脱失(消失) dissociated anesthesia …… 79
解離性障害 dissociative disorders …… 545
解離性垂直偏位 dissociated vertical deviation …… 502
解離性水平偏位 dissociated horizontal deviation …… 502
解離性同一性障害 dissociative identity disorder …… 545
解離性動脈瘤 dissecting aneurysm …… 82
解離性蜂巣炎 dissecting cellulitis …… 328
下位離断脳 encéphale isolé …… 607
解離定数 dissociation constant (K_d, K) 414
解離熱 heat of dissociation …… 821
解離反応 dissociative reaction …… 1564
解離麻酔〔法〕 dissociative anesthesia …… 79
改良型酸化亜鉛ユージノールセメント modified zinc oxide-eugenol cement …… 329
外リンパ perilymph …… 1388
外リンパ perilympha …… 1388
外リンパ液ガッシャー perilymphatic gusher …… 806
外リンパ管 aqueductus cochleae …… 122
外リンパ管 cochlear aqueduct …… 122
外リンパ管 perilymphatic duct …… 564
外リンパ管 ductus perilymphaticus …… 566
外リンパ腔 perilymphatic space …… 1704
外リンパ隙 spatium perilymphaticum …… 1707
外リンパ槽 cisterna perilymphatica …… 368
外リンパの perilymphatic …… 1388
外リンパ瘻 perilymphatic fistula …… 705
開裂 cleavage …… 373
開裂遺伝子 split genes …… 764
開裂酵素 splitting enzymes …… 624
回路 circuit …… 365
回路 cycle …… 454
外瘻 external fistula …… 705
街路恐怖〔症〕 agyiophobia …… 39
カイロスコープ chiroscope …… 345
外肋間筋 external intercostal (muscle) 1184
外肋間筋 musculus intercostales externi 1200
外肋間膜 external intercostal membrane 1125
カイロプラクティック chiropractic …… 345
カイロミクロン chylomicron …… 361
カイロミクロン血〔症〕 chylomicronemia 361
カイロミクロン蓄積症 chylomicron retention disease …… 530
カイロモン kairomone …… 975
会話恐怖〔症〕 laliophobia …… 996
カインコンプレックス Cain complex …… 401
下咽頭 hypopharyngeal …… 895
下咽頭 hypopharynx …… 895
下咽頭収縮筋 inferior constrictor (muscle) of pharynx …… 1186
下咽頭収縮筋 musculus constrictor pharyngis inferior …… 1199
下咽頭収縮筋の甲状咽頭部 pars thyropharyngea musculi constrictoris pharyngis inferioris …… 1361
下咽頭収縮筋の甲状咽頭部 thyropharyngeal part of inferior constrictor muscle of pharynx …… 1368
下咽頭収縮筋の甲状咽頭部 thyropharyngeal part of inferior pharyngeal constrictor (muscle) of pharynx …… 1368
下咽頭収縮筋の輪状咽頭部 cricopharyngeal part of inferior constrictor (muscle) of pharynx …… 1363
下咽頭隆起 hypopharyngeal eminence …… 603
カウ cow …… 433
ガウアーズ症候群 Gowers syndrome …… 1806
ガウアーズ徴候 Gowers sign …… 1681
ガウアーズ病 Gowers disease …… 534
〔直腸の〕下右外側曲 inferodextral lateral flexure of rectum …… 712
カウザルギー causalgia …… 315
ガウス gauss (G) …… 761
ガウス曲線 gaussian curve …… 451
ガウス徴候 Gauss sign …… 1680
カウデン病 Cowden disease …… 531
カウドリーA型封入〔小〕体 Cowdry type A inclusion bodies …… 226
カウドリーB型封入〔小〕体 Cowdry type B inclusion bodies …… 226
カウドリアン症 cowdriosis …… 433
カウパー(クーパー)靱帯 Cowper ligament …… 1034
カウパー(クーパー)〔腺〕嚢胞 Cowper cyst …… 459
ガウルテリン gaultherin …… 761
カウルムグラ油 chaulmoogra oil …… 340
カウンシルマン〔硝子〕小体 Councilman body, Councilman hyaline body …… 226
カウンセリング counseling …… 431
カウンセリング心理学 counseling psychology …… 1518
カウンターショック countershock …… 432
カウンターパルセイション counterpulsation …… 432
過運動性 supermotility …… 1778
過栄養 hyperalimentation …… 878
過栄養 superalimentation …… 1777
過栄養 supernutrition …… 1778
カエデ樹皮病 maple bark disease …… 537
カエデシロップ〔尿〕病 maple syrup urine disease …… 537
カエデ糖 maple sugar …… 1769
カエハ島 islands of Calleja …… 958
カエル frog …… 741
蛙足体位 frog-leg position …… 1469
カエル顔〔貌〕 frog face …… 661
カエル肢状側面像撮影 frog-leg lateral projection …… 1496
カエル跳び体位 leapfrog position …… 1469
下縁 inferior border …… 235
下縁 inferior margin …… 1103
下縁 margo inferior …… 1104
窩縁 cavity margin …… 1103
窩縁隅角 cavosurface angle …… 88
過塩酸〔症〕 hyperchlorhydria …… 879
窩縁斜面 cavosurface bevel …… 208
火炎状母斑 nevus flammeus, flame nevus …… 1255
過塩性 hypersaline …… 887
過塩素酸カリウム potassium perchlorate …… 1473
火炎斑 flame spots …… 1725
過塩類血症 hypersalemia …… 887
顔 face …… 661
かお(顔) facies …… 662
下横隔静脈 inferior phrenic vein …… 1997
下横隔静脈 vena phrenica inferior …… 2007
下横隔動脈 arteria phrenica inferior …… 137
下横隔動脈 inferior phrenic artery …… 146
下横隔動脈〔動脈〕周囲神経叢 periarterial plexus of inferior phrenic artery …… 1442
下横隔リンパ節 inferior phrenic lymph nodes …… 1078
下黄斑静脈 inferior macular venule …… 2012
下黄斑静脈 venula macularis inferior …… 2012
下黄斑動脈 arteriola macularis inferior …… 139
下黄斑動脈 inferior macular arteriole …… 139
カオス chaos …… 339
カオス理論 chaos theory …… 1875
顔立 features …… 679
〔下〕おとがい棘 spina mentalis (inferior) …… 1716
カオトロピズム chaotropism …… 339
顔の側面像 facial profile …… 1494
香り odor …… 1292
下オリーブ核 inferior olivary nucleus …… 1275
下オリーブ核複合体 inferior olivary complex …… 401
下オリーブ核門 hilum nuclei olivaris inferioris …… 852
下オリーブ核門 hilum of inferior olivary nucleus …… 852
下オリーブ線維 vellus olivae inferioris 2003
カオリン kaolin …… 975
カオリン凝固時間 kaolin clotting time (KCT) …… 1893
カオリンじん(塵)肺症 kaolinosis …… 975
カ(蚊)科 Culicidae …… 447
下窩 fovea inferior …… 735
下窩 inferior fovea …… 735
顆窩 condylar fossa …… 731
顆窩 fossa condylaris …… 731
過蓋咬合 closed bite …… 217
過蓋咬合 deep bite …… 217
下外斜位 hypoexophoria …… 893
下外側縁 inferolateral margin …… 1103
下外側縁 margo inferolateralis …… 1104
下外側静脈 inferior temporal retinal venule …… 2012
下外側静脈 inferior temporal venule of retina …… 2012
下外側静脈 venula temporalis retinae inferior …… 2012
下外側上腕皮神経 inferior lateral brachial cutaneous nerve …… 1235
下外側上腕皮神経 inferior lateral cutaneous nerve of arm …… 1235
下外側上腕皮神経 nervus cutaneus brachii lateralis inferior …… 1241
過外転 superabduction …… 1777
過外転症候群 hyperabduction syndrome 1807
下回盲陥凹 inferior ileocecal recess …… 1571
下回盲陥凹 recessus ileocecalis inferior 1573
カカオ cacao …… 274
カカオ脂 cacao butter, cocoa butter …… 272
カカオ脂 cacao oil …… 274
カカオ脂 theobroma oil …… 1874
下角 cornu inferius …… 424
下角 inferior horn …… 864
下角 temporal horn …… 864
〔肩甲骨の〕下角 inferior angle of scapula 89
〔側脳室の〕下角 cornu inferius ventriculi lateralis …… 424
〔側脳室の〕下角 cornu temporale ventriculi lateralis …… 424
〔側脳室の〕下角 inferior horn of lateral ventricle …… 864
〔甲状軟骨の〕下角 inferior horn of thyroid cartilage …… 864
〔伏在裂孔鎌状縁の〕下角 inferior horn of falciform margin of saphenous opening …… 864
化学 chemistry …… 341
科学 science …… 1645
下顎 lower jaw …… 967
下顎 submaxilla …… 1764
下顎咽頭の mandibulopharyngeal …… 1098
下顎運動 mandibular movement …… 1174
〔下顎〕遠心咬合 distoclusion …… 549
〔下顎〕遠心咬合の distoclusal …… 549
下顎窩 fossa mandibularis …… 733
下顎窩 mandibular fossa …… 733
化学覚 chemical senses …… 1661
下顎角 angle of mandible …… 89
下顎角 angulus mandibulae …… 90
下顎角前切痕 antegonial notch …… 1269
下顎過剰症 paragnathus …… 1349
下顎滑走運動 mandibular glide …… 778
下顎下の inframandibular …… 931

下顎管 mandibular canal 284
下顎管 canalis mandibulae 285
下顎眼窩顔面の mandibulooculofacial 1098
下顎眼顔面症候群 mandibulooculofacial syndrome 1811
下顎・眼・顔面・頭部異形症 dyscephalia mandibulooculofacialis 571
下顎眼瞼異常運動症候群 jaw-winking syndrome 1808
化学感作する chemosensitize 342
下顎顔面異骨〔症〕症候群 mandibulofacial dysostosis syndrome 1811
〔下〕顎顔面骨形成不全〔症〕 mandibulofacial dysostosis 574
下顎顔面の mandibulofacial 1098
科学技術 technology 1845
下顎臼歯の三錐 trigonid 1933
下顎頸 collum mandibulae 392
下顎頸 neck of mandible 1223
化学結合 hybrid 868
下顎結合 symphysis mandibulae 1791
下顎結合奇形 paragnathus 1349
下顎犬歯 stomach tooth 1903
化学元素 ultimate principle 1485
下顎孔 foramen mandibulae 725
下顎孔 mandibular foramen 725
下顎後陥凹 fossa retromandibularis 734
下顎後陥凹 retromandibular fossa 733
下顎後静脈 retromandibular vein 2000
下顎後静脈 vena retromandibularis 2007
化学合成 chemosynthesis 343
化学合成生物 chemotroph 343
化学合成無機栄養 chemolithotrophy 342
化学構造 structure 1760
下顎後退 retrusion 1605
下顎後退〔症〕 mandibular retraction 1603
下顎後〔方〕の retromandibular 1604
下顎骨 mandible 1098
下顎骨 submaxilla 1764
〔下顎骨〕歯槽部 pars alveolaris mandibulae 1357
〔下顎骨〕歯槽部 alveolar part of mandible 1362
下顎骨肢端骨形成不全〔症〕 mandibuloacral dysostosis 574
下顎骨斜線 oblique line of mandible 1051
下顎骨周囲固定 circummandibular fixation 707
下顎骨切除〔術〕 mandibulectomy 1098
下顎骨節突起 coronoid process of the mandible 1488
下顎〔骨〕体 body of mandible 228
〔下顎骨の〕おとがい結節 mental tubercle (of mandible) 1944
〔下顎骨の〕おとがい結節 tuberculum mentale (mandibulae) 1946
〔下顎骨の〕関節突起 condylar process of mandible 1488
〔下顎骨の〕関節突起 processus condylaris mandibulae 1491
〔下顎骨の〕根間中隔 interradicular septa of mandible 1664
〔下顎骨の〕根間中隔 septa interradicularia mandibulae 1664
下顎骨の側頭筋稜 temporal crest of mandible 438
〔下顎骨の〕翼突筋粗面 tuberositas pterygoidea (mandibulae) 1947
〔下顎骨の〕翼突筋粗面 pterygoid tuberosity (of mandible) 1947
化学サンプリング chemical sampling 1633
下顎枝 ramus mandibulae 1553
下顎枝 ramus of mandible 1553
化学式 chemical formula 730
下顎歯槽堤斜面 lower ridge slope 1692
化学(ケミカル)シフト chemical shift 1673
化学(ケミカル)シフトによるアーチファクト chemical shift artifact 158
化学者 chemist 341
化学修飾 chemical modification 1162
化学修復 chemical repair 1590
化学受容 chemoreception 342
化学受容器 chemoreceptor 342
化学受容体 chemical ceptor 334
化学受容体 chemoreceptor 342
化学受容の chemoreceptive 342
下顎小舌 lingula mandibulae 1054
下顎小舌 lingula of mandible 1054
下顎上の epimandibular 629
下顎上の supramandibular 1779
下顎歯列弓 lower dental arcade 124
下顎歯列弓 mandibular dental arcade 124
下顎歯列弓 arcus dentalis inferior 127
化学進化 chemical evolution 650
下顎神経 mandibular nerve [CN V3] 1236
下顎神経 nervus mandibularis [CN V3] 1242
下顎神経硬膜枝と耳神経節との交通枝 communicating branch of otic ganglion with meningeal branch of mandibular nerve 245
下顎神経の硬膜枝 meningeal branch of mandibular nerve 249
化学浸透説 chemiosmotic theory 1875
化学性結膜炎 chemical conjunctivitis 412
化学性肺炎 chemical pneumonia 1449
化学〔性〕皮膚炎 chemical dermatitis 495
化学性腹膜炎 chemical peritonitis 1393
下顎切痕 incisura mandibulae 919
下顎切痕 mandibular notch 1270
化学線 actinic ray 1561
化学線透徹性の diactinic 508
下顎前突 mandibular protraction 1509
化学線の actinic 20
下顎前方移動装置 mandibular advancement device 503
化学線療法 actinotherapy 21
化学走性 chemotaxis, positive chemotaxis, negative chemotaxis 343
化学塞栓療法 chemoembolization 342
科学測定法 scientometrics 1645
化学速度論 chemical kinetics 985
下顎体 corpus mandibulae 425
下顎短小〔症〕 brachygnathia 240
下顎短小の brachygnathous 240
下顎中心位 centric position 1469
過拡張 superdistention 1777
下顎ちょうつがい位 mandibular hinge position 1469
下顎底 base of mandible 199
下顎底 basis mandibulae 201
化学的エネルギー chemical energy 617
化学的感受性の chemosensitive 342
〔化学的〕機能 function (f) 744
化学的去勢 chemical castration 310
化学的外科〔治療〕 chemosurgery 343
化学的解毒薬 chemical antidote 102
化学的交感神経切除〔術〕 chemical sympathectomy 1790
化学的作用 chemistry 341
化学的紫外線遮光剤 chemical sunscreen 1777
化学的自己栄養体 chemoautotroph 342
化学的視床切除〔術〕 chemothalamectomy 343
化学的焼灼薬 chemocautery 342
化学的浸透圧現象(作用) chemosmosis 343
化学的髄核融解〔術〕 chemonucleolysis 342
化学的性質 chemistry 341
化学的生物機能学 chemobiodynamics 342
化学的脱毛剤 chemical depilatory 492
化学的淡蒼球視床切除〔術〕 chemopallidothalamectomy 342
化学的淡蒼球切除〔術〕 chemopallidectomy 342
化学〔的〕伝達物質 chemotransmitter 343
化学的独立栄養体 chemoautotroph 342
化学的妊娠 chemical pregnancy 1478
化学〔的〕熱傷 chemical burn 267
化学的表皮剥離〔法〕 chemexfoliation 341
化学的複雑性 chemical complexity 403
化学的腐食薬 chemocautery 342
化学〔的〕予防〔法〕 chemoprevention 342
化学〔的〕予防〔法〕 chemoprophylaxis 342
化学〔的〕予防〔法〕 chemical prophylaxis 1499
化学的硫化樹脂 chemically cured resin 1592
科学的理論 scientific theory 1877
下顎頭 caput mandibulae 292
下顎頭 head of mandible 817
下顎頭結合奇形 myognathus 1214
化学ナイフ chemical knife 987
化学の chemical 341
〔下顎の〕歯槽弓 alveolar arch of mandible 125
〔下顎の〕歯槽弓 arcus alveolaris mandibulae 127
化学発光 chemiluminescence 341
下顎反射 jaw jerk 968
下顎反射 jaw reflex 1579
化学反射 chemoreflex 342
化学反応 chemoresponse 342
下顎肥大の pachygnathous 1335
化学物質頻回暴露感度 multiple chemical sensitivity 1661
化学分化 chemodifferentiation 342
化学分解 chemolysis 342
化学分類学 chemical taxonomy 1843
化学方程式 chemical equation 634
化学ポテンシャル chemical potential (μ) 1473
化学誘引物質 chemoattractants 342
下顎誘導義歯 mandibular guide prosthesis 1501
下顎隆起 mandibular prominence 1497
下顎隆起 mandibular torus, torus mandibularis 1905
化学療法 chemotherapy 343
化学療法学 chemotherapeutics 343
化学療法指数 chemotherapeutic index 922
化学療法抵抗性 chemoresistance 342
化学療法の chemotherapeutic 343
化学量論 stoichiometry 1748
化学量論数 stoichiometric number (ν) 1282
下角輪状筋 ceratocricoid (muscle) 1182
下角輪状筋 musculus ceratocricoideus 1199
下角輪状靭帯 ceratocricoid ligament 1033
下角輪状靭帯 ligamentum ceratocricoideum 1042
下角輪状軟骨の ceratocricoid 334
下顎リンパ節 mandibular lymph node 1079
下顎リンパ節 mandibular nodes 1261
下下垂体動脈 arteria hypophysialis inferior 135
下下垂体動脈 inferior hypophysial artery 146
過活動膀胱 hyperactive bladder 218
過活動膀胱 overactive bladder 218
かかと calx 281
かかと heel 821
踵衝撃 heel jar 966
踵接地 heel strike 822
下下腹神経叢 inferior hypogastric (nerve) plexus 1440
鏡 mirror 1159
鏡 speculum 1709
鏡〔像〕恐怖〔症〕 spectrophobia 1708
鏡付き視軸測定器 mirror haploscope 815
〔病気に〕かかる contract 416
顆管 condylar canal 282
顆管 condyloid canal 282
顆管 canalis condylaris 285

カ

芽管 germ tube 1941
顆間窩 fossa intercondylaris 732
顆間窩 intercondylar fossa 732
下眼窩裂 fissura orbitalis inferior 702
下眼窩裂 inferior orbital fissure 703
過換気 hyperventilation 890
過換気試験 hyperventilation test 1859
過換気テタニー hyperventilation tetany 1870
過換気誘発試験 hyperventilation provocation test 1859
顆間結節 intercondylar tubercle 1943
〔内側または外側〕顆間結節 tuberculum intercondylare (mediale et laterale) 1946
下眼瞼 inferior eyelid 660
下眼瞼 lower eyelid 660
下眼瞼 palpebra inferior 1339
下眼瞼静脈 inferior palpebral veins 1996
下眼瞼静脈 veins of inferior eyelid 1996
下眼瞼静脈 venae palpebrales inferiores 2007
下眼瞼動脈弓 arterial arch of lower eyelid 125
下眼瞼動脈弓 inferior palpebral (arterial) arch 126
下眼瞼動脈弓 arcus palpebralis inferior 127
下眼瞼の層構造 lamellae of lower lid 996
下眼瞼浮腫徴候 sign of edema of lower eyelid 1680
過〔剰〕感作 hypersensitization 887
可干渉 coherence 388
花環状乾癬 psoriasis gyrata 1516
下環状断層撮影 hypocycloidal tomography 1899
花環状の corymbiform 429
下眼静脈 inferior ophthalmic vein 1996
下眼静脈 vena ophthalmica inferior 2007
窩間靱帯 interfoveolar ligament 1036
窩間靱帯 ligamentum interfoveolare 1044
顆〔状〕関節 condylarthrosis 408
〔環椎〕下関節窩 facies articularis inferior atlantis 663
〔環椎〕下関節窩 fovea articularis inferior atlantis 735
〔環椎〕下関節窩 inferior articular pit of atlas 1426
下関節突起 inferior articular process 1489
〔椎骨の〕下関節面 inferior articular facet of vertebra 661
〔脛骨の〕下関節面 inferior articular surface of tibia 1781
〔脛骨の〕下関節面 facies articularis inferior tibiae 663
果間の intermalleolar 946
顆間の intercondylar, intercondylic, intercondyloid 944
顆間隆起 intercondylar eminence 603
かぎ hook 862
鉤 clasp 370
鉤 hamulus 814
鉤 uncus 1963
鉤〔腕〕arm 131
鍵穴変形 keyhole deformity 480
夏季かゆみ(そう痒)〔症〕pruritus aestivalis 1510
カキ殻状乾癬 rupia 1627
カキ殻状の ostraceous 1325
〔梅毒性〕カキ殻疹 rupia 1627
下気管気管支リンパ節 inferior tracheobronchial lymph nodes 1078
夏季下痢 summer diarrhea 511
かぎ(鉤)効果 hook effect 588
掻き裂く tease 1844
カギサナダ *Taenia solium* 1838
過ギ酸 performic acid 1385
過期〔産〕児 postterm infant 925
過ギ酸反応 performic acid reaction 1566
仮義歯 interim denture 489
過寄生 superparasitism 1778
過寄生体 superparasite 1778
夏季ぜん息 summer asthma 165
嗅ぎタバコ入れ snuffbox 1694
カキ中毒〔症〕ostreotoxism 1325
かぎ(鉤)爪 claw 372
かぎ(鉤)爪〔様〕趾 claw toe 1897
かぎ(鉤)爪足 clawfoot 372
下気道 lower airway 41
下気道スミア(塗抹〔標本〕) lower respiratory tract smear 1693
鍵と鍵穴モデル lock-and-key model 1162
カギナシサナダ *Taenia saginata* 1838
夏季の estival 644
鉤の uncal 1963
夏季皮膚炎 dermatitis aestivalis 495
可逆コロイド reversible colloid 391
可逆親水コロイド reversible hydrocolloid 872
加虐性愛 sadism 1630
加虐性愛者 sadist 1630
可逆性歯髄炎 reversible pulpitis 1524
可逆性ショック reversible shock 1674
可逆性石灰〔沈着〕症 reversible calcinosis 276
可逆〔性〕の reversible 1605
可逆性皮質除去 reversible decortication 475
可逆阻害 reversible inhibition 933
可逆反応 reversible reaction 1567
加虐-被虐愛性関係 sadomasochistic relationship 1588
下丘 colliculus inferior 391
下丘 inferior colliculus 391
蝸牛 cochlea 385
芽球 blast cell 319
芽球 gemmule 762
蝸牛あぶみ骨反射 cochleostapedial reflex 1578
蝸牛異形成 cochlear dysplasia 575
蝸牛炎 cochleitis 385
芽球化 blastogenesis 219
下丘核 nuclei colliculi inferioris 1274
下丘核 nuclei of inferior colliculus 1275
蝸牛核 cochlear nuclei 1274
蝸牛核 nuclei cochleares 1274
蝸牛管 cochlear canal 282
蝸牛管 cochlear duct 563
蝸牛管 ductus cochlearis 566
蝸牛陥凹 cochlear recess 1571
蝸牛陥凹 recessus cochlearis 1573
蝸牛管血管条 stria vascularis ductus cochlearis 1756
蝸牛管血管条 stria vascularis of cochlear duct 1756
蝸牛眼瞼反射 cochleopalpebral reflex 1578
〔蝸牛管の〕蓋膜 membrana tectoria ductus cochlearis 1124
〔蝸牛管の〕蓋膜 tectorial membrane of cochlear duct 1127
〔蝸牛管の〕外壁 paries externus ductus cochlearis 1356
〔蝸牛管の〕外壁 external wall of cochlear duct 2039
〔蝸牛管の〕外面 external surface of cochlear duct 1781
〔蝸牛管の〕基底板 lamina basilaris cochleae 997
〔蝸牛管の〕基底板 basal lamina of cochlear duct 997
〔蝸牛管の〕基底稜 basilar crest of cochlear duct 437
〔蝸牛管の〕基底稜 basal crest of cochlear duct 437
〔蝸牛管の〕基底稜 crista basilaris ductus cochlearis 440
蝸牛管の前庭盲端 vestibular cecum of the cochlear duct 318
蝸牛管のラセン隆起 prominentia spiralis ductus cochlearis 1497
蝸牛管のラセン隆起 spiral prominence of cochlear duct 1497
蝸牛管のラセン隆起血管 vas prominens ductus cochlearis 1989
蝸牛球形嚢シャント術 cochleosacculotomy 385
蝸牛孔 helicotrema 823
蝸牛向性 cochleotopic 385
下丘交連 commissure of inferior colliculus 397
蝸牛削開 cochlear drill-out 560
蝸牛軸 modiolus 1162
蝸牛軸縦管 longitudinal canals of modiolus 284
蝸牛軸縦管 canales longitudinales modioli 285
蝸牛軸底 base of modiolus of cochlea 199
蝸牛軸底 basis modioli cochleae 201
蝸牛軸板 lamina modioli cochleae 998
蝸牛軸板 lamina of modiolus of cochlea 998
蝸牛軸板 plate of modiolus 1435
蝸牛軸ラセン管 spiral canal of modiolus 284
蝸牛軸ラセン管 canalis spiralis modioli 286
蝸牛軸ラセン静脈 spiral vein of modiolus 2001
蝸牛軸ラセン静脈 vena spiralis modioli 2007
芽〔球〕腫 blastoma 219
蝸牛小管 canaliculus cochleae 285
蝸牛小管 cochlear canaliculus 285
蝸牛小管外口 external aperture of cochlear canaliculus 113
蝸牛小管外口 external opening of cochlear canaliculus 1303
蝸牛小管静脈 vein of cochlear aqueduct 1994
蝸牛小管静脈 vein of cochlear canaliculus 1994
蝸牛小管静脈 vena aqueductus cochleae 2004
蝸牛小管静脈 vena canaliculi cochleae 2004
蝸牛小管内口 internal opening of cochlear canaliculus 1303
蝸牛神経 cochlear nerve 1232
蝸牛神経 nervus cochlearis 1241
蝸牛跡(スネイルトラック)変性 snail track degeneration 481
蝸牛前庭の cochleovestibular 386
蝸牛前庭裂 vestibular fissure of cochlea 704
蝸牛窓 fenestra cochleae 680
蝸牛窓 fenestra of the cochlea 680
蝸牛窓 cochlear window 2046
蝸牛窓小窩 fossa of round window 734
蝸牛窓小窩 fossula fenestrae cochleae 734
蝸牛窓の静脈 vein of cochlear window 1995
蝸牛窓稜 crest of cochlear opening 437
蝸牛窓稜 crest of round window 438
蝸牛窓稜 crista fenestrae cochleae 440
蝸牛頂 cochlear cupula 449
蝸牛頂 cupula of cochlea 449
蝸牛底 base of cochlea 199
蝸牛底 basis cochleae 201
蝸牛瞳孔反射 cochleopupillary reflex 1578
仮〔牛〕痘の vaccinoid 1981
蝸牛内〔直流〕電位 endocochlear potential 1473
蝸牛マイクロフォン電位 cochlear microphonic 385
蝸牛迷路 cochlear labyrinth 992
蝸牛迷路 labyrinthus cochlearis 992
蝸牛〔有〕毛細胞 cochlear hair cells 320
蝸牛野 area cochleae 129
蝸牛野 cochlear area 129
蝸牛ラセン管 spiral canal of cochlea 284
蝸牛ラセン管 canalis spiralis cochleae 286
蝸牛ラセン靱帯 spiral ligament of cochlea

……… 1040
蝸牛ラセン靱帯 spiral ligament of cochlear duct ……… 1040
蝸牛ラセン靱帯 ligamentum spirale cochleae ……… 1045
蝸牛漏斗 infundibulum ……… 931
下丘腕 brachium colliculi inferioris ……… 239
下丘腕 brachium of inferior colliculus ……… 239
架橋 bridging ……… 257
架橋 cross-link ……… 442
架橋重合体 cross-linked polymer ……… 1460
架橋状肝壊死 bridging hepatic necrosis 1224
夏季痒疹 prurigo aestivalis ……… 1510
カ行吶 kappacism ……… 975
カ行吶 parakappacism ……… 1349
ガ行吶 gammacism ……… 751
ガ行吶 paragammacism ……… 1349
加強法の intensive ……… 943
下極 inferior pole ……… 1456
嗅ぎ分け odorimetry ……… 1292
過緊張膀胱 hypertonic bladder ……… 218
家禽のチフス fowl typhoid ……… 1957
殻 test ……… 1853
殻 testa ……… 1869
角 angle (θ) ……… 88
角 angulus ……… 90
角 cornu ……… 423
角 horn ……… 864
郭 vallum ……… 1984
額 forehead ……… 728
額 frons ……… 741
下区 inferior segment ……… 1654
下区 segmentum inferius ……… 1656
〔腱〕画 intersectio ……… 947
〔腱〕画 intersection ……… 947
核 nidus ……… 1257
核 nucleus ……… 1272
額位 brow presentation ……… 1481
核医学 nuclear medicine ……… 1117
核異常 dyskaryosis ……… 573
学位請求論題目 thesis ……… 1882
核異性体 isomer ……… 961
核因子κB NF-κB ……… 1256
窩腔 cavitas ……… 315
〔核〕右方移動 shift to the right ……… 1673
核液 karyolymph ……… 976
核液 nuclear sap ……… 1634
核エネルギー nuclear energy ……… 617
拡延 dilation ……… 519
拡延 distention, distension ……… 549
拡延 irradiation ……… 957
拡延性 distensibility ……… 549
拡延性抑制 spreading depression ……… 493
核黄疸 kernicterus ……… 981
核オーバーハウザー効果 nuclear Overhauser effect (NOE) ……… 589
拡音器 microphone ……… 1153
楽音的(様)雑音 musical murmur ……… 1180
角〔質〕化 keratinization ……… 978
角回 angular convolution ……… 419
角回 angular gyrus ……… 807
角回 gyrus angularis ……… 807
顎外固定 extraoral anchorage ……… 75
角化異常 keratonosis ……… 980
学外診療 extramural practice ……… 1475
角回動脈 angular artery ……… 141
角回動脈 artery of angular gyrus ……… 141
角回動脈 branch to angular gyrus ……… 242
核外の extranuclear ……… 657
核化学 nuclear chemistry ……… 342
角化棘細胞腫 keratoacanthoma ……… 978
角化血管腫症 angiokeratosis ……… 85
角化厚皮症 keratopachyderma ……… 980
顎下三角 submandibular triangle ……… 1927
顎下三角 trigonum submandibulare ……… 1933
角化腫 keratoma ……… 979
角化症 keratosis ……… 981
顎下神経節 ganglion submandibulare ……… 754
顎下神経節 submandibular ganglion ……… 754
顎下神経節の交感神経根 sympathetic root of submandibular ganglion ……… 1622
顎下神経節の腺枝 glandular branches of submandibular ganglion ……… 247
顎下神経節の知覚枝 sensory root of submandibular ganglion ……… 1622
顎下神経節への交感神経枝 sympathetic branch to submandibular ganglion ……… 254
顎下神経節への交感神経枝 ramus sympathicus (sympatheticus) ad ganglion submandibulare ……… 1556
角化性紅斑 erythema keratodes ……… 638
角化性類弾性線維症 keratoelastoidosis ……… 979
顎下腺 submandibular gland ……… 774
顎下腺 glandula submandibularis ……… 776
顎下腺窩 submandibular fossa ……… 734
顎下腺窩 fovea submandibularis ……… 735
顎下腺管 submandibular duct ……… 565
顎下腺管 ductus submandibularis ……… 566
核家族 nuclear family ……… 671
角加速度 angular acceleration ……… 9
核型 karyotype ……… 976
顎下の submandibular ……… 1764
角化嚢胞 keratocyst ……… 979
顎下リンパ節 submandibular lymph nodes ……… 1081
顎間関係 maxillomandibular relation ……… 1588
顎間距離 interarch distance ……… 549
顎間牽引 intermaxillary traction ……… 1914
顎間固定 intermaxillary anchorage ……… 75
顎間固定 intermaxillary fixation ……… 707
核間性眼筋麻痺 internuclear ophthalmoplegia (INO) ……… 1308
顎関節 articulatio temporomandibularis 157
顎関節 temporomandibular articulation ……… 158
顎関節 jaw joint ……… 970
顎関節 mandibular joint ……… 970
顎関節 temporomandibular joint ……… 972
顎関節機能不全 temporomandibular joint dysfunction (TMD, TMJ) ……… 572
顎関節症 temporomandibular arthrosis ……… 156
顎関節症候群 TMJ syndrome ……… 1823
顎関節静脈 articular veins ……… 1994
顎関節静脈 veins of temporomandibular joint ……… 2002
顎関節静脈 venae articulares temporomandibulares ……… 2004
顎関節の外側靱帯 lateral ligament of temporomandibular joint ……… 1037
顎関節の外側靱帯 lateral temporomandibular ligament ……… 1037
顎関節の外側靱帯 ligamentum laterale articulationis temporomandibularis ……… 1044
顎関節の関節円板 articular disc of temporomandibular joint ……… 525
顎関節の関節円板 discus articularis temporomandibularis ……… 527
顎関節の内側靱帯 medial ligament of temporomandibular joint ……… 1037
顎関節の内側靱帯 ligamentum mediale articulationis temporomandibularis ……… 1044
顎関節防護装置 jaw-joint protector appliance ……… 120
顎間弾性材料 intermaxillary elastic ……… 592
核間の internuclear ……… 947
〔上〕顎間の intermaxillary ……… 946
〔上顎の〕顎間部 intermaxillary segment 1654
核間メチル angular methyl ……… 1146
〔下〕顎顔面骨形成不全〔症〕 mandibulofacial dysostosis ……… 574
〔上〕顎顔面の maxillofacial ……… 1111
顎顔面補てつ学 maxillofacial prosthetics ……… 1501
顎間容積 jaw separation ……… 1662
核基質 nuclear matrix ……… 1111
顎寄生重複体 polygnathus ……… 1460
顎弓 mandibular arch ……… 126
顎弓周囲固定 circumzygomatic fixation 707
核凝縮 karyopyknosis ……… 976
角強膜 corneosclera ……… 423
角強膜の corneoscleral ……… 423
核形成 karyomorphism ……… 976
核形成 nucleation ……… 1271
〔屈曲〕角形成 angulation ……… 90
核形態 karyomorphism ……… 976
核形の nucleiform ……… 1271
顎欠損奇形 stomocephalus ……… 1749
角結膜炎 keratoconjunctivitis ……… 978
核〔膜〕孔 nuclear pore ……… 1466
核硬化 nuclear sclerosis ……… 1647
顎甲介の maxilloturbinal ……… 1111
顎口腔系 stomatognathic system ……… 1834
顎口腔系の stomatognathic ……… 1749
核合体 karyogamy ……… 976
顎後退 retrognathism ……… 1604
顎後退の retrognathic ……… 1604
顎口虫症 gnathostomiasis ……… 790
顎口虫属 *Gnathostoma* ……… 790
顎後突起 processus retromandibularis ……… 1492
顎骨異常の dysgnathic ……… 572
〔上〕顎骨間の intermaxillary ……… 946
顎骨基底部 basal bone ……… 231
顎骨切開〔術〕 maxillotomy ……… 1111
顎骨前〔方〕の premaxillary ……… 1479
〔顎骨〕中心性骨形成性線維腫 central ossifying fibroma ……… 694
顎骨発育不全 dysgnathia ……… 572
較差 amplitude ……… 64
較差 difference ……… 516
較差 range ……… 1558
核細糸 nucleofilaments ……… 1271
学際的な interdisciplinary ……… 944
学際の interdisciplinary ……… 944
核-細胞質比 nuclear-cytoplasmic ratio 1561
核-細胞質比説 kern-plasma relation theory ……… 1876
核鎖線維 nuclear chain fiber ……… 690
〔核〕左方移動 shift to the left ……… 1673
核酸 nucleic acid ……… 1271
拡散 apneic oxygenation ……… 1332
拡散〔性〕 diffusion ……… 516
拡散因子 diffusing factor ……… 667
拡散因子 spreading factor ……… 669
核酸塩 nucleate ……… 1271
核酸塩基 nucleic acid base ……… 199
拡散強調画像 diffusion weighted imaging ……… 908
拡散係数 diffusion coefficient ……… 387
拡散呼吸 diffusion respiration ……… 1595
拡散剤 spreading agent ……… 36
拡散する diffuse ……… 516
拡散性興奮薬 diffusible stimulant ……… 1747
拡散性低酸素〔症〕 diffusion hypoxia ……… 900
拡散性無酸素〔症〕 diffusion anoxia ……… 96
拡散能〔力〕 diffusing capacity ……… 288
拡散反射 diffused reflex ……… 1578
核酸プローブ nucleic acid probe ……… 1486
拡散法 diffusion method ……… 1143
拡散量 diffusing capacity ……… 288
核子 nucleon ……… 1271
核糸 spirem, spireme ……… 1717
額嘴 rostellum ……… 1623
学士看護師 graduate nurse (GN) ……… 1283
核磁気共鳴 nuclear magnetic resonance (NMR) ……… 1594
核磁子 nuclear magneton ……… 1093
核指数 nucleoplasmic index ……… 922
顎指数 gnathic index ……… 922
核質 karyoplast ……… 976

核質 nucleoplasm 1271
核質 nucleoplasmin 1271
角質 cuticle 452
角質 keratin 977
角質〔層〕corneum 423
確実 authenticity 178
角〔質〕化 keratinization 978
角質形成 keratogenesis 979
角質形成 keratoplasia 980
角質細胞 corneocyte 423
角質性腫瘍 keratoma 979
角質生成 keratinization 978
〔表皮〕角質層 corneal layer of epidermis 1009
〔表皮〕角質層 stratum corneum epidermidis 1751
角質増殖〔症〕hyperkeratosis 882
角質の horny 865
角質嚢腫 keratinous cyst 459
角質皮膚炎 keratodermatitis 979
角質分解酵素 keratinases 978
角質溶解 keratolysis 979
核糸網 linin network 1244
かくしゃく agerasia 37
核種 nuclide 1282
学習 learning 1014
核周囲性白内障 perinuclear cataract 311
核周囲の perinuclear 1389
核周囲部 perikaryon 1387
学習障害 learning disability 525
学習性無力 learned helplessness 1014
学習の構え learning set 1668
核周辺の circumnuclear 367
学習理論 learning theory 1876
喀出 expectoration 655
喀出 spitting 1719
確証 validation 1983
核上損傷 supranuclear lesion 1023
核小体 nucleolus 1271
核小体オルガナイザー領域 nucleolus organizer region 1586
核小体・核比 nucleolar-nuclear ratio 1561
核小体形成部位(NOR)染色法 NOR-banding 196
核小体糸 nucleolonema 1271
核小体状の nucleoliform 1271
核小体染色体 nucleolar chromosome 359
殻状の branny 255
核状の nucleiform 1271
核上の supranuclear 1779
核上麻痺 supranuclear paralysis 1351
顎静脈 maxillary vein 1998
顎静脈 vena maxillaris 2006
角状弯曲 angular curvature 450
核心血管撮影 radionuclide angiocardiography 83
覚性 vigilance 2019
覚醒 emergence 603
覚醒〔状態〕vigil 2019
覚醒〔状態〕vigilance 2019
隔世遺伝 atavism 167
隔世遺伝 reversion 1605
隔世遺伝性中足 metatarsus atavicus 1141
核性因子κB nuclear factor-κB 668
核性眼筋麻痺 nuclear ophthalmoplegia 1308
学生看護師 student nurse (SN) 1283
覚醒機能 arousal function 744
覚醒〔時〕幻覚 hypnopompic hallucination 812
覚醒昏睡 coma vigil 2019
核静止期 karyostasis 976
顎正常 eugnathia 647
核性スケルトン nucleoskeleton 1272
覚醒性の antihypnotic 106
拡声聴診〔法〕cardiophony 301
拡声聴診器 phonendoscope 1411
核性白内障 nuclear cataract 311
覚醒反応 arousal reaction 1563
顎整復 jaw repositioning 1591
覚醒無感覚 narcohypnia 1221
覚醒薬 antihypnotic 106
覚醒遊行症 vigilambulism 2019
隔絶 isolate 960
学説 doctrine 554
〔学〕説 theory 1875
顎舌骨筋 mylohyoid (muscle) 1189
顎舌骨筋 musculus mylohyoideus 1201
顎舌骨筋後窩 retromylohyoid space 1705
顎舌骨筋神経 nerve to mylohyoid 1237
顎舌骨筋神経 nervus mylohyoideus 1242
顎舌骨筋神経溝 mylohyoid groove 802
顎舌骨筋神経溝 sulcus mylohyoideus 1773
顎舌骨筋線 mylohyoid line 1051
顎舌骨筋線 linea mylohyoidea 1053
顎舌骨筋動脈 mylohyoid artery 149
顎舌骨筋動脈 mylohyoid branch (of inferior alveolar artery) 250
顎舌骨の mylohyoid 1212
角切痕 angular notch 1269
〔胃の〕角切痕 angular incisure of stomach 919
〔胃の〕角切痕 incisura angularis gastricae 919
顎前骨 premaxilla 1479
核染色〔法〕nuclear stain 1734
核染性神経細胞 karyochrome 976
顎前突〔症〕prognathism 1495
顎前突の prognathic 1495
画線培養 streak culture 448
角層下膿疱病(症) subcorneal pustular dermatosis 498
核袋 nuclear bag 192
拡大 dilation 519
拡大 enlargement 617
拡大 expansion 655
拡大 magnification 1093
〔発赤〕拡大 flare 710
拡大X線撮影 magnification radiography 1543
拡大家族療法 extended family therapy 1878
拡大鏡 loupe 1069
拡大鏡 mesoscope 1137
額帯鏡 head mirror 1159
拡大胸腺摘出〔術〕extended thymectomy 1889
拡大筋 dilator 519
拡大縦隔鏡検査〔法〕extended mediastinoscopy 1115
核大小不同 anisokaryosis 92
拡大腎盂切開〔術〕extended pyelotomy 1530
拡大心血管造影 magnification angiography 85
拡大身体障害状態スケール expanded disability status scale (EDSS) 1639
顎態診断学 gnathostatics 790
拡大乳房切除〔術〕extended radical mastectomy 1108
顎体部 capitulum 289
拡大法 dilation 519
核蛋白 nucleoprotein 1271
カクチノマイシン cactinomycin 274
角柱 prism 1485
拡張 dilation 519
拡張 distention, distension 549
拡張 luxus 1074
拡張〔症〕ectasia, ectasis 584
拡張型心筋症 dilated cardiomyopathy 300
拡張器 dilator 519
拡張器 écarteur 581
拡張期 diastole 511
〔心〕拡張期延長 bradydiastole 241
拡張期学 diastology 512
拡張期血圧 diastolic pressure 1482
拡張期後〔活動〕電位 diastolic afterpotential 34
拡張期雑音 diastolic murmur (DM) 1179
拡張期振せん diastolic thrill 1886
拡張機能 lusitropy 1074
拡張後期の postdiastolic 1470
拡張終(末)期の end-diastolic 611
拡張初期奔馬調律 protodiastolic gallop 750
拡張する dilate 519
拡張性 lusitropic 1074
拡張性潰瘍 distention ulcer 1960
拡張性〔肺〕気腫 ectatic emphysema 605
拡張性ショック diastolic shock 1674
拡張性(用)ステント expandable stent 1742
拡張性動脈瘤 ectatic aneurysm 82
拡張前期 prediastole 1477
拡張前期の prediastolic 1477
拡張早期雑音 early diastolic murmur 1179
拡張早期の protodiastolic 1507
拡張蛇行静脈 varicose veins 2003
拡張中期雑音 middiastolic murmur 1180
拡張中期の mesodiastolic 1136
拡張の expansile 655
拡張法 dilation 519
〔心室の〕拡張末期の telediastolic 1846
拡張末期容量 end-diastolic volume 2036
拡張薬 dilator 519
過屈曲 hyperflexion 880
過屈曲 superflexion 1777
顎堤 residual ridge 1616
顎堤(歯槽堤)関係 ridge relation 1588
顎堤吸収 ridge resorption 1595
確定性仮骨 definitive callus 279
カクテル cocktail 386
顎頭奇形 gnathocephalus 789
顎頭体 gnathocephalus 789
顎動脈 arteria maxillaris 136
顎動脈 maxillary artery 148
顎動脈の翼突筋枝 rami pterygoidei arteriae maxillaris 1555
獲得 acquisition 17
獲得形質 acquired character 339
核毒素 nucleotoxin 1272
獲得被膜 acquired pellicle 1378
獲得免疫 acquired immunity 909
角度計 goniometer 792
核内κB活性化受容体 receptor activator of nuclear factor-κB 669
核内寄生の karyozoic 976
顎内固定 intramaxillary anchorage 75
学内診療 intramural practice 1475
核内低分子RNA small nuclear RNA (snRNA) 1613
核内の intranuclear 950
核内倍加 endoreduplication 615
核〔内〕ホルモン受容体 nuclear hormone receptor 1571
顎二腹筋 digastric (muscle) 1183
顎二腹筋 musculus digastricus 1199
顎二腹筋下リンパ節 subdigastric node 1261
〔顎二腹筋〕後腹 posterior belly of digastric muscle 205
〔顎二腹筋〕後腹 venter posterior musculi digastrici 2009
〔顎二腹筋〕前腹 anterior belly of digastric muscle 205
〔顎二腹筋〕前腹 venter anterior musculi digastrici 2009
顎二腹筋の digastric 516
顎二腹筋の筋腹 bellies of digastric muscle 205
確認 affirmation 33
確認 identification 904
確認〔法〕ascertainment 159
確認バイアス ascertainment bias 208
核の nuclear 1271
核濃縮〔症〕pyknosis 1531

核濃縮後の postpyknotic …… 1471
核濃縮指数 karyopyknotic index …… 922
核濃縮の karyopyknotic …… 976
核嚢線維 nuclear bag fiber …… 690
核の袋線維 nuclear bag fiber …… 690
学派 school …… 1644
核発生 karyogenesis …… 976
隔板 diaphragm …… 510
核反応 nuclear reaction …… 1566
角皮 keratoderma …… 979
核皮質線維 nucleocortical fibers …… 690
角皮症 keratoderma …… 979
核部 hof …… 856
核フィラメント nucleofilaments …… 1271
核封入体 nuclear inclusion bodies …… 228
核封入体 nucleoid …… 1271
楽譜失書〔症〕 musical agraphia …… 39
額縁様椎体 picture frame vertebra …… 2015
画分 compartment …… 399
核分裂 fission …… 701
核分裂生成元素 fission product …… 1494
核ペースメーカ nuclear pacemaker …… 1334
隔壁 dissepiment …… 548
隔壁 septum …… 1663
隔壁線 septal lines …… 1052
〔眼窩〕隔壁前蜂巣炎 preseptal cellulitis …… 328
核片体 karyomere …… 976
核崩壊 karyorrhexis …… 976
核崩壊 nucleorrhexis …… 1271
核紡錘体 pithode …… 1427
核傍の paranuclear …… 1352
核包膜 nuclear envelope …… 622
核〔内〕ホルモン受容体 nuclear hormone receptor …… 1571
核膜 karyotheca …… 976
核膜 nuclear membrane …… 1126
隔膜 diaphragma …… 510
隔膜 dissepiment …… 548
角膜 cornea …… 423
角膜移植〔術〕 keratoplasty …… 980
角膜炎 keratitis …… 978
角膜縁 limbus corneae …… 1047
角膜縁 limbus of cornea …… 1047
角膜縁 corneal margin …… 1103
角膜開孔〔術〕 corneal trepanation, trepanation of cornea …… 1925
角膜拡張〔症〕 keratectasia …… 977
角膜拡張症 keratoectasia …… 979
角膜環 arcus cornealis …… 127
角膜間隙 corneal space …… 1703
角膜眼瞼癒着 corneoblepharon …… 423
角膜〔代償〕機能不全 corneal decompensation …… 475
角膜鏡 keratoscope …… 981
角膜鏡検査〔法〕 keratoscopy …… 981
角膜矯正〔術〕 orthokeratology …… 1316
角膜強膜炎 keratoscleritis …… 981
角膜〔曲率〕計 keratometer …… 980
角膜曲率形成〔術〕 keratomileusis …… 980
角膜曲率測定〔法〕 keratometry …… 980
角膜魚鱗癬 ichthyosis corneae …… 903
隔膜形成体 phragmoplast …… 1418
角膜経線 meridian of cornea …… 1133
角膜削り術 keratoleptynsis …… 979
角膜検影法 keratoscopy …… 981
核〔膜〕孔 nuclear pore …… 1466
角膜溝状ジストロフィ gutter dystrophy of cornea …… 578
核膜孔複合体 nuclear pore complex …… 402
核膜孔複合体の遠位リング distal ring of nuclear pore complex …… 1617
核膜孔複合体の核バスケット nuclear basket of nuclear pore complex …… 201
核膜孔複合体の細胞質側の微細線維 cytoplasmic fibrils of nuclear pore complex …… 401
核膜孔複合体の細胞質リング cytoplasmic ring of nuclear pore complex …… 401
核膜孔複合体の中間リング middle ring of nuclear pore complex …… 1618
角膜後面 facies posterior corneae …… 664
角膜後面 posterior surface of cornea …… 1783
角膜後面沈着物 keratic precipitates (KP) …… 1476
角膜固有質 substantia propria corneae …… 1767
角膜固有質神経叢 stroma plexus …… 1443
角膜ジストロフィ corneal dystrophy …… 578
角膜実質炎 interstitial keratitis …… 978
角膜実質細胞 keratocyte …… 979
角膜実質ジストロフィ stromal corneal dystrophy …… 579
角膜脂肪変性 xanthomatosis bulbi …… 2051
角膜周囲切開 peritomy …… 1393
角膜周囲の circumcorneal …… 366
角膜周囲の pericorneal …… 1387
角膜皺皮〔症〕 rhytidosis …… 1612
角膜症 keratopathy …… 980
角膜小体 corneal corpuscles …… 426
角膜上皮 ectocornea …… 585
角膜上皮 anterior epithelium of cornea 632
角膜上皮 epithelium anterius corneae …… 632
角膜上皮形成術 keratoepithelioplasty …… 979
角膜真菌症 keratomycosis …… 980
角膜切開〔術〕 keratotomy …… 981
角膜切開刀 keratome …… 979
角膜切除〔術〕 keratectomy …… 977
角膜穿孔〔術〕 corneal trepanation, trepanation of cornea …… 1925
角膜前面 facies anterior corneae …… 662
角膜前面 anterior surface of cornea …… 1780
核膜槽 cistern of nuclear envelope …… 368
核膜槽 cisterna caryothecae …… 368
角膜組織様の keratoid …… 979
角膜〔代償〕機能不全 corneal decompensation …… 475
角膜頂 corneal vertex …… 2015
角膜頂 vertex corneae …… 2015
角膜頂 vertex of cornea …… 2015
角膜内挿入体 intracorneal implants …… 915
角膜内皮 endothelium camerae anterioris 616
角膜内皮 endothelium of anterior chamber …… 616
角膜内皮細胞多形性 corneal endothelial polymorphism …… 1461
角膜軟化〔症〕 keratomalacia …… 979
〔角膜の〕境界板 limiting layers of cornea …… 1011
〔角膜の〕後境界板 lamina limitans posterior corneae …… 998
〔角膜の〕後境界板 posterior limiting lamina of cornea …… 998
〔角膜の〕後境界板 posterior limiting layer of cornea …… 1013
角膜の固有層 substantia propria of cornea …… 1767
〔角膜の〕前境界板 anterior limiting lamina of cornea …… 997
〔角膜の〕前境界板 lamina limitans anterior corneae …… 998
〔角膜の〕前境界板 anterior limiting layer of cornea …… 1009
角膜の輪状潰瘍 ring ulcer of cornea …… 1961
角膜白色混濁 keratoleukoma …… 979
角膜白濁 nebula (nebul.) …… 1223
角膜白斑 keratoleukoma …… 979
角膜白斑 wall-eye …… 2040
〔角膜〕白斑 leukoma …… 1028
角膜破裂 keratorhexis, keratorrhexis …… 981
角膜斑 macula corneae …… 1091
角膜斑 corneal spot …… 1725
角膜反射 corneal reflex …… 1578
角膜斑状ジストロフィ fleck dystrophy of cornea …… 578
角膜パンヌス corneal pannus …… 1343
角膜ファセッテ corneal facet …… 661
角膜辺縁性強膜炎 brawny scleritis …… 1646
角膜辺縁輪状潰瘍 marginal ring ulcer of cornea …… 1961
角膜変性 corneal dystrophy …… 578
角膜膨隆 keratorus …… 981
角膜メラニン沈着 melanokeratosis …… 1122
角膜乱視 corneal astigmatism …… 165
角膜瘤 keratocele …… 978
角膜輪部 corneal limbus …… 1047
角膜レンズ corneal lens …… 1019
カクマダニ属 *Dermacentor* …… 494
核ミクロソーム karyomicrosome …… 976
学名 nomenclature …… 1265
核網 nucleoreticulum …… 1271
学問 study …… 1760
核融合 nuclear fusion …… 746
核融合 karyogamy …… 976
顎癒合〔症〕 syngnathia …… 1826
核溶解 karyolysis …… 976
核ラミナ nuclear lamina …… 998
隔離 isolation …… 961
隔離 quarantine …… 1537
隔離 segregation …… 1656
顎力学 gnathodynamics …… 789
隔離交配集団 mating isolate …… 960
隔離症 hypertelorism …… 887
確率 probability (P) …… 1486
確率過程 stochastic process …… 1490
確率的な stochastic …… 1748
確率標本 probability sample …… 1633
〔正規〕確率プロット probability curve …… 451
確率変数 random variable …… 1987
確率論における独立 stochastic independence …… 921
学力指数 achievement quotient …… 1539
顎力測定計 gnathodynamometer …… 789
かくれ精巣 peeping testis …… 1869
隔裂 abstriction …… 7
顎裂 gnathoschisis …… 790
核RNA nuclear RNA (nRNA) …… 1613
影 shadow …… 1669
家系 kindred …… 985
家系学 genealogy …… 764
過蛍光 hyperfluorescence …… 880
下頸神経節 inferior cervical ganglion …… 753
下頸心臓神経 inferior cervical cardiac nerve …… 1235
下頸心臓神経 nervus cardiacus cervicalis inferior …… 1241
家系図 pedigree …… 1376
家系スクリーニング familial screening 1651
過形成 hyperplasia …… 885
過形成性過分泌性胃疾患 hypertrophic hypersecretory gastropathy …… 759
過形成性瘢痕 hypertrophic scar …… 1641
過形成性ポリープ hyperplastic polyp …… 1463
下頸動脈三角 inferior carotid triangle …… 1927
家系分析 pedigree analysis …… 70
花形帽章反応 cocarde reaction, cockade reaction …… 1563
カケクチン cachectin …… 274
可欠アミノ酸 nonessential amino acids …… 59
影付け〔法〕 shadow-casting …… 1669
下肩甲横靱帯 inferior transverse scapular ligament …… 1036
下肩甲横靱帯 ligamentum transversum scapulae inferius …… 1046
寡言症 hypophrasia …… 895
加減抵抗器 rheostat …… 1607
下瞼板 inferior tarsus …… 1842
下瞼板 tarsus inferior …… 1842
下瞼板筋 inferior tarsal muscle …… 1187
下瞼板筋 musculus tarsalis inferior …… 1204

かご basket …… 201
かご cage …… 275
過誤 error …… 637
加工 elaboration …… 592
下溝 subfissure …… 1763
下降 descensus …… 499
下降 descent …… 499
下降異常 maldescent …… 1095
下降感 lightening …… 1047
下向〔性〕眼振 downbeat nystagmus …… 1286
河口関連症候群 estuary-associated syndrome …… 1803
架工義歯 bridge …… 257
下行脚三重波(隆起) catatricrotism …… 312
下行脚三隆起の catatricrotic …… 312
下行脚重複隆起 catadicrotism …… 310
下行脚二重脈 catadicrotic pulse …… 1525
下行脚二重脈 pulsus catadicrotus …… 1525
下行脚隆起 catacrotism …… 310
下後鋸筋 inferior posterior serratus muscle …… 1187
下後鋸筋 serratus posterior inferior (muscle) …… 1193
下後鋸筋 musculus serratus posterior inferior …… 1203
下行結腸 colon descendens …… 392
下行結腸 descending colon …… 392
下行肩甲動脈 arteria scapularis descendens …… 137
下行肩甲動脈 descending scapular artery 144
下行肩甲動脈深枝 ramus profundus arteriae scapularis descendentis …… 1555
下行口蓋動脈 arteria palatina descendens …… 136
下行口蓋動脈 descending palatine artery 144
下行口蓋動脈の咽頭枝 pharyngeal branch of descending palatine artery …… 251
下行口蓋動脈の咽頭枝 ramus pharyngeus arteriae palatinae descendentis …… 1555
下行後〔上葉〕動脈 descending posterior branch …… 245
下行後〔上葉〕動脈 ramus posterior descendens …… 1555
過好酸球増加〔症〕 hypereosinophilia …… 880
架工歯 pontic …… 1466
下行枝 descending branch …… 245
下行枝 ramus descendens …… 1550
下行膝動脈 descending artery of knee …… 144
下行膝動脈 descending genicular artery 144
下行膝動脈の伏在枝 saphenous branch of descending genicular artery …… 253
下行膝動脈の伏在枝 ramus saphenus arteriae descendentis genicularis …… 1556
下甲状結節 inferior thyroid tubercle …… 1943
下甲状結節 tuberculum thyroideum inferius …… 1947
下甲状切痕 incisura thyroidea inferior …… 919
下甲状切痕 inferior thyroid notch …… 1269
下甲状腺静脈 inferior thyroid vein …… 1997
下甲状腺静脈 vena thyroidea inferior …… 2008
下甲状腺動脈 arteria thyroidea inferior 138
下甲状腺動脈 inferior thyroid artery …… 146
下甲状腺動脈〔動脈〕周囲神経叢 periarterial plexus of inferior thyroid artery …… 1442
下甲状腺動脈神経叢 inferior thyroid plexus …… 1440
下甲状腺動脈神経叢 plexus thyroideus inferior …… 1444
下甲状腺動脈の咽頭枝 pharyngeal branch of inferior thyroid artery …… 251
下甲状腺動脈の食道枝 esophageal branches of the inferior thyroid artery …… 246
下甲状腺動脈の腺枝 glandular branches of inferior thyroid artery …… 247
下向〔性〕眼振 downbeat nystagmus …… 1286
下行性神経炎 descending neuritis …… 1246
下行〔性〕の descending …… 499
下項線 inferior nuchal line …… 1050
下項線 linea nuchae inferior …… 1053
下行前〔上葉〕動脈 descending anterior branch …… 245
下行前〔上葉〕動脈 ramus anterior descendens …… 1548
鵞口瘡 thrush …… 1889
鵞口瘡カンジダ *Candida albicans* …… 286
下口体 hypognathus …… 894
下口体 hypostome …… 897
過高体温 hyperpyrexia …… 886
下行大動脈 aorta descendens …… 111
下行大動脈 descending aorta …… 111
下行大動脈 pars descendens aortae …… 1358
下行大動脈溝 groove for the descending aorta …… 801
下後腸骨棘 spina iliaca posterior inferior …… 1715
下後腸骨棘 posterior inferior iliac spine 1716
下行電流 descending current …… 450
下降度 station …… 1739
下後頭回 inferior occipital gyrus …… 808
下後頭三角 inferior occipital triangle …… 1927
下喉頭静脈 inferior laryngeal vein …… 1996
下喉頭静脈 vena laryngea inferior …… 2006
下喉頭神経 inferior laryngeal nerve …… 1235
下喉頭神経 nervus laryngeus inferior …… 1242
下喉頭切開〔術〕 inferior laryngotomy …… 1002
下喉頭動脈 arteria laryngea inferior …… 136
下喉頭動脈 inferior laryngeal artery …… 146
下降の停止 arrest of descent …… 132
加香ヒマシ油 aromatic castor oil …… 310
化合物 compound …… 403
下降娩出期の分娩停止 arrest of descent dystocia …… 577
下行変性 descending degeneration …… 480
加工ワイヤ wrought wire …… 2047
過誤芽腫 hamartoblastoma …… 813
過呼吸 hyperpnea …… 886
かご細胞 basket cell …… 319
カゴー耳 Cagot ear …… 580
下鼓室 hypotympanum …… 899
下鼓室切開〔術〕 hypotympanotomy …… 899
下鼓室動脈 arteria tympanica inferior …… 138
下鼓室動脈 inferior tympanic artery …… 146
過誤腫 hamartoma …… 813
過誤腫性軟骨腫 hamartochondromatosis 813
カコジル cacodyl …… 274
カコジル酸 cacodylic acid …… 274
カコジル酸ナトリウム sodium cacodylate …… 1696
過誤組織 hamartia …… 813
仮骨 callus …… 279
過骨性脊椎症 hyperostotic spondylosis 1722
下骨盤隔膜筋膜 fascia diaphragmatis pelvis inferior …… 672
下骨盤隔膜筋膜 inferior fascia of pelvic diaphragm …… 673
囲み警告 boxed warning …… 2040
仮根 rhizoid …… 1609
暈(かさ) halo …… 813
カサイ kasai …… 976
花采 festoon …… 681
芽細胞 blast …… 218
芽細胞 blast cell …… 319
芽〔細胞〕腫 blastoma …… 219
カザニアン手術 Kazanjian operation …… 1305
重ねばり植皮 overgrafting …… 1328
カサバッハ-メリット症候群 Kasabach-Merritt syndrome …… 1809
かさぶた crust …… 444
かさぶた incrustation …… 921
かさぶた scab …… 1637
かさぶた slough …… 1692
カザミノ酸 casamino acids …… 308
カサルネックレス Casal necklace …… 1223
過酸〔症〕 hyperacidity …… 878
過〔酸素〕酸 peracid …… 1384
過酸化 hyperoxidation …… 885
過酸化亜鉛 zinc peroxide …… 2058
下三角徴候 inferior triangle sign …… 1681
過酸化水素 hydrogen peroxide …… 872
過酸化水素加乳 perhydrase milk …… 1158
過酸化ナトリウム sodium peroxide …… 1696
過酸化物 peroxide …… 1394
過酸化ベンゾイル benzoyl peroxide …… 206
過酸化マグネシウム magnesium peroxide …… 1092
過酸基塩 persalt …… 1395
過酸症 hyperhydrochloridia …… 881
下枝 inferior branch …… 247
下枝 ramus inferior …… 1551
下肢 inferior limb …… 1047
下肢 lower limb …… 1047
下肢 membrum inferius …… 1128
仮死 asphyxia …… 162
カシェ剤 cachet …… 274
カシェ剤 wafer …… 2039
下肢外側面 facies lateralis membri inferioris …… 664
下肢外側面 lateral surface of lower limb …… 1782
下四丘体腕 brachium quadrigeminum inferius …… 239
下四丘体腕 inferior quadrigeminal brachium …… 239
顆軸 condylar axis …… 184
下軸肢筋 inferior axioappendicular muscles …… 1186
賢いばか idiot-savant …… 905
下肢後面 facies posterior membri inferioris …… 664
下肢後面 posterior surface of lower limb …… 1783
下肢骨 bones of lower limb …… 233
下肢骨 ossa membri inferioris …… 1318
下歯枝 rami dentales inferiores …… 1550
下歯枝 inferior dental rami …… 1552
下視床脚 inferior thalamic peduncle …… 1377
下視床脚 pedunculus thalami inferior … 1377
下矢状静脈洞 inferior sagittal sinus …… 1687
下矢状静脈洞 sinus sagittalis inferior …… 1688
菓子状腎 cake kidney …… 983
下視床線条体静脈 inferior thalamostriate veins …… 1997
下視床線条体静脈 venae thalamostriatae inferiores …… 2008
仮死状態 suspended animation …… 91
下篩状斑 macula cribrosa …… 1091
下歯神経叢 inferior dental (nerve) plexus …… 1440
下歯神経叢の下歯枝 inferior dental branches of inferior dental plexus …… 247
下歯神経叢の下歯肉枝 inferior gingival branches of inferior dental plexus …… 247
下歯神経叢の下歯肉枝 rami gingivales inferiores plexus dentalis inferioris …… 1551
下肢伸展挙上テスト straight-leg raising test …… 1866
可視スペクトル visible spectrum …… 1709
下肢前面 facies anterior membri inferioris …… 662
下肢前面 anterior surface of lower limb …… 1780
下歯槽神経 inferior alveolar nerve …… 1234
下歯槽神経 nervus alveolaris inferior …… 1241
下歯槽動脈 arteria alveolaris inferior …… 134
下歯槽動脈 inferior alveolar artery …… 146
下歯槽動脈の顎舌骨筋枝 ramus mylohyoideus arteriae alveolaris inferioris …… 1554

下歯槽動脈の歯枝 rami dentales arteriae alveolaris inferioris 1550
下肢帯 cingulum membri inferioris 363
下肢帯 pelvic girdle 771
下肢帯の関節 joints of pelvic girdle 971
下肢帯の靱帯結合 syndesmoses of pelvic girdle 1795
下肢帯の連結 articulationes cinguli membri inferioris 157
加湿酸素マスク aerosol mask 1106
果実汁 must 1205
果実食主義者 fruitarian vegetarian 1992
下肢の滑液包 bursae of lower limb 269
下肢の筋 muscles of lower limb 1189
下肢の筋痙攣 systremma 1835
下肢の屈筋支帯 flexor retinaculum of lower limb 1600
下肢の腱鞘 tendinous sheaths of lower limb 1672
下肢の静脈 veins of lower limb 1998
下肢の浅静脈 superficial veins of the lower limb 2001
下肢の動脈 arteries of lower limb 148
下肢の皮静脈 venae superficiales membri inferioris 2008
下肢の部位 regiones membri inferioris 1584
下肢の部位 regions of inferior limb 1585
下肢の部位 regions of lower limb 1585
過脂肪性石けん superfatted soap 1695
カ氏目盛り Fahrenheit scale 1639
下斜位 hypophoria 895
下斜筋 inferior oblique (muscle) 1187
〔眼球の〕下斜筋 musculus obliquus inferior (bulbi) 1201
下尺側側副動脈 arteria collateralis ulnaris inferior 134
下尺側側副動脈 inferior ulnar collateral artery 146
下斜視 hypotropia 899
火酒 brandy 255
芽〔球,細胞〕腫 blastoma 219
加重 summation 1777
下縦舌筋 inferior lingual muscle 1187
下縦舌筋 inferior longitudinal muscle of tongue 1187
下縦舌筋 musculus longitudinalis inferior linguae 1201
下縦束 fasciculus longitudinalis inferior 676
下縦束 inferior longitudinal fasciculus 676
過従属栄養生物 hypertroph 889
加重電位 summating potentials 1474
下十二指腸陥凹 inferior duodenal fossa 732
下十二指腸陥凹 inferior duodenal recess 1571
下十二指腸陥凹 recessus duodenalis inferior 1573
下十二指腸曲 flexura duodeni inferior 712
下十二指腸曲 inferior duodenal flexure 712
下十二指腸ひだ inferior duodenal fold 719
下十二指腸ひだ plica duodenalis inferior 1445
加重ヒペルパシー summation hyperpathia 885
過熟 postmature 1471
過熟児 postmature infant 925
過熟妊娠症候群 postmaturity syndrome 1816
過熟白内障 hypermature cataract 311
歌手結節 singer's nodes 1261
瓜種子状〔小〕体 melon-seed body 228
過受精 superfetation 1777
下種の infrasubspecific 931
仮晶 crystalloid 446
煆焼 calcination 276
過剰 excess 651
過剰 luxus 1074
過剰運動性 hypermobility 883
過剰学習 overlearning 1328
渦状角膜ジストロフィ vortex corneal dystrophy 579
過剰仮骨 hyperplastic callus 280
過剰換気 overventilation 1329
過〔剰〕感作 hypersensitization 887
顆状関節 articulatio condylaris 157
顆状関節 condylar articulation 158
過剰感知 oversensing 1328
過剰器官 supernumerary organs 1312
過剰駆動 overdrive 1328
過少月経 hypomenorrhea 894
過少月経 oligomenorrhea 1297
過剰興奮 supranormal excitability 652
過剰骨化〔症〕 pleonosteosis 1437
顆上骨折 supracondylar fracture 738
過剰耳 auricular appendage 119
過剰しゃ(瀉)下 hypercatharsis 879
過剰修正 overcorrection 1328
過剰修復 overhanging restoration 1597
過小成就 underachievement 1963
過小成就者 underachiever 1963
過剰腎 supernumerary kidney 984
渦状癬 tinea imbricata 1894
過剰染色体 accessory chromosome 359
過剰知覚 hypergnosis 881
過剰転位歯 peridens 1387
過剰伝導 supranormal conduction 408
顆〔状〕突起切開〔術〕 condylotomy 409
過剰乳酸 excess lactate 993
過剰乳房 supernumerary breast 255
果上の supramalleolar 1779
顆上の supracondylar 1779
過剰の socia 1695
過剰の supernumerary 1778
下小脳脚 inferior cerebellar peduncle 1377
下小脳脚 pedunculus cerebellaris inferior 1377
下小脳半球静脈 inferior veins of cerebellar hemisphere 1996
過剰波 overflow wave 2042
過剰排卵 superovulation 1778
渦状白癬菌 *Trichophyton concentricum* 1930
過剰拍動心症候群 hyperkinetic heart syndrome 1808
過剰反応 overresponse 1328
下上皮小体 inferior parathyroid gland 773
過剰不安障害 overanxious disorder 546
過剰復古 superinvolution 1778
過剰萌出 supereruption 1777
過剰補償量 overcompensation 1328
渦静脈 vortex veins 2003
渦静脈 vorticose veins 2003
渦静脈 venae vorticosae 2008
渦状紋 whorl 2045
過食〔症〕 hyperphagia 885
果食主義者 fruitarian vegetarian 1992
過食症 bulimia 265
下食道括約筋 inferior esophageal sphincter 1713
下食道狭窄部 inferior esophageal constriction 415
過女性成熟 hypergynecosmia 881
下肢リンパ節 lymph nodes of lower limb 1079
下歯列弓 inferior dental arch 126
下唇 labium inferius oris 991
下唇 lower lip 1055
下唇下制筋 depressor labii inferioris (muscle) 1183
下唇下制筋 depressor muscle of lower lip 1183
下唇下制筋 musculus depressor labii inferioris 1199
〔足の〕下伸筋支帯 inferior extensor retinaculum 1600
〔足の〕下伸筋支帯 inferior retinaculum of extensor muscles 1600
〔足の〕下伸筋支帯 retinaculum musculorum extensorum inferius 1600
下腎区 inferior renal segment 1654
〔迷走神経の〕下神経節 ganglion inferius nervi vagi 753
〔迷走神経の〕下神経節 inferior ganglion of vagus nerve 753
下唇症 hypostomia 897
下唇小帯 frenulum labii inferioris, frenulum labii superioris 740
下唇小帯 frenulum of lower lip, frenulum of upper lip 740
下腎上体(副腎)動脈 arteria suprarenalis inferior 138
下腎上体(副腎)動脈 inferior suprarenal artery 146
下唇静脈 inferior labial vein 1996
下唇静脈 vena labialis inferior 2006
下唇切歯筋 musculus incisivus labii inferioris 1200
過伸展 hyperextension 880
過伸展 overextension 1328
過伸展 superextension 1777
過伸展-過屈曲損傷 hyperextension-hyperflexion injury 936
下唇動脈 arteria labialis inferior 136
下唇動脈 inferior labial artery 146
下唇動脈 inferior labial branch of facial artery 247
カシン-ベック病 Kashin-Bek disease 535
〔外側頸リンパ節の〕下深リンパ節 inferior deep lateral cervical lymph nodes 1078
数 number 1282
ガス gas 756
下垂 descensus 499
下垂 descent 499
下垂〔症〕 ptosis 1522
下垂指 drop finger 700
〔下〕垂趾 toe-drop 1898
〔下〕垂手 wrist-drop 2050
下膵十二指腸動脈 arteria pancreaticoduodenalis inferior 137
下膵十二指腸動脈 inferior pancreaticoduodenal artery 146
下膵十二指腸動脈の後枝 posterior branch of inferior pancreaticoduodenal artery 251
下膵十二指腸リンパ節 inferior pancreaticoduodenal lymph nodes 1078
〔下〕垂足 footdrop 724
下垂体 pituitary gland 774
下垂体 glandula pituitaria 776
下垂体 hypophysis 896
下垂体異所症 pituitary dystopia 577
下垂体咽頭部 pars pharyngea hypophyseos 1360
下垂体炎 adenohypophysitis 25
下垂体炎 hypophysitis 896
下垂体窩 fossa hypophysialis 732
下垂体窩 hypophysial fossa 732
下垂体窩 pituitary fossa 733
下垂体〔機能〕亢進〔症〕 hyperpituitarism 885
下垂体〔機能〕障害 pituitarism 1427
下垂体〔機能〕低下(不全)〔症〕 hypopituitarism 896
下垂体〔機能〕不全 dyspituitarism 575
下垂体機能不全の hypophysioprivic 895
下垂体腔遺残 residual cleft 374
下垂体憩室 pituitary diverticulum 552
下垂体性憩室 hypophysial diverticulum 552
下垂体後葉製剤 posterior pituitary 1427
下垂体〔性〕小人症 pituitary dwarfism 569
下垂体細胞 pituicyte 1427
下垂体細胞腫 pituicytoma 1427
下垂体刺激性の hypophysiotropic 895

下垂体刺激ホルモン hypophysiotropic hormone ……… 863
下錐体静脈洞 inferior petrosal sinus ……… 1687
下錐体静脈洞 sinus petrosus inferior ……… 1688
下垂体除去性悪液質 cachexia hypophyseopriva ……… 274
下垂体神経葉 neural lobe of hypophysis ……… 1064
下垂体性機能不全〔性〕の hypogonadotropic ……… 894
下垂体性小人症 hypophysial dwarf ……… 568
下垂体性糖尿病 metahypophysial diabetes ……… 507
下垂体性粘液水腫 pituitary myxedema 1217
下垂体〔性〕の hypophysial ……… 895
下垂体〔性〕の pituitary ……… 1427
下垂体性無月経 hypophysial amenorrhea 58
下垂体性幼稚症 hypophysial infantilism 926
下垂体性幼稚症 pituitary infantilism ……… 926
下垂体切除〔術〕 hypophysectomy ……… 895
下垂体腺腫 pituitary adenoma ……… 26
下垂体腺腫 basophilia ……… 201
下垂体前葉デルタ細胞 delta cell of anterior lobe of hypophysis ……… 320
下垂体前葉のアルファ細胞 alpha cells of anterior lobe of hypophysis ……… 319
下垂体前葉の色素嫌性細胞 chromophobe cells of anterior lobe of hypophysis ……… 320
下垂体前葉のベータ細胞 beta cell of anterior lobe of hypophysis ……… 319
〔下垂体前葉〕末端部 pars distalis adenohypophyseos ……… 1358
下垂体卒中 pituitary apoplexy ……… 118
下垂体-蝶形骨症候群 hypophysiosphenoidal syndrome ……… 1808
下垂体〔機能〕低下(不全)〔症〕 hypopituitarism ……… 896
下錐体洞溝 groove for inferior petrosal sinus ……… 801
下錐体洞溝 inferior petrosal sulcus ……… 1772
下錐体洞溝 sulcus sinus petrosi inferioris ……… 1774
〔下垂体の〕後葉 posterior lobe of hypophysis ……… 1064
〔下垂体の〕後葉 lobus posterior hypophyseos ……… 1066
〔下垂体の〕前葉 anterior lobe of hypophysis ……… 1063
〔下垂体の〕前葉 lobus anterior hypophyseos ……… 1066
下垂体ヒアリン体 hyaline bodies of pituitary ……… 227
下垂体〔機能〕不全 dyspituitarism ……… 575
下垂体柄 pituitary stalk ……… 1736
下垂体柄切断〔術〕 pituitary stalk section ……… 1653
下垂体漏斗 infundibulum neurohypophysis ……… 932
下垂体漏斗 infundibulum of pituitary gland ……… 932
下膵動脈 arteria pancreatica inferior ……… 137
下膵動脈 inferior pancreatic artery ……… 146
下髄帆 inferior medullary velum ……… 2004
下髄帆 velum medullare inferius ……… 2004
下垂腹 pendulous abdomen ……… 1
加水分解 hydrolytic cleavage ……… 373
加水分解 hydrolysis ……… 873
加水分解酵素 hydrolases ……… 872
加水分解産物 hydrolysate ……… 872
下膵リンパ節 inferior pancreatic lymph nodes ……… 1078
ガス壊疽 gas gangrene ……… 756
ガス壊疽抗毒素 gas gangrene antitoxin 109
かすがい連結 clamp connection ……… 370
カスカラアマラ cascara amara ……… 308
カスカラサグラダ cascara sagrada ……… 308
カズキダニ属 *Ornithodoros* ……… 1314
ガスクロマトグラフィ gas chromatography ……… 357
ガス形成 aerosis ……… 32
ガス計量器 gasometer ……… 757
カスケード cascade ……… 308
ガス産生 aerogenesis ……… 32
ガス産生 aerosis ……… 32
ガス産生菌 aerogen ……… 32
ガス産生性胆嚢炎 pneumocholecystitis 1448
ガス焼灼 gas cautery ……… 315
ガス体 atmosphere ……… 170
ガス中毒 gassing ……… 757
ガス注入〔法〕 insufflation ……… 941
カステン蛍光PAS染色〔法〕 Kasten fluorescent PAS stain ……… 1732
カステン蛍光フォイルゲン染色〔法〕 Kasten fluorescent Feulgen stain ……… 1732
カステンの蛍光シッフ試薬 Kasten fluorescent Schiff reagents ……… 1569
ガストデューシン gustducin ……… 806
ガストリノーマ gastrinoma ……… 757
ガストリン gastrins ……… 757
ガストログラフィンえん下検査 Gastrografin swallow ……… 1789
ガストロトキシン gastrotoxin ……… 760
ガス嚢胞 gas cyst ……… 459
ガス膿瘍 gas abscess ……… 5
カスパーゼ caspase ……… 308
ガス腹膜炎 gas peritonitis ……… 1393
カスポファンギン caspofungin ……… 308
ガス(気体)網膜癒着術 gas retinopexy ……… 1603
ガス様脈 gaseous pulse ……… 1525
ガスリー試験 Guthrie test ……… 1858
ガス留 gasometer ……… 757
かぜ〔ひき〕 cold ……… 389
化生 metaplasia ……… 1140
芽生 gemmation ……… 762
苛性アルカリ caustic alkali ……… 48
仮性怒り sham rage ……… 1546
仮(偽)性球麻痺 pseudobulbar palsy ……… 1340
仮性狂犬病ウイルス pseudorabies virus 2028
カセイ菌 *Lactobacillus casei* ……… 994
下制筋 depressor ……… 494
仮性近視 pseudomyopia ……… 1514
仮性結核〔症〕 pseudotuberculosis ……… 1515
過正常回復期 supernormal recovery phase ……… 1402
仮性心室瘤 pseudoaneurysm ……… 1511
仮性陣痛 false pains ……… 1337
化生性癌 metaplastic carcinoma ……… 298
芽生生殖 accrementition ……… 10
芽生生殖 blastogenesis ……… 219
化生性貧血 metaplastic anemia ……… 77
加成性モデル additive model ……… 1162
下精巣上体間膜 inferior ligament of epididymis ……… 1036
下精巣上体間膜 ligamentum epididymidis inferius ……… 1043
仮声帯発音 dysphonia plicae ventricularis ……… 574
仮性認知症 pseudodementia ……… 1512
仮性の larvate ……… 1001
苛性(かせい)の caustic ……… 315
カゼイノゲン caseinogen ……… 308
仮性媒介 paratenesis ……… 1355
仮性瘢痕 uloid ……… 1962
家政婦膝 housemaid's knee ……… 987
仮性ポケット pseudopocket ……… 1515
下声門口 aditus glottidis inferior ……… 29
カゼイン casein ……… 308
カゼイン塩 caseinate ……… 308
カゼインカルシウム calcium caseinate ……… 277
化石化 petrifaction ……… 1397
〔化〕石〔胎〕児 lithopedion, lithopedium 1061
化石性脂肪腫 lipoma petrificans ……… 1057
化石動物 zoolite, zoolith ……… 2061
風恐怖〔症〕 anemophobia ……… 78
仮説 hypothesis ……… 898
仮説 postulate ……… 1472
〔肺区域の〕下舌区 inferior lingular (bronchopulmonary) segment [S V] 1654
〔肺区域の〕下舌区 segmentum lingulare bronchopulmonale inferius [S V] ……… 1656
下舌枝 inferior lingular artery ……… 146
下舌枝 ramus lingularis inferior ……… 1552
顆切除〔術〕 condylectomy ……… 409
仮説的平均系統 hypothetic mean strain (HMS) ……… 1750
カセット cassette ……… 308
カセット式変異誘発 cassette mutagenesis ……… 1205
風焼け windburn ……… 2046
河川恐怖〔症〕 potamophobia ……… 1472
〔血球〕過染色〔症〕 hypercytochromia ……… 880
過染色性 hyperchromatism ……… 879
可染性 tingibility ……… 1894
可染性の tinctable ……… 1894
下前腸骨棘 spina iliaca anterior inferior ……… 1715
下前腸骨棘 anterior inferior iliac spine 1716
下前庭野 inferior vestibular area of internal acoustic meatus ……… 129
下前庭野 area vestibularis inferior ……… 130
下前頭回 inferior frontal convolution ……… 419
下前頭回 gyrus frontalis inferior ……… 808
下前頭回 inferior frontal gyrus ……… 808
下前頭回の眼窩部 orbital part [TA] of inferior frontal gyrus ……… 1366
下前頭溝 inferior frontal sulcus ……… 1772
下前頭溝 sulcus frontalis inferior ……… 1772
画素 picture element ……… 598
画素 pixel ……… 1427
下層 substratum ……… 1767
仮像 false image ……… 908
仮像 pseudomorph ……… 1514
画像化 imaging ……… 908
〔画像〕再構成(再合成) reconstruction ……… 1574
画像細胞解析器 image cytometer ……… 465
下双子筋 inferior gemellus (muscle) ……… 1186
下双子筋 musculus gemellus inferior ……… 1200
画像診断科 imaging department ……… 908
下総胆管括約筋 musculus sphincter inferior ductus choledochi ……… 1203
仮想内視鏡像 virtual endoscopy ……… 615
画像誘導下操作法 image-guided navigation ……… 1222
加速 acceleration ……… 9
家族 family ……… 671
鵞足 pes anserinus ……… 1396
鵞足滑液包炎 anserine bursitis ……… 271
家族〔性〕癌 familial cancer ……… 286
加速器 accelerator ……… 9
家族集積性 familial aggregation ……… 38
家族性アミノ配糖体聴器毒性 familial aminoglycoside ototoxicity ……… 1327
家族性アミロイドニューロパシー(神経障害) familial amyloid neuropathy ……… 1251
家族性円柱腫症 familial cylindromatosis 457
家族性寒冷自己炎症性症候群 familial cold autoinflammatory syndrome ……… 1804
家族性偽炎症性黄斑障害 familial pseudoinflammatory maculopathy ……… 1092
家族性偽炎症性黄斑変性 familial pseudoinflammatory macular degeneration ……… 481
家族性気腫 familial emphysema ……… 605
家族性グリシン尿〔症〕 familial glycinuria ……… 786
家族性血球貪食性リンパ組織球症 familial hemophagocytic lymphohistiocytosis (FMLH) ……… 1083

家族性高コレステロール血〔症〕 familial hypercholesterolemia 879
家族性高コレステロール血症性黄色腫症 familial hypercholesteremic xanthomatosis 2052
家族性高脂血症 familial hyperlipidemia 882
家族性甲状腺腫 familial goiter 790
家族性高リポ蛋白血〔症〕 familial hyperlipoproteinemia 882
家族性高リポ蛋白血〔症〕I型 familial hyperlipoproteinemia type I 883
家族性高リポ蛋白血〔症〕II型 familial hyperlipoproteinemia type II 883
家族性高リポ蛋白血〔症〕III型 familial hyperlipoproteinemia type III 883
家族性高リポ蛋白血〔症〕IV型 familial hyperlipoproteinemia type IV 883
家族性高リポ蛋白血〔症〕V型 familial hyperlipoproteinemia type V 883
家族性コレステロール過剰血〔症〕 familial hypercholesterolemia 879
家族性混合型高リポ蛋白血〔症〕 mixed hyperlipoproteinemia familial, type 5 hyperlipidemia 882
家族性若年性腎ろう familial juvenile nephrophthisis 1230
家族性周期性〔四肢〕麻痺 familial periodic paralysis 1350
家族性小球性貧血 familial microcytic anemia 77
家族性上皮小体(副甲状腺)機能低下〔症〕 familial hypoparathyroidism 895
家族性自律神経障害(不全) familial dysautonomia 570
家族性神経内臓リピドーシス familial neurovisceroIipidosis 671
家族性脊髄性筋萎縮 familial spinal muscular atrophy 173
家族性腺腫性ポリポ〔ー〕シス familial adenomatous polyposis (FAP) 1464
家族性双極性気分障害 familial bipolar mood disorder 545
家族性大動脈拡張症候群 familial aortic ectasia syndrome 1804
家族性低ゴナドトロピン性性腺機能低下症 familial hypogonadotropic hypogonadism 894
家族性低身長 familial short stature 1740
家族性低ベータリポ蛋白血症 familial hypobetalipoproteinemia 891
家族性乳び血症症候群 familial chylomicronemia syndrome 1804
家族性ネフローゼ familial nephrosis 1231
家族性の familial 671
加速性の高血圧 accelerated hypertension 888
家族性肥大型心筋症 familial hypertrophic cardiomyopathy 300
家族性非溶血性黄疸 familial nonhemolytic jaundice 966
家族性ピリドキシン反応性貧血 familial pyridoxine-responsive anemia 77
家族性副甲状腺(上皮小体)機能低下〔症〕 familial hypoparathyroidism 895
家族性部分性リポジストロフィ familial partial lipodystrophy 1057
家族性発作性多漿膜炎 familial paroxysmal polyserositis 1464
家族性卵巣過剰刺激症候群 familial gestational ovarian hyperstimulation syndrome 1804
家族性リポ蛋白リパーゼ阻害因子 familial lipoprotein lipase inhibitor 934
加速装置 accelerator 9
加速度 acceleration 9
下側頭回 inferior temporal convolution 419
下側頭回 inferior temporal gyrus 808
下側頭回 gyrus temporalis inferior 809
下側頭溝 inferior temporal sulcus 1772
下側頭溝 sulcus temporalis inferior 1774
下側頭線 inferior temporal line of parietal bone 1050
下側頭線 linea temporalis inferior ossis parietalis 1053
加速度計 accelerometer 9
加速反応 accelerated reaction 1562
下側壁心筋梗塞 inferolateral myocardial infarction 926
鵞足包 anserine bursa 267
鵞足包 bursa anserina 267
鵞足包 tibial intertendinous bursa 271
加速歩行 festinating gait 748
家族療法 family therapy 1878
カソケロウイルス Kasokero virus 2026
〔可〕塑性 plasticity 1434
可塑性の plastic 1434
カソーニ抗原 Casoni antigen 103
カソーニ皮内試験 Casoni intradermal test 1855
可塑物 plastic 1434
肩 shoulder 1674
型 conformer 410
型 mold 1163
型 type 1957
下腿 crus 443
堅い tophaceous 1903
硬い scleroid 1647
芽体 blastema 218
下腿アンギナ angina cruris 83
下腿外側面 facies lateralis cruris 664
下腿外側面 lateral surface of leg 1782
下腿筋膜 crural fascia 672
下腿筋膜 fascia cruris 672
下腿〔深〕筋膜 deep fascia of leg 672
下腿後区画の三頭筋部 pars tricipitalis compartimenti cruris posterioris 1361
下腿後区分の深部 deep part of posterior (flexor) compartment of leg 1364
下腿後区分の浅部 superficial part of posterior (plantar flexol) compartment of leg 1368
下腿後区分のヒラメ筋部 deep part of posterior (plantar flexor) compartment of leg 1364
下腿後部 posterior region of leg 1586
下腿後面 facies posterior cruris 664
下腿後面 posterior surface of leg 1783
下腿骨間神経 crural interosseous nerve 1233
下腿骨間神経 interosseous nerve of leg 1235
下腿骨間神経 nervus interosseus cruris 1242
下腿骨間膜 membrana interossea cruris 1124
下腿骨間膜 interosseous membrane of leg 1126
過大〔大腿〕骨頭 coxa magna 433
下腿三頭筋 triceps (muscle) of calf 1197
下腿三頭筋 triceps surae (muscle) 1197
下腿三頭筋 musculus triceps surae 1204
過大子症候群 large offspring syndrome 1810
下大静脈 vena cava, inferior (IVC) 2004
下大静脈口 opening of inferior vena cava 1303
下大静脈口 ostium venae cavae inferioris 1325
下大静脈溝 groove for inferior vena cava 801
下大静脈後尿管 postcaval ureter 1970
下大静脈後尿管 retrocaval ureter 1970
下大静脈後リンパ節 nodi lymphatici postcavales 1262
下大静脈の postcaval 1470
〔下大静脈の〕奇静脈連続 azygos continuation (of the inferior vena cava) 186
下大静脈弁 valve of inferior vena cava 1985
下大静脈弁 valvula venae cavae inferioris 1986
下腿神経の外側踵骨枝 lateral calcaneal branches of sural nerve 248
下腿切断 B-K amputation 65
下腿前部 anterior region of leg 1585
下腿前面 facies anterior cruris 662
下腿前面 anterior surface of leg 1780
下大脳静脈 inferior cerebral veins 1996
下腿の外側区画 lateral compartment of leg 399
下腿の後区画 posterior compartment of leg 399
下腿の前区画 anterior compartment of leg 399
下腿の背屈区画 dorsiflexor compartment of leg 399
下唾液核 inferior salivary nucleus 1275
下唾液核 inferior salivatory nucleus 1275
下唾液核 nucleus salivatorius inferior ... 1280
カタ温度計 katathermometer 977
肩掛け(ショール)徴候 shawl sign 1683
肩関節 articulatio humeri 157
肩関節 humeral articulation 158
肩関節 glenohumeral joint 970
肩関節 shoulder joint 971
肩関節固定〔術〕 shoulder arthrodesis 155
肩関節唇 glenoid labrum of scapula 992
肩関節唇 labrum glenoidale scapulae 992
肩関節唇 glenoidal lip 1055
肩関節唇 articular margin 1103
肩関節不安感徴候 shoulder apprehension sign 1684
カタクロノバイオロジー catachronobiology 310
過多月経 flow 713
過多月経 hypermenorrhea 883
片こと lalling 996
硬さ hardness 815
硬さ rigidity 1616
硬さ計 hardness scale 1639
カタスタルシス catastalsis 312
カタストロフィー理論 catastrophe theory 1875
形 form 728
型づくり shaping 1670
カタトニー catatonia 312
カタプレキシー cataplexy 310
型別 typing 1958
カダベリン cadaverine 274
カタボライト〔遺伝子〕活性化蛋白 catabolite (gene) activator protein (CAP) 1503
カタボライトリプレッション catabolite repression 1591
片麻痺 hemiplegia 829
片麻痺後アテトーシス posthemiplegic athetosis 169
片麻痺性筋萎縮〔症〕 hemiplegic amyotrophy 68
片麻痺性片頭痛 hemiplegic migraine 1157
片麻痺歩行 hemiplegic gait 748
カタメニア catamenia 310
片持ち梁 cantilever beam 203
片山試験 Katayama test 1860
片山病 Katayama disease 535
偏り bias 208
カタラーゼ catalase 310
カタラーゼ反応 catalatic reaction 1563
カタル catarrh 312
カタール katal (kat) 977
カタルシス catharsis 313
カタル性胃炎 catarrhal gastritis 757
カタル性炎〔症〕 catarrhal inflammation 928
カタル性眼炎 catarrhal ophthalmia 1307
カタル性ぜん息 catarrhal asthma 165

カタル熱 catarrhal fever 683
カタレプシー catalepsy 310
下端 extremitas inferior 658
下端 inferior extremity 658
過蛋白症 hyperproteosis 886
価値 value 1984
カチオン cation 314
可知覚性昏睡 coma vigil 2019
下虫部静脈 inferior vein of vermis 1997
可聴閾〔値〕 auditory threshold 1886
可聴閾下の infrasonic 931
下腸間膜静脈 inferior mesenteric vein 1996
下腸間膜静脈 vena mesenterica inferior 2006
下腸間膜動脈 arteria mesenterica inferior 136
下腸間膜動脈 inferior mesenteric artery 146
下腸間膜動脈神経節 ganglion mesentericum inferius 753
下腸間膜動脈神経節 inferior mesenteric ganglion 753
下腸間膜動脈神経叢 inferior mesenteric (nerve) plexus 1440
下腸間膜動脈の上行枝 ascending branch of the inferior mesenteric artery 243
下腸間膜〔動脈〕リンパ節 inferior mesenteric lymph nodes 1078
下腸骨棘線 intertubercular line 1050
下腸骨棘線 linea intertubercularis 1053
ガチョウスピロヘータ *Borrelia anserina* 237
顆ちょうつがい位 condylar hinge position 1469
ガチョウ〔様〕の anserine 96
下直筋 inferior rectus (muscle) 1187
〔眼球の〕下直筋 musculus rectus inferior (bulbi) 1203
下直腸静脈 inferior rectal veins 1997
下直腸静脈 venae rectales inferiores 2007
下直腸神経 inferior anal nerves 1235
下直腸神経 inferior rectal nerves 1235
下直腸神経 nervi rectales inferiores 1243
下直腸動脈 arteria rectalis inferior 137
下直腸動脈 inferior rectal artery 146
下直腸動脈神経叢 inferior rectal (nerve) plexus 1440
渇 thirst 1885
滑液 synovial fluid 715
滑液 synovia 1827
滑液産生性の synoviparous 1827
滑液鞘 synovial sheath 1671
滑液嚢 bursa synovialis 271
滑液嚢 synovial bursa 271
滑液嚢炎 bursitis 271
滑液嚢滑膜炎 bursal synovitis 1827
滑液嚢周囲の peribursal 1386
滑液嚢膿瘍 bursal abscess 5
滑液包(嚢)傍炎 parasynovitis 1354
滑液包 bursa synovialis 271
滑液包 synovial bursa 271
滑液包炎 bursitis 271
滑液包結石 bursolith 271
滑液包疾患 bursopathy 271
滑液包切開〔術〕 bursotomy 271
滑液包切除〔術〕 bursectomy 271
滑液包内の intrasynovial 951
滑液包膿瘍 bursal abscess 5
滑液包ヘルニア synovial hernia 844
滑液膜周囲の perisynovial 1392
滑液膜軟骨腫〔症〕 synovial chondromatosis 353
カツオノエボシ *Physalia physalis* 1420
カツオノエボシ属 *Physalia* 1420
渇感欠如 adipsia, adipsy 29
活気 animation 91
楽器音痴 instrumental amusia 66
楽器失音楽症 instrumental amusia 66
割球 blastomere 219
〔初期胚細胞の〕割球 cyema 457
割球破壊 blastotomy 219
褐麹病菌 *Aspergillus flavus* 161
割腔 blastocele, blastocoele 218
脚気 beriberi, beri beri 207
脚気心 beriberi heart 820
喀血 hemoptysis 835
学校看護師 school nurse 1283
学校恐怖〔症〕 school phobia 1410
滑車 pulley 1523
滑車 trochlea 1936
ガッシャー gusher 806
滑車窩 trochlear fossa 734
滑車窩 fovea trochlearis 735
滑車窩 trochlear fovea 735
滑車窩 trochlear pit 1426
滑車下神経 infratrochlear nerve 1235
滑車下神経 nervus infratrochlearis 1242
滑車下神経の眼瞼枝 palpebral branches of infratrochlear nerve 250
滑車下神経の眼瞼枝 rami palpebrales nervi infratrochlearis 1554
滑車滑液包 synovial trochlear bursa 271
滑車滑液包 trochlear synovial bursa 271
滑車下の infratrochlear 931
滑車下の subtrochlear 1768
滑車棘 spina trochlearis 1716
滑車棘 trochlear spine 1717
滑車上静脈 supratrochlear veins 2002
滑車上静脈 venae supratrochleares 2008
滑車上神経 supratrochlear nerve 1239
滑車上神経 nervus supratrochlearis 1243
滑車上肘筋 musculus epitrochleoanconeus 1199
滑車上動脈 arteria supratrochlearis 138
滑車上動脈 supratrochlear artery 153
滑車上の supratrochlear 1780
滑車上リンパ節 supratrochlear lymph nodes 1081
滑車神経 trochlear nerve [CN IV] 1240
滑車神経 nervus trochlearis [CN IV] 1243
滑車神経核 nucleus nervi trochlearis 1277
滑車神経核 nucleus of trochlear nerve 1281
滑車神経核 trochlear nucleus 1281
滑車神経交叉 decussation of trochlear nerve fibers 476
滑車切痕 incisura trochlearis 919
滑車切痕 trochlear notch 1270
〔小脳〕活樹 arbor vitae 123
渇酒癖 dipsomania 524
褐色萎縮 brown atrophy 173
褐色芽細胞 pheochromoblast 1407
褐色細胞腫 melanocytoma 1121
褐色細胞腫 pheochromocytoma 1407
褐色脂肪 brown fat 678
褐色腫 brown tumor 1949
褐色水腫(浮腫) brown edema 587
褐色肺 brown lung 1071
褐色白内障 cataracta brunescens 312
褐色斑 chloasma 346
活性 activity (*a*) 21
活性アセトアルデヒド activated acetaldehyde 11
活性アルデヒド active aldehyde 45
活性汚泥法 activated sludge method 1143
活性化 activation 21
活性化エネルギー energy of activation (E_a) 617
活性化原子 activated atom 170
活性化剤 activator 21
活性化水素 activated hydrogen 872
活性化部分トロンボプラスチン時間 activated partial thromboplastin time (aPTT) 1893
活性化マクロファージ activated macrophage 1090
活性化誘導性シチジンデアミナーゼ activation-induced cytidine deaminase (AID) 463,473
活性カルボン酸 activated carboxylic acid 294
活性ギ酸 active formate 729
活性凝固時間 activated clotting time (ACT) 1893
活性グリコールアルデヒド activated glycol aldehyde 45
活性グリコールアルデヒド active glycolaldehyde 788
活性ᴅ-グルコース activated ᴅ-glucose 783
活性脂肪酸 activated fatty acid 678
活性炭 activated charcoal 340
活性中心 active center 330
活性電極 active electrode 593
活性度 activity (*a*) 21
活性度係数 activity coefficient (γ) 387
活性突然変異体 active mutant 1205
活性二酸化炭素 active carbon dioxide, activated carbon dioxide 294
活性ピルビン酸 active pyruvate 1535
活性部位 active site 1689
活性ホルミル active formyl 731
活性ホルムアルデヒド active formaldehyde 729
活性メチル active methyl 1146
活性薬 activator 21
活性リプレッサー active repressor 1591
滑石 talc 1839
滑石沈着症 talcosis 1839
割線 cleavage 373
割線 cleavage lines 1049
割線 tension lines 1052
ガッタ gutta 806
合体期 pachytene 1335
滑沢皮膚 glossy skin 1691
滑脱性食道裂孔ヘルニア sliding esophageal hiatal hernia 844
滑脱ヘルニア sliding hernia 844
滑脱裂孔ヘルニア sliding hiatal hernia 844
ガッタパーチャコーン gutta-percha cone 409
ガッタパーチャスプレッダー gutta-percha spreader 1725
ガッタパーチャ gutta-percha 806
ガッタパーチャポイント gutta-percha points 1454
合致率 concordance rate 1559
カッティングエッジ cutting edge 587
葛藤 conflict 410
活動 activity (*a*) 21
活動 sthenia 1746
活動化 activation 21
活動機能 action 21
活動性う食(蝕) active caries 302
活動電位 action potential 1473
活動電流 action current 450
〔活動の〕停止 standstill 1737
活動力欠如 inertia 925
カットグット〔剤〕 catgut 313
カットポイント cutpoint 453
ガットマン尺度(スケール) Guttman scale 1639
ガットロン(ゴットロン)丘疹 Gottron papule 1347
渇熱 thirst fever 686
カッパ κ 975
カッパ kappa (κ) 975
カッパ角 kappa angle 89
カッパ(κ)型軽鎖 kappa (κ) light chain 337
カッパーヘッド copperhead 420
カッパ(κ)粒子 kappa particles 1369
合併した complicated 403
合併症 complication 403
合併片頭痛 complicated migraine 1157

渇望 craving 435
滑膜 membrana synovialis 1124
滑膜 synovial membrane 1127
滑膜陰窩 synovial crypt 445
滑膜炎 synovitis 1827
滑膜間葉 synovial mesenchyme 1134
滑膜細胞 synovial cells 326
滑膜絨毛 synovial villi 2020
滑膜絨毛 villi synoviales 2020
滑膜性の連結 articulatio synovialis 157
滑膜性の連結 synovial joint 971
滑膜性連結 junctura synovialis 974
滑膜切除〔術〕synovectomy 1827
滑膜層 stratum synoviale 1753
滑膜肉腫 synovial sarcoma 1636
滑膜ひだ synovial fold 720
滑膜ひだ synovial ligament 1041
滑膜ひだ plica synovialis 1445
滑面絨毛膜 smooth chorion 355
滑面小胞体 agranular endoplasmic reticulum 1599
滑面小胞体 smooth-surfaced endoplasmic reticulum 1599
括約筋 constrictor 415
括約筋 sphincter muscle 1194
括約筋 musculus sphincter 1203
括約筋 sphincter 1712
括約筋炎 sphincteritis 1713
括約筋形成〔術〕sphincteroplasty 1713
括約筋切開〔術〕sphincterotomy 1714
括約筋切開刀 sphincterotome 1713
括約筋切除〔術〕sphincterectomy 1713
括約筋の sphincteral 1713
括約筋様の sphincteroid 1713
活力 vitality 2032
活力減退 hypodynamia 892
活力説 vitalism 2032
活力低下 hypodynamia 892
活力論 vitalism 2032
仮定 assumption 163
仮定 postulate 1472
過程 intention 943
過程 process 1488
家庭医 generalist 764
家庭医 family physician 1420
家庭医学 family medicine 1117
家庭医学(医療) family practice 1475
家庭〔保健〕看護師 home health nurse 1283
仮定的平均生物 hypothetical mean organism (HMO) 1312
家庭内暴力 domestic violence 555
窩底の basal 199
家庭用モニター home monitor 1165
カテキン catechin 312
カテクシス cathexis 314
カテクシス investment 953
カテクシスの cathectic 313
過テクネチウム酸〔イオン〕pertechnetate 1396
過テクネチウム酸ナトリウム sodium pertechnetate 1696
カテコールオキシダーゼ catechol oxidase 312
カテコールオキシダーゼ(二量体) catechol oxidase (dimerizing) 312
カテコール1,2-ジオキシゲナーゼ catechol 1,2-dioxygenase 312
カテコール2,3-ジオキシゲナーゼ catechol 2,3-dioxygenase 312
カテコール-*O*-メチルトランスフェラーゼ catechol *O*-methyltransferase 312
カテコール catechol 312
カテコールアミン catecholamines 312
カテコールエストロゲン catechol estrogen 644
可撤性部分床義歯 removable partial denture 489
カテーテル catheter 313
カテーテル外径測定板 catheter gauge 761
カテーテルガイド catheter guide 805
カテーテル塞栓 catheter embolus 601
カテーテル法 catheterization 314
カテーテル保持台 catheterostat 314
カテーテルを挿入する catheterize 314
カテニン catenin 313
カテネイト catenate 312
カテプシン cathepsin 313
カテル小児知能検査法 Cattell Infant Intelligence Scale 1638
下転 deorsumduction 490
下転 infraduction 931
下転 infraversion 931
下殿筋線 linea glutea inferior 1053
価電子軌道 hybrid 868
価電子数 electronic number 1282
下殿静脈 inferior gluteal veins 1996
下殿静脈 venae gluteae inferiores 2005
下殿神経 inferior gluteal nerve 1235
下殿神経 nervus gluteus inferior 1242
蝸電図 electrocochleogram 593
蝸電図法 electrocochleography 593
下殿動脈 arteria glutea inferior 135
下殿動脈 inferior gluteal artery 146
下殿皮神経 inferior clunial nerves 1235
下殿皮神経 nervi clunium inferiores 1241
下殿リンパ節 inferior gluteal lymph nodes 1078
仮痘 varioloid 1988
果糖 fructose (Fru) 742
果糖 fruit sugar 1769
窩洞 cavitas 315
窩洞 cavity 316
可動域 excursion 652
渦動音 eddy sounds 1702
可動化 mobilization 1161
窩洞外形 outline form 729
果糖吸収不全症 fructose malabsorption 1093
窩洞形式 indentation 921
窩洞形成 cavity preparation 1480
窩洞形態 cavity preparation form 729
果糖血〔症〕fructosemia 742
窩洞鑽子 fraise 739
稼働時間 running time 1893
窩洞歯面隅角 cavosurface angle 88
下頭斜筋 inferior oblique muscle of head 1187
下頭斜筋 obliquus capitis inferior (muscle) 1189
下頭斜筋 musculus obliquus capitis inferior 1201
下橈尺関節 articulatio radioulnaris distalis 157
下橈尺関節 distal radioulnar articulation 158
下橈尺関節 distal radioulnar joint 969
下橈尺関節 inferior radioulnar joint 970
〔下橈尺関節の〕関節円板 articular disc of distal radioulnar joint 525
〔下橈尺関節の〕関節円板 radioulnar disc, radioulnar articular disc 526
〔下橈尺関節の〕関節円板 discus articularis radioulnaris distalis 527
〔下橈尺関節の〕三角軟骨板 triangular disc of wrist 526
顆導出静脈 condylar emissary vein 1995
顆導出静脈 vena emissaria condylaris 2005
〔窩洞〕清掃 toilet 1898
窩洞線角 cavity line angle 88
可動端 mobile end 610
下頭頂小葉 inferior parietal lobule 1065
下頭頂小葉 lobulus parietalis inferior 1066
果糖尿〔症〕fructosuria 742
仮〔牛〕痘の vaccinoid 1981
可動脈 movable pulse 1525
窩洞面の cavosurface 317
寡糖類 oligosaccharide 1297
カトカス catochus 314
過度活動〔性〕superactivity 1777
過度緊張 supertension 1778
家兎継代 lapinization 1001
過度咬合 hyperfunctional occlusion 1290
過度興奮 superexcitation 1777
過度酸性 superacidity 1777
ガドジアミド gadodiamide 748
過度色素沈着 hyperchromatism 879
過度脂肪含有の superfatted 1777
顆〔状〕突起切開〔術〕condylotomy 409
ガドテリドール gadoteridol 748
家兎トレポネーマ *Treponema cuniculi* 1925
過渡平衡 transient equilibrium 635
カトヘモグロビン cathemoglobin 313
カドヘリン cadherin 274
ガドペンテテート gadopentetate 748
ガドペンテト酸 gadopentetate 748
カドミウム cadmium (Cd) 274
ガドリニウム gadolinium (Gd) 748
カトルフィッシュディスク cuttlefish disc 525
ガドレイン酸 gadoleic acid 748
金網副子 ladder splint 1722
下内斜位 hypoesophoria 893
下内側静脈 inferior nasal retinal venule 2012
下内側静脈 inferior nasal venule of retina 2012
下内側静脈 venula nasalis retinae inferior 2012
悲しい pathetic 1371
カナジン canadine 282
カナダバルサム Canada balsam 194
カナバニン canavanine 286
カニ crab 433
カニコラ熱 canicola fever 683
カニツァロ反応 Cannizzaro reaction 1563
カニ手 crab hand 814
カニューレ cannula 287
カニューレ挿入 cannulation, cannulization 287
カニューレ抜去 decannulation 474
下尿生殖隔膜筋膜 inferior fascia of urogenital diaphragm 673
下尿生殖隔膜筋膜 perineal membrane 1126
ガニング副子 Gunning splint 1722
加熱角膜形成〔術〕thermokeratoplasty 1881
加熱乾燥 ustulation 1976
加熱重合レジン heat-curing resin 1592
加熱分解 thermolysis 1881
鐘の舌(ベルクラッパー)変形 bell clapper deformity 479
可燃性の combustible 396
可燃性麻酔薬 flammable anesthetic 81
過粘稠血症候群 hyperviscosity syndrome 1808
過粘稠度症候群 hyperviscosity syndrome 1808
下脳 hypencephalon 878
化膿 purulence, purulency 1529
化膿 pyopoiesis 1532
化膿 suppuration 1779
化膿〔性〕炎症 purulent inflammation 929
化膿球菌 pyococcus 1531
化膿菌 pyogenic bacterium 191
下脳室静脈 inferior ventricular vein 1997
下脳室静脈 vena ventricularis inferior 2008
化膿する fester 681
化膿性壊死 suppurative necrosis 1225
化膿性炎 purulent inflammation 929
化膿性肝炎 suppurative hepatitis 839
化膿性眼炎 purulent ophthalmia 1307
化膿性関節炎 suppurative arthritis 155

化膿性感染 pyogenic infection 927
化膿性胸膜炎 purulent pleurisy 1438
化膿性筋炎 pyomyositis 1532
化膿性結膜炎 purulent conjunctivitis 412
化膿性硬〔髄〕膜炎 pyogenic pachymeningitis 1335
化膿性梗塞 septic infarct 926
化膿性口内炎 pyostomatitis 1532
化膿性子宮炎 pyometritis 1532
化膿性歯周炎 suppurative periodontitis 1391
化膿性歯肉炎 suppurative gingivitis 770
化膿性硝子体炎 suppurative hyalitis 868
化膿性小葉間性肺炎 pneumonia interlobularis purulenta 1450
化膿性腎炎 suppurative nephritis 1229
化膿性腎炎 pyonephritis 1532
化膿性心外膜炎(心嚢炎) purulent pericarditis 1386
化膿性腎結石〔症〕 pyonephrolithiasis 1532
化膿性心膜炎 pyopericarditis 1532
化膿性虫垂炎 suppurative appendicitis 120
化膿性肉芽腫 pyogenic granuloma, granuloma pyogenicum 798
化膿性乳腺炎 suppurative mastitis 1109
化膿性の pustulant 1529
化膿〔性〕の pyogenic, pyogenetic 1532
化膿性脳炎 suppurative cerebritis 335
化膿性肺炎 purulent pneumonia 1450
化膿性肺炎 suppurative pneumonia 1450
化膿性腹膜炎 pyoperitonitis 1532
化膿性脈絡膜炎 suppurative choroiditis 356
化膿性網膜炎 purulent retinitis 1601
化膿性毛様体炎 purulent cyclitis 456
化膿性卵管炎 pyosalpingitis 1532
化膿性卵管炎 pyogenic salpingitis 1631
化膿性卵管卵巣炎 pyosalpingo-oophoritis 1532
化膿〔性〕連鎖球菌 *Streptococcus pyogenes* 1754
化膿前の presuppurative 1483
化膿素 pyogen 1532
化膿阻止の pyostatic 1532
化膿阻止薬 pyostatic 1532
寡嚢胞性の oligocystic 1296
〔化〕膿膜 pyogenic membrane 1127
化膿薬 pustulant 1529
化膿薬 suppurant 1779
〔右・左〕下肺静脈の上枝 superior branch of the right and left inferior pulmonary veins 254
下肺底静脈 inferior basal vein 1996
下肺底静脈 vena basalis inferior 2004
過排卵 superovulation 1778
カバーガラス cover glass 776
樺タール油 birch tar oil 216
カバノキ betula 208
カバノキ油 betula oil 1294
カハル水平細胞 horizontal cell of Cajal 322
カハル星状細胞染色〔法〕 Cajal astrocyte stain 1730
下半月小葉 inferior semilunar lobule 1065
下半月小葉 lobulus semilunaris inferior 1066
過反応性マラリア性脾腫 hyperreactive malarious splenomegaly 1721
痂皮 crust 444
痂皮 crusta 444
痂皮 incrustation 921
痂皮 scab 1637
痂皮 scabrities 1638
カビ mold 1163
過備給 hypercathexis 879
痂皮形成 incrustation 921
下鼻甲介 inferior nasal concha 406
〔下鼻甲介の〕篩骨突起 ethmoidal process of inferior nasal concha 1489
〔下鼻甲介の〕篩骨突起 processus ethmoidalis conchae nasalis inferioris 1491
〔下鼻甲介の〕上顎突起 maxillary process of inferior nasal concha 1489
〔下鼻甲介の〕上顎突起 processus maxillaris conchae nasalis inferioris 1491
下鼻甲介の涙骨突起 lacrimal process of inferior nasal concha 1489
下鼻甲介の涙骨突起 processus lacrimalis conchae nasalis inferioris 1491
下腓骨筋支帯 inferior fibular retinaculum 1600
痂皮性膀胱炎 incrusted cystitis 462
カピュロン点 Capuron points 1454
カピラリア肉芽腫 *Capillaria* granuloma 797
過敏 irritation 957
過敏〔性〕結腸 irritable colon 392
過敏症 hypersensitivity 887
〔水銀〕過敏症 erethism 636
過敏症様紫斑病 anaphylactoid purpura 1528
過敏性血管炎 hypersensitivity angiitis 82
過敏性血管炎 hypersensitivity vasculitis 1989
過敏性剣状突起症候群 hypersensitive xiphoid syndrome 1808
過敏性腸症候群 irritable bowel syndrome (IBS) 1808
過敏性乳腺〔症〕 irritable breast 255
過敏性肺〔臓〕炎 hypersensitivity pneumonitis 1451
過敏性反応 id reaction 1565
過敏性膀胱 hyperreflexic bladder 218
過敏膀胱 neurogenic bladder 218
過敏膀胱 neuropathic bladder 218
カフ cuff 447
株 stock 1748
株 strain 1750
下部 inferior part 1364
カフィング cuffing 447
カフェイン caffeine 275
カフェイン中毒〔症〕 caffeinism 275
カフェ・オ・レ斑 café au lait spots 1725
カフェストール cafestol 275
下部灰白脳炎 inferior polioencephalitis 1457
下部顎前突〔症〕 basilar prognathism 1495
株〔化〕細胞系〔統〕 established cell line 1049
ガフキー表 Gaffky table 1836
〔肩甲舌骨筋の〕下腹 inferior belly of omohyoid muscle 205
〔肩甲舌骨筋の〕下腹 venter inferior musculi omohyoidei 2009
下腹神経 hypogastric nerve 1234
下腹神経 nervus hypogastricus 1242
下腹部 hypogastrium 893
下腹部結合奇形 hypogastropagus 893
下腹部ヘルニア hypogastrocele 893
下腹壁静脈 inferior epigastric vein 1996
下腹壁静脈 vena epigastrica inferior 2005
下腹壁静脈恥骨枝の閉鎖枝 obturator branch of pubic branch of inferior epigastric vein 250
下腹壁静脈の恥骨枝 pubic branch of inferior epigastric vein 252
下腹壁動脈 arteria epigastrica inferior 135
下腹壁動脈 inferior epigastric artery 146
下腹壁動脈の恥骨枝 ramus pubicus arteriae epigastricae inferioris 1555
下腹壁動脈恥骨枝の閉鎖枝 obturator branch of pubic branch of inferior epigastric artery 250
下腹壁動脈の恥骨枝 pubic branch of inferior epigastric artery 252
下腹壁動脈の閉鎖枝 ramus obturatorius arteriae epigastricae inferioris 1554
下腹壁リンパ節 inferior epigastric lymph nodes 1078
下副葉間裂 inferior accessory fissure 702
カプグラー症候群 Capgras syndrome 1799
下腎上体(副腎)動脈 arteria suprarenalis inferior 138
下腎上体(副腎)動脈 inferior suprarenal artery 146
下腹裂 hypogastroschisis 893
下部構造 substructure 1767
カプサイシン capsaicin 290
カプシシン capsicin 290
カプシド capsid 290
カプシド転換 transcapsidation 1916
下部食道括約筋 lower esophageal sphincter (LES) 1713
カプセル capsule (cap) 290
カプセル化 capsulation 290
カプセル鉗子 capsule forceps 727
カプセル内視鏡 capsule endoscopy 615
カプソマー capsomer, capsomere 290
カブトガニ(リムルス)細胞分解産物試験 limulus lysate test 1860
カプノグラフ capnograph 289
カプノグラム capnogram 289
寡婦のこぶ dowager hump 867
カプノシトファガ属 *Capnocytophaga* 289
顆部誘導傾斜 condylar guidance inclination 919
カプランーマイヤー解析 Kaplan-Meier analysis 70
カプランーマイヤー法 Kaplan-Meier estimate 644
カプリポックスウイルス属 *Capripoxvirus* 290
カプリル酸 caprylic acid 290
カプリル酸亜鉛 zinc caprylate 2057
カプリン caprin 290
n-カプリン酸 *n*-capric acid 289
カプロイル caproyl 290
過プロラクチン血症 hyperprolactinemia 886
n-カプロン酸 *n*-caproic acid 290
花粉 pollen 1457
花粉エキス pollen extract 657
ガブーン潰瘍 Gaboon ulcer 1961
過分割照射 hyperfractionation 880
過分極 hyperpolarization 886
花粉抗原 pollen antigen 105
下吻合静脈 inferior anastomotic vein 1996
下吻合静脈 vena anastomotica inferior 2004
花粉症 pollinosis 1457
過分泌 hypersecretion 887
過分葉 hypersegmentation 887
過分葉好中球 hypersegmented neutrophil 1254
壁 paries 1356
壁 wall 2039
貨幣状角膜炎 keratitis nummularis 978
貨幣状湿疹 nummular eczema 586
貨幣状の nummular 1283
カベオリン caveolin 315
窩壁 cavity wall 2039
〔眼窩〕下壁 paries inferior orbitae 1356
〔眼窩〕下壁 inferior wall of orbit 2039
下壁心筋梗塞 inferior myocardial infarction 926
カペシタビン capecitabine 288
壁の mural 1178
可変型子宮鏡 flexible hysteroscope 901
花弁状白内障 floriform cataract 311
可変スプライシング alternative splicing 1721
可変面積定水頭流量計 rotameter 1623
渦鞭毛藻〔類〕毒素 dinoflagellate toxin 1906
芽胞 spore 1724
芽胞形成 sporulation 1724
下膀胱静脈叢 inferior vesical venous plexus 1440
下膀胱動脈 arteria vesicalis inferior 138
下膀胱動脈 inferior vesical artery 146
下膀胱動脈の前立腺枝 prostatic branches of

inferior vesical artery …………………… 252
過ホウ酸ナトリウム sodium perborate 1696
過萌出 overeruption ……………………… 1328
下方増殖 downgrowth ……………………… 558
過膨張 hyperinflation ……………………… 882
可膨張性インプラント inflatable implant 915
下方に caudad ……………………………… 315
芽胞の sporular …………………………… 1724
芽胞嚢 sporangium ………………………… 1724
過飽和溶液 supersaturated solution …… 1698
カポージ水痘様発疹症 Kaposi varicelliform eruption ……………………………………… 638
カポージ肉腫 Kaposi sarcoma (KS) … 1635
カポジ様血管内皮腫 kaposiform hemangioendothelioma ………………… 824
カポシンB kaposin B ……………………… 975
鎌 falx ……………………………………… 671
窯 furnace ………………………………… 746
構え set …………………………………… 1668
ガマ弓 arcus raninus ……………………… 128
ガマ腫 ranula ……………………………… 1558
鎌状〔赤〕血球 sickle cell ………………… 326
鎌状〔赤〕血球 meniscocyte ……………… 1130
鎌状細胞 sickle cell ……………………… 326
〔仙結節靱帯の〕鎌状靱帯 falciform ligament ……………………………………… 1035
〔仙結節靱帯の〕鎌状靱帯 ligamentum falciforme ……………………………… 1043
鎌状赤血球C症 sickle cell C disease …… 540
鎌状赤血球化 sickling …………………… 1676
鎌状赤血球形成傾向 sickle cell trait …… 1916
鎌状赤血球形成試験 metabisulfite test … 1861
鎌状赤血球〔形成〕試験 sickle cell test … 1865
鎌状赤血球血症 sicklemia ……………… 1676
鎌状赤血球貧血 sickle cell anemia ……… 78
鎌状赤血球ヘモグロビン sickle cell hemoglobin (Hb S) ……………………… 833
鎌状赤血球網膜症 sickle cell retinopathy ……………………………………… 1603
鎌状の falciform ………………………… 670
鎌状網膜ひだ falciform retinal fold …… 719
鎌の falcial ………………………………… 670
ガマ皮〔症〕 phrynoderma ………………… 1419
ガマブファギン gamabufagin, gamabufogenin ………………………… 751
ガマブホタリン gamabufotalin …………… 751
カマー分類〔法〕 Cummer classification …. 371
過マンガン酸 permanganic acid ………… 1394
過マンガン酸亜鉛 zinc permanganate … 2058
過マンガン酸カリウム potassium permanganate ………………………… 1473
紙 paper …………………………………… 1344
かみ合わせ cross ………………………… 441
かみタバコ quid ………………………… 1538
カミツレ matricaria ……………………… 1110
雷恐怖〔症〕 keraunophobia ……………… 981
雷恐怖〔症〕 tonitrophobia ………………… 1900
下脈絡叢静脈 inferior choroid vein …… 1996
下脈絡叢静脈 vena choroidea inferior … 2005
紙やすり性胆嚢 sandpaper gallbladder … 750
夏眠 estivation …………………………… 644
かむ bite ………………………………… 217
咬むシラミ biting louse, chewing louse, feather louse ………………………… 1069
ガムナーガンディ体 Gamna-Gandy bodies 227
ガムナ病 Gamna disease ………………… 533
ガムナーファーヴル体 Gamna-Favre bodies ……………………………………… 227
カムラーティ(カムラチ)-エンゲルマン病 Camurati-Engelmann disease ………… 529
ガムランセット gum lancet ……………… 1000
下迷管 inferior aberrant ductule ………… 565
カメ結核菌 *Mycobacterium chelonae* subsp. *abscessus* ……………………………… 1207
ガメトゴニー gametogony ………………… 751
ガメトシスト gametocyst ………………… 751
カメラ camera …………………………… 281
カメラ付角膜鏡 photokeratoscope ……… 1417
カメレオン chameleon …………………… 338
〔舌〕下面 inferior surface of tongue …… 1781
〔舌の〕下面 facies inferior linguae ……… 663
〔小脳半球〕下面 inferior surface of cerebellar hemisphere ………………… 1781
〔小脳半球〕下面 facies inferior hemispherii cerebri ……………………………………… 663
〔側頭骨錐体〕下面 inferior surface of petrous part of temporal bone ……… 1781
仮面高血圧症 masked hypertension ……… 888
仮面状(仮面様)顔〔貌〕 masklike face …… 661
仮面状顔貌 mask ………………………… 1106
仮面性甲状腺機能亢進〔症〕 masked hyperthyroidism ………………………… 889
仮面〔性〕てんかん masked epilepsy ……… 628
仮面の masked …………………………… 1106
カモノハシ鏡 duckbill speculum ………… 1709
カモミレ chamomile ……………………… 338
カモメ雑音 seagull murmur ……………… 1180
ガモント gamont ………………………… 752
火薬傷 flash burn ………………………… 267
カヤプト油 cajeput oil, cajuput oil ……… 275
かゆ(粥) brei …………………………… 256
かゆ(粥) gruel …………………………… 804
かゆ状の pultaceous ……………………… 1526
かゆみ itch ……………………………… 964
かゆみ itching …………………………… 964
かゆみ〔症〕 pruritus …………………… 1510
かゆみ止め antipruritic ………………… 108
〔左または右肺の〕下葉 inferior lobe of (left/right) lung ……………………… 1063
〔右または左肺の〕下葉 lobus inferior pulmonis (dextri et sinistri) ………… 1066
過ヨウ化水素酸テトラグリシン tetraglycine hydroperiodide …………………………… 1871
可溶ガラス soluble glass ………………… 776
下腰三角 inferior lumbar triangle ……… 1927
可溶性抗原 soluble antigen ……………… 105
可溶性酵素 lyoenzyme …………………… 1085
可溶性石けん soluble soap ……………… 1695
過ヨウ素酸 periodic acid ………………… 1390
過ヨウ素酸シッフ染色〔法〕 periodic acid-Schiff stain (PAS) …………… 1734
下葉動脈 arteriae lobares inferiores pulmonis ……………………………… 136
下葉動脈 inferior lobar arteries ………… 146
可溶な soluble …………………………… 1697
加溶媒分解 solvolysis …………………… 1699
殻 test ……………………………………… 1853
殻 testa …………………………………… 1869
カラアザール後皮膚リーシュマニア様症状 post-kala azar dermal leishmanoid …. 1018
カラアザール kala azar ………………… 975
辛い acrid ………………………………… 17
辛い pungent ……………………………… 1527
ガラヴァルダン現象 Gallavardin phenomenon ……………………………… 1404
空嘔吐 dry vomiting ……………………… 2037
ガラガラヘビ crotalid …………………… 442
ガラガラヘビ rattlesnake ………………… 1561
ガラガラヘビ科 Crotalidae ……………… 442
ガラガラヘビ抗毒素 *Crotalus* antitoxin 109
ガラガラヘビ属 *Crotalus* ………………… 442
ガラガラヘビ毒 *Crotalus* toxin ………… 1906
がらくたDNA junk DNA ………………… 491
ガラクタン galactan ……………………… 749
ガラクタン1,3-β-ガラクトシダーゼ galactan 1,3-β-galactosidase ………… 749
ガラクツロナン galacturonan …………… 750
ガラクツロン酸 D-galacturonic acid …… 750
ガラクティトール galactitol …………… 749
ガラクトース-6-スルファターゼ galactose-6-sulfatase ………………… 749
ガラクトース1-リン酸ウリジルトランスフェラーゼ galactose 1-phosphate uridylyltransferase ………………… 749
ガラクトキナーゼ欠損性ガラクトース血症 galactokinase deficiency galactosemia 749
ガラクトキナーゼ galactokinase ………… 749
ガラクトキナーゼ欠損〔症〕 galactokinase deficiency …………………………… 478
ガラクトゲン galactogen ………………… 749
ガラクトサミン galactosamine …………… 749
ガラクトシド galactoside ………………… 749
ガラクトシル galactosyl ………………… 750
ガラクトシルセラミド galactosylceramide ……………………………………… 750
ガラクトース galactose (Gal) ………… 749
ガラクトース血〔症〕 galactosemia ……… 749
ガラクトース尿〔症〕 galactosuria ……… 750
ガラクトース白内障 galactose cataract … 311
ガラクトース負荷試験 galactose tolerance test ……………………………………… 1858
ガラクトース1-リン酸 galactose 1-phosphate ……………………………… 749
ガラクトピラノース galactopyranose …… 749
カラゲナン carrageenan ………………… 305
カラゲニン carrageenin ………………… 305
カラザ chalaza …………………………… 337
カラシ mustard …………………………… 1205
カラシ油 mustard oil …………………… 1205
殻状の branny …………………………… 255
ガラス glass ……………………………… 776
ガラス圧診〔法〕 diascopy ……………… 511
ガラス圧診器 diascope ………………… 511
ガラスX線 glass rays …………………… 1562
ガラス恐怖〔症〕 crystallophobia ………… 446
ガラス恐怖〔症〕 hyalophobia …………… 868
ガラス状の vitreous …………………… 2035
ガラス体 glass body …………………… 227
ガラス玉滅菌器 glass bead sterilizer …. 1744
ガラス電極 glass electrode ……………… 594
ガラス貪食〔症〕 hyalophagia, hyalophagy 868
ガラス様の vitreous …………………… 2035
体 body …………………………………… 225
体 corpus ………………………………… 424
体 soma …………………………………… 1699
ガラナ guarana …………………………… 804
ガラパタ病 garapata disease …………… 533
カラベリ結節 cusp of Carabelli ………… 452
カラベリ結節 Carabelli tubercle ……… 1943
カラマー collamer ……………………… 390
カラマツテルペンチン larch turpentine 1955
カラミン calamine ……………………… 275
ガラミントリエチオダイド gallamine triethiodide ……………………………… 750
カラム column …………………………… 395
カラムクロマトグラフィ column chromatography ………………………… 357
カラメル caramel ………………………… 292
ガランガ根 galangal, galanga …………… 750
カランダー切断術 Callander amputation 65
ガランタミン galanthamine …………… 750
カランバ calumba ………………………… 281
ガラン反射 Galant reflex ……………… 1579
カランビン calumbin …………………… 281
ガラン-ブジャドー-バンワース症候群 Garin-Bujadoux-Bannwarth syndrome 1805
カリ potash ……………………………… 1472
カリウム kalium (K) …………………… 975
カリウム potassium (K) ……………… 1472
カリウム39 potassium 39 (^{39}K) ……… 1473
カリウム40 potassium 40 (^{40}K) ……… 1473
カリウム42 potassium 42 (^{42}K) ……… 1473
カリウム43 potassium 43 (^{43}K) ……… 1473
ガリウム gallium (Ga) ………………… 750
ガリウム67 gallium 67 (^{67}Ga) ……… 750
ガリウム68 gallium 68 (^{68}Ga) ……… 750
カリウム血〔症〕 kalemia ………………… 975
カリウム欠乏 kaliopenia ………………… 975

カ

カリウム〔性〕抑制 potassium inhibition … 933
カリウム尿 kaluresis … 975
カリウム保持性利尿薬 potassium sparing diuretics … 551
カリエス caries … 302
ガリエルペッサリー Gariel pessary … 1396
カリオガミー karyogamy … 976
カリオクロム細胞 karyochrome cell … 322
カリオクロム細胞 karyochrome … 976
カリオサイト karyocyte … 976
カリオソーム karyosome … 976
カリオファージ karyophage … 976
カリオフェリン karyopherin … 976
カリオプラスチン karyoplastin … 976
カリオマイトム karyomitome … 976
カリクレイン kallikrein … 975
カリクレイン系 kallikrein system … 1832
カリシウイルス科 Caliciviridae … 279
カリシウイルス属 *Calicivirus* … 279
カリジン kallidin … 975
仮退院 parole … 1356
カリッシン carissin … 303
カリパス calipers … 279
〔カリパス〕マイクロメータ caliper micrometer … 1152
カリフォルニアウイルス California virus … 2022
カリフォルニア心理学的目録(検査) California psychological inventory test … 1855
カリフラワー耳 cauliflower ear … 580
カリホルニウム californium (Cf) … 279
カリマトバクテリウム属 *Calymmatobacterium* … 281
顆粒 grain … 796
顆粒 granular … 796
顆粒 granulatio … 796
顆粒 granulation … 796
顆粒 granule … 796
顆粒円柱 granular cast … 309
顆粒化 granulation … 796
過硫化塩 persulfide … 1396
顆粒芽球 granuloblast … 797
顆粒下層 infragranular layer … 1011
花柳冠 crown of Venus … 442
顆粒球 granulocyte … 797
顆粒〔性白血〕球 granular leukocyte … 1026
顆粒球系 granulocytic series … 1665
顆粒球形成 granulopoiesis … 799
顆粒球減少〔症〕 agranulocytosis … 39
顆粒球減少〔症〕 granulocytopenia … 797
顆粒球減少性アンギナ agranulocytic angina … 82
顆粒球コロニー刺激因子 granulocyte colony-stimulating factor (G-CSF) … 667
顆粒球性肉腫 granulocytic sarcoma … 1635
顆粒球性白血病 granulocytic leukemia 1024
顆粒球増加症 granulocytosis … 797
顆粒球マクロファージコロニー刺激因子 granulocyte-macrophage colony-stimulating factor (GM-CSF) … 667
顆粒空胞変性 granulovacuolar degeneration … 481
顆粒形成の granuloplastic … 799
顆粒剤 granule … 796
顆粒剤 parvule … 1370
顆粒剤 pellet … 1378
顆粒細胞 granule cells … 322
顆粒細胞腫 granular cell tumor … 1950
顆粒質 granuloplasm … 799
顆粒質〔分粒〕 granulomere … 798
顆粒症 granulosis … 799
顆粒状アヘン granulated opium … 1309
顆粒状角膜ジストロフィ granular corneal dystrophy … 578
〔顆〕粒状の granular … 796
顆粒除去〔法〕 grattage … 799
顆粒腎 granular kidney … 984
顆粒性皮質 koniocortex … 989
過流涎(ぜん) hypersalivation … 887
顆粒層 granulosa … 799
顆粒層 granular layer … 1010
顆粒層 stratum limitans externum … 1752
〔表皮〕顆粒層 stratum granulosum epidermidis … 1752
〔小脳皮質〕顆粒層 granular layer of cerebellar cortex … 1010
〔小脳皮質〕顆粒層 stratum granulosum corticis cerebelli … 1752
〔胞状卵胞〕顆粒層 granular layer of a vesicular ovarian follicle … 1010
〔胞状卵胞〕顆粒層 stratum granulosum folliculi ovarici vesiculosi … 1752
顆粒層肥厚 hypergranulosis … 881
顆粒体 microsome … 1155
顆粒皮質 granular cortex … 428
顆粒部 pars granulosa … 1359
加硫分解 sulfolysis … 1776
顆粒膜黄体細胞 granulosa lutein cells … 322
顆粒膜細胞 granulosa cell … 322
顆粒膜細胞腫 granulosa cell tumor … 1950
加リン酸分解 phosphorolysis … 1415
加リン〔酸〕分解 phosphoroclastic cleavage … 373
軽い light … 1046
過類骨症 hyperosteoidosis … 884
軽石 pumice … 1526
ガルヴァーニショック galvanic shock 1674
ガルヴァニズム galvanism … 751
ガルヴァーニ電流 galvanism … 751
カルヴァロ徴候 Carvallo sign … 1679
カル-エクスナー〔小〕体 Call-Exner bodies … 226
カルコマ carcoma … 299
カルコン chalcone … 338
カルサルチン calsarcin … 281
カルシウム calcium (Ca) … 277
カルシウム45 calcium 45 (^{45}Ca) … 277
カルシウム47 calcium 47 (^{47}Ca) … 278
カルシウムイポデート calcium ipodate 277
カルシウム過剰血性尿毒症 hypercalcemic uremia … 1969
カルシウムカルビミド calcium carbimide … 277
カルシウム基 calcium group … 278
カルシウム欠乏 calciprivia … 277
カルシウム欠乏〔症〕 calcipenia … 276
カルシウム硬直 calcium rigor … 1617
カルシウム固定 calcipexis, calcipexy … 276
カルシウム固定性の calcipectic … 276
カルシウム再沈着(再添加) recalcification … 1570
カルシウムサイン calcium sign … 1679
カルシウム産生の calcigerous … 276
カルシウム受容体作動薬 calcimimetic … 276
カルシウム除去 decalcification … 474
カルシウム親和性 calciphilia … 276
カルシウム髄液〔症〕 calciorrhachia … 276
カルシウムチャネル遮断薬 calcium channel blocker … 223
カルシウム調節機構 calciostat … 276
カルシウム沈着 calcification … 276
カルシウム動員 calciokinesis … 276
カルシウム動員性の calciokinetic … 276
カルシウム尿〔症〕 calciuria … 278
カルシウムピロリン酸沈着症 calcium pyrophosphate deposition disease (CPPD) … 529
カルシウムポンプ calcium pump … 1526
カルジオ(カーディオ)ウイルス *Cardiovirus* … 301
カルジオグラフ cardiograph … 300
カルジオグラフィ cardiography … 300
カルジオグラム cardiogram … 300
カルジオタコメータ cardiotachometer … 301
カルジオバージョン cardioversion … 301
カルジオリピン cardiolipin (CL) … 300
カルシジオール1α-ヒドロキシラーゼ calcidiol 1α-hydroxylase … 276
カルシジオール calcidiol … 276
カルシテトロール calcitetrol … 277
カルシトニン calcitonin … 277
カルシトニン遺伝子関連ペプチド calcitonin gene-related peptide (CGRP) … 1383
カルシトリオール calcitriol … 277
カルシニューリン calcineurin … 276
カルシフィラキシー calciphylaxis … 277
カルスペクチン calspectin … 281
カルセケストリン calsequestrin … 281
カルタゲナー症候群 Kartagener syndrome … 1809
カルダモン cardamom … 299
カルダモン油 oil of cardamom … 1294
カルチノイド carcinoid tumor … 1949
カルチノイド症候群 carcinoid syndrome … 1799
カルチノイド〔性〕潮紅 carcinoid flush … 717
カルチャーショック cultural shock … 1674
カルテ chart … 340
カルテ clinical recording … 1574
カルディアックバレー cardiac ballet … 299
カルディオバクテリウム属 *Cardiobacterium* … 299
カルデスモン caldesmon … 278
カルデノリド cardenolide … 299
ガルドネレラ属 *Gardnerella* … 756
ガルトン遺伝 galtonian inheritance … 933
ガルトン遺伝学 galtonian genetics … 765
ガルトン形質 galtonian trait … 1915
ガルトン三角 Galton delta … 485
ガルトン指紋分類〔法〕 Galton system of classification of fingerprints … 701
ガルトン笛 Galton whistle … 2045
ガルトンの法則 Galton law … 1006
ガルトン-フィッシャー遺伝学 galtonian-Fisher genetics … 765
カルナウバろう carnauba wax … 2042
カルニチン carnitine … 303
カルニチンアシルカルニチントランスロカーゼ carnitine acylcarnitine translocase 304
カルニチンアセチルトランスフェラーゼ carnitine acetyltransferase … 304
カルニチン欠損症 carnitine deficiency … 478
カルニチンパルミトイルトランスフェラーゼ carnitine palmitoyltransferase … 304
カルネット徴候 Carnett sign … 1679
カルノシナーゼ carnosinase … 304
カルノシン carnosine … 304
カルノフスキー尺度(基準) Karnofsky scale … 1639
カルノワ固定液 Carnoy fixative … 708
カルパイン calpains … 280
カルバクリルアミン樹脂 carbacrylamine resins … 1592
カルバクロール carvacrol … 308
カルバゾール carbazole … 293
カルバニオン carbanion … 293
カルバペネム系抗生物質〔剤〕 carbapenem … 293
カルバペネム類 carbapenems … 293
カルバミノ化合物 carbamino compound 404
カルバミノ血色素(ヘモグロビン) carbaminohemoglobin … 292
カルバミン酸 carbamic acid … 292
カルバメートキナーゼ carbamate kinase 292
カルバモイル carbamoyl … 293
カルバモイル化 carbamoylation … 293
カルバモイル基転移反応

transcarbamoylation … 1916
N-カルバモイルグルタミン酸 *N*-carbamoylglutamate … 293
カルバモイルトランスフェラーゼ carbamoyltransferases … 293
カルバモイルリン酸 carbamoyl phosphate … 293
カルバモイルリン酸シンテターゼ carbamoyl phosphate synthetase … 293
カルバリル carbaryl … 293
カルパンティエ-エドワーズ弁 Carpentier-Edwards valve … 1985
カルビドパ carbidopa … 293
カルプ腎盂形成〔術〕 Culp pyeloplasty … 1530
カルブンケル carbuncle … 295
カルベディロール carvedilol … 308
カルベニシリン carbenicillin … 293
カルボキサミド carboxamide … 294
4-カルボキシグルタミン酸 4-carboxyglutamate (Gla) … 294
カルボキシペプチダーゼ carboxypeptidase … 294
カルボキシペプチダーゼA carboxypeptidase A … 295
カルボキシペプチダーゼB carboxypeptidase B … 295
カルボキシペプチダーゼC carboxypeptidase C … 295
N-カルボキシ無水物 *N*-carboxyanhydrides … 294
カルボキシメチルセルロース carboxymethylcellulose … 294
カルボキシメチルセルロース carboxymethyl cellulose … 329
カルボキシラーゼ carboxylase … 294
カルボキシル carboxyl … 294
カルボキシル化 carboxylation … 294
カルボキシル基分解酵素 decarboxylase 474
カルボキシルトランスフェラーゼ carboxyltransferases … 294
カルボキシルメチルセルロースナトリウム sodium carboxymethyl cellulose … 1696
カルボージェン carbogen … 293
カルボニウム carbonium … 294
カルボニックアンヒドラーゼ carbonic anhydrase … 91
カルボニル carbonyl … 294
カルボプラチン carboplatin … 294
カルボマー carbomer … 293
カルボール-チオニン染色〔法〕 carbol-thionin stain … 1730
カルボン酸 carboxylic acid … 294
カルボン酸エステル carboxylic acid ester … 643
カルマラム carmalum … 303
カルマン徴候 Carman sign … 1679
カルミン carmine … 303
カルミン酸 carminic acid … 303
カルミン親和性の carminophil, carminophile, carminophilous … 303
カルミンリチウム lithium carmine … 303
カルムスチン carmustine … 303
カルメット-ゲラン杆菌 bacille Calmette-Guérin (BCG) … 187
カルメット試験 Calmette test … 1855
カルモジュリン calmodulin … 280
カルレティキュリン calreticulin … 280
ガレアッチ骨折 Galeazzi fracture … 737
加齢 aging … 38
加齢性黄斑変性 age-related macular degeneration … 480
加齢によるアミロイドーシス amyloidosis of aging … 67
ガレイン gallein … 750
花暦学 phenology … 1403
ガレー骨髄炎 Garré osteomyelitis … 1323
カレル療法 Carrel treatment … 1923
カレル-リンドバーグポンプ Carrel-Lindbergh pump … 1526
ガレン製薬 galenicals … 750
ガレン大大脳静脈 great cerebral vein of Galen … 1996
カレン徴候 Cullen sign … 1680
顆路 condyle path … 1371
過労 strain … 1750
過労恐怖〔症〕 ponophobia … 1465
仮肋 costae spuriae [VIII-XII] … 430
仮肋 false ribs … 1612
下肋部 hypochondrium … 892
下肋部 regio hypochondriaca … 1584
下肋部 hypochondriac region … 1585
ガロシアニン gallocyanin, gallocyanine 750
カロース callose … 279
カロチノイド carotenoids … 304
カロチノイド蛋白 carotenoprotein … 304
カロチン carotene … 304
カロチン血〔症〕 carotenemia … 304
下肋骨窩 inferior costal facet … 661
下肋骨窩 fovea costalis inferior … 735
下肋骨窩 inferior costal pit … 1426
カロット(カロー)の三角 Calot triangle 1926
カロディウム属 *Calodium* … 280
カロリー calorie … 280
カロリーメータ calorimeter … 280
カローリ〔滑液〕包 Calori bursa … 268
カロリ症候群 Caroli syndrome … 1799
カロリー摂取量 caloric intake … 280
カロリー値 caloric value … 1984
カロリ病 Caroli disease … 530
カローン chalone … 338
ガロン gallon … 750
側 aspect … 161
側 side … 1677
渇き thirst … 1885
川岸の riparian … 1618
カワニナ属 *Semisulcospira* … 1660
革袋形の utriform … 1978
革袋状胃 leather-bottle stomach … 1748
瓦状の imbricate, imbricated … 909
冠 corona … 424
冠 crown … 442
冠 wreath … 2050
巻 tape … 1841
幹 stem … 1741
幹 truncus … 1938
幹 trunk … 1938
環 circle … 364
環 collar … 390
環 ring … 1617
管 canal … 282
管 canalis … 285
管 duct … 563
管 ductus … 566
管 tuba … 1940
管 tube … 1941
〔脈〕管 vas … 1989
〔脈〕管 vessel … 2017
肝〔臓〕 hepar … 837
肝〔臓〕 liver … 1062
顔 face … 661
顔 facies … 662
癌 cancer (CA) … 286
癌〔腫〕 carcinoma (CA) … 295
眼 eye … 659
眼 oculus … 1291
眼圧 ocular tension (Tn) … 1851
緩圧型連結装置 nonrigid connector … 413
眼圧計 tonometer … 1901
緩圧装置 stress breaker … 1755
眼圧測定〔法〕 tonometry … 1901
肝アメーバ症 hepatic amebiasis … 57
顔位 face presentation … 1481
肝胃間膜 hepatogastric ligament … 1036
肝胃間膜 ligamentum hepatogastricum 1043
肝萎縮 hepatatrophia, hepatatrophy … 837
簡易知能検査 Mini-Mental State Examination (MMSE) … 651
癌遺伝子 oncogene … 1300
肝胃の hepatogastric … 840
肝胃吻合〔術〕 hepaticogastrostomy … 837
姦淫 fornication … 731
眼咽頭筋ジストロフィ oculopharyngeal dystrophy … 579
眼運動系 oculomotor system … 1832
肝壊死 hepatonecrosis … 840
肝炎 hepatitis … 838
〔小〕管炎 canaliculitis … 285
眼〔結膜〕炎 ophthalmia … 1307
肝炎関連抗原 hepatitis-associated antigen (HAA) … 104
肝円索 round ligament of liver … 1040
肝円索 ligamentum teres hepatis … 1045
肝円索切痕 incisura ligamenti teretis hepatis … 919
肝円索切痕 notch for ligamentum teres 1270
肝円索切痕 notch for round ligament of liver … 1270
肝円索裂 fissure for ligamentum teres … 703
肝円索裂 fissure for round ligament of liver … 704
眼円錐 ocular cone … 409
陥凹 absconsio … 6
陥凹 concavity … 405
陥凹 excavatio … 651
陥凹 excavation … 651
陥凹 hollow … 858
陥凹 impression … 916
陥凹 indentation … 921
陥凹 recess … 1571
陥凹 recessus … 1573
肝横隔間膜 hepatophrenic ligament … 1036
肝横隔〔膜〕の hepatophrenic … 841
陥凹形成 dimpling … 521
陥凹形成 foveation … 735
陥凹性角質溶解 pitted keratolysis … 979
陥凹V変形 inverted V deformity … 480
眼オンコセルカ症 ocular onchocerciasis 1299
感音難聴 sensorineural hearing impairment … 820
感音難聴を伴う眼白子〔症〕 ocular albinism with sensorineural deafness … 42
感音難聴を伴う軟骨形成異常〔症〕 chondrodystrophy with sensorineural deafness … 353
肝窩 hepatic diverticulum … 552
眼窩 orbit … 1310
眼窩 orbita … 1310
眼窩 eye socket … 1695
ガンガ ganga, ganja … 752
寛解 remission … 1589
眼科医 oculist … 1291
眼科医 ophthalmologist … 1307
寛解期 remission … 1589
寛解傾向 remission … 1589
環外の exocyclic … 653
管外の extratubal … 658
〔血〕管外の extravascular … 658
肝〔臓〕外の extrahepatic … 657
〔血〕管外遊出 extravasation … 658
〔血〕管外遊出物 extravasate … 658
眼窩インプラント orbital implant … 915
眼窩縁 orbital margin … 1103
眼窩縁 orbital rim … 1617
眼窩回 gyri orbitales … 809
眼窩回 orbital gyri … 809
〔眼窩〕外側壁 paries lateralis orbitae … 1356
〔眼窩〕外側壁 lateral wall of orbit … 2039
眼窩下縁 infraorbital margin … 1103

カ

眼窩下縁 margo infraorbitalis …… 1104
眼窩下縁外耳道面 infraorbitomeatal plane …… 1430
眼窩下管 infraorbital canal …… 283
眼窩下管 canalis infraorbitalis …… 285
眼窩下筋 elevator muscle of upper lip 1184
眼窩下筋 levator labii superioris (muscle) …… 1188
眼窩下筋 musculus levator labii superioris …… 1201
眼科学 ophthalmology …… 1307
眼下顎四肢形成不全 ophthalmomandibulomelic dysplasia (OMM) …… 576
〔眼窩〕隔壁前蜂巣炎 preseptal cellulitis … 328
眼窩隔膜 orbital septum …… 1664
眼窩隔膜 septum orbitale …… 1664
眼窩下孔 foramen infraorbitale …… 725
眼窩下孔 infraorbital foramen …… 725
眼窩下溝 infraorbital groove …… 801
眼窩下溝 sulcus infraorbitalis …… 1772
眼窩下神経 infraorbital nerve …… 1235
眼窩下神経 nervus infraorbitalis …… 1242
眼窩下神経の外鼻枝 rami nasales externi nervi infraorbitalis …… 1554
眼窩下神経の上唇枝 superior labial branches of infraorbital nerve …… 254
眼窩下神経の上唇枝 rami labiales superiores nervi infraorbitalis …… 1552
眼窩下神経の前上歯槽枝 anterior superior alveolar branches of infraorbital nerve 243
眼窩下神経の中上歯槽枝 middle superior alveolar branch of infraorbital nerve … 250
眼窩下神経の中上歯槽枝 ramus alveolaris superior medius nervi infraorbitalis … 1547
眼窩下神経の内鼻枝 rami nasales interni nervi infraorbitalis …… 1554
眼窩下動脈 arteria infraorbitalis …… 135
眼窩下動脈 infraorbital artery …… 146
眼窩下の infraorbital …… 931
眼窩下の suborbital …… 1764
眼窩下部 regio infraorbitalis …… 1584
眼窩下部 infraorbital region …… 1585
眼窩下壁 floor of orbit …… 713
〔眼窩〕下壁 paries inferior orbitae …… 1356
〔眼窩〕下壁 inferior wall of orbit …… 2039
眼窩下縫合 sutura infraorbitalis …… 1786
眼窩下縫合 infraorbital suture …… 1787
肝下陥凹 subhepatic recess …… 1572
肝下陥凹 subhepatic space …… 1705
眼窩間の interorbital …… 947
眼窩奇形腫 orbitopagus …… 1310
眼窩筋 orbital muscle …… 1190
眼窩筋 orbitalis (muscle) …… 1190
眼窩筋 musculus orbitalis …… 1202
眼窩筋膜 fasciae orbitales …… 674
眼窩筋膜 orbital fasciae …… 673
感覚 esthesia …… 643
感覚 sensation …… 1660
感覚 sense …… 1661
間隔 interval …… 948
眼角 angle of eye …… 88
眼角 canthus …… 288
感覚異常〔症〕 paresthesia …… 1356
感覚異常性手痛 cheiralgia paresthetica … 341
感覚異常性静的上腕痛 brachialgia statica paresthetica …… 239
感覚(知覚)異常性大腿神経痛 meralgia paresthetica …… 1132
眼窩腔 orbital cavity …… 316
感覚運動の sensorimotor …… 1662
感覚運動能 sensomobility …… 1662
感覚運動野 sensorimotor area …… 130
感覚運動理論 sensorimotor theory …… 1877
眼角炎 canthitis …… 287
感覚温度 effective temperature …… 1848
感覚解離 dissociation sensibility …… 1661
感覚〔性〕核 sensory nuclei …… 1280
感覚学 esthesiology …… 643
眼角隔離症 telecanthus …… 1846
眼角眼球癒着 syncanthus …… 1793
眼角〔部〕眼瞼炎 blepharitis angularis …… 220
感覚器 sense organs …… 1312
感覚器 organa sensuum …… 1313
感覚器 sensorium …… 1662
感覚器学 esthematology …… 643
感覚器論 esthesiography …… 643
眼角筋 elevator muscle of upper lip and wing of nose …… 1184
眼角筋 levator labii superioris alaeque nasi (muscle) …… 1188
眼角筋 musculus levator labii superioris alaeque nasi …… 1201
感覚筋〔性〕の sensorimuscular …… 1662
眼角形成〔術〕 canthoplasty …… 287
感覚血管運動〔性〕の sensorivasomotor … 1662
眼角結膜炎 angular conjunctivitis …… 412
感覚幻想 sensory phantom …… 1400
眼角固定 canthopexy …… 287
感覚細胞 sensory cell …… 326
感覚時間 sensation time …… 1893
感覚刺激〔性〕の organoleptic …… 1313
間隔尺度 interval scale …… 1639
感覚遮断 sensory deprivation …… 494
感覚受容器 sensory receptors …… 1571
感覚受容〔性〕の organoleptic …… 1313
感覚(知覚)脱失(消失) anesthesia …… 79
感覚(知覚)脱失(消失)〔性〕の anesthetic … 80
感覚(知覚)脱失(消失)らい anesthetic leprosy …… 1021
感覚〔衝動〕伝導系 esthesiodic system …… 1831
感覚衝動伝導の esthesiodic …… 643
感覚上皮 neuroepithelium …… 1247
〔平衡斑の〕感覚上皮 neuroepithelium of macula …… 1247
〔膨大部稜の〕感覚上皮 neuroepithelium of ampullary crest …… 1247
眼角静脈 angular vein …… 1993
眼角静脈 vena angularis …… 2004
感覚神経 sensory nerve …… 1238
感覚神経芽〔細胞〕腫 esthesioneuroblastoma …… 643
感覚神経細胞 sensory neuron …… 1249
感覚神経細胞腫 esthesioneurocytoma …… 643
感覚神経中枢 sensorium …… 1662
感覚性運動失調 sensory ataxia …… 167
感覚性失音楽〔症〕 sensory amusia …… 66
感覚性失語〔症〕 sensory aphasia …… 114
感覚性弱視 sensory amblyopia …… 57
感覚性てんかん sensory epilepsy …… 629
感覚性難聴 sensory hearing impairment 820
感覚生理学 esthesiophysiology …… 643
眼角切開〔術〕 canthotomy …… 288
〔外〕眼角切除〔術〕 canthectomy …… 287
感覚腺〔性〕の sensoriglandular …… 1662
感覚像 sensory image …… 908
感覚体側逆転 allochiria, allocheiria …… 50
感覚代理 sensory substitution …… 1767
感覚置換 sensory substitution …… 1767
感覚伝達の sensiferous …… 1661
眼角動脈 arteria angularis …… 134
眼角動脈 angular artery …… 141
感覚ニューロン sensory neuron …… 1249
感覚ニューロン障害 sensory neuronopathy …… 1250
感覚の sensorial …… 1662
感覚の sensory …… 1662
感覚能 sensibility …… 1661
感覚発生 esthesiogenesis …… 643
感覚皮質 sensory cortex …… 428
感覚部位失認 atopognosia, atopognosis … 170
感覚不注意 sensory inattention …… 918
〔感覚〕分析部 analyzer, analyzor …… 71
眼角縫合〔術〕 canthorrhaphy …… 287
感覚麻痺 sensory paralysis …… 1351
感覚明瞭度レベル sensory acuity level 1029
感覚野 sensorial areas, sensory areas …… 130
感覚誘発性の sensigenous …… 1661
感覚レベル sensation level …… 1029
感覚論 esthesiography …… 643
癌家系 cancer family …… 671
眼窩減圧〔術〕 orbital decompression …… 475
眼窩口 aditus orbitalis …… 29
眼窩口 orbital opening …… 1303
眼窩溝 orbital sulci …… 1773
眼窩溝 sulci orbitales …… 1773
眼窩高 orbital height …… 822
眼窩後〔方〕の postorbital …… 1471
眼窩骨膜 periorbit …… 1391
眼窩骨膜 periorbita …… 1391
眼窩三角 axillary triangle …… 1926
眼窩軸 orbital axis …… 185
眼窩指数 orbital index …… 922
眼窩疾患 orbitopathy …… 1310
眼窩脂肪体 corpus adiposum orbitae …… 425
眼窩脂肪体 orbital fat-pad …… 678
眼窩周囲の circumorbital …… 367
眼窩床 floor of orbit …… 713
眼窩上縁 supraorbital margin …… 1103
眼窩上縁 margo supraorbitalis …… 1105
眼窩上縁外耳道面 supraorbitomeatal plane …… 1431
眼窩上孔 foramen supraorbitale …… 726
眼窩上孔 supraorbital foramen …… 726
眼窩上静脈 supraorbital vein …… 2002
眼窩上静脈 vena supraorbitalis …… 2008
眼窩上神経 supraorbital nerve …… 1239
眼窩上神経 nervus supraorbitalis …… 1243
眼窩上神経痛 supraorbital neuralgia …… 1245
眼窩上神経の外側枝 ramus lateralis nervi supraorbitalis …… 1552
眼窩上神経の内側枝 ramus medialis nervi supraorbitalis …… 1553
眼窩上切痕 incisura supraorbitalis …… 919
眼窩上切痕 supraorbital notch …… 1270
眼窩上動脈 arteria supraorbitalis …… 138
眼窩上動脈 supraorbital artery …… 153
眼窩上の supraorbital …… 1779
眼窩上壁 roof of orbit …… 1621
〔眼窩〕上壁 paries superior orbitae …… 1356
〔眼窩〕上壁 superior wall of orbit …… 2040
眼窩静脈 orbital veins …… 1999
肝下垂〔症〕 hepatoptosis …… 841
眼窩性眼筋麻痺 orbital ophthalmoplegia 1308
眼窩切開〔術〕 orbitotomy …… 1310
眼窩尖 apex of orbit …… 113
眼窩前頭皮質 orbitofrontal cortex …… 428
眼窩造影法 orbitography …… 1310
眼窩蝶形骨の orbitosphenoid …… 1310
管轄域 catchment area …… 128
〔口蓋骨の〕眼窩突起 orbital process of palatine bone …… 1489
〔口蓋骨の〕眼窩突起 processus orbitalis ossis palatini …… 1491
眼窩内圧計 orbitonometer …… 1310
眼窩内圧測定〔法〕 orbitonometry …… 1310
〔眼窩〕内側壁 paries medialis orbitae …… 1356
〔眼窩〕内側壁 medial wall of orbit …… 2039
眼窩内の intraorbital …… 950
眼窩〔内〕膿瘍 orbital abscess …… 5
眼窩内容除去〔術〕 orbital exenteration …… 653
肝下の subhepatic …… 1763
眼窩の外側支持帯 lateral retinaculum of orbit …… 1600
眼窩板 orbital plate …… 1435
〔篩骨の〕眼窩板 orbital layer of ethmoid bone …… 1012
眼窩鼻腔の orbitonasal …… 1310

眼窩鼻根指数 orbitonasal index ………… 922
眼窩部 regio orbitalis ………………… 1584
眼窩部 orbital region ………………… 1586
眼窩幅 orbital width ………………… 2045
眼窩平面 orbital plane ………………… 1430
眼窩平面 planum orbitale ………………… 1431
眼窩ヘルニア orbital hernia ………………… 843
眼窩蜂巣炎 orbital cellulitis ………………… 328
肝鎌状間膜 falciform ligament of liver 1035
肝鎌状間膜 ligamentum falciforme hepatis ………………… 1043
眼窩面 facies orbitalis ………………… 664
眼窩面 orbital surface ………………… 1782
眼科用液剤 ophthalmic solutions ………… 1698
管牙類 Solenoglypha ………………… 1697
肝管 hepatic duct ………………… 564
肝〔細胞〕癌 hepatoma ………………… 840
宦官〔患者〕eunuch ………………… 648
環間アルデヒド angular aldehyde ………… 45
肝管空腸吻合〔術〕 hepatocholangiojejunostomy ………………… 840
肝管結石砕石術 hepaticolithotomy ………… 838
肝管結石破砕術 hepaticolithotripsy ………… 838
汗管腫 syringoma ………………… 1829
肝〔管〕十二指腸吻合〔術〕 hepaticoduodenostomy ………………… 837
宦官症 eunuchism ………………… 648
肝冠状間膜 coronary ligament of liver 1034
肝冠状間膜 ligamentum coronarium hepatis ………………… 1043
肝管切開〔術〕 hepaticotomy ………………… 838
管間ぞうげ質 intertubular zone ………… 2059
肝管総胆管切開〔術〕 hepaticodochotomy 837
肝管造瘻術 hepaticostomy ………………… 838
環間の interanular ………………… 943
管間の intertubular ………………… 948
汗管嚢胞腺腫 syringocystadenoma ………… 1828
肝間膜 peritoneal attachments of liver … 175
眼顔面の oculofacial ………………… 1291
宦官様音声 eunuchoid voice ………………… 2035
宦官様巨人症 eunuchoid gigantism ………… 769
癌関連網膜症 cancer-associated retinopathy (CAR) ………………… 1602
寒気 chill ………………… 344
間期 interphase ………………… 947
換気 air ………………… 40
換気 ventilation ………………… 2009
含気 aeration ………………… 31
喚起因子 evocator ………………… 650
含気化 pneumatization ………………… 1447
換気過少 hypoventilation ………………… 899
含気腔 pneumatic space ………………… 1705
換気計 ventilation meter ………………… 1142
換気血流比 ventilation/perfusion ratio ($\dot{V}a$:$\dot{Q}$) ………………… 1561
換気亢進 hyperventilation ………………… 890
含気骨 pneumatic bone ………………… 233
含気骨 pneumatized bone ………………… 233
含気骨 os pneumaticum ………………… 1318
換気コンプライアンス ventilatory compliance ………………… 403
喚起作用 evocation ………………… 650
含気腫瘍 physocele ………………… 1421
含気性腹膜炎 pneumoperitonitis ………… 1451
肝〔機能〕不全〔症〕 hepatic insufficiency … 941
含気ヘルニア嚢 physocele ………………… 1421
含気蜂巣 air cells ………………… 319
眼球 bulb of eye ………………… 264
眼球 bulbus oculi ………………… 265
眼球 eyeball ………………… 659
眼球 globe of eye ………………… 778
顔弓 face-bow ………………… 661
眼球咽頭症候群 oculopharyngeal syndrome ………………… 1814
眼球運動記録法 oculography ………………… 1291
眼球運動失行〔症〕 ocular motor apraxia 122
眼球運動失行を伴う運動失調〔症〕I,II ataxia with oculomotor apraxia, I & II ……… 168
眼球運動の ocular motor ………………… 1291
眼球運動の oculomotor ………………… 1291
眼球回旋 cycloduction ………………… 456
眼球回頭反射 oculocephalogyric reflex 1580
眼球外の extraocular ………………… 657
眼球乾燥〔症〕 xerophthalmia ………………… 2053
眼球陥入(陥没) enophthalmos ………………… 618
眼球共同筋 yoke muscles ………………… 1198
顔弓記録 face-bow record ………………… 1574
眼球クローヌス opsoclonus ………………… 1309
眼球血管膜 vascular tunic of eye ………… 1952
眼球血管膜 tunica vasculosa bulbi ……… 1954
眼球結膜 bulbar conjunctiva ………………… 412
眼球懸架靭帯 suspensory ligament of eyeball ………………… 1041
〔眼球〕後極 posterior pole of eyeball …. 1456
〔眼球〕後極 polus posterior bulbi oculi 1457
眼球後脂肪体 retrobulbar fat ………………… 678
眼球後の retrobulbar ………………… 1603
眼球固視運動 fixational ocular movement ………………… 1174
〔眼球〕斜位 heterophoria ………………… 848
眼球周囲の circumbulbar ………………… 366
眼球出血 hemophthalmia, hemophthalmus ………………… 835
眼球主要向き運動 cardinal ocular movements ………………… 1173
眼球鞘 fascial sheath of eyeball ………… 1670
眼球鞘 sheath of eyeball ………………… 1670
眼球鞘 vagina bulbi ………………… 1981
眼球上下運動 ocular bobbing ………………… 225
眼球上の epibulbar ………………… 625
眼〔球〕心〔臓〕の oculocardiac ………………… 1291
眼球心臓反射 eyeball-heart reflex ………… 1579
眼〔球〕心〔臓〕反射 oculocardiac reflex … 1580
眼〔球〕振とう nystagmus ………………… 1285
眼球振とうの緩速成分 slow component of nystagmus ………………… 1286
眼球振とうの急速成分 fast component of nystagmus ………………… 1286
眼球正位 orthophoria ………………… 1316
眼球脊椎骨症候群 oculovertebral syndrome ………………… 1814
眼球赤道 equator bulbi oculi ………………… 634
眼球赤道 equator of eyeball ………………… 634
眼球線維膜 fibrous tunic of eye ………… 1952
眼球線維膜 tunica fibrosa bulbi ………… 1953
〔眼球〕前極 anterior pole of eyeball …… 1456
〔眼球〕前極 polus anterior bulbi oculi … 1457
眼球粗動 ocular flutter ………………… 717
肝吸虫 *Clonorchis sinensis* ………………… 375
肝吸虫症 clonorchiasis ………………… 375
眼〔球〕痛 ophthalmalgia ………………… 1307
眼球電位図 electrooculogram ………………… 596
眼球突出〔症〕 exophthalmos, exophthalmus ………………… 654
眼球突出〔測定〕計 exophthalmometer …… 654
眼球突出性眼筋麻痺 exophthalmic ophthalmoplegia ………………… 1307
眼球突出性甲状腺機能亢進〔症〕 ophthalmic hyperthyroidism ………………… 889
眼球突出性甲状腺腫 exophthalmic goiter 790
眼球突出性頻拍 tachycardia exophthalmica ………………… 1837
眼球内層 inner layer of eyeball ………… 1011
眼球内動揺症 endophthalmodonesis ……… 614
眼球内膜 tunica interna bulbi ………… 1953
眼球内容除去〔術〕 evisceration ………… 650
眼球軟化〔症〕 ophthalmomalacia ………… 1307
〔眼球の〕外側直筋 musculus rectus lateralis (bulbi) ………………… 1203
〔眼球の〕下斜筋 musculus obliquus inferior (bulbi) ………………… 1201
〔眼球の〕下直筋 musculus rectus inferior (bulbi) ………………… 1203
眼球の腔所 chambers of eyeball ………… 338
眼球の経線 meridiani bulbi oculi ……… 1133
眼球の経線 meridians of eyeball ………… 1133
眼球の血管膜 vascular layer of eyeball 1014
〔眼球の〕上斜筋 musculus obliquus superior (bulbi) ………………… 1201
〔眼球の〕上直筋 musculus rectus superior (bulbi) ………………… 1203
眼球の線維膜 fibrous layer of eyeball … 1010
〔眼球の〕内側直筋 musculus rectus medialis (bulbi) ………………… 1203
眼球被膜 capsula bulbi ………………… 290
眼球表情反射 bulbomimic reflex ………… 1578
顔弓フォーク face-bow fork ………………… 728
眼球壁硬性 ocular rigidity ………………… 1617
眼球麻痺 ocular paralysis ………………… 1351
眼球脈絡膜静脈 choroid veins of eye …. 1994
眼球脈絡膜静脈 venae choroideae oculi 2005
環境 environment ………………… 623
環境 milieu ………………… 1157
環境 situation ………………… 1690
環境 surround ………………… 1785
肝橋 pons hepatis ………………… 1466
眼鏡 glasses ………………… 776
眼鏡 spectacles ………………… 1708
肝胸腔フィステル(瘻) hepatopleural fistula ………………… 705
顔胸結合体 prosopothoracopagus ………… 1500
眼鏡光学店 opticianry ………………… 1309
眼頬骨の oculozygomatic ………………… 1291
眼鏡士 optician ………………… 1309
環境心理学 environmental psychology … 1518
環境走性 ecotaxis ………………… 584
〔環境〕適応症候群 adaptation diseases …. 527
頑強な tenacious ………………… 1849
環境内分泌学 ecoendocrinology ………… 584
癌恐怖〔症〕 cancerophobia ………………… 286
眼鏡〔平〕面 spectacle plane ………………… 1431
環境療法 milieu therapy ………………… 1879
換気予備力 breathing reserve ………………… 1592
眼筋 ocular muscles ………………… 1190
〔外〕眼筋 muscles of eyeball ………………… 1185
〔外〕眼筋 musculi bulbi ………………… 1199
眼筋筋膜 fascia muscularis musculorum bulbi ………………… 673
眼筋筋膜 muscular fascia of extraocular muscles ………………… 673
眼筋計 optomyometer ………………… 1309
杆菌症 bacillosis ………………… 187
杆菌状バルトネラ *Bartonella bacilliformis* ………………… 198
杆菌性血管腫症状 bacillary angiomatosis 85
眼筋麻痺 ophthalmoplegia ………………… 1307
眼筋麻痺性片頭痛 ophthalmoplegic migraine ………………… 1157
肝区域 hepatic segments ………………… 1654
肝区域 segments of liver ………………… 1655
肝区域 segmenta hepatis ………………… 1656
間空 interspace ………………… 948
管腔 lumen ………………… 1071
管腔下の subluminal ………………… 1764
管腔の luminal ………………… 1071
管腔の直径(口径) caliber ………………… 278
ガングリオシド ganglioside ………………… 755
ガングリオシドーシス gangliosidosis …… 755
ガングリオン ganglion ………………… 752
カングリ癌 kang cancer, kangri cancer 286
関係 relation ………………… 1588
眼茎 optic stalk ………………… 1736
肝憩室 hepatic diverticulum ………………… 552
肝頸静脈逆流 hepatojugular reflux ……… 1583
肝頸静脈計 hepatojugularometer ………… 840
関係性 relationship ………………… 1588
管形成〔術〕 meatoplasty ………………… 1113
眼計測計 optometer ………………… 1309

環形動物 annelids …… 93
環形動物門 Annelida …… 93
環形ナイフ ring-knife …… 1618
関係念慮 idea of reference …… 904
関係妄想 delusion of reference …… 485
間隙 crevice …… 438
間隙 diastema …… 511
間隙 gap …… 756
間隙 interstice …… 948
間隙 interstitium …… 948
間隙関節形成〔術〕 gap arthroplasty …… 156
〔間〕隙の spatial …… 1706
間欠 intermission …… 946
間欠〔性〕 intermittence, intermittency …… 946
眼血管の ophthalmovascular …… 1308
間欠期 intermission …… 946
間欠期 interval …… 948
間欠性関節水腫 intermittent hydrarthrosis …… 869
間欠性自己閉鎖 intermittent self-obturation …… 1289
間欠性蛋白尿〔症〕 intermittent albuminuria …… 44
間欠性糖尿病 diabetes intermittens …… 506
間欠性の intermittent …… 946
間欠性爆発性障害 intermittent explosive disorder …… 545
間欠〔性〕跛行 intermittent claudication …… 372
間欠性卵管留水症 intermittent hydrosalpinx …… 874
肝結石 hepatolith …… 840
眼結石 ophthalmolith …… 1307
管結石症 canalithiasis …… 286
肝結石症 hepatolithiasis …… 840
肝結石摘出〔術〕 hepatolithectomy …… 840
肝結腸間膜 hepatocolic ligament …… 1036
肝結腸間膜 ligamentum hepatocolicum 1043
肝結腸の hepatocolic …… 840
観血的吸角 wet cup …… 449
間欠的強制換気(呼吸) intermittent mandatory ventilation (IMV) …… 2009
間欠的血色素尿症 intermittent hemoglobinuria …… 834
観血的整復および内固定〔術〕 open reduction and internal fixation (ORIF) …… 1575
観血的脊髄切断〔術〕 open cordotomy …… 422
間欠的陽圧換気(呼吸) intermittent positive pressure ventilation (IPPV) …… 2010
間欠的陽圧呼吸 intermittent positive pressure breathing (IPPB) …… 256
間欠熱マラリア intermittent malaria …… 1094
癌血病 carcinocythemia …… 295
眼〔結膜〕炎 ophthalmia …… 1307
間欠脈 intermittent pulse …… 1525
間欠脈 pulsus intercidens …… 1526
間欠滅菌〔法〕 fractional sterilization …… 1744
緩下薬 laxative …… 1008
還元 reduction …… 1575
眼瞼 eyelid …… 660
眼瞼 palpebra …… 1339
癌原遺伝子 protooncogene …… 1508
眼瞼炎 blepharitis …… 220
眼瞼縁 borders of eyelids …… 234
眼瞼縁 limbi palpebrales …… 1048
眼瞼縁 margins of eyelids …… 1103
眼瞼縁 palpebral margins …… 1103
眼瞼縁 margo palpebrae …… 1104
眼瞼黄色板症 xanthelasma palpebrarum 2051
眼瞼角結膜炎 blepharokeratoconjunctivitis …… 220
眼瞼拡張症 euryblepharon …… 649
眼瞼下溝 infrapalpebral sulcus …… 1772
眼瞼下溝 sulcus infrapalpebralis …… 1772
眼瞼下垂 blepharoptosis, blepharoptosia 221
還元型グルタチオン reduced glutathione 785
眼瞼下の subtarsal …… 1767
眼瞼眼窩の tarso-orbital …… 1842
〔眼〕瞼間帯 interpalpebral zone …… 2059
眼瞼嵌頓 paraphimosis palpebrae …… 1353
眼瞼間の interpalpebral …… 947
眼瞼奇異運動 paradoxical movement of eyelids …… 1174
眼瞼逆説運動 paradoxical movement of eyelids …… 1174
眼瞼挙上眼鏡 lid crutch spectacles …… 1708
眼瞼形成〔術〕 blepharoplasty …… 220
眼瞼痙攣 blepharospasm, blepharospasmus …… 221
眼瞼血管腫 varicoblepharon …… 1988
眼瞼欠損 blepharocoloboma …… 220
眼瞼欠損〔症〕 coloboma palpebrale …… 392
眼瞼結膜 palpebral conjunctiva …… 412
眼瞼結膜炎 blepharoconjunctivitis …… 220
還元酵素 reductase …… 1575
5γ-還元酵素欠損症候群 5γ-reductase deficiency syndrome …… 1817
5α-還元酵素阻害薬 5-alpha reductase inhibitor …… 934
眼瞼後面 facies posterior palpebrae …… 664
眼瞼後面 posterior surface of eyelids …… 1783
肝〔臓〕検査 hepatoscopy …… 841
還元剤 reductant …… 1575
還元酸 reductic acid …… 1575
眼瞼自体の tarsen …… 1842
管減少 ductopenia …… 565
眼瞼静脈 veins of eyelids …… 1996
眼瞼静脈 palpebral veins …… 1999
眼瞼静脈 venae palpebrales …… 2007
眼瞼静脈瘤 varicoblepharon …… 1988
眼瞼シラミ寄生症 pediculosis palpebrarum …… 1376
頑健性 robustness …… 1619
眼瞼性内眼角ぜい皮 epicanthus palpebralis …… 625
眼瞼贅(ぜい)皮 epiblepharon …… 625
眼瞼切開〔術〕 blepharotomy …… 221
眼瞼切除〔術〕 blepharectomy …… 220
眼瞼腺炎 blepharadenitis …… 220
眼瞼腺腫 blepharoadenoma …… 220
眼瞼前面 facies anterior palpebrae …… 662
眼瞼前面 anterior surface of eyelids …… 1780
眼瞼張筋 tensor tarsi muscle …… 1196
還元糖 reducing sugar …… 1769
〔外側または内側〕眼瞼動脈 arteriae palpebrales (laterales et mediales) …… 137
〔外側または内側〕眼瞼動脈 (lateral and medial) palpebral arteries …… 147
眼瞼動脈弓 tarsal arch …… 126
〔眼瞼〕内反 entropion, entropium …… 622
眼瞼の眼窩縁 orbital margin of eyelids 1103
眼瞼の眼球縁 orbital margin of eyelids 1103
眼瞼の後縁 posterior border of eyelids …… 235
眼瞼の自由縁 free margin of eyelids …… 1103
眼瞼の前縁 anterior border of eyelids …… 234
眼瞼皮下出血 black eye …… 659
眼瞼肥厚〔化〕 tylosis ciliaris …… 1956
眼瞼皮膚弛緩〔症〕 blepharochalasis …… 220
眼瞼浮腫 blepharedema …… 220
還元分裂 reduction division …… 553
還元ヘモグロビン reduced hemoglobin …… 833
眼瞼癒着 ankyloblepharon …… 92
眼瞼癒着 blepharosynechia …… 221
眼瞼離開過度 blepharodiastasis …… 220
眼瞼リンパ管網 peritarsal network …… 1244
眼瞼裂 rima palpebrarum …… 1617
乾固 exsiccation …… 656
看護 nosotrophy …… 1269
看護 nursing …… 1283
甘汞 calomel …… 280
汗孔 sweat pore …… 1466
汗孔 porus sudoriferus …… 1468
汗孔角化〔症〕 porokeratosis …… 1466
眼交感神経系の oculosympathetic …… 1291
癌抗原125試験 cancer antigen 125 test 1855
嵌合細網細胞 interdigitating reticulum cell …… 322
〔汗〕孔腫 poroma …… 1467
汗孔周囲炎 periporitis …… 1392
甘汞電極 calomel electrode …… 593
肝後〔方〕の posthepatic …… 1471
鉗合ひだ interdigitation …… 944
肝硬変〔症〕 cirrhosis …… 367
看護過程 nursing process …… 1283
看護監査 nursing audit …… 1283
眼・呼吸症候群 oculorespiratory syndrome …… 1814
肝黒色症 hepatomelanosis …… 840
眼黒色症 ophthalmomelanosis …… 1307
看護ケア計画(プラン) nursing plan of care …… 1283
ガンゴーサ gangosa …… 755
看護師 nurse …… 1283
看護指示 nursing assignment …… 1283
看護師長 head nurse …… 1283
管後〔性〕の postductal …… 1471
管骨 cannon bone …… 231
寛骨 coxal bone …… 232
寛骨 hip bone …… 232
寛骨 os coxae …… 1317
寛骨縁線 chilotic line …… 1049
寛骨臼 acetabulum …… 11
寛骨臼 cotyle …… 431
寛骨臼縁 limbus acetabuli …… 1047
寛骨臼縁 acetabular margin …… 1103
寛骨臼縁 margin of acetabulum …… 1103
寛骨臼横靱帯 transverse acetabular ligament …… 1041
寛骨臼横靱帯 transverse ligament of acetabulum …… 1041
寛骨臼横靱帯 ligamentum transversum acetabuli …… 1046
寛骨臼窩 acetabular fossa …… 731
寛骨臼窩 fossa acetabuli …… 731
寛骨臼形成〔術〕 acetabuloplasty …… 11
〔寛骨臼〕月状面 facies lunata acetabuli 664
〔寛骨臼〕月状面 lunate surface of acetabulum …… 1782
寛骨臼後〔方〕の postacetabular …… 1470
寛骨臼枝 acetabular branch …… 242
寛骨臼枝 ramus acetabularis …… 1547
寛骨臼上溝 supra-acetabular groove …… 803
寛骨臼上溝 sulcus supraacetabularis …… 1774
寛骨臼上溝 supraacetabular sulcus …… 1774
寛骨臼上の supracotyloid …… 1779
寛骨臼唇 acetabular labrum …… 992
寛骨臼唇 labrum acetabuli …… 992
寛骨臼唇 acetabular lip …… 1055
寛骨臼切痕 incisura acetabuli …… 919
寛骨臼切痕 acetabular notch …… 1269
寛骨臼切除〔術〕 acetabulectomy …… 11
寛骨臼突出〔症〕 protrusio acetabuli …… 1509
寛骨三頭筋 triceps coxae (muscle) …… 1197
寛骨大腿の coxofemoral …… 433
寛骨点 punctum coxale …… 1526
寛骨の innominatal …… 937
寛骨部 hip region …… 1585
肝固定〔術〕 hepatopexy …… 841
頑固な obstinate …… 1289
管後〔性〕の postductal …… 1471
看護プロセス nursing process …… 1283
看護モデル nursing model …… 1283
看護割当て nursing assignment …… 1283
感作 sensitization …… 1661
監査 audit …… 177
寒剤 refrigerant …… 1583
杆剤 stylus, stilus …… 1762
丸剤 ball …… 193

丸剤 pill 1423
丸剤 pilule 1424
〔小〕丸剤 granule 796
〔小〕丸剤 pilula 1424
丸剤作製様運動 pill-rolling 1424
肝臍ヘルニア hepatomphalocele 840
幹細胞 stem cell 326
間〔質〕細胞 interstitial cells 322
肝〔実質〕細胞 hepatocyte 840
癌細胞移植 carcinomatous implants 915
幹細胞因子 stem cell factor (SCF) 669
肝細胞癌 hepatocellular carcinoma (HCC) 297
肝細胞癌 liver cell carcinoma 297
肝〔細胞〕癌 hepatoma 840
肝細胞索 hepatic cords 421
肝細胞性黄疸 hepatocellular jaundice 967
幹細胞性白血病 stem cell leukemia 1025
肝細胞腺腫 hepatic adenoma 25
肝細胞板 hepatic laminae 997
肝細胞溶解素 hepatolysin 840
ガンザー基底核 basal nucleus of Ganser 1273
ガンザー基底核 nucleus basalis of Ganser 1273
感作抗原 sensitized antigen 105
感作抗体 reagin 1569
感作細胞 sensitized cell 326
ガンザー症候群 Ganser syndrome 1805
感作注射 sensitizing injection 936
肝撮影(造影)〔法〕 hepatography 840
観察者 observer 1288
間擦疹 intertrigo 948
間擦疹型乾癬 flexural psoriasis 1516
間擦性湿疹 eczema intertrigo 586
間擦〔性〕の intertriginous 948
感作培養 sensitized culture 448
感作物質 sensitizer 1662
感作量 sensitizing dose 557
渙散 lysis 1086
渙散 solution (sol., soln.) 1697
環指 digitus anularis 517
環指 ring finger 701
監視 monitoring 1165
管枝 tubal branch 254
鉗子 clamp 370
鉗子 forceps 727
鉗子 tweezers 1955
感じ feeling 679
鉗子圧迫 forcipressure 728
カンジカンス candicans 286
乾式X線撮影〔法〕 xeroradiography 2053
環式化合物 cyclic compound 404
乾式乳房撮影〔法〕 xeromammography 2053
環式の cyclic 455
巻軸硫黄 roll sulfur 1776
環軸関節 atlantoaxial joint 969
環軸関節の atlantoaxial 169
環軸の atlantoaxial 169
汗試験 sweat test 1866
眼歯指形成異常(異形成) oculodentodigital dysplasia (ODD) 576
カンジシジン candicidin 286
乾死歯髄 mummified pulp 1524
眼歯指の oculodentodigital 1291
眼糸状菌症 ophthalmomycosis 1307
鉗子状の forcipate 728
〔形態学〕顔〔面〕指数 facial index 922
肝ジストマ *Clonorchis sinensis* 375
肝ジストマ症 clonorchiasis 375
含歯性嚢胞 dentigerous cyst 459
眼耳脊椎形成異常(異形成) oculoauriculovertebral dysplasia (OAC), OAV dysplasia 576
眼耳脊椎の oculoauriculovertebral 1291
監視装置 monitor 1165
カンジダアルビカンス *Candida albicans* 286
カンジダ血〔症〕 candidemia 287
カンジダ症 candidiasis 287
カンジダ性食道炎 candidal esophagitis 642
カンジダ属 *Candida* 286
肝蛭 *Fasciola hepatica* 677
間質 framework 739
間質液 interstitial fluid 715
間質〔性〕炎〔症〕 interstitial inflammation 929
間質核 interstitial nucleus 1276
間質核 nucleus interstitialis 1276
間質核脊髄路 interstitiospinal tract 1911
冠〔状〕動脈〕疾患〔監視〕病室 coronary care unit (CCU) 1965
乾湿球湿度計 psychrometer 1521
乾湿球湿度測定〔法〕 psychrometry 1521
乾湿計 psychrometer 1521
眼失行症 ocular apraxia 122
間〔質〕細胞 interstitial cells 322
肝〔実質〕細胞 hepatocyte 840
肝蛭症 fascioliasis 677
間質性胃炎 interstitial gastritis 757
間質性気腫 interstitial emphysema 605
間質性吸収 interstitial absorption 7
間質性筋炎 interstitial myositis 1216
間質性欠失 interstitial deletion 483
間質性疾患 interstitial disease 535
間質性腎炎 interstitial nephritis 1228
間質性神経炎 interstitial neuritis 1246
間質成長 interstitial growth 803
間質性乳腺炎 interstitial mastitis 1109
間質性肺炎 interstitial pneumonia 1450
間質性肺線維症 interstitial pulmonary fibrosis 696
間質性パターン interstitial pattern 1374
間質性膀胱炎 interstitial cystitis 462
間質性卵胞莢膜増殖〔症〕 stromal hyperthecosis 888
間質腺 interstitial gland 773
間質妊娠 mural pregnancy 1478
〔卵管〕間質妊娠 interstitial pregnancy 1478
間質部妊娠 intramural pregnancy 1478
〔鼡径〕間質ヘルニア interstitial hernia 843
間質扁桃体核 interstitial amygdaloid nucleus 1276
間質放射線治療 interstitial brachytherapy 240
間質溶解 stromatolysis 1759
肝蛭類 fasciolid 677
鉗子分娩 forceps delivery 484
乾屍法 mummification 1178
患者 patient 1373
患者管理 care 301
かんしゃく tantrum 1840
かんしゃく temper 1848
〔患者〕呼吸感知作動型換気装置 patient-triggered ventilation 2010
眼斜台 clivus ocularis 375
患者対照研究 case control study 1760
肝腫〔大〕 hepatomegaly, hepatomegalia 840
癌腫 cancer (CA) 286
肝〔性口〕臭 fetor hepaticus 682
肝周囲炎 perihepatitis 1387
眼周囲炎 periophthalmitis 1391
管周囲〔性〕線維腺腫 pericanalicular fibroadenoma 693
肝周囲の perihepatic 1387
眼周囲の circumocular 367
管周ぞうげ質 peritubular dentin 488
管周ぞうげ質 peritubular zone 2059
肝十二指腸間膜 hepatoduodenal ligament 1036
肝十二指腸間膜 ligamentum hepatoduodenale 1043
肝十二指腸の hepatoduodenal 840
肝〔管〕十二指腸吻合〔術〕 hepaticoduodenostomy 837
幹絨毛 stem villus 2020
癌腫症 carcinomatosis 299
感受性 sensitivity 1661
感受性 susceptibility 1785
感〔受〕性 sensibility 1661
感受性カセット susceptibility cassette 308
感受性訓練集団 sensitivity training group 803
感受性亢進過度 hypersusceptibility 887
感受性試験 susceptibility testing 1869
感受性低下 hyposensitivity 896
〔刺激〕感受性鈍麻 dyserethism 571
肝出血 hepatorrhagia 841
肝腫瘍 hepatophyma 841
干渉 interference 944
緩衝 relief 1589
感情 affection 33
感情 emotion 604
感情 feeling 679
感情 sentiment 1662
眼症 ophthalmopathy 1307
岩漿 magma 1092
緩衝域 relief area 130
感情一致性精神病 mood-congruent psychosis 1520
感情移入 empathy 604
感情移入指数 empathic index 922
感情易変性 labile affect 33
管状陰影 tubular shadow 1669
環状(サイクリック)AMP受容体蛋白 cyclic adenosine monophosphate receptor protein (CRP) 1503
眼小窩 foveola ocularis 735
肝障害 hepatopathy 841
眼障害 ophthalmopathy 1307
肝障害性の hepatopathic 841
干渉解離 interference dissociation 548
杆状核〔白血〕球 band cell 319
杆状核白血球 rhabdocyte 1606
管状鉗子 tubular forceps 728
環状関節 cyclarthrosis 454
環状乾癬 psoriasis circinata 1516
感情気分 feeling tone 1899
杆状球 band cell 319
緩衝腔 relief chamber 338
干渉計 interferometer 944
緩衝結晶ペニシリンG buffered crystalline penicillin G 1380
冠状結節 coronary node 1260
冠状結節調律 coronary nodal rhythm 1611
感情減退症 hypothymia 899
干渉顕微鏡 interference microscope 1154
環状鉤 ferrule 681
冠状溝 coronary groove 801
冠状溝 coronary sulcus 1772
冠状溝 sulcus coronarius 1772
冠状溝下尿道下裂 subcoronal hypospadias 897
冠状溝尿道下裂 coronal hypospadias 897
冠状溝尿道上裂 coronal epispadias 631
〔連〕環状紅斑 erythema circinatum 638
緩衝剤 buffer 264
管状視 tubular vision 2032
冠〔状〕動脈〕疾患〔監視〕病室 coronary care unit (CCU) 1965
環状脂肪萎縮 lipoatrophia annularis 1056
干渉収縮 interference beat 203
感情障害 emotional disease 532
感情障害 emotional disorder 545
管状小胞複合体 tubulovesicular complex 403
冠状静脈洞 coronary sinus 1687
冠状静脈洞 sinus coronarius 1687
冠状静脈洞口 opening of coronary sinus 1303
冠状静脈洞調律 coronary sinus rhythm 1611

カ

冠状静脈弁 valve of coronary sinus …… 1985
冠状静脈弁 valvula sinus coronarii …… 1986
感情性人格(パーソナリティ)障害 affective personality disorder …… 543
感情精神病 affective psychosis …… 1519
管状切除 sleeve resection …… 1592
環状切除〔術〕 circumcision …… 366
環状切除〔術〕 posthetomy …… 1471
環状切断〔術〕 circular amputation …… 65
冠状〔縫合〕切断 coronal section …… 1653
管状腺 tubular gland …… 775
管状腺癌 canalicular adenoma …… 25
管状腺癌 tubular carcinoma …… 299
管状腺腫 tubular adenoma …… 26
環状染色体 ring chromosome …… 359
環状層板 circumferential lamella …… 996
環状体 signet ring …… 1618
杆〔状〕体 rod …… 1619
杆状体顆粒 rod granule …… 797
杆状体線維 rod fiber …… 690
環状胎盤 anular placenta …… 1428
緩衝値 buffer value …… 1984
緩衝対 buffer pair …… 1337
冠状動脈 coronary artery …… 144
冠状動脈炎 coronaritis …… 424
冠〔状〕動脈血栓症 coronary thrombosis 1888
冠状動脈口狭窄〔症〕 coronary ostial stenosis …… 1742
冠〔状〕動脈疾患 coronary artery disease (CAD) …… 531
冠〔状〕〔動脈〕疾患〔監視〕病室 coronary care unit (CCU) …… 1965
冠状動脈疾患傾性行動 coronary-prone behavior …… 204
冠〔状〕〔動脈〕疾患集中治療〔病棟〕 coronary care unit (CCU) …… 1965
冠状動脈〔動脈〕周囲神経叢 periarterial plexuses of coronary arteries …… 1442
冠状動脈神経叢 coronary plexus …… 1440
冠状動脈神経叢 plexus coronarii cordis 1440
冠〔状〕動脈内じゅく(粥)腫切除術 coronary atherectomy …… 168
冠状動脈内膜切除〔術〕 coronary endarterectomy …… 610
冠〔状〕動脈バイパス coronary artery bypass …… 273
冠〔状〕〔動脈〕不全 coronary insufficiency 941
冠〔状〕動脈閉塞〔症〕 coronary occlusion 1290
管状動脈瘤 tubular aneurysm …… 82
感情鈍麻 blunted affect …… 33
感情鈍麻 apathy …… 112
環状肉芽腫 granuloma annulare …… 797
感情の affective …… 33
環状の annular …… 93
環状の gyrose …… 807
管状の tubular …… 1948
肝上の suprahepatic …… 1779
杆状の rhabdoid …… 1606
緩衝能 buffer capacity …… 288
管状嚢胞 tubulocyst …… 1948
冠状白内障 coronary cataract …… 311
管状皮弁 tubed flap …… 710
感情表出 affect display …… 33
感情不一致性精神病 mood-incongruent psychosis …… 1520
環状ブドウ〔膜〕腫 anular staphyloma …… 1738
管状ブドウ状の tubuloracemose …… 1948
環状ペッサリー ring pessary …… 1396
環状ペプチド cyclic peptide …… 1383
環状扁平苔癬 lichen planus anularis …… 1031
干渉法 interferometry …… 944
冠状縫合 sutura coronalis …… 1786
冠状縫合 coronal suture …… 1787
冠状〔縫合〕切断 coronal section …… 1653
冠状縫合点 coronale …… 424
管状胞状腺 tubuloalveolar gland …… 775
環状包帯 circular bandage …… 195
肝漿膜 serosa of liver …… 1667
肝静脈 hepatic veins …… 1996
肝静脈 venae hepaticae …… 2006
眼静脈 ophthalmic veins …… 1999
冠静脈洞左房結合症候群 unroofed coronary sinus syndrome …… 1824
肝静脈閉塞病 venoocclusive disease of the liver …… 542
環状面 circumference (c) …… 366
環状面 circumferentia …… 366
肝小葉 hepatic lobule …… 1065
肝小葉 lobules of liver …… 1065
肝小葉 lobulus hepatis …… 1066
肝小葉間静脈 interlobular veins of liver …… 1997
肝小葉間静脈 venae interlobulares hepatis …… 2006
肝小葉間動脈 interlobular arteries of liver …… 146
環状リポペプチド系抗菌薬 cyclic lipopeptide antibiotic …… 99
環状リン酸 cyclic phosphoric acid …… 1415
管状類皮腫 tubulodermoid …… 1948
嵌植義歯 implant denture …… 489
嵌植義歯下部構造 implant denture substructure …… 1767
嵌植義歯上部構造 implant denture superstructure …… 1778
肝食道間膜 ligamentum hepatoesophageum …… 1043
肝食道靱帯 hepatoesophageal ligament 1036
〔緩〕徐呼吸 bradypnea …… 241
緩徐線維 slow fiber …… 690
〔緩〕徐動分析 bradykinetic analysis …… 70
眼白子〔症〕 ocular albinism …… 42
眼白子〔症〕1型 ocular albinism type 1 …… 42
眼白子〔症〕2型 ocular albinism type 2 …… 42
眼白子〔症〕3型 ocular albinism type 3 …… 42
カンシル酸トリメタファン trimetaphan camsylate …… 1934
汗疹 miliaria …… 1157
汗疹 sudamen …… 1769
汗疹 sudamina …… 1769
含浸 impregnation …… 916
眼振 nystagmus …… 1285
肝腎陥凹 hepatorenal recess of subhepatic space …… 1571
眼振〔記録〕図 nystagmogram …… 1285
眼振〔記録〕法 nystagmography …… 1285
眼振計 nystagmograph …… 1285
眼神経 ophthalmic nerve [CN V1] …… 1237
眼神経 nervus ophthalmicus [CN V1] 1242
〔交感神経〕幹神経節 ganglion of sympathetic trunk …… 754
〔交感神経〕幹神経節 ganglia trunci sympathici …… 755
肝神経叢 hepatic (nerve) plexus …… 1440
眼神経の硬膜枝 meningeal branch of ophthalmic nerve …… 250
眼神経の反回硬膜枝 ramus meningeus recurrens nervi ophthalmici …… 1553
眼振遮断症候群 nystagmus blockage syndrome …… 1814
肝腎腫 hepatonephromegaly …… 840
肝腎障害症候群 hepatorenal syndrome, hepatonephric syndrome …… 1807
肝腎症候群 liver kidney syndrome …… 1810
肝腎症候群 hepatorenal syndrome, hepatonephric syndrome …… 1807
眼〔球〕心〔臓〕の oculocardiac …… 1291
眼〔球〕心〔臓〕反射 oculocardiac reflex … 1580
眼〔球〕振とう nystagmus …… 1285
肝腎の hepatorenal …… 841
肝腎ひだ hepatorenal ligament …… 1036
肝腎ひだ ligamentum hepatorenale …… 1043
眼振様の nystagmoid …… 1285
関心領域 region of interest …… 1585
管錐 trephine …… 1925
灌水 affusion …… 33
眼水 ocular humor …… 867
杆錐状体層 layer of inner and outer segments …… 1011
杆錐状体層 layer of rods and cones …… 1013
含水炭素 carbohydrates (CHO) …… 293
肝膵の hepatopancreatic …… 841
肝膵ひだ hepatopancreatic fold …… 719
巻数 linking number (L) …… 1282
関数 function (f) …… 744
慣性 inertia …… 925
環生 verticil …… 2015
間性 intersexuality …… 948
感性 sensitivity …… 1661
感〔受〕性 sensibility …… 1661
乾性壊疽 dry gangrene …… 755
肝性黄疸 hepatogenous jaundice …… 967
乾性角結膜炎 keratoconjunctivitis sicca 978
乾性角膜炎 xerotic keratitis …… 978
乾性脚気 dry beriberi …… 207
乾性滑膜炎 dry synovitis …… 1827
肝性間欠熱 hepatic intermittent fever …… 684
乾性眼瞼炎 blepharitis sicca …… 220
眼性眼振 ocular nystagmus …… 1286
乾性気管支拡張〔症〕 dry bronchiectasis … 258
乾性吸角 dry cup …… 448
乾性胸膜炎 dry pleurisy …… 1438
肝〔性口〕臭 fetor hepaticus …… 682
乾性喉頭炎 laryngitis sicca …… 1002
鼾声呼吸 stertorous respiration …… 1595
肝性昏睡 hepatic coma …… 396
乾性耳垢 cerumen inspissatum, inspissated cerumen …… 336
眼性斜頸 ocular torticollis …… 1905
肝性手掌紅斑 liver palm …… 1339
乾性脂漏〔症〕 seborrhea sicca …… 1652
乾性心外膜炎(心嚢炎) dry pericarditis 1386
癌性心外膜炎(心嚢炎) carcinomatous pericarditis …… 1386
癌性神経筋障害 carcinomatous neuromyopathy …… 1249
乾性心膜炎 pericarditis sicca …… 1386
眼性〔脊柱〕側弯〔症〕 ocular scoliosis, ophthalmic scoliosis …… 1649
肝性赤痢 hepatodysentery …… 840
乾性爪炎 onychia sicca …… 1301
眼性帯状ヘルペス zona ophthalmica …… 2058
眼性帯状疱疹 zona ophthalmica …… 2058
肝性毒血症 hepatotoxemia …… 841
癌性ニューロミオパシー carcinomatous neuromyopathy …… 1249
肝〔性〕の hepatic …… 837
癌〔性〕の cancerous …… 286
乾性膿瘍 dry abscess …… 5
寒性膿瘍 cold abscess …… 5
乾性パンヌス corneal pannus …… 1343
眼精疲労 asthenopia …… 164
乾性ヘルニア dry hernia …… 842
眼〔性〕片頭痛 ocular migraine …… 1157
肝性ポルフィリン症 hepatic porphyria 1467
癌性ミエロパシー carcinomatous myelopathy …… 1211
肝性幼稚症 hepatic infantilism …… 926
乾性ラ音 dry rale …… 1547
癌性リンパ管炎 lymphangitic carcinomatosis …… 299
癌性リンパ管炎 lymphangitis carcinomatosa …… 1077
眼脊椎形成異常(異形成) oculovertebral dysplasia …… 576
眼脊椎の oculovertebral …… 1291
関節 articulatio …… 157
関節 articulation …… 158

関節 joint 968
間接維持 indirect retention 1599
間接維持装置 indirect retainer 1598
関節異常 dysarthrosis 570
関節炎 arthritis 154
関節炎性偽〔性〕進行麻痺 arthritic general pseudoparalysis 1514
関節炎性結節 tuberculum arthriticum 1946
関節炎治療薬 antiarthritic 99
関節円板 articular disc 525
関節円板 discus articularis 527
〔胸鎖関節の〕関節円板 articular disc of sternoclavicular joint 525
〔胸鎖関節の〕関節円板 sternoclavicular disc, sternoclavicular articular disc 526
〔胸鎖関節の〕関節円板 discus articularis sternoclavicularis 527
〔側頭下顎の〕関節円板 temporomandibular articular disc 526
〔下橈尺関節の〕関節円板 radioulnar disc, radioulnar articular disc 526
間接オキシダーゼ indirect oxidase 1330
関節窩 cavitas glenoidalis 315
関節窩 glenoid cavity 316
関節窩 glenoid fossa 732
関節窩 glenoid 777
〔橈骨頭の〕関節窩 fovea articularis capitis radii 735
〔橈骨頭の〕関節窩 fovea of radial head 735
肝切開〔術〕 hepatotomy 841
関節〔包〕外靱帯 extracapsular ligaments 1035
関節〔包〕外靱帯 ligamenta extracapsularia 1043
関節外切断〔術〕 amputation in continuity 65
関節外の extraarticular 657
関節解離(剝離)〔術〕 arthrolysis 155
関節過可動性症候群 joint hypermobility syndrome 1809
関節窩下の infraglenoid 931
関節窩下の subglenoid 1763
関節〔感〕覚 joint sense 1661
関節学 arthrology 155
関節学 synosteology 1826
〔肩甲骨の〕関節下結節 infraglenoid tubercle (of scapula) 1943
〔肩甲骨の〕関節下結節 tuberculum infraglenoidale (scapulae) 1946
関節窩上の supraglenoid 1779
関節滑液嚢内の intrasynovial 951
関節滑膜炎 arthrosynovitis 156
関節化膿症 arthropyosis 156
関節〔窩〕傍溝 paraglenoid sulcus 1773
関節〔窩〕傍溝 sulcus paraglenoidalis 1773
関節感覚 articular sensibility 1661
関節眼症(障害) arthro-ophthalmopathy 155
〔尺骨頭の〕関節環状面 articular circumference of head of ulna 366
〔尺骨頭の〕関節環状面 circumferentia articularis capitis ulnae 366
〔橈骨頭の〕関節環状面 articular circumference of head of radius 366
〔橈骨頭の〕関節環状面 circumferentia articularis capitis radii 366
関節間の interarticular 943
関節間部 pars interarticularis 1359
関節奇形 dysarthrosis 570
関節起源の arthrogenous 155
関節気腫 pneumarthrosis 1447
関節鏡 arthroscope 156
関節鏡検査〔法〕 arthroscopy 156
関節鏡視下手術 arthroscopic surgery 1784
関節強直〔症〕 synarthrophysis 1793
関節強直砕き〔術〕 arthroclasia 155
関節筋 articular muscle 1181
関節筋 musculus articularis 1198
関節腔 cavitas articularis 315
関節腔 articular cavity 316
関節腔 cavum articulare 317
間接クームズ(クームス)試験 indirect Coombs test 1859
関節系 articular system 1829
間接蛍光抗体法 indirect immunofluorescence 912
関節形成〔術〕 arthroplasty 156
関節形成の arthrogenous 155
関節形成不全〔症〕 arthrodysplasia 155
関節血管網 articular vascular network 1244
関節血管網 articular vascular plexus 1439
関節血管網 rete vasculosum articulare 1598
関節血管輪 articular vascular circle 364
関節血管輪 circulus articularis vasculosus 366
関節血症 hemarthrosis 825
関節〔結〕石 arthritic calculus 278
関節硬化〔症〕 arthrosclerosis 156
関節拘縮〔症〕 arthrogryposis 155
関節向性の arthrotropic 156
間接喉頭鏡検査〔法〕 indirect laryngoscopy 1002
関節骨折 articular fracture 736
関節固定〔術〕 arthrodesis 155
関節撮影(造影) arthrogram 155
関節撮影(造影)〔法〕 arthrography 155
〔蛍光〕間接撮影〔法〕 fluorography 716
間接視 indirect vision 2032
関節枝 articular branches 243
関節枝 rami articulares 1548
間接試験 indirect test 1859
関節脂肪組織炎 lipoarthritis 1056
関節周囲炎 periarthritis 1385
関節周囲の circumarticular 366
関節周囲の periarticular 1385
関節周囲膿瘍 periarticular abscess 5
関節周縁線維軟骨 circumferential fibrocartilage 693
肝切除〔術〕 hepatectomy 837
関節症 arthropathy 156
関節状屈曲の geniculate 766
〔肩甲骨の〕関節上結節 supraglenoid tubercle (of scapula) 1944
〔肩甲骨の〕関節上結節 tuberculum supraglenoidale (scapulae) 1947
関節症性乾癬 psoriasis arthropica 1516
関節上腕靱帯 glenohumeral ligaments 1035
関節上腕靱帯 ligamenta glenohumeralia 1043
関節唇 articular labrum 992
関節唇 labrum 992
関節唇 labrum acetabuli 992
関節唇 labrum articulare 992
関節唇 articular lip 1055
関節神経 articular nerve 1232
関節神経 nervus articularis 1241
関節神経小体 articular corpuscles 426
関節神経小体 corpuscula articularia 427
関節滲出液 joint effusion 590
関節唇切除〔術〕 cheilectomy, chilectomy 340
関節親和性の arthrotropic 156
関節水腫 hydrarthrosis 869
関節性萎縮 arthritic atrophy 173
関節〔性〕痛風 articular gout 793
関節制動術 arthrorisis 156
関節石 arthrolith 155
関節〔結〕石 arthritic calculus 278
関節切開〔術〕 arthrostomy 156
関節切開〔術〕 arthrotomy 156
関節石灰沈着 arthritic calculus 278
関節切除〔術〕 arthrectomy 154
間接線 indirect rays 1562
関節穿刺 arthrocentesis 155
関節全置換〔術〕 total joint arthroplasty 156
関節撮影(造影) arthrogram 155
関節撮影(造影)〔法〕 arthrography 155
関節層板 articular lamella 996
間接測定〔法〕 indirect assay 162
関節測定〔法〕 arthrometry 155
間接測熱 indirect calorimetry 280
間接打診〔法〕 mediate percussion 1384
間接聴診〔法〕 mediate auscultation 178
関節痛 arthralgia 154
関節刀 arthrotome 156
関節頭 articular head 817
関節突起 articular process 1488
関節突起 processus articularis 1491
〔下顎骨の〕関節突起 condylar process of mandible 1488
〔下顎骨の〕関節突起 processus condylaris mandibulae 1491
関節突起間関節 articulationes zygapophysiales 158
関節突起間関節 facet joints 970
関節突起間関節 interarticular joints 970
関節突起間関節 zygapophysial joints 972
関節突起間関節 juncturae zygapophysiales 974
関節突起脱臼 dislocation of articular processes 543
関節内胸肋靱帯 intraarticular sternocostal ligament 1036
関節内胸肋靱帯 ligamentum sternocostale intraarticulare 1045
関節内骨折 intraarticular fracture 737
関節〔包〕内靱帯 intracapsular ligaments 1036
関節〔包〕内靱帯 ligamenta intracapsularia 1044
関節内の intraarticular 949
関節内肋骨頭靱帯 intraarticular ligament of costal head 1036
関節内肋骨頭靱帯 intraarticular ligament of head of rib 1036
関節内肋骨頭靱帯 ligamentum capitis costae intraarticulare 1042
関節軟骨 arthrodial cartilage 305
関節軟骨 articular cartilage 305
関節軟骨 cartilago articularis 307
関節軟骨炎 arthrochondritis 155
関節軟骨石灰化〔症〕 articular chondrocalcinosis 352
関節ネズミ joint mice 1172
間接熱量測定〔法〕 indirect calorimetry 280
顔舌の faciolingual 665
関節嚢 capsula articularis 290
関節嚢 joint capsule 291
関節嚢(関節包)外骨折 extracapsular fracture 737
関節膿症 pyarthrosis 1529
関節嚢(関節包)内骨折 intracapsular fracture 737
関節の変性変化 arthrosis 156
関節剝離(解離)〔術〕 arthrolysis 155
関節半月 semilunar cartilage 307
関節半月 articular crescent 436
関節半月 articular meniscus 1130
関節半月 meniscus articularis 1130
間接〔反応型〕ビリルビン indirect reacting bilirubin 211
関節病理学 arthropathology 155
間接覆髄法 indirect pulp capping 289
関節部骨髄炎 medulloarthritis 1119
関節包 articular capsule 290
関節包 capsula articularis 290
関節包 joint capsule 291
〔関節〕包外強直 extracapsular ankylosis 92
関節包(関節嚢)外骨折 extracapsular fracture 737
関節〔包〕外靱帯 extracapsular ligaments 1035
関節〔包〕外靱帯 ligamenta extracapsularia 1043
関節包外の extracapsular 657

関節包滑膜 stratum synoviale capsulae articularis 1753
関節包形成術 capsuloplasty 291
関節〔窩〕傍溝 paraglenoid sulcus 1773
関節〔窩〕傍溝 sulcus paraglenoidalis 1773
関節包靱帯 capsular ligament 1033
関節包靱帯 ligamentum capsulare 1042
関節包(関節嚢)内骨折 intracapsular fracture 737
関節〔包〕内靱帯 intracapsular ligaments 1036
関節〔包〕内靱帯 ligamenta intracapsularia 1044
〔関節〕包内性強直 intracapsular ankylosis 93
関節包の滑膜 membrana synovialis (stratum synoviale) capsulae articularis 1124
〔関節包の〕線維膜 fibrous articular capsule 290
〔関節包の〕線維膜 fibrous layer of joint capsule 1010
〔関節包の〕線維膜 membrana fibrosa capsulae articularis 1124
〔関節包の〕線維膜 fibrous membrane of joint capsule 1125
関節摩擦音 articular crepitus 436
関節摩擦音 crepitation 436
関節面 facies articularis 662
関節面 articular surface 1780
〔膝蓋骨の〕関節面 facies articularis patellae 663
〔膝蓋骨の〕関節面 articular surface of patella 1781
間接輸血 indirect transfusion 1918
関節癒合〔症〕 synarthrodia 1793
間接卵子移行 ovular transmigration, external ovular transmigration, direct ovular transmigration, internal ovular transmigration, indirect ovular transmigration 1920
関節リウマチ rheumatoid arthritis (RA) 155
関節リウマチ articular rheumatism 1607
〔関節〕リウマチ小〔結〕節 rheumatoid nodules 1262
関節離開 disarticulation 525
関節離断〔術〕 disarticulation 525
間接利尿薬 indirect diuretic 551
関節隆起除去術 eminenectomy 604
串線(かんせん) seton 1669
乾癬 psoriasis 1516
汗腺 sudoriferous glands 774
汗腺 sweat glands 775
汗腺 glandulae sudoriferae 776
感染 infection 927
〔接触〕感染 contagion 415
完全〔性〕 integrity 943
眼〔内〕閃〔光〕 phosphene 1413
完全1色覚 complete achromatopsia 14
肝線維付属 appendix fibrosa hepatis 120
肝線維付属 fibrous appendix of liver 120
汗腺運動線維 sudomotor fibers 691
〔完〕全壊死 total necrosis 1225
汗腺炎 hidradenitis 851
感染〔性〕黄疸 infectious icterus 903
汗腺管 duct of sweat glands 565
汗腺管 sudoriferous duct 565
汗腺管 ductus sudoriferus 566
汗腺癌 sweat gland carcinoma 299
完全期 perfect stage 1727
完全基質 complete substrate 1767
完全強直 complete tetanus 1870
感染恐怖〔症〕 molysmophobia 1164
完全去勢〔術〕 emasculation 600
完全形質導入 complete transduction 1917
〔完〕全血球算定 complete blood count (CBC) 223
完全抗原 complete antigen 103
完全虹彩麻痺 complete iridoplegia 956
完全抗体 complete antibody 100
感染後徐脈 postinfectious bradycardia 240
感染後精神病 postinfectious psychosis 1520
感染後脊髄炎 postinfectious myelitis 1209
汗腺腫 hidradenoma 851
汗腺腫 syringadenoma 1828
汗腺腫 syringoma 1829
汗腺〔腺〕腫 spiradenoma 1717
完全重複子宮 uterus didelphys 1977
完全主義 perfectionism 1385
完全主義性格 perfectionistic personality 1395
串線手術 seton operation 1306
完全種痘〔法〕 vaccinization 1981
感染症 infectious disease, infective disease 535
完全状態 perfect state 1739
完全消毒薬 complete disinfectant 543
完全植物性の holophytic 858
完全真菌 perfect fungus 745
汗腺神経 sudomotor nerves 1239
感染する infect 927
感染性 infectiosity 927
感染性 infectiousness 928
感染性 infectivity 928
〔接触〕感染(伝染)性 contagiousness 416
完全性 competence 400
感染性黄疸 infective jaundice 967
感染性核酸 infectious nucleic acid 1271
感染性肝炎ウイルス infectious hepatitis virus 2025
乾癬性関節炎 psoriatic arthritis 155
感染(伝染)性筋炎 infectious myositis 1216
感染性クリスタリン(結晶状)角膜症 infectious crystalline keratopathy 980
感染性血栓 infective thrombus 1889
乾癬性紅皮症 erythroderma psoriaticum 640
感染性心内膜炎 infectious endocarditis, infective endocarditis 611
感染性腺熱 infectious mononucleosis 1167
感染性単核球症 infectious mononucleosis 1167
管前〔性〕の preductal 1477
感染性貧血 infectious anemia 77
感染性浮腫 infective edema 587
感染性ブタ脳脊髄炎 infectious porcine encephalomyelitis 608
感染性流産 infected abortion 4
感染性良性リンパ節疾患 infectious mononucleosis 1167
完全世代 teleomorph 1847
汗腺〔腺〕腫 spiradenoma 1717
完全染色液 stains-all 1736
感染創 septic wound 2049
串線創 seton wound 2049
〔完全〕挿耳型補聴器 completely in the canal hearing aid (CIC) 819
汗腺体 body of sweat gland 229
汗腺体 corpus glandulae sudoriferae 425
〔完〕全脱毛〔症〕 alopecia totalis 53
完全男性ホルモン不応症候群 complete androgen insensitivity syndrome 1801
杆線虫属 *Rhabditis* 1606
完全重複子宮 uterus didelphys 1977
眼前庭聴覚症候群 oculovestibuloauditory syndrome 1814
感染伝播パラメータ infection transmission parameter 1351
完全動物性の holozoic 859
完全乳突削開術 complete mastoidectomy 1109
汗腺嚢腫 hidrocystoma 851
汗腺嚢腫 syringocystoma 1828
汗腺膿瘍 sudoriferous abscess 6
汗腺膿瘍 hidradenitis suppurativa 851
感染の貯蔵庫 reservoir of infection 1592
完全把握 complete ascertainment 159
完全培地 complete medium 1118
完全非経口栄養法 total parenteral nutrition (TPN) 1284
感染病原体 contagium 416
完全フィステル(瘻) complete fistula 705
完全腹裂 hologastroschisis 858
完全ヘルニア complete hernia 842
完全変態 complete metamorphosis 1140
完全変態類の holometabolous 858
肝腺房 liver acinus 15
感染防御 phylaxis 1419
〔感染〕防御試験 protection test 1863
完全房室解離 complete atrioventricular dissociation, complete AV dissociation 548
完全房室ブロック complete AV block 222
〔完全〕麻痺 paralysis 1350
完全無頭体 holoacrania 858
完全無頭体 holoanencephaly 858
感染免疫 infection immunity 910
完全有糸分裂 teleomitosis 1847
〔完〕全流産 complete abortion 4
感染量 infective dose (ID) 557
感染力 infectiosity 927
完全瘻(フィステル) complete fistula 705
乾燥 desiccation 499
乾燥 torrefaction 1904
乾燥 xeransis 2053
乾燥〔症〕 xerosis 2053
カンゾウ(甘草) glycyrrhiza 789
乾燥安定性の siccostabile, siccostable 1676
肝臓硫黄 liver of sulfur 1776
肝臓右半部 right liver 1062
肝造影(撮影)〔法〕 hepatography 840
肝臓横隔面上部 superior part of diaphragmatic surface of liver 1368
肝臓横隔面の右部 right part of diaphragmatic surface of liver 1367
〔肝臓横隔面の〕心圧痕 impressio cardiaca faciei diaphragmaticae hepatis 916
〔肝臓横隔面の〕心圧痕 cardiac impression of diaphragmatic surface of liver 917
肝臓横隔面の前部 anterior part of diaphragmatic surface of liver 1362
肝〔臓横隔面〕無漿膜野 bare area of (diaphragmatic surface of) liver 128
肝臓開口術 hepatostomy 841
肝〔臓〕外の extrahepatic 657
肝臓下縁 margo inferior hepatis 1104
観相学 metoposcopy 1148
肝臓学 hepatology 840
肝臓学者 hepatologist 840
肝臓下の infrahepatic 931
肝臓下膿瘍 subhepatic abscess 6
乾燥眼 xerophthalmia 2053
乾燥肝末 desiccated liver 1062
乾燥器 desiccator 499
乾燥苦橙皮 bitter orange peel, dried 1310
肝造血性ポルフィリン症 hepatoerythropoietic porphyria 1467
肝〔臓〕検査 hepatoscopy 841
乾燥甲状腺製剤 thyroid 1890
乾燥酵母 dried yeast 2055
乾燥剤 desiccant 499
肝臓左半部 left liver 1062
肝臓紫斑病 peliosis hepatitis 839
乾燥重量 dry weight 2044
乾燥症候群 sicca syndrome 1820
〔肝臓〕漿膜 tunica serosa hepatis 1953
肝臓漿膜下組織 subserosa of liver 1765
乾燥食摂取 xerophagia, xerophagy 2053
乾燥性舌炎 glossitis desiccans 781
乾燥性鼻炎 rhinitis sicca 1608
乾燥性摩擦 xerotripsis 2053
〔肝臓〕線維膜 fibrous capsule of liver 290
〔肝臓〕線維膜 tunica fibrosa hepatis 1953

肝臓専門医 hepatologist ……… 840
〔肝臓〕臓側面 facies visceralis hepatis …… 665
〔肝臓〕臓側面 visceral surface of liver 1784
肝臓胆管造瘻術 hepatocholangiostomy …… 840
肝臓毒素 hepatotoxin ……… 841
肝臓内の intrahepatic ……… 950
〔肝臓の〕胃圧痕 impressio gastrica hepatis ……… 916
〔肝臓の〕胃圧痕 gastric impression on liver ……… 917
肝臓の右外側部 right lateral division of liver ……… 553
〔肝臓の〕右三角間膜 right triangular ligament of liver ……… 1040
〔肝臓の〕右三角間膜 ligamentum triangulare dextrum hepatis ……… 1046
肝臓の右内側部 right medial division of liver ……… 553
〔肝臓の〕右尾状葉胆管 right duct of caudate lobe of liver ……… 564
〔肝臓の〕右尾状葉胆管 ductus lobi caudati dexter hepatis ……… 566
〔肝臓の〕右葉 right lobe of liver ……… 1064
〔肝臓の〕右葉 lobus hepatis dexter ……… 1066
〔肝臓〕横隔面 facies diaphragmatica (hepatis) ……… 663
〔肝臓〕横隔面 diaphragmatic surface (of liver) ……… 1781
肝臓の横隔面の後部 posterior part of the diaphragmatic surface of the liver …… 1367
肝臓の下縁 inferior border of liver ……… 235
肝臓の区域動脈 segmental arteries of liver ……… 152
肝臓の結節性変化 nodular transformation of the liver ……… 1918
〔肝臓の〕結腸圧痕 impressio colica hepatis ……… 916
〔肝臓の〕結腸圧痕 colic impression on liver ……… 917
肝臓の左外側部 left lateral division of liver ……… 553
〔肝臓の〕左三角間膜 left triangular ligament of liver ……… 1037
〔肝臓の〕左三角間膜 ligamentum triangulare sinistrum hepatis ……… 1046
肝臓の左内側部 left medial division of liver ……… 553
〔肝臓の〕左尾状葉胆管 left duct of caudate lobe of liver ……… 564
〔肝臓の〕左尾状葉胆管 ductus lobi caudati sinister hepatis ……… 566
〔肝臓の〕左葉 left lobe of liver ……… 1063
〔肝臓の〕左葉 lobus hepatis sinister ……… 1066
肝臓の三角靱帯 triangular ligaments of liver ……… 1041
〔肝臓の〕十二指腸圧痕 impressio duodenalis hepatis ……… 916
〔肝臓の〕十二指腸圧痕 duodenal impression on liver ……… 917
肝臓の小網隆起 omental tuberosity of liver ……… 1947
〔肝臓の〕食道圧痕 impressio esophagea hepatis ……… 916
〔肝臓の〕食道圧痕 esophageal impression on liver ……… 917
〔肝臓の〕腎圧痕 impressio renalis hepatis 916
〔肝臓の〕腎圧痕 renal impression on liver ……… 917
〔肝臓の〕中心静脈 central veins of liver 1994
〔肝臓の〕中心静脈 venae centrales hepatis ……… 2004
肝臓の動脈 hepatic arteries ……… 145
〔肝臓の〕尾状葉 lobus caudatus hepatis 1066
〔肝臓の尾状葉の〕尾状突起 caudate process of caudate lobe of liver ……… 1488
〔肝臓の〕副腎圧痕 impressio suprarenalis hepatis ……… 916
〔肝臓の〕副腎圧痕 suprarenal impression on liver ……… 917
肝臓の方形部 quadrate part of liver …… 1367
〔肝臓の〕方形葉 quadrate lobe of liver 1064
〔肝臓の〕方形葉 lobus quadratus hepatis ……… 1067
肝臓の右外側部 right lateral division of liver ……… 553
〔肝臓の〕右三角間膜 right triangular ligament of liver ……… 1040
〔肝臓の〕右三角間膜 ligamentum triangulare dextrum hepatis ……… 1046
肝臓の右内側部 right medial division of liver ……… 553
〔肝臓の〕右尾状葉胆管 right duct of caudate lobe of liver ……… 564
〔肝臓の〕右尾状葉胆管 ductus lobi caudati dexter hepatis ……… 566
肝〔臓〕破裂 hepatorrhexis ……… 841
肝臓左半部 left liver ……… 1062
乾燥ヒト血漿蛋白分画 dried human plasma protein fraction ……… 736
乾燥ヒト血清 dried human serum ……… 1668
乾燥皮膚 xeroderma ……… 2053
肝臓部 pars hepatica ……… 1359
乾燥不安定の siccolabile ……… 1676
肝臓フィステル(瘻) hepatic fistula ……… 705
肝臓弁 liver flap ……… 710
乾燥変性 xerotic degeneration ……… 481
乾燥包帯 dry dressing ……… 560
乾燥マッサージ xerotripsis ……… 2053
肝臓右半部 right liver ……… 1062
乾燥ミョウバン exsiccated alum ……… 54
含そう薬 gargle ……… 756
含そう薬 mouthwash ……… 1173
観測者間誤差 interobserver error ……… 637
観測者内誤差 intraobserver error ……… 637
元祖細胞 founder cell ……… 321
杆〔状〕体 rod ……… 1619
間代 clonus ……… 375
杆体円板 rod discs ……… 526
間代強直〔性〕の clonicotonic ……… 375
間代〔性〕痙攣〔症〕 clonism ……… 375
癌胎児抗原 carcinoembryonic antigen (CEA) ……… 103
癌胎児性 carcinoembryonic ……… 295
間代性 clonicity ……… 375
間代性眼瞼痙攣 blepharoclonus ……… 220
間代性筋痙攣 myoclonia ……… 1212
間代性痙攣 clonic convulsion ……… 419
間代発作 clonic seizure ……… 1657
カンタリジン cantharidin ……… 287
カンタリジン酸 cantharidic acid ……… 287
カンタリス cantharis ……… 287
カンタリスコロジオン cantharidal collodion ……… 391
肝胆管炎 hepatocholangitis ……… 840
寒暖計 thermometer ……… 1881
肝胆嚢の hepatocystic ……… 840
感嘆符状毛 exclamation point hair ……… 811
感知 sensing ……… 1661
感知性蒸散 sensible perspiration ……… 1396
感知性発汗 sensible perspiration ……… 1396
感知低下 undersensing ……… 1964
灌注 affusion ……… 33
灌注 douche ……… 558
灌注〔法〕 irrigation ……… 957
灌注器 douche ……… 558
灌注器 irrigator ……… 957
浣腸 enema ……… 616
肝腸陥凹 hepatoenteric recess ……… 1571
肝腸〔管〕吻合〔術〕 hepaticoenterostomy … 837
浣腸器 enemator ……… 616
ガン徴候 Gunn sign ……… 1681
緩〔聴性誘発〕反応 late auditory-evoked response ……… 1596
肝腸の hepatoenteric ……… 840
浣腸法 enemiasis ……… 616
ガンツァー筋 Gantzer muscle ……… 1186
ガンツァー副束 Gantzer accessory bundle ……… 265
環椎 atlas ……… 169
環椎横靱帯 transverse ligament of the atlas ……… 1041
環椎横靱帯 ligamentum transversum atlantis ……… 1046
環椎下関節窩 inferior articular facet of atlas ……… 661
環椎下関節窩 inferior articular surface of atlas ……… 1781
〔環椎〕下関節窩 facies articularis inferior atlantis ……… 663
〔環椎〕下関節窩 fovea articularis inferior atlantis ……… 735
〔環椎〕下関節窩 inferior articular pit of atlas ……… 1426
環椎後弓 posterior arch of atlas ……… 126
環椎後弓 arcus posterior atlantis ……… 128
〔環椎〕後結節 posterior tubercle of atlas ……… 1944
〔環椎〕後結節 tuberculum posterius atlantis ……… 1946
環椎後頭関節 articulatio atlantooccipitalis ……… 157
環椎後頭関節 atlanto-occipital articulation ……… 158
環椎後頭関節 atlanto-occipital joint ……… 969
環椎後頭骨の atlanto-occipital ……… 169
環椎後頭膜 atlanto-occipital membrane 1125
〔環椎〕歯突起窩 facet (of atlas) for dens ……… 661
〔環椎〕歯突起窩 fovea dentis atlantis …… 735
環椎歯突起の atlantoodontoid ……… 169
環椎十字靱帯 cruciate ligament of the atlas ……… 1034
環椎十字靱帯 cruciform ligament of atlas ……… 1034
環椎十字靱帯 ligamentum cruciforme atlantis ……… 1043
環椎十字靱帯の縦束 longitudinal bands of cruciform ligament of atlas ……… 194
〔環椎〕上関節窩 facies articularis superior atlantis ……… 663
〔環椎〕上関節窩 fovea articularis superior atlantis ……… 735
〔環椎〕上関節窩 superior articular pit of atlas ……… 1426
環椎上関節窩 superior articular facet of atlas ……… 662
環椎上関節窩 superior articular surface of atlas ……… 1783
環椎前弓 anterior arch of atlas ……… 125
環椎前弓 arcus anterior atlantis ……… 127
〔環椎〕前結節 anterior tubercle of atlas 1943
〔環椎〕前結節 tuberculum anterius atlantis ……… 1946
環椎の外側塊 lateral mass of atlas ……… 1107
環椎の外側塊 massa lateralis atlantis …… 1108
貫通 transfix ……… 1918
頑痛 intractable pain ……… 1337
眼〔球〕痛 ophthalmalgia ……… 1307
貫通枝 perforating branches ……… 251
貫通枝 ramus perforans ……… 1555
貫通静脈 perforating veins ……… 1999
貫通静脈 venae perforantes ……… 2007
貫通性裂傷 through-and-through laceration ……… 993
貫通切断 transfixion ……… 1918
貫通線維 perforating fibers ……… 690
貫通動脈 perforating arteries (of deep femoral artery) ……… 149

貫通の perforans 1385
貫通皮神経 perforating cutaneous nerve 1237
眼底 eyegrounds 660
眼底 fundus oculi 744
眼底 fundus of eyeball 744
眼底 ocular fundus 744
眼底血圧計 ophthalmodynamometer 1307
眼底血圧測定〔法〕 ophthalmodynamometry 1307
眼ディスメトリア ocular dysmetria 573
ガンディ-ナンタ病 Gandy-Nanta disease 533
含鉄小体 ferruginous bodies 226
カンデラ candela (cd) 286
カンテリ徴候 Cantelli sign 1679
寒天 agar 34
寒天 vegetable gelatin 761
感電 electric shock 1674
眼点 eyespot 660
眼点 stigma 1746
感電死 electrocution 593
眼電図 electrooculogram 596
眼電図記録〔法〕 electrooculography (EOG) 596
寒天培地 agar 34
感電様舞踏病 electric chorea 354
感度 sensibility 1661
感度 sensitivity 1661
眼瞳孔の oculopupillary 1291
感動性失語〔症〕 pathematic aphasia 114
含糖の sacchariferous 1628
眼動脈 arteria ophthalmica 136
眼動脈 ophthalmic artery 149
冠動脈炎 coronary arteritis 140
冠動脈灌流圧 coronary perfusion pressure 1482
冠〔状〕動脈血栓症 coronary thrombosis 1888
肝動脈血流比 hepatic ratio 1560
冠動脈硬化〔症〕 coronary arteriosclerosis 140
冠〔状〕動脈疾患 coronary artery disease (CAD) 531
冠〔状〕〔動脈〕疾患〔監視〕病室 coronary care unit (CCU) 1965
眼動脈〔動脈〕周囲神経叢 periarterial plexus of ophthalmic artery 1443
冠動脈スチール現象 coronary steal 1740
冠動脈造影 coronary angiography 84
冠〔状〕動脈内じゅく(粥)腫切除術 coronary atherectomy 168
眼動脈の筋枝 muscular arteries (of ophthalmic artery) 149
冠〔状〕動脈バイパス coronary artery bypass 273
冠動脈バイパス術 coronary artery bypass graft (CABG) 795
冠〔状〕〔動脈〕不全 coronary insufficiency 941
冠〔状〕動脈閉塞〔症〕 coronary occlusion 1290
冠動脈瘤 coronary artery aneurysm 81
肝毒性 hepatotoxicity 841
眼突出計 statometer 1740
ガントリー gantry 756
カントリー(キャントリー)線 Cantlie line 1049
神鳥斑点網膜 fleck retina of Kandori 1600
嵌頓 impaction 914
嵌頓 strangulation 1751
嵌頓眼瞼 paraphimosis 1353
嵌頓した incarcerated 918
広東住血線虫 *Angiostrongylus cantonensis* 87
嵌頓胎児 impacted fetus 682
嵌頓包茎 paraphimosis 1353
眼内圧 intraocular pressure 1482
眼内炎 endophthalmitis 614
眼内視脈 entoptic pulse 1525
眼内上皮増殖 epithelial downgrowth 558
眼内性神経炎 intraocular neuritis 1246
管内〔性〕線維腺腫 intracanalicular fibroadenoma 693
眼〔内〕閃〔光〕 phosphene 1413
〔試験〕管内で *in vitro* 953
管内乳頭腫 intraductal papilloma 1346
環内の endocyclic 612
管内の intratubal 951
〔小〕管内の intratubular 951
眼内の entoptic 622
眼内の intraocular 950
眼内レンズ intraocular implant 915
〔眼内レンズの〕支持部 haptic 815
カンナビジオール cannabidiol 287
カンナビノイド cannabinoids 287
カンナビノール cannabinol 287
肝軟化〔症〕 hepatomalacia 840
眼軟膏〔剤〕 ophthalmic ointment 1295
癌肉腫 carcinosarcoma 299
感入 empathy 604
貫入 penetration 1380
陥入 invagination 952
間入〔性期外収縮〕 intercadence 943
嵌入 impaction 914
嵌入〔機序〕 engagement 617
嵌入骨折 impacted fracture 737
間入性期外収縮 interpolated extrasystole 658
嵌入爪〔甲〕 ingrown nail 1220
嵌入爪〔甲〕 unguis aduncus 1964
嵌入胎盤 placenta increta 1428
陥入部 intussusceptum 952
閂(かんぬき) obex 1288
観念 idea 904
観念運動 ideomotion 904
観念化 ideation 904
観念化 intellectualization 943
観念恐怖〔症〕 ideophobia 904
観念形態 ideology 904
観念失行〔症〕 ideokinetic apraxia, ideomotor apraxia 121
管捻転 tubotorsion 1948
観念複合体 complex 400
観念奔逸 flight of ideas 904
眼粘膜症候群 ocular-mucous membrane syndrome 1814
眼の ophthalmic 1307
眼の optic, optical 1309
感応 induction 924
還納 reduction 1575
還納 reposition 1591
間脳 diencephalon 514
間脳下垂体の diencephalohypophysial 514
官能基 function (f) 744
官能基 functional group 803
還納器 repositor 1591
眼脳血管腫症 oculoencephalic angiomatosis 86
汗嚢腫 hydrocystoma 872
眼脳腎症候群 oculocerebrorenal syndrome 1814
眼脳腎〔臓〕の oculocerebrorenal 1291
感応性の irritable 957
還納性ヘルニア reducible hernia 843
感応通電法 faradization 671
官能的 sensual 1662
感応電気収縮性 faradocontractility 671
感応電気療法 faradotherapy 671
感応電流 faradism 671
感応電流療法 faradization 671
感応熱気 inductothermy 925
肝嚢胞 hepatic cyst 459
癌の体細胞突然変異説 somatic mutation theory of cancer 1877
眼杯 caliculus ophthalmicus 279
眼杯 optic cup 449
肝肺の hepatopneumonic 841
眼杯裂 choroidal fissure 702
眼ハエウジ病 ocular myiasis 1212
乾パック dry pack 1335
眼発症 ocular crisis 439
肝〔臓〕破裂 hepatorrhexis 841
肝斑 chloasma 346
眼瘢痕性類天疱瘡 ocular cicatricial pemphigoid 1379
ガン斑点 Gunn dots 558
緩〔聴性誘発〕反応 late auditory-evoked response 1596
ガンビア睡眠病 gambiense sleeping sickness 1677
ガンビアトリパノソーマ *Trypanosoma brucei gambiense* 1939
ガンビアトリパノソーマ症 Gambian trypanosomiasis 1940
ガンビア熱 Gambian fever 684
肝脾炎 hepatosplenitis 841
肝脾撮影(造影)〔法〕 hepatosplenography 841
肝脾腫 splenohepatomegaly, splenohepatomegalia 1720
肝脾腫大〔症〕 hepatosplenomegaly 841
乾皮症 xeroderma 2053
乾皮症 xerosis 2053
肝脾障害 hepatosplenopathy 841
〔肝尾状葉の〕乳頭突起 papillary process of caudate lobe of liver 1489
〔肝尾状葉の〕乳頭突起 processus papillaris lobi caudati hepatis 1491
眼鼻の oculonasal 1291
眼皮膚黒色症(メラノーシス) oculodermal melanosis 1122
眼皮膚症候群 oculocutaneous syndrome 1814
眼皮膚の oculocutaneous 1291
眼皮膚の oculodermal 1291
眼・皮膚白皮症 oculocutaneous albinism 42
看病 hypurgia 900
含氷晶 cryohydrate 444
ガンビール gambir 751
カンフェン camphene 281
冠部歯髄 coronal pulp 1523
冠部歯髄 crown pulp 1523
冠部歯髄 pulpa coronalis 1524
冠不全 coronary failure 670
冠〔状〕〔動脈〕不全 coronary insufficiency 941
肝〔機能〕不全〔症〕 hepatic insufficiency 941
眼部帯状ヘルペス herpes zoster ophthalmicus 845
乾物屋かゆみ〔症〕 grocer's itch 964
乾ブドウゼリー様血餅 currant jelly clot 377
カンプトテシン camptothecin 282
カンプトテシン camptothecins 282
観兵式状配列 palisade 1338
管壁血栓 parietal thrombus 1889
鑑別 diacrisis 508
鑑別 differentiation 516
鑑別診断 differential diagnosis 508
鑑別聴診器 differential stethoscope 1746
カンペル筋膜 Camper fascia 672
カンペル線 Camper line 1049
肝ヘルニア hepatocele 840
カンペル面 Camper plane 1430
肝変 hepatization 840
眼〔性〕片頭痛 ocular migraine 1157
汗胞 hydrocystoma 872
感冒 cold 389
汗疱 dyshidrosis 573
眼胞 optic vesicle 2016
眼胞 vesicula ophthalmica 2017
眼房 aqueous chambers 338
顔貌 complexion 403
顔貌 face 661
感冒ウイルス common cold virus 2023
肝縫合〔術〕 hepatorrhaphy 841
汗疱状白癬 athlete's foot 724
〔眼〕房水 aqueous humor 867
〔眼〕房水 humor aquosus 867

〔眼〕房水 hydatoid …… 869
眼保護器 tutamina oculi …… 1955
陥没骨折 depressed fracture …… 737
ガンマγ …… 748
ガンマ gamma …… 751
γH鎖病 γ-heavy-chain disease …… 534
γ-アミノ酪酸 γ-aminobutyric acid (GABA, γ-Abu) …… 60
ガンマ運動ニューロン gamma motor neurons …… 1249
ガンマ遠心性神経 gamma efferent …… 589
ガンマ角 gamma angle …… 89
ガンマカメラ gamma camera …… 281
間膜 ligament …… 1032
間膜 mesenteriolum …… 1134
間膜ひも tenia mesocolica …… 1850
ガンマクリスタリン gamma crystallin …… 446
γ-グルタミル回路 γ-glutamyl cycle …… 454
γ-グルタミルカルボキシラーゼ γ-glutamyl carboxylase …… 784
γ-グルタミルシステイン γ-glutamylcysteine …… 784
γ-グルタミルシステインシンテターゼ γ-glutamylcysteine synthetase …… 784
γ-グルタミルトランスフェラーゼ γ-glutamyltransferase …… 784
γ-グルタミルヒドロラーゼ γ-glutamyl hydrolase …… 784
ガンマ係蹄 gamma loop …… 1069
γ線 gamma radiation …… 1541
ガンマ(γ)線 gamma rays …… 1562
ガンマ線維 gamma fibers …… 689
ガンマ線脳写 gamma encephalography …… 608
ガンマ炭水化物欠損トランスフェリン gamma-carbohydrate-deficient transferrin …… 1918
γ-チューブリン環複合体 gamma-tubulin ring complex …… 401
γ-トコフェロール γ-tocopherol (γ-T) …… 1897
ガンマナイフ gamma knife …… 987
ガンマ-ヒドロキシ酪酸 gamma-hydroxybutyrate …… 752
ガンマ-ヒドロキシ酪酸 γ-hydroxybutyric acid …… 875
γ-ヒドロキシ酪酸 γ-hydroxybutyrate (GHB) …… 875
γ-ブチロベタイン γ-butyrobetaine …… 272
γ-ブチロラクトン γ-butyrolactone …… 272
ガンマヘルペスウイルス科 Gammaherpesvirinae …… 751
γ溶血 γ hemolysis …… 834
緩慢層 still layer …… 1013
緩慢燃焼 slow combustion …… 396
干満の tidal …… 1892
甘味剤 edulcorant …… 588
肝三つ組 hepatic triad …… 1926
甘味料 edulcorant …… 588
乾眠 anhydrobiosis …… 91
肝無漿膜野 area nuda hepatis …… 129
肝〔臓横隔面〕無漿膜野 bare area of (diaphragmatic surface of) liver …… 128
冠名 eponym …… 633
冠名 eponymic …… 633
肝迷管 aberrant bile ducts …… 563
肝迷管 vas aberrans hepatis …… 1989
顔面萎縮性毛包角化症 keratosis pilaris atrophicans faciei …… 981
顔面横静脈 transverse vein of face …… 2003
顔面横静脈 vena transversa faciei …… 2008
顔面横動脈 arteria transversa faciei …… 138
顔面横動脈 transverse facial artery …… 154
顔面角 facial angle …… 88
顔面型酸素テント face tent …… 1851
顔面片麻痺(半側麻痺) facial hemiplegia 830
顔面寄生結合体 prosopopagus …… 1500
顔面筋 facial muscles …… 1185
顔面筋痙攣 facial tic …… 1892
顔面筋痙攣の palmodic …… 1339
顔面筋波動症 facial myokymia …… 1214
顔面形 face form …… 729
顔面形成 facialplasty …… 662
顔面形成術 facioplasty …… 665
顔面肩甲上腕筋ジストロフィ facioscapulohumeral muscular dystrophy …… 578
顔面高 anterior facial height (AFH) …… 822
〔相貌学〕顔面高 facial height …… 822
顔面紅痛症 erythroprosopalgia …… 641
顔面骨 facial bones …… 232
顔面骨 ossa faciei …… 1317
顔面固定丹毒 erysipelas perstans faciei …… 638
顔面三角 facial triangle …… 1927
顔面視 facial vision …… 2032
顔面指趾生殖器形成異常(異形成) faciodigitogenital dysplasia …… 575
〔形態学〕顔〔面〕指数 facial index …… 922
顔面持続丹毒 erysipelas perstans faciei …… 638
顔面静脈 facial vein …… 1996
顔面静脈 vena facialis …… 2005
顔面静脈の耳下腺枝 rami parotidei venae facialis …… 1554
顔面静脈リンパ節 facial lymph nodes …… 1078
顔面脂漏〔症〕 seborrhea faciei, seborrhea of face …… 1652
顔面神経 facial nerve [CN VII] …… 1234
顔面神経 nervus facialis [CN VII] …… 1242
顔面神経窩到達法(アプローチ) facial recess approach …… 121
顔面神経核 facial nucleus …… 1275
顔面神経核 nucleus nervi facialis …… 1277
顔面神経管 facial canal …… 283
顔面神経管口 introitus of facial canal …… 951
顔面神経管膝 geniculum canalis facialis …… 766
顔面神経管膝 geniculum of facial canal 766
顔面神経管の外側脚 lateral crus of facial canal …… 443
顔面神経管の下行部 descending part of facial canal …… 1364
顔面神経管の水平部 horizontal part of facial canal …… 1364
顔面神経管の内側脚 medial crus of facial canal …… 443
顔面神経管隆起 prominence of facial canal …… 1497
顔面神経管隆起 prominentia canalis facialis …… 1497
顔面神経丘 colliculus facialis …… 391
顔面神経丘 facial colliculus …… 391
顔面神経現象 facialis phenomenon …… 1404
顔面神経根 radix nervi facialis …… 1546
顔面神経根 root of facial nerve …… 1621
顔面神経耳下腺神経叢 parotid plexus of facial nerve …… 1442
顔面神経膝 geniculum nervus facialis …… 766
顔面神経膝 geniculum of facial nerve …… 766
顔面神経膝 genu nervi facialis …… 767
顔面神経膝 genu of facial canal …… 767
顔面神経膝 genu of facial nerve …… 767
顔面神経膝の geniculate …… 766
顔面神経鞘腫 facial schwannoma …… 1645
顔面神経叢 facial plexus …… 1440
顔面神経痛 facial neuralgia …… 1244
顔面神経の下顎縁枝 marginal mandibular branch of facial nerve …… 249
顔面神経の下顎縁枝 ramus marginalis mandibulae nervi facialis …… 1553
顔面神経の顎二腹筋枝 digastric branch of facial nerve …… 246
顔面神経の頬筋枝 buccal branches of facial nerve …… 243
顔面神経の頬筋枝 rami buccales nervi facialis …… 1548
顔面神経の頬骨枝 zygomatic branches of facial nerve …… 255
顔面神経の頬骨枝 rami zygomatici nervi facialis …… 1557
顔面神経の頸枝 cervical branch of facial nerve …… 244
顔面神経の茎突舌骨筋枝 stylohyoid branch of facial nerve …… 253
顔面神経の茎突舌骨筋枝 ramus stylohyoideus nervi facialis …… 1556
顔面神経の鼓室神経叢との交通枝 communicating branch of facial nerve with tympanic plexus …… 244
顔面神経の鼓室神経叢との交通枝 ramus communicans nervi facialis cum plexu tympanico …… 1549
顔面神経の耳下腺内神経叢 intraparotid plexus of facial nerve …… 1441
顔面神経の舌咽神経との交通枝 communicating branch of facial nerve with glossopharyngeal nerve …… 244
顔面神経の舌枝 lingual branch of facial nerve …… 248
顔面神経の側頭枝 temporal branches of facial nerve …… 254
顔面神経の二腹筋枝 ramus digastricus nervi facialis …… 1550
顔面神経剝離〔術〕 neurolysis …… 1248
顔面神経麻痺 facial palsy …… 1340
顔面神経麻痺 facial paralysis …… 1350
顔面神経野 area nervi facialis …… 129
顔面神経野 facial nerve area of internal acoustic meatus …… 129
顔面神経裂孔 hiatus for greater petrosal nerve …… 851
顔面神経裂孔 hiatus of facial canal …… 851
顔面頭蓋 viscerocranium …… 2031
顔面中央 mid-face …… 1156
顔面中央黒子症 centrofacial lentiginosis 1020
顔面潮紅 hot flush …… 717
顔面動脈 arteria facialis …… 135
顔面動脈 facial artery …… 145
顔面動脈〔動脈〕周囲神経叢 periarterial plexus of facial artery …… 1442
顔面動脈上唇枝の鼻中隔枝 nasal septal branch of superior labial branch of facial artery …… 250
顔面動脈の外側鼻枝 lateral nasal branch of facial artery …… 248
顔面動脈の腺枝 glandular branches of facial artery …… 247
顔面動脈の扁桃枝 tonsillar branch of the facial artery …… 254
顔面動脈の扁桃枝 ramus tonsillaris arteriae facialis …… 1557
顔面肉芽腫 granuloma faciale …… 797
顔面白癬 tinea facialis, tinea faciei …… 1894
顔面播種状粟粒性狼瘡 lupus miliaris disseminatus faciei …… 1073
顔面半側麻痺(片麻痺) facial hemiplegia 830
顔面皮膚剝皮術 face peel …… 1377
顔面部 face region …… 1585
顔面部 regions of face …… 1585
顔面平面 facial plane …… 1430
顔面包帯 mask …… 1106
顔面ミオキミア facial myokymia …… 1214
顔面両〔側〕麻痺 facial diplegia …… 523
顔面裂 facial cleft …… 373
顔面裂 prosoposchisis …… 1500
冠毛 crest …… 436
冠毛 pappus …… 1347
肝毛頭虫 *Capillaria hepatica* …… 288
含毛嚢胞(嚢腫) piliferous cyst …… 460
眼毛様体の opticociliary …… 1309
ガンモパシー gammopathy …… 752
肝門 porta hepatis …… 1468

関門 barrier ······ 198
環紋〔型〕分生子 annelloconidium ······ 93
環紋状細胞 annellide ······ 93
肝門部空腸吻合〔術〕 portoenterostomy ··· 1468
肝門脈系 hepatic portal system ······ 1831
〔肝〕門脈左枝 ramus sinister venae portae hepatis ······ 1556
肝門脈左枝の外側枝 rami laterales rami sinistri venae portae hepatis ······ 1552
肝門脈左枝の内側枝 rami mediales rami sinistri venae portae hepatis ······ 1553
肝門脈の hepatoportal ······ 841
丸薬丸め振せん pill-rolling tremor ······ 1924
丸薬用錬剤 pilular mass ······ 1107
肝由来色素 hepatogenous pigment ······ 1423
肝由来の hepatogenic, hepatogenous ······ 840
間葉 mesenchyme ······ 1134
寛容化する tolerize ······ 1898
寛容原 tolerogen ······ 1898
間葉細胞 mesenchymal cells ······ 323
間葉腫 mesenchymoma ······ 1134
間葉上皮 mesenchymal epithelium ······ 632
間葉組織 mesenchymal tissue ······ 1895
眼幼虫移行症 ocular larva migrans ······ 1001
眼幼虫徘徊性肉芽腫 ocular larva migrans granuloma ······ 798
寛容度 latitude ······ 1005
肝様の hepatoid ······ 840
岩様の petrous ······ 1397
慣用名 trivial name ······ 1935
癌抑制遺伝子 tumor suppressor gene ······ 764
関与的観察者 participant observer ······ 1288
乾酪壊死 caseous necrosis, caseation necrosis ······ 1224
乾酪化 caseation ······ 308
乾酪化する caseate ······ 308
乾酪腫 tyroma ······ 1958
乾酪性骨炎 caseous osteitis ······ 1320
乾酪性の caseous ······ 308
乾酪性の tyrogenous ······ 1958
乾酪〔性〕膿 cheesey pus ······ 1529
乾酪性膿瘍 caseous abscess ······ 5
乾酪〔性〕肺炎 caseous pneumonia ······ 1449
乾酪性鼻炎 rhinitis caseosa, caseous rhinitis ······ 1608
乾酪素 casein ······ 308
乾酪変性 caseation ······ 308
〔環〕ラセン〔形〕器官 anulospiral organ ······ 1311
〔環〕ラセン〔形〕終末 anulospiral ending ······ 611
管理 control ······ 417
管理 management ······ 1098
管理医療(ケア) managed care ······ 302
管理者 administrator ······ 29
〔精度〕管理図 quality control chart ······ 340
簡略化口腔清掃指数 Simplified Oral Hygiene Index (OHI-S) ······ 1686
乾留 dry distillation ······ 549
還流 reflux ······ 1583
還流 return ······ 1605
灌流 perfusion ······ 1385
灌流液 perfusate ······ 1385
灌流カニューレ perfusion cannula ······ 287
含硫カリ sulfurated potash ······ 1472
肝隆起 hepatic prominence ······ 1497
含硫蛋白 sulfoprotein ······ 1776
含硫置換基移動 transsulfuration ······ 1922
貫流ドレナージ through drainage ······ 559
還流ドレナージ tidal drainage ······ 559
眼輪筋 orbicular muscle of eye ······ 1190
眼輪筋 orbicularis oculi (muscle) ······ 1190
眼輪筋 musculus orbicularis oculi ······ 1201
眼輪筋眼瞼部の深部 deep part of palpebral part of orbicularis oculi (muscle) ······ 1364
眼輪筋徴候 sign of the orbicularis ······ 1682
眼輪筋の眼窩部 orbital part of orbicularis oculi (muscle) ······ 1366
眼輪筋の眼瞼部 palpebral part of orbicularis oculi (muscle) ······ 1366
眼輪筋の眼瞼部の瞼縁束 ciliary bundle of palpebral part of orbicularis oculi (muscle) ······ 265
眼輪筋反射 orbicularis oculi reflex ······ 1580
眼輪筋涙骨部 lacrimal part of orbicularis oculi muscle ······ 1365
〔眼輪筋〕涙嚢部 pars lacrimalis musculi orbicularis oculi ······ 1359
肝リンパ節 hepatic lymph nodes ······ 1078
寒冷アレルギー cold allergy ······ 49
〔寒〕冷感 psychroesthesia ······ 1521
寒冷感受性〔突然〕変異体 cold-sensitive mutant ······ 1205
寒冷凝集素 cold agglutinin ······ 37
寒冷凝集反応 cold agglutination ······ 37
寒冷恐怖〔症〕 psychrophobia ······ 1521
寒冷グロブリン cryoglobulins ······ 444
寒冷グロブリン血〔症〕 cryoglobulinemia ······ 444
寒冷痙縮 cryospasm ······ 445
寒冷〔赤〕血球凝集素病 cold hemagglutinin disease ······ 530
寒冷紅斑 cold erythema ······ 638
寒冷式円錐切除〔術〕 cold knife conization ······ 411
寒冷自己凝集素 cold autoagglutinin ······ 178
寒冷自己抗体 cold autoantibody ······ 178
寒冷症 cryopathy ······ 444
寒冷昇圧試験 cold pressor test ······ 1855
寒冷障害 frigorism ······ 741
寒冷ショック反射 cold-shock reflex ······ 1578
寒冷じんま疹 cold urticaria ······ 1976
寒冷線維素原 cryofibrinogen ······ 444
寒冷線維素原血症 cryofibrinogenemia ······ 444
寒冷蛋白〔質〕 cryoprotein ······ 445
寒冷沈降反応 cryoprecipitation ······ 445
寒冷沈降物 cryoprecipitate ······ 445
寒冷痛 cryalgesia ······ 444
〔寒〕冷痛 psychroalgia ······ 1521
寒冷の algid ······ 47
寒冷フィブリノ〔ー〕ゲン血症 cryofibrinogenemia ······ 444
寒冷腐食器 cryocautery ······ 444
寒冷麻酔 cryoanesthesia ······ 444
寒冷療法 cryotherapy ······ 445
肝裂溝 fissures of liver ······ 703
間裂(フィッシャー)サイン fissure sign 1680
顔裂性嚢胞 fissural cyst ······ 459
関連 association ······ 163
関連 link ······ 1054
関連〔性〕感覚 referred sensation ······ 1661
肝鎌状間膜 falciform ligament of liver ······ 1035
肝鎌状間膜 ligamentum falciforme hepatis ······ 1043
肝レンズ核変性〔症〕 hepatolenticular degeneration ······ 481
関連性 relationship ······ 1588
関連痛 referred pain ······ 1337
関連痛の法則 law of referred pain ······ 1008
カンレンボク Camptotheca acuminata ··· 282
関連保健専門家 allied health professional 50
管路 duct ······ 563
眼ろう tabes optica ······ 1836
緩和 abatement ······ 1
緩和 relaxation ······ 1589
緩和銀蛋白 mild silver protein ······ 1685
緩和ケア palliative care ······ 302
緩和時間 relaxation time (τ) ······ 1893
緩和する mitigate ······ 1160
緩和精神安定薬 minor tranquilizer ······ 1916
緩和性の lenitive ······ 1019
緩和薬 emollient ······ 604
緩和薬 lenitive ······ 1019
緩和薬 malagma ······ 1094

キ

樹 arbor ······ 123
器 apparatus ······ 118
器 organum ······ 1313
基 group ······ 803
基 radical ······ 1542
期 age ······ 35
期 phase ······ 1401
キース-ワゲナー網膜変化 Keith-Wagener retinal change (KW) ······ 339
キーセルバッハ野 Kiesselbach area ······ 129
キームス chyme ······ 361
キームス化 chymopoiesis ······ 361
キーラン(ケーランド)鉗子 Kjelland forceps ······ 727
キーリアーン線 Kilian line ······ 1050
キールナン腔(隙) Kiernan space ······ 1704
キール分類 Kiel classification ······ 371
キーン手術 Keen operation ······ 1305
キーンズ-セイアー症候群 Kearns-Sayre syndrome ······ 1809
キーンベック病 Kienböck disease ······ 535
ギー音 sibilant rale ······ 1547
ギームザ染料 Giemsa stain ······ 1731
ギールケ細胞 Gierke cells ······ 321
偽〔性〕アイユーム pseudo-ainhum ······ 1511
偽悪性腫瘍 pseudomalignancy ······ 1513
キアスマ chiasm ······ 343
キアスマ症候群 chiasma syndrome ······ 1800
気圧 atmosphere ······ 170
気圧 barometric pressure (P_B) ······ 1482
気圧拡張器 pneumatic dilator ······ 519
気圧計 aerotonometer ······ 32
〔自記〕気圧計 barograph ······ 197
気圧障害 barotrauma ······ 197
気圧性耳障害 otic barotrauma ······ 197
気圧性中耳炎 barotitis media ······ 197
気圧性副鼻腔障害 sinus barotrauma ······ 197
気圧性副鼻腔炎 barosinusitis ······ 197
気圧療法 aeropiesotherapy ······ 32
偽〔性〕アナフィラキシー pseudoanaphylaxis ······ 1511
キアーリ症候群 Chiari syndrome ······ 1800
キアーリII症候群 Chiari II syndrome ··· 1800
キアーリ-フロンメル症候群 Chiari-Frommel syndrome ······ 1800
キアーリ網 Chiari net ······ 1244
偽アルカロイド類 pseudoalkaloids ······ 1511
希アルコール dilute alcohol ······ 44
偽〔性〕アルブミン尿〔症〕 pseudalbuminuria ······ 1510
偽〔性〕アンギナ false angina ······ 83
偽〔性〕アンギナ angina spuria ······ 83
奇異呼吸 paradoxical respiration ······ 1595
奇異膝蓋〔腱〕反射 paradoxic patellar reflex ······ 1581
奇異性収縮 paradoxical contraction ······ 417
奇異性声帯ひだ運動 paradoxic vocal fold movement ······ 1174
奇異〔性〕塞栓症 paradoxical embolism ··· 601
奇異性鼻甲介 paradoxic turbinate ······ 1954
偽遺伝子 pseudogene ······ 1512
基移動 group transfer ······ 1918
奇異瞳孔反射 paradoxic pupillary reflex 1581
奇異反射 paradoxic reflex ······ 1580
偽〔性〕イレウス pseudoileus ······ 1513
偽陰性 false negative ······ 670

偽陰性〔の成績〕 false negative ··· 670
偽陰性反応 false-negative reaction ··· 1564
偽〔性〕インフルエンザ pseudoinfluenza 1513
偽〔性〕運動めまい sham-movement vertigo ··· 2016
気-液クロマトグラフィ gas-liquid chromatography (GLC) ··· 357
偽〔性〕円形脱毛〔症〕 pseudo-alopecia areata ··· 1511
希塩酸 diluted hydrochloric acid ··· 871
偽〔性〕延髄麻痺の pseudobulbar ··· 1511
偽〔性〕円柱 false cast ··· 309
偽〔性〕黄色腫細胞 pseudoxanthoma cell 325
既往性反応 anamnestic reaction ··· 1563
偽〔性〕黄疸 pseudoicterus ··· 1513
偽〔性〕嘔吐 pseudovomiting ··· 1516
既往〔歴〕の anamnestic ··· 71
偽黄斑 false macula ··· 1091
既往歴 anamnesis ··· 71
記憶 anamnesis ··· 71
記憶 memory ··· 1128
記憶B細胞 memory B cells ··· 323
記憶T細胞 memory T cells ··· 323
記憶減退 hypomnesia ··· 894
記憶痕跡 engram ··· 617
記憶錯誤 retrospective falsification ··· 670
記憶錯誤 paramnesia ··· 1351
記憶術 mnemonics ··· 1161
記憶消失(喪失) amnesia ··· 62
記憶増進 hypermnesia ··· 883
記憶能 mneme ··· 1161
記憶範囲 memory span ··· 1706
記憶力 mneme ··· 1161
記憶力増進の mnemonic ··· 1161
記憶ループ memory loop ··· 1069
記憶を助ける anamnestic ··· 71
キオステルペンチン Chian turpentine ··· 1955
基音 fundamental tone ··· 1899
キオン属 *Senecio* ··· 1660
気化 evaporation ··· 649
気化 vaporization ··· 1987
飢餓 hunger ··· 867
飢餓 starvation ··· 1738
器械 appliance ··· 120
器械 instrument ··· 940
器械 machine ··· 1088
機械換気(呼吸) mechanical ventilation 2010
機械恐怖〔症〕 mechanophobia ··· 1114
期外収縮 premature beat ··· 203
期外収縮 premature contraction ··· 417
期外収縮 extrasystole ··· 658
期外収縮後T波 postextrasystolic T wave ··· 2042
器械使用 instrumentation ··· 941
幾何異性 geometric isomerism ··· 961
機械性月経困難〔症〕 mechanical dysmenorrhea ··· 573
幾何異性体 geometric isomer ··· 961
機械的イレウス mechanical ileus ··· 906
機械的学習 rote learning ··· 1015
機械的解毒薬 mechanical antidote ··· 102
機械的交互脈 mechanical alternation of the heart ··· 54
機械的混合物 mixture ··· 1161
機械的雑音 machinery murmur ··· 1180
機械的斜視 mechanical strabismus ··· 1750
機械的受容器 mechanoreceptor ··· 1114
機械的知能 mechanical intelligence ··· 943
機械的瞳孔形成術 mechanical corepraxy 423
機械的な mechanical ··· 1114
機械的平衡咬合 mechanically balanced occlusion ··· 1290
機械的閉塞〔症〕 mechanical obstruction 1289
機械的ベクター mechanical vector ··· 1992
機械的めまい mechanical vertigo ··· 2016
機械〔的〕療法 mechanotherapy ··· 1114
機械電気(メカノエレクトリック)変換 mechanoelectric transduction ··· 1917
機械様雑音 machinery murmur ··· 1180
幾何学的感覚 geometric sense ··· 1661
気化器 vaporizer ··· 1987
偽家禽ペスト pseudofowl pest ··· 1396
気学 pneumatics ··· 1447
疑核 ambiguous ··· 56
疑核 ambiguus nucleus ··· 1272
疑核 nucleus ambiguus ··· 1272
規格化 normalization ··· 1267
偽〔性〕顎前突 pseudoprognathism ··· 1515
偽〔性〕拡張期の pseudodiastolic ··· 1512
義角膜形成術 prosthokeratoplasty ··· 1501
偽隔離症 pseudohypertelorism ··· 1513
飢餓収縮 hunger contractions ··· 417
飢餓腫脹 hunger swelling ··· 1789
希(貴)ガス noble gases ··· 757
飢餓衰弱 limophthisis ··· 1048
飢餓〔性〕衰弱 inanition ··· 918
偽〔性〕化生 pseudometaplasia ··· 1514
飢餓性アシドーシス starvation acidosis ··· 15
気化性麻酔薬 volatile anesthetic ··· 81
偽〔性〕喀血 pseudohemoptysis ··· 1512
飢餓糖尿病 starvation diabetes ··· 507
気化熱 heat of evaporation ··· 821
飢餓熱 inanition fever ··· 684
偽〔性〕過敏症(性) pseudoanaphylaxis ··· 1511
幾何平均 geometric mean ··· 1112
気管 trachea ··· 1908
気管 air tube ··· 1941
気管 windpipe ··· 2046
器官 organ ··· 1311
器官 organum ··· 1313
期間 period ··· 1389
〔持続〕期間 duration (D) ··· 568
義眼 artificial eye ··· 659
義眼 ocular prosthesis ··· 1501
気管咽頭の tracheopharyngeal ··· 1909
気管炎 tracheitis ··· 1908
気管芽 tracheal bud ··· 264
気管開口〔形成〕術 tracheostomy ··· 1909
気管開窓術 tracheal fenestration ··· 680
気管外の extratracheal ··· 658
気管潰瘍 tracheal ulceration ··· 1961
器官学 organography ··· 1313
器官学 organology ··· 1313
偽感覚 pseudesthesia ··· 1510
気管カニューレ tracheostomy tube ··· 1942
気管気管支運動不全 tracheobronchial dyskinesia ··· 573
気管気管支炎 tracheobronchitis ··· 1909
気管気管支鏡〔検査〕法 tracheobronchoscopy ··· 1909
気管気管支憩室 tracheobronchial diverticulum ··· 552
気管気管支骨新生症 tracheobroncheopathia osteoplastica ··· 1909
気管気管支の tracheobronchial ··· 1909
気管気腫 tracheoaerocele ··· 1908
気管鏡 tracheoscope ··· 1909
気管鏡〔検査〕法 tracheoscopy ··· 1909
気管狭窄〔症〕 tracheostenosis ··· 1909
気管胸部 thoracic part of trachea ··· 1368
気管筋 trachealis (muscle) ··· 1196
気管筋 musculus trachealis ··· 1204
偽〔性〕杆菌 pseudobacillus ··· 1511
気管筋層 muscular coat of trachea ··· 383
気管筋層 muscular layer of trachea ··· 1012
器官系 system ··· 1829
器官形成 organogenesis ··· 1313
気管形成〔術〕 tracheoplasty ··· 1909
気管牽引 tracheal tug ··· 1949
偽〔性〕眼瞼下垂〔症〕 pseudoptosis ··· 1515
気管喉頭の tracheolaryngeal ··· 1909
偽〔性〕肝硬変〔症〕 pseudocirrhosis ··· 1511
気管呼吸 tubular respiration ··· 1595
気管骨形成〔症〕 tracheopathia osteoplastica ··· 1909
気管骨新生〔症〕 tracheopathia osteoplastica ··· 1909
気管鎖骨筋 tracheloclavicular muscle ··· 1196
気管鎖骨筋 musculus tracheloclavicularis ··· 1204
気管支 bronchia ··· 258
気管支 bronchus ··· 260
気管支 bronchial tubes ··· 1941
気管枝 tracheal branches ··· 254
気管枝 rami tracheales ··· 1557
気管支運動の bronchomotor ··· 260
気管支炎 bronchitis ··· 259
気管支炎性ぜん息 bronchitic asthma ··· 164
気管支芽 bronchial bud ··· 263
気管支外分泌細胞 bronchiolar exocrine cell ··· 320
気管支拡張 bronchodilation ··· 259
気管支拡張〔症〕 bronchiectasis ··· 258
気管支拡張〔性〕の bronchodilator ··· 259
気管支拡張ラ音 atelectatic rale ··· 1546
気管支幹 stem bronchus ··· 261
気管支気管の bronchotracheal ··· 260
気管支鏡 bronchoscope ··· 260
気管支鏡〔鉗子口用〕ブラシ bronchoscopic brush ··· 262
気管支胸腔瘻 bronchopleural fistula (BPF) ··· 704
気管支鏡検査〔法〕 bronchoscopy ··· 260
気管支狭窄 bronchostenosis ··· 260
気管支狭窄〔症〕 bronchial stenosis ··· 1742
気管支胸膜皮膚瘻 bronchopleural-cutaneous fistula ··· 704
〔気管支〕筋層 muscular coat of bronchi 383
〔気管支〕筋層 muscular layer of bronchi ··· 1011
〔気管支〕筋層 tunica muscularis bronchiorum ··· 1953
気管支空洞の bronchocavernous ··· 259
気管支形成〔術〕 bronchoplasty ··· 260
気管支痙攣 bronchospasm ··· 260
気管支結石 broncholith ··· 260
気管支結石症 broncholithiasis ··· 260
気管支原性の bronchogenic ··· 259
気管支呼吸 bronchial respiration ··· 1595
気管支呼吸計 bronchospirometer ··· 260
気管支呼吸計測〔法〕 bronchospirography 260
〔左右別〕気管支呼吸測定器 bronchospirometer ··· 260
気管支造影(撮影)〔法〕 bronchography ··· 259
気管支造影(撮影)図 bronchogram ··· 259
気管支枝 bronchial branches ··· 243
気管支枝 rami bronchiales ··· 1548
気管支周囲炎 peribronchitis ··· 1386
気管支周囲の peribronchial ··· 1386
気管支縦隔リンパ本幹 truncus (lymphaticus) bronchiomediastinalis 1938
気管支縦隔リンパ本幹 bronchomediastinal (lymphatic) trunk ··· 1938
気管支収縮 bronchoconstriction ··· 259
気管支収縮〔性〕の bronchoconstrictor ··· 259
気管支小泡性呼吸 bronchovesicular respiration ··· 1595
気管支静脈 bronchial veins ··· 1994
気管支静脈 venae bronchiales ··· 2004
気管支食道鏡検査〔法〕 bronchoesophagoscopy ··· 259
気管支食道筋 bronchoesophageal muscle ··· 1182
気管支食道筋 bronchoesophageus (muscle) ··· 1182
気管支食道筋 musculus bronchoesophageus ··· 1199
気管支真菌症 bronchomycosis ··· 260

キ

気管支振とう音 bronchial fremitus ········ 740
気管支声 bronchophony ························ 260
気管支性呼吸 bronchial breathing ·········· 256
気管支性呼吸音 bronchial breath sounds ··· 1702
気管支性嚢胞 bronchogenic cyst ············ 458
気管支切開〔術〕 bronchotomy ················ 260
気管支腺 bronchial glands ····················· 772
気管支腺 glandulae bronchiales ·············· 775
気管支ぜん息 bronchial asthma ·············· 164
気管支造瘻術 bronchostomy ··················· 260
気管支端端吻合術 bronchial anastomoses 73
気管支胆道瘻 bronchobiliary fistula ········ 704
気管支動脈 bronchial arteries ··············· 143
気管支動脈撮影 bronchial arteriography 139
気管支内挿管 endobronchial tube ········· 1941
気管支内の intrabronchial ···················· 949
気管支軟化〔症〕 bronchomalacia ·············· 260
気管支粘液腺腺腫 bronchial mucous gland adenoma ·· 25
気管支粘膜 mucous membrane of bronchus ··· 1126
気管支粘膜 mucosa of bronchi ············ 1176
気管支粘膜 tunica mucosa bronchi ······· 1953
気管支粘膜下組織 submucosa of bronchus ··· 1764
気管支膿瘍瘻 bronchocavitary fistula ····· 704
気管支の線維筋軟骨層 fibromusculocartilagenous layer of bronchi ··· 1010
気管支のムコイド嵌頓 mucoid impaction of bronchus ·· 260
気管支肺形成異常(異形成) bronchopulmonary dysplasia ················ 575
気管支肺炎 bronchopneumonia ·············· 260
気管支肺機能測定 bronchospirometry ····· 260
気管支肺区域 bronchopulmonary segment ··· 1654
気管支肺区域 segmentum bronchopulmonale ··· 1656
気管支敗血症菌 *Bordetella bronchiseptica* 236
気管支肺の bronchopulmonary (BP) ······ 260
気管支肺分離片形成〔症〕 bronchopulmonary sequestration ·································· 1665
気管支肺胞液 bronchoalveolar fluid ········ 714
気管支肺胞性呼吸 bronchovesicular respiration ·································· 1595
気管支肺胞性呼吸音 bronchovesicular breath sounds ······························· 1702
気管支肺胞洗浄 bronchoalveolar lavage (BAL) ······································ 1005
気管支肺胞の bronchovesicular ············· 260
〔左右別〕気管支肺容量測定〔法〕 bronchospirography ···························· 260
〔左右別〕気管支肺容量測定〔法〕 bronchospirometry ···························· 260
〔左右別〕気管支肺容量測定器 bronchospirometer ···························· 260
気管支肺リンパ節 bronchopulmonary lymph nodes ··· 1077
気管支浮腫 bronchoedema ··················· 259
気管支閉鎖 bronchial atresia ················ 171
気管支ヘルニア bronchocele ················· 259
気管支縫合〔術〕 bronchorrhaphy ············ 260
気管支ポリープ bronchial polyp ··········· 1463
気管周囲腔 precarinal space ················ 1705
気管周囲の peritracheal ······················ 1393
気管出血 tracheorrhagia ······················ 1909
気管静脈 tracheal veins ······················ 2003
気管静脈 venae tracheales ··················· 2008
気管食道科学 bronchoesophagology ········ 259
気管食道穿刺 tracheoesophageal puncture ··· 1527
気管食道の tracheoesophageal ············· 1909
気管食道発声 tracheoesophageal speech 1709
気管食道ひだ tracheoesophageal fold ······ 720
気管食道隆起 tracheoesophageal ridge ··· 1616
気管食道稜 tracheoesophageal crest ······· 438
気管食道瘻 bronchoesophageal fistula ····· 704
気管食道瘻 tracheoesophageal fistula ······ 706
気管支瘤 bronchocele ·························· 259
気管支漏 bronchorrhea ························ 260
気管靱帯 ligamenta trachealia ············ 1046
偽眼振の nystagmoid ·························· 1285
気管スタイレット endotracheal stylet ··· 1761
気管性呼吸音 tracheal breath sounds ···· 1702
義眼製造者 ocularist ·························· 1291
偽関節 nonunion ································ 1267
偽関節 pseudarthrosis ························ 1510
偽関節 faulty union ··························· 1964
気管切開〔術〕 tracheostomy ················ 1909
気管切開〔術〕 tracheotomy ················· 1909
気管切開鉤 tracheostomy hook ·············· 862
気管切開刀 tracheotome ······················ 1909
気関節造影 arthropneumoradiography ····· 156
基関節反射 basal joint reflex ·············· 1577
気管腺 tracheal glands ························ 775
気管腺 glandulae tracheales ················· 776
偽感染 pseudoinfection ························ 1513
気管線条 tracheal wall stripe ·············· 1757
気管前の pretracheal ·························· 1483
気管前リンパ節 pretracheal lymph nodes ··· 1080
気管〔内〕挿管 tracheal intubation ··········· 952
気管胆道瘻 tracheobiliary fistula ··········· 706
気管胆道の tracheobiliary ··················· 1908
気管虫 gapeworm ································ 756
気管チューブ tracheal tube ················ 1942
気管聴診音 tracheophony ····················· 1909
気管聴診法 tracheophonesis ················· 1909
気管痛 trachealgia ······························ 1908
器官特異性抗原 organ-specific antigen ···· 104
器官特異〔的〕の organ-specific ············· 1313
ギガントリンクス属 *Gigantorhynchus* ····· 769
気管内挿管 endotracheal intubation ········ 951
気管内の endotracheal ························· 616
気管内麻酔〔法〕 endotracheal anesthesia ··· 79
気管軟化〔症〕 tracheomalacia ················ 1909
気管軟骨 cartilagines tracheales ············ 307
気管軟骨 tracheal cartilages ················· 307
〔気管〕粘膜 mucosa of trachea ············· 1177
〔気管〕粘膜 tracheal mucosa ················ 1177
〔気管〕粘膜 tunica mucosa tracheae ······ 1953
気管の tubular ·································· 1948
器官の organic ································· 1312
偽還納 reduction en masse ················· 1575
器官培養 organ culture ························ 448
器官発生 organogenesis ······················ 1313
気管肥大症 tracheomegaly ··················· 1909
気管病〔症〕 tracheopathia, tracheopathy 1909
気管フィステル tracheostoma ··············· 1909
気管分岐部 bifurcatio tracheae ·············· 210
気管分岐部 tracheal bifurcation ············ 210
気管傍リンパ節 paratracheal lymph node ··· 1080
〔気管〕膜性壁 paries membranaceus tracheae ·· 1356
〔気管〕膜性壁 membranous wall of trachea ··· 2039
器官命名法 organonymy ······················ 1313
器官容積計 oncometer ························ 1300
器官容積測定〔法〕 oncometry ················ 1300
器官容積描写器 oncograph ·················· 1300
器官容積描写法 oncography ················· 1300
器官様の organoid ····························· 1313
気管瘤 tracheocele ···························· 1909
気管竜骨 carina of trachea ·················· 303
気管輪状靱帯 anular ligaments of trachea ··· 1033
気管輪状靱帯 ligamenta anularia trachealia ··· 1042
気管裂 tracheoschisis ························· 1909
気管瘻 tracheostoma ·························· 1909
機器 instrument ································· 940
偽〔性〕記憶 pseudomnesia ··················· 1514
偽記憶症候群 false memory syndrome 1804
危機介入 crisis intervention ················· 948
偽寄生生物 pseudoparasite ·················· 1514
利き手 handedness ······························ 814
利き眼 dominant eye ··························· 659
基脚 stylopodium ······························ 1762
偽嗅 pseudosmia ······························· 1515
気球細胞 balloon cell ·························· 319
気球細胞母斑 balloon cell nevus ·········· 1254
擬給食 sham feeding ··························· 679
偽牛痘 pseudocowpox ························· 1511
偽牛痘ウイルス pseudocowpox virus ···· 2028
気球病 balloon sickness ······················ 1676
偽〔性〕球麻痺の pseudobulbar ·············· 1511
気胸〔症,術〕 pneumothorax ·················· 1451
帰郷恐怖〔症〕 nostophobia ·················· 1269
偽〔性〕凝集〔反応〕 pseudoagglutination ····· 1511
偽〔性〕狭心症 pseudoangina ················· 1511
偽強直 pseudoankylosis ······················· 1511
気胸膜炎 pneumopleuritis ···················· 1451
気〔中〕菌糸〔体〕 aerial mycelium ·········· 1207
偽〔性〕菌糸 pseudohypha ···················· 1513
偽〔性〕近視 pseudomyopia ··················· 1514
偽菌糸体 pseudomycelium ···················· 1514
貴金属 noble metal ··························· 1139
貴金属合金 noble alloy ························ 52
飢饉浮腫 famine dropsy ······················ 561
聞く hear ·· 819
器具 appliance ·································· 120
器具 armamentarium ·························· 132
器具 instrument ································· 940
気腔 airspace ····································· 40
偽腔 false lumen ······························ 1071
偽空胞 pseudovacuole ························ 1515
キクカルボン酸 chrysanthemum-carboxylic acids ··· 360
菊座 rosette ···································· 1623
器具使用 instrumentation ····················· 941
器具整備函 instrumentarium ················· 941
菊地病 Kikuchi disease ························ 535
木靴心 coeur en sabot ························· 388
ギグリ(ジーリー)のこぎり Gigli saw ··· 1637
偽〔性〕クループ pseudocroup ················ 1511
偽グレーフェ現象 pseudo-Graefe phenomenon ····································· 1405
偽〔性〕グレーフェ徴候 pseudo-Graefe sign ··· 1683
偽〔性〕クロ〔ー〕ヌス pseudoclonus ········ 1511
キクロプス症 cyclopia ························ 456
基型 type ······································· 1957
奇形 abnormality ································· 3
奇形 anomaly ····································· 93
奇形 deformity ·································· 479
奇形 malformation ···························· 1095
奇形 teratism ··································· 1851
奇形 teratosis ·································· 1852
奇形学 teratology ······························ 1851
奇形芽腫 teratoblastoma ····················· 1851
奇形癌 teratocarcinoma ······················ 1851
奇形恐怖〔症〕 teratophobia ·················· 1852
奇形児 teras ···································· 1851
偽〔性〕憩室 pseudodiverticulum ············ 1512
奇形腫 teratoma ······························· 1852
奇形腫 organoid tumor ······················ 1951
奇形腫 teratoid tumor ······················· 1952
奇形腫嚢胞(嚢腫) teratomatous cyst ······ 460
奇形〔腫〕様の teratoid ························ 1851
奇形症候群 anomalad ··························· 93
奇形性えん下困難 dysphagia lusoria ······· 574
奇形精子症 teratozoospermia ················ 1852
奇形赤血球 poikilocyte ······················· 1453
奇形赤血球〔症〕 poikilocytosis ·············· 1453
奇形動脈 arteria lusoria ······················ 136

奇形発生 teratogenesis 1851
奇形発生の teratogenic, teratogenetic 1851
偽〔性〕下疳 pseudochancre 1511
気血〔症〕 pneumohemia 1449
偽結核エルジニア菌 *Yersinia pseudotuberculosis* 2056
偽結核結節 pseudotubercle 1515
偽〔性〕月経 pseudomenstruation 1514
偽血小板 pseudoplatelet 1515
偽血精液症 hemospermia spuria 836
偽〔性〕結石症 pseudolithiasis 1513
〔臍帯の〕偽結節 false knots, false knots of umbilical cord 988
偽〔性〕血尿 pseudohematuria 1512
危険〔度,性〕 risk 1618
機嫌 mood 1169
危険因子 risk factor 669
危険限界 critical limit 1048
偽腱索 false chordae tendineae 354
偽元性 pseudoauthenticity 1511
危険臓器 critical organ 1311
危険〔的〕な critical 441
機構 mechanism 1114
機構 organization 1312
記号 symbol 1790
偽口 pseudostoma 1515
偽〔性〕硬化〔症〕 pseudosclerosis 1515
気候学 climatology 374
記号学 semiotics, semeiotics 1659
偽高カリウム血症 pseudohyperkalemia 1513
起交感眼 exciting eye 659
擬梗子 adelophialide 24
偽(擬)膠質 pseudocolloid 1511
偽〔性〕〔神経〕膠腫 pseudoglioma 1512
気候順化(馴化,順応) acclimatization 10
気候図 climograph 374
気候性角膜症 climatic keratopathy 980
記号の semiotic, semeiotic 1659
記号番号 code 386
気候療法 climatotherapy 374
記号論 semiotics, semeiotics 1659
偽〔性〕黒色症 pseudomelanosis 1514
偽ゴーシェ細胞 pseudo-Gaucher cell 325
偽〔性〕骨折 pseudofracture 1512
偽〔性〕骨軟化〔症〕 pseudoosteomalacia 1514
偽骨軟化症性骨盤 pseudoosteomalacic pelvis 1379
偽コリンエステラーゼ pseudocholinesterase 1511
偽コリンエステラーゼ欠損〔症〕 pseudocholinesterase deficiency 479
偽(擬)コロイド pseudocolloid 1511
基剤 base 199
偽〔性〕細菌 pseudobacterium 1511
起座〔位〕呼吸姿勢 orthopneic position 1470
輝細胞 glitter cells 321
希酢酸 diluted acetic acid 11
偽〔性〕錯聴 false paracusis 1348
起座呼吸 orthopnea 1316
気擦傷 windage 2046
ギ酸 formic acid 729
ギ酸エチル ethyl formate 646
キサンチノールナイアシネート xanthinol niacinate, xanthinol nicotinate 2051
キサンチル xanthyl 2052
キサンチル酸 xanthylic acid 2052
キサンチン xanthine (Xan) 2051
キサンチンオキシダーゼ xanthine oxidase 1330
キサンチン染料 xanthene dyes 570
キサンチンデヒドロゲナーゼ xanthine dehydrogenase 2051
キサンチン尿〔症〕 xanthinuria 2051
キサンテン xanthene 2051
キサントクロミー xanthochromia 2051
キサントシン xanthosine (X, Xao) 2052
キサントシン5′一リン酸 xanthosine 5′-monophosphate (XMP) 2052
キサントシン5′-三リン酸 xanthosine 5′-triphosphate (XTP) 2052
キサントフィル xanthophyll 2052
キサントプロテイン xanthoprotein 2052
キサントプロテイン酸 xanthoproteic acid 2052
キサントプロテイン反応 xanthoprotein reaction 1568
キサントヘマチン xanthematin 2051
キサントーマ xanthoma 2051
キサントモナス属 *Xanthomonas* 2052
キサントモナスマルトフィラ *Xanthomonas maltophilia* 2052
揮散力 fugacity (f) 743
起始 origin 1314
起子 levator 1029
奇肢〔症〕 ectromelia 586
義歯 denture 489
義歯 dental prosthesis 1501
義歯 prosthesis 1501
義歯安定性 denture stability 1726
義歯維持 denture retention 1599
義歯維持構造 denture-supporting structures 1760
義歯印象面 denture impression surface 1781
起始核 nuclei of origin 1277
起始核 nucleus originis 1278
義歯学 dental prosthetics 1501
儀式 ritual 1619
偽〔性〕色汗〔症〕 pseudochromidrosis, pseudochromhidrosis 1511
擬似寄生生物 spurious parasite 1354
義歯基底面 denture foundation surface 1781
偽糸球体 pseudoglomerulus 1512
既視現象 déjà vu phenomenon 1404
義歯研磨面 denture polished surface 1781
義歯咬合面 denture occlusal surface 1781
義歯サービス denture service 490
奇四肢症 tetraperomelia 1872
奇肢症 peromelia, peromely 1394
義歯床 denture base 199
擬自症 appersonation, appersonification 120
〔義歯〕床縁 denture border 234
義歯床材 base material 1110
偽シスト pseudocyst 1512
義歯性口内炎 denture sore mouth 1173
義歯性線維症 denture hyperplasia 886
擬似性肥大 simulated hypertrophy 889
義歯設計 design denture 489
基質 framework 739
基質 matrix 1110
基質 stroma 1759
基質 ground substance 1765
基質 substrate (S) 1767
気質 temper 1848
気質 temperament 1848
器質化 organization 1312
器質化肺炎を伴う閉塞性細気管支炎 bronchiolitis obliterans with organizing pneumonia (BOOP) 259
基質結石 matrix calculus 278
器質〔性〕幻覚症 organic hallucinosis 813
偽〔性〕失書〔症〕 pseudagraphia 1510
基質小胞 matrix vesicles 2016
器質性気分障害 organic mood syndrome (OMS) 1814
器質性狭窄〔症〕 organic stricture 1757
器質性拘縮 organic contracture 417
器質性雑音 organic murmur 1180
器質性疾患 organic disease 538
器質性頭痛 organic headache 818
器質性精神障害 organic mental disorder 546
器質〔性〕疼痛 organic pain 1337
基質性難聴 organic hearing impairment 820
器質性めまい organic vertigo 2016
器質〔性〕妄想 organic delusions 485
基質阻害 substrate inhibition 933
基質特異性 substrate specificity 1707
基質内の intrastromal 951
基質の matrical 1110
器質脳症候群 organic brain syndrome (OBS) 1814
器質病説 organicism 1312
器質病説者 organicist 1312
基質レベルのリン酸化 substrate-level phosphorylation 1416
義歯塡入 denture packing 1336
義歯の特性付け denture characterization 340
義歯の予後 denture prognosis 1495
擬似非政府機関 quango 1537
義歯負担域 basal seat area 128
義歯負担域 denture foundation area 129
偽〔性〕ジフテリア pseudodiphtheria 1512
偽ジフテリア菌 *Corynebacterium pseudodiphtheriticum* 429
義歯ブラシ denture brush 262
義歯フレンジ denture flange 709
偽〔性〕脂肪腫 pseudolipoma 1513
キジ目 Galliformes 750
希釈 dilution 520
希釈性低ナトリウム血〔症〕 dilutional hyponatremia 895
希釈尿過多排泄 hydrodiuresis 872
希釈溶液 dilution 520
希釈ラッセルクサリヘビ毒検査 dilute Russell viper venom test (DRVVT) 1856
偽斜視 pseudostrabismus 1515
気腫 emphysema 605
気腫 pneumatosis 1447
キジュ Camptotheca acuminata 282
気縦隔症 pneumomediastinum 1449
偽柔組織 pseudoparenchyma 1514
擬充尾虫 plerocercoid 1437
気腫性胆囊炎 emphysematous cholecystitis 349
気腫性腹膜炎 pneumoperitonitis 1451
気腫性膀胱炎 emphysematous cystitis 462
気腫膣炎 vaginitis emphysematosa 1982
記述解剖学 descriptive anatomy 74
技術者 technologist 1845
記述統計 descriptive statistics 1740
技術の technical 1844
気腫肺減量術 lung volume reduction surgery 1784
気腫瘍 pneumatosis coli 1447
偽腫瘍 pseudotumor 1515
基準化 normalization 1267
基準関連妥当性 criterion-related validity 1983
基準気圧の normobaric 1267
基準種 type species 1707
基準電極 indifferent electrode 594
基準電極 reference electrode 594
基準培養株 type culture 448
基準法 definitive method 1143
基準面 datum plane 1430
基準容積 standard volume 2036
気症 pneumatosis 1447
基条 costa 430
擬症 mimesis 1158
気象向性の meteorotropic 1141
偽〔性〕猩紅熱 pseudoscarlatina 1515
起床時大発作を伴うてんかん epilepsy with grand mal seizures on awakening 629
希少疾患 orphan disease 538
騎乗大動脈 overriding aorta 111
擬症の mimetic 1158
偽上皮腫性増殖〔症〕 pseudoepitheliomatous hyperplasia, pseudocarcinomatous hyperplasia 886

気象病 meteoropathy 1141
義歯用フラスコ denture flask 711
奇静脈 azygos vein 1994
奇静脈 vena azygos 2004
奇静脈弓 arch of azygos vein 125
奇静脈弓リンパ節 lymph node of arch of azygos vein 1077
奇静脈弓リンパ節 lymph node of azygos arch 1077
奇静脈撮影(造影)〔法〕 azygography 186
奇静脈撮影(造影)写真 azygogram 186
奇静脈写 azygography 186
奇静脈食道陥凹 azygoesophageal recess 1571
奇静脈葉間裂 azygos fissure 702
〔下大静脈の〕奇静脈連続 azygos continuation (of the inferior vena cava) 186
偽〔性〕色汗〔症〕 pseudochromidrosis, pseudochromhidrosis 1511
偽〔性〕書字不能〔症〕 pseudagraphia 1510
偽〔性〕女性化乳房 pseudogynecomastia 1512
キシラジン xylazine 2053
キシリジン xylidine 2053
キシリトール xylitol 2053
キシリル xylyl 2054
キシリレン xylylene 2054
キジ類の gallinaceous 750
キシルロース xylulose 2054
キシルロース5-リン酸 xylulose 5-phosphate 2054
キシルロースレダクターゼ xylulose reductase 2054
キシレノール xylenol 2053
キシレン xylene 2053
キシレンシアノールFF xylene cyanol FF 2053
キシロース xylose (Xy, Xyl) 2054
キシロース試験 xylose test 1868
キシロビオース xylobiose 2053
キシロピラノース xylopyranose 2054
キシロール xylol 2053
キシロン酸 xylonic acid 2054
気心〔症〕 pneumatocardia 1447
擬人化 anthropomorphism 99
偽〔性〕親近感 pseudocollusion 1511
偽〔性〕〔神経〕膠腫 pseudoglioma 1512
偽神経症性統合失調症 pseudoneurotic schizophrenia 1644
偽〔性〕神経節 pseudoganglion 1512
偽真正 pseudoauthenticity 1511
輝尽性蛍光体 photostimulable phosphor 1415
偽〔性〕新生物 pseudoneoplasm 1514
基靱帯 cardinal ligament 1033
偽〔性〕靱帯内の pseudointraligamentous 1513
偽〔性〕心膜炎 pseudopericarditis 1514
気心膜症 pneumopericardium 1451
偽水晶体 pseudophakia 1514
偽水晶体振とう pseudophakodonesis 1514
偽〔性〕水腎〔症〕 pseudohydronephrosis 1513
偽〔性〕水頭〔症〕 pseudohydrocephaly 1513
偽〔性〕髄膜炎 pseudomeningitis 1514
基数 radix 1545
奇数の azygous 186
キスカル酸 quisqualic acid 1539
キスカル酸塩 quisqualate 1539
キストリン kistrin 986
きずな bonding 231
キス輪複合体 kissing-loop complex 402
奇性 azygos 186
寄生 metabiosis 1138
寄生 parasitism 1354
機制 mechanism 1114
規制 control 417
偽〔性〕アナフィラキシー pseudoanaphylaxis 1511
偽〔性〕アルブミン尿〔症〕 pseudalbuminuria 1510
偽〔性〕アンギナ false angina 83
偽〔性〕アンギナ angina spuria 83
偽〔性〕イレウス pseudoileus 1513
偽〔性〕インフルエンザ pseudoinfluenza 1513
偽性右心症 pseudodextrocardia 1512
偽〔性〕運動めまい sham-movement vertigo 2016
寄生栄養の paratrophic 1355
偽〔性〕円形脱毛〔症〕 pseudo-alopecia areata 1511
偽〔性〕延髄麻痺の pseudobulbar 1511
偽〔性〕黄疸 pseudoicterus 1513
偽〔性〕嘔吐 pseudovomiting 1516
偽〔性〕顎前突 pseudoprognathism 1515
偽〔性〕拡張期の pseudodiastolic 1512
偽〔性〕化生 pseudometaplasia 1514
偽〔性〕喀血 pseudohemoptysis 1512
偽〔性〕過敏症(性) pseudoanaphylaxis 1511
偽〔性〕杆菌 pseudobacillus 1511
寄生関係発生〔過程〕 parasitogenesis 1354
偽〔性〕眼瞼下垂〔症〕 pseudoptosis 1515
偽〔性〕肝硬変〔症〕 pseudocirrhosis 1511
偽〔性〕記憶 pseudomnesia 1514
偽(仮)性球麻痺 pseudobulbar palsy 1340
偽〔性〕球麻痺の pseudobulbar 1511
偽〔性〕凝集〔反応〕 pseudoagglutination 1511
偽性巨大結腸 pseudomegacolon 1514
寄生菌含有空胞 parasitophorous vacuole 1981
偽〔性〕菌糸 pseudohypha 1513
偽〔性〕近視 pseudomyopia 1514
寄生菌性色素脱失 achromia parasitica 14
偽〔性〕クループ pseudocroup 1511
偽〔性〕グレーフェ徴候 pseudo-Graefe sign 1683
偽〔性〕クロ〔ー〕ヌス pseudoclonus 1511
偽性グロブリン pseudoglobulin 1512
偽〔性〕憩室 pseudodiverticulum 1512
偽〔性〕下疳 pseudochancre 1511
偽〔性〕月経 pseudomenstruation 1514
偽性結合線 false conjugate 411
偽〔性〕結石症 pseudolithiasis 1513
偽〔性〕血尿 pseudohematuria 1512
偽性幻覚 pseudohallucination 1512
偽〔性〕硬化〔症〕 pseudosclerosis 1515
偽性口渇 false thirst 1885
偽性高血圧 pseudohypertension 1513
偽〔性〕〔神経〕膠腫 pseudoglioma 1512
偽性梗塞 pseudoinfarction 1513
偽〔性〕黒色症 pseudomelanosis 1514
偽〔性〕骨折 pseudofracture 1512
偽〔性〕骨軟化〔症〕 pseudoosteomalacia 1514
偽〔性〕細菌 pseudobacterium 1511
偽〔性〕錯聴 false paracusis 1348
偽〔性〕色汗〔症〕 pseudochromidrosis, pseudochromhidrosis 1511
偽性思春期早発症 pseudopuberty 1515
偽〔性〕失書〔症〕 pseudagraphia 1510
偽〔性〕ジフテリア pseudodiphtheria 1512
偽〔性〕脂肪腫 pseudolipoma 1513
偽〔性〕猩紅熱 pseudoscarlatina 1515
偽〔性〕書字不能〔症〕 pseudagraphia 1510
偽〔性〕女性化乳房 pseudogynecomastia 1512
擬成人化 adultomorphism 31
偽〔性〕親近感 pseudocollusion 1511
偽〔性〕神経節 pseudoganglion 1512
偽〔性〕新生物 pseudoneoplasm 1514
偽〔性〕靱帯内の pseudointraligamentous 1513
偽〔性〕精神病 pseudomania 1513
偽〔性〕心膜炎 pseudopericarditis 1514
偽〔性〕水腎〔症〕 pseudohydronephrosis 1513
偽〔性〕水頭〔症〕 pseudohydrocephaly 1513
偽〔性〕髄膜炎 pseudomeningitis 1514
偽性髄膜ヘルニア spurious meningocele 1129
偽性髄膜瘤 spurious meningocele 1129
偽〔性〕脊髄ろう(癆) pseudotabes 1515
寄生頭蓋結合体 craniopagus parasiticus 434
寄生性双生児(双胎) parasitic twin 1956
寄生生物 parasite 1354
寄生生物学 parasitology 1354
寄生生物学者 parasitologist 1354
寄生生物恐怖〔症〕 parasitophobia 1354
寄生生物向性 parasitotropism 1354
寄生生物症 parasitosis 1354
寄生生物親和性 parasitotropism 1354
偽〔性〕赤痢 pseudodysentery 1512
偽〔性〕先行〔症〕 pseudoapraxia 1511
偽〔性〕潜在精巣(睾丸)〔症〕 pseudocryptorchism 1511
偽〔性〕先端巨大(肥大)〔症〕 pseudacromegaly 1510
寄生体 parasite 1354
偽〔性〕体腔 pseudocelom 1511
偽性大動脈縮窄 pseudocoarctation of the aorta 111
偽〔性〕大動脈縮窄〔症〕 pseudocoarctation 1511
偽〔性〕脱落膜症 pseudodeciduosis 1512
偽〔性〕チアノーゼ false cyanosis 453
寄生虫 parasite 1354
寄生虫および寄生虫卵検査 ova and parasite examination 651
寄生虫学 parasitology 1354
寄生虫学者 parasitologist 1354
寄生虫感染 vermination 2013
寄生虫感染の vermiculose, vermiculous 2013
寄生虫血〔症〕 parasitemia 1354
偽〔性〕虫垂炎 pseudoappendicitis 1511
寄生虫性イレウス verminous ileus 906
寄生虫性喀血 parasitic hemoptysis 835
寄生虫性眼瞼炎 blepharitis parasitica 220
寄生虫性甲状腺炎 parasitic thyroiditis 1891
寄生虫性黒皮症 parasitic melanoderma 1121
寄生虫性湿疹 eczema parasiticum 586
寄生虫性赤痢 helminthic dysentery 571
寄生虫性虫垂炎 verminous appendicitis 120
寄生虫性嚢胞 parasitic cyst 460
寄生虫吐出 helminthemesis 823
寄生虫発生 vermination 2013
寄生虫病 parasitic disease 539
寄生虫病 invermination 952
偽〔性〕対麻痺 pseudoparaplegia 1514
偽〔性〕低ナトリウム血症 pseudohyponatremia 1513
偽〔性〕転位 pseudoheterotopia 1513
寄生頭蓋結合体 craniopagus parasiticus 434
偽〔性〕同色性の pseudoisochromatic 1513
偽〔性〕糖尿病 pseudodiabetes 1512
寄生動物 vermin 2013
偽〔性〕動脈瘤 pseudoaneurysm 1511
偽〔性〕頭瘤 pseudocephalocele 1511
偽〔性〕軟骨形成不全〔症〕 pseudoachondroplasia 1511
偽〔性〕軟骨性の pseudocartilaginous 1511
偽〔性〕乳頭水腫 pseudopapilledema 1514
偽〔性〕乳びの pseudochylous 1511
偽〔性〕乳び腹水 pseudochylous ascites 159
偽〔性〕粘液腫 pseudomyxoma 1514
偽〔性〕脳ヘルニア pseudocephalocele 1511
偽〔性〕嚢胞 pseudocyst 1512
偽〔性〕剥脱 pseudoexfoliation 1512
偽〔性〕バクテリア pseudobacterium 1511
偽〔性〕波動 pseudofluctuation 1512
偽〔性〕反応 pseudoreaction 1515
偽〔性〕肥大 pseudohypertrophy 1513
偽〔性〕貧血 pseudoanemia 1511
偽整復 reduction en masse 1575
偽性副甲状腺機能亢進症 pseudohyperparathyroidism 1513
偽性副甲状腺機能低下〔症〕 pseudohypoparathyroidism 1513

偽性副甲状腺機能低下症Ia型 pseudohypoparathyroidism type Ia …… 1513
偽性副甲状腺機能低下症Ib型 pseudohypoparathyroidism type Ib …… 1513
偽〔性〕不全麻痺 pseudoparesis …… 1514
規制物質 controlled substance …… 1765
偽〔性〕舞踏病 pseudochorea …… 1511
偽〔性〕分利 pseudocrisis …… 1511
寄生平滑筋腫 parasitic leiomyoma …… 1016
偽〔性〕ヘルニア pseudohernia …… 1513
偽〔性〕麻痺 pseudoparalysis …… 1514
偽〔性〕味覚 pseudogeusia …… 1512
偽性無月経 cryptomenorrhea …… 445
偽〔性〕メグズ(メイグス)症候群 pseudo-Meigs syndrome …… 1817
偽〔性〕メラノーシス pseudomelanosis …… 1514
偽〔性〕メレナ melena spuria …… 1123
偽〔性〕毛嚢炎 pseudofolliculitis …… 1512
寄生誘発の parasitogenic …… 1354
偽〔性〕翼状片 pseudopterygium …… 1515
偽〔性〕落屑 pseudoexfoliation …… 1512
偽〔性〕リウマチ pseudorheumatism …… 1515
偽性リウマチ結節 pseudorheumatoid nodules …… 1262
偽〔性〕リンパ球 pseudolymphocyte …… 1513
偽〔性〕リンパ腫 pseudolymphoma …… 1513
偽〔性〕類円柱〔体〕 pseudocylindroid …… 1512
偽〔性〕ロゼット pseudorosette …… 1515
軌跡 tracing …… 1910
気脊柱〔症〕 pneumorrhachis …… 1451
偽脊椎 false vertebrae …… 2015
偽〔性〕赤痢 pseudodysentery …… 1512
季節 season …… 1652
基節骨短屈指症 brachybasocamptodactyly …… 239
基節骨短縮〔症〕 brachybasophalangia …… 239
気絶心筋 stunned myocardium …… 1212
気絶する stun …… 1761
季節性感情障害 seasonal affective disorder (SAD) …… 547
キセニル xenyl …… 2052
キセノン xenon (Xe) …… 2052
キセノン133 xenon 133 (^{133}Xe) …… 2052
キセノン-アーク光凝固装置 xenon-arc photocoagulator …… 1416
基線 base line …… 1049
輝線 linea splendens …… 1053
〔光〕輝線 intercalated disc …… 525
基線トーヌス(緊張度) baseline tonus … 1902
偽〔性〕先行〔症〕 pseudoapraxia …… 1511
偽〔性〕潜在精巣(睾丸)〔症〕 pseudocryptorchism …… 1511
偽〔性〕先端巨大(肥大)〔症〕 pseudacromegaly …… 1510
偽蠕虫 pseudelminth …… 1510
基礎 base …… 199
基礎 foundation …… 735
基礎 fundament …… 744
偽装 evasion …… 650
蟻走感 formication …… 729
蟻走脈 pulsus formicans …… 1525
基礎型外斜視 basic exotropia …… 655
偽足 pseudopodium …… 1515
基礎再生産率 basic reproductive rate … 1559
基礎床 baseplate …… 200
基礎食 basal diet …… 514
偽塑性流体 pseudoplastic fluid …… 715
基礎体温 basal body temperature (BBT) …… 1848
基礎代謝 basal metabolism …… 1138
基礎代謝測定器 metabolimeter …… 1138
基礎電気調律 basic electrical rhythm (BER) …… 1611
基礎年齢 basal age …… 35
基礎の basal …… 199
基礎麻酔〔法〕 basal anesthesia …… 79
基礎糧食 basal ration …… 199
奇胎 mole …… 1163
気体 gas …… 756
擬態遺伝子 mimic genes …… 763
気体液面像(鏡面像) air-fluid level …… 1029
気体温度計 gas thermometer …… 1881
気体眼窩造影(撮影)〔法〕 pneumo-orbitography …… 1451
気体関節造影(撮影)〔法〕 pneumarthrography …… 1447
気体関節造影(撮影)〔法〕 pneumoarthrography …… 1447
気体関節造影像 pneumarthrogram …… 1447
偽〔性〕体腔 pseudocelom …… 1511
期待される expected …… 655
気体腎盂造影(撮影)〔法〕 pneumopyelography …… 1451
期待水準 level of aspiration …… 1029
気体水素化リン phosphine …… 1413
気体脊髄造影(撮影)〔法〕 pneumomyelography …… 1449
期待値 expectation …… 655
気体注入撮影〔法〕 pneumography …… 1449
気体注入撮影図 pneumogram …… 1448
気体定数 gas constant (R) …… 414
気体定量 gasometry …… 757
偽〔性〕大動脈縮窄〔症〕 pseudocoarctation …… 1511
奇胎妊娠 hydatid pregnancy …… 1478
奇胎妊娠 molar pregnancy …… 1478
気体脳撮影(造影)〔法〕 pneumoencephalography …… 1448
偽胎盤 placenta spuria …… 1429
気体膀胱撮影(造影)〔法〕 pneumocystography …… 1448
気体(ガス)網膜癒着術 gas retinopexy … 1603
偽対立性 pseudoallelism …… 1511
ギタギズム githagism …… 771
北クイーンズランドダニチフス North Queensland tick typhus …… 1958
北クイーンズランドダニ熱 North Queensland tick fever …… 685
偽〔性〕脱落膜症 pseudodeciduosis …… 1512
ギタリン gitalin …… 771
擬単分子の pseudounimolecular …… 1515
キチナーゼ chitinase …… 345
基地病院 base hospital …… 865
偽中隔 septum spurium …… 1664
気〔中〕菌糸〔体〕 aerial mycelium …… 1207
偽〔性〕虫垂炎 pseudoappendicitis …… 1511
旗徴候 flag sign …… 1680
キチン〔質〕 chitin …… 345
吃(きつ) stammering …… 1737
吃 dysphemia …… 574
吃 stuttering …… 1761
偽〔性〕対麻痺 pseudoparaplegia …… 1514
偽痛風 pseudogout …… 1512
キック kick …… 983
拮抗〔作用〕 antagonism …… 96
拮抗〔運動〕反復 diadochokinesia, diadochokinesis …… 508
拮抗運動反復不全 dysdiadochokinesia, dysdiadochocinesia …… 571
拮抗〔運動〕反復不能〔症〕 adiadochokinesis 28
拮抗筋 antagonist …… 96
拮抗筋 antagonistic muscles …… 1181
拮抗質 antagonist …… 96
拮抗する oppose, opposed …… 1309
拮抗反射 antagonistic reflexes …… 1577
拮抗物質 antagonist …… 96
キッシュ反射 Kisch reflex …… 1580
キッシング涙点 kissing puncta …… 1527
吉草根 valerian …… 1983
吉草酸 valeric acid …… 1983
吉草酸アミル amyl valerate …… 67
吉草酸塩 valerate …… 1983
キッド血液型 Kidd blood group …… 983
吃尿 urinary stuttering …… 1761
基底 base …… 199
基底 basis …… 200
規定液 normal solution …… 1698
基底外側の basilateral …… 200
基底外側の basolateral …… 201
基底核 basal nuclei …… 1273
基底角 basilar angle …… 88
基底括約筋 basal sphincter …… 1712
基底下の subbasal …… 1762
基底細胞 basal cell …… 319
基底細胞過形成 basal cell hyperplasia …… 885
基底細胞癌 basal cell carcinoma …… 296
基底細胞腺腫 basal cell adenoma …… 25
基底細胞母斑 basal cell nevus …… 1254
基底細胞母斑症候群 basal cell nevus syndrome …… 1797
基底質 basal substantia …… 1766
基底小体 basal corpuscle …… 426
基底〔小〕体 basal body …… 225
基底状態 ground state …… 1739
基底線条 basal striations …… 1757
基底線状ドルーゼン basal linear drusen 562
基底層 basal layer …… 1009
基底層 stratum basale …… 1751
〔表皮〕基底層 stratum basale epidermidis …… 1751
基底層ドルーゼン basal laminar drusen 562
〔基〕底側へ basad …… 199
基底脱落膜 decidua basalis …… 474
基底椎骨 basilar vertebra …… 2014
基底突起 basilar apophysis …… 117
基底の basal …… 199
基底の basalis …… 199
基底の basilar, basilaris …… 200
規定の normal (N) …… 1267
規定濃度 normal concentration (N) …… 406
基底板 basal lamina …… 997
基底板 basement lamina …… 997
〔蝸牛管の〕基底板 lamina basilaris cochleae …… 997
〔脈絡膜の〕基底板 basal lamina of choroid …… 997
〔脈絡膜の〕基底板 lamina basalis choroideae …… 997
〔脈絡膜の〕基底板 basal layer of choroid …… 1009
〔毛様体の〕基底板 lamina basalis corporis ciliaris …… 997
〔毛様体の〕基底板 basal layer of ciliary body …… 1009
基底部結核〔症〕 basal tuberculosis …… 1945
基底膜 basal lamina …… 997
基底膜 basement membrane …… 1125
基底膜上の epilamellar …… 627
基底膜緻密層 lamina densa …… 997
基底面 basal surface …… 1781
基底有棘細胞癌 basosquamous carcinoma, basisquamous carcinoma …… 296
基底様の basaloid …… 199
〔蝸牛管の〕基底稜 basilar crest of cochlear duct …… 437
〔蝸牛管の〕基底稜 crista basilaris ductus cochlearis …… 440
基底類似細胞 basaloid cell …… 319
ギテルマン症候群 Gitelman syndrome 1805
機転 mechanism …… 1114
起点 origin …… 1314
偽〔性〕転位 pseudoheterotopia …… 1513
基電流 rheobase …… 1607
起電力 electromotive force (EMF) …… 727
企図 intention …… 943
輝度 luminance …… 1071
気頭〔症〕 pneumocephalus …… 1448
亀頭 glans …… 776

岐道 crossway …… 442
気導 air conduction …… 408
気道 airway …… 40
気道 respiratory tract …… 1912
気道圧解除換気法 airway pressure release ventilation …… 2009
偽投影 false projection …… 1496
亀頭炎 balanitis …… 192
亀頭冠 corona glandis penis …… 424
亀頭冠 corona of glans penis …… 424
気動眼圧計 pneumatic tonometer …… 1901
〔陰茎の〕亀頭頸 collum glandis penis …… 392
〔陰茎の〕亀頭頸 neck of glans of penis …… 1223
亀頭形成術 balanoplasty …… 193
〔上〕気道硬化〔症〕 respiratory scleroma …… 1647
気頭症 physocephaly …… 1421
気道上皮 respiratory epithelium …… 632
偽〔性〕同色性の pseudoisochromatic …… 1513
亀頭中隔 septum glandis …… 1663
亀頭中隔 septum of glans penis …… 1663
気道抵抗 airway resistance …… 1593
亀頭尿道下裂 glanular hypospadias …… 897
亀頭尿道上裂 balanitic epispadias …… 631
偽〔性〕糖尿病 pseudodiabetes …… 1512
気道パターン airway pattern …… 1373
亀頭包皮炎 balanoposthitis …… 193
偽動脈幹 pseudotruncus arteriosus …… 1515
偽〔性〕頭瘤 pseudocephalocele …… 1511
祈祷療法 cult …… 448
祈祷療法 eclecticism …… 584
祈祷療法 hagiotherapy …… 811
祈祷療法 theotherapy …… 1877
起動力 impetus …… 915
ギトキシゲニン gitoxigenin …… 771
企図痙攣 intention spasm …… 1706
ギトゲニン gitogenin …… 771
キトサミン chitosamine …… 345
企図振せん intention tremor …… 1924
希(乏)突起〔神経〕膠芽細胞 oligodendroblast …… 1296
希(乏)突起〔神経〕膠細胞 oligodendrocyte …… 1296
希(乏)突起〔神経〕膠細胞 oligodendroglia …… 1296
希(乏)突起〔神経〕膠腫 oligodendroglioma …… 1296
キトビオース chitobiose …… 345
希土類 rare earths …… 580
希土類金属 rare earth metal …… 1139
希土類増感紙 rare-earth screen …… 1651
偽内反股 false coxa vara …… 433
キナ酸 quinic acid …… 1538
キナ酸デヒドロゲナーゼ quinate dehydrogenase …… 1538
キナーゼ kinase …… 985
キナゾリン quinazolines …… 1538
キナ皮 cinchona …… 363
キナ皮 Jesuits' bark …… 968
キナルジン酸 quinaldic acid …… 1538
キナルジン酸 quinaldinic acid …… 1538
キナルジンレッド quinaldine red …… 1538
偽〔性〕軟骨形成不全〔症〕 pseudoachondroplasia …… 1511
偽〔性〕軟骨性の pseudocartilaginous …… 1511
ギニアグリーンB guinea green B …… 805
キニオホン chiniofon …… 344
偽肉腫 pseudosarcoma …… 1515
キニジン quinidine …… 1538
キニーネ quinine …… 1538
キニーネ学 quinology …… 1538
キニーネカルバクリルレジン試験 quinine carbacrylic resin test …… 1863
キニーネ中毒 cinchonism …… 363
キニノーゲン kininogen …… 986
奇乳 witch's milk …… 1158
偽〔性〕乳頭水腫 pseudopapilledema …… 1514
偽〔性〕乳びの pseudochylous …… 1511
偽〔性〕乳び腹水 pseudochylous ascites …… 159
気尿〔症〕 pneumaturia …… 1447
キニヨン染色〔法〕 Kinyoun stain …… 1732
キニン kinin …… 986
キニン10 kinin 10 …… 986
偽妊娠 false pregnancy …… 1478
偽妊娠 pseudopregnancy …… 1515
偽認知症 pseudodementia …… 1512
絹 silk …… 1685
キヌクリジニルベンジレート quinuclidinyl benzilate (QNB) …… 1539
キヌゲネズミ亜科 Cricetinae …… 438
衣擦れ状血管雑音 bruit de frolement …… 262
きぬた・あぶみ関節 articulatio incudostapedia …… 157
きぬた・あぶみ関節 incudostapedial articulation …… 158
きぬた・あぶみ関節 incudostapedial joint …… 970
きぬたあぶみ骨の incudostapedial …… 921
きぬた形子宮 incudiform uterus …… 1977
きぬた(キヌタ)骨 incus …… 921
きぬた骨 anvil …… 111
きぬた骨窩 fossa incudis …… 732
きぬた骨窩 fossa of incus …… 732
きぬた骨窩 incudal fossa …… 732
きぬた骨切除〔術〕 incudectomy …… 921
きぬた骨体 body of incus …… 227
きぬた骨体 corpus incudis …… 425
〔きぬた骨の〕短脚 crus breve incudis …… 443
〔きぬた骨の〕短脚 short crus of incus …… 444
〔きぬた骨の〕短脚 short limb of incus …… 1047
〔きぬた骨の〕長脚 crus longum incudis …… 443
〔きぬた骨の〕長脚 long crus of incus …… 443
〔きぬた骨の〕長脚 long limb of incus …… 1047
〔きぬた骨〕豆状突起 processus lenticularis incudis …… 1491
きぬた骨ひだ fold of incus …… 719
きぬた骨ひだ plica incudialis …… 1445
きぬた状の incudiform …… 921
きぬた・つち関節 articulatio incudomallearis …… 157
きぬた・つち関節 incudomalleolar joint …… 970
きぬたつち骨の incudomalleal …… 921
キヌレニナーゼ kynureninase …… 990
キヌレニン kynurenine …… 990
キヌレニン3-モノオキシゲナーゼ kynurenine 3-monooxygenase …… 990
キヌレン酸 kynurenic acid …… 990
キネジオロジー kinesiology …… 985
キネシクス kinesics …… 985
キネジメータ kinesimeter …… 985
キネシン kinesin …… 985
キネステジー kinesthesia …… 985
キネトカルジオグラフ kinetocardiograph …… 985
キネトカルジオグラム kinetocardiogram …… 985
キネトスコープ kinetoscope …… 986
キネトプラスト kinetoplast …… 986
キネマティクス kinematics …… 985
キネモメータ kinemometer …… 985
キネレット/アナキンラ Kineret/anakinra …… 985
偽〔性〕粘液腫 pseudomyxoma …… 1514
偽粘液性嚢腫 pseudomucinous cyst …… 460
記念徴候 commemorative sign …… 1679
機能 mechanism …… 1114
〔化学的〕機能 function (f) …… 744
気嚢 alveolar sac …… 1628
気脳〔体,症〕 pneumocephalus …… 1448
起脳炎蛋白 encephalithogenic protein …… 1503
機能解剖学 functional anatomy …… 74
機能解離 diaschisis …… 511
機能活動力減退 miopragia …… 1159
機能基 moiety …… 1163
機能咬合 functional occlusion …… 1290
気脳造影(撮影)〔法〕 pneumoencephalography …… 1448
機能磁気共鳴画像 functional magnetic resonance imaging …… 908
気脳写 pneumoencephalography …… 1448
機能主義 functionalism …… 744
偽脳腫瘍 pseudotumor cerebri …… 1515
機能障害 functional disorder …… 545
機能障害 dysfunction …… 572
機能自律性 functional autonomy …… 180
気脳図 pneumoencephalogram …… 1448
機能性うっ血 functional congestion …… 410
機能性化粧品 cosmeceuticals …… 430
機能性拘縮 functional contracture …… 417
機能性雑音 functional murmur …… 1180
機能性子宮出血 menometrorrhagia …… 1131
機能性失語〔症〕 functional aphasia …… 114
機能性終末神経支配率 functional terminal innervation ratio …… 1560
機能性消化不良 functional dyspepsia …… 574
機能性食品 functional food …… 724
機能性心血管疾患 functional cardiovascular disease …… 533
機能性卒中 functional apoplexy …… 118
機能性蛋白尿〔症〕 functional albuminuria …… 44
機能性の functional …… 744
機能層 stratum functionale …… 1752
機能喪失 functio laesa …… 744
機能低下 hypofunction …… 893
機能停止 abeyance …… 3
機能的遺伝学 functional genomics …… 767
機能的えん下記録 functional chew-in record …… 1574
機能的下顎運動 functional mandibular movements …… 1174
機能的狭窄〔症〕 functional stricture …… 1757
機能的矯正装置 function corrector …… 744
機能的矯正法 functional jaw orthopedics …… 1316
機能的去勢 functional castration …… 310
機能的筋訓練法 myofunctional therapy …… 1879
機能的咬合平衡 functional occlusal harmony …… 816
機能的呼吸困難 functional dyspnea …… 576
機能的残気量 functional residual capacity (FRC) …… 288
機能的視機能障害 functional visual loss …… 2032
機能的思春期前去勢症候群 functional prepubertal castration syndrome …… 1805
機能的終動脈 functional end artery …… 145
機能的多面作用 functional pleiotropy …… 1436
機能的内視鏡〔的〕副鼻腔手術 functional endoscopic sinus surgery (FESS) …… 1784
機能的脳神経外科 functional neurosurgery …… 1252
機能的発声疲労 functional vocal fatigue …… 678
機能的不応期 functional refractory period …… 1389
機能的副子 functional splint …… 1722
機能的膀胱症候群 functional bladder syndrome …… 1805
機能的無脾症 functional asplenia …… 162
機能の完全遂行 telotism …… 1848
擬嚢尾虫 cysticercoid …… 461
機能病理学 functional pathology …… 1372
機能不全 dysfunction …… 572
機能不全 hypofunction …… 893
機能不全 malfunction …… 1096
〔機能〕不全〔症〕 incompetence, incompetency …… 920
〔機能〕不全〔症〕 insufficiency …… 941
〔機能不全性〕不正子宮出血 dysfunctional uterine bleeding …… 220
偽〔性〕脳ヘルニア pseudocephalocele …… 1511
機能変化 metergasia …… 1142
偽膿疱 pseudopustule …… 1515
偽〔性〕嚢胞 pseudocyst …… 1512
機能盲 functional blindness …… 221

キノコ栽培者肺 mushroom-worker's lung … 1072
キノコ状の fungiform … 745
キノコ状の fungoid … 745
キノコ中毒 mycetism, mycetismus … 1207
キノコ中毒 mushroom poisoning … 1455
キノフェン cinchophen … 363
キノボース quinovose … 1538
キノーム kinome … 986
キノモメータ kinomometer … 986
キノリジジン quinolizidines … 1538
キノリン quinoline … 1538
キノリン酸 quinolinic acid … 1538
キノロン類 quinolones … 1538
キノン quinone … 1538
亀背 hunchback … 867
希薄化 rarefaction … 1559
〔希薄〕血液膿 sanies … 1633
偽〔性〕剝脱 pseudoexfoliation … 1512
偽剝脱性緑内障 pseudoexfoliative glaucoma … 777
偽〔性〕バクテリア pseudobacterium … 1511
希薄尿 crude urine … 1973
騎馬骨 rider's bone … 233
揮発 volatilization … 2035
希発月経 oligomenorrhea … 1297
揮発性の volatile (vol.) … 2035
揮発性麻酔薬 volatile anesthetic … 81
揮発性硫化化合物 volatile sulfur compound (VSC) … 405
揮発油 volatile oil … 1295
偽〔性〕波動 pseudofluctuation … 1512
キバナキョウチクトウ yellow oleander 1295
キバナキョウチクトウ Thevetia peruviana … 1882
騎馬囊包 rider's bursa … 269
輝板 tapetum … 1841
基板 lamina basalis … 997
〔神経管の〕基板 basal lamina of neural tube … 997
〔神経管の〕基板 basal plate of neural tube … 1434
偽半陰陽 pseudohermaphroditism … 1513
偽半陰陽者 pseudohermaphrodite … 1512
偽瘢痕 uloid … 1962
偽〔性〕反応 pseudoreaction … 1515
偽半盲 pseudo-hemianopia … 828
偽鼻疽菌 *Pseudomonas pseudomallei* … 1514
偽〔性〕肥大 pseudohypertrophy … 1513
忌避薬 repellent … 1590
偽〔性〕貧血 pseudoanemia … 1511
気腹〔症,術〕 pneumoperitoneum … 1451
基部構造 pes … 1396
ギプス装具 cast brace … 309
ギブズの活性化エネルギー Gibbs energy of activation … 617
ギブズの定理 Gibbs theorem … 1875
ギプス副子 plaster splint … 1722
ギブズ-ヘルムホルツ式 Gibbs-Helmholtz equation … 634
ギプス包帯 plaster bandage … 196
ギプス包帯 cast … 308
偽〔性〕不全麻痺 pseudoparesis … 1514
ギブソン雑音 Gibson murmur … 1180
ギブソン帯 Gibson bandage … 196
偽〔性〕舞踏病 pseudochorea … 1511
ギブニー固定包帯 Gibney fixation bandage … 196
ギブニーブーツ Gibney boot … 234
基部の basilar, basilaris … 200
気分 mood … 1169
気分 temper … 1848
気分高揚 hyperthymia … 888
偽分枝発生 false branching … 255
気分循環障害 cyclothymic disorder … 545
気分正常〔状態〕 euthymia … 649
気分調和性の幻覚 mood-congruent hallucination … 813
気分沈滞 hypothymia … 899
気分倒錯 parathymia … 1355
気分不調和性の幻覚 mood-incongruent hallucination … 813
気分変調 dysthymia … 577
気分変調性障害 dysthymic disorder … 545
気分変動 mood swing … 1169
偽〔性〕分利 pseudocrisis … 1511
偽閉塞 pseudoobstruction … 1514
偽〔性〕ヘルニア pseudohernia … 1513
規模 magnitude … 1093
気泡 foam … 718
気胞化 pneumatization … 1447
既望感 déjà voulu … 483
偽縫合 sutura notha … 1786
偽縫合 false suture … 1787
偽ポリープ pseudopolyp … 1515
偽ポルフィリン症 pseudoporphyria … 1515
基本型 prototype … 1508
基本顆粒 elementary granule … 797
基本再生産数 basic reproductive number … 1282
基本周波数 fundamental frequency … 740
基本小体 elementary bodies … 226
基本単位 base units … 1965
基本的救命 basic life support … 200
基本的人格型 basic personality type … 1957
基本的な basilicus … 200
基本的な cardinal … 299
基本的日常生活動作 basic activities of daily living (BADLs) … 200
基本粒子 elementary particle … 1369
偽膜 false membrane … 1125
偽膜〔性〕気管支炎 pseudomembranous bronchitis … 259
偽膜性胃炎 pseudomembranous gastritis 757
偽膜性炎〔症〕 pseudomembranous inflammation … 929
偽膜性結膜炎 pseudomembranous conjunctivitis … 412
偽膜性腸炎 pseudomembranous enterocolitis … 620
偽膜性の submembranous … 1764
偽麻酔性の pseudonarcotic … 1514
偽〔性〕麻痺 pseudoparalysis … 1514
偽〔性〕味覚 pseudogeusia … 1512
気密耳鏡検査法 pneumatic otoscopy … 1327
気密の hermetic … 842
奇脈 paradoxic pulse … 1525
奇脈 pulsus paradoxus … 1526
帰無仮説 null hypothesis … 898
偽無歯〔症〕 pseudoanodontia … 1511
偽無頭体 pseudoacephalus … 1511
ギムノアスクス科 Gymnoascaceae … 806
ギムノディウム Gymnodium … 807
ギムノディニウム属 *Gymnodinium* … 806
ギムノファロイデス属 *Gymnophalloides* 807
義務論 deontology … 490
記銘 encoding … 610
記銘 retention … 1598
偽〔性〕メグズ(メイグス)症候群 pseudo-Meigs syndrome … 1817
キメラ chimera … 344
キメラ現象 chimerism … 344
キメラ抗体 chimeric antibodies … 100
偽〔性〕メラノーシス pseudomelanosis … 1514
キメラ分子 chimeric molecule … 1164
偽〔性〕メレナ melena spuria … 1123
起毛 piloerection … 1424
起毛運動線維 pilomotor fibers … 690
偽〔性〕毛囊炎 pseudofolliculitis … 1512
偽網膜色素変性症 pseudoretinitis pigmentosa … 1515
キモグラフ kymograph … 990
キモグラフィ kymography … 990
キモグラム kymogram … 990
偽モザイク pseudomosaicism … 1514
キモシン chymosin … 361
キモスコープ kymoscope … 990
キモスタチン chymostatin … 361
キモトリプシノ〔ー〕ゲン chymotrypsinogen … 362
キモトリプシン chymotrypsin … 361
キモトロピック色素 chymotropic pigment … 1423
キモパパイン chymopapain … 361
気門 spiracle … 1717
気門板 stigmal plates … 1435
脚 crus … 443
脚 leg … 1015
脚 peduncle … 1376
脚 pedunculus … 1377
規約 code … 386
偽薬 placebo … 1427
逆3型徴候 reversed-three sign … 1683
逆アナフィラキシー inverse anaphylaxis 72
逆アナフィラキシー reversed anaphylaxis 72
逆位 inversion … 952
逆位 situs inversus … 1690
逆位 transposition … 1922
逆位ステロイド retrosteroid … 1605
逆遺伝学 reverse genetics … 765
逆運動〔性〕の heterodromous … 847
逆エックフィステル(瘻) reverse Eck fistula … 706
逆下顎眼瞼異常運動症候群 inversed jaw-winking syndrome … 1808
脚間窩 fossa interpeduncularis … 732
脚間窩 interpeduncular fossa … 732
脚間核 interpeduncular nucleus … 1275
脚間核 nucleus interpeduncularis … 1276
脚間線維 intercolumnar fibers … 689
〔浅鼡径輪の〕脚間線維 intercolumnar fasciae … 673
脚間槽 cisterna interpeduncularis … 368
脚間槽 interpeduncular cistern … 368
脚間の intercrural … 944
脚間の interpeduncular … 947
逆奇脈 reversed paradoxical pulse … 1525
逆狭心症 angina inversa … 83
逆恐怖の counterphobic … 432
逆キングズリー副子 reverse Kingsley splint … 1722
逆ケブナー(ケブネル)現象 reverse Koebner phenomenon … 1405
脚現象 leg phenomenon … 1405
逆向〔性〕健忘〔症〕 retrograde amnesia … 62
逆根管充填 retrofilling … 1604
脚三角 crural triangle … 1926
逆G negative G … 1225
逆自乗(逆2乗)の法則 inverse square law … 1007
逆シャント reversed shunt … 1675
脚周囲核 peripeduncular nucleus … 1278
逆縮窄〔症〕 reversed coarctation … 383
逆上 frenzy … 740
逆症治療医 allopath … 51
逆衝動 antisaccade … 108
逆症療法 allopathy … 51
逆浸透 reverse osmosis … 1319
逆生 inversion … 952
逆性洗〔浄〕剤 cationic detergents … 500
逆説 paradox … 1349
脚切開〔術〕 pedunculotomy … 1377
逆説膝蓋〔腱〕反射 paradoxic patellar reflex … 1581
脚切断〔術〕 pedunculotomy … 1377
逆説瞳孔反射 paradoxic pupillary reflex 1581
逆説反射 paradoxic reflex … 1580
逆ぜん動 antiperistalsis … 108

逆ぜん動 reversed peristalsis …… 1392
逆ぜん動の antiperistaltic …… 108
逆相クロマトグラフィ reversed phase chromatography …… 357
虐待 abuse …… 7
虐待 tyrannism …… 1958
逆対称 inverse symmetry …… 1790
逆打充塡器 back-action plugger …… 1446
逆短絡 reversed shunt …… 1675
逆重畳 deconvolution …… 475
逆転 reversal …… 1605
逆転移 countertransference …… 432
逆転受身〔赤〕血球凝集〔反応〕 reverse passive hemagglutination …… 824
逆転換気法 inverse-ratio ventilation …… 2010
逆転写 reverse transcription …… 1917
逆転写酵素ポリメラーゼ連鎖反応 reverse transcriptase polymerase chain reaction (RT-PCR) …… 1567
逆〔転〕橈骨反射 inverted radial reflex … 1579
逆投影〔法〕 backprojection …… 188
逆瞳孔ブロック(閉鎖) reverse pupillary block …… 222
逆トランスクリプターゼ reverse transcriptase …… 1917
逆トレンデレンブルク体位 reverse Trendelenburg position …… 1470
逆内眼角ぜい皮 epicanthus inversus …… 625
逆2乗(逆自乗)の法則 inverse square law …… 1007
逆刃 reverse bevel …… 208
脚発生 pedicellation …… 1376
逆備給 anticathexis …… 101
逆プラウスニッツ-キュストナー反応 reversed Prausnitz-Küstner reaction … 1567
脚ブロック bundle-branch block (BBB) 221
逆分化 dedifferentiation …… 476
逆平行鎖 antiparallel strand …… 1751
脚傍下核 subparabrachial nucleus …… 1280
〔中脳の〕脚傍核 parapeduncular nucleus 1278
逆方向性の antidromic …… 102
逆方向〔性〕の retrograde …… 1604
逆方向反復 inverted repeat …… 953
逆方向抑制 retroactive inhibition …… 933
逆蒙古症様の antimongoloid …… 107
逆流 backflow …… 188
逆流 countercurrent …… 432
逆流 reflux …… 1583
逆流 regurgitation …… 1587
逆流 return …… 1605
逆流性回腸炎 backwash ileitis …… 905
逆流性雑音 regurgitant murmur …… 1180
逆流性食道炎 reflux esophagitis, peptic esophagitis …… 642
逆流性腎症 reflux nephropathy …… 1230
逆流性中耳炎 reflux otitis media …… 1326
逆流率 regurgitant fraction …… 736
脚わな ansa peduncularis …… 96
脚わな peduncular ansa …… 96
脚わな peduncular loop …… 1069
キャサヌール森林病 Kyasanur Forest disease …… 536
キャサヌール森林病ウイルス Kyasanur Forest disease virus …… 2026
ギャスケル鉗子 Gaskell clamp …… 370
キャスタブルセラミック castable ceramic …… 334
ギャダム-シルト試験 Gaddum and Schild test …… 1857
客観的異名 objective synonyms …… 1826
客観的心理学 objective psychology …… 1519
客観的な objective …… 1288
客観的評価データ objective assessment data …… 472
逆行〔性〕P波 retrograde P wave …… 2042
逆向〔性〕記憶 retrograde memory …… 1128
逆行〔性〕室房伝導 retrograde VA conduction …… 408
逆行性アオルトグラフィ retrograde aortography …… 112
逆行性黄疸 regurgitation jaundice …… 967
逆行性期外収縮 return extrasystole …… 658
逆行性月経 retrograde menstruation …… 1131
逆行性シグナル retrograde signal …… 1684
逆行性射精 retrograde ejaculation …… 592
逆行性収縮 retrograde beat …… 203
逆行性小腸造影 small bowel enema …… 616
逆行性腎盂造影 retrograde pyelography 1529
逆行性心停止液 retrograde cardioplegia 301
逆行〔性〕塞栓症 retrograde embolism …… 601
逆行性大動脈造影(撮影)〔法〕 retrograde aortography …… 112
逆行性腸重積〔症〕 retrograde intussusception …… 952
逆行性調律 reciprocal rhythm …… 1611
逆行性尿路造影術 retrograde urography 1974
逆行性の antidromic …… 102
逆行性の antiparallel …… 108
逆行〔性〕の retrograde …… 1604
逆行〔性〕ブロック retrograde block …… 222
逆行性ヘルニア retrograde hernia …… 843
逆行〔性〕変性 retrograde degeneration …… 481
逆行性膀胱尿道造影像 retrograde cystourethrogram …… 463
逆向性輸送 retrograde transport …… 1921
逆行抑制 retroactive inhibition …… 933
キャッスル内因子 Castle intrinsic factor 666
キャッセルベリー体位 Casselberry position …… 1469
ギャッチベッド Gatch bed …… 204
キャッピング capping …… 289
キャッピング蛋白 capping proteins …… 1503
キャップ cap …… 288
ギャップ現象 gap phenomenon …… 1404
キャップ構造 cap …… 288
ギャップジャンクション gap junction …… 973
ギャップ1 gap $_1$ (G_1) …… 756
ギャップ2 gap $_2$ (G_2) …… 756
キャナヴァン病 Canavan disease …… 529
キャニスター canister …… 287
キャノン点 Cannon point …… 1454
キャノン-バート説 Cannon-Bard theory 1875
キャパシタンス capacitance …… 288
キャビア病変 caviar lesion …… 1022
キャビテーション cavitation …… 316
キャピラリーゾーン電気泳動 capillary zone electrophoresis (CZE) …… 597
キャピラロン capillaron …… 289
キャプシド capsid …… 290
キャプラン症候群 Caplan syndrome …… 1799
キャベツ性甲状腺腫 cabbage goiter …… 790
キャボット環状体 Cabot ring bodies …… 225
キャボット-ロック雑音 Cabot-Locke murmur …… 1179
キャリア carrier …… 305
キャリアスクリーニング carrier screening …… 1651
キャリア蛋白 carrier protein …… 1503
キャリア電気泳動 carrier electrophoresis 597
ギャリー移植片 Gallie transplant …… 1920
キャリソン液 Callison fluid …… 714
キャリブレーション calibration …… 278
キャリブレータ calibrator …… 278
キャリングアングル carrying angle …… 88
キャルキンズ徴候 Calkins sign …… 1679
ギャレゴ鑑別溶液 Gallego differentiating solution …… 1698
ギャンジー包帯 Gamgee tissue …… 1895
キャントー管 Cantor tube …… 1941
ギャント鉗子 Gant clamp …… 370
キャントリー(カントリー)線 Cantlie line …… 1049
キャントレルの五徴 pentalogy of Cantrell …… 1381
ギヤン-バレー症候群 Guillain-Barré syndrome …… 1806
キャンピロバクター症 campylobacteriosis …… 282
キャンベルゾンデ Campbell sound …… 1702
キュー cue …… 447
キュー園熱 Kew Gardens fever …… 684
キュー〔ド〕スピーチ cued speech …… 1709
キューティクル cuticle of nail …… 452
キュー〔ド〕スピーチ cued speech …… 1709
キューネ現象 Kühne phenomenon …… 1405
キューネ線維 Kühne fiber …… 689
キューネ板 Kühne plate …… 1435
キューネメチレンブルー Kühne methylene blue …… 1147
キューピッド弓 Cupid's bow …… 238
Q角 Q angle …… 89
Q-スイッチレーザー Q-switched laser 1004
Qツイスト Q-TWiST …… 1536
Q熱 Q fever …… 686
Q波 Q wave …… 2042
Qバンディング〔染色法〕 Q-banding stain …… 1735
Qバンド染色〔法〕 Q-banding stain …… 1735
QNB(キヌクリジニルベンジレート) quinuclidinyl benzilate (QNB) …… 1539
QRB間隔 QRB interval …… 948
QRS間隔 QRS interval …… 948
QRS群 QRS complex …… 402
QR間隔 QR interval …… 948
QT延長症候群 long QT syndromes …… 1810
QT間隔 QT interval …… 948
丘 caruncle …… 308
丘 caruncula …… 308
丘 colliculus …… 391
丘 cone …… 409
丘 cumulus …… 448
丘 dome …… 555
丘 mons …… 1169
弓 arcade …… 124
弓 arch …… 125
弓 arcus …… 127
弓 bow …… 238
球 ball …… 193
球 bulb …… 264
球 bulbus …… 265
球 globe …… 778
球 globus …… 779
球 sphere …… 1711
〔血〕球 corpuscle …… 426
きゅう(灸)〔療法〕 moxibustion …… 1174
キュヴィエ静脈 Cuvier veins …… 1995
吸引 derivation …… 494
吸引 huffing …… 866
吸引〔術〕 aspiration …… 162
吸引〔法〕 suction …… 1769
吸引管 siphon …… 1689
吸引器 aspirator …… 162
吸引器 evacuator …… 649
吸引水疱 sucking blister …… 221
吸引性眼底血圧計 suction ophthalmodynamometer …… 1307
吸引生検 aspiration biopsy …… 214
吸引性肺炎 aspiration pneumonia …… 1449
吸引洗浄〔法〕 siphonage …… 1689
吸引掻爬術 suction curettage …… 449
吸引ドレナージ suction drainage …… 559
吸引ドレーン sump drain …… 559
吸引(飲)反射 suckling reflex …… 1582
吸引分娩 vacuum delivery …… 484
吸引分娩器 vacuum extractor …… 657
吸引用針 aspirating needle …… 1225
旧運動〔性〕の paleokinetic …… 1338
吸窩 bothrium …… 237

臼蓋形成術 shelf procedure ………………… 1488
嗅回静脈 vein of olfactory gyrus ……… 1999
嗅回静脈 vena gyri olfactorii ………… 2005
球外の extrabulbar ………………………… 657
球海綿体筋 bulbocavernosus ……………… 265
球海綿体筋 bulbocavernosus muscle …… 1182
球海綿体筋 bulbospongiosus (muscle) … 1182
球海綿体筋 musculus bulbospongiosus … 1199
球海綿体反射 bulbocavernosus reflex …… 1578
弓下窩 fossa subarcuata ………………… 734
弓下窩 subarcuate fossa ………………… 734
吸角 cup ………………………………… 448
嗅角 olfactory angle ……………………… 89
嗅覚 olfaction …………………………… 1296
嗅覚異常 dysosmia ………………………… 574
嗅覚学 olfactology ……………………… 1296
嗅覚学 osmics …………………………… 1319
嗅覚学 osmology ………………………… 1319
嗅覚過敏 hyperosmia ……………………… 884
嗅覚過敏の macrosmatic ………………… 1091
嗅覚器 organum olfactus ………………… 1313
嗅覚計 odorimeter ……………………… 1292
嗅覚計 olfactometer ……………………… 1296
嗅覚系の parolfactory …………………… 1356
嗅覚検査 olfactometry …………………… 1296
嗅覚減退 hyposmia ………………………… 896
嗅覚減退 micromsia ……………………… 1155
嗅覚作用 olfaction ……………………… 1296
求核〔性〕試薬 nucleophil, nucleophile … 1271
嗅〔覚〕受容器 osmoreceptor ……………… 1319
嗅〔覚〕受容〔器〕細胞 olfactory receptor cells ……………………………………………… 324
嗅覚脱失(消失) anosmia ………………… 95
嗅覚上皮 olfactory neuroepithelium …… 1247
求核〔性〕の nucleophil, nucleophile …… 1271
嗅覚前兆 olfactory aura ………………… 177
嗅覚脱失 olfactory agnosia ……………… 38
嗅覚単位 olfactie, olfacty ……………… 1296
嗅覚の olfactory ………………………… 1296
嗅覚不全〔症〕dysosmia …………………… 574
嗅覚不全の microsmatic ………………… 1155
吸角法 cupping …………………………… 449
嗅覚野 olfactory area …………………… 129
嗅化ラパクロニウム rapacuronium bromide ……………………………………………… 1558
牛眼 buphthalmia, buphthalmus, buphthalmos ………………………………… 266
牛顔〔貌〕facies bovina …………………… 663
嗅感学 olfactology ……………………… 1296
球杆菌 coccobacillus …………………… 385
球間区 interglobular space ……………… 1704
球間区 spatium interglobulare ………… 1707
求肝性 hepatopetal ……………………… 841
球関節 articulatio spheroidea …………… 157
球関節 spheroid articulation …………… 158
球関節 enarthrosis ……………………… 606
球関節 ball and socket joint …………… 969
球関節 spheroidal joint ………………… 971
球間の interglobular …………………… 945
吸器 haustorium ………………………… 816
吸気 inspired gas (I) …………………… 757
嗅気計 odorimeter ……………………… 1292
吸気性ぜん鳴 inspiratory stridor ……… 1757
嗅気測定 odorimetry …………………… 1292
吸気測定計 inspirometer ………………… 940
求基的な basipetal ……………………… 200
嗅球 olfactory bulb ……………………… 264
嗅球 bulbus olfactorius ………………… 265
救急 emergency ………………………… 603
救急医療サービスシステム emergency medical services system (EMS) ……… 1831
救急医療士 paramedic …………………… 1351
嗅球糸球体層 glomerular layer of olfactory bulb ……………………………………… 1010
救急車 ambulance ………………………… 57
救急指令員 emergency medical dispatcher (EMD) ………………………………………… 603
救急蘇生〔法〕resuscitation ……………… 1597
救急隊指導医 EMS medical director …… 524
救急隊指導医制度 EMS medical direction ……………………………………………… 524
救急タクシー cabulance ………………… 274
嗅球の分子層 molecular layers of olfactory bulb ……………………………………… 1011
吸気陽圧 inspiratory positive airway pressure (IPAP) ……………………… 1482
〔小〕球菌属 *Micrococcus* ………………… 1150
牛頸 bull neck …………………………… 1223
球形円錐水晶体 lentiglobus …………… 1020
球形精子 spherospermia ………………… 1712
弓形の arcuate …………………………… 127
球形嚢 saccule …………………………… 1629
球形嚢 sacculus ………………………… 1629
球形嚢蝸牛の sacculocochlear ………… 1629
球形嚢管 saccular duct ………………… 565
球形嚢陥凹 spherical recess of bony labyrinth ……………………………… 1572
球形嚢神経 saccular nerve ……………… 1238
球形嚢神経 nervus saccularis …………… 1243
球形嚢斑 macula of saccule …………… 1091
球形嚢斑 saccular spot ………………… 1725
急激な汎発性白毛 rapid canities ……… 287
吸血 hematophagia ……………………… 827
吸血者 hematophagus …………………… 827
給血者 donor ……………………………… 555
吸血〔性〕シラミ sucking louse ………… 1069
吸血性の hematophagous ……………… 827
嗅結節 olfactory tubercle ……………… 1944
嗅結節 tuberculum olfactorium ………… 1946
吸血の sanguivorous …………………… 1633
救護 aid …………………………………… 39
吸溝 bothrium …………………………… 237
嗅溝 olfactory groove …………………… 802
嗅溝 olfactory sulcus …………………… 1773
嗅溝 sulcus olfactorius ………………… 1773
臼後窩 fossa retromolaris ……………… 734
臼後歯 distomolar ……………………… 549
球後視神経炎 retrobulbar neuritis …… 1246
偽融合収縮 pseudofusion beat ………… 203
吸光度 absorbance (*A*, A) ……………… 6
臼〔歯〕後の retromolar ………………… 1604
臼後三角 retromolar triangle ………… 1927
球後麻酔 retrobulbar anesthesia ……… 80
牛コロイド bovine colloid ……………… 391
嗅剤 snuff ………………………………… 1694
嗅索 olfactory bundle …………………… 266
嗅索 olfactory tract ……………………… 1911
嗅索 tractus olfactorius ………………… 1914
嗅索の外側根・内側根 roots of olfactory tract, lateral and medial ……………… 1621
嗅三角 olfactory pyramid ……………… 1533
嗅三角 olfactory trigone ……………… 1933
嗅三角 trigonum olfactorium ………… 1933
臼歯 molar ………………………………… 1163
臼歯 posterior tooth …………………… 1903
休止 torpor ……………………………… 1904
休止期 resting stage …………………… 1729
休止期 telogen …………………………… 1847
休止〔期〕pause …………………………… 1374
休止期脱毛 telogen effluvium ……… 590,1847
休止期の vegetative …………………… 1992
嗅糸球体 olfactory glomerulus ………… 781
臼歯形態 posterior tooth form ………… 729
臼歯結節 molar tubercle ……………… 1944
臼歯後窩 retromolar fossa …………… 734
臼歯後豊隆 retromolar pad …………… 1336
休止細胞 resting cell …………………… 325
休止シグナル pause signal …………… 1684
旧視床 paleothalamus ………………… 1338
臼歯腺 molar glands …………………… 773
臼歯腺 glandulae molares ……………… 776
球室係蹄 bulboventricular loop ……… 1068
休日症候群 holiday syndrome ………… 1807
吸湿性の hygroscopic …………………… 877
吸湿膨張 hygroscopic expansion ……… 655
球室隆線 bulboventricular ridge ……… 1615
給仕人痙攣 waiter's cramp …………… 434
球腫 glomus tumor ……………………… 1950
吸収 absorption ………………………… 7
吸収 insorption ………………………… 940
吸収 resorption ………………………… 1595
吸収 sorption …………………………… 1701
球周囲の peribulbar …………………… 1386
吸収管 haustorium ……………………… 816
吸収器 evacuator ………………………… 649
吸収虚脱 absorption collapse ………… 390
吸収系 absorbent system ……………… 1829
吸収係数 absorption coefficient ……… 386
吸収剤 absorbent ………………………… 7
吸収〔促進〕剤 absorbefacient …………… 7
吸収スペクトル absorption spectrum …… 1709
吸収する absorb ………………………… 6
吸収性ゼラチン膜 absorbable gelatin film ……………………………………………… 699
吸収性の absorbent ……………………… 7
吸収性ポイント absorbent points ……… 1454
吸収性縫合糸 absorbable surgical suture ……………………………………………… 1786
吸収ゼラチンスポンジ absorbable gelatin sponge …………………………………… 1723
吸収セル absorption cell ……………… 319
吸収線 absorption lines ……………… 1048
吸収線量 absorbed dose ……………… 556
吸収装置ヘッド absorber head ………… 7
吸収促進の sorbefacient ……………… 1701
吸収促進薬 sorbefacient ……………… 1701
吸収測定法 absorptiometry …………… 7
吸収帯 absorption band ……………… 194
吸収度 absorbance (*A*, A) …………… 6
吸収熱 absorption fever ……………… 682
吸収能 absorptivity (*a*) ……………… 7
吸収不良 malabsorption ……………… 1093
吸収不良症候群 malabsorption syndrome ……………………………………………… 1811
吸収無気肺 resorption atelectasis …… 168
嗅〔覚〕受容器 osmoreceptor …………… 1319
嗅〔覚〕受容〔器〕細胞 olfactory receptor cells ……………………………………………… 324
嗅条 olfactory striae …………………… 1756
嗅条 striae olfactoriae ………………… 1756
球状アマルガム spheric amalgam ……… 55
弓状暗点 arcuate scotoma ……………… 1650
球状核 globosus nucleus ……………… 1275
球状核 nucleus globosus ……………… 1275
球状核 spheric nucleus ………………… 1280
〔視床〕弓状核 nucleus arcuatus of intermediate hypothalamic area ……… 1273
〔延髄〕弓状核 nucleus arcuatus of medulla oblongata …………………………………… 1273
〔視床・延髄〕弓状核 arcuate nucleus …… 1273
球状角膜 keratoglobus ………………… 979
臼状関節 articulatio cotylica ………… 157
臼状関節 cotyloid joint ………………… 969
球状血栓 ball thrombus ……………… 1889
球状血栓 globular thrombus ………… 1889
球状コロニー spheroid colony ………… 393
弓状子宮 arcuate uterus ……………… 1977
弓状膝窩靱帯 arcuate popliteal ligament ……………………………………………… 1033
弓状膝窩靱帯 ligamentum popliteum arcuatum ………………………………… 1045
球状集落 spheroid colony ……………… 393
球状上顎嚢胞 globulomaxillary cyst …… 459
球状小体 bulboid corpuscles …………… 426
球状小体 corpuscula bulboidea ………… 427
〔腎臓の〕弓状静脈 arciform veins of kidney ……………………………………………… 1994
〔腎臓の〕弓状静脈 arcuate veins of kidney

…………………………………………………… 1994
〔腎臓の〕弓状静脈 venae arcuatae renis 2004
球状心 round heart ………………………… 821
球状水晶体 spherophakia ………………… 1712
球状赤血球 spherocyte …………………… 1712
球状赤血球症 spherocytosis ……………… 1712
球状赤血球性黄疸 spherocytic jaundice … 967
弓状線 arcuate line ……………………… 1049
弓状線 linea arcuata …………………… 1053
弓状線維 arcuate fibers ………………… 687
〔大脳〕弓状線維 fibrae arcuatae cerebri 691
弓状帯 zona arcuata …………………… 2058
弓状帯 arcuate zone …………………… 2059
球状体 spherule ………………………… 1712
球状帯 zona glomerulosa ……………… 2058
球状帯細胞 glomerulosa cell …………… 321
球状蛋白 globular protein ……………… 1503
〔足の〕弓状動脈 arteria arcuata (pedis) 134
〔足の〕弓状動脈 arcuate artery (of foot) (inconstant) ………………………… 142
球状の bulboid …………………………… 265
球状の spheroid, spheroidal …………… 1712
旧小脳 paleocerebellum ………………… 1338
球状白血球 globular leukocyte ………… 1026
嗅上皮 olfactory epithelium …………… 632
弓状平面 cove plane …………………… 1430
球状弁血栓 ball-valve thrombus ……… 1889
弓状隆起 arcuate eminence …………… 603
弓状隆起 eminentia arcuata …………… 604
弓状稜 crista arcuata cartilaginis arytenoideae ……………………… 440
救助療法 salvage chemotherapy ……… 343
臼歯列指数 dental index (DI) ………… 922
丘疹 papule ……………………………… 1347
丘疹 pimple ……………………………… 1424
牛心 ox heart …………………………… 820
牛腎 cow kidney ………………………… 984
嗅神経 olfactory nerves [CN I] ……… 1237
嗅神経 nervus olfactorii [CN I] ……… 1242
嗅神経芽〔細胞〕腫 olfactory neuroblastoma …………………………………………… 1246
嗅神経孔 olfactory foramen …………… 725
丘疹紅斑〔性〕の papuloerythematous …… 1347
丘疹症 papulosis ………………………… 1347
丘疹状結核疹 papular tuberculid ……… 1944
丘疹状じんま疹 papular urticaria ……… 1976
丘疹小水疱〔性〕の papulovesicular ……… 1347
丘疹性壊疽性結核疹 papulonecrotic tuberculid ……………………………… 1944
丘疹性紅斑 erythema papulatum ……… 639
丘疹性湿疹 eczema papulosum ………… 586
求心性収縮 concentric contraction …… 417
求心性神経 afferent nerve …………… 1232
求心性線維 afferent fibers …………… 687
求心〔性〕の afferent …………………… 33
求心性肥大 concentric hypertrophy …… 889
求心的な centripetal ………………… 331
丘疹膿疱〔性〕の papulopustular ……… 1347
丘疹鱗屑〔性〕の papulosquamous ……… 1347
求心路遮断 deafferentation …………… 472
吸水 imbibition ………………………… 909
急性アルコール中毒〔症〕 acute alcoholism 45
急性咽頭結膜熱 acute pharyngoconjunctival fever ……………………………… 682
急性ウイルス結膜炎 acute viral conjunctivitis ………………………… 412
急性ウイルス性結膜炎 simple conjunctivitis …………………………………………… 412
急性運動失調 acute ataxia …………… 167
急性運動性軸索性神経障害 acute motor axonal neuropathy (AMAN) ………… 1250
急性壊死性潰瘍性歯肉炎 acute necrotizing ulcerative gingivitis (ANUG) ………… 770
急性壊死性出血性脳脊髄炎 acute necrotizing hemorrhagic encephalomyelitis …………………………………………… 608
急性壊死性脊髄炎 acute necrotizing myelitis …………………………………………… 1209
急性壊死性脳炎 acute necrotizing encephalitis ………………………… 607
急性炎〔症〕 acute inflammation ………… 928
急性炎症性脱髄性多発根神経障害 acute inflammatory demyelinating polyradiculoneuropathy (AIDP) ……… 1464
急性延髄灰白髄炎 acute bulbar poliomyelitis ………………………… 1457
急性鉛中毒 lead poisoning …………… 1455
急性加圧三徴 acute compression triad 1925
急性灰白髄炎 acute anterior poliomyelitis …………………………………………… 1457
急性感覚軸索性運動性神経障害 acute sensory axonal motor neuropathy (ASAM) ………………………………… 1250
急性間欠性ポルフィリン症 intermittent acute porphyria (IAP) ……………… 1467
急性間質性腎炎 acute interstitial nephritis …………………………………………… 1228
急性間質性肺炎 acute interstitial pneumonia …………………………………………… 1449
急性間質性肺炎 acute interstitial pneumonitis ………………………… 1451
急性期蛋白 acute phase protein ……… 1502
急性期反応 acute phase reaction ……… 1562
急性期反応物質 acute phase reactants 1562
急性牛痘状膿疱症 pustulosis vacciniformis acuta …………………………………… 1529
急性幻覚性パラノイア acute hallucinatory paranoia ……………………………… 1352
急性幻覚性妄想症 acute hallucinatory paranoia ……………………………… 1352
急性甲状腺腫 acute goiter …………… 790
急性広汎性肝壊死 acute massive liver necrosis ………………………………… 1224
急性孤立性心筋炎 acute isolated myocarditis ……………………………… 1212
急性細菌性心内膜炎 acute bacterial endocarditis …………………………… 611
急性再発性横紋筋融解〔症〕 acute recurrent rhabdomyolysis ……………………… 1606
急性細胞性拒絶〔反応〕 acute cellular rejection ………………………………… 1588
急性糸球体腎炎 acute glomerulonephritis 779
急性出血性結膜炎 acute hemorrhagic conjunctivitis ………………………… 412
急性出血性膵炎 acute hemorrhagic pancreatitis …………………………… 1341
急性出血性脳炎 acute hemorrhagic encephalitis ……………………………… 607
急性上行性麻痺 acute ascending paralysis …………………………………………… 1350
急性上肢神経根炎 acute brachial radiculitis …………………………………………… 1542
急性褥瘡性潰瘍 acute decubitus ulcer … 1960
急性腎盂腎炎 acute pyelonephritis …… 1530
急性侵襲性アスペルギルス症 acute invasive aspergillosis …………………………… 161
急性じんま疹 acute urticaria ………… 1975
急性水銀中毒 mercury poisoning ……… 1455
急性ストレス障害 acute stress disorder 543
急性脊髄前角炎 acute anterior poliomyelitis …………………………………………… 1457
急性セレン中毒 acute selenium poisoning …………………………………………… 1455
急性線維素性心外膜炎(心嚢炎) acute fibrinous pericarditis ………………… 1386
急性前骨髄球性白血病 acute promyelocytic leukemia ………………………………… 1024
急性前庭症候群 acute vestibular syndrome …………………………………………… 1795
急性せん妄 acute delirium …………… 483
急性帯状潜在性網膜外層症 acute zonal occult outer retinopathy (AZOOR) … 1602
急性多発性斑状色素上皮症 acute multifocal placoid pigment epitheliopathy ………… 632
急性胆嚢炎 acute cholecystitis ……… 349
急性虫垂炎 acute appendicitis ……… 119
急性転化 blast crisis ………………… 439
急性電撃性髄膜炎菌血症 acute fulminating meningococcemia ……………………… 1129
急性統合失調症 acute schizophrenia …… 1644
急性痘瘡状苔癬状ひこう疹 pityriasis lichenoides et varioliformis acuta (PLEVA) ………………………………… 1427
急性頭皮蜂巣炎 acute scalp cellulitis …… 328
急性特発性多発〔性〕神経炎 acute idiopathic polyneuritis …………………………… 1461
急性熱性好中球性皮膚症 acute febrile neutrophilic dermatosis ……………… 498
急性ネフローゼ acute nephrosis ……… 1231
急性の acute …………………………… 22
急性膿瘍 acute abscess ……………… 4
急性肺胞炎 acute pulmonary alveolitis …… 55
急性播種性脳脊髄炎 acute disseminated encephalomyelitis ………………………… 608
急〔性〕発〔作〕〔症状〕 storm …………… 1750
急性鼻炎 acute rhinitis ……………… 1608
急性脾腫 acute splenic tumor ………… 1949
急性ヒストプラスマ症 acute histoplasmosis …………………………………………… 855
急性腹症 acute abdomen ……………… 1
急性副腎皮質不全 acute adrenocortical insufficiency ………………………… 941
急性放射線症候群 acute radiation syndrome …………………………………………… 1795
急性マラリア acute malaria ………… 1094
急性網膜壊死 acute retinal necrosis (ARN) …………………………………………… 1224
急性リウマチ性関節炎 acute rheumatic arthritis ……………………………… 154
急性流行性筋炎 epidemic myositis, myositis epidemica acuta ………………………… 1216
急性流行〔性〕白質脳炎 acute epidemic leukoencephalitis ……………………… 1027
急性緑内障 acute glaucoma …………… 777
球脊髄炎 bulbar myelitis ……………… 1209
嗅腺 olfactory glands ………………… 774
嗅腺 glandulae olfactoriae …………… 776
旧線条体 paleostriatum ……………… 1338
旧線条体症候群 paleostriatal syndrome 1815
キュウセンヒゼンダニ症 psoroptic acariasis …………………………………………… 8
キュウセンヒゼンダニ属 *Psoroptes* …… 1516
吸蔵 occlusion ………………………… 1289
吸息 breath …………………………… 256
吸息 inhalation ………………………… 932
吸息 inspiration ………………………… 940
急速眼球運動 rapid eye movements (REM) …………………………………………… 1174
急速眼球運動睡眠 rapid eye movement sleep, REM sleep …………………… 1692
急速拒絶〔反応〕 accelerated rejection …. 1588
急速血漿レアギン試験 rapid plasma reagin test …………………………………… 1863
急速減圧 rapid decompression ……… 475
急速収縮 tachysystole ………………… 1838
急速進行性糸球体腎炎 rapidly progressive glomerulonephritis ……………………… 780
急速進行性乳児線維腫症 aggressive infantile fibromatosis ………………………… 694
吸息中枢 inspiratory center ………… 330
休息痛 rest pain ……………………… 1337
急速舞踏病 procursive chorea ……… 355
急速崩壊性 flash dispersal ………… 547
急速脈の tachycrotic ………………… 1837
球体 sphere …………………………… 1711
給体 donor …………………………… 555
吸着 adsorption ……………………… 31
吸着 sorption ………………………… 1701

吸着クロマトグラフィ adsorption chromatography …… 357
吸着剤 adsorbent …… 31
吸着床 suction plate …… 1435
吸着する adsorb …… 31
吸着物 adsorbate …… 31
吸着薬 adsorbent …… 31
吸虫綱 Trematoda …… 1924
吸虫類 fluke …… 715
球虫類亜綱 Coccidia …… 384
吸虫類子虫 miracidium …… 1159
求頂〔性〕の acropetal …… 19
求底的な basipetal …… 200
求電子〔体〕electrophil, electrophile …… 596
嗅電図 electroolfactogram (EOG) …… 596
牛痘ウイルス cowpox virus …… 2023
牛痘性痘瘡 variola vaccine, variola vaccinia …… 1988
球頭ブジー bougie à boule …… 238
球頭ブジー bulbous bougie …… 238
牛痘ワクチン variola vaccine, variola vaccinia …… 1988
球内の intraglobular …… 950
吸入 aspiration …… 162
吸入〔法〕inhalation …… 932
牛乳 lac vaccinum …… 992
吸入器 puffer …… 1523
吸入剤 inhalant …… 932
吸入剤 vapor …… 1987
牛乳菜食主義者 lactovegetarian …… 994
吸入性呼吸反射 pneopneic reflex …… 1581
吸入性心臓反射 pneocardiac reflex …… 1581
吸入性炭疽 inhalational anthrax …… 98
牛乳病 milk sickness …… 1677
牛乳貧血 cow's milk anemia …… 77
吸入不能の irrespirable …… 957
吸入補助器具 spacer …… 1705
吸入麻酔〔法〕inhalation anesthesia …… 79
吸入麻酔器 inhaler …… 932
吸入麻酔薬 inhalation anesthetic …… 81
吸入無痛〔法〕inhalation analgesia …… 69
吸入薬 inhalation …… 932
吸入療法 inhalation therapy …… 1879
牛乳療法 galactotherapy …… 750
吸熱の endothermic …… 616
嗅粘膜 olfactory mucosa …… 1177
球の bulbar …… 265
旧脳 paleencephalon …… 1338
嗅脳 rhinencephalon …… 1607
嗅脳溝 rhinal sulcus …… 1774
嗅脳溝 sulcus rhinalis …… 1774
嗅脳室 rhinocele …… 1608
9の法則 rule of nines …… 1626
窮迫 distress …… 550
急〔性〕発〔作〕〔症状〕storm …… 1750
吸盤 suction cup …… 449
鳩尾形緩圧型アバットメント dovetail stress-broken abutment …… 7
鳩尾形 dovetail …… 558
旧皮質 paleocortex …… 1338
嗅部 olfactory region of nose …… 1586
給付金 benefit …… 205
球部脈拍 bulbar pulse …… 1525
嗅ヘルニア rhinocele …… 1608
球弁作用 ball valve action …… 21
鳩扁ダニ *Argas reflexus* …… 131
嗅胞 olfactory vesicle …… 2016
嗅傍溝 parolfactory sulci …… 1774
臼傍歯 paramolar …… 1351
嗅膜 olfactory membrane …… 1126
球麻痺 bulbar palsy …… 1340
球麻痺 bulbar paralysis …… 1350
休眠 diapause …… 510
球面円柱レンズ spherocylindric lens …… 1020
球面円柱レンズ spherocylinder …… 1712
球面計 spherometer …… 1712
球面視野計 arc perimeter …… 1388
球面収差 spheric aberration …… 2
球面プリズム spheroprism …… 1712
球面レンズ spheric lens (S, sph.) …… 1020
嗅毛の ciliary …… 362
休薬 interruption …… 947
休薬期間 drug holiday …… 562
休薬期間 off period …… 1389
球様細胞 globoid cell …… 321
球様細胞白質萎縮〔症〕globoid cell leukodystrophy …… 1027
球様の bulboid …… 265
牛酪油 ghee …… 768
弓隆回 fornicate gyrus …… 808
弓隆回 gyrus fornicatus …… 808
きゅう(灸)〔療法〕moxibustion …… 1174
球レンズ収差 coma …… 396
キュブリン cubilin …… 447
ギュブレル症候群 Gubler syndrome …… 1806
ギュブレル線 Gubler line …… 1050
キュベット cuvet, cuvette …… 453
キュベット酸素濃度計 cuvette oximeter 1331
キュリー curie (C, c, Ci) …… 449
キュリウム curium (Cm) …… 449
キュルスタイナー管 Kürsteiner canals …… 283
キューレット curette, curet …… 449
キュンチャー釘 Küntscher nail …… 1220
ギュンツ靱帯 Günz ligament …… 1035
ギュンツベルク試験 Günzberg test …… 1858
ギュンツベルク試薬 Günzberg reagent 1569
ギュンニンク反応 Günning reaction …… 1565
距(きょ) calcar …… 275
頬 bucca …… 263
頬 cheek …… 340
頬 gena …… 762
莢 ellipsoid …… 599
峡 isthmus …… 963
橋 pons …… 1465
〔小〕橋 ponticulus …… 1466
胸 pectus …… 1375
胸〔部〕breast …… 255
胸〔部〕chest …… 343
共圧陣痛 bearing-down pain …… 1337
共アルコール症〔者〕coalcoholic …… 382
共アルコール中毒 coalcoholism …… 383
教育心理学 educational psychology …… 1518
教育病院 teaching hospital …… 865
教育分析 training analysis …… 71
共意識 coconsciousness …… 386
共一次性 coprimary …… 420
胸囲の perithoracic …… 1393
頬咽頭筋膜 buccopharyngeal fascia …… 672
頬咽頭筋膜 fascia buccopharyngea …… 672
頬咽頭の buccopharyngeal …… 263
共役眼球運動 conjugate deviation of the eyes …… 502
頬〔部〕炎 melitis …… 1123
橋延髄核 pontobulbar nucleus …… 1278
橋延髄溝 pontomedullary groove …… 802
橋延髄溝 medullopontine sulcus …… 1773
橋延髄体 pontobulbar body …… 229
橋延髄体 corpus pontobulbare …… 425
胸横筋 transverse muscle of thorax …… 1197
胸横筋 transversus thoracis (muscle) …… 1197
胸横筋 musculus transversus thoracis …… 1204
胸横突間筋 thoracic intertransversarii (muscles) …… 1196
胸横突間筋 thoracic intertransverse muscles …… 1196
胸横突間筋 musculi intertransversarii thoracis …… 1201
狭温性の stenothermal …… 1742
強化 enhancement …… 617
強化 reinforcement …… 1587
境界 boundaries …… 238
胸鎧 cuirass …… 447
凝塊 clot …… 377
凝塊 coagulation …… 382
凝塊 coagulum …… 382
凝塊 conglobation …… 410
凝塊 conglomerate …… 410
仰臥位 supine position …… 1470
仰臥位 supination …… 1778
境界悪性卵巣腫瘍 borderline ovarian tumor …… 1949
境界域らい borderline leprosy …… 1021
境界型高血圧 borderline hypertension …… 888
境界型糖尿病 borderline diabetes …… 505
凝灰岩小体 tuffstone body …… 229
境界決定 emancipation …… 600
境界溝 sulcus limitans …… 1773
境界溝 limiting sulcus …… 1773
境界細胞 border cells …… 320
凝塊した thrombosed …… 1888
境界〔性〕人格障害 borderline personality disorder …… 545
胸回旋筋 rotatores thoracis (muscles) …… 1193
胸回旋筋 thoracic rotator muscles …… 1196
胸回旋筋 musculi rotatores thoracis …… 1203
境界帯 grenz zone …… 2059
仰臥位低血圧症候群 supine hypotensive syndrome …… 1822
頬外の extrabuccal …… 657
〔角膜の〕境界板 limiting layers of cornea …… 1011
境界母斑 junction nevus …… 1255
境界膜 boundary lamina …… 997
境界膜 membrana limitans …… 1124
境界例 borderline case …… 308
強化〔因〕子 reinforcer …… 1587
橋核 nuclei pontis …… 1278
橋核 pontine nuclei …… 1278
頬角 buccal angles …… 88
鋏角 chelicera …… 341
胸郭 thoracic cage …… 275
胸郭 thorax …… 1886
胸郭胃 gastrothorax …… 760
頬顎異常矯正学 orthognathia …… 1316
胸郭下口 apertura thoracis inferior …… 113
胸郭下口 inferior thoracic aperture …… 113
驚愕過剰〔症〕hyperekplexia …… 880
胸郭下の infrathoracic …… 931
胸郭奇形 thoracocyllosis …… 1885
胸郭狭窄 stenothorax …… 1742
胸郭狭窄〔症〕thoracostenosis …… 1885
胸〔郭〕形成〔術〕thoracoplasty …… 1885
胸郭コンプライアンス thoracic compliance …… 403
胸郭指数 thoracic index …… 923
胸郭周囲の perithoracic …… 1393
胸郭上口 apertura thoracis superior …… 113
胸郭上口 superior thoracic aperture …… 113
胸郭上〔部〕の suprathoracic …… 1780
胸郭切開〔術〕transthoracotomy …… 1922
強拡大視野 high-power field (HPF) …… 697
狭角断層撮影法 zonography …… 2060
胸郭中央位心臓 mesocardia …… 1135
胸郭痛 thoracalgia …… 1885
胸郭出口症候群 thoracic outlet syndrome (TOS) …… 1822
驚愕てんかん startle epilepsy …… 629
胸郭内甲状腺腫 thoracic goiter …… 790
胸郭の thoracic …… 1885
胸郭の関節 synovial joints of thorax …… 971
胸郭の靱帯結合 syndesmoses of thorax 1795
胸郭の軟骨結合 synchondroses of thorax …… 1793
胸郭の連結 thoracic joints …… 972
驚愕反射 startle reflex …… 1582
驚愕反応 fright reaction …… 1564
胸郭披裂 thoracoschisis …… 1885
〔小脳〕橋角部腫瘍 pontine angle tumor 1951

胸郭籠 compages thoracis …… 398
強化〔因〕子 reinforcer …… 1587
恐火症 pyrophobia …… 1534
強化硝酸銀 toughened silver nitrate …… 1685
強化スケジュール schedules of reinforcement …… 1642
強化ミルク fortified milk …… 1158
胸管 thoracic duct …… 565
胸管 ductus thoracicus …… 566
共感 sympathy …… 1790
共感 synesthesia …… 1826
共感覚 synesthesia …… 1826
胸管弓 arch of thoracic duct …… 126
胸管弓 arcus ductus thoracici …… 127
胸管胸部 thoracic part of thoracic duct 1368
胸管頸部 cervical part of thoracic duct 1363
共感性 consensual …… 413
共感性 sympathism …… 1790
共感〔性〕反応 consensual reaction …… 1563
共感痛 synesthesialgia …… 1826
共感の sympathetic …… 1790
胸管腹部 abdominal part of thoracic duct …… 1362
狂気 insanity …… 939
狂気 madness …… 1092
教義 doctrine …… 554
共起刺激分子 costimulatory molecule …… 1164
共寄生 multiple parasitism …… 1354
狭義の遺伝率(遺伝力) heritability in the narrow sense …… 842
橋脚歯 abutment …… 7
供給者 provider …… 1509
狂牛病 bovine spongiform encephalopathy (BSE) …… 609
強強格 spondee …… 1722
胸棘間筋 interspinales thoracis (muscles) …… 1187
胸棘間筋 thoracic interspinal muscle …… 1196
胸棘間筋 thoracic interspinales muscles 1196
胸棘間筋 musculus interspinalis thoracis …… 1201
胸棘筋 spinal muscle of thorax …… 1194
胸棘筋 spinalis thoracis (muscle) …… 1194
胸棘筋 musculus spinalis thoracis …… 1203
頬筋 buccinator (muscle) …… 1182
頬筋 cheek muscle …… 1182
頬筋 musculus buccinator …… 1199
胸筋腋窩リンパ節 pectoral axillary lymph nodes …… 1080
胸筋下の subpectoral …… 1764
胸筋間リンパ節 interpectoral lymph nodes …… 1079
胸筋筋膜 fascia pectoralis …… 674
胸筋筋膜 pectoral fascia …… 674
胸筋静脈 pectoral veins …… 1999
胸筋静脈 venae pectorales …… 2007
胸筋痛 thoracomyodynia …… 1885
胸筋反射 pectoral reflex …… 1581
胸筋部 regio pectoralis …… 1584
胸筋部 pectoral region …… 1586
頬筋稜 buccinator crest …… 437
頬筋リンパ節 buccal lymph node …… 1077
頬筋リンパ節 buccinator node, buccal node …… 1260
頬筋リンパ節 nodus buccinatorius …… 1262
胸腔 cavitas thoracica/thoracis …… 316
胸腔 cavum thoracis …… 317
胸腔 thoracic cavity …… 317
境遇 situation …… 1690
胸腔胃 thoracic stomach …… 1748
胸腔鏡 thoracoscope …… 1885
胸腔鏡下手術 thoracoscopic surgery …… 1784
胸腔鏡検査〔法〕 thoracoscopy …… 1885
胸腔結石 pleurolith …… 1438
胸腔静脈シャント pleurovenous shunt … 1675
胸腔心嚢膜 pleuropericardial fold …… 720
胸腔穿刺〔術〕 thoracentesis …… 1885
〔脳〕橋空洞症 syringopontia …… 1829
胸腔ドレーン thoracostomy tube …… 1942
胸腔内圧 pleural pressure …… 1483
胸腔内腎臓 thoracic kidney …… 984
胸腔内の intrathoracic …… 951
胸腔脾症 thoracic splenosis …… 1721
胸腔腹腔シャント pleuroperitoneal shunt …… 1675
胸腔腹腔ひだ pleuroperitoneal fold …… 720
狭腔胞胚 discoblastula …… 527
橋屈 pontine flexure …… 713
鏡径 aperture …… 113
胸〔郭〕形成〔術〕 thoracoplasty …… 1885
頬頸の buccocervical …… 263
凝結 coagulation …… 382
凝結 condensation …… 407
凝結 flocculation …… 713
凝結塊 gelosis …… 761
〔凝〕血塊 clot …… 377
〔凝〕血塊 coagulation …… 382
〔凝〕血塊 cruor …… 443
夾結合 schindyletic joint …… 971
夾結合 wedge-and-groove joint …… 972
夾結合 schindylesis …… 1642
胸結合体 synthorax …… 1827
胸結合体 thoracopagus …… 1885
供血者 donor …… 555
凝血症 inopexia …… 938
凝結する coagulate …… 382
凝血薬 coagulant …… 382
鏡検 microscopy …… 1154
偽溶原菌株 pseudolysogenic strain …… 1751
恐犬症 cynophobia …… 457
偽溶原性 pseudolysogeny …… 1513
狂犬病 rabies …… 1540
狂犬病ウイルス rabies virus …… 2028
狂犬病ウイルス・ケレヴ株 rabies virus, Kelev strain …… 2028
狂犬病ウイルス・フラリー株 rabies virus, Flury strain …… 2028
狂犬病免疫グロブリン(ヒト) rabies immune globulin (human) …… 779
狂犬病ワクチン rabies vaccine …… 1980
狂犬病ワクチン・フラリー株鶏卵継代 rabies vaccine, Flury strain egg-passage …… 1980
胸肩峰静脈 thoracoacromial vein …… 2002
胸肩峰静脈 vena thoracoacromialis …… 2008
胸肩峰動脈 arteria thoracoacromialis …… 138
胸肩峰動脈 acromiothoracic artery …… 141
胸肩峰動脈 thoracoacromial artery …… 153
〔胸肩峰動脈〕肩峰枝 acromial branch of thoracoacromial artery …… 242
〔胸肩峰動脈〕肩峰枝 ramus acromialis arteriae thoracoacromialis …… 1547
胸肩峰動脈三角筋枝 ramus deltoideus arteriae thoracoacromialis …… 1550
胸肩峰動脈の胸筋枝 pectoral branches of thoracoacromial artery …… 251
胸肩峰動脈の胸筋枝 rami pectorales arteriae thoracoacromialis …… 1554
胸肩峰動脈の肩峰吻合網 acromial anastomosis of the thoracoacromial artery …… 72
胸肩峰動脈の鎖骨枝 clavicular branch of thoracoacromial artery …… 244
胸肩峰動脈の鎖骨枝 ramus clavicularis arteriae thoracoacromialis …… 1549
凝固 coagulation …… 382
凝固 freezing …… 740
凝固因子 clotting factor …… 667
凝固因子 coagulation factor …… 667
恐慌 panic …… 1342
競合 competition …… 400
競合 rivalry …… 1619
強剛 rigidity …… 1616
凝膠 pectization …… 1375
恐慌性障害 panic disorder …… 546
凝膠体 jelly …… 967
競合的拮抗質 competitive antagonist …… 96
競合的結合測定〔法〕 competitive binding assay …… 162
競合的阻害 competitive inhibition …… 933
頬後〔方〕の retrobuccal …… 1603
狭孔板 stenopeic disc, stenopaic disc …… 526
強行分娩 accouchement forcé …… 10
恐慌発作 panic attack …… 175
競合リスク competing risk …… 1618
胸後弯 thoracic kyphosis …… 990
凝固壊死 coagulation necrosis …… 1224
凝固混合試験 mixing study in coagulation …… 1761
〔血液〕凝固薬(剤) coagulant …… 382
凝固時間 coagulation time …… 1893
凝固障害 coagulopathy …… 382
凝固する clot …… 377
凝固する coagulate …… 382
凝固遅延剤 retarder …… 1598
頬骨 cheek bone …… 232
頬骨 zygomatic bone …… 234
頬骨 mala …… 1093
頬骨 os zygomaticum …… 1318
頬骨 zygoma …… 2062
胸骨 breast bone …… 231
胸骨 sternum …… 1745
胸骨右縁〔部〕拍動 right parasternal impulses …… 917
頬骨縁結節 marginal tubercle (of zygomatic bone) …… 1944
〔頬骨〕縁結節 marginal tubercle …… 1944
〔頬骨〕縁結節 tuberculum marginale (ossis zygomatici) …… 1946
頬骨外側面 facies lateralis ossis zygomatici …… 664
頬骨外側面 lateral surface of zygomatic bone …… 1782
胸骨下角 infrasternal angle …… 89
胸骨下角 angulus infrasternalis …… 90
胸骨角 sternal angle …… 89
胸骨角 angulus sterni …… 90
胸骨下甲状腺腫 substernal goiter …… 790
胸骨下の infrasternal …… 931
胸骨下の substernal …… 1767
頬骨下の subjugal …… 1763
頬骨下の subzygomatic …… 1768
頬骨眼窩孔 foramen zygomatico-orbitale 726
頬骨眼窩孔 zygomatico-orbital foramen 726
頬骨眼窩動脈 arteria zygomatico-orbitalis …… 138
頬骨眼窩動脈 zygomatico-orbital artery 154
頬骨眼窩の zygomatico-orbital …… 2062
〔鎖骨の〕胸骨関節面 facies articularis sternalis claviculae …… 663
〔鎖骨の〕胸骨関節面 sternal articular surface of clavicle …… 1783
頬骨顔面孔 foramen zygomaticofaciale … 726
頬骨顔面孔 zygomaticofacial foramen …… 726
頬骨顔面の zygomaticofacial …… 2062
胸骨気管の sternotracheal …… 1745
頬骨弓 zygomatic arch …… 127
頬骨弓 arcus zygomaticus …… 128
頬骨弓幅 zygomatic diameter …… 509
胸骨筋 sternal muscle …… 1194
胸骨筋 sternalis (muscle) …… 1194
胸骨筋 musculus sternalis …… 1203
胸骨筋 sternalis …… 1744
胸骨筋膜筋 musculus sternofascialis …… 1204
胸骨筋膜筋 sternofascialis …… 1745
胸骨結合 sternal joints …… 971
胸骨結合奇形 sternopagia …… 1745
胸骨剣軟骨結合 xiphisternal joint …… 972
胸骨剣軟骨結合 synchondrosis xiphosternalis

…… 1793
胸骨後〔含気〕腔 retrosternal space …… 1705
胸骨甲状筋 sternothyroid (muscle) …… 1195
胸骨甲状筋 musculus sternothyroideus …… 1204
胸骨甲状筋 sternothyroideus …… 1745
胸骨後〔方〕の retrosternal …… 1605
胸骨後ヘルニア retrosternal hernia …… 843
胸骨鎖骨筋 sternoclavicular muscle …… 1194
胸骨鎖骨筋 musculus sternoclavicularis 1204
頬骨耳介指数 zygomaticoauricular index 923
頬骨耳介の zygomaticoauricular …… 2062
頬骨支柱 zygomatic buttress …… 272
頬骨周囲ワイヤリング circumzygomatic wiring …… 2047
胸骨上窩 suprasternal space …… 1705
頬骨上顎骨の jugomaxillary …… 973
頬骨上顎の zygomaticomaxillary …… 2062
頬骨上顎の zygomaxillary …… 2062
頬骨上顎縫合 sutura zygomaticomaxillaris …… 1786
頬骨上顎縫合 zygomaticomaxillary suture …… 1788
胸骨上の adsternal …… 31
胸骨上の episternal …… 631
胸骨上の suprasternal …… 1779
胸骨上拍動 suprasternal pulsation …… 1524
胸骨上平面 suprasternal plane …… 1431
頬骨神経 zygomatic nerve …… 1240
頬骨神経 nervus zygomaticus …… 1243
頬骨神経の頬骨顔面枝 zygomaticofacial branch of zygomatic nerve …… 255
頬骨神経の頬骨顔面枝 ramus zygomaticofacialis nervi zygomatici …… 1557
頬骨神経の頬骨側頭枝 zygomaticotemporal branch of zygomatic nerve …… 255
頬骨神経の頬骨側頭枝 ramus zygomaticotemporalis nervi zygomatici …… 1557
胸骨心膜靱帯 sternopericardial ligaments …… 1040
胸骨心膜靱帯 ligamenta sternopericardiaca …… 1045
胸骨心膜の sternopericardial …… 1745
胸骨正中切開 median sternotomy …… 1745
胸骨脊椎の sternovertebral …… 1745
胸骨切開〔術〕 sternotomy …… 1745
胸骨舌筋の sternoglossal …… 1745
胸骨舌骨筋 sternohyoid (muscle) …… 1195
胸骨舌骨筋 musculus sternohyoideus …… 1204
胸骨舌骨筋 sternohyoideus …… 1745
胸骨線 sternal line …… 1052
胸骨線 linea sternalis …… 1053
胸骨穿孔〔術〕 sternotrypesis …… 1745
胸骨穿刺 sternal puncture …… 1527
頬骨前頭突起 frontal process of zygomatic bone …… 1489
頬骨前頭の zygomaticofrontal …… 2062
胸骨〔前〕部 regio presternalis …… 1584
胸骨〔前〕部 presternal region …… 1586
胸骨前腕筋反射 sternobrachial reflex …… 1582
頬骨側頭孔 foramen zygomaticotemporale …… 726
頬骨側頭孔 zygomaticotemporal foramen 726
頬骨側頭の zygomaticotemporal …… 2062
頬骨側頭縫合 sutura zygomaticotemporalis …… 1786
頬骨側頭面 temporal surface of zygomatic bone …… 1783
胸骨体 body of sternum …… 229
胸骨体 corpus sterni …… 426
胸骨帯 sternal bar …… 196
頬骨蝶形骨の zygomaticosphenoid …… 2062
胸骨痛 sternalgia …… 1744
〔上顎骨〕頬骨突起 zygomatic process of maxilla …… 1491
〔上顎骨〕頬骨突起 processus zygomaticus maxillae …… 1492
胸骨軟骨整復〔術〕 chondrosternoplasty …… 354
胸骨軟骨の chondrosternal …… 354
頬骨の jugal …… 973
頬骨の malar …… 1094
頬骨の眼窩隆起 orbital eminence of zygomatic bone …… 603
頬骨の眼窩隆起 eminentia orbitalis (ossis zygomatici) …… 604
頬骨の眼窩隆起 orbital tubercle (of zygomatic bone) …… 1944
頬骨の眼窩隆起 tuberculum orbitale ossis zygomatici …… 1946
胸骨の鎖骨切痕 clavicular notch of sternum …… 1269
〔頬骨の〕側頭突起 temporal process of zygomatic bone …… 1490
〔頬骨の〕側頭突起 processus temporalis ossis zygomatici …… 1492
胸骨の軟骨結合 sternal synchondroses …… 1793
胸骨の軟骨結合 synchondroses sternales 1793
狭骨盤 contracted pelvis …… 1378
頬骨部 regio zygomatica …… 1584
頬骨部 zygomatic region …… 1586
〔横隔膜〕胸骨部 pars sternalis diaphragmatis …… 1361
〔横隔膜〕胸骨部 sternal part of diaphragm …… 1367
胸骨付近の adsternal …… 31
胸骨分節 sternebra …… 1744
胸骨柄 episternum …… 631
胸骨柄 manubrium of sternum …… 1101
胸骨柄体結合 manubriosternal symphysis …… 1791
胸骨柄体結合 symphysis manubriosternalis …… 1791
胸骨柄体骨結合 synchondrosis manubriosternalis …… 1793
胸骨柄体軟骨結合 manubriosternal joint 970
胸骨方向へ sternad …… 1744
胸骨傍線 parasternal line …… 1051
胸骨傍線 linea parasternalis …… 1053
胸骨傍の parasternal …… 1354
胸骨傍リンパ節 parasternal lymph nodes …… 1080
胸骨膜 membrana sterni …… 1124
胸骨膜 sternal membrane …… 1127
胸骨面 planum sternale …… 1431
胸骨面 sternal plane …… 1431
頬骨鱗の squamozygomatic …… 1726
胸骨裂 sternoschisis …… 1745
凝固点 freezing …… 740
凝固点 freezing point …… 1454
強固な tophaceous …… 1903
凝固能亢進 hypercoagulability …… 879
凝固能亢進性の hypercoagulable …… 879
凝固物 concretion …… 407
〔血液〕凝固薬(剤) coagulant …… 382
胸最長筋 longissimus thoracis (muscle) 1188
胸最長筋 thoracic longissimus muscle …… 1196
胸最長筋 musculus longissimus thoracis 1201
胸鎖角 sternoclavicular angle …… 89
胸鎖関節 articulatio sternoclavicularis …… 157
胸鎖関節 sternoclavicular joint …… 971
〔胸鎖関節の〕関節円板 articular disc of sternoclavicular joint …… 525
〔胸鎖関節の〕関節円板 sternoclavicular disc, sternoclavicular articular disc …… 526
〔胸鎖関節の〕関節円板 discus articularis sternoclavicularis …… 527
胸鎖筋 sternoclavicularis …… 1745
狭窄 arctation …… 127
狭窄 constriction …… 415
狭窄 fretum …… 741
狭窄〔症〕 stegnosis …… 1741
狭窄〔症〕 stenochoria …… 1741
狭窄〔症〕 stenosis …… 1742
狭窄〔症〕 stricture …… 1757
狭窄音 stertor …… 1746
狭窄感 constriction …… 415
狭窄形成術 stricturoplasty …… 1757
狭窄後の拡大 post-stenotic dilation …… 519
狭窄頭蓋 stenocephaly …… 1741
狭窄性腱鞘炎 stenosing tenosynovitis …… 1851
狭窄性細気管支炎 constrictive bronchiolitis …… 259
狭窄性雑音 stenosal murmur …… 1180
狭窄性心内膜炎 constrictive endocarditis 611
狭窄切開〔術〕 stricturotomy …… 1757
狭窄切開刀 stricturotome …… 1757
胸鎖靱帯 sternoclavicular ligaments …… 1040
胸鎖靱帯 ligamenta sternoclavicularia …… 1045
強殺菌療法 therapia magna sterilisans 1877
夾雑物 contaminant …… 416
胸鎖乳突筋 sternocleidomastoid (muscle) (SCM) …… 1194
胸鎖乳突筋 sternomastoid muscle …… 1195
胸鎖乳突筋 musculus sternocleidomastoideus …… 1204
胸鎖乳突筋 sternocleidomastoideus …… 1745
胸鎖乳突筋下の substernomastoid …… 1767
胸鎖乳突筋静脈 sternocleidomastoid vein …… 2001
胸鎖乳突筋静脈 vena sternocleidomastoidea …… 2008
胸鎖乳突筋部 regio sternocleidomastoidea …… 1584
胸鎖乳突筋部 sternocleidomastoid region …… 1586
胸鎖乳突の sternocleidomastoid …… 1745
胸鎖の sternoclavicular …… 1745
胸鎖の sternocleidal …… 1745
橋枝 rami ad pontem …… 1547
凝視 gaze …… 761
凝視 stare …… 1738
胸式呼吸 thoracic respiration …… 1595
胸肢筋 thoracoappendicular muscles …… 1196
強指(趾)症 sclerodactyly, sclerodactylia 1647
頬耳症 melotia …… 1124
橋・膝状体・後頭棘波 ponto-geniculo-occipital spike …… 1715
凝視点 point of fixation …… 1454
頬脂肪体 corpus adiposum buccae …… 425
頬脂肪体 buccal fat-pad …… 678
橋斜束 oblique bundle of pons …… 266
橋斜束 fasciculus obliquus pontis …… 676
橋斜束 oblique pontine fasciculus …… 676
郷愁 nostalgia …… 1269
凝集 aggregation …… 38
凝集 clumping …… 377
凝集 flocculation …… 713
凝集〔作用〕 agglutination …… 37
頬周囲の peribuccal …… 1386
凝集可能な flocculable …… 713
凝集血栓 agglutinative thrombus …… 1888
凝集原 agglutinogen …… 37
凝集原性の agglutinogenic …… 37
共重合体 copolymer …… 420
共重合体樹脂 copolymer resin …… 1592
凝集試験 agglutination test …… 1853
凝集する clump …… 377
凝集〔性〕の agglutinative …… 37
凝集素 agglutinin …… 37
橋縦束 longitudinal pontine bundles …… 266
橋縦束 fasciculi longitudinales pontis …… 676
橋縦束 longitudinal pontine fasciculi …… 676
橋縦束 longitudinal pontine fibers …… 689
凝集の aggregated …… 38
凝集反応 agglutination …… 37
凝集物 aggregate …… 37
凝集力 cohesion …… 388
狭宿主性寄生生物 stenoxous parasite …… 1354

狭宿主性の stenoxenous …………………… 1742
強酒精 spirituous liquor …………………… 1060
橋出血 pontine hemorrhage …………………… 836
共助 comitance …………………………………… 397
鋏状陰影 scissors-shadow …………………… 1646
共晶〔型〕合金 eutectic alloy ………………… 52
胸上骨 suprasternal bones …………………… 233
胸上骨 ossa suprasternalia …………………… 1318
狭〔小〕頭〔蓋〕症 craniostenosis ……………… 435
狭〔小〕頭〔蓋〕症 stenocephaly ……………… 1741
狭小頭蓋の leptocephalous ………………… 1021
橋小体 bridge corpuscle …………………… 426
擬葉条虫 pseudophyllid …………………… 1514
共焦点顕微鏡 confocal microscope ……… 1154
共晶の eutectic ………………………………… 649
頬上の suprabuccal …………………………… 1779
橋小脳 pontocerebellum …………………… 1466
橋小脳槽 pontocerebellar cistern ………… 368
橋小脳路線維 pontocerebellar fibers ……… 690
橋静脈 pontine veins ………………………… 2000
橋静脈 veins of pons ………………………… 2000
橋静脈 venae pontis ………………………… 2007
胸静脈 thoracic veins ……………………… 2002
胸上腕の thoracicohumeral ………………… 1885
恐食症 phagophobia ………………………… 1399
共振 resonance ………………………………… 1594
共進化 coevolution …………………………… 388
共振器 resonator ……………………………… 1595
胸神経 thoracic nerves 〔T1–T12〕 ……… 1239
頬神経 buccal nerve ………………………… 1232
頬神経 nervus buccalis ……………………… 1241
胸神経後枝の外側枝 ramus lateralis ramorum dorsalium nervorum thoracicorum ………………………… 1552
胸神経後枝の外側枝 lateral branch of posterior rami of thoracic spinal nerves ……………………………………………… 248
胸神経後枝の内側枝 medial branch of posterior rami of thoracic spinal nerves ……………………………………………… 249
胸神経後枝の内側皮枝 ramus cutaneus medialis ramorum dorsalium nervorum thoracicorum ………………………… 1550
胸神経節 ganglia thoracica ………………… 755
〔交感神経幹の〕胸神経節 thoracic ganglia ……………………………………………… 755
胸神経節の胸肺枝 thoracic pulmonary branches (of thoracic ganglia) ………… 254
胸神経節の食道枝 esophageal branches of thoracic ganglia ………………………… 246
胸神経前枝 anterior rami of thoracic nerves ……………………………………………… 1548
胸神経前枝 rami anteriores nervorum thoracis ……………………………………… 1548
胸神経前枝 rami ventrales nervorum thoracis ……………………………………… 1557
胸神経前枝 ventral rami of thoracic nerves ……………………………………………… 1557
胸神経前枝の前皮枝の内側乳腺枝 rami mammarii mediales rami cutanei anterioris ramorum ventralium nervorum thoracicorum ………………………… 1553
〔胸神経〕〔胸・腹〕前皮枝 ramus cutaneus anterior (pectoralis et abdominalis) nervorum thoracicorum ………………… 1550
胸神経の胸外側皮枝の外側乳腺枝 lateral mammary branches of lateral pectoral cutaneous branches of intercostal nerves ……………………………………………… 248
狭心症 angina pectoris ……………………… 83
狭心症 stenocardia …………………………… 1741
狭心症恐怖〔症〕 anginophobia ……………… 83
狭心症持続状態 status anginosus ………… 1740
狭心症相当症状 anginal equivalent ……… 635
共心性線維腫 concentric fibroma ………… 694
共心性の homocentric ……………………… 860
強心性の cardiotonic ………………………… 301
胸心臓神経 thoracic cardiac branches of thoracic ganglia ………………………… 254
胸心臓神経 thoracic cardiac nerves …… 1239
胸心臓神経 nervi cardiaci thoracici …… 1241
頬唇の buccolabial …………………………… 263
強心配糖体 cardiac glycosides …………… 788
強心薬 inotropic agents ……………………… 36
強心利尿薬 cardiac diuretic ……………… 551
胸水 pleural effusion ……………………… 590
偽羊水 false waters ………………………… 2041
恐水病 hydrophobia ………………………… 873
狭〔小〕頭〔蓋〕症 craniostenosis ……………… 435
狭〔小〕頭〔蓋〕症 stenocephaly ……………… 1741
狭頭蓋の phenozygous …………………… 1406
共生 probiosis ………………………………… 1486
共生 symbiosis ……………………………… 1789
強制 compulsion …………………………… 405
胸声 pectoriloquy …………………………… 1375
矯正〔術〕 correction ………………………… 427
偽陽性 false positive ……………………… 670
矯正右胸心 corrected dextrocardia ……… 504
強制栄養 forced feeding, forcible feeding 679
強制拡張 divulsion ………………………… 553
〔片利〕共生寄生生物 commensal parasite ……………………………………………… 1354
強制呼吸 forced respiration ……………… 1595
矯正歯科医 orthodontist …………………… 1316
矯正歯科結紮 surgical ligation …………… 1046
共生者 symbion, symbiont ………………… 1789
偽陽性者 false positive …………………… 670
強制周期 forced cycle ……………………… 454
強制収縮 forced beat ……………………… 203
矯正精神医学 orthopsychiatry …………… 1317
共生生物 symbion, symbiont ……………… 1789
矯正装置 orthodontic appliance ………… 121
共生体 symbion, symbiont ………………… 1789
矯正治療 orthodontic therapy …………… 1879
強制的微量換気法 mandatory minute ventilation ………………………………… 2010
偽陽性の成績 false positive ……………… 670
共生発酵現象 symbiotic fermentation phenomenon ………………………………… 1406
偽陽性反応 false-positive reaction ……… 1564
強制ひき運動 forced duction ……………… 565
強制分娩 accouchement forcé ……………… 10
矯正用バンド orthodontic band ………… 194
頬舌径 buccolingual diameter …………… 509
頬舌径 buccolingual dimension ………… 520
夾接合 schindyletic joint ………………… 971
頬舌的関係 buccolingual relation ……… 1588
教説的な didactic ………………………… 513
頬舌の buccolingual ……………………… 263
頬腺 buccal glands ………………………… 772
頬腺 glandulae buccales ………………… 775
胸腺 thymus ………………………………… 1890
胸腺(T細胞)依存性抗原 T-dependent antigen ………………………………………… 105
胸腺炎 thymitis …………………………… 1890
胸腺機能亢進〔症〕 hyperthymism ………… 888
胸腺欠損の thymoprival, thymoprivic, thymoprivous ……………………………… 1890
胸腺細胞 thymocyte ……………………… 1890
胸腺枝 rami thymici ……………………… 1557
胸腺刺激性の thymokinetic ……………… 1890
胸腺腫 thymoma …………………………… 1890
恐尖症 belonephobia ……………………… 205
胸腺小体 thymic corpuscle ……………… 426
胸腺静脈 thymic veins …………………… 2003
胸腺静脈 venae thymicae ………………… 2008
胸腺小葉 lobules of thymus ……………… 1066
胸腺小葉 lobuli thymi/thymici …………… 1066
強染色性の trachychromatic ……………… 1909
胸腺切除〔術〕 thymectomy ………………… 1889
橋前槽 prepontine cistern ………………… 368
頬前庭 buccal vestibule …………………… 2018
胸腺摘出〔術〕 thymectomy ………………… 1889
胸腺の thymic ……………………………… 1889
胸腺非依存性抗原 thymus-independent antigen ………………………………………… 105
〔胸神経〕〔胸・腹〕前皮枝 ramus cutaneus anterior (pectoralis et abdominalis) nervorum thoracicorum ………………… 1550
胸腺皮質 cortex of thymus ……………… 428
胸腺無発育 thymic agenesis ……………… 35
胸腺由来レシチンオルガノゲル pluronic lecithin organogel (PLO) …………… 1446
胸腺療法 thymus treatment ……………… 1924
胸腺リンパ形成不全〔症〕 thymic alymphoplasia ………………………………… 55
胸腺リンパ産生因子 thymic lymphopoietic factor ……………………………………… 669
胸腺リンパ体質の thymicolymphatic …… 1889
競争 rivalry ………………………………… 1619
強壮 sthenia ………………………………… 1746
橋槽 cisterna pontis ……………………… 368
橋槽 pontine cistern ……………………… 368
鏡像 mirror image ………………………… 908
鏡像 specular image ……………………… 908
鏡像〔体〕 enantiomorphism ……………… 606
鏡像異性 enantiomerism ………………… 606
鏡像異性選択性 enantioselectivity ……… 606
鏡像〔異性〕体 enantiomer ………………… 606
鏡像右胸心 mirror image dextrocardia … 505
鏡像関係の enantiomorphic ……………… 606
競争拮抗質 competitive antagonist ……… 96
鏡〔像〕恐怖〔症〕 spectrophobia …………… 1708
鏡像細胞 mirror-image cell ……………… 323
鏡像書法 mirror-writing ………………… 1159
強壮性 hardiness …………………………… 815
鏡像性言語 mirror speech ……………… 1709
強壮性の tonic ……………………………… 1900
鏡像知覚 strephosymbolia ……………… 1753
競争的DNA competitor DNA …………… 491
共挿入 cointegrate ………………………… 388
強壮薬 antasthenic ………………………… 97
強壮薬 euphoriant ………………………… 648
強壮薬 restorative ………………………… 1597
強壮薬 tonic ………………………………… 1900
頬側咬合 buccal occlusion ……………… 1289
頬側鼓形空隙 buccal embrasure ………… 601
頬側根 buccal root of tooth ……………… 1621
頬側歯牙彎曲 buccal curve ……………… 450
頬側歯肉 buccal gingiva ………………… 770
頬側小窩 buccal pit ……………………… 1426
頬側スミア(塗抹〔標本〕) buccal smear … 1693
頬側転位 buccoversion …………………… 263
頬側フレンジ buccal flange ……………… 709
共存症 comorbidity ………………………… 398
狭帯域 narrowband ………………………… 1221
兄弟姉妹 sibship …………………………… 1676
胸大動脈 thoracic aorta …………………… 112
胸大動脈 aorta thoracica ………………… 112
胸大動脈 pars thoracica aortae ………… 1361
胸大動脈神経叢 thoracic aortic (nervous) plexus ……………………………………… 1444
胸大動脈の縦隔枝 mediastinal branches of thoracic aorta ……………………………… 249
胸大動脈の食道枝 esophageal branches of the thoracic aorta ………………………… 246
胸大動脈の食道動脈 rami esophageales aortae thoracicae ………………………… 1551
胸大動脈の心膜枝 pericardial branches of thoracic aorta ……………………………… 251
胸大動脈の心膜枝 rami pericardiaci aortae thoracicae ……………………………… 1555
強大脈 pulsus fortis ……………………… 1525
凝着剤 agglutinant ………………………… 37
ぎょう虫 oxyurid ………………………… 1333
ぎょう虫 pinworm ………………………… 1425
橋中央ミエリン溶解 central pontine myelinolysis ……………………………… 1209

蟯虫科 Oxyuridae ……… 1333
ぎょう虫駆除薬 oxyuricide ……… 1333
ぎょう虫症 enterobiasis ……… 619
ぎょう虫性腟炎 pinworm vaginitis ……… 1982
共調 coordination ……… 419
共調〔運動〕不能 incoordination ……… 920
協調痙攣 spasmus coordinatus ……… 1706
協調進化 concerted evolution ……… 650
共調節因子 coregulators ……… 423
〔協調不能性〕構音障害 mogiarthria ……… 1163
胸腸肋筋 thoracic part of iliocostalis lumborum (muscle) ……… 1368
強直 tetany ……… 1870
強直〔症〕 ankylosis ……… 92
強直化 tetanization ……… 1870
強直間代〔性〕の tonicoclonic ……… 1900
強直〔性〕痙攣 tonic convulsion ……… 419
強直指〔症〕 ankylodactyly, ankylodactylia 92
強直性間代性発作 tonic-clonic seizure ……… 1657
強直性制御 tonic control ……… 418
強直性脊椎炎 ankylosing spondylitis ……… 1722
強直性てんかん tonic epilepsy ……… 629
強直性の tonic ……… 1900
強直性発作 opisthotonos, opisthotonus 1308
共直線性 colinearity ……… 389
強直母趾 hallux rigidus ……… 813
強直発作 tonic seizure ……… 1657
強直誘発 tetanization ……… 1870
共沈 coprecipitation ……… 420
胸椎 thoracic vertebrae [T1–T12] ……… 2015
胸椎 vertebrae thoracicae [TI–TXII] ……… 2015
胸椎の鉤状突起 uncinate process of first thoracic vertebra ……… 1490
胸痛 pleuritic pain ……… 1337
胸痛 pectoralgia ……… 1375
胸痛 stethalgia ……… 1746
共通遺伝子系統 congenic strain ……… 1750
共通経路伝播 common vehicle spread ……… 398
共通抗原 common antigen ……… 103
共通踵骨腱 tendo calcaneus communis 1849
共通心室 common ventricle ……… 2010
共通趨性 cenotrope ……… 330
共通房室弁口欠損 atrial ventricular canal defect ……… 477
橋底部 pars basilaris pontis ……… 1358
橋底部 basilar part of pons ……… 1362
強度 intensity ……… 943
強度 strength ……… 1753
狭頭〔症〕 craniostenosis ……… 435
共動 concomitance ……… 407
共同 collaboration ……… 390
共同因子 cofactor ……… 388
共同運動 synkinesis ……… 1826
協同運動 associated movements ……… 1173
共同運動障害 dyssynergia ……… 577
共同(協同)運動消失 asynergy ……… 166
共同(協同)運動性制御 synergic control ……… 418
共同(協同)運動不能〔症〕 asynergy ……… 166
狭〔小〕頭〔蓋〕症 stenocephaly ……… 1741
狭頭蓋の phenozygous ……… 1406
共同眼球運動 conjugate deviation of the eyes ……… 502
共同眼球運動 conjugate movement of eyes ……… 1174
共同眼振 conjugate nystagmus ……… 1286
共同凝集 coagglutination ……… 382
協働筋 congener ……… 410
共同研究 collaboration ……… 390
共統合構造 cointegrate structure ……… 1760
共同骨化 coossification ……… 420
共同斜視 comitant strabismus ……… 1750
共同斜視 concomitant strabismus ……… 1750
共同順応 coadaptation ……… 382
協同性 cooperativity ……… 419
共同注視 conjugate gaze ……… 761
共働的痙攣 spasmus coordinatus ……… 1706
協同的酵素 cooperative enzyme ……… 623
共同の conjugate ……… 411
共同発育 syntrophism ……… 1827
共同偏視 conjugate deviation of the eyes ……… 502
橋動脈 pontine arteries ……… 149
頬動脈 arteria buccalis ……… 134
頬動脈 buccal artery ……… 143
協同モデル cooperativity model ……… 1162
強度画像 magnitude image ……… 908
強トランキライザ major tranquilizer ……… 1916
胸内筋膜 endothoracic fascia ……… 673
胸内筋膜 fascia endothoracica ……… 673
胸内臓神経 thoracic splanchnic nerves 1239
胸内の intrapleural ……… 951
胸内の intrathoracic ……… 951
頬内の intrabuccal ……… 949
〔脳幹〕橋内の intrapontine ……… 951
凝乳 curd ……… 449
凝乳嘔吐〔症〕 tyremesis ……… 1958
凝乳〔状〕膿 curdy pus ……… 1529
胸乳突の sternomastoid ……… 1745
杏仁油 apricot kernel oil ……… 122
杏仁油 persic oil ……… 1395
頬粘膜ひだ mucobuccal fold ……… 719
橋の pontile, pontine ……… 1466
頬〔部〕の malar ……… 1094
橋脳底溝 basilar pontine sulcus ……… 1771
〔橋〕脳底溝 basilar sulcus ……… 1771
橋の網様体核 reticular nuclei of pons ……… 1279
胸背筋 pectorodorsalis muscle ……… 1190
胸肺形成〔術〕 thoracopneumoplasty ……… 1885
胸背静脈 thoracodorsal vein ……… 2003
胸背神経 thoracodorsal nerve ……… 1239
胸背神経 nervus thoracodorsalis ……… 1243
胸背動脈 arteria thoracodorsalis ……… 138
胸背動脈 dorsal thoracic artery ……… 145
胸背動脈 thoracodorsal artery ……… 154
胸背の thoracodorsal ……… 1885
橋背部 pars dorsalis pontis ……… 1358
橋背部 dorsal part of pons ……… 1364
強迫観念 anancastia ……… 71
強迫観念 compulsive idea ……… 904
強迫〔観念〕 obsession ……… 1288
強迫行為 anancasm ……… 71
強迫〔行為〕 compulsion ……… 405
強迫行動 obsessive behavior ……… 204
強迫神経症 obsessive-compulsive neurosis ……… 1252
強迫性障害 obsessive-compulsive disorder (OCD) ……… 546
強迫性人格障害 obsessive-compulsive personality disorder ……… 546
強迫の compulsive ……… 405
共搬 symporter ……… 1791
胸半棘筋 semispinal muscle of thorax 1193
胸半棘筋 semispinalis thoracis (muscle) 1193
胸半棘筋 musculus semispinalis thoracis 1203
橋皮質核線維 pontine corticonuclear fibers ……… 690
強皮症 pachyderma ……… 1335
強皮症 scleroderma ……… 1647
頬ひだ malar fold ……… 719
共尾虫 *Coenurus* ……… 387
共尾虫症 coenurosis ……… 387
共尾虫病〔症〕 cenurosis, cenuriasis ……… 332
狭鼻の leptorrhine ……… 1022
恐猫〔症〕 ailurophobia ……… 40
頬〔披〕裂〔症〕 meloschisis ……… 1123
恐怖 fear ……… 679
恐怖 horror ……… 865
恐怖 trepidation ……… 1925
恐怖〔症〕 phobia ……… 1409
13恐怖〔症〕 triskaidekaphobia ……… 1935
胸部 anterior and lateral thoracic regions ……… 1585
胸部 regions of chest ……… 1585
頬部 regio buccalis ……… 1583
頬部 buccal region ……… 1585
〔前立腺の〕峡部 isthmus prostatae ……… 964
〔前立腺の〕峡部 isthmus of prostate ……… 964
頬〔部〕炎 melitis ……… 1123
共不完全時代 synanamorph ……… 1792
胸部筋炎 stethomyitis ……… 1746
胸部筋麻痺 stethoparalysis ……… 1746
胸腹弓 abdominothoracic arch ……… 125
胸腹神経 thoracoabdominal nerves ……… 1239
胸副頭結合体 thoracoparacephalus ……… 1885
橋腹部 pars ventralis pontis ……… 1362
橋腹部 ventral part of pons ……… 1369
胸腹壁静脈 thoracoepigastric vein ……… 2003
胸腹壁静脈 vena thoracoepigastrica ……… 2008
胸腹壁破裂〔症〕 thoracoceloschisis ……… 1885
胸部苦悶 angor pectoris ……… 90
胸腹裂孔 pleuroperitoneal hiatus ……… 851
胸部結合体 hemipagus ……… 829
恐怖欠如〔症〕 pantaphobia ……… 1343
胸部後凸彎曲 thoracic kyphosis ……… 990
胸部骨格 thoracic skeleton ……… 1691
恐怖症恐怖 phobophobia ……… 1410
恐怖症対策 antiphobic ……… 108
峡部切除〔術〕 isthmectomy ……… 963
胸部造瘻〔術〕 thoracostomy ……… 1885
恐怖対抗の counterphobic ……… 432
胸部〔大〕動脈炎 stetharteritis ……… 1746
〔胸部〕多裂筋 musculus multifidus (thoracis) ……… 1201
頬部潮紅 malar flush ……… 717
共沸〔混合〕物 azeotrope ……… 185
共沸性の azeotropic ……… 185
胸部突出 thoracocyrtosis ……… 1885
峡部の isthmic, isthmian ……… 963
頬〔部〕の malar ……… 1094
胸部の筋 muscles of thorax ……… 1196
胸部の筋 musculi thoracis ……… 1204
胸部の末梢自律神経節・叢 thoracic part of peripheral autonomic plexuses and ganglia ……… 1368
胸部フィステル形成〔術〕 thoracostomy 1885
胸部付着寄生児 thoracomelus ……… 1885
胸部平面図 planithorax ……… 1431
胸部放射線学 chest radiology ……… 1544
恐怖融像 horror fusionis ……… 865
胸部誘導 chest leads ……… 1014
胸部誘導 precordial leads ……… 1014
胸部誘導 V lead ……… 1014
胸〔部〕癒合二重体 thoradelphus ……… 1886
胸部リンパ節 thoracic lymph nodes ……… 1081
恐糞〔症〕 coprophobia ……… 420
共分離 cosegregation ……… 430
胸壁 chest wall ……… 2039
胸壁異常彎曲 thoracocyrtosis ……… 1885
胸壁結合奇形体 ectopagus ……… 585
〔胸壁〕心動 herzstoss ……… 846
〔胸壁〕穿孔性膿胸 empyema necessitatis 606
胸壁痛 thoracalgia ……… 1885
擬娩 couvade ……… 432
共変異原性 comutagenic ……… 405
胸峰 carina ……… 303
狂暴 frenzy ……… 740
狂暴 rage ……… 1546
狂暴性狂犬病 furious rabies ……… 1540
橋縫線 raphe pontis ……… 1558
共翻訳の cotranslational ……… 430
強膜 sclerotic coat ……… 383
強膜 sclera ……… 1646
胸膜 pleura ……… 1437
莢膜 capsule (cap) ……… 290
胸膜液 pleural fluid ……… 715
強膜炎 scleritis ……… 1646
胸膜炎 pleurisy ……… 1438
胸膜炎性肺炎 pleuritic pneumonia ……… 1450

胸膜炎誘発の pleuritogenous … 1438
強膜折込み手術 scleral buckling operation … 1306
胸膜外気胸 extrapleural pneumothorax 1451
強膜外隙 episcleral space … 1703
強膜外隙 spatium episclerale … 1707
強膜拡張 sclerectasia … 1646
強膜角膜 sclerocornea … 1647
強膜角膜炎 sclerokeratitis … 1647
強膜角膜虹彩炎 sclerokeratoiritis … 1647
〔胸膜下〕小気疱 bleb … 220
強膜褐色板 lamina fusca of sclera … 997
強膜下の hyposcleral … 896
強膜下の subscleral … 1765
胸膜下の subpleural … 1764
胸膜肝炎 pleurohepatitis … 1438
強膜吸引キャップ perilimbal suction cup 449
強膜距 scleral spur … 1726
胸膜腔 cavitas pleuralis … 316
胸膜腔 pleural cavity … 316
胸膜腔 pleuroperitoneal cavity … 317
胸膜腔 cavum pleurae … 317
胸膜腔洗浄 pleuroclysis … 1438
胸膜腔造影検査〔法〕 pleurography … 1438
胸膜腔内の intrapleural … 951
強膜形成〔術〕 scleroplasty … 1647
強膜結膜の scleroconjunctival … 1646
強膜溝 scleral sulcus … 1774
強膜溝 sulcus of sclera … 1774
強膜溝 sulcus sclerae … 1774
莢膜抗原 capsular antigen … 103
強膜虹彩炎 scleroiritis … 1647
強膜硬性 scleral rigidity … 1617
強膜固有質 substantia propria of sclera 1767
強膜固有質 substantia propria sclerae … 1767
莢膜〔細胞〕腫 thecoma … 1874
胸膜散剤散布〔法〕 pleural poudrage … 1474
強膜篩板 lamina cribrosa of sclera … 997
強膜篩板 lamina cribrosa sclerae … 997
胸膜絨毛 pleural villi … 2020
強膜上静脈 episcleral veins … 1995
強膜上静脈 venae episclerales … 2005
強膜上動脈 arteria episcleralis … 135
強膜上動脈 episcleral artery … 145
強膜上の suprascleral … 1779
強膜上板 episcleral lamina … 997
強膜上板 lamina episcleralis … 997
強膜上板 episcleral layer of fibrous layer of eyeball … 1009
胸膜上膜 membrana suprapleuralis … 1124
胸膜上膜 suprapleural membrane … 1127
胸膜漿膜下組織 subserosa of pleura … 1765
強膜静脈 scleral veins … 2001
強膜静脈 venae sclerales … 2007
強膜静脈洞 scleral venous sinus … 1688
強膜静脈洞 sinus venosus sclerae … 1689
強膜静脈洞 venous sinus of sclera … 1689
胸膜食道筋 pleuroesophageal (muscle) 1191
胸膜食道筋 pleuroesophageus (muscle) 1191
胸膜食道筋 musculus pleuroesophageus 1202
胸膜食道線 pleuroesophageal line … 1051
強膜浸湿 sclerophthalmia … 1647
胸膜〔摩擦〕振とう音 pleural fremitus … 740
胸膜心膜炎 pleuropericarditis … 1438
胸膜心膜腔管 pleuropericardial canals … 284
胸膜心膜雑音 pleuropericardial murmur 1180
胸膜心膜の pleuropericardial … 1438
胸膜心膜裂孔 pleuropericardial hiatus … 851
胸膜性パチパチ音 pleural crackles … 1438
強膜切開〔術〕 sclerostomy … 1648
強膜切開〔術〕 sclerotomy … 1648
胸膜切開〔術〕 pleurotomy … 1438
強膜〔切開〕刀 sclerotome … 1648
強膜切除〔術〕 scleral resection … 1592
強膜切除〔術〕 sclerectomy … 1646
胸膜切除〔術〕 pleurectomy … 1438
胸膜線 pleural lines … 1051
胸膜像の肋骨線 costal line of pleural reflection … 1049
胸膜頂 pleural cupula … 449
胸膜頂 dome of pleura … 555
胸膜頂 cervical pleura … 1437
胸膜腸チフス pleurotyphoid … 1438
胸膜痛 pleuritic pain … 1337
胸膜痛 pleuralgia … 1438
胸膜痛 pleurodynia … 1438
胸膜洞 pleural recesses … 1572
胸膜洞 recessus pleurales … 1573
胸膜投影線 lines of pleural reflection … 1051
胸膜投影像の胸骨線 sternal line of pleural reflection … 1052
胸膜投影像の脊椎線 vertebral line of pleural reflection … 1052
強膜軟化〔症〕 scleromalacia … 1647
強膜の scleral … 1646
胸膜の pleural … 1438
胸膜の脂肪ひだ fatty folds of pleura … 719
強膜の脈絡上板 suprachoroid lamina of sclera … 999
胸膜肺切除〔術〕 pleuropneumonectomy 1438
胸膜肺の pleuropulmonary … 1438
胸膜剝離〔術〕 pleurolysis … 1438
胸膜剝離〔術〕 thoracolysis … 1885
胸膜反応 pleural reaction … 1566
胸膜腹膜腔管 pleuroperitoneal canal … 284
胸膜プラク pleural plaque … 1432
強膜膨出 sclerectasia … 1646
胸膜摩擦音 pleural rub … 1624
胸膜〔摩擦〕振とう音 pleural fremitus … 740
強膜脈絡膜炎 sclerochoroiditis … 1646
強膜脈絡膜の sclerochoroidal … 1646
胸膜癒着〔術〕 pleurodesis … 1438
強膜輪 scleral ring … 1618
矯味矯臭薬 corrective … 427
矯味矯臭薬 flavor … 711
興味の葛藤 conflict of interest … 410
恐眠症 hypnophobia … 890
響鳴 tinnitus … 1894
共鳴 resonance … 1594
共鳴音 resonance … 1594
共鳴音伝達 transonance … 1920
共鳴音の tympanic … 1956
共鳴亢進 hyperresonance … 886
共鳴周波数 resonant frequency … 741
頰面 buccal surface … 1781
〔歯の〕頰面 facies vestibularis dentis … 665
〔歯の〕頰面 vestibular surface of tooth 1784
頰面う食(蝕) buccal caries … 302
頰面遠心面の buccodistal … 263
頰面管 sheath … 1670
頰面近心面の buccomesial … 263
鏡面眩輝 specular glare … 776
頰面咬合面角 buccoocclusal angle … 88
頰面咬合面の buccoclusal … 263
頰面軸面歯頸面の buccoaxiocervical … 263
頰面軸面歯肉面の buccoaxiogingival … 263
頰面軸面の buccoaxial … 263
頰面歯頸面の buccocervical … 263
頰面歯頸隆線 buccocervical ridge … 1615
頰面歯肉面の buccogingival … 263
頰面歯肉隆線 buccogingival ridge … 1615
頰面唇面の buccolabial … 263
頰面髄面の buccopulpal … 263
頰面舌面の buccolingual … 263
橋網様体脊髄路 pontoreticulospinal tract … 1912
擬葉目 Pseudophyllidea … 1514
共役 conjugation … 412
共役 coupling … 432
共役因子 coupling factors … 667
共役核分裂 conjugate division … 553
共役化合物 conjugated compound … 404
共軛拮抗(対抗)筋 associated antagonist … 96
共役孔 conjugate foramen … 724
共役酸 conjugate acid … 14
共役酸-塩基対 conjugate acid-base pair 1337
共役焦点 conjugate foci … 718
共役点 conjugate point … 1454
共役二重結合 conjugated double bonds 231
共役の conjugate … 411
共融温度 eutectic temperature … 1848
共有結合〔形〕の covalent … 432
共有結合修飾 covalent modification … 1162
共融合金 eutectic … 649
共優性遺伝子 codominant gene … 763
共優性の codominant … 386
共融の eutectic … 649
共有派生形質 synapomorphy … 1792
胸〔部〕癒合二重体 thoradelphus … 1886
共輸送 cotransport … 430
鏡用鉗子 speculum forceps … 728
胸腰筋膜 fascia thoracolumbalis … 675
胸腰筋膜 thoracolumbar fascia … 675
胸腰筋膜の後葉 posterior layer of thoracolumbar fascia … 1013
胸腰筋膜の浅葉 lamina posterior (superficialis) fasciae thoracolumbalis 998
胸腰筋膜の前葉 anterior layer of thoracolumbar fascia … 1009
胸腰系 thoracolumbar system … 1834
胸腰仙椎装具 thoracolumbosacral orthosis … 1317
胸腰の thoracolumbar … 1885
供与体 donor … 555
供覧検眼鏡 demonstration ophthalmoscope … 1308
協力筋 congener … 410
協力筋 synergistic muscles … 1196
協(共)力作用 synergism … 1826
強力精神安定薬 major tranquilizer … 1916
強力プロテイン銀 strong silver protein 1685
頰リンパ節 malar lymph node … 1079
頰リンパ節 malar node … 1261
胸裂 schistothorax … 1643
胸裂〔症〕 thoracoschisis … 1885
頰〔披〕裂〔症〕 meloschisis … 1123
行列 matrix … 1110
行列式 mathematical determinant … 501
強烈な pungent … 1527
胸肋関節 articulationes sternocostales … 157
胸肋関節 sternocostal articulations … 158
胸肋関節 sternocostal joints … 971
胸肋三角 sternocostal triangle … 1927
胸肋三角 trigonum sternocostale … 1933
胸肋軟骨 sternal cartilage … 307
胸肋軟骨結合 synchondrosis costosternalis … 1793
胸肋軟骨肩甲筋 sternochondroscapular muscle … 1194
胸肋軟骨肩甲筋 musculus sternochondroscapularis … 1203
胸肋軟骨肩甲筋 sternochondroscapularis 1745
胸肋の sternocostal … 1745
〔心臓の〕胸肋面 facies sternocostalis cordis … 665
〔心臓の〕胸肋面 sternocostal surface of heart … 1783
胸肋離解 sternochondral separation … 1662
橋腕 brachium pontis … 239
許可 allowance … 52
巨核芽球 megakaryoblast … 1119
巨核球 megakaryocyte … 1119
〔骨髄〕巨核球性白血病 megakaryocytic leukemia … 1024
巨顎の pachygnathous … 1335
虚偽 falsification … 670
寄与危険度 attributable risk … 1618
虚偽性障害 factitious disorder … 545

巨脚 macroscelia 1091
挙筋 levator 1029
挙筋隆起 levator cushion 451
挙筋隆起 levator swelling 1789
挙筋隆起 torus levatorius 1905
曲 flexura 712
曲 flexure 712
極 pole 1456
極 polus 1457
棘 acantha 8
棘 spina 1715
棘 spine 1716
棘 thorn 1886
〔骨〕棘 spur 1725
〔蝶形骨〕棘 processus spinosus 1492
極位 polar presentation 1481
棘横突筋 spinotransversarius 1717
棘下窩 fossa infraspinata 732
棘下窩 infraspinous fossa 732
棘下筋 infraspinatus (muscle) 1187
棘下筋 musculus infraspinatus 1200
棘下筋腱下包 infraspinatus bursa 269
棘下筋腱下包 bursa subtendinea musculi infraspinati 270
棘下筋腱下包 subtendinous bursa of infraspinatus 270
棘下筋膜 infraspinous fascia 673
棘下の infraspinous 931
棘下の subspinous 1765
棘感覚 acanthesthesia 8
棘間筋 interspinal muscles 1187
棘間筋 interspinales (muscles) 1187
棘間筋 musculi interspinales 1201
棘間靱帯 interspinous ligament 1036
棘間靱帯 ligamentum interspinale 1044
〔肩甲〕棘関節窩の spinoglenoid 1717
棘間の interspinal 948
極期 apogee 116
極期 climax 374
極期 fastigium 677
〔病勢〕極期 acme 16
極急性の superacute 1777
棘筋 spinal muscle 1194
棘筋 spinalis (muscle) 1194
棘筋 musculus spinalis 1203
棘筋徴候 spinal sign 1684
極結紮 pole ligation 1046
棘孔 foramen spinosum 726
棘口吸虫属 *Echinostoma* 582
局在失認 localization agnosia 38
局在失認 atopognosia, atopognosis 170
局在症状 localizing symptom 1792
局在認知不能〔症〕 atopognosia, atopognosis 170
極細胞 polar body 229
極細胞 polar cell 325
棘細胞腫 acanthoma 8
棘細胞離開 acantholysis 8
極周囲の peripolar 1392
局所アナフィラキシー local anaphylaxis 72
棘上窩 fossa supraspinata 734
棘上窩 supraspinous fossa 734
棘上筋 supraspinalis (muscle) 1195
棘上筋 supraspinatus (muscle) 1195
棘上筋 musculus supraspinatus 1204
棘上筋症候群 supraspinatus syndrome 1822
棘上筋膜 supraspinous fascia 675
棘上靱帯 supraspinous ligament 1040
棘上靱帯 ligamentum supraspinale 1045
棘状赤血球症 echinosis 582
棘状苔癬 lichen spinulosus 1031
棘状突起の spinal 1716
棘上の supraspinal 1779
棘上の supraspinous 1779
棘状の spinate 1716
棘状の spinous 1717
極小波長 quantum limit 1048
偽〔性〕翼状片 pseudopterygium 1515
局所運動発作 focal motor seizure 1657
局所〔壊〕死 local death 473
局所解剖学 regional anatomy 74
局所解剖学 topography 1903
局所仮死 local asphyxia 162
局所仮死 local syncope 1794
局所感覚消失 topagnosis 1903
局所感覚消失 topoanesthesia 1903
局所感染防御 topophylaxis 1904
局所灌流 regional perfusion 1385
局所興奮状態 local excitatory state 1739
局所しゃ血 local bloodletting 224
局所床義歯印象 partial denture impression 917
局所症状 local symptom 1792
局所触覚 topesthesia 1903
局所触覚消失 topagnosis 1903
局所触覚消失 topoanesthesia 1903
〔局所〕浸潤麻酔〔法〕 infiltration anesthesia 79
局所性興奮薬 local stimulant 1747
局所性ジストニー focal dystonia 577
局所性上皮肥厚 focal epithelial hyperplasia 886
局所性真皮低形成 focal dermal hypoplasia 896
局所性多毛〔症〕 hypertrichosis partialis 889
局所性チック local tic 1892
局所性転移病変 focal metastatic disease 533
局所知覚 topognosis, topognosia 1903
局所知覚消失 topagnosis 1903
局所知覚消失 topoanesthesia 1903
局所徴候 local sign 1682
局所低体温法 regional hypothermia 898
局所的な topical 1903
局所認知 topesthesia 1903
局所認知 topognosis, topognosia 1903
局所の local 1067
棘徐波複合 spike and wave complex 402
局所反応 focal reaction 1564
局所皮弁 local flap 710
局所病因〔論〕 topopathogenesis 1904
局所貧血 local anemia 77
局所防衛 topophylaxis 1904
局所ホルモン local hormone 863
局所麻酔 toponarcosis 1903
局所麻酔〔法〕 local anesthesia 80
局所麻酔〔法〕 regional anesthesia 80
局所麻酔反応 local anesthetic reaction 1565
局所麻酔薬 local anesthetics 81
局所名 toponym 1903
局所命名法 toponymy 1903
局所免疫 local immunity 910
局所薬 topica 1903
極性 polarity 1456
極性アミノ酸 polar amino acid 59
極性化合物 polar compound 405
極性減形成 polar hypogenesis 893
極性興奮の法則 law of polar excitation 1007
曲精細管 convoluted seminiferous tubule 1948
極性溶媒 polar solvents 1699
曲線 curve 450
極線維 polar fibers 690
棘線条 stria spinosa 1756
曲線状の gyrose 807
極体 polar body 229
極地貧血 polar anemia 78
極超音速の hypersonic 887
極超短波療法 microwave therapy 1879
極東出血熱 Far East hemorrhagic fever 684
棘突間の interspinal 948
棘突起 spur 1725
〔椎骨の〕棘突起 acantha 8
棘突上筋 musculus supraspinalis 1204
極度の精神集中 abstraction 7
極度の不完全体癒着体(結合体) heteralius 846
曲尿細管 convoluted tubule of kidney 1948
曲尿細管 tubulus renalis contortus 1949
棘の spinal 1716
棘波 spike 1715
極白内障 polar cataract 311
棘波電位 spike potential 1473
極板 polar plates 1435
極微操作 micromanipulation 1152
棘皮動物門 Echinodermata 582
極微量 trace 1908
〔腎皮質小葉〕曲部 pars convoluta lobuli corticalis renis 1358
〔腎皮質小葉〕曲部 convoluted part of kidney lobule 1363
局部〔床〕義歯 partial denture 489
極包 capsula extrema 290
極包 extreme capsule 290
局方外の unofficial 1968
〔薬〕局方注解 *Dispensatory* 547
局方の official 1293
局面 plaque 1432
局面 situation 1690
局面状類乾癬 parapsoriasis en plaque 1353
曲面性近視 curvature myopia 1215
棘毛 cirrus 367
棘毛 nettling hairs 812
棘融解 acantholysis 8
曲率収差 curvature aberration 2
極量 maximal dose 557
極輪 polar ring 1618
距脛の talotibial 1839
虚血 ischemia 958
虚血壊死 avascular necrosis 1224
虚血修飾因子 ischemia-modifying factors 667
虚血性壊死 ischemic necrosis 1224
虚血性視神経障害 ischemic optic neuropathy 1251
虚血性神経障害(ニューロパシー) ischemic neuropathy 1251
虚血性僧帽弁逆流 ischemic mitral regurgitation 1587
虚血性低酸素〔症〕 ischemic hypoxia 900
虚血性腰痛〔症〕 ischemic lumbago 1071
虚血耐性 ischemic tolerance 1898
虚血大脳除去 bloodless decerebration 474
虚血半影 ischemic penumbra 1382
虚言〔症〕 pseudologia 1513
巨口〔症〕 macrostomia 1091
巨睾丸〔症〕 macroorchidism 1090
挙睾筋 musculus cremaster 1199
挙睾筋(精巣挙筋)動脈 arteria cremasterica 135
挙睾筋反射 cremasteric reflex 1578
挙睾筋膜 cremasteric fascia 672
挙睾筋膜 fascia cremasterica 672
巨合指症 megalosyndactyly, megalosyndactylia 1120
巨甲状腺〔症〕 thyromegaly 1891
魚口状尿道 fish-mouth meatus 1113
魚口僧帽弁狭窄〔症〕 fish-mouth mitral stenosis 1742
距骨 ankle bone 231
距骨 talus 1839
距骨外果面 lateral malleolar facet of talus 661
距骨外果面 facies malleolaris lateralis tali 664
〔距骨〕外果面 lateral malleolar surface of talus 1782
距骨外側突起 lateral process of talus 1489
距骨外側突起 processus lateralis tali 1491
距骨下関節 articulatio subtalaris 157
距骨下関節 subtalar joint 971

キ

距骨下関節 talocalcaneal joint …… 972
距骨下切断〔術〕 subastragalar amputation 66
距骨滑車 pulley of talus …… 1523
距骨滑車 trochlea of the talus …… 1936
距骨滑車 trochlea tali …… 1936
距骨下の subtalar …… 1767
〔踵骨の〕距骨関節面 facies articularis talaris calcanei …… 663
〔踵骨の〕距骨関節面 talar articular surfaces of calcaneus …… 1783
距骨頸 collum tali …… 392
距骨頸 neck of talus …… 1223
距骨脛骨の astragalotibial …… 165
距骨溝 sulcus tali …… 1774
距骨溝 talar sulcus …… 1774
距骨〔骨間〕溝 interosseous groove of talus …… 801
距骨後突起 posterior process of talus …… 1489
距骨後突起 processus posterior tali …… 1492
〔距骨後突起の〕外側結節 lateral tubercle (of posterior process) of talus …… 1943
〔距骨後突起の〕外側結節 tuberculum laterale (processus posterioris) tali 1946
〔距骨後突起の〕内側結節 medial tubercle (of posterior process) of talus …… 1944
〔距骨後突起の〕内側結節 tuberculum mediale (processus posterioris) tali …… 1946
距骨舟状骨の astragaloscaphoid …… 165
距骨踵骨の astragalocalcanean …… 165
距骨上面 superior facet of the trochlea of the talus …… 662
距骨上面 facies superior tali …… 665
距骨上面 superior surface of talus …… 1783
距骨切除〔術〕 astragalectomy …… 165
距骨体 body of talus …… 229
距骨体 corpus tali …… 426
距骨痛 talalgia …… 1839
距骨頭 caput tali …… 292
距骨頭 head of talus …… 818
距骨内果面 medial malleolar facet of talus …… 661
距骨内果面 facies malleolaris medialis tali …… 664
〔距骨の〕後踵骨関節面 posterior calcaneal articular facet of talus …… 662
〔距骨の〕舟状骨関節面 facies articularis navicularis tali …… 663
〔距骨の〕舟状骨関節面 navicular articular surface of talus …… 1782
〔距骨の〕前踵骨関節面 anterior facet (on talus) for calcaneus …… 661
〔距骨の〕中踵骨関節面 middle facet (on talus) for calcaneus …… 662
距骨腓骨の astragalofibular …… 165
巨細胞 giant cell …… 321
巨細胞癌 giant cell carcinoma …… 297
巨細胞性硝子状血管症 giant cell hyaline angiopathy …… 86
巨細胞性心筋炎 giant cell myocarditis 1212
巨細胞性線維腫 giant cell fibroma …… 694
巨細胞〔性〕大動脈炎 giant cell aortitis …… 112
巨細胞〔性〕の cytomegalic …… 465
巨細胞性肺炎 giant cell pneumonia …… 1450
巨細胞性封入体病 cytomegalic inclusion disease …… 531
巨細胞多形〔性〕神経膠芽腫 giant cell glioblastoma multiforme …… 778
巨細胞肉芽腫 giant cell granuloma …… 797
巨細胞肉腫 giant cell sarcoma …… 1635
巨指〔症〕 dactylomegaly …… 470
巨指〔症〕 megadactyly, megadactylia, megadactylism …… 1119
鋸子 saw …… 1637
巨耳〔症〕 macrotia …… 1091
鋸歯形成 serration …… 1667
巨耳症 pachyotia …… 1335
鋸歯状態 indentation …… 921
鋸歯状の denticulate, denticulated …… 488
鋸〔歯〕状の serrate, serrated …… 1667
鋸〔歯〕状縫合 dentate suture …… 1787
虚弱 impotence, impotency …… 916
虚弱 infirmity …… 928
虚弱 weakness …… 2043
虚弱質 valetudinarianism …… 1983
〔虚〕弱質 infirmity …… 928
虚弱者 valetudinarian …… 1983
虚弱体型 gracile habitus …… 810
虚弱な delicate …… 483
虚弱な infirm …… 928
距舟関節 talonavicular joint …… 972
魚臭症候群 fish-odor syndrome …… 1804
距舟靱帯 talonavicular ligament …… 1041
距舟靱帯 ligamentum talonaviculare …… 1045
距舟の talonavicular …… 1839
挙上 elevation …… 599
鋸状縁 ora serrata retinae …… 1309
鋸状血管雑音 bruit de scie …… 262
魚上綱 Pisces …… 1426
距踵舟関節 articulatio talocalcaneonavicularis …… 157
距踵舟関節 talocalcaneonavicular joint …… 972
距踵靱帯 talocalcaneal ligament …… 1041
距踵靱帯 ligamentum talocalcaneum …… 1045
虚焦点 virtual focus …… 718
距踵の talocalcaneal, talocalcanean …… 1839
挙上の attollens …… 175
鋸状縫合 sutura serrata …… 1786
鋸状縫合 serrate suture …… 1788
拒食症 cibophobia …… 362
魚食〔性〕の ichthyophagous …… 902
巨人症 gigantism …… 769
巨人症 macrosomia …… 1091
距錐咬頭 talon cusp …… 452
巨〔大〕頭〔蓋〕症 megacephaly …… 1119
去勢 gonadectomy …… 791
去勢 testectomy …… 1869
去勢〔術〕 castration …… 310
虚性暗点 negative scotoma …… 1650
去勢雄ニワトリ単位 capon unit …… 1965
去勢コンプレックス castration complex 401
去勢細胞 castration cells …… 320
去勢する castrate …… 310
去勢する unsex …… 1968
去勢男性 eunuch …… 648
虚性調節 negative accommodation …… 10
去勢不安 castration anxiety …… 111
虚性輻輳 negative convergence …… 418
巨〔大〕赤芽球 megaloblast …… 1119
巨赤芽球性貧血 megaloblastic anemia …… 77
巨舌〔症〕 macroglossia …… 1090
拒絶〔症〕 negativism …… 1225
拒絶〔反応〕 rejection …… 1588
巨〔大〕赤血球 megalocyte …… 1120
巨〔大〕線維腺腫 giant fibroadenoma …… 693
巨爪〔症〕 onychauxis …… 1301
虚像 virtual image …… 908
巨足〔症〕 macropodia …… 1090
巨足の pachypodous …… 1335
寄与体 donor …… 555
巨大胃症 megalogastria …… 1120
巨大陰茎 macropenis …… 1090
巨大顎 eurygnathism …… 649
巨大角膜 macrocornea …… 1089
巨大型セメント質腫 gigantiform cementoma …… 330
巨大眼球 megalophthalmos …… 1120
巨大肝蛭 *Fasciola gigantica* …… 677
距腿関節 articulatio talocruralis …… 157
距腿関節 talocrural articulation …… 158
距腿関節 ankle joint …… 969
〔距腿関節の〕天井 plafond …… 1429
距腿関節の内側靱帯 medial ligament of ankle joint …… 1037
距腿関節部 ankle …… 92
巨大気管気管支 tracheobronchomegaly 1909
巨大球菌 megacoccus …… 1119
巨大凝集アルブミン macroaggregated albumin (MAA) …… 43
巨大菌 *Bacillus megaterium* …… 188
巨大血小板 megathrombocyte …… 1120
巨大結腸 megacolon …… 1119
巨大結膜円蓋症候群 giant fornix syndrome …… 1805
巨大コンジローム giant condyloma …… 409
巨大細胞 cytomegalic cells …… 320
巨大歯 macrodont …… 1089
巨大軸索ニューロパシー（神経障害） giant axonal neuropathy …… 1251
巨大歯型 macrodontia, macrodontism …… 1089
巨大症 macrosis …… 1091
巨大食道 megaesophagus …… 1119
巨大じんま疹 giant urticaria …… 1976
巨〔大〕頭〔蓋〕症 megacephaly …… 1119
巨〔大〕赤芽球 megaloblast …… 1119
巨〔大〕赤血球 megalocyte …… 1120
巨〔大〕線維腺腫 giant fibroadenoma …… 693
巨大腺腫 macroadenoma …… 1089
巨大知覚 macroesthesia …… 1089
巨大腸〔症〕 megaloenteron …… 1120
巨大直腸 megarectum …… 1120
巨大内臓〔症〕の megalosplanchnic …… 1120
巨大乳頭性結膜炎 giant papillary conjunctivitis …… 412
巨〔大〕乳房 gigantomastia …… 769
巨大乳房〔症〕 macromastia, macromazia …… 1090
巨大乳房の mammose …… 1098
巨大尿管 megaureter …… 1120
巨大尿管〔症〕 wide ureter …… 1970
巨大尿道 megalourethra …… 1120
距腿の talocrural …… 1839
巨〔大〕脳〔髄〕症 macrencephaly, macrencephalia …… 1089
巨〔大〕脳〔髄〕症 megaloencephaly …… 1120
巨〔大〕脳髄 megaloencephalon …… 1120
距腿の外側靱帯 lateral ligament of ankle joint …… 1037
巨大肺胞細胞 great alveolar cells …… 322
巨大バクテリア megabacterium …… 1119
巨大鼻 macrorhinia …… 1091
距腿部 ankle region …… 1584
距腿部 regio talocruralis …… 1584
巨大分子 macromolecule …… 1090
巨大膀胱 megacystis …… 1119
巨大膀胱 megalocystis …… 1120
巨大膀胱炎-小結腸症-腸ぜん動運動低下症候群 megacystitis-microcolon-intestinal hypoperistalsis syndrome …… 1812
巨大膀胱巨大尿管症候群 megacystitis-megaureter syndrome …… 1812
巨大膀胱症候群 megacystic syndrome …… 1812
巨大メラニン顆粒 giant melanosome …… 1122
巨大メロゾイト macromerozoite …… 1090
巨大ロゼットを伴う硝子化紡錘細胞腫瘍 hyalinizing spindle cell tumor with giant rosettes …… 1951
巨大沪胞性甲状腺炎 giant follicular thyroiditis …… 1891
虚脱 collapse …… 390
虚脱 prostration …… 1501
虚脱脈 collapsing pulse …… 1525
虚脱療法 collapse therapy …… 1878
去痰の expectorant …… 655
去痰薬 expectorant …… 655
巨長結腸 megadolichocolon …… 1119
巨〔大〕頭〔蓋〕症 megacephaly …… 1119
魚毒 ichthyotoxicon …… 903
魚〔肉〕中毒 ichthyotoxism …… 903

魚〔肉〕中毒〔症〕 ichthyism 902
巨〔大〕乳房 gigantomastia 769
去脳の decerebrate 474
拒否〔反応〕 rejection 1588
巨脾腫〔症〕 splenomegaly, splenomegalia 1720
巨鼻症 macrorhinia 1091
拒否の negative 1225
距腓の talofibular 1839
虚無主義 nihilism 1257
虚無妄想 nihilism 1257
許容限界 tolerance limits 1048
許容限界値 threshold limit value (TLV) 1984
許容性細胞 permissive cell 325
許容度 amplitude 64
許容濃度 threshold limit value (TLV) 1984
許容暴露限界 permissible exposure limit 1048
許容量 allowance 52
距離 distance 549
魚鱗癬 ichthyosis 903
巨腕〔症〕 macrobrachia 1089
ギヨン管 Guyon canal 283
ギヨン管症候群 Guyon tunnel syndrome 1806
ギヨン切断術 Guyon amputation 66
ギヨン徴候 Guyon sign 1681
キライディーティ症候群 Chilaiditi syndrome 1800
偽〔性〕落屑 pseudoexfoliation 1512
偽落屑症候群 pseudoexfoliation syndrome 1817
キラー細胞 killer cells 322
キララマダニ属 *Amblyomma* 56
キラリティ chirality 344
キラル chiral 344
キラール結晶 chiral crystal 446
キラルスイッチング chiral switching 1789
きり drill 560
キリアニ-フィッシャー合成 Kiliani-Fischer synthesis 1827
ギリアム手術 Gilliam operation 1304
キリアン三角 Killian triangle 1927
キリアン-ジャミーソン領域 Killian-Jamieson area 129
キリアン手術 Killian operation 1305
キリアン束 Killian bundle 265
偽〔性〕リウマチ pseudorheumatism 1515
気力学 pneumatics 1447
切り傷 incised wound 2049
ギリース手術 Gillies operation 1304
切り出し excision 652
起立困難 dysstasia 577
起立振せん static tremor 1925
起立性失神 postural syncope 1794
起立性蛋白尿〔症〕 orthostatic albuminuria 44
起立性低血圧〔症〕 orthostatic hypotension 897
起立〔性〕の orthostatic 1317
起立性頻拍症 orthostatic tachycardia 1837
起立不能 ananastasia 71
起立不能〔症〕 astasia 163
〔起立〕歩行恐怖〔症〕 basiphobia 200
起立歩行不能〔症〕 astasia-abasia 163
基粒 basal body 225
気瘤 aerocele 32
気瘤 pneumatocele 1447
気瘤 pneumonocele 1451
偽流行発生 pseudooutbreak 1514
寄留性 domiciliated 555
希リン酸 dilute phosphoric acid 1415
偽〔性〕リンパ球 pseudolymphocyte 1513
偽〔性〕リンパ腫 pseudolymphoma 1513
偽〔性〕類円柱〔体〕 pseudocylindroid 1512
キルケー効果 Circe effect 588
キルシュナー鋼線 Kirschner wire (K-wire) 2047
ギルバート gilbert 769
ギルマー結紮法 Gilmer wiring 2047
ギルモア針 Gillmore needle 1225
ギレアデバーム balm of Gilead 193
儀礼的行動 ritualistic behavior 204
ギレスピー症候群 Gillespie syndrome 1805
亀裂 rhagades 1606
亀裂骨折 fissured fracture 737
亀裂性丘疹 split papules 1347
亀裂舌 fissured tongue 1900
キレート chelate 341
キレート化 chelation 341
切れ目移動 nick translation 1919
偽連珠毛 pseudomonilethrix 1514
キロオーム kilohm 984
記録 record 1574
記録 registration 1587
季肋部反射 hypochondrial reflex 1579
キログラム kilogram (kg) 984
キログラムメートル kilogram-meter 984
キロサイクル kilocycle (kc) 984
キロジュール kilojoule 984
偽〔性〕ロゼット pseudorosette 1515
ギロチン guillotine 805
キロ電子ボルト keV 983
キロプサルムス属 *Chiropsalmus* 345
キロベース kilobase (kb) 984
キロヘルツ kilohertz 984
キロボルト kilovolt (kv) 985
キロボルト計 kilovoltmeter 985
キロボルトピーク kilovolts peak (kVp) 1375
議論 propositus 1499
疑惑病 folie du doute 721
疑惑癖 folie du doute 721
筋 muscle 1180
筋 musculus 1198
金 aurum 178
金 gold (Au) 791
銀 argentum 131
銀 silver (Ag) 1685
銀-アンモニア性銀染色〔法〕 silver-ammoniac silver stain 1735
近位 juxtaposition 974
近位運動失調 proximoataxia 1509
筋異栄養〔症〕 myodystrophy, myodystrophia 1213
近位横足弓 proximal transverse arch of foot 126
近位筋緊張性筋障害(ミオパシー) proximal myotonic myopathy (PROMM) 1215
近位脛腓関節 proximal tibiofibular joint 971
〔近位〕脛腓関節 tibiofibular joint 972
近位細葉性肺気腫 proximal acnar emphysema 605
近位指節間関節 proximal interphalangeal joints 971
近位四節(近節)短縮性点状軟骨形成異常〔症〕(形成不全症) rhizomelic chondrodysplasia punctata 353
筋萎縮 muscular atrophy 173
筋萎縮〔症〕 amyotrophy 68
筋萎縮〔性〕側索硬化〔症〕 amyotrophic lateral sclerosis (ALS) 1647
近位手根列切除術 proximal row carpectomy 304
近位深鼡径リンパ節 proximal deep inguinal lymph node 1080
近位大腿骨欠損〔症〕 proximal femoral focal deficiency (PFFD) 479
近位中心小体 proximal centriole 331
均一系 homogeneous system 1831
近位内側線条体動脈 proximal medial striate arteries 151
近位に proximad 1509
近位の proximal 1509
近位の proximalis 1509
近位の proximate 1509
〔近位〕脾静脈腎静脈吻合 proximal splenorenal shunt 1675
近因 proximate cause 315
筋運動曲線 muscle curve 451
筋運動記録器 myograph 1214
筋運動〔記録〕図 myogram 1214
筋運動描記法 myography 1214
筋栄養 myotrophy 1217
筋壊死 myonecrosis 1214
筋炎 myositis 1216
近縁係数 coefficient of relationship 387
近遠心の mesiodistal 1135
筋横隔静脈 musculophrenic veins 1999
筋横隔静脈 venae musculophrenicae 2007
筋横隔動脈 arteria musculophrenica 136
筋横隔動脈 musculophrenic artery 149
筋横隔膜の musculophrenic 1198
僅黄卵 microlecithal egg 590
筋音 muscle sound 1702
筋温度の myothermic 1216
筋音描写〔法〕 phonomyography 1411
銀化 argentation 131
菌界 Fungi 745
筋外膜 epimysium 629
筋外膜切開〔術〕 epimysiotomy 629
筋覚 kinesthesia 985
菌核 sclerotium 1648
〔真〕菌学 mycology 1208
筋学 myography 1214
筋学 myologia 1214
筋学 myology 1214
筋覚計 kinesthesiometer 985
筋学者 myologist 1214
〔真〕菌学者 mycologist 1208
筋〔感〕覚消失 amyoesthesia, amyoesthesis 68
筋覚の myotactic 1216
筋覚描記装置 ergoesthesiograph 636
筋芽細胞 myoblast 1212
筋芽細胞 sarcoblast 1634
筋芽細胞腫 myoblastoma 1212
緊括感 zonesthesia 2060
筋滑車 muscular pulley 1523
筋滑車 muscular trochlea 1936
筋滑車 trochlea muscularis 1936
菌株 strain 1750
筋管 myotube 1217
筋感覚過敏 muscular hyperesthesia 880
銀含浸 silver impregnation 1685
筋間代 myoclonus 1212
筋間中隔 intermuscular septum 1663
筋間中隔 septum intermusculare 1664
筋間の intermuscular 946
禁忌 contraindication 417
筋起始腱膜 aponeurosis of origin 117
筋基質 myostroma 1216
金基準 gold standard 791
禁忌の contraindicant 417
筋機能の myofunctional 1213
筋機能療法 myofunctional therapy 1879
菌球 fungus ball 193
緊急 emergency 603
緊急医療処置と分娩に関する法律 Emergency Medical Treatment and Labor Act (EMTALA) 603
緊急経口避妊薬 morning-after pill (MAP) 1423
緊急説 emergency theory 1875
緊急〔蘇生〕用〔器材〕カート crash cart 435
筋強直性痙攣 myotonus 1217
筋極性の myopolar 1215
筋〔肉〕切り術 myotomy 1216

筋緊張 myotony …… 1217
筋緊張〔症〕 myotonia …… 1216
筋緊張〔症〕 paramyotonia …… 1352
筋緊張異常 dysmyotonia …… 574
筋緊張性ジストロフィ myotonic dystrophy …… 579
筋緊張性軟骨形成異常〔症〕 myotonic chondrodystrophy …… 353
筋緊張性白内障 myotonic cataract …… 311
筋緊張反応 myotonic response …… 1596
筋緊張様の myotonoid …… 1217
金筋波動症症候群 gold-myokymia syndrome …… 1805
筋筋膜症候群 myofascial syndrome …… 1813
筋筋膜疼痛〔機能障害〕症候群 myofascial pain-dysfunction syndrome …… 1813
キングズリー副子 Kingsley splint …… 1722
キング単位 King unit …… 1966
筋クロ〔ー〕ヌス myoclonus …… 1212
筋系 musculature …… 1198
筋〔肉〕系 muscular system …… 1832
筋形質 sarcoplasm …… 1636
筋痙縮音 myocrismus …… 1213
筋形成〔術〕 myoplasty …… 1215
筋形成不全〔症〕 amyoplasia …… 68
筋痙攣 myospasm, myospasmus …… 1216
筋痙攣 muscle spasm …… 1706
菌血〔症〕 bacillemia …… 187
菌血〔症〕 bacteremia …… 190
筋血管性括約筋 myovascular sphincter …… 1713
筋結織膜の musculomembranous …… 1198
筋血清 muscle serum …… 1668
キンゲラ属 *Kingella* …… 986
筋腱筋炎 myotenositis …… 1216
筋原細胞 myoblast …… 1212
筋原細胞腫 myoblastoma …… 1212
筋原性緊張 myogenic tonus …… 1902
筋〔原〕性の myogenetic, myogenic …… 1213
筋腱切開〔術〕 myotenotomy …… 1216
筋原線維 fibril …… 692
筋原線維 myofibril …… 1213
筋原線維 myofibrilla …… 1213
筋原線維の fibrillar, fibrillary …… 692
筋原線維の myofibrillar …… 1213
筋原線維攣縮の fibrillar, fibrillary …… 692
筋〔原〕電位 myogenic potential …… 1473
筋腱の musculotendinous …… 1198
近見反応 near reaction …… 1566
筋腱付着 muscle-tendon attachment …… 175
筋腱膜の musculoaponeurotic …… 1198
均衡 equipoise …… 635
菌甲 scutulum …… 1652
銀行 bank …… 196
筋硬化〔症〕 myosclerosis …… 1216
金合金 gold alloy …… 52
近交系 inbred …… 918
近交係数 coefficient of inbreeding …… 387
菌甲状錯角化〔症〕 parakeratosis scutularis …… 1349
筋構築の myoarchitectonic …… 1212
均衡的血管拡張〔薬〕 balanced vasodilator …… 1990
筋興奮性の excitomuscular …… 652
筋黒色症 myomelanosis …… 1214
筋骨格の musculoskeletal …… 1198
筋骨連結 syssarcosis …… 1829
金コロイド反応 colloidal gold reaction 1563
筋細管〔系〕 sarcotubules …… 1636
筋細合組織炎 myofibrositis …… 1213
筋細線維 myofibril …… 1213
筋細線維 myofibrilla …… 1213
筋細線維の myofibrillar …… 1213
筋細胞 myocyte …… 1213
銀細胞 silver cell …… 326
筋細胞腫 myocytoma …… 1213
筋〔細胞〕線維質 myoplasm …… 1215
筋細胞膜 sarcolemma …… 1635
筋細胞融解 myocytolysis …… 1213
〔頸の〕筋三角 muscular triangle (of neck) …… 1927
〔頸の〕筋三角 omotracheal triangle …… 1927
〔頸の〕筋三角 trigonum omotracheale …… 1933
〔前頸部の〕筋三角 trigonum musculare (regionis cervicalis anterioris) …… 1933
均散の monodisperse …… 1167
近視 myopia (M) …… 1215
近視 shortsightedness …… 1674
近視 near sight …… 1677
筋枝 muscular branches …… 250
筋枝 rami musculares …… 1553
筋糸 myoneme …… 1214
菌糸 hypha …… 890
菌糸〔体〕 mycelium …… 1207
近似応答症候群 syndrome of approximate relevant answers …… 1796
近紫外線 intravital ultraviolet …… 1963
筋弛緩〔症〕 hypomyotonia …… 895
筋耳管管 musculotubal canal …… 284
筋耳管管 canalis musculotubarius …… 285
筋耳管管中隔 septum canalis musculotubarii …… 1663
筋耳管管中隔 septum of musculotubal canal …… 1664
筋弛緩薬 muscle relaxant …… 1588
筋弛緩薬拮抗薬 muscle relaxant reversal …… 1605
近軸光線 paraxial rays …… 1562
近軸の paraxial …… 1355
菌糸〔体〕状の mycelioid …… 1207
筋ジストロフィ muscular dystrophy …… 579
筋ジストロフィ myodystrophy, myodystrophia …… 1213
近視性単乱視 myopic astigmatism …… 165
近視性半月 myopic crescent …… 436
近視性変性 myopic degeneration …… 481
近視性脈絡膜症 myopic choroidopathy … 356
〔前立腺〕筋質 muscular tissue of prostate …… 1896
均質化 homogenization …… 860
均質の homogeneous …… 860
均質放射線 homogeneous radiation …… 1541
筋自発〔性〕の idiomuscular …… 904
筋脂肪腫 myolipoma …… 1214
筋脂肪変性 myodemia …… 1213
筋腫 myoma …… 1214
菌腫 mycetoma …… 1207
筋周囲炎 perimyositis …… 1388
筋周囲の perimysial …… 1388
筋収縮音聴診器 myophone …… 1215
筋収縮計 myometer …… 1214
筋収縮遅滞 myobradia …… 1212
筋周膜 perimysium …… 1388
筋周膜炎 perimysiitis, perimysitis …… 1388
筋周膜の perimysial …… 1388
筋腫核出(摘出)〔術〕 myomectomy …… 1214
筋腫核出術 leiomyomectomy …… 1016
緊縮応答 stringent response …… 1597
緊縮調節因子 stringent factor …… 669
筋腫性ポリープ myomatous polyp …… 1463
筋腫摘出〔術〕 myomotomy …… 1214
筋漿 muscle plasma …… 1432
銀症 argyria …… 131
筋障害 myopathy …… 1214
筋障害性萎縮 myopathic atrophy …… 173
筋障害性顔貌 myopathic facies …… 664
筋障害性〔脊柱〕側彎〔症〕 myopathic scoliosis …… 1649
筋障害性の myopathic …… 1214
筋上節 epimere …… 629
菌状息肉腫 mycosis fungoides …… 1208
筋上皮 myoepithelium …… 1213
筋上皮細胞 myoepithelial cell …… 324
筋上皮腫 myoepithelioma …… 1213
筋上皮性島 epimyoepithelial islands …… 958
筋小胞体 sarcoplasmic reticulum …… 1599
筋静脈性括約筋 myovenous sphincter … 1713
金疹 aurid …… 177
近心頬側根 radix mesiobuccalis …… 1546
近心頬側根 mesiobuccal root of tooth … 1621
近心隅角 mesial angle …… 89
筋神経系 neuromuscular system …… 1832
筋神経腫 myoneuroma …… 1214
近心咬合 mesioclusion …… 1135
近心咬合 anterior occlusion …… 1289
近心咬合 mesial occlusion …… 1290
近親交配 inbreeding …… 918
近心根 radix mesialis …… 1546
近心根 mesial root of tooth …… 1621
近心小窩 mesial fovea of tooth …… 735
近心舌側根 radix mesiolingualis …… 1546
近心舌側根 mesiolingual root of tooth 1621
近親相姦 incest …… 918
近親相姦罪の incestuous …… 918
近親相姦障壁 incest barrier …… 198
筋伸張 myotasis …… 1216
筋伸張の myotatic …… 1216
近心転位 mesioversion …… 1135
筋伸展収縮 myotatic contraction …… 417
筋伸展反射 myotatic reflex …… 1580
筋伸展被刺激性 myotatic irritability …… 957
近心の mesial …… 1135
近心の proximal …… 1509
近心面う食(蝕) mesial caries …… 302
近心面遠心面咬合面の mesiodistocclusal (MOD) …… 1135
近心面頬面咬合面の mesiobucco-occlusal …… 1135
近心面頬面髄面の mesiobuccopulpal …… 1135
近心面頬面の mesiobuccal …… 1135
近心面咬合面の mesio-occlusal …… 1135
近心面歯頸側の mesiocervical …… 1135
近心面歯肉側の mesiogingival …… 1135
近心面唇面の mesiolabial …… 1135
近心面髄面の mesiopulpal …… 1135
近心面切端の mesioincisal …… 1135
近心面舌面咬合面の mesiolinguo-occlusal …… 1135
近心面舌面髄面の mesiolinguopulpal …… 1135
近心面舌面の mesiolingual …… 1135
銀親和細胞 argentaffin cells …… 319
銀親和〔性〕の argentaffin, argentaffine …… 131
銀親和〔性〕の argyrophil, argyrophile …… 131
筋水腫 myoedema …… 1213
銀-スズ合金 silver-tin alloy …… 52
禁制 taboo, tabu …… 1837
筋性運動失調〔症〕 amyotaxy, amyotaxia 68
〔動眼〕筋性眼精疲労 muscular asthenopia 164
筋〔肉〕静止不能〔症〕 amyostasia …… 68
近正中の paramedian …… 1351
筋性動脈 muscular artery …… 149
筋性尿意促迫 motor urgency …… 1972
筋〔原〕性の myogenetic, myogenic …… 1213
均整のとれた小人症 proportionate dwarfism …… 569
筋整復 muscle repositioning …… 1591
近成分 proximate principle …… 1485
筋節 myomere …… 1214
筋節 myotome …… 1216
筋節 sarcomere …… 1636
近接 contiguity …… 416
筋切開刀 myotome …… 1216
近接学 proxemics …… 1509
近接効果 intrinsic deflection …… 479
近接効果様振れ intrinsicoid deflection …… 479
筋切除〔術〕 myectomy …… 1209
筋切除〔術〕 muscle resection …… 1592
近接照射療法 brachytherapy …… 240
近節短縮 rhizomelia …… 1610

近節(近位四節)短縮性点状軟骨形成異常〔症〕(形成不全症) rhizomelic chondrodysplasia punctata 353
筋節中隔 myocomma 1213
筋節中隔 myoseptum 1216
筋線維芽細胞 myofibroblast 1213
筋線維芽細胞腫 myofibroblastoma 1213
筋〔細胞〕線維質 myoplasm 1215
筋線維腫 myofibroma 1213
筋線維腫症 myofibromatosis 1213
筋線維症 myofibrosis 1213
筋線維膜炎 myofibrositis 1213
銀染色 argentation 131
銀染色 silver stain 1735
筋層 muscular coat 383
筋層 muscular layer 1011
筋層 muscularis 1198
筋層 muscular tunics 1952
筋層 tunica muscularis 1953
〔胃〕筋層 tunica muscularis ventriculi 1953
〔腟〕筋層 muscular coat of vagina 383
〔腟〕筋層 muscular layer of vagina 1012
〔腟〕筋層 tunica muscularis vaginae 1953
〔結腸〕筋層 tunica muscularis coli 1953
〔子宮〕筋層 tunica muscularis uteri 1953
〔小腸〕筋層 muscular coat of small intestine 383
〔小腸〕筋層 muscular layer of small intestine 1012
〔小腸〕筋層 tunica muscularis intestini tenuis 1953
〔食道〕筋層 muscular coat of esophagus 383
〔食道〕筋層 muscular layer of esophagus 1012
〔食道〕筋層 tunica muscularis esophagi 1953
〔精管〕筋層 muscular coat of ductus deferens 383
〔精管〕筋層 muscular layer of ductus deferens 1012
〔精管〕筋層 tunica muscularis ductus deferentis 1953
〔精嚢〕筋層 muscular layer of seminal gland 1012
〔胆嚢〕筋層 muscular coat of gallbladder 383
〔胆嚢〕筋層 muscular layer of gallbladder 1012
〔胆嚢〕筋層 muscular tunic of gallbladder 1952
〔胆嚢〕筋層 tunica muscularis vesicae biliaris 1953
〔胆嚢〕筋層 tunica muscularis vesicae felleae 1953
〔直腸〕筋層 tunica muscularis recti 1953
〔尿管〕筋層 muscular coat of ureter 383
〔尿管〕筋層 muscular layer of ureter 1012
〔尿管〕筋層 tunica muscularis ureteris 1953
〔膀胱〕筋層 muscular coat of urinary bladder 383
〔膀胱〕筋層 muscular layer of urinary bladder 1012
〔膀胱〕筋層 tunica muscularis vesicae urinariae 1953
〔卵管〕筋層 muscular coat of uterine tube 383
〔卵管〕筋層 muscular layer of uterine tube 1012
〔卵管〕筋層 tunica muscularis tubae uterinae 1953
〔気管支〕筋層 tunica muscularis bronchiorum 1953
〔女の尿道の〕筋層 tunica muscularis urethrae femininae 1953
筋層間神経叢 myenteric (nerve) plexus 1441
〔筋層の〕輪〔状〕層 stratum circulare tunicae muscularis 1751
筋束 muscle bundle 266
金属 metal (M) 1139
金属音咳 brassy cough 431
金属界面 metal interface 944
金属間化合物 intermetallic compound 404
金属恐怖〔症〕 metallophobia 1139
金属結合酵素 metalloenzyme 1139
金属結合蛋白 metalloprotein 1139
金属咬合面人工歯 metal insert teeth 1902
金属シアン化物 metallocyanide 1139
金属床 metal base 199
金属〔蒸気〕熱 brass founder's fever 683
金属性の metallic 1139
金属性ラ音 metallic rale 1547
金属板 plate 1434
金属フラビン酵素 metalloflavoenzyme 1139
金属フラビン蛋白 metalloflavoprotein 1139
金属ポルフィリン metalloporphyrin 1139
金属融点 fusing point 1454
金属陽型 die 514
筋組織 flesh 712
筋組織 muscular tissue 1895
筋組織欠損の amyous 69
筋〔肉〕組織の sarcous 1636
筋組織様の myoid 1214
金ゾル検査 colloidal gold test 1856
菌苔 bacterial plaque 1432
菌体抗原 somatic antigen 105
筋脱 myocele 1212
〔筋〕脱力〔症〕 adynamia 31
禁断 abstinence 7
筋単位 myon 1214
〔筋〕単収縮 myopalmus 1214
禁断症候群 abstinence syndrome 1795
禁断症状 withdrawal symptoms 1792
禁断症状 withdrawal 2047
筋弾性説 myoelastic theory 1876
筋蛋白 myoprotein 1215
筋蛋白 muscle proteins 1505
銀蛋白染料 silver protein stain 1735
筋弾力線維性の myoelastic 1213
筋断裂 myorrhexis 1215
近置 approximation 121
金チアノーゼ chrysocyanosis 360
巾着虹彩縫合術 purse-string corepexy 423
巾着縫合 purse-string suture 1788
巾着縫合器 purse-string instrument 940
金鋳造 gold casting 310
緊張 strain 1750
緊張 tone 1899
緊張 tonus 1902
緊張〔性〕 tonicity 1900
緊張型統合失調症 catatonic schizophrenia 1644
緊張緩和性の antitonic 109
緊張〔性〕気胸 tension pneumothorax 1452
緊張減退〔症〕 atony 170
緊張亢進 hypertonia 889
〔収縮〕筋聴診 dynamoscopy 570
筋聴診器 dynamoscope 570
緊張性気心嚢 tension pneumopericardium 1451
緊張性頸反射 tonic neck reflex 1582
緊張性硬直 catatonic rigidity 1616
緊張性昏迷 catatonia 312
緊張性収縮 tonic contraction 417
緊張性頭痛 tension headache 818
緊張性瞳孔 catatonic pupil 1527
緊張性瞳孔 tonic pupil 1527
緊張性の tonic 1900
緊張性反射 tonic reflex 1582
緊張低下 hypotonia 899
緊張病 catatonia 312
緊張病性興奮 excited catatonia 312
緊張病性興奮 catatonic excitement 652
緊張病性昏迷 stuporous catatonia 312
緊張病性昏迷 catatonic stupor 1761
緊張病性認知症 catatonic dementia 485
〔鼓膜〕緊張部 pars tensa membranae tympanicae 1361
緊張変動 heterotonia 849
緊張脈 tense pulse 1525
筋張力障害 myodystony 1213
銀沈着症 argyria 131
筋〔肉〕痛 myalgia 1206
近点 near point 1454
筋〔原〕電位 myogenic potential 1473
筋電感覚 electromuscular sensibility 1661
筋電気〔性〕の myoelectric 1213
筋電計 electromyograph 595
筋電図 electromyogram (EMG) 595
筋電図記録〔法〕 electromyography 595
筋電図検査 EMG examination 650
筋電図検査〔法〕 electromyography 595
筋電図生体(バイオ)フィードバック EMG biofeedback 212
筋伝導速度測定器 myochronoscope 1212
筋電流刺激の faradomuscular 671
均等液浸 homogeneous immersion 909
均等狭窄骨盤 pelvis justo minor 1378
均等屈折レンズ periscopic lens 1019
均等接着双生児 conjoined equal twins 1956
均等的分裂 equatorial division 553
均等膨大骨盤 pelvis justo major 1378
筋動力学 myodynamics 1213
金当量 gold equivalent 635
筋突起 coronoid process 1488
〔披裂軟骨〕筋突起 muscular process of arytenoid cartilage 1489
〔披裂軟骨〕筋突起 processus muscularis cartilaginis arytenoideae 1491
キンドラー-ウィアリー(ウェリー)症候群 Kindler-Weary syndrome 1809
キンドラー症候群 Kindler syndrome 1809
キンドリング kindling 985
筋〔肉〕内の intramuscular (IM) 950
筋内膜 endomysium 614
筋軟化〔症〕 myomalacia 1214
筋肉 muscle 1180
筋肉異形症 muscle dysmorphism 573
筋肉運動 muscular movement 1174
筋肉温存開胸〔術〕 muscle-sparing thoracotomy 1886
筋肉解剖 myotomy 1216
筋肉球体症 myospherulosis 1216
筋〔肉〕切り術 myotomy 1216
筋〔肉〕系 muscular system 1832
筋肉硬直 charley horse 340
筋肉骨化〔症〕 sarcostosis 1636
筋肉質 muscularity 1198
筋肉腫 myosarcoma 1215
筋肉鞘 epimysium 629
筋肉鞘切開〔術〕 epimysiotomy 629
筋〔肉〕静止不能〔症〕 amyostasia 68
筋肉束 muscle fascicle 675
筋〔肉〕組織の sarcous 1636
筋〔肉〕痛 myalgia 1206
筋肉通電の galvanomuscular 751
筋肉発達の sarcotic 1636
筋肉不全〔症〕 muscular insufficiency 941
筋肉リウマチ muscular rheumatism 1607
金の auric 177
筋の筋膜 muscular fascia 673
筋の筋膜の myofascial 1213
筋の固有筋膜 fascia of individual muscle 673
筋の生理的弾性 physiologic elasticity of muscle 592
筋の全弾性 total elasticity of muscle 592
筋の物理的弾性 physical elasticity of muscle 592
キンバエ属 *Lucilia* 1070
緊縛 constriction 415

金箔 gold foil ………… 791
筋発育過度 hypermyotrophy ………… 883
筋発生 myogenesis ………… 1213
筋波動〔症〕myokymia ………… 1214
筋板 myotome ………… 1216
〔筋〕反射 jerk ………… 968
金皮症 chrysiasis ………… 360
銀皮症 argyria ………… 131
銀皮症の argyric ………… 131
筋皮神経 musculocutaneous nerve ………… 1237
筋皮神経 nervus musculocutaneus ………… 1242
筋皮〔神経〕の myocutaneous ………… 1213
筋肥大 myopachynsis ………… 1214
キンヒドロン quinhydrone ………… 1538
キンヒドロン電極 quinhydrone electrode 594
筋皮の musculocutaneous ………… 1198
筋皮弁 musculocutaneous flap ………… 710
筋皮弁 myocutaneous flap ………… 710
金標準 gold standard ………… 791
筋不安定性の amyostatic ………… 68
筋フィラメント myofilaments ………… 1213
銀フォーク奇形(変形) silver-fork deformity ………… 480
筋腹 belly ………… 205
筋腹 venter ………… 2009
筋不全〔症〕muscular incompetence ………… 920
筋付着腱膜 aponeurosis of insertion ………… 117
筋ヘルニア myocele ………… 1212
筋変性 myodegeneration ………… 1213
筋変性 myolysis ………… 1214
筋変力作用陰性の negatively inotropic … 939
筋変力作用陽性の positively inotropic … 939
筋乏血 myoischemia ………… 1214
筋縫合〔術〕myorrhaphy ………… 1215
筋紡錘 muscle spindle ………… 1716
筋紡錘 neuromuscular spindle ………… 1716
筋蜂巣炎 myocellulitis ………… 1212
筋ホスホリラーゼ欠損症 muscle phosphorylase deficiency ………… 479
キンマ betel ………… 208
キンマ(ビーテル)かみタバコ Betel quid 208
キンマ癌 betel cancer ………… 286
菌膜 pellicle ………… 1378
筋膜 fascia ………… 672
筋膜移植 fascial graft ………… 795
筋膜炎 fasciitis ………… 677
筋膜下の subfascial ………… 1763
筋膜間腔 interfascial space ………… 1704
筋膜関節形成〔術〕fascial arthroplasty … 156
筋膜固定術 fasciodesis ………… 677
筋膜症 fasciosis ………… 677
筋膜上の epifascial ………… 627
筋膜切開〔術〕fasciotomy ………… 677
筋膜切除〔術〕fasciectomy ………… 677
筋膜皮弁 fasciocutaneous flap ………… 709
筋膜ヘルニア fascial hernia ………… 842
筋膜縫合〔術〕fasciorrhaphy ………… 677
筋麻痺性〔脊柱〕側弯〔症〕myopathic scoliosis ………… 1649
金ミオキミア症候群 gold-myokymia syndrome ………… 1805
筋ミトコンドリア myomitochondrion … 1214
筋無緊張〔症〕amyotonia ………… 68
筋無緊張〔症〕myatonia, myatony ………… 1206
筋無力症 myasthenia ………… 1206
筋無力〔症〕amyosthenia ………… 68
〔筋〕無力〔症〕adynamia ………… 31
筋無力症顔〔貌〕myasthenic facies ………… 664
筋無力症クリーゼ myasthenic crisis ………… 439
筋命名法 myonymy ………… 1214
キンメルスティール-ウィルソン病 Kimmelstiel-Wilson disease (KW) ………… 535
筋様細胞 myoid cells ………… 324
筋様細胞 peritubular contractile cells … 325
筋様体 myoid ………… 1214
筋様の myoid ………… 1214
禁欲 abstinence ………… 7
僅卵黄の oligolecithal ………… 1297
筋律動性線維性収縮 palmus ………… 1339
筋粒体 sarcosome ………… 1636
金療法 chrysotherapy ………… 361
筋力 myodynamia ………… 1213
筋力計 dynamometer ………… 570
筋力計 myodynamometer ………… 1213
筋力計 myosthenometer ………… 1216
筋力計 sthenometer ………… 1746
筋力測定〔法〕sthenometry ………… 1746
筋力発生の dynamogenic ………… 570
筋力描記装置 ergodynamograph ………… 636
菌類ステリン mycosterols ………… 1208
筋裂 myodiastasis ………… 1213
筋裂孔 lacuna musculorum ………… 995
筋裂孔 muscular lacuna ………… 995
筋裂孔 muscular space of retroinguinal compartment ………… 1704
筋攣縮 vellication ………… 2003
筋攣縮描画器 myokinesimeter ………… 1214
筋ろう様変性 myocerosis ………… 1212

ク

区 area (a) ………… 128
区 field ………… 697
区〔域〕segment ………… 1654
クーゲルの吻合動脈 Kugel anastomotic artery ………… 147
クーデカテーテル catheter coudé ………… 313
クーナンド(クルナン)ディップ Cournand dip ………… 522
クーパー(カウパー)靱帯 Cowper ligament ………… 1034
クーパー(カウパー)〔腺〕嚢胞 Cowper cyst ………… 459
クーバード couvade ………… 432
クーパーヘルニア Cooper hernia ………… 842
クーパーヘルニア刀 Cooper herniotome 844
クーパー-ランド人工喉頭 Cooper-RAND artificial larynx ………… 1002
クーペリア属 *Cooperia* ………… 419
クームズ(クームス)血清 Coombs serum 1668
クームズ(クームス)試験 Coombs test … 1856
クーメル頻拍症 Coumel tachycardia ………… 1837
クーリッジ管 Coolidge tube ………… 1941
クールー kuru ………… 990
クーロン coulomb (C, Q) ………… 431
クーンゴルウイルス Koongol viruses … 2026
クーント腔(隙) Kuhnt spaces ………… 1704
グールド縫合 Gould suture ………… 1787
グーレーカテーテル Gouley catheter ………… 313
グアイフェネシン guaifenesin ………… 804
グアナリトウイルス Guanarito virus … 2024
グアニジニウム guanidinium ………… 804
グアニジノ酢酸 guanidinoacetate ………… 804
グアニジン guanidine ………… 804
グアニル guanyl ………… 804
グアニル酸 guanylic acid (GMP) ………… 804
グアニル酸シクラーゼ guanylate cyclase 804
グアニル酸シンテターゼ guanylic acid synthetase (GMP synthetase) ………… 804
グアニル酸レダクターゼ guanylic acid reductase (GMP reductase) ………… 804
グアニン guanine (Gua, G) ………… 804
グアニン細胞 guanine cell ………… 322
グアニンデアミナーゼ guanine deaminase ………… 804
グアノシン guanosine (G, Guo) ………… 804
グアノシン5′-二リン酸 guanosine 5′-diphosphate (GDP) ………… 804
グアノシン5′-三リン酸 guanosine 5′-triphosphate (GTP) ………… 804
グアマウイルス Guama virus ………… 2024
グアムパーキンソニズム認知症複合 Guam parkinsonian dimension complex ………… 401
グアヤク guaiac ………… 804
グアヤシン guaiacin ………… 804
クアランフィルウイルス Quaranfil virus ………… 2028
グアルニエーリ〔小〕体 Guarnieri bodies 227
グアロアウイルス Guaroa virus ………… 2024
区域壊死 zonal necrosis ………… 1225
区〔域〕間の intersegmental ………… 947
区〔域〕気管支 bronchus segmentalis ………… 261
区〔域〕気管支 segmental bronchus ………… 261
区〔域〕気管支枝 rami bronchiales segmentorum ………… 1548
区域性無気肺 segmental atelectasis ………… 168
区域内の intrasegmental ………… 951
クイン-2 quin-2 ………… 1538
クイーンズランドマダニチフス Queensland tick typhus ………… 1958
腔 alveus ………… 55
腔 cave ………… 315
腔 cavity ………… 316
腔 cavum ………… 317
腔 lumen ………… 1071
腔 space ………… 1703
腔 ventriculus ………… 2012
クヴィンケ脈 Quincke pulse ………… 1525
クウィンラン試験 Quinlan test ………… 1863
クヴェッケンステット-スツーキー試験 Queckenstedt-Stookey test ………… 1863
クヴェーム(クベイム)抗原 Kveim antigen ………… 104
クヴェーム(クベイム)試験 Kveim test 1860
空嘔 vomiturition ………… 2037
クヴォステク徴候 Chvostek sign ………… 1679
空回腸炎 ileojejunitis ………… 905
空回腸炎 jejunoileitis ………… 967
空回腸静脈 jejunal and ileal veins ………… 1997
空回腸静脈 venae jejunales et ilei ………… 2006
空回腸の jejunoileal ………… 967
空回腸吻合〔術〕jejunoileostomy ………… 967
〔前房〕隅角鏡 gonioscope ………… 792
隅角鏡検査〔法〕gonioscopy ………… 792
隅角後退 angle recession ………… 1572
隅角切開〔術〕goniotomy ………… 792
隅角穿刺〔術〕goniopuncture ………… 792
隅角発生不全 goniodysgenesis ………… 792
隅角癒着 goniosynechia ………… 792
空間 space ………… 1703
空間位置確認 auditory localization ………… 1067
空間位置確認 spatial localization ………… 1067
空間〔感〕覚 space sense ………… 1661
空間近視 space myopia ………… 1215
空間式 spatial formula ………… 730
空間視力 spatial acuity ………… 22
空間的接近 contiguity ………… 416
空間の spatial ………… 1706
空間ベクトル spatial vector ………… 1992
空間ベクトル心電図法 spatial vectorcardiography ………… 1992
空気 air ………… 40
空気えん(嚥)下〔症〕aerophagia, aerophagy ………… 32
空気えん(嚥)下〔症〕pneumophagia ………… 1451
空気カーマ air Kerma ………… 981
空気飢餓〔感〕air hunger ………… 40
空気恐怖〔症〕aerophobia ………… 32
空気塞栓症 chokes ………… 348
空気塞栓症 air embolism ………… 600
空気タイヤ外傷 pneumatic tire injury … 936

空気注入器 inflator … 929
空気伝導 air conduction … 408
空気伝搬感染 airborne infection … 927
空気とらえこみ airtrapping … 40
空気副子(副木) air splint … 1721
空気マッサージ pneumomassage … 1449
空虚時内尿道口 voiding internal urethral orifice … 1314
空気力学 aerodynamics … 32
空気力学的サイズ aerodynamic size … 32
空気力学理論 aerodynamic theory … 1875
空気療法〔学〕 aerotherapeutics, aerotherapy … 32
空隙 lacuna … 995
空結腸吻合〔術〕 jejunocolostomy … 967
空港マラリア airport malaria … 1094
〔空〕壺音性共鳴音 amphoric resonance 1594
空壺音性呼吸 amphoric respiration … 1595
空壺音性の amphoric … 64
空壺音性発声 amphoriloquy … 64
空壺音性ラ音 amphoric rale … 1546
偶生寄生生物 incidental parasite … 1354
寓棲動物 inquiline … 939
腔洗浄 retrojection … 1604
偶然の発見 serendipity … 1665
偶然発生 spontaneous generation … 765
空想 fantasy … 671
空想虚言〔症〕 pseudologia phantastica … 1513
空中細菌検査器 aerobioscope … 32
空中じん埃数計算器 coniometer … 411
空中生物学 aerobiology … 32
空中浮遊生物 aeroplankton … 32
空中プランクトン aeroplankton … 32
腔腸 celenteron … 318
空腸 intestinum jejunum … 949
空腸 jejunum … 967
空腸胃重積〔症〕 jejunogastric intussusception … 952
空腸炎 jejunitis … 967
空腸回腸短絡 jejunoileal shunt … 1675
空腸回腸バイパス jejunoileal bypass … 273
空腸間膜 mesojejunum … 1136
空腸空腸吻合〔術〕 jejunojejunostomy … 967
空腸形成〔術〕 jejunoplasty … 967
空腸周囲炎 perijejunitis … 1387
空腸切開〔術〕 jejunotomy … 967
空腸切除〔術〕 jejunectomy … 967
空腸動脈 arteriae jejunales … 136
空腸動脈 jejunal arteries … 147
空腸動脈弓 arterial arches of jejunum … 125
空腸の jejunal … 967
空調肺 air-conditioner lung … 1071
空腸フィステル形成〔術〕 jejunostomy … 967
空腸傍陥凹 fossa parajejunalis … 733
空腸傍陥凹 parajejunal fossa … 733
偶蹄目 Artiodactyla … 158
空洞 syrinx … 1829
空洞音 caverniloquy … 315
空洞音 amphoric voice … 2035
空洞音 cavernous voice … 2035
空洞化 cavitation … 316
空洞形成 porosis … 1467
空洞形成 cavitation … 316
空洞現象 cavitation … 316
空洞呼吸 amphoric respiration … 1595
空洞状髄膜脱出 syringomeningocele … 1829
空洞状脊髄脱出 syringomyelocele … 1829
空洞声音 cavernous voice sound … 1702
空洞性呼吸 cavernous respiration … 1595
空洞性の cavernous … 315
空洞性ラ音 cavernous rale … 1546
空洞連形 concameration … 405
腔内性の intracavitary … 950
腔内の intracelial … 950
腔の antral … 110
偶発運動 allokinesis … 50
偶発〔的〕学習 incidental learning … 1014
偶発腫 incidentaloma … 918
偶発宿主 accidental host … 865
偶発症候 accident … 9
偶発症状 accidental symptom … 1791
偶発性雑音 accidental murmur … 1179
偶発性蛋白尿〔症〕 adventitious albuminuria … 43
偶発性低体温 accidental hypothermia … 897
偶発的ハエウジ症 accidental myiasis … 1211
偶発投与 incident dose … 557
偶発嚢 adventitious bursa … 267
空腹 hunger … 867
空腹時血糖〔値〕 fasting blood sugar (FBS) … 1769
空腹時性低血糖 fasting hypoglycemia … 893
空腹痛 hunger pain … 1337
空胞 vacuole … 1981
〔細胞内〕空胞 physalis … 1420
空胞化 vacuolation … 1981
空胞形成 vacuolation … 1981
空胞細胞症 koilocytosis … 988
空胞変性 vacuolar degeneration … 481
空胞膜 tonoplast … 1901
クヴレール子宮 Couvelaire uterus … 1977
クエブラチョウ quebracho … 1537
クエン酸 citric acid … 369
クエン酸アンモニウムビスマス bismuth ammonium citrate … 216
クエン酸塩 citrate … 369
クエン酸塩加の citrated … 369
クエン酸〔塩〕中毒 citrate intoxication … 949
クエン酸カフェイン caffeine citrate … 275
クエン酸カリウム potassium citrate … 1472
クエン酸カルシウムカルビミド citrated calcium carbimide … 277
クエン酸水素ナトリウム sodium citrate, acid … 1696
クエン酸第二銅 cupric citrate … 449
クエン酸第一鉄 ferrous citrate … 681
クエン酸タモキシフェン tamoxifen citrate … 1839
クエン酸銅(II) cupric citrate … 449
クエン酸ナトリウム sodium citrate … 1696
クエン酸ビスマス bismuth citrate … 216
クエン酸マグネシウム magnesium citrate … 1092
クエンチング quenching … 1537
クォーク quark … 1537
クォート quart … 1537
クオリティオブライフ quality of life … 1032
クオンタルエフェクト quantal effect … 589
区画 compartment … 399
軀幹 soma … 1699
区間枝 infrasegmental part … 1364
〔肺〕区間静脈 intersegmental vein … 1997
区〔域〕間の intersegmental … 947
茎 pedicle … 1376
茎 pediculus … 1376
茎 peduncle … 1376
茎 petiolus … 1397
茎 stalk … 1736
茎 stem … 1741
茎 stylus, stilus … 1762
釘 nail … 1219
釘 peg … 1377
釘 pin … 1424
釘打ち法 nailing … 1220
区気管支枝 branches of segmental bronchi … 253
区〔域〕気管支枝 rami bronchiales segmentorum … 1548
釘固定〔法〕 nailing … 1220
駆血 avascularization … 182
駆血器 tourniquet … 1905
楔 cuneus … 448
楔 wedge … 2043
楔形白内障 cuneiform cataract … 311
〔中脳の〕楔状核 cuneiform nucleus … 1274
楔状結節 cuneiform tubercle … 1943
楔状結節 tuberculum cuneiforme … 1946
楔状骨間関節 intercuneiform joints … 970
楔状骨舟状骨の cuneonavicular … 448
楔状骨立方骨の cuneocuboid … 448
くさび状生検 wedge biopsy … 214
楔〔状〕切除〔術〕 wedge resection … 1592
楔状束 cuneate fasciculus … 675
楔状束 fasciculus cuneatus … 675
楔状束核 cuneate nucleus … 1274
楔状束核 nucleus cuneatus … 1274
楔状束結節 cuneate tubercle … 1943
楔状束小脳路 cuneocerebellar tract … 1910
楔状束脊髄線維 cuneospinal fibers … 688
楔状束脊髄線維 spinocuneate fibers … 691
楔状軟骨 cuneiform cartilage … 306
楔状軟骨 cartilago cuneiformis … 307
楔状の sphenoidal … 1711
楔状肺活量計 wedge spirometer … 1718
鎖 chain … 337
鎖 strand … 1751
鎖代償性肺活量計 chain-compensated spirometer … 1718
鎖の相同性 homology of chains … 861
クサリヘビ adder … 23
クサリヘビ viper … 2021
クサリヘビ科 Viperidae … 2021
草綿 cotton … 430
駆散性の repellent … 1590
駆散薬 repellent … 1590
櫛で梳けない毛(不櫛梳毛)症候群 uncombable hair syndrome … 1824
くしゃみ ptarmus … 1521
くしゃみ sneeze … 1694
くしゃみ sternutation … 1745
くしゃみ反射 nasal reflex … 1580
くしゃみ発作 status sternuens … 1740
くしゃみ誘発薬 sternutatory … 1745
駆出 ejection … 592
駆出音 ejection sounds … 1702
駆出期 sphygmic interval … 948
駆出期 ejection period … 1389
駆出性クリック ejection click … 374
駆出性雑音 ejection murmur … 1179
駆出前期 preejection period … 1389
駆出率 ejection fraction … 736
駆除 disinfestation … 543
具象化 concretization … 407
具象的思考 concrete thinking … 1883
駆除薬 ascaricide … 159
駆シラミの antipedicular … 108
駆水の hydragogue … 869
クズウコン arrowroot … 133
くすくす笑い尿失禁 giggle incontinence 920
くすぐり感 tickling … 1892
くすぐり感 titillation … 1896
クスコクウィム症候群 Kuskokwim syndrome … 1809
くすぶり型白血病 smoldering leukemia 1025
クスマウル呼吸 Kussmaul respiration … 1595
クスマウル徴候 Kussmaul sign … 1681
薬 drug … 561
薬 medicament … 1116
薬 pharma … 1400
薬 physic … 1420
〔作用,作動〕薬 agent … 35
薬の pharma … 1400
くすりゆび ring finger … 701
薬指 digitus anularis … 517
薬指 ring finger … 701
薬を投与する drug … 561
薬を服用する drug … 561
クソニンジン *Artemisia annua* … 133

管 canal …… 282
管 canalis …… 285
管 duct …… 563
管 ductus …… 566
管 tuba …… 1940
管 tube …… 1941
〔脈〕管 vessel …… 2017
具体化 somatization …… 1699
具体的操作〔期〕 concrete operations …… 1304
くち mouth …… 1173
口 aditus …… 29
口 apertura …… 112
口 aperture …… 113
口 hiatus …… 851
口 introitus …… 951
口 mouth …… 1173
口 opening …… 1302
口 orifice …… 1313
口 orificium …… 1314
口 os …… 1318
口 ostium …… 1325
口 vent …… 2009
クチクラ板 cuticular plate …… 1435
口呼吸 mouth breathing …… 256
口すぼめ呼吸 pursed lips breathing …… 256
口対口人工呼吸法 mouth-to-mouth ventilation …… 2010
口に近い orad …… 1309
口の oral …… 1309
くちばし状頭 coccycephaly …… 385
くちびる labia oris …… 991
唇 labium …… 991
唇 labrum …… 992
唇 lip …… 1055
口笛変形 whistle deformity …… 480
駆虫性の antiparasitic …… 108
駆虫〔性〕の vermicidal …… 2013
駆虫〔性〕の vermifugal …… 2013
駆虫薬 anthelmintic …… 97
駆虫薬 parasiticide …… 1354
駆虫薬 vermicide …… 2013
駆虫薬 vermifuge …… 2013
口調 tone …… 1899
クチン cutin …… 453
苦痛・快感原則 pain-pleasure principle 1485
苦痛嗜愛 algophilia …… 47
屈曲 curve …… 450
屈曲 flexion …… 712
屈曲 incurvation …… 921
屈曲 kink …… 986
〔屈曲〕角形成 angulation …… 90
屈曲骨折 bending fracture …… 736
屈曲した骨 convoluted bone …… 232
屈曲伸展損傷 flexion-extension injury …… 936
屈曲腺 coil gland …… 772
屈曲対麻痺 paraplegia in flexion …… 1353
屈曲ひだ flexion crease …… 435
屈曲母趾 hallux flexus …… 813
屈筋 flexor …… 712
屈筋 flexor muscle …… 1185
屈筋支帯 retinaculum musculorum flexorum …… 1601
〔手の〕屈筋支帯 flexor retinaculum of hand …… 1600
〔足の〕屈筋支帯 retinaculum of flexor muscles …… 1600
屈筋反射 flexor reflex …… 1579
屈筋反応 flexor response …… 1596
クック鏡 Cooke speculum …… 1709
屈光性 phototropism …… 1418
屈指〔症〕 camptodactyly, camptodactylia 281
屈肢〔症〕 camptomelia …… 282
屈肢〔症〕の camptomelic …… 282
靴下状感覚(知覚)消失(脱失) stocking anesthesia …… 80
靴下状知覚麻痺 stocking anesthesia …… 80
靴修繕工縫合 cobbler's suture …… 1787
屈触性 thigmotropism …… 1883
クッション cushion …… 451
クッシング現象 Cushing phenomenon … 1404
クッシング症候群 Cushing syndrome …… 1802
クッシング病 Cushing disease …… 531
クッシング縫合 Cushing suture …… 1787
クッシング様の cushingoid …… 451
屈性 tropism …… 1937
屈折 anaclasis …… 69
屈折 refraction …… 1583
屈折異常〔症〕 ametropia …… 58
屈折角 angle of refraction …… 89
屈折矯正 refraction …… 1583
屈折矯正角膜形成術 refractive keratoplasty …… 980
屈折矯正角膜切開 refractive keratotomy 981
屈折矯正士 refractionist …… 1583
屈折計 refractometer …… 1583
屈折係数性近視 index myopia …… 1215
屈折光〔線〕 refracted light …… 1047
屈折〔左右〕不同〔症〕 anisometropia …… 92
屈折性遠視 index hypermetropia …… 883
屈折性遠視 curvature hyperopia …… 884
屈折性調節性内斜視 refractive accommodative esotropia …… 643
屈折の法則 law of refraction …… 1008
屈折判定〔法〕 refractometry …… 1583
屈折不同の anisometropic …… 91
屈折率 refractive index (n) …… 923
屈折率性非正視 index ametropia …… 58
屈折率測定〔法〕 refractometry …… 1583
屈折率測定器 refractometer …… 1583
グッセンバウアー縫合 Gussenbauer suture …… 1787
グッタペルカ gutta-percha …… 806
グッデル徴候 Goodell sign …… 1681
グッド抗原 Good antigen …… 103
グッドパスチャー症候群 Goodpasture syndrome …… 1805
グッドパスチャー染色〔法〕 Goodpasture stain …… 1731
クッフス病 Kufs disease …… 535
クップファー細胞 Kupffer cells …… 322
屈面性湿疹 flexural eczema …… 586
屈流性 rheotropism …… 1607
グデナフ人物描画試験 Goodenough draw-a-man test …… 1858
駆動 driving …… 561
クドベール染料 cudbear …… 447
区内気管支 intrasegmental bronchi …… 260
〔肺〕区内静脈 intrasegmental part of pulmonary veins …… 1365
〔肺〕区内静脈 infrasegmental veins …… 1997
〔肺〕区内静脈 intrasegmental veins …… 1997
グナチオン gnathion …… 789
クニースト症候群 Kniest syndrome …… 1809
クニリングス cunnilingus …… 448
グノスコピン gnoscopine …… 790
クノープ(ヌープ)硬さ Knoop hardness number (KHN) …… 1282
クノープ(ヌープ)説 Knoop theory …… 1876
クノル腺 Knoll glands …… 773
くび cervix …… 336
くび collum …… 392
くび neck …… 1223
首飾り状毛髪徴候 hair collar sign …… 1681
首筋 crest …… 436
頸〔部〕の cervical …… 336
くびの cervical …… 336
〔頸の〕筋三角 muscular triangle (of neck) …… 1927
〔頸の〕筋三角 omotracheal triangle …… 1927
〔頸の〕筋三角 trigonum omotracheale …… 1933
駆風薬 carminative …… 303
クプログラム cupulogram …… 449
区分 compartment …… 399
区分 portion …… 1468
クベイム(クヴェーム)抗原 Kveim antigen …… 104
クベイム(クヴェーム)試験 Kveim test 1860
区別 differentiation …… 516
クベバ cubeb …… 447
苦扁桃油 bitter almond oil …… 52
苦扁桃油 oil of bitter almond …… 1294
くぼみ pitting …… 1427
くぼみの umbilicate, umbilicated …… 1963
クマシーブリリアントブルーR-250 Coomassie brilliant blue R-250 …… 419
クマネズミ属 *Rattus* …… 1561
クマラノン coumaranone …… 431
クマリン coumarin …… 431
組 series …… 1665
組合せ assortment …… 163
組合せ combination …… 396
組換え recombination …… 1573
組換え型 recombinant …… 1573
組換え型菌株 recombinant strain …… 1751
組換え修復 recombinatorial repair …… 1590
組換え体 recombinant …… 1573
組換え比 recombination fraction …… 736
組換えベクター recombinant vector …… 1992
組換え割合再配列率 recombination fraction …… 736
組換えDNA recombinant DNA …… 491
組込み integration …… 942
クモ spider …… 1715
クモ形綱 Arachnida …… 123
クモ恐怖〔症〕 arachnephobia …… 123
クモ咬刺症 arachnidism …… 123
クモ肢 dolichostenomelia …… 555
クモ状血管腫 spider angioma …… 85
クモ状血管腫 vascular spider …… 1715
クモ状腎盂 spider pelvis …… 1379
クモ状母斑 spider nevus …… 1255
クモ毒素中和抗体 antiarachnolysin …… 99
クモノスカビ属 *Rhizopus* …… 1610
クモ膜 arachnoid …… 123
クモ膜 arachnoid mater …… 123
クモ膜 arachnoidea mater, arachnoides 123
クモ膜炎 arachnoiditis …… 123
クモ膜下腔 cavum subarachnoideum …… 317
クモ膜下腔 subarachnoid cavity …… 317
クモ膜下腔 subarachnoid space …… 1705
クモ膜下腔 spatium leptomeningeum …… 1707
クモ膜下出血 subarachnoid hemorrhage 836
クモ膜下槽 cisternae subarachnoideae …… 368
クモ膜下槽 subarachnoid cisterns …… 368
クモ膜下の subarachnoid …… 1762
クモ膜下麻酔〔法〕 subarachnoid anesthesia …… 80
クモ膜顆粒 arachnoid granulations …… 796
クモ膜顆粒 arachnoidal granulations …… 796
クモ膜顆粒 granulationes arachnoideae … 796
クモ膜顆粒小窩 foveolae granulares …… 735
クモ膜顆粒小窩 granular foveolae …… 735
クモ膜顆粒小窩 granular pits …… 1426
クモ膜関門細胞層 arachnoid barrier cell layer …… 123,1009
クモ膜絨毛 arachnoid villi …… 2020
クモ膜小柱 arachnoid trabecula …… 1907
クモ膜囊胞 arachnoid cyst …… 458
クモ膜の関門細胞層 barrier cell layer of arachnoid mater …… 319,1009
クモ指 spider finger …… 701
クモ指〔症〕 arachnodactyly …… 123
クライアント中心療法 client-centered therapy …… 1878
クライゼン縮合 Claisen condensation …… 407
クライネ-レヴィン症候群 Kleine-Levin syndrome …… 1809
クライモグラフ climograph …… 374

クライル鉗子 Crile clamp ………… 370
クライン cline ………… 374
グラインディング grinding ………… 800
クラインハウアー染料 Kleihauer stain 1732
クラインフェルター症候群 Klinefelter syndrome ………… 1809
グラウシン glaucine ………… 777
クラウゼ移植〔片〕Krause graft ………… 795
クラウゼ骨 Krause bone ………… 232
クラウゼ終末小体 Krause end bulbs ………… 264
クラウゼ腺 Krause glands ………… 773
クラウディウス細胞 Claudius cells ………… 320
クラウドマン黒色腫 Cloudman melanoma ………… 1122
クラウベルク試験 Clauberg test ………… 1855
クラウベルク単位 Clauberg unit ………… 1965
クラウン crown ………… 442
クラウンガラス crown glass ………… 776
クラーク細胞 Clarke cells ………… 320
クラーク電極 Clark electrode ………… 594
クラーク-フルニエ舌炎 Clarke-Fournier glossitis ………… 781
ぐらぐら歩行 toppling gait ………… 748
クラークレベル Clark level ………… 1029
クラゲ jellyfish ………… 967
クラスIイントロン Class I intron ………… 951
クラスI抗原 class I antigens ………… 103
クラスI分子 class I molecule ………… 1164
クラスIIイントロン Class II intron ………… 951
クラスII抗原 class II antigens ………… 103
クラスII分子 class II molecule ………… 1164
クラスIII抗原 class III antigens ………… 103
グラスアイオノマーセメント glass ionomer cement ………… 329
クラスケ手術 Kraske operation ………… 1305
グラスゴー徴候 Glasgow sign ………… 1680
クラススイッチ class switch, class switching ………… 371
グラススタッガー grass staggers ………… 1729
クラスターサンプル cluster sample ………… 1633
クラスター集団 cluster ………… 377
クラスター分析 cluster analysis ………… 70
グラステタニー grass tetany ………… 1870
クラステリン clusterin ………… 381
クラストーゲン clastogen ………… 372
クラスプ clasp ………… 370
クラスリン clathrin ………… 372
グラセー現象 Grasset phenomenon ………… 1405
グラセー徴候 Grasset sign ………… 1681
クラツキン腫瘍 Klatskin tumor ………… 1951
クラックコカイン crack cocaine ………… 384
クラットン関節 Clutton joints ………… 969
グラッフィウイルス Graffi virus ………… 2024
グラディエント gradient ………… 794
グラデニーゴ症候群 Gradenigo syndrome ………… 1806
クラドスポリウム症 cladosporiosis ………… 369
クラドスポリウム属 *Cladosporium* ………… 369
クラド帯 Clado band ………… 194
クラド点 Clado point ………… 1454
クラド刃靱帯 Clado ligament ………… 1033
クラドフィアロフォラ属 *Cladophialophora* ………… 369
クラド吻合 Clado anastomosis ………… 73
グラナ grana ………… 796
クラニオファリンジオーム craniopharyngioma ………… 434
クラバット包帯 cravat bandage ………… 195
グラハム・スティール(グレーアム・スティール)雑音 Graham Steell murmur ………… 1180
グラハメラ属 *Grahamella* ………… 795
グラフ graph ………… 799
クラフォード鉗子 Crafoord clamp ………… 370
グラフト graft ………… 795
クラブトリー効果 Crabtree effect ………… 588
クラプトン線 Clapton line ………… 1049
クラブラン酸 clavulanic acid ………… 372
グラベラ glabella ………… 771
クラミジア科 Chlamydiaceae ………… 345
クラミジア症 chlamydiosis ………… 346
クラミジア属 *Chlamydia* ………… 345
クラミジア肺炎病原体 *Chlamydia pneumoniae* ………… 345
グラミシジン gramicidin ………… 796
クラミドフィラ属 *Chlamydophila* ………… 346
グラム gram (g) ………… 796
グラムイオン gram-ion ………… 796
グラム陰性菌毛包炎 gram-negative folliculitis ………… 722
グラム陰性の gram-negative ………… 796
グラム-クロモトロープ染色〔法〕Gram-chromotrope stain ………… 1732
グラム原子量 gram-atomic weight ………… 2044
クラムシェル切開 clamshell incision ………… 918
グラム染色〔法〕Gram stain ………… 1731
グラム染色のスターリング変法 Stirling modification of Gram stain ………… 1735
グラムセンチメートル gram-centimeter 796
グラム当量 gram equivalent ………… 635
グラム分子 gram-molecule ………… 1164
グラム分子量 gram-molecular weight ………… 2044
グラムメートル gram-meter ………… 796
グラム陽性の gram-positive ………… 796
グラムヨウ素 Gram iodine ………… 953
グラヤノトキシン grayanotoxin ………… 800
クラーラ細胞 Clara cell ………… 320
クラーリン curarine ………… 449
クラーレ curare ………… 449
クラーレ麻痺 curarization ………… 449
クランクテスト crank test ………… 1856
グランザイム granzymes ………… 799
クランダル症候群 Crandall syndrome ………… 1801
グランツマン血小板無力症 Glanzmann thrombasthenia ………… 1887
クランピング clumping ………… 377
クランプ clamp ………… 370
グランフェルト三角 Grynfeltt triangle 1927
クランプ鉗子 clamp forceps ………… 727
クランプトン試験 Crampton test ………… 1856
クランプトン線 Crampton line ………… 1049
クランプローダー clamp-loader ………… 370
グリア glia ………… 777
グリア芽細胞 glioblast ………… 778
グリア境界膜 membrana limitans gliae 1124
グリア境界膜 glial limiting membrane 1125
グリア細胞 glia cells ………… 321
グリア細胞 gliacyte ………… 777
グリアジン gliadin ………… 778
グリア線維酸性蛋白 glial fibrillary acidic protein ………… 1503
クリアランス clearance ………… 372
クリイロコイタマダニ *Rhipicephalus sanguineus* ………… 1609
グリオキサラーゼ glyoxalase ………… 789
グリオキサール glyoxal ………… 789
グリオキシル酸 glyoxylic acid ………… 789
グリオキシル酸サイクル glyoxylic acid cycle ………… 455
クリオグロブリン cryoglobulins ………… 444
クリオグロブリン血〔症〕cryoglobulinemia ………… 444
グリオクローム gryochrome ………… 804
グリオーシス gliosis ………… 778
クリオ蛋白〔質〕cryoprotein ………… 445
クリオフィブリノ〔ー〕ゲン cryofibrinogen ………… 444
グリオーム glioma ………… 778
繰返し reduplication ………… 1575
繰返し時間 repetition time (TR) ………… 1893
グリカノヒドロラーゼ glycanohydrolases 785
グリカール glycal ………… 785
クリグラー-ナジャー症候群 Crigler-Najjar syndrome ………… 1801
グリクロニド glycuronide ………… 789
グリクロン酸 glycuronic acid ………… 789
グリケーション glycation ………… 785
グリケート glycate ………… 785
グリコカリックス glycocalyx ………… 786
グリコゲン glycogen ………… 787
グリコゲンアカントシス glycogenic acanthosis ………… 8
グリコゲン顆粒 glycogen granule ………… 797
グリコゲンシンターゼ glycogen synthase, glycogen starch synthase ………… 787
グリコゲン性心肥大 glycogenic cardiomegaly ………… 300
グリコゲンデンプンシンターゼ glycogen synthase, glycogen starch synthase ………… 787
グリコゲン表皮肥厚 glycogenic acanthosis 8
グリココール酸 glycocholic acid ………… 787
グリココール酸ナトリウム glycocholate sodium ………… 786
グリコシアミン glycocyamine ………… 787
繰越し汚染 carry-over ………… 305
グリコシダーゼ glycosidases ………… 788
グリコシド glycoside ………… 788
グリコシド転移 transglycosidation ………… 1919
グリコシドの glycosidic ………… 788
グリコシル glycosyl ………… 789
グリコシル化合物 glycosyl compound ………… 404
グリコシル化ヘモグロビン glycosylated hemoglobin ………… 833
グリコシルトランスフェラーゼ glycosyltransferase ………… 789
グリコシルホスファチジルイノシトールアンカー glycosylphosphatidylinositol anchor 74
グリコスフィンゴリピド glycosphingolipid ………… 789
グリコファグス属 *Glycophagus* ………… 788
グリコペプチド glycopeptide ………… 788
グリコペプチド系抗生物質 glycopeptide antibiotic ………… 99
グリコホリン glycophorins ………… 788
グリコリル glycolyl ………… 788
グリコール glycol ………… 788
グリコールアルデヒド glycolaldehyde ………… 788
グリコールエーテル glycol ethers ………… 645
グリコール酸 glycolic acid ………… 788
グリコール酸尿〔症〕glycolic aciduria ………… 788
グリコレート glycolate ………… 788
クリサロビン chrysarobin ………… 360
クリージ化 kriging ………… 989
グリシニウム glycinium ………… 786
グリシニン glycinin ………… 786
グリシル glycyl (Gly) ………… 789
グリシルサイクリン glycylcycline ………… 789
グリシン glycine (G, Gly) ………… 786
グリシンアシルトランスフェラーゼ glycine acyltransferase ………… 786
グリシンアミジノトランスフェラーゼ glycine amidinotransferase ………… 786
グリシンアミドリボヌクレオチド glycineamide ribonucleotide, glycinamide ribonucleotide ………… 786
グリシン開裂複合体 glycine cleavage complex ………… 786
グリージンガー徴候 Griesinger sign ………… 1681
グリージンガー病 Griesinger disease ………… 534
グリシンコハク酸サイクル glycine-succinate cycle ………… 455
グリシン酸塩 glycinate ………… 786
グリシンデヒドロゲナーゼ glycine dehydrogenases ………… 786
グリシン尿〔症〕glycinuria ………… 786
クリスタ cristae of mitochondria, cristae mitochondriales ………… 440
クリスタリン crystallin ………… 446
クリスタルバイオレット crystal violet ………… 446

クリスタルバイオレットワクチン crystal violet vaccine …… 1979
クリーゼ crisis …… 439
グリセオフルビン griseofulvin …… 800
グリセリダーゼ glyceridases …… 785
グリセリド glyceride …… 785
グリセリル glyceryl …… 786
グリセリン glycerin …… 786
グリセリンアルデヒド glyceric aldehyde 785
グリセリン化タンニン酸 tannic acid glycerite …… 786
グリセリン剤 glycerite …… 786
グリセリン坐剤 glycerin suppository …… 1778
グリセリン酸 glyceric acid …… 785
D-グリセリン酸尿〔症〕 D-glyceric aciduria 785
L-グリセリン酸尿〔症〕 L-glyceric aciduria 785
グリセリンゼラチン glycerinated gelatin 761
グリセリンチンキ glycerinated tincture 1894
グリセリン軟膏 starch glycerite …… 786
グリセリンリン酸 glycerol phosphate …… 786
グリセリン-3-リン酸デヒドロゲナーゼ glycerol-3-phosphate dehydrogenase (NAD^+) …… 786
グリセルアルデヒド glyceraldehyde …… 785
グリセルアルデヒド3-リン酸 glyceraldehyde 3-phosphate …… 785
グリセロリン酸 glycerophosphoric acid 786
グリセロリン酸カルシウム calcium glycerophosphate …… 277
グリセロリン酸コリン glycerophosphocholine …… 786
グリセロリン酸シャトル glycerophosphate shuttle …… 1675
グリセロール glycerol …… 786
グリセロールキナーゼ glycerol kinase …… 786
グリセロール〔脱水〕試験 glycerol dehydration test …… 1858
グリセロール-3-リン酸アシルトランスフェラーゼ glycerol-3-phosphate acyltransferase …… 786
クリソイジン chrysoidin …… 361
グリソン肝硬変 Glisson cirrhosis …… 367
グリソン鞘 Glisson capsule …… 291
グリソン鞘炎 glissonitis …… 778
グリーソンの腫瘍(異型度)分類 Gleason tumor grade …… 794
グリタゾン glitazone …… 778
クリチオン clition …… 375
クリチジア属 *Crithidia* …… 441
クリッキング clicking …… 374
クリック click …… 374
クリック症候群 click syndrome …… 1801
クリック性血管雑音 bruit de claquement …… 262
クリック様耳鳴 clicking tinnitus …… 1894
グリッティ-ストークス切断術 Gritti-Stokes amputation …… 66
グリッド grid …… 800
グリッド比 grid ratio …… 1560
グリッドレー真菌染色〔法〕 Gridley stain for fungi …… 1732
グリッドレー染色〔法〕 Gridley stain …… 1732
クリップ clip …… 375
クリップ鉗子 clip forceps …… 727
クリティカルパスウェイ critical pathway …… 1373
クリニカルエンドポイント clinical end point …… 1454
クリニカルパス clinical path …… 1371
クリニン crinin …… 439
クリノファージ crinophagy …… 439
クリープ creep …… 436
クリープ〔の〕回復 creep recovery …… 1574
クリプトキサンチン cryptoxanthin …… 446
クリプトクローム cryptochrome …… 445
クリプトコックス症 cryptococcosis …… 445
クリプトコックス属 *Cryptococcus* …… 445
クリプトコックス・ネオフォルマンス *Cryptococcus neoformans* …… 445
クリプトスポリジウム症 cryptosporidiosis …… 446
クリプトスポリジウム属 *Cryptosporidium* …… 446
クリプトゾイト cryptozoite …… 446
クリプトピロール cryptopyrrole …… 446
クリプトン krypton (Kr) …… 989
クリプトンレーザー krypton laser …… 1003
クリペル-トルノネー-ウェーバー症候群 Klippel-Trenaunay-Weber syndrome 1809
クリペル-フェーユ症候群 Klippel-Feil syndrome …… 1809
クリミア-コンゴ出血〔性〕熱 Crimean-Congo hemorrhagic fever …… 683
クリミア-コンゴ出血熱ウイルス Crimean-Congo hemorrhagic fever virus …… 2023
クリーム cream …… 435
クリムスキー試験 Krimsky test …… 1860
クリューヴァー-バーレラのルクソールファーストブルー染色〔法〕 Klüver-Barrera Luxol fast blue stain …… 1732
クリューヴァー-ビューシー症候群 Klüver-Bucy syndrome …… 1809
クリュヴェーリエ神経叢 Cruveilhier plexus …… 1440
クリュヴェーリエ-バウムガルテン雑音 Cruveilhier-Baumgarten murmur …… 1179
クリュヴェーリエ-バウムガルテン症候群 Cruveilhier-Baumgarten syndrome …… 1802
クリューガー器械停止〔装置〕 Krueger instrument stop …… 940
クリーランド命名法 Cleland nomenclature …… 1265
クリンガー-ルートヴィヒの酸チオニンによる性染色体染色〔法〕 Klinger-Ludwig acid-thionin stain for sex chromatin 1732
クリングル kringle …… 989
グリンデリア grindelia …… 800
グリーンフィールドフィルタ Greenfield filter …… 699
クルイベラ属 *Kluyvera* …… 987
グルヴィル浴 Greville bath …… 202
クルヴォワジェ胆嚢 Courvoisier gallbladder …… 750
クルヴォワジェの法則 Courvoisier law 1006
グルカゴノーマ glucagonoma …… 782
グルカゴノーマ症候群 glucagonoma syndrome …… 1805
グルカゴン glucagon …… 782
グルカゴン様ペプチド glucagonlike peptide (GLP-1) …… 1383
グルカール glucal …… 782
グルカン glucan …… 782
クルクミン curcumin …… 449
グルクロニド glucuronide …… 784
グルクロノシルトランスフェラーゼ glucuronosyltransferase …… 784
D-グルクロノラクトン D-glucuronolactone 784
グルクロン酸 glucuronic acid …… 784
グルクロン酸尿〔症〕 glycuronuria …… 789
グルーゲ小体 Gluge corpuscles …… 426
クルーケンベルク腫〔瘍〕 Krukenberg tumor …… 1951
クルーケンベルク切断術 Krukenberg amputation …… 66
クルーケンベルク紡錘 Krukenberg spindle …… 1716
グルコアスコルビン酸 glucoascorbic acid …… 782
グルコキナーゼ glucokinase …… 782
グルココルチコイド glucocorticoid …… 782
グルコサミノグリカン glucosaminoglycans …… 783
グルコサミン glucosamine …… 783
グルコサン glucosan …… 783
グルコシダーゼ glucosidases …… 783
グルコシダーゼ阻害薬 glucosidase inhibitors …… 934
グルコシド glucoside …… 783
グルコシノレーツ glucosinolates …… 783
グルコシル glucosyl …… 783
グルコシルセラミド glucosylceramide …… 783
グルコシルトランスフェラーゼ glucosyltransferase …… 783
D-グルコース D-glucose (G, Glc) …… 783
D-グルコース1-リン酸 D-glucose 1-phosphate …… 783
グルコース1-リン酸ウリジリルトランスフェラーゼ glucose-1-phosphate uridylyltransferase …… 783
グルコース1-リン酸ホスホジスムターゼ glucose-1-phosphate phosphodismutase 783
グルコース6-ホスファターゼ glucose-6-phosphatase …… 783
D-グルコース6-リン酸 D-glucose 6-phosphate …… 783
グルコース6-リン酸 glucose 6-phosphate 783
グルコース6-リン酸デヒドロゲナーゼ glucose-6-phosphate dehydrogenase …… 783
グルコース-6-リン酸デヒドロゲナーゼ欠損症 glucose-6-phosphate dehydrogenase deficiency …… 478
グルコース6-リン酸トランスロカーゼ glucose-6-phosphate translocase …… 783
D-グルコースオキシダーゼ D-glucose oxidase …… 783
グルコースオキシダーゼ法 glucose oxidase method …… 1144
グルコース寛容減損 impaired glucose tolerance …… 1898
グルコース最大輸送量 glucose transport maximum …… 1111
グルコース新生 gluconeogenesis …… 782
グルコース生成の glucogenic …… 782
D-グルコースデヒドロゲナーゼ D-glucose dehydrogenase …… 783
グルコース動員性の glucokinetic …… 782
D-グルコース1,6-ビスリン酸 D-glucose 1,6-bisphosphate …… 783
グルコースリン酸イソメラーゼ glucose-phosphate isomerase …… 783
グルコース-リン酸イソメラーゼ欠損〔症〕 glucosephosphate isomerase deficiency 478
グルコソン glucosone …… 783
グルコノラクトナーゼ gluconolactonase 782
グルコピラノース glucopyranose …… 783
グルコフラノース glucofuranose …… 782
グルコン酸 gluconic acid …… 782
グルコン酸カリウム potassium gluconate …… 1472
グルコン酸カルシウム calcium gluconate 277
クルー細胞 clue cell …… 320
クルシュマンらせん体 Curschmann spirals …… 1717
クルーズトリパノソーマ *Trypanosoma cruzi* …… 1939
グルセプテート gluceptate …… 782
グルセプト酸カルシウム calcium gluceptate …… 277
クルーゼブラシ Kruse brush …… 262
クルゾン症候群 Crouzon syndrome …… 1802
グルタコン酸 glutaconic acid …… 784
グルタチオン glutathione (GSH) …… 785
グルタチオン合成酵素欠損症 glutathione synthetase deficiency …… 478
グルタチオンシンテターゼ glutathione synthetase …… 785
グルタチオン*S*-トランスフェラーゼ

glutathione S-transferase …… 785
グルタチオン尿症 glutathionuria …… 785
グルタチオンペルオキシダーゼ glutathione peroxidase …… 785
グルタチオンレダクターゼ glutathione reductase …… 785
グルタミナーゼ glutaminase …… 784
グルタミニル glutaminyl (Gln, Glx, Q) 784
グルタミネート glutaminate …… 784
グルタミル glutamyl (E, Glu, Glx) …… 784
グルタミン glutamine (Gln, Q) …… 784
グルタミンアミノトランスフェラーゼ glutamine aminotransferase …… 784
グルタミン酸 glutamic acid (E, Glu) …… 784
グルタミン酸一ナトリウム monosodium glutamate (MSG) …… 1168
グルタミン酸アセチルトランスフェラーゼ glutamate acetyltransferase …… 784
グルタミン酸アルギニン arginine glutamate …… 131
グルタミン酸塩酸塩 glutamic acid hydrochloride …… 784
グルタミン酸γ-セミアルデヒド glutamate γ-semialdehyde …… 784
グルタミン酸シンターゼ glutamate synthase …… 784
グルタミン酸デカルボキシラーゼ glutamate decarboxylase (GAD) …… 784
グルタミン酸デヒドロゲナーゼ glutamate dehydrogenases …… 784
グルタミン酸ホルムイミノトランスフェラーゼ glutamate formiminotransferase …… 784
グルタミンシンセターゼ glutamine synthetase …… 784
グルタモイル glutamoyl …… 784
グルタリルCoA glutaryl-CoA …… 785
グルタリルCoAシンテターゼ glutaryl-CoA synthetase …… 785
グルタリルCoAデヒドロゲナーゼ glutaryl-CoA dehydrogenase …… 785
グルタルアルデヒド glutaraldehyde …… 785
グルタル酸 glutaric acid …… 785
クルック顆粒 Crooke granules …… 796
クルックスガラス Crookes glass …… 776
クルックス〔-ヒットルフ〕管 Crookes-Hittorf tube …… 1941
クルックヒアリン変化 Crooke hyaline change …… 339
クルツローク-ラトナー試験 Kurzrok-Ratner test …… 1860
グルテニン glutenin …… 785
グルテリン glutelins …… 785
グルテン gluten …… 785
グルテン運動失調 gluten ataxia …… 167
グルテンカゼイン gluten casein …… 785
クルドスコピー culdoscopy …… 447
クルドスコープ culdoscope …… 447
グルーナート岬 Grunert spur …… 1726
クルナン(クーナンド)ディップ Cournand dip …… 522
クルパノドン酸 clupanodonic acid …… 377
グルーバー法 Gruber method …… 1144
グルビオン酸カルシウム calcium glubionate …… 277
くる病 rachitis …… 1540
くる病 rickets …… 1614
くる病骨盤 beaked pelvis …… 1378
くる病骨盤 rachitic pelvis …… 1379
くる病じゅず rachitic rosary …… 1622
くる病食 rachitic diet …… 515
くる病性〔脊柱〕側弯〔症〕 rachitic scoliosis …… 1649
くる病素因 rachitism …… 1540
くる病発生の rachitogenic …… 1540
クループ croup …… 442
クループ関連ウイルス croup-associated virus (CA virus) …… 2023
くるぶし malleolus …… 1096
くるぶし反射 ankle jerk …… 968
クループ性喉頭炎 croupous laryngitis …… 1002
クループ性肺炎 lobar pneumonia …… 1450
グループダイナミックス group dynamics 570
グループ転移 group translocation …… 1919
クループリンパ croupous lymph …… 1075
グルーベル盲嚢 Gruber cul-de-sac …… 447
車酔い car sickness …… 1676
くるみ割り nutcracker …… 1283
くるみ割り(ナットクラッカー)現象 nutcracker phenomenon …… 1405
くるみ割り(ナットクラッカー)症候群 nutcracker syndrome …… 1814
グルンシュタイン-ホグネス分析 Grunstein-Hogness assay …… 162
クルンプケ麻痺 Klumpke palsy …… 1340
グレア glare …… 776
クレアチナーゼ creatinase …… 435
クレアチニナーゼ creatininase …… 436
クレアチニン creatinine (Cr) …… 436
クレアチニンクリアランス creatinine clearance …… 372
クレアチニン係数 creatinine coefficient 387
クレアチン creatine …… 435
クレアチンキナーゼ creatine kinase (CK) …… 435
クレアチンキナーゼイソエンザイム creatine kinase isoenzymes …… 960
クレアチン血〔症〕 creatinemia …… 436
クレアチン尿〔症〕 creatinuria …… 436
グレーアム・スティール(グラハム・スティール)雑音 Graham Steell murmur …… 1180
グレーアムの法則 Graham law …… 1006
グレイ gray (Gy) …… 800
グレイ症候群 gray syndrome, gray baby syndrome …… 1806
グレーヴズ眼症 Graves ophthalmopathy 1307
グレーヴズ視神経症 Graves optic neuropathy …… 1251
グレーヴズ病 Graves disease …… 534
クレオイド cleoid …… 374
クレオソート creosote …… 436
クレオソール creosol …… 436
クレオラ小体 creola bodies …… 226
グレーグ頭蓋多合指症候群 Greig cephalopolysyndactyly syndrome …… 1806
クレシルバイオレット cresyl echt, cresyl fast violet …… 438
クレシルバイオレット染色〔法〕 cresyl echt violet stain …… 1730
クレシルブルー cresyl blue …… 438
グレースケール超音波検査〔法〕 gray-scale ultrasonography …… 1962
クレスト CREST …… 436
クレゾール cresol …… 436
m-クレゾール m-cresol …… 436
クレゾール赤 cresol red …… 436
クレーター crater …… 435
クレーター gingival trough …… 1937
クレーターアーク crater arc …… 124
グレー・ターナー徴候 Grey Turner sign 1681
クレッセント狭心症 crescendo angina …… 82
クレッチュマン腔(隙) Kretschmann space …… 1704
クレデー法 Credé methods …… 1143
グレード grade …… 793
クレーニッヒ階段 Krönig steps …… 1742
クレーニッヒ峡〔部〕 Krönig isthmus …… 963
グレーノー角膜ジストロフィ Groenouw corneal dystrophy …… 578
クレノー断片 Klenow fragment …… 738
クレノーフラグメント Klenow fragment 738
クレビオゼン krebiozen …… 989
グレーフェ手術 Graefe operation …… 1304
グレーフェ摂子 Graefe forceps …… 727
グレーフェ徴候 Graefe sign …… 1681
グレーフェ刀 Graefe knife …… 987
クレブシエラ・オキシトカ *Klebsiella oxytoca* …… 987
クレブシエラ属 *Klebsiella* …… 986
クレーブス(クレブス)-リンガー(リンゲル)〔溶〕液 Krebs-Ringer solution …… 1698
クレーブルック徴候 Claybrook sign …… 1679
グレリン ghrelin …… 768
グレーン grain …… 796
クレーン-グンプレヒト陰影核 Klein-Gumprecht shadow nuclei …… 1276
グレンジャー撮影法 Granger projection 1496
グレンジャー線 Granger line …… 1050
グレン手術 Glenn operation …… 1304
クレンジングクリーム cleansing cream 435
グレンツ線 grenz ray …… 1562
グレンナー-リリー下垂体染色〔法〕 Glenner-Lillie stain for pituitary …… 1731
グレンブラッド-ストランドベリー症候群 Grönblad-Strandberg syndrome …… 1806
クレーンライン手術 Krönlein operation 1305
クロイツフェルト-ヤーコプ病 Creutzfeldt-Jakob disease (CJD) …… 531
クロイツフェルト-ヤーコプ病 Heidenhain variant, Creutzfeldt-Jacob disease …… 534
クロウド cloud …… 377
クロウメモドキ buckthorn …… 263
クロウメモドキ属 *Rhamnus* …… 1606
クロオコッカス綱 chroococcales …… 360
黒ガラシ black mustard …… 1205
黒くらみ blackout …… 218
クロークロー craw-craw …… 435
クロケー腔(隙) Cloquet space …… 1703
クロケー結節 node of Cloquet …… 1260
クロケーヘルニア Cloquet hernia …… 842
グローコット-ゴモリのメテナミン-銀染色〔法〕 Grocott-Gomori methenamine-silver stain (GMS) …… 1732
クロショウジョウ属 *Pan* …… 1340
グロース gulose …… 805
グロスウイルス Gross virus …… 2024
クロスオーバー crossover …… 442
クロスカットバー cross-cut bur …… 266
黒スグリ状疹 black currant rash …… 1559
クロスセクショナル研究 cross-sectional study …… 1760
クロステーパー cross-taper …… 442
クロステーブルラテラル撮影 cross-table lateral projection …… 1496
クローズドバイト closed bite …… 217
クローズドラパロスコピー closed laparoscopy …… 1001
クロストリジウム属 *Clostridium* …… 376
クロストリジウム属 clostridium …… 376
クロスハイブリダイゼーション cross hybridization …… 869
クロズビーカプセル Crosby capsule …… 290
クロス表 contingency table …… 1836
CROS(クロス)補聴器 contralateral routing of signal hearing aid …… 819
クロスマッチ試験 cross-matching …… 442
クロスレベルバイアス cross-level bias …… 208
クロタフィオン crotaphion …… 442
クロタランチュラ black tarantula …… 1841
クロタリン crotalin …… 442
クロー徴候 Crowe sign …… 1680
クロッカス crocus …… 441
グロッコ三角 Grocco triangle …… 1927
グロッコ徴候 Grocco sign …… 1681
クロット clot …… 377
クロット coagulation …… 382
クローディン claudin …… 372
クロー-デーヴィス開口器 Crowe-Davis mouth gag …… 748

クロトキシン crotoxin …… 442
クロード症候群 Claude syndrome …… 1801
クロトン油 croton oil …… 442
クロナキシー chronaxie …… 360
クロナキシー計 chronaximeter …… 360
クロナキシー法 chronaximetry …… 360
黒なまず tinea versicolor …… 1894
クロニジン成長ホルモン刺激試験 clonidine growth hormone stimulation test …… 1855
クローニング cloning …… 375
クローニングベクター cloning vector …… 1992
クローヌス clonus …… 375
クローネッカー染色〔液〕 Kronecker stain …… 1732
クロノグラフ chronograph …… 360
クロノグラフ clonograph …… 375
クロノタラキシス chronotaraxis …… 360
L-グロノラクトン L-gulonolactone …… 805
L-グロノラクトンオキシダーゼ L-gulonolactone oxidase …… 805
クロバエ属 *Calliphora* …… 279
クロバエ類 blowfly …… 224
グロバー現象 Glover phenomenon …… 1405
クローバーの葉モデル cloverleaf model 1162
クローバ葉頭蓋症候群 cloverleaf skull syndrome …… 1801
グロビン globin …… 778
グロビン亜鉛インスリン globin zinc insulin …… 941
クロフ肺活量計 Krogh spirometer …… 1718
グローブフィンガー(手袋状)徴候 gloved-finger sign …… 1680
グロブリン globulin …… 778
グロブリン過剰血紫斑病 hyperglobulinemic purpura …… 1528
グロブリン尿〔症〕 globulinuria …… 779
グロボシド globoside …… 778
グロボセファルス属 *Globocephalus* …… 778
グロボトリアオシルセラミド globotriaosylceramide …… 778
クロマチン粒子 chromatin particles …… 1369
クロマトグラフ chromatograph …… 356
クロマトグラフィ chromatography …… 357
クロマトグラフィ紙 chromatography paper …… 1344
クロマトグラム chromatogram …… 356
クロマトソーム chromatosome …… 357
クロマノール chromanol …… 356
クロマン chroman, chromane …… 356
クロミジア chromidium …… 358
クロミジア装置 chromidial apparatus …… 118
クロミジア網 chromidial net …… 1244
クローミック腸線 chromic catgut …… 313
クロミディウム chromidium …… 358
クロミディウム流出 chromidiosis …… 358
クロミフェン試験 clomiphene test …… 1855
クロム chrome …… 357
クロム chromium (Cr) …… 358
クロム後処理 afterchroming …… 33
クロムイエロー chrome yellow …… 358
クロム-コバルト合金 chrome-cobalt alloys …… 52
クロム酸 chromic acid …… 358
クロム酸塩 chromate …… 356
〔第二〕クロム酸塩による鉛染色〔法〕 chromate stain for lead …… 1730
クロム酸ナトリウムCr51 sodium chromate Cr 51 …… 356
クロム親和〔性〕芽細胞 pheochromoblast 1407
クロム親和系 chromaffin system …… 1830
クロム親和細胞 chromaffin cell …… 320
クロム親和〔性〕細胞 pheochromocyte …… 1407
クロム親和〔性〕細胞腫 pheochromocytoma …… 1407
クロム親和性細胞腫 chromaffinoma …… 356
クロム親和性組織 chromaffin tissue …… 1895
クロム親和〔性〕の chromaffin …… 356
クロム親和性反応 chromaffin reaction 1563
グロムス血管腫 glomangioma …… 779
グロムス血管症 glomangiosis …… 779
グロムス腫瘍 glomus tumor …… 1950
クロム性潰瘍 chrome ulcer …… 1960
クロムミョウバン chrome alum …… 54
クロムミョウバンヘマトキシリン-フロキシン染色〔液,法〕 chrome alum hematoxylin-phloxine stain …… 1730
クロムレッド chrome red …… 357
クロメノール chromenol …… 357
クロメン chromene …… 357
クロモグラニン chromogranin …… 358
クロモソームバンド chromosome band …… 194
クロモトロープ chromotrope …… 360
クロモトロープ2R chromotrope 2R …… 360
クロモトロープ酸 chromotropic acid …… 360
クロモバクテリウム属 *Chromobacterium* 358
クロモブラスト chromoblast …… 358
クロモプラスト chromoplast …… 358
クロモブラストミコーシス chromoblastomycosis …… 358
クロモン chromone …… 358
クロラゾールブラックE chlorazol black E …… 346
クロラムフェニコール chloramphenicol 346
クロラムフェニコールアセチルトランスフェラーゼ chloramphenicol acetyl transferase (CAT) …… 346
クロラール chloral …… 346
m-クロラール *m*-chloral …… 346
p-クロラール *p*-chloral …… 346
クロラールアルコレート chloral alcoholate …… 346
クロラール中毒 chloralism …… 346
クロラールベタイン chloral betaine …… 346
クロリン chlorin …… 346
クロール下痢症 chloridorrhea …… 346
クロル石灰 chlorinated lime …… 1048
クロルダン chlordane …… 346
クロルフェノールレッド chlorphenol red 347
クロルベンゾキサミン chlorbenzoxamine, chlorbenzoxyethamine …… 346
クロロキン chloroquine …… 347
クロロクルオリン chlorocruorin …… 347
クロロサイアザイド chlorothiazide …… 347
クロロサイアザイドナトリウム chlorothiazide sodium …… 347
クロロ酢酸 chloroacetic acid …… 347
p-クロロ第二水銀安息香酸塩 *p*-chloromercuribenzoate (PCMB, *p*CMB, *p*-CMB) …… 347
クロロトリアジン色素 chlorotriazine dyes …… 569
クロロパーチャ chloropercha …… 347
クロロパーチャ法 chloropercha method 1143
クロロピクリン chloropicrin …… 347
クロロフィラーゼ chlorophyllase …… 347
クロロフィリド chlorophyllide, chlorophyllid …… 347
クロロフィル chlorophyll …… 347
クロロフィル*a* chlorophyll *a* …… 347
クロロフィル*b* chlorophyll *b* …… 347
クロロフィル*c* chlorophyll *c* …… 347
クロロフィル*d* chlorophyll *d* …… 347
クロロフィル単位 chlorophyll unit …… 1965
クロロフェノール chlorophenol …… 347
クロロプロカインペニシリンO chloroprocaine penicillin O …… 1380
o-クロロベンザルマロノニトリル *o*-chlorobenzalmalononitrile …… 347
クロロホルム chloroform …… 347
クロロホルム中毒 chloroformism …… 347
クロロメタン chloromethane …… 347
クローン clone …… 375
クロンカイト-キャナダ(カナダ)症候群 Cronkhite-Canada syndrome …… 1802
クローン化可能細胞 clonogenic cell …… 320
クローン化する clone …… 375
クローン化不能細胞 nonclonogenic cell 324
クローン原性の clonogenic …… 375
L-グロン酸 L-gulonic acid …… 805
クローン除去説 clonal deletion theory 1875
クローン〔性〕増殖 clonal expansion …… 655
クローン生物形成 cloning …… 375
クローン選択説 clonal selection theory 1875
クローン大腸炎 Crohn colitis …… 390
クローン老化 clonal aging …… 38
クワシオルコル kwashiorkor …… 990
くわ手 spade hand …… 814
クワトロテスト quadruple test …… 1863
クワント徴候 Quant sign …… 1683
群 group …… 803
軍医将官(総監) surgeon general …… 1784
燻煙剤 fumigant …… 743
群凝集素 group agglutinin …… 37
群凝集反応 group agglutination …… 37
群〔居〕本能 herd instinct …… 940
群抗原 group antigens …… 104
軍事医学 military medicine …… 1117
〔生物〕群集 biocenosis …… 212
群集恐怖〔症〕 ochlophobia …… 1290
燻蒸 fumigation …… 743
燻蒸剤 fumigant …… 743
クンジンウイルス株 Kunjin virus strain …… 1750
〔叢状〕群生〔の〕 gregaloid …… 800
群発 burst …… 271
群発性頭痛 cluster headache …… 818
皸裂 rhagades …… 1606
訓練 training …… 1915
訓練グループ training group (T group) 803
訓練分析 training analysis …… 71

ケ

毛 hair …… 811
毛 pilus …… 1424
ケーゲル体操 Kegel exercises …… 653
ケージ cage …… 275
ケースコントロール研究 case control study …… 1760
ケース(ケス)-ベヒテレフ帯 band of Kaes-Bechterew …… 194
ケーニッヒ症候群 Koenig syndrome …… 1809
ケーラー照明〔法〕 Köhler illumination …… 907
ケーラー病 Köhler disease …… 535
ケーランド(キーラン)鉗子 Kjelland forceps …… 727
ケール徴候 Kehr sign …… 1681
Kウイルス K virus …… 2026
K殻 K shell …… 1672
K(k)血液型 K blood group, k blood group …… 977
K抗原 K antigens …… 104
K細胞 K cell …… 322
K複合〔波〕 K complex …… 402
K放射線 K-radiation …… 1541
K領域 K region …… 1585
KCNE1遺伝子 *KCNE1* gene …… 763
Kmアロタイプ Km allotypes …… 52
Km抗原 Km antigen …… 104
KNFモデル Koshland-Némethy-Filmer model (KNF model) …… 1162

KTPレーザー KTP laser 1003
KVLQT1遺伝子 *KVLQT1* gene 763
ゲージ gauge 761
ゲージ圧力 gauge pressure 1482
ゲート gate 760
ゲートキーパー gatekeeper 760
ゲーム game 751
ゲーム理論 game theory 1876
ゲールドナー病 Gairdner disease 533
ゲールハルトアセト酢酸試験 Gerhardt test for acetoacetic acid 1858
ゲールハルト尿ウロビリン試験 Gerhardt test for urobilin in the urine 1858
ゲールハルト-ミッチェル病 Gerhardt-Mitchell disease 533
ケアタン-アール法 Keating-Hart method 1144
ケアリー・クームズ(カーリー・クームス)雑音 Carey Coombs murmur 1179
〔胆嚢の〕頸 collum vesicae biliaris 392
〔胆嚢の〕頸 collum vesicae felleae 392
〔胆嚢の〕頸 neck of gallbladder 1223
頸 cervix 336
頸 collum 392
頸〔部〕 neck 1223
傾 version 2014
茎 pedicle 1376
茎 pediculus 1376
茎 peduncle 1376
茎 petiolus 1397
茎 stalk 1736
茎 stem 1741
茎 stylus, stilus 1762
脛 cnemis 382
脛 shank 1670
系 economy 584
系 line 1048
系 series 1665
系 systema 1834
系〔統〕 strain 1750
系〔統〕 system 1829
〔直〕径 diameter 509
〔原〕型 pattern 1373
ゲイ gay 761
経胃栄養 gastric feeding 679
頸芋腫 potato tumor of neck 1951
ゲイ〔溶〕液 Gey solution 1698
頸腋窩管 cervicoaxillary canal 282
経腋窩的に peraxillary 1384
頸横静脈 transverse cervical veins 2003
頸横静脈 transverse veins of neck 2003
頸横静脈 venae transversae colli 2008
頸横神経 transverse cervical nerve 1240
頸横神経 transverse nerve of neck 1240
頸横神経 nervus transversus colli 1243
頸横神経の下枝 inferior branches of transverse cervical nerve 247
頸横神経の下枝 rami inferiores nervi transversi cervicalis [colli] 1552
頸横神経の上枝 superior branch of the transverse cervical nerve 254
頸横靱帯 ligamentum transversale cervicis 1046
頸横動脈 arteria transversa colli 138
頸横動脈 transverse artery of neck 154
頸横動脈 transverse cervical artery 154
頸横動脈深枝 rami profundi arteriae transversae cervicis 1555
頸横動脈深枝 ramus profundus arteriae transversae colli 1555
頸横動脈深枝 deep branch of the transverse cervical artery 245
頸横動脈の浅頸動脈 superficial cervical artery of transverse cervical artery 152
経過 progress 1495
軽快 remission 1589
軽快期 paracme 1348
警戒原則 precautionary principle 1485
経外耳道切開 transmeatal incision 919
頸回旋筋 cervical rotator muscles 1182
頸回旋筋 rotatores cervicis (muscles) 1193
頸回旋筋 musculi rotatores cervicis/colli 1203
経蝸牛到達法(アプローチ) transcochlear approach 121
計画 schema 1642
計画的利用 telesis 1847
経割 meridional cleavage 373
経顆的な transcondylar 1916
鶏冠 crista galli 440
頸管 cervical duct 563
鶏眼 clavus 372
鶏眼 corn 423
頸管開大の停止 arrest of dilatation 132
〔頸管拡張〕子宮内膜掻爬術 dilatation and curettage (D&C) 519
経眼窩式ロボトミー transorbital lobotomy 1064
頸〔管〕形成〔術〕 cervicoplasty 336
頸管成熟度 effacement 588
景観生態学 landscape ecology 584
頸管造影法 cervicography 336
頸眼聴覚症候群 cervicooculoacoustic syndrome 1800
経管(経皮)的冠動脈形成〔術〕 percutaneous transluminal coronary angioplasty (PTCA) 86
経眼的な transocular 1920
頸管内の endocervical 612
〔子宮〕頸管妊娠 cervical pregnancy 1478
頸管傍組織 paracervix 1348
〔子宮〕頸管傍ブロック麻酔〔法〕 paracervical block anesthesia 80
頸管無力症 incompetent cervical os 1318
頸顔面の cervicofacial 336
鶏眼様層板 cornoid lamella 996
鶏冠翼 ala cristae galli 41
鶏冠翼 ala of crista galli 41
鶏冠翼 wing of crista galli 2046
計器 gauge 761
経気感染性結核 aerogenic tuberculosis 1945
経胸腔圧 transthoracic pressure 1483
経胸腔的の transthoracic 1922
頸胸神経節 cervicothoracic ganglion 753
頸胸神経節 ganglion cervicothoracicum 753
頸胸遷移 cervicothoracic transition 1919
頸胸椎装具 cervicothoracic orthosis 1317
経胸的食道切除術 transthoracic esophagectomy 642
頸胸の cervicothoracic 336
経胸壁超音波心エコー検査 transthoracic echocardiography 583
経胸膜の transpleural 1921
頸棘間筋 cervical interspinal muscle 1182
頸棘間筋 cervical interspinales muscles 1182
頸棘間筋 interspinales cervicis (muscles) 1187
頸棘間筋 musculus interspinalis cervicis/colli 1201
頸棘筋 spinal muscle of neck 1194
頸棘筋 spinalis cervicis (muscle) 1194
頸棘筋 musculus spinalis cervicis 1203
脛距靱帯 tibiotalar part of medial ligament of ankle joint 1368
頸筋痙攣 cervical myospasm 1216
頸筋痙攣 trachelism, trachelismus 1908
軽金属 light metal 1139
〔深〕頸筋膜 (deep) cervical fascia 672
頸筋膜浅葉 investing layer of cervical fascia 1011
頸筋膜の気管前葉 middle cervical fascia 673
頸筋膜の気管前葉 pretracheal fascia 674
頸筋膜の気管前葉 lamina pretrachealis fasciae cervicalis 998
頸筋膜の気管前葉 pretracheal layer of cervical fascia 1013
頸筋膜の椎前葉 prevertebral fascia 674
頸筋膜の椎前葉 lamina prevertebralis fasciae cervicalis 998
頸筋膜の椎前葉 prevertebral layer of cervical fascia 1013
頸屈 cervical flexure 712
経頸静脈性肝内門脈体循環短絡術 transjugular intrahepatic portosystemic shunt (TIPS) 1675
頸〔管〕形成〔術〕 cervicoplasty 336
型穴 impression 916
軽減 abatement 1
軽減 relief 1589
軽減感 lightening 1047
経験主義者(の) empiric 605
経験主義的な empiric 605
経験診療法 empiricism 605
経験的危険度 empiric risk 1618
経験的治療 empiric treatment 1923
経験〔的〕療法 empiric treatment 1923
傾向 determination 501
蛍光 fluorescence 716
経口胃管 orogastric hose 865
頸後横突間筋 posterior cervical intertransversarii (muscles) 1191
頸後横突間筋 posterior cervical intertransverse muscles 1191
頸後横突間筋 musculi intertransversarii posteriores cervicis 1201
〔蛍光〕間接撮影〔法〕 fluorography 716
蛍光眼底血管造影(撮影)〔法〕 fluorescein angiography 84
経口気管内挿管 orotracheal intubation 952
蛍光ギームザ染色〔法〕 fluorescence plus Giemsa stain 1731
蛍光球 fluorocyte 716
蛍光共鳴エネルギー移動顕微鏡 fluorescence resonance energy transfer microscopy (FRET) 1154
頸後屈の retrocollic 1604
蛍光計 fluorometer 716
蛍光原位置ハイブリッド形成 fluorescence *in situ* hybridization (FISH) 869
蛍光原位置ハイブリッド形成 fluorescent *in situ* hybridization 869
蛍光顕微鏡検査〔法〕 fluorescence microscopy 1154
蛍光抗核抗体試験 fluorescent antinuclear antibody test (FANA), FANA test 1857
蛍光抗体 fluorescent antibody 100
蛍光抗体法 immunofluorescence 912
蛍光抗体法 fluorescent antibody technique 1844
蛍光細胞分析分離装置 fluorescence-activated cell sorter (FACS) 716
蛍光色素 fluorochrome 716
蛍光消光 fluorescence quenching 1537
蛍光スペクトル fluorescence spectrum 1709
蛍光赤血球 fluorocyte 716
経口接種 endovaccination 616
〔経口〕摂取 ingestion 932
蛍光染色 fluorochroming 716
蛍光染色〔液,法〕 fluorescent stain 1731
蛍光体 phosphor 1415
経口〔的〕の peroral 1394
頸後頭〔部〕の cervicooccipital 336
経口内視鏡検査 peroral endoscopy 615
経口乳糖負荷試験 oral lactose tolerance test 1862
頸後〔方〕の retrocollic 1604
蛍光倍増管 image amplifier 64
蛍光板 fluorescent screen 1651
蛍光比色法 fluorometry 716

ケ

経口避妊薬 oral contraceptive (OC) …… 416
蛍光標識抗トレポネーマ抗体吸収試験 fluorescent treponemal antibody-absorption test …… 1857
蛍光分光分析〔法〕 spectrophotofluorimetry …… 1708
経口ポリオウイルスワクチン poliovirus vaccines …… 1980
経口ポリオ生ワクチン live oral poliovirus vaccine …… 1980
経口ポリオ生ワクチン Sabin vaccine …… 1980
蛍光免疫測定法 fluorescent immunoassay (FIA) …… 911
経肛門的に per anum …… 1384
警告 warning …… 2040
警告反応 alarm reaction …… 1563
頸鼓小管 caroticotympanic canaliculi …… 285
頸鼓小管動脈 caroticotympanic arteries (of internal carotid artery) …… 143
頸鼓神経 caroticotympanic nerves …… 1232
頸鼓神経 nervi caroticotympanici …… 1241
脛骨 shank …… 1670
脛骨 tibia …… 1892
脛骨栄養動脈 nutrient artery of the tibia …… 149
脛骨栄養動脈 tibial nutrient artery …… 154
脛骨外側顆 lateral condyle of tibia …… 409
脛骨外側面 facies lateralis tibiae …… 664
脛骨外側面 lateral surface of tibia …… 1782
〔脛骨〕下関節面 inferior articular surface of tibia …… 1781
脛骨下骨 os subtibiale …… 1318
脛骨幹(骨体) shaft of tibia …… 1670
脛骨筋膜筋 tibiofascialis …… 1892
脛骨後〔方〕の posttibial …… 1472
脛骨後面 facies posterior tibiae …… 665
脛骨後面 posterior surface of tibia …… 1783
脛骨骨間縁 interosseous border of tibia …… 235
脛骨骨間縁 margo interosseus tibiae …… 1104
脛骨神経 tibial nerve …… 1240
脛骨神経 nervus tibialis …… 1243
脛骨神経の内側踵骨枝 medial calcaneal branches of tibial nerve …… 249
脛骨神経の内側踵骨枝 rami calcanei mediales nervi tibialis …… 1548
経骨髄性静脈撮影(造影)〔法〕 transosseous venography …… 2009
経骨性の perosseous …… 1394
脛骨前縁 anterior border of tibia …… 234
脛骨前縁 margo anterior tibiae …… 1104
脛骨前区画症候群 anterior tibial compartment syndrome …… 1796
脛骨前〔部〕の pretibial …… 1483
脛骨粗面 tuberositas tibiae …… 1947
脛骨粗面 tibial tuberosity …… 1948
脛骨粗面皮下包 bursa subcutanea tuberositatis tibiae …… 270
脛骨粗面皮下包 subcutaneous bursa of tibial tuberosity …… 270
脛骨粗面皮下包 subcutaneous bursa of tuberosity of tibia …… 270
脛骨体 corpus tibiae …… 426
脛骨体(骨幹) shaft of tibia …… 1670
脛骨体内側面 facies medialis corporis tibiae …… 664
〔脛骨〕内果関節面 articular facet of medial malleolus …… 661
〔脛骨〕内果関節面 malleolar articular surface of tibia …… 1782
脛骨内側縁 medial border of tibia …… 235
脛骨内側縁 margo medialis tibiae …… 1104
脛骨内側顆 medial condyle of tibia …… 409
脛骨内側面 medial surface of tibia …… 1782
〔脛骨の〕下関節面 facies articularis inferior tibiae …… 663
脛骨の後顆間区 area intercondylaris posterior tibiae …… 129
脛骨の後顆間区 posterior intercondylar area of tibia …… 130
〔脛骨の〕上関節面 facies articularis superior tibiae …… 663
〔脛骨の〕上関節面 superior articular surface of tibia …… 1783
脛骨の前顆間区 anterior intercondylar area of tibia …… 128
脛骨の前顆間区 area intercondylaris anterior tibiae …… 129
〔脛骨の〕腓骨関節面 fibular articular facet of tibia …… 661
〔脛骨の〕腓骨関節面 facies articularis fibularis tibiae …… 663
脛骨方向へ tibiad …… 1892
軽鎖 light chain …… 337
頸最長筋 longissimus cervicis (muscle) …… 1188
頸最長筋 musculus longissimus cervicis …… 1201
経済的トリアージ economic triage …… 1926
経細胞輸送 transcellular transport …… 1921
軽擦〔法〕 effleurage …… 590
軽擦法 fro <lement …… 741
鶏砂ノミ *Echidnophaga gallinacea* …… 582
経産 parity …… 1356
計算 count …… 431
ケイ酸 silicic acid …… 1685
ケイ酸塩 silicate …… 1685
頸三角 cervical triangle …… 1926
頸三角 trigonum cervicale …… 1933
ケイ酸含有の siliceous …… 1685
計算図表 nomogram …… 1265
計算図表 nomograph …… 1266
ケイ酸セメント silicate cement …… 329
ケイ酸セメント修復 silicate restoration …… 1597
計算盤 counting chamber …… 338
経産婦 multipara …… 1178
経産婦 para …… 1347
計算不全 dyscalculia …… 571
計算不能〔症〕 acalculia …… 8
計算平均生物 calculated mean organism (CMO) …… 1312
計算癖 arithmomania …… 131
頸耳介 cervical auricle …… 177
経耳管的に per tubam …… 1396
形式的操作〔期〕 formal operations …… 1304
傾軸進入 obliquity …… 1288
経篩骨の transethmoidal …… 1917
経時腫瘍学 chronooncology …… 360
経視床の transthalamic …… 1922
軽視する neglect …… 1226
継時対比 successive contrast …… 417
形質 character …… 339
形質 trait …… 1915
憩室 diverticulum …… 551
憩室炎 diverticulitis …… 551
形質芽球 plasmablast …… 1432
形質球性類白血病反応 plasmocytic leukemoid reaction …… 1025
形質交換薬 transforming agent …… 37
憩室固定〔術〕 diverticulopexy …… 551
形質細胞 plasma cell …… 325
形質細胞 plasmacyte …… 1432
形質細胞異常症 plasma cell dyscrasia …… 571
形質細胞偽腫瘍 plasma cell pseudotumor …… 1515
形質細胞亀頭炎 plasma cell balanitis …… 193
形質細胞骨髄腫 plasma cell myeloma …… 1210
形質細胞腫 plasmacytoma …… 1432
形質細胞性歯肉炎 plasma cell gingivitis …… 770
形質細胞〔性〕乳腺炎 plasma cell mastitis …… 1109
形質細胞性白血病 plasma cell leukemia …… 1025
形質細胞増加症 plasmacytosis …… 1432
憩室周囲炎 peridiverticulitis …… 1387
憩室腫瘍 diverticuloma …… 551
憩室症 diverticulosis …… 551
形質人類学 physical anthropology …… 98
憩室性疾患 diverticular disease …… 532
憩室切除〔術〕 diverticulectomy …… 551
形質転換 transformation …… 1918
形質転換因子 transforming factor …… 669
形質転換体 transformant …… 1918
形質導入 transduction …… 1917
形質導入体 transductant …… 1917
憩室の diverticular …… 551
形質胞体 plasmodium …… 1434
形質胞体の plasmodial …… 1433
〔原〕形質膜 plasma membrane …… 1126
経時的研究 diachronic study …… 1761
経時的研究 longitudinal study …… 1761
経時的顕微鏡検査法 time-lapse microscopy …… 1155
経シナプスの transsynaptic …… 1922
経シナプス変性 transsynaptic degeneration …… 481
傾しゃ decantation …… 474
傾斜 inclinatio …… 919
傾斜 inclination …… 919
傾斜 tilt …… 1893
傾斜 tipping …… 1895
傾瀉 decantation …… 474
傾斜角 angle of inclination …… 89
傾斜試験 tilt test …… 1867
傾斜磁場 magnetic field gradient …… 794
傾斜ディスク弁 tilting disc valve prosthesis …… 1501
傾斜ディスク弁 tilting disc valve …… 1985
傾斜包帯 oblique bandage …… 196
傾斜包帯 spiral bandage …… 196
頸周囲リンパ節環 pericervical collar of lymph nodes …… 390
脛舟靱帯 tibionavicular ligament …… 1041
脛舟靱帯 ligamentum tibionaviculare …… 1046
脛舟靱帯 tibionavicular part of medial ligament of ankle joint …… 1368
経十二指腸的乳頭括約筋切開〔術〕 transduodenal sphincterotomy …… 1714
脛舟の tibionavicular …… 1892
痙縮 contracture …… 417
痙縮 spasm …… 1706
痙縮 spasmus …… 1706
痙縮 spasticity …… 1706
形象 figure …… 697
痙笑 risus caninus …… 1619
痙笑 trismus sardonicus …… 1935
形状 form …… 728
茎状移植片 pedicle graft …… 795
軽症〔憂〕うつ病 hypomelancholia …… 894
鶏脂様血餅 chicken fat clot …… 377
軽症コレラ cholerine …… 351
軽症産褥熱 milk fever …… 685
脛踵靱帯 tibiocalcaneal ligament …… 1041
脛踵靱帯 tibiocalcaneal part of medial ligament of ankle joint …… 1368
軽症腺ペスト ambulant plague, ambulatory plague …… 1429
軽症テタヌス性の subtetanic …… 1767
軽症凍傷 perfrigeration …… 1385
茎状突起 styloid prominence …… 1497
〔側頭骨〕茎状突起 styloid process of temporal bone …… 1490
〔側頭骨〕茎状突起 processus styloideus ossis temporalis …… 1492
〔第三中手骨〕茎状突起 styloid process of third metacarpal bone …… 1490
〔第三中手骨〕茎状突起 processus styloideus ossis metacarpalis tertii (III) …… 1492
茎状突起炎 styloiditis …… 1762
茎状突起鞘 sheath of styloid process …… 1671
茎状突起鞘 vagina processus styloidei …… 1981
脛踵の tibiocalcanean …… 1892

茎状の belemnoid 205
頸静脈 jugular 973
頸静脈 cervical vein 1994
頸静脈 jugular veins 1997
頸静脈窩 fossa jugularis 732
頸静脈窩 jugular fossa 732
頸静脈弓 jugular venous arch 126
頸静脈弓 arcus venosus jugularis 128
頸静脈球 bulb of jugular vein 264
頸静脈球 bulbus venae jugularis 265
頸静脈グロムス腫瘍 glomus jugulare tumor 1950
頸静脈肩甲舌骨筋リンパ節 juguloomohyoid lymph node 1079
頸静脈肩甲舌骨筋リンパ節 juguloomohyoid node 1261
〔頸静脈肩甲舌骨筋リンパ節の〕前リンパ節 anterior jugulo-omohyoid lymph nodes 1077
頸静脈孔 foramen jugulare 725
頸静脈孔 jugular foramen 725
〔頸静脈〕孔内突起 intrajugular process 1489
〔頸静脈〕孔内突起 processus intrajugularis 1491
経静脈式ペースメーカ pervenous pacemaker 1334
頸静脈糸球 jugular glomus 781
頸静脈小体 glomus jugulare 781
頸静脈神経 jugular nerve 1235
頸静脈神経 nervus jugularis 1242
経静脈性胆管造影(撮影)〔法〕 intravenous cholangiography 348
経静脈的尿路造影(撮影)〔法〕 intravenous urography, excretory urography 1974
頸静脈洞 jugular sinus, sinus jugularis 1687
〔後頭骨の〕頸静脈突起 jugular process of occipital bone 1489
〔後頭骨の〕頸静脈突起 processus jugularis ossis occipitalis 1491
頸静脈二腹筋リンパ節 jugulodigastric lymph node 1079
頸静脈二腹筋リンパ節 jugulodigastric node 1261
〔頸静脈二腹筋リンパ節の〕前リンパ節 anterior jugulodigastric lymph node 1077
頸静脈の神経節 jugular ganglion 753
頸静脈波 jugular pulse 1525
〔鼓室〕頸静脈壁 paries jugularis cavi tympani 1356
〔鼓室〕頸静脈壁 jugular wall of middle ear 2039
軽症〔憂〕うつ病 hypomelancholia 894
軽症痒疹 prurigo mitis 1510
軽触診〔法〕 light-touch palpation 1339
経食道超音波心エコー検査 transesophageal echocardiography 583
頸神経 cervical nerves [C1–C8] 1232
頸神経 nervi cervicales [C1–C8] 1241
頸神経後枝の外側枝 lateral branch of posterior rami of cervical 248
頸神経後枝の内側枝 medial branch of posterior rami of cervical 249
頸神経前枝 anterior rami of cervical nerves 1547
頸神経前枝 rami anteriores nervorum cervicalium 1548
頸神経前枝 rami ventrales nervorum cervicalium 1557
頸神経前枝 ventral primary rami of cervical spinal nerves 1557
頸神経前枝 ventral rami of cervical nerves 1557
頸神経叢 cervical (nerve) plexus 1439
頸神経叢 plexus cervicalis 1439
頸神経わな ansa cervicalis 96
頸神経わな cervical loop 1068
頸神経わな下根 inferior root of ansa cervicalis 1621
頸神経わな上根 superior root of ansa cervicalis 1622
頸神経わなの甲状舌骨筋枝 ramus thyrohyoideus ansae cervicalis 1557
警水器 hydrostat 874
頸髄撮影(造影)図(像) cervical myelogram 1210
頸髄視床路 spinocervicothalamic tract 1913
頸髄〔視床〕路 spinocervical tract 1913
係数 coefficient 386
計数回路 scaler 1640
計数管 counter 431
計数器 counter 431
計数尺度 denumerable character 339
計数特性 denumerable character 339
経頭蓋X線像 transcranial radiograph 1543
痙性 spasticity 1706
形成 formation 729
形成 integration 942
形成〔術〕 plasty 1434
形成異常〔症〕 dysplasia 575
形成異常〔症〕 dystrophia 577
形成異常〔症〕 dystrophy 577
痙〔攣〕性外反〔症〕 spastic ectropion 586
痙性片麻痺(半側麻痺) spastic hemiplegia 830
形成過程 morphosis 1171
痙性眼瞼内反 spastic entropion 622
頸〔部〕性眼振 cervical nystagmus 1286
痙性狭窄〔症〕 spasmodic stricture 1757
形成外科〔学〕 plastic surgery 1784
痙〔攣〕性月経困難〔症〕 spasmodic dysmenorrhea 573
痙性構語障害〔症〕 spastic dysarthria 570
形成亢進 proplasia 1499
形成細胞 formative cell 321
痙性散瞳 spastic mydriasis 1209
痙性失声〔症〕 spastic aphonia 114
痙性斜頸 spasmodic torticollis 1905
形成性 plasticity 1434
形成性胃組織炎(胃線維炎) linitis plastica 1054
形成性陰茎硬化 plastic induration 925
形成性虹彩炎 plastic iritis 957
形成〔性〕リンパ plastic lymph 1075
痙性脊髄麻痺 spastic spinal paralysis 1351
痙性ぜん息 spasmodic asthma 165
形成層 cambium 281
形成層 cambium layer 1009
形成体 organizer 1313
痙性チック spasmodic tic 1892
頸正中静脈 median vein of neck 1998
痙性対麻痺 spastic paraplegia 1353
形成の plastic 1434
痙性発語 spastic speech 1709
形成不全 hypoplasia 896
形成不全〔症〕 aplasia 115
形成不全〔性〕の aplastic 115
形成不全〔性〕リンパ aplastic lymph 1075
形成不全体質 hypoplasia 896
形成不全の cacoplastic 274
形成不全の oligoplastic 1297
痙〔攣〕性扁平足 spastic flat foot 724
経声門型の transglottic 1919
〔子宮〕頸切開〔術〕 trachelotomy 1908
頸切痕 incisura jugularis sternalis 919
頸切痕 jugular notch of sternum 1270
頸切痕 suprasternal notch 1270
径線 diameter 509
経線 meridian 1133
経線 meridianus 1133
頸前横突間筋 anterior cervical intertransversarii (muscles) 1181
頸前横突間筋 musculi intertransversarii anteriores cervicis/colli 1201
経線収差 meridional aberration 2
〔毛様体筋の〕経線状線維 meridional fibers of ciliary muscle 689
〔毛様体筋の〕経線状線維 fibrae meridionales muscularis ciliaris 692
頸前弯 cervical lordosis 1069
ケイ素 silicon (Si) 1685
軽躁〔病〕 hypomania 894
珪藻土 diatomaceous earth 580
軽躁病エピソード hypomanic episode 630
珪藻類 diatom 512
形走類 Plasmodromata 1434
計測 mensuration 1131
継続言語 staccato speech 1709
継続歯 postcrown 1470
脛側足根腱鞘 tibial tarsal tendinous sheaths 1672
経足底の transplantar 1920
継続的研究 longitudinal study 1761
脛側の tibial 1892
脛側の tibialis 1892
継続バイリンガリズム sequential bilingualism 210
軽打按摩〔法〕 percussion 1384
形態 figure 697
形態 form 728
形態 gestalt 768
継代〔接種〕 passage 1370
頸体角 angle of inclination of femur 89
形態学 morphology 1170
〔形態学〕顔〔面〕指数 facial index 922
形態型 morphotype 1171
形態形成 morphogenesis 1170
形態形成因子 morphogen 1170
形態形成運動 morphogenetic movement 1174
形態現象 gestalt phenomenon 1405
形態合成 morphosynthesis 1171
形態合成不能〔症〕 amorphosynthesis 63
形態失認〔症〕 amorphagnosia 63
頸大泉門径 trachelobregmatic diameter 509
形態素 morpheme 1170
形態測定磁気共鳴画像 morphometric magnetic resonance imaging 908
脛大腿骨指数 tibiofemoral index 923
形態単位 morphon 1170
継代培養 subculture 1763
形態発生 morphogenesis 1170
形態発生 morphosis 1171
経胎盤の transplacental 1920
珪炭粉肺症 silicoanthracosis 1685
経腟走査法 transvaginal scanning 1640
経腟超音波 transvaginal ultrasound (TVUS) 1963
経腟超音波検査 endovaginal ultrasonography 1962
経腟的な transvaginal 1922
経腟〔的〕膀胱切開〔術〕 colpocystotomy 394
経腟の transvaginal 1922
経腟膀胱式尿管切開〔術〕 colpocystoureterotomy 394
傾注 investing 953
頸長筋 long muscle of neck 1188
頸長筋 longus colli (muscle) 1189
頸長筋 musculus longus colli 1201
経蝶形骨の transsphenoidal 1922
経腸高栄養療法 enteral hyperalimentation 878
ゲイ腸症候群 gay bowel syndrome 1805
経腸的 enteral 618
頸腸肋筋 iliocostalis cervicis (muscle) 1186
頸腸肋筋 musculus iliocostalis cervicis/colli 1200
経直腸超音波ガイド下生検 transrectal ultrasound-guided biopsy 214
経直腸的に per rectum (PR) 1395

頸椎 cervical vertebrae [C1–C7] …… 2015
頸椎 vertebrae cervicales [CI–CVII] …… 2015
〔頸〕椎間板損傷 injury of intervertebral disc …… 936
〔頸椎〕後結節 posterior tubercle of cervical vertebrae …… 1944
〔頸椎〕後結節 tuberculum posterius vertebrarum cervicalium …… 1946
頸椎症 cervical spondylosis …… 1722
〔頸椎〕前結節 anterior tubercle of cervical vertebrae …… 1943
頸椎装具 cervical orthosis …… 1317
頸椎の鉤状突起 uncinate process of cervical vertebra …… 1490
頸椎部脳脱出奇形 derencephalocele …… 494
頸椎裂 tracheloschisis …… 1908
脛痛 scelalgia …… 1641
係蹄 ansa …… 96
係蹄 fillet …… 699
係蹄 loop …… 1068
係蹄 snare …… 1694
係蹄小葉 ansiform lobule …… 1064
係蹄正中傍裂 ansoparamedian fissure …… 702
係蹄切断 ansotomy …… 96
係蹄瘻 loop stoma …… 1748
経テント〔切痕〕の transtentorial …… 1922
系〔統〕 strain …… 1750
系〔統〕 system …… 1829
頸洞 cervical sinus …… 1687
頸洞 cervical vesicle …… 2016
経頭蓋X線像 transcranial radiograph …… 1543
系統解剖学 systemic anatomy …… 74
系統交配 linebreeding …… 1053
系統細菌学 systematic bacteriology …… 190
系統性脊髄炎 systemic myelitis …… 1209
系統的脱感作 systematic desensitization 499
系統的の systematic …… 1834
系統的配列 systematization …… 1834
経島の transinsular …… 1919
系統発生 phylogenesis …… 1419
系統発生 phylogeny …… 1419
系統発生の phyletic …… 1419
系統分析 phyloanalysis …… 1419
頸動脈 carotid arteries …… 143
頸動脈圧痛 carotodynia …… 304
頸動脈海綿静脈洞瘻 carotid-cavernous fistula …… 704
頸動脈管 carotid canal …… 282
頸動脈管 canalis caroticus …… 285
頸動脈管 carotid duct …… 563
頸動脈管 ductus caroticus …… 566
頸動脈管外口 external opening of carotid canal …… 1303
頸動脈管静脈叢 internal carotid venous plexus …… 1440
頸動脈管静脈叢 plexus venosus caroticus internus …… 1444
頸動脈管内口 internal opening of carotid canal …… 1303
頸動脈間の intercarotic, intercarotid …… 943
頸動脈球切除〔術〕 glomectomy …… 779
頸動脈〔血管〕内膜切除〔術〕 carotid endarterectomy (CEA) …… 610
頸動脈結節 carotid tubercle …… 1943
頸動脈結節 tuberculum caroticum …… 1946
頸動脈孔 carotid foramen …… 724
頸動脈孔 openings of carotid canal …… 1303
頸動脈溝 carotid groove …… 801
頸動脈溝 carotid sulcus …… 1771
頸動脈溝 sulcus caroticus …… 1771
頸動脈鼓室枝 rami caroticotympanici …… 1548
頸動脈鼓室の caroticotympanic …… 304
頸動脈雑音 carotid bruit …… 262
頸動脈三角 carotid triangle …… 1926
頸動脈三角 trigonum caroticum …… 1933
頸動脈鞘 carotid sheath …… 1670
頸動脈鞘 vagina carotica …… 1981
頸動脈床状突起靱帯 caroticoclinoid ligament …… 1033
頸動脈小体 carotid body …… 226
頸動脈小体 glomus caroticum …… 781
頸動脈神経節 carotid ganglion …… 752
頸動脈振せん carotid shudder …… 1674
頸動脈洞 carotid sinus …… 1687
頸動脈洞 sinus caroticus …… 1687
頸動脈洞枝 carotid branch of glossopharyngeal nerve [CN IX] …… 243
頸動脈洞枝 carotid sinus nerve …… 1232
頸動脈洞枝 ramus sinus carotici …… 1556
頸動脈洞試験 carotid sinus test …… 1855
頸動脈洞症候群 carotid sinus syndrome 1799
頸動脈洞性失神 carotid sinus syncope …… 1794
頸動脈洞反射 carotid sinus reflex …… 1578
頸動脈の carotid …… 304
頸動脈波 carotid pulse …… 1525
頸動脈分岐部 carotid bifurcation …… 210
〔鼓室〕頸動脈壁 paries caroticus cavi tympani …… 1356
〔鼓室〕頸動脈壁 carotid wall of middle ear …… 2039
軽度炎症の subinflammatory …… 1763
茎突咽頭筋 stylopharyngeal muscle …… 1195
茎突咽頭筋 stylopharyngeus (muscle) …… 1195
茎突咽頭筋 musculus stylopharyngeus …… 1204
茎突咽頭筋 stylopharyngeus …… 1762
茎突咽頭筋への舌咽神経の枝 branch of glossopharyngeal nerve to stylopharyngeus muscle …… 247
茎突下顎靱帯 stylomandibular ligament 1040
茎突下顎靱帯 ligamentum stylomandibulare …… 1045
茎突下顎の stylomandibular …… 1762
茎突口蓋垂の stylostaphyline …… 1762
茎突喉頭筋 musculus stylolaryngeus …… 1204
茎突喉頭筋 stylolaryngeus …… 1762
茎突耳筋 styloauricular (muscle) …… 1195
茎突耳筋 musculus styloauricularis …… 1204
茎突耳筋 styloauricularis …… 1761
茎突舌筋 styloglossus (muscle) …… 1195
茎突舌筋 musculus styloglossus …… 1204
茎突舌筋 styloglossus …… 1761
茎突舌骨筋 stylohyoid (muscle) …… 1195
茎突舌骨筋 musculus stylohyoideus …… 1204
茎突舌骨筋の stylohyoid …… 1761
茎突舌骨靱帯 stylohyoid ligament …… 1040
茎突舌骨靱帯 ligamentum stylohyoideum …… 1045
茎突舌骨の stylohyal …… 1761
茎突乳突動脈のあぶみ骨枝 stapedial branch of stylomastoid artery …… 253
茎突隆起 prominentia styloidea …… 1498
軽度の悪寒 shiver …… 1673
軽度発汗の diapnoic, diapnotic …… 510
軽度発汗薬 diapnoic, diapnotic …… 510
軽度扁平上皮内病変 low-grade squamous intraepithelial lesion (LGSIL, LSIL) 1023
頸内臓神経 cervical splanchnic nerves 1232
茎乳突孔 foramen stylomastoideum …… 726
茎乳突孔 stylomastoid foramen …… 726
茎乳突孔静脈 stylomastoid vein …… 2001
茎乳突孔静脈 vena stylomastoidea …… 2008
茎乳突孔動脈 arteria stylomastoidea …… 138
茎乳突孔動脈 stylomastoid artery …… 152
茎乳突孔動脈のあぶみ骨枝 ramus stapedius arteriae stylomastoideae …… 1556
茎乳突の stylomastoid …… 1762
経尿管切除術症候群 transurethral resection syndrome …… 1823
経尿道的切除〔術〕 transurethral resection (TUR) …… 1592
経尿道の transurethral …… 1922
経妊婦 multigravida …… 1178
軽熱 febricula …… 679
頸〔部〕の cervical …… 336
ゲイの gay …… 761
〔頸の〕筋三角 muscular triangle (of neck) …… 1927
〔頸の〕筋三角 omotracheal triangle …… 1927
〔頸の〕筋三角 trigonum omotracheale …… 1933
珪〔粉〕肺〔症〕 pneumosilicosis …… 1451
経肺圧 transpulmonary pressure …… 1483
珪肺結核〔症〕 silicotuberculosis …… 1685
珪肺症 silicosis …… 1685
茎発生 pedicellation …… 1376
型板 formboard …… 729
頸半棘筋 semispinal muscle of neck …… 1193
頸半棘筋 semispinalis cervicis (muscle) 1193
頸半棘筋 musculus semispinalis cervicis 1203
頸反射 neck reflexes …… 1580
頸板状筋 splenius cervicis (muscle) …… 1194
頸板状筋 splenius muscle of neck …… 1194
頸板状筋 musculus splenius cervicis …… 1203
桂皮 cinnamon …… 363
桂皮アルデヒド cinnamaldehyde …… 363
経鼻胃管 nasogastric tube …… 1941
経鼻胃の nasogastric …… 1221
脛腓関節 articulatio tibiofibularis …… 157
脛腓関節 tibiofibular articulation …… 158
脛腓関節 superior tibiofibular joint …… 971
〔近位〕脛腓関節 tibiofibular joint …… 972
経皮気管〔静脈カテーテル〕換気 percutaneous transtracheal ventilation 2010
経鼻気管内挿管 nasotracheal intubation 952
経皮吸収 percutaneous absorption …… 7
経皮経肝胆管撮影(造影)〔法〕 percutaneous transhepatic cholangiography (PCT, PTHC) …… 348
経皮経管動脈形成〔術〕 percutaneous transluminal angioplasty (PTA) …… 86
桂皮酸 cinnamic acid …… 363
桂皮酸ベンジル benzyl cinnamate …… 206
経皮質骨切術 corticalosteotomy …… 428
脛腓靱帯 tibiofibular ligament …… 1041
脛腓靱帯結合 inferior tibiofibular joint …… 970
脛腓靱帯結合 syndesmosis tibiofibularis 1795
脛腓靱帯結合 tibiofibular syndesmosis …… 1795
経皮胆管撮影(造影)〔法〕 percutaneous cholangiography …… 348
経皮的 epicutaneous …… 626
経皮(経管)的冠動脈形成〔術〕 percutaneous transluminal coronary angioplasty (PTCA) …… 86
経皮的高周波神経節溶解 percutaneous radiofrequency gangliolysis …… 752
経鼻的喉頭鏡検査〔法〕 transnasal fiberoptic laryngoscopy …… 1002
経皮的刺激 percutaneous stimulation …… 1747
経皮的腎ろう造設術 percutaneous nephrostomy …… 1231
経皮的電気神経刺激 transcutaneous electrical neural stimulation …… 1747
経皮的電気神経刺激〔術,法〕 transcutaneous electrical nerve stimulation (TENS) 1747
経皮的内視鏡下胃瘻造設術 percutaneous endoscopic gastrostomy …… 760
経皮の endermic, endermatic …… 611
経皮の percutaneous …… 1385
脛腓の tibiofibular …… 1892
経脾門脈造影(撮影)〔法〕 splenoportography …… 1721
経脾門脈造影〔図〕 splenoportogram …… 1721
桂皮油 cinnamon oil …… 363
桂皮油 oil of cinnamon …… 1294
軽微(ミニ)予防 miniprophylaxis …… 1159
頸部 regiones cervicales …… 1584
頸部 regions of neck …… 1586
頸〔部〕 neck …… 1223
頸部環状脂肪腫 lipoma annulare colli 1057

頸部眼振 cervical nystagmus 1286
経腹膜の transperitoneal 1920
頸部憩室 cervical diverticulum 551
頸部血腫 trachelematoma 1908
頸部固定 cervical anchorage 75
頸部上皮内癌 cervical intraepithelial neoplasia (CIN) 1227
頸部水瘤 cervical hydrocele 870
頸〔部〕性眼振 cervical nystagmus 1286
頸部切開 collar incision 918
頸部線維腫症 fibromatosis colli 694
頸部前屈 anterocollis 97
頸部前凸弯曲 cervical lordosis 1069
頸部大動脈わな cervical aortic knuckle 988
〔頸部〕多裂筋 musculus multifidus (cervicis/colli) 1201
頸部椎間板症候群 cervical disc syndrome 1800
ケイフッ化物 silicofluoride 1685
頸部の筋 muscles of neck 1189
頸部の筋 musculi colli 1199
頸部ヒグローマ cervical hygroma 877
頸部麻酔〔法〕 cervical anesthesia 79
頸部ミエログラム cervical myelogram 1210
頸部リンパ管腫脹 trachelopanus 1908
珪〔粉〕肺〔症〕 pneumosilicosis 1451
経壁圧 transmural pressure 1483
経壁の transmural 1920
鶏歩 steppage gait 748
頸胞 cervical vesicle 2016
〔子宮〕頸膀胱の cervicovesical 336
頸膨大 cervical enlargement 617
頸膨大 intumescentia cervicalis 952
〔脊髄の〕頸膨大 cervical enlargement of spinal cord 617
頸傍の paracervical 1348
警報リンパ節 signal lymph node 1081
頸膜 pterygium colli 1521
傾眠 somnolence, somnolency 1700
刑務所医学 desmoteric medicine 1117
鶏鳴音 hen-cluck stertor 1746
鶏鳴様吸息 crowing inspiration 940
経迷路到達法(アプローチ) translabyrinthine approach 121
契約 contract 416
契約的精神医学 contractual psychiatry 1517
契約的精神療法 contractual psychotherapy 1520
軽痒 titillation 1896
ゲイ〔溶〕液 Gey solution 1698
頸腰現象 cervicolumbar phenomenon 1404
経腰大動脈撮影(造影)〔法〕 translumbar aortography 112
経絡 meridian 1133
経卵巣感染 transovarial transmission 1920
経卵伝播 transovarial transmission 1920
ケイリオン cheilion 340
係留脊髄症候群 tethered cord syndrome 1822
係留線維 anchoring fibrils 692
稽留の continued 416
稽留分娩 missed labor 992
稽留脈 plateau pulse 1525
稽留流産 missed abortion 4
ゲイ-リュサックの式 Gay-Lussac equation 634
計量 dosage 556
計量 mensuration 1131
計量生物学 biometry 213
頸リンパ管叢 jugular lymphatic plexus 1441
頸リンパ本幹 jugular duct 564
頸リンパ本幹 truncus (lymphaticus) jugularis 1938
頸リンパ本幹 jugular lymphatic trunk 1938
系列 series 1665
経裂孔的 transhiatal 1919
経裂孔的食道切除術 transhiatal esophagectomy 642
痙攣 convulsion 419
痙攣 cramp 433
痙攣 fit 707
痙攣 paroxysm 1357
痙攣 seizure (Sz) 1657
痙攣 spasm 1706
痙攣 spasmus 1706
痙攣閾値 convulsant threshold 1886
痙攣重積状態 status epilepticus 1740
痙〔攣〕性外反〔症〕 spastic ectropion 586
痙攣性叫声〔症〕 neurophonia 1251
痙〔攣〕性月経困難〔症〕 spasmodic dysmenorrhea 573
痙攣性結腸 spastic colon 392
痙攣性縮瞳 spastic miosis 1159
痙攣性チック convulsive tic 1892
痙攣性発声障害 spasmodic dysphonia 575
痙攣性貧血 spastic anemia 78
痙〔攣〕性扁平足 spastic flat foot 724
痙攣性両〔側〕麻痺 spastic diplegia 523
痙攣前の preconvulsive 1477
痙攣素質(体質,素因) spasmophilic diathesis 512
痙攣発作 convulsive seizure 1657
痙攣薬 convulsant 419
経路 path 1371
経路 pathway 1372
鯨ろう spermaceti 1710
頸肋 costa cervicalis 430
頸肋 cervical rib 1612
頸肋症候群 cervical rib syndrome 1800
頸腕の cervicobrachial 336
ゲオトリクム症 geotrichosis 767
ゲオトリクム属 *Geotrichum* 767
外科〔学〕 surgery 1784
外科医 surgeon 1784
外科解剖学 surgical anatomy 74
外科解剖学の anatomicosurgical 74
〔上腕骨の〕外科頸 collum chirurgicum humeri 392
〔上腕骨の〕外科頸 surgical neck of humerus 1223
外科結紮 surgeon's knot 988
外科ゴム布 rubber tissue 1896
外科手術〔上〕の surgical 1785
外科手術用杆 surgical rod 1619
外科性丹毒 surgical erysipelas 638
外科的気腫 surgical emphysema 605
外科的固定装置 surgical appliance 121
外科的ジアテルミー surgical diathermy 512
外科的歯科矯正術 surgical orthodontics 1316
外科的の surgical 1785
外科的プロテーゼ surgical prosthesis 1501
外科的萠出 surgical eruption 638
外科的補てつ〔物〕 surgical prosthesis 1501
外科テント turunda 1955
ケカビ科 Mucoraceae 1176
ケカビ属 *Mucor* 1176
ケカビ目 Mucorales 1176
外科病理学 surgical pathology 1372
外科麻酔〔法〕 surgical anesthesia 80
外科結び surgeon's knot 988
外科用ガーゼ栓 mèche 1114
外科用絹糸 surgical silk 1685
外科用顕微鏡 surgical microscope 1154
外科用テンプレート surgical template 1848
外科用綿撒糸 pledget 1436
下疳 cancrum 286
下疳 chancre 338
下疳様症候群 chancriform syndrome 1800
隙 space 1703
隙 spatium 1706
激越性うつ病 agitated depression 493
激急性の superacute 1777
劇症肝炎 fulminant hepatitis 839
激症拒絶〔反応〕 hyperacute rejection 1588
激症痤瘡 acne fulminans 16
劇症の fulminant 743
劇症の fulminating 743
激症の fulminant 743
激症の fulminating 743
激痛 megalgia 1119
激痛 stitch 1748
激痛 terebration 1852
激痛 twinge 1956
激怒 rage 1546
〔間〕隙の spatial 1706
激(誘)発活性 triggered activity 22
隙風恐怖〔症〕 anemophobia 78
下剤 cathartic 313
下剤 purgative 1528
景色 scene 1641
ケシ属 *Papaver* 1344
ケシ油 poppy oil 1466
ゲシュタルト gestalt 768
ゲシュタルト心理学 gestalt psychology 1519
ゲシュタルト療法 gestalt therapy 1879
ゲシュタルト理論 gestaltism 768
ゲシュタルト理論 gestalt theory 1876
化粧品 cosmetics 430
化粧品痤瘡 acne cosmetica 16
化粧品〔性〕皮膚炎 cosmetic dermatitis 495
化粧粉 empasm, empasma 604
ケジラミ crab 433
ケジラミ寄生症 pediculosis pubis 1376
ケジラミ症 pthiriasis pubis 1522
ケジラミ属 *Phthirus* 1419
ケジラミ属 *Pthirus* 1522
下水ガス sewer gas 757
下水道 canalization 286
ゲスタ〔ー〕ゲン gestagen 768
ケステンバウム値 Kestenbaum number 1282
ケステンバウム徴候 Kestenbaum sign 1681
ケステンバウム法 Kestenbaum procedure 1487
ケス(ケース)-ベヒテレフ帯 band of Kaes-Bechterew 194
下船病 mal de débarquement 1095
ケタール ketal 981
ケタンセリン ketanserin 982
ケチミン ketimine 982
ケチョウセンアサガオ *Datura metel* 472
楔 cuneus 448
楔 wedge 2043
血圧 blood pressure (BP) 1482
血圧記録器 sphygmotonograph 1715
血圧計 sphygmomanometer 1714
血圧測定〔法〕 sphygmomanometry 1714
血圧不同 anisopiesis 92
血圧変調感受性 pressosensitivity 1482
血液 blood 223
血液異栄養症 hemodystrophy 832
血液異常 dysemia 571
血液運搬の sanguiferous 1633
血液栄養素 hemotroph, hemotrophe 836
血液学 hematology 826
血液学者 hematologist 826
血液過少(減少)〔症〕 oligemia 1296
血液ガス blood gases 756
血液ガス圧測定器 aerotonometer 32
血液ガス分析 blood gas analysis 70
血液型 blood type 224
血液型亜型 serovar 1667
血液型凝集原 blood group agglutinogens 37
血液型凝集素 blood group agglutinins 37
血液型群 blood group 224
血液型抗血清 blood group antiserums 109
血液型抗原 blood group antigen 103
血液型抗体 blood group antibodies 100
血液型特異物質AとB blood group-specific substances A and B 1765

ケ

血液緩衝価 buffer value of the blood … 1984
血液寒天〔培地〕 blood agar ………… 34
血液含有の sanguiferous ………… 1633
血液灌流 hemoperfusion ………… 835
血液灌流 hemophoresis ………… 835
血液希釈 hemodilution ………… 831
〔血液〕凝固薬(剤) coagulant ………… 382
血液胸腺関門 blood-thymus barrier ……… 198
血液恐怖〔症〕 hemophobia ………… 835
血液銀行 blood bank ………… 196
血液空気関門 blood-air barrier ………… 198
血液血清〔性〕の sanioserous ………… 1633
血液結石 blood calculus ………… 278
血液結石 hemolith ………… 834
血液結氷点測定〔法〕 hemocryoscopy ……… 831
血〔液原〕性結石 hematogenetic calculus 278
血液原の hematogenic, hematogenous …… 826
血液向性の hemotropic ………… 836
血液抗毒素 hemoantitoxin ………… 830
血液細胞 hemocyte ………… 831
血液色素 hemachrome ………… 824
血液疾患 blood dyscrasia ………… 571
血液疾患 hemodyscrasia ………… 832
血液疾患 hemopathy ………… 835
血液脂肪分解酵素 hemolipase ………… 834
血液渋滞性血栓症 atrophic thrombosis 1888
血液〔性〕膿瘍 hematapostema ………… 825
血液循環 blood circulation ………… 365
血液浄化 hemocatharsis ………… 830
血液診断〔法〕 hemodiagnosis ………… 831
血液性キノコ中毒 mycetism sanguinareus ………… 1207
血液性雑音 hemic murmur ………… 1180
血液生成 hemoplasty ………… 835
血液-精巣障壁 blood-testis barrier ……… 198
血液〔性〕の sanguineous ………… 1633
血液〔性〕リンパ blood lymph ………… 1075
血液組織芽細胞 hemocytoblast ………… 831
血液組織芽細胞 hemohistioblast ………… 834
血液脱出 exemia ………… 653
血液蛋白 hemoprotein ………… 835
血液沈降素 hemoprecipitin ………… 835
血液デンプン分解酵素 hemodiastase …… 831
血液透析 hemodialysis ………… 831
血液透析器 hemodialyzer ………… 831
血液毒 hemotoxin ………… 836
血液ドーピング blood doping ………… 556
血液内酸素レベル依存画像 blood oxygen level dependent imaging ………… 908
血液尿素窒素 blood urea nitrogen (BUN) ………… 1258
血液粘着阻止物 hemorepellant ………… 835
血液の hemal ………… 824
血液の hematic ………… 825
〔希薄〕血液膿 sanies ………… 1633
血液脳関門 blood-brain barrier (BBB) … 198
血液濃縮 hemoconcentration ………… 831
血液膿性の sanguinopurulent ………… 1633
血液膿性の saniopurulent ………… 1633
血液脳脊髄液関門 blood-cerebrospinal fluid barrier, blood-CSF barrier ………… 198
血液病 hemopathy ………… 835
血液病学 hematology ………… 826
血液病専門医 hematologist ………… 826
血液病理学 hematopathology ………… 826
血液プラスチド blood plastid ………… 1434
血液プール像 blood pool imaging ……… 908
血〔液〕分光度計 hematospectroscope …… 827
血〔液〕分光度検査〔法〕 hematospectroscopy ………… 827
血液分析 hemanalysis ………… 824
血液分泌性膵炎 hemosuccus pancreaticus 836
血液分利 blood crisis ………… 439
血液pH blood pH ………… 1398
血液崩壊 lysemia ………… 1086
血液房水関門 blood-aqueous barrier ……… 198
血液由来色素 hematogenous pigment …… 1423
血液様の sanguinolent ………… 1633
〔循環〕血液量過多〔症〕 hypervolemia …… 890
血液量計算図表 blood volume nomogram ………… 1265
〔循環〕血液量減少 hypovolemia ………… 899
血液療法 hemotherapy, hemotherapeutics 836
血液リンパ hemolymph ………… 834
血液レオロジー hemorheology ………… 835
血液沪過 hemofiltration ………… 832
血縁者 blood relative ………… 224
血縁度 degree of kindred ………… 985
血縁による同型接合体 homozygous by descent ………… 862
結痂 incrustation ………… 921
〔凝〕血塊 clot ………… 377
〔凝〕血塊 coagulation ………… 382
〔凝〕血塊 cruor ………… 443
〔中脳の〕楔下核 subcuneiform nucleus … 1280
血芽球症 hemoblastosis ………… 830
結核〔症〕 tuberculosis (TB) ………… 1945
結核〔性〕いぼ tuberculous wart ………… 2040
結核化学療法の tuberculochemotherapeutic ………… 1945
結核胸 phthinoid chest ………… 343
結核菌 tubercle bacillus ………… 188
結核菌オプソニン指数 tuberculoopsonic index ………… 923
結核菌殺菌性の tuberculocidal ………… 1945
結核菌静菌的な tuberculostatic ………… 1946
結核菌蛋白〔質〕 tuberculoprotein ………… 1945
結核菌による tuberculous ………… 1946
結核結節 tubercle ………… 1942
結核結節の炎症 tuberculitis ………… 1945
結核腫 tuberculoma ………… 1945
結核疹 tuberculid ………… 1944
結核疹 tuberculoderma ………… 1945
結核性気管支肺炎 tuberculous bronchopneumonia ………… 260
結核性腎炎 tuberculous nephritis ……… 1229
結核性心外膜炎(心嚢炎) tuberculous pericarditis ………… 1386
結核性髄膜炎 tuberculous meningitis …… 1129
結核性脊椎炎 tuberculous spondylitis …… 1722
結核性腸炎 tuberculous enteritis ………… 619
結核性の tuberculous ………… 1946
結核性腹膜炎 tuberculous peritonitis …… 1393
結核性リウマチ tuberculous rheumatism ………… 1607
結核性リンパ節炎 tuberculous lymphadenitis ………… 1075
結核様らい tuberculoid leprosy ………… 1021
欠陥 defect ………… 477
欠陥 impairment ………… 914
血管 blood vessel ………… 224
血管暗点 angioscotoma ………… 86
血管暗点計測〔法〕 angioscotometry ……… 87
血管異栄養〔症〕 angiodystrophy, angiodystrophia ………… 83
血管異形成 angiodysplasia ………… 83
血管運動 vasomotion ………… 1990
血管運動神経 vasomotor nerve ………… 1240
血管〔運動〕神経性鼻炎 vasomotor rhinitis ………… 1608
血管運動〔神経〕線維 vasomotor fibers …… 691
血管運動神経の vasomotor ………… 1990
血管運動神経麻痺 vasomotor paralysis 1351
血管運動性狭心症 angina pectoris vasomotoria ………… 83
血管運動中枢 vasomotor center ………… 331
血管栄養の vasotrophic ………… 1991
血管炎 angiitis, angitis ………… 82
血管音図法 phonoangiography ………… 1411
血管芽 vascular bud ………… 264
血管外液 extravascular fluid ………… 715
血管開口 embouchement ………… 601
〔血〕管外の extravascular ………… 658
〔血管〕外皮〔細胞〕 perithelium ………… 1393
血管外遊出 diapedesis ………… 510
〔血〕管外遊出 extravasation ………… 658
〔血〕管外遊出物 extravasate ………… 658
血管拡張 vasodilation ………… 1990
血管拡張〔症〕 angiectasia, angiectasis …… 82
血管拡張〔症〕 hemangiectasis, hemangiectasia ………… 824
血管拡張〔症〕の angiectatic ………… 82
血管拡張神経 vasodilator ………… 1990
血管拡張薬 vasodilator ………… 1990
血管芽細胞 angioblast ………… 83
血管芽細胞 angioblastic cells ………… 319
血管芽細胞 hemangioblast ………… 824
血管芽〔細胞〕腫 angioblastoma ………… 83
血管芽〔細胞〕腫 hemangioblastoma ……… 824
血管芽細胞嚢 angioblastic cyst ………… 458
血管〔像,分布〕過多の hypervascular ……… 889
血管化の vascularized ………… 1989
血管感覚(神経)の vasosensory ………… 1991
血管鉗子 hemostat ………… 836
血管間膜細胞 mesangial cell ………… 323
血管弓 hemal arches ………… 125
血管弓棘 hemal spine ………… 1716
血管距 vascular spur ………… 1726
〔毛細〕血管〔顕微〕鏡 angioscope ………… 86
血管狭窄 hemadostenosis ………… 824
血管狭窄 vasoconstriction ………… 1990
血管狭窄〔症〕 angiostenosis ………… 87
血管筋脂肪腫 angiomyolipoma ………… 86
血管筋腫 angiomyoma ………… 86
血管筋障害 angiomyopathy ………… 86
血管緊張 vasotonia ………… 1991
血管緊張低下 vasorelaxation ………… 1991
血管緊張物質 vasotonic ………… 1991
血管筋肉腫 angiomyosarcoma ………… 86
血管系 vasculature ………… 1989
血管〔性〕茎 vascular pedicle ………… 1376
血管形成〔術〕 angioplasty ………… 86
血管形成異常 angiodysplasia ………… 83
血管形成〔術〕用バルーン angioplasty balloon ………… 193
血管形成不全〔症〕 anangioplasia ………… 71
血管痙攣 angiospasm ………… 87
血管痙攣 vasospasm ………… 1991
血管結石 angiolith ………… 85
血管結石変性 angiolithic degeneration …… 480
血管原性ショック vasogenic shock ……… 1674
血管顕微鏡検査〔法〕 angioscopy ………… 86
血管硬化〔症〕 vascular sclerosis ………… 1648
血管構造学 angioarchitecture ………… 83
血管・骨肥厚症候群 angioosteohypertrophy syndrome ………… 1796
血管再生 revascularization ………… 1605
血管撮影(造影)〔法〕 angiography ………… 84
血管撮影(造影)図 angiogram ………… 84
血管雑音 vascular murmur ………… 1180
血管作動性腸管ポリペプチド vasoactive intestinal polypeptide (VIP) ………… 1463
血管作用性アミン vasoactive amine ……… 59
血管作用性の vasoactive ………… 1990
血管弛緩性物質 vasodepressor substance ………… 1766
血管糸球様腫瘍 angioglomoid tumor …… 1949
血管刺激〔性〕の vasostimulant ………… 1991
血管刺激薬 vasostimulant ………… 1991
血管ジストロフィ angiodystrophy, angiodystrophia ………… 83
血管脂肪腫 angiolipoma ………… 85
血管写 angiography ………… 84
血管写〔像〕 angiogram ………… 84
血管腫 angioma ………… 85
血管腫 birthmark ………… 216
血管腫 hemangioma ………… 824
血管周囲交感神経切除〔術〕 periarterial

sympathectomy 1790
血管周囲細胞 pericyte 1387
血管周囲細胞腫 hemangiopericytoma 825
血管周囲〔性〕の circumvascular 367
血管周囲性類上皮細胞腫 PEComa 1375
血管周囲線維鞘 perivascular fibrous capsule of liver 291
血管周囲類上皮細胞腫瘍 perivascular epithelioid cell tumor (PECT) 1951
血管収縮 vasoconstriction 1990
血管収縮神経 vasoconstrictor 1990
血管収縮の vasopressor 1991
血管収縮反射 vasopressor reflex 1582
血管収縮薬 vasoconstrictor 1990
血管収縮薬 vasopressor 1991
血管腫症 angiomatosis 85
血管腫症 hemangiomatosis 825
血管腫様の angiomatoid 85
血管腫様病変 angiomatoid lesion 1022
血汗症 hematidrosis 825
血管症 vasculopathy 1990
血管鞘 sheaths of vessels 1672
血管鞘 vascular sheaths 1672
血管鞘 vaginae vasorum 1982
血管障害 angiopathy 86
血管障害性溶血性貧血 angiopathic hemolytic anemia 76
血管心筋の angiomyocardiac 86
血管神経膠腫 angioglioma 84
血管神経膠腫症 angiogliomatosis 84
血管神経膠症 angiogliosis 84
血管神経障害 vasoneuropathy 1990
血管神経性環状紅斑 erythema annulare 638
血管神経性紫斑病 purpura angioneurotica 1528
血管〔運動〕神経性鼻炎 vasomotor rhinitis 1608
血管神経切除〔術〕 angioneurectomy 86
血管神経不全麻痺 vasoparesis 1991
血管神経麻痺 vasoparalysis 1990
血管心〔臓〕シネ撮影〔法〕 cineangiocardiography 363
血管新生 arterialization 138
血管新生 vascularization 1989
血管新生因子 angiogenesis factor 666
血管新生緑内障 neovascular glaucoma 777
血管心臓運動〔性〕の angiocardiokinetic, angiocardiocinetic 83
血管心臓撮影(造影)〔法〕 angiocardiography 83
血管心臓障害 angiocardiopathy 83
血管心臓性の vasculocardiac 1990
楔間靱帯 intercuneiform ligaments 1036
楔間靱帯 ligamenta intercuneiformia 1043
血管侵入性の angioinvasive 85
血管髄鞘障害 vasculomyelinopathy 1990
血管性インポテンス vasculogenic impotence 916
血管性角膜炎 vascular keratitis 978
血管〔性〕茎 vascular pedicle 1376
血管性子宮内膜 trophospongia 1937
血管性神経症 angioneuropathy 86
血管性水腫(浮腫) angioedema 83
血管性多形皮膚萎縮症 poikiloderma atrophicans vasculare 1453
血管性認知症 vascular dementia 485
欠陥性白内障 vascular cataract 312
血管性ポリープ vascular polyp 1463
血管節 vasoganglion 1990
血管切開 cutdown 452
血管切開〔術〕 angiotomy 87
血管線維芽細胞腫 angiomyofibroblastoma 86
血管線維脂肪腫 angiofibrolipoma 84
血管線維腫 angiofibroma 84
血管線維腫 hemangiofibroma 824
血管線維(増殖)〔症〕 angiofibrosis 84
血管造影(撮影)〔法〕 angiography 84
血管造影(撮影)図 angiogram 84
血管造影的 angiographic 84
血管造影用カテーテル angiography catheter 313
血管〔像,分布〕過多の hypervascular 889
血管走行異常 angiectopia 82
血管退化 angiolysis 85
血管点 punctum vasculosum 1527
血管転位〔症〕 angiectopia 82
〔血管〕内カテーテル intracatheter 950
血管内結紮〔術〕 intravascular ligature 1046
血管内細気管支肺胞腫瘍 intravascular bronchioloalveolar tumor 1951
血管内視鏡 angioscopy 86
血管内乳頭状内皮過形成 intravascular papillary endothelial hyperplasia 886
血管内皮芽細胞腫 hemangioendothelioblastoma 824
血管内皮細胞腫症 angioendotheliomatosis 84
血管内皮〔細胞〕成長因子 vascular endothelial growth factor (VEGF) 670
血管内皮〔細胞〕増殖因子 vascular endothelial growth factor (VEGF) 670
血管内皮腫 angioendothelioma 84
血管内皮腫 hemangioendothelioma 824
血管内膜炎 endangiitis, endangeitis 610
血管内膜肉腫 intimal sarcoma 1635
血管肉腫 angiosarcoma 86
血管肉腫 hemangiosarcoma 825
血管乳頭 vascular papillae 1345
血管粘液腫 angiomyxoma 86
血管の hemal 824
血管嚢胞 angiocyst 83
血管の正常膨満性 turgor vitalis 1954
血管反射 vasoreflex 1991
血管ヒアリン症 angiohyalinosis 85
血管不安定〔性〕の vasolabile 1990
血管分布〔像〕 vascularity 1989
血管平滑筋腫 vascular leiomyoma 1016
血管ペプチダーゼ阻害薬 vasopeptidase inhibitor 935
血管保護薬 vasoprotector 1991
血管母斑症 angiophacomatosis, angiophakomatosis 86
血管膜〔層〕 tunica vasculosa 1954
血管ミエリン障害 vasculomyelinopathy 1990
血管迷走神経症候群 vasovagal syndrome 1824
血管迷走神経性失神 vasovagal syncope 1794
血管迷走神経の vasovagal 1991
血管免疫芽球性T細胞リンパ腫 angioimmunoblastic T-cell lymphoma 1083
血管網 vasoganglion 1990
血管由来の angiogenic 84
血管様の angioid 85
血管抑圧性失神 vasodepressor syncope 1794
血管抑制 vasodepression 1990
血管抑制因子 vasoinhibitor 1990
血管抑制性の vasodepressor 1990
血管抑制性の vasoinhibitory 1990
血管抑制物質 vasoinhibitor 1990
血管抑制薬 vasodepressor 1990
血管輪 vascular circle 364
血管輪 vascular ring 1618
血管リンパ管腫 hemangiolymphangioma 824
血管リンパ管腫 hematolymphangioma 826
血管裂孔 lacuna vasorum 995
血管裂孔 vascular lacuna 995
血管裂孔 vascular space of retroinguinal compartment 1705
血管攣縮 vasospasm 1991
血管攣縮性症候群 vasospastic syndrome 1824
血気胸 hemopneumothorax 835
血球 blood cell 320
血球 blood corpuscle 426
血球 hemocyte 831
〔血〕球 corpuscle 426
血球アフェレーシス cytapheresis 463
血球影 ghost cell 321
〔赤〕血球円柱 blood cast 309
血球外の extracorpuscular 657
血球芽細胞 hematoblast 825
血球芽細胞 protometrocyte 1508
〔血球〕過染色〔症〕 hypercytochromia 880
血球含有の globuliferous 778
〔赤〕血球吸着〔現象〕 hemadsorption 824
血球吸着ウイルス1型 hemadsorption virus type 1 2025
血球吸着ウイルス2型 hemadsorption virus type 2 2025
血球吸着性ウイルス試験 hemadsorption virus test 1858
〔赤〕血球凝集〔反応〕 hemagglutination 824
血球凝集試験 hemagglutination test 1859
〔赤〕血球凝集〔反応〕性寒冷自己抗体 hemagglutinating cold autoantibody 178
〔赤〕血球凝集素 hemagglutinin 824
〔赤〕血球凝集抑制 hemagglutination inhibition 933
血球計 hemocytometer 831
〔赤〕血球計 erythrocytometer 640
血球計算〔法〕 cytometry 465
血球計算〔法〕 hemocytometry 831
血球計算器 cytometer 465
〔赤〕血球計算盤 erythrocytometer 640
血球計算板 hemocytometer 831
血球減少 hematopenia 826
血球減少症 hypocythemia 892
血球減少症 hypocytosis 892
血球減少〔症〕 cytopenia 467
血球算定〔法〕 blood count 223
血球始原細胞 hemocytoblast 831
血球ぜい弱性 fragilitas sanguinis 738
血球正常〔状態〕 normocytosis 1268
血球貪食〔現象〕 hemophagocytosis 835
血球貪食性の globuliferous 778
血球内の intracorpuscular 950
血球破壊 hemocytotripsis 831
血球崩壊 hemoclasis, hemoclasia 831
血球崩壊 hemocytolysis 831
〔赤〕血球崩壊 hemocatheresis 830
〔赤〕血球崩壊性の hemocatheretic 830
血胸 hemothorax 836
決疑論 casuistry 310
月経 flow 713
月経 menses 1131
月経 menstruation 1131
月経 period 1389
月経潰瘍 helcomenia 822
月経過少〔症〕 hypomenorrhea 894
月経過多 epimenorrhagia 629
月経過多 menorrhagia 1131
月経過多〔症〕 hypermenorrhea 883
月経間の intermenstrual 946
月経期 menstrual phase 1402
月経困難〔症〕 dysmenorrhea 573
月経困難症鋳型膜 dysmenorrheal membrane 1125
月経周期 menstrual cycle 455
月経周期性気胸 catamenial pneumothorax 1451
〔月経周期の〕黄体期 luteal phase of endometrial menstrual cycle 1402
月経周期の子宮内膜の虚血期 ischemic phase of endometrial menstrual cycle 1402
〔月経周期の〕増殖期 proliferative phase of endometrial menstrual cycle 1402
〔月経周期の〕分泌期 secretory phase of endometrial menstrual cycle 1402
〔月経周期の〕卵胞期 follicular phase of endometrial menstrual cycle 1402

ケ

ゲッケイジュ熱 laurel fever ………… 685
ゲッケイジュ油 oil of bay ………… 1294
月経初潮 menophania ………… 1131
月経性水腫(浮腫) menstrual edema ………… 587
月経性〔白〕帯下 menstrual leukorrhea … 1028
月経前期 premenstruum ………… 1479
月経前緊張症 premenstrual tension ………… 1851
月経前緊張症候群 premenstrual tension syndrome ………… 1817
月経前症候群 premenstrual syndrome (PMS) ………… 1816
月経前水腫(浮腫) premenstrual edema … 587
月経前唾液症候群 premenstrual salivary syndrome ………… 1817
月経〔仙〕痛 menstrual colic ………… 389
月経前の premenstrual ………… 1479
月経前不快気分障害 premenstrual dysphoric disorder (PMDD) ………… 547
月経脱落膜 decidua menstrualis ………… 474
月経中間期の midmenstrual ………… 1156
〔月経〕中間痛 intermenstrual pain ………… 1337
月経抽出法 menstrual extraction abortion 4
月経痛 menorrhalgia ………… 1131
月経停止 missed period ………… 1389
月経尿 menouria ………… 1131
月経年齢 menacme ………… 1128
楔形白内障 cuneiform cataract ………… 311
月経不順 menoxenia ………… 1131
月経不順 paramenia ………… 1351
月経閉止〔期〕 menopause ………… 1131
月経モリミナ menstrual molimina ………… 1164
ゲッケルマン療法 Goeckerman treatment ………… 1923
血行 circulation ………… 365
結合 articulatio ………… 157
結合 attachment ………… 174
結合 bind ………… 211
結合 binding ………… 211
結合 bond ………… 230
結合 colligation ………… 391
結合 combination ………… 396
結合 connection ………… 413
結合 connexus ………… 413
結合 coupling ………… 432
結合 conjugate diameter of pelvic inlet 509
結合 joint ………… 968
結合 linkage ………… 1054
結合 union ………… 1964
〔線維軟骨〕結合 symphysis ………… 1791
結合運動障害 dyspraxia ………… 576
結合エネルギー binding energy ………… 617
結合開頭〔術〕 attached craniotomy ………… 435
結合解離因子 uncoupling factors ………… 670
結合核 nucleus reuniens ………… 1279
結合型前立腺特異抗原 complexed prostate-specific antigen (cPSA) test 1856
結合管 uniting duct ………… 565
結合管 ductus reuniens ………… 566
結合径 conjugata ………… 411
結合径 conjugate diameter of pelvic inlet ………… 509
結合茎 connecting stalk ………… 1736
結合剤 binder ………… 211
結合織形成性(線維硬化性)悪性黒色腫 desmoplastic malignant melanoma ………… 1122
結合織絨毛性の syndesmochorial ………… 1794
結合水 bound water ………… 2041
結合する bind ………… 211
結合性 affinity(*A*) ………… 33
血行性骨炎 hematogenous osteitis ………… 1320
血行性塞栓症 hematogenous embolism … 600
血行性転移 hematogenous metastasis ………… 1141
血行性の hematogenic, hematogenous ………… 826
血行性膿瘍 hematogenous abscess ………… 5
結合節 copula ………… 421
結合阻害剤 competitive inhibitor ………… 934
結合組織 connective tissue ………… 1895
結合組織炎 fibrositis ………… 696
結合組織炎性頭痛 fibrositic headache ………… 818
結合組織群 connective tissue group ………… 803
結合組織形成性小細胞腫瘍 desmoplastic small cell tumor ………… 1950
結合組織細胞 connective tissue cell ………… 320
結合組織腫瘍 connective tumor ………… 1950
結合組織病 connective-tissue disease ………… 530
血行停止 adiemorrhysis ………… 28
血行停止性の hematostatic ………… 827
結合定数 association constant ………… 414
結合軟骨 connecting cartilage ………… 305
結合の reunient ………… 1605
結合ハプテン conjugated hapten ………… 815
血行力学 hemodynamics ………… 832
結合力 associative strength ………… 1753
結合緑内障 combined glaucoma ………… 777
結合腕 decussation of brachia conjunctiva ………… 476
結合腕交叉 decussatio brachii conjunctivi ………… 476
結婚カウンセリング marital counseling 431
結婚恐怖〔症〕 gamophobia ………… 752
結婚嫌い misogamy ………… 1159
結婚療法 marriage therapy ………… 1879
結紮 knot ………… 988
結紮 ligation ………… 1046
結紮〔糸〕 ligature ………… 1046
結紮器 ligator ………… 1046
結紮線 ligature ………… 1046
結紮締器 serrenoeud ………… 1667
結紮法 wiring ………… 2047
結紮用摂子 tying forceps ………… 728
欠指〔症〕 ectrodactyly, ectrodactylia, ectrodactylism ………… 586
欠肢〔症〕 ectromelia ………… 586
欠指-外胚葉異形成-裂隙症候群 ectrodactyly-ectodermal dysplasia-clefting syndrome ………… 1803
血色素 hemoglobin (Hb, Hgb) ………… 832
血色素血〔症〕 hemoglobinemia ………… 833
血色素減少〔症〕 hypochromia ………… 892
血色素親和性の hemoglobinophilic ………… 834
血色素増加〔症〕 hyperchromia ………… 879
血色素胆汁 hemoglobinocholia ………… 833
血色素毒の chromotoxic ………… 360
血色素尿〔症〕 hemoglobinuria ………… 834
血色素尿性ネフローゼ hemoglobinuric nephrosis ………… 1231
血色素溶解 hemoglobinolysis ………… 833
〔染色体〕欠失 deletion ………… 483
げっ歯目 Rodentia ………… 1620
欠手〔症〕 ectrocheiry, ectrochiry ………… 586
血腫 hematocele ………… 825
血腫 hematoma ………… 826
血腫 blood tumor ………… 1949
〔皮下〕血腫 ecchymoma ………… 581
楔舟関節 articulatio cuneonavicularis ………… 157
楔舟関節 cuneonavicular articulation ………… 158
楔舟関節 cuneonavicular joint ………… 969
月周期性 lunar periodicity ………… 1390
楔舟靱帯 cuneonavicular ligaments ………… 1034
欠手欠足症 acheiropody, achiropody ………… 13
欠手症 acheiria ………… 13
結晶 crystal ………… 446
血漿 blood plasma ………… 1432
血漿 plasma ………… 1432
血漿ウイルス量 plasma viral load (PVL) ………… 1063
結晶化 crystallization ………… 446
結晶核 nidus ………… 1257
結晶学 crystallography ………… 446
〔中脳の〕楔状核 cuneiform nucleus ………… 1274
結晶境界 crystalline interface ………… 944
結晶腔 drusen ………… 562
楔状結節 cuneiform tubercle ………… 1943
楔状結節 tuberculum cuneiforme ………… 1946
〔大脳〕月状溝 lunate fissure ………… 703
〔大脳〕月状溝 lunate sulcus ………… 1773
〔大脳〕月状溝 sulcus lunatus ………… 1773
結晶構造 crystal structure ………… 1760
月状骨 lunate (bone) ………… 233
月状骨 os lunatum ………… 1318
月状骨 semilunare ………… 1659
楔状骨間関節 intercuneiform joints ………… 970
楔状骨舟状骨の cuneonavicular ………… 448
月状骨軟化〔症〕 lunatomalacia ………… 1071
楔状骨立方骨の cuneocuboid ………… 448
血漿瀉血 plasmapheresis ………… 1432
結晶状白内障 crystalline cataract ………… 311
結晶図 crystallogram ………… 446
結晶水 water of crystallization ………… 2041
血漿水解物 plasma hydrolysate ………… 1432
結晶性インスリン亜鉛懸濁液 crystalline insulin zinc suspension ………… 1785
結晶性尿汗〔症〕 uridrosis crystallina ………… 1972
楔〔状〕切除〔術〕 wedge resection ………… 1592
楔状束 cuneate fasciculus ………… 675
楔状束 fasciculus cuneatus ………… 675
楔状束核 cuneate nucleus ………… 1274
楔状束核 nucleus cuneatus ………… 1274
楔状束結節 cuneate tubercle ………… 1943
楔状束小脳路 cuneocerebellar tract ………… 1910
楔状束脊髄線維 cuneospinal fibers ………… 688
楔状束脊髄線維 spinocuneate fibers ………… 691
結晶ソーダ sal soda ………… 1630
血漿蛋白 plasma proteins ………… 1505
血漿直立試験 standing plasma test ………… 1866
楔状頭 sphenocephaly ………… 1711
結晶トリプシン crystallized trypsin ………… 1940
血漿トロンボプラスチン因子 plasma thromboplastin factor (PTF) ………… 668
楔状軟骨 cuneiform cartilage ………… 306
楔状軟骨 cartilago cuneiformis ………… 307
結晶尿 crystalluria ………… 446
結晶熱 heat of crystallization ………… 821
穴状の umbilicate, umbilicated ………… 1963
楔状の sphenoidal ………… 1711
月状の lunar ………… 1071
楔状肺活量計 wedge spirometer ………… 1718
血小板 elementary bodies ………… 226
血小板 elementary particle ………… 1369
血小板 platelet ………… 1436
血小板 thrombocyte ………… 1887
血小板アクトミオシン platelet actomyosin ………… 22
血小板衛星現象 platelet satellitism ………… 1637
血小板凝集因子 platelet-aggregating factor (PAF) ………… 668
血小板凝集計 aggregometer ………… 38
血小板凝集能検査 platelet aggregation test ………… 1862
血小板形成 thrombocytopoiesis ………… 1887
血小板血症 thrombocythemia ………… 1887
血小板血症 thrombocytosis ………… 1887
血小板減少〔症〕 thrombocytopenia ………… 1887
血小板減少-橈骨欠損症候群 thrombocytopenia-absent radius syndrome, TAR syndrome ………… 1822
血漿搬出 plasmapheresis ………… 1432
血小板病(症) thrombocytopathy ………… 1887
血小板障害 thrombopathy ………… 1888
血小板新生 thrombocytopoiesis ………… 1887
血小板新生 thrombopoiesis ………… 1888
血小板性血栓症 plate thrombosis, platelet thrombosis ………… 1888
血小板増加症 thrombocytosis ………… 1887
血小板塞栓 thrombolus ………… 1887
血小板第3因子 platelet factor 3 ………… 668
血小板中和法 platelet neutralization procedure (PNP) ………… 1487

血小板糖蛋白IIb/IIIa platelet glycoprotein IIb/IIIa ………… 788
血小板非減少性紫斑病 nonthrombocytopenic purpura ………… 1528
血小板病症候群 thrombopathic syndrome ………… 1822
血小板フェレーシス plateletapheresis …… 1436
血小板補因子I platelet cofactor I ………… 388
血小板母細胞 thromboblast ………… 1887
血小板無力症 thrombasthenia ………… 1887
血小板無力症 thrombocytasthenia ………… 1887
血小板由来増殖因子 platelet-derived growth factor (PDGF) ………… 668
血漿フィブロネクチン plasma fibronectins ………… 695
結晶分画 blood plasma fractions ………… 736
〔寛骨臼〕月状面 lunate surface of acetabulum ………… 1782
〔寛骨臼〕月状面 facies lunata acetabuli 664
血漿ヨード蛋白障害 plasma iodoprotein disorder ………… 546
血漿療法 plasma therapy ………… 1879
血漿レニン活性 plasma renin activity (PRA) ………… 22
血色食道虫 *Spirocerca lupi* ………… 1718
欠神 absence ………… 6
血じん(塵)増加〔症〕 hemoconiosis ………… 831
欠神発作 absence seizure ………… 1657
血清 serum ………… 1667
血清 blood serum ………… 1668
血清アルブミン serum albumin ………… 43
血清疫学 seroepidemiology ………… 1666
血精液症 hemospermia ………… 836
血精液瘤 hematospermatocele ………… 827
血性おろ lochia sanguinolenta ………… 1067
血清おろ lochia serosa ………… 1067
血清学 serology ………… 1666
血清〔学的〕診断〔法〕 serodiagnosis ………… 1666
血清肝炎ウイルス serum hepatitis virus 2029
血清寒天〔培地〕 serum agar ………… 35
血清群 serogroup ………… 1666
血〔液原〕性結石 hematogenetic calculus 278
血清事故 serum accident ………… 10
血清遮断解離後現象 declamping phenomenon ………… 1404
血清ショック serum shock ………… 1674
血清疹 serum eruption ………… 638
血清疹 serum rash ………… 1559
血清腎炎 serum nephritis ………… 1229
血性水疱 blood blister ………… 221
血清性歯石 serumal calculus ………… 278
血清接種 serovaccination ………… 1667
血清走性 serotaxis ………… 1667
血清促進性グロブリン serum accelerator globulin ………… 779
血性胆汁〔症〕 hemobilia ………… 830
血性胆嚢炎 hemocholecystitis ………… 830
血〔性〕膿 sanious pus ………… 1529
血清反応陰性 seronegative ………… 1666
血清反応陽性 seropositive ………… 1666
血清病 serum sickness ………… 1677
血性腹水 hemorrhagic ascites ………… 159
血清ムコイド seromucoid ………… 1666
血清有病率 seroprevalence ………… 1666
血性流涙 dacryohemorrhea ………… 470
血清療法 serotherapy ………… 1667
血清療法 serum therapy ………… 1879
結石 calculus ………… 278
結石 concrement ………… 407
結石 concretion ………… 407
結石 stone ………… 1749
結石形成 lithogenesis, lithogeny ………… 1061
結石症 calculosis ………… 278
結石症 lithiasis ………… 1060
結石性腎炎 lithonephritis ………… 1061
結石性心外膜炎(心嚢炎) pericarditis calculosa ………… 1386
結石生成 lithogenesis, lithogeny ………… 1061
結石穿孔術 lithotresis ………… 1062
結石摘出〔術〕 lithectomy ………… 1060
結石道路 steinstrasse ………… 1741
結石粉砕器 lithomyl ………… 1061
結石溶解 litholysis ………… 1061
結石溶解液注入器 litholyte ………… 1061
結石溶解薬 lithotriptic ………… 1062
結石用鉗子 litholabe ………… 1061
結石様の lithoid ………… 1061
結節 knot ………… 988
結節 node ………… 1260
結節 tuber ………… 1942
結節 tubercle ………… 1942
結節 tuberculum ………… 1946
〔結〕節 nodus ………… 1262
結節横断平面 intertubercular plane …… 1430
結節横断平面 planum intertuberculare 1431
結節下の subtuberal ………… 1768
〔結〕節間〔部〕 internode ………… 947
結節間滑液鞘 intertubercular tendon sheath ………… 1671
結節間溝 intertubercular groove ………… 801
結節間溝 intertubercular sulcus ………… 1772
結節間溝 sulcus intertubercularis ………… 1772
〔結〕節間の internodal ………… 947
結節形成 tuberculation ………… 1944
結節硬化〔症〕 tuberous sclerosis ………… 1648
結節固有調律 idionodal rhythm ………… 1611
結節腫 ganglion ………… 752
結節腫切開〔術〕 ganglionostomy ………… 755
楔〔状〕切除〔術〕 wedge resection ………… 1592
結節状陰影 nodular opacity ………… 1302
結節状構造 varicosity ………… 1988
結節状構造の varicose ………… 1988
結節状の tuberous ………… 1948
結節性アミロイドーシス nodular amyloidosis ………… 68
結節性黄色腫 xanthoma tuberosum …… 2051
結節性眼炎 ophthalmia nodosa ………… 1307
結節性眼炎性眼内炎 endophthalmitis ophthalmia nodosa ………… 614
結節性峡部卵管炎 salpingitis isthmica nodosa ………… 1631
結節性強膜炎 nodular scleritis ………… 1646
結節性筋膜炎 nodular fasciitis ………… 677
結節性紅斑 erythema nodosum ………… 639
結節性紅斑 erythema tuberculatum ………… 639
結節性黒色腫 nodular melanoma ………… 1122
結節性臍帯 gelatinous varix ………… 1989
結節性上強膜炎 nodular episcleritis ………… 630
結節性神経中膜炎 nodular mesoneuritis 1137
結節性精管炎 vasitis nodosa ………… 1990
結節性全脳炎 nodular panencephalitis … 1342
結節性前立腺過形成 nodular hyperplasia of prostate ………… 886
結節性多発〔性〕動脈炎 polyarteritis nodosa ………… 1458
結節性痛風 tophaceous gout ………… 793
結節性動脈炎 arteritis nodosa ………… 140
結節性動脈硬化〔症〕 nodular arteriosclerosis ………… 140
結節性汎脳炎 nodular panencephalitis … 1342
結節性皮膚炎 dermatitis nodosa ………… 495
結節性表皮下線維組織増殖症 nodular subepidermal fibrosis ………… 696
結節性補充収縮 junctional escape ………… 641
結節性脈管炎 nodular vasculitis ………… 1989
結節性痒疹 prurigo nodularis ………… 1510
結節性羊膜 amnion nodosum ………… 62
結節〔性〕リウマチ nodose rheumatism … 1607
結節性裂毛〔症〕 trichorrhexis nodosa …… 1931
結節組織 nodal tissue ………… 1896
結節調律 nodal rhythm ………… 1611
結節パターン nodular pattern ………… 1374
結節縫合 interrupted suture ………… 1787
結節らい nodular leprosy ………… 1021
血栓 thrombus ………… 1888
血栓壊死 thrombonecrosis ………… 1888
血栓形成傾向 thrombophilia ………… 1888
血栓〔性〕血管炎 thromboangiitis ………… 1887
血栓後症候群 postthrombotic syndrome 1816
血栓子除去〔術〕 thromboembolectomy … 1887
血栓症 thrombosis ………… 1888
血栓〔性〕静脈炎 thrombophlebitis ………… 1888
血栓〔性〕心内膜炎 thromboendocarditis 1887
血栓性壊疽 thrombotic gangrene ………… 756
血栓性血小板減少性紫斑病 thrombotic thrombocytopenic purpura ………… 1528
血栓性梗塞 thrombotic infarct ………… 926
血栓性細小血管症 thrombotic microangiopathy ………… 1150
血栓性細小(微小)血管障害 thrombotic microangiopathy ………… 1150
血栓性水頭〔症〕 thrombotic hydrocephalus ………… 871
血栓〔性〕動脈炎 thromboarteritis ………… 1887
血栓性微小血管症 thrombotic microangiopathy ………… 1150
血栓〔性〕脈管炎 thromboangiitis ………… 1887
血栓性門脈炎 pylethrombophlebitis ………… 1531
血栓性リンパ管炎 thrombolymphangitis 1887
血栓塞栓症 thromboembolism ………… 1887
血栓弾性記録計 thromboelastograph …… 1887
血栓弾性記録図 thromboelastogram …… 1887
血栓摘出〔術〕 thrombectomy ………… 1887
血栓内膜摘出〔術〕 thromboendarterectomy ………… 1887
血栓の thrombotic ………… 1888
血栓嚢腫 thrombocyst, thrombocystis …… 1887
楔前部 precuneus ………… 1477
楔前部動脈 arteria precunealis ………… 137
楔前部動脈 precuneal artery ………… 151
〔脳梁周動脈の〕楔前部動脈 precuneal branches of pericallosal artery ………… 252
血栓崩壊 thrombolysis ………… 1887
血栓溶解療法 thrombolytic therapy …… 1880
血栓様の thromboid ………… 1887
血族 consanguinity ………… 413
血族 kinship ………… 986
欠足症 apodia ………… 116
欠足〔症〕 ectropody ………… 586
欠損 cold ………… 389
欠損 deficit ………… 479
欠損 failure ………… 670
欠損〔症〕 coloboma ………… 392
欠損〔症〕 defect ………… 477
欠損〔症〕 deficiency ………… 478
欠損ウイルス defective virus ………… 2023
欠損〔バクテリオ〕ファージ defective bacteriophage ………… 190
欠損プロ〔バクテリオ〕ファージ defective probacteriophage ………… 1486
欠損プロファージ defective prophage … 1498
血体 corpus hemorrhagicum ………… 425
血体腔 hemocele ………… 830
血唾液吐出 hemosialemesis ………… 836
決断 decision ………… 475
血中マグネシウム減少〔症〕 hypomagnesemia ………… 894
結腸 colon ………… 392
〔肝臓の〕結腸圧痕 impressio colica hepatis ………… 916
〔肝臓の〕結腸圧痕 colic impression on liver ………… 917
結腸運動曲線 colonogram ………… 393
結腸S状結腸吻合〔術〕 colosigmoidostomy 394
結腸炎 colitis ………… 389
結腸回腸フィステル(瘻) coloileal fistula 705
結腸拡張〔症〕 colectasia ………… 389
結腸下垂〔症〕 coloptosis, coloptosia ………… 393

ケ

結腸過長 dolichocolon 554
結腸括約筋 colic sphincter 1712
結腸肝臓固定〔術〕colohepatopexy 392
結腸〔間〕吻合〔術〕colocolostomy 392
結腸間膜 mesocolon 1136
結腸間膜横窩 fossa intermesocolica transversa 732
結腸間膜横窩 transverse intermesocolic fossa 734
結腸間膜固定〔術〕mesocolopexy 1136
結腸間膜ひだ形成〔術〕mesocoloplication 1136
結腸間膜リンパ節 mesocolic lymph nodes 1079
結腸鏡 colonoscope 393
結腸鏡検査 coloscopy 394
結腸鏡検査〔法〕colonoscopy 393
結腸筋層 muscular coat of colon 383
結腸筋層 muscular layer of colon 1011
〔結腸〕筋層 tunica muscularis coli 1953
〔結腸筋層の〕縦〔筋〕層 stratum longitudinale tunicae muscularis coli 1752
〔結腸筋層の〕輪〔筋〕層 stratum circulare tunicae muscularis coli 1751
結腸結腸吻合〔術〕colocolostomy 392
結腸後〔方〕の retrocolic 1604
結腸黒色症(メラノーシス) melanosis coli 1122
結腸固定術 colopexy 393
結腸周囲炎 paracolitis 1348
結腸周囲炎 pericolitis 1387
結腸周囲の pericolic 1387
結腸重積〔症〕colic intussusception 952
結腸漿膜 serosa of colon 1666
結腸漿膜 serosa of large intestine 1666
〔結腸〕漿膜 tunica serosa coli 1953
結腸静脈 colic veins 1995
結腸切開〔術〕colotomy 394
結腸切除〔術〕colectomy 389
結腸穿刺 colipuncture 389
結腸穿刺 colocentesis 392
結腸穿刺 colopuncture 393
結腸全摘出〔術〕pancolectomy 1340
結腸造襞〔術〕coliplication 389
結腸造襞〔術〕coloplication 393
結腸造瘻〔術〕colostomy 394
結腸腟フィステル(瘻) colovaginal fistula 705
結腸直腸炎 coloproctitis 393
結腸直腸の colorectal 393
結腸直腸吻合〔術〕coloproctostomy 393
結腸痛 colonalgia 392
結腸動脈 colic arteries 143
結腸動脈 colica 389
結腸動脈弓 arterial arches of colon 125
結腸内ガス貯留 pneumocolon 1448
結腸内の intracolic 950
結腸粘膜 mucosa of colon 1176
〔結腸〕粘膜 tunica mucosa coli 1953
結腸粘膜炎 endocolitis 612
結腸剥離〔術〕colVolysis 392
結腸半月ひだ semilunar folds of colon 720
結腸半月ひだ plicae semilunares coli 1445
結腸半〔側〕切除〔術〕hemicolectomy 829
結腸皮膚フィステル(瘻) colocutaneous fistula 705
結腸ひも colic teniae 1850
結腸ひも teniae coli 1850
結腸フィステル(瘻) colonic fistula 705
結腸フィステル形成〔術〕colostomy 394
結腸〔間〕吻合〔術〕colocolostomy 392
結腸辺縁動脈 marginal artery of colon 148
結腸膨起 haustra of colon 816
結腸傍結合組織炎 paracolitis 1348
結腸縫合〔術〕colorrhaphy 393
結腸傍溝 paracolic gutters 806
結腸傍溝 sulci paracolici 1773
結腸膀胱形成術 colocystoplasty 392
結腸膀胱フィステル(瘻) colovesical fistula 705
結腸傍リンパ節 paracolic lymph nodes 1080
結腸メラノーシス(黒色症) melanosis coli 1122
結腸リンパ節 colic lymph nodes 1078
結腸漏 colorrhagia 393
結腸瘻バッグ colostomy bag 192
血沈 erythrocyte sedimentation rate (ESR) 1559
決定 decision 475
決定 determination 501
決定〔因〕子 determinant 500
決定基 determinant 500
決定群 determinant 500
決定性卵割 determinate cleavage 373
決定分析 decision analysis 70
決定論 determinism 501
血鉄症 hemosiderosis 836
血統 stock 1748
血糖 blood sugar 1769
血糖〔症〕glycemia 785
血島 blood island 958
血洞 hematocele 825
ゲットウ galangal, galanga 750
血糖上昇指数 glycemic index 922
血糖上昇〔性〕糖原分解〔性〕因子 hyperglycemic-glycogenolytic factor (HGF) 667
血糖正常の normoglycemic 1268
楔入圧 wedge pressure 1483
血尿 erythrocyturia 640
血尿 hematuria 827
血尿性胆汁性熱 hematuric bilious fever 684
血〔性〕膿 sanious pus 1529
血膿胸 pyohemothorax 1532
〔結〕氷点測定 cryoscopy 445
楔部 cuneus 448
血〔液〕分光度計 hematospectroscope 827
血〔液〕分光度検査〔法〕hematospectroscopy 827
血餅 blood clot 377
血餅 clot 377
血餅 cruor 443
血餅収縮(退縮)時間 clot retraction time 1893
血便排泄 hematochezia 825
欠乏 deficit 479
欠乏〔症〕deficiency 478
欠乏〔性〕疾患 deficiency disease 531
欠乏症状 deficiency symptom 1792
欠乏性低ナトリウム血症 depletional hyponatremia 895
結膜 conjunctiva 412
結膜 tunica conjunctiva 1952
結膜炎 conjunctivitis 412
結膜円蓋 conjunctival cul-de-sac 447
結膜円蓋 conjunctival fornix 731
結膜下の subconjunctival 1762
結膜形成〔術〕conjunctivoplasty 413
結膜結石症 lithiasis conjunctivae 1060
結膜弛緩症 conjunctivochalasis 412
結膜静脈 conjunctival veins 1995
結膜静脈 venae conjunctivales 2005
結膜静脈瘤 cirsophthalmia 367
結膜静脈瘤 varicula 1988
結膜水腫(浮腫) chemosis 343
結膜水腫(浮腫)性の chemotic 343
結膜腺 conjunctival glands 772
結膜腺 glandulae conjunctivales 775
結膜前垂 epitarsus 631
結膜嚢 conjunctival sac 1628
結膜嚢 saccus conjunctivalis 1629
結膜半月ひだ semilunar conjunctival fold 720
結膜半月ひだ plica semilunaris conjunctivae 1445
結膜半月ひだ plica semilunaris of conjunctiva 1445
結膜反射 conjunctival reflex 1578
結膜鼻造瘻口 conjunctivorhinostomy 413
結膜鼻造瘻術 conjunctivorhinostomy 413
結膜べんち(胼胝)〔腫〕tyloma conjunctivae 1956
結膜輪 anulus conjunctivae 111
結膜輪 conjunctival ring 1617
結膜輪状切除〔術〕peritectomy 1392
結膜涙嚢造瘻口 conjunctivodacryocystostomy 413
結膜涙嚢造瘻術 conjunctivodacryocystostomy 413
結膜涙嚢鼻腔吻合術 conjunctivodacryocystorhinostomy 413
結毛症 trichonodosis 1930
血友病 hemophilia 835
血友病A hemophilia A 835
血友病B hemophilia B 835
血友病C hemophilia C 835
血友病〔性〕関節 hemophilic joint 970
血友病〔性〕関節炎 hemophilic arthritis 154
血友病者 bleeder 220
血友病者 hemophiliac 835
欠落 lacuna 995
楔立方関節 cuneocuboid joint 969
楔立方靱帯 cuneocuboid ligament 1034
楔立方靱帯 ligamentum cuneocuboideum 1043
血流〔量〕bloodstream 224
血流緩徐性血栓 marantic thrombus, marasmic thrombus 1889
血流緩徐性血栓症 atrophic thrombosis 1888
血流計 rheometer 1607
血流計 stromuhr 1759
血流遮断 hemostasis 836
血流図 hemotachogram 836
血流力学の hemodynamic 832
血リンパ節 hemal node 1260
厥冷期 algid stage 1727
欠裂 coloboma 392
ケティ-シュミット法 Kety-Schmidt method 1144
ゲデルエアウェイ Guedel airway 40
ケテン ketene 982
ケトアシドーシス ketoacidosis 982
2-ケトアジピン酸 2-ketoadipic acid 982
2-ケトアジピン酸性酸血症 2-ketoadipic acidemia 982
2-ケトアジピン酸デヒドロゲナーゼ複合体 2-ketoadipic acid dehydrogenase complex 982
3-ケトアシルCoAチオラーゼ 3-ketoacyl-CoA thiolase 982
解毒 detoxification 501
解毒 elimination 599
解毒〔性〕の antidotal 102
解毒薬 antidote 102
α-ケトグルタルアミド酸 α-ketoglutaramic acid 982
α-ケトグルタル酸デヒドロゲナーゼ α-ketoglutarate dehydrogenase 982
α-ケトグルタレート α-ketoglutarate 982
17-ケトゲニックステロイド測定法 17-ketogenic steroid assay 163
ケト酸 keto acid 982
ケト酸血症 ketoacidemia 982
α-ケト酸デヒドロゲナーゼ α-keto acid dehydrogenase 982
3-ケト酸CoAトランスフェラーゼ 3-ketoacid-CoA transferase 982
ケト酸尿〔症〕ketoaciduria 982
ケトーシス ketosis 983

ケトーシス抵抗性糖尿病 ketosis-resistant diabetes 506
ケトース ketose 982
ケトース-1-リン酸アルドラーゼ ketose-1-phosphate aldolase 982
α-ケトスクシナミン酸 α-ketosuccinamic acid 983
17-ケトステロイド 17-ketosteroids (17-KS) 983
α-ケトデカルボキシラーゼ α-ketodecarboxylase 982
ケトテトロース ketotetrose 983
ケトトリオース ketotriose 983
ケトパントイン酸 ketopantoic acid 982
ケトヘキソース ketohexose 982
ケトヘプトース ketoheptose 982
ケトペントース ketopentose 982
ケトライド ketolide 982
ゲトリン試験 Göthlin test 1858
ケトール ketol 982
ケトール基 ketole group 982
ケトール基転移 transketolation 1919
ケトン ketone 982
ケトンアルコール ketone alcohol 982
ケトンイミン染料 ketonimine dyes 569
ケトン化 ketonization 982
ケトン化合物の ketonic 982
ケトン型高グリシン血症 ketotic hyperglycinemia 881
ケトン血〔症〕 ketonemia 982
ケトン産生食 ketogenic diet 514
ケトン症 ketosis 983
ケトン性低血糖〔症〕 ketotic hypoglycemia 893
ケトン性の ketotic 983
ケトン体 ketone body 227
ケトン体生成 ketogenesis 982
ケトン体生成阻止性の antiketogenic 106
ケトン体分解の ketolytic 982
ケトン尿〔症〕 ketonuria 982
ケトン尿〔症〕 ketosuria 983
ケトン誘発食 ketogenic diet 514
ケナガコナダニ *Tyrophagus putrescentiae* 1958
ゲニオン genion 766
ケニー-キャフィー症候群 Kenny-Caffey syndrome 1809
ケニュ(ケヌ)痔〔核〕リンパ管叢 Quénu hemorrhoidal plexus 1443
ケニュ(ケヌ)-ミュレー徴候 Quénu-Muret sign 1683
ケニー療法 Kenny treatment 1923
毛抜き tweezers 1955
解熱期 defervescent stage 1727
解熱〔作用〕の antipyretic 108
解熱処置 antipyresis 108
解熱薬 antipyretic 108
解熱薬 febrifuge 679
ケネディ症候群 Kennedy syndrome 1809
ケネディ病 Kennedy disease 535
ケネディ分類〔法〕 Kennedy classification 371
毛〔髪〕の pilar, pilary 1423
ゲノコピー genocopy 766
ケノサイト cenocyte 330
ケノデオキシコール酸 chenodeoxycholic acid 343
ゲノー・ド・ミュシー点 Guéneau de Mussy point 1454
ケノポジ chenopodium 343
ゲノミクス genomics 766
ゲノム genome 766
ゲノムインプリンティング genomic imprinting 917
ゲノム化学 chemical genomics 766
ゲノムクローン genomic clone 375
ゲノム刷り込み genomic imprinting 917
ゲノムDNA genomic DNA 491
ゲノムライブラリー genomic library 1031
けばだった大動脈 shaggy aorta 112
仮病 malingering 1096
仮病 pathomimesis 1372
仮病者 malingerer 1096
ケファリン kephalin 977
ケミカルサンスクリーン chemical sunscreen 1777
ケミカル(化学)シフト chemical shift 1673
ケミカル(化学)シフトによるアーチファクト chemical shift artifact 158
ケムシ caterpillar 313
毛虫症 scoleciasis 1648
毛虫皮膚炎 caterpillar dermatitis 495
ケモカイン chemokines (CC) 342
ケモキネシス chemokinesis 342
ケモゲノミクス chemogenomics 342
ケモスタット chemostat 343
ケモノハジラミ属 *Trichodectes* 1929
ケモノホソジラミ属 *Linognathus* 1054
ケラー腱膜瘤切除〔術〕 Keller bunionectomy 266
ケラタン硫酸 keratan sulfate 977
ケラチナーゼ keratinases 978
ケラチノサイト keratinocyte 978
ケラチノソーム keratinosome 978
ケラチン keratin 977
ケラチン真珠 keratin pearl 1375
ケラチンフィラメント keratin filaments 697
ケラテイン keratein 977
ケラトグラフィ keratography 979
ケラトヒアリン keratohyalin 979
ケラトヒアリン顆粒 keratohyalin granules 797
ケラトファキア keratophakia 980
ケラトレプティンシス keratoleptynsis 979
ゲラニオール geraniol 768
ゲラニルゲラニルピロリン酸 geranylgeranyl pyrophosphate 768
ゲラニルピロリン酸 geranyl pyrophosphate 768
ケラーバニオン切除〔術〕 Keller bunionectomy 266
ケラー-マドレナー手術 Keller-Madlener operation 1305
ゲラン骨折 Guérin fracture 737
ケランデル徴候 Kerandel sign 1681
ゲラン洞 Guérin sinus 1687
下痢 diarrhea 511
ケリカー層 Kölliker layer 1011
ケリー鉗子 Kelly clamp 370
ケリー肛門鏡 Kelly rectal speculum 1709
ケリコット肺吸虫 *Paragonimus kellicotti* 1349
ケリー手術 Kelly operation 1305
下痢止めの antidiarrheal, antidiarrhetic 102
下痢止め薬 antidiarrheal, antidiarrhetic 102
下痢便偽膜 xysma 2054
ケリン khellin 983
ゲル gel 761
ゲル gelatum 761
ケルビン(ケルヴィン) kelvin (K) 977
ケルビン(ケルヴィン)温度目盛り Kelvin scale 1639
ゲル化 gelatinization 761
ゲル化 gelation 761
ゲル〔内〕拡散〔法〕 gel diffusion 516
ゲル拡散沈降試験 gel diffusion precipitin tests 1858
ケルカリア cercaria 334
ゲル-クームズ反応 Gell and Coombs reactions 1564
ゲル-クームズ分類 Gell and Coombs Classification 371
ケルクリング中心 Kerckring center 330
ケル血液型 Kell blood group 977
ゲル構造 gel structure 1760
ゲルストマン-シュトロイスラー-シャインカー症候群 Gerstmann-Sträussler-Scheinker syndrome 1805
ゲルストマン症候群 Gerstmann syndrome 1805
ケルセチン quercetin 1537
ゲルセミン gelsemine 761
ゲルソリン gelsolin 762
ケルダール装置 Kjeldahl apparatus 119
ケルダール法 Kjeldahl method 1144
ケルテ-バランス手術 Koerte-Ballance operation 1305
ゲル電気泳動 gel electrophoresis 597
ゲルトナー圧力計 Gärtner tonometer 1901
ゲルトナー静脈現象 Gärtner vein phenomenon 1404
ゲルトナー法 Gärtner method 1144
ケルニヒ徴候 Kernig sign 1681
ケルノハン(カーノハン)切痕 Kernohan notch 1270
ゲルハード(ゲルハルト)徴候 Gerhard sign 1680
ケルビム症 cherubism 343
ケルビム様顔〔貌〕 cherubic facies 663
ゲルマニウム germanium (Ge) 768
ゲルミン germine 768
ゲル沪過 gel filtration 700
ゲル沪過クロマトグラフィ gel filtration chromatography 357
ケレクトーム kelectome 977
ケロイド keloid 977
ケロイド症 keloidosis 977
肩 shoulder 1674
腱 cord 421
腱 fasciculus 675
腱 sinew 1686
腱 tendo 1849
腱 tendon 1849
限 limen 1048
減圧 depression 493
減圧〔術〕 decompression 475
減圧開頭〔術〕 cerebral decompression 475
減圧室 decompression chamber 338
減圧症 caisson sickness 1676
減圧〔神経〕線維 depressor fibers 688
減圧痛 bends 205
減圧弁 reducing valve 1985
限域の areatus, areata 130
腱移行術 tendon transfer 1918
腱移植〔術〕 tendon transplantation 1920
腱移植〔片〕 tendon graft 795
権威性人格 authoritarian personality 1395
原位置ハイブリッド形成 *in situ* hybridization 869
原位置ハイブリッド形成 chromogenic *in situ* hybridization 869
健胃チンキ〔滴〕剤 stomach drops 561
権威的存在者 authority figure 697
健胃薬 stomachic 1748
牽引 attraction 175
牽引 traction 1913
牽引 tug, tugging 1949
牽引〔法〕 extension 656
原因 cause 315
原因 root 1621
牽引下X線撮影法 traction radiography 1544
牽引器 tractor 1914
牽引筋 attrahens 175
牽引睾丸(精巣) retractile testis 1869
牽引子 retractor 1603
牽引性憩室 traction diverticulum 552
牽引性脱毛〔症〕 traction alopecia 53
原因相加 causal additivity 24
原因治療 causal treatment 1923

原因病理の etiopathic ………………………… 646
原因不明の cryptogenic ………………………… 445
原因明瞭の phanerogenic ………………………… 1400
原因療法の etiotropic ………………………… 647
眩暈感 dizziness ………………………… 553
眩暈持続状態 status vertiginosus ………… 1740
幻影 phantasm ………………………… 1400
幻影歯 ghost tooth ………………………… 1902
幻影肢 stump hallucination ………………… 813
幻〔影〕肢 phantom limb ………………… 1047
検影法 retinoscopy ………………………… 1603
検影法 shadow test ………………………… 1865
原栄養 prototrophism ………………………… 1508
原栄養菌(株) prototroph ………………… 1508
原栄養菌株 prototrophic strains ………… 1751
原栄養体(生物)〔性〕 prototroph ………… 1508
検疫 quarantine ………………………… 1537
検疫期間 quarantine period ………………… 1389
検疫期間 quarantine ………………………… 1537
検疫所 quarantine ………………………… 1537
検閲 censor ………………………… 330
腱炎 tendinitis ………………………… 1849
腱炎 tendonitis ………………………… 1850
検塩計 salimeter ………………………… 1631
瞼縁肥厚症 pachyblepharon ………………… 1334
嫌悪 repulsion ………………………… 1591
腱黄色腫 tendinous xanthoma ………… 2051
嫌悪訓練法 aversive training ………… 1915
嫌悪行動 aversive behavior ………………… 204
嫌悪コントロール aversive control ……… 418
嫌悪刺激 aversive stimulus ………………… 1747
嫌悪療法 aversion therapy ………………… 1877
検温 thermometry ………………………… 1882
原音 fundamental tone ………………… 1899
けん化 saponification ………………… 1634
限界 limes (L) ………………………… 1048
限界 limit ………………………… 1048
限界運動 border movements ………………… 1173
限界角膜切開〔術〕 delimiting keratotomy 981
限界計 liminometer ………………………… 1048
限界決定 delimitation ………………………… 483
限外顕微鏡 ultramicroscope ………………… 1962
限界刺激の liminal ………………………… 1048
限界〔弱〕打診〔法〕 orthopercussion ……… 1316
限界電位 demarcation potential ………… 1473
懸塊培養 hanging-block culture ………… 448
原外胚葉 ectoblast ………………………… 585
限界率 critical rate ………………………… 1559
限外沪過〔法〕 ultrafiltration ………………… 1962
限外沪過器 ultrafilter ………………………… 1962
限外沪過係数 ultrafiltration coefficient …… 387
限外沪過血液透析 ultrafiltration hemodialyzer ………………………… 831
けん化価 saponification number ………… 1282
腱画 intersectio tendinea ………………… 947
腱画 tendinous intersection ………………… 947
〔腱〕画 intersectio ………………………… 947
〔腱〕画 intersection ………………………… 947
腱学 tenontology ………………………… 1850
幻覚 hallucination ………………………… 812
厳格菜食主義者 vegan ………………………… 1992
幻覚症 hallucinosis ………………………… 813
幻覚〔性〕神経痛 hallucinatory neuralgia 1244
原核生物 prokaryote ………………………… 1496
原核生物上界 Prokaryotae ………………… 1496
腱学的記述 tenontography ………………… 1850
幻覚発動物(薬) psychedelic ………………… 1517
幻覚〔誘発〕薬 hallucinogen ………………… 813
幻覚連鎖 phantasmagoria ………………… 1400
腱滑液鞘内の intrasynovial ………………… 951
腱滑膜炎 tendosynovitis ………………… 1850
腱滑膜炎 tenosynovitis ………………… 1851
腱下の subtendinous ………………………… 1767
検眼 optometry ………………………… 1309
腱感覚器 tenoreceptor ………………………… 1850
検眼鏡 ophthalmoscope ………………… 1308
検眼鏡検査〔法〕 ophthalmoscopy ………… 1308
腱間結合 juncturae tendinum ………………… 974
検眼士 optometrist ………………………… 1309
肩関節 articulatio humeri ………………… 157
肩関節 humeral articulation ………………… 158
肩関節 glenohumeral joint ………………… 970
肩関節 shoulder joint ………………………… 971
肩関節固定〔術〕 shoulder arthrodesis …… 155
肩関節唇 glenoid labrum of scapula …… 992
肩関節唇 labrum glenoidale scapulae …… 992
肩関節唇 glenoidal lip ………………………… 1055
肩関節唇 articular margin ………………… 1103
肩関節不安感徴候 shoulder apprehension sign ………………………… 1684
〔眼〕瞼間帯 interpalpebral zone ………… 2059
腱間膜 mesotendineum ………………………… 1137
腱間膜 mesotendon ………………………… 1137
検眼用眼鏡枠 trial frame ………………… 739
検眼用レンズ trial lenses ………………… 1020
衒奇(げんき) mannerism ………………… 1100
原基 anlage ………………………… 93
原基 germ ………………………… 768
原基 placode ………………………… 1429
原基 primordium ………………………… 1484
眩輝 glare ………………………… 776
元気回復 refection ………………………… 1577
眩輝計 glarometer ………………………… 776
嫌忌行動 aversive behavior ………………… 204
原基痕跡 rudiment ………………………… 1625
原基細胞癌 primordial cell carcinoma …… 298
嫌気生活 anaerobiosis ………………………… 69
嫌気性菌 anaerobe ………………………… 69
嫌気性呼吸 anaerobic respiration ………… 1595
嫌気性細菌 anaerophyte ………………………… 69
嫌気性植物 anaerophyte ………………………… 69
嫌気性生物 anaerobe ………………………… 69
嫌気性デヒドロゲナーゼ anaerobic dehydrogenase ………………………… 483
嫌気〔性〕の anaerobic ………………………… 69
嫌気性蜂窩織炎 anaerobic cellulitis ……… 328
研究 research ………………………… 1591
研究 study ………………………… 1760
腱弓 tendinous arch ………………………… 126
腱弓 arcus tendineus ………………………… 128
幻嗅 olfactory hallucination ………………… 813
幻嗅 pseudosmia ………………………… 1515
瞼球〔間〕後癒着〔症〕 posterior symblepharon ………………………… 1790
瞼球〔間〕前癒着〔症〕 anterior symblepharon ………………………… 1790
瞼球〔間〕癒着〔症〕 atretoblepharia ………… 171
瞼球〔間〕癒着〔症〕 symblepharon ………… 1790
研究所 laboratory ………………………… 992
研究所調査委員会 institutional review board (IRB) ………………………… 224
研究用模型 diagnostic cast ………………… 309
限局化 localization ………………………… 1067
限局性強皮症 morphea ………………………… 1170
限局性口腔ムチン沈着症 oral focal mucinosis ………………………… 1175
限局性骨化性筋炎 myositis ossificans circumscripta ………………………… 1216
限局性脂肪組織萎縮〔症〕 lipoatrophia circumscripta ………………………… 1056
限局性心外膜炎 epistenocardiac pericarditis ………………………… 1386
限局性神経皮膚炎 lichen simplex chronicus ………………………… 1031
限局性石灰〔沈着〕症 calcinosis circumscripta ………………………… 276
限局性虫垂炎 focal appendicitis ………… 119
限局性腸炎 regional enteritis ………………… 619
限局性腸炎 regional enterocolitis ………… 620
限局性の areatus, areata ………………… 130
限局〔性〕の circumscribed ………………… 367
限局〔性〕の circumscriptus ………………… 367
限局性膿頭症 circumscribed pyocephalus ………………………… 1531
限局性破傷風 local tetanus ………………… 1870
限局性皮膚ムチン沈着症 cutaneous focal mucinosis ………………………… 1175
限局性腹膜炎 localized peritonitis ……… 1393
限局性ムチン沈着症 mucinosis ………… 1175
限局性リンパ管腫 lymphangioma circumscriptum ………………………… 1076
限局性リンパ球性甲状腺炎 focal lymphocytic thyroiditis ………………… 1891
限局性リンパ節炎 regional lymphadenitis ………………………… 1075
腱切り術 tenotomy ………………………… 1851
嫌気療法 anaeroplasty ………………………… 69
腱筋切除〔術〕 tenomyotomy ………………… 1850
腱筋切除〔術〕 tenontomyotomy ………… 1850
元型 archetype ………………………… 127
原型 archetype ………………………… 127
原型 prototype ………………………… 1508
〔原〕型 pattern ………………………… 1373
原形質 protoplasm ………………………… 1508
原形質運動 protoplasmic movement …… 1174
原形質性星状膠細胞 protoplasmic astrocyte ………………………… 165
原形質性星状細胞腫 protoplasmic astrocytoma ………………………… 166
原形質染料 plasma stain, plasmatic stain, plasmic stain ………………………… 1734
原形質内の intraprotoplasmic ………………… 951
原形質分離 plasmolysis ………………… 1434
原形質分裂 plasmoschisis ………………… 1434
〔原〕形質膜 plasma membrane ………… 1126
原形質融合 plasmogamy ………………… 1434
腱形成〔術〕 tendinoplasty ………………… 1849
腱形成〔術〕 tenontoplasty ………………… 1850
腱形成〔術〕 tenoplasty ………………… 1850
減形成 hypogenesis ………………………… 893
減形成体質 hypoplasia ………………………… 896
検血 hematometry ………………………… 826
腱懸垂法 tenosuspension ………………… 1850
腱原性眼瞼下垂 aponeurogenic ptosis …… 1522
腱懸吊 tenosuspension ………………………… 1850
言語 language ………………………… 1000
言語 speech ………………………… 1709
言語医学 logopedics ………………………… 1068
健康 health ………………………… 819
原口 blastopore ………………………… 219
原口 protostoma ………………………… 1508
原口 protostome ………………………… 1508
肩甲位 shoulder presentation ………………… 1481
肩甲回旋静脈 circumflex scapular vein 1994
肩甲回旋動脈 arteria circumflexa scapulae ………………………… 134
肩甲回旋動脈 circumflex scapular artery 143
肩甲下腋窩リンパ節 subscapular axillary lymph nodes ………………………… 1081
肩甲下窩 fossa subscapularis ………………… 734
肩甲下窩 subscapular fossa ………………… 734
肩甲下筋 subscapular muscle ………………… 1195
肩甲下筋 subscapularis (muscle) ………… 1195
肩甲下筋 musculus subscapularis ………… 1204
肩甲下筋 subscapularis ………………………… 1765
肩甲下筋腱下包 bursa subtendinea musculi subscapularis ………………………… 270
肩甲下筋腱下包 subscapular bursa ……… 270
肩甲下筋腱下包 subtendinous bursa of subscapularis ………………………… 271
肩甲下静脈 subscapular vein ………………… 2001
肩甲下神経 subscapular nerves ………… 1239
肩甲下動脈 arteria subscapularis ………… 138
肩甲下動脈 infrascapular artery ………… 146
肩甲下動脈 subscapular artery ………… 152
肩甲下動脈の肩峰枝 acromial branch of suprascapular artery ………………………… 242
肩甲下の subscapular ………………………… 1764

肩甲下部 regio infrascapularis ············ 1584
肩甲下部 infrascapular region ············ 1585
肩甲〔骨〕間〔部〕 interscapulum ············ 947
健康管理 health care ············ 302
肩甲気管三角 trigonum musculare (regionis cervicalis anterioris) ············ 1933
健康教育 health education ············ 819
肩甲挙筋 levator scapulae (muscle) ····· 1188
肩甲挙筋 musculus levator scapulae ····· 1201
肩甲棘 spina scapulae ············ 1716
肩甲棘 spine of scapula ············ 1716
〔肩甲〕棘関節窩の spinoglenoid ············ 1717
肩甲棘の三角筋結節 deltoid tubercle (of spine of scapula) ············ 1943
肩甲棘稜 crest of scapular spine ············ 438
肩甲頸 collum scapulae ············ 392
肩甲頸 neck of scapula ············ 1223
原光景 primal scene ············ 1641
肩甲甲状の omothyroid ············ 1298
肩甲骨 blade bone ············ 231
肩甲骨 scapula ············ 1640
肩甲骨外側縁 lateral border of scapula 235
肩甲骨外側縁 margo lateralis scapulae 1104
肩甲骨外側角 angulus lateralis scapulae ··· 90
肩甲骨下角 angulus inferior scapulae ······· 90
肩甲骨下の infrascapular ············ 931
肩甲骨関節窩 glenoid cavity of scapula 316
肩甲骨後〔方〕の postscapular ············ 1472
肩甲骨後面 facies posterior scapulae ······ 665
肩甲〔骨〕固定〔術〕 scapulopexy ············ 1641
肩甲骨上縁 superior border of scapula ··· 236
肩甲骨上縁 margo superior scapulae ····· 1105
肩甲骨上角 angulus superior scapulae ······ 90
肩甲〔骨〕切除〔術〕 scapulectomy ············ 1641
肩甲骨前面 anterior surface of scapula 1780
肩甲〔骨〕痛 scapulalgia ············ 1640
肩甲骨内側縁 medial border of scapula 235
肩甲〔骨〕の scapular ············ 1640
〔肩甲骨の〕外側角 lateral angle of scapula ············ 89
〔肩甲骨の〕下角 inferior angle of scapula 89
〔肩甲骨の〕関節下結節 infraglenoid tubercle (of scapula) ············ 1943
〔肩甲骨の〕関節下結節 tuberculum infraglenoidale (scapulae) ············ 1946
〔肩甲骨の〕関節上結節 supraglenoid tubercle (of scapula) ············ 1944
〔肩甲骨の〕関節上結節 tuberculum supraglenoidale (scapulae) ············ 1947
〔肩甲骨の〕上角 superior angle of scapula 90
〔肩甲骨の〕肋骨面 facies costalis scapulae ············ 663
〔肩甲骨の〕肋骨面 costal surface of scapula ············ 1781
肩甲骨背 dorsum scapulae ············ 556
〔肩甲骨〕背側面 facies dorsalis scapulae 663
〔肩甲骨〕背側面 dorsal surface of scapula ············ 1781
〔肩甲骨〕背側面 posterior surface of scapula ············ 1783
肩甲骨肋骨面〔前面〕 facies costalis (anterior) scapulae ············ 663
腱交叉(交差) tendinous chiasm of the digital tendons ············ 344
肩甲鎖骨三角 omoclavicular triangle ···· 1927
肩甲鎖骨三角 supraclavicular triangle ··· 1928
肩甲鎖骨三角 trigonum omoclaviculare 1933
肩甲鎖骨の omoclavicular ············ 1298
検光子 analyzer, analyzor ············ 71
健康指標 health indicator ············ 924
肩甲上静脈 suprascapular vein ············ 2002
肩甲上静脈 vena suprascapularis ············ 2008
肩甲上神経 suprascapular nerve ············ 1239
肩甲上神経 nervus suprascapularis ······· 1243
健康状態指標 health status index ············ 922
肩甲上動脈 arteria suprascapularis ········ 138
肩甲上動脈 suprascapular artery ············ 153
肩甲上の suprascapular ············ 1779
肩甲上腕筋 scapulohumeral muscles ····· 1193
肩甲上腕〔骨〕の scapulohumeral ············ 1641
肩甲上腕反射 scapulohumeral reflex ····· 1581
健康心理学 health psychology ············ 1519
健康水準指標 health status index ············ 922
健康生活学 eubiotics ············ 647
肩甲舌骨筋 omohyoid (muscle) ············ 1190
肩甲舌骨筋 musculus omohyoideus ······· 1201
〔肩甲舌骨筋の〕下腹 inferior belly of omohyoid muscle ············ 205
〔肩甲舌骨筋の〕下腹 venter inferior musculi omohyoidei ············ 2009
〔肩甲舌骨筋の〕上腹 superior belly of omohyoid muscle ············ 205
〔肩甲舌骨筋の〕上腹 venter superior musculi omohyoidei ············ 2009
肩甲舌骨筋の筋腹 bellies of omohyoid muscle ············ 205
肩甲切痕 incisura scapulae ············ 919
肩甲切痕 scapular notch ············ 1270
肩甲切痕 suprascapular notch ············ 1270
肩甲〔骨〕切除〔術〕 scapulectomy ············ 1641
肩甲線 scapular line ············ 1052
肩甲線 linea scapularis ············ 1053
健康増進 health promotion ············ 1498
懸鉤双胎 locked twins ············ 1956
健康相談所 dispensary ············ 547
肩甲〔包〕帯 scapulary ············ 1641
肩〔甲〕帯症候群 shoulder-girdle syndrome ············ 1820
肩甲帯離断〔術〕 forequarter amputation ··· 66
肩甲〔骨〕痛 scapulalgia ············ 1640
健康的な salutary ············ 1632
腱後転〔術〕 tendon recession ············ 1572
鍵孔瞳孔 keyhole pupil ············ 1527
肩甲難産 shoulder dystocia ············ 577
肩甲〔骨〕の scapular ············ 1640
肩甲背神経 dorsal nerve of scapula ······ 1233
肩甲背神経 dorsal scapular nerve ········ 1233
肩甲背神経 nervus dorsalis scapulae ····· 1242
肩甲背動脈 dorsal scapular artery ········ 145
肩甲背の dorsiscapular ············ 556
肩甲反射 scapular reflex ············ 1581
肩甲部 regio scapularis ············ 1584
肩甲部 scapular region ············ 1586
健康への逃避 flight into health ············ 713
健康保持機関 health maintenance organization (HMO) ············ 1312
健康保養地 sanitarium ············ 1633
健康リスク評価 health risk assessment (h.r.a.) ············ 163
肩甲肋骨症候群 scapulocostal syndrome 1819
言語緩慢 bradyarthria ············ 240
言語ゲーム language game ············ 751
言語錯誤 paralalia ············ 1349
言語錯乱 allophasis ············ 51
言語失行〔症〕 verbal apraxia ············ 122
言語修得後難聴 postlingual deafness ······ 472
言語修得前難聴 prelingual deafness ······· 472
言語修得前難聴 prelingual hard of hearing impairment ············ 820
言語障害 allophasis ············ 51
言語障害 mogilalia ············ 1163
言語障害学 laliatry ············ 996
言語新作 neologism ············ 1227
言語新作 onomatopoiesis ············ 1301
言語帯 language zone ············ 2059
言語中枢 speech centers ············ 331
言語治療 logopedics ············ 1068
腱骨化症 tenostosis ············ 1850
腱固定〔術〕 tenodesis ············ 1850
言語病理学 speech pathology ············ 1372
言語病理学者 speech-language pathologist ············ 1372
言語不随症 hypologia ············ 894
言語不明瞭の inarticulate ············ 918
言語剖検 verbal autopsy ············ 181
言語理解 lalognosis ············ 996
検査 audit ············ 177
検査 test ············ 1853
検査 testing ············ 1869
検査〔法〕 examination ············ 650
顕在性異型接合体 manifesting heterozygote ············ 849
顕在内容 manifest content ············ 416
腱細胞 tendon cells ············ 327
検査員 examiner ············ 651
肩鎖関節 articulatio acromioclavicularis 157
肩鎖関節 acromioclavicular joint ············ 968
肩鎖関節の関節円板 acromioclavicular disc ············ 525
肩鎖関節の関節円板 articular disc of acromioclavicular joint ············ 525
肩鎖関節の関節円板 discus articularis acromioclavicularis ············ 527
腱索 tendinous cords ············ 422
腱索〔性〕心内膜炎 endocarditis chordalis 611
腱索聴診音 tenophony ············ 1850
肩〔峰〕鎖〔骨〕の acromioclavicular ············ 18
検査室 laboratory ············ 992
検査室診断 laboratory diagnosis ············ 508
肩鎖靱帯 acromioclavicular ligament ···· 1032
肩鎖靱帯 ligamentum acromioclaviculare ············ 1042
検査台 examining table ············ 1836
検察医 coroner ············ 424
検査プロフィール test profile ············ 1494
〔検査〕報酬 reward ············ 1606
減算 subtraction ············ 1767
検死 autopsy ············ 181
検死 inquest ············ 939
犬歯 cynodont ············ 457
犬歯 dens caninus ············ 487
犬歯 canine tooth ············ 1902
犬歯 cuspid tooth, cuspidate tooth ······· 1902
原子 atom ············ 170
幻〔影〕肢 phantom limb ············ 1047
検死医 coroner ············ 424
検死医 medical examiner (ME) ············ 651
顕示液 disclosing solution ············ 1698
犬歯窩 canine fossa ············ 731
犬歯窩 fossa canina ············ 731
原始窩 primitive pit ············ 1426
原子価 valence, valency ············ 1983
原子価電子 valence electron ············ 596
原始〔性〕感覚 protopathic sensibility ····· 1661
原子間距離 interatomic distance ············ 549
原始間葉状の myxomatous ············ 1218
嫌色素性腺腫 chromophobe adenoma, chromophobic adenoma ············ 25
原子吸光測光〔法〕 atomic absorption spectrophotometry ············ 1708
原子吸収分光測光〔法〕 atomic absorption spectrophotometry ············ 1708
顕視鏡 phaneroscope ············ 1400
検死計 necrometer ············ 1224
原始血球 mesameboid ············ 1134
原始結節 primitive node ············ 1261
犬歯溝 canine groove ············ 801
原始溝 primordial furrow ············ 746
原始溝 primordial groove ············ 802
原始口蓋 primordial palate ············ 1338
原始後鼻孔 primary choana, primordial choana ············ 348
犬歯後部乳頭 retrocuspid papilla ········· 1345
減指骨症 hypophalangism ············ 895
犬歯根隆起 canine eminence ············ 603
原始細網細胞 primordial reticular cell ···· 325
原子質量単位 atomic mass unit (amu) 1965
原始絨毛 primordial chorion ············ 355

原子主義 atomism 170
原子芯 atomic core 423
原始髄膜 primordial meninx 1130
牽糸性 spinnbarkeit 1717
限雌性遺伝 hologynic inheritance 933
原始生殖茎 phallus 1400
原〔始〕生殖細胞 primordial germ cell 325
原始生殖索 primordial sex cords 422
限雌性の hologynic 858
原始〔性〕の protopathic 1508
原始性嚢胞 primordial cyst 460
原子説 atomism 170
原子説 atomic theory 1875
原始線条 primitive streak 1753
腱支帯 retinaculum tendinum 1601
腱支帯 tenacula tendinum 1849
原始体腔 primordial perivisceral cavity 317
原始大動脈弓 primordial aorta 111
原子団 group 803
原始腸管 primordial gut 806
現実 reality 1569
幻〔想〕肢痛 phantom limb pain 1337
原疾患 primary disease 539
現実感消失 derealization 494
検湿計 atmometer 170
現実原則 reality principle 1485
現実検討 reality testing 1869
現実適応 reality adaptation 23
原始軟骨 primordial cartilage 306
原始尿道ひだ primary urethral folds 720
原子熱 atomic heat 821
原始の archaic 127
原始肺芽 primary lung bud 264
犬歯バットレス canine buttress 272
原子番号 atomic number (Z) 1282
原始反射 primitive reflex 1581
原始ひだ primitive ridge 1616
絹糸片網膜 shot-silk retina 1600
賢者の石 philosopher's stone 1749
腱周膜 peritendineum 1392
捲縮輪 collarette 391
肩手症候群 shoulder-hand syndrome 1820
顕出 phanerosis 1400
牽出〔術〕 extraction 657
検出 detection 500
検出感度 analytic sensitivity 1661
検出器 detector 500
検出コイル detector coil 388
腱受容器 tenoreceptor 1850
減少 decrement 475
現象 phenomenon 1403
原子容 atomic volume 2036
腱鞘炎 peritenonitis 1393
腱鞘炎 tendovaginitis 1850
腱鞘炎 tenovaginitis 1851
現象学 phenomenology 1403
減少顎間距離 reduced interarch distance 549
腱鞘巨細胞腫 giant cell tumor of tendon sheath 1950
剣状脛 saber shin 1673
健常児相当量法 encu method 1143
腱鞘症候群 tendon sheath syndrome 1822
腱鞘切除〔術〕 tenosynovectomy 1851
健常男子相当量法 ensu method 1144
剣状突起 xiphoid process 1491
剣状突起 processus xiphoideus 1492
剣状突起炎 xiphoiditis 2053
剣状突起結合体 xiphopagus 2053
剣状突起痛 xiphodynia 2053
剣状突起の xiphisternal 2053
健常な normal (N) 1267
剣状軟骨の chondroxiphoid 354
腱鞘の tendovaginal 1850
剣状の gladiate 771
剣状の xiphoid 2053
腱鞘の滑液鞘 stratum synoviale (vagina synovialis) vaginae tendinis 1753
腱鞘の滑膜層 synovial layer of tendon sheath 1013
剣状ヘルペス herpes gladiatorum 845
腱上膜 epitendineum 631
原始羊膜 proamnion 1486
鍵静脈 key vein 1997
原色 primary color 393
幻触 haptic hallucination 812
幻触 tactile hallucination 813
減色性 hypochromatism 892
原始卵胞 primordial ovarian follicle 722
原子量 atomic weight (at. wt., AW) 2044
原始肋骨弓 primordial costal arches 126
原子論的心理学 atomistic psychology 1518
検診 examination 650
原腎管 pronephric duct 564
原神経孔 blastoneuropore 219
腱新生骨 tenophyte 1850
犬身妄想 cynanthropy 457
減衰 decrement 475
減衰器 attenuator 175
懸垂喉頭鏡検査〔法〕 suspension laryngoscopy 1002
懸垂〔固定〕法 suspension 1785
懸垂線維腫 skin tag 1838
懸垂帯 suspensory 1785
懸垂中隔 hanging septum 1663
減衰伝導 decremental conduction 408
懸垂の suspensory 1785
減衰配列 attenuator 175
懸垂腹 pendulous abdomen 1
減衰補正 time-gain compensation (TGC) 400
懸垂面 catenoid 313
減衰理論 decay theory 1875
減数期 meiotic phase 1402
減数分裂 reduction division 553
減数分裂 meiosis 1120
減数分裂動因 meiotic drive 561
減数分裂分離ひずみ meiotic drive 561
ゲンズレン徴候 Gaenslen sign 1680
限性遺伝 sex-limited inheritance 933
顕性遠視 manifest hyperopia 884
ゲンセイ(芫菁)コロジオン cantharidal collodion 391
顕性斜視 manifest strabismus 1750
原生殖細胞 gonocyte 792
原生生物 protist 1507
原生生物界 Protista 1507
原生生物界 Protoctista 1507
原生セメント質 primary cement 329
原生ぞうげ質 primary dentin 488
顕性テタニー manifest tetany 1870
顕性同性愛 overt homosexuality 861
原生動物 protozoan 1508
原生動物亜界 Protozoa 1508
原生動物学 protozoology 1508
原生動物学者 protozoologist 1508
原生動物〔感染〕症 protozoiasis 1508
原生動物嚢子 protozoan cyst 460
限性の sex-limited 1669
原生胞子 protospore 1508
原赤芽球 protoerythrocyte 1507
原脊椎 protovertebra 1508
原節 somite 1700
原節 protovertebra 1508
腱切除〔術〕 tenectomy 1850
腱切除〔術〕 tenotomy 1851
健全 sanity 1634
健全 wellness 2044
弦線 string 1757
原線維 fibril 692
原線維間の interfibrillar, interfibrillary 945
原線維形式 fibrillation 692
原線維性 fibrillation 692
原線維の fibrillar, fibrillary 692
原線維の filar 698
原線維発生 fibrillogenesis 692
腱前位縫合 tendon advancement 31
健全な sane 1633
健全な sound 1701
健全な精神の compos mentis 403
元素 element 598
幻想 phantasm 1400
幻想学 phantasmology 1400
現像剤 developer 501
幻〔想〕肢痛 phantom limb pain 1337
現像する develop 501
幻想動脈瘤 phantom aneurysm 82
腱束 tendon bundle 266
原則 principle 1484
減速〔度〕 deceleration 474
減速率 deceleration 474
減損 detrition 501
検体 specimen 1707
倦怠 lassitude 1004
倦怠〔感〕 malaise 1094
減退 decrement 475
現代遺伝学 modern genetics 765
幻体感 autosomatognosis 181
減退期 paracme 1348
減胎手術 selective reduction 1575
減胎手術 selective termination 1852
肩〔甲〕帯症候群 shoulder-girdle syndrome 1820
懸濁 suspension 1785
懸濁安定性 suspension stability 1727
懸濁コロイド suspension colloid 392
懸濁剤 suspension 1785
懸濁質 suspensoid 1785
懸濁性の lyophobic 1086
ゲンタマイシン gentamicin 767
ケンダル(ケンドル)化合物 Kendall compound 404
ゲンチアナ gentian, gentian root 767
ゲンチアナアニリン水 gentian aniline water 2041
ゲンチアナバイオレット gentian violet 767
ゲンチアナバイオレット嫌性の gentianophobic 767
ゲンチアナバイオレット親和(親好)性の gentianophil, gentianophile 767
ゲンチオビオース gentiobiose 767
ゲンチシン酸 gentisic acid 767
現地調査 field survey 1785
原虫 protozoan 1508
原虫学 protozoology 1508
原虫学者 protozoologist 1508
原虫症 protozoiasis 1508
原虫嚢子 protozoan cyst 460
懸吊 suspension 1785
幻聴 auditory hallucination 812
原腸 archenteron 127
原腸 celenteron 318
原腸管 archenteric canal 282
原腸形成 gastrulation 760
原腸胚 gastrula 760
減張縫合 tension suture 1788
検定 assay 162
検定 calibration 278
検定 testing 1869
限定決断 limiting decision 475
検定交雑 test cross 441
検定交雑 testcross 1869
限定構造基 restitope 1597
検定物質 calibrator 278
懸滴 hanging drop 561
検電器 electroscope 597
限度 limes (L) 1048
限度 limit 1048
検糖計 saccharimeter 1629

見当識 orientation ………… 1313
見当識障害 disorientation ………… 547
拳闘酔態 punchdrunk ………… 1526
拳闘酔態症候群 punchdrunk syndrome 1817
ケント束 Kent bundle ………… 265
ケンドル(ケンダル)化合物 Kendall compound ………… 404
腱内の intratendinous ………… 951
検乳器 galactoscope ………… 749
検尿 urinalysis (UA) ………… 1972
原尿腔 urinary space ………… 1705
顕熱 sensible heat ………… 821
減捻 derotation ………… 498
腱粘素 tendomucin, tendomucoid ………… 1849
腱の滑液鞘 synovial tendon sheath ………… 1671
腱の滑液鞘 vagina synovialis tendinis … 1981
腱の線維鞘 fibrous tendon sheath ………… 1670
腱の線維鞘 vagina fibrosa tendinis ………… 1981
腱のひも vincula of tendons ………… 2020
腱のひも vincula tendinea of digits of hand and foot ………… 2020
原胚葉 protoderm ………… 1507
腱剝離〔術〕tenolysis ………… 1850
原発〔性〕アメーバ〔性〕髄膜脳炎 primary amebic meningoencephalitis ………… 1130
原発癌 primary carcinoma ………… 298
原白血球 protoleukocyte ………… 1507
原発〔性〕出血 primary hemorrhage ………… 836
原発性アミロイドーシス primary amyloidosis ………… 68
原発性アルドステロン症 primary aldosteronism ………… 46
原発性異型肺炎 primary atypical pneumonia ………… 1450
原発性横痃 primary bubo ………… 263
原発性カルニチン欠損症 primary carnitine deficiency ………… 479
原発性局所性ジストニー primary focal dystonia ………… 577
原発性巨大尿管症 primary megaureter 1120
原発性硬化性胆管炎 primary sclerosing cholangitis ………… 349
原発性航空性歯痛 primary aerodontalgia 32
原発性高シュウ酸尿症およびシュウ酸症 primary hyperoxaluria and oxalosis ………… 884
原発性甲状腺機能亢進〔症〕primary hyperthyroidism ………… 889
原発性抗リン脂質抗体症候群 primary antiphospholipid syndrome (PAPS) … 1817
原発性骨髄様化生 primary myeloid metaplasia ………… 1140
原発性コルチゾール抵抗症 primary cortisol resistance ………… 1594
原発性上皮小体(副甲状腺)機能亢進症 primary hyperparathyroidism ………… 885
原発性書字振せん primary writing tremor ………… 1925
原発性ショック primary shock ………… 1674
原発性心筋症 primary cardiomyopathy … 300
原発性性腺機能低下症 primary hypogonadism ………… 894
原発性全身性ジストニー primary generalized dystonia ………… 577
原発〔性〕全身(全般)てんかん primary generalized epilepsy ………… 628
原発性線毛ジスキネジア primary ciliary dyskinesia ………… 573
原発性側索硬化症 primary lateral sclerosis ………… 1647
原発性胆汁性肝硬変 primary biliary cirrhosis ………… 367
原発性痛風 primary gout ………… 793
原発性低ガンマグロブリン血症 primary hypogammaglobulinemia ………… 893
原発性尿細管性アシドーシス primary renal tubular acidosis ………… 15
原発性の protopathic ………… 1508
原発〔性〕の primary ………… 1484
原発性肺外コクシジオイデス真菌症 primary extrapulmonary coccidioidomycosis ………… 384
原発性非定型性肺炎 primary atypical pneumonia ………… 1450
原発性不応性貧血 primary refractory anemia ………… 78
原発性ヘモクロマトーシス primary hemochromatosis ………… 831
原発性ヘルペス〔性〕口内炎 primary herpetic stomatitis ………… 1749
原発性無気肺 primary atelectasis ………… 168
原発〔性〕無月経 primary amenorrhea ………… 58
原発性リンパ水腫 primary lymphedema 1077
原発性レニン症 primary reninism ………… 1484
瞼板 tarsus ………… 1842
瞼板炎 tarsitis ………… 1842
瞼板筋 tarsalis ………… 1841
瞼板後の retrotarsal ………… 1605
瞼板後部の posttarsal ………… 1472
腱反射 tendon reflex ………… 1582
瞼板性内眼角ぜい皮 epicanthus tarsalis 625
瞼板切開〔術〕tarsotomy ………… 1842
瞼板切除〔術〕tarsectomy ………… 1841
瞼板腺 tarsal glands ………… 775
瞼板腺 glandulae tarsales ………… 776
瞼板前部の pretarsal ………… 1483
瞼板動脈弓 arcus tarseus ………… 128
瞼板軟化〔症〕tarsomalacia ………… 1842
瞼板軟骨 ciliary cartilage ………… 305
瞼板軟骨 tarsal cartilage ………… 307
瞼板の tarsal ………… 1841
瞼板ひだ tarsal fold ………… 720
瞼板縫合〔術〕tarsorrhaphy ………… 1842
検鼻〔法〕rhinoscopy ………… 1608
顕微〔鏡〕映画撮影〔法〕microcinematography ………… 1150
顕微灰化〔法〕microincineration ………… 1152
顕微解剖 microdissection ………… 1151
顕微解剖学 microscopic anatomy ………… 74
顕微解剖の micrurgical ………… 1156
顕微鏡 microscope ………… 1154
顕微鏡検査〔法〕microscopy ………… 1154
顕微鏡シネ cinephotomicrography ………… 363
顕微鏡視野 microscopic field ………… 697
顕微鏡写真 photomicrograph ………… 1417
顕微鏡写真器 micrograph ………… 1152
顕微鏡写真撮影〔法〕micrography ………… 1152
顕微鏡写真撮影〔法〕photomicrography 1417
顕微〔鏡〕切片作成法 microtomy ………… 1155
顕微〔鏡的〕血尿 microscopic hematuria … 827
顕微鏡的多発血管炎 microscopic polyangiitis ………… 1458
顕微鏡的の microscopic, microscopical 1154
顕微鏡投射器 euscope ………… 649
顕微外科 microsurgery ………… 1155
顕微手術 microsurgery ………… 1155
顕微手術の micrurgical ………… 1156
顕微針 microneedle ………… 1153
顕微操作 micromanipulation ………… 1152
顕微的括約筋 microscopic sphincter ………… 1713
瞼鼻ひだ epicanthal fold ………… 719
瞼鼻ひだ palpebronasal fold ………… 720
瞼鼻ひだ plica palpebronasalis ………… 1445
顕微病理学 micropathology ………… 1153
顕微分光計 microspectroscope ………… 1155
顕微分光測光〔法〕microspectrophotometry ………… 1155
腱(靱帯)付着部症 enthesopathy ………… 622
瞼閉鎖〔症〕atretoblepharia ………… 171
健忘〔症〕amnesia ………… 62
肩峰 acromion ………… 19
肩峰下滑液包 bursa subacromialis ………… 270
肩峰下滑液包 subacromial bursa ………… 270
肩峰下滑液包炎 subacromial bursitis ………… 271
肩峰角 acromial angle ………… 88
肩峰角 angulus acromii ………… 90
肩峰下の subacromial ………… 1762
肩峰関節面 articular surface of acromion ………… 1780
〔鎖骨〕肩峰関節面 acromial facet of clavicle ………… 661
〔鎖骨〕肩峰関節面 acromial articular facies of clavicle ………… 662
〔鎖骨〕肩峰関節面 facies articularis acromialis claviculae ………… 662
〔鎖骨〕肩峰関節面 acromial articular surface of clavicle ………… 1780
肩峰形成〔術〕acromioplasty ………… 19
腱傍〔結合〕組織 paratenon ………… 1355
肩峰肩甲骨の acromioscapular ………… 19
腱縫合 tendon suture ………… 1788
腱縫合〔術〕tenorrhaphy ………… 1850
肩峰骨 os acromiale ………… 1317
肩〔峰〕鎖〔骨〕の acromioclavicular ………… 18
〔胸肩峰動脈〕肩峰枝 acromial branch of thoracoacromial artery ………… 242
〔胸肩峰動脈〕肩峰枝 ramus acromialis arteriae thoracoacromialis ………… 1547
健忘症患者 amnesiac ………… 62
健忘症候群 amnestic syndrome ………… 1796
肩峰上の superacromial ………… 1777
肩峰上腕骨の acromiohumeral ………… 19
健忘性無動〔症〕akinesia amnestica ………… 41
肩峰動脈網 acromial arterial network … 1244
肩峰の acromial ………… 18
肩峰反射 acromial reflex ………… 1577
肩峰皮下包 bursa of acromion ………… 267
肩峰皮下包 subcutaneous acromial bursa 270
研磨 polishing ………… 1457
研磨器 burnisher ………… 267
腱膜 aponeurosis ………… 117
腱膜 lacertus ………… 993
腱膜炎 aponeurositis ………… 117
腱膜下の subaponeurotic ………… 1762
腱膜性線維腫 aponeurotic fibroma ………… 694
腱膜切開〔術〕aponeurotomy ………… 117
腱膜切除〔術〕aponeurectomy ………… 117
腱膜の aponeurotic ………… 117
腱膜反射 aponeurotic reflex ………… 1577
腱膜瘤 bunion ………… 266
腱膜瘤切除〔術〕bunionectomy ………… 266
研磨剤 abrasive ………… 4
研磨ストリップ abrasive strip ………… 1757
研磨ブラシ polishing brush ………… 262
研磨用ストリップ lightning strip ………… 1757
幻味 gustatory hallucination ………… 812
限雄性遺伝 holandric inheritance ………… 933
限雄性の holandric ………… 858
検油器 oleometer ………… 1295
腱癒着剝離〔術〕tendolysis ………… 1849
原抑圧 primal repression ………… 1591
原理 law ………… 1005
原理 principle ………… 1484
検流器 galvanoscope ………… 751
検流計 galvanometer ………… 751
検流計 rheometer ………… 1607
減量手術 debulking operation ………… 1304
減量症 hypovolia ………… 899
検量線 calibration curve ………… 450
原力 archaeus ………… 127
腱裂孔 hiatus tendineus ………… 851
腱裂孔 tendinous opening ………… 1303
瞼裂縮小 blepharophimosis ………… 220
瞼裂斑 pinguecula, pinguicula ………… 1425
瞼裂離開過度 euryopic ………… 649
瞼裂領域 interpalpebral zone ………… 2059
剣肋の xiphocostal ………… 2053
研和 trituration ………… 1935
眩惑 dazzling ………… 472

コ

弧 arc …… 124
弧 arcade …… 124
湖 lacus …… 995
湖 lake …… 995
壺 cotyle …… 431
後 posterior …… 1471
語 term …… 1852
コーカサス回帰熱ボレリア *Borrelia caucasica* …… 237
コーチクラス症候群 coach-class syndrome …… 1801
コーディアル cordial …… 422
コーティング coating …… 383
コーディング鎖 coding strand …… 1751
コード code …… 386
コード化 coding …… 386
コード化 encoding …… 610
コートジボアールウイルス Co <te-d'Ivoire virus …… 2023
コード配列 coding sequence …… 1664
コートマー蛋白 coatomer protein (COP) …… 1503
コーナー-アレン試験 Corner-Allen test …… 1856
コーナー-アレン単位 Corner-Allen unit …… 1965
コーナータンポン Corner tampon …… 1840
コーヌス conus …… 418
コーネルの認知症におけるうつ病評価尺度 Cornell Scale for Depression in Dementia …… 1638
コーバー試験 Kober test …… 1860
コーヒーかす(残渣)様吐物 coffee-grounds vomit …… 2037
コーヒー冠動脈 cafe coronary …… 424
コーピング coping …… 420
コープ鉗子 Cope clamp …… 370
コーベルト〔細〕管 Kobelt tubules …… 1948
コーリサイクル Cori cycle …… 454
コール酸 cholic acid …… 351
コール酸リガーゼ cholate ligase …… 349
コール-セシル雑音 Cole-Cecil murmur …… 1179
コールタール coal tar …… 383
コールドウェル投影〔法〕 Caldwell projection …… 1496
コールドウェル-モロイ分類〔法〕 Caldwell-Moloy classification …… 371
コールドウェル-リュック手術 Caldwell-Luc operation …… 1304
コールドクリーム cold cream …… 435
コールドチェーン cold chain …… 337
コールドノジュール cold nodule …… 1261
コールドベンド試験 cold bend test …… 1855
コールマイアー-ドゴー症候群 Kohlmeier-Degos syndrome …… 1809
コールラウシュ筋 Kohlrausch muscle …… 1187
コーン cone …… 409
コーンダウン cone down …… 409
コーンハイム野 Cohnheim area …… 129
コーンバーク酵素 Kornberg enzyme …… 623
コーンミール寒天〔培地〕 cornmeal agar …… 34
ゴーシェ細胞 Gaucher cells …… 321
ゴーシェ病 Gaucher disease …… 533
ゴースト ghost cell …… 321
ゴースト ghost …… 768
ゴードン-スウィート染色〔法〕 Gordon and Sweet stain …… 1731
ゴードン反射 Gordon reflex …… 1579
ゴーフマン試験 Gofman test …… 1858
ゴーラム-スタウト病 Gorham-Stout disease …… 534
ゴーリン〔公〕式 Gorlin formula …… 730
ゴーリン-ショードリー-モス症候群 Gorlin-Chaudhry-Moss syndrome …… 1806
ゴーリン徴候 Gorlin sign …… 1681
ゴールデンS字サイン S sign of Golden …… 1683
ゴールドインレー gold inlay …… 937
ゴールドスタイン趾徴候 Goldstein toe sign …… 1680
ゴールドブラット高血圧〔症〕 Goldblatt hypertension …… 888
ゴールドブラット腎 Goldblatt kidney …… 984
ゴールドマン式 Goldman equation …… 634
ゴールドマン-ファーヴル症候群 Goldmann-Favre syndrome …… 1805
ゴールドマン-フォックスナイフ〔セット〕 Goldman-Fox knives …… 987
ゴーン結節 Ghon tubercle …… 1943
コア core …… 422
コアクチベータ coactivator …… 382
コアグラーゼ陰性ブドウ球菌 *Staphylococcus* species, coagulase-negative …… 1738
コアセルベート coacervate …… 382
コアノマスティゴート choanomastigote …… 348
ゴア末 Goa powder …… 1475
コ-アモキシクラブ co-amoxiclav …… 383
コア粒子 core particle …… 1369
5α-還元酵素欠損症 5-alpha reductase deficiency …… 53
5α-還元酵素阻害薬 5-alpha reductase inhibitor …… 934
こい口 carp mouth …… 1173
コイタマダニ属 *Rhipicephalus* …… 1609
語彙の lexical …… 1030
コイル coil …… 388
コイル状腺 coil gland …… 772
コイル状動脈 gomitoli …… 791
コイロサイトーシス koilocytosis …… 988
〔神経〕膠 glia …… 777
口 aditus …… 29
口 apertura …… 112
口 aperture …… 113
口 hiatus …… 851
口 introitus …… 951
口 mouth …… 1173
口 opening …… 1302
口 orifice …… 1313
口 orificium …… 1314
口 os …… 1318
口 ostium …… 1325
口 vent …… 2009
孔 aperture …… 113
孔 foramen …… 724
孔 opening …… 1302
孔 pore …… 1466
孔 porus …… 1468
孔 vent …… 2009
溝 bay …… 202
溝 crena …… 436
溝 furrow …… 746
溝 groove …… 801
溝 gutter …… 806
溝 sulcus …… 1771
溝 trough …… 1937
綱 class …… 370
項 nucha …… 1271
項 term …… 1852
項〔部〕 nape …… 1220
縞 stripe …… 1757
鉤 clasp …… 370
鉤 hamulus …… 814
鉤 hook …… 862
鉤 uncus …… 1963
鉤〔腕〕 arm …… 131
光二色性 dichroism …… 512
高二倍体 hyperdiploid …… 880
抗G服 anti-G suit …… 1771
口愛 orality …… 1310
口愛過度 hyperorality …… 884
口愛期 oral phase …… 1402
口愛性欲の優位 oral primacy …… 1484
高IgE症候群 hyperimmunoglobulin E syndrome …… 1808
高IgM症候群 hyper-IgM syndrome …… 1808
抗悪性貧血因子 antipernicious anemia factor (APA) …… 666
好アズール細胞血症 azurophilia …… 186
高圧化学 piezochemistry …… 1423
高圧浣腸 high enema …… 616
高圧撮影法 high-kV technique …… 1844
高圧酸素 hyperbaric oxygen (HBO), high pressure oxygen …… 1332
高圧酸素療法 hybaroxia …… 868
高圧酸素療法 hyperbaric oxygenation …… 1332
高圧酸素療法 hyperbaric oxygen therapy …… 1879
高圧室 hyperbaric chamber …… 338
降圧受容器系 pressoreceptor system …… 1833
高圧症 hyperbarism …… 879
好圧性の barophilic …… 197
高圧の hyperbaric …… 878
鉤圧法 uncipressure …… 1963
高圧麻酔〔法〕 hyperbaric anesthesia …… 79
降圧薬 depressor …… 494
高圧療法 hyperbaric medicine …… 1117
抗アドレナリン作用(作動)〔性〕の antiadrenergic …… 99
抗アドレナリン〔性〕の adrenolytic …… 30
抗アドレナリン薬 adrenergic blocking agent …… 36
高アミラーゼ血〔症〕 hyperamylasemia …… 878
抗アメーバ性の amebicidal …… 57
抗アメーバ薬 amebicide …… 57
高アラニン血症 hyperalaninemia …… 878
高アラントイン尿〔症〕 hyperallantoinuria …… 878
高アルギニン血症 hyperargininemia …… 878
高アルドステロン症 hyperaldosteronism …… 878
高アルファリポプロテイン血症 hyperalphalipoproteinemia …… 878
抗アレルギー〔性〕の antiallergic …… 99
後位 retroposition …… 1604
高位 ascensus …… 159
行為 action …… 21
行為 gesture …… 768
行為化 acting out …… 20
高位鉗子分娩 high forceps delivery …… 484
高位浣腸法 enteroclysis …… 619
広域〔抗菌〕スペクトル broad spectrum …… 1709
広域抗生物質 broad-spectrum antibiotic …… 99
広域ダイナミックレンジ圧縮 wide dynamic range compression …… 405
高域(高周波強調)フィルタ high-pass filter …… 699
高位肩甲〔骨〕〔症〕 scapula elevata …… 1640
高位咬合 supraocclusion …… 1779
高位歯 supraversion …… 1780
抗萎縮性腎切開〔術〕 anatrophic nephrotomy …… 1231
後遺症 sequela …… 1664
行為障害 conduct disorder …… 545
高位脊椎麻酔〔法〕 high spinal anesthesia …… 79
高位切石〔術〕 high lithotomy …… 1061
抗イディオタイプ抗体 antiidiotype antibody …… 100
合意的確認 consensual validation …… 1983
後胃動脈 posterior gastric artery …… 150
後位の retroposed …… 1604
高位の sublimis …… 1764
高イミドジペプチド尿〔症〕 hyperimidodipeptiduria …… 882

高位盲腸 high cecum …… 318
口淫 fellatio …… 679
向陰イオン性 anionotropy …… 92
高インジカン血〔症〕 hyperindicanemia …… 882
後陰唇交連 commissura labiorum posterior …… 397
後陰唇交連 posterior labial commissure 398
後陰唇静脈 posterior labial veins …… 2000
後陰唇静脈 venae labiales posteriores …… 2006
後陰唇神経 posterior labial nerves …… 1238
後陰唇神経 nervi labiales posteriores …… 1242
後陰唇動脈 posterior labial arteries …… 150
抗インスリン antiinsulin …… 106
高インスリン〔血〕症 hyperinsulinism, hyperinsulinemia …… 882
口咽頭膜 buccopharyngeal membrane …… 1125
後陰嚢静脈 posterior scrotal veins …… 2000
後陰嚢静脈 venae scrotales posteriores 2007
後陰嚢神経 posterior scrotal nerves …… 1238
後陰嚢神経 nervi scrotales posteriores …… 1243
抗ウイルス性の antiviral …… 110
抗ウイルス蛋白 antiviral protein (AVP) …… 1502
抗ウイルス免疫 antiviral immunity …… 910
抗ウイルス薬 virucide …… 2021
抗う食(蝕)性 cariostatic …… 303
抗うつ〔作用〕の antidepressant …… 102
抗うつ薬 antidepressant …… 102
高ウラシルチミン尿症 hyperuracil thyminuria …… 889
後運動 aftermovement …… 33
後運動 after-movement …… 1173
高栄養療法 hyperalimentation …… 878
後腋窩線 posterior axillary line …… 1051
後腋窩線 linea axillaris posterior …… 1053
後腋窩ひだ posterior axillary fold …… 720
後腋窩リンパ節 nodi lymphoidei axillares posteriores …… 1263
高エコーの hyperechoic …… 880
抗エストロゲン antiestrogen …… 102
抗エストロゲン薬 estrogen antagonist …… 96
抗-S anti-S …… 108
後S状静脈洞到達法(アプローチ) retrosigmoid approach …… 121
硬X線 hard rays …… 1562
硬X線 hard x-ray …… 2053
〔抗〕HB_c抗体 anti-HB_c …… 106
〔抗〕HB_e抗体 anti-HB_e …… 106
〔抗〕HB_s抗体 anti-HB_s …… 106
高エネルギー化合物 high-energy compounds …… 404
高エネルギー結合 energy-rich bond …… 231
抗エネルギーの antienergic …… 102
高エネルギーリン酸塩 high-energy phosphates …… 1412
高エネルギーリン酸結合 high energy phosphate bond …… 231
抗MAG抗体 anti-MAG antibody …… 100
後縁 posterior border …… 235
後縁 margo posterior …… 1105
口縁 peristome …… 1392
好塩基球 basocyte …… 201
好塩基球 basophil, basophile …… 201
好塩基球 basophilic leukocyte …… 1026
好塩基球減少〔症〕 basocytopenia …… 201
好塩基球減少〔症〕 basopenia …… 201
好塩基球減少〔症〕 basophilic leukopenia 1028
好塩基球性白血病 basophilic leukemia, basophilocytic leukemia …… 1024
好塩基球増加〔症〕 basophilia …… 201
好塩基球増加〔症〕 basophilic leukocytosis …… 1027
好塩基〔性〕細胞 basophil, basophile …… 201
好塩基〔性〕細胞質 basoplasm …… 201
好塩基性顆粒 basophil granule …… 796
好塩基性赤血球症 basophilia …… 201
好塩基性腺腫 basophil adenoma …… 25
好塩基〔性〕の basophilic …… 201
好塩基性変性 basophilic degeneration …… 480
好塩菌 halophil, halophile …… 813
抗炎症の antiinflammatory …… 106
抗炎症薬 antiphlogistic …… 108
好塩性の halophilic …… 813
溝縁束 sulcomarginal tract …… 1913
高塩素血〔症〕 hyperchloremia …… 879
高塩素尿〔症〕 hyperchloruria …… 879
項横筋 transverse muscle of nape …… 1197
項横筋 transversus nuchae (muscle) …… 1197
項横筋 musculus transversus nuchae …… 1204
後横側頭回 posterior transverse temporal gyrus …… 809
抗黄体形成性の antiluteogenic …… 106
抗黄体ホルモン antiprogestin …… 108
後黄疸性の metaicteric …… 1139
高オルニチン血症 hyperornithinemia …… 884
高オルニチン-高アンモニア血症-高シトルリン尿症症候群 hyperornithinemia-hyperammonemia-hyper-citrullinuria syndrome …… 1808
構音 articulation …… 158
恒温器 incubator …… 921
高温鏡 pyroscope …… 1535
高音強調 treble increase at low levels (TILL) …… 920
高温恐怖〔症〕 thermophobia …… 1882
高温計 pyrometer …… 1534
高温計 pyroscope …… 1535
構音欠如 idioglossia …… 904
構音障害 articulation disorders …… 544
構音障害 dysarthria …… 570
構音障害 dysphemia …… 574
構音障害 psellism …… 1510
構音障害 stammering …… 1737
構音障害 stuttering …… 1761
〔協調不能性〕構音障害 mogiarthria …… 1163
構音障害-手不器用症候群 dysarthria-clumsy hand syndrome …… 1803
構音する articulate …… 156
好温性 thermophylic …… 1882
恒温〔性〕の homothermal …… 861
高温生物 thermophile, thermophil …… 1882
恒温槽 bath …… 201
恒温槽 thermostat …… 1882
恒温動物 homeotherm …… 859
構音の articulatory …… 158
高温発生 thermogenesis …… 1881
叩音様ラ音 clicking rale …… 1546
コウカ(紅花) carthamus …… 305
膠化 gelatinization …… 761
効果 effect …… 588
効果 effectiveness …… 589
硬化 consolidation …… 414
硬化 cure …… 449
硬化 hardening …… 815
硬化 induration …… 925
硬化 setting …… 1669
硬化〔症〕 sclerosis …… 1647
交会 confluence …… 410
交会 confluens …… 410
甲介 turbinated body …… 230
甲介 concha …… 406
硬化胃 sclerotic stomach …… 1748
口蓋 palate …… 1337
口蓋 palatum …… 1338
口蓋咽頭括約筋 palatopharyngeal sphincter …… 1713
口蓋咽頭弓 palatopharyngeal arch …… 126
口蓋咽頭弓 arcus palatopharyngeus …… 127
口蓋咽頭筋 palatopharyngeal (muscle) 1190
口蓋咽頭筋 palatopharyngeus (muscle) 1190
口蓋咽頭筋 musculus palatopharyngeus 1202
口蓋咽頭筋の後筋束 posterior fascicle of palatopharyngeus muscle …… 675
口蓋咽頭筋の前筋束 anterior fascicle of palatopharyngeus (muscle) …… 675
口蓋咽頭形成術 palatopharyngoplasty …… 1338
口蓋咽頭の palatopharyngeal …… 1338
口蓋咽頭縫合〔術〕 staphylopharyngorrhaphy …… 1738
口蓋咽頭稜 crista palatopharyngea …… 440
口蓋咽頭稜 palatopharyngeal ridge …… 1616
口蓋炎 palatitis …… 1338
口蓋窩 fovea palatinae …… 735
後外果動脈 arteriae malleolares posteriores laterales …… 136
口蓋眼振 palatal nystagmus …… 1286
口蓋弓 arch of the palate …… 126
口蓋弓 arcus palatini …… 127
口蓋弓 pillar …… 1424
口蓋棘 palatine spines …… 1716
口蓋棘 spinae palatinae …… 1716
口蓋曲線描写器 palatograph …… 1338
口蓋筋 muscles of soft palate and fauces …… 1194
口蓋筋運動描写器 palatomyograph …… 1338
口蓋形成〔術〕 palatoplasty …… 1338
口蓋形成〔術〕 uranoplasty …… 1968
抗壊血病〔性〕の antiscorbutic …… 108
抗壊血病薬 antiscorbutic …… 108
口蓋腱膜 aponeurosis palatina …… 117
口蓋腱膜 palatine aponeurosis …… 117
口蓋溝 palatine grooves …… 802
口蓋溝 sulci palatini …… 1773
口蓋鉤 palate hook …… 862
口蓋口蓋垂筋 musculus palatostaphylinus …… 1202
口蓋骨 palatine bone …… 233
口蓋骨 os palatinum …… 1318
口蓋骨後〔方〕の postpalatine …… 1471
口蓋骨篩骨稜 ethmoidal crest of palatine bone …… 437
口蓋骨鞘突管 palatovaginal canal …… 284
口蓋骨鞘突管 pharyngeal canal …… 284
口蓋骨鞘突管 canalis palatovaginalis …… 285
口蓋骨鞘突溝 palatovaginal groove …… 802
口蓋骨鞘突溝 sulcus palatovaginalis …… 1773
口蓋骨垂直板 perpendicular plate of palatine bone …… 1435
口蓋骨水平板 lamina horizontalis ossis palatini …… 997
口蓋骨水平板 horizontal plate of palatine bone …… 1435
口蓋骨水平板の口蓋面 palatine surface of horizontal plate of palatine bone …… 1782
〔口蓋骨水平板の〕後鼻棘 posterior nasal spine of horizontal plate of palatine bone …… 1716
〔口蓋骨水平板の〕後鼻棘 spina nasalis posterior laminae horizontalis ossis palatini …… 1716
口蓋骨水平板の鼻腔面 nasal surface of horizontal plate of palatine bone …… 1782
口蓋骨水平板の鼻稜 nasal crest of horizontal plate of palatine bone …… 437
口蓋〔骨〕前〔方〕の prepalatal …… 1480
〔口蓋骨の〕眼窩突起 orbital process of palatine bone …… 1489
〔口蓋骨の〕眼窩突起 processus orbitalis ossis palatini …… 1491
口蓋骨の上顎面 maxillary surface of palatine bone …… 1782
〔口蓋骨の〕錐体突起 pyramidal process of palatine bone …… 1490
〔口蓋骨の〕錐体突起 processus pyramidalis ossis palatini …… 1492
〔口蓋骨の〕蝶形骨突起 sphenoidal process of palatine bone …… 1490
〔口蓋骨の〕蝶形骨突起 processus

sphenoidalis ossis palatini …… 1492
口蓋骨鼻腔面 facies nasalis ossis palatini 664
口蓋骨鼻腔面 nasal surface of palatine bone …… 1782
口蓋骨鼻甲介稜 conchal crest of palatine bone …… 437
口蓋三角 palatal triangle …… 1927
口蓋三角 trigonum palati …… 1933
口蓋篩骨縫合 sutura palatoethmoidalis 1786
口蓋篩骨縫合 palatoethmoidal suture …… 1788
〔耳〕甲介周囲の periconchal …… 1387
口蓋床 feeding aid …… 39
口蓋床 feeding appliance …… 120
口蓋上顎の palatomaxillary …… 1338
口蓋上顎縫合 sutura palatomaxillaris …… 1786
口蓋上顎縫合 palatomaxillary suture …… 1788
後外傷性血栓症 posttraumatic arterial thrombosis, posttraumatic venous thrombosis …… 1888
甲介状の conchoidal …… 407
口蓋状の palatiform …… 1338
口蓋心顔面症候群 velocardiofacial syndrome …… 1824
交感神経〔様〕作用(作動)アミン sympathomimetic amine …… 59
口蓋振せん palatal tremor …… 1924
口蓋図 palatogram …… 1338
口蓋垂 palatine uvula …… 1978
口蓋垂 uvula of soft palate …… 1978
口蓋垂 uvula palatina …… 1978
口蓋垂炎 uvulitis …… 1978
口蓋垂延長 himantosis …… 852
口蓋垂下垂〔症〕 staphyloptosis …… 1738
口蓋垂下垂〔症〕 uvuloptosis …… 1978
口蓋垂筋 muscle of uvula …… 1197
口蓋垂筋 musculus uvulae …… 1204
口蓋垂形成〔術〕 staphyloplasty …… 1738
口蓋垂周囲の periuvular …… 1394
口蓋垂水腫 staphyledema …… 1737
口蓋垂切開〔術〕 uvulotomy …… 1978
口蓋垂切開刀 uvulotome …… 1978
口蓋垂切除〔術〕 staphylectomy …… 1737
口蓋垂切除〔術〕 uvulectomy …… 1978
口蓋垂切除器 uvulotome …… 1978
口蓋垂浮腫 staphyledema …… 1737
口蓋垂裂 bifid uvula …… 1978
口蓋舌弓 palatoglossal arch …… 126
口蓋舌弓 arcus palatoglossus …… 127
口蓋舌筋 glossopalatinus …… 781
口蓋舌筋 palatoglossus (muscle) …… 1190
口蓋舌筋 musculus palatoglossus …… 1202
甲介切除刀 turbinotome …… 1954
口蓋舌の palatoglossal …… 1338
口蓋腺 palatine glands …… 774
口蓋腺 glandulae palatinae …… 776
口蓋〔骨〕前〔方〕の prepalatal …… 1480
口蓋前部の prepalatal …… 1480
後外側核 nucleus posterolateralis …… 1279
後外側核 posterolateral nucleus …… 1279
後外側溝 posterolateral groove …… 802
後外側溝 posterolateral sulcus …… 1774
後外側〔脊椎〕固定〔術〕 posterolateral arthrodesis …… 155
後外側泉門 fonticulus posterolateralis …… 724
後外側束 dorsolateral fasciculus …… 675
後外側束 fasciculus dorsolateralis …… 675
後外側中心動脈 arteriae centrales posterolaterales …… 134
後外側中心動脈 posterolateral central arteries …… 150
後外側の posterolateral …… 1471
〔視床〕後外側腹側核 nucleus ventralis posterolateralis …… 1281
〔視床〕後外側腹側核 ventral posterolateral nucleus [TA] of thalamus, ventral posterior lateral nucleus of thalamus 1281
後外側裂 fissura posterolateralis …… 702
後外側裂 posterolateral fissure …… 703
後外側路 tractus dorsolateralis …… 1914
口蓋短小 brachystaphyline …… 240
後外椎骨静脈叢 posterior external vertebral plexus …… 1443
〔上顎骨の〕口蓋突起 palatine process of maxilla …… 1489
〔上顎骨の〕口蓋突起 processus palatinus maxillae …… 1491
口蓋乳頭腫症 palatal papillomatosis …… 1346
口〔腔〕外の extraoral …… 658
口蓋膿瘍 palatal abscess …… 5
口蓋帆 velum palatinum …… 2004
口蓋帆咽頭シール velopharyngeal seal 1652
口蓋帆咽頭の velopharyngeal …… 2003
口蓋帆咽頭不全 velopharyngeal insufficiency …… 941
口蓋帆咽頭閉鎖 velopharyngeal closure 376
口蓋帆挙筋 levator veli palatini (muscle) …… 1188
口蓋帆挙筋 musculus levator veli palatini …… 1201
口蓋反射 palatal reflex, palatine reflex 1580
口蓋帆張筋 tensor (muscle) of soft palate …… 1196
口蓋帆張筋 tensor veli palati (muscle) 1196
口蓋帆張筋 musculus tensor veli palatini …… 1204
口蓋帆張筋 sphenosalpingostaphylinus …… 1711
口蓋帆張筋滑液包 bursa of tensor veli palatini …… 271
口蓋帆張筋神経 nerve to tensor veli palatini (muscle) …… 1239
口蓋帆張筋〔の滑液〕包 bursa musculi tensoris veli palatini …… 269
口蓋鼻の palatonasal …… 1338
口蓋披裂 uraniscochasm …… 1968
口蓋〔披〕裂 palatoschisis …… 1338
〔硬〕口蓋〔披〕裂 uranoschisis …… 1968
口蓋扁桃 faucial tonsil …… 1901
口蓋扁桃 palatine tonsil …… 1901
口蓋扁桃 tonsilla palatina …… 1901
〔口蓋扁桃の〕扁桃小窩 fossulae tonsillarum (palatini) …… 734
口蓋棚 palatal shelfs …… 1672
口蓋縫合〔術〕 palatorrhaphy …… 1338
口蓋縫合〔術〕 uraniscorrhaphy …… 1968
口蓋縫合〔術〕 uranorrhaphy …… 1968
口蓋縫線 palatine raphe …… 1558
口蓋縫線 raphe palati …… 1558
鉤〔状〕回発作 uncinate epilepsy …… 629
甲介隆起 eminentia conchae …… 604
口蓋隆起 palatine torus, torus palatinus 1905
口蓋稜 crest of palatine bone, palatine crest …… 438
口蓋稜 palatine crest of horizontal process of palatine bone …… 438
口蓋稜 crista palatina …… 440
口蓋裂 cleft palate …… 1337
口蓋裂の palatognathous …… 1338
光化学 photochemistry …… 1416
光〔化学〕触媒 photocatalyst …… 1416
光化学的な photochemical …… 1416
硬貨勘定〔運動〕 coin-counting …… 388
効果器 effector …… 589
効果〔器〕細胞 effector cell …… 321
後蝸牛核 nucleus cochlearis posterior …… 1274
硬化狭窄〔症〕 sclerostenosis …… 1648
光覚 photesthesia …… 1416
光覚 light sense …… 1661
口角 angle of mouth …… 89
口角 angulus oris …… 90
岬角 promontorium …… 1498
岬角 promontory …… 1498
後角 cornu posterius …… 424
後角 occipital horn …… 864
後角 posterior horn …… 864
〔側脳室の〕後角 cornu occipitale ventriculi lateralis …… 424
〔視床下部〕後核 nucleus posterior hypothalami …… 1278
〔視床下部〕後核 posterior hypothalamic nucleus …… 1278
〔視索副核の〕後核 posterior nucleus …… 1278
光学 optics …… 1309
工学 engineering …… 617
光学異性 optic isomerism …… 961
抗核因子 antinuclear factor (ANF) …… 666
口角炎 angular cheilitis …… 340
口角下制筋 depressor anguli oris (muscle) …… 1183
口角下制筋 musculus depressor anguli oris …… 1199
光学活性 optic activity …… 21
後角球 bulb of occipital horn …… 264
後角球 bulbus cornus posterioris …… 265
口角挙筋 levator anguli oris (muscle) 1188
口角挙筋 musculus levator anguli oris 1201
光覚計測〔法〕 photometry …… 1417
光学顕微鏡 light microscope …… 1154
抗核抗体 antinuclear antibody (ANA) … 100
光学厚度計 optic pachymeter …… 1335
光学収差 optic aberration …… 2
口角症 cheilosis, chilosis …… 341
口角小窩 commisural pits …… 1426
後角静脈 vein of posterior horn …… 2000
後角静脈 vena cornus posterioris …… 2005
光覚〔性〕の photoperceptive …… 1417
後角尖 apex cornus posterioris …… 113
後角尖 apex of posterior horn …… 113
後角尖 tip of posterior horn …… 1895
光学選択性 enantioselectivity …… 606
甲角素 chitin …… 345
岬角総腸骨リンパ節 promontorial common iliac lymph nodes …… 1080
〔椎間〕孔拡大術 foraminotomy …… 727
後拡張期の postdiastolic …… 1470
光学的イメージング optic imaging …… 908
光学的角膜屈折矯正手術 photorefractive keratectomy (PRK) …… 977
光学的虹彩切除〔術〕 optic iridectomy …… 956
光学ドップラー(ドプラ)断層撮影 optical Doppler tomography (ODT) …… 1899
抗核の antinuclear …… 107
光学の optic, optical …… 1309
光学ピンセット optic tweezers …… 1955
光学マイクロ写真 light micrograph …… 1152
甲殻類 Crustacea …… 444
硬化鼓膜切除〔術〕 sclerectomy …… 1646
硬化剤 sclerosant …… 1647
鉱化作用 mineralization …… 1158
硬〔化〕歯 sclerotic teeth …… 1903
硬化した scleroid …… 1647
効果修飾因子 effect modifier …… 589
硬化症 scleroma …… 1647
硬貨状乾癬 psoriasis nummularis …… 1516
後下小脳動脈 posterior inferior cerebellar artery …… 150
後下小脳動脈症候群 posterior inferior cerebellar artery syndrome …… 1816
〔後下小脳動脈〕第4脳室脈絡枝 choroid branches …… 244
硬化性胃炎 sclerotic gastritis …… 757
硬化性萎縮症 sclerotylosis …… 1648
硬化性萎縮性苔癬 lichen sclerosus et atrophicus …… 1031
硬化性炎〔症〕 sclerosing inflammation …… 929
硬化性角膜炎 sclerosing keratitis …… 978
硬化性間質性舌炎 interstitial sclerous glossitis …… 781
硬化性血管腫 sclerosing hemangioma …… 825

硬化性骨炎 sclerosing osteitis … 1320
硬化性セメント質塊(腫瘤) sclerotic cemental mass … 1107
硬化〔性〕腺疾患 sclerosing adenosis … 27
硬化性腸骨骨炎 osteitis condensans ilii 1320
硬化性乳〔様〕突〔起〕炎 sclerosing mastoiditis … 1109
硬化性粘液水腫 scleromyxedema … 1647
硬化性の sclerogenous, sclerogenic … 1647
硬化〔性〕の sclerotic … 1648
降河性の catadromous … 310
硬化性胼胝腫 sclerotylosis … 1648
硬化性卵巣炎 sclero-oophoritis … 1647
硬化性卵巣症候群 resistant ovary syndrome … 1817
硬化性類上皮線維肉腫 sclerosing epithelioid fibrosarcoma … 695
硬化ぞうげ質 sclerotic dentin … 488
後下腿部 regio cruris posterior … 1584
後下腿面 facies cruralis posterior … 663
絞括 reefing … 1577
口渇狂 hydrodipsomania … 872
口渇症 hydrodipsia … 872
口括約筋 ostial sphincter … 1713
口渇療法 dipsotherapy … 524
抗化膿性の antipyogenic … 108
後下鼻神経 posterior inferior nasal nerves … 1237
硬化膨張 setting expansion … 655
硬化薬 sclerosing agent … 36
高カリウム血〔症〕 hyperkalemia … 882
高カリウム血性周期性〔四肢〕麻痺 hyperkalemic periodic paralysis … 1350
高カリウム尿〔症〕 hyperkaluresis … 882
硬化療法 sclerotherapy … 1648
硬貨療法 coining … 388
高カルシウム血〔性〕サルコイドーシス hypercalcemic sarcoidosis … 1635
高カルシウム血症 hypercalcemia … 879
高カルシウム血性尿毒症 hypercalcemic uremia … 1969
高カルシウム血〔性〕類肉腫症 hypercalcemic sarcoidosis … 1635
高カルシウム尿〔症〕 hypercalciuria, hypercalcinuria, hypercalcuria … 879
抗カルジオリピン抗体 anticardiolipin antibodies … 99
高カルノシン血症 carnosinemia … 304
高カロリー食 high-calorie diet … 514
高カロリー輸液 total parenteral nutrition (TPN) … 1284
交感 sympathy … 1790
交換 exchange … 652
交換 exfoliation … 653
睾丸 orchis … 1311
睾丸 testicle … 1869
睾丸 testis … 1869
口陥 stomodeum … 1749
広顔 platyopia … 1436
硬〔性〕癌 scirrhous carcinoma … 298
強姦 rape … 1558
睾丸(精巣)陰嚢癒着 synoscheos … 1826
睾丸(精巣)炎 orchitis … 1311
後陥凹 posterior recess … 1572
後陥凹 recessus posterior … 1573
睾丸(精巣)過剰〔症〕 polyorchism, polyorchidism … 1462
睾丸(精巣)下垂 orchidoptosis … 1310
交感眼 sympathizer … 1790
抗眼球乾燥性の antixerophthalmic … 110
後肝区 posterior hepatic segment [I] … 1655
後眼腔 postremal chamber of eyeball … 338
睾丸(精巣)形成〔術〕 orchioplasty … 1311
睾丸(精巣)計測器 orchidometer … 1310
睾丸(精巣)結核〔症〕 tuberculocele … 1945
後眼瞼縁 posterior palpebral margin … 1103
強姦行為 rape … 1558
睾丸(精巣)固定〔術〕 orchiopexy … 1311
抗癌剤 carcinostatic … 299
睾丸(精巣)腫瘍 orchioncus … 1311
合眼症 synophthalmia … 1826
睾丸(精巣)障害 orchiopathy … 1311
光干渉断層計 optic coherence tomography (OCT) … 1899
後冠状動脈神経叢 posterior coronary plexus … 1443
交感神経 sympathetic nerve … 1239
交感神経圧挫〔術〕 sympathicotripsy … 1790
交感神経炎 sympathiconeuritis … 1790
交感神経芽細胞 sympathoblast … 1790
交感神経幹 truncus sympathicus … 1938
交感神経幹 sympathetic trunk … 1938
〔交感神経〕幹神経節 ganglion of sympathetic trunk … 754
〔交感神経〕幹神経節 ganglia trunci sympathici … 755
〔交感神経幹の〕胸神経節 thoracic ganglia … 755
交感神経幹の交通枝 communicating branches of sympathetic trunk … 245
交感神経幹の節間枝 interganglionic branches of sympathetic trunk … 247
〔交感神経幹の〕腰神経節 ganglia lumbalia … 753
交感神経緊張〔症〕 sympathicotonia … 1790
交感神経緊張亢進 sympathetic hypertonia … 889
交感神経クロム親和細胞 sympathochromaffin cell … 326
交感神経系 sympathetic nervous system 1834
〔末梢神経系の自律性部分の〕交感神経系 pars sympathica divisionis autonomicae systematis nervosi peripherici … 1361
〔末梢神経系の自律性(内臓運動性)部分の〕交感神経系 sympathetic part of autonomic (visceral motor) division of peripheral nervous system … 1368
交感神経形成細胞 sympathetic formative cell … 326
交感神経作用(作動)薬 sympathetic agent 36
交感神経産生細胞 sympathogonia … 1790
交感神経遮断 sympathetic blockade … 223
交感神経遮断〔性〕の sympatholytic … 1790
交感神経障害 sympathicopathy … 1790
交感神経〔性〕症状 sympathetic symptom … 1792
交感神経性異色〔症〕 sympathetic heterochromia … 847
交感〔神経〕性虹彩麻痺 sympathetic iridoplegia … 956
交感神経〔性〕唾液 sympathetic saliva … 1631
交感神経〔性〕の sympathetic … 1790
交感神経節 sympathetic ganglia … 754
交感神経切除〔術〕 sympathectomy … 1790
交感神経節摘出〔術〕 sympathectomy … 1790
交感神経叢 sympathetic plexuses … 1444
交感神経捻除〔術〕 sympathicotripsy … 1790
交感神経副腎の sympathoadrenal … 1790
交感神経分節 sympathetic segment … 1655
交感神経母細胞 sympathogonia … 1790
交感神経〔様〕作用(作動)アミン sympathomimetic amine … 59
睾丸垂 testicular appendage … 119
睾丸垂 appendix of testis … 120
交感性眼炎 sympathetic ophthalmia … 1307
交感性虹彩炎 sympathetic iritis … 957
睾丸(精巣)製剤療法 orchiotherapy … 1311
抗癌性の carcinostatic … 299
睾丸(精巣)性発育不全 testicular dysgenesis … 572
交感性ブドウ膜炎 sympathetic uveitis … 1978
抗関節炎薬 antarthritic … 97
睾丸(精巣)切開〔術〕 orchiotomy … 1311
後関節窩孔 postglenoid foramen … 726
睾丸(精巣)切除〔術〕 testectomy … 1869
〔歯突起〕後関節面 posterior articular facet of dens … 662
〔歯突起〕後関節面 facies articularis posterior dentis … 663
〔歯突起〕後関節面 posterior articular surface of dens … 1783
鉤間線 fulcrum line … 1050
後感染性の metainfective … 1139
抗乾燥症性の antixerotic … 110
後環椎後頭膜 membrana atlanto-occipitalis posterior … 1124
後環椎後頭膜 posterior atlanto-occipital membrane … 1127
睾丸(精巣)痛 orchialgia … 1310
睾丸(精巣)摘除〔術〕 orchiectomy … 1310
高感度C-反応性蛋白 high-sensitivity C-reactive protein … 1503
睾丸導帯 gubernaculum testis … 805
睾丸(精巣)捻転 torsion of testis … 1904
口顔の orofacial … 1315
睾丸副睾丸炎 orchiepididymitis … 1310
睾丸(精巣)舞踊病 orchichorea … 1310
睾丸(精巣)ヘルニア様脱出 orchiocele … 1310
睾丸(精巣)変位〔症〕 testis ectopia … 585
後眼房 camera posterior bulbi … 281
後眼房 posterior chamber of eyeball … 338
高ガンマグロブリン血〔症〕 hypergammaglobulinemia … 881
高ガンマグロブリン血症 gammopathy … 752
硬ガンマ(γ)線 hard rays … 1562
後顔面角 metafacial angle … 89
後顔面静脈 vena facialis posterior … 2005
交換輸血 exchange transfusion … 1918
睾丸(精巣)癒着〔症〕 synorchidism, synorchism … 1826
坑気 firedamp … 701
後期 anaphase … 71
後期エンドソーム late endosomes … 615
好気嫌気両性菌 amphimicrobe … 64
好気生活 aerobiosis … 32
好気性生物 aerobe … 31
好気性生物 aerophil, aerophile … 32
抗寄生虫剤 enterocidal … 619
好気性デヒドロゲナーゼ aerobic dehydrogenase … 483
光輝性の photoluminescent … 1417
好気〔性〕の aerobic … 32
〔光〕輝線 intercalated disc … 525
後期ダンピング症候群 late dumping syndrome … 1810
後期遅滞 anaphase lag … 995
抗基底膜型糸球体腎炎 anti-basement membrane glomerulonephritis … 780
抗基底膜抗体 antibasement membrane antibody … 99
抗基底膜抗体〔性〕腎炎 anti-basement membrane nephritis … 1228
香気伝播 odorivection … 1292
後きぬた骨靱帯 posterior ligament of incus … 1039
後きぬた骨靱帯 ligamentum incudis posterius … 1043
広義の遺伝率(遺伝力) heritability in the broad sense … 841
〔広義の〕鰓裂 visceral cleft … 374
〔広義の〕軟膜 leptomeninges … 1021
〔広義の〕軟膜 leptomeninx … 1021
後期梅毒 late syphilis … 1828
後期発作 late seizure … 1657
〔内包〕後脚 posterior limb of internal capsule … 1047
〔あぶみ骨の〕後脚 posterior crus of stapes … 443

〔あぶみ骨の〕後脚 posterior limb of stapes ……… 1047
降脚脈 catacrotic pulse ……… 1525
降脚脈 pulsus catacrotus ……… 1525
恒久性発育歯 perpetually growing tooth ……… 1903
恒久性レンズ形角質増加症 hyperkeratosis lenticularis perstans ……… 882
恒久軟骨 permanent cartilage ……… 306
後嗅脳溝 postrhinal fissure ……… 704
後嗅傍溝 sulcus parolfactorius posterior 1774
後嗅傍溝 posterior parolfactory sulcus 1774
口峡 fauces ……… 678
〔尿道〕口鏡 meatoscope ……… 1113
〔角膜の〕後境界板 lamina limitans posterior corneae ……… 998
〔角膜の〕後境界板 posterior limiting lamina of cornea ……… 998
〔角膜の〕後境界板 posterior limiting layer of cornea ……… 1013
口峡峡部 isthmus faucium ……… 963
口峡峡部 isthmus of fauces ……… 963
抗狂犬病血清 antirabies serum ……… 1667
口峡後ひだ plica posterior faucium ……… 1445
抗〔血液〕凝固薬(剤) anticoagulant ……… 102
抗凝固性の anticoagulant ……… 102
抗凝固療法 anticoagulant therapy ……… 1877
後胸鎖靱帯 posterior sternoclavicular ligament ……… 1039
後胸鎖靱帯 ligamentum sternoclaviculare posterius ……… 1045
口峡ジフテリア faucial diphtheria ……… 522
好凝集性の agglutinophilic ……… 37
抗凝集素 antiagglutinin ……… 99
後胸髄核 dorsal thoracic nucleus ……… 1274
後胸髄核 posterior thoracic nucleus ……… 1278
後胸髄核 nucleus thoracicus posterior … 1281
口峡前ひだ plica anterior faucium ……… 1445
抗恐怖症性の antiphobic ……… 108
口峡部麻痺 isthmoparalysis ……… 963
後強膜炎 posterior scleritis ……… 1646
後強膜切開〔術〕 posterior sclerotomy ……… 1648
工業用の technical ……… 1844
〔眼球〕後極 posterior pole of eyeball ……… 1456
〔眼球〕後極 polus posterior bulbi oculi ……… 1457
〔水晶体〕後極 posterior pole of lens ……… 1456
〔水晶体〕後極 polus posterior lentis ……… 1457
鋼玉 corundum ……… 429
剛棘顎口虫 *Gnathostoma hispidum* ……… 790
後極ブドウ〔膜〕腫 posterior staphyloma 1738
後距脛靱帯 posterior talotibial ligament 1039
後距踵靱帯 posterior talocalcaneal ligament ……… 1039
後距腓靱帯 posterior talofibular ligament ……… 1039
後距腓靱帯 ligamentum talofibulare posterius ……… 1045
後期良性梅毒 late benign syphilis ……… 1828
香気論 odorography ……… 1293
広筋 vastus ……… 1991
咬筋 masseter ……… 1108
咬筋 masseter (muscle) ……… 1189
咬筋 musculus masseter ……… 1201
合金 alloy ……… 52
咬筋筋膜 fascia masseterica ……… 673
咬筋筋膜 masseteric fascia ……… 673
咬筋痙攣 masticatory spasm ……… 1706
咬筋静脈 masseteric veins ……… 1998
咬筋神経 masseteric nerve ……… 1236
咬筋神経 nervus massetericus ……… 1242
咬筋深部 deep part of masseter (muscle) ……… 1364
抗菌スペクトル antimicrobial spectrum 1709
好銀性顆粒 argentaffin granules ……… 796
好銀性細胞 argyrophilic cells ……… 319
抗菌〔性〕の antibacterial ……… 99
好銀〔性〕の argyrophil, argyrophile ……… 131
好銀線維 argyrophilic fibers ……… 688
咬筋浅部 superficial part of masseter muscle ……… 1367
好金属性の metallophilia ……… 1139
咬筋粗面 tuberositas masseterica ……… 1947
咬筋粗面 masseteric tuberosity ……… 1947
咬筋動脈 arteria masseterica ……… 136
咬筋動脈 masseteric artery ……… 148
抗菌の antimicrobial ……… 107
項筋膜 fascia nuchae ……… 673
項筋膜 nuchal fascia ……… 673
後筋麻痺 posticus palsy ……… 1340
後筋麻痺 posticus paralysis ……… 1351
抗筋無力症の antimyasthenic ……… 107
黄菌毛〔症〕 lepothrix ……… 1020
咬筋両〔側〕麻痺 masticatory diplegia ……… 523
後区 posterior bronchopulmonary segment [S II] ……… 1655
後区 posterior segment ……… 1655
後区 segmentum posterius ……… 1656
高グアニジン血〔症〕 hyperguanidinemia 881
後区域 posterior bronchopulmonary segment [S II] ……… 1655
口腔 cavitas oris ……… 316
口腔 oral cavity ……… 316
口腔 cavum oris ……… 317
口腔悪臭 stomatodysodia ……… 1749
航空医学 aviation medicine ……… 1116
口腔咽頭部 oropharynx ……… 1315
〔航空〕宇宙医学 aerospace medicine ……… 1116
口腔衛生 oral hygiene ……… 877
口腔壊死 stomatonecrosis ……… 1749
口腔外顎骨骨折固定装置 extraoral fracture appliance ……… 120
口〔腔〕外の extraoral ……… 658
口腔科学 stomatology ……… 1749
口腔顔面フィステル(瘻) orofacial fistula 705
口腔気管チューブ orotracheal tube ……… 1941
口腔鏡 stomatoscope ……… 1749
口腔狭窄 stenostomia ……… 1742
口腔外科 oral surgery ……… 1784
口腔外科医 oral surgeon ……… 1784
口腔後方の retrobuccal ……… 1603
航空歯科学 aerodontia ……… 32
口腔症 stomatosis ……… 1749
口腔消化 buccal digestion ……… 516
口腔上顎洞フィステル(瘻) oroantral fistula ……… 705
口腔真菌症 stomatomycosis ……… 1749
航空性歯痛 aerodontalgia ……… 32
口腔生物学 oral biology ……… 213
航空生物学 aerobiology ……… 32
口腔腺 glands of mouth ……… 774
口腔腺 glandulae oris ……… 776
口腔前庭 oral vestibule ……… 2018
口腔前庭 vestibule of mouth ……… 2018
口腔前庭 vestibulum oris ……… 2018
口腔前庭形成〔術〕 vestibuloplasty ……… 2018
口腔前庭スクリーン vestibular screen … 1651
口腔組織軟化 stomatomalacia ……… 1749
口腔痛 stomatalgia ……… 1748
口腔トリコモナス *Trichomonas tenax* … 1930
口腔内顎骨骨折固定装置 intraoral fracture appliance ……… 120
口腔内固定 intraoral anchorage ……… 75
口腔〔内〕麻酔〔法〕 intraoral anesthesia ……… 80
口腔粘膜 mucosa of mouth ……… 1177
口腔粘膜 oral mucosa ……… 1177
口腔粘膜 tunica mucosa oris ……… 1953
口腔粘膜下線維症 oral submucous fibrosis ……… 696
口腔白斑症 tylosis linguae ……… 1956
口腔鼻腔フィステル(瘻) oronasal fistula 705
口腔病 stomatopathy ……… 1749
口腔病 stomatosis ……… 1749
航空病 airsickness ……… 40
航空病 aviator's disease ……… 528
口腔病学 stomatology ……… 1749
口腔病専門医 stomatologist ……… 1749
口腔病理学 oral pathology ……… 1372
〔びらん性〕口腔扁平苔癬 oral (erosive) lichen planus ……… 1031
口腔傍の paraoral ……… 1352
航空酔い airsickness ……… 40
航空酔い aviator's disease ……… 528
航空力学 aerodynamics ……… 32
口腔リハビリテーション mouth rehabilitation ……… 1587
口腔レプトトリキア *Leptotrichia buccalis* ……… 1022
後屈 recurvation ……… 1575
後屈 retrocession ……… 1604
後屈〔症〕 retroflexion ……… 1604
後区動脈の下行枝 descending branch of posterior segmental artery of left and right lungs ……… 245
抗クラーレ薬 anticurare ……… 102
高グリオキシル〔塩〕血〔症〕 hyperglyoxylemia ……… 881
高グリシン血〔症〕 hyperglycinemia ……… 881
高グリシン尿〔症〕 hyperglycinuria ……… 881
高グリセリド血〔症〕 hyperglyceridemia … 881
抗くる病〔性〕の antirachitic ……… 108
抗くる病ビタミン antirachitic vitamins 2033
高グロブリン血〔症〕 hyperglobulinemia … 881
抗グロブリン試験 antiglobulin test ……… 1854
高クロマフィン症 hyperchromaffinism … 879
行軍血色素尿症 march hemoglobinuria … 834
行軍骨折 march fracture ……… 738
光景 scene ……… 1641
口径 aperture ……… 113
後傾〔症〕 retroversion ……… 1605
後頸横突間筋の外側部 lateral part of posterior cervical intertransversarii (muscles) ……… 1365
工芸学 technology ……… 1845
硬鶏眼 hard corn ……… 423
後脛距靱帯 posterior tibiotalar ligament 1039
広頸筋 platysma (muscle) ……… 1191
広頸筋 platysma ……… 1436
〔子宮〕後傾後屈〔症〕 retroversioflexion … 1605
後脛骨 os tibiale posterius, os tibiale posticum ……… 1318
後脛骨筋 posterior tibial muscle ……… 1191
後脛骨筋 tibialis posterior (muscle) ……… 1196
後脛骨筋 musculus tibialis posterior ……… 1204
後脛骨筋腱鞘 tendinous sheath of tibialis posterior muscle ……… 1672
後脛骨筋腱鞘 vagina tendinis musculi tibialis posterioris ……… 1982
後脛骨静脈 posterior tibial veins ……… 2000
後脛骨静脈 venae tibiales posteriores ……… 2008
後脛骨動脈 arteria tibialis posterior ……… 138
後脛骨動脈 posterior tibial artery ……… 150
後脛骨動脈の腓骨回旋枝 ramus circumflexus fibularis arteriae tibialis posterioris ……… 1549
後脛骨反回動脈 arteria recurrens tibialis posterior ……… 137
後脛骨反回動脈 posterior tibial recurrent artery ……… 150
後脛骨リンパ節 posterior tibial lymph node ……… 1080
後脛骨リンパ節 posterior tibial node ……… 1261
後頸三角 posterior triangle of neck ……… 1927
後継(代生)歯堤 successional lamina ……… 999
後頸神経叢 posterior cervical (nerve) plexus ……… 1443
降形成 cataplasia, cataplasis ……… 310
〔尿道〕口計測器 meatometer ……… 1113
鉤形の hamular ……… 814

後脛腓靱帯 posterior tibiofibular ligament …… 1039
後脛腓靱帯 ligamentum tibiofibulare posterius …… 1046
後頸部 regio cervicalis posterior …… 1584
後頸部 lateral cervical region …… 1585
後頸部 posterior cervical region …… 1586
後頸部 posterior region of neck …… 1586
後頸部透明帯 nuchal lucency …… 1070
後頸部透明帯 nuchal translucency …… 1919
抗痙攣性の antispasmodic …… 109
抗痙攣薬 anticonvulsant …… 102
抗痙攣薬過敏症候群 anticonvulsant hypersensitivity syndrome …… 1796
攻撃〔性〕 aggression …… 38
攻撃的な aggressive …… 38
攻撃本能 aggressive instinct …… 940
硬結 induration …… 925
高血圧〔症〕 hypertension (HTN) …… 887
高血圧患者 hypertensive …… 888
高血圧性赤血球増加〔症〕 hypertonia polycythemica …… 889
高血圧性赤血球増加〔症〕 polycythemia hypertonica …… 1459
高血圧性動脈硬化〔症〕 hypertensive arteriosclerosis …… 140
高血圧性動脈症 hypertensive arteriopathy …… 140
高血圧性脳障害(脳症) hypertensive encephalopathy …… 609
高血圧〔性〕網膜症 hypertensive retinopathy …… 1602
抗〔血液〕凝固薬(剤) anticoagulant …… 102
硬結塊 gelosis …… 761
抗血管新生因子 antiangiogenesis factor …… 666
向血管性の vasotropic …… 1991
抗〔赤〕血球凝集素 antihemagglutinin …… 106
高血色素血〔症〕 hyperhemoglobinemia …… 881
抗血小板物質 antiplatelet …… 108
抗血清 antiserum …… 109
硬結性紅斑 erythema induratum …… 638
硬結性心筋炎 indurative myocarditis …… 1212
好血〔性〕の hemophil, hemophile …… 835
抗結石〔性〕の antilithic …… 106
抗結石薬 antilithic …… 106
〔環椎〕後結節 posterior tubercle of atlas …… 1944
〔環椎〕後結節 tuberculum posterius atlantis …… 1946
〔頸椎〕後結節 posterior tubercle of cervical vertebrae …… 1944
〔頸椎〕後結節 tuberculum posterius vertebrarum cervicalium …… 1946
硬〔性〕結節 hard tubercle …… 1943
高血糖〔症〕 hyperglycemia …… 881
高血糖傾向 glycophilia …… 788
高血糖〔症〕性糖尿 hyperglycosuria …… 881
高血糖性(高浸透圧性)非ケトン性昏睡 hyperosmolar (hyperglycemic) nonketotic coma …… 396
ゴウ-ゲーツのブロック Gow-Gates block …… 222
後結膜動脈 arteria conjunctivalis posterior …… 135
後結膜動脈 posterior conjunctival artery 150
抗血友病グロブリン antihemophilic globulin (AHG) …… 779
抗血友病A因子 antihemophilic factor A (AHF) …… 666
抗血友病B因子 antihemophilic factor B 666
抗ケトーシス antiketogenesis …… 106
高ケトン血〔症〕 hyperketonemia …… 882
高ケトン尿〔症〕 hyperketonuria …… 882
好ケラチン性の keratinophilic …… 978
抗原 antigen (Ag) …… 103
膠原 collagen …… 390
膠原化 collagenization …… 390
抗原過剰 antigen excess …… 651
抗原感受性細胞 antigen-sensitive cell …… 319
抗原競合 antigenic competition …… 400
抗原血〔症〕 antigenemia …… 106
膠原血管病 collagen disease, collagen-vascular disease …… 530
抗原決定基(群) antigenic determinant …… 500
膠原原線維 unit fibrils …… 692
抗原-抗体反応 antigen-antibody reaction (AAR) …… 1563
後減数期 postmeiotic phase …… 1402
抗原性 antigenicity …… 106
膠原性じん肺症 collagenous pneumoconiosis …… 1448
膠原線維 collagen fiber, collagenous fiber …… 688
膠原前線維 precollagenous fibers …… 690
抗原単位 antigen unit …… 1965
抗原提示細胞 antigen-presenting cells (APC) …… 319
後検鼻〔法〕 posterior rhinoscopy …… 1608
膠原病 collagenosis …… 390
膠原病 collagen disease, collagen-vascular disease …… 530
抗原複合体 antigenic complex …… 400
抗原不連続変異 antigenic shift …… 1673
抗原ペプチド antigen peptides …… 1382
抗原連続変異 antigenic drift …… 560
交互 alternation …… 54
後孔 metapore …… 1140
口溝 peristome …… 1392
香膏 balm …… 193
硬膏〔剤〕 plaster …… 1434
咬合 articulation …… 158
咬合 dental articulation …… 158
咬合 occlusion …… 1289
咬合圧 occlusal pressure …… 1482
咬合圧負担域 stress-bearing area …… 130
咬合位 occlusion …… 1289
咬合位 intercuspal position …… 1469
咬合位 occlusal position …… 1470
咬合X線写真 occlusal radiograph …… 1543
後〔続〕効果 aftereffect …… 33
硬口蓋 hard palate …… 1338
硬口蓋 palatum durum …… 1338
後口蓋弓 posterior palatine arch …… 126
〔硬〕口蓋〔披〕裂 uranoschisis …… 1968
咬合下面 subocclusal surface …… 1783
咬合関係 occluding relation …… 1588
咬合間隙 occlusal clearance …… 373
向交感神経細胞 sympathicotropic cells …… 326
咬合器 articulator …… 158
咬合器装着 mounting …… 1172
口後弓 postoral arches …… 126
咬合局面 facet, facette …… 661
咬合記録 interocclusal record, centric interocclusal record, eccentric interocclusal record, lateral interocclusal record, protrusive interocclusal record 1574
咬合均等 occlusal balance …… 192
咬合系 occlusal system …… 1832
抗高血圧〔症〕薬 antihypertensive …… 106
抗高血圧性の antihypertensive …… 106
咬合高径 occlusal vertical dimension …… 520
咬合高径 vertical dimension …… 520
咬合紙 occluding paper …… 1344
咬合修正 occlusal correction …… 427
咬合床 biteplate, biteplane …… 217
向甲状腺細胞 thyrotroph …… 1891
抗甲状腺〔性〕の antithyroid …… 109
咬合小面 facet, facette …… 661
高口唇線 high lip line …… 1050
咬合する occlude …… 1289
光合成 photosynthesis …… 1418
咬合性外傷 occlusal trauma …… 1923
光合成自己栄養〔性〕生物 photoautotroph …… 1416
光合成従属栄養〔性〕生物 photoheterotroph …… 1417
光合成生物 phototroph …… 1418
向光性の lucipetal …… 1070
好光〔性〕の photobiotic …… 1416
光合成無機酸化生物 photolithotroph …… 1417
光合成無機力源生物 photolithotroph …… 1417
咬合線 line of occlusion …… 1051
抗酵素〔抗体〕 antienzyme …… 102
咬合測定器 bite gauge …… 761
高酵素血症 hyperenzymemia …… 880
抗抗体 antiantibody …… 99
抗好中球細胞質抗体 antineutrophil cytoplasmic antibodies (ANCA) …… 100
抗好中球細胞質抗体 antineutrophil cytoplasmic antibody …… 100
肛後腸 postanal gut …… 806
咬合調整 occlusal adjustment …… 29
咬合跳躍〔法〕 jumping the bite …… 217
後交通動脈 arteria communicans posterior …… 135
後交通動脈 posterior communicating artery …… 150
咬合堤 occlusion rim …… 1617
後後頭内軟骨結合 posterior intraoccipital synchondrosis …… 1793
後後頭内軟骨結合 synchondrosis intraoccipitalis posterior …… 1793
抗抗毒素 antiantitoxin …… 99
咬合による外傷 trauma from occlusion 1923
口後の postoral …… 1471
咬合の球面 spheric form of occlusion …… 1290
咬合の構成要素 components of occlusion 403
咬合描画法 gnathography …… 789
咬合不正 malinterdigitation …… 1096
咬合不調和 occlusal disharmony …… 543
咬合不調和 occlusal imbalance …… 909
咬合分析 occlusal analysis …… 70
咬合平衡 occlusal balance …… 192
咬合平衡 occlusal harmony …… 816
咬合平面 occlusal plane, plane of occlusion …… 1430
後硬膜動脈 arteria meningea posterior …… 136
後硬膜動脈 posterior meningeal artery …… 150
咬合面 occlusal surface of tooth …… 1782
咬合面う食(蝕) occlusal caries …… 302
咬合面窩 occlusal fossa …… 733
咬合面間の interocclusal …… 947
咬合面形態 occlusal form …… 729
咬合面鼓形空隙 occlusal embrasure …… 601
咬合面小窩 pit …… 1426
咬合面中心位関係記録 occluding centric relation record …… 1574
咬合面ピボット occlusal pivot …… 1427
咬合面レスト occlusal rest …… 1597
咬合面レストバー occlusal rest bar …… 196
咬合面裂溝 occlusal fissure …… 703
咬合力 occlusal force …… 727
咬合力 stress …… 1755
〔大脳の〕後交連 commissura posterior …… 397
〔大脳の〕後交連 posterior commissure …… 398
後交連核 nucleus of posterior commissure …… 1278
後交通動脈の動眼神経枝 ramus nervi oculomotorii arteriae communicantis posterioris …… 1554
咬合路 generated occlusal path …… 1371
咬合路 occlusal path …… 1371
咬合彎曲 occlusal curvature …… 450
咬合彎曲 curve of occlusion …… 451
交互作用 interaction …… 943
後鼓室動脈 arteria tympanica posterior 138
後鼓室動脈 posterior tympanic artery …… 150
後鼓室動脈のあぶみ骨枝 stapedial branch

of posterior tympanic artery …… 253
後鼓室動脈の乳突枝 mastoid branches of posterior tympanic artery …… 249
構語障害 alalia …… 41
構語障害 anarthria …… 72
構語障害 dysarthria …… 570
構語障害の alalic …… 41
交互性周期長 cycle length alternans …… 53
交互性振せん alternative tremor …… 1924
交互〔性〕の alternans …… 53
恍惚 ecstasy …… 584
恍惚 nympholepsy …… 1285
後骨間神経 posterior interosseous nerve 1238
後骨間神経 nervus interosseus posterior 1242
後骨間動脈 arteria interossea posterior … 136
後骨間動脈 posterior interosseous artery 150
後骨髄球 metamyelocyte …… 1140
後骨盤 hindpelvis …… 852
後骨盤内容除去〔術〕 posterior pelvic exenteration …… 653
高ゴナドトロピン性性腺機能低下症 hypergonadotropic hypogonadism …… 894
交互光試験 alternating light test …… 1854
構語不全 idioglossia …… 904
後鼓膜陥凹 posterior recess of tympanic membrane …… 1572
交互脈 alternation …… 54
交互脈 cardiac alternation …… 54
交互脈 alternating pulse …… 1525
交互脈 pulsus alternans …… 1525
後固有束 posterior fasciculus proprius …… 676
交互輸送 antiport …… 108
交互輸送機構 antiporter …… 108
抗コリンエステラーゼ anticholinesterase 102
抗コリン作用(作動)性の anticholinergic 102
抗コリン性の cholinolytic …… 352
高コルチコイド〔症〕 hypercorticoidism …… 879
高コレステロール血〔症〕 hypercholesterolemia, hypercholesteremia, hypercholesterinemia …… 879
高コレステロール胆汁〔症〕 hypercholesterolia …… 879
後根 posterior root of spinal nerve …… 1622
光差 light difference …… 516
交差 chiasm …… 343
交差 cross …… 441
交叉 chiasm …… 343
交叉 cross …… 441
交叉 crossover …… 442
交叉 decussatio …… 476
交叉 decussation …… 476
〔遺伝子〕交差(交叉) crossing-over …… 441
交際 intercourse …… 944
虹彩 iris …… 957
汞剤 mercurial …… 1132
合剤 mixture …… 1161
虹彩異色〔症〕 heterochromia iridis, heterochromia of iris …… 847
虹彩移動〔術〕 iridesis …… 956
虹彩炎 iritis …… 957
虹彩窩 crypts of iris …… 445
虹彩学 iridology …… 956
虹彩角膜角 iridocorneal angle …… 89
虹彩角膜角 angulus iridocornealis …… 90
虹彩角膜角間隙 spaces of iridocorneal angle …… 1704
虹彩角膜角隙 spatia anguli iridocornealis …… 1706
虹彩角膜角櫛状靱帯 ligamentum pectinatum anguli iridocornealis …… 1044
虹彩角膜中胚葉発育不全 iridocorneal mesenchymal dysgenesis …… 572
虹彩角膜内皮症候群 iridocorneal endothelial syndrome …… 1808
虹彩角膜の iridocorneal …… 956
虹彩〔括約筋〕麻痺 iridoplegia …… 956
虹彩強膜切開〔術〕 iridosclerotomy …… 956
虹彩(瞳孔)形成〔術〕 coreoplasty …… 423
虹彩結合(紮)〔術〕 iridesis …… 956
虹彩欠損〔症〕 coloboma iridis …… 392
虹彩欠損〔症〕 iridocoloboma …… 956
虹彩後屈 retroflexion of iris …… 1604
虹彩後〔方〕の retroiridian …… 1604
虹彩後面 facies posterior iridis …… 664
虹彩後面 posterior surface of iris …… 1783
虹彩後癒着 posterior synechia …… 1826
虹彩色素細胞 pigment cells of iris …… 325
虹彩色素上皮層 pigmented layer of iris 1013
虹彩色素上皮層 stratum pigmenti iridis 1752
虹彩支質 stroma iridis …… 1759
虹彩支質 stroma of iris …… 1759
虹彩櫛状靱帯 ligamentum pectinatum iridis …… 1044
虹彩症 iridopathy …… 956
虹彩小窩 iris pit …… 1426
公債所有 fund-holding …… 744
虹彩診断〔法〕 iridodiagnosis …… 956
虹彩振とう iridodonesis …… 956
虹彩スパーテル iris spatula …… 1707
虹彩切開〔術〕 iridotomy …… 956
虹彩切除〔術〕 iridectomy …… 956
虹彩前面 facies anterior iridis …… 662
虹彩前面 anterior surface of iris …… 1780
虹彩前癒着 anterior synechia …… 1826
虹彩脱〔出症〕 iridoptosis …… 956
虹彩断裂〔術〕 iridorrhexis …… 956
虹彩瞳孔板 iridopupillary lamina …… 997
公債投資 fund-holding …… 744
抗細動性の antifibrillatory …… 102
後細動脈 metarteriole …… 1140
虹彩内縁剝離〔術〕 iridomesodialysis …… 956
虹彩内皮 endothelium camerae anterioris 616
虹彩内皮 endothelium of anterior chamber …… 616
虹彩軟化〔症〕 iridomalacia …… 956
虹彩二色 iris bicolor …… 957
虹彩の iridal …… 956
後鰓囊 ultimopharyngeal pouch …… 1474
虹彩囊摘出〔術〕 iridocystectomy …… 956
虹彩囊胞 iridocele …… 956
虹彩の瞳孔縁 pupillary border of iris …… 236
〔虹彩の〕瞳孔縁 pupillary margin of iris …… 1103
〔虹彩の〕瞳孔縁 margo pupillaris iridis 1105
虹彩の瞳孔領 pupillary zone of iris …… 2060
虹彩の毛様体縁 ciliary border of iris …… 234
虹彩の毛様体縁 ciliary margin of iris … 1103
〔虹彩の〕毛様体縁 margo ciliaris iridis 1104
虹彩白斑 vitiligo iridis …… 2034
虹彩剝離〔術〕 sphincterolysis …… 1713
虹彩はめ込み〔術〕 iridencleisis …… 956
虹彩斑 iris freckles …… 739
虹彩ひだ folds of iris …… 719
虹彩ひだ plicae iridis …… 1445
〔虹彩〕ひだ ruff …… 1625
虹彩表層 ectiris …… 584
虹彩分離症 iridoschisis …… 956
虹彩閉鎖〔症〕 atresia iridis …… 171
〔神経〕膠細胞 glia cells …… 321
〔神経〕膠細胞 gliacyte …… 777
抗細胞毒〔抗体〕 anticytotoxin …… 102
虹彩〔括約筋〕麻痺 iridoplegia …… 956
虹彩脈絡膜炎 iridochoroiditis …… 956
後催眠暗示 posthypnotic suggestion …… 1770
後催眠性精神病 posthypnotic psychosis 1520
抗細網系細胞傷害血清 antireticular cytotoxic serum …… 1668
虹彩毛様体炎 iridocyclitis …… 956
虹彩毛様体切除〔術〕 iridocyclectomy …… 956
虹彩毛様体脈絡膜炎 iridocyclochoroiditis 956
虹彩離断 iridodialysis …… 956
虹彩離断〔術〕 iridorrhexis …… 956
虹彩輪 anulus iridis …… 111
虹彩輪 border of iris …… 235
虹彩裂開 iris dehiscence …… 482
虹彩裂離 iridoavulsion …… 956
高サイロキシン血〔症〕 hyperthyroxinemia …… 889
抗サイログロブリン抗体 antithyroglobulin antibody …… 100
交差円柱 crossed cylinders …… 457
交差感染 cross infection …… 927
交叉筋 cruciate muscle …… 1183
交叉筋 musculus cruciatus …… 1199
後索 funiculus posterior …… 745
後索 posterior funiculus …… 745
絞窄 constriction …… 415
絞窄感 constriction …… 415
絞窄間の interanular …… 943
後索刺激 dorsal column stimulation …… 1747
交差研究 cross-over study …… 1760
交差(交叉)咬合 crossbite …… 441
交叉咬合〔配列〕用人工歯 crossbite tooth 1902
後鎖骨上神経 posterior supraclavicular nerve …… 1238
後鎖骨上神経 nervus supraclaviculars lateralis …… 1243
交差〔適合〕試験〔法〕 cross-matching …… 442
交差循環〔実験〕 cross circulation …… 365
交差心 crisscross heart …… 820
交差性異所性精巣 crossed testicular ectopia …… 585
交差性一側優位 crossed laterality …… 1004
交差(交叉)性感覚消失(脱失) crossed anesthesia …… 79
交叉性固視 crossed fixation …… 707
交差性失語〔症〕 crossed aphasia …… 114
交差性膝反射 crossed knee reflex …… 1578
交差(交叉)性伸筋反射 crossed extension reflex …… 1578
交差(交叉)性塞栓症 crossed embolism … 600
交差(交叉)性知覚消失(脱失,麻痺) crossed anesthesia …… 79
交差性内転筋反射 crossed adductor reflex …… 1578
交差性半陰陽 transverse hermaphroditism …… 842
交差(交叉)性片側(半側)感覚消失 alternate hemianesthesia …… 828
交叉槽 chiasmatic cistern …… 368
交叉槽 cisterna chiasmatica …… 368
交叉槽 cisterna chiasmatis …… 368
交差耐性 cross tolerance …… 1898
交雑 cross …… 441
交雑性の amphimictic …… 64
交差反射 crossed reflex …… 1578
交差反応 cross-reaction …… 1564
交差反応抗体 cross-reacting antibody …… 100
交差反応蛋白 cross-reacting protein (CRP) …… 1503
交差反応物質 cross-reacting material (CRM) …… 1110
交差皮弁 cross flap …… 709
交差複視 crossed diplopia …… 523
好サフラニン性の safranophil, safranophile …… 1630
交差麻痺 crossed paralysis …… 1350
後〔症〕作用 aftereffect …… 33
交叉路 crossway …… 442
抗酸化剤 antioxidant …… 107
抗酸化物質 antioxidant …… 107
好酸球 eosinophilic leukocyte …… 1026
好酸球カチオン性蛋白 eosinophil cationic protein (ECP) …… 1503
好酸球減少〔症〕 eosinopenia …… 624
好酸球減少〔症〕 eosinophilic leukopenia 1028
好酸球減少反応 eosinopenic reaction …… 1564
好酸球性胃腸炎 eosinophilic gastroenteritis

……………………………………………… 758
好酸球性筋膜炎 eosinophilic fasciitis …… 677
好酸球性心内膜疾患 eosinophilic endomyocardial disease ………………… 532
好酸球性髄膜炎 eosinophilic meningitis 1129
好酸球性髄膜脳炎 eosinophilic meningoencephalitis …………………… 1129
好酸球〔性〕肉芽腫 eosinophilic granuloma ……………………………………………… 797
好酸球性膿疱性毛包(毛嚢)炎 eosinophilic pustular folliculitis ……………………… 722
好酸球性肺炎 eosinophilic pneumonia … 1449
好酸球性肺症 simple pulmonary eosinophilia ……………………………… 624
好酸球性白血病 eosinophilic leukemia, eosinophilocytic leukemia …………… 1024
好酸球性膀胱炎 eosinophilic cystitis ……. 462
好酸球性蜂巣炎 eosinophilic cellulitis ….. 328
好酸球増加〔症〕 eosinophilia ……………… 624
好酸球増加〔症〕 eosinophilic leukocytosis ……………………………………………… 1027
好酸球増加随伴性血管類リンパ組織増殖症 angiolymphoid hyperplasia with eosinophilia ……………………………… 885
好酸球増多-筋痛症候群 eosinophilia-myalgia syndrome (EMS) …………………… 1803
好酸球増多症候群 hypereosinophilic syndrome ……………………………… 1807
好酸球尿症 eosinophiluria ………………… 624
好酸球遊走 eosinotaxis ……………………… 625
抗酸菌染色変法 modified acid-fast stain 1733
好酸〔性〕細胞 acidophil cell ……………… 319
後三叉神経視床路 posterior trigeminothalamic tract ……………… 1912
好酸性顆粒 acidophil granule …………… 796
好酸性顆粒 eosinophil granule ………… 797
好酸性細胞 oxyphil cell …………………… 324
好酸性細胞腺腫 oncocytoma …………… 1300
高酸性消化不良 acid dyspepsia ………… 574
好酸性腺腫 acidophil adenoma …………… 25
好酸性の acidophilic ………………………… 15
好酸性の eosinophilic ……………………… 624
好酸性の oxyphilic ……………………… 1332
抗酸性の acid-fast ………………………… 15
好酸性微生物 acidophil, acidophile ……… 15
高酸素〔症〕 hyperoxia …………………… 885
高酸素親和性ヘモグロビン high-oxygen-affinity hemoglobin ……… 833
高山病 altitude sickness ………………… 1676
高山病 mountain sickness ……………… 1677
格子 lattice ……………………………… 1005
後枝 dorsal branch ………………………… 246
後枝 posterior branches …………………… 251
後枝 ramus dorsalis ……………………… 1551
光子 photon (hν, γ) …………………… 1417
光視〔症〕 photopsia ……………………… 1418
梗子 sterigma …………………………… 1744
硬〔化〕歯 sclerotic teeth ………………… 1903
仔ウシ calf ………………………………… 278
膠耳 glue ear ……………………………… 580
合指〔症〕 syndactyly …………………… 1794
盒子(ごうし) scatula ……………………… 1641
高シアン発光 hypercyanescence ………… 880
抗Jo-1抗体テスト anti-Jo-1 antibody test ……………………………………………… 1854
後耳介筋 auricularis posterior (muscle) 1182
後耳介筋 posterior auricular (muscle) 1191
後耳介筋 musculus auricularis posterior 1199
後耳介溝 posterior auricular groove ……. 802
後耳介静脈 posterior auricular vein …… 2000
後耳介静脈 vena auricularis posterior … 2004
後耳介神経 posterior auricular nerve …. 1237
後耳介神経 nervus auricularis posterior 1241
後耳介神経の後頭枝 rami occipitales nervi auricularis posterioris ………………… 1554
後耳介動脈 arteria auricularis posterior 134
後耳介動脈 posterior auricular artery ….. 150
後耳介動脈〔動脈〕周囲神経叢 periarterial plexus of posterior auricular artery … 1443
後耳介動脈神経叢 posterior auricular plexus ……………………………………………… 1443
後耳介動脈の後頭枝 rami occipitales arteriae auricularis posterioris ……… 1554
後耳介動脈の耳介枝 auricular branch of posterior auricular artery ……………… 243
後耳介動脈の乳突枝 mastoid branches of posterior auricular artery ……………… 249
後耳介動脈の乳突枝 rami mastoidei arteriae auricularis posterioris ………………… 1553
梗子(フィアロ)型分生子 phialoconidium ……………………………………………… 1408
口指顔の orodigitofacial ………………… 1315
口指顔面骨形成不全〔症〕 orodigitofacial dysostosis ……………………………… 574
公式 formula ……………………………… 730
厚糸期 pachytene ………………………… 1335
合糸期 zygotene ………………………… 2063
好色素性 chromophil, chromophile ……. 358
好色素性 chromophilia …………………… 358
好色素性顆粒 chromophil granule ……… 796
好色素性腎細胞癌 chromophil renal cell carcinoma ……………………………… 297
高色素性大球症 hyperchromatic macrocythemia ………………………… 1089
高色素性大赤血球症 hyperchromatic macrocythemia ………………………… 1089
向軸性の adaxial ……………………………… 23
高次グリコシル化最終産物 advanced glycation end-products ……………… 1493
高脂〔肪〕血〔症〕 hyperlipemia …………… 882
格子構造 cancellus ………………………… 286
子ウシ骨 calf-bone ………………………… 278
後篩骨神経 posterior ethmoidal nerve … 1237
後篩骨神経 nervus ethmoidalis posterior ……………………………………………… 1242
後篩骨動脈 arteria ethmoidalis posterior 135
後篩骨動脈 posterior ethmoidal artery …. 150
後篩骨蜂巣 posterior ethmoidal air cells 325
後篩骨蜂巣 posterior ethmoidal cells …… 325
抗自己溶解素 antiautolysin ………………… 99
格子細胞 gitter cell ……………………… 321
格子〔状〕細胞 gitterzelle ………………… 771
コウジ酸 kojic acid ……………………… 988
紅肢症 erythromelia ……………………… 640
虹視症 glaucomatous halo ……………… 813
合指症 zygosyndactyly ………………… 2063
合肢症 symmelia ………………………… 1790
合耳症 synotia …………………………… 1827
格子状角膜ジストロフィ lattice corneal dystrophy ……………………………… 579
後視床下部 posterior hypothalamic area 129
後視床下部 posterior hypothalamic region ……………………………………………… 1586
後矢状径 posterior sagittal diameter ……. 509
高次条件付け higher order conditioning 407
格子状の cancellous ……………………… 286
後視床放線 posterior thalamic radiation 1541
抗ジスキネシア薬 antidyskinetic agent ….. 36
格子層 latticed layer ……………………… 1011
鉱質 mineral ……………………………… 1158
膠質 colloid ……………………………… 391
抗歯痛性の antiodontalgic ………………… 107
後室間溝 posterior interventricular groove ……………………………………………… 802
後室間溝 sulcus interventricularis posterior ……………………………………………… 1772
後室間溝 posterior interventricular sulcus ……………………………………………… 1774
後質間静脈 posterior interventricular vein ……………………………………………… 2000
後室間動脈 posterior interventricular artery ……………………………………………… 150
後室間動脈 posterior interventricular branch of right coronary artery ………………… 150
膠質原 colloidogen ……………………… 392
鉱質コルチコイド mineralocorticoid ….. 1158
鉱質コルチコイド用の mineralotropic … 1158
後室周囲核 arcuate nucleus …………… 1273
後室周囲核 posterior periventricular nucleus ……………………………………………… 1278
向日性 heliotaxis ………………………… 823
後膝部 regio genus posterior …………… 1584
抗疾病の nosotropic ……………………… 1269
膠質様の tremelloid, tremellose ………… 1924
膠質浴 colloid bath ……………………… 201
高次的救命 advanced life support(ALS) 31
高脂〔肪〕血〔症〕 hyperlipemia …………… 882
高脂肪症 hyperliposis …………………… 883
高脂肪食 high-fat diet …………………… 514
抗脂肪親和性の antilipotropic …………… 106
光子密度 photon density ………………… 487
向社会性の sociocentric ………………… 1695
後斜角筋 posterior scalene muscle ……. 1191
後斜角筋 scalenus posterior (muscle) … 1193
後斜角筋 musculus scalenus posterior … 1203
広視野接眼レンズ wide field ocular ….. 1291
抗〔蛇〕毒素 antivenin …………………… 110
抗蛇毒素単位 antivenene unit ………… 1965
向斜の synclinal ………………………… 1794
硬腫 scleroma …………………………… 1647
〔汗〕孔腫 poroma ………………………… 1467
口臭 fetor oris …………………………… 682
口臭 halitosis ……………………………… 812
口臭 ozostomia …………………………… 1333
口周囲の perioral ………………………… 1391
公衆衛生 public health …………………… 819
公衆衛生看護師 public health nurse (PHN) ……………………………………………… 1283
後縦隔動脈 posterior mediastinal arteries 150
後縦隔リンパ節 posterior mediastinal lymph nodes …………………………………… 1080
抗周期性の antiperiodic ………………… 108
口臭恐怖 halitophobia …………………… 812
抗住血吸虫の antischistosomal ………… 108
抗住血吸虫薬 antischistosomal ………… 108
抗終結蛋白 antitermination protein …… 1502
高シュウ酸尿〔症〕 hyperoxaluria ………… 884
抗終止 antitermination …………………… 109
後十字靱帯 posterior cruciate ligament 1039
後十字靱帯 ligamentum cruciatum posterius ……………………………………………… 1043
後収縮 aftercontraction …………………… 33
後縦靱帯 posterior longitudinal ligament ……………………………………………… 1039
後縦靱帯 ligamentum longitudinale posterius ……………………………… 1044
高周波 radiofrequency ………………… 1543
高周波換気法 high-frequency ventilation (HFV) ……………………………… 2009
高周波強調(高域)フィルタ high-pass filter ……………………………………………… 699
高周波数難聴 high-frequency hearing impairment ……………………………… 820
高周波電流 high-frequency current ……… 450
高周波パルス radiofrequency pulse ……. 1525
高周波パルス(RF) radiofrequency ……. 1543
高周波療法 fulguration …………………… 743
口周辺の circumoral ……………………… 367
抗重力筋 antigravity muscles …………… 1181
拘縮 contracture ………………………… 417
広宿主性寄生生物 euroxenous parasite 1354
拘縮素質(体質,素因) contractural diathesis ……………………………………………… 512
拘縮変形 contracture deformity ………… 480
絞縮輪 constriction ring ………………… 1617
絞首骨折 hangman's fracture …………… 737
後手根部 regio carpalis posterior ……… 1584
後手根部 posterior carpal region ……… 1586

後手根部 posterior region of wrist ……… 1586
後主静脈 posterior cardinal veins ……… 2000
後主静脈 cardinal veins ……………… 1994
後主静脈の postcardinal ……………… 1470
後出血 secondary hemorrhage …………… 836
抗出血性の antihemorrhagic …………… 106
抗腫瘍形成 antitumorigenesis …………… 110
抗腫瘍酵素 antitumor enzyme …………… 623
抗腫瘍性の antineoplastic ……………… 107
抗腫瘍蛋白 antitumor protein ………… 1502
咬傷 bite ………………………………… 217
香錠 pastil, pastille ……………………… 1371
溝状陰茎亀頭 glans penis plicata ……… 776
甲状咽頭の thyropharyngeal …………… 1891
鉤状回てんかん uncinate epilepsy ……… 629
鉤状回の subicular ……………………… 1763
鉤〔状回〕発作 uncinate attack ………… 175
鉤〔状〕回発作 uncinate epilepsy ………… 629
甲状下筋 subthyroideus ………………… 1767
甲状下垂体症候群 thyrohypophysial syndrome …………………………… 1822
甲状頸動脈 truncus thyrocervicalis …… 1938
甲状頸動脈 thyrocervical (arterial) trunk …………………………… 1938
甲状頸の thyrocervical ………………… 1890
甲状孔 foramen thyroideum …………… 726
甲状孔 thyroid foramen ………………… 726
甲状口蓋の thyropalatine ……………… 1891
甲状喉頭蓋筋 thyroepiglottic muscle, thyroepiglottidean muscle …………… 1196
甲状喉頭蓋筋 musculus thyroepiglotticus …………………………… 1204
甲状喉頭蓋靱帯 thyroepiglottic ligament 1041
甲状喉頭蓋靱帯 ligamentum thyroepiglotticum ……………………… 1046
甲状喉頭蓋の thyroepiglottic …………… 1890
甲状〔軟骨〕喉頭の thyrolaryngeal ……… 1891
〔距骨の〕後踵骨関節面 posterior calcaneal articular facet of talus ……………… 662
溝状骨折 gutter fracture ……………… 737
鉤状指 dactylogryposis ………………… 470
後上歯槽動脈 arteria alveolaris superior posterior …………………………… 134
後上歯槽動脈 posterior superior alveolar artery …………………………… 150
後上歯槽動脈の歯枝 rami dentales arteriae alveolaris superioris posterioris ……… 1550
後上膵十二指腸静脈 superior posterior pancreaticoduodenal vein ……………… 2002
〔後〕上膵十二指腸動脈 (posterior) superior pancreaticoduodenal artery …………… 142
〔後〕上膵十二指腸動脈 arteria pancreaticoduodenalis superior (posterior) …………………………… 137
後上膵十二指腸動脈の十二指腸枝 duodenal branches of posterior superior pancreaticoduodenal artery …………… 246
恒常性 homeostasis ……………………… 859
恒常性現象 constancy phenomenon …… 1404
溝状舌 lingua plicata …………………… 1053
甲状舌管 thyroglossal duct …………… 565
甲状舌管 thyrolingual duct …………… 565
甲状舌管 ductus thyroglossus ………… 566
甲状舌管嚢胞 thyroglossal duct cyst, thyrolingual cyst ………………………… 460
甲状舌骨筋 thyrohyoid (muscle) ……… 1196
甲状舌骨筋 musculus thyrohyoideus …… 1204
甲状舌骨筋神経 thyrohyoid branch of ansa cervicalis ………………………………… 254
甲状舌骨筋神経 nerve to thyrohyoid muscle …………………………… 1240
甲状舌骨靱帯 ligamentum thyrohyoideum laterale ……………………………… 1046
甲状舌骨の hyothyroid …………………… 878
甲状舌骨の thyrohyoid ………………… 1890
甲状舌骨膜 membrana thyrohyoidea …… 1124
甲状舌骨膜 thyrohyoid membrane ……… 1127
甲状舌の thyroglossal …………………… 1890
甲状腺 thyroid gland ……………………… 775
甲状腺 glandula thyroidea ……………… 776
甲状腺亜全摘術 subtotal thyroidectomy 1890
甲状腺炎 thyroiditis ……………………… 1891
甲状腺〔腫〕炎 strumitis ………………… 1760
甲状腺外性の代謝亢進状態 extrathyroidal hypermetabolism ……………………… 883
甲状腺学 thyroidology ………………… 1891
甲状腺下垂〔症〕 thyroptosis …………… 1891
甲状腺機能異常眼窩症 dysthyroid orbitopathy ……………………………… 1310
甲状腺機能亢進〔症〕 hyperthyrea ……… 888
甲状腺機能亢進〔症〕 hyperthyroidism …… 888
甲状腺機能亢進性心 hyperthyroid heart 820
甲状腺機能正常 euthyroidism …………… 649
甲状腺機能正常性代謝低下〔症〕 euthyroid hypometabolism ………………………… 894
甲状腺機能正常な病的症候群 euthyroid sick syndrome ………………………………… 1804
甲状腺〔機能〕低下(不全)〔症〕 hypothyroidism ………………………… 899
甲状腺機能低下性小人症 hypothyroid dwarf ……………………………… 568
甲状腺機能不全症 thyroid insufficiency … 941
甲状腺急性発症 thyrotoxic crisis, thyroid crisis ……………………………………… 439
甲状腺峡部 isthmus glandulae thyroideae 963
甲状腺峡部 isthmus of thyroid gland …… 964
甲状腺挙筋 elevator (muscle) of thyroid gland ………………………………… 1184
甲状腺挙筋 levator (muscle) of thyroid gland ………………………………… 1188
甲状腺挙筋 musculus levator glandulae thyroideae ……………………………… 1201
甲状腺巨細胞癌 giant cell carcinoma of thyroid gland ……………………………… 297
甲状腺近傍にある parathyroid ………… 1355
甲状腺クリーゼ thyrotoxic crisis, thyroid crisis ……………………………………… 439
甲状腺憩室 thyroid diverticulum, thyroglossal diverticulum ……………… 552
甲状腺欠損 thyroprivia ………………… 1891
甲状腺膠質 colloid ……………………… 391
甲状腺膠質 thyroid colloid ……………… 392
甲状腺膠質 thyrocolloid ………………… 1890
甲状腺コルク thyroid cork ……………… 423
甲状腺コロイド colloid ………………… 391
甲状腺コロイド thyroid colloid ………… 392
甲状腺コロイド thyrocolloid …………… 1890
甲状腺〔細胞〕破壊〔性〕の thyrolytic …… 1891
甲状腺雑音 thyroid bruit ………………… 262
甲状腺刺激活性単位 unit of thyrotrophic activity …………………………………… 1967
甲状腺刺激の thyrotropic ……………… 1891
甲状腺刺激ホルモン thyrotropin ……… 1891
甲状腺刺激ホルモン刺激試験 thyroid-stimulating hormone stimulation test, TSH-stimulating test …………… 1867
甲状腺刺激ホルモン放出ホルモン試験 thyrotropin-releasing hormone stimulation test, TRH-stimulation test …………… 1867
甲状腺刺激免疫グロブリン thyroid-stimulating immunoglobulins (TSI) ……………………………………… 913
甲状腺支質 stroma glandulae thyroideae …………………………………… 1759
甲状腺支質 stroma of thyroid gland …… 1759
甲状腺腫 goiter …………………………… 790
甲状腺腫 struma ………………………… 1760
甲状腺腫 thyrocele ……………………… 1890
甲状腺周囲炎 perithyroiditis …………… 1393
甲状腺〔腫〕周囲の peristrumous ……… 1392
甲状腺〔腫〕炎 strumitis ………………… 1760
甲状腺腫誘発〔性〕の goitrogenic ………… 791
甲状腺腫誘発物質 goitrogen …………… 791
甲状腺鞘 sheath of thyroid gland ……… 1672
甲状腺障害 thyropathy ………………… 1891
甲状腺傷害性血清 thyrotoxic serum …… 1668
甲状腺上皮小体切除〔術〕 thyroparathyroidectomy ……………… 1891
甲状腺小胞 follicles of thyroid gland …… 722
甲状腺小胞 folliculi glandulae thyroideae 723
甲状腺静脈 thyroid veins ………………… 2003
甲状腺静脈 vena thyroidea superior …… 2008
甲状腺小葉 lobules of thyroid gland …… 1066
甲状腺小葉 lobuli glandulae thyroideae 1066
甲状腺心臓性の thyrocardiac …………… 1890
甲状腺錐体葉 pyramidal lobe of thyroid gland ………………………………… 1064
甲状腺錐体葉 lobus pyramidalis glandulae thyroideae ……………………………… 1067
甲状腺髄様癌 medullary carcinoma of thyroid ……………………………………… 298
甲状腺性心臓病 thyrocardiac disease …… 541
甲状腺切除〔術〕 thyroidectomy ………… 1890
甲状腺切除性悪液質 cachexia thyropriva 274
甲状腺栓 thyroid cork …………………… 423
甲状腺全摘術 near-total thyroidectomy 1890
甲状腺前〔方〕の prethyroid, prethyroideal, prethyroidean ……………………………… 1483
甲状腺蛋白 thyroprotein ………………… 1891
甲状腺中毒 thyrointoxication …………… 1891
甲状腺中毒〔症〕 thyrotoxicosis ………… 1891
甲状腺中毒〔性〕昏睡 thyrotoxic coma …… 396
甲状腺中毒性筋障害 thyrotoxic myopathy …………………………………… 1215
甲状腺中毒性心疾患 thyrotoxic heart disease ……………………………………… 541
甲状腺中毒性の thyrotoxic ……………… 1891
甲状腺中毒性脳障害(脳症) thyrotoxic encephalopathy …………………………… 610
甲状腺中毒性ミオパシー thyrotoxic myopathy ………………………………… 1215
甲状腺〔機能〕低下(不全)〔症〕 hypothyroidism ………………………… 899
甲状腺提靱帯 suspensory ligament of thyroid gland ……………………………… 1041
甲状腺摘出〔術〕 thyroidectomy ………… 1890
甲状腺動脈〔動脈〕周囲神経叢 periarterial plexus of thyroid artery ……………… 1443
甲状腺毒素 thyrotoxin …………………… 1891
甲状腺の実質 parenchyma of thyroid gland …………………………………… 1355
甲状腺の被膜 fibrous capsule of thyroid gland ………………………………… 291
甲状腺〔細胞〕破壊〔性〕の thyrolytic …… 1891
甲状腺微小癌 microcarcinoma of the thyroid ……………………………………… 1150
甲状腺ペルオキシダーゼ thyroid peroxidase …………………………………… 1394
甲状腺ペルオキシダーゼ thyroperoxidase …………………………………… 1891
甲状腺未分化癌 undifferentiated carcinoma of the thyroid …………………………… 299
甲状腺無形成〔症〕 thyroaplasia ………… 1890
甲状腺無形成癌 anaplastic carcinoma of the thyroid ……………………………………… 296
甲状腺由来の thyrogenic, thyrogenous … 1890
甲状腺由来の末端肥厚症 thyroid acropachy …………………………………… 19
甲状腺葉 lobes of thyroid gland ………… 1064
甲状腺葉 lobi glandulae thyroideae …… 1066
甲状腺抑制試験 thyroid suppression test 1867
甲状腺療法 thyroid therapy …………… 1880
甲状腺リンパ節 thyroid lymph nodes … 1081
鉤状束 fasciculus uncinatus …………… 677
鉤状束 unciform fasciculus, uncinate fasciculus …………………………………… 677
後床突起 posterior clinoid process ……… 1489
鉤状突起 coronoid process ……………… 1488

〔篩骨〕鈎状突起 uncinate process of ethmoid bone 1490
〔篩骨〕鈎状突起 processus uncinatus ossis ethmoidalis 1492
〔膵臓〕鈎状突起 processus uncinatus pancreatis 1492
甲状〔軟骨〕内軟骨 intrathyroid cartilage 306
甲状軟骨 cartilago thyroidea 307
甲状軟骨 thyroid cartilage 307
甲状軟骨角 horns of thyroid cartilage 864
甲状軟骨形成術 thyroplasty 1891
甲状〔軟骨〕喉頭の thyrolaryngeal 1891
甲状軟骨斜線 oblique line of thyroid cartilage 1051
甲状軟骨切開〔術〕 thyrotomy 1891
甲状軟骨前〔方〕の prethyroid, prethyroideal, prethyroidean 1483
〔甲状軟骨の〕下角 inferior horn of thyroid cartilage 864
甲状軟骨の角 cornua of thyroid cartilage 424
甲状軟骨の上角 cornu superius cartilaginis thyroideae 424
〔甲状軟骨の〕上角 superior horn of thyroid cartilage 864
甲状軟骨板 lamina cartilaginis thyroideae 997
甲状軟骨板 lamina of thyroid cartilage 999
甲状の thyroid 1890
膠状の gelatinous 761
鈎状の ancyroid 75
鈎状の hamular 814
後上〔方〕の posterosuperior 1471
後小脳延髄槽 cisterna cerebellomedullaris posterior 368
後小脳延髄槽 posterior cerebellomedullary cistern 368
後小脳小舌裂 postlingual fissure 703
後小脳切痕 incisura cerebelli posterior 919
後小脳切痕 posterior cerebellar notch 1270
後小脳切痕 posterior notch of cerebellum 1270
鈎状白内障 hook-shaped cataract 311
抗上皮細胞血清 antiepithelial serum 1667
甲状披裂筋 thyroarytenoid (muscle) 1196
甲状披裂筋 musculus thyroarytenoideus 1204
甲状披裂筋の甲状喉頭蓋部 thyroepiglottic part of thyroarytenoid (muscle) 1368
甲状披裂軟骨の thyroarytenoid 1890
鈎静脈 vein of uncus 2003
鈎静脈 vena uncalis 2008
後上葉区 segmentum posterius 1656
後上葉静脈 posterior vein 2000
後上葉静脈の葉内枝 intralobar part of the posterior vein (of the right superior pulmonary vein) 1365
鈎状幼虫 acanthor 8
後上腕回旋静脈 posterior circumflex humeral vein 2000
後上腕回旋動脈 arteria circumflexa humeri posterior 134
後上腕回旋動脈 posterior circumflex humeral artery 150
後小弯神経 posterior nerve of lesser curvature 1238
後上腕皮神経 posterior brachial cutaneous nerve 1237
後上腕皮神経 posterior cutaneous nerve of arm 1237
後上腕皮神経 nervus cutaneus brachii posterior 1241
後上腕部 regio brachialis posterior 1583
後上腕面 facies brachialis posterior 663
高所恐怖〔症〕 acrophobia 19
荒食 psomophagia, psomophagy 1516
紅色 red 1575
紅色陰癬 erythrasma 639
紅色陰嚢症候群 red scrotum syndrome 1817
紅色汗疹 miliaria rubra 1157
紅色指症候群 red fingers syndrome 1817
好色症 erotism, eroticism 637
向色性 chromatotropism 357
好色の erotic 637
好色の libidinous 1031
紅色白癬菌 *Trichophyton rubrum* 1930
紅色鼻顆粒症 granulosis rubra nasi 799
紅色肥厚〔症〕 erythroplasia 641
高所めまい height vertigo 2016
抗シラミ性の antipediculotic 108
抗脂漏〔性〕の antiseborrheic 108
抗脂漏薬 antiseborrheic 108
光滲 irradiation 957
口唇 labia oris 991
口唇 labrum 992
口唇 lips of mouth 1055
更新 redintegration 1575
更新 rejuvenescence 1588
紅疹 rubedo 1625
亢進 sthenia 1746
咬唇 cheilophagia, chilophagia 341
後腎 hind kidney 984
後腎 metanephros 1140
口唇移行部 transitional zone of lips 2060
口唇炎 cheilitis, chilitis 340
後腎芽 nephric blastema 218
口唇外反 cheilectropion, chilectropion 340
口唇角化症 keratosis labialis 981
口唇顎口蓋裂 cheilognathouranoschisis 341
口唇顎舌裂 cheilognathoglossoschisis 341
後腎管 metanephric duct 564
後腎〔小〕管 metanephric tubule 1948
口唇乾燥〔症〕 xerochilia 2053
抗真菌〔症〕の antimycotic 107
抗真菌性の antifungal 103
後腎区 posterior renal segment 1655
後腎憩室 metanephric diverticulum 552
口唇形成〔術〕 labioplasty 991
向神経性ウイルス neurotropic virus 2027
向神経性牽引力 neurotropic attraction 175
口唇形成術 cheiloplasty 341
〔腕神経叢の〕後神経束 fasciculus posterior plexus brachialis 676
口唇交叉皮弁 lip switch flap 710
口唇軸 modiolus labii 1162
口唇軸 modiolus of angle of mouth 1162
口唇歯肉溝 labial sulcus 1772
口唇歯肉層 labiogingival lamina 997
口唇症 cheilosis, chilosis 341
口唇小窩 lip pits 1426
口唇状赤血球 stomatocyte 1749
口唇状赤血球症 stomatocytosis 1749
向心〔性〕の centripetal 331
向腎性の renotrophic 1590
好人性の anthropophilic 99
口唇舌咽頭の labioglossopharyngeal 991
〔口〕唇切開〔術〕 cheilotomy 341
口唇舌喉頭の labioglossolaryngeal 991
口唇腺 labial glands 773
口唇腺 glandulae labiales 775
抗腎臓血清腎炎 anti-kidney serum nephritis 1228
後深側頭動脈の翼突筋枝 pterygoid branch of posterior deep temporal artery 252
後腎組織 metanephric tissue 1895
後腎組織塊 metanephric mass 1107
後腎組織帽 metanephric tissue cap 288
項靱帯 nuchal ligament 1038
項靱帯 ligamentum nuchae 1044
〔口〕唇痛 cheilalgia, chilalgia 340
後陣痛 afterpains 34
高浸透圧〔症〕 hyperosmolality 884
高浸透圧〔症〕 hyperosmolarity 884
高浸透〔圧〕性造影剤 high osmolar contrast agent 36
高浸透圧性(高血糖性)非ケトン性昏睡 hyperosmolar (hyperglycemic) nonketotic coma 396
高浸透性 hypertonicity 889
口唇の labial 991
後腎の metanephric 1140
高心拍出量性心不全 high output failure 670
後腎発生の metanephrogenic, metanephrogenous 1140
口唇反射 lip reflex 1580
口唇肥厚〔症〕 pachycheilia, pachychilia 1334
後腎胞 metanephric vesicle 2016
口唇縫合術 cheilorrhaphy 341
口唇癒着〔症〕 syncheilia 1793
口唇裂 cleft lip 1055
高親和性ヘモグロビン high-affinity hemoglobin 833
光錐 pyramid of light 1532
光錐 light reflex 1580
硬水 hard water 2041
抗水腫の antihydropic 106
抗水腫薬 antihydropic 106
抗水痘ウイルス免疫グロブリン(ヒト) chickenpox immune globulin (human) 779
後膵動脈 arteria pancreatica dorsalis 137
後膵動脈 dorsal pancreatic artery 145
硬〔髄〕膜炎 pachymeningitis 1335
硬〔髄〕膜外層炎 pachymeningitis externa 1335
硬〔髄〕膜障害 pachymeningopathy 1335
硬〔髄〕膜内層炎 pachymeningitis interna 1335
後睡眠期 postdormitum 1470
後頭蓋窩 fossa cranii posterior 732
後頭蓋窩 posterior cranial fossa 733
後頭蓋窩到達法(アプローチ) posterior fossa approach 121
広頭蓋の eurycephalic, eurycephalous 649
広頭蓋の therencephalous 1880
抗頭痛性の anticephalalgic 101
抗ステアプシン antisteapsin 109
抗ストレプトキナーゼ antistreptokinase 109
抗ストレプトリジン antistreptolysin 109
抗スピロヘータ薬 spirocheticide 1718
向性 tropism 1937
構成 organization 1312
降生 cataplasia, cataplasis 310
合成 synthesis 1827
合成異型接合体 compound heterozygote 849
構成概念 construct 415
構成概念妥当性 construct validity 1983
合成化学 synthetic chemistry 342
硬性癌性 scirrhosity 1646
合成期 synthesis period 1390
合成期 synthesis 1827
硬性鏡 telescope 1847
較正曲線 calibration curve 450
抗生〔物質産生〕菌 antibiont 99
光〔性〕駆動 photic driving 561
硬性下疳 hard sore 1701
硬〔性〕結節 hard tubercle 1943
好青細胞 cyanophil, cyanophile 453
抗生作用 antibiosis 99
構成失行 constructional apraxia 121
構成失書〔症〕 constructional agraphia 39
校正(較正)周期 calibration interval 948
合成樹脂包埋切片染料 plastic section stain 1734
構成書字不能〔症〕 constructional agraphia 39
向精神性の psychotropic 1521
抗精神病の antipsychotic 108
抗精神病薬 antipsychotic 108
抗精神病薬 antipsychotic agent 36
抗精神病薬 neuroleptic 1248

向精神薬 psychotropic agent ……………… 36
向精神薬 psychotropic drug ……………… 561
向精神薬 psychopharmaceuticals ……… 1519
好青成分 cyanophil, cyanophile ………… 453
後成〔説〕の epigenetic …………………… 627
硬性腺炎 scleradenitis …………………… 1646
合成染料 synthetic dyes ………………… 570
構成体 formatio …………………………… 729
構成体 formation ………………………… 729
後正中溝 posterior median furrow ……… 746
〔延髄〕後正中溝 sulcus medianus posterior medullae oblongatae ………………… 1773
〔延髄〕後正中溝 posterior median sulcus of medulla oblongata …………………… 1774
〔脊髄〕後正中溝 sulcus medianus posterior medullae spinalis ……………………… 1773
〔脊髄〕後正中溝 posterior median sulcus of spinal cord ……………………………… 1774
後正中線 posterior median line ………… 1051
後正中線 linea mediana posterior ……… 1053
後正中の posteromedian ………………… 1471
構成的酵素 constitutive enzyme ………… 623
構成的な constitutive …………………… 415
後生動物亜界 Metazoa …………………… 1141
硬性ドルーゼン hard drusen …………… 562
硬性乳頭腫 hard papilloma ……………… 1346
硬性乳頭腫 papilloma durum …………… 1346
抗生の antibiotic ………………………… 99
高性能液体クロマトグラフィ high-performance liquid chromatography (HPLC) …………………………………… 357
抗性病〔性〕の antivenereal …………… 110
構成物 frame ……………………………… 739
抗生物質 antibiotic ……………………… 99
抗生物質感受性 antibiotic sensitivity … 1661
抗生物質感受性試験 antibiotic sensitivity test ……………………………………… 1854
抗生〔物質産生〕菌 antibiont …………… 99
抗生物質性腸炎 antibiotic enterocolitis … 620
抗生物質耐性の antibiotic-resistant …… 99
抗生物質抵抗性の antibiotic-resistant … 99
合成文同定 synthetic sentence identification ……………………………………… 904
構成ヘテロクロマチン constitutive heterochromatin …………………………… 847
硬〔性〕リンパ節炎 scleradenitis ……… 1646
後脊髄小脳路 posterior spinocerebellar tract ……………………………………… 1912
後脊髄小脳路 tractus spinocerebellaris posterior ……………………………… 1915
後脊髄動脈 arteria spinalis posterior …… 138
後脊髄動脈 posterior spinal artery ……… 150
抗赤痢〔性〕の antidysenteric …………… 102
後節 deutomerite ………………………… 501
硬節 scleromere ………………………… 1647
硬節 sclerotome ………………………… 1648
交接 copulation …………………………… 421
交接管 gynecophoric canal ……………… 283
咬舌感 odaxesmus ………………………… 1291
抗〔赤〕血球凝集素 antihemagglutinin …… 106
硬石けん hard soap ……………………… 1695
後接合線 posterior junction line ……… 1051
交接刺 spicule …………………………… 1715
高摂取結節 hot nodule ………………… 1261
厚舌症 pachyglossia …………………… 1335
抗接触伝染性の anticontagious ………… 102
口舌の orolingual ………………………… 1315
広舌の platyglossal ……………………… 1436
広節裂頭条虫 *Diphyllobothrium latum* … 523
高セロトニン血〔症〕 hyperserotonemia … 887
光線 light ………………………………… 1046
光線 ray …………………………………… 1561
鋼線 wire ………………………………… 2047
高繊維〔性成分〕食〔事〕 high-fiber diet …… 514
高線維素血〔症〕 hyperinosemia ……… 882
抗線維素溶解剤 antifibrinolytic ……… 102
光線〔性〕角化症 actinic keratosis ……… 981
光線過敏 hyperesthesia optica ………… 880
光線眼症 photophthalmia ……………… 1418
光線狂 photomania ……………………… 1417
光線紅斑 photoerythema ……………… 1417
光線症 photopathy ……………………… 1417
光線障害 photopathy …………………… 1417
後染色 counterstain ……………………… 432
〔鉱〕泉水 mineral water ………………… 2041
好染性 chromophil, chromophile ……… 358
光線性汗孔角化症 actinic porokeratosis 1467
光線性てんかん photogenic epilepsy …… 628
光線性類細網症 actinic reticuloid ……… 1599
口前中胚葉 prostomial mesoderm ……… 1136
抗線虫薬 nematicide, nematocide ……… 1226
光線聴診器 photostethoscope …………… 1418
後仙腸靱帯 dorsal sacroiliac ligament … 1035
後仙腸靱帯 posterior sacroiliac ligament ……………………………………… 1039
後仙腸靱帯 ligamentum sacroiliacum posterius ………………………………… 1045
〔後〕前庭静脈 (posterior) vestibular vein ……………………………………… 1993
〔後〕前庭静脈 venae vestibulares (posterius) ……………………………………… 2008
後前の posteroanterior (PA) …………… 1471
口前の preoral …………………………… 1480
後仙尾筋 dorsal sacrococcygeal muscle 1184
後仙尾筋 musculus sacrococcygeus dorsalis ……………………………………… 1203
光線皮膚炎 photodermatitis …………… 1416
溝前部 pars presulcalis ………………… 1360
光線浴 light bath ………………………… 202
光線療法 phototherapy ………………… 1418
光線療法 solar therapy ………………… 1879
高線量率近接照射療法. high-dose-rate brachytherapy ……………………………… 240
後前腕神経 posterior antebrachial nerve 1237
後前腕神経 nervus antebrachii posterior 1241
後前腕皮神経 posterior antebrachial cutaneous nerve ……………………… 1237
後前腕皮神経 posterior cutaneous nerve of forearm ……………………………… 1237
後前腕皮神経 nervus cutaneus antebrachii posterior ……………………………… 1241
後前腕部 regio antebrachialis posterior 1583
後前腕部 posterior region of forearm …… 1586
後前腕面 facies antebrachialis posterior 662
酵素 enzyme ……………………………… 623
酵素異性化 enzyme isomerization ……… 961
溝創 gutter wound ……………………… 2049
構造 configuration ……………………… 409
構造 constitution ………………………… 415
構造 mechanism ………………………… 1114
構造 structure …………………………… 1760
構造 texture ……………………………… 1872
構造異性 structural isomerism ………… 961
構造異性体 metamer …………………… 1139
構造遺伝子 structural gene …………… 764
抗躁うつ病薬 mood stabilizing agent …… 36
構造化抄録 structured abstract ………… 7
構造式 structural formula ……………… 730
構造主義 structuralism ………………… 1760
合爪症 synonychia ……………………… 1826
構造色 structural color ………………… 393
構造蛋白 structure proteins …………… 1506
溝槽徴候 trough sign …………………… 1684
構造的多面作用 structural pleiotropy …… 1437
考想伝播 thought broadcasting ………… 1886
構造物 structure ………………………… 1760
〔構造〕不連続性 asynechia ……………… 166
構造をもつノイズ structured noise …… 1265
酵素〔化〕学 enzymology ………………… 624
酵素学者 enzymologist ………………… 624
〔酵素〕活性 activity (*a*) ………………… 21
酵素拮抗質 enzyme antagonist ………… 96
光束 luminous flux ……………………… 717
梗塞 infarct ……………………………… 926
梗塞 infarction …………………………… 926
拘束 bind ………………………………… 211
拘束 restraint …………………………… 1597
拘束 restriction ………………………… 1597
拘束型心筋症 restrictive cardiomyopathy 300
後〔続〕効果 aftereffect ………………… 33
梗塞周囲ブロック periinfarction block …… 222
合足症 sympodia ………………………… 1791
高速スピンエコー法 fast spin echo ……… 583
拘束性狭窄〔症〕 bridle stricture ……… 1757
梗塞性心外膜炎(心嚢炎) constrictive pericarditis ……………………………… 1386
合足体 sympus …………………………… 1792
後側頭泉門 mastoid fontanelle ………… 723
後側頭泉門 fonticulus mastoideus ……… 723
後側頭板間静脈 posterior temporal diploic vein ……………………………………… 2000
後側頭葉枝 rami temporales posteriores 1556
後側頭葉動脈 arteria temporalis posterior ……………………………………… 138
後側頭葉動脈 posterior temporal artery 150
後側頭葉動脈 posterior temporal branch of middle cerebral artery ……………… 252
光束の単位 unit of luminous flux ……… 1966
拘束服 straitjacket ……………………… 1751
後側方開胸〔術〕 posterolateral thoracotomy ……………………………………… 1886
合足無頭体 acephalus sympus ………… 11
拘束梁 restrained beam ………………… 203
〔脊柱〕後側弯〔症〕 kyphoscoliosis ……… 990
〔脊柱〕後側弯〔性〕骨盤 kyphoscoliotic pelvis ……………………………………… 1378
酵素原 zymogen ………………………… 2063
酵素原顆粒 zymogen granule …………… 797
酵素原細胞 zymogenic cell …………… 328
硬組織 hard tissue ……………………… 1895
好訴者の querulent ……………………… 1538
酵素触媒性ライゲーション enzyme-catalyzed ligation ……………… 1046
酵素制御 enzyme regulation …………… 1587
酵素増幅免疫測定法 enzyme-multiplied immunoassay technique (EMIT) ……… 911
酵素阻害薬 antienzyme ………………… 102
酵素的合成 enzymatic synthesis ……… 1827
酵素発生 zymogenesis ………………… 2063
好訴パラノイア litigious paranoia ……… 1352
酵素パラメータ enzyme parameters …… 1351
酵素反応速度論 enzyme kinetics ……… 985
酵素病 enzymopathy …………………… 624
酵素標識イムノソルベント検定法 enzyme-linked immunosorbent assay (ELISA) ……………………………… 162
酵素分解 enzymolysis ………………… 624
酵素変換 enzyme interconversion ……… 944
高ソマトトロピン分泌〔症〕 hypersomatotropism ……………………… 887
酵素免疫法 enzyme immunoassay ……… 911
酵素溶解 enzymolysis …………………… 624
酵素抑制 enzyme repression …………… 1591
酵素抑制薬 antienzyme ………………… 102
恒存発疹性斑状血管拡張〔症〕 telangiectasia macularis eruptiva perstans ……………… 1846
後退 regression ………………………… 1587
後退 retraction ………………………… 1603
後退 retrocession ……………………… 1604
交替 alteration …………………………… 53
交替 turnover …………………………… 1955
交代 alternation ………………………… 54
交代 turnover …………………………… 1955
抗体 antibody (Ab) ……………………… 99
抗体依存性細胞媒介性細胞傷害 antibody-dependent cell-mediated cytotoxicity (ADCC) ……………………… 468
交代遺伝 alternative inheritance ……… 932

高体温 hyperthermia ………………………… 888
後退顎 retrognathism …………………… 1604
後退顎の retrognathic …………………… 1604
抗体過剰 antibody excess ………………… 651
交代眼の alternocular ……………………… 54
抗体欠損〔性〕症候群 antibody deficiency syndrome ……………………………… 1796
抗体欠乏〔性〕症候群 antibody deficiency syndrome ……………………………… 1796
後退咬合 retrusive occlusion …………… 1290
交代斜視 alternating strabismus ………… 1750
交代遮へい試験 alternate cover test …… 1854
後退唇 opisthocheilia, opisthochilia …… 1308
交代振せん alternating tremor ………… 1924
交代性片麻痺(半側麻痺) alternating hemiplegia ……………………………… 829
交代性散瞳 alternating mydriasis ……… 1208
交代性振せん alternative tremor ……… 1924
交代〔性〕の alternans ……………………… 53
交代性無呼吸 Cheyne-Stokes respiration 1595
後大腿皮神経 posterior cutaneous nerve of thigh ……………………………… 1237
後大腿皮神経 posterior femoral cutaneous nerve ……………………………… 1237
後大腿皮神経 nervus cutaneus femoris posterior ……………………………… 1241
後大腿皮神経の会陰枝 perineal branches of posterior cutaneous nerve of thigh …… 251
後大腿皮神経の会陰枝 perineal branches of posterior femoral cutaneous nerve …… 251
後大腿皮神経の会陰枝 rami perineales nervi cutanei femoris posterioris ……………… 1555
後大腿面 facies femoralis posterior …… 663
後退の palinal ……………………………… 1338
後退の retrocursive ……………………… 1604
後大脳動脈 arteria cerebri posterior …… 134
後大脳動脈 posterior cerebral artery …… 150
〔後大脳動脈〕外側(内側)後脈絡枝 choroid branches ……………………………… 244
後大脳動脈のP1区 P1 segment of posterior cerebral artery ………………………… 1655
後大脳動脈の後脈絡枝 posterior choroidal branches of posterior cerebral artery … 251
後大脳動脈の連合後部 pars precommunicalis arteriae cerebri posterioris ……………………………… 1360
後大脳動脈の連合後部 postcommunicating part of posterior cerebral artery …… 1366
後大脳動脈の連合前部 precommunicating part of posterior cerebral artery …… 1367
抗体保有率 seroprevalence ……………… 1666
交代浴 contrast bath ……………………… 201
光沢苔癬 lichen nitidus ………………… 1031
光沢皮膚 glossy skin …………………… 1691
合多指症 synpolydactyly ……………… 1827
叩打法 hacking …………………………… 810
叩打法 tapotement ……………………… 1841
〔脾臓〕前端・後端 poli lienales inferior et superior ……………………………… 1457
高炭酸ガス〔症〕 hypercapnia ………………… 879
高炭酸ガス許容換気法 permissive hypercapnic ventilation ……………… 2010
好単色性の monochromatophil, monochromatophile …………………… 1166
高短頭〔蓋〕〔症〕 hyperbrachycephaly ……… 879
抗男性ホルモン antiandrogen …………… 99
硬蛋白〔質〕 scleroprotein ………………… 1647
構築 organization ……………………… 1312
構築再建 construct ……………………… 415
向地性 geotropism ……………………… 767
好地性の geophilic ……………………… 767
後腟円蓋ヘルニア posterior vaginal hernia ……………………………………… 843
〔高〕窒素血〔症〕 azotemia ………………… 186
抗チフス〔症〕の antityphoid ……………… 110
紅茶キノコ茶 Kombucha tea …………… 1843
膠着 agglutination ………………………… 37
膠着〔反応〕 conglutination ………………… 410
合着材 luting agent ………………………… 36
鉤虫 hookworm …………………………… 862
後柱 posterior column …………………… 395
〔脊髄の〕後柱 dorsal column of spinal cord ……………………………………… 395
〔脊髄の〕後柱 posterior column of spinal cord ……………………………………… 395
後中位核 posterior interpositus nucleus 1278
後中間溝 posterior intermediate groove 802
後中間溝 sulcus intermedius posterior … 1772
後中間溝 posterior intermediate sulcus 1774
〔視床〕後中間腹側核 nucleus ventralis posterior intermedius thalami ………… 1281
好中球 neutrophil, neutrophile ………… 1254
好中〔性白血〕球 neutrophilic leukocyte 1026
好中球減少〔症〕 neutropenia ……………… 1254
好中球性エクリン汗腺炎 neutrophilic eccrine hidradenitis …………………… 851
好中球性白血病 neutrophilic leukemia 1025
好中球増加〔症〕 neutrophilia ……………… 1254
好中球走化因子 neutrophil chemotactant factor ……………………………………… 668
好中球走性 neutrotaxis ………………… 1254
後柱頸 cervix columnae posterioris …… 336
鉤虫症 ancylostomiasis …………………… 75
鉤虫症 uncinariasis …………………… 1963
後中心傍回 posterior paracentral gyrus … 809
後中心裂 postcentral fissure …………… 703
好中性 neutrophil, neutrophile ………… 1254
好中性顆粒 neutrophil granule ………… 797
鉤虫属 *Ancylostoma* ………………………… 75
鉤虫属の ancylostomatic ………………… 75
鉤虫病 hookworm disease ……………… 535
鉤虫貧血 ground itch anemia …………… 77
鉤虫貧血 hookworm anemia ……………… 77
後肘部 posterior cubital region ………… 1586
後虫部錐体裂 postpyramidal fissure …… 704
後肘面 facies cubitalis posterior ……… 663
甲虫目 Coleoptera ………………………… 389
後腸 hindgut ……………………………… 852
紅潮 suffusion …………………………… 1769
高張 hypertonia ………………………… 889
後蝶形骨 postsphenoid bone …………… 233
溝徴候 groove sign ……………………… 1681
後聴条 posterior acoustic stria ………… 1756
高張性 hypertonicity …………………… 889
高張性の hyperoncotic …………………… 884
後頂点屈折力 back vertex power ……… 1475
腔腸動物 coelenterate …………………… 387
腔腸動物門 Coelenterata ………………… 387
高張尿〔症〕 hypersthenuria ……………… 887
後腸門 posterior intestinal portal ……… 1468
抗張力 tensile strength ………………… 1753
硬直 rigidity ……………………………… 1616
硬直 rigor ………………………………… 1617
抗沈降素 antiprecipitin …………………… 108
交通 anastomosis ………………………… 72
交通 communicans ……………………… 398
交通 communication …………………… 398
交通 intercourse ………………………… 944
光痛〔症〕 photalgia ……………………… 1416
交通枝 communicating branch ………… 244
交通枝 ramus communicans …………… 1549
〔腓骨動脈〕交通枝 ramus communicans arteriae peroneae ……………………… 1549
交通枝切断〔術〕 ramisection ……………… 1547
交通性陰囊水腫(瘤) communicating hydrocele ……………………………… 870
交通性水頭〔症〕 communicating hydrocephalus …………………………… 871
交通動脈 communicating artery ………… 143
工程 process ……………………………… 1488
肯定 affirmation …………………………… 33
抗tac antitac ……………………………… 109
後堤域 posterior palatal seal area ……… 130
口蹄疫 foot-and-mouth disease (FMD) … 533
口蹄疫ウイルス foot-and-mouth disease virus ……………………………………… 2024
口蹄疫ウイルスワクチン foot-and-mouth disease virus vaccines ………………… 1979
抗低血圧性の antihypotensive …………… 106
公定書収載の official …………………… 1293
公定処方 official formula ………………… 730
後堤法 posterior palatal seal …………… 1652
高テストステロン症 hypertestoidism …… 888
高鉄血〔症〕 hyperferremia ………………… 880
後転 recession …………………………… 1572
後転 retrodeviation …………………… 1604
後転 retrodisplacement ………………… 1604
光点 radiant ……………………………… 1541
高電圧量 supervoltage ………………… 1778
後電位 afterpotential ……………………… 34
光電吸収 photoelectric absorption ………… 7
後殿筋線 linea glutea posterior ………… 1053
光電効果 photoelectric effect …………… 589
光電効果の photoelectric ……………… 1417
光電子 photoelectron …………………… 1417
光点自覚症 phose ……………………… 1412
光電子増倍管 photomultiplier tube …… 1941
後天性運動失調〔症〕 acquired ataxia …… 167
後天性眼瞼下垂〔症〕 acquired ptosis …… 1522
後天性巨大結腸 acquired megacolon …… 1119
後天性魚鱗癬 acquired ichthyosis ……… 903
後天性筋緊張〔症〕 myotonia acquisita … 1216
後天性高リポ蛋白血〔症〕 acquired hyperlipoproteinemia ………………… 882
後天性中心位 acquired centric relation 1588
後天〔性〕の acquired ……………………… 17
後天性の房状血管腫 acquired tufted angioma ……………………………………… 85
後天性偏心位 acquired eccentric relation ……………………………………… 1588
後天性母斑 acquired nevus …………… 1254
後天性ミオトニー myotonia acquisita … 1216
後天性メトヘモグロビン血症 acquired methemoglobinemia …………………… 1142
後天性免疫不全症候群 acquired immunodeficiency syndrome ………… 1795
後天性溶血性黄疸 acquired hemolytic icterus ……………………………………… 903
後天性溶血性貧血 acquired hemolytic anemia ……………………………………… 76
光電ピーク photopeak ………………… 1417
光電比色計 photoelectrometer ………… 1417
後天免疫 acquired immunity …………… 909
後電流 aftercurrent ………………………… 33
光度 luminous intensity (I) …………… 943
硬度 hardness ……………………………… 815
高度色消しレンズ apochromatic lens …. 1019
後頭 occiput ……………………………… 1289
喉頭 larynx ……………………………… 1002
咬頭 cusp ………………………………… 452
咬頭 cusp of tooth ……………………… 452
咬頭 cuspis coronae ……………………… 452
咬頭 cuspis dentis ………………………… 452
後洞 posterior sinus of tympanic cavity 1688
口道 stomodeum ………………………… 1749
行動 behavior ……………………………… 204
行動医学 behavioral medicine ………… 1116
行動遺伝学 behavioral genetics ………… 765
喉頭咽頭筋 laryngopharyngeus ………… 1002
喉頭〔下〕咽頭摘出〔術〕 laryngopharyngectomy ………………… 1002
喉頭咽頭の laryngopharyngeal ………… 1002
喉頭運動描画器 laryngograph ………… 1002
後頭縁 occipital border ………………… 235
後頭縁 occipital margin ………………… 1103
後頭縁 margo occipitalis ……………… 1104
喉頭炎 laryngitis ………………………… 1002
喉頭横隔膜症 laryngeal web …………… 2043

後頭おとがい(頤)の occipitomental …… 1289
後頭顆 condylus occipitalis …… 409
後頭顆 occipital condyle …… 409
行動化 acting out …… 20
後頭回 occipital gyri …… 808
喉頭蓋 epiglottis …… 627
喉頭蓋炎 epiglottitis …… 627
後頭蓋窩 fossa cranii posterior …… 732
後頭蓋窩 posterior cranial fossa …… 733
後頭蓋窩到達法(アプローチ) posterior fossa approach …… 121
喉頭蓋茎 petiolus epiglottidis …… 1397
喉頭蓋茎 stalk of epiglottis …… 1736
喉頭蓋結節 epiglottic tubercle …… 1943
喉頭蓋結節 tuberculum epiglotticum …… 1946
喉頭開口〔術〕 laryngostomy …… 1002
喉頭蓋谷 epiglottic vallecula …… 1983
喉頭蓋谷 vallecula epiglottica …… 1983
喉頭蓋切除〔術〕 epiglottidectomy …… 627
喉頭蓋前〔方〕の preepiglottic …… 1477
喉頭開窓〔術〕 laryngostomy …… 1002
喉頭蓋軟骨 epiglottic cartilage …… 306
喉頭蓋軟骨 cartilago epiglottica …… 307
喉頭蓋の epiglottic, epiglottidean …… 627
広頭蓋の eurycephalic, eurycephalous …… 649
広頭蓋の therencephalous …… 1880
喉頭蓋ひだ epiglottic folds …… 719
喉頭蓋ひだ plicae epiglotticae …… 1445
喉頭〔下〕咽頭摘出〔術〕 laryngopharyngectomy …… 1002
喉頭科学 laryngology …… 1002
行動科学 behavioral sciences …… 204
後頭下筋 suboccipital muscles …… 1195
後頭下筋 musculi suboccipitales …… 1204
喉頭学 laryngology …… 1002
行動学 praxiology …… 1475
後頭下減圧〔術〕 suboccipital decompression …… 475
後頭下三角 suboccipital triangle …… 1927
後頭下静脈叢 suboccipital venous plexus …… 1444
後頭下静脈叢 plexus venosus suboccipitalis …… 1444
後頭下神経 suboccipital nerve …… 1239
後頭下神経 nervus suboccipitalis …… 1243
後頭下神経炎 suboccipital neuritis …… 1246
後頭下神経痛 suboccipital neuralgia …… 1245
喉頭下垂〔症〕 laryngoptosis …… 1002
後頭下の suboccipital …… 1764
後頭下部 suboccipital region …… 1586
咬頭嵌合 intercuspation …… 944
咬頭嵌合 interdigitation …… 944
後頭顔面の occipitofacial …… 1289
喉頭気管炎 laryngotracheitis …… 1002
喉頭気管管 laryngotracheal tube …… 1941
喉頭〔気管〕気管支炎 laryngotracheobronchitis …… 1002
喉頭気管形成〔術〕 laryngotracheoplasty 1002
喉頭気管溝 laryngotracheal groove …… 801
喉頭気管溝 tracheobronchial groove …… 803
喉頭気管食道裂 laryngotracheoesophageal cleft …… 373
喉頭気管の laryngotracheal …… 1002
喉頭気腫 laryngocele …… 1002
喉頭鏡 laryngoscope …… 1002
後頭橋〔核〕路 occipitopontine tract …… 1911
後頭橋〔核〕路 tractus occipitopontinus …… 1914
喉頭鏡検査〔法〕 laryngoscopy …… 1002
喉頭狭窄 laryngostenosis …… 1002
喉頭狭窄〔症〕 laryngeal stenosis …… 1742
喉頭強皮(硬皮)症 pachyderma laryngis 1335
後頭筋 occipital belly of occipitofrontalis muscle …… 205
喉頭筋 muscles of larynx …… 1187
喉頭腔 cavitas laryngis …… 315
喉頭腔 cavity of larynx …… 316
喉頭腔 laryngeal cavity …… 316
喉頭腔 cavum laryngis …… 317
喉頭クリーゼ laryngeal crisis …… 439
咬頭傾斜角 cusp angle …… 88
喉頭形成〔術〕 laryngoplasty …… 1002
喉頭痙攣 laryngospasm …… 1002
高銅血〔症〕 hypercupremia …… 880
喉頭結核 laryngophthisis …… 1002
後頭原節 occipital somite …… 1700
喉頭口 aditus laryngis …… 29
喉頭口 laryngeal aditus …… 29
咬頭高 cusp height …… 822
後頭孔脳脱出〔症〕 iniencephaly …… 935
後頭骨 occipital bone …… 233
後頭骨 os occipitale …… 1318
後頭骨外側部 lateral part of occipital bone …… 1365
後頭骨環椎の occipitoatloid …… 1289
後頭骨環椎癒合 occipitalization …… 1289
後頭骨頸静脈切痕 incisura jugularis ossis occipitalis …… 919
後頭骨軸椎の occipitoaxial, occipitoaxoid …… 1289
後頭骨前方弯曲 convexobasia …… 419
後頭骨底の basioccipital …… 200
後頭骨底部 basilar bone …… 231
後頭骨底部 os basilare …… 1317
後頭骨底部 basilar part of occipital bone …… 1362
〔後頭骨〕底部 pars basilaris ossis occipitalis …… 1358
〔後頭骨〕底部 basal part of occipital bone …… 1362
〔後頭骨底部の〕咽頭結節 pharyngeal tubercle (of basilar part of occipital bone) …… 1944
〔後頭骨底部の〕咽頭結節 tuberculum pharyngeum (partis basilaris ossis occipitalis) …… 1946
後頭骨乳突縁 mastoid border of occipital bone …… 235
後頭骨の頸静脈結節 jugular tubercle of occipital bone …… 1943
後頭骨の頸静脈切痕 jugular notch of occipital bone …… 1269
〔後頭骨の〕頸静脈突起 jugular process of occipital bone …… 1489
〔後頭骨の〕頸静脈突起 processus jugularis ossis occipitalis …… 1491
後頭〔骨〕傍の paroccipital …… 1356
後頭骨ラムダ〔状〕縁 lambdoid border of occipital bone …… 235
後頭骨鱗部 squamous part of occipital bone …… 1367
後頭固定 occipital anchorage …… 75
喉頭撮影器 laryngograph …… 1002
後頭三角 occipital triangle …… 1927
後頭枝 occipital branch …… 250
後頭枝 ramus occipitalis …… 1554
後頭軸椎靱帯 occipitoaxial ligaments …… 1038
喉頭室 laryngeal ventricle …… 2010
喉頭室 ventriculus laryngis …… 2012
喉頭室垂 appendix ventriculi laryngis …… 120
喉頭室脱〔出症〕 Morgagni prolapse …… 1496
喉頭室嚢腫(嚢胞) laryngocele …… 1002
喉頭室翻転 Morgagni prolapse …… 1496
口頭指導 dispatch life support (DLS) 1778
喉頭ジフテリア laryngeal diphtheria …… 522
喉頭周囲の perilaryngeal …… 1388
行動主義 behaviorism …… 204
行動主義者 behaviorist …… 204
行動主義的心理学 behavioristic psychology …… 1518
行動障害 behavior disorder …… 544
喉頭小嚢 laryngeal saccule …… 1629
喉頭小嚢 saccule of larynx …… 1629
喉頭小嚢腺 saccular glands of the larynx …… 774
孔道上皮腫 epithelioma cuniculatum …… 631
後頭静脈 occipital vein …… 1999
後頭静脈 vena occipitalis …… 2007
喉頭静脈 laryngeal veins …… 1997
後頭静脈洞 occipital sinus …… 1688
後頭静脈洞 sinus occipitalis …… 1688
後頭神経炎 occipital neuritis …… 1246
後頭神経痛 occipital neuralgia …… 1244
行動心理学 behavioral psychology …… 1518
後頭頭蓋結合体 craniopagus occipitalis … 434
喉頭ストロボスコープ laryngostroboscope …… 1002
喉頭性失神 laryngeal syncope …… 1794
喉頭〔性〕てんかん laryngeal epilepsy …… 628
喉頭性めまい laryngeal vertigo …… 2016
喉頭切開〔術〕 laryngofissure …… 1002
喉頭切開〔術〕 laryngotomy …… 1002
喉頭切除〔術〕 laryngectomy …… 1002
喉頭切除患者 laryngectomee …… 1002
咬頭尖 apex cuspidis dentis …… 113
咬頭尖 apex of cusp of tooth …… 113
後頭線 occipital line …… 1051
喉頭腺 laryngeal glands …… 773
喉頭腺 glandulae laryngeales …… 775
喉頭前交連 anterior commissure of the larynx …… 397
後頭前切痕 incisura preoccipitalis …… 919
後頭前切痕 preoccipital notch …… 1270
喉頭前庭 vestibule of larynx …… 2018
喉頭前庭 vestibulum laryngis …… 2018
喉頭前庭窩 filtrum ventriculi …… 700
〔喉頭〕前庭裂 rima vestibuli …… 1617
後頭前頭筋 occipitofrontal muscle …… 1190
後頭前頭筋 occipitofrontalis (muscle) … 1190
後頭前頭筋 musculus occipitofrontalis … 1201
後頭前頭束 fasciculus occipitofrontalis …… 676
後頭前頭束 occipitofrontal fasciculus …… 676
後頭前頭の occipitofrontal …… 1289
後頭前頭の occipitofrontalis …… 1289
喉頭前〔方〕の prelaryngeal …… 1479
喉頭前リンパ節 prelaryngeal lymph nodes …… 1080
喉頭造影 laryngography …… 1002
喉頭造影器 laryngograph …… 1002
後頭側頭溝 occipitotemporal sulcus …… 1773
後頭側頭溝 sulcus occipitotemporalis …… 1773
後頭側頭〔骨〕の occipitotemporal …… 1289
後頭側頭葉枝 ramus occipitotemporalis 1554
喉頭弾性膜 membrana fibroelastica laryngis …… 1124
喉頭弾性膜 fibroelastic membrane of larynx …… 1125
後頭中央部の midoccipital …… 1156
鉤頭虫症 acanthocephaliasis …… 8
鉤頭虫属 *Echinorhynchus* …… 582
鉤頭虫門 Acanthocephala …… 8
後頭頂葉動脈 posterior parietal artery …… 150
光動的感作 photodynamic sensitization 1661
喉頭摘出〔術〕 laryngectomy …… 1002
行動的発現 behavioral manifestation …… 1100
行動的病因 behavioral pathogen …… 1372
後頭頭蓋結合体 craniopagus occipitalis … 434
後頭洞溝 groove for occipital sinus …… 802
後頭導出静脈 occipital emissary vein … 1999
後頭導出静脈 vena emissaria occipitalis 2005
後頭頭頂骨の occipitoparietal …… 1289
後頭頭頂の occipitobregmatic …… 1289
後頭動脈 arteria occipitalis …… 136
後頭動脈 occipital artery …… 149
後頭動脈溝 occipital groove …… 802
後頭動脈溝 sulcus arteriae occipitalis … 1771
後頭動脈溝 sulcus of occipital artery …… 1773
〔後頭動脈〕耳介枝 ramus auricularis arteriae occipitalis …… 1548

後頭動脈〔動脈〕周囲神経叢 periarterial plexus of occipital artery 1443
後頭動脈神経叢 occipital plexus 1442
後頭動脈の下行枝 descending branch of occipital artery 245
後頭動脈の胸鎖乳突筋枝 sternocleidomastoid branches of occipital artery 253
後頭動脈の胸鎖乳突筋枝 rami sternocleidomastoidei arteriae occipitalis 1556
後頭動脈の後頭枝 rami occipitales arteriae occipitis 1554
後頭動脈の硬膜枝 meningeal branch of occipital artery 249
後頭動脈の耳介枝 auricular branch of occipital artery 243
後頭動脈の乳突枝 ramus mastoideus arteriae occipitalis 1553
後頭突発波を伴う小児期てんかん childhood epilepsy with occipital paroxysms 628
喉頭内の endolaryngeal 613
喉頭内の intralaryngeal 950
喉頭軟化症 laryngomalacia 1002
喉頭軟骨 cartilages of larynx 306
喉頭軟骨 cartilagines laryngis 307
喉頭肉芽腫 laryngeal granuloma 798
喉頭入口 inlet of larynx 937
喉頭入口 laryngeal inlet 937
喉頭乳頭腫症 laryngeal papillomatosis 1346
後頭乳突の occipitomastoid 1289
後頭乳突縫合 sutura occipitomastoidea 1786
後頭乳突縫合 occipitomastoid suture 1787
喉頭粘膜 laryngeal mucosa 1176
喉頭粘膜 mucosa of larynx 1176
〔喉頭〕粘膜 tunica mucosa laryngis 1953
後頭の occipital 1289
後頭の occipitalis 1289
喉頭の laryngeal 1002
喉頭の室腺 ventricular glands of the larynx 775
〔喉頭の〕種子軟骨 cartilago sesamoidea laryngis 307
〔喉頭の〕種子軟骨 sesamoid cartilage of cricopharyngeal ligament 307
〔喉頭の〕種子軟骨 sesamoid cartilage of larynx 307
喉頭発症 laryngeal crisis 439
喉頭反回神経の食道枝 esophageal branches of the recurrent laryngeal nerve 246
後頭板間静脈 occipital diploic vein 1999
後頭被蓋路 occipitocollicular tract 1911
後頭被蓋路 occipitotectal tract 1911
喉頭病学 laryngology 1002
後頭部 regio occipitalis capitis 1584
後頭部 occipital region of head 1586
〔咽頭〕喉頭部 pars laryngea pharyngis 1359
〔咽頭〕喉頭部 laryngeal part of pharynx 1365
喉頭舞踏病 laryngeal chorea 355
行動不能〔症〕 apraxia 121
喉頭部分切除〔術〕 partial laryngectomy 1002
喉頭閉鎖〔症〕 laryngeal atresia 171
後頭平面 occipital plane 1430
後頭平面 planum occipitale 1431
喉頭ヘルニア laryngocele 1002
後頭弁蓋 occipital operculum 1306
喉頭扁桃 laryngeal tonsils 1901
後頭方向へ dorsocephalad 556
後頭〔骨〕傍の paroccipital 1356
行動保健〔学〕 behavioral health 819
喉頭ポリープ laryngeal polyp 1463
喉頭マスク laryngeal mask 1106
喉頭麻痺 laryngoparalysis 1002
喉頭脈 guttural pulse 1525
溝動脈 sulcal artery 152
鉤動脈 uncal artery 154
後透明中隔静脈 posterior vein of septum pellucidum 2000
行動薬理学 ethopharmacology 646
後頭葉 occipital lobe 1064
後頭葉 occipital lobe of cerebrum 1064
後頭葉 lobus occipitalis 1066
後頭葉橋線維 occipitopontine fibers 690
後頭葉視床の occipitothalamic 1289
後頭葉静脈 occipital cerebral veins 1999
後頭葉静脈 occipital vein 1999
後頭葉帯 stria occipitalis 1756
後頭葉帯 occipital stripe 1757
後頭葉中脳蓋線維 occipitotectal fibers 690
後頭葉てんかん occipital lobe epilepsy 628
喉頭ラ音 guttural rale 1547
光動力学 photokinetics 1417
喉頭隆起 laryngeal prominence 1497
喉頭隆起 prominentia laryngea 1497
後頭隆起 torus occipitalis 1905
後頭隆起点 occipital point 1454
喉頭隆起皮下包 laryngeal bursa 269
喉頭隆起皮下包 subcutaneous bursa of the laryngeal prominence 270
行動流行 behavioral epidemic 626
行動療法 behavior therapy 1877
後頭鱗 squama occipitalis, occipital squama 1726
後頭鱗の squamo-occipital 1726
喉頭リンパ小節 lymphatic follicles of larynx 721
喉頭リンパ小節 folliculi lymphatici laryngei 723
喉頭リンパ小節 laryngeal lymphoid nodules 1261
後頭リンパ節 occipital lymph nodes 1080
行動連鎖 behavior chain 337
高度拡張 hyperdistention 880
高度拡張 superdistention 1777
後鍍金 aftergilding 33
光毒症 phototoxicity 1418
抗毒〔素〕性の antitoxic 109
抗毒素 antitoxin 109
抗〔蛇〕毒素 antivenin 110
抗毒素血清 antitoxic serum 1668
抗毒素原 antitoxigen 109
抗毒素原 antitoxinogen 110
抗毒素疹 antitoxin rash 1559
抗毒素単位 antitoxin unit 1965
光毒〔性〕の phototoxic 1418
厚度計 pachymeter 1335
硬度計 penetrometer 1380
硬度計 hardness scale 1639
硬度計 sclerometer 1647
光度計 photometer 1417
光度計測〔法〕 photometry 1417
高度口渇 dipsesis 524
高度口渇〔症〕 hyperdipsia 880
高度室 altitude chamber 338
高度脂肪変性 hyperliposis 883
高度重拍脈 hyperdicrotism 880
高度増殖の exuberant 659
高度胎児徐脈 marked fetal bradycardia 240
光度単位 unit of luminous intensity 1966
高度チアノーゼの hypercyanotic 880
高度地方流行病 hyperendemic disease 535
高凸 high convex 419
鉤突窩 coronoid fossa of humerus 732
鉤突窩 fossa coronoidea humeri 731
〔鼻中隔軟骨〕後突起 posterior process of septal cartilage 1489
〔鼻中隔軟骨〕後突起 processus posterior cartilaginis septi nasi 1492
高トリグリセリド血症 hypertriglyceridemia 889
抗(殺)トリパノソーマの trypanocidal 1939
抗トリパノソーマ薬 trypanocide 1939
抗(アンチ)トリプシン antitrypsin 110
α_1-抗(アンチ)トリプシン α_1-antitrypsin 110
抗トリプシン欠乏〔症〕 antitrypsin deficiency 478
抗トロンビン antithrombin 109
高トロンビン血〔症〕 hyperthrombinemia 888
口内炎 stomatitis 1748
〔歯肉〕口内炎 gingivostomatitis 770
口内開口〔術〕 intraoral antrostomy 110
後内果動脈 arteriae malleolares posteriores mediales 136
口内乾燥〔症〕 xerostomia 2053
口内鏡 stomatoscope 1749
口内出血 stomatorrhagia 1749
口内錠 troche 1936
口内焼灼感症候群 burning mouth syndrome 1799
後内側核 nucleus posteromedialis 1279
後内側核 posteromedial nucleus 1279
後内側前頭葉枝 ramus frontalis posteromedialis 1551
後内側中心動脈 arteriae centrales posteromediales 134
後内側中心動脈 posteromedial central arteries 150
後内側の posteromedial 1471
〔視床〕後内側腹側核 nucleus ventralis posteromedialis 1281
〔視床〕後内側腹側核 ventral posteromedial nucleus [TA] of thalamus, posterior medial nucleus of thalamus 1281
後内椎骨静脈叢 posterior internal vertebral plexus 1443
〔頸静脈〕孔内突起 intrajugular process 1489
〔頸静脈〕孔内突起 processus intrajugularis 1491
口内の intrabuccal 949
口内の intraoral 950
高内皮性後毛細管小静脈 high endothelial postcapillary venules 2012
口内病 stomatopathy 1749
口内病 stomatosis 1749
口内病学 stomatology 1749
高ナトリウム血〔症〕 hypernatremia 884
高ナトリウム血性脳障害(脳症) hypernatremic encephalopathy 609
硬軟〔髄〕膜炎 pachyleptomeningitis 1335
高乳状脂粒血〔症〕 hyperchylomicronemia 879
向乳腺性の mammotropic, mammotrophic 1098
〔リン〕光尿〔症〕 photuria 1418
高尿酸尿〔症〕 hyperlithuria 883
高尿糖〔症〕 hyperglycosuria 881
抗尿閉薬 ischuretic 958
公認〔正〕看護助産師 certified nurse-midwife (CNM) 335
高熱 hyperthermia 888
好熱好酸菌 thermoacidophiles 1880
好熱生物 thermophile, thermophil 1882
〔神経〕膠粘液腫 gliomyxoma 778
後捻角 angle of retroversion 89
更年期 climacteric 374
更年期症候群 menopausal syndrome 1812
高年初産〔妊〕婦 elderly primigravida 1484
口の oral 1309
鉤の uncal 1963
後脳 metencephalon 1141
効能 efficacy 589
孔脳〔症〕 porencephaly 1466
孔脳炎 porencephalitis 1466
後嚢下白内障 posterior subcapsular cataract 311
後脳原基 hindbrain primordium 1484
好濃の osmophil, osmophilic 1319
後脳梁静脈 dorsal vein of corpus callosum 1995

コ

後脳梁静脈 posterior vein of corpus callosum …… 2000
抗膿漏性の antiblennorrhagic …… 99
こうのとり試験 stork test …… 1866
交配 breeding …… 256
交配 cross …… 441
交配 hybridization …… 869
交配 mating …… 1110
荒廃 depravity …… 492
荒廃 deterioration …… 500
勾配 gradient …… 794
〔地理的な〕勾配 cline …… 374
抗肺炎菌の antipneumococcic …… 108
広背筋 broadest muscle of back …… 1182
広背筋 latissimus dorsi (muscle) …… 1188
広背筋 musculus latissimus dorsi …… 1201
広背筋腱下包 bursa of latissimus dorsi … 269
広背筋腱下包 bursa subtendinea musculi latissimus dorsi …… 270
広背筋腱下包 subtendinous bursa of latissimus dorsi …… 270
高倍数性 hyperploidy …… 886
後肺底区 posterior basal bronchopulmonary segment [S X] …… 1655
後肺底動脈 posterior basal segmental artery …… 150
後肺底動脈 posterior basal branch …… 251
後肺底動脈 ramus basalis posterior …… 1548
後梅毒の metasyphilitic …… 1141
抗排尿障害〔性〕の antidysuric …… 102
勾配溶離 gradient elution …… 599
後白交連 commissura alba posterior …… 397
後白質脳症症候群 posterior leukoencephalopathy syndrome …… 1816
抗破傷風の antitetanic …… 109
好発 predilection …… 1477
後発(ジェネリック)医薬品浸透率 generic penetration rate …… 1559
後発くる病 adult rickets …… 1614
後発射 afterdischarge …… 33
高バリン血〔症〕 hypervalinemia …… 889
後反 retroversion …… 1605
口板 oral plate …… 1435
硬板 lamina dura …… 997
紅斑 erythema …… 638
紅斑 rubedo …… 1625
紅斑異感覚症候群 erythrodysesthesia syndrome …… 1803
紅斑閾〔値〕 erythema threshold …… 1886
広範囲周波数帯 wideband …… 2045
紅斑角皮症 erythrokeratodermia …… 640
後半規管 canales semicircularis posterior 286
後半月大腿靱帯 posterior meniscofemoral ligament …… 1039
後半月大腿靱帯 ligamentum meniscofemorale posterius …… 1044
〔大動脈弁の〕後半月弁尖 posterior semilunar cusp of aortic valve …… 452
後半月裂 postlunate fissure …… 703
紅板症 erythroplakia …… 641
抗反すう〔性〕の antiruminant …… 108
向汎性ウイルス pantropic virus …… 2027
広汎性ガングリオン diffuse ganglion …… 753
広汎性乾癬 psoriasis diffusa, diffused psoriasis …… 1516
広汎性強直 generalized tetanus …… 1870
広汎性結節腫 diffuse ganglion …… 753
広汎性血栓 propagated thrombus …… 1889
紅斑性湿疹 eczema erythematosum …… 586
広汎性(全身性)シュワルツマン現象 generalized Shwartzman phenomenon 1404
広範性中枢神経系髄鞘低形成を伴う小児期運動失調〔症〕 childhood ataxia with diffuse central nervous system hypomyelination …… 167
紅斑性天疱瘡 pemphigus erythematosus 1379
広汎性動脈拡張〔症〕 diffuse arterial ectasia …… 584
広汎性動脈瘤 diffuse aneurysm …… 82
広範性の diffuse …… 516
紅斑〔性〕の maculoerythematous …… 1091
広汎〔性〕の generalized …… 764
広汎性腹膜炎 general peritonitis …… 1393
紅斑性狼瘡 lupus erythematosus (LE, L.E.) …… 1073
紅斑性狼瘡(エリテマトーデス)性脂肪〔組〕織炎 lupus erythematosus panniculitis … 1343
広汎性ろう様脾 diffuse waxy spleen …… 1719
〔皮膚〕紅斑〔線〕量 erythema dose …… 557
〔広範なリンパ節症を伴う〕洞組織球増殖〔症〕 sinus histiocytosis with massive lymphadenopathy …… 854
広汎発達障害 pervasive developmental disorder …… 546
交尾 coitus …… 388
広鼻 platyrrhiny …… 1436
抗Pr寒冷自己凝集素 anti-Pr cold autoagglutinin …… 178
抗ビオチン antibiotin …… 99
〔口蓋骨水平板の〕後鼻棘 posterior nasal spine of horizontal plate of palatine bone …… 1716
〔口蓋骨水平板の〕後鼻棘 spina nasalis posterior laminae horizontalis ossis palatini …… 1716
後鼻腔の postnasal …… 1471
後鼻孔 choana …… 347
後鼻孔の postnarial …… 1471
後鼻孔の鋤骨稜 vomerine crest of choana …… 438
後鼻孔閉鎖〔症〕 choanal atresia …… 171
後鼻孔ポリープ choanal polyp …… 1463
肛〔門〕尾〔骨〕神経 anococcygeal nerve 1232
肛〔門〕尾〔骨〕神経 nervus anococcygeus 1241
後腓骨頭靱帯 posterior ligament of fibular head …… 1039
後腓骨頭靱帯 posterior ligament of head of fibula …… 1039
後腓骨頭靱帯 ligamentum capitis fibulae posterius …… 1042
高比重脊椎麻酔〔法〕 hyperbaric spinal anesthesia …… 79
高比重尿〔症〕 baruria …… 199
高比重の hyperbaric …… 878
硬皮症 pachyderma …… 1335
硬皮症 scleroderma …… 1647
紅皮症 erythroderma …… 640
抗ヒスタミン薬 antihistamines …… 106
肛皮線 anocutaneous line …… 1049
抗ビタミン antivitamin …… 110
抗ヒトグロブリン血清 antihuman globulin …… 779
高ヒドロキシプロリン血〔症〕 hyperhydroxyprolinemia …… 881
口鼻の oronasal …… 1315
高鼻の oxyrhine …… 1332
高ピペコリン酸血症 hyperpipecolic acidemia …… 885
高ピペコール酸血〔症〕 hyperpipecolatemia …… 885
口鼻膜 bucconasal membrane …… 1125
抗病因の etiotropic …… 647
好病症 nosophilia …… 1268
向病巣性 pathotropism …… 1372
高ビリルビン血〔症〕 hyperbilirubinemia 879
後鼻漏 postnasal drip (PND) …… 561
好ピロニン性 pyroninophilia …… 1534
抗貧血因子 antianemic principle …… 1484
抗貧血因子 hematinic principle …… 1485
抗貧血の antianemic …… 99
高頻度形質導入 high-frequency transduction …… 1917
高頻度ジェット換気 high-frequency jet ventilation (HFJV) …… 2009
高頻度振動換気 high-frequency oscillatory ventilation (HFOV) …… 2009
高頻度陽圧換気 high-frequency positive pressure ventilation (HFPPV) …… 2009
後部 posterior part …… 1366
口部 regio oralis …… 1584
口部 oral region …… 1586
項部 poll …… 1457
項部 regio nuchalis …… 1584
項〔部〕 nape …… 1220
抗不安薬 antianxiety agent …… 36
抗不安薬 anxiolytic …… 111
後部一次硝子体過形成遺残 persistent posterior hyperplastic primary vitreous …… 2035
高フェニルアラニン血症 hyperphenylalaninemia …… 885
後負荷 afterload …… 33
後部角膜ジストロフィ posterior corneal dystrophy …… 579
光不活化 photoinactivation …… 1417
後負荷ねじ afterloading screw …… 1651
後部眼瞼炎 posterior blepharitis …… 220
坑夫眼振 miner's nystagmus …… 1286
〔顎二腹筋〕後腹 venter posterior musculi digastrici …… 2009
降伏応力 yield stress …… 1755
後腹腔気腹〔症〕 pneumoretroperitoneum 1451
好フクシン性 fuchsinophilia …… 743
好フクシン性細胞 fuchsinophil cell …… 321
好フクシン性反応 fuchsinophil reaction 1564
向副腎皮質性ペプチド adrenocorticotropic peptide …… 1382
〔視床〕後腹側核 nucleus ventralis posterior thalami …… 1281
〔視床〕後腹側核 ventral posterior nucleus of thalamus …… 1281
後腹側核群 ventrobasal complex …… 403
幸福な人形症候群 happy puppet syndrome …… 1806
後腹膜炎 retroperitonitis …… 1604
後腹膜線維症 retroperitoneal fibrosis …… 696
鉱夫痙攣 miner's cramps …… 433
項部厚 nuchal fold thickness …… 1883
項部硬直 nuchal rigidity …… 1617
抗浮腫の antihydropic …… 106
抗浮腫薬 antihydropic …… 106
後部硝子体切除〔術〕 posterior vitrectomy …… 2034
後不正軸定位(進入) posterior asynclitism …… 166
抗不整脈〔性〕の antiarrhythmic …… 99
坑夫ぜん息 miner's asthma …… 165
後部胎生環 posterior embryotoxon …… 602
項部苔癬 lichen nuchae …… 1031
後部多形性角膜ジストロフィ posterior polymorphous corneal dystrophy …… 579
後部腟痙 posterior vaginismus …… 1982
鉱物質除去 demineralization …… 486
抗ブドウ球菌性の antistaphylococcic …… 109
抗ブドウ球菌溶解素 antistaphylolysin …… 109
後部二重体 duplicitas posterior …… 567
後部尿道 posterior urethra …… 1971
後部尿道炎 posterior urethritis …… 1971
後部尿道弁 posterior urethral valves …… 1985
抗不妊ビタミン antisterility vitamin …… 2033
項〔部〕母斑 nape nevus …… 1255
後部脈絡膜炎 posterior choroiditis …… 356
抗プラスミン antiplasmin …… 108
項部菱形皮膚 cutis rhomboidalis nuchae 453
高フルクトース血症 hyperfructosemia …… 880
高プレβリポ蛋白血〔症〕 hyperprebetalipoproteinemia …… 886
高プロインスリン血症 hyperproinsulinemia

…… 886
抗プロゲステロン薬 progesterone antagonist …… 97
高プロラクチン血症性無月経 hyperprolactinemic amenorrhea …… 58
高プロリン血〔症〕 hyperprolinemia …… 886
興奮 excitation …… 652
興奮 excitement …… 652
好糞〔性,症〕 coprophilia …… 420
高分解能CT high-resolution computed tomography (HRCT) …… 1899
高分解能染色法 high-resolution banding 196
高分子 macromolecule …… 1090
高分子化学 macromolecular chemistry …… 341
高分子電解質 polyelectrolyte …… 1459
高分子量キニノーゲン high molecular weight kininogen (HMWK) …… 986
興奮性 excitability …… 652
興奮性緊張病 excited catatonia …… 312
興奮性シナプス後電位 excitatory postsynaptic potential (EPSP) …… 1473
興奮性接合部電位 excitatory junction potential (EJP) …… 1473
興奮〔性〕毒性 excitotoxicity …… 652
興奮性の analeptic …… 69
興奮毒 excitotoxins …… 652
興奮毒性の excitotoxic …… 652
興奮の法則 law of excitation …… 1006
興奮波 excitation wave …… 2042
興奮反射神経 excitoreflex nerve …… 1234
抗分泌〔性〕の antisecretory …… 108
興奮薬 stimulant …… 1747
興奮薬 stimulator …… 1747
興奮薬 stimulus …… 1747
〔後〕閉鎖結節 obturator tubercle (posterior) …… 1944
〔後〕閉鎖結節 tuberculum obturatorium (posterius) …… 1946
公平性 justice …… 974
〔胃〕後壁 posterior wall of stomach …… 2039
後壁削除乳突蜂巣削開術 canal wall down mastoidectomy …… 1109
咬癖傷 morsicatio …… 1171
硬壁小体 sclerotic bodies …… 229
後壁心筋梗塞 posterior myocardial infarction …… 927
高β-アラニン血症 hyper-β-alaninemia …… 878
高βリポ蛋白血〔症〕 hyperbetalipoproteinemia …… 879
高ヘパリン血〔症〕 hyperheparinemia …… 881
高ペプシン〔症〕 hyperpepsinia …… 885
好ヘマトキシ体 hematoxylin bodies, hematoxyphil bodies …… 227
高ヘモグロビン血〔症〕 hyperhemoglobinemia …… 881
抗変異原 antimutagen …… 107
抗変異原性 antimutagenic …… 107
後べん毛 pulsellum …… 1525
酵母 yeast …… 2055
酵母RNアーゼ(リボヌクレアーゼ) yeast RNase …… 1613
口棒 mouth stick …… 1173
後房 deutomerite …… 501
後方圧 back pressure …… 1482
後方移動 setback …… 1669
後方運動 retrusive excursion …… 652
後方咬合 posterior occlusion …… 1290
後方散乱 backscatter …… 188
後方歯 back tooth …… 1902
後方歯 posterior tooth …… 1903
後方歯形態 posterior tooth form …… 729
後方腎摘出〔術〕 posterior nephrectomy 1228
後方心不全 backward heart failure …… 670
合胞体 symplast …… 1791
合胞体 syncytium …… 1794
合胞体栄養芽細胞 syntrophoblast …… 1827
合胞体栄養細胞層 syncytiotrophoblast …… 1794
合胞体性結節 syncytial knot …… 988
合胞体層 syncytiotrophoblast …… 1794
合胞体の symplasmatic …… 1791
後膨大部神経 posterior ampullary nerve 1237
後膨大部神経 nervus ampullaris posterior …… 1241
後放電 afterdischarge …… 33
後方突進 retropulsion …… 1604
後方へ dorsad …… 556
後方へ retrad …… 1603
酵母菌腫 cryptococcoma …… 445
酵母菌類似菌症 geotrichosis …… 767
酵母人工染色体 yeast artificial chromosomes (YAC) …… 360
高ホスファターゼ血〔症〕 hyperphosphatasemia …… 885
高ホスファターゼ〔血〕症 hyperphosphatasia …… 885
抗補体 anticomplement …… 102
抗補体因子 anticomplementary factor …… 666
抗補体血清 anticomplementary serum …… 1667
抗補体〔性〕の anticomplementary …… 102
鉤発作 uncinate epilepsy …… 629
鉤〔状回〕発作 uncinate attack …… 175
項〔部〕母斑 nape nevus …… 1255
高ホモシステイン血〔症〕 hyperhomocysteinemia …… 881
酵母リボヌクレアーゼ(RNアーゼ) yeast RNase …… 1613
抗ホルモン antihormones …… 106
硬膜 dura …… 567
硬膜 dura mater …… 568
硬〔髄〕膜炎 pachymeningitis …… 1335
硬膜外腔 epidural cavity …… 316
硬膜外腔 epidural space …… 1703
硬膜外出血 extradural hemorrhage …… 835
硬膜外層炎 peripachymeningitis …… 1391
硬〔髄〕膜外層炎 pachymeningitis externa …… 1335
硬膜外の epidural …… 627
硬膜外の extradural …… 657
硬膜外膿瘍 epidural abscess …… 5
硬膜外ブロック epidural block …… 222
硬膜外麻酔〔法〕 epidural anesthesia …… 79
硬膜外麻酔〔法〕 extradural anesthesia …… 79
硬膜海綿静脈洞瘻 dural cavernous sinus fistula …… 705
硬膜下腔 cavum subdurale …… 317
硬膜下腔 subdural cavity …… 317
硬膜下腔 subdural space …… 1705
硬膜下腔 spatium subdurale …… 1707
硬膜下出血(血腫) subdural hemorrhage 836
孔膜(ポロ)型分生子 poroconidium …… 1466
硬膜下の subdural …… 1763
硬膜下膿瘍 subdural empyema …… 606
硬膜下ヒグローマ subdural hygroma …… 877
硬膜形成〔術〕 duraplasty …… 568
硬膜枝 meningeal branches …… 249
硬膜鞘 dural sheath …… 1670
硬〔髄〕膜障害 pachymeningopathy …… 1335
硬膜上腔 epidural cavity …… 316
硬膜上腔 cavum epidurale …… 317
硬膜上腔 (cranial) extradural space …… 1703
硬膜上腔 epidural space …… 1703
〔脊髄〕硬膜上腔 vertebral epidural space …… 1705
硬膜上の peridural …… 1387
硬膜静脈 meningeal veins …… 1999
硬膜静脈 venae meningeae …… 2006
硬膜静脈洞 dural venous sinuses …… 1687
硬膜静脈洞 sinus durae matris …… 1687
硬膜静脈洞 sinuses of dura mater …… 1687
硬〔髄〕膜内層炎 pachymeningitis interna …… 1335
硬膜内の intradural …… 950
高マグネシウム血症 hypermagnesemia …… 883
硬膜の endocranial …… 612
硬膜嚢 dural sac …… 1628
厚膜分生子 chlamydoconidium …… 346
厚膜胞子 chlamydoconidium …… 346
抗マラリア性の antimalarial …… 106
抗マラリア薬 antimalarial …… 106
香味 flavor …… 711
硬脈 hard pulse …… 1525
硬脈 pulsus durus …… 1525
後脈絡叢動脈 arteria choroidea posterior 134
後脈絡叢動脈 posterior choroidal artery 150
抗ムスカリンの antimuscarinic …… 107
後迷走神経幹の後胃枝 gastric branches of posterior vagal trunk …… 247
後迷走神経幹の後胃枝 posterior gastric branches of posterior vagal trunk …… 251
後迷路性難聴 retrocochlear hearing impairment …… 820
高メチオニン血症 hypermethioninemia …… 883
好メチレンブルー性の methylenophil, methylenophile …… 1147
項面 nuchal plane …… 1430
後面 facies posterior …… 664
後面 posterior surface …… 1783
〔子宮の〕後面 intestinal surface of uterus …… 1782
〔子宮の〕後面 facies intestinalis uteri …… 664
〔仙骨の〕後面 dorsal surface of sacrum 1781
〔仙骨の〕後面 facies dorsalis ossis sacri 663
硬毛 terminal hair …… 812
咬耗 occlusal wear …… 2043
咬耗〔症〕 attrition …… 175
剛毛 seta …… 1669
剛毛〔症〕 sclerothrix …… 1648
後毛細管小静脈 postcapillary venules …… 2012
硬毛症 trichosis setosa …… 1931
後盲腸動脈 arteria caecalis posterior …… 134
後盲腸動脈 posterior cecal artery …… 150
項目表 inventory …… 952
項目別マネージメント component management …… 1098
コウモリ bat …… 201
コウモリ翼パターン bat's wing pattern 1374
肛門 anus …… 111
肛門 fundament …… 744
肛門愛 anality …… 70
肛門愛 anal erotism …… 637
肛門愛期 anal phase …… 1401
肛門移行部 anal transitional zone …… 2059
肛門会陰筋 anoperinealis muscle …… 1181
肛門会陰形成〔術〕 proctoperineoplasty …… 1493
肛門S状結腸鏡検査〔法〕 anosigmoidoscopy 95
肛門縁 anal verge …… 2013
肛門窩 anal pit …… 1426
肛門窩 proctodeum …… 1493
肛門開口〔術〕 proctotresia …… 1493
肛門外口 anal orifice …… 1314
肛門咳嗽反射 anal cough reflex …… 1577
肛門括約筋 sphincter ani, anal sphincter …… 1712
肛門括約筋鏡 sphincteroscope …… 1713
肛門括約筋鏡検査〔法〕 sphincteroscopy 1713
肛門括約筋痛 sphincteralgia …… 1713
肛門括約筋麻痺 proctoparalysis …… 1493
肛門括約筋麻痺 proctoplegia …… 1493
肛門括約筋攣縮〔症〕 sphincterismus …… 1713
肛門下の subanal …… 1762
肛門かゆみ(そう痒)〔症〕 pruritus ani …… 1510
肛門管 anal canal …… 282
肛門管 canalis analis …… 285
肛門管 anal ducts …… 563
肛門陥 proctodeum …… 1493
肛門管上皮 anoderm …… 93
肛門管白線 white line of anal canal …… 1052
肛門鏡 anoscope …… 95

肛門挙筋 levator ani (muscle) ………… 1188
肛門挙筋 musculus levator ani ………… 1201
肛門挙筋腱弓 tendinous arch of levator ani muscle ………… 126
肛門クッション anal cushions ………… 451
肛門形成〔術〕 anoplasty ………… 94
肛門形成〔術〕 proctoplasty ………… 1493
肛門痙攣 proctospasm ………… 1493
肛門後〔方〕の postanal ………… 1470
肛門三角 anal triangle ………… 1926
肛門(直腸)三角の筋 muscles of anal triangle ………… 1181
肛門櫛 anal pecten ………… 1375
肛門櫛 pecten ………… 1375
肛門櫛 pecten analis ………… 1375
肛門櫛炎 pectenitis ………… 1375
肛門櫛症 pectenosis ………… 1375
肛門周囲炎 periproctitis ………… 1392
肛門周囲腺 circumanal glands ………… 772
肛門周囲腺 glandulae circumanales ………… 775
肛門周囲の circumanal ………… 366
肛門周囲膿瘍 perirectal abscess ………… 5
肛門皺筋 corrugator cutis muscle of anus ………… 1183
肛門皺筋 musculus corrugator cutis ani 1199
肛門出血 proctorrhagia ………… 1493
肛門上の supraanal ………… 1779
肛門性器の anogenital ………… 93
肛門性器縫線 anogenital raphe ………… 1558
肛門性交 pederasty ………… 1376
肛門性交者 pederast ………… 1376
肛門脊髄中枢 anospinal center ………… 330
肛門脊椎の anospinal ………… 95
肛門接吻 anilinction, anilinctus ………… 91
肛門接吻 anilingus ………… 91
肛門栓 anal plug ………… 1446
肛門腺 anal gland ………… 772
肛門前〔方〕の preanal ………… 1476
肛門そう痒(かゆみ)〔症〕 pruritus ani … 1510
肛門〔側〕の anal ………… 69
肛門脱〔出症〕 proctoptosia, proctoptosis 1493
肛門柱 anal columns ………… 395
肛門柱 columnae anales ………… 396
肛門直腸移行部 anorectal junction ………… 973
肛門直腸会陰筋 anorectoperineal muscles ………… 1181
肛門直腸曲 anorectal flexure ………… 712
肛門直腸曲 flexura anorectalis ………… 712
肛門直腸症候群 anorectal syndrome ………… 1796
肛門直腸の anorectal ………… 95
肛門洞 anal sinuses ………… 1687
肛門洞 sinus anales ………… 1687
肛門道 proctodeum ………… 1493
肛門粘液漏 proctorrhea ………… 1493
肛門排尿 urochesia ………… 1974
肛門板 anal plate ………… 1434
肛門反射 anal reflex ………… 1577
肛〔門〕尾〔骨〕神経 anococcygeal nerve 1232
肛〔門〕尾〔骨〕神経 nervus anococcygeus 1241
肛門尾骨靱帯 anococcygeal body ………… 225
肛門尾骨靱帯 ligamentum anococcygeum ………… 1042
肛門尾骨の anococcygeal ………… 93
肛門ひだ anal folds ………… 718
肛門皮膚垂 anal skin tag ………… 1838
肛門病学 proctology ………… 1493
肛門病専門医 proctologist ………… 1493
肛門部 regio analis ………… 1583
肛門部 anal region ………… 1584
肛門フィステル anal fistula ………… 704
肛門閉鎖〔症〕 anal atresia, atresia ani ………… 171
肛門弁 anal valves ………… 1984
肛門弁 valvulae anales ………… 1986
肛門縫合〔術〕 proctorrhaphy ………… 1493
肛門膀胱の anovesical ………… 95
肛門膜 anal membrane ………… 1125
肛門裂傷 anal fissure ………… 702
絞扼 strangulation ………… 1751
絞扼感 strangalesthesia ………… 1751
絞扼感 zonesthesia ………… 2060
絞扼性ヘルニア strangulated hernia ………… 844
絞扼反射 gag reflex ………… 1579
絞扼輪 constriction ring ………… 1617
鉱油 mineral oil (MO) ………… 1158
鉱油 petroleum ………… 1397
公有抗原 public antigens ………… 105
後有孔質 posterior perforated substance 1766
後有孔質 substantia perforata posterior 1766
抗有糸分裂性の antimitotic ………… 107
抗有糸分裂薬 antimitotic ………… 107
〔下垂体の〕後葉 posterior lobe of hypophysis ………… 1064
〔下垂体の〕後葉 lobus posterior hypophyseos ………… 1066
抗溶解素 antilysin ………… 106
膠様癌 colloid carcinoma ………… 297
抗溶血性の antihemolytic ………… 106
抗溶血素 antihemolysin ………… 106
膠様骨髄 gelatinous bone marrow ………… 1106
抗葉酸性の antifolic ………… 102
膠様質 gelatinous substance ………… 1765
膠様質 substantia gelatinosa ………… 1766
後羊水 hindwater ………… 852
膠様腺腫 colloid adenoma ………… 25
膠様組織 gelatinous tissue ………… 1895
向養素性 trophotropism ………… 1937
膠様滴状角膜ジストロフィ gelatinous droplike corneal dystrophy ………… 578
膠様稗粒腫 colloid milium ………… 392
膠様変性 colloid degeneration ………… 480
咬翼X線写真 bitewing radiograph ………… 1543
咬翼付きフイルム bitewing film ………… 699
抗らい菌性の leprostatic ………… 1021
抗らい菌薬 leprostatic ………… 1021
交絡 confounding ………… 410
抗リウマチ性の antirheumatic ………… 108
抗リウマチ薬 antirheumatic ………… 108
合理化 rationalization ………… 1561
抗リケッチア薬 rickettsiostatic ………… 1615
高リシン尿〔症〕 hyperlysinuria ………… 883
効率 efficiency ………… 589
公立病院 government hospital ………… 865
抗利尿 antidiuresis ………… 102
抗利尿ホルモン分泌異常症候群 syndrome of inappropriate secretion of antidiuretic hormone (SIADH) ………… 1808
抗利尿薬 antidiuretic ………… 102
高リポ蛋白血〔症〕 hyperlipoproteinemia 882
交流 alternating current (AC) ………… 450
交流 transaction ………… 1916
向流 countercurrent ………… 432
合流 confluence ………… 410
交流精神療法 transactional psychotherapy ………… 1521
交流分析 transactional analysis ………… 71
向流分配 countercurrent distribution ………… 550
光量子 photon (hν, γ) ………… 1417
抗療性の refractory ………… 1583
光量測定器 photometer ………… 1417
後療法 aftercare ………… 33
効力 potency ………… 1473
抗力 drag ………… 559
合理療法 rational therapy ………… 1879
口輪筋 orbicular muscle of mouth ………… 1190
口輪筋 orbicularis oris (muscle) ………… 1190
口輪筋 musculus orbicularis oris ………… 1202
口輪筋唇部 labial part of orbicularis oris (muscle) ………… 1365
口輪筋の自由縁部 marginal part of orbicularis oris (muscle) ………… 1365
高リン血症 hyperphosphatemia ………… 885
高リン酸塩尿〔症〕 hyperphosphaturia ………… 885
光リン酸化 photophosphorylation ………… 1417
高リン酸尿〔症〕 phosphuresis ………… 1416
抗リン脂質抗体 antiphospholipid antibodies ………… 100
抗リン脂質抗体症候群 antiphospholipid-antibody syndrome … 1796
抗淋疾〔性〕の antigonorrheic ………… 106
虹輪症状 rainbow symptom ………… 1792
後輪状披裂筋 posterior cricoarytenoid (muscle) ………… 1191
後輪状披裂筋 musculus cricoarytenoideus posterior ………… 1199
後輪状披裂靱帯 posterior cricoarytenoid ligament ………… 1039
〔後〕輪状披裂靱帯 cricoarytenoid ligament ………… 1034
抗リンパ球血清 antilymphocyte serum (ALS) ………… 1667
硬〔性〕リンパ節炎 scleradenitis ………… 1646
後涙嚢稜 posterior lacrimal crest ………… 438
後涙嚢稜 crista lacrimalis posterior ………… 440
好冷菌 psychrophile, psychrophil ………… 1521
高齢者機能評価 geriatric assessment ………… 163
高齢者虐待 elder abuse ………… 7
好冷の psychrophilic ………… 1521
口裂 cytostome ………… 468
口裂 rima oris ………… 1617
抗レポーレ(レポアー)ヘモグロビン hemoglobin anti-Lepore ………… 832
交連 commissura ………… 397
交連 commissure ………… 397
拘攣 contracture ………… 417
交連下器官 subcommissural organ ………… 1312
交連後線維 postcommissural fibers ………… 690
交連骨格 articulated skeleton ………… 1690
交連細胞 commissural cell ………… 320
抗連鎖球菌性の antistreptococcic ………… 109
交連脊髄切開〔術〕 commissural myelotomy ………… 1211
交連切開〔術〕 commissurotomy ………… 398
交連線維 commissural fibers ………… 688
交連前線維 precommissural fibers ………… 690
交連前束 precommissural bundle ………… 266
交連前中隔核 precommissural septal nucleus ………… 1279
抗ロイコチジン antileukocidin ………… 106
抗ロイコトキシン antileukotoxin ………… 106
抗ロイコトリエン薬 antileukotriene ………… 106
硬ろう付け brazing ………… 255
後肋骨吻合 postcostal anastomosis ………… 73
汞和〔方〕法 amalgamation ………… 55
鉤腕 clasp arm ………… 132
鉤〔腕〕 arm ………… 131
〔脊柱〕後弯 kyphosis ………… 990
〔脊柱〕後弯〔症〕 backward curvature ………… 450
後弯形成〔術〕 kyphoplasty ………… 990
〔脊柱〕後弯〔性〕骨盤 kyphotic pelvis ………… 1379
古運動〔性〕の archeokinetic ………… 127
声 voice ………… 2035
声 vox ………… 2038
古疫学 paleoepidemiology ………… 1338
CoAトランスフェラーゼ CoA transferases ………… 383
コエヌルス *Coenurus* ………… 387
声の phonal ………… 1411
コエロミセス菌 coelomycete ………… 387
コエロミセス綱 Coelomycetes ………… 387
コエロミセスの coelomycetous ………… 387
五塩基の pentabasic ………… 1381
コエンザイム coenzyme (Co) ………… 388
コエンザイムQ coenzyme Q (CoQ, Q) 388
コエンドロ coriander ………… 423
コエンドロ油 oil of coriander ………… 1294
鼓音 tympanitic resonance ………… 1594
鼓音 tympany ………… 1957
鼓音性 tympanicity ………… 1956

〔空〕壺音性共鳴音 amphoric resonance 1594
鼓音〔性〕の tympanitic 1956
語音聴取閾値 speech reception threshold 1886
語音弁別閾値 speech awareness threshold 1886
語音弁別能 discrimination score 1649
語音用オージオメータ speech audiometer 176
コカ coca 384
古外套 archipallium 127
コカイン cocaine 384
コカイン麻酔〔法〕 cocainization 384
五価元素 pentad 1381
コガタアカイエカ近似種 *Culex tarsalis* 447
小型アカケダニ属 *Microtrombidium* 1156
小〔型〕切れ込み核細胞 small cleaved cell 326
小型条虫 *Hymenolepis nana* 877
小型双極細胞 midget bipolar cells 323
コガタハマダラカ *Anopheles minimus* 94
枯渇 depletion 492
枯渇反応 depletion response 1596
五価の pentavalent 1381
五価の基 pentad 1381
小柄な動物 runt 1627
股関節 articulatio coxae 157
股関節 coxa 433
股関節 hip joint 970
股関節異形成 hip dysplasia 575
股関節炎 coxitis 433
股関節寛骨臼底陥入症 arthrokatadysis 155
股関節結核 coxotuberculosis 433
股関節性〔脊柱〕側弯〔症〕 coxitic scoliosis 1648
股関節痛 coxalgia 433
股関節痛 coxodynia 433
〔股関節の〕輪帯 zonular band 195
〔股関節の〕輪帯 ring ligament 1040
〔股関節の〕輪帯 zona orbicularis (articulationis coxae) 2058
股関節被膜支帯 retinaculum of articular capsule of hip 1600
股関節部 hip 852
股関節部骨折 hip fracture 737
呼気 exhalation 653
呼気 expired gas 756
呼気 halitus 812
呼気検査 breath test 1855
小刻み歩行 brachybasia 239
コキシブ coxib 433
呼気終末平圧〔換気〕 zero end-expiratory pressure (ZEEP) 1483
呼気終末陽圧 positive end-expiratory pressure (PEEP) 1483
呼気性狭窄音 expiratory stridor 1757
呼気性呼吸困難 expiratory dyspnea 576
呼気性ぜん鳴 expiratory stridor 1757
呼気抵抗 expiratory resistance 1593
ゴキブリ科 Blattidae 219
ゴキブリ属 *Blatta* 219
呼吸 breath 256
呼吸 breathing 256
呼吸 pneusis 1452
呼吸 respiration 1595
呼吸運動記録器 spirograph 1718
呼吸運動記録器 stethograph 1746
呼吸運動遅滞 lagging 995
呼吸運動描画器 stethograph 1746
呼吸音 breath sounds 1702
呼吸音 respiratory sounds 1702
呼吸緩徐 bradypnea 241
〔患者〕呼吸感知作動型換気装置 patient-triggered ventilation 2010
呼吸/還流不適合 ventilation/perfusion mismatch 2010
呼吸器 apparatus respiratorius 119
呼吸器 respiratory apparatus 119
呼吸器 inhaler 932
呼吸器系 systema respiratorium 1834
呼吸〔器〕系 respiratory system 1833
呼吸器系の原基 respiratory primordium 1484
呼吸器死腔 respiratory dead space 1705
呼吸器・腸管・オーファン(みなしご)ウイルス respiratory enteric orphan virus 2028
呼吸気道 respiratory airway 41
呼吸〔機能〕不全 respiratory insufficiency 941
呼吸休止 respiratory pause 1374
呼吸窮迫症候群 respiratory distress syndrome (RDS) 1818
呼吸曲線 pneumogram 1448
呼吸曲線 spirogram 1718
呼吸〔曲線〕記録〔法〕 pneumography 1449
呼吸〔曲線〕記録器 pneumograph 1448
呼吸気流計 pneumotachograph 1451
呼吸金属 respiratory metal 1139
呼吸計 respirometer 1596
呼吸憩室 respiratory diverticulum 552
呼吸係数 respiratory coefficient 387
股臼形成〔術〕 acetabuloplasty 11
呼吸ゲーティング gating 760
呼吸ゲーティング respiratory gating 760
呼吸孔 spiracle 1717
呼吸交換率 respiratory exchange ratio 1561
呼吸亢進 hyperpnea 886
呼吸酵素 Atmungsferment 170
呼吸酵素 respiratory enzyme 624
呼吸困難 dyspnea 576
呼吸鎖 respiratory chain 337
呼吸細気管支 bronchioli respiratorii 259
呼吸細気管支 respiratory bronchioles 259
呼吸色素 respiratory pigments 1423
呼吸終期試料 end-tidal sample 1633
呼吸周期性胸痛 respirophasic pain 1337
呼吸商 respiratory quotient (R.Q., RQ) 1539
呼吸小葉 primary pulmonary lobule 1065
呼吸数 respiratory rate 1560
呼吸性アシドーシス respiratory acidosis 15
呼吸性アルカローシス respiratory alkalosis 48
呼吸正常 eucapnia 647
呼吸性瞳孔動揺 respiratory hippus 853
呼吸〔性〕の respiratory 1596
呼吸性不整脈 respiratory pulse 1525
呼吸〔性〕不整脈 respiratory arrhythmia 133
股臼切除〔術〕 acetabulectomy 11
呼吸像 pneumatype 1447
呼吸代謝 respiratory metabolism 1138
呼吸タコメータ pneumotachograph 1451
呼吸中枢 respiratory center 330
呼吸低下 hypopnea 896
呼吸停止 respiratory pause 1374
股臼底脱出〔症〕 protrusio acetabuli 1509
呼吸粘膜 respiratory mucosa 1177
呼吸バースト respiratory burst 271
呼吸バッグ breathing bag 192
呼吸頻度 respiratory frequency (f) 741
呼吸不全 respiratory failure 670
呼吸〔機能〕不全 respiratory insufficiency 941
呼吸脈 respiratory pulse 1525
呼吸用エーロゾル〔剤〕 respirable aerosols 32
呼吸用マスク respirator 1596
呼吸容量 respiratory capacity 288
呼吸抑制剤 respiratory inhibitor 935
呼吸力学 pneumodynamics 1448
呼吸流量計 pneumotachograph 1451
呼吸流量図 pneumotachogram 1451
呼吸療法 respiratory therapy 1879
呼気陽圧 expiratory positive airway pressure (EPAP) 1482
コキール〔レンズ〕 coquille 421
谷 vallecula 1983
刻印付け imprinting 917
黒鉛 graphite 799
国際感度指数 international sensitivity index (ISI) 922
国際疾病分類 International Classification of Diseases (ICD, ICDA) 946
国際障害機能喪失身体障害分類 International Classification of Impairments, Disabilities and Handicaps (ICIDH) 947
国際赤十字連合 International Committee of the Red Cross 947
国際単位 international unit (IU) 1966
国際単位系 International System of Units (SI) 947
国際標準比 international normalized ratio (INR) 1560
国際プライマリケア疾病分類 International Classification of Health Problems in Primary Care (ICHPPC) 947
国際予後指標(因子) International Prognostic Index 922
コクサッキーウイルス Coxsackievirus 433
コクサッキー脳炎 coxsackie encephalitis 607
黒子 lentigo 1020
コクシエラ属 *Coxiella* 433
コクシジウム coccidium 385
コクシジウム sporocyst 1724
コクシジウム症 coccidiosis 385
コクシジウム抑制薬 coccidiostat 385
コクシジオイジン coccidioidin 384
コクシジオイジン試験 coccidioidin test 1855
コクシジオイデス腫 coccidioidoma 384
コクシジオイデス真菌症 coccidioidomycosis 384
コクシジオイデス属 *Coccidioides* 384
コクシジオイドーム coccidioidoma 384
黒子症 lentiginosis 1020
黒質 nigra 1257
黒質 substantia nigra 1766
黒質枝 rami substantiae nigrae 1556
黒質傍核 paranigral nucleus 1278
コクシネリン coccinellin 385
黒死病 black death 473
黒色 nigrities 1257
黒色アスペルギルス *Aspergillus niger* 161
黒色黄疸 icterus melas 903
黒色偽〔性〕表皮腫 pseudoacanthosis nigricans 1510
黒色偽〔性〕表皮〔肥厚〕症 pseudoacanthosis nigricans 1510
黒色丘疹性皮膚病(症) dermatosis papulosa nigra 498
黒色菌糸症 phaeohyphomycosis 1398
黒色砂毛〔症〕 black piedra 1423
黒色色素 pigmentum nigrum 1423
黒色糸状菌〔様〕の phaeoid 1398
黒色腫 melanoma 1122
黒色腫症 melanomatosis 1122
黒色症 dyschroia, dyschroa 571
黒色症 melanosis 1122
黒色真菌 dematiaceous fungi 745
黒色〔症〕性そばかす melanotic freckle 740
黒〔色〕舌 lingua nigra 1053
黒〔色〕舌 melanoglossia 1122
黒〔色〕舌 nigrities linguae 1257
黒〔色〕舌 black tongue 1900
黒色〔輪〕癬 tinea nigra 1894
黒色線条体の nigrostriatal 1257
黒色胎児転位腫 melanotic progonoma 1495
黒色吐物 black vomit 2037
黒色尿 black urine 1972
黒色尿〔症〕 melanuria 1123
黒色肺 black lung 1071
黒色白内障 black cataract 311
黒色白内障 cataracta nigra 312

黒色皮膚炎 melanodermatitis ……………… 1121
黒色表皮腫 acanthosis nigricans …………… 8
黒色表皮〔肥厚〕症 acanthosis nigricans …… 8
黒色胞子属 *Nigrospora* …………………… 1257
黒色メラニン eumelanin …………………… 648
黒水熱 blackwater fever …………………… 683
国勢調査 census ………………………… 330
黒舌症 black tongue ……………………… 1900
黒線 black line ………………………… 1049
黒線 linea nigra ………………………… 1053
穀草 grain ……………………………… 796
黒爪〔症〕 melanonychia ………………… 1122
極超短波 microwaves ……………………… 1156
股屈曲現象 hip-flexion phenomenon …… 1405
黒点状白癬 black-dot ringworm ………… 1618
黒吐〔症〕 melenemesis ………………… 1123
黒内障 amaurosis ………………………… 56
黒内障〔性〕散瞳 amaurotic mydriasis …… 1208
黒内障性猫眼 amaurotic cat eye ………… 659
黒内障瞳孔 amaurotic pupil ……………… 1527
黒肺症 pneumomelanosis ………………… 1449
黒斑症 melanoplakia ……………………… 1122
黒皮症 melanoderma ……………………… 1121
黒皮症 melasma ………………………… 1123
穀粉 farina ……………………………… 671
穀粉様の farinaceous ……………………… 671
黒変症 nigrities ………………………… 1257
黒穂菌属 *Ustilago* ………………………… 1976
黒穂菌中毒〔症〕 ustilaginism ……………… 1976
黒穂病 smut …………………………… 1694
国民医薬品集 National Formulary (NF) ……………………………… 1222
黒毛舌 lingua nigra ……………………… 1053
黒毛舌 black tongue ……………………… 1900
穀物 grain ……………………………… 796
穀物かゆみ〔症〕 grain itch ………………… 964
穀物毒素 sitotoxin ……………………… 1690
コクラン共同計画 Cochrane collaboration ……………………………… 390
コクリオミイヤ属 *Cochliomyia* …………… 386
コケ(苔) moss ………………………… 1172
鼓形空隙 embrasure ……………………… 601
固形の solid ……………………………… 1697
固形パラフィン hard paraffin …………… 1349
ゴケグモ属 *Latrodectus* ………………… 1005
股結合体 ischiopagus ……………………… 958
コケットの交通貫通静脈 Cockett communicating perforating veins ……… 1995
コケロミセス属 *Cokeromyces* …………… 388
五原子の pentatomic ……………………… 1381
股現象 hip phenomenon ………………… 1405
コケーン症候群 Cockayne syndrome …… 1801
ココア cocoa …………………………… 386
ココイ海綿状膿疱 spongiform pustule of Kogoj ……………………………… 1529
ココイ毒 kokoi venom …………………… 2009
後光効果 halo effect ……………………… 588
五咬頭の quinquetubercular …………… 1539
ココスキン染色〔法〕 Kokoskin stain …… 1732
ココナッツ音 coconut sound …………… 1702
九日熱〔マラリア〕 nonan malaria ………… 1095
九日〔熱〕の nonan ……………………… 1266
心 phren ……………………………… 1418
試み conatus …………………………… 405
誤差 error ……………………………… 637
鼓索小管鼓室口 apertura tympanica canaliculi chordae tympani ……………… 113
鼓索小管鼓室口 tympanic aperture of canaliculus for chorda tympani ………… 113
鼓索小管鼓室口 tympanic opening of canaliculus for chorda tympani ……… 1303
鼓索神経 chorda tympani ………………… 354
鼓索神経 tympanichord ………………… 1956
鼓索神経小管 small canal of chorda tympani ……………………………… 284
鼓索神経小管 canaliculus of chorda tympani ……………………………… 285
鼓索神経と舌神経との交通枝 communicating branch of chorda tympani to lingual nerve ……………………… 244
鼓索神経と舌神経との交通枝 communicating branch of chorda tympani with lingual nerve ……………………… 244
鼓索神経との交通枝 ramus communicans cum chorda tympani ……………………… 1549
鼓索〔性〕唾液 chorda saliva ……………… 1631
鼓索ひだ fold of chorda tympani ………… 718
鼓索ひだ plica chordae tympani ………… 1445
誤差測定器 aberrometer …………………… 2
五酸化物 pentoxide ……………………… 1382
五酸化リン phosphorus pentoxide ……… 1415
腰 loin ………………………………… 1068
腰 lumbus ……………………………… 1071
腰 waist ………………………………… 2039
枯死 apoptosis …………………………… 118
固視 fixation ……………………………… 707
固視眼 fixing eye ………………………… 659
こしけ leukorrhea ………………………… 1028
固視ずれ fixation disparity ……………… 547
固視ずれ角 disparity angle ………………… 88
固視線 line of fixation …………………… 1050
固執 perseveration ……………………… 1395
固執 persistence ………………………… 1395
鼓室 cavitas tympani ……………………… 316
鼓室 cavum tympani ……………………… 317
鼓室 tympanic cavity ……………………… 317
鼓室 tympanum ………………………… 1957
鼓室あぶみ骨靱帯結合 tympanostapedial junction ……………………………… 974
鼓室あぶみ骨靱帯結合 tympanostapedial syndesmosis ……………………………… 1795
鼓室あぶみ骨の tympanostapedial ……… 1957
鼓室炎 tympanitis ………………………… 1956
鼓室階 scala tympani ……………………… 1638
鼓室蓋 roof of tympanum ………………… 1621
鼓室蓋 tegmen tympani ………………… 1845
鼓室外側壁 lateral wall of tympanic cavity ……………………………… 2039
鼓室外側壁 membranous wall of tympanic cavity ……………………………… 2039
鼓室階の静脈 vein of scala tympani …… 2001
鼓室階壁 paries tympanicus ductus cochlearis ……………………………… 1356
鼓室階壁 tympanic surface of cochlear duct ……………………………… 1784
鼓室階壁 tympanic wall of cochlear duct ……………………………… 2040
鼓室蓋壁 paries tegmentalis cavi tympani ……………………………… 1356
鼓室蓋壁 roof of tympanic cavity ……… 1621
鼓室蓋壁 tegmental wall of middle ear 2040
鼓室蓋壁 tegmental wall of tympanic cavity ……………………………… 2040
鼓室下顎の tympanomandibular ………… 1957
鼓室〔型〕グロムス腫瘍 glomus tympanicum tumor ……………………………… 1950
ゴシックロ蓋 gothic palate ……………… 1338
鼓室頸静脈壁 floor of tympanic cavity … 713
〔鼓室〕頸静脈壁 paries jugularis cavi tympani ……………………………… 1356
〔鼓室〕頸静脈壁 jugular wall of middle ear ……………………………… 2039
鼓室形成〔術〕 tympanoplasty …………… 1957
〔鼓室〕頸動脈壁 paries caroticus cavi tympani ……………………………… 1356
〔鼓室〕頸動脈壁 carotid wall of middle ear ……………………………… 2039
鼓室岬角 promontorium cavi tympani … 1498
鼓室岬角 promontory of tympanic cavity ……………………………… 1498
鼓室岬角溝 sulcus of promontory of tympanic cavity ……………………… 1774
鼓室岬角支脚 subiculum of promontory of tympanic cavity ……………………… 1763
鼓室硬化症 tympanosclerosis …………… 1957
鼓室後壁 mastoid wall of tympanic cavity ……………………………… 2039
鼓室後壁 posterior wall of tympanic cavity ……………………………… 2040
〔鼓室〕鼓膜壁 paries membranaceus cavi tympani ……………………………… 1356
〔鼓室〕鼓膜壁 membranous wall of middle ear ……………………………… 2039
鼓室耳管の tympanoeustachian ………… 1957
固執者 persister ………………………… 1395
鼓室盾 tympanic scute …………………… 1652
鼓室床 floor of tympanic cavity ………… 713
鼓室上陥凹 recessus epitympanicus …… 1573
鼓室上陥凹の頂部 cupular part of epitympanic recess ……………………… 1363
鼓室上の supratympanic ………………… 1780
鼓室静脈 tympanic veins ………………… 2003
鼓室静脈 venae tympanicae ……………… 2008
〔ラセン板の〕鼓室唇 labium limbi tympanicum laminae spiralis ossei …… 991
〔ラセン板の〕鼓室唇 labium limbi tympanicum limbi spiralis ossei ……… 991
〔ラセン板の〕鼓室唇 tympanic labium of limbus of spiral lamina ……………… 992
〔ラセン板の〕鼓室唇 tympanic lip of limbus of spiral lamina ……………………… 1055
〔ラセン板の〕鼓室唇 tympanic lip of spiral limbus ……………………………… 1055
鼓室神経 tympanic nerve ………………… 1240
鼓室神経 nervus tympanicus …………… 1243
鼓室神経小管 tympanic canal …………… 284
鼓室神経小管 tympanic canaliculus ……… 285
鼓室神経節 ganglion tympanicum ……… 755
鼓室神経節 tympanic ganglion …………… 755
鼓室神経叢 tympanic (nervous) plexus 1444
鼓室神経叢の耳管枝 tubal branch of the tympanic plexus ……………………… 254
鼓室神経叢の迷走神経耳介枝との交通枝 communicating branch of glossopharyngeal nerve with auricular branch of vagus nerve …………………… 244
鼓室神経叢の迷走神経耳介枝との交通枝 communicating branch of tympanic plexus with auricular branch of vagus nerve ……………………………… 245
鼓室神経叢の迷走神経耳介枝との交通枝 ramus communicans plexus tympanici cum ramo auriculari nervi vagi ……… 1550
鼓室舌骨 tympanohyal bone ……………… 234
鼓室舌骨の tympanohyal ………………… 1957
鼓室腺 tympanic gland …………………… 775
鼓室穿刺〔術〕 tympanocentesis …………… 1957
鼓室前壁 anterior wall of tympanic cavity ……………………………… 2039
鼓室前壁 carotid wall of tympanic cavity ……………………………… 2039
鼓室側頭の tympanotemporal …………… 1957
子実体 fruiting body ……………………… 227
鼓室つち骨の tympanomalleal ………… 1957
鼓室洞 sinus tympani …………………… 1689
鼓室洞 tympanic sinus …………………… 1689
鼓室内出血 hemotympanum ……………… 836
鼓室内側壁 labyrinthine wall of tympanic cavity ……………………………… 2039
鼓室内側壁 medial wall of tympanic cavity ……………………………… 2039
鼓室内の intratympanic ………………… 951
鼓室乳〔様〕突〔起〕炎 tympanomastoiditis 1957
鼓室乳〔様〕突〔起〕の tympanomastoid …… 1957
〔鼓室〕乳突壁 paries mastoideus cavi tympani ……………………………… 1356
〔鼓室〕乳突壁 mastoid wall of middle ear ……………………………… 2039

鼓室乳突裂 fissura tympanomastoidea …… 702
鼓室乳突裂 tympanomastoid fissure …… 704
鼓室粘膜 mucosa of tympanic cavity …… 1177
鼓室粘膜 tunica mucosa cavitatis tympani …… 1953
鼓室の tympanic …… 1956
鼓室の陥凹 recesses of tympanic cavity 1572
〔側頭骨の〕鼓室部 pars tympanica ossis temporalis …… 1362
〔側頭骨の〕鼓室部 tympanic part of temporal bone …… 1368
鼓室蜂巣 tympanic air cells …… 327
鼓室蜂巣 cellulae tympanicae …… 328
鼓室膨大 tympanic enlargement …… 618
鼓室膨大 intumescentia tympanica …… 952
鼓室膨大 tympanic intumescence …… 952
〔鼓室〕迷路壁 paries labyrinthicus cavi tympani …… 1356
〔鼓室〕迷路壁 labyrinthine wall of middle ear …… 2039
鼓室迷路壁の岬角溝 groove of promontory of labyrinthine wall of tympanic cavity …… 802
鼓室輪 anulus tympanicus …… 111
鼓室輪 tympanic ring …… 1618
鼓室鱗の tympanosquamosal …… 1957
鼓室鱗裂 fissura tympanosquamosa …… 702
鼓室鱗裂 squamotympanic fissure …… 704
鼓室鱗裂 tympanosquamous fissure …… 704
腰〔部〕の lumbar …… 1071
五指の pentadactyl, pentadactyle …… 1381
固視微動 flicks …… 713
ゴシポール gossypol …… 793
誤写字症 dysantigraphia …… 570
50%培養細胞感染量 tissue culture infectious dose (TCID$_{50}$, TCD$_{50}$) …… 558
固縮 rigidity …… 1616
呼出 exhalation …… 653
コシュランド-ネメシー-フィルマーモデル Koshland-Némethy-Filmer model (KNF model) …… 1162
コショウ piper …… 1425
〔反復〕語唱 verbigeration …… 2013
股状塞栓症 straddling embolism …… 601
古小脳 archicerebellum …… 127
固視抑制 fixation suppression …… 1779
コシラナ cocillana …… 386
枯死卵 blighted ovum …… 1330
誤診 misdiagnosis …… 1159
個人化 individuation …… 924
個人空間 personal space …… 1704
個人差 individual differences …… 516
個人差 personal equation …… 634
個人心理学 individual psychology …… 1519
個人的血液型 private blood group …… 224
個人的動機付け personal motivation …… 1172
個人的特質 idiosyncrasy …… 905
個人的無意識 personal unconscious …… 1963
コシントロピン cosyntropin …… 430
個人病院 private hospital …… 865
コスタリカ住血線虫 *Angiostrongylus costaricensis* …… 87
コスティミュラトリー分子 costimulatory molecule …… 1164
コステン症候群 Costen syndrome …… 1801
コストマン症候群 Kostmann syndrome 1809
コスミド cosmid …… 430
ゴスラン骨折 Gosselin fracture …… 737
こすりすぎ脱毛〔症〕 rub alopecia …… 53
糊精 dextrin …… 504
個性化 individuation …… 924
古生物病理学 paleopathology …… 1338
ゴセレリン goserelin …… 793
弧線 wire arch …… 127
弧線 archwire …… 127
枯草菌 *Bacillus subtilis* …… 188
固相線 solidus …… 1697
枯草ぜん息 hay asthma …… 165
枯草熱 hay fever …… 684
固相免疫測定法 solid phase immunoassay …… 911
呼息 exhalation …… 653
孤束 solitary bundle …… 266
孤束 funiculus solitarius …… 745
孤束 solitary tract …… 1912
孤束 tractus solitarius …… 1915
孤束核 nuclei of solitary tract …… 1280
孤束核 nuclei tractus solitarii …… 1281
孤束核脊髄路 solitariospinal tract …… 1912
呼息中枢 expiratory center …… 330
姑息的な palliative …… 1339
固体 solid …… 1697
五胎 quintuplet …… 1539
個体化 individuation …… 924
誇大型妄想〔性〕障害 grandiose type of paranoid disorder …… 545
個体化野 individuation field …… 697
固体検出器 solid-state detector …… 500
個体差 individual differences …… 516
誇大症 expansiveness …… 655
個体心理学 individual psychology …… 1519
個体耐性 individual tolerance …… 1898
固体炭酸 carbon dioxide snow …… 294
誇大的な grandiose …… 796
個体発生 ontogeny …… 1301
個体発生異常 dysontogenesis …… 574
固体〔変化〕病因説 solidism …… 1697
固体〔変化〕病因論者 solidist …… 1697
誇大妄想 delusion of grandeur …… 485
誇大妄想 megalomania …… 1120
誇大妄想者 megalomaniac …… 1120
こだま定位 echolocation …… 583
コタール症候群 Cotard syndrome …… 1801
コタルニン cotarnine …… 430
五炭糖 pentose …… 1382
五炭糖尿〔症〕 pentosuria …… 1382
コチニール cochineal …… 385
コチニン cotinine …… 430
固着 fixation …… 707
固着観念 idée fixe …… 904
固着骨盤 frozen pelvis …… 1378
個虫 zooid …… 2060
孤虫 sparganum …… 1706
孤虫症 sparganosis …… 1706
鼓腸 flatulence …… 711
鼓脹 bloat, bloating …… 221
鼓脹 inflation …… 929
鼓脹 meteorism …… 1141
鼓脹 tympanism …… 1956
鼓脹 tympany …… 1957
鼓脹〔症〕 tympanites …… 1956
鼓腸浣腸 flatus enema …… 616
鼓脹性共鳴音 tympanitic resonance …… 1594
鼓腸性消化不良 flatulent dyspepsia …… 574
骨 os …… 1317
骨異栄養〔症〕 osteodystrophia …… 1321
骨異形成〔症〕 osteodysplasty …… 1321
骨萎縮性 porotic …… 1467
骨移植〔片〕 bone graft …… 795
骨栄養 osteotrophy …… 1325
骨壊死 osteonecrosis …… 1323
骨壊疽 necrosteon, necrosteosis …… 1225
骨炎 osteitis …… 1320
骨塩 bone-salt …… 234
骨〔塩量〕密度 bone mineral density (BMD) …… 487
骨化 ossification …… 1320
小使 diener …… 514
骨塊固定〔術〕 bone block fusion …… 746
骨外生 ectostosis …… 586
骨外性軟骨腫 extraskeletal chondroma … 353
骨外表の ectosteal …… 586
骨外ピン固定 external pin fixation …… 707
〔二方向性〕骨外ピン固定 external pin fixation, biphase …… 707
骨海綿腫 osteospongioma …… 1325
骨化過剰〔症〕 hyperostosis …… 884
骨格 skeleton …… 1690
骨学 osteologia …… 1322
骨学 osteology …… 1322
骨格異形成〔症〕 skeletal dysplasias …… 576
骨格学 skeletology …… 1690
骨格筋 skeletal muscle …… 1194
骨格筋 musculus skeleti …… 1203
骨格筋減少〔症〕 sarcopenia …… 1636
骨格筋細胞 skeletal muscle cells …… 326
骨格筋線維 skeletal muscle fibers …… 690
骨格筋組織 skeletal muscle tissue …… 1896
骨格筋の未分化細胞 satellite cell of skeletal muscle …… 326
骨格筋ポンプ cardiomyoplasty …… 301
骨格系 skeletal system …… 1834
骨格系 systema skeletale …… 1834
骨格系の骨部 pars ossea systematis skeletalis …… 1360
骨格系の骨部 bony part of skeletal system …… 1363
骨格系の骨部 osseous part of skeletal system …… 1366
骨格系の軟骨部 pars cartilaginea systematis skeletalis …… 1358
骨格系の軟骨部 cartilaginous part of skeletal system …… 1363
骨格結合領域 scaffold-associated regions (SAR) …… 1586
骨格牽引 skeletal traction …… 1914
骨学者 osteologist …… 1322
骨芽細胞 osteoblast …… 1321
骨芽細胞腫 osteoblastoma …… 1321
骨化症 osteosis …… 1325
骨化頭蓋 osteocranium …… 1321
骨化する ossify …… 1320
骨化性筋炎 myositis ossificans …… 1216
骨化性脂肪腫 lipoma ossificans …… 1057
骨芽体 scleroblastema …… 1646
骨化点 point of ossification …… 1454
骨化点 punctum ossificationis …… 1527
骨化膿 ostempyesis …… 1320
骨化の中心 center of ossification …… 330
骨化の中心 ossification center …… 330
骨化の中心 point of ossification …… 1454
骨化の中心 punctum ossificationis …… 1527
骨幹 diaphysis …… 510
骨幹形成異常(異形成) diaphysial dysplasia …… 575
骨幹炎 diaphysitis …… 510
骨間縁 interosseous border …… 235
骨間縁 interosseous margin …… 1103
骨間縁 margo interosseus …… 1104
骨間距踵靱帯 interosseous talocalcaneal ligament …… 1036
骨間距踵靱帯 talocalcaneal interosseous ligament …… 1041
骨間距踵靱帯 ligamentum talocalcaneare interosseum …… 1045
骨間筋 interosseous muscles …… 1187
骨間筋膜 interosseous fascia …… 673
骨間楔間靱帯 ligamenta intercuneiformia interossea …… 1044
骨間楔中足靱帯 cuneometatarsal interosseous ligaments …… 1034
骨間楔中足靱帯 interosseous cuneometatarsal ligaments …… 1036
骨間楔中足靱帯 ligamenta cuneometatarsalia interossea …… 1043
骨間楔立方靱帯 cuneocuboid interosseous ligament …… 1034
骨間楔立方靱帯 interosseous cuneocuboid

コ

ligament …………………………………… 1036
骨間楔立方靱帯 ligamentum cuneocuboideum interosseum ………… 1043
骨鉗子 bone forceps ……………………… 727
骨鉗子 rongeur ………………………………… 1620
骨間手根間靱帯 ligamentum intercarpalia interossea ………………………………… 1043
骨関節症 arthrosis ………………………… 156
骨関節症 osteoarthropathy ……………… 1320
骨間仙腸靱帯 interosseous sacroiliac ligament …………………………………… 1036
骨間仙腸靱帯 ligamentum sacroiliacum interosseum ……………………………… 1045
骨間足根靱帯 tarsal interosseous ligaments ………………………………………… 1041
骨幹端 metaphysis ………………………… 1140
骨幹端形成異常(異形成) metaphysial dysplasia …………………………………… 576
骨幹端炎 metaphysitis …………………… 1140
骨幹端性骨形成不全〔症〕 metaphysial dysostosis ………………………………… 574
骨幹端線維性皮質欠損〔症〕 metaphyseal fibrous cortical defect …………………… 477
骨間中手靱帯 interosseous metacarpal ligaments ……………………………… 1036
骨間中手靱帯 ligamenta metacarpalia interossea ……………………………… 1044
骨幹中心 diaphysial center ……………… 330
骨間中足靱帯 interosseous metatarsal ligaments ……………………………… 1036
骨間中足靱帯 metatarsal interosseous ligaments ……………………………… 1038
骨間中足靱帯 ligamenta metatarsalia interossea ……………………………… 1044
骨間肘包 bursa cubitalis interossea ……… 268
骨間肘包 interosseous bursa of elbow …… 269
骨間肘包 interosseous cubital bursa …… 269
骨間の interosseous ……………………… 947
骨幹部切除〔術〕 diaphysectomy …………… 510
骨間稜 interosseous crest ………………… 437
骨起骨折 apophysial fracture …………… 736
骨基質 bone matrix ……………………… 1110
骨柩 involucrum …………………………… 953
骨吸収 bone resorption ………………… 1595
骨棘 osteophyte …………………………… 1323
〔骨〕棘 spur ………………………………… 1725
骨巨細胞腫 osteoclastoma ………………… 1321
骨巨細胞腫 giant cell tumor of bone …… 1950
骨切り術 osteotomy ……………………… 1325
骨切りのみ osteotome …………………… 1325
コックス COX ……………………………… 433
コックス比例ハザードモデル Cox proportional hazard model …………… 1162
コック嚢 Kock pouch …………………… 1474
骨形成 ossification ……………………… 1320
骨形成 osteogenesis ……………………… 1322
骨形成〔術〕 osteoplasty …………………… 1323
骨形成異常〔症〕 osteodystrophy ………… 1321
骨形成欠損 anosteoplasia ………………… 95
骨形成原 osteogen ………………………… 1322
骨形成性脊椎症 hyperostotic spondylosis ………………………………………… 1722
骨形成性線維 osteogenetic fibers ………… 690
骨形成性腐骨切除〔術〕 osteoplastic necrotomy ……………………………… 1225
骨形成切断〔術〕 osteoplastic amputation … 66
骨形成層 cambium layer ………………… 1009
骨形成層 osteogenetic layer ……………… 1012
骨形成不全〔症〕 dysosteogenesis ………… 574
骨形成不全〔症〕 dysostosis ……………… 574
骨形成不全〔症〕 osteogenesis imperfecta (OI) ………………………………………… 1322
骨形成不全症I型 osteogenesis imperfecta type I ………………………………………… 1322
骨形成不全症II型 osteogenesis imperfecta type II ………………………………………… 1322
骨形成不全症III型 osteogenesis imperfecta type III ……………………………………… 1322
骨形成不全症IV型 osteogenesis imperfecta type IV ……………………………………… 1322
骨形成用骨弁 osteoplastic bone flap …… 710
骨計測〔法〕 osteometry …………………… 1323
骨形態形成蛋白 bone morphogenetic proteins (BMP) …………………………… 1502
黒血症 melanemia ………………………… 1121
骨血栓症 osteothrombosis ………………… 1325
骨検索 skeletal survey …………………… 1785
骨減少〔症〕 osteopenia …………………… 1323
骨原性細胞 osteogenic cell ……………… 324
骨原性肉腫 osteogenic sarcoma ………… 1636
骨硬化〔症〕 osteosclerosis ……………… 1324
骨硬化〔症〕 bone sclerosis ……………… 1647
骨口蓋 bony palate ……………………… 1337
骨口蓋 palatum osseum …………………… 1338
骨硬化性貧血 osteosclerotic anemia ……… 78
骨梗塞 bone infarct ……………………… 926
骨構築 bone architecture ………………… 234
骨骨膜移植 osteoperiosteal graft ………… 795
骨骨膜炎 osteoperiostitis ………………… 1323
骨細管 bone canaliculus ………………… 285
骨再生 osteoanagenesis ………………… 1320
骨細片 bone chips ………………………… 344
骨細胞 bone cell …………………………… 320
骨細胞 osteocyte …………………………… 1321
骨ジストロフィ osteodystrophia ………… 1321
骨質吸収 deossification …………………… 490
骨脂肪腫 osteosteatoma ………………… 1325
骨脂肪軟骨腫 osteolipochondroma ……… 1322
ゴッジャ徴候 Goggia sign ……………… 1680
骨腫 osteoma ……………………………… 1322
骨周囲の囲繞結紮法 circumferential wiring ………………………………………… 2047
骨充血 ostemia …………………………… 1320
骨腫瘍 osteoncus …………………………… 1323
骨症 osteopathy …………………………… 1323
骨小窩 osseous lacuna …………………… 995
骨障害 osteopathia ………………………… 1323
骨障害 osteopathy ………………………… 1323
骨障害性〔脊柱〕側彎〔症〕 osteopathic scoliosis …………………………………… 1649
骨小体 bone corpuscle …………………… 426
骨小洞 geode ……………………………… 767
骨状の osteoid ……………………………… 1322
骨静脈炎 osteophlebitis ………………… 1323
骨髄 marrow ……………………………… 1105
骨髄 bone marrow ………………………… 1106
骨髄 spinal marrow ……………………… 1106
骨髄 medulla ossium ……………………… 1118
骨髄異形成〔症〕 osteomyelodysplasia …… 1323
骨髄異形成症候群 myelodysplastic syndrome ………………………………………… 1813
骨髄移植 bone marrow transplantation 1920
骨髄炎 myelitis …………………………… 1209
骨髄炎 osteomyelitis ……………………… 1323
骨髄化 medullation ……………………… 1119
〔骨〕髄外の extramedullary ……………… 657
骨髄芽球 myeloblast ……………………… 1209
骨髄芽球血症 myeloblastemia …………… 1209
骨髄芽球腫 myeloblastoma ……………… 1209
骨髄芽球症 myeloblastosis ……………… 1209
骨髄芽球性白血病 myeloblastic leukemia ………………………………………… 1025
骨髄芽細胞 myeloblast …………………… 1209
骨髄芽細胞 myeloplast …………………… 1211
骨髄〔様〕化生 myeloid metaplasia ……… 1140
骨髄-間葉性結合 marrow-mesenchyme connections …………………………… 413
骨髄球 medullocell ………………………… 1119
骨髄球 myelocyte ………………………… 1209
骨髄球血症 myelocythemia ……………… 1210
骨髄球腫 myelocytoma …………………… 1210
骨髄球腫症 myelocytomatosis …………… 1210
骨髄球性の myeloic ……………………… 1210
骨髄球性白血病 myeloleukemia ………… 1210
骨髄球増加〔症〕 myelocytosis ………… 1210
骨髄球分利 myelocytic crisis …………… 439
骨髄球A myelocyte A …………………… 1210
骨髄球B myelocyte B …………………… 1210
骨髄球C myelocyte C …………………… 1210
骨髄巨核球 megakaryocyte ……………… 1119
〔骨髄〕巨核球性白血病 megakaryocytic leukemia ………………………………… 1024
骨髄腔 cavitas medullaris ……………… 315
骨髄腔 medullary cavity ………………… 316
骨髄腔 cavum medullare ………………… 317
〔骨〕髄腔 medullary space ……………… 1704
骨髄形成 myelogenesis …………………… 1210
骨髄形成異常〔症〕 osteomyelodysplasia 1323
骨髄〔原〕性肉腫 myelogenic sarcoma …… 1636
骨髄原発性肉腫 Ewing tumor …………… 1950
骨髄硬化〔症〕 myelosclerosis …………… 1211
骨髄硬膜 spinal dura mater ……………… 568
骨髄細胞 marrow cell ……………………… 323
骨髄脂肪腫 myelolipoma ………………… 1210
骨髄腫 myeloma …………………………… 1210
骨髄腫〔症〕 myelomatosis ……………… 1210
骨髄症 myelopathy ……………………… 1211
骨髄症 myelosis …………………………… 1211
骨髄障害 myelopathy ……………………… 1211
骨髄針 intraosseous needle ……………… 1225
骨髄性系 myeloid series ………………… 1665
骨髄性細胞 myeloid cell ………………… 324
骨髄〔性〕単球 myelomonocyte …………… 1211
骨髄性の myelogenetic, myelogenic …… 1210
骨髄性の myeloid ………………………… 1210
骨髄性白血病 myelocytic leukemia, myelogenic leukemia, myelogenous leukemia, myeloid leukemia ………… 1025
骨髄性類白血病反応 myelocytic leukemoid reaction …………………………………… 1025
骨髄線維症 myelofibrosis ………………… 1210
骨髄栓塞 bone marrow embolism ………… 600
骨髄線量 bone marrow dose ……………… 556
骨髄造血 myelopoiesis …………………… 1211
骨髄増殖性症候群 myeloproliferative syndromes ………………………………… 1813
骨髄増殖性の myeloproliferative ………… 1211
骨髄組織 myeloid tissue ………………… 1896
骨髄組織過形成 myeloidosis …………… 1210
骨髄単球性白血病 myelomonocytic leukemia ………………………………………… 1025
骨髄毒の myelotoxic ……………………… 1211
骨髄内出血 hematosteon ………………… 827
骨髄内の intramedullary ………………… 950
骨髄の medullary ………………………… 1119
骨髄の myelic ……………………………… 1209
骨髄梅毒 myelosyphilis …………………… 1211
骨髄発生 myelopoiesis …………………… 1211
骨髄母細胞 myelogone, myelogonium … 1210
骨髄輸液 intramedullary transfusion …… 1918
骨髄〔様〕化生 myeloid metaplasia ……… 1140
骨髄様の myeloid ………………………… 1210
骨髄リンパ節 marrow-lymph gland ……… 773
骨髄ろう(癆) myelophthisis …………… 1211
骨性軋音 bony crepitus …………………… 436
骨性強直 bony ankylosis …………………… 92
骨性骨盤脊椎炎 pelvospondylitis ossificans ………………………………………… 1379
骨性獅子面〔症〕 leontiasis ossea ………… 1020
骨性制動術 bone block …………………… 221
骨性の ossiferous ………………………… 1320
骨〔性〕の osseous ………………………… 1319
骨性ポリープ osseous polyp …………… 1463
骨性癒着 dental ankylosis ………………… 92
骨折 fracture (Fx) ……………………… 736
骨節 osteomere …………………………… 1323
骨石灰質脱失 deossification ……………… 490
骨石灰脱失〔症〕 osteohalisteresis ………… 1322

骨折観血的整復〔法〕 open reduction of fractures 1575
骨接合〔術〕 osteosynthesis 1325
骨接合線 lines of osteosynthesis 1051
骨切除〔術〕 ostectomy 1320
骨折床 fracture bed 204
骨切除開頭〔術〕 craniectomy 434
骨折水疱 fracture blister 221
骨折の仮骨 fracture callus 280
骨折非観血的整復〔法〕 closed reduction of fractures 1575
骨線維腫 osteofibroma 1322
骨線維症 osteofibrosis 1322
骨栓移植 dowel graft 795
骨線維性異形成 osteofibrous dysplasia 576
骨相学 phrenology 1419
骨相学者 phrenologist 1419
骨増殖体 osteophyte 1323
骨層板 lamella of bone 996
骨層板 osteoplaque 1323
骨組織 bone 231
骨組織 osseous tissue 1896
骨粗しょう(鬆)症 osteoporosis 1323
骨炭 bone black 234
骨炭 animal charcoal 340
骨炭 bone charcoal 340
骨端 apophysis 117
骨端 epiphysis 630
骨端 osteoepiphysis 1322
骨単位 osteon, osteone 1323
骨端炎 epiphysitis 630
骨端炎 osteochondritis 1321
骨端外の extraepiphysial 657
骨端近傍の juxtaepiphysial 974
骨端骨折 epiphysial fracture, epiphyseal fracture 737
骨端固定〔術〕 epiphysiodesis 630
骨端症 apophysitis 117
骨端症 epiphysiopathy 630
骨端症 osteochondrosis 1321
骨端線 epiphysial line 1049
骨端線 linea epiphysialis 1053
骨端線損傷に対するソルター-ハリスの分類 Salter-Harris classification of epiphysial plate injuries 371
骨端〔線〕離開 epiphysiolysis 630
骨端内の intraepiphysial 950
骨端軟骨 epiphysial cartilage 306
骨端軟骨 cartilago epiphysialis 307
骨端軟骨〔板〕 epiphysial plate 1435
骨端軟骨結合 synchondrosis epiphyseos 1793
骨端軟骨板の physial 1420
骨端の apophysial, apophyseal 117
骨端部成長停止 epiphysial arrest 132
骨端無菌壊死 epiphysial aseptic necrosis 1224
骨痛 bone ache 13
骨痛 ostealgia 1320
骨伝導 bone conduction 408
骨刀 osteotome 1325
骨島 bone island 958
骨導 bone conduction 408
骨頭下骨折 subcapital fracture 738
骨頭間静脈 intercapitular veins 1997
骨導式埋め込み型補聴器 bone-anchored hearing aid 819
〔骨〕突起 apophysis 117
〔骨〕突起の apophysial, apophyseal 117
ゴッドマン筋膜 Godman fascia 673
コッドマン三角 Codman triangle 1926
コッドマン腫〔瘍〕 Codman tumor 1950
ゴットロン(ガットロン)丘疹 Gottron papule 1347
コットン効果 Cotton effect 588
骨内インプラント endosseous implant 915
骨内インプラント endosteal implant 915
骨内膠原線維 osteocollagenous fibers 690
骨内注射 intraosseous injection 936
骨内の intraosseous 950
骨内膜 endosteum 615
骨内膜炎 endosteitis, endostitis 615
骨内膜腫 endosteoma 615
骨軟化〔症〕骨盤 osteomalacic pelvis 1379
骨軟化症 osteomalacia 1322
骨軟骨炎 osteochondritis 1321
骨軟骨形成原細胞 osteochondrogenic cell 324
骨軟骨ジストロフィ chondroosteodystrophy 353
骨軟骨腫 osteochondroma 1321
骨軟骨症 osteochondrosis 1321
骨軟骨性の chondroosseous 353
骨軟骨肉腫 osteochondrosarcoma 1321
骨軟骨の osseocartilaginous 1319
骨肉腫 osteosarcoma 1324
骨年齢 bone age 35
骨〔性〕の osseous 1319
骨嚢胞 bone cyst 458
骨膿瘍 bone abscess 5
骨灰(こっぱい) bone ash 234
骨発育不全〔症〕 anostosis 95
骨発生 osteogenesis 1322
骨破片 bone chips 344
骨板 bone plate 1434
骨板 table 1836
骨盤 pelvis 1378
骨盤位介助術 partial breech extraction 657
骨盤位牽出〔術〕 breech extraction 657
骨盤位牽出〔術〕 total breech extraction 657
骨盤位分娩 breech delivery 484
骨盤横靱帯 transverse ligament of pelvis 1041
〔膣式〕骨盤温熱療法器 pelvitherm 1379
骨盤回転〔術〕 pelvic version 2014
骨盤隔膜 diaphragma pelvis 510
骨盤隔膜 pelvic diaphragm 510
骨盤下口 apertura pelvis minoris 113
骨盤下口 inferior pelvic aperture 113
骨盤下口 pelvic outlet 1327
骨盤管 pelvic canal 284
骨半規管 bony semicircular canals 282
骨半規管 semicircular canals (of bony labyrinth) 284
骨半規管脚 bony limbs of semicircular canals 1047
骨半規管脚 limbs of bony semicircular canals 1047
骨盤鏡 pelviscope 1379
骨盤極 pelvic pole 1456
骨盤筋膜 fascia pelvis 674
骨盤筋膜 pelvic fascia 674
骨盤筋膜腱弓 tendinous arch of pelvic fascia 126
骨盤腔 cavitas pelvis 316
骨盤腔 pelvic cavity 316
骨盤腔 cavum pelvis 317
骨盤腔鏡〔検査〕法 culdoscopy 447
骨盤腔の中軸の方向 pelvic direction 1378
骨盤傾斜 inclinatio pelvis 919
骨盤傾斜 inclination of pelvis 919
骨盤傾斜角 pelvic inclination 919
骨盤計測〔法〕 pelvimetry 1378
骨盤検査〔法〕 pelvioscopy 1378
骨盤検査器 pelviscope 1379
骨盤肢 pelvic limb 1047
骨盤軸 axis of pelvis 185
骨盤軸 axis pelvis 185
骨盤軸 pelvic axis 185
骨盤指数 pelvic index 923
骨盤児頭計測〔法〕 pelvicephalometry 1378
骨盤児頭撮影〔法〕 pelvicephalography 1378
骨盤斜位像 Judet view 2019
骨盤出口部の産科〔学〕的前後径 obstetric conjugate of pelvic outlet 411
骨盤出口部の前後径 conjugate of pelvic outlet 411
骨盤出口部の前後径 straight conjugate 411
骨盤上口 superior pelvic aperture 113
骨盤上口 pelvic inlet 937
骨盤上の suprapelvic 1779
骨盤腎 pelvic kidney 984
骨盤神経節 ganglia pelvica 754
骨盤神経節 pelvic ganglia 754
骨盤神経節の副交感神経根 radices parasympathicae gangliorum pelvicorum 1546
骨盤神経節の副交感神経根 parasympathetic root of pelvic ganglia 1622
骨盤神経叢 pelvic (nerve) plexus 1442
骨盤神経叢 plexus (nervosus) pelvicus 1442
骨盤切開〔術〕 symphysiotomy, symphyseotomy 1790
骨盤仙骨の pelvisacral 1379
骨盤前部 forepelvis 728
骨盤臓器固定〔術〕 pelvifixation 1378
骨盤椎骨角 pelvivertebral angle 89
骨盤出口前後径 conjugata recta 411
骨盤内筋膜 endopelvic fascia 672
骨盤内血腫 pelvic hematocele 825
骨盤内臓神経 pelvic splanchnic nerves 1237
骨盤内の intrapelvic 950
骨盤内ヘルニア intrapelvic hernia 843
骨盤内容除去〔術〕 pelvic exenteration 653
骨盤膿瘍 pelvic abscess 5
骨盤の径線 conjugate 411
骨盤の交差反射 crossed reflex of pelvis 1578
骨盤の腹膜外器官固有の筋膜 fascia of individual extraperitoneal pelvic organ 673
骨盤部 pars pelvica 1360
骨盤部 pelvic part 1366
骨盤腹膜炎 pelvic inflammatory disease (PID) 539
骨盤腹膜炎 pelvioperitonitis 1378
骨盤腹膜炎 pelvic peritonitis 1393
骨盤腹膜下の subpelviperitoneal 1764
骨盤部の末梢自律神経節・叢 pelvic part of peripheral autonomic plexuses and ganglia 1366
骨盤リンパ節 pelvic lymph nodes 1080
骨肥大 osteohypertrophy 1322
骨鼻中隔 bony nasal septum 1663
骨鼻中隔 septum nasi osseum 1664
骨皮膚斑紋症 osteodermatopoikilosis 1321
コッヒャー(コッヘル)鉗子 Kocher clamp 370
コッヒャー(コッヘル)切開〔術〕 Kocher incision 918
コッヒャー(コッヘル)徴候 Kocher sign 1681
コッヒャー(コッヘル)-デブレ-セメレーニュ症候群 Kocher-Debré-Sémélaigne syndrome 1809
骨病理学 osteopathology 1323
コップ cup 448
コップ(コブ)角 Cobb angle 88
コップ症候群 Cobb syndrome 1801
コップ法 Cobb method 1143
骨弁 bone flap 709
骨辺縁 lipping 1059
骨片陥凹 subgrundation 1763
骨片除去 ebonation 580
骨傍炎 parosteitis 1357
骨縫合〔術〕 osteorrhaphy 1324
骨放射線壊死 osteoradionecrosis 1324
骨放射線科医 osteoradiologist 1324
骨放射線学 osteoradiology 1324
骨傍症 parosteosis, parostosis 1357
骨膨大部 bony ampullae of semicircular canals 64
骨膨大部 osseous ampulla 65

骨包虫性嚢胞 osseous hydatid cyst …… 460
コッホ仮説 Koch postulates …… 1472
コッホ杆菌 Koch bacillus …… 188
コッホ現象 Koch phenomenon …… 1405
コッホの旧ツベルクリン Koch old tuberculin (OT) …… 1944
骨膜 periosteum …… 1391
骨膜移植 periosteal graft …… 795
骨膜移植 periosteal implantation …… 916
骨膜芽 periosteal bud …… 264
骨膜外の extraperiosteal …… 658
骨膜下インプラント subperiosteal implant …… 915
骨膜下骨折 subperiosteal fracture …… 738
骨膜下切断〔術〕 subperiosteal amputation 66
骨膜下の subperiosteal …… 1764
骨膜下膿瘍 subperiosteal abscess …… 6
骨膜起子 periosteal elevator …… 599
骨膜結節腫 periosteal ganglion …… 754
骨膜骨炎 periostosteitis …… 1391
骨膜骨髄炎 periosteomyelitis …… 1391
骨膜疾患 periosteopathy …… 1391
骨膜腫 periosteoma …… 1391
骨膜症 periosteosis …… 1391
骨膜上インプラント supraperiosteal implant …… 915
骨膜性骨肉腫 periosteal osteosarcoma … 1324
骨膜性軟骨腫 periosteal chondroma …… 353
骨膜切開〔術〕 periosteotomy …… 1391
骨膜切開器 periosteotome …… 1391
骨膜刀 periosteotome …… 1391
骨膜剝離器 raspatory …… 1559
骨膜反射 periosteal reflex …… 1581
骨膜反応 periosteal reaction …… 1566
骨膜傍の parosteal …… 1357
骨密度 bone density …… 487
骨〔塩量〕密度 bone mineral density (BMD) …… 487
骨迷路 bony labyrinth …… 992
骨迷路 labyrinthus osseus …… 992
骨迷路 osseous labyrinth …… 992
骨迷路の卵形嚢陥凹 elliptical recess of bony labyrinth …… 1571
骨癒合症 synostosis …… 1826
骨癒合不全の unco-ossified …… 1963
骨溶解 osteolysis …… 1322
骨様心 bony heart …… 820
骨様ぞうげ質 osteodentin …… 1321
骨ラセン板 osseous spiral lamina …… 998
骨ラセン板 lamina spiralis ossea …… 999
骨ラセン板縁 limbus of osseous spiral lamina …… 1048
骨ラセン板の鼓室板 tympanic lamella (of osseous spiral lamina) …… 996
骨ラセン板の前庭板 vestibular lamella (of osseous spiral lamina) …… 996
骨離開 osteodiastasis …… 1321
骨鑷子 osteotribe …… 1325
骨ろう bone wax …… 2042
骨論 osteography …… 1322
固定 fixation …… 707
固定 fixing …… 708
固定 fusion …… 746
固定 hardening …… 815
固定 immobilization …… 909
固定 pex …… 1397
固定 retention …… 1598
固定 suspension …… 1785
固定〔術〕 pexis …… 1397
固定アルカリ fixed alkali …… 48
固定アルカロイド fixed alkaloid …… 48
固定液 fixative …… 708
固定化酵素 immobilized enzyme …… 623
固定観念 fixed idea …… 904
固定器 braces …… 239
固定器 fixator …… 708
固定橋脚歯 splinted abutment …… 7
固定筋 fixator muscle …… 1185
固定径 radius fixus …… 1545
固定〔源〕 anchorage …… 75
固定紅斑 erythema perstans …… 639
固定剤 fixative …… 708
固定斜頸 fixed torticollis …… 1904
後定常状態 post-steady state …… 1739
固定じんま疹 urticaria perstans …… 1976
固定性橋義歯 fixed partial denture …… 489
固定相 stationary phase …… 1402
固定装置 retainer …… 1598
固定端 fixed end …… 610
固定瞳孔 fixed pupil …… 1527
固定毒 fixed virus …… 2024
固定副子 anchor splint …… 1721
固定〔法〕 anchorage …… 75
固定包帯 immovable bandage …… 196
固定包帯 fixed dressing …… 560
固定包帯 superligamen …… 1778
固定マクロファージ fixed macrophage …… 1090
固定薬疹 fixed drug eruption …… 637
固定レート〔型〕ペースメーカ fixed-rate pacemaker …… 1334
固定連結 fixed coupling …… 432
コデイン codeine …… 386
ゴデリエの法則 Godélier law …… 1006
古典的遺伝学 classical genetics …… 765
古典的条件付け classical conditioning …… 407
古典的帝王切開〔術〕 classical cesarean section …… 1653
古典的ヘモクロマトーシス classic hemochromatosis …… 830
古典的片頭痛 classic migraine …… 1156
古典的脈絡膜血管新生 classic choroidal neovascularization …… 1228
糊精 dextrin …… 504
孤独恐怖〔症〕 autophobia …… 181
孤独恐怖〔症〕 eremophobia …… 636
孤独恐怖〔症〕 monophobia …… 1168
言葉による検死 verbal autopsy …… 181
言葉のサラダ word salad …… 2048
言葉漏れ logorrhea …… 1068
子供嫌い misopedia, misopedy …… 1159
コドン codon …… 386
粉状の pulverulent …… 1526
コナダニ科 Acaridae …… 8
コナダニ属 *Acarus* …… 9
ゴナドクリン gonadocrins …… 791
ゴナドトロピン gonadotropin …… 791
ゴナドトロピン過剰性類宦官症 hypergonadotropic eunuchoidism …… 648
ゴナドトロピン産生腺腫 gonadotropin-producing adenoma …… 25
ゴナドトロピン周期 gonadotrophic cycle 455
ゴナドトロピン放出因子 gonadotropin-releasing factor …… 667
ゴナドリベリン gonadoliberin …… 791
ゴナドレリン gonadorelin hydrochloride 791
コナニン conanine …… 405
コナルブミン conalbumin …… 405
ゴナン gonane …… 792
ゴニオスコピー gonioscopy …… 792
ゴニオスコープ gonioscope …… 792
コニオトミー coniotomy …… 411
ゴニオメータ goniometer …… 792
ゴニオラクス・カタネラ *Gonyaulax catanella* …… 793
ゴニオン gonion …… 792
ゴニオン間の intergonial …… 945
コニディオボルス属 *Conidiobolus* …… 411
コネキシン connexins …… 413
コネキシン26 connexin 26 …… 413
コネクソン connexons …… 413
コネクターバー connector bar …… 196
コネッシ conessi …… 409
コネッシン conessine …… 409
コネル縫合 Connell suture …… 1787
5年生存率 five-year survival rate …… 1559
ゴノティル gonotyl …… 793
コノトキシン conotoxin …… 413
好み preference …… 1477
コノミオイジン conomyoidin …… 413
五倍子 galla …… 750
五倍子 nutgall …… 1284
コパイバ copaiba …… 420
琥珀(こはく) amber …… 56
コハク酸 succinic acid …… 1768
コハク酸クロラムフェニコールナトリウム chloramphenicol sodium succinate …… 346
コハク酸サイクル succinic acid cycle …… 455
コハク酸セミアルデヒド succinate semialdehyde …… 1768
コハク酸セミアルデヒドデヒドロゲナーゼ succinate semialdehyde dehydrogenase …… 1768
コハク酸デヒドロゲナーゼ succinate dehydrogenase …… 1768
コハク酸ドキシラミン doxylamine succinate …… 558
小箱 scatula …… 1641
こばな ala nasi …… 41
こばな ala of nose …… 41
こばな wing of nose …… 2046
コバラミン cobalamin (Cbl) …… 383
ゴパラン症候群 Gopalan syndrome …… 1806
コバルト cobalt (Co) …… 383
コバルト57 cobalt 57 (^{57}Co) …… 383
コバルト58 cobalt 58 (^{58}Co) …… 383
コバルト60 cobalt 60 (^{60}Co) …… 383
コバルト遠隔照射 telecobalt …… 1846
虎斑〔物質〕 tigroid …… 1892
虎斑心 tiger heart …… 821
碁盤目状の tessellated …… 1853
コピア因子 copia element …… 598
古皮質 archicortex …… 127
小人 dwarf …… 568
小人 microplasia …… 1153
小人幻覚 lilliputian hallucination …… 813
小人骨盤 dwarf pelvis …… 1378
小人症 dwarfism …… 568
小人症トリプトファン尿〔症〕 tryptophanuria with dwarfism …… 1940
コビリン酸 cobyric acid …… 384
コヒーレンス coherence …… 388
小びん vial …… 2018
こぶ(瘤) boss …… 237
こぶ(瘤) hump …… 867
こぶ(瘤) knob …… 988
こぶ(瘤) kyphos …… 990
こぶ(瘤) phyma …… 1419
こぶ胃 rumen …… 1627
コフィー懸垂〔固定〕法 Coffey suspension …… 1785
コフィン-サイリズ症候群 Coffin-Siris syndrome …… 1801
コフィン-ローリー症候群 Coffin-Lowry syndrome …… 1801
コブ(コッブ)角 Cobb angle …… 88
瘤の bosselated …… 237
こぶ様腫脹 bouton …… 238
コブラ cobra …… 383
コブラ elapid …… 592
コプーラ copula …… 421
コブラ科 Elapidae …… 592
コプラかゆみ〔症〕 copra itch …… 964
コブラ血液毒 cobra hemotoxin …… 836
コブラ毒因子 cobra venom factor …… 667
コブラ毒素 cobrotoxin …… 384
コプリウスアルテメタリス coprius artemetaris …… 420
コプリック斑〔点〕 Koplik spots …… 1725

コプリン coprine ………… 420
コプロキサモール coproxamol ………… 421
epi-コプロスタノール *epi*-coprostanol ………… 420
コプロスタノン coprostanone ………… 421
コプロスタン coprostane ………… 420
コプロスチグマスタン coprostigmastane 421
コプロステロール coprosterol ………… 421
コブロトキシン cobrotoxin ………… 384
コプロプラキシア copropraxia ………… 420
コプロポルフィリノーゲン coproporphyrinogen ………… 420
コプロポルフィリノーゲンオキシダーゼ coproporphyrinogen oxidase ………… 420
コプロポルフィリン coproporphyrin ………… 420
コプロポルフィリン症 coproporphyria ………… 420
コヘシン cohesin ………… 388
5β-コラン cholane, 5β-cholane ………… 348
個別化 individuation ………… 924
個別経費マネージメント component management ………… 1098
個別的接近 idiographic approach ………… 121
個別的な idiographic ………… 904
コペーの法則 Coppet law ………… 1006
互変異性 tautomerism ………… 1842
コホーティング cohorting ………… 388
コホート cohort ………… 388
コホート〔群〕研究法 cohort study ………… 1760
コホバ cohoba ………… 388
コポリマー1 copolymer -1 ………… 420
ゴマ sesame ………… 1668
ゴマ油 sesame oil ………… 1668
鼓膜 eardrum ………… 580
鼓膜 membrana tympani ………… 1124
鼓膜 tympanic membrane ………… 1127
鼓膜 myringa ………… 1217
鼓膜あぶみ骨固定〔術〕 myringostapediopexy ………… 1217
鼓膜炎 myringitis ………… 1217
鼓膜縁 limbus membranae tympani ………… 1048
鼓膜縁 limbus of tympanic membrane 1048
鼓膜下の subtympanic ………… 1768
鼓膜緊張部 tense part of the tympanic membrane ………… 1368
〔鼓膜〕緊張部 pars tensa membranae tympanicae ………… 1361
鼓膜形成〔術〕 myringoplasty ………… 1217
鼓膜溝 tympanic groove ………… 803
鼓膜溝 sulcus tympanicus ………… 1775
鼓膜溝 tympanic sulcus ………… 1775
鼓膜硬化症 myringosclerosis ………… 1217
鼓膜固有質 substantia propria membranae tympani ………… 1767
鼓膜臍 umbo membranae tympani ………… 1963
鼓膜臍 umbo of tympanic membrane ………… 1963
鼓膜弛緩部 pars flaccida membranae tympanicae ………… 1359
鼓膜弛緩部 flaccid part of tympanic membrane ………… 1364
鼓膜切開 tympanostomy ………… 1957
鼓膜切開〔術〕 myringotomy ………… 1217
鼓膜切開〔術〕 tympanotomy ………… 1957
鼓膜切開刀 myringotome ………… 1217
鼓膜切痕 incisura tympanica ………… 919
鼓膜切痕 tympanic incisure ………… 919
鼓膜切痕 tympanic notch ………… 1270
鼓膜切除〔術〕 myringectomy ………… 1217
鼓膜〔全〕切除〔術〕 tympanectomy ………… 1956
鼓膜穿刺 tympanotomy ………… 1957
鼓膜穿刺〔術〕 myringotomy ………… 1217
鼓膜穿刺刀 myringotome ………… 1217
鼓膜前〔方〕の pretympanic ………… 1483
鼓膜張筋 tensor (muscle) of tympanic membrane ………… 1196
鼓膜張筋 tensor tympani (muscle) ………… 1196
鼓膜張筋 musculus tensor tympani ………… 1204
鼓膜張筋神経 nerve to tensor tympani (muscle) ………… 1239
鼓膜張筋半管 canal for tensor tympani (muscle) ………… 284
鼓膜張筋半管 semicanal for tensor tympani muscle ………… 1659
鼓膜張筋半管 semicanalis musculi tensoris tympani ………… 1659
鼓膜張筋反射 tensor tympani reflex ………… 1582
鼓膜の tympanic ………… 1956
鼓膜の線維軟骨輪 anulus fibrocartilagineus membranae tympani ………… 111
鼓膜の線維軟骨輪 fibrocartilaginous ring of tympanic membrane ………… 1617
鼓膜皮膚炎 myringodermatitis ………… 1217
〔鼓膜〕皮膚層 cutaneous layer of tympanic membrane ………… 1009
〔鼓膜〕皮膚層 stratum cutaneum membranae tympani ………… 1751
〔鼓室〕鼓膜壁 paries membranaceus cavi tympani ………… 1356
〔鼓室〕鼓膜壁 membranous wall of middle ear ………… 2039
〔鼓膜〕放線状層 radiate layer of tympanic membrane ………… 1013
〔鼓膜〕放線状膜 stratum radiatum membranae tympani ………… 1752
〔鼓膜〕輪状層 circular layer of tympanic membrane ………… 1009
〔鼓膜〕輪状層 stratum circulare membranae tympani ………… 1751
ごま塩状眼底 pepper and salt fundus ………… 744
コマ収差 coma aberration ………… 2
小股歩行 brachybasia ………… 239
コマツナギ ulex europaeus ………… 1962
こま結び square knot ………… 988
コマレル憩室 Kommerell diverticulum ………… 552
コマンド手術 commando procedure ………… 1487
混み合い現象 crowding phenomenon ………… 1404
コミュニティ精神保健センター community mental health center (CMHC) ………… 398
コミュニティメディシン community medicine ………… 1116
ゴム gum ………… 805
〔弾性〕ゴム rubber ………… 1624
ゴム冠ポリスマン rubber policeman ………… 1625
コムギ胚芽 wheat germ ………… 768
ゴム球注射器 rubber-bulb syringe ………… 1828
ゴム腫 gumma ………… 805
ゴム樹脂 gum resin ………… 1592
ゴム腫性潰瘍 gummatous ulcer ………… 1961
ゴム腫性膿瘍 gummatous abscess ………… 5
ゴム状硫黄 soft sulfur ………… 1776
ゴム製カテーテル Nélaton catheter ………… 313
ゴム様肌 elastic skin ………… 1691
ゴム様皮膚 elastic skin ………… 1691
米 rice ………… 1614
後迷走神経幹の腹腔枝 celiac branches of posterior vagal trunk ………… 243
こめかみ temple ………… 1848
こめかみ tempora ………… 1848
こめかみ tempus ………… 1849
米粒体 rice body ………… 229
米デンプン rice starch ………… 1738
コメド comedo ………… 396
コメド癌 comedocarcinoma ………… 397
米とぎ汁〔様〕便 rice-water stool ………… 1750
コメド母斑 nevus comedonicus ………… 1255
ゴメリン gommelin ………… 791
ゴモリ一段法三色染色〔法〕 Gomori one-step trichrome stain ………… 1731
子守女肘 nursemaid's elbow ………… 593
ゴモリ銀透浸染色〔法〕 Gomori silver impregnation stain ………… 1731
ゴモリ-ジョーンズ過ヨウ素酸-メテナミン-銀染色〔法〕 Gomori-Jones periodic acid-methenamine-silver stain ………… 1731
ゴモリ-ジョーンズPAMS染色〔法〕 Gomori-Jones periodic acid-methenamine-silver stain ………… 1731
ゴモリ鍍銀染色〔法〕 Gomori silver impregnation stain ………… 1731
ゴモリのアルデヒドフクシン染色〔法〕 Gomori aldehyde fuchsin stain ………… 1731
ゴモリのクロムミョウバンヘマトキシリン-フロキシン染色〔法〕 Gomori chrom alum hematoxylin-phloxine stain ………… 1731
ゴモリのメテナミン-銀染色〔法〕 Gomori methenamine-silver stain ………… 1731
ゴモリ非特異的アルカリ〔性〕ホスファターゼ染色〔法〕 Gomori nonspecific alkaline phosphatase stain ………… 1731
ゴモリ非特異的酸〔性〕ホスファターゼ染色〔法〕 Gomori nonspecific acid phosphatase stain ………… 1731
顧問医 consulting staff ………… 1727
コモン急性リンパ芽球性白血病抗原 common acute lymphoblastic leukemia antigen ………… 103
肥やし night soil ………… 1697
小山 monticulus ………… 1169
固有胃腺 gastric glands ………… 773
固有蝸牛動脈 proper cochlear artery ………… 151
固有括約筋 intrinsic sphincter ………… 1713
固有感覚 proprioception ………… 1499
固有関数 eigenfunction ………… 591
固有肝動脈 arteria hepatica propria ………… 135
固有肝動脈 hepatic artery proper ………… 145
固有肝動脈右枝 right branch of hepatic artery proper ………… 253
固有肝動脈右枝 ramus dexter arteriae hepaticae propriae ………… 1550
固有肝動脈左枝 left branch of hepatic artery proper ………… 248
固有肝動脈左枝 ramus sinister arteriae hepaticae propriae ………… 1556
固有肝動脈の中間枝 intermediate branch of hepatic artery (proper) ………… 247
固有口腔 cavitas oris propria ………… 316
固有口腔 oral cavity proper ………… 316
固有質 proper substance ………… 1766
固有宿主 definitive host ………… 866
固有受容感覚 proprioceptive sensibility 1661
固有受容器 proprioceptor ………… 1499
固有受容機構 proprioceptive mechanism ………… 1114
固有受容体 proprioceptor ………… 1499
固有受容の proprioceptive ………… 1499
固有掌側指神経 proper palmar digital nerves ………… 1238
固有掌側指神経 nervi digitales palmares proprii ………… 1242
固有掌側指動脈 arteriae digitales palmares propriae ………… 135
固有掌側指動脈 proper palmar digital arteries ………… 151
固有前束 fasciculus proprius anterior ………… 676
固有層 tunica propria ………… 1953
固有束 ground bundles ………… 265
固有束 fasciculi proprii ………… 676
固有束 proper fasciculi ………… 676
固有値 eigenvalue ………… 591
固有底側指神経 proper plantar digital nerves ………… 1238
固有底側指神経 nervi digitales plantares proprii ………… 1242
固有底側指動脈 arteriae digitales plantares propriae ………… 135
固有底側指動脈 proper plantar digital arteries ………… 151
固有熱 innate heat ………… 821
固有の characteristic ………… 339
固有の indigenous ………… 924

固有の inherent …… 932
固有の intrinsic …… 951
固有背筋 muscles of back proper …… 1182
固有背筋 deep muscles of back …… 1183
固有背筋 intrinsic muscles of back …… 1187
固有反射 proprioceptive reflexes …… 1581
固有毛萎縮〔症〕 atrophia pilorum propria …… 172
固有卵巣索 proper ligament of ovary …… 1039
固有卵巣索 ligamentum ovarii proprium …… 1044
こゆび little finger …… 700
小指 little toe [V] …… 1897
虎様線紋 tigroid striation …… 1757
固溶体 solid solution alloy …… 52
固溶体 solid solution …… 1698
語用論 pragmatics …… 1475
コラ kola …… 988
コラーゲナーゼ collagenase …… 390
コラーゲン collagen …… 390
コラーゲン蓄積大腸炎 collagenous colitis …… 389
コラーゲン注射 collagen injection …… 936
コラーゲンらせん collagen helix …… 823
コラーゲンII型α-1遺伝子 collagen type II α-1 gene …… 763
コラーゲンIV型α-3遺伝子 collagen type IV α-3 gene …… 763
コラーゲンIV型α-4遺伝子 collagen type IV α-4 gene …… 763
コラーゲンIV型α-5遺伝子 collagen type IV α-5 gene …… 763
コラーゲンXI型α-1遺伝子 collagen type XI α-1 gene …… 763
コラーゲンXI型α-2遺伝子 collagen type XI α-2 gene …… 763
コラシジウム coracidium …… 421
コラシン collacin …… 390
コラプシン collapsin …… 390
コラリン corallin …… 421
コラリンイエロー corralin yellow …… 2055
コラン cholane, 5β-cholane …… 348
コラントレン cholanthrene …… 349
コリアー徴候 Collier sign …… 1679
コリアンダー coriander …… 423
コリガン徴候 Corrigan sign …… 1679
コリシン colicin …… 389
コリシン生産性 colicinogeny …… 389
コリス胃形成〔術〕 Collis gastroplasty …… 759
コリーズ骨折 Colles fracture …… 737
コリスチン colistin …… 389
コリスチンメタナトリウム colistimethate sodium …… 389
コリス-ニッセン胃底ひだ形成〔術〕 Collis-Nissen fundoplication …… 744
孤立 isolate …… 960
孤立橋脚歯 isolated abutment …… 7
孤立系 closed system …… 1831
孤立性右胸心 isolated dextrocardia …… 505
孤立性骨嚢胞(嚢腫) solitary bone cyst …… 460
孤立性蛋白尿 isolated proteinuria …… 1506
孤立性直腸潰瘍 solitary rectal ulcer …… 1961
孤立性痘瘡 discrete smallpox …… 1693
孤立〔性〕の discrete …… 527
孤立性肺結節 solitary pulmonary nodule …… 1262
孤立性壁性心内膜炎 isolated parietal endocarditis …… 611
孤立リンパ小節 solitary follicles …… 722
孤立リンパ小節 solitary lymphatic follicles …… 722
孤立リンパ小節 folliculi lymphatici solitarii …… 723
孤立リンパ小節 solitary lymphoid nodules …… 1262
コリトース colitose …… 390
コリニアリティー colinearity …… 389
コリネ型細菌群 coryneform bacteria …… 190
コリネバクテリウム属 *Corynebacterium* 429
コリネバクテリオファージ corynebacteriophage …… 429
コリノイド corrinoid …… 427
コリプレッサー corepressor …… 423
コリプレッサー corepressors …… 423
コリメータ collimator …… 391
五量体 pentamer …… 1381
コリン choline …… 351
コリン corrin …… 427
コリンアセチルトランスフェラーゼ choline acetyltransferase …… 351
コリンエステラーゼ cholinesterase …… 352
コリンエステラーゼ再活性化薬 cholinesterase reactivator …… 352
コリンエステラーゼ阻害薬 cholinesterase inhibitor …… 934
コリンエステル cholinester …… 352
コリンキナーゼ choline kinase …… 352
コリン〔作用,作動〕遮断 cholinergic blockade …… 222
コリン作用(作動)性レセプタ(受容体) cholinergic receptors …… 1570
コリン作用(作動)性神経伝達物質 cholinergic neurotransmitter …… 1253
コリン〔作動,作用〕性線維 cholinergic fibers …… 688
コリン〔様〕作用(作動)の cholinomimetic 352
コリン作用(作動)薬 cholinergic agent …… 36
コリン受容〔体〕の cholinoceptive …… 352
コリン性じんま疹 cholinergic urticaria 1975
コリン反応性の cholinoreactive …… 352
コリンホスホトランスフェラーゼ cholinephosphotransferase …… 352
コリンリン酸シチジリルトランスフェラーゼ choline phosphate cytidylyltransferase 352
コルヴィザール顔〔貌〕 Corvisart facies …… 663
コルク cork …… 423
コルサコフ症候群 Korsakoff syndrome 1809
ゴルジI型ニューロン Golgi type I neuron …… 1249
ゴルジII型ニューロン Golgi type II neuron …… 1249
ゴルジオスミウム重クロム酸固定液 Golgi osmiobichromate fixative …… 708
ゴルジ腱紡錘 Golgi tendon organ …… 1311
ゴルジ細胞 Golgi cells …… 321
ゴルジ上皮細胞 Golgi epithelial cell …… 322
ゴルジ染色〔法〕 Golgi stain …… 1731
ゴルジ装置 Golgi apparatus …… 119
ゴルジ帯 Golgi zone …… 2059
ゴルジ体運動 golgiokinesis …… 791
ゴルジ-マツォーニ(ゴルジ-マッゾーニ)小体 Golgi-Mazzoni corpuscle …… 426
ゴルジ領域 Golgi zone …… 2059
コルチウイルス属 *Coltivirus* …… 395
コルチカム球茎 Colchicum corm …… 389
コルチ(コルティ)器 organ of Corti …… 1311
コルチ(コルティ)器外側トンネル outer tunnel of the organ of Corti …… 1954
コルチ(コルティ)弓 Corti arch …… 125
コルチコイド corticoid …… 429
コルチコウイルス *Corticovirus* …… 429
コルチコウイルス科 Corticoviridae …… 429
コルチコステロイド corticosteroid …… 429
コルチコステロン corticosterone …… 429
コルチコトロフ corticotroph …… 429
コルチゾール cortisol …… 429
コルチゾン cortisone …… 429
コルチ(コルティ)トンネル Corti tunnel 1954
コルチリンパ液 cortilymph …… 429
ゴルディ-コールドマン仮説 Goldie-Coldman hypothesis …… 898
コルディロビア症 cordylobiasis …… 422
コルテキソロン cortexolone …… 428
ゴルトシャイダー試験 Goldscheider test …… 1858
コルドトミー cordotomy …… 422
ゴルドナ属 *Gordona* …… 793
ゴルトマン圧平眼圧計 Goldmann applanation tonometer …… 1901
ゴルトマン〔周辺〕視野計 Goldmann perimeter …… 1388
コルヒチン *colchicine* …… 389
ゴルファー皮膚 golfer's skin …… 1691
コルフ線維 Korff fibers …… 689
ゴルフホール状尿管口 golf-hole ureteral orifice …… 1314
コルポスコピー colposcopy …… 394
コルポスコープ colposcope …… 394
コルポマイクロスコープ colpomicroscope …… 394
コルマン拡張器 Kollmann dilator …… 519
コルメラ columella …… 395
コレイン酸 choleic acids …… 350
コレカルシフェロール cholecalciferol …… 349
コレギュレータ coregulators …… 423
コレクチン collectins …… 391
コレグロビン choleglobin …… 350
コレ-シカール症候群 Collet-Sicard syndrome …… 1801
コレシストキナーゼ cholecystokinase …… 349
コレシストキニン cholecystokinin (CCK) …… 349
コレシストキニン-パンクレオチミン CCK-pancreozymin …… 317
コレシストパーク cholecystopaque …… 349
コレスタノール cholestanol …… 351
コレスタノン cholestanone …… 351
コレスタン cholestane …… 351
コレスチラミン樹脂 cholestyramine resin …… 1592
コレステノン cholestenone …… 351
コレステリン血〔症〕 cholesteremia …… 351
コレステリン腫 cholesteatoma …… 351
コレステリン肉芽腫 cholesterol granuloma …… 797
コレステロール cholesterol …… 351
コレステロールエステル貯蔵病 cholesterol ester storage disease …… 530
コレステロールエステル輸送蛋白 cholesterol ester transport proteins …… 1503
コレステロール血〔症〕 cholesteremia …… 351
コレステロール生成 cholesterologenesis 351
コレステロール〔性〕裂 cholesterol cleft …… 373
コレステロール塞栓症 cholesterol embolism …… 600
コレステロール沈着〔症〕 cholesterolosis 351
コレステロール添加抗原 cholesterinized antigen …… 103
コレステロール尿〔症〕 cholesteroluria …… 351
コレセプター coreceptor …… 423
コレヘマチン cholehematin …… 350
コレラ cholera …… 350
コレラ寒天〔培地〕 cholera agar …… 34
コレラ菌 *Vibrio cholerae* …… 2019
コレラ菌ファージ choleraphage …… 351
コレラゲン choleragen …… 351
コレラ嗄声 vox choleraica …… 2038
コレラ性下痢 choleraic diarrhea …… 511
コレラ赤〔色〕反応 cholera-red reaction 1563
コレラ毒素 cholera toxin …… 1906
コレラ様持続状態 status choleraicus …… 1740
コレラワクチン cholera vaccine …… 1979
コロ koro …… 989
コロイデレミア choroideremia …… 355
コロイド colloid …… 391
コロイド金検査 colloidal gold test …… 1856
コロイド金属 colloidal metal …… 1139
コロイド系 colloid system …… 1831
コロイド甲状腺腫 colloid goiter …… 790

コロイド状二酸化ケイ素 colloidal silicon dioxide ……… 1685
コロイド状ゲル colloidal gel ……… 761
コロイド小体 colloid corpuscle ……… 426
コロイド状ヨウ化銀 colloidal silver iodide ……… 1685
コロイド浸透圧 oncotic pressure ……… 1482
コロイド嚢胞 colloid cyst ……… 459
コロイド分散 dispersion ……… 547
コロイド変性 colloid degeneration ……… 480
コロイド溶液 colloidal solution ……… 1698
コロイル choloyl ……… 352
コロジオン collodion ……… 391
コロジオン児 collodion baby ……… 187
コロシント colocynth ……… 392
コロトコフ音 Korotkoff sounds ……… 1702
コロトコフ試験 Korotkoff test ……… 1860
コロナウイルス coronavirus ……… 424
コロナウイルス科 Coronaviridae ……… 424
コロナウイルス属 *Coronavirus* ……… 424
コロニー colony ……… 393
コロニオン coronion ……… 424
コロニー形成ユニット colony-forming unit ……… 1965
コロニー刺激因子 colony-stimulating factors (CSF) ……… 667
コロハ種子 fenugreek ……… 680
コロボーマ coloboma ……… 392
コロミン酸 colominic acid ……… 392
コロモジラミ寄生症 pediculosis corporis ……… 1376
コロラドダニ熱 Colorado tick fever ……… 683
コロラドチック熱ウイルス Colorado tick fever virus ……… 2023
コロンカットオフサイン colon cutoff sign ……… 1679
コロンビアS.K.ウイルス Columbia S. K. virus ……… 2023
コロンビア精神成熟度評価 Columbia Mental Maturity Scale ……… 1638
コロンビア腸結節虫 *Oesophagostomum columbianum* ……… 1293
コロンビウム columbium (Cb) ……… 395
小割れ crazing ……… 435
根 radix ……… 1545
根 root ……… 1621
コンアルブミン conalbumin ……… 405
コンカテマー concatamer ……… 405
コンカテマー concatemer ……… 405
コンカナバリンA concanavalin A (conA, con A) ……… 405
根管開大器 root canal spreader ……… 1725
根間空隙 interradicular space ……… 1704
根管口 root canal orifice ……… 1314
根管充填 root canal restoration ……… 1597
根管充填器 root canal plugger ……… 1446
根管針 broach ……… 257
〔上顎骨または下顎骨の〕根間中隔 interradicular septa of maxilla and mandible ……… 1664
〔上顎骨または下顎骨の〕根間中隔 septa interradicularia mandibulae et maxillae ……… 1664
〔歯〕根管治療 root canal therapy ……… 1879
〔歯〕根管治療 root canal treatment ……… 1924
根管用ファイル root canal file ……… 699
根拠に基づいた医療 evidence-based medicine ……… 1117
根切り術 rhizotomy ……… 1610
ゴンギロネマ症 gongylonemiasis ……… 792
ゴンギロネマ属 *Gongylonema* ……… 792
コングルチニン conglutinin ……… 410
コングルチネーション conglutination ……… 410
根茎 rhizome ……… 1609
混血生殖 miscegenation ……… 1159
混淆 contamination ……… 416
混合 mixing ……… 1161
混合 mixture ……… 1161
混合栄養 mixotrophy ……… 1161
混合確率変数 mixed discrete-continuous random variable ……… 1987
混合型経口避妊薬 combination oral contraceptive ……… 416
混合型高脂血症 mixed hyperlipidemia ……… 882
混合型子かん前症 superimposed preeclampsia ……… 1477
混合型白血病 mixed leukemia, mixed cell leukemia ……… 1024
混合感染 mixed infection ……… 927
混合機能オキシダーゼ mixed function oxygenase ……… 1332
混合凝集反応 mixed agglutination reaction ……… 1565
混合グリセリド mixed glycerides ……… 786
混合下疳 mixed chancre ……… 338
混合結合組織病 mixed connective-tissue disease ……… 538
混合血栓 mixed thrombus ……… 1889
混合呼気 mixed expired gas ……… 757
金剛砂 emery ……… 603
混合ジスルフィド mixed disulfide ……… 550
混合腫瘍 mixed tumor ……… 1951
混合神経 mixed nerve ……… 1237
混合神経の皮枝 cutaneous branch of mixed nerve ……… 245
混合性エピソード mixed episode ……… 631
混合性失語〔症〕 mixed aphasia ……… 114
混合性神経膠腫 mixed glioma ……… 778
混合性中胚葉腫瘍 mixed mesodermal tumor ……… 1951
混合性低血糖 mixed hypoglycemia ……… 894
混合性難聴 mixed hearing impairment ……… 820
混合腺 mixed gland ……… 773
混合腺 seromucous gland ……… 774
混合腺 glandula seromucosa ……… 776
混合培養 xenic culture ……… 448
混合皮疹 synanthem, synanthema ……… 1792
混合物 mixture ……… 1161
混合法 alligation ……… 50
混合法 combined methods ……… 1143
混合麻痺 mixed paralysis ……… 1350
混合乱視 mixed astigmatism ……… 165
混合リンパ球培養 mixed lymphocyte culture ……… 448
コンゴー好染血管障害 congophilic angiopathy ……… 86
コンゴユカウシバエ *Auchmeromyia luteola* ……… 176
コンゴーレッド Congo red ……… 411
コンゴーレッド試験紙 Congo red paper 1344
コンサルタント consultant ……… 415
コンサルタンド consultand ……… 415
コンサルタント医 consulting staff ……… 1727
根枝 rami radiculares ……… 1556
根糸 fila radicularia ……… 700
根糸 radicular fila ……… 700
根〔性〕症候群 radicular syndrome ……… 1817
根状の rhizoid ……… 1609
根〔状〕毛 club hair ……… 811
コンジリオン condylion ……… 409
コンジローム condyloma ……… 409
昏睡 coma ……… 396
昏睡円柱 coma cast ……… 309
昏睡尺度 coma scale ……… 1638
昏睡性マラリア malaria comatosa ……… 1094
昏睡の soporose, soporous ……… 1701
コンズランゴ condurango ……… 408
混成血管内皮腫 composite hemangioendothelioma ……… 824
痕跡 impression ……… 916
痕跡 trace ……… 1908
痕跡 vestigium ……… 2018
痕跡〔部〕 vestige ……… 2018
痕跡器官 vestigial organ ……… 1312
痕跡器官 rudimentum ……… 1625
痕跡筋 vestigial muscle ……… 1198
痕跡元素 trace elements ……… 598
痕跡条件付け trace conditioning ……… 408
痕跡条件反射 trace conditioned reflex ……… 1582
痕跡精管 ductus deferens vestigialis ……… 566
痕跡爪皮 perionyx ……… 1391
痕跡の rudimentary ……… 1625
痕跡卵巣 gonadal streak ……… 1753
根絶 eradication ……… 635
〔歯〕根切除〔術〕 root resection ……… 1592
根尖 root apex ……… 113
根尖 root tip ……… 1895
〔胞子〕根尖 apiculus ……… 115
根尖感染 apical infection ……… 927
根尖周囲 periapex ……… 1385
根尖周囲X線写真 periapical radiograph 1543
根尖周囲掻爬〔術〕 periapical curettage ……… 449
根尖周囲組織 periapical tissue ……… 1896
根尖周囲膿瘍 periapical abscess ……… 5
根尖性歯周炎 apical periodontitis ……… 1390
根尖性セメント質異形成症 periapical cemental dysplasia ……… 576
根尖性線維性〔骨〕異形成症 periapical cemental dysplasia ……… 576
根尖切開〔術〕 apicostomy ……… 115
根尖切開器 apicostome ……… 115
根尖切除〔術〕 apicoectomy ……… 115
根尖切除〔術〕 apicotomy ……… 115
根尖掻爬〔術〕 apicurettage ……… 115
根尖測定器 apicolocator ……… 115
根尖〔端〕部 apical area ……… 128
コンゾー konzo ……… 989
根足〔虫〕綱 Rhizopodea ……… 1610
根側歯周膿瘍 lateral periodontal abscess ……… 5
根足〔虫〕上綱 Rhizopoda ……… 1610
根側膿瘍 lateral alveolar abscess ……… 5
混唾 inviscation ……… 953
混濁 opacity ……… 1302
混濁 turbidity ……… 1954
混濁化 opacification ……… 1302
混濁計 nephelometer ……… 1228
混濁形成 opacification ……… 1302
混濁した turbid ……… 1954
混濁腫脹 cloudy swelling ……… 1789
混濁状の turbid ……… 1954
コンダクタンス conductance (G) ……… 408
混濁度 turbidity ……… 1954
コンタクトレンズ contact lens ……… 1019
混濁尿 cloudy urine ……… 1972
根端計 apexigraph ……… 114
根端組織 apical area ……… 128
根治的 radical ……… 1542
根治的頸部郭清術 radical neck dissection ……… 548
根治的心膜切除術 radical pericardiectomy ……… 1386
根治的乳突切除〔術〕 radical mastoidectomy ……… 1109
根治的膀胱切除〔術〕 radical cystectomy 461
昆虫ウイルス insect viruses ……… 2025
昆虫学 entomology ……… 622
昆虫忌避薬 insectifuge ……… 939
昆虫恐怖〔症〕 entomophobia ……… 622
昆虫綱 Insecta ……… 939
昆虫飼育場 insectarium ……… 939
昆虫断種法 sterile insect technique ……… 1845
昆虫不妊法 sterile insect technique ……… 1845
コンティーグ地図 contig map ……… 1101
コンディラーガイダンス condylar guidance ……… 805
コンデンサ capacitor ……… 288
コンデンサ condenser ……… 407
昏倒する stun ……… 1761

根動脈 (anterior and posterior) radicular arteries … 142
コントートロスタチン contortrostatin … 416
コンドーム condom … 408
コントラアングル contraangle … 416
コントラサプレッサ〔T〕細胞 contrasuppressor cells … 320
コントラスト contrast … 417
コントラスト感度 contrast sensitivity … 1661
コントラスト感度試験 contrast sensitivity testing … 1869
コントラスト増強〔術〕contrast enhancement … 617
コンドレオン手術 Kondoleon operation 1305
コンドロイチン chondroitin … 353
コンドロイチン硫酸A chondroitin sulfate A … 353
コンドロイチン硫酸C chondroitin sulfate C … 353
コンドロイチン硫酸プロテオグリカン3 chondroitin sulfate proteoglycan 3 … 1506
コンドロカルシン chondrocalcin … 352
コンドロシン chondrosin, chondrosine … 353
コンドロネクチン chondronectin … 353
コンドローム chondrome … 353
コントロールリリース縫合糸 control release suture … 1787
困難 distress … 550
混入 contamination … 416
今野法 Konno procedure … 1487
今野-ラスタン法 Konno-Rastan procedure … 1487
コンパートメント compartment … 399
コンバラトキシン convallatoxin … 418
コンバラリア convallaria … 418
コンバルチン convertin … 419
コンピタンス competence … 400
コンビチューブ combitube … 396
コンビー徴候 Comby sign … 1679
コンピュータ computer … 405
コンピュータX線撮影法 computed radiography (CR) … 1543
コンピュータ視野測定〔法〕computed perimetry … 1388
コンピュータ断層血管撮影 computed tomography angiography (CTA) … 84
コンピュータモデル computer model … 1162
コンピュータ連動断層撮影 computed tomography (CT) … 1899
コンフォーマー conformer … 410
コンフォメーション conformation … 410
コンブ杆 laminaria … 999
根部歯髄 pulpa radicularis … 1524
根部歯髄 radicular pulp … 1524
根部歯髄 root pulp … 1524
コンプトン効果 Compton effect … 588
コンプトン散乱 Compton scatter … 1641
コンプライアンス compliance … 403
コンプレックス complex … 400
金米糖状赤血球 crenocyte … 436
金米糖状赤血球症 crenocytosis … 436
ゴンペルツ仮説 Gompertz hypothesis … 898
ゴンペルツの法則 Gompertz law … 1006
ゴンボー三角 Gombault triangle … 1927
コンポジット composite … 403
根本原因解析 root cause analysis … 70
昏眠 sopor … 1701
昏迷 stupor … 1761
昏迷性緊張病 stuporous catatonia … 312
根面う食(蝕) root caries … 303
根面う食指数 root caries index … 923
根面板 coping … 420
根面平滑化 root planing … 1622
昏蒙 obnubilation … 1288
棍〔状〕毛 club hair … 811
根様の rhizoid … 1609
コンラーディ線 Conradi line … 1049
コンラーディ-ヒューネルマン症候群 Conradi-Hünermann syndrome … 1801
混乱 derangement … 494
混和性の miscible … 1159

サ

差 difference … 516
砂 sand … 1633
鎖 chain … 337
鎖 strand … 1751
サーカディアンリズム circadian rhythm … 1611
サーカムファレンシャルクラスプアーム circumferential clasp arm … 131
サーカムフェレンシャルクラスプ circumferential clasp … 370
サーコウイルス circovirus … 364
サージ感応電流 surging faradism … 671
サーズ SARS … 1637
サーズ SIRS … 1689
サートウェル潜伏期モデル Sartwell incubation model … 1162
サードスペーシング third spacing … 1706
サーバイビン survivin … 1785
サービス達成区域 coverage … 432
サーファクタント surfactant … 1784
サーファクタント特異的蛋白 surfactant-specific proteins … 1506
サーベイランス surveillance … 1785
サーベル鞘気管 saber-sheath trachea … 1908
サーベル鞘気管 scabbard trachea … 1908
サーベル鞘脛骨 saber tibia … 1892
サーベル状切痕 coup de sabre … 432
サーボ機構(機序) servomechanism … 1668
サーミスタ thermistor … 1880
サーム therm … 1880
サーモグラフ thermograph … 1881
サーモグラフィ thermography … 1881
サーモグラム thermogram … 1881
サーモゲニン thermogenin … 1881
サーモスタット thermostat … 1882
サーモプラスマ thermoplasma … 1882
サーモプラスマ属 *Thermoplasma* … 1882
サーモンパッチ salmon patch … 1371
サール法 Thal procedure … 1488
座 locus … 1067
座〔部〕seat … 1652
采 fimbria … 700
采 fringe … 741
臍 belly button … 205
臍 navel … 1222
臍 umbilicus … 1963
臍 umbo … 1963
鰓 branchia … 255
〔遺伝的〕差異 variability … 1987
サイアザイド糖尿病 thiazide diabetes … 507
再移植〔術〕reimplantation … 1587
再移植〔術〕replantation … 1590
再移植片 replant … 1590
サイ因子 psi factor … 669
催淫薬 aphrodisiac … 114
臍暈 areola umbilicus … 131
鰓運動核 branchiomotor nuclei … 1273
鰓運動性の branchiomotor … 255
臍炎 omphalitis … 1298
再演〔化〕reenactment … 1577
サイエントメトリックス scientometrics 1645
催嘔吐性 emetogenicity … 603
催嘔吐性の emetogenic … 603
災害 accident … 9
災害外科学 traumatology … 1923
災害神経症 accident neurosis … 1252
再開通 disobliteration … 543
臍潰瘍 omphalelcosis … 1298
再学習 relearning … 1589
臍窩形成 umbilication … 1963
最下甲状腺動脈 arteria thyroidea ima … 138
最下甲状腺動脈 lowest thyroid artery … 148
最下甲状腺動脈 thyroid ima artery … 154
再活性化 reactivation … 1568
再活性化成人トキソプラスマ症 reactivated toxoplasmosis in adults … 1907
最下内臓神経 lowest splanchnic nerve 1236
最下内臓神経 nervus splanchnicus imus 1243
臍下の infraumbilical … 931
臍下の subumbilical … 1768
最下の imus … 917
最下腰動脈 arteriae lumbales imae … 136
最下腰動脈 lowest lumbar arteries … 148
細管 tubule … 1948
細管 tubulus … 1948
催眼球突出物質 exophthalmos-producing substance (EPS) … 1765
細管作用 capillarity … 289
細管周囲の pericanalicular … 1386
再感染 reinfection … 1587
再灌流障害 reperfusion injury … 937
サイキ psyche … 1517
祭儀 cult … 448
鰓器官 branchial apparatus … 118
細気管支 bronchiole … 259
細気管支 bronchiolus … 259
細気管支炎 bronchiolitis … 259
細気管支拡張〔症〕bronchiolectasis … 259
細気管支〔可視化〕像 bronchiologram … 259
細気管支周囲炎 peribronchiolitis … 1386
細気管支周囲の peribronchiolar … 1386
細気管支肺の bronchiolopulmonary … 259
催奇形性 teratogenicity … 1851
催奇形の teratogenic, teratogenetic … 1851
催奇形物質 teratogen … 1851
ザイキシン zyxin … 2063
催奇の teratogenic, teratogenetic … 1851
催奇物質 teratogen … 1851
鰓弓 branchial arches … 125
鰓弓筋 branchiomeric muscles … 1182
鰓弓骨格 gill arch skeleton … 1691
再吸収する resorb … 1595
鰓弓性遠心性細胞柱 branchial efferent column … 395
鰓弓軟骨 pharyngeal arch cartilage … 306
鰓弓軟骨 pharyngeal cartilages … 306
再狭窄 restenosis … 1597
臍〔腸骨〕棘の omphalospinous … 1299
載距突起 sustentaculum tali … 1785
細菌 bacterium … 191
細菌ウイルス bacterial virus … 2022
細菌運動検査 motility test … 1861
細菌円柱 bacterial cast … 309
細菌オプソニン bacteriopsonin … 191
細菌外毒素 extracellular toxin … 1906
〔細菌〕外毒素 exotoxin … 655
細菌学 bacteriology … 190
細菌型光合成 bacterial photosynthesis … 1418
細菌感染〔症〕microbism … 1150
細菌凝集素 bacterioagglutinin … 190
細菌恐怖〔症〕microphobia … 1153
細菌莢膜 bacterial capsule … 290
細菌向性の bacteriotropic … 191
最近時経験目録 Schedule of Recent Events (SRE) … 1642
細菌症 bacteriosis … 191
細菌〔性皮〕疹 bacterid … 190

細菌趨性物質 bacteriotropic substance 1765
細菌性アレルギー bacterial allergy 49
細菌性拮抗 bacterial antagonism 96
細菌性凝集反応 bacteriogenic agglutination 37
細菌性紫斑病 bacterial peliosis 1377
細菌性食中毒 bacterial food poisoning 1455
細菌性食道炎 bacterial esophagitis 642
細菌性心外膜炎(心嚢炎) bacterial pericarditis 1386
細菌性心内膜炎 bacterial endocarditis 611
細菌性精液 bacteriospermia 191
細菌性赤痢 shigellosis 1673
細菌〔性〕赤痢 bacillary dysentery 571
細菌性腟炎 bacterial vaginosis 1982
細菌成長検査法 auxanography 182
細菌成長検査用平板培養 auxanogram 182
細菌成長検出法 auxanographic method 1143
細菌性動脈内膜炎 bacterial endarteritis 610
細菌性の bacteriogenous 190
細菌性脳炎 bacterial encephalitis 607
細菌性肺炎 bacterial pneumonia 1449
細菌性膀胱炎 bacterial cystitis 462
細菌性ゆうぜい(疣贅) bacterial vegetations 1992
細菌〔性〕溶血素 bacterial hemolysin 834
細菌説 germ theory 1876
細菌増殖 bacterial growth 803
細菌蛋白 bacterioprotein 191
細菌転位 bacterial translocation 1919
細菌毒素 bacterial toxin 1906
細菌内毒素 intracellular toxin 1906
細菌尿〔症〕 bacilluria 187
細菌尿〔症〕 bacteriuria 191
細菌の干渉 bacterial interference 944
最近の生活変化質問票 Recent Life Changes Questionnaire 1538
細菌発育阻止 bacteriostasis 191
細菌不活化 bacteriopexy 190
臍〔膀胱〕筋膜 umbilical fascia 675
細菌様 bacteroid 191
サイクリックウリジン3′,5′―リン酸 cyclic uridine 3′,5′-monophosphate (cUMP) 1972
サイクリック(環状)AMP受容体蛋白 cyclic adenosine monophosphate receptor protein (CRP) 1503
サイクリックグアノシン3′,5′―リン酸 cyclic guanosine 3′,5′-monophosphate (cGMP) 804
サイクリックヌクレオチド cyclic nucleotide 1272
サイクリン cyclin 456
サイクリンD cyclin D 456
サイクル cycle 454
サイクル毎秒 cycles per second (cps) 455
サイクロトロン cyclotron 457
サイクロフィリン cyclophilins 456
臍形陥凹 umbilication 1963
再形成 reconstitution 1574
細隙 slit 1692
細隙眼鏡 stenopeic spectacles, stenopaic spectacles 1708
細隙結合 gap junction 973
細隙電解 electrostenolysis 598
細隙灯 slit lamp 999
細隙灯 slitlamp 1692
細隙の stenopeic, stenopaic 1742
細血管異常性溶血性貧血 microangiopathic hemolytic anemia 77
細血管造影(撮影)〔法〕 microangiography 1150
再結合 recombination 1573
臍〔帯〕血瘤 hematomphalocele 826
サイケデリックな psychedelic 1517
サイケデリック療法 psychedelic therapy 1879
再建 repair 1590
再現 recurrence 1575
再現 replicate 1590
再現 reproduction 1591
再建外科〔手術〕 reconstructive surgery 1784
再現性 reproducibility 1591
鰓〔原〕性の branchiogenic, branchiogenous 255
再現率 recurrence rate 1560
細孔 osculum 1318
鰓溝 branchial clefts 373
鰓溝 branchial fissure 702
最高温度 maximum temperature 1848
在郷軍人局病院 Veterans Administration hospital 865
〔画像〕再構成(再合成) reconstruction 1574
再構成精神療法 reconstructive psychotherapy 1521
鰓溝性嚢胞 branchial cyst 458
鰓溝性フィステル(瘻) branchial fistula 704
最高速度 maximum velocity (V_{max}) 2003
再構築 remodeling 1589
再交通〔術〕 undiversion 1964
細孔の stenopeic, stenopaic 1742
鰓後嚢 ultimopharyngeal pouch 1474
最高の強度 ultimate strength 1753
最後野 area postrema (AP) 130
再呼吸 rebreathing 1570
再呼吸法 rebreathing technique 1845
再呼吸防止弁 nonrebreathing valve 1985
再呼吸麻酔〔法〕 rebreathing anesthesia 80
サイコジェネティック psychogenetic 1518
砕骨器 osteoclast 1321
再骨折 refracture 1583
最古同義語 senior synonym 1826
サイコドラマ psychodrama 1518
細根 rootlets 1622
ザイゴン zygon 2062
サイザー sizer 1690
再採取 recollection 1573
再視 second sight 1678
細糸 filamentum 698
細糸 microfilament 1151
細糸〔期〕 leptotene 1022
彩視症 chromatopsia 357
彩視症 pseudochromesthesia 1511
細字症 micrography 1152
采歯状回溝 fimbriodentate sulcus 1772
采歯状回溝 sulcus fimbriodentatus 1772
鰓耳腎形成異常(異形成) branchio-oto-renal dysplasia 575
鰓耳腎症候群 branchio-oto-renal syndrome 1798
細糸滑り仮説 sliding filament hypothesis 899
細糸前期 preleptotene 1479
再指定 reassignment 1569
再〔神経〕支配 reinnervation 1587
最終印象 final impression 917
最終産物抑制 end product repression 1591
最終修復 permanent restoration 1597
最終生成物 end product 1494
臍出血 omphalorrhagia 1298
再循環 recirculation 1573
最小 minim (m) 1159
最小顎間距離 small interarch distance 549
最小感染量 minimal infecting dose (MID) 557
最上胸動脈 highest thoracic artery 145
最上胸動脈 superior thoracic artery 153
細小(微小)血管顕微鏡検査〔法〕 microangioscopy 1150
細小血管症 microangiopathy 1150
細小血管障害 microangiopathy 1150
最上項線 highest nuchal line 1050
最上項線 linea nuchae suprema 1053
最小骨盤面 pelvic plane of least dimensions 1430
最小錯乱円 least confusion circle 364
最少残〔留〕気 minimal air 40
最小二乗推定量 least squares estimator 644
最小斜角筋 scalenus minimus (muscle) 1193
最小斜角筋 smallest scalene muscle 1194
最小斜角筋 musculus scalenus minimus 1203
細小静脈孔 foramina of the smallest veins of heart 726
細小静脈孔 foramina of the venae minimae 726
細小静脈孔 foramina venarum minimarum atrium dextrum cordis 726
細小静脈孔 openings of smallest cardiac veins 1303
細小心〔臓〕静脈 smallest cardiac veins 2001
細小心臓静脈 venae cordis minimae 2005
最小〔発育〕阻止濃度 minimal inhibitory concentration (MIC) 406
最小蛋白〔質〕必要量 minimum protein requirement 1591
最小致死量 minimal lethal dose (MLD, mld) 557
臍小腸の omphaloenteric 1298
臍小腸瘻 omphaloenteric fistula 705
最小内臓神経 least splanchnic nerve 1235
最小2乗〔法〕 least squares 1015
采状の fimbriate, fimbriated 700
最小肺胞内濃度 minimal alveolar concentration 406
臍上反射 supraumbilical reflex 1582
最小反応量 minimal reacting dose (MRD, mrd) 557
最上鼻甲介 supreme nasal concha 407
〔舌下面の〕采状ひだ fimbriated fold of inferior surface of tongue 719
最小偏位黒色腫 minimal deviation melanoma 1122
左胃静脈 left gastric vein 1998
左胃静脈 vena gastrica sinistra 2005
細静脈 venula 2012
細静脈 venule 2012
臍静脈 umbilical vein 2003
臍静脈 vena umbilicalis 2008
臍静脈炎 omphalophlebitis 1298
臍静脈溝 sulcus of umbilical vein 1775
臍静脈溝 sulcus venae umbilicalis 1775
最小有効量 minimal dose 557
最少律 law of the minimum 1007
最小量 minimal dose 557
最少量の法則 law of the minimum 1007
最上肋間静脈 supreme intercostal vein 153
最上肋間静脈 highest intercostal vein 1996
最上肋間静脈 vena intercostalis suprema 2006
最上肋間動脈 arteria intercostalis suprema 135
最上肋間動脈 highest intercostal artery 145
最上肋間動脈 supreme intercostal artery 153
最上肋間動脈 superior intercostal artery 153
最上肋間動脈背枝 rami dorsales arteriae intercostalis supremae 1550
最初から ab initio 3
菜食主義 vegetarianism 1992
菜食主義者 vegetarian 1992
最新医療診療行為用語 *Current Procedural Terminology* (CPT) 450
細針吸引生検 fine-needle aspiration biopsy 214
再〔神経〕支配 reinnervation 1587
細針生検 fine-needle biopsy 214
再水化 rehydration 1587
再水和 rehydration 1587
再生 regeneration 1583
再生 renaturation 1589
再生芽 blastema 218

サ

再生性ポリープ regenerative polyp …… 1463
再生組織〔形成〕 neoformation …… 1227
再生的同化 reproductive assimilation …… 163
再生不良性貧血 aplastic anemia …… 76
再生羊毛工熱 shoddy fever …… 686
砕石位 lithotomy position …… 1469
砕石器 lithotriptor …… 1062
砕石器 lithotrite …… 1062
砕石鏡法 lithotriptoscopy …… 1062
砕石術 lithotripsy …… 1062
砕石術用有溝導子 gorget …… 793
細切〔除去〕〔術〕 morcellation …… 1170
再石灰化 remineralization …… 1589
鰓節構成 branchiomerism …… 255
細切採取法 punch biopsy …… 214
再接種 reinoculation …… 1588
臍切除〔術〕 omphalectomy …… 1298
細切腎摘出術 morcellated nephrectomy …… 1228
細線維 microfibril …… 1151
細線維籠(かご) fibrillar baskets …… 201
細線維間の interfilamentous …… 945
再選定 reassignment …… 1569
再造形 remodeling …… 1589
再疎通 recanalization …… 1570
臍帯 umbilical cord …… 422
臍帯 funiculus umbilicalis …… 745
臍帯 funis …… 745
最大 maximum …… 1111
臍帯圧潰術 omphalotripsy …… 1299
臍帯圧挫術 omphalotripsy …… 1299
臍帯栄養児 omphaloangiopagus …… 1298
臍帯栄養児 omphalosite …… 1299
臍帯炎 funisitis …… 745
臍帯カイメン腫 umbilical fungus …… 745
最大顎間距離 large interarch distance …… 549
最大換気〔量〕 maximum voluntary ventilation (MVV) …… 2010
最大許容線量 maximum permissible dose (MPD) …… 557
最大許容投与量 maximum tolerated dose …… 557
最大許容量 maximal permissible dose …… 557
臍帯血 cord blood …… 223
臍帯結合体 omphalopagus …… 1298
臍〔帯〕血瘤 hematomphalocele …… 826
臍帯巻絡 nuchal cord …… 421
最大呼気圧 maximal expiratory pressure (MEP) …… 1482
最大呼気流量 peak expiratory flow …… 714
最大骨盤面 pelvic plane of greatest dimensions …… 1430
最大刺激 maximal stimulus …… 1747
最大出力 maximum power output …… 1327
最大出力音圧レベル saturation sound pressure level (SSPL) …… 1029
最大振幅 peak magnitude …… 1093
臍帯切断〔術〕 omphalotomy …… 1299
臍帯穿刺 cordocentesis …… 422
臍帯脱出〔症〕 prolapse of umbilical cord …… 1496
最大値投影法 maximum intensity projection (MIP) …… 1496
最大尿素クリアランス maximum urea clearance …… 373
最大尿流速度 peak flow rate …… 1560
最大尿流率 peak flow rate …… 1560
臍帯の funicular …… 745
臍帯の umbilical …… 1963
〔臍帯の〕偽結節 false knots, false knots of umbilical cord …… 988
〔臍帯の〕真結節 true knot, true knot of umbilical cord …… 988
臍帯の内臓脱出 umbilical eventration …… 650
〔臍帯の〕卵膜付着 velamentous insertion …… 940
最大拍動点 point of maximal impulse (PMI) …… 1454
臍帯付着ひだ mesocord …… 1136
臍帯ヘルニア amniocele …… 62
最大豊隆線 height of contour …… 822
左胃大網静脈 left gastroepiploic vein …… 1998
左胃大網静脈 left gastroomental vein …… 1998
左胃大網静脈 vena gastroomentalis sinistra …… 2005
左胃大網動脈 arteria gastroomentalis sinistra …… 135
左胃大網動脈 left gastroepiploic artery …… 147
左胃大網動脈 left gastroomental artery …… 147
左胃大網リンパ節 left gastroepiploic lymph nodes …… 1079
左胃大網リンパ節 left gastroomental lymph nodes …… 1079
臍帯卵膜付着胎盤 placenta velamentosa 1429
最大律動点 point of maximum intensity (PMI) …… 1454
最大量 maximal dose …… 557
在胎齢 gestational age …… 35
催唾〔性〕の salivant …… 1631
催唾薬 sialagogue …… 1675
催唾薬 salivant …… 1631
細胆管 cholangiole …… 348
細胆管炎 cholangiolitis …… 348
細胆管炎性肝炎 cholangiolitic hepatitis …… 839
再注輸 refusion …… 1583
細長型 ectomorph …… 585
臍腸管の omphalomesenteric …… 1298
臍腸間膜嚢胞 omphalomesenteric cyst …… 460
砕腸器 splanchnotribe …… 1719
最長筋 longissimus (muscle) …… 1188
最長筋 musculus longissimus …… 1201
臍〔腸骨〕棘の omphalospinous …… 1299
〔最長〕寿命 longevity …… 1068
最低温度 minimum temperature …… 1848
催嚏(てい)剤 sternutator …… 1745
最低の ima …… 907
最低の imus …… 917
最適 optimum …… 1309
最適以下の suboptimal …… 1764
最適温度 optimum temperature …… 1848
最適温度での euthermic …… 649
最適比 equivalence, equivalency …… 635
ザイデル暗点 Seidel scotoma …… 1650
ザイデル徴候 Seidel sign …… 1683
〔胎児〕砕頭〔術〕 cranioclasia, cranioclasis 434
鰓洞 branchial sinus …… 1687
細動 fibrillation …… 692
細動閾値 fibrillation threshold …… 1886
再統一 redintegration …… 1575
砕頭器 cranioclast …… 434
再統合 reintegration …… 1588
細動静脈橋 arteriolovenular bridge …… 257
細動静脈の arteriolovenous …… 139
細動脈 arteriola …… 139
細動脈 arteriole …… 139
臍動脈 arteria umbilicalis …… 138
臍動脈 umbilical artery …… 154
左胃動脈 arteria gastrica sinistra …… 135
左胃動脈 left gastric artery …… 147
細動脈壊死 arteriolonecrosis …… 139
細動脈炎 arteriolitis …… 139
臍動脈開存部の尿管枝 ureteric branches of the patent part of umbilical artery …… 255
臍動脈開存部の尿管枝 rami ureterici partis patentis arteriae umbilicalis …… 1557
細動脈硬化〔症〕 arteriolosclerosis …… 139
細動脈硬化〔症〕 arteriocapillary sclerosis …… 1647
細動脈硬化腎 arteriolosclerotic kidney …… 983
臍動脈索 cord of umbilical artery …… 422
臍動脈索 lateral umbilical ligament …… 1037
臍動脈索 medial umbilical ligament …… 1037
臍動脈索 ligamentum umbilicale mediale …… 1046
細動脈性腎硬化〔症〕 arteriolar nephrosclerosis …… 1231
細動脈の arteriolar …… 139
左胃動脈の食道枝 esophageal branches of the left gastric artery …… 246
臍動脈の特有部 patent part of umbilical artery …… 1366
細動脈網 arteriolar network …… 1244
細動脈網 arterial plexus …… 1439
サイトカイン cytokine …… 465
サイトカインネットワーク cytokine network …… 465
催吐ガス vomiting gas …… 757
サイトカラシン類 cytochalasins …… 464
サイトケラチン cytokeratin …… 465
催吐性の nauseant …… 1222
サイトソーム cytosome …… 468
サイトゾル cytosol …… 468
サイトピペット cytopipette …… 468
サイトファーネレ cytophanere …… 468
サイト〔フォト〕メトリ cytophotometry …… 468
サイトプラスモン cytoplasmon …… 468
サイトメガロウイルス Cytomegalovirus (CMV) …… 465
催吐薬 nauseant …… 1222
〔催〕吐薬 emetic …… 603
催吐薬の emetogenic …… 603
サイトリソソーム cytolysosome …… 465
サイトリダクション cytoreduction …… 468
再内反 reinversion …… 1588
最内肋間筋 innermost intercostal (muscle) …… 1187
最内肋間筋 musculus intercostalis intimus …… 1200
臍肉芽腫 umbilical granuloma …… 798
再入 reentry …… 1577
再入現象 reentry phenomenon …… 1405
再入説 reentry theory …… 1877
臍乳頭三角 umbilicomammillary triangle …… 1928
催乳の galactic …… 749
催乳薬 galactagogue …… 749
再燃 recrudescence …… 1574
〔病状〕再燃 exacerbation …… 650
再燃性結核 reactivation tuberculosis …… 1946
才能 faculty …… 670
臍嚢 umbilical vesicle …… 2017
臍嚢 vesicula umbilicalis …… 2017
再配列 rearrangement …… 1569
再配列 reformat …… 1583
サイバーコンドリア cyberchondria …… 454
サイバーセックス cybersex …… 454
サイバーセックス依存 cybersex addiction 23
再発 palindromia …… 1338
再発 recidivation …… 1573
再発 recurrence …… 1575
再発 relapse …… 1588
再発 repullulation …… 1591
再発〔性〕う食(蝕) recurrent caries …… 303
再発芽 repullulation …… 1591
再発癌の再ステージ分類 restage classification of recurrent cancer …… 371
再発危険性 recurrence risk …… 1618
再発性アフタ性口内炎 recurrent aphthous stomatitis …… 1749
再発性壊死性粘膜腺周囲炎 periadenitis mucosa necrotica recurrens …… 1385
再発性角膜びらん recurrent corneal erosion …… 637
再発性化膿性胆管炎 recurrent pyogenic cholangitis …… 349
再発性狭窄〔症〕 recurrent stricture …… 1757
再発性呼吸器パピローマ症 recurrent respiratory papillomatosis …… 1346
〔小児期の〕再発性指線維腫 recurring digital fibroma of childhood …… 694

再発性手掌表皮剝脱 recurrent palmar peeling ……… 1377
再発性多発性漿膜炎 recurrent polyserositis ……… 1464
再発性多発性軟骨炎 relapsing polychondritis ……… 1458
再発性虫垂炎 recurrent appendicitis ……… 120
再発性熱性結節性非化膿性脂肪〔組〕織炎 relapsing febrile nodular nonsuppurative panniculitis ……… 1343
再発性の palindromic ……… 1338
再発性脳障害(脳症) recurrent encephalopathy ……… 609
再発性ヘルペス〔性〕口内炎 recurrent herpetic stomatitis ……… 1749
再発性マラリア relapsing malaria ……… 1095
再発性リーシュマニア症 leishmaniasis recidivans ……… 1018
サイバネティックス cybernetics ……… 454
臍破裂 omphalorrhexis ……… 1299
再犯性 recidivation ……… 1573
剤皮 coating ……… 383
催泌薬 eccritic ……… 582
採皮刀 dermatome ……… 496
最頻値 mode ……… 1161
臍部 regio umbilicalis ……… 1584
臍部 umbilical region ……… 1586
臍フィステル(瘻) umbilical fistula ……… 706
サイフォウイルス科 Siphoviridae ……… 1689
臍部静脈瘤 varicomphalus ……… 1988
再付着 reattachment ……… 1569
載物台 stage ……… 1727
サイブリッド cybrid ……… 454
細分 fragmentation ……… 739
再分化 redifferentiation ……… 1575
再分極 repolarization ……… 1591
鰓分節 branchiomere ……… 255
臍ヘルニア umbilical hernia ……… 844
臍ヘルニア omphalocele ……… 1298
臍ヘルニア paromphalocele ……… 1356
臍ヘルニア・巨舌・巨人症候群 exomphalos, macroglossia, and gigantism syndrome (EMG) ……… 1804
細片 strip ……… 1757
細片骨折 comminuted fracture ……… 737
細片骨折 splintered fracture ……… 738
細片頭蓋骨折 comminuted skull fracture 737
細胞 cell ……… 318
細胞 cellula ……… 328
細胞溢流 cellular spill ……… 1715
細胞遺伝学 cytogenetics ……… 465
細胞遺伝学者 cytogeneticist ……… 465
細胞遺伝地図 cytogenetic map ……… 1101
細胞咽頭 cytopharynx ……… 468
細胞栄養層細胞 cytotrophoblastic cells ……… 320
細胞液 cell sap ……… 1634
細胞壊死 necrocytosis ……… 1223
細胞〔体〕遠心性の cellulifugal ……… 328
細胞外液 extracellular fluid (ECF) ……… 715
細胞外液量 extracellular fluid volume (ECFV) ……… 2036
細胞外基質(マトリックス) extracellular matrix ……… 1110
細胞外酵素 ectoenzyme ……… 585
〔細胞〕外酵素 extracellular enzyme ……… 623
細胞外の extracellular ……… 657
細胞外被 epicyte ……… 626
細胞化学〔反応〕 cytochemistry ……… 464
細胞学 cytology ……… 465
細胞核学 karyology ……… 976
細胞学者 cytologist ……… 465
細胞学的検査 cytologic examination ……… 650
細胞学的スクリーニング cytologic screening ……… 1651
細胞学的スミア(塗抹〔標本〕) cytologic smear ……… 1693
細胞学的沪過標本 cytologic filter preparation ……… 1480
細胞核内の intranuclear ……… 950
細胞株 cell line ……… 1049
細胞株 cell strain ……… 1750
〔樹立〕細胞株 established cell line ……… 1049
細胞喚起 cytoclesis ……… 464
細胞間橋 bridge ……… 257
細胞間橋 intercellular bridges ……… 257
細胞間橋 desmosome ……… 500
細胞間結合 intercellular junctions ……… 973
細胞間シグナル経路 cell-cell signaling pathway ……… 1373
細胞間質 intercellular cement ……… 329
細胞間消化 intercellular digestion ……… 516
細胞間小管 intercellular canaliculus ……… 285
細胞間水 transcellular water ……… 2041
細胞間接着分子-1 intercellular adhesion molecule-1 (ICAM-1) ……… 1164
細胞間の intercellular ……… 943
細胞間の paracytic ……… 1348
細胞間リンパ intercellular lymph ……… 1075
細胞希薄層 cell-free zone ……… 2059
細胞希薄層 cell-poor zone ……… 2059
細胞吸作用 rhopheocytosis ……… 1611
細胞〔体〕求心性の cellulipetal ……… 328
細胞系〔統〕 cell line ……… 1049
細胞形質 cytoplasm ……… 468
細胞形成 cytopoiesis ……… 468
細胞形態学 cytomorphology ……… 467
細胞系統発生〔学〕の cytophyletic ……… 468
細胞結合抗体 cell-bound antibody ……… 100
細胞原形質 cytoplast ……… 468
細胞検査士 cytotechnologist ……… 468
細胞減少療法 cytoreductive therapy ……… 1878
細胞口 cytostome ……… 468
臍膀胱筋膜 umbilicovesical fascia ……… 675
臍〔膀胱〕筋膜 umbilical fascia ……… 675
細胞交雑 cell hybridization ……… 869
細胞向性 cytotropism ……… 469
臍膀胱前筋膜 umbilical prevesical fascia 675
細胞構築 cytoarchitecture ……… 464
細胞光度測定法 cytophotometry ……… 468
細胞肛門 cytopyge ……… 468
細胞骨格 cytoskeleton ……… 468
細胞死 cell death ……… 473
裁縫師痙攣 tailor's cramp ……… 433
細胞死経路 cell-death pathway ……… 1373
細胞死経路 death pathway ……… 1373
細胞質 cytoplasm ……… 468
細胞質 perikaryon ……… 1387
細胞質遺伝 cytoplasmic inheritance ……… 932
細胞質遺伝子 plasmagene ……… 1432
細胞質画分 plasmatic compartment ……… 399
細胞質雑種 cybrid ……… 454
細胞質ゾル cytosol ……… 468
細胞質体 cytoplast ……… 468
細胞質体 cytosome ……… 468
細胞質内精子注入法 intracytoplasmic sperm injection ……… 936
細胞質〔内〕封入体 cytoplasmic inclusion bodies ……… 226
細胞質分裂 cytokinesis ……… 465
細胞質マトリックス cytoplasmic matrix 1110
細胞周囲の pericellular ……… 1386
細胞周期 cell cycle ……… 454
細胞周期特異的物質 cycle-specific agent ……… 36
細胞周期非特異的物質 non-cycle-specific agent ……… 36
細胞〔充実〕性 cellularity ……… 328
細胞執着性 cellular tenacity ……… 1849
細胞障害 cytopathy ……… 467
細胞傷害性 cytotoxicity ……… 468
細胞障害性化学療法 cytotoxic chemotherapy ……… 343
細胞傷害性細胞 cytotoxic cell ……… 320
細胞傷害性細胞 killer cells ……… 322
細胞傷害性反応 cytotoxic reaction ……… 1564
〔細胞〕小器官 organelle ……… 1312
臍傍静脈 paraumbilical veins ……… 1999
臍傍静脈 venae paraumbilicales ……… 2007
細胞消滅 apoptosis ……… 118
細胞食作用 cytophagy ……… 467
細胞診〔断学〕 cytodiagnosis ……… 464
細胞浸潤 cellular infiltration ……… 928
細胞新生 rejuvenescence ……… 1588
細胞診標本 cytologic specimen ……… 1708
細胞親和基 cytophil group ……… 803
細胞親和性抗体 cytotropic antibody ……… 100
細胞親和性抗体試験 cytotropic antibody test ……… 1856
細胞性腫瘍 cellular tumor ……… 1950
細胞性生殖 cytogenic reproduction ……… 1591
細胞性塞栓 cytostasis ……… 468
細胞性塞栓症 cellular embolism ……… 600
細胞性軟骨 cellular cartilage ……… 305
細胞〔性〕の cellular ……… 328
細胞整復 cytothesis ……… 468
細胞生物物理学 cellular biophysics ……… 213
細胞性免疫 cell-mediated immunity (CMI), cellular immunity ……… 910
細胞性免疫不全症候群 cellular immunity deficiency syndrome ……… 1799
細胞性免疫論 cellular immune theory ……… 1875
細胞切断 merotomy ……… 1134
細胞接着分子 cell adhesion molecule (CAM) ……… 1164
細胞層 stratum compactum ……… 1751
細胞層 thelium ……… 1874
細胞巣 cell nest ……… 1244
細胞増加〔症〕 cytosis ……… 468
〔髄液〕細胞増加〔症〕 pleocytosis ……… 1437
細胞増殖型青色母斑 cellular blue nevus 1255
細胞増殖抑制性の cytostatic ……… 468
細胞走性 cytotaxis, cytotaxia ……… 468
細胞体 cell body ……… 226
細胞体 soma ……… 1699
細胞体周辺シナプス pericorpuscular synapse ……… 1793
細胞断裂〔現象〕 clasmatosis ……… 370
細胞中心体 cytocentrum ……… 464
細胞稠密層 cell-rich zone ……… 2059
細胞透過液 transcellular fluids ……… 715
細胞透過水 transcellular water ……… 2041
細胞-動脈血酸素較差 alveolar-arterial oxygen difference ……… 516
細胞透明質 cytochylema ……… 464
細胞毒 cytotoxin ……… 469
細胞毒性 cytotoxicity ……… 468
細胞毒性Tリンパ球抗原-4 cytotoxic T-lymphocyte antigen-4 (CTLA-4) ……… 103
細胞トランスフォーメーション cell transformation ……… 1918
細胞内液 intracellular fluid (ICF) ……… 715
細胞内環流 cyclosis ……… 457
細胞内寄生の cytozoic ……… 469
〔細胞内〕空胞 physalis ……… 1420
〔細胞〕内酵素 intracellular enzyme ……… 623
細胞内〔分泌〕細管 intracellular canaliculus ……… 285
細胞内消化 intracellular digestion ……… 516
細胞内糖減少〔症〕 cytoglucopenia ……… 465
細胞内毒素 intracellular toxin ……… 1906
細胞内の intracellular ……… 950
細胞内分泌の intracrine ……… 950
〔細胞内〕輸送 trafficking ……… 1915
細胞尿〔症〕 cyturia ……… 469
臍傍の paraumbilical ……… 1355
細胞嚢 saccule ……… 1629
細胞の運命決定 cell determination ……… 501
細胞の絶対的増加 absolute cell increase 920
細胞媒介性免疫 cell-mediated immunity

サ

(CMI), cellular immunity …… 910
細胞媒介反応 cell-mediated reaction …… 1563
細胞培養 cell culture …… 448
細胞破壊 cytoclasis …… 464
細胞破壊〔性〕の cellulicidal …… 328
細胞破壊薬 cytocide …… 464
細胞発生 cytogenesis …… 465
細胞発生の cytogenic …… 465
細胞板 cell plate …… 1434
細胞ピペット cytopipette …… 468
細胞標本〔作製〕 cytopreparation …… 468
細胞表面マーカ cell surface marker …… 1105
細胞病理学 cytopathology …… 467
細胞病理学 cellular pathology …… 1372
細胞病理学者 cytopathologist …… 467
細胞病理学的 cytopathologic, cytopathological …… 467
細胞封入体 cell inclusions …… 919
細胞復位 cytothesis …… 468
裁縫婦痙攣 seamstress's cramp …… 433
細胞ブロック cell block …… 222
細胞分析器 cytoanalyzer …… 464
細胞分泌〔性分泌〕 cytocrine secretion …… 1653
〔細胞〕分裂間期 interphase …… 947
細胞分裂周期遺伝子 cell-division-cycle gene …… 763
細胞壁 cell wall …… 2039
細胞変性ウイルス cytopathogenic virus 2023
細胞変性エンテロトキシン cytotonic enterotoxin …… 621
細胞変性効果 cytopathic effect …… 588
細胞変性〔性〕の cytopathogenic …… 467
細胞変態 cytomorphosis …… 467
細胞崩壊 cytolysis …… 465
細胞崩壊 plasmorrhexis …… 1434
細胞防御 cytophylaxis …… 468
細胞保護的な cytoprotective …… 468
細胞マーカ cell marker …… 1105
細胞膜 cell membrane …… 1125
細胞膜傷害複合体 membrane attack complex (MAC) …… 402
細胞膜上終末 epilemmal ending …… 611
細胞膜分化抗原 cluster of differentiation (CD) antigen …… 103
細胞面間管 interfacial canals …… 283
細胞モザイク cellular mosaicism …… 1171
細胞融合 cell fusion …… 746
細胞溶解〔反応〕 cytolysis …… 465
〔細胞〕溶解〔現象〕 lysis …… 1086
細胞溶解素 cytolysin …… 465
細胞様〔小〕体 cytoid bodies …… 226
細胞様の cellular …… 328
細胞様の cytoid …… 465
サイホン siphon …… 1689
催眠 hypnogenesis …… 890
催眠〔状態〕 hypnosis …… 890
催眠下指示 hypnotic suggestion …… 1770
催眠関係 hypnotic relationship …… 1588
催眠後健忘〔症〕 posthypnotic amnesia …… 62
催眠術 hypnotism …… 891
催眠術者 hypnotist …… 891
催眠〔術〕療法 hypnotherapy …… 891
催眠浄化 hypnocatharsis …… 890
催眠状態 hypnoid state …… 1739
催眠性〔の〕 hypnotic …… 891
催眠精神療法 hypnotic psychotherapy …… 1520
催眠〔性〕点 hypnogenic spot …… 1725
催眠性の soporific …… 1701
催眠談話 somniloquy …… 1700
催眠分析 hypnoanalysis …… 890
催眠法 hypnotism …… 891
催眠薬 hypnogenic, hypnogenous …… 890
催眠薬 hypnotic …… 891
催眠薬 narcoleptic …… 1221
催眠薬 soporific …… 1701
催眠誘導する hypnotize …… 891
サイム切断術 Syme amputation …… 66
細毛 vellus …… 2003
細網化 reticulation …… 1599
細網細胞 reticular cell …… 325
細網細胞 retoperithelium …… 1603
細網症 reticulosis …… 1599
細網状細胞 lacis cell …… 322
細網状の textiform …… 1872
細網〔状〕の reticular, reticulated …… 1599
細網線維 reticular fibers …… 690
細網組織 reticular tissue, retiform tissue …… 1896
細網組織球腫 reticulohistiocytoma …… 1599
〔細〕網内〔皮〕細胞 reticuloendothelial cell 325
〔細〕網内〔皮〕細胞 reticuloendothelium 1599
〔細〕網内〔皮〕細胞の reticuloendothelial 1599
細網内皮系 reticuloendothelial system (RES) …… 1833
細網内皮〔増殖〕症 reticulosis …… 1599
ザイモグラム zymogram …… 2063
ザイモサン zymosan …… 2063
サイモシン thymosin …… 1890
ザイモデーム zymodeme …… 2063
サイモポイエチン thymopoietin …… 1890
最尤推定量 maximum likelihood estimator …… 644
細葉 acinus …… 15
細葉 lobulet, lobulette …… 1066
細葉間の interacinous …… 943
細葉状腺 acinous gland …… 772
細葉性管状腺 tubuloacinar gland …… 775
細葉内の intraacinous …… 949
ザイラー軟骨 Seiler cartilage …… 307
〔細〕粒子 grain …… 796
〔細〕粒子 grains …… 796
材料 material …… 1110
臍輪 anulus umbilicalis …… 111
臍輪 umbilical ring …… 1618
臍リンパ液漏 omphalorrhea …… 1299
左胃リンパ節 left gastric lymph nodes 1079
催リンパ薬 lymphagogue …… 1076
催涙ガス tear gas …… 757
催涙性の lacrimatory …… 993
催涙薬 lacrimator …… 993
ザイールウイルス Zaire virus …… 2031
臍裂 umbilical fissure …… 704
鰓裂 branchial clefts …… 373
〔広義の〕鰓裂 visceral cleft …… 374
鰓裂前〔方〕の pretrematic …… 1483
サイレント突然変異 silent mutation …… 1206
臍瘻(フィステル) umbilical fistula …… 706
サイロカルシトニン thyrocalcitonin …… 1890
サイロキシン thyroxine (T_4), thyroxin 1891
サイロキシン結合性グロブリン thyroxine-binding globulin (TBG) …… 779
サイロキシン結合プレアルブミン thyroxine-binding prealbumin (TBPA) …… 1476
サイログロブリン thyroglobulin …… 1890
サイロ作業者肺 silo-filler's lung …… 1073
サイロ酢酸 thyroacetic acid …… 1890
サイロ充填者病 silo-filler's disease …… 540
サイロトロピン抵抗症 thyrotropin resistance …… 1594
サイロニン thyronine …… 1891
サイロパシー thyropathy …… 1891
サイロリベリン thyroliberin …… 1891
鎖陰 gynatresia …… 807
サヴァリー(セイヴァリー)ブジー Savary bougies …… 238
サウジー管 Southey tubes …… 1942
左回転 levoversion …… 1030
左回転 sinistrotorsion …… 1686
左回の sinistrorse …… 1686
坂口反応 Sakaguchi reaction …… 1567
さか〔さ〕まつげ trichiasis …… 1928
魚恐怖〔症〕 ichthyophobia …… 903
魚状の ichthyoid …… 902
魚〔肉〕中毒 ichthyotoxism …… 903
魚〔肉〕中毒〔症〕 ichthyism …… 902
左下肺静脈 left inferior pulmonary vein …… 1998
左下肺静脈 vena pulmonalis inferior sinistra …… 2007
〔左〕下肺静脈の上枝 superior branch of the left inferior pulmonary vein …… 254
〔左下肺静脈の〕上肺底静脈の前肺底静脈 anterior basal branch of superior basal vein (of left inferior pulmonary vein) 242
〔左下肺動脈の〕肺底部 pars basalis arteriarum lobarium inferiorum pulmonis sinistri …… 1358
〔左下肺動脈の〕肺底部 basal part of left inferior pulmonary artery …… 1362
サカマキガイ属 *Physa* …… 1419
逆むけ hangnail …… 814
左肝管 left hepatic duct …… 564
左肝管 ductus hepaticus sinister …… 566
左肝管の外側枝 ramus lateralis ductus hepatici sinistri …… 1552
左肝管の内側枝 ramus medialis ductus hepatici sinistri …… 1553
左冠状動脈 arteria coronaria sinistra …… 135
左冠状動脈 left coronary artery (LCA) 147
左冠状動脈の回旋枝 circumflex branch of left coronary artery …… 244
左冠状動脈の回旋枝 ramus circumflexus arteriae coronariae sinistrae …… 1549
左冠状動脈の外側心房枝 lateral atrial branch of left coronary artery …… 248
左冠状動脈の後室間枝 ramus interventricularis posterior arteriae coronariae dextrae …… 1552
左冠状動脈の前室間枝 ramus interventricularis anterior arteriae coronariae sinistrae …… 1552
左冠状動脈の前室間枝の外側枝 ramus lateralis interventricularis anterioris arteriae coronariae sinistrae …… 1552
左冠状動脈の前室間動脈 anterior interventricular branch of left coronary artery …… 242
左冠状動脈の中間心房枝 intermediate atrial branch of left coronary artery …… 247
〔大動脈弁の〕左冠状動脈弁尖 valvula coronaria sinistra (valvae aortae) …… 1986
左肝静脈 left hepatic vein …… 1998
左肝静脈 venae hepaticae sinistrae …… 2006
左肝動脈 left hepatic artery …… 147
左冠動脈の心室中隔枝 interventricular septal branches of left coronary artery 248
左肝内側区IV anterior portion of left medial segment IV of liver …… 1468
サキシトキシン saxitoxin …… 1637
サキシトキシン中毒 saxitoxin poisoning 1456
先細ブジー tapered bougie …… 238
〔横隔膜の〕左脚 left crus of diaphragm 443
〔横隔膜の〕左脚 crus sinistrum diaphragmatis …… 444
サキュバス succubus …… 1768
作業 work …… 2048
作業恐怖〔症〕 ergasiophobia …… 636
作業記録器 ergograph …… 636
作業記録の ergographic …… 636
作業検査 performance test …… 1862
サ行構音障害 sigmatism …… 1678
作業咬合面 working occlusal surfaces …… 1784
作業所 laboratory …… 992
左胸心 levocardia …… 1030
作業側 working side …… 1677
作業側顆頭 working side condyle …… 409
作業側接触 working contacts …… 415

サ行呐 sigmatism ………… 1678
作業用模型 master cast ………… 309
作業療法 occupational therapy (OT) … 1879
索 chorda ………… 354
索 cord ………… 421
索 fasciculus ………… 675
索 funiculus ………… 745
索 ligament ………… 1032
索 streak ………… 1753
索 tractus ………… 1914
錯音字の heteroliteral ………… 848
錯音律〔症〕 paramusia ………… 1352
削開 drill-out ………… 560
錯角化〔症〕 parakeratosis ………… 1349
酢化する acetify ………… 11
酢化分解 acetolysis ………… 12
錯誤 falsification ………… 670
錯語〔症〕 paraphasia ………… 1352
錯行〔症〕 parapraxia ………… 1353
削合 grinding ………… 800
削合〔術〕 grinding-in ………… 800
酢剤 vinegar ………… 2020
酢酸 acetic acid ………… 11
酢酸亜鉛 zinc acetate ………… 2057
酢酸アナゲストン anagestone acetate …… 69
酢酸アルミニウム aluminum acetate …… 54
酢酸アンモニウム鉄液 ferric and ammonium acetate solution ………… 1698
酢酸ウラニル染色〔液〕 uranyl acetate stain ………… 1735
酢酸鉛 lead acetate ………… 1014
酢酸カリウム potassium acetate ………… 1472
酢酸グアニジン*N*-メチルトランスフェラーゼ guanidinoacetate *N*-methyltransferase ………… 804
酢酸クリプテナミン cryptenamine acetates, cryptenamine tannates ………… 445
酢酸クレシルバイオレット cresyl violet acetate ………… 438
酢酸計 acetimeter ………… 11
酢酸サラシン saralasin acetate ………… 1634
酢酸受容体 aceticoceptor ………… 11
酢酸セルロース cellulose acetate ………… 328
酢酸第二銅 cupric acetate, cupric acetate normal ………… 449
酢酸デオキシコルチコステロン deoxycorticosterone acetate ………… 490
酢酸デスモプレシン desmopressin acetate ………… 500
酢酸銅(II) cupric acetate, cupric acetate normal ………… 449
酢酸ナトリウム sodium acetate ………… 1695
酢酸白化 acetowhitening ………… 12
酢酸発酵 acetic fermentation, acetous fermentation ………… 680
酢酸フェニル水銀 phenylmercuric acetate ………… 1407
酢酸フタル酸セルロース cellulose acetate phthalate ………… 328
酢酸ロイプロリド leuprolide acetate …… 1029
錯視 optical illusion ………… 907
作詩法 prosody ………… 1500
索条 funis ………… 745
索状陰影 stripe ………… 1757
柵状織切除〔術〕 trabeculectomy ………… 1908
索状層細胞 fasciculata cell ………… 321
索状帯 adhesio ………… 28
索状帯 adhesion ………… 28
索状体 restiform body ………… 229
索状体傍体 juxtarestiform body ………… 227
索状の funicular ………… 745
索状の restiform ………… 1597
索状配列 cord ………… 421
柵状またはリンパ節内筋線維芽腫 palisaded or intranodal myofibroblastoma ………… 1213
索状隆起 restiform eminence ………… 603
索状隆起 eminentia restiformis ………… 604
錯色 confusion colors ………… 393
索性脊髄炎 funicular myelitis ………… 1209
索性脊髄症 funicular myelosis ………… 1211
削截器 fraise ………… 739
酢線虫属 *Turbatrix* ………… 1954
錯体 complex ………… 400
錯聴〔症〕 paracusis, paracusia ………… 1348
錯痛覚〔症〕 paralgesia ………… 1350
錯痛覚〔症〕 paralgia ………… 1350
錯読〔症〕 paralexia ………… 1350
搾乳器 breast pump ………… 1526
搾乳者結節ウイルス milker's nodule virus ………… 2026
搾乳者小〔結〕節 milkers' nodules ………… 1262
搾乳ポンプ breast pump ………… 1526
作文不能性失書〔症〕 amnemonic agraphia 39
削片吹除器 chip blower ………… 344
酢母 mother of vinegar ………… 2020
索傍軟骨 parachordal cartilage ………… 306
錯眠 parasomnia ………… 1354
錯名〔症〕 paranomia ………… 1352
ザグラス靱帯 Zaglas ligament ………… 1042
サクラソウ primula ………… 1484
サクラ属 *Prunus* ………… 1510
錯乱〔状態〕 confusion ………… 410
錯乱性片頭痛 confusional migraine …… 1157
サクランボ赤色斑〔点〕 cherry-red spot 1725
サクランボ赤色斑〔点〕ミオクローヌス症候群 cherry-red spot myoclonus syndrome 1800
ザクロ pomegranate ………… 1465
錯論理〔症〕 paralogia, paralogism, paralogy ………… 1350
作話〔症〕 confabulation ………… 409
作話症 fabrication ………… 661
鎖形成の catenating ………… 312
サケ住血吸虫 *Nanophyetus salmincola* 1220
左結腸曲 flexura coli sinistra ………… 712
左結腸曲 left colic flexure ………… 713
左結腸静脈 vena colica sinistra ………… 2005
左結腸動脈 arteria colica sinistra ………… 134
左結腸動脈 left colic artery ………… 147
左結腸リンパ節 left colic lymph nodes 1079
鎖肛 aproctia ………… 122
鎖肛 anal atresia, atresia ani ………… 171
左後外側肝区 (left posterior) lateral hepatic segment [III] ………… 1655
叉骨 furcula ………… 746
鎖骨 clavicle ………… 372
鎖骨 clavicula ………… 372
坐骨 ischial bone ………… 232
坐骨 ischium ………… 958
坐骨 os ischii ………… 1317
坐骨会陰の ischioperineal ………… 958
坐骨海綿体筋 ischiocavernosus ………… 958
坐骨海綿体筋 ischiocavernous (muscle) 1187
坐骨海綿体筋 musculus ischiocavernosus ………… 1201
坐骨海綿体の ischiocavernous ………… 958
鎖骨下窩 fossa infraclavicularis ………… 732
鎖骨下窩 infraclavicular fossa ………… 732
鎖骨下窩 clavipectoral triangle ………… 1926
鎖骨下筋 subclavian muscle ………… 1195
鎖骨下筋 subclavius (muscle) ………… 1195
鎖骨下筋 musculus subclavius ………… 1204
鎖骨下筋 subclavius ………… 1762
鎖骨下筋溝 subclavian groove ………… 802
鎖骨下筋溝 sulcus musculi subclavii …… 1773
鎖骨下筋溝 sulcus subclavianus ………… 1774
鎖骨下筋神経 subclavian nerve ………… 1238
鎖骨下筋神経 nervus subclavius ………… 1243
鎖骨下静脈 subclavian vein ………… 2001
鎖骨下静脈 vena subclavia ………… 2008
鎖骨下静脈溝 groove for subclavian vein 802
鎖骨下静脈溝 sulcus venae subclaviae 1775
鎖骨下静脈穿刺 subclavian vein puncture ………… 1527
鎖骨下浸潤 infraclavicular infiltrate ………… 928
坐骨滑液包炎 ischial bursitis ………… 271
鎖骨滑車上筋 musculus cleidoepitrochlearis ………… 1199
鎖骨下動脈 arteria subclavia ………… 138
鎖骨下動脈 subclavian artery ………… 152
鎖骨下動脈溝 groove for subclavian artery ………… 802
鎖骨下動脈溝 sulcus subclavius ………… 1774
鎖骨下動脈神経叢 subclavian (nerve) plexus ………… 1443
鎖骨下動脈盗血 subclavian steal ………… 1740
鎖骨下動脈盗血症候群 subclavian steal syndrome ………… 1821
鎖骨下の infraclavicular ………… 931
鎖骨下の subclavian ………… 1762
鎖骨下の subclavicular ………… 1762
〔腕神経叢〕鎖骨下部 pars infraclavicularis plexus brachialis ………… 1359
〔腕神経叢〕鎖骨下部 infraclavicular part of brachial plexus ………… 1364
鎖骨下部〔結核性〕浸潤 infraclavicular infiltrate ………… 928
鎖骨下リンパ本幹 truncus subclavius …… 1938
鎖骨下リンパ本幹 subclavian lymphatic trunk ………… 1938
鎖骨下わな ansa subclavia ………… 96
鎖骨下わな subclavian loop ………… 1069
鎖骨幹(骨体) shaft of clavicle ………… 1669
鎖骨間靱帯 interclavicular ligament …… 1036
鎖骨間靱帯 ligamentum interclaviculare 1043
鎖骨関節面 clavicular articular facet of acromion ………… 661
坐骨間の interischiadic ………… 945
坐骨間の transischiac ………… 1919
鎖骨胸筋筋膜 clavipectoral fascia ………… 672
鎖骨胸筋筋膜 fascia clavipectoralis ………… 672
鎖骨胸筋三角 clavipectoral triangle …… 1926
坐骨棘 spina ischiadica ………… 1715
坐骨棘 ischiadic spine ………… 1716
坐骨棘 ischial spine ………… 1716
坐骨棘 sciatic spine ………… 1717
坐骨脛骨の ischiotibial ………… 958
坐骨結合体 ischiopagus ………… 958
坐骨結節 tuber ischiadicum ………… 1942
坐骨結節 tuber of ischium ………… 1942
坐骨結節 ischial tuberosity ………… 1947
〔鎖骨〕肩峰関節面 acromial facet of clavicle ………… 661
〔鎖骨〕肩峰関節面 acromial articular facies of clavicle ………… 662
〔鎖骨〕肩峰関節面 facies articularis acromialis claviculae ………… 662
〔鎖骨〕肩峰関節面 acromial articular surface of clavicle ………… 1780
坐骨孔 sciatic foramen ………… 726
鎖骨後頭筋 musculus cleido-occipitalis 1199
鎖骨後〔方〕の postclavicular ………… 1470
坐骨後〔方〕の postischial ………… 1471
坐骨〔孔〕ヘルニア ischiatic hernia ………… 843
坐骨肛門の ischioanal ………… 958
坐骨股関節包の ischiocapsular ………… 958
坐骨枝 ischial ramus ………… 1552
坐骨枝 ramus of ischium ………… 1552
坐骨枝 ramus ossis ischii ………… 1554
坐骨肢結合奇形 ischiomelus ………… 958
鎖骨上筋 supraclavicular muscle ………… 1195
鎖骨上筋 musculus supraclavicularis …… 1204
鎖骨上筋 supraclavicularis ………… 1779
鎖骨上の supraclavicular ………… 1779
〔腕神経叢〕鎖骨上部 pars supraclavicularis plexus brachialis ………… 1361
〔腕神経叢〕鎖骨上部 supraclavicular part of brachial plexus ………… 1368
鎖骨上リンパ節 supraclavicular lymph

サ

nodes 1081
坐骨神経 sciatic nerve 1238
坐骨神経 nervus ischiadicus 1242
坐骨神経痛 sciatic neuralgia 1244
坐骨神経痛 sciatica 1645
坐骨神経痛性〔脊柱〕側弯〔症〕sciatic scoliosis 1649
坐骨神経の sciatic 1645
坐骨神経伴行動脈 arteria comitans nervi ischiadici 134
坐骨神経伴行動脈 artery to sciatic nerve 152
鎖骨頭蓋骨形成不全〔症〕cleidocranial dysostosis, clidocranial dysostosis 574
鎖骨頭蓋の cleidocranial 374
坐骨脊椎の ischiovertebral 958
鎖骨切痕 incisura clavicularis 919
坐骨切痕 ischiatic notch 1269
鎖骨切断術 cleidotomy 374
坐骨仙骨の ischiosacral 958
鎖骨体 corpus claviculae 425
鎖骨体(骨幹) shaft of clavicle 1669
坐骨体 body of ischium 227
坐骨体 corpus ossis ischii 425
坐骨大腿靱帯 ischiofemoral ligament 1036
坐骨大腿靱帯 ligamentum ischiofemorale 1044
坐骨大腿の ischiofemoral 958
鎖骨打診〔法〕clavicular percussion 1384
坐骨恥骨枝 ischiopubic ramus 1552
坐骨恥骨の ischiopubic 958
坐骨腟の ischiovaginal 958
鎖骨中線 midclavicular line (MCL) 1051
鎖骨中線 linea medioclavicularis 1053
坐骨直腸窩 fossa ischiorectalis 732
坐骨直腸窩 ischioanal fossa 732
坐骨直腸窩 ischiorectal fossa 732
坐骨直腸窩脂肪体 fat body of ischioanal fossa 226
坐骨直腸窩脂肪体 corpus adiposum fossae ischiorectalis 425
坐骨直腸窩脂肪体 ischiorectal fat-pad 678
坐骨直腸の ischiorectal 958
坐骨直腸膿瘍 ischiorectal abscess 5
坐骨突起炎 ischionitis 958
鎖骨乳突筋 musculus cleidomastoideus 1199
坐骨尿道球の ischiobulbar 958
坐骨の ischiadicus 958
坐骨の sciatic 1645
鎖骨の胸骨関節面 sternal facet of clavicle 662
〔鎖骨の〕胸骨関節面 facies articularis sternalis claviculae 663
〔鎖骨の〕胸骨関節面 sternal articular surface of clavicle 1783
鎖骨の胸骨端 sternal end of clavicle 610
鎖骨の胸骨端 extremitas sternalis claviculae 658
鎖骨の胸骨端 sternal extremity of clavicle 658
鎖骨の肩峰端 acromial end of clavicle 610
鎖骨の肩峰端 acromial extremity of clavicle 658
鎖骨の肩峰端 extremitas acromialis claviculae 658
坐骨腓骨の ischiofibular 958
坐骨尾骨の ischiococcygeal 958
坐骨ヘルニア sciatic hernia 843
坐骨〔孔〕ヘルニア ischiatic hernia 843
鎖骨肋骨の cleidocostal 374
サゴ脾 sago spleen 1720
佐剤 adjuvant 29
坐剤 suppository 1778
左臍静脈 left umbilical vein 1998
挫砕輪 flip 713
サザピリン salsalate 1632
ささやく whisper 2045
〔肝臓の〕左三角間膜 left triangular ligament of liver 1037
〔肝臓の〕左三角間膜 ligamentum triangulare sinistrum hepatis 1046
サザンブロット解析 Southern blot analysis 71
左枝 left branch 248
左枝 ramus sinister 1556
匙(さじ) cochleare 385
匙(さじ) spoon 1723
食匙(さじ) tablespoon 1836
サシガメ亜科 Triatominae 1928
サシガメ科 Reduviidae 1575
サシガメ属 *Triatoma* 1928
サシガメ類 assassin bug 264
サシガメ類 reduvid, reduviid 1575
左軸偏位 left axis deviation 502
匙(さじ)状爪 koilonychia 988
匙(さじ)状爪 spoon nail 1220
さじ状突起 cochleariform process 1488
さじ状突起 processus cochleariformis 1491
左矢状裂溝 left sagittal hepatic fissure 703
サシチョウバエ熱 phlebotomus fever 685
サシチョウバエ熱ウイルス phlebotomus fever viruses 2027
左室筋腫摘出〔術〕left ventricular myomectomy 1214
左〔心〕室駆出率 left ventricular ejection fraction (LVEF) 736
左室心尖-大動脈導管 apical-aortic conduit 408
左室容積削減手術 left ventricular volume reduction surgery 1784
さし縫い縫合 mattress suture 1787
サシバエ *Stomoxys calcitrans* 1749
砂腫 sand tumor 1951
左主気管支 left main bronchus 260
左主気管支 bronchus principalis sinister 260
砂腫状体 corpora arenacea 425
砂腫体 psammoma bodies 229
挫傷 bruise 262
挫傷 contusion 418
挫傷 crush 444
挫傷 strain 1750
挫傷腎 crush kidney 984
砂状石灰化を伴う髄膜腫 psammomatous meningioma 1129
左上大静脈索 ligament of left superior vena cava 1037
左上大静脈索 ligament of left vena cava 1037
左上大静脈索 ligamentum venae cavae sinistrae 1046
砂状の arenaceous 130
砂状の psammous 1510
鎖状の catenoid 313
左上肺静脈 left superior pulmonary vein 1998
左上肺静脈 vena pulmonalis superior sinistra 2007
左上肺静脈の肺尖後静脈 apicoposterior branch of left superior pulmonary vein 243
左上肺静脈の肺尖後静脈 ramus apicoposterior venae pulmonalis sinistrae superioris 1548
叉状隆起 furcula 746
左上肋間静脈 left superior intercostal vein 1998
左上肋間静脈 vena intercostalis superior sinistra 2006
座褥 cushion 451
左心 left heart 820
左心 systemic heart 821
左心耳 left auricular appendage 119
左心耳 auricle of left atrium 177
左心耳 left auricle 177
〔左〕心室 (left) ventricle of heart 2011
左心室 left ventricle (LV) 2011
左心室 ventriculus sinister 2012
左心室縁動脈 left marginal artery 147
左心室駆出時間 left ventricular ejection time (LVET) 1893
左〔心〕室駆出率 left ventricular ejection fraction (LVEF) 736
左心室後静脈 posterior vein(s) of left ventricle 2000
左心室後静脈 vena(e) posterior(es) ventriculi sinistri 2007
左心室の虚血性拘縮 ischemic contracture of the left ventricle 417
左心室発育不全症候群 hypoplastic left heart syndrome 1808
左心症 sinistrocardia 1686
左腎上体(副腎)静脈 left suprarenal vein 1998
左腎上体(副腎)静脈 vena suprarenalis sinistra 2008
左腎静脈挟み込み症候群 left renal vein entrapment syndrome 1810
左心性P P-sinistrocardiale 1516
左心像 levogram 1030
左心造影相 levogram 1030
左心電図 levocardiogram 1030
左心バイパス left heart bypass 273
左心不全 left-sided heart failure 670
左心房 atrium sinistrum cordis 172
左心房 left atrium of heart 172
左心房斜静脈 oblique vein of left atrium 1999
左心房斜静脈 vena obliqua atrii sinistri 2007
左心房主静脈 levoatriocardinal vein 1998
左心房静脈 left atrial veins 1998
左心補助装置 left-ventricular assist device 503
刺す stab 1726
さする stroke 1758
嗄声 hoarseness 856
嗄声 trachyphonia 1910
左精巣静脈 left testicular vein 1998
左精巣静脈 vena testicularis sinistra 2008
させられ体験 delusion of control, delusion of being controlled 485
させられ妄想 delusion of control, delusion of being controlled 485
左旋 levorotation 1030
左線維三角 left fibrous trigone (of heart) 1933
左線維三角 trigonum fibrosum sinistrum 1933
左前外側肝区 (left anterior) lateral hepatic segment [III] 1655
左旋性の levoform 1030
左旋性の levorotatory 1030
左旋の sinistrorse 1686
痤(ざ)瘡 acne 16
痤瘡ケロイド acne keloid 977
痤瘡プロピオンバクテリウム *Propionibacterium acnes* 1499
左側位 left-sidedness 1015
左側回旋 levocycloduction 1030
左側結腸周囲炎 pericolitis sinistra 1387
左側虫垂炎 left-sided appendicitis 119
左側の sinistral 1686
サソリ scorpion 1650
サソリ目 Scorpionida 1650
左大静脈ひだ fold of left vena cava 719
左大静脈ひだ plica venae cavae sinistrae 1445
鎖腟 vaginal atresia 171
殺アメーバ性の amebicidal 57
殺アメーバ薬 amebicide 57

殺ウイルス〔性〕の virucidal 2021
雑役者 diener 514
雑音 bruit 262
雑音 murmur 1179
雑音 noise 1265
雑音 souffle 1701
雑音 strepitus 1753
雑音 susurrus 1785
擦過 paratripsis 1355
殺疥癬虫の scabicidal 1637
殺疥癬虫薬 scabicide 1637
錯覚 illusion 907
擦過傷 abrasion 4
擦過傷 gall 750
擦過生検 sponge biopsy 214
擦〔過〕創 excoriation 652
擦過熱傷 brush burn 267
擦過標本 scraping 1650
サッカラーゼ saccharase 1628
サッカリド saccharide 1628
サッカリン saccharin 1629
サッカリンカルシウム calcium saccharate 277
サッカリン酸 saccharic acid 1628
サッカロース saccharose 1629
サッカロピン saccharopine 1629
サッカロピンデヒドロゲナーゼ saccharopine dehydrogenase 1629
サッカロピン尿症 saccharopinuria 1629
サッカロミセス科 Saccharomycetaceae 1629
サッカロミセス・セレビシエ *Saccharomyces cerevisiae* 1629
サッカロミセス属 *Saccharomyces* 1629
サッカロミセス・ブラウディ *Saccharomyces boulardii* 1629
サッカロミセス目 Saccharomycetales 1629
殺寄生生物の parasiticidal 1354
殺寄生生物薬 parasiticide 1354
殺寄生虫〔性〕の vermicidal 2013
殺寄生虫薬 parasiticide 1354
殺寄生虫薬 vermicide 2013
殺菌 disinfection 543
殺菌〔法〕 sterilization 1744
殺菌性の microbicide 1150
殺菌〔性〕の biocidal 212
殺菌〔性〕の germicide 768
殺菌素 bacteriocidin 190
殺菌法採用以前の preantiseptic 1476
殺菌保証牛乳 certified pasteurized milk 1157
殺菌薬 germicide 768
殺菌薬 microbicide 1150
サック condom 408
撮空模床 floccillation 713
ザックス-ゲオルギ試験 Sachs-Georgi test 1865
殺原生動物薬 protozoicide 1508
殺原虫薬 protozoicide 1508
雑婚 intermarriage 946
雑婚 miscegenation 1159
擦剤 liniment 1054
〔塗〕擦剤 anatriptic 74
サッサフラス sassafras 1637
刷子縁 brush border 234
刷子縁 limbus penicillatus 1048
殺児者 infanticide 925
殺シゾント剤 schizonticide 1644
雑種 crossbreed 441
雑種 hybrid 868
雑種強勢 heterosis 849
雑種形成 hybridization 869
雑種性 hybridism 869
雑種世代 filial generation (F) 764
雑種の filial 699
殺腫瘍性の tumoricidal 1952
雑食〔性〕の omnivorous 1298
殺シラミ薬 pediculicide 1376
殺人 homicide 859
殺真菌の fungicidal 745
殺真菌薬 fungicide 745
殺スピリルム〔性〕の spirillicidal 1717
殺精子の spermatocidal 1710
殺精〔子〕薬 spermatocide 1710
雑性乱視 mixed astigmatism 165
殺蚤 depulization 494
擦〔過〕創 excoriation 652
殺蚤薬 pulicicide, pulicide 1523
殺藻薬 algicide 47
殺鼡薬 rodenticide 1620
殺ダニの miticidal 1160
殺ダニ薬 miticide 1160
殺虫薬 insecticide 939
殺虫薬 pesticide 1396
ザットラー弾性板 Sattler elastic layer 1013
ザットラーベール Sattler veil 1993
殺(抗)トリパノソーマの trypanocidal 1939
殺トリパノソーマ薬 trypanocide 1939
殺トレポネーマ性の treponemicidal 1925
サットン潰瘍 Sutton ulcer 1961
ザップ70 ZAP-70 2057
殺蚊薬 culicide 447
殺胞子〔性〕の sporicidal 1724
サツマイモ属 *Ipomoea* 955
刷毛生検 brush biopsy 214
殺らせん菌〔性〕の spirillicidal 1717
殺卵子〔性〕の ovicidal 1329
殺淋菌性の gonocide 792
殺淋菌薬 gonocide 792
査定 assessment 163
サディスト sadist 1630
サディズム sadism 1630
サテライトDNA satellite DNA 491
サテリトーシス satellitosis 1637
砂糖 sugar 1769
鎖瞳 atresia iridis 171
作動遺伝子 operator gene 764
サトウキビ肺症 bagassosis 192
作動筋 agonist 38
砂糖腫瘍(淡明細胞腫) extrapulmonary sugar tumor 1950
砂糖水試験 sucrose hemolysis test 1866
サトウダニ属 *Carpoglyphus* 304
作動不全 dysergia 571
作動薬 agonist 38
〔作動〕薬 agent 35
サドマゾヒズム sadomasochism 1630
サド-マゾヒスム的関係 sadomasochistic relationship 1588
サトラトキシン satratoxin 1637
サドルバック毛虫 saddleback caterpillar 313
サドル〔ブロック〕麻酔〔法〕 saddle block anesthesia 80
〔左〕内側肝区 (left) medial hepatic segment [IV] 1655
さなぎ(蛹) pupa 1527
サナダムシ taenia 1838
サナダムシ tapeworm 1841
サナトリウム sanatorium 1633
ザナミビル zanamivir 2057
左捻転 sinistrotorsion 1686
左脳半球の sinistrocerebral 1686
差の標準誤差 standard error of difference 516
左肺 pulmo sinister 1523
左肺小舌 lingula of left lung 1054
左肺小舌 lingula pulmonis sinistri 1054
左肺静脈の肺舌静脈の下舌枝 inferior part of lingular vein (of left superior pulmonary vein) 1364
左肺静脈の肺舌静脈の上部 superior part of lingular vein (of left superior pulmonary vein) 1368
左肺動脈 arteria pulmonalis sinistra 137
左肺動脈 left pulmonary artery 147
左肺動脈の上葉動脈の肺底動脈の上肺底枝 superior lingular branch of lingular branch of superior lobar left pulmonary artery 254
左肺動脈の肺舌動脈の舌下枝 inferior lingular branch of lingular branch of left pulmonary artery 247
〔左肺の〕下葉 inferior lobe of (left) lung 1063
〔左肺の〕下葉 lobus inferior pulmonis (sinistri) 1066
〔左肺の〕上葉 superior lobe of (left) lung 1064
〔左肺の〕上葉 lobus superior pulmonis (sinistri) 1067
〔左肺の〕心切痕 incisura cardiaca pulmonis sinistri 919
〔左肺の〕心切痕 cardiac notch of left lung 1269
〔左肺の〕前区動脈の下行枝 descending branch of anterior segmental artery of left lung 245
砂漠潰瘍 desert sore 1701
砂漠の嵐症候群 Desert Storm syndrome 1802
サバジラ子 sabadilla 1628
サバ中毒 scombroid poisoning 1456
〔大動脈弁の〕左半月弁尖 left semilunar cusp of aortic valve 452
サビアウイルス Sabia virus 2029
さび色痰 rusty sputum 1726
銹菌類 rusts 1627
〔肝臓の〕左尾状葉胆管 left duct of caudate lobe of liver 564
〔肝臓の〕左尾状葉胆管 ductus lobi caudati sinister hepatis 566
詐病 malingering 1096
詐病 pathomimesis 1372
座標 coordinate 419
詐病者 malingerer 1096
ザファロニー装置 Zaffaroni system 1834
ザフィルルーカスト Zafirlukast 2057
左副腎(腎上体)静脈 left suprarenal vein 1998
左副腎(腎上体)静脈 vena suprarenalis sinistra 2008
サブクローニング subcloning 1762
サブスタンスP substance P 1766
サブステージ substage 1765
サブチリシン subtilisin 1767
サブトラクション subtraction 1767
サブビリオン subvirion 1768
サブユニット subunit 1768
サブユニットワクチン subunit vaccine 1980
サフラニンO safranin O 1630
サフラワー safflower 1630
サフラワー油 safflower oil 1630
サプレッサ suppressor 1779
サプレッサー感受性〔突然〕変異体 suppressor-sensitive mutant 1205
サプレッサ細胞 suppressor cells 326
サプレッサtRNA suppressor tRNA 1613
サプレッサー〔突然〕変異 suppressor mutation 1206
サプレッション suppression 1778
サブロー寒天〔培地〕 Sabouraud agar 35
サブロー錠剤 Sabouraud pastils 1371
サブローデキストロース寒天〔培地〕 Sabouraud dextrose agar 35
サブロー-ノワレー器械 Sabouraud-Noiré instrument 940
サフロール safrole 1630
サベイライン survey line 1052
サベーイング surveying 1785
サペー線維 Sappey fibers 690
差別閾値 relational threshold 1886

サ

サベーヤー surveyor ……… 1785
サペーリンパ管叢 Sappey plexus ……… 1443
左辺縁静脈 left marginal vein ……… 1998
〔核〕左方移動 shift to the left ……… 1673
左方回旋 levotorsion ……… 1030
左房室口 left atrioventricular orifice ……… 1314
左房室口 mitral orifice ……… 1314
左房室口 ostium atrioventriculare sinistrum ……… 1325
左房室弁 valva atrioventricularis sinistra ……… 1984
左房室弁 left atrioventricular valve ……… 1985
左方へ sinistrad ……… 1686
左方偏視 levoversion ……… 1030
サポゲニン sapogenin ……… 1634
サポータ supporter ……… 1778
サポニン saponins ……… 1634
様々な大きさの heterodisperse ……… 847
サマリウム samarium (Sm) ……… 1632
サマンダリン samandarine ……… 1632
サムター症候群 Samter syndrome ……… 1818
サムナー徴候 Sumner sign ……… 1684
サメ皮様皮膚 shagreen skin ……… 1691
サメ肝油 shark liver oil ……… 1670
挫滅 detrition ……… 501
銼滅 rasion ……… 1559
挫滅組織切除〔法〕 débridement ……… 473
砂毛〔症〕 piedra ……… 1423
砂毛〔症〕 trichosporosis ……… 1931
鞘 sheath ……… 1670
鞘 vagina ……… 1981
さや動脈 sheathed artery ……… 152
左右異種屈折〔症〕 antimetropia ……… 107
左右胃大網動脈の胃枝 gastric branches of left and right gastroomental arteries ……… 247
左右晶 enantiomorph ……… 606
左右像 enantiomorph ……… 606
左右相称 bilateralism ……… 210
左右短絡 left-to-right shunt ……… 1675
左右の bilateral ……… 210
左右不同 asymmetry ……… 166
左右不同の asymmetric (a) ……… 166
〔左右〕不同脈 anisosphygmia ……… 92
〔左右〕不同脈 pulsus differens ……… 1525
〔左右別〕気管支呼吸測定器 bronchospirometer ……… 260
〔左右別〕気管支肺容量測定〔法〕 bronchospirography ……… 260
〔左右別〕気管支肺容量測定〔法〕 bronchospirometry ……… 260
〔左右別〕気管支肺容量測定器 bronchospirometer ……… 260
左右別肺機能検査 bronchospirometry ……… 260
左右弁別の cheirognostic ……… 341
左葉 left lobe ……… 1063
左葉 lobus sinister ……… 1067
〔肝臓の〕左葉 lobus hepatis sinister ……… 1066
作用 action ……… 21
作用 function (f) ……… 744
〔作用〕因子 agent ……… 35
作用物質 reactant ……… 1562
〔作用〕物質 agent ……… 35
作用薬 agonist ……… 38
〔作用〕薬 agent ……… 35
左腰リンパ節 left lumbar lymph nodes 1079
砂浴 sand bath ……… 202
座浴 sitz bath ……… 202
皿 dish ……… 543
サラー胸骨穿刺針 Salah sternal puncture needle ……… 1225
皿状顔〔貌〕 dish face ……… 661
皿状骨折 dishpan fracture ……… 737
皿状の patelliform ……… 1371
皿状白内障 cupuliform cataract ……… 311
サラセミア thalassemia, thalassanemia 1873
サラセミアマイナー thalassemia minor 1873
サラセミアメジャー thalassemia major 1873
サラ病 Salla disease ……… 540
左卵巣静脈 left ovarian vein ……… 1998
左卵巣静脈 vena ovarica sinistra ……… 2007
サリゲニン saligenin, saligenol ……… 1631
サリゲノール saligenin, saligenol ……… 1631
サリシン salicin ……… 1630
サリチル salicyl ……… 1630
サリチルアミド salicylamide ……… 1630
サリチルアルデヒド salicyl aldehyde ……… 1630
サリチル酢酸アンチピリン antipyrine salicylacetate ……… 108
サリチル酸 salicylic acid ……… 1630
サリチル酸アンチピリン antipyrine salicylate ……… 108
サリチル酸エチル ethyl salicylate ……… 646
サリチル酸〔塩〕中毒 salicylism ……… 1630
サリチル酸カルバゾクロム carbazochrome salicylate ……… 293
サリチル酸コリン choline salicylate ……… 352
サリチル酸コロジオン salicylic acid collodion ……… 391
サリチル酸水銀 mercuric salicylate ……… 1133
サリチル酸ナトリウムカフェイン caffeine and sodium salicylate ……… 275
サリチル酸フィゾスチグミン physostigmine salicylate ……… 1421
サリチル酸フェニル phenyl salicylate ……… 1406
サリチル酸マグネシウム magnesium salicylate ……… 1092
サリチル酸メンチル menthyl salicylate 1132
サリチル尿酸 salicyluric acid ……… 1630
ザリット負荷面接 Zarit burden interview ……… 948
サリドマイド thalidomide ……… 1873
サリネム熱 Salinem fever ……… 686
サリノメータ salinometer ……… 1631
サリン sarin ……… 1636
サルカス試験 sulcus test ……… 1866
サル空胞形成ウイルスNo.40 simian vacuolating virus No. 40 (SV40) ……… 2029
サルグラモスチン sargramostim ……… 1636
サルコイド sarcoid ……… 1635
サルコイドーシス sarcoidosis ……… 1635
サルコイド様肉芽腫 sarcoidal granuloma 798
サルコウィッチ試薬 Sulkowitch reagent 1569
サルコグリア sarcoglia ……… 1635
サルコシスティス属 *Sarcocystis* ……… 1634
サルコシン sarcosine (Sar) ……… 1636
サルコシン血症 sarcosinemia ……… 1636
サルコシンデヒドロゲナーゼ sarcosine dehydrogenase ……… 1636
サルコード sarcode ……… 1635
サルサ根 sarsaparilla ……… 1637
サルサパリラ sarsaparilla ……… 1637
サルサラート salsalate ……… 1632
サルシナ属 *Sarcina* ……… 1634
α-サルシン α-sarcin ……… 1634
猿線 simian crease ……… 435
サルタン sartane ……… 1637
ザルツマン結節状角膜変性 Salzmann nodular corneal degeneration ……… 481
サル(猿)手 simian hand ……… 814
サル痘 monkeypox ……… 1165
サル痘ウイルス monkeypox virus ……… 2026
サルの出血熱 simian hemorrhagic fever 686
サルのマラリア simian malaria ……… 1095
サルバルサン Salvarsan ……… 1632
サルビア salvia ……… 1632
サルプラーゼ saruplase ……… 1637
サルベージ経路 salvage pathway ……… 1373
サルベージ膀胱摘出術 salvage cystectomy ……… 461
サルミンコラ住血吸虫 *Nanophyetus salmincola* ……… 1220
サルモネラ症 salmonellosis ……… 1631
サルモネラ食中毒 salmonella food poisoning ……… 1455
サルモネラ属 *Salmonella* ……… 1631
〔左〕腕頭静脈 (left) brachiocephalic vein ……… 1998
〔左〕腕頭静脈 venae brachiocephalicae (sinistrae) ……… 2004
酸 acid ……… 14
〔出〕産 parturition ……… 1369
3_{10}らせん 3_{10} helix ……… 823
3.6_{13}らせん 3.6_{13} helix ……… 823
酸洗い pickling ……… 1422
酸アルコール acid alcohol ……… 44
残胃癌 stump cancer ……… 286
三位相異色 trichroism ……… 1931
三遺伝子雑種 trihybrid ……… 1933
残遺統合失調症 residual schizophrenia 1644
三因子雑種 trihybrid ……… 1933
三塩化アンチモン antimony trichloride ……… 107
三塩化インジウム-111 indium 111 chloride, indium 111 trichloride ……… 924
三塩化酢酸 trichloroacetic acid ……… 1929
三塩化ビスマス bismuth trichloride ……… 216
三塩化物 trichloride ……… 1929
酸塩化物 oxychloride ……… 1332
三塩基性の tribasic ……… 1928
三塩基の tribasilar ……… 1928
酸塩基平衡 acid-base balance ……… 192
三塩基リン酸マグネシウム tribasic magnesium phosphate ……… 1092
残音 aftersound ……… 34
産科〔学〕 tocology ……… 1897
酸化〔作用〕 oxidation ……… 1330
酸化亜鉛 zinc oxide ……… 2058
酸化亜鉛ユージノール zinc oxide and eugenol ……… 2058
三価アルコール trihydric alcohol ……… 45
酸化アルミニウム aluminum oxide ……… 54
産科医 obstetrician ……… 1289
産科医の手 accoucheur hand ……… 814
酸化鉛 lead oxide (yellow) ……… 1014
産科学 obstetrics (OB) ……… 1289
産科〔学〕の obstetric, obstetrical ……… 1289
酸化型グルタチオン oxidized glutathione 785
酸〔化〕還〔元〕 redox ……… 1575
酸化還元 oxidation-reduction ……… 1330
酸化還元系 oxidation-reduction system (O-R system) ……… 1832
酸化還元指示薬 oxidation-reduction indicator ……… 924
酸化還元電位 oxidation-reduction potential (E_0^{+}) ……… 1473
酸化還元電極 oxidation-reduction electrode ……… 594
酸化還元反応 oxidation-reduction reaction ……… 1566
産科鉗子 obstetric forceps ……… 728
三角 triangle ……… 1926
三角 trigone ……… 1932
三角 trigonum ……… 1933
〔膀胱〕三角炎 trigonitis ……… 1933
〔耳介の〕三角窩 fossa triangularis auriculae ……… 734
〔耳介の〕三角窩 triangular fossa of auricle ……… 734
〔披裂軟骨〕三角窩 fovea triangularis cartilaginis arytenoideae ……… 735
〔披裂軟骨〕三角窩 triangular fovea of arytenoid cartilage ……… 735
三角陥凹 triangular recess ……… 1572
三角陥凹 recessus triangularis ……… 1573
三角〔筋大〕胸筋三角 trigonum deltoideopectorale ……… 1933
三角巾 triangular bandage ……… 196
三角筋 deltoid (muscle) ……… 1183
三角筋 triangular muscle ……… 1197

三角筋 musculus deltoideus ………………… 1199
三角筋 musculus triangularis ……………… 1204
三角筋下滑液包炎 subdeltoid bursitis …… 271
三角筋下の subdeltoid ………………………… 1763
三角筋下包 bursa subdeltoidea …………… 270
三角筋下包 subdeltoid bursa ……………… 270
三角筋胸筋皮弁 deltopectoral flap ………… 709
三角筋胸筋リンパ節 deltopectoral lymph nodes ……………………………………… 1078
三角巾形の fundiform ………………………… 744
三角筋肩甲棘部 spinal part of deltoid (muscle) ……………………………………… 1367
三角筋肩峰部 acromial part of deltoid (muscle) ……………………………………… 1362
三角筋枝 deltoid branch …………………… 245
三角筋枝 ramus deltoideus ………………… 1550
三角筋粗面 deltoid eminence ……………… 603
〔上腕骨の〕三角筋粗面 tuberositas deltoidea (humeri) …………………………………… 1947
〔上腕骨の〕三角筋粗面 deltoid tuberosity (of humerus) ……………………………… 1947
三角筋の鎖骨部 clavicular part of deltoid (muscle) ……………………………………… 1363
三角筋部 regio deltoidea …………………… 1584
三角筋部 deltoid region …………………… 1585
三角筋膜 deltoid fascia ……………………… 672
三角形脱毛〔症〕 alopecia triangularis ……… 53
三角骨 triangular bone ……………………… 234
三角骨 triquetrum (bone) …………………… 234
三角骨 os trigonum ………………………… 1318
三角骨 os triquetrum ……………………… 1318
三角骨 triquetrum …………………………… 1935
三角靱帯 deltoid ligament ………………… 1034
三角靱帯 ligamentum deltoideum ………… 1043
三角靱帯の脛舟部 tibionavicular part of deltoid ligament ………………………… 1368
三角靱帯の脛踵部 tibiocalcaneal part of deltoid ligament ………………………… 1368
三角靱帯の後脛距部 posterior tibiotalar part of deltoid ligament …………………… 1367
三角靱帯の前脛距部 anterior tibiotalar part of deltoid ligament …………………… 1362
三角頭〔蓋〕症 trigonocephaly ……………… 1933
三角軟骨板 triangular cartilage …………… 307
〔下橈尺関節の〕三角軟骨板 triangular disc of wrist ……………………………………… 526
三角の triquetrous ………………………… 1935
三角ひだ triangular fold …………………… 720
三角ひだ plica triangularis ………………… 1445
山岳病 mountain disease …………………… 538
三角布 triangular bandage ………………… 196
三角布 sling ………………………………… 1692
三角部 pars triangularis …………………… 1361
三角部 triangular part ……………………… 1368
三角隆線 triangular crest …………………… 438
三角稜 crista triangularis …………………… 440
酸化血色素 oxyhemoglobin (HbO_2) …… 1332
酸化酵素 oxidase …………………………… 1330
酸化酵素作用 oxidasis ……………………… 1330
三果骨折 trimalleolar fracture …………… 738
酸化剤 oxidant ……………………………… 1330
酸化ジュウテリウム deuterium oxide …… 501
酸化ジルコニウム zirconium oxide ……… 2058
酸化スズ tin oxide ………………………… 1894
酸化する oxidize …………………………… 1331
三価性 trivalence, trivalency …………… 1935
酸化セルロース oxidized cellulose ……… 329
酸化促進剤 pro-oxidants …………………… 1498
酸化第二鉄 ferric oxide …………………… 681
酸化第二スズ stannic oxide ……………… 1737
III型コラーゲン type III collagen ………… 390
3型3色覚 tritanomaly ……………………… 1935
3型2色覚 tritanopia ………………………… 1935
III型分泌装置 type III secretion system 1834
三角形の deltoid …………………………… 485
酸化的脱アミノ反応 oxidative deamination ……………………………………………… 473
酸化的脱炭酸反応 oxidative decarboxylation ……………………………………………… 474
産科的超音波検査 obstetric ultrasound 1963
産科的な性器瘻 obstetric genital fistula 705
産科的な瘻孔 obstetric fistula …………… 705
酸化的リン酸化〔反応〕 oxidative phosphorylation ……………………………… 1416
酸化熱 heat of combustion ………………… 821
三価の trivalent …………………………… 1935
産科〔学〕の obstetric, obstetrical ……… 1289
酸化バリウム barium oxide, barium monoxide …………………………………… 197
酸化ビスマス bismuth oxide ……………… 216
産科病院 maternity hospital ……………… 865
酸化物 oxide ………………………………… 1330
サンガー法 Sanger method ……………… 1145
酸化マグネシウム magnesium oxide …… 1092
産科用腹帯 obstetric binder ……………… 211
三管 triad …………………………………… 1925
酸〔化〕還〔元〕 redox ………………………… 1575
残感覚 aftersensation ……………………… 34
暫間義歯 interim denture ………………… 489
暫間義歯 provisional prosthesis ………… 1501
三環系抗うつ薬 tricyclic antidepressant 102
暫間修復 temporary restoration ………… 1597
三眼性顔面重複奇形 triophthalmos ……… 1934
三関節固定〔術〕 triple arthrodesis ……… 155
三顔癒合奇体 triprosopus ………………… 1935
酸基 acid radical …………………………… 1542
三期症候 tertiarism, tertiarismus ……… 1853
サンギナリン sanguinarine ……………… 1633
三脚台 tripod ……………………………… 1934
三脚の tripod ……………………………… 1934
三脚癒合奇形 tripodia …………………… 1935
酸逆流試験 acid reflux test ……………… 1853
三級アミド amide …………………………… 59
三級アミン amine …………………………… 59
産業衛生 industrial hygiene ……………… 877
酸凝集反応 acid agglutination …………… 37
産業心理学 industrial psychology ……… 1519
産業精神医学 industrial psychiatry …… 1517
残気量 residual volume (RV) …………… 2036
サングイス連鎖球菌 *Streptococcus sanguis* ……………………………………………… 1754
三腔心 cor triloculare ……………………… 421
三ケイ酸マグネシウム magnesium trisilicate ……………………………………………… 1092
散形終末 flower-spray ending …………… 611
酸血症 acidemia ……………………………… 15
三結節の tricuspid, tricuspidal, tricuspidate ……………………………………………… 1932
三原子価性 trivalence, trivalency ……… 1935
三原子価の trivalent ……………………… 1935
三原色の trichromatic …………………… 1931
三元の ternary ……………………………… 1852
散光 albedo …………………………………… 42
三構造 triad ………………………………… 1925
酸硬直 acid rigor …………………………… 1617
三咬頭歯 tricuspid tooth ………………… 1903
三咬頭の tricuspid, tricuspidal, tricuspidate ……………………………………………… 1932
三後頭部結合奇形 triiniodymus ………… 1933
塹壕熱 trench fever ………………………… 687
参考平面 planes of reference …………… 1431
3項目(トリプル)マーカスクリーニング triple screen ……………………………… 1651
さんご珠様紅色苔癬 lichen ruber moniliformis ……………………………… 1031
サンゴ状結石 staghorn calculus ………… 278
サンゴ状白内障 coralliform cataract …… 311
産後精神病 postpartum psychosis ……… 1520
産後抑うつ postpartum blues …………… 224
三叉 triradius ……………………………… 1935
残差 residual error ………………………… 637
残渣 residue ………………………………… 1592
残渣 residuum ……………………………… 1592
散剤 abstract …………………………………… 7
散剤 powder ………………………………… 1474
散剤散布〔法〕 poudrage …………………… 1474
散在する diffuse …………………………… 516
散在性の diffuse …………………………… 516
散在性の polynesic ………………………… 1461
散在〔性〕の disseminated ………………… 548
散在〔性〕の sporadic ……………………… 1724
三酢酸 triacetic acid ……………………… 1925
サンザシ状結晶 thorn apple crystals …… 446
三叉手 trident hand ………………………… 814
三叉神経 trigeminal nerve [CN V] …… 1240
三叉神経 nervus trigeminus [CN V] …… 1243
三叉神経圧痕 trigeminal impression …… 917
三叉神経運動核 motor nucleus of trigeminal nerve ……………………………………… 1277
三叉神経運動核 motor nucleus of trigeminus ………………………………… 1277
三叉神経運動核 nucleus motorius nervi trigemini …………………………………… 1277
三叉神経運動根 radix motoria nervi trigemini …………………………………… 1546
三叉神経運動根 motor root of trigeminal nerve ……………………………………… 1621
三叉神経腔 trigeminal cave ……………… 315
三叉神経腔 cavum trigeminale …………… 317
三叉神経腔 trigeminal cavity …………… 317
三叉神経減圧〔術〕 trigeminal decompression ……………………………………………… 475
三叉神経根 radices nervi trigemini …… 1546
三叉神経根 roots of trigeminal nerve … 1622
三叉神経根切断〔術〕 trigeminal rhizotomy ……………………………………………… 1610
三叉神経視床路 trigeminothalamic tract 1913
三叉神経主知覚核 principal sensory nucleus of trigeminal nerve …………………… 1279
三叉神経脊髄路 spinal tract of trigeminal nerve ……………………………………… 1912
三叉神経脊髄路 trigeminospinal tract …… 1913
三叉神経脊髄路 tractus spinalis nervi trigemini …………………………………… 1915
三叉神経脊髄路核 spinal nucleus of the trigeminus ………………………………… 1280
三叉神経脊髄路核 spinal nucleus of trigeminal nerve …………………………… 1280
三叉神経脊髄路核 spinal trigeminal nucleus ……………………………………………… 1280
三叉神経節 ganglion trigeminale ………… 755
三叉神経節 trigeminal ganglion ………… 755
三叉神経節への枝 branch to trigeminal ganglion …………………………………… 254
三叉神経知覚根 radix sensoria nervi trigemini …………………………………… 1546
三叉神経知覚根 sensory root of trigeminal nerve ……………………………………… 1622
三叉神経中脳路 mesencephalic tract of trigeminal nerve …………………………… 1911
三叉神経中脳路 tractus mesencephalicus nervi trigemini …………………………… 1914
三叉神経中脳路核 mesencephalic nucleus of trigeminal nerve …………………………… 1277
三叉神経痛 trigeminal neuralgia ………… 1245
三叉神経痛 prosopalgia …………………… 1500
三叉神経の trifacial ………………………… 1932
三叉神経の trigeminal ……………………… 1932
三叉神経毛帯 lemniscus trigeminalis …… 1018
三叉神経毛帯 trigeminal lemniscus ……… 1018
三叉神経隆起 trigeminal tubercle ……… 1944
三叉神経稜 trigeminal crest ……………… 438
三叉神経路切断〔術〕 trigeminal tractotomy ……………………………………………… 1914
三叉の tridentate …………………………… 1932
残渣の spodogenous ……………………… 1722
三叉傍核 peritrigeminal nucleus ………… 1278
三酸化硫黄 sulfur trioxide ……………… 1776

三酸化クロム chromium trioxide ………… 358
三酸化二アンチモン antimony trioxide … 107
三酸化ヒ素 arsenic trioxide ……………… 133
三酸化ヒ素の arsenous ……………………… 133
三酸化物 teroxide ………………………… 1853
三酸化物 trioxide ………………………… 1934
三次医療(診療) tertiary medical care …… 302
3色覚 trichromatism ……………………… 1931
3色覚 trichromatopsia …………………… 1931
3色覚者 trichromat ……………………… 1931
三軸座標系 triaxial reference system …… 1834
三肢欠損症 tri-amelia …………………… 1926
三次元記録 three-dimensional record …… 1574
三次構造 tertiary structure ……………… 1760
三次絨毛 tertiary villus ………………… 2020
三次硝子体 tertiary vitreous …………… 2035
産児制限 contraception ………………… 416
産児制限 birth control ………………… 418
三耳体 triotus …………………………… 1934
三次〔的〕治癒 healing by third intention 819
産児調節 birth control ………………… 418
三室の trilocular ………………………… 1933
三指の tridigitate ……………………… 1932
三歯の tridentate ……………………… 1932
三趾の tridigitate ……………………… 1932
三肢麻痺 triplegia ……………………… 1934
三射 triradius …………………………… 1935
三者共生 triadic symbiosis …………… 1790
三重結合 triple bond …………………… 231
三重睾丸(精巣)〔症〕 triorchism ………… 1934
三重項酸素 triplet oxygen ……………… 1332
三重項状態 triplet state ………………… 1739
三重視 triplopia ………………………… 1934
三重点 triple point ……………………… 1455
三重複合系 ternary complex …………… 402
三重盲検研究 triple-blind study ……… 1761
三重らせん triple helix ………………… 823
三〔重〕リン酸塩 triple phosphate ……… 1412
算出血清浸透圧重量モル濃度 calculated serum osmolality ……………………… 1319
算術平均 arithmetic mean ……………… 1112
三硝酸1,2,3-プロパントリオール 1,2,3-propanetriol trinitrate ………… 1498
産床子かん puerperal eclampsia ……… 584
参照値 reference values ………………… 1984
三焦点の trifocal ………………………… 1932
三焦点レンズ trifocal lens ……………… 1020
参照法 reference method ………………… 1145
酸蝕〔症〕 erosion ………………………… 637
産褥 puerperium ………………………… 1523
三色型色覚 trichromatopsia …………… 1931
産褥合併症 puerperal morbidity ……… 1170
産褥期 puerperal period ………………… 1389
産褥子かん puerperal eclampsia ……… 584
三色識別の trichromatic ……………… 1931
産褥子宮弛緩症 postpartum atony …… 170
産褥性血色素尿症 postparturient hemoglobinuria ………………………… 834
三色性色感覚 trichromatism …………… 1931
産褥性心筋症 peripartum cardiomyopathy ……………………………………… 300
産褥精神病 puerperal psychosis ……… 1520
産褥性脱毛〔症〕 postpartum alopecia …… 53
産褥〔性〕乳腺炎 puerperal mastitis …… 1109
産褥性敗血症 puerperal sepsis ………… 1662
産褥性敗血症 puerperal septicemia …… 1663
産褥〔性〕破傷風 puerperal tetanus …… 1870
酸食セメント固定装置 acid etch cemented splint ……………………………………… 1721
三色染料 trichrome stain ……………… 1735
産褥熱 puerperal fever ………………… 685
産褥熱 metria …………………………… 1148
産褥熱 puerperal sepsis ………………… 1662
三色の trichromatic …………………… 1931
〔産〕褥婦 puerpera ……………………… 1523
残触覚 aftertouch ………………………… 34
三次予防 tertiary prevention ………… 1483
酸処理修復 acid-etched restoration …… 1597
三心腔心 three-chambered heart ……… 821
三心腔二心室〔症〕 cor triloculare biventriculare ……………………………… 421
三心腔二心房〔症〕 cor triloculare biatriatum ……………………………………… 421
酸親和〔性〕顆粒 eosinophil granule …… 797
酸親和〔性〕の acidophilic ……………… 15
酸親和〔性〕の eosinophilic …………… 624
酸親和〔性〕の oxyphilic ………………… 1332
三水素化合物の trihydric ……………… 1933
〔三〕頭蓋底骨癒合〔症〕 tribasilar synostosis ……………………………………… 1826
酸性アミノ酸 acidic amino acid ……… 59
酸性塩 acid salt ………………………… 1632
酸性化血清試験 acidified serum test …… 1853
酸性化する acidify ……………………… 15
酸性クエン酸-デキストロース acid-citrate-dextrose (ACD) …………… 15
酸性細胞 acid cell ……………………… 319
酸性酸化物 acid oxide ………………… 1330
酸性時機 acid tide ……………………… 1892
賛成者 sympathizer ……………………… 1790
酸性酒石酸塩 acid tartrate …………… 1842
酸性食 acid-ash diet …………………… 514
酸性染料 acidic dyes …………………… 569
酸性染料 acidic stain …………………… 1729
酸性デキストラン acid dextran ……… 504
酸性デキストリン acid dextrin ……… 504
酸性度 acidity …………………………… 15
酸性尿〔症〕 aciduria …………………… 15
酸性反応 acid reaction ………………… 1562
酸性フクシン acid fuchsin …………… 743
酸性物質 acid …………………………… 14
三成分の ternary ………………………… 1852
酸性ホスファターゼ acid phosphatase … 1412
残屑 debris ……………………………… 473
3切開食道切除 three-incision esophagectomy ……………………………………… 642
三尖鉗子 trielcon ………………………… 1932
酸染色質 oxychromatin ………………… 1332
三染色体性 trisomy ……………………… 1935
三尖端の tridentate ……………………… 1932
三尖の tricuspid, tricuspidal, tricuspidate ……………………………………… 1932
三尖弁 valva tricuspidalis ……………… 1984
三尖弁 tricuspid valve ………………… 1985
三尖弁 valvula tricuspidalis …………… 1986
三尖弁狭窄〔症〕 tricuspid stenosis …… 1742
三尖弁口 tricuspid orifice ……………… 1314
三尖弁雑音 tricuspid murmur ………… 1180
三尖弁の後尖 posterior cusp of tricuspid valve ……………………………………… 452
三尖弁の前尖 anterior cusp of tricuspid valve ……………………………………… 452
三尖弁の中隔尖 septal cusp of tricuspid valve ……………………………………… 452
三尖弁閉鎖〔症〕 tricuspid atresia ……… 171
三尖弁閉鎖不全 tricuspid incompetence 920
三尖弁閉鎖不全〔症〕 tricuspid insufficiency ……………………………………… 941
三尖弁領域 tricuspid area ……………… 130
酸素 oxygen (O) ………………………… 1332
酸素15 oxygen 15 (^{15}O) ……………… 1332
酸素16 oxygen 16 (^{16}O) ……………… 1332
酸素17 oxygen 17 (^{17}O) ……………… 1332
酸素18 oxygen 18 (^{18}O) ……………… 1332
残像 afterimage ………………………… 33
三相性経口避妊薬 triphasic oral contraceptive ……………………………… 416
三層の trilaminar ……………………… 1933
三層胚盤葉 trilaminar blastoderm …… 219
三相反応 triple response ……………… 1597
酸素解離能測定法 oxygen-dissociation assay ……………………………………… 163
酸素還元酵素 oxidoreductase ………… 1331
酸素〔吸入用〕テント oxygen tent ……… 1851
三側の trilateral ………………………… 1933
酸素欠乏 oxygen deficit ………………… 479
酸素欠乏〔症〕 anoxia …………………… 95
酸素効果 oxygen effect ………………… 589
酸素消費量 oxygen consumption ($\dot{V}_{O_2}$) 415
酸素親和性無酸素〔症〕 oxygen affinity anoxia ……………………………………… 96
酸素正常状態 normoxia ………………… 1268
酸素測定〔法〕 oximetry ………………… 1331
酸素中毒 oxygen toxicity ……………… 1905
酸素電極 oxygen electrode …………… 594
酸素毒性 oxygen toxicity ……………… 1905
酸素熱量計 oxycalorimeter …………… 1332
酸素濃度計 oximeter …………………… 1331
酸素付加 oxygenation ………………… 1332
酸素負債 oxygen debt ………………… 474
酸素フリーラジカル oxygen-derived free radicals ……………………………… 1542
サンソム徴候 Sansom sign …………… 1683
酸素容量 oxygen capacity ……………… 288
酸素利用係数 oxygen utilization coefficient ……………………………………… 387
酸素療法 oxygen therapy ……………… 1879
残存〔性〕の residual …………………… 1592
三胎 triplet ……………………………… 1934
残体 rest body …………………………… 229
散大筋 dilator …………………………… 519
散大筋 dilator muscle …………………… 1183
三帯性の trizonal ……………………… 1935
三大体腔の trisplanchnic ……………… 1935
サンダル足 sandal foot ………………… 724
サンダルひも皮膚炎 sandal strap dermatitis ……………………………………… 496
散弾銃処方 shotgun prescription ……… 1481
三炭糖 triose ……………………………… 1934
三段脈 trigeminal pulse ………………… 1525
三段脈 trigeminal rhythm ……………… 1611
三段脈 tricrotism ……………………… 1932
サンチェス・サロリオ症候群 Sanchez Salorio syndrome ………………………… 1818
酸中毒 acid intoxication ……………… 949
山頂 culmen ……………………………… 448
残聴 afterhearing ………………………… 33
三徴症候群 triad syndrome …………… 1823
サンディソン-クラーク箱 Sandison-Clark chamber ………………………………… 338
暫定的仮骨 provisional callus ………… 280
サンティーニ有響音 Santini booming sound ……………………………………… 1702
サンディファー症候群 Sandifer syndrome ……………………………………… 1818
散点状顆粒神経細胞 gyrochrome cell …… 322
サンドイッチ測定〔法〕 double antibody sandwich assay ………………………… 162
散瞳 mydriasis …………………………… 1208
産道 birth canal ………………………… 282
〔三〕頭蓋底骨癒合〔症〕 tribasilar synostosis ……………………………………… 1826
三頭筋 three-headed muscle …………… 1196
三頭筋の tricipital ……………………… 1932
〔上腕〕三頭筋反射 triceps reflex ……… 1582
三頭性の tricipital ……………………… 1932
三頭体 tricephalus ……………………… 1928
三頭底骨 os tribasilare ………………… 1318
三頭の triceps …………………………… 1928
三糖類 trisaccharide …………………… 1935
サンドストレーム〔小〕体 Sandström bodies ……………………………………… 229
III度星状細胞腫 grade III astrocytoma … 166
三突起性の tricornute ………………… 1932
サントニン santonin …………………… 1634
サンドペーパー胆嚢 sandpaper gallbladder ……………………………………… 750
サンドペーパーディスク sandpaper discs 526

サンドホッフ(ザントホフ)病 Sandhoff disease …… 540
サントリーニ静脈叢 Santorini plexus …… 1443
残尿 residual urine …… 1973
産熱 thermogenesis …… 1881
酸の acid …… 14
酸の解離定数 dissociation constant of an acid (K_d, K_a) …… 414
産婆 midwife …… 1156
酸敗〔性〕rancidity …… 1557
三杯試験 three-glass test …… 1867
酸敗臭の rancid …… 1557
三倍体性 triploidy …… 1934
三胚葉腫 tridermoma …… 1932
三胚葉性奇形腫 triphyllomatous teratoma …… 1852
三胚葉性の tridermic …… 1932
三胚葉性の triploblastic …… 1934
サンパウロチフス Sao Paulo typhus …… 1958
三拍脈 tricrotism …… 1932
散発〔性〕の sporadic …… 1724
散布 aspersion …… 162
散布 dispersion …… 547
散布 inspersion …… 940
サンフィリポ症候群 Sanfilippo syndrome …… 1818
山腹 declive …… 475
三腹筋の trigastric …… 1932
散布剤 catapasm …… 310
散布剤 epipastic …… 629
三部作 trilogy …… 1933
散布図 scattergram …… 1641
三部調律 triple rhythm …… 1611
産物 product …… 1493
残物 rest …… 1597
サンプドレーン sump drain …… 559
三部麻痺 triplegia …… 1934
三分割 trichotomy …… 1931
三分頬骨 os japonicum …… 1317
三分枝 trifurcation …… 1932
三分子の termolecular …… 1852
酸分泌〔性〕の oxyntic …… 1332
ザンベジ潰瘍 Zambezi ulcer …… 1961
三弁の trivalve …… 1935
三べん毛性 trimastigote …… 1934
三鞭毛トリコモナス属 *Tritrichomonas* …… 1935
サン・ホアキン渓谷熱 San Joaquin Valley fever …… 686
サン・ホアキン渓谷病 San Joaquin Valley disease …… 540
三房胃 trifid stomach …… 1748
三房心 cor triatriatum …… 421
三放線の triradial, triradiate …… 1935
ザンボニ病 Zamboni disease …… 542
酸味 sour taste …… 1842
サンミゲルアシカウイルス San Miguel sea lion virus …… 2029
酸味の acid …… 14
残余 rest …… 1597
三葉型ポリペプチド trefoil polypeptide …… 1463
三ヨウ化物 triiodide …… 1933
酸ヨウ化物 oxyiodide …… 1332
産蛹性の pupiparous …… 1528
三葉胎盤 placenta triloba …… 1429
三葉の trilobate, trilobed …… 1933
三様変態 trimorphism …… 1934
残余親和力 residual affinity …… 33
散乱 distraction …… 550
散乱 scatter …… 1641
産卵 oviposition …… 1329
産卵管 ovipositor …… 1329
産卵する oviposit …… 1329
散乱線 scattered radiation …… 1541
散乱線 scatter …… 1641
散乱放射線 scattered radiation …… 1541
産瘤 caput succedaneum …… 292
霰粒腫 chalazion …… 337
残留〔性〕の residual …… 1592
残留嚢胞 residual cyst …… 460
残留膿瘍 residual abscess …… 6
残留物 residue …… 1592
残留物 residuum …… 1592
残留卵巣症候群 residual ovary syndrome …… 1817
三稜鏡 prism …… 1485
三量体 trimer …… 1934
三〔重〕リン酸塩 triple phosphate …… 1412
三列睫毛症 tristichia …… 1935
三裂胎盤 placenta tripartita …… 1429
三裂の trifid …… 1932
三連音符雑音 bruit de triolet …… 262
三連脈 trigeminal pulse …… 1525
三連脈 pulsus trigeminus …… 1526
三連脈 trigeminal rhythm …… 1611
三腕二脚二頭体 dicephalus dipus tribrachius …… 512
三腕奇形 tribrachia …… 1928
三腕奇形児 tribrachius …… 1928

シ

死 death …… 473
肢 limb …… 1047
肢 member …… 1124
歯 dens …… 487
歯 tooth …… 1902
矢 sagitta …… 1630
雌〔性〕female …… 680
指 dactyl …… 470
指 dactylus …… 470
指 digit …… 516
指 digitus …… 517
指 finger …… 700
趾 digit …… 516
趾 toe …… 1897
趾(指) digitus pedis …… 518
シークエンスパルス sequence pulse …… 1525
シークエンスラダー sequence ladder …… 1665
シーザー–ショッツェン症候群 Saethre-Chotzen syndrome …… 1818
シーショア試験 Seashore test …… 1865
シース sheath …… 1670
シーソー眼振 seesaw nystagmus …… 1286
シータ theta (θ,Θ) …… 1882
シータ θ, Θ …… 1836
シータ抗原 theta antigen …… 105
シータ(θ)波 theta rhythm …… 1611
シータ(θ)波 theta wave …… 2042
シータ(θ)律動 theta rhythm …… 1611
シーバー病 Sever disease …… 540
シーハン症候群 Sheehan syndrome …… 1820
シーブルー組織球 sea-blue histiocyte …… 854
シーベルト sievert (Sv) …… 1677
シーボーギウム seaborgium …… 1652
〔フィッシャー〕シーラント fissure sealant …… 1652
シールドジャー法 sealed jar technique …… 1845
シーレン–ゲラーシュテット症候群 Ceelen-Gellerstedt syndrome …… 1799
C遺伝子 C gene …… 763
C価 C value …… 1984
C型ウイルス性肝炎 viral hepatitis type C …… 840
C型肝炎ウイルス hepatitis C virus (HCV) …… 2025
C型肝炎ウイルスRNA hepatitis C virus RNA …… 1613
C型肝炎ウイルス遺伝子型 hepatitis C virus genotype …… 767
C型肝炎ウイルス抗体 hepatitic C virus antibody …… 101
C群ウイルス C group viruses …… 2022
C細胞 C cell …… 320
C字形スライド骨切り術 “C” sliding osteotomy …… 1325
C線維 C fibers …… 688
C胆汁 C bile …… 210
C糖鎖抗原 C carbohydrate antigen …… 103
C波 C wave …… 2042
C波長紫外線 ultraviolet C …… 1963
Cバンディング〔染色法〕C-banding stain …… 1730
Cバンド染色〔法〕C-banding stain …… 1730
C反応性蛋白 C-reactive protein (CRP) …… 1503
C–ペプチド C-peptide …… 433
C末端 C terminus …… 1852
C目盛り centigrade (C) …… 331
C目盛り centigrade scale …… 1638
C1エステラーゼ C1 esterase …… 643
C1エステラーゼ阻害因子 C1 esterase inhibitor …… 934
CA–15–3抗原 CA-15-3 antigen …… 103
CA–19–9抗原 CA-19-9 antigen …… 103
CA–125抗原 CA-125 antigen …… 103
CAATボックス CAAT box …… 239
CAMP因子 CAMP factor …… 666
CAMP試験 CAMP test …… 1855
CAウイルス CA virus …… 2022
c–a間隔 cardioarterial interval, c-a interval …… 948
CB誘導 CB lead …… 1014
CD4/CD8比 CD4:CD8 count …… 431
CDC(cdc)遺伝子 cell-division-cycle gene …… 763
CDE抗原 CDE antigens …… 103
CDE式血液型 CDE blood group …… 317
cDNAライブラリー cDNA library …… 1031
CDP–グリセリド cytidine diphosphoglyceride (CDP-glyceride) …… 464
CD抗原 cluster of differentiation (CD) antigen …… 103
CEAP分類 CEAP classification …… 371
CELOウイルス CELO virus …… 2022
CF誘導 CF lead …… 1014
CGS(cgs)単位 centimeter-gram-second unit, CGS unit, cgs unit …… 1965
CGS(cgs)単位系 centimeter-gram-second system (CGS, cgs) …… 1830
CHARGE連合 CHARGE association …… 163
Chr_a抗原 Chr_a antigens …… 103
CL誘導 CL lead …… 1014
c–Mplリガンド c-Mpl ligand …… 1046
CoAトランスフェラーゼ CoA transferases …… 383
COX–2阻害薬 COX-2 inhibitor …… 934
CREST症候群 CREST syndrome …… 1801
CROS(クロス)補聴器 contralateral routing of signal hearing aid …… 819
CR誘導 CR lead …… 1014
CT computed tomography (CT) …… 1899
CT血管撮影 computed tomography angiography (CTA) …… 84
CT骨盤計測 CT pelvimetry …… 1378
CT単位 CT unit …… 1965
CT値 CT number …… 1282
耳 auris (a, aur) …… 177
耳 ear …… 580
痔〔核〕hemorrhoid …… 836
痔〔核〕hemorrhoids …… 836
痔〔核〕pile …… 1423
痔〔核〕piles …… 1423
ジーヴ症候群 Zieve syndrome …… 1825

ジーグレ耳鏡 Siegle otoscope …… 1327
ジーゲルト徴候 Siegert sign …… 1684
ジーメンス siemens (S) …… 1677
ジーモン体位 Simon position …… 1470
ジーリー(ギグリ)のこぎり Gigli saw … 1637
G-アクチン G-actin …… 20
G因子 G factor …… 667
G型肝炎 hepatitis G …… 839
G型肝炎ウイルス hepatitis G virus (HGV) …… 2025
G抗原 G antigen …… 103
G細胞 G cells …… 321
G症候群 G syndrome …… 1805
G蛋白 G proteins …… 1503
G蛋白病 G protein diseases …… 534
g耐性 g-tolerance …… 804
Gバンディング〔染色法〕G-banding stain …… 1731
Gバンド染色〔法〕G-banding stain …… 1731
G力 G force …… 727
G_0期 gap_0 period (G_0) …… 1389
G_1期 G_1 …… 748
G_1期 gap_1 (G_1) …… 756
G_1期 gap_1 period (G_1) …… 1389
G_2期 gap_2 (G_2) …… 756
G_2期 G_2 …… 748
G_2期 gap_2 period (G_2) …… 1389
GABA作働性の gabaergic …… 748
GABA作働性の GABA-ergic …… 748
GABA作動性の gabanergic …… 748
GALウイルス GAL virus …… 2024
GBウイルス GB viruses …… 2024
GC含量 GC content …… 416
Ge抗原 Ge antigen …… 103
GH産生腺腫 growth hormone-producing adenoma …… 25
Gmアロタイプ Gm allotypes …… 51
Gm因子 factor Gm …… 667
Gm抗原 Gm antigens …… 103
G_{M1}ガングリオシドーシス G_{M1} gangliosidosis …… 755
G_{M2}ガングリオシドーシス G_{M2} gangliosidosis …… 755
GMPシンテターゼ guanylic acid synthetase (GMP synthetase) …… 804
GMPレダクターゼ guanylic acid reductase (GMP reductase) …… 804
GMS染色 GMS stain …… 1731
GMS染色〔法〕Gomori methenamine-silver stain …… 1731
GTPシクロヒドロラーゼ GTP cyclohydrolase …… 804
次亜塩素酸 hypochlorous acid (HOCl) … 891
次亜塩素酸塩 hypochlorite …… 891
次亜塩素酸ナトリウム sodium hypochlorite …… 1696
仕上げバー finishing bur …… 266
ジアジノン diazinon …… 512
次亜種 biovar …… 215
次亜臭素酸 hypobromous acid (HOBr) 891
次亜臭素酸塩 hypobromite …… 891
ジアシルグリセロール diacylglycerol (DAG) …… 508
ジアシルグリセロールアシルトランスフェラーゼ diacylglycerol acyltransferase …… 508
ジアジン diazines …… 512
ジアスターゼ diastase …… 511
ジアステレオマー diastereoisomers …… 511
ジアセチル diacetyl, diacetal …… 507
ジアセチルモノキシム diacetylmonoxime (DAM) …… 508
ジアセテート diacetate …… 507
ジアゼパム diazepam …… 512
ジアゾ化合物による嗜銀性顆粒染色〔法〕diazo stain for argentaffin granules … 1730
ジアゾ試薬 diazo reagent …… 1568
ジアゾニウム塩 diazonium salts …… 1632
ジアゾ反応 diazo reaction …… 1564
指圧 acupressure …… 22
指圧痕 impressiones digitatae …… 916
指圧痕 digitate impressions …… 917
指圧痕 impressions of cerebral gyri …… 917
指圧痕の digital …… 517
指圧法 pointillage …… 1455
〔脊柱〕指圧療法 chiropractic …… 345
ジアテルミー diathermy …… 512
ジアテルミー療法 diathermic therapy … 1878
シアトストーマ属 *Cyathostoma* …… 454
シアトストムム属 *Cyathostomum* …… 454
ジアトリゾアート diatrizoate …… 512
ジアトリゾエートナトリウム sodium diatrizoate …… 1696
シアナミド cyanamide …… 453
シアヌル酸 cyanuric acid …… 454
シアノコバラミン cyanocobalamin …… 453
シアノバクテリア門 Cyanobacteria …… 453
シアノヒドリン cyanohydrins …… 453
ジアプトムス属 *Diaptomus* …… 510
ジアホラーゼ diaphorase …… 510
シアボールド(シオバルド)・スミス現象 Theobald Smith phenomenon …… 1406
ジアミジン diamidines …… 509
ジアミド diamide …… 509
ジアミン diamine …… 509
ジアムタゾールジヒドロクロライド diamthazole dihydrochloride …… 509
ジアリスタ属 *Dialister* …… 509
シアリダーゼ sialidase …… 1676
次亜硫酸ナトリウム sodium hyposulfite 1696
ジアリル diallyl …… 509
シアリン酸 sialic acids (Sia) …… 1675
次亜リン酸 hypophosphorous acid …… 895
次亜リン酸カルシウム calcium hypophosphite …… 277
シアル酸 sialic acids (Sia) …… 1675
ジアルジア属 *Giardia* …… 769
ジアルジア鞭毛虫症 giardiasis …… 769
シアロ蛋白 sialoprotein …… 1676
シアン cyanogen …… 453
シアン化アリル allyl cyanide …… 52
シアン化カリウム potassium cyanide …… 1472
シアンカ症候群 Cianca syndrome …… 1801
シアン化水素酸 hydrocyanic acid (HCN) …… 872
シアン化物 cyanide …… 453
シアン化物中毒 cyanide poisoning …… 1455
シアン酸塩 cyanate …… 453
〔シアン-〕ニトロプルシド試験 cyanide-nitroprusside test …… 1856
シアンメトヘモグロビン cyanmethemoglobin …… 453
肢位 posturing …… 1472
自慰 masturbation …… 1110
飼育 breeding …… 256
飼育 feeding …… 679
肢異常 dysmelia …… 573
歯〔牙〕移植〔術〕allotriodontia …… 51
ジイソプロピルイミノジアセチックアシッド diisopropyl iminodiacetic acid (DISIDA) …… 519
舐陰 cunnilingus …… 448
耳咽頭の otopharyngeal …… 1327
シヴァット体 Civatte bodies …… 226
シヴァット多形皮膚萎縮症 poikiloderma of Civatte …… 1453
シェーエ法 Chayes method …… 1143
シェーグレン症候群 Sjögren syndrome 1820
シェーグレン-ラルソン症候群 Sjögren-Larsson syndrome …… 1820
シェーデ法 Schede method …… 1145
シェーファー試験 Schaffer test …… 1865
シェーファー-フルトン染色〔法〕Schaeffer-Fulton stain …… 1735
シェール試薬 Schaer reagent …… 1569
シェーンバイン試験 Schönbein test …… 1865
シェーンライン白癬菌 *Trichophyton schoenleinii* …… 1930
ジェーク麻痺 jake paralysis …… 1350
ジェームズ線維 James fibers …… 689
ジェーンウェー病変 Janeway lesion …… 1023
ジェームズタウンキャニオンウイルス Jamestown Canyon virus …… 2025
J形トルコ鞍変形 J-sella deformity …… 480
J鎖 J chain …… 337
J点 J point …… 1454
JCウイルス JC virus …… 2026
JHウイルス JH virus …… 2026
Jk血液型 Jk blood group …… 968
Jk抗原 Jk antigens …… 104
Js抗原 Js antigen …… 104
歯液 dentinal fluid …… 714
ジエステラーゼ diesterase …… 514
ジエチル diethyl …… 515
O-ジエチルアミノエチルセルロース *O*-diethylaminoethyl cellulose …… 329
ジエチルエーテル diethyl ether …… 645
ジエチルスチルベストロール diethylstilbestrol (DES) …… 515
ジエチルトリプタミン diethyltryptamine (DET) …… 515
四エチル鉛中毒 tetraethyllead poisoning 1456
ジエチレングリコール diethylene glycol 515
ジエチレン脂肪酸 diethenoid fatty acid 678
ジエチレントリアミンペンタ酢酸 diethylenetriamine pentaacetic acid (DTPA) …… 515
シエッツ眼圧計 Schiötz tonometer …… 1901
ジェット jet …… 968
ジェット式注射 jet injection …… 936
ジェット式注射器 jet injector …… 936
ジェット排出ポンプ jet ejector pump … 1526
ジェット噴霧器 jet nebulizer …… 1223
ジェネリック(後発)医薬品浸透率 generic penetration rate …… 1559
〔ラジオアイソトープ〕ジェネレータ radionuclide generator …… 765
ジェネレータ電位 generator potential … 1473
ジェノトキシン genotoxin …… 767
シェパード骨折 Shepherd fracture …… 738
シェファー反射 Schäffer reflex …… 1581
ジェフィリン gephyrin …… 767
ジェミ-ジオール gym-diol, *gym*-diol …… 521
シェミンサイクル Shemin cycle …… 455
シェラック shellac …… 1672
シェラック基礎床 shellac base …… 200
シェリー酒 sherry wine …… 2046
ジェリー縫合 Gély suture …… 1787
シェリングトン現象 Sherrington phenomenon …… 1406
シェリングトンの法則 Sherrington law 1008
ジェルヴェル-ランゲ・ニールセン症候群 Jervell and Lange-Nielsen syndrome 1808
ジェルキャップ gelcap …… 761
シェルショック shell shock …… 1674
ジェルディ結節 Gerdy tubercle …… 1943
ジェルディ心房間わな Gerdy interatrial loop …… 1069
ジエルドリン dieldrin …… 514
ジェレー試験 Gellé test …… 1858
ジェロータ法 Gerota method …… 1144
シェロング試験 Schellong test …… 1865
シェロング-ストリソワー現象 Schellong-Strisower phenomenon …… 1406
指炎 dactylitis …… 470
枝炎 ramitis …… 1547
耳炎 otitis …… 1326
四塩化炭素 carbon tetrachloride …… 294
次塩化物 subchloride …… 1762

四塩基性の tetrabasic …… 1870
ジエンコル酸 djenkolic acid …… 553
ジェンコル中毒 djenkol poisoning …… 1455
耳炎性水頭〔症〕 otitic hydrocephalus …… 871
耳炎性膿瘍 otitic abscess …… 5
シェントン線 Shenton line …… 1052
ジェンナー-ケイ単位 Jenner-Kay unit 1966
ジェンナー染料 Jenner stain …… 1732
ジェンナーリ線 line of Gennari …… 1050
潮 tide …… 1892
塩味 salty taste …… 1842
視黄 retinene …… 1601
視黄 visual yellow …… 2055
ジオキサン dioxane …… 521
ジオキシゲナーゼ dioxygenase …… 522
1,1′-ジオクタデシル-3,3,3,3-テトラメチルインドカルボシアニン過塩素酸塩 1,1′-dioctadecyl-3,3,3,3-tetramethylindocarbocyanine perchlorate …… 521
ジオクトフィーマ症 dioctophymiasis …… 521
ジオクトフィーマ属 *Dioctophyma* …… 521
ジオスゲニン diosgenin …… 521
ジオスシン dioscin …… 521
シオバルド(シアボールド)・スミス現象 Theobald Smith phenomenon …… 1406
ジオプトリ diopter (D) …… 521
ジオール diol …… 521
視音響イメージング optoacoustic imaging …… 908
視音響学 optoacoustics …… 1309
耳音響の otoacoustic …… 1326
耳音響放射 otoacoustic emission (OAE) 604
自音共鳴 autophony …… 181
歯音の sibilant …… 1676
歯〔裏〕音の dental …… 487
歯音様ラ音 sibilus …… 1676
肢芽 limb bud …… 263
耳窩 auditory pits …… 1426
耳窩 otic pits …… 1426
自我 ego …… 590
自家(自己)アレルギー化 autoallergization …… 178
歯科医 dentist …… 488
歯科医 dental surgeon …… 1784
耳科医 otologist …… 1327
磁界 magnetic field …… 697
耳介 auricle …… 177
耳介 auricula …… 177
耳介 pinna …… 1425
視蓋延髄路 tectobulbar tract …… 1913
視蓋延髄路 tractus tectobulbaris …… 1915
耳介横筋 transverse muscle of auricle 1197
耳介横筋 transverse auricular muscle …… 1197
耳介横筋 musculus transversus auriculae …… 1204
耳介下深耳下腺リンパ節 infraauricular deep parotid lymph nodes …… 1078
耳介下の subauricular …… 1762
耳介間の interauricular …… 943
視蓋橋〔核〕路 tectopontine tract …… 1913
視蓋橋〔核〕路 tractus tectopontinus …… 1915
耳介筋 auricular muscles …… 1182
耳介結節 auricular tubercle …… 1943
耳介結節 tuberculum auriculae …… 1946
耳介欠損〔症〕 coloboma lobuli …… 392
自解酵素 autolytic enzyme …… 623
耳介後〔方〕の retroauricular …… 1603
耳介後ひだ retroauricular fold …… 720
耳介後部切開 postauricular incision …… 919
耳介後リンパ節 retroauricular lymph nodes …… 1080
耳介三角 auricular triangle …… 1926
耳介三角窩隆起 eminence of triangular fossa of auricle …… 603
耳介三角窩隆起 eminentia fossae triangularis auricularis …… 604
〔後頭動脈〕耳介枝 ramus auricularis arteriae occipitalis …… 1548
耳介指数 auricular index …… 921
自我異質性同性愛 ego-dystonic homosexuality …… 861
耳介斜筋 oblique auricular muscle …… 1189
耳介斜筋 oblique muscle of auricle …… 1189
耳介斜筋 musculus obliquus auriculae 1201
耳介上の supraauricular …… 1779
耳介静脈 auricular veins …… 1994
自家(自己)移植〔術〕 autotransplantation 182
歯〔牙〕移植〔術〕 allotriodontia …… 51
自家(自己)移植片 autograft …… 179
自家〔組織〕移植膀胱形成〔術〕 autocystoplasty …… 179
耳介靱帯 auricular ligaments …… 1033
耳介靱帯 ligaments of auricle …… 1033
耳介靱帯 ligamenta auricularia, ligamentum auriculare anterius, ligamentum auriculare posterius, ligamentum auriculare superius …… 1042
耳介錐体筋 pyramidal auricular muscle 1192
耳介錐体筋 pyramidal muscle of auricle …… 1192
耳介錐体筋 musculus pyramidalis auriculae …… 1202
耳介頭蓋の auriculocranial …… 177
紫外スペクトル ultraviolet spectrum …… 1709
視蓋脊髄の tectospinal …… 1845
視蓋脊髄路 tectospinal tract …… 1913
視蓋脊髄路 tractus tectospinalis …… 1915
視蓋脊髄路交叉 tectospinal decussation 476
紫外線 ultraviolet rays …… 1562
紫外線〔の〕 ultraviolet …… 1963
耳介尖 apex auriculae …… 113
耳介尖 apex of auricle …… 113
耳介尖 apex satyri …… 113
耳介尖 tip of auricle …… 1895
紫外線角結膜炎 ultraviolet keratoconjunctivitis …… 978
紫外線角膜炎 actinic keratitis …… 978
紫外線感受性の uviosensitive …… 1978
紫外線計 uviometer …… 1978
紫外線顕微鏡 ultraviolet microscope …… 1154
紫外線指数 ultraviolet index …… 923
耳介前深耳下腺リンパ節 preauricular deep parotid lymph nodes …… 1080
紫外線抵抗性の uviofast …… 1978
紫外線灯 ultraviolet lamp …… 1000
耳介前〔方〕の preauricular …… 1476
視蓋前部 pretectal region …… 1586
〔視〕蓋前野 pretectal area …… 130
紫外線よけ goggle …… 790
紫外線療法 actinotherapy …… 21
耳介側頭神経 auriculotemporal nerve …… 1232
耳介側頭神経 nervus auriculotemporalis 1241
耳介側頭神経から顔面神経への交通枝 communicating branches of auriculotemporal nerve with facial nerve …… 244
耳介側頭神経症候群 auriculotemporal nerve syndrome …… 1797
〔耳介側頭神経〕浅側頭枝 rami temporales superficiales nervi auriculotemporalis 1556
耳介側頭神経の鼓膜枝 branches of auriculotemporal nerve to tympanic membrane …… 243
耳介側頭神経の鼓膜枝 rami membranae tympani nervi auriculotemporalis …… 1553
耳介側頭神経の耳下腺枝 rami parotidei nervi auriculotemporalis …… 1554
耳介側頭神経の浅側頭枝 superficial temporal branches of auriculotemporal nerve …… 253
耳介側頭の auriculotemporal …… 177
耳介頭蓋の auriculocranial …… 177
耳介内の intraauricular …… 949
耳介軟骨 auricular cartilage …… 305
耳介軟骨 conchal cartilage …… 305
耳介軟骨 cartilage of ear …… 306
耳介軟骨 cartilago auriculae …… 307
〔耳介の〕三角窩 fossa triangularis auriculae …… 734
〔耳介の〕三角窩 triangular fossa of auricle …… 734
〔耳介の〕前切痕 anterior auricular groove …… 801
〔耳介の〕前切痕 incisura anterior auriculae …… 919
〔耳介の〕前切痕 anterior notch of auricle …… 1269
〔耳介の〕前切痕 anterior notch of ear …… 1269
〔耳介の〕分界切痕 terminal notch of auricle …… 1270
耳介反射 auricular reflex …… 1577
耳海綿化症 otospongiosis …… 1327
自我異和的な ego-dystonic …… 590
歯科インプラント dental implants …… 915
ジカウイルス Zika virus …… 2031
歯科衛生士 dental hygienist (D.Hy., DH) …… 877
自家外傷 autolesion …… 180
歯科解剖学 dental anatomy …… 74
歯〔科〕学 dentistry …… 488
歯〔科〕学 odontology …… 1292
耳科学 otology …… 1327
耳下顎〔異骨〕症候群 otomandibular syndrome …… 1814
耳下顎骨形成不全〔症〕 otomandibular dysostosis …… 574
自家(自己)角膜移植〔術〕 autokeratoplasty …… 180
自家(自己)感染 autoinfection …… 179
自家感染 self-infection …… 1658
歯科矯正医 orthotist …… 1317
歯科矯正学 orthodontics …… 1316
歯科矯正学 orthotics …… 1317
自家強聴 autophony …… 181
歯科恐怖〔症〕 odontophobia …… 1292
歯牙恐怖〔症〕 odontophobia …… 1292
子殻 peridium …… 1387
視覚 sight …… 1677
視覚 vision …… 2032
視角 visual angle …… 90
痔〔核〕 hemorrhoids …… 836
痔〔核〕 pile …… 1423
視覚閾値 visual threshold, threshold of visual sensation …… 1886
視覚運動解離 visual-kinetic dissociation 549
視覚運動の visuomotor …… 2032
視覚〔感覚〕の visuosensory …… 2032
四角間隙 quadrangular space …… 1705
視覚器 organ of vision …… 1312
視覚器 visual organ …… 1312
視覚器 organum visus …… 1313
視覚空間の visuospatial …… 2032
四角形 tetragon, tetragonum …… 1871
視覚色素 visual pigments …… 1423
視覚失認 visual agnosia …… 38
視覚失認 visual neglect …… 1226
視〔覚〕受容〔器〕細胞 visual receptor cells 328
視覚手話法 manual visual method …… 1144
自覚症状 subjective symptom …… 1792
四角小葉 quadrangular lobule …… 1065
四角小葉 lobulus quadrangularis …… 1066
自覚振とう音 subjective fremitus …… 740
視覚性運動失調 optic ataxia …… 167
視覚性共感覚 photism …… 1416
視覚性失語〔症〕 visual aphasia …… 114
視覚精神〔的〕の visuopsychic …… 2032
視覚性ブラックアウト visual blackout …… 218
痔核切除〔術〕 hemorrhoidectomy …… 836

視覚前兆 visual aura ··· 177
資格調査 credentialing ··· 436
自覚的甘味症 glycogeusia ··· 788
自覚的徴候 subjective sign ··· 1684
自覚的な subjective ··· 1763
四角頭 caput quadratum ··· 292
視〔覚〕投影 visual projection ··· 1496
視覚二重説 duplicity theory of vision ··· 1875
視覚認識 visuognosis ··· 2032
視覚の optic, optical ··· 1309
視覚〔感覚〕の visuosensory ··· 2032
四角の quadrangular ··· 1536
四角波刺激 square wave stimuli ··· 1747
視覚皮質 visual cortex ··· 428
視覚不注意 visual inattention ··· 918
視覚発作 ocular crisis ··· 439
四角膜 membrana quadrangularis ··· 1124
四角膜 quadrangular membrane ··· 1127
視覚誘発電位 visual evoked potential ··· 1474
痔核領域 hemorrhoidal zone ··· 2059
四角療法 quadrangular therapy ··· 1879
歯牙形成 odontogenesis ··· 1292
歯牙形成異常 odontogenesis imperfecta 1292
歯牙形成の dentiparous ··· 488
歯牙形成不全 odontogenesis imperfecta 1292
歯牙形成不全〔症〕 odontodysplasia ··· 1292
自家血液療法 autohemotherapy ··· 179
歯牙結紮 tooth ligation ··· 1046
自家(自己)血清 autoserum ··· 181
自家(自己)血清療法 autoserotherapy ··· 181
自家血清療法 autoserum therapy ··· 1877
耳下甲介筋 parotidoauricularis ··· 1357
耳下甲介の parotidoauricularis ··· 1357
歯科公衆衛生 public health dentistry ··· 488
歯牙細胞腫 odontoblastoma ··· 1292
自家(自己)細胞毒素 autocytotoxin ··· 179
歯科材料 dental material ··· 1110
歯科疾患 odontopathy ··· 1292
歯牙腫 odontoma ··· 1292
自家重合 autopolymerization ··· 181
自家受精 self-fertilization ··· 1658
自家受粉 self-fertilization ··· 1658
耳過剰〔症〕 polyotia ··· 1462
自家(自己)消化 autodigestion ··· 179
指(趾)過剰症 polydactyly ··· 1459
シカシラミバエ deer ked ··· 476
シカシラミバエ Lipoptena cervi ··· 1059
自我親和的な ego-syntonic ··· 590
自家生殖 autogamy ··· 179
自家生殖 autosynthesis ··· 181
歯科生物物理学 dental biophysics ··· 213
志賀赤痢菌 *Shigella dysenteriae* ··· 1673
自家(自己)〔赤血球〕溶血素 autohemolysin ··· 179
耳下切痕 parotid notch ··· 1270
自家(自己)接種 autoinoculation ··· 180
自家(自己)接種可能の autoinoculable ··· 179
耳下腺 parotid gland ··· 774
耳下腺 glandula parotidea ··· 776
耳下腺炎 mumps ··· 1178
耳下腺炎 parotiditis ··· 1357
耳下腺管 parotid duct ··· 564
耳下腺管 ductus parotideus ··· 566
耳下腺間隙 parotid space ··· 1704
耳下腺〔機能〕亢進〔症〕 hyperparotidism ··· 885
耳下腺筋膜 parotid fascia ··· 674
耳下腺咬筋筋膜 parotideomasseteric fascia ··· 674
耳下腺枝 parotid branches ··· 251
耳下腺枝 rami parotidei ··· 1554
耳下腺腫脹 parotid bubo ··· 263
耳下腺床 parotid bed ··· 204
耳下腺静脈 parotid veins ··· 1999
耳下腺静脈 venae parotideae ··· 2007
耳下腺深部 pars profunda glandulae parotideae ··· 1360
耳下腺深部 deep part of parotid gland 1364
耳下腺性精巣(睾丸)炎 orchitis parotidea ··· 1311
耳下腺浅部 pars superficialis glandulae parotideae ··· 1361
耳下腺摘出〔術〕 parotidectomy ··· 1357
耳下腺乳頭 papilla of parotid duct ··· 1345
耳下腺乳頭 papilla parotidea ··· 1345
耳下腺乳頭 parotid papilla ··· 1345
耳下腺の parotid ··· 1357
耳下腺膿瘍 parotid abscess ··· 5
耳下腺の顎後突起 retromandibular process of parotid gland ··· 1490
自家〔組織〕移植膀胱形成〔術〕 autocystoplasty ··· 179
地固め療法 consolidation chemotherapy 343
自我中心 egocentricity ··· 590
自家(自己)中毒 autointoxication ··· 180
自家(自己)中毒素 autointoxicant ··· 180
自家注入 autoinfusion ··· 179
歯科治療 odontotherapy ··· 1292
歯牙通路 iter dentis ··· 964
脂褐素 lipofuscin ··· 1057
脂褐素〔沈着〕症 lipofuscinosis ··· 1057
歯牙挺出 odontoptosis ··· 1292
自我同一性 ego identity ··· 904
自家毒血症 autotoxemia ··· 182
志賀毒素 Shiga toxin ··· 1906
ジカ熱 Zika fever ··· 687
歯科の dental ··· 487
耳下の subaural ··· 1762
自家の autologous ··· 180
自家(自己)敗血症 autosepticemia ··· 181
歯牙発生 odontogenesis ··· 1292
歯科病理学 dental pathology ··· 1372
歯科病理学 pathodontia ··· 1372
歯牙負担の tooth-borne ··· 1903
自我分析 ego analysis ··· 70
歯科法医学 forensic dentistry ··· 488
歯科法医学 dental jurisprudence ··· 974
歯科法医学 forensic odontology ··· 1292
歯牙萌出性腐骨 eruption sequestrum ··· 638
歯科補てつ〔物〕 dental prosthesis ··· 1501
歯科補てつ学 dental prosthetics ··· 1501
歯科補てつ学 prosthodontics ··· 1501
歯科補てつ物 orthoprosthesis ··· 1317
自我本能 ego instincts ··· 940
歯牙埋伏〔症〕 dental impaction ··· 914
歯科麻酔〔法〕 dental anesthesia ··· 79
歯科命名法 odontonomy ··· 1292
歯科模型 dental cast ··· 309
自家融解 autolysis ··· 180
自家融解 autophagy ··· 181
自家融着 autogenous union ··· 1964
自家(自己)輸血〔法〕 autotransfusion ··· 182
歯科用ウェッジ dental wedge ··· 2043
歯科用エンジン dental engine ··· 487
歯科用楔 dental wedge ··· 2043
自家(自己)溶血 autohemolysis ··· 179
自家(自己)〔赤血球〕溶血素 autohemolysin ··· 179
歯科用注射器 dental syringe ··· 1828
歯科用ドリル dental drill ··· 560
歯科用バーニッシュ varnish (dental) ··· 1989
歯科用ファーネス dental furnace ··· 746
歯科用複合セメント composite dental cement ··· 329
歯科用無機セメント inorganic dental cement ··· 329
歯科用有機セメント organic dental cement ··· 329
歯科予防〔法〕 dental prophylaxis ··· 1499
歯科理工学 dental engineering ··· 617
自我理想 ego-ideal ··· 590
磁化率 susceptibility ··· 1785
自家療法 autotherapy ··· 182
シガール-アンダーセン計算図表 Siggaard-Andersen nomogram ··· 1266
ジカルボン酸サイクル dicarboxylic acid cycle ··· 454
歯科老化 dental senescence ··· 1660
自家(自己)ワクチン autogenous vaccine ··· 1979
自家ワクチン療法 autovaccination ··· 182
死姦 necrophilia, necrophilism ··· 1224
歯冠 corona dentis ··· 424
歯冠 anatomic crown ··· 442
歯冠 crown ··· 442
歯間 interdentium ··· 944
弛緩 chalasia, chalasis ··· 337
弛緩 relaxation ··· 1589
子かん(癇) eclampsia ··· 584
時間 tempus ··· 1849
時間 time (t) ··· 1893
耳管 otosalpinx ··· 1327
耳管 tuba auditiva ··· 1940
耳管 tuba auditoria ··· 1940
耳管 auditory tube ··· 1941
耳管 pharyngotympanic (auditory) tube 1941
耳管咽頭筋 salpingopharyngeal muscle 1193
耳管咽頭筋 salpingopharyngeus (muscle) ··· 1193
耳管咽頭筋 musculus salpingopharyngeus ··· 1203
耳管咽頭筋 salpingopharyngeus ··· 1632
耳管咽頭口 pharyngeal opening of eustachian tube ··· 1303
耳管咽頭口 pharyngeal opening of pharyngotympanic (auditory) tube ··· 1303
耳管咽頭口 ostium pharyngeum tubae auditivae ··· 1325
耳管咽頭の salpingopharyngeal ··· 1632
耳管咽頭ひだ salpingopharyngeal fold ··· 720
耳管咽頭ひだ plica salpingopharyngea 1445
耳管炎 eustachitis ··· 649
耳管炎 salpingitis ··· 1631
耳管炎 syringitis ··· 1828
歯冠外アタッチメント extracoronal retainer ··· 1598
歯冠外維持装置 extracoronal retainer ··· 1598
耳管開大筋 musculus dilator tubae ··· 1199
時間〔感〕覚 time sense ··· 1661
耳眼窩上の supraorbitomeatal ··· 1779
時間型 chronotype ··· 360
耳管カテーテル eustachian catheter ··· 313
歯間管 interdental canals ··· 283
弛緩期 diastole ··· 511
耳管峡 isthmus of auditory tube ··· 963
耳管峡 isthmus of pharyngotympanic tube ··· 964
耳管峡 isthmus tubae auditivae ··· 964
時間恐怖〔症〕 chronophobia ··· 360
歯冠腔 cavitas coronae ··· 315
歯冠腔 cavitas coronalis ··· 315
歯冠腔 crown cavity ··· 316
歯冠腔 cavum coronale ··· 317
歯間腔 interproximal space ··· 1704
四環系抗うつ薬 tetracyclic antidepressant ··· 102
歯冠形態修正 odontoplasty ··· 1292
歯冠結節 dental tubercle ··· 1943
歯冠結節 tubercle of tooth ··· 1944
歯冠結節 tuberculum dentis ··· 1946
自観現象 autoscopic phenomenon ··· 1404
耳管溝 groove for auditory tube ··· 801
耳管溝 sulcus for pharyngotympanic tube ··· 1774
耳管溝 sulcus tubae auditoriae ··· 1775
耳管口蓋ひだ salpingopalatine fold ··· 720
耳管口蓋ひだ plica salpingopalatina ··· 1445
耳管鼓室管 tubotympanic canal ··· 284
耳管鼓室陥凹 tubotympanic recess ··· 1572

耳管鼓室口 tympanic opening of eustachian tube 1303
耳管鼓室口 tympanic opening of pharyngotympanic (auditory) tube 1303
耳管鼓室口 ostium tympanicum tubae auditivae 1325
耳管鼓室の tubotympanic, tubotympanal 1948
耳管骨部 pars ossea tubae auditivae 1360
耳管骨部 bony part of pharyngotympanic (auditory) tube 1362
耳管枝 ramus tubarius 1557
脂環式の alicyclic 47
時間軸療法 Time-Line therapy 1880
歯冠歯髄 coronal pulp 1523
歯冠歯髄 crown pulp 1523
歯冠歯髄 pulpa coronalis 1524
歯冠歯髄腔 pulp cavity of crown 317
時間失見当〔識〕 dischronation 526
歯間(中隔)歯肉 septal gingiva 770
歯冠周囲炎 operculitis 1306
歯冠周囲炎 pericoronitis 1387
歯冠周囲の pericoronal 1387
歯冠周囲膿瘍 pericoronal abscess 5
歯冠周囲弁 pericoronal flap 710
弛緩状態 flaccidity 708
歯間水平線維 transseptal fiber group 691
歯間水平線維 transseptal fibers 691
弛緩性 flaccidity 708
弛緩性外反〔症〕 atonic ectropion 586
弛緩性出血 uterine atony 170
四環性ステロイド核 tetracyclic steroid nucleus 1281
弛緩性皮膚 cutis laxa 453
弛緩性皮膚 loose skin 1691
時間生物学 chronobiology 360
弛緩性麻痺 flaccid paralysis 1350
弛緩性流涙〔症〕 atonic epiphora 629
耳管腺 glands of eustachian tube 773
耳管腺 mucous glands of auditory tube 774
耳管腺 tubal glands of pharyngotympanic tube 775
耳管腺 glandulae tubariae 776
耳眼線 infraorbitomeatal line (IOML) 1050
子かん(癇)前症 preeclampsia 1477
時間測定〔法〕 chronometry 360
時間知覚 chronognosis 360
歯間中隔 interdental septum 1663
耳管中隔 septum of pharyngotympanic (auditory) tube 1664
歯冠長延長術 crown lengthening 442
時間治療学 chronotherapeutics 360
時間的安定性の tempostabile, tempostable 1848
時間的接近 contiguity 416
時間的不安定性の tempolabile 1848
時間的分散 temporal dispersion 548
視感度力 visibility acuity 22
歯冠内維持装置 intracoronal retainer 1598
歯冠内の intracoronal 950
耳管軟骨 cartilage of auditory tube 305
耳管軟骨 cartilage of pharyngotympanic tube 306
耳管軟骨 cartilago tubae auditivae 307
耳管軟骨外側板 lateral lamina of cartilage of pharyngotympanic (auditory) tube 997
耳管軟骨内側板 medial lamina of cartilage of pharyngotympanic (auditory) tube 998
耳管軟骨部 pars cartilaginea tubae auditivae 1358
耳管軟骨部 cartilaginous part of pharyngotympanic (auditory) tube 1363
耳管軟骨膜性板 membranous lamina of cartilage of pharyngotympanic (auditory) tube 998
歯間乳頭 interdental papilla 1345
弛緩ねじれ underwinding 1964
〔耳管〕粘膜 tunica mucosa tubae auditivae 1953
〔耳管〕粘膜 mucosa of pharyngotympanic (auditory) tube 1177
指(趾)間の interdigital 944
時間の temporal 1848
耳管の salpingian 1631
耳管半管 canal for pharyngotympanic (auditory) tube 284
耳管半管 semicanal of auditory tube 1659
耳管半管 semicanalis tubae auditivae 1659
弛緩反応 relaxation response 1596
指間ひだ plica interdigitalis 1445
歯冠被覆 tooth capping 289
指(趾)間部 interdigit 944
歯間副子 interdental splint 1722
弛緩不能症 achalasia 13
歯間分離 separation of teeth 1662
歯間分離用ワイヤ separating wire 2047
耳管扁桃 tonsilla tubaria 1901
耳管扁桃 tubal tonsil 1901
耳管傍〔結合〕組織炎 parasalpingitis 1353
弛緩縫合 relaxation suture 1788
弛緩膀胱〔障害〕 atonic bladder 218
耳管蜂巣 cellulae pneumaticae tubae auditivae 328
耳管蜂巣細胞 tubal air cells (of pharyngotympanic tube) 327
歯冠補てつ crowning 442
歯冠補綴 tooth capping 289
耳眼面 orbitomeatal plane 1430
弛緩薬 relaxant 1588
時間薬理学 chronopharmacology 360
歯間離開 separation of teeth 1662
耳管隆起 torus tubarius 1905
耳管隆起 eustachian tuber 1942
式 expression 656
式 formula 730
時機 tide 1892
磁気 magnetism 1092
色暗点 color scotoma 1650
しきい(閾)形質 threshold trait 1916
閾値 limes (L) 1048
閾値 threshold 1886
閾値下刺激 subliminal stimulus 1747
閾値下刺激 subthreshold stimulus 1747
閾値下の subliminal 1763
閾値計 liminometer 1048
閾値刺激 threshold stimulus 1747
閾値刺激の liminal 1048
閾値上の supraliminal 1779
閾値打診〔法〕 threshold percussion 1384
閾値変動 threshold shift 1673
磁気引力 magnetic attraction 175
死期延長〔法〕 apothanasia 118
ジギオン malar point 1454
ジギオン zygion 2062
自記温度計 thermograph 1881
自記温度図 thermogram 1881
自記温度法 thermography 1881
磁気回転比 gyromagnetic ratio 1560
色覚 colored vision (VC) 2032
色〔感〕覚 color sense 1661
色覚異常 dyschromatopsia 571
色覚異常患者 achromat 14
色覚失認〔症〕 color agnosia 38
色感覚 chromesthesia 357
色汗症 chromhidrosis 358
自記寒暖計 self-registering thermometer 1881
〔自記〕気圧計 barograph 197
磁気共鳴画像法 magnetic resonance imaging (MRI) 908
磁気共鳴分光〔学〕 magnetic resonance spectroscopy 1708
色彩 color 393
色彩恐怖〔症〕 chromophobia 358
色彩味覚 color taste 1842
色彩療法 chromotherapy 360
色情化 erotization 637
色情狂 aphrodisiomania 115
色情狂 erotomania 637
色情恐怖〔症〕 erotophobia 637
色情挑発 erotism, eroticism 637
色情的愛撫 sarmassation 1637
色情的な erotic 637
色素 dye 569
色素 pigment 1423
〔皮膚〕色素異常〔症〕 dyschromatosis 571
色素異常性固定性紅斑 erythema dyschromicum perstans 638
色相 hue 866
色素芽細胞 chromoblast 358
色素過剰〔症〕 hyperpigmentation 885
色素肝 pigmented liver 1062
色素肝硬変 pigment cirrhosis 367
色素希釈曲線 dye-dilution curve 451
色素〔保有〕形質 chromatoplasm 357
色素形成 chromogenesis 358
色素形成過多 polychromia 1459
色素形成細菌 chromogen 358
色素形成の chromatogenous 356
色素原 chromogen 358
色素嫌性 achromatophilia 14
色素嫌性 chromophobia 358
色素嫌性顆粒 chromophobe granules 796
色素嫌性腎細胞癌 chromophobe renal cell carcinoma 297
色素嫌性腺腫 chromophobe adenoma, chromophobic adenoma 25
色素固定 chromatopexis 357
色素細胞 pigment cell 325
色素細胞 chromatophore 357
色素細胞 melanocyte 1121
色素細胞刺激性の chromatophorotropic 357
色素散乱症候群 pigment dispersion syndrome 1816
色素試験第II法 secondary dye test 1865
色素試験第I法 primary dye test 1863
色素失調〔症〕 incontinence of pigment 920
色素失調〔症〕 incontinentia pigmenti 920
色素上皮 pigment epithelium 632
色素〔性〕じんま疹 urticaria pigmentosa 1976
色素親和性 chromophil, chromophile 358
色素親和性腎細胞癌 chromophil renal cell carcinoma 297
色素性角膜後面沈着物 pigmented keratic precipitates 1477
色素性乾皮症 xeroderma pigmentosum 2053
色素性偽〔性〕網膜炎 pseudoretinitis pigmentosa 1515
色素性紫斑性苔癬状皮膚病(症) pigmented purpuric lichenoid dermatosis 498
色素性絨毛結節性滑膜炎 pigmented villonodular synovitis 1827
色素性母斑 mole 1163
色素性母斑 nevus pigmentosus 1255
色素性毛髪表皮〔性〕母斑 pigmented hair epidermal nevus 1255
色素性網膜炎 retinitis pigmentosa (RP) 1601
色素性隆起性皮膚線維肉腫 pigmented dermatofibrosarcoma protuberans 496
色素性緑内障 pigmentary glaucoma 777
色素体 chromatophore 357
色素体 plastid 1434
色素体の chromophoric, chromophorous 358
色素脱失 achromia 14
色素脱失 depigmentation 492
色素脱失 hypopigmentation 896
色素蛋白 chromoprotein 358
色素沈着 pigmentation 1423
色素沈着異常 dyspigmentation 575

色素沈着性肝硬変 pigmentary cirrhosis … 367
色素の chromogenic … 358
色素排除試験 dye exclusion test … 1857
色素膀胱鏡検査〔法〕 cystochromoscopy … 462
色素〔保有〕形質 chromatoplasm … 357
色素溶解素 pigmentolysin … 1423
色素類脂質 lipochrome … 1056
ジギタリス *Digitalis* … 517
ジギタリス化 digitalization … 517
ジギタリス効果 digitalism … 517
ジギタリス単位(国際単位) digitalis unit (international) … 1965
ジギタリス中毒 digitalism … 517
ジギタリスチンキ digitalis tincture … 1894
ジギタリス飽和 digitalization … 517
ジギタリン digitalin … 517
色聴 color hearing … 819
色調 hue … 866
色調不同〔症〕 anisochromasia … 92
色調不同の anisochromatic … 92
ジギトキシゲニン digitoxigenin … 517
ジギトキシン digitoxin … 517
ジギトキソース digitoxose … 517
ᴅ-ジギトキソース ᴅ-digitoxose … 517
ジギトニン digitonin … 517
ジギトニン反応 digitonin reaction … 1564
識別 discrimination … 527
識別閾値 differential threshold … 1886
識別刺激 discriminant stimulus … 1747
識別〔性〕の epicritic … 626
識別的遺伝子発現 differential … 656
磁気歩行 magnetic gait … 748
シキミ酸デヒドロゲナーゼ shikimate dehydrogenase … 1673
シキミック酸 shikimic acid … 15
色毛症 chromotrichia … 360
自脚 autopodium … 181
四脚奇形体 tetrascelus … 1872
四脚体 tetramelus … 1871
糸球 glome … 779
糸球 glomerulus … 780
糸球 glomus … 781
子宮 uterus … 1977
子宮 venter … 2009
子宮 womb … 2048
子宮アトニー metratonia … 1148
子宮〔筋層〕炎 metritis … 1148
子宮縁 border of uterus … 236
子宮縁 margo uteri … 1105
子宮円索 round ligament of uterus … 1040
子宮円索 ligamentum teres uteri … 1045
子宮円索動脈 arteria ligamenti teretis uteri … 136
子宮円索動脈 artery of round ligament of uterus … 152
子宮温度測定〔法〕 hysterothermometry … 901
子宮外成育不能の nonviable … 1267
子宮外胎児手術 ex utero intrapartum therapy procedure … 1487
子宮外妊娠 extrauterine pregnancy … 1478
子宮外の extrauterine … 658
子宮外膜 perimetrium … 1388
子宮角 cornu uteri … 424
子宮角 uterine horn, horn of uterus … 865
子宮下節帝王切開 lower uterine segment cesarean section … 1653
子宮下部 lower uterine segment … 1655
子宮間膜 mesometrium … 1136
子宮鏡 hysteroscope … 901
子宮鏡 uteroscope … 1977
子宮鏡検査〔法〕 hysteroscopy … 901
子宮狭窄 metrostenosis … 1149
子宮峡部 isthmus of uterus … 964
子宮峡部 isthmus uteri … 964
子宮緊縮性の uterotonic … 1977
子宮筋腫切開〔術〕 hysteromyotomy … 901
子宮筋層 myometrium … 1214
〔子宮〕筋層 tunica muscularis uteri … 1953
子宮筋層炎 myometritis … 1214
子宮筋層弓状動脈 myometrial arcuate arteries … 149
子宮筋層放射状動脈 myometrial radial arteries … 149
子宮筋電計 electrohysterograph … 595
子宮筋内の intramyometrial … 950
子宮腔 cavitas uteri … 316
子宮腔 cavum uteri … 317
子宮腔 uterine cavity, cavity of uterus … 317
子宮計 hysterometer … 901
子宮頸 cervix of uterus … 336
子宮頸〔部〕 neck of uterus … 1223
子宮頸〔部〕 neck of womb … 1223
子宮頸〔管〕炎 cervicitis … 336
子宮頸管 cervical canal … 282
子宮頸管 canalis cervicis uteri … 285
子宮頸管後〔方〕の retrocervical … 1604
子宮頸管切開〔術〕 hysterotrachelotomy … 901
子宮頸〔管〕腺 cervical glands … 772
子宮頸〔管〕腺 cervical glands of uterus … 772
子宮頸〔管〕腺 glandulae cervicales … 775
子宮頸管内部スミア(塗抹〔標本〕) endocervical smear … 1693
子宮頸管内膜の endocervical … 612
〔子宮〕頸管妊娠 cervical pregnancy … 1478
〔子宮〕頸管傍ブロック麻酔〔法〕 paracervical block anesthesia … 80
子宮頸形成〔術〕 tracheloplasty … 1908
子宮頸固定〔術〕 trachelopexia, trachelopexy … 1908
子宮頸靱帯 cervical ligament of uterus … 1033
子宮形成〔術〕 uteroplasty … 1976
子宮形成術 hysteroplasty … 901
〔子宮〕頸切開〔術〕 trachelotomy … 1908
子宮頸〔部〕切断術 cervical amputation … 65
子宮頸内膜 endocervix … 612
子宮頸内膜炎 endocervicitis … 612
子宮頸の腟上部 supravaginal part of cervix … 1368
子宮頸の腟上部 portio supravaginalis cervicis … 1468
子宮頸の腟部 vaginal part of cervix … 1369
子宮頸の腟部 portio vaginalis cervicis … 1468
子宮頸部圧痛徴候 cervical motion tenderness … 1849
子宮頸部形成異常(異形成) cervical dysplasia … 575
子宮頸部形成〔術〕 hysterotracheloplasty … 901
子宮頸部スミア(塗抹〔標本〕) cervical smear … 1693
子宮頸部切除〔術〕 hysterotrachelectomy … 901
子宮頸部切除〔術〕 trachelectomy … 1908
子宮頸部の uterocervical … 1976
子宮頸部縫合〔術〕 hysterotrachelorrhaphy … 901
子宮頸部膀胱吻合〔術〕 uterocystostomy … 1976
子宮頸縫合〔術〕 trachelorrhaphy … 1908
〔子宮〕頸膀胱の cervicovesical … 336
子宮頸リンパ管腫脹 trachelopanus … 1908
子宮痙攣 hysterospasm … 901
子宮血腫 hematometra … 826
子宮結石 uterine calculus … 278
〔外〕子宮口 opening of uterus … 1303
〔外〕子宮口 external os of uterus … 1318
〔外〕子宮口 ostium uteri … 1325
子宮広間膜 broad ligament of the uterus … 1033
子宮広間膜 ligamentum latum uteri … 1044
子宮広間膜〔内〕妊娠 intraligamentary pregnancy … 1478
子宮広間膜ヘルニア hernia of the broad ligament of the uterus … 842
〔子宮〕後傾後屈〔症〕 retroversioflexion … 1605
子宮口唇 labia uteri … 992
子宮後〔方〕の postuterine … 1472
子宮後〔方〕の retrouterine … 1605
子宮口縫合〔術〕 hysterocleisis … 901
子宮後面 posterior surface of uterus … 1783
子宮鼓脹〔症〕 physometra … 1421
子宮骨盤の uteropelvic … 1976
子宮固定〔術〕 hysteropexy … 901
子宮固定術 uteropexy … 1976
子宮索固定〔術〕 ligamentopexis, ligamentopexy … 1042
子宮雑音 uterine souffle … 1701
子宮弛緩〔症〕 metratonia … 1148
子宮弛緩症 uterine atony … 170
子宮疾患 hysteropathy … 901
子宮腟〔検査〕鏡 hysterocolposcope … 901
子宮実質炎 myometritis … 1214
子宮周囲炎 perimetritis … 1388
子宮周囲炎の perimetritic … 1388
子宮周囲の perimetric … 1388
子宮収縮 uterine contraction … 417
子宮収縮計測器 metrodynamometer … 1148
子宮収縮描写〔法〕 hysterography … 901
子宮収縮描写図 hysterogram … 901
子宮収縮薬 uterotonic … 1977
子宮出血 metrorrhagia … 1148
子宮小丘 caruncle … 308
子宮小丘 caruncula … 308
糸球状腺 glandulae glomiformes … 775
子宮上部 upper uterine segment … 1656
〔子宮〕漿膜 tunica serosa uteri … 1954
〔子宮〕漿膜 serosa of uterus … 1667
子宮漿膜下組織 subserosa of uterus … 1765
子宮静脈 uterine veins … 2003
子宮静脈 venae uterinae … 2008
子宮静脈炎 metrophlebitis … 1148
子宮静脈炎 phlebometritis … 1408
子宮静脈叢 plexus venosus uterinus … 1444
子宮静脈叢 uterine venous plexus … 1444
持久性隆起性紅斑 erythema elevatum diutinum … 638
子宮切開〔術〕 hysterotomy … 901
子宮〔内膜〕腺 uterine glands … 775
子宮〔内膜〕腺 glandulae uterinae … 776
子宮腺筋症 adenomyosis uteri … 26
子宮仙骨の uterosacral … 1976
子宮〔全〕脱〔出〕 procidentia uteri … 1492
子宮仙痛 uterine colic … 389
子宮前面 anterior surface of uterus … 1780
子宮造影〔法〕 hysterography … 901
子宮造影図 hysterogram … 901
四丘体 quadrigeminal bodies … 229
四丘体 corpora quadrigemina … 425
四丘体 quadrigeminum … 1537
子宮体 body of uterus … 230
子宮体 corpus uteri … 426
糸球体 glomerulus … 780
糸球体炎 glomerulitis … 779
糸球体外メサンギウム extraglomerular mesangium … 1134
糸球体間質 mesangium … 1134
糸球体近接の juxtaglomerular … 974
糸球体硬化症 glomerulosclerosis … 780
子宮退縮(復古) involution of the uterus 953
糸球体症 glomerulopathy … 780
糸球体腎炎 glomerulonephritis … 779
四丘体槽 cisternal quadrigeminalis … 368
四丘体槽 quadrigeminal cistern … 368
四丘体動脈 collicular artery … 143
糸球〔体〕の glomerular … 779
糸球体嚢 capsula glomeruli … 290
糸球体嚢 glomerular capsule … 291
糸球体嚢胞 glomerular cyst … 459
糸球体半月 glomerular crescent … 436
子宮胎盤洞 uteroplacental sinuses … 1689
子宮胎盤の uteroplacental … 1976
子宮体部吊上術 colposuspension … 395

糸球体傍複合体 juxtaglomerular body … 227
糸球体輸出細動脈 efferent glomerular arteriole of kidney … 139
糸球体輸入細動脈 afferent glomerular arteriole of kidney … 139
糸球体沪過率 glomerular filtration rate (GFR) … 1559
子宮脱〔出症〕 prolapse of the uterus … 1496
子宮〔全〕脱〔出〕 procidentia uteri … 1492
〔子宮〕脱落膜の decidual … 475
子宮腟管 uterovaginal canal … 284
子宮腟〔検査〕鏡 hysterocolposcope … 901
子宮腟原基 uterovaginal primordium … 1484
子宮腟上部切断術 supracervical hysterectomy … 900
子宮腟神経叢 uterovaginal (nervous) plexus … 1444
子宮腟の uterovaginal … 1977
子宮腟部スミア(塗抹〔標本〕) ectocervical smear … 1693
子宮腟部の ectocervical … 585
子宮痛 hysteralgia … 900
子宮痛 metrodynia … 1148
子宮底 fundus of uterus … 744
子宮底 fundus uteri … 744
子宮摘出〔術〕 hysterectomy … 900
子宮洞 uterine sinus … 1689
磁気誘導加速器 betatron … 208
子宮動脈 arteria uterina … 138
子宮動脈 uterine artery … 154
子宮動脈のラセン枝 helicine branches of the uterine artery … 247
子宮動脈の卵管枝 tubal branch of the uterine artery … 254
子宮動脈の卵巣枝 ovarian branches of uterine artery … 250
子宮動脈の卵巣枝 rami ovarici arteriae uterinae … 1554
子宮内〔避妊〕器具 intrauterine device (IUD) … 503
子宮内グリオーシス(神経膠症) gliosis uteri … 778
子宮内呱声 vagitus uterinus … 1982
子宮内骨折 intrauterine fracture … 737
子宮内受精法 intrauterine insemination (IUI) … 940
子宮内生命 intrauterine life … 1032
子宮内切除鏡電極 resectoscope electrode … 594
子宮内胎児死亡症候群 dead fetus syndrome … 1802
子宮内啼泣 vagitus uterinus … 1982
子宮内の intrauterine … 951
子宮内肺炎 intrauterine pneumonia … 1450
子宮内反〔症〕 inversion of the uterus … 952
子宮内膜 endometrium … 614
子宮内膜異型増殖症 atypical endometrial hyperplasia … 885
子宮内膜移植 endometrial implants … 915
子宮内膜炎 endometritis … 614
子宮内膜炎 endomyometritis … 614
子宮内膜間質部肉腫 endometrial stromal sarcoma … 1635
子宮内膜腫 endometrioma … 614
子宮内膜周期 endometrial menstrual cycle … 454
子宮内膜症 endometriosis … 614
子宮内膜症発生移植説(理論) implantation theory of the production of endometriosis … 1876
子宮内膜上皮内癌 endometrial intraepithelial neoplasia (EIN) … 1227
子宮内膜症腹膜中皮化生由来理論(説) celomic metaplasia theory of endometriosis … 1875
子宮内膜スミア(塗抹〔標本〕) endometrial smear … 1693
子宮〔内膜〕腺 uterine glands … 775
子宮〔内膜〕腺 glandulae uterinae … 776
〔頸管拡張〕子宮内膜掻爬術 dilatation and curettage (D&C) … 519
子宮内膜の endometrial … 614
子宮内膜嚢胞 endometrial cyst … 459
子宮内輸血 intrauterine transfusion … 1918
子宮内容除去術 dilatation and evacuation (D&E) … 519
子宮妊娠 uterine pregnancy … 1479
〔子宮〕粘膜 tunica mucosa uteri … 1953
子宮の matrical … 1110
糸球の glomal … 779
子宮膿気症 pyophysometra … 1532
子宮の外側角 lateral angle of uterus … 89
〔子宮の〕後面 facies intestinalis uteri … 664
〔子宮の〕後面 intestinal surface of uterus … 1782
〔子宮の〕前面 facies vesicalis uteri … 665
〔子宮の〕前面 vesical surface of uterus … 1784
子宮剝離〔術〕 hysterolysis … 901
四丘板 quadrigeminal lamina … 998
四丘板 quadrigeminal plate … 1435
子宮病性月経困難〔症〕 uterine dysmenorrhea … 573
子宮腹腔妊娠 uteroabdominal pregnancy … 1479
子宮腹腔フィステル(瘻) uteroperitoneal fistula … 706
子宮腹部の uteroabdominal … 1976
子宮腹壁の uteroparietal … 1976
子宮腹膜炎 metroperitonitis … 1148
子宮不全 uterine insufficiency … 941
子宮付属器 uterine appendages … 119
子宮付属器炎 adnexitis … 30
〔子宮〕付属器固定〔術〕 adnexopexy … 30
〔子宮〕付属器摘出〔術〕 adnexectomy … 30
子宮復古(退縮) involution of the uterus … 953
子宮ヘルニア hysterocele … 900
子宮傍〔結合〕組織 parametrium … 1351
子宮傍〔結合〕組織炎 parametritis … 1351
子宮傍〔結合〕組織の parametrial … 1351
子宮傍〔結合〕組織の parametric … 1351
子宮傍〔結合〕組織膿瘍 parametric abscess, parametritic abscess … 5
子宮縫合〔術〕 hysterorrhaphy … 901
子宮膀胱の uterovesical … 1977
子宮膀胱ひだ uterovesical fold … 720
子宮膀胱腹壁固定〔術〕 hysterocystopexy 901
子宮傍リンパ節 parauterine lymph nodes … 1080
子宮無力〔症〕 uterine inertia … 925
子宮ラセン動脈 helicine arteries of the uterus … 145
子宮卵管炎 metrosalpingitis … 1148
子宮卵管開口〔術〕 hysterosalpingostomy 901
子宮卵管造影(撮影)〔法〕 hysterosalpingography … 901
子宮卵管造影(撮影)〔法〕 uterosalpingography … 1977
子宮卵管切除〔術〕 hysterosalpingectomy 901
子宮卵管の uterotubal … 1977
子宮卵管卵巣摘除〔術〕 hysterosalpingo-oophorectomy … 901
子宮卵巣摘除〔術〕 hystero-oophorectomy 901
子宮卵巣の utero-ovarian … 1976
子宮瘤 hysterocele … 900
子宮隆起 torus uterinus … 1905
子宮留気水症 pneumohydrometra … 1449
子宮留血症 hematometra … 826
子宮留水症 hydrometra … 873
子宮留膿症 pyometra … 1532
子宮リンパ管炎 metrolymphangitis … 1148
子宮漏 metrorrhea … 1148
子宮漏血 metrostaxis … 1149
歯鏡 mouth mirror … 1159
耳鏡 otoscope … 1327
耳鏡検査〔法〕 otoscopy … 1327
指強直症 ankylodactyly, ankylodactylia … 92
司教(主教)のうなずき bishop's nod … 216
死恐怖〔症〕 thanatophobia … 1874
仕切り症候群 compartment syndrome … 1801
磁気療法 magnetotherapy … 1093
糸筋 myoneme … 1214
歯ぎん(齦)腫脹 gingival festoon … 681
嗜銀性顆粒 argentaffin granules … 796
嗜銀〔性〕の argentaffin, argentaffine … 131
肢筋波動症 limb myokymia … 1214
軸 axis (ax) … 183
軸 shank … 1670
シグアテラ ciguatera … 362
シグアトキシン ciguatoxin … 362
軸位像 axial … 183
死腔 dead space … 1703
視空間失認 visual-spatial agnosia … 38
軸外の extraaxial … 657
軸角 axial angle … 88
軸下の hypaxial … 878
軸下の subaxial … 1762
軸杆 axostyle … 185
軸後筋 postaxial muscles … 1191
軸後〔方〕の postaxial … 1470
軸骨格 axial skeleton … 1690
軸索 axon … 185
軸索 axostyle … 185
軸索遠心性の axifugal … 183
軸索求心性の axopetal … 185
軸索頸 cervix of the axon … 336
軸索原形質 axoplasm … 185
軸索原形質輸送 axoplasmic transport … 1921
軸索細胞体間シナプス axosomatic synapse … 1792
軸索細胞体間の axosomatic … 185
軸索軸索間シナプス axoaxonic synapse 1792
軸索軸索間の axoaxonic … 185
軸索周囲の periaxonal … 1386
軸索終末 axon terminals … 1852
軸索樹状突起間シナプス axodendritic synapse … 1792
軸索樹状突起間の axodendritic … 185
軸索鞘 axolemma … 185
軸〔索〕漿 axoplasm … 185
軸索障害 axonopathy … 185
軸索小丘 axon hillock … 852
軸索消失多発ニューロパシー(多発神経障害) axon loss polyneuropathy … 1461
軸〔索〕漿輸送 axoplasmic transport … 1921
軸索切断〔術〕 axotomy … 185
軸索側枝 paraxon … 1355
軸索断裂〔症〕 axonotmesis … 185
軸索ニューロパチーを伴う脊髄小脳運動失調〔症〕 spinocerebellar ataxia with axonal neuropathy … 167
軸索の axonal … 185
軸索反射 axon reflex … 1577
軸索変性 axonal degeneration … 480
軸索融解 axolysis … 185
軸糸 axoneme … 185
軸糸 axial filament … 697
軸歯 axial surfaces … 1781
軸肢筋 axioappendicular muscles … 1182
軸周囲の periaxial … 1386
軸小体 axis corpuscle, axile corpuscle … 426
軸上の epaxial … 625
軸性遠視 axial hyperopia … 884
軸性近視 axial myopia … 1215
軸性神経炎 axial neuritis … 1245
軸性動脈瘤 axial aneurysm … 81
軸性の axial … 183
軸性非正視 axial ametropia … 58
軸線 axis (ax) … 183
軸前筋 preaxial muscles … 1191

軸前〔方〕の preaxial ………………………… 1476
軸足 axopodium ………………………………… 185
軸柱 columella …………………………………… 395
軸椎 axis (ax) …………………………………… 183
軸椎 epistropheus ……………………………… 631
〔手の〕指屈筋総腱鞘 common flexor sheath (of hand) ……………………………… 1670
〔手の〕指屈筋総腱鞘 vagina communis tendinum musculorum flexorum (manus) ………………………………………………… 1981
軸転心臓 trochocardia ……………………… 1936
軸動脈 axis (ax) ……………………………… 183
シクトキシン cicutoxin …………………… 362
シグナル code ………………………………… 386
シグナル signal ……………………………… 1684
シグナル認識粒子 signal recognition particle (SRP) ……………………………… 1369
シグナルボイド signal void ……………… 2035
軸捻 volvulus ………………………………… 2037
軸の axial ……………………………………… 183
軸板 axial plate ……………………………… 1434
軸方向投影〔法〕 axial projection ………… 1496
軸傍の paraxial ……………………………… 1355
シグマ σ, Σ …………………………………… 1628
シグマ sigma ………………………………… 1678
シグマ因子 sigma factor …………………… 669
シグマチズム sigmatism …………………… 1678
シグマペプチド sigma peptide …………… 1383
ジクマロール dicumarol …………………… 513
ジクマロール耐性 dicumarol resistance 1593
軸面頬面歯肉面の axiobuccogingival …… 183
軸面頬面の axiobuccal ……………………… 183
軸面近遠心平面 axiomesiodistal plane … 1430
軸面近心面歯頸面の axiomesiocervical …. 183
軸面近心面歯肉面の axiomesiogingival … 183
軸面近心面切縁の axiomesioincisal ……… 183
軸面近心面の axiomesial …………………… 183
軸面咬合面の axioocclusal ………………… 183
軸面歯髄面の axiopulpal …………………… 183
軸面唇舌平面 axiolabiolingual plane …… 1430
軸面唇面舌面の axiolabiolingual ………… 183
軸面唇面の axiolabial ……………………… 183
軸面切縁の axioincisal ……………………… 183
軸面舌面咬合面の axiolinguoocclusal …… 183
軸面舌面歯頸面の axiolinguocervical …… 183
軸面舌面歯肉面の axiolinguogingival …… 183
軸面舌面の axiolingual ……………………… 183
軸面の axial …………………………………… 183
シクラーゼ cyclase ………………………… 454
シクラミン酸 cyclamic acid ……………… 454
軸流 axial current …………………………… 450
シクロスポラ症 cyclosporiasis …………… 457
シクロスポラ属 *Cyclospora* ……………… 457
シクロスポリン cyclosporine ……………… 457
シクロセリン cycloserine ………………… 457
趾クローヌス toe clonus …………………… 375
シクロフィリン ciclophilins ……………… 362
シクロプロパン cyclopropane …………… 457
シクロペプチド cyclopeptide …………… 456
シクロペンタ[*a*]フェナントレン cyclopenta[*a*]phenanthrene ……………… 456
シクロペンタン cyclopentane …………… 456
シクロホスファミド cyclophosphamide (CTX) ………………………………………… 456
シクロホラーゼ cyclophorases …………… 456
シクロール cyclol …………………………… 456
ジクロルボス dichlorvos …………………… 513
2,6-ジクロロインドフェノール 2,6-dichloroindophenol …………………… 513
ジクロロジフェニルトリクロロエタン dichlorodiphenyltrichloroethane (DDT) 513
ジクロロヒドリン dichlorohydrin ………… 513
2,4-ジクロロフェノキシ酢酸 (2,4-dichlorophenoxy) acetic acid (2,4-D) ……………………………………………… 513
ジクロロベンゼン dichlorobenzene ……… 512
軸を外れて abaxial, abaxile ……………… 1
歯形 tooth form ……………………………… 729
歯頸 cervix dentis …………………………… 336
歯頸 collum dentis …………………………… 392
歯頸 dental neck ……………………………… 1223
歯頸 neck of tooth …………………………… 1223
歯頸縁 cervical margin ……………………… 1103
歯頸縁 gingival margin ……………………… 1103
歯系機能不全 dental dysfunction ………… 572
歯系骨化中心 dentary center ……………… 330
歯頸歯肉線維群 dentogingival fiber group ………………………………………………… 688
耳形成〔術〕 otoplasty ……………………… 1327
肢形成不全〔症〕 hypomelia ……………… 894
歯頸線 cervical line ………………………… 1049
耳形の auriform ……………………………… 177
自系の autologous …………………………… 180
歯頸部頬面の cervicobuccal ……………… 336
歯頸部唇面の cervicolabial ……………… 336
歯頸部舌面の cervicolingual ……………… 336
歯頸部知覚過敏〔症〕 cervical hyperesthesia ………………………………………………… 880
歯頸面舌面軸面の cervicolinguoaxial …… 336
指痙攣 dactylospasm ……………………… 470
歯隙 diastema ………………………………… 511
刺激 irritation ………………………………… 957
刺激 kick ……………………………………… 983
刺激 stimulus ………………………………… 1747
刺激〔作用〕 stimulation …………………… 1747
〔刺激〕感受性鈍麻 dyserethism ………… 571
刺激感受性ミオクロ〔ー〕ヌス stimulus sensitive myoclonus ……………………… 1212
刺激緩和薬 torpent ………………………… 1904
刺激原 irritant ………………………………… 957
刺激語 stimulus word ……………………… 1747
刺激神経 excitor nerve …………………… 1234
刺激制御 stimulus control ………………… 418
刺激性接触皮膚炎 irritant contact dermatitis ………………………………………………… 495
刺激性線維腫 irritation fibroma ………… 694
刺激性毒物 acrid poison …………………… 1455
刺激性の acrid ………………………………… 17
刺激性の irritant ……………………………… 957
刺激性の irritative …………………………… 957
刺激性の pungent …………………………… 1527
刺激蛋白1 stimulatory protein 1 (SP1) 1506
刺激の加重 summation of stimuli ……… 1777
刺激波動 cardiac impulse ………………… 917
刺激汎化 stimulus generalization ……… 764
刺激反応性の irritable ……………………… 957
刺激物 irritant ………………………………… 957
刺激物質 stimulator ………………………… 1747
刺激ホルモン tropic hormones, trophic hormones ……………………………………… 864
刺激薬 irritant ………………………………… 957
刺激薬 stimulant …………………………… 1747
刺激薬 stimulator …………………………… 1747
刺激薬 stimulus ……………………………… 1747
止血 hemostasis ……………………………… 836
止血鉗子 hemostatic forceps ……………… 727
止血鉗子 hemostat …………………………… 836
耳穴式補聴器 in-the-ear hearing aid …… 820
脂〔肪〕血症 lipemia ………………………… 1055
止血小鉗子 serrefine ……………………… 1667
止血性の hematostatic ……………………… 827
指結節 knuckle pads ……………………… 1336
指(趾)欠損 hypodactyly, hypodactylia, hypodactylism ……………………………… 892
止血帯 tourniquet …………………………… 1905
止血帯足炎 tourniquet poditis …………… 1452
止血物質 hemostat ………………………… 836
止血綿 styptic cotton ……………………… 430
止血薬 styptic ………………………………… 1762
止血用発条鉗子 bulldog forceps ………… 727
2,3-ジケト-L-グロン酸 2,3-diketo-L-gulonate ………………………………………………… 519
ジケトヒドリンジリデン-ジケトヒドリンダミン diketohydrindylidene-diketohydrindamine ………………………………………………… 519
ジケトピペラジン diketopiperazines …… 519
ジケトン diketone …………………………… 519
試験 examination …………………………… 650
試験 level ……………………………………… 1029
試験 test ……………………………………… 1853
事件 incident ………………………………… 918
試験委員 examiner ………………………… 651
試験液 test solution ………………………… 1698
試験管 test tube ……………………………… 1942
試験管回転培養 roll-tube culture ……… 448
試験管内腫瘍細胞感受性試験 clonogenic assay ………………………………………… 162
〔試験〕管内で *in vitro* ……………………… 953
試験管ベビー test-tube baby …………… 187
試験-再試験信頼度 test-retest reliability 1589
始原細胞 primordial cell ………………… 325
試験室 laboratory …………………………… 992
指現象 finger phenomenon ……………… 1404
試験食 test meal …………………………… 1112
歯原性角化嚢胞 odontogenic keratocyst 979
始原性細胞 primordial germ cell ……… 325
始原生殖細胞 primordial germ cell …… 325
歯原性石灰化上皮腫 calcifying epithelial odontogenic tumor ………………………… 1949
歯原性線維腫 odontogenic fibroma ……… 694
歯原性粘液腫 odontogenic myxoma …… 1218
耳原〔性〕の otogenic, otogenous ………… 1326
自原〔性〕の autogenous …………………… 179
歯原性嚢胞 odontogenic cyst …………… 460
試験接種 test injection …………………… 936
始原の primary ……………………………… 1484
試験の標準化 standardization of a test 1737
〔帝王切開後〕試験分娩 trial of labor after cesarean section (TOLAC) ……………… 992
試験用物体 test object …………………… 1288
試験レンズ箱 trial case …………………… 308
事故 accident …………………………………… 9
自己 self ………………………………………… 1658
自己愛 narcissism …………………………… 1221
自己愛性人格障害 narcissistic personality disorder ……………………………………… 546
自己悪臭恐怖〔症〕 automysophobia ……… 180
自己(自家)アレルギー化 autoallergization ………………………………………………… 178
自己暗示 autosuggestion …………………… 181
自己暗示性 autosuggestibility …………… 181
自己(自家)移植〔術〕 autotransplantation 182
自己(自家)移植片 autograft …………… 179
視紅 rhodopsin ……………………………… 1610
思考 thinking ………………………………… 1883
思考 thought ………………………………… 1886
施行 operation ……………………………… 1303
試行 conation ………………………………… 405
試行 trial ……………………………………… 1926
歯溝 dental groove ………………………… 801
歯垢 bacterial plaque ……………………… 1432
耳垢 cerumen ………………………………… 336
耳垢 ear wax ………………………………… 2042
耳硬化〔症〕 otosclerosis …………………… 1327
耳甲介 concha auriculae …………………… 406
耳甲介 concha of auricle …………………… 406
耳甲介 concha of ear ……………………… 406
耳甲介腔 cavity of concha ………………… 316
耳甲介腔 cavum conchae ………………… 317
耳口蓋指趾症候群 otopalatodigital syndrome ………………………………………………… 1814
耳口蓋指の otopalatodigital ……………… 1327
耳甲介舟 cymba conchae ………………… 457
〔耳〕甲介周囲の periconchal …………… 1387
耳甲介隆起 eminence of concha ………… 603
思考過速 hypernoia ………………………… 884
思考過程 ideation …………………………… 904

思考過程障害 thought process disorder …… 547
時効〔硬化〕する age …… 35
視〔神経〕交叉(交差) optic decussation …… 476
視〔神経〕交叉(交差) optic chiasm …… 344
視〔神経〕交叉(交差) chiasma opticum …… 344
視紅再生 rhodogenesis …… 1610
視交叉陥凹 optic recess …… 1572
試行錯誤 trial and error …… 1926
視交叉溝 chiasmatic groove …… 801
視交叉後核 retrochiasmatic area …… 130
視交叉固定術 chiasmapexy …… 344
視交叉枝 ramus chiasmaticus …… 1549
視交叉上核 nucleus suprachiasmaticus 1280
視交叉上核 suprachiasmatic nucleus …… 1280
視交叉上動脈 suprachiasmatic artery …… 153
視交叉前溝 prechiasmatic sulcus …… 1774
指交差皮弁 cross-finger flap …… 709
視交叉部神経膠腫 glioma of optic chiasm …… 778
思考時チック tic de pensée …… 1892
自咬症 autophagia …… 180
思考障害 dyslogia …… 573
思考吹入 thought insertion …… 1886
脂向性因子 lipotropic factor …… 668
持効性錠 sustained action tablet, sustained release tablet …… 1837
脂〔肪〕向性の lipotropic …… 1059
指向性補聴器 directional hearing aid …… 819
耳垢腺腫瘍 ceruminoma …… 336
思考奪取 thought withdrawal …… 1886
指膠着〔症〕 ankylodactyly, ankylodactylia 92
四咬頭の quadritubercular …… 1537
耳後の opisthotic …… 1308
思考の傾向 trend of thought …… 1886
思考の全能 omnipotence of thought …… 1298
指向反射 orienting reflex …… 1580
耳垢分泌過剰 ceruminosis …… 336
視紅防御 rhodophylaxis …… 1610
視紅防御の rhodophylactic …… 1610
耳垢溶解薬 ceruminolytic …… 336
自己栄養 autotrophic …… 182
自己栄養 autotrophy …… 182
自己栄養生物 autotroph …… 182
自己栄養体 autotroph …… 182
自己回転 spontaneous version …… 2014
自己概念 self-concept …… 406
自己加害 autolesion …… 180
自己(自家)角膜移植〔術〕 autokeratoplasty …… 180
自己角膜移植 autogenous keratoplasty …… 980
事後確率 posterior probability …… 1486
自己仮視 autoscopy …… 181
自己仮視現象 autoscopic phenomenon …… 1404
自己カテーテル挿入 autocatheterization, autocatheterism …… 179
自己環境 ipsefact …… 956
自己感作する autosensitize …… 181
自己感染 self-infection …… 1658
自己(自家)感染 autoinfection …… 179
自己感応係数 inductance (L) …… 924
自己帰罪欲 pseudomania …… 1513
ジゴキシゲニン digoxigenin …… 518
ジゴキシン digoxin …… 518
自己嗅覚症 autosmia …… 181
自己凝集〔反応〕 autoagglutination …… 178
自己凝集素 autoagglutinin …… 178
耳語(囁語)胸声 whispered pectoriloquy, whispering pectoriloquy …… 1375
自己恐怖〔症〕 autophobia …… 181
自己血球凝集 autohemagglutination …… 179
自己(自家)血清 autoserum …… 181
自己(自家)血清療法 autoserotherapy …… 181
死後血栓 postmortem thrombus …… 1889
死後血餅 postmortem clot …… 377
自己〔像〕幻視 autoscopic hallucination …… 812
自己限定性(制限)疾患 self-limited disease …… 540
自己抗原 autoantigen …… 178
自己合成 autosynthesis …… 181
自己向性ウイルス ecotropic virus …… 2024
自己抗体 autoantibody …… 178
死後硬直 postmortem rigidity …… 1617
自己抗補体 autoanticomplement …… 178
自己(自家)細胞毒素 autocytotoxin …… 179
自己催眠 autohypnosis …… 179
自己酸化 autooxidation …… 180
自己酸化性の autooxidizable …… 180
自己刺激 self-stimulation …… 1658
自己志向的の idiotropic …… 905
自己実質化生 autoparenchymatous metaplasia …… 1140
自己受容体 autoreceptor …… 181
自己消化 autolysis …… 180
自己(自家)消化 autodigestion …… 179
自己消化物 autolysate …… 180
自己消耗 autophagia …… 180
自己身体部位失認 autotopagnosia …… 182
自己診断 autognosis …… 179
自己スプライシング self-splicing …… 1658
自己制御 autogenous control …… 418
自己制御 self-control …… 1658
自己生殖 autogamy …… 179
自己生殖 autosynthesis …… 181
自己赤血球感作 autoerythrocyte sensitization …… 1661
自己赤血球感作症候群 autoerythrocyte sensitization syndrome …… 1797
自己(自家)〔赤血球〕溶血素 autohemolysin …… 179
自己(自家)接種 autoinoculation …… 180
自己(自家)接種可能の autoinoculable …… 179
子午線 meridian …… 1133
自己〔像〕幻視 autoscopic hallucination …… 812
自己増殖 autosynthesis …… 181
自己蛋白 autologous protein …… 1502
自己中心性 egocentricity …… 590
自己(自家)中毒 autointoxication …… 180
自己中毒回避 horror autotoxicus …… 865
自己(自家)中毒素 autointoxicant …… 180
自己調節 autoregulation …… 181
自己調節 self-regulation …… 1658
指骨 ossa digitorum …… 1317
篩骨 ethmoid bone …… 232
篩骨 ethmoid …… 645
篩骨 os ethmoidale …… 1317
自己追想 automnesia …… 180
篩骨炎 ethmoiditis …… 646
篩骨窩 fovea ethmoidalis …… 735
篩骨角 ethmoid angle …… 88
篩骨眼窩板 lamina orbitalis ossis ethmoidalis …… 998
篩骨眼窩板 orbital lamina of ethmoid bone …… 998
篩骨眼窩板 orbital plate of ethmoid bone …… 1435
篩骨孔 ethmoidal foramen …… 724
篩骨孔 foramen ethmoidale (anterior et posterior) …… 725
篩骨甲介 ethmoturbinals …… 646
篩骨口蓋骨の ethmopalatal …… 646
〔篩骨〕鉤状突起 uncinate process of ethmoid bone …… 1490
〔篩骨〕鉤状突起 processus uncinatus ossis ethmoidalis …… 1492
篩骨篩板 lamina cribrosa ossis ethmoidalis …… 997
篩骨篩板 cribriform plate of ethmoid bone …… 1435
歯骨腫 dental osteoma …… 1322
篩骨上顎骨の ethmomaxillary …… 646
篩骨上顎縫合 sutura ethmoidomaxillaris …… 1786
篩骨上顎縫合 ethmoidomaxillary suture …… 1787
篩骨静脈 ethmoidal veins …… 1995
篩骨静脈 venae ethmoidales …… 2005
篩骨鋤骨の ethmovomerine …… 646
篩骨鋤骨板 ethmovomerine plate …… 1435
篩骨神経溝 ethmoidal groove …… 801
篩骨神経溝 sulcus ethmoidalis …… 1772
篩骨垂直板 perpendicular plate of ethmoid bone …… 1435
篩骨頭蓋骨の ethmocranial …… 645
篩骨切痕 incisura ethmoidalis …… 919
篩骨切痕 ethmoidal notch …… 1269
篩骨切除〔術〕 ethmoidectomy …… 646
篩骨前頭骨の ethmofrontal …… 645
篩骨蝶形骨の ethmosphenoid …… 646
篩骨洞 antra ethmoidalia …… 110
篩骨洞 ethmoidal sinuses …… 1687
篩骨洞 sinus ethmoidales …… 1687
篩骨洞炎 ethmoiditis …… 646
篩骨洞開放術 ethmoidectomy …… 646
篩骨洞涙嚢フィステル(瘻) ethmoidal-lacrimal fistula …… 705
〔下鼻甲介の〕篩骨突起 ethmoidal process of inferior nasal concha …… 1489
〔下鼻甲介の〕篩骨突起 processus ethmoidalis conchae nasalis inferioris …… 1491
〔篩骨の〕眼窩板 orbital layer of ethmoid bone …… 1012
篩骨鼻骨の ethmonasal …… 646
篩骨胞 bulla ethmoidalis …… 265
篩骨胞 ethmoidal bulla …… 265
篩骨蜂巣 ethmoid air cells …… 321
篩骨蜂巣 ethmoid cells …… 321
篩骨蜂巣 cellulae ethmoidales …… 328
篩骨蜂巣炎 ethmoiditis …… 646
篩骨蜂巣開放術 ethmoidectomy …… 646
歯骨膜線維群 dentoperiosteal fiber group 688
篩骨迷路 ethmoidal labyrinth …… 992
篩骨迷路 labyrinthus ethmoidalis …… 992
篩骨稜 ethmoidal crest …… 437
篩骨稜 crista ethmoidalis …… 440
篩骨涙骨の ethmolacrimal …… 646
篩骨漏斗 ethmoid infundibulum …… 931
篩骨漏斗 ethmoidal infundibulum …… 931
篩骨漏斗 infundibulum ethmoidale …… 931
自己定量法 autoassay …… 178
仕事 work …… 2048
自己洞察 self-awareness …… 1658
自己同種溶解素 autoisolysin …… 180
仕事記録の ergographic …… 636
仕事の単位 unit of work …… 1967
仕事率 power …… 1475
仕事量増加の ergogenic …… 636
死後の postmortem (PM) …… 1471
自己〔由来〕の autologous …… 180
自己の分身 alteregoism …… 53
自己(自家)敗血症 autosepticemia …… 181
自己排膿 autodrainage …… 179
自己破壊 autoclasis, autoclasia …… 179
自己発見 self-discovery …… 1658
死後皮斑 postmortem livedo …… 1062
事故頻発〔性〕の accident-prone …… 10
自己複製 autoreproduction …… 181
自己不潔恐怖〔症〕 automysophobia …… 180
自己分化 self-differentiation …… 1658
自己分解 autolysis …… 180
自己分解物 autolysate …… 180
自己分析 autoanalysis …… 178
死後分娩 postmortem delivery …… 484
自己分裂の autotemnous …… 181
自己返血 autoinfusion …… 179
自己娩出 spontaneous evolution …… 650
自己崩壊 autoclasis, autoclasia …… 179
自己縫合 autorrhaphy …… 181
自己免疫 autoimmune …… 179
自己免疫 autoimmunity …… 179
自己免疫化 autoimmunization …… 179

シ

自己免疫疾患 autoimmune disease ········ 528
自己免疫性肝炎 autoimmune hepatitis (AIH) ········ 839
自己免疫性血球減少症 autoimmunocytopenia ········ 179
自己免疫性新生児血小板減少〔症〕 autoimmune neonatal thrombocytopenia ········ 1887
自己免疫性多〔内分泌〕腺症候群1型 autoimmune polyendocrine syndrome, type I (APS I) ········ 1797
自己免疫性多〔内分泌〕腺症候群1型 autoimmune polyglandular syndrome, type I ········ 1797
自己免疫性多発性内分泌〔腺〕症-カンジダ症-外胚葉性ジストロフィ autoimmune polyendocrinopathy-candidiasis-ectodermal dystrophy (APECED) ········ 578
自己免疫性多発性内分泌〔腺〕症候群1型 autoimmune polyendocrinopathy syndrome, type I (APS I) ········ 1797
自己免疫性多発性内分泌〔腺〕症と外胚葉性形成異常 autoimmune polyendocrinopathy and ectodermal dysplasia ········ 575
自己免疫性内耳疾患 autoimmune inner ear disease ········ 528
自己免疫性溶血性貧血 autoimmune hemolytic anemia ········ 76
自己免疫多内分泌〔腺〕症候群1型,常染色体優性遺伝型を含む autoimmune polyendocrinopathy syndrome, type I, autosomal dominant, included ········ 1797
自己目的の autotelic ········ 181
自己優越性 egomania ········ 590
自己融解 autolysis ········ 180
自己融解酵素 autolytic enzyme ········ 623
自己有効感 self-efficacy ········ 1658
自己(自家)輸血〔法〕 autotransfusion ········ 182
自己〔由来〕の autologous ········ 180
自己溶解 autolysis ········ 180
自己溶解素 autolysin ········ 180
自〔己〕溶解素 autocytolysin ········ 179
自己溶解物 autolysate ········ 180
自己(自家)溶血 autohemolysis ········ 179
自己溶血試験 autohemolysis test ········ 1854
自己(自家)〔赤血球〕溶血素 autohemolysin ········ 179
自己(自家)ワクチン autogenous vaccine ········ 1979
事故を起こしやすい accident-prone ········ 10
歯根 fang ········ 671
歯根 radix dentis ········ 1546
歯根 root ········ 1621
歯根 root of tooth ········ 1622
歯根型インプラント root-form implant ········ 915
〔スクリュータイプ〕歯根型インプラント threaded implant ········ 915
歯根下の subdental ········ 1763
歯根管 root canal of tooth ········ 284
歯根管 canalis radicis dentis ········ 286
〔歯〕根管治療 root canal therapy ········ 1879
〔歯〕根管治療 root canal treatment ········ 1924
歯根吸収 root resorption ········ 1595
歯根歯髄 pulpa radicularis ········ 1524
歯根歯髄 radicular pulp ········ 1524
歯根歯髄 root pulp ········ 1524
歯根歯槽結合 articulatio dentoalveolaris ········ 157
歯根周囲組織破壊 perirhizoclasia ········ 1392
歯根切除〔術〕 root amputation ········ 66
〔歯〕根切除〔術〕 root resection ········ 1592
歯根尖 apex radicis dentis ········ 113
歯根尖 tip of tooth root ········ 1895
歯根尖孔 apical dental foramen ········ 724
歯根尖孔 apical foramen of tooth ········ 724
歯根尖孔 foramen apicis dentis ········ 724
歯根尖〔端〕周囲の periapical ········ 1385
歯根肉芽腫 periapical granuloma ········ 798
歯根嚢胞 apical periodontal cyst ········ 458
歯根膜 periodontal membrane ········ 1126
歯根膜 periodontium ········ 1391
歯根膜萎縮 periodontal atrophy ········ 174
歯根膜炎 periodontitis ········ 1390
歯根膜線維 desmodentium ········ 499
歯根膜負担義歯〔床〕 tooth-borne base ········ 200
歯根膜麻酔〔法〕 periodontal anesthesia ········ 80
歯根裂開 root dehiscence ········ 482
視差 parallax ········ 1350
舐剤 lincture, linctus ········ 1048
視サイクル visual cycle ········ 455
〔網膜〕視細胞層 neuroepithelial layer of retina ········ 1012
視索 optic tract ········ 1912
視索 tractus opticus ········ 1914
歯索 dental cord ········ 421
〔視索〕外側根 radix lateralis tractus optici ········ 1546
〔視索〕外側根 lateral root of optic tract ········ 1621
自作言語 idiolalia ········ 904
視索枝 rami tractus optici ········ 1557
視索上核 supraoptic nucleus ········ 1280
視索上核下垂体路 supraopticohypophysial tract ········ 1913
視索上核下垂体路 tractus supraopticohypophysialis ········ 1915
視索上洞 supraoptic recess ········ 1572
視索上動脈 supraoptic artery ········ 153
視索前〔方〕の preoptic ········ 1480
視索前部 preoptic region ········ 1586
視索前野 preoptic area ········ 130
〔視索〕内側根 radix medialis tractus optici ········ 1546
〔視索〕内側根 medial root of optic tract ········ 1621
視索副核 accessory nuclei of optic tract ········ 1272
〔視索副核の〕外側核 lateral nucleus ········ 1276
〔視索副核の〕後核 posterior nucleus ········ 1278
〔視索副核の〕内側核 medial nucleus ········ 1276
示差血圧 differential blood pressure ········ 1482
視差試験 parallax test ········ 1862
自殺 suicide ········ 1770
自殺学 suicidology ········ 1771
自殺基質 suicide substrate ········ 1767
自殺狂 thanatomania ········ 1873
自殺者 suicide ········ 1770
自殺の真似 suicide gesture ········ 768
視差法 parallax method ········ 1145
時差ぼけ jet lag ········ 968
示差マノメータ differential manometer 1101
死産 stillbirth ········ 1747
四酸化鉛 lead tetroxide ········ 1014
四酸化オスミウム osmium tetroxide ········ 1319
四酸化物 tetroxide ········ 1872
次酸化物 suboxide ········ 1764
死産児 stillborn infant ········ 925
死指 dead fingers ········ 700
四肢 limb ········ 1047
四肢 member ········ 1124
視紫 visual violet ········ 2021
歯枝 dental branches ········ 245
歯枝 rami dentales ········ 1550
指示 indication ········ 923
支持 buttress ········ 272
支持 subiculum ········ 1763
支持 support ········ 1778
磁子 magneton ········ 1093
示指 index finger ········ 700
示指 forefinger ········ 728
示指 index ········ 921
四肢アザラシ肢症 tetraphocomelia ········ 1872
四肢異常矯正の orthomelic ········ 1316
四肢遠位部の異形リンパ球を伴う炎症性粘液ヒアリン腫瘍 inflammatory myxohyaline tumor of distal extremities with virocytes ········ 1951
獅子(しし)顔 leontiasis ········ 1020
四肢過剰発育 acrometagenesis ········ 18
四肢感覚性認識欠如 acroagnosis ········ 17
四肢感覚認知 acrognosis ········ 18
四肢関節炎 acroarthritis ········ 17
獅子顔貌 leonine facies ········ 664
四肢顔面骨形成不全〔症〕 acrofacial dysostosis ········ 574
歯式 dental formula ········ 730
指趾奇形 perodactyly, perodactylia ········ 1394
四肢奇形 cacomelia ········ 274
四肢奇形 peromellia ········ 1394
四耳奇形体 tetrotus ········ 1872
時識障害 dischronation ········ 526
指趾矯正〔術〕 orthodigita ········ 1316
四肢亀裂奇形 schistomelia ········ 1642
四肢近位短縮性小人症 rhizomelic dwarfism ········ 569
視軸 axis opticus ········ 185
視軸 optic axis ········ 185
視軸測定器 haploscope ········ 815
〔歯軸〕捻転 torsiversion ········ 1904
指示〔薬〕系 indicator system ········ 1831
支持鉤 tenaculum ········ 1849
支持鉤鉗子 tenaculum forceps ········ 728
四肢拘縮 acrocontracture ········ 18
支持構造 foundation ········ 735
四肢根部の rhizomelic ········ 1610
支持細胞 sustentacular cell ········ 326
指示試験法 past-pointing ········ 1371
指示順守度 adherence ········ 28
指示症状 indicant ········ 923
四指(趾)〔症〕の tetradactyl ········ 1871
示指伸筋 extensor indicis (muscle) ········ 1184
示指伸筋 musculus extensor indicis ········ 1200
指示性記号 indexical signs ········ 1681
支持〔的〕精神療法 supportive psychotherapy ········ 1521
四肢切断〔術〕 quadruple amputation ········ 66
四肢切断愛 apotemnophilia ········ 118
歯歯槽靱帯結合 dento-alveolar syndesmosis ········ 1794
支持組織 supporting tissue ········ 1896
支持体 support medium ········ 1118
支持帯 binder ········ 211
支持台 fulcrum ········ 743
四肢体感 acrognosis ········ 18
四肢短小型小人症 micromelic dwarfism 569
支質 stroma ········ 1759
脂質 lipid ········ 1055
痔疾 hemorrhoids ········ 836
脂質A lipid A ········ 1056
四肢痛 melalgia ········ 1121
歯質境界 structural interface ········ 944
脂質食性肉芽腫 lipophagic granuloma ········ 798
脂質親和体 lipophil ········ 1058
脂質生成 lipogenesis ········ 1057
脂質性組織球増殖〔症〕 lipid histiocytosis 854
〔手〕指失認 finger agnosia ········ 38
脂質分解の lipidolytic ········ 1056
支質溶解 stromatolysis ········ 1759
脂質ラフト lipid raft ········ 1056
指示的精神療法 directive psychotherapy 1520
支〔持〕点 bearing ········ 203
示指橈側動脈 arteria radialis indicis ········ 137
示指橈側動脈 radial index artery ········ 151
示指橈側動脈 radialis indicis artery ········ 151
〔掌側〕示指橈側動脈 arteria volaris indicis radialis ········ 138
四肢の appendicular ········ 120
支持の sustentacular ········ 1785
獅子鼻型小人症 snub-nose dwarfism ········ 569
支持反応 supporting reactions ········ 1567

指趾肥厚 pachydactyly ………………… 1335
〔眼内レンズの〕支持部 haptic ………… 815
四肢不全麻痺 tetraparesis ……………… 1872
四肢不同 anisomelia ……………………… 92
支持プレート buttress plate …………… 1434
刺糸胞 cnida …………………………… 382
刺糸胞 nematocyst …………………… 1226
支持包帯 suspensory bandage ………… 196
四肢麻痺 quadriplegia ………………… 1537
四肢麻痺 tetraplegia …………………… 1872
獅子面 leonine facies ………………… 664
獅子(しし)面〔症〕 leontiasis ………… 1020
支持面 bearing ………………………… 203
指示薬 indicator ……………………… 923
磁石 magnet …………………………… 1092
指示〔薬〕系 indicator system ………… 1831
磁石反応 magnet reaction …………… 1565
磁石歩行 magnetic gait ……………… 748
脂〔肪〕腫 adipose tumor ……………… 1949
耳珠 tragus …………………………… 1915
耳周囲軟骨 periotic cartilage ………… 306
耳周囲の periauricular ……………… 1386
耳周囲の periotic …………………… 1391
歯周炎 periodontitis ………………… 1390
歯周疾患指数 Periodontal Disease Index (PDI) ……………………………… 923
歯周靭帯 periodontal ligament ……… 1038
歯周組織 periodontium ……………… 1391
歯周組織崩壊症 periodontoclasia …… 1391
四肢誘導 limb lead …………………… 1014
歯周膿瘍 periodontal abscess ………… 5
歯周病学 periodontics ……………… 1390
歯周病専門歯科医 periodontist ……… 1390
歯周ファイル periodontal file ……… 699
歯周ポケット periodontal pocket …… 1452
歯周麻酔〔法〕 periodontal anesthesia …… 80
四手奇形体 tetrachirus ……………… 1870
耳珠筋 muscle of tragus …………… 1196
耳珠筋 tragicus (muscle) ………… 1196
耳珠筋 musculus tragicus ………… 1204
自主入院 self-commitment ………… 1658
耳珠の tragal ………………………… 1915
耳珠板 lamina of tragus …………… 999
耳珠板 lamina tragi ………………… 999
耳珠板 tragal lamina ………………… 999
耳珠毛 hairs of tragus …………… 812
視〔覚〕受容〔器〕細胞 visual receptor cells 328
視準 collimation …………………… 391
思春期 puberty ……………………… 1522
思春期 pubescence ………………… 1523
思春期学 ephebology ……………… 625
思春期後 postpuberty ……………… 1471
思春期前の prepuberal, prepubertal …… 1480
思春期早発症 precocious puberty …… 1523
思春期遅発症 delayed puberty ……… 1523
思春期直前の prepubescent ………… 1480
思春期の hebetic …………………… 821
思春期変声障害 puberphonia ……… 1522
刺傷 bite …………………………… 217
死傷 casualty ……………………… 310
視床 thalamus ……………………… 1872
篩状 cribration ……………………… 438
歯状〔縁〕処女膜 denticulate hymen …… 877
歯状回 dentate gyrus ……………… 808
歯状回 gyrus dentatus ……………… 808
歯状回細胞層 strata gyri dentati …… 1752
〔視床〕外側核 lateral nucleus of thalamus ……………………………… 1276
視床外側中心核 nucleus centralis lateralis ……………………………… 1274
視床外側中心核 central lateral nucleus of thalamus ……………………… 1274
〔視床〕外側腹側核 ventral lateral nucleus of thalamus ……………………… 1281
〔視床〕外側隆起核 lateral tuberal nuclei 1276
歯状回の細胞層 layers of dentate gyrus 1009
視床灰白隆起動脈 thalamotuberal artery 153
視床下核 nucleus subthalamicus ……… 1280
視床下核 subthalamic nucleus ……… 1280
視床下核破壊〔術〕 subthalamotomy …… 1767
歯状核視床線維 dentatothalamic fibers … 688
歯状核赤核線維 fastigiobulbar fibers …… 689
歯状核赤核淡蒼球リュイ(ルイ)体萎縮〔症〕 dentatorubral-pallidoluysian atrophy …… 173
歯状核切除〔術〕 dentatectomy ………… 487
視床核腹側列 ventral tier thalamic nuclei ……………………………… 1281
糸状角膜炎 filamentary keratitis …… 978
糸状角膜症 filamentary keratopathy …… 980
歯状核門 hilum nuclei dentati ……… 852
歯状核門 hilum of dentate nucleus …… 852
視床下溝 hypothalamic sulcus ……… 1772
視床下溝 sulcus hypothalamicus …… 1772
視床下束 subthalamic fasciculus …… 676
〔樹〕枝状型腎盂 branching type of renal pelvis …………………………… 1957
〔樹〕枝状型腎盂 typus dendriticus pelvis renalis …………………………… 1958
視床下部 hypothalamus …………… 897
視床下部外側部 lateral hypothalamic region ……………………………… 1585
視床下部核枝 rami nucleorum hypothalamicorum ………………… 1554
視床下部下垂体の hypothalamohypophysial ……………………………… 897
視床下部-下垂体-副腎系 hypothalamic-pituitary-adrenal axis (HPA) ……………………………… 184
視床下部下垂体路 hypothalamohypophysial tract ……………………………… 1911
視床下部後核 nucleus posterior hypothalamic ……………………… 1278
視床下部後核 posterior nucleus of hypothalamus ……………………… 1278
〔視床下部〕後核 nucleus posterior hypothalami ……………………… 1278
〔視床下部〕後核 posterior hypothalamic nucleus ……………………………… 1278
視床下部後部 dorsal hypothalamic region ……………………………… 1585
視床下部枝 ramus hypothalamicus …… 1551
視床下部視索上核 supraoptic nucleus [TA] of hypothalamus …………………… 1280
視床下部小脳線維 hypothalamocerebellar fibers ……………………………… 689
視床下部性肥満〔症〕 hypothalamic obesity ……………………………… 1287
視床下部性無月経 hypothalamic amenorrhea ……………………………… 58
視床下部脊髄路線維 hypothalamospinal fibers ……………………………… 689
視床下部脊髄路線維 spinohypothalamic fibers ……………………………… 691
視床下部中間部 intermediate hypothalamic region ……………………………… 1585
視床下部の subthalamic …………… 1767
〔視床下部の〕外側層 lateral zone ……… 2059
視床下部の諸層 zones of hypothalamus 2059
〔視床下部の〕内側層 medial zone ……… 2059
〔視床下部の〕脳室周囲層 periventricular zone ……………………………… 2060
〔視床下部の〕漏斗 hypothalamic infundibulum ……………………… 932
〔視床下部の〕漏斗 infundibulum hypothalami ……………………… 932
視床下部背側核 nucleus dorsalis hypothalami ……………………… 1274
〔視床下部〕背内側核 dorsomedial hypothalamic nucleus ……………… 1275
〔視床下部〕背内側核 dorsomedial nucleus of hypothalamus ……………………… 1275
〔視床下部〕背内側核 nucleus dorsomedialis hypothalami ……………………… 1275
〔視床下部〕腹内側核 ventromedial nucleus of hypothalamus ………………… 1281
〔視床下部〕腹内側核 nucleus ventromedialis hypothalami ……………………… 1281
視床間橋 adhesio interthalamica ……… 28
視床間橋 interthalamic adhesion ……… 28
視床貫通動脈 thalamoperforating artery 153
指状嵌入樹状細胞 interdigitating dendritic cells ……………………………… 322
視床間の interthalamic …………… 948
糸状偽足 filopodium ……………… 699
歯状偽足 acanthopodia ……………… 8
視床弓状核 arcuate nucleus of thalamus ……………………………… 1273
視床弓状核 nucleus arcuatus thalami …… 1273
〔視床〕弓状核 arcuate nucleus ……… 1273
〔視床〕弓状核 nucleus arcuatus of intermediate hypothalamic area …… 1273
糸状菌 mold ……………………… 1163
糸状菌性胃炎 mycogastritis ……… 1208
糸状菌〔性〕の mycotic …………… 1208
篩状筋膜 cribriform fascia ………… 672
篩状筋膜 fascia cribrosa …………… 672
矢状弧 longitudinal arc of skull …… 124
矢状溝 sagittal sulcus …………… 1774
篩状孔 cribriform foramina ……… 724
〔視床〕後外側腹側核 nucleus ventralis posterolateralis …………………… 1281
〔視床〕後外側腹側核 ventral posterolateral nucleus [TA] of thalamus, ventral posterior lateral nucleus of thalamus 1281
糸状構造の filamentous …………… 698
〔視床〕後中間腹側核 nucleus ventralis posterior intermedius thalami …… 1281
〔視床〕後内側腹側核 nucleus ventralis posteromedialis ……………………… 1281
〔視床〕後内側腹側核 ventral posteromedial nucleus [TA] of thalamus, posterior medial nucleus of thalamus ………… 1281
視床後部 metathalamus …………… 1141
〔視床〕後腹側核 nucleus ventralis posterior thalami ……………………………… 1281
〔視床〕後腹側核 ventral posterior nucleus of thalamus ……………………………… 1281
耳小骨 auditory ossicles ………… 1319
耳小骨 ossicula auditus …………… 1320
耳〔軟骨〕上骨核 epiotic center ……… 330
耳小骨関節 articulationes ossiculorum auditus ……………………………… 157
耳小骨関節 joints of ear bones ……… 969
耳小骨筋 muscles of auditory ossicles … 1182
耳小骨筋 musculi ossiculorum auditus 1202
耳小骨靭帯 ligaments of auditory ossicles ……………………………… 1033
耳小骨靭帯 ligamenta ossiculorum auditus ……………………………… 1044
歯状骨折 dentate fracture ………… 737
耳小骨切開〔術〕 ossiculotomy ……… 1320
耳小骨切除〔術〕 ossiculectomy ……… 1320
耳小骨摘出〔術〕 ossiculectomy ……… 1320
耳小骨の関節 joints of auditory ossicles 969
耳小骨剝離〔術〕 ossiculotomy ……… 1320
耳小骨連鎖再建 ossicular reconstruction 1574
糸状コロニー filamentous colony …… 393
次硝酸塩 subnitrate ……………… 1764
次硝酸ビスマス bismuth subnitrate …… 216
視床枝 thalamogeniculate artery …… 153
視床枝 rami thalamici …………… 1557
視床枝 ramus thalamicus ………… 1557
紙状〔胎〕児 fetus papyraceus ……… 682
矢状軸 sagittal axis ……………… 185
死傷者 casualty …………………… 310
糸状集落 filamentous colony ……… 393
視床症候群 thalamic syndrome …… 1822
視床上交連 commissura epithalamica …… 397

シ

篩状状態 status cribrosus ………………… 1740
視床上部 epithalamus ………………………… 631
篩状処女膜 cribriform hymen ………… 877
歯状〔縁〕処女膜 denticulate hymen ……… 877
歯状靱帯 denticulate ligament ………… 1035
歯状靱帯 ligamentum denticulatum …… 1043
次小錐 hypoconule ………………………… 892
視床髄条 medullary stria of thalamus … 1756
視床髄条 stria medullaris thalami ……… 1756
視床髄板 medullary laminae of thalamus 998
視床髄板内核 intralaminar nuclei of thalamus ……………………………… 1276
視床髄板内核 nuclei intralaminares thalami ………………………………………… 1276
視床切開〔術〕 thalamotomy ……………… 1872
視床切除〔術〕 thalamectomy ……………… 1872
視床切断〔術〕 thalamotomy ……………… 1872
矢状〔縫合〕切断 sagittal section ………… 1653
矢状線 sagittal line ………………………… 1052
視床前核 anterior nuclei of thalamus … 1273
視床前核 nuclei anteriores thalami ……… 1273
視床前結節 anterior thalamic tubercle 1943
〔視床〕前結節 anterior tubercle of thalamus ………………………………………… 1943
〔視床〕前結節 tuberculum anterius thalami ………………………………………… 1946
視床線条体静脈 thalamostriate veins …… 2002
〔視床〕前腹側核 nucleus ventralis anterior ………………………………………… 1281
〔視床〕前腹側核 ventral anterior nucleus [TA] of thalamus ……………………… 1281
矢状泉門 sagittal fontanelle ……………… 723
視床束 fasciculus thalamicus …………… 677
視床束 thalamic fasciculus ……………… 677
糸状足 filopodium ………………………… 699
糸状体 skein ………………………………… 1690
糸状体 strand ……………………………… 1751
糸状帯 bridle ………………………………… 257
篩状態 état criblé ………………………… 644
紙状〔胎〕児 fetus papyraceus ……………… 682
矢状断 sagittal section …………………… 1653
糸状虫 filaria ……………………………… 698
〔視床〕中間腹側核 nucleus ventralis intermedius ………………………………… 1281
〔視床〕中間腹側核 ventral intermediate nucleus [TA] of thalamus …………… 1281
糸状虫症 dirofilariasis …………………… 524
〔バンクロフト〕糸状虫症 wuchereriasis 2050
〔視床〕中心内側核 medial central nucleus of thalamus ……………………………… 1277
〔視床〕中心内側核 nucleus medialis centralis thalami ……………………………… 1277
視床中心傍核 nucleus paracentralis thalami ………………………………………… 1278
視床中心傍核 paracentral nucleus of thalamus ……………………………… 1278
糸状虫属 *Filaria* ………………………… 698
視床枕 pulvinar …………………………… 1526
視床枕核 pulvinar nuclei ………………… 1279
矢状頭顔面指数 basilar index …………… 921
矢状頭頂弧 bregmatolambdoid arc ……… 124
指状突起 digitation ……………………… 517
指状突起 interdigitation ………………… 944
指状突起鉗合 interdigitation …………… 944
死状トランス death trance ……………… 1916
刺傷ドレーン stab drain ………………… 559
〔視床〕内髄板 internal medullary lamina 997
視床内線維 intrathalamic fibers ………… 689
視床内側核 medial nuclei of thalamus 1277
〔視床〕内側核 nucleus medialis thalami 1277
糸状乳頭 filiform papillae ……………… 1345
糸状乳頭 papillae filiformes …………… 1345
指状の digital ……………………………… 517
糸状の filamentous ……………………… 698
糸状の filar ………………………………… 698
糸状の filiform …………………………… 699
紙状の papyraceous ……………………… 1347
歯状の dentate …………………………… 487
歯状の dentiform ………………………… 488
歯状の odontoid …………………………… 1292
矢状の sagittalis ………………………… 1630
矢状〔方向〕の sagittal …………………… 1630
耳上の epiotic ……………………………… 629
視床脳 thalamencephalon ………………… 1872
歯〔小〕嚢 dental follicle …………………… 721
視床背側核 dorsal nucleus of thalamus 1274
視床背側核 nucleus dorsales thalami …… 1274
視床背側核 dorsal thalamus ……………… 1872
〔視床〕背内側核 medial dorsal nucleus [TA] of thalamus ……………………… 1277
糸状〔バクテリオ〕ファージ filamentous bacteriophage ……………………………… 190
篩状斑 macula cribrosa ………………… 1091
歯小皮 dental cuticle …………………… 452
歯小皮 cuticula dentis …………………… 453
視床皮質線維 thalamocortical fibers …… 691
視床皮質の thalamocortical …………… 1872
指状皮膚症 digitate dermatosis ………… 498
視床ひも tenia thalami ………………… 1850
視床ひも thalamic tenia ………………… 1850
〔視床〕腹側核 ventral nuclei of thalamus ………………………………………… 1281
〔視床〕腹内側核 medial ventral nucleus 1277
視床腹部 subthalamus …………………… 1767
糸状ブジー filiform bougie …………… 238
矢状分割下顎骨切り術 sagittal split mandibular osteotomy ……………… 1325
歯状縫合 denticulate suture …………… 1787
矢状縫合 sutura sagittalis ……………… 1786
矢状縫合 sagittal suture ………………… 1788
矢状〔縫合〕切断 sagittal section ………… 1653
矢状縫合の intraparietal ……………… 950
矢状面 sagittal plane …………………… 1431
〔仙骨の〕耳状面 facies auricularis ossis sacri ………………………………………… 663
〔仙骨の〕耳状面 auricular surface of sacrum ………………………………………… 1781
〔腸骨の〕耳状面 facies auricularis ossis ilii ………………………………………… 663
〔腸骨の〕耳状面 auricular surface of ilium ………………………………………… 1781
耳状面前溝 preauricular groove ……… 802
耳状面前溝 preauricular sulcus ……… 1774
〔視床〕網様〔体〕核 nucleus reticularis thalami ……………………………… 1279
〔視床〕網様〔体〕核 reticular nucleus of thalamus ……………………………… 1279
事象モニター event monitor …………… 1165
指状ゆうぜい(疣贅) verruca digitata …… 2013
糸状ゆうぜい(疣贅) verruca filiformis 2013
矢状稜 sagittal crest …………………… 438
紫色 violet ………………………………… 2021
自食作用 macroautophagy ……………… 1089
自食作用胞 cytolysosome ……………… 465
自食症 autophagia ………………………… 180
紫色白癬菌 *Trichophyton violaceum* …… 1930
自触反応 autocatalysis ………………… 179
自食胞 autophagosome ………………… 181
自所〔性〕の autochthonous ……………… 179
指診 touch ………………………………… 1905
指針 guideline ……………………………… 805
視診 inspection …………………………… 940
持針器 needle-holder, needle-carrier, needle-driver ……………………………… 1225
〔総〕指伸筋 extensor digitorum muscle 1184
〔総〕指伸筋 musculus extensor digitorum ………………………………………… 1199
〔総〕指伸筋および示指伸筋腱鞘 tendinous sheath of extensor digitorum and extensor indicis muscles ……………… 1672
〔総〕指伸筋および示指伸筋腱鞘 vagina tendinum musculorum extensoris digitorum et extensoris indicis ……… 1982
耳真菌症 otomycosis …………………… 1327
指伸筋の腱間結合 intertendinous connections of extensor digitorum …… 413
歯神経 dental nerve ……………………… 1233
視神経 optic nerve [CN II] …………… 1237
視神経 nervus opticus [CN II] ………… 1242
視神経炎 optic neuritis ………………… 1246
視神経円板 optic disc …………………… 525
視神経円板 discus nervi optici ………… 527
視神経円板陥凹 depression of optic disc 493
視神経円板陥凹 excavation of optic disc 651
視神経外鞘 external sheath of optic nerve ………………………………………… 1670
視神経外鞘 outer sheath of optic nerve 1671
視神経外鞘 vagina externa nervi optici 1981
視神経管 optic canal …………………… 284
視神経管 canalis opticus ……………… 285
視神経眼窩部 orbital part of optic nerve ………………………………………… 1366
視神経眼球〔内〕部 pars intraocularis nervi optici ……………………………… 1359
視神経眼球〔内〕部 intraocular part of optic nerve ……………………………… 1365
視神経管内部 intracranial part of optic nerve ……………………………… 1365
視神経血管輪 vascular circle of optic nerve ………………………………………… 364
視神経血管輪 circulus vasculosus nervi optici ……………………………… 366
視神経欠損〔症〕 coloboma of optic nerve 392
視〔神経〕交叉(交差) optic chiasm ……… 344
視〔神経〕交叉(交差) chiasma opticum …… 344
視〔神経〕交叉(交差) optic decussation …… 476
視神経硬膜 dural sheath ………………… 1670
視神経篩板後部 postlaminar part of intraocular part of optic nerve ……… 1367
視神経篩板前部 pars prelaminaris nervi optici intraocularis ………………… 1360
視神経篩板前部 prelaminar part of intraocular part of optic nerve ……… 1367
視神経篩板内部 pars intralaminaris nervi optici intraocularis ………………… 1359
視神経篩板内部 intralaminar part of intraocular part of optic nerve ……… 1365
視神経鞘 vaginae nervi optici ………… 1981
視神経鞘開窓術 optic nerve sheath fenestration ……………………………… 680
視神経鞘減圧術 optic nerve sheath decompression …………………………… 475
視神経鞘減圧術 optic nerve sheath fenestration ……………………………… 680
視神経脊髄炎 neuromyelitis optica …… 1249
耳神経節 ganglion oticum ……………… 753
耳神経節 otic ganglion ………………… 753
耳神経節から耳介側頭神経への交通枝 communicating branch of otic ganglion to auriculotemporal nerve …………… 245
視神経切断的眼球除去〔術〕 evisceroneurotomy …………………… 650
耳神経節と内側翼突筋神経との交通枝 communicating branch of otic ganglion with medial pterygoid nerve ………… 245
耳神経節の交感神経根 sympathetic root of otic ganglion ……………………………… 1622
耳神経節の鼓索神経との交通枝 communicating branch of otic ganglion to chorda tympani ………………………… 245
耳神経節の鼓索神経との交通枝 communicating branch of otic ganglion with chorda tympani ………………… 245
耳神経節の耳介側頭神経との交通枝 ramus communicans ganglii otici cum nervo auriculotemporali ……………………… 1549
耳神経節の内側翼突筋神経との交通枝 ramus communicans ganglii otici cum

nervo pterygoideo mediali ………… 1549
耳神経節の副交感神経根 radix parasympathica ganglii otici ………… 1546
耳神経節の副交感神経根 parasympathetic root of otic ganglion ………… 1622
視神経線維層 optic layer ………… 1012
耳神経痛 otoneuralgia ………… 1327
視神経瞳孔の opticopupillary ………… 1309
視神経内鞘 inner sheath of optic nerve 1671
視神経内鞘 internal sheath of optic nerve ………… 1671
視神経内鞘 vagina interna nervi optici 1981
視神経乳頭低形成 optic nerve hypoplasia ………… 896
視神経の視神経管部 part of optic nerve in canal ………… 1366
〔視神経の〕鞘間隙 intersheath spaces of optic nerve ………… 1704
〔視神経の〕鞘間隙 intervaginal subarachnoid space of optic nerve ………… 1704
〔視神経の〕鞘間隙 spatium intervaginale subarachnoidale nervi optici ………… 1707
視神経網膜炎 neuroretinitis ………… 1251
視〔神経〕毛様体の opticociliary ………… 1309
視神経ろう tabes optica ………… 1836
刺鍼術 acupuncture ………… 22
歯唇の dentilabial ………… 488
刺鍼法 acupuncture ………… 22
シスアクティング座 *cis*-acting locus ………… 1067
シス-アコニット酸 *cis*-aconitate ………… 16
シス-アコニット酸 *cis*-aconitic acid ………… 16
歯髄 dental pulp ………… 1523
歯髄 pulpa dentis ………… 1524
耳垂 ear lobe ………… 1063
耳垂 lobule of auricle ………… 1064
耳垂 lobulus auriculae ………… 1066
歯髄圧 pulp pressure ………… 1483
歯髄萎縮 pulp atrophy ………… 174
歯髄炎 odontitis ………… 1292
歯髄炎 pulpitis ………… 1524
歯髄腔 cavitas dentis ………… 315
歯髄腔 cavity of tooth ………… 317
歯髄腔 cavum dentis ………… 317
歯髄腔 pulp cavity ………… 317
歯髄結石 denticle ………… 487
歯髄結石 endolith ………… 613
歯髄結石 pulp nodule ………… 1262
歯髄結石 pulp stone ………… 1749
耳垂欠損〔症〕 coloboma lobuli ………… 392
歯髄歯科学 pulpodontia ………… 1524
歯髄生死試験 vitality test ………… 1868
歯髄切断〔法〕 pulpotomy ………… 1524
歯髄痛 pulpalgia ………… 1524
歯髄動脈 artery of pulp ………… 151
歯髄内注射〔法〕 intrapulpal injection ………… 936
歯髄内の intrapulpal ………… 951
歯髄膿瘍 pulp abscess ………… 6
耳垂破裂〔症〕 coloboma lobuli ………… 392
〔歯〕髄壁 pulpal wall ………… 2040
歯髄ポリープ hyperplastic pulpitis ………… 1524
指数 index ………… 921
指数 quotient ………… 1539
示数 index ………… 921
次数 order ………… 1311
指数増殖 exponential growth ………… 803
歯数不足〔症〕 hypodontia ………… 892
指数分布 exponential distribution ………… 550
ジスエルギー dysergia ………… 571
耳頭蓋 otocranium ………… 1326
シス活性座 *cis*-acting locus ………… 1067
ジスキネジー dyskinesia ………… 573
ジスキネジア dyskinesia ………… 573
しずく drop ………… 561
ジスケラトーマ dyskeratoma ………… 573
ジスコイド discoid ………… 527
シス作用座 *cis*-acting protein ………… 1503
シスタチオニン cystathionine ………… 461
シスタチオニンγ-リアーゼ cystathionine γ-lyase ………… 461
シスタチオニン尿〔症〕 cystathioninuria ………… 461
シスタチオニンβ-シンターゼ cystathionine β-synthase ………… 461
シスタチオニンβ-リアーゼ cystathionine β-lyase ………… 461
シスター・メリー（マリー）・ジョセフ結節 Sister Mary Joseph nodule ………… 1262
シスタミン cystamine ………… 461
シスチニル cystinyl ………… 462
シスチル-アミノペプチダーゼ cystyl-aminopeptidase ………… 463
シスチン cystine ………… 462
シスチン血〔症〕 cystinemia ………… 462
シスチン結石 cystine calculus ………… 278
シスチン〔蓄積〕症 cystinosis ………… 462
シスチン〔蓄積〕性白血球 cystinotic leukocyte ………… 1026
シスチン尿〔症〕 cystinuria ………… 462
システアミン cysteamine ………… 461
システイニル cysteinyl ………… 461
システイン cysteine (C, Cys) ………… 461
システイン酸 cysteic acid ………… 461
システインスルフィン酸 cysteine sulfinic acid ………… 461
システインヒドロラーゼ cysteine hydrolases ………… 872
システム system ………… 1829
ジステンパーウイルス distemper virus 2023
シストアカント幼生 cystacanth ………… 461
シストウイルス科 Cystoviridae ………… 463
シストサイト schistocyte ………… 1642
ジストニー dystonia ………… 577
ジストニア反応 dystonic reaction ………… 1564
ジストマ症 distomiasis, distomatosis ………… 549
シストランク手術 Sistrunk operation ………… 1306
シス/トランス検定 *cis*/*trans* test ………… 1855
ジストロフィ dystrophia ………… 577
ジストロフィ dystrophy ………… 577
ジストロフィ性石灰化 dystrophic calcification ………… 276
ジストロフィン dystrophin ………… 577
シストロン cistron ………… 368
シス配置 *cis* configuration ………… 409
ジスプロシウム dysprosium (Dy) ………… 576
沈み込み subsidence ………… 1765
ジスムターゼ dismutase ………… 543
ジスルフィド disulfide ………… 550
ジスルフィド架橋 disulfide bridge ………… 257
ジスルフィド結合 disulfide bond ………… 231
ジスルフィラム disulfiram ………… 550
刺青 tattoo ………… 1842
四星 tetraster ………… 1872
姿勢 attitude ………… 175
姿勢 position ………… 1468
姿勢 posture ………… 1472
磁性 magnetism ………… 1092
自制 continence ………… 416
雌性化 feminization ………… 680
耳性咳嗽反射 ear-cough reflex ………… 1578
歯性潰瘍 dental ulcer ………… 1960
姿勢感覚 posture sense ………… 1661
視性眼瞼反射 visual orbicularis reflex ………… 1582
視性眼振 ocular nystagmus ………… 1286
自生観念 autochthonous ideas ………… 904
自声強聴 autophony ………… 181
姿勢筋 postural muscles ………… 1191
死精子〔症〕 necrospermia ………… 1225
示性式 rational formula ………… 730
歯性耳痛 odontalgia dentalis ………… 1292
姿勢収縮 postural contraction ………… 417
歯性神経痛 odontoneuralgia ………… 1292
姿勢振せん postural tremor ………… 1925
姿勢診断 posturing ………… 1472
耳性髄膜炎 otitic meningitis ………… 1129
雌性前核 pronucleus ………… 1498
自生体 autosite ………… 181
自生体頭蓋内奇形腫性寄生体 encranius 610
視性立直り反射 optic righting reflexes 1580
歯〔性〕の dental ………… 487
耳性の otogenic, otogenous ………… 1326
耳性脳炎 otoencephalitis ………… 1326
姿勢の構え postural set ………… 1668
雌性発生 gynogenesis ………… 807
姿勢反射 postural reflex ………… 1581
視性めまい ocular vertigo ………… 2016
視性めまい visual vertigo ………… 2016
耳性めまい aural vertigo ………… 2015
歯石 dental calculus ………… 278
歯石 tartar ………… 1842
歯石 tophus ………… 1903
耳石 statoliths ………… 1740
自責感 self-accusation ………… 1658
耳石器 otolithic organs ………… 1312
耳石クリーゼ otolithic crisis ………… 439
歯石除去器 scaler ………… 1640
耳・脊椎・巨大骨端異形成症 otospondylomegaepiphysial dysplasia ………… 576
耳石の otolithic ………… 1327
耳石発症 otolithic crisis ………… 439
歯石面指数 Calculus Surface Index (CSI) ………… 278
肢節 limb ………… 1047
自切 autotomy ………… 182
〔手または足の〕指節滑車 trochleae of phalanges of hand and foot ………… 1936
指節間関節 interphalangeal articulations 158
趾(指)節間関節 articulationes interphalangeae pedis ………… 157
趾(指)節間関節 interphalangeal joints of foot ………… 970
趾(指)節間関節の側副靱帯 ligamentum collateralia articulationes interphalangeae pedis ………… 1042
趾節間関節の底側靱帯 plantar ligaments of interphalangeal joints of foot ………… 1039
指節間細胞 interphalangeal cell ………… 322
指節間の interphalangeal (IP) ………… 947
指節間ひだ digital furrow ………… 746
示説教員 demonstrator ………… 486
指(趾)節骨 phalanx ………… 1399
指節骨過剰症 hyperphalangism ………… 885
指節骨体 body of phalanx ………… 229
指節骨体 corpus phalangis (manus et pedis) ………… 425
指(趾)節骨体(骨幹) shaft of phalanx (of hand or foot) ………… 1670
指節骨短縮〔症〕 brachyphalangia ………… 240
趾節骨底 base of phalanx of foot ………… 199
〔手または足の〕指節骨頭 caput phalangis (manus et pedis) ………… 292
〔手または足の〕指節骨頭 head of phalanx (of hand or foot) ………… 817
指(趾)節骨の phalangeal ………… 1399
指(趾)節骨の底 base of phalanx ………… 199
指(趾)節骨の底 basis phalangis ………… 201
指節細胞 phalangeal cell ………… 325
肢切断者 amputee ………… 66
施設内感染 health care-associated infection ………… 927
歯舌の dentilingual ………… 488
死切迫感 angor animi ………… 90
指節癒合〔症〕 symphalangism, symphalangy ………… 1790
指線 digital furrow ………… 746
死戦 agony ………… 38
視線 visual axis ………… 185
〔皮〕脂腺 sebaceous glands ………… 774
〔皮〕脂腺 glandulae sebaceae ………… 776
指線維鞘十字部 cruciform part of fibrous

digital sheaths of hand and foot …… 1363
指線維鞘輪状部 anular part of fibrous digital sheath of digits of hand and foot …… 1362
視〔線運〕動〔性〕眼振 optokinetic nystagmus …… 1286
視〔線運〕動性の optokinetic …… 1309
自然回復 spontaneous recovery …… 1574
事前確率 prior probability …… 1486
自然寛解 spontaneous remission …… 1589
自然感染巣 natural focus of infection …… 718
自然気胸 spontaneous pneumothorax …… 1452
死戦期血栓 agonal thrombus …… 1888
死戦期の血栓形成 agonal clot …… 377
自然凝集反応 spontaneous agglutination …… 37
視線恐怖〔症〕 scopophobia …… 1649
歯尖腔 apical space …… 1703
自然死 orthothanasia …… 1317
事前指示〔書〕 advance directive …… 524
自然消失腫瘤 vanishing tumor …… 1952
脂腺上皮腫 sebaceous epithelioma …… 632
四染色体の tetrasomic …… 1872
歯尖靱帯 apical ligament of dens …… 1033
歯尖靱帯 ligamentum apicis dentis …… 1042
脂腺腺腫 sebaceous adenoma …… 26
自然選択 natural selection …… 1658
自然治癒 autotherapy …… 182
死戦調律 agonal rhythm …… 1611
自然通路を経て per vias naturales …… 1396
四尖頭歯の tetracuspid …… 1871
自然淘汰 natural selection …… 1658
自然突然変異 spontaneous mutation …… 1206
自然〔突然〕変異 natural mutation …… 1206
死前に antemortem …… 97
事前認可 preauthorization …… 1476
事前認定 preauthorization …… 1476
自然燃焼 spontaneous combustion …… 396
自然〔発生〕の spontaneous …… 1723
脂腺嚢腫 steatocystoma …… 1741
自然排液 autodrainage …… 179
自然破水 spontaneous membrane rupture …… 1627
脂腺母斑 nevus sebaceus …… 1255
糸線マイクロメータ filar micrometer …… 1152
自然免疫 innate immunity …… 910
自然免疫 natural immunity, nonspecific immunity …… 910
自然溶血素 natural hemolysin …… 834
自然離断 spontaneous amputation …… 66
自然流産 spontaneous abortion …… 4
自然流産する abort …… 3
自然療法 naturopathy …… 1222
自然療法医 naturopath …… 1222
刺創 sting …… 1747
刺創 puncture wound …… 2049
刺創 stab wound …… 2049
刺爪 ingrown nail …… 1220
趾爪 toenail …… 1898
視像 optical image …… 908
視像 visual image …… 908
歯槽 alveolus …… 55
歯槽 alveolus dentalis …… 55
歯槽 tooth socket …… 1695
歯槽萎縮 alveolar atrophy …… 173
歯槽〔骨〕炎 alveolitis …… 55
歯槽縁 alveolar border …… 234
歯槽縁 limbus alveolaris …… 1047
歯槽角 alveolar angle …… 88
〔上顎骨の〕歯槽管 alveolar canals of maxilla …… 282
〔上顎骨の〕歯槽管 canales alveolares corporis maxillae …… 285
歯槽間の interalveolar …… 943
〔下顎の〕歯槽弓 alveolar arch of mandible …… 125
〔下顎の〕歯槽弓 arcus alveolaris mandibulae …… 127
〔上顎の〕歯槽弓 alveolar arch of maxilla 125
〔上顎の〕歯槽弓 arcus alveolaris maxillae …… 127
歯槽頬溝 alveolobuccal groove …… 801
歯槽形成〔術〕 alveoloplasty …… 55
歯槽口蓋側の alveolopalatal …… 55
歯槽骨 alveolar bone …… 231
歯槽骨炎 alveolar osteitis …… 1320
歯槽骨周囲固定 circumalveolar fixation …… 707
歯槽骨切除〔術〕 alveolectomy …… 55
歯槽歯肉 alveolar gingiva …… 770
歯槽歯肉線維群 alveologingival fiber group …… 687
歯槽〔歯〕の alveolodental …… 55
歯槽周囲結紮法 perialveolar wiring …… 2047
歯槽出血 phatnorrhagia …… 1402
歯爪症候群 tooth-and-nail syndrome …… 1823
歯槽唇溝 alveololabial groove …… 801
歯槽唇側〔溝〕の alveololabialis …… 55
歯槽唇側の alveololabial …… 55
歯槽整形 alveoloplasty …… 55
歯槽切開〔術〕 alveolotomy …… 55
歯槽舌溝 alveololingual groove …… 801
歯槽舌側の alveololingual …… 55
歯槽帯 gingival zone …… 2059
歯槽中央 center of ridge …… 330
歯槽中隔形成〔術〕 interradicular alveoloplasty, intraseptal alveoloplasty 55
歯槽頂 alveolar crest …… 436
歯槽長型の dolichouranic, dolichuranic …… 555
歯槽痛 alveoalgia …… 55
歯槽堤 alveolar border …… 234
歯槽堤 residual ridge …… 1616
歯槽堤拡張術 ridge extension …… 656
歯槽堤〔顎堤〕関係 ridge relation …… 1588
歯槽堤稜 crest of alveolar ridge …… 436
歯槽突起 alveolar border …… 234
〔上顎骨の〕歯槽突起 alveolar process of maxilla …… 1488
歯槽突起の gnathic …… 789
歯槽突起披裂 alveoloschisis …… 55
歯槽粘膜 alveolar mucosa …… 1176
歯槽の alveolar …… 55
歯槽の dentoalveolar …… 489
歯槽膿瘍 alveolar abscess …… 4
歯槽膿瘍 gumboil …… 805
視像判断 visuognosis …… 2032
〔下顎骨〕歯槽部 pars alveolaris mandibulae …… 1357
〔下顎骨〕歯槽部 alveolar part of mandible …… 1362
歯槽崩壊 alveoloclasia …… 55
歯槽隆起 alveolar border …… 234
歯槽隆起 alveolar yokes …… 2056
死相論 thanatology …… 1873
持続 duration (D) …… 568
持続委任状 durable power of attorney …… 567
持続委任状 durable proof of attorney …… 567
持続型インスリン亜鉛懸濁液 extended insulin zinc suspension …… 1785
〔持続〕期間 duration (D) …… 568
四足奇形体 tetrapus …… 1872
持続硬膜外麻酔〔法〕 continuous epidural anesthesia …… 79
持続耳音響放射 continuous otoacoustic emission …… 604
持続状態 status …… 1740
四足伸筋反射 quadripedal extensor reflex …… 1581
持続性 substantivity …… 1767
持続性筋強直 tetanus …… 1870
持続性振せん persistent tremor …… 1924
持続性全身性リンパ節腫 persistent generalized lymphadenopathy …… 1075
持続性の tonic …… 1900
持続性部分てんかん epilepsia partialis continua …… 627
持続脊椎麻酔〔法〕 continuous spinal anesthesia …… 79
持続注入ポンプ constant infusion pump 1526
持続的他動運動 continuous passive motion (CPM) …… 1172
持続的萌出 continuous eruption …… 637
持続的陽圧換気(呼吸) continuous positive pressure ventilation (CPPV) …… 2009
四足動物 quadruped …… 1537
持続熱 continued fever …… 683
四足歩行者 quadruped …… 1537
〔有痛性〕持続勃起〔症〕 priapism …… 1484
持続陽圧気道圧 continuous positive airway pressure (CPAP) …… 1482
始祖効果 founder effect …… 588
シゾゴニー schizogony …… 1643
子孫 progeny …… 1494
シゾント schizont …… 1643
シゾント segmenter …… 1656
舌 glossa …… 781
舌 lingua …… 1053
舌 tongue …… 1900
四胎 quadruplet …… 1537
支帯 retinaculum …… 1600
歯帯 cingulum dentis …… 363
歯帯 cingulum of tooth …… 363
歯帯 gubernaculum dentis …… 804
歯苔 dental plaque …… 1432
死帯 dead tracts …… 1910
死体 carcass …… 295
死体 corpse …… 424
死体〔性〕愛 necrophilia, necrophilism …… 1224
自体愛 autoeroticism …… 179
歯体移動 translation …… 1919
自体栄養の idiotrophic …… 905
死体解剖 necrotomy …… 1225
死体加虐性愛 necrosadism …… 1224
死体寄生性の saprophilous …… 1634
死体狂 necromania …… 1224
死体恐怖〔症〕 necrophobia …… 1224
死体菌 *Clostridium cadaveris* …… 376
肢帯筋ジストロフィ limb-girdle muscular dystrophy …… 579
死体計測器 necrometer …… 1224
死体結節 anatomic tubercle …… 1943
死体硬直 cadaveric rigidity …… 1616
死体硬直 rigor mortis …… 1617
死体硬直 cadaveric spasm …… 1706
肢帯骨 zonoskeleton …… 2060
耳帯状疱疹 herpes zoster oticus …… 845
時代精神 zeitgeist …… 2057
支台装置 retainer …… 1598
自体損傷 autotomy …… 182
支帯動脈 retinacular arteries …… 151
死〔体〕毒 ptomaine …… 1522
死〔体〕毒血〔症〕 ptomainemia …… 1522
死体のような cadaverous …… 274
肢体不自由〔の〕 crippled …… 439
自宅感染の nosohusial …… 1268
したくちびる labium inferius oris …… 991
下唇 lower lip …… 1055
自宅の nosohusial …… 1268
シダ試験 fern test …… 1857
親しみ affinity(*A*) …… 33
シダ状結晶形成 ferning …… 680
指打診〔法〕 finger percussion …… 1384
下澄み〔液〕 infranatant fluid …… 715
下の inferior …… 928
〔舌の〕下面 facies inferior linguae …… 663
舌の溝後部 postsulcal part of tongue …… 1367
舌の溝前部 presulcal part of tongue …… 1367
舌の後部 posterior part of tongue …… 1367
舌の分界溝 sulcus terminalis linguae …… 1775
舌の分界溝 terminal sulcus of tongue …… 1775

下ひき deorsumduction 490
耳朶ひだ ear lobe crease 435
したまぶた palpebra inferior 1339
下むき infraversion 931
肢端(先端)異常感覚 acroparesthesia 19
肢端異常感覚症候群 acroparesthesia syndrome 1795
肢端(先端)運動失調 acroataxia 17
肢端(先端)栄養性疼痛〔症〕 acrotrophodynia 19
肢端角化症 acrokeratosis 18
肢端(先端)角質増殖〔症〕 acrohyperkeratosis 18
肢端過剰発育 acrometagenesis 18
肢端関節炎 acroarthritis 17
肢端(先端)巨大性巨人症 acromegalogigantism 18
肢端(先端)筋緊張〔症〕 acromyotonia 19
肢端(先端)硬化〔症〕 acrosclerosis 19
肢端拘縮 acrocontracture 18
肢端紅痛症 erythromelalgia 640
肢端(先端)骨溶解症 acroosteolysis 19
次炭酸塩 subcarbonate 1762
次炭酸ビスマス bismuth subcarbonate 216
肢端(先端)色素沈着〔症〕 acropigmentation 19
肢端失認 acroagnosis 17
肢端触覚異常症候群 acroparesthesia syndrome 1795
肢端(先端)早老〔症〕 acrogeria 18
肢端多汗症 acrohyperhidrosis 18
肢端(先端)チアノーゼ acrocyanosis 18
肢端(先端)知覚異常〔症〕 acroasphyxia 17
肢端知覚過敏 acroesthesia 18
肢端(先端)知覚不全 acrodysesthesia 18
肢端(先端)知覚麻痺 acroanesthesia 17
肢端(先端)疼痛〔症〕 acrodynia 18
肢端(先端)疼痛〔症〕 acromelalgia 18
肢端の acral 17
肢端の acromelic 18
肢端(先端)膿疱症 acropustulosis 19
肢端(先端)皮膚炎 acrodermatitis 18
肢端(先端)皮膚病 acrodermatosis 18
肢端(先端)部障害 acropathy 19
肢端容積脈波計 digital plethysmograph 1437
肢端(先端)矮小〔症〕 acromicria 18
時値 chronaxie 360
ジチオトレイトール dithiothreitol 550
七価元素 heptad 841
時値計 chronaximeter 360
シチジル酸 cytidylic acid 464
シチシン cytisine 464
シチジン cytidine (C, Cyd) 463
シチジン5′-二リン酸 cytidine 5′-diphosphate (CDP) 464
シチジン二リン酸グルセリド cytidine diphosphoglyceride (CDP-glyceride) 464
シチジン二リン酸糖 cytidine diphosphosugar (CDP-sugar) 464
シチジン5′-三リン酸 cytidine 5′-triphosphate (CTP) 464
シチジンジホスホコリン cytidine diphosphocholine (CDP-choline) 464
時値測定〔法〕 chronaximetry 360
七胎 septuplet 1664
仔虫 larva 1001
支柱 columella 395
支柱 subiculum 1763
支柱 sustentaculum 1785
支柱の sustentacular 1785
市中肺炎 community-acquired pneumonia (CAP) 1449
次中部動原体染色体 submetacentric chromosome 360
試聴 audition 177
弛張 remittence 1589
死徴学 thanatography 1873
視聴覚の audiovisual 177
視聴覚の visuoauditory 2032
耳聴管 otoscope 1327
自重自制性の kolytic 989
弛張性マラリア remittent malaria 1095
弛張熱 remittent fever 686
死直前の preagonal 1476
櫛 pecten 1375
室 chamber 338
室 ventricle 2010
室 ventriculus 2012
質 substantia 1766
膝 geniculum 766
膝 genu 767
膝 knee 987
〔内包〕膝 genu capsulae internae 767
〔内包〕膝 genu of internal capsule 767
膝位 knee presentation 1481
刺痛 sting 1747
刺痛 tingling 1894
刺痛 twinge 1956
指痛 dactylalgia 470
私通 fornication 731
肢痛 melagra 1121
歯痛 odontalgia 1292
歯痛 toothache 1903
耳痛 otalgia 1326
耳痛 otodynia 1326
歯痛止め antiodontalgic 107
膝横靱帯 transverse ligament of knee 1041
膝横靱帯 ligamentum transversum genus 1046
室温 room temperature (RT, rt) 1848
失音楽〔症〕 amusia 66
膝窩 fossa poplitea 733
膝窩 popliteal fossa 733
膝窩 posterior part of knee 1367
膝窩 poples 1466
膝蓋下滑液包炎 infrapatellar bursitis 271
膝蓋下滑膜ひだ infrapatellar synovial fold 719
膝蓋下滑膜ひだ plica synovialis infrapatellaris 1445
膝蓋下脂肪体 corpus adiposum infrapatellare 425
膝蓋下脂肪体 infrapatellar fat-pad 678
膝蓋滑膜ひだ plica synovialis patellaris 1445
膝蓋下の infrapatellar 931
膝蓋下の subpatellar 1764
膝蓋下皮下包 bursa subcutanea infrapatellaris 270
膝蓋下皮下包 subcutaneous infrapatellar bursa 270
膝蓋〔腱〕反射 patellar reflex 1581
膝蓋高位〔症〕 patella alta 1371
膝蓋骨 kneecap 987
膝蓋骨 patella 1371
膝蓋骨炎 apex patellae 113
膝蓋骨状の patelliform 1371
膝蓋骨切除〔術〕 patellectomy 1371
膝蓋骨尖 apex of patella 113
膝蓋骨前〔方〕の prepatellar 1480
膝蓋骨底 base of patella 199
膝蓋骨底 basis patellae 201
〔膝蓋骨の〕関節面 facies articularis patellae 663
〔膝蓋骨の〕関節面 articular surface of patella 1781
〔膝蓋骨の〕前面 facies anterior patellae 662
〔膝蓋骨の〕前面 anterior surface of patella 1780
膝蓋骨不安感徴候 patellar apprehension sign 1683
膝蓋支帯 patellar retinaculum 1601
膝蓋上の suprapatellar 1779
膝蓋上包 bursa suprapatellaris 271
膝蓋上包 suprapatellar bursa 271
膝蓋靱帯 patellar ligament 1038
膝蓋靱帯 ligamentum patellae 1044
膝蓋前筋膜下包 bursa subfascialis prepatellaris 270
膝蓋前筋膜下包 subfascial prepatellar bursa 270
膝蓋前腱下包 subtendinous prepatellar bursa 270
膝蓋前腱膜下包 subaponeurotic prepatellar bursa 270
膝蓋前皮下包 prepatellar bursa 269
膝蓋前皮下包 bursa subcutanea prepatellaris 270
膝蓋前皮下包 subcutaneous prepatellar bursa 270
膝蓋大腿症候群 patellofemoral syndrome 1815
膝蓋跳動 floating patella 1371
膝蓋低位〔症〕 patella baja 1371
失外套症候群 apallic syndrome 1796
失外套状態 apallic state 1739
失〔脳〕外套の apallic 112
膝蓋動脈網 patellar anastomosis 73
膝蓋動脈網 patellar network 1244
膝〔蓋〕内転筋反射 patelloadductor reflex 1581
膝蓋軟骨軟化〔症〕 chondromalacia patellae 353
膝〔蓋〕反射 knee jerk (KJ) 968
膝蓋〔腱〕反射 patellar reflex 1581
〔大腿骨〕膝蓋面 facies patellaris femoris 664
膝窩筋 popliteal muscle 1191
膝窩筋 popliteus (muscle) 1191
膝窩筋 musculus popliteus 1202
膝窩筋下陥凹 subpopliteal recess 1572
膝窩筋下陥凹 recessus subpopliteus 1573
膝窩筋溝 groove for popliteus 802
膝窩筋溝 popliteal groove 802
膝窩筋膜 popliteal fascia 674
膝窩腱 hamstring 814
疾過言語 scamping speech 1709
膝窩溝 sulcus popliteus 1774
膝窩静脈 popliteal vein 2000
膝窩静脈 vena poplitea 2007
失活〔法〕 devitalization 503
失活歯 nonvital tooth 1903
失活歯髄 dead pulp 1523
失活神経 dead nerve 1233
膝窩動脈 arteria poplitea 137
膝窩動脈 popliteal artery 150
膝窩動脈絞扼症候群 popliteal entrapment syndrome 1816
膝窩動脈〔動脈〕周囲神経叢 periarterial plexus of popliteal artery 1443
膝窩動脈神経叢 popliteal plexus, plexus popliteus 1443
膝窩の popliteal 1466
膝窩嚢 bursa of popliteus 269
膝窩部 popliteal region 1586
〔大腿骨〕膝窩面 facies poplitea femoris 664
〔大腿骨〕膝窩面 popliteal plane of femur 1430
〔大腿骨〕膝窩面 popliteal surface of femur 1783
膝窩リンパ節 popliteal lymph nodes 1080
疾患 affection 33
疾患 disease 527
疾患 disorder 543
疾患 illness 907
疾患 mal 1093
疾患 maladie 1094
疾患 malady 1094
疾患 malum 1097
疾患 morbus 1170
疾患隠ぺい dissimulation 548

シ

室間孔 foramen interventriculare …… 725
室間孔 interventricular foramen …… 725
室間溝 crena cordis …… 436
疾患修飾抗リウマチ薬 disease modifying antirheumatic drugs (DMARD) …… 561
失感情症 alexithymia …… 46
膝冠状靭帯 coronary ligament of knee 1034
疾患性聴力障害 nosoacusis …… 1268
膝関節 articulatio genus …… 157
膝関節 knee joint …… 970
膝関節炎 gonarthritis …… 792
膝関節筋 articularis genus (muscle) …… 1182
膝関節筋 articular muscle of knee …… 1182
膝関節筋 musculus articularis genus …… 1198
膝関節動脈網 genicular anastomosis …… 73
膝関節動脈網 articular vascular network of knee …… 1244
膝関節動脈網 rete articulare genus …… 1598
〔膝関節の〕外側側副靭帯 fibular collateral ligament …… 1035
〔膝関節の〕外側側副靭帯 ligamentum collaterale fibulare …… 1042
〔膝関節の〕内側側副靭帯 tibial collateral ligament …… 1041
〔膝関節の〕内側側副靭帯 ligamentum collaterale tibiale …… 1042
〔膝関節〕半月〔板〕炎 meniscitis …… 1130
〔膝関節〕半月〔板〕切除〔術〕 meniscectomy …… 1130
〔膝関節〕半月軟骨炎 meniscitis …… 1130
櫛間の intercristal …… 944
疾患の決定要因 disease determinants …… 500
疾患への逃避 flight into disease …… 713
湿-乾包帯 wet-to-dry dressing …… 560
膝胸位 knee-chest position …… 1469
失禁 incontinence …… 920
失禁 incontinentia …… 920
室筋 musculus ventricularis …… 1205
シック試験 Schick test …… 1865
シック試験毒素 Schick test toxin …… 1906
膝屈曲筋 hamstring …… 814
湿気 damp …… 471
湿気恐怖〔症〕 hygrophobia …… 877
湿気の hygric …… 877
実験 experiment …… 655
実験医学 experimental medicine …… 1117
〔目標〕実験群 experimental group …… 803
実験誤差 experimental error …… 637
実験式 empiric formula …… 730
実験室 laboratory …… 992
実験〔室〕助手 laboratorian …… 992
実験者効果 experimenter effects …… 588
実験神経症 experimental neurosis …… 1252
実験心理学 experimental psychology …… 1518
実験的アレルギー性脳脊髄炎 experimental allergic encephalomyelitis (EAE) …… 608
実験的方法 experimental method …… 1144
実験的ホロプタ empirical horopter …… 865
失見当〔識〕 disorientation …… 547
失語〔症〕 aphasia …… 114
失語〔症〕 dysphasia …… 574
失行〔症〕 apraxia …… 121
実行 praxis …… 1475
実効温度 effective temperature …… 1848
実効温度指数 effective temperature index …… 922
失構語〔症〕 anarthria …… 72
実効浸透圧 effective osmotic pressure …… 1482
実効線量 effective dose (ED) …… 557
実効(有効)半減期 effective half-life …… 812
膝後部 posterior knee region …… 1586
膝後部 posterior region of knee …… 1586
失語学 aphasiology …… 114
失語学者 aphasiologist …… 114
失語専門家 aphasiologist …… 114
実在 entity …… 622
実在 reality …… 1569
実在意識性 reality awareness …… 1569
失算〔症〕 acalculia …… 8
失算〔症〕 anarithmia …… 72
失算〔症〕 dyscalculia …… 571
実質 parenchyma …… 1355
実質炎 parenchymatitis …… 1355
実質外の extraparenchymal …… 658
実質性乾燥〔症〕 xerosis parenchymatosus …… 2053
実質性甲状腺腫 parenchymatous goiter …… 790
実質性神経炎 parenchymatous neuritis 1246
実質性乳腺炎 parenchymatous mastitis 1109
実質内出血 parenchymatous hemorrhage 835
室周囲視索前核 periventricular preoptic nucleus …… 1278
膝十字靭帯 cruciate ligaments of knee 1034
膝十字靭帯 ligamenta cruciata genus …… 1043
室周線維 periventricular fibers …… 690
室周線維 fibrae periventriculares …… 692
湿潤 humectation …… 867
湿潤型(農村型,森林型)熱帯リーシュマニア *Leishmania major* …… 1017
湿潤性湿疹皮膚炎 weeping eczema …… 586
湿潤封入検査法 direct wet mount examination …… 650
失書〔症〕 agraphia …… 39
櫛状〔の〕 pectinate …… 1375
櫛状筋 pectinate muscles …… 1190
〔心房の〕櫛状筋 musculi pectinati atrii 1202
櫛状靭帯 ligamentum pectinatum …… 1044
櫛状線 anocutaneous line …… 1049
櫛状線 pectinate line …… 1051
櫛状帯 zona pectinata …… 2058
櫛状帯 pectinate zone …… 2059
膝状体 geniculate body …… 227
膝状体の geniculate …… 766
櫛状中隔 pectiniform septum, septum pectiniforme …… 1664
失象徴 asymbolia …… 166
膝状の genicular …… 766
膝状の geniculate …… 766
膝上方の supergenual …… 1777
膝静脈 genicular veins …… 1996
膝静脈 veins of knee …… 1997
室上稜 supraventricular crest …… 438
室上稜 crista supraventricularis …… 440
失神 syncope …… 1794
湿疹 eczema …… 586
湿疹化 eczematization …… 586
膝神経節 ganglion geniculi …… 753
膝神経節 geniculate ganglion …… 753
膝神経痛 geniculate neuralgia …… 1244
室靭帯 ventricular ligament …… 1041
室靭帯 vestibular ligament …… 1041
室靭帯 ligamentum vestibulare …… 1046
浸透圧下痢 osmotic diarrhea …… 511
湿疹様感染性皮膚炎 infectious eczematoid dermatitis …… 495
湿疹様脂漏〔症〕 eczematoid seborrhea …… 1652
失声〔症〕 aphonia …… 114
実性暗点 positive scotoma …… 1650
湿性壊疽 wet gangrene …… 756
湿性脚気 wet beriberi …… 207
湿性丘疹 moist papule, mucous papule 1347
湿製錠〔剤〕 tablet triturate …… 1837
実性調節 positive accommodation …… 10
実性輻輳 positive convergence …… 418
湿性包帯 water dressing …… 560
湿性ラ音 moist rale …… 1547
膝前核 pregeniculate nucleus …… 1279
実践哲学 pragmatism …… 1475
膝前部 anterior knee region …… 1585
膝前部 anterior region of knee …… 1585
実像 real image …… 908
実存心理学 existential psychology …… 1518
実存〔的〕精神療法 existential psychotherapy …… 1520
実存の existential …… 653
ジッター jitter …… 968
櫛帯 pecten band …… 194
実体 entity …… 622
実体感覚 stereognosis …… 1743
実体顕微鏡 stereoscopic microscope …… 1154
実体投影器 euscope …… 649
実体の noumenal …… 1270
実地解剖学 practical anatomy …… 74
膝肘位 knee-elbow position …… 1469
失調 ataxia …… 167
失調 collapse …… 390
失調〔症〕 incontinence …… 920
失調〔症〕 incontinentia …… 920
室頂 fastigium …… 677
室頂核 fastigial nucleus …… 1275
室頂核 nucleus fastigii …… 1275
室頂核 roof nucleus …… 1280
室頂核延髄路 fastigiobulbar tract …… 1911
室頂核延髄路 tractus fastigiobulbaris …… 1914
室頂核脊髄線維 fastigiospinal fibers …… 689
室頂核脊髄路 fastigiospinal tract …… 1911
室頂核脳幹線維 dentatorubral fibers …… 688
失調〔性〕失語〔症〕 ataxiaphasia …… 168
失調性筋緊張〔症〕 ataxic paramyotonia 1352
失調性構語障害〔症〕 ataxic dysarthria …… 570
失調性対麻痺 ataxic paraplegia …… 1353
失調性パラミオトニア ataxic paramyotonia …… 1352
失調性歩行不能〔症〕 atactic abasia, ataxic abasia …… 1
質的変化 qualitative alteration …… 53
湿度 humidity …… 867
失動〔症〕 akinesia …… 41
実働時間 running time …… 1893
嫉妬型妄想〔性〕障害 jealous type of paranoid disorder …… 546
嫉妬恐怖〔症〕 zelophobia …… 2057
失読〔症〕 alexia …… 46
失読症 dyslexia …… 573
湿度計 hygrometer …… 877
膝〔蓋〕内転筋反射 patelloadductor reflex …… 1581
失認 agnea …… 38
失認 agnosia …… 38
膝の genicular …… 766
失〔脳〕外套の apallic …… 112
失敗恐怖〔症〕 hamartophobia …… 814
湿パック wet pack …… 1335
膝〔蓋〕反射 knee jerk (KJ) …… 968
室ひだ vestibular fold …… 720
室ひだ plica vestibularis …… 1445
膝部 knee region …… 1585
湿布 wet compress …… 405
湿布 epithem …… 633
湿布 fomentation …… 723
湿布 poultice …… 1474
湿布 splenium …… 1720
湿布 stupe …… 1761
シッフ塩基 Schiff base …… 200
シッフ-シェリングトン現象 Schiff-Sherrington phenomenon …… 1406
シッフ試薬 Schiff reagent …… 1569
シップリー-ハートフォードスケール Shipley-Hartford scale …… 1639
シップル症候群 Sipple syndrome …… 1820
失文法〔症〕 agrammatism …… 39
疾病 disease …… 527
疾病 illness …… 907
疾病 mal …… 1093
疾病 maladie …… 1094
疾病 malady …… 1094
疾病 malum …… 1097
疾病 morbus …… 1170

疾病 sickness … 1676
疾病学 nosography … 1268
疾病恐怖〔症〕 nosophobia … 1269
疾病失認 anosognosia … 95
疾病素質 predisposition … 1477
疾病毒素 nosotoxin … 1269
疾病毒素症 nosotoxicosis … 1269
疾病特発発生 idiogenesis … 904
〔疾病〕特有症候の pathognomonic … 1372
疾病分類 nosography … 1268
疾病分類学 nosology … 1268
疾病法則学 pathonomia, pathonomy … 1372
疾病発端の pathoformic … 1372
疾病無関心 anosodiaphoria … 95
疾病モデル pathologic model … 1162
疾病予防管理センター Centers for Disease Control and Prevention (CDC) … 331
室傍核 paraventricular nucleus [TA] of hypothalamus … 1278
室房の ventriculoatrial (VA) … 2011
悉無律 all or none law … 1005
失明 blindness … 221
失名詞〔症〕 anomia … 94
失名詞〔症〕 nominal aphasia … 114
質問票 questionnaire … 1538
質問癖 folie du pourquoi … 721
実用主義 pragmatism … 1475
実用単位 practical units … 1966
失立〔症〕 astasia … 163
失立失歩〔症〕 astasia-abasia … 163
失立発作 astatic seizure … 1657
質量 mass (m) … 1107
質量作用の法則 law of mass action … 1007
質量作用比 mass:action ratio … 1561
質量数 mass number … 1282
質量の molar … 1163
質量の単位 unit of mass … 1966
質量分析器 mass spectrograph … 1708
質量分析法 mass spectrometry … 1108
失連句〔症〕 aphrasia … 114
歯堤 dental ledge … 1015
指定書 subscription … 1765
時定数 time constant … 414
指定薬物 scheduled drug … 561
ジデオキシ塩基配列決定法 dideoxy sequencing … 1665
試適 try-in … 1939
至適 optimum … 1309
至適温度 optimum temperature … 1848
至適水素指数 optimum pH … 1398
試適用義歯 trial denture … 490
ジテルペン diterpenes … 550
シデロサイト siderocyte … 1677
シデローシス siderosis … 1677
シデロフィリン siderophilins … 1677
シデロブラスト sideroblast … 1677
シデロホア siderophore … 1677
支点 fulcrum … 743
支〔持〕点 bearing … 203
自伝的記憶 autobiographic memory … 1128
指導 direction … 524
児頭圧迫刺激法 fetal scalp stimulation 1747
指導医制度 medical direction … 524
自動埋め込み型除細動器 automated implantable cardioverter defibrillator … 478
自動運動 exercise … 653
自動(能動)運動 active movement … 1173
自動運動効果 autokinetic effect … 588
〔自動〕運動性 motility … 1172
自動運動描画器 automatograph … 180
自動運動発作 automotor seizure … 1657
視〔覚〕投影 visual projection … 1496
耳頭蓋 otocranium … 1326
自動可動域 active range of motion (AROM) … 1558
歯導管 gubernacular canal … 283
視〔線運〕動〔性〕眼振 optokinetic nystagmus … 1286
自動鑑別白血球計数器 automated differential leukocyte counter … 431
児童(小児)虐待 child abuse … 7
四頭筋 four-headed muscle … 1186
〔電子〕自動血球計数器 electronic cell counter … 431
児頭骨盤計測〔法〕 cephalopelvimetry … 333
児頭骨盤の cephalopelvic … 333
児頭骨盤不均衡 cephalopelvic disproportion (CPD) … 548
自動削合 milling-in … 1158
自動酸化 autooxidation … 180
自動〔性〕収縮 automatic beat … 203
自動充填器 automatic plugger … 1446
耳頭症 otocephaly … 1326
自動症 automatism … 180
児童(小児)心理学 child psychology … 1518
指頭髄 pulp of finger … 1524
自動性 automatism … 180
自動制御 servomechanism … 1668
自動制御学 cybernetics … 454
児童精神医学 child psychiatry … 1517
視〔線運〕動性の optokinetic … 1309
自動前休止 preautomatic pause … 1374
自動装置の robotic … 1619
自動体外式除細動器 automated external defibrillator (AED) … 478
自動注入器 power injector … 936
自動聴性脳幹反応 automatic auditory brainstem response … 1596
自動長さ-張力曲線 active length-tension curve … 450
自動白血球百分率計数器 automated differential leukocyte counter … 431
自動白血球分類器 automated differential leukocyte counter … 431
自動反響言語 autoecholalia … 179
自動表層角膜切除 automated lamellar keratectomy … 977
自動分析器 autoanalyzer … 178
始動摩擦 starting friction … 741
自動利得調節 automatic gain control (AGC) … 418
四糖類 tetrasaccharide … 1872
自動露光計 phototimer … 1418
児頭歪軸定位 asynclitism of the cranium 166
児頭彎曲 cephalic curve … 450
ジトキシン gitoxin … 771
死〔体〕毒 ptomaine … 1522
死〔体〕毒血〔症〕 ptomainemia … 1522
耳毒性 ototoxicity … 1327
死毒性いぼ postmortem wart … 2040
シトクロム cytochrome … 464
シトクロムb cytochrome b … 464
シトクロムb_5 cytochrome b_5 … 464
シトクロムb_5還元酵素(レダクターゼ) cytochrome b_5 reductase … 464
シトクロムc cytochrome c … 464
シトクロムcオキシダーゼ cytochrome c oxidase … 464
シトクロムc過酸化酵素 cytochrome c peroxidase … 464
シトクロムc酸化酵素 cytochrome c oxidase … 464
シトクロムcペルオキシダーゼ cytochrome c peroxidase … 464
シトクロムc_3ヒドロゲナーゼ cytochrome c_3 hydrogenase … 464
シトクロムP-450scc cytochrome P-450_{scc} 464
シトクロムP450系 cytochrome P-450 system … 1831
シトクロムオキシダーゼ(シュードモナス属) cytochrome oxidase (*Pseudomonas*) … 464
シトクロム酸化酵素(シュードモナス属) cytochrome oxidase (*Pseudomonas*) … 464
シトクロムペルオキシダーゼ cytochrome peroxidase … 1394
シトシン cytosine (Cyt) … 468
シトスタノール sitostanol … 1690
シトステロール sitosterol … 1690
シトソーム cytosome … 468
歯突起 dens … 487
〔環椎〕歯突起窩 fovea dentis atlantis … 735
〔歯突起〕後関節面 posterior articular facet of dens … 662
〔歯突起〕後関節面 facies articularis posterior dentis … 663
〔歯突起〕後関節面 posterior articular surface of dens … 1783
歯突起骨 os odontoideum … 1318
歯突起尖 apex dentis … 113
歯突起尖 apex of dens … 113
〔歯突起〕前関節面 facies articularis anterior dentis … 662
〔歯突起〕前関節面 anterior articular surface of dens … 1780
シドナム舞踏病 Sydenham chorea … 355
シドニー線 Sydney crease … 435
ジトニン gitonin … 771
ジドブジン zidovudine … 2057
シトラール citral … 369
シトリピン cytolipin … 465
シトリピンH cytolipin H … 465
シトリピンK cytolipin K … 465
シトルリン citrulline … 369
シトルリン血〔症〕 citrullinemia … 369
シトルリン尿〔症〕 citrullinuria … 369
シトレートシンターゼ citrate synthase … 369
シトレートリアーゼ citrate lyase … 369
シトロネラソウ citronella … 369
シトロネラ油 oil of citronella … 1294
シトロネラル citronellal … 369
シトロバクター属 *Citrobacter* … 369
歯内骨内インプラント endo-osseous implant … 915
歯内歯 dens in dente … 487
歯内スタビライザ endodontic stabilizer 1727
耳内切開〔術〕 endaural incision … 918
歯内治療学 endodontics … 613
耳内の intraaural … 949
歯内療法学 endodontics … 613
シナサシチョウバエ *Phlebotomus chinensis* … 1409
ジナテルム dynatherm … 570
シナニッケイ cassia cinnamon … 363
シナプシス synapsis … 1793
シナプシンI synapsin I … 1793
シナプス synapse … 1792
シナプスエレミネーション synapse elimination … 599
シナプス学 synaptology … 1793
シナプス陥凹 synaptic trough … 1937
シナプス間隙 synaptic cleft … 374
シナプス後〔部〕の postsynaptic … 1472
シナプス後膜 postsynaptic membrane … 1127
シナプス後ニューロン postsynaptic neuron … 1249
シナプス〔細胞〕接着分子 synaptic cell adhesion molecule (synCAM) … 1164
シナプス小胞 synaptic vesicles … 2016
シナプス前ニューロン presynaptic neuron … 1249
シナプス前〔部〕の presynaptic … 1483
シナプス前膜 presynaptic membrane … 1127
シナプス抵抗 synaptic resistance … 1594
シナプス伝導 synaptic conduction … 408
シナプスの削除 synapse elimination … 599
シナプトソーム synaptosome … 1793
シナプトフィシン synaptophysin … 1793
支那ろう Chinese wax … 2042

指南〔力〕 orientation …… 1313
耳軟骨峡 isthmus cartilaginis auricularis 963
耳軟骨峡 isthmus cartilaginis auris …… 963
耳軟骨峡 isthmus of cartilage of ear …… 963
耳軟骨峡 isthmus of cartilaginous auricle …… 963
耳〔軟骨〕上骨核 epiotic center …… 330
指南力障害 disorientation …… 547
歯肉 gingiva …… 770
歯肉アメーバ *Entamoeba gingivalis* …… 618
歯肉炎 gingivitis …… 770
歯肉縁 gingival margin …… 1103
歯肉線(縁) gum line …… 1050
歯肉縁下歯石 subgingival calculus …… 278
歯肉縁下掻爬〔術〕 subgingival curettage …… 449
歯肉縁上歯石 supragingival calculus …… 278
歯肉過形成〔症〕 gingival hyperplasia …… 886
歯肉下の subgingival …… 1763
歯肉頬癒着性開口障害 trismus capistratus …… 1935
歯肉クランプ gingival clamp …… 370
歯肉形成 waxing, waxing-up …… 2043
歯肉形成〔術〕 gingivoplasty …… 770
歯肉溝 gingival sulcus …… 1772
歯肉溝 sulcus gingivalis …… 1772
歯肉溝上皮 crevicular epithelium …… 632
歯肉後退 gingival recession …… 1572
〔歯肉〕口内炎 gingivostomatitis …… 770
歯肉-骨の gingivoosseous …… 770
歯肉〔歯間〕乳頭 gingival papilla …… 1345
歯肉軸側の gingivoaxial …… 770
歯肉主線維群 gingival principal fiber groups …… 689
歯肉出血 stomatorrhagia …… 1749
歯肉消息子 periodontal probe …… 1486
歯肉上皮 gingival epithelium …… 632
死肉食の necrophagous …… 1224
歯肉滲出液 gingival fluid …… 715
歯肉唇側の gingivolabial …… 770
歯肉整復 gingival repositioning …… 1591
歯肉舌炎 gingivoglossitis …… 770
歯肉切除〔術〕 gingivectomy …… 770
歯肉線維腫症 gingival fibromatosis …… 695
歯肉増殖 gingival enlargement …… 617
歯肉増殖〔症〕 gingival hyperplasia …… 886
歯肉象皮病 gingival elephantiasis …… 599
歯肉側鼓形空隙 gingival embrasure …… 601
歯肉側舌側軸側の gingivolinguoaxial …… 770
歯肉組織 gingival tissues …… 1895
歯肉退縮 gingival retraction …… 1603
歯肉粘膜 gingival mucosa …… 1176
歯肉嚢 gingival pocket …… 1452
歯肉嚢胞 gingival cyst …… 459
歯肉膿瘍 gingival abscess …… 5
歯肉膿瘍 parulis …… 1369
歯肉剝離掻爬手術 flap operation …… 1304
歯肉弁 gingival flap …… 710
歯肉ポケット gingival pocket …… 1452
歯肉マッサージ gingival massage …… 1108
歯肉磨耗 gingival abrasion …… 4
歯肉輪郭 gingival contour …… 416
歯肉裂 gingival cleft …… 373
歯肉瘻 gingival fistula …… 705
歯肉彎曲部 gingival curvature …… 450
4,6-ジニトロ-*o*-クレゾール 4,6-dinitro-*o*-cresol …… 521
ジニトロフェニルヒドラジン試験 dinitrophenylhydrazine test …… 1856
2,4-ジニトロフェノール 2,4-dinitrophenol (DNP, Dnp) …… 521
歯乳頭 dental bulb …… 264
歯乳頭 dental papilla …… 1344
歯乳頭 dentinal papilla …… 1345
歯乳頭 papilla dentis …… 1345
四乳房〔症〕 tetramastia …… 1871
しにょう(屎尿) excrement …… 652
死ぬ die …… 514
ジヌクレオチド dinucleotide …… 521
ジヌクレオチド折りたたみ dinucleotide fold …… 718
シネ胃鏡検査〔法〕 cinegastroscopy …… 363
シネオール cineole, cineol …… 363
シネキア synechia …… 1826
シネミン synemin …… 1826
シネラジオグラフィ cineradiography …… 363
シネレシス syneresis …… 1826
死の agonal …… 38
子嚢 ascus …… 160
視嚢 optic capsule …… 291
歯嚢 pocket …… 1452
歯嚢 dental sac …… 1628
歯嚢 tooth sac …… 1628
歯〔小〕嚢 dental follicle …… 721
耳嚢 auditory capsule …… 290
耳嚢 otic capsule …… 291
子嚢果 ascoma …… 160
視能矯正学 orthoptics …… 1317
子嚢菌綱 Ascomycetes …… 160
子嚢菌門 Ascomycota …… 160
子嚢菌門の ascomycetous …… 160
視能訓練士 orthoptist …… 1317
視能訓練の orthoptic …… 1317
子嚢性の ascogenous …… 159
子嚢胞子 ascospore …… 160
趾の底側面 plantar surface of toe …… 1783
シノプトフォア synoptophore …… 1826
ジノプロスト dinoprost …… 521
ジノプロストトロメタミン dinoprost tromethamine …… 521
死の本能 death instinct …… 940
死の本能 thanatos …… 1874
ジノルフィン dynorphin …… 570
磁場 magnetic field …… 697
歯胚〔芽〕洞 dental crypt …… 445
支配観念 dominant idea …… 904
支配動機 mastery motive …… 1172
ジハイドロアルテミシニン dihydroartemisinin …… 518
指背面 facies digitalis dorsalis (manus et pedis) …… 663
指背面 dorsal surface of digit (of hand or foot) …… 1781
自白薬 truth serum …… 1668
自発運動能 ultromotivity …… 1963
自発観念の idiopsychologic …… 905
自発凝集素 idioagglutinin …… 904
自発視 subjective vision …… 2032
自発食〔菌〕作用 spontaneous phagocytosis …… 1399
自発性異種凝集素 idioheteroagglutinin …… 904
自発性異種溶解素 idioheterolysin …… 904
自発性同種凝集素 idioisoagglutinin …… 904
自発性同種溶解素 idioisolysin …… 904
自発〔性〕の autochthonous …… 179
自発性マラリア autochthonous malaria 1094
自発性溶解素 idiolysin …… 904
自発〔的〕の spontaneous …… 1723
自発燃焼 spontaneous combustion …… 396
磁場の強さの単位 unit of magnetic field intensity …… 1966
死斑 livor …… 1062
死斑 postmortem suggillation …… 1770
紫斑 purpura …… 1528
嘴板 teniola corporis callosi …… 1850
〔小〕児斑 mongolian spot …… 1725
耳板 otic placodes …… 1429
市販後サーベイランス post-marketing surveillance …… 1785
指反射 digital reflex …… 1578
嘴反射 snout reflex …… 1581
紫斑〔病〕の purpuric …… 1529
紫斑病 peliosis …… 1377
紫斑病 purpura …… 1528
耳鼻咽喉科医 otolaryngologist …… 1327
耳鼻咽喉科学 otolaryngology …… 1327
耳鼻咽喉科学 otorhinolaryngology …… 1327
ジビシン divicine …… 552
ジヒドロウラシル dihydrouracil …… 518
ジヒドロウリジン dihydrouridine (hU, hu, D) …… 518
ジヒドロオロターゼ dihydroorotase …… 518
ジヒドロオロテート dihydroorotate …… 518
ジヒドロキシアセトン dihydroxyacetone 518
ジヒドロキシアセトンリン酸 dihydroxyacetone phosphate (DHAP) 518
ジヒドロキシアセトンリン酸アシルトランスフェラーゼ dihydroxyacetone phosphate acyltransferase …… 518
2,8-ジヒドロキシアデニン 2,8-dihydroxyadenine …… 518
2,8-ジヒドロキシアデニン結石症 2,8-dihydroxyadenine lithiasis …… 1061
1,25-ジヒドロキシエルゴカルシフェロール 1,25-dihydroxyergocalciferol …… 519
1α,25-ジヒドロキシコレカルシフェロール 1α,25-dihydroxycholecalciferol …… 519
2,3-ジヒドロキシプロパン酸 2,3-dihydroxypropranoic acid …… 519
2,3-ジヒドロキシプロプラナール 2,3-dihydroxypropranal …… 519
ジヒドロコルチゾン dihydrocortisone …… 518
ジヒドロタキステロール dihydrotachysterol …… 518
ジヒドロビオプテリン dihydrobiopterin 518
ジヒドロピリミジンデヒドロゲナーゼ dihydropyrimidine dehydrogenase …… 518
ジヒドロプテリジン還元酵素 dihydropteridine reductase …… 518
ジヒドロプテリン還元酵素 phenylalanine 4-monooxygenase …… 1407
ジヒドロプテロイン酸 dihydropteroic acid …… 518
7,8-ジヒドロ葉酸 7,8-dihydrofolate …… 518
ジヒドロ葉酸還元酵素 dihydrofolate reductase (DHFR) …… 518
ジヒドロリポアミド*S*-アセチルトランスフェラーゼ dihydrolipoamide *S*-acetyltransferase …… 518
ジヒドロリポアミドデヒドロゲナーゼ dihydrolipoamide dehydrogenase …… 518
ジヒドロリポ酸 dihydrolipoic acid …… 518
指皮膚肥厚〔症〕 pachydermodactyly …… 1335
指標 index …… 921
指標 indication …… 923
指標 parameter …… 1351
視標 target …… 1841
耳病 otopathy …… 1327
指標基準 guideline …… 805
指標酵素 marker enzyme …… 623
しびれ〔感〕 numbness …… 1283
しびれたおとがい症候群 numb chin syndrome …… 1814
ジファルネシル基 difarnesyl group …… 516
ジフェニル diphenyl …… 522
ジフェニル diphenyl- …… 522
2,5-ジフェニルオキサゾール 2,5-diphenyloxazole (PPO) …… 522
ジフェニルクロルアルシン diphenylchlorarsine …… 522
ジフェニルシアノアルシン diphenylcyanoarsine (DC) …… 522
ジフェニルヒダントイン歯肉炎 diphenylhydantoin gingivitis …… 770
ジフェニルメタン系緩下薬 diphenylmethane laxatives …… 1008
ジフェニルメタン染料 diphenylmethane dyes …… 569
ジブカイン dibucaine …… 512

ジブカイン数 dibucaine number (DN) … 512
眥部眼瞼炎 blepharitis angularis … 220
指腹 pulp of finger … 1524
指腹指尖部皮弁 volar fingertip flap … 710
指腹面 facies digitalis ventralis … 663
指腹面 ventral surface of digit … 1784
眥部形成〔術〕 canthoplasty … 287
眥部切開〔術〕 canthotomy … 288
四分染色体 tetrad … 1871
指(趾)不足〔症〕 oligodactyly, oligodactylia … 1296
シブソン溝 Sibson groove … 802
四部調律 quadruple rhythm … 1611
死物寄生性の necrophilous … 1224
死物〔性〕の necrogenic … 1224
ジフテリア diphtheria … 522
ジフテリア菌 *Corynebacterium diphtheriae* … 429
ジフテリア抗毒素 diphtheria antitoxin … 109
ジフテリア抗毒素単位 diphtheria antitoxin unit … 1965
ジフテリア後麻痺 postdiphtheritic paralysis … 1351
ジフテリア後の postdiphtheritic … 1470
ジフテリア〔性〕ニューロパシー(神経障害) diphtheritic neuropathy … 1250
ジフテリア性潰瘍 diphtheritic ulcer … 1960
ジフテリア性結膜炎 diphtheritic conjunctivitis … 412
ジフテリア性腸炎 diphtheritic enteritis … 619
ジフテリア毒素 diphtherotoxin … 522
ジフテリア毒素 diphtheria toxin … 1906
ジフテリア・破傷風・百日咳三種混合ワクチン diphtheria toxoid, tetanus toxoid, pertussis vaccine (DTP) … 1979
ジフテリア膜 diphtheritic membrane … 1125
シフト shift … 1673
四分〔の一〕半盲 quadrantanopia … 1536
肢部分欠損〔症〕 meromelia … 1133
耳プラコード otic placodes … 1429
しぶり tenesmus … 1850
シブリー徴候 Shibley sign … 1684
シプリノール cyprinol … 458
シプリンゼン(シュプリンツェン)症候群 Sprintzen syndrome … 1821
ジプレノルフィン diprenorphine … 524
ジプロコクシン diplococcin … 523
四分円〔部分〕 quadrant … 1536
四分割 quadrisection … 1537
四分割(裂)の tetrameric, tetramerous … 1871
自閉 autosynnoia … 181
自閉〔症〕 autism … 178
自閉〔的〕の autistic … 178
嗜癖 addiction … 23
嗜癖 habit … 810
ジペタロネーマ属 *Dipetalonema* … 522
死別反応 bereavement … 206
ジペプチジルトランスフェラーゼ dipeptidyl transferase … 522
ジペプチジルペプチダーゼ dipeptidyl peptidase … 522
ジペプチダーゼ dipeptidase … 522
ジペプチド dipeptide … 522
シベリアマダニチフス Siberian tick typhus … 1958
指ヘルペス herpes digitalis … 844
ジベレリン gibberellins … 769
ジベレリン酸 gibberellic acid … 769
事変 incident … 918
四辺形 tetragon, tetragonum … 1871
四辺形の quadrate … 1536
刺胞 cnida … 382
刺胞 nematocyst … 1226
糸胞 trichocyst … 1929
死亡 death … 473
脂肪 fat … 678
耳胞 otocyst … 1326
耳胞 otic vesicle … 2016
耳〔小〕胞 auditory vesicle … 2016
脂肪アルコール fatty alcohol … 44
脂肪異栄養〔症〕 lipodystrophia … 1056
脂肪異栄養〔症〕 lipodystrophy … 1056
脂肪萎縮 fatty atrophy … 173
脂肪〔組織〕萎縮性糖尿病 lipoatrophic diabetes … 506
脂肪移植 lipofilling … 1057
脂肪移植〔片〕 fat graft … 795
脂肪運搬〔性〕の lipoferous … 1057
脂肪壊死 steatonecrosis … 1741
脂肪〔組織〕壊死 fat necrosis … 1224
脂肪円柱 fatty cast … 309
脂肪窩 adipose fossae … 731
脂肪芽細胞 lipoblast … 1056
脂肪芽細胞腫 lipoblastoma … 1056
脂肪芽細胞腫症 lipoblastomatosis … 1056
脂肪過剰〔症〕 hyperadiposis, hyperadiposity … 878
脂肪過剰血〔症〕 hyperlipemia … 882
脂肪過多〔症〕 adiposis … 29
脂肪肝 fatty liver … 1062
脂肪肝防止 lipotropy … 1059
脂肪含有ヘルニア liparocele … 1055
脂肪吸引〔術〕 liposuction … 1059
死亡狂 necromania … 1224
〔皮下〕脂肪〔測定〕計 adipometer … 29
脂〔肪〕血症 lipemia … 1055
脂肪欠乏症 hypoliposis … 894
脂肪欠乏症 lipopenia … 1058
脂肪血網膜症 lipemic retinopathy … 1602
脂肪顕出状態 lipophanerosis … 1058
脂肪減少薬 lipopenic … 1058
脂肪合成 steatogenesis … 1741
脂〔肪〕向性の lipotropic … 1059
脂肪細胞 fat cell … 321
脂肪細胞性の adipocellular … 29
四ホウ酸 tetraboric acid … 1870
脂肪酸 fatty acid … 678
脂肪酸アミドヒドロラーゼ fatty acid amide hydrolases … 872
脂肪酸酸化サイクル fatty acid oxidation cycle … 454
脂肪酸シンターゼ複合体 fatty acid synthase complex … 678
脂肪酸チオキナーゼ fatty acid thiokinase … 678
脂肪時機 fat tide … 1892
脂肪腫 lipoma … 1057
脂〔肪〕腫 adipose tumor … 1949
脂肪腫症 lipomatosis … 1057
脂肪腫浸潤 lipomatous infiltration … 928
脂肪腫性巨大症 macrodystrophia lipomatosa … 1089
脂肪腫性ポリープ lipomatous polyp … 1463
脂肪腫様の lipomatoid … 1057
脂肪症 adiposis … 29
脂肪症 liposis … 1059
脂肪症 steatosis … 1741
耳〔小〕胞 auditory vesicle … 2016
指疱疹 herpes digitalis … 844
脂肪心 fatty heart … 820
脂肪腎 fatty kidney … 984
脂肪心患者 lipocardiac … 1056
脂肪浸潤 adipose infiltration … 928
脂肪浸潤 fatty infiltration … 928
死亡診断書 death certificate … 473
脂肪心の lipocardiac … 1056
司法心理学 forensic psychology … 1518
脂肪親和性 lipotropy … 1059
脂肪〔性〕水腫 lipedema … 1055
脂肪髄膜瘤 lipomeningocele … 1058
死亡する die … 514
脂肪性角膜症 lipid keratopathy … 980
脂肪性肝炎 steatohepatitis … 1741
脂肪性肝硬変 fatty cirrhosis … 367
脂肪性器性ジストロフィ adiposogenital dystrophy … 577
脂肪性下痢 fatty diarrhea … 511
脂肪性下痢 pimelorrhea … 1424
脂肪生殖器症候群 adiposogenital syndrome … 1795
司法精神医学 forensic psychiatry, legal psychiatry … 1517
脂肪性糖尿病 lipogenous diabetes … 506
脂肪性腹水 ascites adiposus … 159
脂肪〔性〕浮腫 lipedema … 1055
脂肪摂取細胞 fat-storing cell … 321
指放線 digital rays … 1561
視放線 optic radiation … 1541
視放線 radiatio optica … 1541
脂肪線維腫 lipofibroma … 1057
脂肪層 panniculus adiposus … 1343
脂肪増加症 lipotrophy … 1059
脂肪層切除 panniculectomy … 1343
脂肪族 fatty series … 1665
脂肪族系酸 aliphatic acids … 47
脂肪塞栓症 fat embolism … 600
〔皮下〕脂肪〔測定〕計 adipometer … 29
脂肪族の aliphatic … 47
脂肪組織 adipose tissue … 1895
脂肪組織 fatty tissue … 1895
脂肪組織萎縮〔症〕 lipoatrophy … 1056
脂肪〔組織〕萎縮性糖尿病 lipoatrophic diabetes … 506
脂肪〔組織〕壊死 fat necrosis … 1224
脂肪組織炎 steatitis … 1741
脂肪組織切除〔術〕 lipectomy … 1055
脂肪組織の adeps … 28
脂肪体 fat body … 226
脂肪代謝 fat metabolism … 1138
脂肪体徴候 fatpad sign … 1680
脂肪蛋白症 lipoid proteinosis … 1506
脂肪注入〔法〕 lipoinjection … 1057
脂肪動員物質の adipokinetic … 29
脂肪動員ホルモン adipokinin … 29
死亡統計学 necrology … 1224
死亡統計学者 necrologist … 1224
脂肪貪食 lipophagy … 1058
脂肪貪食細胞 lipophage … 1058
脂肪軟骨異栄養〔症〕 lipochondrodystrophy … 1056
脂肪軟骨ジストロフィ lipochondrodystrophy … 1056
脂肪肉芽腫 lipogranuloma … 1057
脂肪肉芽腫症 lipogranulomatosis … 1057
脂肪肉腫 liposarcoma … 1059
脂肪尿〔症〕 lipuria … 1059
脂肪の adeps … 28
脂肪の adipose … 29
脂肪の fatty … 678
耳傍の parotic … 1357
脂肪肺炎 lipid pneumonia, lipoid pneumonia … 1450
脂肪パッド fat-pad … 678
脂肪ひだ plicae adiposae pleurae … 1445
脂肪分解 lipolysis … 1057
脂肪分解酵素 lipase … 1055
脂肪分解の lipocatabolic … 1056
脂肪ヘルニア fat hernia … 842
脂肪便 steatorrhea … 1741
脂肪便 fatty stool … 1750
脂肪変性 fatty degeneration … 481
脂肪変性 fatty metamorphosis … 1140
脂肪変性 steatosis … 1741
脂肪油 fatty oil … 1294
脂肪融解 steatolysis … 1741
脂肪溶媒 fat solvents … 1699
死亡率 lethality … 1023
死亡率 mortality … 1171

死亡率 death rate ··· 1559
脂肪リポイド〔沈着〕症 lipolipoidosis ··· 1057
脂肪類脂〔質〕〔沈着〕症 lipolipoidosis ··· 1057
脂肪類皮腫 lipodermoid ··· 1056
死亡論 thanatography ··· 1873
脂肪ワクチン lipovaccine ··· 1059
ジホスゲン diphosgene ··· 522
ジホスホピリジンヌクレオチド diphosphopyridine nucleotide (DPN) 1272
1,6–ジホスホフルクトースアルドラーゼ 1,6-diphosphofructose aldolase ··· 522
ジホスホフルクトースアルドラーゼ diphosphofructose aldolase ··· 522
絞り collimation ··· 391
絞り collimator ··· 391
絞り diaphragm ··· 510
絞りかす marc ··· 1102
シマー shimmer ··· 1673
姉妹染色分体交換 sister chromatid exchange ··· 652
ジマゾン dimazon ··· 520
シマリン cymarin ··· 457
試味 degustation ··· 482
シミアンウイルス simian virus (SV) ··· 2029
肢ミオキミア limb myokymia ··· 1214
シミター徴候 scimitar sign ··· 1683
シミュレーション simulation ··· 1686
シミュレータ simulator ··· 1686
嗜眠 lethargy ··· 1023
嗜眠状態 drowsiness ··· 561
嗜眠性催眠 lethargic hypnosis ··· 891
嗜眠の somnolescent ··· 1700
シム shim ··· 1673
ジムカデ属 *Geophilus* ··· 767
地虫 grub ··· 803
シムズ牽引器 Syms tractor ··· 1914
シムズ子宮ゾンデ Sims uterine sound ··· 1702
シムズ体位 Sims position ··· 1470
耳鳴 tinnitus aurium ··· 1894
耳鳴(じめい) syrigmus ··· 1828
耳鳴(じめい) tinnitus ··· 1894
耳鳴(じめい) tympanophonia, tympanophony ··· 1957
耳鳴順応療法 tinnitus retraining therapy (TRT) ··· 1880
耳鳴マスカー tinnitus masker ··· 1895
ジメタジオン dimethadione ··· 520
シメチコン simethicone ··· 1685
ジメチコーン dimethicone ··· 520
シメチジン cimetidine ··· 362
ジメチルアリールピロリン酸 dimethylallylpyrophosphate ··· 520
ジメチールイミノジアセチックアシッド dimethyl iminodiacetic acid (HIDA) 520
ジメチル–1–カルボメトキシ–1–プロペン–2–イルリン酸 dimethyl-1-carbomethoxy-1-propen-2-yl phosphate ··· 520
ジメチル水銀 dimethylmercury ··· 520
ジメチルスルホキシド dimethyl sulfoxide (DMSO) ··· 521
N,N–ジメチルトリプタミン *N,N*-dimethyltryptamine (DMT) ··· 521
ジメチルフェニルピペラジニウム dimethylphenylpiperazinium (DMPP) 521
5,6–ジメチルベンズイミダゾール 5,6-dimethylbenzimidazole ··· 520
死滅期 poststationary phase ··· 1402
2,5–ジメトキシ–4–メチルアンフェタミン 2,5-dimethoxy-4-methylamphetamine (DOM) ··· 520
締め焼 biscuit ··· 216
ジメルカプトサクシニルアンチモン antimony dimercaptosuccinate ··· 107
ジメルカプロール dimercaprol ··· 520
歯面 tooth plane ··· 1431
霜 frost ··· 742
刺毛 sting ··· 1747
耳毛 tragi ··· 1915
耳毛菌症 otomucormycosis ··· 1327
耳毛の tragal ··· 1915
視〔神経〕毛様体の opticociliary ··· 1309
霜状分枝血管炎 frosted branch angiitis ··· 82
次没食子酸塩 subgallate ··· 1763
次没食子酸ビスマス bismuth subgallate 216
シモナール帯 Simonart bands ··· 195
しもやけ chilblain ··· 344
指紋 fingerprint ··· 701
指紋萎縮症 fingerprint dystrophy ··· 578
指紋〔検査〕法 dactyloscopy ··· 470
シモンシエラ属 *Simonsiella* ··· 1686
シモンズクエン酸培地 Simmons citrate medium ··· 1118
視野 visual field (F) ··· 697
〔視野〕暗点 scotoma ··· 1650
斜位 oblique lie ··· 1032
斜位 phoria ··· 1411
〔眼球〕斜位 heterophoria ··· 848
シャイエ症候群 Scheie syndrome ··· 1819
斜位像 oblique projection ··· 1496
シャイナー実験 Scheiner experiment ··· 656
斜位の oblique ··· 1288
シャイブラー試薬 Scheibler reagent ··· 1569
シャイベ型難聴 Scheibe hearing impairment ··· 820
斜位方向撮影 oblique projection ··· 1496
ジャイレース gyrase ··· 807
ジャイロクローム gyrochrome ··· 807
シャイン–ダルガーノ配列 Shine-Dalgarno sequence ··· 1665
ジャーヴィック型人工心臓 Jarvik artificial heart ··· 820
シャウタ腟式手術 Schauta vaginal operation ··· 1306
シャウディン固定液 Schaudinn fixative 708
シャウマン〔小〕体 Schaumann bodies ··· 229
社会医学 social medicine ··· 1117
社会医学の sociomedical ··· 1695
社会宇宙 sociocosm ··· 1695
社会化 socialization ··· 1695
社会恐怖 social phobia ··· 1410
社会行動因 sociogenesis ··· 1695
社会歯学 community dentistry ··· 488
社会診療 socialized medicine ··· 1117
社会性難聴(音響外傷) socioacusis ··· 1695
社会精神医学 social psychiatry ··· 1517
社会測定距離 sociometric distance ··· 549
社会的規制 social control ··· 418
社会的計測 sociometry ··· 1695
社会的適応(順応)障害 social maladjustment ··· 1094
社会的知能 social intelligence ··· 943
社会的適応 social adaptation ··· 23
社会的不利 handicap ··· 814
社会病質者 sociopath ··· 1695
社会復帰 rehabilitation ··· 1587
社会療法 social therapy ··· 1879
斜角筋 scalene ··· 1640
斜角筋 scalenus ··· 1640
斜角筋〔筋〕切り術 scalenotomy ··· 1640
斜角筋切開〔術〕 scalenotomy ··· 1640
斜角筋切除〔術〕 scalenectomy ··· 1640
斜角筋裂孔 scalene hiatus ··· 851
シャーガス心筋症 chagasic myocardiopathy ··· 1212
ジャーカット(ユールカット)細胞 Jurkat cells ··· 322
ジャカール顔面角 Jacquart facial angle ··· 89
斜顔面裂 oblique facial cleft ··· 373
試薬 reagent ··· 1568
試薬 test ··· 1853
ジャクー関節炎 Jaccoud arthritis ··· 154
しゃくし scoop ··· 1649
弱視 amblyopia ··· 57
弱視鏡 amblyoscope ··· 57
弱視矯正 pleoptics ··· 1437
弱視惹起性 amblyogenic ··· 56
弱視惹起期間 amblyogenic period ··· 1389
弱質 debility ··· 473
〔虚〕弱質 infirmity ··· 928
尺手根の ulnocarpal ··· 1962
ジャーク神経叢 Jacques plexus ··· 1441
ジャクスタクリン juxtacrine ··· 974
弱声の leptophonic ··· 1022
尺側手根屈筋 flexor carpi ulnaris (muscle) ··· 1185
尺側手根屈筋 ulnar flexor (muscle) of wrist ··· 1197
尺側手根屈筋 musculus flexor carpi ulnaris ··· 1200
尺側手根屈筋の尺骨頭 caput ulnare musculi flexoris carpi ulnaris ··· 292
尺側手根屈筋の上腕骨頭 caput humerale musculi flexoris carpi ulnaris ··· 291
尺側手根伸筋 extensor carpi ulnaris (muscle) ··· 1184
尺側手根伸筋 ulnar extensor (muscle) of wrist ··· 1197
尺側手根伸筋 musculus extensor carpi ulnaris ··· 1199
尺側手根伸筋腱鞘 tendinous sheath of extensor carpi ulnaris muscle ··· 1672
尺側手根伸筋腱鞘 vagina tendinis musculi extensoris carpi ulnaris ··· 1981
尺側手根伸筋の尺骨頭 ulnar head of extensor carpi ulnaris (muscle) ··· 818
尺側手根伸筋の上腕頭 humeral head of extensor carpi ulnaris ··· 817
尺側手根隆起 ulnar eminence of wrist ··· 604
尺側正中皮静脈 intermediate basilic vein ··· 1997
尺側正中皮静脈 median basilic vein ··· 1998
尺側正中皮静脈 vena intermedia basilica ··· 2006
尺側正中皮静脈 vena mediana basilica 2006
尺側内反手 ulnar clubhand ··· 377
尺側の ulnar ··· 1962
尺側の ulnaris ··· 1962
尺側反回動脈 arteria recurrens ulnaris ··· 137
尺側反回動脈 recurrent ulnar artery ··· 151
尺側反回動脈 ulnar recurrent artery ··· 154
尺側反回動脈の後枝 posterior branch of recurrent ulnar artery ··· 252
尺側反回動脈の後枝 posterior branch of ulnar recurrent artery ··· 252
尺側皮静脈 basilic vein ··· 1994
尺側皮静脈 vena basilica ··· 2004
ジャクソン徴候 Jackson sign ··· 1681
ジャクソンの法則 Jackson law ··· 1007
ジャクソンの法則 Jackson rule ··· 1626
ジャクソン発作 jacksonian seizure ··· 1657
若虫 nymph ··· 1285
尺度 index ··· 921
尺度 rule ··· 1625
尺橈骨の ulnoradial ··· 1962
弱毒〔化〕ウイルス attenuated virus ··· 2022
弱毒化リケッチアワクチン rickettsia vaccine, attenuated ··· 1980
弱毒化ワクチン attenuated vaccine ··· 1979
弱毒性結核〔症〕 attenuated tuberculosis 1945
弱毒生麻疹・おたふくかぜ・風疹混合ワクチン measles, mumps, and rubella vaccine (MMR) ··· 1980
弱トランキライザ minor tranquilizer ··· 1916
灼熱感 urtication ··· 1976
若年者の成人発症型糖尿病 maturity onset diabetes of youth ··· 506
若年性アブサンスてんかん juvenile absence

epilepsy ········· 628
若年性黄色肉芽腫 juvenile xanthogranuloma ········· 2051
若年性角膜上皮ジストロフィ Meesmann dystrophy ········· 579
若年性関節炎 juvenile arthritis, juvenile rheumatoid arthritis ········· 155
若年性関節リウマチ juvenile arthritis, juvenile rheumatoid arthritis ········· 155
若年性血管線維腫 juvenile angiofibroma 84
若年性欠神てんかん juvenile absence epilepsy ········· 628
若年性骨粗しょう(鬆)症 juvenile osteoporosis ········· 1324
若年性骨軟化症 infantile osteomalacia, juvenile osteomalacia ········· 1323
若年性歯周炎 juvenile periodontitis ········· 1390
若年性手掌足底線維腫症 juvenile palmoplantar fibromatosis ········· 695
若年性硝子質(ヒアリン)線維腫症 juvenile hyalin fibromatosis ········· 695
若年性脊髄性筋萎縮〔症〕 juvenile spinal muscular atrophy ········· 173
若年性足底皮膚症 juvenile plantar dermatosis ········· 498
若年性脱毛〔症〕 premature alopecia, alopecia prematura ········· 53
若年性弾力線維腫 juvenile elastoma ········· 592
若年性糖尿病 juvenile diabetes ········· 506
若年性乳頭腫症 juvenile papillomatosis 1346
若年性白内障 juvenile cataract ········· 311
若年性パターン juvenile pattern ········· 1374
若年性ヘモクロマトーシス juvenile hemochromatosis ········· 831
若年性ポリープ juvenile polyp ········· 1463
若年性網膜分離〔症〕 juvenile retinoschisis ········· 1603
若年発症ヘモクロマトーシス juvenile hemochromatosis ········· 831
若年ミオクローヌスてんかん juvenile myoclonic epilepsy ········· 628
雀斑 freckle ········· 739
ジャクマン試験 Jacquemin test ········· 1859
弱脈 pulsus debilis ········· 1525
雀卵斑 freckle ········· 739
弱力 hypodynamia ········· 892
弱力プロテイン銀 mild silver protein ········· 1685
しゃ(瀉)下 catharsis ········· 313
しゃ(瀉)下 purgation ········· 1528
斜径 diameter obliqua ········· 509
斜径 oblique diameter ········· 509
斜頸 torticollis ········· 1904
斜頸 wryneck ········· 2050
〔周辺〕視野計 perimeter ········· 1388
〔平面〕視野計 campimeter ········· 281
〔周辺〕視野計測の perimetric ········· 1388
しゃ(瀉)血 bloodletting ········· 224
しゃ(瀉)血 exsanguination ········· 656
しゃ(瀉)血 phlebotomy ········· 1409
しゃ(瀉)血士 phlebotomist ········· 1408
しゃ(瀉)血する phlebotomize ········· 1409
ジャケット jacket ········· 966
ジャケットクラウン jacket crown ········· 442
しゃ(瀉)下薬 cathartic ········· 313
しゃ(瀉)下薬 evacuant ········· 649
しゃ(瀉)下薬 purgative ········· 1528
しゃ(瀉)下薬 purge ········· 1528
遮光剤 sunscreen ········· 1777
斜光束乱視 astigmatism of oblique pencils ········· 165
斜骨折 oblique fracture ········· 738
シャゴーマ chagoma ········· 337
ジャコミーニ鉤帯 uncus band of Giacomini ········· 195
斜索 oblique cord of interosseous membrane of forearm ········· 421
斜索 oblique ligament of elbow joint ········· 1038
斜視 squint ········· 1726
斜視 strabismus ········· 1750
斜視 tropia ········· 1937
斜視A-V現象 A-V strabismus syndrome ········· 1797
斜視眼 squinting eye ········· 659
車軸関節 articulatio trochoidea ········· 158
車軸関節 trochoid articulation ········· 158
車軸関節 pivot joint ········· 971
車軸関節 trochoid joint ········· 972
斜視鉤 squint hook ········· 862
写字困難症 dysantigraphia ········· 570
ジャージー指 jersey finger ········· 700
斜視弱視 strabismic amblyopia ········· 57
斜視専門医 strabismologist ········· 1750
斜膝窩靱帯 oblique popliteal ligament 1038
斜膝窩靱帯 ligamentum popliteum obliquum ········· 1045
斜視偏位測定計 deviometer ········· 503
シャージュ sciage ········· 1645
しゃ(瀉)出 depletion ········· 492
しゃ(瀉)出 evacuation ········· 649
射出 emission ········· 604
射出角 angle of emergence ········· 88
射出形成フラスコ injection flask ········· 711
斜照法 focal illumination ········· 907
射傷盲膜症 retinitis sclopetaria ········· 1602
写真機 camera ········· 281
写真血流速度計 photohemotachometer 1417
斜頭〔蓋〕症 plagiocephaly ········· 1429
射精 ejaculation ········· 592
射精管 ejaculatory duct ········· 563
射精管 ductus ejaculatorius ········· 566
射精遅延 bradyspermatism ········· 241
射精不全 malemission ········· 1095
射精不能〔症〕 aspermia ········· 162
シャセニャック腔(隙) Chassaignac space ········· 1703
射線 ray ········· 1561
斜線 oblique line ········· 1051
斜線 linea obliqua ········· 1053
車前子 psyllium seed ········· 1521
射創 gunshot wound (GSW) ········· 2049
車窓眼振 railroad nystagmus ········· 1286
斜走顔裂 meloschisis ········· 1123
斜走切断〔術〕 oblique amputation ········· 66
斜走隆線 crista obliqua coronae dentis ········· 440
斜走隆線 oblique ridge ········· 1615
斜走隆線 oblique ridge of crown ········· 1615
斜走隆線 transverse ridge ········· 1616
視野測定〔法〕 perimetry ········· 1388
〔周辺〕視野測定〔法〕の perimetric ········· 1388
斜台 clivus ········· 375
斜台枝 rami clivales ········· 1549
遮断 block ········· 221
遮断 blockade ········· 222
遮断 blocking ········· 223
遮断 obliteration ········· 1288
遮断活動 blocking activity ········· 21
遮断抗体 blocking antibody ········· 100
遮断性胃内空気貯留 blocked aerogastria 32
遮断物 blocker ········· 223
斜端吻合 bevelled anastomosis ········· 73
斜断面 oblique section ········· 1653
遮断薬 blocking agent ········· 36
遮断薬 blocker ········· 223
シャック試験 Shuck test ········· 1865
しゃっくり hiccup ········· 851
しゃっくり singultation ········· 1686
しゃっくり singultus ········· 1686
尺骨 cubitus ········· 447
尺骨 ulna ········· 1962
尺骨栄養動脈 nutrient artery of ulna ········· 149
尺骨滑液包 ulnar bursa ········· 271
尺骨管 ulnar canal ········· 284
尺骨茎状突起 styloid process of ulna ········· 1490
尺骨茎状突起 processus styloideus ulnae ········· 1492
尺骨後縁 posterior border of ulna ········· 236
尺骨後縁 margo posterior ulnae ········· 1105
尺骨鉤状突起 coronoid process of the ulna ········· 1488
尺骨後面 facies posterior ulnae ········· 665
尺骨後面 posterior surface of ulna ········· 1783
尺骨骨間縁 margo interosseus ulnae ········· 1104
尺骨骨間膜 interosseous border of ulna 235
尺骨静脈 ulnar veins ········· 2003
尺骨静脈 venae ulnares ········· 2008
尺骨神経 ulnar nerve ········· 1240
尺骨神経 nervus ulnaris ········· 1243
尺骨神経溝 groove for ulnar nerve ········· 803
尺骨神経溝 sulcus nervi ulnaris ········· 1773
尺骨神経の掌枝 palmar branch of ulnar nerve ········· 250
尺骨神経の掌枝 ramus palmaris nervi ulnaris ········· 1554
尺骨神経の深枝 deep branch of the ulnar nerve ········· 245
尺骨神経の浅枝 superficial branch of the ulnar nerve ········· 253
尺骨神経の背側指枝 dorsal digital nerves of ulnar nerve ········· 1233
尺骨切痕 incisura ulnaris ········· 919
尺骨切痕 ulnar notch ········· 1270
尺骨前縁 anterior border of ulna ········· 234
尺骨前縁 margo anterior ulnae ········· 1104
尺骨前面 facies anterior ulnae ········· 662
尺骨前面 anterior surface of ulna ········· 1780
尺骨粗面 tuberositas ulnae ········· 1947
尺骨粗面 tuberosity of ulna ········· 1948
尺骨体 body of ulna ········· 230
尺骨体 corpus ulnae ········· 426
尺骨〔体〕の内側面 medial surface of (shaft of) ulna ········· 1782
尺骨頭 caput ulnae ········· 292
尺骨頭 caput ulnare ········· 292
尺骨頭 head of ulna ········· 818
尺骨頭 ulnar head ········· 818
〔尺骨頭の〕関節環状面 articular circumference of head of ulna ········· 366
〔尺骨頭の〕関節環状面 circumferentia articularis capitis ulnae ········· 366
尺骨動脈 arteria ulnaris ········· 138
尺骨動脈 ulnar artery ········· 154
〔尺骨動脈〕掌側手根枝 palmar carpal branch of ulnar artery ········· 250
〔尺骨動脈〕掌側手根枝 ramus carpalis palmaris arteriae ulnaris ········· 1548
〔尺骨動脈〕掌側手根枝 ramus carpeus palmaris arteriae ulnaris ········· 1549
〔尺骨動脈〕深掌枝 deep palmar branch of ulnar artery ········· 245
〔尺骨動脈〕深掌枝 ramus palmaris profundus arteriae ulnaris ········· 1554
尺骨動脈の後枝 dorsal branch of the ulnar nerve ········· 246
〔尺骨動脈〕背側手根枝 dorsal carpal branch of ulnar artery ········· 246
〔尺骨動脈〕背側手根枝 ramus carpalis dorsalis arteriae ulnaris ········· 1548
〔尺骨動脈〕背側手根枝 ramus carpeus dorsalis arteriae ulnaris ········· 1549
尺骨内側面 facies medialis ulnae ········· 664
尺骨の ulnar ········· 1962
尺骨の ulnaris ········· 1962
〔尺骨の〕回外筋稜 supinator crest (of ulna) ········· 438
〔尺骨の〕回外筋稜 crista musculi supinatoris ulnae ········· 440
尺骨の端 funny bone ········· 232
尺骨反射 ulnar reflex ········· 1582

シ

シャッツキー輪 Schatzki ring ············ 1618
ジャテーネ(ジャテン)法 Jatene procedure ············ 1487
シャドーイング〔法〕shadow-casting ····· 1669
斜頭 caput obliquum ············ 292
斜頭 oblique head ············ 817
斜頭〔蓋〕症 plagiocephaly ············ 1429
視野闘争 binocular rivalry ············ 1619
ジャドキンズ法 Judkins technique ········ 1844
蛇毒症 ophidiasis ············ 1306
蛇毒溶血 venom hemolysis ············ 834
シャトル shuttle ············ 1675
シャトルベクター shuttle vector ·········· 1992
ジャトロファ属 *Jatropha* ············ 966
ジャネー検査 Janet test ············ 1859
ジャノッティ-クロスティ症候群 Gianotti-Crosti syndrome ············ 1805
ジャービッチ抗原 Gerbich antigen ········ 103
斜披裂筋 oblique arytenoid muscle ······· 1189
斜披裂筋 musculus arytenoideus obliquus ············ 1198
シャピーロ徴候 Schapiro sign ············ 1683
ジャブレー幽門形成〔術〕Jaboulay pyloroplasty ············ 1531
遮へい masking ············ 1106
遮へい試験 cover test ············ 1856
遮へい板 shield ············ 1673
シャベル型酸素マスク shovel mask ······ 1106
シャベル作業者骨折 clay shoveler's fracture ············ 737
シャペロニン chaperonin ············ 339
シャペロン chaperone ············ 339
斜偏視 skew deviation ············ 502
ジャーボード欠損 Gerbode defect ·········· 477
ジャーマンスコア Jarman score ··········· 1650
シャーマン単位 Sherman unit ············ 1967
シャーマン-ブアクウィンビタミンB_2単位 Sherman-Bourquin unit of vitamin B_2 1967
シャーマン-マンセル単位 Sherman-Munsell unit ············ 1967
ジャーミストンウイルス Germiston virus ············ 2024
シャム双生児 Siamese twins ············ 1956
シャムレージ sham rage ············ 1546
シャムロス徴候 Schamroth sign ··········· 1683
斜面 bevel ············ 208
斜面 slope ············ 1692
斜面培養 slant culture ············ 448
〔視野〕網膜の等感度線 isopter ············ 962
シャルガフの法則 Chargaff rule ·········· 1626
シャルコー間欠熱 Charcot intermittent fever ············ 683
シャルコー関節症 Charcot arthropathy ··· 156
シャルコー三徴 Charcot triad ············ 1925
シャルコー-ベットヒャー晶質 Charcot-Böttcher crystalloids ············ 446
シャルコー歩行 Charcot gait ············ 748
シャルコー-ライデン結晶 Charcot-Leyden crystals ············ 446
シャルツェ模型 Schultze phantom ······· 1400
シャルディンガーデキストリン Schardinger dextrins ············ 504
シャルディンガー反応 Schardinger reaction ············ 1567
シャルルヴォワ-サグネー運動失調〔症〕 ataxia of Charlevoix-Saguenay ·········· 167
シャルルの法則 Charles law ············ 1006
シャルル・ボネ症候群 Charles Bonnet syndrome ············ 1800
斜裂 oblique fissure ············ 703
〔肺臓の〕斜裂 oblique fissure of lung ····· 703
視野レンズ field lens ············ 1019
ジャングー現象 Gengou phenomenon ··· 1404
ジャンクDNA junk DNA ············ 491
ジャンセルム小〔結〕節 Jeanselme nodules ············ 1261
シャンデリア徴候 chandelier sign ········ 1679
シャント shunt ············ 1674
シャント筋 shunt muscle ············ 1193
シャントメス反応 Chantemesse reaction 1563
ジャンパー膝 jumper knee ············ 987
シャンピー固定液 Champy fixative ········ 708
シャンピーミニプレート Champy miniplate ············ 1159
ジャンピング遺伝子 jumping gene ········· 763
シャンファー chamfer ············ 338
手 hand ············ 814
手 main ············ 1093
手 manus ············ 1101
手 hand region ············ 1585
種 species ············ 1707
首位 primacy ············ 1484
周 circumference (c) ············ 366
終〔末〕terminatio ············ 1852
汁 juice ············ 973
汁 sap ············ 1634
雌雄二形 sexual dimorphism ············ 521
16PF人格検査 Sixteen Personality Factor Questionnaire (16PF) ············ 1538
シュヴァイガー・ザイデル鞘 sheath of Schweigger-Seidel ············ 1671
従圧式呼吸器 pressure-controlled respirator ············ 1596
シュヴァーバッハ試験 Schwabach test 1865
シュヴァリエ-ジャクソン拡張器 Chevalier-Jackson dilator ············ 519
シュヴァルツ症候群 Schwartz syndrome ············ 1819
シュヴァルツ切路術 Schwartz tractotomy ············ 1914
シュヴァン細胞 Schwann cells ············ 326
シュヴァン〔細胞〕症 schwannosis ········ 1645
シュヴァン〔細胞〕単位 Schwann cell unit ············ 1967
縦位 longitudinal lie ············ 1032
獣医〔師〕veterinarian ············ 2018
獣医学 veterinary medicine ············ 1117
獣医学の veterinary ············ 2018
周囲細胞 amphicyte ············ 63
周囲浸潤麻酔〔法〕field block anesthesia 79
周囲浸潤麻酔〔法〕field block ············ 222
雌雄異体現象 gonochorism, gonochorismus ············ 792
雌雄異体の diecious ············ 514
11-水酸化酵素欠損症 11-hydroxylase deficiency ············ 478
充溢 suffusion ············ 1769
週一回の circaseptan ············ 364
周囲動脈瘤 peripheral aneurysm ············ 82
周囲の ambient ············ 56
汁液 sap ············ 1634
ジューエト(ジュウェット)ゾンデ Jewett sound ············ 1702
ジューエト(ジュウェット)波 Jewett waves ············ 2042
自由エネルギー free energy (*F*) ·········· 617
自由縁 free border ············ 234
自由縁 free margin ············ 1103
自由縁 margo liber ············ 1104
周縁質 periblast ············ 1386
重音脱落 haplology ············ 815
重荷 fardel ············ 671
集塊 clumping ············ 377
集塊 conglomerate ············ 410
周界 perimeter ············ 1388
周界の perimetric ············ 1388
縦解離 longitudinal dissociation ············ 548
自由下顎運動 free mandibular movements ············ 1174
臭化カリウム potassium bromide ········· 1472
臭化キシリル xylyl bromide ············ 2054
縦隔 mediastinum ············ 1115
縦隔 mediastinal space ············ 1704
収穫アリ属 *Pogonomyrmex* ············ 1453
縦隔炎 mediastinitis ············ 1115
縦隔下部 inferior mediastinum ············ 1115
縦隔鏡 mediastinoscope ············ 1115
縦隔鏡検査〔法〕mediastinoscopy ·········· 1115
縦隔胸膜 mediastinal pleura ············ 1437
縦隔胸膜 pleura mediastinalis ············ 1437
縦隔胸膜炎 mediastinal pleurisy ·········· 1438
縦隔後部 posterior mediastinum ·········· 1115
縦隔後部の postmediastinal ············ 1471
縦隔造影(撮影)〔法〕mediastinography 1115
縦隔枝 mediastinal branches ············ 249
縦隔枝 rami mediastinales ············ 1553
縦隔脂肪腫症 mediastinal lipomatosis ··· 1058
縦隔出血 hemomediastinum ············ 835
縦隔条件 mediastinal window ············ 2046
縦隔上部 superior mediastinum ··········· 1115
縦隔静脈 mediastinal veins ············ 1998
縦隔静脈 venae mediastinales ············ 2006
縦隔心膜炎 mediastinopericarditis ········ 1115
縦隔切開〔術〕mediastinotomy ············ 1115
縦隔線維症 mediastinal fibrosis ············ 696
縦隔前部 anterior mediastinum ············ 1115
周郭胎盤 placenta circumvallata ·········· 1428
縦隔中部 middle mediastinum ············ 1115
縦隔洞後〔方〕の postmediastinal ·········· 1471
縦隔動脈 mediastinal arteries ············ 148
収穫熱 field fever ············ 684
縦隔の mediastinal ············ 1115
自由下肢 free part of lower limb ········ 1364
自由下肢骨 skeleton of free lower limb 1691
自由下肢の関節 synovial joints of free lower limb ············ 971
自由下肢の連結 articulationes membri inferioris liberi ············ 157
自由下肢の連結 juncturae membri inferioris liberi ············ 974
臭化水素 hydrogen bromide ············ 872
臭化水素酸 hydrobromic acid ············ 870
臭化水素酸デキストロメトルファン dextromethorphan hydrobromide ········· 505
就下性拡張〔症〕hypostatic ectasia ········· 584
就下性水腫(浮腫) dependent edema ······ 587
就下性肺炎 hypostatic pneumonia ········ 1450
臭化セチルトリメチルアミン cetyltrimethylammonium bromide ······· 337
臭化ナトリウム sodium bromide ·········· 1696
臭化バレタメート valethamate bromide 1983
臭化パンクロニウム pancuronium bromide ············ 1342
臭化物 bromide ············ 258
臭化ヘキサフルオレニウム hexafluorenium bromide ············ 850
臭化ベクロニウム vecuronium bromide 1992
臭化ペルフルオロオクチル perfluorooctyl bromide (PFOB) ············ 1385
臭化ホミジウム homidium bromide ······· 859
臭化メチル methyl bromide ············ 1146
臭化メチルアニソトロピン anisotropine methylbromide ············ 92
獣化妄想 zoanthropy ············ 2058
臭化リチウム lithium bromide ············ 1061
習慣 habit ············ 810
習慣〔性〕habituation ············ 810
獣姦 sodomy ············ 1697
獣姦 zooerastia ············ 2060
臭汗過多〔症〕bromohyperhidrosis, bromohyperidrosis ············ 258
臭汗恐怖〔症〕bromidrosiphobia ············ 258
獣姦者 sodomist, sodomite ············ 1697
臭汗症 bromhidrosis ············ 258
臭汗症 bromidrosis ············ 258
習慣性咳 habit cough ············ 431
習慣性〔脊柱〕側彎〔症〕habit scoliosis ···· 1649
習慣性チック habit tic ············ 1892

習慣〔性〕流産 habitual abortion …… 4
重〔複〕感染 superinfection …… 1778
周期 cycle …… 454
周期 period …… 1389
周期 rhythm …… 1611
終期 telophase …… 1848
臭気 odor …… 1292
臭気学 osmology …… 1319
臭気恐怖〔症〕 olfactophobia …… 1296
臭気恐怖〔症〕 osphresiophobia …… 1319
周期系 periodic system …… 1832
臭気嫌忌〔症〕 osmodysphoria …… 1319
臭気嗜好 osphresiophilia …… 1319
周期性 periodicity …… 1390
周期性嘔吐症 cyclic vomiting …… 2037
周期性関節痛 periodic arthralgia …… 154
周期性緊張病 periodic catatonia …… 312
周期性好中球減少〔症〕 periodic neutropenia …… 1254
周期性〔四肢〕麻痺 periodic paralysis …… 1351
周期性疾患 periodic disease …… 539
周期性斜視 cyclic strabismus …… 1750
周期性蛋白尿〔症〕 cyclic albuminuria …… 43
周期性内斜視 cyclic esotropia …… 643
周期〔性,的〕の periodic …… 1390
周期性不整脈 allorhythmia …… 51
周期性片頭痛様神経痛 periodic migrainous neuralgia …… 1244
臭気テスト whiff test …… 1868
周期バイオポリマー periodic biopolymer 214
周期フィラリア症 periodic filariasis …… 698
臭気物質結合蛋白 odorant binding protein …… 1505
周期変動 chronotropism …… 360
宗教狂 theomania …… 1874
終極顎関係記録 terminal jaw relation record …… 1574
重曲カテーテル bicoudate catheter, catheter bicoudé …… 313
終極糊精 limit dextrin …… 504
褶曲性骨形成症異常(異形成) diastrophic dysplasia …… 575
皺筋 corrugator …… 427
縦〔走〕筋層 longitudinal layer of muscular coat …… 1011
〔胃筋層の〕縦〔筋〕層 stratum longitudinale tunicae muscularis ventriculi …… 1752
〔結腸筋層の〕縦〔筋〕層 stratum longitudinale tunicae muscularis coli …… 1752
〔小腸筋層の〕縦〔筋〕層 longitudinal layer of the muscle coat of the small intestine …… 1011
〔小腸筋層の〕縦〔筋〕層 stratum longitudinale tunicae muscularis intestini tenuis …… 1752
〔直腸筋層の〕縦〔筋〕層 stratum longitudinale tunicae muscularis recti …… 1752
重金属 heavy metal …… 1139
重金属ニューロパシー(神経障害) heavy metal neuropathy …… 1251
重クロム酸塩 dichromate …… 513
重クロム酸カリウム potassium dichromate, potassium bichromate …… 1472
舟形 boat form …… 729
舟形構造 ship …… 1673
充血 congestion …… 410
充血 engorgement …… 617
充血 hyperemia …… 880
充血 injection …… 936
住血アメーバ属 Haemamoeba …… 810
住血アメーバ様寄生虫症 hemamebiasis …… 824
周血管極細胞 peripolar cell …… 324
住血吸虫 schistosome …… 1643
住血吸虫症 schistosomiasis …… 1643
住血吸虫性虫垂炎 bilharzial appendicitis 119
住血吸虫性肉芽腫 schistosome granuloma …… 798
住血吸虫性皮膚炎 schistosomal dermatitis …… 496
住血吸虫属 *Bilharzia* …… 210
住血吸虫属 *Schistosoma* …… 1642
住血吸虫の schistosomal …… 1643
住血原虫 hemocytozoon …… 831
住血糸状虫症 filariasis …… 698
充血した bloodshot …… 224
舟楔靱帯 ligamenta navicularicuneiformia …… 1044
住血性寄生虫 hemozoon …… 837
住血性寄生虫の hemozoic …… 837
住血生物 hematobium …… 825
住血線虫症 angiostrongylosis …… 87
住血線虫属 *Angiostrongylus* …… 87
住血鞭毛虫類 hemoflagellates …… 832
住血鞭毛虫類の糸粒体 mitochondrion of hemoflagellates …… 1160
住血胞子虫 hemosporidium …… 836
住血胞子虫 hemosporines …… 836
住血胞子虫類 Haemosporina …… 811
銃剣状鉗子 bayonet forceps …… 727
銃剣状並置 bayonet apposition …… 121
銃剣状毛 bayonet hair …… 811
集合 conglomerate …… 410
集合 convergence …… 418
集合 set …… 1668
重合 process …… 1488
重合〔作用〕 polymerization …… 1460
集合アナフィラキシー aggregate anaphylaxis …… 72
集光鏡 condenser …… 407
私有抗原 private antigens …… 105
重合酵素 polymerase …… 1460
集合する agminate, agminated …… 38
集合性歯牙腫 compound odontoma …… 1292
集合体 aggregate …… 37
重合体 polymer …… 1460
集合胆管 biliary ductules …… 565
集合胆管 ductuli biliferi …… 566
集合の aggregated …… 38
集合反射 mass reflex …… 1580
重合奔馬調律 summation gallop …… 750
集合無意識 collective unconscious …… 1963
十鉤幼虫 lycophora …… 1075
集合リンパ小節 folliculi lymphatici aggregati …… 723
集光レンズ condenser …… 407
醜語症 coprolalia …… 420
縦骨折 longitudinal fracture …… 738
収差 aberration …… 2
重鎖 heavy chain …… 337
重細胞性〔神経膠〕星状細胞腫 pilocytic astrocytoma …… 166
重細胞性星状〔膠〕細胞腫 pilocytic astrocytoma …… 166
収差計 aberrometer …… 2
縦座標 ordinate …… 1311
シュウ酸 oxalic acid …… 1330
シュウ酸塩 oxalate …… 1330
シュウ酸塩血〔症〕 oxalemia …… 1330
シュウ酸塩結石 oxalate calculus …… 278
シュウ酸塩尿 oxaluria …… 1330
シュウ酸カルシウム calcium oxalate …… 277
周産期医学 perinatal medicine …… 1117
周産期学 perinatology …… 1388
周産(周生)期児 perinate …… 1388
周産期死亡 perinatal death …… 473
周産(周生)期死亡率 perinatal mortality 1171
周産(周生)期死亡率 perinatal mortality rate …… 1560
周産期精巣捻転 perinatal torsion …… 1904
周産(周生)期の perinatal …… 1388
シュウ酸症 oxalosis …… 1330
シュウ酸セリウム cerium oxalate …… 335
終止 terminatio …… 1852
終糸 filum terminale …… 700
終糸 terminal filum …… 700
獣脂 tallow …… 1839
十字 cross …… 441
終止核 nucleus terminationis …… 1281
終止核 terminal nucleus, nucleus terminalis …… 1281
十字〔形〕包帯 crucial bandage …… 195
十字形吻合 cruciate anastomosis, crucial anastomosis …… 73
十字形ループ cruciform loops …… 1068
終止コドン termination codon …… 386
十字靱帯 crucial ligament …… 1034
周時性の circhoral …… 364
重視双生児 conjoined twins …… 1956
終室 terminal ventricle …… 2011
終室 ventriculus terminalis …… 2012
充実性水腫(浮腫) solid edema …… 587
自由歯肉 free gingiva …… 770
終糸の硬膜部 dural part of filum terminale …… 1364
終糸の脊髄部 spinal part of filum terminale …… 1367
終糸の軟膜部 pial part of filum terminale …… 1366
〔線維鞘〕十字部 pars cruciformis vaginae fibrosae …… 1358
〔線維鞘〕十字部 cruciform part of fibrous sheath …… 1363
縦収差 longitudinal aberration …… 2
自由〔神経〕終末 free nerve endings …… 611
自由〔神経〕終末 terminationes nervorum liberae …… 1852
自由絨毛 free villus …… 2020
収縮 arctation …… 127
収縮 beat …… 203
収縮 constriction …… 415
収縮 contraction (C) …… 416
〔心〕収縮〔期〕 systole …… 1834
収縮期/拡張期比 systolic:diastolic ratio 1561
収縮期間隔 systolic time intervals …… 948
収縮期クリック systolic click …… 374
収縮期血圧 systolic pressure …… 1483
収縮期血管雑音 systolic bruit …… 262
収縮期勾配 systolic gradient …… 794
収縮期雑音 systolic murmur …… 1180
収縮期振せん systolic thrill …… 1886
収縮期性ショック systolic shock …… 1674
収縮期前方運動 systolic anterior motion (SAM) …… 1172
収縮筋 constrictor …… 415
〔収縮〕筋聴診 dynamoscopy …… 570
収縮する contract …… 416
収縮性 contractility …… 416
収縮性心内膜炎 constrictive endocarditis 611
収縮前期 presystole …… 1483
収縮前期雑音 presystolic murmur …… 1180
収縮前期奔馬調律 presystolic gallop …… 750
収縮帯 contraction band …… 194
収縮中期の mesosystolic …… 1137
収縮胞 contractile vacuole …… 1981
〔心室の〕収縮末期の telesystolic …… 1847
収縮末期容量 end-systolic volume …… 2036
収縮力亢進 hypersystole …… 887
収縮力低下 hyposystole …… 897
重酒石酸カリウム potassium bitartrate 1472
周術期の perioperative …… 1391
袖状移植片 sleeve graft …… 795
重症黄疸 icterus gravis …… 903
舟状窩 scaphoid fossa …… 734
舟状窩 scapha …… 1640
舟状窩弁 valve of navicular fossa …… 1985
舟状窩弁 valvula fossae navicularis …… 1986
舟状窩隆起 eminence of scapha …… 603
舟状窩隆起 eminentia scaphae …… 604
舟状顔〔貌〕 facies scaphoidea …… 665

重症急性呼吸器症候群 severe acute respiratory syndrome (SARS) ………… 1819
重症筋無力症 myasthenia gravis ………… 1206
〔手の〕舟状骨 scaphoid (bone) ………… 233
〔手の〕舟状骨 os scaphoideum ………… 1318
〔足の〕舟状骨 navicular (bone) ………… 233
〔足の〕舟状骨 navicular ………… 1222
〔足の〕舟状骨 os naviculare ………… 1318
〔距骨の〕舟状骨関節面 facies articularis navicularis tali ………… 663
〔距骨の〕舟状骨関節面 navicular articular surface of talus ………… 1782
舟状骨結節 tubercle of scaphoid (bone) ………… 1944
舟状骨結節 tuberculum ossis scaphoidei 1946
舟状骨粗面 tuberositas ossis navicularis 1947
舟状骨粗面 scaphoid tuberosity ………… 1947
舟状骨粗面 tuberosity of navicular bone ………… 1947
重症コレラ持続状態 status choreicus …… 1740
自由上肢 free part of upper limb ………… 1364
自由上肢骨 skeleton of free upper limb 1691
重症疾患多発ニューロパシー(多発神経障害) critical illness polyneuropathy ………… 1461
自由上肢の関節 synovial joints of free upper limb ………… 971
自由上肢の連結 articulationes membri superioris liberi ………… 157
自由上肢の連結 juncturae membri superioris liberi ………… 974
舟状水頭〔症〕 scaphohydrocephalus, scaphohydrocephaly ………… 1640
舟状頭〔蓋〕症 scaphocephalism ………… 1640
舟状頭〔蓋〕症の scaphocephalic ………… 1640
重晶石症 baritosis ………… 197
重症度 acuity ………… 22
舟状頭 scaphocephaly ………… 1640
舟状の scaphoid ………… 1640
重症の grave ………… 800
舟状腹 scaphoid abdomen ………… 1
重症複合〔型〕免疫不全 severe combined immunodeficiency (SCID) ………… 911
重症複合免疫不全マウス severe combined immunodeficient mice (SCID mice) 1669
銃床変形 gunstock deformity ………… 480
修飾 modification ………… 1162
修飾物質 modifier ………… 1162
十字隆起 cruciform eminence ………… 603
十字隆起 eminentia cruciformis ………… 604
囚人医学 desmoteric medicine ………… 1117
終神経 terminal nerve ………… 1239
終神経 nervus terminalis ………… 1243
重心計 stabilimeter ………… 1726
自由〔神経〕終末 free nerve endings ………… 611
自由〔神経〕終末 terminationes nervorum liberae ………… 1852
終神経節 ganglion terminale ………… 755
終神経節 terminal ganglion ………… 755
縦靱帯 longitudinal ligaments ………… 1037
縦靱帯 ligamenta longitudinalia ………… 1044
重水 heavy water ………… 2041
自由水クリアランス free water clearance ………… 372
重水素 deuterium (D) ………… 501
重〔水素化〕ポルフィリン deuteroporphyrin ………… 501
習性 behavior ………… 204
集成 monograph ………… 1167
従性 sex-influenced ………… 1669
従性遺伝 sex-influenced inheritance ………… 933
修正感情体験 corrective emotional experience ………… 655
周生(周産)期児 perinate ………… 1388
周生期死亡 perinatal death ………… 473
周産(周生)期死亡率 perinatal mortality 1171
周生(周産)期死亡率 perinatal mortality rate ………… 1560
周生(周産)期の perinatal ………… 1388
修正大血管転位 corrected transposition of the great vessels ………… 1922
雌雄性的淘汰 ampheclexis ………… 63
重積〔症〕 intussusception ………… 952
重積〔症〕 invagination ………… 952
重積用器械 invaginator ………… 952
重折の conduplicate ………… 408
重折分娩 conduplicato corpore ………… 408
臭腺 odoriferous gland ………… 774
重染 double stain ………… 1730
雌雄選択 sexual selection ………… 1658
愁訴 complaint ………… 400
臭素 bromine (Br) ………… 258
〔胃筋層の〕縦〔筋〕層 stratum longitudinale tunicae muscularis ventriculi ………… 1752
〔結腸筋層の〕縦〔筋〕層 stratum longitudinale tunicae muscularis coli ………… 1752
〔小腸筋層の〕縦〔筋〕層 longitudinal layer of the muscle coat of the small intestine ………… 1011
〔小腸筋層の〕縦〔筋〕層 stratum longitudinale tunicae muscularis intestini tenuis …… 1752
〔直腸筋層の〕縦〔筋〕層 stratum longitudinale tunicae muscularis recti ………… 1752
銃創 gunshot wound (GSW) ………… 2049
縦〔走〕筋層 longitudinal layer of muscular coat ………… 1011
〔胃の〕縦走筋層 longitudinal layer of muscular coat (of stomach) ………… 1011
〔女性尿道の〕縦走筋層 longitudinal layer of muscular coat (of female urethra) …… 1011
銃槍状板歯鉗子 bayonet ………… 202
重層上皮 stratified epithelium ………… 633
重層線毛上皮 stratified ciliated columnar epithelium ………… 633
重層扁平上皮 stratified squamous epithelium ………… 633
縦走隆線 crista transversalis coronae dentis ………… 440
縦走隆線 transverse ridge of crown …… 1616
臭素塩酸 bromate ………… 258
収束 convergence ………… 418
従属 dependence ………… 492
従属栄養 heterotrophy ………… 849
従属栄養株(菌,生物，体) heterotroph 849
縦足弓 longitudinal arch of foot ………… 126
縦足弓 arcus pedis longitudinalis ………… 127
縦足弓外側部 pars lateralis arcus pedis longitudinalis ………… 1359
縦足弓外側部 lateral part of longitudinal arch of foot ………… 1365
縦足弓内側部 pars medialis arcus pedis longitudinalis ………… 1359
縦足弓内側部 medial part of longitudinal arch of foot ………… 1365
集束グリッド focused grid ………… 800
収束進化 convergent evolution ………… 650
集簇性痤瘡 acne conglobata ………… 16
集簇性網状乳頭腫症 confluent and reticulate papillomatosis ………… 1346
従属変数 dependent variable ………… 1987
収束メニスカスレンズ converging meniscus ………… 1130
臭素疹 bromoderma ………… 258
臭素水 bromine water ………… 2041
臭素様の bromic ………… 258
絨帯オリーブ間層 stratum interolivare lemnisci ………… 1752
終端 terminal ………… 1852
獣炭 animal charcoal ………… 340
集団遺伝学 population genetics ………… 765
集団開業 group practice ………… 1475
集団感知 quorum sensing ………… 1661
集団検査 mass screening ………… 1651
集団検査 group test ………… 1858
集団作用の原則 mass action principle … 1485
重炭酸イオン bicarbonate ………… 209
集団性格 syntality ………… 1827
集団精神療法 group psychotherapy ………… 1520
集団ぜん動 mass peristalsis ………… 1392
縦断的 longitudinal ………… 1068
縦断的方法 longitudinal method ………… 1144
集団ヒステリー mass hysteria ………… 900
集団病院 group hospital ………… 865
縦断面 longitudinal section ………… 1653
集団免疫 herd immunity ………… 910
集団力学(力動) group dynamics ………… 570
執着性 tenacity ………… 1849
集中治療 intensive care ………… 302
集中治療室 intensive care unit (ICU) 1966
集中的精神療法 intensive psychotherapy 1520
集中的な intensive ………… 943
縦椎骨静脈洞 longitudinal vertebral venous sinus ………… 1688
縦椎骨静脈洞 sinus vertebrales longitudinales ………… 1689
ジュウテリウム deuterium (D) ………… 501
ジュウテロソーム deuterosome ………… 501
ジュウテロポルフィリン deuteroporphyrin ………… 501
終点 end point ………… 1454
終点 terminal ………… 1852
終点 terminus ………… 1852
充塡 filling ………… 699
充塡〔術〕 plombage ………… 1446
充塡移植〔片〕 inlay graft ………… 795
充塡器 lentula, lentulo ………… 1020
充塡器 plugger ………… 1446
自由電気泳動 free electrophoresis ………… 597
充塡赤血球量 packed cell volume ………… 2036
終点測定 end-point measurement ………… 1113
自由度 degrees of freedom (d.f.) ………… 482
終洞 terminal sinus, sinus terminalis …… 1689
雌雄淘汰 sexual selection ………… 1658
雌雄同体の bisexual ………… 216
終動脈 end artery ………… 145
習得 acquisition ………… 17
重篤な grave ………… 800
柔軟性 plasticity ………… 1434
柔軟な pulpy ………… 1524
柔軟にする emulsive ………… 606
〔住〕肉胞子虫症 sarcocystosis ………… 1635
〔住〕肉胞子虫属 *Sarcocystis* ………… 1634
12歳臼歯 twelfth-year molar ………… 1163
十二指腸 duodenum ………… 567
〔肝臓の〕十二指腸圧痕 impressio duodenalis hepatis ………… 916
〔肝臓の〕十二指腸圧痕 duodenal impression on liver ………… 917
十二指腸炎 duodenitis ………… 567
十二指腸開口〔術〕 duodenostomy ………… 567
十二指腸潰瘍 duodenal ulcer ………… 1960
十二指腸下行部 pars descendens duodeni ………… 1358
十二指腸下行部 descending part of duodenum ………… 1364
十二指腸括約筋 duodenal sphincter …… 1712
十二指腸下部 pars inferior duodeni …… 1359
十二指腸下部 inferior part of duodenum ………… 1364
十二指腸間膜 mesoduodenum ………… 1136
十二指腸球部 duodenal cap ………… 288
十二指腸鏡検査〔法〕 duodenoscopy ………… 567
十二指腸空腸括約筋 duodenojejunal sphincter ………… 1712
十二指腸空腸曲 duodenojejunal flexure … 712
十二指腸空腸曲 flexura duodenojejunalis 712
十二指腸空腸ひだ plica duodenojejunalis ………… 1445
十二指腸空腸吻合〔術〕 duodenojejunostomy

……567
十二指腸空腸ヘルニア duodenojejunal hernia……842
十二指腸空腸連結部 duodenojejunal junction……973
十二指腸憩室 duodenal diverticulum……552
十二指腸結腸間膜ひだ plica duodenomesocolica……1445
十二指腸後陥凹 retroduodenal recess……1572
十二指腸後陥凹 recessus retroduodenalis……1573
十二指腸後動脈 arteria retroduodenalis……137
十二指腸後動脈 retroduodenal artery……151
十二指腸周囲炎 periduodenitis……1387
十二指腸縦ひだ longitudinal fold of duodenum……719
十二指腸縦ひだ plica longitudinalis duodeni……1445
十二指腸消化 duodenal digestion……516
十二指腸上行部 ascending part of duodenum……1362
十二指腸小腸吻合〔術〕 duodenoenterostomy……567
十二指腸上動脈 arteria supraduodenalis 138
十二指腸上動脈 supraduodenal artery……153
十二指腸上部 pars superior duodeni……1361
十二指腸上部 superior part of duodenum……1368
十二指腸上部括約筋 first duodenal sphincter……1712
十二指腸靱帯(提筋)の腹腔十二指腸部 celiacoduodenal part of suspensory muscle (ligament) of duodenum……1363
十二指腸腎ひだ ligamentum duodenorenale……1043
十二指腸水平部 horizontal part of duodenum……1364
十二指腸水平部括約筋 sphincter of third portion of duodenum……1713
十二指腸切開〔術〕 duodenotomy……567
十二指腸切除〔術〕 duodenectomy……567
十二指腸腺 duodenal glands……772
十二指腸腺 glandulae duodenales……775
十二指腸総胆管炎 duodenocholangitis……567
十二指腸総胆管切開〔術〕 duodenocholedochotomy……567
十二指腸造瘻〔術〕 duodenostomy……567
十二指腸胆嚢吻合〔術〕 duodenocholecystostomy……567
十二指腸提筋 suspensory muscle of duodenum……1196
十二指腸提筋 musculus suspensorius duodeni……1204
十二指腸提筋(靱帯)の横隔腹腔部 phrenicoceliac part of suspensory muscle (ligament) of duodenum……1366
十二指腸〔癒着〕剝離〔術〕 duodenolysis……567
十二指腸被蓋部 hidden part of duodenum……1364
十二指腸フィステル(瘻) duodenal fistula 705
十二指腸傍陥凹 paraduodenal recess……1572
十二指腸傍陥凹 recessus paraduodenalis 1573
十二指腸縫合〔術〕 duodenorrhaphy……567
十二指腸膨大部 ampulla duodeni……65
十二指腸膨大部 ampulla of duodenum……65
十二指腸傍ひだ paraduodenal fold……720
十二指腸傍ひだ plica paraduodenalis……1445
十二指腸傍ヘルニア paraduodenal hernia……843
小児〔笛声〕喉頭痙攣 laryngismus stridulus……1002
十二量体 dodecamer……554
じゅうねつ(揉捏)法 pétrissage……1397
終脳 telencephalon……1847
終脳形成異常(異形成) cerebral dysplasia 575
終脳屈 telencephalic flexure……713
終脳〔小〕胞 telencephalic vesicle……2017
皺脳の gyrencephalic……807
重拍〔脈波〕後の postdicrotic……1470
重拍性 dicrotism……513
重拍の dicrotic……513
重拍〔脈〕波 dicrotic wave……2042
重拍脈 dicrotic pulse……1525
重拍脈 dicrotism……513
周波条 perikymata……1387
周波数 frequency (ν)……740
周波数エンコード frequency encoding……740
周波数情報付加 frequency encoding……740
周波数スペクトル frequency spectrum 1709
周波数転移型補聴器 frequency transposition hearing aid……819
周波数領域 frequency domain……740
終板 endplate, end-plate……616
〔大脳〕終板 terminal plate……1435
終板血管器官 vascular organ of lamina terminalis……1312
終板槽 cistern of lamina terminalis……368
終板傍回 gyrus paraterminalis……809
終板傍回 paraterminal gyrus……809
周皮 pellicle……1378
周皮〔細胞〕 perithelium……1393
臭鼻〔症〕 ozena……1333
柔皮 fur……745
獣皮恐怖〔症〕 doraphobia……556
臭鼻菌 *Klebsiella ozaenae*……987
皺眉筋 corrugator muscle……1183
皺眉筋 corrugator supercilii (muscle)……1183
皺眉筋 musculus corrugator supercilii……1199
周皮細胞 pericyte……1387
皺皮症 rhytidosis……1612
自由ひも tenia libera……1850
修復 repair……1590
修復 restoration……1597
重複 duplication……567
重複 reduplication……1575
重複感覚 polyesthesia……1459
重複観察 replication……1590
重〔複〕感染 superinfection……1778
重複奇形〔形成〕 diplogenesis……523
重複寄生 hyperparasitism……885
重複決定 overdetermination……1328
修復酵素 repair enzyme……624
修復材 restorative dental materials……1110
重複指〔症〕 dicheiria, dichiria……512
重複肢〔症〕 dimelia……520
重複趾〔症〕 diplopodia……523
重複子宮 duplex uterus……1977
重複子宮の didelphic……513
重複試験 replication……1590
重複実験 replication……1590
重複絨毛膜の dichorial, dichorionic……513
重複〔性〕腫瘍症 polyoncosis, polyonchosis……1462
重複唇 dicheilia, dichilia……512
重複腎 duplex kidney……984
重複性 redundancy……1575
重複性大動脈弓 double aortic arch……125
修復性肉芽腫 reparative granuloma……798
重複性白内障 reduplicated cataract……311
重複切痕 dicrotic notch……1269
重複足 dipodia……524
重複体 diplopagus……523
重複瞳孔〔症〕 diplocoria……523
重複妊娠 combined pregnancy……1478
重複妊娠 superfetation……1777
重複嚢胞 duplication cyst……459
修復物 restoration……1597
重複毎日熱 double quotidian fever……684
重複三日熱 double tertian……1853
重複毛 pili multigemini……1424
重複隆起前の predicrotic……1477
十分原因 sufficient cause……315
十分染まらない understain……1964
周閉経期 perimenopause……1388
終片〔部〕 end piece……1422
周辺暗点 peripheral scotoma……1650
周辺〔性〕眩輝 peripheral glare……776
周辺虹彩切除〔術〕 peripheral iridectomy 956
周辺光線 marginal rays……1562
周辺視〔覚〕 peripheral vision……2032
周辺視性の periscopic……1392
〔周辺〕視野計 perimeter……1388
〔周辺〕視野計測の perimetric……1388
周辺視力 peripheral vision……2032
周辺性化骨性線維腫 peripheral ossifying fibroma……694
周辺蛋白 peripheral proteins……1505
周辺の peripheral……1392
重〔水素化〕ポルフィリン deuteroporphyrin……501
周膜性神経炎 adventitial neuritis……1245
終末 end……610
終末 ending……611
終末 terminal……1852
終末 termination……1852
終末 terminus……1852
終〔末〕 terminatio……1852
終末位眼振 end-point nystagmus……1286
終末器 end organ……1311
終末期肺 endstage lung……1072
〔神経〕終末球周囲の circumgemmal……367
終末グリア teloglia……1847
終末ケア end-of-life care……302
終末〔時〕血尿 terminal hematuria……827
終末呼吸単位 terminal respiratory unit 1967
終末細気管支 terminal bronchiole……259
終末細胞 end cell……321
終末終末吻合〔術〕 terminoterminal anastomosis……74
終末小体 end bulb……264
終末小体 end organ……1311
終末消毒〔法〕 terminal disinfection……543
終末神経膠 teloglia……1847
終末神経線維鞘 epilemma……627
終末槽 terminal cisternae……368
終末ちょうつがい位 terminal hinge position……1470
終末動脈 telangion……1846
終末嚢 terminal saccules……1629
終末嚢期 terminal sac period……1390
週末病院 weekend hospital……865
終末部 pars terminalis……1361
終末部 terminal part……1368
終末分枝 telodendron……1847
終末包(嚢) terminal sacs……1628
終末傍の paraterminal……1355
羞明 photosensitivity……1418
羞明の lucifugal……1070
終毛 terminal hair……812
絨毛 villus……2020
絨毛萎縮 villous atrophy……174
絨毛癌 choriocarcinoma……355
絨毛間腔 intervillous spaces……1704
絨毛間循環 intervillous circulation……366
絨毛間の intervillous……948
絨毛間裂孔 intervillous lacuna……995
絨毛血管腫 chorioangioma……355
絨毛血管腫 chorioangiosis……355
絨毛状癌 villous carcinoma……299
絨毛状突起 villus……2020
絨毛上皮腫 choriocarcinoma……355
絨毛性 villosity……2020
絨毛生検 chorionic villus sampling (CVS)……1633
絨毛性腱滑膜炎 villous tenosynovitis……1851
絨毛性ゴナドトロピン chorionic gonadotropin (CG)……792
絨毛性絨毛膜 bushy chorion……355

シ

絨毛性性腺刺激ホルモン単位(国際単位) chorionic gonadotropin unit (international) 1965
絨毛〔性〕乳頭腫 villous papilloma 1346
周毛〔性〕の peritrichous 1393
絨毛前期胚 previllous embryo 601
絨毛腺腫 villous adenoma 26
絨毛腺腫 chorioadenoma 355
絨毛組織炎 villositis 2020
絨毛胎盤 villous placenta 1429
絨毛尿膜 chorioallantoic membrane 1125
絨毛膜 chorion 355
絨毛膜外胎盤 placenta extrachorales 1428
絨毛膜外妊娠 extrachorial pregnancy 1478
絨毛膜下腔 subchorial space 1705
絨毛膜下の subchorionic 1762
絨毛膜腔 chorionic cavity 316
絨毛膜血腫性胎盤 hemochorial placenta 1428
絨毛膜絨毛 chorionic villi 2020
絨毛膜絨毛採取〔法〕 chorionic villus sampling (CVS) 1633
絨毛膜絨毛の核の凝集 nuclear aggregation of chorionic villus 38
絨毛膜小胞 chorionic vesicle 2016
絨毛膜内貯留液 chorionic fluid 714
絨毛膜尿膜胎盤 chorioallantoic placenta 1428
絨毛膜板 chorionic plate 1434
絨毛膜有毛部 villous chorion 355
絨毛膜癒合〔の〕 synchorial 1793
絨毛膜羊膜胎盤 chorioamnionic placenta 1428
周毛目 Peritrichida 1393
絨毛様ひだ plica villosa gastrica 1445
絨毛羊膜炎 chorioamnionitis 355
雌雄モザイク gynandromorphism 807
自由野 free field 697
自由誘導減衰 free induction decay (FID) 474
重要機能局在脳 eloquent brain 241
重陽子 deuteron (d) 501
重要な basilicus 200
重要な cardinal 299
集落 colony 393
集落化 colonization 393
集落計 colonometer 393
集落形成 colonization 393
集落標本 cluster sample 1633
収率 yield 2056
州立病院 state hospital 865
重硫酸塩 bisulfate 217
収量 yield 2056
重量 weight 2043
重量圧感喪失 baragnosis 196
重量オスモル濃度 osmolality 1319
重量感覚喪失 abarognosis 1
従量式呼吸器 volume-controlled respirator 1596
重量認知 barognosis 197
重量の gravimetric 800
重量の単位 unit of weight 1967
重量モルの molal 1163
重量モル濃度 molality (m) 1163
重力 gravitation 800
重力 gravity 800
重力錯覚 oculogravic illusion 907
重力式注射器 fountain syringe 1828
重力耐性 g-tolerance 804
重力単位 gravitational units (G) 1966
重力ドレナージ〔法〕 dependent drainage 559
縦列の tandem 1840
修練 training 1915
収れん作用 astriction 165
収れん性コロジオン styptic collodion 391
収れん性の astringent 165
自由連想 free association 163
収れん薬 astringent 165
収れん薬 stegnotic 1741
手運動〔感〕覚 cheirokinesthesia 341
主オリーブ核 principal olivary nucleus 1279
手過剰 polycheiria, polychiria 1458
主観確率 subjective probability 1486
珠間切痕 incisura intertragica 919
珠間切痕 intertragic notch 1269
手関節指装具 wrist-hand orthosis 1317
手間代反射 wrist clonus reflex 1582
主観的異名 subjective synonyms 1826
主観的心理学 subjective psychology 1519
主観的な subjective 1763
主観的評価データ subjective assessment data 472
主観的不眠 subjective insomnia 940
主観の客観化 projection 1495
主義 doctrine 554
手技 maneuver 1098
手技 procedure 1487
主気管支 primary bronchus 260
手奇形体(奇形児) perochirus 1394
主凝集素 major agglutinin 37
主教(司教)のうなずき bishop's nod 216
縮合 condensation 407
縮合化合物 condensation compound 404
縮合障害 coupling defect 477
縮窄〔症〕 arctation 127
縮窄〔症〕 coarctation 383
縮窄部切開〔術〕 coarctotomy 383
縮鎖酵素 debranching enzymes 623
宿主 host 865
じゅく(粥)腫 atheroma 168
縮重 degeneracy 480
宿主細胞 host cell 322
じゅく(粥)腫性血栓症 atherothrombosis 169
宿主性培養 xenic culture 448
じゅく(粥)腫切除術 atherectomy 168
じゅく(粥)腫塞栓症 atheroembolism 168
じゅく(粥)腫発生 atherogenesis 168
じゅく(粥)腫発生の atherogenic 168
宿主変更 metoxeny 1148
宿主離脱 lipoxeny 1059
縮小〔症〕 achoresis 14
縮小奇形 reduction deformity 480
じゅく(粥)状硬化〔症〕 atherosclerosis 168
縮小条虫 *Hymenolepis diminuta* 877
じゅく(粥)状の pultaceous 1526
じゅく状斑 atheromatous plaque 1432
熟成 ripening 1618
熟成させる age 35
縮退 degeneracy 480
縮瞳 miosis 1159
縮瞳薬 miotic 1159
宿便 fecal impaction 914
宿便性潰瘍 stercoral ulcer 1961
宿便性虫垂炎 stercoral appendicitis 120
宿便性膿瘍 stercoral abscess 6
宿便中毒 scatemia 1641
縮毛の ulotrichous 1962
手クロ〔ー〕ヌス反射 wrist clonus reflex 1582
シュケー-ホイアー管 Sucquet-Hoyer canals 284
手綱 habenula 810
手綱核 habenular nuclei 1275
受攻期 vulnerable period, vulnerable period of heart 1390
受攻期 vulnerable phase 1402
手綱脚間路 tractus habenulointerpeduncularis 1914
手綱溝 habenular sulcus 1772
手綱交連 commissura habenularum 397
手綱交連 commissure of habenulae 397
手綱交連 habenular commissure 397
手綱三角 habenular trigone 1932
手綱三角 trigone of habenula 1932
手綱三角 trigonum habenulae 1933
シュゴシン shugoshin 1674
手根 carpus 305
手根 carpal region 1585
手根 wrist 2050
手根横線 rasceta 1559
手根外の extracarpal 657
手根管 carpal canal 282
手根管 canalis carpi 285
手根管 carpal tunnel 1954
手根間関節 articulationes carpi 157
手根間関節 articulationes intercarpales 157
手根間関節 carpal joints 969
手根間関節 intercarpal joints 970
手根管症候群 carpal tunnel syndrome 1799
手根間靱帯 intercarpal ligaments 1036
手根間靱帯 ligamenta intercarpalia 1043
〔橈骨の〕手根関節面 facies articularis carpi radii 663
〔橈骨の〕手根関節面 carpal articular surface of radius 1781
手根腱鞘 carpal tendinous sheaths 1670
手根溝 carpal groove 801
手根溝 sulcus carpi 1771
手根骨 carpal bones 232
手根骨 ossa carpi 1317
手根骨間の intercarpal 943
手根骨間の intracarpal 950
手根骨切除〔術〕 carpectomy 304
手根〔骨〕の carpal 304
手根足の carpopedal 305
手根中央関節 articulatio mediocarpalis 157
手根中央関節 midcarpal joint 971
手根中央関節 middle carpal joint 971
手根中手関節 articulationes carpometacarpales 157
手根中手関節 carpometacarpal joints 969
手根中手骨〔間〕の carpometacarpal 304
手根中手靱帯 carpometacarpal ligaments (dorsal and palmar) 1033
手根中手靱帯 ligamenta carpometacarpalia (dorsalia/palmaria) 1042
手根動脈 carpal artery 143
手根動脈弓 carpal arches 125
手根内の intracarpal 950
手根内面の intracarpal 950
しゅさ(酒皶) rosacea 1622
酒剤 wine 2046
主細胞 chief cell 320
しゅさ(酒皶)性眼瞼炎 blepharitis rosacea 220
シュザーヌ腺 Suzanne gland 775
しゅさ(酒皶)鼻 brandy nose 1268
しゅさ(酒皶)鼻 rhinophyma 1608
手指 maniphalanx 1100
種子 seed 1654
種子 semen 1659
樹脂 resin 1592
主治医 attending physician 1420
手指外側面 facies lateralis digiti manus 664
手指外側面 lateral surface of finger 1782
種子骨 sesamoid bone 233
種子骨 os sesamoideum 1318
種子骨の sesamoid 1668
樹脂酸 resin acids 1593
主視軸 principal optic axis 185
〔手〕指失認 finger agnosia 38
樹枝状角膜炎 dendriform keratitis, dendritic keratitis 978
樹枝状角膜潰瘍 dendritic corneal ulcer 1960
〔樹〕枝状型腎盂 branching type of renal pelvis 1957
〔樹〕枝状型腎盂 typus dendriticus pelvis renalis 1958
樹枝状結晶 dendrite 486
種子状の sesamoid 1668
樹枝状の arborescent 124

樹枝状白内障 dendritic cataract ………… 311
手指節骨底 base of phalanx of hand ….. 199
手湿疹 hand eczema ……………………… 586
種子軟骨 accessory cartilage ……………… 305
〔喉頭の〕種子軟骨 cartilago sesamoidea laryngis ……………………………………… 307
〔喉頭の〕種子軟骨 sesamoid cartilage of cricopharyngeal ligament ……………… 307
〔喉頭の〕種子軟骨 sesamoid cartilage of larynx ……………………………………… 307
手指の滑液鞘 synovial sheaths of digits of hand ……………………………………… 1671
手指の滑液鞘 vaginae synoviales digitorum manus ……………………………………… 1981
手指の線維鞘 fibrous digital sheaths of hand ……………………………………… 1670
手指の線維鞘 fibrous sheaths of digits of hand ……………………………………… 1670
手指の線維鞘 vaginae fibrosae digitorum manus ……………………………………… 1981
主周波数 dominant frequency …………… 740
手術 operation ……………………………… 1303
手術〔法〕 surgery ………………………… 1784
手術可能な operable ……………………… 1303
手術狂 tomomania ………………………… 1899
手術後気管支肺炎 postoperative bronchopneumonia ……………………… 260
〔手〕術後の postoperative ………………… 1471
呪術思考 magical thinking ……………… 1883
手術室看護師 scrub nurse ……………… 1283
手術時の perioperative …………………… 1391
手術性粘液水腫 operative myxedema …. 1217
手術台 operating table …………………… 1836
手術の operative ………………………… 1306
手術付随の paraoperative ……………… 1352
手術不能の inoperable ………………… 938
〔手〕術前の preoperative ………………… 1480
手術用索 chorda chirurgicalis …………… 354
手掌 palm ………………………………… 1339
手掌 palma ……………………………… 1339
手掌 palma manus ……………………… 1339
手掌 vola ………………………………… 2035
手掌頤反射 palmomental reflex ………… 1580
手掌型乾癬 palmar psoriasis …………… 1516
手掌間隙 midpalmar space ……………… 1704
手掌筋膜 palmar fascia ………………… 674
珠上結節 supratragic tubercle ………… 1944
珠上結節 tuberculum supratragicum ….. 1947
手掌腱膜 aponeurosis palmaris ………… 117
手掌腱膜 palmar aponeurosis …………… 117
樹状細胞 dendritic cell ………………… 320
樹状脂肪腫 lipoma arborescens ………… 1057
主症状 cardinal symptom ……………… 1792
主症状 presenting symptom …………… 1792
手掌小丘 palmar monticuli …………… 1169
樹状図 dendrogram …………………… 486
手掌線 palmar crease ………………… 435
手掌線維腫症 palmar fibromatosis ……… 695
手掌足底角化〔症〕 tylosis palmaris et plantaris ……………………………………… 1956
手掌足底のびまん性過角化 diffuse hyperkeratosis of palms and soles ……. 882
主焦点 principal focus ………………… 718
樹状突起 dendrite ……………………… 486
樹状突起棘 dendritic spines …………… 1716
樹状突起脱分極 dendritic depolarization 492
樹状突起のない adendritic ……………… 24
手掌の thenen ………………………… 1874
手掌の volar …………………………… 2035
樹状の arboroid ……………………… 124
樹状の dendriform …………………… 486
手掌把握 palm grasp ………………… 799
手掌杯 cup of palm ………………… 449
手掌反射 palmar reflex ……………… 1580
棕状ひだ palmate folds of cervical canal 719
樹脂様物質 resinoid ………………… 1593
樹状ポリマー dendritic polymer ………… 1460
主静脈 cardinal veins ………………… 1994
主静脈下の subcardinal ……………… 1762
主静脈背側の supracardinal …………… 1779
種小名 specific epithet ………………… 633
樹脂類似の retinoid …………………… 1602
受信者動作特性 receiver operating characteristic (ROC) ……………………… 340
受信者動作特性曲線 receiver operating characteristic curve ……………………… 451
じゅず rosary ………………………… 1622
じゅず(数珠)状の moniliform ………… 1165
数珠状をなした beaded ……………… 203
受精 fecundation ……………………… 679
受精 fertilization ……………………… 681
授精 fertilization ……………………… 681
授精 insemination …………………… 939
酒精剤 spirit ………………………… 1717
受精素 fertilizin ……………………… 681
受精能 fertility ………………………… 681
受精能獲得 capacitation ……………… 288
受精能獲得抑制 decapacitation ………… 474
受精能獲得抑制因子 decapacitation factor ……………………………………… 667
受精膜 fertilization membrane ………… 1125
受精卵 fertilized ovum ………………… 1330
受精卵核 genoblast …………………… 766
受精齢 conceptual age ………………… 35
受精齢 fertilization age ……………… 35
酒石 tartar …………………………… 1842
酒石〔酸〕含有の tartrated …………… 1842
酒石酸 tartaric acid ………………… 1842
酒石酸アンチモンナトリウム antimony sodium tartrate ………………………… 107
酒石酸塩 tartrate ……………………… 1842
酒石酸カリウム potassium tartrate ……. 1473
酒石酸カリウムナトリウム potassium sodium tartrate ………………………… 1473
酒石酸水素塩 bitartrate ……………… 217
酒石酸ナトリウムビスマス bismuth sodium tartrate ………………………………… 216
酒石酸ペントリニウム pentolinium tartrate ……………………………………… 1382
酒石酸レバロルファン levallorphan tartrate ……………………………………… 1029
酒石〔酸〕処理の tartrated ……………… 1842
主訴 chief complaint (cc, c.c., C.C.) …. 400
手足痙攣(痙縮) carpopedal spasm ……. 1706
手足症候群 hand-and-foot syndrome ….. 1806
手足症候群 hand-foot syndrome ………. 1806
種〔属〕特異性抗原 species-specific antigen ……………………………………… 105
種族発生の phyletic …………………… 1419
腫大 swelling ………………………… 1789
腫大 tumefaction ……………………… 1949
受胎 conception ……………………… 406
受胎 embryogeny ……………………… 601
主題狂錯論理〔症〕 thematic paralogia … 1350
種耐性 species tolerance ……………… 1898
主題性錯語〔症〕 thematic paraphasia …. 1352
腫大〔性〕の tumescent ………………… 1949
主題統覚法 thematic apperception test (TAT) ……………………………………… 1867
受胎能 fertility ………………………… 681
シュタインベルク母指徴候 Steinberg thumb sign ……………………………………… 1684
シュタインマンピン Steinmann pin ……. 1424
シュタウブ-トローゴット現象 Staub-Traugott phenomenon ………… 1406
シュタウブ-トローゴット効果 Staub-Traugott effect ………………… 589
シュタルガルト病 Stargardt disease ……. 541
シュタール耳 Stahl ear ……………… 580
手段 medium ………………………… 1117
手段的日常生活動作尺度 instrumental activities of daily living scale ……… 1639
シュタンニウス結紮 Stannius ligature … 1046
指癒着〔症〕 ankylodactyly, ankylodactylia 92
種虫 sporozoite ……………………… 1724
腫脹 boil ……………………………… 230
腫脹 enlargement ……………………… 617
腫脹 oncoides ………………………… 1300
腫脹 pulsion ………………………… 1525
腫脹 swelling ………………………… 1789
腫脹 tumefaction ……………………… 1949
腫脹 tumescence ……………………… 1949
腫脹 tumor …………………………… 1949
腫脹眼疾患 gedoelstiosis ……………… 761
主張訓練法 assertive training ………… 1915
腫脹減退 detumescence ……………… 501
腫脹した tumefactive ………………… 1949
腫脹性の tumefactive ………………… 1949
腫脹〔性〕の tumescent ………………… 1949
腫脹の oncotic ……………………… 1300
出芽 bud …………………………… 263
出血 bleeding ……………………… 220
出血 hemorrhage …………………… 835
出血黄体 corpus hemorrhagicum ……… 425
出血〔性〕気管支炎 hemorrhagic bronchitis ……………………………………… 259
出血〔性〕虹彩炎 hemorrhagic iritis ……… 957
出血後の posthemorrhagic ……………… 1471
出血後貧血 posthemorrhagic anemia ……. 78
出血時間 bleeding time (BT) ………… 1893
出血する bleed ……………………… 220
出血性壊疽 hemorrhagic gangrene ……… 756
出血性壊血病 hemorrhagic scurvy ……. 1652
出血性胸膜炎 hemorrhagic pleurisy …… 1438
出血性くる病 hemorrhagic rickets ……. 1614
出血性血管炎 hemorrhagic endovasculitis 616
出血性硬〔髄〕膜炎 hemorrhagic pachymeningitis ……………………… 1335
出血性梗塞 hemorrhagic infarct ………… 926
出血性子宮症 metropathia hemorrhagica ……………………………………… 1148
出血性猩紅熱 scarlatina hemorrhagica 1641
出血性ショック hemorrhagic shock …… 1674
出血性腎炎 hemorrhagic nephritis ……. 1228
出血性心外膜炎(心囊炎) hemorrhagic pericarditis ………………………… 1386
出血性じんま疹 urticaria hemorrhagica 1976
出血性精巣周囲炎 periorchitis hemorrhagica ……………………………………… 1391
出血性脊髄穿孔症 hematomyelopore ……. 826
出血性素因者 bleeder ………………… 220
出血性大腸炎 hemorrhagic colitis ……… 390
出血性デング熱 hemorrhagic dengue …… 486
出血性痘瘡 hemorrhagic smallpox ……. 1693
出血性痘瘡 variola hemorrhagica ……… 1988
出血性囊胞 hemorrhagic cyst ………… 459
出血性貧血 hemorrhagic anemia ……… 77
出血性ペスト hemorrhagic plague ……. 1429
出血性膀胱炎 hemorrhagic cystitis ……… 462
出血性麻疹 hemorrhagic measles ……… 1113
出血性メトロパチー metropathia hemorrhagica ……………………… 1148
出血性緑内障 hemorrhagic glaucoma …… 777
出血素 hemorrhagins ………………… 836
出血促進の hemagogic ……………… 824
出血熱 hemorrhagic fever …………… 684
出現 eruption ……………………… 637
術後耳下腺炎 postoperative parotitis …. 1357
術後性上顎(頬部)囊胞 surgical ciliated cyst ……………………………………… 460
術後〔性〕の postoperative ……………… 1471
術後テタニー postoperative tetany ……. 1870
出臍 acromphalus ……………………… 19
出産 birth …………………………… 216
出産 childbirth ……………………… 344
出産 confinement ……………………… 409
出産 delivery ………………………… 484
出産 generation ……………………… 764

〔出〕産 parturition …… 1369
出産歯 natal tooth …… 1903
出産時外傷 birth trauma …… 1923
出産死亡率 vital index …… 923
出産の natal …… 1222
術式 technique …… 1844
術者 operator …… 1306
出生 childbirth …… 344
出生後生活〔期間〕 postnatal life …… 1032
出生時欠損 birth defect …… 477
出生時体重 birth weight …… 2044
出生時の intranatal …… 950
出生証明書 birth certificate …… 216
出生時余命 expectation of life at birth 655
出生前〔胎児〕診断 prenatal diagnosis …… 508
出生前スクリーニング prenatal screening …… 1651
出生前生活〔期間〕 prenatal life …… 1032
出生の natal …… 1222
出生率 natality …… 1222
出生率 birth rate …… 1559
術前記録 preoperative record …… 1574
〔手〕術前の preoperative …… 1480
術中の intraoperative …… 950
シュッツの法則 Schütz rule …… 1626
出力 output …… 1327
シュツルム円錐体 Sturm conoid …… 413
シュツルム間隔 Sturm interval …… 948
シュツルムドルフ手術 Sturmdorf operation …… 1306
シュティリング縫線 Stilling raphe …… 1558
シュティールリン徴候 Stierlin sign …… 1684
シュテルヴァーク徴候 Stellwag sign …… 1684
シュテルンベルク(スターンバーグ)徴候 Sternberg sign …… 1684
主点 principal point …… 1454
シュテンダー皿 Stender dish …… 543
シュードアレシェリア症 pseudallescheriasis …… 1510
受動(他動)運動 passive movement …… 1174
種痘化 vaccinization …… 1981
受動拡散 passive diffusion …… 516
主動筋 agonist …… 38
受動〔性〕血餅 passive clot …… 377
受動攻撃性人格 passive-aggressive personality …… 1395
種痘後(ワクチン後)脊髄炎 postvaccinal myelitis …… 1209
種痘実施者 vaccinator …… 1979
種痘状(種痘様)水疱症 hydroa vacciniforme …… 870
種痘針 vaccinostyle …… 1981
受動性 passivism …… 1370
受動性 passivity …… 1370
受動性うっ血 passive congestion …… 410
受動性(受動的)充血 passive hyperemia 880
受動性性〔的〕倒錯〔症〕 passivism …… 1370
受動性性〔的〕倒錯者 pathic …… 1372
受動的血管拡張 passive vasodilation …… 1990
受動的血管収縮 passive vasoconstriction 1990
受動的攻撃性行動 passive-aggressive behavior …… 204
受動的萌出 passive eruption …… 638
受動的無気肺 passive atelectasis …… 168
受動的予防〔法〕 passive prophylaxis …… 1499
受動転移 passive transference …… 1918
種痘刀 vaccinostyle …… 1981
受動の passive …… 1370
受動皮下アナフィラキシー試験 passive cutaneous anaphylaxis test …… 1862
受動免疫 passive immunity …… 910
受動免疫〔法〕 passive immunization …… 911
種〔属〕特異性抗原 species-specific antigen …… 105
種特異的な species-specific …… 1707
シュトッフェル手術 Stoffel operation … 1306
シュードヒペリシン pseudohypericin …… 1513
シュードモナス pseudomonad …… 1514
シュードモナス属 *Pseudomonas* …… 1514
シュトリュンペル現象 Strümpell phenomenon …… 1406
シュトリュンペル反射 Strümpell reflex 1582
手内筋 intrinsic muscles of hand …… 1187
シュナイダー1級症状 Schneider first rank symptoms …… 1792
シュナイダーカルミン Schneider carmine …… 303
シュナイダー座位 Schneidersitz …… 1644
シュニッツラー症候群 Schnitzler syndrome …… 1819
授乳過多 superlactation …… 1778
授乳期 lactation …… 993
授乳する breast-feed …… 255
授乳性無月経 lactation amenorrhea …… 58
授乳熱 milk fever …… 685
主任看護師 charge nurse …… 1283
手認知可能の cheirognostic …… 341
ジュネーブ協定 Geneva Convention …… 766
ジュネーブ式レンズ計 Geneva lens measure …… 766,1113
主の princeps …… 1484
種の specific …… 1707
手背 dorsum manus …… 556
手背 dorsum of hand …… 556
手背筋膜 dorsal fascia of hand …… 672
手背筋膜 fascia dorsalis manus …… 672
手背枝 ramus dorsalis …… 1551
手背静脈網 dorsal venous network of hand …… 1244
手背静脈網 rete venosum dorsale manus …… 1598
手背部 opisthenar …… 1308
手白癬 tinea manus …… 1894
種髪 coma aberration …… 2
シュバッハマン症候群 Shwachman syndrome …… 1820
手比 hand ratio …… 1560
樹皮 bark …… 197
樹皮 sap …… 1634
守秘義務 confidentiality …… 409
シュピーゲルベルク判定基準 Spiegelberg criteria …… 441
守秘権 confidentiality …… 409
シュピッツァー説 Spitzer theory …… 1877
シューヒャルト手術 Schuchardt operation …… 1306
樹氷状分枝鞘形成 frosted branch sheathing …… 1672
シュピールマイアー急性腫脹 Spielmeyer acute swelling …… 1789
シュピールマイアー-シュトック病 Spielmeyer-Stock disease …… 541
シュピールマイアー-フォークト病 Spielmeyer-Vogt disease …… 541
主部 principal piece …… 1423
呪物 fetish …… 681
シュフナー斑点 Schüffner dots …… 558
シュプリンツェン(シプリンゼン)症候群 Sprintzen syndrome …… 1821
シュプレンゲル変形 Sprengel deformity 480
種分化 speciation …… 1707
主平面 principal plane …… 1430
シュベーニンガー氏法 Schweninger method …… 1145
シュベーニンガー-ブッチ皮膚萎縮〔症〕 Schweninger-Buzzi anetoderma …… 81
ジュベール症候群 Joubert syndrome …… 1809
シュペー彎曲 curve of Spee …… 451
〔手〕法 procedure …… 1487
手放線 radii manus …… 1545
手放線 hand rays …… 1562
シュミーズ chemise …… 341
シュミット症候群 Schmidt syndrome …… 1819
シュミット-タンハウザー法 Schmidt-Thannhauser method …… 1145
シュミット-ランテルマン(ランタルマン)切痕 Schmidt-Lanterman incisures …… 919
シュミーデル吻合 Schmidel anastomoses 73
寿命 life-span …… 1032
寿命 survival time …… 1893
〔最長〕寿命 longevity …… 1068
手無感覚〔症〕 acheiria …… 13
種毛 coma aberration …… 2
須毛 barba …… 196
須毛白癬 tinea barbae …… 1894
主模型 master cast …… 309
手文字 handshapes …… 814
シュモルル(シュモール)黄疸 Schmorl jaundice …… 967
シュモール結節 Schmorl nodule …… 1262
シュモルル(シュモール)第二鉄フェリシアニド(フェリシアン化カリウム)還元染色〔法〕 Schmorl ferric-ferricyanide reduction stain …… 1735
シュモルル(シュモール)のピクロチオニン染色〔法〕 Schmorl picrothionin stain …… 1735
シュモルル結節 Schmorl nodule …… 1262
主門脈裂 main portal fissure …… 703
主薬 base …… 199
腫瘍 tumor …… 1949
腫瘍ウイルス oncogenic virus …… 2027
腫瘍ウイルス tumor virus …… 2030
腫瘍壊死因子アルファ tumor necrosis factor-α …… 669
腫瘍壊死因子ベータ tumor necrosis factor-β …… 670
主要塩基性蛋白 major basic protein …… 1505
腫瘍学 oncology …… 1300
腫瘍学者 oncologist …… 1300
腫瘍関連抗原 tumor-associated antigen … 105
受容器 receptor …… 1570
腫瘍形成 oncogenesis …… 1300
腫瘍形成 tumorigenesis …… 1952
腫瘍抗原 tumor antigens …… 105
腫瘍細胞 oncocyte …… 1299
腫瘍細胞索 trabecula …… 1907
腫瘍細胞摘除 cytoreduction …… 468
受容者 recipient …… 1573
腫瘍症 oncosis …… 1300
腫瘍状石灰〔沈着〕症 tumoral calcinosis … 276
腫瘍状の tumorous …… 1952
腫瘍浸潤リンパ球 tumor-infiltrating lymphocytes (TIL, TILS) …… 1082
腫瘍親和性の oncotropic …… 1300
腫瘍随伴性肢端角化症 paraneoplastic acrokeratosis …… 18
腫瘍随伴性天疱瘡 paraneoplastic pemphigus …… 1379
腫瘍随伴性の paraneoplastic …… 1352
腫瘍随伴病変 paraneoplasia …… 1352
腫瘍性の neoplastic …… 1228
腫瘍切開〔術〕 oncotomy …… 1300
腫瘍塞栓症 tumor embolism …… 601
主要組織適合遺伝子複合体 major histocompatibility complex (MHC) …… 402
主要祖先 leading ancestor …… 74
受容体 acceptor …… 9
受容体 ceptor …… 334
受容体 receptor …… 1570
腫瘍胎児抗原 oncofetal antigens …… 104
腫瘍胎児性 oncofetal …… 1300
腫瘍胎児マーカ oncofetal marker …… 1105
受容体視野 receptive field …… 1570
受容〔体〕蛋白 receptor protein …… 1505
受容〔体〕の receptive …… 1570
受容体部位 acceptor site …… 1689
腫瘍治療 oncotherapy …… 1300
主要点 cardinal points …… 1454

腫瘍特異移植抗原 tumor-specific transplantation antigens (TSTA) ······· 105
腫瘍の tumoral ······ 1952
腫瘍濃染 tumor blush ······ 224
受容能力 competence ······ 400
腫瘍の病期 tumor stage ······ 1729
腫瘍発生 tumorigenesis ······ 1952
腫瘍崩壊 oncolysis ······ 1300
腫瘍崩壊症候群 tumor lysis syndrome 1823
腫瘍マーカ tumor marker ······ 1105
腫瘍脈管形成因子 tumor angiogenic factor (TAF) ······ 669
腫様リンパ瘤 adenolymphocele ······ 25
主抑制体 aporepressor ······ 118
シュラー現象 Schüller phenomenon ······ 1406
シュラダン schradan ······ 1645
〔樹立〕細胞株 established cell line ······ 1049
シュリッデ癌毛 Schridde cancer hairs ······ 812
主リプレッサー aporepressor ······ 118
腫瘤 phyma ······ 1419
腫瘤 tumor ······ 1949
腫瘤切除〔術〕 tylectomy ······ 1956
シュリーレン光学 schlieren optics ······ 1309
ジュール joule (J) ······ 972
シュルツェ機転 Schultze mechanism ······ 1114
シュルツェ胎盤 Schultze placenta ······ 1429
シュルツェ徴候 Schultze sign ······ 1683
シュルツェマダニ *Ixodes persulcatus* ······ 965
シュルツ-カルルトン(カールトン,シャルトン)反応 Schultz-Charlton reaction ······ 1567
シュルツ染色〔法〕 Schultz stain ······ 1735
シュルツ-デール反応 Schultz-Dale reaction ······ 1567
シュルツ反応 Schultz reaction ······ 1567
ジュール当量 Joule equivalent (J) ······ 635
シュレーダー手術 Schroeder operation 1306
シュレム(粘弾性)管開放術 viscocanalostomy ······ 2031
手話英語 manual English ······ 1101
シュワルツマン現象 Shwartzman phenomenon ······ 1406
手腕振動症候群 hand arm vibration syndrome (HAVS) ······ 1806
準安定〔性〕の metastable ······ 1141
順位 rank ······ 1558
順位〔差〕相関 rank-difference correlation 427
準医師 feldscher ······ 679
順位制 dominance hierarchy ······ 852
純音 pure tone ······ 1900
純音オージオグラム pure tone audiogram ······ 176
純音オージオメータ pure-tone audiometer ······ 176
純音聴力図 pure tone audiogram ······ 176
純音聴力平均 pure-tone average ······ 182
潤滑クリーム lubricating cream ······ 435
順化(馴化)熱 acclimating fever ······ 682
循環 circulation ······ 365
循環 rotation ······ 1623
循環運動 circumduction ······ 366
循環型人格 cycloid personality ······ 1395
循環管理専門技師 perfusionist ······ 1385
循環〔器〕系 cardiovascular system (CVS) ······ 1830
循環〔器〕系 circulatory system ······ 1830
循環気質 cyclothymia ······ 457
循環気質(病質) cycloid ······ 456
循環気質性人格 cyclothymic personality 1395
循環吸収式麻酔〔法〕 circle absorption anesthesia ······ 79
循環虚脱 circulatory collapse ······ 390
循環血液量 total body water (TBW) ··· 2041
〔循環〕血液量過多〔症〕 hypervolemia ······ 890
〔循環〕血液量減少 hypovolemia ······ 899
循環血液量減少性ショック hypovolemic shock ······ 1674
循環血代用 volume substitute ······ 1767
准看護師 practical nurse (PN) ······ 1283
循環時間 circulation time ······ 1893
循環停止 circulatory arrest ······ 132
循環反応 circular reaction ······ 1563
循環病質(気質) cycloid ······ 456
春季カタル vernal conjunctivitis ······ 412
春季結膜炎 vernal conjunctivitis ······ 412
峻下 hypercatharsis ······ 879
純潔な innocent ······ 937
純嫌気性菌 obligate anaerobe ······ 69
純嫌気性生物 obligate anaerobe ······ 69
順行性心停止液 antegrade cardioplegia ··· 301
順行〔性〕伝導 anterograde conduction ······ 408
順行性尿路造影術 antegrade urography 1974
順行〔性〕の orthodromic ······ 1316
順行性の antegrade ······ 97
順行性の prograde ······ 1495
順行〔性〕ブロック anterograde block ······ 221
順行性膀胱造影〔法〕 antegrade cystography ······ 463
瞬時電気軸 instantaneous electrical axis 184
瞬時ベクトル instantaneous vector ······ 1992
順序 method ······ 1143
純〔粋〕色 pure color ······ 393
順序尺度 ordinal scale ······ 1639
純水 purified water ······ 2041
純粋 purity ······ 1528
純粋アブ(プ)サンス pure absence ······ 6
純粋欠神 pure absence ······ 6
純粋失語〔症〕 pure aphasias ······ 114
純粋自律神経不全〔症〕 pure autonomic failure ······ 670
純粋の pure ······ 1528
純粋不規則運動 pure random drift ······ 560
純性の pure ······ 1528
順ぜん動〔性〕吻合〔術〕 isoperistaltic anastomosis ······ 73
準短頭症 subbrachycephalic ······ 1762
純度 purity ······ 1528
準等割 adequal cleavage ······ 373
順応 accommodation ······ 10
順応 adaptation ······ 23
〔明暗〕順応計 adaptometer ······ 23
順応行動 adaptive behavior ······ 204
順応障害 maladjustment ······ 1094
順応性肥大 adaptive hypertrophy ······ 889
順応不全 dysadaptation ······ 570
純培養 pure culture ······ 448
純培養の axenic ······ 183
盾板 scutum ······ 1652
準備 preparation ······ 1480
準備投薬 premedication ······ 1479
順方向〔性〕の orthodromic ······ 1316
瞬目 blink ······ 221
瞬目 nictitation ······ 1257
瞬目 palpebration ······ 1340
瞬目痙攣 nictitating spasm ······ 1706
瞬目反射 blink reflex ······ 1578
瞬目反射 wink reflex ······ 1582
瞬目反応 blink response ······ 1596
純油 absolute oils ······ 1293
準優性 quasidominance ······ 1537
峻烈性 acrimony ······ 17
準連続発振レーザー quasi-continuous wave laser ······ 1004
除圧〔術〕 decompression ······ 475
ショイエルマン病 Scheuermann disease 540
商 quotient ······ 1539
床 bed ······ 204
床 floor ······ 713
床 matrix ······ 1110
鞘 sheath ······ 1670
鞘 vagina ······ 1981
踵 calx ······ 281
踵 heel ······ 821
子葉 cotyledon ······ 431
〔線〕条 stria ······ 1755
錠〔剤〕 tablet (tab) ······ 1836
娘〔核種〕 daughter ······ 472
昇圧塩基 pressor base ······ 200
昇圧神経 pressor nerve ······ 1238
昇圧〔神経〕線維 pressor fibers ······ 690
昇圧の pressor ······ 1482
昇圧の vasopressor ······ 1991
昇圧反射 vasopressor reflex ······ 1582
昇圧薬 vasopressor ······ 1991
小アメーバ amebule ······ 58
小胃 miniature stomach ······ 1748
上衣 ependyma ······ 625
上位〔性〕 epistasis ······ 631
上位運動ニューロン upper motor neuron ······ 1249
上位運動ニューロン病変 upper motor neuron lesion ······ 1023
〔脳室〕上衣炎 ependymitis ······ 625
上衣下巨細胞〔神経膠〕星状細胞腫 subependymal giant cell astrocytoma ··· 166
上衣下巨細胞星状〔膠〕細胞腫 subependymal giant cell astrocytoma ······ 166
〔脳室〕上衣芽細胞 ependymoblast ······ 625
〔脳室〕上衣芽〔細胞〕腫 ependymoblastoma ······ 625
上衣下腫 subependymoma ······ 1763
上衣下の subendymal ······ 1763
小域 areola ······ 130
〔脳室〕上衣細胞 ependymal cell ······ 321
〔脳室〕上衣細胞 ependymocyte ······ 625
〔脳室〕上衣〔細胞〕腫 ependymoma ······ 625
上衣周囲の periependymal ······ 1387
小胃症 microgastria ······ 1151
上衣層 ependymal layer ······ 1009
常位胎盤早〔期〕剝〔離〕 abruptio placentae 4
常位の nomotopic ······ 1266
〔脳室腔〕上衣嚢胞 ependymal cyst ······ 459
上衣板 roof plate ······ 1435
上胃部 epigastrium ······ 627
上胃部 regio epigastrica ······ 1584
上胃部 epigastric region ······ 1585
上位離断脳 cerveau isolé ······ 336
ジョーウインキング jaw winking ······ 967
小陰茎〔症〕 micropenis ······ 1153
小陰唇 labium minus ······ 991
小陰唇 small pudendal lip ······ 1055
小陰唇 nympha ······ 1285
小陰唇炎 nymphitis ······ 1285
小陰唇腫脹 nymphoncus ······ 1285
小陰唇処女膜溝 nymphocaruncular sulcus ······ 1773
小陰唇切開〔術〕 nymphotomy ······ 1285
小陰唇切除〔術〕 nymphectomy ······ 1285
上咽頭 epipharynx ······ 629
上咽頭 rhinopharynx ······ 1608
上咽頭収縮 cephalopharyngeus ······ 333
上咽頭収縮筋 superior pharyngeal constrictor (muscle) ······ 1195
上咽頭収縮筋 musculus constrictor pharyngis superior ······ 1199
上咽頭収縮筋の顎咽頭部 mylopharyngeal part of superior constrictor muscle of pharynx ······ 1366
上咽頭収縮筋の頬咽頭部 buccopharyngeal part of superior pharyngeal constrictor ······ 1363
上咽頭収縮筋の舌咽頭部 glossopharyngeal part of superior pharyngeal constrictor ······ 1364
上咽頭収縮筋の翼突咽頭部 pterygopharyngeal part of superior constrictor muscle of pharynx ······ 1367
上咽頭の rhinopharyngeal ······ 1608
上咽頭板 epipharyngeal placodes ······ 1429

シ

〔直腸の〕上右外側曲 superodextral lateral flexure of rectum ………… 713
上右側の superodextral ………… 1778
小運動発作 minor motor seizure ………… 1657
小ACTH little ACTH ………… 19
漿液 serosity ………… 1667
漿液 serum ………… 1667
漿液〔性〕炎症 serous inflammation ………… 929
漿液滑液性の serosynovial ………… 1667
漿液血液状の serosanguineous ………… 1667
漿液細胞 serous cell ………… 326
漿液腫 seroma ………… 1666
漿液滲出 exoserosis ………… 654
漿液性 serosity ………… 1667
漿液性滑膜炎 serous synovitis ………… 1827
漿液性下痢 serous diarrhea ………… 511
漿液性虹彩炎 serous iritis ………… 957
漿液性髄膜炎 serous meningitis ………… 1129
漿液性精索周囲炎 perispermatitis serosa 1392
漿液性中心性網膜症 central serous retinopathy ………… 1602
漿液性嚢胞(嚢腫) serous cyst ………… 460
漿液性半月〔体〕 serous demilunes ………… 486
漿液性網膜炎 serous retinitis ………… 1602
漿液腺 serous gland ………… 774
漿液腺 glandula serosa ………… 776
漿液線維素〔性〕炎〔症〕 serofibrinous inflammation ………… 929
漿液線維素性胸膜炎 serofibrinous pleurisy ………… 1438
漿液線維素性の serofibrinous ………… 1666
漿液粘液 serosamucin ………… 1667
漿〔液〕粘液性の seromucous ………… 1666
漿液膿 seropus ………… 1666
漿液嚢腫の serocystic ………… 1666
漿液膿性の seropurulent ………… 1666
小円 circellus ………… 364
消炎 resolution (Rs) ………… 1594
〔義歯〕床縁 denture border ………… 234
上縁 superior border ………… 236
上縁 margo superior ………… 1105
小円筋 teres minor (muscle) ………… 1196
小円筋 musculus teres minor ………… 1204
硝塩酸 nitrohydrochloric acid ………… 1259
消炎薬 antiphlogistic ………… 108
床縁輪郭 flange contour ………… 416
上横隔静脈 superior phrenic veins ………… 2002
上横隔静脈 venae phrenicae superiores 2007
上横隔動脈 arteriae phrenicae superiores 137
上横隔動脈 superior phrenic arteries ………… 153
上横隔リンパ節 superior phrenic lymph nodes ………… 1081
小横痃 bubonulus ………… 263
踵凹足 calcaneocavus ………… 275
小凹点 dimple ………… 521
上黄斑静脈 superior macular venule ………… 2012
上黄斑静脈 venula macularis superior ………… 2012
上黄斑動脈 arteriola macularis superior 139
上黄斑動脈 superior macular arteriole ………… 139
少黄卵 microlecithal egg ………… 590
〔上〕おとがい棘 spina mentalis (superior) ………… 1716
上オリーブ核 superior olivary nucleus 1280
上音 overtone ………… 1329
常温重合レジン autopolymer resin, autopolymerizing resin ………… 1592
小窩 faveolus ………… 678
小窩 fossette ………… 734
小窩 fossula ………… 734
小窩 foveola ………… 735
小窩 lacunule ………… 995
小窩 pit ………… 1426
昇華 sublimation ………… 1763
焼痂 eschar ………… 641
晶化 crystallization ………… 446
消化 digestion ………… 516
硝化 nitrification ………… 1258
上窩 fovea superior ………… 735
上窩 superior fovea ………… 735
上顆 epicondyle ………… 625
上顆 epicondylus ………… 625
浄化 clarification ………… 370
浄化 depuration ………… 494
浄化〔法〕 catharsis ………… 313
傷害 injury ………… 936
傷害 insult ………… 942
傷害 trauma ………… 1923
障害 affection ………… 33
障害 derangement ………… 494
障害 disability ………… 525
障害 disorder ………… 543
障害 disturbance ………… 550
障害 impairment ………… 914
蒸解 digestion ………… 516
昇華硫黄 sublimed sulfur ………… 1776
障害〔物感〕覚 obstacle sense ………… 1661
小開胸〔術〕 minithoracotomy ………… 1886
上外斜位 hyperexophoria ………… 880
自〔己〕溶解素 autocytolysin ………… 179
上外側静脈 superior temporal retinal venule ………… 2012
上外側静脈 superior temporal venule of retina ………… 2012
上外側静脈 venula temporalis retinae superior ………… 2012
上外側上腕皮神経 superior lateral brachial cutaneous nerve ………… 1239
上外側上腕皮神経 upper lateral cutaneous nerve of arm ………… 1240
上外側上腕皮神経 nervus cutaneus brachii lateralis superior ………… 1241
上外側の superolateral ………… 1778
障害調整生存年数 disability-adjusted life years (DALYs, DALY) ………… 2055
障害のない平均余命 disability-free life expectancy ………… 1032
生涯発達 life-span development ………… 502
踵外反凹足 calcaneovalgocavus ………… 275
小開腹不妊手術 minilaparotomy ………… 1159
上回盲陥凹 superior ileocecal recess ………… 1572
上回盲陥凹 recessus ileocecalis superior 1573
小窩う食(蝕) pit caries ………… 302
小下顎症 microgenia ………… 1151
小下顎症の hypognathous ………… 894
消化管 gut ………… 806
消化管 digestive tract ………… 1910
松果眼 pineal eye ………… 659
消化管運動 enterokinesis ………… 620
消化管運動賦活調整剤 prokinetic drug ………… 561
松果陥凹 pineal recess ………… 1572
松果陥凹 recessus pinealis ………… 1573
〔消化管〕外吸収 external absorption ………… 7
消化管間質腫瘍 gastrointestinal stromal tumor ………… 1950
消化管関連リンパ系組織 gut-associated lymphoid tissue (GALT) ………… 1895
消化管胸 enterothorax ………… 621
消化緩徐 bradypepsia ………… 241
消化管自律神経腫瘍 gastrointestinal autonomic nerve tumor ………… 1950
消化管スミア(塗抹〔標本〕) alimentary tract smear ………… 1693
消化管性肉芽腫 *Enterobius* granuloma ………… 797
消化管大量切除後症候群 massive bowel resection syndrome ………… 1811
消化管ホルモン gastrointestinal hormone 863
消化器〔系〕 apparatus digestorius ………… 119
消化器〔系〕 digestive apparatus ………… 118
消化器系 systema digestorium ………… 1834
消化〔器〕系 alimentary system ………… 1829
小核 micronucleus ………… 1153
小核 paranucleus ………… 1352
小角 corniculum ………… 423
〔肩甲骨の〕上角 superior angle of scapula 90
〔甲状軟骨の〕上角 superior horn of thyroid cartilage ………… 864
〔伏在裂孔鎌状縁の〕上角 superior horn of falciform margin of saphenous opening ………… 864
上顎 upper jaw ………… 967
小角咽頭靱帯 corniculopharyngeal ligament ………… 1034
小角咽頭靱帯 ligamentum corniculopharyngeum ………… 1042
上顎下顎牽引 maxillomandibular traction ………… 1914
上顎角 maxillary angle ………… 89
〔上〕顎間の intermaxillary ………… 946
上顎間縫合 sutura intermaxillaris ………… 1786
上顎間縫合 intermaxillary suture ………… 1787
〔上〕顎顔面の maxillofacial ………… 1111
上顎臼歯の三錐 trigone ………… 1932
上顎頬骨の maxillojugal ………… 1111
小角結節 corniculate tubercle ………… 1943
小角結節 tuberculum corniculatum ………… 1946
上顎結節 eminentia maxillae ………… 604
上顎結節 tuber maxillae ………… 1942
上顎結節 maxillary tuberosity ………… 1947
上顎結節整形 tuberosity reduction ………… 1575
上顎口蓋の maxillopalatine ………… 1111
上顎骨 maxilla ………… 1111
上顎骨炎 maxillitis ………… 1111
〔上〕顎骨間の intermaxillary ………… 946
〔上顎骨〕頬骨突起 zygomatic process of maxilla ………… 1491
〔上顎骨〕頬骨突起 processus zygomaticus maxillae ………… 1492
上顎骨口蓋突起の鼻稜 nasal crest of palatine process of maxilla ………… 437
上顎骨篩骨稜 ethmoidal crest of maxilla 437
上顎骨上の supramaxillary ………… 1779
上顎骨切除〔術〕 maxillectomy ………… 1111
上顎骨前頭突起 frontal process of maxilla ………… 1489
〔上顎骨〕前面 anterior surface of maxilla ………… 1780
上顎骨側頭下面 facies infratemporalis corporis maxillae ………… 664
上顎骨側頭下面 infratemporal surface of (body of) maxilla ………… 1781
上顎〔骨〕体 body of maxilla ………… 228
〔上顎骨〕前面 facies anterior corporis maxillae ………… 662
上顎骨の眼窩面 orbital surface of body of maxilla ………… 1782
〔上顎骨の〕口蓋突起 palatine process of maxilla ………… 1489
〔上顎骨の〕口蓋突起 processus palatinus maxillae ………… 1491
〔上顎骨の〕根間中隔 interradicular septa of maxilla ………… 1664
〔上顎骨の〕根間中隔 septa interradicularia maxillae ………… 1664
〔上顎骨の〕歯槽管 alveolar canals of maxilla ………… 282
〔上顎骨の〕歯槽管 canales alveolares corporis maxillae ………… 285
〔上顎骨の〕歯槽突起 alveolar process of maxilla ………… 1488
〔上顎骨の〕前鼻棘 anterior nasal spine of maxilla ………… 1716
〔上顎骨の〕前鼻棘 spina nasalis anterior corporis maxillae ………… 1716
〔上顎骨〕鼻腔面 facies nasalis corporis maxillae ………… 664
〔上顎骨〕鼻腔面 nasal surface of body of maxilla ………… 1782
上顎骨鼻甲介稜 conchal crest of body of

maxilla …… 437
上顎骨涙骨縁 lacrimal border of maxilla 235
上顎骨涙骨縁 lacrimal margin of maxilla …… 1103
上顎歯槽孔 alveolar foramina of maxilla 724
上顎歯の maxillodental …… 1111
娘核種 daughter isotope …… 963
娘〔核種〕 daughter …… 472
小顎症 micrognathia …… 1152
上顎歯列弓 maxillary dental arcade …… 124
上顎歯列弓 upper dental arcade …… 125
上顎歯列弓 arcus dentalis superior …… 127
上顎神経 maxillary nerve [CN V2] …… 1236
上顎神経 nervus maxillaris [CN V2] …… 1242
〔上顎神経〕神経節枝 rami ganglionares 1551
上顎神経叢 maxillary plexus …… 1441
上顎神経の眼窩枝 orbital branches of maxillary nerve …… 250
上顎神経の後上外側鼻枝 posterior superior lateral nasal branches of maxillary nerve …… 252
上顎神経の後上歯槽枝 posterior superior alveolar branches of maxillary nerve 252
上顎神経の後上歯槽枝 rami alveolares superiores posteriores nervi maxillaris 1547
上顎神経の後上内側鼻枝 posterior superior medial nasal branches of maxillary nerve …… 252
上顎神経の硬膜枝 meningeal branch of maxillary nerve …… 249
上顎神経の神経節枝 ganglionic branches of maxillary nerve …… 246
上顎神経の神経節枝 rami ganglionici nervi maxillaris …… 1551
上顎神経の中硬膜枝 middle meningeal branch of maxillary nerve …… 250
小角舌筋 chondroglossus muscle …… 1182
小角舌筋 musculus chondroglossus …… 1199
上顎前突 maxillary protraction …… 1509
上顎体 corpus maxillae …… 425
上顎体 epignathus …… 627
上顎洞 maxillary antrum …… 110
上顎洞 maxillary sinus …… 1688
上顎洞 sinus maxillaris …… 1688
上顎洞X線像 maxillary sinus radiograph …… 1543
上顎洞鏡 antroscope …… 110
上顎洞鏡検査〔法〕 antroscopy …… 110
上顎洞挙上術 maxillary sinus elevation surgery …… 1784
上顎洞性鼻腔の antronasal …… 110
上顎洞部分切除〔術〕 antrectomy …… 110
上顎動脈周膜神経叢 periarterial plexus of maxillary artery …… 1442
上顎動脈の肩甲下筋枝 subscapular branches of axillary artery …… 253
上顎動脈の翼突枝 pterygoid branches of maxillary artery …… 252
上顎洞裂孔 hiatus maxillaris …… 851
上顎洞裂孔 maxillary hiatus …… 851
〔下鼻甲介の〕上顎突起 maxillary process of inferior nasal concha …… 1489
〔下鼻甲介の〕上顎突起 processus maxillaris conchae nasalis inferioris …… 1491
小角軟骨 corniculate cartilage …… 305
小角軟骨 cartilago corniculata …… 307
〔上顎の〕顎間部 intermaxillary segment 1654
〔上顎の〕歯槽弓 alveolar arch of maxilla 125
〔上顎の〕歯槽弓 arcus alveolaris maxillae …… 127
小角膜〔症〕 microcornea …… 1151
上角膜固着術 epikeratoprosthesis …… 627
上顎隆起 maxillary process …… 1489
上顎隆起 maxillary prominence …… 1497
松果茎 pineal stalk …… 1736
消化〔器〕系 alimentary system …… 1829
消化減退 hypopepsia …… 895
消化酵素 digestive enzymes …… 623
〔消化酵素〕分泌欠乏〔症〕 achylia …… 14
消化障害 indigestion …… 924
松果上陥凹 suprapineal recess …… 1572
松果上陥凹 recessus suprapinealis …… 1573
漿果状動脈瘤 berry aneurysm …… 81
〔上腕骨〕上顆上突起 supraepicondylar process …… 1490
松果状の pineal …… 1425
上顆上の supraepicondylar …… 1779
上下垂体動脈 arteria hypophysialis superior …… 135
上下垂体動脈 superior hypophysial artery …… 153
小窩性えん下困難 vallecular dysphagia 574
消化性潰瘍 peptic ulcer …… 1961
消化性食道炎 reflux esophagitis, peptic esophagitis …… 642
消化性蛋白尿〔症〕 dietetic albuminuria …… 43
消化性白血球増加〔症〕 digestive leukocytosis …… 1027
焼痂切開〔術〕 escharotomy …… 641
消化促進〔性〕の peptogenic, peptogenous …… 1383
消化促進の digestant …… 516
松果体 pineal body …… 229
松果体 corpus pineale …… 425
松果体芽 pineal bud …… 264
松果体芽〔細胞〕腫 pineoblastoma …… 1425
松果体〔機能〕不全 apinealism …… 115
松果体脚 pedunculus of pineal body …… 1377
松果体細胞 pineal cells …… 325
松果体細胞 pinealocyte …… 1425
松果体腫 pinealoma …… 1425
松果体腫 pineocytoma …… 1425
松果体手綱 pineal habenula …… 810
松果体症 pinealopathy …… 1425
松果体神経 pineal nerve …… 1237
松果体切除〔術〕 pinealectomy …… 1425
松果体の pineal …… 1425
松果体嚢胞(嚢腫) pineal cyst …… 460
松果体傍の parapineal …… 1353
小〔分〕割球 micromere …… 1152
小窩内の intralocular …… 950
消化熱 digestive fever …… 684
松果の pineal …… 1425
上下腹神経叢 superior hypogastric (nerve) plexus …… 1444
昇華物 sublimate …… 1763
消化物 digest …… 516
次ヨウ化物 subiodide …… 1763
消化不良 dyspepsia …… 574
消化不良 indigestion …… 924
消化不良 maldigestion …… 1095
消化不良性下痢 lienteric diarrhea …… 511
小鎌状赤血球症 microdrepanocytosis …… 1151
消化薬 digestant …… 516
浄化薬 depurant …… 494
上下葉区 segmentum apicale …… 1656
上下葉静脈 superior vein …… 2002
消化良好 eupepsia …… 648
浄化力 clearance …… 372
小窩裂溝う食(蝕) pit and fissure caries 302
小カロリー small calorie (cal, c) …… 280
小環 circellus …… 364
小管 canaliculus …… 285
小管 ductule …… 565
小管 ductulus …… 566
小管 tubule …… 1948
上がん cope …… 420
小管括約筋 canalicular sphincter …… 1712
上眼窩反射 supraorbital reflex …… 1582
上眼窩裂 fissura orbitalis superior …… 702
上眼窩裂 superior orbital fissure …… 704
小管間の intercanalicular …… 943
小眼球〔症〕 microphthalmos …… 1153
小管形成 canaliculization …… 285
〔視神経の〕鞘間隙 intersheath spaces of optic nerve …… 1704
〔視神経の〕鞘間隙 intervaginal subarachnoid space of optic nerve …… 1704
〔視神経の〕鞘間隙 spatium intervaginale subarachnoidale nervi optici …… 1707
小眼瞼〔症〕 microblepharia …… 1150
小眼瞼〔症〕 microblepharon …… 1150
上眼瞼 superior eyelid …… 660
上眼瞼 upper eyelid …… 660
上眼瞼 palpebra superior …… 1339
上眼瞼挙筋 elevator (muscle) of upper eyelid …… 1184
上眼瞼挙筋 levator palpebrae superioris (muscle) …… 1188
上眼瞼挙筋 musculus levator palpebrae superioris …… 1201
上眼瞼挙筋深板 deep layer of levator palpebrae superioris …… 1009
上眼瞼挙筋浅板 superficial layer of the levator palpebrae superioris …… 1013
上眼瞼溝 suprapalpebral sulcus …… 1774
上眼瞼静脈 superior palpebral veins …… 2002
上眼瞼静脈 veins of superior eyelid …… 2002
上眼瞼静脈 venae palpebrales superiores …… 2007
上眼瞼動脈弓 arterial arch of upper eyelid …… 125
上眼瞼動脈弓 superior palpebral (arterial) arch …… 126
上眼瞼動脈弓 arcus palpebralis superior 127
上眼瞼の層構造 lamellae of upper lid …… 996
上眼瞼被覆症 eyelid imbrication …… 909
上眼瞼麻痺 blepharoplegia …… 220
小丸剤 parvule …… 1370
小丸剤 pellet …… 1378
小丸剤 pillet …… 1424
〔小〕丸剤 granule …… 796
〔小〕丸剤 pilula …… 1424
小鉗子 forceps minor …… 727
小鉗子 minor forceps …… 727
小肝症 microhepatia …… 1152
小顔症 microprosopia …… 1153
上眼静脈 superior ophthalmic vein …… 2002
上眼静脈 vena ophthalmica superior …… 2007
焼還する anneal …… 93
小関節窩 articular facet …… 661
〔環椎〕上関節窩 facies articularis superior atlantis …… 663
〔環椎〕上関節窩 fovea articularis superior atlantis …… 735
〔環椎〕上関節窩 superior articular pit of atlas …… 1426
少関節性の pauciarticular …… 1374
〔仙骨〕上関節突起 superior articular process of sacrum …… 1490
〔仙骨〕上関節突起 processus articularis superior ossis sacri …… 1491
〔椎骨の〕上関節突起 superior articular process of vertebra …… 1490
小関節面 facet, facette …… 661
〔椎骨の〕上関節面 superior articular facet of vertebra …… 662
〔脛骨の〕上関節面 facies articularis superior tibiae …… 663
〔脛骨の〕上関節面 superior articular surface of tibia …… 1783
滋養浣腸 nutrient enema …… 616
焼還灯 annealing lamp …… 999
焼還トレー annealing tray …… 1923
小管内の intracanalicular …… 949
〔小〕管内の intratubular …… 951
小管乳頭腫 papilloma canaliculum …… 1346
上顔面指数 facial index …… 922

シ

笑気 laughing gas ………… 757
笑気 nitrous oxide ………… 1259
正気 lucidity ………… 1070
正気 sanity ………… 1634
蒸気 halitus ………… 812
蒸気 vapor ………… 1987
醸気 aerogenesis ………… 32
定規(定木) ruler ………… 1626
蒸気圧 vapor pressure ………… 1483
〔細胞〕小器官 organelle ………… 1312
上気管気管支リンパ節 superior tracheobronchial lymph nodes ………… 1081
蒸気管取付け工ぜん息 steam-fitter's asthma ………… 165
蒸気胸〔症〕 vaporthorax ………… 1987
醸気菌 aerogen ………… 32
上機嫌 euphoria ………… 648
上奇静脈食道陥凹 superior azygoesophageal recess ………… 1572
小寄生体 microparasite ………… 1153
上気道 upper airway ………… 41
上気道感染 upper respiratory infection (URI) ………… 927
〔上〕気道硬化〔症〕 respiratory scleroma 1647
上気道抵抗症候群 upper airway resistance syndrome (UARS) ………… 1824
上きぬた骨靱帯 superior ligament of incus ………… 1040
上きぬた骨靱帯 ligamentum incudis superius ………… 1043
正気の compos mentis ………… 403
正気の sane ………… 1633
〔胸膜下〕小気疱 bleb ………… 220
蒸気密度 vapor density ………… 487
焼却 burnout ………… 267
昇脚脈 anacrotic pulse, anadicrotic pulse ………… 1525
小球 globule ………… 778
小球 globulus ………… 779
小丘 caruncle ………… 308
小丘 caruncula ………… 308
小丘 colliculus ………… 391
小丘 hillock ………… 852
小丘 monticulus ………… 1169
上丘 colliculus superior ………… 391
上丘 superior colliculus ………… 391
上丘灰白層 gray layers of superior colliculus ………… 1010
上丘灰白層 stratum griseum colliculi superioris ………… 1752
〔小〕球菌属 *Micrococcus* ………… 1150
上丘交連 commissure of superior colliculus ………… 398
小臼歯 dens premolaris ………… 487
小臼歯 premolar ………… 1479
小臼歯 bicuspid tooth ………… 1902
小臼歯 premolar tooth ………… 1903
小〔赤血〕球症 microcythemia ………… 1151
上丘深灰白層 deep gray layer of superior colliculus ………… 1009
小球性貧血 microcytic anemia ………… 77
上丘の深白質層 deep white layer of superior colliculus ………… 1009
上丘の浅灰白層 superficial gray layer [TA] of superior colliculus ………… 1013
上丘の中間白質層 intermediate white layer [TA] of superior colliculus ………… 1011
上丘腕 brachium colliculi superioris ………… 239
上丘腕 brachium of superior colliculus … 239
消去 extinction ………… 657
〔小〕橋 ponticulus ………… 1466
ショウキョウ(生薑) ginger ………… 770
状況 condition ………… 407
状況 situation ………… 1690
小胸筋 pectoralis minor (muscle) ………… 1190
小胸筋 smaller pectoral muscle ………… 1194
小胸筋 musculus pectoralis minor ………… 1202
状況検査 situational test ………… 1865
小頬骨筋 lesser zygomatic muscle ………… 1188
小頬骨筋 zygomaticus minor (muscle) 1198
小頬骨筋 musculus zygomaticus minor 1205
ショウキョウ樹脂油 ginger oleoresin ………… 770
状況精神病 situational psychosis ………… 1520
上胸動脈 arteria thoracica superior ………… 138
状況不安 situation anxiety ………… 111
上強膜 episclera ………… 630
上強膜炎 episcleritis ………… 630
小棘 spicule ………… 1715
小棘 spiculum ………… 1715
消極 depolarization ………… 492
上極 superior pole ………… 1456
小棘性束毛〔症〕 trichostasis spinulosa … 1931
消極的安楽死 passive euthanasia ………… 649
消極的な passive ………… 1370
小鋸歯状の serrulate, serrulated ………… 1667
蒸気療法 vaporization ………… 1987
蒸気療法 vapotherapy ………… 1987
小〔型〕切れ込み核細胞 small cleaved cell ………… 326
瘴気論 miasma theory ………… 1876
笑筋 risorius (muscle) ………… 1192
笑筋 musculus risorius ………… 1203
上近の中間灰白層 middle gray layer of superior colliculus ………… 1011
上区 superior segment ………… 1655
小腔 loculus ………… 1067
〔軟骨〕小腔周囲基質 territorial matrix … 1111
掌屈 palmar flexion ………… 712
掌屈 volar flexion ………… 712
小グリア細胞 microgliacyte ………… 1151
踵脛検査 heel-to-shin test ………… 1858
上頸神経節 ganglion cervicale superius … 753
上頸神経節 superior cervical ganglion … 754
上頸神経節の喉頭咽頭枝 laryngopharyngeal branches of superior cervical ganglion 248
上頸神経節の喉頭咽頭枝 rami laryngopharyngei ganglii cervicalis superioris ………… 1552
上〔頸〕心臓神経 nervus cardiacus cervicalis superior ………… 1241
上頸心臓神経 superior cervical cardiac nerve ………… 1239
踵脛靱帯 calcaneotibial ligament ………… 1033
鞘形成 sheathing ………… 1672
少〔数〕形〔態〕の oligomorphic ………… 1297
小頸部子宮 uterus parvicollis ………… 1977
上下運動 bobbing ………… 224
上下顎記録 maxillomandibular record … 1574
上下顎(両顎)前突咬合 bimaxillary protrusive occlusion ………… 1289
上下顎の maxillomandibular ………… 1111
小隙 areola ………… 130
衝撃 impact ………… 914
衝撃 jar ………… 966
衝撃する bombard ………… 230
衝撃抵抗度 impact resistance ………… 1594
衝撃波 percussion wave ………… 2042
衝撃波砕石術 shock wave lithotripsy ………… 1062
衝撃療法 shock therapy ………… 1879
衝撃療法 shock treatment ………… 1924
上下斜視 vertical strabismus ………… 1750
小血管瘤 microaneurysm ………… 1150
小結石 microlith ………… 1152
〔上腕骨〕小結節 lesser tubercle (of humerus) ………… 1943
〔上腕骨〕小結節 tuberculum minus (humeri) ………… 1946
小〔結〕節 nodule ………… 1261
小結節形成 nodulation ………… 1261
小結節〔性〕虹彩炎 nodular iritis ………… 957
小結節性頭痛 nodular headache ………… 818
小結節性の micronodular ………… 1153
小結節体 nodular body ………… 228
小結節病 nodular disease ………… 538
小結節稜 crest of lesser tubercle ………… 437
小結節稜 crista tuberculi minoris ………… 440
小結腸 microcolon ………… 1151
上下半盲 altitudinal hemianopia ………… 828
上下両部結合奇形 anakatadidymus, anacatadidymus ………… 69
条件確率 conditional probability ………… 1486
証言検査 aussage test ………… 1854
上肩甲横靱帯 superior transverse scapular ligament ………… 1040
上肩甲横靱帯 ligamentum transversum scapulae superius ………… 1046
上肩甲下神経 upper subscapular nerve 1240
条件刺激 conditioned stimulus ………… 1747
条件性不眠 conditioned insomnia ………… 940
条件〔的〕致死〔突然〕変異体 conditionally lethal mutant ………… 1205
条件付きビタミン欠乏症 conditioned avitaminosis ………… 183
条件付け conditioning ………… 407
条件的嫌気性菌 facultative anaerobe ………… 69
条件的嫌気性生物 facultative anaerobe …… 69
上瞼板 superior tarsus ………… 1842
上瞼板 tarsus superior ………… 1842
上瞼板筋 superior tarsal muscle ………… 1195
上瞼板筋 musculus tarsalis superior ………… 1204
条件反射 condition ………… 407
条件反射 conditioned reflex (CR) ………… 1578
条件反応 conditioned response ………… 1596
条件離脱 conditioned withdrawal ………… 2047
児様語 lalling ………… 996
小孔 osculum ………… 1318
小孔 stoma ………… 1748
小梗 phialide ………… 1408
小溝 sulculus ………… 1771
小鉤 hooklets ………… 862
小鉤 unguiculus ………… 1964
消光 quenching ………… 1537
常衡 avoirdupois ………… 183
上行咽頭動脈 arteria pharyngea ascendens ………… 137
上行咽頭動脈 ascending pharyngeal artery ………… 142
上行咽頭動脈〔動脈〕周囲神経叢 periarterial plexus of ascending pharyngeal artery ………… 1442
上行咽頭動脈神経叢 ascending pharyngeal (arterial) plexus ………… 1439
上行咽頭動脈の咽頭枝 pharyngeal branch of the ascending pharyngeal artery ………… 251
小口蓋管 canals for lesser palatine nerves ………… 284
小口蓋管 lesser palatine canals ………… 284
小口蓋管 canales palatini minores ………… 285
上口蓋癌 chutta ………… 361
小口蓋孔 lesser palatine foramina ………… 725
小口蓋孔 foramina palatina minora ………… 726
小口蓋神経 lesser palatine nerves ………… 1235
小口蓋神経の扁桃枝 tonsillar branches of lesser palatine nerves ………… 254
小口蓋動脈 arteriae palatinae minores …… 137
小口蓋動脈 lesser palatine arteries ………… 147
症候学 symptomatology ………… 1792
上向眼振 upbeat nystagmus ………… 1286
上行脚三隆起 anatricrotism ………… 74
上行脚二重脈 anacrotic pulse, anadicrotic pulse ………… 1525
上行脚隆起 anacrotism ………… 69
上行脚隆起の anacrotic ………… 69
上後鋸筋 serratus posterior superior (muscle) ………… 1193
上後鋸筋 superior posterior serratus muscle ………… 1195
上後鋸筋 musculus serratus posterior

superior ………………………………… 1203
症候群 syndrome ………………………… 1795
小孔形成 porosis ………………………… 1467
上行頸動脈 arteria cervicalis ascendens 134
上行頸動脈 ascending cervical artery …… 142
上行結腸 ascending colon ……………… 392
上行結腸 colon ascendens ……………… 392
上行口蓋動脈 arteria palatina ascendens 136
上行口蓋動脈 ascending palatine artery 142
小虹彩動脈輪 lesser arterial circle of iris 364
小虹彩動脈輪 minor arterial circle of iris ………………………………… 364
小虹彩動脈輪 circulus arteriosus iridis minor ………………………………… 366
小〔細胞〕膠細胞 microgliacyte ………… 1151
小〔神経〕膠細胞症 microgliosis ………… 1152
小虹彩輪 inner border of iris …………… 235
小好酸球 microxyphil …………………… 1156
上行枝 ascending artery ………………… 142
上行枝 ascending branch ………………… 243
上行枝 ramus ascendens ………………… 1548
小口症 microstomia …………………… 1155
上甲状結節 superior thyroid tubercle …. 1944
上甲状結節 tuberculum thyroideum superius ………………………………… 1947
上甲状切痕 incisura thyroidea superior … 919
上甲状切痕 superior thyroid notch ……. 1270
上甲状腺静脈 superior thyroid vein …… 2002
上甲状腺動脈 arteria thyroidea superior 138
上甲状腺動脈 superior thyroid artery …. 153
上甲状腺動脈〔動脈〕周囲神経叢 periarterial plexus of superior thyroid artery ……. 1443
上甲状腺動脈神経叢 superior thyroid plexus ………………………………… 1444
上甲状腺動脈の外側腺枝 lateral glandular branch of superior thyroid artery ……. 248
上甲状腺動脈の胸鎖乳突筋枝 sternocleidomastoid branch of superior thyroid artery ………………………… 253
上甲状腺動脈の胸鎖乳突筋枝 ramus sternocleidomastoideus arteriae thyroideae superioris ………………………… 1556
上甲状腺動脈の後枝 posterior branch of superior thyroid artery ……………… 252
上甲状腺動脈の後腺枝 posterior glandular branch of superior thyroid artery ……. 251
上甲状腺動脈の舌下枝 infrahyoid branch of superior thyroid artery ……………… 247
上甲状腺動脈の舌骨下枝 ramus infrahyoideus arteriae thyroideae superioris ………………………… 1552
上甲状腺動脈の腺枝 glandular branches of superior thyroid artery ……………… 247
上甲状腺動脈の前腺枝 anterior glandular branch of superior thyroid artery ……. 242
〔上甲状腺動脈の〕輪状甲状枝 cricothyroid branch of superior thyroid artery ……. 245
症候性かゆみ(そう痒)〔症〕 symptomatic pruritus ………………………………… 1510
症候性紅斑 symptomatic erythema ……… 639
症候性小人症 symptomatic nanism ……. 1220
症候性紫斑病 purpura symptomatica …. 1528
上行性腎盂腎炎 ascending pyelonephritis ………………………………… 1530
上行性神経炎 ascending neuritis ……… 1245
症候性神経痛 symptomatic neuralgia …. 1245
症候性頭痛 symptomatic headache ……… 818
症候性精索静脈瘤 symptomatic varicocele ………………………………… 1988
上行性脊髄炎 ascending myelitis ……… 1209
症候性脱毛〔症〕 alopecia symptomatica …. 53
症候性遅発性皮膚ポルフィリン症 porphyria cutanea tarda symptomatica ………… 1467
症候性反応 symptomatic reaction ……… 1567
症候性網状皮斑 livedo reticularis symptomatica ………………………… 1062
上項線 superior nuchal line …………… 1052
上項線 linea nuchae superior ………… 1053
踵叩打 heel tap ………………………… 1840
上行大動脈 aorta ascendens …………… 111
上行大動脈 ascending aorta …………… 111
踵叩打反応 heel-tap reaction ………… 1565
上後腸骨棘 spina iliaca posterior superior ………………………………… 1715
上後腸骨棘 posterior superior iliac spine ………………………………… 1716
上行電流 ascending current …………… 450
上後頭回 superior occipital gyrus ……… 809
上喉頭腔 superior laryngeal cavity …… 317
上後頭溝 sulcus occipitalis superior …. 1773
上後頭溝 superior occipital sulcus …… 1774
上喉頭静脈 superior laryngeal vein …. 2002
上喉頭静脈 vena laryngea superior …… 2006
小後頭神経 lesser occipital nerve ……… 1235
小後頭神経 nervus occipitalis minor …. 1242
上喉頭神経 superior laryngeal nerve …. 1239
上喉頭神経 nervus laryngeus superior … 1242
上喉頭神経外枝 ramus externus nervi laryngei superioris ……………………… 1551
上喉頭神経内枝の反回神経との交通枝 communicating branch of internal laryngeal branch with recurrent laryngeal nerve ………………………………… 244
上喉頭神経の外枝 external branch of superior laryngeal nerve ……………… 246
上喉頭神経の内枝 internal branch of superior laryngeal nerve ……………… 248
上喉頭神経の反回神経との交通枝 communicating branch of superior laryngeal nerve with recurrent laryngeal nerve ………………………………… 245
上喉頭神経ひだ fold of superior laryngeal nerve ………………………………… 720
上喉頭切開〔術〕 superior laryngotomy … 1002
小後頭直筋 rectus capitis posterior minor (muscle) ……………………………… 1192
小後頭直筋 smaller posterior rectus muscle of head ……………………………… 1194
小後頭直筋 musculus rectus capitis posterior minor ……………………… 1203
上喉頭動脈 arteria laryngea superior …. 136
上喉頭動脈 superior laryngeal artery …. 153
小孔道複合体 ostiomeatal complex ……. 402
上行動脈 arteria ascendens …………… 134
上行突起 ascending process …………… 1488
上行突起 processus ascendens ………… 1491
猩紅熱 scarlet fever …………………… 686
猩紅熱 scarlatina ……………………… 1641
猩紅熱抗毒素 scarlet fever antitoxin …. 109
猩紅熱後の postscarlatinal …………… 1472
猩紅熱性腎炎 scarlatinal nephritis …… 1229
猩紅熱様紅斑 scarlatiniform erythema, erythema scarlatinoides ……………… 639
猩紅熱様風疹 scarlatinella …………… 1641
上行の ascendens ……………………… 159
小紅斑 stigma ………………………… 1746
小紅斑腎 flea-bitten kidney …………… 984
上行変性 ascending degeneration ……… 480
上肛門神経 superior anal nerves ……… 1239
上行腰静脈 ascending lumbar vein …… 1994
上行腰静脈 vena lumbalis ascendens …. 2006
囁語(耳語)胸声 whispered pectoriloquy, whispering pectoriloquy ……………… 1375
上鼓室 attic …………………………… 175
上鼓室開放〔術〕 atticotomy …………… 175
上鼓室陥凹 epitympanum ……………… 633
上鼓室陥凹の epitympanic …………… 633
小鼓室棘 lesser tympanic spine ………… 1716
小鼓室棘 spina tympanica minor ……… 1716
上鼓室動脈 arteria tympanica superior … 138
上鼓室動脈 superior tympanic artery …… 153
小骨 bonelet …………………………… 234
小骨 ossicle …………………………… 1319
小骨 ossiculum ………………………… 1320
踵骨 calcaneum ………………………… 275
踵骨 calcaneus ………………………… 275
踵骨 os calcis ………………………… 1317
踵骨下の subastragalar ………………… 1762
踵骨棘 heel spur ……………………… 1726
踵骨距骨の calcaneoastragaloid ………… 275
踵骨脛骨の calcaneotibial ……………… 275
踵骨結節 calcaneal tubercle …………… 1943
踵骨結節 tuberculum calcanei ………… 1946
踵骨腱 calcaneal tendon ……………… 1849
踵骨腱 tendo calcaneus ……………… 1849
踵骨腱の滑液包 bursa of tendo calcaneus ………………………………… 271
踵骨腱の滑液包 bursa tendinis calcanei 271
踵骨溝 calcaneal sulcus ……………… 1771
踵骨溝 sulcus calcanei ………………… 1771
踵骨〔骨間〕溝 interosseous groove of calcaneus ……………………………… 801
踵骨骨端炎 calcaneoapophysitis ……… 275
踵骨枝 rami calcanei ………………… 1548
踵骨舟状骨の calcaneonavicular ……… 275
小骨髄芽球 micromyeloblast …………… 1153
小骨髄芽球性白血病 micromyeloblastic leukemia ……………………………… 1024
踵骨痛 painful heel …………………… 822
踵骨動脈 calcaneal arteries …………… 143
踵骨動脈 calcaneal branches ………… 243
踵骨動脈網 calcaneal anastomosis ……… 73
踵骨動脈網 calcaneal arterial network 1244
踵骨動脈網 rete calcaneum …………… 1598
〔踵骨の〕距骨関節面 facies articularis talaris calcanei ……………………………… 663
〔踵骨の〕距骨関節面 talar articular surfaces of calcaneus ……………………………… 1783
踵骨の後距骨関節面 posterior talar articular surface (of calcaneus) ……………… 1783
踵骨の前距骨関節面 anterior talar articular surface of calcaneus ……………… 1780
踵骨の中距骨関節面 middle talar articular surface of calcaneus ……………… 1782
踵骨の腓骨筋滑車 fibular trochlea of calcaneus ……………………………… 1936
踵骨の腓骨筋滑車 peroneal trochlea of calcaneus ……………………………… 1936
〔踵骨の〕立方骨関節面 facies articularis cuboidea calcanei ……………………… 663
〔踵骨の〕立方骨関節面 articular surface on calcaneus for cuboid ……………… 1780
〔踵骨の〕立方骨関節面 cuboidal articular surface of calcaneus ……………… 1781
小骨盤 lesser pelvis …………………… 1379
小骨盤 pelvis minor …………………… 1379
小骨盤 small pelvis …………………… 1379
上骨盤隔膜筋膜 superior fascia of pelvic diaphragm ……………………………… 675
踵骨皮下包 bursa subcutanea calcanea … 270
踵骨皮下包 subcutaneous calcaneal bursa ………………………………… 270
〔踵骨〕腓骨筋滑車 trochlea fibularis calcanei ………………………………… 1936
踵骨膨隆 prominent heel ……………… 822
踵骨歩行 calcaneal gait ……………… 748
踵骨立方骨の calcaneocuboid ………… 275
踵骨隆起 calcaneal tuber ……………… 1942
踵骨隆起 tuber calcanei ……………… 1942
踵骨隆起 calcaneal tuberosity ………… 1947
踵骨隆起外側突起 lateral process of calcaneal tuberosity ……………………… 1489
踵骨隆起外側突起 processus lateralis tuberis calcanei ……………………………… 1491
踵骨隆起内側突起 medial process of calcaneal tuberosity ……………………… 1489
踵骨隆起内側突起 processus medialis tuberis calcanei ……………………………… 1491

証拠に基づいた医療 evidence-based medicine ………… 1117
上鼓膜陥凹 superior recess of tympanic membrane ………… 1572
小根 radicle ………… 1542
小根 radicula ………… 1542
条痕 streak ………… 1753
条痕 striation ………… 1756
松根タール pine tar ………… 1425
漿剤 mucilage ………… 1175
錠剤 tabella ………… 1836
常在糸状虫 *Mansonella perstans* ………… 1101
錠剤食道炎 pill esophagitis ………… 642
小細胞 small cell ………… 326
娘細胞 daughter cell ………… 320
小細胞癌 small cell carcinoma ………… 298
小〔細胞〕膠細胞 microgliacyte ………… 1151
小細胞性の parvocellular ………… 1369
小鎖骨上窩 lesser supraclavicular fossa ………… 733
小鎖骨上窩 fossa supraclavicularis minor ………… 734
小坐骨切痕 incisura ischiadica minor ………… 919
小坐骨切痕 lesser sciatic notch ………… 1270
消散 lysis ………… 1086
消散 resolution (Rs) ………… 1594
消散 solution (sol., soln.) ………… 1697
硝酸 nitric acid ………… 1258
蒸散 perspiration ………… 1396
蒸散 transpiration ………… 1920
硝酸アンモニウム ammonium nitrate ………… 61
硝酸塩 nitrate ………… 1258
上三角徴候 superior triangle sign ………… 1684
硝酸カリウム potassium nitrate ………… 1472
硝酸銀 silver nitrate ………… 1685
消散剤 resolvent ………… 1594
硝酸紙 niter paper ………… 1344
硝酸チアミン thiamin mononitrate ………… 1883
硝酸ナトリウム sodium nitrate ………… 1696
硝酸メチルアトロピン atropine methonitrate ………… 174
硝酸ランタン lanthanum nitrate ………… 1000
小指 digitus (manus) minimus ………… 517
小指 little finger ………… 700
小指 little toe [V] ………… 1897
小趾 little toe [V] ………… 1897
小枝 ramulus ………… 1547
小枝 twig ………… 1955
小肢〔症〕 micromelia ………… 1152
紙様〔胎〕児 fetus papyraceus ………… 682
上枝 superior branch ………… 254
上枝 ramus superior ………… 1556
上肢 arm ………… 131
上肢 superior limb ………… 1047
上肢 thoracic limb ………… 1047
上肢 upper limb ………… 1047
上肢 membrum superius ………… 1128
硝子圧試験 glass test ………… 1858
硝子円柱 hyaline cast ………… 309
上耳介筋 auricularis superior (muscle) 1182
上耳介筋 superior auricular muscle ………… 1195
上耳介筋 musculus auricularis superior 1199
小指外転筋 abductor digiti minimi (muscle) of hand ………… 1181
小指外転筋 abductor muscle of little finger ………… 1181
小指外転筋 musculus abductor digiti minimi manus ………… 1198
小趾(指)外転筋 abductor digiti minimi (muscle) of foot ………… 1181
小趾(指)外転筋 abductor muscle of little toe ………… 1181
小趾(指)外転筋 musculus abductor digiti minimi pedis ………… 1198
上枝下下葉区 subapical segment ………… 1655
上枝下下葉区(S*) segmentum subapicale ………… 1656
上枝下下葉区(S*) segmentum subsuperius ………… 1656
上肢巻絡 nuchal arm ………… 132
上肢奇形体(奇形児) perobrachius ………… 1394
小指球 antithenar ………… 109
小指球 hypothenar eminence ………… 603
小指球 hypothenar ………… 897
小指球筋膜 hypothenar fascia ………… 673
上四丘体臂 brachium quadrigeminum superius ………… 239
上四丘体臂 superior quadrigeminal brachium ………… 239
上軸付属筋 superior axioappendicular muscles ………… 1195
小歯型 microdont ………… 1151
上肢骨 bones of superior limb ………… 233
上肢骨 bones of upper limb ………… 234
上肢骨 ossa membri superioris ………… 1318
上歯枝 rami dentales superiores ………… 1550
上歯枝 superior dental rami ………… 1556
床支持組織 denture foundation ………… 735
硝子質 hyalin ………… 868
硝子質化 hyalinization ………… 868
硝子質の hyaline ………… 868
小指症 microdactyly ………… 1151
小視症 micropsia ………… 1153
小歯症 microdontia, microdontism ………… 1151
小耳症 microtia ………… 1155
硝子状漿膜炎 hyaloserositis ………… 868
上矢状静脈洞 sinus sagittalis superior ………… 1688
上矢状静脈洞 superior sagittal sinus ………… 1689
上視床線条体静脈 superior thalamostriate vein ………… 2002
上視床線条体静脈 vena thalamostriata superior ………… 2008
硝子状ぞうげ質 vitreodentin ………… 2034
上矢状洞溝 groove for superior sagittal sinus ………… 802
上矢状洞溝 sulcus sinus sagittalis superioris ………… 1774
小歯状突起 denticle ………… 487
小歯状の denticulate, denticulated ………… 488
上篩状斑 macula cribrosa ………… 1091
小指伸筋 extensor digiti minimi (muscle) ………… 1184
小指伸筋 musculus extensor digiti minimi ………… 1199
小指伸筋腱鞘 tendinous sheath of extensor digiti minimi muscle ………… 1672
小指伸筋腱鞘 vagina tendinis musculi extensoris digiti minimi ………… 1981
上歯神経叢 superior dental (nerve) plexus ………… 1444
上歯神経叢の上歯枝 superior dental branches (of superior dental plexus) … 254
上歯神経叢の上歯肉枝 superior gingival branches (of superior dental plexus) … 254
上歯神経叢の上歯肉枝 rami gingivales superiores plexus dentalis superioris … 1551
常磁性 paramagnetism ………… 1351
常磁性の paramagnetic ………… 1351
上歯槽神経 superior alveolar nerves ………… 1239
上歯槽神経の前上歯槽枝 anterior superior alveolar branches of superior alveolar nerve ………… 243
硝子体 vitreous body ………… 230
硝子体 corpus vitreum ………… 426
硝子体 vitreum ………… 2035
上肢帯 cingulum membri superioris ………… 363
上肢帯 pectoral girdle ………… 771
上肢帯 shoulder girdle ………… 771
硝子体液 humor vitreus ………… 867
硝子体液 vitreous humor ………… 867
硝子体炎 vitreitis ………… 2034
硝子体窩 fossa hyaloidea ………… 732
硝子体窩 hyaloid fossa ………… 732
硝子体下の subhyaloid ………… 1763
硝子体下の subvitrinal ………… 1768
硝子体管 hyaloid canal ………… 283
硝子体管 canalis hyaloideus ………… 285
硝子体眼房 camera vitrea bulbi ………… 281
硝子体眼房 postremal chamber of eyeball ………… 338
硝子体欠損〔症〕 coloboma of vitreous ………… 392
硝子体細胞 vitreous cell ………… 328
硝子体支質 stroma of vitreous ………… 1759
硝子体支質 stroma vitreum ………… 1759
硝子体切除〔術〕 vitrectomy ………… 2034
硝子体動脈 arteria hyaloidea ………… 135
硝子体動脈 hyaloid artery ………… 145
硝子体内の intravitreous ………… 951
上肢帯の滑膜性の連結 synovial joints of pectoral girdle ………… 971
上肢帯の関節 joints of pectoral girdle ………… 971
上肢帯の靱帯結合 syndesmoses of pectoral girdle ………… 1795
硝子体剝離 vitreous detachment ………… 500
硝子体壁板網膜ジストロフィ vitreotapetoretinal dystrophy ………… 579
硝子体ヘルニア vitreous hernia ………… 844
硝子体包靱帯 hyalocapsular ligament ………… 1036
硝子体包靱帯 ligamentum hyaloideo-capsulare ………… 1043
硝子体膜 membrana vitrea ………… 1124
硝子体膜 vitreous membrane ………… 1127
硝子体網膜症 vitreoretinopathy ………… 2035
硝子体網膜の vitreoretinal ………… 2035
硝子体網膜変性 hyaloideoretinal degeneration ………… 481
硝子体網脈絡膜症候群 vitreoretinal choroidopathy syndrome ………… 1824
小指対立筋 opponens digiti minimi (muscle) ………… 1190
小指対立筋 opposer (muscle) of little finger ………… 1190
小指対立筋 musculus opponens digiti minimi ………… 1201
小趾(指)対立筋 opponens digiti minimi pedis (muscle) ………… 1190
小肢端(先端)〔症〕 acromicria ………… 18
晶質 crystalloid ………… 446
上肢対麻痺 superior paraplegia ………… 1353
上膝蓋反射 suprapatellar reflex ………… 1582
消失骨病 disappearing bone disease ………… 532
上室性期外収縮 supraventricular extrasystole ………… 658
上室〔性〕の supraventricular ………… 1780
消失性白質を伴う白質脳症 leukoencephalopathy with vanishing white matter ………… 1028
上室〔性〕頻拍症 supraventricular tachycardia (SVT) ………… 1837
小室内の intralocular ………… 950
消失肺 vanishing lung ………… 1073
硝子軟骨 hyaline cartilage ………… 306
上肢の滑液包 bursae of upper limb ………… 271
上肢の筋 muscles of the upper limb ………… 1197
上肢の腱鞘 tendinous sheaths of upper limb ………… 1672
上肢の静脈 veins of upper limb ………… 2003
上肢の深リンパ節 deep lymph nodes of upper limb ………… 1078
上肢の浅静脈 superficial veins of the upper limb ………… 2002
上肢の浅リンパ節 superficial lymph nodes of upper limb ………… 1081
上肢の動脈 arteries of upper limb ………… 154
上肢の皮静脈 venae superficiales membri superioris ………… 2008
上肢の部位 regiones membri superioris 1584
上肢の部位 regions of superior limb ………… 1586
上肢の部位 regions of upper limb ………… 1586
上肢の連結 joints of upper limb ………… 972

硝子膜 hydatoid ………… 869
硝子膜 glassy membrane ………… 1125
硝子膜 hyaline membrane ………… 1126
鞘翅目 Coleoptera ………… 389
照射 irradiation ………… 957
照射 radiation ………… 1541
上斜位 hyperphoria ………… 885
上斜筋 superior oblique (muscle) ………… 1195
〔眼球の〕上斜筋 musculus obliquus superior (bulbi) ………… 1201
上斜筋腱鞘 tendinous sheath of superior oblique muscle ………… 1672
上斜筋の滑車 trochlea of superior oblique (muscle) ………… 1936
焼灼〔法〕 thermocautery ………… 1880
焼灼〔術,法〕 cauterization ………… 315
焼灼〔術,法〕 cautery ………… 315
焼灼円錐切除〔術〕 cautery conization ………… 411
焼灼器 cautery ………… 315
焼灼器 thermocautery ………… 1880
焼灼器(バーナー)症候群 burner syndrome ………… 1798
焼灼する cauterize ………… 315
焼灼性の caustic ………… 315
焼灼切除〔術〕 thermocauterectomy ………… 1880
上尺側側副動脈 arteria collateralis ulnaris superior ………… 134
上尺側側副動脈 superior ulnar collateral artery ………… 153
焼灼刀 cautery knife ………… 987
焼灼薬 cauterant ………… 315
焼灼薬 cautery ………… 315
小斜径 suboccipitobregmatic diameter ………… 509
上斜視 hypertropia ………… 889
照射線量 exposure dose ………… 557
焦臭 empyreuma ………… 606
床周縁組織の機能運動 border tissue movements ………… 1173
常習者 recidivist ………… 1573
踵舟靱帯 calcaneonavicular ligament ………… 1033
踵舟靱帯 ligamentum calcaneonaviculare ………… 1042
〔背側〕踵舟靱帯 dorsal calcaneonavicular ligament ………… 1035
踵舟靱帯面 facet (on talus) for calcaneonavicular part of bifurcate ligament ………… 662
常習性 recidivism ………… 1573
上縦舌筋 superficial lingual muscle ………… 1195
上縦舌筋 superior longitudinal muscle of tongue ………… 1195
上縦舌筋 musculus longitudinalis superior linguae ………… 1201
上縦束 fasciculus longitudinalis superior ………… 676
上縦束 superior longitudinal fasciculus ………… 677
上十二指腸陥凹 superior duodenal fossa ………… 734
上十二指腸陥凹 superior duodenal recess ………… 1572
上十二指腸陥凹 recessus duodenalis superior ………… 1573
上十二指腸曲 flexura duodeni superior ………… 712
上十二指腸曲 superior duodenal flexure ………… 713
小十二指腸乳頭 minor duodenal papilla ………… 1345
小十二指腸乳頭 papilla duodeni minor ………… 1345
上十二指腸ひだ superior duodenal fold ………… 720
上十二指腸ひだ plica duodenalis superior ………… 1445
消臭の deodorant ………… 490
小集落の punctiform ………… 1526
小手術 minor operation ………… 1305
小手症 microcheiria, microchiria ………… 1150
成就動機 achievement motive ………… 1172
成就年齢 achievement age ………… 35
照準 collimation ………… 391
小循環 lesser circulation ………… 366
照準器 collimator ………… 391
症状 symptom ………… 1791
床上安静 bed rest ………… 1597
上昇異常 malascent ………… 1095
上声門口 aditus glottidis superior ………… 29
症状寛解〔性〕の symptomatolytic ………… 1792
鐘状期 bell stage ………… 1727
鞘状気管 scabbard trachea ………… 1908
症状軽減 decrudescence ………… 475
小猩紅熱 miniature scarlet fever ………… 685
上昇時間 rise time ………… 1893
小焼灼器 microbrenner ………… 1150
症状代理形成 symptom substitution ………… 1767
〔蝶形骨〕鞘状突起 sheath process of sphenoid bone ………… 1490
〔蝶形骨〕鞘状突起 processus vaginalis ossis sphenoidalis ………… 1492
鞘状突起痕跡 vestige of processus vaginalis ………… 2018
鞘状突起痕跡 vestige of vaginal process ………… 2018
鞘状突起痕跡 vestigium processus vaginalis ………… 2018
鞘状突起嚢 saccus vaginalis ………… 1629
茸状乳頭 fungiform papillae ………… 1345
茸状乳頭 papillae fungiformes ………… 1345
硝子様の hyaline ………… 868
床状の clinoid ………… 375
鞘上の supravaginal ………… 1780
上小脳脚 pedunculus cerebellaris superior ………… 1377
上小脳脚 superior cerebellar peduncle ………… 1377
上小脳脚交叉 decussatio pedunculorum cerebellarium superiorum ………… 476
上小脳脚交叉 decussation of superior cerebellar peduncles ………… 476
上小脳動脈 superior cerebellar artery ………… 153
上小脳動脈症候群 superior cerebellar artery syndrome ………… 1821
上小脳半球静脈 superior veins of cerebellar hemisphere ………… 2002
上小脳半球静脈 venae hemispherii cerebelli superiores ………… 2005
〔症状〕発現 manifestation ………… 1100
症状発現前の preclinical ………… 1477
上上皮小体(副甲状腺) superior parathyroid gland ………… 774
小静脈 small vein ………… 2001
小静脈 venula ………… 2012
小静脈 venule ………… 2012
小食球 microphage ………… 1153
小食細胞 microphage ………… 1153
上食道狭窄 upper esophageal constriction ………… 415
小書症 micrography ………… 1152
小耳輪筋 helicis minor (muscle) ………… 1186
小耳輪筋 smaller muscle of helix ………… 1194
小耳輪筋 musculus helicis minor ………… 1200
上肢リンパ節 lymph nodes of upper limb ………… 1082
上歯列弓 superior dental arch ………… 126
小人 dwarf ………… 568
小人 microplasia ………… 1153
小腎 reniculus ………… 1589
上唇 labium superius oris ………… 992
上唇 upper lip ………… 1055
小進化 microevolution ………… 1151
上唇挙筋 elevator muscle of upper lip ………… 1184
上唇挙筋 levator labii superioris (muscle) ………… 1188
上唇挙筋 musculus levator labii superioris ………… 1201
〔足の〕上伸筋支帯 retinaculum musculorum extensorum superius ………… 1600
〔足の〕上伸筋支帯 superior extensor retinaculum ………… 1601
〔足の〕上伸筋支帯 superior retinaculum of extensor muscles ………… 1601
上腎区 superior renal segment ………… 1655
小〔神経〕膠細胞症 microgliosis ………… 1152
上唇結節 labial tubercle ………… 1943
上唇結節 tubercle of upper lip ………… 1944
上唇結節 tuberculum labii superioris ………… 1946
小人幻覚 lilliputian hallucination ………… 813
小人骨盤 dwarf pelvis ………… 1378
小浸潤癌 microinvasive carcinoma ………… 298
小唇症 microcheilia, microchilia ………… 1150
小心症 microcardia ………… 1150
小人症 dwarfism ………… 568
上唇小帯 frenulum labii inferioris, frenulum labii superioris ………… 740
上唇小帯 frenulum of lower lip, frenulum of upper lip ………… 740
上腎上体(副腎)動脈 arteriae suprarenales superiores ………… 138
上腎上体(副腎)動脈 superior suprarenal arteries ………… 153
小人症トリプトファン尿〔症〕 tryptophanuria with dwarfism ………… 1940
小心〔臓〕静脈 small cardiac vein ………… 2001
小心〔臓〕静脈 vena cordis parva ………… 2005
上唇静脈 superior labial vein ………… 2002
上唇静脈 vena labialis superior ………… 2006
上唇切歯筋 musculus incisivus labii superioris ………… 1200
上〔頸〕心臓神経 nervus cardiacus cervicalis superior ………… 1241
上唇動脈 arteria labialis superior ………… 136
上唇動脈 superior labial artery ………… 153
上唇動脈 superior labial branch of facial artery ………… 254
小腎杯 calices renales minores ………… 279
小腎杯 minor calices ………… 279
上唇鼻翼挙筋 elevator muscle of upper lip and wing of nose ………… 1184
上唇鼻翼挙筋 levator labii superioris alaeque nasi (muscle) ………… 1188
上唇鼻翼挙筋 musculus levator labii superioris alaeque nasi ………… 1201
上唇方形筋 quadrate muscle of upper lip ………… 1192
上唇方形筋 musculus quadratus labii superioris ………… 1202
上唇方形筋の口角頭 caput angulare quadrati labii superioris ………… 291
〔外側頸リンパ節の〕上深リンパ節 superior deep lateral cervical lymph nodes ………… 1081
消褪 extinction ………… 657
常水 aqua ………… 122
常水 water ………… 2040
〔前・後〕上膵十二指腸動脈 (anterior and posterior) superior pancreaticoduodenal artery ………… 78
〔前・後〕上膵十二指腸動脈 arteria pancreaticoduodenalis superior (anterior et posterior) ………… 137
上膵十二指腸動脈の膵枝 rami pancreatici arteriae pancreaticoduodenalis superioris ………… 1554
上膵十二指腸リンパ節 superior pancreaticoduodenal lymph nodes ………… 1081
上錐体静脈洞 sinus petrosus superior ………… 1688
上錐体静脈洞 superior petrosal sinus ………… 1689
小錐体神経 lesser petrosal nerve ………… 1236
小錐体神経 lesser superficial petrosal nerve ………… 1236
小錐体神経 nervus petrosus minor ………… 1243
小錐体神経溝 groove of lesser petrosal nerve ………… 801
小錐体神経溝 sulcus nervi petrosi minoris ………… 1773
小錐体神経裂孔 hiatus canalis nervi petrosi minoris ………… 851

小錐体神経裂孔 hiatus for lesser petrosal nerve ······ 851
上錐体洞溝 groove for superior petrosal sinus ······ 802
上錐体洞溝 sulcus sinus petrosi superioris ······ 1774
上錐体洞溝 superior petrosal sulcus ······ 1774
小水滴感染 droplet infection ······ 927
上髄帆 superior medullary velum ······ 2004
上髄帆 velum medullare superius ······ 2004
上髄帆小帯 frenulum of superior medullary velum ······ 740
上髄帆小帯 frenulum veli medullaris superioris ······ 740
小水胞 bleb ······ 220
小水疱 phlyctenula ······ 1409
小水疱 vesicle ······ 2016
〔小〕水疱丘疹性の vesiculopapular ······ 2017
小水疱水疱性の vesicobullous ······ 2017
小水疱性丘疹 papulovesicle ······ 1347
小水疱性強皮(硬皮)症 pachyderma vesicae ······ 1335
小水疱性湿疹 eczema vesiculosum ······ 586
上膵リンパ節 superior pancreatic lymph nodes ······ 1081
上膵リンパ節 nodi lymphatici pancreatici superiores ······ 1262
常数 constant ······ 414
少数杆菌性 paucibacillary ······ 1374
少〔数〕形〔態〕の oligomorphic ······ 1297
小頭〔蓋〕症 microcephaly ······ 1150
小頭〔蓋〕の microcephalic ······ 1150
ショウズク cardamom ······ 299
小星 stellula ······ 1741
焼成 fire ······ 701
娘星 daughter star ······ 1738
鞘性仮骨 ensheathing callus ······ 279
小生活圏 biotope ······ 215
小性器症 microgenitalism ······ 1151
小生子 sporidium ······ 1724
小生殖母細胞 microgametocyte ······ 1151
上精巣上体間膜 superior ligament of epididymis ······ 1040
上精巣上体間膜 ligamentum epididymidis superius ······ 1043
止痒性の antipruritic ······ 108
脂溶性の liposoluble ······ 1059
情性薄弱 oligothymia ······ 1297
脂溶性ビタミン fat-soluble vitamins ······ 2033
鞘性瘭疽 thecal whitlow ······ 2045
焦性リン酸テトラエチル tetraethyl pyrophosphate (TEPP) ······ 1871
小赤芽球 microblast ······ 1150
掌蹠角皮症 palmoplantar keratoderma ······ 979
小脊髄症 micromyelia ······ 1153
掌蹠膿疱症状 pustulosis palmaris et plantaris ······ 1529
小〔結〕節 nodule ······ 1261
〔虫部〕小節 nodulus ······ 1262
小舌 lingula ······ 1054
蒸泄 evaporation ······ 649
饒舌 hyperlogia ······ 883
饒舌〔症〕 verbomania ······ 2013
小切開不妊手術 minilaparotomy ······ 1159
小舌下腺管 minor sublingual ducts ······ 564
小舌下腺管 ductus sublinguales minores 566
上舌区 superior lingular bronchopulmonary segment [S IV] ······ 1655
小赤血球 microcyte ······ 1151
小〔赤血〕球症 microcythemia ······ 1151
焼石膏 plaster of Paris ······ 1434
上舌枝 superior lingular artery ······ 153
上舌枝 ramus lingularis superior ······ 1552
小舌症 microglossia ······ 1152
上舌癒着症候群 ankyloglossia superior syndrome ······ 1796
小腺 glandule ······ 776
小前骨髄球 micropromyelocyte ······ 1153
小前骨髄細胞 micropromyelocyte ······ 1153
〔微〕小穿刺 micropuncture ······ 1153
常染色体 autosome ······ 181
常染色体遺伝子 autosomal gene ······ 762
小先端(肢端)〔症〕 acromicria ······ 18
上前腸骨棘 spina iliaca anterior superior ······ 1715
上前腸骨棘 anterior superior iliac spine 1716
小前庭腺 lesser vestibular glands ······ 773
小前庭腺 glandulae vestibulares minores 776
上前庭野 area vestibularis superior ······ 130
上前庭野 superior vestibular area of internal acoustic meatus ······ 130
上前頭回 superior frontal convolution ···· 419
上前頭回 gyrus frontalis superior ······ 808
上前頭回 superior frontal gyrus ······ 809
上前頭溝 sulcus frontalis superior ······ 1772
上前頭溝 superior frontal sulcus ······ 1774
小泉門 posterior fontanelle ······ 723
小泉門 fonticulus posterior ······ 724
情操 sentiment ······ 1662
上層構造 superstructure ······ 1778
上双子筋 superior gemellus (muscle) ···· 1195
上双子筋 musculus gemellus superior ···· 1200
小爪症 micronychia ······ 1153
小槍状条虫 *Hymenolepis lanceolata* ······ 877
上総胆管括約筋 musculus sphincter superior ductus choledochi ······ 1203
上爪皮 eponychium ······ 633
上爪皮炎 eponychia ······ 633
小束 fasciola ······ 677
小足 pedicel ······ 1376
踵足 talipes calcaneus ······ 1839
掌側骨間筋 palmar interossei (interosseous muscles) ······ 1190
掌側骨間筋 musculus interosseus palmaris ······ 1200
掌側骨間動脈 arteria interossea volaris ··· 136
掌側骨間動脈 volar interosseous artery ··· 154
消息子 bougie ······ 238
消息子 probe ······ 1486
消息子 radiolus ······ 1544
消息子 sound ······ 1701
消息子 specillum ······ 1707
消息子拡張〔法〕 bougienage ······ 238
〔掌側〕示指橈側動脈 arteria volaris indicis radialis ······ 138
掌側指静脈 palmar digital veins ······ 1999
掌側指静脈 venae digitales palmares ···· 2005
消息子状有溝導子 probe gorget ······ 793
消息子注射器 probe syringe ······ 1828
掌側尺骨手根靱帯 palmar ulnocarpal ligament ······ 1038
掌側尺骨手根靱帯 ligamentum ulnocarpale palmare ······ 1046
掌側手根間靱帯 ligamentum intercarpalia palmaria ······ 1043
掌側手根腱鞘 palmar carpal tendinous sheaths ······ 1671
〔尺骨動脈〕掌側手根枝 palmar carpal branch of ulnar artery ······ 250
〔尺骨動脈〕掌側手根枝 ramus carpalis palmaris arteriae ulnaris ······ 1548
〔尺骨動脈〕掌側手根枝 ramus carpeus palmaris arteriae ulnaris ······ 1549
〔橈骨動脈〕掌側手根枝 palmar carpal branch of radial artery ······ 250
〔橈骨動脈〕掌側手根枝 ramus carpalis palmaris arteriae radialis ······ 1548
〔橈骨動脈〕掌側手根枝 ramus carpeus palmaris arteriae radialis ······ 1549
掌側手根中手靱帯 palmar carpometacarpal ligaments ······ 1038
掌側手根中手靱帯 ligamenta carpometacarpalia palmaria ······ 1042
小足症 micropodia ······ 1153
掌側靱帯 palmar ligaments ······ 1038
掌側靱帯 ligamenta palmaria ······ 1044
掌側中手静脈 palmar metacarpal veins 1999
掌側中手静脈 venae metacarpales palmares ······ 2006
掌側中手靱帯 palmar metacarpal ligaments ······ 1038
掌側中手靱帯 ligamenta metacarpalia palmaria ······ 1044
掌側中手動脈 arteriae metacarpale palmare ······ 136
掌側中手動脈 palmar interosseous artery 149
掌側中手動脈 palmar metacarpal arteries 149
掌側中手動脈の貫通枝 perforating branches (of palmar metacarpal arteries) ······ 251
上側頭回 superior temporal convolution 419
上側頭回 gyrus temporalis superior ······ 809
上側頭回 superior temporal gyrus ······ 809
上側頭溝 sulcus temporalis superior ····· 1774
上側頭溝 superior temporal sulcus ····· 1774
掌側橈骨手根靱帯 palmar radiocarpal ligament ······ 1038
掌側橈骨手根靱帯 ligamentum radiocarpale palmare ······ 1045
上側頭線 superior temporal line of parietal bone ······ 1052
上側頭線 linea temporalis superior ossis parietalis ······ 1053
掌側の palmaris ······ 1339
掌側の volar ······ 2035
掌側腕靱帯 ligamentum carpi volare ···· 1042
小体 corpuscle ······ 426
小体 corpusculum ······ 427
小帯 frenulum ······ 740
小帯 frenum ······ 740
小帯 habena ······ 810
小帯 habenula ······ 810
小帯 zonula ······ 2060
小帯 zonule ······ 2060
状態 catastasis ······ 312
状態 état ······ 644
状態 state ······ 1739
状態 status ······ 1740
状態依存性学習 state-dependent learning ······ 1015
小帯回 fasciolar gyrus ······ 808
小帯回 gyrus fasciolaris ······ 808
小帯回の fasciolar ······ 677
小体外の extracorpuscular ······ 657
小帯形成〔術〕 frenoplasty ······ 740
小帯隙 zonular spaces ······ 1705
小帯隙 spatia zonularia ······ 1707
上体欠如奇形 peracephalus ······ 1384
紙様〔胎〕児 fetus papyraceus ······ 682
上大静脈 vena cava, superior ······ 2004
上大静脈口 opening of superior vena cava ······ 1303
上大静脈口 ostium venae cavae superioris ······ 1325
上大静脈溝 sulcus venae cavae cranialis ······ 1775
〔肺の〕上大静脈溝 groove for superior vena cava ······ 803
上大静脈症候群 superior vena cava syndrome ······ 1822
小帯切除〔術〕 frenectomy ······ 740
小帯線維 zonular fibers ······ 691
小帯線維 fibrae zonulares ······ 692
常態対立遺伝子 eualleles ······ 647
上大脳静脈 superior cerebral veins ······ 2002
小帯傍〔結合〕組織膿瘍 parafrenal abscess ··· 5
上唾液核 nucleus salivatorius superior 1280
上唾液核 superior salivary nucleus ······ 1280
上唾液核 superior salivatory nucleus ···· 1280

小唾液腺 minor salivary glands …… 773
上端 extremitas superior …… 658
上端 superior extremity …… 658
上恥骨靱帯 superior pubic ligament …… 1040
上恥骨靱帯 ligamentum pubicum superius …… 1045
小チフス typhus mitior …… 1958
小柱 trabecula …… 1907
小虫 vermicule …… 2013
条虫 cestode, cestoid …… 336
小柱間エナメル質 interrod enamel …… 606
小柱間結節 intercolumnar tubercle …… 1943
条虫駆除薬 teniacide …… 1850
条虫駆除薬 teniafuge …… 1850
小柱形成 trabeculation …… 1908
条虫綱 Cestoidea …… 337
条虫殺虫薬 teniacide …… 1850
条虫殺虫薬 teniafuge …… 1850
条虫症 cestodiasis …… 337
条虫症 taeniasis …… 1838
条虫症 teniasis …… 1850
条虫状の tenioid …… 1850
〔小〕柱の trabecular …… 1908
条虫の tenial …… 1850
上虫部枝 superior vermian branch (of superior cerebellar artery) …… 254
上虫部静脈 superior vein of vermis …… 2002
小柱網 trabecular meshwork …… 1135
小柱網 trabecular network …… 1244
小柱網 trabecular reticulum …… 1599
小柱網 trabecular tissue of sclera …… 1896
小柱網の角膜強膜部 pars corneoscleralis reticuli trabecularis sclerae …… 1358
小柱網の角膜強膜部 corneoscleral part of trabecular tissue of sclera …… 1363
〔小柱網の〕ブドウ膜部 pars uvealis reticuli trabecularis sclerae …… 1362
〔小柱網の〕ブドウ膜部 uveal part of trabecular tissue of sclera …… 1368
条虫類 tapeworm …… 1841
情緒 emotion …… 604
情緒 sentiment …… 1662
小腸 small bowel …… 238
小腸 intestinum tenue …… 949
小腸 small intestine …… 949
象徴 sign …… 1678
象徴 symbol …… 1790
情調 feeling tone …… 1899
象徴化 symbolization …… 1790
上腸間膜静脈 superior mesenteric vein 2002
上腸間膜静脈 vena mesenterica superior …… 2006
上腸間膜動脈 arteria mesenterica superior …… 136
上腸間膜動脈 superior mesenteric artery 153
上腸間膜動脈症候群 superior mesenteric artery syndrome …… 1821
上腸間膜動脈神経節 ganglion mesentericum superius …… 753
上腸間膜動脈神経節 superior mesenteric ganglion …… 754
上腸間膜動脈神経叢 superior mesenteric (nerve) plexus …… 1444
上腸間膜〔動脈〕リンパ節 superior mesenteric lymph nodes …… 1081
上腸間膜リンパ節 nodi lymphoidei mesenterici superiores …… 1264
上腸間膜リンパ節の中心群 middle group of mesenteric lymph nodes …… 1079
〔小腸〕筋層 muscular coat of small intestine …… 383
〔小腸〕筋層 muscular layer of small intestine …… 1012
〔小腸〕筋層 tunica muscularis intestini tenuis …… 1953
〔小腸筋層の〕縦〔筋〕層 longitudinal layer of the muscle coat of the small intestine …… 1011
〔小腸筋層の〕縦〔筋〕層 stratum longitudinale tunicae muscularis intestini tenuis …… 1752
〔小腸筋層の〕輪〔筋〕層 stratum circulare tunicae muscularis intestini tenuis …… 1751
象徴欠如 amimia …… 59
小腸結腸吻合〔術〕 enterocolostomy …… 620
上腸骨棘線 interspinal line …… 1050
上腸骨棘線 linea interspinalis …… 1053
小腸骨筋 iliacus minor (muscle) …… 1186
小腸骨筋 musculus iliacus minor …… 1200
象徴主義 symbolism …… 1790
象徴症 symbolism …… 1790
〔小腸〕漿膜 tunica serosa intestini tenuis …… 1954
〔小腸〕漿膜 serosa of small intestine …… 1667
小腸漿膜下組織 subserosa of small intestine …… 1765
象徴性 symbolism …… 1790
小腸腺 glands of small intestine …… 774
小腸造影 radiologic enteroclysis …… 620
小腸造影検査 small-bowel series …… 1665
象徴知覚 symbolia …… 1790
小腸腸間膜部 mesenteric portion of small intestine …… 1468
象徴的表現 symbolic representation …… 1591
〔小腸〕粘膜 mucosa of small intestine … 1177
〔小腸〕粘膜 tunica mucosa intestini tenuis …… 1953
小腸粘膜炎 mucoenteritis …… 1175
小腸粘膜下組織 submucosa of small intestine …… 1764
小腸の集合リンパ小節 aggregated lymphoid nodules of the small intestine …… 1261
小腸のリーベルキューン陰窩 crypts of Lieberkühn of small intestine …… 445
小腸の輪筋層 circular layer of muscle coat of small intestine …… 1009
〔小腸の〕輪状ひだ circular folds of small intestine …… 718
象徴不能〔症〕 asymbolia …… 166
小腸膀胱形成〔術〕 ileocystoplasty …… 905
小腸傍腸間膜リンパ節 juxtaintestinal mesenteric lymph nodes …… 1079
情緒飢餓 affect hunger …… 867
上直筋 superior rectus (muscle) …… 1195
〔眼球の〕上直筋 musculus rectus superior (bulbi) …… 1203
上直腸静脈 superior rectal vein …… 2002
上直腸静脈 vena rectalis superior …… 2007
上直腸動脈 arteria rectalis superior …… 137
上直腸動脈 superior rectal artery …… 153
上直腸動脈神経叢 superior rectal (nerve) plexus …… 1444
上直腸リンパ節 superior rectal lymph nodes …… 1081
踵痛 talalgia …… 1839
上つち骨靱帯 superior ligament of malleus …… 1040
上つち骨靱帯 ligamentum mallei superius …… 1044
小滴 droplet …… 561
焦点 focus …… 718
焦点 focal point …… 1454
焦点 focal spot …… 1725
上転 supraduction …… 1779
上転 supraversion …… 1780
焦点間隔 focal interval …… 948
焦点距離 focal distance …… 549
小殿筋 gluteus minimus (muscle) …… 1186
小殿筋 musculus gluteus minimus …… 1200
小殿筋の転子包 gluteus minimus bursa 269
小殿筋の転子包 bursa trochanterica musculi glutei minimi …… 271
小殿筋の転子包 trochanteric bursae of gluteus minimus …… 271
焦点サイズ focal spot size …… 718
小転子 lesser trochanter …… 1936
小転子 small trochanter …… 1936
小転子 trochanter minor …… 1936
上殿静脈 superior gluteal veins …… 2002
上殿静脈 venae gluteae superiores …… 2005
上殿神経 superior gluteal nerve …… 1239
上殿神経 nervus gluteus superior …… 1242
焦点深度 focal depth, depth of focus …… 494
焦点てんかん focal epilepsy …… 628
焦点電気泳動 electrofocusing …… 595
上殿動脈 arteria glutea superior …… 135
上殿動脈 superior gluteal artery …… 153
上殿動脈の下枝 inferior branch of superior gluteal artery …… 247
上殿動脈の上枝 superior branch of the superior gluteal artery …… 254
上殿動脈の深枝 deep branch of the superior gluteal artery …… 245
上殿動脈の浅枝 superficial branch of the superior gluteal artery …… 253
上殿皮神経 superior clunial nerves …… 1239
上殿皮神経 nervi clunium superiores …… 1241
焦点-フイルム間距離 focus-film distance (FFD) …… 549
上殿リンパ節 superior gluteal lymph nodes …… 1081
小刀 knife …… 987
小刀 scalpel …… 1640
小島 islet …… 958
小頭 capitellum …… 289
小頭 capitulum …… 289
小頭 microseme …… 1155
少糖 oligosaccharide …… 1297
晶洞 drusen …… 562
衝動 drive …… 561
衝動 impulse …… 917
衝動 impulsion …… 917
情動 affect …… 33
情動 affection …… 33
情動 emotion …… 604
情動運動の affectomotor …… 33
情動置き換え affect displacement …… 548
小頭〔蓋〕症 microcephaly …… 1150
小頭〔蓋〕の microcephalic …… 1150
情動記憶 affect memory …… 1128
情動血管の emotiovascular …… 604
情動〔性〕健忘 emotional amnesia …… 62
小瞳孔〔症〕 microcoria …… 1151
情動洪水法 flooding …… 713
常同思考 stereopathy …… 1744
上頭斜筋 obliquus capitis superior (muscle) …… 1189
上頭斜筋 superior oblique muscle of head …… 1195
上頭斜筋 musculus obliquus capitis superior …… 1201
上橈尺関節 articulatio radioulnaris proximalis …… 157
上橈尺関節 proximal radioulnar articulation …… 158
上橈尺関節 proximal radioulnar joint …… 971
上橈尺関節 superior radioulnar joint …… 971
小頭症 leptocephaly …… 1021
小頭症 nanocephaly …… 1220
常同症 stereotypy …… 1744
情動障害 emotional disease …… 532
情動障害 affective disorders …… 543
情動障害 emotional disorder …… 545
衝動性 saccade …… 1628
衝動性眼球運動 saccadic movement …… 1174
情動精神病 affective psychosis …… 1519
情動性の thymogenic …… 1890
情動性白血球増加〔症〕 emotional leukocytosis …… 1027

シ

情動性無月経 emotional amenorrhea …… 58
衝頭接合する butt …… 272
小痘瘡 variola minor …… 1988
上頭頂間骨 suprainterparietal bone …… 233
上頭頂小葉 lobulus parietalis superior … 1066
上頭頂小葉 superior parietal lobule …… 1066
衝動調節障害 impulse control disorder … 545
情動的加重 emotional overlay …… 1328
衝動的強迫観念 impulsive obsession …… 1288
情動的性格 affective personality …… 1395
情動転換 affect displacement …… 548
情動年齢 emotional age …… 35
小頭〔蓋〕の microcephalic …… 1150
情動剝奪 emotional deprivation …… 494
小動脈 arteriola …… 139
小動脈 arteriole …… 139
小動脈 small arteries …… 152
小動脈の arteriolar …… 139
小動脈瘤 microaneurysm …… 1150
消毒〔法〕 disinfection …… 543
消毒薬 disinfectant …… 543
衝突 impact …… 914
床突起 clinoid …… 375
床突起 processus clinoideus …… 1491
床突起下動脈瘤 infraclinoid aneurysm …… 82
床突起間靱帯 interclinoid ligament …… 1036
床突起上動脈瘤 supraclinoid aneurysm …… 82
衝突腫瘍 collision tumor …… 1950
上内斜位 hyperesophoria …… 880
小内臓〔症〕の microsplanchnic …… 1155
小内臓神経 lesser splanchnic nerve …… 1236
小内臓神経 nervus splanchnicus minor …… 1243
小内臓神経の腎枝 renal branch of lesser splanchnic nerve …… 253
小内臓神経の腎枝 ramus renalis nervi splanchnici minoris …… 1556
上内側縁 superomedial margin …… 1103
上内側縁 margo superomedialis …… 1105
上内側静脈 superior nasal retinal venule …… 2012
上内側静脈 superior nasal venule of retina …… 2012
上内側静脈 venula nasalis retinae superior …… 2012
上内側の superomedial …… 1778
小内転筋 adductor minimus (muscle) … 1181
小内転筋 musculus adductor minimus … 1198
鞘内の intrathecal …… 951
鞘内の subvaginal …… 1768
小児〔科学の〕 pediatric …… 1376
小児〔性〕愛 pedophilia …… 1376
小児科医 pediatrician …… 1376
小児科学 pediatrics …… 1376
小児型呼吸 puerile respiration …… 1595
小児型低アルカリホスファターゼ血症 childhood hypophosphatasia …… 895
小児片麻痺(半側麻痺) infantile hemiplegia …… 830
小児カラアザール ponos …… 1465
小児期 childhood …… 344
小児期アプサンスてんかん childhood absence epilepsy …… 628
小児期間脳症候群 diencephalic syndrome of infancy …… 1802
小児期結核 childhood tuberculosis …… 1945
小児期欠神てんかん childhood absence epilepsy …… 628
小児期早期発症常染色体優性ジストニー early childhood onset autosomal dominant dystonia …… 577
小児期の回避性障害 avoidant disorder of childhood …… 544
〔小児期の〕再発性指線維腫 recurring digital fibroma of childhood …… 694
小児〔期〕崩壊性障害 childhood disintegrative disorder …… 545
小児(児童)虐待 child abuse …… 7
小児急性出血性皮膚浮腫 infantile acute hemorrhagic edema of the skin …… 587
小児恐怖〔症〕 pediophobia …… 1376
小児〔笛声〕喉頭痙攣 laryngismus stridulus …… 1002
小児歯科〔学〕 pedodontics …… 1376
小児歯科医 pedodontist …… 1376
小児(児童)心理学 child psychology …… 1518
小児性欲 infantile sexuality …… 1669
小児の一過性赤芽球減少症 transient erythroblastopenia of childhood …… 639
小児バラ疹 exanthema subitum …… 651
小児バラ疹 roseola infantilis, roseola infantum …… 1623
〔小〕児斑 mongolian spot …… 1725
小児ヘルニア infantile hernia …… 842
小児放射線学 pediatric radiology …… 1544
小児慢性水疱症 chronic bullous dermatosis of childhood …… 498
小乳頭 papillula …… 1347
小乳頭症 microthelia …… 1155
小乳房症 micromazia …… 1152
漿尿膜 chorioallantois …… 355
漿尿膜移植 chorioallantoic graft …… 795
小児リーシュマニア症 infantile leishmaniasis …… 1018
漿〔液〕粘液性の seromucous …… 1666
少年野球肘 Little Leaguer's elbow …… 593
小の minor …… 1159
歯様の odontinoid …… 1292
小嚢 bursula …… 271
小嚢 sacculation …… 1629
小嚢 vesicle …… 2016
樟脳 camphor …… 281
小脳 cerebellum …… 335
小脳萎縮 cerebellar atrophy …… 173
小脳炎 parencephalitis …… 1355
小脳延髄奇形症候群 cerebellomedullary malformation syndrome …… 1800
小脳延髄槽 cerebellomedullary cistern …… 368
小脳延髄槽の静脈 vein of cerebellomedullary cistern …… 1994
小脳延髄の cerebellomedullary …… 335
小脳横裂 fissura transversa cerebelli …… 702
小脳横裂 transverse fissure of cerebellum …… 704
小脳オリーブの cerebelloolivary …… 335
小脳窩 cerebellar fossa …… 731
小脳回 folia cerebelli …… 721
小脳回 folia of cerebellum …… 721
小脳回 microgyria …… 1152
小脳外側核 nucleus lateralis cerebelli … 1276
小脳核 cerebellar nuclei …… 1274
〔小脳〕活樹 arbor vitae …… 123
小脳鎌 falcula …… 670
小脳鎌 falx cerebelli …… 671
小脳〔皮質〕顆粒層 granular layer of cerebellum …… 1010
小脳橋角 cerebellopontine angle …… 88
小脳橋角腫瘍 cerebellopontine angle tumor …… 1950
小脳橋角症候群 cerebellopontine angle syndrome …… 1800
〔小脳〕橋角部腫瘍 pontine angle tumor …… 1951
小脳橋陥凹 cerebellopontine recess …… 1571
小脳橋の cerebellopontine …… 335
小脳橋脳槽造影 cerebellopontine cisternography …… 368
小嚢形成 sacculation …… 1629
小脳結合腕 brachium conjunctivum cerebelli …… 239
小脳欠損 notanencephalia …… 1269
小脳溝 fissurae cerebelli …… 701
小脳溝 cerebellar fissures …… 702
小脳溝 cerebellar sulci …… 1771
小脳鉤状束 uncinate fasciculus of cerebellum …… 677
小脳後上裂 posterior superior fissure …… 703
小脳谷 vallecula cerebelli …… 1983
小脳谷 vallis …… 1984
小脳山頂前裂 preculminate fissure …… 704
小脳山頂裂 intraculminate fissure …… 703
小脳歯状核 dentate nucleus of cerebellum …… 1274
小脳歯状核 nucleus dentatus …… 1274
小脳視床下部線維 cerebellohypothalamic fibers …… 688
小脳視床路 cerebellothalamic tract …… 1910
小脳視床路 tractus cerebellothalamicus 1914
小嚢腫 microcyst …… 1151
小脳〔髄〕症 micrencephaly …… 1149
小脳症候群 cerebellar syndrome …… 1800
小脳小舌 lingula of cerebellum …… 1054
小脳小舌ひも vincula lingulae cerebelli 2020
小脳上の supracerebellar …… 1779
小脳静脈 cerebellar veins …… 1994
小脳静脈 veins of cerebellum …… 1994
小脳静脈 venae cerebelli …… 2004
小脳〔神経膠〕星状細胞腫 cerebellar astrocytoma …… 166
小脳水晶体の cerebellolental …… 335
小脳錐体前裂 prepyramidal fissure …… 704
小脳髄板 laminae medullares cerebelli … 998
小脳性運動失調 cerebellar ataxia …… 167
小脳性硬直 cerebellar rigidity …… 1616
小脳性固縮 cerebellar rigidity …… 1616
小脳星状〔膠〕細胞腫 cerebellar astrocytoma …… 166
小嚢性動脈瘤 saccular aneurysm, sacculated aneurysm …… 82
小脳〔性〕の cerebellar …… 334
小脳性発語 cerebellar speech …… 1709
小脳性歩行 cerebellar gait …… 748
小脳赤核の cerebellorubral …… 335
小脳赤核路 cerebellorubral tract …… 1910
小脳赤核路 tractus cerebellorubralis …… 1914
小脳脊髄 cerebellospinal fibers …… 688
小脳第一裂 primary fissure of cerebellum …… 704
小脳第二裂 secondary fissure [TA] of cerebellum …… 704
小脳中心小脳 lobulus centralis corporis cerebelli …… 1066
小脳中心小葉 central lobule of cerebellum …… 1065
〔小脳〕中心小葉 central lobule …… 1065
小脳中心前静脈 precentral cerebellar vein …… 2000
小脳中心前静脈 vena precentralis cerebelli …… 2007
小脳中心前裂 precentral fissure …… 704
小脳虫部 vermis …… 2013
小脳虫部窩 vermian fossa …… 734
小脳虫部垂 uvula [TA] of cerebellum 1978
小脳虫部錐体 pyramid of vermis …… 1533
小脳テント tentorium cerebelli …… 1851
小脳動脈 cerebellar arteries …… 143
小脳内側核 nucleus medialis cerebelli … 1277
小脳内の intracerebellar …… 950
小脳嚢腫 cerebellar cyst …… 458
〔小脳の〕髄体 corpus medullare cerebelli 425
〔小脳の〕水平裂 fissura horizontalis …… 701
〔小脳の〕水平裂 horizontal fissure [TA] of cerebellum …… 702
〔小脳の〕第一裂 fissura prima cerebelli … 702
〔小脳の〕第二裂 fissura secunda cerebelli 702
〔小脳の〕大水平裂 great horizontal fissure …… 702
小脳白質板 laminae albae cerebelli …… 996
小脳半球 hemisphere of cerebellum [H II–H X] …… 830

〔小脳半球〕下面 facies inferior hemispherii cerebri … 663
〔小脳半球〕下面 inferior surface of cerebellar hemisphere … 1781
〔小脳半球〕上面 facies superior hemispherii cerebelli … 665
〔小脳半球〕上面 superior surface of cerebellar hemisphere … 1783
小脳皮質 cerebellar cortex … 427
小脳皮質 cortex cerebelli … 427
小脳〔皮質〕顆粒層 granular layer of cerebellum … 1010
〔小脳皮質〕顆粒層 granular layer of cerebellar cortex … 1010
〔小脳皮質〕顆粒層 stratum granulosum corticis cerebelli … 1752
小脳皮質の神経細胞層 ganglionic layer of cerebellar cortex … 1010
小脳皮質の層 layers of cerebellar cortex … 1009
〔小脳皮質〕分子層 stratum moleculare corticis cerebelli … 1752
〔小脳皮質〕分子層 molecular layer of cerebellar cortex … 1011
樟脳フェノール camphorated phenol … 1403
小脳ヘルニア parencephalocele … 1355
小脳扁桃 cerebellar tonsil … 1901
小脳扁桃 tonsil of cerebellum … 1901
小脳扁桃 tonsilla cerebelli … 1901
小脳扁桃枝 ramus tonsillae cerebellae … 1557
〔小脳〕扁桃ヘルニア tonsillar herniation 844
小膿疱 pimple … 1424
娘〔嚢〕胞 daughter cyst … 459
小嚢胞性角膜上皮ジストロフィ microcystic epithelial dystrophy … 579
小脳葉 subfolium … 1763
樟脳リニメント camphor liniment … 281
小脳鎌 falcula … 670
小脳鎌 falx cerebelli … 671
小杯 caliculus … 279
小配偶子 microgamete … 1151
小配偶子生殖 microgamy … 1151
上肺底静脈 superior basal vein … 2002
上肺底静脈 vena basalis superior … 2004
〔左・右下肺静脈の〕上肺底静脈の前肺底静脈 anterior basal branch of superior basal vein (of left and right inferior pulmonary veins) … 242
上肺底静脈の前肺底静脈 ramus basalis anterior venae basalis superioris … 1548
乗馬脚 rider's leg … 1015
乗馬筋 rider's muscles … 1192
乗馬骨 rider's bone … 233
蒸発 evaporation … 649
蒸発 exhalation … 653
蒸発 vaporization … 1987
蒸発器 inspissator … 940
蒸発計 atmometer … 170
蒸発熱 heat of evaporation … 821
蒸発物 exhalation … 653
小板 platelet … 1436
上半月小葉 lobulus semilunaris superior 1066
上半月小葉 superior semilunar lobule … 1066
小皮 cuticle … 452
小皮 cuticula … 453
小皮 pellicle … 1378
小脾〔症〕 microsplenia … 1155
消費 consumption … 415
上皮 epithelium … 632
上皮〔性〕形成異常(異形成) epithelial dysplasia … 575
上皮移動 epithelial migration … 1157
上皮〔性〕円柱 epithelial cast … 309
上被蓋中心核 nucleus centralis tegmenti superior … 1274
上皮下組織 subepithelium … 1763
上皮下の subepithelial … 1763
上皮下方増殖 epithelial downgrowth … 558
上皮癌 epithelial cancer … 286
上皮筋上皮癌 epithelial myoepithelial carcinoma … 297
上皮形成 epithelialization … 631
上鼻甲介 superior nasal concha … 407
上腓骨筋支帯 superior fibular retinaculum … 1601
上皮細胞 epithelial cell … 321
上皮細胞 epitheliocyte … 631
上皮細胞間の intraepithelial … 950
上皮細胞毒素 trichotoxin … 1931
上皮腫 epithelioma … 631
上皮絨毛膜胎盤 epitheliochorial placenta … 1428
上皮症 epitheliopathy … 632
上皮症 epitheliosis … 632
上皮小体 parathyroid gland … 774
上皮小体 glandula parathyroidea … 776
上皮小体(副甲状腺)機能亢進症 hyperparathyroidism … 885
上皮小体(副甲状腺)機能低下症 hypoparathyroidism … 895
上皮小体(副甲状腺)機能低下症 hypoparathyroidism syndrome … 1808
上皮小体欠損〔症〕 aparathyroidism … 112
上皮小体刺激〔性〕の parathyrotropic, parathyrotrophic … 1355
上皮小体主細胞 chief cell of parathyroid gland … 320
上皮小体除去テタニー parathyroid tetany … 1870
上皮小体切除〔術〕 parathyroidectomy … 1355
上皮小体摘出〔術〕 parathyroidectomy … 1355
上皮小体の parathyroid … 1355
上皮漿膜帯 zona epithelioserosa … 2058
上皮真珠 epithelial pearl … 1375
踵腓靱帯 calcaneofibular ligament … 1033
踵腓靱帯 ligamentum calcaneofibulare 1042
上皮親和性の epitheliotropic … 632
上皮〔性〕形成異常(異形成) epithelial dysplasia … 575
上皮性外胚葉 epithelial ectoderm … 585
消費性凝固障害 consumption coagulopathy … 382
上皮成長因子受容体 epidermal growth factor receptor (EGFR) … 1570
上皮性網状細胞 epithelial reticular cell 321
上皮栓子 epithelial plug … 1446
上皮巣 epithelial nest … 1244
上皮増殖因子 epidermal growth factor (EGF) … 667
上皮組織 dome epithelium … 632
上皮組織 epithelial tissue … 1895
上皮脱落 epithalaxia … 631
上皮内癌 carcinoma in situ (CIS) … 298
上皮内高度扁平上皮異型 high-grade squamous intraepithelial lesion (HSIL, HGSIL) … 1023
上皮内小葉癌 lobular carcinoma in situ 297
上皮内腺 intraepithelial glands … 773
上皮内腺癌 adenocarcinoma in situ … 24
上皮内の intraepithelial … 950
上皮の epithelial … 631
常備の officinal … 1293
上皮嚢胞(嚢腫) epithelial cyst … 459
上皮板 epithelial lamina … 997
上皮板 lamina epithelialis … 997
上皮膜抗原 epithelial membrane antigen (EMA) … 103
小ひも teniola … 1850
上皮溶解性の epitheliolytic … 631
傷病兵 invalid … 952
小鼻翼軟骨 lesser alar cartilages … 306
小鼻翼軟骨 minor alar cartilage of nose 306
小鼻翼軟骨 cartilagines alares minores nasi … 307
商品名 proprietary name … 1499
踵部 regio calcanea … 1583
踵部 calcaneal region … 1585
踵部 heel region … 1585
上部灰白脳炎 superior polioencephalitis 1457
〔肩甲舌骨筋の〕上腹 superior belly of omohyoid muscle … 205
〔肩甲舌骨筋の〕上腹 venter superior musculi omohyoidei … 2009
上腹角 epigastric angle … 88
上副甲状腺(上皮小体) superior parathyroid gland … 774
上腹骨膜反射 upper abdominal periosteal reflex … 1582
小伏在静脈 small saphenous vein … 2001
小伏在静脈 vena saphena parva … 2007
上副腎(腎上体)動脈 arteriae suprarenales superiores … 138
上副腎(腎上体)動脈 superior suprarenal arteries … 153
上腹体 epigastrius … 627
上腹部 epigastrium … 627
上腹部痛 epigastralgia … 627
上腹壁静脈 superior epigastric veins … 2002
上腹壁静脈 venae epigastricae superiores … 2005
上腹壁動脈 arteria epigastrica superior … 135
上腹壁動脈 superior epigastric artery … 153
上腹壁ヘルニア epigastric hernia … 842
小腹膜嚢口 aditus ad saccum peritonei minorem … 29
上部構造 superstructure … 1778
ショウブ根 calamus … 275
上部消化管造影 upper gastrointestinal series (UGIS) … 1666
小フリクテン phlyctenula … 1409
小〔分〕割球 micromere … 1152
上吻合静脈 superior anastomotic vein … 2002
上吻合静脈 vena anastomotica superior 2004
小分生子 microconidium … 1151
上分節 epimere … 629
小柄 sterigma … 1744
ショウベイ菌 *Clostridium chauvoei* … 376
障壁 barrier … 198
障壁 claustrum … 372
〔眼窩〕上壁 paries superior orbitae … 1356
〔眼窩〕上壁 superior wall of orbit … 2040
小弁 valvule … 1986
小胞 acinus … 15
小胞 caveola … 315
小胞 cellule … 328
小胞 follicle … 721
小胞 folliculus … 722
小胞 vacuole … 1981
小疱 vesicle … 2016
小帽 cupula ampullaris … 449
小房 cellule … 328
〔小〕房 loculus … 1067
小胞炎 cellulitis … 328
小胞炎 vesiculitis … 2017
情報科学(インフォマティックス) informatics … 930
小泡空洞音〔性〕の vesiculocavernous … 2017
小胞空洞性呼吸 vesiculocavernous respiration … 1595
小胞形成 loculation … 1067
小胞形成 vesiculation … 2017
小房形成 loculation … 1067
上膀胱動脈 arteriae vesicales superiores 138
上膀胱動脈 superior vesical arteries … 153
消泡剤 antifoaming agents … 36
小胞子 sporule … 1724
小胞子菌属 *Microsporum* … 1155
情報システム information system … 1832

シ

小房周囲の periacinal, periacinous …… 1385
小胞周縁の parafollicular …… 1349
小胞症 folliculosis …… 722
小胞状腺腫 follicular adenoma …… 25
小疱疹 vesicle …… 2016
小胞性角膜症 vesicular keratopathy …… 980
小胞性呼吸 vesicular respiration …… 1595
〔小〕房性蓄膿〔症〕 loculated empyema …… 606
小房〔性〕嚢胞(嚢腫) parvilocular cyst …… 460
小胞性膿瘍 follicular abscess …… 5
小胞体 endoplasmic reticulum (ER) …… 1599
小房体 loculation …… 1067
小膨大〔部〕 ampullula …… 65
小胞体ゴルジ中間区画 endoplasmic reticulum Golgi intermediate compartment (ERGIC) …… 399
小胞体の嚢 cistern of cytoplasmic reticulum …… 368
床包皮 clinoid process …… 1488
小胞付随性の parafollicular …… 1349
情報理論 information theory …… 1876
小発作 petit mal seizure …… 1657
小膜 membranelle …… 1128
漿膜 membrana serosa …… 1124
漿膜 serous membrane …… 1127
漿膜 serosa …… 1666
漿膜 serous tunic …… 1952
漿膜 tunica serosa …… 1953
〔胃〕漿膜 tunica serosa ventriculi …… 1954
〔肝臓〕漿膜 tunica serosa hepatis …… 1953
〔結腸〕漿膜 tunica serosa coli …… 1953
〔子宮〕漿膜 tunica serosa uteri …… 1954
〔小腸〕漿膜 serosa of small intestine …… 1667
〔小腸〕漿膜 tunica serosa intestini tenuis …… 1954
〔胆嚢〕漿膜 tunica serosa vesicae felleae …… 1954
〔腹膜〕漿膜 tunica serosa peritonei …… 1954
〔膀胱〕漿膜 serosa of (urinary) bladder 1667
〔膀胱〕漿膜 tunica serosa vesicae (urinariae) …… 1954
〔卵管〕漿膜 serosa of uterine tube …… 1667
〔卵管〕漿膜 tunica serosa tubae uterinae …… 1954
漿膜炎 serositis …… 1667
漿膜黄変〔症〕 cirrhonosus …… 367
漿膜外筋膜 extraserosal fascia …… 673
鞘膜外捻転 extravaginal torsion …… 1904
漿膜下神経叢 subserous (nerve) plexus 1444
漿膜下組織 subserous layer …… 1013
漿膜下組織 subserosa …… 1765
漿膜下組織 tela subserosa …… 1846
漿膜下の subserous, subserosal …… 1765
漿膜筋層切開 seromyotomy …… 1666
漿膜腔外の extraserous …… 658
漿膜性心膜 pericardium serosum …… 1386
漿膜性心膜 serous pericardium …… 1386
漿膜性心膜の漿膜 serosa of serous pericardium …… 1667
漿膜性の seromembranous …… 1666
漿膜性腹膜 serous layer of peritoneum 1013
漿膜性腹膜 serosa of peritoneum …… 1667
漿膜線維性の serofibrous …… 1666
鞘膜内捻転 intravaginal torsion …… 1904
漿膜ひだ serous ligament …… 1040
漿膜ひだ ligamentum serosum …… 1045
小松葉油 oil of dwarf pine needles …… 1294
賞味 degustation …… 482
小脈 pulsus parvus …… 1526
静脈 vein …… 1993
静脈 vena …… 2004
静脈〔血〕圧計 phlebomanometer …… 1408
静脈うっ血 venostasis …… 2009
静脈〔性〕うっ血 venous congestion …… 410
静脈うっ滞 phlebostasis …… 1408
静脈うっ滞 venous stasis …… 1739
静脈うっ滞網膜症 venous-stasis retinopathy …… 1603
静脈運動の venomotor …… 2009
静脈炎 phlebitis …… 1408
静脈炎後症候群 postphlebitic syndrome 1816
静脈角 venous angle …… 90
静脈学 phlebology …… 1408
静脈拡張〔症〕 venectasia …… 2008
静脈拡張性血栓症 dilation thrombosis …… 1888
小脈管 vasculum …… 1990
静脈管 ductus venosus …… 566
静脈管窩 fossa ductus venosi …… 732
静脈管窩 fossa of ductus venosus …… 732
静脈管索 venous ligament …… 1041
静脈管索 ligamentum venosum …… 1046
静脈管索裂 fissura ligamenti venosi …… 702
静脈管索裂 fissure for ligamentum venosum …… 703
静脈管索裂 fissure of venous ligament …… 704
静脈還流 venous return …… 1605
〔右心房の〕静脈間隆起 intervenous tubercle (of right atrium) …… 1943
〔右心房の〕静脈間隆起 tuberculum intervenosum (atrii dextri) …… 1946
静脈狭窄〔症〕 phlebostenosis …… 1408
静脈筋層増殖 phlebomyomatosis …… 1408
静脈緊張薬 venotonic …… 2009
静脈系 venation …… 2008
静脈形成〔術〕 phleboplasty …… 1408
静脈血 venous blood …… 223
静脈血圧の venopressor …… 2009
静脈血うっ滞 venostasis …… 2009
静脈血うっ滞法 phlebostasis …… 1408
静脈血うっ滞用器 venostat …… 2009
静脈結石 phlebolith …… 1408
静脈〔結〕石 vein stone …… 1749
静脈結石症 phlebolithiasis …… 1408
静脈血栓症 phlebothrombosis …… 1408
静脈湖 venous lakes …… 995
静脈孔 foramen venosum …… 726
静脈溝 venous grooves …… 803
静脈溝 sulci venosi …… 1775
静脈硬化〔症〕 phlebosclerosis …… 1408
静脈呼吸反射 venorespiratory reflex …… 1582
静脈コマ音 venous hum …… 866
静脈造影(撮影)〔法〕 venography …… 2009
静脈撮影図(像) venogram …… 2009
静脈雑音 venous murmur …… 1180
静脈周囲炎 periphlebitis …… 1392
静脈周囲の perivenous …… 1394
静脈循環力学 phlebodynamics …… 1408
静脈静脈吻合〔術〕 venovenostomy …… 2009
静脈心 venous heart …… 821
静脈図 phlebogram …… 1408
静脈星 venous star …… 1738
静脈性血管腫 venous angioma …… 85
静脈〔性〕の venous …… 2009
静脈性母斑 nevus venosus …… 1256
静脈性毛細血管 venous capillary …… 289
静脈切開 phlebotomy …… 1409
静脈切開〔術〕 venotomy …… 2009
静脈切除〔術〕 phlebectomy …… 1408
静脈切除〔術〕 venectomy …… 2008
静脈穿刺 venipuncture …… 2008
静脈叢 plexus venosus …… 1444
静脈叢 venous plexus …… 1444
静脈相 venation …… 2008
静脈造影図(像) venogram …… 2009
静脈〔内〕注射(注入) phleboclysis …… 1408
静脈中膜炎 mesophlebitis …… 1137
静脈〔内〕点滴 drip phleboclysis …… 1408
静脈洞 sinus venosus …… 1689
静脈洞炎 sinusitis …… 1689
静脈洞交会 confluence of sinuses …… 410
静脈洞交会 confluens sinuum …… 410
静脈洞症候群 sinus venosus syndrome 1820
静脈怒張 varicosis …… 1988
静脈怒張の varicose …… 1988
静脈内中隔 endovenous septum, septum endovenosum …… 1663
静脈内滴注〔法〕 intravenous drip …… 560
静脈〔内〕の intravenous (IV, I.V., i.v.) 951
静脈内ボーラス intravenous bolus …… 230
静脈内膜炎 endophlebitis …… 614
静脈〔内〕麻酔〔法〕 intravenous anesthesia 80
静脈〔内〕麻酔薬 intravenous anesthetic …… 81
静脈〔脈〕波〔曲線〕 phlebogram …… 1408
静脈拍動 venous pulse …… 1525
静脈拍動 pulsus venosus …… 1526
静脈抜去器(剝離器) vein stripper …… 1757
静脈波計 phlebograph …… 1408
静脈抜去〔術〕 strip …… 1757
静脈波描画法 phlebography …… 1408
静脈不全 venous insufficiency …… 941
静脈閉塞プレチスモグラフィ venous occlusion plethysmography …… 1437
静脈弁 venous valve …… 1985
静脈弁 valvula venosa …… 1986
静脈弁洞隆起 prominence of venous valvular sinus …… 1497
静脈弁隆起 agger valvae venae …… 37
静脈縫合〔術〕 phleborrhaphy …… 1408
静脈傍の paravenous …… 1355
上脈絡叢静脈 superior choroid vein …… 2002
上脈絡叢静脈 vena choroidea superior 2005
静脈瘤 phlebeurysm …… 1408
静脈瘤 varix …… 1989
静脈瘤〔症〕 varicosis …… 1988
静脈瘤形成 varication …… 1988
静脈瘤状気管支拡張症 varicose bronchiectasis …… 258
静脈瘤状動脈瘤 cirsoid aneurysm …… 81
静脈瘤性潰瘍 varicose ulcer …… 1961
静脈瘤性湿疹 varicose eczema …… 586
静脈瘤性静脈炎 varicophlebitis …… 1988
静脈瘤性神経痛 phlebalgia …… 1408
静脈瘤性動脈瘤 varicose aneurysm …… 82
静脈瘤切開〔術〕 varicotomy …… 1988
静脈瘤造影〔法〕 varicography …… 1988
静脈瘤様腫脹 varicosity …… 1988
焼ミョウバン dried alum …… 54
焼ミョウバン exsiccated alum …… 54
照明 illumination …… 907
証明 certification …… 335
上迷管 superior aberrant ductule …… 565
照明レチノスコープ luminous retinoscope …… 1603
消滅時間 fading time …… 1893
消滅する die …… 514
消滅放射線 annihilation radiation …… 1541
小メロゾイト micromerozoite …… 1152
〔小脳半球〕上面 facies superior hemispherii cerebelli …… 665
〔小脳半球〕上面 superior surface of cerebellar hemisphere …… 1783
小網 lesser omentum …… 1298
小網 omentulum …… 1298
小網 omentum minus …… 1298
小網 reticulum …… 1599
消耗 consumption …… 415
消耗 depletion …… 492
消耗 exhaustion …… 653
消耗 rarefaction …… 1559
消耗 tabescence …… 1836
睫毛 cilium …… 362
睫毛 eyelash …… 660
睫毛 lash …… 1004
睫毛襟状付着物 collarette …… 391
睫毛痤瘡 acne ciliaris …… 16
消耗色素 wear-and-tear pigment …… 1423
睫毛重生 distichiasis …… 549
睫毛重生〔症〕 districhiasis …… 550

消耗症 marasmus …… 1102
睫毛四列症 tetrastichiasis …… 1872
消耗性クワシオルコル marasmic kwashiorkor …… 990
消耗性疾患 phthisis …… 1419
消耗性の debilitating …… 473
消耗〔性〕の hectic …… 821
睫毛腺 ciliary glands …… 772
睫毛腺 glandulae ciliares …… 775
睫毛脱落症 milphosis …… 1158
睫毛多列症 polystichia …… 1465
消耗熱性潮紅 hectic flush …… 717
睫毛の ciliary …… 362
睫毛のある ciliated …… 362
上毛様体性内眼角ぜい皮 epicanthus supraciliaris …… 625
睫毛乱生〔症〕 trichiasis …… 1928
小網隆起 omental eminence of pancreas 603
小網隆起 omental tuber …… 1942
生薬 galenicals …… 750
生薬(しょうやく) crude drug …… 561
生薬学 pharmacognosy …… 1400
生薬学者 pharmacognosist …… 1400
小葉 lobe …… 1063
小葉 lobule …… 1064
小葉 lobulus …… 1066
〔右または左肺の〕上葉 superior lobe of (right/left) lung …… 1064
〔右または左肺の〕上葉 lobus superior pulmonis (dextri et sinistri) …… 1067
小葉下の sublobular …… 1764
小葉癌 acinic cell carcinoma …… 295
小葉癌 lobular carcinoma …… 297
小葉間気腫 interlobular emphysema …… 605
小葉間胸膜炎 interlobular pleurisy …… 1438
小葉間胆管 interlobular bile ducts …… 564
小葉間胆管 interlobular ductules …… 565
小葉間胆管 ductuli interlobulares …… 566
小葉間導管 interlobular duct …… 564
小葉間動脈 arteriae interlobulares …… 135
小葉間動脈 cortical radiate arteries …… 144
小葉間の interlobular …… 946
小腰筋 psoas minor (muscle) …… 1191
小腰筋 smaller psoas (muscle) …… 1194
小腰筋 musculus psoas minor …… 1202
常用者 addict …… 23
〔小〕葉状の foliate …… 721
小妖精顔〔貌〕 elfin facies …… 663
逍遙性の peripatetic …… 1391
小葉中心性肺気腫 centrilobular emphysema …… 605
小葉中心の centrilobular …… 331
上葉動脈 arteriae lobares superiores pulmonis …… 136
上葉動脈 superior lobar arteries …… 153
小葉内管 intralobular duct …… 564
小葉内の intralobular …… 950
〔小〕葉の foliate …… 721
情欲 passion …… 1370
情欲挑発 erotogenesis …… 637
小卵 ovule …… 1329
少卵黄の miolecithal …… 1159
少卵黄の oligolecithal …… 1297
踵立方関節 articulatio calcaneocuboidea 157
踵立方関節 calcaneocuboid joint …… 969
踵立方靱帯 calcaneocuboid ligament …… 1033
踵立方靱帯 ligamentum calcaneocuboideum …… 1042
省略 ellipsis …… 599
省略眼 reduced eye …… 659
上流 upstream …… 1968
蒸留 distillation …… 549
小隆起 torulus …… 1905
蒸留酒 spirit …… 1717
蒸留水 distilled water …… 2041
蒸留フラスコ retort …… 1603
小稜 semicrista …… 1659
小菱形筋 lesser rhomboid muscle …… 1188
小菱形筋 rhomboid minor (muscle) …… 1192
小菱形筋 musculus rhomboideus minor 1203
小菱形骨 trapezoid (bone) …… 234
小菱形骨 os trapezoideum …… 1318
小リンパ球性リンパ腫 small lymphocytic lymphoma …… 1084
上輪部角結膜炎 superior limbic keratoconjunctivitis …… 978
症例 case …… 308
症例マネージメント case management 1098
小裂 fissula …… 701
小裂 rimula …… 1617
小裂孔 lacunule …… 995
小連結子 minor connector …… 413
小鎌状赤血球症 microdrepanocytosis …… 1151
抄録 abstract …… 7
上肋横突靱帯 superior costotransverse ligament …… 1040
上肋横突靱帯 ligamentum costotransversarium superius …… 1043
〔最〕上肋間動脈 superior intercostal artery …… 153
上肋間動脈背枝 dorsal branches of the superior intercostal artery …… 246
上肋骨窩 superior costal facet …… 662
上肋骨窩 fovea costalis superior …… 735
上肋骨窩 superior costal pit …… 1426
小沪胞状腺腫 microfollicular adenoma …… 26
小沪胞性甲状腺腫 microfollicular goiter 790
じょうろ様会陰 watering-can perineum 1389
小弯 curvatura ventriculi minor …… 450
小弯 lesser curvature of stomach …… 450
上腕 arm …… 131
上腕 brachium …… 239
上腕 arm region …… 1585
上腕 brachial region …… 1585
上腕腋窩リンパ節 humeral axillary lymph nodes …… 1078
上腕腋窩リンパ節 nodi lymphoidei axillares humerales …… 1263
上腕外側面 facies lateralis brachii …… 664
上腕外側面 lateral surface of arm …… 1782
上腕関節窩の glenohumeral …… 777
上腕筋 brachial muscle …… 1182
上腕筋 brachialis (muscle) …… 1182
上腕筋 musculus brachialis …… 1199
上腕筋膜 brachial fascia …… 672
上腕筋膜 fascia brachii …… 672
上腕屈筋区画 compartimentum brachii flexorum …… 398
上腕肩甲の humeroscapular …… 867
上腕後部 posterior region of arm …… 1586
上腕後部の postbrachial …… 1470
上腕骨 humerus …… 867
上腕骨栄養動脈 arteriae nutriciae humeri …… 136
上腕骨栄養動脈 humeral nutrient arteries …… 145
上腕骨栄養動脈 nutrient arteries of humerus …… 149
上腕骨顆 condyle of humerus …… 408
上腕骨顆 condylus humeri …… 409
上腕骨外側縁 lateral border of humerus 235
上腕骨外側縁 margo lateralis humeri …… 1104
上腕骨外側上顆 epicondylus lateralis humeri …… 625
上腕骨外側上顆 lateral epicondyle of humerus …… 625
上腕骨顆上突起 supracondylar process of humerus …… 1490
上腕骨顆上突起 processus supracondylaris humeri …… 1492
上腕骨滑車 pulley of humerus …… 1523
上腕骨滑車 trochlea humeri …… 1936
上腕骨滑車 trochlea of humerus …… 1936
上腕骨幹(骨体) shaft of humerus …… 1670
上腕骨頸 collum humeri …… 392
上腕骨頸 neck of humerus …… 1223
上腕骨後面 facies posterior corporis humeri …… 664
上腕骨後面 posterior surface of shaft of humerus …… 1783
〔上腕骨〕上顆上突起 supraepicondylar process …… 1490
〔上腕骨〕小結節 lesser tubercle (of humerus) …… 1943
〔上腕骨〕小結節 tuberculum minus (humeri) …… 1946
上腕骨小頭 capitulum of humerus …… 289
上腕骨小頭 little head of humerus …… 817
上腕骨前外側面 anterolateral surface of (shaft of) humerus …… 1780
上腕骨前内側面 anteromedial surface of (shaft of) humerus …… 1780
上腕骨体 corpus humeri …… 425
上腕骨体(骨幹) shaft of humerus …… 1670
〔上腕骨〕大結節 greater tubercle (of humerus) …… 1943
〔上腕骨〕大結節 tuberculum majus (humeri) …… 1946
上腕骨頭 caput humeri …… 291
上腕骨頭 head of humerus …… 817
上腕骨橈骨窩 fossa radialis humeri …… 733
上腕骨橈骨窩 radial fossa of humerus …… 733
上腕骨内側縁 medial border of humerus 235
上腕骨内側縁 margo medialis humeri … 1104
上腕骨内側上顆 medial epicondyle of humerus …… 625
上腕骨内側上顆 epicondylus medialis humeri …… 626
上腕骨の humeral …… 867
〔上腕骨の〕解剖頸 collum anatomicum humeri …… 392
〔上腕骨の〕解剖頸 anatomical neck of humerus …… 1223
〔上腕骨の〕外科頸 collum chirurgicum humeri …… 392
〔上腕骨の〕外科頸 surgical neck of humerus …… 1223
〔上腕骨の〕三角筋粗面 tuberositas deltoidea (humeri) …… 1947
〔上腕骨の〕三角筋粗面 deltoid tuberosity (of humerus) …… 1947
上腕三頭筋 triceps brachii (muscle) …… 1197
上腕三頭筋 triceps muscle of arm …… 1197
上腕三頭筋 musculus triceps brachii …… 1204
上腕三頭筋腱下包 bursa subtendinea musculi tricipitis brachii …… 270
上腕三頭筋腱下包 subtendinous bursa of triceps brachii …… 271
上腕三頭筋腱下包 triceps bursa …… 271
上腕三頭筋の外側頭 caput laterale musculi tricipitis brachii …… 292
上腕三頭筋の長頭 caput longum musculi tricipitis brachii …… 292
上腕三頭筋の内側頭 caput mediale musculi tricipitis brachii …… 292
上腕三頭筋の内側頭 medial head of triceps brachii (muscle) …… 817
〔上腕〕三頭筋反射 triceps reflex …… 1582
小腕症 microbrachia …… 1150
上腕静脈 brachial veins …… 1994
上腕静脈 venae brachiales …… 2004
上腕神経性分娩麻痺 brachial birth palsy …… 1340
上腕深動脈 arteria profunda brachii …… 137
上腕深動脈 deep brachial artery …… 144
上腕深動脈 profunda brachii artery …… 151
上腕深動脈三角筋枝 ramus deltoideus arteriae profundae brachii …… 1550

上腕切断 A-E amputation …… 65
上腕前部 anterior brachial region …… 1584
上腕前部 anterior region of arm …… 1584
上腕前面 facies anterior brachii …… 662
上腕痛 brachialgia …… 239
上腕頭 caput humerale …… 291
上腕頭 humeral head …… 817
上腕動脈 arteria brachialis …… 134
上腕動脈 brachial artery …… 143
上腕動脈 humeral artery …… 145
上腕動脈神経叢 brachial autonomic plexus …… 1439
上腕〔動脈〕脈波曲線 brachiogram …… 239
上腕二頭筋 biceps brachii (muscle) …… 1182
上腕二頭筋 biceps muscle of arm …… 1182
上腕二頭筋 musculus biceps brachii …… 1199
上腕二頭筋腱膜 aponeurosis musculi bicipitis brachii …… 117
上腕二頭筋腱膜 bicipital angina, aponeurosis bicipitalis …… 117
上腕二頭筋短頭 short head of biceps brachii …… 818
上腕二頭筋の長頭 caput longum musculi bicipitis brachii …… 292
上腕の brachial …… 239
上腕の後区画 posterior compartment of arm …… 399
上腕の前方区画 anterior compartment of arm …… 399
上腕麻酔〔法〕 brachial anesthesia …… 79
上腕リンパ節 brachial gland …… 772
上腕リンパ節 brachial lymph nodes …… 1077
除液管 drain …… 559
除外 exclusion …… 652
除外食 elimination diet …… 514
除外〔的〕診断 diagnosis by exclusion …… 508
初回通過代謝 first-pass metabolism …… 1138
除活〔法〕 devitalization …… 503
除感作 desensitization …… 499
初感染結核〔症〕 primary tuberculosis …… 1946
助甘味原子団 auxogluc …… 182
初期う食 incipient caries …… 302
初期う蝕 incipient caries …… 302
初期う食(蝕) primary caries …… 303
初期エンドソーム early endosomes …… 615
初期(一次)結核〔症〕 primary tuberculosis …… 1946
初期血尿 initial hematuria …… 827
初期コクシジオイデス真菌症 primary coccidioidomycosis …… 384
初期接触 initial contact …… 415
初期胎児 neofetus …… 1227
初期妊娠中絶 dilation and extraction (D & E) …… 519
初期熱 initial heat …… 821
〔初期胚細胞の〕割球 cyema …… 457
初期梅毒 primary syphilis …… 1828
初期変化群 primary complex …… 402
初期免疫反応 primary immune response …… 1596
除去 abatement …… 1
除去 depletion …… 492
除去 elimination …… 599
除去 excision …… 652
除去 stripping …… 1757
除去修復 excision repair …… 1590
除去率 extraction coefficient …… 387
除去率 extraction ratio (E) …… 1560
食〔物〕 diet …… 514
職員 staff …… 1727
食塩 salt …… 1632
食塩感受性 salt sensitivity …… 1661
食塩欠乏症候群 salt depletion syndrome …… 1818
食塩欠乏性クリーゼ salt-depletion crisis 439
食塩水 saline …… 1631
食塩水 saline solution …… 1698
食塩水浣腸 analeptic enema …… 616
食塩水凝集素 saline agglutinin …… 37
食塩性水腫(浮腫) salt edema …… 587
食塩熱 salt fever …… 686
食塩の saline …… 1631
〔食〕塩排泄 saluresis …… 1632
食塩負荷 salt loading …… 1063
食塩滅菌器 hot salt sterilizer …… 1744
触〔覚〕細胞 tactile cell …… 326
食芽細胞 phagocytoblast …… 1398
触〔感〕覚 tactile sense …… 1661
職業性神経症 cramp …… 433
職業性難聴 occupational hearing loss …… 820
職業病 occupational disease …… 538
食〔菌〕作用 phagocytosis …… 1398
食〔菌〕作用不全 dysphagocytosis …… 574
触空間閾値測定〔法〕 esthesiometry …… 643
食血〔現象〕 hematophagia …… 827
色原体 chromogen …… 358
食原虫細胞 protozoophage …… 1508
色光線療法 chromotherapy …… 360
織工の殿部 weaver's bottom …… 2043
食後痛 postprandial pain …… 1337
食後に起こる postprandial …… 1471
食後の postprandial …… 1471
〔貪〕食細胞 phagocyte …… 1398
食細胞機能障害免疫不全 phagocytic dysfunction immunodeficiency …… 911
食細胞機能不全 phagocyte dysfunction …… 572
食細胞崩壊 phagocytolysis …… 1398
食作用係数 phagocytic index …… 923
食作用阻止性の antiphagocytic …… 108
色三角 color triangle …… 394
触糸 tentacle …… 1851
食思 orexia …… 1311
〔着〕色視〔症〕 chromatopsia …… 357
食事 diet …… 514
食事 meal …… 1112
食事(餌)性高インスリン症 alimentary hyperinsulinism …… 882
食事性五炭糖尿〔症〕 alimentary pentosuria …… 1382
食事性骨障害 alimentary osteopathy …… 1323
食事性脂〔肪〕血症 alimentary lipemia …… 1055
食事性線維 dietary fiber …… 688
食物(食事)性喘息 food asthma …… 165
食事性蛋白尿〔症〕 dietetic albuminuria …… 43
食事性糖尿 alimentary glycosuria …… 789
食事〔性〕の alimentary …… 47
食事〔性〕の dietetic …… 515
食事性ペントース尿〔症〕 alimentary pentosuria …… 1382
食事性無月経 dietary amenorrhea …… 58
色失認 color neglect …… 1226
色失認〔症〕 color agnosia …… 38
食事熱 food fever …… 684
食事の prandial …… 1475
食事品質指数 diet quality index …… 922
触手 tentacle …… 1851
食事療法 dietetic treatment …… 1923
食事療法学 dietetics …… 515
触診 touch …… 1905
触診〔法〕 palpation …… 1339
触診的打診〔法〕 palpatory percussion …… 1384
食人バエ *Cordylobia anthropophaga* …… 422
食前 ante cibum …… 97
褥瘡 bedsore …… 204
褥瘡 decubitus …… 475
褥瘡 bed sore …… 1701
褥瘡潰瘍の decubital …… 475
触走性 thigmotaxis …… 1883
〔接〕触走性 stereotaxis …… 1744
〔接〕触走性 stereotropism …… 1744
褥瘡性潰瘍 decubitus ulcer …… 1960
褥瘡性紅斑 erythema paratrimma …… 639
色対照顕微鏡 color-contrast microscope 1154
触打診 palpatopercussion …… 1339
触知可能の palpable …… 1339
触知可能ラ音 palpable rale …… 1547
食中毒 food poisoning …… 1455
食中毒 sitotoxism …… 1690
食虫の insectivorous …… 939
食虫目 Insectivora …… 939
植虫類 zoophyte …… 2061
触痛 sore …… 1701
食道 esophagus …… 643
食道アカラシア esophageal achalasia …… 13
〔肝臓の〕食道圧痕 impressio esophagea hepatis …… 916
〔肝臓の〕食道圧痕 esophageal impression on liver …… 917
食道胃移行部 esophagogastric junction … 973
食道胃十二指腸鏡検査 esophagogastroduodenoscopy (EGD) …… 642
食道胃切除〔術〕 esophagogastrectomy …… 642
食道胃吻合〔術〕 esophagogastrostomy …… 642
食道ウェッブ esophageal web …… 2043
食道炎 esophagitis …… 642
食道音声 esophageal speech …… 1709
食道学 esophagology …… 642
食道下垂〔症〕 esophagoptosis, esophagoptosia …… 642
食道間膜 mesoesophagus …… 1136
食道逆流 esophageal reflux, gastroesophageal reflux …… 1583
食道〔直達〕鏡 esophagoscope …… 642
食道鏡検査〔法〕 esophagoscopy …… 642
食道狭窄 esophagostenosis …… 642
食道狭窄部 esophageal constrictions …… 415
食道胸部 thoracic part of esophagus …… 1368
食道筋切開〔術〕 esophagomyotomy …… 642
〔食道〕筋層 muscular coat of esophagus 383
〔食道〕筋層 muscular layer of esophagus …… 1012
〔食道〕筋層 tunica muscularis esophagi 1953
食道形成〔術〕 esophagoplasty …… 642
食道頸部 cervical part of esophagus …… 1363
食道痙攣 esophagism …… 642
食道痙攣 esophagospasm …… 642
食道痙攣 esophageal spasm …… 1706
食道後〔方〕の retroesophageal …… 1604
食道枝 esophageal arteries …… 145
食道枝 esophageal branches …… 246
食道枝 rami esophageales …… 1551
食道周囲炎 periesophagitis …… 1387
食道周囲の periesophageal …… 1387
食道小腸吻合〔術〕 esophagoenterostomy 642
食道漿膜 serosa of esophagus …… 1666
食道漿膜下組織 subserosa of esophagus 1765
食道静脈 esophageal veins …… 1995
食道静脈 venae esophageae …… 2005
食道静脈瘤 esophageal varices …… 1989
食道神経叢 esophageal (nerve) plexus 1440
食道〔内〕心拍〔動〕曲線 esophageal cardiogram …… 300
食道切開〔術〕 esophagotomy …… 642
食道切除〔術〕 esophagectomy …… 642
食道腺 esophageal glands …… 773
食道腺 glandulae esophageae …… 775
食道造影 esophagram …… 643
食道造影像 esophagogram …… 642
食道造影法 esophagography …… 642
食道造瘻術 esophagostomy …… 642
食道唾液腺反射 esophagosalivary reflex 1579
食道軟化〔症〕 esophagomalacia …… 642
〔食道〕粘膜 esophageal mucosa …… 1176
〔食道〕粘膜 mucosa of esophagus …… 1176
〔食道〕粘膜 tunica mucosa esophagi …… 1953
食道粘膜下組織 submucosa of esophagus …… 1764
食道の横隔狭窄 diaphragmatic constriction

of esophagus 415
食道の胸狭窄 thoracic constriction of esophagus 415
食道ひだ形成〔術〕 esophagoplication 642
食道フィステル形成〔術〕 esophagostomy 642
食道腹部 abdominal part of esophagus 1362
食道不整律 esophageal dysrhythmia 577
食道噴門形成〔術〕 esophagocardioplasty 642
食道噴門結合部 cardioesophageal junction 973
食道噴門腺 cardial glands of esophagus 772
食道閉鎖〔症〕 esophageal atresia 171
食道ヘルニア esophagocele 642
食道傍リンパ節 juxtaesophageal lymph nodes 1079
食道マノメトリ esophageal manometry 1101
食道誘導 esophageal lead 1014
食道裂孔 esophageal hiatus 851
食道裂孔 esophageal opening 1303
食道瘻造設術 esophagostomy 642
食肉目 Carnivora 304
触乳頭 tactile papilla 1345
触媒 catalyst 310
触媒抗体 catalytic antibody 100
触媒作用〔法〕 catalysis 310
触媒中心 catalytic center 330
植皮〔片〕 skin graft 795
食氷 pagophagia 1337
食品 food 724
褥婦 puerperant 1523
〔産〕褥婦 puerpera 1523
植物アルカリ vegetable alkali 48
植物ウイルス plant viruses 2027
植物エキス分解物 apothem, apotheme 118
植物エストロゲン phytoestrogen 1421
植物界 plantae 1431
植物化学 phytochemistry 1421
植物寄生性疾患 phytosis 1421
植物機能 vegetality 1992
植物極 abapical pole 1456
植物極 vegetal pole, vegetative pole 1456
植物ケミカル phytochemicals 1421
植物抗毒素 plant antitoxin 109
植物細菌腫 bacteriophytoma 191
植物状態 vegetative state 1739
植物性胃石 phytobezoar 1421
植物性凝集素 plant agglutinin 37
植物性凝集素 phytoagglutinin 1421
植物性〔赤〕血球凝集素 phytohemagglutinin (PHA) 1421
植物性光線皮膚炎 phytophotodermatitis 1421
植物性じん(塵)肺〔症〕 phytopneumoconiosis 1421
植物性製品 phytoceutical 1421
植物性苦味薬 bitters 217
植物〔性〕の vegetable 1992
植物〔性〕の vegetative 1992
植物性鞭毛虫亜綱 Phytoflagellata 1421
植物性鞭毛虫綱 Phytomastigophorea 1421
植物性鞭毛虫類 Phytomastigina 1421
植物相 flora 713
植物的生活 vegetative life 1032
植物毒素 phytotoxin 1422
植物毒素 plant toxin 1906
植物様の phytoid 1421
植物療法 phytomedicine 1421
植物ろう vegetable wax 2043
食胞 phagosome 1399
食胞融解小体 phagolysosome 1399
触毛 tentacle 1851
食毛症 trichophagia 1930
食毛〔症〕 trichophagy 1930
食物 food 724
食物 nourishment 1270
食物 pabulum 1334
食〔物〕 diet 514
食物圧入 food impaction 914
食物恐怖〔症〕 cibophobia 362
食物残渣 saburra 1628
食物趨向性 sitotropism 1690
食物(食事)性喘息 food asthma 165
食物摂取 ingestion 932
食物不安 food insecurity 939
食用の esculent 642
食欲 appetite 120
食欲性胃液 appetite juice 973
食欲促進〔性〕の aperitive 112
食欲調節機構 appestat 120
食欲倒錯 parorexia 1357
食欲不振 anorexia 95
食欲不振 asitia 160
食欲不振 dysorexia 574
食欲不振 inappetence 918
食欲不振の anorectic, anoretic 95
食欲不振誘発性の anorexigenic 95
食欲抑制薬(剤) anorexigen 95
食欲抑制物 anorexiant 95
食欲抑制薬 anorectic, anoretic 95
食卵 oophagia, oophagy 1302
初経 menarche 1128
書痙 writer's cramp 434
書痙 graphospasm 799
助蛍光団 auxoflore 182
所見 finding 700
助言 counseling 431
蹠行〔性〕 plantigrade 1431
助酵素 coenzyme (Co) 388
〔緩〕徐呼吸 bradypnea 241
鋤骨 vomer (bone) 234
鋤骨 vomer 2037
鋤骨楔状部 cuneiform part of vomer 1363
鋤骨溝 vomeral groove 803
鋤骨溝 vomerine groove 803
鋤骨溝 sulcus vomeralis 1775
鋤骨溝 sulcus vomeris 1775
鋤骨溝 vomeral sulcus 1775
鋤骨鞘突管 vomerovaginal canal 285
鋤骨鞘突管 canalis vomerovaginalis 286
鋤骨鞘突溝 vomerovaginal groove 803
鋤骨鞘突溝 sulcus vomerovaginalis 1775
鋤〔骨〕頭底の vomerobasilar 2037
鋤〔骨〕鼻の vomeronasal 2037
鋤骨吻管 vomerorostral canal 285
鋤骨吻管 canalis vomerorostralis 286
鋤骨翼 ala of vomer 41
鋤骨翼 ala vomeris 41
鋤骨翼 wing of vomer 2047
除細動 defibrillation 478
除細動器 defibrillator 478
除細動法 defibrillator 478
除細動薬 defibrillator 478
助産学 midwifery 1156
助産師 midwife 1156
助産術 midwifery 1156
助産する deliver 484
初産婦 primipara 1484
書字運動の graphomotor 799
ショシェ線 Chaussier line 1049
ショシェ徴候 Chaussier sign 1679
女児割礼 female circumcision 366
書字狂 graphomania 799
書字恐怖〔症〕 graphophobia 799
書字困難 dysgraphia 572
書字錯誤 paragraphia 1349
女子色情〔症〕 nymphomania 1285
女子色情〔症〕患者 nymphomaniac 1285
書字手 writing hand 814
書字障害 dysgraphia 572
女子水瘤 hydrocele feminae 870
女子性徴消失 defemination 477
女子同性愛 lesbianism 1022
女子同性愛 sapphism 1634
女子同性愛者 lesbian 1022
書字病理学 graphopathology 799
書字不能〔症〕 agraphia 39
処女 virgin 2021
女子用カテーテル female catheter 313
処女恐怖〔症〕 parthenophobia 1369
助色団 auxochrome 182
助触媒 promoter 1498
処女絹糸 virgin silk 1685
処女強姦 virgin rape 1558
処女性 virginity 2021
処女生殖 parthenogenesis 1369
処女性精神 virgophrenia 2021
〔処女による〕性病浄化 virgin cleansing 2021
処女膜 hymen 877
処女膜炎 hymenitis 877
処女膜痕 hymenal caruncula 308
処女膜切開〔術〕 hymenotomy 877
処女膜切除〔術〕 hymenectomy 877
除神経の法則 law of denervation 1006
除皺〔術〕 rhytidectomy 1611
ショズコ反射 Chodzko reflex 1578
除勢 emasculation 600
女性 female 680
女性運動選手三徴 female athlete triad 1926
女性化 effemination 589
女性化 feminization 680
女性外尿道括約筋 external urethral sphincter of female 1712
女性化症 eviration 650
女性型骨盤 gynecoid pelvis 1378
女性型脱毛〔症〕 female pattern alopecia 52
女性割礼 introcision 951
女性化乳房 gynecomastia, gynecomasty 807
女性化妄想 eviration 650
女性器形成術 gynoplasty 807
女性偽半陰陽 female pseudohermaphroditism 1513
女性恐怖〔症〕 gynephobia 807
女性コンプレックス femininity complex 401
女性性器 muliebria 1177
女性生殖器系 female genital system 1831
女性性徴消失 defemination 477
女性前立腺 female prostate 1500
女性尿道海綿体 corpus spongiosum urethrae muliebris 425
女性尿道の海綿体層 spongy layer of female urethra 1013
〔女性尿道の〕縦走筋層 longitudinal layer of muscular coat (of female urethra) 1011
〔女性尿道の〕輪走筋層 circular layer of muscle coat (of female urethra) 1009
女性の外陰部 pudendum femininum 1523
女性の同性愛 female homosexuality 861
女性半陰陽 gynandrism 807
女性半陰陽 female hermaphroditism 842
女性半陰陽者 gynandroid 807
女性不妊〔症〕 female sterility 1744
女性マッサージ師 masseuse 1108
女性様の gynecoid 807
女性様肥満 gynecoid obesity 1287
書籍蒐集マニア bibliomania 208
除染 decontamination 475
除臓〔術〕 evisceration 650
所属医員 attending staff 1727
所属位置不明 incertae sedis 918
〔病院〕所属外科医 attending surgeon 1784
初速度 initial velocity 2003
処置 procedure 1487
処置 treatment (Tx) 1923
ジョチュウギク pyrethrum 1533
絮沈反応 flocculation reaction 1564
除痛パスタ desensitizing paste 1370
触覚 taction 1838
触覚 thigmesthesia 1883
触覚 touch 1905

触〔感〕覚 tactile sense ……………………… 1661
触覚印象 tactile image ……………………… 908
触覚過敏 hyperaphia ……………………… 878
触覚器 organ of touch ……………………… 1312
触覚器 organum tactus ……………………… 1313
触覚器 tactor ……………………… 1838
触覚計 esthesiometer ……………………… 643
触覚計 haptometer ……………………… 815
触覚計 tactometer ……………………… 1838
触覚錯誤〔症〕 paraphia ……………………… 1353
触覚失認 tactile agnosia ……………………… 38
触覚小球 tactile elevations ……………………… 599
触覚小球 toruli tactiles ……………………… 1905
触覚消失(脱失) tactile anesthesia ………… 80
触覚消失(脱失)〔症〕 anaphia ……………… 71
触覚消失(脱失)〔症〕 atactilia ……………… 166
触覚消失(脱失)〔症〕の anaptic ……………… 72
触覚小体 tactile corpuscle ……………………… 426
触覚小体 corpusculum tactus ……………… 427
触覚振とう音 tactile fremitus ……………… 740
触覚に関する haptic ……………………… 815
触覚の haptic ……………………… 815
触覚盤 tactile meniscus ……………………… 1131
触覚盤 meniscus tactus ……………………… 1131
触覚不全 dysaphia ……………………… 570
触感 palpation ……………………… 1339
ショック shock ……………………… 1673
ショック抗原 shock antigen ……………… 105
ショック指数 shock index ……………… 923
ショック肺 shock lung ……………………… 1073
ショックパンツ pneumatic antishock garment ……………………… 1447
ショック量 shocking dose ……………………… 558
ショック療法 shock therapy ……………… 1879
ショック療法 shock treatment ……………… 1924
〔蛋白〕ショック療法 protein shock therapy ……………………… 1879
ショップチフス shop typhus ……………… 1958
ショートインタースパーストエレメント short interspersed elements (SINES) … 598
ショ糖 saccharose ……………………… 1629
ショ糖 sucrose ……………………… 1768
ショ糖 cane sugar ……………………… 1769
ショ糖塩 sucrate ……………………… 1768
鋤〔骨〕頭底の vomerobasilar ……………… 2037
〔緩〕徐動分析 bradykinetic analysis ……… 70
ショ糖溶血試験 sucrose hemolysis test 1866
ジヨードチロシン diiodotyrosine (DIT) 519
初乳 colostrum ……………………… 394
初乳球 colostrum corpuscle ……………… 426
初乳球 galactoblast ……………………… 749
初妊婦 primigravida ……………………… 1484
除脳〔術〕 decerebration ……………………… 474
除脳硬直 decerebrate rigidity ……………… 1616
除脳硬直状態 decerebrate state ……………… 1739
除脳姿勢 decerebrate posturing ……………… 1472
除脳の decerebrate ……………………… 474
ショーバー試験 Schober test ……………… 1865
初発う食(蝕) incipient caries ……………… 302
ショパール切断術 Chopart amputation …… 65
鋤鼻器 vomeronasal organ ……………… 1312
鋤鼻器 organum vomeronasale ……………… 1313
除皮質硬直 decorticate rigidity ……………… 1616
除皮質姿勢 decorticate posturing ………… 1472
鋤鼻軟骨 cartilago vomeronasalis ………… 307
鋤鼻軟骨 vomerine cartilage ……………… 307
鋤鼻軟骨 vomeronasal cartilage ……………… 307
鋤〔骨〕鼻の vomeronasal ……………………… 2037
ジョビンズ抗原 Jobbins antigen ………… 104
ショファール症候群 Chauffard syndrome ……………………… 1800
ショープ線維腫 Shope fibroma ……………… 694
ショープ乳頭腫 Shope papilloma ………… 1346
ショープ乳頭腫ウイルス Shope papilloma virus ……………………… 2029
ジョフロワ徴候 Joffroy sign ……………… 1681
ジョフロワ反射 Joffroy reflex ……………… 1580
ジョベール・ド・ランバル窩 Jobert de Lamballe fossa ……………………… 732
ジョベール・ド・ランバル縫合 Jobert de Lamballe suture ……………………… 1787
助変数 parameter ……………………… 1351
処方 prescription ……………………… 1481
処方集 formulary ……………………… 731
徐放性錠 sustained action tablet, sustained release tablet ……………………… 1837
処方箋 formula ……………………… 730
処方箋 prescription ……………………… 1481
処方箋 recipe (℞) ……………………… 1573
処方箋調剤 prescription ……………………… 1481
徐脈 bradycardia ……………………… 240
徐脈 pulsus infrequens ……………………… 1526
徐脈型不整脈 bradyarrhythmia ……………… 240
徐脈〔性〕症候群 bradytachycardia syndrome ……………………… 1798
所有権変更 reassignment ……………………… 1569
ショランダー装置 Scholander apparatus 119
処理 treatment (Tx) ……………………… 1923
処理能力 throughput ……………………… 1889
ショルダー shoulder ……………………… 1674
ジョルダノ-ジョヴァネッティ食 Giordano-Giovannetti diet ……………… 514
ショール(肩掛け)徴候 shawl sign ……… 1683
ショルツ病 Scholz disease ……………… 540
序列〔性〕の systematic ……………………… 1834
初老 presenility ……………………… 1481
初老〔期〕 presenium ……………………… 1481
初老期認知症 presenile dementia, dementia presenilis ……………………… 485
初老性脱毛〔症〕 alopecia presenilis ……… 53
ショーン奇形 Shone anomaly ……………… 94
ショーン症候群 Shone syndrome ………… 1820
ジョーンズ式腱移行術 Jones transfer …. 1918
ジョーンズ分類 Jones criteria ……………… 441
ショーン複合体 Shone complex ……………… 402
歯蕾 tooth bud ……………………… 264
しらが canities ……………………… 287
白子 albino ……………………… 42
白子〔症〕 albinism ……………………… 42
白子〔症〕の albinotic ……………………… 42
シラー試験 Schiller test ……………………… 1865
シラスタチンナトリウム cilastatin sodium ……………………… 362
シラップ syrup ……………………… 1829
シラミ louse ……………………… 1069
シラミ pediculus ……………………… 1376
シラミ寄生症 pediculosis ……………………… 1376
シラミ〔寄生〕症 pthiriasis ……………………… 1522
シラミ寄生症の pediculous ……………………… 1376
シラミ恐怖〔症〕 pediculophobia ……………… 1376
シラミ恐怖〔症〕 phthiriophobia ……………… 1419
シラミ属 *Pediculus* ……………………… 1376
シラミダニ *Pediculoides ventricosus* …… 1376
シラミの pedicular ……………………… 1376
シラミバエ louse flies ……………………… 718
シラミバエ属 *Hippobosca* ……………………… 852
シラミ目 Anoplura ……………………… 95
シラリシド scillaricide ……………………… 1645
ジラール試薬 Girard reagent ……………… 1569
シラレン scillaren ……………………… 1645
シラレンA scillaren A ……………………… 1645
シラレンB scillaren B ……………………… 1645
紫藍色硬化 cyanotic induration ……………… 925
しり breech ……………………… 256
しり buttocks ……………………… 272
しり clunes ……………………… 377
しり nates ……………………… 1222
歯〔裏〕音の dental ……………………… 487
シリカ silica ……………………… 1685
シリカゲル silica gel ……………………… 1685
シリカ蛋白症 silicoproteinosis ……………… 1685
シリカ肉芽腫 silica granuloma ……………… 798
シリカ肉芽腫 silicotic granuloma ……………… 798
シリケートセメント silicate cement …… 329
シリコン silicone ……………………… 1685
シリコンインプラント silicone implant 915
シリコンに関連する疾患群 silicone-related disease problems ……………………… 1685
ジリス属 *Spermophilus* ……………………… 1711
自律神経 autonomic nerve ……………………… 1232
自律神経運動ニューロン autonomic motor neuron ……………………… 1249
自律神経核 autonomic (visceral motor) nuclei ……………………… 1273
自律神経系 autonomic (visceral motor) division of nervous system ……………… 553
自律神経系 autonomic nervous system (ANS) ……………………… 1829
自律神経系 systema nervosum autonomicum ……………………… 1834
自律神経系 vegetative nervous system 1834
自律神経〔系〕親和性の autonomotropic … 180
〔自律神経系の〕胃神経叢 gastric plexuses of autonomic system ……………………… 1440
〔自律神経系の〕胃神経叢 plexus gastrici systematis autonomici ……………………… 1440
自律神経系の交感神経部の交通枝 rami communicantes of sympathetic part of autonomic division of nervous system 1550
自律神経系の肺枝 pulmonary branches of autonomic nervous system ……………… 252
自律神経系の肺枝 rami pulmonales systematis autonomici ……………………… 1556
自律神経失調〔症〕 autonomic imbalance 909
自律神経障害 dysautonomia ……………………… 570
自律神経〔性〕の autonomic ……………………… 180
自律神経節 autonomic ganglia ……………… 752
自律神経線維 autonomic nerve fibers …… 688
自律神経線維 neurofibrae autonomicae 1247
自律神経叢 autonomic plexuses ……………… 1439
自律〔神経〕叢神経節 ganglia of autonomic plexuses ……………………… 752
自律〔神経〕叢神経節 ganglia plexuum autonomicorum ……………………… 754
自律神経不全 dysautonomia ……………………… 570
自律神経発作 autonomic seizure ……………… 1657
自律性 autonomy ……………………… 180
自律性神経因性膀胱〔障害〕 autonomic neurogenic bladder ……………………… 218
自律性精神療法 autonomous psychotherapy ……………………… 1520
自律性てんかん autonomic epilepsy ……… 627
自律〔性〕の autonomous ……………………… 180
市立病院 municipal hospital ……………… 865
私立病院 private hospital ……………………… 865
しりの natal ……………………… 1222
支離滅裂な incoherent ……………………… 920
自留カテーテル self-retaining catheter …. 314
次硫酸塩 subsulfate ……………………… 1767
糸粒体 mitochondrion ……………………… 1160
糸粒体基質 mitochondrial matrix ………… 1110
糸粒体基質 matrix mitochondrialis ……… 1111
糸粒体の mitochondrial ……………………… 1160
試料 sample ……………………… 1632
資料 datum ……………………… 472
歯稜 dental crest ……………………… 437
歯稜 crista dentalis ……………………… 440
視力 sight ……………………… 1677
視力 vision ……………………… 2032
磁力計 magnetometer ……………………… 1093
視力検査表 chart ……………………… 340
視力効率 visual efficiency ……………………… 589
視力増強法 pleoptics ……………………… 1437
視力喪失 dysopia ……………………… 574
視力喪失 dysopsia ……………………… 574
視力表 optotypes ……………………… 1309
視力表 test types ……………………… 1869
視力補充角膜移植 optic keratoplasty …… 980

シリロシド scilliroside …… 1645
痔輪 anulus hemorrhoidalis …… 111
耳輪 helix …… 823
耳輪脚 crus of helix …… 443
耳輪脚 limb of helix …… 1047
耳輪脚溝 groove of crus of the helix …… 801
耳輪脚溝 sulcus cruris helicis …… 1772
耳輪棘 spina helicis …… 1715
耳輪棘 spine of helix …… 1716
シリング血球算定〔法〕 Schilling blood count …… 223
シリング試験 Schilling test …… 1865
歯輪現象 cogwheel phenomenon …… 1404
耳輪切痕筋 muscle of notch of helix …… 1189
耳輪切痕筋 muscle of terminal notch …… 1196
耳輪切痕筋 musculus incisurae helicis …… 1200
耳輪前〔方〕の prehelicine …… 1479
篩涙縫合 sutura ethmoidolacrimalis …… 1786
篩涙縫合 ethmoidolacrimal suture …… 1787
シルヴァーマン-リリー呼吸気流計 Silverman-Lilly pneumotachograph …… 1451
シルヴァー-ラッセル症候群 Silver-Russell syndrome …… 1820
シルヴィウス角 sylvian angle …… 90
シルヴィウス溝上の suprasylvian …… 1779
シルヴィウス線 sylvian line …… 1052
シルヴィウス槽 sylvian cistern …… 368
シルヴィウス点 sylvian point …… 1455
シルヴィウス裂〔溝〕 sylvian fissure, fissure of Sylvius …… 704
シルヴェルフィエルド症候群 Silverskiöld syndrome …… 1820
ジルコニウム zirconium (Zr) …… 2058
ジルコニウム肉芽腫 zirconium granuloma …… 798
印 inscription …… 939
印 show …… 1674
シルダー病 Schilder disease …… 540
シルデナフィル sildenafil …… 1685
ジル・ド・ラ・ツレット症候群 Gilles de la Tourette syndrome …… 1805
シルバーコーン silver cone …… 409
シルバーポイント silver point …… 1455
シルマー試験 Schirmer test …… 1865
指令説 instructive theory …… 1876
歯列 dentition …… 488
歯列弓 dental arch …… 125
歯列弓拡大弧線 expansion arch …… 125
歯列弓虚脱 collapse of dental arch …… 390
歯列弓形 arch form …… 729
歯列弓周長 arch length …… 1019
歯列弓長欠乏 arch length deficiency …… 478
歯列不正 malalignment …… 1094
歯列不正 odontoparallaxis …… 1292
視路 visual pathway …… 1373
白 white …… 2045
白い albidus …… 42
死ろう adipocere …… 29
脂漏〔症〕 seborrhea …… 1652
痔瘻 anal fistula …… 704
耳漏 otorrhea …… 1327
地ろう ozokerite …… 1333
地ろう mineral wax …… 2042
脂漏冠 corona seborrheica …… 424
耳瘻孔 preauricular sinus …… 1688
脂漏性角化症 seborrheic keratosis, keratosis seborrheica …… 981
脂漏性眼瞼炎 seborrheic blepharitis …… 220
脂漏〔性〕の seborrheic …… 1652
脂漏性皮膚炎 seborrheic dermatitis, dermatitis seborrheica …… 496
白ガラシ white mustard …… 1205
白黒まだらの皮膚 piebald skin …… 1691
シロッカー手術 Shirodkar operation …… 1306
シロップ〔剤〕 syrup …… 1829
シロネズミ albino rats …… 1559
シロバイケイソウ *Veratrum album* …… 2013
シロバナヨウシュチョウセンアサガオ *Datura stramonium* …… 472
白マツ white pine …… 1425
しわ crease …… 435
しわ rugosity …… 1625
しわ wrinkle …… 2050
しわ(皺) rhytide …… 1611
しわ(皺) ruga …… 1625
指話〔法〕 dactylology …… 470
しわ取り〔術〕 rhytidectomy …… 1611
しわより rhytidosis …… 1612
四腕二脚二頭体 dicephalus dipus tetrabrachius …… 512
唇 labium …… 991
唇 labrum …… 992
唇 lip …… 1055
心 phren …… 1418
心〔臓〕 heart …… 820
芯 core …… 422
針 needle …… 1225
仁 nucleolus …… 1271
腎〔臓〕 kidney …… 983
じん(塵)埃恐怖〔症〕 amathophobia …… 56
じん(塵)埃状の pulverulent …… 1526
じん埃性リンパうっ滞 coniolymphstasis 411
じん埃線維症 coniofibrosis …… 411
塵埃喘息 dust asthma …… 165
呻軋音 rhonchus, sonorous rhonchus, sibilant rhonchus …… 1610
〔肺の〕心圧痕 impressio cardiaca pulmonis …… 916
〔肺の〕心圧痕 cardiac impression on lung …… 917
〔肝臓横隔面の〕心圧痕 impressio cardiaca faciei diaphragmaticae hepatis …… 916
〔肝臓横隔面の〕心圧痕 cardiac impression of diaphragmatic surface of liver …… 917
〔肝臓の〕腎圧痕 impressio renalis hepatis 916
〔肝臓の〕腎圧痕 renal impression on liver …… 917
シンアナモルフ synanamorph …… 1792
腎アミロイドーシス renal amyloidosis …… 68
腎閾値 renal threshold …… 1886
腎移植〔術〕 renal transplantation …… 1920
人為選択 artificial selection …… 1658
人為的な factitious …… 665
人為淘汰 artificial selection …… 1658
唇頤の labiomental …… 991
腎胃の renogastric …… 1590
心因 psychogenesis …… 1518
深陰核背静脈 deep dorsal vein of clitoris …… 1995
深陰核背静脈 vena dorsalis clitoridis profunda …… 2005
深陰茎筋膜 deep fascia of penis …… 672
深陰茎背静脈 deep dorsal vein of penis 1995
深陰茎背静脈 vena dorsalis penis profunda …… 2005
心因性嘔吐 psychogenic vomiting …… 2037
心因性紫斑病 psychogenic purpura …… 1528
心因性斜頸 psychogenic torticollis …… 1905
心因性振せん psychogenic tremor …… 1925
心因性疼痛 psychogenic pain …… 1337
心因性疼痛障害 psychogenic pain disorder …… 547
心因性難聴 psychogenic hearing impairment …… 820
心因性の psychogenic …… 1518
心因性煩渇〔症〕 psychogenic polydipsia 1459
心因性麻痺 psychogenic paralysis …… 1351
心因性めまい psychogenic vertigo …… 2016
心因性夜間煩渇〔症〕 psychogenic nocturnal polydipsia (PNP) …… 1459
心因性夜間煩渇多飲症候群 psychogenic nocturnal polydipsia syndrome, PNP syndrome …… 1817
心因発作 psychogenic seizure …… 1657
腎盂 pelvis renalis …… 1379
腎盂 renal pelvis …… 1379
腎盂〔X線〕像 pyelogram …… 1529
腎盂〔X線〕透視〔法〕 pyelofluoroscopy …… 1529
腎盂炎 pyelitis …… 1529
腎盂拡張〔症〕 pyelectasis, pyelectasia …… 1529
腎盂鏡 nephroscope …… 1231
腎盂鏡検査〔法〕 pyeloscopy …… 1530
腎盂形成〔術〕 pelvioplasty …… 1378
腎盂形成〔術〕 pyeloplasty …… 1530
腎盂静脈逆流 pyelovenous backflow …… 188
腎盂静脈逆流〔現象〕の pyelovenous …… 1530
腎盂腎炎 pyelonephritis …… 1530
腎盂腎炎腎 pyelonephritic kidney …… 984
腎盂腎杯の pyelocaliceal …… 1529
腎盂切開〔術〕 pyelotomy …… 1530
腎盂切石〔術〕 pelvilithotomy …… 1378
腎盂切石〔術〕 pyelolithotomy …… 1529
腎盂造瘻術 pyelostomy …… 1530
腎盂尿管移行部 ureteropelvic junction (UPJ) …… 974
腎盂尿管移行部閉塞 ureteropelvic junction obstruction …… 1289
腎盂尿管〔X線〕造影(撮影)〔法〕 pyeloureterography …… 1530
腎盂尿管拡張〔症〕 pyeloureterectasis …… 1530
腎盂尿管造影(撮影)〔法〕 pyelography …… 1529
腎盂(腎盤)粘膜 mucosa of renal pelvis 1177
腎盂(腎盤)の筋層 muscular layer of renal pelvis …… 1012
腎盂フィステル形成〔術〕 pyelostomy …… 1530
腎盂膀胱炎 pyelocystitis …… 1529
腎盂リンパ管の pyelolymphatic …… 1529
腎盂漏斗 infundibulum …… 931
心運動記録器 myocardiograph …… 1212
新運動〔性〕の neokinetic …… 1227
深会陰横筋 deep transverse muscle of perineum …… 1183
深会陰横筋 deep transverse perineal muscle …… 1183
深会陰横筋 musculus transversus perinei profundus …… 1204
深会陰隙 deep perineal pouch …… 1474
深会陰隙 deep perineal space …… 1703
深会陰隙 spatium perinei profundum …… 1707
浸液 dip …… 522
親液コロイド lyophilic colloid …… 391
親液性の lyophilic …… 1086
親液〔性〕物質 lyophil, lyophile …… 1086
心エコー検査〔法〕 echocardiography …… 583
心エコー図 echocardiogram …… 583
心エコーの分解能 echocardiographic differentiation …… 516
伸延 distraction …… 550
唇縁 lip …… 1055
腎炎 nephritis …… 1228
真猿亜目 Anthropoidea …… 98
腎炎因子 nephritic factor …… 668
親縁係数 coefficient of kinship …… 387
腎炎原性 nephritogenic …… 1229
伸延骨形成〔術〕 distraction osteogenesis 1322
伸延コーヌス distraction conus …… 418
腎炎症候群 nephritic syndrome …… 1813
腎円柱 renal cast …… 309
心横隔膜角 cardiophrenic angle …… 88
新黄色酵素 new yellow enzyme …… 623
深横中手靱帯 deep transverse metacarpal ligament …… 1034
深横中手靱帯 ligamentum metacarpale transversum profundum …… 1044
深横中足靱帯 deep transverse metatarsal ligament …… 1034
深横中足靱帯 ligamentum metatarsale transversum profundum …… 1044

シ

心黄卵 centrolecithal ovum 1330
心〔卵〕黄卵 centrolecithal egg 590
心黄卵の centrolecithal 332
唇音 labial 991
心音 cardiac sound 1702
心音 heart sounds 1702
心音カテーテル phonocatheter 1411
心音計 phonocardiograph 1411
心音図 phonocardiogram 1411
心音図検査〔法〕 phonocardiography 1411
唇音性構音障害 labialism 991
心音聴診器 cardiophone 301
唇音どもり labialism 991
心音の分裂 splitting of heart sounds 1702
心渦 vortex cordis 2038
心渦 vortex of heart 2038
心渦 whorl 2045
進化 evolution 650
浸解 maceration 1088
〔深〕外陰部動脈 (deep) external pudendal artery 152
〔深外陰部動脈の〕前陰唇枝 anterior labial arteries 142
深外陰部動脈の前陰唇枝 anterior labial branches of deep external pudendal artery 242
深外陰部動脈の前陰唇枝 rami labiales anteriores arteriae pudendae externae profundae 1552
深外陰部動脈の前陰嚢枝 anterior scrotal branch of deep external pudendal artery 242
深外陰部動脈の前陰嚢枝 rami scrotales anteriores arteriae pudendae externae profundae 1556
深外陰部動脈の鼡径枝 inguinal branches of deep external pudendal arteries 247
深外陰部動脈の鼡径枝 rami inguinales arteriarum pudendarum externarum profundarum 1552
侵害受容器 nociceptor 1260
侵害受容の nociceptive 1260
心外性雑音 extracardiac murmur 1179
腎外側縁 margo lateralis renis 1104
深外側頚リンパ節 deep lateral cervical lymph nodes 1078
深海の狂喜 rapture of the deep 1559
唇外反 eclabium 583
侵害防衛機構 nocifensor 1260
心外膜 epicardium 625
心外膜炎 pericarditis 1386
心外膜学 pericardiology 1386
心外膜雑音 pericardial murmur 1180
心外膜絨毛 pericardial villi 2020
心外膜心筋炎 perimyocarditis 1388
進化学的適性 evolutionary fitness 707
腎〔臓〕下極 inferior pole of kidney 1456
針学 acuology 22
人格 personality 1395
人格形成 personality formation 729
人格検査 personality test 1862
真核細胞 eukaryote 648
人格障害 personality disorder 546
真核生物 eukaryote 648
真核生物上界 Eukaryotae, Eucaryotae 648
心拡大 auxocardia 182
〔心〕拡張期延長 bradydiastole 241
心拡張欠如 adiastole 28
人格統合 personality integration 942
腎下区動脈 arteria segmenti inferioris renalis 138
腎下区動脈 artery of inferior segment of kidney 146
腎下区動脈 inferior segmental artery of kidney 146
人格方程式 personal equation 634
人格目録 personality inventory 952
唇顎裂 cleft jaw 967
腎芽細胞腫 nephroblastoma 1229
腎下垂〔症〕 nephroptosis, nephroptosia 1230
腎下前区 anterior inferior renal segment 1654
腎下前区動脈 arteria segmenti anterioris inferioris renalis 137
腎下前区動脈 anterior inferior segmental artery of kidney 142
腎〔臓〕下端 extremitas inferior renis 658
進化直進説 orthogenesis 1316
心活動促進剤 cardioaccelerator 299
新括約筋 neosphincter 1228
心〔臓〕カテーテル intracardiac catheter 313
心窩部 epigastrium 627
心窩部痛 epigastralgia 627
心窩部反射 epigastric reflex 1578
心窩部由来音 epigastric voice 2035
シンガムス属 *Syngamus* 1826
心管 cardiac tube 1941
浸管 permeation 1394
腎管 nephridium 1228
心肝角 cardiohepatic angle 88
新関節〔症〕 nearthrosis 1222
心肝の cardiohepatic 300
腎〔臓〕間の interrenal 947
心肝肥大 cardiohepatomegaly 300
心間膜 mesocardium 1135
深顔面静脈 deep facial vein 1995
新奇恐怖〔症〕 neophobia 1227
心悸亢進 palpitation 1340
心悸亢進 trepidatiocordis 1925
心悸亢進 tumultus cordis 1952
心気症 hypochondriasis 892
心気症患者 hypochondriac 892
心気症質〔者〕 hypochondriac 892
心気性うつ病 hypochondriacal melancholia 1121
心悸動 herzstoss 846
心悸動 cardiac impulse 917
腎〔機能〕欠損の renoprival 1590
腎〔機能〕不全 renal insufficiency 941
唇脚綱 Chilopoda 344
心球 bulbus cordis 265
深吸気量 inspiratory capacity 288
腎弓状動脈 arteriae arcuatae renis 134
腎弓状動脈 arciform arteries 142
腎弓状動脈 arcuate arteries of kidney 142
心球隆線 bulbar ridge 1615
心胸〔郭〕係数 cardiothoracic ratio 1560
心胸郭比 cardiothoracic ratio 1560
心胸膜 pleura pericardiaca, pericardial pleura 1438
真菌 fungus 745
真菌 mycete 1207
伸筋 extensor 656
伸筋 extensor muscle 1184
心筋 cardiac muscle 1182
心筋 muscle of heart 1186
心筋炎 myocarditis 1212
心筋炎の myocarditic 1212
心筋外膜 myoepicardial mantle 1101
〔真〕菌学 mycology 1208
〔真〕菌学者 mycologist 1208
親近感 affinity(*A*) 33
心筋橋 myocardial bridge 257
心筋虚血 myocardial ischemia 958
真菌血症 fungemia 745
伸筋腱溝 groove for extensor muscle tendons 801
伸筋腱膜 extensor digital expansion 655
心筋梗塞 cardiac infarction 926
心筋梗塞 myocardial infarction (MI) 926
心筋梗塞後症候群 postmyocardial infarction syndrome (PMIS) 1816
心筋梗塞後心外膜炎(心嚢炎) postmyocardial infarction pericarditis 1386
心筋梗塞後心室中隔欠損 postinfarction ventricular septal defect 477
心筋梗塞前症候群 preinfarction syndrome 1816
心筋梗塞における血栓溶解臨床試験リスクスコア *T*hrombolysis *in M*yocardial *I*nfarction risk score 1650
心筋細胞融解 myocytolysis of heart 1213
伸筋支帯 extensor retinaculum 1600
〔足の〕伸筋支帯 retinacula of extensor muscles 1600
真菌腫 eumycetoma 648
心筋収縮能 cardiac contractility 416
真菌症 mycosis 1208
真菌症 nosomycosis 1268
心筋症 cardiomyopathy 300
心筋症 myocardiopathy 1212
心筋障害 myocardiopathy 1212
真菌状の fungiform 745
心筋心膜炎 myopericarditis 1215
真菌性胃炎 mycogastritis 1208
真菌性角膜炎 mycotic keratitis 978
真菌性心内膜炎 mycotic endocarditis 612
真菌性動脈瘤 mycotic aneurysm 82
真菌性の mycetogenetic, mycetogenic 1207
真菌〔性〕の mycotic 1208
心筋切開後心外膜炎(心嚢炎) postpericardiotomy pericarditis 1386
心筋線維症 myofibrosis cordis 1213
心筋層 myocardium 1212
心筋〔層〕の myocardial 1212
心筋組織 cardiac muscle tissue 1895
心筋断裂 fragmentation of the myocardium 739
心筋内の intramyocardial 950
心筋内膜炎 myoendocarditis 1213
伸筋反応 extensor response 1596
真菌ファージ mycophage 1208
心筋ブリッジ myocardial bridging 257
心筋ブリッジ部位 tunneled segment 1656
心筋縫合〔術〕 cardiorrhaphy 301
心筋縫合〔術〕 myocardiorrhaphy 1212
心筋保護下の心停止 cardioplegic arrest 132
腎筋膜 fascia renalis 674
腎筋膜 renal fascia 674
真菌様の fungoid 745
心筋抑制因子 myocardial depressant factor (MDF) 668
真菌類 eumycetes 648
真菌類の fungous 745
腎区域 renal segments 1655
腎区域 segmenta renalia 1656
真空 vacuum 1981
真腔 true lumen 1071
腎腔 nephrocele 1229
真空管 vacuum tube 1942
真空乾燥機 vacuum desiccator 499
真空性頭痛 vacuum headache 818
真空鋳造 vacuum casting 310
真空中で *in vacuo* 952
真空パック法 vacuum pack technique 1845
真空埋没 vacuum investing 953
真空脈 pulsus vacuus 1526
心腔リモデリング heart chamber remodeling 1589
腎区動脈 segmental arteries of kidney 152
ジンクフィンガー zinc finger 701
新組合せ〔命名法〕 new combination 396
シングルバイアル固定液 single vial fixatives 708
シングルフォトンエミッションCT single photon emission computed tomography (SPECT) 1899
真グレガリナ目 Eugregarinida 648

シンクロトロン synchrotron 1794
神経 nerve 1231
神経 nervus 1241
神経アレルギー neuroallergy 1246
神経移植〔片〕 nerve graft 795
神経イタチササゲ中毒 neurolathyrism 1248
神経〔誘導〕因子 neural factor 668
神経因性気道 neurogenic airway 41
神経因性膀胱〔障害〕 neurogenic bladder 218
神経因性膀胱〔障害〕 neuropathic bladder 218
神経ウイルス neurovirus 1254
神経植込み〔術〕 neurotization 1253
神経運動 nervimotion 1241
神経運動性 nervimotility 1241
神経栄養 neurotrophy 1253
神経栄養性萎縮 neurotrophic atrophy 174
神経栄養性角膜炎 neurotrophic keratitis 978
神経栄養物質 neurotrophins 1253
神経液性分泌 neurohumoral secretion 1653
神経液伝達 neurohumoral transmission 1920
神経エネルギーの neurodynamic 1246
神経炎 neuritis 1245
神経炎後の postneuritic 1471
神経炎性局面 neuritic plaque 1432
神経科医 neurologist 1248
神経外傷 neurotrauma 1253
神経外胚葉 neuroectoderm 1246
神経解剖学 neuroanatomy 1246
〔神経〕海綿芽細胞腫 spongioblastoma 1723
神経化学 neurochemistry 1246
神経科学 neurosciences 1252
神経学 neurology 1248
神経学者 neurologist 1248
〔神経学的〕微細徴候 soft sign 1684
神経過形成 neuronal hyperplasia 886
神経芽細胞 neuroblast 1246
神経芽〔細胞〕腫 neuroblastoma 1246
神経下垂体 neurohypophysis 1248
神経下垂体ホルモン neurohypophysial hormones 863
神経下装置 subneural apparatus 119
神経から離れる方向の abnerval 3
神経管 neural tube 1941
神経幹 nerve trunk 1938
〔腕神経叢〕神経幹 trunci plexus brachialis 1938
〔腕神経叢〕神経幹 trunks of brachial plexus 1938
神経板(神経管)外胚葉接合部 neuroectodermal junction 973
神経眼科学 neuroophthalmology 1250
神経〔管〕腔 neural canal 284
神経間質 nerve stroma 1759
神経幹の truncal 1938
〔神経管の〕基板 basal lamina of neural tube 997
〔神経管の〕基板 basal plate of neural tube 1434
〔神経管の〕翼板 alar lamina of neural tube 996
〔神経管の〕翼板 alar plate of neural tube 1434
神経弓 neural arch 126
神経弓棘 neural spine 1716
神経記録〔法〕 neurography 1248
神経筋弛緩薬 neuromuscular relaxant 1588
神経筋遮断 myoneural blockade 223
神経筋遮断薬 neuromuscular blocking agents 36
神経筋障害 neuromyopathy 1249
神経筋接合部 myoneural junction 973
神経筋単位 myotome 1216
神経緊張性の neurotonic 1253
神経緊張反応 neurotonic reaction 1566
神経緊張薬 neurotonic 1253
神経筋電図記録(検査)〔法〕 electroneuromyography 596
神経筋伝達 neuromuscular transmission 1920
神経筋肉剝離〔術〕 neurosarcocleisis 1252
神経筋の myoneural 1214
神経筋の neuromuscular 1248
〔深〕頸筋膜 (deep) cervical fascia 672
神経系 nervous system 1832
神経系 systema nervosum 1834
神経形質 neuroplasm 1251
神経形成術 neuroplasty 1251
神経形成の neurogenic, neurogenetic 1247
神経形態計測的な neuromorphometric 1248
神経形態センサー neuromorphic sensor 1662
〔脳〕神経外科〔学〕 neurosurgery 1252
〔脳〕神経外科医 neurosurgeon 1252
神経血液器官 neurohemal organs 1311
神経血管鞘 neurovascular sheath 1671
神経血管付き島状皮弁 neurovascular island flap 710
神経血管の neurohemal 1248
神経血管の neurovascular 1254
神経血管皮弁 neurovascular flap 710
神経ケラチン neurokeratin 1248
神経元一酸化窒素合成酵素 neuronal nitric oxide synthase 1827
神経減圧〔術〕 nerve decompression 475
神経言語学 neurolinguistics 1248
神経言語学的プログラミング neurolinguistic programming 1495
神経検査〔法〕 neurography 1248
神経〔原〕性萎縮 neurogenic atrophy 173
神経原性緊張 neurogenic tonus 1902
神経原性骨折 neurogenic fracture 738
神経原性ショック neurogenic shock 1674
神経原性脱力と色素性網膜炎を伴う運動失調〔症〕 ataxia with neurogenic weakness and retinitis pigmentosa 168
神経〔原〕性の neurogenic, neurogenetic 1247
神経原性跛行 neurogenic claudication 372
神経原線維変化 neurofibrillary tangle 1840
神経原線維変性 neurofibrillary degeneration 481
神経腱の neurotendinous 1253
神経孔 foramina nervosa 725
神経孔 neuropore 1251
神経溝 neural groove 802
神経膠 neuroglia 1247
〔神経〕膠 glia 777
神経膠芽細胞 glioblast 778
神経膠細胞 neuroglia cells 324
神経膠細胞 neurogliacyte 1247
神経膠細胞 spongiocyte 1723
〔神経〕膠細胞 glia cells 321
〔神経〕膠細胞 gliacyte 777
神経膠細胞集合 satellitosis 1637
神経膠腫 glioma 778
神経膠腫症 gliomatosis 778
神経膠症 gliosis 778
神経膠神経腫 glioneuroma 778
神経向性 neurotropy, neurotropism 1253
神経向性ウイルス neurotropic virus 2027
〔神経膠〕星状芽細胞 astroblast 165
〔神経膠〕星状芽細胞腫 astroblastoma 165
〔神経膠〕星状細胞 astrocyte 165
〔神経膠〕星状細胞腫 astrocytoma 166
深蛍光団 bathoflore 202
神経膠肉腫 gliosarcoma 778
〔神経〕膠粘液腫 gliomyxoma 778
神経膠のヴァイゲルト染色〔法〕 Weigert stain for neuroglia 1736
腎形骨盤 reniform pelvis 1379
神経根 nerve root 1621
神経根袖 nerve root sleeve 1241
神経根障害 radiculopathy 1542
神経根神経障害 radiculoneuropathy 1542
神経根神経節炎 radiculoganglionitis 1542
神経根髄膜脊髄炎 rhizomeningomyelitis 1610
神経根スリーブ nerve root sleeve 1241
神経根切断〔術〕 rhizotomy 1610
神経根ニューロパシー radiculoneuropathy 1542
神経根引き抜き損傷 root avulsion 183
神経細管 neurotubule 1253
神経再生 neuranagenesis 1245
神経再生 neurotization 1253
神経細線維 neurofibril 1247
神経細線維網 neurofibrillar network 1244
神経細線維もつれ neurofibrillary tangle 1840
神経細胞 neurocyte 1246
神経細胞形質 perikaryon 1387
神経細胞腫 neurocytoma 1246
神経細胞障害 neuronopathy 1250
神経細胞侵食 neuronophagia, neuronophagy 1250
神経細胞体 nerve cell body 228
神経〔細胞の〕成長円錐 nerve growth cone 409
神経細胞溶解 neurocytolysis 1246
神経挫砕術 neurotripsy 1253
神経〔様〕作用の neuromimetic 1248
神経サルコイドーシス neurosarcoidosis 1252
神経糸 neurofilament 1247
神経耳科学 neurootology 1250
神経弛緩薬 neuroleptic 1248
神経弛緩薬〔性〕悪性症候群 neuroleptic malignant syndrome 1814
神経軸から離れた abneural 3
神経軸索再生 neurocladism 1246
神経軸索ジストロフィ neuroaxonal dystrophy 579
神経刺激器 neurostimulator 1252
神経刺激走性 neurobiotaxis 1246
神経刺激走性運動 neurobiotactic movement 1174
神経支質 nerve stroma 1759
神経質 nervousness 1241
神経質 neuroticism 1253
神経〔疾患〕性蛋白尿〔症〕 neuropathic albuminuria 44
神経支配 innervation 937
神経支配 neurarchy 1245
神経遮断麻酔〔法〕 nerve block anesthesia 80
神経遮断麻酔〔法〕 neuroleptanalgesia 1248
神経遮断麻酔〔法〕 neuroleptanesthesia 1248
神経遮断無痛〔法〕 neuroleptanalgesia 1248
神経腫 neuroma 1248
神経周囲浸潤 perineural infiltration 928
神経周囲の perineural 1389
神経周膜 perineurium 1389
神経周膜炎 perineuritis 1389
神経終末 ending 611
神経終末 nerve ending 611
神経終末 nerve terminals 1852
〔神経〕終末球周囲の circumgemmal 367
神経終末小体 terminal nerve corpuscles 426
神経終末小体 corpuscula nervosa terminalia 427
神経腫症 neuromatosis 1248
神経腫性象皮病 elephantiasis neuromatosa 599
神経腫瘍学 neurooncology 1250
神経循環無力症 ponopalmosis 1465
神経症 neurosis 1252
神経障害 neuropathy 1250
神経障害性関節症 neuropathic arthropathy 156
神経障害性関節症 neuropathic joint 971
神経鞘腫 schwannoma 1645
神経症性擦創 neurotic excoriation 652
神経症性体温上昇 thermoneurosis 1882
神経症的発現 neurotic manifestation 1100
神経衝動状態正常 eumetria 648

シ

神経鞘粘液腫 neurothekeoma …………… 1253
神経症の neurotic ……………………… 1253
神経上皮小体 neuroepithelial body ……… 228
神経上膜 epineurium …………………… 629
深頸静脈 deep cervical vein …………… 1995
深頸静脈 vena cervicalis profunda ……… 2004
神経除去の法則 law of denervation …… 1006
神経食細胞 neuronophage ……………… 1250
神経心臓の neurocardiac ……………… 1246
神経伸張術 neurectasis, neurectasia,
neurectasy ……………………………… 1245
神経伸張術の neurotonic ……………… 1253
神経腎の neuronephric ………………… 1249
神経新分枝形成 neurocladism …………… 1246
神経心理学 neuropsychology …………… 1251
神経心理学的障害 neuropsychological
disorder …………………………………… 546
神経親和性 neurotropy, neurotropism …… 1253
神経衰弱 nervous breakdown …………… 1241
神経衰弱〔症〕 neurasthenia …………… 1245
神経髄膜の neuromeningeal …………… 1248
心係数 cardiac index …………………… 921
神経頭蓋性肉芽性動脈炎 neurocranial
granulomatous arteritis ………………… 140
神経ステロイド neurosteroid …………… 1252
新形成 neoplasia ………………………… 1227
神経〔原〕性萎縮 neurogenic atrophy …… 173
神経性下垂体芽 neurohypophysial bud …… 263
神経性下垂体憩室 neurohypophysial
diverticulum ……………………………… 552
神経性眼精疲労 nervous asthenopia …… 164
神経性関節症 neuroarthropathy ………… 1246
神経性キノコ中毒 mycetism nervosa …… 1207
腎形成索 nephrogenic cord ……………… 421
神経性消化不良 nervous dyspepsia ……… 574
神経性消化不良 nervous indigestion …… 924
神経性食思不振症 anorexia nervosa ……… 95
神経精神医学 neuropsychiatry ………… 1251
神経精神病学 neuropsychiatry ………… 1251
神経精神病質 neuropsychopathy ……… 1251
腎形成〔性〕の nephrogenetic, nephrogenic
……………………………………………… 1229
神経性ぜん息 nervous asthma ………… 165
仁形成体 nucleolar organizer ………… 1313
神経性大食症 bulimia nervosa ………… 265
神経〔疾患〕性蛋白尿〔症〕 neuropathic
albuminuria ……………………………… 44
神経〔細胞の〕成長円錐 nerve growth cone
……………………………………………… 409
神経性難聴 neural hearing impairment … 820
神経性尿意促迫 sensory urgency ……… 1972
神経性の neurotic ……………………… 1253
新〔生物〕形成の neoplastic …………… 1228
腎形成不全 renal hypoplasia …………… 896
神経生物学 neurobiology ……………… 1246
神経生理学 neurophysiology …………… 1251
神経脊髄炎 neuromyelitis ……………… 1249
神経節 ganglion ………………………… 752
〔神経〕節運動ニューロン ganglionic motor
neuron …………………………………… 1249
神経節炎 ganglionitis …………………… 755
神経切開刀 neurotome ………………… 1253
神経節芽細胞 ganglioblast ……………… 752
〔神経〕節芽細胞腫 ganglioneuroblastoma 755
神経節間の interganglionic ……………… 945
神経節膠腫 ganglioglioma ……………… 752
〔神経〕節後の postganglionic …………… 1471
神経節鎖 chain ganglia ………………… 753
神経節細胞 ganglion cell ……………… 321
神経節細胞 gangliocyte ………………… 752
神経節細胞欠損 aganglionosis …………… 34
神経節細胞減少〔症〕 hypoganglionosis …… 893
〔神経〕節細胞腫 gangliocytoma ………… 752
〔神経〕節細胞腫 ganglioneuroma ………… 755
神経節細胞層 ganglionic layer ………… 1010
神経節細胞増殖〔症〕 hyperganglionosis …… 881
〔上頸神経〕神経節枝 rami ganglionares 1551
〔神経〕節遮断 ganglionic blockade ……… 222
神経節遮断薬 ganglioplegic …………… 755
〔神経〕節遮断薬 ganglionic blocking agent 36
神経節腫 ganglioma …………………… 752
神経節周囲の periganglionic …………… 1387
神経切除〔術〕 neurectomy ……………… 1245
神経節状の gangliform ………………… 752
〔神経〕節神経腫 ganglioneuroma ………… 755
〔神経〕節神経腫症 ganglioneuromatosis … 755
神経節〔性〕唾液 ganglionic saliva ……… 1631
神経節切除〔術〕 ganglionectomy ………… 755
〔神経〕節前の preganglionic …………… 1478
神経切断〔術〕 neurectomy ……………… 1245
神経切断〔術〕 neurotomy ……………… 1253
神経節の ganglionic …………………… 755
神経節溶解 gangliolysis ………………… 752
神経セロイドリポフスチノーシス neuronal
ceroid lipofuscinosis …………………… 1057
神経線維 nerve fiber …………………… 689
神経線維 neurofibra …………………… 1247
〔神経〕線維索移植〔片〕 funicular graft …… 795
神経線維腫 neurofibroma ……………… 1247
神経線維腫症 neurofibromatosis ……… 1247
神経線維腫症2型遺伝子 neurofibromatosis
type 2 (NF2) gene ……………………… 764
神経線維鞘 neurilemma ………………… 1245
神経線維鞘 neurolemma ………………… 1248
神経線維層 layer of nerve fibers ………… 1012
〔神経〕線維束移植〔片〕 fascicular graft …… 795
神経線維遊離術 hersage ………………… 846
神経穿刺 neuronyxis …………………… 1250
神経叢 neuroplexus ……………………… 1251
神経叢 nerve plexus …………………… 1441
神経叢 plexus nervosus ………………… 1441
神経叢炎 plexitis ………………………… 1439
神経叢下の subplexal …………………… 1764
神経増強 neuroaugmentation …………… 1246
神経叢障害 plexopathy ………………… 1439
神経挿入〔術〕 nerve implantation ……… 916
神経束 nerve fascicle …………………… 675
神経束内圧 intrafunicular pressure …… 1482
神経組織 nervous tissue ………………… 1896
神経組織学 neurohistology ……………… 1248
神経組織発生の neurogenic, neurogenetic
……………………………………………… 1247
新形態 neomorph, neomorphism ………… 1227
腎形胎盤 placenta reniformis …………… 1429
神経単位 neuron ………………………… 1249
神経断裂〔症〕 neurotmesis ……………… 1253
神経中膜炎 mesoneuritis ……………… 1137
神経腸管 neurenteric canal …………… 284
神経腸管嚢胞 neurenteric cysts ………… 460
神経調節 neuromodulation ……………… 1248
神経調節物質 neuroregulator …………… 1251
神経治療 neurotherapeutics, neurotherapy
……………………………………………… 1253
神経痛 neuralgia ………………………… 1244
神経痛性筋萎縮〔症〕 neuralgic amyotrophy
……………………………………………… 68
神経痛様の neuralgiform ………………… 1245
神経堤 neural crest ……………………… 437
神経堤症 neurocristopathy ……………… 1246
神経堤障害 neurocristopathy …………… 1246
神経堤症候群 neural crest syndrome …… 1814
神経転位〔症〕 neurectopia, neurectopy 1245
神経電図検査(記録)〔法〕
electroneuronography (ENoG) ………… 596
神経伝達物質 neurotransmitter ………… 1253
神経伝導 nerve conduction …………… 408
神経伝導性 neurility …………………… 1245
神経伝導速度 nerve conduction velocity
(NCV) …………………………………… 2003
神経頭蓋性肉芽性動脈炎 neurocranial
granulomatous arteritis ………………… 140
神経糖減少〔症〕 neuroglycopenia ……… 1248
深頸動脈 arteria cervicalis profunda …… 134
深頸動脈 deep cervical artery ………… 144
神経毒 neurotoxin ……………………… 1253
神経毒拮抗薬 antineurotoxin …………… 107
神経内の intraneural …………………… 950
神経内分泌学 neuroendocrinology ……… 1247
神経内分泌癌 neuroendocrine carcinoma 298
神経内分泌細胞 neuroendocrine cell …… 324
神経内分泌特異蛋白様1遺伝子
neuroendocrine-specific protein-like-1 1247
神経内分泌の neuroendocrine ………… 1246
神経内分泌変換細胞 neuroendocrine
transducer cell …………………………… 324
神経内膜 endoneurium ………………… 614
神経軟化 neuromalacia ………………… 1248
神経肉腫 neurosarcoma ………………… 1252
神経乳頭 nerve papilla ………………… 1345
神経捻除 nerve avulsion ……………… 183
神経脳脊髄障害 neuroencephalomyelopathy
……………………………………………… 1246
神経の順応 accommodation of nerve …… 10
神経の神経 nervi nervorum …………… 1242
神経の動脈 arteriae nervorum ………… 136
神経の壁側板 parietal layer of nerves … 1012
神経の脈管 vasa nervorum …………… 1989
神経胚 neurula …………………………… 1254
神経胚形成 neurulation ………………… 1254
神経胚形成異常 abnormal neurulation … 1254
神経梅毒 neurosyphilis ………………… 1252
神経剝離〔術〕 neurolysis ……………… 1248
神経発育因子 nerve growth factor (NGF)
……………………………………………… 668
神経発育因子抗血清 nerve growth factor
antiserum ………………………………… 109
神経発生 neurogenesis ………………… 1247
神経板 neural plate ……………………… 1435
神経板(神経管)外胚葉接合部
neuroectodermal junction ……………… 973
神経伴行リンパ節 accessory nerve lymph
nodes …………………………………… 1077
神経反応時間測定器 neuramebimeter …… 1245
神経ひだ neural folds ………………… 719
神経皮膚炎 neurodermatitis …………… 1246
神経皮膚黒色症(メラノーシス)
neurocutaneous melanosis …………… 1122
神経皮膚症候群 neurocutaneous syndrome
……………………………………………… 1814
神経病因 neuropathogenesis …………… 1250
神経病〔質〕者 neuropath ……………… 1250
神経病性関節炎 neuropathic arthritis …… 155
神経病性蛋白尿〔症〕 neuropathic
albuminuria ……………………………… 44
神経病発生 neuropathogenesis ………… 1250
神経病理学 neuropathology …………… 1250
神経フィラメント neurofilament ……… 1247
神経ブロック nerve block ……………… 222
神経ブロック麻酔〔法〕 nerve block
anesthesia ………………………………… 80
神経吻合術 neuroanastomosis ………… 1246
神経分節 neuromere …………………… 1248
神経分節間の interneuromeric ………… 947
神経分節間裂 interneuromeric clefts …… 373
神経分泌 neurosecretion ……………… 1252
神経分泌細胞 neurosecretory cells ……… 324
神経分泌物質 neurosecretory substance 1766
神経ペプチド neuropeptide ……………… 1251
神経ペプチドY neuropeptide Y ………… 1251
神経縫合 nerve suture ………………… 1787
神経縫合〔術〕 neurorrhaphy …………… 1252
神経放射線学 neuroradiology ………… 1251
神経母斑 neuronevus …………………… 1250
神経ホルモン neurohormone …………… 1248
神経ボレリア症 neuroborreliosis ……… 1246
神経麻痺 neuroparalysis ……………… 1250
神経麻痺性角膜炎 neuroparalytic
keratopathy ……………………………… 980

神経麻痺の neuroplegic 1251
神経迷路炎 neurolabyrinthitis 1248
神経メラニン neuromelanin 1248
神経免疫調節 neuroimmunomodulation 1248
神経網 neuropil, neuropile 1251
神経薬理学 neuropharmacology 1251
神経〔誘導〕因子 neural factor 668
神経葉 nervous lobe 1064
神経葉 lobus nervosus 1066
神経溶解 neurolysis 1248
神経溶解素 neurolysin 1248
神経〔様〕作用の neuromimetic 1248
神経様の neuroid 1248
神経ラチリスム neurolathyrism 1248
神経瘤 neurovaricosis, neurovaricosity 1253
神経領域 nerve field 697
神経療法 neurotherapeutics, neurotherapy 1253
神経力の neurodynamic 1246
神経リンパ腫症 neurolymphomatosis 1248
神経裂離 nerve avulsion 183
神経路 nerve tract 1911
〔神経路〕切路〔術〕 tractotomy 1914
神経ワクチン neurovaccine 1253
腎結核〔症〕 nephrophthisis 1230
腎結核〔症〕 nephrotuberculosis 1231
心血管系 cardiovascular system (CVS) 1830
心血管シンチグラフィ radiocineangiocardiography 1543
腎血管性高血圧〔症〕 renovascular hypertension 888
腎血管〔性〕の renovascular 1590
心血管梅毒 cardiovascular syphilis 1828
心血管放射線学 cardiovascular radiology 1544
真結合線 median conjugate 411
真結合線 true conjugate 411
腎結石 renal calculus 278
腎結石 nephrolith 1229
〔臍帯の〕真結節 true knot, true knot of umbilical cord 988
腎欠損 renal agenesis 35
腎〔機能〕欠損の renoprival 1590
心原性失神 cardiac syncope 1794
心原性ショック cardiogenic shock 1674
腎原性の renogenic 1590
腎原〔性〕の nephrogenous 1229
腎〔原〕性尿崩症 nephrogenic diabetes insipidus 507
進行 progress 1495
腎口 nephrostoma, nephrostome 1231
人工陰茎 dildo, dildoe 519
人工ヴィシー塩 artificial Vichy salt 1632
腎硬化〔症〕 nephrosclerosis 1230
唇口蓋の labiopalatine 991
人工解剖学 artificial anatomy 74
人工角膜移植 allopathic keratoplasty 980
人工角膜移植〔術〕 keratoprosthesis 981
心硬化症候群 stiff heart syndrome 1821
信号過程 semiosis, semeiosis 1659
人工カルルス塩 artificial Carlsbad salt 1632
人工換気(呼吸) artificial ventilation 2009
人工気胸 artificial pneumothorax 1451
人工キッシンゲン塩 artificial Kissingen salt 1632
人工強直 artificial ankylosis 92
腎後区動脈 arteria segmenti posterioris renalis 138
腎後区動脈 artery of posterior segment of kidney 150
腎後区動脈 posterior segmental artery (of kidney) 150
新口形成〔術〕 neostomy 1228
人工肛門形成〔術〕 colostomy 394
人工肛門形成〔術〕 proctostomy 1493
人工呼吸 artificial respiration 1595
人工呼吸器 respirator 1596
人工痤瘡 acne artificialis 16
信号雑音比 signal:noise ratio 1561
人工産物 artifact 158
人工産物の artifactual 158
人工歯冠 artificial crown 442
人工磁石 magnet 1092
人工歯配列 tooth arrangement 1902
人工紫斑 factitious purpura 1528
人工授精 artificial insemination 939
人工受動免疫 artificial passive immunity 910
深紅色化 lake 995
信号処理回路 signal-processing circuits 365
人工腎〔臓〕 artificial kidney 983
人工神経回路網 artificial neural network 1244
人工神経ネットワーク artificial neural network 1244
人工心臓 artificial heart 820
人工心臓 mechanical heart 820
人工心肺 heart-lung machine 1088
人工心肺〔装置〕 pump-oxygenator 1526
進行性核上性麻痺 progressive supranuclear palsy 1340
進行性家族性強皮症 progressive familial scleroderma 1647
進行性過程 progressive processes 1490
進行性眼筋麻痺 ophthalmoplegia progressiva 1308
進行性球麻痺 progressive bulbar palsy 1340
進行性骨異形成 progressive osseous heteroplasia 849
進行性骨化性筋炎 myositis ossificans progressiva 1216
進行性骨化性線維形成異常〔症〕 fibrodysplasia ossificans progressiva 693
進行性色素性皮膚病(症) progressive pigmentary dermatosis 498
進行性脂肪異栄養〔症〕 progressive lipodystrophy 1057
進行性〔種〕痘疹 progressive vaccinia 1981
進行性脊髄性筋萎縮〔症〕 progressive spinal muscular atrophy 174
進行性脊柱前弯性歩行不全(歩行障害) dysbasia lordotica progressiva 570
進行性染色〔法〕 progressive staining 1736
進行性大脳白質萎縮〔症〕 leukodystrophia cerebri progressiva 1027
進行性多病巣性白質脳症 progressive multifocal leukoencephalopathy (PML) 1028
進行性多病巣性白質脳障害 progressive multifocal leukoencephalopathy (PML) 1028
進行性白内障 progressive cataract 311
進行性分割 progressive cleavage 373
進行性網膜外層壊死 progressive outer retinal necrosis (PORN) 1225
深後仙尾靱帯 deep dorsal sacrococcygeal ligament 1034
深後仙尾靱帯 deep posterior sacrococcygeal ligament 1034
人口増加率 growth rate of population 1559
人工〔補〕装具 prosthesis 1501
人工知能 artificial intelligence 943
人工的括約筋 artificial sphincter 1712
人口統計学 demography 486
人工瞳孔 artificial pupil 1527
人口動態統計 vital statistics 1740
人工内耳 cochlear implant 915
人工妊娠中絶 elective abortion 4
人工の artifactual 158
人工能動免疫 artificial active immunity 910
人工破水(破膜) amniotomy 63
人工発熱 physiopyrexia 1420
人工破膜 artificial membrane rupture 1627
進行波(トラベリングウェーブ)理論 traveling wave theory 1877
人工皮膚炎 dermatitis artefacta 495
人口ピラミッド population pyramid 1533
唇紅部切除〔術〕 vermilionectomy 2013
人工ペースメーカ artificial pacemaker 1334
人工弁 prosthetic valves 1985
人工放射能 artificial radioactivity 1542
進行流産 inevitable abortion 4
人工流産 induced abortion 4
人工流産 menstrual extraction abortion 4
人工流産 feticide 681
人工流産施行者 abortionist 4
人工流産する abort 3
信仰療法 hierotherapy 852
信仰療法 theotherapy 1877
人工涙 artificial tears 1843
唇交連 commissura labiorum (oris) 397
唇交連 commissure of lips (of mouth) 397
唇交連 labial commissure (of mouth) 397
腎後性蛋白尿〔症〕 postrenal albuminuria 44
腎固定〔術〕 nephropexy 1230
シンコニン cinchonine 363
シンコフェン cinchophen 363
新語乱発〔症〕 neolallism 1227
審査 audit 177
診査 exploration 656
診査〔法〕 examination 650
浸剤 infusion 932
深在(深部)角膜炎 keratitis profunda 978
深在筋膜 deep fascia 672
真再生 epimorphosis 629
深在性エリテマトーデス lupus erythematosus profundus 1073
深在性エリテマトーデス lupus profundus 1074
深在性汗疹 miliaria profunda 1157
深在性紅斑性狼瘡 lupus erythematosus profundus 1073
深在性静脈血栓症 deep vein thrombosis (DVT) 1888
深在性静脈瘤 spider-burst 1715
深在性嚢胞性大腸(結腸)炎 colitis cystica profunda 390
深在(深部)点状角膜炎 deep punctate keratitis 978
深在の profunda 1494
腎細胞癌 renal cell carcinoma 298
腎〔細胞〕毒素 nephrotoxin 1231
腎細胞溶解 nephrolysis 1229
腎細胞溶解素 nephrolysin 1229
深催眠 major hypnosis 891
シンザイム synzyme 1827
診査針 exploring needle 1225
診察 examination 650
診察 physical examination 651
腎撮影(造影)〔法〕 nephrography 1229
腎撮影(造影)〔法〕 renography 1590
心雑音 cardiac murmur 1179
心雑音 cardiac souffle 1701
心左方偏位 sinistrocardia 1686
診査料 reward 1606
新産児の newborn 1256
浸漬 insuccation 941
深枝 deep branch 245
深枝 ramus profundus 1555
心耳 auricular appendage 119
心耳 atrial auricle 177
心耳 atrial auricula 177
心耳 auricles (of atria) 177
〔迷走神経〕腎枝 rami renales nervi vagi 1556
シンシアニン syncyanin 1794
深耳介動脈 arteria auricularis profunda 134
深耳介動脈 deep auricular artery 144
深耳下腺リンパ節 deep parotid lymph

シ

nodes ···························· 1078
腎閾値 renal threshold ··················· 1886
心軸 mandrel, mandril ···················· 1098
深指屈筋 deep flexor (muscle) of fingers ························ 1183
深指屈筋 flexor digitorum profundus (muscle) ························ 1185
深指屈筋 musculus flexor digitorum profundus ························ 1200
新視床 neothalamus ······················ 1228
心磁図〔法〕magnetocardiography ········ 1092
心耳切除〔術〕auricular appendectomy ···· 119
シンシチウム syncytium ··················· 1794
心室 ventricle ·························· 2010
〔右または左〕心室 (right/left) ventricles of heart ························ 2011
心室逸脱 ventricular escape ················ 641
心室化 ventricularization ················· 2011
深膝蓋下包 deep infrapatellar bursa ······· 268
深膝蓋下包 bursa infrapatellaris profunda ························ 269
心室外の extraventricular ················· 658
心室間溝 interventricular grooves ········· 801
心室間の interventricular ················· 948
心室期外収縮 premature ventricular contraction (PVC) ···················· 417
心室機能造影 ventriculography ············ 2011
心室憩室 ventricular diverticulum ········· 552
心室形成〔術〕ventriculoplasty ············ 2012
心室係蹄 ventricular loop ················ 1069
心室勾配 ventricular gradient ············· 794
心室後負荷 ventricular afterload ············ 33
心室固有調律 idioventricular rhythm ····· 1611
心室固有の idioventricular ················ 905
心室〔性〕細動 ventricular fibrillation ······ 692
心室収縮 ventricular systole ·············· 1835
心室充満圧 ventricular filling pressure ···· 1483
心室性拡張期 ventricular diastole ·········· 511
心室性期外収縮 ventricular extrasystole ····· 658
心室性徐脈 ventricular bradycardia ········ 240
心室性遅延電位 ventricular late potential ························ 1474
心室性二連(二段)脈 ventricular bigeminy ························ 210
心室〔性〕頻拍(頻脈) ventricular tachycardia ························ 1837
心室(脳室)切開〔術〕ventriculotomy ······ 2012
心室前負荷 ventricular preload ············ 1479
心室粗動 ventricular flutter ················ 717
心室中隔 interventricular septum ········· 1664
心室中隔 septum interventriculare ········· 1664
心室中隔 ventricular septum ·············· 1664
〔心臓の〕心室中隔筋性部 muscular part of interventricular septum (of heart) ···· 1366
心室中隔欠損〔症〕ventricular septal defect ························ 477
心室中隔枝 rami interventriculares septales ························ 1552
〔心室〕中隔枝 septal branches ·············· 253
心室中隔房室弁輪接合部 crux of heart ··· 444
心室中隔膜性部 membranous part of interventricular septum ················ 1365
心室停止 ventricular standstill ············ 1737
心室同期型パルス発生器 ventricular synchronous pulse generator ············ 765
心室橈骨形成異常(異形成) ventriculoradial dysplasia ························ 576
心室動脈 arteriae ventriculares ············ 138
心室動脈 ventricular arteries ··············· 154
心室内伝導 intraventricular conduction ··· 408
心室内の intraventricular (IV, I-V) ······ 951
心室内ブロック intraventricular block (IVB), IV block ······················ 222
心室内変行伝導 aberrant ventricular conduction ························ 408
〔心室の〕拡張末期の telediastolic ········· 1846
〔心室の〕収縮末期の telesystolic ·········· 1847
心室の変調 ventricular ponderance ······· 2011
心室拍相の ventriculophasic ··············· 2012
心室波形 ventricular complex ·············· 403
心室プラトー ventricular plateau ········ 1436
心室補充収縮 escape ventricular contraction ························ 417
心室補助装置 ventricular assist device ··· 503
心室捕捉 ventricular capture ··············· 291
心室融合収縮 ventricular fusion beat ····· 203
心室抑制型パルス発生器 ventricular inhibited pulse generator ················ 765
心室瘤 ventricular aneurysm ················ 82
唇歯の labiodental ························ 991
心脂肪症 steatosis cardiaca ··············· 1741
真珠 pearl ······························ 1375
腎腫 nephroma ·························· 1229
侵襲 aggression ··························· 38
侵襲 invasion ···························· 952
侵襲 stress ····························· 1755
真獣亜綱 Eutheria ························ 649
腎周囲炎 perinephritis ··················· 1388
腎周囲組織 perinephrium ·················· 1389
腎周囲組織の perinephrial ················ 1388
腎周囲の circumrenal ····················· 367
腎周囲膿瘍 perinephric abscess ················ 5
心〔臓〕周期 cardiac cycle ················· 454
心周期の等尺期 isometric period of cardiac cycle ························ 1389
人獣共通感染症 amphixenosis ················ 64
人獣共通感染能 zoonotic potential ······· 1474
人獣共通伝染病 zoonosis ·················· 2061
腎集合管癌 collecting duct carcinoma of the kidney ························ 297
〔心〕収縮〔期〕systole ···················· 1834
心収縮計 systolometer ···················· 1835
心収縮正常 eusystole ······················ 649
心収縮力減退 hypodynamia cordis ·········· 892
侵襲性下垂体腺腫 invasive pituitary adenoma ························ 26
侵襲性の invasive ························ 952
腎十二指腸間膜 duodenorenal ligament 1035
腎周の perinephric ······················· 1388
人種学 ethnology ························· 646
伸縮指 telescoping finger ··················· 701
真珠光の nacreous ······················· 1219
真珠工病 pearl-worker's disease ··········· 539
真珠腫 cholesteatoma ······················ 351
人種集団 ethnic group ····················· 646
真珠状魚鱗癬 nacreous ichthyosis ·········· 903
人種性黒皮症 racial melanoderma ········ 1121
人種中心主義 ethnocentrism ················ 646
浸出 leaching ··························· 1014
滲出 effusion ···························· 590
滲出 exudation ··························· 659
滲出液 effusion ·························· 590
滲出液 exudate ··························· 659
滲出〔性〕炎〔症〕exudative inflammation 929
滲出球 exudation corpuscle ················ 426
伸出筋 protractor ························ 1509
腎出血 renal hemorrhage ·················· 836
心術後症候群 postcardiotomy syndrome ···· 1816
滲出性関節液嚢炎 serosynovitis ··········· 1667
滲出性胸膜炎 pleurisy with effusion ······ 1438
滲出性結核 exudative tuberculosis ········ 1946
滲出性細気管支炎 exudative bronchiolitis ························ 259
滲出性糸球体腎炎 exudative glomerulonephritis ···················· 780
滲出性硝子体網膜症 exudative vitreoretinopathy ···················· 2035
浸出性ドルーゼン exudative drusen ······· 562
滲出性嚢胞 exudation cyst ················· 459
滲出性脈絡膜炎 exudative choroiditis ····· 356
滲出性網膜炎 exudative retinitis, retinitis exudativa ························ 1601
滲出性網膜剝離 exudative retinal detachment ························ 500
滲出物 exudate ··························· 659
進出ブロック exit block ··················· 222
真珠嚢胞(嚢腫) pearl cyst ················· 460
浸潤 infiltration ·························· 928
浸潤 invasion ···························· 952
浸潤癌 invasive carcinoma ················· 297
浸潤性血管粘液腫 aggressive angiomyxoma ························ 86
浸潤物 infiltration ························ 928
〔局所〕浸潤麻酔〔法〕infiltration anesthesia 79
浸潤野 involved field ······················ 697
心象 imagery ····························· 908
腎症 nephropathia ······················· 1230
腎症 nephropathy ························ 1230
針状灌水浴 needle bath ···················· 202
腎〔臓〕上極 superior pole of kidney ······ 1456
尋常〔性〕魚鱗癬 ichthyosis vulgaris ······· 903
蕈(しん)状菌症 cladiosis ·················· 369
腎上区動脈 arteria segmenti superioris renalis ························ 138
腎上区動脈 artery of superior segment of kidney ························ 153
腎上区動脈 superior segmental artery of kidney ························ 153
〔尺骨動脈〕深掌枝 deep palmar branch of ulnar artery ······················ 245
〔尺骨動脈〕深掌枝 ramus palmaris profundus arteriae ulnaris ············· 1554
深掌静脈弓 deep palmar venous arch ···· 125
深掌静脈弓 arcus venosus palmaris profundus ························ 128
腎症状を伴う出血〔性〕熱 hemorrhagic fever with renal syndrome ················ 684
尋常性痤瘡 acne vulgaris ··················· 16
尋常〔性〕天疱瘡 pemphigus vulgaris ····· 1379
尋常〔性〕の vulgaris ····················· 2038
尋常性ゆうぜい(疣贅) verruca vulgaris 2014
尋常性狼瘡 lupus vulgaris ················ 1074
腎上前区 anterior superior renal segment ························ 1654
腎上前区動脈 arteria segmenti anterioris superioris renalis ················ 138
腎上前区動脈 anterior superior segmental artery of kidney ···················· 142
腎小体 renal corpuscle ···················· 426
腎小体 corpusculum renis ·················· 427
腎上体 adrenal ···························· 30
腎上体 suprarenal gland ··················· 774
腎上体 glandula suprarenalis ·············· 776
腎上体(副腎)静脈 suprarenal veins ······ 2002
腎上体皮質 cortex glandulae suprarenalis 428
腎〔臓〕上端 extremitas superior renis ······ 658
真焦点 real focus ························· 718
深掌動脈弓 deep palmar (arterial) arch 125
深掌動脈弓 arcus palmaris profundus ····· 127
深掌動脈弓の貫通枝 perforating branches of deep palmar arch ··················· 251
深掌動脈弓の貫通枝 rami perforantes arcus palmaris profundi ·················· 1555
腎症の nephropathic ···················· 1230
腎上の adrenal ····························· 30
腎上の suprarenal ······················· 1779
腎上の surrenal ························· 1785
新小脳 neocerebellum ···················· 1227
腎静脈 renal veins ······················· 2000
腎静脈 venae renales ····················· 2007
腎小葉間静脈 interlobular veins of kidney ························ 1997
腎小葉間静脈 venae interlobulares renis 2006
腎小葉間動脈 interlobular arteries of kidney ························ 146
深所恐怖〔症〕bathophobia ················· 202
侵食 erosion ····························· 637
侵食する eat ····························· 580

侵食性潰瘍 phagedenic ulcer 1961
侵食〔性〕の dieretic 514
深色の bathochromic 202
心身医学 psychosomatic medicine 1117
新神経再生 neoneurotization 1227
腎神経節 ganglia renalia 754
腎神経節 renal ganglia 754
腎神経叢 renal (nerve) plexus 1443
心身障害 psychosomatic disorder, psychophysiologic disorder 547
心神喪失 criminal irresponsibility 957
心神喪失の non compos mentis 1266
深心臓神経叢 plexus cardiacus profundus 1439
深心臓神経叢 deep cardiac plexus 1440
腎心臓の nephrocardiac 1229
神人同感同情論 anthropopathy 99
心身の psychosomatic 1520
心腎の cardiorenal 301
信心療法 faith healing 819
振水音 clapotage, clapotement 370
親水コロイド hydrophil colloid, hydrophilic colloid 391
親水コロイド hydrocolloid 872
腎髄質 renal medulla 1118
腎髄質癌 medullary carcinoma of the kidney 297
腎髄質嚢胞病 cystic disease of renal medulla 531
腎髄質の外層 outer zone of renal medulla 2059
腎髄質の外放線 outer stripes of renal medulla 1757
腎髄質の内層 inner zone of renal medulla 2059
腎髄質の内放線 inner stripes of renal medulla 1757
親水性 hydrophilia 873
親水性物質 hydrophil, hydrophile 873
親水性ワセリン hydrophilic petrolatum 1397
浸水足 immersion foot 724
腎錐体 pyramis renalis 1533
腎錐体 renal pyramids 1533
深錐体神経 deep petrosal nerve 1233
深錐体神経 nervus petrosus profundus 1243
腎錐体底 base of renal pyramid 200
腎錐体底 basis pyramidis renis 201
親水軟膏 hydrophilic ointment 1295
浸水の submerged 1764
心性 mentality 1131
新生 neogenesis 1227
真正 authenticity 178
真正角素 eukeratin 648
真正菌類 eumycetes 648
腎性くる病 renal rickets 1614
真性グロブリン euglobulin 647
真性憩室 true diverticulum 552
新生血管形成 neovascularization 1228
新生血球崩壊 neocytolysis 1227
真性血精液症 hemospermia vera 836
腎性血尿 renal epistaxis 631
腎性血尿 renal hematuria 827
真性口渇 true thirst 1885
腎性高血圧〔症〕 renal hypertension 888
新生抗原 neoantigens 1227
新生子ウシ下痢ウイルス neonatal calf diarrhea virus 2027
腎性骨形成異常〔症〕 renal osteodystrophy 1322
腎性骨ジストロフィ renal osteodystrophy 1322
腎性小人症(侏儒) renal nanism 1220
真性コリンエステラーゼ true cholinesterase 352
新生児一過性多呼吸 transient tachypnea of the newborn 1837
新生児エリテマトーデス lupus erythematosus, neonatal 1073
新生児エリテマトーデス neonatal lupus 1073
新生児科医 neonatologist 1227
新生児開口障害 trismus nascentium 1935
新生児科学 neonatology 1227
新生児学 neonatology 1227
新生児肝炎 neonatal hepatitis 839
新生児眼炎 ophthalmia neonatorum 1307
新生児期 infancy 925
新生児期黄疸 icterus neonatorum 903
新生児後頭部脱毛 neonatal occipital alopecia 53
新生児高ビリルビン血症 neonatal hyperbilirubinemia 879
新生児呼吸窮迫症候群 respiratory distress syndrome of the newborn 1818
新生児痤瘡 acne neonatorum 16
新生児歯 neonatal tooth 1903
新生児死亡 neonatal death 473
新生児死亡率 neonatal mortality rate 1560
新生児出血〔性〕疾患 hemorrhagic disease of the newborn 534
新生児診断 neonatal diagnosis 508
新生児水腫(浮腫) edema neonatorum 587
新生児水疱性膿痂疹 bullous impetigo of newborn 914
新生児スクリーニング neonatal screening 1651
新生児線 neonatal line 1051
新生児先天性魚鱗癬 ichthyosis congenita neonatorum 903
新生児低血糖 neonatal hypoglycemia 894
新生児テタニー neonatal tetany 1870
新生児同種溶血現象 neonatal isoerythrolysis 960
新生児頭部皮膚炎 cradle cap 288
新生児特発〔性〕壊疽 spontaneous gangrene of newborn 756
腎性歯肉炎 nephritic gingivitis 770
新生児乳腺炎 mastitis neonatorum 1109
新生児の newborn 1256
新生児脳炎 encephalitis neonatorum 607
新生児の先天性エプーリス congenital epulis of newborn 634
新生児の白血球増加〔症〕 leukocytosis of the newborn 1027
新生児肺硝子膜症 hyaline membrane disease of the newborn 535
新生児剝脱性皮膚炎 dermatitis exfoliativa infantum, dermatitis exfoliativa neonatorum 495
新生児破傷風 tetanus neonatorum 1870
新生児皮下脂肪壊死 subcutaneous fat necrosis of newborn 1225
新生児皮膚硬化〔症〕 sclerema neonatorum 1646
新生児ヘルペス neonatal herpes 845
新生児疱疹 neonatal herpes 845
新生児無酸素〔症〕 anoxia neonatorum 96
新生児メレナ melena neonatorum 1123
真性腫瘍 blastoma 219
真性焼灼器 actual cautery 315
腎性小人症(侏儒) renal nanism 1220
真正条虫亜綱 Eucestoda 647
新生児鱗状脂漏〔症〕 seborrhea squamosa neonatorum 1652
腎性水腫 nephredema 1228
〔真性〕声帯溝〔症〕 true sulcus vocalis 1775
新生赤血球増加〔症〕 erythroneocytosis 641
真性(正)赤血球増加〔症〕 polycythemia vera 1459
腎性腺腫 nephrogenic adenoma 26
真正染色質 euchromatin 647
真正ぞうげ質 orthodentin 1316
新生組織の neoblastic 1227
真性(正)多血症 polycythemia vera 1459
真性てんかん idiopathic epilepsy 628
真正痘瘡 variola vera 1988
腎性糖尿 renal glycosuria 789
〔真性〕糖尿病 diabetes mellitus (DM) 506
真性動脈瘤 true aneurysm 82
新生内膜増殖 neointimal hyperplasia 886
新生内膜増殖 neointimal proliferation 1497
新生軟骨 neocartilage 1227
〔真性〕軟骨腫 enchondroma 610
〔真性〕軟骨腫症 enchondromatosis 610
腎〔原〕性尿崩症 nephrogenic diabetes insipidus 507
真正の obligate 1288
真性肥大 true hypertrophy 889
真正表現型変換 euphenics 648
腎性浮腫 nephredema 1228
新生物 neoplasm 1228
新生物〔形成〕 neoformation 1227
神聖物恐怖〔症〕 hierophobia 852
新〔生物〕形成の neoplastic 1228
新生物随伴症候群 paraneoplastic syndrome 1815
新生物性髄膜炎 neoplastic meningitis 1129
新生物発生前の preneoplastic 1480
新生物傍脳脊髄症 paraneoplastic encephalomyelopathy 609
真正ペプチド eupeptide 648
真性メレナ melena vera 1123
腎性網膜症 renal retinopathy 1603
真性癒着胎盤 placenta accreta vera 1428
腎性幼稚症 renal infantilism 926
腎石 renal calculus 278
腎石 nephrolith 1229
腎石切り術 nephrolithotomy 1229
腎石症 nephrolithiasis 1229
真脊椎 true vertebra 2015
腎節 nephromere 1229
腎節 nephrotome 1231
〔口〕唇切開〔術〕 cheilotomy 341
腎石灰〔症〕 nephrocalcinosis 1229
腎切開〔術〕 renal capsulotomy 291
腎切開〔術〕 nephrotomy 1231
腎石灰沈着〔症〕 nephrocalcinosis 1229
〔左肺の〕心切痕 incisura cardiaca pulmonis sinistri 919
〔左肺の〕心切痕 cardiac notch of left lung 1269
唇切除〔術〕 cheilectomy, chilectomy 340
腎切除〔術〕 nephrectomy 1228
腎切石〔術〕 nephrolithotomy 1229
唇舌側弧線装置 labiolingual appliance 121
唇舌面 labiolingual plane 1430
ジンセノサイド ginsenoside 771
浸染 imbibition 909
心尖 apex cordis 113
心尖 apex of heart 113
振せん thrill 1886
振せん trembling 1924
振せん tremor 1924
振せん運動 flap 709
腎腺癌 renal adenocarcinoma 24
振せん恐怖〔症〕 tremophobia 1924
深前頸リンパ節 anterior deep cervical lymph nodes 1077
深前頸リンパ節 deep anterior cervical lymph nodes 1078
新線条体 neostriatum 1228
腎前性高窒素血症 nonrenal azotemia, prerenal azotemia 186
腎前性蛋白尿〔症〕 prerenal albuminuria 44
心尖切痕 incisura apicis cordis 919
心尖切痕 notch of apex of heart 1269
心尖切痕 notch of cardiac apex 1269
振せんせん妄 delirium tremens (DTs, DT) 484

心選択性 cardioselectivity …………………… 301
腎仙痛 renal colic …………………………… 389
針尖刀 knife needle ………………………… 1225
新鮮凍結血漿 fresh frozen plasma (FFP) …………………………………………… 1432
腎前〔方〕の prerenal ……………………… 1480
心尖拍動 apex beat ………………………… 203
心尖拍動 pulsus cordis …………………… 1525
心尖〔部〕拍動 apex impulse ……………… 917
心尖拍動図 apexcardiogram ……………… 113
振せん描画器 tremograph ………………… 1924
振せん描画図 tremogram ………………… 1924
心尖部収縮後期雑音 late apical systolic murmur …………………………………… 1180
心尖部心臓図 apexcardiography ………… 114
振せん麻痺 shaking palsy, trembling palsy …………………………………………… 1340
振せん麻痺 parkinsonism ………………… 1356
振せん脈 pulsus tremulus ………………… 1526
心尖脈 pulsus cordis ……………………… 1525
深層 deep layer …………………………… 1009
心像 mental image ………………………… 908
心臓 coeur ………………………………… 388
心臓 cor …………………………………… 421
腎臓 ren …………………………………… 1589
心臓移植〔術〕 heart transplantation …… 1920
心臓右位(右偏) dextroposition of the heart …………………………………………… 505
心臓運動失調 cardiataxia ………………… 299
心臓運動性 cardiomotility ……………… 300
腎造影(撮影)〔法〕 nephrography ……… 1229
腎造影(撮影)〔法〕 renography ………… 1590
心臓壊死 cardionecrosis ………………… 301
心臓炎 carditis …………………………… 301
〔心臓〕横隔面 facies diaphragmatica (cordis) ………………………………… 663
〔心臓〕横隔面 diaphragmatic surface (of heart) ………………………………… 1781
腎臓潰瘍 nephrelcosis …………………… 1228
腎〔臓〕下極 inferior pole of kidney …… 1456
心臓〔病〕学 cardiology …………………… 300
心臓核心部 crux of heart ………………… 444
心臓拡張〔症〕 cardiectasia ……………… 299
心臓拡張〔症〕 ectasia cordis …………… 584
心臓拡張期 auxocardia …………………… 182
心臓下垂〔症〕 cardioptosia ……………… 301
腎〔臓〕下端 extremitas inferior renis …… 658
心臓下包 infracardiac bursa ……………… 269
腎臓環 renal collar ……………………… 391
心臓・顔症候群 cardiofacial syndrome …… 1799
腎〔臓〕間の interrenal …………………… 947
心臓キモグラフ cardiokymograph ……… 300
心臓キモグラフィ cardiokymography …… 300
心臓キモグラム cardiokymogram ……… 300
心臓逆位〔症〕 cardiac heterotaxia ……… 849
心臓鏡 cardioscope ……………………… 301
深層強膜炎 deep scleritis ……………… 1646
心臓偶発症候 cardiac accident ………… 10
心臓形骨盤 cordate pelvis, cordiform pelvis …………………………………………… 1378
心臓形子宮 cordiform uterus …………… 1977
心臓形成板 cardiogenic plate …………… 1434
心臓計測〔法〕 cardiometry ……………… 300
腎臓形の nephroid ………………………… 1229
心臓血管腎臓の cardiovasculorenal …… 301
心臓血管の cardiovascular (CV) ……… 301
心臓血栓 cardiothrombus ………………… 301
心臓ゲーティング cardiac gating ……… 760
心臓減圧〔術〕 cardiac decompression …… 475
心臓減圧反射 cardiac depressor reflex … 1578
心臓甲状腺中毒〔症〕 cardiothyrotoxicosis 301
腎臓後面 facies posterior renis ………… 665
腎臓後面 posterior surface of kidney …… 1783
心臓刺激伝導系 conducting system of heart …………………………………………… 1831
心臓脂肪症 steatosis cordis …………… 1741
心臓周囲の pericardiac, pericardial …… 1386
心臓周囲反射 pericardial reflex ………… 1581
心〔臓〕周期 cardiac cycle ………………… 454
心臓〔受容〕能力 cardiac competence …… 400
心臓障害 cardiopathy …………………… 301
腎〔臓〕上極 superior pole of kidney …… 1456
腎〔臓〕上端 extremitas superior renis …… 658
心臓神経症 cardiac neurosis …………… 1252
心臓神経症 phrenocardia ………………… 1419
心臓神経症の neurocardiac ……………… 1246
心臓神経節 cardiac ganglia ……………… 752
心臓神経節 ganglia cardiaca …………… 752
心臓神経叢 cardiac (nerve) plexus …… 1439
心臓神経の cardioneural ………………… 301
深層心理学 depth psychology …………… 1518
心臓〔性〕水腫(浮腫) cardiac edema …… 587
腎臓水腫 nephredema …………………… 1228
心臓性肝硬変 cardiac cirrhosis ………… 367
心臓性呼吸困難 cardiac dyspnea ……… 576
心臓性ショック cardiogenic shock …… 1674
心臓〔性〕ぜん息 cardiac asthma ………… 165
心臓性蛋白尿〔症〕 cardiac albuminuria … 43
心臓性浮腫 cardiac dropsy ……………… 561
心臓性利尿薬 cardiac diuretic ………… 551
人造石 artificial stone …………………… 1749
心臓切開〔術〕 cardiotomy ………………… 301
心臓前〔方〕の precardiac ………………… 1476
心臓前面 facies anterior cordis ………… 662
心臓前面 anterior surface of heart …… 1780
腎臓前面 facies anterior renis ………… 662
腎臓前面 anterior surface of kidney …… 1780
深層層状角膜内皮移植術 deep lamellar endothelial keratoplasty (DLEK) ……… 980
心臓促進神経 cardioaccelerator ……… 299
心臓組織球 cardiac histiocyte ………… 854
心臓大動脈の cardioaortic ……………… 299
心臓大網固定〔術〕 cardioomentopexy …… 301
心臓代用弁 heart valve prosthesis ……… 1501
心〔臓〕タンポナーデ cardiac tamponade 1840
心臓中胚葉 cardiogenic mesoderm ……… 1136
心臓直下の infracardiac ………………… 931
心臓転位 cardiectopia …………………… 299
心臓転位 ectocardia ……………………… 585
心臓転位〔症〕 ectopia cordis …………… 585
心〔臓〕動脈間隔 cardioarterial interval, c-a interval ………………………………… 948
心臓動脈の cardioarterial ……………… 299
心臓毒性 cardiotoxin …………………… 301
心臓毒〔性〕の cardiotoxic ……………… 301
心〔臓〕内圧曲線 intracardiac pressure curve …………………………………………… 451
心臓内空気搬入 aerendocardia ………… 31
腎臓内側縁 margo medialis renis ……… 1104
腎臓内動脈の被膜枝 capsular branches of intrarenal arteries ……………………… 243
心臓内の intracardiac …………………… 950
腎〔臓〕内の intrarenal …………………… 951
腎臓内の動脈 intrarenal arteries ……… 147
心〔臓〕内誘導 intracardiac lead ………… 1014
心臓軟化〔症〕 cardiomalacia …………… 300
深層の deep ……………………………… 476
腎〔臓〕の nephric ………………………… 1228
〔心臓の〕右縁 right margin of heart …… 1103
〔心臓の〕右縁 margo dexter cordis …… 1104
心臓の右縁 right border of heart ……… 236
心臓の〔右または左〕肺面 facies pulmonales dextra/sinistra cordis ………………… 665
腎〔臓〕嚢胞形成 nephrocystosis ………… 1229
心臓の横隔面 diaphragmatic surface of heart ……………………………………… 1781
腎臓の外側縁 lateral border of kidney … 235
腎臓の回転異常 malrotated kidney …… 984
〔腎臓の〕弓状静脈 arciform veins of kidney …………………………………………… 1994
〔腎臓の〕弓状静脈 arcuate veins of kidney …………………………………………… 1994
〔腎臓の〕弓状静脈 venae arcuatae renis 2004
〔心臓の〕胸肋面 facies sternocostalis cordis …………………………………………… 665
〔心臓の〕胸肋面 sternocostal surface of heart ……………………………………… 1783
心臓の原基 heart primordium ………… 1484
心臓のコンプライアンス compliance of heart ……………………………………… 403
腎臓の脂肪被膜 capsula adiposa renis …… 290
腎臓の脂肪被膜 fatty renal capsule …… 290
心臓の受攻期 vulnerable period, vulnerable period of heart ………………………… 1390
心臓の静脈 cardiac veins ……………… 1994
心臓の静脈 veins of heart ……………… 1996
心臓の静脈 venae cordis ……………… 2005
腎臓の静脈 veins of kidney …………… 1997
〔心臓の〕心室中隔筋性部 muscular part of interventricular septum (of heart) …… 1366
心臓の伸展性 compliance of heart …… 403
腎臓の星状細静脈 stellate veins of kidney …………………………………………… 2001
〔心臓の〕線維三角 fibrous trigones of heart …………………………………………… 1932
〔心臓の〕線維三角 trigona fibrosa cordis 1933
心臓の線維性骨格 fibrous skeleton of heart …………………………………………… 1691
心臓の線維輪 (right and left) fibrous rings of heart ……………………………… 1618
〔腎臓の〕直細静脈 straight venules of kidney ……………………………………… 2012
〔腎臓の〕直細静脈 venulae rectae of kidney …………………………………………… 2012
〔腎臓の〕直細静脈 venulae rectae renis 2012
心臓の電気的交代 electrical alternation of heart ……………………………………… 54
腎臓の動脈 arteriae renis ……………… 137
腎臓の動脈 arteries of kidney ………… 147
腎臓の内側縁 medial border of kidney … 235
〔心臓の〕乳頭筋 musculus papillaris cordis …………………………………………… 1202
腎臓の乳頭孔 foramina papillaria renis 726
腎臓の乳頭孔 papillary foramina of kidney …………………………………………… 726
腎臓の乳頭孔 openings of papillary ducts …………………………………………… 1303
心臓の肺面 pulmonary surfaces of heart …………………………………………… 1783
心臓の〔右または左〕肺面 facies pulmonales dextra/sinistra cordis ………………… 665
〔腎臓の〕皮質小葉 renal cortical lobule 1066
心臓の法則 law of the heart …………… 1007
腎臓の無回転 nonrotation of kidney …… 1266
心臓の卵円孔 foramen ovale of heart …… 725
心臓の卵円孔 oval foramen of heart …… 725
心〔臓〕拍動 heart stroke ………………… 1758
心臓発育不全 cardiatelia ……………… 299
心臓発生 cardiogenesis ………………… 300
心臓破裂 cardiorrhexis ………………… 301
腎〔臓〕バロットマン renal ballottement 193
心臓肥大 cardiomegaly ………………… 300
心〔臓〕肥大 hypercardia ………………… 879
腎臓被膜剥離〔術〕 decapsulation of kidney …………………………………………… 474
心臓〔病〕学 cardiology ………………… 300
腎臓病学 nephrology …………………… 1229
心臓病患者 cardiopath ………………… 301
心臓病恐怖〔症〕 cardiophobia ………… 301
心臓病専門医 cardiologist ……………… 300
心臓〔性〕水腫(浮腫) cardiac edema …… 587
心臓ヘルニア cardiocele ………………… 299
心臓偏位 ectocardia ……………………… 585
心臓弁の異常分割 abnormal cleavage of cardiac valve ……………………………… 373
心臓弁不全 cardiac valvular incompetence …………………………………………… 920
心臓弁膜炎 cardiovalvulitis …………… 301

心臓弁膜尖 cusp ……… 452
心臓縫合〔術〕 cardiorrhaphy ……… 301
心〔臓〕ポリープ cardiac polyp ……… 1463
心臓ホルモン herz hormone ……… 863
心〔臓〕マッサージ heart massage ……… 1108
心〔臓〕マッピング cardiac mapping ……… 1102
心臓麻痺 cardioplegia ……… 301
腎臓明細胞癌 clear cell carcinoma of kidney ……… 297
心臓モニター cardiac monitor ……… 1165
心臓抑制〔性〕の cardioinhibitory ……… 300
心〔臓〕予備力 cardiac reserve ……… 1592
心臓リウマチ rheumatism of the heart 1607
心臓力学 cardiodynamics ……… 299
腎造ろう術 nephrostomy ……… 1231
唇側傾斜 labioclination ……… 991
唇側咬合 labial occlusion ……… 1290
唇側鼓形空隙 labial embrasure ……… 601
唇側弧線 labial arch ……… 126
唇側歯肉 labial gingiva ……… 770
唇側歯肉面の labiogingival ……… 991
迅速スミア(塗抹〔標本〕) fast smear ……… 1693
唇側前庭 labial vestibule ……… 2018
真簇虫目 Eugregarinida ……… 648
迅速停止〔突然〕変異体 quick-stop mutant ……… 1205
深足底動脈 arteria plantaris profundus ……… 137
深足底動脈 deep plantar artery ……… 144
〔深〕足底動脈弓 deep plantar (arterial) arch ……… 125
唇側転位 labioplacement ……… 991
唇側転位 labioversion ……… 991
深側頭静脈 deep temporal veins ……… 1995
深側頭静脈 venae temporales profundae 2008
深側頭神経 deep temporal nerves ……… 1233
深側頭神経 nervi temporales profundi 1243
深側頭動脈 arteria temporalis profunda (anterior et posterior) ……… 138
深側頭動脈 deep temporal artery ……… 144
唇側の labial ……… 991
唇側副子 labial splint ……… 1722
唇側フレンジ labial flange ……… 709
腎鼡径靱帯 inguinal ligament of the kidney ……… 1036
深鼡径輪 anulus inguinalis profundus ……… 111
深鼡径輪 deep inguinal ring ……… 1617
深鼡径リンパ節 deep inguinal lymph nodes ……… 1078
死んだ dead ……… 472
身体 body ……… 225
靱帯 band ……… 194
靱帯 ligament ……… 1032
靱帯炎 desmitis ……… 499
靱帯炎 syndesmitis ……… 1794
身体化 somatization ……… 1699
靱帯外の extraligamentous ……… 657
人体〔解剖〕模型 manikin, mannikin, mannequin ……… 1100
靱帯学 desmography ……… 499
靱帯学 desmology ……… 499
靱帯学 syndesmologia ……… 1794
靱帯学 syndesmology ……… 1794
身体化障害 somatization disorder ……… 547
身体感覚系 somesthetic system ……… 1834
身体計測 somatometry ……… 1699
人体計測〔法〕 anthropometry ……… 99
人体計測器 anthropometer ……… 99
靱帯結合 syndesmodial joint, syndesmotic joint ……… 971
靱帯結合 syndesmosis ……… 1794
身体言語 body language ……… 1000
靱帯骨化 osteodesmosis ……… 1321
靱帯骨棘形成 syndesmophyte ……… 1794
靱帯骨形成 osteodesmosis ……… 1321
身体死 somatic death, systemic death ……… 473
人体視察〔学,法〕 anthroposcopy ……… 99
身体失認 somatagnosia ……… 1699
靱帯周囲の peridesmic ……… 1387
身体醜形障害 body dysmorphic disorder 545
心代償〔性〕肥大 compensatory hypertrophy of the heart ……… 889
身体衰弱 somatasthenia ……… 1699
身体図式 body image ……… 908
身体精神学 somatopsychic ……… 1699
身体精神の physiopsychic ……… 1420
身体精神の somatopsychic ……… 1699
身体性的の somatosexual ……… 1700
人体生理学 hominal physiology ……… 1420
靱帯切除〔術〕 syndesmectomy ……… 1794
人体体部 parts of human body ……… 1364
身体中心部の axial ……… 183
身体治療〔法〕 somatotherapy ……… 1700
身体的検査 physical examination ……… 651
身体的精神病 somatopsychosis ……… 1699
身体的徴候 physical sign ……… 1683
身体的な physical ……… 1420
身体内臓の somaticosplanchnic ……… 1699
靱帯内注射 intraligamentary injection ……… 936
靱帯内の intraligamentous ……… 950
深大脳静脈 deep cerebral veins ……… 1995
人体の部位 regiones corporis ……… 1584
人体の部位 regions of body ……… 1585
靱帯病 desmopathy ……… 499
身体表現性障害 somatoform disorder ……… 547
身体部位失認 somatotopagnosis ……… 1700
身体負荷量 body burden ……… 230
靱帯(腱)付着部症 enthesopathy ……… 622
身体補てつ学 somatoprosthetics ……… 1699
靱帯膜 peridesmium ……… 1387
靱帯膜炎 peridesmitis ……… 1387
身体妄想 somatic delusion ……… 485
人体〔解剖〕模型 manikin, mannikin, mannequin ……… 1100
身体力学 body mechanics ……… 1114
人体レントゲン当量 roentgen-equivalent-man (rem) ……… 1620
靱帯論 syndesmography ……… 1794
心濁音界 area of cardiac dullness ……… 128
シンタクシン syntaxin ……… 1827
シンターゼ synthase ……… 1827
腎脱 nephrocele ……… 1229
シンタリティ syntality ……… 1827
診断 diacrisis ……… 508
診断 diagnosis (Dx) ……… 508
診断医 diagnostician ……… 508
診断医 medical examiner (ME) ……… 651
診断鋭敏度 diagnostic sensitivity ……… 1661
診断関連群別〔法〕 diagnosis-related group (DRG) ……… 803
診断基準 criterion ……… 441
腎断層撮影〔法〕 nephrotomography ……… 1231
心弾動計 ballistocardiograph (BCG) ……… 193
心弾動図 ballistocardiogram ……… 193
心弾動図記録〔法〕 ballistocardiography ……… 193
心弾動図検査〔法〕 ballistocardiography ……… 193
診断特異性 diagnostic specificity ……… 1707
心〔臓〕タンポナーデ cardiac tamponade 1840
診断用超音波 diagnostic ultrasound ……… 1963
診断用聴力検査 diagnostic audiometry ……… 177
診断用套管針 exploring needle ……… 1225
診断用模型 diagnostic cast ……… 309
人畜共通性感染症 zoonotic infection ……… 927
人畜伝染病 anthropozoonosis ……… 99
シンチグラフィ scintigraphy ……… 1645
シンチグラム scintigram ……… 1645
シンチスキャナ scintiscanner ……… 1646
シンチスキャン scintiscan ……… 1646
シンチ大槽造影(撮影)〔法〕 scinticisternography ……… 1645
シンチフォトグラフ scintiphotograph ……… 1646
シンチフォトグラフィ scintiphotography ……… 1646
シンチマンモグラフィ scintimammography ……… 1646
人中 philtrum ……… 1408
腎柱 renal columns ……… 395
腎柱 columnae renales ……… 396
腎虫 *Dioctophyma renale* ……… 521
深中大脳静脈 deep middle cerebral vein ……… 1995
真鍮様体 brassy body ……… 225
伸張 expansion ……… 655
身長 stature ……… 1740
深腸骨回旋静脈 deep circumflex iliac vein ……… 1995
深腸骨回旋静脈 vena circumflexa ilium profunda ……… 2005
深腸骨回旋動脈 arteria circumflexa iliaca profunda ……… 134
深腸骨回旋動脈 deep circumflex iliac artery ……… 144
伸張受容器 stretch receptors ……… 1571
伸張性筋感応 myotatic irritability ……… 957
伸張性収縮 eccentric contraction ……… 417
身長年齢 height age ……… 35
腎腸の renointestinal ……… 1590
真直緊張 orthotonos, orthotonus ……… 1317
腎直細動脈 vasa recta renis ……… 1989
シンチレーション scintillation ……… 1645
シンチレーションカウンター scintillation counter ……… 431
シンチレーション計数器 scintillation counter ……… 431
シンチレータ scintillator ……… 1646
〔口〕唇痛 cheilalgia, chilalgia ……… 340
陣痛 pain ……… 1337
〔分娩〕陣痛 labor pains ……… 1337
陣痛〔記録〕図 tocodynagraph ……… 1897
陣痛記録法 tocography ……… 1897
陣痛計 tocodynamometer ……… 1897
陣痛微弱 uterine inertia ……… 925
心底 base of heart ……… 199
心底 basis cordis ……… 201
心〔動〕停止 cardiac standstill ……… 1737
心〔拍〕停止 cardiac arrest (CA) ……… 132
心停止法 cardioplegia ……… 301
シンディング-ラルセン-ヨハンソン症候群 Sinding-Larsen-Johansson syndrome ……… 1820
心的エネルギー psychic energy ……… 617
心的外傷 psychic trauma ……… 1923
心的外傷後ストレス障害 posttraumatic stress disorder (PTSD) ……… 546
心的外傷後ストレス症候群 posttraumatic stress syndrome ……… 1816
心的決定論 psychic determinism ……… 501
腎摘出〔術〕 nephrectomy ……… 1228
心的装置 mental apparatus ……… 119
心的な psychic ……… 1517
心〔理〕的の psychological, psychologic 1518
心的連想 psychic overtone ……… 1329
シンテターゼ synthetase ……… 1827
シンテニー synteny ……… 1827
シンテニーの syntenic ……… 1827
伸展 dilation ……… 519
伸展 extension ……… 656
進展 evolution ……… 650
腎転位〔症〕 ectopia renis ……… 585
伸展過度 overextension ……… 1328
心電気記録〔法〕 rheocardiography ……… 1607
心電計 electrocardiograph ……… 593
親電子〔体〕 electrophil, electrophile ……… 596
心電図 electrocardiogram (ECG, EKG) 593
心電図遠隔測定〔法〕 cardiac telemetry 1847
心電図記録〔法〕 electrocardiography ……… 593
心電図トリガー ECG trigger ……… 1932
心電図検査〔法〕 electrocardiography ……… 593
心電図上の協調変化 concordant changes electrocardiogram ……… 593

シ

心電図上の非協調性変化 discordant changes electrocardiogram ……… 593
心電図波 electrocardiographic wave ……… 2042
心電図波形 electrocardiographic complex ……… 401
進展する advance ……… 31
伸展性 compliance ……… 403
伸展性 distensibility ……… 549
伸展対麻痺 paraplegia in extension ……… 1353
伸展皮弁 advancement flap ……… 709
伸展母趾 hallux extensus ……… 813
深度 depth ……… 494
振とう〔症〕 commotio ……… 398
振とう〔症〕 concussion ……… 407
浸透 impregnation ……… 916
浸透 percolation ……… 1384
浸透〔現象〕 osmosis ……… 1319
〔胸壁〕心動 herzstoss ……… 846
振動 jar ……… 966
振動 oscillation ……… 1318
振動 vibration ……… 2018
震動 concussion ……… 407
腎洞 renal sinus ……… 1688
腎洞 sinus renalis ……… 1688
浸透圧 osmotic pressure (OP, Π) ……… 1482
浸透圧クリアランス osmolal clearance ……… 373
浸透圧計 osmometer ……… 1319
浸透圧受容器 osmoreceptor ……… 1319
浸透圧ぜい弱性 osmotic fragility ……… 738
浸透圧性ショック osmotic shock ……… 1674
浸透圧〔性〕ネフローゼ osmotic nephrosis ……… 1231
浸透圧性利尿薬 osmotic diuretics ……… 551
浸透圧測定〔法〕 osmometry ……… 1319
浸透圧度 osmosity ……… 1319
浸透圧モル osmole ……… 1319
浸透圧利尿 osmotic diuresis ……… 550
浸透圧療法 osmotherapy ……… 1319
振とう安定性の tremostable ……… 1925
振とう音 succussion sound ……… 1702
振とう(盪)音 fremitus ……… 740
浸透学 osmology ……… 1319
振動〔感〕覚 pallesthesia ……… 1339
振動覚脱失(消失)〔症〕 apallesthesia ……… 112
振動覚脱失(消失)〔症〕 pallanesthesia ……… 1339
振動感覚 pallesthetic sensibility ……… 1661
振動感覚 vibratory sensibility ……… 1661
振動器 vibrator ……… 2018
唇動記録器 labiograph ……… 991
振動計 oscillometer ……… 1318
振とう〔性〕虹彩 tremulous iris ……… 957
振動子 vibrator ……… 2018
振動視 oscillopsia ……… 1318
振動視 oscillating vision ……… 2032
振動シネ撮影〔法〕 cineseismography ……… 363
振動心電図 vibrocardiogram ……… 2019
浸透する osmose ……… 1319
浸透性 permeability ……… 1394
浸透性形質 penetrant trait ……… 1916
振動性心臓図 seismocardiogram ……… 1657
振動性じんま疹 vibratory urticaria ……… 1976
振とう脊髄炎 concussion myelitis ……… 1209
振動線 vibrating line ……… 1052
振動測定〔法〕 oscillometry ……… 1318
振動耐性 vibration tolerance ……… 1898
振とう聴診法 succussion ……… 1768
浸透調節の osmoregulatory ……… 1319
心〔動〕停止 cardiac standstill ……… 1737
浸透度 penetrance ……… 1380
振とう培養 shake culture ……… 448
振とう白内障 concussion cataract ……… 311
振動発生器 tremulor ……… 1925
振とう不安定性の tremolabile ……… 1924
振とう法 vibration ……… 2018
振動マッサージ vibratory massage ……… 1108
振動マッサージ器 vibromasseur ……… 2019
親動脈 parent artery ……… 149
腎動脈 arteria renalis ……… 137
腎動脈 renal artery ……… 151
振動脈圧計 sphygmooscillometer ……… 1714
心〔臓〕動脈間隔 cardioarterial interval, c-a interval ……… 948
腎動脈の後枝 posterior branch of renal artery ……… 252
腎動脈の尿管枝 ureteric branches of the renal artery ……… 255
腎動脈の被膜枝 capsular branches of renal artery ……… 243
腎動脈の被膜枝 rami capsulares arteriae renalis ……… 1548
腎毒性 nephrotoxicity ……… 1231
心毒性筋変性 cardiotoxic myolysis ……… 1214
腎〔細胞〕毒素 nephrotoxin ……… 1231
新突然変異 new mutation ……… 1206
シンドビスウイルス Sindbis virus ……… 2029
シンドビス熱 Sindbis fever ……… 686
シンドラー病 Schindler disease ……… 540
シンナー遊び glue-sniffing ……… 784
心〔臓〕内圧曲線 intracardiac pressure curve ……… 451
腎内逆流 intrarenal reflux ……… 1583
心内腱索 chordae tendineae (of heart) ……… 354
腎内静脈 intrarenal veins ……… 1997
心内の intrapsychic ……… 951
腎〔臓〕内の intrarenal ……… 951
心内膜 endocardium ……… 612
心内膜液滲出 pericardial effusion ……… 590
心内膜炎 endocarditis ……… 611
心内膜下心筋梗塞 subendocardial myocardial infarction ……… 927
心内膜下層 subendocardial layer ……… 1013
心内膜下伝導系 subendocardial conducting system of heart ……… 1834
心内膜下の subendocardial ……… 1763
心内膜床欠損〔症〕 endocardial cushion defect ……… 477
心内膜心筋炎 endomyocarditis ……… 614
心内膜心筋線維症 endomyocardial fibrosis ……… 696
心内膜心筋の endomyocardial ……… 614
心内膜心膜心筋炎 endoperimyocarditis ……… 614
心内膜性雑音 endocardial murmur ……… 1179
心内膜線維症 endocardial fibrosis ……… 696
心内膜線維弾性症 endocardial fibroelastosis, endomyocardial fibroelastosis ……… 693
心内膜筒 endocardial heart tube ……… 1941
心内膜の endocardiac, endocardial ……… 611
心〔臓〕内誘導 intracardiac lead ……… 1014
浸軟 maceration ……… 1088
腎軟化〔症〕 nephromalacia ……… 1229
浸軟〔胎〕児 fetus sanguinolentis ……… 682
浸軟な pultaceous ……… 1526
侵入 invasion ……… 952
侵入 irruption ……… 957
進入機序 engagement ……… 617
腎乳頭 papilla renalis ……… 1345
腎乳頭 renal papilla ……… 1345
腎乳頭壊死 renal papillary necrosis ……… 1225
腎乳頭篩状野 cribriform area of the renal papilla ……… 129
〔侵入〕門戸 portal ……… 1468
腎尿管切除〔術〕 nephroureterectomy ……… 1231
腎尿管膀胱切除〔術〕 nephroureterocystectomy ……… 1231
人年 person-years ……… 1395
腎〔臓〕の nephric ……… 1228
新脳 neencephalon ……… 1225
心嚢 capsula cordis ……… 290
心嚢 pericardial cavity ……… 316
心嚢開窓〔術〕 pericardiostomy ……… 1386
腎膿腫 pyonephrosis ……… 1532
心嚢(心膜)切開〔術〕 pericardiotomy ……… 1386
心嚢(心膜)切除術 pericardiectomy ……… 1386
心嚢穿刺〔術〕 pericardiocentesis ……… 1386
心嚢造瘻術 pericardiostomy ……… 1386
心嚢蓄膿 pyopericardium ……… 1532
腎〔臓〕嚢胞形成 nephrocystosis ……… 1229
心嚢(心膜)縫合〔術〕 pericardiorrhaphy ……… 1386
真の終動脈 true end artery ……… 154
腎の静脈区域 venous segments of the kidney ……… 1656
真の神経学的胸郭出口症候群 true neurologic thoracic outlet syndrome ……… 1823
シンノリン2-ピリドン cinnoline 2-pyridones ……… 1533
シンノンブルウイルス sin nombre virus ……… 2029
腎杯 calix ……… 279
腎杯 calyx ……… 281
じん肺〔症〕 coniosis ……… 411
じん(塵)肺〔症〕 pneumoconiosis, pneumokoniosis ……… 1448
心肺移植 heart-lung transplantation ……… 1920
じん肺X線写真国際分類 International Classification of Radiographs of the Pneumoconioses ……… 371
〔腎〕杯外の extracaliceal ……… 657
腎杯拡張〔症〕 caliectasis ……… 279
深背筋 muscles of back proper ……… 1182
深背筋 deep muscles of back ……… 1183
腎杯憩室 caliceal diverticulum ……… 551
腎杯形成術 calioplasty ……… 279
腎杯状の caliciform ……… 279
腎杯状の calyciform ……… 281
心肺性雑音 cardiopulmonary murmur ……… 1179
腎杯切開〔術〕 calicotomy ……… 279
腎杯切除〔術〕 calicectomy ……… 279
心肺蘇生術 cardiopulmonary resuscitation (CPR) ……… 1597
心肺停止 cardiopulmonary arrest ……… 132
心肺内臓神経 cardiopulmonary splanchnic nerves ……… 1232
心肺の cardiopulmonary ……… 301
心肺の pneumocardial ……… 1447
腎杯の caliceal ……… 279
腎杯の calyceal ……… 281
腎杯の calycine ……… 281
腎肺の renopulmonary ……… 1590
心肺バイパス cardiopulmonary bypass ……… 273
心肺標本 heart-lung preparation ……… 1480
腎杯縫縮術 caliorrhaphy ……… 279
針培養 needle culture ……… 448
腎杯様の calycine ……… 281
心拍 palmus ……… 1339
心拍〔動〕 heart beat ……… 203
心拍〔動〕 heartbeat ……… 821
心拍〔動〕曲線 cardiogram ……… 300
心拍曲線記録法 mechanocardiography ……… 1114
心拍〔動〕記録〔法〕 cardiography ……… 300
心拍〔動〕記録器 cardiograph ……… 300
心拍血液量 stroke volume ……… 2036
心拍検査〔法〕 palmoscopy ……… 1339
心拍出量 cardiac output ……… 1327
心拍出量減少〔症〕 hypokinemia ……… 894
心拍数 heart rate ……… 1559
心拍数不整 heart rate turbulence ……… 1954
心拍静止期 diastasis cordis ……… 422
心拍静止期 diastasis ……… 511
心拍促進線維 accelerator fibers ……… 687
心〔拍〕停止 cardiac arrest (CA) ……… 132
心〔臓〕拍動 heart stroke ……… 1758
心拍動計 ictometer ……… 903
心拍同調 accrochage ……… 10
心拍の palmic ……… 1339
腎剥離〔術〕 nephrolysis ……… 1229
シンパチン sympathin ……… 1790
腎発生組織 nephrogenic tissue ……… 1896
腎〔臓〕バロットマン renal ballottement ……… 193
シンバロフォーン symballophone ……… 1789

深板 lamina profunda 998
深板 deep layer 1009
腎盤 pelvis renalis 1379
腎盤 renal pelvis 1379
真半陰陽 true hermaphroditism 842
腎反射 renal reflex 1581
腎盤(腎盂)粘膜 mucosa of renal pelvis 1177
腎盤(腎盂)の筋層 muscular layer of renal pelvis 1012
腎盤漏斗 infundibulum 931
真皮 corium 423
真皮 dermis 498
真皮血管網 rete cutaneum corii 1598
深腓骨神経 deep fibular nerve 1233
深腓骨神経 deep peroneal nerve 1233
深腓骨神経 nervus fibularis profundus 1242
深腓骨神経 nervus peroneus profundus 1243
深腓骨神経の背側指枝 dorsal digital nerves of deep fibular nerve 1233
新皮擦過性血管雑音 bruit de cuir neuf 262
審美歯科学 esthetic dentistry 488
新皮質 neocortex 1227
じん皮質 koniocortex 989
塵皮質 koniocortex 989
腎皮質 cortex renalis 428
腎皮質 renal cortex 428
腎皮質弓 cortical arches of kidney 125
腎皮質曲部 pars convoluta corticis renalis 1358
腎皮質曲部 convoluted part of renal cortex 1363
腎皮質小葉 cortical lobules of kidney 1065
腎皮質小葉 lobulus corticalis renalis 1066
〔腎皮質小葉〕曲部 pars convoluta lobuli corticalis renis 1358
〔腎皮質小葉〕曲部 convoluted part of kidney lobule 1363
〔腎皮質小葉〕放線部 pars radiata lobuli corticalis renis 1360
腎皮質スキャン renal cortical scan 1640
腎皮質腺腫 renal cortical adenoma 26
真皮節 dermatome 496
心〔臓〕肥大 hypercardia 879
腎肥大〔症〕 nephromegaly 1229
腎肥大〔症〕 renomegaly 1590
真皮中層弾力線維症 middermal elastosis 592
神秘的意味 anagogy 69
腎脾動脈盗血 renal-splanchnic steal 1740
真皮内汗管腫瘍 dermal duct tumor 1950
真皮内母斑 intradermal nevus 1255
真皮乳頭 papillae corii 1344
真皮乳頭 papillae of corium 1344
真皮乳頭 dermal papillae 1345
真皮乳頭 papilla of dermis 1345
真皮乳頭 papillae dermis 1345
〔真皮〕乳頭層 papillary layer 1012
〔真皮〕乳頭層 stratum papillare corii 1752
真皮乳頭稜 papillary ridges 1616
唇鼻の labionasal 991
真皮表皮境界面 dermoepidermal interface 944
真皮表皮接合部 dermoepidermal junction 973
深被覆筋膜 deep investing fascia 672
腎皮膚の renocutaneous 1590
腎被膜 fibrous capsule of kidney 290
腎被膜 renicapsule 1589
腎被膜静脈 capsular veins 1994
腎被膜腎盂形成〔術〕 capsular flap pyeloplasty 1530
〔真皮〕網状層 reticular layer of corium 1013
〔真皮〕網状層 stratum reticulare corii 1752
新標準菌株 neotype strain 1750
新標準培養 neotype culture 448
〔心〕頻拍 tachycardia 1837
深部 depth 494
深部移行回 deep transitional gyrus 808
シンフィジオン symphysion 1790
腎フィステル形成〔術〕 nephrostomy 1231
シンブウイルス Simbu virus 2029
深在(深部)角膜炎 keratitis profunda 978
深部感覚 deep sensibility 1661
深部感覚(知覚) bathyesthesia 202
深部感覚(知覚)過敏 bathyhyperesthesia 202
深部感覚(知覚)減退 bathyhypesthesia 202
深部感覚(知覚)消失 bathyanesthesia 202
腎浮球感 renal ballottement 193
深部記録 depth recording 1574
振幅 amplitude 64
心不全 heart failure 670
心不全 cardiac incompetence 920
心不全 cardiac insufficiency 941
腎不全 renal failure 670
腎〔機能〕不全 renal insufficiency 941
心不全細胞 heart failure cell 322
深部線量 depth dose 557
シンプソン鉗子 Simpson forceps 728
シンプソン子宮ゾンデ Simpson uterine sound 1702
深部打診〔法〕 deep percussion 1384
深部知覚(感覚) bathyesthesia 202
深部知覚(感覚)過敏 bathyhyperesthesia 202
深部知覚(感覚)減退 bathyhypesthesia 202
神仏恐怖〔症〕 theophobia 1874
人物成長研究所 personal growth laboratory 992
深在(深部)点状角膜炎 deep punctate keratitis 978
深部脳刺激〔法〕 deep brain stimulation 1747
深部反射 deep reflex 1578
深部腹壁反射 deep abdominal reflexes 1578
心壁血栓 mural thrombus 1889
腎ヘルニア nephrocele 1229
心変換 cardiovert 301
〔心〕弁膜炎 valvulitis 1986
心房 atrium cordis 172
心房 atrium of heart 172
腎胞 renal vesicle 2016
心房エコー atrial echo 582
心房解離 atrial dissociation 548
心房間一次口 interatrial foramen primum 725
心房間一次口 primary interatrial foramen 726
心房間二次口 interatrial foramen secundum 725
心房間二次口 secondary interatrial foramen 726
心房間伝導時間 intraatrial conduction time 1893
心房間の interatrial 943
心房間の interauricular 943
腎傍〔結合〕組織膿瘍 paranephric abscess 5
新膀胱 neobladder 1227
〔深〕膀胱三角筋 trigonal muscles (deep) 1197
心房〔性〕細動 atrial fibrillation, auricular fibrillation 692
心房細動波 fibrillary waves 2042
心房枝 atrial branches 243
心房枝 rami atriales 1548
腎傍脂肪体 perirenal fat capsule 291
腎傍脂肪体 paranephric fat 678
心放射図 radiocardiogram 1542
心房周囲の periatrial 1385
心房心室時間間隔 auriculoventricular interval 948
心房性拡張期 atrial diastole 511
心房性期外収縮 atrial extrasystole 658
心房性収縮 atrial kick 983
心房性増圧反射 auriculopressor reflex 1577
心房性ナトリウム利尿因子 atrial natriuretic factor (ANF) 666
心房性ナトリウム利尿ペプチド atrial natriuretic peptide (ANP) 1382
心房性二連(二段)脈 atrial bigeminy 210
心房性頻拍(頻脈) atrial tachycardia 1837
心房性補充拍動 atrial capture beat 203
心房切開〔術〕 atriotomy 171
心房粗動 atrial flutter, auricular flutter 717
腎傍体 paranephric body 228
腎縫着〔術〕 nephrorrhaphy 1230
心房中隔 interatrial septum 1663
心房中隔 septum interatriale 1663
心房中隔開口(切開)〔術〕 atrial septostomy 1663
心房中隔形成〔術〕 atrioseptoplasty 171
心房中隔欠損〔症〕 atrial septal defect 477
心房停止 atrial standstill 1737
心房伝導機能 atrial transport function 744
心房同期型パルス発生器 atrial synchronous pulse generator 765
心房動脈 arteriae atriales 134
心房動脈 atrial arteries 142
心房内伝導 intraatrial conduction 408
心房内伝導時間 intraatrial conduction time 1893
心房内の intraatrial 949
心房内ブロック intraatrial block 222
心房粘液腫 atrial myxoma 1218
腎傍の adrenal 30
腎傍の pararenal 1353
〔心房の〕櫛状筋 musculi pectinati atrii 1202
心房波形 atrial complex 400
心房肥大〔症〕 atriomegaly 171
心房捕捉 atrial capture 291
心房融合収縮 atrial fusion beat 203
新補助療法 neoadjuvant 1227
シンポート symport 1791
心〔臓〕ポリープ cardiac polyp 1463
心膜 capsula cordis 290
心膜 pericardium 1386
心膜 heart sac 1628
心膜炎 pericarditis 1386
心膜横隔静脈 pericardiacophrenic veins 1999
心膜横隔静脈 venae pericardiacophrenicae 2007
心膜横隔動脈 arteria pericardiacophrenica 137
心膜横隔動脈 pericardiacophrenic artery 149
心膜横隔の pericardiophrenic 1386
心膜横洞 sinus transversus pericardii 1689
心膜横洞 transverse pericardial sinus 1689
心膜横洞 transverse sinus of pericardium 1689
心膜下の subpericardial 1764
心膜気腫 pneumopericardium 1451
心膜胸膜の pericardiopleural 1386
心膜腔 cavitas pericardiaca, cavitas pericardialis 316
心膜腔 pericardial cavity 316
心膜腔 cavum pericardii 317
心膜腔穿刺〔術〕 pericardicentesis 1386
心膜血気腫 hemopneumopericardium 835
心膜血腫 hemopericardium 835
〔横隔神経〕心膜枝 ramus pericardiacus nervi phrenici 1555
心膜斜洞 oblique pericardial sinus 1688
心膜斜洞 oblique sinus of pericardium 1688
心膜斜洞 sinus obliquus pericardii 1688
心膜周囲の epipericardial 629
心膜上の epipericardial 629
心膜漿膜下組織 subserosa of pericardium 1765
心膜静脈 pericardial veins 1999
心膜静脈 venae pericardiacae 2007
心膜上隆線 epipericardial ridge 1615
心膜振とう音 pericardial fremitus 740
心膜水気腫 hydropneumopericardium 873

心膜水腫 hydropericardium ………………… 873
心膜(心嚢)切開〔術〕 pericardiotomy …… 1386
心膜切開後症候群 postpericardiotomy
syndrome ……………………………… 1816
心膜(心嚢)切除術 pericardiectomy …… 1386
心膜穿刺〔術〕 pericardiocentesis ……… 1386
心膜前リンパ節 prepericardial lymph nodes
……………………………………… 1080
心膜臓側板 visceral layer of serous
pericardium ……………………………… 1014
心膜内の intrapericardiac, intrapericardial
……………………………………… 950
心膜の pericardiac, pericardial ………… 1386
心膜の癒着 pericardial symphysis ……… 1791
心膜剝離〔術〕 cardiolysis ………………… 300
心膜腹膜腔管 pericardioperitoneal canal 284
心膜腹膜の pericardioperitoneal ………… 1386
心膜壁側板 lamina parietalis pericardii
serosi ……………………………………… 998
心膜壁側板 parietal layer of serous
pericardium ……………………………… 1012
心膜(心嚢)縫合〔術〕 pericardiorrhaphy 1386
心膜膨隆 pericardial knock ……………… 988
心膜摩擦音 pericardial rub, pericardial
friction rub ……………………………… 1624
心膜摩擦音 pericardial friction sound … 1702
心膜無漿膜野 bare area of pericardium 128
心膜癒着 accretio cordis ………………… 10
心膜癒着 concretio cordis ……………… 407
心膜癒着 periaccretio pericardii ………… 1385
じんま疹 urticaria ………………………… 1975
じんま疹 urtication ………………………… 1976
じんま疹 wheal …………………………… 2045
じんま疹性紫斑病 purpura urticans …… 1528
じんま疹発生性の urticant ……………… 1975
じんま疹様血管炎 urticarial vasculitis … 1990
じんま疹様ダニ皮膚炎 acarodermatitis
urticarioides ……………………………… 9
心〔臓〕マッサージ heart massage ……… 1108
心〔臓〕マッピング cardiac mapping …… 1102
新脈管形成 angiogenesis ………………… 84
心脈波計 cardiosphygmograph …………… 301
心脈波計 sphygmocardiograph …………… 1714
新芽 sprout ………………………………… 1725
新メチレンブルー new methylene blue 1147
〔歯の〕唇面 facies vestibularis dentis …… 665
〔歯の〕唇面 vestibular surface of tooth 1784
唇面歯頸部の labiocervical ……………… 991
心盲 mind blindness ……………………… 221
腎門 hilum of kidney ……………………… 852
腎門 hilum renale ………………………… 852
腎門の reniportal ………………………… 1590
腎門脈系 renal portal system …………… 1833
腎門脈の reniportal ……………………… 1590
新薬申請書 New Drug Application (NDA)
……………………………………… 121
心癒着 accretio cordis …………………… 10
深葉 lamina profunda ……………………… 998
腎葉 kidney lobes ………………………… 1063
腎葉 lobi renales …………………………… 1067
腎葉間静脈 interlobar veins of kidney 1997
腎葉間静脈 venae interlobares renis …… 2006
腎葉間動脈 interlobar arteries of kidney 146
心〔臓〕予備力 cardiac reserve ………… 1592
信頼区間 confidence interval (CI) ……… 948
信頼性 reliability ………………………… 1589
信頼調査 credentialing …………………… 436
信頼度 reliability ………………………… 1589
信頼度係数 reliability coefficient ………… 387
辛らつ性 acrimony ………………………… 17
辛らつ体液 acrimonia ……………………… 17
辛らつ毒 acrid poison …………………… 1455
新卵円窓 fenestra nov-ovalis …………… 680
心〔卵〕黄卵 centrolecithal egg ………… 590
心理音響学 psychoacoustics ……………… 1517
心理学 psychology ………………………… 1518
心理学者 psychologist …………………… 1518
心理劇 psychodrama ……………………… 1518
心理言語学 psycholinguistics …………… 1518
心理検査 psychological tests …………… 1863
心理・社会的の psychosocial …………… 1520
心理測定〔学〕 psychometry ……………… 1519
心理探究 psychoexploration ……………… 1518
心律動異常 cardiac dysrhythmia ………… 577
心〔理〕的の psychological, psychologic 1518
心隆起 cardiac prominence ……………… 1497
診療 medical care ………………………… 302
診療 practice ……………………………… 1475
診療ガイドライン clinical practice
guidelines ………………………………… 805
診療記録 medical record ………………… 1574
診療指針 practice guidelines …………… 805
診療室 clinic ……………………………… 374
診療所 clinic ……………………………… 374
診療所 dispensary ………………………… 547
〔付属〕診療所 infirmary ………………… 928
心力不全 pump failure …………………… 670
心理療法 psychotherapy ………………… 1520
森林型(農村型,湿潤型)熱帯リーシュマニア
Leishmania major …………………… 1017
森林恐怖〔症〕 hylephobia ……………… 877
森林熱 tap ………………………………… 1840
深リンパ管 vas lymphaticum profundum
……………………………………… 1989
深リンパ管 deep lymph vessel ………… 2017
人類遺伝学 human genetics ……………… 765
人類学 anthropology ……………………… 98
人類誌 anthropography …………………… 98
人類生体学 anthroposomatology ………… 99
人類生態学 human ecology ……………… 584
人類生物学 anthropobiology …………… 98
人類中心主義の anthropocentric ………… 98
人類発生 anthropogeny ………………… 98
人類発生の anthropogenic, anthropogenetic
……………………………………… 98
人類発達法則学 anthroponomy ………… 99
心霊説 psychism ………………………… 1517
腎ろう(瘻) nephrophthisis ……………… 1230
腎ろう造影 nephrostogram ……………… 1231
腎瘻チューブ nephrostomy tube ……… 1941
真肋 costae verae [I–VII] ……………… 430
真肋 true ribs [I–VII] …………………… 1612
親和性 affinity(*A*) ……………………… 33
親和力 chemical attraction ……………… 175
親和力 affinity(*A*) ……………………… 33

ス

酢(す) vinegar …………………………… 2020
酢 acetic solution ………………………… 1698
スーダンウイルス Sudan virus ………… 2029
ズーデック危険点 Sudeck critical point 1455
スーパーオキシド superoxide ………… 1778
スーパーオキシドジスムターゼ superoxide
dismutase (SOD) ……………………… 1778
スーパー抗原 superantigen ……………… 1777
スーパーパルスレーザー superpulsed laser
……………………………………… 1004
スーパーワルファリン super warfarin … 2040
ズーム zoom ……………………………… 2061
ズーグマトグラフィ zeugmatography …. 2057
ズーデック萎縮 Sudeck atrophy ………… 174
ズーブロット分析 zoo blot analysis …… 71
ズーン亀頭炎 Zoon balanitis …………… 193
垂 uvula …………………………………… 1978
膵 pancreas ………………………………… 1340
髄 pulpa …………………………………… 1524
髄〔質〕 pulp ……………………………… 1523
水圧式拡張器 hydrostatic dilator ……… 519
水アルコールエキス hydroalcoholic extract
……………………………………… 657
膵アルファ細胞 alpha cells of pancreas 319
随意運動 autokinesia, autokinesis ……… 180
随意運動の liberomotor ………………… 1030
随意眼振 voluntary nystagmus ………… 1286
随意筋 voluntary muscle ………………… 1198
随意筋性防御 voluntary guarding ……… 804
随意神経系 exterofective system ……… 1831
随意振せん volitional tremor …………… 1925
随意脱水〔症〕 voluntary dehydration …… 482
随意の volitional ………………………… 2036
随意の voluntary ………………………… 2036
膵胃吻合〔術〕 pancreatogastrostomy …… 1341
随意ヘテロクロマチン facultative
heterochromatin ………………………… 847
水暈徴候 halo sign of hydrops ………… 1681
膵液 pancreatic juice ……………………… 973
〔髄液〕細胞増加〔症〕 pleocytosis ……… 1437
膵液消化 pancreatic digestion ………… 516
髄液〔性〕鼻漏 cerebrospinal fluid rhinorrhea
……………………………………… 1608
髄液糖過剰〔症〕 hyperglycorrhachia …… 881
髄液糖減少〔症〕 hypoglycorrhachia …… 894
膵液分泌欠乏〔症〕 achylia pancreatica ….. 14
水液ワクチン aqueous vaccine ………… 1979
水鉛 molybdenum (Mo) ………………… 1164
膵〔臓〕炎 pancreatitis …………………… 1341
膵芽 pancreatic buds ……………………… 263
髄外原性線維 exogenous fibers ………… 688
水解小体 lysosome ……………………… 1087
〔骨〕髄外の extramedullary ……………… 657
膵外分泌機能不全 exocrine pancreatic
insufficiency ……………………………… 941
水化カフェイン caffeine hydrate ……… 275
髄芽筋芽〔細胞〕腫 medullomyoblastoma 1119
髄核 nucleus pulposus …………………… 1279
髄核 vertebral pulp ……………………… 1524
髄角 pulp horn …………………………… 864
髄芽〔細胞〕腫 medulloblastoma ………… 1119
垂下する drop …………………………… 561
水過多症 hypervolia ……………………… 890
水滑液嚢腫 cystic hygroma ……………… 877
水渇感欠乏 hydroadipsia ………………… 870
水可変抵抗器 hydrorheostat …………… 874
膵管 pancreatic duct ……………………… 564
膵管 ductus pancreaticus ………………… 566
水管 aqueduct …………………………… 122
水管 aqueductus ………………………… 122
水癌 noma ………………………………… 1265
膵管括約筋 sphincter muscle of pancreatic
duct ……………………………………… 1194
膵管括約筋 musculus sphincter ductus
pancreatici ……………………………… 1203
膵管括約筋 sphincter of pancreatic duct
……………………………………… 1713
膵管閉塞 pancreatemphraxis …………… 1341
水気胸 hydropneumothorax …………… 873
水気症 hydropneumatosis ……………… 873
膵機能減退 hypopancreatism …………… 895
膵機能亢進〔症〕 hyperpancreatism ……… 885
膵〔機能〕不全 pancreatic insufficiency ….. 941
水気腹膜 hydropneumoperitoneum …… 873
水銀 mercury (Hg) ……………………… 1133
水銀アーク mercury arc ………………… 124
水銀圧力計 mercurial manometer ……… 1101
〔水銀〕過敏症 erethism …………………… 636
水銀剤 mercurial ………………………… 1132
水銀性口内炎 mercurial stomatitis …… 1749
水銀線 mercurial line …………………… 1051
水銀中毒 mercury poisoning …………… 1455
水銀中毒性口内炎 mercurial stomatitis 1749

水銀の mercurial 1132
水銀白内障 mercurialentis 1132
水銀〔放電〕ランプ mercury vapor lamp 999
髄腔 pulp chamber 338
〔骨〕髄腔 medullary space 1704
髄腔開口 access opening 1302
膵空腸吻合〔術〕 pancreatojejunostomy 1341
髄腔内注射 intrathecal injection 936
髄腔内の intraspinal 951
水〔分〕屈性 hydrotropism 874
膵頸 neck of pancreas 1223
水血症 hydremia 870
膵結腸間膜 pancreaticocolic ligament 1038
水欠乏〔症〕 hydropenia 873
水睾丸(精巣)瘤 hydrosarcocele 874
水硬伝導率 hydraulic conductivity 408
吸込み suction 1769
水臍〔症〕 hydromphalus 873
水剤 solution (sol., soln.) 1697
スイサイヨウ(睡菜葉) buck bean 263
髄〔質〕索 medullary cords 421
膵〔臓〕撮影〔術,法〕 pancreatography 1341
水酸化 hydroxylation 876
水酸化アルミニウム aluminum hydroxide 54
水酸化アルミニウムゲル aluminum hydroxide gel 54
水酸化カリウム potassium hydroxide (KOH) 1472
水酸化カルシウム calcium hydroxide 277
水酸化カルシウム溶液 lime water 2041
水酸化酵素 hydroxylases 876
水酸化第二鉄 ferric hydroxide 680
水酸化ナトリウム sodium hydroxide 1696
水酸化鉛染色〔法〕 lead hydroxide stain 1732
水酸化バリウム barium hydroxide 197
水酸化ビスマス bismuth hydroxide 216
水酸化物 hydroxide 874
水酸化リン灰石 hydroxyapatite 875
膵枝 rami pancreatici 1554
〔下〕垂趾 toe-drop 1898
垂耳 lop-ear 1069
水止胃 water-trap stomach 1748
随軸照明 axial illumination 907
髄質 brei 256
髄質 medulla 1118
髄質 medulla of kidney 1118
髄質 medullary substance 1766
髄質 substantia medullaris 1766
〔リンパ節の〕髄質 medulla of lymph node 1118
髄質化 medullation 1119
髄質化 medullization 1119
髄質化 pulpifaction 1524
髄質海綿腎 medullary sponge kidney 984
膵疾患 pancreatopathy 1342
髄質細胞 pulpar cell 325
髄〔質〕索 medullary cords 421
髄室軸壁 axial walls of the pulp chambers 2039
髄質切除〔術〕 medullectomy 1119
髄質の medullary 1119
髄質の pulpal 1524
髄質様の pulpiform 1524
髄質様の pulpy 1524
髄質様の pultaceous 1526
水車音 bruit de la roue de moulin 262
衰弱 debility 473
衰弱 marasmus 1102
衰弱 symptosis 1792
衰弱 syntexis 1827
衰弱 weakness 2043
衰弱胸 phthinoid chest 343
衰弱植物症候群 weakned vegetative syndrome 1825
衰弱性血栓症 marantic thrombosis, marasmic thrombosis 1888
衰弱性心内膜炎 marantic endocarditis 612
水車雑音 mill wheel murmur 1180
水車〔様〕心音 waterwheel sound 1703
水腫 edema 587
〔下〕垂手 wrist-drop 2050
膵腫〔脹〕 pancreatomegaly 1342
膵周囲炎 peripancreatitis 1391
膵十二指腸移植〔術〕 pancreaticoduodenal transplantation 1920
膵十二指腸静脈 pancreaticoduodenal veins 1999
膵十二指腸静脈 venae pancreaticoduodenales 2007
膵〔頭〕十二指腸切除〔術〕 pancreatoduodenectomy 1341
膵十二指腸動脈弧 pancreaticoduodenal arterial arcades 124
膵十二指腸の pancreaticoduodenal 1341
膵十二指腸吻合〔術〕 pancreatoduodenostomy 1341
膵十二指腸リンパ節 pancreaticoduodenal lymph nodes 1080
水腫化 edematization 587
水腫(浮腫)性硬化〔症〕 scleredema 1646
水準 level 1029
水床 water bed 204
水症 hydrops 874
髄鞘 medullary sheath 1671
髄鞘芽細胞 lemmoblast 1018
水蒸気 damp 471
髄鞘球 myelocyte 1209
髄鞘形成 myelination 1209
髄鞘構築学 myeloarchitectonics 1209
髄鞘細胞 lemmocyte 1018
髄鞘障害 myelinopathy 1209
髄鞘消失 amyelination 66
髄鞘節 internodal segment 1654
水床臓器 hydrostat 874
水晶体 lens 1019
錐状体 cone 409
水晶体アナフィラキシー phacoanaphylaxis 1398
水晶体および瞳孔偏位 ectopia lentis et pupillae 585
水晶体核 nucleus lentis 1276
水晶体核 nucleus of lens 1276
水晶体過敏性眼内炎 endophthalmitis phacoanaphylactica 614
水晶体過敏性ブドウ膜炎 phacoanaphylactic uveitis 1978
錐状体顆粒 cone granule 796
水晶体起因性ブドウ膜炎 phacogenic uveitis 1978
水晶体吸引 phacoerysis 1398
水晶体鏡 phacoscope 1398
水晶体形態性緑内障 phacomorphic glaucoma 777
水晶体血管膜 tunica vasculosa lentis 1954
水晶体結管膜 capsula vasculosa lentis 290
水晶体欠損〔症〕 coloboma lentis 392
〔水晶体〕後極 posterior pole of lens 1456
〔水晶体〕後極 polus posterior lentis 1457
水晶体後線維増殖〔症〕 retrolental fibroplasia 695
水晶体後〔方〕の retrolenticular 1604
水晶体後面 facies posterior lentis 664
水晶体後面 posterior surface of lens 1783
水晶体軸 axis lentis 184
水晶体軸 axis of lens 184
水晶体質 substantia lentis 1766
〔眼の〕水晶体質 lens substance (of eye) 1766
水晶体腫 phacoma 1398
水晶体周囲の circumlental 367
水晶体周囲の perilenticular 1388
水晶体小窩 lens pits 1426
水晶体状の phacoid 1398
水晶体上皮 epithelium lentis 632
水晶体上皮 epithelium of lens 632
水晶体振せん phacodonesis 1398
水晶体星 vortex lentis 2038
水晶体星芒 lens stars 1738
水晶体赤道 equator lentis 634
水晶体赤道 equator of lens 634
水晶体切開 phacolysis 1398
水晶体切除術 lensectomy 1020
水晶体線維 fibers of lens 689
水晶体線維 fibrae lentis 692
錐状体線維 cone fiber 688
〔水晶体〕線維細胞 fiber cell 321
〔水晶体〕前極 anterior pole of lens 1456
〔水晶体〕前極 polus anterior lentis 1457
水晶体前面 facies anterior lentis 662
水晶体前面 anterior surface of lens 1780
水晶体超音波吸引〔術〕 phacoemulsification 1398
水晶体転位 phacocele 1398
水晶体転位〔症〕 ectopia lentis 585
水晶体銅症 chalcosis lentis 338
水晶体軟化 phacomalacia 1398
水晶体嚢 capsula lentis 290
水晶体嚢 capsule of lens 291
水晶体嚢 lens capsule 291
水晶体嚢 lenticular capsule 291
水晶体嚢拡張リング capsular tension ring 1617
水晶体嚢白内障 capsular cataract 311
水晶体の層 lamina of lens 998
水晶体剝離 exfoliation of lens 653
水晶体破砕〔術〕 phacofragmentation 1398
〔水晶体〕破嚢〔術〕 capsulorrhexis 291
水晶体板 lens placodes 1429
水晶体皮質 cortex lentis 428
水晶体皮質 cortex of lens 428
水晶体被膜 capsule of lens 291
水晶体プラコード lens placodes 1429
水晶体偏位 ectopia lentis 585
水晶体包 capsula lentis 290
水晶体包 capsule of lens 291
水晶体包 lens capsule 291
水晶体包 lenticular capsule 291
水晶体胞 lens vesicle 2016
水晶体包偽落屑 pseudoexfoliation of lens capsule 1512
水晶体包〔被膜〕切開刀 cystotome 463
水晶体放線 radii of lens 1545
水晶体放線 lens sutures 1787
水晶体包膜 membrana capsularis 1124
水晶体融解 phacolysis 1398
水晶体融解緑内障 phacolytic glaucoma 777
水晶体乱視 lenticular astigmatism 165
髄鞘脱落 demyelination, demyelinization 486
水小頭〔症〕 hydromicrocephaly 873
水晶瞳孔膜 membrana capsulopupillaris 1124
水晶嚢皮質白内障 capsulolenticular cataract 311
髄鞘発育不全 dysmyelination 574
髄〔様〕上皮腫 medulloepithelioma 1119
水晶包皮質白内障 capsulolenticular cataract 311
膵静脈 pancreatic veins 1999
膵静脈 venae pancreaticae 2007
水晶様汗疹 miliaria crystallina 1157
水浸 oil immersion, water immersion 909
水腎〔症〕 hydronephrosis 873
膵神経叢 pancreatic (nerve) plexus 1442
膵腎症候群 pancreatorenal syndrome 1815
水腎杯〔症〕 hydrocalycosis 870
水髄膜瘤 hydromeningocele 873
水性 aquosity 122
水性悪液質 cachexia aquosa 274
水性アルコールチンキ hydroalcoholic

ス

tincture ……… 1894
水性ガス water gas ……… 757
水性かゆみ(そう痒)〔症〕 aquagenic pruritus ……… 1510
膵性下痢 pancreatogenous diarrhea ……… 511
水性懸濁剤 mixture ……… 1161
膵性脂肪便 pancreatic steatorrhea ……… 1741
水精巣(睾丸)瘤 hydrosarcocele ……… 874
水〔様〕性胆汁分泌 hydrocholeresis ……… 871
膵性糖尿病 pancreatic diabetes ……… 507
水性の aqueous ……… 122
水生の aquatic ……… 122
膵性脳障害(脳症) pancreatic encephalopathy ……… 609
彗星の尾サイン comet tail sign ……… 1679
水性分泌の aquiparous ……… 122
膵性幼稚症 pancreatic infantilism ……… 926
膵石 pancreatic calculus ……… 278
膵石 pancreatolith ……… 1341
膵石症 pancreatic lithiasis ……… 1061
膵石症 pancreatolithiasis ……… 1342
水脊髄〔症〕 hydromyelia ……… 873
水脊髄瘤 hydromyelocele ……… 873
膵石切開〔術〕 pancreatolithotomy ……… 1342
髄節 myelomere ……… 1210
膵切開〔術〕 pancreatotomy ……… 1342
膵切痕 incisura pancreatis ……… 919
膵切痕 pancreatic notch ……… 1270
膵切除〔術〕 pancreatectomy ……… 1341
髄節性神経支配 segmental innervation ……… 937
膵前縁 anterior border of pancreas ……… 234
膵〔臓〕仙痛 pancreatic colic ……… 389
膵前動脈 prepancreatic artery ……… 151
水素 hydrogen (H) ……… 872
水素1 hydrogen-1 ……… 872
水素2 hydrogen-2 ……… 872
水素3 hydrogen-3 ……… 872
水素イオン hydrogen ion (H^+) ……… 954
水素イオン指数 hydrogen exponent ……… 872
水相 aqueous phase ……… 1401
膵臓 pancreas ……… 1340
膵〔臓〕炎 pancreatitis ……… 1341
膵臓外分泌部 pars exocrina pancreatis ……… 1358
膵臓外分泌部 exocrine part of pancreas ……… 1364
膵臓下縁 margo inferior pancreatis ……… 1104
膵臓下縁 margo inferior splenis ……… 1104
膵臓機能正常 eupancreatism ……… 648
膵臓憩室 pancreatic diverticula ……… 552
〔膵臓〕鉤状突起 processus uncinatus pancreatis ……… 1492
膵臓後面 posterior surface of pancreas ……… 1783
膵〔臓〕撮影〔術,法〕 pancreatography ……… 1341
膵臓枝 pancreatic branches ……… 250
膵臓上縁 margo superior pancreatis ……… 1105
膵臓性下痢 diarrhea pancreatica ……… 511
膵臓前縁 margo anterior pancreatis ……… 1104
膵臓ドルナーゼ pancreatic dornase ……… 556
膵臓内分泌部 pars endocrina pancreatis ……… 1358
膵臓内分泌部 endocrine part of pancreas ……… 1364
膵〔臓〕膿瘍 pancreatic abscess ……… 5
膵臓の下縁 inferior border of pancreas ……… 235
膵臓の鉤状突起 uncinate process of pancreas ……… 1491
膵臓の上縁 superior border of pancreas ……… 236
膵臓の前下面 anteroinferior surface of pancreas ……… 1780
膵臓分泌過少 hypopancreorrhea ……… 895
吹送麻酔〔法〕 insufflation anesthesia ……… 79
膵臓由来の pancreatogenic, pancreatogenous ……… 1341
水〔相〕溶液 aqueous solution ……… 1698
水素化物 hydride ……… 870
水素供与体 hydrogen donor ……… 555
推測 inference ……… 928
〔下〕垂足 footdrop ……… 724
推測統計〔学〕 inferential statistics ……… 1740
髄側壁 pulpal wall ……… 2040
水素結合 hydrogen bond ……… 231
水素原子密度強調画像 proton density weighted image ……… 908
膵組織崩壊 pancreatolysis ……… 1342
水素指数 pH ……… 1398
水素数 hydrogen number ……… 1282
水素担体 hydrogen carrier ……… 305
水素添加〔作用〕 hydrogenation ……… 872
水素電極 hydrogen electrode ……… 594
水素の hydric ……… 870
水素ポンプ hydrogen pump ……… 1526
水素輸送 hydrogen transport ……… 1921
衰退 deterioration ……… 500
膵体 body of pancreas ……… 228
膵体 corpus pancreatis ……… 425
錐体 petrosa ……… 1397
錐体 pyramid ……… 1532
錐体 pyramis ……… 1533
〔延髄〕錐体 pyramid of medulla oblongata ……… 1532
〔延髄〕錐体 pyramis medullae oblongatae ……… 1533
〔小脳の〕髄体 corpus medullare cerebelli ……… 425
錐体咽頭筋 musculus petropharyngeus ……… 1202
錐体円板 cone discs ……… 525
錐体オリーブ周囲束 fasciculus circumolivaris pyramidis ……… 675
錐体外路運動系 extrapyramidal motor system ……… 1831
錐体外路系疾患 extrapyramidal disease ……… 532
錐体外路症候群 extrapyramidal syndrome ……… 1804
錐体外路性ジスキネジア extrapyramidal dyskinesias ……… 573
錐体外路の extrapyramidal ……… 658
膵体下縁 inferior border of body of pancreas ……… 235
錐体下の subpetrosal ……… 1764
錐体下の subpyramidal ……… 1764
錐体-杆体網膜ジストロフィ cone-rod retinal dystrophy ……… 578
衰退期 poststationary phase ……… 1402
錐体筋 pyramidal muscle ……… 1191
錐体筋 pyramidalis (muscle) ……… 1192
錐体筋 musculus pyramidalis ……… 1202
錐体筋 pyramidalis ……… 1533
錐体孔 foramen petrosum ……… 726
錐体孔 petrosal foramen ……… 726
錐体交叉 decussatio pyramidum ……… 476
錐体交叉 decussation of pyramids ……… 476
錐体後頭軟骨結合 petrooccipital joint ……… 971
錐体後頭軟骨結合 petrooccipital synchondrosis ……… 1793
錐体後頭軟骨結合 synchondrosis petro-occipitalis ……… 1793
錐体後頭の petrooccipital ……… 1397
錐体後頭裂 fissura petrooccipitalis ……… 702
錐体後頭裂 petrooccipital fissure ……… 703
膵体後面 posterior surface of body of pancreas ……… 1783
錐体鼓室裂 fissura petrotympanica ……… 702
錐体鼓室裂 petrotympanic fissure ……… 703
錐体細胞 pyramidal cells ……… 325
錐体細胞層 pyramidal cell layer ……… 1013
〔海馬の〕錐体細胞層 pyramidal layer ……… 1013
〔海馬の〕錐体細胞層 stratum pyramidale ……… 1752
錐体視 cone vision ……… 2032
錐体ジストロフィ cone dystrophy ……… 578
錐体小窩 petrosal fossa ……… 733
錐体小窩 fossula petrosa ……… 734
錐体小窩 petrosal fossula ……… 734
錐体状骨折 pyramidal fracture ……… 738
錐体上の superpetrosal ……… 1778
錐体状白内障 pyramidal cataract ……… 311
錐体静脈 petrosal vein ……… 1999
錐体静脈 vena petrosa ……… 2007
錐体静脈洞 petrosal sinus ……… 1688
錐体切路〔術〕 pyramidal tractotomy ……… 1914
錐体尖炎 petrositis ……… 1397
錐体尖化膿症 petrositis ……… 1397
錐体尖〔端〕削開〔術〕 apicectomy ……… 115
錐体前索路 anterior pyramidal tract ……… 1910
錐体前索路 tractus pyramidalis anterior ……… 1915
錐体側索路 lateral pyramidal tract ……… 1911
錐体側索路 tractus pyramidalis lateralis ……… 1915
S-錐体単色症 blue cone monochromatism ……… 1166
錐体蝶形骨症候群 petrosphenoidal syndrome ……… 1815
錐体蝶形骨の petrosphenoid ……… 1397
錐体突起 petrous pyramid ……… 1533
〔口蓋骨の〕錐体突起 pyramidal process of palatine bone ……… 1490
〔口蓋骨の〕錐体突起 processus pyramidalis ossis palatini ……… 1492
錐体乳突の petromastoid ……… 1397
膵体の上縁 superior border of body of pancreas ……… 236
膵体の前縁 anterior border of body of pancreas ……… 234
膵体の前上面 anterosuperior surface of body of pancreas ……… 1780
錐体放線 pyramidal radiation ……… 1541
錐体隆起 pyramidal eminence ……… 603
錐体隆起 eminentia pyramidalis ……… 604
錐体鱗状部の petrosquamosal, petrosquamous ……… 1397
錐体鱗裂 fissura petrosquamosa ……… 702
錐体鱗裂 petrosquamous fissure ……… 703
錐体路 pyramidal tract ……… 1912
錐体路 tractus pyramidalis ……… 1914
錐体路〔障害〕徴候 pyramid sign ……… 1683
錐体路切断〔術〕 pyramidotomy ……… 1533
錐体路線維 pyramidal fibers ……… 690
錐体路線維 fibrae pyramidales ……… 692
吸い出し extrusion ……… 658
膵胆嚢吻合〔術〕 pancreatocholecystostomy ……… 1341
水治〔療〕法 hydrotherapy ……… 874
水中マッサージ hydromassage ……… 873
膵腸陥凹 pancreaticoenteric recess ……… 1572
垂直眼振 vertical nystagmus ……… 1286
垂直向性の orthotropic ……… 1317
垂直骨切り術 vertical osteotomy ……… 1325
垂直軸 vertical axis ……… 185
垂直視差 vertical parallax ……… 1350
垂直処女膜 vertical hymen ……… 877
垂直心 vertical heart ……… 821
垂直性めまい vertical vertigo ……… 2016
垂直舌筋 vertical muscle of tongue ……… 1197
垂直舌筋 musculus verticalis linguae ……… 1205
垂直線外回転 off-vertical rotation ……… 1623
垂直束 perpendicular fasciculus ……… 676
垂直帯胃形成〔術〕 vertical banded gastroplasty ……… 759
垂直弾性材料 vertical elastic ……… 592
垂直伝播 vertical transmission ……… 1920
垂直の normal (N) ……… 1267
垂直の vertical ……… 2015
垂直の verticalis ……… 2015
垂直板 lamina perpendicularis ……… 998
垂直板 perpendicular plate ……… 1435
垂直被蓋 vertical overlap ……… 1328
水治療法の hydriatric, hydriatic ……… 870
水槌脈 water-hammer pulse ……… 1525
スイッチ部位 switching site ……… 1690
推定 estimation ……… 644
推定眼ヒストプラスマ症 presumed ocular histoplasmosis ……… 856

推定値 estimate ………………………… 644
推定量 estimator ………………………… 644
水笛音 water-whistle sound …………… 1703
膵デルタ細胞 delta cell of pancreas …… 320
膵頭 caput pancreatis …………………… 292
膵頭 head of pancreas ………………… 817
水痘 varicella ……………………………… 1988
水頭〔症〕 hydrocephalus ……………… 871
水道 aqueduct ……………………………… 122
水道 aqueductus ………………………… 122
〔膵〕島芽細胞 nesidioblast …………… 1243
〔膵〕島細胞 islet cell ………………… 322
〔膵〕島細胞症 nesidioblastosis ……… 1243
水道周囲脊髄線維 spinoperiaqueductal fibers …………………………………… 691
膵〔頭〕十二指腸切除〔術〕 pancreatoduodenectomy ……………… 1341
水痘状帯状ヘルペス herpes zoster varicellosus …………………………… 845
水痘状帯状疱疹 herpes zoster varicellosus …………………………………… 845
〔膵〕島切除〔術〕 nesidiectomy ……… 1243
水道挿管 aqueductal intubation ……… 951
水痘-帯状疱疹ウイルス varicella-zoster virus …………………………………… 2030
水痘-帯状疱疹免疫グロブリン varicella-zoster immune globulin (VZIG) …………………………………… 779
水痘脳炎 varicella encephalitis ……… 607
水痘予防接種 varicellation …………… 1988
髄内関節固定〔術〕 intramedullary arthrodesis ……………………………… 155
錘内〔筋〕線維 intrafusal fibers ……… 689
髄内原性線維 endogenous fibers ……… 688
錘内線維の intrafusal ………………… 950
髄内麻酔〔法〕 intramedullary anesthesia … 79
髄内リーマー intramedullary reamer …. 1569
垂の appendicular ……………………… 120
髄脳 myelencephalon ………………… 1209
水嚢腫 hydrocyst ………………………… 872
水膿腎〔症〕 hydropyonephrosis ……… 874
膵嚢胞十二指腸瘻造設術 pancreatic cystoduodenostomy …………………… 462
膵嚢胞性線維症 cystic fibrosis, cystic fibrosis of the pancreas ……………… 696
膵〔臓〕膿瘍 pancreatic abscess ……………… 5
随伴 comitance …………………………… 397
随伴菌 accomplice ………………………… 10
随伴症状 accessory symptom ………… 1791
随伴〔性〕発汗 synidrosis ……………… 1826
膵半切除術 hemipancreatectomy ……… 829
膵尾 cauda pancreatis ………………… 315
膵尾 tail of pancreas ………………… 1839
膵脾間膜 pancreaticosplenic ligament …. 1038
膵尾動脈 arteria caudae pancreatis …… 134
膵尾動脈 caudal pancreatic artery …… 143
膵尾動脈 artery to tail of pancreas …… 153
膵脾リンパ節 pancreaticosplenic lymph nodes ……………………………………… 1080
水夫脚気 ship beriberi ………………… 207
膵〔機能〕不全 pancreatic insufficiency …. 941
水夫肌 sailor's skin …………………… 1691
水夫皮膚 sailor's skin ………………… 1691
水分過剰 hyperhydration ……………… 881
水分過剰 overhydration ……………… 1328
水分均衡 isorrhea ……………………… 962
水〔分〕屈性 hydrotropism …………… 874
水分枯渇 water depletion ……………… 492
水分固定過度 hyperhydropexy, hyperhydropexis ………………………… 881
水分不安定性 hydrolability …………… 872
水分補給 hydration …………………… 870
水平萎縮 horizontal atrophy ………… 173
水平位めまい horizontal vertigo ……… 2016
水平X線による撮影 horizontal beam film …………………………………………… 699
水平横走軸 transverse horizontal axis …. 185
水平骨切り術 horizontal osteotomy …… 1325
水平心 horizontal heart ……………… 820
水平増殖期 horizontal growth phase …. 1402
水平伝播 horizontal transmission …… 1920
水平の horizontalis ……………………… 863
水平被蓋 horizontal overlap ………… 1328
水平面 horizontal planes …………… 1430
〔右肺の〕水平裂 fissura horizontalis pulmonis dextri ………………………… 701
〔右肺の〕水平裂 horizontal fissure of right lung ……………………………………… 702
〔小脳の〕水平裂 fissura horizontalis …… 701
〔小脳の〕水平裂 horizontal fissure [TA] of cerebellum ……………………………… 702
〔歯〕髄壁 pulpal wall ………………… 2040
膵ベータ細胞 beta cell of pancreas …… 319
膵ペプチドYY pancreatic peptide YY (PYY) ……………………………………… 1383
錘鞭毛期 trypomastigote ……………… 1940
水疱 blister ………………………………… 221
水疱 bulla …………………………………… 265
水泡音 bubbling rale ………………… 1546
水泡音 rale ………………………………… 1546
水泡音 rhonchus, sonorous rhonchus, sibilant rhonchus ………………………… 1610
水疱型(性)先天性魚鱗癬様紅皮症 bullous congenital ichthyosiform erythroderma 640
〔小〕水疱丘疹性の vesiculopapular …… 2017
髄傍糸球体 juxtamedullary glomerulus … 780
水疱症 hydroa …………………………… 870
水疱状水腫(浮腫)膀胱 bullous edema vesicae ……………………………………… 587
水泡振とう音 rhonchal fremitus ……… 740
水疱性インペチゴ impetigo bullosa …… 914
水疱性角膜炎 vesicular keratitis ……… 978
水疱性角膜症 bullous keratopathy …… 980
水疱性甲介 concha bullosa …………… 406
水疱性口内炎 vesicular stomatitis …… 1749
水疱性口内炎ウイルス vesicular stomatitis virus ……………………………………… 2030
水疱性鼓膜炎 bullous myringitis ……… 1217
水疱性鼓膜炎 myringitis bulbosa ……… 1217
水疱性じんま疹 urticaria bullosa …… 1975
水疱性水腫(浮腫) bullous edema ……… 587
水疱性伝染性膿痂疹 impetigo contagiosa bullosa ……………………………………… 914
水疱性膿痂疹 impetigo bullosa ……… 914
水疱性類天疱瘡 bullous pemphigoid …. 1379
髄放線 medullary ray ………………… 1562
水胞体 hydatid …………………………… 869
膵傍の parapancreatic ………………… 1352
髄傍の juxtamedullary ………………… 974
水疱発生 vesiculation ………………… 2017
膵ポリペプチド pancreatic polypeptide 1463
髄膜 meninx ……………………………… 1130
髄膜炎 meningitis ……………………… 1129
髄膜炎菌 meningococcus ……………… 1129
髄膜炎菌 *Neisseria meningitidis* ………… 1226
髄膜炎菌血〔症〕 meningococcemia …… 1129
髄膜炎菌性〔脳脊〕髄膜炎 meningococcal meningitis ……………………………… 1129
髄膜炎後水頭〔症〕 postmeningitic hydrocephalus …………………………… 871
髄膜炎線条 meningitic streak ………… 1753
髄膜化膿 external pyocephalus ……… 1531
髄膜癌腫症 meningeal carcinoma ……… 298
髄膜癌腫症 meningeal carcinomatosis …. 299
髄膜間の intermeningeal ……………… 946
髄膜血管腫症 meningioangiomatosis …… 1128
髄膜血管神経梅毒 meningovascular neurosyphilis …………………………… 1252
髄膜血管梅毒 meningovascular syphilis 1828
髄膜骨静脈炎 meningo-osteophlebitis …. 1130
髄膜細胞性髄膜腫 meningothelial meningioma ……………………………… 1129
髄膜腫 meningioma …………………… 1128
髄膜腫症 meningiomatosis …………… 1129
髄膜出血 meningorrhagia ……………… 1130
髄膜症 meningism ……………………… 1129
髄膜神経根炎 meningoradiculitis ……… 1130
髄膜神経根の meningoradicular ……… 1130
髄膜神経叢 meningeal plexus ………… 1441
髄膜神経叢 plexus meningeus ………… 1441
髄膜神経梅毒 meningeal neurosyphilis 1252
髄膜脊髄炎 meningomyelitis ………… 1130
髄膜脊髄の meningorrhachidian ……… 1130
髄膜脊髄瘤 meningomyelocele ………… 1130
髄膜組織球 meningocyte ……………… 1129
髄膜チフス熱 meningotyphoid fever …… 685
〔脳脊〕髄膜内の intrameningeal ……… 950
〔脳脊〕髄膜の meningeal ……………… 1128
髄膜脳炎 meningoencephalitis ………… 1129
髄膜脳症 meningoencephalopathy ……… 1130
髄膜脳障害 meningoencephalopathy …… 1130
髄膜脳脊髄炎 meningoencephalomyelitis 1130
髄膜脳ヘルニア性水頭症 meningohydroencephalocele ………… 1130
髄膜脳瘤 meningoencephalocele ……… 1130
髄膜白血病 meningeal leukemia ……… 1024
髄膜皮質の meningocortical ………… 1129
髄膜ヘルニア meningeal hernia ……… 843
髄膜ヘルニア meningocele …………… 1129
髄膜縫合〔術〕 meningeorrhaphy ……… 1128
髄膜脈管の meningovascular ………… 1130
髄膜瘤 meningocele …………………… 1129
スイマー歯 swimmer's tooth ………… 1903
水脈波計 hydrosphygmograph ………… 874
睡眠 sleep ………………………………… 1692
睡眠異常〔症〕 dyssomnia ……………… 577
睡眠過剰 hypersomnia ………………… 887
睡眠欠落 sleep deficit ………………… 479
睡眠後期 postdormitum ……………… 1470
睡眠呼吸障害 sleep-disordered breathing (SDB) ……………………………………… 256
睡眠時単収縮 hypnic jerk …………… 968
睡眠時無呼吸 sleep apnea …………… 116
睡眠時無呼吸症候群 sleep apnea syndrome ……………………………………… 1820
睡眠前期 predormitum ……………… 1477
睡眠相後退症候群 sleep phase delay syndrome ………………………………… 1820
睡眠相遅延選好 delayed-phase preference ……………………………………… 1478
睡眠中歯ぎしり sleep bruxism ……… 262
睡眠病 sleeping sickness ……………… 1677
睡眠不全 dyssomnia …………………… 577
睡眠不足 sleep deficit ………………… 479
睡眠紡錘波 sleep spindle …………… 1716
睡眠発作 narcolepsy ………………… 1221
睡眠発作 paroxysmal sleep ………… 1692
睡眠ポリグラフ polysomnogram ……… 1464
睡眠ポリグラフ計 polysomnography …. 1464
睡眠麻痺 sleep paralysis …………… 1351
睡眠酩酊 sleep drunkenness ………… 562
睡眠薬 narcoleptic …………………… 1221
睡眠誘発性無呼吸 sleep-induced apnea … 116
睡眠療法 hypnotherapy ……………… 891
水無脳症 hydranencephaly ………… 869
吹鳴性雑音 bellows murmur ………… 1179
水様胃液分泌 gastrohydrorrhea ……… 759
水〔相〕溶液 aqueous solution ……… 1698
水様塊 water brash ………………… 2041
髄様癌 medullary carcinoma ………… 297
髄様骨腫 osteoma medullare ……… 1322
髄〔様〕上皮腫 medulloepithelioma …… 1119
水溶性クロロフィル誘導体 water-soluble chlorophyll derivatives ……………… 347
水〔様〕性胆汁分泌 hydrocholeresis …… 871
水溶性デンプン soluble starch ……… 1738
髄様肉腫 medullary sarcoma ……… 1635
水様尿 albiduria ……………………… 42

ス

水様の aqueous ………… 122
水様の hydatoid ………… 869
水浴 water bath ………… 202
水利尿 water diuresis ………… 550
水瘤 hydrocele ………… 870
水流吸引器 water aspirator ………… 162
水瘤切除〔術〕hydrocelectomy ………… 871
水リンパ hydrolymph ………… 872
膵リンパ節 pancreatic lymph nodes ………… 1080
水和 hydration ………… 870
水和イオン aquo-ion ………… 122
水和結晶 hydrate crystal ………… 446
水和物 hydrate ………… 870
スイント suint ………… 1771
吸う suck ………… 1768
スヴァン抗原 Swann antigens ………… 105
スウィッチング switching ………… 1789
スウェーデン式運動 Swedish movements ………… 1174
スヴェードベリー単位 Svedberg unit (S) ………… 1967
スウォーミング swarming ………… 1789
数学的遺伝学 mathematical genetics ………… 765
数学におけるカオス mathematical chaos 339
数学モデル mathematical model ………… 1162
趨光陰(陽)性 photodromy ………… 1417
趨光性 photodromy ………… 1417
数個血管吻合 synanastomosis ………… 1792
数値 value ………… 1984
数値分類学 numeric taxonomy ………… 1843
枢要点 cardinal points ………… 1454
枢要の cardinal ………… 299
数理医学 iatromathematical school ………… 1645
数理モデル model ………… 1161
数量分類学 numeric taxonomy ………… 1843
趨リンパ球性 lymphotaxis ………… 1084
ズオクリニン duocrinin ………… 567
頭蓋 cranium ………… 435
頭蓋 skull ………… 1691
頭蓋圧出骨折 expressed skull fracture ………… 737
頭蓋咽頭管 craniopharyngeal duct ………… 563
頭蓋咽頭腫 craniopharyngioma ………… 434
頭蓋外気瘤 extracranial pneumatocele 1447
頭蓋開口〔術〕trephination ………… 1925
頭蓋外-内血管吻合術 extracranial-intracranial bypass ………… 273
頭蓋外の extracranial ………… 657
頭蓋外板 lamina externa cranii ………… 997
頭蓋外板 external table of calvaria ………… 1836
頭蓋外板 outer table of skull ………… 1836
頭蓋開放骨折 open skull fracture ………… 738
頭蓋学 craniology ………… 434
頭蓋下の subcranial ………… 1763
頭蓋冠 calvaria ………… 281
頭蓋冠鉤 calvarial hook ………… 862
頭蓋観察 cranioscopy ………… 435
頭蓋冠状鋸術 craniotrypesis ………… 435
頭蓋陥没骨折 depressed skull fracture ………… 737
頭蓋顔面 norma facialis ………… 1267
頭蓋顔面角 craniofacial angle ………… 88
頭蓋顔面観 facial aspect ………… 161
頭蓋顔面矯正装置 craniofacial appliance 120
頭蓋顔面外科〔学〕craniofacial surgery 1784
頭蓋顔面懸垂結紮法 craniofacial suspension wiring ………… 2047
頭蓋顔面骨形成不全〔症〕craniofacial dysostosis ………… 574
頭蓋顔面骨固定 craniofacial fixation ………… 707
頭蓋顔面分離骨折 craniofacial dysjunction fracture ………… 737
頭蓋基底軸 craniofacial axis ………… 184
頭蓋〔骨〕局部切除〔術〕craniectomy ………… 434
頭蓋腔 cranial cavity ………… 316
頭蓋形成術 cranioplasty ………… 434
頭蓋計測〔法,学〕cephalometrics ………… 333
頭蓋計測器 cephalometer ………… 333
頭蓋計測写真 cephalometric radiograph 1543
頭蓋計測点 craniometric points ………… 1454
頭蓋結合体 craniopagus ………… 434
頭蓋限局性骨粗しょう(鬆)症 osteoporosis circumscripta cranii ………… 1324
頭蓋後頭面 norma occipitalis ………… 1267
頭蓋後面観 occipital aspect ………… 161
頭蓋鼓室の craniotympanic ………… 435
頭蓋骨 bones of cranium ………… 232
頭蓋骨 cranial bones ………… 232
頭蓋骨 bones of skull ………… 233
頭蓋骨 ossa cranii ………… 1317
頭蓋骨角度測定 goniocraniometry ………… 792
頭蓋骨幹形成異常(異形成) craniodiaphysial dysplasia ………… 575
頭蓋骨幹端形成異常(異形成) craniometaphysial dysplasia ………… 575
頭蓋骨硬化〔症〕craniosclerosis ………… 435
頭蓋〔骨〕骨折 skull fracture ………… 738
頭蓋骨耳部 otocranium ………… 1326
頭蓋骨耳部の otocranial ………… 1326
頭蓋骨症 craniopathy ………… 434
頭蓋骨障害 craniopathy ………… 434
頭蓋〔骨〕切除術 craniectomy ………… 434
頭蓋骨内板 lamina interna ossium cranii 997
頭蓋骨軟化〔症〕craniomalacia ………… 434
頭蓋骨膜 pericranium ………… 1387
頭蓋骨膜炎 pericranitis ………… 1387
頭蓋骨癒合〔症〕craniosynostosis ………… 435
頭蓋三角 cephalic triangle ………… 1926
頭蓋支持器 craniophore ………… 434
頭蓋矢状面 norma sagittalis ………… 1267
頭〔蓋〕指数 cranial index ………… 922
頭蓋耳の cranio-aural ………… 434
頭蓋周囲切開〔術〕craniamphitomy ………… 434
頭蓋周囲の pericranial ………… 1387
頭蓋・手根骨・足根骨ジストロフィ craniocarpotarsal dystrophy ………… 578
頭蓋上面観 superior aspect ………… 161
頭蓋診察 cranioscopy ………… 435
頭蓋髄膜ヘルニア craniomeningocele ………… 434
頭蓋髄膜瘤 craniomeningocele ………… 434
頭蓋星状骨折 stellate skull fracture ………… 738
頭蓋正中離開 diastematocrania ………… 511
頭蓋脊椎関節 craniovertebral joints ………… 969
頭蓋脊椎の craniospinal ………… 435
頭蓋脊椎披裂 craniorrhachischisis ………… 434
頭蓋穿刺 cephalocentesis ………… 333
頭蓋穿刺 craniopuncture ………… 434
頭蓋線状骨折 linear skull fracture ………… 737
頭蓋前頭面 norma frontalis ………… 1267
頭蓋泉門 cranial fontanelles ………… 723
頭蓋泉門 fonticuli cranii ………… 723
頭蓋側頭面 norma lateralis ………… 1267
頭蓋側面X線像 lateral skull radiograph 1543
頭蓋側面観 lateral aspect ………… 161
頭蓋椎部 cranial vertebra ………… 2015
頭蓋底 cranial base ………… 199
頭蓋底 external base of skull ………… 199
頭蓋底 basicranium ………… 200
頭蓋底陥入〔症〕basilar impression ………… 917
頭蓋底外科 skull base surgery ………… 1784
頭蓋底骨折 basal skull fracture ………… 736
〔三〕頭蓋底骨癒合〔症〕tribasilar synostosis ………… 1826
頭蓋底軸 basicranial axis ………… 184
頭蓋底軟骨 basilar cartilage ………… 305
頭蓋底部脳瘤 basal encephalocele ………… 608
頭蓋頭頂面 norma verticalis ………… 1267
頭蓋トノスコープ法 craniotonoscopy ………… 435
頭蓋内圧 intracranial pressure (ICP) ………… 1482
頭蓋内圧計 cephalohemometer ………… 333
頭蓋内気腫 pneumocranium ………… 1448
頭蓋内気瘤 intracranial pneumatocele ………… 1447
頭蓋内血腫 hematocephaly ………… 825
頭蓋内構造の encephalic ………… 607
頭蓋内出血 intracranial hemorrhage ………… 835
頭蓋内動脈瘤 intracranial aneurysm ………… 82
頭蓋内の endocranial ………… 612
頭蓋内の intracranial ………… 950
頭蓋内板 lamina interna cranii ………… 997
頭蓋内板 inner table of skull ………… 1836
頭蓋内板 internal table of calvaria ………… 1836
図解の schematic ………… 1642
頭蓋脳の craniocerebral ………… 434
頭蓋の靱帯結合 cranial syndesmoses ………… 1794
頭蓋の線維性連結 cranial fibrous joints 969
頭蓋の軟骨結合 cranial synchondroses 1793
頭蓋の軟骨結合 synchondroses cranii ………… 1793
頭蓋の縫合 suturae cranii ………… 1786
頭蓋の縫合 cranial sutures ………… 1787
頭蓋の連結 joints of skull ………… 971
頭蓋肥厚〔症〕pachycephaly ………… 1334
頭蓋描画器 craniograph ………… 434
頭蓋描画法 craniography ………… 434
頭蓋表筋 epicranial muscle ………… 1184
頭蓋表筋 epicranius (muscle) ………… 1184
頭蓋表筋 musculus epicranius ………… 1199
頭蓋〔披〕裂 cranioschisis ………… 435
スカイブルー sky blue ………… 1691
頭蓋閉鎖骨折 closed skull fracture ………… 737
頭蓋有窓症 craniofenestria ………… 434
頭蓋容量 cranial capacity ………… 288
頭蓋離開骨折 diastatic skull fracture ………… 737
頭蓋裂孔症 craniolacunia ………… 434
頭蓋ろう craniotabes ………… 435
スカッシュ多飲症候群 squash-drinking syndrome ………… 1821
スカトキシル skatoxyl ………… 1690
スカトール skatole ………… 1690
スカーフ徴候 scarf sign ………… 1683
スカベンジャーレセプタ scavenger receptor ………… 1571
スカム scum ………… 1651
スカラー心電図 scalar electrocardiogram 593
図柄と地面(じづら) figure and ground … 697
スカルディーノ縦軸間置腎盂形成〔術〕Scardino vertical flap pyeloplasty ………… 1530
スカルパ管 canals of Scarpa ………… 284
スカルパ筋膜 Scarpa fascia ………… 674
スカルパ孔 Scarpa foramina ………… 726
スカルパ法 Scarpa method ………… 1145
スカーレットレッド scarlet red ………… 1641
スカンジウム scandium (Sc) ………… 1640
スカンツォーニ操作 Scanzoni maneuver ………… 1099
杉浦法 Sugiura procedure ………… 1488
スキナー箱 Skinner box ………… 239
スキムミルク skim milk, skimmed milk ………… 1158
スキャッチャードプロット Scatchard plot ………… 1446
スキャナー scanner ………… 1640
スキャニング scanning ………… 1640
スキャノグラム scanogram ………… 1640
スキャロピング scalloping ………… 1640
スキャン scan ………… 1640
スキャン〔法〕scanning ………… 1640
スキュー形 skew form ………… 729
スキューデビエイション skew deviation 502
スキューバ SCUBA ………… 1651
すき(鋤)指 spade fingers ………… 701
スキラーン骨折 Skillern fracture ………… 738
スキーン細管 Skene tubules ………… 1948
スキーン腺炎 skeneitis, skenitis ………… 1691
スキーン腺内視鏡 skeneoscope ………… 1691
スクアレン squalene ………… 1726
スクシニミド succinimide ………… 1768
スクシニルアセトン succinylacetone ………… 1768
スクシニルCoAシンテターゼ succinyl-CoA synthetase ………… 1768
スクシニルコエンチームA

succinyl-coenzyme A ······ 1768
スクシニルコリン succinylcholine ······ 1768
O-スクシニルホモセリン(チオール)リアーゼ *O*-succinylhomoserine (thiol)-lyase 1768
スクティゲラ属 *Scutigera* ······ 1652
すぐに stat, STAT ······ 1739
スクラッチ試験 scratch test ······ 1865
スクラート sucrate ······ 1768
スクラピー scrapie ······ 1650
スクラルファート sucralfate ······ 1768
スグリゼリー様便 currant jelly stool ······ 1750
スクリーニング screening ······ 1651
スクリーニング試験 screening test ······ 1865
スクリーニング聴力検査〔法〕 screening audiometry ······ 177
スクリブナーシャント Scribner shunt ······ 1675
スクリューエレベータ screw elevator ······ 599
〔スクリュータイプ〕歯根型インプラント threaded implant ······ 915
スクリューワーム screw-worm ······ 1651
スクリーン screen ······ 1650
スクルテーツス体位 Scultetus position 1470
スクルテーツス包帯 Scultetus bandage ······ 196
スクループル scruple ······ 1651
スクレロストーマ属 *Sclerostoma* ······ 1648
スクロヴスキー症状 Sklowsky symptom 1792
スクロース sucrose ······ 1768
スクロースα-D-グルコシダーゼ sucrose α-D-glucosidase ······ 1769
スクロース血症 sucrosemia ······ 1769
スクロース尿症 sucrosuria ······ 1769
スクワレンエポキシダーゼ squalene epoxidase ······ 1726
スクワレンシンターゼ squalene synthase ······ 1726
スケジュール schedule ······ 1642
スケーラー scaler ······ 1640
スケーリング scaling ······ 1640
スコダ共鳴音 skodaic resonance ······ 1594
スコダラ音 Skoda rale ······ 1547
スコッチテリア〔像〕 scotty dog ······ 1650
スコット-ウィルソン試薬 Scott-Wilson reagent ······ 1569
スコット手術 Scott operation ······ 1306
スコット症候群 Scott syndrome ······ 1819
スコットランド裂頭条虫 *Diphyllobothrium scoticum* ······ 523
スコトプシン scotopsin ······ 1650
スコピン scopine ······ 1649
スコプラリオプシス属 *Scopulariopsis* ······ 1649
スコポラミン scopolamine ······ 1649
スコポリン scopoline ······ 1649
スズ stannum ······ 1737
スズ tin (Sn) ······ 1893
スズ113 tin 113 (^{113}Sn) ······ 1894
スズ箔 tinfoil ······ 1894
スズメノヒエ中毒〔症〕 paspalism ······ 1370
スタイルズ-クローフォード効果 Stiles-Crawford effect ······ 589
スタイレット stylet, stylette ······ 1761
スタイン試験 Stein test ······ 1866
スタインストラッセ steinstrasse ······ 1741
スタウファー症候群 Stauffer syndrome 1821
スタウリオン staurion ······ 1740
スター-エドワーズ弁 Starr-Edwards valve ······ 1985
スタキオース stachyose ······ 1727
スタキドリン stachydrine ······ 1727
スタージ-ウェーバー症候群 Sturge-Weber syndrome ······ 1821
スタジオメータ stadiometer ······ 1727
スタース-オット法 Stas-Otto method ······ 1145
スタスモキネシス stathmokinesis ······ 1739
スタッキング stacking ······ 1727
スタット stat- ······ 1739
スタットアンペア statampere ······ 1739
スタットクーロン statcoulomb ······ 1739
スタットファラッド statfarad ······ 1739
スタットヘンリー stathenry ······ 1739
スタットボルト statvolt ······ 1740
スタッフ staff ······ 1727
スタビライザ stabilizer ······ 1727
スタビラート stabilate ······ 1726
スタビリメータ stabilimeter ······ 1726
スタビン stabine ······ 1727
スタフィリオン staphylion ······ 1737
スタフィロキナーゼ staphylokinase ······ 1738
スタフィロヘモリジン staphylohemolysin ······ 1738
スタフィロリジン staphylolysin ······ 1738
スターリング仮説 Starling hypothesis ······ 899
スターリング曲線 Starling curve ······ 451
スターリング反射 Starling reflex ······ 1582
スダンIII Sudan III ······ 1769
スダン嫌性〔の〕 sudanophobic ······ 1769
スダン嫌性帯 sudanophobic zone ······ 2060
スダン好性〔の〕 sudanophilic ······ 1769
スダン親和〔性〕 sudanophilia ······ 1769
スターン体位 Stern posture ······ 1472
スターンバーグ(シュテルンベルク)徴候 Sternberg sign ······ 1684
スタンフォード-ビネー試験 Stanford-Binet test ······ 1866
スタンフォード-ビネー知能スケール Stanford-Binet intelligence scale ······ 1639
スダンブラウン Sudan brown ······ 1769
スダンブラックB Sudan black B ······ 1769
スタンリー頸靱帯 Stanley cervical ligaments ······ 1040
スチグマ stigma ······ 1746
スチグマ形成 stigmatization ······ 1747
スチグマスタン stigmastane ······ 1746
スチコクロム stichochrome ······ 1746
スチコクロム細胞 stichochrome cell ······ 326
スチベニル stibenyl ······ 1746
スチボニウム stibonium ······ 1746
スチュアート試験 Stewart test ······ 1866
スチュアート-トリーヴェス症候群 Stewart-Treves syndrome ······ 1821
スチュアート-ホームズ徴候 Stewart-Holmes sign ······ 1684
スチューデント*t*検定 Student *t* test ······ 1866
スチラメート styramate ······ 1762
スチルベン stilbene ······ 1747
スチレン styrene ······ 1762
スチロン styrone ······ 1762
頭痛 cephalalgia ······ 332
頭痛 cephalodynia ······ 333
頭痛 dolor capitis ······ 555
頭痛 headache ······ 818
スツルバイト結石 struvite calculus ······ 278
ステアタイト steatite ······ 1741
ステアリルアルコール stearyl alcohol ······ 1741
ステアリルCoA stearyl-CoA, stearyl-coenzyme A ······ 1741
ステアリルCoAデサチュラーゼ stearyl-CoA desaturase ······ 1741
ステアリル補酵素A stearyl-CoA, stearyl-coenzyme A ······ 1741
ステアリン stearin ······ 1740
ステアリン酸 stearic acid ······ 1740
ステアリン酸亜鉛 zinc stearate ······ 2058
ステアリン酸カルシウム calcium stearate ······ 277
ステアリン酸ナトリウム sodium stearate ······ 1696
ステアリン酸ポリオキシル40 polyoxyl 40 stearate ······ 1462
ステアリン酸マグネシウム magnesium stearate ······ 1092
スティーヴンズ-ジョンソン症候群 Stevens-Johnson syndrome ······ 1821
スティッフパーソン症候群 stiff parson syndrome ······ 1821
スティップリング stippling ······ 1747
スティル雑音 Still murmur ······ 1180
スティル病 Still disease ······ 541
ステイン-オール stains-all ······ 1736
スティーンボック単位 Steenbock unit 1967
ステーダー副子 Stader splint ······ 1722
ステップ step ······ 1742
ステップダウン室 step-down unit ······ 1967
ステップ-ダウン,ステップ-アップ現象 step-down, step-up phenomenon ······ 1406
ステニオン stenion ······ 1741
ステノコンプレッサ stenocompressor ······ 1741
ステノトロフォモナス属 *Stenotrophomonas* ······ 1742
ステファニオン stephanion ······ 1742
ステファノフィラリア属 *Stephanofilaria* ······ 1742
ステープリング stapling ······ 1738
ステラジアン steradian (sr) ······ 1743
ステラン sterane ······ 1743
ステリン sterol ······ 1746
ステール stere ······ 1743
l-ステルコビリノーゲン *l*-stercobilinogen ······ 1743
ステルコビリン stercobilin ······ 1743
ステレオコルポグラム stereocolpogram 1743
ステレオコルポスコープ stereocolposcope ······ 1743
ステレオシネフルオログラフィ stereocinefluorography ······ 1743
ステレオフォロメータ stereophorometer 1744
ステレオロジー stereology ······ 1744
ステロイド steroid ······ 1745
ステロイド21-モノオキシゲナーゼ steroid 21-monooxygenase ······ 1745
ステロイド後脂肪〔組〕織炎 poststeroid panniculitis ······ 1343
ステロイド痤瘡 steroid acne ······ 16
ステロイド産生刺激因子1 steroidogenic factor 1 (SF-1) ······ 669
ステロイド産生腫瘍 steroid cell tumor 1952
ステロイドスルファターゼ欠損症 steroid sulfatase deficiency ······ 1745
ステロイド生産率 steroid production rate ······ 1560
ステロイド生成 steroidogenesis ······ 1745
ステロイド代謝クリアランス率 steroid metabolic clearance rate (MCR) ······ 1560
ステロイド中止後症候群 steroid withdrawal syndrome ······ 1821
ステロイド熱 steroid fever ······ 686
ステロイドヒドロキシラーゼ steroid hydroxylases ······ 1745
ステロイド分泌率 steroid secretory rate 1560
ステロイドホルモン steroid hormones ······ 864
ステロイドモノオキシゲナーゼ steroid monooxygenases ······ 1745
ステロイド誘発性糖尿病 steroidogenic diabetes ······ 507
ステロイド5α-レダクターゼ steroid 5α-reductase ······ 1745
ステロイド緑内障 corticosteroid-induced glaucoma ······ 777
ステロイド類 steroids ······ 1745
ステロール sterol ······ 1746
ステン sten ······ 1741
ステンヴァーズ投影〔法〕 Stenvers projection ······ 1496
ステンガー試験 Stenger test ······ 1866
ステンセン管狭窄〔症〕 stenostenosis ······ 1742
ステンセン管閉鎖器 stenocompressor ······ 1741
ステンセン静脈叢 Stensen plexus ······ 1443
ステント stent ······ 1742
ステント植皮 Stent graft ······ 795

ストークス stoke …… 1748
ストークス切断術 Stokes amputation …… 66
ストークスの法則 Stokes law …… 1008
ストークスバスケット Stokes basket …… 201
図と地 figure and ground …… 697
ストーチ STORCH …… 1750
ストッカー線 Stocker line …… 1052
ストックホルム症候群 Stockholm syndrome …… 1821
ストーボ抗原 Stobo antigen …… 105
ストマトサイト stomatocyte …… 1749
ストマトサイト増加症 stomatocytosis …… 1749
ストミオン stomion …… 1749
ストライカー像 Stryker notch view …… 2019
ストライカーのこぎり Stryker saw …… 1637
ストライカー-ハルバイゼン症候群 Stryker-Halbeisen syndrome …… 1821
ストライカー枠 Stryker frame …… 739
ストラックス storax …… 1750
ストリオーラ striola …… 1757
ストリキニーネ strychnine …… 1760
ストリキニン strychnine …… 1760
ストリキニン中毒 strychninism …… 1760
ストリクノス属 *Strychnos* …… 1760
ストリーターの発生段階 Streeter developmental horizon(s) …… 1753
ストリップ法 strip …… 1757
ストリートドラッグ street drug …… 561
ストリングサイン string sign …… 1684
ストルビット struvite …… 1760
ストレインゲージ strain gauge …… 761
ストレージオシロスコープ storage oscilloscope …… 1318
ストレス stress …… 1755
ストレス潰瘍 stress ulcer …… 1961
ストレス系 stress system …… 1834
ストレス試験 stress test …… 1866
ストレス反応 stress reaction …… 1567
ストレスブレーカ stress breaker …… 1755
ストレス免疫 stress inoculation …… 938
ストレッサー stressors …… 1755
ストレッチャー stretcher …… 1755
ストレートバック症候群 straight back syndrome …… 1821
ストレプトアビジン streptavidin …… 1753
ストレプトキナーゼ streptokinase (SK) 1754
ストレプトキナーゼ-ストレプトドルナーゼ streptokinase-streptodornase …… 1754
ストレプトグラミン streptogramin …… 1754
ストレプトース streptose …… 1755
ストレプトセルカ症 streptocerciasis …… 1753
ストレプトドルナーゼ streptodornase (SD) …… 1754
ストレプトバシラス属 *Streptobacillus* …… 1753
ストレプトビオサミン streptobiosamine 1753
ストレプトマイシン streptomycin …… 1755
ストレプトマイシン単位 streptomycin units …… 1967
ストレプトマイシンのG単位 G unit of streptomycin …… 1966
ストレプトマイシンのS単位 S unit of streptomycin …… 1967
ストレプトミセス科 Streptomycetaceae 1754
ストレプトミセス属 *Streptomyces* …… 1754
ストレプトリジン streptolysin …… 1754
ストレプトリジンO streptolysin O …… 1754
ストロー徴候 Straus sign …… 1684
ストロー反応 Straus reaction …… 1567
ストロビラ strobila …… 1757
ストロファンチン strophanthin …… 1759
ストロファンツス属 Strophanthus …… 1759
ストロボスコピー stroboscopy …… 1758
ストロボスコープ stroboscope …… 1758
ストロボスコープ円板 stroboscopic disc 526
ストロボスコープ顕微鏡 stroboscopic microscope …… 1154
ストロマ stroma …… 1759
ストロマチン stromatin …… 1759
ストロムライシン系マトリックスメタロプロテイナーゼ stromyelysin-matrix metalloproteinase …… 1139
ストロン stolon …… 1748
ストロンギルス属 *Strongylus* …… 1759
ストロンギロイデス属 *Strongyloides* …… 1759
ストロング職業興味検査 Strong vocational interest test …… 1866
ストロンチウム strontium (Sr) …… 1759
ストロンチウム85 strontium 85 (^{85}Sr) 1759
ストロンチウム87m strontium 87m (^{87m}Sr) …… 1759
ストロンチウム89 strontium 89 (^{89}Sr) 1759
ストロンチウム90 strontium 90 (^{90}Sr) 1759
ストーン stone …… 1749
スナイダー試験 Snyder test …… 1865
スナイダーの中心性クリスタリン(結晶状)角膜ジストロフィ central crystalline corneal dystrophy of Snyder …… 578
スナッフル snuffles …… 1694
砂時計胃 hourglass stomach …… 1748
砂時計形雑音 hourglass murmur …… 1180
砂時計形〔収縮〕 hourglass pattern …… 1374
砂時計〔状〕収縮 hourglass contraction …… 417
砂時計椎 hourglass vertebrae …… 2015
砂時計様頭蓋 hourglass head …… 817
砂の psammous …… 1510
スナノミ jigger …… 968
スナノミ *Tunga penetrans* …… 1952
スナノミ科 Tungidae …… 1952
スナノミ症 tungiasis …… 1952
スナバエ sandfly …… 1633
スナバエ熱ウイルス sandfly fever viruses …… 2029
砂虫病 sandworm disease …… 540
スニップ SNP …… 1694
すね crus …… 443
スネア snare …… 1694
スネイルトラック(蝸牛跡)変性 snail track degeneration …… 481
スネッドン症候群 Sneddon syndrome …… 1820
スネレン視力表 Snellen test types …… 1869
スネレン徴候 Snellen sign …… 1684
スノー snow …… 1694
スパイカギプス包帯 spica cast …… 309
スパイク spike …… 1715
スパイク複合波 spike and wave complex …… 402
スパイラル(らせん)CT spiral computed tomography …… 1899
スパイロメータ spirometer …… 1718
スパジリスト spagyrist …… 1706
スパジリズムの spagyric …… 1706
スパスモーゲン spasmogen …… 1706
スパランツァーニの法則 Spallanzani law …… 1008
スパーリング検査 Spurling test …… 1866
スパルガヌム sparganum …… 1706
スパルガノーマ sparganoma …… 1706
スパルテイン sparteine …… 1706
スパン span …… 1706
スピキュール spicule …… 1715
スピーキングチューブ speaking tube …… 1942
スピクラ spiculum …… 1715
スピクラ spicule …… 1715
スピゲリウスヘルニア spigelian hernia …… 844
スピーチオージオグラム speech audiogram …… 176
スピーチバルブ speech bulb …… 264
スピーチプロセッサー speech processor 1491
スピッツ母斑 Spitz nevus …… 1255
ズビニ鉤虫 *Ancylostoma duodenale* …… 75
スピネリ手術 Spinelli operation …… 1306
図表 chart …… 340
図表 graph …… 799
スピリルム spirillum …… 1717
スピリルム科 Spirillaceae …… 1717
スピリルム属 *Spirillum* …… 1717
スピロー陥凹 Sebileau hollow …… 858
スピロー筋 Sebileau muscle …… 1193
スピロスコープ spiroscope …… 1718
スピロスタン spirostan …… 1718
スピロノラクトン spironolactone …… 1718
スピロノラクトン試験 spironolactone test …… 1865
スピロヘータ spirochete …… 1718
スピロヘータ黄疸 spirochetal jaundice …… 967
スピロヘータ科 Spirochaetaceae …… 1718
スピロヘータ血〔症〕 spirochetemia …… 1718
スピロヘータ殺菌薬 spirocheticide …… 1718
スピロヘータ症 spirochetosis …… 1718
スピロヘータ属 *Spirochaeta* …… 1718
スピロヘータ目 Spirochaetales …… 1718
スピロヘータ溶解 spirochetolysis …… 1718
スピロメトラ属 *Spirometra* …… 1718
スピンエコー〔法〕 spin echo …… 583
スピンサリコン spintharicon …… 1717
スピン密度 spin density …… 487
スフィグモスコープ sphygmoscope …… 1714
スフィンガニン sphinganine …… 1714
スフィンゴシン sphingosine …… 1714
スフィンゴミエリン sphingomyelins …… 1714
スフィンゴミエリンホスホジエステラーゼ sphingomyelin phosphodiesterase …… 1714
スフィンゴリピド sphingolipid …… 1714
スフィンゴリピドーシス sphingolipidosis …… 1714
スフェニオン sphenion …… 1711
スフェノイダーレ sphenoidale …… 1711
スフェノティック sphenotic …… 1711
スフェロティルス属 *Sphaerotilus* …… 1711
スフェロプラスト spheroplast …… 1712
スブスピナーレ subspinale …… 1765
スブナザーレ subnasal point …… 1455
スブナザーレ subnasion …… 1764
スブナジオン subnasion …… 1764
スプマウイルス亜科 Spumavirinae …… 1725
スプマウイルス属 *Spumavirus* …… 1725
スプラアウリクラーレ supraauricular point …… 1455
スプライシング splicing …… 1721
スプライスバリアント splice variant …… 1988
スプライセオソーム spliceosome …… 1721
スプラメンターレ supramentale …… 1779
スプリット遺伝子 split genes …… 764
スプリットキャスト法 split cast method …… 1145
スプリットキャストマウンティング split cast mounting …… 1172
スプリンティング splinting …… 1722
スプルー celiac disease …… 530
スプルー sprue …… 1725
スプレー spray …… 1725
スプレッダー spreader …… 1725
スプレンドール-ヘップリ現象 Splendore-Hoeppli phenomenon …… 1406
スプーン〔状〕爪 spoon nail …… 1220
スペアミント spearmint …… 1707
スペアミント油 oil of spearmint …… 1295
スペアミント油 spearmint oil …… 1707
スペイン〔型〕インフルエンザ Spanish influenza …… 930
スペイン回帰熱ボレリア *Borrelia hispanica* …… 237
スペクト SPECT …… 1708
スペクトラム障害 spectrum disorder …… 547
スペクトリン spectrin …… 1708
スペクトル spectrum …… 1708
スペクトル感度 spectral sensitivity …… 1661
スペクトル心音計 spectral

phonocardiograph 1411
スペクトルの spectral 1708
スペクトログラフ spectrograph 1708
スペクトロメータ spectrometer 1708
スペクトロメトリ spectrometry 1708
スペーサー spacer 1705
スペーシング spacing 1705
すべり glide 778
すべり肋骨 slipping rib 1612
スベリン酸 suberic acid 1763
スペル spell 1709
スペルマチン spermatin 1710
スペルミジン spermidine 1710
スペルミン spermine 1711
スペルミン結晶 sperm crystal, spermin crystal 446
スペンスの尾 tail of Spence 1839
スポーツ医学 sports medicine 1117
スポーツ心 athletic heart 820
スポット撮影 spot-film radiography 1544
スポット地図 spot map 1102
スポットフイルム spot film 699
スポーツヘルニア sportsman's groin 801
スポドグラム spodogram 1722
スポラジン sporadin 1724
スポロキスト sporocyst 1724
スポロキスト亜目 Sporocystinea 1724
スポロゲネス菌 *Clostridium sporogenes* 376
スポロゴニー sporogony 1724
スポロシスト sporocyst 1724
スポロシスト亜目 Sporocystinea 1724
スポロゾイト sporozoite 1724
スポロゾイド形成 sporogony 1724
スポロゾイド周囲蛋白 circumsporozoite protein 1503
スポロトリクス症 sporotrichosis 1724
スポロトリクス症性下疳 sporotrichositic chancre 339
スポロトリクス属 *Sporothrix* 1724
スポロトリクム属 *Sporotrichum* 1724
スポロブラスト sporoblast 1724
スポロント sporont 1724
スポンジ sponge 1723
スポンドウェニウイルス Spondweni virus 2029
炭 charcoal 340
スミア smear 1693
スミア層 smear layer 1013
スミアプラグ smear plug 1446
スミス-インド式手術 Smith-Indian operation 1306
スミス骨折 Smith fracture 738
スミス-ピーターセン釘 Smith-Petersen nail 1220
スミス-ライリー症候群 Smith-Riley syndrome 1820
スミス-レムリ-オピッツ症候群 Smith-Lemli-Opitz syndrome 1820
スムーズコロニー smooth colony 393
スムーズ集落 smooth colony 393
スムーズブローチ smooth broach 257
スメグマ smegma 1693
スメグマ菌 *Mycobacterium smegmatis* 1208
スモッグ smog 1694
スモール干渉リボ核酸 small interfering RNA 1613
スモールリボ核酸 small RNA (sRNA) 1613
素焼 biscuit 216
スライク slyke (sl) 1692
スライ症候群 Sly syndrome 1820
スライス cross section 1653
スライディングクランプ sliding clamp 370
スライディングフック sliding hook 862
スライドガラス slide 1692
スライド式気管形成〔術〕 slide tracheoplasty 1909
スライド斜方骨切り術 sliding oblique osteotomy 1325
スライドマイクロメータ slide micrometer 1152
スライム熱 slime fever 686
スラッジ sludge 1692
スラブオフレンズ slab-off lens 1020
スラリー slurry 1692
スリガラス像 ground-glass pattern 1374
スリガラス様細胞質 ground-glass cytoplasm 468
すり傷 excoriation 652
刷り込み imprinting 917
擦り込み錠〔剤〕 tablet triturate 1837
スリット slit 1692
すりつぶし trituration 1935
スリランカ桂皮 Sri Lanka cinnamon 363
ズルチン dulcin 566
スルバクタム sulbactam 1771
スルファサラジン sulfasalazine 1775
スルファジアジン sulfadiazine 1775
スルファジアジン銀 silver sulfadiazine 1685
スルファターゼ sulfatase 1775
スルファチデート sulfatidates 1775
スルファチド sulfatides 1775
スルファチドーシス sulfatidosis 1775
スルファニルアミド sulfanilamide 1775
p-スルファミルアセトアニリド *p*-sulfamylacetanilide 1775
スルファメタジン sulfamethazine 1775
スルファメトキサゾール sulfamethoxazole 1775
スルファメラジン sulfamerazine 1775
スルフィド sulfide 1776
スルフインジゴ酸 sulfindigotic acid 1776
スルフォテップ sulfotepp 1776
スルフォニウムイオン sulfonium ion 954
スルフヒドリル sulfhydryl (SH) 1776
スルフヒドリル試薬 sulfhydryl reagent 1569
スルフヘモグロビン血症 sulfhemoglobinemia 1775
スルフメトヘモグロビン sulfmethemoglobin 1776
スルフリル sulfuryl 1777
3-スルホガラクトシルセラミド 3-sulfogalactosylceramide 1776
スルホキシド sulfoxide 1776
6-スルホキノボシルジアシルグリセロール 6-sulfoquinovosyl diacylglycerol 1776
スルホサリチル酸 sulfosalicylic acid 1776
S-スルホシステイン *S*-sulfocysteine 1776
スルホゾル sulfosol 1776
スルホトランスフェラーゼ sulfotransferase 1776
スルホニウム塩 sulfonium salts 1776
スルホニル尿素 sulfonylureas 1776
スルホブロモフタレインナトリウム sulfobromophthalein sodium 1776
スルホムチン sulfomucin 1776
スルホリチノール酸ナトリウム sodium sulforicinate, sodium sulforicinoleate 1696
スルホリチン酸ナトリウム sodium sulforicinate, sodium sulforicinoleate 1696
スルホロダミンB sulforhodamine B 1776
スルホン sulfone 1776
スルホンアミド sulfonamides 1776
スルホン酸 sulfonic acid 1776
スルーレート slew rate 1560
ずれ shear 1670
ずれ応力 shear stress 1755
スレオニン threonine (T, Thr) 1886
スレオニン(トレオニン)デアミナーゼ threonine deaminase 1886
スレオニン(トレオニン)デヒドラターゼ threonine dehydratase 1886
スレート色貧血 slaty anemia 78
ずれ揺変 shear thinning 1883
ずれ率 shear rate 1560
ずれ流動 shear flow 714
スローウイルス slow virus 2029
スロープ slope 1692
スワイアー-ジェームズ症候群 Swyer-James syndrome 1822
スワイヤー症候群 Swyer syndrome 1822
スワブ swab 1789
スワン-ガンツカテーテル Swan-Ganz catheter 314
スワン-ネック変形 swan-neck deformity 480
寸法 dimension 520
寸法安定性 dimensional stability 1727

セ

背 back 188
背 dorsum 556
背 tergum 1852
セーアー-マーティン寒天〔培地〕 Thayer-Martin agar 35
セービン-フェルドマン色素試験 Sabin-Feldman dye test 1864
セービンワクチン Sabin vaccine 1980
セール腺 Serres glands 774
セールの遺残 rests of Serres 1597
セーレンコフ(チェレンコフ)放射線 Cerenkov radiation 1541
セーレンセン目盛り(スケール) Sörensen scale 1639
セーン法 Thane method 1145
ゼーセルポケット Seessel pocket 1452
ゼータ zeta (ζ) 2057
ゼータクリット zetacrit 2057
ゼータ鎖会合蛋白 zeta-chain-associated protein 1506
ゼータ沈降比 zeta sedimentation ratio (ZSR) 1561
ゼータ電位 zeta potential 1474
ゼーマン効果 Zeeman effect 589
ゼーミッシュ潰瘍 Saemisch ulcer 1961
ゼーミッシュ切開〔術〕 Saemisch section 1653
ゼーリヒミュラー徴候 Seeligmüller sign 1683
ゼアキサンチン zeaxanthin 2057
ゼアチン zeatin 2057
星 star 1738
精 essence 643
性 gender 762
性 sex 1669
性 sexuality 1669
性愛的動物嗜好 erotic zoophilism 2061
聖アントニー熱 Saint Anthony fire 1630
正イオン cation 314
正位型(性)尿管瘤 orthotopic ureterocele 1970
成育可能 viability 2018
成育可能な viable 2018
生育不能の nonviable 1267
性因子 sex factor 669
制淫〔性〕の anterotic 97
制淫薬 anaphrodisiac 71
セイヴァリー(サヴァリー)ブジー Savary bougies 238
精液 seminal fluid 715
精液 semen 1659
精液学 spermatology 1710
精液顆粒 seminal granule 797

精液形成欠如の aspermatogenic ………… 161
精液結晶 sperm crystal, spermin crystal 446
精液湖 lacus seminalis ………………… 995
精液湖 seminal lake ………………… 995
精液酸性ホスファターゼ試験 acid phosphatase test for semen ………… 1853
精液水瘤 spermatocele ………………… 1710
〔精液〕早漏 premature ejaculation ……… 592
精液注入 insemination ………………… 939
精液尿〔症〕 semenuria ………………… 1659
精液尿〔症〕 spermaturia ………………… 1710
精液分泌の spermatopoietic ………… 1710
精液様の spermatoid ………………… 1710
精液瘤 spermatocele ………………… 1710
精液漏 spermatorrhea ………………… 1710
精液漏恐怖〔症〕 spermatophobia ……… 1710
正円孔 foramen rotundum ………………… 726
正円孔 round foramen ………………… 726
声音異常 heterophonia ………………… 848
声音振とう音 vocal fremitus ………… 740
生化学 biochemistry ………………… 212
生化学的形態の biochemorphic ………… 212
生化学的〔効果〕修飾 biochemical modulation ………………… 1163
生化学的再発 biochemical failure ……… 670
生化学的酸素要求量 biochemical oxygen demand (BOD) ………………… 485
生化学的転移 biochemical metastasis …… 1141
生化学的薬理学 biochemical pharmacology ………………… 1400
性格 character ………………… 339
性学 sexology ………………… 1669
性格異常 character disorder ………… 545
性格神経症 character neurosis ………… 1252
正確度 accuracy ………………… 10
精確度 precision ………………… 1477
性格特性項目表 personality inventory …… 952
正顎の orthognathic, orthognathous …… 1316
性格の鎧 character armor ………… 339
性格分析 character analysis ………… 70
精芽細胞 spermatoblast ………………… 1710
生下〔時〕体重 birth weight ………… 2044
星芽腫 astroblastoma ………………… 165
生活 life ………………… 1032
生活解剖学 living anatomy ………… 74
生活可能な viable ………………… 2018
生活環 life cycle ………………… 455
生活規則 regimen ………………… 1583
生活現象研究法 viviperception ………… 2035
生活歯 vital tooth ………………… 1903
生活歯髄 vital pulp ………………… 1524
生活周期 life cycle ………………… 455
生活上のストレス life stress ………… 1755
生活上の出来事 life events ………… 1032
生活の vital ………………… 2032
生活〔能〕力 viability ………………… 2018
生活の質 quality of life ………… 1032
制汗 hidroschesis ………………… 851
精管 deferent canal ………………… 283
精管 deferent duct ………………… 563
精管 seminal duct ………………… 565
精管 spermatic duct ………………… 565
精管 ductus deferens ………………… 566
精管 gonaduct ………………… 792
精管炎 deferentitis ………………… 478
精管炎 vasitis ………………… 1990
精管間の interdeferential ………… 944
〔精管〕筋層 muscular coat of ductus deferens ………………… 383
〔精管〕筋層 muscular layer of ductus deferens ………………… 1012
〔精管〕筋層 tunica muscularis ductus deferentis ………………… 1953
精管結紮〔法〕 vasoligation ………… 1990
精管結石 spermolith ………………… 1711
制癌剤 carcinostatic ………………… 299
精管撮影(造影)〔法〕 vasography ……… 1990
精管神経叢 deferential (nerve) plexus 1440
精管精索部 funicular part of ductus deferens ………………… 1364
精管精巣上体吻合〔術〕 vasoepididymostomy ………………… 1990
精管精巣吻合〔術〕 vaso-orchidostomy …… 1990
制汗性の antiperspirant ………………… 108
制癌性の carcinostatic ………………… 299
精管精嚢切除〔術〕 vasovesiculectomy …… 1991
精管切開〔術〕 vasotomy ………………… 1991
精管切除〔術〕 deferentectomy ………… 478
精管切除〔術〕 vasectomy ………………… 1990
精管切断〔術〕 vastomy ………………… 1991
精管穿刺 vasopuncture ………………… 1991
精管鼡径部 inguinal part of ductus deferens ………………… 1364
性感〔発生〕帯 erogenous zones, erotogenic zones ………………… 2059
精管動脈 arteria ductus deferentis ……… 135
精管動脈 artery to ductus deferens ……… 145
〔精管〕粘膜 mucosa of ductus deferens 1176
〔精管〕粘膜 tunica mucosa ductus deferentis ………………… 1953
精管の deferential ………………… 478
精管の陰嚢部 scrotal part of ductus deferens ………………… 1367
精管の骨盤部 pelvic part of ductus deferens ………………… 1366
精管の痕跡 vestige of ductus deferens 2018
精管フィステル形成〔術〕 vasostomy …… 1991
精管吻合〔術〕 vasovasostomy ………… 1991
精管膨大部 ampulla ductus deferentis …… 64
精管膨大部 ampulla of ductus deferens …… 64
精管膨大部憩室 diverticula ampullae ductus deferentis ………………… 551
精管膨大部憩室 diverticula of ampulla of ductus deferens ………………… 551
制汗薬 anhidrotic ………………… 90
制汗薬 antiperspirant ………………… 108
性器 genitalia ………………… 766
性器 genitals ………………… 766
性器 genital organs ………………… 1311
性器 organa genitalia ………………… 1313
生気 animation ………………… 91
生気 vital spirits ………………… 1717
正規化 normalization ………………… 1267
性器外の extragenital ………………… 657
〔正規〕確率プロット probability curve …… 451
性器期 genital phase ………………… 1402
性器系 genital system ………………… 1831
性器形成術 genitoplasty ………………… 766
性器性欲 genitality ………………… 766
性器性欲の優位 genital primacy ………… 1484
生気説 vitalism ………………… 2032
性器段階 genital stage ………………… 1727
性器の genital ………………… 766
性機能亢進〔症〕 hypergonadism ………… 881
性機能障害 psychosexual dysfunction, sexual dysfunction ………………… 572
性器発育異常 gonadal dysgenesis ……… 572
性器発育過度 hypergenitalism ………… 881
性器発育正常性小人症 sexual dwarfism 569
性器発育不全〔症〕 hypogenitalism ……… 893
性器発育不全奇形 agenosomia ………… 35
正規分布 normal distribution ………… 550
性器ヘルペス herpes progenitalis ……… 845
性器傍管 paragenital tubules ………… 1948
性器マイコプラスマ *Mycoplasma genitalium* ………………… 1208
精丘 colliculus seminalis ………………… 391
精丘 seminal colliculus ………………… 391
正球性貧血 normocytic anemia ………… 77
精丘切除〔術〕 colliculectomy ………… 391
制御 control ………………… 417
精莢 spermatophore ………………… 1710
正極 anode ………………… 93
制御糸 bridle suture ………………… 1786
制御切腱術 curb tenotomy ………………… 1851
制御の部位 locus of control ………… 1067
性器隆起 genital eminence ………………… 603
〔性器〕露出症者 exhibitionist ………… 653
生気論 vitalism ………………… 2032
性器矮小症 microgenitalism ………… 1151
静菌〔作用〕 bacteriostasis ………… 191
静菌薬 bacteriostat ………………… 191
成形 molding ………………… 1163
整形外科〔学〕 orthopaedics ………… 1316
整形外科〔学〕 orthopedics ………… 1316
整形外科〔学〕 orthopedic surgery ……… 1784
整形外科医 orthopaedist, orthopedist …… 1316
整形外科的器械による治療 orthomechanotherapy ………………… 1316
整形外科的器械の orthomechanical ……… 1316
生形質 bioplasm ………………… 213
成形修復材 plastic restoration material 1110
正形成 euplasia ………………… 648
正形成の euplastic ………………… 648
整形法の orthopaedic, orthopedic ……… 1316
清潔間欠導尿 clean intermittent bladder catheterization (CIC) ………… 314
生検 biopsy (Bx) ………………… 214
制限 restriction ………………… 1597
制限エンドヌクレアーゼ restriction endonuclease ………………… 614
生検鉗子 bioptome ………………… 214
制限酵素断片長多型 restriction fragment length polymorphism (RFLP) ……… 1461
制限酵素地図 restriction map ………… 1102
制限酵素認識部位 restriction site ……… 1690
精原細胞 spermatogonium ………………… 1710
生検材料 biopsy (Bx) ………………… 214
制限酸素切断部位多型性 restriction-site polymorphism ………………… 1461
正原子価 positive valence ………………… 1983
生検針 biopsy needle ………………… 1225
生元素 bioelement ………………… 212
制限断片長多型 restriction length polymorphism, fragment length polymorphism ………………… 1461
制限メチル化反応 restriction methylation ………………… 1146
精孔 micropyle ………………… 1153
性交 coitus ………………… 388
性交 copulation ………………… 421
性交 sexual intercourse ………………… 944
性行為外の梅毒 nonvenereal syphilis …… 1828
性交因子 copulines ………………… 421
性交恐怖〔症〕 coitophobia ………………… 388
性交恐怖〔症〕 cypridophobia ………… 458
性交後 postcoitus ………………… 1470
性交後〔精子疎通性〕検査 postcoital test 1863
性交頭痛 coital headache ………………… 818
整合する coordinate ………………… 419
生合成 biosynthesis ………………… 215
正好中球走性 neutrotaxis ………………… 1254
性交疼痛〔症〕 dyspareunia ………… 574
性交能〔力〕 sexual potency ………… 1473
性交不快〔症〕 dyspareunia ………… 574
性交不能〔症〕 apareunia ………………… 112
整骨医 osteopathic physician ………… 1420
整骨治療学 osteopathy ………………… 1323
生後の postnatal ………………… 1471
製剤 preparation ………………… 1480
製剤学 pharmaceutics ………………… 1400
精細管 seminiferous tubules ………… 1948
製剤室 laboratory ………………… 992
性細胞 sex cell ………………… 326
〔神経膠〕星状細胞腫 astrocytoma ……… 166
性索 germinal cords ………………… 421
精索 spermatic cord ………………… 422
精索 funiculus spermaticus ………… 745

精索炎 funiculitis ... 745
精索周囲炎 perispermatitis ... 1392
精索静脈瘤 varicocele ... 1988
精索静脈瘤切除〔術〕 varicocelectomy ... 1988
精索水腫(瘤) cord hydrocele ... 870
精索突起 funicular process ... 1489
精索被膜 coverings of spermatic cord ... 433
精索被膜 tunicae funiculi spermatici ... 1953
静座不能 akathisia ... 41
正酸 orthoacid ... 1315
生産 livebirth, live birth ... 1062
青酸 prussic acid ... 1510
青酸塩 prussiate ... 1510
青酸グリコシド cyanogenic glycoside ... 788
生産児 liveborn infant ... 925
青酸中毒 hydrocyanism ... 872
制酸の antacid ... 96
制酸薬 antacid ... 96
制止 arrest ... 132
制止 inhibition ... 933
生歯 dentition ... 488
生歯 teething ... 1845
精子 sperm ... 1710
精子 spermium ... 1711
正〔常〕視 emmetropia ... 604
青〔色〕視〔症〕 cyanopsia ... 453
青〔色〕視〔症〕 blue vision ... 2032
静止 rest ... 1597
静止 stasis ... 1738
生歯異常 dysodontiasis ... 574
正視化 emmetropization ... 604
精子核 sperm nucleus ... 1280
精子過少(減少)〔症〕 oligozoospermia ... 1297
精子過多〔症〕 polyspermia, polyspermism ... 1465
正視眼 emmetropia ... 604
静止期 gap_0 period (G_0) ... 1389
静止期 stationary phase ... 1402
正色素性 normochromia ... 1267
正色〔素〕性貧血 normochromic anemia ... 77
精子凝集 spermagglutination ... 1710
正式要請 application ... 121
正軸進入 synclitism ... 1794
静止系 static system ... 1834
精子形成 spermatogenesis ... 1710
精子形成 spermiogenesis ... 1711
精子形成障害性不妊〔症〕 dysspermatogenic sterility ... 1744
精子形成図 spermiogram ... 1711
精子形成不能不妊〔症〕 aspermatogenic sterility ... 1744
製紙工場作業者病 paper mill worker's disease ... 539
生歯困難 dysodontiasis ... 574
精子細胞 spermatid ... 1710
精子細胞性精上皮腫(セミノーマ) spermacytic seminoma ... 1659
精子死滅〔症〕 necrospermia ... 1225
精子進入 impregnation ... 916
静止性骨空洞 lingual salivary gland depression ... 493
制止性の kolytic ... 989
静止性の quiescent ... 1538
静止性幼稚症 static infantilism ... 926
精子先端形成体 acroblast ... 17
精子単星 sperm-aster ... 1710
静止長 resting length ... 1019
精子貯蔵所 reservoir of spermatozoa ... 1592
性指定 sex assignment ... 1669
精子毒素 spermatoxin ... 1710
生死の thanatobiologic ... 1873
静止嚢胞 hypnocyst ... 890
精子の通過阻止による避妊法 barrier contraceptive ... 416
静止肺 quiet lung ... 1073
生歯不全 maleruption ... 1095
静止摩擦 starting friction ... 741
精子無力〔症〕 asthenospermia ... 164
精子無力症 asthenozoospermia ... 164
斉射 volley ... 2036
ぜい弱X症候群 fragile X syndrome ... 1805
ぜい弱X染色体 fragile X chromosome ... 359
ぜい弱性 fragilitas ... 738
ぜい弱性 fragility ... 738
脆弱性 vulnerability ... 2038
ぜい弱性試験 fragility test ... 1857
ぜい弱性小児症候群 vulnerable child syndrome ... 1824
脆弱性素因 predisposing vulnerabilities 2038
ぜい弱赤血球 fragilocyte ... 738
ぜい弱赤血球症 fragilocytosis ... 738
ぜい弱部 fragile site ... 1690
成熟 maturation ... 1111
成熟 maturity ... 1111
成熟異常の dysmature ... 573
成熟血球状態 orthocytosis ... 1316
成熟細胞性白血病 mature cell leukemia 1024
成熟指数 maturation index ... 922
成熟接合 macrogamy ... 1089
成熟停止 anakmesis ... 69
成熟停止 maturation arrest ... 132
成熟度 maturation value ... 1984
成熟〔バクテリオ〕ファージ mature bacteriophage ... 190
成熟白内障 mature cataract ... 311
成熟抑制 maturation arrest ... 132
成熟卵 ootid ... 1302
成熟卵胞 mature ovarian follicle ... 722
青春期後 postadolescence ... 1470
正常〔状態〕 tone ... 1899
正常圧水頭〔症〕 normal pressure hydrocephalus ... 871
正常以下の subnormal ... 1764
正常位歯 normally posed tooth ... 1903
正常位置の entopic ... 622
正常位の orthotopic ... 1317
正常ウマ血清 normal horse serum ... 1668
正常オプソニン normal opsonin ... 1309
精子溶解 spermatolysis ... 1710
性障害 sexual disorders ... 547
正常角化 orthokeratosis ... 1316
正常芽細胞 normoblast ... 1267
〔神経膠〕星状芽細胞 astroblast ... 165
〔神経膠〕星状芽細胞腫 astroblastoma ... 165
正常カリウム血 normokalemia, normokaliemia ... 1268
正常カリウム血性周期性〔四肢〕麻痺 normokalemic periodic paralysis ... 1350
星状球 astrosphere ... 166
正常嗅覚 euosmia ... 648
正常嗅覚 normosmia ... 1268
正常嗅覚の normosmic ... 1268
星状〔球〕の astral ... 165
星状巨細胞 starburst giant cell ... 326
正常緊張状態の normotonic ... 1268
正常形成〔性〕リンパ euplastic lymph ... 1075
正常形態 eumorphism ... 648
正常血圧〔性〕の normotensive ... 1268
正常血液量 euvolemia ... 649
正常血液量 normovolemia ... 1268
正常血清 normal serum ... 1668
正常血糖 euglycemia ... 647
星状原線維 astral fibers ... 688
星状膠 astrocele ... 165
正常行為 eupraxia ... 648
正常咬合 neutral occlusion ... 1290
正常咬合 normal occlusion ... 1290
星状〔神経〕膠細胞 astrocyte ... 165
星〔状膠〕細胞腫 astrocytoma ... 166
正常抗体 normal antibody ... 101
正常抗毒素 normal antitoxin ... 109
正常抗トロンビン normal antithrombin 109
正常呼吸 eupnea ... 648
星状骨折 stellate fracture ... 738
星状細静脈 stellate venules ... 2012
星状細静脈 venulae stellatae ... 2012
星状細胞 spider cell ... 326
〔神経膠〕星状細胞 astrocyte ... 165
精娘細胞(精母細胞)形成 spermatocytogenesis ... 1710
〔神経膠〕星状細胞腫 astrocytoma ... 166
星状細胞増加〔症〕 astrocytosis ... 166
正〔常〕視 emmetropia ... 604
正常色覚の trichromatic ... 1931
星状〔脳室〕上衣細胞腫 astroependymoma 166
正常〔状態〕 tone ... 1899
星状神経遮断 stellate block ... 222
星状神経節 ganglion stellatum ... 754
星状神経節 stellate ganglion ... 754
星状〔神経〕節切除〔術〕 stellectomy ... 1741
星状神経ブロック stellate block ... 222
正常水分量 euvolia ... 649
正常精子性不妊〔症〕 normospermatogenic sterility ... 1744
正常生体分子の orthomolecular ... 1316
正常生毛 eutrichosis ... 649
星状体 aster ... 163
星状体 asteroid body ... 225
星状体 star ... 1738
星状体〔放線〕 astral rays ... 1561
星状体運動の astrokinetic ... 166
正常値 normal values ... 1984
正常聴覚 acusis ... 22
正常聴力 normal hearing ... 819
正常動物 normal animal ... 91
正常トリグリセリド性無β-リポ蛋白血症 normotriglyceridemic abetalipoproteinemia ... 3
正常〔排〕尿 normosthenuria ... 1268
精子様の spermatoid ... 1710
正常の normal (N) ... 1267
星状の asteroid ... 164
星状の astroid ... 166
星状膿瘍 stellate abscess ... 6
星状白内障 stellate cataract ... 312
正常白血球増加〔症〕 hyperorthocytosis ... 884
精上皮 seminiferous epithelium ... 633
精上皮腫 seminoma ... 1659
正常ヒト血漿 normal human plasma ... 1432
正常ヒト血清 normal human serum ... 1668
正常ヒト血清アルブミン normal human serum albumin ... 43
正常百分率性白血球減少〔症〕 hypoorthocytosis ... 895
正常分娩 eutocia ... 649
正常ペプチド結合 eupeptide bond ... 231
星状毛 stellate hair ... 812
星状網 enamel pulp ... 1523
星状網 enamel reticulum ... 1599
清拭 toilet ... 1898
生殖 propagation ... 1498
生殖 reproduction ... 1591
青色萎縮 blue atrophy ... 173
青色縁 blue line ... 1049
青色円蓋嚢胞 blue dome cyst ... 458
生殖核 micronucleus ... 1153
生殖学 genesiology ... 765
生殖管 genital duct ... 563
生殖管 gonophore, gonophorus ... 792
生殖管 genital tract ... 1911
生殖器 genitalia ... 766
生殖器 genitals ... 766
生殖器 genital organs ... 1311
生殖器 organa genitalia ... 1313
生殖〔器〕系 genital system ... 1831
生殖器の genital ... 766
生殖器発育不全 gonadal dysgenesis ... 572
青色強膜 blue sclera ... 1646

セ

〔尿生殖洞の〕生殖結節部 pars phallica 1360
生殖原基 genital primordium 1484
生殖原細胞質 protogonoplasm 1507
生殖溝 genital furrow 746
青色ゴムまり様母斑 blue rubber bleb nevi 1255
生殖細胞系 germ line 1050
青〔色〕視〔症〕 blue vision 2032
青色児 blue baby 187
生殖周期 reproductive cycle 455
生殖上の generative 765
生殖靭帯 genital ligament 1035
青色水腫(浮腫) blue edema 587
生殖する procreate 1492
正色〔素〕性貧血 normochromic anemia 77
青〔色〕線 blue line 1049
生殖腺 gonad 791
生殖腺切除〔術〕 gonadectomy 791
生殖腺線量 gonad dose 557
生殖腺病 gonadopathy 791
生殖鼡径靭帯 genitoinguinal ligament 1035
生殖鼡径靭帯 ligamentum genitoinguinale 1043
生殖体 gamete 751
生殖体形成 gametogony 751
生殖体撲滅薬 gametocide 751
生殖堤 gonadal ridge 1615
生殖的な proligerous 1497
青色軟膏 blue ointment 1295
青色尿 urocyanosis 1974
青色尿〔症〕 cyanuria 454
青色の cerulean 335
生殖の genital 766
生殖能〔力〕 fecundity 679
青色膿 blue pus 1529
生殖能力 virility 2021
青色白内障 blue cataract 311
青色白内障 cerulean cataract 311
青〔色〕斑 macula cerulea 1091
青色皮斑 livedo 1062
青色皮斑狼瘡 lupus livedo 1073
生殖不能 sterility 1744
生殖母細胞 gametocyte 751
青色母斑 blue nevus 1255
生食物摂取 omophagia 1298
生殖隆起 genital swellings 1789
正所性 normotopia 1268
正所性の eutopic 649
正所〔性〕の nomotopic 1266
精子論 spermism 1711
精子論者 spermist 1711
精神 nous 1270
精神 phren 1418
精神 pneuma 1447
精神〔力〕 mind 1158
精神安定〔作用〕の ataractic 166
精神安定薬 tranquilizer 1916
精神安定薬 ataractic 166
精神〔科〕医 psychiatrist 1517
精神医学 psychiatry 1517
精神医学専門医 psychiatrist 1517
精神医学の psychiatric 1517
精神異常 mental aberration 2
精神異常 alienation 47
精神異常 lunacy 1071
精神異常作用〔性〕の psychotomimetic 1521
精神異常作用薬 psychotomimetic 1521
精神異常証明 certification 335
精神異常と証明する certify 335
精神異常発現性の psychedelic 1517
精神異常発現〔性〕の psychotomimetic 1521
精神異常発現薬 psychotomimetic 1521
精神印象 mental impression 917
精神因性神経症 noogenic neurosis 1252
精神運動 psychokinesis, psychokinesia 1518
精神運動検査 psychomotor tests 1863
精神運動制止 psychomotor retardation 1598
精神運動遅滞 psychomotor retardation 1598
精神運動てんかん psychomotor epilepsy 628
精神運動の psychomotor 1519
精神運動発作 psychomotor seizure 1657
精神衛生 mental health 819
精神衛生〔学〕 mental hygiene 877
精神外界の extrapsychic 658
成人型黄斑窩網膜ジストロフィ adult foveomacular retinal dystrophy 578
成人型低フォスファターゼ血症 adult hypophosphatasia 895
精神カタルシス psychocatharsis 1517
精神活性の psychoactive 1517
精神活動測定〔法〕 psychodometry 1518
精神感覚の psychosensory, psychosensorial 1519
精神慣性 psychic inertia 925
精神緩慢 bradyphrenia 241
精神緩慢 bradypsychia 241
精神技術 psychotechnics 1520
精神機能(作用) mentation 1131
精神機能減退 hyponoia 895
精神機能亢進 hypernoia 884
成人偽肥大性筋ジストロフィ adult pseudohypertrophic muscular dystrophy 578
静真菌剤 fungistat 745
静真菌性の fungistatic 745
精神外科 psychosurgery 1520
精神向性の phrenotropic 1419
成人呼吸促進症候群 adult respiratory distress syndrome (ARDS) 1795
精神錯乱 insanity 939
精神錯乱 obfuscation 1288
精神錯乱の phrenetic 1418
精神作用 psychogenesis 1518
精神作用性の phrenotropic 1419
精神作用〔性〕の psychotropic 1521
精神作用促進性の psychogogic 1518
精神史 psychohistory 1518
精神弛緩 psychorelaxation 1519
精神時間測定〔法〕 mental chronometry 360
精神色 psychochrome 1517
精神色感〔症〕 psychochromesthesia 1517
精神刺激薬 psychostimulant 1520
精神失調 psychataxia 1517
精神疾病分類学 psychonosology 1519
精神遮断薬 neuroleptic 1248
精神浄化〔法〕 psychocatharsis 1517
精神障害 mental disorder 546
精神障害 insanity 939
精神障害の診断と統計の手引き Diagnostic and Statistical Manual of Mental Disorders (DSM) 508
精神状態検査 mental status examination 651
精神状態評価 mental status assessment 163
精神神経症 psychoneurosis 1519
精神神経免疫学 psychoneuroimmunology 1519
精神心臓反射 psychocardiac reflex 1581
精神身体医学 psychosomatic medicine 1117
精神身体の psychosomatic 1520
精神診断〔学〕 psychodiagnosis 1517
精神図法 psychography 1518
精神〔的〕性 psychogender 1518
精神性機能障害 psychosexual dysfunction, sexual dysfunction 572
成人性くる病 adult rickets 1614
精神・性的の psychosexual 1519
精神・性的発達 psychosexual development 502
成人性乳糖分解酵素欠損症 adult lactase deficiency 478
精神性の psychogenic 1518
精神生物学 psychobiology 1517
精神生理学 psychophysiology 1519
精神生理学的発現 psychophysiologic manifestation 1100
精神生理的障害 psychosomatic disorder, psychophysiologic disorder 547
精神総合 psychosynthesis 1520
精神測定〔学〕 psychometry 1519
精神探索 psychoexploration 1518
精神遅滞 mental retardation 1598
〔精神〕遅滞者 retardate 1598
精神チック psychic tic 1892
精神聴覚学 psychoacoustics 1517
精神聴覚の psychoauditory 1517
成人T細胞リンパ腫 adult T-cell lymphoma (ATL) 1083
精神的暗点 mental scotoma 1650
精神的外傷 psychic trauma 1923
精神的感染(伝染) psychic contagion 416
精神的欠陥 mental impairment 914
精神的上音 psychic overtone 1329
精神的注視固視麻痺 psychic paralysis of fixation of gaze 1351
精神的注視麻痺 psychic paralysis of gaze 1351
精神的な psychic 1517
精神的不能〔症〕 psychic impotence 916
精神的予防〔法〕 psychoprophylaxis 1519
精神電気〔皮膚〕反応 psychogalvanic response (PGR), psychogalvanic skin response 1596
精神電流計 psychogalvanometer 1518
精神電流の psychogalvanic 1518
精神統合 psychosynthesis 1520
精神疼痛 psychalgia 1517
精神内の intrapsychic 951
精神内分泌学 psychoendocrinology 1518
精神-内分泌的 psychohormonal 1518
精神年齢 mental age (MA) 35
成人の adult 31
精神発生学 psychogenesis 1518
精神病 mental disease 537
精神病 mental illness 907
精神病 insanity 939
精神病 psychosis 1519
精神病院 mental hospital 865
精神病院収容 certification 335
精神病質 psychopath 1519
精神病前の prepsychotic 1480
精神病的発現 psychotic manifestation 1100
精神病の insane 939
精神病発現薬 psychotogen 1521
精神病理学 psychopathology 1519
精神病理学者 psychopathologist 1519
精神物理学 psychophysics 1519
精神物理の psychophysical 1519
精神分析〔学〕 psychoanalysis 1517
精神分析専門医 psychoanalyst 1517
精神分析的状況 psychoanalytic situation 1690
精神分析的精神医学 psychoanalytic psychiatry 1517
精神分析的精神療法 psychoanalytic psychotherapy 1521
精神分裂病 schizophrenia 1644
精神保健 mental health 819
精神発作 psychic seizure 1657
精神ホルモン療法 psychohormonal therapy 1879
精神盲 mind blindness 221
精神盲 psychanopsia 1517
精神薬理学 psychopharmacology 1519
精神力学(力動) psychodynamics 1518
精神療法 psychotherapy 1520
精神療法士 psychotherapist 1520
静水圧 hydrostatic pressure 1482
静水圧生物 hydrostat 874

精製硫黄 washed sulfur …………………… 1776
性生活 sexual life ………………………… 1032
精製ツベルクリン蛋白〔分画〕 purified protein derivative of tuberculin (PPD) ……………………………………………… 1944
生成熱 heat of formation ………………… 821
精製白亜 prepared chalk ………………… 338
生成物 product …………………………… 1493
生成物阻害 product inhibition …………… 933
精製綿 purified cotton …………………… 430
精製羊脂 prepared suet ………………… 1769
正赤芽球 normoblast …………………… 1267
正赤芽球 rubricyte ……………………… 1625
正赤芽球症 normoblastosis ……………… 1267
正赤芽球性貧血 erythroblastic anemia …… 77
生石灰 quicklime ………………………… 1538
正赤血球 normocyte ……………………… 1267
正赤血球症 normocytosis ………………… 1268
正接スクリーン tangent screen ………… 1651
性腺 gonad ………………………………… 791
青〔色〕線 blue line ……………………… 1049
性腺芽腫 gonadoblastoma ………………… 791
性腺機能低下症 hypogonadism …………… 894
生前血栓 antemortem thrombus ………… 1888
性腺欠損の agonadal ……………………… 38
生前血餅 antemortem clot ………………… 377
性腺刺激細胞 gonadotroph ……………… 791
性腺刺激〔性〕の gonadotropic …………… 791
性腺刺激ホルモン gonadotropin ………… 791
性腺刺激ホルモン過剰の hypergonadotropic ……………………………………………… 881
性染色質 sex chromatin ………………… 356
性染色体 sex chromosomes ……………… 359
性染色体不均衡 sex chromosome imbalance ……………………………………………… 909
性腺ステロイド結合グロブリン gonadal steroid-binding globulin (GBG) ………… 779
正染性の orthochromatic ………………… 1316
性腺摘出 gonadectomy …………………… 791
性腺傍の paragenital ……………………… 1349
性腺無形成 gonadal agenesis ……………… 35
性腺無形成〔症〕 gonadal aplasia ………… 115
清掃 depuration …………………………… 494
〔窩洞〕清掃 toilet ………………………… 1898
精巣 orchis ……………………………… 1311
精巣 testicle ……………………………… 1869
精巣 testis ………………………………… 1869
精巣移植術 testicular implant …………… 915
精巣(睾丸)陰囊癒着 synoscheos ………… 1826
精巣(睾丸)炎 orchitis …………………… 1311
精巣外側面 facies lateralis testis ………… 664
精巣外側面 lateral surface of testis …… 1782
精巣下極 inferior pole of testis ………… 1456
精巣下極 lower pole of testis …………… 1456
精巣下降 descensus testis ………………… 499
精巣(睾丸)過剰〔症〕 polyorchism, polyorchidism …………………………… 1462
精巣(睾丸)下垂 orchidoptosis …………… 1310
精巣下端 extremitas inferior testis ……… 658
精巣間膜 mesorchium …………………… 1137
精巣挙筋 cremaster muscle ……………… 1183
精巣挙筋 musculus cremaster …………… 1199
精巣挙筋動脈 cremasteric artery ………… 144
精巣挙筋(挙睾筋)動脈 arteria cremasterica ……………………………………………… 135
精巣挙筋の cremaster …………………… 436
精巣挙筋膜 cremasteric fascia …………… 672
精巣挙筋膜 fascia cremasterica ………… 672
精巣(睾丸)形成〔術〕 orchioplasty ……… 1311
精巣(睾丸)計測器 orchidometer ………… 1310
精巣(睾丸)結核〔症〕 tuberculocele ……… 1945
成層血栓 laminated thrombus …………… 1889
成層血栓 stratified thrombus …………… 1889
精巣決定因子 testis-determining factor (TDF) ……………………………………… 669
精巣後縁 margo posterior testis ………… 1105
精巣(睾丸)固定〔術〕 orchiopexy ………… 1311
精巣実質 parenchyma testis …………… 1355
精巣周囲炎 periorchitis ………………… 1391
精巣縦隔 mediastinum of testis ………… 1115
精巣縦隔 mediastinum testis …………… 1115
精巣(睾丸)腫瘍 orchioncus ……………… 1311
精巣(睾丸)障害 orchiopathy …………… 1311
精巣上極 superior pole of testis ………… 1456
精巣上極 upper pole of testis …………… 1456
精巣消失症 vanished testis syndrome …… 1824
精巣上体 epididymis ……………………… 627
精巣上体 parorchis ……………………… 1357
精巣上体炎 epididymitis ………………… 627
精巣上体円錐 coni epididymidis ………… 418
精巣上体管 duct of epididymis ………… 563
精巣上体管 ductus epididymidis ………… 566
精巣上体間膜 ligaments of epididymis (inferior and superior) ………………… 1035
精巣上体間膜 mesoepididymis …………… 1136
精巣上体形成〔術〕 epididymoplasty ……… 627
精巣上体小葉 lobules of epididymis …… 1065
精巣上体小葉 lobuli epididymidis ……… 1066
精巣上体(副睾丸)垂 appendix epididymidis ……………………………………………… 120
精巣上体(副睾丸)垂 appendix of epididymidis ……………………………… 120
精巣上体精管切除〔術〕 epididymovasectomy ……………………………………………… 627
精巣上体精管吻合〔術〕 epididymovasostomy ……………………………………………… 627
精巣上体切開〔術〕 epididymotomy ……… 627
精巣上体切除〔術〕 epididymectomy ……… 627
精巣上体体 body of epididymis ………… 226
精巣上体体 corpus epididymidis ………… 425
精巣上体頭 caput epididymidis ………… 291
精巣上体頭 head of epididymis ………… 817
精巣上体洞 sinus epididymidis ………… 1687
精巣上体洞 sinus of epididymis ………… 1687
精巣上体尾 cauda epididymidis ………… 314
精巣上体尾 tail of epididymis …………… 1838
精巣上端 extremitas superior testis ……… 658
精巣鞘膜 tunica vaginalis testis ………… 1954
精巣鞘膜炎 peridiymitis ………………… 1387
精巣漿膜下組織 subserosa of testis …… 1765
精巣鞘膜臓側板 visceral layer of tunica vaginalis of testis ……………………… 1014
精巣鞘膜壁側板 parietal layer of tunica vaginalis of testis ……………………… 1012
精巣静脈 testicular veins ……………… 2002
精巣小葉 lobules of testis ……………… 1066
精巣小葉 lobuli testis …………………… 1066
精巣靱帯 ligamentum testis …………… 1045
精巣垂 testicular appendage …………… 119
精巣垂 appendix of testis ……………… 120
精巣(睾丸)製剤療法 orchiotherapy …… 1311
精巣性女性化症候群 testicular feminization syndrome ………………………………… 1822
精巣精巣上体炎 epididymoorchitis ……… 627
精巣精巣上体炎 orchiepididymitis ……… 1310
精巣(睾丸)性発育不全 testicular dysgenesis ……………………………………………… 572
精巣(睾丸)切開〔術〕 orchiotomy ……… 1311
精巣(睾丸)切除〔術〕 testectomy ……… 1869
精巣前縁 margo anterior testis ………… 1104
精巣中隔 septula of testis ……………… 1663
精巣中毒症 testotoxicosis ……………… 1869
精巣(睾丸)痛 orchialgia ……………… 1310
精巣提靱帯 suspensory ligament of testis ……………………………………………… 1041
精巣(睾丸)摘除〔術〕 orchiectomy ……… 1310
精巣導帯 gubernaculum testis …………… 805
精巣導帯索 scrotal ligament of testis …… 1040
精巣動脈 arteria testicularis …………… 138
精巣動脈 testicular artery ……………… 153
精巣動脈神経叢 testicular (nerve) plexus ……………………………………………… 1444
精巣動脈の尿管枝 ureteric branches of the testicular artery ………………………… 255
精巣内側面 facies medialis testis ……… 664
精巣内側面 medial surface of testis …… 1782
精巣(睾丸)捻転 torsion of testis ……… 1904
精巣の testoid …………………………… 1869
精巣の血管層 vascular layer of testis … 1014
精巣の後縁 posterior border of testis …… 236
精巣の実質 parenchyma of testis ……… 1355
精巣の静脈 spermatic vein ……………… 2001
精巣の前縁 anterior border of testis …… 234
精巣白膜 tunica albuginea of testis …… 1952
〔精巣〕白膜 tunica albuginea testis …… 1952
精巣(睾丸)舞踊病 orchichorea ………… 1310
精巣(睾丸)ヘルニア様脱出 orchiocele … 1310
精巣(睾丸)変位〔症〕 testis ectopia ……… 585
精巣傍体 paradidymis …………………… 1348
精巣網 rete testis ………………………… 1598
精巣輸出管 efferent duct ……………… 563
精巣輸出管 efferent ductules of testis …… 565
精巣輸出管 ductuli efferentes testis …… 566
精巣(睾丸)癒着〔症〕 synorchidism, synorchism ……………………………… 1826
生息場所 biotope ………………………… 215
精祖細胞 spermatogonium ……………… 1710
精粗細胞 Ad (dark) spermatogonia …… 1710
生存 life ………………………………… 1032
生存 survival ……………………………… 1785
生存可能な viable ……………………… 2018
生存期間 survival time ………………… 1893
生存細胞数 viable cell count …………… 431
生存時間 survival time ………………… 1893
生存時間解析 survival analysis …………… 71
生存食 subsistence diet ………………… 515
生存中に intra vitam …………………… 951
生体 organism …………………………… 1312
声帯 vocal cord …………………………… 422
声帯〔唇〕 labium vocale ………………… 992
生体アミン biogenic amines ……………… 59
生態遺伝学の ecogenetic ………………… 584
生体異物 xenobiotic …………………… 2052
生態疫学 ecoepidemiology ……………… 584
生体エネルギー学論 bioenergetics ……… 212
声帯炎 chorditis ………………………… 354
生体遠隔測定〔法〕 biotelemetry ………… 215
生体外で(の) *ex vivo* ………………… 659
生体解剖 sentisection …………………… 1662
生体解剖 vivisection …………………… 2035
生体解剖施行者 vivisectionist, vivisector ……………………………………………… 2035
生体解剖反対〔論〕 antivivisection ……… 110
生態化学 ecologic chemistry …………… 341
生体学 somatology ……………………… 1699
生態学 ecology …………………………… 584
生態学的エクトクリン ecological ectocrine ……………………………………………… 585
生態学的研究 ecologic study …………… 1761
生態学的錯誤 ecologic fallacy ………… 584
生態学的地位 niche ……………………… 1256
成体幹細胞 adult stem cell ……………… 319
生体観察 somatoscopy ………………… 1699
生体観察法 viviperception ……………… 2035
生体機能学 biodynamics ………………… 212
声帯機能障害 vocal cord dysfunction …… 572
生体〔顕微〕鏡検〔査〕〔法〕 biomicroscopy 213
声帯共鳴音 vocal resonance (VR) …… 1594
声帯筋 vocal muscle …………………… 1198
声帯筋 vocalis (muscle) ………………… 1198
声帯筋 musculus vocalis ……………… 1205
生態系 ecosystem ………………………… 584
生態系 ecologic system ………………… 1831
生体原則 organonomy ………………… 1313
〔真性〕声帯溝〔症〕 true sulcus vocalis … 1775
生体工学 bioengineering ………………… 212
生体工学 bionics ………………………… 213
生体高分子 biomacromolecule …………… 213

セ

生体高分子 biopolymer …… 214
声帯固定〔術〕 cordopexy …… 422
生体材料 biomaterial …… 213
生体実験 vivisection …… 2035
生態種 ecospecies …… 584
生体潤滑 biolubrication …… 213
性対象者 sexual …… 1669
生体触媒 biocatalyst …… 212
声帯振せん vocal fold tremor …… 1925
声帯靱帯 vocal ligament …… 1041
声帯靱帯 ligamentum vocale …… 1046
声帯切除〔術〕 cordectomy …… 422
生体染色〔法〕 intravital stain …… 1732
生体染色〔法〕 vital stain …… 1736
生苔足 mossy foot …… 724
生体組織検査〔法〕 biopsy (Bx) …… 214
成体多能性前駆細胞 multipotent adult progenitor cell …… 324
生体電気性電位 bioelectric potential …… 1473
生体透析 vividialysis …… 2035
生体毒素 biotoxin …… 215
生体毒物学 biotoxicology …… 215
〔披裂軟骨〕声帯突起 vocal process of arytenoid cartilage …… 1491
〔披裂軟骨〕声帯突起 processus vocalis cartilaginis arytenoideae …… 1492
生体内で *in vivo* …… 953
生体内変化 biotransformation …… 215
成体の adult …… 31
生体の biogenic …… 212
生体の organic …… 1312
生体の vital …… 2032
生体発光 bioluminescence …… 213
声帯ひだ vocal fold …… 720
声帯ひだ plica vocalis …… 1446
声帯ひだ結節 vocal fold nodules …… 1262
生体備品 biofixture …… 212
生〔体〕フラボン bioflavonoids …… 212
生体分光鏡検査〔法〕 biospectroscopy …… 215
生体分光〔光度〕法 biospectrometry …… 215
生体弁 tissue valve …… 1985
生体防御 biophylaxis …… 213
生体膜 biomembrane …… 213
生体模倣の biomimetic …… 213
生体力学 biodynamics …… 212
生体力学 biomechanics …… 213
生体流動学 biorheology …… 214
生体輪郭描画器 schematograph …… 1642
制唾薬 antisialagogue …… 109
生着 take …… 1839
成虫 imago …… 908
正中下顎点 median mandibular point …… 1454
正中環軸関節 articulatio atlantoaxialis mediana …… 157
正中環軸関節 median atlantoaxial joint 970
正中環軸関節 middle atlantoepistrophic joint …… 971
〔正中環軸関節の〕蓋膜 posterior occipitoaxial ligament …… 1039
〔正中環軸関節の〕蓋膜 membrana tectoria (articulationis atlantoaxialis medianae) …… 1124
〔正中環軸関節の〕蓋膜 tectorial membrane (of median atlantoaxial joint) …… 1127
正中弓状靱帯 median arcuate ligament 1037
正中弓状靱帯 ligamentum arcuatum medianum …… 1042
正中隙 trema …… 1924
〔第4脳室〕正中溝 median sulcus of fourth ventricle …… 1773
〔第4脳室〕正中溝 sulcus medianus ventriculi quarti …… 1773
正中口蓋嚢 median palatal cyst …… 459
正中口蓋縫合 sutura palatina mediana 1786
正中口蓋縫合 median palatine suture …… 1787
正中甲状舌骨靱帯 median thyrohyoid ligament …… 1038
正中甲状舌骨靱帯 ligamentum thyrohyoideum medianum …… 1046
正中向性の mesotropic …… 1137
正中喉頭切開〔術〕 median laryngotomy 1002
正中後〔方〕の postmedian …… 1471
正中交連動脈 median commissural artery …… 148
正中固定術 medialization …… 1115
正中臍索 median umbilical ligament …… 1038
正中臍索 middle umbilical ligament …… 1038
正中臍索 ligamentum umbilicale medianum …… 1046
正中臍ひだ median umbilical fold …… 719
正中臍ひだ middle umbilical fold …… 719
正中臍ひだ plica umbilicalis mediana …… 1445
正中歯 mesiodens …… 1135
正中篩骨 mesethmoid bone …… 233
正中視索前核 median preoptic nucleus 1277
正中〔矢状〕面 median plane …… 1430
正中上顎前方歯槽突起裂(顎裂) median maxillary anterior alveolar cleft …… 373
正中神経 median nerve …… 1236
正中神経 nervus medianus …… 1242
〔正中神経〕外側根 radix lateralis nervi mediani …… 1546
〔正中神経〕外側根 lateral root of median nerve …… 1621
〔正中神経〕内側根 radix medialis nervi mediani …… 1546
〔正中神経〕内側根 medial root of median nerve …… 1621
正中神経の尺骨神経との交通枝 communicating branch of median nerve with ulnar nerve …… 244
正中神経の掌枝 palmar branch of median nerve …… 250
正中神経の掌枝 ramus palmaris nervi mediani …… 1554
正中神経伴行動脈 arteria comitans nervi mediani …… 134
正中神経伴行動脈 comitant artery of median nerve …… 143
正中〔線〕脊髄切開〔術〕 midline myelotomy …… 1211
正中舌芽 median lingual bud …… 263
正中切開 midline incision …… 918
正中舌喉頭蓋ひだ median glossoepiglottic fold …… 719
正中舌喉頭蓋ひだ middle glossoepiglottic fold …… 719
正中舌喉頭蓋ひだ plica glossoepiglottica mediana …… 1445
正中舌隆起 median lingual swelling …… 1789
正中線 median line …… 1051
精虫線維 spermatic filament …… 698
正中仙骨静脈 median sacral vein …… 1998
正中仙骨静脈 vena sacralis mediana …… 2007
正中仙骨動脈 arteria sacralis mediana …… 137
正中仙骨動脈 median sacral artery …… 148
正中仙骨動脈 middle sacral artery …… 149
正中仙骨動脈の外側仙骨枝 lateral sacral branches of median sacral artery …… 248
正中仙骨稜 median sacral crest …… 437
精虫線系 spermatic filament …… 698
正中断〔面〕 median section …… 1653
正中電圧 orthovoltage …… 1317
正中動脈 arteria mediana …… 136
正中動脈 median artery …… 148
成虫の adult …… 31
正中の median …… 1115
正中の medianus …… 1115
正中脳梁動脈 median callosal artery …… 148
正中方向に mesad …… 1134
正中方向へ mediad …… 1115
正中傍の paramedian …… 1351
正中〔矢状〕面 median plane …… 1430
精虫様の spermatoid …… 1710
正中隆起 median eminence …… 603
正中菱形舌炎 median rhomboid glossitis 781
正中輪状甲状靱帯 median cricothyroid ligament …… 1038
〔延髄の〕〔前〕正中裂 anterior median fissure of medulla oblongata …… 702
〔延髄の〕〔前〕正中裂 fissura mediana anterior medullae oblongatae …… 702
〔脊髄の〕〔前〕正中裂 anterior median fissure of spinal cord …… 702
〔脊髄の〕〔前〕正中裂 fissura mediana anterior medullae spinalis …… 702
性徴 sexual orientation …… 1313
生長 growth …… 803
成長 auxesis …… 182
成長 growth …… 803
成長因子 growth factors …… 667
清澄化 clarification …… 370
清澄化因子 clearing factors …… 666
成長学 auxanology …… 182
成長期 anagen …… 69
成長期脱毛状態 anagen effluvium …… 590
成長曲線 growth curve …… 451
成長現象 vegetality …… 1992
成長骨折 growing fracture …… 737
清澄剤 clearer …… 373
整調出力 pacemaker output …… 1327
成長障害 failure to thrive …… 670
成長線 accretion lines …… 1048
成長線 incremental lines …… 1050
成長〔阻害〕線 growth arrest lines …… 1050
成長阻害動物 runt …… 1627
成長速度 growth rate …… 1559
成長調節因子 growth regulator …… 1587
成長痛 growing pains …… 1337
性徴転換 sex reversal …… 1605
正張尿 normosthenuria …… 1268
成長ホルモン growth hormone (GH) …… 863
成長ホルモン somatotropin …… 1700
成長ホルモン欠損を伴うX連鎖低ガンマグロブリン血症 X-linked hypogammaglobulinemia with growth hormone deficiency …… 893
成長ホルモン産生腺腫 growth hormone-producing adenoma …… 25
成長ホルモン分泌停止 somatopause …… 1699
成長ホルモン分泌抑制ホルモン growth hormone-inhibiting hormone (GIH) …… 863
清澄薬 clarificant …… 370
整調リズム eurhythmia …… 648
清澄流動食 clear liquid diet …… 514
性的二形 sexual dimorphism …… 521
静的運動失調 static ataxia …… 167
静的関係 static relation …… 1588
静的関節症 static arthropathy …… 156
静的屈折 static refraction …… 1583
静的コンプライアンス static compliance …… 403
静的視野測定〔法〕 static perimetry …… 1388
性的選択 sexual preference …… 1669
性的早熟症 precocious puberty …… 1523
性的対象 sex object …… 1288
性的倒錯 parasexuality …… 1354
性〔的〕倒錯〔症〕 sexual deviation …… 502
性的役割 gender role …… 1620
性的幼稚症 sexual infantilism …… 926
性転換 sex reversal …… 1605
性転換〔者〕 transsexual …… 1922
性転換手術 transsexual surgery …… 1785
性転換症 transsexualism …… 1922
性転換状態 transsexualism …… 1922
静電気の franklinic …… 739
静電気味 franklinic taste …… 1842
静電結合 electrostatic bond …… 231
静電単位 electrostatic unit (esu) …… 1965

静電容量 capacitance ……………………… 288
精度 effectiveness ……………………… 589
精度 precision ……………………… 1477
制動 damping ……………………… 471
声道 vocal tract ……………………… 1913
正働〔状態〕 ergasia ……………………… 636
性同一性 gender identity ……………………… 904
性同一性障害 gender identity disorders … 545
性同一性不全症候群 gender dysphoria syndrome ……………………… 1805
性倒錯 erotopathy ……………………… 637
青銅色肝斑 chloasma bronzinum ……………………… 346
青銅色糖尿病 bronze diabetes ……………………… 505
性淘汰 sexual selection ……………………… 1658
制動放射 bremsstrahlung ……………………… 256
精度管理 quality control ……………………… 418
精度管理試験 proficiency testing ……………………… 1869
〔精度〕管理図 quality control chart ……………………… 340
生得反射 innate reflex ……………………… 1579
制吐作用の antiemetic ……………………… 102
制吐性の antinauseant ……………………… 107
制吐薬 antiemetic ……………………… 102
ぜい(贅)肉 carnosity ……………………… 304
正二十面体の icosahedral ……………………… 903
制乳薬 lactifuge ……………………… 993
青年 adolescent ……………………… 30
青年期 adolescence ……………………… 30
青年期医学 ephebiatrics ……………………… 625
青年期医学 adolescent medicine ……………………… 1116
青年期危機 adolescent crisis ……………………… 439
青年期後 postadolescence ……………………… 1470
青年期蛋白尿〔症〕 adolescent albuminuria 43
成年性水腫(浮腫)性硬化〔症〕 scleredema adultorum ……………………… 1646
精の essential ……………………… 643
正の異常凝縮 heteropyknosis ……………………… 849
精囊 seminal capsule ……………………… 291
精囊 seminal gland ……………………… 774
精囊 gonecyst, gonecystis ……………………… 792
精囊 seminal vesicle ……………………… 2016
精囊 vesicula seminalis ……………………… 2017
精囊炎 vesiculitis ……………………… 2017
〔精囊〕筋層 muscular layer of seminal gland ……………………… 1012
精囊撮影(造影)〔法〕 vesiculography ……………………… 2017
精囊切開〔術〕 vesiculotomy ……………………… 2017
精囊切除〔術〕 vesiculectomy ……………………… 2017
精囊腺囊胞 seminal vesical cyst ……………………… 460
精囊摘出〔術〕 vesiculectomy ……………………… 2017
〔精囊〕粘膜 mucosa of seminal gland … 1177
〔精囊〕粘膜 mucosa of seminal vesicle 1177
〔精囊〕粘膜 tunica mucosa vesiculae seminalis ……………………… 1953
〔精囊の〕排出管 excretory duct of seminal gland ……………………… 563
〔精囊の〕排出管 excretory duct of seminal vesicle ……………………… 563
〔精囊の〕排出管 ductus excretorius vesiculae seminalis ……………………… 566
正の温度走性 positive thermotaxis ……………………… 1882
正の協同性 positive cooperativity ……………………… 419
正の屈性 tropism ……………………… 1937
性の決定〔法〕 sex determination ……………………… 501
性の再賦与 sex reassignment ……………………… 1569
正の制御 positive control ……………………… 418
正の走化性 chemotaxis, positive chemotaxis, negative chemotaxis ……………………… 343
正の走性 positive taxis ……………………… 1843
正の転移 positive transference ……………………… 1918
正のフィードバック positive feedback …… 679
生の本能 eros ……………………… 637
生の本能 life instinct ……………………… 940
性の役割 sex role ……………………… 1620
正倍数性 euploidy ……………………… 648
青斑 locus caeruleus ……………………… 1067
青〔色〕斑 macula cerulea ……………………… 1091
青斑下核 subcaeruleus nucleus ……………………… 1280
青斑核 caerulean nucleus ……………………… 1273
青斑核 nucleus caeruleus ……………………… 1273
青斑核脊髄路 caerulospinal tract ……………………… 1910
青斑徴候 blue dot sign ……………………… 1679
青斑皮質の cerulocortical ……………………… 336
性比 sex ratio ……………………… 1561
静ヒステリシス static hysteresis ……………………… 900
性病学 venereology ……………………… 2008
性病冠 corona veneris ……………………… 424
性病恐怖〔症〕 cypridophobia ……………………… 458
性病恐怖〔症〕 venereophobia ……………………… 2008
〔処女による〕性病浄化 virgin cleansing 2021
性病性横痃 venereal bubo ……………………… 263
性病性リンパ肉芽腫 venereal lymphogranuloma, lymphogranuloma venereum (LGV) ……………………… 1083
性病性リンパ肉芽腫ウイルス lymphogranuloma venereum virus …… 2026
性病性リンパ肉芽腫抗原 lymphogranuloma venereum antigen ……………………… 104
性病の venereal ……………………… 2008
西部ウマ脳脊髄炎 western equine encephalomyelitis (WEE) ……………………… 609
西部ウマ脳脊髄炎ウイルス western equine encephalomyelitis virus ……………………… 2030
セイブカクマダニ *Dermacentor occidentalis* ……………………… 494
整復 redintegration ……………………… 1575
整復 reduction ……………………… 1575
整復器 repositor ……………………… 1591
整復術 taxis ……………………… 1842
整復法 taxis ……………………… 1842
生物 life ……………………… 1032
生物 organism ……………………… 1312
生物医学工学 biomedical engineering …… 617
生物医学的な biomedical ……………………… 213
生物医学的モデル biomedical model …… 1162
生物汚染度 bioburden ……………………… 212
生物音響学 bioacoustics ……………………… 212
生物学 biology ……………………… 213
生物学者 biologist ……………………… 213
生物学的係数 biologic coefficient ……………………… 387
生物〔学的〕検定〔法〕 bioassay ……………………… 212
生物学的検定法 biotest ……………………… 215
生物学的効果比 relative biologic effectiveness (RBE) ……………………… 589
生物学的制御 biologic control ……………………… 418
生物学的製剤 biologicals ……………………… 212
生物学的抽出 biologic sampling ……………………… 1633
生物学的半減期 biologic half-life ……………………… 812
生物学的標準単位 biologic standard unit ……………………… 1965
生物学的幅径 biologic width ……………………… 2045
生物学的ベクター biologic vector ……………………… 1992
生物学的溶血 biologic hemolysis ……………………… 834
生物学的利用能 bioavailability ……………………… 212
生物活性の bioactive ……………………… 212
生物気候学 bioclimatology ……………………… 212
生物季節学 phenology ……………………… 1403
生物機能学 bionomy ……………………… 213
生物機能学 biotics ……………………… 215
〔生物〕群集 biocenosis ……………………… 212
生物型 biotype ……………………… 215
生物系 biosystem ……………………… 215
生物圏 biosphere ……………………… 215
生物工学 bioengineering ……………………… 212
生物工学 bionics ……………………… 213
生物工学 biotechnology ……………………… 215
生物個体 bion ……………………… 213
生物社会の biosocial ……………………… 215
生物重力学 biogravics ……………………… 212
生物進化論 biologic evolution ……………………… 650
生物新発生〔説〕 neobiogenesis ……………………… 1227
生物心理学 biopsychology ……………………… 214
生物・心理・社会的な biopsychosocial ……… 214
生物精神社会的モデル biopsychosocial model ……………………… 1162
生物生態学 bioecology ……………………… 212
生物静力学 biostatics ……………………… 215
生物相 biota ……………………… 215
生物測定学学派 biometrical school ……… 1644
生物測定学者 biometrician ……………………… 213
生物測定器 bioinstrument ……………………… 212
生物帯 biome ……………………… 213
生物体量 biomass ……………………… 213
生物致死性の biocidal ……………………… 212
生物地質化学 biogeochemistry ……………………… 212
生物適合性 biocompatibility ……………………… 212
生物的反応修飾物質 biologic response modifier ……………………… 1162
生物テレメトリ biotelemetry ……………………… 215
生物電気性電位 bioelectric potential …… 1473
生物統計学 biostatistics ……………………… 215
生物動力学 biokinetics ……………………… 212
生物の zoetic ……………………… 2058
生物の zoic ……………………… 2058
生物濃縮 bioaccumulate ……………………… 212
生物濃縮 biomagnification ……………………… 213
生物濃縮 biomagnify ……………………… 213
生物発光 bioluminescence ……………………… 213
生物発生 biogenesis ……………………… 212
生物繁栄能力 biotic potential ……………………… 1473
生物物理学 biophysics ……………………… 213
生物分解 biolysis ……………………… 213
生物分類学 biotaxis ……………………… 215
生物薬剤学 biopharmaceutics ……………………… 213
生物要因 biotic factors ……………………… 666
生物力学 biodynamics ……………………… 212
生物ルミネセンス bioluminescence ……… 213
生〔体〕フラボン bioflavonoids ……………………… 212
成分 component ……………………… 403
成分 moiety ……………………… 1163
成分 principle ……………………… 1484
生分解性の biodegradable ……………………… 212
製粉工ぜん息 miller asthma ……………………… 165
性別 sexuality ……………………… 1669
精包 spermatophore ……………………… 1710
正方行列 square matrix ……………………… 1111
正方晶系 tetragon, tetragonum ……………………… 1871
星芒状硝子体症 asteroid hyalosis ……………………… 868
星芒状網膜炎 stellate neuroretinitis …… 1252
精母細胞 spermatocyte ……………………… 1710
〔一次〕精母細胞 primary spermatocyte 1710
精母細胞(精娘細胞)形成 spermatocytogenesis ……………………… 1710
性ホルモン sex hormones ……………………… 864
性ホルモン結合グロブリン sex hormone-binding globulin (SHBG) …… 779
精密アタッチメント precision attachment ……………………… 175
精密弁別の epicritic ……………………… 626
精密レスト precision rest ……………………… 1597
清明 lucidity ……………………… 1070
生命 biosis ……………………… 215
生命 life ……………………… 1032
生命苦悶 angor animi ……………………… 90
生命結節 vital node ……………………… 1261
生命結節 noeud vital ……………………… 1265
生命三脚 vital tripod ……………………… 1934
生命情報科学 bioinformatics ……………………… 212
生命中枢 vital center ……………………… 331
生命徴候 vital signs (VS) ……………………… 1684
生命点 vital node ……………………… 1261
生命点 noeud vital ……………………… 1265
清明な lucid ……………………… 1070
生命の vital ……………………… 2032
生命の zoetic ……………………… 2058
生命の木 arbor vitae ……………………… 123
生命表 life table ……………………… 1836
生命本能 life instinct ……………………… 940
生命力学 biotics ……………………… 215

セ

生命力 vital force 727
生命力 vitality 2032
毳毛性多毛〔症〕 hypertrichosis lanuginosa 889
声門 glottis 782
声門炎 glottitis 782
声門下腔 cavitas infraglotticum 315
声門下腔 infraglottic cavity 316
声門下腔 cavum infraglotticum 317
声門下腺〔喉頭の〕 infraglottic glands of the larynx 773
声門下の infraglottic 931
声門下の subglottic 1763
声門痙攣 laryngismus 1002
声門痙攣 laryngospasm 1002
声門周囲の periglottic 1387
声門上炎 supraglottitis 1779
声門上の supraglottic 1779
声門水腫(浮腫) edema glottidis 587
〔声門の〕披裂門ひだ interarytenoid fold of rima glottidis 719
声門裂 rima glottidis 1617
〔声門裂〕軟骨間部 pars intercartilaginea rimae glottidis 1359
〔声門裂〕軟骨間部 intercartilaginous part of glottic opening 1365
〔声門裂〕軟骨間部 intercartilaginous part of rima glottidis 1365
〔声門裂〕膜間部 pars intermembranacea rimae glottidis 1359
〔声門裂〕膜間部 intermembranous part of glottic opening 1365
〔声門裂〕膜間部 intermembranous part of rima glottidis 1365
誓約 oath 1287
製薬化学 pharmaceutical chemistry 342
精油 essence 643
精油 essential oils 1294
セイヨウオトギリソウ St. John's wort 2049
セイヨウバクチノキ油 oil of cherry laurel 1294
西洋ハシリドコロ belladonna 205
セイヨウハッカ油 oil of peppermint 1295
西洋ワサビ(ホースラディシュ)ペルオキシダーゼ horseradish peroxidase 1394
性欲 erotism, eroticism 637
性欲 libido 1031
性欲 sexuality 1669
性欲化 sexualization 1669
性欲亢進 aphrodisia 114
性欲刺激〔性〕の erogenous 637
性欲説 libido theory 1876
性欲促進の aphrodisiac 114
性欲促進薬 aphrodisiac 114
性欲倒錯 paraphilia 1353
性欲発生 erotogenesis 637
性欲抑制の anaphrodisiac 71
性欲抑制薬 anaphrodisiac 71
生来の inborn 918
セイラー(タイラー)ウイルス Theiler virus 2029
セイラー(タイラー)マウス脳脊髄炎ウイルス Theiler mouse encephalomyelitis virus 2029
生卵器 oogonium 1302
正乱視 regular astigmatism 165
青藍色状態 lividity 1062
青藍色の livid 1062
青藍色斑 livor 1062
生理〔学〕外の extraphysiologic 658
生理解剖学 physiologic anatomy 74
生理解剖学的の physiologicoanatomic, physiologicoanatomical 1420
生理学 physiology 1420
生理学者 physiologist 1420
生理学的括約筋 physiologic sphincter 1713
生理学的時間 biologic time 1893
生理学的死腔 physiologic dead space (V_D) 1704
生理〔学〕的な physiologic, physiological 1420
生理学的貧血 physiologic anemia 78
生理食塩水 physiologic saline 1631
生理〔的〕単位 physiologic unit 1966
正立体X線描写機 orthostereoscope 1317
生理的安静位 physiologic rest position 1470
生理的暗点 physiologic scotoma 1650
生理的黄疸 physiologic jaundice 967
生理的解毒薬 physiologic antidote 102
生理的原因の physiogenic 1420
生理的硬化〔症〕 physiologic sclerosis 1647
生理的咬合 physiologic occlusion 1290
生理的小人症 physiologic dwarfism 569
生理的死 apobiosis 116
生理的収縮輪 physiologic retraction ring 1618
生理的振せん physiologic tremor 1924
生理的組織変性 necrobiosis 1223
生理的蛋白尿〔症〕 physiologic albuminuria 44
生理的(単純性)瞳孔不同 simple anisocoria 92
生理的年齢 physiologic age 35
生理的配合禁忌 physiologic incompatibility 920
生理的白血球増加〔症〕 physiologic leukocytosis 1027
生理的肥大 physiologic hypertrophy 889
生理的平衡咬合 physiologically balanced occlusion 1290
生理的無月経 physiologic amenorrhea 58
生理的欲求 physiologic drives 561
生理病理学〔的〕の physiopathologic, physiopathological 1420
整流〔真空〕管 rectifier tube 1942
整流器 rectifier 1574
青窿嚢胞 blue dome cyst 458
精留歴油 rectified tar oil 1841
清涼剤 algefacient 47
清涼剤 refrigerant 1583
精力減退の subvirile 1768
青緑色細菌門 Cyanobacteria 453
正リン酸 orthophosphoric acid 1316
正リン酸塩 normal phosphate 1412
整列 rank 1558
製錬工熱 smelter's fever 686
性連鎖 sex-influenced 1669
精瘻 spermatic fistula 706
セイロン鉤虫 *Ancylostoma ceylanicum* 75
セイロンゴケ Ceylon moss 1172
セイロン山ヒル *Haemadipsa ceylonica* 810
ゼイン zein 2057
セイント三徴 Saint triad 1926
正G positive G 1470
ゼオライト zeolite 2057
世界疾病負担 global burden of disease 267
世界保健機関 World Health Organization (WHO) 2048
セカンドメッセンジャー second messenger 1138
セカンドルック手術 second-look operation 1306
咳 cough 431
咳 tussis 1955
積 product 1493
石英 quartz 1537
石英ガラス quartz glass 776
石化 petrifaction 1397
赤外型 exoerythrocytic stage 1727
赤外線 infrared light 1047
赤外線 infrared ray 1562
赤外線顕微鏡 infrared microscope 1154
赤外線サーモグラフィ infrared thermography 1881
赤外線スペクトル infrared spectrum 1709
赤外線の infrared (IR, ir) 931
赤外線白内障 infrared cataract 311
赤外部の infrared (IR, ir) 931
赤外分光学 infrared spectroscopy 1708
赤芽球 erythroblast 639
赤芽球血病 erythroblastemia 639
赤芽球減少〔症〕 erythroblastopenia 639
赤芽球症 erythroblastosis 639
赤芽球増殖性プロトポルフィリン症 erythropoietic protoporphyria 1508
赤芽球母細胞 erythrogonium 640
赤芽球ろう pure red cell aplasia 115
赤核 red nucleus 1279
赤核 nucleus ruber 1280
赤核延髄路 rubroreticular tract 1912
赤核オリーブ路線維 rubroolivary fibers 690
赤核橋路 rubropontine tract 1912
赤核性振せん rubral tremor 1925
赤核脊髄の rubrospinal 1625
赤核脊髄路 rubrospinal tract 1912
赤核脊髄路 tractus rubrospinalis 1915
赤核脊髄路交叉 rubrospinal decussation 476
赤核前核 prerubral nucleus 1279
赤核前野 prerubral field 697
赤核網様体路 fasciculi rubroreticulares 676
赤核網様体路 rubroreticular fasciculi 676
赤核網様体路 rubrobulbar tract 1912
赤筋 red muscle 1192
赤筋線維 red fibers 690
咳後の posttussis 1472
脊索 chorda dorsalis 354
脊索 notochord 1270
脊索下の subnotochordal 1764
脊索管 notochordal canal 284
脊索骨格 chordoskeleton 354
脊索軸 perichord 1387
脊索腫 chordoma 354
脊索周囲の perichordal 1387
脊索鞘 notochordal sheath 1671
脊索中胚葉 chorda-mesoderm 354
脊索動物 chordate 354
脊索動物門 Chordata 354
脊索突起 notochordal process 1489
脊索背側の epichordal 625
脊索板 notochordal plate 1435
脊索傍の parachordal 1348
脊鎖消息子 vertebrated probe 1486
赤〔色〕視〔症〕 erythropsia 641
赤〔色〕視〔症〕 red vision 2032
〔化〕石〔胎〕児 lithopedion, lithopedium 1061
赤色素〔細〕胞 erythrophore 641
赤色盲 protanopia 1502
咳失神 cough syncope 1794
赤十字 red cross 1575
〔沈殿〕析出 precipitation 1477
石〔粉〕症 chalicosis 338
セキショウシ(石松子) lycopodium 1075
赤色 red 1575
赤色おろ lochia rubra 1067
赤色汗 red sweat 1789
赤色肝変 red hepatization 840
赤色血栓 red thrombus 1889
赤色硬化 red induration 925
赤色骨髄 red bone marrow 1106
赤色酸化第二水銀 mercuric oxide, red 1133
赤色歯 erythrodontia 640
赤色尿 rubruria 1625
赤色尿の rubruric 1625
赤色半月 red half-moon 812
赤〔色〕脾髄 red pulp 1524
赤色ぼろ線維ミオパシー ragged red fiber myopathy 1215
赤色ぼろ線維ミオパシーを伴うミオクローヌス性てんかん myoclonic epilepsy with

ragged red fiber myopathy …… 628
赤色ヨウ化〔第二〕水銀 mercuric iodide, red …… 1132
赤唇 prolabium …… 1496
赤唇 transitional zone of lips …… 2060
赤唇 vermilion zone, vermilion transitional zone …… 2060
赤唇縁 vermilion border …… 236
赤唇縁 vermilion zone, vermilion transitional zone …… 2060
脊髄 spinal cord …… 422
脊髄 medulla spinalis …… 1118
脊髄亜急性連合変性 subacute combined degeneration of the spinal cord …… 481
脊髄炎 myelitis …… 1209
脊髄円錐 medullary cone …… 409
脊髄円錐 conus medullaris …… 418
脊髄延髄の spinobulbar …… 1717
脊髄感応 spinal induction …… 925
脊髄球性筋萎縮〔症〕 spinal and bulbar muscular atrophy …… 174
脊髄胸部 thoracic part of spinal cord …… 1368
脊髄筋〔肉〕の spinomuscular …… 1717
脊髄空洞出血 syringomyelic hemorrhage 836
脊髄空洞症 syringomyelia …… 1829
脊髄空洞症性〔感覚〕解離 syringomyelic dissociation …… 548
脊髄クモ膜 arachnoid of spinal cord …… 123
脊髄クモ膜 spinal arachnoid mater …… 123
脊髄形成異常〔症〕 myelodysplasia …… 1210
脊髄形成異常〔症〕 myelodyspoiesis …… 1210
脊髄形成不全 myelatelia …… 1209
脊髄頸部 cervical part of spinal cord …… 1363
脊髄頸部 cervical segments of spinal cord［C1–C8］…… 1654
脊髄血管帯 zona medullovasculosa …… 2058
脊髄後根の神経節細胞 ganglion cells of posterior spinal root …… 321
〔脊髄〕後正中溝 sulcus medianus posterior medullae spinalis …… 1773
〔脊髄〕後正中溝 posterior median sulcus of spinal cord …… 1774
脊髄後柱切断〔術〕 posterior column cordotomy …… 422
脊髄硬膜 spinal dura mater …… 568
脊髄硬膜 dura mater spinalis …… 568
脊髄硬膜糸 filum durae matris spinalis 700
脊髄硬膜糸 filum of spinal dura mater 700
脊髄硬膜上腔 (spinal) epidural space …… 1705
〔脊髄〕硬膜上腔 vertebral epidural space …… 1705
脊髄固有の propriospinal …… 1499
脊髄根痛 radiculalgia …… 1542
脊髄造影(撮影)〔法〕 myelography …… 1210
脊髄枝 rami spinales …… 1556
脊髄視蓋路 spinotectal tract …… 1913
脊髄視蓋路 tractus spinotectalis …… 1915
脊髄視床切路〔術〕 spinothalamic tractotomy …… 1914
脊髄視床線維 spinothalamic fibers …… 691
脊髄視床路 spinothalamic tract …… 1913
脊髄視床路 tractus spinothalamicus …… 1915
脊髄出血 myelorrhagia …… 1211
脊髄〔内〕出血 hematomyelia …… 826
脊髄除圧〔術〕 spinal decompression …… 475
脊髄症 myelopathy …… 1211
脊髄症 myelosis …… 1211
脊髄障害 myelopathy …… 1211
脊髄上の epispinal …… 631
脊髄小脳失調 spinocerebellar ataxia …… 167
脊髄小脳性運動失調 spinocerebellar ataxia …… 167
脊髄小脳路 spinocerebellar tracts …… 1913
脊髄静脈 spinal veins …… 2001
脊髄静脈 venae spinales …… 2007
脊髄ショック spinal shock …… 1674
脊髄神経 spinal nerves …… 1238
脊髄神経 nervi spinales …… 1243
脊髄神経運動根 radix motoria nervi spinalis …… 1546
脊髄神経溝 groove for spinal nerve …… 802
脊髄神経溝 sulcus nervi spinalis …… 1773
脊髄神経後根切断〔術〕 posterior rhizotomy …… 1610
脊髄神経後枝 dorsal primary ramus of spinal nerve …… 1551
脊髄神経後枝 posterior ramus of spinal nerve …… 1555
脊髄神経後枝の外側枝 rami laterales ramorum dorsalium nervorum spinalum …… 1552
脊髄神経根炎 myeloradiculitis …… 1211
脊髄神経根形成障害 myeloradiculodysplasia …… 1211
脊髄神経根障害 myeloradiculopathy …… 1211
脊髄神経節 ganglion spinale …… 754
脊髄神経節 spinal ganglion …… 754
脊髄神経前根切断〔術〕 anterior rhizotomy …… 1610
〔脊髄神経〕前枝 anterior ramus of spinal nerve …… 1548
〔脊髄神経〕前枝 ramus ventralis nervi spinalis …… 1557
脊髄神経叢 plexus nervorum spinalium 1441
脊髄神経叢 plexus of spinal nerves …… 1443
脊髄神経叢 spinal nerve plexus …… 1443
脊髄神経知覚根 radix sensoria nervi spinalis …… 1546
脊髄神経の運動根 motor root of spinal nerve …… 1621
脊髄神経の交通枝 communicating branches of spinal nerves …… 245
脊髄神経の硬膜枝 meningeal branch of spinal nerves …… 250
脊髄神経の知覚根 sensory root of spinal nerve …… 1622
脊髄神経わな loops of spinal nerves …… 1069
脊髄振とう〔症〕 spinal cord concussion …… 407
脊髄髄質動脈 medullary spinal arteries 148
脊髄錐体路切断〔術〕 spinal pyramidotomy …… 1533
脊髄性運動失調 spinal ataxia …… 167
脊髄性感覚(知覚)脱失(消失) spinal anesthesia …… 80
脊髄性筋萎縮〔症〕 spinal muscular atrophy (SMA) …… 174
脊髄性筋萎縮〔症〕I型 spinal muscular atrophy type I …… 174
脊髄性筋萎縮〔症〕II型 spinal muscular atrophy type II …… 174
脊髄性筋萎縮〔症〕III型 spinal muscular atrophy type III …… 174
脊髄〔麻酔〕性頭痛 spinal headache …… 818
脊髄正中離開〔症〕 diastematomyelia …… 511
脊髄切開〔術〕 myelotomy …… 1211
脊髄節間の intersegmental …… 947
脊髄切断〔術〕 cordotomy …… 422
〔脊髄〕前外側系 anterolateral system …… 1829
〔脊髄〕前〔灰白〕柱 anterior gray column 395
脊髄仙骨部 pars sacralis medullae spinalis …… 1361
脊髄仙骨部 sacral part of spinal cord …… 1367
脊髄前槽 premedullary cistern …… 368
脊髄前庭路 spinovestibular tract …… 1913
脊髄造影(撮影)〔法〕 myelography …… 1210
脊髄走向性の myelopetal …… 1211
脊髄卒中 spinal apoplexy …… 118
脊髄卒中 spinal stroke …… 1758
脊髄断層撮影〔法〕 myelotomography …… 1211
脊髄中心症候群 central cord syndrome 1799
脊髄中脳蓋の spinotectal …… 1717
脊髄電図 electrospinogram …… 598
脊髄電図記録〔法〕 electrospinography …… 598
脊髄動脈 spinal arteries …… 152
脊髄動脈 spinal branches …… 253
脊髄〔内〕出血 hematomyelia …… 826
脊髄内の intramedullary …… 950
脊髄内の intraspinal …… 951
脊髄軟化〔症〕 myelomalacia …… 1210
脊髄軟膜 spinal pia mater …… 1110
脊髄の myelic …… 1209
脊髄の myeloid …… 1210
脊髄の myelonic …… 1211
脊髄の spinal …… 1716
脊髄嚢髄膜ヘルニア myelocystomeningocele …… 1209
脊髄嚢髄膜瘤 myelocystomeningocele …… 1209
脊髄嚢ヘルニア myelocystocele …… 1209
脊髄嚢胞 myelocyst …… 1209
脊髄嚢瘤 myelocystocele …… 1209
脊髄の角 cornu of spinal cord …… 424
脊髄のグリオーム glioma of the spinal cord …… 778
〔脊髄の〕頸膨大 cervical enlargement of spinal cord …… 617
〔脊髄の〕後柱 dorsal column of spinal cord …… 395
〔脊髄の〕後柱 posterior column of spinal cord …… 395
脊髄の索 funiculi medullae spinalis …… 745
脊髄の静脈 veins of spinal cord …… 2001
脊髄の神経膠腫 glioma of the spinal cord …… 778
〔脊髄の〕〔前〕正中裂 anterior median fissure of spinal cord …… 702
〔脊髄の〕〔前〕正中裂 fissura mediana anterior medullae spinalis …… 702
〔脊髄の〕側索 lateral funiculus of spinal cord …… 745
〔脊髄の〕側柱 anterolateral column of spinal cord …… 395
〔脊髄の〕側柱 lateral column of spinal cord …… 395
〔脊髄の〕中間外側細胞柱 intermediolateral cell column of spinal cord …… 395
脊髄の腰膨大 lumbosacral enlargement of spinal cord …… 618
脊髄背の dorsispinal …… 556
脊髄半月 crescent …… 436
脊髄反射 spinal reflex …… 1582
脊髄尾骨部 pars coccygea medullae spinalis …… 1358
脊髄尾骨部 coccygeal part of spinal cord …… 1363
脊髄尾骨部 coccygeal segment of spinal cord［Co］…… 1654
脊髄肥大 myelauxe …… 1209
脊髄腹側の hypochordal …… 892
脊髄ブロック spinal block …… 222
脊髄分節 segments of spinal cord［C1–Co］…… 1655
脊髄分節 segmenta medullae spinalis［C1–Co］…… 1656
脊髄ヘルニア myelocele …… 1209
脊髄縫合〔術〕 myelorrhaphy …… 1211
脊髄〔麻酔〕性頭痛 spinal headache …… 818
脊髄末梢神経の spinoneural …… 1717
脊髄麻痺 myeloparalysis …… 1211
脊髄麻痺 spinal paralysis …… 1351
脊髄毛帯 lemniscus spinalis …… 1018
脊髄網様体線維 spinoreticular fibers …… 691
脊髄腰部 pars lumbalis medullae spinalis …… 1359
脊髄腰部 lumbar part of spinal cord …… 1365
脊髄腰部 lumbar segments of spinal cord［L1–L5］…… 1655
脊髄離開 myelodiastasis …… 1210
脊髄瘤 myelocele …… 1209

脊髄瘤 syringocele ········· 1828
脊髄裂 myeloschisis ········· 1211
脊髄路 spinal tract ········· 1912
脊髄ろう tabes dorsalis ········· 1836
脊髄ろう(癆) locomotor ataxia ········· 167
脊髄ろう(癆) myelophthisis ········· 1211
脊髄ろう〔性〕関節症 tabetic arthropathy 156
脊髄ろう性〔感覚〕解離 tabetic dissociation ········· 549
脊髄ろう性胸鎧 tabetic cuirass ········· 447
脊髄ろう性神経梅毒 tabetic neurosyphilis ········· 1252
脊髄ろうのアバディ徴候 Abadie sign of tabes dorsalis ········· 1678
赤染性の erythrophil ········· 641
咳ぜん(喘)息 asthmatic equivalent ········· 635
〔化〕石〔胎〕児 lithopedion, lithopedium 1061
石炭酸 carbolic acid ········· 293
石炭酸 phenol ········· 1403
石炭酸-チオニン染色〔液,法〕 carbol-thionin stain ········· 1730
石炭酸尿〔症〕 carboluria ········· 293
石炭酸フクシン塗剤 carbol-fuchsin paint ········· 1337
脊柱 spinal column ········· 395
脊柱 columna vertebralis ········· 396
脊柱 vertebral column ········· 396
脊柱 rachis ········· 1540
脊柱管 vertebral canal ········· 284
脊柱管 canalis vertebralis ········· 286
脊柱管内髄液滲出 rachiochysis ········· 1540
脊柱胸部 thoracic spine ········· 1717
脊柱起立筋 erector muscle of spine ········· 1184
脊柱起立筋 erector spinae (muscles) ········· 1184
脊柱起立筋 musculus erector spinae ········· 1199
脊柱起立筋腱膜 erector spinae aponeurosis ········· 117
脊柱起立筋反射 erector-spinal reflex ········· 1579
脊柱結合重複体 rachiopagus ········· 1540
〔脊柱〕後側弯〔症〕 kyphoscoliosis ········· 990
〔脊柱〕後側弯〔性〕骨盤 kyphoscoliotic pelvis ········· 1378
〔脊柱〕後弯 kyphosis ········· 990
〔脊柱〕後弯〔症〕 backward curvature ········· 450
〔脊柱〕後弯〔性〕骨盤 kyphotic pelvis ········· 1379
脊柱・骨端異形成〔症〕 spondyloepiphysial dysplasia ········· 576
〔脊柱〕指圧療法 chiropractic ········· 345
脊柱指圧療法士 chiropractor ········· 345
脊柱上の epispinal ········· 631
脊柱上の supraspinal ········· 1779
脊柱静脈 venae columnae vertebralis ········· 2005
脊柱前側弯〔症〕 lordoscoliosis ········· 1069
〔脊柱〕前弯〔症〕 anterior curvature ········· 450
〔脊柱〕前弯〔症〕 lordosis ········· 1069
脊柱前弯過度 hyperlordosis ········· 883
〔脊柱〕前弯〔性〕骨盤 lordotic pelvis ········· 1379
〔脊柱〕側弯〔症〕 lateral curvature ········· 450
〔脊柱〕側弯〔症〕 scoliosis ········· 1648
〔脊柱〕側弯矯正器 scoliotone ········· 1649
脊柱側弯計 scoliometer ········· 1648
脊柱側弯性骨盤 scoliotic pelvis ········· 1379
脊柱長 spinal length (SL) ········· 1019
脊柱内転筋反射 spinoadductor reflex ········· 1582
脊柱捻転計 torsionometer ········· 1904
脊柱の spinal ········· 1716
脊柱の一次弯曲 primary curvature of vertebral column ········· 450
脊柱の二次弯曲 secondary curvatures of vertebral column ········· 450
脊柱の横靱帯 transverse ligaments of vertebral column ········· 1041
脊柱の滑膜性の連結 vertebral synovial joints ········· 972
脊柱の静脈 veins of vertebral column 2003
脊柱の靱帯結合 syndesmoses of vertebral column ········· 1795
脊柱の軟骨結合 synchondroses of vertebral column ········· 1793
脊柱部 regio vertebralis ········· 1584
脊柱部 vertebral region ········· 1586
脊柱不安定性 spinal instability ········· 940
脊柱腹側の subvertebral ········· 1768
脊柱傍溝 paravertebral gutter ········· 806
脊柱傍三角 paravertebral triangle ········· 1927
脊柱傍の paravertebral ········· 1355
脊柱弯曲 spinal curvature ········· 450
脊柱弯曲矯正〔法〕 rachilysis ········· 1540
赤沈 erythrocyte sedimentation rate (ESR) ········· 1559
脊椎 axis (ax) ········· 183
脊椎異常 dysspondylism ········· 577
脊椎炎 spondylitis ········· 1722
脊椎〔関節〕炎 spondylarthritis ········· 1722
脊椎下垂〔症〕 spondyloptosis ········· 1722
脊椎化膿症 spondylopyosis ········· 1722
脊椎関節突起切除〔術〕 facetectomy ········· 662
脊椎管内出血 hematorrhachis ········· 827
脊椎管内の intraspinal ········· 951
脊椎管癒合異常 rachischisis ········· 1540
脊椎胸郭の spondylothoracic ········· 1723
脊椎結核 tuberculous spondylitis ········· 1722
脊椎結合体 rachiopagus ········· 1540
脊椎溝 vertebral groove ········· 803
脊椎後方すべり症 retrospondylolisthesis 1605
〔脊〕椎骨の vertebral ········· 2015
脊椎固定〔術〕 spinal fusion, spine fusion 746
脊椎式 vertebral formula ········· 731
脊椎周囲炎 perispondylitis ········· 1392
脊椎症 spondylopathy ········· 1722
脊椎症 spondylosis ········· 1722
脊椎障害 spondylopathy ········· 1722
脊椎すべり症 spondylolisthesis ········· 1722
脊椎すべり症骨盤 spondylolisthetic pelvis ········· 1379
脊椎すべり前駆症 prespondylolisthesis ··· 1482
脊椎切除〔術〕 vertebrectomy ········· 2015
脊椎切断器 rachiotome ········· 1540
脊椎仙骨の vertebrosacral ········· 2015
脊椎穿刺 spinal puncture ········· 1527
脊椎穿刺 spinal tap ········· 1841
脊椎前神経節 prevertebral ganglia ········· 754
〔脊〕椎前の prevertebral ········· 1483
脊椎前〔方〕の prespinal ········· 1482
脊椎大腿骨の vertebrofemoral ········· 2015
脊椎中心 centrum of a vertebra ········· 332
脊椎徴候 spine sign ········· 1684
脊椎腸骨の vertebroiliac ········· 2015
脊椎椎間関節突起神経根切断〔術〕 facet rhizotomy ········· 1610
脊椎椎体固定〔術〕 vertebral fusion ········· 746
脊椎痛 spondylalgia ········· 1722
脊椎動物 vertebrate ········· 2015
脊椎動物亜門 Vertebrata ········· 2015
脊椎動物間人獣共通感染症 cyclozoonosis 457
脊椎動物ホルモン vertebrate hormones ··· 864
脊椎動脈の vertebroarterial ········· 2015
脊椎動脈の頸部 cervical part of vertebral artery ········· 1363
脊椎動脈の硬膜枝 meningeal branch of (intracranial part of) vertebral artery 249
脊椎内の intraspinal ········· 951
脊椎軟化〔症〕 spondylomalacia ········· 1722
脊椎の spinal ········· 1716
脊椎の spondylous ········· 1723
脊椎の連結 vertebral joints ········· 972
脊椎背静脈 dorsispinal veins ········· 1995
脊椎破裂 spondyloschisis ········· 1722
脊椎非脊椎動物間人獣伝染病 metazoonosis ········· 1141
脊椎披裂 rachischisis ········· 1540
脊椎披裂 spina bifida ········· 1715
脊椎披裂 spondyloschisis ········· 1722
脊椎不安定性 spinal instability ········· 940
脊椎分離〔症〕 spondylolysis ········· 1722
脊椎傍神経節 paravertebral ganglia ········· 754
脊椎傍の paravertebral ········· 1355
脊椎麻酔〔法〕 spinal anesthesia ········· 80
脊椎麻酔薬 spinal anesthetic ········· 81
脊椎無痛〔法〕 spinal analgesia ········· 69
脊椎癒合不全 spinal dysraphism ········· 577
脊椎癒着〔術〕 spondylosyndesis ········· 1722
脊椎肋軟骨の vertebrochondral ········· 2015
脊椎肋骨筋 spinocostalis ········· 1717
赤道 equator ········· 634
赤道板 equatorial plate ········· 1435
赤道ブドウ〔膜〕腫 equatorial staphyloma ········· 1738
赤道面 equatorial plane ········· 1430
赤道卵割 equatorial cleavage ········· 373
咳止め antitussive ········· 110
赤内サイクル erythrocytic cycle ········· 454
赤尿症 erythruria ········· 641
責任恐怖〔症〕 hypengyophobia ········· 878
赤白血症 erythroleukosis ········· 640
赤白血病 erythroleukemia ········· 640
咳反射 cough reflex ········· 1578
石板状貧血 slaty anemia ········· 78
赤脾髄 red pulp of spleen ········· 1524
赤〔色〕脾髄 red pulp ········· 1524
石粉 chalk ········· 338
積分 integral ········· 942
積分 integration ········· 942
石〔粉〕症 chalicosis ········· 338
積分線量 integral dose ········· 557
赤変 erythrochromia ········· 639
石墨 graphite ········· 799
赤面 blush ········· 224
赤面恐怖〔症〕 ereuthophobia ········· 636
石油 petroleum ········· 1397
石油ベンジン petroleum benzin ········· 1397
赤痢 dysentery ········· 571
赤痢アメーバ *Entamoeba histolytica* ········· 618
赤痢菌 dysentery bacillus ········· 188
赤痢菌属 *Shigella* ········· 1673
赤痢抗毒素 dysentery antitoxin ········· 109
赤痢性下痢 dysenteric diarrhea ········· 511
〔積率〕相関 product-moment correlation 427
斥力 repulsion ········· 1591
赤リン amorphous phosphorus, red phosphorus ········· 1415
セクタスキャン sector scan ········· 1640
セクタ単位 sector unit ········· 1967
セクレターゼ secretase ········· 1652
セクレチン secretin ········· 1653
セクレチン原 prosecretin ········· 1500
セクレチン試験 secretin test ········· 1865
セクレチンファミリー secretin family 1653
セクレトグラニンII secretogranin II ········· 1653
セクレトニューリン secretoneurin ········· 1653
セクレトーム secretome ········· 1653
セクロピン cecropins ········· 318
セコイア症 sequoiosis ········· 1665
セコステロイド secosteroid ········· 1652
セザール(セザリー)細胞 Sézary cell ········· 326
セザール(セザリー)症候群 Sézary syndrome ········· 1819
セシウム cesium (Cs) ········· 336
セ氏目盛り Celsius scale ········· 1638
セシル尿道形成術 Cecil urethroplasty ··· 1971
セスキ水和物 sesquihydrates ········· 1668
セスキテルペン sesquiterpenes ········· 1668
セスタテルペン sesterterpenes ········· 1668
セスタン-シュネー症候群 Cestan-Chenais syndrome ········· 1800
ゼタ zetta- (Z) ········· 2057
世代 generation ········· 764
世代学 genesiology ········· 765

世代効果 generation effect ･･･ 588
世代交代 alternation of generations ･･･ 54
世代交代 digenesis ･･･ 516
世代交代 heterogenesis ･･･ 847
世代の generational ･･･ 765
世代の genesial ･･･ 765
セダー油 cedar wood oil ･･･ 1294
セタリア属 *Setaria* ･･･ 1669
セチルアルコール cetyl alcohol ･･･ 337
せつ furuncle ･･･ 746
節 node ･･･ 1260
癤(せつ) boil ･･･ 230
〔学〕説 theory ･･･ 1875
〔結〕節 nodus ･･･ 1262
舌 glossa ･･･ 781
舌 lingua ･･･ 1053
舌 tongue ･･･ 1900
舌圧子 tongue depressor ･･･ 494
舌咽呼吸 glossopharyngeal breathing ･･･ 256
舌咽神経 glossopharyngeal nerve [CN IX] ･･･ 1234
舌咽神経 nervus glossopharyngeus [CN IX] ･･･ 1242
舌咽神経痛 glossopharyngeal neuralgia 1244
舌咽神経の咽頭枝 pharyngeal branch of glossopharyngeal nerve ･･･ 251
舌咽神経の下神経節 ganglion inferius nervi glossopharyngei ･･･ 753
舌咽神経の下神経節 inferior ganglion of glossopharyngeal nerve ･･･ 753
舌咽神経の茎突咽頭筋枝 ramus musculi stylopharyngei nervi glossopharyngei 1554
舌咽神経の茎突咽頭枝 stylopharyngeal branch of glossopharyngeal nerve ･･･ 253
舌咽神経の上神経節 ganglion superius nervi glossopharyngei ･･･ 754
舌咽神経の上神経節 superior ganglion of glossopharyngeal nerve ･･･ 754
舌咽神経の舌筋枝 rami linguales nervi glossopharyngei ･･･ 1552
舌咽神経の扁桃枝 tonsillar branches of glossopharyngeal nerve ･･･ 254
舌咽神経の扁桃枝 rami tonsillares nervi glossopharyngei ･･･ 1557
舌咽頭筋 glossopharyngeus ･･･ 781
舌咽頭筋 musculus glossopharyngeus ･･･ 1200
舌咽の glossopharyngeal ･･･ 781
舌運動緩徐 bradyglossia ･･･ 241
舌運動自覚〔性〕の glossokinesthetic ･･･ 781
〔神経〕節運動ニューロン ganglionic motor neuron ･･･ 1249
舌運動描写器 glossograph ･･･ 781
切縁 incisal edge ･･･ 587
切縁 incisal margin ･･･ 1103
切縁 margo incisalis ･･･ 1104
舌炎 glossitis ･･･ 781
舌縁 margin of tongue ･･･ 1103
舌縁 margo linguae ･･･ 1104
絶縁 insulation ･･･ 941
絶縁化 insulation ･･･ 941
舌えん(嚥)下 tongue-swallowing ･･･ 1900
切縁結節 mamelon ･･･ 1097
切縁結節様の mamelonated ･･･ 1097
切縁咬合 edge-to-edge bite ･･･ 217
切縁咬合 end-to-end bite ･･･ 217
切縁咬合 edge-to-edge occlusion ･･･ 1290
切縁側鼓形空隙 incisal embrasure ･･･ 601
絶縁体 insulation ･･･ 941
絶縁体 insulator ･･･ 941
切縁レスト incisal rest ･･･ 1597
舌下 hypoglottis ･･･ 893
舌下 ranula ･･･ 1558
舌架 tongue crib ･･･ 1900
石灰 lime ･･･ 1048
切開 dissection ･･･ 548
切開〔術〕 discission ･･･ 526
切開〔術〕 incision ･･･ 918
切開〔術〕 section ･･･ 1653
石灰塩尿〔症〕 calcariuria ･･･ 276
石灰化 calcification ･･･ 276
石灰外傷〔性〕の calciotraumatic ･･･ 276
〔ぞうげ質の〕石灰化球 dentin globules ･･･ 778
石灰化結節性大動脈狭窄〔症〕 calcific nodular aortic stenosis ･･･ 1742
石灰化歯原性嚢胞 calcifying odontogenic cyst ･･･ 458
石灰〔性〕滑液包炎 calcific bursitis ･･･ 271
石灰化内膜転位 displaced intimal calcification ･･･ 276
石灰化軟骨 calcified cartilage ･･･ 305
石灰症 calcicosis ･･･ 276
石灰〔沈着〕症 calcinosis ･･･ 276
石灰小球 calcospherite ･･･ 278
雪塊状混濁 snowball opacity ･･･ 1302
石灰小体 calcareous corpuscles ･･･ 426
切開針 cutting needle ･･･ 1225
石灰水 calcic water ･･･ 2041
石灰水 lime water ･･･ 2041
切開生検 incision biopsy ･･･ 214
石灰性膵炎 calcareous pancreatitis ･･･ 1341
石灰性の calcific ･･･ 276
切開創ヘルニア incisional hernia ･･･ 842
石灰脱失〔症〕 halisteresis ･･･ 812
石灰沈着性腱周囲炎 peritendinitis calcarea ･･･ 1393
石灰沈着性腱鞘炎 peritendinitis calcarea ･･･ 1393
石灰痛風 calcium gout ･･･ 793
石灰転移 calcareous metastasis ･･･ 1141
石灰乳汁 milk of calcium ･･･ 277
石灰変性 calcareous degeneration ･･･ 480
切開面 section ･･･ 1653
石灰卵膜 lithokelyphos ･･･ 1061
舌学 glossology ･･･ 781
節芽〔細胞〕腫 ganglioneuroblastoma ･･･ 755
舌下錠〔剤〕 sublingual tablet ･･･ 1837
舌下小丘 sublingual caruncula ･･･ 308
舌下静脈 sublingual vein ･･･ 2001
舌下静脈 vena sublingualis ･･･ 2008
舌下神経 hypoglossal nerve [CN XII] ･･･ 1234
舌下神経 nervus hypoglossus [CN XII] ･･･ 1242
舌下神経下核 subhypoglossal nucleus ･･･ 1280
舌下神経核 hypoglossal nucleus ･･･ 1275
舌下神経核 nucleus of hypoglossal nerve ･･･ 1275
舌下神経核 nucleus nervi hypoglossi ･･･ 1277
舌下神経管 hypoglossal canal ･･･ 283
舌下神経管 canalis hypoglossalis ･･･ 285
舌下神経管静脈叢 plexus venosus canalis nervi hypoglossi ･･･ 1444
舌下神経管静脈叢 venous plexus of hypoglossal canal ･･･ 1444
舌下神経三角 hypoglossal trigone ･･･ 1932
舌下神経三角 trigone of hypoglossal nerve ･･･ 1932
舌下神経三角 trigonum nervi hypoglossi ･･･ 1933
舌下神経周囲核 perihypoglossal nuclei 1278
舌下神経節 ganglion sublinguale ･･･ 754
舌下神経節 sublingual ganglion ･･･ 754
舌下神経節の交感神経根 sympathetic root of sublingual ganglion ･･･ 1622
舌下神経節の舌神経との交通枝 rami communicantes ganglii sublingualis cum nervo linguali ･･･ 1550
舌下神経節の知覚根 sensory root of sublingual ganglion ･･･ 1622
舌下神経の下行枝 descending branch of hypoglossal nerve ･･･ 245
舌下神経の舌筋枝 rami linguales nervi hypoglossi ･･･ 1552
舌下神経伴行静脈 vena comitans nervi hypoglossi ･･･ 2005
舌下神経伴行静脈 vena comitans of hypoglossal nerve ･･･ 2005
舌下垂 glossoptosis, glossoptosia ･･･ 781
舌下製剤 sublingual medication ･･･ 1116
石化性尿道炎 urethritis petrificans ･･･ 1971
舌下腺 sublingual gland ･･･ 774
舌下腺 glandula sublingualis ･･･ 776
舌下腺窩 sublingual fossa ･･･ 734
舌下腺窩 fovea sublingualis ･･･ 735
舌下腺窩 sublingual pit ･･･ 1426
切割 needling ･･･ 1225
切割〔術〕 discission ･･･ 526
舌下動脈 arteria sublingualis ･･･ 138
舌下動脈 sublingual artery ･･･ 152
舌下の hypoglossal ･･･ 893
舌下の hypoglossus ･･･ 893
舌下の subglossal ･･･ 1763
舌下の sublingual ･･･ 1764
舌下半月 sublingual crescent ･･･ 436
舌下ひだ sublingual fold ･･･ 720
舌下ひだ plica sublingualis ･･･ 1445
舌下部神経 sublingual nerve ･･･ 1239
舌下部神経 nervus sublingualis ･･･ 1243
舌下包 bursa sublingualis ･･･ 270
舌下包 sublingual bursa ･･･ 270
〔舌〕下面 inferior surface of tongue ･･･ 1781
〔舌下面の〕采状ひだ fimbriated fold of inferior surface of tongue ･･･ 719
〔結〕節間〔部〕 internode ･･･ 947
舌管 ductus lingualis ･･･ 566
雪眼炎 snow blindness ･･･ 221
雪眼炎 ophthalmia nivalis ･･･ 1307
接眼鏡 eyepiece ･･･ 660
接眼鏡 ocular ･･･ 1291
石棺石児 lithokelyphopedion, lithokelyphopedium ･･･ 1061
〔結〕節間の internodal ･･･ 947
接眼マイクロメータ ocular micrometer 1152
舌顔面動脈 truncus linguofacialis ･･･ 1938
舌顔面動脈 linguofacial (arterial) trunk 1938
接眼レンズ eyepiece ･･･ 660
接眼レンズ eye lens ･･･ 1019
接眼レンズ ocular ･･･ 1291
舌弓 hyoid arch ･･･ 125
積極的安楽死 active euthanasia ･･･ 649
積極的治療 active treatment ･･･ 1923
接近 approach ･･･ 121
接近 contiguity ･･･ 416
舌筋 muscles of tongue ･･･ 1196
舌筋 musculi linguae ･･･ 1201
接近-回避型葛藤 approach-avoidance conflict ･･･ 410
舌筋枝 rami linguales ･･･ 1552
接近-接近型葛藤 approach-approach conflict ･･･ 410
接近の法則 law of contiguity ･･･ 1006
舌形成〔術〕 glossoplasty ･･･ 781
舌痙攣 glossospasm ･･･ 782
赤血球 red blood cell (rbc, RBC) ･･･ 325
赤血球 red corpuscle ･･･ 426
赤血球 erythrocyte ･･･ 639
赤血球円柱 red blood cell cast ･･･ 309
〔赤〕血球円柱 blood cast ･･･ 309
赤血球外期 exoerythrocytic stage ･･･ 1727
〔赤〕血球吸着〔現象〕 hemadsorption ･･･ 824
〔赤〕血球凝集〔反応〕 hemagglutination ･･･ 824
〔赤〕血球凝集〔反応〕性寒冷自己抗体 hemagglutinating cold autoantibody ･･･ 178
〔赤〕血球凝集素 hemagglutinin ･･･ 824
〔赤〕血球凝集抑制 hemagglutination inhibition ･･･ 933
赤血球系 erythron ･･･ 641
赤血球系 erythrocytic series ･･･ 1665
〔赤〕血球計 erythrocytometer ･･･ 640
赤血球系細胞 erythroid cell ･･･ 321

〔赤〕血球計算盤 erythrocytometer …… 640
赤血球形成不全 anerythroplasia …… 78
赤血球恒数 erythrocyte indices …… 922
赤血球コロニー形成細胞 colony forming unit-erythrocyte cell …… 320
赤血球再生不能の anerythroregenerative … 78
赤血球産生の erythrogenic …… 640
赤血球染色不同〔症〕 anisochromasia …… 92
赤血球増加〔症〕 erythrocytosis …… 640
赤血球増加〔症〕 hypercythemia …… 880
赤血球増加〔症〕 polycythemia …… 1459
赤血球増加眼底 fundus polycythemicus … 744
赤血球造血ホルモン erythropoietic hormone …… 863
赤血球〔大小〕不同〔症〕 anisocytosis …… 92
赤血球断片化 erythrocytoschisis …… 640
赤血球沈降速度 erythrocyte sedimentation rate (ESR) …… 1559
赤血球沈殿容積 packed cell volume …… 2036
赤血球動態学 erythrokinetics …… 640
赤血球貪食 erythrocatalysis …… 639
赤血球貪食 erythrophagia …… 641
赤血球貪食 erythrophagocytosis …… 641
赤血球尿〔症〕 erythrocyturia …… 640
赤血球粘着現象 red cell adherence phenomenon …… 1405
赤血球濃縮〔症〕 erythropyknosis …… 641
赤血球破壊 hemocytocatheresis …… 831
赤血球バースト形成細胞 burst forming unit-erythrocyte cell …… 320
赤血球変性の erythrodegenerative …… 640
赤血球崩壊 erythroclasis …… 639
赤血球崩壊 erythrocytorrhexis …… 640
〔赤〕血球崩壊 hemocatheresis …… 830
〔赤〕血球崩壊性の hemocatheretic …… 830
赤血球量 red blood cell mass …… 1107
赤血症性骨髄症 erythremic myelosis …… 1211
ゼッケル症候群 Seckel syndrome …… 1819
石けん soap …… 1695
石けん質の saponaceous …… 1634
切腱術 tenotomy …… 1851
舌現象 tongue phenomenon …… 1406
石けん状の saponaceous …… 1634
石けん水浣腸 soapsuds enema …… 616
石けん石 steatite …… 1741
舌腱膜 aponeurosis linguae …… 117
舌腱膜 lingual aponeurosis …… 117
石膏 gypsum …… 807
接合 coaptation …… 383
接合 conjugation …… 412
接合 copulation …… 421
接合 synapse …… 1792
接合 synizesis …… 1826
接合異常 dysjunction …… 573
接合完了体 exconjugant …… 652
接合菌綱 Zygomycetes …… 2062
舌溝後部 pars postsulcalis linguae …… 1360
接合個体 conjugant …… 411
接合固定部 lock …… 1067
接合子 zygote …… 2063
接合子嚢 oocyst …… 1302
接合(連合)修復 combination restoration 1597
石膏状小胞子菌 *Microsporum gypseum* 1155
接合上皮 junctional epithelium …… 632
接合真菌症 zygomycosis …… 2062
接合生殖 zygosis …… 2062
接合生殖性 zygosity …… 2063
接合性プラスミド conjugative plasmid 1432
舌溝前部 pars presulcalis linguae …… 1360
接合体 conjugant …… 411
接合体 zygote …… 2063
接合堤 terminal bar …… 196
舌喉頭蓋靱帯 glossoepiglottic ligament 1035
舌喉頭蓋の glossoepiglottic, glossoepiglottidean …… 781
舌喉頭蓋ひだ glossoepiglottic folds …… 719
舌後の retrolingual …… 1604
石工肺 mason's lung …… 1072
接合配偶子 joint gamete …… 751
接合部 junction …… 973
接合部 synapse …… 1792
接合副子 coaptation splint …… 1721
接合部〔性〕調律 junctional rhythm …… 1611
接合部〔性〕頻拍症 junctional tachycardia …… 1837
接合部前〔部〕の presynaptic …… 1483
接合部嚢胞 junctional cyst …… 459
接合部複合体 junctional complex …… 402
接合部母斑 junction nevus …… 1255
接合胞子 sporont …… 1724
接合胞子 zygospore …… 2063
接合レンズ doublet …… 558
節後運動ニューロン postganglionic motor neuron …… 1249
節後線維 postganglionic fibers …… 690
舌骨 hyoid bone …… 232
舌骨 os hyoideum …… 1317
舌骨咽頭蓋靱帯 hyoepiglottic ligament 1036
舌骨咽頭の hyopharyngeus …… 878
舌骨下筋 infrahyoid muscles …… 1187
舌骨下筋 musculi infrahyoidei …… 1200
舌骨顎骨裂 hyomandibular cleft …… 373
舌骨角の ceratohyal …… 334
舌骨下の infrahyoid …… 931
舌骨下の subhyoid, subhyoidean …… 1763
舌骨下包 bursa infrahyoidea …… 269
舌骨下包 infrahyoid bursa …… 269
舌骨下リンパ節 infrahyoid lymph nodes …… 1078
切骨器 gouge …… 793
舌骨弓上方の epihyal …… 627
舌骨喉頭蓋靱帯 ligamentum hyoepiglotticum …… 1043
舌骨喉頭蓋の hyoepiglottic …… 878
舌骨後〔方〕の posthyoid …… 1471
舌骨後包 bursa retrohyoidea …… 269
舌骨後包 retrohyoid bursa …… 269
舌骨鰓裂 hyobranchial cleft …… 373
舌骨小角 lesser horn of hyoid …… 864
舌骨上筋 suprahyoid muscles …… 1195
舌骨上筋 musculi suprahyoidei …… 1204
舌骨上の epihyoid …… 627
舌骨上の suprahyoid …… 1779
舌骨舌筋 hyoglossus …… 878
舌骨舌筋 hyoglossal muscle …… 1186
舌骨舌筋 hyoglossus (muscle) …… 1186
舌骨舌筋 musculus hyoglossus …… 1200
舌骨舌筋体部の basioglossus …… 200
舌骨舌筋の hyoglossal …… 878
節骨切除〔術〕 phalangectomy …… 1399
舌骨舌膜 hyoglossal membrane …… 1126
舌骨前〔方〕の prehyoid …… 1479
舌骨装置 apparatus hyoideus …… 119
舌骨装置 hyoid apparatus …… 119
舌骨体 body of hyoid bone …… 227
舌骨体 corpus ossis hyoidei …… 425
舌骨大角 thyrohyal …… 1890
舌骨内の intrahyoid …… 950
舌骨軟骨 hyoid cartilage …… 306
舌骨の角 cornua of hyoid bone …… 424
舌骨の角 horns of hyoid bone …… 864
舌骨の小角 cornu minus ossis hyoidei …… 424
舌骨の大角 cornu majus ossis hyoidei …… 424
舌骨の大角 greater horn of hyoid bone 864
〔神経〕節後の postganglionic …… 1471
切痕 crena …… 436
切痕 incisura …… 919
切痕 incisure …… 919
切痕 notch …… 1269
舌根 radix linguae …… 1546
舌根 root of tongue …… 1622
舌根甲状腺腫 lingual goiter …… 790
〔神経〕節細胞腫 gangliocytoma …… 752
〔神経〕節細胞腫 ganglioneuroma …… 755
切歯 incisor …… 919
切歯 cutting teeth …… 1902
切歯 incisor tooth …… 1902
摂子 forceps …… 727
窃視〔症〕 voyeurism …… 2038
舌枝 lingual branches …… 248
舌枝 rami linguales …… 1552
切歯窩 fossa incisiva …… 732
切歯窩 incisive fossa …… 732
切歯管 incisive canals …… 283
切歯管 incisor canals …… 283
切歯管 incisive duct …… 564
切歯管 ductus incisivus …… 566
切歯管嚢胞 incisive canal cyst …… 459
舌刺激 tongue thrust …… 1900
切歯孔 foramen incisivum …… 725
切歯孔 incisive foramen …… 725
切歯孔 incisor foramen …… 725
舌歯向性 glossodontotropism …… 781
切歯骨 incisive bone …… 232
切歯骨 os incisivum …… 1317
切歯骨 premaxilla …… 1479
窃視者 voyeur …… 2038
舌疾患 glossopathy …… 781
切歯点 incisal point …… 1454
舌歯肉溝 linguogingival groove …… 801
切歯乳頭 incisive papilla …… 1345
切歯乳頭 papilla incisiva …… 1345
切歯縫合 sutura incisiva …… 1786
切歯縫合 incisive suture …… 1787
舌灼熱痛 burning tongue …… 1900
〔神経〕節遮断 ganglionic blockade …… 222
〔神経〕節遮断薬 ganglionic blocking agent 36
摂取 introjection …… 951
摂取 uptake …… 1968
〔経口〕摂取 ingestion …… 932
接種〔法〕 inoculation …… 938
舌周囲の periglottic …… 1387
切歯誘導 incisal guidance …… 805
切歯誘導板 incisal guide …… 805
接種可能な inoculable …… 937
接種感受性 inoculability …… 937
接種材料 inoculum …… 938
癤腫症 furunculosis …… 746
接種性ヘルペス inoculation herpes …… 845
接種物 inoculum …… 938
接種用物質 inoculate …… 938
接種予防効果 peltation …… 1378
舌腫瘤 glossoncus …… 781
切除 abscission …… 6
切除〔術〕 excision …… 652
切除〔術〕 resection …… 1591
舌状回 gyrus lingualis …… 808
舌状回 lingual gyrus …… 808
〔中脳の〕楔状核 cuneiform nucleus …… 1274
楔状結節 cuneiform tubercle …… 1943
楔状結節 tuberculum cuneiforme …… 1946
舌上骨 epihyal bone …… 232
楔状骨間関節 intercuneiform joints …… 970
楔状骨舟状骨の cuneonavicular …… 448
楔状骨立方骨の cuneocuboid …… 448
舌焼灼感症候群 burning tongue syndrome …… 1799
楔〔状〕切除〔術〕 wedge resection …… 1592
楔状束 cuneate fasciculus …… 675
楔状束 fasciculus cuneatus …… 675
楔状束核 cuneate nucleus …… 1274
楔状束核 nucleus cuneatus …… 1274
楔状束結節 cuneate tubercle …… 1943
楔状束小脳路 cuneocerebellar tract …… 1910
楔状束脊髄線維 cuneospinal fibers …… 688
楔状束脊髄線維 spinocuneate fibers …… 691
舌小帯 frenulum linguae …… 740
舌小帯 frenulum of tongue …… 740

舌小帯 lingual frenulum ······ 740
舌小帯切開(切断)〔術〕 frenotomy ······ 740
舌小帯短縮〔症〕 ankyloglossia ······ 92
楔状頭 sphenocephaly ······ 1711
楔状軟骨 cuneiform cartilage ······ 306
楔状軟骨 cartilago cuneiformis ······ 307
楔状の sphenoidal ······ 1711
舌状の linguiform ······ 1054
楔状肺活量計 wedge spirometer ······ 1718
舌小胞 lingual follicles ······ 721
舌小胞 folliculi linguales ······ 723
舌静脈 lingual vein ······ 1998
舌静脈 vena lingualis ······ 2006
〔肺〕舌状葉切除〔術〕 lingulectomy ······ 1054
切除可能な resectable ······ 1591
切除関節形成〔術〕 resection arthroplasty 156
接触 application ······ 121
接触 contact ······ 415
接触 contiguity ······ 416
接触 taction ······ 1838
節食 diet ······ 514
摂食〔作用〕 athrocytosis ······ 169
接触域 contact area ······ 129
接触型子宮鏡 contact hysteroscope ······ 901
接触過敏症 contact hypersensitivity ······ 887
〔接触〕感染 contagion ······ 415
〔接触〕感染(伝染)性 contagiousness ······ 416
〔他人〕接触恐怖〔症〕 haphephobia ······ 815
接触屈性 thigmotropism ······ 1883
接触原 contactant ······ 415
接触者 contact ······ 415
接触受容体 contact ceptor ······ 334
接触受容体 synaphoceptors ······ 1792
摂食障害 eating disorders (ED) ······ 545
接触照明 contact illumination ······ 907
接触触媒作用〔法〕 contact catalysis ······ 310
接触〔性〕口唇炎 contact cheilitis ······ 340
接触性肉芽腫 contact granuloma ······ 797
接触走性 thigmotaxis ······ 1883
〔接〕触走性 stereotaxis ······ 1744
〔接〕触走性 stereotropism ······ 1744
接触阻止〔現象〕 contact inhibition ······ 933
摂食中枢 feeding center ······ 330
接触痛 haphalgesia ······ 815
接触的に per contiguum ······ 1384
摂食てんかん eating epilepsy ······ 628
接触伝染性の prosodemic ······ 1500
接触伝染病 contagious disease ······ 531
接触皮膚炎 contact dermatitis ······ 495
接触不快〔気分〕 haptodysphoria ······ 815
接触物 contactant ······ 415
摂食不能〔症〕 aphagia ······ 114
切除生検 excision biopsy ······ 214
切除用内視鏡 resectoscope ······ 1592
切除用内視鏡鞘 resectoscope sheath ······ 1671
切歯稜 incisor crest ······ 437
切歯路角 incisal guide angle ······ 89
舌唇咽頭麻痺 glossolabiolaryngeal paralysis, glossolabiopharyngeal paralysis ······ 1350
舌神経 lingual nerve ······ 1236
舌神経 nervus lingualis ······ 1242
〔神経〕節神経腫 ganglioneuroma ······ 755
〔神経〕節神経腫症 ganglioneuromatosis ··· 755
舌神経の口峡枝 faucial branches of lingual nerve ······ 246
舌神経の口峡枝 branches of lingual nerve to isthmus of fauces ······ 249
舌神経の口峡枝 rami isthmi faucium nervi lingualis ······ 1552
舌神経の神経節枝 ganglionic branches of lingual nerve ······ 246
舌神経の舌下神経との交通枝 communicating branches of lingual nerve with hypoglossal nerve ······ 244
舌神経の舌枝 rami linguales nervi lingualis ······ 1552
舌唇喉頭麻痺 glossolabiolaryngeal paralysis, glossolabiopharyngeal paralysis ······ 1350
舌深静脈 deep lingual vein ······ 1995
舌深静脈 vena profunda linguae ······ 2007
舌深動脈 arteria profunda linguae ······ 137
舌深動脈 deep artery of tongue ······ 144
舌深動脈 deep lingual artery ······ 144
截髄刀 myelotome ······ 1211
摂生 regimen ······ 1583
節制 continence ······ 416
節制 temperance ······ 1848
舌正中溝 median groove of tongue ······ 802
舌正中溝 median sulcus of tongue ······ 1773
摂生法 eubiotics ······ 647
切石位 lithotomy position ······ 1469
切石術 lithotomy ······ 1061
切石術医 lithotomist ······ 1061
切石刀 lithotome ······ 1061
舌切開〔術〕 glossotomy ······ 782
舌切除〔術〕 glossectomy ······ 781
舌尖 apex linguae ······ 113
舌尖 apex of tongue ······ 113
舌尖 tip of tongue ······ 1895
舌腺 lingual glands ······ 773
節前運動ニューロン preganglionic motor neuron ······ 1249
節前神経線維 preganglionic nerve fibers 690
節前線維 preganglionic fibers ······ 690
接線創 tangential wound ······ 2049
〔神経〕節前の preganglionic ······ 1478
舌尖部 proglossis ······ 1495
舌前部 anterior part of tongue ······ 1362
切創 incised wound ······ 2049
接続 connection ······ 413
舌側遠心の linguodistal ······ 1054
舌側傾斜 linguoclination ······ 1054
舌側咬合 linguoclusion ······ 1054
舌側咬合 lingual occlusion ······ 1290
舌側鼓形空隙 lingual embrasure ······ 601
舌側弧線 lingual arch ······ 126
舌側根 lingual root of tooth ······ 1621
舌側歯肉 lingual gingiva ······ 770
舌側歯肉の linguogingival ······ 1054
舌側歯肉裂溝 linguogingival fissure ······ 703
舌側唾液腺窩 lingual salivary gland depression ······ 493
舌側転位 linguoversion ······ 1054
節足動物 arthropod ······ 156
節足動物症 arthropodiasis ······ 156
節足動物門 Arthropoda ······ 156
舌側乳頭歯肉 lingual gingival papilla ··· 1345
舌側の lingual ······ 1053
舌側バー lingual bar ······ 196
舌側副子 lingual splint ······ 1722
舌側フレンジ lingual flange ······ 709
〔歯の〕舌側面 facies lingualis dentis ······ 664
〔歯の〕舌側面 lingual surface of tooth 1782
舌側レスト lingual rest ······ 1597
切胎〔術〕 embryotomy ······ 602
切胎〔術〕 lamination ······ 999
舌体 body of tongue ······ 229
舌体 corpus linguae ······ 425
絶対圧 absolute pressure ······ 1482
絶対暗点 absolute scotoma ······ 1650
絶対閾値 absolute threshold ······ 1886
絶対遠視 absolute hyperopia ······ 884
絶対温度 absolute temperature (T) ····· 1848
絶対気圧 atmosphere absolute (ata) ······ 170
絶対クーロン abcoulomb ······ 1
絶対光度閾値視力 absolute intensity threshold acuity ······ 22
絶対失書〔症〕 absolute agraphia ······ 39
絶対湿度 absolute humidity ······ 867
絶対湿度 specific humidity (q) ······ 867
絶対終末神経支配比 absolute terminal innervation ratio ······ 1560
絶対水分過剰 absolute hydration ······ 870
絶対性不整脈 pulsus irregularis perpetuus ······ 1526
絶対脱水〔症〕 absolute dehydration ······ 482
絶対単位 absolute unit ······ 1965
絶対単位系 absolute system of units ····· 1829
絶対的白血球増加〔症〕 absolute leukocytosis ······ 1027
絶対的標準法 definitive method ······ 1143
絶対粘度 absolute viscosity ······ 2031
絶対の absolute ······ 6
絶対の obligate ······ 1288
絶対半盲 absolute hemianopia ······ 828
絶対不応期 absolute refractory period ··· 1389
絶対リスク absolute risk ······ 1618
絶対リスクアプローチ absolute risk approach ······ 121
絶対緑内障 absolute glaucoma ······ 777
絶対零度 absolute zero ······ 2057
舌脱 glossocele ······ 781
癤(せつ)〔多発〕症 furunculosis ······ 746
切断 abscission ······ 6
切断 break ······ 255
切断 cut ······ 452
切断 fragmentation ······ 739
切断 section ······ 1653
切断 spallation ······ 1706
切断〔術,法〕 amputation ······ 65
切断機の sectorial ······ 1653
切端咬合 edge-to-edge occlusion ······ 1290
切断症候群 disconnection syndrome ······ 1802
切断神経腫 amputation neuroma ······ 1248
切断する dismember ······ 543
切断刀 amputation knife ······ 987
切端の incisal ······ 918
切断メス amputation knife ······ 987
切断用両刃刀 catlin, catling ······ 314
切断歪語音検査 staggered spondaic word test ······ 1866
接着ガーゼ包帯 adhesive bandage ······ 195
接着吸収包帯 adhesive absorbent dressing ······ 560
接着結合 adherens junction ······ 973
接着結合 tight junction ······ 973
接着剤 adhesive ······ 28
接着歯学 adhesive dentistry ······ 488
接着性結合装置 adhering junctions ······ 973
接着双生児 conjoined twins ······ 1956
接着帯 zonula adherens ······ 2060
接着強さ bond strength ······ 1753
接着斑 desmosome ······ 500
接着分子 adhesion molecules ······ 1164
接着分子L1 adhesion molecule L1 ······ 1164
折衷医学 eclecticism ······ 584
舌虫科 Linguatulidae ······ 1054
舌中隔 lingual septum ······ 1664
舌中隔 septum linguae ······ 1664
舌中隔 septum of tongue ······ 1664
折衷主義 eclecticism ······ 584
舌虫症 linguatuliasis ······ 1054
舌虫症 pentastomiasis ······ 1381
舌虫属 *Armillifer* ······ 132
舌虫属 *Linguatula* ······ 1053
舌虫属 *Pentastoma* ······ 1381
舌虫門 Pentastomida ······ 1381
舌沈下 glossoptosis, glossoptosia ······ 781
舌沈下 tongue-swallowing ······ 1900
舌痛 glossalgia ······ 781
舌痛 glossodynia ······ 781
舌痛向性 glossodyniotropism ······ 781
舌痛発作 glossagra ······ 781
切点 cutpoint ······ 453
節点 nodal point ······ 1454
セット unit (U) ······ 1965
Z zusammen (Z) ······ 2062
Z遺伝子 Z gene ······ 764

セ

Z型DNA Z-DNA …… 491
Z形成〔術〕Z-plasty …… 2061
Z字型注射法 Z-tract injection …… 936
Z線(帯) Z line …… 1052
Z蛋白 Z-protein …… 1506
Z値 Z score …… 1650
Z得点 Z score …… 1650
Zフィラメント Z filament …… 698
ZZ遺伝子型 ZZ genotype …… 767
窃盗恐怖〔症〕kleptophobia …… 987
〔窃〕盗癖 kleptomania …… 987
〔窃〕盗癖者 kleptomaniac …… 987
舌動脈 arteria lingualis …… 136
舌動脈 lingual artery …… 148
舌動脈〔動脈〕周囲神経叢 periarterial plexus of lingual artery …… 1442
舌動脈神経叢 lingual plexus …… 1441
舌動脈の舌骨上枝 suprahyoid branch of lingual artery …… 254
舌動脈の舌骨上枝 ramus suprahyoideus arteriae lingualis …… 1556
舌動脈の舌背枝 dorsal lingual branches of lingual artery …… 246
舌動脈の舌背枝 rami dorsales linguae arteriae lingualis …… 1551
説得 persuasion …… 1396
舌乳頭 lingual papillae …… 1345
舌乳頭 papilla lingualis …… 1345
舌乳頭 papillae of tongue …… 1345
舌乳頭炎 linguopapillitis …… 1054
舌粘膜 lingual mucosa …… 1176
舌粘膜 mucosa of tongue …… 1177
舌粘膜 periglottis …… 1387
舌粘膜 tunica mucosa linguae …… 1953
〔舌の〕下面 facies inferior linguae …… 663
舌の溝後部 postsulcal part of tongue …… 1367
舌の溝前部 presulcal part of tongue …… 1367
舌の後部 posterior part of tongue …… 1367
舌の分界溝 sulcus terminalis linguae …… 1775
舌の分界溝 terminal sulcus of tongue …… 1775
舌背 dorsum linguae …… 556
舌背 dorsum of tongue …… 556
舌背静脈 dorsal lingual vein …… 1995
舌背静脈 venae dorsales linguae …… 2005
切迫尿失禁 urge incontinence, urgency incontinence …… 920
切迫流産 threatened abortion …… 4
切半 bisect …… 216
折半 moiety …… 1163
舌半切除〔術〕hemiglossectomy …… 829
舌片側(半側)萎縮症 lingual hemiatrophy 828
舌片側(半側)の hemilingual …… 829
舌病 glossopathy …… 781
絶壁頭 positional plagiocephaly …… 1429
絶壁恐怖〔症〕cremnophobia …… 436
切片 cross section …… 1653
切片 section …… 1653
舌扁桃 lingual tonsil …… 1901
舌扁桃 tonsilla lingualis …… 1901
舌扁桃陰窩 lingual crypt …… 445
舌扁桃周囲炎 lingual quinsy …… 1539
切片標本 section …… 1653
舌縫合〔術〕glossorrhaphy …… 781
節面 nodal plane …… 1430
舌面咬合面の linguo-occlusal …… 1054
舌面歯肉隆起 linguogingival ridge …… 1615
舌面板 linguoplate …… 1054
舌面板 lingual plate …… 1435
舌面レスト cingulum rest …… 1597
雪盲 snow blindness …… 221
雪盲 ophthalmia nivalis …… 1307
舌盲孔 blind foramen of the tongue …… 724
舌盲孔 cecal foramen of the tongue …… 724
舌盲孔 foramen cecum linguae …… 724
舌盲孔 foramen cecum of tongue …… 724
節約作用 sparing action …… 21
舌癒着症 ankyloglossia …… 92
舌葉 folia linguae …… 721
舌力計 glossodynamometer …… 781
舌リンパ節 lingual lymph nodes …… 1079
舌裂 lingua fissurata …… 1053
舌裂 schistoglossia …… 1642
〔神経路〕切路〔術〕tractotomy …… 1914
セデセア属 *Cedecea* …… 318
セトステアリルアルコール cetostearyl alcohol …… 337
セドスポリウム属 *Scedosporium* …… 1641
セドヘプツロース sedoheptulose …… 1654
セトラリア cetraria …… 337
セトル SETTLE …… 1669
せなか dorsum …… 556
セニング手術 Senning operation …… 1306
セヌリス嚢虫 cenuris, coenuris …… 332
セネガ senega …… 1660
セネガルゴム senegal gum …… 805
セネシオ酸 senecioic acid …… 1660
セネステシア cenesthesia …… 330
ゼノエストロゲン xenoestrogen …… 2052
セノサイト cenocyte …… 330
セノトロープ cenotrope …… 330
背乗り mount …… 1172
セバジン cevadine …… 337
セパレータ separator …… 1662
セファマイシン系抗生物質 cephamycins 334
セファリナ類 cephaline …… 333
セファログラム cephalogram …… 333
セファロスポラニン酸 cephalosporanic acid …… 333
セファロスポリン cephalosporin …… 333
セファロスポリンC cephalosporin C …… 333
セファロスポリンN cephalosporin N …… 333
セファロスポリンP cephalosporin P …… 333
セファロトキシン cephalotoxin …… 334
セファロント cephalont …… 333
セプシス sepsis …… 1662
セプタータ属 *Septata* …… 1662
ゼプト zepto- (z) …… 2057
ゼブラ小体 zebra body …… 230
セマフォリン semaphorin …… 1659
セマフォリンIII semaphorin III …… 1659
セミアルデヒド semialdehyde …… 1659
セミキノン semiquinone …… 1659
セミコン酸カルミン染色〔法〕Semichon acid carmine stain …… 1735
セミノーマ seminoma …… 1659
セメント cement …… 329
セメント芽細胞 cementoblast …… 329
セメント芽細胞 cementocyte …… 330
セメント芽細胞腫 cementoblastoma …… 329
セメント合着 cementation …… 329
セメント骨化性線維腫 cementoossifying fibroma …… 694
セメント質 cementum …… 330
セメント質う食(蝕) cemental caries …… 302
セメント質化 cementification …… 329
セメント質形成 cementogenesis …… 330
セメント質腫 cementoma …… 330
セメント質増殖〔症〕excementosis …… 651
セメント質破壊(崩壊)症 cementoclasia …… 329
セメント質肥大 hypercementosis …… 879
セメント周囲組織 pericemental attachment …… 175
セメント小体 cement corpuscle …… 426
セメント線 cement line …… 1049
セメントぞうげ境 cementodentinal junction …… 973
セメント病 cement disease …… 530
セメント物質 cementing substance …… 1765
セメント裏層 cement base …… 199
セメント粒 cementicle …… 329
セラシア属 *Serratia* …… 1667
セラチア属 *Serratia* …… 1667
ゼラチナーゼ gelatinase …… 761
ゼラチン gelatin …… 761
ゼラチン亜鉛 zinc gelatin …… 2058
ゼラチン産生の gelatiniferous …… 761
セラミダーゼ ceramidase …… 334
セラミック ceramic …… 334
セラミッククラウン ceramic crown …… 442
セラミド ceramide …… 334
セラミドラクトシダーゼ ceramide lactosidase …… 334
セラミドラクトシド ceramide lactoside 334
セラミドラクトシドリピドーシス ceramide lactoside lipidosis …… 1056
セラメクチン selamectin …… 1657
ゼラレノン zearalenone …… 2057
ゼリー jelly …… 967
セリアック病 celiac disease …… 530
セリウム cerium (Ce) …… 335
セリック手技 Sellick maneuver …… 1099
セリル ceryl …… 336
セリル seryl (S) …… 1668
セリン serine (S, Ser) …… 1666
セリンカルボキシペプチダーゼ serine carboxypeptidase …… 295
L-セリンデヒドラターゼ L-serine dehydratase …… 1666
セリンヒドロラーゼ serine hydrolases …… 872
セリンプロテアーゼインヒビター serine protease inhibitors …… 935
セル cel …… 318
セル cell …… 318
セルクラージュ cerclage …… 334
セルコシスチス cercocystis …… 334
セルコマー cercomer …… 334
セルコモナス属 *Cercomonas* …… 334
セルコモナド cercomonad …… 334
セルツァ〔水〕Selters water, Seltzer water …… 2041
セルディンガー法 Seldinger technique 1845
セルトーリ(セルトリ)間質細胞腫 Sertoli-stromal cell tumor …… 1951
セルトーリ(セルトリ)細胞 Sertoli cells 326
セルトーリ(セルトリ)細胞腫〔瘍〕Sertoli cell tumor …… 1951
セルトーリ(セルトリ)細胞唯一症候群 Sertoli-cell-only syndrome …… 1819
セルトーリ(セルトリ)-ライディッヒ細胞腫 Sertoli-Leydig cell tumor …… 1951
セルフコントロール self-control …… 1658
セルペンタリア根 serpentaria …… 1667
セルライト cellulite …… 328
セルラーゼ cellulase …… 328
セルレイン cerulein …… 335
セルロイドストリップ celluloid strip …… 1757
セルロース cellulose …… 328
セルロース酸 cellulosic acid …… 329
セルロプラスミン ceruloplasmin …… 336
セレクチン selectin …… 1657
セレシン ceresin …… 335
セレスタン管 Celestin tube …… 1941
セレスチンブルーB celestine blue B …… 318
セレノシスチン selenocysteine …… 1658
セレノメチオニン selenomethionine …… 1658
セレノモナス属 *Selenomonas* …… 1658
セレブロシド cerebroside …… 335
セレブロシドーシス cerebrosidosis …… 335
セレブロシドスルファターゼ cerebroside-sulfatase, cerebroside sulfatidase …… 335
セレブロシドリピドーシス cerebroside lipoidosis …… 1057
セレブロステロール cerebrosterol …… 335
セレブロン酸 cerebronic acid …… 335
セレベリン cerebellin …… 334
セレン selenium (Se) …… 1658
セレン板 selenium plate …… 1435

セロイジン celloidin ……… 328
セロイド ceroid ……… 335
セロイド脂褐素(リポフスチン)〔沈着〕症 ceroid lipofuscinosis ……… 1057
セロウイルス Celovirus ……… 329
セロコンバージョン seroconversion …… 1666
ゼロ時二重鎖DNA zero time-binding DNA ……… 491
セロソミア celosomia ……… 329
セロチン酸 cerotinic acid ……… 335
セロテープ法 cellulose tape technique 1844
セロトニン serotonin ……… 1667
セロトニン症候群 serotonin syndrome 1819
セロトニントランスポータ serotonin transporter (SERT) ……… 1921
セロトニンノルエピネフリン再取り込み阻害剤 serotonin norepinephrine reuptake inhibitor ……… 935
セロトニン輸送体 serotonin transporter (SERT) ……… 1921
セロナ cellona ……… 328
ゼロ乳房撮影〔法〕 xeromammography … 2053
セロネガティブ seronegative ……… 1666
セロビオース cellobiose ……… 328
セロポジティブ seropositive ……… 1666
ゼロラジオグラフ xeroradiograph ……… 2053
ゼロラジオグラフィ xeroradiography …… 2053
セロリ種子 celery seed ……… 318
セロリバージョン seroreversion ……… 1666
せん peg ……… 1377
栓 plug ……… 1446
線 line ……… 1048
線 linea ……… 1053
線〔条〕 striation ……… 1756
線〔条〕 stripe ……… 1757
腺 gland ……… 771
腺 glandula ……… 775
尖 apex ……… 113
尖 cusp ……… 452
尖 cuspis ……… 452
尖 mucro ……… 1177
尖 tip ……… 1895
〔前立腺の〕尖 apex of prostate ……… 113
〔前立腺の〕尖 apex prostatae ……… 113
〔披裂軟骨〕尖 apex of arytenoid cartilage ……… 113
前 anticus ……… 102
漸悪性の ingravescent ……… 932
線維 fiber ……… 687
線維 fibra ……… 691
線維 strand ……… 1751
遷移 transition ……… 1919
前位 anteposition ……… 97
線維〔性〕うっ血性 fibrocongestive ……… 693
線維黄色腫 fibroxanthoma ……… 696
線維芽細胞 fibroblast ……… 693
線維芽細胞増殖因子受容体遺伝子 fibroblast growth factor receptor ……… 763
線維間の interfibrous ……… 945
線維乾酪性腹膜炎 fibrocaseous peritonitis ……… 1393
全域地方病〔性〕の holoendemic ……… 858
全域伝染性感染症 holomiantic (infection) ……… 927
線維胸 fibrothorax ……… 696
線維筋炎 fibromyositis ……… 695
線維筋過形成 fibromuscular hyperplasia 886
線維筋腫 fibromyoma ……… 695
線維筋腫切除〔術〕 fibromyectomy ……… 695
線維筋性形成異常(異形成) fibromuscular dysplasia ……… 575
線維筋痛症 fibromyalgia ……… 695
線維形成 desmoplasia ……… 500
線維形成 fibrogenesis ……… 694
線維形成異常〔症〕 fibrodysplasia ……… 693
線維形成髄芽腫 desmoplastic medulloblastoma ……… 1119
線維形成性〔硬化性〕毛包上皮腫 desmoplastic trichoepithelioma ……… 1929
線維形成〔性〕大脳〔神経膠〕星状細胞腫 desmoplastic cerebral astrocytoma …… 166
線維形成〔性〕大脳星状〔膠〕細胞腫 desmoplastic cerebral astrocytoma …… 166
線維形成性の fibroplastic ……… 695
線維結節 fibrous tubercle ……… 1943
線維結節性の fibronodular ……… 695
線維硬化性(結合織形成性)悪性黒色腫 desmoplastic malignant melanoma …… 1122
線維骨腫 fibroosteoma ……… 695
〔水晶体〕線維細胞 fiber cell ……… 321
線維細胞性 fibrocellular ……… 693
線維細網板 lamina fibroreticularis ……… 997
〔神経〕線維索移植〔片〕 funicular graft …… 795
線維三角 central fibrous body ……… 226
〔心臓の〕線維三角 fibrous trigones of heart ……… 1932
〔心臓の〕線維三角 trigona fibrosa cordis 1933
前意識 preconscious ……… 1477
前意識の foreconscious ……… 728
前意識の subconscious ……… 1762
線維脂肪腫 fibrolipoma ……… 694
線維脂肪の fibroadipose ……… 693
線維腫 fibroma ……… 694
線維腫症 fibromatosis ……… 694
線維腫の fibromatous ……… 695
線維腫様結節 fibromatoid ……… 694
線維症 fibrosis ……… 695
線維鞘 fibrous sheaths ……… 1670
線維状細菌ウイルス filamentous bacterial viruses ……… 2024
〔線維鞘〕十字部 pars cruciformis vaginae fibrosae ……… 1358
〔線維鞘〕十字部 cruciform part of fibrous sheath ……… 1363
線維状の filamentous ……… 698
線維上皮腫 fibroepithelioma ……… 693
線維漿膜性の fibroserous ……… 695
線維鞘輪 anulus of fibrous sheath ……… 111
線維神経膠症 fibrogliosis ……… 694
線維神経腫 fibroneuroma ……… 695
線維診断法 inoscopy ……… 938
線維性黄色腫 fibrous xanthoma ……… 2051
線維性海綿体炎 fibrous cavernitis ……… 315
線維性架橋形成 bridging hepatic fibrosis 696
線維性眼筋麻痺 fibrotic ophthalmoplegia ……… 1308
線維性間代性筋痙攣 fibrillary myoclonia ……… 1212
線維性強直 fibrous ankylosis ……… 93
線維性筋炎 myositis fibrosa ……… 1216
線維性結合 fibrous integration ……… 942
線維性甲状腺腫 fibrous goiter ……… 790
線維性骨形成異常(異形成) fibrous dysplasia of bone ……… 575
線維性縦隔炎 fibrous mediastinitis ……… 1115
線維性収縮 fibrillary contractions ……… 417
線維性心外膜炎(心嚢炎) fibrous pericarditis ……… 1386
線維性〔神経膠〕星状細胞 fibrillary astrocyte, fibrous astrocyte ……… 165
線維性〔神経膠〕星状細胞腫 fibrillary astrocytoma ……… 166
線維性心膜 pericardium fibrosum ……… 1386
線維性心膜炎 fibrinous pericarditis ……… 1386
線維性星状〔神経〕膠細胞 fibrillary astrocyte, fibrous astrocyte ……… 165
線維性星状〔膠〕細胞腫 fibrillary astrocytoma ……… 166
線維性組織球腫 fibrous histiocytoma …… 854
線維性大腸症 fibrosing colonopathy ……… 393
線維性蛋白 fibrous protein ……… 1503
〔先端〕線維性軟ゆう(疣) acrochordon …… 17
遷移性の transitional ……… 1919
線維〔性〕の fibrous ……… 696
線維性肺炎 fibrous pneumonia ……… 1449
線維性白内障 fibroid cataract, fibrinous cataract ……… 311
線維性皮質〔骨〕欠損〔症〕 fibrous cortical defect ……… 477
線維性被膜 capsula fibrosa ……… 290
線維性被膜 fibrous capsule ……… 290
線維性変性 fibrous degeneration ……… 481
線維性ポリープ fibrous polyp ……… 1463
線維〔性〕ポリープ fibropolypus ……… 695
線維性網状の fibroreticulate ……… 695
線維性癒合 fibrous union ……… 1964
線維性癒着 fibrous adhesion ……… 28
線維性連結 articulatio fibrosa ……… 157
線維性連結 fibrous joint ……… 970
線維性連結 junctura fibrosa ……… 974
線維石灰化(性)の fibrocalcific ……… 693
線維腺腫 fibroadenoma ……… 693
線維素 fibrin ……… 692
線維層 fibrous layer ……… 1010
線維層 stratum fibrosum ……… 1751
線維増殖〔症〕 fibroplasia ……… 695
線維増多 fibrosis ……… 695
線維層板肝細胞癌 fibrolamellar liver cell carcinoma ……… 297
線維素〔性〕炎〔症〕 fibrinous inflammation 929
線維素〔性〕化膿〔性〕炎症 fibrinopurulent inflammation ……… 929
線維素〔性〕気管支炎 fibrinous bronchitis 259
〔神経〕線維束移植〔片〕 fascicular graft …… 795
〔線維〕束〔性〕収縮 fasciculation ……… 675
線維束の fascicular ……… 675
線維束変性 fascicular degeneration ……… 481
線維素形成 fibrinogenesis ……… 693
線維素原 fibrinogen ……… 692
線維素原減少〔症〕 fibrinogenopenia ……… 693
線維素原溶解〔現象〕 fibrinogenolysis ……… 693
線維素細胞性の fibrinocellular ……… 692
線維組織 fibrous tissue ……… 1895
線維組織炎 initis ……… 936
線維素除去 defibrination ……… 478
線維素診断法 fibrinoscopy ……… 693
線維素性血栓 fibrin thrombus ……… 1889
線維素性虹彩炎 fibrinous iritis ……… 957
線維素生成 fibrinogenesis ……… 693
線維疎性の fibroareolar ……… 693
線維素性毛様体炎 plastic cyclitis ……… 456
線維素性癒着 fibrinous adhesion ……… 28
線維素尿〔症〕 fibrinuria ……… 693
線維素尿症 inosuria ……… 939
線維素(フィブリン)のヴァイゲルト染色〔法〕 Weigert stain for fibrin ……… 1736
線維素膿性 fibrinopurulent ……… 693
線維素ペプチド fibrinopeptide ……… 693
線維素様壊死 fibrinoid necrosis ……… 1224
線維素溶解〔現象〕 fibrinolysis ……… 693
線維素溶解酵素 fibrinolysin ……… 693
線〔維素〕溶〔解〕酵素 plasmin ……… 1433
線維素溶解性紫斑病 fibrinolytic purpura ……… 1528
線維素様変性 fibrinoid degeneration, fibrinous degeneration ……… 481
線維体 corpus fibrosum ……… 425
線維弾性症 fibroelastosis ……… 693
線維弾性の fibroelastic ……… 693
線維柱〔帯〕切除〔術〕 trabeculectomy …… 1908
線維柱帯形成術 trabeculoplasty ……… 1908
線維柱帯切開術 trabeculotomy ……… 1908
線維柱網 trabecular tissue of sclera …… 1896
遷移電子 transition electron ……… 596
線維軟骨 fibrocartilage ……… 693
線維軟骨炎 fibrochondritis ……… 693
線維軟骨結合 amphiarthrosis ……… 63
〔線維軟骨〕結合 symphysis ……… 1791

セ

線維軟骨腫 fibrochondroma ………………… 693
線維肉腫 fibrosarcoma ……………………… 695
線維乳頭腫 fibropapilloma ………………… 695
線維粘液腫 fibromyxoma …………………… 695
線維発生 fibrogenesis ……………………… 694
線維平滑筋腫 fibroleiomyoma ……………… 694
前位縫合 advancement ……………………… 31
〔肝臓〕線維膜 fibrous capsule of liver …… 290
〔肝臓〕線維膜 tunica fibrosa hepatis …… 1953
〔関節包の〕線維膜 fibrous articular capsule ……………………………………… 290
〔関節包の〕線維膜 fibrous layer of joint capsule ……………………………… 1010
〔関節包の〕線維膜 membrana fibrosa capsulae articularis …………………… 1124
〔関節包の〕線維膜 fibrous membrane of joint capsule ………………………… 1125
〔脾臓〕線維膜 tunica fibrosa lienis ……… 1953
〔脾臓〕線維膜 tunica fibrosa splenica …… 1953
線維膜 fibrous ……………………………… 696
線維膜 tunica fibrosa ……………………… 1953
線維網構造 terminal web …………………… 2043
線維毛包腫 fibrofolliculoma ……………… 693
線維様変性 fibrous degeneration ………… 481
線維輪 anulus fibrosus …………………… 111
線維輪 fibrous ring ………………………… 1617
線維類粘液型線維肉腫 fibromyxoid type fibrosarcoma ………………………… 695
線入れ striation …………………………… 1756
線維攣縮 fibrillation ……………………… 692
浅陰核背静脈 superficial dorsal veins of clitoris ……………………………… 2001
浅陰核背静脈 venae dorsales clitoridis superficiales …………………………… 2005
前引筋 attrahens …………………………… 175
浅陰茎筋膜 superficial fascia of penis …… 674
浅陰茎背静脈 superficial dorsal veins of penis ……………………………… 2001
浅陰茎背静脈 venae dorsales penis superficiales …………………………… 2005
前陰唇交連 anterior labial commissure … 397
前陰唇交連 commissura labiorum anterior ……………………………………… 397
〔深外陰部動脈の〕前陰唇枝 anterior labial arteries …………………………… 142
前陰唇静脈 anterior labial veins ………… 1993
前陰唇静脈 venae labiales anteriores …… 2006
前陰唇神経 anterior labial nerves ……… 1232
前陰唇神経 nervi labiales anteriores …… 1242
前陰嚢静脈 anterior scrotal veins ……… 1993
前陰嚢静脈 venae scrotales anteriores … 2007
前陰嚢神経 anterior scrotal nerves …… 1232
前陰嚢神経 nervi scrotales anteriores … 1243
前運動皮質 premotor cortex ……………… 428
尖鋭恐怖〔症〕 aichmophobia ……………… 39
尖鋭恐怖〔症〕 belonephobia ……………… 205
鮮鋭度 conspicuity ………………………… 414
浅会陰横筋 superficial transverse muscle of perineum ………………………… 1195
浅会陰横筋 superficial transverse perineal muscle ………………………………… 1195
浅会陰横筋 musculus transversus perinei superficialis ……………………………… 1204
浅会陰筋膜 fascia perinei superficialis …… 674
浅会陰筋膜 superficial fascia of perineum ……………………………………… 674
浅会陰隙 superficial perineal pouch …… 1474
浅会陰隙 superficial perineal space …… 1705
浅会陰隙 spatium perinei superficiale … 1707
前腋窩線 anterior axillary line ………… 1049
前腋窩線 linea axillaris anterior ……… 1053
前腋窩ひだ anterior axillary fold ……… 718
〔完〕全壊死 total necrosis ……………… 1225
前エディプス期 pre-oedipal phase ……… 1402
線エネルギー付与 linear energy transfer (LET) …………………………………… 1918
腺炎 adenitis ……………………………… 24
前縁 anterior border ……………………… 234
前縁 anterior margin ……………………… 1103
全遠視 total hyperopia (Ht) …………… 884
遷延性植物状態 persistent vegetative state (PVS) ……………………………… 1739
遷延性胆管炎 cholangitis lenta ………… 349
遷延性敗血症 sepsis lenta ……………… 1662
全縁の entire ……………………………… 622
浅横中手靱帯 superficial transverse metacarpal ligament ………………… 1040
浅横中手靱帯 ligamentum metacarpale transversum superficiale ……………… 1044
浅横中足靱帯 superficial transverse metatarsal ligament ………………… 1040
浅横中足靱帯 ligamentum metatarsale transversum superficiale ……………… 1044
先オリーブ形カテーテル olive-tipped catheter ……………………………………… 313
ぜん音 stridor ……………………………… 1757
穿開〔術〕 paracentesis …………………… 1348
〔浅〕外陰部動脈 (superficial) external pudendal artery ………………………… 152
前外果動脈 arteria malleolaris anterior lateralis ………………………………… 136
前外果動脈 anterior lateral malleolar artery ……………………………………… 142
旋回性紅斑 erythema gyratum …………… 638
前外側核 nucleus anterolateralis ……… 1273
〔脊髄〕前外側系 anterolateral system …… 1829
浅外側頸リンパ節 superficial lateral cervical lymph nodes ……………………… 1081
前外側溝 anterolateral groove ………… 801
前外側溝 anterolateral sulcus ………… 1771
前外側視床線条体動脈 arteriae centrales anterolaterales ……………………… 134
前外側視床線条体動脈 arteriae thalamostriatae anterolaterales ………… 138
前外側視床線条体動脈 anterolateral central arteries ……………………………… 142
前外側視床線条体動脈 anterolateral thalamostriate arteries ………………… 142
前外側泉門 fonticulus anterolateralis …… 723
前外側中心動脈 arteriae centrales anterolaterales ………………………… 134
前外側中心動脈 anterolateral central arteries ………………………………… 142
前外側中心動脈の外側枝 rami laterales arteriarum centralium anterolateralium ……………………………………… 1552
前外側中心動脈の内側枝 rami mediales arteriarum centralium anterolateralium ……………………………………… 1553
前外側の anterolateral ………………… 97
前外椎骨静脈叢 anterior external vertebral venous plexus ……………………… 1439
前概念期 preconceptual stage ………… 1727
前灰白交連 anterior gray commissure …… 397
〔脊髄〕前〔灰白〕柱 anterior gray column …… 395
前外方の anteroexternal ………………… 97
腺窩炎 cryptitis …………………………… 445
前窩陥凹 anterior recess ……………… 1571
前窩陥凹 recessus anterior …………… 1573
前蝸牛核 nucleus cochlearis anterior …… 1274
尖角 apical angle ………………………… 88
尖角 point angle ………………………… 89
線角 line angle …………………………… 89
前核 pronucleus ………………………… 1498
前角 cornu anterius ……………………… 423
前角 anterior horn ……………………… 864
前角 frontal horn ………………………… 864
〔側脳室の〕前角 cornu frontale ventriculi lateralis ……………………………… 424
尖顎奇形 stomocephalus ……………… 1749
前額結合奇形〔体〕 metopagus ………… 1148
前拡張期 prediastole …………………… 1477
前拡張期の prediastolic ……………… 1477
全拡張期の holodiastolic ……………… 858
全拡張終期径 total end-diastolic diameter (TEDD) ……………………………… 509
前額の metopic ………………………… 1148
前額傍正中皮弁 paramedian forehead flap ……………………………………… 710
前角膜 precorneal film ………………… 699
全角膜移植 total keratoplasty ………… 980
腺窩結石 cryptolith ……………………… 445
腺芽細胞 adenoblast …………………… 24
ゼンガー手術 Saenger operation ……… 1306
前下小脳動脈 anterior inferior cerebellar artery ……………………………………… 141
腺下垂体隆起部 pars tuberalis adenohypophyseos ……………………… 1361
腺窩性扁桃炎 lacunar tonsillitis ……… 1901
〔直〕線加速度 linear acceleration ……… 9
前下腿部 regio cruris anterior ………… 1584
前下腿面 facies cruralis anterior ……… 663
全割 holoblastic cleavage ……………… 373
全割性の holoblastic …………………… 858
全カテコールアミン試験 total catecholamine test ……………………… 1867
前下壁心筋梗塞 anteroinferior myocardial infarction ……………………………… 926
前下方の anteroinferior ………………… 97
全か無か all or none …………………… 50
前顆粒膜細胞 pregranulosa cells ……… 325
腺癌 adenocarcinoma ………………… 24
腺癌 glandular carcinoma ……………… 297
善感 take ………………………………… 1839
前癌 precancer ………………………… 1476
全感覚 panesthesia ……………………… 1342
腺管癌 duct carcinoma, ductal carcinoma ……………………………………… 297
前眼瞼縁 anterior palpebral margin …… 1103
前還元の prereduced ………………… 1480
前幹細胞 prestem cell ………………… 325
前癌状態 precancer …………………… 1476
前癌性病変 precancerous lesion ……… 1023
全関節炎 holarthritis …………………… 858
〔歯突起〕前関節面 facies articularis anterior dentis ……………………………… 662
〔歯突起〕前関節面 anterior articular surface of dens ………………………………… 1780
前環椎後頭靱帯 anterior atlanto-occipital ligament ……………………………… 1032
前環椎後頭膜 membrana atlanto-occipitalis anterior ……………………………… 1124
前環椎後頭膜 anterior atlanto-occipital membrane ……………………………… 1125
前冠動脈周囲神経叢 anterior coronary periarterial plexus ……………………… 1439
腺管内癌 intraductal carcinoma ……… 297
腺管内の intraduct ……………………… 950
潜函病 dysbarism ……………………… 570
潜函病 diver's paralysis ……………… 1350
潜函病 caisson sickness ……………… 1676
潜函病 decompression sickness ……… 1677
洗眼瓶 undine ………………………… 1964
前眼部 anterior segment of eyeball …… 1654
前眼房 camera anterior bulbi ………… 281
前眼房 anterior chamber of eyeball …… 338
全顔面指数 facial index ……………… 922
前顔面静脈 anterior facial vein ……… 1993
前顔面静脈 vena facialis anterior …… 2005
洗眼薬 collyrium ……………………… 392
洗眼薬 eyewash ……………………… 660
前期 prophase ………………………… 1498
前戯 foreplay …………………………… 728
閃輝暗点 scintillating scotoma ……… 1650
閃輝暗点 fortification spectrum ……… 1709
閃輝暗点〔症〕 teichopsia ……………… 1845
閃輝性融解 synchysis scintillans …… 1794
腺機能亢進の hyperglandular ……… 881

腺機能低下 hypoadenia 891
前期破水 premature rupture of membranes (PROM) 1127
前期破水 premature membrane rupture 1627
前擬尾虫 procercoid 1488
〔内包〕前脚 anterior limb of internal capsule 1047
栓球 thrombocyte 1887
前嗅覚核 anterior olfactory nucleus 1273
前弓緊張 emprosthotonos 605
栓球系 thrombocytic series 1666
栓球血症 thrombocytosis 1887
栓球減少〔症〕 thrombocytopenia 1887
線吸収係数 linear absorption coefficient 387
栓球新生 thrombopoiesis 1888
〔あぶみ骨の〕前脚 anterior crus of stapes 443
〔あぶみ骨の〕前脚 anterior limb of stapes 1047
前嗅傍溝 anterior parolfactory sulcus 1771
〔角膜の〕前境界板 anterior limiting lamina of cornea 997
〔角膜の〕前境界板 lamina limitans anterior corneae 998
〔角膜の〕前境界板 anterior limiting layer of cornea 1009
前胸鎖靱帯 anterior sternoclavicular ligament 1033
前胸鎖靱帯 ligamentum sternoclaviculare anterius 1045
前胸腺 prothoracic glands 774
前橋中脳静脈 anterior pontomesencephalic vein 1993
前橋中脳静脈 vena pontomesencephalica anterior 2007
前胸部 precordia 1477
前胸部心電図 precordial electrocardiography 593
前胸部痛 precordialgia 1477
前胸部の precordial 1477
前胸部ひっかかり症候群 precordial catch syndrome 1816
前強膜炎 anterior scleritis 1646
全強膜拡張 total sclerectasia 1646
前強膜切開〔術〕 anterior sclerotomy 1648
前強膜脈絡膜炎 sclerochoroiditis anterior 1646
前鋸筋 anterior serratus muscle 1181
前鋸筋 serratus anterior (muscle) 1193
前鋸筋 musculus serratus anterior 1203
前鋸筋粗面 tuberositas musculi serrati anterioris 1947
前鋸筋粗面 tuberosity for serratus anterior (muscle) 1947
〔眼球〕前極 anterior pole of eyeball 1456
〔眼球〕前極 polus anterior bulbi oculi 1457
〔水晶体〕前極 anterior pole of lens 1456
〔水晶体〕前極 polus anterior lentis 1457
腺棘細胞腫 adenoacanthoma 24
仙棘靱帯 sacrospinous ligament 1040
仙棘靱帯 ligamentum sacrospinale 1045
仙棘靱帯固定法 sacrospinous vaginal vault suspension procedure 1488
前極ブドウ〔膜〕腫 anterior staphyloma 1738
前距脛靱帯 anterior talotibial ligament 1033
全去〔勢〕術 emasculation 600
前巨赤芽球 promegaloblast 1497
前距腓靱帯 anterior talofibular ligament 1033
前距腓靱帯 ligamentum talofibulare anterius 1045
線菌綱 Hyphomycetes 890
腺筋腫 adenomyoma 26
腺筋症 adenomyosis 26
漸近的な asymptotic 166
〔腹部〕浅筋膜の脂肪層 fatty layer of superficial fascia 1010
会陰浅筋膜の膜状層 membranous layer of superficial fascia of perineum 1011
線菌類の hyphomycetous 890
前区 anterior (bronchopulmonary) segment [S III] 1654
前区 anterior segment 1654
前区 segmentum anterius 1656
前区域 anterior (bronchopulmonary) segment [S III] 1654
前駆快感 forepleasure 728
前駆期 prodromal period 1389
前駆期 prodromal stage 1727
前駆細胞 precursor cell 325
前駆細胞 progenitor cell 325
前駆出期 preejection period 1389
前駆症〔状〕 prodrome 1493
前駆陣痛 false labor 992
前駆陣痛 false pains 1337
セングズテークン(セングズターケン)-ブレークモアー管 Sengstaken-Blakemore tube 1942
前駆体 antecedent 97
前駆体 precursor 1477
前駆体ホルモン prehormone 1479
前駆徴候 prodromic sign 1683
前屈 anteflexion 97
前屈症 camptocormia 281
穿掘性潰瘍 undermining ulcer 1961
〔左右肺の〕前区動脈の下行枝 descending branch of anterior segmental artery of left and right lungs 245
前駆斑 herald patch 1371
前駆賦活体 proactivator 1486
前駆物質 antecedent 97
前駆物質 precursor 1477
前クロム処理 prechroming 1476
潜茎 phallocrypsis 1399
前傾 anteversion 97
前脛距靱帯 anterior tibiotalar ligament 1033
前脛距靱帯 anterior tibiotalar part of medial ligament of ankle joint 1362
前脛骨筋 anterior tibial muscle 1181
前脛骨筋 tibialis anterior (muscle) 1196
前脛骨筋 musculus tibialis anterior 1204
前脛骨筋腱下包 anterior tibial bursa 267
前脛骨筋腱下包 subtendinous bursa of tibialis anterior 271
前脛骨筋腱鞘 tendinous sheath of tibialis anterior muscle 1672
前脛骨筋腱鞘 vagina tendinis musculi tibialis anterioris 1982
前脛骨筋膜筋 musculus tibiofascialis anterior, musculus tibiofascialis anticus 1204
前脛骨結節 anterior tibial node 1260
前脛骨静脈 anterior tibial veins 1993
前脛骨静脈 venae tibiales anteriores 2008
前脛骨動脈 arteria tibialis anterior 138
前脛骨動脈 anterior tibial artery 142
前脛骨熱 pretibial fever 685
前脛骨反回動脈 arteria recurrens tibialis anterior 137
前脛骨反回動脈 anterior tibial recurrent artery 142
前脛骨リンパ節 anterior tibial lymph node 1077
前脛骨リンパ節 nodus lymphoideus tibialis anterior 1262
尖形(圭)コンジローム condyloma acuminatum 409
前頸三角 anterior triangle of neck 1926
前頸三角 trigonum colli anterius 1933
前頸静脈 anterior jugular vein 1993
前頸静脈 vena jugularis anterior 2006
前頸静脈リンパ節 anterior jugular lymph nodes 1077
線形精子 nematospermia 1227
線形動物 nemathelminth 1226
線形動物門 Nemathelminthes 1226
線形動物門 Nematoda 1226
浅頸動脈 arteria cervicalis superficialis 134
浅頸動脈 superficial cervical artery 152
浅頸動脈の下行枝 descending branch of superficial cervical artery 246
浅頸動脈の上行枝 ascending branch of superficial cervical artery 243
尖形の acuminate 22
前傾の anteverted 97
前脛腓靱帯 anterior tibiofibular ligament 1033
前脛腓靱帯 ligamentum tibiofibulare anterius 1046
扇形部 splay 1719
前頸部 anterior cervical region 1584
前頸部 anterior region of neck 1585
〔前頸部の〕筋三角 trigonum musculare (regionis cervicalis anterioris) 1933
前頸リンパ節 anterior cervical lymph nodes 1077
潜血 occult blood 223
全血 whole blood 223
〔完〕全血球算定 complete blood count (CBC) 223
〔環椎〕前結節 anterior tubercle of atlas 1943
〔環椎〕前結節 tuberculum anterius atlantis 1946
〔視床〕前結節 anterior tubercle of thalamus 1943
〔視床〕前結節 tuberculum anterius thalami 1946
〔頸椎〕前結節 anterior tubercle of cervical vertebrae 1943
仙結節靱帯 sacrotuberous ligament 1040
仙結節靱帯 ligamentum sacrotuberale 1045
〔仙結節靱帯の〕鎌状靱帯 falciform ligament 1035
〔仙結節靱帯の〕鎌状靱帯 ligamentum falciforme 1043
仙結節靱帯の鎌状突起 falciform process of sacrotuberous ligament 1489
仙結節靱帯の鎌状突起 processus falciformis ligamenti sacrotuberalis 1491
全血尿 total hematuria 827
前結膜動脈 arteria conjunctivalis anterior 135
前結膜動脈 anterior conjunctival artery 141
前減数期 premeiotic phase 1402
潜原性敗血症 cryptogenic septicemia 1662
前原体節期の presomite 1481
前検鼻〔法〕 anterior rhinoscopy 1608
前後形成異常(異形成) anterofacial dysplasia, anteroposterior facial dysplasia, anteroposterior dysplasia 575
先行 anticipation 102
浅溝 vadum 1981
穿孔 fenestration 680
穿孔 perforation 1385
穿孔 pore 1466
穿孔〔術〕 trepanation 1925
穿孔〔術〕 trephination 1925
穿孔〔法〕 terebration 1852
閃光 flash 710
閃光〔感覚〕 phosphene 1413
閃光暗点 scintillating scotoma 1650
穿孔器 fraise 739
穿孔器 trephine 1925
前向〔性〕記憶 anterograde memory 1128
穿孔鋏 punch 1526
閃光恐怖〔症〕 photaugiaphobia 1416
前膠原質 procollagen 1492
前向〔性〕健忘〔症〕 anterograde amnesia 62

セ

全虹彩癒着 total synechia ………………… 1826
穿孔術 fenestration ………………………… 680
鮮紅色の florid ……………………………… 713
前項心臓反射 bregmocardiac reflex …… 1578
穿孔性潰瘍 perforated ulcer …………… 1961
前行性腎盂造影 antegrade pyelography 1529
選好性生物 fastidious organism ………… 1312
穿孔性虫垂炎 perforating appendicitis …… 120
潜行性の insidious ………………………… 940
穿孔性の perforans ……………………… 1385
選好性の fastidious ……………………… 677
閃光性の fulgurant ………………………… 743
前向性の anterograde ……………………… 97
〔胸壁〕穿孔性膿胸 empyema necessitatis 606
穿孔〔性〕膿瘍 perforating abscess ………… 5
穿孔性鼻孔毛包(毛嚢)炎 folliculitis nares perforans ………………………………… 722
穿孔性毛包(毛嚢)炎 perforating folliculitis ………………………………………… 722
前向性輸送 anterograde transport ……… 1921
前行性輸送 anterograde transport ……… 1921
浅後仙尾靱帯 superficial dorsal sacrococcygeal ligament ………………… 1040
浅後仙尾靱帯 superficial posterior sacrococcygeal ligament ………………… 1040
浅後仙尾靱帯 ligamentum sacrococcygeum posterius superficiale ………………… 1045
前酵素 proenzyme ………………………… 1494
穿孔創 perforating wound ……………… 2049
穿孔胎盤 placenta percreta …………… 1428
閃光痛症候群 flashing pain syndrome … 1804
前交通動脈 arteria communicans anterior ………………………………………… 135
前交通動脈 anterior communicating artery ………………………………………… 141
旋光度 optic rotation …………………… 1623
前喉頭蓋腔 preepiglottic space ………… 1705
前後頭内軟骨結合 anterior intraoccipital joint ……………………………………… 969
前後頭内軟骨結合 anterior intraoccipital synchondrosis ………………………… 1793
前後頭内軟骨結合 synchondrosis intraoccipitalis anterior ……………… 1793
閃光熱傷 flash burn ……………………… 267
旋光分散 optic rotatory dispersion (ORD) ………………………………………… 548
旋光分析〔法〕 polarimetry ……………… 1456
仙硬膜靱帯 ligamentum sacrodurale …… 1045
前硬膜動脈 arteria meningea anterior …… 136
前硬膜動脈 anterior meningeal artery …… 142
前硬膜動脈 anterior meningeal branch (of anterior ethmoidal artery) …………… 242
閃光盲 flash blindness …………………… 221
閃光融合 flicker fusion …………………… 746
前行抑制 proactive inhibition …………… 933
前交連 anterior commissure …………… 397
前交連 commissura anterior …………… 397
前交連後部 pars posterior commissurae anterioris ……………………………… 1360
前交連中隔 precommissural septum …… 1664
前交連の後部 posterior part of anterior commissure of brain ………………… 1366
仙後弯 sacral kyphosis …………………… 990
前後径 occipitofrontal diameter ………… 509
前後形成異常(異形成) anterofacial dysplasia, anteroposterior facial dysplasia, anteroposterior dysplasia ………………… 575
前鼓索神経小管 anterior canaliculus of chorda tympani …………………………… 285
前鼓索路 iter chordae anterius ………… 964
前鼓室動脈 arteria tympanica anterior … 138
前鼓室動脈 anterior tympanic artery …… 142
仙骨 sacred bone ………………………… 233
仙骨 os sacrum …………………………… 1318
仙骨 sacrum ……………………………… 1630
仙骨横線 transverse ridges of sacrum … 1616
仙骨外側部 lateral part of sacrum ……… 1365
仙骨角 cornu sacrale ……………………… 424
仙骨角 sacral cornu ……………………… 424
仙骨角 sacral horn ………………………… 864
仙骨管 caudal canal ……………………… 282
仙骨管 sacral canal ……………………… 284
仙骨管 canalis sacralis …………………… 286
前骨間神経 anterior interosseous nerve 1232
前骨間神経 nervus interosseus antebrachii anterior …………………………………… 1242
前骨間神経の尺骨神経との交通枝 communicating branch of anterior interosseous nerve with ulnar nerve …… 244
前骨間神経の掌枝 palmar branch of anterior interosseous nerve ……………… 250
前骨間動脈 arteria interossea anterior …… 135
前骨間動脈 anterior interosseous artery 142
前骨間動脈の貫通枝 perforating branch of anterior interosseous artery ……………… 251
仙骨曲 caudal flexure …………………… 712
〔直腸の〕仙骨曲 flexura sacralis recti …… 712
〔直腸の〕仙骨曲 sacral flexure of rectum 713
仙骨孔 foramina sacralia ………………… 726
仙骨孔 sacral foramina (anterior and posterior) ………………………………… 726
仙骨岬角 promontorium ossis sacri …… 1498
仙骨岬角 sacral promontory …………… 1498
仙骨後〔方〕の postsacral ………………… 1472
仙骨硬膜靱帯 sacrodural ligament ……… 1040
仙骨三角 sacral triangle ………………… 1927
仙骨指数 sacral index …………………… 923
〔仙骨〕上関節突起 superior articular process of sacrum ……………………………… 1490
〔仙骨〕上関節突起 processus articularis superior ossis sacri ……………………… 1491
仙骨静脈 sacral veins …………………… 2001
仙骨静脈叢 sacral venous plexus ……… 1443
仙骨静脈叢 plexus venosus sacralis …… 1444
仙骨神経 sacral nerves [S1–S5] ……… 1238
仙骨神経 nervi sacrales [S1–S5] ……… 1243
仙骨神経後枝の外側枝 lateral branches of posterior rami of sacral spinal nerves 248
仙骨神経後枝の内側枝 medial branch of posterior rami of sacral spinal nerves 249
仙骨神経節 ganglia sacralia …………… 754
仙骨神経節 sacral ganglia ……………… 754
仙骨神経前枝 anterior rami of sacral nerves ………………………………………… 1548
仙骨神経前枝 rami anteriores nervorum sacralium ………………………………… 1548
仙骨神経前枝 rami ventrales nervorum sacralium ………………………………… 1557
仙骨神経前枝 ventral primary rami of sacral spinal nerves ……………………… 1557
仙骨神経前枝 ventral rami of sacral nerves ………………………………………… 1557
仙骨神経叢 plexus sacralis ……………… 1443
仙骨神経叢 sacral plexus ……………… 1443
前骨髄芽球 premyeloblast ……………… 1479
前骨髄球 promyelocyte ………………… 1498
前骨髄細胞 promyelocyte ……………… 1498
仙骨生殖器ひだ sacrogenital folds ……… 720
仙骨切除〔術〕 sacrectomy ………………… 1629
仙骨尖 apex of sacrum …………………… 113
仙骨尖 apex ossis sacralis/sacri ………… 113
仙骨前筋膜 presacral fascia ……………… 674
仙骨前交感神経切除〔術〕 presacral sympathectomy ………………………… 1790
仙骨前交感神経切断〔術〕 presacral neurectomy …………………………… 1245
仙骨前神経 presacral nerve …………… 1238
仙骨前神経 nervus presacralis ………… 1243
仙骨前〔方〕の presacral ………………… 1480
仙骨前面 facies pelvica ossis sacri ……… 664
仙骨前面 pelvic surface of sacrum ……… 1782
仙骨粗面 tuberositas sacralis …………… 1947
仙骨粗面 sacral tuberosity ……………… 1947
仙骨腟固定法 sacrocolpopexy procedure 1487
仙骨腟ひだ sacrovaginal fold …………… 720
仙骨〔部〕痛 sacralgia …………………… 1629
仙骨底 base of sacrum ………………… 200
仙骨底 basis ossis sacri ………………… 201
仙骨内臓神経 sacral splanchnic nerves 1238
仙骨内臓神経 nervi splanchnici sacrales 1243
〔仙骨の〕後面 facies dorsalis ossis sacri 663
〔仙骨の〕後面 dorsal surface of sacrum 1781
〔仙骨の〕耳状面 facies auricularis ossis sacri ………………………………………… 663
〔仙骨の〕耳状面 auricular surface of sacrum ………………………………………… 1781
前骨盤内容除去〔術〕 anterior pelvic exenteration ……………………………… 653
全骨盤内容除去〔術〕 total pelvic exenteration ……………………………… 653
〔腸骨の〕仙骨盤面 facies sacropelvic ossis ilii ………………………………………… 665
〔腸骨の〕仙骨盤面 sacropelvic surface of ilium ……………………………………… 1783
仙骨部 regio sacralis …………………… 1584
仙骨部 sacral region …………………… 1586
仙骨部後凸弯曲 sacral kyphosis ………… 990
仙骨膀胱ひだ sacrovesical fold ………… 720
仙骨傍の parasacral …………………… 1353
仙骨麻酔〔法〕 caudal anesthesia ………… 79
仙骨麻酔〔法〕 sacral anesthesia ………… 80
仙骨翼 ala of sacrum ……………………… 41
仙骨翼 ala sacralis ………………………… 41
仙骨翼 wing of sacrum ………………… 2047
仙骨稜 sacral crest ……………………… 438
仙骨稜 crista sacralis …………………… 440
仙骨リンパ節 sacral lymph nodes ……… 1081
仙骨裂孔 hiatus sacralis ………………… 851
仙骨裂孔 sacral hiatus …………………… 851
仙骨わな ansa sacralis …………………… 96
前後の anteroposterior (AP) ……………… 97
前後反復の propalinal ………………… 1498
前後方向撮影 AP projection …………… 1496
前後方向の anteroposterior (AP) ………… 97
前鼓膜陥凹 anterior recess of tympanic membrane ………………………………… 1571
前固有束 anterior ground bundle ……… 265
前固有束 anterior fasciculus proprius …… 675
前根 anterior root of spinal nerve ……… 1621
センサー sensor ………………………… 1662
尖叉 tine ………………………………… 1894
煎剤 apozem, apozema ………………… 118
煎剤 decoction …………………………… 475
洗剤 wash ………………………………… 2040
洗〔浄〕剤 detergent ……………………… 500
潜在意識 subconscious mind …………… 1158
潜在意識 subconsciousness …………… 1762
潜在学習 latent learning ……………… 1014
潜在型(不活性型)形質転換因子β結合蛋白 latent transforming growth-factor (TGF)-β binding protein ……………… 1505
潜在眼球〔症〕 cryptophthalmos, cryptophthalmia ………………………… 445
潜在期 prepatent period ……………… 1389
浅在筋膜 superficial fascia ……………… 674
全採血 exsanguination ………………… 656
潜在睾丸 undescended testis ………… 1869
前細糸期 preleptotene ………………… 1479
潜在出血 occult bleeding ……………… 220
潜在性アレルギー latent allergy ………… 49
潜在性ウイルス masked virus ………… 2026
潜在性感染 latent infection …………… 927
潜在性口渇 hypodipsia ………………… 892
潜在性甲状腺乳頭癌 occult papillary carcinoma of the thyroid ……………… 298
潜在精巣 undescended testis ………… 1869
潜在性蓄膿〔症〕 latent empyema ……… 606
潜在性痛風 latent gout ………………… 793

潜在〔性〕糖尿病 latent diabetes ………… 506
潜在〔性〕二分脊椎 spina bifida occulta 1715
潜在性の subclinical …………………… 1762
潜在性膜蛋白 latent membrane protein (LMP) ……………………………… 1505
潜在性脈絡膜血管新生 occult choroidal neovascularization …………………… 1228
潜在的感作 covert sensitization ………… 1661
繊細な delicate …………………………… 483
潜在内容 latent content ………………… 416
潜在の cryptic …………………………… 445
潜在の larvate …………………………… 1001
潜在能〔力〕 potency …………………… 1473
潜在保因者 latent carrier ……………… 305
浅催眠 minor hypnosis ………………… 891
前索 anterior funiculus ………………… 745
前索 funiculus anterior ………………… 745
前索板 prechordal plate ……………… 1435
前鎖骨上神経 nervus supraclavicularis medialis ……………………………… 1243
仙坐骨の sacrosciatic ………………… 1630
尖叉試験 tine test ……………………… 1867
前三叉神経視床路 anterior trigeminothalamic tract ……………… 1910
栓子 embolus …………………………… 601
栓子 obturator ………………………… 1289
栓子 plug ……………………………… 1446
浅枝 superficial branch ……………… 253
浅枝 ramus superficialis ……………… 1556
穿刺 centesis …………………………… 331
穿刺 needling …………………………… 1225
穿刺 nyxis ……………………………… 1286
穿刺 puncture ………………………… 1527
穿刺 transfix …………………………… 1918
穿刺〔術〕 paracentesis ………………… 1348
腺枝 glandular branches ……………… 247
腺枝 rami glandulares ………………… 1551
前歯 anterior tooth …………………… 1902
前枝 anterior branch ………………… 242
前枝 ramus anterior ………………… 1547
〔脊髄神経〕前枝 anterior ramus of spinal nerve ………………………………… 1548
〔脊髄神経〕前枝 ramus ventralis nervi spinalis ……………………………… 1557
全耳炎 panotitis ……………………… 1343
前耳介筋 anterior auricular muscle …… 1181
前耳介筋 auricularis anterior (muscle) 1182
前耳介筋 musculus auricularis anterior 1199
前耳介静脈 anterior auricular vein …… 1993
前耳介静脈 vena auricularis anterior …… 2004
前耳介神経 anterior auricular nerves …… 1232
前耳介神経 nervi auriculares anteriores 1241
浅耳下腺リンパ節 superficial parotid lymph nodes ………………………………… 1081
全子宮頸部スミア(塗抹〔標本〕) pancervical smear ………………………………… 1693
浅指屈筋 flexor digitorum superficialis (muscle) ……………………………… 1185
〔手の〕浅指屈筋 superficial flexor (muscle) of fingers ……………………………… 1195
〔手の〕浅指屈筋 musculus flexor digitorum superficialis ………………………… 1200
浅指屈筋の上腕尺骨頭 humeroulnar head of flexor digitorum superficialis muscle …… 817
浅指屈筋の橈骨頭 radial head of flexor digitorum superficialis (muscle) ……… 818
前篩骨神経 anterior ethmoidal nerve …… 1232
前篩骨神経 nervus ethmoidalis anterior 1242
前篩骨神経の外側鼻枝 lateral nasal branches of anterior ethmoidal nerve 248
前篩骨神経の外側鼻枝 rami nasales laterales nervi ethmoidalis anterioris 1554
前篩骨神経の外鼻枝 rami nasales externi nervi ethmoidalis anterioris …………… 1554
前篩骨神経の内側鼻枝 medial nasal branches of anterior ethmoidal nerve 249
前篩骨神経の内側鼻枝 rami nasales mediales nervi ethmoidalis anterioris 1554
前篩骨神経の内鼻枝 rami nasales interni nervi ethmoidalis anterioris …………… 1554
前篩骨動脈 arteria ethmoidalis anterior 135
前篩骨動脈 anterior ethmoidal artery …… 141
前篩骨動脈の前外側鼻枝 anterior lateral nasal branches of anterior ethmoidal artery ………………………………… 242
前篩骨動脈の前中隔枝 anterior septal branches of anterior ethmoidal artery 242
前篩骨蜂巣 anterior ethmoidal air cells 319
前篩骨蜂巣 anterior ethmoidal cells …… 319
前視床下部 anterior hypothalamic area 128
前視床下部 anterior hypothalamic region ……………………………………… 1585
前視床下部核 anterior hypothalamic nucleus ……………………………………… 1273
前視床下部間質核 interstitial nuclei of anterior hypothalamus ………………… 1276
前視床放線 anterior thalamic radiation 1541
穿刺性糖尿病 puncture diabetes ………… 507
〔前立腺〕腺質 glandular substance of prostate ……………………………… 1765
〔前立腺〕腺質 substantia glandularis prostatae …………………………… 1766
前室間溝 anterior interventricular groove 801
前室間溝 anterior interventricular sulcus ……………………………………… 1771
前室間溝 sulcus interventricularis anterior ……………………………………… 1772
前室間静脈 anterior interventricular vein ……………………………………… 1993
前室間動脈 anterior interventricular artery ……………………………………… 142
線質係数 quality factor (QF) ………… 669
全失語〔症〕 global aphasia …………… 114
前室周囲核 anterior periventricular nucleus ……………………………………… 1273
前膝部 regio genus anterior …………… 1584
センシトメトリ sensitometry ………… 1662
前耳の prootic ………………………… 1498
穿刺培養 stab culture ………………… 448
腺脂肪腫 adenolipoma ………………… 25
腺脂肪腫症 adenolipomatosis ………… 25
前斜角筋 anterior scalene muscle ……… 1181
前斜角筋 scalenus anterior (muscle) …… 1193
前斜角筋 musculus scalenus anterior …… 1203
前斜角筋結節 tubercle of anterior scalene muscle ………………………………… 1943
前斜角筋結節 scalene tubercle ………… 1944
前斜角筋結節 tuberculum musculi scaleni anterioris ……………………………… 1946
前斜角筋症候群 scalenus anterior syndrome ……………………………………… 1819
漸弱 symptosis ………………………… 1792
漸弱脈 pulsus myurus ………………… 1526
全視野刺激 ganzfeld stimulation ……… 1747
腺腫 adenoma ………………………… 25
腺腫 adenoid tumor …………………… 1949
煎汁 tea ………………………………… 1843
専修医 fellow ………………………… 679
腺周囲炎 periadenitis ………………… 1385
腺周囲炎 periglandulitis ……………… 1387
前縦隔 anterior mediastinum …………… 1115
前縦隔鏡検査〔法〕 anterior mediastinoscopy ……………………………………… 1115
前縦隔動脈 anterior mediastinal arteries 142
前縦隔リンパ節 anterior mediastinal lymph nodes ………………………………… 1077
専修看護師 practical nurse (PN) ……… 1283
前十字靱帯 anterior cruciate ligament 1032
前十字靱帯 ligamentum cruciatum anterius ……………………………………… 1043
繊柔指の leptodactylous ……………… 1021
前収縮期 presystole …………………… 1483
前収縮期雑音 presystolic murmur ……… 1180
全収縮〔期〕雑音 pansystolic murmur …… 1180
前収縮期振せん presystolic thrill ……… 1886
全収縮期〔性〕の pansystolic …………… 1343
前収縮期奔馬調律 presystolic gallop …… 750
全収縮末期径 total end-systolic diameter (TESD) ………………………………… 509
前縦靱帯 anterior longitudinal ligament 1032
前縦靱帯 ligamentum longitudinale anterius ……………………………………… 1044
繊柔足 leptopodia ……………………… 1022
前十二指腸 protoduodenum …………… 1507
全終脳症 holotelencephaly …………… 858
前手根部 anterior carpal region ……… 1584
前手根部 regio carpalis anterior ……… 1583
前手根部 anterior region of wrist ……… 1585
腺腫症 adenomatosis ………………… 26
前主静脈 cardinal veins ……………… 1994
前主静脈の precardinal ……………… 1476
腺腫性甲状腺腫 adenomatous goiter …… 790
腺腫脹〔症〕 hyperadenosis …………… 878
煎出 decoction ………………………… 475
腺腫〔様〕の adenomatous ……………… 26
腺腫様の adenomatoid ………………… 26
腺腫様ポリープ adenomatous polyp …… 1462
腺症 adenopathy ……………………… 26
洗浄 ablution …………………………… 3
洗浄 douche …………………………… 558
洗浄 irrigation ………………………… 957
洗浄 lavage …………………………… 1005
洗浄 wash ……………………………… 2040
線条 band ……………………………… 194
線条 streak …………………………… 1753
線条 striatum ………………………… 1757
〔線〕条 stria …………………………… 1755
線〔条〕 striation ……………………… 1756
前障 claustrum ………………………… 372
線状〔皮膚〕萎縮〔症〕 striae atrophicae … 1756
線状陰影 linear opacity ……………… 1302
線状陰影 stripe ……………………… 1757
洗浄液 wash …………………………… 2040
線条縁 striated border ………………… 236
線条縁 limbus striatus ………………… 1048
線状オステオパシー osteopathia striata 1323
前消化 predigestion …………………… 1477
線状開頭術 linear craniectomy ………… 434
栓状核 emboliform nucleus …………… 1275
栓状核 nucleus emboliformis ………… 1275
線状角膜症 striate keratopathy ……… 980
洗浄器 laveur ………………………… 1005
洗浄器 retrojector …………………… 1604
線状強皮症 linear scleroderma ……… 1647
扇状虹彩切除〔術〕 sector iridectomy …… 956
〔距骨の〕前踵骨関節面 anterior facet (on talus) for calcaneus …………………… 661
線状骨障害 osteopathia striata ……… 1323
線状骨折 linear fracture ……………… 737
洗浄剤 abluent ………………………… 3
〔橈骨動脈〕浅掌枝 superficial palmar branch of radial artery …………………… 253
〔橈骨動脈〕浅掌枝 ramus palmaris superficialis arteriae radialis ………… 1554
栓状歯 pegged tooth ………………… 1903
線条試験 line test …………………… 1860
前上歯槽動脈 arteriae alveolares superiores anteriores …………………………… 134
前上歯槽動脈 anterior superior alveolar arteries …………………………………… 142
潜晶質 cryptocrystalline ……………… 445
線状出血 splinter hemorrhages ……… 836
浅掌静脈弓 superficial palmar venous arch ……………………………………… 126
浅掌静脈弓 arcus venosus palmaris superficialis ……………………………… 128
〔前〕上膵十二指腸動脈 (anterior) superior pancreaticoduodenal artery ……………… 142

〔前〕上膵十二指腸動脈 arteria pancreaticoduodenalis superior (anterior) ……… 137
前上膵十二指腸動脈の十二指腸枝 duodenal branches of anterior superior pancreaticoduodenal artery ……… 246
前上膵十二指腸動脈の十二指腸枝 rami duodenales arteriae pancreaticoduodenalis superioris anterioris ……… 1551
前障層 claustral layer ……… 1009
線条帯 zona striata ……… 2058
線条体 striate body ……… 229
線条体 corpus striatum ……… 426
線状体黒質線維 strionigral fibers ……… 691
線条体静脈 venae thalamostriatae inferiores ……… 2008
線状苔癬 lichen striatus ……… 1031
線条多形核球 filament polymorphonuclear leukocyte ……… 1026
前哨腸管徴候 sentinel loop sign ……… 1683
栓状沈殿 syneresis ……… 1826
前焦点 anterior focal point ……… 1454
全焦点レンズ omnifocal lens ……… 1019
線条導管 striated duct ……… 565
浅掌動脈弓 superficial palmar (arterial) arch ……… 126
浅掌動脈弓 arcus palmaris superficialis ……… 127
前床突起 anterior clinoid process ……… 1488
線状の filamentous ……… 698
線状の linear ……… 1053
前小脳切痕 incisura cerebelli anterior ……… 919
前小脳切痕 anterior cerebellar notch ……… 1269
前小脳切痕 anterior notch of cerebellum ……… 1269
腺上皮 glandular epithelium ……… 632
腺上皮の epithelioglandular ……… 631
線状〔皮膚〕萎縮〔症〕 striae atrophicae ……… 1756
洗浄びん wash-bottle ……… 238
線条部 striated duct ……… 565
前上方の anterosuperior ……… 97
浅静脈 superficial vein ……… 2001
前上葉区 segmentum anterius ……… 1656
前上葉静脈 anterior vein ……… 1993
前上腕回旋静脈 anterior circumflex humeral vein ……… 1993
前上腕回旋動脈 arteria circumflexa humeri anterior ……… 134
前上腕回旋動脈 anterior circumflex humeral artery ……… 141
前小弯神経 anterior nerve of lesser curvature ……… 1232
浅上腕動脈 arteria brachialis superficialis ……… 134
浅上腕動脈 superficial brachial artery ……… 152
前上腕部 regio brachialis anterior ……… 1583
前上腕面 facies brachialis anterior ……… 663
染色 tinction ……… 1894
染色〔法〕 stain ……… 1729
染色〔法〕 staining ……… 1736
染色液 stain ……… 1729
染色強化剤 accentuator ……… 9
染色糸 axoneme ……… 185
染色糸 chromonema ……… 358
染色質 chromatin ……… 356
〔染色糸〕対合 synizesis ……… 1826
染色質移動 chromatokinesis ……… 357
染色質過多 hyperchromatism ……… 879
染色質糸 skein ……… 1690
染色質体 chromatin body ……… 226
染色質の chromatic ……… 356
染色質分解 chromatinorrhexis ……… 356
染色質網 chromatin network ……… 1244
染色質溶解 chromatolysis ……… 357
染色小粒 chromomere ……… 358
染色性顆粒 chromatic granule ……… 796
染色性欠如 anochromasia ……… 93
染色性減退の apyknomorphous ……… 122
染色性装置 chromatic apparatus ……… 118
染色体 chromosome ……… 358
染色体RNA chromosomal RNA ……… 1613
染色体異常 chromosome aberration ……… 2
染色体異常誘発〔性〕の clastogenic ……… 372
染色体ウォーキング chromosome walking ……… 360
染色体外遺伝 extrachromosomal inheritance ……… 933
染色体外遺伝子 extrachromosomal gene 763
染色体外DNA extrachromosomal DNA ……… 491
染色体外の extrachromosomal ……… 657
染色体間隙 chromosomal gap ……… 756
染色体逆位 inversion of chromosomes ……… 952
染色体形質 chromosomal trait ……… 1915
染色体欠失 chromosomal deletion ……… 483
〔染色体〕欠失 deletion ……… 483
染色体減数 reduction of chromosomes 1575
染色体縞 chromosome band ……… 194
染色体構造維持(SMC)ファミリー structural maintenance of chromosomes (SMC) family ……… 671
染色体重複 duplication of chromosomes 567
染色体症候群 chromosomal syndrome ……… 1800
染色体地図 chromosome map ……… 1101
染色体対 chromosome pair ……… 1337
染色体対合 chromosome pairing ……… 360
〔染色体〕対合 synapsis ……… 1793
染色体破損症候群 chromosomal instability syndromes, chromosomal breakage syndromes ……… 1800
染色体パフ chromosome puffs ……… 359
染色体不安定症候群 chromosomal instability syndromes, chromosomal breakage syndromes ……… 1800
染色体不安定部 fragile site ……… 1690
染色体付随体 chromosome satellite ……… 1637
〔染色体〕不分離 nondisjunction ……… 1266
染色体分離 disjunction ……… 543
〔染色体〕変位 metakinesis, metakinesia 1139
染色体マッピング chromosome mapping ……… 1102
染色体領域 chromosomal region ……… 1585
染色中心 karyosome ……… 976
浅色の hypsochromic ……… 900
染色分体 chromatid ……… 356
〔染色分体〕移動 metakinesis, metakinesia ……… 1139
染色法 banding ……… 196
前唇 prolabium ……… 1496
前腎 head kidney ……… 984
前腎 primordial kidney ……… 984
前腎 pronephros ……… 1498
全身化 generalization ……… 764
全身カウンター whole-body counter ……… 432
前進顎関係 protrusive jaw relation ……… 1588
前腎管 pronephric duct ……… 564
前腎〔小〕管 pronephric tubule ……… 1948
前進関係 protrusive relation ……… 1588
全身筋波動症 generalized myokymia ……… 1214
センシング sensing ……… 1661
前神経口上板 lamina supraneuroporica ……… 999
前進形成 prosoplasia ……… 1500
全身系の systemic ……… 1834
全身血管抵抗 systemic vascular resistance ……… 1594
全身硬直症候群 stiff parson syndrome 1821
精神錯乱下肢伸展挙上テスト distracted straight-leg raising test ……… 1856
前腎糸球体 glomerulus of pronephros ……… 781
全身〔性〕脂肪症 adiposis universalis ……… 29
全身しゃ血 general bloodletting ……… 224
全身充血 panhyperemia ……… 1342
全身腫瘍組織量 tumor burden ……… 1949
全身症状 constitutional symptom ……… 1792
全身水腫(浮腫) anasarca ……… 72
全身性エリテマトーデス systemic lupus erythematosus (SLE) ……… 1074
全身性炎症反応症候群 systemic inflammatory response syndrome ……… 1822
全身性黄色腫 generalized xanthelasma 2051
全身性強直・間代発作 generalized tonic-clonic seizure ……… 1657
全身性硬化〔症〕 systemic sclerosis ……… 1648
全身性紅斑性狼瘡 systemic lupus erythematosus (SLE) ……… 1074
全身性興奮薬 general stimulant ……… 1747
全身性自己免疫疾患 systemic autoimmune diseases ……… 541
全身性(広汎性)シュワルツマン現象 generalized Shwartzman phenomenon 1404
全身性硝子質症(ヒアリン症) systemic hyalinosis ……… 868
全身性静脈性高血圧 systemic venous hypertension ……… 888
全身性脱毛〔症〕 alopecia universalis ……… 53
全身性痘疱 generalized vaccinia ……… 1981
全身性熱性疾患 systemic febrile diseases 541
全身性の systemic ……… 1834
全身〔性〕の generalized ……… 764
全身性肥満細胞病 systemic mast cell disease ……… 541
全身性表皮融解性角化症 generalized epidermolytic hyperkeratosis ……… 882
前新生物の preneoplastic ……… 1480
全身性ブラストミセス症 systemic blastomycosis ……… 219
全身性ヘルペス herpes generalisatus ……… 844
全身性疱疹 herpes generalisatus ……… 844
全身性毛細管漏出症候群 systemic capillary leak syndrome ……… 1822
前心臓静脈 anterior cardiac veins ……… 1993
浅心臓神経叢 superficial cardiac (nervous) plexus ……… 1444
全身痛 pantalgia ……… 1343
漸進的進化 anamorphosis ……… 71
全身滴定曲線 whole-body titration curve 451
全身てんかん generalized epilepsy ……… 628
全身の constitutional ……… 415
全身発汗 panidrosis ……… 1342
前進皮弁 advancement flap ……… 709
先進部 presentation ……… 1481
全身浮腫(水腫) anasarca ……… 72
全身不全麻痺性神経梅毒 paretic neurosyphilis ……… 1252
全身発作 generalized seizure ……… 1657
全身麻酔〔法〕 general anesthesia ……… 79
全身麻酔薬 general anesthetics ……… 81
全身ミオキミア generalized myokymia 1214
全身免疫 general immunity ……… 910
〔鉱〕泉水 mineral water ……… 2041
前錐体路 anterior pyramidal tract ……… 1910
潜水反応 diving reflex ……… 1578
潜水夫眼鏡 diver's spectacles ……… 1708
潜水夫甲状腺腫 diving goiter ……… 790
前睡眠期 predormitum ……… 1477
前頭蓋窩 anterior cranial fossa ……… 731
前頭蓋窩 fossa cranii anterior ……… 732
宣誓 oath ……… 1287
前成〔説〕 preformation ……… 1478
腺性下垂体 adenohypophysis ……… 25
腺性下垂体憩室 adenohypophysial diverticulum ……… 551
腺性下垂体嚢 adenohypophysial pouch 1474
腺性下垂体の中間部 pars intermedia adenohypophyseos ……… 1359
腺性下垂体の中間部 intermediate part of adenohypophysis ……… 1365
前性器期 pregenital phase ……… 1402
前性器期体制 pregenital organization ……… 1312
腺性口唇炎 cheilitis glandularis ……… 340

前正赤芽球 pronormoblast ……………… 1498
前成説 preformation theory …………… 1877
前正中線 anterior median line ………… 1049
前正中線 linea mediana anterior ……… 1053
前正中の anteromedian ……………………… 97
前正中の ventromedian ………………… 2012
〔延髄の〕〔前〕正中裂 anterior median fissure of medulla oblongata …………………… 702
〔延髄の〕〔前〕正中裂 fissura mediana anterior medullae oblongatae ………… 702
〔脊髄の〕〔前〕正中裂 anterior median fissure of spinal cord ………………………… 702
〔脊髄の〕〔前〕正中裂 fissura mediana anterior medullae spinalis ……………… 702
前生物的 prebiotic ……………………… 1476
腺性膀胱炎 cystitis glandularis …………… 462
前赤芽球 prorubricyte …………………… 1500
前脊髄視床路 anterior spinothalamic tract ……………………………………… 1910
前脊髄視床路 tractus spinothalamicus anterior ………………………………… 1915
前脊髄小脳路 anterior spinocerebellar tract ……………………………………… 1910
前脊髄小脳路 tractus spinocerebellaris anterior ………………………………… 1915
前脊髄動脈 arteria spinalis anterior …… 138
前脊髄動脈 anterior spinal artery ……… 142
全脊髄の holocord ………………………… 858
仙脊柱の sacrospinal …………………… 1630
全脊椎麻酔〔法〕 total spinal anesthesia …· 80
全脊椎裂 holorachischisis ………………… 858
先節 epimerite …………………………… 629
腺節 adenomere ……………………………… 26
前節 protomerite ………………………… 1508
前赤血球 proerythrocyte ………………… 1494
前接合線 anterior junction line ………… 1049
〔耳介の〕前切痕 anterior auricular groove ……………………………………… 801
〔耳介の〕前切痕 anterior notch of auricle ……………………………………… 1269
〔耳介の〕前切痕 anterior notch of ear … 1269
腺切除〔術〕 adenectomy ……………………… 24
前舌腺 anterior lingual gland …………… 772
前舌腺 glandula lingualis anterior ……… 776
腺線維腫 adenofibroma ……………………… 25
浅前頸リンパ節 superficial anterior cervical lymph nodes …………………… 1081
前先体顆粒 proacrosomal granules ……… 797
前先体の proacrosomal ………………… 1486
全前置胎盤 placenta previa centralis …· 1428
前仙腸靱帯 anterior sacroiliac ligament 1033
前仙腸靱帯 ventral sacroiliac ligament 1041
前仙腸靱帯 ligamentum sacroiliacum anterius …………………………………… 1045
全仙椎裂孔 hiatus totalis sacralis ……… 851
〔前〕前庭静脈 (anterior) vestibular vein 1993
〔前〕前庭静脈 venae vestibulares (anterius) ……………………………………… 2008
前前庭動脈 anterior vestibular artery …· 142
前前頭回静脈 prefrontal veins ………… 2000
前前頭回静脈 venae prefrontales ……… 2007
前前頭皮質 prefrontal cortex …………… 428
前前頭野 prefrontal area ………………… 130
全前脳症 holoprosencephaly ……………… 858
前仙尾筋 ventral sacrococcygeal muscle 1197
前仙尾筋 musculus sacrococcygeus ventralis ……………………………………… 1203
前仙尾靱帯 anterior sacrococcygeal ligament ……………………………………… 1033
前仙尾靱帯 ventral sacrococcygeal ligament ……………………………………… 1041
前仙尾靱帯 ligamentum sacrococcygeum anterius …………………………………… 1045
全線毛性の holotrichous ………………… 859
前前腕神経 nervus antebrachii anterior 1241
前前腕部 regio antebrachialis anterior … 1583
前前腕部 anterior region of forearm …· 1585
前前腕面 facies antebrachialis anterior … 662
先祖 progenitor ………………………… 1494
浅層 superficial layer ………………… 1013
前装 facing ……………………………… 665
前装 veneer ……………………………… 2008
漸増 recruitment ……………………… 1574
戦争イソスポーラ *Isospora belli* ………… 962
全層角膜移植 penetrating keratoplasty …· 980
全層植皮 full-thickness graft …………… 795
戦争神経症 battle fatigue ……………… 678
漸増性心雑音 crescendo murmur ……… 1179
前走性てんかん procursive epilepsy …… 628
漸増反応 recruiting response ………… 1596
全層皮膚移植片 full-thickness graft …… 795
全層〔皮〕弁 full-thickness flap ………… 710
前躁病の premaniacal ………………… 1479
先祖返り atavism ………………………… 167
先祖返り reversion …………………… 1605
尖足 footdrop …………………………… 724
尖足 talipes equinus ………………… 1839
線束 beam ………………………………… 203
栓塞〔法〕 tamponing, tamponment ……… 1840
ぜん息 asthma …………………………… 164
専属医療機関(提供者)団体 exclusive provider organization (EPO) ………… 652
栓塞杆 tent …………………………… 1851
前足根腱鞘 anterior tarsal tendinous sheaths ……………………………………… 1670
ぜん息三徴 triad asthma ………………… 165
栓塞子 obturator appliance ……………… 121
栓塞子 obturator ……………………… 1289
ぜん息性気管支炎 asthmatic bronchitis … 259
ぜん(喘)息治療薬 antiasthmatic …………… 99
ぜん(喘)息鎮静の antiasthmatic …………… 99
浅足底動脈弓 superficial plantar (arterial) arch ……………………………………… 126
〔耳介側頭神経〕浅側頭枝 rami temporales superficiales nervi auriculotemporalis 1556
前側頭枝 rami temporales anteriores …· 1556
浅側頭静脈 superficial temporal veins … 2002
浅側頭静脈 venae temporales superficiales ……………………………………… 2008
前側頭泉門 sphenoidal fontanelle ……… 723
前側頭泉門 fonticulus sphenoidalis ……… 724
ぜん(喘)息同等症候 asthmatic equivalent ……………………………………… 635
浅側頭動脈 arteria temporalis superficialis ……………………………………… 138
浅側頭動脈 superficial temporal artery … 153
浅側頭動脈〔動脈〕周囲神経叢 periarterial plexus of superficial temporal artery 1443
浅側頭動脈神経叢 superficial temporal plexus …………………………………… 1444
浅側頭動脈の耳下腺枝 ramus parotidei arteriae temporalis superficialis ……… 1554
浅側頭動脈の前耳介枝 anterior auricular branches of superficial temporal artery 242
浅側頭動脈の前耳介枝 rami auriculares anteriores arteriae temporalis superficialis ……………………………………… 1548
浅側頭動脈の前頭枝 frontal branch of superficial temporal artery …………… 246
浅側頭動脈の頭頂枝 parietal branch of superficial temporal artery …………… 250
前側頭板間静脈 anterior temporal diploic vein …………………………………… 1993
前側頭葉動脈 arteria temporalis anterior 138
前側頭葉動脈 anterior temporal artery … 142
前側頭葉動脈 anterior temporal branch 243
前側壁心筋梗塞 anterolateral myocardial infarction ………………………………… 926
前側方脊髄切断〔術〕 anterolateral cordotomy ……………………………………… 422
ぜん息発作重積状態 status asthmaticus 1740
ぜん息誘発の asthmogenic ……………… 165
ぜん息様ぜん鳴 asthmatoid wheeze …… 2045
浅鼡径輪 anulus inguinalis superficialis … 111
浅鼡径輪 superficial inguinal ring ……… 1618
浅鼡径輪の外側脚 lateral crus of the superficial inguinal ring ……………… 443
浅鼡径輪の脚間線維 intercrural fibers of superficial ring ……………………… 689
浅鼡径輪の脚間線維 fibrae intercrurales anuli inguinalis superficialis …………… 692
〔浅鼡径輪の〕脚間線維 intercolumnar fasciae ……………………………………… 673
浅鼡径輪の内側脚 medial crus of the superficial inguinal ring ……………… 443
浅鼡径リンパ節 superficial inguinal lymph nodes ………………………………… 1081
腺組織 glandular system ……………… 1831
腺組織 adenoid tissue ………………… 1895
腺組織由来の adenogenous ………………… 25
前足根腱鞘 anterior tarsal tendinous sheaths ……………………………………… 1670
先体 acrosome ……………………………… 19
先体〔帽〕 acrosomal cap ………………… 288
センダイウイルス Sendai virus ………… 2029
全体活動説 mass action theory ………… 1876
先体顆粒 acrosomal granule …………… 796
先体小胞 acrosomal vesicle …………… 2016
前大腿皮神経 anterior femoral cutaneous nerves …………………………………… 1232
前大腿面 facies femoralis anterior ……… 663
浅大脳静脈 superficial cerebral veins …· 2001
前大脳静脈 anterior cerebral veins ……· 1993
前大脳動脈 arteria cerebri anterior ……· 134
前大脳動脈 anterior cerebral artery …… 141
前大脳動脈〔動脈〕周囲神経叢 periarterial plexus of anterior cerebral artery …… 1442
前大脳動脈のA1部 A1 segment of anterior cerebral artery ………………………… 1654
前大脳動脈のA1部 segmentum A1 arteriae cerebri anterioris ……………………… 1656
前大脳動脈のA2部 segmentum A2 arteriae cerebri anterioris ……………………… 1656
前大脳動脈の後交通部 pars postcommunicalis arteriae cerebri anterioris ………………………………… 1360
前大脳動脈の後交通部 postcommunicating part of anterior cerebral artery ……… 1366
前大脳動脈の前交通部 pars precommunicalis arteriae cerebri anterioris ………………………………… 1360
前大脳動脈の前交通部 precommunicating part of anterior cerebral artery ……… 1367
全体論 holism ……………………………… 858
全体論的医学 holistic medicine ………… 1117
全体論的心理学 holistic psychology …… 1519
全体論の holistic ………………………… 858
選択 preference ………………………… 1477
選択 selection …………………………… 1658
選択記憶 selective memory …………… 1128
選択係数 selection coefficient (*s*) ……… 387
選択削合 selective grinding ……………… 800
選択性 selectivity ……………………… 1658
選択性血管造影 selective injection ……… 936
選択染色〔法〕 selective stain …………… 1735
選択的エストロゲン受容体モデュレータ selective estrogen receptor modulator (SERM) ………………………………… 1163
選択的血管造影(撮影)〔法〕 selective angiography ……………………………… 85
選択的スプライシング alternative splicing ……………………………………… 1721
選択的セロトニン再取り込み阻害剤 selective serotonin reuptake inhibitor 935
選択的低アルドステロン血症 selective hypoaldosteronism ……………………… 891
選択的ノルエピネフリン再取り込み阻害剤 selective norepinephrine reuptake

inhibitor ……… 935
選択的ビタミンE欠乏〔症〕 isolated vitamin E deficiency ……… 478
選択的不注意 selective inattention ……… 918
選択的平面照射顕微鏡検査法 selective plane illumination microscopy ……… 1155
選択的無言〔症〕 elective mutism ……… 1206
選択的免疫グロブリンA(IgA)欠損症 selective immunoglobulin A deficiency 913
選択培地 selective medium ……… 1118
選択培養 elective culture ……… 448
〔完〕全脱毛〔症〕 alopecia totalis ……… 53
先端 front ……… 741
先端 tip ……… 1895
剪断 shear ……… 1670
〔脾臓〕前端・後端 poli lienales inferior et superior ……… 1457
先端異骨症 acrodysostosis ……… 18
先端(肢端)異常感覚 acroparesthesia ……… 19
先端異常感覚症候群 acroparesthesia syndrome ……… 1795
先端(肢端)運動失調 acroataxia ……… 17
先端(肢端)栄養性疼痛〔症〕 acrotrophodynia ……… 19
尖端角化類弾力線維症 acrokeratoelastoidosis ……… 18
先端(肢端)角質増殖〔症〕 acrohyperkeratosis ……… 18
先端仮死 acroasphyxia ……… 17
先端下の subapical ……… 1762
先端関節炎 acroarthritis ……… 17
先端汗腺〔腺〕腫 acrospiroma ……… 19
前単球 premonocyte ……… 1479
先端巨大症 acromegaly ……… 18
先端(肢端)巨大性巨人症 acromegalogigantism ……… 18
先端(肢端)筋緊張〔症〕 acromyotonia ……… 19
先端結合 tip links ……… 1054
先端(肢端)硬化〔症〕 acrosclerosis ……… 19
先端構造物群 apical complex ……… 400
先端紅痛症 erythromelalgia ……… 640
先端(肢端)骨溶解症 acroosteolysis ……… 19
先端(肢端)色素沈着〔症〕 acropigmentation 19
先端失認 acroagnosis ……… 17
先端触覚異常症候群 acroparesthesia syndrome ……… 1795
〔先端〕線維性軟ゆう(疣) acrochordon ……… 17
先端(肢端)早老〔症〕 acrogeria ……… 18
先端体側性の acropleurogenous ……… 19
先端(肢端)チアノーゼ acrocyanosis ……… 18
先端(肢端)知覚異常〔症〕 acroasphyxia ……… 17
先端知覚過敏 acroesthesia ……… 18
先端(肢端)知覚不全 acrodysesthesia ……… 18
先端(肢端)知覚麻痺 acroanesthesia ……… 17
尖短頭〔症〕 acrobrachycephaly ……… 17
先端(肢端)疼痛〔症〕 acrodynia ……… 18
先端(肢端)疼痛〔症〕 acromelalgia ……… 18
先端突起 apical process ……… 1488
せん断流れ shear flow ……… 714
尖端の apiculate ……… 115
先端の acral ……… 17
先端の acromelic ……… 18
先端の acroteric ……… 19
先端の apical ……… 115
先端(肢端)膿疱症 acropustulosis ……… 19
先端(肢端)皮膚炎 acrodermatitis ……… 18
先端(肢端)皮膚病 acrodermatosis ……… 18
先端(肢端)部障害 acropathy ……… 19
先端部粘液炎症線維芽細胞肉腫 acral myxoinflammatory fibroblastic sarcoma ……… 1635
先端方〔向〕の apical ……… 115
先端(肢端)矮小〔症〕 acromicria ……… 18
センチグラム centigram ……… 331
前置血管 vasa previa ……… 1989
前地帯 prozone ……… 1509
前置胎盤 placenta previa ……… 1428
前地帯反応 prozone reaction ……… 1567
前置胎盤の自然治癒 spontaneous correction of placenta previa ……… 427
センチネル垂 sentinel tag ……… 1838
センチネルリンパ節 sentinel lymph node ……… 1081
センチネルリンパ節生検 sentinel node biopsy ……… 214
センチネルループサイン sentinel loop sign ……… 1683
センチバール centibar ……… 331
センチポアズ centipoise ……… 331
センチメートル centimeter (cm) ……… 331
線虫 nematode ……… 1226
線虫 threadworm ……… 1886
前虫 primite ……… 1484
蠕虫 helminth ……… 823
蠕虫 vermis ……… 2013
蠕虫 worm ……… 2048
前柱 anterior column ……… 395
〔延髄の〕前柱 anterior column of medulla oblongata ……… 395
〔脊髄〕前〔灰白〕柱 anterior gray column 395
前中位核 anterior interpositus nucleus ……… 1273
蠕虫運動 vermiculation ……… 2013
線虫学 nematology ……… 1226
蠕虫学 helminthology ……… 824
線虫学者 nematologist ……… 1226
前中間溝 anterior intermediate groove ……… 801
前中間溝 anterior intermediate sulcus ……… 1771
前中間溝 sulcus intermedius anterior ……… 1772
前中期 prometaphase ……… 1497
前中期染色法 prometaphase banding ……… 196
蠕虫恐怖〔症〕 helminthophobia ……… 824
線虫駆除薬 nematicide, nematocide ……… 1226
蠕虫腫 helminthoma ……… 824
線虫症 nematodiasis ……… 1226
蠕虫状の scolecoid ……… 1648
前中心子 procentriole ……… 1488
前中心傍回 anterior paracentral gyrus ……… 807
浅中大脳静脈 superficial middle cerebral vein ……… 2001
蠕虫病 helminthiasis ……… 823
前肘部 anterior cubital region ……… 1584
線虫撲滅性の nematicidal, nematocidal 1226
前肘面 facies cubitalis anterior ……… 663
前兆 aura ……… 177
前徴 prodrome ……… 1493
前徴 show ……… 1674
前腸 foregut ……… 728
全腸炎 coloenteritis ……… 392
仙腸関節 articulatio sacroiliaca ……… 157
仙腸関節 sacroiliac articulation ……… 158
仙腸関節 sacroiliac joint ……… 971
前蝶形骨 presphenoid bone ……… 233
扇徴候 fan sign ……… 1680
仙腸骨炎 sacroiliitis ……… 1630
浅腸骨回旋静脈 superficial circumflex iliac vein ……… 2001
浅腸骨回旋動脈 arteria circumflexa iliaca superficialis ……… 134
浅腸骨回旋動脈 superficial circumflex iliac artery ……… 152
仙腸骨の sacroiliac ……… 1630
前聴条 anterior acoustic stria ……… 1755
センチリットル centiliter ……… 331
線対 line pairs ……… 1337
仙椎 sacral vertebrae [S1–S5] ……… 2015
仙椎 vertebrae sacrales [SI–SV] ……… 2015
仙椎化 sacralization ……… 1629
前椎骨静脈 anterior vertebral vein ……… 1993
前椎骨静脈 vena vertebralis anterior ……… 2008
仙椎骨の sacrovertebral ……… 1630
仙椎の sacral ……… 1629
仙(疝)痛 celiagra ……… 318
仙(疝)痛 colic ……… 389
穿通 penetration ……… 1380
穿通枝皮弁 perforator flap ……… 710
穿通性潰瘍 penetrating ulcer ……… 1961
穿通創 penetrating wound ……… 2049
仙(疝)痛〔様〕の colicky ……… 389
仙(疝)痛麻痺 colicoplegia ……… 389
前つち骨靱帯 anterior ligament of malleus ……… 1032
前つち骨靱帯 ligamentum mallei anterius ……… 1044
前庭 vestibule ……… 2018
前庭 vestibulum ……… 2018
前提 propositus ……… 1499
前庭階 scala vestibuli ……… 1638
前庭階の静脈 vein of scala vestibuli ……… 2001
前庭階壁 vestibular membrane ……… 1127
前庭階壁 paries vestibularis ductus cochlearis ……… 1356
前庭階壁 vestibular surface of cochlear duct ……… 1784
前庭階壁 vestibular wall of cochlear duct ……… 2040
前庭蝸牛静脈 vestibulocochlear vein ……… 2003
前庭蝸牛神経の蝸牛部 pars cochlearis nervi vestibulocochlearis ……… 1358
前庭蝸牛動脈 vestibulocochlear artery ……… 154
前庭蝸牛動脈の蝸牛枝 cochlear branch of vestibulocochlear artery ……… 244
前庭蝸牛動脈の後前庭枝 posterior vestibular branch of vestibulocochlear artery ……… 252
前庭蝸牛の vestibulocochlear ……… 2018
前庭〔性〕眼振 vestibular nystagmus ……… 1286
前庭眼反射 vestibuloocular reflex ……… 1582
前庭器 vestibular apparatus ……… 119
前庭器 vestibular organ ……… 1312
前庭球 bulb of vestibule ……… 265
前庭球静脈 vein of bulb of vestibule ……… 1994
前庭球静脈 vein of vestibular bulb ……… 2003
前庭球静脈 vena bulbi vestibuli ……… 2004
前庭肛門 vestibular anus, vulvovaginal anus ……… 111
前庭根 radix vestibularis ……… 1546
〔第八脳神経の〕前庭根 vestibular root ……… 1622
前庭障害 vestibulopathy ……… 2018
前庭小管 vestibular canaliculus ……… 285
前庭小管静脈 vein of vestibular aqueduct ……… 2003
前庭小管静脈 vena aqueductus vestibuli ……… 2004
前定常状態 pre-steady state ……… 1739
前庭小脳 vestibulocerebellum ……… 2018
前庭小脳性運動失調 vestibulocerebellar ataxia ……… 167
〔前または後〕前庭静脈 (anterior and posterior) vestibular veins ……… 1993
〔前または後〕前庭静脈 venae vestibulares (anterius et posterius) ……… 2008
前庭神経 vestibular nerve ……… 1240
前庭神経 nervus vestibularis ……… 1243
前庭神経外側核 lateral vestibular nucleus ……… 1276
前庭神経下核 inferior vestibular nucleus ……… 1275
前庭神経核 nuclei vestibulares ……… 1282
前庭神経核 vestibular nuclei ……… 1281
前庭神経上核 superior vestibular nucleus ……… 1280
前庭神経鞘腫 vestibular schwannoma ……… 1645
前庭神経節 ganglion vestibulare ……… 755
前庭神経節 vestibular ganglion ……… 755
前庭神経節下部 inferior part of vestibular ganglion ……… 1364
前庭神経切断術 vestibular neurectomy 1245
前庭神経節の上部 superior part of vestibular ganglion ……… 1368

前庭神経内側核 medial vestibular nucleus ……… 1277
前庭神経野 vestibular area ……… 130
前庭水管 aqueductus vestibuli ……… 122
前庭水管 vestibular aqueduct ……… 122
前庭水管外口 external aperture of vestibular aqueduct ……… 113
前庭水管拡大症 large vestibular aqueduct syndrome ……… 1810
前庭水管口 opening of vestibular canaliculus ……… 1303
前庭水管内口 internal opening of vestibular canaliculus ……… 1303
前庭錐体 pyramid of vestibule ……… 1533
前庭錐体 pyramis vestibuli ……… 1533
先天性赤芽球ろう congenital hypoplastic anemia ……… 76
前庭脊髄の vestibulospinal ……… 2018
前庭脊髄反射 vestibulospinal reflex ……… 1582
前庭脊髄路 vestibulospinal tracts ……… 1913
前庭脊髄路 tractus vestibulospinalis ……… 1915
前庭切開〔術〕 vestibulotomy ……… 2018
前庭腺 vestibular glands ……… 775
前庭窓 fenestra of the vestibule ……… 680
前庭窓 fenestra vestibuli ……… 680
前庭窓 vestibular window ……… 2046
前庭窓後小窩 fossula post fenestram ……… 734
前庭窓小窩 fossa of oval window ……… 733
前庭窓小窩 fossula fenestrae vestibuli ……… 734
前庭導水管の拡大 enlargement of the vestibular aqueduct ……… 618
前庭ニューロン炎 vestibular neuronitis 1250
前庭ひだ plica vestibuli ……… 1445
前庭平衡調節 vestibuloequilibratory control ……… 418
〔歯の〕前庭面 facies vestibularis dentis ……… 665
〔歯の〕前庭面 vestibular surface of tooth ……… 1784
前庭迷路 labyrinthus vestibularis ……… 992
前庭迷路 vestibular labyrinth ……… 992
前庭迷路の卵形嚢 utricle of vestibular labyrinth ……… 1977
前庭〔有〕毛細胞 vestibular hair cells ……… 328
前庭盲端 cecum vestibulare ……… 318
前庭盲端 vestibular blind sac ……… 1628
前庭稜 vestibular crest ……… 438
前庭稜 crista vestibuli ……… 441
〔喉頭〕前庭裂 rima vestibuli ……… 1617
腺転位 adenodiastasis ……… 25
腺転位〔症〕 adenectopia ……… 24
前電位 prepotential ……… 1480
先天異常 malformation ……… 1095
先天〔性〕眼振 congenital nystagmus ……… 1286
先天〔性〕筋緊張〔症〕 congenital paramyotonia, paramyotonia congenita ……… 1352
前殿筋線 linea glutea anterior ……… 1053
先天〔性〕筋無緊張〔症〕 amyotonia congenita ……… 68
先天〔性〕筋無緊張〔症〕 myatonia congenita ……… 1206
先天〔性〕水瘤 congenital hydrocele ……… 870
先天性P P congenitale ……… 1374
先天性遺伝性内皮ジストロフィ congenital hereditary endothelial dystrophy ……… 578
先天性横隔膜ヘルニア congenital diaphragmatic hernia ……… 842
先天性外胚葉欠陥 congenital ectodermal defect ……… 477
先天性外胚葉性形成異常(異形成) congenital ectodermal dysplasia ……… 575
先天性角化不全症 dyskeratosis congenita 573
先天性眼瞼下垂〔症〕 congenital ptosis ……… 1522
先天性顔面両〔側〕麻痺 congenital facial diplegia ……… 523
先天性気管支拡張症 congenital bronchiectasis ……… 258
先天性巨大結腸〔症〕 congenital megacolon, megacolon congenitum ……… 1119
先天性魚鱗癬様紅皮症 congenital ichthyosiform erythroderma ……… 640
先天性筋緊張〔症〕 myotonia congenita 1216
先天性近視を伴う夜盲〔症〕 nyctalopia with congenital myopia ……… 1285
先天性クロール下痢 congenital chloridorrhea ……… 346
先天性クロール下痢 congenital chloride diarrhea ……… 511
先天性形成異常性血管腫症 congenital dysplastic angiomatosis ……… 85
先天性形成欠損 ectrogeny ……… 586
先天性痙性対麻痺 congenital spastic paraplegia ……… 1353
先天性血管拡張性大理石様皮斑 cutis marmorata telangiectatica congenita ……… 453
先天性甲状腺機能低下症 congenital hypothyroidism ……… 899
先天性-後天性論争 nature-nurture issue 963
先天性骨形成不全症 osteogenesis imperfecta congenita ……… 1322
先天性三角形脱毛〔症〕 alopecia triangularis congenitalis ……… 53
先天性斜頸 congenital torticollis ……… 1904
先天性小脳萎縮〔症〕 congenital cerebellar atrophy ……… 173
先天性耳瘻孔 fistula auris congenita ……… 704
先天性真珠腫 congenital cholesteatoma ……… 351
先天性心伝導障害 congenital heart block 222
先天性水頭〔症〕 congenital hydrocephalus ……… 871
先天性水痘症候群 congenital varicella syndrome ……… 1801
先天性脊椎・骨端異形成症 spondyloepiphysial dysplasia congenita (SEDC) ……… 576
先天性石灰化軟骨異形成〔症〕 chondrodysplasia calcificans congenita 353
先天性赤血球異形成貧血 congenital dyserythropoietic anemia ……… 76
先天性切断 congenital amputation ……… 65
先天性ぜん音 congenital stridor ……… 1757
先天性全脂肪異栄養〔症〕 congenital total lipodystrophy ……… 1056
先天性全身性線維腫症 congenital generalized fibromatosis ……… 694
先天性選択的グルコース,ガラクトース吸収不良症 congenital selective glucose and galactose malabsorption ……… 1093
先天性造血性ポルフィリン症 congenital erythropoietic porphyria (CEP) ……… 1467
先天性爪肥厚〔症〕 pachyonychia congenita ……… 1335
先天性象皮病 congenital elephantiasis ……… 599
先天性代謝異常 inborn error of metabolism ……… 1138
先天性大葉性〔肺〕気腫 congenital lobar emphysema ……… 605
先天性脱毛〔症〕 alopecia adnata ……… 52
先天性脱毛〔症〕 alopecia congenitalis ……… 52
先天性多発性関節拘縮〔症〕 arthrogryposis multiplex congenita ……… 155
先天性男性化副腎過形成 congenital virilizing adrenal hyperplasia ……… 886
先天性低形成貧血 congenital hypoplastic anemia ……… 76
先天性低ホスファターゼ血症 congenital hypophosphatasia ……… 895
先天性瞳孔転位〔症〕 ectopia pupillae congenita ……… 585
先天性瞳孔偏位 ectopia pupillae congenita ……… 585
先天性トキソプラスマ症 congenital toxoplasmosis ……… 1907
先天〔性〕の congenital ……… 410
先天性脳動脈瘤 congenital cerebral aneurysm ……… 81
先天〔性〕の色覚異常 daltonism ……… 471
先天性肺炎 congenital pneumonia ……… 1449
先天性肺動静脈瘻 congenital pulmonary arteriovenous fistula ……… 705
先天性剝脱性表皮剝離症 keratolysis exfoliativa congenita ……… 979
先天〔性〕パラミオトニア congenital paramyotonia, paramyotonia congenita ……… 1352
先天性反射 innate reflex ……… 1579
先天性皮膚形成不全〔症〕 aplasia cutis congenita ……… 115
先天性風疹症候群 congenital rubella syndrome ……… 1801
先天性副腎過形成 congenital adrenal hyperplasia ……… 886
〔先天性〕部分欠損性奇形 ectogenic teratosis ……… 1852
先天性弁 congenital valve ……… 1985
先天性母斑 congenital nevus ……… 1255
先天性ミオトニー myotonia congenita 1216
先天性無線維素原血〔症〕 congenital afibrinogenemia ……… 33
先天性無フィブリノ〔ー〕ゲン血〔症〕 congenital afibrinogenemia ……… 33
先天性無包皮〔症〕 aposthia ……… 118
先天性メトヘモグロビン血症 congenital methemoglobinemia ……… 1142
先天性免疫 maternal immunity ……… 910
先天性溶血性貧血 congenital hemolytic anemia ……… 76
先天性リソソーム病 inborn lysosomal disease ……… 535
先天性両側顔面神経麻痺 congenital facial diplegia ……… 523
先天性緑内障 congenital glaucoma ……… 777
先天性リンパ水腫 congenital lymphedema ……… 1077
先天的な congenital ……… 410
先天梅毒 congenital syphilis ……… 1828
先天白内障 congenital cataract ……… 311
先天免疫 innate immunity ……… 910
尖度 kurtosis ……… 989
尖頭 cusp ……… 452
前頭 forehead ……… 728
前頭 frons ……… 741
前頭 sinciput ……… 1686
ぜん動 peristalsis ……… 1392
ぜん動 vermiculation ……… 2013
前洞 anterior sinuses ……… 1687
前頭縁 frontal border ……… 235
前頭縁 frontal margin ……… 1103
前頭縁 margo frontalis ……… 1104
全洞炎 pansinusitis ……… 1343
前頭蓋窩 anterior cranial fossa ……… 731
前頭蓋窩 fossa cranii anterior ……… 732
ぜん動緩徐 bradystalsis ……… 241
前頭間の interfrontal ……… 945
穿頭器 perforator ……… 1385
穿頭器 trephine ……… 1925
前頭橋〔核〕路 frontopontine tract ……… 1911
前頭橋〔核〕路 tractus frontopontinus ……… 1914
前頭頬骨の frontozygomatic ……… 742
前頭頬骨縫合 sutura frontozygomatica 1786
前頭頬骨縫合 frontozygomatic suture ……… 1787
前頭筋 frontal belly of occipitofrontalis muscle ……… 205
前頭形成〔術〕 metopoplasty ……… 1148
前頭結節 frontal eminence ……… 603
前頭結節 eminentia frontalis ……… 604
前頭結節 frontal tuber ……… 1942
前頭結節 tuber frontale ……… 1942

前頭孔 foramen frontale …… 725
前頭孔 frontal foramen …… 725
前頭溝 frontal grooves …… 801
尖頭合指症 acrocephalosyndactyly (ACPS) …… 17
ぜん動亢進 hyperperistalsis …… 885
前頭後頭束 frontooccipital fasciculus …… 675
前頭後頭の frontooccipital …… 741
前頭骨 frontal bone …… 232
前頭骨 coronale …… 424
前頭骨 os frontale …… 1317
前頭骨眼窩部 orbital part of frontal bone …… 1366
前頭骨頬骨突起 zygomatic process of frontal bone …… 1491
前頭骨頭頂縁 parietal border of frontal bone …… 235
前頭骨頭頂縁 parietal margin of frontal bone …… 1103
前頭骨頭頂縁 margo parietalis ossis frontalis …… 1104
〔前頭骨の〕外面 facies externa ossis frontalis …… 663
〔前頭骨の〕外面 external surface of frontal bone …… 1781
前頭骨の側頭線 temporal line of frontal bone …… 1052
前頭骨の側頭面 temporal surface of frontal bone …… 1783
〔前頭骨の〕内面 facies interna ossis frontalis …… 664
〔前頭骨の〕内面 internal surface of frontal bone …… 1781
〔前頭骨の〕鼻棘 nasal spine of frontal bone …… 1716
〔前頭骨の〕鼻棘 spina nasalis ossis frontalis …… 1716
〔前頭骨の〕盲孔 blind foramen of frontal bone …… 724
〔前頭骨の〕盲孔 foramen cecum of frontal bone …… 724
〔前頭骨の〕盲孔 foramen cecum ossis frontalis …… 724
前頭骨鼻骨縁 nasal border of frontal bone …… 235
前頭骨鼻骨縁 nasal margin of frontal bone …… 1103
前頭骨鼻部 pars nasalis ossis frontalis 1360
前頭骨鼻部 nasal part of frontal bone 1366
前頭骨鱗部 squamous part of frontal bone …… 1367
尖塔サイン steeple sign …… 1684
前頭三角 frontal triangle …… 1927
前頭篩骨縫合 sutura frontoethmoidalis 1786
前頭篩骨縫合 frontoethmoidal suture …… 1787
尖頭症 oxycephaly …… 1332
前頭上顎骨の frontomaxillary …… 741
前頭上顎縫合 sutura frontomaxillaris …… 1786
前頭上顎縫合 frontomaxillary suture …… 1787
前頭静脈 venae frontales …… 2005
前頭神経 frontal nerve …… 1234
前頭神経 nervus frontalis …… 1242
前頭切痕 incisura frontalis …… 919
前頭切痕 frontal notch …… 1269
前頭側頭骨の frontotemporal …… 741
尖頭多合指〔症〕 acrocephalopolysyndactyly 17
前頭頂間骨 preinterparietal bone …… 233
前頭頂葉動脈 anterior parietal artery …… 142
前頭直筋 anterior rectus muscle of head …… 1181
前頭直筋 rectus capitis anterior (muscle) …… 1192
前頭直筋 musculus rectus capitis anterior …… 1202
ぜん動低下 hypoperistalsis …… 895
前頭洞 frontal sinus …… 1687
前頭洞 sinus frontalis …… 1687
前頭洞口 apertura sinus frontalis …… 113
前頭洞口 frontal sinus aperture …… 113
前頭洞口 opening of frontal sinus …… 1303
前頭洞骨形成充填術 osteoplastic obliteration of the frontal sinus …… 1288
前頭洞中隔 septum of frontal sinuses …… 1663
前頭洞中隔 septum sinuum frontalium 1664
前頭頭頂の frontoparietal …… 741
前糖尿病 prediabetes …… 1477
前頭の frontal …… 741
前頭の frontalis …… 741
前頭の procephalic …… 1488
前頭板 frontal plate …… 1435
前頭板間静脈 frontal diploic vein …… 1996
前頭鼻骨の frontonasal …… 741
前頭鼻骨縫合 sutura frontonasalis …… 1786
前頭鼻骨縫合 frontonasal suture …… 1787
前頭皮質 frontal cortex …… 427
前頭鼻隆起 frontonasal prominence …… 1497
前頭部 regio frontalis capitis …… 1584
前頭部 frontal region of head …… 1585
前頭縫合 sutura frontalis …… 1786
前頭縫合 sutura metopica …… 1786
前頭縫合 frontal suture …… 1787
前頭縫合 metopic suture …… 1787
前頭縫合残存〔症〕 metopism …… 1148
戦闘または逃亡反応 fight or flight reaction …… 1564
前透明中隔静脈 anterior vein of septum pellucidum …… 1993
前頭面 coronal plane …… 1430
前頭面 frontal plane …… 1430
前頭面 plana frontalia …… 1431
前投薬 premedication …… 1479
前頭葉 lobus frontalis …… 1066
前頭葉機能低下 hypofrontality …… 893
前頭葉橋線維 frontopontine fibers …… 689
前頭葉極動脈 polar frontal artery …… 149
前頭葉静脈 frontal veins …… 1996
前頭葉静脈 venae frontales …… 2005
前頭葉前部の prefrontal …… 1478
前頭葉てんかん frontal lobe epilepsy …… 628
前頭葉白質切截術 prefrontal lobotomy …… 1064
前頭隆起 torus frontalis …… 1905
前頭稜 frontal crest …… 437
前頭稜 crista frontalis …… 440
前頭鱗 squama frontalis …… 1726
前頭鱗の squamofrontal …… 1726
前頭涙骨縫合 sutura frontolacrimalis …… 1786
前頭涙骨縫合 frontolacrimal suture …… 1787
前突 protraction …… 1509
前突 protrusion …… 1509
〔つち骨〕前突起 anterior process of malleus …… 1488
〔つち骨〕前突起 processus anterior mallei …… 1491
前突歯 buck tooth …… 1902
前突の mesiognathic …… 1135
セントラド centrad …… 331
セントラルドグマ central dogma …… 554
セントラルベアリング central bearing …… 203
セントラルベアリング装置 central-bearing device …… 503
セントラルベアリングトレーシング装置 central-bearing tracing device …… 503
セントルイス脳炎ウイルス St. Louis encephalitis virus …… 2029
セントールスコア Centor score …… 1649
セントルロイデス属 *Centruroides* …… 332
セントロセストス属 *Centrocestus* …… 331
先ドングリ型カテーテル acorn-tipped catheter …… 313
センナ senna …… 1660
前内果動脈 arteria malleolaris anterior medialis …… 136
前内果動脈 anterior medial malleolar artery …… 142
腺内〔深〕耳下腺リンパ節 intraglandular deep parotid lymph nodes …… 1079
前内側核 anteromedial nucleus …… 1273
前内側核 nucleus anteromedialis …… 1273
前内側筋間中隔 anteromedial intermuscular septum …… 1663
前内側視床線条体動脈 arteriae centrales anteromediales …… 134
前内側視床線条体動脈 arteriae thalamostriatae anteromediales …… 138
前内側視床線条体動脈 anteromedial thalamostriate arteries …… 142
前内側前頭葉枝 ramus frontalis anteromedialis …… 1551
前内側中心枝 anteromedial central branches …… 243
前内側中心枝 rami centrales anteromediales …… 1549
前内側中心動脈 arteriae centrales anteromediales …… 134
前内側中心動脈 anteromedial central arteries …… 142
前内側の anteromedial …… 97
前内椎骨静脈叢 anterior internal vertebral venous plexus …… 1439
腺内の intraglandular …… 950
前内方の anterointernal …… 97
前軟骨 precartilage …… 1476
腺肉腫 adenosarcoma …… 26
〔爪の〕潜入縁 occult border of nail …… 235
〔爪の〕潜入縁 margo occultus unguis …… 1104
潜熱 latent heat …… 821
腺熱 Sennetsu fever …… 686
腺熱エールリヒア *Ehrlichia sennetsu* …… 591
浅の superficialis …… 1777
洗脳 brainwashing …… 242
前脳 forebrain …… 728
前脳 prosencephalon …… 1500
全能 totipotency, totipotence …… 1905
全脳炎 panencephalitis …… 1342
全脳欠如〔奇形〕 pantanencephaly, pantanencephalia …… 1343
前脳原基 forebrain primordium …… 1484
全能細胞 totipotent cell …… 327
腺嚢腫 adenocystoma …… 25
全能性原形質 totipotential protoplasm …… 1508
前脳の procephalic …… 1488
センノシドA sennoside A …… 1660
センノシドB sennoside B …… 1660
全肺気量 total lung capacity (TLC) …… 288
浅背筋 superficial back muscles …… 1195
全肺静脈還流異常 total anomalous pulmonary venous return (TAPVR) 1605
全(総)肺静脈還流異常〔症〕 total anomalous pulmonary venous connection …… 413
前背側核 nucleus anterodorsalis …… 1273
前肺底区 anterior basal (bronchopulmonary) segment [S VIII] …… 1654
前肺底区動脈 anterior basal segmental artery …… 141
前肺底枝 anterior basal branch …… 242
前肺底静脈 ramus basalis anterior …… 1548
前肺底静脈 anterior basal vein …… 1993
前肺底動脈 ramus basalis anterior …… 1548
専売薬 proprietary medicine …… 1117
全胚葉の panblastic …… 1340
前白交連 commissura alba anterior …… 397
全白内障 total cataract …… 312
前発癌物質 procarcinogens …… 1487
閃発熱傷 flash burn …… 267
浅板 lamina superficialis …… 999
浅板 superficial layer …… 1013
前半規管 canalis semicircularis anterior 286

前半月大腿靱帯 anterior meniscofemoral ligament 1032
前半月大腿靱帯 ligamentum meniscofemorale anterius 1044
前反膝 genu recurvatum 767
全般性不安障害 generalized anxiety disorder (GAD) 545
全般てんかん generalized epilepsy 628
全般発作 generalized seizure 1657
仙尾〔結合〕 symphysis sacrococcygea 1791
前鼻棘 anterior nasal spine 1716
〔上顎骨の〕前鼻棘 anterior nasal spine of maxilla 1716
〔上顎骨の〕前鼻棘 spina nasalis anterior corporis maxillae 1716
仙尾筋 sacrococcygeus 1629
仙尾骨円板 sacrococcygeal disc 526
仙尾骨結合 articulatio sacrococcygea 157
仙尾骨結合 sacrococcygeal joint 971
仙尾骨結合 sacrococcygeal junction 973
浅腓骨神経 superficial fibular nerve 1239
浅腓骨神経 superficial peroneal nerve 1239
浅腓骨神経 nervus fibularis superficialis 1242
浅腓骨神経 nervus peroneus superficialis 1243
浅腓骨神経の背側指枝 dorsal digital nerves of superficial fibular nerve 1233
前腓骨頭靱帯 anterior ligament of fibular head 1032
前腓骨頭靱帯 ligamentum capitis fibulae anterius 1042
仙尾骨の sacrococcygeal 1629
仙尾骨連結 junctura sacrococcygea 974
〔大腿神経〕前皮枝 anterior cutaneous branches of femoral nerve 242
〔大腿神経〕前皮枝 rami cutanei anteriores nervi femoralis 1550
〔胸神経〕〔胸・腹〕前皮枝 ramus cutaneus anterior (pectoralis et abdominalis) nervorum thoracicorum 1550
前皮質脊髄路 anterior corticospinal tract 1910
前皮質脊髄路 tractus corticospinalis anterior 1914
旋尾線虫 spiruroid 1718
旋尾線虫上科 Spiruroidea 1719
旋尾線虫幼虫移行症 spiruroid larva migrans 1001
尖鼻の oxyrhine 1332
仙尾部奇形腫 sacrococcygeal teratoma 1852
〔腹部の〕浅被覆筋膜 superficial investing fascia (of abdomen) 674
腺病性苔癬 lichen scrofulosorum 1031
腺病性鼻炎 scrofulous rhinitis 1608
腺病の scrofulous 1651
前Bリンパ球 pre-B lymphocyte 1082
線広がり関数 line spread function (LSF) 744
前部 pars anterior 1357
前部 anterior part 1362
前部一次硝子体過形成遺残 persistent anterior hyperplastic primary vitreous 2035
全不応期 total refractory period 1390
前負荷 preload 1479
前部角膜ジストロフィ anterior corneal dystrophy 578
尖腹 protuberant abdomen 1
潜伏 latency 1004
潜伏〔期〕 incubation 921
〔顎二腹筋〕前腹 venter anterior musculi digastrici 2009
潜伏遠視 latent hyperopia 884
潜伏癌 latent carcinoma 297
潜伏癌 occult carcinoma 298
潜伏眼振 latent nystagmus 1286
潜伏感染 latent microbism 1150
潜伏期 latency 1004
潜伏期 incubation period 1389
潜伏期 latency phase 1402
潜伏期保菌者 incubatory carrier 305
潜伏睾丸 undescended testis 1869
線副子 wire splint 1722
潜伏時 latent period 1389
潜伏性アレルギー latent allergy 49
潜伏性猩紅熱 scarlatina latens, latent scarlatina 1641
潜伏精巣 undescended testis 1869
潜伏性同性愛 latent homosexuality 861
潜伏性の insidious 940
潜伏性膿血〔症〕 cryptogenic pyemia 1530
潜伏性反射 latent reflex 1580
前腹側核 nucleus anteroventralis 1273
〔視床〕前腹側核 nucleus ventralis anterior 1281
〔視床〕前腹側核 ventral anterior nucleus [TA] of thalamus 1281
潜伏帯 latent zone 2059
潜伏統合失調症 latent schizophrenia 1644
全副鼻腔炎 pansinusitis 1343
浅腹壁静脈 superficial epigastric vein 2001
浅腹壁静脈 vena epigastrica superficialis 2005
浅腹壁動脈 arteria epigastrica superficialis 135
浅腹壁動脈 superficial epigastric artery 152
全部床義歯 complete denture 489
前部硝子体切除〔術〕 anterior vitrectomy 2034
前不正軸定位(進入) anterior asynclitism 166
前部二重体 duplicitas anterior 567
前部尿道 anterior urethra 1971
前部尿道炎 anterior urethritis 1971
前部尿道弁 anterior urethral valve 1984
前部の frontal 741
前部ブドウ膜炎 anterior uveitis 1978
前部脈絡膜炎 anterior choroiditis 356
前プラスマ細胞 proplasmacyte 1499
センプルワクチン Semple vaccine 1980
腺フレグモーネ adenophlegmon 26
前分泌顆粒 prosecretion granules 797
腺分泌細胞 adenocyte 25
腺分泌刺激性の excitoglandular 652
全分泌腺 holocrine gland 773
全分泌の holocrine 858
〔前〕閉鎖結節 obturator tubercle (anterior) 1944
〔前〕閉鎖結節 tuberculum obturatorium (anterius) 1946
〔胃〕前壁 anterior wall of stomach 2039
前壁心筋梗塞 anterior myocardial infarction 926
前壁中隔心筋梗塞 anteroseptal myocardial infarction 926
腺ペスト bubonic plague 1429
選別エンドソーム sorting endosome 615
選別試験 screening test 1865
前偏 anteposition 97
前弁蓋症候群 anterior opercular syndrome 1796
前扁桃体 anterior amygdaloid area 128
腺扁平上皮癌 adenosquamous carcinoma 295
腺胞 alveolus 55
羨望 envy 623
先房 epimerite 629
腺房 acinus 15
前房 protomerite 1508
前方運動 protrusive excursion 652
腺傍炎 paradenitis 1348
前方開胸〔術〕 anterior thoracotomy 1886
前方顎関係 protrusive jaw relation 1588
腺胞管 alveolar duct 563
前方関係 protrusive relation 1588
腺胞間の interacinous 943
〔腺〕胞間の interalveolar 943
前方記録 protrusive record 1574
〔前房〕隅角鏡 gonioscope 792
前方咬合 protrusive occlusion 1290
〔浅〕膀胱三角筋 trigonal muscles (superficial) 1197
全膀胱切除〔術〕 total cystectomy 461
前方叩打反射 front-tap reflex 1579
前方向抑制 proactive inhibition 933
腺房細胞 acinar cell 319
腺房細胞腫瘍 acinar cell tumor 1949
腺房細胞腺癌 acinic cell adenocarcinoma 24
前房出血 hyphema 890
前方心不全 forward heart failure 670
前房線維柱帯 anterior chamber trabecula 1907
前縫線脊髄路 anterior raphespinal tract 1910
腺蜂巣炎 adenophlegmon 26
前膨大部神経 anterior ampullary nerve 1232
前膨大部神経 nervus ampullaris anterior 1241
前房蓄膿 hypopyon 896
前房蓄膿性潰瘍 hypopyon ulcer 1961
前方突進 propulsion 1499
腺胞内の intraacinous 949
腺房の acinar 15
前方の anterior 97
前方反張 emprosthotonos 605
腺包皮層板 glandulopreputial lamella 996
前方不安感試験 anterior apprehension test 1854
前房分割症候群 anterior chamber cleavage syndrome 1796
前方分力 anterior component of force 403
前方へ frontad 741
前方へ prorsad 1500
前母趾 prehallux 1479
仙麻 caudal anesthesia 79
腺膜 glandilemma 775
全末梢血管抵抗 total peripheral resistance (TPR) 1594
線密度 linear density 487
前脈絡叢 proplexus 1499
前脈絡叢動脈 arteria choroidea anterior 134
前脈絡叢動脈 anterior choroidal artery 141
〔前脈絡叢動脈〕側脳室脈絡枝 choroid branches 244
〔前脈絡叢動脈〕第3脳室脈絡枝 choroid branches 244
全無心体 holoacardius 858
ぜん鳴 stertor 1746
ぜん鳴 stridor 1757
ぜん鳴 wheeze 2045
ぜん鳴痙攣 laryngismus stridulus 1002
ぜん鳴性喉頭炎 laryngitis stridulosa 1002
前迷走神経幹の肝枝 hepatic branches of anterior vagal trunk 247
前迷走神経幹の前胃枝 anterior gastric branches of anterior vagal trunk 242
前迷走神経幹の前胃枝 gastric branches of anterior vagal trunk 246
前迷走神経幹の幽門枝 pyloric branch of anterior vagal trunk 253
ゼンメリング靱帯 Soemmering ligament 1040
ゼンメリング輪 ring of Soemmering 1618
前面 facies anterior 662
前面 anterior surface 1780
〔子宮の〕前面 facies vesicalis uteri 665
〔子宮の〕前面 vesical surface of uterus 1784
〔上顎骨〕前面 facies anterior corporis maxillae 662
〔上顎骨〕前面 anterior surface of maxilla 1780
〔膝蓋骨の〕前面 facies anterior patellae 662
〔膝蓋骨の〕前面 anterior surface of patella

セ

…… 1780
洗面器 basin …… 200
全面推進治療 total push therapy …… 1880
全面地方流行病 holoendemic disease …… 535
せん妄 delirium …… 483
線毛 cilium …… 362
線毛 fimbria …… 700
線毛運動 ciliary movement …… 1173
線毛運動不全 ciliary dyskinesis …… 573
前毛細血管吻合 precapillary anastomosis 73
線毛上皮 ciliated epithelium …… 632
旋毛虫 *Trichinella spiralis* …… 1928
旋毛虫検出器 trichinoscope …… 1929
旋毛虫症 trichiniasis …… 1829
旋毛虫症 trichinosis …… 1929
旋毛虫上科 Trichinelloidea …… 1928
旋毛虫属 *Trichinella* …… 1928
旋毛虫肉芽腫 trichinosis granuloma …… 798
繊毛虫類 Ciliata …… 362
前盲腸動脈 arteria caecalis anterior …… 134
前盲腸動脈 anterior cecal artery …… 141
線毛の ciliary …… 362
線毛不動症候群 immotile cilia syndrome …… 1808
前毛様体静脈 anterior ciliary veins …… 1993
前毛様体静脈 venae ciliares anteriores 2005
前毛様体動脈 arteriae ciliares anteriores 134
前毛様体動脈 anterior ciliary arteries …… 141
線毛をもつ ciliated …… 362
泉門 fontanelle …… 723
線紋 striation …… 1756
専門 specialty …… 1707
専門医 specialist …… 1707
専門化 specialization …… 1707
専門家 specialist …… 1707
専門家用語 jargon …… 966
泉門交叉 decussatio fontinalis …… 476
泉門交叉 fountain decussation …… 476
専門の technical …… 1844
専門病院 special hospital …… 865
前有孔質 anterior perforated substance 1765
前有孔質 substantia perforata anterior 1766
前有孔質動脈 anterior perforating arteries …… 142
前有線野 prestriate area …… 130
前誘発 preinduction …… 1479
栓友病 thrombophilia …… 1888
全輸血 substitution transfusion …… 1919
浅葉 lamina superficialis …… 999
線溶〔現象〕fibrinogenolysis …… 693
〔下垂体の〕前葉 anterior lobe of hypophysis …… 1063
〔下垂体の〕前葉 lobus anterior hypophyseos …… 1066
腺様化 adenization …… 24
線〔維素〕溶〔解〕酵素 plasmin …… 1433
線溶亢進 hyperfibrinolysis …… 880
腺様歯原性腫瘍 adenomatoid odontogenic tumor …… 1949
前羊水 forewaters …… 728
仙腰〔椎〕の sacrolumbar …… 1630
腺様の adenoid …… 25
腺様嚢胞癌 adenoid cystic carcinoma …… 295
先らせん形カテーテル spiral tip catheter 314
千里眼 clairvoyance …… 370
前梨状回 prepiriform gyrus …… 809
戦慄 trepidation …… 1925
旋律失語〔症〕tonaphasia …… 1899
前立腺 prostata …… 1500
前立腺 prostate …… 1500
前立腺液 prostatic fluid …… 715
前立腺炎 prostatitis …… 1500
前立腺遠位部 distal part of prostate …… 1364
前立腺外の extraprostatic …… 658
前立腺下外側面 facies inferolateralis prostatae …… 664
前立腺下外側面 inferolateral surface of prostate …… 1781
前立腺管 prostatic ducts …… 564
前立腺管 prostatic ductules …… 565
前立腺管 ductuli prostatici …… 566
前立腺癌 carcinoma of the prostate …… 298
前立腺挙筋 elevator (muscle) of prostate …… 1184
前立腺挙筋 levator prostatae (muscle) 1188
前立腺挙筋 musculus levator prostatae 1201
前立腺近位部 proximal part of prostate 1367
〔前立腺〕筋質 muscular tissue of prostate …… 1896
前立腺筋膜 fascia of prostate …… 674
前立腺筋膜 fascia prostatae …… 674
前立腺結石 prostatic calculus …… 278
前立腺結石 prostatolith …… 1501
前立腺後面 facies posterior prostatae …… 664
前立腺後面 posterior surface of prostate …… 1783
前立腺症 prostatism …… 1500
前立腺鞘 prostatic sheath …… 1671
前立腺小室 prostatic utricle …… 1977
前立腺小室 utriculus prostaticus …… 1978
前立腺上皮内腫瘍 prostatic intraepithelial neoplasia (PIN) …… 1227
前立腺静脈叢 prostatic venous plexus …… 1443
前立腺静脈叢 plexus venosus prostaticus …… 1444
前立腺小葉 lobules of (right and left) lobes of prostate …… 1065
前立腺神経叢 prostatic (nervous) plexus …… 1443
前立腺精嚢炎 prostatovesiculitis …… 1501
前立腺精嚢切除〔術〕prostatovesiculectomy …… 1501
前立腺切開〔術〕prostatotomy …… 1501
前立腺切除〔術〕prostatectomy …… 1500
前立腺切石〔術〕prostatolithotomy …… 1501
前立腺前括約筋 preprostatic sphincter …… 1713
〔前立腺〕腺質 glandular substance of prostate …… 1765
〔前立腺〕腺質 substantia glandularis prostatae …… 1766
前立腺腺腫 prostatic adenoma …… 26
前立腺前面 facies anterior prostatae …… 662
前立腺前面 anterior surface of prostate 1780
前立腺洞 prostatic sinus …… 1688
前立腺洞 sinus prostaticus …… 1688
前立腺特異抗原 prostate-specific antigen (PSA) …… 105
前立腺特異抗原進行速度 PSA velocity 2003
前立腺特異抗原密度 PSA density …… 487
前立腺内の intraprostatic …… 951
〔前立腺の〕峡部 isthmus prostatae …… 964
〔前立腺の〕峡部 isthmus of prostate …… 964
前立腺の実質 parenchyma of prostate …… 1355
〔前立腺の〕尖 apex of prostate …… 113
〔前立腺の〕尖 apex prostatae …… 113
〔前立腺の〕中葉 middle lobe of prostate 1064
〔前立腺の〕中葉 lobus medius prostatae 1066
前立腺の底 base of prostate …… 200
前立腺の底 basis prostatae …… 201
前立腺肥大 prostatomegaly …… 1501
前立腺膀胱炎 prostatocystitis …… 1501
前立腺膀胱静脈叢 prostaticovesical venous plexus …… 1443
前立腺膀胱の prostaticovesical …… 1500
前立腺マッサージ prostatic massage …… 1108
前立腺葉 lobe of prostate …… 1064
前立腺葉 lobus prostatae …… 1067
前立腺漏 prostatorrhea …… 1501
〔完〕全流産 complete abortion …… 4
全流動食 full liquid diet …… 514
染料 dye …… 569
染料 stain …… 1729
染料 tinction …… 1894
線量 dose …… 556
線量計 dosimeter …… 558
線量計 radiometer …… 1544
線量測定(計測)〔法〕dosimetry …… 558
染料索引 Colour Index (CI) …… 394
線量算定〔法〕dosimetry …… 558
線量測定用具 dosimeter …… 558
善良な無関心 la belle indifférence …… 991
前臨床〔医学〕の preclinical …… 1477
浅リンパ管 vas lymphaticum superficiale …… 1989
浅リンパ管 superficial lymph vessel …… 2018
〔頸静脈二腹筋リンパ節の〕前リンパ節 anterior jugulodigastric lymph node …… 1077
〔頸静脈肩甲舌骨筋リンパ節の〕前リンパ節 anterior jugulo-omohyoid lymph nodes …… 1077
前涙嚢稜 anterior lacrimal crest …… 437
前涙嚢稜 crista lacrimalis anterior …… 440
全例解析 intention-to-treat analysis …… 70
線列マーク alignment mark …… 1105
先ろうブジー wax-tipped bougie …… 238
前肋間静脈 anterior intercostal veins …… 1993
前肋間静脈 venae intercostales anteriores …… 2006
前肋間動脈 anterior intercostal arteries …… 142
前肋間動脈 superior intercostal artery …… 153
前肋間動脈 anterior intercostal branches of internal thoracic artery …… 242
前肋骨吻合 precostal anastomosis …… 73
線路様線状陰影 tram lines …… 1052
前論理的思考 prelogical thinking …… 1883
〔脊柱〕前弯〔症〕anterior curvature …… 450
〔脊柱〕前弯〔症〕lordosis …… 1069
前腕 antebrachium …… 97
前腕 forearm …… 728
前腕 antebrachial region …… 1584
前腕回内〔運動〕pronation of forearm …… 1498
前腕筋膜 antebrachial fascia …… 672
前腕筋膜 fascia antebrachii …… 672
前腕屈筋支帯 antebrachial flexor retinaculum …… 1600
前弯痙攣 emprosthotonos …… 605
前腕後区分の外側部 lateral part of posterior (extensor) compartment of forearm …… 1365
前腕骨外側縁 lateral border of forearm 235
前腕骨外側縁 radial border of forearm …… 236
前腕骨外側縁 margo lateralis antebrachii …… 1104
前腕骨間膜 membrana interossea antebrachii …… 1124
前腕骨間膜 interosseous membrane of forearm …… 1126
前腕骨内側縁 medial border of forearm 235
前腕骨内側縁 ulnar border of forearm …… 236
前腕骨内側縁 margo medialis antebrachii …… 1104
〔脊柱〕前弯〔性〕骨盤 lordotic pelvis …… 1379
前腕尺側皮静脈 basilic vein of forearm 1994
前弯性蛋白尿〔症〕lordotic albuminuria …… 44
前腕正中皮静脈 intermediate antebrachial vein …… 1997
前腕正中皮静脈 intermediate vein of forearm …… 1997
前腕正中皮静脈 median antebrachial vein …… 1998
前腕正中皮静脈 median vein of forearm …… 1998
前腕正中皮静脈 vena intermedia antebrachii …… 2006
前腕正中皮静脈 vena mediana antebrachii …… 2006
前腕切断 B-E amputation …… 65
前腕前区分の深部 deep part of anterior

compartment of forearm ……………… 1363
前腕前区分の浅部 superficial part of anterior (flexor) compartment of forearm …………………………………… 1367
前腕前面 facies anterior antebrachii …… 662
前腕中間皮静脈 intermediate antebrachial vein ………………………………… 1997
前腕中間皮静脈 vena intermedia antebrachii …………………………………… 2006
前腕橈側皮静脈 cephalic vein of forearm …………………………………… 1994
前腕の antebrachial ……………………… 97
前腕の回外 supination of the forearm … 1778
前腕の後区画 posterior compartment of forearm ………………………………… 399
前腕の前区画 anterior compartment of forearm ………………………………… 399
前腕背側の postcubital ………………… 1470

ソ

ソーヴァル-ソファー症候群 Sohval-Soffer syndrome …………………………… 1820
ソーヴ法 Soave operation ……………… 1306
ソークワクチン Salk vaccine …………… 1980
ソーシャルネットワーク療法 social network therapy …………………………… 1879
ソーズビー症候群 Sorsby syndrome …… 1820
ソーセージ指 sausage fingers …………… 701
ソーダ soda ……………………………… 1695
ソーダ〔含有〕の sodic ………………… 1695
ソーダ石灰 soda lime …………………… 1695
ソーダ負荷 soda loading ……………… 1063
ソーダライム soda lime ………………… 1695
ゾーノーシス zoonosis ………………… 2061
ソールクワクチン Salk vaccine ………… 1980
ソールズバリー感冒ウイルス Salisbury common cold viruses ………………… 2029
ソールター成長線 Salter incremental lines …………………………………… 1052
ソーン sone ……………………………… 1700
ソーンドビー試験 Saundby test ………… 1865
添い寝 cosleeping ………………………… 430
素因 predisposing cause ………………… 315
素因 diathesis …………………………… 512
素因 predisposing factors ……………… 668
素因 predisposition …………………… 1477
素因 procatarxis ……………………… 1487
叢 bouquet ……………………………… 238
叢 plexus ……………………………… 1439
層 coat ………………………………… 383
層 layer ……………………………… 1009
層 panniculus ………………………… 1343
層 stratum …………………………… 1751
層 thickness ………………………… 1883
層 tunic ……………………………… 1952
層 tunica ……………………………… 1952
巣 nest ………………………………… 1244
巣 nidus ……………………………… 1257
槽 alveus ………………………………… 55
槽 cistern ……………………………… 368
槽 socket ……………………………… 1695
相 phase ……………………………… 1401
窓 fenestra …………………………… 680
窓 window …………………………… 2046
爪 nail ………………………………… 1219
爪 unguis ……………………………… 1964
〔指の〕爪 fingernail …………………… 701
像 image ………………………………… 907
増悪 exacerbation ……………………… 650
増悪原因 precipitating cause ………… 315
爪異栄養〔症〕 onychodystrophy ……… 1301
爪〔周〕囲炎 paronychia ……………… 1356
爪萎縮 onychatrophia, onychatrophy …… 1301
掃引 sweep …………………………… 1789
相引 coupling …………………………… 432
増員生殖 schizogony ………………… 1643
相引相 coupling phase ……………… 1402
双羽状筋 bipennate muscle …………… 1182
双羽状筋 musculus bipennatus ………… 1199
躁うつ病 manic-depressive psychosis …… 1520
躁うつ病患者 manic-depressive ……… 1100
造影剤 contrast ………………………… 417
造影剤 contrast medium ……………… 1118
造影前単純像 scout film ……………… 699
造影注腸 contrast enema ……………… 616
爪栄養 onychotrophy ………………… 1301
総エネルギー total energy ……………… 617
爪炎 onychia …………………………… 1301
蒼鉛 bismuth (Bi) ……………………… 216
蒼鉛縁 bismuth line ………………… 1049
創縁新生 revivification ……………… 1606
双円板状の bidiscoidal ………………… 209
騒音公害 noise pollution ……………… 1457
騒音耳痛 odynacusis ………………… 1293
騒音性難聴 noise-induced hearing impairment ……………………………… 820
騒音対策 sound abatement ………………… 1
騒音排除 sound abatement ………………… 1
層化 stratification …………………… 1751
爽快薬 euphoriant ……………………… 648
爪下外骨腫 subungual exostosis ………… 655
双顆関節 articulatio bicondylaris ………… 157
双顆関節 bicondylar articulation ………… 158
双顆関節 bicondylar joint ……………… 969
総蝸牛軸静脈 common modiolar vein … 1995
総蝸牛動脈 common cochlear artery …… 143
爪郭 nail fold ………………………… 719
爪郭 vallum unguis …………………… 1984
爪郭 nail wall ………………………… 2039
爪学 onychology ……………………… 1301
爪郭炎 paronychia …………………… 1356
双角子宮 bicornate uterus …………… 1977
爪角質層 cornified layer of nail ……… 1009
爪角質層 stratum corneum unguis …… 1751
相加効果 additive effect ……………… 588
爪下黒色腫 subungual melanoma ……… 1122
爪過剰〔症〕 polyonychia ……………… 1462
相加性 additivity ………………………… 24
走化性 chemotaxis, positive chemotaxis, negative chemotaxis ……………………… 343
総括 colligation ………………………… 391
爪下の subungual, subunguial ………… 1768
爪下膿瘍 subungual abscess ……………… 6
爪下皮 hyponychium …………………… 895
層化標本 stratified sample …………… 1633
挿管〔法〕 intubation …………………… 951
挿管〔法〕 tubage ……………………… 1940
相関 correlation ………………………… 427
相関 relationship ……………………… 1588
〔積率〕相関 product-moment correlation 427
双眼異色〔症〕 binocular heterochromia … 847
総肝管 common hepatic duct ………… 563
総肝管 ductus hepaticus communis …… 566
双眼鏡様手 opera-glass hand ………… 814
双杆菌 diplobacillus …………………… 523
総眼筋麻痺 ophthalmoplegia totalis …… 1308
相関係数 correlation coefficient ……… 387
双眼検眼鏡 binocular ophthalmoscope … 1308
双眼顕微鏡 binocular microscope …… 1154
相関作用 correlation ………………… 427
増感紙 intensifying screen …………… 1651
増感紙-フイルム密着性 screen-film contact ……………………………………… 1651
造管術 tubulization …………………… 1948
相関性分化 correlative differentiation …… 516
層間ゼリー interlaminar jelly …………… 967
槽間中隔 interalveolar septum ………… 1663
槽間中隔 septum interalveolare ………… 1663
挿間的運動失調〔症〕 episodic ataxia …… 167
総肝動脈 arteria hepatica communis …… 135
総肝動脈 common hepatic artery ……… 143
爪嵌入症 ingrown nail ………………… 1220
槽間の interalveolar …………………… 943
双眼の binocular ……………………… 211
層間白内障 lamellar cataract ………… 311
相関法 correlational method ………… 1143
相関免疫 premunition ………………… 1479
総顔面静脈 common facial vein ……… 1995
総顔面静脈 vena facialis communis …… 2005
双眼ルーペ binocular loupe …………… 1069
想起 recall …………………………… 1570
想起 retrieval ………………………… 1603
臓器栄養の organotrophic …………… 1313
早期外傷後てんかん early posttraumatic epilepsy ……………………………… 628
臓器学 organology …………………… 1313
双器綱 Adenophorasida ………………… 26
臓器向性 organotropism ……………… 1313
早期興奮症候群 preexcitation syndrome 1816
臓器固定〔術〕 organopexy, organopexia 1313
早期〔産〕児 preterm infant …………… 925
総義歯 complete denture ……………… 489
総義歯印象 complete denture impression 917
臓器軸捻 organoaxial ………………… 1313
早期視細胞電位 early receptor potential (ERP) ………………………………… 1473
早期収縮 premature beat ……………… 203
早期収縮 premature contraction ……… 417
臓器障害 organopathy ………………… 1313
早期生歯 dentia praecox ……………… 487
早期接触 prematurity ………………… 1479
臓器走性 organotaxis ………………… 1313
早期退院 early discharge ……………… 526
臓器痛 visceralgia …………………… 2031
臓器摘出〔術〕 evisceration …………… 650
臓器特異性抗原 organ-specific antigen … 104
臓器特異〔的〕の organ-specific ……… 1313
早期梅毒 early syphilis ……………… 1828
早期梅毒 primary syphilis …………… 1828
臓器培養 organ culture ………………… 448
早期反応 early-phase response ……… 1596
臓器病説 organicism ………………… 1312
臓器病説者 organicist ………………… 1312
早期不顕性梅毒 early latent syphilis …… 1828
早期分娩 premature labor ……………… 992
早期発作 prolepsis …………………… 1496
早期発作 early seizure ……………… 1657
双球菌 diplococcus …………………… 523
双球菌血〔症〕 diplococcemia ………… 523
双球菌属 *Diplococcus* ………………… 523
増強 enhancement ……………………… 617
増強 increment ………………………… 920
増強 reinforcement …………………… 1587
増強型狭心症 crescendo angina ………… 82
増強剤 potentiator …………………… 1474
躁狂状の phrenetic …………………… 1418
臓器容積計 oncometer ………………… 1300
臓器容積測定〔法〕 oncometry ………… 1300
臓器容積描写器 oncograph …………… 1300
臓器容積描写法 oncography ………… 1300
双極I型障害 bipolar I disorder ………… 545
双極II型障害 bipolar II disorder ……… 545
双極細胞 bipolar cell ………………… 319
双極子 dipole ………………………… 524
双極子イオン dipolar ions …………… 954
双極子モーメント dipole moment …… 1164
双極性障害 bipolar disorder ………… 545
双極〔性〕の bipolar …………………… 215
双極説 dipole theory ………………… 1875
双極ニューロン bipolar neuron ……… 1249

双極誘導 bipolar lead …… 1014
臓器療法 organotherapy …… 1313
藻菌類 Phycomycetes …… 1419
装具 appliance …… 120
装具 brace …… 239
装具 braces …… 239
装具 orthosis …… 1317
〔補〕装具学 prosthetics …… 1501
創クリップ wound clip …… 375
ぞうげ ebur …… 580
槍形吸虫属 *Dicrocoelium* …… 513
層形成 stratification …… 1751
双頸双角子宮 uterus bicornis bicollis …… 1977
総頸動脈 arteria carotis communis …… 134
総頸動脈 common carotid artery …… 143
総頸動脈神経叢 common carotid nervous plexus …… 1440
総頸動脈神経叢 common carotid plexus 1440
双茎皮弁 bipedicle flap …… 709
ぞうげエナメル境 dentinoenamel junction …… 973
〔ぞうげ質の〕ぞうげ化 eburnation of dentin …… 581
象牙海岸ウイルス Côte-d'Ivoire virus …… 2023
ぞうげ芽細胞 odontoblast …… 1292
ぞうげ芽細胞腫 odontoblastoma …… 1292
ぞうげ芽細胞層 odontoblastic layer …… 1012
ぞうげ芽細胞層 odontoblastic zone …… 2059
ぞうげ芽細胞突起 dentinal fibers, dental fibers …… 688
ぞうげ細管 dentinal canals …… 283
ぞうげ細管 dentinal tubules …… 1948
ぞうげ細管 tubuli dentales …… 1948
ぞうげ質 dentin …… 488
ぞうげ質 dentinum …… 488
ぞうげ質形成異常(異形成) dentin dysplasia …… 575
ぞうげ質エナメル質の dentinoenamel …… 488
ぞうげ質炎 eburnitis …… 581
ぞうげ質化 eburnation …… 580
ぞうげ質橋 dentin bridge …… 257
ぞうげ質形成 dentinogenesis …… 488
ぞうげ質形成 eburnation …… 580
ぞうげ質形成不全〔症〕 dentinogenesis imperfecta …… 488
ぞうげ〔質〕腫 dentinoma …… 488
ぞうげ質セメント質の dentinocemental 488
ぞうげ質知覚過敏〔症〕 hypersensitive dentin …… 488
ぞうげ質痛 dentinalgia …… 488
〔ぞうげ質の〕石灰化球 dentin globules …… 778
ぞうげ質膜 membrana eboris …… 1124
ぞうげ質膜 ivory membrane …… 1126
ぞうげ質様の dentinoid …… 488
ぞうげ質様の odontinoid …… 1292
ぞうげ〔質〕粒 denticle …… 487
ぞうげ線維 dentinal fibers, dental fibers 688
ぞうげ前質 predentin …… 1477
造血 hemopoiesis …… 835
象牙椎 ivory vertebra …… 2015
造血異常 dyshematopoiesis …… 572
造血管細胞集団 angioblastic cell clusters 377
造血管索 angioblastic cords …… 421
造血器内溶血過度 plasmotropism …… 1434
造血系 hematopoietic system …… 1831
造血性の hematinic …… 825
造血性ポルフィリン症 erythropoietic porphyria …… 1467
造血腺 hematopoietic gland …… 773
造血組織 hemopoietic tissue …… 1895
造血転写因子PU.1 hematopoietic transcription factor PU.1 …… 667
造血不全性貧血 dyshemopoietic anemia …… 77
造血薬 hematinic …… 825
ぞうげ様外骨〔腫〕症 ivory exostosis …… 655
総腱輪 anulus tendineus communis …… 111
造語〔症〕 neologism …… 1227
造語〔症〕 onomatopoiesis …… 1301
〔開〕創鉤 retractor …… 1603
総合医療(診療) comprehensive medical care …… 301
爪〔甲〕硬化〔症〕 scleronychia …… 1647
双合回転〔術〕 bimanual version …… 2014
双口吸虫 amphistome …… 64
双口吸虫科 Paramphistomatidae …… 1351
双口吸虫属 *Paramphistomum* …… 1352
爪甲欠損〔症〕 anonychia, anonychosis …… 94
爪〔甲〕鉤彎症 onychogryposis …… 1301
走好酸球性の eosinotactic …… 624
爪甲色素沈着症 chromonychia …… 358
爪〔甲〕縦裂〔症〕 onychorrhexis …… 1301
爪〔甲〕真菌症 onychomycosis …… 1301
造後腎組織 nephric blastema …… 218
総合〔臨床〕診療所 polyclinic …… 1459
相合性半盲 congruous hemianopia …… 828
爪〔甲〕〔層状〕剝離症 schizonychia …… 1644
爪甲層状分裂〔症〕 onychoschizia …… 1301
爪〔甲〕脱落〔症〕 onychomadesis …… 1301
爪〔甲〕脱落〔症〕 onychoptosis …… 1301
爪甲地図状斑点 geographic stippling of nails …… 1747
躁行動 manicky …… 1100
爪〔甲〕軟化〔症〕 onychomalacia …… 1301
爪甲軟化症 hapalonychia …… 815
双鉤の検鏡 bivalve speculum …… 1709
爪甲破壊〔症〕 onychoclasis …… 1301
爪〔甲〕白斑〔症〕 leukonychia …… 1028
爪〔甲〕剝離症 onycholysis …… 1301
爪甲引抜き癖 onychotillomania …… 1301
爪〔甲〕肥大〔症〕 hyperonychia …… 884
総合病院 general hospital …… 865
爪〔甲〕離床症 onycholysis …… 1301
総合論 syzygiology …… 1835
相互作用 interaction …… 943
相互作用 transaction …… 1916
相互作用過程分析 interaction process analysis …… 70
相互作用精神療法 transactional psychotherapy …… 1521
相互触媒 allelocatalysis …… 49
相互触媒の allelocatalytic …… 49
走固性 stereotaxis …… 1744
相互選択 ampheclexis …… 63
総骨間動脈 arteria interossea communis 135
総骨間動脈 common interosseous artery 143
造骨組織 osteogenic tissue …… 1896
造骨不全 anosteoplasia …… 95
相互転化 interaction …… 943
相互転座 reciprocal translocation …… 1919
相互比例の法則 law of reciprocal proportions …… 1008
相互変換 dismutation …… 543
相互優性遺伝 codominant inheritance …… 932
相互優性遺伝子 codominant gene …… 763
相互輸血 reciprocal transfusion …… 1918
爪根 radix unguis …… 1546
爪根 root of nail …… 1621
爪痕 excoriation …… 652
瘡痕 excoriation …… 652
操作 maneuver …… 1098
操作 operation …… 1303
走査 scanning …… 1640
総再生産率 gross reproduction rate …… 1559
総細胞数 total cell count …… 431
走査〔型〕電子顕微鏡 scanning electron microscope …… 1154
走査式均等濃度X線撮影法 scanning equalization radiography …… 1544
早産 premature birth …… 216
早産 premature labor …… 992
早産の premature …… 1479
早産期の破水 preterm membrane rupture …… 1627
早産防止薬 tocolytic …… 1897
挿耳型補聴器 in-the-canal hearing aid …… 820
〔完全〕挿耳型補聴器 completely in the canal hearing aid (CIC) …… 819
双糸期 diplotene …… 524
双子筋 gemellus …… 762
双子菌属 *Gemella* …… 762
相似形態 plesiomorphism …… 1437
創始者 founder …… 735
創始者の原理 founder principle …… 1485
〔総〕指伸筋 extensor digitorum muscle 1184
〔総〕指伸筋 musculus extensor digitorum …… 1199
〔総〕指伸筋および示指伸筋腱鞘 tendinous sheath of extensor digitorum and extensor indicis muscles …… 1672
〔総〕指伸筋および示指伸筋腱鞘 vagina tendinum musculorum extensoris digitorum et extensoris indicis …… 1982
爪ジストロフィ dystrophia unguium …… 577
爪ジストロフィ onychodystrophy …… 1301
相似〔性〕の analogous …… 70
爪支帯 retinacula of nail …… 1601
爪支帯 retinacula unguis …… 1601
爪-膝蓋骨症候群 nail-patella syndrome 1813
桑実状臼歯 mulberry molar …… 1163
桑実状結石 mulberry calculus …… 278
桑実状斑〔点〕 mulberry spots …… 1725
桑実状卵巣 mulberry ovary …… 1328
走日性 heliotaxis …… 823
桑実胚 morula …… 1171
桑実胚形成 morulation …… 1171
桑実胚様の moruloid …… 1171
相似物 analogue …… 70
双翅目 Diptera …… 524
爪〔周〕囲炎 paronychia …… 1356
爪周囲線維腫 periungual fibroma …… 694
爪周囲の periungual …… 1393
爪〔甲〕縦裂〔症〕 onychorrhexis …… 1301
双手回転〔術〕 bimanual version …… 2014
早熟 precocity …… 1477
早熟 prematurity …… 1479
総主静脈 common cardinal veins …… 1995
総主静脈 cardinal veins …… 1994
双手触診 bimanual palpation …… 1339
双手打診〔法〕 bimanual percussion …… 1384
双手の bimanual …… 211
創傷 wound …… 2049
双晶 twin crystal …… 446
爪床 matrix unguis …… 1111
爪床 nail matrix …… 1111
爪床溢血 hyponychon …… 895
巣状壊死 focal necrosis …… 1224
相乗壊死性筋膜炎 synergistic necrotizing fasciitis …… 677
爪床縁 eponychium …… 633
爪障害 onychopathy …… 1301
層状角膜移植 lamellar keratoplasty, layered keratoplasty …… 980
掻傷恐怖〔症〕 amychophobia …… 66
〔叢状〕群生〔の〕 gregaloid …… 800
双晶形成 twinning …… 1956
層状血栓 mixed thrombus …… 1889
層状血餅 laminated clot …… 377
巣状硬化性糸球体症 focal sclerosing glomerulopathy …… 780
藻状細胞 algoid cell …… 319
相乗作用 potentiation …… 1474
相乗作用 synergism …… 1826
巣状糸球体腎炎 focal glomerulonephritis 780
爪床小溝 groove of nail matrix …… 802
爪床小溝 sulcus matricis unguis …… 1773
爪床小稜 crests of nail matrix …… 437
爪床小稜 cristae matricis unguis …… 440
叢状神経線維腫 plexiform neurofibroma 1247

層状性線維軟骨 stratiform fibrocartilage 693
増殖性網膜症 proliferative retinopathy 1602
増殖性網膜炎(症) retinitis proliferans 1601
叢状線維組織球腫瘍 plexiform fibrohistiocytic tumor 1951
総掌側指神経 common palmar digital nerves 1233
総掌側指神経 nervi digitales palmares communes 1242
総掌側指動脈 arteria digitalis palmaris communis 135
総掌側指動脈 common palmar digital artery 143
巣状塞栓性糸球体腎炎 focal embolic glomerulonephritis 780
爪床の matrical 1110
層状の laminar 999
爪状の onychoid 1301
爪小皮 cuticle of nail 452
層状皮質 laminated cortex 428
層状皮質硬化〔症〕 laminar cortical sclerosis 1647
叢状病変 plexiform lesion 1023
爪床部角質上皮増殖〔症〕 onychophosis 1301
巣状分節状糸球体硬化症 focal segmental glomerulosclerosis 780
創傷縫合〔術〕 traumatonesis 1923
創傷ボツリヌス中毒 wound botulism 238
爪床脈 nail pulse 1525
総称名 generic name 765
創傷離開 wound dehiscence 482
双子葉類 dicotyledon 513
増殖 growth 803
増殖 hyperplasia 885
増殖 increase 920
増殖 proliferation 1497
増殖 propagation 1498
増殖因子 growth factors 667
増殖型〔バクテリオ〕ファージ vegetative bacteriophage 190
〔月経周期の〕増殖期 proliferative phase of endometrial menstrual cycle 1402
増殖細胞核抗原 proliferating cell nuclear antigen (PCNA) 105
増殖性炎〔症〕 hyperplastic inflammation 929
増殖性炎〔症〕 proliferative inflammation 929
増殖性関節炎 proliferative arthritis 155
増殖性胸膜炎 proliferating pleurisy 1438
増殖性筋炎 proliferative myositis 1216
増殖性筋膜炎 proliferative fasciitis 677
増殖性細気管支炎 proliferative bronchiolitis 259
増殖性糸球体腎炎 proliferative glomerulonephritis 780
増殖性歯髄炎 hyperplastic pulpitis 1524
増殖性歯肉炎 hyperplastic gingivitis 770
増殖性歯肉炎 proliferative gingivitis 770
増殖性心内膜炎 vegetative endocarditis, verrucous endocarditis 612
増殖性成長 multiplicative growth 803
増殖性全身性血管内皮細胞腫症 proliferating systematized angioendotheliomatosis 84
増殖性天疱瘡 pemphigus vegetans 1379
増殖性動脈内膜炎 endarteritis proliferans, proliferating endarteritis 610
草食性の herbivorous 841
増殖〔性〕の productive 1494
増殖性膿皮症 pyoderma vegetans 1532
増殖性嚢胞 proliferation cyst, proliferative cyst, proliferous cyst 460
増殖性皮膚炎 dermatitis vegetans 496
増殖性分裂 multiplicative division 553
増殖性脈管内膜炎 proliferative intimitis 949
増殖性脈絡膜炎 proliferative choroiditis 356
増殖性網膜炎(症) retinitis proliferans 1601
増殖速度 growth rate 1559
増殖治療 proliferation therapy 1879
増殖的の productive 1494
装飾模様熱傷 filigree burn 267
増殖抑制性化学療法 cytostatic chemotherapy 343
蔵書癖 bibliomania 208
双翅類の dipteran 524
爪〔甲〕真菌症 onychomycosis 1301
双心子 diplosome 524
挿針止血〔法〕 retroclusion 1604
双心電図 bicardiogram 209
走水性 hydrotaxis 874
双錐体 twin cone 409
双星 amphiaster 63
双生 gemination 762
叢生 crowding 442
走性 taxis 1842
造(蔵)精器 antheridium 97
双生歯 geminated teeth 1902
双生児 twin 1955
双生児精神病 folie gémellaire 721
槽生歯の thecodont 1874
双生児法 twin method 1145
相性洞〔性〕不整脈 phasic sinus arrhythmia 133
層性皮質壊死 laminar cortical necrosis 1225
爪切開〔術〕 onychotomy 1301
増節現象 anamorphosis 71
爪節骨 ungual phalanx 1399
叢切除〔術〕 plexectomy 1439
爪切除 declawing 475
爪切除〔術〕 onychectomy 1301
相接の approximate 121
双腺綱 Secernentasida 1652
爪〔甲〕〔層状〕剝離症 schizonychia 1644
創造的思考 creative thinking 1883
想像妊娠 spurious pregnancy 1478
想像妊娠 pseudocyesis 1512
臓側胸膜の漿膜 serosa of visceral pleura 1667
臓側骨盤筋膜 visceral pelvic fascia 675
相続物件(財産) inheritance 932
臓側心膜 visceral pericardium 1386
臓側板 lamina visceralis 999
臓側板 visceral layer 1014
臓側板 splanchnic mesoderm 1136
臓側腹膜 peritoneum viscerale 1393
臓側腹膜 visceral peritoneum 1393
〔肝臓〕臓側面 facies visceralis hepatis 665
〔肝臓〕臓側面 visceral surface of liver 1784
〔脾臓〕臓側面 visceral surface of the spleen 1784
〔手または足の末節骨の〕爪粗面 ungual tuberosity 1948
双胎 twin 1955
爪体 body of nail 228
爪体 corpus unguis 426
増大 enhancement 617
増大 increase 920
双胎学 gemellology 762
相対〔的〕感度 relative sensitivity 1661
相対危険度 relative risk (RR) 1618
相対湿度 relative humidity 867
双胎児動脈血逆流症 twin reversed arterial perfusion sequence (TRAP) 1665
双胎児輸血 twin-twin transfusion 1919
造袋術 marsupialization 1106
双胎胎盤 twin placenta 1429
相対脱水〔症〕 relative dehydration 482
相対調節 relative accommodation 10
相対的求心性瞳孔反応欠損 relative afferent pupillary defect 1527
総体的症状 symptomatology 1792
相対的赤血球増加〔症〕 relative polycythemia 1459
総体的徴候 symptomatology 1792
相対的特異性 relative specificity 1707
相対的白血球増加〔症〕 relative leukocytosis 1027
相対的閉鎖不全 relative incompetence 920
相対的免疫 relative immunity 910
双胎妊娠 twin pregnancy 1479
相対粘度 relative viscosity 2032
相対不応期 relative refractory period 1390
総体麻痺 global paralysis 1350
爪〔甲〕脱落〔症〕 onychomadesis 1301
爪〔甲〕脱落〔症〕 onychoptosis 1301
相談 counseling 431
総胆管 choledoch 350
総胆管 choledochus 350
総胆管 choledoch duct 563
総胆管 common bile duct 563
総胆管 ductus choledochus 566
総胆管括約筋 sphincter muscle of common bile duct 1194
総胆管括約筋 musculus sphincter ductus choledochi 1203
総胆管括約筋 sphincter of (common) bile duct 1712
総胆管空腸吻合〔術〕 choledochojejunostomy 350
総胆管形成〔術〕 choledochoplasty 350
総胆管結石 choledocholith 350
総胆管結石症 choledocholithiasis 350
総胆管結石切開〔術〕 choledocholithotomy 350
総胆管結石破砕〔術〕 choledocholithotripsy 350
総胆管十二指腸接合部 choledochoduodenal junction 973
総胆管十二指腸吻合〔術〕 choledochoduodenostomy 350
総胆管切除〔術〕 choledochectomy 350
総胆管切石〔術〕 choledocholithotomy 350
総胆管腺 glands of (common) bile duct 772
総胆管造瘻〔術〕 choledochostomy 350
総胆管腸管吻合〔術〕 choledochoenterostomy 350
総胆管嚢胞 choledochal cyst 458
総胆管フィステル形成〔術〕 choledochostomy 350
総胆管縫合〔術〕 choledochorrhaphy 350
相談役 consultant 415
装置 apparatus 118
装置 device 503
走地性 geotaxis 767
造腟術 colpopoiesis 394
装着 insertion 940
早朝嘔吐 morning sickness 1677
早朝嘔吐 morning vomiting 2037
早朝下痢 morning diarrhea 511
総腸骨静脈 common iliac vein 1995
総腸骨静脈 vena iliaca communis 2006
総腸骨動脈 arteria iliaca communis 135
総腸骨動脈 common iliac artery 143
総腸骨リンパ節 common iliac lymph nodes 1078
早朝てんかん matutinal epilepsy 628
爪痛 onychalgia 1301
総底側指神経 common plantar digital nerves 1233
総底側指神経 nervi digitales plantares communes 1242
総底側指動脈 arteria digitalis plantaris communis 135
総底側指動脈 common plantar digital artery 143
総鉄結合能 total iron-binding capacity (TIBC) 288
走電性 electrotaxis 598
爪洞 sinus of nail 1688
爪洞 sinus unguis 1689
相同異質形成 homeosis 859

ソ

相当温度 equivalent temperature ········ 1848
相同器官 homologue, homolog ·············· 861
相同組換え homologous recombination　1573
相同抗原 homologous antigen ·············· 104
双頭歯 bicuspid ································ 209
相同刺激 homologous stimulus ············ 1747
相同性 homology ······························ 861
相同性の homologous ························ 861
相同染色体 homologous chromosomes ····· 359
相同体 homologue, homolog ················ 861
相同蛋白 homologous proteins ··········· 1503
相同の homologous ··························· 861
〔歴史的〕相同の homogenous ················ 860
総動脈幹 truncus arteriosus ··············· 1938
総動脈幹症 persistent truncus arteriosus　1938
双頭肋〔骨〕bicipital rib ······················ 1612
双特異性抗体 bispecific antibody ··········· 100
像と背景 figure and ground ················· 697
槽内の intracisternal ·························· 950
爪〔甲〕軟化〔症〕onychomalacia ··········· 1301
送入 intromission ···························· 951
挿入 insertion ································ 940
挿入 intercalation ··························· 943
挿入 intromission ···························· 951
挿入 packing ································ 1335
挿入医療 episode of care ···················· 630
挿入器 packer ······························· 1335
挿入する implant ····························· 915
挿入導管 intercalated ducts ················· 564
挿入突然変異誘発 insertional mutagenesis ··· 1205
挿入配列 insertion sequence ·············· 1665
挿入不活化 insertional inactivation ········ 917
挿入物 implant ································ 915
挿入物 insert ·································· 940
挿入部分 insert ······························· 940
象人間病 elephant man's disease ··········· 532
走熱性 thermotaxis ························· 1882
総熱量不変の法則 law of constant heat summation ································ 1006
槽の alveolar ··································· 55
造嚢器 ascogonium ··························· 159
掻爬 curage ···································· 449
掻爬〔術〕curettage ··························· 449
爪胚芽層 germinative layer of nail ······ 1010
爪胚芽層 stratum germinativum unguis　1752
総肺気量 total lung capacity（TLC）····· 288
〔総〕排出腔 cloaca ··························· 375
総排出腔遺残 persistent cloaca ············ 375
総（全）肺静脈還流異常〔症〕total anomalous pulmonary venous connection ··········· 413
〔総または部分〕肺静脈結合異常症 anomalous pulmonary venous connections, total or partial ···························· 413
〔総〕排泄腔 cloaca ··························· 375
総排泄腔癌 cloacogenic carcinoma ········· 297
総背側腸間膜 mesenterium dorsale commune ·································· 1135
総肺底静脈 common basal vein ············ 1995
総肺底静脈 vena basalis communis ······ 2004
創ハエウジ病 wound myiasis ·············· 1212
掻爬器 curette, curet ························· 449
蒼白 achromasia ································ 14
蒼白 pallor ···································· 1339
蒼白型憤怒痙攣 pallid breath-holding spell ··· 1710
蒼白性高血圧〔症〕pale hypertension ······ 888
爪白癬 tinea unguium ······················ 1894
爪〔甲〕白斑〔症〕leukonychia ················ 1028
爪〔甲〕剝離症 onycholysis ··················· 1301
爪〔甲〕〔層状〕剝離症 schizonychia ········· 1644
掻爬試験 scratch test ······················· 1865
早発黄疸 icterus praecox ···················· 903
早発一過性徐脈 early deceleration ········ 474
早発偽〔性〕思春期 precocious pseudopuberty ··· 1515
早発射精 premature ejaculation ············ 592
早発性アルツハイマー病 early-onset Alzheimer disease ·························· 532
創発性進化 emergent evolution ············ 650
早発性大性器症 macrogenitosomia praecox ··· 1090
早発性脱毛〔症〕premature alopecia, alopecia prematura ························· 53
早発〔性〕認知症 dementia praecox ········· 485
創発特性 property emergence ·············· 603
早発閉経 premature menopause ·········· 1131
相反 repulsion ······························ 1591
総斑 macula communis ···················· 1091
層板 lamella ··································· 996
爪板 nail plate ······························ 1435
相反運動 reciprocation ····················· 1573
相反矯正力 reciprocal forces ··············· 727
爪半月 lunule ································ 1073
爪半月 lunule of nail ······················ 1073
層板構造 lamination ························· 999
層板骨 lamellar bone ························ 232
相反固定 reciprocal anchorage ··············· 75
相反射 phasic reflex ······················· 1581
層板状異汗症 lamellar dyshidrosis ········ 573
層板小体 lamellated corpuscles ············ 426
層板小体 corpuscula lamellosa ············· 427
相反神経支配 reciprocal innervation ······ 937
双鼻顔面重複奇形 diprosopus dirrhinus ··· 524
象鼻〔奇形〕症 rhinocephaly, rhinocephalia ··· 1608
爪肥厚〔症〕pachyonychia ·················· 1335
総腓骨神経 common fibular nerve ········ 1233
総腓骨神経 nervus fibularis communis　1242
総腓骨神経 nervus peroneus communis　1243
爪〔甲〕肥大〔症〕hyperonychia ·············· 884
象皮病 elephantiasis ························· 599
象皮病様熱 elephantoid fever ··············· 684
躁病 mania ·································· 1100
躁病エピソード manic episode ············· 630
躁病患者 maniac ···························· 1100
躁病性興奮 manic excitement ·············· 652
躁病前の premaniacal ······················ 1479
爪病理学 onychopathology ················ 1301
臓腑 entrails ·································· 622
送風 perflation ······························ 1385
増負荷性の auxotonic ························ 182
増幅 amplification ····························· 64
増幅器 amplifier ································ 64
増幅宿主 amplifier host ····················· 865
増幅単極誘導 augmented lead ············ 1014
増幅率 gain ··································· 748
爪部脈波描写器 onychograph ············· 1301
増分 increment ······························· 920
爪分裂〔症〕schizonychia ·················· 1644
層別化 stratification ······················· 1751
層別介護 stratified care ····················· 302
相補〔性〕complementation ················· 400
相貌〔学〕physiognomy ····················· 1420
〔相貌学〕顔面高 facial height ·············· 822
僧帽筋 trapezius（muscle）·············· 1197
僧帽筋 musculus trapezius ················ 1204
僧帽筋 trapezius ···························· 1923
僧帽筋下の subtrapezial ··················· 1768
僧帽筋腱下包 bursa subtendinea musculi trapezii ·· 270
僧帽筋腱下包 bursa of trapezius ·········· 271
僧帽筋腱下包 subtendinous bursa of trapezius ·· 271
僧帽筋の横行部 transverse part of trapezius (muscle) ······························ 1368
僧帽筋の下行部 descending part of trapezius（muscle）······················ 1364
僧帽筋の下部 inferior part of trapezius (muscle) ······························ 1364
僧帽筋の上行部 ascending part of trapezius (muscle) ······························ 1362
相貌失認 prosopagnosia ··················· 1500
僧帽状細胞 mitral cells ····················· 323
相貌診断法 physiognosis ·················· 1420
僧帽性ＰＰ mitrale ························ 1447
僧帽の mitral ································ 1160
僧帽弁 valva mitralis ······················ 1984
僧帽弁 mitral valve ························ 1985
僧帽弁〔聴診〕域 mitral area ················ 129
僧帽弁逸脱〔症〕mitral valve prolapse　1496
僧帽弁逸脱症候群 mitral valve prolapse syndrome ································ 1812
僧帽弁顔〔貌〕mitral facies ················· 664
僧帽弁逆流 mitral regurgitation（MR）　1587
僧帽弁狭窄〔症〕mitral stenosis（MS）··· 1742
僧帽弁クリック mitral click ················ 374
僧帽弁タップ（軽打）mitral tap ··········· 1840
僧帽弁口 mitral orifice ···················· 1314
僧帽弁勾配 mitral gradient ················· 794
僧帽弁交連切開〔術〕mitral commissurotomy ··· 398
僧帽弁雑音 mitral murmur ················ 1180
僧帽弁切開 mitral valvotomy ············· 1986
僧帽弁の mitral ····························· 1160
僧帽弁の後尖 posterior cusp of mitral valve ··· 452
僧帽弁の前尖 anterior cusp of mitral valve ··· 452
僧帽弁閉鎖不全〔症〕mitral incompetence　920
僧帽弁閉鎖不全〔症〕mitral insufficiency (MI) ······································· 941
僧帽弁変化 mitralization ·················· 1160
相補鎖 complementary strand ············ 1751
相補性 complementarity ···················· 400
相補性決定領域 complementarity determining regions ··················· 1585
相補代替医療 complementary and alternative medicine（CAM）·········· 1116
相補DNA complementary DNA（cDNA）　491
相補〔的〕DNAクローン cDNA clone ······ 375
相補DNAライブラリー cDNA library ··· 1031
相補的構造 complementary structures ··· 1760
相補的役割 complementary role ·········· 1620
双面副子 coaptation splint ················ 1721
叢毛〔性〕の lophotrichous ·················· 1069
そう痒 itching ································ 964
そう痒〔症〕pruritus ························· 1510
爪様の onychoid ···························· 1301
双葉皮弁 bilobed flap ······················· 709
そう痒を起こす urticant ··················· 1975
贈与癖 doromania ··························· 556
双利共生 mutualistic symbiosis ··········· 1790
相利共生 mutualism ························ 1206
爪〔甲〕離床症 onycholysis ················· 1301
相律 phase rule ····························· 1626
ゾウリムシ属 *Paramecium* ················ 1351
層流 laminar flow ··························· 714
造粒 granulation ····························· 796
走流性 rheotaxis ···························· 1607
増リンパ物質 lymphagogue ··············· 1076
藻類 algae ······································ 47
藻類学 algology ································ 47
藻類の algal ···································· 47
ソウルウイルス Seoul virus ·············· 2029
〔精液〕早漏 premature ejaculation ········ 592
早老 presenility ····························· 1481
早老〔症〕progeria ·························· 1494
早老症候群 premature senility syndrome ··· 1816
早老症様 progeroid ························· 1494
早老性 progeroid ··························· 1494
総和 summation ···························· 1777
疎液コロイド lyophobic colloid ············ 391
疎液性の lyophobic ························· 1086
疎液〔性〕物質 lyophobe ··················· 1086
疎遠 alienation ································ 47
ゾオフルビン zoofulvin ··················· 2060

粗化 rarefaction ………… 1559
阻害〔体,薬〕 inhibition ………… 933
阻害因子(物質) inhibitor ………… 933
疎隔 alienation ………… 47
ソカロイン socaloin ………… 1695
ゾキサゾラミン zoxazolamine ………… 2061
遡及性小人症 metatropic dwarfism ………… 569
遡及性の metatropic ………… 1141
側 aspect ………… 161
側 side ………… 1677
束 bundle ………… 265
束 fascicle ………… 675
束 fasciculus ………… 675
束 flux ………… 717
足 foot ………… 724
足 pes ………… 1396
足 foot region ………… 1585
属 genus ………… 767
族 group ………… 803
族 tribe ………… 1928
側〔方転〕位 lateroposition ………… 1004
足位 footling presentation ………… 1481
束一性の colligative ………… 391
足位内回転術 internal podalic version 2014
足位分娩 footling ………… 724
足炎 poditis ………… 1452
測温器 thermoscope ………… 1882
側角 cornu laterale ………… 424
側角 lateral horn ………… 864
足関節 ankle ………… 92
足関節 ankle joint ………… 969
足関節炎 podarthritis ………… 1452
足関節固定〔術〕 ankle arthrodesis ………… 155
足関節天蓋 mortise ………… 1171
束間の interfascicular ………… 944
足機械療法 podomechanotherapy ………… 1453
足奇形体(奇形児) peropus ………… 1394
測胸器 thoracometer ………… 1885
足菌腫 mycetoma ………… 1207
足筋力計 pododynamometer ………… 1452
側〔方〕屈〔曲〕 lateroflexion, lateroflection ………… 1004
足クローヌス ankle clonus ………… 375
側傾 lateroversion ………… 1004
束形成 fasciculation ………… 675
側頸部 regio cervicalis lateralis ………… 1584
側頸部 lateral region of neck ………… 1585
速現性の velogenic ………… 2003
測光 photometry ………… 1417
足根 ankle ………… 92
足根 tarsus ………… 1842
足根外の extratarsal ………… 658
足根間関節 articulationes intertarseae ………… 157
足根間関節 intertarsal articulations ………… 158
足根間関節 intertarsal joints ………… 970
足根管症候群 tarsal tunnel syndrome (TTS) ………… 1822
足根脛骨切断〔術〕 tarsotibial amputation 66
足根骨 tarsal bones ………… 234
足根骨 ossa tarsi ………… 1318
足根骨 tarsale ………… 1841
足根骨炎 tarsitis ………… 1842
足根骨間の intertarsal ………… 948
足根骨間の intratarsal ………… 951
足根〔骨〕自体の tarsen ………… 1842
足根骨切除〔術〕 tarsectomy ………… 1841
足根骨転位 tarsectopia, tarsectopy ………… 1842
足根〔骨〕の tarsal ………… 1841
足根指節の tarsophalangeal ………… 1842
足根靱帯 tarsal ligaments ………… 1041
足根靱帯 ligamenta tarsi ………… 1045
足根足指反射 tarsophalangeal reflex ………… 1582
足根中心骨 central bone of ankle ………… 232
足根中足関節 tarsometatarsal joints ………… 972
足根中足靱帯 tarsometatarsal ligaments 1041
足根中足靱帯 ligamenta tarsometatarsalia ………… 1045
足根中足の tarsometatarsal ………… 1842
足根痛 tarsalgia ………… 1841
足根洞 sinus tarsi ………… 1689
足根洞 tarsal sinus ………… 1689
足根内の intratarsal ………… 951
足根の外側側副靱帯 lateral collateral ligament of ankle ………… 1037
足根部 ankle region ………… 1584
側鎖 side chain ………… 337
側坐核 nucleus accumbens ………… 1272
側索 funiculus lateralis ………… 745
側索 lateral funiculus ………… 745
〔脊髄の〕側索 lateral funiculus of spinal cord ………… 745
〔延髄〕側索核 lateral nucleus of medulla oblongata ………… 1276
側索板 parachordal plate ………… 1435
側鎖説 side-chain theory ………… 1877
足指 toe ………… 1897
即時〔型〕アレルギー immediate allergy ………… 49
足指外側面 facies lateralis digiti pedis ………… 664
足指外側面 lateral surface of toe ………… 1782
即時型過敏症 immediate hypersensitivity 887
即時〔型〕反応 immediate reaction ………… 1565
即時義歯 immediate denture ………… 489
足指球 pulp of toe ………… 1524
測時写真 chronophotograph ………… 360
即時消毒〔法〕 concurrent disinfection ………… 543
足趾節 pediphalanx ………… 1376
即時切断〔術〕 immediate amputation ………… 66
足指爪 toenail ………… 1898
即時調合剤 extemporaneous mixture ………… 1161
足指内側面 facies medialis digiti pedis ………… 664
足指内側面 medial surface of toes ………… 1782
足指内反 intoe ………… 949
足指の滑液鞘 synovial sheaths of digits of foot ………… 1671
足指の滑液鞘 synovial sheaths of toes 1671
足指の線維鞘 fibrous digital sheaths of foot ………… 1670
足指の線維鞘 fibrous sheaths of toes ………… 1670
足指の線維鞘 vaginae fibrosae digitorum pedis ………… 1981
側斜位X線像 lateral oblique radiograph 1543
〔線維〕束〔性〕収縮 fasciculation ………… 675
束状潰瘍 fascicular ulcer ………… 1961
束状角膜炎 fascicular keratitis ………… 978
束状骨 bundle bone ………… 231
束上神経上膜 epifascicular epineurium ………… 629
束状帯 zona fasciculata ………… 2058
束状帯細胞 fasciculata cell ………… 321
束状帯細胞 spongiocyte ………… 1723
束状の fascicular ………… 675
束状配列 fasciculation ………… 675
足踵部 heel pad ………… 1336
促進 acceleration ………… 9
促進 reinforcement ………… 1587
促進因子 accelerator ………… 9
促進拡散 facilitated diffusion ………… 516
促進剤 accelerator ………… 9
促進神経 accelerans ………… 9
促進神経 accelerator ………… 9
促進神経 accelerator nerves ………… 1232
促進性グロブリン accelerator globulin (AcG, ac-g) ………… 779
促進の festinant ………… 681
促進物質 accelerator ………… 9
促進物質 promoting agent ………… 36
促進輸送 facilitated transport ………… 1921
側性 laterality ………… 1004
束性眼筋麻痺 fascicular ophthalmoplegia ………… 1308
側性成立 lateralization ………… 1004
側生動物 parazoon ………… 1355
側生動物〔亜界〕 Parazoa ………… 1355
側生の pleurogenous ………… 1438
属性の generic ………… 765
〔線維〕束〔性〕攣縮 fasciculation ………… 675
側切歯 lateral incisor ………… 919
塞栓 embolus ………… 601
塞栓形成 embolization ………… 601
塞栓血症 embolemia ………… 600
足穿孔〔症〕 malum perforans pedis ………… 1097
足穿孔性潰瘍 perforating ulcer of foot 1961
塞栓術 embolotherapy ………… 601
塞栓症 embolism ………… 600
塞栓性壊疽 embolic gangrene ………… 755
塞栓性梗塞 embolic infarct ………… 926
塞栓性膿瘍 embolic abscess ………… 5
塞栓性肺炎 embolic pneumonia ………… 1449
塞栓切除〔術〕 embolectomy ………… 600
塞栓摘出〔術〕 embolectomy ………… 600
塞栓の thrombolic ………… 1887
側柱 lateral column ………… 395
〔脊髄の〕側柱 anterolateral column of spinal cord ………… 395
〔脊髄の〕側柱 lateral column of spinal cord ………… 395
簇虫症 gregarinosis ………… 800
速中性子照射療法 fast-neutron radiation therapy ………… 1878
簇虫属 *Gregarina* ………… 800
簇虫目 Gregarinia ………… 800
簇虫類 gregarine ………… 800
足治療 pedicure ………… 1376
促通 canalization ………… 286
促通 facilitation ………… 665
足痛 podalgia ………… 1452
足痛治療医 podiatrist ………… 1452
測定 determination ………… 501
測定 measure ………… 1113
測定 measurement ………… 1113
足底 planta ………… 1431
足底 planta pedis ………… 1431
足底 sole ………… 1697
足底 sole of foot ………… 1697
足底 vola ………… 2035
足底いぼ plantar wart ………… 2040
足底核 sole nuclei ………… 1280
測定過大〔症〕 hypermetria ………… 883
〔分析〕測定杆 analyzing rod ………… 1619
足底間隙 plantar space ………… 1705
測定器 scale ………… 1638
測定器具 measure ………… 1113
足底筋 plantar muscle ………… 1191
足底筋 plantaris (muscle) ………… 1191
足底筋 musculus plantaris ………… 1202
足底筋膜 plantar fascia ………… 674
足底筋膜炎 plantar fasciitis ………… 677
〔足〕底屈 plantar flexion ………… 712
足底腱炎 plantar tendinitis ………… 1849
測定減少〔症〕 hypometria ………… 894
足底腱膜 aponeurosis plantaris ………… 117
足底腱膜 plantar aponeurosis ………… 117
測定尺度 scale ………… 1638
測定障害 dysmetria ………… 573
足底静脈弓 plantar venous arch ………… 126
足底静脈弓 arcus venosus plantaris ………… 128
足底静脈網 plantar venous network ………… 1244
足底静脈網 rete venosum plantare ………… 1598
測定正常 eumetria ………… 648
足底線維腫症 plantar fibromatosis ………… 695
足底像 podogram ………… 1453
測定単位 measure ………… 1113
測定知能 measured intelligence ………… 943
足底中足動脈の貫通枝 perforating branches of plantar metatarsal arteries ………… 251
足底痛 plantalgia ………… 1431
足底動脈弓 plantar arch ………… 126
〔深〕足底動脈弓 deep plantar (arterial) arch ………… 125

足底の plantar ………………………… 1431
足底の plantaris ………………………… 1431
足底の volar ………………………… 2035
足底反射 aponeurotic reflex ……………… 1577
足底反射 plantar reflex ………………… 1581
足底描写〔法〕 pedography ……………… 1376
足底描写器 pedograph ………………… 1376
足底描写器 podograph ………………… 1453
足底描写図 pedogram ………………… 1376
足底方形筋 plantar quadrate muscle …… 1191
足底方形筋 quadratus plantae (muscle) 1192
足底方形筋 musculus quadratus plantae 1202
足底紋 pelmatogram ………………… 1378
足底ゆうぜい(疣贅) verruca plantaris … 2014
測滴計 stalagmometer ………………… 1736
速度 rate ………………………… 1559
速度 velocity (v) ………………………… 2003
側頭 temple ………………………… 1848
側頭 tempora ………………………… 1848
側頭 tempus ………………………… 1849
側頭窩 fossa temporalis ………………… 734
側頭窩 temporal fossa ………………… 734
側頭下到達法(アプローチ) infratemporal approach ………………………… 121
側頭下窩 fossa infratemporalis …………… 732
側頭下窩 infratemporal fossa …………… 732
側頭下顎関節疼痛機能不全症候群 temporomandibular joint pain-dysfunction syndrome ………………………… 1822
側頭下顎症候群 temporomandibular syndrome ………………………… 1822
側頭下顎の temporomandibular ………… 1848
〔側頭下顎の〕関節円板 temporomandibular articular disc ………………………… 526
側頭下減圧〔術〕 subtemporal decompression ………………………… 475
側頭下の infratemporal ………………… 931
側頭管 temporal canals ………………… 284
側頭橋〔核〕路 temporopontine tract …… 1913
側頭橋〔核〕路 tractus temporopontinus 1915
側頭頬骨縫合 sutura temporozygomatica ………………………… 1786
側頭頬骨縫合 temporozygomatic suture 1788
側頭頬骨縫合 zygomaticotemporal suture ………………………… 1788
側頭狭窄頭蓋 stenocrotaphy, stenocrotaphia ………………………… 1741
側頭橋の temporopontine ………………… 1848
側頭頬の temporozygomatic ……………… 1848
側頭筋 temporal muscle ………………… 1196
側頭筋 temporalis (muscle) ……………… 1196
側頭筋 musculus temporalis ……………… 1204
側頭筋 temporalis ………………………… 1848
側頭筋膜 fascia temporalis ……………… 675
側頭筋膜 temporal fascia ………………… 675
側頭筋膜深葉 deep layer of temporal fascia ………………………… 1009
側頭筋膜浅葉 superficial layer of temporal fascia ………………………… 1013
側頭後頭の temporooccipital …………… 1848
側頭骨 temporal bone ………………… 234
側頭骨 os temporale ………………… 1318
側頭骨下顎窩の関節面 articular surface of mandibular fossa of temporal bone … 1780
側頭骨頬骨突起 zygomatic process of temporal bone ………………………… 1491
〔側頭骨〕茎状突起 styloid process of temporal bone ………………………… 1490
〔側頭骨〕茎状突起 processus styloideus ossis temporalis ………………………… 1492
側頭骨後頭縁 occipital border of temporal bone ………………………… 235
側頭骨後頭縁 occipital margin of temporal bone ………………………… 1103
側頭骨後頭縁 margo occipitalis ossis temporalis ………………………… 1104
側頭骨鼓室板 tympanic plate of temporal bone ………………………… 1435
〔側頭骨錐体〕下面 inferior surface of petrous part of temporal bone ……… 1781
側頭骨錐体後縁 posterior border of petrous part of temporal bone ……………… 236
側頭骨錐体後縁 margo posterior partis petrosae ossis temporalis ……………… 1105
側頭骨錐体上縁 superior border of petrous part of temporal bone ……………… 236
側頭骨錐体上縁 margo superior partis petrosae ossis temporalis ……………… 1105
側頭骨錐体部 petrous part of temporal bone ………………………… 1366
側頭骨錐体部後面 posterior surface of petrous part of temporal bone ……… 1783
側頭骨錐体部前面 anterior surface of petrous part of temporal bone ……… 1780
側頭骨錐体部の頸静脈切痕 jugular notch of petrous part of temporal bone ……… 1270
側頭骨錐体部の乳突部 mastoid process of petrous part of temporal bone ……… 1489
側頭骨蝶形骨縁 sphenoidal border of temporal bone ………………………… 236
側頭骨蝶形骨縁 sphenoidal margin of temporal bone ………………………… 1103
側頭骨頭頂縁 parietal border of temporal bone ………………………… 235
側頭骨頭頂縁 margo parietalis ossis temporalis ………………………… 1104
側頭骨の関節結節 articular tubercle of temporal bone ………………………… 1943
〔側頭骨の〕鼓室部 pars tympanica ossis temporalis ………………………… 1362
〔側頭骨の〕鼓室部 tympanic part of temporal bone ………………………… 1368
側頭骨の錐体尖 apex of petrous part of temporal bone ………………………… 113
側頭骨の大脳面 cerebral surface of temporal bone ………………………… 1781
〔側頭骨の〕乳突部 mastoid part of the temporal bone ………………………… 1365
側頭骨鱗部 pars squamosa ossis temporalis ………………………… 1361
側頭骨鱗部 squamous part of temporal bone ………………………… 1367
側頭骨鱗部頭頂縁 parietal border of squamous part of temporal bone ……… 235
側頭耳の temporoauricular ……………… 1848
側頭上顎骨の temporomaxillary ………… 1848
側頭上の supratemporal ………………… 1780
側頭静脈 temporal veins ………………… 2002
速動性の kinetic ………………………… 985
側頭舌の temporohyoid ………………… 1848
側頭線 temporal line ………………… 1052
側頭線 temporal ridge ………………… 1616
側頭蝶形骨の temporosphenoid ………… 1848
側頭底部の basitemporal ………………… 201
側頭頭頂筋 temporoparietal muscle …… 1196
側頭頭頂筋 temporoparietalis (muscle) 1196
側頭頭頂筋 musculus temporoparietalis 1204
側頭頭頂の temporoparietal ……………… 1848
側頭動脈炎 temporal arteritis …………… 140
〔頬骨の〕側頭突起 temporal process of zygomatic bone ………………………… 1490
〔頬骨の〕側頭突起 processus temporalis ossis zygomatici ………………………… 1492
側頭部 regio temporalis capitis ………… 1584
側頭部 temporal region of head ………… 1586
側頭平面 planum temporale ……………… 1431
側頭平面 temporal plane ………………… 1431
側頭面 facies temporalis ………………… 665
側頭面 temporal surface ………………… 1783
側頭葉 temporal lobe ………………… 1064
側頭葉 lobus temporalis ………………… 1067
側頭葉橋線維 temporopontine fibers …… 691
〔大脳〕側頭葉極 temporal pole ………… 1456
側頭葉極動脈 polar temporal artery …… 149
側頭葉後部の posterotemporal ………… 1471
側頭葉てんかん temporal lobe epilepsy 629
側頭鱗錐体部の squamopetrosal ……… 1726
側頭鱗乳〔様〕突〔起〕の squamomastoid 1726
側頭鱗の squamosal ………………… 1726
側頭鱗の squamotemporal ……………… 1726
速度曲線 tachogram ………………… 1837
速度係数 velocity coefficient ………… 387
速度計測〔法〕 tachography …………… 1837
速度定数 rate constants (*k*) ………… 414
速度論 kinetics ………………………… 985
束内の intrafascicular ………………… 950
測熱 calorimetry ………………………… 280
側脳室 procelia ………………………… 1488
側脳室 tricorn ………………………… 1932
側脳室 lateral ventricle ………………… 2011
側脳室 ventriculus lateralis ……………… 2012
〔側脳室〕中心部 pars centralis ventriculi lateralis ………………………… 1358
〔側脳室〕中心部 central part of lateral ventricle ………………………… 1363
〔側脳室の〕下角 cornu inferius ventriculi lateralis ………………………… 424
〔側脳室の〕下角 cornu temporale ventriculi lateralis ………………………… 424
〔側脳室の〕下角 inferior horn of lateral ventricle ………………………… 864
側脳室の角 horns of lateral ventricle …… 864
側脳室の後角 cornu posterius ventriculi lateralis ………………………… 424
〔側脳室の〕後角 cornu occipitale ventriculi lateralis ………………………… 424
〔側脳室の〕前角 cornu frontale ventriculi lateralis ………………………… 424
側脳室房 atrium of lateral ventricle …… 172
側脳室脈絡枝 ramus choroidei ventriculi lateralis ………………………… 1549
〔前脈絡叢動脈〕側脳室脈絡枝 choroid branches ………………………… 244
側脳室脈絡叢 plexus choroideus ventriculi lateralis ………………………… 1439
側脳室脈絡叢 choroid plexus of lateral ventricle ………………………… 1440
足背 dorsum of foot ………………… 556
足背 dorsum pedis ………………………… 556
足背筋膜 dorsal fascia of foot ………… 672
足背筋膜 fascia dorsalis pedis ………… 672
足背静脈弓 dorsal venous arch of foot … 125
足背静脈弓 arcus venosus dorsalis pedis 128
足背静脈網 dorsal venous network of foot ………………………… 1244
足背静脈網 rete venosum dorsale pedis 1598
足背動脈 arteria dorsalis pedis ………… 135
足背動脈 dorsal artery of foot ………… 144
足背動脈 dorsalis pedis artery ………… 144
足背動脈の深足底枝 deep plantar branch of dorsalis pedis artery ………………… 245
足背動脈の深足底枝 ramus plantaris profundus arteriae dorsalis pedis …… 1555
側背の dorsolateral ………………… 556
足背反射 dorsum pedis reflex ………… 1578
足背〔立方骨〕反射 cuboidodigital reflex 1578
足〔部〕白癬 tinea pedis ………………… 1894
続発 sequence ………………………… 1664
続発感染 secondary infection ………… 927
続発疾患 secondary disease …………… 540
続発症 deuteropathy ………………… 501
続発症 sequela ………………………… 1664
続発性アミロイドーシス secondary amyloidosis ………………………… 68
続発性アルドステロン症 secondary aldosteronism ………………………… 46
続発性機能不全 secondary failure ……… 670
続発性局所性ジストニー secondary focal

dystonia …… 577
続発性巨大尿管症 secondary megaureter …… 1120
続発性血栓 secondary thrombus …… 1889
続発性航空性歯痛 secondary aerodontalgia …… 32
続発性上皮小体(副甲状腺)機能亢進症 secondary hyperparathyroidism …… 885
続発性心筋症 secondary cardiomyopathy 300
続発〔性〕全身(全般)てんかん secondary generalized epilepsy …… 628
続発性痛風 secondary gout …… 793
続発性内斜視 consecutive esotropia …… 643
続発性尿細管性アシドーシス secondary renal tubular acidosis …… 15
続発性の sequential …… 1665
続発性脳炎 secondary encephalitis …… 607
続発性膿皮症 secondary pyoderma …… 1532
続発性白内障 secondary cataract …… 311
続発〔性〕腹腔妊娠 secondary abdominal pregnancy …… 1478
続発性ヘモクロマトーシス secondary hemochromatosis …… 831
続発〔性〕ペラグラ secondary pellagra …… 1377
続発性無気肺 secondary atelectasis …… 168
続発〔性〕無月経 secondary amenorrhea …… 58
続発性ムチン沈着症 mucinosis …… 1175
続発性免疫不全 secondary immunodeficiency …… 911
続発性毛細血管拡張症 secondary telangiectasia …… 1846
続発緑内障 secondary glaucoma …… 777
側反 lateroversion …… 1004
側半陰陽 lateral hermaphroditism …… 842
側板中胚葉 lateral plate mesoderm …… 1136
測微法 micrometry …… 1152
足病学 podiatry …… 1452
側副 comes …… 397
側腹 flank …… 709
側腹 latus …… 1005
側腹 loin …… 1068
側腹 lateral region …… 1585
側腹位 flank position …… 1469
側副下の subcollateral …… 1762
側副換気 collateral ventilation …… 2009
側副血管 collateral vessel …… 2017
側副血行路形成 collateral growth …… 803
側副溝 collateral sulcus …… 1772
側副溝 sulcus collateralis …… 1772
側副三角 collateral trigone …… 1932
側副三角 trigonum collaterale …… 1933
側副枝 collateral …… 391
側副循環 collateral circulation …… 365
側副靱帯 collateral ligaments …… 1033
側副靱帯 ligamentum collaterale …… 1042
側腹切開 flank incision …… 918
側腹切開〔術〕 laparotomy …… 1001
側副動脈 collateral artery …… 143
側腹部 flank …… 709
側腹部の lateroabdominal …… 1004
側副脈管 vas collaterale …… 1989
側副隆起 collateral eminence …… 603
側副隆起 eminentia collateralis …… 604
側副路 bypass …… 273
足部臭汗症 podobromidrosis …… 1452
足部対称性青藍色状態 symmetric lividity of the feet …… 1062
足部痛風 podagra …… 1452
足〔部〕白癬 tinea pedis …… 1894
足部浮腫 pododema …… 1452
足フランベジア foot yaws …… 2055
束ブロック fascicular block …… 222
側壁心筋梗塞 lateral myocardial infarction …… 926
側方運動 lateral excursion …… 652
側方運動 lateroduction …… 1004
側方運動 lateral movement …… 1174
側貌記録 profile record …… 1574
側〔方〕屈〔曲〕 lateroflexion, lateroflection …… 1004
簇胞子虫症 gregarinosis …… 800
簇胞子虫属 *Gregarina* …… 800
簇胞子虫目 Gregarinia …… 800
簇胞子虫類 gregarine …… 800
側方性歯周嚢胞 lateral periodontal cyst 459
側方〔性〕めまい lateral vertigo …… 2016
足放線 radii pedis …… 1545
足放線 foot rays …… 1562
側〔方転〕位 lateroposition …… 1004
側方突進 lateropulsion …… 1004
側方捻転 laterotorsion …… 1004
側方偏位 laterodeviation …… 1004
側方偏視 lateroduction …… 1004
側方迷入甲状腺癌 lateral aberrant thyroid carcinoma …… 297
側方彎曲 lateral curvature …… 450
足母趾包 bursa of great toe …… 269
束密度 flux density …… 487
束密度 flux …… 717
速脈 pulsus celer …… 1525
属名 generic name …… 765
側面計 profilometer …… 1494
側面像 lateral …… 1004
側面像 profile …… 1494
側面像 lateral projection …… 1496
側面方向撮影 lateral projection …… 1496
足様構造 pes …… 1396
粟粒 millet seed …… 1158
粟粒結核 miliary tuberculosis …… 1946
粟粒疹 miliaria …… 1157
粟粒〔性〕塞栓症 miliary embolism …… 601
粟粒性痘瘡 variola miliaris …… 1988
粟粒〔性〕の miliary …… 1157
粟粒大の miliary …… 1157
粟粒動脈瘤 miliary aneurysm …… 82
粟粒熱 miliary fever …… 685
粟粒膿瘍 miliary abscess …… 5
粟粒パターン miliary pattern …… 1374
足力測定器 pedodynamometer …… 1376
〔線維〕束〔性〕攣縮 fasciculation …… 675
速話症 agitophasia …… 38
速話症 bredouillement …… 256
速話症 cluttering …… 381
〔脊柱〕側彎〔症〕 lateral curvature …… 450
〔脊柱〕側彎〔症〕 scoliosis …… 1648
〔脊柱〕側彎矯正器 scoliotone …… 1649
側彎屈 lateroversion …… 1004
鼡径 inguen …… 932
鼡径陰唇の inguinolabial …… 932
鼡径陰嚢の inguinoscrotal …… 932
鼡径陰嚢ヘルニア inguinoscrotal hernia 842
鼡径窩 inguinal fossa …… 732
鼡径下陥凹 subinguinal fossa …… 734
鼡径鎌 falx inguinalis …… 671
鼡径鎌 inguinal falx …… 671
鼡径鎌 conjoint tendon …… 1849
鼡径管 inguinal canal …… 283
鼡径管 canalis inguinalis …… 285
〔鼡径〕間質ヘルニア interstitial hernia …… 843
鼡径弓 arcus inguinalis …… 127
鼡径後隙 retroinguinal space …… 1705
鼡径三角 inguinal triangle …… 1927
鼡径三角 inguinal trigone …… 1932
鼡径三角 trigonum inguinale …… 1933
鼡径靱帯 inguinal ligament …… 1036
鼡径靱帯 ligamentum inguinale …… 1043
鼡径大陰唇ヘルニア inguinolabial hernia 842
鼡径大腿の inguinocrural …… 932
鼡径大腿ヘルニア inguinocrural hernia, inguinofemoral hernia …… 842
鼡径〔部〕の inguinal …… 932
鼡径皮下ヘルニア inguinosuperficial hernia …… 843
鼡径ひだ inguinal fold …… 719
鼡径ひだ plica inguinalis …… 1445
鼡径部 groin …… 800
鼡径部 regio inguinalis …… 1584
鼡径部 inguinal region …… 1585
鼡径腹膜の inguinoperitoneal …… 932
鼡径部上の suprainguinal …… 1779
鼡径部肉芽腫 granuloma inguinale …… 798
鼡径ヘルニア inguinal hernia …… 842
鼡径稜 inguinal crest …… 437
鼡径リンパ管叢 inguinal lymphatic plexus …… 1440
狙撃撮影 spot-film radiography …… 1544
阻血性筋膜炎 ischemic fasciitis …… 677
ソケット socket …… 1695
底 base …… 199
底 basis …… 200
底 fundus …… 744
底 nadir …… 1219
底 solum …… 1697
そごうこう(蘇合香) storax …… 1750
鼠咬熱 rat-bite fever …… 686
底荷 ballast …… 193
素材失認 ahylognosia …… 39
阻止 arrest …… 132
阻止 inhibition …… 933
ソシオグラム sociogram …… 1695
ソシオコスム sociocosm …… 1695
ソシオセントリズム sociocentrism …… 1695
ソシオメトリ sociometry …… 1695
ソシオメトリ距離 sociometric distance …… 549
組織 organization …… 1312
組織 structure …… 1760
組織 tela …… 1846
組織 texture …… 1872
組織 textus …… 1872
組織 tissue …… 1895
組織移植 implantation …… 916
組織因子 tissue factor …… 669
組織栄養性の histotrophic …… 856
組織栄養素 histotroph …… 856
組織液 tissue fluid …… 715
組織学 histology …… 855
組織学者 histologist …… 855
組織学的調節 histologic accommodation …… 10
組織学的内子宮口 histological internal os of uterus …… 1318
組織芽細胞 histioblast …… 854
組織荷重係数 tissue weighting factor …… 669
組織化生の histometaplastic …… 855
組織褐変症 ochronosis …… 1290
組織間緊張 tissue tension …… 1851
組織寄生の histozoic …… 856
組織球 histiocyte …… 854
組織球腫 histiocytoma …… 854
組織球症 histiocytosis …… 854
組織球増殖〔症〕 histiocytosis …… 854
組織球様らい histoid leprosy …… 1021
組織切取り器 harpoon …… 816
組織蛍光 histofluorescence …… 855
組織形態学 tectology …… 1845
組織形態計測 histomorphometry …… 855
組織血管の histoangic …… 855
組織欠損性小眼球症 colobomatous microphthalmia …… 1153
組織原性の histogenous …… 855
組織構造〔上〕の textural …… 1872
組織構造論 tectology …… 1845
組織呼吸 tissue respiration …… 1595
組織再生 anagenesis …… 69
組織再生の anagenetic …… 69
組織再生誘導法 guided tissue regeneration …… 1583
組織腫 histoma …… 855
組織親和〔性〕の histotropic …… 856

組織生理学 histophysiology …… 855
組織切片X線撮影〔法〕 historadiography … 856
組織中毒性無酸素〔症〕 histotoxic anoxia 96
組織適合遺伝子 histocompatibility gene 763
組織適合抗原 histocompatibility antigen 104
組織適合試験 histocompatibility testing 1869
組織適合性 histocompatibility …… 855
組織適合複合体 histocompatibility complex …… 401
組織特異抗原 tissue-specific antigen …… 105
組織毒性の histotoxic …… 856
組織トロンボプラスチン抑制テスト tissue thromboplastin inhibition time …… 1893
組織内治療(照射) interstitial therapy …… 1879
組織の histionic …… 855
組織の tissular …… 1896
組織培養 tissue culture …… 448
組織発生 histogenesis …… 855
組織発生学 histonomy …… 855
組織バンク tissue bank …… 196
組織病理学 histopathology …… 855
組織不適合性 histoincompatibility …… 855
組織プラスミノゲン賦活剤 tissue plasminogen activator (TPA, tPA) …… 21
組織分化 histodifferentiation …… 855
組織分解 histolysis …… 855
組織弁 flap …… 709
組織変位 tissue displacement …… 548
組織偏位性 tissue displaceability …… 548
組織崩壊 disorganization …… 547
組織崩壊 historrhexis …… 856
組織ホルモン tissue hormones …… 864
組織名 systematic name …… 1834
組織融解 histolysis …… 855
組織様の histoid …… 855
組織リンパ tissue lymph …… 1075
阻止された読み枠 blocked reading frame …… 1568
素質 anlage …… 93
素質 constitution …… 415
素質 diathesis …… 512
素質 trait …… 1915
粗質物 roughage …… 1624
そしゃく mastication …… 1108
そしゃく筋 masticatory muscles …… 1189
そしゃく筋 muscles of mastication …… 1189
そしゃく筋隙 masticator space …… 1704
そしゃく系 masticatory system …… 1832
そしゃく計 phagodynamometer …… 1399
そしゃくサイクル chewing cycle …… 454
そしゃくサイクル masticating cycles …… 455
そしゃく障害 dysmasesis …… 573
そしゃく単麻痺 monoplegia masticatoria …… 1168
そしゃく沈黙期 masticatory silent period …… 1389
そしゃく面 facies occlusalis dentis …… 664
そしゃく要素 components of mastication 403
そしゃく流涙反射 lacrimogustatory reflex …… 1580
そしゃく力 force of mastication …… 727
そしゃく力 biting strength …… 1753
溯上性の anadromous …… 69
疎水結合 hydrophobic bond …… 231
疎水コロイド hydrophobic colloid …… 391
疎水親和性 lipotropy …… 1059
疎水性の hydrophobic …… 873
疎水的相互作用 hydrophobic interaction 943
組成 composition …… 403
組成 constitution …… 415
蘇生 anabiosis …… 69
蘇生 revivification …… 1606
蘇生〔法〕 resuscitation …… 1597
〔可〕塑性 plasticity …… 1434
疎性結合組織 areolar tissue …… 1895
蘇生細胞 anabiotic cell …… 319
組成水 water of constitution …… 2041
疎性層 lamina rara …… 998
蘇生不能の irresuscitable …… 957
蘇生薬 anabiotic …… 69
蘇生薬 analeptic …… 69
祖先 ancestor …… 74
粗線 linea aspera …… 1053
粗線外側唇 labium laterale lineae asperae …… 991
粗線外側唇 lateral lip of linea aspera 1055
粗線内側唇 labium mediale lineae asperae …… 991
粗線内側唇 medial lip of linea aspera 1055
〔皮膚の〕粗糙 scabrities …… 1638
粗爪〔甲〕症 scabrities unguium …… 1638
粗糙爪 trachyonychia …… 1909
粗糙な rough …… 1624
粗大振せん coarse tremor …… 1924
粗大な gross …… 803
疎通 canalization …… 286
疎通性 rapport …… 1558
測角器 goniometer …… 792
卒業論文 thesis …… 1882
側〔方〕屈〔曲〕 lateroflexion, lateroflection …… 1004
速効型インスリン亜鉛懸濁液 prompt insulin zinc suspension …… 1785
足根 tarsus …… 1842
足根外の extratarsal …… 658
足根間関節 articulationes intertarseae …… 157
足根間関節 intertarsal articulations …… 158
足根間関節 intertarsal joints …… 970
足根管症候群 tarsal tunnel syndrome (TTS) …… 1822
足根関節 ankle …… 92
足根関節の内側靱帯 medial ligament of ankle joint …… 1037
足根脛骨切断〔術〕 tarsotibial amputation 66
足根骨 tarsal bones …… 234
足根骨 ossa tarsi …… 1318
足根骨 tarsale …… 1841
足根骨炎 tarsitis …… 1842
足根骨間靱帯 tarsal interosseous ligaments …… 1041
足根骨間の intertarsal …… 948
足根骨間の intratarsal …… 951
足根〔骨〕自体の tarsen …… 1842
足根骨切除〔術〕 tarsectomy …… 1841
足根骨転位 tarsectopia, tarsectopy …… 1842
足根〔骨〕の tarsal …… 1841
足根指節の tarsophalangeal …… 1842
足根靱帯 tarsal ligaments …… 1041
足根靱帯 ligamenta tarsi …… 1045
足根足指反射 tarsophalangeal reflex …… 1582
足根中心骨 central bone of ankle …… 232
足根中足関節 tarsometatarsal joints …… 972
足根中足靱帯 tarsometatarsal ligaments 1041
足根中足靱帯 ligamenta tarsometatarsalia …… 1045
足根中足の tarsometatarsal …… 1842
足根痛 tarsalgia …… 1841
足根洞 sinus tarsi …… 1689
足根洞 tarsal sinus …… 1689
足根内の intratarsal …… 951
足根の外側側副靱帯 lateral collateral ligament of ankle …… 1037
足根部 ankle region …… 1584
〔脳〕卒中後の postapoplectic …… 1470
卒中〔性〕の apoplectic …… 117
卒中性嚢胞 apoplectic cyst …… 458
袖口様白血球集合 cuffing …… 447
粗点 raw score …… 1650
素点 raw score …… 1650
粗動 flutter …… 717
鼡毒(そどく) sodoku …… 1697
そとくるぶし lateral malleolus …… 1096
そとくるぶし malleolus lateralis …… 1096
ソトス症候群 Sotos syndrome …… 1820
外の external …… 657
外の externus …… 657
外ひき abduction …… 2
外回し斜位 excyclophoria …… 653
外回しひき excycloduction …… 653
外回し寄せ excyclovergence …… 653
ソドミー sodomy …… 1697
外寄せ過多型外斜視 divergence excess exotropia …… 655
外より内へ ectoentad …… 585
ソ〔ン〕ネ赤痢菌 *Shigella sonnei* …… 1673
ソノグラフ sonograph …… 1701
ソノグラム sonogram …… 1701
ソノミクロメーター sonomicrometer …… 1701
疎媒性の lyophobic …… 1086
そばかす freckle …… 739
鼡尾状の myurous …… 1217
ソフトウエア software …… 1697
ソフトゲル softgel …… 1697
ソマトクリニン somatocrinin …… 1699
ソマトクロム somatochrome …… 1699
ソマトスタチノーマ somatostatinoma … 1700
ソマトスタチン somatostatin …… 1700
ソマトトロピン somatotropin …… 1700
ソマトトロピン産生細胞 somatotropes 1700
ソマトトロピン分泌刺激ホルモン somatotropin-releasing hormone (SRH) …… 864
ソマトトロピン分泌抑制ホルモン somatotropin release-inhibiting hormone (SIH) …… 864
ソマトメジン somatomedin …… 1699
ソマトリベリン somatoliberin …… 1699
ソマトレム somatrem …… 1700
ソマトロピン somatropin …… 1700
ソマン soman …… 1699
ソムノプラスティ somnoplasty …… 1700
ゾメピラックナトリウム zomepirac sodium …… 2058
粗面 tuberositas …… 1947
粗面 tuberosity …… 1947
粗面小胞体 granular endoplasmic reticulum …… 1599
ソモギー現象 Somogyi phenomenon …… 1406
ソモギー効果 Somogyi effect …… 589
ソモギー単位 Somogyi unit …… 1967
ソライアシン psoriasin …… 1516
ソラマメ中毒〔症〕 favism …… 678
ソラレン psoralen …… 1516
粗硫化カルシウム crude calcium sulfide 277
ゾリンジャー-エリソン腫〔瘍〕 Zollinger-Ellison tumor …… 1952
ゾリンジャー-エリソン症候群 Zollinger-Ellison syndrome (ZES) …… 1826
ゾル sol …… 1697
ゾル化 solation …… 1697
ソルバイト sorbite …… 1701
ゾルビシン zorubicin …… 2061
ソルビタン sorbitan …… 1701
ゾルピデム zolpidem …… 2058
ソルビトール sorbitol …… 1701
ソルビトール経路 sorbitol pathway …… 1373
D-ソルビトール-6-リン酸デヒドロゲナーゼ D-sorbitol-6-phosphate dehydrogenase 1701
ソルビン酸 sorbic acid …… 1701
ソルビン酸カリウム potassium sorbate 1473
L-ソルボース L-sorbose …… 1701
ソルボリシス solvolysis …… 1699
ソレー現象 Soret phenomenon …… 1406
ソレー帯 Soret band …… 195
ソレノイド solenoid …… 1697
ソレノプシス属 *Solenopsis* …… 1697
ソレノプシンA solenopsin A …… 1697
それやすさ distractibility …… 550

ソローチェ soroche …… 1701
存在学 ontology …… 1301
存在論 ontology …… 1301
損傷 injury …… 936
損傷 lesion …… 1022
損傷 trauma …… 1923
損傷電流 current of injury …… 450
孫娘〔囊〕胞 granddaughter cyst …… 459
存続 persistence …… 1395
存続子宮外妊娠 persistent ectopic pregnancy …… 1478
存続生物 persister …… 1395
ゾンデ probe …… 1486
ゾンデ sound …… 1701
ゾンデルマン管 Sondermann canal …… 284
ソ〔ン〕ネ赤痢菌 *Shigella sonnei* …… 1673
孫〔囊〕胞 granddaughter cyst …… 459

タ

ターグレチン targretin …… 1841
ターゲッティング targeting …… 1841
ターゲット target …… 1841
ターコット症候群 Turcot syndrome …… 1823
タート細胞 tart cell …… 327
ターナー〔の〕歯 Turner tooth …… 1903
ターナー症候群 Turner syndrome …… 1823
ターバン〔頭巾〕腫 turban tumor …… 1952
ターバン〔頭巾〕腫症候群 turban tumor syndrome …… 1823
ターミナルオキシダーゼ terminal oxidase …… 1330
ターミナルデオキシヌクレオチジルトランスフェラーゼ terminal deoxynucleotidyl transferases (TdT) …… 1918
ターミナルトランスフェラーゼ terminal transferases …… 1918
タール tar …… 1841
タール角化症 tar keratosis …… 981
タール囊胞 tarry cyst …… 460
ダーレン-フックス小〔結〕節 Dalen-Fuchs nodules …… 1261
ターロヴ囊胞 Tarlov cyst …… 460
ターロックウイルス Turlock virus …… 2030
ターンオーバー turnover …… 1955
ダーウィン耳 darwinian ear …… 580
ダーウィン進化 darwinian evolution …… 650
ダーウィン説 darwinian theory …… 1875
ダーウィン反射 darwinian reflex …… 1578
ダーニス(ダニシ)現象 Danysz phenomenon …… 1404
ダーメンデュラ抗原 Dharmendra antigen …… 103
ダーライト dahllite …… 471
体 body …… 225
体 corpus …… 424
体 soma …… 1699
帯 band …… 194
帯 cingulum …… 363
帯 cord …… 421
帯 fasciculus …… 675
帯 girdle …… 771
帯 tape …… 1841
帯 zone …… 2059
堆〔対〕 pile …… 1423
ダイアグラム diagram …… 508
ダイアド dyad …… 569
ダイアナコンプレックス Diana complex …… 401
ダイアーナルリズム diurnal rhythm …… 1611
大アフタ aphthae major …… 115
ダイアベテス diabetes …… 505
ダイアリサンス dialysance …… 509
体位 position …… 1468
体位 posture …… 1472
体位 posturing …… 1472
胎位 presentation …… 1481
胎位(胎向)異常 malpresentation …… 1097
〔異常〕体位眼振 positional nystagmus …… 1286
胎域 embryonal area, embryonic area …… 129
帯域 band …… 194
帯域(バンド)幅 bandwidth …… 196
帯域(バンドパス)フィルタ bandpass filter …… 699
体位性虚血 postural ischemia …… 958
体位性失神 postural syncope …… 1794
体位性振せん static tremor …… 1925
体位性〔脊柱〕側弯〔症〕 static scoliosis …… 1649
体位性脱酸素現象 orthodeoxia …… 1316
体位性めまい postural vertigo …… 2016
第一位 primacy …… 1484
第一胃 rumen …… 1627
第一胃鼓脹 bloat, bloating …… 221
第二胃 reticulum …… 1599
第三胃の psalterial …… 1510
第I因子 factor I …… 665
第II因子 factor II …… 665
第III因子 factor III …… 665
第3因子 factor 3 …… 666
第IV因子 factor IV …… 665
第V因子 factor V …… 665
第V_a因子 factor V_a …… 665
第V因子ライデン factor V Leiden …… 670
第VII因子 factor VII …… 665
第VIII因子 factor VIII …… 666
第IX因子 factor IX …… 666
第X因子 factor X …… 666
第XI因子 factor XI …… 666
第XII因子 factor XII …… 666
第XIII因子 factor XIII …… 666
第一咽頭弓 first pharyngeal arch …… 125
第一咽頭弓軟骨 first pharyngeal arch cartilage …… 306
第二咽頭弓 second pharyngeal arch …… 126
第二咽頭弓軟骨 second pharyngeal arch cartilage …… 307
第三咽頭弓軟骨 third pharyngeal arch cartilage …… 307
第四および第六咽頭弓軟骨 fourth and sixth pharyngeal arch cartilages …… 306
第一咽頭溝 first pharyngeal groove …… 801
第三咽頭鰓管 ductus pharyngobranchialis III …… 566
第四咽頭鰓管 ductus pharyngobranchialis IV …… 566
第一永久大臼歯 first molar, first permanent molar …… 1163
第1音 first heart sound (S_1) …… 1702
第2音 second heart sound (S_2) …… 1702
第4音 fourth heart sound (S_4) …… 1702
第4回旋 restitution …… 1597
第三眼瞼 palpebra III …… 1339
第1期拒絶 first-set rejection …… 1588
第2期拒絶 second set rejection …… 1588
第一級アルコール primary alcohol …… 44
第二級アルコール secondary alcohol …… 44
第三級アルコール tertiary alcohol …… 44
〔第二〕クロム酸塩による鉛染色〔法〕 chromate stain for lead …… 1730
第二脛骨筋 second tibial muscle …… 1193
第二脛骨筋 musculus tibialis secundus 1204
第七頸椎 vertebra prominens …… 2015
第三後頭神経 third occipital nerve …… 1239
第三後頭神経 nervus occipitalis tertius 1242
第三肛門括約筋 sphincter ani tertius …… 1712
第二鼓膜 membrana tympani secundaria …… 1124
第二鼓膜 secondary tympanic membrane …… 1127
第一鰓弓症候群 first arch syndrome …… 1804
第三・第四鰓囊症候群 third and fourth pharyngeal pouch syndrome …… 1822
第一指 digitus (manus) primus [I] …… 517
第一指 first finger …… 700
第一趾(指) hallux …… 813
第二指 digitus (manus) secundus [II] … 517
第二指 second finger …… 701
第二趾(指) second toe [II] …… 1897
第三指 digitus (manus) tertius [III] …… 518
第三指 third finger …… 701
第三趾(指) third toe [III] …… 1898
第四指 fourth finger …… 700
第四趾(指) fourth toe [IV] …… 1897
第五指 digitus (manus) quintus [V] …… 517
第五指 fifth finger …… 700
第五趾(指) little toe [V] …… 1897
第2次過程思考 secondary process thinking …… 1883
第一次骨化の中心 primary center of ossification …… 330
第一次骨化の中心 primary ossification center …… 330
第一次骨化の中心 centrum ossificationis primarium …… 332
第二次骨化の中心 secondary center of ossification …… 330
第二次骨化の中心 secondary ossification center …… 330
第二次骨化の中心 centrum ossificationis secundarium …… 332
第一次性徴 primary sex characteristic …… 340
第二次性徴 secondary sex characteristic 340
第三者管理機関 third-party administrator 29
第一若虫 protonymph …… 1508
第二若虫 deutonymph …… 501
第一種の過誤 error of the first kind …… 637
第二種の過誤 error of the second kind 637
第三小体 third corpuscle …… 426
第3心音 third heart sound (S_3) …… 1702
第二信号系 second signaling system …… 1834
第一水銀の mercurous …… 1133
第二水銀イオン dimercurion …… 520
第二水銀 mercuric …… 1132
第一生歯 primary tooth …… 1903
第二セメント質 secondary cement …… 329
第二ぞうげ質 secondary dentin …… 488
第三ぞうげ質 tertiary dentin …… 488
第一大臼歯 first molar, first permanent molar …… 1163
第二大臼歯 second molar …… 1163
第三大臼歯 third molar tooth …… 1903
〔第一―第六〕大動脈弓 aortic arches …… 125
〔第三中手骨〕茎状突起 styloid process of third metacarpal bone …… 1490
〔第三中手骨〕茎状突起 processus styloideus ossis metacarpalis tertii (III) …… 1492
第一中足骨粗面 tuberositas ossis metatarsalis primi [I] …… 1947
第一中足骨粗面 tuberosity of first metatarsal (bone) [I] …… 1947
第五中足骨粗面 tuberositas ossis metatarsalis quinti [V] …… 1947
第五中足骨粗面 tuberosity of fifth metatarsal (bone) [V] …… 1947
第二鉄の ferric …… 680
第三転子 third trochanter …… 1936
第三転子 trochanter tertius …… 1936
第一内臓裂 first visceral cleft …… 373
第一の primus …… 1484
第4の quaternary (Q) …… 1537
第3脳室 third ventricle …… 2011

第3脳室 ventriculus tertius …… 2012
第3脳室造瘻術 third ventriculostomy …… 2012
第3脳室吻合術 third ventriculostomy …… 2012
第3脳室脈絡枝 ramus choroidei ventriculi tertii …… 1549
第3脳室脈絡叢 plexus choroideus ventriculi tertii …… 1440
第3脳室脈絡叢 choroid plexus of third ventricle …… 1440
〔前脈絡叢動脈〕第3脳室脈絡枝 choroid branches …… 244
第3脳室脈絡組織 tela choroidea of third ventricle …… 1846
第3脳室脈絡組織 tela choroidea ventriculi tertii …… 1846
第4脳室 fourth ventricle …… 2010
第4脳室 ventriculus quartus …… 2012
第4脳室蓋 roof of fourth ventricle …… 1621
第4脳室蓋 tegmen ventriculi quarti …… 1845
第4脳室外側陥凹 parepicele …… 1355
第4脳室外側陥凹 lateral recess of fourth ventricle …… 1572
第4脳室外側陥凹 recessus lateralis ventriculi quarti …… 1573
第4脳室外側陥凹静脈 vein of lateral recess of fourth ventricle …… 1998
第4脳室外側陥凹静脈 vena recessus lateralis ventriculi quarti …… 2007
第4脳室外側口 apertura lateralis ventriculi quarti …… 113
第4脳室外側口 lateral aperture of fourth ventricle …… 113
第4脳室境界溝 limiting sulcus of fourth ventricle …… 1773
第4脳室髄条 medullary striae of fourth ventricle …… 1756
第4脳室髄条 striae medullares ventriculi quarti …… 1756
第4脳室正中口 apertura mediana ventriculi quarti …… 113
第4脳室正中口 median aperture of fourth ventricle …… 113
〔第4脳室〕正中溝 median sulcus of fourth ventricle …… 1773
〔第4脳室〕正中溝 sulcus medianus ventriculi quarti …… 1773
第4脳室ひも tenia of fourth ventricle …… 1850
第4脳室ひも tenia ventriculi quarti …… 1850
〔後下小脳動脈〕第4脳室脈絡枝 choroid branches …… 244
第4脳室脈絡叢 metaplexus …… 1140
第4脳室脈絡叢 choroid plexus of fourth ventricle …… 1440
第4脳室脈絡叢 plexus choroideus ventriculi quarti …… 1440
第4脳室脈絡組織 tela choroidea of fourth ventricle …… 1846
第4脳室脈絡組織 tela choroidea ventriculi quarti …… 1846
第三脳神経 third cranial nerve [CN III] …… 1239
第四脳神経の pathetic …… 1371
第八脳神経前庭根 vestibular root of cranial nerve VIII …… 1622
〔第八脳神経の〕前庭根 vestibular root …… 1622
第一白金の platinous …… 1436
第二白金の platinic …… 1436
第三腓骨筋 fibularis tertius (muscle) …… 1185
第三腓骨筋 peroneus tertius (muscle) …… 1191
第三腓骨筋 third peroneal muscle …… 1196
第三腓骨筋 musculus fibularis tertius …… 1200
第三腓骨筋 musculus peroneus tertius …… 1202
第一(*n*-)ブチルアルコール butyl alcohol 272
第二ブチルアルコール butyl alcohol …… 272
第三ブチルアルコール butyl alcohol …… 272
第一マンガンの manganous …… 1100
第二マンガンの manganic …… 1100
第一メッセンジャー first messenger …… 1137
第二メッセンジャー second messenger 1138
第四腰神経 fourth lumbar nerve [L4] 1234
第二ラセン板 lamina spiralis secundaria 999
第二ラセン板 secondary spiral lamina …… 999
第二ラセン板 secondary spiral plate …… 1435
第三卵巣 third ovary …… 1328
第一硫酸塩 protosulfate …… 1508
第四稜 crista quarta …… 440
第一リン酸アンモニウム monobasic ammonium phosphate …… 61
第二リン酸アンモニウム dibasic ammonium phosphate …… 61
第二リン酸カルシウム dibasic calcium phosphate …… 277
第三リン酸カルシウム tribasic calcium phosphate …… 277
〔小脳の〕第一裂 fissura prima cerebelli …… 702
〔小脳の〕第二裂 fissura secunda cerebelli 702
〔第四―第十一〕肋間静脈背枝 dorsal branches of the posterior intercostal veins 4-11 …… 246
〔第一―第二〕肋間動脈 first and second posterior intercostal arteries …… 145
〔第一―第二〕肋間動脈 posterior intercostal arteries 1-2 …… 150
〔第三―第十一〕肋間動脈 posterior intercostal arteries 3-11 …… 150
〔第三―第十一〕肋間動脈側副枝 collateral branches of posterior intercostal arteries 3-11 …… 244
〔第三―第十一〕肋間動脈側副枝 ramus collateralis arteriarum intercostalium posteriorum III–XI …… 1549
〔第三―第十一〕肋間動脈背枝 dorsal branches of the posterior intercostal arteries 3-11 …… 246
第一肋骨 first rib [I] …… 1612
第一肋骨の鎖骨下動脈溝 groove of first rib for subclavian artery …… 801
第一肋骨の軟骨結合 synchondrosis of first rib …… 1793
第十二肋骨症候群 twelfth rib syndrome 1823
体位動揺反応 postural sway response …… 1596
体位ドレナージ postural drainage …… 559
体位による回転〔術〕 postural version …… 2014
体位反射 postural reflex …… 1581
体位変換台 tilt table …… 1836
大陰唇 labium majus …… 991
大陰唇 labium majus pudendi …… 991
大陰唇 large pudendal lip …… 1055
大陰唇肉様膜 dartos muliebris …… 471
大うつ病 major depression …… 493
体〔性〕運動ニューロン somatic motor neuron …… 1249
大運動発作 major motor seizure …… 1657
大ACTH big ACTH …… 19
体液 humor …… 867
体液学説 humoral doctrine …… 554
体液過剰〔症〕 plethora …… 1437
体液性調節因子 humoral regulator …… 1587
体液〔性〕病理学 humoral pathology …… 1372
体液〔性〕免疫 humoral immunity …… 910
体液説 humoral theory …… 1876
体液沸騰 ebullism …… 580
体液分泌過多 succorrhea …… 1768
大S状結腸〔症〕 macrosigmoid …… 1091
大円筋 teres major (muscle) …… 1196
大円筋 musculus teres major …… 1204
大円筋腱下包 bursa subtendinea musculi teretis majoris …… 270
大円筋腱下包 bursa of teres major …… 271
大円筋腱下包 subtendinous bursa of teres major …… 271
大円形細胞性星状細胞 gemistocytic astrocyte …… 165
大円形細胞性反応 gemistocytic reaction 1564
対応 correspondence …… 427
ダイオウ(大黄) rhubarb …… 1611
対応群 matched groups …… 803
大横径 biparietal diameter …… 509
大往生 euthanasia …… 649
帯黄色の xanthic …… 2051
ダイオウ(大黄)属の rheic …… 1607
対応点 congruent points …… 1454
ダイオキシン dioxin …… 521
タイオーバー包帯 tie-over dressing …… 560
体温計 clinical thermometer …… 1881
体温計 thermometer …… 1881
体温上昇 fervescence …… 681
体温調節 thermoregulation …… 1882
体温発生抑制の thermoinhibitory …… 1881
退化 degeneratio …… 480
退化 degeneration …… 480
退化 devolution …… 504
退化 obsolescence …… 1288
退化 retrogression …… 1604
胎芽 embryo …… 601
体外移植組織 explant …… 656
体外式ペースメーカ external pacemaker …… 1334
体外(胎外)受精 *in vitro* fertilization (IVF) …… 681
体外循環 extracorporeal circulation …… 365
体外循環後肺 postperfusion lung …… 1073
体外衝撃波砕石術 extracorporeal shock wave lithotripsy (ESWL) …… 1062
胎芽移植 embryo transfer …… 1918
体外除細動器 external defibrillator …… 478
体外生活環 exogenous cycle …… 454
体外透析 extracorporeal dialysis …… 509
体外に移す exsomatize …… 656
体外の extracorporeal …… 657
体外の extrasomatic …… 658
体外フォトフェレーシス extracorporeal photopheresis …… 1417
体化学成分正常化療法 orthomolecular therapy …… 1879
大核 macronucleus …… 1090
対角結合線 conjugata diagonalis …… 411
対角結合線 diagonal conjugate …… 411
体格検査 somatoscopy …… 1699
大角舌筋 ceratoglossus (muscle) …… 1182
大家系 extended family …… 671
耐火性フラスコ refractory flask …… 711
耐火性模型 refractory cast …… 309
胎芽組織化 embryonization …… 602
大下腿症 macrocnemia …… 1089
胎芽長 greatest length …… 1019
大割球 macromere …… 1090
胎芽毒性 embryotoxicity …… 602
胎芽内の intraembryonic …… 950
大顆粒好酸球 megoxyphil, megoxyphile 1120
大カロリー large calorie (Cal, C) …… 280
体幹 soma …… 1699
体幹 truncus …… 1938
体幹 trunk …… 1938
体感 cenesthesia …… 330
帯環 band …… 194
大顔〔症〕 macroprosopia …… 1091
大顔〔症〕 prosopectasia …… 1500
大眼窩の megaseme …… 1120
帯間間葉 interzonal mesenchyme …… 1134
体幹結合奇形児 somatopagus …… 1699
大眼瞼 macroblepharon …… 1089
体幹骨格 axial skeleton …… 1690
大鉗子 forceps major …… 727
大鉗子 major forceps …… 727
体幹の truncal …… 1938
体幹の筋膜 fascia of trunk …… 675
体幹分裂奇形 schistocormia …… 1642

大気汚染 air pollution …… 1457
大基幹蛋白 major basic protein …… 1505
大寄生生物 macroparasite …… 1090
大寄生虫 macroparasite …… 1090
待機的な palliative …… 1339
帯脚骨 zonoskeleton …… 2060
大臼歯 dens molaris …… 487
大臼歯 molar …… 1163
大臼歯 molar tooth …… 1902
大臼歯状の molariform …… 1163
大臼歯の前方の premolar …… 1479
大球症 macrocythemia …… 1089
大球性血色素増加〔症〕 macrocytic hyperchromia …… 879
大球性貧血 macrocytic anemia …… 77
耐久力 strength …… 1753
大胸筋 greater pectoral muscle …… 1186
大胸筋 pectoralis major (muscle) …… 1190
大胸筋 musculus pectoralis major …… 1202
大胸筋胸肋部 sternocostal part of pectoralis major muscle …… 1367
大胸筋鎖骨部 clavicular part of pectoralis major (muscle) …… 1363
大胸筋の胸肋部 sternocostal head of pectoralis major (muscle) …… 818
大胸筋腹部 abdominal part of pectoralis major (muscle) …… 1362
大頬骨筋 greater zygomatic muscle …… 1186
大頬骨筋 zygomaticus major (muscle) 1198
大頬骨筋 musculus zygomaticus major 1205
大虚脱 massive collapse …… 390
待期療法 palliative treatment …… 1924
大気療法〔学〕 aerotherapeutics, aerotherapy …… 32
帯具 bandage …… 195
体腔 body cavity …… 316
体腔 celom, celoma …… 329
体腔 venter …… 2009
体腔溝 celomic bay …… 202
体腔上皮化生 celomic metaplasia …… 1140
体腔棲性の celozoic …… 329
大グリア細胞 astroglia …… 166
大グロブリン血〔症〕 macroglobulinemia 1090
〔白〕帯下 leukorrhea …… 1028
体型 habitus …… 810
体型 physique …… 1420
体型 somatotype …… 1700
体系 system …… 1829
台形 trapezium …… 1923
体型学 somatotypology …… 1700
帯形成 zoning …… 2060
退形成 anaplasia …… 72
退形成型希(乏)突起膠腫 anaplastic oligodendroglioma …… 1297
退形成癌 anaplastic carcinoma …… 296
体形成の somatogenic …… 1699
体型測定 morphometry …… 1170
台形体 trapezoid body …… 229
台形体 corpus trapezoideum …… 426
台形体外側核 lateral nucleus of trapezoid body …… 1276
台形体核 nuclei of trapezoid body …… 1281
台形体前核 anterior nucleus of trapezoid body …… 1273
台形体内側核 medial nucleus of trapezoid body …… 1277
台形体背側核 dorsal nucleus of trapezoid body …… 1274
台形体背側核 nucleus dorsalis corporis trapezoidei …… 1274
台形体腹側核 ventral nucleus of trapezoid body …… 1281
体系的医学述語命名記法 Systematized Nomenclature of Medicine …… 1834
袋形動物門 Aschelminthes …… 159
体系妄想 systematized delusion …… 485
大血管転位〔症〕 transposition of the great vessels …… 1922
大血管転換術 arterial switch operation 1304
〔上腕骨〕大結節 greater tubercle (of humerus) …… 1943
〔上腕骨〕大結節 tuberculum majus (humeri) …… 1946
大結節稜 crest of greater tubercle …… 437
大結節稜 crista tuberculi majoris …… 440
大結腸〔症〕 macrocolon …… 1089
帯下の subzonal …… 1768
体験 experience …… 655
体験前兆 experiential aura …… 177
胎向 position …… 1468
退行 involution …… 953
退行 regression …… 1587
退行 retrogression …… 1604
対抗〔作用〕 antagonism …… 96
大〔後頭〕孔 foramen magnum …… 725
大〔後頭〕孔 great foramen …… 725
大口〔症〕 macrostomia …… 1091
胎向(胎位)異常 malpresentation …… 1097
大口蓋管 greater palatine canal …… 283
大口蓋管 canalis palatinus major …… 285
大口蓋孔 greater palatine foramen …… 725
大口蓋孔 foramen palatinum majus …… 726
大口蓋溝 greater palatine groove …… 801
大口蓋溝 sulcus for greater palatine nerve …… 1772
大口蓋溝 sulcus palatinus major …… 1773
大口蓋神経 greater palatine nerve …… 1234
大口蓋神経 nervus palatinus major …… 1243
大口蓋神経の下後鼻枝 rami nasales posteriores inferiores nervi palatini majoris …… 1554
大口蓋神経の後下鼻枝 posterior inferior nasal branches of greater palatine nerve …… 251
大口蓋動脈 arteria palatina major …… 136
大口蓋動脈 greater palatine artery …… 145
退行期 catagen …… 310
退行期うつ病 involutional depression …… 493
退行期うつ病 involutional melancholia 1121
対向機構 countercurrent mechanism …… 1114
退行期メランコリー involutional melancholia …… 1121
対抗筋 antagonist …… 96
対抗筋 antagonistic muscles …… 1181
対抗筋 opponens muscle …… 1190
対光近見瞳孔反応解離 pupillary light-near dissociation …… 1527
退行形 involution form …… 729
大虹彩動脈輪 greater arterial circle of iris …… 364
大虹彩動脈輪 major arterial circle of iris …… 364
大虹彩動脈輪 circulus arteriosus iridis major …… 366
大膠細胞 astroglia …… 166
大膠細胞 macroglia …… 1090
大虹彩輪 outer border of iris …… 235
対抗〔作用〕 antagonism …… 96
退行性染色〔法〕 regressive staining …… 1736
退行性代謝 disassimilation …… 525
退行〔性〕の retrograde …… 1604
対向切開 counteropening …… 432
対向穿刺 counteropening …… 432
退行的眼瞼外反 involutional ectropion …… 586
退行的-再構成的接近 regressive-reconstructive approach …… 121
対抗転移 countertransference …… 432
大〔後頭〕孔 foramen magnum …… 725
大〔後頭〕孔 great foramen …… 725
大後頭神経 greater occipital nerve …… 1234
大後頭神経 nervus occipitalis major …… 1242
大後頭神経切断術 occipital neurectomy 1245
大後頭直筋 rectus capitis posterior major (muscle) …… 1192
大後頭直筋 musculus rectus capitis posterior major …… 1202
対光反射〔反応〕 light reflex …… 1580
大孔ヘルニア foraminal herniation …… 844
退行変性 retroplasia …… 1604
対向免疫電気泳動〔法〕 counterimmunoelectrophoresis (CIE) …… 432
対向輸送 countertransport …… 432
対向流交換系 countercurrent exchanger 432
対向流増幅系 countercurrent multiplier 432
ダイコクネズミ albino rats …… 1559
太鼓雑音 bruit de rappel …… 262
大鼓室棘 greater tympanic spine …… 1716
大鼓室棘 spina tympanica major …… 1716
太鼓状血管雑音 bruit de tambour …… 262
大骨髄芽球 macromyeloblast …… 1090
大骨盤 greater pelvis …… 1378
大骨盤 large pelvis …… 1379
大骨盤 pelvis major …… 1379
〔太鼓〕ばち状付属物 drumstick appendage …… 119
〔太鼓〕ばち(撥)指 clubbed fingers …… 700
〔太鼓〕ばち指 clubbed digit …… 516
〔太鼓〕ばち(撥)指形成 clubbing …… 377
大根絶療法 therapia magna sterilisans 1877
ダイコン属中毒〔症〕 raphania …… 1558
体細胞 somatic cells …… 326
体細胞遺伝学 somatic cell genetics …… 766
大細胞型リンパ腫 large cell lymphoma 1084
大細胞癌 large cell carcinoma …… 297
対細胞基 cytophil group …… 803
体細胞原形質 somatoplasm …… 1699
体細胞原性の somatogenic …… 1699
体細胞交差 somatic crossing-over …… 442
体細胞生殖 somatic reproduction …… 1591
体細胞〔突然〕変異 somatic mutation …… 1206
体細胞ハイブリダイゼーション somatic cell hybridization …… 869
体細胞分裂 somatic mitosis …… 1160
大鎖骨上窩 greater supraclavicular fossa 732
大鎖骨上窩 fossa supraclavicularis major 734
大坐骨切痕 incisura ischiadica major …… 919
大坐骨切痕 greater sciatic notch …… 1269
ダイサッカリダーゼ disaccharidases …… 525
耐酸性の aciduric …… 15
体肢 membrum …… 1128
胎脂 vernix caseosa …… 2013
胎児 fetus …… 682
大肢〔症〕 macromelia …… 1090
大耳〔症〕 macrotia …… 1091
胎児アルコール症候群 fetal alcohol syndrome …… 1804
体肢運動失行〔症〕 limb-kinetic apraxia …… 122
胎児化 fetalism …… 681
大耳介神経 great auricular nerve …… 1234
大耳介神経 nervus auricularis magnus 1241
大耳介神経の後枝 posterior branch of great auricular nerve …… 251
胎児学 fetology …… 681
胎児監視装置 electronic fetal monitor …… 1165
胎児顔面症候群 fetal face syndrome …… 1804
太糸期 pachytene …… 1335
胎児基準心拍数 baseline fetal heart rate …… 1559
胎児吸引症候群 fetal aspiration syndrome …… 1804
胎児鏡 fetoscope …… 682
胎児巨人症 fetal gigantism …… 769
体肢筋 appendicular muscle …… 1181
体軸筋 axial muscle …… 1182
体軸骨格 skeleton axiale …… 1690
胎児くる病 rachitis fetalis …… 1540
胎児グロブリン fetoglobulins …… 681
胎児計測 fetometry …… 681

タ

体肢骨格 appendicular skeleton ……… 1690
体肢骨格 skeleton appendiculare ……… 1690
胎児殺し feticide ……… 681
胎児困難状態 nonreassuring fetal status 1740
〔胎児〕砕頭〔術〕 cranioclasia, cranioclasis 434
胎児雑音 fetal souffle ……… 1701
胎児死亡(死産)率 fetal death rate ……… 1559
胎児死亡 fetal death ……… 473
胎児循環 fetal circulation ……… 365
大視症 macropsia ……… 1091
胎児障害 embryopathy ……… 602
胎児徐脈 fetal bradycardia ……… 240
胎児心音 embryocardia ……… 601
胎児心音 fetal heart tones (FHT) ……… 1899
胎児神経管壁網状組織 myelospongium 1211
胎児心電図検査〔法〕 fetal electrocardiography ……… 593
胎児心拍基線〔微〕動変動 baseline variability of fetal heart rate ……… 1987
胎児心拍数 fetal heart rate (FHR) ……… 1559
胎児心拍数陣痛図 cardiotocography ……… 301
胎児心拍変動 beat-to-beat variability of fetal heart rate ……… 1987
胎児水腫 fetal hydrops, hydrops fetalis 874
胎児性アルコールスペクトラム障害 fetal alcohol spectrum disorders (FASD) ……… 545
胎児性横紋筋肉腫 embryonal rhabdomyosarcoma ……… 1606
胎児性幹細胞 embryonic stem cell ……… 321
胎児〔性〕蛋白 fetoproteins ……… 681
胎児性難産 fetal dystocia ……… 577
胎児性白内障 embryopathic cataract ……… 311
胎児性卵形 fetal ovoid ……… 1329
胎児赤芽球症 erythroblastosis fetalis ……… 639
胎児切断〔術〕 embryotomy ……… 602
胎児側胎盤分葉 fetal cotyledon ……… 431
胎児胎盤全身水腫(浮腫) fetoplacental anasarca ……… 72
胎児胎盤の fetoplacental ……… 681
胎児蛋白 fetoglobulins ……… 681
胎児調律 embryocardia ……… 601
対質 antimere ……… 107
体質 constitution ……… 415
体質 diathesis ……… 512
体質 habitus ……… 810
体質 soma ……… 1699
体質 somatoplasm ……… 1699
体質 status ……… 1740
体質 trait ……… 1915
体質因 constitutional cause ……… 315
体質心理学 constitutional psychology ……… 1518
体質性成長遅延 constitutional delay of stature ……… 483
体質性成長遅延 constitutional growth delay ……… 483
体質性成長遅延 constitutional delay stature ……… 1740
体質性多毛〔症〕 constitutional hirsutism 853
体質反応 constitutional reaction ……… 1563
胎児転位腫 progonoma ……… 1495
胎児トリメタジオン症候群 fetal trimethadione syndrome ……… 1804
胎児内視鏡検査 fetoscopy ……… 682
胎児内胎児 fetus in fetu ……… 682
胎児内の intraembryonic ……… 950
胎児軟骨軟化〔症〕 chondromalacia fetalis 353
胎児の fetal ……… 681
体肢の筋膜 fascia of limbs ……… 673
胎児の副腎皮質 fetal suprarenal cortex 427
〔胎児〕排出機序 disengagement ……… 542
〔胎児肺の〕肺間膜 mesopulmonum ……… 1137
胎児発育遅延 fetal growth restriction ……… 1597
胎児ヒダントイン症候群 fetal hydantoin syndrome ……… 1804
胎児病 fetopathy ……… 681
胎児表皮 periderm, periderma ……… 1387
胎児頻拍 fetal tachycardia ……… 1837
胎児封入 fetal inclusion ……… 920
胎児付属物 appendages of the fetus ……… 119
体脂肪の反跳 adiposity rebound ……… 1570
胎児母体輸血 fetomaternal transfusion 1918
〔物質〕代謝 metabolism ……… 1138
代謝異常 dysbolism ……… 570
代謝回転 turnover ……… 1955
代謝回転数 turnover number (k_{cat}) ……… 1282
代謝拮抗物質(薬) antimetabolite ……… 107
大斜径 occipitomental diameter ……… 509
代謝結石 metabolic calculus ……… 278
代謝亢進 hypermetabolism ……… 883
代謝産物 metabolite ……… 1138
代謝障害性症候群 dysmetabolic syndrome ……… 1803
代謝症候群 metabolic syndrome ……… 1812
代謝水 water of metabolism ……… 2041
代謝する metabolize ……… 1138
代謝性アシドーシス metabolic acidosis ……… 15
代謝性アルカローシス metabolic alkalosis 48
代謝性X症候群 metabolic syndrome X 1812
代謝性昏睡 metabolic coma ……… 396
代謝生成物産性レセプタ(受容体) metabotropic receptor ……… 1571
代謝性脳障害(脳症) metabolic encephalopathy ……… 609
代謝性ムチン沈着症 mucinosis ……… 1175
代謝促進性の excitometabolic ……… 652
代謝低下 hypometabolism ……… 894
代謝低下状態 hypometabolic state ……… 1739
代謝当量 metabolic equivalent (MET) 635
代謝ビタミンD乳 metabolized vitamin D milk ……… 1158
代謝病 metabolic disease ……… 537
代謝プール metabolic pool ……… 1466
対珠 antitragus ……… 110
大手〔症〕 macrocheiria, macrochiria ……… 1089
体重 weight ……… 2043
体重減量食 reducing diet ……… 515
大十二指腸乳頭 major duodenal papilla 1345
大十二指腸乳頭 papilla duodeni major 1345
対珠筋 antitragicus (muscle) ……… 1181
対珠筋 muscle of antitragus ……… 1181
対珠筋 musculus antitragicus ……… 1198
退縮 involution ……… 953
退縮 recession ……… 1572
退縮 retraction ……… 1603
退縮核 reduction nucleus ……… 1279
退縮症候群 retraction syndrome ……… 1818
退縮卵胞 atretic ovarian follicle ……… 721
大手術 major operation ……… 1305
対珠耳輪の antitragohelicine ……… 110
対珠耳輪裂 fissura antitragohelicina ……… 701
対珠耳輪裂 antitragohelicine fissure ……… 702
胎盾 embryonic shield ……… 1673
体循環 systemic circulation ……… 366
大循環 greater circulation ……… 365
対照 control ……… 417
対象 object ……… 1288
代償 compensation ……… 399
帯状暗点 zonular scotoma ……… 1650
対象域 catchment area ……… 128
代償栄養 allogotrophia ……… 50
対称(対側)〔性〕壊疽 symmetrical gangrene ……… 756
帯状回 cingulate gyrus ……… 808
帯状回 gyrus cinguli ……… 808
帯状回峡 isthmus gyri cinguli ……… 963
帯状回峡 isthmus of cingulate gyrus ……… 963
帯状回枝 ramus cingularis ……… 1549
帯状回切開〔術〕 cingulotomy ……… 363
帯状回ヘルニア cingulate herniation ……… 844
大上顎〔症〕 macrognathia ……… 1090
帯状角膜症 band-shaped keratopathy ……… 980
代償過度 overcompensation ……… 1328
帯状感 girdle sensation ……… 1661
帯状感 strangalesthesia ……… 1751
帯状感 zonesthesia ……… 2060
帯状感覚消失 girdle anesthesia ……… 79
帯状感覚脱失 girdle anesthesia ……… 79
対象関係 object relationship ……… 1588
対称器官 antitrope ……… 110
対照群 control group ……… 803
代償〔性〕月経 vicarious menstruation ……… 1131
帯状溝 cingulate sulcus ……… 1771
帯状溝 sulcus cinguli ……… 1772
帯状溝 sulcus of cingulum ……… 1772
対象恒常性 object constancy ……… 414
帯状溝の頭頂縁枝 marginal branch of cingulate sulcus ……… 249
帯状細胞 strap cell ……… 326
苔状細胞 mossy cell ……… 323
大・小坐骨孔 foramen ischiadicum majus et minus ……… 725
対称軸 axis of symmetry ……… 185
対称ジスルフィド symmetric disulfide ……… 550
対照実験 control experiment ……… 655
代償〔性〕循環 compensatory circulation ……… 365
代償障害 decompensation ……… 475
対称性 symmetry ……… 1790
代償性アシドーシス compensated acidosis 15
代償性アルカローシス compensated alkalosis ……… 48
代償性〔肺〕気腫 compensating emphysema, compensatory emphysema ……… 605
代償性休止期 compensatory pause ……… 1374
代償性呼吸性アシドーシス compensated respiratory acidosis ……… 15
代償性呼吸性アルカローシス compensated respiratory alkalosis ……… 48
代償性赤血球増加〔症〕 compensatory polycythemia ……… 1459
対称性胎児発育障害 symmetric fetal growth restriction ……… 1597
代償性代謝性アルカローシス compensated metabolic alkalosis ……… 48
〔対称性〕対側構造 contralateral partner 417
代償〔性〕の compensatory ……… 400
代償〔性〕の vicarious ……… 2019
代償性肥大 vicarious hypertrophy ……… 889
代償〔性〕肥大 compensatory hypertrophy 889
代償性緑内障 compensated glaucoma ……… 777
苔状線維 mossy fibers ……… 689
対象選択 object choice ……… 1288
帯状束 cingulum ……… 363
対掌体 antipode ……… 108
対掌体の antipodal ……… 108
帯状知覚消失 girdle anesthesia ……… 79
帯状知覚脱失 girdle anesthesia ……… 79
帯状知覚麻痺 girdle anesthesia ……… 79
体条虫症 somatic teniasis ……… 1850
帯状痛 girdle pain ……… 1337
対照動物 control animal ……… 91
対称の meristic ……… 1133
帯状の tenioid ……… 1850
帯状の zonary ……… 2059
帯状の zonate ……… 2059
帯〔状〕の zonal ……… 2059
帯状配列の zonate ……… 2059
大笑反射 laughter reflex ……… 1580
代償不全 decompensation ……… 475
対称部分 antimere ……… 107
帯状ヘルペス herpes zoster ……… 845
帯状ヘルペス shingles ……… 1673
帯状ヘルペス zona ……… 2058
帯状ヘルペス zoster ……… 2061
帯状ヘルペス状の zosteriform ……… 2061
帯状ヘルペス性脳脊髄炎 zoster encephalomyelitis ……… 609
帯状ヘルペス様の zosteriform ……… 2061
帯状疱疹 herpes zoster ……… 845

帯状疱疹 shingles 1673
帯状疱疹 zona 2058
帯状疱疹 zoster 2061
帯状疱疹後神経痛 postherpetic neuralgia (PHN) 1244
帯状疱疹状の zosteriform 2061
帯状疱疹性脳脊髄炎 zoster encephalomyelitis 609
帯状疱疹〔ヘルペス〕免疫グロブリン zoster immune globulin 779
帯状疱疹様の zosteriform 2061
代償補充性肥大 complementary hypertrophy 889
大静脈 cava 315
大静脈 large vein 1997
大静脈右心房の venosinal 2009
大静脈炎 cavitis 316
大静脈孔 foramen of vena cava 726
大静脈孔 foramen venae cavae 726
大静脈孔 vena caval foramen 726
大静脈孔 caval opening of diaphragm 1303
大静脈溝 sulcus for vena cava 1775
大静脈溝 sulcus venae cavae 1775
大静脈後リンパ節 postcaval lymph nodes 1080
大静脈造影(撮影)図 venacavography 2008
大静脈前リンパ節 precaval lymph nodes 1080
大静脈洞 sinus of the vena cava 1689
大静脈洞 sinus venarum cavarum 1689
大静脈肺動脈吻合 cavopulmonary anastomosis 73
大静脈ひだ caval fold 718
大静脈フィルタ vena cava filter 700
対象リビド〔ー〕 object libido 1031
対症療法 symptomatic treatment 1924
代償療法 replacement therapy 1879
対症療法の nosotropic 1269
大食細胞 macrophage 1090
大食性 polyphagia 1463
体色変化 metachrosis 1139
対処する cope 420
胎児リズム embryocardia 601
大耳輪筋 helicis major (muscle) 1186
大耳輪筋 large muscle of helix 1187
大耳輪筋 musculus helicis major 1200
胎児ワルファリン症候群 fetal warfarin syndrome 1804
対診 consultation 415
代診 locum tenant 1067
大唇〔症〕 macrocheilia, macrochilia 1089
対人〔間〕の interpersonal 947
対人恐怖〔症〕 anthropophobia 99
対真菌毒性 fungitoxicity 745
大心〔臓〕静脈 vena cordis magna 2005
大心臓静脈 great cardiac vein 1996
対人的な interpersonal 947
大腎杯 calices renales majores 279
大腎杯 major calices 279
対診法 confrontation method 1143
大心房吻合動脈 Kugel anastomotic artery 147
大心房吻合動脈 atrial anastomotic branch of circumflex branch of left coronary artery 243
ダイズ soybean 1703
大錐体神経 greater petrosal nerve 1234
大錐体神経 nervus petrosus major 1243
大錐体神経溝 groove for greater petrosal nerve 801
大錐体神経溝 sulcus nervi petrosi majoris 1773
大錐体神経裂孔 hiatus canalis nervi petrosi majoris 851
大錐体神経裂孔 hiatus for greater petrosal nerve 851
大錐体神経裂孔 hiatus of facial canal 851
大膵動脈 arteria pancreatica magna 137
大膵動脈 greater pancreatic artery 145
体水分正常〔状態〕 euhydration 648
〔小脳の〕大水平裂 great horizontal fissure 702
対数 logarithm 1068
対数期 logarithmic phase 1402
対数〔増幅型〕心音計 logarithmic phonocardiograph 1411
対数正規分布 lognormal distribution 550
大頭蓋 macrocranium 1089
大頭〔蓋〕症 macrocephaly, macrocephalia 1089
ダイス型 die 514
ダイズ油 soybean oil 1703
態勢 attitude 175
胎勢 fetal habitus 810
胎生 viviparity 2035
退生 anaplasia 72
耐性 fastness 678
耐性 resistance 1593
耐性 tolerance 1898
耐性因子 resistance factors 669
体性運動核 somatic motor nuclei 1280
体〔性〕運動ニューロン somatic motor neuron 1249
体性えん下 somatic swallow 1789
胎生学 embryology 601
胎生学者 embryologist 601
胎生環 embryotoxon 602
体性感覚 somatesthesia 1699
体性感覚 somatosensory 1700
体性感覚前兆 somatosensory aura 177
体性感覚皮質 somatic sensory cortex, somatosensory cortex 428
体性感覚誘発電位 somatosensory evoked potential 1473
胎生期癌 embryonal carcinoma 297
大性器症 macrogenitosomia 1089
胎生期腺腫 embryonal adenoma 25
体性局在 somatotopy 1700
退生細胞 anaplastic cell 319
胎生時組織遺残の embryomorphous 601
代生(後継)歯堤 successional lamina 999
代生歯胚 reserve tooth germ 768
胎生症 fetalism 681
体性神経 somatic nerve 1238
体性神経線維 somatic nerve fibers 690
大正赤芽球 macronormoblast 1090
胎生爪皮 eponychium 633
体性痛 somatalgia 1699
耐性転移因子 resistance-transfer factor 669
耐性の fast 677
体性の somatic 1699
退生の anaplastic 72
代生の succedaneous 1768
胎生白内障 embryonic cataract 311
〔胎性〕皮節 dermatomere 496
耐性プラスミド resistance plasmids 1433
胎生網状層 fetal reticularis 681
体積 volume (*V*, V) 2036
大赤芽球 macroblast 1089
大赤芽球 macroerythroblast 1089
体積記録器 oncograph 1300
体積〔変動〕記録器 plethysmograph 1437
体積〔変動〕記録法 plethysmography 1437
体積〔変動〕記録用保護眼鏡 plethysmographic goggle 790
体積計 oncometer 1300
体積計 stereometer 1744
体積計 volumenometer 2036
体積指数 volume index 923
大脊髄根動脈 arteria radicularis magna 137
大脊髄根動脈 great segmental medullary artery 145
体積測定法 stereometry 1744
体積〔変動〕測定法 plethysmometry 1437
体積弾性係数 modulus of volume elasticity 1163
体積弾性率 modulus of volume elasticity 1163
体節 metamere 1139
体節 somite 1700
苔舌 coated tongue 1900
大舌下腺管 major sublingual duct 564
大舌下腺管 ductus sublingualis major 566
体節間の intermetameric 946
体節間の intersegmental 947
体節腔 myocele 1212
体節形成 merogenesis 1133
大赤血球 macrocyte 1089
大赤血球症 macrocythemia 1089
体節制 metamerism 1139
体節性神経系 metameric nervous system 1832
体節性脊髄動脈 segmental medullary arteries 152
体節前期胚 presomite embryo 601
大切断術 major amputation 66
体節中胚葉 somitic mesoderm 1136
体節の metameric 1139
苔癬 lichen 1031
苔癬化 lichenification 1031
大前骨髄球 macropromyelocyte 1091
苔癬状ひこう疹 pityriasis lichenoides 1427
体染性の somatochrome 1699
大前庭腺 greater vestibular gland 773
大前庭腺 glandula vestibularis major 776
大泉門 anterior fontanelle 723
大泉門 fonticulus anterior 723
苔癬様アミロイドーシス lichenoid amyloidosis 67
苔癬様角化症 lichenoid keratosis 981
苔癬様湿疹 lichenoid eczema 586
苔癬様の lichenoid 1031
苔癬様皮膚病(症) lichenoid dermatosis 498
体操 gymnastics 806
帯層 zonular layer 1014
帯層 stratum zonale 1753
大爪〔症〕 macronychia 1090
大槽撮影(造影)〔法〕 cisternography 368
大槽穿刺 cisternal puncture 1527
対側(対称)〔性〕壊疽 symmetrical gangrene 756
対側片麻痺(半側麻痺) contralateral hemiplegia 829
体側感覚消失 acheiria 13
〔対称性〕対側構造 contralateral partner 417
対側骨折 contrafissura 417
対側手の heterocheiral, heterochiral 847
対側衝撃の contrecoup 417
対側刃 contrabevel 416
〔反〕対側性の contralateral 417
対側線量 exit dose 557
体側知覚困難〔症〕 dyscheiria, dyschiria 571
体側知覚不全 dyscheiria, dyschiria 571
対側尿管尿管吻合〔術〕 transureteroureterostomy (TUU) 1922
大腿 femur 680
大腿 thigh 1883
大腿栄養動脈 femoral nutrient artery 145
大腿栄養動脈 nutrient artery of femur 149
大腿窩 femoral fossa 732
大腿窩 fovea femoralis 735
大腿管 femoral canal 283
大腿管 canalis femoralis 285
大腿間の interfemoral 944
大腿距 calcar femorale 276
大腿筋膜 deep fascia of thigh 672
大腿筋膜 fascia lata 673
大腿筋膜張筋 tensor (muscle) of fascia lata

タ

…… 1196
大腿筋膜張筋 tensor fasciae latae (muscle) …… 1196
大腿筋膜張筋 musculus tensor fasciae latae …… 1204
大腿脛骨関節 femorotibial joints …… 970
大腿脛骨の femorotibial …… 680
大腿〔骨〕頸部骨折 transcervical fracture 738
大腿広筋の筋膜 aponeurosis of vastus muscles …… 117
大腿後部 posterior region of thigh …… 1586
大腿後面 posterior surface of thigh …… 1783
大腿骨 thigh bone …… 234
大腿骨 femur …… 680
大腿骨外側顆 lateral condyle of femur … 408
大腿骨外側上顆 lateral epicondyle of femur …… 625
大腿骨顆間線 intercondylar line of femur …… 1050
大腿骨幹(骨体) shaft of femur …… 1669
大腿骨頸 collum femoris …… 392
大腿骨頸 collum ossis femoris …… 392
大腿骨頸 neck of femur …… 1223
大腿骨頸 neck of thigh bone …… 1223
大腿骨膝蓋面 patellar surface of femur 1782
〔大腿骨〕膝蓋面 facies patellaris femoris 664
〔大腿骨〕膝窩面 facies poplitea femoris 664
〔大腿骨〕膝窩面 popliteal plane of femur …… 1430
〔大腿骨〕膝窩面 popliteal surface of femur …… 1783
大腿骨体 corpus femoris …… 425
大腿骨体 corpus ossis femoris …… 425
大腿骨体(骨幹) shaft of femur …… 1669
大腿骨頭 caput ossis femoris …… 292
大腿骨頭 head of femur …… 817
大腿骨頭 head of thigh bone …… 818
大腿骨頭窩 fovea for ligament of head of femur …… 735
大腿骨頭窩 fovea of the femoral head … 735
大腿骨頭窩 pit of head of femur …… 1426
大腿骨頭靱帯 ligament of head of femur …… 1035
大腿骨頭靱帯 ligamentum capitis femoris …… 1042
大腿骨内傾角 angle of inclination of femur …… 89
大腿骨内側顆 medial condyle of femur 409
大腿骨内側上顆 medial epicondyle of femur …… 625
大腿骨捻転角 angle of femoral torsion …… 88
大腿三角 femoral triangle …… 1927
大腿三角 trigonum femorale …… 1933
大腿膝蓋関節 femoropatellar joint …… 970
大腿膝窩動脈バイパス femoropopliteal bypass …… 273
大腿膝窩動脈閉塞性疾患 femoropopliteal occlusive disease …… 533
大腿四頭筋 quadriceps femoris (muscle) …… 1192
大腿四頭筋 quadriceps muscle of thigh 1192
大腿四頭筋 musculus quadriceps femoris …… 1202
大腿四頭筋形成〔術〕 quadricepsplasty …… 1536
大腿鞘 femoral sheath …… 1670
大腿静脈 femoral vein …… 1996
大腿静脈 vena femoralis …… 2005
大腿神経 femoral nerve …… 1234
大腿神経 nervus femoralis …… 1242
〔大腿神経〕前皮枝 anterior cutaneous branches of femoral nerve …… 242
〔大腿神経〕前皮枝 rami cutanei anteriores nervi femoralis …… 1550
大腿深静脈 deep femoral vein …… 1995
大腿深静脈 profunda femoris vein …… 2000
大腿深静脈 vena profunda femoris …… 2007
大腿伸張テスト femoral stretch test …… 1857
大腿深動脈 arteria profunda femoris …… 137
大腿深動脈 deep artery of thigh …… 144
大腿深動脈 deep femoral artery …… 144
大腿深動脈 profunda femoris artery …… 151
大腿切断 A-K amputation …… 65
大腿浅静脈 superficial femoral vein …… 2001
大腿前部 anterior region of thigh …… 1585
大腿前面 anterior surface of thigh …… 1780
大腿直筋 rectus femoris (muscle) …… 1192
大腿直筋 rectus muscle of thigh …… 1192
大腿直筋 musculus rectus femoris …… 1203
大腿直筋の屈曲頭 reflected head of rectus femoris (muscle) …… 818
大腿直筋の直頭 straight head of rectus femoris (muscle) …… 818
大腿痛 meralgia …… 1132
大腿動脈 arteria femoralis …… 135
大腿動脈 femoral artery …… 145
大腿動脈神経叢 femoral (nerve) plexus 1440
大腿二頭筋 biceps femoris (muscle) …… 1182
大腿二頭筋 biceps muscle of thigh …… 1182
大腿二頭筋 musculus biceps femoris …… 1199
大腿二頭筋下包 inferior subtendinous bursa of biceps femoris …… 269
大腿二頭筋腱下包 bursa subtendinea musculi bicipitis femoris inferior …… 270
大腿二頭筋上〔の滑液〕包 bursa musculi bicipitis femoris superior …… 269
大腿二頭筋上〔の滑液〕包 superior bursa of biceps femoris …… 271
大腿二頭筋短頭 short head of biceps femoris …… 818
大腿二頭筋の長頭 caput longum musculi bicipitis femoris …… 292
大腿二頭筋反射 biceps femoris reflex … 1577
大大脳静脈 great cerebral vein …… 1996
大腿の後区画 posterior compartment of thigh …… 399
大腿の膝関節屈曲区画 compartment of thigh for flexors of knee …… 399
大腿の伸展区画 compartimentum femoris extensorum …… 398
大腿の伸展区画 compartment of thigh for extensors of knee …… 399
大腿の前区画 anterior compartment of thigh …… 399
大腿の内側区画 medial compartment of thigh …… 399
大腿薄筋症候群 gracilis syndrome …… 1806
大腿反射 femoral reflex …… 1579
大腿部 femoral region …… 1585
大腿腹筋反射 femoroabdominal reflex … 1579
大腿ヘルニア femoral hernia …… 842
大腿方形筋 quadrate muscle of thigh … 1192
大腿方形筋 quadratus femoris (muscle) 1192
大腿方形筋 musculus quadratus femoris 1202
大腿方形筋神経 nerve to quadratus femoris …… 1238
大腿輪 anulus femoralis …… 111
大腿輪 femoral ring …… 1617
大腿輪中隔 femoral septum …… 1663
大腿輪中隔 septum femorale …… 1663
大唾液腺 major salivary glands …… 773
大多分葉核球 macropolycyte …… 1091
怠惰膀胱症候群 lazy bladder syndrome 1810
大単球 macromonocyte …… 1090
大腸 large bowel …… 238
大腸 intestinum crassum …… 949
大腸 large intestine …… 949
大腸アメーバ *Entamoeba coli* …… 618
大腸炎 colitis …… 389
対腸間膜の antimesenteric …… 107
大腸菌 colibacillus …… 389
大腸菌 *Escherichia coli* …… 641
大腸菌エンテロトキシン *Escherichia coli* enterotoxin …… 621
大腸菌型細菌 coliform bacilli …… 188
大腸菌症 colibacillosis …… 389
大腸菌腸毒素 *Escherichia coli* enterotoxin …… 621
大腸菌ファージ coliphage …… 389
大腸憩室 diverticula of colon …… 551
大腸撮影 colonography …… 393
体長軸 long axis of body …… 184
大腸周囲粘膜症候群 pericolic membrane syndrome …… 1815
大腸漿膜下組織 subserosa of large intestine …… 1765
大腸腺 glands of large intestine …… 773
大腸粘膜 mucosa of large intestine …… 1176
大腸粘膜炎 endocolitis …… 612
大腸粘膜下組織 submucosa of large intestine …… 1764
大腸の筋層 muscular layer of large intestine …… 1012
大腸のリーベルキューン陰窩 crypts of Lieberkühn of large intestine …… 445
大腸バランチジウム *Balantidium coli* …… 193
タイチン titin …… 1896
堆〔対〕 pile …… 1423
耐痛限界 pain tolerance …… 1898
ダイテルス終末枠 Deiters terminal frames …… 739
大殿筋 gluteus maximus (muscle) …… 1186
大殿筋 musculus gluteus maximus …… 1200
大殿筋の坐骨包 bursa ischiadica musculi glutei maximi …… 269
大殿筋の坐骨包 ischial bursa …… 269
大殿筋の坐骨包 sciatic bursa of gluteus maximus …… 270
大殿筋の転子包 bursa trochanterica musculi glutei maximi …… 271
大殿筋〔麻痺〕歩行 gluteus maximus gait 748
大転子 greater trochanter …… 1936
大転子 trochanter major …… 1936
大転子皮下包 bursa subcutanea trochanterica …… 270
態度 attitude …… 175
態度 behavior …… 204
胎動 fetal movement …… 1174
大頭蓋 macrocranium …… 1089
大頭〔蓋〕症 macrocephaly, macrocephalia …… 1089
胎動回数 fetal kick counts …… 431
胎動感 quickening …… 1538
大痘瘡 variola major …… 1988
耐糖能試験 glucose tolerance test (GTT) …… 1858
大動脈 aorta …… 111
大動脈圧痕 aortic impression of left lung …… 917
大動脈エコー検査〔法〕 echoaortography 583
大動脈炎 aortitis …… 112
大動脈拡張〔症〕 aortectasis, aortectasia … 112
大動脈下行部 pars descendens aortae … 1358
大動脈下垂〔症〕 aortoptosia, aortoptosis 112
大動脈下の subaortic …… 1762
〔腹〕大動脈下リンパ節 subaortic lymph nodes …… 1081
大動脈冠動脈の aortocoronary …… 112
大動脈球 aortic bulb …… 264
大動脈球 bulbus aortae …… 265
大動脈弓 arch of the aorta …… 125
大動脈弓 arcus aortae …… 127
〔第一—第六〕大動脈弓 aortic arches …… 125
大動脈弓溝 groove for arch of aorta …… 801
大動脈弓症候群 aortic arch syndrome … 1796
大動脈胸骨固定術 aortopexy …… 112
大動脈狭窄 aorta angusta …… 111
大動脈狭窄〔症〕 aortostenosis …… 112
大動脈狭窄〔症〕 aortic stenosis …… 1742

大動脈峡部 aortic isthmus …… 963
大動脈峡部 isthmus aortae …… 963
大動脈峡部 isthmus of aorta …… 963
大動脈胸部 pars thoracica aortae …… 1361
大動脈胸部 thoracic part of aorta …… 1368
大動脈形成術 aortoplasty …… 112
大動脈口 aortic orifice …… 1314
大動脈口 aortic ostium …… 1325
大動脈口 ostium aortae …… 1325
大動脈溝 aortic impression of left lung 917
大動脈溝 aortic sulcus …… 1771
大動脈硬化〔症〕 aortosclerosis …… 112
大動脈後リンパ節 postaortic lymph nodes …… 1080
大動脈小人症 aortic dwarfism …… 568
大動脈左室トンネル aortico-left ventricular tunnel …… 1954
大動脈撮影(造影)〔法〕 aortography …… 112
大動脈撮影(造影)図 aortogram …… 112
大動脈周囲炎 periaortitis …… 1385
大動脈周囲の periaortic …… 1385
大動脈縮窄症 aortic coarctation …… 383
大動脈縮窄切除術 coarctectomy …… 383
大動脈障害 aortopathy …… 112
大動脈上行部 pars ascendens aortae …… 1358
大動脈上行部 ascending part of aorta … 1362
大動脈神経 aortic nerve …… 1232
大動脈腎動脈神経節 aorticorenal ganglia 752
大動脈腎動脈神経節 ganglia aorticorenalia …… 752
大動脈腎動脈バイパス aortorenal bypass 273
大動脈腎の aorticorenal …… 112
大動脈切開〔術〕 aortotomy …… 112
大動脈切痕 aortic notch …… 1269
大動脈切除〔術〕 aortectomy …… 112
大動脈前庭 aortic vestibule …… 2018
大動脈前庭 vestibulum aortae …… 2018
大動脈前〔方〕の preaortic …… 1476
大動脈前リンパ節 preaortic lymph nodes …… 1080
大動脈乳首 aortic nipple …… 1257
大動脈中隔欠損〔症〕 aortic septal defect, aorticopulmonary septal defect …… 477
大動脈中膜炎 mesaortitis …… 1134
大動脈腸骨動脈バイパス aortoiliac bypass …… 273
大動脈腸骨動脈閉塞性疾患 aortoiliac occlusive disease …… 528
大動脈腸瘻 aortoenteric fistula …… 704
大動脈痛 aortalgia …… 112
大動脈洞 aortic sinus …… 1687
大動脈洞 sinus aortae …… 1687
大動脈洞動脈瘤 aortic sinus aneurysm …… 81
大動脈内バルーンカウンターパルセイション intraaortic balloon counterpulsation …… 432
大動脈内バルーンポンプ intraaortic balloon pump …… 1526
大動脈内膜炎 endaortitis …… 610
大動脈ナックル aortic knuckle …… 988
大動脈の aortic …… 112
大動脈嚢 aortic sac …… 1628
大動脈ノブ aortic knob …… 988
大動脈–肺動脈窓 aortopulmonary window …… 2046
大動脈肺動脈中隔 aorticopulmonary septum …… 1663
大動脈肺動脈中隔 aortopulmonary septum …… 1663
大動脈肺動脈中隔欠損 aortic septal defect, aorticopulmonary septal defect …… 477
大動脈腹部 pars abdominalis aortae …… 1357
大動脈分岐 aortic bifurcation …… 210
大動脈分岐 bifurcatio aortae …… 210
大動脈分岐 bifurcation of aorta …… 210
大動脈弁 aortic valve …… 1984
大動脈弁 valva aortae …… 1984
大動脈弁下部狭窄〔症〕 subaortic stenosis …… 1742
大動脈弁逆流 aortic regurgitation …… 1587
大動脈弁雑音 aortic murmur …… 1179
大動脈弁上部狭窄〔症〕 supravalvar stenosis …… 1742
大動脈弁上部狭窄症候群 supravalvar aortic stenosis syndrome …… 1822
大動脈弁上稜 supravalvular ridge of aorta …… 1616
〔大動脈弁の〕右冠状動脈弁尖 valvula coronaria dextra (valvae aortae) …… 1986
〔大動脈弁の〕右半月弁尖 right semilunar cusp of aortic valve …… 452
大動脈弁の右半月弁尖 valvula semilunaris dextra valvae aortae …… 1986
〔大動脈弁の〕後半月弁尖 posterior semilunar cusp of aortic valve …… 452
大動脈弁の後半月弁尖 valvula semilunaris posterior valvae aortae …… 1986
〔大動脈弁の〕左冠状動脈弁尖 valvula coronaria sinistra (valvae aortae) …… 1986
〔大動脈弁の〕左半月弁尖 left semilunar cusp of aortic valve …… 452
大動脈弁の左半月弁尖 valvula semilunaris sinistra valvae aortae …… 1986
〔大動脈弁の〕無冠状動脈弁尖 valvula noncoronaria (valvae aortae) …… 1986
大動脈弁閉鎖〔症〕 aortic atresia …… 171
大動脈弁閉鎖不全〔症〕 aortic incompetence …… 920
大動脈弁閉鎖不全〔症〕 aortic insufficiency …… 941
大動脈弁閉鎖不全性顔貌 aortic facies …… 662
〔聴診上の〕大動脈弁領域 aortic area (of auscultation) …… 128
大動脈弁輪部拡張症 annuloaortic ectasia 584
大動脈縫合 aortorrhaphy …… 112
大動脈紡錘 aortic spindle …… 1716
大動脈傍体 para-aortic bodies …… 228
大動脈傍体 corpora paraaortica …… 425
大動脈瘤 aortic aneurysm …… 81
大動脈隣接の periaortic …… 1385
大動脈リンパ管叢 aortic lymphatic plexus …… 1439
大動脈リンパ管叢 plexus aorticus …… 1439
大動脈裂孔 aortic hiatus …… 851
大動脈裂孔 aortic opening …… 1302
胎内 *in utero* …… 952
〔体内〕移植 implantation …… 916
体内運搬者 internal carrier …… 305
体内運搬者 body packer …… 1335
体内感応電流 endofaradism …… 613
〔体内寄生性〕アメーバ症 entamebiasis …… 618
体内骨格 endoskeleton …… 615
体内(胎内)受精 *in vivo* fertilization …… 681
体内生活環 endogenous cycle …… 454
大内臓神経 greater splanchnic nerve …… 1234
大内臓神経 nervus splanchnicus major 1243
体内直流電流 endogalvanism …… 613
体内詰め込み者 body packer …… 1335
大内転筋 adductor magnus (muscle) …… 1181
大内転筋 great adductor muscle …… 1186
大内転筋 musculus adductor magnus …… 1198
体内の intracorporeal …… 950
体内パッキング body packing …… 1335
体内プロテーゼ endoprosthesis …… 615
体内補綴物 endoprosthesis …… 615
ダイナミックCT dynamic computed tomography …… 1899
ダイナミン dynamin …… 570
体乳腺発育ホルモン somatomammotropin …… 1699
ダイニン dynein …… 570
対人間葛藤 interpersonal conflict …… 410
ダイニン腕 dynein arm …… 132
耐熱性オプソニン試験 thermostable opsonin test …… 1867
耐熱性の thermoduric …… 1881
耐熱〔性〕の thermostabile, thermostable 1882
耐熱埋没材 refractory investment …… 953
帯〔状〕の zonal …… 2059
胎嚢 gestational sac …… 1628
大脳 cerebrum …… 335
大脳延髄角 cephalomedullary angle …… 88
大脳横裂 fissura transversa cerebri …… 702
大脳横裂 transverse cerebral fissure …… 704
大脳回 gyri cerebri …… 808
大脳外側窩 fossa lateralis cerebri …… 733
大脳外側窩 lateral cerebral fossa …… 733
大脳外側窩槽 cistern of lateral cerebral fossa …… 368
大脳外側窩槽 cisterna fossae lateralis cerebri …… 368
大脳外側溝の上行枝 ascending ramus of lateral sulcus of cerebrum …… 1548
〔大〕脳学 encephalology …… 608
大脳下の infracerebral …… 931
大脳鎌 falx cerebri …… 671
大脳基底核 basal ganglia …… 752
大脳機能局在 cerebral localization …… 1067
大脳脚 crus cerebri …… 443
大脳脚 cerebral peduncle …… 1376
大脳脚 pedunculus cerebri …… 1377
大脳脚枝 rami pedunculares …… 1555
大脳脚静脈 peduncular veins …… 1999
大脳脚静脈 venae pedunculares …… 2007
大脳脚切断術 pedunculotomy …… 1377
大脳脚内側溝 medial sulcus of crus cerebri …… 1773
大脳脚内側溝 sulcus medialis cruris cerebri …… 1773
大脳弓状線維 arcuate fibers of cerebrum 688
〔大脳〕弓状線維 fibrae arcuatae cerebri 691
大脳局在 cerebral localization …… 1067
大脳局所診断 cerebral localization …… 1067
大脳血管網 tomentum, tomentum cerebri …… 1899
〔大脳〕月状溝 lunate fissure …… 703
〔大脳〕月状溝 lunate sulcus …… 1773
〔大脳〕月状溝 sulcus lunatus …… 1773
大脳溝 cerebral fissures …… 702
大脳溝 cerebral sulci …… 1771
大脳溝 sulci cerebri …… 1771
大脳溝上の suprasylvian …… 1779
大脳指数 cerebral index …… 922
大脳終板 lamina terminalis …… 999
大脳終板 lamina terminalis of cerebrum 999
〔大脳〕終板 terminal plate …… 1435
大脳縦裂 fissura longitudinalis cerebri …… 702
大脳縦裂 longitudinal cerebral fissure …… 703
大脳〔髄〕症 macrencephaly, macrencephalia …… 1089
大脳上の supracerebral …… 1779
大脳除去 decerebration …… 474
大脳神経膠腫症 gliomatosis cerebri …… 778
大脳髄質動脈 medullary arteries of brain …… 148
大脳髄膜瘢痕 meningocerebral cicatrix … 362
大脳性キノコ中毒 mycetism cerebralis 1207
大脳性耳鳴 tinnitus cerebri …… 1894
大脳切開〔術〕 cerebrotomy …… 335
大脳前交連の前部 pars anterior commissurae anterioris …… 1357
大脳前交連の前部 anterior part of anterior commissure of brain …… 1362
大脳前頭葉 frontal lobe of cerebrum …… 1063
〔大脳〕側頭葉極 temporal pole …… 1456
大脳大静脈槽 cistern of great cerebral vein …… 368
大脳大静脈槽 cisterna venae magnae cerebri …… 368

タ

大脳動脈 cerebral arteries …………………… 143
大脳動脈輪 arterial circle of cerebrum … 364
大脳動脈輪 cerebral arterial circle ……… 364
大脳動脈輪 circulus arteriosus cerebri …. 366
大脳内側面 medial surface of cerebral hemisphere ………………………………… 1782
大脳内の intracerebral …………………… 950
大脳の cerebral ………………………………… 335
大脳膿瘍 circumscribed pyocephalus ….. 1531
大脳の外側溝の前枝 anterior ramus of lateral cerebral sulcus …………………… 1548
大脳の下縁 margo inferior cerebri ……… 1104
大脳の下外側縁 inferolateral margin of cerebral hemisphere …………………… 1103
〔大脳の〕後交連 commissura posterior ….. 397
〔大脳の〕後交連 posterior commissure ….. 398
大脳の後頭極 occipital pole [TA] of cerebrum …………………………………… 1456
大脳の静脈 cerebral veins ………………… 1994
大脳の前頭極 frontal pole [TA] of cerebrum …………………………………… 1456
大脳の側頭葉極 temporal pole [TA] of cerebrum …………………………………… 1456
大脳の内側縁 margo medialis cerebri … 1104
大脳半球 hemicerebrum …………………… 828
大脳半球 cerebral hemisphere …………… 830
大脳半球 hemispherium cerebri ………… 830
大脳半球間の intercerebral ……………… 944
大脳半球間の interhemicerebral ………… 945
大脳半球上縁 superior margin of cerebral hemisphere ………………………………… 1103
大脳半球上外側面 superolateral face of cerebral hemisphere …………………… 661
大脳半球上外側面 facies superolateralis hemispherii cerebri ……………………… 665
大脳半球上外側面 superolateral surface of cerebrum ………………………………… 1783
大脳半球切除〔術〕hemispherectomy ……. 830
大脳半球の下内側縁 inferomedial margin of cerebral hemisphere …………………… 1103
大脳皮質 cerebral cortex …………………… 427
大脳皮質 cortex cerebri …………………… 427
大脳皮質外側溝の後枝溝 posterior branch of lateral cerebral sulcus ………………… 252
大脳皮質外側溝の後枝溝 posterior ramus of lateral cerebral sulcus ………………… 1555
〔大脳〕皮質基底核変性〔症〕corticobasal degeneration ……………………………… 480
大脳皮質除去 cerebral decortication ……. 475
大脳皮質星細胞 stellate cells of cerebral cortex …………………………………… 326
大脳皮質中脳辺縁系 corticomesolimbic system …………………………………… 1831
大脳皮質の顆粒層 granular layers of cerebral cortex ………………………… 1010
大脳皮質の神経細胞層 ganglionic layer of cerebral cortex ………………………… 1010
大脳皮質の層 layers of cerebral cortex 1009
大脳皮質の多形細胞層 multiform layer [TA] of cerebral cortex ……………… 1011
大脳皮質の分子層 molecular layer of cerebral cortex ………………………… 1011
大脳皮質紡錘状細胞 fusiform cells of cerebral cortex ………………………… 321
〔大脳〕辺縁系 limbic system ……………… 1832
大嚢胞 macrocyst ………………………… 1089
大嚢胞病嚢胞液蛋白 gross cystic disease fluid proteins ………………………… 1503
大脳マラリア cerebral malaria ………… 1094
大脳面 facies cerebralis ………………… 663
大脳面 cerebral surface ………………… 1781
大脳優位 cerebral dominance …………… 555
大脳葉 lobi cerebri ……………………… 1066
大脳様の cerebriform …………………… 335
大脳リウマチ cerebral rheumatism ……. 1607
胎嚢輪 gestational ring …………………… 1617
大脳鎌 falx cerebri ……………………… 671
大配偶子 macrogamete …………………… 1089
大配偶子母細胞 macrogametocyte ……… 1089
大白〔血球〕芽細胞 macroleukoblast ……. 1090
体発達の somatogenic …………………… 1699
胎盤 placenta ……………………………… 1427
タイパン taipan …………………………… 1839
胎盤遺残 retained placenta ……………… 1429
胎盤炎 placentitis ………………………… 1429
胎盤外の extraplacental ………………… 658
胎盤下の subplacental …………………… 1764
胎盤機能不全症候群 placental dysfunction syndrome ………………………………… 1816
胎盤形成 placentation …………………… 1429
胎盤形成前の preplacental ……………… 1480
胎盤形成不全 placental dysmature ……… 1429
胎盤血栓症 placental thrombosis ……… 1888
胎盤血輸血 placental transfusion ……… 1918
胎盤後〔方〕の retroplacental …………… 1604
胎盤子宮部 pars uterina placentae ……. 1362
胎盤子宮部 maternal placenta ………… 1428
胎盤周縁〔静脈〕洞 marginal sinuses of placenta ………………………………… 1688
胎盤循環 placental circulation ………… 366
胎盤スルファターゼ欠損〔症〕placental sulfatase deficiency ……………………… 479
胎盤性絨毛腫瘍 placental site trophoblastic tumor ………………………………… 1951
胎盤組織療法 placentotherapy ………… 1429
胎盤胎児部 pars fetalis placentae ……. 1359
胎盤胎児部 fetal placenta, placenta fetalis ……………………………………………… 1428
胎盤中隔 placental septa ……………… 1664
胎盤徴候 placental sign ………………… 1683
胎盤の placental ………………………… 1429
胎盤付着様式 placentation ……………… 1429
胎盤分葉 cotyledon ……………………… 431
胎盤分葉 placental lobes ……………… 1064
胎盤娩出 afterbirth ……………………… 33
胎盤娩出異常 placental dystocia ……… 577
胎盤ポリープ placental polyp ………… 1463
胎盤膜 placental membrane …………… 1126
胎盤輸血症候群 placental transfusion syndrome ………………………………… 1816
胎盤葉胎盤 cotyledonary placenta ……. 1428
対比 contrast ……………………………… 417
大鼻〔症〕goundou ……………………… 793
タイピスト痙攣 typist's cramp ………… 434
対比染色 counterstain …………………… 432
対比染料 contrast stain ………………… 1730
耐ヒ素の arsenic-fast …………………… 133
タイヒマン結晶 Teichmann crystals ……. 446
体表解剖学 surface anatomy …………… 74
体表寄生動物 epizoon …………………… 633
体表寄生の epizoic ……………………… 633
代表菌株 type strain …………………… 1751
代表値 average …………………………… 182
代表値 measures of central tendency …. 1113
体表面積 body surface area (BSA) ……. 128
対比浴 contrast bath …………………… 201
大鼻翼軟骨 greater alar cartilage ……… 306
大鼻翼軟骨 major alar cartilage of nose 306
大鼻翼軟骨 cartilago alaris major nasi … 307
大鼻翼軟骨の外側脚 lateral crus of the major alar cartilage of the nose ……… 443
大鼻翼軟骨の内側脚 medial crus of major alar cartilage of nose ………………… 443
タイプI有毛細胞 type I hair cell ……… 327
タイプII有毛細胞 type II hair cell ……… 327
大風子油 chaulmoogra oil ……………… 340
体幅 antimere ……………………………… 107
体幅 homotype …………………………… 862
大伏在静脈 great saphenous vein ……… 1996
大伏在静脈 large saphenous vein ……… 1997
大伏在静脈 vena saphena magna ……… 2007
大複殖門条虫属 *Diplogonoporus* ………… 523
大腹膜腔 greater peritoneal cavity ……… 316
対物鏡 objective ………………………… 1288
対物レンズ objective …………………… 1288
体部白癬 tinea corporis ………………… 1894
体プレチスモグラフ body plethysmograph ……………………………………………… 1437
大分生子 macroconidium ……………… 1089
太平洋裂頭条虫 *Diphyllobothrium pacificum* ……………………………………………… 523
体壁枝 parietal branch ………………… 250
体壁層 somatic layer …………………… 1013
体壁内臓の parietovisceral …………… 1356
体壁板 somatic layer …………………… 1013
体壁フィステル(瘻) parietal fistula ……. 705
体壁葉 somatopleure …………………… 1699
胎便 meconium …………………………… 1115
〔大〕便 feces ……………………………… 679
〔大〕便 stool ……………………………… 1750
胎便過多 meconiorrhea ………………… 1115
大便失禁 encopresis …………………… 610
胎便性イレウス meconium ileus ……… 906
胎便〔性〕仙痛 meconial colic …………… 389
胎便性腹膜炎 meconium peritonitis …… 1393
胎便栓 meconium plug ………………… 1446
胎便栓塞症候群 meconium blockage syndrome ………………………………… 1811
胎胞 forewaters ………………………… 728
大砲雑音 bruit de canon ……………… 262
大胞子 macrospore ……………………… 1091
大包丁 cleaver …………………………… 373
大砲波 cannon wave …………………… 2042
大発作 grand mal ……………………… 1093
タイマ(大麻) hashish …………………… 816
大麻 cannabis …………………………… 287
ダイマー dimer ………………………… 520
大麻中毒〔症〕cannabism ……………… 287
怠慢 inattention ………………………… 918
大脈 long pulse ………………………… 1525
大脈 pulsus magnus …………………… 1526
タイム thyme …………………………… 1889
タイムマーカ time marker …………… 1105
タイム油 thyme oil, oil of thyme ……. 1889
題名 rubric ……………………………… 1625
胎毛 lanugo ……………………………… 1000
大網 caul, cowl ………………………… 315
大網 greater omentum ………………… 1298
大網 omentum majus …………………… 1298
大網炎 omentitis ………………………… 1298
大網形成〔術〕omentoplasty …………… 1298
大網固定〔術〕omentopexy ……………… 1298
大網枝 epiploic branches ……………… 246
大網枝 omental branches ……………… 250
大網枝 rami epiploicae ………………… 1551
大網枝 rami omentales ………………… 1554
大網軸捻 omentovolvulus ……………… 1298
大網性クッシング病 Cushing disease of the omentum ………………………………… 531
大網性腸閉鎖〔術〕omental enterocleisis 619
大網切除〔術〕omentectomy …………… 1298
大網・腸間膜類粘液過誤腫 omental mesenteric myxoid hamartoma ………… 813
大網内ヘルニア intraepiploic hernia ……. 843
大網の omental ………………………… 1298
大網ひも tenia omentalis ……………… 1850
大網弁 omental flap …………………… 710
大網縫合〔術〕omentorrhaphy ………… 1298
題目 rubric ……………………………… 1625
退薬症状 withdrawal symptoms ……… 1792
退薬症状 withdrawal …………………… 2047
ダイヤモンドカッティングインストルメント diamond cutting instruments ………… 940
ダイヤモンド形雑音 diamond-shaped murmur ………………………………… 1179
ダイヤモンドTYM培地 Diamond TYM medium ………………………………… 1118
ダイヤモンドディスク diamond disc …… 525

ダイヤル dial … 509
太陽エネルギー solar energy … 617
代用塩 salt substitute … 1632
太陽黄斑症 solar maculopathy … 1092
大腰筋 greater psoas muscle … 1186
大腰筋 psoas major (muscle) … 1191
大腰筋 musculus psoas major … 1202
大腰筋影 psoas margin … 1103
代用血液 blood substitute … 1767
代用血漿 plasma substitute … 1767
大葉性肺炎 lobar pneumonia … 1450
耐容線量 tolerance dose … 558
耐ヨウ素の iodine-fast … 954
太陽虫綱 Heliozoea … 823
太陽灯 heat lamp … 999
耐用人数 carrying capacity … 288
代用の succedaneous … 1768
代用の succenturiate … 1768
代用薬 succedaneum … 1768
耐ヨードの iodine-fast … 954
タイラー(セイラー)ウイルス Theiler virus … 2029
ダイラタンシー dilatancy … 519
タイラー(セイラー)マウス脳脊髄炎ウイルス Theiler mouse encephalomyelitis virus … 2029
代理〔人〕 substitute … 1767
代理〔人〕 surrogate … 1785
代理形成 substitution … 1767
代理症 equivalent (Eq, eq) … 635
大理石骨病 osteopetrosis … 1323
大理石状態 status marmoratus … 1740
大理石様の marmorated … 1105
大理石様皮膚 cutis marmorata … 453
対立〔性〕 allelism … 49
対立遺伝子 allele … 49
対立遺伝子 allelic gene … 762
対立遺伝子排除 allelic exclusion … 652
対立遺伝単位 allele … 49
対立因子 allele … 49
対立仮説 alternative hypothesis … 898
対立筋 opponens … 1309
対立する oppose, opposed … 1309
大立体認知〔症〕 macrostereognosis … 1091
代理人によるミュンヒハウゼン症候群 Munchausen syndrome by proxy … 1813
代理母 surrogate mother … 1172
大略 profile … 1494
対流 convection … 418
対流熱 convective heat … 821
耐量 tolerance dose … 558
〔超〕大量化学療法 salvage chemotherapy 343
大量喀血 massive hemoptysis … 835
大量感染 mass infection … 927
大量寛容 high dose tolerance … 1898
大菱形筋 greater rhomboid muscle … 1186
大菱形筋 rhomboid major (muscle) … 1192
大菱形筋 musculus rhomboideus major 1203
大菱形骨 trapezium (bone) … 234
大菱形骨 os trapezium … 1318
大菱形骨 trapezium … 1923
大菱形骨結節 tubercle of trapezium (bone) … 1944
大菱形骨結節 tuberculum ossis trapezii 1946
大菱形骨結節 tuberculum of trapezium bone … 1947
大量出血 flooding … 713
大量培養 batch culture … 448
体力正常 eusthenia … 649
体力良好 physical fitness … 707
対輪 anthelix … 97
対輪 antihelix … 106
対輪窩 fossa anthelicis … 731
対輪窩 fossa antihelica … 731
対輪窩 fossa of anthelix … 731
対輪脚 crura of antihelix … 443
対輪脚 leg of antihelix … 1015
ダイレクトボーン印象 direct bone impression … 917
大裂孔 lacuna magna … 995
タイレリア科 Theileriidae … 1874
大連結子 major connector … 413
タイロード〔溶〕液 Tyrode solution … 1698
大彎 curvatura ventriculi major … 450
大彎 greater curvature of stomach … 450
多飲 polyposia … 1464
多淫 gynecomania … 807
ダイン dyne … 570
多陰茎体症 penes … 1380
多因子性遺伝 multifactorial inheritance 933
多因性の pluricausal … 1446
多因性肺動脈症 plexogenic pulmonary arteriopathy … 140
タウ τ … 1836
タウ tau (τ) … 1842
ダヴィエル匙 Daviel spoon … 1724
ダヴィエル手術 Daviel operation … 1304
タウオパシー tauopathies … 1842
タウシグ-ビング症候群 Taussig-Bing syndrome … 1822
タウ障害 tauopathies … 1842
多羽状筋 multipennate muscle … 1189
多羽状筋 musculus multipennatus … 1201
ダウシング浴 dousing bath … 201
タウ蛋白 tau protein … 1506
ダウネー(ダウニー)細胞 Downey cell … 321
ダウノルビシン daunorubicin … 472
タウリン taurine … 1842
タウロコール酸 taurocholic acid … 1842
タウロコール酸塩 taurocholate … 1842
タウロコール酸ナトリウム sodium taurocholate … 1697
ダウングロース downgrowth … 558
ダウン症候群 Down syndrome … 1803
ダウンズ分析 Downs analysis … 70
タウン投影〔法〕 Towne projection … 1496
ダウンレギュレーション down-regulation … 558
多栄養素要求株 polyauxotroph … 1458
唾液 saliva … 1631
唾液過少〔症〕 oligoptyalism … 1297
唾液〔分泌〕過多 sialism, sialismus … 1676
唾液管炎 sialoangiitis … 1676
唾液管炎 sialodochitis … 1676
唾液管拡張〔症〕 sialoangiectasis … 1676
唾液管形成〔術〕 sialodochoplasty … 1676
唾液管内視鏡 sialendoscopy … 1675
唾液管閉塞 sialostenosis … 1676
唾液球 salivary corpuscle … 426
唾液空気えん(嚥)下 sialoaerophagy … 1676
唾液消化 salivary digestion … 516
唾液診断学 sialosemiology, sialosemeiology … 1676
唾液腺 salivary gland … 774
唾液腺 glandula salivaria … 776
唾液腺 sialaden … 1675
唾液腺炎 sialadenitis … 1675
唾液腺拡張〔症〕 sialectasis … 1675
唾液腺化生 sialometaplasia … 1676
唾液腺管 salivary duct … 565
唾液腺結石仙痛 salivary colic … 389
唾液腺向性の sialadenotropic … 1675
唾液腺撮影(造影)〔法〕 ptyalography … 1522
唾液腺撮影(造影)〔法〕 sialography … 1676
唾液腺切開〔術〕 sialoadenotomy … 1676
唾液腺切除〔術〕 sialoadenectomy … 1676
唾液腺造影の記録 sialogram … 1676
唾液腺の多型性低異型度癌 polymorphous low-grade carcinoma of salivary glands … 298
唾液腺の明細胞癌 clear cell carcinoma of salivary glands … 297
唾液腺病 salivary gland disease … 540
唾液腺フィステル(瘻) salivary fistula … 706
唾液促進の sialagogue … 1675
唾液測定〔法〕 sialometry … 1676
唾液の salivary … 1631
唾液嚢腫 ptyalocele … 1522
唾液排出器 saliva ejector … 592
唾液排除器 dental pump … 1526
唾液分泌 salivation … 1631
唾液分泌 sialorrhea … 1676
唾液〔分泌〕過多 sialism, sialismus … 1676
唾液分泌減退 hyposalivation … 896
唾液分泌促進薬 sialagogue … 1675
唾液分泌抑制 sialoschesis … 1676
唾液分泌抑制薬 antisialagogue … 109
唾液連鎖球菌 *Streptococcus salivarius* … 1754
〔披裂軟骨〕楕円窩 fovea oblonga cartilaginis arytenoideae … 735
〔披裂軟骨〕楕円窩 oblong fovea of arytenoid cartilage … 735
〔披裂軟骨〕楕円窩 oblong pit of arytenoid cartilage … 1426
楕円関節 articulatio ellipsoidea … 157
楕円関節 condylar joint … 969
楕円関節 ellipsoidal joint … 969
多塩基酸 polybasic acid … 15
多塩基の polybasic … 1458
楕円形の oval … 1327
楕円状切断〔術〕 elliptic amputation … 65
楕円赤血球症 elliptocytosis … 599
楕円赤血球症 ovalocytosis … 1327
楕円赤血球貧血 elliptocytotic anemia … 77
楕円体 ellipsoid … 599
楕円の ellipsoid … 599
楕円吻合 elliptic anastomosis … 73
多黄卵 megalecithal … 1119
多価 multivalent … 1178
ダガ dagga … 470
多価アルコール multiple alcohol … 44
多価アルコール polyalcohol … 1458
多価アレルギー polyvalent allergy … 50
多価陰イオン polyanion … 1458
多核球増加〔症〕 polynucleosis … 1462
多核細胞 polykaryocyte … 1460
他覚症状 objective symptom … 1792
多核心の polycentric … 1458
多核〔性〕の multinuclear, multinucleate 1178
多核体 cenocyte … 330
多核体の cenocytic … 330
他覚的視野測定〔法〕 objective perimetry … 1388
多角の multangular … 1178
多価血清 polyvalent serum … 1668
多価抗血清 polyvalent antiserum … 109
多価抗原 heterophile antigen … 104
多価抗体 multivalent … 1178
高さ height (h) … 822
高さの altitudinal … 54
多価酸 polyacid … 1458
タカジアスターゼ Taka-diastase … 1839
多価〔性〕の multivalent … 1178
多渇症 polydipsia … 1459
タガトース tagatose … 1838
多価の multipartial … 1178
多価の polyhydric … 1460
高安動脈炎 Takayasu arteritis … 140
高山染料 Takayama stain … 1735
タカリベウイルス Tacaribe virus … 2029
タカリベウイルス群 Tacaribe complex of viruses … 402
多価ワクチン polyvalent vaccine … 1980
高笑い cachinnation … 274
多汗〔症〕 hidrosis … 851
他感覚徴候 objective sign … 1682
多汗症 sudoresis … 1769
多汗症 sudorrhea … 1769

多関節性の multiarticular …… 1178
多感染 multi-infection …… 1178
多間代痙攣 polyclonia …… 1459
多関門集積スキャン multiple-gated acquisition scan (MUGA) …… 1640
滝〔現象〕 waterfall …… 2041
タキキニン tachykinin …… 1837
タキサン類 taxanes …… 1842
多基質 multisubstrate …… 1178
タキステロール tachysterol …… 1837
タキストスコープ tachistoscope …… 1837
タキソイド taxoid …… 1843
タキゾイト tachyzoite …… 1838
タキフィラキシー tachyphylaxis …… 1837
多脚症 polyscelia …… 1464
多極細胞 multipolar cell …… 324
多局性 multilocal …… 1178
多極〔性〕の multipolar …… 1178
多極ニューロン multipolar neuron …… 1249
多極分裂 multipolar mitosis …… 1160
多〔発性〕筋痛 polymyalgia …… 1461
濁音〔界〕 dullness, dulness …… 567
濁音〔界〕移動 shifting dullness …… 567
卓上試験 bench testing …… 1869
ダクチノマイシン dactinomycin …… 470
ダクチラリア属 *Dactylaria* …… 470
濁度計 turbidimeter …… 1954
濁度測定 turbidimetry …… 1954
ダグラス窩鏡 culdoscope …… 447
ダグラス窩形成〔術〕 culdoplasty …… 447
ダグラス窩検鏡法 culdoscopy …… 447
ダグラス窩スミア(塗抹〔標本〕) cul-de-sac smear …… 1693
ダグラス窩切開〔術〕 culdotomy …… 447
ダグラス窩穿刺〔術〕 culdocentesis …… 447
ダグラス〔窩〕膿瘍 Douglas abscess …… 5
ダグラス機序 Douglas mechanism …… 1114
ダグラスバッグ Douglas bag …… 192
ダグラス半月線 semicircular line of Douglas …… 1052
ダクリオン dacryon …… 470
タクリン tacrine …… 1838
多クローン系の polyclonal …… 1459
多クローン性の polyclonal …… 1459
多型遺伝子マーカ polymorphic genetic marker …… 1105
多形核〔白血〕球 polymorphonuclear leukocyte (PMN), polynuclear leukocyte …… 1026
多形核球性白血病 polymorphocytic leukemia …… 1025
多形核の polymorphonuclear …… 1461
多形〔性〕グリア芽〔細胞〕腫 glioblastoma multiforme …… 778
多形現象 pleomorphism …… 1437
多形〔性〕〔神経〕膠芽〔細胞〕腫 glioblastoma multiforme …… 778
多形光線(日光)疹 polymorphous light eruption …… 638
多形〔性〕紅斑 erythema multiforme …… 638
多形細胞層 multiform layer …… 1011
多形細胞層 stratum multiforme …… 1752
〔海馬の〕多形細胞層 oriens layer …… 1012
〔海馬の〕多形細胞層 stratum oriens …… 1752
多形細胞の polymorphocellular …… 1461
多形質発現性 pleiotropic …… 1436
多型性 polymorphism …… 1461
多形性 polymegethism …… 1460
多形性黄色星状膠細胞腫 pleomorphic xanthoastrocytoma …… 2051
多形性細網内皮症 polymorphic reticulosis …… 1599
多形性ニューロン polymorphic neuron 1249
多形〔性〕の pleomorphic …… 1437
多形性表層角膜炎 polymorphic superficial keratitis …… 978
多形腺腫 pleomorphic adenoma …… 26
多〔形〕態性 pleomorphism …… 1437
多〔形〕態〔性〕の pleomorphic …… 1437
多系統萎縮〔症〕 multiple system atrophy (MSA) …… 173
多形倒錯〔症〕 polymorphous perversion 1396
多形肉芽腫 granuloma multiforme …… 798
多形の multiform …… 1178
多形皮膚萎縮症 poikiloderma …… 1453
多血症 hypervolemia …… 890
多血症 polycythemia …… 1459
多血〔症〕 plethora …… 1437
多血〔症〕 repletion …… 1590
多結節性甲状腺腫 multinodular goiter …… 790
多結節性上強膜炎 episcleritis multinodularis …… 630
多結節性の multinodular, multinodulate 1178
多結節の multinodal …… 1178
竹様脊柱 bamboo spine …… 1716
多源性心房頻拍 atrial chaotic tachycardia …… 1837
多元論 polyphyletism …… 1463
多コア病 multicore disease …… 538
多幸〔症〕 euphoria …… 648
多効果の multivalent …… 1178
多幸感 euphoria …… 648
多睾丸(精巣)〔症〕 polyorchism, polyorchidism …… 1462
多合指(趾)症 polysyndactyly …… 1465
蛇行状穿孔性弾力線維症 elastosis perforans serpiginosa …… 592
蛇行状脱毛〔症〕 ophiasis …… 1306
蛇行状の serpiginous …… 1667
蛇行状狼瘡 lupus serpiginosus …… 1074
多向性 polytrophic …… 1465
蛇行性潰瘍 serpiginous ulcer …… 1961
蛇行性血管腫 angioma serpiginosum …… 85
多孔性合金 void metal composite (VMC) …… 2035
蛇行性動脈瘤 serpentine aneurysm …… 82
多孔性の spongiose …… 1723
多孔〔性〕の porous …… 1467
蛇行〔性〕の tortuous …… 1905
多酵素 multienzyme …… 1178
多酵素複合体 multienzyme complex …… 402
多咬頭歯 multicuspid …… 1178
多咬頭歯 multicuspidate …… 1178
多咬頭の multicuspidate …… 1178
多項分布 multinomial distribution …… 550
多項目マーカスクリーニング multiple marker screen …… 1651
多項目連続自動分析器 sequential multichannel autoanalyzer (SMA) …… 178
タコグラフ tachograph …… 1837
タコグラフィ tachography …… 1837
タコグラム tachogram …… 1837
多骨性の polyostotic …… 1462
タコメータ tachometer …… 1837
多根〔性〕の multirooted …… 1178
多剤耐性 multidrug resistance (MDR) 1594
多剤併用化学療法 combination chemotherapy …… 343
多剤〔併用〕療法 polypharmacy …… 1463
多細胞の multicellular …… 1178
多サテライトヘテロクロマチン satellite-rich heterochromatin …… 847
多産の prolific …… 1497
多産婦 grand multipara …… 1178
多指(趾)〔症〕 polydactyly …… 1459
多肢〔症〕 polymelia …… 1460
多視〔症〕 polyopia, polyopsia …… 1462
多視〔症〕 multiple vision …… 2032
多耳〔症〕 polyotia …… 1462
多自我状態 multiple ego states …… 1739
多色素血〔症〕 polychromemia …… 1459
多色素性 polychromia …… 1459
多軸〔性〕関節 multiaxial joint …… 971
多軸分類 multiaxial classification …… 371
多糸形成化 polytenization …… 1465
多歯〔症〕の hyperdontia …… 880
多糸〔性〕の polytene …… 1465
多糸染色体 polytene chromosome …… 359
多刺ツベルクリン試験 multiple puncture tuberculin test …… 1861
多シナプスの polysynaptic …… 1465
多児分娩の polytocous …… 1465
多重エコー reverberation …… 1605
多重共線性 multicolinearity …… 1178
多重極の multipolar …… 1178
多重スクリーニング multiphasic screening …… 1651
多重染料 multiple stain …… 1734
多重断層撮影 polytomography …… 1465
多重反射 reverberation …… 1605
多宿主性 polyxenous …… 1465
多指癒着短指症 polysymbrachydactyly 1465
多焦点レンズ multifocal lens …… 1019
多小胞体 multivesicular bodies …… 228
多漿膜炎 polyserositis …… 1464
多小葉〔性〕の multilobular …… 1178
他殖 allogamy …… 50
多食〔症〕 polyphagia …… 1463
多色性 pleochromatism …… 1437
多色性メチレンブルー polychrome methylene blue …… 1147
多色放射線 polychromatic radiation …… 1541
打診〔法〕 percussion …… 1384
打診音 percussion sound …… 1702
打診音減弱 hypophonesis …… 895
打診音増強 hyperphonesis …… 885
多〔発〕神経〔性〕の polyneural …… 1461
多神経節の polyganglionic …… 1460
打診槌 percussor …… 1385
打診槌 plessor …… 1437
打診板 plessimeter …… 1437
多数傷病者事例 multicasualty incident (MCI) …… 918
多数睡眠潜時検査 multiple sleep latency test …… 1861
襷掛けCROS(クロス)補聴器 criss CROS hearing aid …… 819
助けを求める叫び cry for help …… 444
多性雑種 polyhybrid …… 1460
惰性時間 inertia time …… 1893
多生歯形の polyphyodont …… 1463
多精子受精 polyspermy …… 1465
多精子症 polyspermia, polyspermism …… 1465
多精子進入 polyspermy …… 1465
多生歯〔性〕の polyphyodont …… 1463
多精巣(睾丸)〔症〕 polyorchism, polyorchidism …… 1462
唾石 salivary calculus …… 278
唾石 sialolith …… 1676
唾石 tophus …… 1903
唾石症 ptyalolithiasis …… 1522
唾石症 sialolithiasis …… 1676
唾石切開〔術〕 ptyalolithotomy …… 1522
唾石切開〔術〕 sialolithotomy …… 1676
多節〔症〕 polymeria …… 1460
多節条虫亜綱 Cestoda …… 336
多節〔性〕の multinodular, multinodulate 1178
多節の polyzoic …… 1465
多染色体性 polysomy …… 1464
多染性 polychromatophilia …… 1459
多〔内分泌〕腺性欠乏症候群,ペルシア系ユダヤ人型を含む polyglandular deficiency syndrome, Persian-Jewish type, included …… 1816
多染性細胞 polychromatophil, polychromatophile …… 1459
多〔内分泌〕腺性自己免疫症候群1型 polyglandular autoimmune syndrome,

type I (PGA I) 1816
多染〔性〕赤血球 polychromatic cell 325
多染〔性〕の polychromatophil, polychromatophile 1459
多腺性の pluriglandular 1446
多潜能力の pluripotent, pluripotential 1446
多相系 heterogeneous system 1831
多爪症 polyonychia 1462
多層性原始卵胞 multilaminar primary follicle 722
多層の polyptychial 1464
多層縫合 terrace 1853
多足〔症〕polypodia 1464
堕胎 criminal abortion 4
他体愛 alloerotism 50
多体重複奇形 polysomia 1464
多〔形〕態性 pleomorphism 1437
多〔形〕態〔性〕の pleomorphic 1437
多胎妊娠 multiple pregnancy 1478
多対立性 polyallelism 1458
たたき法 tapotement 1841
ただちに stat, STAT 1739
タタボックス TATA box 239
たたみ込み reefing 1577
たたり curse 450
ただれ sore 1701
ただれロウイルス soremouth virus 2029
多段階発癌説 multistage model 1162
多段脈症 polycrotism 1459
立会い医 consultant 415
立会い診察 consultation 415
立直り反射 body righting reflexes 1578
立直り反射 righting reflexes 1581
多中手骨症 polymetacarpalia, polymetacarpalism 1460
多中心性細網組織球症 multicentric reticulohistiocytosis 1599
多中心の polycentric 1458
多中足骨症 polymetatarsalia, polymetatarsalism 1460
脱〔出症〕prolapse 1496
脱アミド deamidation, deamidization 473
脱アミノ〔作用〕deamination, deaminization 473
脱アミノ酵素 deaminases 473
脱アルコール dealcoholization 473
脱イオン化 deionization 483
脱イオン水 deionized water 2041
脱衣狂 ecdysiasm 582
脱エメチントコン deemetinized ipecacuanha 955
脱塩素〔作用〕dechloridation 474
脱灰 decalcification 474
脱灰の decalcifying 474
脱核の denucleated 490
タッカー-マクリーン鉗子 Tucker-McLean forceps 728
脱顆粒 degranulation 482
脱カルボキシル decarboxylation 474
脱感作 desensitization 499
脱鉗子現象 declamping phenomenon 1404
脱感受性 desensitization 499
脱臼 dislocation 543
脱臼 luxatio 1074
脱臼 luxation 1074
脱臼回避筋 shunt muscle 1193
脱臼骨折 fracture dislocation 543
脱臼骨折 dislocation fracture 737
脱臼性内反股 coxa vara luxans 433
脱共役剤 uncouplers 1963
ダックワース現象 Duckworth phenomenon 1404
脱肛 proctoptosia, proctoptosis 1493
脱コレステロール〔療法〕decholesterolization 474
脱酸 deacidification 472
脱酸〔素〕deoxidation 490
脱施設化 deinstitutionalization 483
脱脂乳 skim milk, skimmed milk 1158
脱脂綿 absorbent cotton 430
奪取 deprivation 494
脱臭アヘン deodorized opium, denarcotized opium 1308
脱臭剤 deodorant 490
脱臭の deodorant 490
脱出 ectopia 585
脱出 hernia 842
脱出 procidentia 1492
脱〔出症〕prolapse 1496
脱出椎間板 herniated disc 525
脱色 depigmentation 492
脱神経 denervation 486
脱水 exsiccation 656
脱髄 demyelination, demyelinization 486
脱水血症 deshydremia 499
脱水酵素 anhydrase 91
脱髄疾患 demyelinating disease 531
脱水症 hypohydremia 894
脱水症 olighidria, oligidria 1296
脱水〔症〕dehydration 482
脱髄性脊髄炎 demyelinated myelitis 1209
脱髄性多発ニューロパシー(多発神経障害) demyelinating polyneuropathy 1462
脱髄性脳障害(脳症) demyelinating encephalopathy 609
脱水素 dehydrogenation 483
脱水ラノリン anhydrous lanolin 1000
達成範囲 coverage 432
達成不全 underachievement 1963
達成不全者 underachiever 1963
達成率 achievement quotient 1539
脱線 derailment 494
脱線維素 defibrination 478
脱線思考 tangentiality 1840
脱炭酸 decarboxylation 474
脱炭酸酵素 decarboxylase 474
脱男性の demasculinizing 485
脱窒 denitrification 486
脱窒素 denitrification 486
脱窒素〔法〕denitrogenation 486
脱腸帯 truss 1939
脱手袋損傷 degloving injury 936
脱同期〔性〕の desynchronous 500
タットル直腸鏡 Tuttle proctoscope 1493
ダットン回帰熱ボレリア *Borrelia duttonii* 237
ダットン症 Dutton disease 532
脱嚢 excystation 653
脱皮 ecdysis 582
脱皮 exfoliation 653
脱皮する molt 1164
脱皮腺 ecdysial glands 772
タップ tap 1840
ダッフィ抗原 Duffy antigens 103
脱フッ素化 defluoridation 479
脱プリン反応 depurination 494
脱糞 dejection 483
脱分化 anaplasia 72
脱分化 dedifferentiation 476
脱分極 depolarization 492
脱分極〔性〕遮断 depolarizing block 222
脱分極性〔筋〕弛緩薬 depolarizing relaxant 1588
脱分枝酵素欠損症 debrancher deficiency 478
脱飽和 desaturation 498
竜巻型てんかん tornado epilepsy 629
脱メチル化反応 demethylation 485
脱毛 epilation 627
脱毛〔症〕alopecia 52
脱毛〔症〕psilosis 1516
脱毛〔症〕の alopecic 53
脱毛〔症〕の psilotic 1516
脱毛性の decalvant 474
脱毛性毛嚢炎 folliculitis decalvans 722
脱毛性毛包炎 folliculitis decalvans 722
脱毛〔線〕量 epilation dose 557
脱毛薬 depilatory 492
脱モルヒネ〔法〕demorphinization 486
脱抑制 disinhibition 543
ダツラ stramonium 1751
脱落 deciduation 475
脱落 defluvium 479
脱落 defluxion 479
脱落円柱 decidual cast 309
脱落細胞診断法 exfoliative cytology 465
脱落細胞性虫垂周囲炎 periappendicitis decidualis 1385
脱落歯 deciduous tooth 1902
脱落歯 temporary tooth 1903
脱落収縮 dropped beat 203
脱落〔性〕の deciduous 475
脱落組織 slough 1692
脱落の deciduate 475
脱落膜 caduca 274
脱落膜 decidua 474
脱落膜 membrana decidua 1124
脱落膜 deciduous membrane 1125
脱落膜炎 deciduitis 475
脱落膜細胞 decidual cell 320
脱落膜子宮内膜炎 decidual endometritis 614
脱落膜腫 deciduoma 475
脱落膜胎盤 deciduate placenta 1428
〔子宮〕脱落膜の decidual 475
脱落膜反応 decidual reaction 1564
脱落膜裂溝 decidual fissure 702
脱硫化水素酵素 desulfhydrases 500
脱硫ビオチン desthiobiotin 500
脱力 weakness 2043
〔筋〕脱力〔症〕adynamia 31
脱力発作 cataplexy 310
脱リン〔酸基〕dephosphorylation 492
脱漏〔性〕健忘〔症〕lacunar amnesia, localized amnesia 62
多抵抗性の pluriresistant 1446
盾形魚鱗癬 ichthyosis scutulata 903
縦緩和 longitudinal relaxation 1589
縦緩和時間 T1 1836
楯状腎 shield kidney 984
盾状の scutiform 1652
縦の longitudinal 1068
縦の longitudinalis 1068
縦結び granny knot 988
多動 hyperactivity 878
多動 hyperkinesis, hyperkinesia 882
多瞳〔孔〕〔症〕polycoria 1459
他動(受動)運動 passive movement 1174
他動運動 exercise 653
多洞炎 polysinusitis 1464
他動可動域 passive range of motion (PROM) 1558
多動症候群 hyperkinetic syndrome 1808
妥当性 validity 1983
多動性の polyergic 1459
他動的体運動 exercise 653
他動長さ-張力曲線 passive length-tension curve 451
多糖硫酸エステル polysaccharide sulfate esters 1775
多糖類 polysaccharide 1464
多糖類結合型ワクチン polysaccharide conjugated vaccine 1980
棚 shelf 1672
多〔内分泌〕腺性欠乏症候群,ペルシア系ユダヤ人型を含む polyglandular deficiency syndrome, Persian-Jewish type, included 1816
多〔内分泌〕腺性自己免疫症候群1型 polyglandular autoimmune syndrome,

タ

type I (PGA I) ………… 1816
ダナゾール danazol ………… 471
タナー段階 Tanner stage ………… 1729
タナトス thanatos ………… 1874
タナーの成長判定図表 Tanner growth chart ………… 340
谷 vallecula ………… 1983
ダニ acarid ………… 8
ダニ mite ………… 1159
ダニ学 acarology ………… 9
ダニガン脂肪異栄養〔症〕Dunnigan lipodystrophy ………… 1056
ダニガンリポジストロフィ Dunnigan lipodystrophy ………… 1056
ダニ恐怖〔症〕acarophobia ………… 9
ダニ駆除薬 acaricide ………… 8
ダニシ(ダーニス)現象 Danysz phenomenon ………… 1404
ダニ症 acariasis ………… 8
ダニ症 mange ………… 1100
ダニ媒介脳炎(中央ヨーロッパ亜型) tick-borne encephalitis (Central European subtype) ………… 607
ダニ媒介脳炎(東洋亜型) tick-borne encephalitis (Eastern subtype) ………… 607
ダニ媒介脳炎ウイルス tick-borne encephalitis virus ………… 2029
ダニ皮膚炎 acarodermatitis ………… 9
タニフォニア tanyphonia ………… 1840
ダニ麻痺 tick paralysis ………… 1351
ダニ目 Acarina ………… 9
多乳頭〔症〕polythelia ………… 1465
多乳房〔症〕polymastia ………… 1460
多乳房マウス multimammate mouse ………… 1173
多尿〔症〕polyuria ………… 1465
ダニ様の acaroid ………… 9
ダニ類 acarine ………… 9
他人恐怖〔症〕xenophobia ………… 2052
他人指向の allotropic ………… 51
〔他人〕接触恐怖〔症〕haphephobia ………… 815
他人中心〔性〕の allocentric ………… 50
他人の肢症候群 alien limb syndrome ………… 1796
タヌキマメ中毒 crotalaria poisoning ………… 1455
TUNEL(タネル)法 TUNEL ………… 1952
多嚢〔胞性〕腎 multicystic kidney ………… 984
多能性幹細胞 pluripotential hemopoietic stem cell (PHSC) ………… 325
多能性細胞 pluripotent cells ………… 325
多能性造血幹細胞 multipotential hemopoietic stem cell (MHSC) ………… 324
多能性の pluripotent, pluripotential ………… 1446
多嚢胞肝 polycystic liver ………… 1062
多嚢胞性卵巣 polycystic ovary ………… 1328
多嚢胞性卵巣症候群 polycystic ovary syndrome (PCOS) ………… 1816
多嚢胞の polycystic ………… 1459
多胚形成 polyembryony ………… 1459
多肺胞葉 polyalveolar lobe ………… 1064
タバコ tobacco ………… 1896
タバコ-アルコール弱視 tobacco-alcohol amblyopia ………… 57
タバコ心 tobacco heart ………… 821
タバコ巻紙様瘢痕 cigarette-paper scars 1641
多発異形成 polydysplasia ………… 1459
多発〔性〕関節炎 polyarthritis ………… 1458
多発〔性〕筋炎 polymyositis ………… 1461
多発形成障害 polydysplasia ………… 1459
多発〔性〕血管炎 polyangiitis ………… 1458
多発結節状リンパ管腫 lymphangioma tuberosum multiplex ………… 1076
多発腱炎 polytendinitis ………… 1465
多発〔性〕硬化〔症〕multiple sclerosis (MS) ………… 1647
多発〔性〕骨髄腫 multiple myeloma, myeloma multiplex ………… 1210
多発〔性〕骨折 multiple fracture ………… 738
多発〔神経〕根障害 polyradiculopathy ………… 1464
多発〔神経〕根神経障害 polyradiculoneuropathy ………… 1464
多発〔性〕腫瘍症 polyoncosis, polyonchosis ………… 1462
多発小腫瘍 tumorlets ………… 1952
多発症性の polyleptic ………… 1460
多発情の polyestrous ………… 1459
多発〔性〕神経根炎 polyradiculitis ………… 1464
多発神経根筋障害 polyradiculomyopathy ………… 1464
多発〔性〕神経障害 polyneuropathy ………… 1461
多〔発〕神経〔性〕の polyneural ………… 1461
多発〔性〕神経痛 polyneuralgia ………… 1461
多発性過誤腫症候群 multiple hamartoma syndrome ………… 1813
多〔発性〕筋痛 polymyalgia ………… 1461
多発性憩室症 diverticulosis ………… 551
多発性結節状血管内皮腫 hemangioendothelioma tuberosum multiplex ………… 824
多発性骨形成不全〔症〕dysostosis multiplex ………… 574
多発性骨髄腫アミロイドーシス amyloidosis of multiple myeloma ………… 68
多発性骨端骨異形成〔症〕multiple epiphysial dysplasia (EDM) ………… 576
多発性自己免疫性内分泌症1型 multiple autoimmune endocrinopathy type 1 ………… 612
多発性自然治癒性有棘細胞上皮腫 multiple self-healing squamous epithelioma ………… 632
多発性漿膜炎 polyserositis ………… 1464
多発性スルファターゼ欠損症 multiple sulfatase deficiency ………… 1775
多発性線維性骨形成異常(異形成) polyostotic fibrous dysplasia ………… 576
多発〔性〕塞栓症 multiple embolism ………… 601
多発性対称性脂肪腫症 multiple symmetric lipomatosis ………… 1058
多発性単神経炎 mononeuropathy multiplex ………… 1167
多発性腸ポリポ〔ー〕シス multiple intestinal polyposis ………… 1464
多発〔性〕動脈炎 polyarteritis ………… 1458
多発性内分泌機能低下症候群 multiple endocrine deficiency syndrome ………… 1813
多発性内分泌腫瘍 multiple endocrine neoplasia (MEN) ………… 1227
多発性内分泌腫瘍1 multiple endocrine neoplasia I (MEN1) ………… 1227
多発性内分泌腫瘍2 multiple endocrine neoplasia II (MEN2) ………… 1227
多発性内分泌腫瘍3 multiple endocrine neoplasia III (MEN3) ………… 1227
多発性内分泌腫瘍症候群I型 multiple endocrine neoplasia syndrome type 1 1813
多発性内分泌腫瘍症候群IIA型 multiple endocrine neoplasia syndrome type 2A ………… 1813
多発性内分泌腫瘍症候群IIB型 multiple endocrine neoplasia syndrome type 2B ………… 1813
多発性内分泌腺症 polyendocrinopathy ………… 1459
多発性軟骨炎 polychondritis ………… 1458
多発〔性〕ニューロパシー polyneuropathy ………… 1461
多発〔性〕ニューロン炎 polyneuronitis ………… 1461
多発性粘膜神経腫症候群 multiple mucosal neuroma syndrome ………… 1813
多発〔性〕の multiple ………… 1178
多発性嚢胞腎 polycystic kidney ………… 984
多発〔性〕嚢胞性結核性骨炎 osteitis tuberculosa multiplex cystica ………… 1320
多発性皮脂嚢腫〔症〕steatocystoma multiplex ………… 1741
多発性ミオクロ〔ー〕ヌス myoclonus multiplex ………… 1212
多発腺炎 polyadenitis ………… 1458
多発腺症 polyadenopathy ………… 1458
多発乳頭腫 polypapilloma ………… 1463
多発脳梗塞性認知症 multi-infarct dementia ………… 485
タバティエール anatomic snuffbox ………… 74
束ねる bind ………… 211
ダバルディヨ tabardillo ………… 1836
タピア症候群 Tapia syndrome ………… 1822
タピオカ tapioca ………… 1841
多脾症 polysplenia ………… 1465
多脾症候群 polysplenia syndrome ………… 1816
多ビタミン欠乏症 polyavitaminosis ………… 1458
タヒナウイルス Tahyna virus ………… 2029
多被膜性の multicapsular ………… 1178
多病 polypathia ………… 1463
多病巣性の multifocal ………… 1178
多病巣性の polynesic ………… 1461
多病巣性脈絡膜炎 multifocal choroiditis 356
タブー taboo, tabu ………… 1837
ダファーノ染色〔法〕Da Fano stain ………… 1730
多部位切断〔術〕multiple amputation ………… 66
p-ターフェニル *p*-terphenyl ………… 1853
多副鼻洞炎 polysinusitis ………… 1464
タプシガーギン thapsigargin ………… 1874
ダプスカ腫瘍 Dabska tumor ………… 1950
ダプソン dapsone ………… 471
ダプソンニューロパシー(神経障害) dapsone neuropathy ………… 1250
タフトシン tuftsin ………… 1949
WAGR症候群 WAGR syndrome ………… 1824
WHIM症候群 WHIM syndrome ………… 1825
WI-38細胞 WI-38 cells ………… 328
Wr^a抗原 Wr_a antigens ………… 106
Wアーチ W-arch ………… 127
W形成〔術〕W-plasty ………… 2049
Wヘルニア "w" hernia ………… 844
ダブルトラックサイン double track sign ………… 1680
ダブルバブルサイン double bubble sign 1680
タブン tabun ………… 1837
多分割照射 hyperfractionation ………… 880
多分割照射法 hyperfractionated radiation ………… 1541
多分散性膠質 polydispersoid ………… 1459
多分散粒子性懸濁質 polysuspensoid ………… 1465
多分裂 multiple fission ………… 701
タペータム tapetum ………… 1841
食べる eat ………… 580
多弁症 polylogia ………… 1460
多弁〔症〕polyphrasia ………… 1463
多弁〔症〕verbomania ………… 2013
多べん毛性の holomastigote ………… 858
多鞭毛虫類 polymastigote ………… 1460
多変量解析 multivariate studies ………… 1761
打棒恐怖〔症〕rhabdophobia ………… 1606
多包条虫 *Echinococcus multilocularis* ………… 582
多胞性胸水 loculated pleural effusion ………… 590
多胞性歯原性嚢胞 botryoid odontogenic cyst ………… 458
多房〔性〕の multilocular ………… 1178
多房〔性〕嚢胞 multilocular cyst ………… 460
多包虫嚢胞 alveolar hydatid cyst ………… 458
打撲傷 bruise ………… 262
打撲傷 contusion ………… 418
多発作熱 polyleptic fever ………… 685
卵 egg ………… 590
卵 ovule ………… 1329
卵 ovum ………… 1329
タマゴテングタケ *Amanita phalloides* ………… 55
タマネギ茎ニューロパシー(神経障害) onion bulb neuropathy ………… 1251
ダマリニア属 *Damalinia* ………… 471
タマリンド tamarind ………… 1839
ダミー dummy ………… 567

ダミーコンサルタンド dummy consultand … 415
ダム dam … 471
ダムス-ケイ-スタンセル法 Damus-Kaye-Stancel procedure … 1487
ダム単位 Dam unit … 1965
タム-ホースフォールムコ蛋白 Tamm-Horsfall mucoprotein … 1176
ため息 sigh … 1677
多面〔発現〕作用 pleiotropy, pleiotropia 1436
多面性遺伝子 pleiotropic gene … 764
多面性体 polyhedral body … 229
多面的 polyphenic … 1463
多面発現 pleiotropy, pleiotropia … 1436
多面発現性 pleiotropic … 1436
多毛〔症〕 hypertrichosis … 889
多毛〔症〕 trichauxis … 1928
〔男性型〕多毛〔症〕 hirsutism … 853
多毛の hirsute … 853
多薬療法 polypragmasy … 1464
多葉〔性〕の multilobar, multilobate, multilobed … 1178
多葉胎盤 placenta multiloba … 1428
多用途〔記録〕計 polygraph … 1460
多様の protean … 1502
タラ肝油 cod liver oil … 386
堕落 depravity … 492
タラ形椎 codfish vertebrae … 2015
タラゴン油 tarragon oil … 1841
垂らす dribble … 560
タラーマン療法 Tallerman treatment … 1924
ダラム管 Durham tube … 1941
ダラムの法則 Durham rule … 1626
多卵性 polyovular … 1462
多卵性双生児(双胎) polyzygotic twins 1956
多卵性卵胞 polyovular ovarian follicle … 722
タランチュラ tarantula … 1841
タラント病 tarantism … 1841
ダリア dahlia … 471
タリウム thallium (Tl) … 1873
タリウム201 thallium 201 (^{201}Tl) … 1873
タリウム中毒 thallium poisoning … 1456
タリウム中毒〔症〕 thallotoxicosis … 1873
ダリエ徴候 Darier sign … 1680
タリオ現象 Tullio phenomenon … 1406
他律性 heteronomy … 848
他律性精神療法 heteronomous psychotherapy … 1520
他律の heteronomous … 848
多量養素 macronutrients … 1090
タリル酸 tariric acid … 1841
多涙〔症〕 dacryorrhea … 470
垂井病 Tarui disease … 541
樽形(バレル)ひずみ(歪)〔像〕 barrel distortion … 550
タルク talc … 1839
ダルクシェーヴィチ核 nucleus of Darkschewitsch … 1274
樽状胸 barrel chest … 343
ダルセー合金 d'Arcet metal … 1139
ダルソンヴァル検流計 d'Arsonval galvanometer … 751
タルデュ斑状出血 Tardieu ecchymoses … 581
タルトラジン tartrazine … 1842
ダルトン dalton (Da) … 471
タルニエ鉗子 Tarnier forceps … 728
ダルリンプル徴候 Dalrymple sign … 1680
多裂筋 multifidus (muscle) … 1189
〔頸部・腰部・胸部〕多裂筋 musculus multifidus (cervicis/colli, lumborum et thoracis) … 1201
多列上皮 pseudostratified epithelium … 632
多裂の multifid … 1178
多裂の multifidus … 1178
タロース talose … 1839
ダローレッド Darrow red … 471
たわみ arcuation … 127
田原の結節 Tawara node … 1261
端 extremitas … 658
端 extremity … 658
痰 expectoration … 655
痰 sputum … 1726
単位 entity … 622
単位 unit (U) … 1965
単位行列 identity matrix … 1110
単位格子 unit cell … 327
短胃静脈 short gastric veins … 2001
短胃静脈 venae gastricae breves … 2005
単為生殖 apogamia, apogamy … 116
単為生殖 parthenogenesis … 1369
単位体 unit (U) … 1965
単一遺伝子性 monogenic … 1167
単一患者試験 single-patient trial … 1926
単一観念狂 monoideism … 1167
単一器官指向 allelotaxis, allelotaxy … 49
単一狂 monomania … 1167
単一狂者 monomaniac … 1167
単一菌感染 monoinfection … 1167
単〔一〕クローン〔系〕の monoclonal … 1166
単〔一〕クローン性免疫グロブリン monoclonal immunoglobulin … 913
単一光子骨密度測定法 single-photon bone densitometry … 487
単一細胞性硬化〔症〕 unicellular sclerosis … 1648
単一座性 unilocal … 1964
単一疾患 monopathy … 1168
単一絨毛膜性の monochorionic … 1166
単一宿主性培養 monoxenic culture … 448
単一症状の monosymptomatic … 1169
単一性爆発性障害 isolated explosive disorder … 546
単一接合子の monozygotic, monozygous 1169
単一層 monolayers … 1167
単一組成細胞 monoplast … 1168
単一の azygous … 186
単一の monomeric … 1167
単一の simple … 1686
単一把握 single ascertainment … 159
単一梅毒疹 monosyphilide … 1169
単一部疾患 monopathy … 1168
単遺伝子性の monomeric … 1167
短胃動脈 arteriae gastricae breves … 135
短胃動脈 short gastric arteries … 152
単位胞 unit cell … 327
単位膜 unit membrane … 1127
単羽状の semipennate … 1659
単羽状の unipennate … 1965
単栄養素要求株 monoauxotroph … 1166
単塩基の monobasic … 1166
端黄卵 telolecithal ovum … 1330
端〔卵〕黄卵 telolecithal egg … 590
端黄卵の telolecithal … 1847
担音器 phonophore … 1411
担架 litter … 1062
担架 stretcher … 1755
〔島〕短回 gyri breves insulae … 808
〔島〕短回 short gyri of insula … 809
段階 grade … 793
段階 phase … 1401
段階 point … 1453
段階 stage … 1727
単回感染性ウイルス disabled infectious single cycle virus … 2023
段階状圧迫ガーゼ graduated compress … 405
段階状圧迫包帯 graduated compress … 405
短回旋動脈 short circumferential arteries 152
炭化カルシウム calcium carbide … 277
単芽球 monoblast … 1166
単核細胞 monocyte … 1167
単核細胞症 mononucleosis … 1167
単角子宮 unicorn uterus … 1977
単核食細胞系 mononuclear phagocyte system (MPS) … 1832
単核〔性〕の mononuclear … 1167
単角妊娠 cornual pregnancy … 1478
単角の unicornous, unicornuate, unicornate … 1964
単核の uninuclear, uninucleate … 1964
タンカクハジラミ属 *Menopon* … 1131
短下肢装具 ankle-foot orthosis … 1317
炭化水素 hydrocarbon … 870
単型類上皮血管筋脂肪腫 monotypic epithelioid angiomyolipoma … 86
炭化物 carbide … 293
胆管 bile duct … 563
単眼 cyclopian eye, cyclopean eye … 659
単眼 ocellus … 1290
ダンカン Duncan … 567
胆管胃吻合〔術〕 cholangiogastrostomy … 348
胆管炎 cholangitis … 349
胆管炎 choledochitis … 350
胆管炎膿瘍 cholangitic abscess … 5
単眼外旋運動 excycloduction … 653
単感覚異常〔症〕 monoparesthesia … 1168
胆管拡張〔症〕 cholangiectasis … 348
ダンカン型胎盤娩出 Duncan placenta … 1428
胆管癌 cholangiocarcinoma … 348
弾丸鉗子 bullet forceps … 727
単眼奇形 monophthalmus … 1168
ダンカン機転 Duncan mechanism … 1114
弾丸恐怖〔症〕 ballistophobia … 193
胆管憩室 cystic duct diverticulum … 552
胆管痙攣 cholepathia spastica … 350
単眼固視症候群 monofixation syndrome 1812
胆管細胞 cholangiocyte … 348
胆管撮影(造影)〔法〕 cholangiography … 348
胆管撮影(造影)像 cholangiogram … 348
胆肝三角 cystohepatic triangle … 1927
単眼視 monovision … 1169
胆管疾病 cholepathia … 350
短〔冠〕歯の brachyodont … 240
胆管腫 cholangioma … 348
胆管周囲炎 pericholangitis … 1387
単眼症 cyclopia … 456
単眼症 monophthalmos … 1168
単眼症 synophthalmia … 1826
弾丸状横痃 bullet bubo … 263
単管性括約筋 unicanalicular sphincter 1713
単眼〔性〕の monocular … 1166
単関節 articulatio simplex … 157
単関節 simple joint … 971
単関節炎 monarthritis … 1165
胆管切開〔術〕 cholangiotomy … 349
単関節の monarticular … 1165
胆管線維症 cholangiofibrosis … 348
胆管栓塞 bile thrombus … 1889
胆管造瘻〔術〕 cholangiostomy … 349
単眼体 cyclops … 457
胆管胆管吻合〔術〕 choledochocholedochostomy … 350
弾丸探索器 trajector … 1916
胆管腸管吻合〔術〕 cholangioenterostomy 348
単眼内旋運動 incycloduction … 921
胆管粘液腺 glands of biliary mucosa … 772
胆管粘液腺 glandulae mucosae biliosae 776
胆管の biliary … 210
短顔の brachyprosopic … 240
胆管板形成異常 ductal plate malformation … 1096
胆管フィステル形成〔術〕 cholangiostomy 349
単眼複視 monocular diplopia … 523
弾丸縫合 shotted suture … 1788
単眼右回旋運動 dextrocycloduction … 505
短期記憶 short-term memory (STM) … 1128
短期精神療法 brief psychotherapy … 1520
〔きぬた骨の〕短脚 crus breve incudis … 443
〔きぬた骨の〕短脚 short crus of incus … 444

〔きぬた骨の〕短脚 short limb of incus 1047
短脚〔症〕の brachyskelic 240
単脚の monoscelous 1168
単球 monocyte 1167
単球化学誘引物質 monocyte chemoattractant protein 1505
単球化学誘導蛋白-1 monocyte chemoattractant protein-1 (MCP-1) 1505
単球減少〔症〕 monocytopenia 1167
単球性白血病 monocytic leukemia 1025
単球性類白血病反応 monocytic leukemoid reaction 1025
単球増加〔症〕 monocytosis 1167
単球様細胞 monocytoid cell 323
探究欲求 exploratory drive 561
胆胸〔症〕 cholothorax 352
単極細胞 unipolar cell 327
単極焼灼器 monopolar cautery 315
単極心電図 unipolar electrocardiogram 593
単極ニューロン unipolar neuron 1249
単極の unipolar 1965
単極誘導 unipolar leads 1014
単筋炎 monomyositis 1167
単筋麻痺 monomyoplegia 1167
タンク tank 1840
担空胞細胞 physaliphorous cell 325
担空胞細胞 physaliphore 1420
担空胞〔性〕の physaliphorous 1420
タングステン tungsten (W) 1952
タングステンカーバイド tungsten carbide 1952
タングステン酸塩 tungstate 1952
タングステン酸カルシウム calcium tungstate 1952
タングステン酸リチウム lithium tungstate 1061
タングステンランプ tungsten arc lamp 1000
単軀二頭体 monosomia 1168
単〔一〕クローン〔系〕の monoclonal 1166
単クローン性高ガンマグロブリン血症(ガンモパシー) monoclonal gammopathy 752
単クローン性ピーク monoclonal peak 1375
単〔一〕クローン性免疫グロブリン monoclonal immunoglobulin 913
短系 microneme 1153
短頸〔症〕 brevicollis 257
短径骨盤 brachypellic pelvis 1378
ダン(ドーン)計算図表 Done nomogram 1265
単形質性の monoplasmatic 1168
短頸性ジストロフィ dystrophia brevicollis 577
男系生殖の androgenous 75
単形性腺腫 monomorphic adenoma 26
単形〔態〕性の monomorphic 1167
単頸双角子宮 uterus bicornis unicollis 1977
短形の brachymorphic 240
胆血〔症〕 cholemia 350
単結合 single bond 231
単元発生の monophyletic 1168
単元論 monophyletism 1168
単孔 foramen singulare 726
弾孔 crater 435
単口吸虫類 monostome 1169
短合指〔趾〕〔症〕 brachysyndactyly 240
単行書 monograph 1167
短高頭高の hypsibrachycephalic 900
単孔の uniforate 1964
単行本 monograph 1167
短後毛様体動脈 arteria ciliaris posterior brevis 134
短後毛様体動脈 short posterior ciliary artery 152
単孔目 Monotremata 1169
単孔類 monotreme 1169
単語失書〔症〕 verbal agraphia 39
単語症 monophasia 1168
短骨 short bone 233
短骨 os breve 1317
単骨性の monostotic 1169
短骨盤の brachypellic 240
単婚 monogamy 1167
男根期 phallic phase 1402
ダンサー足様奇形 dancer's foot malformation 1096
短鎖アシルCoA脱水素酵素欠損症 short-chain acyl-CoA dehydrogenase deficiency 479
胆細管炎 cholangiolitis 348
段彩地図 choroplethic map 1101
タン細胞 tanycyte 1840
単細胞生物 monad 1165
単細胞腺 unicellular gland 775
単細胞動物 cytozoon 469
単細胞の unicellular 1964
探索子 searcher 1652
探索反射 rooting reflex 1581
探査電極 exploring electrode 594
探査電極針 exploring needle 1225
炭酸 carbonic acid 294
炭酸アンモニウム ammonium carbonate 61
炭酸鉛 lead carbonate 1014
炭酸ガス carbonic acid gas 756
炭酸ガスサイクル carbon dioxide cycle, carbon cycle 454
炭酸ガス測定 capnometry 289
炭酸ガス発生力 Q_{CO_2} 1536
炭酸ガス放出 carbon dioxide elimination ($\dot{V}_{CO_2}$) 599
炭酸カルシウム calcium carbonate 277
炭酸欠乏〔症〕 acapnia 8
炭酸水 carbonated water, carbonic water 2041
炭酸水素イオン bicarbonate 209
炭酸水素カリウム potassium bicarbonate 1472
炭酸水素ナトリウム sodium bicarbonate 1695
炭酸水素ナトリウム sodium hydrogen carbonate 1696
炭酸正常状態 normocapnia 1267
炭酸脱水酵素阻害薬 carbonate dehydratase inhibitor 934
炭酸脱水酵素II欠損症候群 carbonic anhydrase II deficiency syndrome 1799
炭酸鉄泉 chalybeate water 2041
炭酸ナトリウム sodium carbonate 1696
炭酸尿〔症〕 carbonuria 294
炭酸マグネシウム magnesium carbonate 1092
炭酸リチウム lithium carbonate 1061
単糸 mononeme 1167
短指〔症〕 brachydactyly 240
短肢〔症〕 brachymelia 240
男子科 andriatrics, andriatry 75
弾子感 shot-feel 1674
短時間暴露限界 short-term exposure limit (STEL) 1048
担子器 basidium 200
担子菌綱 Basidiomycetes 200
担子菌門 Basidiomycota 200
単軸関節 uniaxial joint 972
単軸索の monaxonic 1165
短趾(指)屈筋 flexor digitorum brevis (muscle) 1185
短趾(指)屈筋 short flexor (muscle) of toes 1193
短趾(指)屈筋 musculus flexor digitorum brevis 1200
単軸の monaxonic 1165
単軸の uniaxial 1964
男子色情症 gynecomania 807
男子色情症 satyriasis 1637
単指症 monodactyly, monodactylism 1167
短指伸筋 extensor digitorum brevis (muscle) of hand 1184
短指伸筋 musculus extensor digitorum brevis manus 1199
短趾(指)伸筋 extensor digitorum brevis (muscle) 1184
短趾(指)伸筋 short extensor (muscle) of toes 1193
短趾(指)伸筋 musculus extensor digitorum brevis 1199
短肢性小人症 phocomelic dwarfism 569
短肢性胎児くる病 rachitis fetalis micromelica 1540
男子性徴消失の demasculinizing 485
単房〔性〕の unilocular 1964
担子突起 sterigma 1744
単シナプスの monosynaptic 1169
単肢の monomelic 1167
短〔冠〕歯の brachyodont 240
単耳の monaural 1165
単耳複聴 diplacusis monauralis 523
タンジブルボディーマクロファージ tangible body macrophage 1090
担子胞子 basidiospore 200
担子胞子 sporidium 1724
単斜の monoclinic 1166
胆汁 bile 210
胆汁 gall 750
胆汁アルコール bile alcohol 44
胆汁異常 biliousness 210
胆汁うっ滞 cholestasia 351
胆汁うっ滞性黄疸 cholestatic jaundice 966
胆汁うっ滞性肝炎 cholestatic hepatitis 839
胆汁エスクリン試験 bile esculin test 1855
胆汁嘔吐〔症〕 cholemesis 350
胆汁過少〔症〕 oligocholia 1296
胆汁〔分泌〕過多〔症〕 hypercholia 879
胆汁血〔症〕 cholemia 350
胆汁欠乏〔症〕 acholia 13
胆汁細菌症 bactericholia 190
胆汁酸 bile acids 14
胆汁酸塩 bile salts 1632
胆汁酸塩寒天〔培地〕 bile salt agar 34
胆汁産生 biligenesis 210
胆汁酸耐性試験 bile acid tolerance test 1855
胆汁酸排泄促進 cholaneresis 348
胆汁色素 bile pigments 1423
胆汁色素形成 cholechromopoiesis 349
単収縮 jerk 968
単収縮 twitch 1956
〔筋〕単収縮 myopalmus 1214
胆汁症 biliousness 210
胆汁〔症〕性弛張性マラリア bilious remittent malaria 1094
胆汁性胃炎 bile gastritis 757
胆汁性黄色腫症 biliary xanthomatosis 2051
胆汁性黄疸 choleric jaundice 966
胆汁性嘔吐 bilious vomit 2037
胆汁性肝硬変 biliary cirrhosis 367
胆汁性下痢の cholerheic 351
胆汁性脂肪便 biliary steatorrhea 1741
胆汁正常 eucholia 647
胆汁性髄液 bilirachia 210
胆汁生成 cholanopoiesis 349
胆汁生成 cholepoiesis 350
胆汁性肺炎 bilious pneumonia 1449
胆汁性腹膜炎 bile peritonitis 1393
胆汁栓 bile thrombus 1889
胆汁尿〔症〕 biliuria 211
胆汁の cholic 351
胆汁濃縮〔症〕 pachycholia 1334
胆汁排出物質 cholagogue 348
胆汁分泌 choleresis 351
胆汁〔分泌〕過多〔症〕 hypercholia 879
胆汁分泌促進性の cholagogue 348

胆汁分泌促進の choleretic …………………… 351
胆汁分泌〔促進〕薬 cholagogue …………… 348
胆汁分泌〔促進〕薬 choleretic ……………… 351
単絨毛膜単羊膜胎盤 monochorionic monoamnionic placenta ………………… 1428
単絨毛膜二羊膜胎盤 monochorionic diamnionic placenta …………………… 1428
胆汁溶解試験 bile solubility test ……… 1855
胆汁流出 cholerrhagia ……………………… 351
胆汁療法 bilitherapy ……………………… 211
胆汁漏出 cholerrhagia ……………………… 351
単種寄生の autecic, autecious ………… 178
短縮術 retrenchment …………………… 1603
短縮版36項目質問票 short form 36-item questionnaire (SF36) ………………… 1538
短縮反応 shortening reaction …………… 1567
単純アブ(プ)サンス simple absence ……… 6
単純異色〔症〕 simple heterochromia …… 847
単純壊死 simple necrosis ………………… 1225
単純X線写真 flat plate ………………… 1435
単純型先天性表皮水疱症 epidermolysis bullosa simplex ……………………… 626
単純型統合失調症 simple schizophrenia 1644
単純気胸 pneumothorax simplex ……… 1452
単純恐怖 simple phobia ………………… 1410
単純近視 simple myopia ………………… 1215
単純欠神 simple absence …………………… 6
単純顕微鏡 simple microscope, single microscope ……………………………… 1154
単純固定 simple anchorage ……………… 75
単純支持梁 simple beam ………………… 203
単純写真 plain film ……………………… 699
単純性潰瘍 simple ulcer ………………… 1961
単純性結節性黄色腫 xanthoma tuberosum …………………………………………… 2051
単純性結節性脂肪症 adiposis tuberosa simplex ……………………………………… 29
単純性甲状腺腫 simple goiter …………… 790
単純性紅斑 erythema simplex …………… 639
単純性子宮内膜増殖症 simple endometrial hyperplasia ……………………………… 886
単純性歯周炎 periodontitis simplex …… 1390
単純性紫斑病 purpura simplex ………… 1528
単純性猩紅熱 scarlatina simplex ……… 1641
単純性心内膜炎 thromboendocarditis …… 1887
単純性(生理的)瞳孔不同 simple anisocoria …………………………………………… 92
単純性肺好酸球増加症 simple pulmonary eosinophilia …………………………… 624
単純性痒疹 prurigo simplex …………… 1510
単純〔性〕リンパ管腫 lymphangioma simplex …………………………………………… 1076
単純蛋白 simple protein ………………… 1506
単純な simple …………………………… 1686
単純乳房切除〔術〕 simple mastectomy … 1108
単純肥大 simple hypertrophy …………… 889
単純肥満 simple obesity ………………… 1287
単純部分発作 simple partial seizure …… 1657
単純ヘルペス herpes simplex …………… 845
単純ヘルペスウイルス herpes simplex virus (HSV) …………………………………… 2025
単純ヘルペス脳炎 herpes simplex encephalitis ……………………………… 607
単純疱疹 herpes simplex ………………… 845
短掌筋 palmaris brevis (muscle) ……… 1190
短掌筋 short palmar muscle …………… 1193
短掌筋 musculus palmaris brevis ……… 1202
短小指屈筋 musculus flexor digiti minimi brevis manus ……………………………… 1200
短小指屈筋 flexor digiti minimi brevis (muscle) of hand ……………………… 1185
短小指屈筋 short flexor (muscle) of little finger ……………………………………… 1193
短小趾(指)屈筋 flexor digiti minimi brevis (muscle) of foot ……………………… 1185
短小趾(指)屈筋 short flexor (muscle) of little toe ……………………………………… 1193
短小趾(指)屈筋 musculus flexor digiti minimi brevis pedis ……………………… 1200
単小葉 lobulus simplex ………………… 1066
単小葉 simple lobule …………………… 1066
単色 simple color ………………………… 393
単色X線 monochromatic x-ray ………… 2053
淡色効果 hypochromic effect …………… 589
単色光の monochromatic ………………… 1166
単色収差 monochromatic aberration ……… 2
単食主義 monophagism ………………… 1168
単色性 monochromatism ………………… 1166
淡色性の hypochromic …………………… 892
短食道 brachyesophagus ………………… 240
単色の monochromatic …………………… 1166
単色放射線 monochromatic radiation …… 1541
ダンシル dansyl (Dns, DNS) …………… 471
探針 explorer …………………………… 656
探針 probe ……………………………… 1486
短唇〔症〕 brachycheilia, brachychilia …… 240
単神経障害 mononeuropathy …………… 1167
単神経の mononeural, mononeuric ……… 1167
単心室 univentricular heart …………… 821
単心室 single ventricle ………………… 2011
単心室結合 univentricular connections …… 413
単心房 common atrium ………………… 172
断髄〔法〕 pulpotomy …………………… 1524
炭水化物 carbohydrates (CHO) ………… 293
炭水化物代謝 carbohydrate metabolism 1138
炭水化物尿〔症〕 carbohydraturia ………… 293
炭水化物負荷 carbohydrate loading …… 1063
炭水化物利用試験 carbohydrate utilization test ……………………………………… 1855
胆膵管膨大部 biliaropancreatic ampulla … 64
胆膵管膨大部 ampulla hepatopancreatica 65
胆膵管膨大部 hepatopancreatic ampulla … 65
胆膵管膨大部括約筋 sphincter of hepatopancreatic ampulla ……………… 1712
〔胆膵管〕膨大部括約筋 musculus sphincter ampullae hepatopancreaticae ………… 1203
単錐歯 haplodont ………………………… 815
単数 unit (U) …………………………… 1965
単数分裂 simple fission ………………… 701
短頭〔蓋〕〔症〕 brachycephaly …………… 239
ダンス徴候 Dance sign ………………… 1680
単星 monaster …………………………… 1165
単精 monospermy ………………………… 1168
弾性 elasticity …………………………… 592
弾性エネルギー resilience ……………… 1592
弾性円錐 elastic cone …………………… 409
弾性円錐 conus elasticus ………………… 418
男性化 defemination ……………………… 477
男性化 virilescence ……………………… 2021
男性化 virilism …………………………… 2021
男性化 virilization ……………………… 2021
男性化〔徴候〕 masculinization ………… 1106
男性外尿道括約筋 external urethral sphincter of male ……………………… 1712
男性仮性陰陽 androgynoid ……………… 75
男性型骨盤 android pelvis ……………… 1378
男性型骨盤 masculine pelvis …………… 1379
男性型脱毛〔症〕 male pattern alopecia …… 53
〔男性型〕多毛〔症〕 hirsutism ……………… 853
男性器 virilia …………………………… 2021
男性偽半陰陽 male pseudohermaphroditism …………………………………………… 1513
男性恐怖〔症〕 androphobia ……………… 76
弾性係数 modulus of elasticity ………… 1163
弾性限度 elastic limit …………………… 1048
男性更年期 andropause …………………… 76
〔弾性〕ゴム rubber ……………………… 1624
弾性ゴム状骨盤 caoutchouc pelvis ……… 1378
弾性コロジオン flexible collodion ……… 391
弾性材料 elastic ………………………… 592
単精子受精 monospermy ………………… 1168
男性疾患 andropathy ……………………… 76
単性生殖 monogenesis …………………… 1167
男性生殖器系 male genital system ……… 1832
男性性徴欠乏〔症〕 anandria ……………… 71
男性性徴消失の demasculinizing ……… 485
単性世代 monogenesis …………………… 1167
弾性線維 elastica ………………………… 592
弾性線維 elastic fibers ………………… 688
弾性線維〔性〕仮〔性〕黄色腫 pseudoxanthoma elasticum ……………………………… 1516
弾性線維腫 elastofibroma ……………… 592
弾性線維破裂 elastorrhexis …………… 592
単精巣症 monorchism …………………… 1168
単精巣の monorchidic, monorchid ……… 1168
弾性組織 elastic tissue ………………… 1895
男性体型の andromorphous ……………… 76
弾性帯固定 elastic band fixation ……… 707
男性的抗議 masculine protest ………… 1106
弾性動脈 elastic artery ………………… 145
男性特徴 masculinity …………………… 1106
男性度-女性度検査〔法〕 masculinity-femininity scale …………… 1639
男性度-女性度尺度 masculinity-femininity scale ………………………………… 1639
弾性軟骨 elastic cartilage ……………… 306
〔男性尿道〕海綿体部 pars spongiosa urethrae masculinae ……………………………… 1361
〔男性尿道〕海綿体部 spongy part of the male urethra ……………………………… 1367
男性尿道海綿体部の筋層 muscular layer of spongy (male) urethra ………………… 1012
男性尿道中間部(隔膜部)の縦走筋層 longitudinal layer of muscular layer of the intermediate part of male urethra …………………………………………… 1011
男性尿道中間部 intermediate part of male urethra …………………………………… 1365
男性尿道中間部の筋層 muscular layer of intermediate part of (male) urethra 1012
男性尿道粘膜 mucosa of male urethra 1176
男性尿道の海綿体部の粘膜 mucosa of spongy part of the male urethra …… 1177
男性尿道の隔膜部の粘膜 mucosa of the intermediate part of the male urethra …………………………………………… 1176
男性尿道の筋層 muscular layer of male urethra ………………………………… 1012
男性尿道の前立腺前部 pars preprostatica urethrae masculinae …………………… 1360
男性尿道の前立腺前部 preprostatic part of male urethra ……………………………… 1367
男性尿道の前立腺部の粘膜 mucosa of the prostatic part of the male urethra …… 1177
男性尿道の膀胱壁内部 intramural part of male urethra ……………………………… 1365
男性尿道膜性部 membranous part of male urethra ………………………………… 1366
弾性の elastic …………………………… 592
男性の masculine ………………………… 1106
男性の virile …………………………… 2021
男性の同性愛 male homosexuality ……… 861
〔卵巣〕男性胚〔細胞〕腫 arrhenoblastoma 132
〔卵巣〕男性胚〔細胞〕腫 gynandroblastoma 807
弾性薄板 elastic lamella ……………… 996
単精発生 merogony …………………… 1133
弾性板 elastic membrane ……………… 1125
〔動脈の〕弾性板 elastic laminae of arteries …………………………………………… 997
男性半陰陽 male hermaphroditism ……… 842
淡性パンヌス corneal pannus ………… 1343
男性不妊〔症〕 male sterility …………… 1744
男性不妊症候群 infertile male syndrome …………………………………………… 1808
弾性包帯 elastic bandage ……………… 195
男性ホルモン androgen ………………… 75
男性ホルモン androgenic hormone ……… 863
男性ホルモン性脱毛〔症〕 androgenic

タ

alopecia ………… 52
男性ホルモン帯 androgenic zone ………… 2059
男性ホルモン不応症候群 androgen resistance syndromes ………… 1796
弾性膜 elastic membrane ………… 1125
弾性膜 tunica elastica ………… 1952
男性様の android ………… 76
男性様肥満 android obesity ………… 1287
弾性率 modulus of elasticity ………… 1163
弾性率計 elastometer ………… 592
胆石 biliary calculus ………… 278
胆石 gallstone ………… 751
探石子 searcher ………… 1652
胆石症 cholecystolithiasis ………… 349
胆石症 cholelithiasis ………… 350
胆石性イレウス gallstone ileus ………… 906
胆石仙痛 biliary colic ………… 389
胆石摘除〔術〕 cholelithotomy ………… 350
胆石破砕〔術〕 cholecystolithotripsy ………… 349
端節 mucron ………… 1177
短舌 lingua frenata ………… 1053
断節 mutilation ………… 1206
断節 segmentation ………… 1656
単節条虫亜綱 Cestodaria ………… 336
断節性角皮症 mutilating keratoderma ………… 979
断節〔性〕らい mutilating leprosy ………… 1021
単節の monozoic ………… 1169
短舌の brachyglossal ………… 240
単線試験 string test ………… 1866
単染色体 monad ………… 1165
単腺〔性〕の uniglandular ………… 1964
単尖の unicuspid, unicuspidate ………… 1964
短潜伏期性の velogenic ………… 2003
短前腕〔症〕の brachykerkic ………… 240
炭疽 anthrax ………… 98
炭素 carbon (C) ………… 293
炭素11 carbon 11 (^{11}C) ………… 294
炭素12 carbon 12 (^{12}C) ………… 294
炭素13 carbon 13 (^{13}C) ………… 294
炭素14 carbon 14 (^{14}C) ………… 294
単層 monolayers ………… 1167
断層X線撮影器 tomograph ………… 1899
断層X線図 tomogram ………… 1899
淡蒼球 pale globe ………… 778
淡蒼球 globus pallidus ………… 779
淡蒼球 pallidum ………… 1339
淡蒼球枝 rami globi pallidi ………… 1551
淡蒼球症候群 pallidal syndrome ………… 1815
淡蒼球切断(切開)〔術〕 pallidotomy ………… 1339
淡蒼球切除〔術〕 pallidectomy ………… 1339
淡蒼球の pallidal ………… 1339
淡蒼球扁桃核切断(切開)〔術〕 pallidoamygdalotomy ………… 1339
淡蒼球わな切断(切開)〔術〕 pallidoansotomy ………… 1339
断層撮影〔法〕 laminagraphy, laminography ………… 999
断層撮影〔法〕 planigraphy ………… 1431
断層撮影〔法〕 stratigraphy ………… 1751
断層撮影装置 laminagraph ………… 999
断層撮影法 tomography ………… 1899
断層写真 laminagram ………… 999
短爪症 brachyonychia ………… 240
単層上皮 simple epithelium ………… 633
断層心エコー図法 two-dimensional echocardiography ………… 583
単相性 monophasic ………… 1168
単層性の monoptychial ………… 1168
単相性波形 monophasic complex ………… 402
単相の haploid ………… 815
単層の monostratal ………… 1169
単層の unilaminar, unilaminate ………… 1964
単層扁平上皮 simple squamous epithelium ………… 633
炭素オートトロフィー carbon autotrophy ………… 182
炭疽菌 *Bacillus anthracis* ………… 187
炭疽菌血〔症〕 anthracemia ………… 98
炭疽菌致死因子 anthrax lethal factor ………… 98
単足症 monopodia ………… 1168
短足〔症〕の brachycnemic ………… 240
短足〔症〕の brachypodous ………… 240
断続性言語 scanning speech ………… 1709
断続縫合 interrupted suture ………… 1787
断続放尿 urinary stuttering ………… 1761
断続放尿 stuttering urination ………… 1972
単足無頭体 acephalus monopus ………… 11
炭素サイクル carbon dioxide cycle, carbon cycle ………… 454
炭疽毒素 anthrax toxin ………… 1906
炭素独立栄養 carbon autotrophy ………… 182
炭疽の anthracic ………… 98
担体 carrier ………… 305
単胎児 singleton ………… 1686
単対称性頭胸結合体 cephalothoracopagus monosymmetros ………… 334
担体蛋白 carrier protein ………… 1503
タンタル tantalum (Ta) ………… 1840
タンタルム気管支造影 tantalum bronchography ………… 260
断端 stump ………… 1761
断端神経痛 stump neuralgia ………… 1245
端端吻合 end-to-end anastomosis ………… 73
探知 detection ………… 500
探知器 locator ………… 1067
単中隔の uniseptate ………… 1965
短中心動脈 arteria centralis brevis ………… 134
短中心動脈 short central artery ………… 152
短腸症候群 short-bowel syndrome ………… 1820
単調体温 monothermia ………… 1169
単調列 monotonic sequence ………… 1665
ダンディ-ウォーカー症候群 Dandy-Walker syndrome ………… 1802
ダンディ手術 Dandy operation ………… 1304
単蹄動物 soliped ………… 1697
〔担〕鉄〔赤〕芽球 sideroblast ………… 1677
担鉄赤血球 siderocyte ………… 1677
単殿位 frank breech presentation ………… 1481
短頭 caput breve ………… 291
短頭 short head ………… 818
短頭〔蓋〕〔症〕 brachycephaly ………… 239
断頭〔術〕 decapitation ………… 474
胆道鏡検査法 cholangioscopy ………… 349
短頭〔症〕の brachycranic ………… 240
胆道シンチグラフィ cholescintigraphy ………… 351
胆道シンチグラフィ radiocholangiography ………… 1542
胆道シンチグラフィ radiocholecystography ………… 1542
胆道膵管撮影(造影)〔法〕 cholangiopancreatography ………… 348
短橈側手根伸筋 extensor carpi radialis brevis (muscle) ………… 1184
短橈側手根伸筋 short radial extensor muscle of wrist ………… 1193
短橈側手根伸筋 musculus extensor carpi radialis brevis ………… 1199
短橈側手根伸筋〔の滑液〕包 bursa of extensor carpi radialis brevis muscle ………… 268
胆道フィステル(瘻) biliary fistula ………… 704
胆道閉鎖〔症〕 biliary atresia ………… 171
単糖類 monosaccharide ………… 1168
丹毒 erysipelas ………… 638
丹毒素 erysipelotoxin ………… 638
担毒体 toxophore ………… 1907
単独ビタミンE欠乏〔症〕 isolated vitamin E deficiency ………… 478
短内転筋 adductor brevis (muscle) ………… 1181
短内転筋 short adductor muscle ………… 1193
タンナーゼ tannase ………… 1840
タンニン tannin ………… 1840
タンニン酸 tannic acid ………… 1840
タンニン酸アルブミン albumin tannate ………… 43
タンニン酸塩 tannate ………… 1840
タンニン酸クリプテナミン cryptenamine acetates, cryptenamine tannates ………… 445
タンニン酸処理赤血球 tanned red cells ………… 326
断熱 adiabatic ………… 28
断熱 insulation ………… 941
断熱化 insulation ………… 941
断熱性 adiathermancy ………… 28
断熱物〔器〕 insulator ………… 941
胆嚢 cholecystis ………… 349
胆嚢 gallbladder ………… 750
胆嚢 vesica biliaris ………… 2016
胆嚢 vesicula fellis ………… 2017
胆嚢胃吻合〔術〕 cholecystogastrostomy ………… 349
胆嚢運動促進の cholecystokinetic ………… 349
胆嚢炎 cholecystitis ………… 349
胆嚢窩 fossa for gallbladder ………… 732
胆嚢窩 gallbladder fossa ………… 732
胆嚢窩 fossa vesicae biliaris ………… 734
胆嚢回腸吻合〔術〕 cholecystoileostomy ………… 349
胆嚢外の extracystic ………… 657
胆嚢括約筋 sphincter vesicae biliaris ………… 1713
胆嚢管 cystic duct ………… 563
胆嚢管 ductus cysticus ………… 566
胆嚢管のラセン弁 spiral valve of cystic duct ………… 1985
〔胆嚢管〕ラセンひだ spiral fold of cystic duct ………… 720
〔胆嚢管〕ラセンひだ plica spiralis ductus cystici ………… 1445
胆嚢機能促進性の cholecystagogic ………… 349
〔胆嚢〕筋層 muscular coat of gallbladder ………… 383
〔胆嚢〕筋層 muscular layer of gallbladder ………… 1012
〔胆嚢〕筋層 muscular tunic of gallbladder ………… 1952
〔胆嚢〕筋層 tunica muscularis vesicae biliaris ………… 1953
〔胆嚢〕筋層 tunica muscularis vesicae felleae ………… 1953
胆嚢空腸吻合〔術〕 cholecystojejunostomy ………… 349
胆嚢頸窩 fossa provesicalis ………… 733
胆嚢憩室 gallbladder diverticulum ………… 552
胆嚢結節 cystic node ………… 1260
胆嚢固定〔術〕 cholecystopexy ………… 349
胆嚢固定〔術〕 cystopexy ………… 463
胆嚢撮影(造影)〔法〕 cholecystography ………… 349
胆嚢撮影(造影)図 cholecystogram ………… 349
胆嚢弛緩 cholecystatony ………… 349
胆嚢疾患 cholecystopathy ………… 349
胆嚢写 cholecystography ………… 349
胆嚢周囲の pericystic ………… 1387
胆嚢十二指腸ひだ cystoduodenal ligament ………… 1034
胆嚢十二指腸フィステル(瘻) cholecystoduodenal fistula ………… 704
胆嚢十二指腸吻合〔術〕 cholecystoduodenostomy ………… 349
胆嚢漿膜 serosa of gallbladder ………… 1666
胆嚢漿膜 tunica serosa vesicae biliaris ………… 1954
〔胆嚢〕漿膜 tunica serosa vesicae felleae ………… 1954
胆嚢漿膜下組織 subserosa of gallbladder ………… 1765
胆嚢静脈 cystic veins ………… 1995
胆嚢静脈 vena cystica ………… 2005
胆嚢水腫 cholicele ………… 351
胆嚢水腫 hydrops of gallbladder ………… 874
単能性の unipotent ………… 1965
胆嚢切開〔術〕 cholecystotomy ………… 350
胆嚢切開〔術〕 cystotomy ………… 463
胆嚢切開刀 cystotome ………… 463
胆嚢切除〔術〕 cholecystectomy ………… 349
胆嚢切除〔術〕 cystectomy ………… 461
胆嚢切除(摘出)後症候群

postcholecystectomy syndrome ………… 1816
胆嚢造瘻〔術〕 cholecystostomy ……………… 349
胆嚢体 body of gallbladder ………………… 227
胆嚢体 corpus vesicae biliaris ……………… 426
胆嚢体 corpus vesicae felleae ……………… 426
胆嚢胆管撮影(造影)〔法〕 cystic duct cholangiography ……………………………… 348
胆嚢蓄膿症 empyema of gallbladder …… 606
胆嚢超音波検査〔法〕 cholecystosonography ……………………………………………… 349
胆嚢腸管切開〔術〕 cholecystenterotomy … 349
胆嚢腸管吻合〔術〕 cholecystenterostomy 349
胆嚢底 fundus of gallbladder ……………… 744
胆嚢底 fundus vesicae biliaris …………… 744
胆嚢摘出〔術〕 cholecystectomy ……………… 349
胆嚢動脈 arteria cystica …………………… 135
胆嚢動脈 cystic artery ……………………… 144
〔胆嚢〕粘膜 mucosa of gallbladder …… 1176
〔胆嚢〕粘膜 tunica mucosa vesicae biliaris ……………………………………………… 1953
〔胆嚢〕粘膜 tunica mucosa vesicae felleae ……………………………………………… 1953
〔胆嚢の〕頸 collum vesicae biliaris ……… 392
〔胆嚢の〕頸 collum vesicae felleae ……… 392
〔胆嚢の〕頸 neck of gallbladder ………… 1223
〔胆嚢の〕粘膜ひだ mucosal folds of gallbladder ……………………………… 719
胆嚢部 pars cystica ……………………… 1358
胆嚢フィステル形成〔術〕 cholecystostomy 349
胆嚢縫合〔術〕 cholecystorrhaphy ………… 349
胆嚢リンパ節 cystic lymph node ………… 1078
胆嚢漏斗 infundibulum of gallbladder …. 931
単胚の unigerminal ……………………… 1964
蛋白 albuminoid …………………………… 43
蛋白〔質〕 protein (p) …………………… 1502
蛋白4.1 protein 4.1 ……………………… 1502
蛋白p53 protein p53 ……………………… 1505
蛋白因数 protein factor …………………… 669
蛋白栄養不良 protein malnutrition ……. 1096
蛋白過剰血〔症〕 hyperproteinemia ………. 886
蛋白結合ヨウ素 protein-bound iodine (PBI) ……………………………………………… 953
蛋白合成 protein synthesis ……………… 1827
蛋白光の opalescent ……………………… 1302
蛋白固定 proteopexis ……………………… 1507
蛋白細胞解離 albuminocytologic dissociation ……………………………………………… 548
蛋白脂質 proteolipids ……………………… 1506
蛋白〔質〕分解酵素 protease ……………… 1502
蛋白症 proteinosis ………………………… 1506
蛋白消化 proteopepsis …………………… 1507
蛋白ショック protein shock ……………… 1674
〔蛋白〕ショック療法 protein shock therapy ……………………………………………… 1879
蛋白新生の proteogenic …………………… 1506
蛋白水解物 protein hydrolysate ………… 1506
蛋白〔性〕の albuminous …………………… 43
蛋白腺 albuminous gland ………………… 772
蛋白喪失性腸症 protein-losing enteropathy ……………………………………………… 621
蛋白代謝 protein metabolism …………… 1138
蛋白代謝 proteometabolism ……………… 1506
蛋白転送装置のOXA複合体 OXA complex of protein translocators ………………… 402
蛋白転送装置のTIM複合体 TIM complexes of protein translocators ………………… 402
蛋白転送装置のTOM複合体 TOM complex of protein translocators ………………… 402
蛋白同化(アナボリック)ステロイド anabolic steroid ………………………… 1745
蛋白尿 proteinuria ………………………… 1506
蛋白尿〔症〕 albuminuria …………………… 43
蛋白熱 protein fever ……………………… 685
蛋白分解 proteolysis ……………………… 1506
単拍脈 monocrotism ……………………… 1166
単拍脈 monocrotic pulse ………………… 1525
単拍脈 pulsus monocrotus ………………… 1526
蛋白輸送体 protein translocators ………. 1506
蛋白溶解 albuminolysis …………………… 43
蛋白様の proteinaceous …………………. 1506
短波ジアテルミー short wave diathermy 512
短波ジアテルミー microkymatotherapy 1152
短波長紫外線 ultraviolet C ……………… 1963
短バチルス *Bacillus brevis* ………………… 187
弾撥音 snap ………………………………… 1694
弾撥股 snapping hip ……………………… 852
単発再発下疳 monorecidive chancre …… 338
単発再発下疳 monorecidive ……………… 1168
弾撥雑音 snap ……………………………… 1694
単発情期の monestrous …………………… 1165
単発性線維性形成異常(異形成) monostotic fibrous dysplasia ………………………… 576
単発性線維性腫瘍 solitary fibrous tumor ……………………………………………… 1951
短鼻〔症〕 brachyrhinia …………………… 240
単鼻腔の monorhinic ……………………… 1168
短腓骨筋 fibularis brevis (muscle) …… 1185
短腓骨筋 peroneus brevis (muscle) …… 1191
短腓骨筋 short fibular muscle ………… 1193
短腓骨筋 short peroneal muscle ……… 1193
短腓骨筋 musculus fibularis brevis …… 1200
短腓骨筋 musculus peroneus brevis …… 1202
短鼻短顎〔症〕 brachyrhynchus …………… 240
タン皮の tannic …………………………… 1840
ダンピング damping ……………………… 471
ダンピング症候群 dumping syndrome … 1803
ダンフォース徴候 Danforth sign ……… 1680
単不全麻痺 monoparesis ………………… 1168
タンブール tambour ……………………… 1839
炭粉珪肺〔症〕 anthracosilicosis …………… 98
単分散の monodisperse …………………. 1167
単分子性の monomolecular ……………. 1167
炭粉症 anthracosis ………………………… 98
炭粉症の anthracotic ……………………… 98
断片 fragment ……………………………… 738
断片長の多型 restriction length polymorphism, fragment length polymorphism ………………………… 1461
単変量解析 univariate analysis …………. 71
端房 mucron ……………………………… 1177
単房関節 unilocular joint ………………… 972
単胞子虫目 Haplosporidia ……………… 815
単房室心臓の monocardian ……………. 1166
単房脂肪 unilocular fat ………………… 678
単胞状腺 saccular gland ………………… 774
単包条虫 *Echinococcus granulosus* ………. 582
単包条虫シカ生物型 *Echinococcus granulosus* cervid bioform ……………… 582
単房性の monolocular …………………… 1167
単房〔性〕の unilocular …………………… 1964
単房性嚢胞(嚢腫) unilocular cyst ………. 461
短母指外転筋 abductor pollicis brevis (muscle) ………………………………… 1181
短母指外転筋 short abductor muscle of thumb ……………………………………… 1193
短母指外転筋 musculus abductor pollicis brevis ……………………………………… 1198
短母指屈筋 flexor pollicis brevis (muscle) ……………………………………………… 1186
短母指屈筋 short flexor (muscle) of thumb ……………………………………………… 1193
短母指屈筋 musculus flexor pollicis brevis ……………………………………………… 1200
短母趾(指)屈筋 flexor hallucis brevis (muscle) ………………………………… 1185
短母趾(指)屈筋 short flexor (muscle) of great toe ……………………………… 1193
短母趾(指)屈筋 musculus flexor hallucis brevis ……………………………………… 1200
短母趾屈筋の外側頭 lateral head of flexor hallucis brevis muscle ……………………… 817
短母指屈筋の深頭 deep head of flexor pollicis brevis ………………………………… 817
短母指屈筋の浅頭 superficial head of flexor pollicis brevis ………………………………… 818
短母趾屈筋の内側頭 medial head of flexor hallucis brevis ……………………………… 817
短母指伸筋 extensor pollicis brevis (muscle) ……………………………………… 1184
短母指伸筋 short extensor (muscle) of thumb ……………………………………… 1193
短母指伸筋 musculus extensor pollicis brevis ……………………………………… 1200
短母趾(指)伸筋 extensor hallucis brevis (muscle) ……………………………………… 1184
短母趾(指)伸筋 short extensor (muscle) of great toe ………………………………… 1193
短母趾(指)伸筋 musculus extensor hallucis brevis ……………………………………… 1200
単発作性熱 monoleptic fever …………… 685
タンポポ根 taraxacum …………………… 1841
タンポン mèche …………………………… 1114
タンポン tampon ………………………… 1840
タンポン turunda ………………………… 1955
タンポン挿入〔法〕 tamponing, tamponment ……………………………………………… 1840
単麻痺 monoplegia ……………………… 1168
ダンマル脂 dammar ……………………… 471
断眠 sleep deprivation …………………… 494
淡明細胞腫(砂糖腫瘍) extrapulmonary sugar tumor …………………………… 1950
〔表皮〕淡明層 clear layer of epidermis 1009
〔表皮〕淡明層 stratum lucidum ………… 1752
短命の microbiotic ………………………… 1150
断面 cross-section ………………………… 442
断面 cross section ………………………… 1653
断面研究 synchronic study ……………… 1761
断面積 cross-section ……………………… 442
断面的な cross-sectional ………………… 442
単毛〔性〕の monotrichous ………………… 1169
端毛の peritrichous ……………………… 1393
短毛様体神経 short ciliary nerve ……… 1238
短毛様体神経 nervus ciliaris brevis …… 1241
単葉の unilobar …………………………… 1964
短絡 shunt ………………………………… 1674
短絡性チアノーゼ shunt cyanosis ……… 454
端〔卵〕黄卵 telolecithal egg ……………… 590
単離 isolation ……………………………… 961
単量体 monomer …………………………… 1167
弾力計 elastometer ………………………… 592
弾力性 resilience ………………………… 1592
弾力性結紮糸 elastic ligature …………… 1046
弾力性皮膚 elastic skin ………………… 1691
弾力性ブジー elastic bougie …………… 238
弾力線維腫 elastoma ……………………… 592
弾力線維症 elastosis ……………………… 592
弾力線維症の elastotic …………………… 593
弾力素 elastin ……………………………… 592
弾力包帯 elastic bandage ………………… 195
断裂 plasmotomy ………………………… 1434
断裂 rupture ……………………………… 1627
断裂 tear …………………………………… 1843
鍛練 temper ……………………………… 1848
短連合線維 short association fibers …… 690
短連鎖 short chain ………………………… 337
短肋骨挙筋 levatores costarum breves (muscles) ……………………………………… 1188
短肋骨挙筋 short levatores costarum (muscles) ……………………………………… 1193
談話困難 dyslogia ………………………… 573
単腕体 monobrachius ……………………… 1166
単腕無頭体 acephalus monobrachius …… 11

タ

チ

チーヴィッツ器官 Chievitz organ ……… 1311
チーヴィッツ層 Chievitz layer ………… 1009
チーズ作業者肺 cheese worker's lung … 1072
チーズバエ *Philopia casei* ………………… 1408
チーズバエ *Piophila casei* ………………… 1425
チーズ様の tyroid ………………………… 1958
チートルスリット Cheatle slit ………… 1692
チーマン症候群 Thiemann syndrome …. 1822
チーマン病 Thiemann disease …………… 541
チール(ツィール)染料 Ziehl stain ……. 1736
チール(ツィール)-ネールゼン染色〔法〕 Ziehl-Neelsen stain …………………… 1736
チアジン thiazin ………………………… 1883
チアジン染料 thiazin dyes ……………… 570
チアノーゼ cyanosis ……………………… 453
チアノーゼ仮死 cyanotic asphyxia ……… 162
チアノーゼ型憤怒痙攣 cyanotic breath-holding spell …………………… 1710
チアノーゼ性萎縮 cyanotic atrophy …… 173
チアノーゼ性肝萎縮 cyanotic atrophy of the liver ………………………………… 173
チアノーゼ増強性アンギナ hypercyanotic angina ………………………………………… 83
チアミナーゼ thiaminase ………………… 1883
チアミン thiamin ………………………… 1882
チアミン thiamine ……………………… 1883
チアミンピリジニラーゼ thiamin pyridinylase ……………………………… 1883
チアミンピロリン酸 thiamin pyrophosphate (TPP) ……………………………………… 1883
値域 range ………………………………… 1558
地域医学 community medicine ………… 1116
地域医療 community medicine ………… 1116
地域社会 community ……………………… 398
地域心理学 community psychology ……. 1518
地域精神医学 community psychiatry …. 1517
地域精神保健センター community mental health center (CMHC) ………………… 398
地域相関研究 ecologic study …………… 1761
地域福祉施設 community facilities ……… 398
地域流行指数 endemic index …………… 922
小さい parvus …………………………… 1370
チウーファ chiufa ………………………… 345
チェーン-ストークス呼吸 Cheyne-Stokes respiration ……………………………… 1595
チェーン-ストークス精神病 Cheyne-Stokes psychosis ……………………………… 1519
チェーンバーレン鉗子 Chamberlen forceps ……………………………………………… 727
チェックポイント蛋白 checkpoint protein ……………………………………………… 1503
チェディアック-東症候群 Chédiak-Higashi syndrome ………………………………… 1800
チエナマイシン thienamycin …………… 1883
チエニル thienyl ………………………… 1883
チエニルアラニン thienylalanine ……… 1883
チェネー症候群 Cheney syndrome ……. 1800
チエノピリジン thienopyridine ………… 1883
チェリージュース cherry juice ………… 343
遅延 delay ………………………………… 483
チェレンコフ(セーレンコフ)放射線 Cerenkov radiation …………………… 1541
チェルニー縫合 Czerny suture ………… 1787
チェルニー-ランベール縫合 Czerny-Lembert suture ………………………………… 1787
遅延 retardation ………………………… 1598
遅延〔型〕アレルギー delayed allergy ……. 49
遅延移植 delayed graft …………………… 795
遅延〔型〕過敏症 delayed hypersensitivity 887
遅延〔型〕反応 delayed reaction ………… 1564
遅延感覚 delayed sensation …………… 1660
遅延時間 TI ……………………………… 1892
遅延する delay …………………………… 483
遅延性ショック deferred shock, delayed shock …………………………………… 1674
遅延性心臓収縮 hysterosystole ………… 901
遅延熱 slow fever ………………………… 686
チェーンバリン線 Chamberlain line ….. 1049
チェンバーレイン法 Chamberlain procedure ……………………………………………… 1487
遅延反射 delayed reflex ………………… 1578
遅延反応実験 delayed reaction experiment ……………………………………………… 655
遅延皮弁 delayed flap …………………… 709
遅延縫合 delayed suture ………………… 1787
チオアミド thioamide …………………… 1883
2-チオウラシル 2-thiouracil …………… 1884
4-チオウラシル 4-thiouracil …………… 1884
チオエステラーゼ thioesterase ………… 1884
チオエステル thioester ………………… 1884
チオエタノールアミンアセチルトランスフェラーゼ thioethanolamine acetyltransferase ……………………………………………… 1884
チオエーテル thioether ………………… 1884
チオ開裂 thiolysis ……………………… 1884
チオカルリド thiocarlide ……………… 1883
チオキサンテン thioxanthene …………… 1884
チオキソロン thioxolone ………………… 1885
チオキナーゼ thiokinase ………………… 1884
チオグリコール酸 thioglycolic acid ….. 1884
チオグリコール酸アンチモンナトリウム antimony sodium thioglycollate ……… 107
チオグルコシダーゼ thioglucosidase …… 1884
チオクロム thiochrome ………………… 1884
チオクロム法 thiochrome method ……… 1145
チオ酸 thioacid …………………………… 1883
チオシアン酸塩 thiocyanate …………… 1884
チオシアン酸ナトリウム sodium thiocyanate ……………………………… 1697
チオシアン数 thiocyanogen number …… 1282
チオセミカルバジド thiosemicarbazide 1884
チオセミカルバゾン thiosemicarbazone 1884
チオデプシペプチド thiodepsipeptide …. 1884
チオ尿素 thiourea ……………………… 1884
チオニン thionine ……………………… 1884
チオネイン thionein …………………… 1884
チオバルビツール酸塩 thiobarbiturates 1883
チオフェン thiophene …………………… 1884
チオフラビンS thioflavine S …………… 1884
チオフラビンT thioflavin T …………… 1884
チオフラビンT染色〔法〕 thioflavine T stain ……………………………………………… 1735
チオ硫酸 thiosulfuric acid ……………… 1884
チオ硫酸塩 thiosulfate ………………… 1884
チオ硫酸スルフルトランスフェラーゼ thiosulfate sulfurtransferase ………… 1884
チオ硫酸ナトリウム sodium thiosulfate 1697
チオール thiol …………………………… 1884
チオールエステル thiol ester …………… 643
チオール基開裂分解 thioclastic cleavage 373
チオール酵素 thiol enzyme ……………… 624
チオレドキシン thioredoxin …………… 1884
チオレドキシンレダクターゼ thioredoxin reductase ……………………………… 1884
地階 basement …………………………… 200
知覚 esthesia ……………………………… 643
知覚 perception ………………………… 1384
知覚 sense ……………………………… 1661
知覚(感覚)異常性大腿神経痛 meralgia paresthetica …………………………… 1132
知覚運動の sensorimotor ……………… 1662
知覚運動麻痺 anesthekinesia, anesthecinesia ……………………………………………… 79
知覚鋭敏 acroesthesia ……………………… 18
知覚温度 sensible temperature ………… 1848
知覚核 sensory nuclei ………………… 1280
知覚拡大 perceptual expansion ………… 655
知覚可能な sensate ……………………… 1660
知覚過敏 hyperesthesia ………………… 880
知覚計 esthesiometer …………………… 643
知覚減退 hypesthesia …………………… 890
知覚時間 sensation time ……………… 1893
知覚(感覚)消失(脱失) anesthesia ………… 79
知覚(感覚)消失(脱失)〔性〕の anesthetic … 80
知覚(感覚)消失(脱失)らい anesthetic leprosy …………………………………… 1021
知覚神経 sensory nerve ………………… 1238
知覚神経交叉部 carre-four sensitif ……… 305
知覚神経細胞障害 sensory neuronopathy 1250
知覚神経節 sensory ganglion …………… 754
知覚〔神経〕路 sensory tract …………… 1912
知覚性運動失調 sensory ataxia ………… 167
知覚性運動評価 rating of perceived exertion ……………………………………………… 1560
知覚性交叉路 sensory crossway ………… 442
知覚正常 eugnosia ……………………… 648
知覚性難聴 perceptive hearing impairment ……………………………………………… 820
知覚生理学 esthesiophysiology ………… 643
知覚測定〔法〕 esthesiometry …………… 643
知覚測定器 sensimeter ………………… 1661
知覚遅鈍 bradyesthesia ………………… 241
知覚低下 imperception ………………… 914
知覚の sensorial ………………………… 1662
知覚の sensory ………………………… 1662
知覚能 sensibility ……………………… 1661
知覚表象 percept ……………………… 1384
知覚不全 dysesthesia …………………… 571
知覚分析 percept analysis ………………… 70
知覚麻痺 anesthesia ……………………… 79
知覚野 sensorial areas, sensory areas ….. 130
知覚力 perceptivity …………………… 1384
力 force (*F*) …………………………… 727
力 vis …………………………………… 2031
力-速度曲線 force-velocity curve ……… 451
力の単位 unit of force ………………… 1966
力のフィードバック force feedback ……. 727
置換 displacement ……………………… 548
置換 metathesis ………………………… 1141
置換 substitution ……………………… 1767
置換アミド substituted amide …………… 59
置換基 substituent ……………………… 1767
置換産物 substitution product ………… 1494
置換性線維形成 replacement fibrosis …… 696
置換前操作 back table procedure ……… 1487
置換組織 replant ……………………… 1590
置換能力 displaceability ………………… 548
置換療法 replacement therapy ………… 1879
チキソトロピー thixotropy …………… 1885
チキソトロピー液 thixotropic fluid …… 715
恥丘 mons pubis ……………………… 1169
恥弓 arcus pubicus ……………………… 128
地球温暖化 global warming …………… 778
地区 community ………………………… 398
畜産 zootechnics ……………………… 2061
逐次刺激方式 continuous interleaved sampling ……………………………… 1633
逐次分析 sequential analysis …………… 71
竹状毛 bamboo hair …………………… 811
蓄積外傷疾患 cumulative trauma disorders (CTD) …………………………………… 545
蓄積効果 cumulative effect …………… 588
蓄積症 storage disease ………………… 541
蓄積線量 cumulative dose ……………… 557
蓄積注射 depot injection ……………… 936
蓄積の cumulative ……………………… 448
蓄積病 accumulation disease …………… 527
〔チクチク〕痛む tingle ………………… 1894

蓄電器 capacitor … 288
蓄尿器 urinal … 1972
蓄尿びん urinal … 1972
蓄膿〔症〕 empyema … 605
乳首(ちくび) nipple … 1257
乳首(ちくび) papilla of breast … 1344
乳首(ちくび) papilla mammae … 1345
乳首(ちくび) teat … 1844
チグリルCoA tiglyl-CoA … 1892
チグリン酸 tiglic acid … 1892
チクル chicle … 344
チグロイド眼底 tigroid fundus … 744
チクングニヤウイルス chikungunya virus … 2022
治験 trial … 1926
遅語〔症〕 bradyarthria … 240
恥垢 smegma … 1693
恥垢菌 *Mycobacterium smegmatis* … 1208
恥垢石 smegmalith … 1693
治効量 curative dose (CD) … 557
恥骨 pubic bone … 233
恥骨 os pubis … 1318
恥骨 pubis … 1523
恥骨会陰筋 puboperinealis (muscle) … 1191
恥骨下角 subpubic angle … 90
恥骨下角 angulus subpubicus … 90
恥骨下枝 inferior pubic ramus … 1552
恥骨下の subpubic … 1764
恥骨間円板 interpubic disc … 525
恥骨間円板 discus interpubicus … 527
恥骨間の interpubic … 947
恥骨弓 pubic arch … 126
恥骨弓靱帯 arcuate pubic ligament … 1033
恥骨弓靱帯 inferior pubic ligament … 1036
恥骨弓靱帯 ligamentum arcuatum pubis 1042
恥骨筋 pectineal muscle … 1190
恥骨筋 pectineus (muscle) … 1190
恥骨筋 musculus pectineus … 1202
恥骨筋線 pectineal line of femur … 1051
恥骨筋線 spiral line of femur … 1052
恥骨頸靱帯 pubocervical ligament … 1039
恥骨結合 pubic symphysis … 1791
恥骨結合 symphysis pubica … 1791
恥骨結合上の suprasymphysary … 1779
恥骨結合切開〔術〕 symphysiotomy, symphyseotomy … 1791
恥骨結合切開刀 symphysiotome, symphyseotome … 1791
恥骨結合面 facies symphysialis … 665
恥骨結合面 symphysial surface of pubis 1783
恥骨結節 pubic tubercle … 1944
恥骨結節 tuberculum pubicum … 1946
恥骨後隙 retropubic space … 1705
恥骨後隙 spatium retropubicum … 1707
恥骨後の retropubic … 1604
恥骨後ヘルニア retropubic hernia … 843
恥骨肛門筋 puboanalis (muscle) … 1191
恥骨股関節包の pubocapsular … 1523
恥骨骨炎 osteitis pubis … 1320
恥骨枝 pubic rami … 1555
恥骨櫛 pecten ossis pubis … 1375
恥骨櫛 pecten pubis … 1375
恥骨櫛状靱帯 ligamentum pectineum … 1044
恥骨櫛靱帯 pectineal ligament … 1038
恥骨上枝 superior pubic ramus … 1556
恥骨上の suprapubic … 1779
恥骨上膀胱切開〔術〕 suprapubic cystotomy … 463
恥骨静脈 pubic vein … 2000
恥骨切開〔術〕 pubiotomy … 1523
恥骨前立腺筋 puboprostatic (muscle) … 1191
恥骨前立腺筋 puboprostaticus (muscle) 1191
恥骨前立腺筋 musculus puboprostaticus 1202
恥骨前立腺靱帯 puboprostatic ligament 1039
恥骨前立腺靱帯 ligamentum puboprostaticum … 1045
恥骨前立腺の puboprostatic … 1523
恥骨体 body of pubis … 229
恥骨体 corpus ossis pubis … 425
恥骨大腿骨の pubofemoral … 1523
恥骨大腿靱帯 pubofemoral ligament … 1039
恥骨大腿靱帯 ligamentum pubofemorale 1045
恥骨腟筋 pubovaginal muscle … 1191
恥骨腟筋 pubovaginalis (muscle) … 1191
恥骨腟筋 musculus pubovaginalis … 1202
恥骨直腸筋 puborectal muscle … 1191
恥骨直腸筋 puborectalis (muscle) … 1191
恥骨直腸筋 musculus puborectalis … 1202
恥骨直腸の puborectal … 1523
恥骨尿道三角 pubourethral triangle … 1927
恥骨反射 mediopubic reflex … 1580
恥骨尾骨筋 pubococcygeal muscle … 1191
恥骨尾骨筋 pubococcygeus (muscle) … 1191
恥骨尾骨筋 musculus pubococcygeus … 1202
恥骨尾骨の pubococcygeal … 1523
恥骨部 regio pubica … 1584
恥骨部 pubic region … 1586
恥骨部尿道上裂 penopubic epispadias … 631
恥骨膀胱筋 pubovesical muscle … 1191
恥骨膀胱筋 pubovesicalis (muscle) … 1191
恥骨膀胱筋 musculus pubovesicalis … 1202
恥骨縫合上切石術 suprapubic lithotomy 1062
恥骨膀胱靱帯 pubovesical ligament (of female) … 1039
恥骨膀胱靱帯 pubovesical ligament (of male) … 1039
恥骨膀胱の pubovesical … 1523
恥骨包靱帯 ligamentum pubocapsulare 1045
恥骨稜 pubic crest … 438
恥骨稜 crista pubica … 440
チゴマキシラーレ zygomaxillare … 2062
智歯 dens serotinus … 487
智歯 wisdom tooth … 1903
致死遺伝子 lethal gene … 763
致死因子 lethal factor … 668
致死型表皮水疱症 epidermolysis bullosa lethalis … 626
致死下の sublethal … 1763
知識欲 epistemophilia … 631
致死係数 lethal coefficient … 387
致死性家族性不眠症 fatal familial insomnia … 940
致死性小人症 lethal dwarfism … 569
致死性小人症 thanatophoric dwarfism … 569
致死性正中肉芽腫 lethal midline granuloma … 798
致死相当量 lethal equivalent … 635
致死〔突然〕変異 lethal mutation … 1206
致死の fatal … 678
致死の lethal … 1023
致死の mortal … 1171
致死平衡 lethal equivalent … 635
致死平衡定数 lethal equivalent … 635
遅食〔症〕 bradyphagia … 241
致死率 case fatality rate … 1559
致死量 lethal dose (LD) … 557
致死量以下の sublethal … 1763
地図 map … 1101
地水 earthy water … 2041
血吸いコウモリ vampire bat … 201
チスイコウモリ属 *Desmodus* … 499
チスイビル属 *Hirudo* … 854
地図関数 mapping function … 1102
地図距離 map distance … 1102
地図作製 mapping … 1102
地図状角膜炎 geographic keratitis … 978
地図状乾癬 psoriasis geographica … 1516
地図状頭蓋 maplike skull … 1691
地図〔状〕舌 lingua geographica … 1053
地図〔状〕舌 geographic tongue … 1900
地図状斑点状指紋萎縮症 map-dot-fingerprint dystrophy … 579
地図状脈絡膜症 geographic choroidopathy … 356
地図状網膜萎縮 geographic retinal atrophy … 173
知性 intelligence … 943
知性 noesis … 1265
知性 nous … 1270
知性化 intellectualization … 943
チゼリヤ属 *Tyzzeria* … 1959
チゼル chisel … 345
遅滞 lag … 995
遅滞 retardation … 1598
遅滞期 lag phase … 1402
〔精神〕遅滞者 retardate … 1598
チタン titanium (Ti) … 1896
乳 lac … 992
乳 milk … 1157
父親殺し patricide … 1373
乳探し反射 rooting reflex … 1581
縮まり反応 shortening reaction … 1567
地中海型ドノバンリーシュマニア *Leishmania donovani infantum* … 1017
地中海紅斑熱 Mediterranean erythematous fever … 685
地中海食 Mediterranean diet … 515
地中海斑熱 Mediterranean spotted fever 685
縮れ毛 kinky hair … 811
縮れ毛病 kinky-hair disease, kinky hair disease … 535
腟 vagina … 1981
腟陰唇の vaginolabial … 1982
腟陰門乾燥症 colpoxerosis … 395
腟会陰形成〔術〕 colpoperineoplasty … 394
腟会陰形成〔術〕 vaginoperineoplasty … 1982
腟会陰切開〔術〕 vaginoperineotomy … 1982
腟会陰の vaginoperineal … 1982
腟会陰縫合〔術〕 colpoperineorrhaphy … 394
腟会陰縫合〔術〕 vaginoperineorrhaphy … 1982
腟炎 vaginitis … 1982
腟円蓋 vaginal cuff … 447
腟円蓋 fornix vaginae … 731
腟円蓋 vaginal fornix … 731
腟円蓋外側部 lateral part of fornix of vagina … 1365
腟円蓋外側部 lateral part of vaginal fornix … 1365
腟円蓋後部 pars posterior fornicis vaginae … 1360
腟円蓋後部 posterior part of vaginal fornix … 1367
腟円蓋前部 anterior part of fornix of vagina … 1362
腟円蓋部貯留 vaginal pool … 1466
腟外陰の vaginovulvar … 1982
腟外の extravaginal … 658
腟海綿体層 spongy layer of vagina … 1013
腟拡大鏡 colposcope … 394
腟拡大鏡診 colposcopy … 394
腟拡張〔症〕 colpectasis, colpectasia … 394
窒化物 nitride … 1258
窒化物形成 nitridation … 1258
腟鏡検査〔法〕 vaginoscopy … 1982
腟狭窄 colpostenosis … 395
腟狭窄 phimosis vaginalis … 1408
腟狭窄切開〔術〕 colpostenotomy … 395
〔腟〕筋層 muscular coat of vagina … 383
〔腟〕筋層 muscular layer of vagina … 1012
〔腟〕筋層 tunica muscularis vaginae … 1953
腟筋層炎 myocolpitis … 1212
チック jerks … 968
チック tic … 1892
チック(大型ダニ)チフス tick typhus … 1958
チック-マーティン試験 Chick-Martin test … 1855
腟痙 colpospasm … 395
腟痙 vaginismus … 1982

膣痙 vaginodynia …… 1982
膣痙 vulvismus …… 2038
膣頸管動脈 arteria cervicovaginalis …… 134
膣頸管動脈 cervicovaginal artery …… 143
膣形成 colpopoiesis …… 394
膣形成〔術〕colpoplasty …… 394
膣形成〔術〕vaginoplasty …… 1982
膣顕微鏡診 colpomicroscopy …… 394
膣口 vaginal opening …… 1303
膣口 vaginal orifice …… 1314
膣口 ostium vaginae …… 1325
膣後壁 paries posterior vaginae …… 1356
膣後壁 posterior wall of vagina …… 2040
膣〔腹壁〕固定〔術〕vaginopexy …… 1982
膣〔壁〕固定〔術〕colpopexy …… 394
膣〔壁〕固定〔術〕vaginofixation …… 1982
膣式開腹〔術〕vaginal celiotomy …… 318
膣式筋腫摘出〔術〕colpomyomectomy …… 394
膣式筋腫摘出〔術〕vaginal myomectomy 1214
〔膣式〕骨盤温熱療法器 pelvitherm …… 1379
膣式子宮固定〔術〕colpohysteropexy …… 394
膣式子宮切開〔術〕colpohysterotomy …… 394
膣式子宮切開〔術〕vaginal hysterotomy … 901
膣式子宮摘出〔術〕colpohysterectomy …… 394
膣式子宮摘出〔術〕vaginal hysterectomy 900
膣式切石術 vaginal lithotomy …… 1062
膣式尿管切開 colpoureterotomy …… 395
膣子宮血腫 hematocolpometra …… 825
膣子宮留血症 hematocolpometra …… 825
膣子宮留水症 hydrometrocolpos …… 873
膣周囲炎 perivaginitis …… 1394
膣皺柱 rugal columns of vagina …… 395
膣皺柱 vaginal columns …… 396
膣上の supravaginal …… 1780
膣上皮角化試験 vaginal cornification test …… 1867
膣上皮内新生腫瘍 vaginal intraepithelial neoplasia …… 1228
膣静脈叢 plexus venosus vaginalis …… 1444
膣静脈叢 vaginal venous plexus …… 1444
秩序恐怖〔症〕ataxiophobia …… 168
膣真菌症 vaginomycosis …… 1982
膣神経 vaginal nerves …… 1240
膣神経 nervi vaginales …… 1243
膣スミア(塗抹〔標本〕) vaginal smear … 1693
膣性月経困難〔症〕vaginal dysmenorrhea 573
膣切開〔術〕coleotomy …… 389
膣切開〔術〕colpotomy …… 395
膣切開〔術〕vaginotomy …… 1982
膣切除〔術〕colpectomy …… 394
膣切除〔術〕vaginectomy …… 1982
膣腺 vaginal gland …… 775
膣前庭 vestibule of vagina …… 2018
膣前庭 vestibulum vaginae …… 2018
膣前庭炎 vestibulitis …… 2018
膣前庭窩 fossa of vestibule of vagina …… 734
膣前庭窩 fossa vestibuli vaginae …… 734
膣前庭窩 vestibular fossa …… 734
膣前庭球動脈 arteria bulbi vestibuli …… 134
膣前庭球動脈 artery of bulb of vestibule 143
膣前庭尿道の vestibulourethral …… 2018
膣前壁 paries anterior vaginae …… 1356
膣前壁 anterior wall of vagina …… 2039
窒素 nitrogen (N) …… 1258
窒素オートトロフィー nitrogen autotrophy …… 182
窒素過剰血〔症〕azotemia …… 186
窒息 asphyxia …… 162
窒息 asphyxiation …… 162
窒息 strangulation …… 1751
窒息 suffocation …… 1769
窒息ガス suffocating gas …… 757
窒息感 esquinancea …… 643
窒息恐怖〔症〕pnigophobia …… 1452
窒息剤 asphyxiant …… 162
窒息させる choke …… 348
窒息性胸郭形成異常(異形成) asphyxiating thoracic dystrophy …… 578
窒息性甲状腺腫 suffocative goiter …… 790
膣側壁スミア(塗抹〔標本〕) lateral vaginal wall smear …… 1693
窒素計 nitrometer …… 1259
〔高〕窒素血〔症〕azotemia …… 186
窒素減少尿〔症〕hypoazoturia …… 891
窒素呼吸 nitrate respiration …… 1595
窒素固定 nitrogen fixation …… 708
窒素サイクル nitrogen cycle …… 455
窒素出納 nitrogen balance …… 192
窒素性ナルコーシス nitrogen narcosis … 1221
窒素族 nitrogen group …… 1259
窒素〔排泄〕遅延時間 nitrogen lag …… 1259
窒素当量 nitrogen equivalent …… 635
窒素独立栄養 nitrogen autotrophy …… 182
窒素尿〔症〕azoturia …… 186
窒素分配 nitrogen partition …… 1259
窒素分布 nitrogen partition …… 1259
窒素平衡 nitrogenous equilibrium …… 635
膣脱 coleoptosis …… 389
膣脱〔症〕colpoptosis, colpoptosia …… 394
膣断裂 colporrhexis …… 394
膣恥骨式尿道吊り上げ術 pubovaginal operation …… 1305
膣中隔 septate vagina …… 1981
膣直腸固定〔術〕colporectopexy …… 394
膣痛 colpodynia …… 394
膣痛 vaginodynia …… 1982
膣動脈 arteria vaginalis …… 138
膣動脈 vaginal artery …… 154
膣塗抹〔標本〕vaginal smear …… 1693
膣トリコモナス *Trichomonas vaginalis* 1930
膣トリコモナス症 trichomoniasis vaginitis …… 1930
膣内留置器 colpostat …… 395
膣内リング vaginal ring …… 1618
膣粘液試験 vaginal mucification test …… 1867
膣粘液瘤 mucocolpos …… 1175
〔膣〕粘膜 mucosa of vagina …… 1177
〔膣〕粘膜 tunica mucosa vaginae …… 1953
膣粘膜皺 rugae of vagina …… 1625
膣粘膜皺 rugae vaginales …… 1625
膣粘膜皺 vaginal rugae …… 1625
膣膿瘤 pyocolpos …… 1531
膣の奇動脈 azygos artery of vagina …… 143
膣の尿道隆起 urethral carina of vagina 303
膣排気音 flatus vaginalis …… 711
膣病〔質〕vaginopathy …… 1982
膣腹の vaginoabdominal …… 1982
膣〔腹壁〕固定〔術〕vaginopexy …… 1982
膣腹膜の vaginoperitoneal …… 1982
チップシリンジ chip syringe …… 1828
膣閉鎖〔術〕colpocleisis …… 394
膣閉鎖〔症〕vaginal atresia …… 171
膣閉鎖〔症〕colpatresia …… 394
膣〔壁〕固定〔術〕colpopexy …… 394
膣〔壁〕固定〔術〕vaginofixation …… 1982
膣壁縫合〔術〕colporrhaphy …… 394
膣壁縫縮〔術〕colporrhaphy …… 394
膣壁裂傷 vaginal laceration …… 993
膣ヘルニア colpocele …… 394
膣傍結合組織 paracolpium …… 1348
膣傍〔結合〕組織炎 paravaginitis …… 1355
膣膀胱形成〔術〕colpocystoplasty …… 394
膣膀胱の vaginovesical …… 1982
膣傍リンパ節 paravaginal lymph nodes 1080
膣留血症 hematocolpos …… 825
膣留水症 hydrocolpocele, hydrocolpos …… 872
膣留膿症 pyocolpos …… 1531
知的前兆 intellectual aura …… 177
知的不安 noetic anxiety …… 111
地点地図 spot map …… 1102
チトクロムP450系 cytochrome P-450 system …… 1831
遅鈍 opacity …… 1302
遅鈍 torpor …… 1904
遅尿 opsiuria …… 1309
知能 intelligence …… 943
知能検査(試験) intelligence test …… 1859
知能指数 intelligence quotient (IQ) …… 1539
知能年齢 mental age (MA) …… 35
遅発一過性徐脈 late deceleration …… 474
遅発〔型〕ウイルス病 slow virus disease 541
遅発〔型〕反応 late-phase reaction …… 1565
遅発散発性運動失調〔症〕late onset sporadic ataxia …… 167
遅発性骨形成不全症 osteogenesis imperfecta tarda …… 1322
遅発性ジスキネジア tardive dyskinesia … 573
遅発性症候群 tardive syndrome …… 1822
遅発性脊椎骨端異形成〔症〕spondyloepiphysial dysplasia tarda …… 576
遅発発作 late seizure …… 1657
遅反応性〔アナフィラキシー〕物質 slow-reacting substance (SRS), slow-reacting substance of anaphylaxis (SRS-A) …… 1766
乳房(ちぶさ) breast …… 255
乳房(ちぶさ) mamma …… 1097
乳房自己診断 breast self-examination (BSE) …… 255
〔腸〕チフス菌 *Salmonella typhi* …… 1631
チフス性せん言 typhomania …… 1958
チフス舌 baked tongue …… 1900
チフスせん妄 typhomania …… 1958
チフス〔バクテリオ〕ファージ typhoid bacteriophage …… 190
チフス・パラチフス様熱病 parenteric fever …… 685
チフス様の typhoid …… 1957
痴呆 dementia …… 485
地方病指数 endemic index …… 922
地方病性インフルエンザ endemic influenza …… 930
地方病性甲状腺腫 endemic goiter …… 790
地方病性じんま疹 urticaria endemica, urticaria epidemica …… 1976
地方病〔性〕の endemic …… 611
地方病の安定 endemic stability …… 1727
地方病流行〔性〕の endemoepidemic …… 611
チマーゼ zymase …… 2063
チマダニ属 *Haemaphysalis* …… 810
チミアン油 thyme oil, oil of thyme …… 1889
チミジル酸 thymidylic acid (dTMP) … 1890
チミジル酸シンターゼ thymidylate synthase …… 1890
チミジン thymidine (dThd) …… 1889
チミジン5′-二リン酸 thymidine 5′-diphosphate (dTDP) …… 1889
チミジン5′-三リン酸 thymidine 5′-triphosphate (dTTP) …… 1889
チミジンホスホリラーゼ thymidine phosphorylase …… 1889
緻密化 compaction …… 398
緻密骨 compact bone …… 232
緻密質 substantia compacta …… 1766
緻密層 stratum compactum …… 1751
緻密斑 macula densa …… 1091
遅脈 pulsus tardus …… 1526
遅脈の bradycrotic …… 241
チミン thymine (Thy) …… 1890
チミンダイマー thymine dimer …… 520
チミン尿〔症〕thyminuria …… 1890
致命的な fatal …… 678
致命的な lethal …… 1023
致命率 fatality rate …… 1559
致命率 case fatality ratio …… 1560
チメロサール thimerosal …… 1883
恥毛 pubic hair …… 812
恥毛 pubes …… 1523

チモテ菌 *Mycobacterium phlei* …… 1208
チモシー(ティモシー)症候群 Timothy syndrome …… 1823
チモール混濁試験 thymol turbidity test 1867
チモール thymol …… 1890
チモールブルー thymol blue …… 1890
チモーゲン zymogen …… 2063
チモヘキサーゼ zymohexase …… 2063
チモステロール zymosterol …… 2063
茶 tea …… 1843
茶 thea …… 1874
チャーターズ法 Charters method …… 1143
チャーンレー股関節形成〔術〕 Charnley hip arthroplasty …… 156
チャイルド症候群 CHILD syndrome …… 1800
チャイルド-ピュースコア Child-Pugh score …… 1649
着床 implantation …… 916
〔卵〕着床 nidation …… 1257
着床剝離 denidation …… 486
着色 staining …… 1736
着色 tinction …… 1894
着色剤 tinction …… 1894
〔着〕色視〔症〕 chromatopsia …… 357
着色尿〔症〕 chromaturia …… 357
着色の pigmented …… 1423
チャーグ-ストラウス症候群 Churg-Strauss syndrome …… 1801
着脱方向 path of insertion …… 1371
茶剤 species …… 1707
茶剤 tea …… 1843
茶匙(さじ) teaspoon …… 1844
チャージ連合 CHARGE association …… 163
茶中毒 theinism, theism …… 1874
チャッチョ染色〔法〕 Ciaccio stain …… 1730
チャッパ chappa …… 339
チャドウィック徴候 Chadwick sign …… 1679
チャドック徴候 Chaddock sign …… 1679
チャネル channel …… 339
チャバネゴキブリ属 *Blattella* …… 219
チャラス charas …… 340
チャンキング chunking …… 361
チャンス骨折 Chance fracture …… 736
チャンドラー症候群 Chandler syndrome …… 1800
治癒 cure …… 449
治癒 curing …… 449
治癒 healing …… 818
柱 column …… 395
柱 columna …… 396
柱 pillar …… 1424
肘 cubitus …… 447
肘 elbow …… 593
肘 cubital region …… 1585
中位核 interpositus nucleus …… 1276
中位核 nucleus interpositus …… 1276
中位核脊髄路 interpositospinal tract …… 1911
中位鉗子分娩 midforceps delivery …… 484
注意欠陥障害 attention deficit disorder (ADD) …… 544
注意欠陥多動性障害 attention deficit hyperactivity disorder (ADHD) …… 544
中位鎖アシルCoAデヒドロゲナーゼ medium-chain acyl-CoA dehydrogenase (MCAD) …… 1118
注意持続期間 attention span …… 1706
中咽頭収縮筋 middle constrictor (muscle) of pharynx …… 1189
中咽頭収縮筋 musculus constrictor pharyngis medius …… 1199
中咽頭収縮筋の小角咽頭部 chondropharyngeal part of middle constrictor muscle of pharynx …… 1363
中咽頭収縮筋の大角咽頭部 ceratopharyngeal part of middle constrictor muscle of pharynx …… 1363
中腋窩線 middle axillary line …… 1051
中腋窩線 linea axillaris media …… 1053
中央階 scala media …… 1638
中央手掌間隙 central palmar space …… 1703
肘横靱帯 transverse ligament of elbow 1041
中央切断 midsection …… 1156
中央装置 central apparatus …… 118
中央体 midbody …… 1156
中央値 median …… 1115
中央の middle …… 1156
中黄斑細動脈 middle macular arteriole 139
中央部の paracentral …… 1348
中黄卵の medialecithal …… 1115
中温菌 mesophil, mesophile …… 1137
肘窩 cubital fossa …… 732
肘窩 fossa cubitalis …… 732
仲介 mediation …… 1115
中外側の mediolateral …… 1117
中外胚葉 mesectoderm …… 1134
肘外偏角 carrying angle …… 88
仲介変数 intervening variable …… 1987
中隔 septulum …… 1663
中隔 septum …… 1663
中隔縁束 fasciculus septomarginalis …… 676
中隔縁束 septomarginal fasciculus …… 676
中隔縁柱 septomarginal trabecula …… 1908
中隔縁柱 trabecula septomarginalis …… 1908
中隔縁の septomarginal …… 1663
中隔縁路 septomarginal fasciculus …… 676
中隔縁路 septomarginal tract …… 1912
中隔開口〔術〕 septostomy …… 1663
中隔可動部 pars mobilis septi nasi …… 1359
中隔鎌 falx septi …… 671
中隔間の interseptal …… 947
中隔後鼻動脈 arteria nasalis posterior septi …… 136
中隔後鼻動脈 posterior septal artery of nose …… 150
中隔後鼻動脈 posterior septal branch of nose …… 252
中隔後鼻動脈 posterior septal branches of sphenopalatine artery …… 252
〔肺〕中隔細胞 septal cell …… 326
〔心室〕中隔枝 septal branches …… 253
中隔視覚異形成症 septooptic dysplasia …… 576
中隔子宮 septate uterus …… 1977
中〔程度〕顎〔指数〕の mesognathous …… 1136
中隔(歯間)歯肉 septal gingiva …… 770
中隔静脈洞弁間隙 interseptovalvular space …… 1704
中隔処女膜 septate hymen …… 877
〔鼻〕中隔切除〔術〕 septectomy …… 1662
中隔動脈 septal artery …… 152
中隔の septal …… 1662
〔鼻〕中隔皮膚形成〔術〕 septodermoplasty 1663
中隔弁間の interseptovalvular …… 948
中隔野 septal area …… 130
肘下切断 B-E amputation …… 65
中型リンパ球 mesolymphocyte …… 1136
中割球 mesomere …… 1136
中割球小人症 mesomelic dwarfism …… 569
中間 intermediate …… 946
中間 intermedius …… 946
中間〔期〕 interval …… 948
中間運動 intermediary movements …… 1174
中間外側核 intermediolateral nucleus …… 1275
中間外側核 nucleus intermediolateralis 1275
〔脊髄の〕中間外側細胞柱 intermediolateral cell column of spinal cord …… 395
中間外側の intermediolateral (IML) …… 946
中間型αサラセミア α thalassemia intermedia …… 1873
中間型の interphyletic …… 947
中眼窩の mesoseme …… 1137
中間幹気管支 bronchus intermedius …… 260
中間幹気管支 intermediate bronchus …… 260
中間期 interkinesis …… 945
中間期手術 interval operation …… 1305
中間〔期〕切断〔術〕 intermediate amputation …… 66
中間橋脚歯 intermediate abutment …… 7
中間楔状骨 intermediate cuneiform (bone) …… 232
中間楔状骨 os cuneiforme intermedium 1317
中間形質 intermediate trait …… 1915
中間頸部中隔 intermediate cervical septum …… 1663
中間頸部中隔 septum cervicale intermedium …… 1663
中間広筋 intermediate great muscle …… 1187
中間広筋 intermediate vastus (muscle) 1187
中間広筋 vastus intermedius (muscle) 1197
中間広筋 musculus vastus intermedius 1204
〔直腸の〕中間左外側曲 intermediosinistral lateral flexure of rectum …… 712
中間鎖骨上神経 intermediate supraclavicular nerve …… 1235
中間鎖骨上神経 nervus supraclavicularis intermedius …… 1243
中間子 meson …… 1137
中間視床下部 intermediate hypothalamic area …… 129
中間質外側部 lateral intermediate substance …… 1766
中間質中心・外側部 central and lateral intermediate substances …… 1765
中間質中心部 substantia intermedia centralis …… 1766
昼間周期性 diurnal periodicity …… 1390
中間宿主 intermediate host, intermediary host …… 866
中間出血 intermediate hemorrhage …… 835
中肝静脈 intermediate hepatic veins …… 1997
中肝静脈 middle hepatic veins …… 1999
中肝静脈 venae hepaticae mediae …… 2006
中間心 intermediate heart …… 820
中間神経 intermediary nerve …… 1235
中間神経 intermediate nerve …… 1235
中間神経 nervus intermedius …… 1242
中間神経節 ganglia intermedia …… 753
中間神経節 intermediate ganglia …… 753
中間神経の鼓室神経叢との交通枝 communicating branch of intermediate nerve with tympanic plexus …… 244
昼間性遺尿症 diurnal enuresis …… 622
肘関節 articulatio cubiti …… 157
肘関節 elbow …… 593
肘関節 cubital joint …… 969
肘関節 elbow joint …… 969
肘関節筋 articular muscle of elbow …… 1182
肘関節筋 articularis cubiti (muscle) …… 1182
肘関節筋 musculus articularis cubiti …… 1198
中間楔状骨 intermediate cuneiform (bone) …… 232
中間楔状骨 os cuneiforme intermedium 1317
中間〔期〕切断〔術〕 intermediate amputation …… 66
肘関節動脈網 cubital anastomosis …… 73
肘関節動脈網 articular vascular network of elbow …… 1244
肘関節動脈網 rete articulare cubiti …… 1598
肘関節の外側側副靱帯 lateral ligament of elbow …… 1037
肘関節の外側側副靱帯 radial collateral ligament …… 1039
肘関節の外側側副靱帯 radial collateral ligament of elbow joint …… 1039
肘関節の外側側副靱帯 ligamentum collaterale radiale articulationis cubiti 1042
肘関節の内側側副靱帯 medial collateral ligament of elbow …… 1037
肘関節の内側側副靱帯 ulnar collateral

ligament ………… 1041
肘関節の内側側副靱帯 ulnar collateral ligament of elbow joint ………… 1041
肘関節の内側側副靱帯 ligamentum collaterale ulnare articulationis cubiti 1042
肘関節の嚢状陥凹 sacciform recess of elbow joint ………… 1572
中間線 intermediate rays ………… 1562
中間仙骨稜 intermediate sacral crest …… 437
中間潜時反応 middle latency response 1596
中間側頭葉枝 rami temporales intermedii ………… 1556
中間足背皮神経 intermediate dorsal cutaneous nerve ………… 1235
中間足背皮神経 nervus cutaneus dorsalis intermedius ………… 1241
中間体 intermediate ………… 946
中間帯 intermediate zone ………… 2059
中間代謝 intermediary metabolism …… 1138
中間柱 intermediate column ………… 395
中間中胚葉 intermediate mesoderm …… 1136
中間聴条 intermediate acoustic striae … 1756
中間痛 mittelschmerz ………… 1161
〔月経〕中間痛 intermenstrual pain …… 1337
中間毒力の mesogenic ………… 1136
中間内側核 intermediomedial nucleus … 1275
中間内側核 nucleus intermediomedialis 1275
中間内側前頭葉枝 ramus frontalis intermediomedialis ………… 1551
中間の intermediate ………… 946
中間の middle ………… 1156
柱間の intercolumnar ………… 944
中顔の mesoprosopic ………… 1137
中間媒介変数 intermediate variable …… 1987
中間比重リポ蛋白 intermediate density lipoprotein (IDL) ………… 1058
〔直腸の〕中間左外側曲 intermediosinistral lateral flexure of rectum ………… 712
中間被覆筋膜 intermediate investing fascia ………… 673
昼間病院 day hospital ………… 865
中間部 intermediate part ………… 1365
中間部 intermediate region ………… 1585
中間フィラメント intermediate filaments 697
〔視床〕中間腹側核 nucleus ventralis intermedius ………… 1281
〔視床〕中間腹側核 ventral intermediate nucleus [TA] of thalamus ………… 1281
中間物挿入関節形成〔術〕 interposition arthroplasty ………… 156
中間ブドウ〔膜〕腫 intercalary staphyloma ………… 1738
中間部ブドウ膜炎 intermediate uveitis 1978
中間腰リンパ節 intermediate lumbar lymph nodes ………… 1079
昼間リズム diurnal rhythm ………… 1611
中間寮 halfway house ………… 812
中間裂孔リンパ節 intermediate lacunar lymph node ………… 1079
中間裂孔リンパ節 intermediate lacunar node ………… 1261
〔分裂〕中期 metaphase ………… 1140
柱脚 stylopodium ………… 1762
中脚の mesomelic ………… 1136
肘筋 anconeus muscle ………… 1181
肘筋 musculus anconeus ………… 1198
肘筋の anconal, anconeal ………… 75
中頸神経節 ganglion cervicale medium … 753
中頸神経節 middle cervical ganglion …… 753
中〔頸〕心臓神経 middle cervical cardiac nerve ………… 1236
中〔頸〕心臓神経 nervus cardiacus cervicalis medius ………… 1241
中血管 medium artery ………… 148
中結腸括約筋 mediocolic sphincter …… 1713
中結腸静脈 middle colic vein ………… 1999
中結腸静脈 vena colica media ………… 2005
中結腸動脈 arteria colica media ………… 134
中結腸動脈 middle colic artery ………… 148
中結腸リンパ節 middle colic lymph nodes ………… 1079
中肩甲骨三角 delta mesoscapulae ………… 485
中検鼻〔法〕 median rhinoscopy ………… 1608
中口蓋の mesouranic ………… 1137
昼光恐怖〔症〕 phengophobia ………… 1403
中甲状腺静脈 middle thyroid vein …… 1999
中甲状腺静脈 vena thyroidea media …… 2008
昼行性の diurnal ………… 551
中喉頭腔 intermediate laryngeal cavity … 316
中高頭の metriocephalic ………… 1148
肘後部 posterior region of elbow ………… 1586
中硬膜静脈 middle meningeal veins …… 1999
中硬膜静脈 venae meningeae mediae …… 2006
中硬膜動脈 arteria meningea media …… 136
中硬膜動脈 middle meningeal artery …… 149
中硬膜動脈溝 groove for middle meningeal artery ………… 802
中硬膜動脈と涙腺動脈の吻合枝 anastomotic branch of middle meningeal artery with lacrimal artery ………… 242
中硬膜動脈と涙腺動脈の吻合枝 ramus anastomoticus arteria meningeae mediae cum arteriae lacrimali ………… 1547
中硬膜動脈の眼窩枝 orbital branch of middle meningeal artery ………… 250
中硬膜動脈の眼窩枝 ramus orbitalis arteriae meningeae mediae ………… 1554
中硬膜動脈の岩様部枝 petrosal branch of middle meningeal artery ………… 251
中硬膜動脈の岩様部枝 ramus petrosus arteriae meningeae mediae ………… 1555
中硬膜動脈の前頭枝 frontal branch of middle meningeal artery ………… 246
中硬膜動脈の頭頂枝 parietal branch of middle meningeal artery ………… 250
中硬膜動脈の頭頂枝 ramus parietalis arteriae meningeae mediae ………… 1554
中硬膜動脈の副硬膜枝 accessory meningeal branch of middle meningeal artery …… 242
中硬膜動脈の副硬膜枝 ramus meningeus accessorius arteriae meningeae mediae ………… 1553
中硬膜動脈副枝 accessory branch of middle meningeal artery ………… 242
中鼓室 mesotympanum ………… 1137
中骨盤の mesatipellic, mesatipelvic …… 1134
中鎖アシルCoA脱水素酵素欠損症 medium-chain acyl-CoA dehydrogenase deficiency ………… 479
柱細胞 column cells ………… 320
柱細胞 pillar cells ………… 325
肘三角 triangle of elbow ………… 1927
中指 digitus (manus) medius ………… 517
中指 middle finger ………… 701
中止 withdrawal ………… 2047
注視 gaze ………… 761
中耳 auris media ………… 177
中耳 ear ………… 580
中耳 middle ear ………… 580
中耳アテレクターシス atelectasis of the middle ear ………… 168
中耳炎 otitis media ………… 1326
中耳炎 tympanitis ………… 1956
注視眼振 fixation nystagmus ………… 1286
注視眼振 gaze paretic nystagmus ………… 1286
中止基準 stopping rules ………… 1626
柱軸 apophysis ………… 117
中耳腔換気用チューブ tympanostomy tube ………… 1942
中軸白内障 central cataract ………… 311
注視クリーゼ oculogyric crises ………… 439
中歯型の mesodont ………… 1136
中篩骨蜂巣 middle ethmoidal air cells … 323
中篩骨蜂巣 middle ethmoidal cells ………… 323
中耳コンプライアンス compliance of the middle ear ………… 403
虫刺傷性紫斑病 p. pulicans, purpura pulicosa ………… 1528
中篩状斑 macula cribrosa ………… 1091
中趾(指)節関節 articulationes metatarsophalangeae ………… 157
中耳貯留液 middle-ear effusion ………… 590
中膝動脈 arteria genus media ………… 135
中膝動脈 middle genicular artery ………… 149
注視点 point of fixation ………… 1454
中耳内の intratympanic ………… 951
注視の oculogyric ………… 1291
注視発症 oculogyric crises ………… 438
注視平面 plane of regard ………… 1431
注射 injection ………… 936
注視野 field of fixation ………… 697
中斜角筋 middle scalene muscle ………… 1189
中斜角筋 scalenus medius (muscle) …… 1193
中斜角筋 musculus scalenus medius …… 1203
注射可能の injectable ………… 936
注射器 injector ………… 936
注射器 syringe ………… 1828
注射剤 injection ………… 936
注射用蒸留水 water for injection ………… 2041
注射療法 parenteral therapy ………… 1879
中手 metacarpus ………… 1138
中手間関節 articulationes intermetacarpales ………… 157
中手間関節 intermetacarpal joints ………… 970
中熟成〔期〕 metaplasis ………… 1140
中手骨 metacarpal (bones) [I–V] ………… 233
中手骨 metacarpal ………… 1138
中手骨 ossa metacarpi ………… 1318
中手骨幹(骨体) shaft of metacarpals (bones) ………… 1670
中手骨間隙 interosseous metacarpal spaces ………… 1704
中手骨間隙 spatia interossea metacarpi 1707
中手骨間の intermetacarpal ………… 946
中手骨切除〔術〕 metacarpectomy ………… 1138
中手骨短縮〔症〕 brachymetapody ………… 240
中手骨底 base of metacarpal ………… 199
中手骨底 basis ossis metacarpalis ………… 201
中手骨頭 caput ossis metacarpi ………… 292
中手骨頭 head of metacarpal ………… 817
中手根の midcarpal ………… 1156
中手指骨短縮〔症〕 brachymetacarpia …… 240
中手指節関節 articulationes metacarpophalangeae ………… 157
中手指節関節 metacarpophalangeal articulations ………… 158
中手指節関節 metacarpophalangeal joints 970
中手指節関節 knuckle ………… 988
中手指節関節の metacarpophalangeal (MCP) ………… 1138
中手指節関節の掌側靱帯 palmar ligaments of metacarpophalangeal joints ………… 1038
中手指節関節の側副靱帯 ligamentum collateralia articulationes metacarpophalangeae ………… 1042
中手小指球反射 metacarpohypothenar reflex ………… 1580
中手静脈 metacarpal veins ………… 1999
抽出 abstraction ………… 7
抽出 exhaustion ………… 653
抽出 extraction ………… 657
抽出器 extractor ………… 657
抽出器 percolator ………… 1384
抽出バイアス sampling bias ………… 208
抽出物 educt ………… 588
抽出物 extract ………… 657
抽出物 extractives ………… 657
中手部 metacarpal region ………… 1586

抽象 abstraction ………… 7
柱状外骨症 stylosteophyte ………… 1762
中一小気管支 bronchium ………… 259
〔距骨の〕中踵骨関節面 middle facet (on talus) for calcaneus ………… 662
抽象的思考 abstract thinking ………… 1883
抽象的知能 abstract intelligence ………… 943
中床突起 middle clinoid process ………… 1489
虫状の lumbricoid ………… 1071
虫状の vermiculose, vermiculous ………… 2013
中小脳脚 middle cerebellar peduncle ………… 1377
中小脳脚 pedunculus cerebellaris medius ………… 1377
中静脈 medium vein ………… 1998
中食道狭窄 middle esophageal constriction ………… 415
中心 center ………… 330
中心 centrum ………… 332
中身 mesosomia ………… 1137
中腎 middle kidney ………… 984
中腎 mesonephros ………… 1137
中心暗点 central scotoma ………… 1650
〔中心〕暗点計 scotometer ………… 1650
中心位 centric jaw relation, centric relation ………… 1588
中腎遺残 mesonephric rest ………… 1597
中心壊死 central necrosis ………… 1224
中腎横隔膜靱帯 diaphragmatic ligament of the mesonephros ………… 1035
〔網膜の〕中心窩 central pit ………… 1426
中心回 central gyri ………… 808
中心灰白質 central gray substance ………… 1765
中心灰白質 substantia grisea centralis ………… 1766
中心核 central nucleus ………… 1273
中心核 nucleus centralis ………… 1274
中心核筋障害 centronuclear myopathy 1214
中心核ミオパシー centronuclear myopathy ………… 1214
中心化現象 centralization phenomenon 1404
中心管 central canal ………… 282
中心管 central canal of spinal cord ………… 282
中腎管 mesonephric duct ………… 564
中腎管 ductus mesonephricus ………… 566
中腎〔小〕管 mesonephric tubule ………… 1948
中心球 centrosphere ………… 332
中心球 statosphere ………… 1740
中心極限定理 central limit theorem ………… 1875
中心コア病 central core disease ………… 530
中心溝 central sulcus ………… 1771
中心溝 sulcus centralis ………… 1771
中心後回 posterior central convolution ………… 419
中心後回 gyrus postcentralis ………… 809
中心後回 postcentral gyrus ………… 809
中心後回の postcentral ………… 1470
中心後溝 postcentral sulcus ………… 1774
中心後溝 sulcus postcentralis ………… 1774
中心咬合 centric occlusion ………… 1289
中心後溝動脈 arteria sulci postcentralis 138
中心後溝動脈 artery of postcentral sulcus ………… 150
中心後溝動脈 postcentral sulcal artery ………… 150
中心溝動脈 arteria sulci centralis ………… 138
中心溝動脈 artery of central sulcus ………… 143
中心溝動脈 central sulcal artery ………… 143
中心〔溝〕傍動脈 arteria paracentralis ………… 137
中心〔溝〕傍動脈 paracentral artery ………… 149
中心〔溝〕傍動脈 paracentral branches (of pericallosal artery) ………… 250
中心後野 postcentral area ………… 129
中心骨 central bone ………… 232
中心骨 os centrale ………… 1317
中心細胞 centrocyte ………… 332
中心視〔覚〕 central vision ………… 2032
中腎糸球体 glomerulus of mesonephros 780
中心視床放線 central thalamic radiation ………… 1541
中心質 centroplasm ………… 332
中心周囲の pericentral ………… 1386
中腎〔小〕管 mesonephric tubule ………… 1948
中心小体 centriole ………… 331
中腎上体(副腎)動脈 arteria suprarenalis media ………… 138
中腎上体(副腎)動脈 middle suprarenal artery ………… 149
中心上腸間膜リンパ節 central mesenteric lymph nodes ………… 1078
中心上腸間膜リンパ節 central superior mesenteric lymph nodes ………… 1078
中心上腸間膜リンパ節 nodi lymphoidei superiores centrales ………… 1264
〔肝臓の〕中心静脈 central veins of liver 1994
〔肝臓の〕中心静脈 venae centrales hepatis ………… 2004
〔副腎の〕中心静脈 central vein of suprarenal gland ………… 1994
〔副腎の〕中心静脈 vena centralis glandulae suprarenalis ………… 2004
中心静脈圧 central venous pressure (CVP) ………… 1482
中心静脈カテーテル central line catheter 313
中心静脈カテーテル central venous catheter ………… 313
中心静脈周囲線維化 pericentral fibrosis 696
中心照明 central illumination ………… 907
〔小脳〕中心小葉 central lobule ………… 1065
中心小葉翼 ala lobulis centralis ………… 41
中心小葉翼 ala central lobule ………… 1064
中心小葉翼 wing of central lobule ………… 2046
中心小葉翼下部 pars inferior alae lobuli centralis ………… 1359
中心小葉翼上部 pars superior alae lobuli centralis ………… 1361
中心視力 central vision ………… 2032
中心性仮骨 central callus ………… 279
中心性過度照明眩輝 blinding glare ………… 776
中心性骨炎 central osteitis ………… 1320
〔顎骨〕中心性骨形成性線維腫 central ossifying fibroma ………… 694
中心性漿液性脈絡膜症 central serous choroidopathy ………… 356
中心性脊髄症候群 central cord syndrome ………… 1799
中心性染色質溶解 central chromatolysis 357
中腎性組織 mesonephric tissue ………… 1895
中心正中核 centromedian nucleus ………… 1274
中心正中核 nucleus centromedianus ………… 1274
中心性肺炎 central pneumonia ………… 1449
中心性白内障 axial cataract ………… 311
中心性網膜炎 central serous retinopathy 1602
中心性輪紋状脈絡膜ジストロフィ central areolar choroidal dystrophy ………… 578
中心切断〔術〕 central amputation ………… 65
中心線 centrage ………… 331
中心線維体 central fibrous body ………… 226
中心前回 anterior central convolution ………… 419
中心前回 gyrus precentralis ………… 809
中心前回 precentral gyrus ………… 809
中心前溝 precentral sulcus ………… 1774
中心前溝 sulcus precentralis ………… 1774
中心前溝動脈 arteria sulci precentralis ………… 138
中心前溝動脈 artery of precentral sulcus 151
中心前溝動脈 precentral sulcal artery ………… 151
中心前置胎盤 placenta previa centralis 1428
中心前の precentral ………… 1476
中心前野 precentral area ………… 130
中心臓静脈 middle cardiac vein ………… 1999
中心臓静脈 vena cordis media ………… 2005
中〔頸〕心臓神経 middle cervical cardiac nerve ………… 1236
中〔頸〕心臓神経 nervus cardiacus cervicalis medius ………… 1241
中心体 centrosome ………… 332
中心体 kinocentrum ………… 986
中心体 microcentrum ………… 1150
中心着床 central implantation ………… 916
中腎堤 mesonephric fold ………… 719
中心電極 central terminal electrode ………… 594
〔視床〕中心内側核 medial central nucleus of thalamus ………… 1277
〔視床〕中心内側核 nucleus medialis centralis thalami ………… 1277
中心乳び腔 central lacteal ………… 993
中心の centralis ………… 331
中心脳性てんかん centrencephalic epilepsy ………… 628
中心被蓋路 central tegmental tract ………… 1910
中心被蓋路 tractus tegmentalis centralis 1915
〔側脳室〕中心部 pars centralis ventriculi lateralis ………… 1358
〔側脳室〕中心部 central part of lateral ventricle ………… 1363
中心複合体 central complex ………… 401
中心扁桃体核 central amygdaloid nucleus ………… 1273
中腎傍管 paramesonephric duct ………… 564
中腎傍管 ductus paramesonephricus ………… 566
中心傍溝 paracentral fissure ………… 703
中心傍溝 paracentral sulcus ………… 1773
中心傍小葉 paracentral lobule ………… 1065
中心傍小葉 lobulus paracentralis ………… 1066
中心紡錘体 central spindle ………… 1716
中心〔溝〕傍動脈 arteria paracentralis ………… 137
中心〔溝〕傍動脈 paracentral artery ………… 149
中心〔溝〕傍動脈 paracentral branches (of pericallosal artery) ………… 250
中心傍の paracentral ………… 1348
中腎傍の paramesonephric ………… 1351
中心融合 centric fusion ………… 746
中心粒 centriole ………… 331
中腎隆起 mesonephric prominence ………… 1497
中腎隆線 mesonephric ridge ………… 1615
虫垂 vermiform appendage ………… 119
虫垂 appendix ………… 120
虫垂 appendix vermiformis ………… 120
虫垂 vermiform appendix ………… 120
虫垂炎 appendicitis ………… 119
虫垂炎膿瘍 appendiceal abscess ………… 4
注水解剖〔術〕 hydrotomy ………… 874
虫垂拡張〔症〕 appendicectasis ………… 119
虫垂間膜 mesenteriolum processus vermiformis ………… 1134
虫垂間膜 mesoappendix ………… 1135
虫垂結石 appendicolithiasis ………… 120
虫垂口 orifice of vermiform appendix ………… 1314
虫垂口 ostium appendicis vermiformis 1325
虫垂口 ostium of vermiform appendix 1325
虫垂周囲炎 periappendicitis ………… 1385
虫垂周囲の periappendicular ………… 1385
虫垂静脈 appendicular vein ………… 1994
虫垂静脈 vena appendicularis ………… 2004
虫垂水腫 hydroappendix ………… 870
虫垂切除〔術〕 appendectomy ………… 119
虫垂仙痛 appendicular colic ………… 389
虫垂造瘻術 appendicostomy ………… 120
虫垂動脈 arteria appendicularis ………… 134
虫垂動脈 appendicular artery ………… 142
虫垂内結石 appendicolith ………… 120
虫垂粘膜炎 endoappendicitis ………… 611
虫垂の集合リンパ小節 aggregated lymphatic follicles of vermiform appendix ………… 721
虫垂の集合リンパ小節 folliculi lymphatici aggregati appendicis vermiformis ………… 723
虫垂の集合リンパ小節 aggregated lymphoid nodules of appendix ………… 1261
虫垂の集合リンパ小節 noduli lymphoidei aggregati appendicis vermiformis ………… 1262
虫垂剥離〔術〕 appendicolysis ………… 120
虫垂フィステル形成術 appendicostomy ………… 120

虫垂ヘルニア appendicocele ……………… 120
虫垂弁 valve of vermiform appendix …… 1985
虫垂膀胱瘻〔術〕appendicovesicostomy …… 120
虫垂リンパ節 appendicular lymph nodes
……………………………………………… 1077
中数 median ……………………………… 1115
中枢 center ……………………………… 330
中枢維持点 central-bearing point ……… 1454
中枢型神経線維腫症 central type
neurofibromatosis ……………………… 1247
中枢間の intercentral …………………… 943
中枢興奮状態 central excitatory state … 1739
中枢神経下の subneural ………………… 1764
中枢神経系 central nervous system (CNS)
……………………………………………… 1830
中枢神経系 systema nervosum centrale 1834
中枢神経興奮薬 analeptic ………………… 69
中枢神経刺激薬 analeptic ………………… 69
中枢神経上の supraneural ……………… 1779
中枢性運動 centrokinesia ………………… 332
中枢性言語緩慢 bradyphasia …………… 241
中枢性視覚 antrophose ………………… 110
中枢性上下斜視 skew deviation ………… 502
中枢性徐脈 central bradycardia ………… 240
中枢性睡眠時無呼吸 central sleep apnea 115
中枢〔性〕聴覚障害 central deafness …… 472
中枢性麻痺 central paralysis …………… 1350
中枢性無呼吸 central apnea …………… 115
中枢の centralis ………………………… 331
中枢抑制 central inhibition …………… 933
中頭蓋窩 fossa cranii media …………… 732
中頭蓋窩 middle cranial fossa ………… 733
中頭蓋窩到達法(アプローチ) middle fossa
approach ……………………………… 121
中性〔緩衝〕ホルマリン固定液 neutral
buffered formalin fixative …………… 708
中性元素 neutral elements ……………… 598
中性咬合 neutroclusion ………………… 1254
中性酸化物 neutral oxide ……………… 1331
中性子 neutron (n) …………………… 1254
中性色素異染〔色〕性の metaneutrophil,
metaneutrophile ……………………… 1140
中性子線 neutron radiation …………… 1541
中性脂肪 fat …………………………… 678
中性脂肪 neutral fat …………………… 678
中性親和〔性〕neutrophil, neutrophile …… 1254
中性親和〔性〕顆粒 neutrophil granule …… 797
中性親和〔性〕の neutrophilic ………… 1254
中性スピリッツ neutral spirits ………… 1717
中性赤空胞 vacuome …………………… 1981
中性染料 neutral stain ………………… 1734
肘正中皮静脈 intermediate cubital vein 1997
肘正中皮静脈 median cubital vein …… 1998
肘正中皮静脈 vena intermedia cubiti …… 2006
肘正中皮静脈 vena mediana cubiti …… 2006
中性点 neutral point …………………… 1454
中生動物 Mesozoa ……………………… 1137
中性の neutral ………………………… 1254
虫性膿瘍 worm abscess ………………… 6
中性反応 neutral reaction ……………… 1566
抽石〔術〕litholapaxy ………………… 1061
中絶 abortion (AB) ……………………… 4
中節骨短縮〔症〕brachymesophalangia …… 240
中切歯 central incisor ………………… 919
中絶性交 coitus interruptus …………… 388
中仙骨リンパ管叢 middle sacral lymphatic
plexus ………………………………… 1441
中前頭回 middle frontal convolution …… 419
中前頭回 gyrus frontalis medius ……… 808
中前頭回 middle frontal gyrus ………… 808
中前頭溝 sulcus frontalis medius ……… 1772
中前頭溝 middle frontal sulcus ………… 1773
肘前の antecubital ……………………… 97
肘前部 anterior region of elbow ……… 1585
鋳造 casting …………………………… 309
鋳造 molding …………………………… 1163
鋳造物 cast ……………………………… 308
鋳造物 casting ………………………… 309
鋳造ろう casting wax ………………… 2042
中足 metatarsus ………………………… 1141
中足間関節 articulationes intermetatarsales
……………………………………………… 157
中足間関節 intermetatarsal articulations 158
中足間関節 intermetatarsal joints ……… 970
中足間骨 os intermetatarseum ………… 1317
中足骨 metatarsal (bones) [I–V] ……… 233
中足骨幹(骨体) shaft of metatarsals
(bones) ……………………………… 1670
中足骨間隙 interosseous metatarsal spaces
……………………………………………… 1704
中足骨間隙 spatia interossea metatarsi 1707
中足骨間の intermetatarsal …………… 946
中足骨切除〔術〕metatarsectomy ……… 1141
中足骨短縮〔症〕brachymetapody ……… 240
中足骨短縮〔症〕brachymetatarsia ……… 240
中足骨痛〔症〕metatarsalgia …………… 1141
中足骨底 base of metatarsal …………… 199
中足骨底 basis ossis metatarsalis ……… 201
中足骨頭 caput ossis metatarsi ………… 292
中足骨頭 head of metatarsal …………… 817
中足根の midtarsal ……………………… 1156
中足趾(指)節関節 metatarsophalangeal
articulations …………………………… 158
中足趾(指)節関節 metatarsophalangeal
joints (MTP) ………………………… 971
中足趾(指)節関節の側副靱帯 ligamentum
collateralia articulationes
metatarsophalangeae ………………… 1042
中足趾(指)節関節の底側靱帯 plantar
ligaments of metatarsophalangeal joints
……………………………………………… 1039
中足指節の metatarsophalangeal ……… 1141
虫足靱帯炎 syndesmitis metatarsea …… 1794
中側頭回 middle temporal convolution … 419
中側頭回 middle temporal gyrus ……… 808
中側頭回 gyrus temporalis medius …… 809
中側頭溝 middle temporal sulcus ……… 1773
中側頭溝 sulcus temporalis medius …… 1774
中側頭静脈 middle temporal vein ……… 1999
中側頭静脈 vena temporalis media …… 2008
中側頭動脈 arteria temporalis media …… 138
中側頭動脈 middle temporal artery …… 149
中側頭動脈溝 groove for middle temporal
artery ………………………………… 802
中側頭動脈溝 sulcus arteriae temporalis
mediae ………………………………… 1771
中側頭動脈溝 sulcus for middle temporal
artery ………………………………… 1773
中足動脈 arteria metatarsalis ………… 136
中足動脈 metatarsal artery …………… 148
中側頭葉動脈 arteria temporalis intermedia
……………………………………………… 138
中側頭葉動脈 intermediate temporal artery
……………………………………………… 146
中側頭葉動脈 middle temporal branch of
insular part of middle cerebral artery 250
中側副動脈 arteria collateralis media …… 134
中側副動脈 medial collateral artery …… 148
中大脳動脈 arteria cerebri media ……… 134
中大脳動脈 middle cerebral artery …… 148
中大脳動脈溝 middle meningeal artery
groove ………………………………… 802
中大脳動脈〔動脈〕周囲神経叢 periarterial
plexus of middle cerebral artery …… 1442
中大脳動脈の下終末枝(下皮質枝) inferior
terminal (cortical) branches of middle
cerebral artery ……………………… 254
中大脳動脈の蝶形骨部 sphenoid part of
middle cerebral artery ……………… 1367
中大脳動脈の島部 insular part of middle
cerebral artery ……………………… 1365
中大脳動脈の皮質部 cortical part of middle
cerebral artery ……………………… 1363
中断 intermission ……………………… 946
中断する abort …………………………… 3
中断帯 zones of discontinuity ………… 2059
肘中間皮静脈 intermediate cubital vein 1997
肘中間皮静脈 vena intermedia cubiti …… 2006
〔排尿〕ちゅうちょ(躊躇) hesitancy ……… 846
中腸 mesenteron ……………………… 1135
中腸 midgut …………………………… 1156
注腸 enema ……………………………… 616
注腸二重造影 air contrast enema ……… 616
中直腸静脈 middle rectal veins ……… 1999
中直腸静脈 venae rectales mediae …… 2007
中直腸動脈 arteria rectalis media ……… 137
中直腸動脈 middle rectal artery ……… 149
中直腸動脈神経叢 middle rectal (nerve)
plexus ………………………………… 1441
中直腸動脈の前立腺枝 prostatic branches of
middle rectal artery ………………… 252
中直腸横ひだ middle transverse rectal fold
……………………………………………… 719
中直腸リンパ節 middle rectal lymph node
……………………………………………… 1079
中直腸リンパ節 middle rectal node …… 1261
中〔程度〕顎〔指数〕の mesognathous …… 1136
中殿筋 mesogluteus …………………… 1136
中殿筋 gluteus medius (muscle) ……… 1186
中殿筋 musculus gluteus medius ……… 1200
中殿筋転子包 gluteus medius bursae …… 269
中殿筋転子包 trochanteric bursae of gluteus
medius ………………………………… 271
中殿筋〔麻痺〕歩行 gluteus medius gait … 748
中殿皮神経 medial clunial nerves …… 1236
中殿皮神経 nervi clunium medii ……… 1241
肘頭 olecranon ………………………… 1295
肘頭窩 fossa olecrani …………………… 733
肘頭窩 olecranon fossa ………………… 733
中頭蓋窩 fossa cranii media …………… 732
中頭蓋窩 middle cranial fossa ………… 733
中頭蓋窩到達法(アプローチ) middle fossa
approach ……………………………… 121
肘頭滑液嚢炎 miner's elbow …………… 593
肘頭腱内包 bursa intratendinea olecrani 269
肘頭腱内包 intratendinous bursa of elbow
……………………………………………… 269
肘頭腱内包 intratendinous olecranon bursa
……………………………………………… 269
中頭高の orthocephalic ………………… 1315
中等症サラセミア thalassemia intermedia
……………………………………………… 1873
中等治療病棟 step-down unit ………… 1967
中等度胎児徐脈 mild fetal bradycardia … 240
中等度低体温 moderate hypothermia …… 898
中頭の mesocephalic …………………… 1135
肘頭反射 olecranon reflex ……………… 1580
肘頭皮下包 bursa of olecranon ………… 269
肘頭皮下包 subcutaneous olecranon bursa
……………………………………………… 270
肘頭部滑液包炎 olecranon bursitis …… 271
中毒 intoxation ………………………… 949
中毒 poisoning ………………………… 1455
中毒〔症〕toxicosis ……………………… 1906
中毒〔症〕toxinosis ……………………… 1907
中毒学 toxicology ……………………… 1906
中毒症候 toxidrome …………………… 1906
中毒性肝硬変 toxic cirrhosis …………… 367
中毒性巨大結腸〔症〕toxic megacolon … 1119
中毒性血色素尿症 toxic hemoglobinuria 834
中毒性甲状腺腫 toxic goiter …………… 790
中毒性紅斑 erythema toxicum ………… 639
中毒性黒内障 toxic amaurosis ………… 56
中毒性弱視 toxic amblyopia …………… 57
中毒性心筋炎 toxic myocarditis ……… 1212
中毒性神経炎 toxic neuritis …………… 1246
中毒精神病 toxic psychosis …………… 1520
中毒性水頭〔症〕toxic hydrocephalus …… 871

中毒性せん妄 toxic delirium ………………… 484
中毒性脱毛〔症〕 alopecia toxica …………… 53
中毒性チアノーゼ toxic cyanosis ………… 454
中毒性認知症 toxic dementia ……………… 485
中毒性ネフローゼ toxic nephrosis ……… 1231
中毒性白内障 toxic cataract ……………… 312
中毒性表皮壊死症 toxic epidermal necrolysis (TEN) ……………………… 1224
中毒性貧血 toxic anemia …………………… 78
中毒性貧血 toxanemia …………………… 1905
中毒様の toxicoid ………………………… 1906
注入 clysis …………………………………… 381
注入 infusion ……………………………… 932
注入 injection ……………………………… 936
注入塊 injection mass …………………… 1107
注入器 insufflator ………………………… 941
注入-吸引ドレナージ infusion-aspiration drainage ………………………………… 559
注入口円錐台 sprue-former ……………… 1725
注入成形 injection molding ……………… 1163
注入浴 douche bath ………………………… 201
注入量 immission ………………………… 909
中年期特発〔性〕壊疽 presenile spontaneous gangrene ……………………………… 756
中年の危機 midlife crisis ………………… 439
〔小〕柱の trabecular …………………… 1908
虫の lumbricoid ………………………… 1071
虫の vermicular ………………………… 2013
中の medius ……………………………… 1118
中脳 mesencephalon …………………… 1134
中脳 midbrain …………………………… 1156
中脳炎 mesencephalitis ………………… 1134
中脳蓋 tectum mesencephali …………… 1845
中脳蓋オリーブ核線維 tectoolivary fibers 691
中脳蓋橋線維 tectopontine fibers ……… 691
中脳蓋脊髄線維 spinotectal fibers ……… 691
中脳蓋板 lamina of mesencephalic tectum …………………………………………… 998
中脳蓋板 lamina tecti …………………… 999
中脳蓋板 tectal plate …………………… 1435
中脳蓋網様体線維 tectoreticular fibers …. 691
中脳屈 cephalic flexure ………………… 712
中脳原基 midbrain primordium ………… 1484
中脳静脈 mesencephalic veins ………… 1999
中脳静脈 venae mesencephalicae ……… 2006
中脳錐体路切断術 crusotomy …………… 444
中脳水道 aqueduct of cerebrum ………… 122
中脳水道 cerebral aqueduct …………… 122
中脳水道開口部 opening of cerebral aqueduct ………………………………… 1303
中脳水道口 aditus ad aqueductum cerebri 29
中脳水道口 opening of aqueduct of midbrain ………………………………… 1302
中脳性振せん midbrain tremor ………… 1924
中脳性皮質核線維 mesencephalic corticonuclear fibers ……………………… 689
中脳脊髄線維 spinomesencephalic fibers 691
中脳切開〔術〕 mesencephalotomy ……… 1134
〔中脳の〕脚傍核 parapeduncular nucleus 1278
〔中脳の〕楔状核 cuneiform nucleus …… 1274
〔中脳の〕楔下核 subcuneiform nucleus … 1280
中脳の動眼神経溝 oculomotor sulcus of mesencephalon …………………………… 1773
中脳の網様体核 reticular nuclei of mesencephalon …………………………… 1279
中脳被蓋 mesencephalic tegmentum …… 1845
中脳被蓋 tegmentum mesencephali …… 1845
中背曲 dorsal flexure …………………… 712
中背側の mediodorsal …………………… 1117
中胚葉 mesoderm ………………………… 1136
中胚葉〔誘導〕因子 mesodermal factor …… 668
中胚葉外側板 hypomere ………………… 894
中胚葉芽細胞 mesoblastema …………… 1135
中胚葉型 mesomorph …………………… 1136
中胚葉〔性〕腎腫 mesoblastic nephroma 1229
中胚葉母細胞 mesoblast ………………… 1135
虫白ろう Chinese wax ………………… 2042
中波長紫外線 ultraviolet B (UVB) …… 1963
肘反射 elbow jerk ………………………… 968
肘反射 elbow reflex …………………… 1578
中皮 mesothelium ……………………… 1137
中鼻甲介 middle nasal concha ………… 406
中皮細胞 mesothelial cell ……………… 323
中皮腫 mesothelioma …………………… 1137
中鼻道前房 atrium of middle nasal meatus …………………………………………… 172
中鼻道前房 nasal atrium ………………… 172
中鼻の mesorrhine ……………………… 1137
中部 middle piece ……………………… 1422
中部S状結腸括約筋 midsigmoid sphincter …………………………………………… 1713
肘部管症候群 cubital tunnel syndrome 1802
中副腎(腎上体)動脈 arteria suprarenalis media ……………………………………… 138
中副腎(腎上体)動脈 middle suprarenal artery ……………………………………… 149
〔虫部〕小節 nodulus …………………… 1262
虫部垂 uvula vermis …………………… 1978
中部動原体型 metacentric ……………… 1138
中部動原体染色体 metacentric chromosome …………………………………………… 359
虫部葉 folium of vermis ………………… 721
虫部葉 folium vermis …………………… 721
虫部葉 lobulus folii …………………… 1066
虫部隆起 tuber vermis ………………… 1942
中分節 mesomere ……………………… 1136
中片〔部〕 middle piece ………………… 1422
肘方向へ anconad ………………………… 75
中膜 media ……………………………… 1115
中膜 tunica media ……………………… 1953
中膜壊死 medionecrosis ………………… 1117
昼盲〔症〕 hemeralopia ………………… 828
中庸 temperance ……………………… 1848
〔右肺の〕中葉 middle lobe of right lung 1064
〔右肺の〕中葉 lobus medius pulmonis dextri …………………………………………… 1066
〔前立腺の〕中葉 middle lobe of prostate 1064
〔前立腺の〕中葉 lobus medius prostatae 1066
〔手の〕虫様筋 lumbricals (lumbrical muscles) of hand ……………………… 1189
〔手の〕虫様筋 musculus lumbricalis manus …………………………………………… 1201
〔足の〕虫様筋 musculus lumbricalis pedis …………………………………………… 1201
虫様構造 worm ………………………… 2048
〔肺〕中葉症候群 middle lobe syndrome 1812
中葉動脈 arteria lobaris media ………… 136
中葉動脈 middle lobar artery …………… 149
肘様の anconoid ………………………… 75
虫様の vermiform ……………………… 2013
虫様脈 vermicular pulse ……………… 1525
中立帯 neutral zone …………………… 2059
中立突然変異 neutral mutation ………… 1206
肘リンパ節 cubital lymph nodes ……… 1078
〔虫〕齢 instar …………………………… 940
中和 deacidification …………………… 472
中和 neutralization …………………… 1254
中和 saturation ………………………… 1637
中和抗体 neutralizing antibody ………… 101
中和試験 neutralization test ………… 1861
中和試験 protection test ……………… 1863
中和プレート neutralization plate …… 1435
治癒潰瘍 healed ulcer ………………… 1961
治癒型結核 healed tuberculosis ……… 1946
治癒下の subcurative ………………… 1763
治癒する heal …………………………… 818
チューニング曲線 tuning curve ………… 451
治癒の速い euplastic …………………… 648
治癒比 therapeutic ratio ……………… 1561
チュービンガー視野計 Tübinger perimeter …………………………………………… 1388
チューブクラーレ tube curare ………… 449
チューブ〔人工〕歯 tube tooth ………… 1903
チューブリン tubulin ………………… 1948
γ-チューブリン環複合体 gamma-tubulin ring complex ………………………… 401
チューブリンチロシンリガーゼ tubulin-tyrosine ligase ……………… 1948
治癒量 curative dose (CD) …………… 557
チュルク細胞 Türk cell ……………… 327
チュルク変性 Türck degeneration ……… 481
腸 bowel ………………………………… 238
腸 gut …………………………………… 806
腸 intestinum …………………………… 949
腸〔管〕 intestine ………………………… 949
頂 cacumen ……………………………… 274
頂 cupula ………………………………… 449
頂 vertex ………………………………… 2015
〔膨大部〕頂 cupula ampullaris ………… 449
腸運動(排便) bowel movement (BM) 1173
腸運動記録〔法〕 enterography ………… 620
腸運動記録器 enterograph ……………… 620
腸運動の法則 law of intestine ………… 1007
腸液 intestinal juice …………………… 973
腸液 liquor entericus ………………… 1060
超越解剖学 transcendental anatomy …… 74
超越瞑想 transcendental meditation (TM) …………………………………………… 1916
腸炎 enteritis …………………………… 619
腸炎 enterocolitis ……………………… 620
腸炎菌 *Salmonella enterica* subsp. *enteritidis* ……………………………… 1631
超遠心〔分離〕器 ultracentrifuge ……… 1962
超遠心分離 ultracentrifugation ………… 1962
腸音 bowel sounds …………………… 1702
超音速の supersonic …………………… 1778
超音の supersonic ……………………… 1778
超音波 supersonic rays ……………… 1562
超音波 ultrasound (US) ……………… 1963
超音波 supersonic waves ……………… 2042
超音波 ultrasonic waves ……………… 2042
超音波学 ultrasonics ………………… 1962
超音波記録 ultrasonogram …………… 1962
超音波外科 ultrasonosurgery ………… 1962
超音波結石穿孔術 ultrasonic lithotripsy 1062
超音波検査〔法〕 ultrasonography ……… 1962
超音波検査士 ultrasonographer ……… 1962
超音波検査器 ultrasonograph ………… 1962
超音波顕微鏡 ultrasonic microscope …… 1154
超音波骨密度測定法 quantitative ultrasound (QUS) ……………………………… 1963
超音波採卵法 ultrasonic egg recovery … 1574
超音波歯石除去器 ultrasonic scaler …… 1640
超音波脂肪吸引術 ultrasonic liposuction …………………………………………… 1059
超音波心臓検査〔法〕 ultrasound cardiography ………………………… 300
超音波心臓検査〔法〕 echocardiography …. 583
超音波振動子 ultrasound transducer …… 1917
超音波スケーラー ultrasonic scaler …… 1640
超音波清浄 ultrasonic cleaning ………… 372
超音波線 ultrasonic rays ……………… 1562
超音波像 echogram …………………… 583
超音波造影心エコー検査 contrast echocardiography ……………………… 583
超音波大動脈検査〔法〕 echoaortography 583
超音波治療 therapeutic ultrasound …… 1963
超音波頭部計測〔法〕 ultrasonic cephalometry …………………………………………… 333
超音波ドップラー(ドプラ)法 Doppler echocardiography ………………………… 583
超音波ドップラー(ドプラ)法 Doppler ultrasonography ……………………… 1962
超音波内視鏡 endoscopic ultrasound …… 1963
超音波内視鏡ガイド下細針吸引 endoscopic ultrasound-guided fine-needle aspiration …………………………………………… 162
超音波の supersonic …………………… 1778

チ

超音波脳検査〔法〕 echoencephalography 583
超音波噴霧器 ultrasonic nebulizer …… 1223
超音波療法 ultrasonic therapy …… 1880
長靴 boot …… 234
潮解 deliquescence …… 483
潮解 diffluence …… 516
〔島〕長回 gyrus longus insulae …… 808
〔島〕長回 long gyrus of insula …… 808
超概日性の ultradian …… 1962
超加液脂肪吸引術 superwet liposuction 1059
蝶下顎靱帯 sphenomandibular ligament 1040
蝶下顎靱帯 ligamentum sphenomandibulare …… 1045
聴覚 audition …… 177
聴覚 hearing …… 819
聴覚異常 dysacusis …… 570
聴覚型の audile …… 176
聴覚型の人 auditive …… 177
聴覚過敏 hyperacusis, hyperacusia …… 878
聴覚過敏 oxyacoia, oxyakoia …… 1332
聴覚顔面神経節 acousticofacial ganglion 752
聴〔覚〕器 organ of hearing …… 1311
聴覚基準レベル acoustic reference level 1029
聴覚〔機能〕訓練士 audiologist …… 176
聴〔覚〕原性の audiogenic …… 176
聴覚減痛法 audioanalgesia …… 176
聴覚口話法 oral auditory method …… 1145
聴〔覚〕細胞 acoustic cell …… 319
聴覚刺激試験 acoustic stimulation test 1853
聴覚失認 auditory agnosia …… 38
聴覚者 auditory …… 177
聴〔覚〕受容〔器〕細胞 auditory receptor cells …… 319
聴覚障害 hearing impairment, hearing loss …… 820
聴覚障害 paracusis, paracusia …… 1348
聴覚消失〔症〕 deafness …… 472
聴覚消失症 anacusis …… 69
聴覚性錯覚 paracusis, paracusia …… 1348
聴覚性失語〔症〕 auditory aphasia …… 114
聴覚性失書〔症〕 acoustic agraphia …… 39
聴覚前兆 auditory aura …… 177
聴覚耐性 acoustic tolerance …… 1898
聴〔覚動〕眼反射 auditory oculogyric reflex …… 1577
聴覚の acoustic …… 16
聴覚の audile …… 176
聴覚の共鳴説 resonance theory of hearing …… 1877
〔聴覚〕場所説 place theory …… 1876
聴覚反射 acoustic reflex …… 1577
聴覚反射 auditory reflex …… 1577
聴覚皮質 auditory cortex …… 427
聴覚疲労 auditory fatigue …… 678
聴覚不全 dysacusis …… 570
聴覚プロテーゼ auditory prosthesis …… 1501
聴覚野 auditory area …… 128
聴覚路 auditory pathway …… 1373
長下肢関節症 long-leg arthropathy …… 156
長下肢装具 knee-ankle-foot orthosis …… 1317
腸下垂〔症〕 enteroptosis, enteroptosia …… 621
超可変領域 hypervariable regions …… 1585
鳥〔状〕顔〔貌〕 bird face …… 661
腸管アンギナ intestinal angina …… 83
腸肝炎 enterohepatitis …… 620
腸管オーファン(みなしご)ウイルス enteric orphan viruses …… 2024
腸管外吸収 parenteral absorption …… 7
腸管外の parenteral …… 1355
超感覚的知覚 extrasensory perception (ESP) …… 1384
超感覚的な extrasensory …… 658
蝶眼窩縫合 sutura sphenoorbitalis …… 1786
蝶眼窩縫合 sphenoorbital suture …… 1788
腸管筋層 myenteron …… 1211
腸管筋層反射 myenteric reflex …… 1580
腸管筋の myenteric …… 1211
長冠歯の hypsodont …… 900
腸管周囲の circumintestinal …… 367
腸管出血性大腸菌 enterohemorrhagic *Escherichia coli* (EHEC) …… 641
腸肝循環 enterohepatic circulation …… 365
長顔症 leptoprosopia …… 1022
腸〔管〕真菌症 mycosis intestinalis …… 1208
超感染 hyperinfection …… 882
腸管組織侵入性大腸菌 enteroinvasive *Escherichia coli* (EIEC) …… 641
腸管動脈 iliac arteries …… 146
腸間動脈弧 intestinal arterial arcades …… 124
腸管内径測定器 sizer …… 1690
腸管内孔測定器 enterometer …… 620
長顔の dolichoprosopic, dolichoprosopous 555
長顔の leptoprosopic …… 1022
腸管バイパス症候群 bowel bypass syndrome …… 1798
聴〔覚動〕眼反射 auditory oculogyric reflex …… 1577
腸管病原性大腸菌 enteropathogenic *Escherichia coli* (EPEC) …… 641
腸管閉鎖〔術〕 enterocleisis …… 619
腸肝ヘルニア enterohepatocele …… 620
腸間膜 mesenterium …… 1134
腸間膜 mesentery …… 1134
腸間膜炎 mesenteritis …… 1134
腸間膜間動脈 arteria intermesenterica …… 135
腸間膜結核 tabes mesenterica …… 1836
腸間膜固定〔術〕 mesenteriopexy …… 1134
腸間膜根 radix mesenterii …… 1546
腸間膜根 root of mesentery …… 1621
腸間膜軸捻転 mesenteroaxial volvulus 2037
腸間膜小腸 intestinum tenue mesenteriale …… 949
腸間膜静脈 mesenteric veins …… 1999
腸間膜静脈下大静脈吻合〔術〕 mesocaval shunt …… 1675
腸間膜成襞〔術〕 mesenteriplication …… 1134
腸間膜腺炎 mesenteric adenitis …… 24
腸間膜動脈間神経叢 intermesenteric (nerve) plexus …… 1440
腸間膜動脈吻合 intermesenteric arterial anastomoses …… 73
腸間膜動脈閉塞 mesenteric artery occlusion …… 1290
腸間膜ひだ形成〔術〕 mesenteriplication 1134
腸間膜ヘルニア mesenteric hernia …… 843
腸間膜縫合〔術〕 mesenteriorrhaphy …… 1134
腸間膜リンパ節 mesenteric lymph nodes …… 1079
腸管みなしご(オーファン)ウイルス enteric orphan viruses …… 2024
腸〔管〕毛頭虫症 intestinal capillariasis …… 288
聴〔覚〕器 organ of hearing …… 1311
長期記憶 long-term memory (LTM) …… 1128
超寄生 superparasitism …… 1778
超寄生体 hyperparasite …… 885
超寄生体 superparasite …… 1778
聴器毒性 ototoxicity …… 1327
腸偽閉塞 intestinal pseudoobstruction …… 948
長脚 macroscelia …… 1091
〔きぬた骨の〕長脚 crus longum incudis …… 443
〔きぬた骨の〕長脚 long crus of incus …… 443
〔きぬた骨の〕長脚 long limb of incus …… 1047
腸球菌 enterococcus …… 620
腸球菌血症 enterococcemia …… 620
腸吸収上皮細胞 absorptive cells of intestine …… 319
超急性拒絶〔反応〕 hyperacute rejection 1588
鳥距 calcar avis …… 275
鳥距 calcarine spur …… 1725
腸鏡 enteroscope …… 621
蝶頬骨縫合 sutura sphenozygomatica …… 1786
蝶頬骨縫合 sphenozygomatic suture …… 1788
腸狭窄 enterostenosis …… 621
長胸神経 long thoracic nerve …… 1236
長胸神経 nervus thoracicus longus …… 1243
腸〔骨〕棘面 interspinal plane …… 1430
腸〔骨〕棘面 interspinous plane …… 1430
腸〔骨〕棘面 planum interspinale …… 1431
鳥距溝 calcarine sulcus …… 1771
鳥距溝 sulcus calcarinus …… 1771
鳥距溝下の subcalcarine …… 1762
鳥距束 calcarine fasciculus …… 675
鳥距動脈 arteria calcarina …… 134
鳥距動脈 calcarine artery …… 143
張筋 tensor …… 1851
腸筋神経叢 enteric (nerve) plexus …… 1440
腸筋反射 myenteric reflex …… 1580
腸グルカゴン gut glucagon …… 782
蝶形陰影 butterfly pattern …… 1374
蝶形〔骨〕眼窩の sphenorbital …… 1711
蝶形〔骨〕頬骨の sphenozygomatic …… 1711
蝶形〔骨〕甲介の sphenoturbinal …… 1711
蝶形〔骨〕口蓋の sphenopalatine …… 1711
蝶形後頭底の sphenobasilar …… 1711
蝶形紅斑 butterfly …… 272
蝶形骨 sphenoid (bone) …… 233
蝶形骨 os sphenoidale …… 1318
蝶形骨縁 limbus of sphenoid (bone) …… 1048
蝶形骨角 sphenoid angle, sphenoidal angle …… 89
蝶形骨頬筋孔 porus crotaphyticobuccinatorius …… 1468
蝶形骨棘 spina ossis sphenoidalis …… 1716
蝶形骨棘 spine of sphenoid bone …… 1717
〔蝶形骨〕棘 processus spinosus …… 1492
蝶形骨甲介 concha sphenoidalis …… 407
蝶形骨甲介 sphenoidal concha …… 407
蝶形〔骨〕篩骨の sphenoethmoid …… 1711
蝶形〔骨〕上顎骨の sphenomaxillary …… 1711
蝶形骨鞘状突起 vaginal process of sphenoid bone …… 1491
〔蝶形骨〕鞘状突起 sheath process of sphenoid bone …… 1490
〔蝶形骨〕鞘状突起 processus vaginalis ossis sphenoidalis …… 1492
蝶形骨小舌 lingula sphenoidalis …… 1054
蝶形骨小舌 sphenoidal lingula …… 1054
蝶形骨静脈孔 sphenoidal emissary foramen …… 726
蝶形骨小翼 ala minor ossis sphenoidalis … 41
蝶形骨小翼 lesser wing of sphenoid (bone) …… 2046
蝶形〔骨〕鋤骨の sphenovomerine …… 1711
蝶形〔骨〕錐体の sphenopetrosal …… 1711
蝶形骨錐体裂 petrosphenoidal fissure …… 703
蝶形骨前頭縁 frontal border of sphenoid bone …… 235
蝶形骨前頭縁 frontal margin of sphenoid …… 1103
蝶形骨前頭縁 margo frontalis ossis sphenoidalis …… 1104
蝶形骨前〔方〕の presphenoid …… 1481
蝶形〔骨〕側頭の sphenotemporal …… 1711
蝶形骨体 body of sphenoid …… 229
蝶形骨体 corpus ossis sphenoidalis …… 425
蝶形骨大翼 ala major ossis sphenoidalis … 41
蝶形骨大翼 greater wing of sphenoid (bone) …… 2046
蝶形骨大翼頭頂縁 parietal margin of greater wing of sphenoid …… 1103
蝶形骨大翼の alisphenoid …… 48
蝶形骨大翼の眼窩面 orbital surface of greater wing of sphenoid bone …… 1782
蝶形骨大翼の頬骨縁 zygomatic margin of greater wing of sphenoid bone …… 1103
蝶形骨大翼の上顎面 maxillary surface of greater wing of sphenoid bone …… 1782
蝶形骨大翼の側頭下面 infratemporal surface

of greater wing of sphenoid ············ 1781
蝶形骨大翼の側頭下稜 infratemporal crest of greater wing of sphenoid ············ 437
蝶形骨大翼の側頭下稜 crista infratemporalis alaris majoris ossis sphenoidalis ········· 440
蝶形骨大翼の側頭面 temporal surface of greater wing of sphenoid bone ········ 1783
蝶形骨大翼鱗縁 squamosal margin of greater wing of sphenoid ················ 1103
蝶形骨中心 sphenotic center ················ 331
蝶形骨底の basisphenoid ····················· 201
蝶形骨洞 sinus sphenoidalis ················ 1688
蝶形骨洞 sphenoidal sinus ················ 1688
蝶形骨洞炎 sphenoiditis ····················· 1711
蝶形骨洞開口〔術〕sphenoidostomy ········ 1711
蝶形骨洞口 apertura sinus sphenoidalis ··· 113
蝶形骨洞口 sphenoidal sinus aperture ····· 113
蝶形骨洞口 opening of the sphenoidal sinus ··················· 1303
蝶形骨洞切開〔術〕sphenoidotomy ········ 1711
蝶形骨洞中隔 septum of sphenoidal sinuses ··················· 1664
蝶形骨洞中隔 septum sinuum sphenoidalium ··················· 1664
蝶形骨頭頂縁 parietal border of sphenoid bone ································· 235
蝶形骨頭頂縁 margo parietalis ossis sphenoidalis ······························ 1104
蝶形〔骨〕頭頂骨の sphenoparietal ········ 1711
蝶形〔骨〕頭頂静脈洞 sinus sphenoparietalis ··················· 1688
蝶形〔骨〕頭頂静脈洞 sphenoparietal sinus ··················· 1688
蝶形骨突起 sphenoid process ··············· 1490
〔口蓋骨の〕蝶形骨突起 sphenoidal process of palatine bone ··························· 1490
〔口蓋骨の〕蝶形骨突起 processus sphenoidalis ossis palatini ················ 1492
蝶形骨の sphenoidal ························ 1711
蝶形骨の舟状窩 scaphoid fossa of sphenoid bone ··· 734
〔蝶形骨の〕翼状突起 pterygoid process of sphenoid bone ······························ 1490
〔蝶形骨の〕翼状突起 processus pterygoideus ossis sphenoidalis ·························· 1492
〔蝶形骨の〕翼状突起外側板 lamina lateralis processus pterygoidei ossis sphenoidalis 998
長径骨盤の dolichopellic, dolichopelvic ··· 555
蝶形骨吻 rostrum of the sphenoid bone 1623
蝶形骨吻 rostrum sphenoidale ············ 1623
蝶形骨吻 sphenoidal rostrum ·············· 1623
蝶形骨ヘルニア sphenoidal herniation ···· 844
蝶形骨面 planum sphenoidale ·············· 1431
蝶形骨隆起 jugum sphenoidale ·············· 973
蝶形骨稜 sphenoidal crest ··················· 438
蝶形骨稜 crista sphenoidalis ················ 440
蝶形骨稜 sphenoidal ridges ················ 1616
蝶形骨鱗縁 squamous border of sphenoid bone ··· 236
蝶形骨鱗縁 margo squamosus ossis sphenoidalis ································ 1105
蝶形篩骨切除術 sphenoethmoidectomy 1711
蝶形篩骨軟骨結合 sphenoethmoidal synchondrosis ······························ 1793
蝶形篩骨軟骨結合 synchondrosis sphenoethmoidalis ························· 1793
蝶形〔骨〕篩骨の sphenoethmoid ············ 1711
蝶形〔骨〕上顎骨の sphenomaxillary ······· 1711
蝶形〔骨〕鋤骨の sphenovomerine ·········· 1711
蝶形鋤骨縫合 sutura sphenovomeriana 1786
蝶形鋤骨縫合 sphenovomerine suture ···· 1788
腸脛靱帯 iliotibial tract ····················· 1911
腸脛靱帯 tractus iliotibialis ················ 1914
腸脛靱帯症候群 iliotibial band syndrome ··················· 1808
腸脛靱帯摩擦症候群 iliotibial band friction syndrome ···································· 1808
蝶形〔骨〕錐体の sphenopetrosal ··········· 1711
蝶形前頭骨の sphenofrontal ················ 1711
蝶形〔骨〕側頭の sphenotemporal ··········· 1711
蝶形椎 butterfly vertebra ···················· 2014
蝶形〔骨〕頭頂骨の sphenoparietal ········ 1711
蝶形〔骨〕頭頂静脈洞 sinus sphenoparietalis ··················· 1688
蝶形〔骨〕頭頂静脈洞 sphenoparietal sinus ··················· 1688
蝶形物 butterfly ································ 272
蝶形様骨片 butterfly fragment ·············· 738
腸痙攣 enterospasm ··························· 621
腸結核 enteric tuberculosis ················ 1946
腸結石 stercolith ····························· 1743
腸〔結〕石 intestinal calculus ················ 278
腸〔結〕石 coprolith ······························ 420
腸〔結〕石 enterolith ····························· 620
腸結節虫症 oesophagostomiasis ············ 1293
腸結節虫属 *Oesophagostomum* ·············· 1293
長結腸〔症〕dolichocolon ····················· 554
聴〔覚〕原性の audiogenic ····················· 176
聴原性発作 audiogenic seizure ············· 1657
張原線維 tonofibril ··························· 1900
超顕微鏡 ultramicroscope ··················· 1962
超顕微鏡的な submicroscopic ·············· 1764
徴候 phenomenon ······························ 1403
徴候 sign ·· 1678
徴候 stigma ····································· 1746
潮紅 erubescence ······························· 637
潮紅 flush ·· 717
潮紅 rubor ······································· 1625
超高圧 supervoltage ·························· 1778
蝶口蓋孔 foramen sphenopalatinum ······· 726
蝶口蓋孔 sphenopalatine foramen ·········· 726
蝶口蓋神経節の交感神経根 sympathetic root of pterygopalatine ganglion ············· 1622
蝶口蓋神経節の副交感神経根 parasympathetic root of pterygopalatine ganglion ····································· 1622
蝶口蓋神経痛 sphenopalatine neuralgia 1244
蝶口蓋切痕 incisura sphenopalatina ········ 919
蝶口蓋切痕 sphenopalatine notch ········· 1270
蝶口蓋動脈 arteria sphenopalatina ········· 138
蝶口蓋動脈 sphenopalatine artery ·········· 152
徴候学 symptomatology ······················ 1792
超広顔の hypereuryprosopic ················· 880
長高指数 vertical index ······················ 923
腸向性の enterotropic ·························· 621
稠厚性の inspissate ···························· 940
超高速CT ultrafast CT ························ 447
蝶後頭軟骨結合 sphenooccipital synchondrosis ······························ 1793
蝶後頭軟骨結合 synchondrosis spheno-occipitalis ························· 1793
蝶後頭縫合 sphenooccipital suture ······· 1788
超高熱 hyperpyrexia ··························· 886
潮紅法 flush technique ······················ 1844
長後毛様体動脈 arteriae ciliares posteriores longae ·· 134
長後毛様体動脈 long posterior ciliary arteries ·· 148
調光レンズ photochromic lens ············ 1019
彫刻状処女膜 hymen sculptatus ············ 877
腸骨 flank bone ································ 232
腸骨 iliac bone ································· 232
腸骨 ilium ······································· 907
腸骨 os ilium ··································· 1317
長骨 long bone ································· 233
長骨 os longum ································ 1318
長骨アダマンチノーマ adamantinoma of long bones ···································· 23
腸骨窩 fossa iliaca ····························· 732
腸骨窩 iliac fossa ······························ 732
腸骨角 iliac horn ······························ 864
腸骨下部 subilium ···························· 1763
腸骨下腹神経 iliohypogastric nerve ······ 1234
腸骨下腹神経 iliopubic nerve ·············· 1234
腸骨下腹神経 nervus iliohypogastricus 1242
腸骨下腹神経の陰部枝 genital branch of iliohypogastric nerve ······················· 247
腸骨下腹神経の外側皮枝 ramus cutaneus lateralis nervi iliohypogastrici ········· 1550
腸骨下腹神経の前皮枝 anterior cutaneous branch of iliohypogastric nerve ········· 242
腸骨下腹神経の前皮枝 ramus cutaneus anterior nervi iliohypogastrici ·········· 1550
腸骨下腹の iliohypogastric ··················· 907
腸骨下部の subiliac ·························· 1763
腸骨弓状線 arcuate line of ilium ········ 1049
腸骨胸結合体 iliothoracopagus ············· 907
腸骨棘 iliac spine ··························· 1716
腸〔骨〕棘面 interspinal plane ·············· 1430
腸〔骨〕棘面 interspinous plane ············ 1430
腸〔骨〕棘面 planum interspinale ·········· 1431
腸骨筋 iliac muscle ························· 1186
腸骨筋 iliacus (muscle) ···················· 1186
腸骨筋 musculus iliacus ···················· 1200
腸骨筋の iliacus ······························· 906
腸骨筋膜 fascia iliaca ························ 673
腸骨筋膜 iliac fascia ·························· 673
腸骨筋膜下窩 fossa iliacosubfascialis ······ 732
腸骨筋膜下窩 iliacosubfascial fossa ········ 732
腸骨筋膜下ヘルニア iliacosubfascial hernia ··················· 842
腸骨脛骨の iliotibial ··························· 907
腸骨結合体 iliopagus ·························· 907
腸骨剣状突起結合体 ilioxiphopagus ········ 907
腸骨坐骨の iliosciatic ························· 907
腸骨静脈 iliac veins ························· 1996
腸骨脊柱の iliospinal ························· 907
腸骨仙骨の iliosacral ························· 907
腸骨鼡径神経 ilioinguinal nerve ·········· 1234
腸骨鼡径神経 nervus ilioinguinalis ······· 1242
腸骨鼡径の ilioinguinal ······················ 907
腸骨粗面 tuberositas iliaca ················ 1947
腸骨粗面 iliac tuberosity ·················· 1947
腸骨体 body of ilium ························ 227
腸骨体 corpus ossis ilii ······················ 425
腸骨大腿骨の iliofemoral ····················· 906
腸骨大腿靱帯 iliofemoral ligament ······· 1036
腸骨大腿靱帯 ligamentum iliofemorale 1043
腸骨大腿靱帯の横部 transverse part of iliofemoral ligament ······················ 1368
腸骨大腿靱帯の下行部 descending part of iliofemoral ligament ······················ 1364
腸〔骨〕恥〔骨〕窩 iliopectineal fossa ········· 732
腸骨恥骨筋膜 iliopectineal fascia ··········· 673
〔腸骨〕殿筋面 facies glutea ossis ilii ······· 663
〔腸骨〕殿筋面 gluteal surface of ilium 1781
腸骨転子靱帯 iliotrochanteric ligament 1036
腸骨転子の iliotrochanteric ················· 907
腸骨動脈間リンパ節 interiliac lymph nodes ··················· 1078
腸骨動脈後尿管 retroiliac ureter ·········· 1970
腸骨動脈神経叢 iliac (nerve) plexus ···· 1440
腸骨動脈盗血 iliac steal ··················· 1740
腸骨内ヘルニア intrailiac hernia ··········· 843
腸骨の iliac ···································· 906
〔腸骨の〕耳状面 facies auricularis ossis ilii ··················· 663
〔腸骨の〕耳状面 auricular surface of ilium ··················· 1781
〔腸骨の〕仙骨盤面 facies sacropelvic ossis ilii ··· 665
〔腸骨の〕仙骨盤面 sacropelvic surface of ilium ·· 1783
腸骨盤の iliopelvic ···························· 907
腸骨尾骨筋 iliococcygeal muscle ········· 1186
腸骨尾骨筋 iliococcygeus (muscle) ······· 1186
腸骨尾骨筋 musculus iliococcygeus ······· 1200
腸骨尾骨の iliococcygeal ····················· 906

腸骨尾骨縫線 iliococcygeal raphe ……… 1558
腸骨部結腸 iliac colon …………………… 392
腸骨部結腸切開〔術〕 iliocolotomy ………… 906
腸骨部ロール iliac roll …………………… 1620
腸骨翼 ala of ilium …………………………… 41
腸骨翼 ala ossis ilii …………………………… 41
腸骨翼 wing of ilium ……………………… 2046
腸骨稜 iliac crest …………………………… 437
腸骨稜 crista iliaca ………………………… 440
腸骨稜外唇 labium externum cristae iliacae …………………………………………………… 991
腸骨稜外唇 external lip of iliac crest … 1055
腸骨稜外唇 outer lip of iliac crest ……… 1055
腸骨稜結節 tubercle of iliac crest ……… 1943
腸骨稜結節 tuberculum iliacum ………… 1946
腸骨稜上線 supracrestal line …………… 1052
腸骨稜上線 linea supracristalis ………… 1053
腸骨稜上面 planum supracristale ……… 1431
腸骨稜上面 supracrestal plane ………… 1431
腸骨稜上面 supracristal plane ………… 1431
腸骨稜中間線 intermediate line of iliac crest ………………………………………… 1050
腸骨稜中間線 linea intermedia cristae iliacae ………………………………………… 1053
腸骨稜中間線 intermediate zone of iliac crest ………………………………………… 2059
腸骨稜内唇 labium internum cristae iliacae …………………………………………………… 991
腸骨稜内唇 inner lip of iliac crest ……… 1055
腸固定〔術〕 enteropexy …………………… 621
腸砂 intestinal sand ……………………… 1633
調査 survey ………………………………… 1785
長鎖3-ヒドロキシアシルCoA脱水素酵素欠損症 long-chain 3-hydroxyacyl-CoA dehydrogenase deficiency ………………… 479
長鎖アシルCoAデヒドロゲナーゼ long-chain acyl-CoA dehydrogenase ……………… 1068
超最大刺激 supramaximal stimulus …… 1747
腸細胞 enterocyte ………………………… 620
腸細胞コバラミン吸収不良症 enterocyte cobalamin malabsorption ……………… 1093
調剤方式 alligation ………………………… 50
腸細胞病原性サルオーファン(みなしご)ウイルス ECMO virus ……………………… 2023
調剤用錠剤 dispensing tablet …………… 1836
長鎖脂肪酸CoAリガーゼ long-chain fatty acid:CoA ligase ………………………… 1068
長鎖/大長鎖アシルCoA脱水素酵素欠損症 long-chain/very long-chain acyl-CoA dehydrogenase deficiency ………………… 479
調査表 schedule …………………………… 1642
超酸化物 superoxide ……………………… 1778
聴歯 dentes acustici ………………………… 487
聴歯 acoustic teeth ……………………… 1902
聴歯 auditory teeth ……………………… 1902
超自我 superego …………………………… 1777
蝶篩陥凹 sphenoethmoidal recess ……… 1572
蝶篩陥凹 recessus sphenoethmoidalis …… 1573
長時間作用型甲状腺刺激物質 long-acting thyroid stimulator (LATS) …………… 1747
長軸 long axis ……………………………… 184
長軸像 long axis view …………………… 2019
長趾(指)屈筋 flexor digitorum longus (muscle) ………………………………… 1185
長趾(指)屈筋 long flexor (muscle) of toes …………………………………………………… 1188
長趾(指)屈筋 musculus flexor digitorum longus ………………………………………… 1200
長趾(指)屈筋腱鞘 tendinous sheath of flexor digitorum longus muscle (of foot) …………………………………………………… 1672
長趾(指)屈筋腱鞘 vagina tendinum musculi flexoris digitorum (pedis) longi ……… 1982
蝶篩骨縫合 sutura sphenoethmoidalis …… 1786
蝶篩骨縫合 sphenoethmoidal suture …… 1788
長趾(指)伸筋 extensor digitorum longus (muscle) ………………………………… 1184
長趾(指)伸筋 long extensor (muscle) of toes ………………………………………… 1188
長趾(指)伸筋 musculus extensor digitorum longus ………………………………………… 1200
長趾(指)伸筋腱鞘 tendinous sheath of extensor digitorum longus muscle of foot …………………………………………………… 1672
長趾(指)伸筋腱鞘 vagina tendinum musculi extensoris digitorum (pedis) longi …… 1982
長肢体〔型〕 hypermorph ………………… 883
長者妄想 plutomania ……………………… 1446
長寿 longevity ……………………………… 1068
チョウジ油 oil of clove …………………… 1294
腸周囲炎 perienteritis …………………… 1387
腸周囲の perienteric ……………………… 1387
長周期リズム ultradian rhythm ………… 1611
腸重積解離 disinvagination ……………… 543
腸絨毛 intestinal villi …………………… 2020
腸絨毛 villi intestinales ………………… 2020
長寿食 macrobiotic diet ………………… 515
長寿生物 macrobiote …………………… 1089
腸出血 enterorrhagia ……………………… 621
聴〔覚〕受容〔器〕細胞 auditory receptor cells …………………………………………………… 319
腸症 enteropathy …………………………… 620
聴〔神経〕条 acoustic striae ……………… 1755
蝶上顎縫合 sutura sphenomaxillaris …… 1786
蝶上顎縫合 sphenomaxillary suture …… 1788
鳥〔状〕顔〔貌〕 bird face ………………… 661
長掌筋 long palmar muscle …………… 1188
長掌筋 palmaris longus (muscle) ……… 1190
長掌筋 musculus palmaris longus ……… 1202
腸上の supraintestinal ………………… 1779
腸上皮化生 intestinal metaplasia ……… 1140
頂上部細胞膜 apical membrane ……… 1125
腸漿膜炎 exenteritis ……………………… 653
長睫毛症 trichomegaly ………………… 1930
調色 toning ………………………………… 1900
調色液 toner ……………………………… 1900
超女性症候群 triple X syndrome ……… 1823
聴診〔法〕 auscultation …………………… 178
長腎 tandem kidney ……………………… 984
聴診音 auscultatory sound ……………… 1702
聴診音減弱 hypophonesis ………………… 895
聴診間隙 auscultatory gap ……………… 756
聴診器 stethoscope ……………………… 1746
聴診器心音計 stethoscopic phonocardiograph …………………………………………………… 1411
腸〔管〕真菌症 mycosis intestinalis ……… 1208
腸真菌症 enteromycosis ………………… 620
聴神経三角 trigone of auditory nerve … 1932
聴神経腫 acoustic neuroma …………… 1248
聴神経障害 auditory neuropathy ……… 1250
聴神経鞘腫 acoustic neurilemoma …… 1245
聴神経鞘腫 acoustic schwannoma …… 1645
聴診交代 auscultatory alternans ………… 53
聴診三角 ausculatory triangle ………… 1926
聴診三角 triangle of auscultation ……… 1926
〔聴診上の〕大動脈弁領域 aortic area (of auscultation) ……………………………… 128
超迅速パップ(パプ)染色 ultrafast Pap stain …………………………………………………… 1735
聴診的打診〔法〕 auscultatory percussion 1384
腸腎の enterorenal ……………………… 621
聴診法 stethoscopy ……………………… 1746
聴診脈圧計 sphygmometroscope ……… 1714
超心理学 parapsychology ……………… 1353
長髄歯 taurodontism …………………… 1842
蝶錐体軟骨結合 sphenopetrosal synchondrosis, sphenopetrous synchondrosis …………………………… 1793
蝶錐体軟骨結合 synchondrosis sphenopetrosa …………………………………………………… 1793
蝶錐体裂 fissura sphenopetrosa ……… 702
蝶錐体裂 sphenopetrosal fissure ……… 704
長頭〔蓋〕体の dolichocephalic, dolichocephalous ……………………… 554
調整 adjustment …………………………… 29
調整 regulation …………………………… 1587
腸性月経 enteromenia …………………… 620
聴性行動反応 behavioral observation audiometry ……………………………… 176
聴性持続性筋強直 acoustic tetanus …… 1870
腸性先端(肢端)皮膚炎 acrodermatitis enteropathica ……………………………… 18
腸性脂肪便 intestinal steatorrhea ……… 1741
超生体染色〔法〕 supravital stain ……… 1735
腸性チアノーゼ enterogenous cyanosis …· 453
腸性中毒 intestinal intoxication ………… 949
腸性中毒 scatemia ……………………… 1641
調製乳 modified milk …………………… 1158
頂〔性〕熱 epimastical fever ……………… 684
頂生の acrogenous ………………………… 18
腸性の enterogenous …………………… 620
聴性脳幹反応 auditory brainstem response (ABR) ……………………………… 1596
腸性囊胞 enterogenous cyst …………… 459
腸性敗血症 enterosepsis ………………… 621
腸性敗血症 intestinal sepsis …………… 1662
聴性皮質反応聴力検査 cortical audiometry …………………………………………………… 176
調製法 preparation ……………………… 1480
超生理学的 supraphysiologic, supraphysiological ……………………… 1779
腸石 stercolith …………………………… 1743
腸〔結〕石 intestinal calculus …………… 278
腸〔結〕石 enterolith ……………………… 620
腸石症 enterolithiasis …………………… 620
潮汐の tidal ……………………………… 1892
調節 accommodation ……………………… 10
調節 adaptation …………………………… 23
調節 control ……………………………… 417
調節 regulation …………………………… 1587
調節域 range of accommodation ………… 10
調節遺伝子 regulator gene ……………… 764
調節因子 modulator …………………… 1163
調節因子 regulator ……………………… 1587
腸切開〔術〕 enterotomy ………………… 621
腸切開器 enterotome …………………… 621
調節換気(呼吸) controlled ventilation … 2009
調節眼閃光 accommodation phosphene 1413
調節機械換気(呼吸) controlled mechanical ventilation (CMV) ……………………… 2009
調節痙攣(痙縮) spasm of accommodation …………………………………………………… 1706
調節呼吸〔法〕 controlled respiration …… 1595
腸切除〔術〕 enterectomy ………………… 619
調節性内寄せ-調節比 accommodative convergence:accommodation ratio (AC:A) ………………………………… 1560
調節性眼精疲労 accommodative asthenopia …………………………………………………… 164
調節性咬合器 adjustable articulator …… 158
調節性咬合面ピボット adjustable occlusal pivot ………………………………………… 1427
調節性斜視 accommodative strabismus 1750
調節性蛋白尿〔症〕 regulatory albuminuria 44
調節性輻輳 accommodative convergence 418
調節注射器 control syringe …………… 1828
調節配列 regulatory sequence ………… 1665
調節幅 amplitude of accommodation …… 10
〔遠近〕調節反射 accommodation reflex 1577
調節不全 accommodative insufficiency …· 941
調節物質 pacemaker …………………… 1334
調節変数 moderator variable ………… 1987
調節麻痺 cycloplegia …………………… 457
調節彎曲 compensating curve ………… 451
腸線 catgut ………………………………… 313
腸腺 intestinal glands …………………… 773
腸腺 glandulae intestinales ……………… 775
チョウセンアサガオ属 *Datura* ………… 472

張線維 stress fibers …… 691
聴線維束 auditory strings …… 1757
腸穿刺〔術〕 enterocentesis …… 619
蝶前頭縫合 sutura sphenofrontalis …… 1786
蝶前頭縫合 sphenofrontal suture …… 1788
腸ぜん動薬 enterokinetic agent …… 36
チョウセンニンジン Asian ginseng …… 771
チョウセンニンジン Panax ginseng …… 771
腸線縫合糸 catgut suture …… 1787
鳥巣 nidus avis …… 1257
腸造瘻術 enterostomy …… 621
長足底靱帯 long plantar ligament …… 1037
長足底靱帯 ligamentum plantare longum …… 1044
〔超〕大量化学療法 salvage chemotherapy 343
聴打診器 phonacoscope …… 1411
聴打診法 phonacoscopy …… 1411
超多胎妊娠 higher order pregnancy …… 1478
腸炭疽 intestinal anthrax …… 98
超短頭の ultrabrachycephalic …… 1962
超短波ジアテルミー ultrashortwave diathermy …… 512
腸〔骨〕恥〔骨〕窩 iliopectineal fossa …… 732
腸恥筋膜弓 iliopectineal arch …… 125
腸恥筋膜弓 arcus iliopectineus …… 127
腸恥靱帯 iliopubic tract …… 1911
腸膣フィステル(瘻) enterovaginal fistula 705
腸恥の iliopectineal …… 907
腸チフス typhoid fever …… 687
腸チフス typhoid …… 1957
〔腸〕チフス菌 *Salmonella typhi* …… 1631
腸チフス菌溶血素 typholysin …… 1958
腸チフス後の posttyphoid …… 1472
腸チフス性敗血症 typhoid septicemia … 1663
腸チフスの typhoidal …… 1958
腸チフス-パラチフスAおよびBワクチン typhoid-paratyphoid A and B vaccine …… 1980
腸チフス様熱病 entericoid fever …… 684
腸チフス様の typhoidal …… 1958
腸チフスワクチン typhoid vaccine …… 1980
腸恥包 bursa iliopectinea …… 269
腸恥包 iliopectineal bursa …… 269
長中心動脈 long central artery …… 148
超長頭の ultradolichocephalic …… 1962
腸腸吻合〔術〕 enteroenterostomy …… 620
腸恥隆起 iliopectineal eminence …… 603
腸恥隆起 iliopubic eminence …… 603
腸恥隆起 eminentia iliopubica …… 604
腸痛 enteralgia …… 618
ちょうつがい位 hinge position …… 1469
ちょうつがい運動 hinge movement …… 1174
ちょうつがい(蝶番)滑走関節の ginglymoarthrodial …… 770
ちょうつがい関節 hinge joint …… 970
ちょうつがい(蝶番)関節 ginglymus …… 770
ちょうつがい皮弁 hinged flap …… 710
ちょうつがい部位 hinge region …… 1585
超低周波音の subsonic …… 1765
超低体温 profound hypothermia …… 898
超低体温心停止 deep hypothermic arrest 132
頂点後方屈曲角形成 apex posterior angulation …… 90
頂点前方屈曲角形成 apex anterior angulation …… 90
超伝導(超電導)磁石 superconducting magnet …… 1092
張度 tonicity …… 1900
長頭 caput longum …… 292
長頭 long head …… 817
長頭〔症〕 dolichocephaly, dolichocephalism …… 554
長頭〔蓋〕体の dolichocephalic, dolichocephalous …… 554
長胴歯 taurodontism …… 1842
長橈側手根伸筋 extensor carpi radialis longus (muscle) …… 1184
長橈側手根伸筋 musculus extensor carpi radialis longus …… 1199
蝶頭頂縫合 sutura sphenoparietalis …… 1786
蝶頭頂縫合 sphenoparietal suture …… 1788
腸動脈 arteriae intestinales …… 136
腸動脈 intestinal arteries …… 147
腸毒素 enterotoxin …… 621
腸毒素(エンテロトキシン)産生性 enterotoxigenic …… 621
聴突起 auditory process …… 1488
腸内因子-コバラミン受容体 intestinal intrinsic factor-cobalamin receptor …… 1570
腸内寄生性動物 enterozoon …… 621
腸内細菌 enterobacterium …… 619
腸内細菌科 Enterobacteriaceae …… 619
腸内消化 intestinal digestion …… 516
長内転筋 adductor longus (muscle) …… 1181
長内転筋 long adductor muscle …… 1188
長内転筋 musculus adductor longus …… 1198
腸内の enteral …… 618
腸内分泌細胞 enteroendocrine cells …… 321
腸内容うっ滞 enterostasis …… 621
腸熱 enteroidea …… 620
腸熱 enteric fever …… 684
腸捻転 volvulus …… 2037
頂嚢 vesicle …… 2016
聴能学 audiology …… 176
腸嚢胞 enterocyst …… 620
腸の吸収細胞 absorptive cells of intestine …… 319
腸胚形成 gastrulation streak …… 1753
腸ハエウジ病 intestinal myiasis …… 1211
チョウバエ科 Psychodidae …… 1518
超薄切片 thin section, ultrathin section 1653
超薄切片法 ultramicrotomy …… 1962
長波長紫外線 ultraviolet A (UVA) …… 1963
聴斑 acoustic spots …… 1724
長鼻 proboscis …… 1486
腸非回旋 nonrotation of intestine …… 1266
超微〔細〕構造 ultrastructure …… 1963
長腓骨筋 fibularis longus (muscle) …… 1185
長腓骨筋 long fibular muscle …… 1188
長腓骨筋 long peroneal muscle …… 1188
長腓骨筋 peroneus longus (muscle) …… 1191
長腓骨筋 musculus fibularis longus …… 1200
長腓骨筋 musculus peroneus longus …… 1202
長腓骨筋腱溝 groove for tendon of fibularis longus …… 803
長腓骨筋腱溝 sulcus tendinis musculi fibularis longi …… 1774
長腓骨筋腱溝 sulcus tendinis musculi peronei longi …… 1774
長腓骨筋足底腱鞘 plantar tendon sheath of fibularis longus muscle …… 1671
長腓骨筋足底腱鞘 plantar tendon sheath of peroneus longus muscle …… 1671
超微細結晶 nanocrystal …… 1220
超微細構造解剖学 ultrastructural anatomy 74
超皮質〔性〕失行〔症〕 transcortical apraxia …… 122
超皮質性失語〔症〕 transcortical aphasia 114
超皮質〔性〕の transcortical …… 1916
腸皮フィステル(瘻) enterocutaneous fistula …… 705
超肥満の super-obese …… 1778
腸病学 enterology …… 620
腸病原〔性〕の enteropathogenic …… 620
腸病原体 enteropathogen …… 620
腸フィステル(瘻) intestinal fistula …… 705
重複 duplication …… 567
重複 reduplication …… 1575
重複感覚 polyesthesia …… 1459
重複観察 replication …… 1590
重〔複〕感染 superinfection …… 1778
重複奇形〔形成〕 diplogenesis …… 523
重複寄生 hyperparasitism …… 885
重複決定 overdetermination …… 1328
重複指〔症〕 dicheiria, dichiria …… 512
重複肢〔症〕 dimelia …… 520
重複趾〔症〕 diplopodia …… 523
重複子宮 duplex uterus …… 1977
重複子宮の didelphic …… 512
重複試験 replication …… 1590
重複実験 replication …… 1590
重複絨毛膜の dichorial, dichorionic …… 512
重複〔性〕腫瘍症 polyoncosis, polyonchosis …… 1462
重複唇 dicheilia, dichilia …… 512
重複腎 duplex kidney …… 984
重複性 redundancy …… 1575
重複性大動脈弓 double aortic arch …… 125
重複性白内障 reduplicated cataract …… 311
重複切痕 dicrotic notch …… 1269
重複足 dipodia …… 524
重複体 diplopagus …… 523
重複瞳孔〔症〕 diplocoria …… 523
重複妊娠 combined pregnancy …… 1478
重複妊娠 superfetation …… 1777
重複嚢胞 duplication cyst …… 459
重複毎日熱 double quotidian fever …… 684
重複三日熱 double tertian …… 1853
重複毛 pili multigemini …… 1424
重複隆起前の predicrotic …… 1477
長吻 proboscis …… 1486
腸閉鎖 intestinal atresia …… 171
腸閉塞〔症〕 ileus …… 906
腸壁嚢胞状気腫 pneumatosis cystoides intestinalis …… 1447
腸壁ヘルニア parietal hernia …… 843
腸ヘルニア enterocele …… 619
超変異 hypermutation …… 883
頂胞 acrotheca …… 19
長方形〔弁状〕切断〔術〕 rectangular amputation …… 66
腸縫合〔術〕 enterorrhaphy …… 621
腸膀胱ヘルニア enterocystocele …… 620
腸膀胱瘻 enterovesical fistula …… 705
聴放線 acoustic radiation …… 1541
聴放線 radiatio acustica …… 1541
長母指外転筋 abductor pollicis longus (muscle) …… 1181
長母指外転筋 long abductor muscle of thumb …… 1188
長母指外転筋 musculus abductor pollicis longus …… 1198
長母指外転筋および短母指伸筋腱鞘 tendinous sheath of abductor pollicis longus and extensor pollicis brevis muscles …… 1671
長母指屈筋 flexor pollicis longus (muscle) …… 1186
長母指屈筋 long flexor muscle of thumb …… 1188
長母指屈筋 long flexor (muscle) of great toe …… 1188
長母指屈筋 musculus flexor pollicis longus …… 1200
長母趾(指)屈筋 flexor hallucis longus (muscle) …… 1185
長母趾(指)屈筋 musculus flexor hallucis longus …… 1200
長母指屈筋腱溝 groove for tendon of flexor hallucis longus …… 803
長母指屈筋腱溝 sulcus tendinis musculi flexoris hallucis longi …… 1774
長母指屈筋腱鞘 tendinous sheath of flexor pollicis longus muscle …… 1672
長母指屈筋腱鞘 vagina tendinis musculi flexoris pollicis longi …… 1982
長母趾(指)屈筋腱鞘 tendinous sheath of flexor hallucis longus muscle …… 1672

長母趾(指)屈筋腱鞘 vagina tendinis musculi flexoris hallucis longi …… 1982
長母指伸筋 extensor pollicis longus (muscle) …… 1184
長母指伸筋 long extensor (muscle) of thumb …… 1188
長母指伸筋 musculus extensor pollicis longus …… 1200
長母趾(指)伸筋 extensor hallucis longus (muscle) …… 1184
長母趾(指)伸筋 long extensor (muscle) of great toe …… 1188
長母趾(指)伸筋 musculus extensor hallucis longus …… 1200
長母指伸筋腱鞘 tendinous sheath of extensor pollicis longus muscle …… 1672
長母指伸筋腱鞘 vagina tendinis musculi extensoris pollicis longi …… 1981
長母趾(指)伸筋腱鞘 tendinous sheath of extensor hallucis longus muscle …… 1672
長母趾(指)伸筋腱鞘 vagina tendinis musculi extensoris hallucis longi …… 1981
超ミクロトーム ultramicrotome …… 1962
長脈 long pulse …… 1525
長命 longevity …… 1068
超免疫〔化〕 hyperimmunization …… 882
超免疫〔性〕 hyperimmunity …… 882
超免疫血清 hyperimmune serum …… 1668
超免疫〔状態〕の hyperimmune …… 882
聴毛 auditory hairs …… 811
頂盲端 cecum cupulare …… 318
頂盲端 cupular cecum of the cochlear duct …… 318
頂盲端 cupular blind sac …… 1628
腸〔管〕毛頭虫症 intestinal capillariasis …… 288
長毛様体神経 long ciliary nerve …… 1236
長毛様体神経 nervus ciliaris longus …… 1241
聴野 acoustic area …… 128
聴野 auditory field …… 697
跳躍 saltation …… 1632
跳躍者病 jumping disease, jumper disease …… 535
跳躍進化 saltatory evolution …… 650
跳躍性痙攣(痙縮) saltatory spasm …… 1706
跳躍性血栓〔性〕静脈炎 thrombophlebitis saltans …… 1888
跳躍〔性〕伝導 saltatory conduction …… 408
跳躍性舞踏病 saltatory chorea …… 355
跳躍皮弁 jump flap …… 710
跳躍病ウイルス louping-ill virus …… 2026
跳躍病変 skip areas …… 130
超優性 overdominance …… 1328
超優性の overdominant …… 1328
腸癒着剝離〔術〕 enterolysis …… 620
腸癒着剝離〔術〕 synectenterotomy …… 1826
腸腰筋 iliopsoas (muscle) …… 1186
腸腰筋 musculus iliopsoas …… 1200
腸腰筋腱下包 bursa subtendinea iliaca …… 270
腸腰筋腱下包 subtendinous bursa of iliacus …… 270
腸腰筋腱下包 subtendinous iliac bursa …… 270
腸腰筋膜腸骨筋部 pars iliaca fasciae iliopsoaticae …… 1359
腸腰筋膜の腰筋部 psoatic part of iliopsoas fascia …… 1367
腸腰静脈 iliolumbar vein …… 1996
腸腰静脈 vena iliolumbalis …… 2006
腸腰靱帯 iliolumbar ligament …… 1036
腸腰靱帯 ligamentum iliolumbale …… 1043
腸溶性錠剤 enteric coated tablet …… 1836
腸腰動脈 arteria iliolumbalis …… 135
腸腰動脈 iliolumbar artery …… 146
腸腰動脈の腸骨枝 iliac branch of iliolumbar artery …… 247
腸腰動脈の腸骨枝 iliacus branch of iliolumbar artery …… 247
腸腰動脈の腸骨枝 ramus iliacus arteriae iliolumbalis …… 1551
腸腰動脈の腰枝 lumbar branch of iliolumbar artery …… 249
腸腰動脈の腰枝 ramus lumbalis arteriae iliolumbalis …… 1552
腸腰の iliolumbar …… 907
チョウ様肺 butterfly lung …… 1071
超らせん性 superhelicity …… 1778
調律 rhythm …… 1611
腸瘤 enterocele …… 619
張力 tonus …… 1902
聴力 hearing …… 819
張力記録器 tonograph …… 1901
張力記録法 tonography …… 1901
張力計 tensiometer …… 1851
聴力計 audiometer …… 176
聴力検査 audiometry …… 176
聴力検査士 audiometrist …… 176
聴力図 audiogram …… 176
聴力損失 hearing impairment, hearing loss …… 820
聴力疲労試験 tone decay test …… 1867
聴力不全 dysacusis …… 570
張力変動性の auxotonic …… 182
聴力レベル hearing level …… 1029
腸リンパ管拡張〔症〕 intestinal lymphangiectasis …… 1076
腸リンパ本幹 trunci (lymphatici) intestinales …… 1938
腸リンパ本幹 intestinal (lymphatic) trunks …… 1938
蝶鱗縫合 sutura sphenosquamosa …… 1786
蝶鱗縫合 sphenosquamous suture …… 1788
重畳 overlay …… 1328
鳥類の avian …… 183
鳥類病 ornithosis …… 1315
長連合線維 long association fibers …… 689
長連鎖 long chain …… 337
腸瘻(フィステル) intestinal fistula …… 705
腸瘻造設〔術〕 enterostomy …… 621
潮浪波 tidal wave …… 2042
腸肋筋 iliocostal muscle …… 1186
腸肋筋 iliocostalis (muscle) …… 1186
腸肋筋 musculus iliocostalis …… 1200
腸肋筋の iliocostalis …… 906
腸肋の iliocostal …… 906
長肋骨挙筋 levatores costarum longi (muscles) …… 1188
長肋骨挙筋 long levatores costarum (muscles) …… 1188
調和 harmony …… 815
調和性異常対応 harmonious retinal correspondence …… 427
調和性交代 concordant alternans …… 53
調和性交代 concordant alternation …… 54
調和接合 harmonic suture …… 1787
調和平均 harmonic mean …… 1112
長腕〔症〕 macrobrachia …… 1089
チョーク whiting …… 2045
直回 gyrus rectus …… 809
直回 straight gyrus …… 809
直筋 straight muscle …… 1195
直筋の筋間筋膜 intermuscular fascia of rectus muscles …… 673
直細管 straight tubule …… 1948
直細血管 vasa recta …… 1989
直細静脈 venae rectae …… 2007
〔腎臓の〕直細静脈 straight venules of kidney …… 2012
〔腎臓の〕直細静脈 venulae rectae of kidney …… 2012
〔腎臓の〕直細静脈 venulae rectae renis …… 2012
直細動脈 arteriolae rectae renis …… 139
直視下生検 open biopsy …… 214
直視分光器 direct vision spectroscope …… 1708
直翅目 Orthoptera …… 1317
直静脈洞 sinus rectus …… 1688
直静脈洞 straight sinus …… 1689
直進運動 translatory movement …… 1174
直伸の orthotropic …… 1317
直精細管 straight seminiferous tubule …… 1948
直精細管 straight tubule of testis …… 1948
直精細管 tubuli seminiferi recti …… 1949
直接アクリリックレジン修復 direct acrylic restoration …… 1597
直接維持 direct retention …… 1599
直接維持装置 direct retainer …… 1598
直接オキシダーゼ direct oxidase …… 1330
直接監視下治療 directly observed therapy (DOT) …… 1878
直接凝集妊娠試験 DA pregnancy test …… 1856
直接クームズ(クームス)試験 direct Coombs test …… 1856
直接蛍光抗体法 direct immunofluorescence (DIF) …… 912
直接喉頭鏡検査〔法〕 direct laryngoscopy …… 1002
直接視 direct vision …… 2032
直接充塡レジン direct filling resin …… 1592
直接照明 direct illumination …… 907
直接塞栓症 direct embolism …… 600
直接測熱 direct calorimetry …… 280
直接打診〔法〕 immediate percussion …… 1384
直接聴診〔法〕 immediate auscultation, direct auscultation …… 178
直接伝播性人獣共通伝染病 direct zoonosis …… 2061
直接熱量測定〔法〕 direct calorimetry …… 280
直接〔反応型〕ビリルビン direct reacting bilirubin …… 211
直接皮弁 direct flap …… 709
直接覆髄法 direct pulp capping …… 289
直接法 direct technique …… 1844
直接誘導 direct lead …… 1014
直接要素 proximate principle …… 1485
直接卵子移行 ovular transmigration, external ovular transmigration, direct ovular transmigration, internal ovular transmigration, indirect ovular transmigration …… 1920
直接利尿薬 direct diuretic …… 551
直接レジン修復 direct resin restoration 1597
直線加速器 linear accelerator (LINAC) …… 9
〔直〕線加速度 linear acceleration …… 9
直線〔増幅型〕心音計 linear phonocardiograph …… 1411
直線性 linearity …… 1053
直線増幅 linear amplification …… 64
直線の linear …… 1053
直線縫合 sutura plana …… 1786
直線縫合 plane suture …… 1788
直線梁の中立軸 neutral axis of straight beam …… 184
直像眼底検査 direct ophthalmoscopy …… 1308
直像検眼鏡 direct ophthalmoscope …… 1308
直達検査〔法〕 endoscopy …… 615
直達骨折 direct fracture …… 737
直腸 intestinum rectum …… 949
直腸 rectum …… 1575
直腸陰唇フィステル(瘻) rectolabial fistula …… 705
直腸栄養〔法〕 rectal alimentation …… 47
直腸会陰筋 rectoperinealis (muscle) …… 1192
直腸会陰形成〔術〕 proctoperineoplasty …… 1493
直腸会陰の rectoperineal …… 1574
直腸S状結腸 proctosigmoid …… 1493
直腸S状結腸〔接合部〕 rectosigmoid …… 1575
直腸S状結腸炎 proctosigmoiditis …… 1493
直腸S状結腸括約筋 rectosigmoid sphincter …… 1713
直腸S状結腸鏡 proctosigmoidoscope …… 1493

直腸S状結腸鏡検査〔法〕 proctosigmoidoscopy 1493
直腸S状結腸切除〔術〕 proctosigmoidectomy 1493
直腸炎 proctitis 1492
直腸架 rectal shelf 1672
直腸開口〔術〕 proctotresia 1493
直腸外側嚢 pararectal pouch 1474
直腸灌注 proctoclysis 1492
直腸貫通法 endorectal pull-through procedure 1487
直腸間膜 mesorectum 1137
直腸鏡 proctoscope 1493
直腸鏡検査〔法〕 proctoscopy 1493
直腸筋層 muscular coat of rectum 383
直腸筋層 muscular layer of rectum 1012
〔直腸〕筋層 tunica muscularis recti 1953
〔直腸筋層の〕縦〔筋〕層 stratum longitudinale tunicae muscularis recti 1752
〔直腸筋層の〕輪〔筋〕層 stratum circulare tunicae muscularis recti 1751
直腸形成〔術〕 proctoplasty 1493
直腸痙攣 proctospasm 1493
直腸結腸鏡検査〔法〕 proctocolonoscopy 1493
直腸結腸切除〔術〕 proctocolectomy 1493
直腸後筋膜 lamina retrorectalis fasciae endopelvicae 998
直腸後筋膜 retrorectal lamina of endopelvic fascia 998
直腸後筋膜 retrorectal lamina of hypogastric sheath 998
直腸後隙 retrorectal space 1705
直腸喉頭反射 rectolaryngeal reflex 1581
直腸〔肛門〕切開〔術〕 rectotomy 1575
直腸〔肛門〕〔切開〕刀 rectotome 1575
直腸固定〔術〕 proctopexy 1493
直腸(肛門)三角の筋 muscles of anal triangle 1181
直腸子宮窩 excavatio rectouterina 651
直腸子宮窩 rectouterine pouch 1474
直腸子宮筋 rectouterine muscle 1192
直腸子宮筋 rectouterinus (muscle) 1192
直腸子宮筋 musculus rectouterinus 1202
直腸子宮の rectouterine 1575
直腸子宮ひだ rectouterine fold 720
直腸子宮ひだ sacrouterine fold 720
直腸子宮ひだ plica rectouterina 1445
直腸指診 digital rectal examination (DRE) 650
直腸周囲の perirectal 1392
直腸周囲膿瘍 perirectal abscess 5
直腸出血 proctorrhagia 1493
直腸静脈叢 rectal venous plexus 1443
直腸静脈叢 plexus venosus rectalis 1444
直腸〔神経〕痛 proctalgia 1492
直腸心臓反射 rectocardiac reflex 1581
直腸切開〔術〕 proctotomy 1493
直腸切除〔術〕 proctectomy 1492
直腸仙骨筋膜 rectosacral fascia 674
直腸〔腟〕前庭の rectovestibular 1575
直腸前〔方〕の prerectal 1480
直腸前立腺筋膜 rectoprostatic fascia 674
直腸造瘻術 proctostomy 1493
直腸脱 proctocele 1492
直腸脱 proctoptosia, proctoptosis 1493
直腸腟筋膜 rectovaginal fascia 674
直腸腟形成〔術〕 proctocolpoplasty 1493
直腸腟前庭瘻 rectovestibular fistula 706
直腸腟中隔 rectovaginal fascia 674
直腸腟中隔 septum rectovaginale 1664
直腸腟の rectovaginal 1575
直腸腟ひだ sacrovaginal fold 720
直腸腟ひだ plica rectovaginalis 1445
直腸腟瘻 rectovaginal fistula 705
直腸刀 proctotome 1493
直腸動脈神経叢 rectal plexuses 1443
直腸内の intrarectal 951
直腸尿管瘻 rectourethral fistula 705
直腸尿道筋 rectourethral muscles 1192
直腸尿道筋 musculi rectourethrales 1202
直腸尿道の rectourethral 1575
直腸の rectal 1574
〔直腸の〕会陰曲 flexura perinealis (canalis ani) 712
〔直腸の〕会陰曲 perineal flexure of rectum 713
〔直腸の〕外側曲 lateral flexures of rectum 713
〔直腸の〕下右外側曲 inferodextral lateral flexure of rectum 712
〔直腸の〕上右外側曲 superodextral lateral flexure of rectum 713
〔直腸の〕仙骨曲 flexura sacralis recti 712
〔直腸の〕仙骨曲 sacral flexure of rectum 713
〔直腸の〕中間左外側曲 intermediosinistral lateral flexure of rectum 712
〔直腸の〕リンパ小節 lymphatic follicles of rectum 721
〔直腸の〕リンパ小節 folliculi lymphatici recti 723
直腸反射 rectal reflex 1581
直腸尾骨筋 rectococcygeal muscle 1192
直腸尾骨筋 rectococcygeus (muscle) 1192
直腸尾骨筋 musculus rectococcygeus 1202
直腸尾骨固定〔術〕 proctococcypexy 1493
直腸尾骨の rectococcygeal 1574
直腸病学 proctology 1493
直腸病恐怖〔症〕 proctophobia 1493
直腸病恐怖〔症〕 rectophobia 1574
直腸病専門医 proctologist 1493
直腸フィステル形成〔術〕 proctostomy 1493
直腸腹部の rectoabdominal 1574
直腸弁切開〔術〕 proctovalvotomy 1493
直腸弁切開〔術〕 rectal valvotomy 1986
直腸棚 rectal shelf 1672
直腸傍窩 pararectal fossa 733
直腸傍〔結合〕組織 paraproctium 1353
直腸傍〔結合〕組織炎 paraproctitis 1353
直腸縫合〔術〕 proctorrhaphy 1493
直腸膀胱窩 excavatio rectovesicalis 651
直腸膀胱窩 rectovesical pouch 1474
直腸膀胱筋 rectovesical muscle 1192
直腸膀胱筋 rectovesicalis (muscle) 1192
直腸膀胱筋 musculus rectovesicalis 1202
直腸膀胱形成〔術〕 proctocystoplasty 1493
直腸膀胱切開〔術〕 proctocystotomy 1493
直腸膀胱脱出 proctocystocele 1493
直腸膀胱中隔 rectoprostatic fascia 674
直腸膀胱中隔 rectovesical septum 1664
直腸膀胱中隔 septum rectovesicale 1664
直腸膀胱の rectovesical 1575
直腸膀胱ひだ rectovesical fold 720
直腸膀胱ひだ sacrovesical fold 720
直腸膀胱瘻 rectovesical fistula 705
直腸膨大部 ampulla of rectum 65
直腸膨大部 rectal ampulla 65
直腸傍の pararectal 1353
直腸傍リンパ節 pararectal lymph nodes 1080
直腸ポリープ proctopolypus 1493
直腸麻酔〔法〕 rectal anesthesia 80
直腸麻痺性便秘 proctostasis 1493
直腸横ひだ transverse folds of rectum 720
直腸横ひだ plicae transversae recti 1445
直腸瘤 rectocele 1574
直腸瘻造設〔術〕 rectostomy 1575
直面化 confrontation 410
直毛の leiotrichous 1016
直毛の lissotrichic, lissotrichous 1060
直乱視 astigmatism with the rule 165
直立〔性〕脱臼 luxatio erecta 1074
直立脱臼 dislocatio erecta 543
直立の orthostatic 1317
直立歩行位 orthograde 1316
直流 direct current (DC) 450
直流交流通電〔法〕 galvanofaradization 751
直流焼灼器 galvanocautery 751
直流通電〔法〕 galvanization 751
〔直流〕電気手術 galvanosurgery 751
直流療法 galvanotherapy 751
直列 series 1665
チョコレート寒天〔培地〕 chocolate agar 34
チョコレート嚢胞 chocolate cyst 458
貯蔵 storage 1750
貯蔵所 reservoir 1592
貯蔵症 storage disease 541
貯蔵症 thesaurosis 1882
貯蔵療法 depot therapy 1878
貯蓄 saving 1637
直角鉗子 right angle clamp 370
直角の normal (N) 1267
直観期 intuitive stage 1727
直観像 eidetic image 908
直観像者 eidetic 591
直観の noumenal 1270
直系 lineage 1053
〔直〕径 diameter 509
貯留 pool 1466
貯留 retention 1598
貯留 stagnation 1729
貯留性心外膜炎(心嚢炎) pericarditis with effusion 1386
貯留性嚢胞 retention cyst 460
貯留反応 depot reaction 1564
散らし薬 repellent 1590
散らし薬 resolvent 1594
ちらつき flicker 713
チラミン tyramine 1958
地理医学 geomedicine 767
チリオン tylion 1956
地理情報システム geographic information system 1831
〔地理的な〕勾配 cline 374
地理病理学 geopathology 767
治療 cure 449
治療 curing 449
治療 therapeutics 1877
治療 therapy 1877
治療 treatment (Tx) 1923
治療域 therapeutic range 1558
治療作用確認に必要な患者数 number needed to treat 1283
治療指数 therapeutic index 923
治療者 healer 818
治療者の iatric 902
治療集団 therapeutic group 803
治療食 diet 514
治療線量 curative dose (CD) 557
治療抵抗性くる病 refractory rickets 1614
治療的気胸 therapeutic pneumothorax 1452
治療的血管造影(撮影)〔法〕 therapeutic angiography 85
治療的虹彩切除〔術〕 therapeutic iridectomy 956
治療的コミュニティ therapeutic community 398
治療的転機 therapeutic crisis 439
治療的配合禁忌 therapeutic incompatibility 920
治療的マラリア therapeutic malaria 1095
治療的楽観主義 therapeutic optimism 1309
治療的流産 therapeutic abortion 4
治療麻酔〔法〕 therapeutic anesthesia 80
治療無用論 therapeutic nihilism 1257
治療薬 drug 561
治療薬 remedy 1589
治療用義歯 treatment denture 490
知力 mind 1158
ちりよけ goggle 790

チ

チロキサポール tyloxapol ………………… 1956
チロキシン thyroxine (T_4), thyroxin …… 1891
チロシジン tyrocidin, tyrocidine ……… 1958
チロシナーゼ tyrosinase ……………… 1958
チロシル尿〔症〕 tyrosyluria ……………… 1959
チロシン tyrosine (Tyr, Y) …………… 1958
チロシンアミノトランスフェラーゼ tyrosine aminotransferase ……………………… 61
チロシンキナーゼ tyrosine kinase ……… 985
チロシン血〔症〕 tyrosinemia …………… 1958
チロシンケトン尿〔症〕 tyroketonuria …… 1958
チロシン症 tyrosinosis ………………… 1959
チロシン尿〔症〕 tyrosinuria …………… 1959
チロシンフェノールリアーゼ tyrosine phenol-lyase ……………………… 1403
チロシンヨウ化酵素 tyrosine iodinase …… 953
チロスリシン tyrothricin ……………… 1959
チロパノエートナトリウム tyropanoate sodium ……………………………… 1958
チロロン tilorone ……………………… 1892
沈下 depression ………………………… 493
鎮咳・気管支拡張〔性〕の bronchospasmolytic ……………………………………… 260
鎮咳〔症〕の antitussive ………………… 110
鎮咳薬 antitussive ………………………… 110
沈下〔性〕うっ血 hypostatic congestion …… 410
沈下性潰瘍 gravitational ulcer ………… 1961
沈下性肺炎 hypostatic pneumonia ……… 1450
チンキ〔剤〕 tinctura …………………… 1894
チンキ〔剤〕 tincture …………………… 1894
チンキャップ chin cap ………………… 288
鎮痙 spasmolysis ………………………… 1706
鎮痙性の anticonvulsant ………………… 102
鎮痙薬 anticonvulsant …………………… 102
鎮痙薬 antispasmodic …………………… 109
鎮痙薬 spasmolytic ……………………… 1706
沈降 sedimentation ……………………… 1654
沈降〔反応〕 precipitation ……………… 1477
沈降硫黄 lac sulfuris …………………… 992
沈降硫黄 precipitated sulfur …………… 1776
沈降曲線 precipitation curve …………… 451
沈降係数(定数) sedimentation constant 414
沈降原 precipitinogen …………………… 1477
沈降石灰 prepared chalk ……………… 338
沈降素 precipitin ………………………… 1477
沈降速度 sedimentation rate …………… 1560
沈降速度 sedimentation velocity ……… 2003
沈降速度計 sedimentometer …………… 1654
沈降体 precipitophore ………………… 1477
沈降炭酸カルシウム precipitated calcium carbonate …………………………… 277
沈降〔反応〕ハプテン抑制 hapten inhibition of precipitation …………………… 933
沈降反応 precipitin reaction …………… 1567
沈降反応 precipitin test ………………… 1863
沈降物 deposit …………………………… 492
沈降物 precipitate ……………………… 1476
沈降率 sedimentation rate ……………… 1560
沈降輪検査 ring precipitin test ……… 1864
沈渣 deposit ……………………………… 492
沈渣 hypostasis ………………………… 897
沈渣 sediment …………………………… 1654
沈渣 sedimentum ………………………… 1654
沈水の submerged ……………………… 1764
鎮静 sedation …………………………… 1654
鎮静の calmative ………………………… 280
鎮静薬 balm ……………………………… 193
鎮静薬 sedative ………………………… 1654
沈積物 deposit …………………………… 492
沈着症 storage disease ………………… 541
沈着物 deposit …………………………… 492
沈着物 precipitate ……………………… 1476
鎮痛性の analgesic ……………………… 69
鎮痛性の analgetic ……………………… 70
鎮痛性の lenitive ………………………… 1019
鎮痛歩行 antalgic gait ………………… 748
鎮痛薬 analgesic ………………………… 69
鎮痛薬 analgetic ………………………… 70
鎮痛薬 anodyne ………………………… 93
鎮痛薬 lenitive ………………………… 1019
鎮痛薬〔性〕腎炎 analgesic nephritis …… 1228
鎮痛薬〔性〕腎症 analgesic nephropathy 1230
沈殿 sedimentation ……………………… 1654
沈殿〔物〕 precipitate …………………… 1476
沈殿可能の precipitable ………………… 1476
沈殿剤 precipitant ……………………… 1476
〔沈殿〕析出 precipitation ……………… 1477
鎮吐作用の antiemetic ………………… 102
鎮吐薬 antiemetic ……………………… 102
チンハオス(青蒿素) qinghaosu ……… 1536
チンパンジー chimpanzee ……………… 344
チンパンジー属 *Pan* …………………… 1340
沈黙期 silent period …………………… 1390
沈黙野 silent area ……………………… 130

ツ

ツートン巨細胞 Touton giant cell ……… 327
ツーブロート目盛り(スケール) Zubrod scale ……………………………………… 1640
ツァーン梗塞 Zahn infarct ……………… 926
ツァーン線 lines of Zahn ……………… 1052
ツァイス腺 Zeis glands ………………… 775
ツァイス〔腺〕麦粒腫 zeisian sty ……… 1761
ツァッペルト血球計算板 Zappert counting chamber ………………………………… 338
ツァンク細胞 Tzanck cells ……………… 327
ツァンク試験 Tzanck test ……………… 1867
対 dyad …………………………………… 569
対 pair …………………………………… 1337
対 par …………………………………… 1347
椎 vertebra ……………………………… 2014
ツィーマン斑点 Ziemann dots ………… 558
ツィーマン斑点 Ziemann stippling …… 1748
ツィール(チール)染料 Ziehl stain …… 1736
ツィール(チール)-ネールゼン染色〔法〕 Ziehl-Neelsen stain ……………………… 1736
追加抗原〔投与〕量 booster dose ……… 556
椎間円板 intervertebral disc ………… 525
椎間円板 discus intervertebralis ……… 527
椎間(円)板脱出〔症〕 disc prolapse …… 1496
対感覚消失 paranesthesia ……………… 1352
対感覚脱失 paranesthesia ……………… 1352
椎間結合 intervertebral symphysis …… 1791
椎間結合 symphysis intervertebralis …… 1791
椎間孔 foramen intervertebrale ………… 725
椎間孔 intervertebral foramen ………… 725
椎間腔 disc space ……………………… 1703
〔椎間〕孔拡大術 foraminotomy ………… 727
椎間静脈 intervertebral vein ………… 1997
椎間静脈 vena intervertebralis ………… 2006
椎間石灰〔沈着〕症 calcinosis intervertebralis ……………………………………… 276
椎間体性多発〔性〕関節炎 vertebral polyarthritis …………………………… 1458
椎間板炎 discitis ………………………… 526
椎間板起因の discogenic ……………… 527
椎間板疾患 discopathy ………………… 527
椎間板症 discopathy …………………… 527
椎間板症候群 disc syndrome ………… 1802
椎間板切除〔術〕 discectomy …………… 526
椎間板線維輪 anulus fibrosus of intervertebral disc ……………………… 111
椎間板像 discogram …………………… 527
椎間板造影法 discography …………… 527
〔頸〕椎間板損傷 injury of intervertebral disc ……………………………………… 936
椎間板の真空現象 vacuum disc phenomenon ……………………………… 1406
椎間板ヘルニア disc herniation ……… 844
椎弓 vertebral arch ……………………… 126
椎弓 arcus vertebrae …………………… 128
椎弓根 pedicle of arch of vertebra …… 1376
椎弓根 pediculus arcus vertebrae ……… 1376
椎弓根間の interpediculate …………… 947
椎弓切開〔術〕 laminotomy ……………… 999
椎弓切除〔術〕 laminectomy …………… 999
椎弓板 lamina arcus vertebrae ………… 997
椎弓板 lamina of vertebral arch ……… 999
椎孔 foramen vertebrale ………………… 726
椎孔 vertebral foramen ………………… 726
〔染色糸〕対合 synizesis ………………… 1826
〔染色体〕対合 synapsis ………………… 1793
対合期複合体 synaptinemal complex …… 402
対合期複合体 synaptonemal complex …… 402
椎骨 vertebra …………………………… 2014
椎骨間の intervertebral ………………… 948
椎骨縦隔洞 vertebromediastinal recess 1572
椎骨状カテーテル vertebrated catheter … 314
椎骨上関節突起 processus articularis superior vertebrae ……………………… 1491
椎骨静脈 vertebral vein ……………… 2003
椎骨静脈 vena vertebralis ……………… 2008
椎骨静脈系 vertebral venous system …… 1834
椎骨静脈撮影(造影)〔法〕 vertebral venography ……………………………… 2009
椎骨静脈叢 plexus venosus vertebralis 1444
椎骨静脈叢 vertebral venous plexus …… 1444
椎骨静脈叢 vertebral venous system …… 1834
椎骨動脈 arteria vertebralis …………… 138
椎骨動脈 vertebral artery ……………… 154
椎骨動脈横突部 pars transversaria arteriae vertebralis ………………………………… 1361
椎骨動脈横突部 transversarial part of vertebral artery ………………………… 1368
椎骨動脈管 canal for vertebral artery …… 285
椎骨動脈孔 foramen vertebroarteriale …… 726
椎骨動脈溝 groove for vertebral artery … 803
椎骨動脈溝 sulcus arteriae vertebralis … 1771
椎骨動脈溝 sulcus for vertebral artery 1775
椎骨動脈三角 triangle of vertebral artery ……………………………………… 1928
椎骨動脈神経 vertebral nerve ………… 1240
椎骨動脈神経 nervus vertebralis ……… 1243
椎骨動脈神経節 ganglion vertebrale …… 755
椎骨動脈神経節 vertebral ganglion …… 755
椎骨動脈神経叢 plexus vertebralis …… 1444
椎骨動脈神経叢 vertebral nervous plexus ……………………………………… 1444
椎骨動脈頭蓋内部 pars intracranialis arteriae vertebralis …………………… 1359
椎骨動脈頭蓋内部の外側延髄枝 lateral medullary branches (of intracranial part) of vertebral artery ………………………… 248
椎骨動脈の環椎部 atlantic part of vertebral artery ………………………………… 1362
椎骨動脈の後硬膜枝 ramus meningeus posterior ………………………………… 1553
椎骨動脈の後頭下部 suboccipital part of vertebral artery …………………………… 1367
椎骨動脈の頭蓋〔内〕部 intracranial part of vertebral artery ………………………… 1365
椎骨動脈の前硬膜枝 ramus meningeus anterior arteriae vertebralis …………… 1553
椎骨動脈の椎前部 prevertebral part of vertebral artery …………………………… 1367
椎骨動脈の内側延髄枝 medial medullary branches of vertebral artery …………… 249
〔脊〕椎骨の vertebral ………………… 2015
椎骨-脳底動脈系 vertebral-basilar system ……………………………………… 1834

〔椎骨の〕横突起 processus transversus vertebrae …… 1492
〔椎骨の〕下関節面 inferior articular facet of vertebra …… 661
椎骨の棘突起 spinous process of vertebra …… 1490
椎骨の棘突起 processus spinosus vertebrae …… 1492
〔椎骨の〕棘突起 acantha …… 8
〔椎骨の〕上関節突起 superior articular process of vertebra …… 1490
〔椎骨の〕上関節面 superior articular facet of vertebra …… 662
椎骨の神経弓 neural arch of vertebra …… 126
椎骨副棘突起 anapophysis …… 72
椎骨傍線 paravertebral line …… 1051
椎骨傍線 linea paravertebralis …… 1053
対収縮 paired beats …… 203
追従ブジー following bougie …… 238
椎心 centrum of a vertebra …… 332
〔電子〕対生成 pair production …… 1337
追跡 tracing …… 1910
追跡研究 diachronic study …… 1761
追跡研究 follow-up study …… 1761
追跡調査 follow-up study …… 1761
つい(対)切開 counterincision …… 432
椎切痕 incisura vertebralis …… 919
椎切痕 vertebral notch …… 1270
椎前筋 prevertebral muscles …… 1191
〔脊〕椎前の prevertebral …… 1483
椎前リンパ節 prevertebral lymph nodes 1080
追想 recall …… 1570
追想 retrospection …… 1604
追想錯誤 retrospective falsification …… 670
椎体 body of vertebra …… 230
椎体 vertebral body …… 230
椎体 corpus vertebrae …… 426
椎体間 interbody …… 943
椎体形成〔術〕 vertebroplasty …… 2015
椎体鉤状関節 uncovertebral joints …… 972
椎体鉤状突起の uncovertebral …… 1963
椎体静脈 basivertebral veins …… 1994
椎体静脈 venae basivertebrales …… 2004
椎体切除〔術〕 corpectomy …… 424
椎体〔底〕の basivertebral …… 201
椎体軟骨結合 neurocentral synchondrosis …… 1793
椎体の椎間面 intervertebral surface of body of vertebra …… 1782
対知覚消失 paranesthesia …… 1352
対知覚脱失 paranesthesia …… 1352
対知覚麻痺 paranesthesia …… 1352
対痛覚脱失(消失)〔症〕 paranalgesia …… 1352
対の bigeminal …… 210
椎板尾部 scleromere …… 1647
対麻痺 paraplegia …… 1353
対無痛覚〔症〕 paranalgesia …… 1352
墜落恐怖〔症〕 bathophobia …… 202
墜落分娩 precipitate labor …… 992
対連合子 paired associates …… 163
椎肋三角 vertebrocostal trigone …… 1933
ツィン動脈 Zinn artery …… 154
ツィン膜 Zinn membrane …… 1127
ツィンメルマン反応 Zimmermann reaction …… 1568
ツィンメルリン萎縮 Zimmerlin atrophy 174
ツヴィッカー音 Zwicker tone …… 1900
ツヴィーバック zweiback …… 2062
通院手術 ambulatory surgery …… 1784
通院(外来)の ambulatory, ambulant …… 57
通過 passage …… 1370
通顆間骨折 transcondylar fracture …… 738
痛覚 algesthesia …… 47
痛覚閾値 pain threshold …… 1886
痛覚異常〔症〕 paralgesia …… 1350
痛覚異常〔症〕 paralgia …… 1350
痛覚過敏 algesthesia …… 47
痛覚過敏 hyperalgesia …… 878
痛覚過敏の algesic …… 47
痛覚計 algesiometer …… 47
痛覚脱失(消失)〔症〕 analgesia …… 69
痛覚測定〔法〕 algometry …… 47
痛覚速度計 algesichronometer …… 47
痛覚鈍麻 hypalgesia …… 878
痛覚発生 algogenesis, algogenesia …… 47
痛覚発生の algesiogenic …… 47
通過性狭心症 walk-through angina …… 83
通気 aeration …… 31
通気 draft …… 559
通気 perflation …… 1385
通気 ventilation …… 2009
通気〔法〕 insufflation …… 941
通気する aerate …… 31
通時的 diachronic …… 508
通常位 situs solitus …… 1690
通常水 indifferent water …… 2041
通常動物 conventional animal …… 91
通常の胸〔郭〕形成〔術〕 conventional thoracoplasty …… 1885
通性寄生生物 facultative parasite …… 1354
通性共生細菌 cenosite …… 330
通性嫌気性菌 facultative anaerobe …… 69
通性嫌気性生物 facultative anaerobe …… 69
通性の facultative …… 670
通性腐生菌 facultative saprophyte …… 1634
通則 rule …… 1625
痛点 punctum dolorosum …… 1526
痛風 gout …… 793
通風 draft …… 559
痛風灰 gouty tophus …… 1903
痛風灰 tophus …… 1903
痛風間期 interval gout …… 793
痛風〔性〕関節炎 gouty arthritis …… 154
痛風〔性〕関節炎 urarthritis …… 1969
痛風結節 gouty tophus …… 1903
痛風結節 tophus …… 1903
痛風食 gout diet …… 514
痛風真珠 gouty pearl …… 1375
痛風素質(体質,素因) gouty diathesis …… 512
痛風尿 gouty urine …… 1973
通門機序 gating mechanism …… 1114
通路 channel …… 339
通路 iter …… 964
通路 passage …… 1370
通路 via …… 2018
通路ボタン boutons en passage …… 238
ツェーデル油 cedar wood oil …… 1294
ツェツェバエ tsetse …… 1940
ツェツェバエ属 *Glossina* …… 781
ツェルヴェーガー症候群 Zellweger syndrome …… 1825
ツェルナー線 Zöllner lines …… 1052
ツェンカー固定液 Zenker fixative …… 708
ツェンカー麻痺 Zenker paralysis …… 1351
月状骨周囲脱臼 perilunar dislocation …… 543
付添看護師 practical nurse (PN) …… 1283
付添看護師 private duty nurse …… 1283
月の lunar …… 1071
机 table …… 1836
ツザペク溶液寒天〔培地〕 Czapek solution agar …… 34
ツジョン thujone …… 1889
ツタウルシ抗原 Rhus toxicodendron antigen …… 105
ツタ状終末 hederiform ending …… 611
ツタ状の hederiform …… 821
土 earth …… 580
つちきぬた骨の malleoincudal …… 1096
つち(ツチ)骨 malleus …… 1096
〔つち骨〕外側突起 lateral process of malleus …… 1489
〔つち骨〕外側突起 processus lateralis mallei …… 1491
つち骨頸 collum mallei …… 392
つち骨頸 neck of malleus …… 1223
つち骨条 malleolar stria …… 1756
つち骨条 stria mallearis …… 1756
つち骨切開〔術〕 malleotomy …… 1096
〔つち骨〕前突起 anterior process of malleus …… 1488
〔つち骨〕前突起 processus anterior mallei …… 1491
つち骨頭 caput mallei …… 292
つち骨頭 head of malleus …… 817
つち骨の靱帯 ligaments of malleus …… 1037
つち骨ひだ mallear folds …… 719
つち骨柄 handle of malleus …… 814
つち骨柄 manubrium of malleus …… 1101
つち骨隆起 malleolar prominence …… 1497
つち骨隆起 prominentia mallearis …… 1497
つち趾 hallux malleus …… 813
槌指 mallet finger …… 700
ツッカーカンドル筋膜 Zuckerkandl fascia …… 675
ツツガムシ chigger …… 344
ツツガムシ科 Trombiculidae …… 1936
ツツガムシ属 *Trombicula* …… 1936
ツツガムシダニ類 trombiculid …… 1936
ツツガムシ病 tsutsugamushi disease …… 542
ツツガムシ病 trombiculiasis …… 1936
つつきの順位 pecking order …… 1311
ツヅラフジ fish berry …… 701
ツノマタ chondrus …… 354
翼 pinna …… 1425
翼 wing …… 2046
翼の alar …… 42
鍔付き針 stop-needle …… 1225
粒 parvule …… 1370
つぶやき mussitation …… 1205
ツベルクリン tuberculin …… 1944
ツベルクリン試験 tuberculin test …… 1867
つぼ lagena …… 995
つぼ形の urceiform …… 1969
蕾 bud …… 263
蕾 caliculus …… 279
爪先チアノーゼ症候群 blue toe syndrome …… 1798
つまみ pinch …… 1425
爪 nail …… 1219
爪 unguis …… 1964
〔指の〕爪 fingernail …… 701
爪かみ onychophagy, onychophagia …… 1301
爪切除 declawing …… 475
冷たい frigid …… 741
爪の外側縁 lateral border of nail …… 235
爪の外側縁 margo lateralis unguis …… 1104
爪の近位縁 hidden border of nail …… 235
爪の近位縁 proximal border of nail …… 236
爪の自由縁 free border of nail …… 234
爪の自由縁 margo liber unguis …… 1104
〔爪の〕潜入縁 occult border of nail …… 235
〔爪の〕潜入縁 margo occultus unguis …… 1104
爪の点状凹窩 nail pits …… 1426
爪白癬 tinea unguium …… 1894
詰め物 packing …… 1335
強さ strength …… 1753
強さ-時間曲線 strength-duration curve …… 451
ツヨン thujone …… 1889
ツラノース turanose …… 1954
ツラレミア tularemia …… 1949
釣合い equilibrium …… 635
ツリウム thulium (Tm) …… 1889
ツリガネムシ属 *Vorticella* …… 2038
吊り下がった鼻翼 hanging columella …… 395
ツルグラ tulle gras …… 1949
蔓状静脈腫 angioma venosum racemosum 85
蔓状静脈叢 pampiniform venous plexus 1442
蔓状静脈瘤 cirsoid varix …… 1989

蔓状動脈瘤 cirsoid aneurysm ………………… 81
蔓状の pampiniform ………………………… 1340
蔓状の racemose ……………………………… 1540
ツルニチニチソウ periwinkle …………… 1394
ツルニチニチソウ *Vinca rosea* ………… 2020
ツルネー現象 Tournay phenomenon …… 1406
ツルネー徴候 Tournay sign ……………… 1684
ツレット症候群 Tourette syndrome …… 1823
つわり morning sickness ………………… 1677
つわり vomiting of pregnancy ………… 2037

テ

手 hand ………………………………………… 814
手 main ………………………………………… 1093
手 manus ……………………………………… 1101
テーデン法 Theden method ……………… 1145
テートの法則 Tait law …………………… 1008
テープ tape …………………………………… 1841
テーブルスプーン1杯の cochleare amplum ……………………………………………… 385
テーブルスプーン1杯の cochleare magnum ……………………………………………… 385
テーラー体幹装具 Taylor back brace …… 239
テーラー病 Taylor disease ……………… 541
デーヴィス移植片 Davis graft ………… 795
デーヴィス連結型ゾンデ Davis interlocking sound ……………………………………… 1702
デーヴィッドソン注射器 Davidson syringe ……………………………………………… 1828
デーキン〔溶〕液 Dakin solution ……… 1698
デージー daisy ……………………………… 471
データ data ………………………………… 472
データ datum ……………………………… 472
データ処理 data processing …………… 472
デーデルライン杆菌 Döderlein bacillus … 188
デーヒオ試験 Dehio test ………………… 1856
デービスのエネルギー変換バッテリーモデル Davis battery model of transduction 1917
デーム deme ………………………………… 485
デーリーツツガムシ *Trombicula deliensis* ……………………………………………… 1936
デール反応 Dale reaction ……………… 1564
デール-フェルドバーグの法則 Dale-Feldberg law ……………………… 1006
デーレ〔小〕体 Döhle bodies …………… 226
デーン染色〔法〕 Dane stain …………… 1730
デーン粒子 Dane particles ……………… 1369
出会い集団 encounter group …………… 803
手足口症候群 hand-foot-and-mouth syndrome ………………………………… 1806
手足口病 hand-foot-and-mouth disease …. 534
手足口病ウイルス hand-foot-and-mouth disease virus ………………………… 2025
手足痙攣(痙縮) carpopedal spasm ……… 1706
手足症候群 hand-and-foot syndrome ….. 1806
手足症候群 hand-foot syndrome ………. 1806
手足の中節骨 middle phalanges of foot and hand ……………………………………… 1399
デアシラーゼ deacylase ………………… 472
デアミナーゼ deaminase ………………… 473
デアミナーゼ deaminases ……………… 473
手洗い看護師 scrub nurse ……………… 1283
手洗鉢 basin ……………………………… 200
堤 agger …………………………………… 37
堤 ledge …………………………………… 1015
底 base ……………………………………… 199
底 basis …………………………………… 200
底 fundus ………………………………… 744
底 nadir …………………………………… 1219
底 solum …………………………………… 1697
ティースプーン1杯の cochleare parvum 385
ティーツェ症候群 Tietze syndrome …… 1822
ティーツースター T2* …………………… 1836
ティーデマン神経 Tiedemann nerve …. 1240
ティールシュ小管 Thiersch canaliculi … 285
Tγ細胞 Tγ cells …………………………… 326
T系 T system ……………………………… 1834
T系の細管 T tubule ……………………… 1948
*t*検定 *t* test ……………………………… 1866
T抗原 T antigens ………………………… 105
T細管 tubulus transversus ……………… 1949
T細胞 T cell ……………………………… 326
T細胞(胸腺)依存性抗原 T-dependent antigen ……………………………………… 105
T細胞抗原レセプタ(受容体) T cell antigen receptors ……………………………… 1571
T字管 T tube ……………………………… 1942
T字〔包〕帯 T-binder …………………… 211
Tスコア T-score ………………………… 1650
T脊髄切開〔術〕 T myelotomy ………… 1211
Tチューブ胆管造影 t-tube cholangiography ……………………………………………… 348
T波 T wave ………………………………… 2042
Tヘルパー(ヘルパーT)細胞 T-helper cells (Th) …………………………………… 327
Tμ細胞 Tμ cells ………………………… 326
Tリンパ球 T lymphocyte ……………… 1082
Tリンパ球豊富B細胞リンパ腫 T-cell-rich B-cell lymphoma ……………………… 1084
T1強調画像 T1 weighted image ……… 908
T2強調画像 T2 weighted image ……… 908
T-2トキシン T-2 toxin ………………… 1906
Tac抗原 Tac antigen ……………………… 105
Taqポリメラーゼ Taq polymerase …… 1460
TDTH細胞 TDTH cells ………………… 327
TEAE-セルロース TEAE-cellulose …… 329
TH1細胞 T helper subset 1 cells ……… 327
TH2細胞 T helper subset 2 cells ……… 327
TIMIリスクスコア TIMI risk score …. 1650
Tj抗原 Tj antigen ………………………… 105
TMJ症候群 TMJ syndrome …………… 1823
TNM分類 TNM staging ………………… 1729
TOウイルス TO virus …………………… 2030
TP感作赤血球凝集試験 *Treponema pallidum* hemagglutination test ……… 1867
Tr_a抗原 Tr_a antigen ………………… 105
TRAM皮弁 TRAM flap ………………… 710
TRH刺激試験 thyrotropin-releasing hormone stimulation test, TRH-stimulation test ……………………………………………… 1867
TSH産生腺腫 thyrotropin-producing adenoma ………………………………… 26
TSH刺激試験 thyroid-stimulating hormone stimulation test, TSH-stimulating test 1867
TUNEL(タネル)法 TUNEL …………… 1952
TY1-S-33培地 TY1-S-33 medium …… 1118
TYSGM-9培地 TYSGM-9 medium …… 1118
ディーヴァー切開〔術〕 Deaver incision … 918
ディーテルレ染色〔法〕 Dieterle stain …. 1730
ディーバー法 Deaver method ………… 1143
ディールス炭化水素 Diels hydrocarbon … 870
ディーンフッ素症指数 Dean fluorosis index ……………………………………………… 922
D因子 factor D …………………………… 667
D型ウイルス性肝炎 viral hepatitis type D ……………………………………………… 840
D型肝炎ウイルス hepatitis D virus …… 2025
D抗原 D antigen ………………………… 103
D-ジギトキソース D-digitoxose ……… 517
D-ダイマー D-dimer …………………… 520
Dダイマー試験 D-dimer test …………… 1856
D波 D wave ………………………………… 2042
Dループ D loop …………………………… 1069
*dam*メチラーゼ *dam* methylase ……… 471
DAPI染色〔法〕 DAPI stain ……………… 1730
def(DEF)う食指数 def caries index, DEF caries index ……………………………… 922
DES被災女児 DES (diethylstilbestrol) daughter ………………………………… 472
df(DF)う食指数 df caries index, DF caries index ……………………………………… 922
DF歯面率 ratio of decayed and filled surfaces (RDFS) ……………………… 1560
DF歯率 ratio of decayed and filled teeth (RDFT) ………………………………… 1560
DFN1遺伝子 DFN1 gene ……………… 763
DFN3遺伝子 DFN3 gene ……………… 763
DFNA1遺伝子 DFNA1 gene …………… 763
DFNA2遺伝子 DFNA2 gene …………… 763
DFNA3遺伝子 DFNA3 gene …………… 763
DFNA3・DFNB1遺伝子 DFNA3 gene and DFNB1 gene ……………………………… 763
DFNA9遺伝子 DFNA9 gene …………… 763
DFNA12・DFNB21遺伝子 DFNA12 gene and DFNB21 gene ……………………… 763
DFNA15遺伝子 DFNA15 gene ………… 763
DFNB4遺伝子 DFNB4 gene …………… 763
DFNB9遺伝子 DFNB9 gene …………… 763
DFNB10遺伝子 DFNB10 gene ………… 763
DHNA5遺伝子 DHNA5 gene …………… 763
Di抗原 Di antigen ………………………… 103
dmfs(DMFS)う食指数 dmfs caries index, DMFS caries index ……………………… 922
DNAウイルス DNA virus ……………… 2023
DNAギャップ DNA gap ………………… 756
DNA診断 deoxyribonucleic acid diagnostics ……………………………………………… 508
DNA相同性 DNA homology …………… 861
DNA多型 DNA polymorphism ………… 1461
DNAヌクレオチジルエキソトランスフェラーゼ DNA nucleotidylexotransferase …. 491
DNAの変性温度 denaturation temperature of DNA …………………………………… 1848
DNAの変性融点 denaturation temperature of DNA …………………………………… 1848
DNAハイブリダイゼーション DNA hybridization ……………………………… 869
DNAフィンガープリンティング DNA fingerprinting ……………………………… 491
DNAポリメラーゼ DNA polymerase …… 491
DNAマーカ DNA markers ……………… 553
DNA融解温度 melting temperature of DNA ……………………………………………… 1848
DNAリガーゼ DNA ligase ……………… 491
DNAワクチン DNA vaccine …………… 1979
DNA-RNA雑種 DNA-RNA hybrid …… 868
DNA-RNAハイブリッド DNA-RNA hybrid ……………………………………………… 868
DNaseII類似酸デオキシリボヌクレアーゼ DNase II-like acid DNase ……………… 554
DNES細胞 DNES cells ………………… 320
DP皮弁 deltopectoral flap ……………… 709
dTDP糖 dTDP-sugars …………………… 562
低悪性巨細胞腫 giant cell tumor of low malignant potential …………………… 1950
低悪性線維粘液肉腫 low-grade fibromyxoid sarcoma ………………………………… 1635
低悪性度〔神経膠〕星状細胞腫 low grade astrocytoma ……………………………… 166
低悪性度星状〔膠〕細胞腫 low grade astrocytoma ……………………………… 166
ディアシーシス diaschisis ……………… 511
〔異常〕低〔気〕圧〔病〕 hypobarism ………… 891
低圧の hypobaric ………………………… 891
低圧病 hypobaropathy …………………… 891
低アドレナリン症 hypoadrenalism ……… 891
低アルドステロン血症 hypoaldosteronism 891
低アルドステロン尿症 hypoaldosteronuria 891
低アルブミン血〔症〕 hypoalbuminemia … 891
定位 localization ………………………… 1067

定位異常 dysstasia …… 577
低位鉗子分娩 low forceps delivery …… 484
低域(低周波強調)フィルタ low-pass filter …… 699
低位咬合 infraclusion …… 931
低位歯 abstraction …… 7
定位〔脳〕手術 stereotaxy …… 1744
定位脊髄切断〔術〕 stereotactic cordotomy 422
低位脊椎麻酔〔法〕 low spinal anesthesia … 80
定位装置 stereotactic instrument, stereotaxic instrument …… 941
定位的局在決定 stereotaxic localization 1067
定位脳測定 stereoencephalometry …… 1743
定位反射 orienting reflex …… 1580
低飲症 hypoposia …… 896
低運動性構語障害 hypokinetic dysarthria 570
低エコー hypoechoic …… 892
ディエゴ血液型 Diego blood group, Di blood group …… 514
ティエッツ症候群 Tietz syndrome …… 1822
ディエトルクリーゼ Dietl crisis …… 439
ディエトル発症 Dietl crisis …… 439
低塩酸〔症〕 hypochlorhydria …… 891
低塩酸塩尿症 hypochloruria …… 891
低塩症候群 low salt syndrome, low sodium syndrome …… 1810
低塩食 low salt diet …… 515
低塩素血〔症〕 chloropenia …… 347
低塩素血〔症〕 hypochloremia …… 891
帝王切開〔術〕 cesarean section (CS) …… 1653
〔帝王切開後〕試験分娩 trial of labor after cesarean section (TOLAC) …… 992
帝王切開の cesarean …… 336
低温学 cryogenics …… 444
低温感受性酵素 cold-sensitive enzyme …… 623
定温器 thermostat …… 1882
低音強調 base increase at low levels …… 920
低温計 cryometer …… 444
低温殺菌〔法〕 pasteurization …… 1371
低温殺菌器 pasteurizer …… 1371
低音障害型難聴 low-tone hearing loss …… 820
低温生物学 cryobiology …… 444
低温槽 cryostat …… 445
低温度 cold …… 389
低温保存法 cryopreservation …… 445
低温用温度計 cryometer …… 444
低温療法 refrigeration …… 1583
低下 depression …… 493
底外側扁桃体核 basolateral amygdaloid nucleus …… 1273
低カリウム血〔症〕 hypokalemia …… 894
低カリウム血性周期性〔四肢〕麻痺 hypokalemic periodic paralysis …… 1350
低カリウム性腎症 hypokalemic nephropathy …… 1230
低カルシウム血症 hypocalcemia …… 891
低カルシウム性白内障 hypocalcemic cataract …… 311
低カロリー食 low-calorie diet …… 514
低カロリー食の dietetic …… 515
低眼圧緑内障 low-tension glaucoma …… 777
低換気性昏睡 hypoventilation coma …… 396
低ガンマグロブリン血〔症〕 dysgammaglobulinemia …… 572
低ガンマグロブリン血〔症〕 hypogammaglobulinemia …… 893
〔異常〕低〔気〕圧〔病〕 hypobarism …… 891
提供者 donor …… 555
提供者 provider …… 1509
低緊張の hypotonic …… 899
ディグヴ−メルキオー−クローセン症候群 Dyggve-Melchior-Clausen syndrome … 1803
低クエン酸尿症 hypocitraturia …… 892
ディクチオーマ dictyoma …… 513
〔足〕底屈 plantar flexion …… 712
ディクティオテーン期 dictyotene …… 513
ディ・グリエルモ病 Di Guglielmo disease 532
梯形 trapezium …… 1923
定型抗精神病薬 typical antipsychotic agent …… 37
低形成貧血 hypoplastic anemia …… 77
定型的偽コリンエステラーゼ typical pseudocholinesterase …… 1511
定型的〔根治的〕乳房切除〔術〕 radical mastectomy …… 1108
定形の delomorphous …… 484
梯形の trapezial …… 1923
締結〔法〕 cerclage …… 334
泥〔状〕血 sludged blood …… 223
低血圧〔症〕 hypotension …… 897
低血圧〔症〕 hypotonia …… 899
低血圧麻酔〔法〕 hypotensive anesthesia …… 79
低血糖〔症〕 hypoglycemia …… 893
低血糖感知 hypoglycemia awareness …… 183
低血糖性昏睡 hypoglycemic coma …… 396
低血糖不感知 hypoglycemia unawareness …… 1963
抵抗〔性〕 resistance …… 1593
抵抗運動 resistive movement …… 1174
抵抗寒暖計 resistance thermometer …… 1881
抵抗器 resistor …… 1594
抵抗形態 resistance form …… 729
抵抗血清性の serum-fast …… 1668
定向進化 orthogenesis …… 1316
低口唇線 low lip line …… 1051
抵抗性 fastness …… 678
抵抗性の fast …… 677
蹄行の unguligrade …… 1964
抵抗不能衝動 irresistible impulse …… 917
抵抗誘導因子 resistance-inducing factor (RIF) …… 669
抵抗率 resistivity …… 1594
抵抗力 resistance …… 1593
抵抗力 strength …… 1753
テイコ酸 teichoic acids …… 1845
蹄骨 coffin bone …… 232
低ゴナドトロピン性性腺機能低下症 hypogonadotropic hypogonadism …… 894
低コレステロール(コレステリン)血〔症〕 hypocholesterolemia …… 891
低コントラストフイルム wide-latitude film …… 699
低コンプライアンス膀胱 poorly compliant bladder …… 218
停在白内障 stationary cataract …… 312
テイ-サックス病 Tay-Sachs disease …… 541
低酸〔症〕 hypoacidity …… 891
低残渣食 low residue diet …… 515
低酸素〔症〕 hypoxia …… 899
低酸素〔症〕警報系 hypoxia warning system …… 1831
低酸素血〔症〕 hypoxemia …… 899
低酸素症後の遅発性昏睡 delayed coma after hypoxia …… 396
低酸素性虚血性脳障害(脳症) hypoxic ischemic encephalopathy …… 609
低酸素性低酸素〔症〕 hypoxic hypoxia …… 900
低酸素性ネフローゼ hypoxic nephrosis 1231
低酸素性の anoxic …… 96
停止 arrest …… 132
停止 insertion …… 940
停止 pause …… 1374
停止 suppression …… 1778
停止 withdrawal …… 2047
〔活動の〕停止 standstill …… 1737
提示 display …… 548
定式記号 conventional signs …… 1679
定式記号 symbol …… 1790
低色素性 hypochromatism …… 892
低色素性小球性貧血 hypochromic microcytic anemia …… 77
低色〔素〕性貧血 hypochromic anemia …… 77
デイ試験 Day test …… 1856
停止シグナル arrest signal …… 1684
停止性う食(蝕) arrested dental caries …… 302
停止性嚢胞 sterile cyst …… 460
ディジタル digital …… 517
ディジタル(デジタル)X線撮影法(ラジオグラフィ) digital radiography (DR) …… 1543
ディジタル(デジタル)X線透視 digital fluoroscopy …… 717
ディジタル(デジタル)サブトラクションアンギオグラフィ digital subtraction angiography (DSA) …… 84
ディジタル補聴器 digital signal processing hearing aid …… 819
低質空気 vitiated air …… 40
低脂肪食 low-fat diet …… 514
低周波強調(低域)フィルタ low-pass filter …… 699
挺出 extrusion …… 658
挺出歯 extruded teeth …… 1902
定常期 stationary phase …… 1402
泥〔状〕血 sludged blood …… 223
定常状態 steady state (ss, s) …… 1739
定常状態近似 steady state approximation 121
定常状態速度 steady-state velocity …… 2003
定常性 constancy …… 414
定序オン−ランダムオフ機構 ordered on-random off mechanism …… 1114
定序機構 ordered mechanism …… 1114
丁植 gomphosis …… 791
呈色異性 chromoisomerism …… 358
ディ・ジョージ症候群 DiGeorge syndrome …… 1802
低侵襲手術 minimally invasive surgery 1784
提〔靭帯〕の suspensory …… 1785
低身長 short stature …… 1740
低浸透圧 hyposmosis …… 896
低浸透圧〔の〕 hyposmotic …… 896
低浸透圧造影剤 low osmolar contrast agent (LOCA) …… 36
低心拍出量性心不全 low output failure 670
低水準 subnormality …… 1764
定数 constant …… 414
ディスク disc …… 525
ディスク感受性試験 disc sensitivity method …… 1143
ディスク電気泳動 disc electrophoresis …… 597
ディストマー distomer …… 549
ディスフェルリン dysferlin …… 571
ディスプラスティックニーバス dysplastic nevus …… 1255
ディスプレイ display …… 548
ディスメトリア dysmetria …… 573
定性分析 qualitative analysis …… 70
定説 dogma …… 554
低石灰化 hypocalcification …… 891
低摂取結節 cold nodule …… 1261
ディセトープ desetope …… 499
ティセリウス装置 Tiselius apparatus …… 119
ティセリウス電気泳動セル Tiselius electrophoresis cell …… 327
底側楔間靱帯 ligamenta intercuneiformia plantaria …… 1044
底側楔舟靱帯 plantar cuneonavicular ligaments …… 1039
底側楔舟靱帯 ligamenta cuneonavicularia plantaria …… 1043
底側楔立方靱帯 plantar cuneocuboid ligament …… 1038
底側楔立方靱帯 ligamentum cuneocuboideum plantare …… 1043
底側骨間筋 plantar interossei (interosseous muscles) …… 1191
底側骨間筋 musculus interosseus plantaris …… 1201
底側指静脈 plantar digital veins …… 1999

テ

底側指静脈 venae digitales plantares …… 2005
底側踵舟靱帯 inferior calcaneonavicular ligament …… 1036
底側踵舟靱帯 plantar calcaneonavicular ligament …… 1038
底側踵舟靱帯 ligamentum calcaneonaviculare plantare …… 1042
底側踵舟靱帯面 facet (on talus) for plantar calcaneonavicular ligament …… 662
底側踵立方靱帯 plantar calcaneocuboid ligament …… 1038
底側踵立方靱帯 ligamentum calcaneocuboideum plantare …… 1042
底側靱帯 plantar ligaments …… 1038
底側靱帯 ligamenta plantaria …… 1044
底側足根靱帯 plantar tarsal ligaments …… 1039
底側足根中足靱帯 plantar tarsometatarsal ligaments …… 1039
底側中足静脈 plantar metatarsal veins 1999
底側中足静脈 venae metatarsales plantares …… 2006
底側中足靱帯 plantar metatarsal ligaments …… 1039
底側中足靱帯 ligamenta metatarsalia plantaria …… 1044
底側中足動脈 arteriae metatarsale plantare …… 136
底側中足動脈 plantar metatarsal arteries 149
底側の volar …… 2035
〔基〕底側へ basad …… 199
底側立方舟靱帯 plantar cuboideonavicular ligament …… 1038
底側立方舟靱帯 ligamentum cuboideonaviculare plantare …… 1043
ティゾーニ染色〔法〕 Tizzoni stain …… 1735
ティソー肺活量計 Tissot spirometer …… 1718
低ソマトトロピン症 hyposomatotropism 896
停滞 retention …… 1598
停滞 stagnation …… 1729
低体温〔症〕 hypothermia …… 897
低体温麻酔〔法〕 hypothermic anesthesia … 79
低代謝性症候群 hypometabolic syndrome …… 1808
低炭酸〔症〕 hypocapnia …… 891
低蛋白血〔症〕 hypoproteinemia …… 896
低蛋白症 hypoproteinosis …… 896
定着観念 idée fixe …… 904
低張 hypotonia …… 899
低張圧 hypotonicity …… 899
低張性の hypooncotic …… 895
低張尿〔症〕 hyposthenuria …… 897
ディック試験 Dick test …… 1856
ディックス-ホールパイク操作 Dix-Hallpike maneuver …… 1099
ディッシュ試験 Dische reagent …… 1568
ディッシュ-シュワルツ試薬 Dische-Schwarz reagent …… 1568
ディッシュパン形骨折 dishpan fracture 737
ディッシュ反応 Dische reaction …… 1564
ディットリッヒ栓子 Dittrich plugs …… 1446
ディップ dip …… 522
ディップ現象 dip phenomenon …… 1404
ティップリンク tip links …… 1054
低鉄血症 hypoferremia …… 893
程度 depth …… 494
程度 point …… 1453
泥土 fango …… 671
低銅血症 hypocupremia …… 892
低頭高の chamecephalic …… 338
低頭の chameprosopic …… 338
低凸 low convex …… 419
低度流行 hypoendemic …… 893
泥土療法 pelotherapy …… 1378
低トロンビン血〔症〕 hypothrombinemia 899
低トロンボプラスチン血〔症〕 hypothromboplastinemia …… 899
底内側扁桃体核 basomedial amygdaloid nucleus …… 1273
低ナトリウム血〔症〕 hyponatremia …… 895
低ナトリウム症候群 low salt syndrome, low sodium syndrome …… 1810
低軟骨形成症 hypochondroplasia …… 892
低二倍体 hypodiploid …… 892
低尿酸血〔症〕 hypouricemia …… 899
低尿酸尿〔症〕 hypouricuria …… 899
ティネル徴候 Tinel sign …… 1684
低粘稠化 thinning …… 1883
提〔靱帯〕の suspensory …… 1785
低倍数性 hypoploidy …… 896
底板 floor plate …… 1435
低比重脊椎麻酔〔法〕 hypobaric spinal anesthesia …… 79
低比重リポ蛋白レセプタ(受容体) low-density lipoprotein receptors …… 1571
ディピリディウム症 dipylidiasis …… 524
定比例の法則 law of definite proportions …… 1006
低頻度形質導入 low-frequency transduction …… 1917
怠惰膀胱症候群 lazy bladder syndrome 1810
底部 basal part …… 1362
〔後頭骨〕底部 pars basilaris ossis occipitalis …… 1358
〔後頭骨〕底部 basal part of occipital bone …… 1362
ディファレンシャルディスプレイ differential display …… 548
低フィブリノ〔ー〕ゲン血〔症〕 hypofibrinogenemia …… 893
ディフィロボツリウム属 *Diphyllobothrium* …… 522
ディ・フェランテ症候群 Di Ferrante syndrome …… 1802
ディフェンシン defensins …… 477
底部の basal …… 199
底部の basalis …… 199
底部の fundic …… 744
低プリン食 low purine diet …… 514
低プロアクセレリン血〔症〕 hypoproaccelerinemia …… 896
低プロコンバーチン血〔症〕 hypoproconvertinemia …… 896
ディプロテン期 diplotene …… 524
低プロトロンビン血〔症〕 hypoprothrombinemia …… 896
ディプロネマ diplonema …… 523
低分割照射法 hypofractionated radiation …… 1541
低分子量キニノーゲン low molecular weight kininogen …… 986
低分子量蛋白 low molecular weight proteins (LMP) …… 1505
ディベーキー(ドベーキー)型摂子 DeBakey forceps …… 727
ディベーキー(ドベーキー)分類 DeBakey classification …… 371
低ベータリポ蛋白血症 hypobetalipoproteinemia …… 891
泥ベッド mud bed …… 204
定方向突然変異 directed mutation …… 1206
堤防細胞 littoral cell …… 323
デイホスピタル day hospital …… 865
低ホスファターゼ血〔症〕 hypophosphatasia …… 895
低補体血症 hypocomplementemia …… 892
低補体血症性血管炎 hypocomplementemic vasculitis …… 1989
ディボンド debond …… 473
低マグネシウム血〔症〕 hypomagnesemia 894
ディマンド〔型〕ペースメーカ demand pacemaker …… 1334
低脈拍症 hyposphygmia …… 897
ティムノドン酸 timnodonic acid …… 1893
定命説 determinism …… 501
ティモシー(チモシー)症候群 Timothy syndrome …… 1823
定理 theorem …… 1874
ティリー-ヴェラフィステル(瘻) Thiry-Vella fistula …… 706
ティリーフィステル(瘻) Thiry fistula …… 706
低リポ蛋白血〔症〕 hypolipoproteinemia … 894
停留 retention …… 1598
停留睾丸 undescended testis …… 1869
停留性黄疸 retention jaundice …… 967
停留性嘔吐 retention vomiting …… 2037
停留精巣 cryptorchidism …… 446
停留精巣 undescended testis …… 1869
停留胎盤 retained placenta …… 1429
定量 determination …… 501
定量 quantum …… 1537
定量〔法〕 assay …… 162
定量吸入器 metered-dose inhaler (MDI) 932
定量分析 quantitative analysis …… 70
低リン血症 hypophosphatemia …… 895
低リン酸〔塩〕尿症 hypophosphaturia …… 895
ティル TILL …… 1892
ディル油 dill oil …… 520
ディレクター director …… 524
低レニン血症 hyporeninemia …… 896
低レニン血症性低アルドステロン血症 hyporeninemic hypoaldosteronism …… 891
ディレプティック発作 dialeptic seizure 1657
ティローらせん spiral of Tillaux …… 1717
ティンダル現象 Tyndall phenomenon … 1406
ティンバター butter of tin …… 272
ティンパノグラム tympanogram …… 1957
ティンパノメトリ tympanometry …… 1957
デヴェンテル骨盤 Deventer pelvis …… 1378
デゥマルケー徴候 Demarquay sign …… 1680
手運動〔感〕覚 cheirokinesthesia …… 341
デオキシアデニル酸 deoxyadenylic acid (dAMP) …… 490
5′-デオキシアデノシルコバラミン 5′-deoxyadenosylcobalamin …… 490
デオキシアデノシン deoxyadenosine (dA, dAdo) …… 490
デオキシウリジン deoxyuridine …… 492
デオキシグアニル酸 deoxyguanylic acid (dGMP) …… 490
デオキシグアノシン deoxyguanosine …… 490
デオキシコホルマイシン deoxycoformycin …… 490
デオキシコール酸 deoxycholic acid …… 490
デオキシコルチコステロン deoxycorticosterone (DOC) …… 490
デオキシコルチコステロン desoxycorticosterone …… 500
デオキシシチジール酸 deoxycytidylic acid (dCMP) …… 490
デオキシシチジン deoxycytidine …… 490
デオキシチミジル酸 deoxythymidylic acid (dTMP) …… 492
デオキシ糖類 deoxy sugar …… 1769
デオキシニバレノール deoxynivalenol …… 490
デオキシバルビツレート deoxybarbiturate …… 490
デオキシヘキソース deoxyhexose …… 490
デオキシペントース deoxypentose …… 490
デオキシリボ核酸 deoxyribonucleic acid (DNA) …… 491
デオキシリボ核蛋白〔質〕 deoxyribonucleoprotein (DNP, Dnp) … 491
デオキシリボシド deoxyriboside …… 492
デオキシリボジピリミジンフォトリアーゼ deoxyribodipyrimidine photolyase …… 490
デオキシリボシル deoxyribosyl …… 492
デオキシリボシルトランスフェラーゼ deoxyribosyltransferases …… 492

デオキシリボース deoxyribose 492
デオキシリボース核酸 deoxyribose phosphate 492
デオキシリボースホスフェートアルドラーゼ deoxyribosephosphate aldolase 492
デオキシリボヌクレアーゼ deoxyribonuclease (DNAse, DNAase, DNase) 490
デオキシリボヌクレアーゼIIβDLAD DNase IIβ DLAD 554
デオキシリボヌクレアーゼI deoxyribonuclease I, DNase I 490
デオキシリボヌクレアーゼII deoxyribonuclease II, DNase II 491
デオキシリボヌクレオシド deoxyribonucleoside 492
デオキシリボヌクレオチド deoxyribonucleotide 492
テオフィリン theophylline 1874
テオフィリンナトリウムグリシネート theophylline sodium glycinate 1874
テオブロミン theobromine 1874
手掛り cue 447
デカグラム decagram 474
デカパスカル decapascal 474
デカペプチド decapeptide 474
デカメートル decameter 474
デカリットル decaliter 474
デカルト計算図表 cartesian nomogram 1265
デカルボキシラーゼ decarboxylase 474
n-デカン *n*-decane 474
手関節指装具 wrist-hand orthosis 1317
デカンテーション decantation 474
滴 gutta 806
滴(てき) drop 561
笛 whistle 2045
適応 adaptation 23
適応 adjustment 29
適応〔症〕 indication 923
適応外使用 off label indication 923
適応外使用 off-label 1293
適応行動 adaptive behavior 204
適応行動評価尺度 adaptive behavior scales 1638
適応障害 adjustment disorders 543
適応障害 maladjustment 1094
〔環境〕適応症候群 adaptation diseases 527
適応的突然変異 adaptive mutation 1206
適応的突然変異 directed mutation 1206
適応度 fitness 707
笛音 whistle 2045
適温 normothermia 1268
敵愾性行動 hostile behavior 204
滴下出血 apostaxis 118
滴下する dribble 560
手奇形体(奇形児) perochirus 1394
適合 fit 707
適合〔性〕 compatibility 399
適合刺激 adequate stimulus 1747
適合〔性〕の compatible 399
適合度 goodness of fit 793
適合度検定 goodness of fit test 1858
デキサメタゾン dexamethasone 504
デキサメタゾン抑制試験 dexamethasone suppression test 1856
溺死 drowning 561
適時選択型化学療法 chronotherapy 360
摘出 evulsion 650
摘出〔術〕 enucleation 622
摘出〔術〕 extirpation 657
摘出〔術〕 extraction 657
摘出器 extractor 657
摘出する deliver 484
摘出する enucleate 622
滴状角膜症 keratopathia guttata 980
滴状乾癬 psoriasis guttata 1516
滴状限局性強皮症 morphea guttata 1170
滴状心 bathycardia 202
滴状の guttate 806
滴数計 stalagmometer 1736
滴数測定計 stactometer 1727
デキストラーゼ dextrase 504
デキストラナーゼ dextranase 504
デキストラン dextran 504
デキストラン鉄錯塩 iron-dextran complex 401
デキストラン分解酵素 dextransucrase 504
デキストリナーゼ dextrinase 504
デキストリフェロン dextriferron 504
デキストリン dextrin 504
デキストリン形成 dextrinosis 504
デキストリンデキストラナーゼ dextrin dextranase 504
デキストリン尿〔症〕 dextrinuria 504
デキストロファン dextrorphan 505
適正 fitness 707
適性〔性〕 competence 400
適性検査 aptitude test 1854
適正な筋緊張の喪失 relaxation 1589
適正療法の eutherapeutic 649
摘石術 lithectomy 1060
笛尖状カテーテル whistle-tip catheter 314
的中度 predictive value 1984
滴定 titration 1896
滴定液 volumetric solution (VS) 1698
滴定液 titrant 1896
〔尿〕滴定酸度試験 titratable acidity test 1867
滴定濃度 titer 1896
滴定量 titer 1896
適当刺激 adequate stimulus 1747
摘便 disimpaction 543
適用 indication 923
〔適〕用量 dose 556
適量 optimum dose 557
テク thèque 1877
デクスパンテノール dexpanthenol 504
出口 exitus 653
出口 outlet 1327
出口鉗子分娩 outlet forceps delivery 484
出口の法則 rule of outlet 1626
テクティウイルス科 Tectiviridae 1845
テクネチウム technetium (Tc) 1844
テクネチウム99 technetium 99 (^{99}Tc) 1844
テクネチウム99m technetium 99m (^{99m}Tc) 1844
テクネチウム99m硫黄コロイド ^{99m}Tc sulfur colloid 1844
テクネチウム99mグルコヘプタネート ^{99m}Tc-glucoheptanate 1844
テクネチウム99mジエチレントリアミンペンタ酢酸 ^{99m}Tc-DTPA 1844
テクネチウム99mジホスホン酸 ^{99m}Tc diphosphonate 1844
テクネチウム99mジメルカプトコハク酸 ^{99m}Tc-dimercaptosuccinic acid 1844
テクネチウム99mセスタミビ ^{99m}Tc sestamibi 1844
テクネチウム99mピロリン酸 ^{99m}Tc pyrophosphate 1534
手首 carpus 305
手首 wrist 2050
手首クローヌス wrist clonus 375
デクビタス像 decubitus radiograph 1543
デクビタスフイルム decubitus film 699
手首徴候 wrist sign 1684
デクリネータ declinator 475
デクロコエリウム症 dicrocoeliosis 513
手クロ〔ー〕ヌス反射 wrist clonus reflex 1582
デグロービング degloving 482
てこ lever 1029
梃子 elevator 599
てこ作用 leverage 1029
てこ率 leverage 1029
デコンボリューション deconvolution 475
デザイナー食品 designer food 724
デザインされたインスリン designer insulin 941
手さぐり trial and error 1926
テザック-ポルスムール法 Thezac-Porsmeur method 1145
デザートスプーン1杯の cochleare medium 385
デザートスプーン1杯の cochleare modicum 385
デシグラム decigram 475
デシジョントゥリー decision tree 475
デジタル(ディジタル)X線撮影法(ラジオグラフィ) digital radiography (DR) 1543
デジタル(ディジタル)X線透視 digital fluoroscopy 717
デジタル(ディジタル)サブトラクションアンギオグラフィ digital subtraction angiography (DSA) 84
手湿疹 hand eczema 586
デシノルマル decinormal 475
デシベル decibel (dB, db) 474
デシメートル decimeter 475
デシモーガン decimorgan (dM) 475
デシャン針 Deschamps needle 1225
デシリットル deciliter (dL) 475
デスチオビオチン desthiobiotin 500
テスト test 1853
テストステロン testosterone 1869
テストハンドル器具 test handle instrument 941
デストルド destrudo 500
デスフルラン desflurane 499
デスミン desmins 499
デスメ〔ー〕膜炎 descemetitis 499
デスメ〔ー〕膜前角膜ジストロフィ pre-Descemet corneal dystrophy 579
デスメ〔ー〕瘤 descemetocele 499
デスモイド desmoid 499
デスモシン desmosine 500
デスモステロール desmosterol 500
デスモゾーム desmosome 500
デスモプレシン desmopressin 500
テスラ tesla (T) 1853
デスラノシド deslanoside 499
デスルフィナーゼ desulfinase 500
デスルフォトマクルム属 *Desulfotomaculum* 500
デスルフヒドラーゼ desulfhydrases 500
デセルピジン deserpidine 499
デソー(ドソー)包帯 Desault bandage 195
テタニー tetany 1870
テタニー性白内障 tetany cataract 312
テタヌス tetanus 1870
テタヌス性攣縮 tetanic contraction 417
テタノスパスミン tetanospasmin 1870
テタノメータ tetanometer 1870
テタノモータ tetanomotor 1870
テタノリジン tetanolysin 1870
デターミナント determinant 500
テチン thetins 1882
鉄 iron (Fe) 957
鉄52 iron 52 957
鉄55 iron 55 957
鉄59 iron 59 957
鉄-硫黄蛋白 iron-sulfur protein 1503
綴音不能〔症〕 asyllabia 166
〔担〕鉄〔赤〕芽球 sideroblast 1677
鉄芽球性貧血 sideroblastic anemia, sideroachrestic anemia 78
哲学的・言語学的象徴 symbol 1790
鉄禁忌の antisideric 109
鉄形成性の siderogenous 1677
鉄珪肺症 siderosilicosis 1677

鉄結合能 iron-binding capacity (IBC) …… 288
鉄血症 siderosis …… 1677
鉄欠乏〔症〕 sideropenia …… 1677
鉄欠乏性貧血 iron deficiency anemia …… 77
鉄剤療法 ferrotherapy …… 681
鉄錆色小胞子菌 *Microsporum ferrugineum* …… 1155
テッシアー分類 Tessier classification …… 371
テッシェン病 Teschen disease …… 541
テッシェン病ウイルス Teschen disease virus …… 2029
鉄色素 substantia ferruginea …… 1766
鉄指数 iron index …… 922
鉄症 siderosis …… 1677
徹照〔法〕 diaphanoscopy …… 510
徹照〔法〕 transillumination …… 1919
徹照器 diaphanoscope …… 510
徹照〔診断〕法 diaphanoscopy …… 510
鉄じん肺症 pneumoconiosis siderotica …… 1448
鉄親和性の siderophil, siderophile …… 1677
鉄性線維症 siderofibrosis …… 1677
鉄線維症 siderofibrosis …… 1677
撤退 withdrawal …… 2047
鉄蛋白 ferroproteins …… 681
鉄蓄積(沈着)病 iron-storage disease …… 535
鉄沈着 ferrugination …… 681
鉄沈着〔症〕 siderosis …… 1677
鉄沈着性肉芽腫症 granulomatosis siderotica …… 798
鉄沈着性白内障 siderotic cataract …… 312
鉄沈着線 iron line …… 1050
鉄沈着組織 siderophil, siderophile …… 1677
手続き記憶 procedural memory …… 1128
徹底操作 working through …… 2048
徹底的精神療法 intensive psychotherapy 1520
デッドアーム症候群 dead arm syndrome …… 1802
鉄動態 ferrokinetics …… 681
鉄の ferric …… 680
鉄の肺 iron lung …… 1072
鉄のやすり屑 iron filings …… 957
鉄ヘマトキシリン iron hematoxylin …… 827
鉄利用不能性貧血 sideroblastic anemia, sideroachrestic anemia …… 78
テテウイルス Tete viruses …… 2029
テトラエチル鉛 tetraethyllead …… 1871
テトラガストリン tetragastrin …… 1871
テトラクロルエタン tetrachloroethane …… 1870
テトラサイクリン tetracycline …… 1871
テトラゾニウム塩 tetrazonium salts …… 1632
テトラゾリウム tetrazolium …… 1872
テトラゾール tetrazole …… 1872
12-*O*-テトラデカノイルホルボール13-アセテート 12-*O*-tetradecanoylphorbol 13-acetate …… 1871
テトラデシル硫酸ナトリウム sodium tetradecyl sulfate …… 1697
テトラテルペン tetraterpenes …… 1872
テトラヌクレオチド tetranucleotide …… 1872
テトラヒドロカナビノール tetrahydrocannabinols (THC) …… 1871
テトラヒドロ葉酸 tetrahydrofolic acid (FH_4) …… 1871
テトラヒメナ *Tetrahymena pyriformis* 1871
テトラピロール tetrapyrrole …… 1872
テトラブロモフェノールフタレインナトリウム tetrabromophenolphthalein sodium 1870
テトラペプチド tetrapeptide …… 1872
テトランドリン tetrandrine …… 1871
デトリタス detritus …… 501
テトロース tetrose …… 1872
テトロドトキシン tetrodotoxin (TTX) 1872
テナガザル gibbon …… 769
テニア科 Taeniidae …… 1838
テニア属 *Taenia* …… 1838
テニス脚 tennis leg …… 1015
デニース(ドゥニー)-ドラッシュ症候群 Denys-Drash syndrome …… 1802
テニス肘 tennis elbow …… 593
デニス・ブラウン嚢 Denis Browne pouch …… 1474
デニス・ブラウン副子 Denis Browne splint …… 1721
テニス母指 tennis thumb …… 1889
デニース(ドゥニー)-レクレフ現象 Denys-Leclef phenomenon …… 1404
デニー線 Dennie line …… 1049
デニー-モルガン皺壁 Dennie-Morgan fold …… 718
テニル thenyl …… 1874
手認知可能の cheirognostic …… 341
テネイシン tenascin …… 1849
テネスムス tenesmus …… 1850
手の関節 articulationes manus …… 157
手の関節 articulations of hand …… 158
手の関節 joints of hand …… 970
手の基節骨 proximal phalanx of hand 1399
〔手の〕屈筋支帯 flexor retinaculum of hand …… 1600
てのこう dorsum manus …… 556
〔手の〕指屈筋総腱鞘 common flexor sheath (of hand) …… 1670
〔手の〕指屈筋総腱鞘 vagina communis tendinum musculorum flexorum (manus) …… 1981
〔手の〕指節滑車 trochleae of phalanx of hand …… 1936
手の指節間関節 articulationes interphalangeae manus …… 157
手の指節間関節 interphalangeal joints of hand …… 970
手の指節間関節の掌側靱帯 palmar ligaments of interphalangeal joints of hand …… 1038
指節間関節の側副靱帯 ligamentum collateralia articulationes interphalangeae manus …… 1042
〔手の〕指節骨頭 caput phalangis (manus) …… 292
〔手の〕指節骨頭 head of phalanx (of hand) …… 817
手の指放線 digital rays of hand …… 1561
〔手の〕舟状骨 scaphoid (bone) …… 233
〔手の〕舟状骨 os scaphoideum …… 1318
〔手の〕浅指屈筋 superficial flexor (muscle) of fingers …… 1195
〔手の〕浅指屈筋 musculus flexor digitorum superficialis …… 1200
〔手の〕虫様筋 lumbricals (lumbrical muscles) of hand …… 1189
〔手の〕虫様筋 musculus lumbricalis manus …… 1201
〔手の〕背側骨間筋 musculus interosseus dorsalis manus …… 1200
手の背側骨間筋 dorsal interossei (interosseous muscles) of hand …… 1184
てのひら palm …… 1339
てのひら palma …… 1339
てのひら palma manus …… 1339
デノボ *de novo* …… 487
手の末節骨 distal phalanx of hand …… 1399
〔手の〕末節骨粗面 tuberositas phalangis distalis (manus) …… 1947
〔手の〕末節骨粗面 tuberosity of distal phalanx (of hand) …… 1947
〔手または足の末節骨の〕爪粗面 ungual tuberosity …… 1948
テノン(トノン)嚢炎 tenonitis …… 1850
テバイン thebaine …… 1874
手白癬 tinea manus …… 1894
デハロゲナーゼ dehalogenase …… 482
デヒドラターゼ dehydratase …… 482
L-デヒドロアスコルビン酸 L-dehydroascorbic acid …… 482
デヒドロエピアンドロステロン dehydroepiandrosterone (DHEA) …… 482
デヒドロエメチン dehydroemetine …… 482
デヒドロエメチン樹脂酸塩 dehydroemetine resinate …… 482
デヒドロゲナーゼ dehydrogenase …… 482
デヒドロゲナーゼ hydrogen dehydrogenase …… 872
デヒドロコール酸 dehydrocholic acid …… 482
デヒドロコール酸塩試験 dehydrocholate test …… 1856
デヒドロコール酸ナトリウム sodium dehydrocholate …… 1696
11-デヒドロコルチコステロン 11-dehydrocorticosterone …… 482
7-デヒドロコレステロール 7-dehydrocholesterol …… 482
デヒドロ酢酸 dehydroacetic acid …… 482
デヒドロレチナールデヒド dehydroretinaldehyde …… 483
デフェロキサミンメシレート deferoxamine mesylate …… 478
手袋状感覚消失 glove anesthesia …… 79
手袋状感覚脱失 glove anesthesia …… 79
手袋状知覚消失 glove anesthesia …… 79
手袋状知覚脱失 glove anesthesia …… 79
手袋状知覚麻痺 glove anesthesia …… 79
手袋状(グローブフィンガー)徴候 gloved-finger sign …… 1680
手袋状包帯 gauntlet …… 761
手袋製造人縫合 glover's suture …… 1787
デプシペプチド depsipeptide …… 494
テブテート tebutate …… 1844
デブランチングエンザイム debranching enzymes …… 623
デブリドマン débridement …… 473
テフリロメータ tephrylometer …… 1851
デプレニール deprenyl …… 492
テプロチド teprotide …… 1851
テベージウス循環 thebesian circulation 366
テベチン thevetins …… 1882
デペンドウイルス *Dependovirus* …… 492
デポリメラーゼ depolymerase …… 492
デマチウム科 Dematiaceae …… 485
デマチウム科の dematiaceous …… 485
デマール鉤 Desmarres retractor …… 1603
手無感覚〔症〕 acheiria …… 13
デメコルチン demecolcine …… 485
手文字 handshapes …… 814
デューアーびん Dewar flask …… 711
デューク出血時間試験 Duke bleeding time test …… 1857
デュークス分類〔法〕 Dukes classification 371
デュービン-ジョンソン症候群 Dubin-Johnson syndrome …… 1803
デューペー症候群 Dupay syndrome …… 1803
デュールセン切開〔術〕 Dührssen incisions …… 918
テュオヒー針 Tuohy needle …… 1225
デュクレー菌 *Haemophilus ducreyi* …… 811
デュクレー試験 Ducrey test …… 1857
デュシェーヌ筋ジストロフィ Duchenne muscular dystrophy (DMD) …… 578
デュシェーヌジストロフィ Duchenne dystrophy …… 578
デュシェーヌ徴候 Duchenne sign …… 1680
デュテロトキア deuterotocia …… 501
デュピュイトラン拘縮 Dupuytren contracture …… 417
デュピュイトラン骨折 Dupuytren fracture …… 737
デュピュイトラン止血帯 Dupuytren tourniquet …… 1905
デュピュイトラン水瘤 Dupuytren hydrocele

··· 871
デュピュイトラン切断術 Dupuytren amputation ··· 65
デュピュイトラン徴候 Dupuytren sign 1680
デュピュイトラン縫合 Dupuytren suture ··· 1787
デュブルーユ-シャンバルデル症候群 Dubreuil-Chambardel syndrome ··· 1803
デュボイシン duboisine ··· 562
デュボイス(デュボワ)〔公〕式 DuBois formula ··· 730
デュボヴィッツ評点(スコア) Dubowitz score ··· 1649
デュボスク比色計 Duboscq colorimeter ··· 393
デュボワ膿瘍 Dubois abscesses ··· 5
テュメセント法による脂肪吸引術 tumescent liposuction ··· 1059
デュモンパリエペッサリー Dumontpallier pessary ··· 1396
デュラフォワ(デュラフォイ)病変 Dieulafoy lesion ··· 1023
デュラフォワ(デュラフォイ)びらん Dieulafoy erosion ··· 637
デュルク結節 Dürck nodes ··· 1260
デュレー出血 Duret hemorrhage ··· 835
デュレー病変 Duret lesion ··· 1023
デュロジェ雑音 Duroziez murmur ··· 1179
デュロジェ病 Duroziez disease ··· 532
デューロン-プティ(プチ)の法則 Dulong-Petit law ··· 1006
テラジア症 thelaziasis ··· 1874
テラジア属 *Thelazia* ··· 1874
デラニー条項 Delaney clause ··· 483
テラピスト therapeutist ··· 1877
テラピスト therapist ··· 1877
デラフィールドヘマトキシリン Delafield hematoxylin ··· 827
テリアカ theriaca ··· 1880
テリエン弁 Terrien valve ··· 1985
テリエン辺縁変性 Terrien marginal degeneration ··· 481
デリー潰瘍 Delhi sore ··· 1701
テリー爪 Terry nail ··· 1220
デリン bdellin ··· 202
テルソン症候群 Terson syndrome ··· 1822
デルタ Δ, δ ··· 470
δ-アミノ酪酸アミノトランスフェラーゼ δ-aminobutyrate aminotransferase ··· 60
δ-アミノ酪酸アミノトランスフェラーゼ δ-aminobutyric acid aminotransferase ··· 60
δ-アミノレブリン酸 δ-aminolevulinic acid (ALA) ··· 60
δ-アミノレブリン酸シンターゼ δ-aminolevulinic acid synthase ··· 61
δ-アミノレブリン酸デヒドラターゼポルフィリア δ-aminolevulinate dehydratase porphyria ··· 1467
デルタ顆粒 delta granule ··· 797
デルタ形の deltoid ··· 485
デルタ線維 delta fibers ··· 688
デルタチェック delta check ··· 485
デルタ(δ)波 delta rhythm ··· 1611
デルタ(δ)波 delta wave ··· 2042
デルタビリルビン delta bilirubin ··· 210
デルタ(δ)律動 delta rhythm ··· 1611
テルニデンス属 *Ternidens* ··· 1852
テルビウム terbium (Tb) ··· 1852
テルピネオール terpineol ··· 1853
テルピン terpin ··· 1853
デルフィニウム *Delphinium ajacis* ··· 484
デルフィニン delphinine ··· 484
デルフィのリンパ節 delphian node ··· 1260
デルフラー-スチュアート試験 Doerfler-Stewart test (D-S) ··· 1856
デルブリュック〔乳酸杆〕菌 *Lactobacillus delbrueckii* ··· 994
デルベー徴候 Delbet sign ··· 1680
テルペン terpene ··· 1853
テルペンチン turpentine ··· 1955
テルペンチン精 rectified turpentine oil 1955
テルペンチン精 turpentine spirit ··· 1955
デルマタン硫酸 dermatan sulfate ··· 1775
デルマトビア症 dermatobiasis ··· 496
デルマトフィルス症 dermatophilosis ··· 497
デルマトーム dermatome ··· 496
デルモトキシン dermotoxin ··· 498
テルモフォール thermophore ··· 1882
テルモン termone ··· 1852
テルリプレシン terlipressin ··· 1852
テルル tellurium (Te) ··· 1847
テレ *tele* ··· 1846
テレコイル telecoil (T-coil) ··· 1846
テレコバルト telecobalt ··· 1846
テレパシー telepathy ··· 1847
テレビ〔ジョン〕顕微鏡 television microscope ··· 1154
テレビン turpentine ··· 1955
テレビン性の terebinthinate ··· 1852
テレビン中毒 terebinthinism ··· 1852
テレビンの terebinthinate ··· 1852
テレビン油 turpentine oil ··· 1955
テレビン油浣腸 turpentine enema ··· 616
テレビン油中毒 turpentine poisoning ··· 1456
テレベン terebene ··· 1852
テレペンチン油 oil of turpentine ··· 1295
テレメータ telemeter ··· 1847
デロビブリオ属 *Bdellovibrio* ··· 202
テロペプチド telopeptide ··· 1848
テロメア telomere ··· 1848
テロメアRバンド染色〔法〕 telomeric R-banding stain ··· 1735
テロメア位置効果 telomere position effect ··· 589
テロメラーゼ telomerase ··· 1847
点 dot ··· 558
点 point ··· 1453
点 punctum ··· 1526
点 spot ··· 1724
殿〔部〕 breech ··· 256
電圧計 voltmeter ··· 2036
電圧滴定 potentiometric titration ··· 1896
電圧量 voltage ··· 2036
転位 dislocation ··· 543
転位 gression ··· 800
転位 inversion ··· 952
転位 transposition ··· 1922
転位 trusion ··· 1939
転位〔症〕 ectopia ··· 585
転移 metastasis ··· 1141
転移 transfer ··· 1917
転移 transference ··· 1918
転移 transposition ··· 1922
転移〔増殖〕 innidiation ··· 937
殿位 breech presentation ··· 1481
電位〔差〕 potential ··· 1473
転移RNA transfer RNA (tRNA) ··· 1613
電位依存 voltage-gating ··· 761
転移因子 transposable element ··· 598
転移因子 transfer factor ··· 669
電位型チャネル voltage-gated channel ··· 339
殿位牽出〔術〕 breech extraction ··· 657
転位酵素 mutase ··· 1206
転移酵素 transferases ··· 1918
電位差計 potentiometer ··· 1474
電位差滴定 potentiometric titration ··· 1896
転位膝蓋骨 slipping patella ··· 1371
転移神経症 transference neurosis ··· 1252
電位図 electrogram ··· 595
転移性癌 metastatic carcinoma ··· 298
転移性眼炎 metastatic ophthalmia ··· 1307
転移性耳下腺炎 metastatic mumps ··· 1178
転移性石灰化 metastatic calcification ··· 276
転移性肺炎 metastatic pneumonia ··· 1450
転移性敗血症 metastasizing septicemia 1662
転移性脈絡膜炎 metastatic choroiditis ··· 356
転移性網膜炎 metastatic retinitis ··· 1601
転移増殖 colonization ··· 393
転移〔性〕膿瘍 metastatic abscess ··· 5
転位皮弁 rotation flap ··· 710
転移恋愛 transference love ··· 1918
デンヴァー分類〔法〕 Denver classification ··· 371
伝音難聴 conductive hearing impairment 820
転化 inversion ··· 952
転嫁 transfer ··· 1917
添窩 undercut ··· 1964
電荷 charge transfer ··· 340
展開 development ··· 501
展開 expansion ··· 655
天蓋 tectorium ··· 1845
電〔気分〕解〔法〕 electrolysis ··· 595
展開剤 developer ··· 501
電解質 electrolyte ··· 595
電解質代謝 electrolyte metabolism ··· 1138
電〔気分〕解装置 electrolyzer ··· 595
電解電量計 voltameter ··· 2036
電荷移動錯体 charge transfer complex ··· 401
電界放出型X線管 field emission tube ··· 1941
点角 point angle ··· 89
添窩修正 block-out ··· 223
添加糖 added sugar ··· 1769
転化糖 invert sugar ··· 1769
添窩部〔領域〕 infrabulge ··· 931
添加物 additive ··· 24
〔電荷〕密度 density (ρ) ··· 487
てんかん(癲癇) epilepsia ··· 627
てんかん(癲癇) epilepsy ··· 627
転換 conversion ··· 418
転換 reversion ··· 1605
転換 switching ··· 1789
転換 transversion ··· 1922
転換 turnover ··· 1955
点眼〔法〕 instillation ··· 940
点眼液(剤) eye drops ··· 561
転換器 nosepiece ··· 1268
点眼器 instillator ··· 940
転換酵素 convertase ··· 419
てんかん後の postepileptic ··· 1471
点眼剤 ophthalmic solutions ··· 1698
てんかん重積持続状態 status epilepticus ··· 1740
転換性感覚消失 conversion anesthesia ··· 79
てんかん性痙攣(痙縮) epileptic spasm 1706
転換性失声 conversion aphonia ··· 114
転換性失調 conversion ataxia ··· 167
転換性障害 conversion disorder ··· 545
てんかん性認知症 epileptic dementia ··· 485
転換電子 conversion electron ··· 596
殿間の intergluteal ··· 945
てんかん発生帯 epileptogenic zone ··· 2059
転換ヒステリー conversion hysteria ··· 900
転換舞踏病 conversion chorea ··· 354
てんかん発作 ictus epilepticus ··· 903
てんかん発作 epileptic seizure ··· 1657
てんかん誘発の epileptogenic, epileptogenous ··· 629
てんかん様の epileptoid ··· 629
電気圧縮 electrostriction ··· 598
電気インピーダンス断層撮影〔法〕 electrical impedance tomography ··· 1899
電気泳動 electrophoresis ··· 597
電気泳動陰極性の cataphoresis ··· 310
電気泳動図 electropherogram ··· 596
電気泳動像 zymogram ··· 2063
電気泳動の cataphoretic ··· 310
電気化学勾配 electrochemical gradient ··· 794
電気眼球図 electrooculogram ··· 596
電気眼球図記録〔法〕 electrooculography

テ

(EOG) …… 596
電気乾固〔法〕 electrodesiccation …… 595
電気眼振 galvanic nystagmus …… 1286
電気眼振記録〔法〕 electronystagmography (ENG) …… 596
電気乾燥〔法〕 electrodesiccation …… 595
電気寒暖計 thermelometer …… 1880
電気機械解離 electromechanical dissociation …… 548
電気機械収縮 electromechanical systole 1834
電気キモグラフ electrokymograph …… 595
電気キモグラム electrokymogram (EKY) …… 595
電気凝固〔法〕 electrocoagulation …… 593
電気凝固穿孔法 forage …… 724
電気恐怖〔症〕 electrophobia …… 597
電気緊張 electrotonus …… 598
電気緊張性シナプス electrotonic synapse …… 1793
電気痙攣療法 electroconvulsive therapy (EST) …… 1878
電気外科 electrosurgery …… 598
電気式 electrical formula …… 730
電気軸 electrical axis …… 184
電気軸 normal electrical axis …… 184
電気軸偏位 axis deviation …… 502
電気止血〔法〕 electrohemostasis …… 595
電気歯髄診断器 vitalometer …… 2032
電気収縮 electrostriction …… 598
電気収縮性 electrocontractility …… 593
電気収縮性 galvanocontractility …… 751
〔直流〕電気手術 galvanosurgery …… 751
電気焼灼 electrocauterization …… 593
電気焼灼器 electric cautery …… 315
電気焼灼器 electrocautery …… 593
電気焼灼性係蹄 galvanocaustic snare, hot snare …… 1694
電気触診〔法〕 faradopalpation …… 671
電気触診〔法〕 galvanopalpation …… 751
電気〔的〕除細動 cardioversion …… 301
電気〔的〕除細動器 cardioverter …… 301
電気ショック electroshock …… 597
電気ショック electric shock …… 1674
電気ショック療法 electroshock therapy (ECT) …… 1878
電気心音図 electrocardiophonogram …… 593
電気心音図検査〔法〕 electrocardiophonography …… 593
電気神経破壊 electroneurolysis …… 596
電気〔心臓〕ペースメーカ electric cardiac pacemaker …… 1334
電気診断〔法〕 electrodiagnosis …… 595
電気診断医学 electrodiagnostic medicine …… 1117
電気浸透 electroosmosis …… 596
電気水圧衝撃波砕石術 electrohydraulic shock wave lithotripsy (ESWL, EHL) …… 1062
電気睡眠 electrosleep …… 597
電気スペクトル記録〔法〕 electrospectrography …… 598
電気性白内障 electric cataract …… 311
電気性白内障 cataracta electrica …… 312
電気生理学 electrophysiology …… 597
電気切開 electrosection …… 597
電気切断 electroscission …… 597
電気穿孔法 electroporation …… 597
電気穿刺〔法〕 electropuncture …… 597
電気穿刺器 electroparacentesis …… 596
電気走性 electrotaxis …… 598
電気走性 galvanotaxis …… 751
電気聴覚効果 electrophonic effect …… 588
電気聴診器 electrostethograph …… 598
電気治療学 electrotherapeutics, electrotherapy …… 598
電気抵抗器 resistor …… 1594
電気的運動性 electromotility …… 595
電気的拡張期 electrical diastole …… 511
電気的交代 electrical alternans …… 53
電気的興奮性 electric irritability …… 957
電気的収縮期 electrical systole …… 1834
電気的心臓軸位 electrical heart position 1469
電気的被刺激性 electric irritability …… 957
電気的不全 electrical failure …… 670
電気的ペースメーカの不応期 refractory period of electronic pacemaker …… 1390
電気透析 electrodialysis …… 595
電気透徹療法 diathermic therapy …… 1878
電気脳沈黙 electrocerebral silence (ECS) …… 593
電気排尿 electromicturation …… 595
電気皮膚反応 galvanic skin response (GSR) …… 1596
電〔気分〕解〔法〕 electrolysis …… 595
電〔気分〕解装置 electrolyzer …… 595
電気分析 electroanalysis …… 593
電気〔心臓〕ペースメーカ electric cardiac pacemaker …… 1334
電気麻酔〔法〕 electric anesthesia …… 79
電気麻酔〔法〕 electroanesthesia …… 593
電気麻酔〔法〕 electronarcosis …… 596
電気マッサージ electromassage …… 595
電気密度図 electron density map …… 1101
電気無痛〔法〕 electroanalgesia …… 593
電気メス electric cautery …… 315
電気メス electrocautery …… 593
電気メス electrotome …… 598
電気メス cautery knife …… 987
電気メス electrode knife …… 987
電気免疫拡散法 electroimmunodiffusion 595
電極 electrode …… 593
電気浴 electric bath, electrotherapeutic bath …… 201
電極カテーテル焼灼法 electrode catheter ablation …… 3
電極ナイフ electrode knife …… 987
電極部 polar zone …… 2060
電気療法 electrotherapeutics, electrotherapy …… 598
電気療法的睡眠 electrotherapeutic sleep 1692
電気療法的睡眠療法 electrotherapeutic sleep therapy …… 1878
電気療法浴 electric bath, electrotherapeutic bath …… 201
殿筋 gluteus …… 785
殿筋炎 glutitis …… 785
殿筋腱膜 gluteal aponeurosis …… 117
殿筋線 gluteal lines …… 1050
殿筋線 lineae gluteae …… 1053
殿筋粗面 tuberositas glutea …… 1947
殿筋粗面 gluteal tuberosity …… 1947
殿筋の筋間包 bursae intermusculares musculorum gluteorum …… 269
殿筋の筋間包 gluteofemoral bursa …… 269
殿筋の筋間包 intermuscular gluteal bursae …… 269
殿筋反射 gluteal reflex …… 1579
〔腸骨〕殿筋面 facies glutea ossis ilii …… 663
〔腸骨〕殿筋面 gluteal surface of ilium 1781
テングタケ属 *Amanita* …… 55
テングタケ中毒 mycetism choliformis …… 1207
デング熱 dengue …… 486
デング熱 dengue fever …… 684
デング熱ウイルス dengue virus …… 2023
デング熱ショック症候群 dengue shock syndrome …… 1802
転形 modulation …… 1162
天啓状態 illuminism …… 907
電撃 electric shock …… 1674
電撃性紫斑病 purpura fulminans …… 1528
電撃性の fulminant …… 743
電撃〔性〕の lancinating …… 1000
電撃性片頭痛 fulgurating migraine …… 1157
電撃病理学 keraunopathology …… 981
電撃麻痺 keraunoparalysis …… 981
電撃様緑内障 glaucoma fulminans …… 777
殿結合体 pygopagus …… 1531
点欠失 point deletion …… 483
殿溝 gluteal fold …… 719
殿溝 gluteal furrow …… 746
殿溝 sulcus glutealis …… 1772
電光恐怖〔症〕 astrapophobia …… 165
転向骨盤 inverted pelvis …… 1378
転座 translocation …… 1919
天才 genius …… 766
転座保因者 translocation carrier …… 305
転子 trochanter …… 1936
電子 electron (β^-) …… 596
転子窩 fossa trochanterica …… 734
転子窩 trochanteric fossa …… 734
転子下の subtrochanteric …… 1768
転子間骨折 intertrochanteric fracture …… 737
電子干渉計 electron interferometer …… 944
電子干渉法 electron interferometry …… 944
転子間線 intertrochanteric line …… 1050
転子間線 linea intertrochanterica …… 1053
転子貫通骨折 pertrochanteric fracture …… 738
転子間の intertrochanteric …… 948
転子間稜 intertrochanteric crest …… 437
転子間稜 crista intertrochanterica …… 440
電子共鳴吸収 electron resonance absorption …… 7
テンジクネズミ *Cavia porcellus* …… 315
テンジクネズミ guinea pig …… 805
テンジクネズミ属 *Cavia* …… 315
転子形成〔術〕 trochanterplasty …… 1936
電磁血流計 electromagnetic flowmeter …… 714
電子顕微鏡 electron microscope …… 1154
電子顕微鏡検査〔法〕 electron microscopy …… 1154
電子顕微鏡写真 electron micrograph …… 1152
電子細胞計数器 electronic cell counter …… 431
電子磁子 electron magneton …… 1093
〔電子〕自動血球計数器 electronic cell counter …… 431
電磁石 electromagnet …… 595
転子周囲の peritrochanteric …… 1393
転子症候群 trochanteric syndrome …… 1823
電子スピン共鳴 electron spin resonance (ESR) …… 1594
電子線 electron beam …… 203
殿肢体 epipygus …… 630
殿肢体 pygomelus …… 1531
電磁単位 electromagnetic unit (emu) …… 1965
〔電子〕対生成 pair production …… 1337
電子伝達フラビン electron transfer flavin …… 711
電子伝達粒子 electron transport particles (ETP) …… 1369
デンシトメータ densitometer …… 487
デンシトメトリー densitometry …… 487
天使の翼 angel wing …… 2046
電磁波受容体 radioreceptor …… 1545
転子反射 trochanter reflex …… 1582
電子ビーム断層撮影法 electron beam tomography (EBT) …… 1899
電子ペースメーカ負荷 electronic pacemaker load …… 1063
転子包 trochanteric bursa …… 271
点字法 braille …… 241
電磁放射線 electromagnetic radiation …… 1541
電子放射線撮影〔法〕 electron radiography …… 1543
電子捕獲 electron capture …… 291
電子ボルト electron-volt (eV, ev) …… 596
転写 transcription …… 1917
転写活性化補助因子 transcriptional coactivator …… 382

転写共役活性化因子 coactivator ………… 382
転写酵素 transcriptase …………………… 1916
転写後の posttranscriptional …………… 1472
転写に基づく連鎖反応 transcription-based chain reaction ………………………… 1568
電磁誘導 electromagnetic induction ……… 925
〔距腿関節の〕天井 plafond ……………… 1429
点状角皮症 punctate keratoderma ……… 979
点状角膜炎 punctate keratitis, keratitis punctata ………………………………… 978
点状乾癬 psoriasis punctata …………… 1516
点状源 point source …………………… 1455
点状痤瘡 acne punctata ………………… 16
点状歯 poikilodentosis ………………… 1453
点状出血 petechial hemorrhage ………… 836
点状出血 petechiae ……………………… 1397
点状出血状血管腫 petechial angiomas …… 85
点状硝子体症 punctate hyalosis ………… 868
点状舌 dotted tongue …………………… 1900
点状軟骨異形成〔症〕 chondrodysplasia punctata ………………………………… 353
点状の punctate ………………………… 1526
点状の punctiform ……………………… 1526
点状白内障 punctate cataract …………… 311
殿静脈 gluteal veins …………………… 1996
殿静脈リンパ節 gluteal lymph nodes …… 1078
点状網膜炎 punctate retinitis …………… 1601
点食 pitting ……………………………… 1427
電磁流速計 electromagnetic flowmeter …… 714
電磁流量計 electromagnetic flowmeter …… 714
電針法 electropuncture ………………… 597
点図表 scattergram ……………………… 1641
展性の malleable ………………………… 1096
伝染 infection …………………………… 927
伝染 transmission ……………………… 1920
〔接触〕伝染 contagion ………………… 415
伝染〔性〕黄疸 infectious icterus ……… 903
〔接触〕伝染(感染)性 contagiousness …… 416
伝染性エクトロメリアウイルス infectious ectromelia virus ……………………… 2025
伝染性壊死性結膜炎 necrotic infectious conjunctivitis ……………………………… 412
伝染(感染)性筋炎 infectious myositis …… 1216
伝染性紅斑 erythema infectiosum ……… 638
伝染性深膿痂疹 orf ……………………… 1311
伝染性腺熱 infectious mononucleosis …… 1167
伝染(流行)性多発〔性〕関節炎 epidemic polyarthritis ………………………… 1458
伝染性単核球症 infectious mononucleosis ………………………………………… 1167
伝染性単核〔球〕症スポット試験 spot test for infectious mononucleosis ……………… 1865
伝染性単核〔球〕症の斑点分析 spot test for infectious mononucleosis ……………… 1865
伝染性軟属腫ウイルス *Molluscipoxvirus* ………………………………………… 1164
伝染性軟属腫ウイルス molluscum contagiosum virus ……………………… 2026
伝染性肉芽腫 infectious granuloma ……… 798
伝染性良性リンパ節疾患 infectious mononucleosis ………………………… 1167
伝染病 communicable disease …………… 530
伝染病 epidemic disease ………………… 532
伝染病 pestilence ……………………… 1396
伝染病原体 contagium ………………… 416
伝送 transmission ……………………… 1920
転送因子 transporter …………………… 1921
塡塞 condensation ……………………… 407
塡塞 packing …………………………… 1335
塡塞する condense ……………………… 407
殿鼡径部の gluteoinguinal ……………… 785
電堆 pile ………………………………… 1423
殿大腿部の gluteofemoral ……………… 785
伝達 transmission ……………………… 1920
伝達遺伝子 transfer genes ……………… 764
伝達因子 transfer factor ………………… 669
伝達物質 mediator ……………………… 1115
伝達麻酔〔法〕 conduction anesthesia ……… 79
デンタリーセンター dentary center ……… 330
デンタルフロス dental floss …………… 713
デンチャースペース denture space ……… 1703
デンチュリスト denturist ……………… 490
デンチン線維 dentinal fibers, dental fibers ………………………………………… 688
テンツァー染料 Taenzer stain …………… 1735
殿痛 pygalgia …………………………… 1530
デンティンブリッジ dentin bridge ……… 257
点滴〔注入〕〔法〕 drip …………………… 560
点滴剤 drops …………………………… 561
点滴静注 intravenous drip ……………… 560
点滴注入〔法〕 instillation ……………… 940
点滴注入器 instillator …………………… 940
点滴輸血 drip transfusion ……………… 1918
テント tent ……………………………… 1851
テント tentorium ……………………… 1851
点頭 head-nodding ……………………… 818
点頭 nutation …………………………… 1283
伝導 conduction ………………………… 408
伝導 conductivity ……………………… 408
伝導 duction …………………………… 565
点頭痙攣 infantile spasm ……………… 1706
点頭痙攣 nodding spasm ……………… 1706
点頭痙攣(痙縮) spasmus nutans ……… 1706
転倒骨盤 inverted pelvis ……………… 1378
〔電〕導子 electrode …………………… 593
転導性 distractibility …………………… 550
伝導性 conductivity …………………… 408
伝導性失語〔症〕 conduction aphasia ……… 114
伝導促進 accelerated conduction ……… 408
伝導遅延 delayed conduction …………… 408
伝統的損害保険 traditional indemnity insurance ………………………………… 942
伝導熱 conductive heat ………………… 821
伝導ブロック conduction block ………… 222
伝導麻酔〔法〕 conduction anesthesia ……… 79
テント角 tentorial angle ………………… 90
テント下の subtentorial ………………… 1767
テント枝 ramus tentorii ………………… 1557
テント上〔方〕の supratentorial ………… 1780
テント神経 tentorial nerve ……………… 1239
テント神経 nervus tentorii ……………… 1243
テント切痕 incisura tentorii …………… 919
テント切痕 notch of tentorium ………… 1270
テント切痕 tentorial notch ……………… 1270
テント切痕ヘルニア transtentorial herniation ………………………………… 844
点〔突然〕変異 point mutation …………… 1206
デントード dentode …………………… 489
デント病 Dent disease ………………… 532
テント面 tentorial surface ……………… 1783
デンドログラム dendrogram …………… 486
塡入法 packing process ………………… 1489
田熱 rice-field fever …………………… 686
電熱器 electrotherm …………………… 598
伝熱装置 thermophore ………………… 1882
天然アルブミン native albumin ………… 43
天然化学予防剤 biochemopreventives …… 212
天然凝集素 idioagglutinin ……………… 904
天然色素 natural pigment ……………… 1423
天然染料 natural dyes ………………… 569
天然蛋白 native protein ………………… 1505
天然痘 smallpox ………………………… 1692
天然痘 variola ………………………… 1988
天然痘殉教者 smallpox martyr ………… 1693
天然物 natural products ………………… 1494
殿〔部〕の gluteal ……………………… 785
伝播 propagation ……………………… 1498
伝播 transmission ……………………… 1920
デンバーシャント Denver shunt ………… 1674
伝播生殖 sporogenesis ………………… 1724
伝播生殖 sporogony …………………… 1724
伝播媒介動物 transvector ……………… 1922
デンバー発達スクリーニング試験 Denver Developmental Screening Test ………… 1856
点鼻 rhinenchysis ……………………… 1607
点鼻薬 nose drops ……………………… 561
てんびん balance ……………………… 192
殿部 buttocks …………………………… 272
殿部 clunes ……………………………… 377
殿部 nates ……………………………… 1222
殿部 regio glutealis …………………… 1584
殿部 gluteal region …………………… 1585
でん(癜)風 tinea versicolor …………… 1894
でん(癜)風菌 *Malassezia furfur* ……… 1095
殿部奇形腫奇形 pygoamorphus ………… 1530
殿部結合体 pygodidymus ……………… 1530
貼付試験 patch test …………………… 1862
殿部脂肪蓄積 steatopyga, steatopygia … 1741
殿部の pygal …………………………… 1530
添付文書 package insert ……………… 940
テンプレート template ………………… 1848
天分 genius ……………………………… 766
デンプン starch ………………………… 1738
デンプン形成 amylogenesis ……………… 67
デンプン形成体 amylogenic body ……… 225
デンプン〔形成〕体 amyloplast …………… 68
デンプン血〔症〕 amylemia ……………… 67
デンプン酵素 diastase ………………… 511
デンプン糖 starch sugar ……………… 1769
デンプン当量 starch equivalent ………… 635
デンプン貪食 amylophagia ……………… 68
デンプン尿〔症〕 amylosuria ……………… 68
デンプン〔様〕の amylaceous …………… 67
デンプン不消化便 amylorrhea …………… 68
デンプン分解 amylolysis ……………… 68
デンプン様〔小〕体 corpus amylaceum …… 425
デンプン様の farinaceous ……………… 671
デンプン様変性 amyloid degeneration …… 480
テンペレートウイルス temperate virus 2029
テンペレート〔バクテリオ〕ファージ temperate bacteriophage ………………… 190
点〔突然〕変異 point mutation …………… 1206
天疱瘡 pemphigus ……………………… 1379
天疱瘡性痘瘡 variola pemphigosa ……… 1988
天疱瘡様の pemphigoid ………………… 1379
テン・ホルン徴候 ten Horn sign ………… 1684
塡綿 wadding …………………………… 2039
電離 ionization ………………………… 955
電離説 theory of electrolytic dissociation ………………………………………… 1875
電離箱 ionization chamber ……………… 338
電離放射線 ionizing radiation ………… 1541
電流 current …………………………… 450
電流計 ammeter (am) …………………… 61
点流行 point epidemic ………………… 626
電流滴定 amperometry ………………… 63
電流脳写図 rheoencephalogram ………… 1607
電流脳写法 rheoencephalography ……… 1607
伝令RNA messenger RNA (mRNA) …… 1613
殿裂 anal cleft ………………………… 373
殿裂 intergluteal cleft ………………… 373
殿裂 natal cleft ………………………… 373
殿裂 crena ani ………………………… 436
電話耳 telephone ear …………………… 580

ト

トーカー細胞 Toker cell ………………… 327
トータル・コミュニケーション total communication ………………………… 398
トーテム totem ………………………… 1905

トーテム信仰 totemism …… 1905
トーテム崇拝 totemism …… 1905
トーヌス tonus …… 1902
トーマ固定液 Thoma fixative …… 708
トーマス試験 Thomas test …… 1867
トーマス副子 Thomas splint …… 1722
トーマ徴候 Toma sign …… 1684
トーマの法則 Thoma laws …… 1008
トーマ膨大部 Thoma ampulla …… 65
トームス〔の〕顆粒層 Tomes granular layer …… 1013
トームズ線維 Tomes fibers …… 691
トームズ突起 Tomes processes …… 1490
トーリ(トレ)症候群 Torre syndrome …… 1823
トール torr …… 1904
toll様レセプタ toll-like receptors (TLR) …… 1571
トーレック手術 Torek operation …… 1306
度 degree …… 482
ドー胃底ひだ形成〔術〕 Dor fundoplication …… 744
ドーセット卵培地 Dorset culture egg medium …… 1118
ドーナトーラントシュタイナー寒冷自己抗体 Donath-Landsteiner cold autoantibody 178
ドーナトーラントシュタイナー現象 Donath-Landsteiner phenomenon …… 1404
ドーピング doping …… 556
ドープ dope …… 556
ドーフマン-チャナリン症候群 Dorfman-Chanarin syndrome …… 1803
ドーム細胞 dome cell …… 321
ドールトンの法則 Dalton law …… 1006
ドールトン-ヘンリーの法則 Dalton-Henry law …… 1006
ドーレンドルフ徴候 Dorendorf sign …… 1680
ドーン(ダン)計算図表 Done nomogram 1265
砥石形結晶 whetstone crystals …… 446
ドイチュレンダー病 Deutschländer disease …… 532
ドイル手術 Doyle operation …… 1304
トイレット訓練 toilet training …… 1915
トイレ不安症候群 shy bladder syndrome …… 1820
トインビー管 Toynbee tube …… 1942
島 insula …… 941
島 island …… 958
島 islet …… 958
灯 lamp …… 999
痘 pox …… 1475
洞 antrum …… 110
洞 cave …… 315
洞 cavern …… 315
洞 caverna …… 315
洞 sinus …… 1687
洞 cavernous space …… 1703
胴 torso …… 1904
道 meatus …… 1113
道 path …… 1371
道 tract …… 1910
道 tractus …… 1914
銅 copper (Cu) …… 420
銅64 copper 64 (^{64}Cu) …… 420
銅67 copper 67 (^{67}Cu) …… 420
トウアズキ属 *Abrus* …… 4
等圧式 isobar …… 959
等圧線 isobar …… 959
等圧の isobaric …… 959
糖アルコール sugar alcohol …… 44
糖アルデヒド sugar aldehyde …… 1769
頭位 cephalic presentation …… 1481
頭位 vertex presentation …… 1481
等イオン点 isoionic point …… 1454
頭位回転〔術〕 cephalic version …… 2014
糖衣丸 dragée …… 559
頭位眼振 positional nystagmus …… 1286
頭位傾斜 head-tilt …… 818
同位元素 isotope …… 963
同位酵素 isoenzyme …… 960
同位酵素 isozyme …… 963
同意された consensual …… 413
頭位自然分娩 spontaneous cephalic delivery …… 484
糖衣状心 frosted heart …… 820
頭位性斜頭症 positional plagiocephaly 1429
同位染色体 isochromosome …… 959
同位体 isotope …… 963
同位置の homotopic …… 861
同一〔性〕 identity …… 904
同一化 identification …… 904
同一核性 homonuclear …… 861
同一器官内反射 idioreflex …… 905
同一起源巣 isogenous nest …… 1244
同一視 identification …… 904
同一色の isochromatic …… 959
同一性意識 sense of identity …… 904
同一性危機 identity crisis …… 439
同一性障害 identity disorder …… 545
同一対照〔法〕 own controls …… 418
同一反応 reaction of identity …… 1565
同一部分の tautomeric …… 1842
同遺伝子型個体群 biotype …… 215
トウィードエッジワイズ療法 Tweed edgewise treatment …… 1924
トウィード三角 Tweed triangle …… 1928
糖衣脾 sugar-coated spleen …… 1720
頭位変換眼球反射 oculocephalic reflex 1580
頭位変換眼振 positional nystagmus …… 1286
頭位娩出術 assisted cephalic delivery …… 484
頭位めまい症 positional vertigo …… 2016
頭韻〔症〕 alliteration …… 50
動因 drive …… 561
動員 mobilization …… 1161
等運動性訓練 isokinetic exercise …… 653
〔同〕運動反復〔症〕 palikinesia, palicinesia …… 1338
投影 projection …… 1495
投影血管像 projection angiogram …… 84
投影視野計 projection perimeter …… 1388
投影同一視 projective identification …… 904
投影法 projection …… 1495
投影法 projective test …… 1863
糖液漏 glycorrhea …… 788
糖エステル sugar ester …… 643
ド・ヴェッケル鋏 de Wecker scissors …… 1646
等エネルギーの isoenergetic …… 960
倒円錐形バー inverted cone bur …… 267
橙黄色 orange …… 1310
等黄卵 homolecithal egg …… 590
等黄卵 isolecithal ovum …… 1330
同音異義語 homophenes …… 861
等温の isothermal …… 962
等価 equivalence, equivalency …… 635
糖化 glycosylation …… 789
糖化 saccharification …… 1628
透化 vitrification …… 2035
透過 permeation …… 1394
透過 transmission …… 1920
透過〔物〕 permeate …… 1394
頭化 cephalization …… 333
同価 equivalence, equivalency …… 635
同化〔作用〕 anabolism …… 69
同化〔作用〕 assimilation …… 163
島回 gyri insulae …… 808
島回 insular gyri …… 808
頭蓋 cranium …… 435
頭蓋 skull …… 1691
頭蓋圧出骨折 expressed skull fracture …… 737
頭蓋咽頭管 craniopharyngeal duct …… 563
頭蓋咽頭腫 craniopharyngioma …… 434
頭蓋外気瘤 extracranial pneumatocele 1447
頭蓋開口〔術〕 trephination …… 1925
頭蓋外-内血管吻合術 extracranial-intracranial bypass …… 273
頭蓋外の extracranial …… 657
頭蓋外板 lamina externa cranii …… 997
頭蓋外板 external table of calvaria …… 1836
頭蓋外板 outer table of skull …… 1836
頭蓋開放骨折 open skull fracture …… 738
頭蓋学 craniology …… 434
頭蓋下の subcranial …… 1763
頭蓋冠 calvaria …… 281
頭蓋冠鉤 calvarial hook …… 862
頭蓋観察 cranioscopy …… 435
頭蓋冠状鋸術 craniotrypesis …… 435
頭蓋陥没骨折 depressed skull fracture …… 737
頭蓋顔面 norma facialis …… 1267
頭蓋顔面角 craniofacial angle …… 88
頭蓋顔面観 facial aspect …… 161
頭蓋顔面矯正装置 craniofacial appliance 120
頭蓋顔面外科〔学〕 craniofacial surgery 1784
頭蓋顔面懸垂結紮法 craniofacial suspension wiring …… 2047
頭蓋顔面骨形成不全〔症〕 craniofacial dysostosis …… 574
頭蓋顔面骨固定 craniofacial fixation …… 707
頭蓋顔面分離骨折 craniofacial dysjunction fracture …… 737
頭蓋基底軸 craniofacial axis …… 184
頭蓋〔骨〕局部切除〔術〕 craniectomy …… 434
頭蓋腔 cranial cavity …… 316
頭蓋形成術 cranioplasty …… 434
頭蓋計測〔法,学〕 cephalometrics …… 333
頭蓋計測器 cephalometer …… 333
頭蓋計測写真 cephalometric radiograph 1543
頭蓋計測点 craniometric points …… 1454
頭蓋結合体 craniopagus …… 434
頭蓋限局性骨粗しょう(鬆)症 osteoporosis circumscripta cranii …… 1324
頭蓋後頭面 norma occipitalis …… 1267
頭蓋後面観 occipital aspect …… 161
頭蓋鼓室の craniotympanic …… 435
頭蓋骨 bones of cranium …… 232
頭蓋骨 cranial bones …… 232
頭蓋骨 bones of skull …… 233
頭蓋骨 ossa cranii …… 1317
頭蓋骨角度測定 goniocraniometry …… 792
頭蓋骨幹異形成(形成異常) craniodiaphysial dysplasia …… 575
頭蓋骨幹端異形成(形成異常) craniometaphysial dysplasia …… 575
頭蓋骨硬化〔症〕 craniosclerosis …… 435
頭蓋〔骨〕骨折 skull fracture …… 738
頭蓋骨耳部 otocranium …… 1326
頭蓋骨耳部の otocranial …… 1326
頭蓋骨症 craniopathy …… 434
頭蓋骨障害 craniopathy …… 434
頭蓋〔骨〕切除術 craniectomy …… 434
頭蓋骨内板 lamina interna ossium cranii 997
頭蓋骨軟化〔症〕 craniomalacia …… 434
頭蓋骨膜 pericranium …… 1387
頭蓋骨膜炎 pericranitis …… 1387
頭蓋骨癒合〔症〕 craniosynostosis …… 435
頭蓋三角 cephalic triangle …… 1926
頭蓋支持器 craniophore …… 434
頭蓋矢状面 norma sagittalis …… 1267
頭〔蓋〕指数 cranial index …… 922
頭蓋耳の cranio-aural …… 434
頭蓋周囲切開〔術〕 craniamphitomy …… 434
頭蓋周囲の pericranial …… 1387
頭蓋・手根骨・足根骨ジストロフィ craniocarpotarsal dystrophy …… 578
頭蓋上面観 superior aspect …… 161
頭蓋診察 cranioscopy …… 435
頭蓋髄膜ヘルニア craniomeningocele …… 434
頭蓋髄膜瘤 craniomeningocele …… 434
頭蓋星状骨折 stellate skull fracture …… 738
頭蓋正中離開 diastematocrania …… 511

頭蓋脊椎関節 craniovertebral joints ······· 969
頭蓋脊椎の craniospinal ······················· 435
頭蓋脊椎披裂 craniorrhachischisis ·········· 434
頭蓋穿刺 cephalocentesis ······················ 333
頭蓋穿刺 craniopuncture ······················ 434
頭蓋線状骨折 linear skull fracture ········· 737
頭蓋前頭面 norma frontalis ················· 1267
頭蓋泉門 cranial fontanelles ················· 723
頭蓋泉門 fonticuli cranii ····················· 723
頭蓋側頭面 norma lateralis ················· 1267
頭蓋側面X線像 lateral skull radiograph 1543
頭蓋側面観 lateral aspect ···················· 161
頭蓋椎部 cranial vertebra ··················· 2015
頭蓋底 cranial base ···························· 199
頭蓋底 external base of skull ·············· 199
頭蓋底 basicranium ····························· 200
頭蓋底陥入〔症〕 basilar impression ········· 917
頭蓋底外科 skull base surgery ············ 1784
頭蓋底骨折 basal skull fracture ············ 736
〔三〕頭蓋底骨癒合〔症〕 tribasilar synostosis ·········· 1826
頭蓋底軸 basicranial axis ···················· 184
頭蓋底軟骨 basilar cartilage ················· 305
頭蓋底部脳瘤 basal encephalocele ·········· 608
頭蓋頭頂面 norma verticalis ················ 1267
頭蓋トノスコープ法 craniotonoscopy ······ 435
頭蓋内圧 intracranial pressure (ICP) ···· 1482
頭蓋内圧計 cephalohemometer ··············· 333
頭蓋内気腫 pneumocranium ················ 1448
頭蓋内気瘤 intracranial pneumatocele ··· 1447
頭蓋内血腫 hematocephaly ··················· 825
頭蓋内構造の encephalic ····················· 607
頭蓋内出血 intracranial hemorrhage ······· 835
頭蓋内動脈瘤 intracranial aneurysm ········ 82
頭蓋内の endocranial ·························· 612
頭蓋内の intracranial ························· 950
頭蓋内板 lamina interna cranii ············· 997
頭蓋内板 inner table of skull ·············· 1836
頭蓋内板 internal table of calvaria ······ 1836
頭蓋脳の craniocerebral ······················ 434
頭蓋の靱帯結合 cranial syndesmoses ····· 1794
頭蓋の線維性連結 cranial fibrous joints 969
頭蓋の軟骨結合 cranial synchondroses 1793
頭蓋の軟骨結合 synchondroses cranii ···· 1793
頭蓋の縫合 suturae cranii ·················· 1786
頭蓋の縫合 cranial sutures ················ 1787
頭蓋の連結 joints of skull ·················· 971
頭外被 epicranium ····························· 626
頭蓋肥厚〔症〕 pachycephaly ················ 1334
頭外被の epicranial ··························· 626
頭蓋描画器 craniograph ······················ 434
頭蓋描画法 craniography ····················· 434
頭蓋表筋 epicranial muscle ················ 1184
頭蓋表筋 epicranius (muscle) ············· 1184
頭蓋表筋 musculus epicranius ············· 1199
頭蓋〔披〕裂 cranioschisis ····················· 435
頭蓋閉鎖骨折 closed skull fracture ········ 737
頭蓋有窓症 craniofenestria ··················· 434
頭蓋容量 cranial capacity ···················· 288
頭蓋離開骨折 diastatic skull fracture ····· 737
頭蓋裂孔症 craniolacunia ····················· 434
頭蓋ろう craniotabes ·························· 435
透過画像 transfer imaging ··················· 908
等価型信頼度 equivalent form reliability ·········· 1589
頭角 cephalic angle ···························· 88
統覚 apperception ····························· 120
等角Z形成術 nonskewed Z-plasty ········· 2061
等顎性の isognathous ························· 960
統覚量 apperceptive mass ·················· 1107
透過係数 permeability coefficient ·········· 387
透過光〔線〕 transmitted light ··············· 1047
透過酵素 permease ··························· 1394
〔膵〕島芽細胞 nesidioblast ·················· 1243
同化〔作用〕 anabolism ························· 69
同化〔作用〕 assimilation ······················ 163
同化産物 anabolite ······························ 69
透過性 lucency ································ 1070
透過性 permeability ·························· 1394
透過性亢進 hyperlucent ······················· 883
透過性亢進肺 hyperlucent lung ··········· 1072
島仮説 insular hypothesis ···················· 898
等価線量 equivalent dose ····················· 557
等割 equal cleavage ··························· 373
透過定数 permeability constant ············ 414
等価の isodynamic ····························· 960
等価物 equivalent (Eq, eq) ················· 635
同化不能の inassimilable ····················· 918
糖化ヘモグロビン glycated hemoglobin 833
橙花油 bitter orange oil ···················· 1310
トウガラシ capsicum ·························· 290
等カロリーの equicaloric ····················· 634
套管 cannula ··································· 287
糖汗 saccharephidrosis ······················ 1628
頭冠 corona capitis ···························· 424
頭冠 crown of head ···························· 442
導管 conduit ···································· 408
導管 excretory duct ··························· 563
動眼応答 oculomotor response ············ 1596
導管過形成 ductal hyperplasia ············· 886
頭眼窩指数 cephaloorbital index ··········· 922
〔動眼〕筋性眼精疲労 muscular asthenopia 164
動眼限界 oculogyria ························· 1291
動眼限界錯覚 oculogyral illusion ··········· 907
套管針 trocar ································· 1935
動眼神経 oculomotor nerve [CN III] ··· 1237
動眼神経 nervus oculomotorius [CN III] ·········· 1242
動眼神経 oculomotorius ····················· 1291
動眼神経核 nucleus nervi oculomotorii 1277
動眼神経核 oculomotor nucleus ··········· 1277
動眼神経溝 sulcus nervi oculomotorii ··· 1773
動眼神経内臓核 nuclei viscerales nervi oculomotorii ·································· 1282
動眼神経の下枝 inferior branch of oculomotor nerve ···························· 247
動眼神経の上枝 superior branch of the oculomotor nerve [CN III] ··············· 254
頭関節 craniovertebral joints ··············· 969
導管内の intraduct ··························· 950
洞間の intercavernous ························ 943
動眼の oculogyric ····························· 1291
胴丸レンズ toric lens ······················· 1020
同期 gate ······································· 760
同規 homonomy ································ 861
動機 motive ···································· 1172
動悸 palpitatio cordis ······················ 1340
動悸 palpitation ····························· 1340
動悸 trepidatiocordis ······················· 1925
冬季かゆみ〔症〕 winter itch ················· 964
同器官由来の homorganic ···················· 861
同義語 synonym ······························ 1826
冬季湿疹 winter eczema ····················· 586
同期性 synchronism ························· 1794
同期性 synchrony ···························· 1794
同期性核心血管撮影 gated radionuclide angiocardiography ··························· 83
盗寄生性生物 cleptoparasite ················· 374
動機付け motivation ························ 1172
同義の homonymous ·························· 861
洞〔機能〕不全症候群 sick sinus syndrome ·········· 1820
同期反射 synchronous reflex ··············· 1582
冬季皮膚炎 dermatitis hiemalis ············· 495
橈脚目 Copepoda ······························ 420
橈脚類 copepod ······························· 420
等吸収点 isosbestic point ··················· 1454
等吸収の isosbestic ··························· 962
頭胸結合体 cephalothoracopagus ············ 333
陶器様胆嚢 porcelain gallbladder ··········· 750
頭胸〔部〕の cephalothoracic ················· 333
頭極 cephalic pole ·························· 1456
頭棘筋 spinal muscle of head ············· 1194
頭棘筋 spinalis capitis (muscle) ·········· 1194
頭棘筋 musculus spinalis capitis ·········· 1203
洞緊張 antrotonia ····························· 110
頭腔 head cavity ······························ 316
頭屈 cephalic flexure ························· 712
同屈折 isometropia ··························· 961
洞窟病 cave sickness ························ 1676
道具的条件付け instrumental conditioning ·········· 407
道具的日常生活動作尺度 instrumental activities of daily living scale ·········· 1639
糖グリシン尿〔症〕 glycoglycinuria ·········· 788
統計〔量〕 statistics ··························· 1739
同型 isomorphism ····························· 961
同形 isomorphism ····························· 961
〔同種〕同系移植片 isograft ··················· 960
〔同種〕同系移植片 syngraft ················· 1826
統計遺伝学 statistical genetics ············· 766
同系遺伝子型株 isogenic strain ············ 1750
動径加速度 radial acceleration ················ 9
頭頸結合体 deradelphus ······················ 494
同系交配 inbreeding ·························· 918
同形歯 homodont ····························· 860
同形神経膠症 isomorphous gliosis ·········· 778
同〔質〕形成 homeoplasia ····················· 859
動形成切断〔術〕 cineplastic amputation ···· 65
同型接合体 homozygote ····················· 862
同形体 isoplassonts ·························· 961
統計的検出力 statistical power ············ 1475
統計的有意性 statistical significance ····· 1739
同系同種決定基 isoallotypic determinants 500
同型の homeotypical ························· 859
同形の homomorphic ························· 861
同系の syngeneic ···························· 1826
〔同種〕同系の isologous ······················ 961
同形配偶 isogamy ····························· 960
同形配偶子 isogamete ························ 960
同形配偶子の homogametic ·················· 860
同型配偶子の胚 homogametic embryo ···· 601
同形反応 isomorphic response ············· 1596
頭頸不全 deranencephaly, deranencephalia ·········· 494
頭頸不全 derencephaly ······················· 494
頭頸部の末梢自律神経節・叢 craniocervical part of peripheral autonomic plexuses and ganglia ································ 1363
頭頸部リンパ節 lymph nodes of head and neck ···································· 1078
統計モデル statistical model ··············· 1162
道化胎児 harlequin fetus ···················· 682
盗血 steal ···································· 1740
凍結円錐切除〔術〕 cryoconization ·········· 444
凍結下垂体切除〔術〕 cryohypophysectomy 444
凍結乾燥 freeze-drying ······················ 740
凍結乾燥〔法〕 lyophilization ··············· 1086
凍結外科〔学〕 cryosurgery ··················· 445
盗血現象 steal phenomenon ··············· 1406
頭結合体 cephalopagus ······················· 333
凍結剤 cryogen ································ 444
凍結視床切除〔術〕 cryothalamectomy ······ 445
凍結視床枕切除〔術〕 cryopulvinectomy ···· 445
頭血腫 cephalhematoma ····················· 332
洞穴生物学 biospeleology ···················· 215
洞結節不全症候群 sick sinus syndrome 1820
凍結切片 frozen section ···················· 1653
洞結節リセット sinus node reset ·········· 1689
凍結前立腺切除〔術〕 cryoprostatectomy ··· 445
凍結探針 cryoprobe ·························· 445
凍結淡蒼球切除〔術〕 cryopallidectomy ···· 444
凍結置換 freeze substitution ··············· 1767
凍結抽出 cryoextraction ····················· 444
凍結娩出器 cryoextractor ···················· 444
糖欠乏〔症〕 glycopenia ························ 788
頭血瘤 cephalhematocele ····················· 332
島限 limen insulae ·························· 1048

ト

糖原 glycogen ································· 787
糖原形成 glycogenesis ························· 787
糖原〔貯蔵〕症 glycogenosis ···················· 787
糖原性心臓肥大 glycogen cardiomegaly ··· 300
動原体 centromere ···························· 332
動原体 kinetochore ··························· 985
動原体線維 kinetochore fibers ·············· 689
動原体率 centromeric index ·················· 921
糖〔原〕定常〔性〕の glycostatic ················ 789
同原軟骨細胞 isogenous chondrocytes ····· 352
糖原病 glycogenosis ·························· 787
糖原病1型 glycogenosis type 1 ············· 787
糖原病2型 glycogenosis type 2 ············· 787
糖原病3型 glycogenosis type 3 ············· 787
糖原病5型 glycogenosis type 5 ············· 788
糖原病6型 glycogenosis type 6 ············· 788
糖原病7型 glycogenosis type 7 ············· 788
糖原分解 glycogenolysis ····················· 787
糖原分解過度 hyperglycogenolysis ·········· 881
糖原分解低下 hypoglycogenolysis ··········· 894
糖原分泌の glycosecretory ·················· 788
動コイル検流計 d'Arsonval galvanometer ································· 751
統合 integration ······························ 942
瞳孔 pupil（p）······························ 1527
瞳孔 pupilla ·································· 1527
胴甲 cuirass ·································· 447
瞳孔異常 dyscoria ···························· 571
瞳孔運動の pupillomotor ··················· 1527
〔虹彩の〕瞳孔縁 pupillary margin of iris ································· 1103
〔虹彩の〕瞳孔縁 margo pupillaris iridis 1105
瞳孔括約筋 sphincter muscle of pupil ··· 1194
瞳孔括約筋 musculus sphincter pupillae 1203
瞳孔括約筋 sphincter pupillae ············ 1713
瞳孔〔間〕距離 pupillary distance ············ 549
瞳孔間の interpupillary ····················· 947
瞳孔記録 pupillography ····················· 1527
瞳孔計 pupillometer ························· 1527
瞳孔形成〔術〕iridotomy ····················· 956
瞳孔(虹彩)形成〔術〕coreoplasty ············ 423
瞳孔〔左右〕不同〔症〕anisocoria ··············· 92
瞳孔散大 mydriasis ························· 1208
瞳孔散大筋 dilator pupillae muscle ······ 1183
瞳孔散大筋 musculus dilatator pupillae 1199
瞳孔軸 pupillary axis ························ 185
統合失調型人格障害 schizotypal personality disorder ····························· 547
統合失調感情障害 schizoaffective disorder ································· 547
統合失調感情障害の schizoaffective ······ 1643
統合失調質 schizoid ························ 1643
統合失調質人格障害 schizoid personality disorder ····························· 547
統合失調質的状態 schizoidism ············ 1643
統合失調症 schizophrenia ················· 1644
統合失調症性の schizophrenic ············ 1644
統合失調-情動精神病 schizoaffective psychosis ···························· 1520
統合失調症様障害 schizophreniform disorder ································· 547
豆鈎靭帯 pisohamate ligament ············ 1038
豆鈎靭帯 ligamentum pisohamatum ······ 1044
同向性 syntropy ····························· 1827
瞳孔整復〔術〕corepraxy ····················· 423
透光造影 diaphanography ··················· 510
瞳孔測定 pupillometry ····················· 1527
瞳孔中心距離計 pupillostatometer ········· 1528
同高定位 synclitism ························ 1794
瞳孔等大 isocoria ··························· 960
瞳孔動揺 hippus ····························· 853
瞳孔反射 pupillary reflex ·················· 1581
統合反応速度表現 integrated rate expression ································· 656
瞳孔ひだ襟 pupillary ruff ·················· 1625
瞳孔-皮膚反射 pupillary-skin reflex ······ 1581
瞳孔ブロック pupillary block ··············· 222
瞳孔閉鎖 pupillary block ···················· 222
瞳孔閉鎖 seclusion of pupil ··············· 1527
〔瞳孔〕閉鎖 synizesis ························ 1826
瞳孔閉鎖緑内障 pupillary block glaucoma ································· 777
瞳孔閉塞 occlusion of pupil ··············· 1290
瞳孔変位 corectopia ························· 423
透光法 diaphanography ······················ 510
瞳孔膜 membrana pupillaris ··············· 1124
瞳孔膜 pupillary membrane ················ 1127
瞳孔領域 pupillary zone ··················· 2060
〔乳突〕洞鼓室の antrotympanic ·············· 110
橈骨 radius ·································· 1545
橈骨栄養動脈 nutrient artery of radius ··· 149
橈骨幹(骨体) shaft of radius ·············· 1670
頭骨陥凹粉砕性骨折 enthlasis ·············· 622
橈骨管症候群 radial tunnel syndrome ··· 1817
橈骨頸 collum radii ·························· 392
橈骨頸 neck of radius ······················ 1223
橈骨茎状突起 styloid process of radius 1490
橈骨茎状突起 processus styloideus radii 1492
頭骨計測器 craniometer ····················· 434
頭骨計測の craniometric ···················· 434
頭骨計測法 craniometry ····················· 434
橈骨〔神経〕現象 radial phenomenon ······ 1405
橈骨後縁 posterior border of radius ······ 236
橈骨後縁 margo posterior radii ··········· 1105
橈骨後面 facies posterior radii ············ 664
橈骨後面 posterior surface of radius ····· 1783
橈骨骨間縁 interosseous border of radius 235
橈骨骨間縁 margo interosseus radii ······ 1104
橈骨尺骨の radioulnar ····················· 1545
橈骨手根関節 articulatio radiocarpalis ···· 157
橈骨手根関節 radiocarpal articulation ····· 158
橈骨手根関節 radiocarpal joint ············ 971
橈骨手根関節 wrist joint ··················· 972
橈骨手根骨の radiocarpal ················· 1542
橈骨静脈 radial veins ······················ 2000
橈骨静脈 venae radiales ··················· 2007
橈骨上腕骨の radiohumeral ··············· 1544
橈骨神経 radial nerve ····················· 1238
橈骨神経 nervus radialis ·················· 1243
橈骨神経溝 groove for radial nerve ······· 802
橈骨神経溝 radial groove ·················· 802
橈骨神経溝 sulcus nervi radialis ········· 1773
橈骨神経障害 radial neuropathy ·········· 1251
橈骨神経深枝 ramus profundus nervi radialis ···························· 1555
橈骨神経浅枝の尺骨神経との交通枝 communicating branch of superficial radial nerve with ulnar nerve ··········· 245
橈骨神経浅枝の尺骨神経との交通枝 ulnar communicating branch of superficial radial nerve ································ 255
橈骨神経の尺骨神経との交通枝 communicating branch of radial nerve with ulnar nerve ······················· 245
橈骨神経の深枝 deep branch of radial nerve ································· 245
橈骨神経の浅枝 superficial branch of the radial nerve ····························· 253
橈骨神経麻痺 musculospiral paralysis ···· 1350
橈骨切痕 incisura radialis ················· 919
橈骨切痕 radial notch ····················· 1270
橈骨前縁 anterior border of radius ········ 234
橈骨前縁 margo anterior radii ············ 1104
橈骨前面 facies anterior radii ············· 662
橈骨前面 anterior surface of radius ······ 1780
橈骨粗面 tuberositas radii ················ 1947
橈骨粗面 radial tuberosity ················ 1947
橈骨粗面 tuberosity of radius ············· 1947
橈骨体 corpus radii ························· 425
橈骨体(骨幹) shaft of radius ·············· 1670
橈骨〔体〕の外側面 lateral surface of (shaft of) radius ··························· 1782
橈骨頭 caput radii ·························· 292
橈骨頭 radial head ·························· 817
橈骨頭 head of radius ······················ 818
橈骨頭亜脱臼 radial head subluxation 1764
橈骨頭関節窩 articular facet of head of radius ································· 661
〔橈骨頭の〕関節窩 fovea articularis capitis radii ································· 735
〔橈骨頭の〕関節窩 fovea of radial head 735
〔橈骨頭の〕関節環状面 articular circumference of head of radius ········· 366
〔橈骨頭の〕関節環状面 circumferentia articularis capitis radii ················· 366
橈骨動脈 arteria radialis ·················· 137
橈骨動脈 radial artery ····················· 151
〔橈骨動脈〕掌側手根枝 palmar carpal branch of radial artery ··················· 250
〔橈骨動脈〕掌側手根枝 ramus carpalis palmaris arteriae radialis ················ 1548
〔橈骨動脈〕掌側手根枝 ramus carpeus palmaris arteriae radialis ················ 1549
〔橈骨動脈〕浅掌枝 superficial palmar branch of radial artery ·························· 253
〔橈骨動脈〕浅掌枝 ramus palmaris superficialis arteriae radialis ··········· 1554
橈骨動脈波 radial pulse ·················· 1525
〔橈骨動脈〕背側手根枝 dorsal carpal branch of radial artery ·························· 246
〔橈骨動脈〕背側手根枝 ramus carpalis dorsalis arteriae radialis ················ 1548
〔橈骨動脈〕背側手根枝 ramus carpeus dorsalis arteriae radialis ················ 1549
橈骨二頭筋反射 radiobicipital reflex ····· 1581
橈骨の radial ································ 1541
橈骨の茎状突起上稜 suprastyloid crest of radius ································· 438
〔橈骨の〕手根関節面 facies articularis carpi radii ································· 663
〔橈骨の〕手根関節面 carpal articular surface of radius ···························· 1781
〔橈骨の〕背側結節 dorsal tubercle of radius ································· 1943
〔橈骨の〕背側結節 tuberculum dorsale radii ································· 1946
橈骨反射 radial reflex ····················· 1581
橈骨輪状靭帯 anular ligament of radius 1033
橈骨輪状靭帯 orbicular ligament of radius ································· 1038
橈骨輪状靭帯 ligamentum anulare radii 1042
トウゴマ属 *Ricinus* ························ 1614
等コロイド浸透圧の isoncotic ·············· 961
痘痕 pit ······································ 1426
痘痕 pockmark ······························ 1452
糖剤 confection ······························ 409
糖剤 dragée ·································· 559
陶材 porcelain ······························ 1466
陶材インレー porcelain inlay ·············· 937
陶材冠 ceramic crown ······················ 442
頭最長筋 longissimus capitis（muscle）··· 1188
頭最長筋 musculus longissimus capitis 1201
〔膵〕島細胞 islet cell ························ 322
〔膵〕島細胞症 nesidioblastosis ············· 1243
等細胞の isocellular ························ 959
陶材焼き付け金属鋳造 ceramometal casting ································· 310
動作完了緩徐 bradyteleokinesia ··········· 241
倒錯 depravity ······························ 492
倒錯〔症〕perversion ························ 1396
頭索 cephalochord ·························· 333
倒錯者 pervert ······························ 1396
動作検査 performance test ················ 1862
洞察 insight ································· 940
洞察〔力〕penetration ······················ 1380
洞察的思考 thinking through ·············· 1883
同作用の congenerous ····················· 410
糖酸 saccharic acid ······················· 1628

糖酸 sugar acids …… 1769
豆三角関節 pisiform joint …… 971
豆三角関節 pisotriquetral joint …… 971
頭三叉神経領域血管腫症 cephalotrigeminal angiomatosis …… 85
同産児 litter …… 1062
糖産生の sacchariferous …… 1628
逃散能 fugacity (f) …… 743
透視〔法〕 diaphanoscopy …… 510
透視〔法〕 transillumination …… 1919
〔X線〕透視〔検査〕 fluoroscopy …… 717
糖〔穿〕刺 puncture diabetes …… 507
糖〔穿〕刺 diabetic puncture …… 1527
導子 director …… 524
〔電〕導子 electrode …… 593
同時遺伝子変換 coconversion …… 386
同時期の homochronous …… 860
等軸性の homaxial …… 859
等軸の equiaxial …… 634
糖脂質 glucolipids …… 782
糖脂質 glycolipid …… 788
同時失認 simultanagnosia …… 1686
等指症 isodactylism …… 960
頭指数 cephalic index …… 921
頭〔蓋〕指数 cranial index …… 922
同時性 synchronia …… 1794
同時〔性〕対比 simultaneous contrast …… 417
等時性の isochronous …… 959
同時〔性〕発汗 synidrosis …… 1826
〔X線〕透視装置 fluoroscope …… 717
同時(併存的)妥当性 concurrent validity 1983
同時知覚 simultaneous perception …… 1384
等時値性 isochronia …… 959
糖質 carbohydrates (CHO) …… 293
同質二像 dimorphism …… 521
同質二倍体の autodiploid …… 179
同質三倍体 autotriploid …… 182
同質四倍体 autotetraploid …… 182
同質五倍体 autopentaploid …… 180
同質六倍体 autohexaploid …… 179
同質異形 allotropism, allotropy …… 51
同質異形の allotropic …… 51
同質異像仮晶 allomorphism …… 51
同質遺伝子型株 isogenic strain …… 1750
洞室〔間〕伝導 sinoventricular conduction 408
同〔質〕形成 homeoplasia …… 859
糖質コルチコイド glucocorticoid …… 782
糖質コルチコイド過敏症 glucocorticoid hypersensitivity …… 887
糖質コルチコイド刺激性の glucocorticotrophic …… 782
糖質コルチコイド抵抗〔性〕 glucocorticoid resistance …… 1593
糖質コルチコイド抵抗〔性〕症候群 glucocorticoid resistance syndrome …… 1805
糖〔質〕新生 glyconeogenesis …… 788
同質接合の autozygous …… 182
糖質組織化学 glycohistochemistry …… 788
同質〔多〕倍数性 autopolyploidy …… 181
同質〔多〕倍数体 autoploid …… 181
同質〔多〕倍数体 autopolyploid …… 181
同質のゲノムの isogenous …… 960
同質倍数性 autoploidy …… 181
同時二言語習得 simultaneous bilingualism …… 210
同時認知不能〔症〕 simultanagnosia …… 1686
同時バイリンガリズム simultaneous bilingualism …… 210
同時〔性〕発汗 synidrosis …… 1826
同枝吻合の homocladic …… 860
投射 projection …… 1495
投射〔角〕 incidence …… 918
投射〔性〕感覚 referred sensation …… 1661
橈尺靱帯結合 radioulnar syndesmosis …… 1795
橈尺靱帯結合 syndesmosis radioulnaris 1795
等尺性運動 isometric exercise …… 653
等尺性牽引 isometric traction …… 1914
等尺性弛緩 isometric relaxation …… 1589
同尺性自己調節 homeometric autoregulation …… 181
等尺性収縮 isometric contraction …… 417
等尺〔性〕の isometric …… 961
投射系 projection system …… 1833
投射検査〔法〕 projective test …… 1863
投射線維 projection fibers …… 690
投射路 projection …… 1495
導手 conductor …… 408
同種 congener …… 410
〔同種〕異系移植片 allograft …… 50
同種〔異系〕抗原 alloantigen …… 50
同種〔異系〕抗体 alloantibody …… 50
同種異系の allogenic, allogeneic …… 50
同種移植〔術〕 allotransplantation …… 51
同種移植拒絶 allograft rejection …… 1588
同種〔移殖〕形成〔術〕 alloplasty …… 51
同種移植片拒絶〔反応〕 homograft reaction …… 1565
洞周囲の perisinuous …… 1392
同重体 isobar …… 959
等重の isobaric …… 959
同種核形成 homogeneous nucleation …… 1271
同種角膜移植 homogenous keratoplasty 980
同種角膜移植〔術〕 homokeratoplasty …… 861
同種感作 allosensitization …… 51
同種凝集原 isoagglutinogen …… 959
同種凝集現象 isoagglutination …… 959
同種凝集素 isoagglutinin …… 959
同種菌ワクチン stock vaccine …… 1980
同種形成性の homoplastic …… 861
同種血球凝集 isohemagglutination …… 960
同種血球凝集素 isohemagglutinin …… 960
同種抗血清 homologous antiserum …… 109
同種抗原 allogeneic antigen …… 103
同種抗原 isoantigen …… 959
同種抗体 isoantibody …… 959
同種細胞親和抗体 homocytotropic antibody …… 101
同種細胞親和〔性〕の homocytotropic …… 860
同種細胞阻止(抑制) allogeneic inhibition 933
同種細胞溶解素 isocytolysin …… 960
同種指向性ウイルス ecotropic virus …… 2024
同種免疫〔法,処置〕 alloimmunization …… 50
同種〔特異〕親和性の homophil …… 861
同株性の homothallic …… 861
同種組織移植 isotransplantation …… 963
同種組織腫瘍 homologous tumor …… 1951
同種脱感作 homologous desensitization …… 499
同種沈降素 isoprecipitin …… 961
導出静脈 emissary vein …… 1995
導出静脈 vena emissaria …… 2005
導出する deliver …… 484
〔同種〕同系移植片 isograft …… 960
〔同種〕同系移植片 syngraft …… 1826
〔同種〕同系の isologous …… 961
同種動物の homozoic …… 862
同種毒療法 isopathy …… 961
同種の conspecific …… 414
同種の homologous …… 861
同種白血球凝集素 isoleukoagglutinin …… 961
同種発生 homogenesis …… 860
同種皮質 isocortex …… 960
同種免疫 alloimmune …… 50
同種免疫 isoimmunization …… 960
同種免疫性新生児血小板減少〔症〕 isoimmune neonatal thrombocytopenia …… 1887
糖腫瘍 sugar tumor …… 1952
同種溶解〔現象〕 isolysis …… 961
同種溶解素 isolysin …… 961
動受容器 gravireceptors …… 800
同種溶血 homolysis …… 861
同種溶血〔現象〕 isohemolysis …… 960
同種溶血〔現象〕 isolysis …… 961
同種溶血現象 isoerythrolysis …… 960
同種溶血素 homolysin …… 861
同種溶血素 isohemolysin …… 960
同種溶血素 isolysin …… 961
ドゥジュリーヌ-クルンプケ麻痺 Dejerine-Klumpke palsy …… 1340
ドゥジュリーヌ手現象 Dejerine hand phenomenon …… 1404
ドゥジュリーヌ-ソッタ病 Dejerine-Sottas disease …… 531
ドゥジュリーヌ徴候 Dejerine sign …… 1680
同種療法薬 similimum, simillimum …… 1685
当初 ab initio …… 3
同所移植 orthotopic graft …… 795
凍傷 frostbite …… 742
銅症 chalcosis …… 338
島状癌 insular carcinoma …… 297
道上棘 spina suprameatica …… 1716
道上棘 suprameatal spine …… 1717
豆状骨 pisiform (bone) …… 233
豆状骨 os pisiforme …… 1318
豆状骨関節 articulatio ossis pisiformis …… 157
豆状骨関節 articulation of pisiform bone 158
豆状骨関節 pisiform joint …… 971
豆状骨関節 pisotriquetral joint …… 971
道上三角 suprameatal triangle …… 1928
同情者 sympathizer …… 1790
道上小窩 foveola suprameatica …… 735
道上小窩 suprameatal pit …… 1426
豆状条虫 *Taenia pisiformis* …… 1838
塔状頭蓋 steeple skull, tower skull …… 1691
塔状頭〔蓋〕症 turricephaly …… 1955
登上線維 climbing fibers …… 688
頭踵長 crown-heel (length) of fetus (CH, CHL) …… 1019
同情的の sympathetic …… 1790
豆状突起 lenticular process of incus …… 1489
〔きぬた骨〕豆状突起 processus lenticularis incudis …… 1491
豆状の pisiform …… 1426
島状皮弁 island flap …… 710
島静脈 insular veins …… 1997
島静脈 venae insulares …… 2006
動静脈奇形 arteriovenous malformations (AVM) …… 1096
動静脈血酸素較差 arteriovenous oxygen difference …… 516
動静脈血炭酸ガス較差 arteriovenous carbon dioxide difference …… 516
動静脈シャント arteriovenous shunt (A-V shunt) …… 1674
動静脈の arteriovenous (AV) …… 140
動静脈吻合 anastomosis arteriovenosa …… 72
動静脈吻合 arteriolovenular anastomoses 72
動静脈吻合 arteriovenous anastomosis (ava) …… 72
動静脈瘤 arteriovenous aneurysm …… 81
動静脈瘻 arteriovenous fistula …… 704
等色性の isochromatic …… 959
動植物共通の vegetoanimal …… 1992
同所性の新膀胱 orthotopic neobladder bladder …… 218
洞〔性〕徐脈 sinus bradycardia …… 240
痘疹 pock …… 1452
痘疹 vaccinia …… 1980
同心円性軸索周囲性脳炎 encephalitis periaxialis concentrica …… 607
同心円層板 concentric lamella …… 996
同人口統計地図 isodemographic map …… 1102
糖新生 gluconeogenesis …… 782
糖〔質〕新生 glyconeogenesis …… 788
同心性線維腫 concentric fibroma …… 694
同心性の concentric …… 406
等浸透圧〔性〕 isotonia …… 962
等浸透圧〔性〕の isosmotic …… 962

ト

糖親和性 glycotropic, glycotrophic ········· 789
糖髄液〔症〕 glycorrhachia ························ 788
透水器 percolator ································ 1384
等水性の isohydric ································ 960
等水素イオン濃度の isohydric ················ 960
等水尿〔症〕 isohydruria ························ 960
陶酔薬 euphoriant ································ 648
頭水瘤 cephalhydrocele ·························· 332
ドゥーズ症候群 Doose syndrome ·········· 1803
頭声(ファルセット) falsetto ················· 670
同性愛 homosexuality ···························· 861
同性愛恐怖 homophobia ························· 861
同性愛者 gay ······································ 761
同性愛者 homosexual ···························· 861
同性愛パニック homosexual panic ······· 1342
統制医療 managed care ························· 302
同棲癌 cancer à deux ··························· 286
動性錯覚 illusion of movement ·············· 907
糖生成 glucogenesis ····························· 782
糖生成 glycogenesis ····························· 787
洞性腟部の sinovaginal ························ 1686
同性的な isosexual ······························ 962
洞〔性〕頻拍(頻脈) sinus tachycardia ····· 1837
洞〔性〕不整脈 sinus arrhythmia ············· 133
同性変装〔症〕 cisvestism, cisvestitism ····· 369
透析 dialysis ······································ 509
透析蒸発 pervaporation ························ 1396
透析蒸留 perstillation ·························· 1396
透析性不平衡症候群 dialysis disequilibrium syndrome ·· 1802
頭脊柱の cephalorrhachidian ················· 333
透析脳症症候群 dialysis encephalopathy syndrome ·· 1802
透析物 dialysate ·································· 509
透析膜 dialyzer ··································· 509
透析用シャント dialysis shunt ·············· 1674
同席療法 conjoint therapy ····················· 1878
頭節 scolex ······································· 1648
洞切開〔術〕 antrotomy ···························· 110
洞切開〔術〕 sinusotomy ························· 1689
〔膵〕島切除〔術〕 nesidiectomy ················ 1243
頭節様の scolecoid ····························· 1648
糖〔穿〕刺 puncture diabetes ··················· 507
糖〔穿〕刺 diabetic puncture ················· 1527
洞洗浄 antral lavage ··························· 1005
等染性の isochromatophil, isochromatophile ·· 959
銅仙痛 copper colic ······························ 389
等線量 isodose ···································· 960
凍瘡 chilblain ···································· 344
痘瘡 smallpox ··································· 1692
痘瘡 variola ······································ 1988
痘瘡ウイルス variola virus ·················· 2030
倒像眼底検査 indirect ophthalmoscopy ····· 1308
倒像検眼鏡 indirect ophthalmoscope ····· 1308
凍瘡状エリテマトーデス chilblain lupus erythematosus ································· 1073
痘瘡状痤瘡 acne varioliformis ················· 16
痘瘡状の vacciniform ··························· 1981
凍瘡状狼瘡 lupus pernio ······················· 1074
痘瘡性精巣(睾丸)炎 orchitis variolosa ···· 1311
痘瘡〔性〕の variolar ····························· 1988
等相性波形 isodiphasic complex ············· 401
逃走-闘争反応 fight or flight response ···· 1596
痘瘡リケッチア *Rickettsia akari* ··········· 1615
痘瘡ワクチン vaccine ·························· 1979
痘瘡ワクチン smallpox vaccine ············· 1980
痘瘡ワクチン variolovaccine ················· 1988
同族 consanguinity ······························ 413
同族化合物 homologue, homolog ··········· 861
盗賊恐怖〔症〕 harpaxophobia ················· 816
橈側手根屈筋 flexor carpi radialis (muscle) ·· 1185
橈側手根屈筋 radial flexor (muscle) of wrist ··· 1192
橈側手根屈筋 musculus flexor carpi radialis ·· 1200
橈側手根屈筋腱鞘 tendinous sheath of flexor carpi radialis muscle ············ 1672
橈側手根屈筋腱鞘 vagina tendinis musculi flexoris carpi radialis ··················· 1981
橈側手根伸筋腱鞘 tendinous sheath of extensor carpi radialis muscles ········ 1672
橈側手根伸筋腱鞘 vagina tendinum musculorum extensorum carpi radialium ·· 1982
橈側手根隆起 radial eminence of wrist 603
橈側手指の radiodigital ························ 1543
橈側手掌の radiopalmar ······················· 1545
橈側正中皮静脈 intermediate cephalic vein ·· 1997
橈側正中皮静脈 median cephalic vein 1998
橈側正中皮静脈 vena intermedia cephalica ·· 2006
橈側正中皮静脈 vena mediana cephalica ·· 2006
橈側正中皮の medicephalic ··················· 1116
等速成長 isauxesis ······························ 958
同側性反射 ipsilateral reflex ················· 1579
同側〔性〕半盲 homonymous hemianopia 828
橈側側副動脈 arteria collateralis radialis 134
橈側側副動脈 radial collateral artery ····· 151
同族体 homologous ······························ 861
同族体 homologue, homolog ·················· 861
橈側内反手 radial clubhand ··················· 377
頭側の craniad ···································· 434
頭側の cranial ····································· 434
頭側の cranialis ··································· 434
頭足の capitopedal ······························· 289
橈側の radial ····································· 1541
橈側の radialis ··································· 1541
同側の ipsilateral ································ 956
同族の homologous ······························ 861
橈側反回動脈 arteria recurrens radialis ··· 137
橈側反回動脈 radial recurrent artery ······ 151
橈側皮静脈 cephalic vein ····················· 1994
橈側皮静脈 vena cephalica ··················· 2004
頭側ひだ head fold ······························ 719
同族列 homologous series ···················· 1665
〔広範なリンパ節症を伴う〕洞組織球増殖〔症〕 sinus histiocytosis with massive lymphadenopathy ····························· 854
同組織新生 homeoplasia ························ 859
同素体 allotrope ·································· 51
同素体 allotropism, allotropy ················· 51
同素体の allotropic ······························ 51
淘汰 selection ··································· 1658
淘汰圧 selection pressure ····················· 1483
導体 conductor ··································· 408
導帯 gubernaculum ······························ 804
胴体 carcass ······································ 295
動態 conation ····································· 405
動態 kinetics ······································ 985
動態記録〔法〕 kymography ······················ 990
導帯索 gubernacular cord ····················· 421
糖代謝 saccharometabolism ·················· 1629
動態人口統計学 dynamic demography ···· 486
糖唾液〔症〕 glycosialia ························· 788
糖唾液分泌 glycosialorrhea ··················· 788
〔島〕短回 gyri breves insulae ·················· 808
〔島〕短回 short gyri of insula ················· 809
等炭酸ガス〔血症〕 isocapnia ·················· 959
糖蛋白〔質〕 glycoprotein ························ 788
銅蛋白 copper protein ························· 1503
倒置 inversion ···································· 952
等値〔曲〕線 isopleth ······························ 961
洞中隔 sinus septum ··························· 1664
豆中手靱帯 pisometacarpal ligament ····· 1038
豆中手靱帯 ligamentum pisometacarpale ·· 1044
島中心溝 central sulcus of insula ········· 1771
同中性子体 isotone ······························ 962
等張〔性〕 isotonia ································ 962
等張〔性〕 isotonicity ····························· 963
頭頂 centriciput ·································· 331
頭頂 vertex ······································ 2015
同調 syntropy ··································· 1827
頭頂位 sincipital presentation ·············· 1481
頭頂縁 parietal border ························· 235
頭頂縁 parietal margin ························ 1103
頭頂縁 margo parietalis ······················· 1104
頭頂おとがい(頤)の verticomental ······· 2015
〔島〕長回 gyrus longus insulae ················ 808
〔島〕長回 long gyrus of insula ················ 808
頭頂角 parietal angle ···························· 89
頭頂顎間径 verticomental diameter ········ 509
頭頂下溝 subparietal sulcus ················· 1774
頭頂下溝 sulcus subparietalis ················ 1774
頭頂下の subparietal ··························· 1764
頭頂間溝 interparietal sulcus ················ 1772
頭頂間溝 intraparietal sulcus ················ 1772
頭頂間溝 sulcus intraparietalis ·············· 1772
頭頂間骨 interparietal bone ·················· 232
頭頂間骨 os interparietale ··················· 1317
頭頂眼輪筋反射 cephalopalpebral reflex 1578
頭頂橋〔核〕路 parietopontine tract ········ 1912
頭頂橋〔核〕路 tractus parietopontinus ···· 1914
頭長筋 long muscle of head ················· 1188
頭長筋 longus capitis (muscle) ············ 1189
頭長筋 musculus longus capitis ············ 1201
等張係数 isotonic coefficient ················ 387
頭頂結合双胎奇形 epicomus ················· 625
頭頂結節 parietal eminence ·················· 603
頭頂結節 parietal tuber ······················· 1942
頭頂結節 tuber parietale ······················ 1942
頭頂孔 foramen parietale ······················ 726
頭頂孔 parietal foramen ······················· 726
頭頂後頭溝 parietooccipital sulcus ········ 1773
頭頂後頭溝 sulcus parieto-occipitalis ····· 1773
〔脳梁周囲動脈の〕頭頂後頭溝枝 parietooccipital branches of pericallosal artery ··· 250
頭頂後頭溝の後内側縁枝 marginal branch of parieto-occipital sulcus ················ 249
頭頂後頭枝 ramus parieto-occipitalis ····· 1554
頭頂後頭の parietooccipital ················· 1356
頭頂後頭葉動脈 arteriae parieto-occipitales ·· 137
頭頂後頭葉動脈 parietooccipital artery ··· 149
頭頂後頭裂 fissura parietooccipitalis ······· 702
頭頂骨 parietal bone ··························· 233
頭頂骨 os parietale ···························· 1318
頭頂骨間の interparietal ······················· 947
頭頂骨後頭縁 occipital border of parietal bone ··· 235
頭頂骨後頭縁 margo occipitalis ossis parietalis ·· 1104
頭頂骨後頭角 occipital angle of parietal bone ·· 89
頭頂骨後頭角 angulus occipitalis ossis parietalis ·· 90
頭頂骨矢状縁 sagittal border of parietal bone ··· 236
頭頂骨前頭縁 frontal border of parietal bone ··· 235
頭頂骨前頭縁 margo frontalis ossis parietalis ·· 1104
頭頂骨前頭角 angulus frontalis ossis parietalis ·· 90
頭頂骨蝶形骨角 sphenoidal angle of parietal bone ·· 89
頭頂骨乳突角 angulus mastoideus ossis parietalis ·· 90
頭頂骨の parietal ······························· 1356
〔頭頂骨の〕外面 facies externa ossis parietalis ··· 663
〔頭頂骨の〕外面 external surface of parietal bone ·· 1781

頭頂骨の前頭角 frontal angle of parietal bone 88
〔頭頂骨の〕内面 facies interna ossis parietalis 664
〔頭頂骨の〕内面 internal surface of parietal bone 1781
頭頂骨の乳突角 mastoid angle of parietal bone 89
頭頂骨鱗縁 squamosal border of parietal bone 236
頭頂骨鱗縁 squamous border of parietal bone 236
頭頂骨鱗縁 margo squamosus ossis parietalis 1105
頭頂枝 parietal branch 250
頭頂枝 rami parietales 1554
等長定規 isometric ruler 1626
同調性 synchronism 1794
同調性 synchrony 1794
同調性間欠的強制換気 synchronized intermittent mandatory ventilation (SIMV) 2010
等張性牽引 isotonic traction 1914
等張性収縮 isotonic contraction 417
同調性人格 syntonic personality 1395
等長〔性〕の isometric 961
同長性の isometric 961
頭頂切痕 incisura parietalis 919
頭頂切痕 parietal notch 1270
頭頂前頭の parietofrontal 1356
頭頂側頭骨の parietotemporal 1356
頭頂蝶形骨の parietosphenoid 1356
頭頂導出静脈 parietal emissary vein 1999
頭頂導出静脈 vena emissaria parietalis 2005
頭頂乳突の parietomastoid 1356
頭頂乳突縫合 sutura parietomastoidea 1786
頭頂乳突縫合 parietomastoid suture 1788
等張尿 isosthenuria 962
頭頂部 regio parietalis capitis 1584
頭頂部 parietal region 1586
頭頂葉 parietal lobe 1064
頭頂葉 parietal lobe of cerebrum 1064
頭頂葉 lobus parietalis 1066
頭頂葉橋線維 parietopontine fibers 690
頭頂葉後部の posteroparietal 1471
頭頂葉静脈 parietal veins 1999
頭頂葉静脈 venae parietales 2007
頭頂葉てんかん parietal lobe epilepsy 628
〔外側または内側〕頭頂葉動脈 arteriae parietales (laterales et mediales) 137
〔外側または内側〕頭頂葉動脈 (lateral and medial) parietal arteries 147
洞調律 sinus rhythm 1611
頭頂鱗状部の parietosquamosal 1356
頭頂鱗の squamoparietal 1726
等鎮痛薬用量 equianalgesic dose 557
疼痛 ache 13
疼痛 dolor 555
疼痛 pain 1337
疼痛学 algology 47
疼痛学 dolorology 555
疼痛恐怖〔症〕 algophobia 47
疼痛ジストロフィ algodystrophy 47
疼痛性運動の algiomotor 47
疼痛性顔貌 facies dolorosa 663
疼痛性痙攣 algospasm 47
疼痛性血管の algovascular 47
疼痛性挫傷症候群 painful-bruising syndrome 1815
疼痛性脂肪蓄積〔症〕 adiposalgia 29
疼痛性障害 pain disorder 546
疼痛〔性〕チック tic douloureux 1892
疼痛性対麻痺 paraplegia dolorosa 1353
疼痛性熱感 thermalgia 1880
疼痛性の algesic 47
疼痛測定〔法〕 dolorimetry 555
疼痛耐性 pain tolerance 1898
疼痛点 painful point 1454
疼痛反応 pain reaction 1566
洞停止 sinus arrest 132
洞停止 sinus pause 1374
洞停止 sinus standstill 1737
糖〔原〕定常〔性〕の glycostatic 789
動的関係 dynamic relations 1588
動的屈折 dynamic refraction 1583
動的姿勢図検査〔法〕 dynamic posturography 1472
動〔力〕的斜視 kinetic strabismus 1750
動的視野測定〔法〕 kinetic perimetry 1388
動的重心計検査〔法〕 dynamic posturography 1472
〔力〕動的心理学 dynamic psychology 1518
動的大動脈 dynamic aorta 111
動的副子 dynamic splint 1722
透徹 penetration 1380
等電位線 isoelectric line 1050
等電期 isoelectric period 1389
頭殿長 crown-rump (length) (CR, CRL) 1019
等電点 isoelectric point (pI, IEP, IP) 1454
等電点電気泳動 isoelectric focusing 960
等電の isoelectric 960
等電領域 isoelectric zone 2059
等瞳 isocoria 960
同等者(同僚)検閲 peer review 1377
島動脈 arteriae insulares 135
島動脈 insular arteries 146
頭動脈枝 cephalic arterial rami 1549
糖毒性 glucotoxicity 783
等毒性の equitoxic 635
等度屈折力 equivalent power 1475
道徳律 beneficence 205
道徳療法 moral treatment 1924
同毒療法薬 similimum, simillimum 1685
頭突起 head process 1489
ドゥニー(デニース)-ドラッシュ症候群 Denys-Drash syndrome 1802
導入 induction 924
導入 transduction 1917
導入遺伝子 transgene 1919
導入化学療法 induction chemotherapy 343
導入器 introducer 951
導入期間 run-in period 1390
投入量 immission 909
糖尿 glucosuria 783
糖尿 glycosuria 789
銅尿〔症〕 cupriuresis 449
糖尿中枢穿刺 diabetic puncture 1527
糖尿病 diabetes 505
〔真性〕糖尿病 diabetes mellitus (DM) 506
糖尿病学 diabetology 507
糖尿病患者 diabetic 507
糖尿病〔性〕昏睡 diabetic coma 396
糖尿病〔昏睡〕性大呼吸 Kussmaul respiration 1595
糖尿病食 diabetic diet 514
糖尿病〔性〕ニューロパシー(神経障害) diabetic neuropathy 1250
糖尿病性アシドーシス diabetic acidosis 15
糖尿病性胃不全麻痺 gastroparesis diabeticorum 759
糖尿病性壊疽 diabetic gangrene 755
糖尿病性黄色腫 xanthoma diabeticorum 2051
糖尿病性関節症 diabetic arthropathy 156
糖尿病性亀頭炎 balanitis diabetica 193
糖尿病性胸髄神経根障害 diabetic thoracic radiculopathy 1542
糖尿病性筋萎縮〔症〕 diabetic amyotrophy 68
糖尿病性ケトアシドーシス diabetic ketoacidosis (DKA) 982
糖尿病性虹彩ルベオーシス rubeosis iridis diabetica 1625
糖尿病性糸球体硬化症 diabetic glomerulosclerosis 780
糖尿病性脂〔肪〕血症 diabetic lipemia 1055
糖尿病性歯肉炎 diabetic gingivitis 770
糖尿病性神経症性悪液質 diabetic neuropathic cachexia 274
糖尿病性腎症 diabetic nephropathy 1230
糖尿病性胎児病 diabetic fetopathy 681
糖尿病性多発神経根障害 diabetic polyradiculopathy 1464
糖尿病性多発神経障害(多発ニューロパシー) diabetic polyneuropathy 1462
糖尿病〔性〕白内障 diabetic cataract 311
糖尿病性皮膚障害(症) diabetic dermopathy 498
糖尿病性ミエロパシー diabetic myelopathy 1211
糖尿病〔性〕網膜炎 diabetic retinitis 1601
糖尿病〔性〕網膜症(障害) diabetic retinopathy 1602
糖尿病性リポイド類壊死〔症〕 necrobiosis lipoidica, necrobiosis lipoidica diabeticorum 1223
糖尿病前症 prediabetes 1477
糖尿病誘発因子 diabetogenic factor 667
糖尿病誘発〔性〕の diabetogenic 507
ドゥニー(デニース)-レクレフ現象 Denys-Leclef phenomenon 1404
桃仁油 peach kernel oil 1295
桃仁油 persic oil 1395
透熱性 diathermancy 512
動粘性率 dynamic viscosity (μ) 2032
動粘度 kinematic viscosity (υ) 2032
糖の saccharic 1628
糖の saccharine 1629
道の meatal 1113
洞の antral 110
洞嚢 antral pouch 1474
等濃度 isodense 960
等濃度点 isosbestic point 1454
等配性 isostery 962
糖排泄 glycorrhea 788
同配体 isostere 962
洞肺の sinopulmonary 1686
同胚葉性の homoblastic 859
糖白内障 sugar cataract 312
頭髪 hairs of head 811
頭髪 scalp hair 812
頭発生 cephalogenesis 333
糖発生基 gluciphore 782
頭半棘筋 semispinal muscle of head 1193
頭半棘筋 semispinalis capitis (muscle) 1193
頭半棘筋 musculus semispinalis capitis 1203
頭板状筋 splenius capitis (muscle) 1194
頭板状筋 splenius muscle of head 1194
頭板状筋 musculus splenius capitis 1203
登はん性起立 Gowers sign 1681
同伴輸送 symporter 1791
逃避 evasion 650
頭皮 scalp 1640
頭皮感染症 scalp infection 927
逃避現象 escape phenomenon 1404
頭皮挫傷 scalp contusion 418
頭尾軸 cephalocaudal axis 184
等皮質 isocortex 960
等比重脊椎麻酔〔法〕 isobaric spinal anesthesia 80
逃避条件付け escape conditioning 407
頭尾〔方向〕の cephalocaudal 333
頭皮の毛髪腫瘍 pilar tumor of scalp 1951
頭皮皮弁 scalping flap 710
トウヒ油 oil of bitter orange 1294
痘苗 vaccine lymph, vaccinia lymph 1075
痘苗原 vaccinogen 1981
同病性血清療法 isoserum treatment 1923
頭皮裂傷 scalp laceration 993

ト

等頻度解離 isorhythmic dissociation ······ 548
洞〔性〕頻拍(頻脈) sinus tachycardia ····· 1837
島部 pars insularis ························ 1359
島部 insular part ·························· 1365
頭〔部〕 head ································ 817
洞フィステル形成〔術〕 antrostomy ········ 110
東部ウマ脳脊髄炎 eastern equine
encephalomyelitis (EEE) ················· 608
東部ウマ脳脊髄炎ウイルス eastern equine
encephalomyelitis virus ················· 2023
頭部運動の cephalomotor ·················· 333
頭部X線像 cephalogram ···················· 333
頭部回転運動の cephalogyric ··············· 333
頭部回転痙攣 gyrospasm ···················· 807
頭部還納術 cephalic replacement ········· 1590
頭部規格写真分析 cephalometric analysis 70
頭部奇形体(奇形児) perocephalus ········ 1394
頭部気腫 physocephaly ····················· 1421
頭部巨大〔症〕 cephalomegaly ················ 333
導腹 ventriduction ························· 2012
同腹子 litter ······························· 1062
頭部計測〔法〕 cephalometry ················· 333
頭部計測トレース〔法〕 cephalometric
tracing ····································· 1910
頭部結合 syncephaly ······················· 1793
頭部結合体 syncephalus ···················· 1793
頭部欠損頸部不全 deranencephaly,
deranencephalia ···························· 494
頭部脂漏〔症〕 seborrhea capitis ··········· 1652
頭部振せん titubation ····················· 1896
頭部水腫 cephaledema ······················ 332
頭部前極 antinion ·························· 107
頭部前極の antinial ························ 107
頭部前極方向へ antiniad ··················· 107
洞〔機能〕不全症候群 sick sinus syndrome
································· 1820
動物 animal ·································· 91
動物愛 zoophilism ························ 2061
動物愛好者 zoophile ······················· 2061
動物移植片 zoograft ······················· 2060
動物ウイルス animal viruses ·············· 2022
動物栄養の zootrophic ······················ 2061
動物界 animalia ······························ 91
動物学 zoology ····························· 2061
動物学者 zoologist ························· 2061
動物化石 zoolite, zoolith ·················· 2061
動物間流行性の epizootic ··················· 633
動物間流行病の epizootic ··················· 633
動物寄生虫皮膚リーシュマニア症 zoonotic
cutaneous leishmaniasis ················· 1018
動物恐怖〔症〕 zoophobia ·················· 2061
動物極 animal pole ························ 1456
動物原性皮膚症 dermatozoonosis ··········· 498
動物好性の zoophilic ······················ 2061
動物行動学 ethology ························ 646
動物細胞 zooblast ·························· 2060
動物サディズム zoosadism ················· 2061
動物磁気 mesmerism ······················· 1135
動物色素 zoochrome ························ 2060
動物磁石 animal magnetism ················ 1092
動物施設 vivarium ························· 2035
動物習性学 ethology ························ 646
動物習性学者 ethologist ···················· 646
動物飼養場 vivarium ······················· 2035
動物心理学 animal psychology ············· 1518
動物性愛 erotic zoophilism ················ 2061
動物性愛 zoophilia ························ 2061
動物性愛〔症〕 zoolagnia ·················· 2060
動物性寄生生物 parazoon ·················· 1355
動物性寄生体 zooparasite ·················· 2061
動物生殖論 zoogenesis ····················· 2060
動物性ステロール zoosterol ················ 2061
動物性石けん animal soap ················· 1695
動物〔性〕毒素 zootoxin ···················· 2061
動物性鞭毛虫綱 Zoomastigophorea ······· 2061
動物相 fauna ································ 678
動物組織浸透〔現象〕 zoosmosis ··········· 2061
動物蛋白因子 animal protein factor (APF)
······································ 666
動物地理学 zoogeography ·················· 2060
動物電気 mesmerism ······················ 1135
動物伝染病学 epizootiology ················ 633
動物の zoic ································· 2058
動物の皮膚の zoodermic ··················· 2060
動物発生論 zoogenesis ····················· 2060
動物皮膚移植〔法〕 zooplasty ·············· 2061
動物病理学 zoopathology ·················· 2061
動物マニア zoomania ······················ 2061
動物モデル animal model ················· 1162
動物流行病学 epizootiology ················ 633
動物ろう animal wax ······················ 2042
頭不等奇形児 heterocephalus ··············· 847
頭部二重体 cephalodidymus ················ 333
頭部の関節 cranial synovial joints ········ 969
頭部の筋 muscles of head ················· 1186
頭部の筋 musculi capitis ·················· 1199
頭部の自律神経系副交感神経 cranial part
of parasympathetic part of autonomic
division of nervous system ·············· 1363
頭部白癬 tinea capitis ····················· 1894
頭部白癬 tinea tonsurans ·················· 1894
頭部破傷風 cephalic tetanus ··············· 1870
頭部浮腫 cephaledema ······················ 332
頭部有肢体 cephalomelus ··················· 333
頭部癒合重複奇形体 syncephalus ·········· 1793
頭部落下試験 head-dropping test ········· 1858
洞〔房〕ブロック sinuatrial block, S-A
block, sinus block ························· 222
同分異性 metamerism ······················ 1139
同分異性体 metamer ······················· 1139
糖分解性の saccharolytic ················· 1629
等分散性 homoscedasticity ················· 861
等分子の equimolecular ···················· 635
トゥーペ胃底ひだ形成〔術〕 Toupet
fundoplication ····························· 744
盗癖 kleptomaniac ·························· 987
〔窃〕盗癖 kleptomania ······················ 987
〔窃〕盗癖者 kleptomaniac ··················· 987
同胞 sib ···································· 1676
洞房回復時間 sinoatrial recovery time
(SART) ···································· 1893
同胞群 sibship ······························ 1676
洞房結節 sinoatrial node (S-A node) ··· 1261
洞房結節 sinuatrial node ·················· 1261
洞房結節 sinus node ······················· 1261
洞房結節 nodus sinuatrialis ··············· 1262
洞房結節性回帰収縮 nodus sinuatrialis echo,
NS echo ···································· 583
洞房結節動脈 artery to the sinuatrial (S-A)
node ·· 152
洞房結節動脈 sinuatrial nodal artery ······ 152
洞房結節動脈 sinuatrial (S-A) nodal
branch of right coronary artery ·········· 253
洞房結節非リセット nonreset nodus
sinuatrialis ································ 1266
洞房結節リセット reset nodus sinuatrialis
······································ 1592
同方向運動〔性〕の homodromous ··········· 860
同胞抗争 sibling rivalry ·················· 1619
洞房室 sinuatrial chamber ················· 338
痘疱状の vacciniform ····················· 1981
等方性脂質 isotropic lipid ················ 1056
等方性の isotropic, isotropous ············· 963
洞房伝導時間 sinoatrial conduction time
(SACT) ···································· 1893
洞房の sinoatrial ·························· 1686
洞房の sinuatrial (S-A, SA) ·············· 1686
洞房弁 sinoatrial valve ··················· 1985
洞房弁 sinuatrial valve ··················· 1985
東方(東邦)ボタン Oriental button ········· 272
動摩擦 dynamic friction ···················· 741
ドゥマルケー症状 Demarquay symptom 1792
糖ミツ syrup ······························· 1829
糖蜜 treacle ······························· 1923
等密度帯 isopycnic zone ·················· 2059
等密度の isopyknic ························· 962
動脈 arteria (a) ···························· 134
動脈 artery (a) ···························· 140
動脈圧上昇薬 arteriopressor ··············· 140
動脈アトニー arterioatony ················· 139
動脈異常走行 arterioplania ················ 140
動脈運動の arteriomotor ··················· 140
動脈炎 arteritis ···························· 140
動脈円錐 arterial cone ····················· 409
動脈円錐 conus arteriosus ················· 418
動脈円錐成長仮説 conal growth hypothesis
······································ 898
動脈炎性多〔発性〕筋痛 polymyalgia
arteritica ·································· 1461
動脈音図 phonarteriography ··············· 1411
動脈化 arterialization ····················· 138
動脈解離 aortic dissection ················· 548
動脈下気管支 hyparterial bronchi ········· 260
動脈学 arteriology ·························· 139
動脈下の hyparterial ······················· 878
動脈管 arterial canal ······················ 282
動脈管 arterial duct ······················· 563
動脈管 ductus arteriosus ··················· 566
動脈管索 arterial ligament ················ 1033
動脈管索 ligamentum arteriosum ········· 1042
動脈管索リンパ節 lymph node of
ligamentum arteriosum ··················· 1079
動脈管索リンパ節 node of ligamentum
arteriosum ································· 1261
動脈鉗子 arterial forceps ·················· 727
動脈管動脈瘤 ductal aneurysm ·············· 82
動脈幹の truncal ··························· 1938
動脈狭窄 arteriostenosis ··················· 140
動脈筋腫症 arteriomyomatosis ············· 140
動脈計 arteriometer ························ 140
動脈形成〔術〕 arterioplasty ················· 140
動脈痙攣 arteriospasm ······················ 140
動脈経路(ライン) arterial line ··········· 1049
動脈血 arterial blood ······················ 223
動脈血液化 hematosis ······················ 827
動脈血化 arterialization ···················· 138
動脈〔血管〕内膜切除〔術〕 endarterectomy 610
動脈結石 arteriolith ························ 139
動脈弧 arterial arcades ···················· 124
動脈溝 arterial grooves ···················· 801
動脈溝 grooves for arteries ················ 801
動脈溝 sulci arteriosi ····················· 1771
動脈硬化〔症〕 arteriosclerosis ············· 140
動脈硬化〔症〕 arterial sclerosis ··········· 1647
動脈硬化腎 arteriosclerotic kidney ········ 983
動脈硬化性壊疽 arteriosclerotic gangrene 755
動脈硬化性心〔臓〕疾患 arteriosclerotic heart
disease (ASHD) ···························· 528
動脈硬化性網膜症 arteriosclerotic
retinopathy ································ 1602
動脈鼓動〔亢進〕 arteriopalmus ············· 140
動脈撮影(造影)〔法〕 arteriography ········ 139
動脈撮影(造影)図 arteriogram ············· 139
動脈雑音 arterial murmur ················· 1179
動脈支配弁 arterialized flap ··············· 709
動脈写 arteriography ······················· 139
動脈周囲炎 periarteritis ··················· 1385
動脈周囲神経叢 periarterial (nerve) plexus
······································ 1443
動脈周囲神経叢 plexus periarterialis ····· 1442
動脈周囲の periarterial ···················· 1385
動脈周囲リンパ鞘 periarterial lymphatic
sheath (PALS) ····························· 1671
動脈症 arteriopathy ························ 140
動脈上気管支 eparterial bronchus ········· 260
動脈上〔方〕の eparterial ··················· 625
動脈性静脈 arterial vein ·················· 1994
動脈性静脈 vena arteriosa ················ 2004

動脈性腎硬化〔症〕 arterial nephrosclerosis 1231
動脈〔性〕の arterial 138
動脈性毛細管 arterial capillary 289
動脈切開〔術〕 arteriotomy 140
動脈切除〔術〕 arteriectomy 139
動脈造影的 arteriographic 139
動脈中膜炎 mesarteritis 1134
動脈中膜硬化〔症〕 medial arteriosclerosis 140
動脈内血圧 arterial tension 1851
動脈内の intraarterial 949
動脈内膜炎 endarteritis 610
動脈〔血管〕内膜切除〔術〕 endarterectomy 610
動脈軟化〔症〕 arteriomalacia 140
動脈の胸郭出口症候群 arterial thoracic outlet syndrome 1797
〔動脈の〕弾性板 elastic laminae of arteries 997
動脈の弾性膜 elastic layers of arteries 1009
動脈の発生 arteriogenesis 139
動脈波 arterial wave 2041
動脈〔破〕裂 arteriorrhexis 140
動脈壁弾力計 sphygmotonometer 1715
動脈縫合 arteriorrhaphy 140
動脈無緊張〔症〕 arterioatony 139
動脈網 rete arteriosum 1598
動脈毛細血管の arteriocapillary 139
動脈ライン(経路) arterial line 1049
動脈瘤 aneurysm 81
動脈瘤形成術 aneurysmorrhaphy 82
動脈瘤〔性〕雑音 aneurysmal bruit 262
動脈瘤〔性〕雑音 aneurysmal murmur 1179
動脈瘤針 aneurysm needle, artery needle 1225
動脈瘤性咳嗽 aneurysmal cough 431
動脈瘤性骨嚢胞 aneurysmal bone cyst 458
動脈瘤性静脈瘤 aneurysmal varix 1989
動脈瘤整復〔術〕 aneurysmoplasty 82
動脈瘤切開〔術〕 aneurysmotomy 82
動脈瘤切除〔術〕 aneurysmectomy 82
動脈瘤嚢 aneurysmal sac 1628
動脈瘤縫縮術 aneurysmorrhaphy 82
動脈輪 arterial circle 364
冬眠 hibernation 851
冬眠 winter sleep 1692
冬眠心筋 hibernating myocardium 1212
冬眠腺腫 hibernoma 851
透明化 rarefaction 1559
透明剤 clearing medium 1118
〔透〕明細胞汗腺腫 clear cell hidradenoma 851
透明細胞棘細胞腫 clear cell acanthoma 8
〔透〕明細胞腺癌 clear cell adenocarcinoma 24
同名視差 homonymous parallax 1350
透明質 hyalosome 868
透明質〔分粒〕 hyalomere 868
同名像 homonymous images 908
透明帯 zona pellucida 2058
透明帯処理 zona tampering 1840
透明中隔 septum pellucidum 1664
透明中隔 transparent septum 1664
透明中隔腔 cavity of septum pellucidum 317
透明中隔腔 cavum septum pellucidum 317
透明中隔腔 pseudocele 1511
透明中隔静脈 vein of septum pellucidum 2001
透明中隔板 lamina of septum pellucidum 999
透明中隔板 lamina septi pellucidi 999
透明の pellucid 1378
透明斑 macula pellucida 1091
透明板 lamina lucida 998
等モルの equimolar 635
トウモロコシ corn 423
トウモロコシ zea 2057
トウモロコシ黒穂菌 *Ustilago maydis* 1976
トウモロコシ油 corn oil 423
投薬 dosage 556
投薬〔法〕 medication 1116
投薬医 medicator 1116
投薬中止試験 discontinuation test 1856
投薬量判定 dosage 556
灯油 kerosene 981
島葉 lobus insula 1066
動揺 deflection 479
動揺関節 flail joint 970
動揺胸郭 flail chest 343
トウヨウサシチョウバエ *Phlebotomus orientalis* 1409
動揺視 oscillopsia 1318
動揺視 oscillating vision 2032
東洋腫 bouton d'Orient 238
等容性拡張期 isometric relaxation period 1389
動揺性高血圧 labile hypertension 888
等容性弛緩 isovolumic relaxation 1589
等容性時間間隔 isovolumic interval 948
等容性収縮期 isometric contraction period 1389
等容性の isovolumic 963
動揺性の labile 991
等容の isovolume 963
洞様の sinusoid 1689
動揺病 kinesia 985
動揺病 motion sickness 1677
洞様毛細血管 sinusoid 1689
等容量圧流量曲線 isovolume pressure-flow curve 451
投与量 dosage 556
投与量 dose 556
胴よろい型呼吸器 cuirass ventilator 2010
ドゥーラ doula 558
等卵黄の isolecithal 961
倒乱視 astigmatism against the rule 165
動力学 dynamics 570
等力価法則 isodynamic law 1007
頭瘤 cephalocele 333
等量 equivalence, equivalency 635
等量 equivalent weight 2044
当量 equivalence, equivalency 635
当量 equivalent (Eq, eq) 635
当量域 equivalence, equivalency 635
等量域 equivalence zone 2059
同僚(同等者)検閲 peer review 1377
動〔力〕的斜視 kinetic strabismus 1750
動力発生 dynamogenesis 570
動力発生の dynamogenic 570
頭輪牽引 halo traction 1914
島輪状溝 sulcus circularis insulae 1772
島輪状溝 circular sulcus of insula 1772
糖類 saccharide 1628
糖類 sugars 1769
同類 congener 410
豆類食性の leguminivorous 1016
同類対立遺伝子 isoallele 959
同類反射 allied reflexes 1577
道路 via 2018
登録〔簿〕 register 1586
登録〔機関〕 registry 1587
登録〔正〕看護師 registered nurse (RN) 1283
同腕染色体 isochromosome 959
遠くの tel-, tele-, telo- 1845
TORCH症候群 TORCH syndrome 1823
遠回し治癒 distant healing 818
トガウイルス科 Togaviridae 1898
とがった aculeate 22
ドカーニュ計算図表 d'Ocagne nomogram 1265
兎眼 lagophthalmos 995
時 tempus 1849
ドギエル細胞 Dogiel cells 321
ドギエル小体 Dogiel corpuscle 426
トキサフェン toxaphene 1905
トキシコデンドロン属 *Toxicodendron* 1905
ドキシサイクリン doxycycline 558
トキシステロール toxisterol 1907
トキシックショック症候群 toxic shock syndrome (TSS) 1823
トキシフェリン toxiferines 1906
トキシン toxin 1906
トキソイド toxoid 1907
トキソカラ症 toxocariasis 1907
トキソカラ属 *Toxocara* 1907
トキソピリミジン toxopyrimidine 1907
トキソプラスマ *Toxoplasma gondii* 1907
トキソプラスマ科 Toxoplasmatidae 1907
トキソプラスマ症 toxoplasmosis 1907
ドキソルビシン doxorubicin 558
トキソン toxon, toxone 1907
渡橋恐怖〔症〕 gephyrophobia 767
鍍銀 argentation 131
鍍銀腸線 silverized catgut 313
毒 bane 196
毒 poison 1455
毒 toxicant 1905
特異オプソニン specific opsonin 1309
特異顆粒 specific granules 797
特異寄生生物 specific parasite 1354
特異莢膜物質 specific capsular substance 1766
特異血清 specific serum 1668
特異抗血清 specific antiserum 109
特異作用 specific action 21
特異〔的〕疾患 specific disease 541
特異受動免疫 specific passive immunity 910
特異性 specificity 1707
特異性抗原 specific antigens 105
特異性除去抗毒素 despeciated antitoxin 109
特異性建物関連疾病 specific building-related illnesses 907
特異性定数 specificity constant 414
特異体質 idiosyncrasy 905
特異体質感受性 idiosyncratic sensitivity 1661
特異体質〔性〕の idiosyncratic 905
特異的過敏性 pathoclisis 1372
特異的殺菌素 specific bactericide 190
特異〔的〕な specific 1707
特異的免疫グロブリン(ヒト) specific immune globulin (human) 779
特異的溶血素 specific hemolysin 834
特異〔的〕療法 specific therapy 1879
特異能動免疫 specific active immunity 910
特異反応 specific reaction 1567
特異免疫 specific immunity 910
特異力学的調節 idiodynamic control 418
毒ウルシ抗原 Rhus venenata antigen 105
毒液 venom 2009
ドクガ属 *Euproctis* 648
毒血症 toxemia 1905
読語障害 dyslexia 573
独在論 solipsism 1697
読字錯誤 paralexia 1350
読字障害 dyslexia 573
特殊因 specific cause 315
特殊因子 S factor 669
特殊感覚 special sense 1661
特殊看護師 special nurse 1283
特殊形質導入 specialized transduction 1917
特殊体性求心性細胞柱 special somatic afferent column 395
特殊動的作用 specific dynamic action (SDA) 21
特殊な specific 1707
特殊内臓遠心性細胞柱 special visceral efferent column 395
特殊内臓求心性柱 special visceral afferent column 395

特殊用語 jargon …… 966
特殊力源作用 specific dynamic action (SDA) …… 21
読書緩徐 bradylexia …… 241
読心 mind-reading …… 1158
特性 trait …… 1915
毒性 toxicity …… 1905
毒性 virulence …… 2021
特性X線 characteristic radiation …… 1541
特性曲線 characteristic curve …… 450
特性指摘 characterization …… 340
特性付け characterization …… 340
毒性の toxic …… 1905
毒性の toxicant …… 1905
毒性の virulent …… 2021
独善性 egomania …… 590
毒素 toxin …… 1906
禿瘡 kerion …… 981
毒創 venenation …… 2008
禿瘡性白癬 tinea kerion …… 1894
毒素学 toxinology …… 1907
毒素原性大腸菌 enterotoxigenic *Escherichia coli* (ETEC) …… 641
毒素原性の toxinogenic …… 1907
毒素産生性 toxinogenicity …… 1907
毒素産生の toxicogenic …… 1906
毒素産生能 toxinogenicity …… 1907
毒素親和性の toxophil, toxophile …… 1907
毒素性の toxicogenic …… 1906
毒素性網膜症 toxic retinopathy …… 1603
毒素族 toxophore …… 1907
毒素単位 toxic unit (TU) …… 1967
毒素当量 toxic equivalent …… 635
毒素量 L doses …… 557
毒唾液の venenosalivary …… 2008
独断医学主義者 dogmatist …… 554
独断医学派 dogmatic school …… 1644
特徴 trait …… 1915
特徴群 characterizing group …… 803
特徴〔的〕周波数 characteristic frequency …… 740
特徴的症状 pathognomonic symptom …… 1792
特徴的な characteristic …… 339
特定の恐怖 specific phobia …… 1410
特定部位の突然変異誘発 site-directed mutagenesis …… 1205
ドクトカゲ Gila monster …… 769
ドクトカゲ属 *Heloderma* …… 824
ドクニンジン果 conium …… 411
毒の投与 poisoning …… 1455
特発〔性〕筋の idiomuscular …… 904
特発〔性〕疾患 idiopathy …… 905
特発症 idiopathy …… 905
特発〔性〕神経痛 idiopathic neuralgia …… 1244
特発性運動失調〔症〕 idiopathic ataxia …… 167
特発性肝硬変 cryptogenic cirrhosis …… 367
特発性感染 cryptogenic infection …… 927
特発性巨大結腸〔症〕 idiopathic megacolon …… 1119
特発性起立性低血圧 idiopathic orthostatic hypotension …… 897
特発性血小板減少性紫斑病 idiopathic thrombocytopenic purpura (ITP) …… 1528
特発性骨折 spontaneous fracture …… 738
特発性刺痛性頭痛 idiopathic stabbing headache …… 818
特発性疾病 idiopathic disease …… 535
特発性心筋炎 idiopathic myocarditis …… 1212
特発性心筋症 idiopathic cardiomyopathy 300
特発性心室刺激 idioventricular kick …… 983
特発性声門下狭窄〔症〕 idiopathic subglottic stenosis …… 1742
特発性多毛〔症〕 idiopathic hirsutism …… 853
特発性直腸炎 idiopathic proctitis …… 1492
特発性痛風 idiopathic gout …… 793
特発性捻転ジストニー idiopathic torsion dystonia …… 577
特発〔性〕の autochthonous …… 179
特発〔性〕の idiopathic …… 905
特発性肺血鉄症 idiopathic pulmonary hemosiderosis …… 836
特発性肺線維症 idiopathic pulmonary fibrosis (IPF) …… 696
特発性肺ヘモジデリン沈着〔症〕 idiopathic pulmonary hemosiderosis …… 836
特発性バラ疹 idiopathic roseola …… 1623
特発性肥大性骨関節症 idiopathic hypertrophic osteoarthropathy …… 1321
特発性慢性じんま疹 chronic idiopathic urticaria (CIU) …… 1976
特発性慢性疲労 idiopathic chronic fatigue …… 678
特発性網状皮斑 livedo reticularis idiopathica …… 1062
禿髪性毛嚢炎 folliculitis decalvans …… 722
禿髪性毛包炎 folliculitis decalvans …… 722
特発性幼稚症 idiopathic infantilism …… 926
特発性両側性前庭障害 idiopathic bilateral vestibulopathy …… 2018
特発てんかん idiopathic epilepsy …… 628
毒針 sting …… 1747
毒物 poison …… 1455
毒物 toxicant …… 1905
毒物 venom …… 2009
毒物学 toxicology …… 1906
毒物学者 toxicologist …… 1906
毒物恐怖〔症〕 iophobia …… 955
毒物恐怖〔症〕 toxicophobia …… 1906
毒物形成因子 auxotox …… 182
毒物注入 envenomation …… 623
特別使用 application …… 121
毒蛇 thanatophidia …… 1873
ドグマ dogma …… 554
ドクムギ中毒〔症〕 loliism …… 1068
匿名白癬 tinea incognita …… 1894
毒薬 poison …… 1455
毒薬 toxicant …… 1905
〔疾病〕特有症候の pathognomonic …… 1372
特有上皮 distinctive-type epithelium …… 632
毒様の toxicoid …… 1906
独立 independence …… 921
独立栄養 autotrophic …… 182
独立栄養 autotrophy …… 182
独立栄養生物 autotroph …… 182
独立栄養体 autotroph …… 182
独立〔組合せ〕の法則 law of independent assortment …… 1007
独立尺骨の ulnen …… 1962
独立診療団体 independent practice association (IPA) …… 163
独立性組合せ independent assortment …… 163
独立体 entity …… 622
独立的活性の idiodynamic …… 904
独立変数 independent variable …… 1987
毒力 toxicity …… 1905
毒力 virulence …… 2021
ド・クルランボル(ド・クレランボー)症候群 de Clerambault syndrome …… 1802
読話〔法〕 speech reading …… 1568
棘 acantha …… 8
棘 spina …… 1715
棘 spine …… 1716
棘 thorn …… 1886
〔骨〕棘 spur …… 1725
〔蝶形骨〕棘 processus spinosus …… 1492
時計工痙攣 watchmaker's cramp …… 434
時計生物学 chronobiology …… 360
トケイソウ passiflora …… 1370
時計描画 Clock-Drawing …… 375
トゲカワニナ属 *Thiara* …… 1883
とげ状の subspinous …… 1765
吐血 hematemesis …… 825
とげのある aculeate …… 22
ド・ケルヴァン腱鞘炎 de Quervain tenosynovitis …… 1851
ド・ケルヴァン病 de Quervain disease …… 532
塗膏 inunction …… 952
トコキノン tocoquinone …… 1897
トコジラミ bug …… 264
トコジラミ *Cimex lectularius* …… 363
トコジラミ属 *Cimex* …… 363
とこずれ bedsore …… 204
とこずれ decubitus …… 475
とこずれ bed sore …… 1701
トゴトウイルス Thogotoviruses …… 1885
トコトリエノール tocotrienol …… 1897
トコトリエノールキノン tocotrienolquinone …… 1897
トコフェロール tocopherol (T) …… 1897
トコフェロールキノン tocopherolquinone (TQ) …… 1897
トコフェロール濃縮合剤 mixed tocopherols concentrate …… 1897
床屋の毛巣嚢腫 barber's pilonidal sinus 1687
トコール tocol …… 1897
トコン ipecacuanha …… 955
トコンシロップ ipecac syrup …… 1829
トコン末 prepared ipecacuanha …… 955
塗擦 infriction …… 931
塗擦 inunction …… 952
〔塗〕擦剤 anatriptic …… 74
塗擦療法 iatraliptics …… 902
ド・ザンクティス-カッキオーネ症候群 De Sanctis-Cacchione syndrome …… 1802
閉込め症候群 locked-in syndrome …… 1810
閉じた系 closed system …… 1831
都市チフス urban typhus …… 1958
吐しゃ(瀉)性の emetocathartic …… 603
どしゃぶり度 profusion …… 1494
止しゃ(瀉)薬 stegnotic …… 1741
吐しゃ(瀉)薬 emetocathartic …… 603
吐酒石 antimony potassium tartrate …… 107
徒手体操 calisthenics …… 279
吐出 regurgitation …… 1587
土壌 earth …… 580
土壌かゆみ〔症〕性貧血 ground itch anemia …… 77
杜松子油 oil of juniper …… 1294
土壌の瘴気 tellurism …… 1847
土食症 geophagia, geophagism, geophagy …… 767
トシル tosyl …… 1905
度数 frequency (ν) …… 740
度数分布 frequency distribution …… 550
途絶 blocking …… 223
ドソー(デソー)包帯 Desault bandage …… 195
吐唾〔症〕 sialemesis, sialemesia …… 1675
トダーロ腱 Todaro tendon …… 1849
吐胆〔症〕 cholemesis …… 350
土着性寄生生物 autochthonous parasite 1354
土着の indigenous …… 924
凸 convexity …… 419
吶 psellism …… 1510
読解 reading …… 1568
突起 process …… 1488
突起 processus …… 1491
〔骨〕突起 apophysis …… 117
〔骨〕突起の apophysial, apophyseal …… 117
特許医薬品 patent medicine …… 1117
ドッキング蛋白 docking protein …… 1503
特効薬 specific …… 1707
突出 extrusion …… 658
突出 projection …… 1495
突出 protrusion …… 1509
突出〔物〕 excrescence …… 652
突出位 protrusive position …… 1470
突出歯 protruding teeth …… 1903
突出耳 outstanding ear …… 580
突進 pulsion …… 1525

突然死 sudden death …… 473
〔突然〕変異 mutation …… 1206
突然変異遺伝子 mutant gene …… 764
突然変異原 mutagen …… 1205
〔突然〕変異体 mutant …… 1205
突然変異単位 muton …… 1206
突然変異頻度 mutational frequency …… 741
〔突然〕変異誘発 mutagenesis …… 1205
〔突然〕変異誘発物質(因子) mutagen …… 1205
突然変異率 mutation rate …… 1560
トッド単位 Todd unit …… 1967
トッド麻痺 Todd paralysis …… 1351
突破 breakthrough …… 255
突背 gibbus …… 769
突発疹 exanthema subitum …… 651
突発性頭蓋内圧亢進〔症〕 idiopathic intracranial hypertension …… 888
突発性疼痛 pang …… 1342
突発性難聴 sudden deafness …… 472
突発性難聴 idiopathic sudden sensorineural hearing impairment …… 820
突発〔性〕の cataplectic …… 310
突発〔性〕の spontaneous …… 1723
突発性梅毒 syphilis d'emblée …… 1828
突発性発疹 exanthema subitum …… 651
ドップラー(ドプラ)〔装置〕 Doppler …… 556
ドップラー(ドプラ)カラー血流〔画像〕 Doppler color flow …… 714
ドップラー(ドプラ)効果 Doppler effect 588
ドップラー(ドプラ)シフト Doppler shift …… 1673
ドップラー手術 Doppler operation …… 1304
凸面鏡 convex mirror …… 1159
凸〔面〕レンズ convex lens …… 1019
ドデカン dodecane …… 554
ドデシル基 dodecyl …… 554
ドデシル硫酸ナトリウム sodium dodecyl sulfate (SDS) …… 1696
届出疾患 notifiable disease …… 538
〜とともに cum …… 448
トドラーの下痢 toddler's diarrhea …… 511
トナー toner …… 1900
ドナー donor …… 555
ドナン平衡 Donnan equilibrium …… 635
トニン tonin …… 1900
トネリコ葉斑 ash-leaf macule …… 1091
ドノヴァン〔小〕体 Donovan bodies …… 226
吐膿症 pyemesis …… 1530
トノグラフ tonograph …… 1901
トノグラフィ tonography …… 1901
トノシログラフ tonoscillograph …… 1901
ドノバンリーシュマニア *Leishmania donovani* …… 1016
トノファント tonophant …… 1901
トノフィラメント tonofilament …… 1901
トノプラスト tonoplast …… 1901
ドノンヴィーエ筋膜 Denonvilliers fascia 672
トノン(テノン)囊炎 tenonitis …… 1850
ドパ dopa, DOPA, Dopa …… 555
ドパオキシダーゼ dopa oxidase …… 556
ドパキノン dopa quinone …… 556
ドパ反応 dopa reaction …… 1564
ドパ反応性ジストニー dopa-responsive dystonia …… 577
ドパミン dopamine (DM) …… 556
ドパミンアゴニスト dopamine agonist …… 38
ドパミン作用(作動)〔性〕の dopaminergic 556
ドパミン作動薬 dopamine agonist …… 38
ドパミントランスポータ dopamine transporter (DAT) …… 1921
ドパミンβ-モノオキシゲナーゼ dopamine β-monooxygenase …… 556
ドパミン輸送体 dopamine transporter (DAT) …… 1921
ドバントン角 Daubenton angle …… 88
ドバントン線 Daubenton line …… 1049
ドバントン平面 Daubenton plane …… 1430
トビケラ目 Trichoptera …… 1931
飛び越え世代 skipped generation …… 765
跳び越し病変 skip areas …… 130
跳び跳び伝導 saltatory conduction …… 408
トピナール顔面角 Topinard facial angle 90
トピナール線 Topinard line …… 1052
塗布器 applicator …… 121
塗布具 applicator …… 121
塗布剤 liniment …… 1054
塗布剤 paint …… 1337
吐物 vomit …… 2037
ドブニウム dubnium …… 562
ドプラ(ドップラー)〔装置〕 Doppler …… 556
ドブラヴァ-ベオグラードウイルス Dobrava-Belgrade virus …… 2023
ドプラ(ドップラー)カラー血流〔画像〕 Doppler color flow …… 714
ドプラ(ドップラー)効果 Doppler effect 588
ドプラ(ドップラー)シフト Doppler shift …… 1673
トブルク副子 Tobruk splint …… 1722
ドブレー現象 Debré phenomenon …… 1404
兎糞 scybalum …… 1652
吐糞症 fecal vomiting …… 2037
ドベーキー(ディベーキー)型摂子 DeBakey forceps …… 727
ドベーキー(ディベーキー)分類 DeBakey classification …… 371
ド・ペゼーカテーテル de Pezzer catheter 313
トポイソメラーゼ topoisomerase …… 1903
トポグラフォフウイルス Topografov virus …… 2030
トポゴメータ topogometer …… 1903
トポニーム toponym …… 1903
トポパソジェネシス topopathogenesis … 1904
トポランスキー徴候 Topolanski sign …… 1684
トポロジー topology …… 1903
トマセリ病 Tommaselli disease …… 541
塗抹〔標本〕 smear …… 1693
塗抹培養 smear culture …… 448
ドミオドル domiodol …… 555
ド・ミュセー徴候 Musset (de Musset) sign …… 1682
ド・ミュッセ徴候 Musset (de Musset) sign …… 1682
ドメイン domain …… 555
留め金付き開眼器 stop-speculum …… 1709
止め具 stops …… 1750
留め針 pin …… 1424
どもり dysphemia …… 574
どもり stammering …… 1737
どもり stuttering …… 1761
〔催〕吐薬 emetic …… 603
塗油 unction …… 1963
ドライアイス snow …… 1694
トライツ筋膜 Treitz fascia …… 675
ドライパウダー式吸入器 dry powder inhaler (DPI) …… 932
トライポッド骨折 tripod fracture …… 738
トラウトマン三角腔(隙) Trautmann triangular space …… 1705
トラウベ重複音 Traube double tone …… 1900
トラウベ徴候 Traube sign …… 1684
トラウベの半月腔 Traube semilunar space …… 1705
トラウベ-ヘーリング曲線 Traube-Hering curves …… 451
トラガカント tragacanth, tragacantha … 1915
トラギオン tragion …… 1915
トラキプリストフォーラ属 *Trachipleistophora* …… 1909
ドラクンクルス属 *Dracunculus* …… 559
ドラーゲンドルフ試験 Dragendorff test 1856
ドラーゲンドルフ試薬 Dragendorff reagent …… 1568
トラコーマ trachoma …… 1909
トラコーマクラミジア *Chlamydia trachomatis* …… 345
トラコーマ〔小〕体 trachoma bodies …… 229
トラコーマ性角膜炎 trachomatous keratitis …… 978
トラコーマ性結膜炎 trachomatous conjunctivitis …… 412
トラコーマ性パンヌス trachomatous pannus …… 1343
トラコーマ腺 trachoma glands …… 775
トラスツズマブ trastuzumab …… 1923
トラップ胃 water-trap stomach …… 1748
トラネキサム酸 tranexamic acid …… 1916
トラバース traverse …… 1923
ドラブキン試薬 Drabkin reagent …… 1568
トラベクレクトミー trabeculectomy …… 1908
トラベリングウェーブ(進行波)理論 traveling wave theory …… 1877
トラホーム trachoma …… 1909
トラマドール tramadol …… 1916
ドラマンド徴候 Drummond sign …… 1680
ドラム dram (dr) …… 559
ドラム雑音 bruit de tabourka …… 262
ドラムスチック状付属物 drumstick appendage …… 119
トランキライザ tranquilizer …… 1916
ド・ランゲ症候群 de Lange syndrome … 1802
トランス trance …… 1916
トランスアクショナル分析 transactional analysis …… 71
トランスアシラーゼ transacylases …… 1916
トランスアルドラーゼ transaldolase …… 1916
トランスカルボキシラーゼ transcarboxylases …… 1916
トランスクリプターゼ transcriptase …… 1916
トランスクリプトーム transcriptome …… 1917
トランスグルタミナーゼ transglutaminase …… 1919
トランスケトラーゼ transketolase …… 1919
トランスコバラミン transcobalamins …… 1916
トランス-ゴルジ体網状構造 *trans*-Golgi reticulum …… 1599
トランスゴルジ網 *trans* Golgi network 1244
トランスコルチン transcortin …… 1916
トランスサイトーシス transcytosis …… 1917
トランスジェニック transgenic …… 1919
トランスジーン transgene …… 1919
トランススプライシング trans-splicing 1922
トランススルフラーゼ transsulfurase …… 1922
トランスデューサ transducer …… 1917
トランスデューシン transducin …… 1917
トランスバージョン transversion …… 1922
トランスファーRNA transfer RNA (tRNA) …… 1613
トランスファーコーピング transfer coping …… 420
トランスファーファクター transfer factor …… 669
トランスフェクション transfection …… 1917
トランスフェラーゼ transferases …… 1918
トランスフェラーゼ欠損性ガラクトース血症 transferase deficiency galactosemia …… 749
トランスフェリン transferrin …… 1918
トランスペプチダーゼ transpeptidase …… 1920
トランスポザーゼ transposase …… 1921
トランスホスホリラーゼ transphosphorylases …… 1920
トランスポゾン transposon …… 1922
トランスホーミング増殖因子 transforming growth factors (TGF) …… 669
トランスホーミング増殖因子α transforming growth factor α (TGFα) …… 669
トランスホーミング増殖因子β transforming growth factor β (TGFβ) …… 669
トランスレーショナル研究 translational

ト

research ··· 1591
トランスレーション translation ··· 1919
トランスロケーション translocation ··· 1919
トランソニック transonic ··· 1920
トランタス斑点 Trantas dots ··· 558
トリアージ triage ··· 1926
トリアシルグリセロール triacylglycerol 1925
トリアシルグリセロールリパーゼ triacylglycerol lipase ··· 1925
トリアセチン triacetin ··· 1925
トリアゾール triazole ··· 1928
トリアゾロピリジン抗うつ薬 triazolopyridine antidepressant ··· 102
取り入れ introject ··· 951
トリインフルエンザウイルス avian influenza ··· 930
トリインフルエンザウイルス avian influenza virus ··· 2022
トリウイルス性関節炎ウイルス avian viral arthritis virus ··· 2022
トリウム thorium (Th) ··· 1886
トリエタノールアミン triethanolamine 1932
トリエチレングリコール triethylene glycol ··· 1932
トリオキサレン trioxsalen ··· 1934
トリオキナーゼ triokinase ··· 1934
トリオース triose ··· 1934
トリオースホスフェートイソメラーゼ triosephosphate isomerase ··· 1934
トリオール triol ··· 1934
トリオレイン triolein ··· 1934
トリガー trigger ··· 1932
トリ〔型〕結核菌 *Mycobacterium avium* 1207
トリ〔型〕結核菌群 *Mycobacterium avium-intracellulare complex* (MAIC) ··· 1207
トリカブト monkshood ··· 1165
トリカルボン酸サイクル tricarboxylic acid cycle ··· 455
トリキオン trichion ··· 1929
トリキナ trichina ··· 1928
トリグリコラメートナトリウムビスマス bismuth sodium triglycollamate ··· 216
トリクローム染色変法 modified trichrome stain ··· 1734
トリクローム染料 trichrome stain ··· 1735
トリクロルフォン trichlorfon ··· 1929
トリクロロエタン trichloroethane ··· 1929
(2,4,5-トリクロロフェノキシ)酢酸 (2,4,5-trichlorophenoxy) acetic acid (2,4,5-T) ··· 1929
トリクロロフェノール trichlorophenol 1929
トリクロロフルオロメタン trichlorofluoromethane ··· 1929
トリコクローム trichochrome ··· 1929
トリコシスト trichocyst ··· 1929
トリコスポロン症 trichosporonosis ··· 1931
トリコスポロン属 *Trichosporon* ··· 1931
トリコチロマニー trichotillomania ··· 1931
トリコテシウム属 *Trichothecium* ··· 1931
トリコテセン trichothecenes ··· 1931
トリコデルマ属 *Trichoderma* ··· 1929
トリゴネリン trigonelline ··· 1933
トリコヒアリン trichohyalin ··· 1930
取込み introjection ··· 951
取込み uptake ··· 1968
トリコモナシド trichomonacide ··· 1930
トリコモナス科 Trichomonadidae ··· 1930
トリコモナス症 trichomoniasis ··· 1930
トリコモナス属 *Trichomonas* ··· 1930
トリコモナド trichomonad ··· 1930
ドリコール dolichol ··· 555
ドリコールリン酸 dolichol phosphate ··· 555
トリコーンプロテアーゼ tricorn protease ··· 1502
鳥飼育者肺 bird-breeder's lung, bird-fancier's lung ··· 1071
鳥飼育者病 poultry handler's disease ··· 539
トリ神経リンパ腫症ウイルス avian neurolymphomatosis virus ··· 2022
トリステアリン tristearin ··· 1935
トリスパイラル断層撮影 trispiral tomography ··· 1899
トリスモイド trismoid ··· 1935
トリソミー trisomy ··· 1935
トリソミーC症候群 trisomy C syndrome ··· 1823
トリソミーD症候群 trisomy D syndrome ··· 1823
13トリソミー症候群 trisomy 13 syndrome ··· 1823
18トリソミー症候群 trisomy 18 syndrome ··· 1823
20トリソミー症候群 trisomy 20 syndrome ··· 1823
21トリソミー症候群 trisomy 21 syndrome ··· 1823
8トリソミー症候群 trisomy 8 syndrome 1823
トリ単位 bird unit ··· 1965
トリチウムチミジン tritiated thymidine 1889
トリーチャー・コリンズ症候群 Treacher Collins syndrome ··· 1823
トリーチャー・コリンズ症候群遺伝子 Treacher Collins syndrome gene ··· 764
トリチル trityl ··· 1935
都立病院 municipal hospital ··· 865
トリテルペン triterpenes ··· 1935
トリトン腫瘍 triton tumor ··· 1952
トリニトロセルロース trinitrocellulose 1934
トリニトロトルエン trinitrotoluene (TNT) ··· 1934
トリヌクレオチド trinucleotide ··· 1934
トリ脳脊髄炎ウイルス avian encephalomyelitis virus ··· 2022
鳥の巣状フィルタ bird's nest filter ··· 699
取り外し可能なバルーン detachable balloon ··· 193
鳥肌 cutis anserina ··· 453
鳥肌 horripilation ··· 865
トリパノソーマ科 Trypanosomatidae ··· 1939
トリパノソーマ症 trypanosomiasis ··· 1939
トリパノソーマ〔病変〕疹 trypanosomid 1940
トリパノソーマ属 *Trypanosoma* ··· 1939
トリパノソーマ熱 trypanosome fever ··· 687
トリパノソーマ撲滅薬 trypanocide ··· 1939
トリパノソーマ類 trypanosomatid ··· 1939
トリパノソーマ類 trypanosome ··· 1939
トリパノプラスマ属 *Trypanoplasma* ··· 1939
トリパルミチン tripalmitin ··· 1934
トリパンブルー trypan blue ··· 1939
トリパンレッド trypan red ··· 1940
トリピエ切断術 Tripier amputation ··· 66
トリヒゼンダニ属 *Cnemidocoptes* ··· 382
トリヒゼンダニ属 *Knemidokoptes* ··· 987
1,3,8-トリヒドロキシ-6-メチルアントラキノン 1,3,8-trihydroxy-6-methylanthraquinone ··· 1933
鳥病の epornitic ··· 633
トリフェニルメタン染料 triphenylmethane dyes ··· 570
トリプシノ〔ー〕ゲン trypsinogen, trypsogen ··· 1940
トリプシン trypsin ··· 1940
トリプシンインヒビター trypsin inhibitor ··· 935
トリプソゲン trypsinogen, trypsogen ··· 1940
トリプターゼ tryptase ··· 1940
トリプタミン tryptamine ··· 1940
トリプタミン-ストロファンチジン tryptamine-strophanthidin ··· 1940
トリプタン triptan ··· 1935
トリブチリン tributyrin ··· 1928
ドリフト drifts ··· 560
トリプトファナーゼ tryptophanase ··· 1940
トリプトファン tryptophan (Trp, W) 1940
トリプトファン2,3-ジオキシゲナーゼ tryptophan 2,3-dioxygenase ··· 1940
トリプトファンシンターゼ tryptophan synthase ··· 1940
トリプトファンデカルボキシラーゼ tryptophan decarboxylase ··· 1940
トリプトファン尿〔症〕 tryptophanuria ··· 1940
トリプトン tryptone ··· 1940
トリプトン血症 tryptonemia ··· 1940
トリプラント triplant ··· 1934
トリプラントインプラント triplant implant ··· 916
トリフルオロアセチル trifluoroacetyl ··· 1932
5-トリフルオロメチルデオキシウリジン 5-trifluoromethyldeoxyuridine ··· 1932
トリプル(3項目)マーカスクリーニング triple screen ··· 1651
トリプレット triplet ··· 1934
トリプレットA症候群 triple A syndrome ··· 1823
トリプレットリピート病 triplet repeat disorders ··· 547
トリペプチダーゼ tripeptidases ··· 1934
トリペプチド tripeptide ··· 1934
トリポマスティゴート trypomastigote ··· 1940
トリメスター trimester ··· 1934
トリメチルアミン trimethylamine ··· 1934
トリメチルアミン尿〔症〕 trimethylaminuria ··· 1934
トリメチルカルビノール trimethylcarbinol ··· 1934
Nε-トリメチルリシン *Nε*-trimethyllysine ··· 1934
トリメトプリム trimethoprim ··· 1934
トリメトプリム-スルファメトキサゾール trimethoprim-sulfamethoxazole ··· 1934
トリモキサゾール trimoxazole ··· 1934
度量計 gravimeter ··· 800
努力 conatus ··· 405
努力 effort ··· 590
努力呼気時間 forced expiratory time (FET) ··· 1893
努力呼吸能測定 forced spirometry ··· 1718
努力呼気流量 forced expiratory flow (FEF) ··· 714
努力呼気量 forced expiratory volume (FEV) ··· 2036
努力性呼吸 labored respiration ··· 1595
努力肺活量 forced vital capacity (FVC) 288
3,5,3′-トリヨードサイロニン 3,5,3′-triiodothyronine (TITh, T_3) ··· 1933
トリヨードサイロニン中毒〔症〕 triiodothyronine toxicosis, T_3 toxicosis ··· 1906
トリヨードサイロニン取り込み試験 triiodothyronine uptake test ··· 1867
トリラーブ trilabe ··· 1933
トリル tolyl ··· 1899
ドリル drill ··· 560
ドリルバー bur drill ··· 560
ドリンカー呼吸器 Drinker respirator ··· 1596
ドル dol ··· 554
土類 earth ··· 580
トルイジン toluidine ··· 1898
トルイジンブルーO toluidine blue O ··· 1898
トルイジンブルー染色 toluidine blue stain ··· 1735
トルイル酸 toluic acid ··· 1898
トルエン toluene ··· 1898
トルオイル toluoyl ··· 1898
トルキルドセン吻合 Torkildsen shunt 1675
トルク torque (T) ··· 1904

トルコ鞍 Turkish saddle ………………… 1630
トルコ鞍 sella turcica ………………… 1659
トルコ鞍空虚 empty sella ………………… 1658
トルゴール turgor ………………… 1954
トルサード・ド・ポワント torsade de pointes ………………… 1904
トルシン torsin ………………… 1904
ドルーゼン drusen ………………… 562
トルソ torso ………………… 1904
トルソー症候群 Trousseau syndrome …… 1823
トルソー徴候 Trousseau sign ………………… 1684
トルソー点 Trousseau point ………………… 1455
トルト筋膜 Toldt fascia ………………… 675
トルトの白線 white line of Toldt ……… 1052
トルト膜 Toldt membrane ………………… 1127
トルネツェク徴候 Trunecek sign ……… 1684
トルネード型てんかん tornado epilepsy 629
トルーバルサム Tolu balsam ………………… 194
トルブタミド〔負荷〕試験 tolbutamide test ………………… 1867
トルメーレン試験 Thormählen test …… 1867
トルロプシス属 *Torulopsis* ………………… 1905
トルンヴァルト症候群 Tornwaldt syndrome ………………… 1823
トルンヴァルト囊胞 Tornwaldt cyst …… 460
トルンヴァルト膿瘍 Tornwaldt abscess …… 6
トレー tray ………………… 1923
トレヴォール病 Trevor disease ………… 541
トレオース threose ………………… 1886
トレオニン threonine (T, Thr) ……… 1886
トレオニン(スレオニン)デアミナーゼ threonine deaminase ………………… 1886
トレオニン(スレオニン)デヒドラターゼ threonine dehydratase ………………… 1886
トレオン酸 threonic acid ………………… 1886
ドレーガー呼吸計 Dräger respirometer 1596
ドレクスレラ属 *Drechslera* ………………… 559
トレーサ tracer ………………… 1908
トレ(トーリ)症候群 Torre syndrome …… 1823
トレシリアン徴候 Tresilian sign ……… 1684
ドレスラー収縮 Dressler beat ………… 203
ドレスラー症候群 Dressler syndrome …… 1803
トレチノイン tretinoin ………………… 1925
トレッドミル運動 treadmilling ………… 1923
ドレナージ drainage ………………… 559
ドレナージ管 drainage tube ………… 1941
トレーニング training ………………… 1915
ドレパニジウム drepanidium ………… 559
ドレーパーの法則 Draper law ………… 1006
トレハラ trehala ………………… 1924
トレハラーゼ trehalase ………………… 1924
トレハロース trehalose ………………… 1924
トレパン trephine ………………… 1925
トレフィン trephine ………………… 1925
トレポネーマ treponeme ………………… 1925
トレポネーマ運動抑制抗体 treponema-immobilizing antibody ……… 101
トレポネーマ抗原間接赤血球凝集試験 *Treponema pallidum* hemagglutination test ………………… 1867
トレポネーマ症 treponemiasis ………… 1925
トレポネーマ属 *Treponema* ………………… 1925
トレマカムラ tremacamra ………………… 1924
トレムナー反射 Trömner reflex ………… 1582
トレモリン tremorine ………………… 1925
トレラー便 Trélat stools ………………… 1750
トレルチュ小体 Tröltsch corpuscles ……… 426
トレルチュポケット Tröltsch pockets … 1452
ドレロ管 Dorello canal ………………… 283
ドレーン drain ………………… 559
トレンデレンブルク試験 Trendelenburg test ………………… 1867
トレンデレンブルク手術 Trendelenburg operation ………………… 1306
トレンデレンブルク症状 Trendelenburg symptom ………………… 1792
トレンデレンブルク像 Trendelenburg radiograph ………………… 1543
トレンデレンブルク体位 Trendelenburg position ………………… 1470
トレンデレンブルク徴候 Trendelenburg sign ………………… 1684
トレンド drift ………………… 560
トロカール trocar ………………… 1935
トロサ-ハント症候群 Tolosa-Hunt syndrome ………………… 1823
トローチ〔剤〕 troche ………………… 1936
トローチ〔剤〕 trochiscus (troch) ……… 1936
ドロップ drop ………………… 561
ドロップアタック drop attack ………… 175
トロナ trona ………………… 1937
ドロナビノール dronabinol ………………… 561
トロパ酸 tropic acid ………………… 1937
トロパン tropane ………………… 1937
トロピン tropine ………………… 1937
ドローピングリリー徴候 drooping lily sign ………………… 1680
トロペイン tropeine ………………… 1937
トロペオリン tropeolins ………………… 1937
トロポエラスチン tropoelastin ………… 1937
トロポコラーゲン tropocollagen ……… 1937
トロポニン troponin ………………… 1937
トロホブラスト trophoblast ………………… 1937
トロポミオシン tropomyosin ………………… 1937
トロメタミン tromethamine ………………… 1936
トロラミン trolamine ………………… 1936
トローランド troland ………………… 1936
ドロレス顎口虫 *Gnathostoma doloresi* …… 790
トロワジェ結節腫 Troisier ganglion ……… 755
トロンビン thrombin ………………… 1887
トロンビン欠乏症 athrombia ………………… 169
トロンビン時間 thrombin time ………… 1893
トロンビン生成 thrombinogenesis ……… 1887
トロンボキサン thromboxane ………… 1888
トロンボキサン類 thromboxanes ……… 1888
トロンボキナーゼ thrombokinase ……… 1887
トロンボゲン thrombogen ………………… 1887
トロンボゲン形成の thrombogenic ……… 1887
トロンボスポンジン関連接着蛋白 thrombospondin-related adhesive protein ………………… 1506
トロンボパシー thrombopathy ………… 1888
トロンボプラスチン thromboplastin …… 1888
トロンボポエチン thrombopoietin ……… 1888
トロンボモジュリン thrombomodulin …… 1887
トロンボン thrombon ………………… 1887
ドワイエール隆起 Doyère eminence …… 603
ドワイヤー式骨切り術 Dwyer osteotomy ………………… 1325
トワソン染料 Toison stain ………………… 1735
トワート-デレル現象 Twort-d'Herelle phenomenon ………………… 1406
鈍感にする obtund ………………… 1289
呑気症 pneumophagia ………………… 1451
呑気〔症〕 aerophagia, aerophagy ………… 32
豚コレラ菌 *Salmonella enterica* subsp. *choleraesuis* ………………… 1631
豚コレラワクチン hog cholera vaccines 1979
頓挫収縮 aborted systole ………………… 1834
頓挫する abort ………………… 3
頓挫性の abortive ………………… 4
豚脂 adeps ………………… 28
豚脂 lard ………………… 1001
豚脂様角膜後面沈着物 mutton-fat keratic precipitates ………………… 1476
貪食〔現象〕 englobement ………………… 617
〔貪〕食細胞 phagocyte ………………… 1398
貪食作用〔能〕 phagocytosis ………………… 1398
貪食する englobe ………………… 617
貪食性肺胞細胞 phagocytic pneumonocyte ………………… 1451
貪食反射 fressreflex ………………… 741
鈍〔頂〕性苔癬 lichen obtusus ………………… 1031
遁走 fugue ………………… 743
豚丹毒 swine erysipelas ………………… 638
豚丹毒菌 *Erysipelothrix rhusiopathiae* …… 638
ドンデルス圧 Donders pressure ………… 1482
ドンデルス腔(隙) space of Donders …… 1703
ドンデルスの法則 Donders law ………… 1006
豚痘ウイルス swinepox virus ………… 2029
鈍頭月状歯の bunoselenodont ………… 266
鈍頭皺壁歯の bunolophodont ………… 266
鈍な dull ………………… 567
トンネル burrow ………………… 267
トンネル tunnel ………………… 1954
トンネル形成 burrow ………………… 267
トンネル視 tunnel vision ………………… 2032
豚皮移植〔片〕 porcine graft ………………… 795
豚皮様皮膚 pig skin ………………… 1691
ドン・ファン Don Juan ………………… 555
頓服水剤 potion ………………… 1474
頓服水剤の一服量 haustus ………………… 816
トンプソン試験 Thompson test ………… 1867
ドンブロック血液型 Dombrock blood group ………………… 555
鈍麻 torpor ………………… 1904

ナ

ナーゲル試験 Nagel test ………………… 1861
ナーシングホーム nursing home ……… 1283
ナースプラクティショナー nurse practitioner (NP) ………………… 1283
ナーボト(ナボット)囊胞 nabothian cyst 460
ナイアシン試験 niacin test ………………… 1861
内圧性憩室 pulsion diverticulum ……… 552
内因型うつ病 endogenomorphic depression ………………… 493
内因感染 endogenous infection ………… 927
内〔性〕因子 intrinsic factor (IF) ……… 667
内因性うつ病 endogenous depression …… 493
内因性クレアチニンクリアランス endogenous creatinine clearance ……… 372
内因性交感神経〔様〕作用活性 intrinsic sympathomimetic activity (ISA) ……… 21
内因性高グリセリド血〔症〕 endogenous hyperglyceridemia ………………… 881
内因性ぜん息 intrinsic asthma ………… 165
内因性中毒 endointoxication ………………… 613
内因性糖 intrinsic sugar ………………… 1769
内因性(内発的)動機付け intrinsic motivation ………………… 1172
内因性の endogenous ………………… 613
内因性の intrinsic ………………… 951
内因性発熱物質 endogenous pyrogen (EP) ………………… 1534
内陰部静脈 internal pudendal vein …… 1997
内陰部静脈 vena pudenda interna ……… 2007
内陰部動脈 arteria pudenda interna …… 137
内陰部動脈 internal pudendal artery …… 147
内陰部動脈の後陰唇枝 rami labiales posteriores arteriae pudendae internae 1552
内陰部動脈の後陰囊枝 posterior scrotal branches of internal pudendal artery … 252
内陰部動脈の後陰囊枝 rami scrotales posteriores arteriae pudendae internae 1556
内エナメル上皮 inner dental epithelium, inner enamel epithelium ………………… 632
内果 malleolus medialis ………………… 1096
内果 medial malleolus ………………… 1096
内科医 internist ………………… 947

内科医 physician ……… 1420
内・外制動靱帯 check ligaments of eyeball, medial and lateral ……… 1033
内回旋筋 intortor ……… 949
内回旋筋 invertor ……… 953
内回転〔術〕 internal cephalic version ……… 2014
内外胚葉の ectental ……… 584
内外併用回転〔術〕 combined version ……… 2014
内科学 medicine ……… 1116
内科学 internal medicine (IM) ……… 1117
〔脛骨〕内果関節面 articular facet of medial malleolus ……… 661
〔脛骨〕内果関節面 malleolar articular surface of tibia ……… 1782
〔腓骨〕内果関節面 malleolar articular surface of fibula ……… 1782
内科外科医の medicochirurgical ……… 1117
内科外科学の medicochirurgical ……… 1117
内果溝 malleolar groove ……… 802
内果溝 groove for tibialis posterior tendon ……… 803
内果溝 malleolar sulcus ……… 1773
内果枝 medial malleolar branches (of posterior tibial artery) ……… 249
内科的ジアテルミー medical diathermy 512
〔血管〕内カテーテル intracatheter ……… 950
内果動脈 medial malleolar arteries ……… 148
内果動脈網 medial malleolar network ……… 1244
内果動脈網 rete malleolare mediale ……… 1598
内果皮下包 medial malleolar subcutaneous bursa ……… 269
内果皮下包 subcutaneous bursa of medial malleolus ……… 270
内科病理学 medical pathology ……… 1372
内顆粒層 inner nuclear layer ……… 1011
内顆粒層帯 stria laminae granularis internae ……… 1756
内顆粒層帯 stria of internal granular layer ……… 1756
内科療法 medical treatment ……… 1923
内管 intussusceptum ……… 952
内眼角 medial angle of eye ……… 89
内眼角 angulus oculi medialis ……… 90
内眼角ぜい(贅)皮 epicanthus ……… 625
内眼球軸 internal axis of eye ……… 184
内〔部〕環境 milieu intérieur, milieu interne ……… 1157
内眼筋麻痺 ophthalmoplegia interna ……… 1308
内眼疾患 internal ophthalmopathy ……… 1307
内観法 introspective method ……… 1144
内陥ポケット retraction pockets ……… 1452
内輝性暗点 fortification spectrum ……… 1709
内寄生する infect ……… 927
内〔部〕寄生性生物 endoparasite ……… 614
内弓状線維 internal arcuate fibers ……… 689
内弓状線維 fibrae arcuatae internae ……… 691
内境界膜 inner limiting layer ……… 1011
内境界膜 limiting membrane of retina 1126
内胸静脈 internal thoracic vein ……… 1997
内胸静脈 vena thoracica interna ……… 2008
内胸〔静脈〕リンパ管叢 internal thoracic lymphatic plexus ……… 1440
内胸動脈 arteria thoracica interna ……… 138
内胸動脈 internal thoracic artery ……… 147
内胸動脈貫通枝 rami perforantes arteriae thoracicae internae ……… 1555
内胸動脈貫通枝の内側乳腺枝 rami mammarii mediales ramorum perforantium arteriae thoracicae internae ……… 1553
内胸動脈胸腺枝 thymic branches of internal thoracic artery ……… 254
内胸動脈〔動脈〕周囲神経叢 periarterial plexus of internal thoracic artery ……… 1442
内胸動脈神経叢 internal thoracic plexus ……… 1440
内胸動脈の外側肋骨枝 lateral costal branch of internal thoracic artery ……… 248
内胸動脈の外側肋骨枝 ramus costalis lateralis arteriae thoracicae internae 1550
内胸動脈の貫通枝 perforating branches of internal thoracic artery ……… 251
内胸動脈の胸骨枝 sternal branches of internal thoracic artery ……… 253
内胸動脈の胸骨枝 rami sternales arteriae thoracicae internae ……… 1556
内胸動脈の縦隔枝 mediastinal branches of internal thoracic artery ……… 249
内胸動脈の前肋間枝 rami intercostales anteriores arteriae thoracicae internae 1552
内曲 inflection, inflexion ……… 929
内腔 lumen ……… 1071
内腔超音波検査 endosonoscopy ……… 615
内屈 incurvation ……… 921
内屈 introflection, introflexion ……… 951
内頸静脈 internal jugular vein ……… 1997
内頸静脈 vena jugularis interna ……… 2006
内頸動脈 arteria carotis interna ……… 134
内頸動脈 internal carotid artery (ICA) 146
内頸動脈海綿洞部 pars cavernosa arteriae carotidis internae ……… 1358
内頸動脈海綿洞部 cavernous part of internal carotid artery ……… 1363
内頸動脈海綿部の海綿静脈洞枝 cavernous branches of cavernous part of internal carotid artery ……… 243
内頸動脈海綿部のテント底枝 tentorial basal branch of cavernous part of internal carotid artery ……… 254
内頸動脈頸部 pars cervicalis arteriae carotidis internae ……… 1358
内頸動脈神経 internal carotid nerve ……… 1235
内頸動脈神経 nervus caroticus internus 1241
内頸動脈神経叢 internal carotid (nerve) plexus ……… 1440
内頸動脈錐体部 petrous part of internal carotid artery ……… 1366
内頸動脈大脳部 pars cerebralis arteriae carotidis internae ……… 1358
内頸動脈大脳部 cerebral part of internal carotid artery ……… 1363
内頸動脈脳部の硬膜枝 meningeal branch of cerebral part of internal carotid artery 249
内頸動脈脳部の斜台枝 clivus branches of cerebral part of internal carotid artery 244
内頸動脈の海綿静脈洞枝 cavernous sinus branch of internal carotid artery ……… 243
内頸動脈の基底テント枝 basal tentorial branch of internal carotid artery ……… 243
内頸動脈の頸部 cervical part of internal carotid artery ……… 1363
内頸動脈の硬膜枝 meningeal branch of cavernous part of internal carotid artery ……… 249
内頸動脈の硬膜枝 meningeal branch of internal carotid artery ……… 249
内頸動脈の神経節枝 ganglionic branch of internal carotid artery ……… 246
内頸動脈の神経節枝 branches of internal carotid artery to trigeminal ganglion ……… 247
内頸動脈のテント縁枝 marginal tentorial branch of internal carotid artery ……… 249
内頸動脈のテント縁枝 tentorial marginal branch of cavernous part of internal carotid artery ……… 254
内減圧〔術〕 internal decompression ……… 475
内牽引 internal traction ……… 1914
内腱鞘 endotendineum ……… 615
内攻 retrocession ……… 1604
内向〔性〕 introversion ……… 951
内向型 introvert ……… 951
内虹彩輪 inner border of iris ……… 235
〔細胞〕内酵素 intracellular enzyme ……… 623
内後頭隆起 internal occipital protuberance ……… 1509
内後頭隆起 protuberantia occipitalis interna ……… 1509
内後頭稜 internal occipital crest ……… 437
内後頭稜 crista occipitalis interna ……… 440
内光法 flash method ……… 1144
内肛門括約筋 internal sphincter muscle of anus ……… 1187
内肛門括約筋 musculus sphincter ani internus ……… 1203
内肛門括約筋 internal anal sphincter ……… 1713
内呼吸 internal respiration ……… 1595
内骨格 endoskeleton ……… 615
内骨〔腔〕症 enostosis ……… 618
内固定 internal fixation ……… 707
内在化 internalization ……… 946
内在筋 intrinsic muscles ……… 1187
内在性蛋白 integral proteins ……… 1503
内在性同性愛恐怖 internalized homophobia ……… 861
内在的な死亡リスク intrinsic mortality risk ……… 1618
内在反射 intrinsic reflex ……… 1579
内細胞腫 hilar cell tumor of ovary ……… 1950
ナイサー(ナイセル)染色〔法〕 Neisser stain ……… 1734
ナイサー(ナイセル)注射器 Neisser syringe ……… 1828
内耳 auris interna ……… 177
内耳 ear ……… 580
内耳 internal ear ……… 580
内耳炎 otitis interna ……… 1326
〔内耳〕開窓術 fenestration operation ……… 1304
内痔核 internal hemorrhoids ……… 836
内色素 intrinsic color ……… 393
内視鏡 endoscope ……… 615
内視鏡 fiberscope ……… 691
内視鏡医 endoscopist ……… 615
内視鏡下腟式子宮全摘出術 laparoscopic-assisted vaginal hysterectomy ……… 900
内視鏡検査〔法〕 endoscopy ……… 615
内視鏡生検 endoscopic biopsy ……… 214
内視鏡的逆行性胆道膵管撮影(造影)〔法〕 endoscopic retrograde cholangiopancreatography (ERCP) ……… 348
内視鏡的仙骨子宮神経切除 laparoscopic uterosacral nerve ablation ……… 3
内視鏡的超音波検査 endosonography ……… 615
内視鏡バイオプシー endoscopic biopsy ……… 214
内視鏡補助組織移植 endograft ……… 613
内耳孔 internal acoustic foramen ……… 725
内耳孔 opening of internal acoustic meatus ……… 1303
内耳孔 porus acusticus internus ……… 1468
内歯上皮 inner dental epithelium, inner enamel epithelium ……… 632
内耳神経 vestibulocochlear nerve [CN VIII] ……… 1240
内耳神経 nervus vestibulocochlearis [CN VIII] ……… 1243
内耳神経蝸牛根 cochlear root of cranial nerve VIII ……… 1621
内耳神経核 nuclei nervi vestibulocochlearis ……… 1277
内耳神経核 vestibulocochlear nuclei ……… 1282
内耳神経下根 radix inferior nervi vestibulocochlearis ……… 1546
内耳神経上根 radix vestibularis ……… 1546
内質 endoplasm ……… 614
内質 endosarc ……… 615
内質の endoplasmic ……… 614
内質の endoplastic ……… 614
内耳道 internal acoustic meatus ……… 1113

内耳道 internal auditory meatus …… 1114
内耳道 meatus acusticus internus …… 1113
内耳道横稜 transverse crest of internal acoustic meatus …… 438
内耳道枝 ramus meatus acustici interni 1553
内耳道底 fundus meatus acustici interni 744
内耳道底 fundus of internal acoustic meatus …… 744
内耳道の垂直稜 vertical crest of internal acoustic meatus …… 438
内耳の脈管 vessels of internal ear …… 2017
内斜位 esophoria …… 643
内斜視 esotropia …… 643
内出血 internal hemorrhage …… 835
内受容器 interoceptor …… 947
内受容〔性〕の interoceptive …… 947
内耳瘻孔 labyrinthine fistula …… 705
ナイシン nisin …… 1257
内疹 enanthem, enanthema …… 606
内錐体層帯 stria laminae pyramidalis internae …… 1756
内錐体層帯 stria of internal pyramidal layer …… 1756
内水頭〔症〕 internal hydrocephalus …… 871
〔視床〕内髄板 internal medullary lamina 997
内頭蓋底 internal base of skull …… 199
内頭蓋底 basis cranii interna …… 201
内頭蓋底 internal surface of cranial base …… 1781
ナイスタチン nystatin …… 1286
内省 introspection …… 951
内〔性〕因子 intrinsic factor (IF) …… 667
内省型の idiotropic …… 905
内精筋膜 internal spermatic fascia …… 673
内精筋膜 fascia spermatica interna …… 674
内省的学習 insight learning …… 1014
内省法 introspective method …… 1144
内生胞子 endospore …… 615
ナイセリア属 *Neisseria* …… 1226
ナイセリア類 neisseria …… 1226
ナイセル(ナイサー)染色〔法〕 Neisser stain …… 1734
ナイセル(ナイサー)注射器 Neisser syringe …… 1828
内旋 incycloduction …… 921
内線維 endogenous fibers …… 688
内旋斜位 incyclophoria …… 921
内旋斜視 incyclotropia …… 921
内前頭骨過骨症 hyperostosis frontalis interna …… 884
内層 lining …… 1054
内相 internal phase …… 1402
内臓 viscus …… 2032
内臓運動〔神経〕の visceromotor …… 2031
内臓運動性神経系 autonomic (visceral motor) division of nervous system …… 553
内臓運動性神経線維 visceral motor fibers …… 691
内臓運動ニューロン visceral motor neuron …… 1249
内臓運動反射 visceromotor reflex …… 1582
内臓運動抑制の visceroinhibitory …… 2031
内臓栄養の viscerotrophic …… 2031
内臓栄養反射 viscerotrophic reflex …… 1582
内臓遠心性細胞柱 special visceral efferent column …… 395
内臓解剖 splanchnotomy …… 1719
内臓〔感〕覚 visceral sense …… 1661
内臓学 splanchnologia …… 1719
内臓学 splanchnology …… 1719
内臓学的記述 splanchnography …… 1719
内臓下垂〔症〕 splanchnoptosis, splanchnoptosia …… 1719
内臓下垂〔症〕 visceroptosis, visceroptosia …… 2031
内臓〔緊張〕型 viscerotonia …… 2031
内臓感覚 splanchnesthetic sensibility …… 1661
内臓感覚(知覚)脱失(消失) splanchnic anesthesia …… 80
内臓感覚の viscerosensory …… 2031
内臓奇形症 perosplanchnia …… 1394
内臓起源の viscerogenic …… 2031
内臓逆位 situs inversus viscerum …… 1690
内臓逆位〔症〕 heterotaxia …… 849
内臓逆位〔症〕 visceral inversion …… 952
内臓逆位随伴〔性〕右胸心 dextrocardia with situs inversus …… 505
内臓胸膜の visceropleural …… 2031
内臓巨大〔症〕 splanchnomegaly …… 1719
内臓巨大症 visceromegaly …… 2031
内臓筋膜 visceral fascia …… 675
内臓腔 splanchnic cavity …… 317
内臓クリーゼ visceral crises …… 440
内臓結石 splanchnolith …… 1719
内臓牽引反射 visceral traction reflex …… 1582
内臓硬化〔症〕 splanchnosclerosis …… 1719
内臓向性の viscerotropic …… 2031
内臓骨格 visceral skeleton …… 1691
内臓骨格 splanchnoskeleton …… 1719
内臓骨格 visceroskeleton …… 2031
内臓骨格の visceroskeletal …… 2031
内臓撮影(造影)器 viscerograph …… 2031
内臓周囲炎 perisplanchnitis …… 1392
内臓周囲炎 perivisceritis …… 1394
内臓周囲腔 perivisceral cavity …… 316
内臓障害 splanchnopathy …… 1719
内臓除去〔術〕 exenteration …… 653
内臓神経 splanchnic nerve …… 1238
内臓神経 visceral nerve …… 1240
内臓神経系 visceral nervous system …… 1834
内臓神経神経節 ganglion thoracicum splanchnicum …… 755
内臓神経神経節 thoracic splanchnic ganglion …… 755
内臓神経切除〔術〕 splanchnicectomy …… 1719
内臓神経の neurovisceral …… 1254
内臓身体の viscerosomatic …… 2031
内臓頭蓋 viscerocranium …… 2031
内臓性えん下 visceral swallow …… 1789
内臓性てんかん visceral epilepsy …… 629
内臓性反射 viscerogenic reflex …… 1582
内臓切開 viscerotomy …… 2031
内臓切開刀 viscerotome …… 2031
内臓切除刀 viscerotome …… 2031
内臓側骨端 splanchnapophysis …… 1719
内臓脱出〔症〕 eventration …… 650
内臓知覚(感覚)脱失(消失) splanchnic anesthesia …… 80
内臓知覚反射 viscerosensory reflex …… 1582
内臓中胚葉 visceral mesoderm …… 1136
内臓直流通電〔法〕 intragalvanization …… 950
内臓痛 visceralgia …… 2031
内臓転位〔症〕 splanchnectopia …… 1719
内臓突出〔症〕 eventration …… 650
内臓の splanchnic …… 1719
内臓の visceral …… 2031
内臓嚢胞脳奇形 dysencephalia splanchnocystica …… 571
内臓発症 visceral crises …… 440
内臓板 splanchnic layer …… 1013
内臓板 visceral plate …… 1436
内臓肥満 visceral obesity …… 1287
内臓肥満症候群 visceral obesity syndrome …… 1824
内臓腹壁の visceroparietal …… 2031
内臓腹膜の visceroperitoneal …… 2031
内臓ヘルニア splanchnocele …… 1719
内臓葉 splanchnopleure …… 1719
内臓幼虫移行症 visceral larva migrans 1001
内臓リーシュマニア症 visceral leishmaniasis …… 1018
内臓リンパ節 visceral nodes …… 1261
〔腹部〕内臓リンパ節 visceral lymph nodes …… 1082
内臓裂 visceral cleft …… 374
内臓矮小〔症〕 splanchnomicria …… 1719
内側縁 medial border …… 235
内側縁 medial margin …… 1103
内側縁 margo medialis …… 1104
内側延髄枝 rami medullares mediales …… 1553
内側顆 condylus medialis …… 409
内側顆 medial condyle …… 409
内側・外側直筋制動靱帯 check ligaments of medial and lateral rectus muscles …… 1033
内側外腸骨リンパ節 nodi lymphatici iliaci externi mediales …… 1262
〔内側〕顆間結節 tuberculum intercondylare (mediale) …… 1946
〔視床〕内側核 nucleus medialis thalami 1277
〔視索副核の〕内側核 medial nucleus …… 1276
内側下膝動脈 arteria genus inferior medialis …… 135
内側下膝動脈 inferior medial genicular artery …… 146
内側下膝動脈 medial inferior genicular artery …… 148
〔左〕内側肝区 (left) medial hepatic segment [IV] …… 1655
内側眼瞼交連 commissura palpebrarum medialis …… 397
内側眼瞼交連 medial palpebral commissure …… 397
内側眼瞼靱帯 medial palpebral ligament …… 1037
内側眼瞼靱帯 ligamentum palpebrale mediale …… 1044
〔内側〕眼瞼動脈 arteriae palpebrales (mediales) …… 137
〔内側〕眼瞼動脈 (medial) palpebral arteries …… 147
内側脚 crus mediale …… 443
内側脚 medial crus …… 443
内側脚 medial limb …… 1047
内側脚傍核 medial parabrachial nucleus …… 1277
内側嗅回 medial olfactory gyrus …… 808
内側弓状靱帯 medial arcuate ligament 1037
内側弓状靱帯 ligamentum arcuatum mediale …… 1042
内側嗅領 entorhinal area …… 129
内側胸筋神経 medial pectoral nerve …… 1236
内側胸筋神経 nervus pectoralis medialis …… 1243
内側距踵靱帯 medial talocalcaneal ligament …… 1037
内側距踵靱帯 ligamentum talocalcaneum mediale …… 1045
内側区 medial bronchopulmonary segment [S V] …… 1655
内側区 medial segment …… 1655
内側区 segmentum mediale …… 1656
内側区域 medial bronchopulmonary segment [S V] …… 1655
内側楔状骨 medial cuneiform (bone) …… 233
内側楔状骨 os cuneiforme mediale …… 1317
内側楔状束周囲核 medial pericuneate nucleus …… 1277
〔距骨後突起の〕内側結節 medial tubercle (of posterior process) of talus …… 1944
〔距骨後突起の〕内側結節 tuberculum mediale (processus posterioris) tali …… 1946
内側広筋 medial great muscle …… 1189
内側広筋 medial vastus (muscle) …… 1189
内側広筋 vastus medialis (muscle) …… 1197
内側広筋 musculus vastus medialis …… 1205
内側後頭側頭回 gyrus occipitotemporalis medialis …… 808
内側後頭側頭回 medial occipitotemporal

gyrus ······ 808
内側後頭動脈 arteria occipitalis medialis 136
内側後頭動脈 medial occipital artery ····· 148
内側後頭動脈の鳥距枝 calcarine branch of medial occipital artery ······ 243
内側後頭動脈の鳥距枝 ramus calcarinus arteriae occipitalis medialis ······ 1548
内側後頭動脈の頭頂後頭枝 parieto-occipital branch of medial occipital artery ······ 251
内側後頭動脈の頭頂枝 parietal branch of medial occipital artery ······ 250
〔後大脳動脈〕内側後脈絡枝 choroid branches ······ 244
内側交連動脈 medial commisural artery 148
〔視索〕内側根 radix medialis tractus optici ······ 1546
〔視索〕内側根 medial root of optic tract ······ 1621
〔正中神経〕内側根 radix medialis nervi mediani ······ 1546
〔正中神経〕内側根 medial root of median nerve ······ 1621
内側臍ひだ medial umbilical fold ······ 719
内側臍ひだ plica umbilicalis medialis ··· 1445
内側鎖骨上神経 medial supraclavicular nerve ······ 1236
内側鎖骨上神経 nervus supraclavicularis medialis ······ 1243
内側枝 medial branches ······ 249
内側枝 rami mediales ······ 1553
内側視索前核 medial preoptic nucleus 1277
内側視索前核 nucleus preopticus medialis ······ 1279
内側膝蓋支帯 medial patellar retinaculum ······ 1600
内側膝蓋支帯 retinaculum patellae mediale ······ 1601
内側膝窩腱 hamstring ······ 814
内側膝状体 medial geniculate body ······ 228
内側膝状体 corpus geniculatum mediale 425
内側膝状体核 nuclei corporis geniculati medialis ······ 1274
内側膝状体核 medial geniculate nuclei 1277
内側膝状体核 nucleus of medial geniculate body ······ 1277
内側膝状体背側核 dorsal nucleus ······ 1274
内側縦条 medial longitudinal stria ······ 1756
内側縦条 stria longitudinalis medialis ··· 1756
内側縦束 medial longitudinal bundle ······ 266
内側縦束 fasciculus longitudinalis medialis ······ 676
内側縦束 medial longitudinal fasciculus 676
内側縦足弓 medial longitudinal arch of foot ······ 126
内側縦束の間質核 interstitial nucleus of medial longitudinal fasciculus ······ 1276
内側手綱核 medial habenular nucleus ··· 1277
内側手根側副靱帯 internal collateral ligament of the wrist ······ 1036
内側手根側副靱帯 medial ligament of wrist ······ 1037
内側手根側副靱帯 ulnar collateral ligament of wrist joint ······ 1041
内側上オリーブ核 medial superior olivary nucleus ······ 1277
内側上顆線 medial supracondylar line 1051
内側上顆稜 medial supracondylar crest ··· 437
内側上顆稜 crista supracondylaris medialis ······ 440
内側上顆稜 medial supracondylar ridge 1615
内側上顆稜 medial supraepicondylar ridge ······ 1615
内側上膝動脈 medial superior genicular artery ······ 148
内側上膝動脈 superior medial genicular artery ······ 153
内側静脈 nasal venules of retina ······ 2012
内側上腕神経 nervus cutaneus brachii medialis ······ 1241
内側上腕皮神経 medial brachial cutaneous nerve ······ 1236
内側上腕皮神経 medial cutaneous nerve of arm ······ 1236
〔腕神経叢の〕内側神経束 fasciculus medialis plexus brachialis ······ 676
内側靱帯 ligamentum mediale ······ 1044
内側楔状骨 medial cuneiform (bone) ····· 233
内側楔状骨 os cuneiforme mediale ······ 1317
内側楔状束周囲核 medial pericuneate nucleus ······ 1277
内側線条体動脈 medial striate artery ····· 148
内側前庭脊髄路 medial vestibulospinal tract ······ 1911
内側前頭回 medial frontal gyrus ······ 808
内側前頭脳底動脈 arteria frontobasalis medialis ······ 135
内側前頭脳底動脈 medial frontobasal artery ······ 148
内側前脳束 medial forebrain bundle ······ 266
内側前腕皮神経 medial antebrachial cutaneous nerve ······ 1236
内側前腕皮神経 medial cutaneous nerve of forearm ······ 1236
内側前腕皮神経 nervus cutaneus antebrachii medialis ······ 1241
内側前腕皮神経の後枝 posterior branch of medial cutaneous nerve of forearm ····· 252
内側前腕皮神経の尺側枝 ulnar branch of medial antebrachial cutaneous nerve ··· 255
内側前腕皮神経の尺側枝 ramus ulnaris nervi cutanei antebrachii medialis ····· 1557
〔視床下部の〕内側層 medial zone ······ 2059
内側総腸骨リンパ節 nodi lymphatici iliaci communes mediales ······ 1262
内側足根動脈 arteria tarsalis medialis ···· 138
内側足根動脈 medial tarsal arteries ······ 148
内側足底神経 medial plantar nerve ······ 1236
内側足底神経 nervus plantaris medialis 1243
内側足底動脈 arteria plantaris medialis 137
内側足底動脈 medial plantar artery ······ 148
内側足底動脈の深枝 deep branch of the medial plantar artery ······ 245
内側足底動脈の浅枝 superficial branch of the medial plantar artery ······ 253
内側側脳室静脈 medial atrial vein ······ 1998
内側側脳室静脈 medial vein of lateral ventricle ······ 1998
内側側脳室静脈 vena atrii medialis ······ 2004
内側足背皮神経 dorsal medial cutaneous nerve ······ 1233
内側足背皮神経 medial dorsal cutaneous nerve ······ 1236
内側足背皮神経 nervus cutaneus dorsalis medialis ······ 1241
内側側副靱帯 ligamentum collaterale mediale ······ 1042
〔膝関節の〕内側側副靱帯 tibial collateral ligament ······ 1041
〔膝関節の〕内側側副靱帯 ligamentum collaterale tibiale ······ 1042
内側鼡径窩 fossa inguinalis medialis ······ 732
内側鼡径窩 medial inguinal fossa ······ 733
内側大細胞核 medial magnocellular nucleus ······ 1277
内側大腿回旋静脈 medial circumflex femoral veins ······ 1998
内側大腿回旋静脈 venae circumflexae femoris mediales ······ 2005
内側大腿回旋動脈 arteria circumflexa femoris medialis ······ 134
内側大腿回旋動脈 medial circumflex artery of thigh ······ 148
内側大腿回旋動脈 medial circumflex femoral artery ······ 148
内側大腿回旋動脈浅枝 superficial branch of medial circumflex femoral artery ······ 253
内側大腿回旋動脈の横枝 ramus transversus arteriae circumflexae femoris medialis 1557
内側大腿回旋動脈の下行枝 descending branch of medial circumflex femoral artery ······ 245
内側大腿回旋動脈の深枝 deep branch of the medial circumflex femoral artery 245
内側恥骨前立腺靱帯 ligamentum puboprostaticum mediale ······ 1045
内側恥骨膀胱靱帯 medial pubovesical ligament ······ 1037
内側中隔核 medial septal nucleus ······ 1277
内側中葉区 segmentum mediale ······ 1656
内側直筋 medial rectus (muscle) ······ 1189
〔眼球の〕内側直筋 musculus rectus medialis (bulbi) ······ 1203
内側頭 caput mediale ······ 292
内側頭 medial head ······ 817
〔内側〕頭頂葉動脈 arteriae parietales (mediales) ······ 137
〔内側〕頭頂葉動脈 (medial) parietal arteries ······ 147
内側二頭筋溝 medial bicipital groove ····· 802
内側二頭筋溝 sulcus bicipitalis medialis 1771
内側乳腺枝 medial mammary branches 249
内側乳腺枝 rami mammarii mediales ··· 1553
内側の interior ······ 945
内側の medial ······ 1115
内側の medialis ······ 1115
内側肺底区 cardiac segment ······ 1654
内側肺底区 medial basal bronchopulmonary segment [S VII] ······ 1655
内側肺底区(S^7) segmentum cardiacum 1656
内側肺底区動脈 medial basal segmental artery ······ 148
内側肺底動脈 ramus basalis medialis ···· 1548
内側半月 medial meniscus ······ 1130
内側半月 meniscus medialis ······ 1131
内側腓腹皮神経 medial cutaneous nerve of leg ······ 1236
内側腓腹皮神経 medial sural cutaneous nerve ······ 1236
内側腓腹皮神経 nervus cutaneus surae medialis ······ 1242
内側鼻隆起 medial nasal fold ······ 719
内側鼻隆起 medial nasal prominence ···· 1497
内側副オリーブ核 medial accessory olivary nucleus ······ 1277
内側副オリーブ核 nucleus olivaris accessorius medialis ······ 1277
〔眼窩〕内側壁 paries medialis orbitae ···· 1356
〔眼窩〕内側壁 medial wall of orbit ······ 2039
内側偏位 mediotrusion ······ 1117
内側扁桃体核 medial amygdaloid nucleus ······ 1277
内側傍網様体核 paramedial reticular nucleus ······ 1278
内側面 facies interna ······ 664
内側面 facies medialis ······ 664
内側面 internal surface ······ 1781
内側面 medial surface ······ 1782
〔肺の〕内側面 facies medialis pulmonis ··· 664
〔肺の〕内側面 medial surface of lung ···· 1782
内側毛帯 lemniscus medialis ······ 1018
内側毛帯 medial lemniscus ······ 1018
内側野核 nucleus of medial field ······ 1277
内側腰肋弓 medial lumbocostal arch ······ 126
内側腰肋弓 arcus lumbocostalis medialis 127
内側翼突筋 internal pterygoid muscle ··· 1187
内側翼突筋 medial pterygoid (muscle) 1189
内側翼突筋 musculus pterygoideus medialis ······ 1202

内側翼突筋神経 nerve to medial pterygoid …… 1236
内側卵子移行 ovular transmigration, external ovular transmigration, direct ovular transmigration, internal ovular transmigration, indirect ovular transmigration …… 1920
内側隆起 medial eminence …… 603
内側隆起 eminentia medialis …… 604
内側稜 medial crest of fibula …… 437
内側裂孔リンパ節 medial lacunar lymph node …… 1079
内側裂孔リンパ節 medial lacunar node 1261
内大脳静脈 internal cerebral veins …… 1997
内唾液腺 internal salivary gland …… 773
内地砂毛〔症〕 piedra nostras …… 1423
内腸骨静脈 internal iliac vein …… 1997
内腸骨静脈 vena iliaca interna …… 2006
内腸骨動脈 arteria iliaca interna …… 135
内腸骨動脈 internal iliac artery …… 147
内腸骨リンパ節 internal iliac lymph nodes …… 1079
内聴診器 endostethoscope …… 615
内椎骨静脈叢 internal vertebral venous plexus …… 1441
内的表出 internal representation …… 1591
内転 adduction …… 24
内転位 adduction …… 24
内転型痙攣性発声障害 adductor spasmodic dysphonia …… 574
内転筋 adductor …… 24
内転筋 adductor muscle …… 1181
内転筋管 adductor canal …… 282
内転筋管 canalis adductorius …… 285
内転筋結節 adductor tubercle of femur 1943
内転筋後隙 retroadductor space …… 1705
内転筋反射 adductor reflex …… 1577
内転筋裂孔 adductor hiatus …… 851
内転筋裂孔 hiatus adductorius …… 851
内転する adduct …… 24
内転(内反)尖足 talipes equinovarus …… 1839
内転(内反)足 talipes varus …… 1839
内転中足〔症〕 metatarsus adductus …… 1141
内転の adducent …… 24
内頭蓋底 internal base of skull …… 199
内頭蓋底 basis cranii interna …… 201
内頭蓋底 internal surface of cranial base …… 1781
ナイトガード nightguard …… 1257
内毒〔素〕血症 endotoxemia …… 616
内毒素 endotoxin …… 616
内毒素菌 endoteric bacterium …… 191
内毒素性ショック endotoxin shock …… 1674
内毒素中毒〔症〕 endotoxicosis …… 616
ナイトホスピタル night hospital …… 865
ナイトロジェンマスタード nitrogen mustards (HN-2) …… 1205
内軟骨腫 enchondroma …… 610
内軟骨腫症 enchondromatosis …… 610
内肉 endosarc …… 615
内乳 endosperm …… 615
内尿道括約筋 internal urethral sphincter …… 1713
内尿道口 internal urethral opening …… 1303
内尿道口 internal urethral orifice …… 1314
内尿道口 ostium urethrae internum …… 1325
内尿道切開〔術〕 internal urethrotomy …… 1972
内膿頭症 internal pyocephalus …… 1531
内破 implosion …… 916
内胚葉 endoderm …… 613
内胚葉型 endomorph …… 614
内胚葉細胞 endodermal cell …… 321
内胚葉〔総〕排泄(排出)腔 endodermal cloaca …… 375
内胚葉洞腫瘍 endodermal sinus tumor 1950
内胚葉嚢腫 endodermal cyst …… 459
内麦粒腫 hordeolum internum …… 862
内発的(内因性)動機付け intrinsic motivation …… 1172
内破療法 implosive therapy …… 1879
内反 varus …… 1989
内反〔症〕 inversion …… 952
〔眼瞼〕内反 entropion, entropium …… 622
内板 cristae of mitochondria, cristae mitochondriales …… 440
内反股 coxa vara …… 433
内反指(趾) digitus varus …… 518
内反歯 dens in dente …… 487
内反膝 bowleg, bow-leg …… 239
内反膝 genu varum …… 767
内反手 clubhand …… 377
内反手 club hand …… 814
内反踵足 talipes calcaneovarus …… 1839
内反(内転)尖足 talipes equinovarus …… 1839
内反足 clubfoot …… 377
内反(内転)足 talipes varus …… 1839
内反足性内転中足 metatarsus adductovarus …… 1141
内反肘 cubitus varus …… 447
内反中足〔症〕 metatarsus varus …… 1141
内反乳頭腫 inverted papilloma …… 1346
内反母趾 hallux varus …… 813
内皮 endothelium …… 616
内皮下層 subendothelial layer …… 1013
内皮下層 subendothelium …… 1763
内皮型NO合成酵素 endothelial nitric oxide synthase …… 1827
内皮型一酸化窒素合成酵素 endothelial nitric oxide synthase …… 1827
内皮下の subendothelial …… 1763
内皮〔性白血〕球接着分子 endothelial-leukocyte adhesion molecule (E-LAM) …… 1164
内皮血腫性胎盤 hemoendothelial placenta …… 1428
内皮細胞 endothelial cell …… 321
内皮細胞遊離因子 endothelial relaxing factor …… 667
内鼻枝 internal nasal branches …… 247
内鼻枝 rami nasales interni …… 1554
内皮腫 endothelioma …… 615
内皮絨毛膜胎盤 endotheliochorial placenta …… 1428
内皮症 endotheliosis …… 616
内皮内皮胎盤 endothelio-endothelial placenta …… 1428
内皮嚢胞 endothelial cyst …… 459
内皮の微粒子 endothelial microparticle 1153
内鼻弁 internal nasal valve …… 1985
内皮由来血管弛緩因子 endothelium-derived relaxing factor (EDRF) …… 667
ナイフ knife …… 987
内フィステル(瘻) internal fistula …… 705
内部エネルギー internal energy (U) …… 617
内〔部〕環境 milieu intérieur, milieu interne …… 1157
内部環境調節系 interofective system …… 1832
内部寄生性植物 endophyte …… 614
内〔部〕寄生性生物 endoparasite …… 614
内部寄生性の endobiotic …… 611
内部寄生動物 entozoon …… 622
内部吸収 internal resorption …… 1595
内腹斜筋 internal oblique (muscle) …… 1187
内腹斜筋 musculus obliquus internus abdominis …… 1201
内腹斜筋腱膜 aponeurosis of internal abdominal oblique muscle …… 117
ナイフ台結晶 knife-rest crystal …… 446
内部丹毒 erysipelas internum …… 638
内部聴診〔法〕 endoauscultation …… 611
内部転換電子 internal conversion electron …… 596
内部の interior …… 945
内部の internal …… 946
内部の intestinum …… 949
内部倍数性 endopolyploidy …… 615
内部描写 internal representation …… 1591
内部誘導電気刺激 intrafaradization …… 950
内分泌 incretion …… 920
内分泌医 endocrinologist …… 612
内分泌学 endocrinology …… 612
内分泌学者 endocrinologist …… 612
内分泌系 endocrine system …… 1831
内分泌障害 endocrinopathy …… 612
内分泌性眼球突出〔症〕 endocrine exophthalmos …… 654
内分泌性ホルモン endocrine hormones …… 863
内分泌腺 endocrine glands …… 773
内分泌腺 glandulae endocrinae …… 775
内分泌腺の endocrine …… 612
内分泌の endocrine …… 612
内分泌物 endocrine …… 612
内分泌物 incretion …… 920
内分泌療法 endocrinotherapy …… 612
内閉 autosynnoia …… 181
内閉寄生生物 autistic parasite …… 1354
内閉鎖筋 internal obturator muscle …… 1187
内閉鎖筋 obturator internus (muscle) …… 1189
内閉鎖筋 musculus obturator internus …… 1201
内閉鎖筋腱下包 bursa subtendinea musculi obturatoris interni …… 270
内閉鎖筋腱下包 subtendinous bursa of obturator internus …… 270
内閉鎖筋神経 nerve to obturator internus …… 1237
内閉鎖筋の坐骨包 bursa ischiadica musculi obturatoris interni …… 269
内閉鎖筋の坐骨包 sciatic bursa of obturator internus …… 270
内閉性 dereism …… 494
内閉性人格 shut-in personality …… 1395
内ヘルニア entocele …… 622
内ヘルニア internal hernia …… 843
内包 capsula interna …… 290
内包 internal capsule …… 291
内包後脚 crus posterius capsulae internae …… 444
〔内包〕後脚 posterior limb of internal capsule …… 1047
内包枝 rami capsulae internae …… 1548
〔内包〕膝 genu capsulae internae …… 767
〔内包〕膝 genu of internal capsule …… 767
内包症候群 internal capsule syndrome 1808
内包前脚 crus anterius capsulae internae 443
〔内包〕前脚 anterior limb of internal capsule …… 1047
内方捻転 intorsion …… 949
内包のレンズ下脚 sublentiform limb of internal capsule …… 1047
内包のレンズ核後部枝 rami partis retrolentiformis capsulae internae …… 1554
内包のレンズ下部 sublenticular part of internal capsule …… 1367
内包のレンズ後脚 retrolentiform limb of internal capsule …… 1047
内包のレンズ後部 retrolenticular part of internal capsule …… 1367
内方発育毛 ingrown hairs …… 811
内方へ intrad …… 950
内翻 introversion …… 951
内翻位 entypy …… 622
内膜 inner membrane …… 1126
内膜 tunica intima …… 1953
〔卵胞膜〕内膜 tunica interna thecae folliculi …… 1953
内膜下の subintimal …… 1763
内膜増殖症 endometrial hyperplasia …… 886
内膜剝離術 endometrial ablation …… 3

〔前頭骨の〕内面 facies interna ossis frontalis ········· 664
〔前頭骨の〕内面 internal surface of frontal bone ········· 1781
〔頭頂骨の〕内面 facies interna ossis parietalis ········· 664
〔頭頂骨の〕内面 internal surface of parietal bone ········· 1781
内面層 tapetum ········· 1841
内毛根鞘 internal root sheath ········· 1671
内網状層 inner plexiform layer ········· 1011
内網膜 entoretina ········· 622
内有毛細胞 inner hair cell ········· 322
内容〔物〕 content ········· 416
内容除去〔術〕 exenteration ········· 653
内容妥当性 content validity ········· 1983
内容分析 content analysis ········· 70
内ラセン溝 inner spiral sulcus ········· 1772
内ラセン溝 internal spiral sulcus ········· 1772
内ラセン溝 sulcus spiralis internus ········· 1774
内力動説 dynamic school ········· 1644
内リンパ endolymph ········· 613
内リンパ endolympha ········· 613
内リンパ管 endolymphatic duct ········· 563
内リンパ管 ductus endolymphaticus ········· 566
内リンパ管電位 endolymphatic potential ········· 1473
内リンパ腔 endolymphatic space ········· 1703
内リンパ腔電位 endocochlear potential ········· 1473
内リンパ憩室 endolymphatic diverticulum ········· 552
内リンパ水腫 endolymphatic hydrops ········· 874
内リンパ嚢 endolymphatic sac ········· 1628
内リンパ嚢 saccus endolymphaticus ········· 1629
内リンパ嚢開放術 endolymphatic shunt operation ········· 1304
内リンパ嚢手術 endolymphatic sac surgery ········· 1784
内リンパ付属器 endolymphatic appendage ········· 119
ナイルブルーA Nile blue A ········· 1257
内裂歯 fang ········· 671
内瘻(フィステル) internal fistula ········· 705
内肋間筋 internal intercostal (muscle) 1187
内肋間筋 musculus intercostalis internus ········· 1200
内肋間膜 internal intercostal membrane 1126
内彎 inflection, inflexion ········· 929
内彎症 inflection, inflexion ········· 929
ナウハイム療法 Nauheim treatment ········· 1924
長いひも long vinculum ········· 2020
長いひも vinculum longum of fingers ··· 2020
長い末端反復配列 long terminal repeat sequences (LTR) ········· 1665
ナガカメムシ *Alectorobius talaje* ········· 46
長さ dimension ········· 520
長さ length (l) ········· 1019
長さの単位 unit of length ········· 1966
ナガナ nagana ········· 1219
中西染色〔法〕 Nakanishi stain ········· 1734
ナガノミ科 Ceratophyllidae ········· 334
ナガノミ属 *Ceratophyllus* ········· 334
ナガヒメダニ属 *Argas* ········· 131
仲間 associate ········· 163
なかゆび middle finger ········· 701
流れ flow ········· 713
流れ flumen ········· 715
流れ stream ········· 1753
泣き入りひきつけ breath-holding spell ········· 1709
嘆く mourn ········· 1172
投げ槍状の belemnoid ········· 205
ナジオン nasion ········· 1221
ナジオンイニオンの nasioiniac ········· 1221
ナジオン関節頭平面 nasion-postcondylar plane ········· 1430
ナシクビブリオ Nasik vibrio ········· 2019
ナシュ NASH ········· 1221
ナジョット細胞 Nageotte cells ········· 324
ナス nightshade ········· 1257
ナス科 Solanaceae ········· 1697
ナソロジー gnathology ········· 790
ナタネ油 rapeseed oil ········· 1558
ナタール潰瘍 Natal sore ········· 1701
雪崩伝導 avalanche conduction ········· 408
ナチュラルキラー細胞 natural killer cells (NK) ········· 324
ナックル徴候 knuckle sign ········· 1681
ナックルパッド knuckle pads ········· 1336
ナッセの法則 Nasse law ········· 1007
ナットクラッカー nutcracker ········· 1283
ナットクラッカー(くるみ割り)現象 nutcracker phenomenon ········· 1405
ナットクラッカー(くるみ割り)症候群 nutcracker syndrome ········· 1814
なでる stroke ········· 1758
ナトリウム natrium (Na) ········· 1222
ナトリウム sodium (Na) ········· 1695
ナトリウム24 sodium 24 (^{24}Na) ········· 1697
ナトリウムカリウム-ATPアーゼ sodium-potassium ATPase ········· 170
ナトリウム-カリウムポンプ sodium-potassium pump ········· 1526
ナトリウム〔含有〕の sodic ········· 1695
ナトリウム基 sodium group ········· 1697
ナトリウム血〔症〕 natremia, natriemia 1222
ナトリウム排泄増加 natriuresis ········· 1222
ナトリウム排泄増加性の natriuretic ········· 1222
ナトリウム排泄増加薬 natriuretic ········· 1222
ナトリウム排泄の natriferic ········· 1222
ナトリウムポンプ sodium pump ········· 1526
ナトリウム-ヨウ素トランスポータ sodium-iodine symporter ········· 1791
ナトリウム利尿ペプチド natriuretic peptide ········· 1383
斜めの oblique ········· 1288
斜めの obliquus ········· 1288
ナニジア属 *Nannizzia* ········· 1220
ナネロープ nanaerobe ········· 1220
ナノカタール nanokatal (nkat) ········· 1220
七日熱 nanukayami fever ········· 685
ナノグラム nanogram (ng) ········· 1220
ナノメディスン nanomedicine ········· 1220
ナノメートル nanometer (nm) ········· 1220
ナビゲーション navigation ········· 1222
ナビゲーターエコー navigator echo ········· 583
ナビロン nabilone ········· 1219
ナフサ naphtha ········· 1220
ナフジガー手術 Naffziger operation ········· 1305
ナフタリン naphthalene ········· 1220
ナフチリジン2-ピリドン naphthyridine 2-pyridones ········· 1533
ナフチル naphthyl ········· 1221
ナフトキノン naphthoquinone ········· 1221
ナフトール naphthol ········· 1220
ナフトールイエローS naphthol yellow S ········· 1221
ナボット(ナーボト)嚢胞 nabothian cyst 460
なます anneal ········· 93
なまず tinea versicolor ········· 1894
鉛 lead (Pb) ········· 1014
鉛 plumbum ········· 1446
鉛関節痛 arthralgia saturnina ········· 154
鉛ニューロパシー(神経障害) lead neuropathy ········· 1251
鉛仙痛 lead colic ········· 389
鉛中毒 plumbism ········· 1446
鉛中毒 lead poisoning ········· 1455
鉛中毒 saturnism ········· 1637
鉛中毒性口内炎 lead stomatitis ········· 1749
鉛痛風 saturnine gout ········· 793
鉛の saturnine ········· 1637
鉛脳障害(脳症) lead encephalopathy ········· 609
鉛貧血 lead anemia ········· 77
鉛麻痺 lead palsy ········· 1340
生ワクチン live vaccine ········· 1980
波 wave ········· 2041
ナミケダニ科 Trombidiidae ········· 1936
涙 tear ········· 1843
涙 tears ········· 1844
なみだ眼 watery eye ········· 659
ナメクジウオ属 *Amphioxus* ········· 64
なめし皮様細胞 tanycyte ········· 1840
ナリジクス酸 nalidixic acid ········· 1220
ナリンギン naringin ········· 1221
ナリンゲニン naringenin ········· 1221
ナルコーシス narcosis ········· 1221
ナルコレプシー narcolepsy ········· 1221
ナルコレプシー患者 narcoleptic ········· 1221
ナルコレプシー四徴 narcoleptic tetrad 1871
ナルシシスム narcissism ········· 1221
ナルセイン narceine ········· 1221
ナルチシスム narcissism ········· 1221
ナルトレキソン naltrexone ········· 1220
慣れ habituation ········· 810
ナロルフィン nalorphine ········· 1220
縄張り性 territoriality ········· 1853
軟X線 soft rays ········· 1562
軟化〔症〕 malacia ········· 1093
軟塊化 pulpifaction ········· 1524
軟γ(ガンマ)線 soft rays ········· 1562
ナンキナムシ(南京虫) bedbug ········· 204
ナンキナムシ(南京虫) bug ········· 264
ナンキナムシ(南京虫) *Cimex lectularius* ········· 363
軟鶏眼 soft corn ········· 423
軟〔性〕結節 soft tubercle ········· 1944
軟膏〔剤〕 ointment ········· 1295
軟膏〔剤〕 salve ········· 1632
軟口蓋 palatum molle ········· 1338
軟口蓋 soft palate ········· 1338
軟口蓋縫合〔術〕 staphylorrhaphy ········· 1738
軟口蓋麻痺 palatoplegia ········· 1338
軟膏基剤 ointment base ········· 199
軟硬口蓋裂 uranostaphyloschisis ········· 1969
軟硬口蓋裂形成〔術〕 uranostaphyloplasty ········· 1969
軟膏塗擦 unction ········· 1963
軟膏塗擦〔療法〕 illinition ········· 907
軟骨 cartilage ········· 305
軟骨 cartilago ········· 307
軟骨 gristle ········· 800
軟骨異栄養症 chondralloplasia ········· 352
軟骨異栄養症 chondrodystrophy ········· 353
軟骨異形成〔症〕 chondrodysplasia ········· 353
軟骨栄養の chondrotrophic ········· 354
軟骨炎 chondritis ········· 352
軟骨オリゴマー基質蛋白 cartilage oligomeric matrix protein ········· 1503
軟骨化 chondrification ········· 352
軟骨外生 ectostosis ········· 586
軟骨外胚葉性形成異常(異形成) chondroectodermal dysplasia ········· 575
軟骨外胚葉の chondroectodermal ········· 353
軟骨格 chondroskeleton ········· 354
軟骨学 chondrology ········· 353
軟骨芽細胞 chondroblast ········· 352
軟骨芽細胞腫 chondroblastoma ········· 352
軟骨化中心 chondrification center ········· 330
軟骨下の subcartilaginous ········· 1762
軟骨間関節 articulationes interchondrales 157
軟骨間関節 interchondral articulations ········· 158
軟骨間関節 interchondral joints ········· 970
軟骨間の intercartilaginous ········· 943
〔声門裂〕軟骨間部 pars intercartilaginea rimae glottidis ········· 1359
〔声門裂〕軟骨間部 intercartilaginous part of glottic opening ········· 1365
〔声門裂〕軟骨間部 intercartilaginous part of rima glottidis ········· 1365

軟骨基質 cartilage matrix 1110
軟骨球 chondrin ball 193
軟骨吸収細胞 chondroclast 352
軟骨形成 chondrogenesis 353
軟骨形成異常〔症〕 chondrodystrophy 353
軟骨形成異常性小人症 chondrodystrophic dwarfism 568
軟骨形成前の prochondral 1492
軟骨形成不全〔症〕 chondrodysplasia 353
軟骨形成不全症 achondroplasia 13
軟骨結合 synchondrodial joint 971
軟骨結合 synchondrosis 1793
軟骨結合切開〔術〕 synchondroseotomy 1793
軟骨結合切開〔術〕 synchondrotomy 1793
軟骨骨形成異常〔症〕 dyschondrosteosis 571
軟骨細胞 chondrocyte 352
軟骨疾患 chondropathy 353
軟骨腫 chondroma 353
軟骨腫〔症〕 chondromatosis 353
〔真性〕軟骨腫 enchondroma 610
〔真性〕軟骨腫症 enchondromatosis 610
軟骨小窩 cartilage space 1703
軟骨小腔 cartilage lacuna 995
〔軟骨〕小腔周囲基質 territorial matrix 1111
軟骨小結節 Schmorl nodule 1262
軟骨小嚢 cartilage capsule 290
軟骨頭蓋 chondrocranium 352
軟骨性外骨〔腫〕症 exostosis cartilaginea 654
軟骨性顔面頭蓋 cartilaginous viscerocranium 2031
軟骨〔内〕性骨 endochondral bone 232
軟骨性脳頭蓋 cartilaginous neurocranium 1246
軟骨整復術 chondroplasty 353
軟骨性連結 articulatio cartilaginis 157
軟骨性連結 cartilaginous joint 969
軟骨性連結 junctura cartilaginea 974
軟骨切開〔術〕 chondrotomy 354
軟骨石灰化〔症〕 chondrocalcinosis 352
軟骨〔切開〕刀 cartilage knife 987
軟骨切除〔術〕 chondrectomy 352
軟骨粗化 chondroporosis 353
軟骨組織 cartilaginous tissue 1895
軟骨粗しょう(鬆)症 chondroporosis 353
軟骨椎体 chondromere 353
軟骨刀 chondrotome 354
軟骨内骨化 endochondral ossification 1320
軟骨内の intracartilaginous 950
軟骨軟化〔症〕 chondromalacia 353
軟骨肉腫 chondrosarcoma 353
軟骨粘液線維腫 chondromyxoid fibroma 694
軟骨発育不全〔症〕 chondralloplasia 352
軟骨発育不全〔症〕 dyschondrogenesis 571
軟骨被膜 cartilage capsule 290
軟骨包 cartilage capsule 290
軟骨保護剤 chondroprotecive 353
軟骨膜 perichondrium 1387
軟骨膜炎 perichondritis 1387
軟骨膜骨 perichondral bone 233
軟骨無形成症 achondroplasia 13
軟骨無発生症 achondrogenesis 13
軟骨無発生症IA型 achondrogenesis type IA 13
軟骨無発生症IB型 achondrogenesis type IB 13
軟骨無発生症II型 achondrogenesis type II 13
軟骨毛髪形成不全〔症〕 cartilage-hair hypoplasia 896
軟骨融解 chondrolysis 353
軟骨様汗管腫 chondroid syringoma 1829
軟骨様組織 chondroid tissue 1895
軟骨様の cartilaginoid 307
軟骨様の chondroid 353
軟骨瘤 chondrophyte 353
難産 dystocia 577
難治〔性〕てんかん intractable epilepsy 628
軟釈 humectation 867
軟水 soft water 2041
軟髄膜 leptomeninges 1021
軟髄膜 leptomeninx 1021
軟性下疳 chancroid 339
軟性下疳 soft sore 1701
軟性下疳菌 *Haemophilus ducreyi* 811
軟性下疳性横痃 chancroidal bubo 263
軟〔性〕結節 soft tubercle 1944
軟性ドルーゼン soft drusen 562
軟性内視鏡 flexible endoscope 615
軟性の mollities 1164
軟性白内障 soft cataract 312
軟性ファイバー気管支鏡 flexible fiberoptic bronchoscope 260
軟染色質の leptochromatic 1021
ナンセンス nonsense 1266
ナンセンスサプレッション nonsense suppression 1266
ナンセンス〔突然〕変異 nonsense mutation 1206
ナンセンストリプレット(コドン) nonsense triplet 1934
ナンセンス抑圧 nonsense suppression 1266
難染性の achromatic 14
軟属腫 molluscum 1164
軟属腫〔小〕体 molluscum body 228
軟組織鼻点 nasion soft tissue 1896
軟体動物門 Mollusca 1164
軟体類 mollusk 1164
難治〔性〕疼痛 intractable pain 1337
難治性の inveterate 953
難治〔性〕の intractable 950
難治〔性〕の refractory 1583
難聴 deafness 472
難聴 hearing impairment, hearing loss 820
難聴と視神経萎縮を伴う常染色体劣性運動失調〔症〕 ataxia, autosomal recessive, with deafness and optic atrophy 167
軟部 soft parts 1367
軟部解剖学 sarcology 1635
軟部巨細胞腫 giant cell tumor of soft tissue 1950
軟部組織 flesh 712
軟部組織の悪性黒色腫 malignant melanoma of soft parts 1122
軟部組織の明細胞肉腫 clear cell sarcoma of soft tissue 1635
軟部破骨細胞腫 osteoclastoma of soft tissue 1321
軟部肥厚症 pachysomia 1335
南部マダニ関連発疹症 southern-tick-associated rash illness 907
南米型ドノバンリーシュマニア *Leishmania donovani chagasi* 1017
軟膜 buffy coat 383
軟膜 pia mater 1422
〔広義の〕軟膜 leptomeninges 1021
〔広義の〕軟膜 leptomeninx 1021
軟膜炎 leptomeningitis 1021
軟膜下の subpial 1764
軟膜上の epipial 630
軟膜神経膠膜 pial-glial membrane 1126
軟膜線維症 leptomeningeal fibrosis 696
軟膜内の intrapial 951
軟膜漏斗 pial funnel 745
軟脈 soft pulse 1525
軟脈 pulsus mollis 1526
軟毛 vellus hair 812
軟毛 pubescence 1523
軟毛 vellus 2003
軟ゆう(疣) molluscum 1164
軟ゆう小体 molluscum corpuscle 426
軟ゆう性結膜炎 molluscum conjunctivitis 412
南洋アブラギリ *Jatropha curcas* 966
軟瘤性結膜炎 molluscum conjunctivitis 412

ニ

ニーヴェングロスキー(ニエヴェングロヴスキー)線 Niewenglowski rays 1562
ニータブーフ膜 Nitabuch membrane 1126
ニードルポイント描記 needlepoint tracing 1910
ニープ NEEP 1225
ニーマン-ピック病 Niemann-Pick disease 538
ニーマン-ピック病 Niemann-Pick C1 disease 538
ニーマン病脾腫 Niemann splenomegaly 1721
ニアーのインピジメント徴候 Neer impingement sign 1682
ニアルアミド nialamide 1256
ニイオン dyad 569
二遺伝子雑種 dihybrid 518
二陰茎体 diphallus 522
二因子雑種 dihybrid 518
二塩化アルクロニウム alcuronium chloride 45
二塩化物 dichloride 512
二塩基酸 dibasic acid 14
二塩基性リン酸カリウム potassium phosphate 1473
二塩基の dibasic 512
二円盤状胎盤 bidiscoidal placenta 1428
におい odor 1292
においかぎ試験 sniff test 1865
ニオイヒバ thuja 1889
ニオイヒバ油 cedar leaf oil 1294
ニオビウム niobium (Nb) 1257
ニオブ niobium (Nb) 1257
二価〔性〕 bivalence, bivalency 217
二価アルコール dihydric alcohol 44
二階段運動試験 two-step exercise test 1867
二価ガス壊疽抗毒素 bivalent gas gangrene antitoxin 109
ニガキ(苦木) Picrasma 1422
ニガキ(苦木) quassia 1537
二価銀〔化合物〕の argentic 131
二角 binangle 211
二核アメーバ *Dientamoeba fragilis* 514
二核小体の binucleolate 211
二核の binuclear, binucleate 211
二角の bicornous, bicornuate, bicornate 209
二角のみ binangle 211
二角のみ binangle chisel 345
二価元素 dyad 569
二価抗体 bivalent antibody 100
2か国語使用 bilingualism 210
二〔価〕酸 diacid 508
ニカストリン nicastrin 1256
二価染色体 bivalent 217
二価染色体 bivalent chromosome 359
II型インターフェロン type II interferon 945
II型コラーゲン type II collagen 390
2型3色覚 deuteranomaly 501
2型糖尿病 Type 2 diabetes 507
2型2色覚者 deuteranope 501
II型肺胞細胞 type II pneumonocyte 1451
2型ヘモクロマトーシス hemochromatosis type 2 831
II型脈絡膜血管新生 Type 2 choroidal neovascularization 1228
二価の bivalent 217
ニガハッカ horehound, hoarhound 862

苦味 bitter taste ····· 1842
苦味強壮薬 bitter tonic ····· 1900
苦味質 amaroid ····· 56
苦味質の amaroidal ····· 56
苦味酒 bitters ····· 217
苦味成分 bitter principles ····· 1484
苦味の amaroidal ····· 56
苦味ペプチド bitter peptides ····· 1382
二管腔(二重管)カテーテル double-channel catheter ····· 313
二顔体 diprosopus ····· 524
二顔単体 opodidymus ····· 1309
二官能性の bifunctional ····· 210
二基質-二産物反応 bi bi reaction ····· 1563
二期症候 secondaries ····· 1652
二期梅毒 secondary syphilis ····· 1828
ニキビダニ *Demodex folliculorum* ····· 486
ニキビダニ属 *Demodex* ····· 486
ニキフォーロフ法 Nikiforoff method ····· 1145
二級アミド amide ····· 59
二級アミン amine ····· 59
二丘体 bigeminum ····· 210
二丘体 bigeminal bodies ····· 225
二丘体 corpora bigemina ····· 425
二丘体傍核 parabigeminal nucleus ····· 1278
握りこぶし徴候 clenched fist sign ····· 1679
握り反射 grasping reflex ····· 1579
肉 caro ····· 304
二腔心 cor biloculare ····· 421
二空洞性の dicelous ····· 512
肉眼解剖学 gross anatomy ····· 74
肉眼〔的〕血尿 gross hematuria ····· 827
肉眼〔的〕検査 macroscopy ····· 1091
肉眼的化学 macrochemistry ····· 1089
肉眼的括約筋 macroscopic sphincter ····· 1713
肉感的な voluptuous ····· 2036
肉眼的病変 gross lesion ····· 1023
肉眼的病理学 macropathology ····· 1090
肉眼で見える gross ····· 803
肉芽 proud flesh ····· 712
肉芽 granulation ····· 796
肉芽化 granulation ····· 796
肉芽形成促進の incarnant ····· 918
肉芽腫 granuloma ····· 797
肉芽腫〔性〕炎症 granulomatous inflammation ····· 929
肉芽腫カリマトバクテリウム *Calymmatobacterium granulomatis* ····· 281
肉芽腫症 granulomatosis ····· 798
肉芽腫性眼内炎 granulomatous endophthalmitis ····· 614
肉芽腫性大腸(結腸)炎 granulomatous colitis ····· 390
肉芽腫性口唇炎 cheilitis granulomatosa 341
肉芽腫性しゅさ(酒皶) granulomatous rosacea ····· 1622
肉芽腫性乳腺炎 granulomatous mastitis 1109
肉芽腫性の granulomatous ····· 798
肉芽腫性脳脊髄炎 granulomatous encephalomyelitis ····· 608
肉芽腫性ノカルジア症 granulomatous nocardiosis ····· 1260
肉芽性炎 granulomatous inflammation ····· 929
肉芽組織 granulation tissue ····· 1895
肉質 carnosity ····· 304
肉質虫亜門 Sarcodina ····· 1635
肉質鞭毛虫門 Sarcomastigophora ····· 1636
肉腫 sarcoma ····· 1635
肉汁 bouillon ····· 238
肉腫症 sarcomatosis ····· 1636
肉腫様癌 sarcomatoid carcinoma ····· 298
肉腫様の sarcomatoid ····· 1636
肉食〔主義〕 creophagy, creophagism ····· 436
肉食性の carnivorous ····· 304
肉食動物 carnivore ····· 304
肉食の zoophagous ····· 2061
ニクズク nutmeg ····· 1284
ニクズク肝 nutmeg liver ····· 1062
ニクズク油 nutmeg oil ····· 1294
肉体 body ····· 225
肉柱 trabeculae carneae of (right and left) ventricles ····· 1907
肉柱形成 trabeculation ····· 1908
肉柱膀胱 trabeculated bladder ····· 218
ニクトテルス属 *Nyctotherus* ····· 1285
肉の carneous ····· 303
ニクバエ類 fleshflies ····· 712
〔住〕肉胞子虫症 sarcocystosis ····· 1635
〔住〕肉胞子虫属 *Sarcocystis* ····· 1634
肉様奇胎 fleshy mole ····· 1163
肉様層 panniculus carnosus ····· 1343
肉様組織 dartoic tissue ····· 1895
肉様の carneous ····· 303
肉様変化 carnification ····· 303
肉様膜 dartos ····· 471
肉様膜 dartos fascia ····· 672
肉様膜 tunica dartos ····· 1952
肉様膜筋 dartos muscle ····· 1183
肉様膜様の dartoic, dartoid ····· 471
肉欲主義 sensualism ····· 1662
ニグロシン nigrosin, nigrosine ····· 1257
二クローン性高ガンマグロブリン血症(ガンモパシー) biclonal gammopathy ····· 752
2クローン性ピーク biclonal peak ····· 1375
2形質性 biphenotypy ····· 215
二型性 dimorphism ····· 521
二形性 dimorphism ····· 521
二型性貧血 dimorphic anemia ····· 77
二形性らい dimorphous leprosy ····· 1021
二頸二頭体 dicephalus diauchenos ····· 512
ニゲロース nigerose ····· 1257
二原子価 bivalence, bivalency ····· 217
2原子の diatomic ····· 512
二元〔性〕の binary ····· 211
二元説 dualism ····· 562
二元複合体 binary complex ····· 400
二項式 binomial ····· 211
二向性の bitropic ····· 217
二孔の biforate ····· 210
二項の bimodal ····· 211
二項分布 binomial distribution ····· 550
二語組合せ binary combination ····· 396
ニコチネート nicotinate ····· 1256
ニコチン nicotine ····· 1256
ニコチンアミド nicotinamide ····· 1256
ニコチンアミドアデニンジヌクレオチド nicotinamide adenine dinucleotide (NAD, NAD^+, NADH) ····· 1256
ニコチンアミドアデニンジヌクレオチドリン酸 nicotinamide adenine dinucleotide phosphate (NADP, $NADP^+$, NADPH) ····· 1256
ニコチンアミドモノヌクレオチド nicotinamide mononucleotide (NMN) 1256
ニコチン酸 nicotinic acid ····· 1257
ニコチン酸アミド nicotinic acid amide 1257
ニコチン酸イノシトール inositol niacinate ····· 938
ニコチン酸〔性〕黄斑障害 nicotinic acid maculopathy ····· 1092
ニコチン酸メチル methyl nicotinate ····· 1146
ニコチン性口内炎 nicotine stomatitis ····· 1749
ニコチン性コリン作用(作動)性レセプタ(受容体) nicotinic cholinergic receptor ··· 1571
ニコチン性レセプタ(受容体) nicotinic receptors ····· 1571
ニコチンヒドロキサム酸メチオジド nicotinehydroxamic acid methiodide 1257
ニコチン様作用の nicotinomimetic ····· 1257
濁り turbidity ····· 1954
濁り度 turbidity ····· 1954
ニコル莢膜染色〔法〕 Nicolle stain for capsules ····· 1734
ニコルスキー徴候 Nikolsky sign ····· 1682
ニコルプリズム Nicol prism ····· 1485
二細胞 dyad ····· 569
二細胞性の bicellular ····· 209
二酢酸血〔症〕 diacetemia ····· 507
二酢酸尿〔症〕 diaceturia ····· 507
二〔価〕酸 diacid ····· 508
二酸化硫黄 sulfur dioxide ····· 1776
二酸化炭素 carbon dioxide (CO_2) ····· 294
二酸化炭素含量 carbon dioxide content 416
二酸化炭素結合能 carbon dioxide combining power ····· 1475
二酸化炭素除去痙攣誘発試験 CO_2-withdrawal seizure test ····· 1856
二酸化炭素電極 carbon dioxide electrode 593
二酸化チタン titanium dioxide ····· 1896
二酸化物 dioxide ····· 521
二次医療(診療) secondary medical care 302
虹色の iridescent ····· 956
二次う食(蝕) secondary caries ····· 303
二次X層 secondary X zone ····· 2060
二次X帯 secondary X zone ····· 2060
二次〔的〕加工 secondary elaboration ····· 592
二次過程 secondary process ····· 1490
二次〔体性〕感覚皮質 secondary sensory cortex ····· 428
二次患者 secondary patient ····· 1373
二次感染 secondary infection ····· 927
2色覚 dichromatism ····· 513
2色覚者 dichromat ····· 513
二色型色覚者 dichromat ····· 513
二次気管支芽 secondary bronchial buds 264
二指奇形 didactylism ····· 513
二色素親和〔性〕の dichromophil, dichromophile ····· 513
二子宮の didelphic ····· 513
二次強化 secondary reinforcement ····· 1587
二軸〔性〕関節 biaxial joint ····· 969
二次元クロマトグラフィ two-dimensional chromatography ····· 357
二次元ゲル拡散沈降試験 gel diffusion precipitin tests in two dimensions ····· 1858
二次元-三次元現象 two-dimension-three-dimension phenomenon ····· 1406
二次元電気泳動 two-dimensional electrophoresis ····· 597
二次元免疫電気泳動 two-dimensional immunoelectrophoresis ····· 912
二次口蓋 secondary palate ····· 1338
二次構造 secondary structure ····· 1760
二次後鼻孔 secondary choana ····· 348
二次コクシジオイデス真菌症 secondary coccidioidomycosis ····· 385
二次視覚皮質 secondary visual cortex ····· 428
二次視覚野 secondary visual area ····· 130
二次止血 secondary hemostasis ····· 836
二次絨毛 secondary villus ····· 2020
二指症 bidactyly ····· 209
二次〔性〕障害 deuteropathy ····· 501
二次条件付け second-order conditioning 408
二次硝子体 secondary vitreous ····· 2035
二次診療(医療) secondary medical care 302
二次ずれ secondary deviation ····· 502
二次性右胸心 secondary dextrocardia ····· 505
二次性結核 secondary tuberculosis ····· 1946
二次性月経困難〔症〕 secondary dysmenorrhea ····· 573
二次性高血圧 secondary hypertension ····· 888
二次性甲状腺機能亢進〔症〕 secondary hyperthyroidism ····· 889
二次性甲状腺〔機能〕低下(不全)〔症〕 secondary hypothyroidism ····· 899
二次性骨髄様化生 secondary myeloid metaplasia ····· 1140

二次性消化 secondary digestion ………… 516
二次性腎結石 secondary renal calculus … 278
二次性水頭〔症〕 secondary hydrocephalus 871
二次性全般化強直・間代発作 secondarily generalized tonic-clonic seizure ……… 1657
二次性代謝産物 secondary metabolite … 1138
二次性大動脈領域 secondary aortic area 130
二次性徴 secondary sex character ……… 339
二次性溺水 secondary drowning ………… 561
二次性認知症 secondary dementia ……… 485
二次性不応性貧血 secondary refractory anemia …………………………… 78
二次性副腎皮質不全 secondary adrenocortical insufficiency ………… 941
二次性分利 epicrisis …………………… 626
二次精母細胞 secondary spermatocyte … 1710
二次性網膜炎 secondary retinitis ……… 1602
二次性欲求 secondary drives …………… 561
二次性利得 secondary gain ……………… 748
二次切断〔術〕 secondary amputation …… 66
二次線 secondary rays ………………… 1562
二次代謝 secondary metabolism ……… 1138
二次〔体性〕感覚皮質 secondary sensory cortex …………………………… 428
二次〔的〕治癒 healing by second intention …………………………… 819
二次中隔 septum secundum …………… 1664
二室カプセル bipalatinoid ……………… 215
二室〔性〕の bilocular, biloculate ……… 211
二次的形成体 secondary organizer …… 1313
二次的な auxiliary ……………………… 182
二次的ナルシシズム secondary narcissism …………………………… 1221
二次的発生の deutogenic ……………… 501
西(ウエスト)ナイルウイルス West Nile virus (WNV) ……………………… 2030
西(ウエスト)ナイル熱 West Nile fever 687
西(ウエスト)ナイル脳炎 West Nile encephalitis …………………………… 607
西(ウエスト)ナイル脳炎ウイルス West Nile encephalitis virus ……………… 2030
二次肺小葉 secondary pulmonary lobule 1066
二次培養 subculture …………………… 1763
二次反応 anamnestic reaction ………… 1563
二次不分離 secondary nondisjunction … 1266
二次プロテオース secondary proteose … 1507
二次偏位 secondary deviation ………… 502
二次縫合 secondary suture …………… 1788
二次飽和 secondary saturation ………… 1637
二次麻酔薬 secondary anesthetic ……… 81
二次無効 secondary failure …………… 670
二次免疫応答 secondary immune response …………………………… 1597
二者関係精神療法 dyadic psychotherapy 1520
二者共生 dyadic symbiosis …………… 1789
二者択一の binary ……………………… 211
二重 duplication ……………………… 567
二重頤 buccula ………………………… 263
二重異型接合体 diheterozygote ……… 518
21-水酸化酵素欠損症 21-hydroxylase deficiency …………………………… 478
二重エネルギーX線吸収測定法 dual energy x-ray absorptiometry ………………… 7
二重エネルギーX線吸収測定法 dual-energy x-ray absorptiometry (DEXA) ……… 562
二重核 diplokaryon …………………… 523
二重管(二管腔)カテーテル double-channel catheter ……………………………… 313
二重関係 dual relationships …………… 1588
二重管腸瘻〔術〕 double enterostomy …… 621
二重期 diplotene ……………………… 524
二重逆数プロット double-reciprocal plot …………………………… 1446
二重結合 double bond ………………… 231
二重項 doublet ………………………… 558
二重光子骨密度測定法 dual-photon bone densitometry ………………………… 487
二重拘束 double bind ………………… 211
二重抗体沈降〔反応〕 double antibody precipitation ………………………… 1477
二重コンドームサイン double-condom sign …………………………… 1680
二重鎖 doublet ………………………… 558
二重視 diplopia ………………………… 523
二重焦点の bifocal …………………… 210
二重上転麻痺 double elevator palsy …… 1340
二重焦点レンズ bifocal lens ………… 1019
二重睫毛 districhiasis ………………… 550
二重睫毛の biciliate ………………… 209
二重神経支配〔性〕の diploneural ……… 523
二重積 double product ……………… 1494
二重脊髄〔症〕 diplomyelia …………… 523
二重染料 double stain ………………… 1730
二重造影注腸 double contrast enema … 616
二重層帯 bilaminar zone ……………… 2059
二重体 duplicitas ……………………… 567
二重大動脈狭窄〔症〕 double aortic stenosis …………………………… 1742
二重胎盤 placenta duplex …………… 1428
二重蛋白尿〔症〕 diploalbuminuria …… 523
二重聴 diplacusis ……………………… 523
二重腸重積〔症〕 double intussusception … 952
二重伝達 duplex transmission ……… 1920
二重の bigeminal ……………………… 210
二重微小染色体 double minute chromosomes ………………………… 359
二重被膜の bicapsular ………………… 209
二重頻拍 double tachycardia ………… 1837
二重膜 double membrane …………… 1125
二重マスク(盲検)試験 double-blind study …………………………… 1761
二重マスク(盲検)法 double-blind experiment ………………………… 655
二重脈 bigeminal pulse ……………… 1525
二重脈 dicrotic pulse ………………… 1525
二重免疫拡散〔法〕 double immunodiffusion …………………………… 912
二絨毛膜二羊膜胎盤 dichorionic diamnionic placenta ………………………… 1428
二絨毛膜の dichorial, dichorionic ……… 512
二重戻し交配 double back cross ……… 441
二重らせん糸 dispireme ……………… 548
二重硬化樹脂 dual-cure resin ………… 1592
二重リングサイン double ring sign …… 1680
二重レンズ doublet …………………… 558
二酒石酸レバルテレノール levarterenol bitartrate ………………………… 1029
二小管括約筋 bicanalicular sphincter … 1712
二焦点眼鏡 bifocal spectacles ……… 1708
二漿膜面の seroserous ……………… 1667
二小葉の bilobular …………………… 211
二色性 dichromatism ………………… 513
二次予防 secondary prevention ……… 1483
二次卵胞 secondary ovarian follicle …… 722
二次卵母細胞 secondary oocyte ……… 1302
二次リソソーム secondary lysosomes … 1087
二次リンパ小節 secondary nodule …… 1262
二親性の biparental …………………… 215
二心臓体 diplocardia ………………… 523
二水素性クエン酸コリン choline dihydrogen citrate ……………………………… 352
二水素リン酸塩 dihydrogen phosphate 1412
二水和物 dihydrate …………………… 518
ニスタンの法則 Nysten law ………… 1007
二生亜綱 Digenea …………………… 516
二精子受精 dispermy, dispermia ……… 547
二生歯〔性〕の diphyodont …………… 523
偽の apparent ………………………… 119
二尖化 bicuspidization ……………… 209
二染色性の dichromophil, dichromophile 513
二染色体 disomy ……………………… 543
二染色体の disomic …………………… 543
二尖の bicuspid ……………………… 209
II相遮断 phase II block ……………… 222
二窓処女膜 hymen bifenestratus, hymen biforis ……………………………… 877
二相性 biphasic ……………………… 215
二相性インスリン biphasic insulin …… 941
二相性波形 diphasic complex ………… 401
二相性らい dimorphous leprosy ……… 1021
二層胚盤葉 bilaminar blastoderm …… 219
二相反応 biphasic response ………… 1596
二足 dipodia ………………………… 524
二束の bifascicular …………………… 209
二足歩行の bipedal …………………… 215
二対称性頭胸結合体 cephalothoracopagus disymmetros ……………………… 334
二炭素フラグメント two-carbon fragment …………………………… 739
二段脈 bigeminy ……………………… 210
二段脈 bigeminal pulse ……………… 1525
二段脈 bigeminal rhythm …………… 1611
二段脈の法則 rule of bigeminy ……… 1626
二値過程 binary process ……………… 1488
日常生活動作 activities of daily living (ADLs) ……………………………… 21
日常生活動作スケール(目盛り) activities of daily living scale ………………… 1638
ニチノールフィルタ nitinol filter ……… 699
日没現象 sundowning ………………… 1777
日用量 daily dose …………………… 557
ニック nick ………………………… 1256
ニックトランスレーション nick translation …………………………… 1919
ニック法 Nick procedure …………… 1487
ニッケイ(肉桂) cinnamon …………… 363
ニッケル nickel (Ni) ………………… 1256
ニッケル皮膚炎 nickel dermatitis ……… 495
ニッケルプラスミン nickeloplasmin …… 1256
日光〔性〕角化症 actinic keratosis ……… 981
日光過敏 photosensitive ……………… 1418
日光恐怖〔症〕 heliophobia ……………… 823
日光口唇炎 solar cheilitis …………… 341
日光黒子 solar lentigo ……………… 1020
日光じんま疹 solar urticaria ………… 1976
日光性角化症 solar keratosis ………… 981
日光性障害 heliopathy ……………… 823
日光性脳炎 heliencephalitis ………… 823
日光阻止因子 sun protection factor (SPF) …………………………… 669
日光大気療法 helioaerotherapy ……… 823
日光弾力線維症 solar elastosis ……… 592
日光肉芽腫 actinic granuloma ……… 797
日光皮膚炎 solar dermatitis ………… 496
日光扁平苔癬 actinic lichen planus …… 1031
日光扁平苔癬 lichen planus actinicus … 1031
日光浴 insolation …………………… 940
ニッシェ niche ……………………… 1256
日射病 insolation …………………… 940
日射病 sun stroke …………………… 1759
日射病 sunstroke …………………… 1777
日周期〔リズム〕 circadian rhythm ……… 1611
日周期〔リズム〕 diurnal rhythm ……… 1611
日周期性の diurnal ………………… 551
日周期の circadian ………………… 364
日周鱗状線 daily imbrication lines …… 1049
ニッスル染色〔法〕 Nissl stain ………… 1734
ニッスル物質 Nissl substance ……… 1766
ニッスル変性 Nissl degeneration …… 481
ニッセン胃底ひだ形成〔術〕 Nissen fundoplication ………………………… 744
ニッチ niche ………………………… 1256
ニット nit …………………………… 1257
二殿二頭体 dicephalus dipygus ……… 512
二点閾値 double-point threshold …… 1886
二殿体 dipygus ……………………… 524
ニト nit ……………………………… 1257
二頭奇形 atlantodidymus …………… 169

二頭奇形 craniodidymus …… 434
二頭筋 two-headed muscle …… 1197
二頭筋橈骨包 bicipitoradial bursa …… 267
二頭筋橈骨包 bursa bicipitoradialis …… 267
二頭筋の bicipital …… 209
二頭筋反射 biceps reflex …… 1577
二頭結合体 cephalodiprosopus …… 333
二頭結合体 miopus …… 1159
二動原体染色体 dicentric chromosome …… 359
二動原体の dicentric …… 512
二頭後頭部結合奇形 miodidymus, miodymus …… 1159
二頭体 dicephalus …… 512
二頭の ancipital, ancipitate, ancipitous …… 75
二頭の biceps …… 209
二頭の bicipital …… 209
二糖類 disaccharide …… 525
II度星状細胞腫 grade II astrocytoma …… 166
ニトリル nitrile …… 1258
ニトリル nitryl …… 1259
ニトロキシ nitroxy …… 1259
ニトログリセリン nitroglycerin …… 1259
ニトロゲナーゼ nitrogenase …… 1259
ニトロサミン nitrosamines …… 1259
ニトロシル nitrosyl …… 1259
ニトロセルロース nitrocellulose …… 1258
ニトロ染料 nitro dyes …… 569
S-ニトロソチオール *S*-nitrosothiol …… 1259
ニトロソ尿素類 nitrosourea …… 1259
S-ニトロソヘモグロビン *S*-nitrosohemoglobin …… 1259
ニトロフェニルスルフェニル nitrophenylsulfenyl (Nps) …… 1259
ニトロフラン nitrofurans …… 1258
ニトロフラントイン nitrofurantoin …… 1258
ニトロフラントイン多発ニューロパシー(多発神経障害) nitrofurantoin polyneuropathy …… 1462
ニトロプルシド nitroprusside …… 1259
ニトロプルシド試験 nitroprusside test 1862
〔シアン-〕ニトロプルシド試験 cyanide-nitroprusside test …… 1856
ニトロプルシドナトリウム sodium nitroprusside …… 1696
ニトロブルーテトラゾリウム nitroblue tetrazolium (NBT) …… 1872
ニトロブルーテトラゾリウム試験 nitroblue tetrazolium test, NBT test …… 1862
ニトロン nitron …… 1259
二人癌 cancer à deux …… 286
二人組精神病 folie à deux …… 721
二の腕 brachium …… 239
二杯〔分尿〕試験 two-glass test …… 1867
二胚性の bigerminal …… 210
二倍体 diploid …… 523
二倍体核 diploid nucleus …… 1274
二胚葉性の diploblastic …… 523
二排卵性の diovulatory …… 521
ニパーウイルス Nipah virus …… 2027
二拍動性の bisferient …… 216
二拍の bisferious …… 216
二波性髄膜脳炎 biundulant meningoencephalitis …… 1129
二鼻体 dirrhinia …… 525
ニブ nib …… 1256
鈍い obtuse …… 1289
二腹筋 digastric (muscle) …… 1183
二腹筋窩 digastric fossa …… 732
二腹筋窩 fossa digastrica …… 732
二腹小葉 biventer lobule …… 1065
二腹小葉 biventral lobule …… 1065
二腹小葉 lobulus biventer …… 1066
二腹小葉内溝 intragracile sulcus …… 1772
二腹小葉内溝 sulcus intragracilis …… 1772
二腹の biventer …… 217
二腹の digastric …… 516
二腹の digastricus …… 516
二部構成の bipartite …… 215
二部分の dimerous …… 520
2分 dichotomy …… 513
二分割の bipartite …… 215
二分頬骨 os japonicum …… 1317
二分喉頭蓋 bifid epiglottis …… 627
二分された dichotic …… 512
二分子 dyad …… 569
二分子宮 biforate uterus …… 1977
二分子の bimolecular …… 211
二分靱帯 bifurcate ligament …… 1033
二分靱帯 bifurcated ligament …… 1033
二分靱帯 ligamentum bifurcatum …… 1042
二分頭蓋 cranioschisis …… 435
二分脊椎 spina bifida …… 1715
二分脊椎 spondyloschisis …… 1722
二分染色体 dyad …… 569
二分の bifid …… 209
1/2の原則 one-half rule …… 1626
二分母指 bifid thumb …… 1889
二分裂 binary fission …… 701
にべ ichthyocolla …… 902
二ヘキソシドセラミド ceramide dihexoside …… 334
二弁切断〔術〕 double flap amputation …… 65
二房胃 bilocular stomach …… 1748
二房関節 bilocular joint …… 969
二方向血管造影 biplane angiography …… 84
〔二方向性〕骨外ピン固定 external pin fixation, biphase …… 707
二方向複製 bidirectional replication …… 1590
二房子宮 uterus bilocularis …… 1977
二峰性アルブミン血〔症〕 bisalbuminemia 216
二房性の bicameral …… 209
二房〔性〕の bilocular, biloculate …… 211
二房性膿瘍 bicameral abscess …… 5
二峰性脈 bisferious pulse …… 1525
二峰性脈 pulsus bisferiens …… 1525
日本海裂頭条虫 *Diphyllobothrium nihonkaiense* …… 523
日本顎口虫 *Gnathostoma nipponicum* …… 790
日本紅斑熱 Japanese spotted fever …… 684
二本鎖切断 double-strand break …… 255
二本鎖デオキシリボ核酸 double-stranded DNA (dsDNA) …… 491
日本住血吸虫 *Schistosoma japonicum* …… 1642
日本住血吸虫症 schistosomiasis japonica, Japanese schistosomiasis …… 1643
日本脳炎 Japanese B encephalitis …… 607
日本脳炎B型ウイルス Japanese B encephalitis virus …… 2026
日本ろう Japan wax …… 2042
二名法 binomial …… 211
二命名〔法〕 binary nomenclature, binomial nomenclature …… 1265
ニュー ν …… 1219
ニュー nu …… 1271
ニューカッスル病 Newcastle disease …… 538
ニューカッスル病ウイルス Newcastle disease virus …… 2027
ニューカマー固定液 Newcomer fixative 708
ニュージーランドマウス New Zealand mice …… 1173
ニュートラシューティカル nutraceutical …… 1284
ニュートラルレッド neutral red …… 1254
ニュートロン neutron (n) …… 1254
ニュートン newton (N) …… 1256
ニュートン円板 Newton disc …… 525
ニュートン重力定数 newtonian constant of gravitation (*G*) …… 414
ニュートン粘性 newtonian viscosity …… 2032
ニュートンの法則 Newton law …… 1007
ニュートン万有引力定数 newtonian constant of gravitation (*G*) …… 414
ニュートンメートル newton-meter …… 1256
ニュートン流体 newtonian fluid …… 715
ニュートン流動 newtonian flow …… 714
ニューハンプシャー法〔則〕 New Hampshire rule …… 1626
ニューベライト newberyite …… 1256
ニューモシスチス属 *Pneumocystis* …… 1448
ニューモシスティスジロベチー *Pneumocystis jiroveci* …… 1448
ニューモシスティスジロベチー肺炎 *Pneumocystis jiroveci* pneumonia (PCP) …… 1450
ニューモシスティスカリニ *Pneumocystis carinii* …… 1448
ニューヨークウイルス New York virus 2027
ニューヨーク心臓協会(NYHA)の心機能分類 New York Heart Association classification …… 371
ニューラプラキシー neurapraxia …… 1245
ニューラプラクシー neurapraxia …… 1245
ニューロカン neurocan …… 1246
ニューロキニン neurokinins …… 1248
ニューロキニン-1拮抗薬(NK1) neurokinin-1 antagonist (NK1) …… 97
ニューログラム neurogram …… 1248
ニューロセルピン neuroserpin …… 1252
ニューロタキシス neurotaxis …… 1253
ニューロテンシン neurotensin …… 1253
ニューロトロフィン neurotrophins …… 1253
ニューロパシー neuropathy …… 1250
ニューロフィシン neurophysins …… 1251
ニューロミオパシー neuromyopathy …… 1249
ニューロン neuron …… 1249
ニューロン一酸化窒素合成酵素 neuronal nitric oxide synthase …… 1827
ニューロン炎 neuronitis …… 1250
ニューロン形成 neurogenesis …… 1247
ニューロン周囲付随体 perineuronal satellite …… 1637
ニューロン障害 neuronopathy …… 1250
ニューロン特異性エノラーゼ neuron-specific enolase …… 618
乳 lac …… 992
乳 milk …… 1157
入院 hospitalization …… 865
入院記録 hospital record …… 1574
乳痂 cradle cap …… 288
乳痂 crusta lactea …… 444
乳化剤 emulsifier …… 606
乳化ろう emulsifying wax …… 2042
乳汗〔症〕 galactidrosis …… 749
乳管 lactiferous ducts …… 564
乳管 ductus lactiferi …… 566
乳管 galactophore …… 749
乳管 tubuli lactiferi …… 1949
乳癌 carcinoma of the breast …… 296
乳管炎 galactophoritis …… 749
乳管拡張〔症〕 mammary duct ectasia …… 584
乳管造影法 ductography …… 565
乳管造影法 galactography …… 749
乳管洞 lactiferous sinus …… 1687
乳管洞 sinus lactiferi …… 1687
乳管フィステル(瘻) lacteal fistula …… 705
乳球 globule …… 778
乳香 mastic …… 1108
乳香 olibanum …… 1296
入口 aditus …… 29
入口 inlet …… 937
入口 introitus …… 951
入口 iter …… 964
入口帯 entry zone …… 2059
乳光の opalescent …… 1302
乳剤 cream …… 435
乳剤 emulsion …… 606
乳剤 milk …… 1157
乳剤質の emulsive …… 606

乳酸 lactic acid ……… 993
乳酸アシドーシス lactic acidosis ……… 15
乳酸2-モノオキシゲナーゼ lactate 2-mono-oxygenase ……… 993
乳酸加リンガー(リンゲル)液 lactated Ringer injection ……… 936
乳酸加リンガー(リンゲル)〔溶〕液 lactated Ringer solution ……… 1698
乳酸カルシウム calcium lactate ……… 277
乳酸杆菌 lactic acid bacillus ……… 188
乳酸杆菌科 Lactobacillaceae ……… 993
乳酸杆菌属 *Lactobacillus* ……… 993
乳酸菌牛乳 lactobacillary milk ……… 1158
乳酸経路 lactic acid cycle ……… 455
乳酸血〔症〕 lactic acidemia ……… 993
乳酸酸素負債 lactacid oxygen debt ……… 474
乳酸短杆菌 *Lactobacillus brevis* ……… 994
乳酸デヒドロゲナーゼ lactate dehydrogenase (LDH) ……… 993
乳酸デヒドロゲナーゼウイルス lactate dehydrogenase virus ……… 2026
乳酸ナトリウム sodium lactate ……… 1696
乳酸発酵 lactic acid fermentation ……… 680
乳酸リン酸カルシウム calcium lactophosphate ……… 277
乳脂 cream ……… 435
乳歯 dens deciduus ……… 487
乳歯 deciduous tooth ……… 1902
乳歯 milk tooth ……… 1902
乳歯 temporary tooth ……… 1903
乳児 baby ……… 187
乳児 infant ……… 925
乳児壊疽性皮膚炎 dermatitis gangrenosa infantum ……… 495
乳児悪阻 hyperemesis lactentium ……… 880
乳児壊血病 infantile scurvy ……… 1652
乳児型筋線維腫症 infantile myofibromatosis ……… 1213
乳児型神経軸索ジストロフィ infantile neuroaxonal dystrophy ……… 579
乳児期 infancy ……… 925
乳児期甲状腺機能低下症 infantile hypothyroidism ……… 899
乳児期線維性過誤腫 fibrous hamartoma of infancy ……… 813
乳児期発症オリーブ橋小脳萎縮症を伴う運動失調〔症〕 ataxia with infantile onset olivopontocerebellar atrophy ……… 167
乳脂計 galactometer ……… 749
乳脂計 lactobutyrometer ……… 994
乳児痙攣 infantile convulsion ……… 419
乳児黒色神経外胚葉腫 melanotic neuroectodermal tumor of infancy ……… 1951
乳児骨軟化症 infantile osteomalacia, juvenile osteomalacia ……… 1323
乳児先端(肢端)膿疱症 infantile acropustulosis ……… 19
乳児湿疹 infantile eczema ……… 586
乳児死亡 infant death ……… 473
乳児死亡率 infant mortality rate ……… 1559
乳児神経細胞変性〔症〕 infantile neuronal degeneration ……… 481
乳児進行性脳灰白異栄養〔症〕 poliodystrophia cerebri progressiva infantilis ……… 1457
乳児性全身性G_{M1}ガングリオシドーシス infantile, generalized G_{M1} gangliosidosis ……… 755
乳児脊髄ろう tabes infantum ……… 1836
乳児セリアック病 infantile celiac disease ……… 535
乳児線維肉腫 infantile fibrosarcoma ……… 695
乳児仙痛 infantile colic ……… 389
乳脂測定計 butyrometer ……… 272
乳児テタニー infantile tetany ……… 1870
乳児突然死症候群 sudden infant death syndrome (SIDS) ……… 1821
乳児剝脱性皮膚炎 dermatitis exfoliativa infantum, dermatitis exfoliativa neonatorum ……… 495
乳児白内障 infantile cataract ……… 311
乳児発達用ベーリー尺度 Bayley scales of Infant Development ……… 1638
乳児皮質過骨症 infantile cortical hyperostosis ……… 884
乳脂比量計 lactocrit ……… 994
入射〔角〕 incidence ……… 918
入射角 angle of incidence ……… 89
入射光点 incident point ……… 1454
入射線 incident ray ……… 1562
入射面 plane of incidence ……… 1430
乳首 teat ……… 1844
乳汁 milk ……… 1157
乳汁因子 milk factor ……… 668
乳汁栄養の galactophagous ……… 749
乳汁〔分泌〕過少〔症〕 oligogalactia ……… 1297
乳汁〔分泌〕過少(減少) hypogalactia ……… 893
乳汁〔分泌〕過多〔症〕 hypergalactosis ……… 881
乳汁過多〔症〕 polygalactia ……… 1460
乳汁形成 galactosis ……… 749
乳汁結石 lactobezoar ……… 994
乳汁産生 galactopoiesis ……… 749
乳汁産生 lactogenesis ……… 994
乳汁産生の lactigenous ……… 993
乳汁射出反射 milk-ejection reflex ……… 1580
乳汁状の lactescent ……… 993
乳汁性貧血 milk anemia ……… 77
乳汁蛋白 lactoprotein ……… 994
乳汁の lacteal ……… 993
乳汁の lactic ……… 993
乳〔汁〕の galactic ……… 749
乳汁嚢胞 lacteal cyst ……… 459
乳汁比重計 lactodensimeter ……… 994
乳汁分泌 lactation ……… 993
乳汁分泌欠如 agalactia ……… 34
乳汁分泌性腺腫 lactating adenoma ……… 26
乳汁分泌性の lactiferous ……… 993
乳汁分泌不全 agalactorrhea ……… 34
乳汁分泌抑制の lactifuge ……… 993
乳汁分泌抑制薬 lactifuge ……… 993
乳汁様の lactescent ……… 993
乳汁漏出〔症〕 galactorrhea ……… 749
乳首ずれ jogger's nipple ……… 1257
乳漿 whey ……… 2045
乳状液 milk ……… 1157
乳小体 milk corpuscle ……… 426
乳漿蛋白 whey protein ……… 1506
乳漿ミョウバン whey alum ……… 54
乳児良性ミオクロ〔ー〕ヌス benign infantile myoclonus ……… 1212
乳清 whey ……… 2045
乳腺 mammary gland ……… 773
乳腺 glandula mammaria ……… 776
乳腺萎縮 mastatrophy, mastatrophia ……… 1108
乳腺炎 mastadenitis ……… 1108
乳腺炎 mastitis ……… 1108
乳腺下乳腺炎 submammary mastitis ……… 1109
乳腺下の inframammary ……… 931
乳腺下の submammary ……… 1764
乳腺結石 mammary calculus ……… 278
乳腺枝 mammary branches ……… 249
乳腺枝 rami mammarii ……… 1552
乳腺刺激ホルモン産生細胞 mammotroph ……… 1098
乳腺腫 mastadenoma ……… 1108
乳腺出血 mastorrhagia ……… 1110
乳腺床 bed of breast ……… 204
乳腺症 mastopathy ……… 1109
乳腺上の supramammary ……… 1779
乳腺小葉 lobules of mammary gland ……… 1065
乳腺小葉 lobuli glandulae mammariae ……… 1066
乳腺髄様癌 medullary carcinoma of breast ……… 297
乳腺提 mammary crests ……… 437
乳腺嚢胞 galactocele ……… 749
乳腺の線維嚢胞状変化 fibrocystic condition of the breast ……… 407
乳腺肥大 hypermastia ……… 883
乳腺傍リンパ節 paramammary lymph nodes ……… 1080
乳腺葉 lobes of mammary gland ……… 1064
乳腺葉 lobi glandulae mammariae ……… 1066
乳腺瘻 mastosyrinx ……… 1110
乳濁液 emulsion ……… 606
乳濁コロイド emulsion colloid ……… 391
乳濁質 emulsoid ……… 606
乳濁性の lyophilic ……… 1086
乳蛋白 lactoprotein ……… 994
乳調計 galactometer ……… 749
乳糖 lactose ……… 994
乳糖 milk sugar ……… 1769
乳頭 nipple ……… 1257
乳頭 papilla ……… 1344
乳頭 papilla of breast ……… 1344
乳頭 papilla mammae ……… 1345
乳頭 teat ……… 1844
乳頭 torulus ……… 1905
乳洞 cleavage ……… 373
乳頭炎 mammillitis ……… 1097
乳頭炎 papillitis ……… 1346
乳頭外の extrapapillary ……… 658
乳頭下血管網 subpapillary network ……… 1244
乳頭下層 subpapillary layer ……… 1013
乳頭下層血管網 rete subpapillare ……… 1598
乳頭下の inframamillary ……… 931
乳頭管 papillary ducts ……… 564
乳頭〔状〕癌 papillocarcinoma ……… 1346
乳頭間線 mammary line ……… 1051
乳頭間隆起 rete ridges ……… 1616
乳頭筋 papillary muscle ……… 1190
〔心臓の〕乳頭筋 musculus papillaris cordis ……… 1202
乳頭筋機能不全 papillary muscle dysfunction ……… 572
乳頭形成〔術〕 mammillaplasty ……… 1097
乳頭視床束 fasciculus mammillothalamicus ……… 676
乳頭視床束 mammillothalamic fasciculus 676
乳頭腫 papilloma ……… 1346
乳頭腫 villous tumor ……… 1952
乳頭周囲の peripapillary ……… 1391
乳頭腫ウイルス属 *Papillomavirus* ……… 1346
乳頭腫症 papillomatosis ……… 1346
乳頭腫性母斑 nevus papillomatosus ……… 1255
乳頭出血 thelorrhagia ……… 1874
乳頭小窩 foveola papillaris ……… 735
乳頭状癌 papillary carcinoma ……… 298
乳頭状汗管嚢胞腺腫 syringocystadenoma papilliferum ……… 1828
乳頭状汗腺腫 papillary hidradenoma ……… 851
乳頭状状態 mammillation ……… 1097
乳頭状腎細胞癌 papillary renal cell carcinoma ……… 298
乳頭状腺癌 papillary adenocarcinoma ……… 24
乳頭状突起 mammillation ……… 1097
乳頭状の mammillate, mammillated ……… 1097
乳頭状嚢〔胞〕状腺腫 papillary cystic adenoma ……… 26
乳頭状微小癌 papillary microcalcifications ……… 1150
乳頭状リンパ管内血管内皮腫 papillary intralymphatic angioendothelioma ……… 84
乳頭水腫(浮腫) papilledema ……… 1346
乳頭切開〔術〕 papillotomy ……… 1347
乳頭切除〔術〕 papillectomy ……… 1346
乳頭線 mammillary line ……… 1051
乳頭線 linea mammillaris ……… 1053
乳頭前括約筋 prepapillary sphincter ……… 1713

乳頭腺嚢腫 papilloadenocystoma ……… 1346
〔真皮〕乳頭層 papillary layer ……… 1012
〔真皮〕乳頭層 stratum papillare corii … 1752
乳頭体 mammillary body ……… 228
乳頭体 corpus mammillare ……… 425
乳頭体外側核 lateral nucleus of mammillary body ……… 1276
乳頭体核 nuclei corporis mammillaris … 1274
乳頭体核 nuclei of mammillary body … 1276
乳頭体脚 peduncle of mammillary body 1377
乳頭体脚 pedunculus corporis mammillaris ……… 1377
乳頭体上核 supramammillary nucleus … 1280
乳頭体動脈 mammillary arteries ……… 148
〔腰椎の〕乳頭突起 mammillary process of lumbar vertebra ……… 1489
〔腰椎の〕乳頭突起 processus mammillaris vertebrae lumbalis ……… 1491
〔肝尾状葉の〕乳頭突起 papillary process of caudate lobe of liver ……… 1489
〔肝尾状葉の〕乳頭突起 processus papillaris lobi caudati hepatis ……… 1491
乳頭ドルーゼン drusen of the optic nerve head ……… 562
乳糖尿〔症〕 lactosuria ……… 994
乳糖の lactinated ……… 993
乳頭の mammillary ……… 1097
乳頭の mammilliform ……… 1097
乳頭被蓋路 fasciculus mammillotegmentalis ……… 676
乳頭被蓋路 mammillotegmental fasciculus ……… 676
乳糖不耐症 lactose intolerance ……… 949
乳糖分解酵素制限 lactase restriction … 1597
乳糖分解酵素存続 lactase persistence … 1395
乳頭帽 nipple shield ……… 1673
乳頭網膜炎 papilloretinitis ……… 1347
乳頭網膜炎 retinopapillitis ……… 1602
乳頭様の mastoid ……… 1109
乳頭隣接脈絡網膜炎 retinochoroiditis juxtapapillaris ……… 1602
乳〔様〕突〔起〕炎 mastoiditis ……… 1109
乳突蓋 tegmen mastoideum ……… 1845
乳〔様〕突〔起〕開放(削開)術 mastoidectomy ……… 1109
乳〔様〕突〔起〕根治切除〔術〕 radical mastoidectomy ……… 1109
乳〔様〕突〔起〕上の supramastoid ……… 1779
乳〔様〕突〔起〕洞 mastoid antrum ……… 110
乳〔様〕突〔起〕の mastoid ……… 1109
乳突孔 foramen mastoideum ……… 725
乳突孔 mastoid foramen ……… 725
乳突溝 mastoid groove ……… 802
乳突後頭〔骨〕の mastooccipital ……… 1109
乳突後〔方〕の postmastoid ……… 1471
乳突後〔方〕の retromastoid ……… 1604
乳突小管 canaliculus mastoideus ……… 285
乳突小管 mastoid canaliculus ……… 285
乳突上稜 supramastoid crest ……… 438
乳突上稜 crista supramastoidea ……… 440
乳突切痕 incisura mastoidea ……… 919
乳突切痕 mastoid notch ……… 1270
乳突切除〔術〕 mastoidectomy ……… 1109
乳突側頭骨鱗状部の mastosquamous … 1110
乳突洞 antrum mastoideum ……… 110
乳突洞開口〔術〕 antrostomy ……… 110
乳突洞口 aditus to mastoid antrum ……… 29
乳突洞口 aperture of mastoid antrum … 113
〔乳突〕洞鼓室の antrotympanic ……… 110
乳突洞削開〔術〕 antrotomy ……… 110
乳突導出静脈 mastoid emissary vein … 1998
乳突導出静脈 vena emissaria mastoidea 2005
乳突頭頂〔骨〕の mastoparietal ……… 1109
乳突動脈 mastoid artery ……… 148
乳〔様〕突〔起〕膿瘍 mastoid abscess ……… 5
乳突板 mastoid cortex ……… 428
〔側頭骨の〕乳突部 mastoid part of the temporal bone ……… 1365
〔鼓室〕乳突壁 paries mastoideus cavi tympani ……… 1356
〔鼓室〕乳突壁 mastoid wall of middle ear ……… 2039
乳突蜂巣 mastoid air cells ……… 323
乳突蜂巣 mastoid cells ……… 323
乳突蜂巣 cellulae mastoideae ……… 328
乳突傍突起 paramastoid process ……… 1489
乳突傍突起 processus paramastoideus … 1492
乳突傍の paramastoid ……… 1351
乳突リンパ節 mastoid lymph nodes … 1079
乳突リンパ節 nodi lymphoidei mastoidei ……… 1263
乳熱 milk fever ……… 685
乳〔汁〕の galactic ……… 749
乳白色(オパール様)ぞうげ質 opalescent dentin ……… 488
乳白色斑〔点〕 milk spots ……… 1725
乳鉢 mortar ……… 1171
乳皮 cream ……… 435
乳び chyle ……… 361
乳び化 chylopoiesis ……… 361
乳び管 lacteal ……… 993
乳び管 vasa chylifera ……… 1989
乳び管腫 chylangioma ……… 361
乳び汗症 chylidrosis ……… 361
乳び関節炎 chylous arthritis ……… 154
乳び気胸〔症〕 chylopneumothorax ……… 361
乳び球 chyle corpuscle ……… 426
乳び胸〔症〕 chylothorax ……… 361
乳び腔 lacteal ……… 993
乳び形成過多 polychylia ……… 1459
乳び血〔症〕 chylemia ……… 361
乳び血〔症〕 chylomicronemia ……… 361
乳び血尿 hematochyluria ……… 825
乳び欠乏〔症〕 achylia ……… 14
乳び縦隔症 chylomediastinum ……… 361
乳び心膜〔症〕 chylopericardium ……… 361
乳び性陰嚢水瘤 chylocele ……… 361
乳び生成 chylopoiesis ……… 361
乳び生成機能 chylosis ……… 361
乳び性腹水 chylous ascites, ascites chylosus ……… 159
乳び性腹膜炎 chyle peritonitis ……… 1393
乳び槽 chyle cistern ……… 368
乳び槽 cisterna chyli ……… 368
乳び尿〔症〕 chyluria ……… 361
乳び尿〔症〕 chylous urine ……… 1972
乳び嚢胞 chyle cyst ……… 459
乳び漏 chylorrhea ……… 361
乳び瘻 chyle fistula ……… 705
乳棒 pestle ……… 1397
乳房 breast ……… 255
乳房 mamma ……… 1097
乳房X線像 mammogram ……… 1097
乳房炎 mastitis ……… 1108
乳房外パジェット病 extramammary Paget disease ……… 532
乳房下垂〔症〕 mastoptosis ……… 1110
乳房下部 regio inframammaria ……… 1584
乳房下部 inframammary region ……… 1585
乳房間溝 intermammary cleft ……… 373
乳房間の intermammary ……… 946
乳房形成〔術〕 mammaplasty ……… 1097
乳房形成〔術〕 mammoplasty ……… 1098
乳房後〔方〕の retromammary ……… 1604
乳房固定〔術〕 mastopexy ……… 1109
乳房再建〔術〕 reconstructive mammaplasty ……… 1097
乳房撮影〔法〕 mammography ……… 1098
乳房雑音 mammary souffle ……… 1701
乳房縮小〔術〕 reduction mammaplasty 1097
乳房腫脹 mastoncus ……… 1109
乳房出血 thelorrhagia ……… 1874
乳房床 bed of breast ……… 204
乳房神経痛 mammary neuralgia ……… 1244
乳房成形術 mastoplasty ……… 1110
乳房切開〔術〕 mastotomy ……… 1110
乳房切除〔術〕 mastectomy ……… 1108
乳房前膿瘍 premammary abscess ……… 6
乳房造影図 mammogram ……… 1097
乳房増大〔術〕 augmentation mammaplasty ……… 1097
乳房体 body of breast ……… 225
乳房体 body of mammary gland ……… 228
乳房体 corpus mammae ……… 425
乳房痛 mastodynia ……… 1109
乳房提靱帯 suspensory ligaments of breast ……… 1040
乳房提靱帯 ligamenta suspensoria mammaria ……… 1045
乳房嚢胞病 cystic disease of the breast 531
乳房の腋窩突起 axillary process of breast ……… 1488
乳房発育開始 thelarche ……… 1874
乳房肥大 mastauxe ……… 1108
乳房肥大 mastoplasia ……… 1109
乳房部 regio mammaria ……… 1584
乳房部 mammary region ……… 1585
乳房不同 anisomastia ……… 92
乳房矮小〔症〕 hypomastia ……… 894
入眠〔時〕幻覚 hypnagogic hallucination … 812
入眠時単収縮 hypnic jerk ……… 968
乳幼児聴覚に関する合同会議 Joint Committee on Infant Hearing (JCIH) 972
乳幼児特発性高カルシウム血症 idiopathic hypercalcemia of infants ……… 879
乳幼児突発性危急事態 apparent life-threatening event (ALTE) ……… 650
乳幼児ヘルクレス infant Hercules ……… 925
乳〔様〕突〔起〕炎 mastoiditis ……… 1109
乳〔様〕突〔起〕開放(削開)術 mastoidectomy ……… 1109
乳様突起 mastoid process ……… 1489
乳様突起 processus mastoideus ……… 1491
乳〔様〕突〔起〕根治切除〔術〕 radical mastoidectomy ……… 1109
乳〔様〕突〔起〕上の supramastoid ……… 1779
乳〔様〕突〔起〕洞 mastoid antrum ……… 110
乳〔様〕突〔起〕の mastoid ……… 1109
乳〔様〕突〔起〕膿瘍 mastoid abscess ……… 5
入浴 bath ……… 201
入浴かゆみ(そう痒)〔症〕 bath pruritus 1510
乳瘤 galactocele ……… 749
乳輪 areola of breast ……… 130
乳輪 areola of nipple ……… 130
乳輪下乳管乳頭腫症 subareolar duct papillomatosis ……… 1346
乳輪下の subareolar ……… 1762
乳輪結節 areolar tubercles ……… 1943
乳輪静脈叢 vascular circle ……… 364
乳輪静脈叢 areolar venous plexus ……… 1439
乳輪静脈叢 plexus venosus areolaris … 1444
乳輪腺 areolar glands ……… 772
乳輪腺 glandulae areolares ……… 775
乳輪の areolar ……… 131
乳リンパ管叢 mammary plexus ……… 1441
乳リンパ管叢 plexus mammarius ……… 1441
乳連鎖球菌 *Streptococcus lactis* ……… 1754
ニュエル腔(隙) Nuel space ……… 1704
尿 urine ……… 1972
尿愛狂 urolagnia ……… 1975
尿〔酸〕アンモニア〔性〕の uroammoniac 1973
尿意 micturition ……… 1156
尿意 uresiesthesia ……… 1969
尿意促迫(緊迫) urgency ……… 1972
尿溢出 planuria ……… 1432
尿意頻数 frequency of micturition ……… 741
ニョヴェラ njovera ……… 1259
尿円柱 urinary casts ……… 309

二ヨウ化塩 diiodide …… 519
尿汗〔症〕 uridrosis …… 1972
尿管 ureter …… 1969
尿管異所開口 ectopic ureter …… 1970
尿管位置異常 ureteral ectopia …… 585
尿管S状結腸の ureterosigmoid …… 1970
尿管S状結腸吻合〔術〕 ureterosigmoid anastomosis …… 74
尿管炎 ureteritis …… 1970
尿管回腸〔新〕膀胱吻合〔術〕 ureteroileoneocystostomy …… 1970
尿管回腸吻合〔術〕 ureteroileal anastomosis 74
尿管回腸吻合〔術〕 ureteroileostomy …… 1970
尿管拡張〔症〕 ureterectasia …… 1970
〔分別〕尿管カテーテル検査 differential ureteral catheterization test …… 1856
尿管化膿症 ureteropyosis …… 1970
尿管間の interureteral …… 948
尿管間の ureteroureteral …… 1971
尿管間ひだ interureteric crest …… 437
尿管間ひだ interureteric fold …… 719
尿管間ひだ plica interureterica …… 1445
尿管丘 mons ureteris …… 1169
尿管鏡 ureteroscope …… 1970
尿管狭窄〔症〕 ureterostenosis …… 1970
〔尿管〕筋層 muscular coat of ureter …… 383
〔尿管〕筋層 muscular layer of ureter …… 1012
〔尿管〕筋層 tunica muscularis ureteris …… 1953
尿管形成〔術〕 ureteroplasty …… 1970
尿管結石症 ureterolithiasis …… 1970
尿管結石切除〔術〕 ureterolithotomy …… 1970
尿管結腸移植〔術〕 ureterocolostomy …… 1970
尿管結腸の ureterocolic …… 1970
尿管結腸吻合〔術〕 ureterocolostomy …… 1970
尿管口 ureteral opening …… 1303
尿管口 ureteric orifice …… 1314
尿管口 ostium ureteris …… 1325
尿管骨盤部 pars pelvica ureteris …… 1360
尿管骨盤部 pelvic part of ureter …… 1366
尿管撮影(造影)〔法〕 ureterography …… 1970
尿管三角腸吻合〔術〕 ureterotrigonoenterostomy …… 1971
尿管枝 ureteric branches …… 255
尿管枝 rami ureterici …… 1557
尿管周囲炎 periureteritis …… 1393
尿管周囲膿瘍 periureteral abscess …… 6
尿管出血 ureterorrhagia …… 1970
尿管授動〔術〕 ureterolysis …… 1970
尿管腎盂形成〔術〕 ureteropyeloplasty …… 1970
尿管腎盂撮影(造影)〔法〕 ureteropyelography …… 1970
尿管腎盂腎炎 ureteropyelitis …… 1970
尿管腎盂吻合〔術〕 ureteropyelostomy …… 1970
尿管腎逆流 ureterorenal reflux …… 1583
尿管神経叢 ureteric (nervous) plexus …… 1444
尿管腎杯吻合術 ureterocalicostomy …… 1970
尿管水腎〔症〕 ureterohydronephrosis …… 1970
尿管性月経困難〔症〕 ureteric dysmenorrhea …… 573
尿管生理学的狭窄 constrictions of ureter 415
尿管切開〔術〕 ureterotomy …… 1971
尿管切除〔術〕 ureterectomy …… 1970
尿管切石〔術〕 ureterolithotomy …… 1970
尿管仙痛 ureteral colic …… 389
尿管造瘻術 ureterostomy …… 1970
尿管蓄膿 pyoureter …… 1532
尿管腟瘻 ureterovaginal fistula …… 706
尿管腸の ureteroenteric …… 1970
尿管腸吻合〔術〕 ureteroenterostomy …… 1970
尿管直腸吻合〔術〕 ureteroproctostomy …… 1970
尿管痛 ureteralgia …… 1970
尿管二部吻合〔術〕 ureteroureterostomy 1971
尿管尿管吻合〔術〕 ureteroureteral anastomosis …… 74
尿管尿管吻合〔術〕 ureteroureterostomy 1971
〔尿管〕粘膜 mucosa of ureter …… 1177
〔尿管〕粘膜 tunica mucosa ureteris …… 1953
尿管皮膚〔造〕瘻〔術〕 cutaneous ureterostomy …… 1970
尿管皮膚瘻 ureterocutaneous fistula …… 706
尿管フィステル形成〔術〕 ureterostomy 1970
尿管腹部 abdominal part of ureter …… 1362
尿管縫合〔術〕 ureterorrhaphy …… 1970
尿管膀胱鏡 uretercystoscope …… 1970
尿管膀胱鏡 ureterocystoscope …… 1970
尿管膀胱形成術 ureterocystoplasty …… 1970
尿管膀胱接合部 ureterovesical junction (UVJ) …… 974
尿管膀胱の ureterovesical …… 1971
尿管膀胱吻合〔術〕 ureterocystostomy …… 1970
尿管膀胱吻合〔術〕 ureteroneocystostomy 1970
尿管膀胱吻合〔術〕 ureterovesicostomy …… 1971
尿管膀胱閉塞 ureterovesical obstruction 1289
尿管瘤 ureterocele …… 1970
尿管瘤縫合〔術〕 ureterocelorraphy …… 1970
尿胸 urothorax …… 1975
尿クリーゼ urocrisis …… 1974
尿〔結〕石 urinary calculus …… 278
尿〔結〕石 urolith …… 1975
尿検査 urinalysis (UA) …… 1972
尿検査 uroscopy …… 1975
尿原〔性〕の urinogenous …… 1973
尿砂 gravel …… 800
尿砂 urinary sand …… 1633
尿砂 urocheras …… 1974
尿砂 uropsammus …… 1975
尿細管 uriniferous tubule …… 1948
尿細管壊死 tubulorrhexis …… 1948
尿細管間質性 tubulointerstitial …… 1948
尿細管間質性腎炎 tubulointerstitial nephritis …… 1229
尿細管最大輸送量 transport maximum (Tm) …… 1111
尿細管糸球体フィードバック tubuloglomerular feedback …… 679
尿細管新生 tubuloneogenesis …… 1948
尿細管性アシドーシス renal tubular acidosis (RTA) …… 15
尿細管の tubular …… 1948
尿細管排泄極量 tubular excretory mass 1108
尿砂排出 lithuresis …… 1062
尿酸 uric acid …… 1972
尿〔酸〕アンモニア〔性〕の uroammoniac 1973
尿酸塩 urate …… 1969
尿酸塩血〔症〕 uratemia …… 1969
尿酸塩症 uratosis …… 1969
尿酸〔塩〕尿 uraturia …… 1969
尿酸〔塩〕尿〔症〕 lithuria …… 1062
尿酸〔塩〕分解 uratolysis …… 1969
尿酸オキシダーゼ urate oxidase …… 1969
尿酸角膜変性 cornea urica …… 423
尿酸過剰血〔症〕 hyperuricemia …… 889
尿酸過剰尿〔症〕 hyperuricuria …… 889
尿酸〔性〕関節炎 urarthritis …… 1969
尿酸血〔症〕 uratemia …… 1969
尿酸結晶染色法 urate crystals stain …… 1735
尿産生 uropoiesis …… 1975
尿産生系 uropoietic system …… 1834
尿産生の uriniparous …… 1973
尿産生の urinogenous …… 1973
尿酸性の uratic …… 1969
尿酸尿 uricosuria …… 1972
尿酸排出 uricotelia …… 1972
尿酸排出生物 uricotele …… 1972
尿酸排出の uricotelic …… 1972
尿酸排泄の uricosuric …… 1972
尿酸分解 uricolysis …… 1972
尿酸分解指数 uricolytic index …… 923
尿失禁 incontinence of urine …… 920
尿症候学 urosemiology …… 1975
尿浸潤 planuria …… 1432
尿〔浸潤〕性水腫(浮腫) uredema …… 1969
尿スミア(塗抹〔標本〕) urinary smear …… 1693
〔泌〕尿性器の urogenital …… 1974
尿生殖隔膜 diaphragma urogenitale …… 510
尿生殖隔膜 urogenital diaphragm …… 510
尿生殖器 apparatus urogenitalis …… 119
尿生殖器 urogenital apparatus …… 119
尿生殖器系 systema urogenitale …… 1834
尿生殖器の genitourinary (GU) …… 766
尿生殖〔器〕の urogenital …… 1974
尿生殖器瘻 genitourinary fistula …… 705
尿生殖三角 urogenital triangle …… 1928
尿生殖三角の筋 muscles of urogenital triangle …… 1197
尿生殖中隔 urogenital septum …… 1664
尿生殖洞 urogenital sinus …… 1689
〔尿生殖洞の〕生殖結節部 pars phallica 1360
尿生殖ひだ urogenital folds …… 720
尿生殖部 regio urogenitalis …… 1584
尿生殖部 urogenital region …… 1586
尿生殖腹膜 urogenital peritoneum …… 1393
〔泌〕尿生殖隆線 urogenital ridge …… 1616
尿生殖裂孔 urogenital hiatus …… 851
尿生成の uriniparous …… 1973
尿生成の urinogenous …… 1973
尿性卵胞性刺激ホルモン urofollitropin 1974
尿〔結〕石 urinary calculus …… 278
尿〔結〕石 urolith …… 1975
尿石学 urolithology …… 1975
尿石症 urolithiasis …… 1975
二葉切除術 bilobectomy …… 211
尿素 urea …… 1969
尿素回路 urea cycle …… 455
尿素過酸化物 urea peroxide …… 1969
尿素クリアランス urea clearance …… 373
尿素クリアランス試験 urea clearance test …… 1867
尿素形成 ureagenesis …… 1969
尿素スチバミン urea stibamine …… 1969
尿素生成 ureapoiesis …… 1969
尿素霜 urea frost, uremic frost …… 742
尿素窒素 urea nitrogen …… 1258
尿素排出 ureotelia …… 1969
尿素排出生物 ureotele …… 1969
二葉胎盤 placenta biloba …… 1428
尿窒素 urinary nitrogen …… 1258
尿中出現性の urophanic …… 1975
尿中粘液 urinary slime …… 1972
尿直腸中隔 urorectal septum …… 1664
尿直腸の urorectal …… 1975
尿直腸ひだ urorectal fold …… 720
尿直腸膜 urorectal membrane …… 1127
尿貯留 uroschesis …… 1975
〔尿〕滴定酸度試験 titratable acidity test 1867
尿道 urethra …… 1971
尿道圧迫筋 compressor urethra (muscle) …… 1183
尿道陰茎の urethropenile …… 1971
尿道会陰陰嚢の urethroperineoscrotal …… 1971
尿道会陰の urethroperineal …… 1971
尿道炎 urethritis …… 1971
尿道凹窩 lacuna urethralis …… 995
尿道凹窩 urethral lacuna …… 995
尿道海綿体 corpus spongiosum penis …… 425
〔陰茎の〕尿道海綿体小柱 trabeculae corporis spongiosi …… 1907
〔陰茎の〕尿道海綿体小柱 trabeculae of corpus spongiosum …… 1908
尿道海綿体洞 cavernae corporis spongiosi …… 315
尿道海綿体洞 caverns of corpus spongiosum …… 315
尿道海綿体洞 cavities of corpus spongiosum …… 316
尿道海綿体洞 cavernous spaces of corpus spongiosum …… 1703
尿道海綿体白膜 fibrous tunic of corpus

spongiosum 1952
尿道海綿体白膜 tunica albuginea corporis spongiosi 1952
尿道海綿体白膜 tunica albuginea of corpus spongiosum 1952
尿道拡張 urethral dilation 519
尿道拡張器 divulsor 553
尿道括約筋 sphincter muscle of urethra 1194
尿道下の suburethral 1768
尿道下裂 hypospadias 896
尿道球 bulb of penis 264
尿道球 bulbus penis 265
尿道球炎 bulbitis 265
尿道球腺 bulbourethral gland 772
尿道球腺 glandula bulbourethralis 775
尿道球腺管 duct of bulbourethral gland 563
尿道球腺管 ductus glandulae bulbourethralis 566
尿道球中隔 septum bulbi urethrae 1663
尿道球動脈 arteria bulbi penis 134
尿道球動脈 artery of bulb of penis 143
尿道球の bulbourethral 265
尿道球半球 hemisphere of bulb of penis 830
尿道球半球 hemispherium bulbi urethrae 830
尿道鏡 urethroscope 1971
尿道鏡検査〔法〕 urethroscopy 1971
尿道狭窄〔症〕 urethral stricture 1757
尿道狭窄〔症〕 urethrostenosis 1971
尿道計 urethrometer 1971
尿道憩室 urethral diverticulum 552
尿道形成〔術〕 urethroplasty 1971
尿道痙攣 urethrism, urethrismus 1971
尿道痙攣 urethrospasm 1971
尿道結石 urethral calculus 278
尿道血漏 urethrostaxis 1971
尿道溝 urethral groove 803
尿道口 urethral openings 1303
〔尿道〕口鏡 meatoscope 1113
尿道口鏡検査〔法〕 meatoscopy 1113
〔尿道〕口計測器 meatometer 1113
〔外〕尿道口切開〔術〕 meatotomy 1113
尿道口切開刀 meatotome 1113
尿道口縫合〔術〕 meatorrhaphy 1113
尿道索 chordee 354
尿道周囲炎 periurethritis 1394
尿道周囲膿瘍 periurethral abscess 6
尿道舟状窩 fossa navicularis urethrae 733
尿道舟状窩 navicular fossa of urethra 733
尿道手綱 habenula urethralis 810
尿道出血 urethremorrhagia 1971
尿道出血 urethrorrhagia 1971
尿道〔神経〕症 urethral syndrome 1824
尿道障害 ureteropathy 1970
尿道小丘 urethral caruncle 308
尿道上裂 epispadias 631
尿道唇 labium urethrae 992
尿道性血尿 urethral hematuria 827
尿道切開〔術〕 urethrotomy 1972
尿道切開刀 urethrotome 1972
尿道切除〔術〕 urethrectomy 1971
尿道腺 urethral glands 775
尿道腺 glandulae urethrales femininae 776
尿道前立腺の urethroprostatic 1971
尿道前立腺部 pars prostatica urethrae 1360
尿道前立腺部 prostatic urethra 1971
尿道前立腺部の遠位部 distal part of prostatic urethra 1364
尿道前立腺部の近位部 proximal part of prostatic urethra 1367
尿道前立腺部の筋層 muscular layer of prostatic urethra 1012
〔尿道前立腺部の〕輪走筋層 circular layer of muscle coat (of prostatic urethra) 1009
尿道造影〔法〕 urethrography 1971
尿道挿入座薬 microsuppository 1155
尿道造瘻術 urethrostomy 1971
尿道側圧 urethral pressure profile 1494
尿道脱 urethrocele 1971
尿道膣括約筋 urethrovaginal sphincter 1713
尿道膣の urethrovaginal 1972
尿道膣瘻 urethrovaginal fistula 706
尿道直腸の urethrorectal 1971
尿道痛 urethralgia 1971
尿道動脈 arteria urethralis 138
尿道動脈 urethral artery 154
尿道乳頭 urethral papilla, papilla urethralis 1345
尿道乳頭腫 urothelial papilloma 1346
尿道熱 urinary fever 687
尿道の海綿体部 spongy urethra 1971
尿道板 urethral plate 1435
尿道ひだ urethral folds 720
尿道ひだ plicae urethrales 1445
尿道皮膚瘻 urethrocutaneous fistula 706
尿道フィステル形成〔術〕 urethrostomy 1971
尿道弁 urethral valves 1985
尿道傍管 paraurethral ducts 564
尿道傍管 ductus paraurethrales 566
尿道縫合〔術〕 urethrorrhaphy 1971
尿道膀胱角 urethrovesical angle 90
尿道膀胱計検査〔法〕 urethrocystometry 1971
尿道膀胱固定 urethrocystopexy 1971
尿道膀胱固定術 urethrovesicopexy 1972
尿道・膀胱三角部炎 urethrotrigonitis 1972
尿道膀胱の urethrovesical 1972
尿道膨大窩 intrabulbar fossa 732
尿道傍の paraurethral 1355
〔陰茎の〕尿道面 facies urethralis penis 665
〔陰茎の〕尿道面 urethral surface of penis 1784
尿道瘤 urethrocele 1971
尿道稜 urethral crest 438
尿道稜 crista urethralis 440
尿道輪 anulus urethralis 111
尿道漏 urethrorrhea 1971
尿毒症 uremia 1969
尿毒症性結腸(大腸)炎 uremic colitis 390
尿毒症性口臭 uremic breath 256
尿毒症性昏睡 uremic coma 396
尿毒症性心膜炎 uremic pericarditis 1386
尿毒症性霜 urea frost, uremic frost 742
尿毒症性多発〔性〕神経障害 uremic polyneuropathy 1462
尿毒症性肺炎 uremic pneumonia 1450
尿毒症性肺症 uremic lung 1073
尿毒症由来の uremigenic 1969
尿塗抹〔標本〕 urinary smear 1693
二葉の bilobate, bilobed 211
尿嚢 allantois 49
尿嚢腫 uroncus 1975
尿嚢絨毛膜 allantochorion 49
尿濃縮力試験 urinary concentration test 1867
尿嚢の allantoic 49
尿嚢〔様〕の allantoid 49
尿嚢柄 allantoic stalk 1736
尿発症 urocrisis 1974
尿比重計 urinometer 1973
尿比重測定〔法〕 urinometry 1973
尿閉 ischuria 958
尿閉 uroschesis 1975
二葉弁 bileaflet valve 1984
尿崩症 diabetes insipidus 506
尿膜 allantois 49
尿膜管 urachus 1968
尿膜管嚢胞 urachal cyst 461
尿膜管膿瘍 pyourachus 1532
尿膜管瘻 urachal fistula 706
尿膜腔液 allantoic fluid 714
尿膜憩室 allantoic diverticulum 551
尿膜血管癒合双生児 allantoidoangiopagous twins 1956
二羊膜性の diamniotic 509
尿膜性膀胱 allantoic bladder 218
尿膜の allantoic 49
尿膜〔様〕の allantoid 49
尿膜嚢 allantoic sac 1628
尿膜嚢胞 allantoic vesicle 2016
尿膜発生 allantogenesis 49
尿膜柄 allantoic stalk 1736
尿輸送の uriniferous 1973
尿力学 urodynamics 1974
尿瘤 urinoma 1973
尿流量測定器 uroflowmeter 1974
尿量過少(減少)〔症〕 oliguria 1297
尿路 urinary tract 1913
尿瘻 urinary fistula 706
尿漏出圧 leak point pressure 1482
尿路・顔症候群 urofacial syndrome 1824
尿路感染症 urinary tract infection (UTI) 927
尿路結石 urinary calculus 278
尿路撮影(造影)〔法〕 urography 1974
尿路撮影(造影)図 urogram 1974
尿路疾患 uropathy 1975
尿路上皮 urothelium 1975
尿路上皮癌 urothelial carcinoma 299
尿路性敗血症 urosepsis 1975
二卵〔性〕双生児(双胎) dizygotic twins 1956
二卵性の bigerminal 210
二卵性の diovular 521
二卵性の dizygotic, dizygous 553
二律背反 antinomy 107
二硫化炭素 carbon disulfide (CS_2) 294
二硫化炭素中毒 carbon disulfide (CS_2) poisoning 1455
二硫化リポアミド lipoamide disulfide 1056
二硫酸塩 disulfate 550
二量体 dimer 520
二稜の ancipital, ancipitate, ancipitous 75
二裂舌 bifid tongue 1900
二裂胎盤 placenta bipartita 1428
二裂の bifid 209
二連銃腸瘻〔術〕 double enterostomy 621
二連脈 bigeminy 210
二連脈 pulsus bigeminus 1525
二連脈 bigeminal rhythm 1611
ニワトコ sambucus 1632
ニワトリダニ *Dermanyssus gallinae* 494
ニワトリ歩行 steppage gait 748
二腕二脚二頭体 dicephalus dipus dibrachius 512
任意寄生生物 facultative parasite 1354
任意寄付制病院 voluntary hospital 865
任意交配 random mating 1110
任意の voluntary 2036
認可 certification 335
人形恐怖〔症〕 pediophobia 1376
人形の頭現象 doll's head phenomenon 1404
人形の頭反応 doll's head response 1596
人形の眼徴候 doll's eye sign 1680
人形の眼反応(反射) doll's eye response 1596
人魚体奇形 sirenomelia 1689
人魚体症 symmelia 1790
人間化 anthropomorphism 99
人間学的心理学 humanistic psychology 1519
人間嫌い misanthropy 1159
人間工学 ergonomics 636
人間性喪失 dehumanization 482
人間内葛藤 intrapersonal conflict 410
妊産婦死亡 maternal death 473
認識 cognition 388
認識 noesis 1265
認識学(論) epistemology 631
認識向上 performance intensity 943
認識左右差指数(係数) cognitive laterality quotient (CLQ, CIQ) 1539
認識時間 recognition time 1893
認識〔力〕障害 dysgnosia 572

認証標準物質 certified reference material (CRM) …… 1110
妊娠 graviditas …… 800
妊娠 pregnancy …… 1478
ニンジン ginseng …… 771
妊娠嘔吐 vomiting of pregnancy …… 2037
妊娠悪阻 hyperemesis gravidarum …… 880
妊娠回数 gravidity …… 800
妊娠可能年齢 child-bearing age …… 35
妊娠期 gravidism …… 800
妊娠期 pregnancy phase …… 1402
妊娠高血圧症候群 gestosis …… 768
妊娠高血圧症候群 pregnancy-induced hypertension …… 888
妊娠細胞 pregnancy cells …… 325
妊娠子宮 gravid uterus …… 1977
妊娠腫 pregnancy tumor …… 1951
妊娠腎炎 nephritis gravidarum …… 1228
妊娠水腫(浮腫) gestational edema …… 587
妊娠する conceive …… 405
妊娠性エプーリス epulis gravidarum …… 634
妊娠性黄体腫 pregnancy luteoma …… 1074
妊娠性肝内胆汁うっ滞 intrahepatic cholestasis of pregnancy …… 351
妊娠性丘疹性皮膚炎 papular dermatitis of pregnancy …… 495
妊娠性高血圧 gestational hypertension …… 888
妊娠性黒皮症 melasma gravidarum …… 1123
妊娠性そう痒症 pruritus gravidarum …… 1510
妊娠性そう痒性丘疹 pruritic urticarial papules and plaques of pregnancy (PUPPP) …… 1347
妊娠性大球性貧血 macrocytic anemia of pregnancy …… 77
妊娠性蛋白尿 gestational proteinuria …… 1506
妊娠性軟ゆう状線維腫 fibroma molle gravidarum …… 694
妊娠性肉芽腫 granuloma gravidarum …… 798
妊娠〔性〕ヘルペス herpes gestationis …… 845
妊娠〔性〕疱疹 herpes gestationis …… 845
妊娠性痒疹 prurigo gestationis …… 1510
妊娠線 striae gravidarum …… 1756
妊娠中毒〔症〕 gestosis …… 768
妊娠中毒症性網膜症 toxemic retinopathy of pregnancy …… 1603
妊娠糖尿病 gestational diabetes mellitus (GDM) …… 505
妊娠糖尿病 pregnancy diabetes …… 507
妊娠の遺残分 retained products of conception …… 406
妊娠舞踏病 chorea gravidarum …… 354
妊娠-分娩 childbearing …… 344
人相 physiognomy …… 1420
人相学 metoposcopy …… 1148
人相学 physiognomy …… 1420
人相診断法 physiognosis …… 1420
認知 cognition …… 388
認知 percept …… 1384
認知 perception …… 1384
認知行動療法 cognitive-behavioral therapy (CBT) …… 1878
認知症 dementia …… 485
認知症 moria …… 1170
認知心理学 cognitive psychology …… 1518
認知正常 eugnosia …… 648
認知的不協和理論 cognitive dissonance theory …… 1875
認知発達 cognitive development …… 502
認知不能〔症〕 agnosia …… 38
にんちゅう philtrum …… 1408
認知療法 cognitive therapy …… 1878
ニンニク allium …… 50
ニンニク garlic …… 756
ニンニク油 garlic oil …… 756
ニンヒドリン ninhydrin …… 1257
ニンヒドリン-シッフ蛋白染色〔法〕 ninhydrin-Schiff stain for proteins …… 1734
ニンヒドリン反応 ninhydrin reaction …… 1566
妊婦 gravida …… 800
妊孕期 fertile period …… 1389
妊孕率 fertility ratio …… 1560

ヌ

ヌークレオン nucleon …… 1271
ヌートカトン nootkatone …… 1267
ヌードセン仮説 Knudsen hypothesis …… 898
ヌードマウス nude mouse …… 1173
ヌートロピック nootropic …… 1267
ヌーナン症候群 Noonan syndrome …… 1814
ヌープ(クノープ)硬さ Knoop hardness number (KHN) …… 1282
ヌープ(クノープ)説 Knoop theory …… 1876
糠(ぬか) bran …… 242
ヌカカ midge …… 1156
糠状の branny …… 255
糠状落屑 defurfuration …… 480
ヌクレアーゼ nuclease …… 1271
ヌクレオカプシド nucleocapsid …… 1271
ヌクレオシダーゼ nucleosidases …… 1271
ヌクレオシド nucleoside (Nuc, N) …… 1271
ヌクレオシド一リン酸 nucleoside monophosphate …… 1272
ヌクレオシド二リン酸 nucleoside diphosphate (NDP) …… 1272
ヌクレオシド二リン酸キナーゼ nucleoside diphosphate kinase …… 1272
ヌクレオシド二リン酸糖 nucleoside diphosphate sugars …… 1272
ヌクレオシド三リン酸 nucleoside triphosphate …… 1272
ヌクレオシドジホスフェート nucleoside diphosphate (NDP) …… 1272
ヌクレオシドトリホスフェート nucleoside triphosphate …… 1272
ヌクレオシドビスリン酸 nucleoside bisphosphate …… 1272
ヌクレオシドホスホリラーゼ nucleoside phosphorylases …… 1416
ヌクレオシドモノホスフェート nucleoside monophosphate …… 1272
ヌクレオソーム nucleosome …… 1272
ヌクレオチジルトランスフェラーゼ nucleotidyltransferases …… 1272
ヌクレオチダーゼ nucleotidases …… 1272
ヌクレオチド nucleotide …… 1272
ヌクレオチド欠失 nucleotide deletion …… 483
ヌクレオチド配列 nucleotide sequence 1665
ヌクレオヒストン nucleohistone …… 1271
ヌクレオファガ *Nucleophaga* …… 1271
脱け変わる molt …… 1164
抜毛 epilation …… 627
ヌック管 canal of Nuck …… 284
ヌベクラ nubecula …… 1271
沼地熱 mud fever …… 685
沼地熱 Schlammfieber …… 1644
ヌル細胞 null cells …… 324

ネ

ネーゲリ症候群 Naegeli syndrome …… 1813
ネーゲレ骨盤 Nägele pelvis …… 1379
ネーゲレの法則 Nägele rule …… 1626
ネーゲレ不正軸進入 Nägele obliquity …… 1288
ネーパー neper (Np) …… 1228
寝汗 night sweats …… 1789
ネアーの緩衝メチレンブルー染色〔法〕 Nair buffered methylene blue stain …… 1734
ネイマン-ピアソン流の統計的仮説 Neyman-Pearson statistical hypothesis 898
ネイム NAME …… 1220
ネイム症候群 NAME syndrome …… 1813
音色 tone color …… 393
音色 timbre …… 1893
ネオキモトリプシノーゲン neochymotrypsinogen …… 1227
ネオコルテックス neocortex …… 1227
ネオジム neodymium (Nd) …… 1227
ネオジム:イットリウム-アルミニウム-ガーネットレーザー Nd:YAG laser …… 1004
ネオチロシン neotyrosine …… 1228
ネオテニー neoteny …… 1228
ネオプトリン neopterin …… 1228
ネオリケッチア属 Neorickettsia …… 1228
ネオン neon (Ne) …… 1227
ネギシウイルス Negishi virus …… 2027
ネキシン nexins …… 1256
ネクサス nexus …… 1256
ネグリ〔小〕体 Negri bodies …… 228
ネグレクト neglect …… 1226
ネグレリア属 *Naegleria* …… 1219
ネコ科 Felidae …… 679
ネコ肝吸虫 *Opisthorchis felineus* …… 1308
ネコ恐怖〔症〕 ailurophobia …… 40
ネコ鉤虫 *Ancylostoma tubaeforme* …… 75
ネコ条虫 *Taenia taeniaeformis* …… 1838
ネコショウヒゼンダニ *Notoedres cati* …… 1270
ねこ背 humpback …… 867
ねこ背 hunchback …… 867
ネコ単位 cat unit …… 1965
寝言(ねごと) somniloquence, somniloquism …… 1700
ネコ鳴き症候群 cri-du-chat syndrome, cri du chat syndrome, cat-cry syndrome 1801
ネコの feline …… 679
ネコ肺虫 *Aelurostrongylus* …… 31
ネコ白血病ウイルス feline leukemia virus (FeLV) …… 2024
ネコ引っ掻き熱 catscratch fever …… 683
ネコ引っ掻き病 catscratch disease (CSD) …… 530
ネコ眼症候群 cat's-eye syndrome …… 1799
猫眼瞳孔 cat's-eye pupil …… 1527
ネコ免疫不全ウイルス feline immunodeficiency virus (FIV) …… 2024
ネザートン症候群 Netherton syndrome 1813
ねじ screw …… 1651
ねじりモーメント torque (T) …… 1904
ねじれ kink …… 986
ねじれ torsion …… 1904
ねじれ角 angle of torsion …… 90
ねじれ形 twist form …… 729
ねじれ数 writhing number …… 1283
ネステッド研究 nested study …… 1761
ネステッドPCR nested polymerase chain reaction …… 1566

ネズノミ juniper ……… 974
ネズノミタール juniper tar ……… 974
ネズミ科 Muridae ……… 1179
ネズミ癌 mouse cancer ……… 286
ネズミ歯摂子 mouse-tooth forceps ……… 728
ネズミダニ皮膚炎 rat mite dermatitis ……… 495
ネズミチフス菌 *Salmonella enterica* subsp. *typhimurium* ……… 1631
ネズミトゲダニ *Laelaps echidninus* ……… 995
ネズミの murine ……… 1179
ネズミノミ属 *Xenopsylla* ……… 2052
ネスラー試薬 Nessler reagent ……… 1569
ネスルンド放線菌 *Actinomyces naeslundii* 20
ネゼロフ型胸腺リンパ形成不全〔症〕 Nezelof type of thymic alymphoplasia ……… 55
ネゼロフ症候群 Nezelof syndrome ……… 1814
熱 calor ……… 280
熱 febris ……… 679
熱 fever ……… 682
熱 heat (q) ……… 821
熱安定酵素 thermostable enzyme ……… 624
熱〔不〕安定性試験 heat instability test 1858
熱安定〔性〕の thermostabile, thermostable ……… 1882
熱〔性〕壊疽 hot gangrene ……… 756
熱音響イメージング thermoacoustic imaging ……… 908
熱音響学 thermoacoustics ……… 1880
熱〔分〕解 pyrolysis ……… 1534
熱外中性子 epithermal neutron ……… 1254
熱化学 thermochemistry ……… 1880
熱〔科〕学 thermology ……… 1881
熱拡散 thermodiffusion ……… 1881
熱〔的〕核の thermonuclear ……… 1882
熱学の thermotic ……… 1882
熱〔可〕塑性 thermoplastic ……… 1882
熱感 heat (q) ……… 821
熱感覚過敏〔症〕 hyperthermalgesia ……… 888
熱(温度)眼振 caloric nystagmus ……… 1286
熱関数量 enthalpy (*H*) ……… 621
熱希釈 thermodilution ……… 1881
熱凝固〔法〕 thermocoagulation ……… 1881
熱凝固試験 heat coagulation test ……… 1858
熱狂症 zelotypia ……… 2057
ネックレス necklace ……… 1223
熱係蹄 galvanocaustic snare, hot snare 1694
熱痙攣 heat cramps ……… 433
熱血流計 thermostromuhr ……… 1882
熱硬化性 thermoset ……… 1882
熱向性の caloritropic ……… 280
熱硬直 heat rigor ……… 1617
熱硬直点 heat-rigor point ……… 1454
熱〔性〕紅斑 erythema caloricum ……… 638
熱興奮〔性〕の thermoexcitory ……… 1881
熱散逸促進薬 thermolytic ……… 1881
熱産生 thermogenesis ……… 1881
熱産生作用 calorigenic action ……… 21
熱産生刺激〔性〕の thermoexcitory ……… 1881
熱産生物質 calorigenic ……… 280
熱射病 thermic fever ……… 686
熱射病 heatstroke ……… 821
熱射病 heat stroke ……… 1758
捏揉運動 malaxation ……… 1095
熱傷 burn ……… 267
熱傷 thermal burn ……… 267
熱傷 scald ……… 1638
熱情 passion ……… 1370
熱傷口腔症候群 scalded mouth syndrome ……… 1818
熱消失 thermosteresis ……… 1882
熱焼灼 thermal ablation ……… 3
熱傷性皮膚炎 dermatitis combustionis ……… 495
熱傷治療 antipyrotic ……… 108
熱傷治療〔性〕の antipyrotic ……… 108
熱色作用 thermochrosis ……… 1881
熱色性 thermochrose ……… 1881
熱ショック蛋白 heat shock proteins (hsp) ……… 1503
熱処理 heat treatment ……… 1923
熱水の hydrothermal ……… 874
熱〔性〕壊疽 hot gangrene ……… 756
熱性筋肉攣縮 thermosystaltism ……… 1882
〔有〕熱性痙攣 febrile convulsion ……… 419
熱性紅斑 erythema ab igne ……… 638
熱性じんま疹 febrile urticaria ……… 1976
熱性水腫(浮腫) heat edema ……… 587
熱性精神病 febrile psychosis ……… 1520
熱性蛋白尿〔症〕 febrile albuminuria ……… 44
熱性尿 febrile urine ……… 1973
熱〔性〕の thermal ……… 1880
熱性不攣縮の athermosystaltic ……… 168
熱積算計 thermointegrator ……… 1881
熱走性 thermotaxis ……… 1882
熱像法 thermography ……… 1881
熱〔可〕塑性 thermoplastic ……… 1882
熱帯医学 tropic medicine ……… 1117
熱帯潰瘍 tropic ulcer ……… 1961
熱帯痤瘡 tropic acne ……… 16
ネッタイシマカ *Aedes aegypti* ……… 31
熱帯〔性〕侵食潰瘍 phagedena tropica ……… 1398
熱帯性化膿性筋炎 tropic pyomyositis ……… 1532
熱帯性好酸球増加〔症〕 tropic eosinophilia ……… 624
熱帯性湿疹 tropic eczema ……… 586
熱帯性スプルー tropic sprue ……… 1725
熱帯性鼡径乳頭腫 papilloma inguinale tropicum ……… 1346
熱帯性大球性貧血 macrocytic anemia, tropic ……… 77
熱帯性糖尿病性手症候群 tropic diabetic hand syndrome ……… 1823
熱帯性麻疹 tropic measles ……… 1113
熱帯熱マラリア falciparum malaria ……… 1094
熱帯熱マラリア原虫 *Plasmodium falciparum* ……… 1433
熱帯白斑性皮膚病 pinta ……… 1425
熱帯病 tropic diseases ……… 541
熱帯貧血 tropic anemia ……… 78
熱帯フランベジア frambesia tropica ……… 739
熱帯リーシュマニア *Leishmania tropica* 1017
熱沈降反応 thermoprecipitin reaction ……… 1568
熱〔的〕核の thermonuclear ……… 1882
熱電堆 thermopile ……… 1882
熱電対 thermocouple ……… 1881
熱伝導角膜形成術 conductive keratoplasty ……… 980
熱電流 thermocurrent ……… 1881
熱電流 thermoelectricity ……… 1881
熱透過〔法〕 thermopenetration ……… 1882
ネットワーク network ……… 1244
熱〔性〕の thermal ……… 1880
熱剝奪 thermosteresis ……… 1882
熱発光線量測定法 thermoluminescence dosimetry ……… 558
熱発生 thermogenesis ……… 1881
熱ばて heat exhaustion ……… 653
熱ばて heat prostration ……… 1501
熱疲はい heat prostration ……… 1501
熱病 febris ……… 679
熱〔不〕安定性試験 heat instability test 1858
熱不安定の thermolabile ……… 1881
熱〔分〕解 pyrolysis ……… 1534
熱分利 febrile crisis ……… 439
熱変形赤血球症 pyropoikilocytosis ……… 1535
熱変性試験 heat instability test ……… 1858
熱容量 heat capacity ……… 288
熱力学 thermodynamics ……… 1881
熱力学的ポテンシャル thermodynamic potential ……… 1474
熱力学の第二法則 second law of thermodynamics ……… 1008
熱力関数 entropy (*S*) ……… 622
熱流量計 thermostromuhr ……… 1882
熱量 calorie ……… 280
熱量計 calorimeter ……… 280
熱量測定〔法〕 calorimetry ……… 280
〔温〕熱療法 thermotherapy ……… 1882
〔発〕熱療法 therapeutic fever ……… 686
熱攣縮計 thermotonometer ……… 1882
ネトリン netrin ……… 1244
ねはん(涅槃)原則 nirvana principle ……… 1485
ネプチューン帯 Neptune's girdle ……… 771
ネプツニウム neptunium (Np) ……… 1231
ネブライザ nebulizer ……… 1223
ネブラマイシン nebramycin ……… 1223
ネブラリン nebularine ……… 1223
ネプリライシン neprilysin ……… 1231
ネブリン nebulin ……… 1223
ネフログラム nephrogram ……… 1229
ネフロス nephros ……… 1230
ネフローゼ nephrosis ……… 1231
ネフローゼ症候群 nephrotic syndrome 1813
ネフローゼ性浮腫 nephrotic edema ……… 587
ネフロトモグラム nephrotomogram ……… 1231
ネフロパシー nephropathy ……… 1230
ネフロリシン nephrolysin ……… 1229
ネフロン nephron ……… 1229
ネフロン過少(減少)〔性〕の oligonephronic ……… 1297
ネフロンの原基 nephron anlagen ……… 1230
ネフロンループ nephron loop ……… 1069
ネマリン筋障害 nemaline myopathy ……… 1215
ネマリンミオパシー nemaline myopathy ……… 1215
ネム nem ……… 1226
眠り sleep ……… 1692
ネラトン括約筋 Nélaton sphincter ……… 1713
ネラトンカテーテル Nélaton catheter ……… 313
ネラール neral ……… 1231
ネリー徴候 Néri sign ……… 1682
ネリフォリン neriifolin ……… 1231
ネルソン腫〔瘍〕 Nelson tumor ……… 1951
ネルソン症候群 Nelson syndrome ……… 1813
ネルボン nervone ……… 1241
ネルボン酸 nervonic acid ……… 1241
ネルンスト式 Nernst equation ……… 634
年 year ……… 2055
粘液 mucus ……… 1177
粘液 pituita ……… 1427
粘液炎症性線維芽細胞肉腫 myxoinflammatory fibroblastic sarcoma ……… 1636
粘液血症 mucinemia ……… 1175
粘液血様の mucosanguineous, mucosanguinolent ……… 1177
粘液細胞 mucous cell ……… 323
粘液細胞 myxocyte ……… 1217
粘液質 phlegm ……… 1409
粘液質の phlegmatic ……… 1409
粘液脂肪腫 myxolipoma ……… 1218
粘液腫 myxoma ……… 1218
粘液腫症 myxomatosis ……… 1218
粘液漿液性細胞 mucoserous cells ……… 323
粘液状の muciform ……… 1175
粘液状の mucoid ……… 1175
粘液水腫 myxedema ……… 1217
粘液水腫心 myxedema heart ……… 820
粘液水腫性音声 myxedema voice ……… 2035
粘液水腫性苔癬 lichen myxedematosus 1031
粘液性癌腫 mucinous carcinoma ……… 298
粘液性結腸(大腸)炎 mucous colitis ……… 390
粘液性下痢 mucous diarrhea ……… 511
粘液性漿液の mucoserous ……… 1177
粘液生成 myxopoiesis ……… 1218
粘液〔性〕の pituitous ……… 1427
粘液性膜性腸炎 mucomembranous enteritis ……… 619
粘液性ラ音 mucous rale ……… 1547

粘液性類表皮癌 mucoepidermoid carcinoma ………… 298
粘液栓 mucous plug ………… 1446
粘液腺 mucous gland ………… 774
粘液腺 glandula mucosa ………… 776
粘液線維腫 myxofibroma ………… 1218
粘液線維肉腫 myxofibrosarcoma ………… 1218
粘液腺炎 blennadenitis ………… 220
粘液栓塞 mucus impaction ………… 914
粘液線毛性の mucociliary ………… 1175
粘液トレポネーマ *Treponema mucosum* 1925
粘液軟骨腫 myxochondroma ………… 1217
粘液軟骨線維肉腫 myxochondrofibrosarcoma ………… 1217
粘液肉腫 myxosarcoma ………… 1218
粘液乳頭型脳室上衣腫 myxopapillary ependymoma ………… 625
粘液乳頭腫 myxopapilloma ………… 1218
粘液尿〔症〕 mucinuria ………… 1175
粘液嚢 bursa mucosa ………… 269
粘液嚢腫 cystomyxoma ………… 463
粘液嚢腫 mucocele ………… 1175
粘液嚢腫(嚢胞) mucous cyst ………… 460
粘液膿性の mucopurulent ………… 1176
粘液膿の mucopurulent ………… 1176
粘液表層 mucus blanket ………… 218
粘液分泌過多 phlegm ………… 1409
粘液分泌過多 polyblennia ………… 1458
粘液分泌期 mucification ………… 1175
粘液分泌欠乏 amyxorrhea ………… 69
粘液分泌欠乏〔症〕 myxasthenia ………… 1217
粘液分泌減退 hypomyxia ………… 895
粘液分泌の muciparous ………… 1175
粘液分泌抑制の mucostatic ………… 1177
粘液胞子虫綱 Myxosporea ………… 1218
粘液ポリープ gelatinous polyp ………… 1463
粘液ポリープ mucous polyp ………… 1463
粘液溶解 mucolysis ………… 1176
粘液様結合組織 mucous connective tissue ………… 1895
粘液様の myxoid ………… 1218
粘液様斑点 mucous plaque, mucinous plaque ………… 1432
粘液瘤 mucocele ………… 1175
粘液類上皮腫 mucoepidermoid tumor … 1951
唸音 hum ………… 866
粘滑性の mucilaginous ………… 1175
粘滑薬 demulcent ………… 486
粘滑薬 mucilage ………… 1175
粘菌綱 Myxomycetes ………… 1218
年金神経症 pension neurosis ………… 1252
粘菌類 myxomycete ………… 1218
粘〔性〕グロブリン mucoglobulin ………… 1175
捻挫 distortion ………… 549
捻挫 sprain ………… 1725
念珠状紅色苔癬 lichen ruber moniliformis ………… 1031
捻除 avulsion ………… 183
燃焼 combustion ………… 396
燃焼当量 combustion equivalent ………… 635
燃焼熱 heat of combustion ………… 821
粘性硫黄 soft sulfur ………… 1776
粘〔性〕蛋白 mucoprotein ………… 1176
粘性率 coefficient of viscosity ………… 387
粘性率 viscosity ………… 2031
燃素 phlogiston ………… 1409
粘素原 mucinogen ………… 1175
粘素原顆粒 mucinogen granules ………… 797
粘素溶解性の mucinolytic ………… 1175
粘弾性 viscoelasticity ………… 2031
粘弾性(シュレム)管開放術 viscocanalostomy ………… 2031
粘弾性遅延 viscoelastic retardation ………… 1598
粘弾性物質 viscoelastic ………… 2031
粘着 adhesion ………… 28
粘着(付着)因子 adhesins ………… 28
粘着現象 adhesion phenomenon ………… 1403
粘着試験 adhesion test ………… 1853
粘着性 adherence ………… 28
粘着性 tenacity ………… 1849
粘着性 viscidity ………… 2031
粘着性金 cohesive gold ………… 791
粘着性の adhesive ………… 28
粘着性の glutinous ………… 785
粘着性の tenacious ………… 1849
粘着末端DNA sticky-ended DNA ………… 491
粘〔稠〕度 viscosity ………… 2031
捻転 ébranlement ………… 580
捻転 torsion ………… 1904
〔歯軸〕捻転 torsiversion ………… 1904
捻転胃虫属 *Haemonchus* ………… 811
捻転角 angle of torsion ………… 90
捻転角度計 tropometer ………… 1937
捻転骨折 torsion fracture ………… 738
捻転神経症 torsion neurosis ………… 1252
捻転頭奇形 strophocephaly ………… 1760
捻転変形 torsional deformity ………… 480
捻転毛 pili torti ………… 1424
粘度計 viscosimeter ………… 2031
粘度測定〔法〕 viscosimetry ………… 2031
捻髪音 crepitation ………… 436
捻髪音 decrepitation ………… 475
捻髪音 crepitant rale ………… 1547
捻髪音性腱滑膜炎 tenosynovitis crepitans ………… 1851
粘膜 membrana mucosa ………… 1124
粘膜 mucous membranes ………… 1126
粘膜 mucosa ………… 1176
粘膜 mucosal tunics, mucous tunics ………… 1952
粘膜 tunica mucosa ………… 1953
〔膣〕粘膜 mucosa of vagina ………… 1177
〔膣〕粘膜 tunica mucosa vaginae ………… 1953
〔咽頭〕粘膜 tunica mucosa pharyngis ………… 1953
〔気管〕粘膜 tunica mucosa tracheae ………… 1953
〔結腸〕粘膜 tunica mucosa coli ………… 1953
〔喉頭〕粘膜 tunica mucosa laryngis ………… 1953
〔子宮〕粘膜 tunica mucosa uteri ………… 1953
〔耳管〕粘膜 tunica mucosa tubae auditivae ………… 1953
〔小腸〕粘膜 mucosa of small intestine … 1177
〔小腸〕粘膜 tunica mucosa intestini tenuis ………… 1953
〔食道〕粘膜 esophageal mucosa ………… 1176
〔食道〕粘膜 mucosa of esophagus ………… 1176
〔食道〕粘膜 tunica mucosa esophagi ………… 1953
〔精管〕粘膜 mucosa of ductus deferens 1176
〔精管〕粘膜 tunica mucosa ductus deferentis ………… 1953
〔精嚢〕粘膜 mucosa of seminal gland … 1177
〔精嚢〕粘膜 mucosa of seminal vesicle 1177
〔精嚢〕粘膜 tunica mucosa vesiculae seminalis ………… 1953
〔胆嚢〕粘膜 mucosa of gallbladder ………… 1176
〔胆嚢〕粘膜 tunica mucosa vesicae biliaris ………… 1953
〔胆嚢〕粘膜 tunica mucosa vesicae felleae ………… 1953
〔尿管〕粘膜 mucosa of ureter ………… 1177
〔尿管〕粘膜 tunica mucosa ureteris ………… 1953
〔膀胱〕粘膜 mucosa of (urinary) bladder ………… 1177
〔膀胱〕粘膜 tunica mucosa vesicae urinariae ………… 1953
〔卵管〕粘膜 mucosa of uterine tube ………… 1177
〔卵管〕粘膜 tunica mucosa tubae uterinae ………… 1953
〔女の尿道の〕粘膜 mucosa of female urethra ………… 1176
〔女の尿道の〕粘膜 tunica mucosa urethrae femininae ………… 1953
粘膜移植〔片〕 mucosal graft ………… 795
粘膜炎 mucitis ………… 1175
粘膜炎 mucositis ………… 1177
粘膜下インプラント submucosal implant 915
粘膜下口蓋裂 submucous cleft palate … 1338
粘膜下神経叢 submucosal (nerve) plexus ………… 1443
粘膜下切除術 submucous resection ………… 1592
粘膜下組織 submucosa ………… 1764
粘膜下組織 tela submucosa ………… 1846
粘膜下の submucous ………… 1764
粘膜関連リンパ組織 mucosa-associated lymphoid tissue (MALT) ………… 1895
粘膜記録 tissue registration ………… 1587
粘膜筋板 lamina muscularis mucosae ………… 998
粘膜筋板 muscular layer of mucosa ………… 1012
粘膜筋板 muscularis mucosae ………… 1198
粘膜骨膜 mucoperiosteum ………… 1176
粘膜骨膜弁 mucoperiosteal flap ………… 710
粘膜固有層 lamina propria ………… 998
粘膜固有層 lamina propria mucosae ………… 998
粘膜〔発疹性〕疾患 endermosis ………… 611
粘膜上皮形成異常(異形成) mucoepithelial dysplasia ………… 576
粘膜疹 enanthem, enanthema ………… 606
粘膜繊毛クリアランス率 mucociliary clearance rate ………… 1560
粘膜線毛清浄能 mucociliary clearance ………… 373
粘膜線毛輸送 mucociliary transport ………… 1921
粘膜軟骨膜弁 mucoperichondrial flap ………… 710
粘膜の mucomembranous ………… 1176
粘膜抜去術 mucosectomy ………… 1177
粘膜波動 mucosal wave ………… 2042
粘膜斑 mucous patch ………… 1371
粘膜斑 mucous plaque, mucinous plaque ………… 1432
〔胆嚢の〕粘膜ひだ mucosal folds of gallbladder ………… 719
粘膜皮膚移行部 mucocutaneous junction 973
粘膜皮膚の mucocutaneous ………… 1175
粘膜表皮の mucoepidermoid ………… 1175
粘膜免疫法 mucosal immunization ………… 911
粘膜レリーフ像 mucosal relief radiography ………… 1543
念力 psychokinesis, psychokinesia ………… 1518
年齢 age ………… 35
年齢特定率 age-specific rate ………… 1559

ノ

ノーヴィ菌 *Clostridium novyi* ………… 376
ノーヴィーマックニール血液寒天〔培地〕 Novy and MacNeal blood agar ………… 35
ノーウォーク因子 Norwalk agent ………… 36
ノーウォークウイルス Norwalk virus … 2027
ノーウッド手術 Norwood operation ………… 1305
ノーウッド法 Norwood procedure ………… 1487
ノータ染色〔法〕 Nauta stain ………… 1734
ノートナーゲル症候群 Nothnagel syndrome ………… 1814
ノートン-サイモン仮説 Norton-Simon hypothesis ………… 898
ノートン手術 Norton operation ………… 1305
ノーブル-コリップ法 Noble-Collip procedure ………… 1487
ノーブル染色〔法〕 Noble stain ………… 1734
ノーブル体位 Noble position ………… 1469
ノーベリウム nobelium (No) ………… 1259
ノーベル賞 Nobel Prize ………… 1259
ノイサー顆粒 Neusser granules ………… 797
ノイズ noise ………… 1265

ノイバウアー動脈 Neubauer artery 149
ノイフェルト莢膜膨化 Neufeld capsular swelling 1789
ノイマンの法則 Neumann law 1007
ノイラミニダーゼ neuraminidase 1245
α_2-ノイラミノ糖蛋白 α_2-neuraminoglycoprotein 1245
ノイラミン酸 neuraminic acid 1245
ノイリン neurine 1245
ノイロケラチン neurokeratin 1248
ノイローゼ neurosis 1252
嚢 bag 192
嚢 bursa 267
嚢 capsula 290
嚢 cistern 368
嚢 cyst 458
嚢 cystis 462
嚢 pocket 1452
嚢 pouch 1474
嚢 sac 1628
嚢 saccus 1629
嚢 vesica 2016
嚢 vesicula 2017
嚢〔状構造の器官〕bladder 218
脳 brain 241
脳 encephalon 609
脳圧低下〔症〕intracranial hypotension 897
脳圧迫〔症〕cerebral compression 405
脳異形成〔症〕encephalodysplasia 608
脳うっ血 brain congestion 410
脳エコー検査〔法〕echoencephalography 583
脳炎 cerebritis 335
脳炎 encephalitis 607
脳炎ウイルス encephalitis virus 2024
脳炎後の postencephalitic 1471
脳炎誘発物質 encephalitogen 607
脳凹窩 cerebral lacuna 995
脳凹窩 lacuna cerebri 995
脳回 convolution 419
脳回過剰 polygyria 1460
脳回間の intergyral 945
脳回欠損 agyria 39
脳回欠損 lissencephaly 1060
脳回痕 impressions of cerebral gyri 917
脳回〔転〕状頭皮 cutis verticis gyrata 453
脳回切除〔術〕gyrectomy 807
脳回転状網膜脈絡膜萎縮 gyrate atrophy of choroid and retina 173
〔脳〕外套異常〔症〕dyspallia 574
〔脳〕外套不全 dyspallia 574
脳回内の intragyral 950
〔脳〕回の配列 gyration 807
脳回肥厚〔症〕pachygyria 1335
脳回裂隙症 schizogyria 1643
〔大〕脳学 encephalology 608
膿痂疹 impetigo 914
膿痂疹化 impetiginization 914
膿痂疹性口唇炎 impetiginous cheilitis 341
脳下垂体性巨人症 pituitary gigantism 769
脳下垂体前葉向性腺ホルモン anterior pituitary gonadotropin 792
嚢下白内障 subcapsular cataract 312
脳幹 brainstem, brain stem 242
〔脳幹〕橋内の intrapontine 951
脳幹〔部〕出血 brainstem hemorrhage 835
脳幹神経膠腫 brainstem glioma 778
脳顔面頭蓋の craniofacial 434
脳幹網様〔体〕核 reticular nuclei of the brainstem 1279
膿気肝炎 pyopneumohepatitis 1532
膿気胸 pyopneumothorax 1532
脳奇形 parencephalia 1355
膿気心膜症 pyopneumopericardium 1532
膿気性胆嚢炎 pyopneumocholecystitis 1532
膿気性腹膜炎 pyopneumoperitonitis 1532
膿気腹腔 pyopneumoperitoneum 1532
脳脚底 basis pedunculi 201
膿球 pus corpuscle 426
脳弓 fornix 731
脳弓下器官 subfornical organ (SFO) 1312
脳弓脚 crus fornicis 443
脳弓脚 crus of fornix 443
脳弓交連 commissura fornicis 397
脳弓交連 commissure of fornix 397
脳弓交連 psalterium 1510
脳弓交連の psalterial 1510
脳弓体 body of fornix 227
脳弓体 corpus fornicis 425
脳弓柱 column of fornix 395
脳弓柱 columna fornicis 396
脳弓ひも tenia fornicis 1850
脳弓ひも tenia of the fornix 1850
脳弓傍核 perifornical nucleus 1278
脳弓隆起 carina fornicis 303
脳鏡 encephaloscope 610
膿胸 empyema 605
膿胸 pyothorax 1532
脳橋眼筋麻痺 fascicular ophthalmoplegia 1308
〔脳〕橋空洞症 syringopontia 1829
脳鏡検査〔法〕encephaloscopy 610
膿胸性〔脊柱〕側弯〔症〕empyemic scoliosis 1648
膿胸切除術 empyectomy 605
膿胸に対するクラゲット法 Clagett procedure for empyema 1487
膿胸排膿管 empyema tube 1941
脳共尾虫 *Coenurus cerebralis* 387
脳空洞症 porencephaly 1466
脳クモ膜 arachnoid of brain 123
脳クモ膜 cranial arachnoid mater 123
膿形成 pyopoiesis 1532
脳形成不全 encephalodysplasia 608
脳計測器 encephalometer 608
嚢形の cystoid 463
膿血〔症〕pyemia 1530
脳結核 cerebral tuberculosis 1945
脳血管撮影(造影)〔法〕cerebral angiography 84
脳血管疾患(障害) cerebrovascular disease 530
脳血管障害 cerebrovascular accident (CVA) 10
脳血管性の cerebrovascular 335
膿血症〔性〕塞栓症 pyemic embolism 601
膿血症性膿瘍 pyemic abscess 6
脳血栓症 cerebral thrombosis 1888
脳血流〔量〕cerebral blood flow 714
脳減圧法 cerebral decompression 475
脳腱黄色腫症 cerebrotendinous xanthomatosis 2051
脳硬化〔症〕cerebrosclerosis 335
脳硬化〔症〕sclerencephaly, sclerencephalia 1646
濃厚精油 concrete oils 1294
濃厚な inspissate 940
脳溝内隆起 vadum 1981
脳硬膜 cranial dura mater 568
脳硬膜 dura mater encephali 568
脳硬膜 dura mater of brain 568
脳硬膜 endocranium 612
脳硬膜動脈血管癒合〔術〕duraencephalosynangiosis 567
脳硬膜の骨膜層 periosteal layer of dura mater 1013
脳砂 corpora arenacea 425
脳砂 brain sand 1633
膿細胞 pus cell 325
脳挫傷 brain contusion 418
脳撮影(造影)図 encephalogram 608
脳雑音 brain murmur 1179
脳作用 cerebration 335
脳三叉神経血管症候群 encephalotrigeminal vascular syndrome 1803
脳死 cerebral death 473
脳磁気図 magnetoencephalogram (MEG) 1093
脳磁気図記録〔法〕magnetoencephalography 1093
脳磁気図検査〔法〕magnetoencephalography 1093
脳脂質 brain lipid 1056
濃紫〔色〕痰 prune-juice sputum 1726
脳室 cerebral ventricles 2010
脳室 ventricle 2010
脳室液 ventricular fluid 715
脳室炎 ventriculitis 2011
脳室気腫 pneumoventricle 1452
脳室鏡検査〔法〕ventriculoscopy 2012
〔脳室腔〕上衣嚢胞 ependymal cyst 459
脳室クモ膜下の ventriculosubarachnoid 2012
脳室撮影(造影)〔法〕ventriculography 2011
脳室周囲器官群 circumventricular organs 1311
〔視床下部の〕脳室周囲層 periventricular zone 2060
〔脳室〕上衣炎 ependymitis 625
〔脳室〕上衣芽細胞 ependymoblast 625
〔脳室〕上衣芽〔細胞〕腫 ependymoblastoma 625
〔脳室〕上衣細胞 ependymal cell 321
〔脳室〕上衣細胞 ependymocyte 625
〔脳室〕上衣〔細胞〕腫 ependymoma 625
脳室水腫性軟〔髄〕膜脱出 hydrencephalomeningocele 870
脳室水腫性脳脱出 hydrencephalocele 870
脳室(心室)切開〔術〕ventriculotomy 2012
脳室穿刺 ventriculopuncture 2012
脳室大槽吻合〔術〕ventriculocisternostomy 2011
脳室蓄膿症 pyocephalus 1531
脳室内視法 ventriculoscopy 2012
脳室内出血 intraventricular hemorrhage 835
脳室内注射 intraventricular injection 936
脳室内の intracerebroventricular 950
脳室内の intraventricular (IV, I-V) 951
脳室乳突造瘻術 ventriculomastoidostomy 2011
脳室乳突フィステル形成〔術〕ventriculomastoidostomy 2011
脳室吻合術 ventriculostomy 2012
嚢腫 cyst 458
嚢腫 cystoma 463
脳周囲炎 periencephalitis 1387
膿汁嘔吐 pyemesis 1530
脳充血 cephalemia 332
濃縮 concentration (c) 405
濃縮化 inspissation 940
濃縮血液 packed human blood cells 324
濃縮コバラミン cobalamin concentrate 383
濃縮状態 spissitude 1719
濃縮胆汁症候群 inspissated bile syndrome 1808
濃縮乳症候群 inspissated milk syndrome 1808
濃縮ヒト赤血球 concentrated human red blood corpuscle 426
嚢腫〔状〕肉腫 cystosarcoma 463
嚢腫性甲状腺腫 cystic goiter 790
嚢腫性痤瘡 cystic acne 16
脳腫脹 brain swelling 1789
脳出血 cerebral hemorrhage 835
嚢腫の脈管性外壁 pericystium 1387
嚢腫様筋腫 cystomyoma 463
脳腫瘤 encephaloma 608
脳症 encephalopathy 609
脳症 encephalosis 610
膿漿 ichorous pus 1529

膿漿〔液〕 ichor 902
嚢状胃 wallet stomach 1748
膿漿〔液〕漏 ichorrhea 902
脳障害 encephalopathy 609
嚢状外骨〔腫〕症 exostosis bursata 654
嚢状気管支拡張症 cystic bronchiectasis 258
脳小孔形成 cerebral porosis 1467
嚢〔状構造の器官〕 bladder 218
嚢状構造物 vesicle 2016
嚢状脂肪腫 lipoma capsulare 1057
嚢状手 main succulente 1093
膿漿状膿 ichorous pus 1529
嚢状の sacciform 1629
膿状の puriform 1528
膿状の puruloid 1529
濃色効果 hyperchromic effect 589
膿疹 empyesis 606
膿腎〔症〕 pyonephrosis 1532
脳心筋炎 encephalomyocarditis 609
脳心筋炎ウイルス encephalomyocarditis virus 2024
脳神経 cranial nerves 1233
脳神経 nervi craniales 1241
脳神経核 nuclei of cranial nerves 1274
〔脳〕神経外科〔学〕 neurosurgery 1252
〔脳〕神経外科医 neurosurgeon 1252
脳神経心臓反射 craniocardiac reflex 1578
脳-心臓浸出物寒天〔培地〕 brain-heart infusion agar 34
脳振とう〔症〕 commotio cerebri 398
脳振とう〔症〕 brain concussion 407
脳振とう後症候群 postconcussion syndrome 1816
膿心膜〔症〕 pyopericardium 1532
脳水腫(浮腫) cerebral edema 587
脳髄様腫瘍 encephaloma 608
脳頭蓋 neurocranium 1246
脳頭蓋性肉芽性動脈炎 intracranial granulomatous arteritis 140
脳頭蓋皮膚脂肪腫症 encephalocraniocutaneous lipomatosis 1058
脳スフィンゴリピドーシス cerebral sphingolipidosis 1714
膿清 liquor puris 1060
膿精液〔症〕 pyosemia 1532
脳性嘔吐 cerebral vomiting 2037
脳性巨人症 cerebral gigantism 769
脳性脂肪症 adiposis cerebralis 29
脳性〔小児〕麻痺 cerebral palsy (CP) 1340
膿性腎盂拡張〔症〕 pyopyelectasis 1532
膿性敗血症 pyosepticemia 1532
膿性浮腫 pyemic edema 587
脳性両側運動失調〔症〕 cerebral diataxia 512
脳石 encephalolith 608
脳脊髄液 cerebrospinal fluid (CSF) 714
脳脊髄液 liquor cerebrospinalis 1060
脳脊髄液圧 cerebrospinal pressure 1482
脳脊髄液化膿 internal pyocephalus 1531
脳脊髄〔液〕指数 cerebrospinal index 922
脳脊髄液耳漏 cerebrospinal fluid otorrhea 1327
脳脊髄炎 encephalomyelitis 608
脳脊髄幹 neuraxis 1245
脳脊髄空洞症 syringoencephalomyelia 1829
脳脊髄系 cerebrospinal system 1830
脳脊髄軸 axion 183
脳脊髄軸 cerebrospinal axis 184
脳脊髄障害 encephalomyelopathy 609
脳脊髄神経根障害 encephalomyeloradiculopathy 609
脳脊髄神経障害 encephalomyeloneuropathy 609
脳脊髄神経節 craniospinal sensory ganglia 753
脳脊髄神経節 ganglia craniospinalia sensoria 753
脳脊髄線虫症 cerebrospinal nematodiasis 1226
脳脊髄の cerebrospinal 335
脳脊髄膜炎 cerebrospinal meningitis 1129
〔脳脊〕髄膜内の intrameningeal 950
〔脳脊〕髄膜の meningeal 1128
脳脊髄瘤 encephalomyelocele 609
嚢切開〔術〕 capsulotomy 291
脳切開〔術〕 encephalotomy 610
脳切開器 encephalotome 610
脳切断〔術〕 encephalotomy 610
脳切断器 encephalotome 610
濃染 blush 224
嚢前位縫合 capsular advancement 31
濃染顆粒 dense bodies 226
濃染形態の pyknomorphous 1531
脳穿刺 cephalocentesis 333
脳仙髄の craniosacral 434
濃染性の pachychromatic 1334
濃染性の trachychromatic 1909
膿瘡 ecthyma 584
脳造影(撮影)図 encephalogram 608
脳卒中 stroke 1758
〔脳〕卒中後の postapoplectic 1470
農村型(湿潤型,森林型)熱帯リーシュマニア *Leishmania major* 1017
脳脱〔出症〕 exencephalocele 653
脳脱〔出症〕 exencephaly 653
脳炭疽 cerebral anthrax 98
嚢〔尾〕虫 cysticercus 461
嚢〔尾〕虫 measles 1113
嚢〔尾〕虫〔属〕 *Cysticercus* 461
嚢虫感染の measly 1113
嚢虫症 cysticercosis 461
脳中心の centrencephalic 331
脳底 base of brain 199
〔橋〕脳底溝 basilar sulcus 1771
脳底静脈 basal vein 1994
脳底静脈 vena basalis 2004
脳底静脈叢 basilar venous plexus 1439
脳底髄膜炎 basilar meningitis 1129
脳底動脈 arteria basilaris 134
脳底動脈 basilar artery 143
脳底動脈片頭痛 basilar migraine 1156
脳底軟膜炎 basilar leptomeningitis 1021
脳電位 brain potential 1473
濃度 concentration (c) 405
濃度 density (ρ) 487
能動〔性〕アナフィラキシー active anaphylaxis 72
能動(自動)運動 active movement 1173
脳頭蓋 neurocranium 1246
脳頭蓋性肉芽性動脈炎 intracranial granulomatous arteritis 140
脳頭蓋皮膚脂肪腫症 encephalocraniocutaneous lipomatosis 1058
膿頭症 pyocephalus 1531
能動性うっ血 active congestion 410
能動性(能動的)充血 active hyperemia 880
能動的血管拡張 active vasodilation 1990
能動的血管収縮 active vasoconstriction 1990
能動的予防〔法〕 active prophylaxis 1499
能動的ワクチン接種 immunization vaccination 1979
能動免疫 active immunity 910
能動免疫〔法〕 active immunization 911
能動輸送 active transport 1921
濃度計 densitometer 487
濃度勾配 concentration gradient 794
嚢内顎関節形成〔術〕 intracapsular temporomandibular joint arthroplasty 156
嚢内強直 intracapsular ankylosis 93
脳内出血 intracerebral hemorrhage 835
嚢内の intracapsular 949
嚢内の intracystic 950
嚢内の intravesical 951
脳軟化〔症〕 encephalomalacia 608
脳軟膜 cranial pia mater 1110
膿尿 pyuria 1535
膿粘液瘤 mucopyocele 1176
脳の encephalic 607
脳のアミロイドアンギオパチー cerebral amyloid angiopathy 86
膿嚢 pocket 1452
膿嚢胞 pyocyst 1531
脳嚢胞〔症〕 perencephaly 1385
脳の直撃損傷 coup injury of brain 936
脳の動脈 arteries of brain 143
脳の反衝損傷 contrecoup injury of brain 936
脳のレンズ核後〔方〕の retrolenticular 1604
脳波 electroencephalogram (EEG) 595
脳波 brain wave 2042
嚢胚 gastrula 760
嚢胚形成 gastrulation 760
膿敗血症 septicopyemia 1663
脳破壊性小頭〔蓋〕症 encephaloclastic microcephaly 1150
脳波記録〔法〕 electroencephalography (EEG) 595
脳波計 electroencephalograph 595
脳波検査〔法〕 electroencephalography (EEG) 595
脳波サイクル brain wave cycle 454
脳波賦活 EEG activation 21
脳波複合 brain wave complex 401
脳波分析器 analyzer, analyzor 71
脳波律動異常 electroencephalographic dysrhythmia 577
脳瘢痕 brain cicatrix 362
膿皮症 pyoderma 1531
嚢〔尾〕虫 measles 1113
嚢〔尾〕虫〔属〕 *Cysticercus* 461
脳浮腫(水腫) cerebral edema 587
農夫肺 farmer's lung 1072
農夫肌 farmer's skin 1691
農夫皮膚 farmer's skin 1691
脳ヘルニア encephalocele 608
脳ヘルニア exencephalocele 653
脳ヘルニア exencephaly 653
脳ヘルニア fungus cerebri 745
脳ヘルニア cerebral hernia 842
膿便 pyochezia 1531
脳胞 cerebral vesicle 2016
膿疱 bouton 238
膿疱 pustule 1529
嚢胞 cyst 458
嚢胞胃吻合術 cystogastrostomy 462
膿疱痂皮性の pustulocrustaceous 1529
嚢胞癌 cystic carcinoma 297
嚢胞癌 cystocarcinoma 462
嚢胞空腸吻合術 cystojejunostomy 463
膿疱形成 pustulation 1529
嚢縫合〔術〕 capsulorrhaphy 291
嚢胞周囲の pericystic 1387
嚢胞十二指腸吻合術 cystoduodenostomy 462
膿疱症 pustulosis 1529
嚢胞状気管支拡張〔症〕 saccular bronchiectasis 258
膿疱疹 empyesis 606
嚢胞腎 cystic kidney 984
嚢胞性過形成 cystic hyperplasia 886
膿疱性汗疹 miliaria pustulosa 1157
膿疱性乾癬 pustular psoriasis 1516
膿疱性丘疹 papulopustule 1347
膿疱性黒皮症(メラノーシス) pustular melanosis 1122
膿疱性痤瘡 acne pustulosa 16
膿疱性湿疹 eczema pustulosum 586
膿疱性水疱 vesicopustule 2017
嚢胞性線維症 cystic fibrosis, cystic fibrosis of the pancreas 696
嚢胞性線維性骨炎 osteitis fibrosa cystica

……………………………………………… 1320
嚢胞性腺腫様奇形 cystic adenomatoid malformation …………………………… 1096
嚢胞性増殖〔症〕 cystic hyperplasia ……… 886
膿疱性丹毒 erysipelas pustulosum ……… 638
嚢胞性中膜壊死 cystic medial necrosis 1224
嚢胞性二分脊椎 spina bifida cystica …… 1715
嚢胞性乳頭腫様頭蓋咽頭腫 cystic papillomatous craniopharyngioma ……… 434
嚢胞性の cystic ………………………… 461
嚢胞性脳室周囲白質軟化症 cystic periventricular leukomalacia …………… 1028
嚢胞性肺気腫 bullous emphysema ……… 605
嚢胞性肺線維症膜貫通コンダクタンス制御蛋白 cystic fibrosis transmembrane conductance regulator ……………… 1587
膿疱性不全角化症 parakeratosis pustulosa ……………………………………………… 1349
嚢胞性膀胱炎 cystitis cystica …………… 462
嚢胞性ポリープ cystic polyp …………… 1463
嚢胞性ポリープ性胃炎 gastritis cystica polyposa ……………………………… 757
嚢胞性リンパ管腫 lymphangioma cysticum ……………………………………………… 1076
嚢胞切除〔術〕 cystectomy ……………… 461
嚢胞線維腫 cystofibroma ………………… 462
嚢胞腺癌 cystadenocarcinoma …………… 461
嚢胞腺腫 cystadenoma …………………… 461
嚢胞素質(体質,素因) cystic diathesis …… 512
嚢胞腸吻合術 cystoenterostomy ………… 462
嚢胞内乳頭腫 intracystic papilloma …… 1346
嚢胞内の intracystic ……………………… 950
嚢胞内膜 endocyst ………………………… 612
嚢胞粘液腺腫 cystomyxoadenoma ……… 463
膿疱発生薬 pustulant …………………… 1529
嚢胞様黄斑症 cystoid maculopathy …… 1091
脳保護器 tutamina cerebri …………… 1955
膿盆 emesis basin, kidney basin ……… 200
膿盆 pus basin …………………………… 200
脳膜 membrana cerebri ………………… 1124
〔化〕膿膜 pyogenic membrane ………… 1127
農薬 pesticide …………………………… 1396
農薬 plant pesticide ……………………… 1396
膿瘍 abscess ………………………………… 4
膿瘍腔 abscess cavity …………………… 316
膿瘍性穿掘性毛包(毛嚢)炎 folliculitis abscedens et suffodiens ………………… 722
膿瘍性穿掘性毛包周囲炎 perifolliculitis abscedens et suffodiens ……………… 1387
膿様粘液 mucopus ……………………… 1176
膿様の puruloid ………………………… 1529
膿様の pyoid …………………………… 1532
膿瘍膜 pyogenic membrane …………… 1127
膿様流涙 dacryopyorrhea ……………… 470
膿瘤 pocket ……………………………… 1452
膿瘤 pyocele ……………………………… 1531
脳梁 corpus callosum …………………… 425
脳梁縁動脈 arteria callosomarginalis …… 134
脳梁縁動脈 callosomarginal artery ……… 143
脳梁縁動脈の後内側前頭葉枝 posteromedial frontal branch of callosomarginal artery ……………………………………………… 252
脳梁縁動脈の前内側前頭枝 anteromedial frontal branch of callosomarginal artery ……………………………………………… 243
脳梁縁動脈の帯状束枝 cingular branch of callosomarginal artery ………………… 244
脳梁縁動脈の中間内側前頭葉枝 intermediomedial frontal branch of callosomarginal artery ………………… 247
脳梁縁動脈の中心傍回枝 paracentral branches of callosomarginal artery …… 250
脳梁縁の callosomarginal ……………… 279
脳梁幹 truncus corporis callosi ………… 1938
脳梁幹 trunk of corpus callosum ……… 1938
脳梁溝 sulcus corporis callosi ………… 1772
脳梁溝 sulcus of corpus callosum ……… 1772
脳梁膝 genu corporis callosi …………… 767
脳梁膝 genu of corpus callosum ……… 767
脳梁周囲槽 pericallosal cistern ………… 368
〔脳梁周囲動脈の〕頭頂後頭溝枝 parietooccipital branches of pericallosal artery ………………………………………… 250
脳梁周動脈 arteria pericallosa …………… 137
脳梁周動脈 pericallosal artery ………… 149
〔脳梁周動脈の〕楔前部動脈 precuneal branches of pericallosal artery ……… 252
脳梁の callosal …………………………… 279
脳梁背枝 ramus corporis callosi dorsalis 1550
脳梁吻 rostrum corporis callosi ………… 1623
脳梁吻 rostrum of corpus callosum …… 1623
脳梁放線 radiatio corporis callosi ……… 1541
脳梁放線 radiation of corpus callosum 1541
脳梁縫線 raphe corporis callosi ………… 1558
脳梁膨大 splenium corporis callosi …… 1720
脳梁膨大 splenium of corpus callosum 1720
能力 ability …………………………………… 3
能力 capacity ……………………………… 288
〔受容〕能力 competence ………………… 400
脳裂 encephaloschisis …………………… 610
脳裂 schizencephaly …………………… 1643
脳裂傷 brain laceration ………………… 993
膿漏 blennorrhea ………………………… 220
膿漏〔症〕 pyorrhea ……………………… 1532
膿漏眼 hyperacute purulent conjunctivitis ……………………………………………… 412
膿漏性角皮症 keratoderma blennorrhagicum ……………………………………………… 979
脳露出症 hyperencephaly ……………… 880
ノカルジア科 Nocardiaceae …………… 1260
ノカルジア症 nocardiosis ……………… 1260
ノカルジア状の nocardioform ………… 1260
ノカルジア属 *Nocardia* ………………… 1259
ノカルジア類 nocardia ………………… 1260
ノカルジア涙嚢結石 Nocardia dacryoliths ……………………………………………… 470
ノカルディオプシス属 *Nocardiopsis* …… 1260
ノグチア属 *Noguchia* …………………… 1265
ノグチサシチョウバエ *Phlebotomus noguchi* ……………………………………………… 1409
のこぎり saw ……………………………… 1637
のこぎり雑音 bruit de rape …………… 262
のこぎり状形態 serration ……………… 1667
のこぎり様ぜん鳴 stridor serraticus …… 1757
ノサシバエ *Siphona irritans* …………… 1689
ノザンブロット解析 Northern blot analysis ……………………………………………… 70
ノスカピン noscapine ………………… 1268
ノセボ nocebo …………………………… 1260
ノセマ科 Nosematidae ………………… 1268
ノセマ角膜 *Nosema corneum* ………… 1268
ノセマ属 *Nosema* ……………………… 1268
ノタチン notatin ………………………… 1269
ノック knock ……………………………… 988
ノックアウト knockout, knock-out ……… 988
ノックアウトマウス knockout mouse …… 1172
ノット法 Knott technique ……………… 1844
のど throat ……………………………… 1886
ノトバイオート gnotobiote …………… 790
ノトバイオロジー gnotobiology ………… 790
ノトビオタ gnotobiota ………………… 790
ノナペプチド nonapeptide …………… 1266
ノノース nonose ………………………… 1266
のび反応 lengthening reaction ………… 1565
伸び率 elongation ……………………… 599
ノマルスキーオプティクス Nomarski optics ……………………………………………… 1309
ノマルスキー光学系 Nomarski optics … 1309
のみ chisel ………………………………… 345
ノミ flea …………………………………… 711
ノミ駆除 depulization ………………… 494
飲み込み細胞 pinocyte ………………… 1425
のみ状の scalpriform …………………… 1640
飲水試験 water-drinking test ………… 1868
ノミ目 Siphonaptera …………………… 1689
ノモグラム nomogram ………………… 1265
のり引機 spreader ……………………… 1725
ノリエ病 Norrie disease ……………… 538
乗換え crossing-over …………………… 441
ノリス小体 Norris corpuscles ………… 426
乗物酔い motion sickness …………… 1677
ノルアドレナリン noradrenaline ……… 1267
ノルウェー疥癬 Norwegian scabies …… 1638
ノルエピネフリン norepinephrine (NE) 1267
ノルエピネフリン作動性の norepinephrinergic ……………………… 1267
ノルエピネフリントランスポータ norepinephrine transporter (NET) …… 1921
ノルエピネフリン輸送体 norepinephrine transporter (NET) ……………………… 1921
ノルオフタルミン酸 norophthalmic acid ……………………………………………… 1268
ノルステロイド類 norsteroids ………… 1268
ノルトハウゼン硫酸 Nordhausen sulfuric acid ………………………………………… 1777
ノルバリン norvaline (Nva) ………… 1268
ノルハルマン norharman ……………… 1267
ノルマル酪酸 butyric acid …………… 272
ノルメタネフリン normetanephrine …… 1267
ノルメペリジン normeperidine ……… 1267
ノルロイシン norleucine (Nle) ……… 1267
のろい curse ……………………………… 450
ノン-アルコン咬合器 nonarcon articulator ……………………………………………… 158
ノンオキシノール9 nonoxynol 9 ……… 1266
呑気〔症〕 aerophagia, aerophagy ……… 32
ノンストレス試験 nonstress test ……… 1862
ノンパラメトリック nonparametric …… 1266

ハ

歯 dens …………………………………… 487
歯 tooth ………………………………… 1902
ハーゲドルン針 Hagedorn needle ……… 1225
ハーシュ-パイファー染色〔法〕 Hirsch-Peiffer stain ……………………………………… 1732
ハーストブジー Hurst bougie ………… 238
ハーゼの法則 Haase rule ……………… 1626
ハーセプチン herceptin ……………… 841
ハーディ-ランド-リッター試験 Hardy-Rand-Ritter test ……………… 1858
ハーディ-ヴァインベルクの法則 Hardy-Weinberg law ………………… 1006
ハーディ-ヴァインベルク平衡 Hardy-Weinberg equilibrium …………… 635
ハーディング-パッセー黒色腫 Harding-Passey melanoma …………… 1122
ハート HAART ………………………… 810
ハードウエア hardware ……………… 815
ハートナップ病 Hartnup disease …… 534
ハートマン〔溶〕液 Hartman solution …… 1698
ハーネスプロット Hanes plot ………… 1446
ハーネマン療法の hahnemannian ……… 811
ハーバー症候群 Haber syndrome ……… 1806
ハーバー-ワイス反応 Haber-Weiss reaction ……………………………………………… 1565
ハーフウェイハウス halfway house …… 812
ハーフシスチン half cystine ………… 462
ハーフシスチン half-cystine ………… 812
ハーモニン harmonin ………………… 815
ハーユログ hirulog …………………… 854

ハーリキン反応 harlequin reaction 1565
ハーンのオキシン試薬 Hahn oxine reagent 1569
バー bar 196
バー bur 266
バーカン手術 Barkan operation 1304
バーガンディピッチ Burgundy pitch 1427
バーカン膜 Barkan membrane 1125
バーキットリンパ腫 Burkitt lymphoma 1083
バークー嘔吐 Barcoo vomit 2037
バーグ染色〔法〕 Berg stain 1730
バークホルデリア属 *Burkholderia* 267
バーグマン徴候 Bergman sign 1679
バークマン反射 Barkman reflex 1577
バークラスプ bar clasp 370
バークラスプアーム bar clasp arm 131
バークリウム berkelium (Bk) 207
バードシード寒天〔培地〕 birdseed agar 34
バージニアザクラ *Prunus virginiana* 1510
バース症候群 Barth syndrome 1797
バースト burst 271
バースリーブアタッチメント bar-sleeve attachments 175
バーセル burr cell 320
バーゼル解剖学用語 *Basle Nomina Anatomica* (BNA) 201
バーソン試験 Berson test 1855
バーター症候群 Bartter syndrome 1797
バーティシリウム属 *Verticillium* 2015
バード基準 Bird criteria 441
バート症候群 Bart syndrome 1797
バードショット脈絡網膜炎 bird shot retinochoroiditis 1602
バード徴候 Bird sign 1679
バートン鉗子 Barton forceps 727
バートン骨折 Barton fracture 736
バートン線 Burton line 1049
バートン包帯 Barton bandage 195
バーナー(焼灼器)症候群 burner syndrome 1798
バーナーズ burners 267
バーネーズスポンジ Bernays sponge 1723
バーマフォレストウイルス Barmah Forest virus 2022
バーミリオン vermilion 2013
バーラーヌイ温度〔刺激,眼振〕試験 Bárány caloric test 1854
バーラーヌイ徴候 Bárány sign 1679
バーリー barye 199
バール bar 196
バールックの法則 Baruch law 1005
バールーホイール Burlew wheel 2045
バーロウ手技 Barlow maneuver 1098
バーロー症候群 Barlow syndrome 1797
バーン barn(b) 197
バーンズ曲線 Barnes curve 450
バーンズジストロフィ Barnes dystrophy 578
バーンズ帯 Barnes zone 2059
バーンスタイン試験 Bernstein test 1854
バーンハイム(ベルナン)症候群 Bernheim syndrome 1798
バーン-ランド説 Burn and Rand theory 1875
パーカーカズキダニ *Ornithodoros parkeri* 1315
パーカー-カー縫合 Parker-Kerr suture 1788
パーキンズ療法 perkinism 1394
パーキンソン顔〔貌〕 Parkinson facies 664
パーキンソン症候群 parkinsonism 1356
パーク-ウィリアムズ固定法 Park-Williams fixative 708
パークス・ウェーバー症候群 Parkes Weber syndrome 1815
パーク動脈瘤 Park aneurysm 82
パーゲンシュテッヒャー(パーゲンステッケル)輪 Pagenstecher circle 364
パーコモルフ油 percomorph oil 1384
パーコレーション percolation 1384
パーコレータ percolator 1384
パース病 Paas disease 538
パーセンタイル percentile 1384
パーソナリティ personality 1395
パーソナリティ特性 personality trait 1916
パーソナリティプロフィール personality profile 1494
パーヌム野 Panum area 129
パーネト(パネート)顆粒細胞 Paneth granular cells 324
パーフェナジン perphenazine 1395
パーフォリン perforin 1385
パーミアーゼ permease 1394
パーム油 palm oil 1294
パールカン perlecan 1394
パール指数 Pearl index 923
パーン paan 1334
把握 prehension 1479
把握反射 grasping reflex 1579
杯 cup 448
杯 pelvis 1378
肺 lung 1071
肺 pulmo 1523
胚 embryo 601
パイ π 1334
パイ pi (π, Π) 1422
バイアーズ皮弁 Byars flap 709
パイアー(パイエル)斑(板) Peyer patches 1371
パイアー(パイエル)板 agmen peyerianum 38
肺アメーバ症 pulmonary amebiasis 57
バイアル vial 2018
配位 orientation 1313
背〔臥〕位 supine position 1470
背〔臥〕位 supination 1778
胚域 germinal area, area germinativa 129
配位子 ligand 1046
灰色文献 gray literature 1060
胚栄養 embryotroph 602
胚栄養 embryotrophy 602
排液〔法〕 drainage 559
排液管 drain 559
排液管 drainage tube 1941
排液貯留 ischesis 958
ハイエム(エヤン)〔溶〕液 Hayem solution 1698
肺炎 pneumonia 1449
肺〔臓〕炎 pneumonitis 1451
肺炎ウイルス属 *Pneumovirus* 1452
肺炎杆菌 *Klebsiella pneumoniae* 987
肺炎球菌血症 pneumococcemia 1448
肺炎球菌殺菌性の pneumococcidal 1448
肺炎球菌性膿胸 pneumococcal empyema 606
肺炎球菌尿症 pneumococcosuria 1448
肺炎球菌溶解 pneumococcolysis 1448
肺炎球菌ワクチン pneumococcal vaccine 1980
肺炎後の postpneumonic 1471
肺延髄の pneumobulbar 1447
肺炎随伴性胸水 parapneumonic effusion 590
ばい煙性いぼ soot wart 2040
肺炎マイコプラスマ *Mycoplasma pneumoniae* 1208
肺炎連鎖球菌 *Streptococcus pneumoniae* 1754
バイオアッセイ bioassay 212
バイオアベイラビリティ bioavailability 212
バイオインフォマティクス bioinformatics 212
バイオガラス bioglass 212
バイオサイバネティクス biocybernetics 212
バイオセイフティー biosafety 215
バイオセラピューティク薬 biotherapeutic agent 36
バイオタイプ biotype 215
バイオニクス bionics 213
バイオニック bionic 213
バイオフィードバック biofeedback 212
バイオフィルム biofilm 212
バイオプシー biopsy (Bx) 214
バイオプシー針 biopsy needle 1225
バイオフラボノイド bioflavonoids 212
バイオマーカ biomarker 213
バイオマス biomass 213
バイオマテリアル biomaterial 213
バイオミメティック biomimetic 213
バイオーム biome 213
バイオメータ biometer 213
バイオリズム biorhythm 214
バイオリン状胎盤 placenta panduraformis 1428
バイオリン奏者痙攣 violinist's cramp 434
倍音 harmonic 815
倍音イメージング harmonic imaging 908
胚芽 embryo 601
胚芽 germ 768
背〔臥〕位 supine position 1470
背〔臥〕位 supination 1778
胚外外胚葉 extraembryonic ectoderm 585
胚外体腔膜 exocelomic membrane 1125
背外側核 dorsolateral nucleus 1275
媒介体 vector 1992
胚外体腔 extraembryonic celom 329
胚外体腔 exocelom, exocoelom 653
胚外中胚葉 extraembryonic mesoderm 1136
媒介動物 vector 1992
胚〔体〕外の extraembryonic 657
肺〔臓〕外の extrapulmonary 658
〔腎〕杯外の extracaliceal 657
媒介物 fomes 723
媒介物 vehicle 1992
媒介物〔質〕 mediator 1115
徘徊癖 dromomania 561
徘徊癖 poriomania 1466
媒介変数 parameter 1351
肺下縁 margo inferior pulmonis 1104
胚芽下腔 subgerminal cavity 317
肺下胸水 subpulmonic effusion 590
肺過誤腫 pulmonary hamartoma 813
胚〔芽〕細胞 germinal cell 321
胚芽〔細胞〕腫 hepatoblastoma 840
倍加時間 doubling time 1893
胚芽腫 embryonal tumor, embryonic tumor 1950
胚芽層 germinative layer 1010
肺滑石症 pulmonary talcosis 1839
肺活量 vital capacity (VC) 288
肺活量計 spirometer 1718
肺活量指数 spiro-index 1718
肺活量測定〔法〕 spirometry 1718
肺下の subpulmonary 1764
肺癌 bronchogenic carcinoma 296
肺換気〔量〕 pulmonary ventilation 2010
肺換気-血流スキャン ventilation-perfusion scan 1640
肺冠動脈反射 pulmonocoronary reflex 1581
肺間膜 pulmonary ligament 1039
肺間膜 ligamentum pulmonale 1045
肺間膜 mesopneumonium 1137
〔胎児肺の〕肺間膜 mesopulmonum 1137
胚含有の embryonate 601
排気 evacuation 649
排気浣腸 blind enema 616
肺機能検査 pulmonary function test (PFT) 1863
肺吸虫症 lung fluke disease 536
肺吸虫症 paragonimiasis 1349
肺吸虫属 *Paragonimus* 1349
肺吸虫肉芽腫 *Paragonimus* granuloma 798
胚休眠 embryonic diapause 510
肺胸膜 visceral pleura 1438

ハ

肺胸膜炎 pulmonary pleurisy …… 1438
胚局在 germinal localization …… 1067
肺虚脱 pulmonary collapse …… 390
背筋反射 dorsal reflex …… 1578
〔肺区域の〕下舌区 inferior lingular (bronchopulmonary) segment [S V] 1654
〔肺区域の〕下舌区 segmentum lingulare bronchopulmonale inferius [S V] …… 1656
肺腔 pulmonary cavity …… 317
配偶子 gamete …… 751
配偶子形成 gametogenesis …… 751
配偶子消失 gametophagia …… 751
配偶子接合 syngamy …… 1826
配偶子接合の gametokinetic …… 751
配偶子嚢 gametangium …… 751
配偶子発生 gametogenesis …… 751
配偶子母細胞嚢 gametocyst …… 751
配偶者間人工授精 homologous insemination …… 939
配偶の gamic …… 751
〔肺〕区間静脈 intersegmental vein …… 1997
背屈 dorsiflexion …… 556
〔肺〕区内静脈 intrasegmental part of pulmonary veins …… 1365
〔肺〕区内静脈 infrasegmental veins …… 1997
〔肺〕区内静脈 intrasegmental veins …… 1997
バイクローナリティ biclonality …… 209
肺グロームス pulmonary glomus …… 781
肺グロムス血管症 pulmonary glomangiosis …… 779
背景(バックグラウンド)強度(濃度) background level …… 1029
背景信号 background …… 188
杯形成 cupping …… 449
杯形成 saucerization …… 1637
胚形成 embryogenesis …… 601
胚形成 embryogeny …… 601
杯形生検鉗子 cup biopsy forceps …… 727
胚形成の embryomorphous …… 601
バイケイソウ属 *Veratrum* …… 2013
肺結核〔症〕 pulmonary tuberculosis …… 1946
敗血症 septic fever …… 686
敗血症 ichorrhemia, ichoremia …… 902
敗血症 sepsis …… 1662
敗血症 septicemia …… 1662
敗血症症候群 sepsis syndrome …… 1819
敗血症性静脈炎 septic phlebitis …… 1408
敗血症性ショック septic shock …… 1674
敗血〔症〕〔性〕の septic …… 1662
敗血症性浮腫 septic edema …… 587
敗血症性ペスト pesticemia …… 1396
敗血症〔性〕網膜炎 septic retinitis …… 1602
敗血性ペスト septicemic plague …… 1429
敗血〔性〕流産 septic abortion …… 4
肺結石 pulmolith …… 1523
胚結節 embryoblast …… 601
ハイゲンス(ハイゲンズ)接眼レンズ Huygens ocular …… 1291
ハイゲンス(ハイゲンズ)の原理 Huygens principle …… 1485
肺溝 pulmonary groove …… 802
肺溝 paravertebral gutter …… 806
肺溝 pulmonary sulcus …… 1774
肺溝 sulcus pulmonalis …… 1774
配合禁忌 incompatibility …… 920
肺高血圧〔症〕 pulmonary hypertension …… 888
肺梗塞 pulmonary infarct …… 926
肺硬変〔症〕 pulmonary cirrhosis …… 367
肺固定〔術〕 pneumonopexy …… 1451
肺根 radix pulmonis …… 1546
肺根 root of lung …… 1621
杯細胞 goblet cell …… 321
胚細胞腫 germinoma …… 768
肺細葉 pulmonary acinus …… 15
背枝 ramus dorsalis …… 1551
胚子 embryo …… 601
胚子外の abembryonic …… 2
胚子極 embryonic pole …… 1456
胚子形成 embryony …… 602
胚子軸 embryonic axis …… 184
廃疾 invalidism …… 952
媒質 medium …… 1117
肺実質 parenchyma of lung …… 1355
肺実質炎 pneumonitis …… 1451
廃疾者 invalid …… 952
背日性 apheliotropism …… 114
胚子の反対側の極 abembryonic pole …… 1456
胚〔子〕発生 blastogenesis …… 219
胚〔子〕部 embryonal area, embryonic area …… 129
胚〔子〕崩壊 blastolysis …… 219
胚〔子〕無形体 embryonic anideus …… 91
背斜の anticlinal …… 102
肺〔臓の〕縦隔面 mediastinal surface of lung …… 1782
肺住血吸虫症 pulmonary schistosomiasis …… 1643
胚種広布説 panspermia, panspermatism 1343
排出 eccrisis …… 581
排出 excretion …… 652
排出 extrusion …… 658
排出 exudation …… 659
排出管 excretory duct …… 563
〔精嚢の〕排出管 excretory duct of seminal gland …… 563
〔精嚢の〕排出管 excretory duct of seminal vesicle …… 563
〔精嚢の〕排出管 ductus excretorius vesiculae seminalis …… 566
〔涙腺の〕排出管 excretory ductules of lacrimal gland …… 565
〔涙腺の〕排出管 ductuli excretorii glandulae lacrimalis …… 566
排出器 ejector …… 592
〔胎児〕排出機序 disengagement …… 542
〔総〕排出腔 cloaca …… 375
排出口 outlet …… 1327
排出溝 spillway …… 1715
排出腺 excretory gland …… 773
排出物 egesta …… 590
排出物 excrement …… 652
排出物 excretion …… 652
排出物の excrementitious …… 652
排出量 output …… 1327
排出路 spillway …… 1715
胚循環 embryonic circulation …… 365
肺循環 pulmonary circulation …… 366
排除 abatement …… 1
排除 elimination …… 599
排除 exclusion …… 652
排除 rejection …… 1588
肺症 pneumonopathy …… 1451
焙焼 torrefaction …… 1904
焙炒 torrefaction …… 1904
胚障害 embryopathy …… 602
盃状窩下の infracotyloid …… 931
杯状終末 calyciform ending, caliciform ending …… 611
賠償神経症 compensation neurosis …… 1252
杯状の caliciform …… 279
杯状の calyciform …… 281
杯状の scyphoid …… 1652
胚上皮 germinal epithelium …… 632
胚上皮 surface epithelium …… 633
肺静脈 pulmonary veins …… 2000
肺静脈 venae pulmonales …… 2007
〔総または部分〕肺静脈結合異常症 anomalous pulmonary venous connections, total or partial …… 413
肺静脈口 openings of pulmonary veins 1303
肺静脈口 ostia venarum pulmonalium …… 1325
肺小葉間中隔 interlobular septum …… 1663
煤色苔 sordes …… 1701
肺神経叢 pulmonary (nerve) plexus …… 1443
肺神経叢の肺枝 pulmonary branches of pulmonary nerve plexus …… 253
肺浸潤 infiltrate …… 928
肺水腫(浮腫) pulmonary edema …… 587
倍数性 ploidy …… 1446
倍数性 polyploidy …… 1463
バイスタンダー細胞 innocent bystander cell …… 322
バイスペクトラル指数 bispectral index 921
媒精 insemination …… 939
肺性P P pulmonale …… 1475
肺性雑音 pulmonary murmur, pulmonic murmur …… 1180
肺成熟障害症候群 pulmonary dysmaturity syndrome …… 1817
肺性心 cor pulmonale …… 421
肺性の pulmonary …… 1523
胚性誘導物質 embryonal inducer …… 924
肺石症 pneumolithiasis …… 1449
排石促進剤 lithagogue …… 1060
排泄 elimination …… 599
排泄 excretion …… 652
排泄 passage …… 1370
排泄〔物〕 discharge (DC) …… 526
肺切開〔術〕 pneumonotomy …… 1451
排泄機能異常症候群 dysfunctional elimination syndrome …… 1803
〔総〕排泄腔 cloaca …… 375
排泄腔外反症 cloacal exstrophy …… 656
排泄腔括約筋 cloacal sphincter …… 1712
排泄腔板 cloacal plate …… 1435
排泄腔ひだ cloacal folds …… 718
排泄腔膜 cloacal membrane …… 1125
排泄減退 hypoeccrisis …… 892
排泄細管 discharging tubule …… 1948
肺切除〔術〕 pneumonectomy …… 1449
肺切除〔術〕 pneumoresection …… 1451
肺舌静脈 lingular vein …… 1998
〔肺〕舌状葉切除〔術〕 lingulectomy …… 1054
排泄する void …… 2035
排泄性尿路撮影(造影)〔法〕 intravenous urography, excretory urography …… 1974
排泄性膀胱尿道造影像 voiding cystourethrogram (VCUG) …… 463
排泄促進の eliminant …… 599
排泄促進薬 eliminant …… 599
肺舌動脈 arteria lingularis …… 136
肺舌動脈 lingular artery …… 148
排泄の deferent …… 478
排泄の eccritic …… 582
排泄物 dejection …… 483
排泄物 excrement …… 652
排泄物 excretion …… 652
排泄薬 eccritic …… 582
排泄薬 evacuant …… 649
肺尖 apex of lung …… 113
肺尖 apex pulmonis …… 113
肺線維症 fibroid lung …… 1072
肺前縁 margo anterior pulmonis …… 1104
肺尖区 apical (bronchopulmonary) segment [S I] …… 1654
肺尖区 segmentum apicale …… 1656
肺尖後区 apicoposterior (bronchopulmonary) segment [SI + SII] …… 1654
肺尖後静脈 apicoposterior vein …… 1994
肺尖後動脈 apicoposterior artery …… 142
媒染剤 mordant …… 1170
媒染剤処理 metachroming …… 1138
肺穿刺〔術〕 pneumonocentesis …… 1451
肺腺腫症 pulmonary adenomatosis …… 26
肺洗浄 pulmonary toilet …… 1898
肺尖静脈 apical vein …… 1993
肺尖剝離〔術〕 apicolysis …… 115

肺尖部疼痛症候群 painful apical syndrome ……… 1815
肺尖部肺炎 apex pneumonia, apical pneumonia ……… 1449
肺尖帽 apical cap ……… 288
肺〔臓〕炎 pneumonitis ……… 1451
〔肺臓〕横隔面 facies diaphragmatica (pulmonis) ……… 663
〔肺臓〕横隔面 diaphragmatic surface (of lung) ……… 1781
肺〔臓〕外の extrapulmonary ……… 658
肺臓の下縁 inferior border of lung ……… 235
〔肺臓の〕斜裂 oblique fissure of lung ……… 703
肺〔臓の〕縦隔面 mediastinal surface of lung ……… 1782
肺臓の前縁 anterior border of lung ……… 234
肺臓の葉間面 interlobar surfaces of lung ……… 1781
肺臓の肋骨面の椎骨部 vertebral part of the costal surface of the lungs ……… 1369
背側距舟骨 dorsal talonavicular bone ……… 232
背側楔間靱帯 dorsal intercuneiform ligaments ……… 1035
背側楔間靱帯 ligamenta intercuneiformia dorsalia ……… 1043
背側楔舟靱帯 dorsal cuneonavicular ligaments ……… 1035
背側楔舟靱帯 ligamenta cuneonavicularia dorsalia ……… 1043
〔橈骨の〕背側結節 dorsal tubercle of radius ……… 1943
〔橈骨の〕背側結節 tuberculum dorsale radii ……… 1946
背側楔立方靱帯 dorsal cuneocuboid ligament ……… 1035
背側楔立方靱帯 ligamentum cuneocuboideum dorsale ……… 1043
背側肩甲静脈 dorsal scapular vein ……… 1995
背側肩甲静脈 vena scapularis dorsalis 2007
背側肩甲動脈 arteria dorsalis scapulae ……… 135
背側肩甲動脈 arteria scapularis dorsalis 137
背側肩甲動脈 dorsal scapular artery ……… 145
〔手の〕背側骨間筋 musculus interosseus dorsalis manus ……… 1200
〔足の〕背側骨間筋 musculus interosseus dorsalis pedis ……… 1200
背側枝 dorsal branch ……… 246
背側視交叉上交連 commissura supraoptica dorsalis ……… 397
背側視床下部 dorsal hypothalamic area 129
背側指静脈 dorsal digital veins of toes 1995
背側指静脈 venae digitales dorsales pedis ……… 2005
背側指神経 dorsal digital nerves ……… 1233
背側指神経 dorsal digital nerves of hand ……… 1233
背側指神経 nervi digitales dorsales manus ……… 1242
背側指動脈 arteria digitalis dorsalis ……… 135
背側指動脈 dorsal digital artery ……… 144
背側尺骨手根靱帯 dorsal ulnocarpal ligament ……… 1035
背側縦束 dorsal longitudinal fasciculus ……… 675
背側手根間靱帯 ligamentum intercarpalia dorsalia ……… 1043
背側手根腱鞘 dorsal carpal tendinous sheaths ……… 1670
〔尺骨動脈〕背側手根枝 dorsal carpal branch of ulnar artery ……… 246
〔尺骨動脈〕背側手根枝 ramus carpalis dorsalis arteriae ulnaris ……… 1548
〔尺骨動脈〕背側手根枝 ramus carpeus dorsalis arteriae ulnaris ……… 1549
〔橈骨動脈〕背側手根枝 dorsal carpal branch of radial artery ……… 246
〔橈骨動脈〕背側手根枝 ramus carpalis dorsalis arteriae radialis ……… 1548
〔橈骨動脈〕背側手根枝 ramus carpeus dorsalis arteriae radialis ……… 1549
背側手根中手靱帯 dorsal carpometacarpal ligaments ……… 1035
背側手根中手靱帯 ligamenta carpometacarpalia dorsalia ……… 1042
背側手根動脈網 dorsal carpal arterial arch ……… 125
背側手根動脈網 dorsal carpal network 1244
背側手根動脈網 rete carpale dorsale ……… 1598
〔背側〕踵舟靱帯 dorsal calcaneonavicular ligament ……… 1035
背側踵立方靱帯 dorsal calcaneocuboid ligament ……… 1035
背側踵立方靱帯 ligamentum calcaneocuboideum dorsale ……… 1042
背側心間膜 dorsal mesocardium ……… 1135
背側膵 dorsal pancreas ……… 1341
背側頭蓋の欠損 notancephalia ……… 1269
背側正中の mediodorsal ……… 1117
肺〔動脈〕塞栓症 pulmonary embolism ……… 601
背側線条 dorsal striatum ……… 1757
背側仙尾筋 dorsal sacrococcygeus muscle ……… 1184
背側足根靱帯 dorsal tarsal ligaments ……… 1035
背側足根中足靱帯 dorsal tarsometatarsal ligaments ……… 1035
背側大動脈 dorsal aorta ……… 111
背側淡蒼球 dorsal pallidum ……… 1339
背側中手静脈 dorsal metacarpal veins 1995
背側中手静脈 venae metacarpales dorsales ……… 2006
背側中手靱帯 dorsal metacarpal ligaments ……… 1035
背側中手靱帯 ligamenta metacarpalia dorsalia ……… 1044
背側中手動脈 arteriae metacarpales dorsales ……… 136
背側中手動脈 dorsal metacarpal arteries 144
背側中足静脈 dorsal metatarsal veins ……… 1995
背側中足静脈 venae metatarsales dorsales ……… 2006
背側中足靱帯 dorsal metatarsal ligaments ……… 1035
背側中足靱帯 ligamenta metatarsalia dorsalia ……… 1044
背側中足動脈 arteriae metatarsales dorsales ……… 136
背側中足動脈 dorsal metatarsal arteries 144
背側橈骨手根靱帯 dorsal radiocarpal ligament ……… 1035
背側橈骨手根靱帯 ligamentum radiocarpale dorsale ……… 1045
背側乳頭体前核 dorsal premammillary nucleus ……… 1274
背側の dorsal ……… 556
背側の dorsalis ……… 556
背側被蓋交叉 dorsal tegmental decussation ……… 476
背側副オリーブ核 dorsal accessory olivary nucleus ……… 1274
背側へ retrad ……… 1603
〔肩甲骨〕背側面 facies dorsalis scapulae 663
〔肩甲骨〕背側面 dorsal surface of scapula ……… 1781
〔肩甲骨〕背側面 posterior surface of scapula ……… 1783
背側野核 nucleus of dorsal field ……… 1274
背側立方舟靱帯 dorsal cuboideonavicular ligament ……… 1035
背側立方舟靱帯 ligamentum cuboideonaviculare dorsale ……… 1043
胚組織化 embryonization ……… 602
廃退 obsolescence ……… 1288
媒体 medium ……… 1117
媒体 vehicle ……… 1992
胚〔体〕外の extraembryonic ……… 657
胚体外胚盤葉 extraembryonic blastoderm 219
肺大気胞 pulmonary bulla ……… 265
肺・大動脈の pulmoaortic ……… 1523
胚体胚盤葉 embryonic blastoderm ……… 219
バイタルレッド vital red ……… 2032
肺単位 lung unit ……… 1966
肺炭疽 pulmonary anthrax ……… 98
培地 medium ……… 1117
培地 substrate (S) ……… 1767
〔培養〕培地 culture medium ……… 1118
肺虫 lungworms ……… 1073
背中隔核 dorsal septal nucleus ……… 1274
〔肺〕中隔細胞 septal cell ……… 326
胚中心 germinal center ……… 330
胚中心細胞 centroblast ……… 331
胚中層 embryophore ……… 602
〔肺〕中葉症候群 middle lobe syndrome 1812
肺腸陥凹 pneumatoenteric recess, pneumoenteric recess ……… 1572
肺腸チフス typhoid pneumonia ……… 1450
背〔部〕痛 backache ……… 188
肺底 base of lung ……… 199
肺底 basis pulmonis ……… 201
〔肺動脈の〕肺底動脈 pars basalis arteriae pulmonalis ……… 1358
〔左または右下肺動脈の〕肺底部 pars basalis arteriarum lobarium inferiorum pulmonis sinistri et dextri ……… 1358
〔左または右下肺動脈の〕肺底部 basal part of left and right inferior pulmonary arteries ……… 1362
ハイディンガーブラシ Haidinger brushes 262
背転 dorsiduct ……… 556
ハイデンハイン亜型 Heidenhain variant, Creutzfeldt-Jacob disease ……… 534
ハイデンハインアザン染色〔法〕 Heidenhain azan stain ……… 1732
ハイデンハイン鉄ヘマトキシリン染色〔法〕 Heidenhain iron hematoxylin stain ……… 1732
ハイデンハイン嚢 Heidenhain pouch ……… 1474
ハイデンハインの法則 Heidenhain law 1007
バイト bite ……… 217
バイト byte ……… 273
肺動静脈奇形の三徴 pulmonary arteriovenous malformation triad ……… 1926
配糖体 glucoside ……… 783
配糖体 glycoside ……… 788
肺動脈 pulmonary artery (PA) ……… 151
肺動脈圧 pulmonary pressure ……… 1483
肺動脈幹 truncus pulmonalis ……… 1938
肺動脈幹 pulmonary trunk ……… 1938
肺動脈幹口 opening of pulmonary trunk ……… 1303
肺動脈幹分岐 bifurcatio trunci pulmonalis ……… 210
肺動脈幹分岐 bifurcation of pulmonary trunk ……… 210
肺動脈幹弁上稜 supravalvular ridge of pulmonary trunk ……… 1616
肺動脈弓 pulmonary arc ……… 124
肺動脈口 ostium trunci pulmonalis ……… 1325
肺動脈絞扼〔術〕 pulmonary artery banding ……… 196
肺動脈絞扼のためのトラスラーの法則 Trusler rule for pulmonary artery banding ……… 1626
肺動脈小体 glomus pulmonale ……… 781
肺〔動脈〕塞栓症 pulmonary embolism ……… 601
肺動脈洞 pulmonary sinuses ……… 1688
肺動脈洞 sinus of pulmonary trunk ……… 1688
肺動脈洞 sinus trunci pulmonalis ……… 1689
肺動脈の pulmonary ……… 1523
肺動脈の左半月弁尖 valvula semilunaris sinistra valvae trunci pulmonalis ……… 1986

ハ

肺動脈の内側肺底動脈 medial basal branch of pulmonary artery …… 249
〔肺動脈の〕肺底動脈 pars basalis arteriae pulmonalis …… 1358
肺動脈バンディングのためのトロントの計算式 Toronto formula for pulmonary artery banding …… 730
肺動脈吻合 pulmonary artery anastomosis 73
肺動脈閉鎖〔症〕 pulmonary artery atresia 171
肺動脈弁 valva trunci pulmonalis …… 1984
肺動脈弁 pulmonary valve …… 1985
肺動脈弁 valve of pulmonary trunk …… 1985
肺動脈弁逆流 pulmonic regurgitation …… 1587
肺動脈弁狭窄〔症〕 pulmonary stenosis …… 1742
肺動脈弁区 pulmonary area …… 130
肺動脈弁の右半月弁尖 valvula semilunaris dextra valvae trunci pulmonalis …… 1986
肺動脈弁の前半月弁尖 valvula semilunaris anterior valvae trunci pulmonalis …… 1986
肺動脈弁不全〔症〕 pulmonary incompetence, pulmonic incompetence …… 920
肺動脈弁閉鎖〔症〕 pulmonary atresia …… 171
肺動脈弁閉鎖不全〔症〕 pulmonary insufficiency …… 941
肺動脈瘤 pulmonary artery aneurysm …… 82
梅毒 lues …… 1070
梅毒 syphilis …… 1828
梅毒学 syphilology …… 1828
梅毒学者 syphilologist …… 1828
梅毒感染度調査 syphilimetry …… 1827
梅毒菌血症 syphilemia …… 1827
〔標準〕梅毒血清反応 standard serologic tests for syphilis, STS for syphilis …… 1866
梅毒腫 syphiloma …… 1828
梅毒疹 syphilid …… 1827
梅毒性潰瘍 syphilitic ulcer …… 1961
〔梅毒性〕カキ殻疹 rupia …… 1627
梅毒性肝硬変 syphilitic cirrhosis …… 367
梅毒性骨軟骨炎 syphilitic osteochondritis …… 1321
梅毒性ゴム腫 gumma …… 805
梅毒性腎炎 syphilitic nephritis …… 1229
梅毒性髄膜脳炎 syphilitic meningoencephalitis …… 1130
梅毒性大動脈炎 syphilitic aortitis …… 112
梅毒性脱毛〔症〕 alopecia syphilitica …… 53
梅毒性動脈瘤 syphilitic aneurysm …… 82
梅毒性白斑 syphilitic leukoderma …… 1027
梅毒性バラ疹 syphilitic roseola …… 1623
梅毒性網膜炎 retinitis syphilitica, syphilitic retinitis …… 1602
梅毒トレポネーマ *Treponema pallidum* 1925
梅毒トレポネーマ感作赤血球凝集試験 *Treponema pallidum* hemagglutination test …… 1867
梅毒トレポネーマ不動化試験 *Treponema pallidum* immobilization (TPI) test 1867
梅毒熱 syphilitic fever …… 686
肺内血管 intrapulmonary blood vessels …… 224
肺内水分量 lung water …… 2041
〔視床〕背内側核 medial dorsal nucleus [TA] of thelamus …… 1277
背内側核 dorsomedial nucleus …… 1275
〔視床下部〕背内側核 dorsomedial hypothalamic nucleus …… 1275
〔視床下部〕背内側核 dorsomedial nucleus of hypothalamus …… 1275
〔視床下部〕背内側核 nucleus dorsomedialis hypothalami …… 1275
胚内体腔 intraembryonic celom …… 329
胚内中胚葉 intraembryonic mesoderm …… 1136
肺内の intrapulmonary …… 951
肺内リンパ節 intrapulmonary lymph nodes …… 1079
パイナップル pineapple …… 1425
肺軟化〔症〕 pneumomalacia …… 1449
排尿 micturition …… 1156
排尿 urination …… 1972
排尿緩慢 bradyuria …… 241
排尿筋 detrusor …… 501
排尿筋 detrusor (muscle) …… 1183
排尿筋 musculus detrusor vesicae …… 1199
排尿筋圧 detrusor pressure …… 1482
排尿筋安定性 detrusor stability …… 1727
排尿筋・括約筋筋失調 detrusor sphincter dyssynergia …… 577
排尿筋コンプライアンス detrusor compliance …… 403
排尿筋の外縦〔筋〕層 external longitudinal layer of detrusor muscle …… 1010
排尿筋の内縦〔筋〕層 internal longitudinal layer of detrusor muscle …… 1011
排尿筋反射消失 detrusor areflexia …… 130
排尿筋無反射〔症〕 detrusor areflexia …… 130
排尿困難 dysuria …… 579
排尿障害 dysuria …… 579
排尿症状スコア symptom score …… 1650
排尿する void …… 2035
排尿性失神 micturition syncope …… 1794
〔排尿〕ちゅうちょ(躊躇) hesitancy …… 846
排尿痛 scalding …… 1638
排尿痛 urodynia …… 1974
排尿反射 micturition reflex …… 1580
排尿流率 voiding flow rate …… 1560
ハイネケ-ミクリッチ幽門形成〔術〕 Heineke-Mikulicz pyloroplasty …… 1531
胚の germinal …… 768
肺の pulmonary …… 1523
排膿〔法〕 drainage …… 559
排膿管 drainage tube …… 1941
背脳ヘルニア notencephalocele …… 1270
肺嚢胞切除術 bullectomy …… 265
肺膿瘍 lung abscess …… 5
肺の褐色硬化 brown induration of the lung …… 925
肺の血液沈滞 pulmonary hypostasis …… 897
肺の鎖骨下動脈溝 groove of lung for subclavian artery …… 801
〔肺の〕上大静脈溝 groove for superior vena cava …… 803
〔肺の〕心圧痕 impressio cardiaca pulmonis …… 916
〔肺の〕心圧痕 cardiac impression on lung …… 917
肺の動的コンプライアンス dynamic compliance of lung …… 403
〔肺の〕内側面 facies medialis pulmonis …… 664
〔肺の〕内側面 medial surface of lung …… 1782
肺の発達の終末嚢期 terminal saccular period of lung development …… 1390
〔肺の〕葉間面 facies interlobares pulmonis …… 664
肺の裂溝 fissures of lung …… 703
〔肺の〕肋骨面 facies costalis pulmonis …… 663
〔肺の〕肋骨面 costal surface of lung …… 1781
パイパー鉗子 Piper forceps …… 728
肺剥離〔術〕 pneumolysis …… 1449
バイパス bypass …… 273
バイパス形成 shunt …… 1674
バイパス〔を形成〕する bypass …… 273
胚〔子〕発生 blastogenesis …… 219
肺発生の管状期 canalicular period of lung development …… 1389
肺発生の腺様期 pseudoglandular period of lung development …… 1389
肺発生の肺胞期 alveolar period of lung development …… 1389
ハイパーフォリン hyperforin …… 880
ハイパーモルフ hypermorph …… 883
ハイパレクシア hyperlexia …… 882
背反 dorsiduct …… 556
胚盤 blastodisc …… 219
胚盤 embryonic disc …… 525
胚盤 germinal disc, germ disc …… 525
肺瘢痕癌 scar cancer of the lungs …… 286
背板副子 backboard splint …… 1721
胚盤胞 blastocyst …… 218
胚盤胞腔 blastocystic cavity …… 316
胚盤葉 blastoderm, blastoderma …… 219
胚盤葉 blastodermic layers …… 1009
胚盤葉下層 hypoblast …… 891
胚盤葉上層 epiblast …… 625
胚盤葉板 blastodermic disc …… 525
背部 back …… 188
背部 regiones dorsales …… 1584
背部 regions of back …… 1585
胚〔子〕部 embryonal area, embryonic area …… 129
バイフェノタイプ biphenotypy …… 215
バイフェノティピー biphenotypy …… 215
パイフェル(プファイファー)現象 Pfeiffer phenomenon …… 1405
背部下方の subdorsal …… 1763
背部感覚異常 notalgia paresthetica …… 1269
パイプ喫煙者癌 pipe-smoker's cancer …… 286
背腹の dorsabdominal …… 556
背腹の posteroanterior (PA) …… 1471
背腹方向に dorsoventrad …… 556
パイプ軸肝硬変 pipe stem cirrhosis …… 367
パイプ軸線維症 pipestem fibrosis …… 696
肺浮腫(水腫) pulmonary edema …… 587
背部大動脈 dorsal aorta …… 111
拝物 fetish …… 681
背〔部〕痛 backache …… 188
背部の notal …… 1269
背部の筋 muscles of back …… 1182
背部の筋 dorsal muscles …… 1184
背部の筋 musculi dorsi …… 1199
パイプ柄状動脈 pipestem arteries …… 149
ハイブリダイゼーション hybridization …… 869
ハイブリッド hybrid …… 868
ハイブリッド形成 hybridization …… 869
ハイブリッド血管再生(血行再建) hybrid revascularization …… 1605
ハイブリドーマ hybridoma …… 869
バイブレータ vibrator …… 2018
肺ブレブ pulmonary bleb …… 220
肺ペスト pneumonic plague …… 1429
肺ヘルニア pneumonocele …… 1451
排便 defecation …… 476
排便 dejection …… 483
排便(腸運動) bowel movement (BM) 1173
排便器 dental pump …… 1526
排便困難 dyschezia …… 571
排便障害 dyschezia …… 571
排便造影 defecography …… 477
肺胞 alveolus …… 55
肺胞 pulmonary alveolus …… 55
肺胞 air vesicles …… 2016
胚胞 germinal vesicle …… 2016
肺胞炎 alveolitis …… 55
胚〔子〕崩壊 blastolysis …… 219
肺胞ガス式 alveolar gas equation …… 634
肺胞管 alveolar duct …… 563
肺胞管 ductulus alveolaris …… 566
肺胞換気〔量〕 alveolar ventilation ($\dot{V}_A$) 2009
肺胞間孔 interalveolar pores …… 1466
肺胞間中隔 interalveolar septum …… 1663
肺胞間の interalveolar …… 943
肺胞気 alveolar gas …… 756
肺胞気管支性の vesiculobronchial …… 2017
肺胞気管〔性〕の vesiculotubular …… 2017
肺胞血管膜 alveolocapillary membrane 1125
肺胞孔 alveolar pores …… 1466
肺縫合〔術〕 pneumonorrhaphy …… 1451
肺胞鼓音状共鳴音 vesiculotympanitic resonance …… 1594
肺胞鼓音〔性〕の vesiculotympanic …… 2017

肺胞細胞 alveolar cell ……… 319
肺胞細胞 pneumonocyte ……… 1451
肺胞細胞癌 alveolar cell carcinoma ……… 295
肺胞死腔 alveolar dead space ……… 1703
肺胞性共鳴音 vesicular resonance ……… 1594
肺胞性呼吸 vesicular respiration ……… 1595
肺胞性呼吸音 vesicular breath sounds ……… 1703
肺胞性腺癌 alveolar adenocarcinoma ……… 24
肺胞性肺嚢胞 bleb ……… 220
肺胞像陰影 alveolarization ……… 55
肺胞蛋白症 pulmonary alveolar proteinosis ……… 1506
肺胞道気腫 alveolar duct emphysema ……… 605
肺胞の alveolar ……… 55
肺胞嚢 alveolar sac ……… 1628
肺胞嚢 alveolar saccules ……… 1629
肺胞嚢 sacculus alveolaris ……… 1629
肺胞パターン alveolar pattern ……… 1373
肺胞微石症 pulmonary alveolar microlithiasis ……… 1152
背方へ dorsad ……… 556
肺胞マクロファージ alveolar macrophage ……… 1090
肺胞毛細血管ブロック alveolocapillary block ……… 221
肺胞漏斗 infundibulum ……… 931
ハイポサイクロイドの hypocycloidal ……… 892
ハイポデルマ症 hypodermatosis ……… 892
ハイポモルフ hypomorph ……… 895
胚膜 fetal membrane ……… 1125
ハイム-クライジッヒ徴候 Heim-Kreysig sign ……… 1681
胚〔子〕無形体 embryonic anideus ……… 91
ハイムリック操作 Heimlich maneuver ……… 1099
背面 facies dorsalis ……… 663
背面 dorsal surface ……… 1781
背面の dorsal ……… 556
背面の tergal ……… 1852
肺毛細管楔入圧 pulmonary capillary wedge pressure (PCWP) ……… 1483
胚モザイク germinal mosaicism, gonadal mosaicism ……… 1171
ハイモー洞 antrum of Highmore ……… 110
肺門 hilum of lung ……… 852
肺門 hilum pulmonis ……… 852
肺門陰影 hilar shadow ……… 1669
肺門跳動 hilar dance ……… 471
肺門舞踏 hilar dance ……… 471
肺紋理増強を伴う肺気腫 increased markings emphysema ……… 605
売薬 patent medicine ……… 1117
売薬 nostrum ……… 1269
肺野条件 lung window ……… 2046
肺野兎病 pulmonary tularemia ……… 1949
ハイヤー-ピューデンズ弁 Heyer-Pudenz valve ……… 1985
バイヤルジェ線 Baillarger lines ……… 1049
バイユウイルス Bayou virus ……… 2022
敗油性の rancid ……… 1557
胚葉 germ layer ……… 1010
培養 culture ……… 448
培養 incubation ……… 921
肺葉芽 pulmonary lobar buds ……… 264
培養器 incubator ……… 921
培養基 substrate (S) ……… 1767
培養酵母 cultivated yeast ……… 2055
胚葉説 germ layer theory ……… 1876
〔培養〕培地 culture medium ……… 1118
胚羊膜接合部 amnioembryonic junction ……… 973
肺容量曲線 spirogram ……… 1718
πらせん π helix ……… 823
バイラー病 Byler disease ……… 529
排卵 ovulation ……… 1329
排卵周期〔性〕の ovulocyclic ……… 1329
排卵周期性ポルフィリン症 ovulocyclic porphyria ……… 1467
排卵数一定の法則 law of constant numbers in ovulation ……… 1006
排卵性出血 oophorrhagia ……… 1302
排卵抑制剤 ovulation inhibitor ……… 935
バイリスアスカリス属 *Baylisascaris* ……… 202
倍率 magnification ……… 1093
肺隆起 pulmonary ridges ……… 1616
排臨 crowning ……… 442
肺リンパ節 pulmonary lymph nodes ……… 1080
パイル pile ……… 1423
パイル鉗子 Payr clamp ……… 370
パイル徴候 Payr sign ……… 1683
ハイルブロンナー大腿 Heilbronner thigh ……… 1883
パイル膜 Payr membrane ……… 1126
配列 alignment ……… 47
配列 schema ……… 1642
配列 series ……… 1665
配列 set-up ……… 1669
配列仮説 sequence hypothesis ……… 898
配列曲線 alignment curve ……… 450
配列タグ部位地図 sequence-tagged site (STS) map ……… 1102
バイレーブ bilabe ……… 210
バイロイド viroid ……… 2021
肺瘻 pulmonary fistula ……… 705
肺漏斗 infundibulum of lungs ……… 932
パイロメン piromen ……… 1426
パイロン pylon ……… 1531
パインタール pine tar ……… 1425
ハインツ〔小〕体 Heinz bodies ……… 227
ハインツ小体〔生体〕試験 Heinz body test ……… 1858
ハインツ小体性貧血 Heinz body anemia ……… 77
パイント pint ……… 1425
パイン油 pine oil ……… 1425
バウアー-カービー試験 Bauer-Kirby test ……… 1854
バウアー症候群 Bauer syndrome ……… 1797
ハヴァース管 haversian canals ……… 283
ハヴァース腔(隙) haversian spaces ……… 1703
バウアーのクロム酸ロイコフクシン染色〔法〕 Bauer chromic acid leucofuchsin stain ……… 1730
ハウエル-ジョリー〔小〕体 Howell-Jolly bodies ……… 227
ハウシップ凹窩 Howship lacunae ……… 995
ハウスキーピング遺伝子 housekeeping genes ……… 763
ハウストラ haustra of colon ……… 816
ハウストラのない ahaustral ……… 39
バウディッチ(ボーディッチ)効果 Bowditch effect ……… 588
バウディッチ(ボーディッチ)の法則 Bowditch law ……… 1006
バウムガルテン静脈 Baumgarten veins ……… 1994
パウリの排他原理 Pauli exclusion principle ……… 1485
ハウリング auditory feedback ……… 679
パウル-バンネル試験 Paul-Bunnell test ……… 1862
パウル反応 Paul reaction ……… 1566
パヴロフ嚢 Pavlov pouch ……… 1474
パヴロフ法 Pavlov method ……… 1145
ハウンスフィールド単位 Hounsfield unit ……… 1966
ハエ fly ……… 718
ハエウジ病 myiasis ……… 1211
ハエカビ目 Entomophthorales ……… 622
ハエ水疱 fly blister ……… 221
ハエ撲滅薬 muscicide ……… 1180
ハエ幼虫症 myiasis ……… 1211
パカ *Dasyprocta* ……… 471
破壊性関節炎 arthritis mutilans ……… 155
破壊性絨毛腺腫 chorioadenoma destruens ……… 355
破壊赤血球血症 rhestocythemia ……… 1607
破壊欲 destrudo ……… 500
破格 anomaly ……… 93
破瓜(はか)病 hebephrenia ……… 821
破瓜病性認知症 hebephrenic dementia ……… 485
はかり balance ……… 192
吐き気 nausea ……… 1222
吐き気 sicchasia ……… 1676
吐き気 vomiturition ……… 2037
歯ぎしり bruxism ……… 262
歯ぎしり gnashing ……… 789
歯ぎしり odontoprisis ……… 1292
歯ぎしり stridor dentium ……… 1757
パキシリン paxillin ……… 1374
パキテン期 pachytene ……… 1335
パキメニア pachymenia ……… 1335
吐き戻し regurgitation ……… 1587
波及感覚 referred sensation ……… 1661
バキュロウイルス baculovirus ……… 192
バキュロウイルス科 Baculoviridae ……… 192
バ行発音過多症 betacism ……… 207
破局反応 catastrophic reaction ……… 1563
歯切れ articulation ……… 158
吐く vomit ……… 2037
箔 foil ……… 718
はぐ peel ……… 1377
白亜 chalk ……… 338
白亜 whiting ……… 2045
白衣高血圧 white coat hypertension ……… 888
麦芽 malt ……… 1097
迫害コンプレックス persecution complex ……… 402
麦芽液 malt liquor ……… 1060
白芽球 leukoblast ……… 1025
白芽球症 leukoblastosis ……… 1025
白〔血球〕芽細胞 leukoblast ……… 1025
麦芽汁 wort ……… 2049
麦芽糖 maltose ……… 1097
麦芽糖 malt sugar ……… 1769
麦芽油 wheat germ oil ……… 1295
麦芽労働者肺 malt-worker's lung ……… 1072
白眼 white of eye ……… 2045
ハクキョウサン(白彊蚕)病菌属 *Beauveria* ……… 203
薄筋 gracilis (muscle) ……… 1186
薄筋 musculus gracilis ……… 1200
白筋 white muscle ……… 1198
白筋線維 white fiber ……… 691
白降汞 ammoniated mercury ……… 1133
白降汞 sal alembroth ……… 1630
剝工ぜん息 stripper's asthma ……… 165
白交通枝 white rami communicantes ……… 1557
白交連 white commissure ……… 398
博士 doctor ……… 554
白歯症 leukodontia ……… 1027
白質 materia alba ……… 1110
白質 white matter ……… 1111
白質 substantia alba ……… 1766
白質 white substance ……… 1766
白質萎縮〔症〕 leukodystrophy ……… 1027
白質灰白質の albocinereous ……… 43
白質ジストロフィ leukodystrophy ……… 1027
白質脊髄炎 leukomyelitis ……… 1028
白質脊髄症 leukomyelopathy ……… 1028
白質脊髄障害 leukomyelopathy ……… 1028
白質切断〔術〕 leukotomy ……… 1028
白質切断器 leukotome ……… 1028
白質軟化症 leukomalacia ……… 1028
白質脳炎 leukoencephalitis ……… 1027
白質脳症 leukoencephalopathy ……… 1027
爆灼熱量計 bomb calorimeter ……… 280
拍車細胞貧血 spur cell anemia ……… 78
拍出 ejection ……… 592
拍出量 output ……… 1327
瀑状胃 cascade stomach ……… 1748
バク状口(唇) tapir mouth ……… 1173
薄小葉 gracile lobule ……… 1065
薄小葉 lobulus gracilis ……… 1066

ハ

薄小葉 slender lobule 1066
薄小葉内溝 intragracile sulcus 1772
薄小葉内溝 sulcus intragracilis 1772
白色 albedo 42
白色 white 2045
白色萎縮 atrophie blanche 172
白色壊疽 white gangrene 756
白色X線 polychromatic x-ray 2053
白色おろ lochia alba 1067
白色海綿状母斑 white sponge nevus 1256
白色汗疹 miliaria alba 1157
白色血栓 white thrombus 1889
白色梗塞 white infarct 926
白色雑音 white noise 1265
白色砂毛〔症〕 white piedra 1423
白色指 white fingers 701
白色胆汁 white bile 210
白色テルペンチン white turpentine 1955
白色瞳孔 leukocoria 1025
白色尿 albiduria 42
白色反応 white reaction 1568
白色ひこう疹 pityriasis alba 1427
白色皮膚萎縮〔症〕 atrophoderma albidum 173
白色メチレンブルー methylene white 1147
白色卵黄 white yolk 2056
白色ワセリン white petrolatum 1397
麦穂包帯 spica bandage 196
白赤芽球症 leukoerythroblastosis 1028
薄切片 thin section, ultrathin section 1653
白線 white line 1052
白線 linea alba 1053
白癬 ringworm 1618
白癬 tinea 1894
白癬〔症〕 trichophytosis 1931
白癬菌属 *Trichophyton* 1930
バクセン酸 vaccenic acid 1979
白癬〔症〕の trichophytic 1930
白癬性毛瘡 tinea sycosis 1894
白線補足 posterior attachment of linea alba 175
薄層クロマトグラフィ thin-layer chromatography (TLC) 357
薄層電気泳動 thin-layer electrophoresis (TLE) 597
薄層免疫測定法 thin-layer immunoassay 911
薄束 gracile fasciculus 675
薄束 fasciculus gracilis 676
薄束核 gracile nucleus 1275
薄束核 nucleus gracilis 1275
薄束結節 gracile tubercle 1943
薄束脊髄線維 gracilespinal fibers 689
薄束脊髄線維 spinogracile fibers 691
白体 corpus albicans 425
白苔 fur 745
〔白〕帯下 leukorrhea 1028
剝奪 deprivation 494
剝脱 abrasion 4
剝脱 exfoliation 653
剝脱 sublation 1763
剝脱性胃炎 exfoliative gastritis 757
剝脱性乾癬 exfoliative psoriasis 1516
剝脱性口唇炎 cheilitis exfoliativa 340
剝脱性子宮内膜炎 endometritis dissecans 614
剝脱性の exfoliative 653
剝脱性皮膚炎 exfoliative dermatitis 495
剝脱性表皮剝離 keratolysis exfoliativa 979
剝脱繊毛細胞 ciliocytophthoria 362
バグダット腫 bouton de Baghdad, bouton de Biskra 238
バクテリア bacterium 191
バクテリウム属 *Bacterium* 191
バクテリオクロリン bacteriochlorin 190
バクテリオクロロフィル bacteriochlorophyll 190
バクテリオシン bacteriocin 190
バクテリオシン bacteriocins 190
バクテリオシン産生プラスミド bacteriocinogenic plasmids 1432
バクテリオトリプシン bacteriotrypsin 191
バクテリオトロピン bacteriotropin 191
〔バクテリオ〕ファージ bacteriophage 190
バクテリオファージ耐性 bacteriophage resistance 1593
バクテリオファージタイピング bacteriophage typing 1958
バクテリオファージプラク bacteriophage plaque 1432
バクテリオファージ免疫 bacteriophage immunity 910
バクテリオフェオフォルビン bacteriopheophorbin 191
バクテリオフルオレシン bacteriofluorescin 190
バクテロイデス科 Bacteroidaceae 191
バクテロイデス属 *Bacteroides* 191
バクテロイド症 bacteroidosis 192
白点眼底 fundus albipunctatus 744
白点状網膜症 retinopathy punctata albescens 1602
白糖 saccharose 1629
拍動 beat 203
拍動 ictus 903
拍動 pulsation 1524
拍動 stroke 1758
拍動 throb 1887
拍動機 pulsator 1524
拍動後の postsphygmic 1472
白頭症 witkop 2047
拍動小胞 contractile vacuole 1981
拍動性転移巣 pulsating metastases 1141
拍動性膿胸 pulsating empyema 606
拍動前の presphygmic 1481
拍動の palmic 1339
白内障 cataract 310
白内障 cataracta 312
白内障圧下法 reclination 1573
白内障匙 cataract spoon 1723
白内障針 cataract needle 1225
白内障発生 cataractogenesis 312
白内障レンズ cataract lens 1019
白髪〔症〕 canities 287
爆発 explosion 656
爆発ガス firedamp 701
白髪ジストロフィ trichopoliodystrophy 1931
爆発性言語 explosive speech 1709
白斑 leukoderma 1027
白斑 leukopathia, leukopathy 1028
白斑 macula albida 1091
白斑 vitiligo 2034
〔角膜〕白斑 leukoma 1028
薄板 scute 1652
薄板 scutum 1652
白斑黒皮症 melanoleukoderma 1122
白斑症 leukoplakia 1028
白板症 leukoplakia 1028
剝皮 decortication 475
白ヒ white arsenic 133
薄皮 pellicle 1378
薄皮下微小管 subpellicular microtubule 1156
白皮症 albinism 42
白皮症 leukopathia, leukopathy 1028
白脾髄 white pulp of spleen 1524
爆風損傷 blast injury 936
薄片 cross section 1653
薄片生検 shave biopsy 214
薄膜 film 699
薄膜 pellicle 1378
白膜 albuginea 43
白膜 tunica albuginea 1952
〔精巣〕白膜 tunica albuginea testis 1952
白膜切開〔術〕 albugineotomy 43
白膜の albugineous 43
薄明 twilight 1955
薄明視の mesopic 1137
薄明視野測定〔法〕 mesopic perimetry 1388
白毛〔症〕 canities 287
白毛〔症〕 poliosis 1457
白毛〔髪〕症 trichopoliosis 1931
白毛症 leukotrichia 1029
薄葉溝の midgracile 1156
剝離 ablation 3
剝離 abrasion 4
剝離 abruption 4
剝離 avulsion 183
剝離 desquamation 500
剝離 detachment 500
剝離 effluvium 590
剝離 stripping 1757
剝離 sublation 1763
〔皮膚〕剝離〔術〕 décollement 475
剝離器 stripper 1757
剝離骨折 avulsion fracture 736
剝離細胞診 exfoliative cytology 465
剝離する ablate 3
剝離する abrade 4
剝離性炎症性腟炎 desquamative inflammatory vaginitis 1982
剝離性間質性肺炎 desquamative interstitial pneumonia (DIP) 1449
剝離性肺炎 desquamative pneumonia 1449
剝離創 avulsed wound 2049
剝離層 stratum disjunctum 1751
パクリタキセル paclitaxel 1336
麦粒鉗子 dressing forceps 727
麦粒腫 hordeolum 862
麦粒腫 sty, stye 1761
麦粒軟骨 cartilago triticea 307
麦粒軟骨 triticeal cartilage 307
麦粒軟骨舌筋 musculus triticeoglossus 1204
麦粒様の triticeous 1935
白輪毛 ringed hair 812
歯車様眼球運動 cogwheel ocular movements 1174
歯車様現象 cogwheel phenomenon 1404
歯車様硬直 cogwheel rigidity 1616
歯車様呼吸 cogwheel respiration 1595
ハグルンド病 Haglund disease 534
暴露 exposure 656
白ろう white wax 2043
暴露量 exposure 656
刷毛(はけ) brush 262
波形 waveform 2042
波形形成 scalloping 1640
波形の repand 1590
波形分析器 wave analyzer 71
バケツ柄-ハンドル切開 bucket-handle incision 918
バケツ柄状断裂 bucket-handle tear 1843
箱 box 239
箱 canister 287
羽子板状胎盤 battledore placenta 1428
跛行(はこう) claudication 372
跛行(はこう) limp 1048
跛行(はこう)性の claudicatory 372
破壺音 bourdonnement 238
破壺共鳴音 cracked-pot resonance 1594
破骨細胞 osteoclast 1321
破骨細胞活性化因子 osteoclast activating factor 668
破骨細胞分化因子 osteoclast differentiation factor 668
爬骨子 rugine 1625
破骨の osteoclastic 1321
バゴリーニ試験 Bagolini test 1854
箱枠形成 boxing 239
破砕 spall 1706
破砕〔反応〕 spallation 1706

バザード操作 Buzzard maneuver ……… 1099
ハザード比 hazard rate ……… 1559
鋏(はさみ) scissors ……… 1646
はさみ歩行 scissors gait ……… 748
波佐見病(はさみやみ) hasamiyami ……… 816
把持 grasp ……… 799
パジェット-エクレストン染色〔法〕 Paget-Eccleston stain ……… 1734
パジェット細胞 Paget cells ……… 324
パジェット病 Paget disease ……… 538
パジェット病性 pagetic ……… 1337
パジェット〔病〕様細胞 pagetoid cells ……… 324
パジェット-フォン・シュレッター症候群 Paget-von Schrötter syndrome ……… 1815
バジオン basion ……… 200
バジオンナジオン線 basinasal line ……… 1049
バジオンナジオンの basinasal ……… 200
バジオンブレグマ軸 basibregmatic axis 184
バジオンプロスチオンの basialveolar ……… 200
はしか measles ……… 1113
はしか morbilli ……… 1170
はしか rubeola ……… 1625
麻疹ウイルス measles virus ……… 2026
破歯細胞 odontoclast ……… 1292
ハシシュ hashish ……… 816
バシディオボールス属 *Basidiobolus* ……… 200
橋動脈の外側枝 lateral branches of pontine arteries ……… 248
橋動脈の内側枝 medial branches of pontine arteries ……… 249
バシトラシン bacitracin ……… 188
パシニ-ピエリニ皮膚萎縮〔症〕 atrophoderma of Pasini and Pierini ……… 173
初めに ab initio ……… 3
橋本甲状腺炎 Hashimoto thyroiditis ……… 1891
橋本脳症 Hashimoto encephalopathy ……… 609
播種状レンズ状皮膚線維腫 dermatofibrosis lenticularis disseminata ……… 496
播種性アスペルギルス症 disseminated aspergillosis ……… 161
播種性黄色腫 xanthoma disseminatum 2051
播種性血管内凝固症候群 disseminated intravascular coagulation (DIC) ……… 382
播種性コクシジオイデス真菌症 disseminated coccidioidomycosis ……… 384
播種性脂肪肉芽腫症 disseminated lipogranulomatosis ……… 1057
播種性の disseminated ……… 548
播種性ヒストプラスマ症 disseminated histoplasmosis ……… 856
播種性腹膜平滑筋腫 leiomyomatosis peritonealis disseminata ……… 1016
播種性脈絡膜炎 disseminated choroiditis 356
播種性淋菌感染 disseminated gonococcal infection ……… 927
破傷 laceration ……… 992
波状縁 ruffled border ……… 236
波状ぜん動 diastalsis ……… 511
波状熱 febris melitensis ……… 679
波状熱 undulating fever ……… 687
波状の undulate ……… 1964
破傷風 tetanus ……… 1870
破傷風-ウェルチ(ウェルシュ)抗毒素 tetanus-perfringens antitoxin ……… 110
破傷風・ガス壊疽抗毒素 tetanus and gas gangrene antitoxins ……… 110
破傷風強直 tetanus ……… 1870
破傷風菌 *Clostridium tetani* ……… 376
破傷風抗毒素 tetanus antitoxin ……… 110
破傷風抗毒素単位 tetanus antitoxin unit ……… 1967
破傷風毒素 tetanus toxin ……… 1907
破傷風免疫グロブリン tetanus immune globulin ……… 779
破傷風ワクチン tetanus vaccine ……… 1980
波状脈 pulsus fluens ……… 1525
波状脈 undulating pulse ……… 1525
場所恐怖〔症〕 topophobia ……… 1904
〔聴覚〕場所説 place theory ……… 1876
場所符号化 place coding ……… 386
パション試験 Pachon test ……… 1862
パション法 Pachon method ……… 1145
柱 column ……… 395
柱 columna ……… 396
柱 pillar ……… 1424
バシラス科 Bacillaceae ……… 187
バシラス属 *Bacillus* ……… 187
ハジラミ biting louse, chewing louse, feather louse ……… 1069
ハジラミ目 Mallophaga ……… 1096
ハシリドコロ *Scopolia japonica* ……… 1649
ハシリドコロ scopolia ……… 1649
バシリン bacillin ……… 187
バシロミキシン bacillomyxin ……… 187
破水 amniorrhexis ……… 62
破水 membrane rupture ……… 1627
波数 wavenumber (σ) ……… 2042
パス解析 path analysis ……… 70
パスカル pascal (Pa) ……… 1370
パスカルの法則 Pascal law ……… 1007
バスケット型骨内インプラント basket endosteal implant ……… 915
パスタ pasta ……… 1370
パスタ paste ……… 1370
パスターン. pastern ……… 1370
パスツール効果 Pasteur effect ……… 589
パスツールピペット Pasteur pipette ……… 1426
パスツールワクチン Pasteur vaccine ……… 1980
パスツレラ pasteurella ……… 1371
パスツレラ症 pasteurellosis ……… 1371
パスツレラ属 *Pasteurella* ……… 1370
パスティア徴候 Pastia sign ……… 1683
ハズ油 croton oil ……… 442
バスラー徴候 Bassler sign ……… 1679
派生物 derivative ……… 494
バゼット〔公〕式 Bazett formula ……… 730
バセドウ(バーゼドー)偽〔性〕対麻痺 Basedow pseudoparaplegia ……… 1514
バセドウ(バーゼドー)病 Basedow disease ……… 529
バセドウ(バーゼドー)病甲状腺腫 Basedow goiter ……… 790
バセドウ(バーゼドー)病様の basedoid ……… 200
破セメント細胞 cementoclast ……… 330
バソスタチン vasostatins ……… 1991
バソトシン vasotocin ……… 1991
バソトロンビン vasothrombin ……… 1991
バソプレッシン vasopressin (VP) ……… 1991
バソプレッシン単位 unit of vasopressin 1967
バソリン bassorin ……… 201
破損する fracture (Fx) ……… 736
バター butter ……… 272
バターイエロー butter yellow ……… 272
裸のウイルス naked virus ……… 2027
裸の原子 stripped atom ……… 170
バター状の butyraceous ……… 272
バター状の butyroid ……… 272
バター付きパン様心膜 bread-and-butter pericardium ……… 1386
バター乳 buttermilk ……… 272
ハタネズミ field-vole ……… 697
ハタネズミ亜科 Microtinae ……… 1155
バター〔様〕便 butter stools ……… 1750
バター様の butyrous ……… 272
ハタリス属 *Citellus* ……… 369
パターン pattern ……… 1373
パタンアルブミン Patein albumin ……… 43
パターン感受性てんかん pattern-sensitive epilepsy ……… 628
破綻水痘 breakthrough varicella ……… 1988
パターン網膜ジストロフィ pattern retinal dystrophy ……… 579
パターン歪像弱視 pattern distortion amblyopia ……… 57
ハチ bee ……… 204
鉢 cotyle ……… 431
パチェコオウム病ウイルス Pacheco parrot disease virus ……… 2027
八価元素 octad ……… 1290
八価の octavalent ……… 1291
ハチ恐怖〔症〕 apiphobia ……… 115
ハチ恐怖〔症〕 melissophobia ……… 1123
8〔の〕字異常 figure-of-8 abnormality ……… 3
8字〔形〕包帯 figure-of-8 bandage ……… 195
8〔の〕字縫合 figure-of-8 suture ……… 1787
ばち状細胞症 ropalocytosis ……… 1622
鉢状体 phialide ……… 1408
〔太鼓〕ばち状付属物 drumstick appendage ……… 119
鉢状分生子柄 Phialophore-type conidiophore ……… 411
八炭糖 octose ……… 1291
ハチ毒素 bee toxin ……… 1906
パチーニ小体炎 pacinitis ……… 1335
8の字包帯 figure-of-8 bandage ……… 195
八倍性 octaploidy ……… 1291
パチパチ音 decrepitation ……… 475
パチパチラ音 crackling rale ……… 1547
ハチ蜜 honey ……… 862
は虫綱 Reptilia ……… 1591
〔太鼓〕ばち指 clubbed digit ……… 516
〔太鼓〕ばち(撥)指 clubbed fingers ……… 700
〔太鼓〕ばち(撥)指形成 clubbing ……… 377
波長 wavelength (Λ) ……… 2042
波長の単位 unit of wavelength ……… 1967
バチルス科 Bacillaceae ……… 187
バチルス属 *Bacillus* ……… 187
ハチンスキー虚血スコア Hachinski Ischemic Score ……… 1649
発育 development ……… 501
発育 growth ……… 803
発育解剖学 developmental anatomy ……… 74
発育過度 postmature ……… 1471
発育過度性肥大 hypergenesis ……… 881
発育障害 developmental disability ……… 525
発育線 developmental grooves ……… 801
発育停止性異常形態 stasimorphia ……… 1738
発育的股関節異形成 developmental hip dysplasia ……… 575
発育的股関節形成異常 developmental hip dysplasia ……… 575
発育描画器 crescograph ……… 436
発育不全 ateliosis ……… 168
発育不全 dysgenesis ……… 572
発育不全 hypoplasia ……… 896
発育不全〔症〕 aplasia ……… 115
発育不全〔症〕 hypogenesis ……… 893
発育不全心 hypoplastic heart ……… 820
発育不全の unthrifty ……… 1968
発育不良の dysgonic ……… 572
発育卵胞 growing ovarian follicle ……… 721
発育良好の eugonic ……… 648
発煙硝酸 fuming nitric acid ……… 1258
発煙性の fuming ……… 743
ハッカ mint ……… 1159
ハッカ peppermint ……… 1382
発芽 gemmation ……… 762
発芽 pullulation ……… 1523
麦角 ergot ……… 636
麦角アルカロイド性心疾患 ergot alkaloid-associated heart disease ……… 532
麦角アルカロイド類 ergot alkaloids ……… 48
麦角菌 *Claviceps purpurea* ……… 372
麦角中毒 ergotism ……… 636
麦角中毒 ergot poisoning ……… 1455
ハッカー-コン染料 Hucker-Conn stain 1732
ハッカ属 *Mentha* ……… 1132
ハツカネズミ mouse ……… 1172

ハ

ハツカネズミ属 ***Mus*** …… 1180
ハッカ脳 menthol …… 1132
ハッカ油 peppermint oil …… 1382
バッカル錠〔剤〕 buccal tablet …… 1836
発汗 hidropoiesis …… 851
発汗 perspiration …… 1396
発汗 sweating …… 1789
発癌〔現象〕 carcinogenesis …… 295
抜管〔法〕 extubation …… 659
発汗異常〔症〕 dyshidrosis …… 573
発汗異常〔症〕 paridrosis …… 1356
発汗過多 sudoresis …… 1769
発汗減少〔症〕 hypohidrosis …… 894
発汗試験 sweating test …… 1866
発汗障害 dyshidrosis …… 573
発汗水治療法 hydrosudotherapy …… 874
発癌性 carcinogenicity …… 295
発汗性外胚葉性形成異常(異形成) hidrotic ectodermal dysplasia …… 575
発汗正常 eudiaphoresis …… 647
発汗性嚢胞 sudoriferous cyst …… 460
発汗測定器 sudorometer …… 1769
発癌物質 carcinogen …… 295
発癌補助作用 promotion …… 1498
発癌補助物質 cocarcinogen …… 384
発汗薬 diaphoretic …… 510
バッキー bucky …… 263
バッキー絞り Bucky diaphragm …… 510
抜去 evulsion …… 650
抜去器 stripper …… 1757
白金 platinum (Pt) …… 1436
ハッキング hacking …… 810
パッキング packing …… 1335
白金耳 loop …… 1068
白金族 platinum group …… 1436
白金の platinic …… 1436
白金の platinous …… 1436
白金箔 platinum foil …… 1436
バッグ bag …… 192
バックグラウンド background …… 188
バックグラウンド(背景)強度(濃度) background level …… 1029
バックグラウンド放射線 background radiation …… 1541
ハックスリー層 Huxley layer …… 1011
バックトラッキング backtracking …… 190
バッグバルブマスク bag valve mask …… 1106
バックマン試験 Bachman test …… 1854
バックマン-プティ試験 Bachman-Pettit test …… 1854
白血球 white blood cell (WBC) …… 328
白血球 white corpuscle …… 427
白血球 leukocyte …… 1025
白血球円柱 white blood cell cast …… 309
白血球芽細胞 leukocytoblast …… 1026
白〔血球〕芽細胞 leukoblast …… 1025
白血球機能補助抗原 leukocyte-function-assisted antigen (LFA) …… 104
白血球凝集素 leukoagglutinin …… 1025
白血球計算板 leukocytometer …… 1026
白血球減少〔症〕 leukopenia …… 1028
白血球減少因子 leukopenic factor …… 668
白血球減少指数 leukopenic index …… 922
白血球減少性白血病 leukopenic leukemia …… 1024
白血球殺菌能試験 leukocyte bactericidal assay test …… 1860
白血球殺滅素 leukocidin …… 1025
白血球産生 leukopoiesis …… 1028
白血球生成 leukocytogenesis …… 1026
白血球生成 leukocytopoiesis …… 1027
白血球接着不全 leukocyte adhesion deficiency (LAD) …… 479
白血〔球〕素 leukin …… 1025
白血球増加〔症〕 hyperleukocytosis …… 882
白血球増加〔症〕 leukocytosis …… 1027
白血球増加因子 leukocytosis-promoting factor …… 668
白血球走性 leukocytotaxia …… 1027
白血球走性の leukocytotactic …… 1027
白血球動態 leukokinetics …… 1028
白血球動態的な leukokinetic …… 1028
白血球毒素 leukocytotoxin …… 1027
白血球尿〔症〕 leukocyturia …… 1027
白血球破砕性血管炎 leukocytoclastic vasculitis …… 1989
白血球搬出〔法〕 leukapheresis …… 1024
白血球付着能試験 leukocyte adherence assay test …… 1860
白血球分画(分類) differential white blood count …… 223
白血球分化抗体 cluster of differentiation 378
白血球崩壊 leukocytoclasis …… 1026
白血球遊出 leukocytoplania …… 1026
白血球溶解 leukocytolysis …… 1026
白血球溶解素 leukocytolysin …… 1026
白血球様の leukocytoid …… 1026
白血球漏出 leukopedesis …… 1028
白血性骨髄症 leukemic myelosis …… 1211
白血病 leukemia …… 1024
白血病性増殖性歯肉炎 leukemic hyperplastic gingivitis …… 770
白血病性皮疹 leukemid …… 1025
白血病〔性〕網膜炎 leukemic retinitis …… 1601
白血病〔性〕網膜症 leukemic retinopathy …… 1602
白血病相互変化の amphileukemic …… 63
白血病誘発 leukemogenesis …… 1025
白血病誘発物質 leukemogen …… 1025
白血病様の leukemoid …… 1025
白血病抑制因子 leukemia inhibitory factor …… 668
撥下法 reclination …… 1573
〔症状〕発現 manifestation …… 1100
バッゲンストス変化 Baggenstoss change 339
発見のこつ serendipity …… 1665
発現ベクター expression vector …… 1992
発現ライブラリー expression library …… 656
発語 speech …… 1709
発酵 fermentation …… 680
発光 luminescence …… 1071
発光 photogenesis …… 1417
発光菌属 *Photobacterium* …… 1416
発光原子団 luminophore …… 1071
発酵性消化不良 fermentative dyspepsia 574
発酵性の fermentable …… 680
発香性の odoriferous …… 1292
発光生物 photogen …… 1417
発酵槽 fermenter …… 680
発光団 luminophore …… 1071
発香団 osmophore …… 1319
発酵乳酸杆菌 *Lactobacillus fermentum* …… 994
発語〔器官〕麻痺 laloplegia …… 996
発語失行〔症〕 verbal apraxia …… 122
発語障害 allolalia …… 50
発語の articulatory …… 158
パッサファント隆起 Passavant cushion 451
ハッサル-ヘンレ〔小〕体 Hassall-Henle bodies …… 227
発散 divergence …… 551
発散 emanation …… 599
発散 exhalation …… 653
発散 vapor …… 1987
発散メニスカスレンズ diverging meniscus …… 1130
抜歯 odontectomy …… 1292
抜歯〔術〕 exodontia …… 654
抜歯〔術〕 extraction …… 657
ハッシウム hassium …… 816
パッシェン〔小〕体 Paschen bodies …… 228
抜歯鉗子 dental forceps …… 727
抜歯後出血 odontorrhagia …… 1292
抜歯専門医 exodontist …… 654
バッシーニヘルニア根治(縫縮)術 Bassini herniorrhaphy …… 844
発射 discharge (DC) …… 526
発症 crisis …… 439
発症 sideration …… 1677
発情〔現象〕 estrus …… 644
発情間期 diestrus …… 514
発情期 estrus …… 644
発情休止期 anestrus …… 81
発情後期 metestrus, metestrum …… 1142
発情後期 postestrus, postestrum …… 1471
発症持続状態 status criticus …… 1740
発情周期 estrous cycle …… 454
発情静止期 diestrus …… 514
発情性〔物質〕の estrogenic …… 644
発情前期 proestrus …… 1494
発症前の precritical …… 1477
発情中間期 diestrus …… 514
発症の critical …… 441
発条ランセット spring lancet …… 1000
発症率 incidence rate …… 1559
発色団 chromophore …… 358
発疹 eruption …… 637
発疹 exanthema …… 651
発疹 exanthesis …… 651
発疹 rash …… 1559
発振器 oscillator …… 1318
発疹期 eruptive stage …… 1727
発疹状黄色腫 eruptive xanthoma …… 2051
発疹消退 deflorescence …… 479
発疹性魚〔肉〕中毒〔症〕 ichthyismus exanthematicus …… 902
発疹性疾患 exanthematous disease …… 532
発疹性発熱 exanthematous fever …… 684
発疹前の preeruptive …… 1477
発疹チフス epidemic typhus …… 1958
発疹チフス exanthematous typhus …… 1958
発疹チフス typhus …… 1958
発疹チフスリケッチア *Rickettsia prowazekii* …… 1615
発疹チフスワクチン typhus vaccine …… 1980
発疹熱 murine typhus …… 1958
発疹熱リケッチア *Rickettsia typhi* …… 1615
抜髄〔法〕 pulpectomy …… 1524
抜髄針 broach …… 257
発生 development …… 501
発生 genesis …… 765
発声 phonation …… 1411
発生異常 developmental anomaly …… 93
発声異常 phonopathy …… 1411
発生運命 fate …… 678
発生運命地図 fate map …… 1101
発生学 embryology …… 601
発生学者 embryologist …… 601
発生学用語 *Terminologia Embryologica* (TE) …… 1852
発声過度 hyperphonia …… 885
発生器電位 generator potential …… 1473
発生期の nascent …… 1221
発声困難 dysphonia …… 574
発声困難症 mogiphonia …… 1163
発声障害 dysphonia …… 574
発生心理学 genetic psychology …… 1519
発生数 incidence …… 918
発声性失音楽〔症〕 vocal amusia …… 66
発生生物学 developmental biology …… 213
発生反復 recapitulation …… 1570
発声不全 hypophonia …… 895
ハッソンカニューレ Hasson cannula …… 287
ハッソントロカール Hasson trocar …… 1935
発達 development …… 501
発達因子 developer …… 501
発達心理学 developmental psychology …… 1518
発達心理学 genetic psychology …… 1519
発達性股関節脱臼 developmental hip

dysplasia ··· 575
発達年齢 developmental age ··· 35
ハッチェット hatchet ··· 816
バッチカルチャー batch culture ··· 448
パッチクランプ法 patch clamping ··· 1371
バッチ式分析装置 batch analyzer ··· 71
パッチ試験 patch test ··· 1862
ハッチソン症候群 Hutchison syndrome 1807
ハッチンソン顔〔貌〕 Hutchinson facies ··· 663
ハッチンソン三徴 Hutchinson triad ··· 1926
ハッチンソン歯 Hutchinson teeth ··· 1902
ハッチンソン瞳孔 Hutchinson pupil ··· 1527
ハッチンソン半月状切痕 Hutchinson crescentic notch ··· 1269
ハッチンソンマスク Hutchinson mask 1106
発痛帯 dolorogenic zone ··· 2059
発痛点 trigger point ··· 1455
バッテリー battery ··· 202
発電機 generator ··· 765
バッテン病 Batten disease ··· 529
バッテン-メーオー病 Batten-Mayou disease ··· 529
パッド pad ··· 1336
バットル(バトル)切開 Battle incision ··· 918
バットル徴候 Battle sign ··· 1679
初乳漏出〔症〕 colostrorrhea ··· 394
発熱 fervescence ··· 681
発熱 pyrexia ··· 1533
発熱 thermacogenesis ··· 1880
発熱因子 pyrogen ··· 1534
発熱学 thermogenics ··· 1881
発熱間欠期 apyrexia ··· 122
発熱期の intrafebrile ··· 950
発熱恐怖〔症〕 pyrexiophobia ··· 1533
発熱性の febrifacient ··· 679
発熱性の pyrogenic ··· 1534
発熱〔性〕の exothermic ··· 655
発熱前の antepyretic ··· 97
発熱の exergonic ··· 653
発熱物質 pyrogen ··· 1534
発熱薬 febrifacient ··· 679
発熱療法 pyrotherapy ··· 1535
発熱療法 fever therapy ··· 1878
発熱療法 thermogenics ··· 1881
〔発〕熱療法 therapeutic fever ··· 686
初発疹 herald patch ··· 1371
バッハマン束 Bachmann bundle ··· 265
発表 display ··· 548
〔発〕病前の premorbid ··· 1479
発病率 attack rate ··· 1559
パップ epithem ··· 633
パップ〔剤〕 poultice ··· 1474
バッファロー型 buffalo type ··· 1957
バッファロー胸 buffalo chest ··· 343
バッフィーコート凝集 buffy coat concentration ··· 405
パップ(パプ)試験 Pap test ··· 1862
パッペンハイマー体 Pappenheimer bodies ··· 228
パッペンハイム染色〔法〕 Pappenheim stain ··· 1734
発泡塩 effervescent salts ··· 1632
発疱性ガス vesicating gas ··· 757
発泡性の effervescent ··· 589
発泡性リン酸ナトリウム effervescent sodium phosphate ··· 1696
発疱薬 vesicant ··· 2016
抜毛狂 trichotillomania ··· 1931
発毛促進〔性〕物質 trichogen ··· 1929
抜毛癖 trichologia ··· 1930
抜毛癖 trichotillomania ··· 1931
発毛薬 trichogen ··· 1929
発揚状態 elation ··· 593
パツリン patulin ··· 1374
パディクラ-ハーマンのミオシンATP分解酵素染色〔法〕 Padykula-Herman stain for myosin ATPase ··· 1734
馬蹄形脳半球癒着 cyclencephaly, cyclencephalia ··· 455
馬蹄型フィステル(瘻) horseshoe fistula 705
馬蹄状胎盤 horseshoe placenta ··· 1428
馬蹄腎 horseshoe kidney ··· 984
バティスタ手術 Batista procedure ··· 1487
馬蹄病 canker ··· 287
パテ状腎 putty kidney ··· 984
パトアミン pathoamine ··· 1372
波動 fluctuancy ··· 714
波動 fluctuation ··· 714
波動 wave ··· 2041
波動膜 undulating membrane, undulatory membrane ··· 1127
パトシジン pathocidin ··· 1372
ハドソン-シュテーリ線 Hudson-Stähli line ··· 1050
パトミオーシス pathomiosis ··· 1372
鳩胸 pectus carinatum ··· 1376
バトラコトキシン batrachotoxin ··· 202
パトリック試験 Patrick test ··· 1862
バトル(バットル)切開 Battle incision ··· 918
パトワウイルス Patois virus ··· 2027
パトン線 Paton lines ··· 1051
花 flower ··· 714
鼻 nasus ··· 1222
鼻 nose ··· 1268
ハナー潰瘍 Hunner ulcer ··· 1961
はなげ hairs of vestibule of nose ··· 812
はなげ vibrissa ··· 2019
鼻声 nunnation ··· 1283
鼻声 rhinolalia ··· 1608
はなさき apex nasi ··· 113
バナジウム vanadium (V) ··· 1986
バナジウム族 vanadium group ··· 1986
バナジン酸 vanadic acid ··· 1986
バナジン酸塩 vanadate ··· 1986
はなすじ dorsum nasi ··· 556
はなすじ dorsum of nose ··· 556
鼻筋 nasal muscle ··· 1189
鼻筋 nasalis (muscle) ··· 1189
鼻筋 musculus nasalis ··· 1201
鼻たけ nasal polyp ··· 1463
はなぢ epistaxis ··· 631
バナナ徴候 banana sign ··· 1678
鼻の nasal ··· 1221
鼻ハエウジ病 nasal myiasis ··· 1212
ハナバエ属 *Anthomyia* ··· 98
パナー病 Panner disease ··· 539
鼻ほじり癖 rhinotillexomania ··· 1609
鼻ポリープ nasal polyp ··· 1463
パナマ型ブラジルリーシュマニア *Leishmania braziliensis panamensis* ··· 1016
花むしろ状 storiform ··· 1750
バニオネット bunionette ··· 266
バニオン bunion ··· 266
バニオン切除〔術〕 bunionectomy ··· 266
バニシングクリーム vanishing cream ··· 435
バニシングラング症候群 vanishing lung syndrome ··· 1824
パニック panic ··· 1342
パニック発作 panic attack ··· 175
バニッシャー burnisher ··· 267
バニナ(ブニナ)小体 Bunina body ··· 225
馬尿酸 hippuric acid ··· 853
馬尿酸尿〔症〕 hippuria ··· 853
バニラ vanilla ··· 1987
バニラ症 vanillism ··· 1987
バニラ中毒 vanillism ··· 1987
バニラ皮膚炎 vanillism ··· 1987
バニリルマンデル酸 vanillylmandelic acid (VMA) ··· 1987
バニリルマンデル酸試験 vanillylmandelic acid test ··· 1868
バニリン vanillin ··· 1987
バニリン酸 vanillic acid ··· 1987
パニング panning ··· 1343
羽 pinna ··· 1425
羽根 wing ··· 2046
跳ね返り rebound ··· 1570
跳ね返り〔現象〕 rebound phenomenon ··· 1405
ばね股 snapping hip ··· 852
ばね指 trigger finger ··· 701
パネル縫合 Bunnell suture ··· 1786
歯〔性〕の dental ··· 487
歯の異常結節 anomalous tubercle of tooth ··· 1943
歯の移植〔術〕 tooth transplantation ··· 1920
〔水晶体〕破嚢〔術〕 capsulorrhexis ··· 291
ハノヴァー管 Hannover canal ··· 283
〔歯の〕遠心小窩 distal fovea of tooth ··· 735
歯の遠心面 facies distalis dentis ··· 663
歯の遠心面 distal surface of tooth ··· 1781
歯の頬面 buccal surface of tooth ··· 1781
〔歯の〕頬面 facies vestibularis dentis ··· 665
〔歯の〕頬面 vestibular surface of tooth 1784
歯の近心面 facies mesialis dentis ··· 664
歯の近心面 mesial surface of tooth ··· 1782
歯の口蓋面 palatine surface of tooth ··· 1782
歯の咬合面 facies occlusalis dentis ··· 664
歯の唇面 labial surface of tooth ··· 1782
〔歯の〕唇面 facies vestibularis dentis ··· 665
〔歯の〕唇面 vestibular surface of tooth 1784
〔歯の〕舌側面 facies lingualis dentis ··· 664
〔歯の〕舌側面 lingual surface of tooth 1782
〔歯の〕前庭面 facies vestibularis dentis ··· 665
〔歯の〕前庭面 vestibular surface of tooth ··· 1784
歯の脱臼 tooth avulsion ··· 183
歯の挺出 extrusion of a tooth ··· 659
歯の捻転 torsion of a tooth ··· 1904
歯の破折 odontoschism ··· 1292
〔歯の〕辺縁隆線 crista marginalis dentis 440
〔歯の〕辺縁隆線 marginal ridge ··· 1615
歯の磨耗〔症〕 tooth abrasion ··· 4
パノラマX線写真 panoramic x-ray film 699
パノラマX線像 panoramic radiograph ··· 1543
パノラマ回転撮影装置 panoramic rotating machine ··· 1088
歯の隆線 dental ridge ··· 1615
歯の隣接面 facies contactus dentis ··· 663
歯の裂傷 odontoschism ··· 1292
母 mother ··· 1172
幅 width ··· 2045
パパイヤ papaya ··· 1344
パパイン papain, papainase ··· 1344
母親殺し matricide ··· 1110
母親殺人者 matricide ··· 1110
母親代理〔人〕 mother surrogate ··· 1785
羽ばたき振せん asterixis ··· 164
羽ばたき振せん flapping tremor ··· 1924
羽ばたき振せん wing-beating tremor ··· 1925
パパタシサシチョウバエ *Phlebotomus papatasii* ··· 1409
パパタシ熱 pappataci fever ··· 685
ハバードタンク Hubbard tank ··· 1840
パパニコラウスミア(塗抹〔標本〕) Pap smear ··· 1693
パパニコラウ染色〔法〕 Papanicolaou stain ··· 1734
パパーフォーニア puberphonia ··· 1522
パパベリン papaverine ··· 1344
パパベレタム papaveretum ··· 1344
パハロエヨ pajaroello ··· 1337
馬尾 cauda equina ··· 314
馬尾症候群 cauda equina syndrome ··· 1799
バビット合金 Babbitt metal ··· 1139
パピヨン-ルフェーヴル症候群 Papillon-Lefèvre syndrome ··· 1815
バビンスキー症候群 Babinski syndrome 1797
バビンスキー徴候 Babinski sign ··· 1678

パフ platelet-aggregating factor (PAF) 668
バフィコート buffy coat …… 383
パフォーマンスステータス performance status …… 1740
ハフキンワクチン Haffkine vaccine …… 1979
ハブ血液 hub-blood …… 223
バブコック管 Babcock tube …… 1941
パプ(パップ)試験 Pap test …… 1862
ハフシ浴 hafussi bath …… 202
ハプスブルク顎 Hapsburg jaw …… 967
ハプテン hapten …… 815
ハプトグロビン haptoglobin (HP) …… 815
ハフニア属 *Hafnia* …… 811
ハフニウム hafnium (Hf) …… 811
ハフ病 Haff disease …… 534
パブラム pablum …… 1334
ハプロイド haploid …… 815
ハプロスコープ haploscope …… 815
ハプロタイプ haplotype …… 815
ハプロドント haplodont …… 815
ハブロネマ属 *Habronema* …… 810
ハプロプロテイン haploprotein …… 815
バベシア科 Babesiidae …… 187
バベシア症 babesiosis …… 187
バベシア属 *Babesia* …… 187
バベース結節 Babès nodes …… 1260
ハペト HPETE …… 866
破片 chip …… 344
破片 debris …… 473
破片 fragment …… 738
パポバウイルス科 Papovaviridae …… 1347
破膜 amniorrhexis …… 62
破膜器 amniotome …… 63
ハマダラカ亜科 Anophelinae …… 94
ハマダラカ駆逐薬 anophelifuge …… 94
ハマダラカ殺虫薬 anophelicide …… 94
ハマダラカ浸淫 anophelism …… 94
ハマダラカ属 *Anopheles* …… 94
ハマダラカ族 Anophelini …… 94
ハマメリス hamamelis …… 813
ハマルステン試薬 Hammarsten reagent 1569
ハマン雑音 Hamman murmur …… 1180
ハマン症候群 Hamman syndrome …… 1806
ハマン徴候 Hamman sign …… 1681
歯みがき剤 dentifrice …… 488
ハミルトンうつ病〔評価〕尺度 Hamilton Depression Scale …… 1639
ハミルトンうつ病評価尺度 Hamilton depression rating scale …… 1639
ハミルトン-スチュワート法 Hamilton-Stewart method …… 1144
ハミルトン不安評価尺度 Hamilton anxiety rating scale …… 1639
ハムスター hamster …… 814
ハムストリング hamstring muscles …… 1186
場面 scene …… 1641
波面技術 wavefront technology …… 1845
パモエート pamoate …… 1340
早口 bredouillement …… 256
早口症 cluttering …… 381
速さ speed …… 1709
バヤール眼底血圧計 Bailliart ophthalmodynamometer …… 1307
腹 abdomen …… 1
腹 venter …… 2009
腹〔部〕 belly …… 205
パラ para- …… 1347
パラアカントーム paracanthoma …… 1348
腹当て dinner pad …… 1336
p-アミノ安息香酸 *p*-aminobenzoic acid (PABA) …… 60
p-アミノサリチル酸 *p*-aminosalicylic acid (PAS, PASA) …… 61
p-アミノ馬尿酸 *p*-aminohippuric acid (PAH) …… 60
p-アミノ馬尿酸クリアランス *p*-aminohippurate clearance …… 372
p-アミノ馬尿酸シンターゼ *p*-aminohippuric acid synthase …… 60
パラアミノ馬尿酸ナトリウム sodium *p*-aminohippurate …… 1695
パラアミノフェニルアルソン酸ナトリウム sodium *p*-aminophenylarsonate …… 1695
パラアミロイドーシス paramyloidosis …… 1352
パラアミロイド症 paramyloidosis …… 1352
パラアルデヒド paraldehyde …… 1349
バラ色ひこう疹 pityriasis rosea …… 1427
パラインフルエンザウイルス parainfluenza viruses …… 2027
パラインフルエンザ菌 *Haemophilus parainfluenzae* …… 811
パラオキソナーゼ paraoxonase …… 1352
パラオクソン paraoxon …… 1352
バラかぜ rose cold …… 389
パラカゼイン paracasein …… 1348
パラカルミン染料 paracarmine stain …… 1734
パラガングリオーマ paraganglioma …… 1349
パラガングリオン paraganglion …… 1349
パラガングリオン細胞 paraganglionic cells …… 324
パラキモシン parachymosin …… 1348
ハラー弓 Haller arches …… 125
パラクアット paraquat …… 1353
パラクソン paraxon …… 1355
パラクリン paracrine …… 1348
ハラクローム hallachrome …… 812
p-クロラール *p*-chloral …… 346
p-クロロ第二水銀安息香酸塩 *p*-chloromercuribenzoate (PCMB, *p*CMB, *p*-CMB) …… 347
パラクロロフェノール parachlorophenol 1348
パラ結核菌 *Mycobacterium paratuberculosis* …… 1208
パラコクシジオイジン paracoccidioidin 1348
パラコクシジオイドミコーシス paracoccidioidomycosis …… 1348
パラコニード paraconid …… 1348
パラコーヌス paracone …… 1348
パラコレラ paracholera …… 1348
パラサイコロジー parapsychology …… 1353
パラサイテミア parasitemia …… 1354
パラサイトセノーズ parasitocenose …… 1354
パラサイトーム parasitome …… 1354
パラジウム palladium (Pd) …… 1339
ハラー手綱 Haller habenula …… 810
パラシュート僧帽弁 parachute mitral valve …… 1985
パラ猩紅熱 parascarlatina …… 1354
バラ疹 roseola …… 1623
バラ疹 rose spots …… 1725
ハラー神経叢 Haller plexus …… 1440
バラスト ballast …… 193
p-スルファミルアセトアニリド *p*-sulfamylacetanilide …… 1775
バラ属 *Rosa* …… 1622
バラ属*Rosa* rose …… 1623
ハラゾーン halazone …… 812
パラ大腸菌 paracolon bacillus …… 188
パラタクシス的歪曲(ゆがみ) parataxic distortion …… 550
ハラタケ agaric …… 35
ハラタケ属 *Agaricus* …… 35
原田症候群 Harada syndrome …… 1806
p-ターフェニル *p*-terphenyl …… 1853
原田-森沪紙培養法 Harada-Mori filter paper strip culture …… 448
パラタルバー palatal bar …… 196
パラタルプレート palatal plate …… 1435
パラチオン parathion …… 1355
パラチナーゼ palatinase …… 1338
パラチノーゼ palatinose …… 1338
パラチフス paratyphoid …… 1355
パラチフス菌 paratyphoid bacillus …… 188
パラチフス菌 *Salmonella enterica* subsp. *paratyphi A* …… 1631
パラチフス熱 paratyphoid fever …… 685
ハラー島 Haller insula …… 941
パラドックス paradox …… 1349
パラトープ paratope …… 1355
パラニューロン paraneurone …… 1352
パラネオプラスティック脳脊髄症 paraneoplastic encephalomyelopathy …… 609
パラノイア paranoia …… 1352
パラノイア患者 paranoiac …… 1352
腹の部位 regiones abdominis …… 1583
腹の部位 abdominal regions …… 1584
パラバン酸 parabanic acid …… 1348
パラビオーゼ parabiosis …… 1348
p-ヒドロキシ水銀安息香酸 *p*-hydroxymercuribenzoate …… 876
p-ヒドロキシフェニル酢酸 *p*-hydroxyphenylacetate …… 876
p-ヒドロキシフェニル乳酸 *p*-hydroxyphenyllactate …… 876
p-ヒドロキシフェニルピルビン酸 *p*-hydroxyphenylpyruvate …… 876
パラ百日咳菌 *Bordetella parapertussis* …… 236
パラフィシス〔性〕嚢胞 paraphysial cysts 460
パラフィリア paraphilia …… 1353
パラフィン paraffin …… 1349
パラフィン癌 paraffin cancer …… 286
パラフィン腫 paraffinoma …… 1349
パラフィン油 liquid paraffin …… 1349
パラフィンろう paraffin wax …… 2043
パラプロテイン paraprotein …… 1353
パラプロテイン血〔症〕 paraproteinemia 1353
パラ放線菌症 para-actinomycosis …… 1347
ハラー蜂巣 Haller cell …… 322
パラポックスウイルス属 *Parapoxvirus* 1353
パラホルムアルデヒド paraformaldehyde …… 1349
パラホルモン parahormone …… 1349
パラボロイド集光器 paraboloid condenser …… 407
バラマス卵黄水加培地 Balamuth aqueous egg yolk infusion medium …… 1117
パラミオトニア paramyotonia …… 1352
パラミクソウイルス科 Paramyxoviridae 1352
パラミクソウイルス属 *Paramyxovirus* 1352
バラムチア属 *Balamuthia* …… 192
パラムヒストミア症 paramphistomiasis 1352
パラメータ parameter …… 1351
パラメディカルの paramedical …… 1351
パラメトリックな検定 parametric test 1862
パラ免疫芽球 paraimmunoblast …… 1349
パラミマ pararama …… 1353
パラレプシー paralepsy …… 1350
パラレルギーの parallergic …… 1350
パラローザニリン pararosanilin …… 1353
パラワクシニアウイルス paravaccinia virus …… 2027
パランジ parangi …… 1352
バランス balance …… 192
〔両耳音の交代性大きさ〕バランス試験 binaural alternate loudness balance test (ABLB, BALB) …… 1855
バランス〔のとれた〕食〔事〕 balanced diet 514
バランス徴候 Ballance sign …… 1678
バランス麻酔〔法〕 balanced anesthesia …… 79
バランス理論 balance theory …… 1875
バランチジウム症 balantidiasis …… 193
バランチジウム属 *Balantidium* …… 193
鍼(はり) acupuncture …… 22
梁(はり) beam …… 203
針 needle …… 1225
バリ flash …… 710
バリア barrier …… 198
バリウム barium (Ba) …… 197

バリウムえん下検査 barium swallow …… 1789
バリウム症 baritosis …… 197
バリウム食 barium meal …… 197
バリウム注腸 barium enema (BE) …… 616
張形 dildo, dildoe …… 519
針金 wire …… 2047
ハリガネムシ属 *Gordius* …… 793
針金様の wiry …… 2047
針金様脈 wiry pulse …… 1525
馬力 horsepower …… 865
バリシティ baricity …… 197
パリスグリーン Paris green …… 1356
ハリス症候群 Harris syndrome …… 1806
ハリス線 Harris lines …… 1050
バリストカルジオグラフ ballistocardiograph (BCG) …… 193
バリストカルジオグラフィ ballistocardiography …… 193
バリストカルジオグラム ballistocardiogram …… 193
ハリスヘマトキシリン Harris hematoxylin …… 827
バリスム〔ス〕ballismus …… 193
針生検 needle biopsy …… 214
ハリセンボン属 *Diodon* …… 521
ハリソン溝 Harrison groove …… 801
バリタ水 baryta water …… 2041
バリット水 baryta water …… 2041
パリノー眼筋麻痺 Parinaud ophthalmoplegia …… 1308
パリノー結膜炎 Parinaud conjunctivitis 412
パリノー結膜腺症候群 Parinaud oculoglandular syndrome …… 1815
パリノー症候群 Parinaud syndrome …… 1815
バリノマイシン valinomycin …… 1983
針の目瞳孔 pinhole pupil …… 1527
針バイオプシー needle biopsy …… 214
ハリバ肝油 halibut liver oil …… 812
バリバリ音 crunch …… 443
はり麻酔〔法〕acupuncture anesthesia …… 79
バリューヒストリー value history …… 856
パリライン Paris line …… 1051
バリル valyl (Val, V) …… 1986
バリン valine (Val, V) …… 1983
ハリングトン-フロックス試験 Harrington-Flocks test …… 1858
バリント症候群 Balint syndrome …… 1797
パリンドローム palindrome …… 1338
パリンドロームDNA palindromic DNA 491
パルヴェ pareve …… 1356
バルカン腎症 Balkan nephropathy …… 1230
バルカン枠 Balkan frame …… 739
ハルグレン症候群 Hallgren syndrome …… 1806
バルコウ靱帯 Barkow ligaments …… 1033
バルサム balsam …… 194
バルサルバ(ヴァルサルヴァ)試験 Valsalva test …… 1868
バルサルバ(ヴァルサルヴァ)手技 Valsalva maneuver …… 1099
バルサルバ(ヴァルサルヴァ)洞動脈瘤 aneurysm of sinus of Valsalva …… 82
ハルザン halzoun …… 813
ハル三徴 Hull triad …… 1926
パルス-インバージョン造影ハーモニック画像 pulse-inversion contrast harmonic imaging (PICHI) …… 908
パルスオキシメトリー pulse oximetry 1331
パルスシーケンス pulse sequence …… 1665
パルスダイレーザー. pulsed dye laser 1004
パルス-チェイス実験 pulse-chase experiment …… 656
ハルステッド手術 Halsted operation …… 1304
ハルステッドの法則 Halsted law …… 1006
ハルステッド縫合 Halsted suture …… 1787
ハルステッド-ライタン検査 Halstead-Reitan battery …… 202
パルス波高分析器 pulse height analyzer …… 71
パルス発生器 pulse generator …… 765
パルスフィールドゲル電気泳動 pulse-field gel electrophoresis …… 597
パルス療法 pulse therapy …… 1879
パルスレーザー pulsed laser …… 1004
バルティックミオクローヌス病 Baltic myoclonus disease …… 528
バルディネー靱帯 Bardinet ligament …… 1033
バルデー-ビードル症候群 Bardet-Biedl syndrome …… 1797
ハルテル法 Hartel technique …… 1844
パルトグラム partogram …… 1369
バルトネラ科 Bartonellaceae …… 199
バルトネラ症 bartonellosis …… 199
バルトネラ性貧血 *Bartonella* anemia …… 76
バルトネラ属 *Bartonella* …… 198
バルトヘルニア Barth hernia …… 842
ハルトマンアメーバ *Entamoeba hartmanni* …… 618
ハルトマンアメーバ属 *Hartmannella* …… 816
ハルトマン〔有窓〕鋭匙 Hartmann curette 449
バルトリン管 Bartholin duct …… 563
バルトリン腺炎 bartholinitis …… 198
バルトリン〔腺〕嚢胞 Bartholin cyst …… 458
バルトリン〔腺〕嚢胞切除〔術〕Bartholin cystectomy …… 461
バルトリン〔腺〕膿瘍 Bartholin abscess …… 4
バルビアニ環 Balbiani ring …… 1617
バルビエロ barbiero …… 196
バルビタール barbital …… 196
バルビツール酸 barbituric acid …… 197
バルビツレート barbiturate …… 197
バルビツレート中毒〔症〕barbiturism …… 197
パルブアルブミン parvalbumin …… 1369
パルファン洞 Palfyn sinus …… 1688
パルボウイルスB19 *Parvovirus* B19 …… 1369
パルボウイルス科 Parvoviridae …… 1369
パルボウイルス属 *Parvovirus* …… 1369
バルボカプニン bulbocapnine …… 265
バルボタージ barbotage …… 197
パルボバクテリア科 Parvobacteriaceae 1369
パルボリン parvoline …… 1369
パルマー消化性潰瘍酸試験 Palmer acid test for peptic ulcer …… 1862
ハルマリン harmaline …… 815
ハルマン harman …… 815
パルミチン palmitin …… 1339
パルミチンアルデヒド palmitaldehyde 1339
パルミチン酸 palmitic acid …… 1339
パルミチン酸塩 palmitate …… 1339
パルミチン酸クロラムフェニコール chloramphenicol palmitate …… 346
パルミチン酸セチル cetyl palmitate …… 337
パルミチン試験 palmin test, palmitin test …… 1862
パルミトレイン酸 palmitoleic acid …… 1339
ハルミン harmine …… 815
パルミン試験 palmin test, palmitin test 1862
パルメリン palmellin …… 1339
パルーリス parulis …… 1369
バルーン balloon …… 193
バルーンカテーテル balloon catheter …… 313
バルーン式心房中隔開口〔術〕balloon atrioseptostomy …… 171
バルーン〔による〕中隔開口〔術〕balloon septostomy …… 1663
バルーン付きカテーテル balloon-tip catheter …… 313
バルーン補助〔性〕心拍出法 balloon counter pulsation …… 1524
腫れ swelling …… 1789
パレイラ根 pareira …… 1355
ハレーション halation …… 812
バレー徴候 Barré sign …… 1679
破裂 dehisce …… 482
破裂 rhegma …… 1607
破裂 rupture …… 1627
破裂音 plosive …… 1446
破裂孔 foramen lacerum …… 725
破裂孔 lacerated foramen …… 725
破裂出血 hemorrhage per rhexis …… 836
破裂性動脈瘤 ruptured aneurysm …… 82
バレット症候群 Barrett syndrome …… 1797
バレット上皮 Barrett epithelium …… 632
バレット食道 Barrett syndrome …… 1797
バレット食道腺癌 adenocarcinoma in Barrett esophagus …… 24
パレー縫合 Paré suture …… 1788
バレリーナ足形〔収縮〕ballerina-foot pattern …… 1373
バレル(樽形)ひずみ(歪)〔像〕barrel distortion …… 550
ハレルフォルデン-シュパッツ症候群 Hallervorden-Spatz syndrome …… 1806
ハレルマン-シュトライフ-フランソワ症候群 Hallermann-Streiff-François syndrome 1806
バレンセン valencene …… 1983
ハロアルキルアミン〔類〕haloalkylamines 813
ハロキャスト halo cast …… 309
ハロゲン halogen …… 813
ハロゲン化 halogenation …… 813
ハロゲン化物 halide …… 812
ハロゲン痤瘡 halogen acne …… 16
ハロゲン皮膚症 halogenoderma …… 813
ハロセン-エーテル共沸混合物 halothane-ether azeotrope …… 185
ハロタン性肝炎 halothane hepatitis …… 839
パロチン parotin …… 1357
バロットマン ballottement …… 193
パローナ腔(隙) Parona space …… 1704
パロー病 Parrot disease …… 539
パロール parole …… 1356
帆 velum …… 2004
斑 macula …… 1091
斑 patch …… 1371
斑 plaque …… 1432
斑 spot …… 1724
斑〔点〕macule …… 1091
ばん(礬) vitriol …… 2035
板 lamina …… 996
板 placode …… 1429
板 plate …… 1434
盤 meniscus …… 1130
盤 pelvis …… 1378
範囲 range …… 1558
半意識の semiconscious …… 1659
汎萎縮〔症〕panatrophy …… 1340
半いす形 half-chair form …… 729
半陰陽 hermaphroditism …… 842
半陰陽 intersexuality …… 948
半陰陽者 hermaphrodite …… 842
半陰陽性卵巣腫瘍 gynandroblastoma …… 807
半羽状筋 semipennate muscle …… 1193
半羽状筋 unipennate muscle …… 1197
半羽状筋 musculus unipennatus …… 1204
半羽状の semipennate …… 1659
半羽状の unipennate …… 1965
半影 penumbra …… 1382
半円束 fasciculus interfascicularis …… 676
半円束 fasciculus semilunaris …… 676
半円束 interfascicular fasciculus …… 676
半円束 semilunar fasciculus …… 676
半円の semicircular …… 1659
帆音 sail sound …… 1702
汎化 generalization …… 764
半臥位 semisupination …… 1660
反回硬膜神経 recurrent meningeal nerve …… 1238
反回骨間動脈 arteria interossea recurrens 136
反回骨間動脈 recurrent interosseous artery …… 151

ハ

反回神経 recurrent laryngeal nerve …… 1238
反回神経 nervus laryngeus recurrens …… 1242
反回神経の咽頭枝 pharyngeal branches of recurrent laryngeal nerve …… 251
反回動脈 arteria recurrens …… 137
反回動脈 recurrent artery …… 151
反回の recurrent …… 1575
半核 hemikaryon …… 829
半顎症 hemignathia …… 829
半覚醒 sleep drunkenness …… 562
汎拡張期の holodiastolic …… 858
汎下垂体機能低下〔症〕 panhypopituitarism (PHP) …… 1342
汎下垂体性小人症 panhypopituitary dwarfism …… 569
半価層 half-value layer (HVL) …… 1010
煩渇 anadipsia …… 69
盤割 discoidal cleavage …… 373
煩渇多飲〔症〕 pollakidipsia …… 1457
バンカート病変 Bankart lesion …… 1022
半価の semivalent …… 1660
パンがゆ(粥) pap …… 1344
半管 semicanal …… 1659
半管 semicanalis …… 1659
反感 repulsion …… 1591
板間管 diploic canals …… 283
板間管 canales diploici …… 285
汎眼球炎 panophthalmitis …… 1343
板間静脈 diploic vein …… 1995
板間静脈 vena diploica …… 2005
半関節 amphiarthrosis …… 63
汎関節炎 panarthritis …… 1340
半関節形成術 hemiarthroplasty …… 828
板間層 diploë …… 523
半官半民機関 quango …… 1537
半規管 semicircular ducts …… 565
半規管 ductus semicirculares …… 566
半規管基底膜 membrana basalis ductus semicircularis …… 1124
半規管基底膜 basal membrane of semicircular duct …… 1125
半規管固有膜 membrana propria ductus semicircularis …… 1124
半規管固有膜 proper membrane of semicircular duct …… 1127
半規管上皮 epithelium ductus semicircularis …… 632
半規管上皮 epithelium of semicircular duct …… 632
半規管の静脈 veins of semicircular ducts …… 2001
半規管の単脚 simple crus of semicircular duct …… 444
半奇静脈 hemiazygos vein …… 1996
半奇静脈 vena hemiazygos …… 2005
晩期生歯 delayed dentition …… 488
晩期生歯 retarded dentition …… 489
半規定の seminormal (N/2) …… 1659
晩期の tardive …… 1841
晩期反応 late-phase response …… 1596
半球 hemisphere …… 830
半球 hemispherium …… 830
斑〔点状〕丘疹 maculopapule …… 1091
反響 echo …… 582
反響 resonance …… 1594
反響音声 echolalia …… 583
反響音声 echophony, echophonia …… 583
反響回路 reverberating circuit …… 365
半胸郭 hemithorax …… 830
半胸管 hemithoracic duct …… 563
半胸管 ductus hemithoracicus …… 566
反響〔言〕語 echolalia …… 583
汎凝集性の panagglutinable …… 1340
汎凝集素 panagglutinins …… 1340
反響症 echopathy …… 583
反響書字〔症〕 echographia …… 583
反響性複聴 diplacusis echoica …… 523
反響定位 echolocation …… 583
反響動作〔症〕 echopraxia …… 583
汎恐怖〔症〕 panphobia …… 1343
汎恐怖〔症〕 polyphobia …… 1463
反響様複聴 echoacousia …… 583
半棘筋 semispinal muscle …… 1193
半棘筋 semispinalis muscle …… 1193
半棘筋 musculus semispinalis …… 1203
半棘筋の semispinal …… 1660
半極性結合 semipolar bond …… 231
反曲胎盤 placenta reflexa …… 1428
反拒食症 reverse anorexia nervosa …… 95
ハンギングブロック培養 hanging-block culture …… 448
半金属 metalloid …… 1139
バンク bank …… 196
バンク bhang …… 208
ハンクス〔溶〕液 Hanks solution …… 1698
ハンクス拡張器 Hanks dilator …… 519
半屈〔位〕 semiflexion …… 1659
反屈 deflection …… 479
反屈 retroflexion …… 1604
反屈位 deflection …… 479
反屈位 deflexion …… 479
反屈束 fasciculus retroflexus …… 676
反屈束 retroflex fasciculus …… 676
パンクレアチン pancreatin …… 1341
パンクレオチミン-セクレチン試験 pancreozymin-secretin test …… 1862
パンクレリパーゼ pancrelipase …… 1342
バンクロフト糸状虫 *Wuchereria bancrofti* …… 2050
〔バンクロフト〕糸状虫症 wuchereriasis 2050
バンクロフト症 bancroftiasis, bancroftosis …… 194
バンクロフトフィラリア症 bancroftian filariasis …… 698
半径 radius …… 1545
汎形態性 pantomorphia …… 1344
半径方向加速度 radial acceleration …… 9
半月 lunula …… 1073
半月 lunule …… 1073
半月 meniscus …… 1130
半月〔体〕 demilune …… 486
〔膝関節〕半月〔板〕炎 meniscitis …… 1130
半月形 crescent …… 436
半月形の falciform …… 670
汎血管炎 panangiitis …… 1340
半月間裂 fissura intersemilunaris …… 701
半月間裂 intersemilunar fissure …… 703
汎血球減少〔症〕 pancytopenia …… 1342
半月〔板〕固定術 meniscopexy …… 1130
半月歯の selenodont …… 1658
半月神経節 semilunar ganglion …… 754
半月切痕 semilunar notch …… 1270
〔膝関節〕半月〔板〕切除〔術〕 meniscectomy …… 1130
半月線 semilunar line …… 1052
半月線 linea semilunaris …… 1053
半月体 demilune body …… 226
半月体 malarial crescent …… 436
半月大腿靱帯 meniscofemoral ligaments 1038
半月大腿靱帯 ligamenta meniscofemoralia …… 1044
〔膝関節〕半月軟骨炎 meniscitis …… 1130
半月〔板〕 meniscus …… 1130
半月板切除刀 meniscotome …… 1130
半月〔板〕縫合術 meniscorrhaphy …… 1130
半月ひだ semilunar fold …… 720
半月ひだ plica semilunaris …… 1445
半月弁 semilunar valve …… 1985
半月弁 valvula semilunaris …… 1986
半月弁結節 Lambl excrescences …… 652
半月弁結節 nodule of semilunar valve 1262
半月弁結節 nodules of semilunar cusps 1262
半月弁結節 noduli valvularum semilunarium …… 1262
半月弁尖 semilunar cusp …… 452
半月面 planum semilunatum …… 1431
半月裂孔 hiatus semilunaris …… 851
半月裂孔 semilunar hiatus …… 851
半減期 half-life …… 812
半減期 half-time …… 812
半腱様筋 semitendinosus (muscle) …… 1193
半腱様筋 musculus semitendinosus …… 1203
半腱様筋反射 semimembranosus reflex, semitendinosus reflex …… 1581
半腱様の semitendinous …… 1660
伴行 comes …… 397
伴行 comitance …… 397
半溝 semisulcus …… 1660
番号 number …… 1282
汎硬化〔症〕 pansclerosis …… 1343
瘢痕〔化〕性無気肺 cicatrization atelectasis …… 168
半交叉 semidecussation …… 1659
伴行静脈 accompanying vein …… 1993
伴行静脈 vena comitans …… 2005
伴行静脈 venae comitantes …… 2005
瘢痕〔性〕角 cicatricial horn …… 864
半合成の semisynthetic …… 1660
反抗挑戦性障害 oppositional defiant disorder …… 546
斑紅斑の maculoerythematous …… 1091
伴行リンパ節 accessory lymph nodes …… 1077
パンコースト腫瘍 Pancoast tumor …… 1951
パンコースト症候群 Pancoast syndrome 1815
汎骨炎 panosteitis …… 1343
ハンコック切断術 Hancock amputation … 66
汎骨髄症 panmyelosis …… 1343
汎骨髄ろう(癆) panmyelophthisis …… 1343
バンコマイシン vancomycin …… 1986
瘢痕 cicatrix …… 362
瘢痕 scar …… 1641
瘢痕化 cicatrization …… 362
瘢痕回 ulegyria …… 1962
瘢痕癌 scar carcinoma …… 298
瘢痕眼瞼内反 cicatricial entropion …… 622
瘢痕形成 cicatrization …… 362
瘢痕形成肉芽 acestoma …… 11
瘢痕〔性〕紅斑 ulerythema …… 1962
瘢痕周辺性気腫 paracicatricial emphysema …… 605
半昏睡 semicoma …… 1659
瘢痕性〔眼瞼〕外反 cicatricial ectropion … 586
瘢痕性結膜炎 cicatricial conjunctivitis …. 412
瘢痕性脱毛〔症〕 scarring alopecia …… 53
瘢痕切除〔術〕 cicatrectomy …… 362
瘢痕切除術 escharectomy …… 641
ハンゴンソウ属 *Senecio* …… 1660
瘢痕様の uloid …… 1962
犯罪学 criminology …… 439
汎細気管支炎 panbronchiolitis …… 1340
犯罪恐怖〔症〕 peccatiphobia …… 1375
半截術 morcellation operation …… 1305
半菜食主義者 semi-vegetarian …… 1992
犯罪心理学 criminal psychology …… 1518
犯罪人類学 criminal anthropology …… 98
犯罪精神障害 criminal insanity …… 939
犯罪責任能力検査 tests of criminal responsibility …… 1856
犯罪責任無能力 criminal irresponsibility 957
犯罪流産 criminal abortion …… 4
半索動物門 Hemichordata …… 828
反G〔の〕 anti-G …… 103
半肢症 hemimelia …… 829
反磁性 diamagnetism …… 509
汎視性傾斜 pantoscopic tilt …… 1893
汎視性〔染色〕の panoptic …… 1343
汎視染色〔法〕 panoptic stain …… 1734
汎視的な pantoscopic …… 1344

半翅目 Hemiptera …… 830
反射 anaclasis …… 69
〔筋〕反射 jerk …… 968
反射〔現象〕 reflex …… 1577
反射運動 reflex movement …… 1174
反社会的行為 antisocial behavior …… 204
反社会的人格異常 antisocial personality disorder …… 543
反社会的な antisocial …… 109
反社会病質な sociopathic …… 1695
反射角 angle of reflection …… 89
反射学 reflexology …… 1582
反射眼底検査法 ophthalmoscopy with reflected light …… 1308
反射器 reflector …… 1577
反射弓 reflex arc …… 124
反射鏡 mirror …… 1159
反射鏡 reflector …… 1577
反射屈折の catadioptric …… 310
反射計 anacamptometer …… 69
反射計 reflexometer …… 1582
反射係数 reflection coefficient (σ) …… 387
反射光〔線〕 reflected light …… 1047
反射亢進 hyperreflexia …… 886
反射亢進の reflexophil, reflexophile …… 1583
反射〔光〕線 reflected ray …… 1562
反射消失 areflexia …… 130
反射症状 reflex symptom …… 1792
反射色 reflected colors …… 393
反射性交感神経性ジストロフィ reflex sympathetic dystrophy (RSD) …… 579
反射性虹彩麻痺 reflex iridoplegia …… 956
反射性耳痛 reflex otalgia …… 1326
反射性〔尿〕失禁 reflex incontinence …… 920
反射性消化不良 reflex dyspepsia …… 574
反射性神経因性膀胱〔障害〕 reflex neurogenic bladder …… 218
反射性咳 reflex cough …… 431
反射性ぜん息 reflex asthma …… 165
反射〔性〕てんかん reflex epilepsy …… 628
反射性排尿筋収縮 reflex detrusor contraction …… 417
反射性頻拍症 reflex tachycardia …… 1837
反射体 reflector …… 1577
反射体 refractable …… 1583
反射帯 reflexogenic zone …… 2060
反射調節 reflex control …… 418
反射低下 hyporeflexia …… 896
反射発生性血圧変調感受性 reflexogenic pressosensitivity …… 1482
反射描画器 reflexograph …… 1582
反射防止膜 antireflection coating …… 383
反射保持早期発症運動失調〔症〕 ataxia of early onset with retained reflexes …… 167
反射抑制 reflex inhibition …… 933
反射療法 reflex therapy …… 1879
反射レチノスコープ reflecting retinoscope …… 1603
汎収縮〔期〕雑音 pansystolic murmur …… 1180
汎収縮期〔性〕の pansystolic …… 1343
パンシュ裂〔溝〕 Pansch fissure …… 703
斑状アミロイドーシス macular amyloidosis …… 68
斑状萎縮 macular atrophy …… 173
板状回 splenial gyrus …… 809
斑状角膜ジストロフィ macular corneal dystrophy …… 579
斑状丘疹状 maculopapular …… 1091
斑状丘疹状発疹 maculopapular eruption 638
斑状強皮症 morphea …… 1170
板状筋 splenius (muscles) …… 1194
板状筋 musculi splenii …… 1203
板状筋 splenius …… 1720
板状筋鋸筋の spleniserrate …… 1720
板状筋の splenial …… 1720
盤状〔原〕腸胚 discogastrula …… 527
斑状歯 mottled enamel …… 606
斑状歯 mottled tooth …… 1903
斑状出血 ecchymosis …… 581
斑状出血性顔貌 ecchymotic mask …… 1106
斑状じんま疹 urticaria maculosa …… 1976
半焼成 biscuit-bake …… 216
斑状〔性〕類乾癬 parapsoriasis en plaque 1353
反衝損傷による骨折 fracture by contrecoup …… 737
盤状嚢胚 discogastrula …… 527
斑状皮膚萎縮〔症〕 anetoderma …… 81
盤状胞胚 discoblastula …… 527
汎漿膜炎 polyserositis …… 1464
斑状無気肺 patchy atelectasis …… 168
汎小葉性肺気腫 panlobular emphysema 605
板状鱗屑 scale …… 1638
繁殖 breeding …… 256
繁殖 proliferation …… 1496
繁殖 propagation …… 1498
繁殖 reproduction …… 1591
繁殖可能性 fertility …… 681
繁殖上の generative …… 765
パン職人湿疹 baker's eczema …… 586
繁殖力 fecundity …… 679
反神経性食思不振症 reverse anorexia nervosa …… 95
半身照射 hemibody radiation …… 1541
半睡状態 dysnystaxis …… 574
半睡状態の subwaking …… 1768
半垂直心 semivertical heart …… 821
半水平心 semihorizontal heart …… 821
半数 moiety …… 1163
反すう pseudovomiting …… 1516
反すう regurgitation …… 1587
反すう rumination …… 1627
反すう思考 rumination …… 1627
反すう性障害 rumination disorder …… 547
反すう動物 ruminant …… 1627
半頭〔蓋〕症 hemicephalia …… 828
半頭蓋切開〔術〕 hemicraniotomy …… 829
パンスペルミア説 panspermia, panspermatism …… 1343
パンスポロブラスト pansporoblast …… 1343
バン・スライク装置 Van Slyke apparatus 119
伴性 sex linkage …… 1054
伴性遺伝 sex-linked inheritance …… 933
伴性遺伝子座 sex-linked locus …… 1068
伴性形質 sex-linked character …… 339
伴性の sex-linked …… 1669
汎〔発〕〔性〕流行性 pandemicity …… 1342
半接合 hemizygosity …… 830
半接合体 hemizygote …… 830
半接合の hemizygous …… 830
半接着斑 hemidesmosomes …… 829
絆創膏 strap …… 1751
絆創膏 adhesive tape …… 1841
半総動脈幹症 hemitruncus …… 830
板〔層〕の炎症 laminitis …… 999
搬送培地 transport medium …… 1118
半側(片側)アテトーシス hemiathetosis …… 828
半側(片側)異栄養症 hemidystrophy …… 829
半側(片側)萎縮 hemiatrophy …… 828
半側(片側)〔運動〕失調〔症〕 hemiataxia …… 828
反足円錐 antipodal cone …… 409
半側(片側)温覚消失 hemithermoanesthesia …… 830
半側(片側)感覚消失 hemianesthesia …… 828
半側(片側)感覚〔消失〕の hemisensory …… 830
半側(片側)感覚鈍麻 hemihypesthesia …… 829
半側(片側)顔面萎縮 facial hemiatrophy 828
半側(片側)顔面の hemifacial …… 829
半側奇肢症 hemiectromelia …… 829
半側(片側)嗅覚麻痺 hemianosmia …… 828
半側(片側)共同(協同)運動不能〔症〕 hemiasynergia …… 828
半側(片側)緊張亢進 hemihypertonia …… 829
半側(片側)緊張低下 hemihypotonia …… 829
半側(片側)痙攣 hemispasm …… 830
半側欠肢症 hemiectromelia …… 829
半側(片側)喉頭切除〔術〕 hemilaryngectomy …… 829
半側(片側)骨盤切除〔術〕 hemipelvectomy …… 829
半側(片側)失行〔症〕 hemiapraxia …… 828
半側視野欠損 hemianopia …… 828
半側(片側)症候群 hemisyndrome …… 830
半側(片側)振せん hemitremor …… 830
半側(片側)舌萎縮〔症〕 lingual hemiatrophy …… 828
半側(片側)舌炎 hemiglossitis …… 829
半側切除 hemisection …… 830
半側(片側)多汗症 hemihyperhidrosis …… 829
半側(片側)知覚過敏 hemihyperesthesia …… 829
半側(片側)知覚不全 hemidysesthesia …… 829
反足治療〔術〕 tarsoclasia, tarsoclasis …… 1842
半側(片側)椎弓切除〔術〕 hemilaminectomy …… 829
半側椎骨 hemivertebra …… 830
半側(片側)痛覚消失 hemianalgesia …… 828
半側(片側)痛覚鈍麻 hemihypalgesia …… 829
半側(片側)疼痛 hemialgia …… 828
半側(片側)内水頭症 hemihydranencephaly …… 829
半側(片側)の hemilateral …… 829
半側(片側)発汗 hemidiaphoresis …… 829
半側(片側)バリスム hemiballismus …… 828
半側(片側)肥大〔症〕 hemihypertrophy …… 829
半側(片側)肥大症 hemiacrosomia …… 828
半側(片側)病巣 hemilesion …… 829
半側(片側)不全麻痺 hemiparesis …… 829
半側(片側)舞踏病 hemichorea …… 829
半側麻痺 hemiplegia …… 829
半側麻痺歩行 hemiplegic gait …… 748
半側(片側)味覚消失 hemiageusia …… 828
半側(片側)盲性暗点 hemianopic scotoma …… 1650
半組織名 semisystematic name …… 1660
汎存種 cosmopolitan …… 430
はんだ solder …… 1697
反対運動 adversive movement …… 1173
反対牽引〔法〕 countertraction …… 432
反対刺激 counterirritation …… 432
反対刺激薬 counterirritant …… 432
反対充当 anticathexis …… 101
反対条件付け counterconditioning …… 432
反対色 opponent color …… 393
〔反〕対側性の contralateral …… 417
反対平衡 counterbalancing …… 432
ハンタウイルス属 *Hantavirus* …… 814
ハンタウイルス肺症候群 hantavirus pulmonary syndrome …… 1806
ハンダー基準 Hunder criteria …… 441
ハンター下疳 hunterian chancre …… 338
ハンター手術 Hunter operation …… 1305
ハンター－シュレーガー帯(バンド) Hunter-Schreger bands …… 194
ハンター症候群 Hunter syndrome …… 1807
ハンター舌炎 Hunter glossitis …… 781
ハンター－トンプソン小人症 Hunter-Thompson dwarfism …… 568
パンタロンヘルニア pantaloon hernia …… 843
ハンタンウイルス Hantaan virus …… 2025
パンチカード punch card …… 1526
パンチ生検 punch biopsy …… 214
パンチバイオプシー punch biopsy …… 214
反跳 rebound …… 1570
反跳〔現象〕 rebound phenomenon …… 1405
反跳圧痛 rebound tenderness …… 1849
反跳原子 recoil atom …… 170
反張膝 genu recurvatum …… 767
ハンチング hunting …… 867
ハンチンチン huntingtin …… 867

半椎 hemivertebra …… 830
半椎体 hemicentrum …… 828
半椎体 pleurocentrum …… 1438
判定 decision …… 475
判定基準 criterion …… 441
ハンディキャップ handicap …… 814
判定者間信頼度 interjudge reliability …… 1589
バンティ症候群 Banti syndrome …… 1797
パンディ反応 Pandy reaction …… 1566
バンディング banding …… 196
ハンティングトン舞踏病 Huntington chorea …… 354
汎適応症候群 general adaptation syndrome …… 1805
汎適応反応 general adaptation reaction 1564
バンデージコンタクトレンズ bandage contact lens …… 1019
パンテチン pantethine …… 1343
パンテテイン pantetheine …… 1343
パンテテインキナーゼ pantetheine kinase …… 1343
パンテノール panthenol …… 1343
反転 reversal …… 1605
斑点 blemish …… 220
斑点 blotch …… 224
斑点 dot …… 558
斑点 macula …… 1091
斑点 spot …… 1724
斑点 stigma …… 1746
斑点 stippling …… 1747
斑点 tache …… 1837
斑〔点〕 macule …… 1091
反転回復〔法〕 inversion recovery …… 1574
反転逆波 reversed reciprocal rhythm …… 1611
斑点形成 mottling …… 1172
反転時間 TI …… 1892
斑点症 stigmatism …… 1746
斑点症 stigmatization …… 1747
斑〔点状〕丘疹 maculopapule …… 1091
斑点状の punctate …… 1526
斑点状網膜症候群 flecked retina syndrome …… 1804
斑点除去 emaculation …… 599
反転靱帯 reflected inguinal ligament …… 1039
反転靱帯 reflex ligament …… 1040
反転靱帯 ligamentum reflexum …… 1045
反転性毛嚢(毛包)角化症 inverted follicular keratosis …… 981
反転層 tunica reflexa …… 1953
斑点熱 spotted fever …… 686
斑点熱リケッチア *Rickettsia rickettsii* …… 1615
反転皮弁 hinged flap …… 710
斑点網膜 flecked retina …… 1600
パントイル基 pantoyl …… 1344
パントイルタウリン pantoyltaurine …… 1344
パントイン酸 pantoic acid …… 1344
反動 rebound …… 1570
半頭〔蓋〕症 hemicephalia …… 828
半頭蓋切開〔術〕 hemicraniotomy …… 829
半透過膜 diffusion shell …… 1672
反動形成 reaction formation …… 729
反同向性 inverse syntropy …… 1827
半透〔性〕の semipermeable …… 1659
半透性膜 semipermeable membrane …… 1127
半導体 semiconductor …… 1659
反動痛 rebound tenderness …… 1849
半頭肥大症 hemicraniosis …… 829
汎動脈炎 panarteritis …… 1340
半透明 translucency …… 1919
半透明帯検査 hemizona assay …… 162
半透明の translucent …… 1920
パントエート pantoate …… 1343
ハント逆現象 Hunt paradoxic phenomenon …… 1405
パントグラフ pantograph …… 1344
ハンド-シュラー-クリスチャン病 Hand-Schüller-Christian disease …… 534
ハント症候群 Hunt syndrome …… 1807
バンド撤去 debanding …… 473
パントテニル基 pantothenyl …… 1344
パントテン酸 pantothenic acid …… 1344
パントテン酸カルシウム calcium pantothenate …… 277
パントテン酸カルシウム(ラセミ体) racemic calcium pantothenate …… 277
パントテン酸シンテターゼ pantothenate synthetase …… 1344
パントニン pantonine …… 1344
バンドパス(帯域)フィルタ bandpass filter …… 699
バンド(帯域)幅 bandwidth …… 196
ハンドピース handpiece …… 814
パントモグラフ pantomograph …… 1344
パントモグラフィ pantomography …… 1344
パントモグラム pantomogram …… 1344
ハンドル外傷 steering wheel injury …… 937
汎内視鏡検査 panendoscopy …… 1342
半軟骨の semicartilaginous …… 1659
パンヌス pannus …… 1343
反応 reaction …… 1562
反応 response …… 1596
反応〔性〕 competence …… 400
汎脳炎 panencephalitis …… 1342
反応開始 initiation …… 935
反応階層 response hierarchy …… 852
反応緩徐〔症〕 apathism …… 112
反応機構 mechanism …… 1114
万能給血者 universal donor …… 555
反応経過 reactivity …… 1568
万能解毒薬 universal antidote …… 102
反応原性 reactogenicity …… 1568
反応細胞 reactive cell …… 325
反応時間 reaction time …… 1893
反応性 reactivity …… 1568
反応性愛着障害 reactive attachment disorder …… 547
反応性関節炎 reactive arthritis …… 155
反応性充血 reactive hyperemia …… 880
反応性穿孔性膠原線維症 reactive perforating collagenosis …… 390
反応性全身性アミロイドーシス reactive systemic amyloidosis …… 68
反応性(炎症性)変化 reactive changes …… 339
反応性抑うつ reactive depression …… 493
反応速度式 rate equation …… 634
反応速度測定 kinetic measurement …… 1113
反応速度分析器 kinetic analyzer …… 71
反応体 reagin …… 1569
反応低下 inaction …… 917
反応統合失調症 reactive schizophrenia 1644
反応によって生じたキュー response-produced cues …… 447
反応能 competence …… 400
反応バイアス response bias …… 208
万能比重計 panhydrometer …… 1342
反応物 reactant …… 1562
万能膀胱尿道鏡 panendoscope …… 1342
万能薬 panacea …… 1340
万能溶媒 universal solvent …… 1699
板〔層〕の炎症 laminitis …… 999
反発 rebound …… 1570
反発 repulsion …… 1591
汎発疹型組織球腫 generalized eruptive histiocytoma …… 854
反発性 resilience …… 1592
晩発性アルツハイマー病 late-onset Alzheimer disease …… 536
汎発性外皮リーシュマニア症 leishmaniasis tegumentaria diffusa …… 1018
晩発性感音難聴を伴う眼白子〔症〕 ocular albinism with late-onset sensorineural deafness …… 42
汎発性黒子症 generalized lentiginosis …… 1020
汎発性痤瘡 acne generalis …… 16
汎発性〔種〕痘疹 generalized vaccinia …… 1981
汎発性食道痙攣 diffuse esophageal spasm …… 1706
汎発性石灰〔沈着〕症 calcinosis universalis …… 276
晩発性潜在性梅毒 late latent syphilis …… 1828
晩発性先天梅毒 syphilis hereditaria tarda …… 1828
汎発性多毛〔症〕 hypertrichosis universalis …… 889
汎発性特発性骨増殖症 diffuse idiopathic skeletal hyperostosis (DISH) …… 884
汎発性乳頭腫 papilloma diffusum …… 1346
汎発〔性〕の generalized …… 764
晩発性の tardive …… 1841
晩発性皮膚ポルフィリン症 porphyria cutanea tarda (PCT) …… 1467
汎発性皮膚リーシュマニア症 diffuse cutaneous leishmaniasis …… 1017
汎発性腹膜炎 general peritonitis …… 1393
汎発性扁平黄色腫症 generalized plane xanthomatosis …… 2052
汎〔発〕〔性〕流行性 pandemicity …… 1342
反発力の repellent …… 1590
半ハプテン half-hapten …… 812
半フォーラー体位 semi-Fowler position 1470
反復 recapitulation …… 1570
反復 recurrence …… 1575
反復 replicate …… 1590
反復〔症〕 perseveration …… 1395
半腹臥位 semipronation …… 1659
反復強迫 repetition-compulsion …… 1590
反復強迫の原則 repetition-compulsion principle …… 1485
反復工作 working through …… 2048
〔反復〕語唱 verbigeration …… 2013
反復視 palinopsia …… 1338
反復性脳障害(脳症) palindromic encephalopathy …… 609
反復説 recapitulation theory …… 1877
反復調律 allorhythmia …… 51
反復DNA repetitive DNA …… 491
汎副鼻腔炎 pansinusitis …… 1343
反復発作性運動失調〔症〕 episodic ataxia 167
反復リズム allorhythmia …… 51
反復率 repetition rate …… 1560
反復流産 recurrent abortion …… 4
半物質 hemisubstance …… 830
汎ぶどう膜炎 panuveitis …… 1344
ハンプトン線 Hampton line …… 1050
ハンプトン操作 Hampton maneuver …… 1099
ハンプトンハンプ Hampton hump …… 867
反平行の antiparallel …… 108
半閉鎖式循環〔回路〕 semiclosed circle …… 364
判別感覚 epicritic sensibility …… 1661
判別関数 discriminant function …… 744
判別検査 screening …… 1651
判別〔性〕の epicritic …… 626
判別分析 discriminant analysis …… 70
バンベルガー徴候 Bamberger sign …… 1678
バンベルガー-マリー症候群 Bamberger-Marie syndrome …… 1797
半胞子属 *Hemispora* …… 830
半保存的 semiconservative …… 1659
半保存的複製 semiconservative replication …… 1591
汎発疹型組織球腫 generalized eruptive histiocytoma …… 854
ハンマー〔状〕足ゆび(趾) hammer toe …… 1897
半膜様筋 semimembranosus (muscle) …… 1193
半膜様筋 musculus semimembranosus …… 1203
半膜様筋 semimembranosus …… 1659
半膜様筋〔の滑液〕包 bursa of semimembranosus muscle …… 270

半膜様筋〔の滑液〕包 semimembranous bursa ……… 270
半膜様筋反射 semimembranosus reflex, semitendinosus reflex ……… 1581
半膜様の semimembranous ……… 1659
ハンマートウ hammer toe ……… 1897
半眠の hypnagogic ……… 890
半無心体 hemiacardius ……… 828
半無脳症 hemianencephaly ……… 828
ハンメルシュラーク法 Hammerschlag method ……… 1144
汎免疫〔性〕 panimmunity ……… 1342
半盲 hemianopia ……… 828
半盲用眼鏡 hemianopic spectacles ……… 1708
ハンモック靱帯 hammock ligament ……… 1035
ハンモック包帯 hammock bandage ……… 196
斑紋 macula ……… 1091
斑紋 macule ……… 1091
斑紋 tache ……… 1837
斑紋らい macular leprosy ……… 1021
半葉形成不全 hemiaplasia ……… 828
半卵円中心 centrum semiovale ……… 332
反流 countercurrent ……… 432
汎〔発〕〔性〕流行性 pandemicity ……… 1342
反流性黄疸 regurgitation jaundice ……… 967
半量 moiety ……… 1163
半輪の semicircular ……… 1659
半レンズ眼鏡 half-glass spectacles ……… 1708
半籠手包帯 demigauntlet bandage ……… 195
反論のある神経学的胸郭出口症候群 disputed neurologic thoracic outlet syndrome ……… 1802
バンワース症候群 Bannwarth syndrome 1797

ヒ

火 fire ……… 701
比 rate ……… 1559
比 ratio ……… 1560
ヒース-エドワーズ分類 Heath-Edwards grades ……… 794
ヒーニー手術 Heaney operation ……… 1304
ヒーバーデン(ヘーバーデン)結節 Heberden nodes ……… 1260
ヒーラ HeLa ……… 822
ヒーラ細胞 HeLa cells ……… 322
ヒーラモンスター Gila monster ……… 769
ヒーリー基準 Healy criteria ……… 441
尾 cauda ……… 314
尾 tail ……… 1838
眉 eyebrow ……… 659
眉 supercilium ……… 1777
鼻 nasus ……… 1222
鼻 nose ……… 1268
ビーヴォー徴候 Beevor sign ……… 1679
ビーカー beaker ……… 203
ビーカー状細胞 beaker cell ……… 319
ビーク beak ……… 203
ビーク徴候 beak sign ……… 1679
ビーダーマン徴候 Biederman sign ……… 1679
ビーディング beading ……… 203
ビーテル(キンマ)かみタバコ Betel quid 208
ビート舌 beet-tongue ……… 1900
ビート尿 beeturia ……… 204
ビーム beam ……… 203
ビール酵母 brewer's yeast ……… 2055
ビール細胞 Beale cell ……… 319
ビールショースキー染色〔法〕 Bielschowsky stain ……… 1730
ビールショースキー徴候 Bielschowsky sign ……… 1679
ビールショースキー病 Bielschowsky disease ……… 529
ビール切断術 Bier amputation ……… 65
ビールのブロック(遮断) Bier block ……… 221
ビールビー層 Beilby layer ……… 1009
ビール法 Bier method ……… 1143
Bアルブミン albumin B ……… 43
B因子 factor B ……… 666
Bウイルス B virus ……… 2022
B型インフルエンザワクチン *Haemophilus influenzae* type B vaccine ……… 1979
B型ウイルス性肝炎 viral hepatitis type B ……… 839
B型肝炎e抗原 hepatitis B e antigen (HB$_e$Ab, HBe, HB$_e$Ag) ……… 104
B型肝炎ウイルス hepatitis B virus (HBV) ……… 2025
B型肝炎コア抗原 hepatitis B core antigen (HB$_c$Ab, HB$_c$Ag) ……… 104
B型肝炎表面抗原 hepatitis B surface antigen (HB$_s$Ab, HB$_s$Ag) ……… 104
B型肝炎免疫グロブリン hepatitis B immune globulin (HBIG) ……… 779
B型肝炎ワクチン hepatitis B vaccine ··· 1979
B型行動 type B behavior ……… 204
B型ナトリウム利尿ペプチド B-type natriuretic peptide (BNP) ……… 1383
B群連鎖球菌 group B streptococci ……… 1754
B型DNA B-DNA ……… 491
B鎖 B chain ……… 337
B細胞 B cell ……… 319
B細胞共受容体 B-cell coreceptor ……… 423
B細胞分化/成長因子 B-cell differentiation/growth factors ……… 666
B細胞レセプタ B cell receptors ……… 1570
B線維 B fibers ……… 688
B胆汁 B bile ……… 210
B波 B wave ……… 2042
B波長紫外線 ultraviolet B (UVB) ……… 1963
Bモード B-mode ……… 224
Bリンパ球 B lymphocyte ……… 1082
B6気管支サイン B6 bronchus sign ……… 1679
B19ウイルス B19 virus ……… 2022
BCGワクチン BCG vaccine ……… 1979
Bcl2結合成分3 Bcl2-binding component 3 ……… 403
B.E. base excess ……… 652
Be$_a$抗原 Be$_a$ antigens ……… 103
BH間隔 BH interval ……… 948
BICAP電気メス BICAP cautery ……… 315
BIDS症候群 BIDS syndrome ……… 1798
Bi抗原 Bi antigen ……… 103
BKウイルス BK virus ……… 2022
BRCA1遺伝子 BRCA1 gene ……… 762
BRCA2遺伝子 BRCA2 gene ……… 762
BrDu(ブロモデオキシウリジン)染色法 BrDu-banding ……… 196
By抗原 By antigen ……… 103
ピーク peak ……… 1375
ピークフローメータ peak flow meter ··· 1141
ピーダーソン鏡 Pederson speculum ……… 1709
ピートル徴候 Pitres sign ……… 1683
ピートル野 Pitres area ……… 129
ピーリング peeling ……… 1377
P因子 P elements ……… 598
P因子 factor P ……… 668
P因子 P factor ……… 668
P抗原 P antigens ……… 104
P細胞 P cell ……… 324
Pセレクチン P selectin ……… 1658
P-糖蛋白 P-glycoprotein ……… 1398
P波 P wave ……… 2042
P物質 substance P ……… 1766
p53遺伝子 p53 ……… 1334
PAPA症候群 PAPA syndrome ……… 1815
PAP法 PAP technique ……… 1845
PA間隔 PA interval ……… 948
PCAポンプ PCA pump ……… 1526
PICCライン PICC line ……… 1051
PJ間隔 PJ interval ……… 948
P-K抗体 P-K antibodies ……… 101
PMA指数 PMA index ……… 923
Pot1蛋白 Pot1 protein ……… 1505
P/O比 P:O ratio ……… 1561
p-p因子 p-p factor ……… 668
P-P間隔 P-P interval ……… 948
PRPPシンテターゼ PRPP synthetase ···· 1509
PR間隔 PR interval ……… 948
PR部分 PR segment ……… 1655
PSA進行速度 PSA velocity ……… 2003
pTNM分類 pTMN ……… 1522
PVA固定 PVA fixative ……… 708
ピアズ(ベールズ)基準 Beers criteria ……… 441
ピアソン骨髄膵臓症候群 Pearson marrow pancreas syndrome ……… 1815
ピアソン症候群 Pearson syndrome ……… 1815
非アドレナリン性非コリン性神経細胞 nonadrenergic, noncholinergic neuron (NANC neuron) ……… 1249
非アドレナリン性非コリン性ニューロン nonadrenergic, noncholinergic neuron (NANC neuron) ……… 1249
ピアニスト痙攣 pianist's cramp, piano-player's cramp ……… 433
火あぶり足症候群 burning foot syndrome ……… 1798
ヒアリン hyalin ……… 868
ヒアリン〔質〕化 hyalinization ……… 868
ヒアリングプロテクター hearing protectors ……… 1502
ヒアリン形質 hyaloplasm, hyaloplasma 868
ヒアリン結節 hyaline tubercle ……… 1943
ヒアリン〔様〕血栓 hyaline thrombus ……… 1889
ヒアリン症 hyalinosis ……… 868
ヒアリン体 hyaline bodies ……… 227
ヒアリン尿〔症〕 hyalinuria ……… 868
ヒアリンの hyaline ……… 868
ヒアリン変性 hyaline degeneration ……… 481
ヒアリン膜 hyaloid membrane ……… 1126
非アルコール性脂肪性肝炎 nonalcoholic steatohepatitis (NASH) ……… 1741
ヒアルロニダーゼ hyaluronidase ……… 868
ヒアルロノグルクロニダーゼ hyaluronoglucuronidase ……… 868
ヒアルロノグルコサミニダーゼ hyaluronoglucosaminidase ……… 868
ヒアルロン酸 hyaluronic acid ……… 868
ヒアルロン酸リアーゼ hyaluronate lyase 868
非アレルギー〔性〕の anallergic ……… 70
ヒアロゲン hyalogens ……… 868
ヒアロビウロン酸 hyalobiuronic acid ……… 868
ヒアロヒホ真菌症 hyalohyphomycosis ……… 868
被暗示性 suggestibility ……… 1770
非イオン性 nonionic ……… 1266
非イオン性界面活性剤 nonionic surfactant ……… 1784
脾遺残 splenectopia, splenectopy ……… 1720
鼻頤反射 nasomental reflex ……… 1580
鼻咽腔 rhinopharynx ……… 1608
鼻咽腔癌 nasopharyngeal carcinoma ……… 298
鼻咽腔鏡 nasopharyngoscope ……… 1221
鼻咽腔の rhinopharyngeal ……… 1608
鼻咽喉ファイバースコープ nasopharyngolaryngoscope ……… 1221
鼻咽頭 nasopharynx ……… 1222
鼻咽道 meatus nasopharyngeus ……… 1114
鼻咽道 nasopharyngeal meatus ……… 1114
鼻咽道 nasopharyngeal passage ……… 1370
鼻咽頭鏡検査 nasopharyngoscopy ……… 1222
鼻咽頭溝 nasopharyngeal groove ……… 802

鼻咽頭喉頭鏡 nasopharyngolaryngoscope 1221
鼻咽頭石 rhinopharyngolith 1608
鼻咽頭の rhinopharyngeal 1608
鼻咽頭リーシュマニア症 espundia 643
ビヴァーリー・ダグラス法 Beverly Douglas procedure 1487
非う食性の noncariogenic 1266
ビウレット biuret 217
ビウレット試験 biuret test 1855
ビウレット試薬 biuret reagent 1568
ビウレット反応 biuret reaction 1563
比運動エネルギー kinetic energy released per unit mass 1107
非運動性白血球 nonmotile leukocyte 1026
非(不)衛生的な insanitary 939
非エステル遊離脂肪酸 unesterified free fatty acid (FFA, UFA) 678
ピエゾ効果 piezoelectric effect 589
ピエゾ(圧電)変換器(振動子) piezoelectric transducer 1917
ピエゾ電気 piezoelectricity 1423
ピエドライア属 *Piedraia* 1423
非A・非B型肝炎 non-A, non-B hepatitis (NANB hepatitis) 839
非A非B肝炎ウイルス non-A, non-B hepatitis virus 2027
非A・非B・非C型肝炎 non-A, non-B, non-C hepatitis (NANBNC hepatitis) 839
非A–E型肝炎 non-A-E hepatitis 839
ビエモン症候群 Biemond syndrome 1798
ビエルム暗点 Bjerrum scotoma 1650
ビエルムスクリーン Bjerrum screen 1651
ピエール・ロバン症候群 Pierre Robin syndrome 1815
ピエール・ロバン配列 Pierre Robin sequence 1665
脾炎 splenitis 1720
鼻炎 rhinitis 1608
鼻炎ウイルス属 *Rhinovirus* 1609
非炎症性水腫(浮腫) noninflammatory edema 587
ビオヴァル biovar 215
脾横隔膜の splenophrenic 1721
鼻横溝 stria nasi transversa 1756
鼻横線条 stria nasi transversa 1756
ピオゲン pyogen 1532
ビオー呼吸 Biot respiration 1595
ビオシチナーゼ biocytinase 212
ビオシチン biocytin 212
ピオシン pyocin 1531
ビオタ biota 215
ビオチニダーゼ biotinidase 215
ビオチニダーゼ欠損症 biotinidase deficiency 478
ビオチン biotin 215
ビオチン–アビジン法 biotin-avidin procedure 1487
ビオチンオキシダーゼ biotin oxidase 215
ビオチンカルボキシラーゼ biotin carboxylase 215
ビオチン様物質 biotinides 215
ビオトープ biotope 215
ビオニック bionic 213
ビオーの呼吸サイン Biot breathing sign 1679
ビオファージ biophage 213
ビオプテリン biopterin 214
ビオプラスマ bioplasm 213
鼻音症 rhinolalia 1608
ビオンファラリア属 *Biomphalaria* 213
鼻窩 nasal pits 1426
尾芽 tailbud 1839
被蓋 tegmentum 1845
鼻科医 rhinologist 1608
被蓋核 tegmental nuclei 1280
被蓋核 nuclei tegmenti 1281
被害型妄想〔性〕障害 persecutory type of paranoid disorder 546
非開胸心マッサージ closed chest massage 1108
被蓋咬合 overbite 1328
被蓋交叉 decussationes tegmentales 476
被蓋交叉 tegmental decussations 476
被蓋症候群 tegmental syndrome 1822
非外傷性縫合糸 atraumatic suture 1786
鼻介静脈瘤 turbinal varix 1989
被蓋切開〔術〕 tegmentotomy 1845
非回旋 nonrotation 1266
被蓋前核 pretectal nuclei 1279
被蓋の tegmental 1845
被蓋部 hidden part 1364
脾解剖〔学〕 splenotomy 1721
非解剖学的人工歯 nonanatomic teeth 1903
非解剖学的バイパス extraanatomic bypass 273
脾外膜炎 episplenitis 631
脾海綿体静脈 venae cavernosae of spleen 2004
被害妄想 delusion of persecution, persecutory delusion 485
脾潰瘍形成 splenelcosis 1720
非改良型酸化亜鉛ユージノールセメント unmodified zinc oxide-eugenol cement 329
皮下埋め込み〔術〕 subcutaneous implantation 916
鼻科学 rhinology 1608
鼻下顎固定 nasomandibular fixation 707
ひかがみ fossa poplitea 733
ひかがみ popliteal fossa 733
ひかがみ poples 1466
皮下気腫 subcutaneous emphysema 605
皮下寄生双胎 dermocyma 498
非可逆的阻害 irreversible inhibition 933
非可逆的阻害剤 irreversible inhibitor 935
皮殻 peridium 1387
皮角 cornu cutaneum 423
皮角 cutaneous horn 864
被殻 putamen 1529
美学 esthetics 644
比較暗点 relative scotoma 1650
比較医学 comparative medicine 1116
比較解剖学 comparative anatomy 74
被殻化妄想 encapsulated delusion 485
被角血管腫 angiokeratoma 85
比較検鏡装置 comparascope 398
比較顕微鏡 comparator microscope 1154
比較心理学 comparative psychology 1518
比較生理学 comparative physiology 1420
鼻頬ひだ nasojugal fold 719
比較病理学 comparative pathology 1372
比較文化精神医学 cross-cultural psychiatry 1517
〔皮下〕血腫 ecchymoma 581
〔皮下〕脂肪〔測定〕計 adipometer 29
皮下脂肪〔組〕織炎 panniculitis 1343
皮下脂肪深層の線維層 fibrous layer in or on deep aspect of fatty layer of subcutaneous tissue 1010
皮下脂肪性ヘルニア pannicular hernia 843
皮下脂肪層中の筋層 muscle layer in fatty layer of subcutaneous tissue 1011
皮下手術 subcutaneous operation 1306
皮下〔注射〕針 hypodermic needle 1225
皮下じんま疹 urticaria subcutanea 1976
脾下垂〔症〕 splenoptosis, splenoptosia 1721
ヒ化水素 arsine 133
非芽性の ablastemic 3
皮下切開〔術〕 hypodermatomy 892
皮下切腱術 subcutaneous tenotomy 1851
鼻科専門医 rhinologist 1608
皮下創 subcutaneous wound 2049
皮下組織 hypodermis 892
皮下組織 tela subcutanea 1846
皮下組織 subcutaneous tissue 1896
皮下組織の脂肪層 fatty layer of subcutaneous tissue 1010
皮下組織の脂肪層の筋層 muscular layer of fatty layer of subcutaneous tissue 1012
皮下組織の疎性結合組織 loose connective tissue of subcutaneous tissue 1895
皮下組織弁 subcutaneous flap 710
皮下注射 hypodermic injection 936
皮下注射器 hypodermic syringe 1828
皮下注射用錠剤 hypodermic tablet 1837
皮下注入 hypodermoclysis 892
比活性 specific activity 22
非活性化 deactivation 472
非活性の inert 925
非活動〔性〕萎縮 disuse atrophy 173
非可動化 immobilization 909
皮下乳房切除〔術〕 subcutaneous mastectomy 1108
非加熱食品菜食主義者 living food diet vegetarian 1992
皮下の subcutaneous (s.c., SQ) 1763
脾下の infrasplenic 931
鼻下の subnasal 1764
ビガバトリン vigabatrin 2019
ヒ化物 arsenide 133
皮下輸液 subcutaneous transfusion 1918
光 light 1046
光アレルギー photoallergy 1416
光安定性の photostable 1418
光回復 photoreactivation 1418
光回復酵素 deoxyribodipyrimidine photolyase 490
光活性化の photochemical 1416
光活動性 photokinesis 1417
光加齢 photoaging 1416
光感作 photosensitization 1418
光感知式眼球運動記録法 photosensor oculography 1291
光凝固〔術〕 photocoagulation 1416
光凝固装置 photocoagulator 1416
光恐怖〔症〕 selaphobia 1657
光屈性 phototropism 1418
光屈折学 dioptrics 521
光〔性〕駆動 photic driving 561
光呼吸 photorespiration 1418
光散乱 diffusion 516
光刺激 photic stimulation 1747
光重合型レジン light-cured resin 1593
光周性 photoperiodism 1417
光受容器(体) photoreceptor 1418
光受容〔器,体〕の photoreceptive 1418
光受容細胞 photoreceptor cells 325
光受容〔性〕の photoperceptive 1417
光照射器 light-curing unit 1966
光〔化学〕触媒 photocatalyst 1416
光ストレス photostress 1418
光ストレス試験 photostress test 1862
光性くしゃみ photoptarmosis 1418
光生物学 photobiology 1416
光センサー photosensor 1418
光走性 phototaxis 1418
光退色 photobleach 1416
光貼付試験 photo-patch test 1862
光(レーザー光)治療的角膜切除 phototherapeutic keratectomy (PTK) 977
光濃度計 densitometer 487
光の単位 unit of light 1966
光剝離 photoablation 1416
光発色菌 photochromogens 1416
光反射の catoptric 314
光反応 photoreaction 1418
光ファイバー fiberoptics 691
光分解 photolysis 1417
光分解物 photolyte 1417

光弁別閾〔値〕 light differential threshold 1886
光放射線 photoradiation 1418
光ミオクロ〔ー〕ヌス photomyoclonus 1417
光網膜炎 photoretinitis 1418
光網膜症 photoretinopathy 1418
非顆粒性白血球 nongranular leukocyte 1026
光力学増感作用 photodynamic sensitization 1661
光力学の photodynamic 1417
非緩圧型連結装置 rigid connector 413
脾陥凹 splenic recess 1572
非陥凹性浮腫 nonpitting edema 587
非観血手術 bloodless operation 1304
非観血的手術 closed surgery 1784
非還元性の irreducible 957
非環式化合物 acyclic compound 403
悲観主義 pessimism 1396
非感受性 insusceptibility 942
非肝性黄疸 anhepatic jaundice 966
非感染性の noninfectious 1266
非還納性ヘルニア irreducible hernia 843
眉間鼻棘角 ophryospinal angle 89
非貫壁性心筋梗塞 nontransmural myocardial infarction (NTMI) 926
非関与的観察者 nonparticipant observer 1288
鼻気圧学 rhinomanometry 1608
鼻気圧計 rhinomanometer 1608
鼻気圧測定〔法〕 rhinomanometry 1608
ひき運動 duction 565
ヒキガエル科 Bufonidae 264
ひきがね帯 dolorogenic zone 2059
引き金点 trigger point 1455
鼻気管炎 rhinotracheitis 1609
鼻気管チューブ nasotracheal tube 1941
微気膠質 microaerosol 1149
引きこもり withdrawal 2047
ビキシン bixin 217
非気体産生の anaerogenic 69
引出し症状 drawer sign 1680
ひきつり笑い risus caninus 1619
引抜き敷布 draw-sheet 559
脾機能亢進〔症〕 hypersplenism 887
非(無)機能性〔不正〕咬合 afunctional occlusion 1289
脾機能低下症 hyposplenism 897
被虐愛 masochism 1107
被虐性人格 masochistic personality 1395
被虐待児症候群 battered child syndrome 1797
被虐待配偶者症候群 battered spouse syndrome 1797
備給 cathexis 314
備給 investment 953
眉弓 superciliary arch 126
眉弓 arcus superciliaris 128
鼻弓 nasal arch 126
比吸光係数 specific absorption coefficient (*a*) 387
比吸光度 specific absorbance 7
非吸収性外科用縫合糸 nonabsorbable surgical suture 1787
非吸収性結紮糸 nonabsorbable ligature 1046
比吸収度 specific absorbance 7
備給負荷 investing 953
非球面の aspheric 162
非球面レンズ aspheric lens 1019
鼻橋 nasal arch 126
鼻鏡 rhinoscope 1608
鼻鏡検査〔法〕 rhinoscopy 1608
非競合阻害剤 noncompetitive inhibitor 935
非競合的阻害 noncompetitive inhibition 933
非競合的阻害剤 uncompetitive inhibitor 935
非共軸レンズ decentered lens 1019
非共同斜視 incomitant strabismus 1750
非共同性眼球運動 disconjugate movement of eyes 1174
非共同性の disconjugate 527
非共同注視 dysconjugate gaze 761
火恐怖〔症〕 pyrophobia 1534
非共有結合 noncovalent bond 231
〔前頭骨の〕鼻棘 nasal spine of frontal bone 1716
〔前頭骨の〕鼻棘 spina nasalis ossis frontalis 1716
鼻棘頭蓋底軸 basifacial axis 184
非極性アミノ酸 nonpolar amino acid 59
非極性化合物 nonpolar compound 404
ひき割り meal 1112
皮筋 cutaneous muscle 1183
皮筋 panniculus carnosus muscle 1190
皮筋 musculus cutaneus 1199
鼻筋横部 transverse part of nasalis muscle 1368
非均質放射線 heterogeneous radiation 1541
皮筋層 panniculus carnosus 1343
卑金属 base metal, basic metal 1139
卑金属合金 base metal alloy 52
鼻筋翼部 alar part of nasalis muscle 1362
低い light 1046
脾区域 segments of spleen 1655
脾区域 segmenta lienis 1656
鼻腔 bony nasal cavity 316
鼻腔 cavitas nasi 316
鼻腔 nasal cavity 316
鼻腔 cavum nasi 317
鼻腔栄養〔法〕 nasal feeding 679
鼻腔狭窄〔症〕 rhinostenosis 1609
鼻腔舌虫 *Linguatula serrata* 1054
鼻腔内の intranasal 950
鼻腔の嗅溝 olfactory groove of nasal cavity 802
鼻腔の嗅溝 olfactory sulcus of nasal cavity 1773
鼻腔閉鎖〔症〕 rhinocleisis 1608
〔上顎骨〕鼻腔面 facies nasalis corporis maxillae 664
〔上顎骨〕鼻腔面 nasal surface of body of maxilla 1782
ビククリン bicuculline 209
ビクスラー解離〔症〕 Bixler type hypertelorism 887
ピクセル pixel 1427
非屈折性調節性内斜視 nonrefractive accommodative esotropia 643
ピクトグラフ pictograph 1422
ビクトリアオレンジ Victoria orange 2019
ビクトリアブルー Victoria blue 2019
ビクニン bikunin 210
ピクノーゼ pyknosis 1531
ピクノレプシー pyknoelepsy 1531
ピグミー pygmy 1530
ヒグメナキス徴候 Higoumenakis sign 1681
ピクラミン酸 picramic acid 1422
鼻グリオーム nasal glioma 778
ビグリカン biglycan 210
ピクリル picryl 1422
ヒグリン酸 hygric acid 877
ピクリン酸 picric acid 1422
ピクロカルミン染色剤(末) picrocarmine stain 1734
ビクロス BICROS 209
ピクロトキシニン picrotoxinin 1422
ピクロトキシン picrotoxin 1422
ピクロニグロシン染料 picronigrosin stain 1734
ピクロホルモル固定液 picroformol fixative 708
ヒグローマ hygroma 877
ピクロ-マロリー三色染色〔法〕 picro-Mallory trichrome stain 1734
非クロム親和性傍神経節腫 chemodectoma 342
非クロム親和性傍神経節腫症 chemodectomatosis 342
ひげ barba 196
ひげ beard 203
非経口〔的〕栄養法 parenteral alimentation 47
非経口的高栄養療法 parenteral hyperalimentation 878
非経口の parenteral 1355
非経口ポリオ生ワクチン Salk vaccine 1980
鼻形成〔術〕 rhinoplasty 1608
非系統的の asystematic 166
非痙攣発作 nonconvulsive seizure 1657
非結核性抗酸菌 nontuberculous mycobacteria 1207
微結晶性セルロース microcrystalline cellulose 329
脾結腸間膜 splenicocolic ligament 1040
脾結腸曲症候群 splenic flexure syndrome 1821
脾結腸靱帯 lenocolic ligament 1037
脾結腸の splenocolic 1720
非決定性卵割 indeterminate cleavage 373
非ケトン性高グリシン血〔症〕 nonketotic hyperglycinemia 881
ヒゲナガサシチョウバエ *Phlebotomus longipalpis* 1409
鼻限 limen nasi 1048
被験液 test solution 1698
非けん化性の nonsaponifiable 1266
非言語的 nonverbal 1267
非現実性 dereism 494
被検(被験)者 subject 1763
被検体 analyte 71
被検物 specimen 1707
肥厚 hypertrophy 889
肥厚〔化〕 tylosis 1956
鼻高 nasal height 822
鼻硬化〔症〕 rhinoscleroma 1608
鼻甲介 turbinated bones 234
鼻甲介 turbinate 1954
鼻甲介海綿叢 cavernous (vascular) plexus of conchae 1439
鼻口蓋溝 nasopalatine groove 802
鼻口蓋神経 nasopalatine nerve 1237
鼻口蓋神経 nervus nasopalatinus 1242
鼻甲介切開〔術〕 turbinotomy 1954
鼻甲介切除〔術〕 turbinectomy 1954
鼻口蓋の nasopalatine 1221
鼻甲介稜 conchal crest 437
鼻甲介稜 crista conchalis 440
被交感眼 sympathizing eye 659
鼻孔間の internarial 946
鼻孔間の internasal 946
肥厚期 diakinesis 508
微好気性菌 microaerophil, microaerophile 1149
微好気性微生物 microaerobion 1149
飛行機副子 airplane splint 1721
鼻口〔腔〕の nasooral 1221
非高血糖〔症〕性糖尿 nonhyperglycemic glycosuria 789
飛行時間〔法〕 time of flight 1893
非公式の unofficial 1968
非向日性 apheliotropism 114
鼻硬腫菌 *Klebsiella rhinoscleromatis* 987
ひこう(粃糠)状の pityroid 1427
ひこう(粃糠)疹 furfur 746
ひこう(粃糠)疹 pityriasis 1427
肥厚性胃炎 hypertrophic gastritis 757
肥厚性間質性ニューロパシー(神経障害) hypertrophic interstitial neuropathy 1251
肥厚性関節炎 hypertrophic arthritis 154
肥厚性頸部硬〔髄〕膜炎 hypertrophic cervical pachymeningitis 1335
肥厚性骨膜炎 pachyperiostitis 1335

ヒ

肥厚性痤瘡 acne hypertrophica …… 16
肥厚性膣炎 pachyvaginitis …… 1335
肥厚性動脈硬化〔症〕 hyperplastic arteriosclerosis …… 140
肥厚性鼻炎 hypertrophic rhinitis …… 1608
肥厚性皮膚骨膜症症候群 pachydermoperiostosis syndrome …… 1815
肥厚性扁平苔癬 lichen planus hypertrophicus …… 1031
肥厚性幽門狭窄〔症〕 hypertrophic pyloric stenosis …… 1742
肥厚染色体〔性〕の pachychromatic …… 1334
非交通性陰嚢水腫(瘤) noncommunicating hydrocele …… 871
鼻後頭弧 nasooccipital arc …… 124
脾後〔方〕の postsplenic …… 1472
鼻後〔方〕の postnasal …… 1471
鼻後〔方〕の retronasal …… 1604
肥厚パンヌス corneal pannus …… 1343
肥厚皮膚 thick skin …… 1691
飛行盲 flight blindness …… 221
ピコカタール picokatal (pkat) …… 1422
ピコグラム picogram (pg) …… 1422
庇護喉頭反射 protective laryngeal reflex …… 1581
皮骨 dermal bone …… 232
腓骨 calf-bone …… 278
腓骨 fibula …… 696
腓骨 splint …… 1721
尾骨 coccygeal bone …… 232
尾骨 coccyx …… 385
尾骨 os coccygis …… 1317
鼻骨 nasal bone …… 233
鼻骨 os nasale …… 1318
腓骨栄養動脈 fibular nutrient artery …… 145
腓骨栄養動脈 nutrient artery of fibula …… 149
鼻骨壊死 rhinonecrosis …… 1608
尾骨渦 vortex coccygeus …… 2038
尾骨窩 coccygeal foveola …… 735
尾骨窩 foveola coccygea …… 735
〔腓骨〕外果関節面 articular facet of lateral malleolus …… 661
腓骨回旋動脈 circumflex fibular artery …… 143
腓骨回旋動脈 circumflex fibular branch (of posterior tibial artery) …… 244
腓骨外側面 facies lateralis fibulae …… 664
腓骨外側面 lateral surface of fibula …… 1782
尾骨核 coccygeal horn …… 864
尾骨角 coccygeal cornu …… 423
非骨化性線維腫 nonossifying fibroma …… 694
腓骨幹(骨体) shaft of fibula …… 1670
〔脛骨の〕腓骨関節面 fibular articular facet of tibia …… 661
〔脛骨の〕腓骨関節面 facies articularis fibularis tibiae …… 663
尾骨間の intercoccygeal …… 944
鼻骨間縫合 sutura internasalis …… 1786
鼻骨間縫合 internasal suture …… 1787
尾骨筋 ischiococcygeus …… 958
尾骨筋 coccygeal muscle …… 1183
尾骨筋 coccygeus muscle …… 1183
尾骨筋 musculi coccygei …… 1199
尾骨筋 musculus coccygeus …… 1199
腓骨筋萎縮〔症〕 peroneal muscular atrophy …… 174
腓骨筋滑車 peroneal pulley …… 1523
腓骨筋滑車 trochlea peronealis …… 1936
〔踵骨〕腓骨筋滑車 trochlea fibularis calcanei …… 1936
腓骨筋支帯 peroneal retinaculum …… 1601
腓骨筋支帯 retinaculum musculorum peroneorum …… 1601
腓骨筋総腱鞘 common tendinous sheath of fibulares …… 1670
腓骨筋総腱鞘 common tendinous sheath of peronei …… 1670
腓骨頸 collum fibulae …… 392
腓骨頸 neck of fibula …… 1223
鼻骨孔 nasal foramina …… 725
腓骨後縁 posterior border of fibula …… 235
腓骨後縁 margo posterior fibulae …… 1105
腓骨後面 facies posterior fibulae …… 664
腓骨後面 posterior surface of fibula …… 1783
腓骨骨間縁 interosseous border of fibula …… 235
腓骨骨間縁 margo interosseus fibulae …… 1104
尾骨小体 coccygeal body …… 226
尾骨小体 corpus coccygeum …… 425
尾骨支帯 caudal retinaculum …… 1600
尾骨支帯 retinaculum caudale …… 1600
鼻骨上顎縫合 sutura nasomaxillaris …… 1786
鼻骨上顎縫合 nasomaxillary suture …… 1787
腓骨踵骨筋 musculus peroneocalcaneus …… 1202
腓骨踵骨の fibulocalcaneal …… 696
腓骨静脈 fibular veins …… 1996
腓骨静脈 peroneal veins …… 1999
腓骨静脈 venae fibulares …… 2005
腓骨静脈 venae peroneae …… 2007
腓骨静脈リンパ節 fibular lymph node …… 1078
尾骨神経 coccygeal nerve [Co] …… 1232
尾骨神経 nervus coccygeus [Co] …… 1241
腓骨神経現象 peroneal phenomenon …… 1405
尾骨神経後枝の外側枝 lateral branch of posterior rami of coccygeal spinal nerves …… 248
尾骨神経後枝の内側枝 medial branch of posterior rami of coccygeal spinal nerves …… 249
尾骨神経叢 coccygeal plexus …… 1440
尾骨神経叢 plexus coccygeus …… 1440
尾骨靱帯 coccygeal ligament …… 1033
脾骨髄〔性〕の splenomyelogenous …… 1721
脾骨髄軟化〔症〕 splenomyelomalacia …… 1721
尾骨切開〔術〕 coccygotomy …… 385
腓骨切痕 incisura fibularis …… 919
腓骨切痕 fibular notch …… 1269
尾骨切除〔術〕 coccygectomy …… 385
腓骨前縁 anterior border of fibula …… 234
腓骨前縁 margo anterior fibulae …… 1104
鼻骨前頭縫合 sutura nasofrontalis …… 1786
腓骨体 corpus fibulae …… 425
腓骨体(骨幹) shaft of fibula …… 1670
腓骨頭 caput fibulae …… 291
腓骨頭 head of fibula …… 817
尾骨洞 coccygeal sinus …… 1687
腓骨頭関節面 articular facet of head of fibula …… 661
腓骨頭関節面 facies articularis capitis fibulae …… 662
腓骨頭尖 apex capitis fibulae …… 113
腓骨頭尖 apex of head of fibula …… 113
腓骨動脈 arteria fibularis …… 135
腓骨動脈 arteria peronea …… 137
腓骨動脈 fibular artery …… 145
腓骨動脈 peroneal artery …… 149
〔腓骨動脈〕交通枝 ramus communicans arteriae peroneae …… 1549
腓骨動脈の貫通枝 perforating branch of fibular artery …… 251
腓骨動脈の貫通枝 perforating branch of peroneal artery …… 251
腓骨動脈の交通枝 communicating branch of fibular artery …… 244
腓骨動脈の交通枝 communicating branch of peroneal artery …… 245
腓骨動脈リンパ節 fibular node …… 1260
〔腓骨〕内果関節面 malleolar articular surface of fibula …… 1782
腓骨内側面 facies medialis fibulae …… 664
腓骨内側面 medial surface of fibula …… 1782
腓骨の fibular …… 696
尾骨の筋 muscles of coccyx …… 1183
尾骨フィステル(瘻) coccygeal fistula …… 705
脾固定〔術〕 splenopexy, splenopexia …… 1721
日ごとの diurnal …… 551
ピコメートル picometer (pm) …… 1422
ピコモル picomole (pmol) …… 1422
非孤立性蛋白尿 nonisolated proteinuria 1506
ピコリン酸 picolinic acid …… 1422
ピコリン尿酸 picolinuric acid …… 1422
ピコルナウイルス科 Picornaviridae …… 1422
脾コロニー形成細胞 colony forming unit-spleen cells …… 320
鼻根 radix nasi …… 1546
鼻根 root of nose …… 1621
鼻根筋 procerus (muscle) …… 1191
鼻根筋 musculus procerus …… 1202
比コンプライアンス specific compliance 403
鼻根隆起度指数 orbitonasal index …… 922
膝 genu …… 767
膝 knee …… 987
微細科学 micrology …… 1152
微細(微小)管制御中枢 microtubule-organizing center …… 330
非細菌性血栓性心内膜炎 nonbacterial thrombotic endocarditis …… 612
微細屈折計 microrefractometer …… 1153
非再呼吸式マスク nonrebreathing mask 1106
非再呼吸麻酔〔法〕 nonrebreathing anesthesia …… 80
微細線維 filamentum …… 698
〔神経学的〕微細徴候 soft sign …… 1684
微細動脈撮影(造影)〔法〕 microarteriography …… 1150
微細動脈瘤 microaneurysm …… 1150
微細物恐怖〔症〕 acarophobia …… 9
微細物測定計 acribometer …… 17
脾細胞 splenic cells …… 326
非細胞質画分 nonplasmatic compartment 399
非細胞性の noncellular …… 1266
微細熔接 microwelding …… 1156
膝上切断 A-K amputation …… 65
ひざ折り状 geniculate …… 766
膝冠状靱帯 coronary ligament of knee 1034
膝関節 articulatio genus …… 157
膝関節 knee joint …… 970
膝関節炎 gonarthritis …… 792
膝関節筋 articularis genus (muscle) …… 1182
膝関節筋 articular muscle of knee …… 1182
膝関節筋 musculus articularis genus …… 1198
膝関節動脈網 genicular anastomosis …… 73
膝関節動脈網 articular vascular network of knee …… 1244
膝関節動脈網 rete articulare genus …… 1598
〔膝関節の〕外側側副靱帯 fibular collateral ligament …… 1035
〔膝関節の〕外側側副靱帯 ligamentum collaterale fibulare …… 1042
〔膝関節の〕内側側副靱帯 tibial collateral ligament …… 1041
〔膝関節の〕内側側副靱帯 ligamentum collaterale tibiale …… 1042
〔膝関節〕半月〔板〕炎 meniscitis …… 1130
〔膝関節〕半月〔板〕切除〔術〕 meniscectomy …… 1130
〔膝関節〕半月軟骨炎 meniscitis …… 1130
脾索 splenic cords …… 422
膝下切断 B-K amputation …… 65
膝十字靱帯 cruciate ligaments of knee 1034
膝十字靱帯 ligamenta cruciata genus …… 1043
膝の genicular …… 766
膝の動脈 genicular arteries …… 145
膝ロッキング locked knee …… 987
ヒ酸 arsenic acid …… 133
ビザンティンアーチ口蓋 Byzantine arch palate …… 1337
皮脂 sebum …… 1652
ひじ elbow …… 593
肘 cubitus …… 447

肘上切断 A-E amputation …… 65
ピシウム感染症 pythiosis …… 1535
皮脂〔分泌〕過多 hypersteatosis …… 887
鼻耳管炎 rhinosalpingitis …… 1608
肘関節 articulatio cubiti …… 157
肘関節 elbow …… 593
肘関節 cubital joint …… 969
肘関節 elbow joint …… 969
肘関節筋 articular muscle of elbow …… 1182
肘関節筋 articularis cubiti (muscle) …… 1182
肘関節筋 musculus articularis cubiti …… 1198
肘関節動脈網 cubital anastomosis …… 73
肘関節動脈網 articular vascular network of elbow …… 1244
肘関節動脈網 rete articulare cubiti …… 1598
肘関節の外側側副靱帯 lateral ligament of elbow …… 1037
肘関節の外側側副靱帯 radial collateral ligament …… 1039
肘関節の外側側副靱帯 radial collateral ligament of elbow joint …… 1039
肘関節の外側側副靱帯 ligamentum collaterale radiale articulationis cubiti 1042
肘関節の内側側副靱帯 medial collateral ligament of elbow …… 1037
肘関節の内側側副靱帯 ulnar collateral ligament …… 1041
肘関節の内側側副靱帯 ulnar collateral ligament of elbow joint …… 1041
肘関節の内側側副靱帯 ligamentum collaterale ulnare articulationis cubiti 1042
肘関節の嚢状陥凹 sacciform recess of elbow joint …… 1572
被子器 perithecium …… 1393
被刺激性 irritability …… 957
皮脂欠乏〔症〕 asteatosis …… 163
皮脂欠乏〔症〕 asteatosis cutis …… 163
非脂〔肪〕向性の alipotropic …… 47
皮脂産生の sebiferous …… 1652
非指示的精神療法 nondirective psychotherapy …… 1520
鼻糸状菌症 rhinomycosis …… 1608
鼻矢状前頭弧 nasobregmatic arc …… 124
脾〔臓〕指数 splenic index …… 923
鼻指数 nasal index …… 922
皮脂〔性〕の sebaceous …… 1652
皮脂性皮角 sebaceous horn …… 864
〔皮〕脂腺 sebaceous glands …… 774
〔皮〕脂腺 glandulae sebaceae …… 776
皮質 cortex …… 427
皮質 cortical substance …… 1765
皮質 substantia corticalis …… 1766
皮質異形成(形成異常) cortical dysplasia 575
〔皮質〕運動性失語〔症〕 motor aphasia …… 114
皮質延髄路 corticobulbar tract …… 1910
皮質延髄路 tractus corticobulbaris …… 1914
皮質化 corticalization …… 428
皮質核線維 corticonuclear fibers …… 688
皮質核線維 fibrae corticonucleares …… 691
皮質下の infracortical …… 931
皮質下の subcortical …… 1762
皮質下部 subcortex …… 1762
皮質感覚 cortical sensibility …… 1661
皮質間の transcortical …… 1916
〔大脳〕皮質基底核変性〔症〕 corticobasal degeneration …… 480
皮質橋〔核〕路 corticopontine tract …… 1910
皮質橋〔核〕路 tractus corticopontinus …… 1914
皮質橋線維 corticopontine fibers …… 688
皮質橋線維 fibrae corticopontinae …… 691
皮質近接部骨原性肉腫 juxtacortical osteogenic sarcoma …… 1635
皮質原形質 ectoplasm …… 585
皮質骨 cortical bone …… 232
皮質索 cortical cords …… 421
皮質視床線維 corticothalamic fibers …… 688
皮質視床の corticothalamic …… 429
〔腎臓の〕皮質小葉 renal cortical lobule 1066
皮質除去 decortication …… 475
皮質性骨炎 cortical osteitis …… 1320
皮質性失行〔症〕 cortical apraxia …… 121
皮質性難聴 cortical deafness …… 472
皮質赤核線維 corticorubral fibers …… 688
皮質脊髄線維 corticospinal fibers …… 688
皮質脊髄線維 fibrae corticospinales …… 691
皮質脊髄路 corticospinal tract …… 1910
皮質脊髄路 tractus corticospinalis …… 1914
皮質切除術 corticectomy …… 428
非実践主義 apragmatism …… 121
皮質着床 cortical implantation …… 916
皮質中脳路線維 corticomesencephalic fibers …… 688
皮質電図 electrocorticogram …… 593
皮質動脈 cortical arteries …… 144
皮質内側の corticomedial …… 429
皮質脳波 electrocorticogram …… 593
皮質脳波記録〔法〕 electrocorticography (ECoG) …… 593
皮質脳波検査〔法〕 electrocorticography (ECoG) …… 593
皮質部 pars corticalis …… 1358
皮質部白内障 cortical cataract …… 311
皮質扁桃体核 cortical amygdaloid nucleus …… 1274
皮質放線状動脈 cortical radiate arteries 144
皮質迷路 cortical labyrinth …… 992
皮質盲 cortical blindness …… 221
皮質網様体線維 corticoreticular fibers …… 688
皮質網様体線維 fibrae corticoreticulares 691
皮質ろう cortical deafness …… 472
微視的な microscopic, microscopical …… 1154
皮脂〔性〕の sebaceous …… 1652
皮脂嚢胞(嚢腫) pilar cyst …… 460
皮脂嚢胞(嚢腫) sebaceous cyst …… 460
皮脂〔分泌〕過多 hypersteatosis …… 887
非脂〔肪〕向性の alipotropic …… 47
非脂肪親和〔性〕の alipotropic …… 47
非社会的な asocial …… 160
ビシャ靭帯 Bichat ligament …… 1033
ビシャ層 Bichat tunic …… 1952
ビシャ膜 Bichat membrane …… 1125
ビシャ裂〔溝〕 Bichat fissure …… 702
比重 specific gravity (sp. gr.) …… 800
鼻汁 pituita …… 1427
脾周囲炎 perisplenitis …… 1392
鼻周囲の perirhinal …… 1392
非周期バイオポリマー aperiodic biopolymer …… 214
比重計 areometer …… 131
比重計 gravimeter …… 800
〔液体〕比重計 hydrometer …… 873
非収縮期〔性〕の asystolic …… 166
〔液体〕比重測定〔法〕 hydrometry …… 873
比重濃縮法 gravity concentration …… 406
鼻重複奇形 rhinodymia …… 1608
微〔小〕絨毛 microvillus …… 1156
微絨毛封入体病 microvillus inclusion disease …… 537
び汁漏 chymorrhea …… 361
びじゅく chyme …… 361
びじゅく形成 chymopoiesis …… 361
びじゅく濃縮〔症〕 pachychymia …… 1334
美術解剖学 artistic anatomy …… 74
脾出血 splenorrhagia …… 1721
鼻出血 epistaxis …… 631
鼻出血 nasal hemorrhage …… 835
非種特異化 despeciation …… 500
非授乳保育士 dry nurse …… 1283
非腫瘍性の nonneoplastic …… 1266
脾症 splenosis …… 1721
尾鞘 manchette …… 1098
尾鞘 caudal sheath …… 1670
鼻症 rhinopathy …… 1608
脾障害 splenopathy …… 1721
尾状核 caudatum …… 315
尾状核 caudate nucleus …… 1273
尾状核 nucleus caudatus …… 1273
微小角斜視 microtropia …… 1156
尾状核静脈 veins of caudate nucleus …… 1994
尾状核静脈 venae nuclei caudati …… 2007
尾状核体 body of caudate nucleus …… 226
尾状核体 corpus nuclei caudati …… 425
尾状核頭 caput nuclei caudati …… 292
尾状核頭 head of caudate nucleus …… 817
鼻上顎バットレス nasal maxillary buttress …… 272
尾状核尾 cauda nuclei caudati …… 314
尾状核尾 tail of caudate nucleus …… 1838
尾状核尾枝 rami caudae nuclei caudati 1549
尾状核レンズ核の caudatolenticular …… 315
微小管 microtubule …… 1156
微小癌 microcarcinoma …… 1150
微小眼炎転写因子遺伝子 microophthalmia transcription factor gene …… 763
微小管結合蛋白 microtubule-associated proteins (MAPs) …… 1505
微小眼振 micronystagmus …… 1153
微小(微細)管制御中枢 microtubule-organizing center …… 330
微小(細小)血管顕微鏡検査〔法〕 microangioscopy …… 1150
微小血管症 microangiopathy …… 1150
微小血管障害 microangiopathy …… 1150
微小血管吻合 microvascular anastomosis 73
微小コア・多コア筋疾患 minicore-multicore myopathy …… 1215
微小孔 micropore …… 1153
微小コロニー microcolony …… 1151
被鞘した insheathed …… 940
微晶質の microcrystalline …… 1151
微〔小〕絨毛 microvillus …… 1156
微小循環 microcirculation …… 1150
微小浸潤 microinvasion …… 1152
微小振せん fine tremor …… 1924
微小水疱 microvesicle …… 1156
微晶性の microcrystalline …… 1151
微小切開 microincision …… 1152
微小石灰化 microcalcifications …… 1150
〔微〕小穿刺 micropuncture …… 1153
微小体積〔変動〕記録法 microplethysmography …… 1153
微小大腸炎 microcolitis …… 1151
微小聴診器 microstethoscope …… 1155
微小転移〔性〕の micrometastatic …… 1152
微小転移性病態 micrometastatic disease 537
微小転移巣 micrometastasis …… 1152
微小電極 microelectrode …… 1151
微小動物 animalcule …… 91
〔肝臓の尾状葉の〕尾状突起 caudate process of caudate lobe of liver …… 1488
微小乳腺腺症 microglandular adenosis …… 27
尾状の caudate …… 315
鼻上の supranasal …… 1779
微小膿瘍 microabscess …… 1149
微小発育不全 microdysgenesia …… 1151
微小皮膚剝削術 microdermabrasion …… 1151
微小不均一性 microheterogeneity …… 1152
微小物恐怖〔症〕 microphobia …… 1153
微小吻合〔術〕 microanastomosis …… 1149
微少変化ネフローゼ症候群 minimal-change nephrotic syndrome …… 1812
微小縫合糸 microsuture …… 1155
皮静脈 cutaneous vein …… 1995
皮静脈 superficial vein …… 2001
皮静脈 vena cutanea …… 2005
脾静脈 splenic vein …… 2001
脾静脈 vena lienalis …… 2006
脾静脈 vena splenica …… 2007

ヒ

鼻静脈弓 nasal venous arch ………………… 126
〔近位〕脾静脈腎静脈吻合 proximal splenorenal shunt ……………………… 1675
尾状葉 caudate lobe ………………………… 1063
〔肝臓の〕尾状葉 lobus caudatus hepatis 1066
尾状葉動脈 arteria lobi caudati …………… 136
尾状葉動脈 artery of caudate lobe ……… 143
比色計 colorimeter …………………………… 393
比色原位置ハイブリッド形成 colorimetric *in situ* hybridization ……………………… 869
比色定量 colorimetry ……………………… 393
比色定量の colorimetric …………………… 393
比色滴定 colorimetric titration ………… 1896
比色法の colorimetric ……………………… 393
ビショップ指数 Bishop score …………… 1649
ビショップスフィグモスコープ Bishop sphygmoscope ……………………… 1714
ビショフ脊髄切開〔術〕 Bischof myelotomy ……………………………………… 1211
ビジョルクーシャイリー弁 Björk-Shiley valve ………………………………… 1984
皮疹 eruption ………………………………… 637
皮疹 exanthema ……………………………… 651
皮疹 exanthesis ……………………………… 651
皮疹 rash …………………………………… 1559
皮疹 tetter ………………………………… 1872
ビシン vicine ……………………………… 2019
皮神経 cutaneous nerve ………………… 1233
皮神経 nervus cutaneus ………………… 1241
鼻神経膠腫 nasal glioma ………………… 778
非神経性神経因性膀胱 nonneurogenic neurogenic bladder ……………………… 218
脾神経叢 splenic (nerve) plexus ……… 1443
鼻唇溝 nasolabial groove ………………… 802
鼻唇溝 nasolabial sulcus ………………… 1773
鼻唇溝 sulcus nasolabialis ……………… 1773
鼻唇溝皮弁 nasolabial flap ……………… 710
非侵襲性の noninvasive ………………… 1266
非侵襲的陽圧換気法 noninvasive positive pressure ventilation …………………… 2010
ピジン手話英語 Pidgin Sign English (PSE) ……………………………………… 1422
非浸潤性小葉癌 noninfiltrating lobular carcinoma ……………………………… 298
非腎性高窒素血症 nonrenal azotemia, prerenal azotemia ……………………… 186
非新生物の nonneoplastic ……………… 1266
非浸透性 nonpenetrance ………………… 1266
非侵入性形質 nonpenetrant trait ……… 1915
脾腎の splenonephric …………………… 1721
鼻唇の nasolabial ………………………… 1221
脾腎ひだ lienophrenic ligament ……… 1037
脾腎ひだ lienorenal ligament ………… 1037
脾腎ひだ phrenicolienal ligament …… 1038
脾腎ひだ splenorenal ligament ……… 1040
脾腎ひだ ligamentum lienorenale …… 1044
脾腎ひだ ligamentum splenorenale …… 1045
鼻唇リンパ節 nasolabial lymph node …… 1079
鼻唇リンパ節 nasolabial node ………… 1261
脾髄 pulpa lienis ………………………… 1524
脾髄 pulpa splenica ……………………… 1524
脾髄 splenic pulp ………………………… 1524
微吹音 veiled puff ………………………… 1523
非水解性モラクセラ *Moraxella nonliquefaciens* ……………………………… 1169
脾髄動脈 artery of pulp ………………… 151
脾膵の splenopancreatic ………………… 1721
非水疱型(性)先天性魚鱗癬様紅皮症 nonbullous congenital ichthyosiform erythroderma ……………………………… 640
ビスカンス viscance …………………… 2031
ビスクラボタン Biskra button ………… 272
ビスケットベーク biscuit-bake ………… 216
ビスコトキシン類 viscotoxins ………… 2032
ビズスコープ visuscope ………………… 2032
ヒス線 His line …………………………… 1050
ヒス染色〔法〕 Hiss stain ……………… 1732
ヒス束 His bundle, bundle of His (BH) 265
ヒス束上ブロック suprahisian block …… 222
ヒス束心電図 His bundle electrogram (HBE) ……………………………………… 595
ヒスタミン histamine (H) ……………… 854
ヒスタミン血〔症〕 histaminemia ……… 854
ヒスタミン試験 histamine test ………… 1859
ヒスタミン性ショック histamine shock 1674
ヒスタミン〔性〕潮紅 histamine flush …… 717
ヒスタミン耐性の histamine-fast ……… 854
ヒスタミン尿〔症〕 histaminuria ………… 854
ヒスタミン放出因子 histamine-releasing factor ……………………………………… 667
ヒスタミン遊離促進物質 histamine liberators ……………………………………… 1030
ヒスタミン様物質 H substance ………… 1765
ヒスー田原系 His-Tawara system ……… 1831
ヒスチジナール histidinal ……………… 854
ヒスチジノ histidino (-His) …………… 854
ヒスチジノール histidinol ……………… 854
ヒスチジル histidyl (His-) ……………… 854
ヒスチジン histidine (H, His) ………… 854
ヒスチジンアミノトランスフェラーゼ histidine aminotransferase ………………… 61
ヒスチジンアンモニアリアーゼ histidine ammonia-lyase …………………………… 854
ヒスチジン血〔症〕 histidinemia ………… 854
ヒスチジンデカルボキシラーゼ histidine decarboxylase ……………………………… 854
ヒスチジン尿〔症〕 histidinuria ………… 854
ヒステリー hysteria …………………… 900
ヒステリー球 globus hystericus ……… 779
ヒステリシス hysteresis ……………… 900
ヒステリー〔性〕失声〔症〕 hysteric aphonia ……………………………………… 114
ヒステリー性運動失調〔症〕 hysteric ataxia ……………………………………… 167
ヒステリー性カタレプシー hysterocatalepsy ……………………………………… 900
ヒステリー性関節 hysteric joint ……… 970
ヒステリー性痙攣 hysteric convulsion, hysteroid convulsion …………………… 419
ヒステリー性痙攣 psychogenic convulsion ……………………………………… 419
ヒステリー性失神 hysteric syncope …… 1794
ヒステリー性弱視 hysterical amblyopia …. 57
ヒステリー性精神病 hysteric psychosis 1520
ヒステリー性知覚麻痺 hysteric anesthesia 79
ヒステリー性煩渇〔症〕 hysteric polydipsia ……………………………………… 1459
ヒステリー性舞踏病 hysteric chorea …… 355
ヒステリー性歩行 hysteric gait ……… 748
ヒステリー性麻痺 hysteric paralysis …… 1350
ヒステリー発作 hysterics ……………… 900
ヒステリー盲 hysteric blindness ……… 221
ヒステリー様痙攣 hysteric convulsion, hysteroid convulsion …………………… 419
ビステロイド bisteroid ………………… 217
非ステロイド性抗炎症薬 nonsteroidal antiinflammatory drugs (NSAIDs) …… 561
ヒステロスコープ hysteroscope ……… 901
ヒストグラム histogram ……………… 855
ヒストトープ histotope ………………… 856
ヒストプラスマ・カプスラーツム *Histoplasma capsulatum* ……………… 855
ヒストプラスマ腫 histoplasmoma ……… 855
ヒストプラスマ症 histoplasmosis ……… 855
ヒストプラスミン histoplasmin ……… 855
ヒストプラスミンーラテックス試験 histoplasmin-latex test ………………… 1859
ヒストリチクス菌 *Clostridium histolyticum* ……………………………………… 376
ピストル〔様〕音 pistol-shot sound …… 1702
ピストル射撃大腿動脈音 pistol-shot femoral sound ……………………………… 1702
ヒストン histone (H) …………………… 855
ヒストン塩基 hexone bases, histone bases ……………………………………… 199
ヒストン尿〔症〕 histonuria …………… 855
ビスナウイルス visna virus …………… 2030
ビスベンジルイソキノリンアルカロイド bisbenzylisoquinoline alkaloids ………… 216
1,3-ビスホスホグリセリン酸 1,3-bisphosphoglycerate (1,3-P_2Gri) …… 217
2,3-ビスホスホグリセリン酸 2,3-bisphosphoglycerate (2,3-P_2Gri) …… 217
2,3-ビスホスホグリセリン酸ムターゼ 2,3-bisphosphoglycerate mutase ………… 217
ビスホスホネート bisphosphonate ……… 217
ビスホスホネート bisphosphonates …… 217
ビスマス bismuth (Bi) ………………… 216
ビスマス中毒症 bismuthosis …………… 216
ビスマスライン bismuth line …………… 1049
ビスマルクブラウンR Bismarck brown R ……………………………………… 216
ビスマルクブラウンY Bismarck brown Y ……………………………………… 216
ひずみ asymmetry ……………………… 166
ひずみ distortion ……………………… 550
ひずみ strain …………………………… 1750
ひずみ計 strain gauge ………………… 761
ビスムチル bismuthyl …………………… 216
ヒスライン His line …………………… 1050
鼻性呼吸 snuffles ……………………… 1694
非正視 ametropia ……………………… 58
非生殖性の ablastemic ………………… 3
脾生殖腺癒合 splenogonadal fusion …… 746
鼻性髄液漏 rhinoliquorrhea …………… 1608
鼻性の rhinogenous …………………… 1608
脾性白血病 splenic leukemia ………… 1025
鼻性反射 nasal reflex ………………… 1580
脾性貧血 splenic anemia ……………… 78
微生物 germ …………………………… 768
微生物 microbe ………………………… 1150
微生物 microorganism ………………… 1153
微生物遺伝学 microbial genetics ……… 765
微生物学 microbiology ………………… 1150
微生物学 micrology …………………… 1152
微生物学者 microbiologist …………… 1150
微生物叢 flora ………………………… 713
微生物叢 microbial associates ………… 1150
微生物叢 microflora …………………… 1151
微生物存続 microbial persistence …… 1395
微生物ビタミン microbial vitamin …… 2033
非生理的な unphysiologic …………… 1968
鼻石 nasal calculus …………………… 278
鼻石 rhinolith ………………………… 1608
微石症 microlithiasis ………………… 1152
鼻石症 rhinolithiasis ………………… 1608
飛節 hock ……………………………… 856
〔胎性〕皮節 dermatomere ……………… 496
脾切開〔術〕 splenotomy ……………… 1721
鼻切開〔術〕 rhinotomy ……………… 1609
非接合性プラスミド nonconjugative plasmid ……………………………………… 1432
鼻切痕 incisura nasalis ………………… 919
鼻切痕 nasal notch …………………… 1270
飛節腫 spavin ………………………… 1707
飛節内腫 bone spavin ………………… 1707
飛節軟腫 bog spavin ………………… 1707
鼻尖 apex nasi ………………………… 113
鼻尖 apex of nose ……………………… 113
鼻尖 tip of nose ……………………… 1895
鼻腺 nasal glands ……………………… 774
鼻腺 glandulae nasales ………………… 776
比旋光度 specific optic rotation ……… 1624
鼻洗浄 rhinenchysis …………………… 1607
非線条多形核球 nonfilament polymorphonuclear leukocyte ………… 1026
非染色性 achromatic …………………… 14
非染色性装置 achromatic apparatus …… 118

非全層角膜移植術 nonpenetrating keratoplasty 980
ヒゼンダニ *Sarcoptes scabiei* 1636
ヒゼンダニ症 sarcoptic mange 1100
ヒゼンダニ性ダニ症 sarcoptic acariasis 8
ヒゼンダニ類 sarcoptid 1636
非穿通創 nonpenetrating wound 2049
鼻前庭 nasal vestibule 2018
鼻前庭 vestibule of nose 2018
鼻前庭 vestibulum nasi 2018
鼻前庭嚢胞 nasoalveolar cyst 460
鼻前頭管 frontonasal duct 563
鼻前頭静脈 nasofrontal vein 1999
鼻前頭静脈 vena nasofrontalis 2007
鼻前頭の nasofrontal 1221
非専売名 nonproprietary name 1266
脾前部ひだ presplenic fold 720
鼻前弯〔症〕 rhinokyphosis 1608
ヒ素 arsenic (As) 133
鼻疽 farcy 671
鼻疽 glanders 775
被層 covering 433
脾臓 lien 1032
脾臓 spleen 1719
脾臓 splen 1720
脾臓胃陥凹 gastric impression on spleen 917
脾臓胃面 facies gastrica splenis 663
〔脾臓〕横隔面 facies diaphragmatica (splenica) 663
〔脾臓〕横隔面 diaphragmatic surface (of spleen) 1781
脾臓結腸陥凹 colic impression of spleen 917
脾臓結腸面 facies colica splenis 663
脾臓後端 extremitas posterior splenica 658
脾臓後端 posterior extremity of spleen 658
〔脾臓〕後端・前端 poli lienales superior et inferior 1457
脾〔臓〕指数 splenic index 923
脾臓上縁 margo superior splenis 1105
脾臓漿膜 serosa of the spleen 1667
脾臓腎陥凹 renal impression of spleen 917
脾臓腎面 renal surface of spleen 1783
非相性洞〔性〕不整脈 nonphasic sinus arrhythmia 133
〔脾臓〕線維膜 tunica fibrosa lienis 1953
〔脾臓〕線維膜 tunica fibrosa splenica 1953
脾臓前端 anterior extremity of spleen 658
脾臓前端 extremitas anterior splenica 658
〔脾臓〕臓側面 visceral surface of the spleen 1784
非相同染色体 nonhomologous chromosomes 359
脾臓内の intrasplenic 951
脾〔臓〕の lienal 1032
脾臓の下縁 inferior border of spleen 235
脾臓の上縁 superior border of spleen 236
脾臓の線維膜 fibrous capsule of spleen 290
脾掻爬〔術〕 splenocleisis 1720
非相補的役割 noncomplementary role 1620
脾〔臓〕様の splenoid 1720
ヒ素〔性〕角化症 arsenical keratosis 981
尾側橋網様体核 caudal pontine reticular nucleus 1273
尾側神経孔 caudal neuropore 1251
腓側足根腱鞘 fibular tarsal tendinous sheaths 1670
尾側に caudad 315
腓側の fibular 696
腓側の fibularis 696
鼻側の nasal 1221
尾側ひだ tail fold 720
ヒ素剤 arsenical 133
ヒ素〔剤〕療法 arsenotherapy 133
ヒ素酸化物 arsenoxides 133
非組織性の anhistic, anhistous 90
ヒ素性色素沈着 arsenic pigmentation 1423
鼻疽性肺炎 pneumonia malleosa 1450
ヒ素耐性の arsenic-fast 133
ヒ素多発ニューロパシー(多発神経障害) arsenical polyneuropathy 1461
ヒ素の arrhenic 132
ヒ素の arsenic (As) 133
ヒ素の arsenical 133
ヒ素の arsenous 133
ひだ crease 435
ひだ fold 718
ひだ ligament 1032
ひだ plica 1445
ひだ reduplication 1575
ひだ valve 1984
ひだ wrinkle 2050
〔虹彩〕ひだ ruff 1625
ひたい frons 741
額 forehead 728
皮体 sclerotium 1648
肥大 hypertrophy 889
非対応抗原 heterogeneic antigen 104
肥大型心筋症 hypertrophic cardiomyopathy 300
肥大吸虫症 fasciolopsiasis 677
肥大吸虫属 *Fasciolopsis* 677
非体系妄想 unsystematized delusion 485
比体重 body-weight ratio 1560
非対称 asymmetry 166
非対称 skew 1691
非代償性アシドーシス uncompensated acidosis 15
非代償性アルカローシス uncompensated alkalosis 48
非対称性運動ニューロパシー(神経障害) asymmetric motor neuropathy 1250
非対称性胎児発育遅延 asymmetric fetal growth restriction 1597
非対称性中隔肥厚 asymmetric septal hypertrophy (ASH) 889
非対称性頭部結合体 syncephalus asymmetros 1793
非対称〔性〕の asymmetric (a) 166
非対称性ヤーヌス体 janiceps asymmetrus 966
肥大性奇形 hypergenic teratosis 1852
肥大成長 auxetic growth 803
肥大性肺性骨関節症 hypertrophic pulmonary osteoarthropathy 1320
肥大性皮膚骨膜症 pachydermoperiostosis 1335
非耐熱性の heat-labile 821
非対立遺伝子 nonallele 1266
肥大腕 brawny arm 131
ひだ襟 ruff 1625
ビタガラス vita glass 776
比濁〔法〕 nephelometry 1228
比濁計 nephelometer 1228
比濁計 scopometer 1649
ひだ形成 plication 1446
ひだ歯の lophodont 1069
ひだ舌 lingua plicata 1053
ひだ切開〔術〕 plicotomy 1446
非脱分極〔性〕遮断 nondepolarizing block 222
非脱分極性〔筋〕弛緩薬 nondepolarizing relaxant 1588
非脱分極性神経筋遮断薬 nondepolarizing neuromuscular blocking agent 36
非脱落膜性胎盤 nondeciduous placenta 1428
ビタフォルマ属 *Vittaforma* 2035
ビタマー vitamer 2032
ビタミン vitamin 2033
ビタミンA vitamin A 2033
ビタミンA単位(国際単位) vitamin A unit (international) 1967
ビタミンAとD油 oleovitamin A and D 1296
ビタミンB vitamin B 2033
ビタミンB_2欠乏〔症〕 ariboflavinosis 131
ビタミンB_2単位 vitamin B_2 unit 1967
ビタミンB_4 vitamin B_4 2033
ビタミンB_6 vitamin B_6 2033
ビタミンB_6単位 vitamin B_6 unit 1967
ビタミンB_{12} vitamin B_{12} 2033
ビタミンB_{12}内因子濃縮剤 vitamin B_{12} with intrinsic factor concentrate 2033
ビタミンB_cコンジュガーゼ vitamin B_c conjugase 2033
ビタミンB複合体 vitamin B complex 2033
ビタミンC単位(国際単位) vitamin C unit (international) 1967
ビタミンD vitamin D 2033
ビタミンD強化乳 fortified vitamin D milk 1158
ビタミンD結合蛋白 vitamin D-binding protein (DBP) 1506
ビタミンD照射乳 irradiated vitamin D milk 1158
ビタミンD単位(国際単位) vitamin D unit (international) 1967
ビタミンD抵抗性くる病 vitamin D-resistant rickets 1614
ビタミンD乳 vitamin D milk 1158
ビタミンE vitamin E 2033
ビタミンE単位 vitamin E unit 1967
ビタミンF vitamin F 2033
ビタミンK vitamin K 2033
ビタミンK_5 vitamin K_5 2033
ビタミンK単位 vitamin K unit 1967
ビタミンP vitamin P 2033
ビタミンU vitamin U 2033
ビタミン過剰〔症〕 hypervitaminosis 890
ビタミン欠乏症 avitaminosis 183
ビタミン不足症 hypovitaminosis 899
ビタミン油剤 oleovitamin 1296
ビダラビン vidarabine 2019
左足利きの sinistropedal 1686
左胃静脈 left gastric vein 1998
左胃静脈 vena gastrica sinistra 2005
左胃大網静脈 left gastroepiploic vein 1998
左胃大網静脈 left gastroomental vein 1998
左胃大網静脈 vena gastroomentalis sinistra 2005
左胃大網動脈 arteria gastroomentalis sinistra 135
左胃大網動脈 left gastroepiploic artery 147
左胃大網動脈 left gastroomental artery 147
左胃大網動脈の胃枝 gastric branches of left gastroomental arteries 247
左胃大網リンパ節 left gastroepiploic lymph nodes 1079
左胃大網リンパ節 left gastroomental lymph nodes 1079
左胃動脈 arteria gastrica sinistra 135
左胃動脈 left gastric artery 147
左胃動脈の食道枝 esophageal branches of the left gastric artery 246
左胃リンパ節 left gastric lymph nodes 1079
左回転 levoversion 1030
左回転 sinistrotorsion 1686
左下肺静脈 left inferior pulmonary vein 1998
左下肺静脈 vena pulmonalis inferior sinistra 2007
〔左〕下肺静脈の上枝 superior branch of the left inferior pulmonary vein 254
〔左下肺静脈の〕上肺底静脈の前肺底静脈 anterior basal branch of superior basal vein (of left inferior pulmonary vein) 242
〔左下肺動脈の〕肺底部 pars basalis arteriarum lobarium inferiorum pulmonis sinistri 1358
〔左下肺動脈の〕肺底部 basal part of left inferior pulmonary artery 1362

左側恐怖〔症〕 levophobia …… 1030
左肝管 left hepatic duct …… 564
左肝管 ductus hepaticus sinister …… 566
左肝管の外側枝 ramus lateralis ductus hepatici sinistri …… 1552
左肝管の内側枝 ramus medialis ductus hepatici sinistri …… 1553
左冠状動脈 arteria coronaria sinistra …… 135
左冠状動脈 left coronary artery (LCA) 147
左冠状動脈の回旋枝 circumflex branch of left coronary artery …… 244
左冠状動脈の回旋枝 ramus circumflexus arteriae coronariae sinistrae …… 1549
左冠状動脈の外側心房枝 lateral atrial branch of left coronary artery …… 248
左冠状動脈の後室間枝 ramus interventricularis posterior arteriae coronariae dextrae …… 1552
左冠状動脈の前室間枝 ramus interventricularis anterior arteriae coronariae sinistrae …… 1552
左冠状動脈の前室間枝の外側枝 ramus lateralis interventricularis anterioris arteriae coronariae sinistrae …… 1552
左冠状動脈の前室間動脈 anterior interventricular branch of left coronary artery …… 242
左冠状動脈の中間心房枝 intermediate atrial branch of left coronary artery …… 247
〔大動脈弁の〕左冠状動脈弁尖 valvula coronaria sinistra (valvae aortae) …… 1986
左肝静脈 left hepatic vein …… 1998
左肝静脈 venae hepaticae sinistrae …… 2006
左肝動脈 left hepatic artery …… 147
左冠動脈の心室中隔枝 interventricular septal branches of left coronary artery 248
左肝内側区IV anterior portion of left medial segment IV of liver …… 1468
左利き sinistral …… 1686
左利き sinistrality …… 1686
左利きの left-handed …… 1015
左結腸曲 flexura coli sinistra …… 712
左結腸曲 left colic flexure …… 713
左結腸静脈 vena colica sinistra …… 2005
左結腸動脈 arteria colica sinistra …… 134
左結腸動脈 left colic artery …… 147
左結腸リンパ節 left colic lymph nodes 1079
左後外側肝区 (left posterior) lateral hepatic segment [III] …… 1655
左臍静脈 left umbilical vein …… 1998
〔肝臓の〕左三角間膜 left triangular ligament of liver …… 1037
〔肝臓の〕左三角間膜 ligamentum triangulare sinistrum hepatis …… 1046
左矢状裂溝 left sagittal hepatic fissure … 703
左主気管支 left main bronchus …… 260
左主気管支 bronchus principalis sinister 260
左上大静脈索 ligament of left superior vena cava …… 1037
左上大静脈索 ligament of left vena cava …… 1037
左上大静脈索 ligamentum venae cavae sinistrae …… 1046
左上肺静脈 left superior pulmonary vein …… 1998
左上肺静脈 vena pulmonalis superior sinistra …… 2007
左上肺静脈の肺尖後静脈 apicoposterior branch of left superior pulmonary vein …… 243
左上肺静脈の肺尖後静脈 ramus apicoposterior venae pulmonalis sinistrae superioris …… 1548
左上肋間静脈 left superior intercostal vein …… 1998
左上肋間静脈 vena intercostalis superior sinistra …… 2006
左腎静脈挟み込み症候群 left renal vein entrapment syndrome …… 1810
左精巣静脈 left testicular vein …… 1998
左精巣静脈 vena testicularis sinistra …… 2008
左線維三角 left fibrous trigone (of heart) …… 1933
左線維三角 trigonum fibrosum sinistrum …… 1933
左前外側肝区 (left anterior) lateral hepatic segment [III] …… 1655
左大静脈ひだ fold of left vena cava …… 719
左大静脈ひだ plica venae cavae sinistrae …… 1445
〔左〕内側肝区 (left) medial hepatic segment [IV] …… 1655
左の sinister …… 1686
左肺静脈の肺舌静脈の下舌枝 inferior part of lingular vein (of left superior pulmonary vein) …… 1364
左肺静脈の肺舌静脈の上部 superior part of lingular vein (of left superior pulmonary vein) …… 1368
左肺動脈 arteria pulmonalis sinistra …… 137
左肺動脈 left pulmonary artery …… 147
左肺動脈の上葉動脈の肺底動脈の上肺底枝 superior lingular branch of lingular branch of superior lobar left pulmonary artery …… 254
左肺動脈の肺舌動脈の舌下枝 inferior lingular branch of lingular branch of left pulmonary artery …… 247
〔左肺の〕下葉 inferior lobe of (left) lung …… 1063
〔左肺の〕下葉 lobus inferior pulmonis (sinistri) …… 1066
〔左肺の〕上葉 superior lobe of (left) lung …… 1064
〔左肺の〕上葉 lobus superior pulmonis (sinistri) …… 1067
〔左肺の〕心切痕 incisura cardiaca pulmonis sinistri …… 919
〔左肺の〕心切痕 cardiac notch of left lung …… 1269
〔左肺の〕前区動脈の下行枝 descending branch of anterior segmental artery of left lung …… 245
左ひき運動 levoduction …… 1030
〔肝臓の〕左尾状葉胆管 left duct of caudate lobe of liver …… 564
〔肝臓の〕左尾状葉胆管 ductus lobi caudati sinister hepatis …… 566
左副腎(腎上体)静脈 left suprarenal vein …… 1998
左副腎(腎上体)静脈 vena suprarenalis sinistra …… 2008
左腰リンパ節 left lumbar lymph nodes 1079
左卵巣静脈 left ovarian vein …… 1998
左卵巣静脈 vena ovarica sinistra …… 2007
左肋骨弓 left costal margin (LCM) …… 1103
〔左〕腕頭静脈 (left) brachiocephalic vein …… 1998
〔左〕腕頭静脈 venae brachiocephalicae (sinistrae) …… 2004
悲嘆 grief …… 800
ヒダントイン hydantoin …… 869
ヒダントイン塩 hydantoinate …… 869
非蛋白原性 nonproteogenic …… 1266
非蛋白性窒素 nonprotein nitrogen (NPN) …… 1258
ビチオノール bithionol …… 217
ビチスタチン bitistatin …… 217
脾柱 splenic trabeculae …… 1908
脾柱 trabeculae lienis …… 1908
脾柱 trabeculae of spleen …… 1908
尾虫 cercaria …… 334
鼻柱 columella nasi …… 395
鼻中隔 nasal septum …… 1664
鼻中隔 septum nasi …… 1664
鼻中隔下制筋 depressor (muscle) of septum …… 1183
鼻中隔下制筋 depressor septi nasi (muscle) …… 1183
鼻中隔下制筋 musculus depressor septi nasi …… 1199
鼻中隔可動部 mobile part of nasal septum …… 1366
鼻中隔形成〔術〕 septoplasty …… 1663
鼻中隔結節 tuberculum septi narium …… 1947
鼻中隔骨部 pars ossea septi nasi …… 1360
鼻中隔骨部 bony part of nasal septum …… 1362
〔鼻〕中隔切除〔術〕 septectomy …… 1662
鼻中隔造鼻〔術〕 septorhinoplasty …… 1663
鼻中隔軟骨 cartilage of nasal septum …… 306
鼻中隔軟骨 nasal septal cartilage …… 306
鼻中隔軟骨 septal nasal cartilage …… 307
〔鼻中隔軟骨〕後突起 posterior process of septal cartilage …… 1489
〔鼻中隔軟骨〕後突起 processus posterior cartilaginis septi nasi …… 1492
鼻中隔軟骨の外側突起 lateral process of septal nasal cartilage …… 1489
鼻中隔軟骨部 cartilaginous part of nasal septum …… 1363
〔鼻〕中隔皮膚形成〔術〕 septodermoplasty 1663
鼻中隔膜性部 membranous part of nasal septum …… 1366
非中毒性甲状腺腫 nontoxic goiter …… 790
非調節性内斜視 nonaccommodative esotropia …… 643
鼻重複奇形 rhinodymia …… 1608
ピチロスポルム属 *Pityrosporum* …… 1427
非沈降抗体 nonprecipitating antibody …… 101
尾椎 caudal vertebrae …… 2015
尾椎 coccygeal vertebrae [Co1–Co4] …… 2015
尾椎 vertebrae coccygeae [CoI–CoIV] 2015
鼻痛 rhinalgia …… 1607
鼻痛 rhinodynia …… 1608
ビツォーツェロ赤血球 Bizzozero red cells …… 319
引っ掻く excoriate …… 652
ビッカースタッフ片頭痛 Bickerstaff migraine …… 1156
ピッキーニ症候群 Picchini syndrome …… 1815
ピック萎縮 Pick atrophy …… 174
ピックウィック(ピックウィッキアン)症候群 pickwickian syndrome …… 1815
ピック細胞 Pick cell …… 325
ピック〔小〕体 Pick bodies …… 229
ピック束 Pick bundle …… 266
ピッグテールカテーテル pigtail catheter 314
ピック病 Pick disease …… 539
ピッグベル pigbel …… 1423
ヒックマンカテーテル Hickman catheter 313
ピックルズ(ピックレス)図 Pickles chart 340
ヒツジ条虫 *Taenia ovis* …… 1838
ヒツジツメダニ属 *Psorergates* …… 1516
ヒツジ伝染性膿瘡(膿疱性皮膚炎)ウイルス contagious ecthyma (pustular dermatitis) virus of sheep …… 2023
ヒツジ痘ウイルス sheep-pox virus …… 2029
ヒツジ〔様〕の ovine …… 1329
ヒツジバエ症 oestrosis …… 1293
ヒツジバエ属 *Oestrus* …… 1293
ヒツジバエ類 head botflies …… 237
必須アミノ酸 essential amino acids …… 59
必須栄養素 essential nutrients …… 1284
〔必須〕栄養素 nutrilites …… 1284
必須脂肪酸 essential fatty acid …… 678
必須食物因子 essential food factors …… 667
必須の essential …… 643
筆跡〔感〕覚 graphesthesia …… 799

筆跡覚消失 graphanesthesia ……… 799
筆尖 calamus scriptorius ……… 275
筆相学 graphology ……… 799
ピッチ pitch ……… 1427
ピッチいぼ pitch wart ……… 2040
ピッチ職人癌 pitch-worker's cancer ……… 286
ヒッチハイカー hitchhiker ……… 856
ヒッチハイカー母指 hitchhiker thumb 1889
ヒッチヒ帯 Hitzig girdle ……… 771
ピッチブレンド pitchblende ……… 1427
ヒッチョウカ油 oil of cubeb ……… 1294
ピッツバーグ肺炎 Pittsburgh pneumonia ……… 1450
ビット bit ……… 217
ビットルフ反応 Bittorf reaction ……… 1563
ピットワン pit-1 ……… 1426
引っ張り応力 tensile stress ……… 1755
ヒップポインター hip pointer ……… 853
ヒッペラテス属 *Hippelates* ……… 852
ヒッペル病 Hippel disease ……… 534
筆毛動脈 penicillus ……… 1381
筆毛動脈の penicillary ……… 1380
必要原因 necessary cause ……… 315
ビデ bidet ……… 209
鼻堤 agger nasi ……… 37
鼻堤 nasal ridge ……… 1615
非定位な房室結合 ambiguous atrioventricular connections ……… 413
非定型アブサンス発作 atypical absence seizure ……… 1657
非定型1色覚 atypical achromatopsia ……… 14
非定型欠神発作 atypical absence seizure ……… 1657
非定型抗酸菌 atypical mycobacteria ……… 1207
非定型抗精神病薬 atypical antipsychotic agent ……… 36
非定型性麻疹 atypical measles ……… 1113
非定型的偽コリンエステラーゼ atypical pseudocholinesterase ……… 1511
非定型的線維黄色腫 atypical fibroxanthoma ……… 696
非定型的調節性内斜視 nonrefractive accommodative esotropia ……… 643
非定型的乳房切除〔術〕 modified radical mastectomy ……… 1108
非定型肺炎 atypical pneumonia ……… 1449
非定型メラニン細胞過形成 atypical melanocytic hyperplasia ……… 885
比抵抗 resistivity ……… 1594
否定の negative ……… 1225
否定妄想 delusion of negation ……… 485
非定量窒素 undetermined nitrogen ……… 1258
ビデオ〔X線〕透視検査 video fluoroscopy 717
ビデオエンドストロボスコピー videoendostroboscopy ……… 2019
ビデオケラトスコープ videokeratoscope 2019
ビデオ装置付腹腔鏡検査 videolaparoscopy ……… 2019
ビデオ内視鏡 videoendoscope ……… 2019
ビデオ内視鏡検査 videoendoscopy ……… 2019
ビデオ補助下胸部手術 video-assisted thoracic surgery (VATS) ……… 1785
脾摘 splenectomy ……… 1720
脾摘出〔術〕 splenectomy ……… 1720
ビテリン vitellin ……… 2033
ビテロース vitellose ……… 2034
ビテロルテイン vitellolutein ……… 2033
ビテロルビン vitellorubin ……… 2033
脾転位〔症〕 splenectopia, splenectopy ……… 1720
非電解質 nonelectrolyte ……… 1266
非添窩部 suprabulge ……… 1779
非てんかん発作 nonepileptic seizure ……… 1657
非電気法則の parelectronomic ……… 1355
非伝染性塞栓症 bland embolism ……… 600
非伝染性の noninfectious ……… 1266
ヒト *Homo sapiens* ……… 859
ヒトT細胞リンパ腫/白血病ウイルス human T-cell lymphoma/leukemia virus (HTLV) ……… 2025
ヒトTリンパ球向性ウイルス human T lymphotrophic virus ……… 2025
ヒト胃盤虫 *Gastrodiscoides hominis* ……… 758
ヒトインスリン human insulin ……… 942
脾洞 sinus lienis ……… 1688
脾洞 splenic sinus ……… 1688
鼻道 nasal meatus ……… 1114
非同一反応 reaction of nonidentity ……… 1566
微動映写器 micromotoscope ……… 1153
非透過性 opacity ……… 1302
非同期型パルス発生器 asynchronous pulse generator ……… 765
非同期律動 anisorrhythmia ……… 92
被動性溶液 passive medium ……… 1118
非等張の anisotonic ……… 92
鼻洞の nasoantral ……… 1221
脾動脈 arteria lienalis ……… 136
脾動脈 arteria splenica ……… 138
脾動脈 lienal artery ……… 148
脾動脈 splenic artery ……… 152
脾動脈の膵枝 rami pancreatici arteriae splenicae ……… 1554
脾動脈の脾枝 splenic branches of splenic artery ……… 253
ヒトエールリヒア症 human ehrlichiosis 591
ヒト科 Hominidae ……… 859
ヒト〔型〕結核菌 *Mycobacterium tuberculosis* ……… 1208
ひとかたまりに en bloc ……… 606
ヒト顆粒球性エールリヒア症 human granulocytotropic ehrlichiosis (HGE) ……… 591
ピトー管 Pitot tube ……… 1941
ヒト・ガンマグロブリン human gamma globulin ……… 779
ヒト寄生性の anthropophilic ……… 99
被毒 poisoning ……… 1455
非特異性建物関連疾病 nonspecific building-related illnesses ……… 907
非特異性尿道炎 nonspecific urethritis ……… 1971
非特異蛋白 nonspecific protein ……… 1505
非特異〔的〕療法 nonspecific therapy ……… 1879
非特異免疫 natural immunity, nonspecific immunity ……… 910
脾毒素 splenotoxin ……… 1721
一組の人間 dyad ……… 569
ヒト血漿蛋白分画 human plasma protein fraction ……… 736
ヒトゲノム計画 Human Genome Project 866
ヒト抗血友病因子 human antihemophilic factor ……… 667
ヒト抗血友病血漿 antihemophilic plasma ……… 1432
ヒト好酸球性腸炎 human eosinophilic enteritis ……… 619
ヒト抗マウス抗体 human antimouse antibody (HAMA) ……… 101
ひとさしゆび index finger ……… 700
ひとさしゆび forefinger ……… 728
ひとさしゆび index ……… 921
ヒト絨毛性ゴナドトロピン human chorionic gonadotropin (HCG, hCG) ……… 792
ヒト上科 Hominoidea ……… 859
ヒト猩紅熱免疫血清 human scarlet fever immune serum ……… 1668
ヒトスジシマカ *Aedes albopictus* ……… 31
ヒト線維素原 human fibrinogen ……… 693
ヒト線維素泡 human fibrin foam ……… 718
ヒト属 *Homo* ……… 859
ヒト胎盤性乳汁分泌促進因子 human placental lactogen (HPL) ……… 994
ヒト胎盤性ラクトゲン human placental lactogen (HPL) ……… 994
ヒト単球性エールリヒア症 human monocytotropic ehrlichiosis (HME) ……… 591
尾突起 caudal eminence ……… 603
一つ目奇形 cyclopia ……… 456
ヒトディプロイドセルワクチン human diploid cell vaccine (HDCV) ……… 1979
ヒトトロンビン human thrombin ……… 1887
ヒト乳頭腫ウイルス human Papillomavirus (HPV) ……… 1346
ヒトの伝染性疾患のコントロールマニュアル *Control of Communicable Diseases Manual* (CCDM) ……… 418
ヒトのバベシア症 human babesiosis ……… 187
ヒトの皮膚リーシュマニア症 anthroponotic cutaneous leishmaniasis ……… 1017
ひと飲み draft ……… 559
ヒトノミ *Pulex irritans* ……… 1523
ヒトノミ属 *Pulex* ……… 1523
ヒト白血球抗原 human leukocyte antigens (HLA) ……… 104
一針の縫合〔糸〕 stitch ……… 1748
ビトー斑〔点〕 Bitot spots ……… 1724
ヒトヒフバエ *Dermatobia hominis* ……… 496
ヒト百日咳免疫血清 human pertussis immune serum ……… 1668
ヒト閉経期尿性ゴナドトロピン human menopausal gonadotropin (HMG, hMG) ……… 792
ヒトヘルペスウイルス1型 human herpesvirus 1 ……… 846
ヒトヘルペスウイルス2型 human herpesvirus 2 ……… 846
ヒトヘルペスウイルス3型 human herpesvirus 3 ……… 846
ヒトヘルペスウイルス4型 human herpesvirus 4 ……… 846
ヒトヘルペスウイルス5型 human herpesvirus 5 ……… 846
ヒトヘルペスウイルス6型 human herpesvirus 6 ……… 846
ヒトヘルペスウイルス7型 human herpesvirus 7 ……… 846
ヒトヘルペスウイルス8型 human herpesvirus 8 (HHV8) ……… 846
ヒト鞭虫 *Trichuris trichiura* ……… 1932
ヒト麻疹免疫血清 human measles immune serum ……… 1668
ヒト免疫不全ウイルス human immunodeficiency virus (HIV) ……… 2025
ヒト免疫不全ウイルス-2型 human immunodeficiency virus-2 ……… 2025
ヒトメンデル遺伝カタログ *Mendelian Inheritance in Man* (MIM) ……… 1128
ヒト由来感染症 humanosis ……… 867
ヒドラジド hydrazide ……… 870
ヒドラジン hydrazine ……… 870
ヒドラジン分解 hydrazinolysis ……… 870
ヒドラスチス hydrastis ……… 869
ヒドラスチニン hydrastinine ……… 869
ヒドラスチン hydrastine ……… 869
ヒドラセチン hydracetin ……… 869
ヒドラゾン hydrazone ……… 870
ヒドラターゼ hydratase ……… 869
ヒドラバミンペニシリンG penicillin G hydrabamine ……… 1380
ヒドラバミンペニシリンV penicillin V hydrabamine ……… 1380
ヒドラロスタン hydrallostane ……… 869
1人N回研究 *N*-of-one study ……… 1265
ヒドリドイオン hydride ion ……… 954
ヒドリンダンチン hydrindantin ……… 870
ビトレイン vitrein ……… 2034
ヒドロキサム酸 hydroxamic acids ……… 874
ヒドロキシアシルグルタチオンヒドロラーゼ hydroxyacylglutathione hydrolase ……… 874
3-ヒドロキシアシルCoAデヒドロゲナーゼ 3-hydroxyacyl-CoA dehydrogenase ……… 874

3-ヒドロキシアントラニル酸 3-hydroxyanthranilic acid ………… 875
25-ヒドロキシエルゴカルシフェロール 25-hydroxyergocalciferol ………… 875
3-L-ヒドロキシキヌレニン 3-L-hydroxykynurenine ………… 875
ヒドロキシキヌレニン尿症 hydroxykynureninuria ………… 875
8-ヒドロキシキノリン 8-hydroxyquinoline ………… 876
3-ヒドロキシグルタル酸 3-hydroxyglutaric acid ………… 875
17-ヒドロキシコルチコステロイド試験 17-hydroxycorticosteroid test ………… 1859
7α-ヒドロキシコレステロール 7α-hydroxycholesterol ………… 875
ヒドロキシ酸 hydroxy acid ………… 874
ヒドロキシ脂肪酸 hydroxyfatty acid ………… 875
ヒドロキシジン hydroxyzine ………… 876
p-ヒドロキシ水銀安息香酸 p-hydroxymercuribenzoate ………… 876
3β-ヒドロキシステロイドスルファターゼ 3β-hydroxysteroid sulfatase ………… 876
5-ヒドロキシトリプタミン(5-HT)拮抗薬（アンタゴニスト）5-hydroxy tryptamine antagonists ………… 96
ヒドロキシ尿素 hydroxyurea ………… 876
ヒドロキシネルボン hydroxynervone ………… 876
ヒドロキシネルボン酸 hydroxynervonic acid ………… 876
p-ヒドロキシフェニル酢酸 p-hydroxyphenylacetate ………… 876
p-ヒドロキシフェニル乳酸 p-hydroxyphenyllactate ………… 876
ヒドロキシフェニル尿〔症〕 hydroxyphenyluria ………… 876
p-ヒドロキシフェニルピルビン酸 p-hydroxyphenylpyruvate ………… 876
3α-ヒドロキシ-5α-プレグナン-20-オン 3α-hydroxy-5α-pregnan-20-one ………… 876
17α-ヒドロキシプロゲステロン 17α-hydroxyprogesterone ………… 876
15-ヒドロキシプロスタグランジンデヒドロゲナーゼ 15-hydroxyprostaglandin dehydrogenase ………… 876
β-ヒドロキシプロピオン酸 β-hydroxypropionic acid ………… 876
β-ヒドロキシプロピオン酸尿症 β-hydroxypropionic aciduria ………… 876
3-ヒドロキシプロリン 3-hydroxyproline (3Hyp) ………… 876
4-ヒドロキシプロリン 4-hydroxyproline (4Hyp, Hyp) ………… 876
4-ヒドロキシプロリンオキシダーゼ 4-hydroxyproline oxidase ………… 876
ヒドロキシプロリン血〔症〕 hydroxyprolinemia ………… 876
3-ヒドロキシ酪酸 3-hydroxybutyric acid 875
D-3-ヒドロキシ酪酸デヒドロゲナーゼ D-3-hydroxybutyric acid dehydrogenase ………… 875
4-ヒドロキシ酪酸尿〔症〕 4-hydroxybutyric aciduria ………… 875
ヒドロキシラーゼ hydroxylases ………… 876
17-ヒドロキシラーゼ欠損症候群 17-hydroxylase deficiency syndrome ………… 1807
5-ヒドロキシリシン 5-hydroxylysine (5Hyl) ………… 876
ヒドロキシル hydroxyl ………… 875
ヒドロキシルアミノ hydroxylamino ………… 875
ヒドロキシルアミン hydroxylamine ………… 875
ヒドロキシルアミンレダクターゼ hydroxylamine reductase ………… 875
ヒドロキシル化 hydroxylation ………… 876
ヒドロキソコバラミン hydroxocobalamin 874
ヒドロクロロチアジド hydrochlorothiazide ………… 871
ヒドロゲナーゼ hydrogenase ………… 872
ヒドロゲノソーム hydrogenosome ………… 872
ヒドロゲル hydrogel ………… 872
ヒドロコタルニン hydrocotarnine ………… 872
ヒドロコドン hydrocodone ………… 871
ヒドロコルチゾン hydrocortisone ………… 872
ヒドロゾル hydrosol ………… 874
ヒドロ虫綱 Hydrozoa ………… 876
ヒドロニウムイオン hydronium ion ………… 954
ビトロネクチン vitronectin ………… 2035
ヒドロビリルビン hydrobilirubin ………… 870
ヒドロペルオキシダーゼ hydroperoxidases ………… 873
ヒドロペロキシエイコサテトラエノイン酸 hydroperoxyeicosatetraenoic acid ………… 14
ヒドロメイオーシス hidromeiosis ………… 851
ヒドロラーゼ hydrolases ………… 872
ヒドロリアーゼ hydrolyases ………… 872
皮内の intracutaneous ………… 950
鼻内の intranasal ………… 950
皮内反応 intracutaneous reaction, intradermal reaction ………… 1565
皮内縫合 subcuticular suture ………… 1788
鼻内麻酔〔法〕 intranasal anesthesia ………… 79
ピナシアノール pinacyanol ………… 1424
ピナール操作 Pinard maneuver ………… 1099
脾軟化〔症〕 splenomalacia ………… 1720
鼻軟骨 cartilages of nose ………… 306
鼻軟骨 cartilagines nasi ………… 307
非乳酸酸素負債 alactic oxygen debt ………… 474
非ニュートン流体 nonnewtonian fluid ………… 715
泌尿器 urinary organs ………… 1312
泌尿器 organa urinaria ………… 1313
泌尿器科〔専門〕医 urologist ………… 1975
泌尿器科学 urology ………… 1975
泌尿器科内視鏡学 endourology ………… 616
泌尿〔器〕系 urinary system ………… 1834
泌尿器放射線学 uroradiology ………… 1975
〔泌〕尿性器の urogenital ………… 1974
泌尿生殖〔器〕系 urogenital system ………… 1834
泌尿生殖洞の骨盤腔内部分 pelvic part of the urogenital sinus ………… 1366
泌尿生殖膜 urogenital membrane ………… 1127
〔泌〕尿生殖隆線 urogenital ridge ………… 1616
ビニリデン vinylidene ………… 2021
ビニル vinyl ………… 2020
ビニール封筒培養 plastic envelope culture ………… 448
ビニール袋培養 pouch culture ………… 448
ビニレン vinylene ………… 2021
否認 denial ………… 486
避妊 contraception ………… 416
避妊器具 contraceptive device ………… 503
避妊ペッサリー diaphragm ………… 510
避妊薬 contraceptive ………… 416
避妊用スポンジ contraceptive sponge ………… 1723
ビネー-シモンスケール Binet-Simon scale ………… 1638
ビネースケール Binet scale ………… 1638
比熱 specific heat ………… 821
微熱 febricula ………… 679
非熱帯性スプルー nontropic sprue ………… 1725
ビネー年齢 Binet age ………… 35
ひねり歩き helicopod gait ………… 748
ピネル方式 Pinel system ………… 1833
非粘着性金 noncohesive gold ………… 791
比粘度 relative viscosity ………… 2032
鼻粘膜 nasal mucosa ………… 1177
鼻粘膜 mucosa of nose ………… 1177
鼻粘膜 tunica mucosa nasi ………… 1953
鼻粘膜乾燥症 xeromycteria ………… 2053
鼻粘膜嗅部 regio olfactoria tunicae mucosae nasi ………… 1584
鼻粘膜嗅部 olfactory region of mucosa of nose ………… 1586
鼻粘膜嗅部 olfactory region of nasal mucosa ………… 1586
鼻粘膜嗅部 olfactory region of tunica mucosa of nose ………… 1586
鼻粘膜嗅部 region of olfactory mucosa 1586
鼻粘膜呼吸部 regio respiratoria tunicae mucosae nasi ………… 1584
鼻粘膜呼吸部 region of respiratory mucosa ………… 1586
鼻粘膜呼吸部 respiratory region of mucosa of nasal cavity ………… 1586
鼻粘膜呼吸部 respiratory region of tunica mucosa of nose ………… 1586
脾〔臓〕の lienal ………… 1032
尾の caudal ………… 315
尾の caudalis ………… 315
被嚢 encystment ………… 610
鼻嚢 nasal sacs ………… 1628
被嚢結石 encysted calculus ………… 278
被嚢幼虫 metacercaria ………… 1138
ピノソーム pinosome ………… 1425
日の出症候群 sunrise syndrome ………… 1821
疲はい defatigation ………… 476
疲はい exhaustion ………… 653
疲はい prostration ………… 1501
鼻背 dorsum nasi ………… 556
鼻背 dorsum of nose ………… 556
鼻肺炎 rhinopneumonitis ………… 1608
疲はい恐怖〔症〕 ponophobia ………… 1465
非配偶子性の agamic ………… 34
非配偶者間人工授精 heterologous insemination ………… 939
非配偶体 agamete ………… 34
鼻背動脈 arteria dorsalis nasi ………… 135
鼻背動脈 dorsal artery of nose ………… 145
鼻背動脈 dorsal nasal artery ………… 145
非肺胞上皮性肺腺癌 nonbronchioalveolar adenocarcinoma ………… 24
鼻ハエウジ病 nasal myiasis ………… 1212
菲薄化 thinning ………… 1883
菲薄赤血球 leptocyte ………… 1021
菲薄赤血球症 leptocytosis ………… 1021
菲薄皮膚 thin skin ………… 1691
〔皮膚〕剝離〔術〕 décollement ………… 475
非白血性骨髄症 aleukemic myelosis ………… 1211
非白血性白血病 aleukemic leukemia ………… 1024
非白血病 aleukemia ………… 46
非白血病性の aleukemic ………… 46
非白血病様の aleukemoid ………… 46
ビバリルディン bivalirudin ………… 217
ピバリン酸デオキシコルチコステロン deoxycorticosterone pivalate ………… 490
鼻破裂 cleft nose ………… 1268
ピバレート pivalate ………… 1427
鼻板 nasal fin ………… 1221
鼻板 nasal placodes ………… 1429
皮斑〔様〕血管炎 livedo vasculitis ………… 1989
肥胖細胞 mast cell ………… 323
肥胖(肥満)細胞形成 mastocytogenesis ………… 1109
肥胖(肥満)細胞腫 mastocytoma ………… 1109
肥胖(肥満)細胞症 mastocytosis ………… 1109
肥胖星状〔膠〕細胞腫 gemistocytic astrocytoma ………… 166
ひび crazing ………… 435
非PKU高フェニルアラニン血症 non-PKU hyperphenylalaninemia ………… 885
非微生物の amicrobic ………… 58
非病原菌 saprophyte ………… 1634
皮膚 cutis ………… 453
皮膚 skin ………… 1691
鼻部 regio nasalis ………… 1584
鼻部 nasal region ………… 1586
皮膚T細胞リンパ腫 cutaneous T-cell lymphoma ………… 1083
ピファノ型メキシコリーシュマニア *Leishmania mexicana pifanoi* ………… 1017

ピファノリーシュマニア *Leishmania pifanoi* 1017
皮膚アメーバ症 amebiasis cutis 57
皮膚萎縮〔症〕 atrophoderma 173
皮膚萎縮〔症〕 dermatrophia, dermatrophy 498
皮膚萎縮線条 striae cutis distensae 1756
〔皮膚〕異常変色 dyschromia 571
皮膚移植〔片〕 dermal graft 795
皮膚移植〔片〕 skin graft 795
皮膚移植片宿主反応 cutaneous graft versus host reaction 1564
ビフィズス因子 bifidus factor 666
皮膚イチゴ腫 pian bois 1422
ビフィドバクテリウム属 *Bifidobacterium* 209
皮膚壊死〔性〕の dermonecrotic 498
皮膚壊疽 cutaneous gangrene 755
皮膚エリテマトーデス cutaneous lupus erythematosus 1073
皮膚炎 dermatitis 495
皮膚炎-関節炎-腱鞘炎症候群 dermatitis-arthritis-tenosynovitis syndrome 1802
皮膚炎誘発性毛虫 dermatitis-causing caterpillar 313
皮膚黄変 xanthoderma 2051
皮膚黄変症 ochrodermia 1290
皮膚黄変症 xanthochromia 2051
ヒフォミコーシス hyphomycosis 890
皮膚化 cutization 453
皮膚科医 dermatologist 496
皮膚科学 dermatology 496
皮膚角質層炎 keratodermatitis 979
皮膚芽細胞 dermoblast 498
皮膚カロチン症 carotenoderma 304
皮膚カロチン症 carotenosis cutis 304
皮膚感覚描画〔法〕 esthesiography 643
皮膚感覚領検査〔法〕 esthesioscopy 643
皮膚杆菌 *Dermobacter* 498
皮膚関節炎 dermatoarthritis 496
皮膚寄生動物 dermatozoon 498
皮膚寄生動物症 dermatozoonosis 498
皮膚球菌属 *Dermacoccus* 494
皮膚鏡検査〔法〕 dermatoscopy 497
皮膚狭窄〔症〕 dermostenosis 498
皮膚巨大〔症〕 dermatomegaly 496
皮膚筋炎 dermatomyositis 496
皮膚筋腫 dermatomyoma 496
皮膚筋肉反射 skin-muscle reflexes 1581
被覆 epiboly, epibole 625
被覆 investing 953
被覆 veneer 2008
腓腹 calf 278
腓腹筋 gastrocnemius 758
腓腹筋 gastrocnemius (muscle) 1186
腓腹筋 musculus gastrocnemius 1200
腓腹筋萎縮症 acnemia, aknemia 16
腓腹筋腱下包 subtendinous bursae of gastrocnemius (muscle) 270
腓腹筋の外側頭 caput laterale musculi gastrocnemii 292
腓腹筋の内側頭 caput mediale musculi gastrocnemii 292
被覆筋膜 investing fascia 673
被覆コーヌス supertraction conus 418
被覆小窩 coated pit 1426
被覆小胞 coated vesicle 2016
腓腹静脈 sural veins 2002
腓腹神経 sural nerve 1239
腓腹神経 nervus suralis 1243
腓腹神経と交通枝 sural communicating branch of common fibular nerve 254
腓腹神経との交通枝 peroneal communicating branch 251
腓腹神経の外側踵骨枝 rami calcanei laterales nervi suralis 1548
被覆組織 investing tissues 1895
腓腹動脈 arteriae surales 138
腓腹動脈 artery of calf 143
腓腹動脈 sural arteries 153
被覆膿疱 bouton en chemise 238
鼻副鼻腔炎 rhinosinusitis 1608
被覆皮弁 lined flap 710
腓腹部 regio suralis 1584
腓腹部 sural region 1586
皮膚結核 cutaneous tuberculosis 1945
皮膚結核 tuberculoderma 1945
皮膚結核 tuberculosis cutis 1945
皮膚血管炎 cutaneous vasculitis 1989
皮膚血管の dermovascular 498
皮膚欠損の apellous 112
皮膚牽引 skin traction 1914
皮膚硬化〔症〕 sclerema 1646
皮膚紅色チアノーゼ〔症〕 erythrocyanosis 639
皮膚向性の dermatotropic 498
皮膚紅痛症 erythralgia 639
皮膚紅痛症 erythromelalgia 640
〔皮膚〕紅斑〔線〕量 erythema dose 557
皮膚骨格 exoskeleton 654
皮膚骨腫 osteoma cutis 1322
皮膚採取器 dermatome 496
皮膚挫傷狂 dermatothlasia 498
皮膚擦傷法 dermabrasion 494
ヒプサルスミア hypsarhythmia, hypsarrhythmia 900
皮膚痔核 cutaneous hemorrhoids 836
皮膚弛緩〔症〕 dermatochalasis 496
皮膚弛緩〔症〕 dermatolysis 496
〔皮膚〕色素異常〔症〕 dyschromatosis 571
皮膚色素沈着症 melanopathy 1122
皮膚試験 skin test 1865
皮膚糸状菌 dermatophyte 497
皮膚糸状菌症 dermatophytosis 497
皮膚糸状菌疹 dermatophytid 497
皮膚支帯 retinaculum cutis 1600
皮膚支帯 retinaculum of skin 1601
皮膚疾病分類学 dermatonosology 497
皮膚ジフテリア cutaneous diphtheria 522
皮膚脂肪移植〔片〕 dermal-fat graft 795
皮膚腫 dermatoma 496
鼻浮腫 rhinedema 1607
皮膚出血 dermatorrhagia 497
皮膚腫瘍 ecphyma 584
皮膚症 dermatopathy 497
皮膚症 dermatosis 498
皮膚障害 dermatopathy 497
皮膚小溝 skin furrows 746
皮膚小溝 skin grooves 802
皮膚小溝 sulci cutis 1772
皮膚小溝 skin sulci 1774
皮膚小静脈瘤 varicule 1988
皮膚静脈炎 dermophlebitis 498
皮膚照明検査器 phaneroscope 1400
皮膚小稜 cristae cutis 440
皮膚小稜 dermal ridges 1615
皮膚小稜 epidermal ridges 1615
皮膚小稜 skin ridges 1616
皮膚色異常 dyschromia 571
ピプシル pipsyl (Ips) 1426
皮膚じん埃症 dermatoconiosis 496
皮膚真菌症 dermatomycosis 496
皮膚神経腫 neuroma cutis 1248
皮膚神経症 dermatoneurosis 497
尾部神経分泌系 caudal neurosecretory system 1830
皮膚靱帯 skin ligaments 1040
皮膚髄膜腫 cutaneous meningioma 1129
皮膚性斜頸 dermatogenic torticollis 1904
皮膚節 dermatome 496
皮膚石灰〔沈着〕症 calcinosis cutis 276
皮膚腺 cutaneous glands 772
皮膚腺 glandulae cutis 775
皮膚線維腫 dermatofibroma 496
皮膚穿刺試験 skin-puncture test 1865
皮膚腺病 scrofuloderma 1651
皮膚線量 skin dose 558
〔鼓膜〕皮膚層 cutaneous layer of tympanic membrane 1009
〔鼓膜〕皮膚層 stratum cutaneum membranae tympani 1751
皮膚帯 zona dermatica 2058
皮膚炭疽 cutaneous anthrax 98
皮膚知覚帯 dermatome 496
皮膚潮紅 rubedo 1625
皮膚潮紅 rubeosis 1625
皮膚痛 dermatalgia 494
皮膚ツベルクリン反応 dermotuberculin reaction 1564
皮膚洞 dermal sinus 1687
皮膚瞳孔反射 cutaneous pupil reflex, cutaneous-pupillary reflex 1578
皮膚毒素 dermotoxin 498
皮膚軟化薬 emollient 604
皮膚粘膜間の intercutaneomucous 944
皮膚粘膜ブドウ膜症候群 cutaneomucouveal syndrome 1802
皮膚粘膜リーシュマニア症 mucocutaneous leishmaniasis 1018
皮膚粘膜リンパ節症候群 mucocutaneous lymph node syndrome 1813
皮膚の cutaneous 452
皮膚の dermal 494
尾部の pygal 1530
皮膚嚢腫 dermatocyst 496
皮膚のシワ chytide 362
ヒプノゾイト hypnozoite 891
〔皮膚の〕粗糙 scabrities 1638
ヒフバエ属 *Dermatobia* 496
ヒフバエ属 *Hypoderma* 892
ヒフバエ類 skin botflies 237
皮膚破損狂 dermatothlasia 498
皮膚白血病 leukemia cutis 1024
皮膚破裂 dermatorrhexis 497
皮膚反射 cutaneous reflex 1578
皮膚病学者 dermatologist 496
皮膚描記 autogram 179
皮膚描記 dermatograph 496
皮膚描記症 dermatographism 496
皮膚病恐怖〔症〕 dermatophobia 497
皮膚病性リンパ節症 dermatopathic lymphadenopathy 1075
皮膚病治療 dermatotherapy 498
皮膚病理学 dermatopathology 497
皮膚付属器 appendages of skin 119
皮膚ブラストミセス症 cutaneous blastomycosis 219
皮膚フランベジア bosch yaws 2055
皮膚フランベジア bush yaws 2055
皮膚平滑筋腫 leiomyoma cutis 1016
皮〔膚〕弁 flap 709
皮〔膚〕弁 skin flap 710
皮膚変色 parachroma 1348
皮膚鞭打療法 fustigation 747
皮膚防御 dermatophylaxis 497
皮膚蜂巣炎 dermatocellulitis 496
皮膚発赤 rubefaction 1625
〔皮膚〕毛細管血圧計 ochrometer 1290
皮膚紋画 dermatograph 496
皮膚紋画症 dermatographism 496
皮膚紋理 dermatoglyphics 496
皮膚紋理学 dermatoglyphics 496
ヒフヤドリニクバエ症 wohlfahrtiosis 2047
皮膚有鉤虫症 mazamorra 1111
皮膚幼虫移行症 cutaneous larva migrans 1001
皮膚様の dermatoid 496
皮膚用パスタ剤 dermatologic paste 1370
鼻プラコード nasal placodes 1429

ビブリオ菌 vibrio …… 2019
ビブリオ症 vibriosis …… 2019
ビブリオ属 *Vibrio* …… 2018
ビブリオホリセ *Vibrio hollisae* …… 2019
皮膚リーシュマニア症 cutaneous leishmaniasis …… 1017
皮膚リーシュマニア肉芽腫 cutaneous leishmaniasis granuloma …… 797
皮膚隆線数 epidermal ridge count …… 431
皮膚良性リンパ細胞腫 benign lymphocytoma cutis …… 1083
皮膚リンパ貯留症 lymphoderma …… 1083
非ふるえ性熱産生〔性〕 nonshivering thermogenesis …… 1881
ビブルニンプルニフォリウム *Viburnum prunifolium* …… 2019
皮膚漏 dermatorrhea …… 497
ピブロクト piblokto, pibloktog …… 1422
微粉化 micronized …… 1153
飛蚊症 muscae volitantes …… 1180
被分析者 analysand …… 70
鼻吻の nasorostral …… 1222
非分泌者 nonsecretor …… 1266
非分泌性骨髄腫 nonsecretory myeloma 1210
非分泌性の asecretory …… 160
非平衡転座 unbalanced translocation …… 1919
非閉塞ウイルス nonoccluded virus …… 2027
非閉塞性黄疸 nonobstructive jaundice …… 967
ピペクロニウム pipecuronium …… 1425
ピペコリン酸 pipecolic acid …… 1425
ビベサート vibesate …… 2018
ピペット pipette, pipet …… 1426
非ヘム鉄蛋白 non-heme iron protein …… 1505
ピペラシリンナトリウム piperacillin sodium …… 1425
ピペラジン piperazine …… 1426
ピペラジンジエタンスルホン酸 piperazine diethanesulfonic acid (PIPES) …… 1426
ヒペリシン hypericin …… 881
ピペリジン piperidine …… 1426
ヒペルエルギー hyperergia …… 880
脾ヘルニア splenocele …… 1720
ヒペルパシー hyperpathia …… 885
ヒペレルギー性脳炎 hyperergic encephalitis …… 607
皮〔膚〕弁 flap …… 709
微片 mote …… 1172
鼻弁 nasal valve …… 1985
皮弁手術 flap operation …… 1304
皮弁切断〔術〕 flap amputation …… 65
被包 encapsulation …… 607
被包 encystment …… 610
被包 epiboly, epibole …… 625
被包 indusium …… 925
被包 integument …… 943
被包 tegument …… 1845
鼻胞 nasal capsule …… 291
尾方咽頭複合体 caudal pharyngeal complex …… 401
尾方から頭方への caudocephalad …… 315
非包含椎間板ヘルニア noncontained disc herniation …… 844
被包筋膜 investing layer …… 1011
脾縫合〔術〕 splenorrhaphy …… 1721
微胞子虫症 microsporidiosis, microsporidiasis …… 1155
微胞子虫目 Microsporida …… 1155
微胞子虫門 Microspora …… 1155
微胞子虫類 microsporidia …… 1155
比放射能 specific activity …… 22
被包性胸膜炎 encysted pleurisy …… 1438
被包性胸膜炎 sacculated pleurisy …… 1438
被包脱落膜 decidua capsularis …… 474
尾方テント切痕〔内〕ヘルニア caudal transtentorial herniation …… 844
尾方に caudad …… 315
尾方の caudalis …… 315
鼻傍の paranasal …… 1352
尾方へ retrad …… 1603
ヒポキサンチン hypoxanthine (Hyp) …… 899
ヒポキサンチン:グアニンホスホリボシルトランスフェラーゼ欠損症 hypoxanthine:guanine phosphoribosyltransferase deficiency …… 478
ヒポキサンチンホスホリボシルトランスフェラーゼ hypoxanthine phosphoribosyltransferase …… 899
ヒポクラテス学派 hippocratic school …… 1645
ヒポクラテス顔〔貌〕 hippocratic facies, facies hippocratica …… 663
ヒポクラテス指 hippocratic fingers …… 700
ヒポクラテス死相 hippocratic facies, facies hippocratica …… 663
ヒポクラテス振水音 hippocratic succussion sound …… 1702
ヒポクラテス振水音 hippocratic succussion …… 1768
ヒポクラテス爪 hippocratic nails …… 1219
ヒポクラテス体系 hippocratism …… 853
ヒポクラテスの誓い Hippocratic Oath …… 853
ヒポコニード hypoconid …… 892
ヒポコーヌス hypocone …… 892
ヒポコヌリド hypoconulid …… 892
ヒポコンドリー性メランコリー hypochondriacal melancholia …… 1121
非ホジキンリンパ腫 non-Hodgkin lymphoma (NHL) …… 1084
ピボット pivot …… 1427
ピボットシフト試験 pivot shift test …… 1862
ヒポフィジン hypophysin …… 895
ビポーマ vipoma …… 2021
ビポラーリス属 *Bipolaris* …… 215
飛膜 wing …… 2046
被膜 capsula …… 290
被膜 capsule (cap) …… 290
被膜 coat …… 383
被膜 covering …… 433
被膜 film …… 699
被膜 indusium …… 925
被膜 integument …… 943
被膜 involucrin …… 953
被膜 involucrum …… 953
被膜 mantle …… 1101
被膜 tegument …… 1845
被膜 velamen …… 2003
被膜 velamentum …… 2003
被膜 velum …… 2004
〔被〕膜 theca …… 1874
尾膜 tail sheath …… 1671
被膜炎 capsulitis …… 291
被膜切除〔術〕 capsulectomy …… 291
被膜剝離〔術〕 decapsulation …… 474
被膜剝離〔術〕 decortication …… 475
被膜拘縮 capsular contracture …… 417
微摩擦音 fro ‹lement …… 741
ヒマシ油 castor oil …… 310
ヒマ属 *Ricinus* …… 1614
飛沫核 droplet nuclei …… 1275
飛沫感染 droplet infection …… 927
ピマリシン pimaricin …… 1424
ヒマワリ種子油 sunflower seed oil …… 1777
肥満〔症〕 adiposis …… 29
肥満〔症〕 obesity …… 1287
肥満学 bariatrics …… 197
肥満型 endomorph …… 614
びまん型巨細胞腫 diffuse type giant cell tumor …… 1950
肥満型の pyknic …… 1531
肥満細胞 mast cell …… 323
肥満(肥胖)細胞形成 mastocytogenesis …… 1109
肥満(肥胖)細胞腫 mastocytoma …… 1109
肥満(肥胖)細胞症 mastocytosis …… 1109
肥満指数 obesity index …… 922
びまん性角化血管腫 diffuse angiokeratoma …… 85
びまん性核切れ込み小細胞型リンパ腫 diffuse small cleaved cell lymphoma 1083
びまん性乾癬 psoriasis diffusa, diffused psoriasis …… 1516
びまん性血栓 propagated thrombus …… 1889
びまん性甲状腺腫 diffuse goiter …… 790
肥満性呼吸困難 pimelorthopnea …… 1424
びまん性糸球体腎炎 diffuse glomerulonephritis …… 780
びまん性層状角膜炎 diffuse lamellar keratitis (DLK) …… 978
びまん性体幹被角血管腫 angiokeratoma corporis diffusum …… 85
びまん性大細胞型リンパ腫 diffuse large cell lymphoma …… 1083
びまん性の diffuse …… 516
びまん性膿瘍 diffuse abscess …… 5
びまん性皮膚萎縮〔症〕 atrophoderma diffusum …… 173
びまん性皮膚肥満細胞症 diffuse cutaneous mastocytosis …… 1109
びまん性肥満細胞症 diffuse mastocytosis …… 1109
びまん性閉塞性〔肺〕気腫 diffuse obstructive emphysema …… 605
びまん性片側性亜急性神経網膜炎 diffuse unilateral subacute neuroretinitis (DUSN) …… 1251
びまん性脈絡膜炎 diffuse choroiditis …… 356
びまん性レヴィー小体病 diffuse Lewy body disease …… 532
びまん性ローゼンタール線維形成を伴う白質萎縮〔症〕 leukodystrophy with diffuse Rosenthal fiber formation …… 1027
肥満の fat …… 678
秘密薬 nostrum …… 1269
ヒメイエバエ属 *Fannia* …… 671
ヒメダニ科 Argasidae …… 131
比目盛り ratio scale …… 1639
ピメリン酸 pimelic acid …… 1424
非免疫凝集反応 nonimmune agglutination 37
非免疫血清 nonimmune serum …… 1668
非免疫性胎児水腫 nonimmune fetal hydrops …… 874
非免疫〔性〕の nonimmune …… 1266
ピメンタ pimenta, pimento …… 1424
ピメンタ油 pimenta oil …… 1424
ビメンチン vimentin …… 2020
ひも string …… 1757
ひも vinculum …… 2020
紐 tenia …… 1850
被毛 hair cast …… 309
尾毛 cercus …… 334
鼻毛 hairs of vestibule of nose …… 812
鼻毛 vibrissa …… 2019
眉毛 brow …… 261
眉毛〔部皮膚〕炎 ophritis …… 1307
眉毛下制筋 depressor muscle of eyebrow …… 1183
眉毛下制筋 depressor supercilii (muscle) …… 1183
眉毛下制筋 musculus depressor supercilii …… 1199
眉毛過多〔症〕 hypertrichophrydia …… 889
眉毛〔部〕痙攣 ophryosis …… 1307
眉毛叢生〔症〕 synophrys …… 1826
眉毛瘢痕〔性〕紅斑 ulerythema ophryogenes …… 1962
鼻毛様体根 radix nasociliaris ganglii ciliaris …… 1546
鼻毛様体神経 nasociliary nerve …… 1237
鼻毛様体神経 nervus nasociliaris …… 1242
鼻毛様体神経の毛様体神経節との交通枝

communicating branch of nasociliary nerve with ciliary ganglion ……… 244
鼻毛様体神経の毛様体神経節との交通枝 ramus communicans nervi nasociliaris cum ganglio ciliari ……… 1549
鼻毛様体の nasociliary ……… 1221
脾門 hilum lienale ……… 852
脾門 hilum of spleen ……… 852
脾門 hilum splenicum ……… 852
脾門 splenic hilum ……… 852
脾門脈撮影(造影)〔法〕 splenic portal venography ……… 2009
媚薬 philtrum ……… 1408
百日咳 pertussis ……… 1396
百日咳菌 *Bordetella pertussis* ……… 236
百日咳免疫グロブリン pertussis immune globulin ……… 779
百日咳様症候群 pertussislike syndrome 1815
百日咳ワクチン pertussis vaccine ……… 1980
百分位数 percentile ……… 1384
百分目盛り centigrade scale ……… 1638
日焼け sunburn ……… 1777
ピャン pian ……… 1422
ピャン・ボワ pian bois ……… 1422
非融解性肺炎 unresolved pneumonia ……… 1450
非優性学的な dysgenic ……… 572
非有窓鉗子 nonfenestrated forceps ……… 728
非誘発性〔突然〕変異体 uninducible mutant ……… 1205
ピュエストー手術 Puestow procedure ……… 1487
非癒合性骨折 ununited fracture ……… 738
ビューサン弁 valve of Vieussens ……… 1985
ビューサン輪 Vieussens anulus ……… 111
ビュスケー病 Busquet disease ……… 529
ヒューズ症候群 Hughes syndrome ……… 1807
ヒューズ-ストーヴィン症候群 Hughes-Stovin syndrome ……… 1807
ヒューター操作 Hueter maneuver ……… 1099
ヒュッケル則 Hückel rule ……… 1626
ビューボックス view box ……… 239
ヒューマン・コミュニケーション human communication ……… 398
ヒュルトレ細胞 Hürthle cell ……… 322
ヒュルトレ細胞癌 Hürthle cell carcinoma ……… 297
ヒュルトレ細胞腺腫 Hürthle cell adenoma ……… 25
ビュルピャン萎縮 Vulpian atrophy ……… 174
ビュレット burette ……… 267
ビューレン症候群 Beuren syndrome ……… 1798
ビューロー三角 Bürow triangle ……… 1926
表 table ……… 1836
尾葉 cercus ……… 334
病因〔論〕 pathogenesis ……… 1372
病因〔論,学〕 etiology ……… 646
病院 hospital ……… 865
病院 infirmary ……… 928
病院医師 hospitalist ……… 865
病院医薬品集 hospital formulary ……… 731
病院壊疽 hospital gangrene ……… 756
病因学 nosetiology ……… 1268
病院看護師 hospital nurse ……… 1283
〔病院〕所属外科医 attending surgeon ……… 1784
病院侵食潰瘍 phagedena nosocomialis 1398
病因体 materies morbi ……… 1110
病院調査委員会 institutional review board (IRB) ……… 224
病院調剤室 dispensary ……… 547
病院の nosocomial ……… 1268
病因病理学 etiopathology ……… 646
評価 assessment ……… 163
評価 evaluation ……… 649
表割 superficial cleavage ……… 373
描記 registration ……… 1587
病期 stage ……… 1727
病気 disease ……… 527
病気 sickness ……… 1676
〔病気に〕かかる contract ……… 416
病気の重症度 severity of illness ……… 907
病期分類 staging ……… 1729
病型不定型らい indeterminate leprosy ……… 1021
美容外科〔学〕 aesthetic surgery ……… 1784
氷結 freezing ……… 740
表現 expression ……… 656
表現 representation ……… 1591
病原〔論〕 pathogenesis ……… 1372
表現型 phenotype ……… 1406
表現〔型〕混合 phenotypic mixing ……… 1161
表現型しきい(閾) phenotypic threshold 1886
表現型多型 polyphenism ……… 1463
病原菌伝播 vection ……… 1992
表現型値 phenotypic value ……… 1984
表現型模写 phenocopy ……… 1403
表現錯誤 paramimia ……… 1351
病原性 pathogenicity ……… 1372
病原性咬合 pathogenic occlusion ……… 1290
病原性植物 nosophyte ……… 1269
病原性体液 peccant humors ……… 867
病原性の peccant ……… 1375
病原性ファージ〔突然〕変異体 virulent phage mutant ……… 1205
病原体 pathogen ……… 1372
表現度 expressivity ……… 656
猫咬病 cat-bite disease ……… 530
病後歴 catamnesis ……… 310
表在拡大型黒色腫 superficial spreading melanoma ……… 1122
表在呼吸 shallow breathing ……… 256
表在〔性〕線状角膜炎 superficial linear keratitis ……… 978
表在〔性〕点状角膜炎 superficial punctate keratitis ……… 978
表在性熱傷 superficial burn ……… 267
表在性の sublimis ……… 1763
表在性嚢胞性大腸(結腸)炎 colitis cystica superficialis ……… 390
表在の superficial ……… 1777
表在反射 superficial reflex ……… 1582
氷酢酸 glacial acetic acid ……… 11
標識 label ……… 991
標識 marker ……… 1105
病識 insight ……… 940
標識原子 labeled atom ……… 170
標識原子 tagged atom ……… 170
標識座 marker locus ……… 1068
病室 ward ……… 2040
描写 registration ……… 1587
描写 representation ……… 1591
病弱 invalidism ……… 952
病弱者 invalid ……… 952
病弱者 valetudinarian ……… 1983
表出 expression ……… 656
表出 representation ……… 1591
美容術 cosmesis ……… 430
美容術 facioplasty ……… 665
描出失認 graphic neglect ……… 1226
標準 norm ……… 1267
標準 standard ……… 1737
標準圧力 standard pressure ……… 1483
標準液 standard solution, standardized solution ……… 1698
標準温度 standard temperature ……… 1848
標準化 standardization ……… 1737
標準化死亡比 standardized mortality ratio ……… 1561
標準型 model ……… 1161
標準菌株 type strain ……… 1751
標準誤差 standard error of the mean (SEM) ……… 1112
標準種 type species ……… 1707
標準重炭酸イオン濃度 standard bicarbonate ……… 209
標準肢誘導 standard limb lead ……… 1014
標準酒石酸塩 normal tartrate ……… 1842
標準状態 STPD ……… 1750
標準診療 clinical path ……… 1371
標準大気 standard atmosphere (atm) ……… 170
標準的な normative ……… 1267
標準電池 standard cell ……… 326
標準毒素 normal toxin ……… 1906
標準得点 standard score ……… 1650
標準尿素クリアランス standard urea clearance ……… 373
標準の normal (N) ……… 1267
標準濃度エタノール proof spirit ……… 1717
〔標準〕梅毒血清反応 standard serologic tests for syphilis, STS for syphilis ……… 1866
標準物質 calibrator ……… 278
標準物質 standard substance ……… 1766
標準偏差 standard deviation (SD, σ) ……… 502
氷晶 cryohydrate ……… 444
表象 idea ……… 904
表象 representation ……… 1591
表情 expression ……… 656
表情筋 muscles of facial expression ……… 1185
〔病状〕再燃 exacerbation ……… 650
表象システム representational system ……… 1833
表情の mimetic ……… 1158
表情麻痺 mimetic paralysis ……… 1350
〔病勢〕極期 acme ……… 16
病勢盛んな florid ……… 713
猫喘音 bruissement ……… 262
猫喘音 purr ……… 1529
〔発〕病前の premorbid ……… 1479
瘭疽 felon ……… 680
瘭疽 whitlow ……… 2045
病訴 complaint ……… 400
病巣 focus ……… 718
病巣 lesion ……… 1022
病巣 nidus ……… 1257
表層筋腱膜システム superficial musculoaponeurotic system (SMAS) 1834
病巣周囲の perifocal ……… 1387
病巣中核 nidus ……… 1257
病巣の nidal ……… 1257
病巣反応 focal reaction ……… 1564
病態失認性発作 anosognosic seizures ……… 1657
病態失認てんかん anosognosic epilepsy 627
病態生理学 pathophysiology ……… 1372
病態生理学 pathologic physiology ……… 1420
病態モデル pathologic model ……… 1162
ヒョウタンクラーレ calabash curare ……… 449
表徴 expression ……… 656
標徴 stigma ……… 1746
標徴形成 stigmatization ……… 1747
標徴存在 stigmatism ……… 1746
標徴存在 stigmatization ……… 1747
標定 standardization ……… 1737
鋲釘肝 hobnail liver ……… 1062
鋲釘舌 hobnail tongue ……… 1900
鋲釘様血管内皮腫 hobnail hemangioendothelioma ……… 824
標的 target ……… 1841
美容的 cosmetic ……… 430
標的黄斑症 bull's-eye maculopathy ……… 1091
病的括約筋 pathologic sphincter ……… 1713
病的カルシウム沈着 pathologic calcification ……… 276
標的患者 target patient ……… 1373
病的感受性 heteropathy ……… 848
標的器官 target organ ……… 1312
病的吸収 pathologic absorption ……… 7
病的急速消化 hyperpepsia ……… 885
病的驚愕症候群 pathologic startle syndromes ……… 1815
病的虚言〔症〕 pseudomania ……… 1513
病的近視 pathologic myopia ……… 1215
病的形態 pathomorphism ……… 1372

ヒ

病的口渇 morbid thirst 1885
標的行動 target behavior 204
病的興奮 parerethisis 1355
病的骨折 pathologic fracture 738
標的細胞 target cell 327
病的収縮輪 pathologic retraction ring 1618
病的状態 morbidity 1169
病的石灰化 pathologic calcification 276
標的赤血球 target cell 327
標的赤血球性貧血 target cell anemia 78
病的切断〔術〕 pathologic amputation 66
標的腺 target gland 775
病的爽快 elation 593
病的増殖物 excrescence 652
病的増殖物 vegetation 1992
病的組織形成の cacoplastic 274
病的組織結合 aclasis 16
病的糖尿 pathologic glycosuria 789
病的な morbid 1169
病的な peccant 1375
病的の pathologic, pathological 1372
病的徘徊 ambulatory automatism 180
病的びっくり症候群 pathologic startle syndromes 1815
病的肥満 morbid obesity 1287
病的癒合 symphysis 1791
病的欲望 parepithymia 1355
病的欲求 morbid impulse 917
評点 score 1649
氷点 freezing point 1454
氷点計 cryoscope 445
〔結〕氷点測定 cryoscopy 445
病棟 ward 2040
病棟医 house officer 866
病棟医 house staff 1727
病毒 noxa 1270
病人の役割 sick role 1620
脾〔臓〕様の splenoid 1720
皮様嚢腫 dermoid cyst 459
漂白 dealbation 473
表皮 cuticle 452
表皮 cuticula 453
表皮 epidermis 626
表皮異形成 epidermodysplasia 626
表皮壊死症 necrolysis 1224
表皮炎 epidermitis 626
表皮化 cutization 453
〔表皮〕角質層 corneal layer of epidermis 1009
〔表皮〕角質層 stratum corneum epidermidis 1751
表皮角層異常 keratonosis 980
表皮下の subepidermal, subepidermic 1763
表皮下膿瘍 subepidermal abscess 6
表皮顆粒層 granular layer of epidermis 1010
〔表皮〕顆粒層 stratum granulosum epidermidis 1752
〔表皮〕基底層 stratum basale epidermidis 1751
表皮〔糸状〕菌属 *Epidermophyton* 626
表皮向性 epidermotropism 626
表皮細胞 epidermic cell 321
表皮症 epidermosis 626
表皮水疱症，真皮型 epidermolysis bullosa 626
〔表皮〕淡明層 clear layer of epidermis 1009
〔表皮〕淡明層 stratum lucidum 1752
表皮内悪性黒色腫 malignant melanoma *in situ* 1122
表皮内異常角化〔症〕 intraepithelial dyskeratosis 573
表皮内癌 intraepidermal carcinoma 297
表皮内細胞巣 thèque 1877
表皮内の intraepidermal 950
表皮の epidermal, epidermatic 626
表皮嚢胞(嚢腫) epidermal cyst 459
表皮剝脱 abrasion 4
表皮剝脱 denudation 490
表皮剝脱材 abrasive 4
表皮剝離 epidermolysis 626
表皮剝離 keratolysis 979
表皮剝離性角質増殖〔症〕 epidermolytic hyperkeratosis 882
表皮剝離性の exfoliative 653
表皮発育異常〔症〕 epidermodysplasia 626
表皮肥厚〔症〕 acanthosis 8
表皮ブドウ球菌 *Staphylococcus epidermidis* 1737
表皮メラニン単位 epidermal-melanin unit 1966
〔表皮〕有棘層 stratum spinosum epidermidis 1752
病部転位 metathesis 1141
病変 lesion 1022
病変内局注療法 intralesional therapy 1879
標本 sample 1632
標本 specimen 1707
標本抽出 sampling 1633
表明 expression 656
表面 surface 1780
表面温度計 surface thermometer 1882
表面下槽 subsurface cisterna 368
表面活性の surface-active 1784
表面寄生植物 exophyte 654
表面コイル surface coil 388
表面触媒作用〔法〕 surface catalysis 310
表面張力 surface tension (γ, σ) 1851
表面的妥当性 face validity 1983
表面の ectal 584
表面麻酔〔法〕 topical anesthesia 80
表面麻酔〔法〕 topical anesthetic 81
豹紋状眼底 tessellated fundus 744
豹紋状網膜 leopard retina 1600
病理解剖学 pathologic anatomy 74
病理解剖学の anatomicopathologic 74
病理学 pathology 1372
病理学者 pathologist 1372
病理学的診断 pathologic diagnosis 508
病理生物学 pathobiology 1372
病理的無月経 pathologic amenorrhea 58
氷リン酸 glacial phosphoric acid 1415
病歴 anamnesis 71
病歴 chart 340
病歴 history 856
病歴 medical history 856
病歴 clinical recording 1574
病歴記録 charting 340
病歴の anamnestic 71
病歴リンケージ medical record linkage 1054
鼻翼 ala nasi 41
鼻翼 ala of nose 41
鼻翼 wing of nose 2046
鼻翼挙筋 musculus levator alae nasi 1201
非抑制性インスリン様活性 nonsuppressible insulinlike activity (NSILA) 21
鼻翼動脈 alar artery of nose 141
鼻翼軟骨偏位 alar cartilage malposition 1096
鼻翼の alinasal 47
ヒヨスチアミン hyoscyamine 878
日和見〔性〕の opportunistic 1309
日和見病原体 opportunistic pathogen 1372
ヒョレア chorea 354
開く open 1302
ビラジニティー viraginity 2021
ピラシン pyracin 1532
ピラゾロピリミジン pyrazolopyrimidine 1533
ピラゾロン pyrazolone 1533
平爪 nail 1219
ピラノース pyranose 1533
ヒラマキガイモドキ属 *Segmentina* 1656
ピラミン pyramin, pyramine 1533
ヒラメ筋 soleus (muscle) 1194
ヒラメ筋 musculus soleus 1203
ヒラメ筋 soleus 1697
ヒラメ筋腱弓 tendinous arch of soleus muscle 126
ヒラメ筋線 line for soleus muscle 1052
ヒラメ筋線 soleal line 1052
ヒラメ筋線 linea musculi solei 1053
びらん erosion 637
びらん sore 1701
ピラン pyran 1533
びらん剤 blister agent 36
非乱視の anastigmatic 72
〔びらん性〕口腔扁平苔癬 oral (erosive) lichen planus 1031
ビリオン virion 2021
ピリジニウム pyridinium 1533
ピリジノリン pyridinoline 1533
ピリジノリン交差架橋成分 pyridinoline cross-link 442
ピリジン pyridine 1533
ヒリス-ミュラー操作 Hillis-Müller maneuver 1099
ピリ線毛 pilus 1424
ピリドキサミン pyridoxamine 1534
ピリドキサミン5-リン酸 pyridoxamine 5-phosphate 1534
ピリドキサミンリン酸オキシダーゼ pyridoxamine-phosphate oxidase 1534
ピリドキサル pyridoxal (PL) 1533
ピリドキサルキナーゼ pyridoxal kinase 1534
ピリドキサル5′-リン酸 pyridoxal 5′-phosphate (PLP) 1534
ピリドキシン pyridoxine 1534
4-ピリドキシン酸 4-pyridoxic acid 1534
ピリドキシン4-デヒドロゲナーゼ pyridoxine 4-dehydrogenase 1534
ピリドピリミジン2-ピリドン類 pyrido-pyrimidine 2-pyridones 1533
2-ピリドン 2-pyridones 1533
ピリベジル piribedil 1426
ビリベルジン biliverdin, biliverdine 211
ピリミジン pyrimidine (Pyr) 1534
ピリミジン塩基 pyrimidine base 200
ピリミジン〔代謝〕拮抗薬 antipyrimidine 108
ピリミジンダイマー pyrimidine dimer 520
ピリミジン5′-ヌクレオチダーゼ pyrimidine 5′-nucleotidase 1534
鼻瘤 rhinophyma 1608
微粒子 microparticle 1153
微粒子 particle 1369
微粒質 leptomere 1022
微粒子物 particulates 1369
稗粒腫 milium 1157
非流暢 disfluency 543
鼻梁 bridge 257
鼻稜 nasal crest 437
鼻稜 crista nasalis 440
鼻稜 ponticulus nasi 1466
微量 microdose 1151
微量TPHA試験 microhemagglutination-*Treponema pallidum* test 1861
微量化学 microchemistry 1150
微量管 micropipette, micropipet 1153
微量呼吸計 microrespirometer 1153
微量作用の oligodynamic 1297
非利用性貧血 achrestic anemia 76
微量注射器 microsyringe 1155
微量注入器 microinjector 1152
微量沈降試験 microprecipitation test 1861
微量天秤 microbalance 1150
微量透析法 microdialysis 1151
微量梅毒トレポネーマ赤血球凝集試験 microhemagglutination-*Treponema pallidum* test 1861
微量ピペット micropipette, micropipet 1153

微量分析 microanalysis ······················ 1149
微量養分 micronutrients ···················· 1153
ビリルビノイド bilirubinoid ················ 211
ビリルビン bilirubin ························ 210
ビリルビン-グルクロンシドグルクロノシルトランスフェラーゼ bilirubin-glucuronoside glucuronosyltransferase ······················ 211
ビリルビングロブリン bilirubinglobulin 211
ビリルビン血〔症〕 bilirubinemia ············ 211
ビリルビン尿〔症〕 bilirubinuria ············· 211
ビリルビン脳障害(脳症) bilirubin encephalopathy ······························ 609
ビリルビンUDPグルクロニルトランスフェラーゼ bilirubin UDPglucuronyltransferase ········· 211
ビリン bilin, biline ························· 210
ビリン villin ································ 2020
ピリン pilin ································· 1423
ピリン pyrin ································· 1534
非淋菌性尿道炎 nongonococcal urethritis ········· 1971
ビリング法 Billings method ················ 1143
脾リンパ小節 splenic lymph follicles ······ 722
脾リンパ小節 folliculi lymphatici lienales ········· 723
脾リンパ節 splenic lymph nodes ·········· 1081
脾リンパ節の splenolymphatic ············ 1720
ヒル leech ··································· 1015
鼻涙管 nasolacrimal canal ·················· 284
鼻涙管 canalis nasolacrimalis ·············· 285
鼻涙管 nasolacrimal duct ··················· 564
鼻涙管 ductus nasolacrimalis ··············· 566
鼻涙管口 opening of nasolacrimal duct 1303
鼻涙管ひだ lacrimal fold ··················· 719
鼻涙管ひだ plica lacrimalis ················· 1445
鼻涙の nasolacrimal ························· 1221
昼型・夜型 chronotype ························ 360
ヒル係数 Hill coefficient (*h*) ················ 387
ピルケー試験 Pirquet test ··················· 1862
ピルケーの指数 Pirquet index ··············· 923
ピルケー反応 Pirquet reaction ·············· 1566
ヒル綱 Hirudinea ··························· 854
ヒル-サックス損傷 Hill-Sachs defect ······ 477
ヒル-サックス病変 Hill-Sachs lesion ···· 1023
ヒル式 Hill equation ························ 634
ヒル手術 Hill operation ····················· 1304
ヒルシュベルク試験 Hirschberg test ····· 1859
ヒル症 hirudiniasis ·························· 854
ビルショースキー試験 Bielschowsky test ········· 1855
ヒルジン hirudin ···························· 854
ヒルジン化 hirudinization ··················· 854
ビルソイド virusoid ························· 2031
ビル操作 Bill maneuver ···················· 1098
ヒル徴候 Hill sign ·························· 1681
ヒルトル括約筋 Hyrtl sphincter ··········· 1713
ヒルトルわな Hyrtl loop ···················· 1069
ヒルトンの法則 Hilton law ················· 1007
ヒルトン法 Hilton method ·················· 1144
ビルナウイルス *Birnavirus* ················· 216
ビルナウイルス科 Birnaviridae ············· 216
ヒルの基準 Hill criteria of evidence ······ 441
ビルハルチア腫 bilharzioma ················ 210
ビルハルチア属 *Bilharzia* ·················· 210
ビルハルチア病 bilharziasis, bilharziosis 210
ビルハルツ住血吸虫 *Schistosoma haematobium* ······························ 1642
ビルハルツ住血吸虫腫 bilharzioma ········ 210
ビルハルツ住血吸虫症 bilharziasis, bilharziosis ································ 210
ビルハルツ住血吸虫症 schistosomiasis intercalatum ······························ 1643
ビルハルツ〔住血吸虫〕性赤痢 bilharzial dysentery ·································· 571
ビルハルツ性虫垂炎 bilharzial appendicitis ········· 119
ヒル反応 Hill reaction ······················ 1565
ピルビン酸 pyruvic acid ···················· 1535
ピルビン酸オキシダーゼ pyruvate oxidase ········· 1535
ピルビン酸カルボキシラーゼ pyruvate carboxylase ································ 1535
ピルビン酸キナーゼ pyruvate kinase (PK) ········· 1535
ピルビン酸キナーゼ欠損〔症〕 pyruvate kinase deficiency ···························· 479
ピルビン酸デカルボキシラーゼ pyruvate decarboxylase ····························· 1535
ピルビン酸デヒドロゲナーゼ pyruvate dehydrogenase ···························· 1535
ピルビン酸デヒドロゲナーゼ(シトクロム) pyruvate dehydrogenase (cytochrome) ········· 1535
ピルビン酸デヒドロゲナーゼ(リポアミド) pyruvate dehydrogenase (lipoamide) 1535
ヒルプロット Hill plot ····················· 1446
6-ピルボイルテトラヒドロプテリンシンターゼ 6-pyruvoyltetrahydropterin synthase (6-PTS) ······························· 1535
ヒル撲滅薬 hirudicide ······················ 853
昼間の残遺 day residue ···················· 1592
ヒル療法 leeching ·························· 1015
ビルレンス virulence ······················ 2021
ビルレント virulent ························ 2021
ビルレント〔バクテリオ〕ファージ virulent bacteriophage ····························· 190
ビルロートI吻合〔術〕 Billroth I anastomosis ········· 73
ビルロートII吻合〔術〕 Billroth II anastomosis ································ 73
ビルロートI法手術 Billroth I operation 1304
ビルロートII法手術 Billroth II operation ········· 1304
ひれ pinna ································· 1425
比例計数管 proportional counter ·········· 431
比例限度 proportional limit ················ 1048
美麗食道虫 *Gongylonema pulchrum* ······ 792
比例補助換気法 proportional assist ventilation ······························ 2010
鰭条(ひれすじ) crest ······················· 436
ピレスロイド pyrethroids ·················· 1533
披裂 dehiscence ···························· 482
披裂〔軟骨〕炎 arytenoiditis ················ 159
披裂間切痕 incisura interarytenoidea ······ 919
披裂間切痕 interarytenoid notch ·········· 1269
披裂関節脱臼 arytenoid dislocation ········ 543
披裂間ひだ interarytenoid fold ············· 719
披裂筋 arytenoideus ························ 158
披裂喉頭蓋筋 aryepiglottic muscle ········ 1182
披裂喉頭蓋筋 musculus aryepiglotticus 1198
披裂喉頭蓋筋 aryepiglottic part of oblique arytenoid (muscle) ····················· 1362
披裂喉頭蓋の aryepiglottic ················· 158
披裂喉頭蓋ひだ aryepiglottic fold ·········· 718
披裂喉頭蓋ひだ plica aryepiglottica ······ 1445
披裂小角軟骨結合 arycorniculate synchondrosis ···························· 1793
披裂声帯筋 musculus aryvocalis ··········· 1198
披裂腺 arytenoid glands ···················· 772
ピレット剤 pillet ··························· 1424
披裂軟骨 arytenoid cartilage ··············· 305
披裂軟骨 cartilago arytenoidea ············ 307
披裂軟骨関節面 facies articularis cartilaginis arytenoideae ······························ 663
披裂軟骨関節面 articular surface of arytenoid cartilage ························ 1780
披裂軟骨間の interarytenoid ················ 943
披裂軟骨丘 colliculus cartilaginis arytenoideae ······························ 391
披裂軟骨丘 colliculus of arytenoid cartilage ········· 391
〔披裂軟骨〕筋突起 muscular process of arytenoid cartilage ························ 1489
〔披裂軟骨〕筋突起 processus muscularis cartilaginis arytenoideae ················ 1491
披裂軟骨後面 facies posterior cartilaginis arytenoideae ······························ 664
披裂軟骨後面 posterior surface of arytenoid cartilage ······························· 1783
披裂軟骨固定〔術〕 arytenoidopexy ·········· 159
〔披裂軟骨〕三角窩 fovea triangularis cartilaginis arytenoideae ················ 735
〔披裂軟骨〕三角窩 triangular fovea of arytenoid cartilage ························ 735
〔披裂軟骨〕声帯突起 vocal process of arytenoid cartilage ························ 1491
〔披裂軟骨〕声帯突起 processus vocalis cartilaginis arytenoideae ················ 1492
披裂軟骨切除〔術〕 arytenoidectomy ········ 158
〔披裂軟骨〕尖 apex of arytenoid cartilage ········· 113
〔披裂軟骨〕楕円窩 fovea oblonga cartilaginis arytenoideae ······························ 735
〔披裂軟骨〕楕円窩 oblong fovea of arytenoid cartilage ························ 735
〔披裂軟骨〕楕円窩 oblong pit of arytenoid cartilage ······························· 1426
披裂軟骨底 base of arytenoid cartilage ··· 199
披裂軟骨底 basis cartilaginis arytenoideae ········· 201
披裂軟骨内側面 facies medialis cartilaginis arytenoideae ······························ 664
披裂軟骨内側面 medial surface of arytenoid cartilage ······························· 1782
披裂軟骨の弓状稜 arcuate crest of arytenoid cartilage ························ 437
披裂軟骨の前外側面 anterolateral surface of arytenoid cartilage ························ 1780
披裂の arytenoid ···························· 158
〔声門の〕披裂門ひだ interarytenoid fold of rima glottidis ······························ 719
披裂隆起 arytenoid swelling ················ 1789
ピレトリン pyrethrins ······················ 1533
ピレネラ属 *Pirenella* ······················ 1426
ピレノイド pyrenoid ························ 1533
非REM眼球運動 nonrapid eye movement (NREM) ······························· 1174
尾レンズ核灰白橋 caudolenticular gray bridges ··································· 257
非連続培養 discontinuous culture ·········· 448
疲労 defatigation ··························· 476
疲労 fatigue ································· 678
疲労 lassitude ······························ 1004
鼻漏 rhinorrhea ···························· 1608
疲労恐怖〔症〕 kopophobia ··················· 989
疲労計 ponograph ·························· 1465
疲労骨折 fatigue fracture ··················· 737
疲労症 coptosis ····························· 421
疲労性 fatigability ·························· 678
疲労熱 fatigue fever ························ 684
疲労の強度 fatigue strength ··············· 1753
ピロカテコール pyrocatechol ·············· 1534
ピロカルシフェロール pyrocalciferol ···· 1534
ピロカルピン pilocarpine ·················· 1424
ピロキシリン pyroxylin ···················· 1535
ピログロブリン pyroglobulins ············· 1534
ピロゴッフ三角 Pirogoff triangle ········· 1927
ピロゴッフ切断術 Pirogoff amputation ····· 66
ヒロズキンバエ *Phaenicia sericata* ······ 1398
ビロッケンブロウ(ブロッケンブラッフ)徴候 Brockenbrough sign ······················ 1679
ピロニン pyronin ··························· 1534
広場恐怖〔症〕 agoraphobia ··················· 38
ピロプラズマ目 Piroplasmida ·············· 1426
ピロホスファターゼ pyrophosphatase ···· 1534
ピロホスホキナーゼ pyrophosphokinases ········· 1534

ピロホスホラーゼ pyrophosphorylases ··· 1534
ピロリジン pyrrolidine ··· 1535
ピロリドン pyrrolidone ··· 1535
ピロリン pyrroline ··· 1535
1-ピロリン-5-カルボン酸デヒドロゲナーゼ 1-pyrroline-5-carboxylate dehydrogenase ··· 1535
ピロリン-2-カルボン酸レダクターゼ pyrroline-2-carboxylate reductase ··· 1535
ピロリン-5-カルボン酸レダクターゼ pyrroline-5-carboxylate reductase ··· 1535
ピロリン酸 pyrophosphoric acid ··· 1534
ピロリン酸塩 pyrophosphate (PP, PP_i) 1534
ピロール pyrrole ··· 1535
ピロール核 pyrrole nucleus ··· 1279
ピロール細胞 pyrrol cell, pyrrhol cell ··· 325
ピロールブルー pyrrol blue ··· 1535
ピロン pyrone ··· 1534
ピロン骨折 pilon fracture ··· 738
びん bottle ··· 237
びん flask ··· 711
ピン pin ··· 1424
ピンアマルガム pin amalgam ··· 55
ピンインプラント pin implant ··· 915
ビンカアルカロイド類 *Vinca* alkaloids ··· 48
頻回ペーシング tachypacing ··· 1837
ピンカス腫瘍 Pinkus tumor ··· 1951
ビンガム塑性体 Bingham plastic ··· 1434
ビンガムモデル Bingham model ··· 1162
ビンガム流動 Bingham flow ··· 714
敏感な tender ··· 1849
ビンキュリン vinculin ··· 2020
ビング反射 Bing reflex ··· 1578
ビンクリン vinculin ··· 2020
貧血 anemia ··· 76
貧血暈 anemic halo ··· 813
貧血性梗塞 anemic infarct ··· 926
貧血性雑音 anemic murmur ··· 1179
貧血性低酸素〔症〕 anemic hypoxia ··· 899
貧血〔性〕の anemic ··· 78
貧血性無酸素〔症〕 anemic anoxia ··· 95
貧血母斑 nevus anemicus ··· 1254
頻呼吸 tachypnea ··· 1837
貧困恐怖〔症〕 peniaphobia ··· 1380
頻産婦 grand multipara ··· 1178
瀕死の agonal ··· 38
瀕死の moribund ··· 1170
瀕死のもがき floccillation ··· 713
品種改良 breeding ··· 256
便乗 phoresis ··· 1411
ビンスヴァンガー病 Binswanger disease 529
ピンス症候群 Pins syndrome ··· 1816
ピンセット tweezers ··· 1955
ピンタ pinta ··· 1425
ピンタ疹 pintids ··· 1425
ピンタ熱 pinta fever ··· 685
ピンチ移植〔片〕 pinch graft ··· 795
ビンデシン vindesine ··· 2020
頻度 frequency (ν) ··· 740
ピンドロール pindolol ··· 1425
頻尿〔症〕 pollakiuria ··· 1457
〔心〕頻拍 tachycardia ··· 1837
頻拍ウインドウ tachycardia window ··· 2046
頻拍性(型)不整脈 tachyarrhythmia ··· 1837
頻拍性の tachycardic ··· 1837
頻発過少月経 polyhypomenorrhea ··· 1460
頻発過多月経 polyhypermenorrhea ··· 1460
頻発から咳 tussiculation ··· 1955
頻発月経 epimenorrhea ··· 629
頻発月経 polymenorrhea ··· 1460
ピンポン機構 ping-pong mechanism ··· 1114
ピンポン骨 ping-pong bone ··· 233
ピンポン骨折 ping-pong fracture ··· 738
頻脈 pulsus frequens ··· 1525
頻脈 tachycardia ··· 1837
頻脈-徐脈症候群 tachycardia-bradycardia syndrome ··· 1822
貧毛〔症〕 hypotrichosis ··· 899
ピンレッジ pinledge ··· 1425
ビンロウ属 *Areca* ··· 130
ビンロウの実 betel nut ··· 208

フ

フーヴァー徴候 Hoover sign ··· 1681
フーゼル油 fusel oil ··· 1294
フーゾ fuseau ··· 746
フート foot ··· 724
フード hood ··· 862
フード状包皮 hooded prepuce ··· 1480
フート燭 footcandle ··· 724
フートポンダル foot-poundal ··· 724
フートポンド foot-pound ··· 724
フープ whoop ··· 2045
フーリエ解析 Fourier analysis ··· 70
部 pars ··· 1357
部 part ··· 1362
部 portio ··· 1468
部 regio ··· 1583
部 region ··· 1584
ブースター〔投与〕量 booster dose ··· 556
ブートン熱 boutonneuse fever ··· 683
ブーフヴァルト萎縮 Buchwald atrophy 173
ブーフナーエキス Büchner extract ··· 657
ブーフナー〔乳酸杆〕菌 *Lactobacillus buchneri* ··· 994
ブーフナー漏斗 Büchner funnel ··· 745
ブールハーフェ症候群 Boerhaave syndrome ··· 1798
ブーロウ液 Burow solution ··· 1698
ブーロウ静脈 Burow vein ··· 1994
プーマ Puma ··· 1526
プーマラウイルス Puumala virus ··· 2028
プール pool ··· 1466
プール血清 pooled serum, pooled blood serum ··· 1668
プール結膜炎 swimming pool conjunctivitis ··· 412
プール現象 Pool phenomenon ··· 1405
プール肉芽腫 swimming pool granuloma 798
ファーヴル-ラクショ病 Favre-Racouchot disease ··· 532
ファーガソン切開〔術〕 Fergusson incision ··· 918
ファーガソン(フェルガソン)反射 Ferguson reflex ··· 1579
〔バクテリオ〕ファージ bacteriophage ··· 190
ファージ型 phagotype ··· 1399
ファージ保有菌株 carrier strain ··· 1750
ファーストメッセンジャー first messenger ··· 1137
ファーターひだ Vater fold ··· 720
ファーデン縫合糸 Faden suture ··· 1787
ファーの法則 Farr laws ··· 1006
ファーマケア pharmacare ··· 1400
ファール線 Farre line ··· 1049
ファール病 Fahr disease ··· 532
ファーレウス-リンドクヴィスト効果 Fahraeus-Lindqvist effect ··· 588
ファーレン手技 Phalen maneuver ··· 1099
ファーンスワース-マンセル色試験 Farnsworth-Munsell color test ··· 1857
ファイΦ ··· 1334
ファイ phi (ϕ, Φ) ··· 1408
ファイ現象 phi phenomenon ··· 1405
ファイス線 Feiss line ··· 1049
ファイステリス毒素 *Pfeisteris* toxin ··· 1906
ファイバースコープ fiberscope ··· 691
ファインネス fineness ··· 700
ファウナ fauna ··· 678
ブアキ buaki ··· 263
ファゴサイトーシス phagocytosis ··· 1398
ファゴシチン phagocytin ··· 1398
ファゴリソソーム phagolysosome ··· 1399
ファジェ徴候 Faget sign ··· 1680
ファシン fascin ··· 677
ファス Fas ··· 672
ファスキオラ属 *Fasciola* ··· 677
ファストグリーンFCF fast green FCF ··· 677
ファスミド phasmid ··· 1402
ファスリガンド Fas ligand ··· 1046
ファチオ-ロンデ病 Fazio-Londe disease 532
ファニャナス細胞 Fañanás cell ··· 321
ファネロゾイト phanerozoite ··· 1400
ファブリーキウス嚢 bursa fabricii ··· 268
ファブリー病 Fabry disease ··· 532
ファベラ fabella ··· 661
ファラッド farad (F) ··· 671
ファラデー faraday (*F*), Faraday ··· 671
ファラデーの法則 Faraday laws ··· 1006
ファラブフ(ファラブェフ)三角 Farabeuf triangle ··· 1927
ファラブフ(ファラブェフ)切断術 Farabeuf amputation ··· 65
ファラント封入液 Farrant mounting fluid ··· 715
ファルセット(頭声) falsetto ··· 670
ファルネシルピロリン酸 farnesyl pyrophosphate ··· 671
ファルネソール farnesol ··· 671
ファルファラ葉 farfara ··· 671
ファルマ pharma- ··· 1400
ファロイジン phalloidin ··· 1399
ファロー三徴〔症〕 trilogy of Fallot ··· 1934
ファロー四徴〔症〕 tetralogy of Fallot ··· 1871
ファロー五徴〔症〕 pentalogy of Fallot ··· 1381
ファロリシン phallolysin ··· 1400
不安 anxiety ··· 111
ファンゴ fango ··· 671
ファンコーニ(ファンコニー)症候群 Fanconi syndrome ··· 1804
不安障害 anxiety disorders ··· 544
不安症候群 anxiety syndrome ··· 1796
不安神経症 anxiety neurosis ··· 1252
不安性ヒステリー anxiety hysteria ··· 900
不安せん妄 anxious delirium ··· 483
不安定 insecurity ··· 939
不安定因子 labile factor ··· 668
不安定型糖尿病 brittle diabetes ··· 505
不安定狭心症 unstable angina ··· 83
不安定骨折 unstable fracture ··· 738
不安定コロイド unstable colloid ··· 392
不安定性 instability ··· 940
不安定性 lability ··· 991
不安定電流 labile current ··· 450
不安定な labile ··· 991
不安定平衡 unstable equilibrium ··· 635
不安定ヘモグロビン unstable hemoglobins ··· 833
不安定ヘモグロビン性溶血性貧血 unstable hemoglobin hemolytic anemia ··· 78
不安定膀胱 unstable bladder ··· 218
不安定膀胱 detrusor instability ··· 940
不安定脈 labile pulse ··· 1525
ファン・デル・フヴェ症候群 van der Hoeve syndrome ··· 1824
ファン・デル・フェルデン試験 van der Velden test ··· 1868
ファン・デル・ワールス力 van der Waals forces ··· 727
ファン・デン・ベルヒ試験 van den Bergh

test ……… 1868
ファント・ホフ説 van't Hoff theory …… 1877
ファント・ホフの式 van't Hoff equation 634
ファント・ホフの法則 van't Hoff law … 1008
ファントム phantom ……… 1400
ファントム腫瘤 phantom tumor ……… 1951
不安反応 anxiety reaction ……… 1563
ファン・ブッヘム症候群 van Buchem syndrome ……… 1824
不安発作 anxiety attack ……… 111
不安夢 anxiety dream ……… 559
フィードバック feedback ……… 679
フィードバック活性化 feedback activation ……… 21
フィードバック系 feedback system …… 1831
フィードバック抑制 feedback inhibition 933
フィードフォワード活性化 feed-forward activation ……… 21
フィールド迅速染色〔法〕 field rapid stain ……… 1731
フィールド調査 field survey ……… 1785
フィールド発癌 field carcinogenesis ……… 295
部位 regio ……… 1583
部位 region ……… 1584
V遺伝子 V gene ……… 764
V外斜視 V-pattern exotropia ……… 655
V形屈曲 V-bends ……… 1991
V型内斜視 V-pattern esotropia ……… 643
V抗原 V antigen ……… 105
V字形の hyoid ……… 878
V波 V wave ……… 2042
V誘導 V lead ……… 1014
V-2癌 V-2 carcinoma ……… 299
VACTERL症候群 VACTERL syndrome ……… 1824
VATERコンプレックス VATER complex ……… 403
VCEスミア(塗抹〔標本〕) VCE smear … 1693
VDRL試験 VDRL test ……… 1868
Vel抗原 Vel antigen ……… 105
Ven抗原 Ven antigen ……… 105
Vi抗原 Vi antigen ……… 106
Vi抗体 Vi antibody ……… 101
VJ組換え VJ recombination ……… 1573
VU volume unit (VU) ……… 1967
Vw抗原 Vw antigen ……… 106
V-Y形成術 V-Y plasty ……… 2038
V-Y皮弁 V-Y flap ……… 710
フィアリド phialide ……… 1408
フィアロ(梗子)型分生子 phialoconidium ……… 1408
フィアロフォラ属 *Phialophora* ……… 1408
負イオン anion (A^-) ……… 91
フィコミコーシス phycomycosis ……… 1419
フィコリン ficolin ……… 696
フィコール-ハイパーク法 Ficoll-Hypaque technique ……… 1844
部位錯誤〔症〕 allachesthesia ……… 49
フィサロプテラ症 physalopteriasis ……… 1420
フィサロプテラ属 *Physaloptera* ……… 1420
フィジック嚢 Physick pouches ……… 1474
フィシン ficin ……… 696
フィステル fistula ……… 704
フィゾスチグマ physostigma ……… 1421
フィゾスチグミン physostigmine ……… 1421
フィソプシス亜属 *Physopsis* ……… 1421
6-フィターゼ 6-phytase ……… 1421
フィタネート phytanate ……… 1421
フィタン酸 phytanic acid ……… 1421
フィタン酸α-オキシダーゼ phytanate α-oxidase ……… 1421
フィチル phytyl ……… 1422
フィチン phytin ……… 1421
フィチン酸 phytic acid ……… 1421
フィック軸 axes of Fick ……… 184
フィックの拡散法則 Fick laws of diffusion ……… 1006
フィック法 Fick method ……… 1144
フィッシャー(間裂)サイン fissure sign 1680
フィッシャー症候群 Fisher syndrome … 1804
フィッシャー症状 Fischer symptom …… 1792
〔フィッシャー〕シーラント fissure sealant ……… 1652
フィッシャー投影式 Fischer projection 1496
フィッシャー糖類投影式 Fischer projection formulas of sugars ……… 1770
フィッシャーの正確検定 Fisher exact test ……… 1857
フィッシャーの直接確率検定 Fisher exact test ……… 1857
フィッシャーバー fissure bur ……… 267
フィッシュ FISH ……… 701
フィッシュバーグ濃縮試験 Fishberg concentration test ……… 1857
フィッシュマン-ラーナー単位 Fishman-Lerner unit ……… 1966
不一致 discordance ……… 527
不一致 disparity ……… 547
フィッツ-ヒュー・カーティス症候群 Fitz-Hugh and Curtis syndrome ……… 1804
フィトアグルチニン phytoagglutinin …… 1421
フィトエストロゲン phytoestrogen ……… 1421
部位特異的組換え site-specific recombination ……… 1573
部位特異的突然変異 site-specific mutation ……… 1206
フィトステロール phytosterol ……… 1422
フィトステロール血症 phytosterolemia 1422
フィトスフィンゴシン phytosphingosine 1421
フィトヘマグルチニン phytohemagglutinin (PHA) ……… 1421
フィトヘムアグルチニン phytohemagglutinin (PHA) ……… 1421
フィトポルフィリン phytoporphyrin …… 1421
フィトマイトジェン phytomitogen ……… 1421
フィトール phytol ……… 1421
フィニー手術 Finney operation ……… 1304
フィニー幽門形成〔術〕 Finney pyloroplasty ……… 1531
フィブラート fibrate ……… 692
フィブリナーゼ fibrinase ……… 692
フィブリノイド fibrinoid ……… 693
フィブリノイド変性 fibrinoid degeneration, fibrinous degeneration ……… 481
フィブリノキナーゼ fibrinokinase ……… 693
フィブリノ〔ー〕ゲン fibrinogen ……… 692
フィブリノ〔ー〕ゲン過剰血〔症〕 hyperfibrinogenemia ……… 880
フィブリノ〔ー〕ゲン減少〔症〕 fibrinogenopenia ……… 693
フィブリノ〔ー〕ゲン・フィブリン転換症候群 fibrinogen-fibrin conversion syndrome 1804
フィブリノ〔ー〕ゲン溶解〔現象〕 fibrinogenolysis ……… 693
フィブリノペプチド fibrinopeptide ……… 693
フィブリノリジン fibrinolysin ……… 693
フィブリリン fibrillin ……… 692
フィブリン fibrin ……… 692
フィブリン fibulins ……… 696
フィブリン安定因子 fibrin-stabilizing factor ……… 667
フィブリン円柱 fibrinous cast ……… 309
フィブリン形成 fibrinogenesis ……… 693
フィブリン結石 fibrin calculus ……… 278
フィブリン細胞性の fibrinocellular ……… 692
フィブリン酸 fibric acids ……… 692
フィブリン診断法 fibrinoscopy ……… 693
フィブリン性血栓 fibrin thrombus ……… 1889
フィブリン生成 fibrinogenesis ……… 693
フィブリン尿〔症〕 fibrinuria ……… 693
フィブリン(線維素)のヴァイゲルト染色〔法〕 Weigert stain for fibrin ……… 1736
フィブリン膿性 fibrinopurulent ……… 693
フィブリン糊 fibrin glue ……… 692
フィブリン/フィブリノ〔ー〕ゲン分解生成物 fibrin/fibrinogen degradation products (FDP) ……… 1494
フィブリン密封剤 fibrin sealant ……… 1652
フィブリン溶解〔現象〕 fibrinolysis ……… 693
フィブリン溶解酵素 fibrinolysin ……… 693
フィブリン溶解性の fibrinolytic ……… 693
フィブロイン fibroin ……… 694
フィプロニル fipronil ……… 701
フィブロネクチン fibronectins ……… 695
フィブロメータ fibrometer ……… 695
フィマトリシン phymatorrhysin ……… 1419
ブイヨン bouillon ……… 238
フィラグリン filaggrin ……… 697
フィラデルフィア染色体 Philadelphia chromosome (Ph1) ……… 359
フィラートフ-デュークス病 Filatov-Dukes disease ……… 533
フィラミン filamen, filamin ……… 697
フィラミンB filamin B ……… 698
フィラメン filamen, filamin ……… 697
フィラメント filament ……… 697
フィラメント間の interfilamentous ……… 945
フィラリア filaria ……… 698
フィラリア型幼虫 filariform larva ……… 1001
フィラリア周期性 filarial periodicity …. 1390
フィラリア症 filariasis ……… 698
フィラリア上科 Filarioidea ……… 699
フィラリア状の filariform ……… 698
フィラリア性滑膜炎 filarial synovitis …. 1827
フィラリア性関節炎 filarial arthritis ……… 154
フィラリア精索炎 filarial funiculitis ……… 745
フィラリア性水瘤 filarial hydrocele ……… 870
フィラリア属 *Filaria* ……… 698
フィラリアの filarial ……… 698
フィラリア撲滅薬 filaricide ……… 698
斑(ふ)入り variegation ……… 1988
フィリップスカテーテル Phillips catheter ……… 314
フィリップ腺 Philip glands ……… 774
フィリップソン反射 Phillipson reflex …. 1581
フィリピン出血熱 Philippine hemorrhagic fever ……… 685
フィリピン毛頭虫 *Capillaria philippinensis* ……… 288
フィリープ三角 Philippe triangle ……… 1927
フィルグラスティム filgrastim ……… 699
フィルタ filter ……… 699
フィルヒョー角 Virchow angle ……… 90
フィルヒョー結晶 Virchow crystals ……… 446
フィルヒョー細胞 Virchow cells ……… 328
フィルヒョー(ウイルヒョウ)三徴 Virchow triad ……… 1926
フィルヒョー-ロバン腔(隙) Virchow-Robin space ……… 1705
フイルム film ……… 699
フイルム感度 film speed ……… 699
フイルムチェンジャー film changer ……… 699
フイルム濃度計 densitometer ……… 487
フイルムレスX線写真 filmless radiography ……… 1543
フィレンシン filensin ……… 699
フィロウイルス *Filovirus* ……… 699
フィロウイルス科 Filoviridae ……… 699
フィロキノン phylloquinone (K), phylloquinone K ……… 1419
フィロキノンK phylloquinone (K), phylloquinone K ……… 1419
フィロキノンレダクターゼ phylloquinone reductase ……… 1419
フィロポッド filopod ……… 699
フィンガープリント fingerprint ……… 701
フィンク検査 Finckh test ……… 1857
フィンク-ハイマー染色〔法〕 Fink-Heimer

stain ………… 1731
フィンケルスタイン試験 Finkelstein test ………… 1857
フィンブリン fimbrin ………… 700
風解する effloresce ………… 590
風撃傷 windage ………… 2046
封鎖 seal ………… 1652
封じ込め containment ………… 416
風傷 windburn ………… 2046
風疹 rubella ………… 1625
風疹ウイルス rubella virus ………… 2029
風疹ウイルス生ワクチン rubella virus vaccine, live ………… 1980
風疹血球凝集抑制試験 rubella HI test 1864
風疹後症候群 postrubella syndrome ………… 1816
風疹性網膜症 rubella retinopathy ………… 1603
風疹白内障 rubella cataract ………… 311
風船ガム皮膚炎 bubble gum dermatitis 495
風速計 anemometer ………… 78
風土病 endemic disease ………… 532
封入 inclusion ………… 919
封入奇形体 cryptodidymus ………… 445
封入剤 mounting medium ………… 1118
封入〔小〕体 inclusion bodies ………… 227
封入〔小〕体 vaccine bodies ………… 230
封入する occlude ………… 1289
封入体 inclusion ………… 919
封入体筋炎 inclusion body myositis ………… 1216
封入体〔性〕結膜炎 inclusion conjunctivitis ………… 412
封入体性膿漏眼 inclusion blennorrhea ………… 220
夫婦癌 conjugal cancer ………… 286
フェイスボー face-bow ………… 661
フェイスボーフォーク face-bow fork ………… 728
不(非)衛生的な insanitary ………… 939
フェオヒフォミコーシス phaeohyphomycosis ………… 1398
フェオメラニン pheomelanin ………… 1407
フェオメラニン形成 pheomelanogenesis 1407
フェオメラノソーム pheomelanosome ………… 1407
フェーズ(位相)シフト phase shift ………… 1673
フェストーニング festooning ………… 681
フェチシズム fetishism ………… 681
フェチュイン fetuin ………… 682
フェトプロテイン fetoproteins ………… 681
フェナセツール酸 phenaceturic acid ………… 1403
フェナセトリン phenacetolin ………… 1403
フェナルゾンスルホキシル酸塩 phenarsone sulfoxylate ………… 1403
フェナントレン phenanthrene ………… 1403
フェニトイン phenytoin ………… 1407
フェニル phenyl (Ph, Φ) ………… 1406
フェニルアラニン phenylalanine (Phe, F) ………… 1407
フェニルアラニンアンモニア-リアーゼ phenylalanine ammonia-lyase ………… 1407
フェニルイソチオシアネート phenylisothiocyanate (PITC, PhNCS) 1407
フェニルエタノールアミン*N*-メチルトランスフェラーゼ phenylethanolamine *N*-methyltransferase (PNMT) ………… 1407
フェニルエチルアルコール phenylethyl alcohol ………… 1407
フェニルケトン尿〔症〕 phenylketonuria (PKU) ………… 1407
フェニル酢酸 phenylacetic acid ………… 1406
フェニルジクロロアルシン phenyldichloroarsine (PD) ………… 1407
フェニルチオカルバモイル phenylthiocarbamoyl (PTC) ………… 1407
フェニルチオカルバモイル蛋白 phenylthiocarbamoyl protein ………… 1505
フェニルチオカルバモイルペプチド phenylthiocarbamoyl peptide, PTC peptide ………… 1383
フェニルチオ尿素 phenylthiourea ………… 1407
フェニルチオヒダントイン phenylthiohydantoin (PTH) ………… 1407
フェニル乳酸 phenyllactic acid ………… 1407
フェニルヒドラジン溶血 phenylhydrazine hemolysis ………… 834
フェニルピルビン酸 phenylpyruvic acid 1407
フェニルピルビン酸性アメンチア phenylpyruvic amentia ………… 58
フェニルピルビン酸性精神薄弱 phenylpyruvate oligophrenia ………… 1297
フェニルピルビン酸モラクセラ *Moraxella phenylpyruvica* ………… 1169
フェネチシリンカリウム phenethicillin potassium ………… 1403
フェノキサジン phenoxazine ………… 1406
フェノチアジン phenothiazine ………… 1406
フェノバルビタール phenobarbital ………… 1403
フェノブチオジル phenobutiodil ………… 1403
フェノール phenol ………… 1403
フェノール血〔症〕 phenolemia ………… 1403
フェノールスルホン酸亜鉛 zinc phenolsulfonate ………… 2058
フェノールスルホン酸アルミニウム aluminum phenolsulfonate ………… 54
フェノールスルホンフタレイン phenolsulfonphthalein (PSP) ………… 1403
フェノール尿〔症〕 phenoluria ………… 1403
フェノールフタレイン phenolphthalein 1403
フェノロジー phenology ………… 1403
フェラチオ fellatio ………… 679
フェラン迷管 Ferrein vasa aberrantia ………… 1989
フェリシアニド ferricyanide ………… 681
フェリシアン化物 ferricyanide ………… 681
フェリシトクロム ferricytochrome ………… 681
フェリー線 Ferry line ………… 1049
フェリチン ferritin ………… 681
フェリニン felinine ………… 679
フェリプレシン felypressin ………… 680
フェリー-ポーターの法則 Ferry-Porter law ………… 1006
フェリポルフィリン ferriporphyrin ………… 681
フェーリング〔溶〕液 Fehling solution ………… 1698
フェルガソン(ファーガソン)反射 Ferguson reflex ………… 1579
フェルスターブドウ膜炎 Förster uveitis 1978
フェルソンのシルエットサイン silhouette sign of Felson ………… 1684
フェルチャー feldscher ………… 679
フェルティ症候群 Felty syndrome ………… 1804
フェルト病 veldt disease ………… 542
フェルナンデス反応 Fernandez reaction 1564
フェルミウム fermium (Fm) ………… 680
フェルンバッハフラスコ Fernbach flask 711
フェレーシス pheresis ………… 1407
フェレドキシン ferredoxins ………… 680
フェロー fellow ………… 679
フェロケラターゼ ferrochelatase ………… 681
フェロシアニド ferrocyanide ………… 681
フェロシアン化塩 prussiate ………… 1510
フェロシアン化カリウム potassium ferrocyanide ………… 1472
フェロシアン化物 ferrocyanide ………… 681
フェロシトクロム ferrocytochrome ………… 681
フェロトキシン phallotoxins ………… 1400
フェロポルフィリン ferroporphyrin ………… 681
フェロモン pheromone ………… 1408
フェン効果 Fenn effect ………… 588
フェンシクリジン phencyclidine (PCP) 1403
フェントールアミン試験 phentolamine test ………… 1862
フェントン反応 Fenton reaction ………… 1564
フェンブフェン fenbufen ………… 680
フェンプロピオネート phenpropionate 1406
フォーク fork ………… 728
フォーク形皮弁 forked flap ………… 710
フォーク状骨折 silver-fork fracture ………… 738
フォーク状の furcal ………… 746
フォークト角 Vogt angle ………… 90
フォークト-小柳症候群 Vogt-Koyanagi syndrome ………… 1824
フォークトの白色輪部帯 white limbal girdle of Vogt ………… 771
フォークハイマー徴候 Forchheimer sign ………… 1680
フォーゲス-プロスカウアー反応 Voges-Proskauer reaction ………… 1568
フォーゲル(ヴォーゲル)の法則 Vogel law ………… 1008
フォーコーナーズウイルス Four Corners virus ………… 2024
フォーダイス角化血管腫 Fordyce angiokeratoma ………… 85
フォーダイス斑〔点〕 Fordyce spots ………… 1725
フォーニオ〔溶〕液 Fonio solution ………… 1698
フォーブズ-オールブライト症候群 Forbes-Albright syndrome ………… 1804
フォーマ属 *Phoma* ………… 1411
フォーマッド腎 Formad kidney ………… 984
フォーミーウイルス foamy viruses ………… 2024
フォーミン formins ………… 730
フォーラー体位 Fowler position ………… 1469
フォーリーカテーテル Foley catheter ………… 313
フォーリーY字形腎盂形成〔術〕 Foley Y-plasty pyeloplasty ………… 1530
フォーリン試験 Folin test ………… 1857
フォーリン反応 Folin reaction ………… 1564
フォールハルト試験 Volhard test ………… 1868
フォイルゲン細胞解析法 Feulgen cytometry ………… 465
フォイルゲン染色〔法〕 Feulgen stain ………… 1731
フォイルゲン反応 Feulgen reaction ………… 1564
フォヴィル症候群 Foville syndrome ………… 1805
不応期 refractory period ………… 1389
不応状態 refractory state ………… 1739
不応性 adiaphoria ………… 28
不応性貧血 refractory anemia ………… 78
不応胞子 adiaspore ………… 28
フォガーティ〔塞栓摘除〕カテーテル Fogarty embolectomy catheter ………… 313
フォガーティ鉗子 Fogarty clamp ………… 370
フォコメリー phocomelia, phocomely ………… 1411
フォザーギル徴候 Fothergill sign ………… 1680
フォスターケネディ枠 Foster Kennedy frame ………… 739
フォスディック-ハンセン-エップル試験 Fosdick-Hansen-Epple test ………… 1857
フォスファカン phosphacan ………… 1412
フォックス-フォーダイス病 Fox-Fordyce disease ………… 533
フォッシェー試験 Foshay test ………… 1857
フォトアブレーション photoablation ………… 1416
フォトキモグラフ photokymograph ………… 1417
フォトセル photo cell ………… 325
フォトバクテリウム photobacterium ………… 1416
フォトバクテリウム属 *Photobacterium* 1416
フォトフォア photophore ………… 1417
フォトマクログラフィ photomacrography ………… 1417
フォトリフラクティブケラテクトミー photorefractive keratectomy (PRK) ………… 977
フォノスコピー phonoscopy ………… 1411
フォノミオクローヌス phonomyoclonus 1411
フォリスタチン follistatin ………… 723
フォリン酸 folinic acid ………… 721
フォルクマン管 Volkmann canals ………… 285
フォルクマン拘縮 Volkmann contracture 417
フォルクマン匙 Volkmann spoon ………… 1724
フォルコジン pholcodine ………… 1411
フォルスコリン forskolin ………… 731
フォルスマン抗原 Forssman antigen ………… 103
フォルスマン抗原-抗体反応 Forssman antigen-antibody reaction ………… 1564

フォルスマン抗体 Forssman antibody …… 101
フォルスマンハプテン Forssman hapten 815
フォルダブル(折りたたみ)眼内レンズ foldable intraocular lens …… 1019
フォルノー710 Fourneau 710 …… 735
フォルマリン-エチル酢酸沈殿濃縮法 formalin-ethyl acetate sedimentation concentration …… 406
フォルマリン-エーテル沈殿濃縮法 formalin-ether sedimentation concentration …… 406
フォルマント formant …… 729
フォルモールゲル化試験 formol-gel test 1857
フォレル交叉 Forel decussation …… 476
フォレル野 fields of Forel …… 697
フォワ-アラジュワニーヌ症候群 Foix-Alajouanine syndrome …… 1804
フォン・ヴィレブランド(ヴォン・ヴィレブラント)病 von Willebrand disease …… 542
フォン・エブナー成長線 imbrication lines of von Ebner …… 1050
不穏下肢症候群 restless legs syndrome 1818
フォン・コッサ染色〔法〕 von Kossa stain …… 1736
フォンセセア属 *Fonsecaea* …… 723
フォンターナ染色〔法〕 Fontana stain …… 1731
フォンタン法 Fontan procedure …… 1487
フォン・ヒッペル病 von Hippel disease …… 542
フォン・ヒッペル-リンダウ症候群 von Hippel-Lindau syndrome …… 1824
フォン・レックリングハウゼン病 von Recklinghausen disease …… 542
付加 apposition …… 121
負荷 debt …… 473
負荷 load …… 1063
負荷 loading …… 1063
深い deep …… 476
深い profundus …… 1494
不快気分 dysphoria …… 575
深いほうの溝 major groove …… 801
不快レベル loudness discomfort level …… 1029
不快レベル uncomfortable level …… 1029
ふ化鴨卵ワクチン duck embryo origin vaccine (DEV) …… 1979
付加化合物 addition compound …… 403
不可逆コロイド irreversible colloid …… 391
不可逆親水コロイド irreversible hydrocolloid …… 872
不可逆性歯髄炎 irreversible pulpitis …… 1524
不可逆性ショック irreversible shock …… 1674
不可逆〔性〕の irreversible …… 957
不可逆反応 irreversible reaction …… 1565
不確帯 zona incerta …… 2058
不確帯傍野核 nuclei of perizonal fields 1278
付加形成 epimorphosis …… 629
負荷試験食 challenge diet …… 514
不可視光 invisible light …… 1047
不可視スペクトル invisible spectrum …… 1709
負荷心エコー検査 stress echocardiography …… 583
付加成長 appositional growth …… 803
賦活 activation …… 21
賦活エネルギー energy of activation (E_a) …… 617
不活〔性〕化 inactivation …… 917
不活化血清 inactivated serum …… 1668
不活化ポリオウイルスワクチン poliovirus vaccines …… 1980
不活性ガス inert gases …… 757
不活性型(潜在型)形質転換因子β結合蛋白 latent transforming growth-factor (TGF)-β binding protein …… 1505
不活性結核 inactive tuberculosis …… 1946
不活性突然変異体 inactive mutant …… 1205
不活性の indolent …… 924
不活性の inert …… 925
不活性リプレッサー inactive repressor 1591
賦活体 activator …… 21
不活発な inanimate …… 918
賦活物質 activator …… 21
付加的な介入 co-intervention …… 388
負荷投与量 loading dose …… 557
付加物 adduct …… 24
ふ化フラスコ hatching flask …… 711
負荷変位手技 load-and-shift maneuver 1099
付加療法 adjuvant …… 29
不感症 frigidity …… 741
不感〔性〕蒸泄 insensible perspiration …… 1396
不感蒸泄 transpiration …… 1920
不感〔性〕蒸散 insensible perspiration …… 1396
不感〔性〕の insensible …… 940
不感〔性〕発汗 insensible perspiration …… 1396
不完全1色覚 incomplete achromatopsia …… 14
不完全干渉粒子 defective interfering particle …… 1369
不完全期 imperfect stage …… 1727
不完全基質 partial substrate …… 1767
不完全凝集素 incomplete agglutinin …… 37
不完全強直 incomplete tetanus …… 1870
不完全菌 deuteromycetes …… 501
不完全菌門 Deuteromycota …… 501
不完全菌類 asexual fungi …… 745
不完全菌類 conidial fungi …… 745
不完全菌類 Fungi Imperfecti …… 745
不完全菌類 mitosporic fungi …… 745
不完全型 forme fruste …… 729
不完全抗体 incomplete antibody …… 101
不〔完〕全骨折 incomplete fracture …… 737
不完全消毒薬 incomplete disinfectant …… 543
不完全真菌 imperfect fungus …… 745
不完全神経線維腫症 incomplete neurofibromatosis …… 1247
不完全世代 anamorph …… 71
不完全接着双生児 incomplete conjoined twins …… 1956
不完全体癒着体 heteradelphus …… 846
不完全把握 incomplete ascertainment …… 159
不完全変異体 deficiency mutant …… 1205
不完全変態 incomplete metamorphosis 1140
不完全変態性の hemimetabolous …… 829
不完全房室解離 incomplete atrioventricular dissociation, incomplete AV dissociation …… 548
不完全三日熱の semitertian …… 1660
不感発汗 transpiration …… 1920
不機嫌な splenetic …… 1720
吹き込む insufflate …… 941
不規則〔肺〕気腫 irregular emphysema …… 605
不規則形骨 irregular bone …… 232
不規則形骨 os irregulare …… 1317
不規則性脈波 irregular pulse …… 1525
不規則な inconstant …… 920
不規則波 random waves …… 2042
吹出し雑音 bruit de soufflet …… 262
吹出しピペット blowout pipette …… 1426
吹き抜け骨折 blow-out fracture …… 736
不揮発性アルカリ fixed alkali …… 48
不揮発性アルカロイド fixed alkaloid …… 48
浮球感 ballottement …… 193
浮球法 ballottement …… 193
不競合阻害 uncompetitive inhibition …… 933
不協和 disharmony …… 543
不協和 dissonance …… 549
不均〔等〕化 dismutation …… 543
不均衡 disequilibrium …… 542
不均衡 disproportion …… 548
不均衡性小人症 disproportionate dwarfism …… 568
不均質性 heterogeneity …… 847
不均等 imbalance …… 909
腹 abdomen …… 1
腹 venter …… 2009
腹〔部〕 belly …… 205
不具 dysmorphism …… 573
複二倍体 amphidiploid …… 63
腹圧 abdominal pressure …… 1482
腹圧性尿失禁 stress urinary incontinence (SUI) …… 920
腹〔臥〕位 prone position …… 1470
複異型接合体 doubly heterozygous …… 849
伏位歩行位 pronograde …… 1498
副咽頭腔膿瘍 parapharyngeal abscess …… 5
腹会陰式直腸切断術 abdominoperineal resection (APR) …… 1592
複塩 double salt …… 1632
副横隔神経 accessory phrenic nerves …… 1232
副横隔神経 nervi phrenici accessorii …… 1243
腹横筋 transverse muscle of abdomen 1196
腹横筋 transversus abdominis (muscle) 1197
腹横筋 musculus transversus abdominis 1204
副オリーブ核 accessory olivary nuclei 1272
復温 rewarming …… 1606
覆蓋骨盤 pelvis obtecta …… 1379
腹外側核 ventrolateral nucleus …… 1281
腹外側筋節 hypomere …… 894
腹外側膝状体核 ventral lateral geniculate nucleus …… 1281
副核 paranucleus …… 1352
副核 subnucleus …… 1764
複核 diplokaryon …… 523
複顎〔奇形〕体 dignathus …… 518
副核小体 paranucleolus …… 1352
複核体 amphikaryon …… 63
副角妊娠 cornual pregnancy …… 1478
副下垂体 parahypophysis …… 1349
腹臥の prone …… 1498
複眼 compound eye …… 659
副眼器 accessory organs of the eye …… 1311
副眼器 organa oculi accessoria …… 1313
副眼器 accessory visual structures …… 1760
副眼瞼 epiblepharon …… 625
複関節 articulatio composita …… 157
副器官 accessory structures …… 1760
副基体 parabasal body …… 228
副凝集素 minor agglutinin …… 37
腹胸接合双胎奇形 gastrothoracopagus …… 760
副胸腺組織 accessory thymic tissue …… 1895
腹胸の abdominothoracic …… 2
復極 depolarization …… 492
腹腔 cavitas abdominalis …… 315
腹腔 abdominal cavity …… 316
腹腔 cavum abdominis …… 317
腹腔 enterocele …… 619
腹腔外筋膜 extraperitoneal fascia …… 673
腹腔鏡 laparoscope …… 1001
腹腔鏡下結紮 laparoscopic knot …… 988
腹腔鏡〔下〕手術 laparoscopic surgery …… 1784
腹腔鏡下腎摘出術 laparoscopic nephrectomy …… 1228
腹腔鏡下胆嚢摘出術 laparoscopic cholecystotomy …… 350
腹腔鏡検査〔法〕 laparoscopy …… 1001
腹腔鏡検査〔法〕 peritoneoscopy …… 1393
腹腔鏡検査〔法〕 ventroscopy …… 2012
腹腔鏡的な laparoendoscopic …… 1001
腹腔鏡補助下手術 laparoscopically assisted surgery …… 1784
腹腔くる病 celiac rickets …… 1614
腹腔血液貯留 abdominal pool …… 1466
腹腔骨盤内臓神経 abdominopelvic splanchnic nerves …… 1231
腹腔漿膜炎 endoperitonitis …… 614
腹腔静脈シャント〔術〕 peritoneovenous shunt …… 1675
腹腔神経節 celiac ganglia …… 752
腹腔神経叢 celiac (nerve) plexus …… 1439
腹腔神経叢 celiac plexus …… 1439
腹腔神経叢 plexus coeliacus …… 1440

フ

腹腔神経叢反射 celiac plexus reflex …… 1578
腹腔心臓反射 abdominocardiac reflex … 1577
腹腔〔内〕精巣 abdominal testis ………… 1869
腹腔切開〔術〕 celiotomy incision ………… 918
腹腔切開〔術〕 ventrotomy ………………… 2012
腹腔穿刺 abdominocentesis ………………… 1
腹腔穿刺 celiocentesis …………………… 318
腹腔穿刺 celioparacentesis ……………… 318
腹腔蓄膿 pyoperitoneum ………………… 1532
腹腔動脈 arteria celiaca ………………… 134
腹腔動脈 celiac artery …………………… 143
腹腔動脈 truncus celiacus ……………… 1938
腹腔動脈 celiac (arterial) trunk ……… 1938
腹腔〔動脈〕リンパ節 celiac lymph nodes ………………………………………… 1078
腹腔内灌注〔法〕 peritoneoclysis ………… 1393
腹腔内視鏡的な laparoendoscopic ……… 1001
腹腔内出血 hemoperitoneum ……………… 835
腹腔内送気 peritoneal insufflation ……… 941
腹腔内の endoceliac ……………………… 612
腹腔内の intraabdominal ………………… 949
腹腔内の intraperitoneal (IP) …………… 951
腹腔妊娠 abdominal pregnancy ………… 1478
腹腔の celiac ……………………………… 318
腹腔嚢 abdominal sac …………………… 1628
腹腔腹膜下の subabdominoperitoneal … 1762
腹腔リンパ管叢 celiac (lymphatic) plexus ………………………………………… 1439
腹〔腔〕裂 abdominal fissure ……………… 702
複屈折 double refraction ………………… 1583
複屈折性要素 disdiaclast ………………… 527
複屈折の birefringent …………………… 216
複クローン性 biclonal …………………… 209
腹茎 body stalk …………………………… 1736
副形質 paraplasm ………………………… 1353
副血行性充血 collateral hyperemia ……… 880
副〔血〕行路 bypass ………………………… 273
副楔状束核 accessory cuneate nucleus … 1272
副楔状束核 nucleus cuneatus accessorius ………………………………………… 1274
復元 renaturation ………………………… 1589
復元 undoing ……………………………… 1964
副現象 epiphenomenon …………………… 629
複合〔体〕 complex ………………………… 400
複合移植〔片〕 composite graft …………… 795
複合う食(蝕) compound caries ………… 302
複合学習過程 complex learning processes ………………………………………… 1488
複合確率 joint probability ……………… 1486
複合〔型〕免疫不全 combined immunodeficiency ………………………… 911
複合活動電位 compound action potential ………………………………………… 1473
副睾丸 epididymis ………………………… 627
副交感神経 parasympathetic nerve ……… 1237
副交感神経系 parasympathetic nervous system ………………………………………… 1832
〔末梢神経系の自律性(内臓運動性)部分の〕副交感神経系 parasympathetic part of autonomic (visceral motor) division of peripheral nervous system ……………… 1366
副交感神経〔様〕作用(作動)の parasympathomimetic …………………… 1354
副交感神経遮断の parasympatholytic …… 1354
副交感神経節 parasympathetic ganglia … 753
副交感神経の parasympathetic ………… 1354
副睾丸(精巣上体)垂 appendix epididymidis ………………………………………… 120
副睾丸(精巣上体)垂 appendix of epididymidis ……………………………… 120
複合関節 complex joint ………………… 969
複合関節 compound joint ……………… 969
複合乾燥症 sicca complex ……………… 402
複合局所疼痛症候群I型 complex regional pain syndrome type I …………………… 1801
複合形質 compound character …………… 339
複合固定 multiple anchorage ………………… 75
複合座 complex locus …………………… 1067
複合脂質 compound lipids ……………… 1056
複合樹脂 composite resin ……………… 1592
副行循環 collateral circulation ………… 365
復効錠 repeat action tablet ……………… 1837
副甲状腺 accessory thyroid gland ……… 772
副甲状腺 parathyroid gland ……………… 774
副甲状腺 glandula thyroidea accessoria 776
副甲状腺 accessory thyroid …………… 1890
副甲状腺(上皮小体)機能亢進症 hyperparathyroidism ……………………… 885
副甲状腺(上皮小体)機能低下症 hypoparathyroidism ……………………… 895
副甲状腺(上皮小体)機能低下症 hypoparathyroidism syndrome ………… 1808
副甲状腺機能低下症と表在性モニリア症を伴う副腎皮質機能低下症 hypoadrenocorticism with hypoparathyroidism and superficial moniliasis ………………………………… 891
副甲状腺組織 accessory thyroid tissue … 1895
副甲状腺の parathyroid ………………… 1355
副甲状腺の明主細胞 water-clear cell of parathyroid …………………………… 328
副甲状腺ホルモン parathyroid hormone (PTH) ………………………………… 864
副甲状腺ホルモン関連蛋白 parathyroid hormone-related protein ……………… 1505
副甲状腺ホルモン関連ペプチド parathyroid hormone-related peptide (PTHrP) …… 1383
副甲状腺ホルモン様蛋白 parathyroid hormonelike protein (PLP) ………… 1505
複合仁 amphinucleolus …………………… 64
複合性動脈瘤 compound aneurysm ……… 81
複合〔性〕内膜増殖症 complex endometrial hyperplasia ……………………………… 886
複合腺 compound gland ………………… 772
複合胎位 compound presentation ……… 1481
複合多糖類 heteropolysaccharide ……… 849
複合蛋白 conjugated protein …………… 1503
複合糖質 glycoconjugates ……………… 787
複合ドップラー(ドプラ)スキャン duplex Doppler scan ………………………… 1640
複合妊娠 compound pregnancy ………… 1478
複合皮弁 composite flap, compound flap 709
複合母斑 compound nevus ……………… 1255
副硬膜枝 accessory meningeal artery …… 141
副硬膜枝 accessory meningeal branch … 242
副硬膜枝 ramus meningeus accessorius 1553
複合〔型〕免疫不全 combined immunodeficiency ………………………… 911
複合免疫不全症候群 combined immunodeficiency syndrome …………… 1801
複合モデル multiplicative model ……… 1162
複合有機栄養性生物 metatroph ………… 1141
複合有機栄養性の metatrophic ………… 1141
複合レンズ compound lens ……………… 1019
副〔血〕行路 bypass ………………………… 273
副呼吸音 adventitious breath sounds …… 1702
腹骨盤腔 abdominopelvic cavity ………… 316
腹骨盤の abdominopelvic …………………… 2
副根 accessory root of tooth …………… 1621
副根管 accessory canal ………………… 282
伏在静脈 saphena ………………………… 1634
伏在静脈 saphenous veins ……………… 2001
伏在静脈切除〔術〕 saphenectomy ……… 1634
伏在神経 saphenous nerve ……………… 1238
伏在神経 nervus saphenus ……………… 1243
伏在神経の膝蓋下枝 infrapatellar branch of saphenous nerve ……………………… 247
伏在神経の膝蓋下枝 ramus infrapatellaris nervi sapheni …………………………… 1552
伏在神経の内側下腿皮枝 medial crural cutaneous branches of saphenous nerve ………………………………………… 249
伏在の saphenous ………………………… 1634
伏在裂孔 hiatus saphenus ……………… 851
伏在裂孔 saphenous opening …………… 1303
伏在裂孔角 horns of saphenous opening 864
〔伏在裂孔鎌状縁の〕下角 inferior horn of falciform margin of saphenous opening ………………………………………… 864
〔伏在裂孔鎌状縁の〕上角 superior horn of falciform margin of saphenous opening ………………………………………… 864
伏在裂孔の鎌状縁 falciform margin of saphenous opening …………………… 1103
複雑運動発作 complex motor seizure …. 1657
複雑音 complex sound ………………… 1702
複雑窩洞修復 compound restoration …. 1597
複雑骨折 complex fracture ……………… 737
複雑性 complexity ………………………… 403
複雑性胸水 complex pleural effusion …… 590
複雑性歯牙腫 complex odontoma ……… 1292
複雑性歯周炎 periodontitis complex …… 1390
複雑熱性痙攣 complex febrile convulsion 419
複雑部分発作 complex partial seizure … 1657
複雑片頭痛 complicated migraine ……… 1157
複雑誘発てんかん complex precipitated epilepsy …………………………………… 628
副作用 adverse effect …………………… 588
副作用 side effect ……………………… 1677
副子 splint ……………………………… 1721
副指(趾) postminimus ………………… 1471
複糸 diplonema ………………………… 523
複視 diplopia …………………………… 523
複視 double vision ……………………… 2032
複視 multiple vision …………………… 2032
副耳 accessory auricles ………………… 177
副耳下腺 accessory parotid gland ……… 771
副耳下腺 glandula parotidea accessoria 776
複糸期 diplotene ………………………… 524
腹式胃鏡検査〔法〕 laparogastroscopy …… 1001
腹式筋腫摘出〔術〕 abdominal myomectomy ………………………………………… 1214
副肢奇形 melodidymus ………………… 1123
複式顕微鏡 compound microscope ……… 1154
腹式呼吸 abdominal respiration ……… 1595
腹式子宮切開〔術〕 abdominal hysterotomy ………………………………………… 901
腹式子宮摘出〔術〕 abdominal hysterectomy ………………………………………… 900
腹式腎摘出〔術〕 abdominal nephrectomy ………………………………………… 1228
複式超音波検査法 duplex ultrasonography ………………………………………… 1962
腹式卵管切開〔術〕 abdominal salpingotomy ………………………………………… 1632
腹式卵管摘除〔術〕 abdominal salpingectomy ………………………………………… 1631
腹式卵管卵巣切除〔術〕 laparosalpingo-oophorectomy …………… 1001
副子固定 splinting ……………………… 1722
副耳珠 accessory tragus ………………… 1915
副次徴候 accessory sign ………………… 1678
副尺視力 Vernier acuity ………………… 22
輻射線熱傷 flash burn …………………… 267
輻射熱の photothermal ………………… 1418
副収縮 parasystole ……………………… 1354
腹症 celiopathy …………………………… 318
副松果体の parapineal ………………… 1353
副上皮小体 accessory parathyroid gland 771
フクシン fuchsin ………………………… 743
複唇 double lip ………………………… 1055
副仁 paranucleolus ……………………… 1352
副腎 adrenal ………………………………… 30
副腎 adrenal gland ……………………… 772
副腎 suprarenal gland …………………… 774
副腎 glandula suprarenalis ……………… 776
〔肝臓の〕副腎圧痕 impressio suprarenalis hepatis ……………………………………… 916

〔肝臓の〕副腎圧痕 suprarenal impression on liver ··· 917
副腎アンドロゲン adrenal androgen ··· 75
副腎アンドロゲン刺激性ホルモン adrenal androgen-stimulating hormone (AASH) ··· 863
副腎炎 adrenalitis ··· 30
副腎過形成 adenomegaly ··· 26
副腎機能欠如〔症〕 anadrenalism ··· 69
副腎機能停止 adrenopause ··· 30
副神経 accessory nerve [CN XI] ··· 1232
副神経 nervus accessorius [CN XI] ··· 1241
副神経延髄根 pars vagalis nervi accessorii ··· 1362
副神経延髄根 vagal part of accessory nerve ··· 1369
副神経延髄根 radix cranialis nervi accessorii ··· 1546
副神経延髄根 cranial root of accessory nerve ··· 1621
副神経核 nucleus of accessory nerve ··· 1272
副神経幹 accessory nerve trunk ··· 1938
副神経幹内枝 ramus internus trunci nervi accessorii ··· 1552
副神経〔幹〕の外枝 external branch of trunk of accessory nerve ··· 246
副神経〔幹〕の内枝 internal branch of trunk of accessory nerve ··· 248
副神経脊髄根 spinal root of accessory nerve ··· 1622
副神経脊髄部 spinal part of accessory nerve ··· 1367
副神経背髄根 radix spinalis nervi accessorii ··· 1546
フクシン好性顆粒 fuchsinophil granule ··· 797
副腎後面 facies posterior glandulae suprarenalis ··· 664
副腎後面 posterior surface of suprarenal gland ··· 1783
副腎疾患 adrenalopathy ··· 30
副腎腫脹 adrenomegaly ··· 30
副腎上縁 margo superior glandulae suprarenalis ··· 1105
フクシン〔小〕体 fuchsin bodies ··· 227
副腎(腎上体)静脈 suprarenal veins ··· 2002
副腎神経叢 suprarenal (nerve) plexus 1444
副腎腎面 facies renalis glandulae suprarenalis ··· 665
副腎腎面 renal surface of suprarenal gland ··· 1783
フクシン親和性 fuchsinophilia ··· 743
フクシン親和性細胞 fuchsinophil ··· 743
フクシン親和性組織要素 fuchsinophil ··· 743
副腎髄質 medulla of suprarenal gland 1119
副腎髄質 suprarenal medulla ··· 1119
副腎髄質ホルモン adrenomedullary hormones ··· 863
副腎性器症候群 adrenogenital syndrome 1795
副腎性高血圧〔症〕 adrenal hypertension 888
副腎性早発性大性器症 macrogenitosomia praecox suprarenalis ··· 1090
副腎性男性化 adrenal virilism ··· 2021
副腎性男性化症候群 adrenal virilizing syndrome ··· 1795
副腎性半陰陽 adrenal hermaphroditism 842
副腎脊髄神経障害 adrenomyeloneuropathy 30
副腎摘出(切除)後症候群 postadrenalectomy syndrome ··· 1816
副腎前面 facies anterior glandulae suprarenalis ··· 662
副腎前面 anterior surface of suprarenal gland ··· 1780
副腎卒中 adrenal apoplexy ··· 118
副腎摘出〔術〕 adrenalectomy ··· 30
副腎毒素 adrenotoxin ··· 30
副腎内側縁 margo medialis glandulae suprarenalis ··· 1104
副腎の adrenic ··· 30
副腎の suprarenal ··· 1779
副腎脳白質ジストロフィ adrenoleukodystrophy (ALD) ··· 30
副腎の上縁 superior border of suprarenal gland ··· 236
〔副腎の〕中心静脈 central vein of suprarenal gland ··· 1994
〔副腎の〕中心静脈 vena centralis glandulae suprarenalis ··· 2004
副腎の内側縁 medial border of suprarenal gland ··· 235
副腎白質萎縮〔症〕 adrenal leukodystrophy ··· 1027
副腎反応性の adrenoreactive ··· 30
副腎皮質 adrenal cortex ··· 427
副腎皮質 cortex glandulae suprarenalis ··· 428
副腎皮質 cortex of suprarenal gland ··· 428
副腎皮質 suprarenal cortex ··· 428
副腎皮質機能正常 eucorticalism ··· 647
副腎皮質細胞癌 adrenal cortical carcinoma ··· 295
副腎皮質〔様〕作用の adrenocorticomimetic 30
副腎皮質刺激の adrenocorticotropic, adrenocorticotrophic ··· 30
副腎皮質刺激ホルモン adrenocorticotropic hormone (ACTH) ··· 863
副腎皮質刺激ホルモン放出ホルモン corticotropin-releasing hormone (CRH) ··· 863
副腎皮質性思春期徴候 adrenarche ··· 30
副腎皮質腺腫 adrenocortical adenoma ··· 25
副腎皮質徴候発現 adrenarche ··· 30
副腎皮質の adrenocortical ··· 30
副腎皮質の無形分画 amorphous fraction of adrenal cortex ··· 736
副腎皮質不全 adrenocortical insufficiency 941
副腎皮質ホルモン adrenocortical hormones ··· 863
副腎皮質ホルモン cortical hormones ··· 863
副腎門 hilum glandulae suprarenalis ··· 852
副腎由来の adrenogenic, adrenogenous ··· 30
副腎様の hypernephroid ··· 884
副腎抑制 adrenal suppression ··· 1779
副膵 pancreas accessorium ··· 1341
副膵〔臓〕 accessory pancreas ··· 1341
腹水 ascites ··· 159
覆髄 cap ··· 288
副膵管 accessory pancreatic duct ··· 563
副膵管 ductus pancreaticus accessorius ··· 566
覆髄法 capping ··· 289
複数宿主性寄生生物 heteroxenous parasite ··· 1354
複製 replica ··· 1590
複製 replicate ··· 1590
複製 replication ··· 1590
複性遠視性乱視 compound hyperopic astigmatism ··· 165
複製開始点 replicator ··· 1591
複製起点 origin of replication ··· 1314
複性近視性乱視 compound myopic astigmatism ··· 165
複製型 replicative form (RF) ··· 729
副生成物〔質〕 by-product material ··· 1110
副生体 paraphysis ··· 1353
複製遅延染色体 late replicating chromosome ··· 359
複製中間体 replicative intermediate ··· 946
複製部位 replication site ··· 1690
腹性片頭痛 abdominal migraine ··· 1156
副(傍)声門腔 paraglottic space ··· 1704
複製老化 replicative senescence ··· 1660
複世代性寄生生物 heterogenetic parasite ··· 1354
複舌〔症〕 diglossia ··· 518
副切開 counterincision ··· 432
副腺 accessory gland ··· 771
副線子 arch bar ··· 196
副染色体 accessory chromosome ··· 359
〔胸神経〕〔胸・腹〕前皮枝 ramus cutaneus anterior (pectoralis et abdominalis) nervorum thoracicorum ··· 1550
複相〔体〕 diploid ··· 523
輻輳(ふくそう) convergence ··· 418
輻輳遠点 far point of convergence ··· 418
輻輳角 angle of convergence ··· 418
輻輳過度 convergence excess ··· 652
輻輳・眼球後退眼振 convergence-retraction nystagmus ··· 1286
輻輳近点 near point of convergence ··· 418
複相性寄生生物 heterogenetic parasite 1354
輻輳単位 unit of convergence ··· 418
服装倒錯〔症〕 transvestism ··· 1922
服装倒錯者 transvestite ··· 1922
輻輳内斜視 convergent strabismus ··· 1750
輻輳幅 amplitude of convergence ··· 418
輻輳不全 convergence insufficiency ··· 941
輻輳不全型外斜視 divergence insufficiency exotropia ··· 655
腹側胃間膜 ventral mesogastrium ··· 1136
腹側エプロン包皮 ventral apron prepuce ··· 1480
腹側外側の ventrolateral ··· 2012
〔視床〕腹側核 ventral nuclei of thalamus ··· 1281
腹足綱 Gastropoda ··· 760
腹側視床 subthalamus ··· 1767
腹側視床脚 pedunculus thalami ventralis ··· 1377
腹側視床脚 ventral thalamic peduncle 1377
腹側主核 ventral principal nucleus ··· 1281
腹側褥瘡 ventral decubitus ··· 475
腹側心間膜 ventral mesocardium ··· 1135
腹側膵 ventral pancreas ··· 1341
腹側正中の ventromedian ··· 2012
腹側線条 ventral striatum ··· 1757
腹側仙尾筋 ventral sacrococcygeus (muscle) ··· 1197
腹側層視床核 ventral tier thalamic nuclei ··· 1281
腹側大動脈 ventral aortae ··· 112
腹側淡蒼球 ventral pallidum ··· 1339
腹側内臓動脈 ventral splanchnic arteries 154
腹側乳頭体前核 ventral premammillary nucleus ··· 1281
腹側の anterior ··· 97
腹側の hemal ··· 824
腹側の ventral ··· 2010
腹側の ventralis ··· 2010
腹側白交連 ventral white commissure ··· 398
腹側被蓋交叉 ventral tegmental decussation ··· 476
腹側へ ventrad ··· 2010
腹側傍片葉 ventral paraflocculus ··· 2010
腹側野核 nucleus of ventral field ··· 1281
腹足類 gastropod ··· 760
腹鼡径の ventroinguinal ··· 2012
副組織適合性複合体 minor histocompatibility complex (MHC) ··· 402
腹卒中 abdominal apoplexy ··· 118
副存の accessory ··· 9
複体奇形 diplosomia ··· 524
腹大動脈 abdominal aorta ··· 111
〔腹〕大動脈下リンパ節 subaortic lymph nodes ··· 1081
腹大動脈神経叢 abdominal aortic (nerve) plexus ··· 1439
腹体内生奇形 gastroamorphus ··· 757
副胎盤 accessory placenta ··· 1428
副中隔 septum accessorium ··· 1663
副中間宿主 paratenic host ··· 866

フ

副中心暗点 pericentral scotoma ……… 1650
複聴 diplacusis ……… 523
副調律 pararrhythmia ……… 1353
腹直筋 rectus abdominis (muscle) ……… 1192
腹直筋 rectus muscle of abdomen ……… 1192
腹直筋 musculus rectus abdominis ……… 1202
腹直筋鞘 rectus sheath ……… 1671
腹直筋鞘 vagina musculi recti abdominis ……… 1981
腹直筋鞘弓状線 arcuate line of rectus sheath ……… 1049
腹直筋鞘後葉 lamina posterior vaginae musculi recti abdominis ……… 998
腹直筋鞘後葉 posterior layer of rectus sheath ……… 1013
腹直筋鞘前葉 lamina anterior vaginae musculi recti abdominis ……… 997
腹直筋鞘前葉 anterior layer of rectus sheath ……… 1009
腹直筋〔正中〕離開 diastasis recti ……… 511
腹直筋の腱画 tendinous intersections of rectus abdominis ……… 947
副椎骨静脈 accessory vertebral vein ……… 1993
副椎骨静脈 vena vertebralis accessoria 2008
腹痛 bellyache ……… 205
腹底側核 nuclei ventrobasales ……… 1281
腹底側核 ventrobasal nuclei (complex) 1281
腹底側核群 ventrobasal complex ……… 403
副摘 adrenalectomy ……… 30
覆罩 cap ……… 288
副橈側皮静脈 accessory cephalic vein … 1993
副橈側皮静脈 vena cephalica accessoria 2004
フグ毒素 fugutoxin ……… 743
〔腰椎の〕副突起 accessory process of lumbar vertebra ……… 1488
〔腰椎の〕副突起 processus accessorius vertebrae lumbalis ……… 1491
プクトラー-スウェット染色〔法〕 Puchtler-Sweat stains ……… 1734
腹内双体奇形 engastrius ……… 617
腹内側核 ventromedial nucleus ……… 1281
〔視床〕腹内側核 medial ventral nucleus 1277
〔視床下部〕腹内側核 nucleus ventromedialis hypothalami ……… 1281
〔視床下部〕腹内側核 ventromedial nucleus of hypothalamus ……… 1281
腹内の endoabdominal ……… 611
副軟骨 accessory cartilage ……… 305
副乳 accessory nipple ……… 1257
副乳〔房〕 accessory breast ……… 255
副乳〔房〕 supernumerary breast ……… 255
副乳〔房〕 mamma accessoria ……… 1097
副の accessory ……… 9
副の ancillary ……… 75
腹の ventral ……… 2010
副梅毒 parasyphilis ……… 1354
腹背の anteroposterior (AP) ……… 97
腹背方向の ventrodorsad ……… 2012
副半奇静脈 accessory hemiazygos vein 1993
副半奇静脈 vena hemiazygos accessoria 2005
副脾 lien accessorius ……… 1032
副脾 accessory spleen ……… 1719
副脾 splen accessorius ……… 1720
腹皮下静脈 subcutaneous veins of abdomen ……… 2001
腹皮下静脈 venae subcutaneae abdominis ……… 2008
副鼻腔 paranasal sinuses ……… 1688
副鼻腔 sinus paranasales ……… 1688
副鼻腔炎 sinusitis ……… 1689
副鼻腔撮影〔造影〕〔法〕 sinography ……… 1686
副皮質 paracortex ……… 1348
副鼻軟骨 accessory nasal cartilages ……… 305
副鼻軟骨 cartilagines nasales accessoriae 307
腹部 gaster ……… 757
腹〔部〕 belly ……… 205
腹部アンギナ abdominal angina, angina abdominis ……… 82
腹フィステル〔瘻〕 abdominal fistula ……… 704
腹部陰嚢の abdominoscrotal ……… 2
腹部会陰の abdominoperineal ……… 2
腹部炎症 celitis ……… 318
腹部横切開 transverse abdominal incision ……… 919
〔腹部および骨盤部の〕腹膜外靭帯 extraperitoneal ligament (of abdomen or pelvis) ……… 1035
腹部下方の subabdominal ……… 1762
腹部狭心症 abdominal angina, angina abdominis ……… 82
副副甲状腺 accessory parathyroid gland 771
副伏在静脈 accessory saphenous vein … 1993
副伏在静脈 vena saphena accessoria ……… 2007
副副腎 accessory adrenal ……… 30
副副腎 accessory suprarenal glands ……… 771
副副腎 glandulae suprarenales accessoriae ……… 776
副副腎 adrenal rest ……… 1597
腹部結合奇形 gastropagus ……… 759
腹部コンパートメント症候群 abdominal compartment syndrome ……… 1795
腹部縦切開 midline incision ……… 918
腹部腫脹症 swollen belly disease ……… 541
腹部性器の abdominogenital ……… 1
〔腹部〕浅筋膜の脂肪層 fatty layer of superficial fascia ……… 1010
腹部前兆 abdominal aura ……… 177
腹部大動脈 aorta abdominalis ……… 111
腹部多肢奇形 gastromelus ……… 759
腹部胆嚢の abdominovesical ……… 2
腹部腟の abdominovaginal ……… 2
腹部内生双胎奇形 gastroparasitus ……… 759
腹部内臓リンパ節 lymph nodes of abdominal organs ……… 1077
腹部内臓リンパ節 visceral lymph nodes of abdomen ……… 1082
〔腹部〕内臓リンパ節 visceral lymph nodes ……… 1082
腹部の器官固有の筋膜 fascia of individual abdominal organ ……… 673
腹部の筋 muscles of abdomen ……… 1181
腹部の筋 musculi abdominis ……… 1198
腹部の自律神経節と末梢自律神経叢 abdominal part of peripheral autonomic plexuses and ganglia ……… 1362
〔腹部の〕浅被覆筋膜 superficial investing fascia (of abdomen) ……… 674
腹部の臓側筋膜 visceral abdominal fascia ……… 675
腹部の疎性結合組織 loose connective tissue of abdomen ……… 1895
腹部の皮下組織 subcutaneous tissue of abdomen ……… 1896
腹部の被覆筋膜 investing abdominal fascia ……… 673
腹部の腹膜外器官固有の筋膜 fascia of individual extraperitoneal abdominal organ ……… 673
腹部の壁側筋膜 fascia abdominis parietalis ……… 672
腹部の壁側筋膜 parietal abdominal fascia ……… 674
腹部皮下組織の脂肪層 fatty layer of subcutaneous tissue of abdomen ……… 1010
腹部皮下組織の膜状層 membranous layer of subcutaneous tissue of abdomen ……… 1011
腹部皮神経絞扼性症候群 abdominal cutaneous nerve entrapment syndrome ……… 1795
腹部肥満 abdominal obesity ……… 1287
腹部浮球法 abdominal ballottement ……… 193
腹部ヘルニア abdominal hernia ……… 842
腹部ヘルニア laparocele ……… 1001
腹部膀胱の abdominovesical ……… 2
腹部膨隆 gastromegaly ……… 759
腹部リンパ節 abdominal lymph nodes (parietal and vesceral) ……… 1077
複分裂 multiple fission ……… 701
副閉鎖神経 accessory obturator nerve … 1232
副閉鎖動脈 arteria obturatoria accessoria 136
副閉鎖動脈 accessory obturator artery ……… 141
腹壁外類腱腫 extraabdominal desmoid … 499
腹壁形成〔術〕 abdominoplasty ……… 2
腹壁子宮固定〔術〕 abdominal hysteropexy ……… 901
腹壁静脈 epigastric veins ……… 1995
腹壁内筋膜 endoabdominal fascia ……… 672
腹壁反射 abdominal reflexes ……… 1577
腹壁ヘルニア ventral hernia ……… 844
腹壁防御 abdominal guarding ……… 804
腹壁縫合 celiorrhaphy ……… 318
腹壁縫合〔術〕 laparorrhaphy ……… 1001
腹壁リンパ節 parietal lymph nodes of abdomen ……… 1080
副べん毛 paraflagellum ……… 1349
副鞭毛虫 paramastigote ……… 1351
副片葉 accessory flocculus ……… 713
複峰性の bimodal ……… 211
腹膜 peritoneum ……… 1393
腹膜炎 peritonitis ……… 1393
腹膜外腔 extraperitoneal space ……… 1703
腹膜外隙 spatium extraperitoneale ……… 1707
〔腹部および骨盤部の〕腹膜外靭帯 extraperitoneal ligament (of abdomen or pelvis) ……… 1035
腹膜下筋膜 fascia subperitonealis ……… 674
腹膜下筋膜 subperitoneal fascia ……… 674
腹膜下虫垂炎 subperitoneal appendicitis 120
腹膜下の subperitoneal ……… 1764
腹膜陥凹 peritoneal fossae ……… 733
腹膜偽〔性〕粘液腫 pseudomyxoma peritonei ……… 1514
腹膜腔 cavitas peritonealis ……… 316
腹膜腔 peritoneal cavity ……… 316
腹膜腔 cavum peritonei ……… 317
腹膜腔外の extraperitoneal ……… 658
腹膜形成〔術〕 peritoneoplasty ……… 1393
腹膜後炎 retroperitonitis ……… 1604
腹膜後腔 retroperitoneum ……… 1604
腹膜後隙 retroperitoneal space ……… 1705
腹膜後隙 spatium retroperitoneale ……… 1707
腹膜後静脈 retroperitoneal veins ……… 2000
腹膜後の retroperitoneal ……… 1604
腹膜固定〔術〕 peritoneopexy ……… 1393
腹膜絨毛 peritoneal villi ……… 2020
腹膜鞘状突起 vaginal process of peritoneum ……… 1491
腹膜鞘状突起 processus vaginalis peritonei ……… 1492
〔腹膜〕漿膜 tunica serosa peritonei ……… 1954
腹膜漿膜下組織 subserosa of peritoneum ……… 1765
腹膜心膜の peritoneopericardial ……… 1393
腹膜垂 epiploic appendage ……… 119
腹膜垂 appendix epiploica ……… 120
腹膜垂 epiploic appendix ……… 120
腹膜垂 omental appendices ……… 120
腹膜切開〔術〕 peritoneotomy ……… 1393
腹膜前鼡径ヘルニア properitoneal inguinal hernia ……… 843
腹膜前の preperitoneal ……… 1480
腹膜前の properitoneal ……… 1498
腹膜中皮炎 endoperitonitis ……… 614
腹膜透析 peritoneal dialysis ……… 509
腹膜の鞘状突起 processus vaginalis of peritoneum ……… 1492
腹膜傍の paraperitoneal ……… 1352
腹膜ボタン peritoneal button ……… 272

腹脈 abdominal pulse ……… 1524
腹脈 pulsus abdominalis ……… 1525
腹鳴 borborygmus ……… 234
腹鳴 rugitus ……… 1625
腹面の ventral ……… 2010
〔服〕用量 dose ……… 556
副らい症 paraleprosis ……… 1350
ふくらはぎ regio suralis ……… 1584
ふくらはぎ sural region ……… 1586
ふくらはぎ sura ……… 1780
腓腔(ふくらはぎ) calf ……… 278
ふくらはぎのポンプ作用 calf pump ……… 1526
副卵巣炎 parovaritis ……… 1357
副卵巣切開〔術〕 parovariotomy ……… 1357
ブクリレート bucrylate ……… 263
副淋疾の paragonorrheal ……… 1349
副涙腺 accessory lacrimal glands ……… 771
副涙腺 glandulae lacrimales accessoriae 775
腹〔腔〕裂 abdominal fissure ……… 702
袋 bag ……… 192
袋 bladder ……… 218
腹瘻(フィステル) abdominal fistula ……… 704
副路排出 parapedesis ……… 1352
ふけ dander ……… 471
ふけ dandruff ……… 471
ふけ furfur ……… 746
賦形剤 excipient ……… 652
賦形剤 vehicle ……… 1992
父系の patrilineal ……… 1373
賦形薬 diluent ……… 520
不潔恐怖〔症〕 molysmophobia ……… 1164
不潔恐怖〔症〕 mysophobia ……… 1217
不潔嗜好 mysophilia ……… 1217
ブケレリア属 *Wuchereria* ……… 2050
負原子価 negative valence ……… 1983
不顕性感染 inapparent infection ……… 927
不顕性骨折 occult fracture ……… 738
不顕性の inapparent ……… 918
不顕性の subclinical ……… 1762
不顕性梅毒 latent syphilis ……… 1828
不顕性副腎皮質不全 latent adrenocortical insufficiency ……… 941
不顕性発作 subclinical seizure ……… 1657
不顕性膜蛋白 latent membrane protein (LMP) ……… 1505
不健全な insalubrious ……… 939
不顕伝導 concealed conduction ……… 408
符号 sign ……… 1678
符号化 coding ……… 386
富豪狂 plutomania ……… 1446
負好中球走性 neutrotaxis ……… 1254
符号盲 sign blindness ……… 221
不合理な irrational ……… 957
フコース fucose (Fuc) ……… 743
フコース蓄積症 fucosidosis ……… 743
腐骨 sequestrum ……… 1665
腐骨形成 sequestration ……… 1665
腐骨切開〔術〕 sequestrotomy ……… 1665
腐骨切除〔術〕 sequestrectomy ……… 1665
腐骨摘出〔術〕 necrotomy ……… 1225
腐骨摘出〔術〕 sequestrectomy ……… 1665
腐骨の sequestral ……… 1665
不混和性の immiscible ……… 909
ふさ fimbria ……… 700
ふさ fringe ……… 741
浮渣 epistasis ……… 631
負債 debt ……… 473
プサイ Ψ, Ψrd ……… 1334
ブサカ結節 Busacca nodules ……… 1261
ふざけ症 witzelsucht ……… 2047
ふさ状分岐 tuft ……… 1949
フサリウム症 fusariosis ……… 746
フザリウム属 *Fusarium* ……… 746
浮滓 despumation ……… 500
ブジー bougie ……… 238
フシェ試薬 Fouchet reagent ……… 1569
フシェ染色〔法〕 Fouchet stain ……… 1731
不死化 immortalization ……… 909
不思議の国のアリス症候群 Alice in Wonderland syndrome ……… 1796
プシー現象 psi phenomenon ……… 1405
プシコシン psychosine ……… 1519
プシコース psicose ……… 1516
富士山徴候 Mt. Fuji sign ……… 1682
浮滓除去 despumation ……… 500
フシジン酸 fusidic acid ……… 746
ブジー挿入〔術,法〕 bougienage ……… 238
不櫛梳毛(櫛で梳けない毛)症候群 uncombable hair syndrome ……… 1824
不治の incurable ……… 921
富士額 widow's peak ……… 2045
ブシャール病 Bouchard disease ……… 529
浮腫 edema ……… 587
浮腫化 edematization ……… 587
ブシュ管 Bouchut tube ……… 1941
フシュケ孔 Huschke foramen ……… 725
フシュケ軟骨 Huschke cartilages ……… 306
浮腫(水腫)性硬化〔症〕 scleredema ……… 1646
不純粗動 impure flutter ……… 717
不純物 adulterant ……… 31
不純物 contaminant ……… 416
不純物混和 adulteration ……… 31
扶助 aid ……… 39
不消化下痢 lientery ……… 1032
不消化食料 roughage ……… 1624
浮上定数 flotation constant (S_f) ……… 414
負傷電流 current of injury ……… 450
負傷兵の分類 triage ……… 1926
浮上法 flotation ……… 713
腐食 cauterization ……… 315
腐食 corrosion ……… 427
腐食 leaching ……… 1014
腐食剤 corrosive ……… 427
腐食剤 erosive ……… 637
腐食する erode ……… 637
腐食性の necrophilous ……… 1224
腐植素 humin ……… 867
負触媒 negative catalyst ……… 310
腐食標本 corrosion preparation ……… 1480
腐食物 corrosion ……… 427
腐食薬 caustic ……… 315
プシリン酸ナトリウム sodium psylliate 1696
プシロシビン psilocybin ……… 1516
プシロシン psilocin ……… 1516
プシロシン psilothin ……… 1516
婦人科医 gynecologist ……… 807
婦人科学 gynecology (GYN) ……… 807
婦人科学の gynecologic, gynecological ……… 807
婦人科疾患治療法 gyniatrics ……… 807
不浸透性の impermeable ……… 914
不随意筋 involuntary muscles ……… 1187
不随意筋性防御 involuntary guarding ……… 804
不随意の involuntary ……… 953
付随寄生生物 incidental parasite ……… 1354
付随体 satellite ……… 1637
付随物 associate ……… 163
負スヴェードベリー単位 negative S ……… 1225
ブスキ肥大吸虫 *Fasciolopsis buski* ……… 677
フスチック fustic ……… 747
プステル pustule ……… 1529
麸(ふすま) bran ……… 242
不正アクセス hacking ……… 810
腐生菌 saprogen ……… 1634
腐生菌 saprophyte ……… 1634
不正咬合 malocclusion ……… 1096
不正咬合 abnormal occlusion ……… 1289
不正子宮出血 metrorrhagia ……… 1148
〔機能不全性〕不正子宮出血 dysfunctional uterine bleeding ……… 220
不正軸進入 asynclitism ……… 166
不正軸進入 obliquity ……… 1288
不正軸定位 asynclitism ……… 166
腐生人獣共通感染症 saprozoonosis ……… 1634
腐生性の saprobic ……… 1634
腐生性の saprophytic ……… 1634
腐生〔性〕の necrophilous ……… 1224
腐生生物 saprobe ……… 1634
不正治療 malpractice ……… 1097
腐生動物の saprozoic ……… 1634
不斉半盲 incongruous hemianopia ……… 828
不整脈 arrhythmia ……… 132
不整脈 cardiac dysrhythmia ……… 577
不整脈 pulsus heterochronicus ……… 1526
不整脈原性(惹起性)の arrhythmogenic ……… 133
不整脈の arrhythmic ……… 133
不正乱視 irregular astigmatism ……… 165
プセウドモナス pseudomonad ……… 1514
プセウドモナス属 *Pseudomonas* ……… 1514
不節制 intemperance ……… 943
浮選 flotation ……… 713
不全 failure ……… 670
〔機能〕不全〔症〕 incompetence, incompetency ……… 920
〔機能〕不全〔症〕 insufficiency ……… 941
不全角化 parakeratosis ……… 1349
不全形質導入 abortive transduction ……… 1917
不穿孔 imperforation ……… 914
不全骨症 hypostosis ……… 897
不〔完〕全骨折 incomplete fracture ……… 737
不全収縮〔期〕 asystole ……… 166
不染色質 achromatin ……… 14
不染色質溶解 achromatolysis ……… 14
不染色性 achromatophilia ……… 14
不染色性 achromia ……… 14
不染色性細胞 achromatophil ……… 14
不全足位 incomplete foot presentation 1481
不全脱臼 semiluxation ……… 1659
不全脱臼 subluxation ……… 1764
不全対麻痺 paraparesis ……… 1352
不全対麻痺患者 paraparetic ……… 1352
不全の rudimentary ……… 1625
不全半盲 incomplete hemianopia ……… 828
不全麻痺 paresis ……… 1356
不全麻痺性神経梅毒 paretic neurosyphilis ……… 1252
不全流産 incomplete abortion ……… 4
不全リンパ球症候群 bare lymphocyte syndrome ……… 1797
プソイドイソ酵素 pseudoisoenzymes ……… 1513
プソイドウリジン pseudouridine (Ψ, Q) ……… 1515
プソイドクメン pseudocumene ……… 1511
プソイドグルコサゾン pseudoglucosazone ……… 1512
プソイドケラチン pseudokeratin ……… 1513
プソイドビタミン pseudovitamin ……… 1516
プソイドビタミンB_{12} pseudovitamin B_{12} 1516
プソイドペルオキシダーゼ pseudoperoxidase ……… 1514
プソイドムチン嚢腫 pseudomucinous cyst ……… 460
プソイドレプリカ pseudoreplica ……… 1515
不相応な情動 inappropriate affect ……… 33
不足 deficit ……… 479
付属器 adnexa ……… 30
付属器 appendage ……… 119
付属器癌 adnexal carcinoma ……… 295
〔子宮〕付属器固定〔術〕 adnexopexy ……… 30
付属器切除〔術〕 adnexectomy ……… 30
付属器腺腫 adnexal adenoma ……… 25
〔子宮〕付属器摘出〔術〕 adnexectomy ……… 30
付属器の adnexal ……… 30
付属器の appendicular ……… 120
〔付属〕診療所 infirmary ……… 928
付属の accessory ……… 9
付属の ancillary ……… 75
付属物 appendage ……… 119
フゾスピロヘータ性口内炎 fusospirochetal

フ

stomatitis ························ 1748
フゾバクテリウム属 *Fusobacterium* ········ 746
ふた operculum ························ 1306
蓋 roof ························ 1620
蓋 tectum ························ 1845
蓋 tegmen ························ 1845
不耐〔性〕 intolerance ························ 949
不対神経節 ganglion impar ························ 753
付帯徴候 epiphenomenon ························ 629
不耐熱性の thermolabile ························ 1881
ブタインフルエンザウイルス swine influenza viruses ························ 2029
ブタ血球凝集脳脊髄炎ウイルス porcine hemagglutinating encephalomyelitis virus ························ 2028
ブタコレラウイルス hog cholera virus 2025
ブタサーコウイルス porcine circovirus (PCV) ························ 364
ブタ小水疱性発疹ウイルス vesicular exanthema of swine virus ························ 2030
ブタジラミ属 *Haematopinus* ························ 810
ブタ〔心臓〕弁 porcine valve ························ 1985
ブタ腎虫 *Stephanurus dentatus* ························ 1743
ブタ腸結節虫 *Oesophagostomum dentatum* ························ 1293
2つの binary ························ 211
ブタ伝染性胃腸炎ウイルス transmissible gastroenteritis virus of swine ························ 2030
ブタノイル butanoyl ························ 272
ブタのインフルエンザ swine influenza ··· 930
ブタ脳炎ウイルス swine encephalitis virus ························ 2029
ブタの水疱性疾患 swine vesicular disease ························ 541
ブタノール butanol ························ 272
ブタノール抽出ヨウ素 butanol-extractable iodine (BEI) ························ 953
ブタ肺虫 metastrongyle ························ 1141
ブタ肺虫属 *Metastrongylus* ························ 1141
ブタバランチジウム *Balantidium suis* ···· 193
ブタヘルペスウイルス suid herpesvirus 846
ブタ鞭虫 *Trichuris suis* ························ 1932
二また dichotomy ························ 513
ブタ流産菌 *Brucella suis* ························ 261
フタリル phthalyl ························ 1419
o-フタルアルデヒド *o*-phthalaldehyde ··· 1419
フタル酸 phthalic acid ························ 1419
フタレイン phthalein ························ 1419
フタロイル phthaloyl ························ 1419
ブタン butane ························ 271
負担域 supporting area ························ 130
ブタン酸 butanoic acid ························ 272
1,4-ブタンジオール 1,4 butanediol ········ 272
縁 border ························ 234
縁 brim ························ 257
縁 edge ························ 587
縁 limbus ························ 1047
縁 margin ························ 1103
縁 margo ························ 1104
縁 ora ························ 1309
縁 rim ························ 1617
布置 constellation ························ 414
プチ(プティ)腱膜 Petit aponeurosis ······· 117
プチ(プティ)ヘルニア Petit hernia ········ 843
プチ(プティ)ヘルニア切開〔術〕 Petit herniotomy ························ 844
付着 apposition ························ 121
付着(粘着)因子 adhesins ························ 28
付着器官 attachment apparatus ············ 118
付着筋膜 fascia adherens ························ 672
付着歯肉 attached gingiva ························ 770
付着絨毛 anchoring villus ························ 2020
付着水 water of adhesion ························ 2041
付着成長 accretion ························ 10
付着成長 accretionary growth ··············· 803
付着線 accretion lines ························ 1048
付着胎盤 adherent placenta ··············· 1428
付着板 lamina affixa ························ 996
付着物 accretion ························ 10
付着力 adhesion ························ 28
不注意 inattention ························ 918
不調和 disharmony ························ 543
不調和 dissonance ························ 549
不調和性交代 discordant alternans ·········· 53
不調和性交代 discordant alternation ········ 54
不調和性網膜異常対応 dysharmonious retinal correspondence ························ 427
不調和複聴 diplacusis dysharmonica ······· 523
ブチリル-CoA butyryl-CoA ························ 272
ブチル butyl ························ 272
ブチルアルコール butyl alcohol ············ 272
ブチル化ヒドロキシアニソール butylated hydroxyanisole (BHA) ························ 272
ブチル化ヒドロキシトルエン butylated hydroxytoluene (BHT) ························ 272
ブチロコリンエステラーゼ butyrocholinesterase ························ 272
γ-ブチロラクトン γ-butyrolactone ········· 272
不対 azygos ························ 186
不対甲状腺静脈叢 unpaired thyroid venous plexus ························ 1444
普通円虫 *Strongylus vulgaris* ························ 1759
普通寒天〔培地〕 nutrient agar ························ 35
普通の vulgaris ························ 2038
普通片頭痛 common migraine ············· 1156
フッ〔素〕化歯 fluoridated tooth ············ 1902
フッ化水素酸 hydrofluoric acid ············ 872
フッ化スズ stannous fluoride ············· 1737
フッ化ナトリウム sodium fluoride ········ 1696
フッ化物 fluoride ························ 716
フッ化物処理 fluoridization ························ 716
フッ化物数 fluoride number ························ 716
復帰〔突然〕変異 back mutation ············· 1206
復帰〔突然〕変異 reversion ························ 1605
復帰〔突然〕変異体 revertant ························ 1606
復旧周期 restored cycle ························ 455
払暁てんかん matutinal epilepsy ··········· 628
腹筋炎 celiomyositis ························ 318
腹筋炎 laparomyositis ························ 1001
腹筋炎 myocelitis ························ 1212
腹筋欠損症候群 abdominal muscle deficiency syndrome ························ 1795
腹筋痛 celiomyalgia ························ 318
腹筋腹膜炎 myoperitonitis ························ 1215
フックス角 angle of Fuchs ························ 88
フックス欠損〔症〕 Fuchs coloboma ········ 392
フックス孔 Fuchs stomas ························ 1748
フックス岬 Fuchs spur ························ 1725
フックス黒色斑 Fuchs black spot ········ 1725
フックス症候群 Fuchs syndrome ·········· 1805
フックス腺腫 Fuchs adenoma ························ 25
フックス内皮ジストロフィ Fuchs endothelial dystrophy ························ 578
フック性 hookean behavior ························ 204
フックの性質 hookean behavior ············ 204
フックの法則 Hooke law ························ 1007
復古 involution ························ 953
ブッコ(仏古) buchu ························ 263
復古不全 subinvolution ························ 1763
物質 materia ························ 1110
物質 material ························ 1110
〔作用〕物質 agent ························ 35
物質依存 substance dependence ············ 492
物質依存障害 substance dependence disorder ························ 547
物質合成代謝 anabolism ························ 69
〔物質〕代謝 metabolism ························ 1138
物質誘発性器質〔性〕精神障害 substance-induced organic mental disorders ························ 547
〔物質〕誘発性精神病〔性〕障害 induced psychotic disorder ························ 545
物質乱用 substance abuse ························ 7
物質乱用障害 substance abuse disorders 547
プッシュバック法 push-back procedure 1487
物神 fetish ························ 681
フッ素 fluorine (F) ························ 716
フッ素イオン fluoride ························ 716
フッ素化 fluoridation ························ 716
フッ〔素〕化歯 fluoridated tooth ············ 1902
フッ素〔中毒〕症 fluorosis ························ 717
フッ素処理 fluoridization ························ 716
フッ素沈着〔症〕 fluorosis ························ 717
フッ素添加 fluoridation ························ 716
フッ素リン灰石 fluorapatite ························ 716
物体 materia ························ 1110
物体恒常性 object constancy ························ 414
プッティ-プラット手術 Putti-Platt operation ························ 1305
ブッデ工程 Budde process ························ 1488
ブッデ処理乳 buddeized milk ························ 1157
沸点 boiling point (BP, b.p.) ············· 1454
沸騰 ebullism ························ 580
沸騰クエン酸カリウム effervescent potassium citrate ························ 1472
沸騰計 zeoscope ························ 2057
沸騰する effervesce ························ 589
沸騰性クエン酸マグネシウム effervescent magnesium citrate ························ 1092
沸騰性クエン酸リチウム effervescent lithium citrate ························ 1061
沸騰性の effervescent ························ 589
沸騰性硫酸マグネシウム effervescent magnesium sulfate ························ 1092
フットプリンティング footprinting ········ 724
フットプリント法 footprinting ············ 724
フット・レチクリン透浸染色〔法〕 Foot reticulin impregnation stain ··············· 1731
物理化学〔的〕の physicochemical ·········· 1420
物理学 physics ························ 1420
物理的混合物 mixture ························ 1161
物理的紫外線遮光剤 physical sunscreen 1777
物理的地図 physical map ························ 1102
物理的半減期 physical half-life ············ 812
物療医学 iatrophysics ························ 902
物〔理〕療〔法〕医学 physical medicine ···· 1117
物理療法 iatrophysics ························ 902
物理療法 physiotherapy ························ 1420
物理療法医 physiatrist ························ 1420
不定形の protean ························ 1502
プティ(プチ)腱膜 Petit aponeurosis ······· 117
不定症状 equivocal symptom ··············· 1792
不定胎位 unstable lie ························ 1032
不定の inconstant ························ 920
プティ(プチ)ヘルニア Petit hernia ········ 843
プティ(プチ)ヘルニア切開〔術〕 Petit herniotomy ························ 844
不定連結 variable coupling ························ 432
不適合〔性〕 incompatibility ························ 920
不適合な incompatible ························ 920
不適合輸血反応 incompatible blood transfusion reaction ························ 1565
不適正塩基対の修復 mismatch repair ··· 1590
不適性人格 inadequate personality ········ 1395
プテリオン pterion ························ 1521
プテリオン骨 epipteric bone ························ 232
プテリオン上の epipteric ························ 630
プテリゴマキシラーレ pterygomaxillare 1522
プテリジン pteridine ························ 1521
プテリン pterin ························ 1521
プテリンデアミナーゼ pterin deaminase ························ 1521
プテロイル酸 pteroic acid ························ 1521
プテロプテリン pteropterin ························ 1521
不等 disparity ························ 547
不同 disparity ························ 547
不動〔化〕 immobilization ························ 909
舞踏 dance ························ 471

舞踏 saltation 1632
不等角Z形成術 skewed Z-plasty 2062
不同顎型の anisognathous 92
不透過性 opacity 1302
不透過性の impermeable 914
不等割 unequal cleavage 373
不透過の impermeant 914
ブドウ球菌 staphylococcus 1738
ブドウ球菌エンテロトキシン staphylococcal enterotoxin 621
ブドウ球菌オプソニン指数 staphyloopsonic index 923
ブドウ球菌感染症 staphylococcosis 1737
ブドウ球菌血症 staphylococcemia 1737
ブドウ球菌抗毒素 staphylococcus antitoxin 110
ブドウ球菌食中毒 *Staphylococcus* food poisoning 1456
ブドウ球菌性眼瞼炎 staphylococcal blepharitis 220
ブドウ球菌性熱傷性皮膚症候群 staphylococcal scalded skin syndrome 1821
ブドウ球菌性肺炎 staphylococcal pneumonia 1450
ブドウ球菌属 *Staphylococcus* 1737
ブドウ球菌腸毒素 staphylococcal enterotoxin 621
ブドウ球菌毒素 staphylotoxin 1738
ブドウ球菌溶解 staphylococcolysis 1737
ブドウ球菌ワクチン staphylococcus vaccine 1980
不動結合 synarthrosis 1793
不等交差 uneven crossing-over, unequal crossing-over 442
不動固定 stationary anchorage 75
不同視 anisometropia 92
不等軸性の heteraxial 846
不等指症 anisodactyly 92
不同視性弱視 anisometropic amblyopia 57
ブドウ酒 wine 2046
ブドウ〔膜〕腫 staphyloma 1738
ブドウ状終末 grape endings 611
ブドウ状肉腫 botryoid sarcoma 1635
ブドウ状の botryoid 237
ブドウ状の racemose 1540
不等浸透圧の anisotonic 92
浮動性不安 free-floating anxiety 111
不同性脈 unequal pulse 1525
不等接着双生児 conjoined unequal twins 1956
不動〔線〕毛 stereocilium 1743
不等像〔視〕〔症〕 aniseikonia 92
不等像計 eikonometer 591
不同像症 anisometropia 92
不導体 insulation 941
不動態 passivity 1370
不動態化する passivate 1370
不同調節 anisoaccommodation 92
ブドウ糖 grape sugar 1769
ブドウ糖依存性インスリン分泌刺激ポリペプチド glucose-dependent insulinotropic polypeptide 1463
ブドウ糖酸化酵素紙片試験 glucose oxidase paper strip test 1858
ブドウ糖耐性因子 glucose tolerance factor 667
ブドウ糖負荷試験 glucose tolerance test (GTT) 1858
不透熱性 adiathermancy 28
不透熱性 athermancy 168
不等の heteronomous 848
不等乗換え uneven crossing-over, unequal crossing-over 442
不等皮質 allocortex 50
舞踏病 chorea 354
舞踏病 jerks 968
舞踏病アテトーシス choreoathetosis 355
舞踏病〔性〕運動 choreic movement 1173
舞踏病痙攣様運動 ballismus 193
舞踏病有棘赤血球増加〔症〕 chorea-acanthocytosis 354
不等分散性 heteroscedasticity 849
不同変化 dismutation 543
不等辺四辺形 trapezium 1923
ブドウ房状〔の〕 en grappe 617
ブドウ房状腺 racemose gland 774
不動包帯 immovable bandage 196
ブドウ膜 uvea 1978
ブドウ膜炎 uveitis 1978
ブドウ膜外反〔症〕 ectropion uveae 586
ブドウ膜強膜炎 uveoscleritis 1978
ブドウ膜耳下腺熱 uveoparotid fever 687
ブドウ〔膜〕腫 staphyloma 1738
ブドウ膜髄膜炎症候群 uveomeningitis syndrome 1824
ブドウ膜脳炎症候群 uveoencephalitic syndrome 1824
ブドウ膜皮膚症候群 uveocutaneous syndrome 1824
〔小柱網の〕ブドウ膜部 pars uvealis reticuli trabecularis sclerae 1362
〔小柱網の〕ブドウ膜部 uveal part of trabecular tissue of sclera 1368
不同脈 pulsus inaequalis 1526
〔左右〕不同脈 anisosphygmia 92
〔左右〕不同脈 pulsus differens 1525
不透明 opacity 1302
不透明化 opacification 1302
不透明化胆石 opacifying gallstones 751
不透明な opaque 1302
不動〔線〕毛 stereocilium 1743
不同力の anisosthenic 92
t-ブトキシカルボニル *t*-butoxycarbonyl (BOC, *t*-BOC, Boc) 272
〔不特定〕末梢T細胞リンパ腫 peripheral T-cell lymphoma, unspecified 1084
太った fat 678
ブトピロノキシル butopyronoxyl 272
プトマイン ptomaine 1522
プトマイン血〔症〕 ptomainemia 1522
プトマトロピン ptomatropine 1522
プトレシン putrescine 1529
ふとんとじ縫合 mattress suture 1787
ブナノキタール beechwood tar 204
船酔い seasickness 1652
船酔い sea sickness 1677
ブニナ(バニナ)小体 Bunina body 225
ブニヤンベラウイルス Bunyamwera virus 2022
不妊〔症〕 sterility 1744
不妊〔性〕 infertility 928
フニンウイルス Junin virus 2026
不妊手術 sterilization 1744
不妊症 infertility 928
不稔形質導入 abortive transduction 1917
負の異常凝縮 heteropyknosis 849
不能〔症〕 impotence, impotency 916
負の塩基過剰 negative base excess 652
負の温度走性 negative thermotaxis 1882
負の協同性 negative cooperativity 419
負の屈性 tropism 1937
ブノストムム属 *Bunostomum* 266
負の制御 negative control 418
負の走化性 chemotaxis, positive chemotaxis, negative chemotaxis 343
負の走性 negative taxis 1843
負の転移 negative transference 1918
負のフィードバック negative feedback 679
プバ PUVA 1529
腐敗 decomposition 475
腐敗 putrefaction 1529
腐敗 putrescence 1529
腐敗 rot 1623
腐敗〔性〕気管支炎 putrid bronchitis 259
腐敗菌 saprogen 1634
腐敗源 pythogenesis 1535
腐敗〔性〕歯髄 putrescent pulp 1524
腐敗性咽頭炎 gangrenous pharyngitis 1401
腐敗性梗塞 septic infarct 926
腐敗性の putrefactive 1529
腐敗性の putrid 1529
腐敗性の saprogenic, saprogenous 1634
腐敗発生 pythogenesis 1535
腐敗物寄生性の saprophilous 1634
プパール線 Poupart line 1051
プファイファー(パイフェル)現象 Pfeiffer phenomenon 1405
プファイファー症候群 Pfeiffer syndrome 1815
ブファギン bufagins, bufagenins 264
ブファノリド bufanolide 264
プファンネンシュティール切開〔術〕 Pfannenstiel incision 919
プフトラー-スウェットの基底膜染色 Puchtler-Sweat stain for basement membranes 1734
プフトラー-スウェットのヘモグロビン-ヘモジデリン染色〔法〕 Puchtler-Sweat stain for hemoglobin and hemosiderin 1734
プフリューガーの法則 Pflüger law 1007
プフール徴候 Pfuhl sign 1683
部分 moiety 1163
部分 part 1362
部分 portion 1468
部分異数性 partial aneuploidy 81
部分割 meroblastic cleavage 373
部分〔床〕義歯 partial denture 489
〔先天性〕部分欠損性奇形 ectogenic teratosis 1852
部分幻覚 partial hallucination 813
部分抗原 partial antigen 104
部分小人症 meromicrosomia 1133
部分左心室心筋切除術 partial left ventriculectomy 2011
部分床義歯維持 partial denture retention 1599
部分床義歯印象 partial denture impression 917
部分小体症 meromicrosomia 1133
部分性心ブロック partial heart block 222
部分切腱術 graduated tenotomy 1851
部分接合体 merozygote 1134
部分切除 segmentectomy 1656
部分前置胎盤 placenta previa partialis 1428
部分的拡張期の merodiastolic 1133
部分的眼筋麻痺 ophthalmoplegia partialis 1308
部分的肝切除〔術〕 hemihepatectomy 829
部分的嗅覚消失(脱失) merosmia 1133
部分的強膜拡張 partial sclerectasia 1646
部分的空腸バイパス partial ileal bypass 273
部分的死 apobiosis 116
部分的収縮〔期〕の merosystolic 1134
部分的脊柱裂 merorachischisis, merorrhachischisis 1133
部分的中隔処女膜 hymen subseptus 877
部分的調節性内斜視 mixed esotropia 643
部分的同一反応 reaction of partial identity 1566
部分的副腎皮質不全 partial adrenocortical insufficiency 941
部分的無嗅覚〔症〕 merosmia 1133
〔部分的〕盲腸切除〔術〕 cecectomy 318
部分トロンボプラスチン時間 partial thromboplastin time (PTT) 1893
部分軟骨の subcartilaginous 1762
〔部分または総〕肺静脈結合異常症 anomalous pulmonary venous connections,

フ

partial or total …… 413
部分半盲 sectoranopia …… 1653
部分標本 aliquot …… 47
部分分泌腺 merocrine gland …… 773
部分発作 partial seizure …… 1657
部分無頭〔蓋〕症 meroacrania …… 1133
部分無脳症 meroanencephaly …… 1133
部分免疫寛容 split tolerance …… 1898
〔染色体〕不分離 nondisjunction …… 1266
普遍化 generalization …… 764
普遍形質導入 general transduction …… 1917
普遍種 cosmopolitan …… 430
普遍的無意識 collective unconscious …… 1963
普遍的予防手段 Universal Precautions …… 1967
不変の uniform …… 1964
不飽和アルコール unsaturated alcohols …… 45
不飽和化 desaturation …… 498
不飽和脂肪 unsaturated fat …… 678
不飽和脂肪酸 unsaturated fatty acid …… 678
不飽和の unsaturated …… 1968
ブホテニン bufotenine …… 264
ブホトキシン bufotoxins …… 264
不本意の involuntary …… 953
フマリルアセト酢酸 fumarylacetoacetate …… 743
フマリルアセト酢酸ヒドラーゼ fumarylacetoacetate hydrolase …… 743
フマル酸 fumaric acid …… 743
フマル酸血症 fumaric acidemia …… 743
フマル酸ヒドラターゼ fumarate hydratase …… 743
不眠 vigil …… 2019
不眠〔症〕 insomnia …… 940
不眠〔症〕 sleeplessness …… 1692
不眠症患者 hyposomniac …… 896
不眠症患者 insomniac …… 940
ブムケ瞳孔 Bumke pupil …… 1527
不明化 obfuscation …… 1288
不明熱 fever of unknown origin …… 687
不明瞭言語 slurring speech …… 1709
フモニシン fumonisins …… 743
ブユ gnat …… 789
浮遊感 anacatesthesia …… 69
浮遊耳石置換法 canalith repositioning maneuver …… 1099
不遊性 aplanatism …… 115
不融性の infusible …… 932
浮遊生物 plankton …… 1431
浮遊軟骨 floating cartilage …… 306
不遊の aplanatic …… 115
浮遊法 flotation method …… 1144
浮遊密度 buoyant density …… 487
浮遊肋 costae fluitantes …… 430
浮遊肋 floating ribs [XI–XII] …… 1612
冬越しの overwintering …… 1329
フュージン fusin …… 746
ブユ属 *Simulium* …… 1686
フュフナー式 Hüfner equation …… 634
不溶〔解〕性の insoluble …… 940
不養生 intemperance …… 943
不溶性石けん insoluble soap …… 1695
扶養能〔力〕 carrying capacity …… 288
浮揚ベッド levitation …… 1030
ブヨルンスタッド症候群 Björnstad syndrome …… 1798
ブラ bulla …… 265
フラ-2 fura-2 …… 746
ブライ brei …… 256
ブライアント牽引 Bryant traction …… 1913
フライウェイ flyaway …… 718
フライシャー輪 Fleischer ring …… 1617
フライシュ呼吸気流計 Fleisch pneumotachograph …… 1451
フライシュナー線 Fleischner lines …… 1050
プライス-ジョーンズ曲線 Price-Jones curve …… 451
フライト看護師 flight nurse …… 1283
ブライト病 Bright disease …… 529
フライバーグ病 Freiberg disease …… 533
プライバシー privacy …… 1485
プライマー primer …… 1484
プライマー伸長法 primer extension …… 656
プライマーゼ primase …… 1484
プライマリケア提供者 primary care provider …… 1509
フライ毛 Frey hairs …… 811
プライモソーム primosome …… 1484
フライングスポット顕微鏡 flying spot microscope …… 1154
プラウスニッツ-キュストナー抗体 Prausnitz-Küstner antibody …… 101
プラウスニッツ-キュストナー反応 Prausnitz-Küstner reaction …… 1566
ブラウネ弁 Braune valve …… 1985
ブラウン-アドソン摂子 Brown-Adson forceps …… 727
ブラウン運動 brownian movement …… 1173
ブラウン管 cathode ray tube (CRT) …… 1941
ブラウン-セカール症候群 Brown-Séquard syndrome …… 1798
ブラウン徴候 Brown sign …… 1679
ブラウント病 Blount disease …… 529
ブラウン-ブレン染色〔法〕 Brown-Brenn stain …… 1730
ブラウン吻合〔術〕 Braun anastomosis …… 73
プラガー plugger …… 1446
プラキン plakins …… 1429
プラクアルブミン plakalbumin …… 1429
プラ〔ー〕ク plaque …… 1432
プラーク指数 Plaque Index …… 923
フラクションコレクタ fraction collector …… 736
ブラクストン・ヒックス収縮 Braxton Hicks contraction …… 417
フラクタル fractals …… 736
ブラグデンの法則 Blagden law …… 1006
フラグメント fragment …… 738
フラグメントD fragment D …… 738
フラグメント反応 fragment reaction …… 1564
ブラケット bracket …… 240
フラゲリン flagellin …… 709
プラコード placode …… 1429
ブラシ brush …… 262
ブラシカテーテル brush catheter …… 313
ブラジキニン bradykinin …… 241
ブラジキニンポテンシエータB bradykinin potentiator B …… 241
ブラシ生検 brush biopsy …… 214
プラシーボ placebo …… 1427
ブラーシュカテーテル Braasch catheter …… 313
ブラシュコ線 lines of Blaschko …… 1049
ブラシュ石 brushite …… 262
ブラジリン brazilin …… 255
ブラジル型ブラジルリーシュマニア *Leishmania braziliensis braziliensis* …… 1016
ブラジル鉤虫 *Ancylostoma braziliense* …… 75
ブラジル天疱瘡 fogo selvagem …… 718
ブラジルパラコクシジオイデス *Paracoccidioides brasiliensis* …… 1348
ブラジル斑状熱 Brazilian spotted fever …… 683
ブラジルリーシュマニア *Leishmania braziliensis* …… 1016
ブラジレイン brazilein …… 255
ブラス blas …… 218
フラスコ flask …… 711
フラスコ圧接 flask closure …… 376
フラスコ下部 drag …… 559
フラスコ下盆 drag …… 559
プラス鎖 plus strand …… 1751
プラスチック plastic …… 1434
プラスチック歯 plastic teeth …… 1903
プラスチック包埋切片染料 plastic section stain …… 1734
プラスチド plastid …… 1434
プラスティネイト plastinate …… 1434
プラスティネーション plastination …… 1434
プラステイン plastein …… 1434
ブラストキニン blastokinin …… 219
プラストキノン plastoquinone (PQ) …… 1434
プラストキノン-9 plastoquinone-9 (PQ-9), plastoquinone E_9 …… 1434
プラストキノンE9 plastoquinone-9 (PQ-9), plastoquinone E_9 …… 1434
プラストクロメノール-8 plastochromenol-8 …… 1434
ブラストシスティス属 *Blastocystis* …… 218
ブラストシゾミセス属 *Blastoschizomyces* …… 219
ブラストフォア blastophore …… 219
ブラストマイシン blastomycin …… 219
ブラストミセス症 blastomycosis …… 219
ブラストミセス性皮膚炎 blastomycetic dermatitis, dermatitis blastomycotica …… 495
ブラスドール法 Brasdor method …… 1143
フラストレーション frustration …… 743
プラストロン plastron …… 1434
プラズマ plasma …… 1432
プラズマ plasma …… 1432
プラスマキニン plasmakinins …… 1432
プラスマクリット plasmacrit …… 1432
プラスマクリット試験 plasmacrit test …… 1862
プラスマ細胞 plasma cell …… 325
プラスマ細胞 plasmacyte …… 1432
プラスマ細胞骨髄腫 plasma cell myeloma …… 1210
プラスマ細胞腫 plasmacytoma …… 1432
プラスマ細胞増加症 plasmacytosis …… 1432
プラズマ小刀 plasma scalpel …… 1640
プラスマフェレーシス plasmapheresis …… 1432
プラスマール plasmals …… 1432
プラスマル反応 plasmal reaction …… 1566
プラスマロゲン plasmalogens …… 1432
プラスミド plasmid …… 1432
プラスミノゲン plasminogen …… 1433
プラスミノゲン活性化因子 plasminogen activator …… 21
プラスミノゲン活性化抑制因子 plasminogen activator inhibitor …… 935
プラスミノプラスチン plasminoplastin …… 1433
プラスミン plasmin …… 1433
プラスメン酸 plasmenic acid …… 15
プラスモキニン plasmokinin …… 1434
プラスモシン plasmosin …… 1434
プラスモスキシス plasmoschisis …… 1434
プラスモディウム属 *Plasmodium* …… 1433
プラスモリシス plasmolysis …… 1434
プラスモン plasmon …… 1434
プラセオジミウム praseodymium (Pr) …… 1475
プラセボ placebo …… 1427
ブラセルトンの新生児行動評価法 Brazelton Neonatal Behavioral Assessment Scale …… 1638
プラーダー-ヴィリ症候群 Prader-Willi syndrome …… 1816
フラタウの法則 Flatau law …… 1006
フラタキシン frataxin …… 739
プラーダー(プレーダー)精巣(睾丸)計測器 Prader orchidometer …… 1310
プラチナ platinum (Pt) …… 1436
ブラックアウト blackout …… 218
ブラッククリークカナルウイルス Black Creek Canal virus …… 2022
フラックス flux …… 717
ブラック分類〔法〕 Black classification …… 371
ブラックボックス black box …… 239
フラッシュバック flashback …… 711
ブラッシュヒープ構造 brush heap structure …… 1760
ブラッシュフィールド斑〔点〕 Brushfield spots …… 1725
ブラッシュフィールド-ワイアット病

Brushfield-Wyatt disease …………………… 529
プラット拡張器 Pratt dilators …………… 519
プラット症状 Pratt symptom …………… 1792
ブラット食 BRAT diet …………………… 514
フラッド靱帯 Flood ligament …………… 1035
ブラディゾイト bradyzoite ……………… 241
フラー土 fuller's earth ………………… 580
プラトー plateau ………………………… 1436
プラトー虹彩 plateau iris ……………… 957
プラトー-トールボットの法則 Plateau-Talbot law …………………… 1007
プラニグラフィ planigraphy …………… 1431
プラヌラ planula ………………………… 1431
フラノクマリン furanocoumarin ………… 746
フラノース furanose …………………… 746
ブラハト-ヴァハター病変 Bracht-Wächter lesion ………………………………… 1022
ブラハト操作 Bracht maneuver ………… 1098
フラビアン酸 flavianic acid …………… 711
フラビウイルス科 Flaviviridae ………… 711
フラビウイルス属 *Flavivirus* ………… 711
フラビン flavin, flavine ……………… 711
フラビンアデニンジヌクレオチド flavin adenine dinucleotide (FAD) ………… 711
フラビン蛋白 flavoprotein …………… 711
フラビンモノヌクレオチド flavin mononucleotide (FMN) ………………… 711
フラプ FLAP …………………………… 709
プラフォン plafond …………………… 1429
フラボ酵素 flavoenzyme ……………… 711
フラボノイド flavonoids ……………… 711
フラボノール flavonol ………………… 711
フラボバクテリウム属 *Flavobacterium* … 711
フラボリジン flavoridin ……………… 711
フラボン flavone ……………………… 711
フラボン誘導体 flavonoids …………… 711
フラボン類 flavone …………………… 711
プラマー-ヴィンソン症候群 Plummer-Vinson syndrome …………… 1816
プラマー病 Plummer disease ………… 539
フラミンガム〔心臓〕研究 Framingham Heart Study ………………………………… 1761
ブラーユ braille ……………………… 241
フラリー株ワクチン Flury strain vaccine ………………………………………… 1979
2-プラリドキシム 2-pralidoxime (2-PAM) ………………………………………… 1475
ブラロック(ブレロック)-タウシグ(タウシヒ)手術 Blalock-Taussig operation …. 1304
ブラロック(ブレロック)-タウシグ(タウシヒ)短絡〔術〕 Blalock-Taussig shunt … 1674
ブラロック(ブレロック)短絡 Blalock shunt ………………………………………… 1674
ブラロック(ブレロック)-ハンロン手術 Blalock-Hanlon operation …………… 1304
フラン furan …………………………… 746
ふ卵 incubation ……………………… 921
ブランヴィル耳 Blainville ears ……… 580
ふ卵器 incubator ……………………… 921
ブランク blank ………………………… 218
プランクター plankter ……………… 1431
プランク定数 Planck constant (h) ……… 414
プランクトン plankton ……………… 1431
プランクトン生物 plankter …………… 1431
プランクトン様の planktonic ………… 1431
フラングラ皮 frangula ……………… 739
フラングリン frangulin ……………… 739
フランクリン眼鏡 Franklin spectacles … 1708
フランケ針 Francke needle ………… 1225
ブランコ〔様〕音 to-and-fro sound ……… 1702
ブランコ様雑音 to-and-fro murmur …… 1180
フランシウム francium (Fr) ………… 739
プランシェット planchet …………… 1429
フランシセラ属 *Francisella* ………… 739
フランスシェッティ症候群 Franceschetti syndrome ………………………………… 1805
ブランスティング-ペリー型の限局性類天疱瘡 localized pemphigoid of Brunsting-Perry ………………………… 1379
プランストー結節 Princeteau tubercle 1944
フランソワの中心性混濁性角膜ジストロフィ central cloudy corneal dystrophy of François ……………………………… 578
ブランデー brandy …………………… 255
ブランハム徴候 Branham sign ………… 1679
ブランハメラ亜属 *Branhamella* ……… 255
フランベジア yaw …………………… 2055
フランベジア yaws …………………… 2055
フランベジアトレポネーマ *Treponema pertenue* ……………………………… 1925
プリー pulley ………………………… 1523
プリアピスム priapism ……………… 1484
プリオン prion ……………………… 1485
プリオン蛋白 prion protein (PrP) …… 1505
フリクテン症 phlyctenulosis ………… 1409
フリクテン性角膜炎 phlyctenular keratitis ………………………………………… 978
フリクテン性結膜炎 phlyctenular conjunctivitis ………………………… 412
フリクテン性パンヌス phlyctenular pannus ………………………………………… 1343
ブリケー(ブリケ)運動失調 Briquet ataxia ………………………………………… 167
ブリケー(ブリケ)症候群 Briquet syndrome ………………………………………… 1798
ブリケー(ブリケ)病 Briquet disease …… 529
振子運動 pendular movement ………… 1174
振子空気 pendelluft ………………… 1380
振子〔様〕心 cor pendulum …………… 421
振子様眼振 pendular nystagmus ……… 1286
フリジア帽 phrygian cap …………… 288
プリストフォーラ属 *Pleistophora* …… 1437
ブリストル便性状スケール Bristol stool form scale ……………………………… 1638
フリーズフラクチャー法 freeze fracture 737
プリズム prism ……………………… 1485
プリズムカバー試験 prism cover test … 1863
プリズムジオプトリ prism diopter (p.d.) ………………………………………… 521
プリズム融像試験 prism vergence test 1863
ブリソー-シカール症候群 Brissaud-Sicard syndrome ……………………………… 1798
ブリソー反射 Brissaud reflex ………… 1578
ブリソー-マリー症候群 Brissaud-Marie syndrome ……………………………… 1798
フリッカー flicker …………………… 713
フリッカー光量測定器 flicker photometer ………………………………………… 1417
フリッカー視野測定〔法〕 flicker perimetry ………………………………………… 1388
ブリッカー手術 Bricker operation …… 1304
フリック flicks ……………………… 713
ブリッグ試験 Brigg test …………… 1855
ブリッジ bridge ……………………… 257
フリット frit ………………………… 741
フリップ角 flip angle ………………… 88
フリードマン曲線 Friedman curve …… 451
フリートライヒ運動失調 Friedreich ataxia ………………………………………… 167
フリートライヒ現象 Friedreich phenomenon ………………………………………… 1404
フリートライヒ徴候 Friedreich sign …… 1680
フリートレンダー肺炎 Friedländer pneumonia ……………………………… 1449
ブリヌス亜属 *Bulinus* ……………… 265
ブリヌス属 *Bulinus* ………………… 265
ブリネル硬度〔数〕 Brinell hardness number (BHN) ………………………………… 1282
フリノジン phrynolysin ……………… 1419
フリノデルマ phrynoderma ………… 1419
プリマキン感受性 primaquine sensitivity ………………………………………… 1661
ブリマコンブフラグメント Brimacombe fragment ………………………………… 738
振り回し乾湿計 sling psychrometer …… 1521
振り向き運動 adversive movement …… 1173
プリムリン primulin ………………… 1484
ブリュッケ筋 Brücke muscle ………… 1182
ブリュッケ-バートリー現象 Brücke-Bartley phenomenon …………………………… 1404
不良核形成 dyskaryosis ……………… 573
フリーラジカル free radical ………… 1542
ブリリアントイエロー brilliant yellow … 257
ブリリアントグリーン brilliant green … 257
ブリリアントクレシルブルー brilliant cresyl blue ………………………………… 257
ブリリアントクレシルブルー cresyl blue brilliant ………………………………… 438
フリーリンガ輪 Flieringa ring ……… 1617
ブリル-ジンサー病 Brill-Zinsser disease 529
プリン purine (Pur) ………………… 1528
フリン-エアード症候群 Flynn-Aird syndrome ……………………………… 1804
プリン塩基 purine base …………… 200
プリン〔代謝〕拮抗薬 antipurine ……… 108
プリン血〔症〕 purinemia …………… 1528
フリン現象 Flynn phenomenon ……… 1404
プリンズメタル(プリンツメタル)型狭心症 Prinzmetal angina ……………………… 83
フリンダース島紅斑熱 Flinders Island spotted fever ………………………… 684
フリントガラス flint glass ………… 776
フリント弧 Flint arcade …………… 124
フリント雑音 Flint murmur ………… 1179
プリンヌクレオシドホスホリラーゼ purine-nucleoside phosphorylase …… 1528
フルー flu …………………………… 714
ブルーアー梗塞 Brewer infarcts ……… 926
ブルアント bull ant ………………… 96
ふるい(篩) sieve …………………… 1677
フルイドオンス fluidounce ………… 715
フルイドドラム fluidrachm, fluidram … 715
震え trembling ……………………… 1924
震え tremor ………………………… 1924
震えること shivering ……………… 1673
フルエンス fluence (H) ……………… 714
フルオソール-DA fluosol-DA ……… 717
フルオレサミン fluorescamine ……… 716
フルオレシン fluorescin …………… 716
フルオレセイン fluorescein ………… 716
フルオレセインイソチオシアネート(FITC) fluorescein isothiocyanate (FITC) …… 716
フルオレセイン細糸試験 fluorescein string test ………………………………… 1857
フルオレセイン滴下試験 fluorescein instillation test ……………………… 1857
フルオレセインナトリウム fluorescein sodium ………………………………… 716
フルオロウラシル fluorouracil (FU) …… 717
フルオロキノロン類 fluoroquinolone …… 716
1-フルオロ-2,4-ジニトロベンゼン 1-fluoro-2,4-dinitrobenzene (FDNB) …. 716
フルオロデオキシグルコース fluorodeoxyglucose …………………… 716
フルオロフォトメトリ fluorophotometry 716
ブルガリア菌 *Lactobacillus bulgaricus* …. 994
ブルギア属 *Brugia* ………………… 262
プルキンエ現象 Purkinje phenomenon 1405
プルキンエ細胞 Purkinje cells ……… 325
プルキンエ細胞層 Purkinje cell layer … 1013
プルキンエ-サンソン像 Purkinje-Sanson images ……………………………… 908
プルキンエ線維 Purkinje fibers ……… 690
プルキンエ〔線維〕網 Purkinje network 1244
プルキンエ像 Purkinje figures ……… 697
プルキンエ伝導 Purkinje conduction … 408
ブルグ糸状虫症 Brug filariasis ……… 698
フルクトアルドラーゼ fructoaldolase …… 742

フルクトキナーゼ fructokinase ・・・・・・・・・・・・・・ 742
フルクトサミン fructosamine ・・・・・・・・・・・・・・・・ 742
フルクトサン fructosan ・・・・・・・・・・・・・・・・・・・・・・・ 742
フルクトシド fructoside ・・・・・・・・・・・・・・・・・・・・・ 742
フルクトース fructose (Fru) ・・・・・・・・・・・・・・・・ 742
フルクトース1―リン酸アルドラーゼ fructose 1-monophosphate aldolase ・・・・・・ 742
フルクトース1,6-二リン酸アルドラーゼ fructose 1,6-diphosphate aldolase ・・・・・・・・ 742
フルクトース二リン酸アルドラーゼ fructose-bisphosphate aldolase ・・・・・・・・・・・・ 742
フルクトース1,6-二リン酸トリオースリン酸リアーゼ fructose 1,6-bisphosphate triosephosphate-lyase ・・・・・・・・・・・・・・・・・・・・・・・・・・・ 742
フルクトース尿〔症〕 fructosuria ・・・・・・・・・・・・・・ 742
フルクトースビスホスファターゼ fructose-bisphosphatase ・・・・・・・・・・・・・・・・・・・・・ 742
フルクトース1,6-ビスリン酸 fructose 1,6-bisphosphate ・・・・・・・・・・・・・・・・・・・・・・・・・・ 742
フルクトース2,6-ビスリン酸 fructose 2,6-bisphosphate ・・・・・・・・・・・・・・・・・・・・・・・・・・ 742
フルクトース1-リン酸 fructose 1-phosphate ・・ 742
フルクトース6-リン酸 fructose 6-phosphate ・・ 742
フルクトース1-リン酸アルドラーゼ fructose 1-phosphate aldolase ・・・・・・・・・・・・・・・・・・・・・・・・・・ 742
フルクトフラノース fructofuranose ・・・・・・・・ 742
フルクトリシス fructolysis ・・・・・・・・・・・・・・・・・・ 742
フルクリレート flucrylate ・・・・・・・・・・・・・・・・・・・・ 714
ブルゲル三角 Burger triangle ・・・・・・・・・・・・・・ 1926
プルサク線維 Prussak fibers ・・・・・・・・・・・・・・・・・ 690
プルシアンブルー Prussian blue ・・・・・・・・・・ 1510
プルシアンブルー染色〔法〕 Prussian blue stain ・・・ 1734
ブルシン brucine ・・・・・・・・・・・・・・・・・・・・・・・・・・・・・・ 262
ブルジンスキー徴候 Brudzinski sign ・・・・・ 1679
ブルーストリパノソーマ *Trypanosoma brucei brucei* ・・・・・・・・・・・・・・・・・・・・・・・・・・・・・・・・ 1939
プルスループログラム pull-through program ・・・ 1495
ブルセラ19型株ワクチン brucella strain 19 vaccine ・・・・・・・・・・・・・・・・・・・・・・・・・・・・・・・・・・・・・・・ 1979
ブルセラ科 Brucellaceae ・・・・・・・・・・・・・・・・・・・・ 261
ブルセラ症 brucellosis ・・・・・・・・・・・・・・・・・・・・・・・ 261
ブルセラ属 *Brucella* ・・・・・・・・・・・・・・・・・・・・・・・・・・ 261
ブルセラ熱 febris melitensis ・・・・・・・・・・・・・・・・ 679
ブルセリン brucellin ・・・・・・・・・・・・・・・・・・・・・・・・・・ 261
ブルーダイアパー(青おむつ)症候群 blue diaper syndrome ・・・・・・・・・・・・・・・・・・・・・・・・・・・・ 1798
フルータリアン fruitarian vegetarian ・・・・ 1992
ブルータングウイルス bluetongue virus 2022
プルチャーの網膜症 Purtscher retinopathy ・・ 1603
ブルック回腸瘻 Brooke ileostomy ・・・・・・・・・・ 906
ブルック-シュピーグラー(スピラー)症候群 Brooke-Spiegler syndrome ・・・・・・・・・・・・・・・・ 1798
ブルック病 Bruck disease ・・・・・・・・・・・・・・・・・・ 529
ブルーデキストラン blue dextran ・・・・・・・・・・ 504
ブルドックアリ bull ant ・・・・・・・・・・・・・・・・・・・・・・・ 96
ブルドッグ鉗子 bulldog forceps ・・・・・・・・・・・・ 727
ブルドッグ鼻 dog nose ・・・・・・・・・・・・・・・・・・・・・・ 1268
プルトニウム plutonium (Pu) ・・・・・・・・・・・・ 1447
プルトニウム中毒〔症〕 plutonism ・・・・・・・・ 1446
ブルトンチロシンキナーゼ Bruton tyrosine kinase (Btk) ・・・・・・・・・・・・・・・・・・・・・・・・・・・・・・・・・・ 985
フルニエ病 Fournier disease ・・・・・・・・・・・・・・・・ 533
フルニトラゼパム flunitrazepam ・・・・・・・・・・・・ 716
ブルヌヴィーユ-プリングル病 Bourneville-Pringle disease ・・・・・・・・・・・・・・・・・・・ 529
プルビナーサイン pulvinar sign ・・・・・・・・・・・ 1683
フルビー(ルビー)レンズ Hruby lens ・・・・ 1019
ブルーフ腺 Bruch glands ・・・・・・・・・・・・・・・・・・・・ 772
フルフラル furfural ・・・・・・・・・・・・・・・・・・・・・・・・・・・ 746
フルフラール反応 furfural reaction ・・・・・・ 1564
プルフリッヒ現象 Pulfrich phenomenon 1405
プルーフリーディング proofreading ・・・・・・ 1498
フルフリル furfuryl ・・・・・・・・・・・・・・・・・・・・・・・・・・・ 746
フルフリルアルコール furfuryl alcohol ・・・ 746
プルプリン purpurin ・・・・・・・・・・・・・・・・・・・・・・・・・ 1529
プルプレア配糖体A,B purpurea glycosides A, purpurea glycosides B ・・・・・・・・・・・・・・・・ 1528
フルフロール furfurol ・・・・・・・・・・・・・・・・・・・・・・・・・ 746
ブルーベリーマフィン児 blueberry muffin baby ・・ 187
フルマゼニル flumazenil ・・・・・・・・・・・・・・・・・・・・・・ 715
プルマン法 Purmann method ・・・・・・・・・・・・・・・・ 1145
ブルーム症候群 Bloom syndrome ・・・・・・・・・ 1798
フルメタゾン flumethasone ・・・・・・・・・・・・・・・・・・ 715
ブルーメナウ核 Blumenau nucleus ・・・・・・・ 1273
フルラー-シャイエ症候群 Hurler-Scheie syndrome ・・・・・・・・・・・・・・・・・・・・・・・・・・・・・・・・・・・・・ 1807
フルラー症候群 Hurler syndrome ・・・・・・・・・ 1807
プルラナーゼ pullulanase ・・・・・・・・・・・・・・・・・・・ 1523
フルラン説 Flourens theory ・・・・・・・・・・・・・・・ 1876
ブルーリ潰瘍 Buruli ulcer ・・・・・・・・・・・・・・・・・ 1960
フルンケル furuncle ・・・・・・・・・・・・・・・・・・・・・・・・・・ 746
フルンケル〔多発〕症 furunculosis ・・・・・・・・・・ 746
ブルンス運動失調 Bruns ataxia ・・・・・・・・・・・・ 167
ブルンス眼振 Bruns nystagmus ・・・・・・・・・・・ 1285
ブルン巣 Brunn nest ・・・・・・・・・・・・・・・・・・・・・・・ 1244
ブルン反応 Brunn reaction ・・・・・・・・・・・・・・・・ 1563
プルーンベリー症候群 prune belly syndrome ・・・ 1817
プルーンベリー症候群 prune-belly syndrome ・・・ 1817
ブルンベルク徴候 Blumberg sign ・・・・・・・・・ 1679
ブルン膜 Brunn membrane ・・・・・・・・・・・・・・・・・ 1125
フレア FLAIR ・・・・・・・・・・・・・・・・・・・・・・・・・・・・・・・・・ 709
プレアウリクラーレ preauricular point 1454
プレアルブミン prealbumin ・・・・・・・・・・・・・・・・ 1476
ブレイクポイント breakpoint ・・・・・・・・・・・・・・・・ 255
ブレイシング bracing ・・・・・・・・・・・・・・・・・・・・・・・・・ 240
ブレイナード下痢 Brainerd diarrhea ・・・・・・ 511
ブレイン-ハートインフュージョン寒天〔培地〕 brain-heart infusion agar ・・・・・・・・・・・・ 34
プレオキシゲネーション preoxygenation ・・ 1480
プレオサイトーシス pleocytosis ・・・・・・・・・・・ 1437
プレオナズム pleonasm ・・・・・・・・・・・・・・・・・・・・・・ 1437
プレオプトファー pleoptophor ・・・・・・・・・・・・・ 1437
フレーカ枕副子 Frejka pillow splint ・・・・ 1722
プレカリクレイン prekallikrein ・・・・・・・・・・・・ 1479
プレカルシフェロール precalciferol ・・・・・・ 1476
フレクシッヒ固有束 Flechsig ground bundles ・・ 265
フレクシッヒ野 Flechsig areas ・・・・・・・・・・・・・ 129
フレクスナー赤痢菌 *Shigella flexneri* ・・・ 1673
プレクチン plectin ・・・・・・・・・・・・・・・・・・・・・・・・・・ 1436
プレクトリディウム plectridium ・・・・・・・・・・ 1436
プレグナン pregnane ・・・・・・・・・・・・・・・・・・・・・・・・ 1479
プレグナンジオール pregnanediol ・・・・・・・・ 1479
プレグナンジオン pregnanedione ・・・・・・・・・ 1479
プレグナントリオール pregnanetriol ・・・・・ 1479
プレグネノロン pregnenolone ・・・・・・・・・・・・・・ 1479
プレグネン pregnene ・・・・・・・・・・・・・・・・・・・・・・・・ 1479
ブレグマ bregma ・・・・・・・・・・・・・・・・・・・・・・・・・・・・・・・ 256
フレグモーネ cellulitis ・・・・・・・・・・・・・・・・・・・・・・・・ 328
フレグモーネ性潰瘍 phlegmonous ulcer 1961
フレグモーネ性腸炎 phlegmonous enteritis ・・ 619
フレグモーネの phlegmonous ・・・・・・・・・・・・・・ 1409
フレーザー症候群 Fraser syndrome ・・・・・・ 1805
フレーザー-レンドラムのフィブリン染色〔法〕 Fraser-Lendrum stain for fibrin 1731
プレジェット pledgetted suture ・・・・・・・・・・・ 1788
プレシオモナス属 *Plesiomonas* ・・・・・・・・・・・・ 1437
プレシジョンアタッチメント precision attachment ・・・・・・・・・・・・・・・・・・・・・・・・・・・・・・・・・・・・・・・ 175
プレジャーカーブ Pleasure curve ・・・・・・・・・・ 451
フレージャー針 Frazier needle ・・・・・・・・・・・・ 1225
ブレーシャ-チミーノフィステル(瘻) Brescia-Cimino fistula ・・・・・・・・・・・・・・・・・・・・・・・・ 704
ブレス braces ・・・・・・・・・・・・・・・・・・・・・・・・・・・・・・・・・・ 239
ブレストシェル breast shell ・・・・・・・・・・・・・・・・ 1672
フレスネルプリズム Fresnel prism ・・・・・・・ 1485
フレスネルレンズ Fresnel lens ・・・・・・・・・・・・・ 1019
ブレスロー厚さ Breslow thickness ・・・・・・・ 1883
プレーダー(プラーダー)精巣(睾丸)計測器 Prader orchidometer ・・・・・・・・・・・・・・・・・・・・・・・・ 1310
プレ蛋白 preprotein ・・・・・・・・・・・・・・・・・・・・・・・・・ 1480
プレチスモグラフ plethysmograph ・・・・・・・・ 1437
プレチスモグラフィ plethysmography ・・・ 1437
プレチスモメトリ plethysmometry ・・・・・・・ 1437
ブレチリウム bretylium ・・・・・・・・・・・・・・・・・・・・・・・ 256
フレッシュニング freshening ・・・・・・・・・・・・・・・・・・ 741
フレッシュの公式 Flesch formula ・・・・・・・・・・ 730
フレッティング fretting ・・・・・・・・・・・・・・・・・・・・・・・・ 741
フレーデ試薬 Froehde reagent ・・・・・・・・・・・・・ 1569
ブレーデル無血管野線 Brödel bloodless line ・・ 1049
プレデンチン predentin ・・・・・・・・・・・・・・・・・・・・・・ 1477
プレドニゾロン prednisolone ・・・・・・・・・・・・・・・・ 1477
プレドニゾン prednisone ・・・・・・・・・・・・・・・・・・・・ 1477
ブレードベント bladevent ・・・・・・・・・・・・・・・・・・・・・ 218
プレニル prenyl ・・・・・・・・・・・・・・・・・・・・・・・・・・・・・・・ 1480
プレニル化 prenylation ・・・・・・・・・・・・・・・・・・・・・ 1480
フレノシン phrenosin ・・・・・・・・・・・・・・・・・・・・・・・・ 1419
フレノシン酸 phrenosinic acid ・・・・・・・・・・・・・ 1419
プレバイオティック prebiotic ・・・・・・・・・・・・・・・・ 1476
プレハブ皮弁 prefabricated flap ・・・・・・・・・・・・ 710
プレー反射 Perez reflex ・・・・・・・・・・・・・・・・・・・・・ 1581
フレヒシッヒ束 Flechsig fasciculi ・・・・・・・・・・ 675
ブレビバクテリウム属 *Brevibacterium* ・・・・ 257
ブレブ bleb ・・・・・・・・・・・・・・・・・・・・・・・・・・・・・・・・・・・・ 220
プレプ prep ・・・・・・・・・・・・・・・・・・・・・・・・・・・・・・・・・・・ 1480
プレファブリケイテッド皮弁 prefabricated flap ・・ 710
プレフェン酸 prephenic acid ・・・・・・・・・・・・・・・・ 1480
プレプロインスリン preproinsulin ・・・・・・・・ 1480
プレプロコラーゲン preprocollagen ・・・・・・ 1480
プレプロ蛋白 preproprotein ・・・・・・・・・・・・・・・・ 1480
フレボウイルス *Phlebovirus* ・・・・・・・・・・・・・・・・ 1409
プレボテラ属 *Prevotella* ・・・・・・・・・・・・・・・・・・・ 1483
ブレボトキシン brevetoxins (BTX) ・・・・・・・ 256
フレボトムス属 *Phlebotomus* ・・・・・・・・・・・・・・・ 1409
プレホルモン prehormone ・・・・・・・・・・・・・・・・・・・ 1479
フレームアーク flame arc ・・・・・・・・・・・・・・・・・・・・ 124
フレームシフト frameshift ・・・・・・・・・・・・・・・・・・ 739
フレームシフト〔突然〕変異誘発物質 frameshift mutagen ・・・・・・・・・・・・・・・・・・・・・・・・・・・ 1205
フレーム放射分光測光〔法〕 flame emission spectrophotometry ・・・・・・・・・・・・・・・・・・・・・・・・・・ 1708
フレーム枠 framework ・・・・・・・・・・・・・・・・・・・・・・・・・ 739
フレームワーク領域 framework region 1585
プレメディケイション premedication ・・・・ 1479
プレメラノソーム premelanosome ・・・・・・・・ 1479
フレーリー症候群 Fraley syndrome ・・・・・・ 1805
フレーリックス説 Frerichs theory ・・・・・・・・ 1876
フレーリッヒ小人症 Fröhlich dwarfism 568
プレロセルコイド plerocercoid ・・・・・・・・・・・・ 1437
ブレロック(ブラロック)-タウシグ(タウシヒ)手術 Blalock-Taussig operation ・・・・ 1304
ブレロック(ブラロック)-タウシグ(タウシヒ)短絡〔術〕 Blalock-Taussig shunt ・・・ 1674
ブレロック(ブラロック)短絡 Blalock shunt ・・ 1674
ブレロック(ブラロック)-ハンロン手術 Blalock-Hanlon operation ・・・・・・・・・・・・・・・・・・ 1304
フレンジ flange ・・・・・・・・・・・・・・・・・・・・・・・・・・・・・・・・ 709
ブレンステズ(ブレンステッド)塩基 Brønsted base ・・・・・・・・・・・・・・・・・・・・・・・・・・・・・・・・・・ 199
ブレンステズ(ブレンステッド)酸 Brønsted acid ・・ 14
ブレンステズ(ブレンステッド)説 Brønsted theory ・・・ 1875
〔構造〕不連続性 asynechia ・・・・・・・・・・・・・・・・・・・ 166
不連続相 discontinuous phase ・・・・・・・・・・・・・・ 1402

不連続病変 skip areas …… 130
不連続滅菌〔法〕 discontinuous sterilization …… 1744
フレンチスケール French scale (F) …… 1639
プレーン徴候 Prehn sign …… 1683
フレンツェル雑音 Fräntzel murmur …… 1180
プレンティスの法則 Prentice rule …… 1626
フレンドウイルス Friend virus …… 2024
フレンド病 Friend disease …… 533
ブレンナー腫〔瘍〕 Brenner tumor …… 1949
フレンミング固定液 Flemming fixative 708
フレンミング三重染料 Flemming triple stain …… 1731
フレンミング胚〔芽〕中心 germinal center of Flemming …… 330
プロアクチベータ proactivator …… 1486
プロアクロシン proacrosin …… 1486
フロイト学派の固着 freudian fixation …… 707
フロイト説 Freud theory …… 1876
フロイトの誤り freudian slip …… 741
フロイト派精神分析〔学〕 freudian psychoanalysis …… 1517
プロインスリン proinsulin …… 1495
フロイント完全アジュバント Freund complete adjuvant …… 29
フロイント奇形 Freund anomaly …… 94
フロイント手術 Freund operation …… 1304
フロイント不完全アジュバント Freund incomplete adjuvant …… 29
不老 agerasia …… 37
プロウイルス provirus …… 1509
フロウボリュームループ検査 flow-volume loop studies …… 1761
プロウロキナーゼ prourokinase …… 1509
プロエストロゲン proestrogen …… 1494
プロエラスターゼ proelastase …… 1494
プロエンケファリン proenkephalin …… 1494
フローオーバー気化器 flow-over vaporizer …… 1987
プロオピオメラノコルチン proopiomelanocortin (POMC) …… 1498
ブロカ〔溝〕 Broca fissure …… 702
プロカインペニシリンG penicillin G procaine …… 1380
ブローカ(ブロカ)回 Broca convolution 419
ブロカ角 Broca angles …… 88
ブロカ顔面角 Broca facial angle …… 88
ブロカ基底角 Broca basilar angle …… 88
ブロカ〔公〕式 Broca formula …… 730
ブロカ視軸平面 Broca visual plane …… 1430
プロガストリン progastrin …… 1494
プロカスパーゼ procaspases …… 1487
ブロカ対角帯 Broca diagonal band …… 194
ブロカ中枢 Broca center …… 330
プロカプシド procapsid …… 1486
プロカルボキシペプチダーゼ procarboxypeptidase …… 1487
フロキシン phloxine …… 1409
フロギストン phlogiston …… 1409
プロキモシン prochymosin …… 1492
プロキャプシド procapsid …… 1486
フロキュール flocculus …… 713
フロキュレーション flocculation …… 713
フロキュレーション反応 flocculation reaction …… 1564
プロキラリティー prochirality …… 1492
プロキラル prochiral …… 1492
プロクセミックス proxemics …… 1509
プログラマブル補聴器 programmable hearing aid …… 820
プログラミング programming …… 1495
プログラム program …… 1495
プログレス曲線 progress curve …… 451
プロゲスチン progestin …… 1494
プロゲステロン progesterone …… 1494
プロゲステロン活性単位(国際単位) unit of progestational activity (international) 1966
プロゲステロン拮抗物質 progesterone antagonist …… 97
プロゲステロン受容体 progesterone receptor …… 1571
プロゲステロン単位(国際単位) progesterone unit (international) …… 1966
プロゲステロンの progestational …… 1494
プロゲステロン負荷試験 progesterone challenge test …… 1863
プロゲストゲン progestogen …… 1494
プロ酵素 proenzyme …… 1494
プロコグニティブ procognitive …… 1492
フロゴシン phlogosin …… 1409
プロコラーゲン procollagen …… 1492
プロコラーゲンアミノプロテイナーゼ procollagen aminoproteinase …… 1492
プロコラーゲンカルボキシプロテイナーゼ procollagen carboxyproteinase …… 1492
フローサイトメトリ flow cytometry …… 465
プロジギオシン prodigiosin …… 1493
フロス floss …… 713
プロス *pros* …… 1500
プロスシラリジン proscillaridin …… 1500
プロスタグランジン prostaglandin (PG) …… 1500
プロスタグランジンエンドペルオキサイドシンターゼ prostaglandin endoperoxide synthase …… 1500
プロスタサイクリン prostacyclin …… 1500
プロスタノイド prostanoid …… 1500
プロスタノイド prostanoids …… 1500
プロスタン酸 prostanoic acid …… 1500
プロスチオン prosthion …… 1501
プロスチオンナジオン線 alveolonasal line …… 1048
フロスト縫合糸 Frost suture …… 1787
プロセクター prosector …… 1500
プロセクレチン prosecretin …… 1500
プロセシング processing …… 1491
プロセッサー processor …… 1491
フロセミド furosemide …… 746
プロセルコイド procercoid …… 1488
フローター floater …… 713
フローダイアグラム flow diagram …… 508
フロタージュ frottage …… 742
プロタミン protamine …… 1502
プロタミン亜鉛インスリン protamine zinc insulin …… 942
プロ蛋白 proproteins …… 1499
ブローチ broach …… 257
プロチウム protium …… 1507
ブロック block …… 221
ブロックドリーディングフレーム blocked reading frame …… 1568
ブロッケンブラッフ(ビロッケンブロウ)徴候 Brockenbrough sign …… 1679
フロッシング floss …… 713
プロット plot …… 1446
プロットする plot …… 1446
フロツール frotteur …… 742
プロテアーゼ protease …… 1502
プロテアーゼ阻害薬 protease inhibitor … 935
プロテアソーム proteasome …… 1502
ブローディー液 Brodie fluid …… 714
ブローディー滑液包 Brodie bursa …… 267
プロテイノイド proteinoids …… 1506
ブローディー膿瘍 Brodie abscess …… 5
ブローディー膝 Brodie knee …… 987
ブローディー病 Brodie disease …… 529
ブロディファクム brodifacoum …… 257
プロテインA protein A …… 1502
プロテインC protein C …… 1502
プロテインS protein S …… 1506
プロテインキナーゼ protein kinase …… 985
プロテインキナーゼC protein kinases C 985
プロテインキネシス protein kinesis …… 985
プロテイン商 protein quotient …… 1539
プロテインホスファターゼ protein phosphatases …… 1505
プロテウスアメーバ *Amoeba proteus* …… 63
プロテウス症候群 Proteus syndrome …… 1817
プロテウス属 *Proteus* …… 1507
プロテウス族 Proteeae …… 1502
プロテオグリカン proteoglycan …… 1506
プロテオグリカン集合体 proteoglycan aggregate …… 38
プロテオース proteose …… 1507
プロテオソーム proteosome …… 1507
プロテオトーム proteotome …… 1507
プロテオミクサ亜綱 Proteomyxidia …… 1507
プロテオミクス proteomics …… 1506
プロテオーム proteome …… 1506
プロテオームイメージ画像 proteome image …… 908
プロテオリピド proteolipids …… 1506
プロテクター protector …… 1502
プロテーゼ prosthesis …… 1501
プロトアクチニウム protactinium (Pa) 1501
プロトアルカロイド protoalkaloid …… 1507
プロトアルブモーゼ protalbumose …… 1502
プロトオンコジーン protooncogene …… 1508
プロト癌遺伝子 protooncogene …… 1508
プロトコニード protoconid …… 1507
プロトコーヌス protocone …… 1507
プロトゴノプラスム protogonoplasm …… 1507
プロトコプロポルフィリン症 protocoproporphyria …… 1507
プロトコル protocol …… 1507
プロトタクシック prototaxic …… 1508
プロトテカ属 *Prototheca* …… 1508
プロトテコーシス protothecosis …… 1508
プロトニューロン protoneuron …… 1508
プロトフィラメント protofilament …… 1507
プロトーブ学 protobiology …… 1507
プロトプラスト protoplast …… 1508
プロトプロテオース protoproteose …… 1508
プロトベラトリンAおよびB protoveratrine A and B …… 1508
ブロードベント徴候 Broadbent sign …… 1679
ブロードベントの法則 Broadbent law 1006
プロトポルフィリノーゲンIII型 protoporphyrinogen type III …… 1508
プロトポルフィリノーゲンIII型オキシダーゼ protoporphyrinogen type III oxidase …… 1508
プロトポルフィリンIII型 protoporphyrin type III …… 1508
プロトポルフィリン症 protoporphyria … 1508
プロトポルフィリン鉄 iron protoporphyrin …… 957
プロトマー protomer …… 1507
ブロードマン野 Brodmann areas …… 128
プロドラッグ prodrug …… 1493
プロトロンバーゼ prothrombase …… 1507
プロトロンビナーゼ prothrombinase …… 1507
プロトロンビノーゲン prothrombinogen 1507
プロトロンビン prothrombin …… 1507
プロトロンビン減少〔症〕 prothrombinopenia …… 1507
プロトロンビン時間 prothrombin time (PT) …… 1893
プロトロンビン試験 prothrombin test … 1863
プロトロンビン変異G20210A prothrombin mutation G20210A …… 1206
プロトンポンプ proton pump …… 1526
プロトンポンプ阻害薬 proton pump inhibitor …… 935
プロナザーレ pronasion …… 1498
プロナジオン pronasion …… 1498
プロバイオティック probiotic …… 1486
プロ〔バクテリオ〕ファージ probacteriophage

フ

…… 1486
プロパージン properdin …… 1498
プロパージン因子B properdin factor B …… 669
プロパージン因子D properdin factor D 669
プロパン propane …… 1498
プロバング probang …… 1486
プロビアックカテーテル Broviac catheter …… 313
プロピオコルチン propiocortin …… 1499
プロピオニル propionyl …… 1499
プロピオニルグリシン propionylglycine 1499
プロピオニルCoA propionyl-CoA …… 1499
プロピオニルCoAカルボキシラーゼ propionyl-CoA carboxylase …… 1499
プロピオン酸 propionic acid …… 1499
プロピオン酸カルシウム calcium propionate …… 277
プロピオン酸菌属 *Propionibacterium* …… 1499
プロピオン酸ナトリウム sodium propionate …… 1696
プロビタミン provitamin …… 1509
プロビタミンA provitamin A …… 1509
プロビタミンD_2 provitamin D_2 …… 1509
プロビデンシア属 *Providencia* …… 1509
プロビリフスシン probilifuscin …… 1486
プロピル propyl (Pr) …… 1499
プロピルアルコール propyl alcohol …… 1499
プロピルカルビノール propylcarbinol …… 1499
プロピルチオウラシル propylthiouracil (PTU) …… 1500
プロピルパラベン propylparaben …… 1500
プロピレン propylene …… 1499
プロピレングリコール propylene glycol 1499
プローブ probe …… 1486
プロフィラクチン profilactin …… 1494
プロフィリン profilin …… 1494
プロフィール profile …… 1494
プロフェータの法則 Profeta law …… 1008
プロ副甲状腺ホルモン proparathyroid hormone …… 864
プロベネシド probenecid …… 1486
プロペプトン propeptone …… 1498
プロペルジン properdin …… 1498
プロペルジン系 properdin system …… 1833
プロペントジオペント propentdyopents 1498
フローボイド flow void …… 2035
プロポフォール propofol …… 1499
プロポフォール注入症候群 propofol infusion syndrome …… 1817
プロホルモン prohormone …… 1495
プロマスティゴート promastigote …… 1497
フロマン徴候 Froment sign …… 1680
プロミトコンドリア promitochondria …… 1498
プロムクレゾールグリーン bromcresol green …… 258
プロムクレゾールパープル bromcresol purple …… 258
プロム痤瘡 bromide acne …… 16
プロム疹 bromoderma …… 258
プロム-シンガー弁 Blom-Singer valve 1984
プロムフェノール試験 bromphenol test 1855
プロメチウム promethium (Pm) …… 1497
プロメライン bromelain …… 258
プロメリン bromelin …… 258
5-プロモウラシル 5-bromouracil …… 258
プロモータ promoter …… 1498
プロモーター promoting agent …… 36
プロモチモールブルー bromthymol blue 258
プロモデオキシウリジン bromodeoxyuridine (BrDu) …… 258
プロモデオキシウリジン(BrDu)染色法 BrDu-banding …… 196
プロモフェノールブルー bromphenol blue …… 258
プロモベンジルシアン化物 bromobenzylcyanide (BBC) …… 258
フローラ flora …… 713
プロラクチン prolactin (PRL) …… 1496
プロラクチン細胞 prolactin cell …… 325
プロラクチン産生腺腫 prolactin-producing adenoma …… 26
プロラクチン・成長ホルモン産生細胞 mammosomatotroph …… 1098
プロラクチン・成長ホルモン産生細胞腺腫 mammosomatotroph cell adenoma …… 26
プロラクチン単位(国際単位) prolactin unit (international) …… 1967
プロラクチン分泌細胞 lactotroph …… 994
プロラクチン放出因子 prolactin-releasing factor (PRF) …… 668
プロラクチン抑制因子 prolactin-inhibiting factor (PIF) …… 668
フロラフール florafur …… 713
プロラミン prolamines …… 1496
フロラーンス結晶 Florence crystals …… 446
フロリジン phloridzin …… 1409
フロリジン糖尿 phlorizin glycosuria, phloridzin glycosuria …… 789
フローリープ神経節 Froriep ganglion …… 753
プロリル prolyl (Pro) …… 1497
プロリルジペプチダーゼ prolyl dipeptidase …… 1497
プロリルヒドロキシラーゼ prolyl hydroxylase …… 1497
プロリン proline (Pro) …… 1497
プロリンイミノペプチダーゼ proline iminopeptidase …… 1497
D-プロリン還元酵素 D-proline reductase 1497
プロリンジペプチダーゼ proline dipeptidase …… 1497
プロリンラセマーゼ proline racemase …… 1497
プロリンラセミ化酵素 proline racemase 1497
D-プロリンレダクターゼ D-proline reductase …… 1497
フロールシュッツ〔公〕式 Florschütz formula …… 730
フロログルシン phloroglucin, phloroglucinol, phloroglucol …… 1409
プロロテラピー prolotherapy …… 1497
プロワゼキア属 *Prowazekia* …… 1509
フロワン症候群 Froin syndrome …… 1805
ブロンコスパイログラフィ bronchospirography …… 260
ブロンコスパイロメトリ bronchospirometry …… 260
フローン試薬 Frohn reagent …… 1569
ブロンズ色皮膚 bronzed skin …… 1691
ブロンズベビー症候群 bronze baby syndrome …… 1798
フロントテンポラーレ frontotemporale …… 741
ブロンプトンカクテル Brompton cocktail …… 386
不和合〔性〕 incompatibility …… 920
ブワン固定液 Bouin fixative …… 708
ブワンダウイルス Bwamba virus …… 2022
ブワンバ熱 Bwamba fever …… 683
吻 rostrum …… 1623
糞〔便〕 feces …… 679
糞〔便〕 stool …… 1750
分圧 partial pressure (P) …… 1483
文意失語〔症〕 semantic aphasia …… 114
分位点 quantile …… 1537
分化 differentiation …… 516
文化 culture …… 448
分芽 pullulation …… 1523
分界 delimitation …… 483
分界 demarcation …… 485
分界 terminatio …… 1852
分解 analysis …… 70
分解 decomposition …… 475
分解 degradation …… 482
分解 disassimilation …… 525
分解 splitting …… 1722
分解〔模型〕解剖学 clastic anatomy …… 74
分界溝 sulcus terminalis …… 1774
分界溝 terminal sulcus …… 1774
〔右心房の〕分界溝 sulcus terminalis cordis …… 1775
分解産物 cleavage product …… 1493
分解脂肪 split fat …… 678
分界条 stria terminalis …… 1756
分界条 terminal stria …… 1756
分界静脈 terminal vein …… 2002
分界静脈 vena terminalis …… 2008
分解視力 resolution acuity …… 22
分界切痕 incisura terminalis auris …… 919
〔耳介の〕分界切痕 terminal notch of auricle …… 1270
分界線 terminal line …… 1052
分界線 linea terminalis of pelvis …… 1053
分解能 resolving power …… 1475
分解能 resolution (Rs) …… 1594
分界稜 terminal crest …… 438
分界稜 crista dividens …… 440
分界稜 crista terminalis …… 440
分界稜 crista terminalis of right atrium 440
分化型分生子柄の macronematous …… 1090
分化型リンパ性リンパ腫 well-differentiated lymphocytic lymphoma (WDLL) …… 1084
分画 compartmentation …… 399
分画 demarcation …… 485
分画 fraction …… 736
分画線 line of demarcation …… 1049
分画嚢胞 sequestration cyst …… 460
分画滅菌〔法〕 fractional sterilization …… 1744
噴火口 crater …… 435
文化ショック cultural shock …… 1674
文化人類学 cultural anthropology …… 98
分化成長 differential growth …… 803
分芽性の blastic …… 218
分割 cleavage …… 373
分割 dieresis …… 514
分割 segmentation …… 1656
分割 split …… 1722
分割印象 sectional impression …… 917
分割球 blastomere …… 219
分割腔 blastocele, blastocoele …… 218
分割細胞 cleaved cell …… 320
分割腎盂形成〔術〕 disjoined pyeloplasty, dismembered pyeloplasty …… 1530
分割膵 pancreas divisum …… 1341
分割する dismember …… 543
分割表 contingency table …… 1836
分割法 fractionation …… 736
分割量 aliquot …… 47
分割量 divided dose …… 557
文化的多様性 cultural diversity …… 448
分芽分生子 blastoconidium …… 218
分岐 bifurcatio …… 210
分岐 bifurcation …… 210
分岐 ramification …… 1547
分気〔法〕 atmolysis …… 170
分岐進化 divergent evolution …… 650
分岐神経 furcal nerve …… 1234
分岐神経 nervus furcalis …… 1242
分岐点 breakpoint …… 255
分岐点移動酵素 branch migration enzyme …… 623
分岐の bifurcate, bifurcated …… 210
分岐の furcal …… 746
分岐部 furcation …… 746
分極 polarization …… 1456
分岐肋〔骨〕 bifid rib …… 1612
粉金 powdered gold …… 791
文献 literature …… 1060
吻合 anastomosis …… 72
吻合〔術〕 shunt …… 1674
分光化学 spectrochemistry …… 1708

分光学 spectroscopy 1708
分光器 spectroscope 1708
分光計 spectrometer 1708
分光蛍光計 spectrofluorometer 1708
分光光度計 spectrophotometer 1708
分光〔光度〕法 spectrometry 1708
吻合枝 anastomotic branch 242
吻合枝 ramus anastomoticus 1547
分光写真 spectrogram 1708
分光写真器 spectrograph 1708
分光写真法 spectrography 1708
吻合〔術〕の anastomotic 74
吻合静脈 anastomotic veins 1993
吻合神経線維 anastomosing fibers, anastomotic fibers 687
吻合性潰瘍 anastomotic ulcer 1960
吻合性動脈瘤 aneurysm by anastomosis 81
分光測光〔法〕 spectrophotometry 1708
分光の spectral 1708
分光比白計 spectrocolorimeter 1708
吻合部潰瘍 stomal ulcer 1961
吻合部狭窄〔症〕 anastomotic stricture 1757
分光偏光計 spectropolarimeter 1708
吻合脈管 vas anastomoticum 1989
吻合脈管 anastomosing vessel 2017
吻合脈管 anastomotic vessel 2017
粉砕 comminution 397
粉砕 porphyrization 1468
粉砕 pulverization 1526
粉砕 trituration 1935
粉剤 powder 1474
粉砕骨折 comminuted fracture 737
分散 decentration 474
分散 variance 1987
分散コロイド dispersion colloid 391
分散質 dispersoid 548
分散図 scattergram 1641
分散相 dispersed phase 1402
分散体 dispersoid 548
分散胎盤 disperse placenta 1428
分散度 dispersity 548
分散〔度〕 dispersion 547
分散努力 distributed effort 590
分散媒 dispersion medium 1118
分散比 variance ratio (F) 1561
分散分析 analysis of variance (ANOVA) 71
分枝 arborization 124
分枝 bifurcation 210
分枝 branching 255
分枝 ramification 1547
分子 molecule 1164
分子遺伝学 molecular genetics 765
分子疫学 molecular epidemiology 626
分子吸光係数 molar absorption coefficient (ε) 387
分枝グリコゲン蓄積症 brancher glycogen storage disease 529
分枝形成 branching 255
分子行動 molecular behavior 204
分時呼吸量 respiratory minute volume (RMV) 2036
分子式 molecular formula 730
分枝軸索〔性〕の axiramificate 183
分枝絨毛 branching villus 2020
分枝状熱傷 arborescent burn 267
分子蒸留 molecular distillation 549
分子生物学 molecular biology 213
分子生物物理学 molecular biophysics 213
分子層 molecular layer 1011
〔網膜〕分子層 molecular layer of retina 1011
〔小脳皮質〕分子層 molecular layer of cerebellar cortex 1011
〔小脳皮質〕分子層 stratum moleculare corticis cerebelli 1752
分子層帯 stria laminae molecularis 1756
分子層帯 stria of molecular layer 1756
分枝点移動 branch migration 1157
分子度 molecularity 1164
分子内の intramolecular 950
分子熱 molecular heat 821
分時拍出量 minute volume 2036
分子病 molecular disease 538
分子病理学 molecular pathology 1372
分子ふるい molecular sieve 1677
分枝ブロック arborization block 221
分枝ブロック divisional block 222
分子分散 molecular dispersion 548
分子分離説 molecular dissociation theory 1876
糞腫 coproma 420
噴出音 puff 1523
噴出性嘔吐 projectile vomiting 2037
粉状胃剤 powdered stomach 1748
粉状角膜 cornea farinata 423
粉状(アレウリオ)型分生子 aleurioconidium 46
文章失語〔症〕 syntactic aphasia 114
吻状の rostriform 1623
文章論 syntactics 1827
分子量 molecular weight (mol. wt., MW) 2044
分水界 watershed 2041
分水界〔嶺〕梗塞 watershed infarction 927
分数 fraction 736
分生〔胞〕子 conidium 411
分生子産生(形成)性 conidiogenous 411
分生子褥 sporodochium 1724
分生子柄 conidiophore 411
分生子柄束 coremium 423
糞〔便〕性の coprophil, coprophilic, coprophile 420
糞石 intestinal calculus 278
糞石 coprolith 420
糞石 enterolith 620
糞石 fecalith 679
糞石 stercolith 1743
分析 analysis 70
分析〔法〕 assay 162
分析化学 analytic chemistry 341
分析器 analyzer, analyzor 71
分析者 analyst 71
分析心理学 analytical psychology 1518
分析精度 analytic sensitivity 1661
〔分析〕測定杆 analyzing rod 1619
分析的研究 analytic study 1760
分析の analytic, analytical 71
〔感覚〕分析部 analyzer, analyzor 71
分析療法 analytic therapy 1877
分節 segment 1654
分節 segmentation 1656
分節核〔白血〕球 segmented cell 326
分節括約筋 segmental sphincter 1713
分節言語 scanning speech 1709
分節〔性〕骨折 segmental fracture 738
分節歯槽骨切り術 segmental alveolar osteotomy 1325
分節性感覚消失 segmental anesthesia 80
分節性感覚脱失 segmental anesthesia 80
分節性糸球体腎炎 segmental glomerulonephritis 780
分節性神経炎 segmental neuritis 1246
分節性神経支配 segmental innervation 937
分節性知覚消失 segmental anesthesia 80
分節性知覚脱失 segmental anesthesia 80
分節性知覚麻痺 segmental anesthesia 80
分節線維 tautomeric fibers 691
分節帯 segmental zone 2060
分節動脈 somatic arteries 152
分節発生 merogenesis 1133
分絶部分 exclave 652
分節分生子 arthroconidium 155
分節胞子 arthrospore 156
分染 differentiation 516
糞線虫症 strongyloidiasis 1759
糞線虫属 *Strongyloides* 1759
ブンゼン灯 Bunsen burner 266
ブンゼンバーナー Bunsen burner 266
分染法 banding 196
ブンゼン溶解度係数 Bunsen solubility coefficient (α) 387
ブンゼン-ロスコーの法則 Bunsen-Roscoe law 1006
分層植皮〔片〕 split-thickness skin graft 795
分層熱傷 partial-thickness burn 267
吻側橋網様体核 oral pontine reticular nucleus 1277
吻側神経孔 rostral neuropore 1251
吻側に rostrad 1623
吻側の rostral 1623
吻側の rostralis 1623
吻側板 lamina rostralis 999
吻側板 rostral lamina 999
分断 fragmentation 739
分断 spallation 1706
分断状の sectile 1653
フンドプリケーション fundoplication 744
糞尿〔症〕 fecaluria 679
憤怒痙攣 breath-holding spell 1709
吻の rostral 1623
糞〔便〕の fecal 679
分配クロマトグラフィ partition chromatography 357
分配係数 distribution coefficient 387
分配係数 partition coefficient 387
分泌 secretion 1653
分泌〔物〕 discharge (DC) 526
分泌因子 secretor factor 669
分泌学 eccrinology 581
分泌過多 polyrrhea 1464
分泌過多緑内障 hypersecretion glaucoma 777
〔月経周期の〕分泌期 secretory phase of endometrial menstrual cycle 1402
〔消化酵素〕分泌欠乏〔症〕 achylia 14
分泌細管 secretory canaliculus 285
分泌刺激性の excitosecretory 652
分泌刺激性の succagogue 1768
分泌刺激物 succagogue 1768
分泌者 secretor 1653
分泌小胞 vesicle 2016
分泌神経 secretory nerve 1238
分泌性下痢 secretory diarrhea 511
分泌性乳癌 secretory carcinoma 298
分泌成分 secretory component 403
分泌性免疫グロブリンA(IgA) secretory immunoglobulin A 913
分泌性免疫グロブリン secretory immunoglobulin 913
分泌促進〔性〕の secretomotor, secretomotory 1653
分泌促進薬(物質) secretagogue 1652
分泌顆粒 secretory granule 797
分泌物 secreta 1652
分泌物 secretion 1653
分布 distribution 550
t分布 t distribution 550
分布域 range 1558
分布曲線 distribution curve 451
分布性白血球増加〔症〕 distribution leukocytosis 1027
分布分析 distributive analysis 70
分布容積 distribution volume 2036
ブンブン音 bourdonnement 238
ブンブン音 sonorous rale 1547
分別 fractionation 736
分〔別蒸〕留 fractional distillation 549
〔分別〕尿管カテーテル検査 differential ureteral catheterization test 1856
糞便 dejection 483

糞便 flux …… 717
糞便 stercus …… 1743
糞〔便〕 feces …… 679
糞〔便〕 stool …… 1750
分娩 accouchement …… 10
分娩 birth …… 216
分娩 childbirth …… 344
分娩 confinement …… 409
分娩 delivery …… 484
分娩 labor, stages of labor …… 992
分娩 parturition …… 1369
分娩位 obstetric position …… 1469
糞便ウイルス症 virucopria …… 2021
分娩介在因子 parturition-mediating factor …… 668
分娩下イレウス ileus subparta …… 906
糞便学 scatology …… 1641
分娩期 labor, stages of labor …… 992
分娩期 intrapartum period …… 1389
分娩恐怖〔症〕 tocophobia …… 1897
分娩経過 birthing …… 216
分娩経過図表 partogram …… 1369
糞便検査 fecal examination …… 650
糞便検査〔法〕 scatoscopy …… 1641
糞便原生動物 coprozoa …… 421
糞便抗体 coproantibodies …… 420
分娩後下垂体壊死症候群 postpartum pituitary necrosis syndrome …… 1816
分娩後高血圧〔症〕 postpartum hypertension …… 888
分娩後出血 postpartum hemorrhage …… 836
分娩後心筋症 postpartum cardiomyopathy …… 300
分娩骨折 birth fracture …… 736
分娩後に postpartum …… 1471
分娩後発情 postpartum estrus …… 644
分娩後無月経 postpartum amenorrhea …… 58
分娩させる deliver …… 484
分娩時外傷 birth trauma …… 1923
分娩時出血 intrapartum hemorrhage …… 835
分娩時の intranatal …… 950
分娩時の intrapartum …… 950
分娩陣痛 active labor …… 992
〔分娩〕陣痛 labor pains …… 1337
糞〔便〕性の coprophil, coprophilic, coprophile …… 420
分娩前 antepartum …… 97
分娩前 preparturient …… 1480
分娩センター birthing center …… 330
分娩促進 oxytocia …… 1333
分娩促進の parturifacient …… 1369
分娩促進薬 oxytocic …… 1333
分娩促進薬 parturifacient …… 1369
分娩停止 arrest of labor …… 132
糞〔便〕の fecal …… 679
分娩の natal …… 1222
糞便濃縮法 fecal concentration …… 406
分娩麻痺 birth palsy …… 1340
分娩麻痺 obstetric palsy …… 1340
糞便様の fecaloid …… 679
分娩を助ける deliver …… 484
分母 denominator …… 487
吻方テント切痕〔内〕ヘルニア rostral transtentorial herniation …… 844
粉末 powder …… 1474
粉末化 pulverization …… 1526
粉末剤 epipastic …… 629
噴霧 spray …… 1725
噴霧化 atomization …… 170
噴霧器 atomizer …… 170
噴霧器 nebulizer …… 1223
噴霧剤 nebula (nebul.) …… 1223
フンメルシャイム手術 Hummelsheim operation …… 1304
フンメルシャイム法 Hummelsheim procedure …… 1487
噴門 cardia …… 299
噴門窩 fovea cardiaca …… 735
噴門形成〔術〕 cardioplasty …… 301
噴門痙攣 cardiochalasia …… 299
噴門口 cardiac opening …… 1303
噴門口 cardiac orifice …… 1314
噴門口 cardial orifice …… 1314
噴門口 ostium cardiacum …… 1325
噴門周囲リンパ節 lymph nodes around cardia of stomach …… 1077
噴門収縮括約筋 sphincter constrictor cardiae …… 1712
噴門上部 epicardia …… 625
噴門上部の epicardial …… 625
噴門食道弛緩 cardioesophageal relaxation …… 1589
噴門食道の cardioesophageal …… 300
噴門切開〔術〕 cardiotomy …… 301
噴門切痕 incisura cardiaca …… 919
噴門切痕 cardiac notch …… 1269
噴門切痕 cardial notch …… 1269
噴門腺 cardial glands …… 772
〔胃の〕噴門腺 cardial glands of stomach …… 772
噴門側胃切除〔術〕 fundusectomy …… 744
噴門洞 antrum cardiacum …… 110
噴門洞 cardiac antrum …… 110
噴門の cardiac …… 299
噴門の cardial …… 299
〔胃の〕噴門部 pars cardiaca gastricae …… 1358
〔胃の〕噴門部 pars cardiaca ventriculi …… 1358
〔胃の〕噴門部 cardiac part of stomach …… 1363
噴門部切除〔術〕 cardiectomy …… 299
噴門無弛緩〔症〕 cardiochalasia …… 299
噴門幽門吻合〔術〕 gastrogastrostomy …… 759
噴門リンパ輪 lymphatic ring of cardiac part of stomach …… 1618
ブンヤウイルス科 Bunyaviridae …… 266
ブンヤウイルス属 *Bunyavirus* …… 266
ブンヤウイルス脳炎 bunyavirus encephalitis …… 607
ブンヤムウェラ熱 Bunyamwera fever …… 683
噴幽門の cardiopyloric …… 301
分葉核球 segmented leukocyte …… 1026
分葉核〔白血〕球 segmented cell …… 326
分葉〔核〕好中球 segmented neutrophil …… 1254
分葉核-非分葉核計算 filament-nonfilament count …… 431
分葉肝 hepar lobatum …… 837
分葉球 segmented cell …… 326
分容積 partial volume …… 2036
分葉卵巣 ovarium lobatum …… 1328
分利 crisis …… 439
分離 detachment …… 500
分離 dialysis …… 509
分離 dieresis …… 514
分離 disaggregation …… 525
分離 disjunction …… 543
分離 dissociation …… 548
分離 isolation …… 961
分離 scission …… 1646
分離 segregation …… 1656
分離 separation …… 1662
分離開頭〔術〕 detached craniotomy …… 435
分離芽腫 choristoblastoma …… 355
分離型分析装置 discrete analyzer …… 71
分離器 separator …… 1662
分離吸収 disjunctive absorption …… 7
分離菌 isolate …… 960
分離骨盤 split pelvis …… 1379
分離剤 separating medium …… 1118
分離索 funiculus separans …… 745
分離腫 choristoma …… 355
分離症候群 disconnection syndrome …… 1802
分離腎盂形成〔術〕 disjoined pyeloplasty, dismembered pyeloplasty …… 1530
分離脊椎麻酔〔法〕 differential spinal anesthesia …… 79
分利前の precritical …… 1477
分離組織 chorista …… 355
分離体 chorista …… 355
分利の critical …… 441
分離脳 split brain …… 242
分離の法則 law of segregation …… 1008
分離比 segregation ratio …… 1561
分離比分析 segregation analysis …… 71
分離不安 separation anxiety …… 111
分離不安障害 separation anxiety disorder …… 547
分離片 sequestrum …… 1665
分離片の sequestral …… 1665
粉瘤 atheroma …… 168
分〔別蒸〕留 fractional distillation …… 549
分力 component of force …… 403
分離卵巣 ovarium disjunctum …… 1328
分類 taxis …… 1842
分類〔法〕 classification …… 370
分類学 taxonomy …… 1843
分類群 taxon …… 1843
分類形質 categoric trait …… 1915
分類尺度 classifiable character …… 339
分類特性 classifiable character …… 339
分類不能型免疫不全 common variable immunodeficiency (CVI) …… 911
分裂 disorganization …… 547
分裂 division …… 552
分裂 fission …… 701
分裂 scission …… 1646
分裂 splitting …… 1722
分裂〔現象〕 fissuration …… 702
分裂運動停止〔状態〕 stathmokinesis …… 1739
分裂核 segmentation nucleus …… 1280
〔細胞〕分裂間期 interphase …… 947
分裂期 mitotic period …… 1389
分裂菌 schizomycete …… 1643
分裂菌性の schizomycetic …… 1643
分裂産物 spallation product …… 1494
分裂子 oidium …… 1293
分裂小体 merozoite …… 1134
分裂小体 schizozoite …… 1644
分裂性緊張 schizotonia …… 1644
分裂生殖 schizogenesis …… 1643
分裂成長 multiplicative growth …… 803
分裂〔性〕の dieretic …… 514
分裂舌 bifid tongue …… 1900
分裂赤血球 schistocyte …… 1642
分裂赤血球増加〔症〕 schistocytosis …… 1642
〔有糸〕分裂促進剤 mitogen …… 1160
分裂速度 mitotic rate …… 1560
分裂体 schizont …… 1643
分裂体 segmenter …… 1656
分裂胎盤 placenta multiloba …… 1428
〔分裂〕中期 metaphase …… 1140
分裂紡錘体 cleavage spindle …… 1716

へ

ヘーヴァヒル熱 Haverhill fever …… 684
ヘーガース結節 Haygarth nodes …… 1260
ヘーガル拡張器 Hegar dilators …… 519
ヘーガル徴候 Hegar sign …… 1681
ヘーザー〔公〕式 Häser formula …… 730
ヘーナー(ヘーネル)数 Hehner number 1282
ヘーバーデン(ヒーバーデン)結節 Heberden nodes …… 1260
ヘーフリック限度 Hayflick limit …… 1048

ヘーリング色覚説 Hering theory of color vision ･･････ 1876
ヘーリング試験 Hering test ･･････ 1859
ヘーリング-ブロイアー反射 Hering-Breuer reflex ･･････ 1579
ヘールズ血圧計 Hales piesimeter ･･････ 1423
ヘールのコロイド鉄染色〔法〕Hale colloidal iron stain ･･････ 1732
ヘールフォルト症候群 Heerfordt syndrome ･･････ 1807
ベーアー説 Baeyer theory ･･････ 1875
ベーア(ベール)の法則 Baer law ･･････ 1005
ベーカー酸〔性〕ヘマテイン Baker acid hematein ･･････ 825
ベーカー嚢胞 Baker cyst ･･････ 458
ベーカーのピリジン抽出 Baker pyridine extraction ･･････ 657
ベーケーシーオージオメータ Békésy audiometer ･･････ 176
ベーケーシーオージオメトリ〔ー〕Békésy audiometry ･･････ 176
ベーケーシー聴力検査〔法〕Békésy audiometry ･･････ 176
ベーコン肛門鏡 Bacon anoscope ･･････ 95
ベースプレートろう baseplate wax ･･････ 2042
ベータ β ･･････ 187
ベータ beta (β) ･･････ 207
$β_{1C}$グロブリン $β_{1C}$ globulin ･･････ 779
β2糖蛋白I β2 glycoprotein I ･･････ 788
$β_2$-ミクログロブリン $β_2$-microglobulin 1152
β-D-ガラクトシダーゼ β-D-galactosidase 749
β-*d*-グルクロニダーゼ欠損症 β-*d*-glucuronidase deficiency ･･････ 478
β-アスパルチル(アセチルグルコサミン) β-aspartyl (acetylglucosamine) ･･････ 161
βアドレナリン作用(作動)性レセプタ(受容体) β-adrenergic receptors ･･････ 1570
β-アドレナリン遮断薬 β-adrenergic blocking agent ･･････ 36
β-アミノイソ酪酸 β-aminoisobutyric acid 60
β-アミノイソ酪酸:ピルビン酸アミノトランスフェラーゼ β-aminoisobutyrate : pyruvate aminotransferase ･･････ 60
β-アミラーゼ β-amylase ･･････ 67
β-アラニン β-alanine ･･････ 41
β-アラニン-ピルビン酸アミノトランスフェラーゼ β-alanine-pyruvate aminotransferase ･･････ 41
β-アロコルトール β-allocortol ･･････ 50
β-アロコルトロン β-allocortolone ･･････ 50
β-アロプレグナンジオール β-allopregnanediol ･･････ 51
ベータ角 beta angle ･･････ 88
β型溶血連鎖球菌 β-hemolytic streptococci ･･････ 1754
β-ガラクトシダーゼ β-galactosidase ･･････ 749
β-ガラクトシルセラミダーゼ β-galactosylceramidase ･･････ 750
ベータ顆粒 beta granule ･･････ 796
β-カルボリン β-carboline ･･････ 293
β-カロチン15,15'-ジオキシゲナーゼ β-carotene 15,15'-dioxygenase ･･････ 304
β-D-グルクロニダーゼ β-D-glucuronidase 784
β-D-グルコシダーゼ β-D-glucosidase ･･････ 783
β-グルコセレブロシダーゼ β-glucocerebrosidase ･･････ 782
βコリネバクテリオファージ β corynebacteriophage ･･････ 429
β-コルチコトロピン β-corticotropin ･･････ 429
β-コルトール β-cortol ･･････ 429
β-コルトロン β-cortolone ･･････ 429
βサラセミア β thalassemia ･･････ 1873
ベータ酸化 beta-oxidation, β-oxidation 1330
ベータ酸化-縮合説 beta-oxidation-condensation theory ･･････ 1875
ベータシアニン betacyanin ･･････ 207
ベータシート beta sheets ･･････ 207
ベータ試験 Beta tests ･･････ 1855
ベーターシトステロール beta-sitosterol ･･････ 208
11-β-水酸化ステロイド脱水素酵素 11-β-hydroxysteroid dehydrogenase ･･････ 483
β-スルフィニルピルビン酸 β-sulfinylpyruvate ･･････ 1776
ベータセクレターゼ beta-secretase ･･････ 207
β-線 electron ($β^-$) ･･････ 596
ベータ線 beta radiation ･･････ 1541
ベータ線維 beta fibers ･･････ 688
β-δサラセミア β-δ thalassemia ･･････ 1873
β-トコフェロール β-tocopherol (β-T) 1897
ベータトロン betatron ･･････ 208
β-ナトリウム利尿ペプチド β-natriuretic peptide (BNP) ･･････ 1382
β-ナフトール naphthol ･･････ 1220
ベータ(β)波 beta rhythm ･･････ 1611
ベータ(β)波 beta wave ･･････ 2042
β-ヒト絨毛性性腺刺激ホルモン β-human chorionic gonadotropin ･･････ 792
β-ヒドロキシイソ酪酸 β-hydroxyisobutyric acid ･･････ 875
β-ヒドロキシ-β-メチルグルタリルCoA β-hydroxy-β-methylglutaryl-CoA (HMG-CoA) ･･････ 876
β-ヒドロキシ-β-メチルグルタリルCoAシンターゼ β-hydroxy-β-methylglutaryl-CoA synthase ･･････ 876
β-ヒドロキシ-β-メチルグルタリルCoAリアーゼ β-hydroxy-β-methylglutaryl-CoA lyase ･･････ 876
β-ヒドロキシ-β-メチルグルタリルCoAレダクターゼ β-hydroxy-β-methylglutaryl-CoA reductase ･･････ 876
β-ファルネセン β-farnesene ･･････ 671
β-フルクトフラノシダーゼ β-fructofuranosidase ･･････ 742
ベータヘルペスウイルス亜科 Betaherpesvirinae ･･････ 207
β-ミクログロブリン β-microglobulin ･･････ 1152
β溶血 β hemolysis ･･････ 834
β溶血素 β hemolysin ･･････ 834
β-ラクタマーゼ β-lactamase ･･････ 993
β-ラクタマーゼ阻害薬 β-lactamase inhibitors ･･････ 935
β-ラクタム β-lactam ･･････ 993
ベータ(β)律動 beta rhythm ･･････ 1611
ベータ(β)粒子 beta particle ･･････ 1369
ベーチェット症候群 Behçet syndrome 1797
ベーデッカー指数 Bödecker index ･･････ 921
ベーマーヘマトキシリン Boehmer hematoxylin ･･････ 827
ベーリングの法則 Behring law ･･････ 1005
ベール細胞 veil cell ･･････ 328
ベール症候群 Behr syndrome ･･････ 1798
ベールズ(ビアズ)基準 Beers criteria ･･････ 441
ベール刀 Beer knife ･･････ 987
ベール(ベーア)の法則 Baer law ･･････ 1005
ベールの法則 Beer law ･･････ 1005
ベールマン濃縮法 Baermann concentration ･･････ 405
ベーンブリッジ(ベインブリッジ)反射 Bainbridge reflex ･･････ 1577
ペーヴィ病 Pavy disease ･･････ 539
ペーシングカテーテル pacing catheter ･･････ 314
ペースタ paster ･･････ 1370
ペースメーカ pacemaker ･･････ 1334
ペースメーカ感受性 pacemaker sensitivity ･･････ 1661
ペースメーカ症候群 pacemaker syndrome ･･････ 1815
ペースメーカ追従細胞 pacefollower ･･････ 1334
ペースメーカ電位 pacemaker potential 1473
ペースメーカ不全 pacemaker failure ･･････ 670
ペーテルス卵子 Peters ovum ･･････ 1330
pH-スタット pH-stat ･･････ 1419
pH値 pH value ･･････ 1984
ペーペズ回路 Papez circuit ･･････ 365
ペーロー胸郭 Peyrot thorax ･･････ 1886
ペーロニー病 Peyronie disease ･･････ 539
ヘアオンエンドサイン hair-on-end sign 1681
ヘアピン hairpin ･･････ 812
ヘアピンループ hairpin loops ･･････ 1069
ペアボックス遺伝子 paired box genes ･･････ 764
ヘアリーセル hairy cells ･･････ 322
ヘアリーセル白血病 hairy cell leukemia ･･････ 1024
柄 manubrium ･･････ 1101
柄 petiolus ･･････ 1397
柄 seta ･･････ 1669
柄 stalk ･･････ 1736
平凹の planoconcave ･･････ 1431
平凹レンズ planoconcave lens ･･････ 1019
平滑筋 smooth muscle ･･････ 1194
平滑筋弛緩薬 smooth muscle relaxant 1589
平滑筋腫 leiomyoma ･･････ 1016
平滑筋腫〔症〕leiomyomatosis ･･････ 1016
平滑筋性括約筋 lissosphincter ･･････ 1060
平滑筋組織 smooth muscle tissue ･･････ 1896
平滑筋肉腫 leiomyosarcoma ･･････ 1016
平滑な ahaustral ･･････ 39
平滑な glabrous, glabrate ･･････ 771
平滑な lissive ･･････ 1060
平滑末端 blunt-end ･･････ 224
平滑末端DNA blunt-ended DNA ･･････ 491
平滑末端ライゲーション blunt-end ligation ･･････ 1046
平滑面う食(蝕) smooth surface caries ･･････ 303
平均温度 mean temperature ･･････ 1848
平均カロリー mean calorie ･･････ 280
平均義歯支持構造面 mean foundation plane ･･････ 1430
平均局在の法則 law of average localization ･･････ 1005
平均赤血球ヘモグロビン濃度 mean corpuscular hemoglobin concentration (MCHC) ･･････ 406
平均赤血球ヘモグロビン量 mean corpuscular hemoglobin (MCH) ･･････ 833
平均赤血球容積 mean corpuscular volume (MCV) ･･････ 2036
平均値 average ･･････ 182
平均値 mean ･･････ 1112
平均値への回帰 regression to the mean 1112
平均電気軸 mean electrical axis ･･････ 184
平均尿流速度 average flow rate ･･････ 1559
平均ベクトル mean vector ･･････ 1992
平均脈拍振幅 average pulse magnitude 1093
平均余命 expectation of life ･･････ 655
閉経〔期〕menopause ･･････ 1131
閉経期の menopausal ･･････ 1131
閉経後萎縮 postmenopausal atrophy ･･････ 174
閉経後の postmenopausal ･･････ 1471
閉瞼瞳孔反応 eye-closure pupil reaction 1564
閉瞼反応 lid-closure reaction ･･････ 1565
平行 parallelism ･･････ 1350
平衡 balance ･･････ 192
平衡 equilibration ･･････ 634
平衡〔状態〕equilibrium ･･････ 635
平衡異常 disequilibrium ･･････ 542
平行移動 translation ･･････ 1919
平衡運動 statokinetics ･･････ 1740
平衡運動反射 statokinetic reflex ･･････ 1582
平衡〔感〕覚 sense of equilibrium ･･････ 1661
閉合原則 closure principle ･･････ 1484
平衡咬合 balanced occlusion ･･････ 1289
平衡咬合面 balancing occlusal surface 1781
平行光線 parallel rays ･･････ 1562
平衡砂 otoliths, otolites ･･････ 1327
平衡砂 statoconia ･･････ 1740
平衡砂膜 membrana statoconiorum ･･････ 1124

平衡砂膜 otolithic membrane …… 1126
平衡砂膜 statoconial membrane …… 1127
平衡持続性反射 statotonic reflexes …… 1582
平衡石 statoliths …… 1740
平行説 parallelism …… 1350
平行接合 parasynapsis …… 1354
平衡側 balancing side …… 1677
平衡側顆頭 balancing side condyle …… 408
平衡側接触 balancing contact …… 415
平行測定器 parallelometer …… 1350
平衡多型 balanced polymorphism …… 1461
平衡聴覚器 vestibulocochlear organ …… 1312
平衡聴覚器 organum vestibulocochleare 1313
平衡定数 equilibrium constant (K_{eq}) …… 414
平衡転座 balanced translocation …… 1919
平衡透析〔法〕 equilibrium dialysis …… 509
閉口の occlusal …… 1289
平衡斑 macula …… 1091
〔平衡斑の〕感覚上皮 neuroepithelium of macula …… 1247
平行法 long cone technique …… 1844
平衡胞 otocyst …… 1326
米国規格協会 American National Standards Institute (ANSI) …… 58
米国原子力規制委員会 Nuclear Regulatory Commission …… 1271
米国公衆衛生局 United States Public Health Service (USPHS) …… 1967
米国赤十字 American Red Cross …… 58
米国法律協会法〔則〕 American Law Institute rule …… 1625
米国薬局方 United States Pharmacopeia (USP) …… 1967
閉鎖 choke …… 348
閉鎖 closure …… 376
閉鎖〔症〕 atresia …… 171
閉鎖〔症〕 clausura …… 372
〔瞳孔〕閉鎖 synizesis …… 1826
閉鎖管 obturator canal …… 284
閉鎖管 canalis obturatorius …… 285
閉鎖奇形 atresic teratosis …… 1852
閉鎖筋膜 fascia obturatoria …… 673
閉鎖筋膜 obturator fascia …… 673
閉鎖筋膜腱弓 arcus tendineus of obturator fascia …… 128
閉鎖具 obturator …… 1289
〔前・後〕閉鎖結節 obturator tubercle (anterior and posterior) …… 1944
〔前・後〕閉鎖結節 tuberculum obturatorium (anterius et posterius) …… 1946
閉鎖孔 foramen obturatum …… 725
閉鎖孔 obturator foramen …… 725
閉鎖孔 obturator …… 1289
閉鎖溝 obturator groove …… 802
閉鎖溝 sulcus obturatorius …… 1773
閉鎖孔ヘルニア obturator hernia …… 843
閉鎖骨折 closed fracture …… 737
閉鎖式循環〔回路〕 closed circle …… 364
閉鎖式病院 closed hospital …… 865
閉鎖子嚢果 cleistothecium …… 374
閉鎖収縮 closing contraction …… 417
閉鎖循環式麻酔〔法〕 closed anesthesia …… 79
閉鎖循環法 closed circuit method …… 1143
閉鎖障害状態 status dysraphicus …… 1740
閉鎖静脈 obturator veins …… 1999
閉鎖静脈 vena obturatoria …… 2007
閉鎖神経 obturator nerve …… 1237
閉鎖神経 nervus obturatorius …… 1242
閉鎖神経前枝の皮枝 cutaneous branch of anterior branch of obturator nerve …… 245
閉鎖神経前枝の皮枝 ramus cutaneus rami anterioris nervi obturatorii …… 1550
閉鎖神経の後枝 posterior branch of obturator nerve …… 252
閉鎖神経の皮枝 cutaneous branch of obturator nerve …… 245
閉鎖性血栓 obstructive thrombus …… 1889
閉鎖性髄膜炎 occlusive meningitis …… 1129
閉鎖性頭部外傷 closed head injury …… 936
閉鎖〔性〕の occlusive …… 1290
閉鎖栓 closing plug …… 1446
閉鎖帯 zonula occludens …… 2060
閉鎖脱臼 closed dislocation …… 543
閉鎖腸係蹄閉塞 closed loop obstruction 1289
閉鎖堤 terminal bar …… 196
閉鎖動脈 arteria obturatoria …… 136
閉鎖動脈 obturator artery …… 149
閉鎖動脈の後枝 posterior branch of obturator artery …… 252
閉鎖動脈の後枝 ramus posterior arteriae obturatoriae …… 1555
閉鎖動脈の恥骨枝 pubic branch of obturator artery …… 252
閉鎖動脈の恥骨枝 ramus pubicus arteriae obturatoriae …… 1555
閉鎖ドレナージ closed drainage …… 559
閉鎖包帯 occlusive dressing …… 560
閉鎖膜 membrana obturatoria …… 1124
閉鎖膜 obturator membrane …… 1126
閉鎖膜 obturator …… 1289
閉鎖面ぽう closed comedo …… 397
閉鎖容積 closing volume (CV) …… 2036
閉鎖稜 obturator crest …… 438
閉鎖稜 crista obturatoria …… 440
閉鎖リンパ節 obturator lymph nodes …… 1080
兵士心臓 ponopalmosis …… 1465
閉所恐怖〔症〕 claustrophobia …… 372
米食病 rice disease …… 539
ベイスエクセス base excess …… 652
ベイズの定理 Bayes theorem …… 1875
ベイズ流の仮説 Bayesian hypothesis …… 898
平静 ataraxia …… 167
平静期 lucid interval …… 948
ヘイ切断術 Hey amputation …… 66
閉塞 emphraxis …… 605
閉塞 obliteration …… 1288
閉塞 obturation …… 1289
閉塞 occlusion …… 1289
閉塞〔症〕 obstruction …… 1289
閉塞ウイルス occluded virus …… 2027
閉塞具 obturator …… 1289
閉塞隅角緑内障 angle-closure glaucoma 777
閉塞結紮〔法〕 occluding ligature …… 1046
閉塞する occlude …… 1289
閉塞性イレウス occlusive ileus …… 906
閉塞性黄疸 obstructive jaundice …… 967
閉塞性角化症 keratosis obturans …… 981
閉塞性乾燥性亀頭炎 balanitis xerotica obliterans …… 193
閉塞性気管支炎 obliterative bronchitis, bronchitis obliterans …… 259
閉塞性血管内膜炎 endangiitis obliterans 610
閉塞性血栓 obstructive thrombus …… 1889
閉塞性血栓〔性〕血管炎 thromboangiitis obliterans …… 1887
閉塞性雑音 obstructive murmur …… 1180
閉塞性心外膜炎 obliterative pericarditis 1386
閉塞性心膜炎 pericarditis obliterans …… 1386
閉塞性水頭〔症〕 obstructive hydrocephalus …… 871
閉塞性睡眠時無呼吸 obstructive sleep apnea (OSA) …… 116
閉塞性睡眠時無呼吸症候群 obstructive sleep apnea syndrome (OSAS) …… 1814
閉塞性睡眠時無呼吸-低呼吸症候群 obstructive sleep apnea-hypopnea syndrome (OSAHS) …… 1814
閉塞性線維性細気管支炎 bronchiolitis fibrosa obliterans …… 259
閉塞性腺症 blunt duct adenosis …… 27
閉塞性塞栓症 obturating embolism …… 601
閉塞性虫垂炎 obstructive appendicitis …… 119
閉塞性動脈硬化〔症〕 arteriosclerosis obliterans …… 140
閉塞性動脈内膜炎 endarteritis obliterans, obliterating endarteritis …… 610
閉塞性尿路疾患 obstructive uropathy …… 1975
閉塞〔性〕の occlusive …… 1290
閉塞性肺炎 obstructive pneumonia …… 1450
閉塞性肺炎 postobstructive pneumonia 1450
閉〔塞性〕鼻音症 rhinolalia clausa …… 1608
併存的(同時)妥当性 concurrent validity 1983
並体結合 parabiosis …… 1348
平坦な flush …… 717
平坦な情動 flat affect …… 33
並置 apposition …… 121
並置縫合 apposition suture …… 1786
平凸の planoconvex …… 1431
平凸レンズ planoconvex lens …… 1020
柄の peduncular …… 1377
併発した complicated …… 403
平板 plate …… 1434
平板筋 flat muscle …… 1185
平板固定〔術〕 plating …… 1436
平板状の tabular …… 1837
米飯食 rice diet …… 515
平板締結法 plating …… 1436
平板培養 plating …… 1436
平板縫合 button suture …… 1787
閉弁期弾撥音 closing snap …… 1694
平面 plane …… 1430
平面 planum …… 1431
平面関節 arthrodia …… 155
平面関節 articulatio plana …… 157
平面関節 plane joint …… 971
平面視野計 tangent screen …… 1651
〔平面〕視野計 campimeter …… 281
平面面積測定法 planimetry …… 1431
併用 combination …… 396
ベイヨネラ科 Veillonellaceae …… 1993
ベイヨネラ属 *Veillonella* …… 1993
ベイリスアスカリス症 baylisascariasis …… 202
併列構造 syntropy …… 1827
ヘイワース環式糖類コンフォメーション式 Haworth conformational formulas of cyclic sugars …… 1770
ヘイワース環式糖類透視式 Haworth perspective formulas of cyclic sugars 1770
ヘイワース投影式 Haworth projection 1496
ペイン手術 Payne operation …… 1305
ペイント paint …… 1337
ベインブリッジ(ベーンブリッジ)反射 Bainbridge reflex …… 1577
ベヴァン・ルイス細胞 Bevan-Lewis cells 319
壁 paries …… 1356
壁 wall …… 2039
冪(べき) power …… 1475
壁運動消失 akinesia …… 41
劈開(へきかい) cleavage …… 373
壁外の extramural …… 657
壁間の interparietal …… 947
壁在血栓 parietal thrombus …… 1889
壁在血栓症 mural thrombosis …… 1888
壁在〔性〕の mural …… 1178
壁在の parietal …… 1356
壁細胞 mural cell …… 324
壁細胞 parietal cell …… 324
ヘキサクロロフェン hexachlorophene …… 850
ヘキサコサノール hexacosanol …… 850
ヘキサゾニウム塩 hexazonium salts …… 1632
ヘキサペプチド hexapeptide …… 850
ヘキサマー hexamer …… 850
ヘキサメタジム hexametazime (HMPAO) …… 850
ヘキサン hexane …… 850
ヘキシトール hexitol …… 850
ヘキシル hexyl …… 850
ヘキシルレソルシノール hexylresorcinol 850

壁〔性〕心内膜炎 mural endocarditis …… 612
ヘキスロース hexulose …… 850
ヘキスロン酸 hexuronic acid …… 850
壁性血栓 mural thrombus …… 1889
ヘキソキナーゼ hexokinase …… 850
ヘキソキナーゼ法 hexokinase method … 1144
壁側胸膜 parietal pleura …… 1437
壁側胸膜 pleura parietalis …… 1438
壁側胸膜の横隔部 diaphragmatic part of parietal pleura …… 1364
壁側胸膜の縦隔部 mediastinal part of parietal pleura …… 1365
壁側胸膜の漿膜 serosa of parietal pleura …… 1667
壁側胸膜の肋骨部 costal part of parietal pleura …… 1363
壁側骨盤筋膜 parietal pelvic fascia …… 674
壁側枝 parietal branch …… 250
壁側脱落膜 decidua parietalis …… 474
壁側の parietal …… 1356
壁側板 lamina parietalis …… 998
壁側板 parietal layer …… 1012
壁側板 somatic mesoderm …… 1136
壁側板 parietal plate …… 1435
壁側腹膜 parietal peritoneum …… 1393
壁側腹膜 peritoneum parietale …… 1393
ヘキソサミニダーゼ hexosaminidase …… 850
ヘキソサミニダーゼA hexosaminidase A 850
ヘキソサミニダーゼB hexosaminidase B 850
ヘキソサミン hexosamine …… 850
ヘキソサン hexosans …… 850
ヘキソース hexose …… 850
ヘキソースアミン hexosamine …… 850
ヘキソースホスファターゼ hexose phosphatase …… 850
ヘキソン hexon …… 850
ヘキソン塩基 hexone bases, histone bases …… 199
ヘキソン抗原 hexon antigen …… 104
ヘキソン酸 hexonic acid …… 850
壁内血腫 intramural hematoma …… 826
壁内心筋梗塞 transmural myocardial infarction …… 927
壁内滲出液 insudate …… 941
壁内着床 interstitial implantation …… 916
壁内妊娠 intramural pregnancy …… 1478
壁内の intramural …… 950
壁の mural …… 1178
壁板 tapetum …… 1841
壁板絨毛膜の tapetochoroidal …… 1841
壁板網膜症 tapetoretinopathy …… 1841
壁板網膜の tapetoretinal …… 1841
壁板網膜変性 tapetoretinal degeneration 481
ペグ化 pegylated …… 1377
ベクター vector …… 1992
ペクターゼ pectase …… 1375
ペクチナーゼ pectinase …… 1375
ペクチン pectin …… 1375
ペクチン酸 pectic acid …… 1375
ペクチン酸 pectinic acids …… 1375
ペクチンの pectous …… 1375
ペクチンリアーゼ pectin lyase …… 1375
ベクティス vectis …… 1992
ヘクトグラム hectogram …… 821
ペクトース pectose …… 1375
ヘクトリットル hectoliter …… 821
ベクトル vector …… 1992
ベクトルカルジオグラフィ vectorcardiography …… 1992
ベクトル心電図 vectorcardiogram …… 1992
ベクトルループ vector loop …… 1069
ベクラール三角 Béclard triangle …… 1926
ベクラール吻合 Béclard anastomosis …… 72
ベクラールヘルニア Béclard hernia …… 842
ヘグリン異常 Hegglin anomaly …… 94
ヘグリン症候群 Hegglin syndrome …… 1807
ベクレル becquerel (Bq) …… 204
ベジェル bejel …… 205
ベシクロウイルス属 *Vesiculovirus* …… 2017
ヘジタント hesitant …… 846
ベシル酸 besylate …… 207
ペシロミセス症 paecilomycosis …… 1337
ペシロミセス属 *Paecilomyces* …… 1337
ヘス栄養向性帯 trophotropic zone of Hess …… 2060
ヘススクリーン Hess screen …… 1651
ペスチウイルス属 *Pestivirus* …… 1396
ペスト pest …… 1396
ペスト plague …… 1429
ベストカルミン染色〔法〕 Best carmine stain …… 1730
ペスト菌 *Pasteurella pestis* …… 1371
ペスト菌 *Yersinia pestis* …… 2056
ペスト菌血〔症〕 pesticemia …… 1396
ペスト敗血症 plague septicemia …… 1662
ベスト病 Best disease …… 529
ペストワクチン plague vaccine …… 1980
ベスニエ(ベニエ)痒疹 Besnier prurigo 1510
ベスノイチア科 Besnoitiidae …… 207
ヘスの法則 Hess law …… 1007
ヘスペリジン hesperidin …… 846
ベセスダ単位 Bethesda unit …… 1965
ベセズダ-バレラップ群 Bethesda-Ballerup group …… 208
ベセスダ分類 Bethesda system …… 1829
へそ navel …… 1222
へそ umbilicus …… 1963
臍 belly button …… 205
臍 umbo …… 1963
ベゾアール bezoar …… 208
ペタ peta- (P) …… 1397
ベタイン betaine …… 207
ベタインアルデヒド betaine aldehyde …… 207
ベタインアルデヒドデヒドロゲナーゼ betaine-aldehyde dehydrogenase …… 207
ベタイン化合物〔類〕 betaine …… 207
ヘタスターチ hetastarch …… 846
ベタニン betanin …… 207
ベタラン betalains …… 207
ベツォルト神経節 Bezold ganglion …… 752
ベツォルト膿瘍 Bezold abscess …… 4
ベツォルト-ヤーリッシュ反射 Bezold-Jarisch reflex …… 1577
ベッカー筋ジストロフィ Becker muscular dystrophy, Becker-type tardive muscular dystrophy …… 578
ベッカー現象 Becker phenomenon …… 1404
ベッカー徴候 Becker sign …… 1679
ベッカーのスピロヘータ染色〔法〕 Becker stain for spirochetes …… 1730
ベッカー病 Becker disease …… 529
ベッカー母斑 Becker nevus …… 1255
ベックウィズ-ヴィーデマン症候群 Beckwith-Wiedemann syndrome …… 1797
ベックうつ病尺度 Beck Depression Index …… 921
ベック-ドロボーラフ-ロッケ卵血清培地 Boeck and Drbohlav Locke-egg-serum medium …… 1117
ベック法 Beck method …… 1143
ベックマン装置 Beckmann apparatus …… 118
ヘッケル腸祖動物説 Haeckel gastrea theory …… 1876
ペッサリー pessary …… 1396
ペッサリー球 pessary corpuscle …… 426
ペッサリー細胞 pessary cell …… 325
ヘッジホッグ蛋白 hedgehog protein …… 1503
ヘッセルバッハヘルニア Hesselbach hernia …… 842
ペッツヴァル表面 Petzval surface …… 1782
ベッツ細胞 Betz cells …… 319
ベッテンドルフ試験 Bettendorff test …… 1855
ベッド bed …… 204
ヘッドギア headgear …… 818
ヘッド線(帯) Head lines …… 1050
ベッド内死亡症候群 dead-in-bed syndrome …… 1802
ベットヒャー結晶 Böttcher crystals …… 446
ベットヒャー細胞 Böttcher cells …… 320
ベットヒャー神経節 Böttcher ganglion … 752
ヘッド野 Head areas …… 129
別名 synonym …… 1826
ヘテロアトム heteroatom …… 847
ヘテロ核RNA heterogeneous nuclear RNA (hnRNA) …… 1613
ヘテロ核型の heterokaryotic …… 848
ヘテロカリオン heterokaryon …… 848
ヘテロカリオン性 heterokaryotic …… 848
ヘテロキサンチン heteroxanthine …… 849
ヘテロキネシア heterokinesia …… 848
ヘテロキネシス heterokinesis …… 848
ヘテロクロマチン heterochromatin …… 847
ヘテロ血清型 heterologous serotype …… 1667
ヘテロ抗血清 heteroantiserum …… 847
ヘテロゴニー生活環 heterogonic life cycle …… 455
ヘテロジェノート heterogenote …… 847
ヘテロ脂質 heterolipids …… 848
ヘテローシス heterosis …… 849
ヘテロシド heteroside …… 849
ヘテロ受容体 heteroreceptor …… 849
ヘテロダイマー heterodimer …… 847
ヘテロ対立遺伝子 heteroalleles …… 847
ヘテロデティックペプチド heterodetic peptide …… 1383
ヘテロ二本鎖 heteroduplex …… 847
ヘテロ二量体 heterodimer …… 847
ヘテロピクノーシス heteropyknosis …… 849
ヘテロメリックペプチド heteromeric peptide …… 1383
ペドグラフ pedograph …… 1376
ペドグラフィ〔ー〕 pedography …… 1376
ペドグラム pedogram …… 1376
ベトケークライハウアー試験 Betke-Kleihauer test …… 1855
ヘドストレームファイル Hedström file … 699
ベドナルアフタ Bednar aphthae …… 115
ペドメータ pedometer …… 1376
ペトリ(ペートリー)皿 Petri dish …… 543
ペトリ(ペートリー)皿培養 Petri dish culture …… 448
ベニア veneer …… 2008
ペニーウエイト pennyweight …… 1381
ベニエ(ベスニエ)痒疹 Besnier prurigo 1510
ペニシラミン penicillamine …… 1380
ペニシラン酸 penicillanic acid …… 1380
ペニシラン酸塩 penicillanate …… 1380
ペニシリウム症 penicilliosis …… 1380
ペニシリウム属 *Penicillium* …… 1380
ペニシリナーゼ penicillinase …… 1380
ペニシリン penicillin …… 1380
ペニシリンGカリウム penicillin G potassium …… 1380
ペニシリンGナトリウム penicillin G sodium …… 1380
ペニシリンO penicillin O …… 1380
ペニシリンV penicillin V …… 1380
ペニシリンアミダーゼ penicillin amidase …… 1380
ペニシリンアルミニウム aluminum penicillin …… 1380
ペニシリン酸 penicillic acid …… 1380
ペニシリン酸塩 penicillinate …… 1380
ペニシリン単位(国際単位) unit of penicillin (international) …… 1966
ペニシロイルポリリシン penicilloyl polylysine …… 1381
ペニシロ酸 penicilloic acid …… 1381

ペニス羨望 penis envy …… 623
ベニテングタケ *Amanita muscaria* …… 55
ベニバナ safflower …… 1630
ベニバナ油 safflower oil …… 1630
紅バラ rose …… 1623
ペニル酸 penillic acids …… 1381
ペニローヤルハッカ油 oil of pennyroyal …… 1295
ベニン venin …… 2008
ペニン penin …… 1381
ベネズエラウマ脳脊髄炎 Venezuelan equine encephalomyelitis (VEE) …… 608
ベネズエラウマ脳脊髄炎ウイルス Venezuelan equine encephalomyelitis virus …… 2030
ベネズエラ回帰熱ボレリア *Borrelia venezuelensis* …… 237
ベネズエラ型メキシコリーシュマニア *Leishmania mexicana venezuelensis* …… 1017
ベネズエラ出血熱 Venezuelan hemorrhagic fever …… 687
ベネット運動 Bennett movement …… 1173
ベネット角 Bennett angle …… 88
ベネット骨折 Bennett fracture …… 736
ベネディクト〔溶〕液 Benedict solution 1698
ベネディクト症候群 Benedikt syndrome 1798
ベネディクトブドウ糖試験 Benedict test for glucose …… 1854
ベネディクト-ホプキンズ-コール試薬 Benedict-Hopkins-Cole reagent …… 1568
ベネディクト-ロス装置 Benedict-Roth apparatus …… 118
ベネディクト-ロス熱量計 Benedict-Roth calorimeter …… 280
ベネデック反射 Benedek reflex …… 1577
ベノスタット venostat …… 2009
ヘノッホ(ヘーノホ)-シェーンライン紫斑病 Henoch-Schönlein purpura …… 1528
ヘパトシスチス属 *Hepatocystis* …… 840
ヘパトゾーン属 *Hepatozoon* …… 841
ヘパドナウイルス科 Hepadnaviridae …… 837
ヘパトパシー hepatopathy …… 841
ヘパトーム hepatoma …… 840
ペパーミント peppermint …… 1382
ヘパラナーゼ heparanase …… 837
ヘパラン*N*-スルファターゼ heparan *N*-sulfatase …… 837
へばり prostration …… 1501
ヘパリノイド heparinoid …… 837
ヘパリン heparin …… 837
ヘパリン化する heparinize …… 837
ヘパリン血〔症〕 heparinemia …… 837
ヘパリン単位 heparin unit …… 1966
ヘパリン補体 heparin complement …… 400
ヘパリンリアーゼ heparin lyase …… 837
ヘビ snake …… 1694
ヘビ亜目 Ophidia …… 1306
ヘビ恐怖〔症〕 ophidiophobia …… 1307
ベヒテレフ核 Bechterew nucleus …… 1273
ベヒテレフ線 line of Bechterew …… 1049
ベヒテレフ徴候 Bechterew sign …… 1679
ベヒテレフ-メンデル反射 Bechterew-Mendel reflex …… 1577
ヘビーメロミオシン H-meromyosin, heavy-meromyosin …… 1133
ペプシノゲン pepsinogen …… 1382
ペプシン pepsin …… 1382
ペプシン産生〔性〕の pepsinogenous …… 1382
ペプシン尿〔症〕 pepsinuria …… 1382
ペプシン分泌〔性〕の pepsiniferous …… 1382
ペプスタチン pepstatin …… 1382
ヘプタクロル heptachlor …… 841
ヘプタナール heptanal …… 841
ヘプタペプチド heptapeptide …… 841
ペプチジルトランスフェラーゼ peptidyltransferase …… 1383
ペプチジルロイコトリエン peptidyl leukotrienes …… 1029
ペプチゼーション peptization …… 1383
ペプチダーゼ peptidase …… 1382
ペプチド peptide …… 1382
ペプチドイド peptidoid …… 1383
ペプチドグリカン peptidoglycan …… 1383
ペプチド結合 peptide bond …… 231
ペプチド抗生物質 peptide antibiotic …… 99
ペプチド作用(作動)〔性〕の peptidergic 1383
ペプチドシンテターゼ peptide synthetase …… 1383
ペプチド地図 peptide map …… 1102
ペプチド転移 transpeptidation …… 1920
ペプチド分解の peptidolytic …… 1383
ペプチドーム peptidome …… 1383
n-ヘプチルペニシリン *n*-heptylpenicillin 841
ペプトイド peptoid …… 1383
ペプトクリニン peptocrinine …… 1383
ペプトコッカス科 Peptococcaceae …… 1383
ペプトコッカス属 *Peptococcus* …… 1383
ヘプトース heptose …… 841
ペプトストレプトコッカスアサッカロリチカス *Peptostreptococcus asaccharolyticus* 1384
ペプトストレプトコッカス属 *Peptostreptococcus* …… 1384
ペプトライド peptolide …… 1383
ペプトン peptone …… 1383
ペプトン化 peptonization …… 1383
ペプトン産生〔性〕の peptogenic, peptogenous …… 1383
ペプトン分解 peptolysis …… 1383
ペプトン分解の peptolytic …… 1383
ヘブラ痒疹 Hebra prurigo …… 1510
ペプロス peplos …… 1382
ペプロマー peplomer …… 1382
ヘペス HEPES …… 841
ベベル bevel …… 208
ベヘン酸 behenic acid …… 204
ヘマクローム hemachrome …… 824
ヘマストロンチウム hemastrontium …… 825
ヘマチン hematin …… 825
ヘマチン血症 hematinemia …… 825
ヘマテイン hematein …… 825
ヘマトイジン hematoidin …… 826
ヘマトキシリン hematoxylin …… 827
ヘマトキシリン-エオシン染色〔法〕 hematoxylin and eosin stain …… 1732
ヘマトキシリン体 hematoxylin bodies, hematoxyphil bodies …… 227
ヘマトキシリン-フロキシンB染色〔法〕 hematoxylin-phloxine B stain …… 1732
ヘマトキシリン-マラカイトグリーン-塩基性フクシン染色〔法〕 hematoxylin-malachite green-basic fuchsin stain …… 1732
ヘマトクリット hematocrit (Hct) …… 825
ヘマトクロリン hematochlorin …… 825
ヘマトポルフィリン hematoporphyrin …… 827
ヘマフェイン hemaphein …… 825
ヘマフェイン血症 hemapheism …… 825
ヘマフェイン尿症 hemapheism …… 825
ヘマラム hemalum …… 824
ヘミアセタール hemiacetal …… 828
ヘミケタール hemiketal …… 829
ヘミコリニウム hemicholinium …… 828
ヘミコルポレクトミー hemicorporectomy 829
ヘミスポラ属 *Hemispora* …… 830
ヘミセクション hemisection …… 830
ヘミ接合体 hemizygote …… 830
ヘミ接合の hemizygous …… 830
ヘミセルロース hemicellulose …… 828
ヘミテルペン hemiterpene …… 830
ヘミブロック hemiblock …… 828
ヘミン hemin …… 829
ヘム heme …… 827
ヘムa heme a …… 827
ヘムc heme c …… 828
ヘムエリトリン hemerythrins …… 828
ヘムオキシゲナーゼ(開環) heme oxygenase (decyclizing) …… 828
ペンバートン(ペムバートン)操作 Pemberton maneuver …… 1099
ペンバートン(ペムバートン)徴候 Pemberton sign …… 1683
ベメグリド bemegride …… 205
ヘモグラム hemogram …… 834
ヘモグレガリナ属 *Haemogregarina* …… 811
ヘモグロビン hemoglobin (Hb, Hgb) …… 832
ヘモグロビンA hemoglobin A …… 832
ヘモグロビンA_{1c} hemoglobin A_{1c} …… 832
ヘモグロビンA_2 hemoglobin A_2 …… 832
ヘモグロビンC hemoglobin C …… 832
ヘモグロビンC症(病) hemoglobin C disease …… 534
ヘモグロビンCジョージタウン hemoglobin $C_{Georgetown}$ …… 832
ヘモグロビンCハーレム hemoglobin C_{Harlem} …… 832
ヘモグロビンDパンジャブ hemoglobin D_{Punjab} …… 832
ヘモグロビンE hemoglobin E …… 832
ヘモグロビンF hemoglobin F …… 832
ヘモグロビンF〔の遺伝的存続〕 hemoglobin F (hereditary persistence of) …… 833
ヘモグロビンH hemoglobin H …… 833
ヘモグロビンH症(病) hemoglobin H disease …… 534
ヘモグロビンI hemoglobin I …… 833
ヘモグロビンJケープタウン hemoglobin $J_{Capetown}$ …… 833
ヘモグロビンM hemoglobin M …… 833
ヘモグロビンS hemoglobin S …… 833
ヘモグロビンガウアー1 hemoglobin Gower-1 …… 833
ヘモグロビンガウアー2 hemoglobin Gower-2 …… 833
ヘモグロビンカンザス hemoglobin Kansas …… 833
ヘモグロビン血〔症〕 hemoglobinemia …… 833
ヘモグロビンコンスタントスプリング hemoglobin Constant Spring …… 832
ヘモグロビン親和性の hemoglobinophilic 834
ヘモグロビン胆汁 hemoglobinocholia …… 833
ヘモグロビンチェサピーク hemoglobin Chesapeake ($Hb_{Chesapeake}$) …… 832
ヘモグロビン尿〔症〕 hemoglobinuria …… 834
ヘモグロビン尿性ネフローゼ hemoglobinuric nephrosis …… 1231
ヘモグロビンバート hemoglobin Bart …… 832
ヘモグロビンポートランド hemoglobin Portland …… 833
ヘモグロビンヤキマ hemoglobin Yakima 833
ヘモグロビン溶解 hemoglobinolysis …… 833
ヘモグロビンレーニアー hemoglobin Rainier …… 833
ヘモグロビンレポーレ(レポアー) hemoglobin Lepore …… 833
ヘモクロマトーシス hemochromatosis …… 830
ヘモクロマトーシス1型 hemochromatosis type 1 …… 831
ヘモクロマトーシス3型 hemochromatosis type 3 …… 831
ヘモクロマトーシス4型 hemochromatosis type 4 …… 831
ヘモクロモゲン hemochromogen …… 831
ヘモシアニン hemocyanin …… 831
ヘモジデリン hemosiderin …… 836
ヘモジデリン沈着〔症〕 hemosiderosis …… 836
ヘモジデリン貪食細胞 siderophore …… 1677
ヘモシトブラスト hemocytoblast …… 831
ヘモタコメータ hemotachometer …… 836
ヘモフィルスインフルエンザタイプb

Haemophilus influenzae type b 811
ヘモフィルス感染症 hemophilosis 835
ヘモフィルス属 *Haemophilus* 811
ヘモフスシン hemofuscin 832
ヘモプロテウス属 *Haemoproteus* 811
ヘモペキシン hemopexin 835
部屋 cella 328
ヘヤピン状血管 hairpin vessels 2017
ペヨーテ peyote, peyotl 1397
ペヨートル peyote, peyotl 1397
へら scoop 1649
へら spatula 1707
ペラグラ pellagra 1377
ヘラー手術 Heller operation 1304
へら針 spatula needle 1225
ペラジン perazine 1384
ヘラー〔動脈〕叢 Heller plexus 1440
へら操作 spatulation 1707
ベラドニン belladonnine 205
ベラトラムバリッド *Veratrum viride* 2013
ベラトリジン veratridine 2013
ベラトリン veratrine 2013
ベラトルム酸 veratric acid 2013
ベラドンナ belladonna 205
ベラドンナチンキ belladonna tincture 1894
ヘラー粘膜外筋切開術 Heller myotomy 1216
ペラルゴン酸 pelargonic acid 1377
ベラール動脈瘤 Bérard aneurysm 81
ペリーインプラント破壊症 peri-implantoclasia 1387
ヘリウム helium (He) 823
ヘリウム3 helium 3 823
ヘリウム4 helium 4 823
ヘリウム言語 helium speech 1709
ヘリオックス heliox 823
ヘリオトロープ疹 heliotrope 823
ペリオドンタルインデックス Periodontal Index (PI) 923
ヘリカーゼ helicase 822
ペリクロム perichrome 1387
ヘリー固定液 Helly fixative 708
ヘリコバクター属 *Helicobacter* 822
ヘリコバクターピロリ *Helicobacter pylori* 822
ベリー細胞 berry cell 319
ベリー靱帯 Berry ligaments 1033
ペリツェーウス-メルツバッヒャー病 Pelizaeus-Merzbacher disease 539
ペリナトロジスト perinatologist 1388
ベリーニ管癌 Bellini duct carcinoma 296
ベリーニ靱帯 Bellini ligament 1033
ペリプラズム periplasm 1392
ペリプロシン periplocin 1392
ペリポレーシス peripolesis 1392
ベリリウム beryllium (Be) 207
ベリリウム症 berylliosis 207
ベリリウム肉芽腫 beryllium granuloma 797
ヘリング〔小〕体 Herring bodies 227
ヘリングの法則 Herring law 1007
ヘリンの法則 Hellin law 1007
ベル bel 205
ペルーいぼ病 verruga peruana 2014
ヘルウェグ-ラルセン症候群 Helweg-Larssen syndrome 1807
ペルヴォシド peruvoside 1396
ベルエソン-フォルスマン-レーマン症候群 Börjeson-Forssman-Lehmann syndrome 1798
ペル-エプスタイン熱 Pel-Ebstein fever 685
ペルオキシソーム peroxisome 1394
ペルオキシダーゼ peroxidase 1394
ペルオキシダーゼ染色〔法〕 peroxidase stain 1734
ペルオキシダーゼ反応 peroxidase reaction 1566
ペルオキシル peroxyl 1395
ベルガー腔(隙) Berger space 1703
ペルカゴム gutta 806
ベルガモチン bergamottin 206
ベルガモット油 oil of bergamot 1294
ベル筋 Bell muscle 1182
ヘルクスハイマー反応 Herxheimer reaction 1565
ベルクマイスター乳頭 Bergmeister papilla 1344
ベルクマン線維 Bergmann fibers 688
ベルクラッパー(鐘の舌)変形 bell clapper deformity 479
ベル形歯冠 bell-shaped crown 442
ベルケフェルトフィルタ Berkefeld filter 699
ペルゲル-フエット核異常 Pelger-Huët nuclear anomaly 94
ベル現象 Bell phenomenon 1404
ペルーサシチョウバエ *Lutzomyia peruensis* 1074
ペル酸 peracid 1384
ペルシア回帰熱 Persian relapsing fever 685
ペルシア回帰熱ボレリア *Borrelia persica* 237
ベルジェ細胞 Berger cells 319
ペルーシド辺縁角膜変性 pellucid marginal corneal degeneration 481
ヘルシュベルグ試験 Hershberg test 1859
ヘルスプロモーション health promotion 1498
ベルセー胃底ひだ形成〔術〕 Belsey fundoplication 744
ベルセー-マーク法 Belsey Mark operation 1304
ペルソナ persona 1395
ペルタ pelta 1378
ペルタクチン pertactin 1396
ペルータランチュラ Peruvian tarantula 1841
ヘルツ hertz (Hz) 846
ヘルツ実験 hertzian experiments 655
ベルティエラ症 bertiellosis 207
ペルティク憩室 Pertik diverticulum 552
ペルテス試験 Perthes test 1862
ベルテポルフィン verteporfin 2015
ヘルトヴィヒ鞘 Hertwig sheath 1670
ヘルト交叉 Held decussation 476
ベルドヘモクロム verdohemochrome 2013
ベルドペルオキシダーゼ verdoperoxidase 2013
ベルトレーの法則 Berthollet law 1006
ベルトロー反応 Berthelot reaction 1563
ベルナール-キャノンホメオスタシス Bernard-Cannon homeostasis 859
ベルナール-スーリエ症候群 Bernard-Soulier syndrome 1798
ベルナン(バーンハイム)症候群 Bernheim syndrome 1798
ヘルニア hernia 842
ヘルニア形成 herniation 844
ヘルニア根治手術 radical operation for hernia 1305
ヘルニア周囲の perihernial 1387
ヘルニア状動脈瘤 hernial aneurysm 82
ヘルニア切開〔術〕 herniotomy 844
ヘルニア切開開腹〔術〕 herniolaparotomy 844
ヘルニア穿刺 herniopuncture 844
ヘルニア造影 herniography 844
ヘルニア腸切開〔術〕 hernioenterotomy 844
ヘルニア刀 herniotome 844
ヘルニア刀 hernia knife 987
ヘルニア嚢 hernial sac 1628
ヘルニアバンド truss 1939
ヘルニア縫縮〔術〕 herniorrhaphy 844
ヘルニア輪縫合〔術〕 annulorrhaphy 93
ベルヌーイ効果 Bernoulli effect 588
ベルヌーイ試行 Bernoulli trial 207
ベルヌーイの法則 Bernoulli law 1006
ベルヌーイ分布 Bernoulli distribution 550
ベルの法則 Bell law 1005
ヘルパーウイルス helper virus 2025
ヘルパーT(Tヘルパー)細胞 T-helper cells (Th) 327
ヘルパーT細胞亜群1 T helper subset 1 cells 327
ヘルパーT細胞亜群2 T helper subset 2 cells 327
ヘルパーT細胞サブセット1 T helper subset 1 cells 327
ヘルパーT細胞サブセット2 T helper subset 2 cells 327
ペルーバルサム balsam of Peru 194
ヘルパンギナ herpangina 844
ヘルプ症候群 HELLP syndrome 1807
ペルフルオロ perfluoro- 1385
ヘルペス herpes 844
ヘルペスB脳脊髄炎 herpes B encephalomyelitis 608
ヘルペスウイルス herpesvirus 845
ヘルペスウイルス科 Herpesviridae 845
ヘルペス食道炎 herpes esophagitis 642
ヘルペス髄膜脳炎 herpetic meningoencephalitis 1129
ヘルペス性角膜炎 herpetic keratitis 978
ヘルペス性湿疹 eczema herpeticum 586
ヘルペス性爪囲炎(瘭疽) herpes whitlow 845
ヘルペス様口内炎 herpetiform aphthae 115
ヘルペトモナス属 *Herpetomonas* 846
ベルベリン berberine 206
ベル麻痺 Bell palsy 1340
ヘルマン固定液 Hermann fixative 708
ヘルマン症候群 Herrmann syndrome 1807
ヘルマンスキー-パドラック症候群 Hermansky-Pudlak syndrome 1807
ヘルミントスポリウム属 *Helminthosporium* 824
ヘルムスタイン(ヘルムシュタイン)・バルーンカテーテル Helmstein balloon 193
ヘルムホルツエネルギー Helmholtz energy (*A*) 617
ヘルムホルツ-ギブズ説 Helmholtz-Gibbs theory 1876
ヘルムホルツ軸靱帯 Helmholtz axis ligament 1035
ヘルムホルツ前靱帯 anterior ligament of Helmholtz 1032
ヘルムホルツ調節説 Helmholtz theory of accommodation 1876
ペルリア核 Perlia nucleus 1278
ペルーリーシュマニア *Leishmania peruviana* 1017
ベルリン水腫(浮腫) Berlin edema 587
ベルリンブルー Berlin blue 207
ペルルス試験 Perls test 1862
ペルルスのプルシアンブルー染色〔法〕 Perls Prussian blue stain 1734
ベルロック皮膚炎 berloque dermatitis, berlock dermatitis 495
ベルンハルト〔公〕式 Bernhardt formula 730
ペレグリーニ病 Pellegrini disease 539
ペレス徴候 Pérez sign 1683
ペレット植込み pellet implantation 916
ペレット剤 pellet 1378
ヘレボリン helleborin 823
ヘレボルス hellebore 823
ヘレボルス helleborus 823
ヘレボルス中毒〔症〕 helleborism 823
ヘレレア属 *Herellea* 841
ヘロイン diamorphine 509
ヘロイン heroin (H) 844
ペロゲン perogen 1394
ペロー症候群 Perrault syndrome 1815
ベロ毒素 vero cytotoxin 469
ベロー弁 Béraud valve 1984

弁 flap ……… 709
弁 valva ……… 1984
弁 valve ……… 1984
弁 valvula ……… 1986
〔大〕便 feces ……… 679
〔大〕便 stool ……… 1750
変位 ectopia ……… 585
変位 situs perversus ……… 1690
変位 variation ……… 1988
〔染色体〕変位 metakinesis, metakinesia 1139
変異 transversion ……… 1922
変異 variation ……… 1988
〔一時〕変異 modification ……… 1162
〔突然〕変異 mutation ……… 1206
偏移 deviation ……… 502
偏位 deviation ……… 502
偏位 malposition ……… 1096
偏位 shift ……… 1673
偏位閾値 displacement threshold ……… 1886
偏倚運動 excursion ……… 652
変異原性因子 mutagen ……… 1205
変異性 variability ……… 1987
偏位性 displaceability ……… 548
偏位性咬合接触 deflective occlusal contact ……… 415
変異性紅斑角皮症 erythrokeratodermia variabilis ……… 640
変異体 variant ……… 1987
〔突然〕変異体 mutant ……… 1205
弁逸脱 valvular prolapse ……… 1496
〔突然〕変異誘発 mutagenesis ……… 1205
〔突然〕変異誘発物質(因子) mutagen ……… 1205
片雲 nubecula ……… 1271
辺縁 verge ……… 2013
辺縁角膜炎 marginal keratitis ……… 978
辺縁下の inframarginal ……… 931
辺縁下の submarginal ……… 1764
〔大脳〕辺縁系 limbic system ……… 1832
辺縁溝 marginal sulcus ……… 1773
辺縁上の supramarginal ……… 1779
辺縁趨向 margination ……… 1104
辺縁性歯肉炎 marginal gingivitis ……… 770
辺縁性胎盤 margination of placenta ……… 1104
辺縁性胎盤 placenta marginata ……… 1428
辺縁前置胎盤 placenta previa marginalis ……… 1428
辺縁層 marginal layer ……… 1011
辺縁層 marginal zone ……… 2059
辺縁層リンパ腫 marginal zone lymphoma ……… 1084
辺縁帯 marginal zone ……… 2059
辺縁脱毛〔症〕 alopecia marginalis ……… 53
辺縁洞溝 groove for marginal sinus ……… 802
辺縁の peripheralis ……… 1392
辺縁の riparian ……… 1618
辺縁封鎖 border seal ……… 1652
辺縁葉 limbic lobe ……… 1063
〔歯の〕辺縁隆線 crista marginalis dentis 440
〔歯の〕辺縁隆線 marginal ridge ……… 1615
偏黄卵 telolecithal egg ……… 590
変温性 poikilothermy, poikilothermism 1453
変温の poikilothermic, poikilothermal, poikilothermous ……… 1453
変化 alteration ……… 53
変化 change ……… 339
変化 tangle ……… 1840
弁蓋 operculum ……… 1306
弁蓋ひだ opercular fold ……… 719
弁蓋部 pars opercularis ……… 1360
弁蓋部 opercular part ……… 1366
偏角 angle of deviation ……… 88
弁下の subvalvar, subvalvular ……… 1768
弁下部〔性〕大動脈狭窄〔症〕 subvalvular aortic stenosis ……… 1742
返還 replacement ……… 1590
変換 conversion ……… 418
変換 interconversion ……… 944
変換 transform ……… 1918
変換 transformation ……… 1918
変換 transmutation ……… 1920
変換運動 diadochokinesia, diadochokinesis ……… 508
変換運動障害 adiadochokinesis ……… 28
変換器 transducer ……… 1917
変換器細胞 transducer cell ……… 327
片眼帯 monoculus ……… 1166
片眼痛 hemiopalgia ……… 829
変換熱 conversive heat ……… 821
変換輸血 substitution transfusion ……… 1919
片眼用レンズ monocle ……… 1166
便宜形態 convenience form ……… 729
弁逆流 valvular regurgitation ……… 1587
変形 abnormality ……… 3
変形 deformity ……… 479
変形 diastrophism ……… 512
変形 distortion ……… 550
変形〔化〕 deformation ……… 479
変形過多 hypermetamorphosis ……… 883
変形菌綱 Myxomycetes ……… 1218
変形菌類 myxomycete ……… 1218
変形血小板 poikilothrombocyte ……… 1453
変形骨化 metaplastic ossification ……… 1320
変形視〔症〕 metamorphopsia ……… 1140
弁形成〔術〕 valvoplasty ……… 1986
変形性関節症 arthrosis ……… 156
変形性関節症 osteoarthritis ……… 1320
変形性筋失調〔症〕 dystonia musculorum deformans ……… 577
変形性脊椎炎 spondylitis deformans ……… 1722
変形性動脈内膜炎 endarteritis deformans 610
変型性の metatypical ……… 1141
変形性皮質性骨化過剰〔症〕 hyperostosis corticalis deformans ……… 884
変形性腹膜炎 peritonitis deformans ……… 1393
弁形成リング anuloplasty ring ……… 1617
変形赤芽球 poikiloblast ……… 1453
変形赤血球 poikilocyte ……… 1453
変形赤血球症 poikilocytosis ……… 1453
変形体 plasmodium ……… 1434
変形体の plasmodial ……… 1433
扁形動物 platyhelminth ……… 1436
扁形動物門 Platyhelminthes ……… 1436
変形能 deformability ……… 479
変形胞子虫亜門 Myxospora ……… 1218
変形癒合 malunion ……… 1097
返血〔法〕 autotransfusion ……… 182
偏光 polarized light ……… 1047
偏光 polarization ……… 1456
変更遺伝子 modifier gene ……… 764
弁硬化 valvular sclerosis ……… 1648
偏光角 angle of polarization ……… 89
偏光学 polariscopy ……… 1456
偏光観察法 polariscopy ……… 1456
偏光器 polariscope ……… 1456
偏光計 polarimeter ……… 1456
偏光計法 polarimetry ……… 1456
偏光顕微鏡 polarizing microscope ……… 1154
偏光子 polarizer ……… 1456
偏好性の fastidious ……… 677
弁後部の postvalvar, postvalvular ……… 1472
偏光分析〔法〕 polarimetry ……… 1456
偏差 deviation ……… 502
片砕 quassation ……… 1537
偏差成長 differential growth ……… 803
ベンザチンペニシリンG penicillin G benzathine ……… 1380
ベンザチンペニシリンV penicillin V benzathine ……… 1380
娩産 disengagement ……… 542
偏視 deviation ……… 502
変時作用薬 chronotrope ……… 360
偏示試験法 past-pointing ……… 1371
変視症 metamorphopsia ……… 1140
ベンジジン benzidine ……… 206
変時性 chronotropism ……… 360
ベンジソキサゾール benzisoxazole ……… 206
変質 alteration ……… 53
変質 degeneracy ……… 480
変質 degeneratio ……… 480
変質 degeneration ……… 480
変質 depravity ……… 492
変質 deterioration ……… 500
変質 transformation ……… 1918
偏執狂 monomania ……… 1167
偏執狂 paranoia ……… 1352
偏執狂者 monomaniac ……… 1167
便失禁 incontinence of feces ……… 920
変質者 pervert ……… 1396
変質性炎〔症〕 alterative inflammation ……… 928
偏斜照明 focal illumination ……… 907
変株 variant ……… 1987
変種 sport ……… 1724
変種 transmutation ……… 1920
変種 variant ……… 1987
娩出〔陣〕痛 bearing-down pain ……… 1337
娩出〔陣〕痛 expulsive pains ……… 1337
弁状血栓 valvular thrombus ……… 1889
弁上の supravalvar ……… 1780
弁上部〔性〕狭窄〔症〕 supravalvular stenosis ……… 1742
変色 allochroism ……… 50
変色 chromatotropism ……… 357
変色 metachromatism ……… 1138
変色の allochroic ……… 50
ベンジリデン benzylidene ……… 206
ベンジル benzyl ……… 206
ベンジルアルコール benzyl alcohol ……… 206
ベンジルイソキノリン系化合物 benzylisoquinolines ……… 206
ベンジルオキシカルボニル benzyloxycarbonyl (Z, Cbz) ……… 206
ベンジルペニシリン benzylpenicillin ……… 206
ベンジン benzin, benzine ……… 206
偏心位 eccentric relation ……… 1588
偏心角 angle of eccentricity ……… 88
ヘンシング靱帯 Hensing ligament ……… 1035
偏心咬合 eccentric occlusion ……… 1290
偏心固視 eccentric fixation ……… 707
偏心性の heterocentric ……… 847
偏心切断〔術〕 eccentric amputation ……… 65
偏心着床 eccentric implantation ……… 916
ベンズアルデヒド benzaldehyde ……… 206
ベンズアントラセン benzanthracene ……… 206
ベンズアントレン benzanthrene ……… 206
ベンズイミダゾール benzimidazole ……… 206
変数 variable ……… 1987
ベンス・ジョーンズ円柱 Bence Jones cylinders ……… 457
ベンス・ジョーンズ骨髄腫 Bence Jones myeloma ……… 1210
ベンス・ジョーンズ蛋白 Bence Jones proteins ……… 1502
ベンス・ジョーンズ蛋白尿 Bence Jones proteinuria ……… 1506
ベンス・ジョーンズ反応 Bence Jones reaction ……… 1563
片頭痛 migraine headache ……… 818
片頭痛 migraine ……… 1156
片頭痛関連性前庭障害 migraine-related vestibulopathy ……… 2018
片頭痛持続状態 status hemicranicus ……… 1740
ベンズピレン benzpyrene ……… 206
ベンスレー特異顆粒 Bensley specific granules ……… 796
変性 alteration ……… 53
変性 degeneratio ……… 480
変性 degeneration ……… 480
変性 denaturation ……… 486

変性アルコール denatured alcohol ………… 44
偏性寄生生物 obligate parasite ………… 1354
偏性嫌気性菌 obligate anaerobe ………… 69
偏性嫌気性生物 obligate anaerobe ………… 69
偏性好気性菌 obligate aerobe ………… 31
変性指数 degenerative index ………… 922
変性した denatured ………… 486
変性蛋白 denatured protein ………… 1503
偏性の obligate ………… 1288
変性梅毒 metasyphilis ………… 1141
片節 proglottid ………… 1495
弁切開器 valvulotome ………… 1986
弁切開刀 valvotomy knife ………… 987
弁〔膜〕切開刀 valvulotome ………… 1986
片節嚢尾虫 strobilocercus ………… 1757
片節連体 strobila ………… 1757
ベンセラジド benserazide ………… 205
ベンゼン benzene ………… 206
ベンゼン核 benzene nucleus ………… 1273
ベンゼン環 benzene ring ………… 1617
変旋光 mutarotation ………… 1205
ヘンゼン細胞 Hensen cell ………… 322
ヘンゼン線〔条〕 Hensen stripe ………… 1757
ベンゾイル benzoyl ………… 206
ベンゾイルエクゴニン benzoylecgonine 206
ベンゾインの benzoic ………… 206
ベンゾカイン benzocaine ………… 206
1,4-ベンゾキノン 1,4-benzoquinone ………… 206
1,4-ベンゾキノン化合物 1,4-benzoquinone ………… 206
片側(半側)アテトーシス hemiathetosis … 828
片側(半側)異栄養症 hemidystrophy ………… 829
片側(半側)萎縮 hemiatrophy ………… 828
片側(半側)〔運動〕失調〔症〕 hemiataxia … 828
片側(半側)温覚消失 hemithermoanesthesia ………… 830
片側(半側)感覚消失 hemianesthesia ………… 828
片側(半側)感覚〔消失〕の hemisensory ………… 830
片側(半側)感覚鈍麻 hemihypesthesia ………… 829
片側(半側)顔面萎縮 facial hemiatrophy 828
片側顔面痙攣 hemifacial spasm ………… 1706
片側(半側)顔面の hemifacial ………… 829
片側奇肢症 hemiectromelia ………… 829
片側(半側)嗅覚麻痺 hemianosmia ………… 828
片側(半側)共同(協同)運動不能〔症〕 hemiasynergia ………… 828
片側(半側)緊張亢進 hemihypertonia ………… 829
片側(半側)緊張低下 hemihypotonia ………… 829
片側(半側)痙攣 hemispasm ………… 830
片側欠肢症 hemiectromelia ………… 829
片側(半側)喉頭切除〔術〕 hemilaryngectomy ………… 829
片側(半側)骨盤切除〔術〕 hemipelvectomy ………… 829
片側ジストニー(ジストニア) hemidystonia ………… 829
片側(半側)失行〔症〕 hemiapraxia ………… 828
片側視野欠損 hemianopia ………… 828
片側(半側)症候群 hemisyndrome ………… 830
片側(半側)振せん hemitremor ………… 830
片側心臓 hemicardia ………… 828
片側心臓症 hemicardia ………… 828
片側頭痛 hemicephalalgia ………… 828
片側〔性〕の unilateral ………… 1964
片側性肺葉性気腫 unilateral lobar emphysema ………… 605
片側性母斑 nevus unius lateris ………… 1256
片側(半側)舌萎縮〔症〕 lingual hemiatrophy ………… 828
片側(半側)舌炎 hemiglossitis ………… 829
片側(半側)多汗症 hemihyperhidrosis ………… 829
片側(半側)知覚過敏 hemihyperesthesia … 829
片側(半側)知覚不全 hemidysesthesia ………… 829
片側(半側)椎弓切除〔術〕 hemilaminectomy ………… 829
片側(半側)痛覚消失 hemianalgesia ………… 828
片側(半側)痛覚鈍麻 hemihypalgesia ………… 829
片側(半側)疼痛 hemialgia ………… 828
片側(半側)内水頭症 hemihydranencephaly ………… 829
片側(半側)の hemilateral ………… 829
片側(半側)発汗 hemidiaphoresis ………… 829
片側(半側)バリスム hemiballismus ………… 828
片側(半側)肥大〔症〕 hemihypertrophy ………… 829
片側(半側)肥大症 hemiacrosomia ………… 828
片側(半側)病巣 hemilesion ………… 829
片側(半側)不全麻痺 hemiparesis ………… 829
片側(半側)舞踏病 hemichorea ………… 829
片側(半側)味覚消失 hemiageusia ………… 828
片側(半側)盲性暗点 hemianopic scotoma ………… 1650
ベンゾサイアジアザイド benzothiadiazides ………… 206
ベンゾジアゼピン benzodiazepine ………… 206
ベンゾナテート benzonatate ………… 206
ベンゾプルプリン4B benzopurpurin 4B 206
ベンゾモルファン benzomorphan ………… 206
ベンゾール benzol ………… 206
べん(鞭)打 flagellation ………… 709
変態 metamorphosis ………… 1140
変態 thaumatropy ………… 1874
変態 transformation ………… 1918
変態性欲 erotopathy ………… 637
変態リンパ球 transformed lymphocyte 1082
ペンタガストリン試験 pentagastrin test 1862
ベンダーゲシュタルト検査 Bender gestalt test ………… 1854
ベンダー視覚運動ゲシュタルト検査 Bender Visual Motor Gestalt test ………… 1854
ペンタゾシン pentazocine ………… 1381
ヘンダーソン-ハッセルバルヒ式 Henderson-Hasselbalch equation ………… 634
ペンタデシルカテコール pentadecylcatecol ………… 1381
ペンタトリコモナス属 *Pentatrichomonas* ………… 1381
ペンタペプチド pentapeptide ………… 1381
ペンタマー pentamer ………… 1381
ペンタミジンイセチオネート pentamidine isethionate ………… 1381
べんち(胼胝) callosity ………… 279
べんち(胼胝)〔腫〕 tyloma ………… 1956
べんち(胼胝)形成 tylosis ………… 1956
ベンチサージェリー bench surgery ………… 1784
べんち性湿疹 eczema tyloticum ………… 586
べんち体脚 peduncle of corpus callosum ………… 1377
べんち体脚 pedunculus corporis callosi 1377
ペンチトール pentitol ………… 1382
ベンチマーキング benchmarking ………… 205
扁虫 flatworm ………… 711
鞭虫 whipworm ………… 2045
片中隔 hemiseptum ………… 830
鞭虫症 trichuriasis ………… 1931
鞭虫属 *Trichuris* ………… 1931
変調 alteration ………… 53
変調 modulation ………… 1162
変調伝達関数 modulation transfer function (MTF) ………… 744
ペンチレンテトラゾール pentylenetetrazol ………… 1382
ベンチロミド bentiromide ………… 205
ベンチロミド検査 bentiromide test ………… 1854
便通 dejection ………… 483
便通 laxation ………… 1008
便通 stool ………… 1750
便通薬 cathartic ………… 313
ペンツロース pentulose ………… 1382
扁摘 tonsillectomy ………… 1901
ペンテテートトリナトリウムカルシウム pentetate trisodium calcium ………… 1382
ペンテト酸 pentetic acid ………… 1382
返転 reversion ………… 1605
2-ペンテン二酸 2-pentendioic acid ………… 1381
扁桃 amygdala ………… 67
扁桃 tonsil ………… 1901
扁桃 tonsilla ………… 1901
変動 drift ………… 560
変動 drifting ………… 560
変動 variation ………… 1988
変動一過性徐脈 variable deceleration ………… 474
扁桃陰窩 crypta tonsillaris ………… 445
扁桃陰窩 tonsillar crypt ………… 445
扁桃炎 tonsillitis ………… 1901
扁桃窩 fossa tonsillaris ………… 734
扁桃窩 tonsillar fossa ………… 734
扁桃下の infratonsillar ………… 931
変動係数 coefficient of variation (CV) … 387
扁桃結石 tonsillar calculus ………… 278
扁桃結石 tonsillolith ………… 1901
扁桃結節 amygdaloid tubercle ………… 1943
偏動原体逆位 paracentric inversion ………… 952
扁桃実質内の intratonsillar ………… 951
扁桃周囲炎 peritonsillitis ………… 1393
扁桃周囲膿瘍 peritonsillar abscess ………… 5
扁桃小窩 tonsillar fossulae (palatine and pharyngeal) ………… 734
〔口蓋扁桃または咽頭扁桃の〕扁桃小窩 fossulae tonsillarum (palatini et pharyngealis) ………… 734
扁桃上窩 fossa supratonsillaris ………… 734
扁桃上窩 supratonsillar fossa ………… 734
扁桃上の supratonsillar ………… 1780
扁桃浸出液 tonsillar exudate ………… 659
変動する fluctuate ………… 714
変動性 variability ………… 1987
変動性成分 labile elements ………… 598
扁桃舌溝 tonsillolingual sulcus ………… 1775
扁桃切除〔術〕 tonsillotomy ………… 1902
扁桃切除器 tonsillotome ………… 1902
扁桃前障野 amygdaloclaustral area ………… 128
扁桃体 amygdaloid body ………… 225
扁桃体 amygdaloid complex ………… 400
扁桃体 corpus amygdaloideum ………… 425
扁桃体枝 rami corporis amygdaloidei ………… 1550
扁桃摘出〔術〕 tonsillectomy ………… 1901
扁桃洞 tonsillar sinus ………… 1689
扁桃内の intratonsillar ………… 951
扁桃の amygdaline ………… 67
扁桃病 tonsillopathy ………… 1902
〔小脳〕扁桃ヘルニア tonsillar herniation 844
扁桃油 almond oil ………… 52
扁桃様の amygdaloid ………… 67
扁桃梨状葉移行部 amygdalopiriform transition area ………… 128
変動率 flux ………… 717
ペントサン pentosan ………… 1382
ペントース pentose ………… 1382
ペントース尿〔症〕 pentosuria ………… 1382
ペントースヌクレオチド pentose nucleotide ………… 1382
ペントースリン酸経路 pentose phosphate pathway ………… 1373
ベントナイト bentonite ………… 205
ベントプラント ventplant ………… 2010
ペンドリン pendrin ………… 1380
ペンドレッド症候群 Pendred syndrome (PDS) ………… 1815
ペントン penton ………… 1382
ペントン抗原 penton antigen ………… 104
ヘンナ henna ………… 837
ペン把握 pen grasp ………… 799
変敗 deterioration ………… 500
ペンバートン(ペムバートン)操作 Pemberton maneuver ………… 1099
ペンバートン(ペムバートン)徴候 Pemberton sign ………… 1683
片半盲 unilateral hemianopia ………… 828

へ

便秘 obstipation …… 1289
便秘〔症〕 constipation …… 414
便秘〔症〕 costiveness …… 430
便秘の costive …… 430
扁平いぼ flat wart …… 2040
扁平円柱上皮接合部 squamocolumnar junction …… 973
扁平円柱上皮の squamocolumnar …… 1726
扁平黄色腫 xanthoma planum …… 2051
扁平外反 planovalgus …… 1431
扁平角膜 cornea plana …… 423
扁平〔上皮〕化生 squamous metaplasia …… 1140
扁平顔 platyopia …… 1436
扁平眼球〔症〕 platymorphia …… 1436
扁平胸 flat chest …… 343
扁平脛骨 platycnemia …… 1436
扁平呼吸 platypnea …… 1436
扁平骨 flat bone …… 232
扁平骨 os planum …… 1318
扁平骨盤 flat pelvis …… 1378
扁平骨盤 platypelloid pelvis …… 1379
扁平骨盤の platypellic …… 1436
扁平コンジローム condyloma latum …… 409
扁平コンジローム flat condyloma …… 409
扁平細胞の planocellular …… 1431
弁閉鎖不全〔症〕 valvular incompetence …… 920
扁平歯原性腫瘍 squamous odontogenic tumor …… 1952
扁平上皮化 squamatization …… 1726
扁平上皮過形成 squamous cell hyperplasia …… 886
扁平上皮癌 squamous cell carcinoma …… 299
扁平上皮細胞 squamous cell …… 326
扁平頭蓋 platystencephaly …… 1436
扁平頭蓋 tapinocephaly …… 1841
扁平頭〔蓋〕症 platycephaly …… 1436
扁平頭蓋症候群 flat head syndrome …… 1804
扁平頭蓋症候群 flattened head syndrome …… 1804
扁平頭蓋底 basilar invagination …… 952
扁平頭蓋底 platybasia …… 1436
扁平仙骨の platyhieric …… 1436
扁平足 fallen arches …… 125
扁平足 flatfoot …… 711
扁平足 pes planus …… 1396
扁平足 talipes planus …… 1839
扁平苔癬 lichen planus …… 1031
扁平苔癬様の lichenoid …… 1031
扁平大腿骨の platymeric …… 1436
扁平頂上波 flat top waves …… 2042
扁平椎 platyspondylia, platyspondylisis …… 1436
扁平椎 vertebra plana …… 2015
扁平頭の homalocephalous …… 859
扁平肺胞細胞 squamous alveolar cells …… 326
扁平部炎 pars-planitis …… 1362
扁平母斑 nevus spilus …… 1255
扁平ゆうぜい verruca plana …… 2013
弁別 discrimination …… 527
弁別域 difference limen …… 1048
弁別閾値 differential threshold …… 1886
弁別刺激 discriminant stimulus …… 1747
弁傍の paravalvular …… 1355
ベンホルトのコンゴーレッド染色〔法〕 Bennhold Congo red stain …… 1730
〔心〕弁膜炎 valvulitis …… 1986
弁膜血栓 valvular thrombus …… 1889
弁膜性心内膜炎 valvular endocarditis …… 612
弁膜切開〔術〕 valvotomy …… 1986
弁〔膜〕切開刀 valvulotome …… 1986
片麻痺 hemiplegia …… 829
片麻痺後アテトーシス posthemiplegic athetosis …… 169
片麻痺性筋萎縮〔症〕 hemiplegic amyotrophy …… 68
片麻痺性片頭痛 hemiplegic migraine …… 1157
片麻痺歩行 hemiplegic gait …… 748
べん毛 flagellum …… 709
べん毛抗原 flagellar antigen …… 103
鞭毛虫 mastigote …… 1108
鞭毛虫下痢 flagellate diarrhea …… 511
鞭毛虫症 flagellosis …… 709
鞭毛虫上綱 Mastigophora …… 1108
べん毛発生 flagellation …… 709
べん毛放出 exflagellation …… 653
片葉 flocculus …… 713
片葉脚 peduncle of flocculus …… 1377
片葉脚 pedunculus flocculi …… 1377
片葉小節の flocculonodular …… 713
片葉小節葉 flocculonodular lobe …… 1063
片葉の floccular …… 713
ヘンリー henry (H) …… 837
ヘンリー-ガウアー反応 Henry-Gauer response …… 1596
片利共生 commensalism …… 397
〔片利〕共生寄生生物 commensal parasite …… 1354
ヘンリーの法則 Henry law …… 1007
変量 variable …… 1987
変量 variate …… 1988
変力〔性〕の inotropic …… 939
変力物質 inotrope …… 939
ヘンレ窩 crypts of Henle …… 445
ヘンレ細管 Henle tubules …… 1948
ヘンレ腺 Henle glands …… 773
ヘンレ線維層 Henle fiber layer …… 1010
ヘンレ層 Henle layer …… 1010
ヘンレ反応 Henle reaction …… 1565
ヘンレ裂〔溝〕 Henle fissures …… 702
ペンローズドレーン Penrose drain …… 559

ホ

ホーヴィウス管 canal of Hovius …… 283
ホーキンズのインピンジメント徴候 Hawkins impingement sign …… 1681
ホーグランド徴候 Hoagland sign …… 1681
ホース hose …… 865
ホー・スケーラー hoe scaler …… 1640
ホースラディシュ(西洋ワサビ)ペルオキシダーゼ horseradish peroxidase …… 1394
ホーソーン効果 Hawthorne effect …… 588
ホーナー歯 Horner teeth …… 1902
ホープウェル-スミスのヒアリン層 hyaline layer of Hopewell-Smith …… 1011
ホーフバウアー細胞 Hofbauer cell …… 322
ホーフマイスター胃切除術 Hofmeister gastrectomy …… 757
ホーフマイスター系列 Hofmeister series …… 1665
ホーフマイスター手術 Hofmeister operation …… 1304
ホーフマイスター-ポーリャ吻合〔術〕 Hofmeister-Pólya anastomosis …… 73
ホーヘ束 Hoche bundle …… 265
ホーボースパイダー hobo spider …… 1715
ホーマー-ライト型ロゼット Homer-Wright rosettes …… 1623
ホーマンズ徴候 Homans sign …… 1681
ホーミング値 homing value …… 1984
ホームズ心 Holmes heart …… 820
ホームズ振せん Holmes tremor …… 1924
ホームズ染色〔法〕 Holmes stain …… 1732
ホーム葉 Home lobe …… 1063
ホーリー保定装置 Hawley retainer …… 1598
ホールディングチャンバー holding chamber …… 338
ホールデーン管 Haldane tube …… 1941
ホールデーン効果 Haldane effect …… 588
ホールデン線 Holden line …… 1050
ホールデーン装置 Haldane apparatus …… 119
ホールデーンの関係式 Haldane relationship …… 1588
ホールデーン-プリーストリー試料 Haldane-Priestley sample …… 1633
ホールデーン変換 Haldane transformation …… 1918
ホールト-オーラム症候群 Holt-Oram syndrome …… 1807
ホールトハウスヘルニア Holthouse hernia …… 842
ホールドバック因子 fold-back element …… 598
ボーア原子 Bohr atom …… 170
ボーア効果 Bohr effect …… 588
ボーア式 Bohr equation …… 634
ボーア磁子 Bohr magneton …… 1093
ボーア〔の量子〕論 Bohr theory …… 1875
ボーイー染色〔法〕 Bowie stain …… 1730
ボーエン病 Bowen disease …… 529
ボーエン様丘疹症 bowenoid papulosis …… 1347
ボーエン様細胞 Bowenoid cells …… 320
ボーカルフライ vocal fry …… 2035
ボーキサイトじん肺〔症〕 bauxite pneumoconiosis …… 1448
ボーズマン手術 Bozeman operation …… 1304
ボーズマン体位 Bozeman position …… 1469
ボーズマン-フリッチュカテーテル Bozeman-Fritsch catheter …… 313
ボー線 Beau lines …… 1049
ボーダー-セジュウィック症候群 Boder-Sedgwick syndrome …… 1798
ボーディッチ(バウディッチ)効果 Bowditch effect …… 588
ボーディッチ(バウディッチ)の法則 Bowditch law …… 1006
ボーベリット bobierrite …… 225
ボーマン円板 Bowman discs …… 525
ボーマン消息子 Bowman probe …… 1486
ボーマン腺 Bowman gland …… 772
ボーマン-バークインヒビター Bowman-Birk inhibitor …… 934
ボーラス bolus (bol) …… 230
ボーリウム bohrium …… 230
ボール手術 Ball operation …… 1304
ボール状・ソケット状アバットメント ball and socket abutment …… 7
ボールズ型聴診器 Bowles type stethoscope …… 1746
ボール弁 ball valve …… 1984
ボール変化 ball variance …… 1987
ボールペン手技 ballpoint pen technique …… 1844
ボーン小〔結〕節 Bohn nodules …… 1261
ポーカー脊椎 poker spine …… 1716
ポーセレン porcelain …… 1466
ポーセレンインレー porcelain inlay …… 937
ポーター-シルバー色素原 Porter-Silber chromogens …… 358
ポーター-シルバー反応 Porter-Silber reaction …… 1566
ポータブル撮影 portable radiography …… 1544
ポーラログラフィ polarography …… 1456
ポーランド症候群 Poland syndrome …… 1816
ポーリツァー嚢 Politzer bag …… 192
ポーリツァー法 Politzer method …… 1145
ポーリツァー法 politzerization …… 1457
ポーリャ胃切除〔術〕 Pólya gastrectomy …… 757
ポーリャ手術 Pólya operation …… 1305
ポーリン porins …… 1466
ポーワッサン脳炎 Powassan encephalitis …… 607
ポアズ poise (P) …… 1455
ポアソン(ポワソン)-ピアーソン〔公〕式

Poisson-Pearson formula ………… 730
ポアソン(ポワソン)分布 Poisson distribution ………… 550
ポイキロデルマ poikiloderma ………… 1453
保育 incubation ………… 921
保育 nursing ………… 1283
保育器 incubator ………… 921
母イチゴ腫 mother yaw ………… 2055
ポイツ-ジェガーズ症候群 Peutz-Jeghers syndrome ………… 1815
ボイデン食 Boyden meal ………… 1112
ホイートストーン(ホウィートストーン)ブリッジ Wheatstone bridge ………… 257
ボイド赤痢菌 *Shigella boydii* ………… 1673
ボイドの交通貫通静脈 Boyd communicating perforation vein ………… 1994
ホイブナー動脈炎 Heubner arteritis ………… 140
ボイルの法則 Boyle law ………… 1006
補因子 cofactor ………… 388
ポイント式視力表 point system test types ………… 1869
包 bursa ………… 267
包 capsula ………… 290
包 capsule (cap) ………… 290
包 envelope ………… 622
包 sac ………… 1628
胞 bulla ………… 265
〔手〕法 procedure ………… 1487
ボウ bow ………… 238
傍 para- ………… 1347
帽〔子〕cap ………… 288
房 atrium ………… 172
房 chamber ………… 338
〔小〕房 loculus ………… 1067
ボヴィー Bovie ………… 238
法医学 medical jurisprudence ………… 974
法医学 forensic medicine ………… 1117
法医学の forensic ………… 728
法医学の medicolegal ………… 1117
傍異種皮膚 juxtallocortex ………… 974
包囲する infold ………… 930
ホウィットマン枠 Whitman frame ………… 739
ホウィーテカー(ウィタカー)症候群 Whitaker syndrome ………… 1825
ホウィートストーン(ホイートストーン)ブリッジ Wheatstone bridge ………… 257
ホウィーラー-ジョンソン試験 Wheeler-Johnson test ………… 1868
ホウィーラー法 Wheeler method ………… 1146
防衛 defense ………… 477
防衛機制 defense mechanism ………… 1114
防衛反射 defense reflex ………… 1578
ホウエキスカベータ hoe excavator ………… 651
防疫線 cordon sanitaire ………… 422
包炎 capsulitis ………… 291
望遠眼鏡 telescopic spectacles ………… 1708
望遠鏡 telescope ………… 1847
傍横隔隆起 juxtaphrenic peak ………… 1375
ホウォートンゼリー Wharton jelly ………… 967
膨化 imbibition ………… 909
膨化 swelling ………… 1789
崩壊 collapse ………… 390
崩壊 decay ………… 474
崩壊 disintegration ………… 543
〔関節〕包外強直 extracapsular ankylosis ………… 92
方解石 calcite ………… 277
崩壊定数 decay constant ………… 414
〔放射性〕崩壊定数 radioactive constant (Λ) ………… 414
法外の hypernomic ………… 884
崩壊理論 decay theory ………… 1875
放火狂 pyromania ………… 1534
傍隔壁性肺気腫 paraseptal emphysema ………… 605
蜂窩織像 honeycomb pattern ………… 1374
方割 delimitation ………… 483
包括医療(診療) comprehensive medical care ………… 301
乏渇感〔症〕oligodipsia ………… 1297
防カビ薬 fungicide ………… 745
放火癖 pyromania ………… 1534
放火癖者 pyromaniac ………… 1534
包含化合物 inclusion compound ………… 404
方眼紙 grid ………… 800
包管術 tubulization ………… 1948
傍肝〔臓〕の parahepatic ………… 1349
包含椎間板ヘルニア contained disc herniation ………… 844
〔腺〕胞間の interalveolar ………… 943
膨起 haustrum ………… 816
傍気管支リンパ組織 bronchus-associated lymphoid tissue (BALT) ………… 1895
膨起形成 haustration ………… 816
膨起の haustral ………… 816
忘却 forgetting ………… 728
傍嗅部 area parolfactoria ………… 129
傍嗅部 parolfactory area ………… 129
防御 defense ………… 477
防御 guarding ………… 804
防御 protection ………… 1502
棒恐怖〔症〕rhabdophobia ………… 1606
防御抗体産生促進〔性〕の phylacagogic ………… 1419
〔感染〕防御試験 protection test ………… 1863
防御反射 defense reflex ………… 1578
包茎 phimosis ………… 1408
方形 quadratus ………… 1536
傍系遺伝 collateral inheritance ………… 932
方形回内筋 pronator quadratus (muscle) ………… 1191
方形回内筋 quadrate pronator muscle ………… 1192
方形回内筋 musculus pronator quadratus ………… 1202
方形筋 quadrate muscle ………… 1192
方形筋 quadratus muscle ………… 1192
方形筋 musculus quadratus ………… 1202
方形筋結節 quadrate tubercle ………… 1944
方形骨踵骨突起 calcaneal process of cuboid ………… 1488
方形骨踵骨突起 processus calcaneus ossis cuboidei ………… 1491
方形靱帯 quadrate ligament ………… 1039
方形靱帯 ligamentum quadratum ………… 1045
方形の quadrate ………… 1536
乏形の oligomorphic ………… 1297
方形葉 quadrate lobe of liver ………… 1064
〔肝臓の〕方形葉 lobus quadratus hepatis ………… 1067
放血 exsanguination ………… 656
乏血 ischemia ………… 958
乏血〔症〕oligemia ………… 1296
乏血壊死 avascular necrosis ………… 1224
乏血性壊死 ischemic necrosis ………… 1224
乏血性筋萎縮 ischemic muscular atrophy ………… 173
乏血性ショック oligemic shock ………… 1674
傍結腸の juxtacolic ………… 974
剖検 autopsy ………… 181
冒険的な heroic ………… 844
防護 protection ………… 1502
方向 direction ………… 524
方向 lie ………… 1032
芳香 euosmia ………… 648
抱合 conjugation ………… 412
縫合 sutura ………… 1785
縫合 suture ………… 1786
膀胱 urinary bladder ………… 218
膀胱 vesica urinaria ………… 2016
芳香アンモニア精 aromatic ammonia spirit ………… 1717
膀胱S状結腸 vesicosigmoid ………… 2017
膀胱S状結腸吻合〔術〕vesicosigmoidostomy ………… 2017
膀胱〔X線〕撮影(造影)〔法〕cystography ………… 462
膀胱炎 cystitis ………… 462
膀胱外側靱帯 lateral ligament of bladder ………… 1037
膀胱外側嚢 paracystic pouch ………… 1474
膀胱外側嚢 paravesical pouch ………… 1474
膀胱外の extracystic ………… 657
膀胱外反症 exstrophy of the bladder ………… 656
膀胱括約筋 sphincter muscle of urinary bladder ………… 1194
膀胱括約筋 musculus sphincter vesicae ………… 1203
膀胱括約筋 sphincter vesicae ………… 1713
彷徨感〔覚〕anacatesthesia ………… 69
膀胱鏡 cystoscope ………… 463
膀胱鏡検査〔法〕cystoscopy ………… 463
縫工筋 sartorius (muscle) ………… 1193
縫工筋 musculus sartorius ………… 1203
縫工筋 sartorius ………… 1637
縫工筋下筋膜 subsartorial fascia ………… 674
縫工筋下の subsartorial ………… 1764
縫工筋腱下包 bursae subtendineae musculi sartorii ………… 270
縫工筋腱下包 sartorius bursae ………… 270
縫工筋腱下包 subtendinous bursa of sartorius ………… 271
〔膀胱〕筋層 muscular coat of urinary bladder ………… 383
〔膀胱〕筋層 muscular layer of urinary bladder ………… 1012
〔膀胱〕筋層 tunica muscularis vesicae urinariae ………… 1953
膀胱計 cystometer ………… 463
膀胱頸 cervix vesicae urinariae ………… 336
膀胱頸 neck of (urinary) bladder ………… 1223
膀胱憩室 vesical diverticulum ………… 552
膀胱形成〔術〕cystoplasty ………… 463
膀胱頸部炎 cystitis colli ………… 462
膀胱痙攣 cystospasm ………… 463
縫合結紮 suture ligature ………… 1046
縫合結紮 transfixion suture ………… 1788
膀胱結石 vesical calculus ………… 278
膀胱結石 cystolith ………… 463
膀胱結石 bladder stone ………… 1749
膀胱結石症 cystolithiasis ………… 463
膀胱結石切除〔術〕cystolithotomy ………… 463
膀胱肛門 anus vesicalis ………… 111
膀胱後リンパ節 postvesical lymph nodes ………… 1080
膀胱後リンパ節 nodi lymphatici postvesiculares ………… 1262
膀胱後リンパ節 nodi lymphoidei retrovesicales ………… 1264
縫合骨 sutural bones ………… 233
縫合骨 os suturarum ………… 1318
膀胱固定〔術〕cystopexy ………… 463
膀胱コンプライアンス bladder compliance ………… 403
膀胱臍靱帯 vesicoumbilical ligament ………… 1041
膀胱砕石術 cystolitholapaxy ………… 463
膀胱砕石(切石)術 vesical lithotomy ………… 1062
膀胱臍の vesicoumbilical ………… 2017
膀胱鎖肛 vesicalis anus ………… 111
膀胱〔X線〕撮影(造影)〔法〕cystography ………… 462
膀胱三角 vesical triangle ………… 1928
膀胱三角 trigone of bladder ………… 1932
膀胱三角 trigonum vesicae ………… 1933
〔膀胱〕三角炎 trigonitis ………… 1933
〔浅・深〕膀胱三角筋 trigonal muscles (superficial and deep) ………… 1197
芳香散粉剤 empasm, empasma ………… 604
縫合糸 suture ………… 1786
膀胱耳 bladder ear ………… 580
膀胱自家拡張術 autoaugmentation ………… 179
膀胱子宮窩 excavatio vesicouterina ………… 651
膀胱子宮窩 vesicouterine pouch ………… 1474
膀胱子宮頸の vesicocervical ………… 2017
膀胱子宮腟の vesicouterovaginal ………… 2017
膀胱子宮の vesicouterine ………… 2017

ホ

膀胱子宮ひだ uterovesical ligament …… 1041
膀胱子宮ひだ vesicouterine ligament …… 1041
膀胱子宮瘻 vesicouterine fistula …… 706
縫合糸膿瘍 suture abscess …… 6
膀胱周囲炎 epicystitis …… 626
膀胱周囲炎 pericystitis …… 1387
膀胱周囲の pericystic …… 1387
縫合〔術〕 suture …… 1786
膀胱上窩 fossa supravesicalis …… 734
膀胱上窩 supravesical fossa …… 734
膀胱上窩 fovea supravesicalis …… 735
傍鉤状回 parasubiculum …… 1354
縫合障害状態 status dysraphicus …… 1740
〔膀胱〕漿膜 serosa of (urinary) bladder 1667
〔膀胱〕漿膜 tunica serosa vesicae (urinariae) …… 1954
膀胱漿膜下組織 subserosa of bladder …… 1765
膀胱静脈 vesical veins …… 2003
膀胱静脈 venae vesicales …… 2008
膀胱静脈叢 plexus venosus vesicalis …… 1444
膀胱静脈叢 venous plexus of bladder … 1444
膀胱静脈叢 vesicular venous plexus …… 1444
膀胱腎盂炎 cystopyelitis …… 463
膀胱腎盂腎炎 cystopyelonephritis …… 463
膀胱神経叢 plexus (nervosus) vesicalis 1442
膀胱神経叢 vesical (nerve) plexus …… 1444
縫合靱帯 sutural ligament …… 1041
膀胱垂 uvula of bladder …… 1978
膀胱垂 uvula vesicae …… 1978
芳香水剤 aromatic water …… 2041
方向性冠〔状〕動脈じゅく(粥)腫切除術 directional atherectomy …… 168
膀胱性血尿 vesical hematuria …… 827
暴光性視力低下 aphotesthesia …… 114
芳香性苦味薬 aromatic bitters …… 217
芳香〔性〕の aromatic …… 132
方向性の減弱 directional weakness …… 2043
膀胱脊髄の vesicospinal …… 2017
膀胱切開〔術〕 cystectomy …… 461
膀胱切開〔術〕 cystotomy …… 463
膀胱切開刀 cystotome …… 463
包交摂子 dressing forceps …… 727
膀胱切石(砕石)術 vesical lithotomy …… 1062
膀胱尖 apex of (urinary) bladder …… 113
膀胱尖 apex vesicae …… 113
膀胱腺 vesical gland …… 775
膀胱前腔 prevesical space …… 1705
膀胱洗浄〔法〕 vesicoclysis …… 2017
膀胱前〔方〕の prevesical …… 1483
縫合線白内障 sutural cataract …… 312
膀胱前立腺炎 vesiculoprostatitis …… 2017
膀胱前立腺筋 vesicoprostaticus (muscle) …… 1198
膀胱前立腺全摘術 cystoprostatectomy …… 463
膀胱前立腺の vesicoprostatic …… 2017
膀胱前リンパ節 nodi lymphatici prevesiculares …… 1262
膀胱前リンパ節 nodi lymphoidei prevesicales …… 1264
膀胱〔X線〕造影(撮影)〔法〕 cystography … 462
膀胱造影像 cystogram …… 462
膀胱造瘻術 vesicostomy …… 2017
芳香族 aromatic series …… 1665
芳香族D-アミノ酸デカルボキシラーゼ aromatic D-amino acid decarboxylase … 132
膀胱体 body of bladder …… 225
膀胱大網瘤 cystoepiplocele …… 462
膀胱脱 cystocele …… 462
膀胱恥骨の vesicopubic …… 2017
膀胱腟筋 vesicovaginalis (muscle) …… 1198
膀胱腟直腸の vesicovaginorectal …… 2017
膀胱腟直腸瘻 vesicovaginorectal fistula … 706
膀胱腟の vesicovaginal …… 2017
膀胱腟瘻 vesicovaginal fistula …… 706
膀胱腸の vesicointestinal …… 2017
膀胱腸瘤 cystoenterocele …… 462
膀胱直腸の vesicorectal …… 2017
膀胱直腸吻合〔術〕 vesicorectostomy …… 2017
膀胱痛 cystalgia …… 461
膀胱底 fundus of bladder …… 744
膀胱底 fundus of urinary bladder …… 744
膀胱底 fundus vesicae urinariae …… 744
膀胱内圧測定図 cystometrogram (CMG) 463
膀胱内臓の vesicovisceral …… 2017
膀胱内の intracystic …… 950
膀胱内の intravesical …… 951
膀胱内部写真術 cystophotography …… 463
膀胱尿管炎 cystoureteritis …… 463
膀胱尿管逆流 vesicoureteral reflux …… 1583
膀胱尿管造影〔法〕 cystoureterography …… 463
膀胱尿管造影図 cystoureterogram …… 463
膀胱尿管の vesicoureteral …… 2017
膀胱尿管弁 vesicoureteral valve …… 1985
膀胱尿道炎 cystourethritis …… 463
膀胱尿道管 vesicourethral canal …… 285
膀胱尿道鏡 cystopanendoscopy …… 463
膀胱尿道鏡 cystourethroscope …… 463
膀胱尿道造影〔法〕 cystourethrography …… 463
膀胱尿道造影図 cystourethrogram …… 463
膀胱尿道脱 cystourethrocele …… 463
膀胱尿道の vesicourethral …… 2017
〔膀胱〕粘膜 mucosa of (urinary) bladder …… 1177
〔膀胱〕粘膜 tunica mucosa vesicae urinariae …… 1953
膀胱粘膜下組織 submucosa of bladder 1764
膀胱膿症 pyocystis …… 1531
膀胱膿漏 cystorrhea …… 463
膀胱排尿筋の輪筋層 circular layer of detrusor (muscle) of urinary bladder 1009
膀胱皮膚瘻 vesicocutaneous fistula …… 706
膀胱腹部の vesicoabdominal …… 2017
膀胱腹壁縫合〔術〕 ventrocystorrhaphy … 2012
芳香物質 essence …… 643
縫合部膿瘍 stitch abscess …… 6
膀胱部分切除〔術〕 partial cystectomy …… 461
膀胱ヘルニア cystocele …… 462
膀胱ヘルニア vesicle hernia …… 844
膀胱ヘルニア vesicocele …… 2017
膀胱傍陥凹 fossa paravesicalis …… 733
膀胱傍陥凹 paravesical fossa …… 733
膀胱傍結合組織 paracystium …… 1348
膀胱傍結合組織炎 paracystitis …… 1348
膀胱縫合〔術〕 cystorrhaphy …… 463
膀胱傍リンパ節 paravesical lymph nodes …… 1080
膀胱麻痺 cystoplegia …… 463
芳香薬 aromatic …… 132
芳香油 essential oils …… 1294
方向優位性 directional preponderance … 1480
膀胱様の cystoid …… 463
抱合卵胞ホルモン conjugated estrogen … 644
〔縫合〕離開 diastasis …… 511
膀胱瘤 cystocele …… 462
膀胱瘤 vesicocele …… 2017
膀胱裂 schistocystis …… 1642
膀胱瘻術 vesicostomy …… 2017
膀胱瘻設置術 cystostomy …… 463
報告バイアス reporting bias …… 208
傍骨症 parosteosis, parostosis …… 1357
傍骨性筋膜炎 parosteal fasciitis …… 677
傍骨性骨肉腫 parosteal osteosarcoma …… 1324
ホウ砂 borax …… 234
傍細胞輸送 paracellular transport …… 1921
傍臍瘤腫 paromphalocele …… 1356
放散 exhalation …… 653
ホウ酸 boric acid …… 236
ホウ酸塩 borate …… 234
ホウ酸中毒〔症〕 borism …… 236
ホウ酸ナトリウム sodium borate …… 1696
胞子 spore …… 1724
乏指(趾)〔症〕 oligodactyly, oligodactylia …… 1296
法歯学 forensic dentistry …… 488
法歯学 dental jurisprudence …… 974
法歯学 forensic odontology …… 1292
胞子管〔形成〕試験 germ tube test …… 1858
傍糸球体顆粒 juxtaglomerular granule …… 797
傍糸球体細胞 juxtaglomerular cells …… 322
傍糸球体細胞腫瘍 juxtaglomerular cell tumor …… 1951
傍糸球体装置〔器〕 juxtaglomerular apparatus …… 119
傍糸球体の juxtaglomerular …… 974
傍糸球体複合体 juxtaglomerular complex 402
胞子凝集反応 sporoagglutination …… 1724
胞子駆除薬 sporicide …… 1724
胞子形成 sporogenesis …… 1724
胞子形成 sporulation …… 1724
胞子原形質 sporoplasm …… 1724
〔胞子〕根尖 apiculus …… 115
帽子状包帯 capeline bandage …… 195
胞子体 sporophore …… 1724
胞子虫 sporozoan …… 1724
胞子虫 sporozoon …… 1724
胞子虫綱 Sporozoea …… 1724
胞子虫生殖体 cytomere …… 465
胞室 cella …… 328
房室解離 atrioventricular dissociation (AVD), AV dissociation …… 548
房室管 atrioventricular canal …… 282
房室管隆起 atrioventricular canal cushions …… 451
房室結合 atrioventricular connections …… 413
房室結合一致 concordant atrioventricular connections …… 413
房室結合不一致 discordant atrioventricular connections …… 413
房室結合部〔性〕調律 atrioventricular junctional rhythm …… 1611
房室結節 atrioventricular node (AV node) …… 1260
房室結節 nodus atrioventricularis …… 1262
房室結節固有の idionodal …… 904
房室結節三角 triangle of atrioventricular node …… 1926
房室結節枝 atrioventricular nodal branch …… 243
房室結節性二段脈 atrioventricular junctional bigeminy …… 210
房室口(孔)開存 persistent atrioventricular canal …… 284
房室勾配 atrioventricular gradient …… 794
房室差 AV difference …… 516
房室心拍不整 asequence …… 160
房室性の atrioventricular (AV) …… 171
房室接合部 AV junction …… 973
房室接合部性期外収縮 junctional extrasystole …… 658
房室束 atrioventricular bundle …… 265
房室束 fasciculus atrioventricularis …… 675
房室束幹 truncus fascicularis atrioventricularis …… 1938
房室束幹 trunk of atrioventricular bundle …… 1938
房室束の右脚 right bundle of atrioventricular bundle …… 266
房室束の右脚 right crus of atrioventricular bundle …… 444
房室束の左脚 left bundle of atrioventricular bundle …… 266
房室束の左脚 left crus of atrioventricular bundle …… 443
房室束の心内膜下枝 subendocardial branches of atrioventricular bundles …… 253
房室中隔 atrioventricular septum …… 1663
房室中隔 septum atrioventriculare …… 1663
房室伝導 atrioventricular conduction

(AVC), AV conduction ………… 408
房室ブロック atrioventricular block, AV block ………… 221
房室弁 atrioventricular valves ………… 1984
乏シナプスの oligosynaptic ………… 1297
胞子の sporular ………… 1724
胞子嚢 sporangium ………… 1724
胞子嚢柄 sporangiophore ………… 1724
胞子被嚢 sporocyst ………… 1724
帽子副子 cap splint ………… 1721
胞子柄 sporophore ………… 1724
胞子無形成の asporogenous ………… 162
胞子無形成の asporulate ………… 162
放射 radiation ………… 1541
放射エネルギー radiant energy (Q) ………… 617
放射化 activation ………… 21
放射化学 radiochemistry ………… 1542
放射化学的純度 radiochemical purity ………… 1528
放射化分析 activation analysis ………… 70
放射計 radiometer ………… 1544
放射状角膜切開 radial keratotomy ………… 981
放射状胸肋靱帯 radiate sternocostal ligaments ………… 1039
放射状硬化性病変 radial sclerosing lesion ………… 1023
放射状手根靱帯 radiate carpal ligament 1039
放射状免疫拡散〔法〕 radial immunodiffusion (RID) ………… 912
放射性硫黄 radiosulfur ………… 1545
放射性医薬品純度 radiopharmaceutical purity ………… 1528
放射性塩素 radiochlorine ………… 1542
放射性核種 radionuclide ………… 1545
放射性核種駆出率 radionuclide ejection fraction ………… 736
放射性核種血管撮影(造影)〔法〕 radionuclide angiography ………… 85
放射性核種純度 radionuclidic purity ………… 1528
放射性核種槽撮影(造影)〔法〕 radionuclide cisternography ………… 368
放射性カリウム radiopotassium ………… 1545
放射性カルシウム radiocalcium ………… 1542
放射性原子 radioactive atom ………… 170
放射性原子の subatomic ………… 1762
放射性元素 radioelement ………… 1543
放射性コバルト radiocobalt ………… 1543
放射性サイロキシン radioactive thyroxine ………… 1891
放射性シアノコバラミン radioactive cyanocobalamin ………… 453
放射性受容体 radioreceptor ………… 1545
放射性ストロンチウム radiostrontium ………… 1545
放射生態学 radioecology ………… 1543
放射性炭素 radiocarbon ………… 1542
放射性窒素 radionitrogen ………… 1545
放射性鉄 radioiron ………… 1544
放射性同位元素 radioactive isotope ………… 963
放射性同位元素 radioisotope ………… 1544
放射性同位元素純度 radioisotopic purity ………… 1528
放射性同位元素標識 radiolabeled ………… 1544
放射〔性同位元素標識〕免疫拡散〔法〕 radioimmunodiffusion ………… 1544
放射〔性同位元素標識〕免疫電気泳動〔法〕 radioimmunoelectrophoresis ………… 1544
放射性同位体 radioisotope ………… 1544
放射性トレーサ radiotracer ………… 1545
放射性ナトリウム radiosodium ………… 1545
放射性鉛 radiolead ………… 1544
放射性の radiogenic ………… 1543
放射性病変 radiolesion ………… 1544
〔放射性〕崩壊定数 radioactive constant (Λ) ………… 414
放射性免疫測定法 radioimmunoassay (RIA) ………… 1544
放射性免疫測定法 radioimmunosorbent test (RIST) ………… 1863
放射性免疫沈降法 radioimmunoprecipitation (RIP) ………… 1544
放射性薬剤化学 radiopharmaceutical chemistry ………… 342
放射性薬品 radiopharmaceutical ………… 1545
放射性ヨウ素 radioactive iodine ………… 953
放射性ヨウ素 radioiodine ………… 1544
放射性リン radiophosphorus ………… 1545
放射性ローズベンガル(^{131}I)試験 rose bengal radioactive (^{131}I) test ………… 1864
放射線 ray ………… 1561
放射線〔医〕学 radiology ………… 1544
〔海馬の〕放射線維層 radiant layer ………… 1013
〔海馬の〕放射線維層 stratum radiatum 1752
放射線医薬品〔性〕滑膜切除術 radiopharmaceutical synovectomy ………… 1827
放射線映画撮影〔法〕 radiocinematography ………… 1543
放射線壊死 radionecrosis ………… 1544
放射線科医 radiologist ………… 1544
放射線科医 roentgenologist ………… 1620
放射線科学 radiogenics ………… 1543
放射線学 roentgenology ………… 1620
放射線学者 roentgenologist ………… 1620
放射線学的診断 radiographic diagnosis ………… 508
放射線荷重係数 radiation weighting factor ………… 669
放射線感受性 radiosensitivity ………… 1545
放射線間の interradial ………… 947
放射線危険度 radiation risks ………… 1618
放射線起源の radiogenic ………… 1543
放射線キメラ radiation chimera ………… 344
放射線恐怖〔症〕 radiophobia ………… 1545
放射線原う食(蝕) radiation caries ………… 303
放射線検電器 electroradiometer ………… 597
放射線甲状腺切除〔術〕 radiothyroidectomy ………… 1545
放射線〔様〕作用の radiomimetic ………… 1544
放射線宿酔 radiation sickness ………… 1677
放射線手術 radiosurgery ………… 1545
放射線腫瘍学 radiation oncology ………… 1300
放射線上皮炎 radioepithelitis ………… 1543
放射線神経炎 radioneuritis ………… 1545
放射線診断〔法〕 radiodiagnosis ………… 1543
放射線趨性の radiotropic ………… 1545
放射線性貧血 radiation anemia ………… 78
放射線生物学 radiation biology ………… 213
放射線生物学 radiobiology ………… 1542
放射線生物物理学 radiation biophysics ………… 213
放射線増感 radiosensitization ………… 1545
放射線増感剤 radiosensitizer ………… 1545
放射線治療 radiation therapy ………… 1879
放射線治療医 radiotherapist ………… 1545
放射線治療位置決め radiotherapy localization ………… 1067
放射線治療学 radiotherapeutics ………… 1545
放射線抵抗性の radioresistant ………… 1545
放射線透過性 radiability ………… 1541
放射線毒血症 radiotoxemia ………… 1545
放射線熱傷 radiation burn ………… 267
放射線粘膜炎 radioepithelitis ………… 1543
放射線濃度 radiodensity ………… 1543
放射線(X線)の透過性がよい状態 radiolucency ………… 1544
放射線肺炎 radiation pneumonitis ………… 1451
放射線白内障 radiation cataract ………… 311
放射線皮膚炎 radiodermatitis ………… 1543
放射線皮膚病(症) radiation dermatosis ………… 498
放射線病理学 radiopathology ………… 1545
放射線物理学 radiation physics ………… 1420
放射線不透過 radiopacity ………… 1545
放射線不透過性の radiodense ………… 1543
放射線防護剤 radioprotectant ………… 1545
放射線ミエロパシー radiation myelopathy ………… 1211
放射線免疫 radioimmunity ………… 1544
放射線〔様〕作用の radiomimetic ………… 1544
放射帯 zona radiata ………… 2058
放射熱 radiant heat ………… 821
放射能 radioactivity ………… 1542
放射能壊変速度 activity (*a*) ………… 21
放射能生成 radiogenesis ………… 1543
放射能の単位 unit of radioactivity ………… 1967
放射平衡 radioactive equilibrium ………… 635
放射〔性同位元素標識〕免疫拡散〔法〕 radioimmunodiffusion ………… 1544
放射〔性同位元素標識〕免疫電気泳動〔法〕 radioimmunoelectrophoresis ………… 1544
放射リガンド radioligand ………… 1544
放射率 emissivity ………… 604
放射レセプタ測定〔法〕 radioreceptor assay ………… 163
〔検査〕報酬 reward ………… 1606
防臭薬 antibromic ………… 101
萌出 eruption ………… 637
放出 elimination ………… 599
放出 exudation ………… 659
放出〔物〕 discharge (DC) ………… 526
膨出 evagination ………… 649
放出因子 releasing factors (RF) ………… 669
萌出性嚢胞 eruption cyst ………… 459
萌出促進 accelerated eruption ………… 637
萌出段階 eruptive phase ………… 1402
萌出遅延 dentia tarda ………… 487
萌出遅延 delayed dentition ………… 488
萌出遅延 retarded dentition ………… 489
萌出遅延 delayed eruption ………… 637
放出電子 emission electron ………… 596
放出物質 released substance ………… 1766
放出量 burst size ………… 271
膨潤 imbibition ………… 909
防除 control ………… 417
帽状期 cap stage ………… 1727
胞状奇胎 hydatidiform mole, hydatid mole ………… 1164
帽状腱膜 aponeurosis epicranialis ………… 117
帽状腱膜 epicranial aponeurosis ………… 117
帽状腱膜 galea aponeurotica ………… 750
帽状腱膜下気腫 subgaleal emphysema ………… 605
帽状腱膜下出血 subgaleal hemorrhage ………… 836
帽状腱膜切開〔術〕 galeatomy ………… 750
房状口 camerostome ………… 281
房状指(趾)節骨 tufted phalanx ………… 1399
胞状条虫 *Taenia hydatigena* ………… 1838
房状神経終末 flower-spray ending ………… 611
胞状垂 vesicular appendages of epoophoron ………… 119
胞状脊索腫 ecchordosis physaliphora ………… 581
胞状腺 alveolar gland ………… 772
胞状腺 follicular gland ………… 773
胞状軟部肉腫 alveolar soft part sarcoma ………… 1635
胞状の alveolate ………… 55
胞状の physaliform ………… 1420
泡状の physaliform ………… 1420
傍小脳脚核 nuclei parabrachiales ………… 1278
傍小脳脚核 parabrachial nuclei ………… 1278
傍静脈洞の parasinoidal ………… 1354
胞状卵胞 vesicular ovarian follicle ………… 722
胞状卵胞 folliculus ovaricus vesiculosus 723
〔胞状卵胞〕顆粒層 granular layer of a vesicular ovarian follicle ………… 1010
〔胞状卵胞〕顆粒層 stratum granulosum folliculi ovarici vesiculosi ………… 1752
房飾細胞 tufted cell ………… 327
傍食道の juxtaesophageal ………… 974
傍食道ヘルニア paraesophageal hernia ………… 843
傍食道裂口ヘルニア parahiatal hernia ………… 843
疱疹 blister ………… 221
疱疹 herpes ………… 844
膨疹 wheal ………… 2045

傍神経節 paraganglion 1349
傍神経節細胞 paraganglionic cells 324
傍神経節腫 paraganglioma 1349
膨疹–紅斑反応 wheal-and-erythema reaction 1568
房心細胞 centroacinar cell 320
疱疹状膿痂疹 impetigo herpetiformis 914
疱疹状皮膚炎 dermatitis herpetiformis 495
疱疹性潰瘍 herpetic ulcer 1961
疱疹性角膜炎 herpetic keratitis 978
疱疹性湿疹 eczema herpeticum 586
疱疹性瘭疽 herpetic whitlow 2045
疱疹熱 herpetic fever 684
〔眼〕房水 aqueous humor 867
〔眼〕房水 humor aquosus 867
〔眼〕房水 hydatoid 869
紡錘〔体〕 spindle 1716
紡錘運動の fusimotor 746
紡錘菌スピロヘータの fusospirochetal 747
紡錘菌スピロヘータ病 fusospirochetal disease 533
抱水クロラール chloral hydrate 346
紡錘形細胞性脂肪腫 spindle cell lipoma 1057
紡錘細胞 spindle cell 326
紡錘〔状〕細胞層 fusiform layer 1010
紡錘細胞肉腫 spindle cell sarcoma 1636
紡錘細胞の fusocellular 747
紡錘糸 spindle fiber 690
紡錘状回 fusiform gyrus 808
紡錘状回 gyrus fusiformis 808
紡錘状筋 fusiform muscle 1186
紡錘状筋 musculus fusiformis 1200
紡錘状動脈瘤 fusiform aneurysm 82
紡錘状の fusiform 746
紡錘状白内障 spindle cataract 312
房水静脈 aqueous vein 1994
紡錘体 nucleospindle 1272
〔有糸分裂〕紡錘体 mitotic spindle 1716
紡錘体細胞癌 spindle cell carcinoma 299
抱水テルピン terpin hydrate 1853
房水フレア aqueous flare 710
房水流入現象 aqueous influx phenomenon 1403
〔小〕房性蓄膿〔症〕 loculated empyema 606
傍正中切開〔術〕 paramedian incision 918
傍正中面 paramedian plane 1430
包性嚢胞 bursal cyst 458
傍〔副〕声門腔 paraglottic space 1704
紡績工癌 mule-spinner's cancer 286
宝石商摂子 jeweler's forceps 727
傍脊椎線 paraspinal line 1051
傍脊椎麻酔〔法〕 paravertebral anesthesia 80
抱接 amplexus 64
包切開〔術〕 capsulotomy 291
包接結晶 clathrate crystal 446
包接体 clathrate 372
放線 radiatio 1541
縫線 raphe 1558
縫線核 nuclei raphes 1279
縫線核 raphe nuclei 1279
放線冠 corona radiata 424
放線冠 radiate crown 442
放線菌 ray fungus 745
放線菌科 Actinomycetaceae 20
放線菌糸の actinomycelial 20
放線菌腫 actinomycetoma 20
放線菌症 actinomycosis 20
放線菌性虫垂炎 actinomycotic appendicitis 119
放線菌属 *Actinomyces* 20
放線菌のヴァイゲルト染色〔法〕 Weigert stain for actinomyces 1736
放線菌目 Actinomycetales 20
放線菌類 actinomycetes 20
放線状貫通動脈 perforating radiate arteries (of kidney) 149
放線状胸肋靭帯 ligamenta sternocostalia radiata 1045
放線状手根靭帯 radiate ligament of wrist 1039
放線状手根靭帯 ligamentum carpi radiatum 1042
〔鼓膜〕放線状層 radiate layer of tympanic membrane 1013
〔鼓膜〕放線状膜 stratum radiatum membranae tympani 1752
放線状肋骨頭靭帯 radiate ligament of head of rib 1039
放線状肋骨頭靭帯 ligamentum capitis costae radiatum 1042
縫線脊髄線維 raphespinal fibers 690
放線体 star 1738
〔腎皮質小葉〕放線部 pars radiata lobuli corticalis renis 1360
ホウ素 boron (B) 236
蜂巣 cellula 328
疱瘡 smallpox 1692
蜂巣炎 cellulitis 328
蜂巣〔織〕炎 phlegmon 1409
蜂巣炎性丹毒 phlegmonous erysipelas 638
蜂巣炎性腸炎 phlegmonous enteritis 619
蜂巣炎性膿瘍 phlegmonous abscess 6
蜂巣炎の phlegmonous 1409
蜂巣状黄斑 honeycomb macula 1091
蜂巣肺 honeycomb lung 1072
法則 law 1005
法則 rule 1625
法則定立的な nomothetic 1266
法則的接近 nomothetic approach 121
包帯 bandage 195
包帯 dressing 560
包帯 splenium 1720
膨大 enlargement 617
膨大 intumescence 952
膨大 intumescentia 952
膨大 oncoides 1300
膨大 splenium 1720
膨大〔部〕 ampulla 64
包帯係 dresser 560
包帯交換 redressment 1575
包帯剤 dressing 560
膨大細胞 oncocyte 1299
膨大細胞腫 oncocytoma 1300
包帯の splenial 1720
膨大部炎 ampullitis 65
〔胆膵管〕膨大部括約筋 musculus sphincter ampullae hepatopancreaticae 1203
膨大部溝 ampullary groove 801
膨大部溝 ampullary sulcus 1771
〔膨大部〕頂 cupula ampullaris 449
膨大部妊娠 ampullar pregnancy 1478
膨大〔部〕の ampullar 65
膨大部稜 ampullary crest 436
膨大部稜 ampullary crest (of semicircular ducts) 437
膨大部稜 crista ampullaris 440
〔膨大部稜の〕感覚上皮 neuroepithelium of ampullary crest 1247
包帯をする bind 211
硼タングステン酸ナトリウム sodium tungstoborate 1697
乏胆汁症 oligocholia 1296
砲弾ショック shell shock 1674
放置恐怖〔症〕 paralipophobia 1350
包虫砂 hydatid sand 1633
包虫症 hydatid disease 535
包虫症 hydatidosis 869
胞虫症 cysticercosis 461
包虫疹 hydatid rash 1559
傍中心暗点 paracentral scotoma 1650
包虫性陰嚢腫 hydatidocele 869
包虫嚢共鳴音 hydatid resonance 1594
包虫嚢腫外層 ectocyst 585
包虫嚢振せん hydatid thrill 1886
包虫嚢胞 hydatid cyst 459
包虫嚢胞 unilocular hydatid cyst 461
包虫嚢胞切開〔術〕 hydatidostomy 869
膨張 expansion 655
膨張 inflation 929
膨張 intumescence 952
膨張圧 oncotic pressure 1482
膨脹型腎盂 ampullary type of renal pelvis 1957
膨脹型腎盂 typus ampullaris pelvis renalis 1958
傍腸管の juxtaintestinal 974
膨張性 distensibility 549
膨張〔性〕白内障 intumescent cataract 311
膨張性物質 bulkage 265
膨張反応 quellung reaction 1567
方程式 equation 634
法的盲 legal blindness 221
放電 discharge (DC) 526
傍瞳孔脈絡膜炎 juxtapupillary choroiditis 356
乏(希)突起〔神経〕膠芽細胞 oligodendroblast 1296
乏突起〔神経〕膠細胞 oligodendroglia cells 324
乏(希)突起〔神経〕膠細胞 oligodendrocyte 1296
乏(希)突起〔神経〕膠細胞 oligodendroglia 1296
乏(希)突起〔神経〕膠腫 oligodendroglioma 1296
包内腔 capsular space 1703
〔関節〕包内性強直 intracapsular ankylosis 93
包内の intracapsular 949
乏乳び症 oligochylia 1296
包入物 enclave 610
放尿 urination 1972
乏尿〔症〕 oliguria 1297
乏尿症 hypouresis 899
放熱 thermolysis 1881
包嚢性腹膜炎 peritonitis encapsulans 1393
包嚢脱出 excystation 653
胞胚 blastula 219
胞胚腔 blastocele, blastocoele 218
胞胚体壁 parietal wall 2039
胞胚内壁 splanchnic wall 2040
胞胚葉 blastoderm, blastoderma 219
放発 irradiation 957
放屁 flatus 711
包被 involucrum 953
包被 jacket 966
包皮 prepuce 1480
包皮 preputium 1480
包皮 sheath 1670
包皮炎 posthitis 1471
包皮下の subpreputial 1764
包皮〔環状〕切除〔術〕 posthetomy 1471
放屁浣腸 flatus enema 616
包皮形成〔術〕 posthioplasty 1471
包皮欠如の apellous 112
乏びじゅく症 oligochymia 1296
包皮小帯 frenulum of prepuce 740
包皮小帯 frenulum preputii 740
包皮スメグマ smegma preputii 1693
包皮石 preputial calculus 278
包皮切開〔術〕 preputiotomy 1480
包皮切開〔術〕者 peritomist 1393
包皮腺 preputial glands 774
包皮腺 glandulae preputiales 776
包皮嚢 preputial sac 1628
防腐〔法〕 antisepsis 109
報復 talion 1839
報復恐怖 talion dread 1839
傍腹膜膀胱ヘルニア paraperitoneal hernia 843

防腐〔性〕の antiseptic …… 109
防腐薬 antiseptic …… 109
防腐薬 preservative …… 1481
防蚊薬 culicifuge …… 447
方法 method …… 1143
方法 procedure …… 1487
方法学 methodology …… 1146
包縫合〔術〕 capsulorrhaphy …… 291
方法論 methodology …… 1146
包埋剤 embedding agents …… 36
包埋する embed …… 600
包膜の thecal …… 1874
泡沫 foam …… 718
泡沫安定試験 foam stability test …… 1857
泡沫細胞 foam cells …… 321
泡沫細胞緑内障 ghost cell glaucoma …… 777
泡沫状ウイルス亜科 Spumavirinae …… 1725
膨満 distention, distension …… 549
膨満 flatulence …… 711
膨満時内尿道口 filling internal urethral orifice …… 1314
膨満状態 turgescence …… 1954
乏毛〔症〕 oligotrichia …… 1297
乏毛〔症〕 oligotrichosis …… 1297
訪問看護師 visiting nurse (VN) …… 1283
抱擁反射 clasping reflex …… 1578
傍卵管留水 hydroparasalpinx …… 873
傍卵巣囊胞(囊腫) paroophoritic cyst …… 460
法理学 jurisprudence …… 974
法律学 jurisprudence …… 974
法律の forensic …… 728
膨隆虹彩 iris bombé …… 957
膨隆骨折 torus fracture …… 738
ホウレンソウ〔様〕便 spinach stools …… 1750
放浪癖 dromomania …… 561
傍沪胞細胞 parafollicular cells …… 324
飽和 satiation …… 1637
飽和 saturation …… 1637
飽和指数 saturation index …… 923
飽和脂肪 saturated fat …… 678
飽和脂肪酸 saturated fatty acid …… 678
飽和色 saturated color …… 393
飽和炭化水素 saturated hydrocarbon …… 870
飽和度 saturation …… 1637
飽和パルス saturation pulse …… 1525
飽和溶液 saturated solution (sat. sol., sat. soln.) …… 1698
母液 mother liquor …… 1060
ボエーク症候群 Böök syndrome …… 1798
ポエチン -poietin …… 1453
POEMS症候群 POEMS syndrome …… 1816
保温 incubation …… 921
捕獲 capture …… 291
捕獲-再捕獲法 capture-recapture method …… 1143
補基質 cosubstrate …… 430
保菌者 carrier …… 305
保菌者状態 carrier state …… 1739
ボクサー骨折 boxer's fracture …… 736
ボクサー認知症 boxer's dementia …… 485
ボクサー認知症 dementia pugilistica …… 485
牧師カウンセリング pastoral counseling 431
墨汁莢膜染色〔法〕 India ink capsule stain …… 1732
ボクシング boxing …… 239
ボクシングろう boxing wax …… 2042
牧神の尾状母斑 faun tail nevus …… 1255
ボクセル voxel …… 2038
ホグベン数 Hogben number …… 1282
ほくろ(黒子) lentigo …… 1020
黒子症 lentiginosis …… 1020
ボグロー漿膜 Bogros serous membrane 1125
母型 matrix …… 1110
母系遺伝 maternal inheritance …… 933
母系線形の matrilineal …… 1110
保隙装置 space maintainer …… 1093
ポケット pocket …… 1452
補欠分子族〔団〕 prosthetic group …… 803
ぼけマスク unsharp masking …… 1107
保健 health care …… 302
保健 health …… 819
保険 insurance …… 942
保健医療機関資格承認合同委員会 Joint Commission on Accreditation of Healthcare Organizations (JCAHO) …… 972
保健医療財政局 Health Care Financing Administration (HCFA) …… 819
保健行動 health behavior …… 204
保健士 hygienist …… 877
保健師 public health nurse (PHN) …… 1283
保健資源サービス局 Health Resources and Services Administration (HRSA) …… 819
保健情報システム health information system …… 1831
保健センター health center …… 819
保健の sanitary …… 1634
歩行 gait …… 748
歩行 walk …… 2039
歩行〔可能〕の ambulatory, ambulant …… 57
〔起立〕歩行恐怖〔症〕 basiphobia …… 200
歩行失行〔症〕 gait apraxia …… 121
歩行自動症 ambulatory automatism …… 180
歩行障害 dysbasia …… 570
ほ行状の serpiginous …… 1667
〔歩行性〕運動失調 motor ataxia …… 167
歩行性運動失調症 locomotor ataxia …… 167
ほ行性潰瘍 serpiginous ulcer …… 1961
ほ行性角膜炎 serpiginous keratitis …… 978
ほ行性角膜潰瘍 serpiginous corneal ulcer …… 1961
歩行性チフス walking typhoid …… 1957
歩行性浮腫 ambulant edema …… 587
ほ行性脈絡膜症 serpiginous choroidopathy …… 356
補酵素 coenzyme (Co) …… 388
補酵素A coenzyme A (CoA) …… 388
補酵素C coenzyme C …… 388
補酵素Q coenzyme Q (CoQ, Q) …… 388
補酵素因子 coenzyme factor …… 667
歩行不全 dysbasia …… 570
歩行不能〔症〕 abasia …… 1
保護眼鏡 goggle …… 790
保護眼鏡 protective spectacles …… 1708
保護器 tutamen …… 1955
保護コロイド protective colloid …… 391
保護時相 protective zone …… 2060
保護体 protector …… 1502
ポゴニオン pogonion …… 1453
保護ブロック protective block …… 222
ホコリタケ症 lycoperdonosis …… 1075
ホコリタケ属 *Lycoperdon* …… 1075
母コロニー mother colony …… 393
母細胞 mother cell …… 323
母細胞 metrocyte …… 1148
母細胞内多細胞発育 endopolygeny …… 614
母細胞内二細胞発育 endodyogeny …… 613
保持 retention …… 1598
母指 pollex …… 1457
母指 thumb …… 1889
母趾(指) hallux …… 813
母指圧痕像 thumbprinting …… 1889
母子医学 maternal-fetal medicine …… 1117
保持域 retention area …… 130
母指化 pollicization …… 1457
母趾外転外反変形 hallux abducto valgus deformity …… 480
母趾(指)外転筋 abductor hallucis (muscle) …… 1181
母趾(指)外転筋 abductor muscle of great toe …… 1181
母趾(指)外転筋 musculus abductor hallucis …… 1198
母指球 thenar eminence …… 603
母趾(指)球 ball of the foot …… 193
母指球間隙 lateral central palmar space …… 1704
母指球の thenar …… 1874
ホジキン-ケイ雑音 Hodgkin-Key murmur …… 1180
ホジキン病 Hodgkin disease …… 534
ホジキンリンパ腫 Hodgkin lymphoma 1084
母指形成〔術〕 pollicization …… 1457
保持形態 retention form …… 729
保持溝 retention groove …… 802
母指骨数過多症 triphalangia …… 1934
母指三指節症 triphalangia …… 1934
母指三趾節症 triphalangia …… 1934
母趾三指節症 triphalangia …… 1934
母趾三趾節症 triphalangia …… 1934
母指主動脈 arteria princeps pollicis …… 137
母指主動脈 chief artery of thumb …… 143
母指主動脈 princeps pollicis artery …… 151
母指主動脈 principal artery of thumb …… 151
ポジショナー positioner …… 1470
ホシスモモ prune …… 1510
保持性サーカムファレンシャルクラスプアーム retentive circumferential clasp arm 132
母指摂子 thumb forceps …… 728
母指対立筋 opponens pollicis (muscle) 1190
母指対立筋 opposer (muscle) of thumb 1190
母指対立筋 musculus opponens pollicis 1201
母趾痛 hallux dolorosus …… 813
母児同室 rooming-in …… 1621
母指内転筋 adductor muscle of thumb 1181
母指内転筋 adductor pollicis (muscle) 1181
母指内転筋 musculus adductor pollicis 1198
母趾(指)内転筋 adductor hallucis (muscle) …… 1181
母趾(指)内転筋 adductor muscle of great toe …… 1181
母趾(指)内転筋 musculus adductor hallucis …… 1198
母指内転筋の横頭 caput transversum musculi adductoris pollicis …… 292
母趾内転筋の横頭 caput transversum musculi adductoris hallucis …… 292
母指内転筋の斜頭 caput obliquum musculi adductoris pollicis …… 292
母趾内転筋の斜頭 caput obliquum musculi adductoris hallucis …… 292
母指の手根中手関節 carpometacarpal joint of thumb …… 969
母指の長外転筋および短伸筋腱鞘 vagina tendinum musculorum abductoris longi et extensoris brevis pollicis …… 1982
母指反射 thumb reflex …… 1582
保持縫合 retention suture …… 1788
補充運動皮質 supplementary motor cortex …… 428
補充月経 supplementary menstruation … 1131
補充刺激 escape impulse …… 917
補充収縮 escape beat …… 203
補充収縮間隔 escape interval …… 948
母集団 population …… 1466
補充調律 escape rhythm …… 1611
補充-捕捉二連(二段)脈 escape-capture bigeminy …… 210
補充葉 supplemental lobe …… 1064
母集落 mother colony …… 393
補充療法 substitution therapy …… 1879
ボジュソン病 Hodgson disease …… 534
墓所愛着〔症〕 taphophilia …… 1841
補助因子 cofactor …… 388
補償〔作用〕 compensation …… 399
保証牛乳 certified milk …… 1157
歩哨痔核 sentinel pile …… 1423
歩哨事象 sentinel event …… 650
歩哨堆 sentinel pile …… 1423

ホ

歩哨動物 sentinel animal ……… 91
補助運動 assistive movement ……… 1173
補助〔的〕化学療法 adjuvant chemotherapy ……… 343
補助換気(呼吸) assisted ventilation ……… 2009
補助橋脚歯 auxiliary abutment ……… 7
補色 complementary colors ……… 393
捕食寄生性 parasitoid ……… 1354
捕食不全 dysphagocytosis ……… 574
補助孔 ancillary ports ……… 1468
補助溝 supplemental groove ……… 803
補助呼吸〔法〕 assisted respiration ……… 1595
補助受容体 coreceptor ……… 423
補助循環 assisted circulation ……… 365
補助装置 aid ……… 39
補助-調節換気(呼吸) assist-control ventilation ……… 2009
補助的心房調律 subsidiary atrial pacemaker ……… 1334
補助的の accessory ……… 9
補助的の ancillary ……… 75
補助的能力 auxiliary ……… 182
補助薬 adjuvant ……… 29
補助隆線 supplemental ridge ……… 1616
補助療法 adjuvant ……… 29
保身医学 defensive medicine ……… 1117
歩数計 pedometer ……… 1376
ホスゲン phosgene (CG) ……… 1412
ホスゲンオキシム phosgene oxime (CX) ……… 1412
ポスト post ……… 1470
ポストインプラント post implant ……… 915
ポストクラウン postcrown ……… 1470
ポストドライブ抑制 postdrive depression 493
ボストンアヘン Boston opium ……… 1308
ボストン発疹 Boston exanthema ……… 651
ホスピス hospice ……… 865
ホスビチン phosvitin ……… 1416
ホスファカン phosphacan ……… 1412
ホスファゲン phosphagen ……… 1412
ホスファスタット phosphastat ……… 1412
ホスファターゼ phosphatase ……… 1412
ホスファターゼ単位 phosphatase unit … 1966
ホスファチジル phosphatidyl (Ptd) ……… 1412
ホスファチジルイノシトール phosphatidylinositol (PtdIns) ……… 1412
ホスファチジルイノシトールシンターゼ phosphatidylinositol synthase ……… 1413
ホスファチジルイノシトール4,5-二リン酸 phosphatidylinositol 4,5-bisphosphate (PIP_2, $PtdIns(4,5)P_2$) ……… 1413
ホスファチジルイノシトール4-リン酸 phosphatidylinositol 4-phosphate ……… 1413
ホスファチジルエタノールアミン phosphatidylethanolamine (PtdEth) … 1412
ホスファチジルエタノールアミンシチジリルトランスフェラーゼ phosphatidylethanolamine cytidylyltransferase ……… 1412
ホスファチジルコリン phosphatidylcholine (PtdCho) ……… 1412
ホスファチジルセリン phosphatidylserine (PtdSer) ……… 1413
ホスファチジングリセロール phosphatidylglycerol (PG) ……… 1412
ホスファチジン酸 phosphatidic acid ……… 1412
ホスファチジン酸ホスファターゼ phosphatidate phosphatase ……… 1412
ホスファチダール phosphatidal ……… 1412
ホスファチド phosphatide ……… 1412
ホスファミン酸 phosphamic acid ……… 1412
ホスフィン phosphine ……… 1413
3′-ホスホアデノシン5′-リン酸 3′-phosphoadenosine 5′-phosphate (PAP) ……… 1413
ホスホアミダーゼ phosphoamidase ……… 1413
ホスホアミド phosphoamides ……… 1413
5-ホスホ-α-D-リボシルピロリン酸 5-phospho-α-D-ribosyl-1-pyrophosphate (PPRibp, PPRP, PRPP) ……… 1415
ホスホエタノールアミン phosphoethanolamine ……… 1413
ホスホエタノールアミンシチジリルトランスフェラーゼ phosphoethanolamine cytidylyltransferase ……… 1413
ホスホエノールピルビン酸 phospho*enol*pyruvic acid ……… 1413
ホスホエノールピルビン酸カルボキシキナーゼ phospho*enol*pyruvic acid carboxykinase ……… 1413
ホスホグリセリド類 phosphoglycerides 1414
ホスホグリセリン酸 phosphoglyceric acid ……… 1414
ホスホグリセレートキナーゼ phosphoglycerate kinase ……… 1414
ホスホグリセロアセタール類 phosphoglyceracetals ……… 1414
ホスホグリセロムターゼ phosphoglyceromutase ……… 1414
ホスホグルコキナーゼ phosphoglucokinase ……… 1413
6-ホスホ-D-グルコノδ-ラクトン 6-phospho-D-glucono-δ-lactone ……… 1414
6-ホスホグルコノラクトナーゼ 6-phosphogluconolactonase ……… 1414
ホスホグルコムターゼ phosphoglucomutase ……… 1414
ホスホグルコン酸デヒドロゲナーゼ phosphogluconate dehydrogenase ……… 1414
ホスホグルコン酸デヒドロゲナーゼ(脱炭酸作用) phosphogluconate dehydrogenase (decarboxylating) ……… 1414
ホスホクレアチン phosphocreatine ……… 1413
ホスホコリン phosphocholine ……… 1413
ホスホコリンジアシルグリセロールトランスフェラーゼ phosphocholine diacylglycerol transferase ……… 1413
ホスホコリンシチジリルトランスフェラーゼ phosphocholine cytidylyltransferase 1413
ホスホジエステラーゼ phosphodiesterases ……… 1413
ホスホジエステラーゼ5 PDE5 ……… 1374
ホスホジエステラーゼ5阻害薬 phosphodiesterase 5 inhibitor ……… 935
ホスホジエステル phosphodiester ……… 1413
O-ホスホセリン *O*-phosphoserine ……… 1416
ホスホトランスフェラーゼ phosphotransferases ……… 1416
ホスホニウム phosphonium ……… 1414
ホスホノ phosphono- ……… 1414
4′-ホスホパンテテイン 4′-phosphopantetheine ……… 1414
ホスホヒドロラーゼ phosphohydrolases 1414
ホスホフェニトイン phosphophenytion 1414
ホスホフルクトアルドラーゼ phosphofructoaldolase ……… 1413
1-ホスホフルクトキナーゼ 1-phosphofructokinase ……… 1413
6-ホスホフルクトキナーゼ 6-phosphofructokinase ……… 1413
ホスホヘキソキナーゼ phosphohexokinase ……… 1414
ホスホペントースイソメラーゼ phosphopentose isomerase ……… 1414
ホスホペントースエピメラーゼ phosphopentose epimerase ……… 1414
ホスホホリン phosphophorin ……… 1414
ホスホムターゼ phosphomutase ……… 1414
ホスホリパーゼ phospholipase ……… 1414
ホスホリパーゼA_1 phospholipase A_1 ……… 1414
ホスホリパーゼA_2 phospholipase A_2 ……… 1414
ホスホリパーゼB phospholipase B ……… 1414
ホスホリパーゼC phospholipase C ……… 1414
ホスホリパーゼD phospholipase D ……… 1414
ホスホリピッド症候群 phospholipid syndrome ……… 1815
ホスホリブロキナーゼ phosphoribulokinase ……… 1415
5-ホスホリボシルアミン 5-phosphoribosylamine ……… 1415
ホスホリボシルグリシンアミドシンターゼ phosphoribosylglycineamide synthetase 1415
ホスホリボシルトランスフェラーゼ phosphoribosyltransferase ……… 1415
ホスホリラーゼ phosphorylase ……… 1415
ホスホリラーゼ phosphorylases ……… 1415
ホスホリラーゼ*b* phosphorylase *b* ……… 1415
ホスホリラーゼキナーゼ phosphorylase kinase ……… 1415
ホスホリラーゼホスファターゼ phosphorylase phosphatase ……… 1415
ホスホリル phosphoryl ……… 1415
ホスホロ開裂反応 phosphoroclastic reaction ……… 1566
補正 correction ……… 427
母性 maternity ……… 1110
母性遺伝 maternal inheritance ……… 933
補正接眼レンズ compensating ocular ……… 1291
ほぞ穴 mortise ……… 1171
細い毛に類似した hirtellous ……… 853
細い毛をもつ hirtellous ……… 853
〔補〕装具学 prosthetics ……… 1501
捕捉 capture ……… 291
捕捉 prehension ……… 1479
捕捉 usurpation ……… 1976
補束 adminiculum ……… 29
保続〔症〕 perseveration ……… 1395
補足運動野てんかん supplementary motor area epilepsy ……… 629
母組織 placode ……… 1429
保存 conservation ……… 413
保存株 stock strain ……… 1751
保存修復学 operative dentistry ……… 488
保存的 conservative ……… 414
保存的頸部郭清術 functional neck dissection ……… 548
保存的根治的乳突削開術 modified radical mastoidectomy ……… 1109
保存的複製 conservative replication ……… 1591
保存培養 stock culture ……… 448
保存薬 preservative ……… 1481
保存療法 conservative treatment ……… 1923
保存力 vis conservatrix ……… 2031
補体 complement ……… 400
母体 mother ……… 1172
補体因子I complement factor I ……… 667
補体化学走性因子 complement chemotactic factor ……… 667
母体合併症 maternal morbidity ……… 1169
補体系 complement system ……… 1831
補体経路 complement pathways ……… 400
補体結合抗体 complement-fixing antibody ……… 100
補体結合試験 complement-fixation test 1856
補体結合測定〔法〕 complement binding assay ……… 162
補体結合反応 complement fixation ……… 707
補体結合反応 complement fixation reaction ……… 1563
補体結合反応 fixation reaction ……… 1564
母体死亡 maternal death ……… 473
母体死亡率 maternal death rate ……… 1560
母体性難産 maternal dystocia ……… 577
補体成分 component of complement (C) 403
母体胎盤分葉 maternal cotyledon ……… 431
補体単位 complement unit ……… 1965
補体非結合の uncomplemented ……… 1963
母体罹病 maternal morbidity ……… 1169

ボタロ孔 Botallo foramen ………… 724
ボタン bouton ………… 238
ボタン button ………… 272
ボタン穴 buttonhole ………… 272
ボタン穴狭窄〔症〕 buttonhole stenosis … 1742
ボタン穴変形 boutonnière deformity …… 479
ボタン孔変形 boutonnière ………… 238
ボタン状切開 boutonnière ………… 238
ボダンスキー単位 Bodansky unit ……… 1965
ポタン徴候 Potain sign ………… 1683
ボタン縫合 button suture ………… 1787
補聴器 hearing aid ………… 819
歩調取り pacemaker ………… 1334
勃起 erection ………… 636
勃起障害 erectile dysfunction ………… 572
勃起神経 nervi erigentes ………… 1242
勃起組織 erectile tissue ………… 1895
ポックスウイルス poxvirus ………… 1475
ポックスウイルス科 Poxviridae ………… 1475
発作 attack ………… 175
発作 fit ………… 707
発作 ictus ………… 903
発作 insult ………… 942
発作 paroxysm ………… 1357
発作 seizure (Sz) ………… 1657
発作間の interictal ………… 945
発作間の interparoxysmal ………… 947
発作後の postictal ………… 1471
発作性寒冷血色素尿症 paroxysmal cold hemoglobinuria ………… 834
発作〔性〕の ictal ………… 903
発作性脳律動異常 paroxysmal cerebral dysrhythmia ………… 577
発作〔性〕頻拍(頻脈) paroxysmal tachycardia ………… 1837
発作性夜間血色素尿症 paroxysmal nocturnal hemoglobinemia ………… 833
発作性夜間血色素尿症 paroxysmal nocturnal hemoglobinuria ………… 834
発作性夜間呼吸困難 paroxysmal nocturnal dyspnea (PND) ………… 576
発作前の preictal ………… 1479
発作を伴うピリドキシン依存〔症〕 pyridoxine dependency with seizure …. 492
ホッジペッサリー Hodge pessary ……… 1396
没食子 galla ………… 750
没食子 nutgall ………… 1284
没食子酸 gallic acid ………… 750
没食子酸プロピル propyl gallate ……… 1499
発疹 eruption ………… 637
発疹 exanthema ………… 651
発疹 exanthesis ………… 651
発疹 rash ………… 1559
発疹期 eruptive stage ………… 1727
発疹状黄色腫 eruptive xanthoma ……… 2051
発疹消退 deflorescence ………… 479
発疹性魚〔肉〕中毒〔症〕 ichthyismus exanthematicus ………… 902
発疹性疾患 exanthematous disease ……… 532
発疹性発熱 exanthematous fever ……… 684
発疹前の preeruptive ………… 1477
発疹チフス epidemic typhus ………… 1958
発疹チフス exanthematous typhus ……… 1958
発疹チフス typhus ………… 1958
発疹チフスリケッチア *Rickettsia prowazekii* ………… 1615
発疹チフスワクチン typhus vaccine ….. 1980
発疹熱 murine typhus ………… 1958
発疹熱リケッチア *Rickettsia typhi* ……. 1615
発赤 flare ………… 710
発赤 rubor ………… 1625
〔発赤〕拡大 flare ………… 710
発赤毒素 erythrogenic toxin ………… 1906
発赤の erythrogenic ………… 640
発赤薬 rubefacient ………… 1625
ポッター顔〔貌〕 Potter facies ………… 665
ポッター症候群 Potter syndrome ……… 1816
発端形質 liminal trait ………… 1915
発端者 proband ………… 1486
発端者 propositus ………… 1499
ボッツォロ徴候 Bozzolo sign ………… 1679
ポッツ鉗子 Potts clamp ………… 370
ポッツシャント Potts shunt ………… 1675
ポッツ手術 Potts operation ………… 1305
ホッツ床 feeding aid ………… 39
ホッツ床 feeding appliance ………… 120
ポットクラーレ pot curare ………… 449
ホットスポット hot spot ………… 1725
ポット対麻痺 Pott paraplegia ………… 1353
ポット膿瘍 Pott abscess ………… 6
ホットノジュール hot nodule ………… 1261
ホップ humulus ………… 867
ホッファ手術 Hoffa operation ………… 1304
ポップコーン製造従業員肺 popcorn worker's lung ………… 1072
ポップコーン様石灰化 popcorn calcification ………… 276
ホップ腺 lupulin ………… 1073
ホッフ(ホフ)の疣贅状肢端角化症 acrokeratosis verruciformis of Hoff ……. 18
ホップマン乳頭腫 Hopmann papilloma 1346
ボツリスム botulism ………… 238
ボツリヌス菌 *Clostridium botulinum* …… 376
ボツリヌス抗毒素 botulism antitoxin ….. 109
ボツリヌス中毒 botulism ………… 238
ボツリヌス毒素 botulinum toxin (BTX) ………… 1906
ボツリヌス毒素 botulinus toxin ………… 1906
保定 retention ………… 1598
ボディアン銅プロタルゴール染色〔法〕 Bodian copper-protargol stain ……… 1730
ボディスタッフィング body stuffing …… 230
保定装置 retainer ………… 1598
ボディ補聴器 body hearing aid ………… 819
ボディマス指数 body mass index (BMI) ………… 921
補てつ〔学〕 prosthetics ………… 1501
補てつ〔物〕 prosthesis ………… 1501
補てつ外科医 prosthetist ………… 1501
補てつ歯科医 prosthetist ………… 1501
補てつする butt ………… 272
補てつ専門歯科医 prosthodontist ……… 1501
補てつの prosthetic ………… 1501
ポテトデキストロース寒天〔培地〕 potato dextrose agar ………… 35
ポテンシャル potential ………… 1473
ポテンシャルエネルギー potential energy ………… 617
ポテンシャル視力測定計 potential acuity meter (PAM) ………… 1141
補塡術 anaplasty ………… 72
補塡術士 Anaplastologist ………… 72
ホト phot ………… 1416
ポドウイルス科 Podoviridae ………… 1453
ホトクロミック眼鏡 photochromic spectacles ………… 1708
ボド属 *Bodo* ………… 225
ポドフイルム podophyllum ………… 1453
ポドフイルム脂 podophyllum resin ……. 1593
ポドフィロックス podofilox ………… 1453
ポドフィロトキシン podophyllotoxin …. 1453
ホトプシン photopsin ………… 1418
ホトリアーゼ photolyase ………… 1417
ポトリエ微小膿瘍 Pautrier microabscess ………… 1149
ボトリオケファルス属 *Bothriocephalus* … 237
ボトリオミセス症 botryomycosis ……… 237
ボトリオミセス属 *Botryomyces* ………… 237
ホドリン fodrin ………… 718
ボニエ症候群 Bonnier syndrome ……… 1798
母乳育児補助器具 breast shell ………… 1672
母乳異常 galactacrasia ………… 749
母乳因子 milk factor ………… 668
哺乳綱 Mammalia ………… 1097
哺乳床 feeding aid ………… 39
哺乳床 feeding appliance ………… 120
哺乳する suckle ………… 1768
母乳で育てる breast-feed ………… 255
哺乳動物学 therology ………… 1882
哺乳瓶う食(蝕) nursing bottle caries ….. 302
哺乳補助具 feeding aid ………… 39
哺乳類 mammal ………… 1097
骨砕き術 osteoclasis, osteoclasia ……… 1321
ボネ症候群 Bonnet syndrome ………… 1798
ボネー嚢 Bonnet capsule ………… 290
骨の連結(広義の関節) bony joints ……… 969
母〔嚢〕胞 mother cyst ………… 460
炎(ほのお)細胞 flame cell ………… 321
ポノス ponos ………… 1465
母斑 birthmark ………… 216
母斑 mole ………… 1163
母斑 nevus ………… 1254
母斑細胞 nevus cell ………… 324
母斑細胞A型 nevus cell, A-type ………… 324
母斑細胞B型 nevus cell, B-type ………… 324
母斑細胞C型 nevus cell, C-type ………… 324
母斑症 phacomatosis ………… 1398
母斑性アメンチア nevoid amentia ……… 58
母斑性黄色内皮腫 nevoxanthoendothelioma ………… 1254
母斑性多毛〔症〕 nevoid hypertrichosis ….. 889
母斑様の nevoid ………… 1254
ボビコーラ属 *Bovicola* ………… 238
ポビドン povidone ………… 1474
ポビドンヨード povidone iodine ……… 953
ポビドンヨード povidone-iodine ……… 1474
ホプキンスのロッド(杆状)レンズ硬性鏡 Hopkins rod-lens telescope ………… 1847
ほふく菌糸 stolon ………… 1748
ホブネイル細胞 hobnail cell ………… 322
ホフ(ホッフ)の疣贅状肢端角化症 acrokeratosis verruciformis of Hoff ……. 18
ホフマン運動 Hoffman exercises ……… 653
ホフマン現象 Hoffmann phenomenon … 1405
ホフマン症候群 Hoffman syndrome …… 1807
ホフマン徴候 Hoffmann sign ………… 1681
ほほ bucca ………… 263
頬 gena ………… 762
ホボーケン小〔結〕節 Hoboken nodules 1261
ホボーケン弁 Hoboken valves ………… 1985
ボホダレク神経節 Bochdalek ganglion …. 752
ボホダレク花かご flower basket of Bochdalek ………… 714
ボホダレク弁 Bochdalek valve ………… 1985
頬〔部〕の malar ………… 1094
ホホバ油 jojoba oil ………… 1294
ポマード pomade ………… 1465
ポマード痤瘡 pomade acne ………… 16
ホマトロピン homatropine ………… 859
ホマロミヤ属 *Homalomyia* ………… 859
ホミカ nux vomica ………… 1284
ホミグレード目盛り homigrade scale …. 1639
ボミトキシン vomitoxin ………… 2037
ホムンクルス homunculus ………… 862
ホメオーシス homeosis ………… 859
ホメオスタシス homeostasis ………… 859
ホメオスタシスラグ homeostatic lag …… 995
ホメオ蛋白 homeoprotein ………… 859
ホメオティック遺伝子 homeotic genes … 763
ホメオパシー homeopathy ………… 859
ホメオパシスト homeopathist ………… 859
ホメオボックス homeobox ………… 859
ホメオレーシス homeorrhesis ………… 859
ボメー症状 Baumès symptom ………… 1791
ボメー度 Baumé scale ………… 1638
ボメー目盛り Baumé scale ………… 1638
ポメロイ手術 Pomeroy operation ……… 1305
ホモアルギニン homoarginine (Har) ….. 859

ホモガミー homogamy …… 860
ホモカリオン homokaryon …… 861
ホモカルノシン homocarnosine …… 860
ホモカルノシン症 homocarnosinosis …… 860
ホモグリカン homoglycan …… 861
ホモ血清型 homologous serotype …… 1667
ホモゲネシス homogenesis …… 860
ホモゲンチシン酸 homogentisic acid …… 860
ホモゲンチシン酸1,2-ジオキシゲナーゼ homogentisate 1,2-dioxygenase …… 860
ホモゴニー生活環 homogonic life cycle 455
ホモサラート homosalate …… 861
ホモジェナス homogeneous …… 860
ホモシスチン homocystine …… 860
ホモシスチン血症 homocystinemia …… 860
ホモシスチン〔尿〕症 homocystinuria …… 860
ホモシステイン homocysteine (Hcy) …… 860
ホモシトルリン尿症 homocitrullinuria …… 860
ホモジニアスエンザイムイムノアッセイ enzyme-multiplied immunoassay technique (EMIT) …… 911
ホモジネート homogenate …… 860
ホモステロイド homosteroid …… 861
D-ホモステロイド D-homosteroid …… 861
ホモ接合性 homozygosity, homozygosis 862
ホモ接合性軟骨無形成症 homozygous achondroplasia …… 13
ホモ接合体 homozygote …… 862
ホモセリン homoserine …… 861
ホモセリンラクトン homoserine lactone 861
ホモダイマー homodimer …… 860
ホモデティックペプチド homodetic peptide …… 1383
ホモトロピック homotropic …… 861
ホモ二量体 homodimer …… 860
ホモバニリン酸 homovanillic acid (HVA) …… 862
ホモバニリン酸検査 homovanillic acid test …… 1859
ホモビオチン homobiotin …… 859
ホモプロトカテチュ酸 homoprotocatechuic acid …… 861
ホモポリマー homopolymer …… 861
ホモメリックペプチド homomeric peptide …… 1383
ホモリピド homolipids …… 861
ホモログ homologue, homolog …… 861
保有宿主 reservoir host …… 866
補抑制物質 corepressor …… 423
補抑制物質 corepressors …… 423
ポリA poly(A) …… 1458
ポリA poly(adenylic acid), poly(A) …… 1458
ポリAポリメラーゼ poly(A) polymerase …… 1458
ポリU poly(uridylic acid), poly(U) …… 1465
ポリアクリルアミド polyacrylamide …… 1458
ポリアクリルアミドゲル電気泳動 polyacrylamide gel electrophoresis (PAGE) …… 597
ポリアデニル化 polyadenylation …… 1458
ポリアデニル酸 poly(adenylic acid), poly(A) …… 1458
ポリアミノ酸 poly(amino acids) …… 1458
ポリアミン polyamine …… 1458
ポリアミンオキシダーゼ polyamine oxidase …… 1458
ポリアミン-メチレン樹脂 polyamine-methylene resin …… 1593
ポリウリジル酸 poly(uridylic acid), poly(U) …… 1465
ポリウロニド polyuronides …… 1465
ポリエステル樹脂 polyester resin …… 1593
ポリエチレングリコール類 polyethylene glycols (PEGs, PEG) …… 1459
ポリエン polyene …… 1459
ポリ塩化ビニル polyvinyl chloride (PVC) …… 1465
ポリエン酸 polyenoic acids …… 1459
ポリ塩素化ビフェニル polychlorinated biphenyl (PCB) …… 215
ポリオ poliomyelitis …… 1457
ポリオウイルス poliovirus …… 1457
ポリオウイルス poliomyelitis virus …… 2027
ポリオウイルスワクチン poliovirus vaccines …… 1980
ポリオキシエチレンアルコール polyoxyethylene alcohols …… 44
ポリオキシル40ステアレイト polyoxyl 40 stearate …… 1462
ポリオジストロフィ poliodystrophy …… 1457
ポリオーマウイルス polyoma virus …… 2027
ポリオーマウイルス属 *Polyomavirus* …… 1462
ポリオ免疫グロブリン(ヒト) poliomyelitis immune globulin (human) …… 779
ポリオル polyol …… 1462
ポリオルデヒドロゲナーゼ polyol dehydrogenases …… 1462
ポリオン porion …… 1466
ポリガラクツロナーゼ polygalacturonase …… 1460
ポリカルボキシレートセメント polycarboxylate cement …… 329
ポリ(γ-グルタミン酸) poly(γ-glutamic acid) …… 1460
ポリグラフ polygraph …… 1460
ポリ(グリコール酸) poly(glycolic acid) 1460
ポリ(グルタミン酸) poly(glutamic acid) …… 1460
ポリクローナルアクチベータ polyclonal activator …… 21
ポリクローナル高ガンマグロブリン血症(ガンモパシー) polyclonal gammopathy … 752
ポリクローナル抗体 polyclonal antibody 101
ポリクローン系の polyclonal …… 1459
ポリクローン性の polyclonal …… 1459
ポリサッカリド polysaccharide …… 1464
ポリシストロニック polycistronic …… 1459
ポリジストロフィ polydystrophy …… 1459
ポリジーン polygene …… 1460
ポリスマン policeman …… 1456
ポリスルフィドゴム polysulfide rubber …… 1465
ポリソルベート80 polysorbate 80 …… 1465
ポリディオキサノン polydioxanone …… 1459
ホリデイハート症候群 holiday heart syndrome …… 1807
ホリデー(ホリデイ)連結 Holiday junction …… 973
ホリデー接合部 Holliday junction …… 973
ポリテルペン polyterpenes …… 1465
ホリトロピン follitropin …… 723
ポリヌクレオチダーゼ polynucleotidases 1462
ポリヌクレオチド polynucleotide …… 1462
ポリヌクレオチドチオールトランスフェラーゼ polynucleotide thioltransferases …… 1462
ポリヌクレオチドメチルトランスフェラーゼ polynucleotide methyltransferases …… 1462
ポリネシアヤブカ *Aedes polynesiensis* …… 31
ポリノキシリン polynoxylin …… 1462
補リパーゼ colipase …… 389
ボリビア出血熱 Bolivian hemorrhagic fever …… 683
ボリビア出血熱ウイルス Bolivian hemorrhagic fever virus …… 2022
ポリビニル polyvinyl …… 1465
ポリープ polyp …… 1462
ポリープ圧砕器 polypotrite …… 1464
ポリープ症 polyposis …… 1464
ポリープ状心内膜炎 polypous endocarditis …… 612
ポリープ状の fungiform …… 745
ポリープ状の fungoid …… 745
ポリープ性胃炎 polypous gastritis …… 757
ポリープ性腸炎 enteritis polyposa …… 619
ポリープ切除〔術〕 polypectomy …… 1463
ポリープ切除刀 polypotome …… 1464
ポリープ様脱落膜 decidua polyposa …… 474
ポリプレノール polyprenols …… 1464
ポリペクトミースネア polypectomy snare …… 1463
ポリペプチド polypeptide …… 1463
ポリポ〔ー〕シス polyposis …… 1464
ポリマー polymer …… 1460
ポリマーガス熱 polymer fume fever …… 685
ポリミキシン polymyxin …… 1461
ポリメラーゼ polymerase …… 1460
ポリメラーゼα polymerase alpha …… 1460
ポリメラーゼγ polymerase gamma …… 1460
ポリメラーゼβ polymerase beta …… 1460
ポリメラーゼ連鎖反応 polymerase chain reaction (PCR) …… 1566
保留 saving …… 1637
保留性交 coitus reservatus …… 388
ポリラクトサミン polylactosamines …… 1460
ポリリボソーム polyribosomes …… 1464
ポリリボヌクレオチドヌクレオチジルトランスフェラーゼ polyribonucleotide nucleotidyltransferase …… 1464
ポリリンカー polylinker …… 1460
ボリンガー顆粒 Bollinger granules …… 796
ボリンガー(ボリンゲル)小体 Bollinger bodies …… 225
ポルゲス法 Porges method …… 1145
ポルゲス-マイアー試験 Porges-Meier test …… 1863
ボル細胞 Boll cells …… 320
ボルジン boldin …… 230
ボルジン boldine …… 230
ホル靱帯 Holl ligament …… 1036
ボルスト-ヤーダッソーン型表皮内上皮腫 Borst-Jadassohn type intraepidermal epithelioma …… 631
ホルター監視 Holter monitor …… 1165
ボルタメータ voltameter …… 2036
ボルチン〔顆粒〕 volutin …… 2037
ボルチン顆粒 volutin granules …… 797
ボルツマン定数 Boltzmann constant …… 414
ボルデー-ジャングー現象 Bordet-Gengou phenomenon …… 1404
ボルデー-ジャングージャガイモ血液寒天〔培地〕 Bordet-Gengou potato blood agar … 34
ボルデー-ジャングー反応 Bordet and Gengou reaction …… 1563
ボルデテラ属 *Bordetella* …… 236
ホルデニン hordenine …… 862
ボルト volt (v, V) …… 2036
ボルド boldus …… 230
ボルトアンペア voltampere …… 2036
ボルト数 voltage …… 2036
ホルナー(ホルネル)症候群 Horner syndrome …… 1807
ホルナー(ホルネル)瞳孔 Horner pupil 1527
ホルナー(ホルネル)-トランタス斑 Horner-Trantas dots …… 558
ボルナ病ウイルス Borna disease virus 2022
ボルナン bornane …… 236
ホルビン phorbin …… 1411
ポルフィリノーゲン porphyrinogens …… 1467
ポルフィリン porphyrins …… 1468
ポルフィリン異常症 porphyrinopathy …… 1468
ポルフィリン異常症 porphyrism …… 1468
ポルフィリン症 porphyria …… 1467
ポルフィリン尿〔症〕 porphyrinuria …… 1468
ポルフィロモナス属 *Porphyromonas* …… 1468
ポルフィン porphin, porphine …… 1467
ポルホビリノーゲン porphobilinogen (PBG) …… 1467
ポルホビリノーゲン合成酵素 porphobilinogen synthase …… 1467

ポルホビリン porphobilin ··· 1467
ホルボール phorbol ··· 1411
ホルボール-12-ミリステート-13-アセテート誘導蛋白 phorbol-12-myristate-13-acetate-induced protein (PMAIP1) ··· 1505
ホルマザン formazan ··· 729
ホルマミダーゼ formamidase ··· 729
ホルマリン formalin ··· 729
ホルマリン色素 formalin pigment ··· 1423
ホルミウム holmium (Ho) ··· 858
ホルミオン hormion ··· 863
ホルミル formyl (f) ··· 731
N-ホルミルキヌレニン *N*-formylkynurenine ··· 731
N-ホルミルグリシンアミドリボチド *N*-formylglycinamide ribotide (FGAR) 731
N^{10}-ホルミルテトラヒドロ葉酸 N^{10}-formyltetrahydrofolate ··· 731
ホルミルメチオニル-トランスファーRNA formylmethionyl-tRNA ··· 731
N-ホルミルメチオニン *N*-formylmethionine (fMet) ··· 731
5-ホルムアミドイミダゾール-4-カルボキシミドリボチド 5-formamidoimidazole-4-carboximide ribotide ··· 729
ホルムアルデヒド formaldehyde ··· 729
ホルムアルデヒド固定液 formaldehyde fixative ··· 708
ホルムイミノグルタミン酸 formiminoglutamic acid (FIGLU) ··· 729
N-ホルムイミノテトラヒドロ葉酸 *N*-formiminotetrahydrofolate ··· 730
ホルムグレン試験 Holmgren wool test 1859
ホルメシス hormesis ··· 863
ホルモクレゾール formocresol ··· 730
ホルモル-カルシウム固定液 formol-calcium fixative ··· 708
ホルモル生食固定液 formol-saline fixative ··· 708
ホルモル-ツェンカー固定液 formol-Zenker fixative ··· 708
ホルモル滴定 formol titration ··· 1896
ホルモル-ミュラー固定液 formol-Müller fixative ··· 708
ホルモン hormone ··· 863
ホルモン過敏〔症〕 hormone hypersensitivity ··· 887
ホルモン性歯肉炎 hormonal gingivitis ··· 770
ホルモン生成 hormonogenesis ··· 864
ホルモン抵抗〔性〕 hormone resistance ··· 1594
ホルモン非産生細胞下垂体腺腫 null-cell adenoma ··· 26
ホルモン補充療法 hormone replacement therapy (HRT) ··· 1879
ホルモン療法 hormonotherapy ··· 864
ボルンろう板再構成法 Born method of wax plate reconstruction ··· 1143
ポレイハッカ pennyroyal ··· 1381
ほれ薬 philtrum ··· 1408
ボレーゲージ Boley gauge ··· 761
ポレックアメーバ *Entamoeba polecki* ··· 618
ボレリア症 borreliosis ··· 237
ボレリア属 *Borrelia* ··· 236
ボレルブルー染色〔法〕 Borrel blue stain ··· 1730
ホレンホースト斑 Hollenhorst plaques 1432
ホロACPシンターゼ holo-ACP synthase 858
ボロ(孔膜)型分生子 poroconidium ··· 1466
ホロカルボキシラーゼシンテターゼ holocarboxylase synthetase ··· 858
ポロキサマー poloxamer ··· 1457
ホログラフィ holography ··· 858
ホログラム hologram ··· 858
ボログリセリン boroglycerin, boroglycerol ··· 236
ホロクリン腺 holocrine gland ··· 773
ポロケファリッド感染症 porocephaliasis ··· 1466
ホロ酵素 holoenzyme ··· 858
ホロシド holoside ··· 858
ホロスリン類 holothurins ··· 859
ホロ蛋白 holoprotein ··· 858
ポロニウム polonium (Po) ··· 1457
ボロニーニ症状 Bolognini symptom ··· 1791
ホロプタ horopter ··· 865
ボロメータ bolometer ··· 230
ボワイエ嚢胞 Boyer cyst ··· 458
ホワイトヘッド手術 Whitehead operation ··· 1306
ホワイトヘッド変形 Whitehead deformity ··· 480
ポワズーユ(ポワセイユ)の粘性率 Poiseuille viscosity coefficient ··· 387
ポワズーユ(ポワセイユ)の法則 Poiseuille law ··· 1007
ポワソン(ポアソン)-ピアーソン〔公〕式 Poisson-Pearson formula ··· 730
ポワソン(ポアソン)分布 Poisson distribution ··· 550
ポワッサンウイルス Powassan virus ··· 2028
ポワリエ腺 Poirier gland ··· 774
ポワリエ線 Poirier line ··· 1051
ホン phon ··· 1411
盆 tray ··· 1923
ボンウィル三角 Bonwill triangle ··· 1926
香港〔型〕インフルエンザ Hong Kong influenza ··· 930
本質 essence ··· 643
ポンソーデキシリジン ponceau de xylidine ··· 1465
本体 body ··· 225
本体 essence ··· 643
本態性五炭糖尿〔症〕 essential pentosuria ··· 1382
本態性果糖尿〔症〕 essential fructosuria ··· 742
本態性かゆみ(そう痒)〔症〕 essential pruritus ··· 1510
本態性血小板減少〔症〕 essential thrombocytopenia ··· 1887
本態性高血圧〔症〕 essential hypertension 888
本態性徐脈 essential bradycardia ··· 240
本態性進行性虹彩萎縮 essential progressive atrophy of iris ··· 173
本態性振せん essential tremor ··· 1924
本態性熱 essential fever ··· 684
本態性の essential ··· 643
本態性ペントース尿〔症〕 essential pentosuria ··· 1382
本態性毛細管拡張〔症〕 essential telangiectasia ··· 1846
本態の noumenal ··· 1270
ポンダル poundal ··· 1474
ポンティック pontic ··· 1466
ポンド pound ··· 1474
本能 instinct ··· 940
奔馬〔性〕調律 gallop rhythm ··· 1611
奔馬調音 gallop sound ··· 1702
奔馬調律 gallop ··· 750
ポンプ pump ··· 1526
ボンブカロリーメータ bomb calorimeter 280
ボンベ cylinder (cyl., C) ··· 457
ボンベイ現象 Bombay phenomenon ··· 1404
ボンベイ表現型 Bombay trait ··· 1915
ボンベシン bombesin ··· 230
ボンヘファー徴候 Bonhoeffer sign ··· 1679
翻訳 translation ··· 1919
翻訳後修飾 posttranslational modification ··· 1162
翻訳後の posttranslational ··· 1472
本来の native ··· 1222

マ

マーカ marker ··· 1105
マーカ形質 marker trait ··· 1915
マーカス・ガン瞳孔 Marcus Gunn pupil 1527
マーカ染色体 marker chromosome ··· 359
マーカム(メークハム)仮説 Makeham hypothesis ··· 898
マーガリン病 margarine disease ··· 537
マーキング marking ··· 1105
マーク mark ··· 1105
マーシャル試験 Marshall test ··· 1860
マーシャル症候群 Marshall syndrome ··· 1811
マーシャル法 Marshall method ··· 1145
マーシャル-マーケッティ-クランツ手術 Marshall-Marchetti-Krantz operation 1305
マーティン病 Martin disease ··· 537
マーティン包帯 Martin bandage ··· 196
マーデルング頸 Madelung neck ··· 1223
マーデルング変形 Madelung deformity ··· 480
マーフ MERRF ··· 1134
マーフィ打診〔法〕 Murphy percussion ··· 1384
マーフィー徴候 Murphy sign ··· 1682
マーフィボタン Murphy button ··· 272
マーモセットウイルス marmoset virus 2026
マーモット marmot ··· 1105
マーリン merlin ··· 1133
マールブルグウイルス Marburg virus ··· 2026
マールブルグ病 Marburg disease ··· 537
マイアー-アーチェーンボールト係蹄 Meyer-Archambault loop ··· 1069
マイアー(マイヤー)-ヴァイゲルト(ワイゲルト)の法則 Meyer-Weigert rule ··· 1626
マイアー-オーヴァートン則 Meyer-Overton rule ··· 1626
マイアー試薬 Meyer reagent ··· 1569
マイアー洞 Maier sinus ··· 1688
マイアー軟骨 Meyer cartilages ··· 306
マイアーのヘマラム染色〔法〕 Mayer hemalum stain ··· 1733
マイアー-ロキタンスキー-キュスター-ハウザー症候群 Mayer-Rokitansky-Küster-Hauser syndrome ··· 1811
マイエンブルク複合体 Meyenburg complex ··· 402
マイカ手術 mika operation ··· 1305
マイクロアストラップ法 micro-Astrup method ··· 1145
マイクロウェーブ microwaves ··· 1156
マイクロエッチングテクニック microetching technique ··· 1844
マイクロエマルジョン microemulsion ··· 1151
マイクロオーム microhm (μΩ, mcΩ) ··· 1152
マイクロカタール microkatal ··· 1152
マイクロキメラ microchimerism ··· 1150
マイクロキュリー microcurie (μCi, mcCi) ··· 1151
マイクログラム microgram (γ, μg, mcg) ··· 1152
マイクロクーロン microcoulomb (μC, mcC) ··· 1151
マイクロケルダール法 micro-Kjeldahl method ··· 1145
マイクロサージェリー microsurgery ··· 1155
マイクロ写真 microphotograph ··· 1153
マイクロシンチグラフィ microscintigraphy ··· 1154

マ

マイクロストレイン測定法 microstrain 1155
マイクロチップ. microchip 1150
マイクロトノメータ microtonometer 1156
マイクロトーム microtome 1155
マイクロ波 microwaves 1156
マイクロ波療法 microwave therapy 1879
マイクロフイルム microfilm 1151
マイクロフイルム化する microfilm 1151
マイクロフォノスコープ microphonoscope 1153
マイクロプレート microplate 1153
マイクロボディ microbody 1150
マイクロボルト microvolt (μV, mcV) 1156
マイクロホン microphone 1153
マイクロマニピュレータ micromanipulator 1152
マイクロメータ micrometer 1152
〔カリパス〕マイクロメータ caliper micrometer 1152
マイクロメートル micrometer 1152
マイクロモル micromole (μmol, mcmol) 1153
マイクロラジオグラフィ microradiography 1153
マイクロラジオメータ radiomicrometer 1544
マイクロリットル microliter (μl, mcl, μL, mcL) 1152
マイクロリボ核酸 microribonucleic acid 14
マイケル型奇形 Michel malformation 1096
マイケル岬 Michel spur 1726
マイコウイルス mycovirus 1208
マイコトキシン mycotoxin 1208
マイコトキシン症 mycotoxicosis 1208
マイコファージ mycophage 1208
マイコプラスマ mycoplasma 1208
マイコプラスマ属 *Mycoplasma* 1208
マイコプラスマ目 Mycoplasmatales 1208
毎週の circaseptan 364
マイトジェン mitogen 1160
マイトジェンレクチン mitogenic lectin 1015
マイトソーム mitosome 1160
マイトネリウム meitnerium 1121
マイトフュージン mitofusin 1160
マイトマイシン mitomycin 1160
マイナス鎖 minus strand 1751
マイナス鎖ウイルス negative strand virus 2027
毎日熱 quotidian fever 686
毎日熱〔マラリア〕quotidian malaria 1095
毎日の quotidian 1539
マイネルト交叉 Meynert decussation 476
マイネルト細胞 Meynert cells 323
埋伏 impaction 914
埋伏骨片除去 disimpaction 543
埋伏歯 impacted tooth 1902
埋伏縫合 buried suture 1787
毎分換気量 minute ventilation 2010
毎分心拍出量 minute output 1327
埋没 flasking 711
埋没陰茎 buried penis 1381
埋没材 investment 953
埋没する implant 915
埋没皮弁 buried flap 709
埋没物 implant 915
埋没扁桃 submerged tonsil 1901
埋没縫合 buried suture 1787
マイボーム腺 meibomian glands 773
マイボーム腺炎 meibomitis, meibomianitis 1120
マイボーム腺性眼瞼炎 meibomian blepharitis 220
マイヤー(マイアー)-ヴァイゲルト(ワイゲルト)の法則 Meyer-Weigert rule 1626
マイヤー線 Meyer line 1051
マイヤー洞 Meyer sinus 1688
マイヤーホフ酸化商 Meyerhof oxidation quotient 1539
マイルズ手術 Miles operation 1305
マウス mouse 1172
マウスガード mouth guard 1173
マウス肝炎ウイルス mouse hepatitis virus 2026
マウス胸腺ウイルス mouse thymic virus 2027
マウス・ツー・マウス人工呼吸〔法〕mouth-to-mouth respiration 1595
マウス・ツー・マウス人工呼吸法 mouth-to-mouth resuscitation 1597
マウス肉腫ウイルス murine sarcoma virus 2027
マウス乳癌ウイルス mammary cancer virus of mice 2026
マウス乳癌ウイルス mammary tumor virus of mice 2026
マウス脳脊髄炎ウイルス mouse encephalomyelitis virus 2026
マウスの脳脊髄炎 mouse encephalomyelitis 608
マウスの白血病 murine leukemia 1025
マウス肺炎ウイルス pneumonia virus of mice 2027
マウス白血病ウイルス mouse leukemia viruses 2026
マウラー斑点 Maurer dots 558
マウンティング mounting 1172
まえうで antebrachium 97
前髪 forelock 728
前の anterior 97
マオウ(麻黄) ephedra 625
マカク macaque 1088
マカク属 *Macaca* 1088
曲がった convolute 419
マガルドレート magaldrate 1092
巻貝 snail 1694
巻軸包帯 roller bandage 196
マキシモフ骨髄染色〔法〕Maximow stain for bone marrow 1733
巻き添え溶解 bystander lysis 1086
巻きたばこ式ドレーン cigarette drain 559
巻包帯 roller bandage 196
巻耳 scroll ear 580
巻き戻し蛋白 unwinding proteins 1506
巻物 roll 1620
マキューエン徴候 Macewen sign 1682
マ行吶 mytacism 1217
マギル鉗子 Magill forceps 727
膜 coat 383
膜 envelope 622
膜 mater 1110
膜 membrana 1124
膜 membrane 1124
膜 tunic 1952
膜 tunica 1952
膜 web 2043
〔被〕膜 theca 1874
膜外妊娠 extramembranous pregnancy 1478
膜学 hymenology 877
膜拡大説 membrane expansion theory 1876
膜間腔 intermembrane space 1704
膜間の intermembranous 946
〔声門裂〕膜間部 pars intermembranacea rimae glottidis 1359
〔声門裂〕膜間部 intermembranous part of glottic opening 1365
〔声門裂〕膜間部 intermembranous part of rima glottidis 1365
マクグーン法 McGoon technique 1844
膜酵素 membrane enzyme 623
マクサム-ギルバート塩基配列決定法 Maxim-Gilbert sequencing 1665
膜翅目 Hymenoptera 877
膜状ペッサリー diaphragm pessary 1396
膜性 intramembranous 950
膜性咽頭炎 membranous pharyngitis 1401
膜性顔面頭蓋 membranous viscerocranium 2031
膜性骨 membrane bone 233
膜性骨化 membranous ossification 1320
膜性骨癒合 meningosis 1130
膜性糸球体腎炎 membranous glomerulonephritis 780
膜性脂質異栄養〔症〕membranous lipodystrophy 1057
膜性頭蓋 desmocranium 499
膜性増殖性糸球体腎炎 membranoproliferative glomerulonephritis 780
膜性中隔 membranous septum 1664
膜性脳頭蓋 membranous neurocranium 1246
膜性板 membranous layer 1011
〔気管〕膜性壁 paries membranaceus tracheae 1356
〔気管〕膜性壁 membranous wall of trachea 2039
膜切除〔術〕membranectomy 1127
マクダウアル小帯 frenulum of M'Dowel 740
膜電位 membrane potential 1473
膜透過亢進型抗生物質 transport antibiotic 99
マクドナルド操作 McDonald maneuver 1099
膜内外 transmembrane 1920
膜内の intramembranous 950
膜軟骨の membranocartilaginous 1128
膜尿〔症〕meninguria 1130
マグネシアとアルミナの内用懸濁液 magnesia and alumina oral suspension 1785
マグネシアミルク milk of magnesia (MOM) 1158
マグネシウム magnesium (Mg) 1092
マグネット magnet 1092
マグネットインプラント magnetic implant 915
マクネマー検定 McNemar test 1861
マクノーテンの法則 M'Naghten rule 1626
膜半規管総脚 common crus of semicircular ducts 443
膜半規管総脚 crus membranaceum commune ductuum semicircularium 443
膜半規管総脚 common membranous limb of membranous semicircular ducts 1047
膜半規管総脚 common membranous limb of semicircular ducts 1047
膜半規管単脚 crus membranaceum simplex ductus semicircularis 443
膜半規管単脚 simple membranous limb of semicircular duct 1047
膜半規管膨大部脚 ampullary crura of semicircular ducts 443
膜半規管膨大部脚 crura membranacea ampullaria ductuum semicircularium 443
膜半規管膨大部脚 ampullary membranous limbs of semicircular ducts 1047
マクヴェー手術 McVay operation 1305
膜膨大部 membranous ampulla 65
膜膨大部 membranous ampullae of the semicircular ducts 65
マグマ magma 1092
マクマリー試験 McMurray test 1861
膜迷路 labyrinthus membranaceus 992
膜迷路 membranous labyrinth 992
膜迷路の卵形囊陥凹 utricular recess of membranous labyrinth 1572
膜様月経困難〔症〕membranous dysmenorrhea 573
膜様喉頭炎 membranous laryngitis 1002
膜様条虫 hymenolepidid 877
膜様条虫科 Hymenolepididae 877
膜様条虫症 hymenolepiasis 877

膜様条虫属 *Hymenolepis* …… 877
膜様胎盤 placenta membranacea …… 1428
膜様の membranate …… 1124
膜様の membraniform …… 1127
膜様白内障 membranous cataract …… 311
マクラウドリウマチ Macleod rheumatism …… 1607
まくら形の pulvinate …… 1526
まくら状の pulvinate …… 1526
まくら指 bolster finger …… 700
マクルリン maclurin …… 1088
マクロアカントリンクス属 *Macracanthorhynchus* …… 1088
マクロアデノーマ macroadenoma …… 1089
マクロアミラーゼ macroamylase …… 1089
マクロアミラーゼ血〔症〕 macroamylasemia …… 1089
マクロオートファジー macroautophagy 1089
マクロカイロミクロン macrochylomicron …… 1089
マクロクリオグロブリン macrocryoglobulin …… 1089
マクロクリオグロブリン血〔症〕 macrocryoglobulinemia …… 1089
マクログロブリン macroglobulins …… 1090
マクログロブリン血〔症〕 macroglobulinemia …… 1090
マクロケルダール法 macro-Kjeldahl method …… 1144
マクロ元素 macroelements …… 1089
マクロトーム macrotome …… 1091
マクロ病理学 macropathology …… 1090
マクロファージ macrophage …… 1090
マクロファージ炎症蛋白 macrophage inflammatory protein (MIP) …… 1505
マクロファージ活性化因子 macrophage-activating factor (MAF) 668
マクロファージ筋膜炎 macrophagic myofascitis …… 1213
マクロファージコロニー刺激因子 macrophage colony-stimulating factor (M-CSF) …… 668
マクロファージ抑制性サイトカイン1 macrophage inhibitory cytokine 1 …… 465
マクロミネラル macrominerals …… 1090
マクロライド macrolide …… 1090
マクロライド系抗生物質 macrolides …… 1090
マゲイニン magainin …… 1092
摩砕 molar …… 1163
摩砕 trituration …… 1935
摩擦 friction …… 741
摩擦 frottage …… 742
摩擦 rub …… 1624
摩擦アルコール rubbing alcohol …… 44
摩擦音 fricative …… 741
摩擦音 friction sound …… 1702
摩擦学 tribology …… 1928
摩擦する chafe …… 337
摩擦電気の franklinic …… 739
摩擦発光 triboluminescence …… 1928
摩擦療法 anatripsis …… 74
摩擦療法の anatriptic …… 74
摩擦力 friction …… 741
マジャンディ腔(隙) Magendie spaces … 1704
マジャンディ-ヘルトヴィヒ症候群 Magendie-Hertwig syndrome …… 1811
マジャンディ-ヘルトヴィヒ徴候 Magendie-Hertwig sign …… 1682
麻疹 measles …… 1113
麻疹 morbilli …… 1170
麻疹 rubeola …… 1625
麻疹ウイルス measles virus …… 2026
麻疹ウイルス属 *Morbillivirus* …… 1170
麻疹ウイルスワクチン measles virus vaccine …… 1980
麻疹状の morbilliform …… 1170
麻疹免疫グロブリン(ヒト) measles immune globulin (human) …… 779
麻酔〔法〕 anesthesia …… 79
麻酔〔法〕 anesthetization …… 81
麻酔〔法〕 narcosis …… 1221
麻酔科医 anesthesiologist …… 80
麻酔〔後〕回復室 postanesthesia care unit (PACU) …… 1966
麻酔回路 anesthetic circuit …… 365
麻酔学 anesthesiology …… 80
麻酔ガス anesthetic gas …… 756
麻酔器 anesthesia machine …… 1088
麻酔機械 anesthesia machine …… 1088
麻酔記録 anesthesia record …… 1574
麻酔後の postanesthetic …… 1470
麻酔催眠 narcohypnosis …… 1221
麻酔士 anesthetist …… 81
麻酔施行 anesthetization …… 81
麻酔指数 anesthetic index …… 921
麻酔手 anesthetist …… 81
麻酔深度 anesthetic depth …… 494
麻酔性ショック anesthetic shock …… 1673
麻酔性の narcotic …… 1221
麻酔前投薬 preanesthetic medication …… 1116
麻酔前の preanesthetic …… 1476
麻酔における表面張力説 surface tension theory of narcosis …… 1877
麻酔の anesthetic …… 80
麻酔の含水微細結晶説 hydrate microcrystal theory of anesthesia …… 1876
麻酔の吸着説 adsorption theory of narcosis …… 1875
麻酔の酵素阻害説 enzyme inhibition theory of narcosis …… 1875
麻酔のコロイド説 colloid theory of narcosis …… 1875
麻酔の酸素剝奪説 oxygen deprivation theory of narcosis …… 1876
麻酔の熱力学説 thermodynamic theory of narcosis …… 1877
麻酔の膜透過性説 permeability theory of narcosis …… 1876
麻酔のリポイド説 lipoid theory of narcosis …… 1876
麻酔分析 narcoanalysis …… 1221
麻酔〔法〕 anesthetization …… 81
麻酔薬 anesthetic …… 80
麻酔薬 narcotic …… 1221
麻酔薬蒸気 anesthetic vapor …… 1987
麻酔用エーテル anesthetic ether …… 645
麻酔療法 narcotherapy …… 1221
マスキング masking …… 1106
マスキング・ジレンマ masking dilemma 520
マスキング・レベル差 masking level difference …… 516
マスク mask …… 1106
マスク(盲検)研究 blind study …… 1760
マスク処理 masking …… 1106
マスク(盲検)法 blind test …… 1855
マススクリーン mass screening …… 1651
マススペクトロメトリ mass spectrometry …… 1108
マスター試験 Master test …… 1860
マスタードガス mustard gas (HD) …… 757
マスタード手術 Mustard operation …… 1305
マスター病 Master disease …… 537
マスチック mastic …… 1108
マスト MAST …… 1108
マストアデノウイルス属 *Mastadenovirus* …… 1108
マスト細胞 mast cell …… 323
マズラミコーシス maduromycosis …… 1092
マズレラ属 *Madurella* …… 1092
マスロー階層 Maslow hierarchy …… 852
マスロン眼鏡 Masselon spectacles …… 1708
マゼンタ色舌 magenta tongue …… 1900
マゾッティ試験 Mazzotti test …… 1860
マゾヒスト masochist …… 1107
マゾヒスム masochism …… 1107
マソン(マッソン)銀親和性染色〔法〕 Masson argentaffin stain …… 1733
マソン(マッソン)三色染料 Masson trichrome stain …… 1733
摩損性 abrasiveness …… 4
マソン-ファイザーウイルス Mason-Pfizer virus …… 2026
マソン(マッソン)-フォンターナのアンモニア銀染色〔法〕 Masson-Fontana ammoniac silver stain …… 1733
マダニ ixodid …… 965
マダニ tick …… 1892
マダニ科 Ixodidae …… 965
マダニ症 ixodiasis …… 965
マダニ上科 Ixodoidea …… 965
マダニ属 *Ixodes* …… 965
まだら色 brindle …… 257
マダラゲンセイ mylabris …… 1212
まだら症 piebaldism …… 1422
まだら睫毛 piebald eyelash …… 660
まだら色魚鱗癬 harlequin ichthyosis …… 903
マチャド-ゲレーロ試験 Machado-Guerreiro test …… 1860
マチャド-ジョセフ病 Machado-Joseph disease …… 537
マチュポウイルス Machupo virus …… 2026
マチンシ nux vomica …… 1284
マツ(松) pine …… 1425
マツォーニ(マツゾーニ)小体 Mazzoni corpuscle …… 426
マッカーシー反射 McCarthy reflexes …… 1580
末期 end stage, endstage …… 1727
マッキアヴェロ染色〔法〕 Macchiavello stain …… 1733
末期医療ケア end-of-life care …… 302
末期感染 terminal infection …… 927
末期腎疾患 end-stage renal disease (ESRD) …… 532
マッキー線 McKee line …… 1051
末期肺炎 terminal pneumonia …… 1450
末期白血球増加〔症〕 terminal leukocytosis …… 1027
マックインドー手術 McIndoe operation 1305
マックキューン(マッキューン)-オールブライト症候群 McCune-Albright syndrome …… 1811
マックコール腟円蓋形成法 McCall culdoplasty procedure …… 1487
マックニール四色血液染色〔法〕 MacNeal tetrachrome blood stain …… 1733
マックバーニー切開〔術〕 McBurney incision …… 918
マックバーニー徴候 McBurney sign …… 1682
マックバーニー点 McBurney point …… 1454
マックリー(マックレー)ゾンデ McCrea sound …… 1702
マックル-ウェルズ症候群 Muckle-Wells syndrome …… 1813
マックロバーツ法 McRoberts maneuver 1099
まつげ cilium …… 362
まつげ eyelash …… 660
マッケアリー-カウフマン溶液 McCarey-Kaufmann media …… 1118
マッケー-マーグ眼圧計 Mackay-Marg tonometer …… 1901
マッケンジー切断術 Mackenzie amputation …… 66
マッケンジーポリグラフ Mackenzie polygraph …… 1460
マッコンキー寒天〔培地〕 MacConkey agar 34
マッサージ massage …… 1108
マッサージ師 masseur …… 1108
マッサージ療法 massotherapy …… 1108

マ

マッシュバイト法 mushbite ……………… 1205
末梢 periphery ………………………………… 1392
末梢化学受容器(受容体) peripheral chemoreceptor …………………………… 342
末梢間吻合〔術〕 terminoterminal anastomosis ………………………………… 74
末梢血管拡張〔症〕 telangiectasia ………… 1846
末梢血管拡張性環状紫斑病 purpura anularis telangiectodes ……………………………… 1528
末梢血管拡張性骨肉腫 telangiectatic osteogenic sarcoma ……………………… 1636
末梢血管拡張性脂肪腫 telangiectatic lipoma …………………………………………………… 1057
末梢血管拡張性線維腫 telangiectatic fibroma ……………………………………………… 694
末梢神経系 pars peripherica systematis nervosi ……………………………………………… 1360
末梢神経系 peripheral nervous system (PNS) ……………………………………………… 1832
末梢神経系 systema nervosum periphericum …………………………………………………… 1834
〔末梢神経系の自律性(内臓運動性)部分の〕副交感神経系 parasympathetic part of autonomic (visceral motor) division of peripheral nervous system ……………… 1366
〔末梢神経系の自律性(内臓運動性)部分の〕交感神経系 sympathetic part of autonomic (visceral motor) division of peripheral nervous system ……………………… 1368
〔末梢神経系の自律性部分の〕交感神経系 pars sympathica divisionis autonomicae systematis nervosi peripherici ………… 1361
末梢神経支配 peripheral innervation …… 937
末梢性過度照明眩輝 dazzling glare ……… 776
末梢性骨形成不全〔症〕 peripheral dysostosis …………………………………………………… 574
末梢性動脈硬化〔症〕 peripheral arteriosclerosis ………………………………… 140
末梢〔性〕の peripheral …………………… 1392
末梢挿入中心静脈カテーテル peripherally inserted central catheter (PICC) ……… 314
末梢抵抗 peripheral resistance …………… 1594
〔不特定〕末梢T細胞リンパ腫 peripheral T-cell lymphoma, unspecified ………… 1084
末梢動脈瘤 peripheral aneurysm …………… 82
末梢の eccentric ……………………………… 581
末梢方向へ peripherad ……………………… 1391
マッスルブラインド蛋白 muscleblind protein ……………………………………… 1505
末節骨異常〔症〕 dystelephalangy ………… 577
〔手または足の〕末節骨粗面 tuberositas phalangis distalis (manus et pedis) … 1947
〔手または足の〕末節骨粗面 tuberosity of distal phalanx (of hand and foot) …· 1947
末節骨短縮〔症〕 brachytelephalangia ……… 240
マツゾーニ(マツォーニ)小体 Mazzoni corpuscle …………………………………… 426
マッソン(マソン)三色染料 Masson trichrome stain ……………………………… 1733
マッソン(マソン)銀親和性染色〔法〕 Masson argentaffin stain ……………………… 1733
マッソン(マソン)-フォンターナのアンモニア銀染色〔法〕 Masson-Fontana ammoniac silver stain ……………………………… 1733
末端 end ……………………………………… 610
末端 ending …………………………………… 611
末端 terminal ………………………………… 1852
末端から離れる方向の abterminal …………… 7
末端欠失 terminal deletion ………………… 483
末端酸化 end oxidation …………………… 1330
末端重複 terminal redundancy …………… 1575
末端近くの subterminal …………………… 1767
末端動原体型染色体 acrocentric chromosome ……………………………………… 359
末端動原体型の acrocentric ………………… 17
末端動原体染色体 telocentric chromosome …………………………………………………… 360
末端の acroteric ……………………………… 19
末端肥厚症 acropachy ……………………… 19
末端肥大症 acromegaly ……………………… 18
末端肥大性巨人症 acromegalic gigantism 769
末端部 end piece …………………………… 1422
〔下垂体前葉〕末端部 pars distalis adenohypophyseos ………………………… 1358
末端部黒子黒色腫 acral lentiginous melanoma ………………………………… 1122
末端網 terminal web ……………………… 2043
マッチング matching ……………………… 1110
マット *MOTT* ……………………………… 1172
マットゴールド mat gold ………………… 791
マット傷 mat burn ………………………… 267
マッド・ハッター症候群 Mad Hatter syndrome ……………………………………… 1811
マツの鉋屑 wood wool …………………… 2048
マッハ効果 Mach effect …………………… 589
マッハ数 Mach number …………………… 1282
マッハ線 Mach line ………………………… 1051
マッハ帯 Mach band ……………………… 194
松葉づえ crutch ……………………………… 444
松葉づえ麻痺 crutch palsy ………………… 1340
松葉づえ麻痺 crutch paralysis …………… 1350
マツ葉油 pine-needle oil ………………… 1425
マッピング mapping ……………………… 1102
マップ MAP ………………………………… 1101
マッフルファーネス muffle furnace ……· 746
マッヘ単位 Mache unit (Mu) …………… 1966
松やに colophony …………………………… 393
松ヤニ rosin ………………………………… 1623
マツヤニ turpentine ……………………… 1955
マツ油 pine oil ……………………………… 1425
マテ茶 maté ………………………………… 1110
マドックス杆 Maddox rod ………………… 1619
マトックス-フィッシュアプローチ Mattox-Fisch approach …………………… 121
マトラス matrass …………………………… 1110
マトリックス matrix ……………………… 1110
マトリックスGla蛋白 matrix Gla protein (MGP) ……………………………………… 1505
マトリックスバンド matrix band ………… 194
マトリックス〔バンド〕リテーナー matrix retainer ……………………………………… 1598
マトリックスメタロプロテイナーゼ matrix metalloproteinase ………………………… 1139
マドレナー手術 Madlener operation ……· 1305
マニシー manicky …………………………… 1100
マニャン徴候 Magnan sign ……………… 1682
マニャントロンボーン運動 Magnan trombone movement ……………………… 1174
魔乳 witch's milk …………………………… 1158
マニュダイナモメータ manudynamometer …………………………………………………… 1101
マヌカ属 *Taeniorhynchus* ……………… 1838
マネージメント management …………… 1098
マノメータ manometer …………………… 1101
マノメトリ manometry …………………… 1101
まばたき nictitation ………………………… 1257
マハーム(マヘーム)線維 Mahaim fibers 689
麻痺 numbness ……………………………… 1283
麻痺 palsy …………………………………… 1340
〔完全〕麻痺 paralysis ……………………… 1350
麻痺患者の paralytic ……………………… 1351
麻痺後の postparalytic …………………… 1471
麻痺性イレウス adynamic ileus ………… 906
麻痺性イレウス paralytic ileus ………… 906
麻痺性貝中毒 paralytic shellfish poisoning …………………………………………………… 1455
麻痺性貝毒 paralytic shellfish toxin …… 1906
麻痺性狂犬病 paralyssa …………………… 1351
麻痺性狂犬病 paralytic rabies …………… 1540
麻痺性甲殻類中毒 paralytic shellfish poisoning ……………………………………… 1455
麻痺性散瞳 paralytic mydriasis ………… 1209
麻痺性失声〔症〕 aphonia paralytica ……… 114
麻痺性斜視 paralytic strabismus ………… 1750
麻痺性縮瞳 paralytic miosis ……………… 1159
麻痺性〔脊柱〕側弯〔症〕 paralytic scoliosis …………………………………………………… 1649
麻痺〔性〕認知症 paralytic dementia ……… 485
麻痺〔性〕の paralytic ……………………… 1351
麻痺性発作 ictus paralyticus ……………… 904
まぶしさ dazzling …………………………… 472
まぶた palpebra ……………………………… 1339
マフッチ症候群 Maffucci syndrome …… 1811
マムシ抗毒素 bothropic antitoxin ……… 109
豆 bean ……………………………………… 203
摩滅 attrition ………………………………… 175
豆粒大の pisiform …………………………… 1426
マメロネーション mamelonation ……… 1097
摩耗 attrition ………………………………… 175
摩耗 wear …………………………………… 2043
磨耗 abrasion ………………………………… 4
磨耗 detrition ………………………………… 501
磨耗する abrade ……………………………… 4
麻薬 narcotic ………………………………… 1221
麻薬運搬者 mule …………………………… 1177
〔麻薬〕運搬者 courier ……………………… 432
麻薬えん下運搬者 swallower …………… 1789
麻薬えん下者 swallower ………………… 1789
麻薬飢餓 narcotic hunger ………………… 867
麻薬逆転 narcotic reversal ……………… 1605
麻薬遮断 narcotic blockade ……………… 223
麻薬性昏迷 narcotism ……………………… 1221
麻薬中毒 narcotism ………………………… 1221
マヤロウイルス Mayaro virus …………… 2026
眉 eyebrow …………………………………… 659
眉 supercilium ……………………………… 1777
マヨッキ肉芽腫 Majocchi granulomas ···· 798
マヨラナ油 origanum oil ………………… 1314
マヨラマ marjoram ………………………… 1105
マラカイトグリーン malachite green ···· 1093
マラカルネ錐体 Malacarne pyramid ···· 1532
マラコプラキア malacoplakia, malakoplakia …………………………………………………… 1094
マラセジア属 *Malassezia* ………………… 1095
マラセー上皮遺残 Malassez epithelial rests …………………………………………………… 1597
マラソン集団精神療法 marathon group psychotherapy ……………………………… 1520
マラチオン malathion ……………………… 1095
マラニョン徴候 Marañón sign …………… 1682
マラリア malaria …………………………… 1094
マラリア学 malariology …………………… 1095
マラリア原虫 *Plasmodium* ……………… 1433
マラリア原虫の plasmodial ……………… 1433
マラリア後神経学的症候群 postmalaria neurologic syndrome ……………………… 1816
マラリア後の postmalarial ……………… 1471
マラリア色素 malarial pigment ………… 1423
マラリア色素染色 malarial pigment stain …………………………………………………… 1733
マラリア性血色素尿症 malarial hemoglobinuria …………………………… 834
マラリア性心臓病 cardiopaludism ……… 301
マラリア熱 malarial fever ………………… 685
マラリアの周期性 malarial periodicity 1390
マラリア瘤 malarial knobs ……………… 988
マリネスコ-ガーランド症候群 Marinesco-Garland syndrome ………… 1811
マリネスコ浮腫状手 Marinesco succulent hand ……………………………………… 814
マリノブホトキシン marinobufotoxin ···· 1105
マリファナ hashish ………………………… 816
マリファナ marihuana …………………… 1105
マリブレー小人症 mulibrey nanism …… 1220
マリヨット実験 Mariotte experiment ···· 656
マリヨットびん Mariotte bottle ………… 237
マリョン病 Marion disease ……………… 537
マリー-ロビンソン症候群 Marie-Robinson

syndrome ………………………………… 1811
マリン-レンハルト症候群 Marine-Lenhart syndrome ………………………………… 1811
マルカッチ筋 Marcacci muscle ………… 1189
マルガロプス属 *Margaropus* …………… 1103
マルキアファーヴァ-ビニャーミ病 Marchiafava-Bignami disease ………… 537
マルキ固定液 Marchi fixative …………… 708
マルキス試薬 Marquis reagent ………… 1569
マルキ染色〔法〕 Marchi stain ………… 1733
マルキ反応 Marchi reaction …………… 1565
マルゲーニュ脱臼 Malgaigne luxation　1074
マルゲーニュヘルニア Malgaigne hernia　843
マル〔公〕式 Mall formula ………………… 730
マルコーカテーテル Malecot catheter …… 313
マルコフ過程 Markov process ………… 1489
マルシャン帯 Marchant zone ………… 2059
マルシーユ三角 Marcille triangle ……… 1927
マルジョラン潰瘍 Marjolin ulcer ……… 1961
マルタ十字 maltese cross ………………… 441
マルターゼ maltase ……………………… 1097
マルタ熱菌 *Brucella melitensis* biovar *cunis* ……………………………………… 261
マルチウスイエロー martius yellow …… 1106
マルチ〔フォーマット〕カメラ multiformat camera ……………………………………… 281
マルックウイルス Murutucu virus …… 2027
マルティノッティ細胞 Martinotti cell …… 323
マルティン管 Martin tube ……………… 1941
マルティン-グルーベル吻合 Martin-Gruber anastomosis ……………………………… 73
マルテジャーニ漏斗 Martegiani funnel … 745
マルトース maltose ……………………… 1097
マルトテトロース maltotetrose ………… 1097
マルドナド-サンホセ染色〔法〕 Maldonado-San Jose stain …………… 1733
マルピーギ〔細〕管 malpighian tubules … 1948
マルピーギ細胞 malpighian cell ………… 323
マルピーギ小孔 malpighian stigmas …… 1746
マルピーギ小体 malpighian corpuscles … 426
マルピーギ小胞 malpighian vesicles …… 2016
マルピーギ層 malpighian stratum ……… 1752
マルピーギ嚢 malpighian capsule ……… 291
マルピーギ被膜 malpighian capsule …… 291
マルヒャント副腎 Marchand adrenals …… 30
マルヒャント遊走細胞 Marchand wandering cell ……………………………………… 323
マルファン症候群 Marfan syndrome …… 1811
マルファン症候群様の marfanoid ……… 1102
マルファンの法則 Marfan law ………… 1007
マルメ試薬 Marme reagent …………… 1569
マルメロ quince ………………………… 1538
マル・モラド mal morado ……………… 1093
マル門脈周囲腔 periportal space of Mall ……………………………………… 1704
マレイルアセトアセテート maleylacetoacetate ……………………… 1095
マレイルアセト酢酸イソメラーゼ maleylacetoacetate *cis-trans*-isomerase　1095
マレイン酸 maleic acid ………………… 1095
マレイン酸エルゴノビン ergonovine maleate ………………………………… 636
マレー渓谷脳炎 Murray Valley encephalitis ……………………………………… 607
マレー渓谷脳炎ウイルス Murray Valley encephalitis virus (MVE) …………… 2027
マレー糸状虫 *Brugia malayi* …………… 262
マレー糸状虫 *Wuchereria malayi* ……… 2050
マレー住血吸虫 *Schistosoma malayensis* 1643
マレーの法則 Marey law ……………… 1007
マレーマムシ *Agkistrodon rhodostoma* …… 38
マロトー-ラミー症候群 Maroteaux-Lamy syndrome ………………………………… 1811
マローニ徴候 Maroni sign ……………… 1682
マロニル malonyl ………………………… 1096
マロニルCoA malonyl-CoA ……………… 1096
マロニルセミアルデヒド malonate semialdehyde ………………………… 1096
マロネート malonate …………………… 1096
マロネーブジー Maloney bougie ………… 238
マロリー三色染色〔法〕 Mallory trichrome stain ……………………………………… 1733
マロリー-ヴァイス症候群 Mallory-Weiss syndrome ……………………………… 1811
マロリー血褐素染色〔法〕 Mallory stain for hemofuchsin ………………………… 1733
マロリー膠原線維染色〔法〕 Mallory collagen stain ……………………………………… 1733
マロリー〔小〕体 Mallory bodies ………… 228
マロリーのアニリンブルー染色〔法〕 Mallory aniline blue stain ……………………… 1733
マロリーのフロキシン染色〔法〕 Mallory phloxine stain …………………………… 1733
マロリーのヨード染色〔法〕 Mallory iodine stain ……………………………………… 1733
マロリー放線菌染色〔法〕 Mallory stain for actinomyces ……………………………… 1733
マロン酸 malonic acid …………………… 1096
マロンジアルデヒド修飾低密度リポ蛋白 malondialdehyde-modified low-density lipoprotein ……………………………… 1059
回し運動 torsion ………………………… 1904
マン-ウィリアムソン手術 Mann-Williamson operation ……………………………… 1305
マンガン manganese (Mn) …………… 1100
満期〔産〕児 term infant ………………… 925
マングローブバエ mangrove fly ………… 718
満月状(満月様)顔〔貌〕 moon face ……… 661
満月様顔〔貌〕 moon facies ……………… 664
マンゴー皮膚炎 mango dermatitis ……… 495
マンコプフ徴候 Mannkopf sign ………… 1682
マンシェット manchette ………………… 1098
満州チフス Manchurian typhus ………… 1958
満州熱 Manchurian fever ………………… 685
慢性 chronicity …………………………… 360
慢性アミロイドーシス chronic amyloidosis ……………………………………… 67
慢性アルコール中毒〔症〕 chronic alcoholism ……………………………………… 45
慢性胃液分泌過多〔症〕 gastrochronorrhea　757
慢性萎縮性外陰炎 chronic atrophic vulvitis ……………………………………… 2038
慢性萎縮性甲状腺炎 chronic atrophic thyroiditis ………………………………… 1891
慢性萎縮性先端(肢端)皮膚炎 acrodermatitis chronica atrophicans ……………………… 18
慢性運動失調 chronic ataxia …………… 167
慢性壊死性アスペルギルス症 chronic necrotizing aspergillosis ………………… 161
慢性炎〔症〕 chronic inflammation ……… 929
慢性炎症性脱髄性多発ニューロパシー(多発神経障害) chronic inflammatory demyelinating polyneuropathy (CIDP) ……………………………………… 1461
慢性鉛中毒 lead poisoning ……………… 1455
慢性潰瘍 chronic ulcer ………………… 1960
慢性過呼吸症候群 chronic hyperventilation syndrome ………………………………… 1801
慢性家族性多発〔性〕神経炎 chronic familial polyneuritis ……………………………… 1461
慢性滑液膜多発〔性〕関節炎 polyarthritis chronica villosa ………………………… 1458
慢性活動性炎症 chronic active inflammation ……………………………………… 929
慢性活動性肝炎 chronic active hepatitis　839
慢性肝炎 chronic hepatitis ……………… 839
慢性間質性耳管炎 chronic interstitial salpingitis ………………………………… 1631
慢性間質性卵管炎 chronic interstitial salpingitis ………………………………… 1631
慢性関節リウマチ chronic rheumatism　1607
慢性気管支炎 chronic bronchitis ………… 259
慢性胸膜炎 chronic pleurisy …………… 1438
慢性拒絶〔反応〕 chronic rejection ……… 1588
慢性軽躁人格 chronic hypomanic personality ……………………………… 1395
慢性稽留熱 slow fever …………………… 686
慢性結節性耳輪軟骨皮膚炎 chondrodermatitis nodularis chronica helicis ……………………………………… 352
慢性結膜炎 chronic conjunctivitis ……… 412
慢性高血圧疾患 chronic hypertensive disease ………………………………………… 530
慢性好酸球性肺炎 chronic eosinophilic pneumonia ………………………………… 1449
慢性高山病 chronic mountain sickness　1676
慢性後部喉頭炎 chronic posterior laryngitis ……………………………………… 1002
慢性呼吸亢進症候群 chronic hyperventilation syndrome …………… 1801
慢性骨髄性白血病 chronic myelocytic leukemia ……………………………………… 1024
慢性骨髄増殖性疾患 chronic myeloproliferative disease ……………… 530
慢性細菌性下痢 chronic bacillary diarrhea ……………………………………… 511
慢性再発性膵炎 chronic relapsing pancreatitis ……………………………… 1341
慢性山岳病 chronic mountain sickness　1676
慢性子宮症 metropathy ………………… 1148
慢性糸球体腎炎 chronic glomerulonephritis ……………………………………… 780
慢性持続性肝炎 chronic persisting hepatitis ……………………………………… 839
慢性縦隔ヒストプラスマ症 chronic mediastinal histoplasmosis ……………… 855
慢性収縮性心膜炎 chronic constrictive pericarditis ……………………………… 1386
慢性臭素中毒 bromism, brominism …… 258
慢性出血性絨毛性滑膜炎 chronic hemorrhagic villous synovitis ………… 1827
慢性消耗病 chronic wasting disease …… 530
慢性ショック chronic shock …………… 1674
慢性腎盂腎炎 chronic pyelonephritis …… 1530
慢性進行性外眼筋麻痺症 chronic progressive external ophthalmoplegia (CPEO) …… 1307
慢性じんま疹 chronic urticaria ………… 1976
慢性膵炎 chronic pancreatitis ………… 1341
慢性水銀中毒 mercury poisoning ……… 1455
慢性線維性膵炎 chronic fibrosing pancreatitis ……………………………… 1341
慢性腺性尿道・膀胱三角部炎 chronic glandular urethrotrigonitis …………… 1972
慢性巣状硬化性骨髄炎 chronic focal sclerosing osteomyelitis ………………… 1323
慢性苔癬状ひこう疹 pityriasis lichenoides chronica ……………………………………… 1427
慢性胆嚢炎 chronic cholecystitis ………… 349
慢性タンポナーデ chronic tamponade … 1840
慢性地方流行性フッ素〔中毒〕症 chronic endemic fluorosis ………………………… 717
慢性虫垂炎 chronic appendicitis ………… 119
慢性同種移植片拒絶〔反応〕 chronic allograft rejection ………………………………… 1588
慢性銅中毒〔症〕 chalcosis ……………… 338
慢性特発性黄色腫症 chronic idiopathic xanthomatosis ………………………… 2052
慢性肉芽腫症 chronic granulomatous disease ……………………………………… 530
慢性の chronic …………………………… 360
慢性膿瘍 chronic abscess ………………… 5
慢性肺炎 chronic pneumonia …………… 1449
慢性剥離性歯肉炎 chronic desquamative gingivitis ………………………………… 770
慢性鼻炎 chronic rhinitis ……………… 1608
慢性ヒストプラスマ症 chronic histoplasmosis ………………………… 855
慢性ヒ素中毒 arseniasis ………………… 133

慢性肥大性外陰炎 chronic hypertrophic vulvitis …… 2038
慢性非白血性骨髄症 chronic nonleukemic myelosis …… 1211
慢性びまん性硬化性骨髄炎 chronic diffuse sclerosing osteomyelitis …… 1323
慢性疲労症候群 chronic fatigue syndrome (CFS) …… 1800
慢性副腎皮質不全 chronic adrenocortical insufficiency …… 941
慢性ブロム中毒 bromism, brominism …… 258
慢性閉塞性肺疾患 chronic obstructive pulmonary disease (COPD) …… 530
慢性マラリア chronic malaria …… 1094
慢性マラリアの limnemic …… 1048
慢性山酔い chronic mountain sickness 1676
慢性遊走性紅斑 erythema chronicum migrans (ECM) …… 638
慢性抑うつ人格 chronic depressive personality …… 1395
慢性緑内障 chronic glaucoma …… 777
慢性リンパ性白血病 chronic lymphocytic leukemia (CLL) …… 1024
慢性リンパ性リンパ腫 chronic lymphocytic lymphoma …… 1083
慢性涙嚢炎 dacryoblennorrhea …… 470
慢性沪胞性結膜炎 chronic follicular conjunctivitis …… 412
マンソニア属 *Mansonia* …… 1101
マンソネラ症 mansonelliasis …… 1101
マンソネラ症 mansonellosis …… 1101
マンソネラストレプトセルカ *Mansonella streptocerca* …… 1101
マンソネラ属 *Mansonella* …… 1101
マンソノイデス亜属 *Mansonoides* …… 1101
マンソン孤虫 *Spirometra mansoni* …… 1718
マンソン住血吸虫 *Schistosoma mansoni* 1643
マンソン住血吸虫症 schistosomiasis mansoni …… 1643
マンソン徴候 Munson sign …… 1682
マンダラ中毒 *Datura* poisoning …… 1455
マンダラ葉 stramonium …… 1751
マンチェスターオボイド Manchester ovoid …… 1329
マンチェスター手術 Manchester operation …… 1305
マンチェット manchette …… 1098
マンデリン試薬 Mandelin reagent …… 1569
マンデル酸 mandelic acid …… 14
マンデル酸カルシウム calcium mandelate …… 277
マンテル-ヘンツェル検定 Mantel-Haenszel test …… 1860
マントー試験 Mantoux test …… 1860
マントーピット Mantoux pit …… 1426
マンドリル mandrill …… 1098
マンドリン〔線〕 mandrin …… 1098
マントル細胞リンパ腫 mantle cell lymphoma …… 1084
マントルゾーン mantle zone …… 2059
マントル放射線治療 mantle radiotherapy …… 1545
マンドレール mandrel, mandril …… 1098
マンナ manna …… 1100
マンナン mannan …… 1100
マンナン mannans …… 1100
マンナン結合レクチン mannan-binding lectin (MBL) …… 1015
D-マンニトール D-mannitol …… 1100
マンヌロン酸 mannuronic acid …… 1101
マンノサミン mannosamine …… 1100
マンノシダーゼ mannosidases …… 1100
マンノシド mannoside …… 1101
マンノシドーシス mannosidosis …… 1101
マンノシル mannosyl …… 1101
マンノース mannose (Man) …… 1100
マンノース-6-リン酸レセプタ(受容体) mannose-6-phosphate receptors (MPR) …… 1571
マンノース結合蛋白 mannose-binding protein …… 1505
マンノースリン酸イソメラーゼ mannosephosphate isomerase …… 1100
マンノース-1-リン酸グアニリルトランスフェラーゼ mannose-1-phosphate guanylyltransferase (GDP) …… 1100
マンノ蛋白 mannoproteins …… 1100
マンノヘプツロース mannoheptulose …… 1100
D-マンノ-ヘプツロース D-*manno*-heptulose …… 841
マンのメチルブルー-エオシン染色〔法〕 Mann methyl blue-eosin stain …… 1733
満腹中枢 satiety center …… 330
マン-ボールマンフィステル(瘻) Mann-Bollman fistula …… 705
マンモグラフィ mammography …… 1098
マンモモノガムス属 *Mammomonogamus* 1098
マンロー点 Munro point …… 1454
マンロー微小膿瘍 Munro microabscess 1149

ミ

ミーア mire …… 1159
ミーシャー管 Miescher tubes …… 1941
ミーシャーの弾力線維腫 Miescher elastoma …… 592
ミーズ(ミース)線 Mees lines …… 1051
ミーズ(ミース)線〔条〕 Mees stripes …… 1757
ミールケ(ミールキ,ミールカイ)症候群 Miehlke syndrome …… 1812
ミイラ化 mummification …… 1178
ミエリノーシス myelinosis …… 1209
ミエリン myelin …… 1209
ミエリン形成減少〔症〕 hypomyelination, hypomyelinogenesis …… 895
ミエリン形態 myelin figure …… 697
ミエリン鞘 myelin sheath …… 1671
ミエリン障害 myelinopathy …… 1209
ミエリンのヴァイゲルト染色〔法〕 Weigert stain for myelin …… 1736
ミエリン分解 myelolysis …… 1210
ミエリン変性 myelinic degeneration …… 481
ミエリン溶解 myelinolysis …… 1209
ミエログラフィ〔ー〕 myelography …… 1210
ミエログラム myelogram …… 1210
ミエロサイト myelocyte …… 1209
ミエロパシー myelopathy …… 1211
ミエロブラスチン myeloblastin …… 1209
ミエロブラスト myeloblast …… 1209
ミエロペルオキシダーゼ myeloperoxidase …… 1211
ミオアデニル酸デアミナーゼ myoadenylate deaminase …… 1212
ミオアルブミン myoalbumin …… 1212
ミオイノシトール *myo*-inositol …… 938
ミオウイルス科 Myoviridae …… 1217
ミオカルディン myocardin …… 1212
ミオキミア myokymia …… 1214
ミオグラフ myograph …… 1214
ミオクロ〔ー〕ヌス myoclonus …… 1212
ミオクローヌス欠神を伴うてんかん epilepsy with myoclonic absences …… 629
ミオクローヌス失立てんかん myoclonic astatic epilepsy …… 628
ミオクローヌス性ジストニー myoclonic dystonia …… 577
ミオクローヌス性小脳性共同運動障害 dyssynergia cerebellaris myoclonica …… 577
ミオクローヌスてんかん myoclonus epilepsy …… 628
ミオクローヌス発作 myoclonic seizure 1657
ミオクローヌスを伴う運動失調〔症〕 ataxia with myoclonus …… 168
ミオクロノスコープ myochronoscope …… 1212
ミオグロビン myoglobin (Mb, MbCO, MbO_2) …… 1213
ミオグロビン尿〔症〕 myoglobinuria …… 1213
ミオグロブリン myoglobulin …… 1213
ミオグロブリン尿〔症〕 myoglobulinuria 1213
ミオクロム myochrome …… 1212
ミオゲン myogen …… 1213
ミオシノース myosinose …… 1216
ミオシン myosin …… 1216
ミオシン軽鎖キナーゼ myosin light-chain kinase …… 1216
ミオシンフィラメント myosin filament 698
ミオスタグミン反応 miostagmin reaction …… 1565
ミオストロミン myostromin …… 1216
ミオトニー myotonia …… 1216
ミオパシー myopathy …… 1214
ミオパシー性顔〔貌〕 myopathic facies …… 664
ミオパシー性の myopathic …… 1214
ミオホスホリラーゼ myophosphorylase 1215
ミオリトミー myorhythmia …… 1215
ミオン myon …… 1214
ミカエリス-ガットマン(ミヒャエーリス-グートマン)〔小〕体 Michaelis-Gutmann body …… 228
ミカエリス(ミヒャエーリス)定数 Michaelis constant …… 414
ミカエリス(ミヒャエーリス)複合体 Michaelis complex …… 402
ミカエリス(ミヒャエーリス)-メンテン仮説 Michaelis-Menten hypothesis …… 898
ミカエリス(ミヒャエーリス)-メンテン式 Michaelis-Menten equation …… 634
味核 gustatory nucleus …… 1275
味覚 degustation …… 482
味覚 gustation …… 806
味覚異常 dysgeusia …… 572
味覚芽 gustatory bud …… 263
味覚芽 taste bud …… 264
味覚芽 taste bulb …… 265
味覚芽 caliculus gustatorius …… 279
味覚過敏 hypergeusia …… 881
味覚器 gustatory organ …… 1311
味覚器 organum gustus …… 1313
味覚欠損〔症〕 taste deficiency …… 479
味覚減退 hypogeusia …… 893
味覚失認〔症〕 gustatory agnosia …… 38
味覚性多汗症 gustatory hyperhidrosis …… 881
味覚前兆 gustatory aura …… 177
味覚鈍麻 amblygeustia …… 56
味覚の psychogeusic …… 1518
味覚発汗反射 gustatory-sudorific reflex 1579
味覚鼻漏 gustatory rhinorrhea …… 1608
味覚不全 dysgeusia …… 572
味覚物質 tastant …… 1842
味覚毛帯 gustatory lemniscus …… 1018
味〔覚〕隆線 taste ridge …… 1616
見かけ粘度 apparent viscosity …… 2031
見かけの apparent …… 119
見かけの怒り sham rage …… 1546
三日月〔形〕徴候 crescent sign …… 1679
三日月腔 Traube semilunar space …… 1705
右足(右脚)利きの dextropedal …… 505
右胃静脈 right gastric vein …… 2000
右胃静脈 vena gastrica dextra …… 2005
右胃大網静脈 right gastroepiploic vein 2000
右胃大網静脈 right gastroomental vein 2000

右胃大網静脈 vena gastroomentalis dextra …… 2005
右胃大網動脈 arteria gastroomentalis dextra …… 135
右胃大網動脈 right gastroepiploic artery 151
右胃大網動脈 right gastroomental artery 151
右胃大網動脈の胃枝 gastric branches of right gastroomental arteries …… 247
右胃大網リンパ節 right gastroepiploic lymph nodes …… 1081
右胃大網リンパ節 right gastroomental lymph nodes …… 1081
右胃動脈 arteria gastrica dextra …… 135
右胃動脈 right gastric artery …… 151
右胃リンパ節 right gastric lymph nodes 1081
右下行肺動脈 right descending pulmonary artery (RDPA) …… 151
右下肺静脈 right inferior pulmonary vein …… 2000
右下肺静脈 vena pulmonalis inferior dextra …… 2007
〔右〕下肺静脈の上枝 superior branch of the right inferior pulmonary vein …… 254
〔右下肺静脈の〕上肺底静脈の前肺底静脈 anterior basal branch of superior basal vein (of right inferior pulmonary vein) …… 242
〔右下肺動脈の〕肺底部 pars basalis arteriarum lobarium inferiorum pulmonis dextri …… 1358
〔右下肺動脈の〕肺底部 basal part of right inferior pulmonary artery …… 1362
右肝管 right hepatic duct …… 564
右肝管 ductus hepaticus dexter …… 566
右肝管の後枝 posterior branch of right hepatic duct …… 252
右冠状動脈 arteria coronaria dextra …… 135
右冠状動脈 right coronary artery (RCA) 151
右外縁枝(右冠状動脈の) right marginal branch (of right coronary artery) …… 253
右冠状動脈の右心房枝 right atrial branch of right coronary artery …… 253
右冠状動脈の外側心房枝 lateral atrial branch of right coronary artery …… 248
右冠状動脈の中間心房枝 intermediate atrial branch of right coronary artery …… 247
右冠状動脈の洞房結節枝 ramus nodi sinuatrialis arteriae coronariae dextrae …… 1554
〔大動脈弁の〕右冠状動脈弁尖 valvula coronaria dextra (valvae aortae) …… 1986
右肝静脈 right hepatic veins …… 2000
右肝静脈 venae hepaticae dextrae …… 2006
右肝動脈 right hepatic artery …… 151
右冠動脈の心室中隔枝 interventricular septal branches of right coronary artery …… 248
右利き dextrality …… 504
右結腸曲 flexura coli dextra …… 712
右結腸曲 right colic flexure …… 713
右結腸曲括約筋 sphincter of hepatic flexure of colon …… 1712
右結腸曲動脈 right flexural artery …… 151
右結腸静脈 right colic vein …… 2000
右結腸静脈 vena colica dextra …… 2005
右結腸動脈 arteria colica dextra …… 134
右結腸動脈 right colic artery …… 151
右結腸リンパ節 right colic lymph nodes …… 1081
右後外側肝区 (right) posterior lateral hepatic segment [VII] …… 1655
右後内側肝区 (right) posterior medial hepatic segment [VIII] …… 1655
〔肝臓の〕右三角間膜 right triangular ligament of liver …… 1040
〔肝臓の〕右三角間膜 ligamentum triangulare dextrum hepatis …… 1046
右矢状裂溝 right sagittal hepatic fissure 704
右主気管支 bronchus principalis dexter 260
右主気管支 right main bronchus …… 261
右上肺静脈 right superior pulmonary vein …… 2001
右上肺静脈 vena pulmonalis superior dextra …… 2007
右上肺静脈の中葉静脈 ramus lobi medii venae pulmonalis dextrae superioris 1552
右上肺静脈の中葉静脈の外側部 lateral part of middle lobe vein (of right superior pulmonary vein) …… 1365
右上肺静脈の中葉静脈の内側部 medial part of middle lobe vein (of right superior pulmonary vein) …… 1365
右上肺静脈の肺尖静脈 apical branch of right superior pulmonary vein …… 243
右上肺静脈の肺尖静脈 ramus apicalis venae pulmonalis dextrae superioris …… 1548
右上肋間静脈 right superior intercostal vein …… 2001
右上肋間静脈 vena intercostalis superior dextra …… 2006
右スプライシング部位 right splicing junction …… 973
右精巣静脈 right testicular vein …… 2001
右精巣静脈 vena testicularis dextra …… 2008
右線維三角 right fibrous trigone (of heart) …… 1933
右線維三角 trigonum fibrosum dextrum 1933
右前外側肝区 right anterior lateral hepatic segment [VI] …… 1655
右前内側肝区 (right) anterior medial hepatic segment [V] …… 1655
右手利きの right-handed …… 1616
右肺下葉動脈の上動脈 apical branch of inferior lobar branch of right pulmonary artery …… 243
右肺下葉動脈の肺尖動脈 apical segmental artery of superior lobar artery of right lung …… 142
右肺静脈後枝の葉下部 infralobar part of posterior vein (of right superior pulmonary vein) …… 1364
右肺水平裂 transverse fissure of the right lung …… 704
右肺中葉静脈 middle lobe vein of right lung …… 1999
右肺動脈 arteria pulmonalis dextra …… 137
右肺動脈 right pulmonary artery …… 151
右肺動脈中葉動脈の外側枝 ramus lateralis rami lobaris medii arteriae pulmonalis dextrae …… 1552
右肺動脈の下葉上動脈 ramus apicalis lobi inferioris arteriae pulmonalis dextrae 1548
右肺動脈の中葉動脈 ramus lobi medii arteriae pulmonalis dextrae …… 1552
右肺動脈の中葉動脈の内側枝 ramus medialis rami lobaris medii arteriae pulmonalis dextrae …… 1553
〔右肺の〕下葉 inferior lobe of (right) lung …… 1063
〔右肺の〕下葉 lobus inferior pulmonis (dextri) …… 1066
右肺の奇静脈葉 azygos lobe of right lung …… 1063
〔右肺の〕上葉 superior lobe of (right) lung …… 1064
〔右肺の〕水平裂 fissura horizontalis pulmonis dextri …… 701
〔右肺の〕水平裂 horizontal fissure of right lung …… 702
〔右肺の〕前区動脈の下行枝 descending branch of anterior segmental artery of right lung …… 245
〔右肺の〕中葉 middle lobe of right lung 1064
〔右肺の〕中葉 lobus medius pulmonis dextri …… 1066
〔肝臓の〕右尾状葉胆管 right duct of caudate lobe of liver …… 564
〔肝臓の〕右尾状葉胆管 ductus lobi caudati dexter hepatis …… 566
右副腎(腎上体)静脈 right suprarenal vein …… 2001
右副腎(腎上体)静脈 vena suprarenalis dextra …… 2008
右回しひき dextrocycloduction …… 505
右向き運動 dextroversion …… 505
右腰リンパ節 right lumbar lymph nodes …… 1081
右卵巣静脈 right ovarian vein …… 2001
右卵巣静脈 vena ovarica dextra …… 2007
右リンパ本幹 right lymphatic duct …… 564
右リンパ本幹 ductus lymphaticus dexter 566
〔右〕腕頭静脈 (right) brachiocephalic vein …… 1998
〔右〕腕頭静脈 venae brachiocephalicae (dextrae) …… 2004
ミクスター鉗子 Mixter clamp …… 370
ミクソウイルス myxovirus …… 1218
ミクソゾア門 Myxozoa …… 1218
ミクリッチ-ヴラディミロフ切断術 Mikulicz-Vladimiroff amputation …… 66
ミクリッチ鉗子 Mikulicz clamp …… 370
ミクリッチ細胞 Mikulicz cells …… 323
ミクリッチ手術 Mikulicz operation …… 1305
ミクリッチ症候群 Mikulicz syndrome … 1812
ミクリッチドレーン Mikulicz drain …… 559
ミクリッチ病 Mikulicz disease …… 537
ミクロアデノーマ microadenoma …… 1149
ミクロアルブミン尿 microalbuminuria 1149
ミクロウイルス科 Microviridae …… 1156
ミクロエーロゾル microaerosol …… 1149
ミクロガミー microgamy …… 1151
ミクログリア microglia …… 1151
ミクログロブリン microglobulin …… 1152
ミクロコッカス micrococcus …… 1151
ミクロコッカス科 Micrococcaceae …… 1150
ミクロコッカ(ク)ス属 *Micrococcus* …… 1150
ミクロコッカルエンドヌクレアーゼ micrococcal endonuclease …… 614
ミクロシスチン microcystin …… 1151
ミクロシド microsides …… 1155
ミクロスフィア法 microsphere method 1145
ミクロスフェア microsphere …… 1155
ミクロスポリジア角膜炎 microsporidian keratoconjunctivitis …… 978
ミクロソーム microsome …… 1155
ミクロ天秤 microbalance …… 1150
ミクロトノメータ microtonometer …… 1156
ミクロトーム microtome …… 1155
ミクロバブル microbubble …… 1150
ミクロファージ microphage …… 1153
ミクロフィラリア microfilaria …… 1151
ミクロフィラリア血症 microfilaremia … 1151
ミクロフィラリア鞘 microfilarial sheath 1671
ミクロフィラリア皮膚 microfilaridermia 1151
ミクロフォールド細胞 microfold cells …… 323
ミクロプラニア microplania …… 1153
ミクロプレチスモグラフィ microplethysmography …… 1153
ミクロヘマトクリット濃度 microhematocrit concentration …… 406
ミクロポア micropore …… 1153
未〔経〕産 nulliparity …… 1282
眉間(みけん) glabella …… 771
眉間の interlamellar …… 945
みけん(眉間)反射 glabellar reflex …… 1579
巫女 psychic …… 1517
味孔 gustatory pore …… 1466
味孔 taste pore …… 1466

味孔 porus gustatorius …… 1468
ミコール mykol …… 1212
ミコバクテリア mycobacteria …… 1207
ミコバクテリア症 mycobacteriosis …… 1207
ミコバクテリウム科 Mycobacteriaceae 1207
ミコバクテリウム属 *Mycobacterium* …… 1207
ミコプラスマ属 *Mycoplasma* …… 1208
ミコール酸 mycolic acids …… 1208
ミコバクチン mycobactin …… 1208
味細胞 taste cells …… 327
未産婦 nullipara …… 1282
短い爪 brachyonychia …… 240
短いひも short vinculum …… 2020
短いひも vinculum breve of fingers …… 2020
未熟顆粒球 immature granulocyte …… 797
未熟好中球 immature neutrophil …… 1254
未熟産 premature delivery …… 484
未熟児近視 prematurity myopia …… 1215
未熟〔児〕網膜症 retinopathy of prematurity …… 1602
未熟の premature …… 1479
未熟白内障 immature cataract …… 311
みじん mote …… 1172
水 water …… 2040
水尾現象 Mitsuo phenomenon …… 1405
みずおち epigastric fossa …… 732
みずおち fossa epigastrica …… 732
みずかき web …… 2043
みずかき形成 webbing …… 2043
水かき趾〔症〕 webbed toes …… 1898
みずかき指 webbed fingers …… 701
水恐怖〔症〕 aquaphobia …… 122
ミズゴケ sphagnum moss …… 1172
ミスセンス missense …… 1159
ミスセンスサプレッサ missense suppression …… 1159
ミスセンス〔突然〕変異 missense mutation …… 1206
ミスセンス抑圧 missense suppression …… 1159
水たまり徴候 puddle sign …… 1683
水ため症候群 sump syndrome …… 1821
水中毒 water intoxication …… 949
水なし服薬 dry-pilling …… 562
水の aquatic …… 122
水の aqueous …… 122
水の解離定数 dissociation constant of water …… 414
みずむし athlete's foot …… 724
みせかけ飼養 sham feeding …… 679
ミセル micelle …… 1149
ミセル性の micellar …… 1149
溝 bay …… 202
溝 crena …… 436
溝 furrow …… 746
溝 groove …… 801
溝 gutter …… 806
溝 sulcus …… 1771
溝 trough …… 1937
ミゾサナダ *Diphyllobothrium latum* …… 523
ミソプロストール misoprostol …… 1159
ミダトキシン mydatoxin …… 1208
ミダレイン mydaleine …… 1208
3日ごとの tertian …… 1853
三日熱 tertian fever …… 686
三日熱 three-day fever …… 686
三日熱〔マラリア〕 vivax malaria …… 1095
三日熱マラリア原虫 *Plasmodium vivax* 1433
三つ組 triad …… 1925
三つ児 triplet …… 1934
蜜剤 mellitum …… 1123
密集性の confertus …… 409
光田抗原 Mitsuda antigen …… 104
光田反応 Mitsuda reaction …… 1565
ミッチェル法 Mitchell procedure …… 1487
ミッチェル療法 Mitchell treatment …… 1923
ミッテンドルフ点 Mittendorf dot …… 558
〔電荷〕密度 density (ρ) …… 487
密度計 densitometer …… 487
密度勾配 density gradient …… 794
密度勾配遠〔心〕沈〔殿法〕 density gradient centrifugation …… 331
三つ葉〔軌道〕の hypocycloidal …… 892
ミツバチ bee …… 204
密封 seal …… 1652
密封材 sealant …… 1652
密閉恐怖〔症〕 clithrophobia …… 375
密林黄熱 jungle yellow fever …… 684
蜜ろう腫 melicera, meliceris …… 1123
未同定リーディングフレーム unidentified reading frame (URF) …… 1568
ミトゲン mitogen …… 1160
ミトコンドリア mitochondrion …… 1160
ミトコンドリア遺伝子 mitochondrial gene …… 764
ミトコンドリア外の extramitochondrial 657
ミトコンドリア外膜の転送装置 translocase of outer mitochondrial membrane …… 1127
ミトコンドリア型一酸化窒素(NO)合成酵素 mitochondrial nitric oxide synthase … 1827
ミトコンドリア鞘 mitochondrial sheath 1671
ミトコンドリア性筋障害 mitochondrial myopathy …… 1215
ミトコンドリア染色体 mitochondrial chromosome …… 359
ミトコンドリアDNA欠失病 mitochondrial DNA deletion disorder …… 546
ミトコンドリアデオキシリボ核酸 mitochondrial DNA (mtDNA) …… 491
ミトコンドリア内の intramitochondrial 950
ミトコンドリア内膜の転送装置 translocase of inner mitochondrial membrane …… 1127
ミトコンドリアの mitochondrial …… 1160
ミトコンドリアバイオジェネシス mitochondrial biogenesis …… 212
ミトコンドリア病 mitochondrial disorders …… 546
ミトコンドリア膜 mitochondrial membrane …… 1126
ミトコンドリアミオパシー mitochondrial myopathy …… 1215
ミトプラスト mitoplast …… 1160
ミトラマイシン mithramycin …… 1160
ミトリダート法 mithridatism …… 1160
緑タバコ病 green tobacco sickness …… 1677
ミドリハッカ spearmint …… 1707
ミドリハッカ油 spearmint oil …… 1707
ミドリムシ *Euglena gracilis* …… 647
ミドリムシ科 Euglenidae …… 647
ミドリムシ属 *Euglena* …… 647
ミトロファノフの原理 Mitrofanoff principle …… 1485
みなしご(オーファン)遺伝子 orphan gene …… 764
みなしご(オーファン)ウイルス orphan viruses …… 2027
みなしご(オーファン)核〔内〕受容体 orphan nuclear receptor …… 1571
みなしご(オーファン)製品 orphan products …… 1494
水俣病 Minamata disease …… 537
南アフリカダニ熱 South African tick-bite fever …… 686
南アメリカトリパノソーマ症 South American trypanosomiasis …… 1940
ミニコア・マルチコアミオパシー minicore-multicore myopathy …… 1215
ミニコン mini …… 1158
ミニコンピュータ mini …… 1158
ミニプレート miniplate …… 1159
ミニヘリックス minihelix …… 1158
ミニミオシン minimyosin …… 1159
ミニム minim (m) …… 1159
ミニ(軽微)予防 miniprophylaxis …… 1159
ミニョン灯 mignon lamp …… 999
未妊婦 nulligravida …… 1282
ミネソタ多面人格目録試験 Minnesota Multiphasic Personality Inventory test (MMPI) …… 1861
ミネラルコルチコイド mineralocorticoid …… 1158
ミネラロコイド mineralocoid …… 1158
ミネルヴァジャケット Minerva jacket … 966
ミノー-マーフィー食 Minot-Murphy diet …… 515
ミヒャエーリス-グートマン(ミカエリス-ガットマン)〔小〕体 Michaelis-Gutmann body …… 228
ミヒャエーリス(ミカエリス)定数 Michaelis constant …… 414
ミヒャエーリス(ミカエリス)複合体 Michaelis complex …… 402
ミヒャエーリス(ミカエリス)-メンテン仮説 Michaelis-Menten hypothesis …… 898
ミヒャエーリス(ミカエリス)-メンテン式 Michaelis-Menten equation …… 634
ミフェプリストン mifepristone …… 1156
身ぶり gesture …… 768
身震い shiver …… 1673
身震い shudder …… 1674
身震い性熱産生 shivering thermogenesis 1881
未分化型熱 undifferentiated type fevers 687
未分化型〔分生子柄〕の micronematous 1153
未分化型リンパ性リンパ腫 poorly differentiated lymphocytic lymphoma (PDLL) …… 1084
未分化癌 anaplastic carcinoma …… 296
未分化期 indifferent state …… 1739
未分化細胞 anaplastic cell …… 319
未分化細胞 indifferent cell …… 322
未分化細胞 undifferentiated cell …… 327
未分化神経外胚葉性腫瘍 primitive neuroectodermal tumor …… 1951
未分化〔神経膠〕星状細胞腫 anaplastic astrocytoma …… 166
未分化星状〔膠〕細胞腫 anaplastic astrocytoma …… 166
未分化生殖腺 indifferent gonad …… 791
未分化組織 indifferent tissue …… 1895
未分化大細胞リンパ腫 anaplastic large cell lymphoma …… 1083
未分化の undifferentiated …… 1964
未分化胚芽細胞 blastocyte …… 218
未分化胚細胞腫 dysgerminoma …… 572
ミベリ被角血管腫 Mibelli angiokeratomas 85
未萌出歯 unerupted tooth …… 1903
未亡人浄化 widow cleansing …… 2045
未亡人の清め widow cleansing …… 2045
耳 auris (a, aur) …… 177
耳 ear …… 580
みみあか cerumen …… 336
耳垢 ear wax …… 2042
耳掛け型補聴器 behind-the-ear hearing aid …… 819
耳ケカビ症 otomucormycosis …… 1327
耳栓 earpiece …… 580
耳栓 hearing protectors …… 1502
耳鳴り susurrus aurium …… 1785
耳の otic …… 1326
耳ハエウジ病 aural myiasis …… 1211
ミミヒゼンダニ属 *Otodectes* …… 1326
耳輪尾 cauda helicis …… 314
耳輪尾 tail of helix …… 1839
味盲 taste blindness …… 221
味毛 taste hairs …… 812
ミヤイリガイ属 *Oncomelania* …… 1300
ミヤガワネラ属 *Miyagawanella* …… 1161
脈 pulse …… 1524
脈 pulsus …… 1525

脈圧 pulse pressure 1483
脈音器 sphygmophone 1714
〔脈〕管 vas 1989
〔脈〕管 vessel 2017
脈管運動失調 vasomotor ataxia 167
脈管炎 angiitis, angitis 82
脈管外の extravascular 658
脈管学 angiologia 85
脈管学 angiology 85
脈管拡張〔症〕 angiectasia, angiectasis 82
脈管拡張〔症〕 angiomegaly 86
脈管間の intervascular 948
脈管系 vascular system 1834
脈管形成 angiopoiesis 86
脈管形成 vasculogenesis 1990
脈管形成の angiogenic 84
脈管構造 vasculature 1989
脈管再生 revascularization 1605
脈管遮断 devascularization 501
脈管周囲炎 periangitis 1385
脈管周囲の circumvascular 367
脈管周囲の perivascular 1394
脈管鞘 vascular sheaths 1672
脈管鞘 vaginae vasorum 1982
脈管障害 angiopathy 86
脈管神経 vascular nerves 1240
脈管神経 nervi vasorum 1243
脈管神経切離〔術〕 angioneurotomy 86
脈管叢 plexus vasculosus 1444
脈管叢 vascular plexus 1444
脈管ぞうげ質 vasodentin 1990
脈管象皮病 angioelephantiasis 84
脈管帯 zona vasculosa 2058
脈管帯 vascular zone 2060
脈管内の intravascular 951
脈管内膜炎 intimitis 949
脈管内リンパ intravascular lymph 1075
脈管の vascular 1989
脈管の脈管 vasa vasorum 1989
脈管の脈管 vessels of vessels 2018
脈管縫合〔術〕 angiorrhaphy 86
脈〔拍〕欠損 pulse deficit 479
脈動 pulsation 1524
脈動 throb 1887
脈波 pulse wave 2042
脈波曲線 pulse curve 451
脈波曲線 sphygmogram 1714
脈波記録法 sphygmography 1714
脈拍 pulse 1524
脈拍 pulsus 1525
脈拍 stroke 1758
脈拍間隔 pulse period 1389
脈拍緩徐 bradysphygmia 241
脈拍緩徐な bradycrotic 241
脈拍計 pulsimeter, pulsometer 1525
脈拍血液粘稠度測定 sphygmoviscosimetry 1715
脈拍結代 pulse deficit 479
脈拍視診〔法〕 sphygmoscopy 1715
脈拍触診 sphygmopalpation 1714
脈拍触知不能 acrotism 19
脈拍数 pulse rate 1560
脈拍の sphygmic 1714
脈拍の大きさ amplitude of pulse 64
脈波計 sphygmograph 1714
脈波自記器 sphygmochronograph 1714
脈波持続時間 pulse wave duration 568
脈波の半尖頭値到達時間 half amplitude pulse duration 568
脈波様の sphygmoid 1714
脈幅 amplitude of pulse 64
脈絡外隙 perichoroid space 1704
脈絡外隙 perichoroidal space 1704
脈絡血管腫 chorioangioma 355
脈絡枝 choroid branches 244
脈絡糸球 choroid glomus 781
脈絡糸球 glomus choroideum 781
脈絡上板 suprachoroidea 1779
〔脈絡膜の〕脈絡上板 suprachoroid lamina of choroid 999
脈絡髄膜炎 choriomeningitis 355
脈絡叢 choroid plexus 1439
脈絡叢 plexus choroideus 1439
脈絡叢拡大部 choroid enlargement 617
脈絡叢血管 choroid blood vessels 224
脈絡叢静脈 choroid vein 1994
脈絡組織 tela choroidea 1846
脈絡動脈〔動脈〕周囲神経叢 periarterial plexus of choroid artery 1442
脈絡ひだ plica choroidea 1445
脈絡ひも tenia choroidea 1850
脈絡ひも tenia telae 1850
脈絡膜 choroid 355
脈絡膜 choroidea 355
脈絡膜炎 choroiditis 356
脈絡膜下の subchoroidal 1762
脈絡膜血管萎縮 choroidal vascular atrophy 173
脈絡膜血管板 lamina vasculosa choroideae 999
脈絡膜血管板 vascular lamina of choroid 999
脈絡膜血管板 vascular layer of choroid coat of eye 1014
脈絡膜欠損〔症〕 coloboma of choroid 392
脈絡膜視神経炎 neurochoroiditis 1246
脈絡膜周囲の perichoroidal 1387
脈絡膜症 choroidopathy 356
脈絡膜上の suprachoroid 1779
脈絡膜新生血管 choroidal neovascularization 1228
脈絡膜動脈神経叢 plexus arteriae choroideae 1439
〔脈絡膜の〕基底板 basal lamina of choroid 997
〔脈絡膜の〕基底板 lamina basalis choroideae 997
〔脈絡膜の〕基底板 basal layer of choroid 1009
脈絡膜ヘルニア choriocele 355
脈絡膜毛様体炎 choroidocyclitis 356
脈絡膜輪 choroidal ring 1617
脈絡毛細管板 capillary lamina of choroid 997
脈絡毛細管板 lamina choroidocapillaris 997
脈絡毛細管板 choriocapillary layer 1009
脈絡網膜炎 retinochoroiditis 1602
脈絡網膜神経炎 neurochorioretinitis 1246
脈絡網膜の chorioretinal 355
脈絡裂 choroidal fissure 702

脈管運動失調 vasomotor ataxia 167
脈管間の intervascular 948
脈管系 vascular system 1834
脈管形成 vasculogenesis 1990
脈管形成の angiogenic 84
脈管構造 vasculature 1989
脈管再生 revascularization 1605
脈管遮断 devascularization 501
脈管周囲炎 periangitis 1385
脈管周囲の perivascular 1394
脈管鞘 vascular sheaths 1672
脈管鞘 vaginae vasorum 1982
脈管神経 vascular nerves 1240
脈管神経 nervi vasorum 1243
脈管叢 plexus vasculosus 1444
脈管叢 vascular plexus 1444
脈管ぞうげ質 vasodentin 1990
脈管帯 vascular zone 2060
脈管内の intravascular 951
脈管内膜炎 intimitis 949
脈管内リンパ intravascular lymph 1075
脈管の vascular 1989
脈管の脈管 vasa vasorum 1989
脈管の脈管 vessels of vessels 2018

ミュー μ 1088
ミュー mu 1175
ミュートン muton 1206
ミュール mule 1177
ミュールズ手術 Mules operation 1305
μH鎖病 μ-heavy-chain disease 534
ミュセー徴候 Musset (de Musset) sign 1682
ミュッセ徴候 Musset (de Musset) sign 1682
ミユビトビネズミ *Dipus sagitta* 524
ミュラー管開存症 persistent müllerian duct syndrome 1815
ミュラー〔管〕退行因子 müllerian regression factor, müllerian duct inhibitory factor 668
ミュラー管由来肉腫 müllerian adenosarcoma 26
ミュラー結節 Müller tubercle 1944
ミュラー固定液 Müller fixative 708
ミュラー三角 Müller trigone 1933
ミュラー手技 Müller maneuver 1099
ミュラー線維 Müller fibers 689
ミュラー阻害物質 müllerian inhibiting substance (MIS) 1766
ミュラー徴候 Mueller sign 1682
ミュラー徴候 Müller sign 1682
ミュラー電子眼圧計 Mueller electronic tonometer 1901
ミュラーの法則 Müller law 1007
ミュラー-ヒントン寒天〔培地〕 Mueller-Hinton agar 34
ミュラー-ヒントン培地 Mueller-Hinton medium 1118
ミュラー放射細胞 Müller radial cells 323
ミュルケ線 Muehrcke lines 1051
ミュルケ帯 Muehrcke bands 194
ミュンヒハウゼン症候群 Munchausen syndrome 1813
ミョウバン alum 54
ミョウバン乳漿 alum whey 2045
ミョウバンヘマトキシリン alum-hematoxylin 54
ミヨン(ミロン)試薬 Millon reagent 1569
ミヨン(ミロン)-ナス試験 Millon-Nasse test 1861
ミヨン(ミロン)反応 Millon reaction 1565
ミヨン(ミロン)臨床多軸質問紙検査 Millon Clinical Multiaxial Inventory test 1861
ミラー-アボット管 Miller-Abbott tube 1941
味蕾 gustatory bud 263
味蕾 taste bud 264
味蕾 taste bulb 265
味蕾 caliculus gustatorius 279
味蕾下の subgemmal 1763
味蕾間の intergemmal 945
味蕾内の intragemmal 950
ミラー化学細菌説 Miller chemicoparasitic theory 1876
ミラキジウム miracidium 1159
ミラシジウム miracidium 1159
ミリアチット miryachit 1159
ミリアンペア milliampere (ma, mA) 1158
ミリオスモル milliosmole 1158
ミリキュリー millicurie (mc, mCi) 1158
ミリグラム milligram (mg) 1158
ミリグラム当量 milliequivalent (mEq, meq) 1158
ミリシン myricin 1217
ミリスチシン myristicin 1217
ミリスチン酸 myristic acid 1217
ミリストレイン酸 myristoleic acid 1217
ミリセカンド millisecond (ms, msec) 1158
ミリッシ症候群 Mirizzi syndrome 1812
ミリバール millibar 1158
ミリボルト millivolt (mV) 1158

ミ

ミリメートル millimeter (mm) ………… 1158
ミリモル millimole (mmol) ………… 1158
ミリュー milieu ………… 1157
味〔覚〕隆線 taste ridge ………… 1616
ミリランベルト millilambert ………… 1158
ミリリットル milliliter (ml, mL) ………… 1158
ミルク・アルカリ症候群 milk-alkali syndrome ………… 1812
ミルクマン症候群 Milkman syndrome 1812
ミルク輪試験 milk-ring test (MR) ………… 1861
ミルシャン徴候 Mirchamp sign ………… 1682
ミルドインパス milled-in paths ………… 1371
ミルナー針 Millner needle ………… 1225
ミルベマイシン milbemycin ………… 1157
ミルメシア myrmecia ………… 1217
ミルメシア属 *Myrmecia* ………… 1217
ミルラ myrrh ………… 1217
ミルロイ病 Milroy disease ………… 537
ミレックス mirex ………… 1159
ミロン(ミヨン)試薬 Millon reagent ………… 1569
ミロン(ミヨン)-ナス試験 Millon-Nasse test ………… 1861
ミロン(ミヨン)反応 Millon reaction ………… 1565
ミロン(ミヨン)臨床多軸質問紙検査 Millon Clinical Multiaxial Inventory test ………… 1861
民間療法 folk medicine ………… 1117
ミンク腸炎ウイルス mink enteritis virus ………… 2026
民族疫学 ethnoepidemiology ………… 646
民族学 ethnology ………… 646
民族薬理学 ethnopharmacology ………… 646

ム

ムーア稲妻線条〔症〕 Moore lightning streaks ………… 1753
ムーア法 Moore method ………… 1145
ムーフ杆菌 Much bacillus ………… 188
ムーマ熱 mumu fever ………… 685
ムーリング mulling ………… 1178
ムーン大臼歯 Moon molars ………… 1163
無αリポ蛋白血〔症〕 analphalipoproteinemia ………… 70
無アルブミン血〔症〕 analbuminemia ………… 69
無為 abulia ………… 7
無閾値概念 no-threshold concept ………… 406
無意識 unconscious ………… 1963
無意識の標本 haphazard sampling ………… 1633
無胃の agastric ………… 35
無飲症 adipsia, adipsy ………… 29
無栄養症 atrophia ………… 172
無栄養症 atrophy ………… 173
無益回路 futile cycle ………… 454
無塩基の abasic ………… 1
無黄疸性ウイルス性肝炎 anicteric viral hepatitis ………… 839
無黄疸性の anicteric ………… 91
無黄疸性レプトスピラ症 anicteric leptospirosis ………… 1022
無オルガスム〔症〕 anorgasmy, anorgasmia 95
無快感〔症〕 anhedonia ………… 90
無開口 imperforation ………… 914
無外傷性針 atraumatic needle ………… 1225
無害性雑音 innocent murmur ………… 1180
無害〔性〕の innocent ………… 937
無害〔性〕の innocuous ………… 937
無顎〔症〕 agnathia ………… 38
無隔菌糸〔体〕 nonseptate mycelium ………… 1207
無核細胞 akaryocyte ………… 41
無顎〔症〕の agnathous ………… 38
無核の nonnucleated ………… 1266
無覚発汗の diapnoic, diapnotic ………… 510
無隔板性の aseptate ………… 160
無下肢症 acnemia, aknemia ………… 16
無下垂体〔症〕 apituitarism ………… 115
無カタラーゼ血〔症〕 acatalasia ………… 9
むかつき retching ………… 1598
ムカデ centipede ………… 331
ムカデ類寄生症 chilopodiasis ………… 344
無価の nonvalent ………… 1267
無顆粒〔白血〕球 agranulocyte ………… 39
無顆粒球形成の agranuloplastic ………… 39
無顆粒皮質 agranular cortex ………… 427
無管 ductless ………… 565
無〔発〕汗〔症〕 anhidrosis ………… 90
無感化 hardening ………… 815
無感覚 numbness ………… 1283
無感覚〔症〕 anesthesia ………… 79
無感覚の dead ………… 472
無感覚の insensible ………… 940
無眼球〔症〕 anophthalmia ………… 94
無眼瞼〔症〕 ablepharia ………… 3
無感情 athymia ………… 169
無顔症 aprosopia ………… 122
〔大動脈弁の〕無冠状動脈弁尖 valvula noncoronaria (valvae aortae) ………… 1986
無関心 apathy ………… 112
無関心の apathetic ………… 112
無〔発〕汗性外胚葉性形成異常(異形成) anhidrotic ectodermal dysplasia ………… 575
無関節炎性リウマチ様疾患 anarthritic rheumatoid disease ………… 528
無汗腺の anhidrotic ………… 90
無感動 acathexis ………… 9
無感動 acedia ………… 10
無ガンマグロブリン血〔症〕 agammaglobulinemia ………… 34
無機栄養 autotrophic ………… 182
無機栄養 autotrophy ………… 182
無機栄養生物 autotroph ………… 182
無機栄養体 autotroph ………… 182
無機栄養微生物 chemoautotroph ………… 342
無機化学 inorganic chemistry ………… 341
無機化合物 inorganic compound ………… 404
無器官の inorganic ………… 938
無機光合成菌(株) photoautotroph ………… 1416
無機酸 inorganic acid ………… 14
無機酸化生物 lithotroph ………… 1062
無機質 mineral ………… 1158
無機質脱落 demineralization ………… 486
無機触媒 inorganic catalyst ………… 310
無傷の sound ………… 1701
無機正リン酸塩 inorganic orthophosphate (P_i) ………… 1316
ムギセンノウ中毒症 githagism ………… 771
無機の inorganic ………… 938
無(非)機能性〔不正〕咬合 afunctional occlusion ………… 1289
無気肺 atelectasis ………… 168
無機ピロホスファターゼ inorganic pyrophosphatase ………… 1534
向き発作 versive seizure ………… 1657
無嗅覚〔症〕 anosmia ………… 95
無嗅覚性性腺機能低下症 hypogonadism with anosmia ………… 894
無嗅脳〔症〕 arrhinencephaly, arrhinencephalia ………… 132
無胸骨〔症〕 asternia ………… 164
無響室 anechoic chamber ………… 338
無恐症 pantaphobia ………… 1343
無胸腺症 athymia ………… 169
無響の anechoic ………… 76
無響の sonolucent ………… 1701
無極細胞 apolar cell ………… 319
無極性結合 apolar bond ………… 231
無極の apolar ………… 116
無気力 inertia ………… 925
無菌 asepsis ………… 160
無菌 sterility ………… 1744
無菌壊死 aseptic necrosis ………… 1224
無筋〔感〕覚〔症〕 amyoesthesia, amyoesthesis ………… 68
無菌手術 aseptic surgery ………… 1784
無菌手術〔法〕 asepticism ………… 160
無菌性梗塞 bland infarct ………… 926
無菌〔性〕の axenic ………… 183
無菌性膿瘍 sterile abscess ………… 6
無緊張〔症〕 atony ………… 170
無緊張性消化不良 atonic dyspepsia ………… 574
無緊張発作 atonic seizure ………… 1657
無菌的処置〔法〕 asepticism ………… 160
無菌動物学 gnotobiology ………… 790
無菌熱 aseptic fever ………… 683
無菌培養 axenic culture ………… 448
無グルテン食 gluten-free diet ………… 514
無計画〔の,に〕 haphazard ………… 815
無頸子宮 uterus acollis ………… 1977
無形成〔症〕 aplasia ………… 115
無形成〔性〕の aplastic ………… 115
無形成貧血 aplastic anemia ………… 76
無茎性ポリープ sessile polyp ………… 1463
無形体 amorphus ………… 63
無形体 anideus ………… 91
無形体 holoacardius amorphus ………… 858
無形体の anidean ………… 91
無茎の sessile ………… 1668
無形部 pars amorpha ………… 1357
無形無心体 acardius amorphus ………… 8
無形無心体 acardius anceps ………… 8
無血液栄養症 anemotrophy ………… 78
無血管化 avascularization ………… 182
無血管の avascular ………… 182
無月経 amenorrhea ………… 58
無月経-乳汁漏出症候群 amenorrhea-galactorrhea syndrome ………… 1796
無血切断〔術〕 bloodless amputation ………… 65
無血流再開現象 no reflow phenomenon 1405
無限遠点 infinite distance ………… 549
夢幻症 oneirism ………… 1300
夢幻状態 dreamy state ………… 1739
夢幻精神病の oneiric ………… 1300
無原線維性セメント質 afibrillar cement 329
ムコイド mucoid ………… 1175
ムコイドコロニー mucoid colony ………… 393
ムコイド集落 mucoid colony ………… 393
ムコイド腺癌 mucoid adenocarcinoma ………… 24
ムコイド変性 mucoid degeneration ………… 481
無口〔症〕 astomia ………… 165
無効化 vitiation ………… 2034
無鉤額嘴 unarmed rostellum ………… 1623
無睾丸(精巣)〔症〕 anorchism ………… 95
無効換気 wasted ventilation ………… 2010
無咬合 nonocclusion ………… 1266
無孔肛門 imperforate anus ………… 111
無虹彩〔症〕 aniridia ………… 92
無虹彩〔症〕 irideremia ………… 956
無甲状腺〔症〕 athyroidism ………… 169
無鉤条虫 *Taenia saginata* ………… 1838
無孔処女膜 imperforate hymen ………… 877
無酵素〔症〕 anenzymia ………… 78
無構造 amorphia, amorphism ………… 63
無構造幻視 unformed visual hallucination ………… 813
無構造の anhistic, anhistous ………… 90
無好中球親和性 neutrotaxis ………… 1254
無咬頭〔人工〕歯 cuspless tooth ………… 1902
無喉頭者 laryngectomee ………… 1002
無喉頭発声 alaryngeal speech ………… 1709
無肛門症 aproctia ………… 122
無溝類 Adinida ………… 28
無呼吸 apnea ………… 115

無呼吸-寡呼吸指数 apnea-hypopnea index ······ 921
無呼吸〔性〕休止 apneic pause ······ 1374
無呼吸呼吸 apneustic breathing ······ 256
無呼吸症 apneusis ······ 116
無呼吸〔性〕停止 apneic pause ······ 1374
ムコ多糖〔体〕〔症〕VII型 mucopolysaccharidosis type VII ······ 1176
ムコ多糖〔体〕症 mucopolysaccharidosis 1176
ムコ多糖〔体〕沈着〔症〕 mucopolysaccharidosis ······ 1176
ムコ多糖〔体〕尿 mucopolysacchariduria 1176
ムコ多糖類 mucopolysaccharide ······ 1176
ムコ多糖類ジストロフィ mucopolysaccharide keratin dystrophy 579
ムコ蛋白 mucoprotein ······ 1176
無骨髄〔症〕の amyeloic, amyelonic ······ 66
無骨膜切断〔術〕 aperiosteal amputation ······ 65
ムコビシドーシス mucoviscidosis ······ 1177
ムコペプチド mucopeptide ······ 1176
ムコリピドーシス mucolipidosis ······ 1175
ムコリピドーシスI mucolipidosis I ······ 1175
ムコリピドーシスII mucolipidosis II ······ 1175
ムコリピドーシスIII mucolipidosis III 1175
ムコリピドーシスIV mucolipidosis IV 1176
ムコール〔菌〕症 phycomycosis ······ 1419
ムコール症 mucormycosis ······ 1176
無言〔症〕 mutism ······ 1206
無昆虫化 disinsection, disinsectization ······ 543
無細胞セメント質 acellular cement ······ 329
無細胞セメント質 primary cement ······ 329
無細胞の acellular ······ 10
無作為化試験 randomized controlled trial (RCT) ······ 1926
無作為抽出 random sampling ······ 1633
無作為配列 combinatorial ······ 396
無作為標本 random sample ······ 1633
無酸〔症〕 anacidity ······ 69
無酸症 achlorhydria ······ 13
無酸症〔性〕貧血 achlorhydric anemia ······ 76
無酸素〔症〕 anoxia ······ 95
無酸素血〔症〕 anoxemia ······ 95
無酸素性の anoxic ······ 96
無酸素〔性〕の anaerobic ······ 69
無酸素性無酸素〔症〕 anoxic anoxia ······ 96
無視 neglect ······ 1226
無歯〔症〕 anodontia ······ 93
無歯〔症〕 anodontism ······ 93
無指(趾)〔症〕 aphalangia ······ 114
無耳〔症〕 anotia ······ 95
無歯円虫 *Strongylus edentatus* ······ 1759
ムシカルミン mucicarmine ······ 1175
無閾値概念 no-threshold concept ······ 406
無色素球 achroacyte ······ 14
無糸球体〔性〕の aglomerular ······ 38
虫食いエナメル質 mottled enamel ······ 606
虫食い状脱毛〔症〕 moth-eaten alopecia ······ 53
無軸索 amacrine ······ 55
無軸索細胞 amacrine cell ······ 319
無軸索の amacrine ······ 55
無軸索の anaxon, anaxone ······ 74
虫下し anthelmintic ······ 97
無軸皮弁 random pattern flap ······ 710
無刺激食 bland diet ······ 514
無刺激食 smooth diet ······ 515
無指合指症 ectrosyndactyly ······ 586
無四肢〔症〕 tetraamelia ······ 1870
無肢症 amelia ······ 58
無指症の adactylous ······ 23
無視する neglect ······ 1226
無肢の acolous ······ 16
無歯の edentulous ······ 587
ムシノール museinol ······ 1205
虫歯(むしば) caries ······ 302
虫歯(むしば) dental caries ······ 302
無糸分裂 amitosis ······ 61
ムシヘマテイン mucihematein ······ 1175
ムシモール muscimol ······ 1180
無周期の aperiodic ······ 112
無収差レンズ aplanatic lens ······ 1019
無重量感 weightlessness ······ 2044
無重力 zero gravity ······ 2057
矛盾性尿失禁 paradoxical incontinence ······ 920
無松果体〔症〕 apinealism ······ 115
無条件刺激 unconditioned stimulus ······ 1747
無条件反射 unconditioned reflex ······ 1582
無条件反応 unconditioned response ······ 1597
無症候性〔心筋〕虚血 silent ischemia ······ 958
無症候性虹彩炎 quiet iritis ······ 957
無症候性神経梅毒 asymptomatic neurosyphilis ······ 1252
無症候性胆石 silent gallstones ······ 751
無症候性の silent ······ 1685
無症候〔性〕の asymptomatic ······ 166
無症状コクシジオイデス真菌症 subclinical coccidioidomycosis ······ 385
無症状心筋梗塞 silent myocardial infarction ······ 927
無症状胆石 asymptomatic gallstones ······ 751
無症状糖尿病 subclinical diabetes ······ 507
無症状の subclinical ······ 1762
無症状発作 subclinical seizure ······ 1657
無償性誘導物質 gratuitous inducer ······ 924
無鞘の alemmal ······ 46
無色 achromatism ······ 14
無〔摂〕食〔症〕 aphagia ······ 114
無食塩〔療法〕 dechloridation ······ 474
無色収差 achromatism ······ 14
無色赤血球 achromocyte ······ 14
無色尿〔症〕 achromaturia ······ 14
無色の achromatic ······ 14
無色の achromatous ······ 14
無色の moniliaceous ······ 1165
無食欲 anorexia ······ 95
無食欲 asitia ······ 160
無所属実地医家団体 independent practice association (IPA) ······ 163
無触覚〔症〕 anaphia ······ 71
無触覚〔症〕 atactilia ······ 166
無触覚〔症〕の anaptic ······ 72
無神経線維鞘の aneurolemmic ······ 81
無唇症 acheilia ······ 13
無心症 acardia ······ 8
無心〔症〕の acardiac ······ 8
無疹性痘瘡 variola sine eruptione ······ 1988
無心体 acardius ······ 8
無疹痘 variola sine eruptione ······ 1988
無腎の anephric ······ 78
無水亜硫酸ナトリウム exsiccated sodium sulfite ······ 1696
無水アルコール absolute alcohol ······ 44
無髄歯 pulpless tooth ······ 1903
無水晶体〔症〕 aphakia ······ 114
無水晶体眼 aphakic eye ······ 659
無水晶体緑内障 aphakic glaucoma ······ 777
無髄神経 unmyelinated nerve ······ 1240
無髄〔神経〕線維 unmyelinated fibers ······ 691
無膵〔性〕の apancreatic ······ 112
無水糖 anhydrosugars ······ 91
無水の anhydrous ······ 91
無髄の nonmedullated ······ 1266
無髄の pulpless ······ 1524
無髄の unmyelinated ······ 1968
無水物 anhydride ······ 91
無頭〔蓋〕症 acrania ······ 17
むずがゆさ tickling ······ 1892
ムスカリン muscarine ······ 1180
ムスカリン〔性〕〔受容体〕拮抗薬(アンタゴニスト) muscarinic antagonist ······ 97
ムスカリン性レセプタ(受容体) muscarinic receptors ······ 1571
ムスカリン様の muscarinic ······ 1180
ムスコン muscone ······ 1198
無頭痛性片頭痛 acephalgic migraine ······ 1156
結び目 knot ······ 988
結ぶ bind ······ 211
娘〔核種〕 daughter ······ 472
娘恐怖〔症〕 parthenophobia ······ 1369
娘コロニー daughter colony ······ 393
娘集落 daughter colony ······ 393
夢精 wet dream ······ 559
夢精 nocturnal emission ······ 604
無成育性の nonviable ······ 1267
無精液〔症〕 aspermia ······ 162
無生活力 abiotrophy ······ 3
無性器〔症〕 agenitalism ······ 35
無精子〔症〕 azoospermia ······ 186
無星状球の anastral ······ 74
無性親 agamont ······ 34
無性性小人症 asexual dwarfism ······ 568
無性生殖 monogenesis ······ 1167
無性生殖 asexual reproduction ······ 1591
無性生殖期 phorozoon ······ 1412
無性世代 anamorph ······ 71
無性世代 asexual generation ······ 764
無精巣(睾丸)〔症〕 anorchism ······ 95
無生代の azoic ······ 186
無生の azoic ······ 186
無生物の inanimate ······ 918
無性欲の asexual ······ 160
無脊索の achordate, achordal ······ 13
無脊髄〔症〕 amyelia ······ 66
無脊髄〔症〕の amyelous ······ 67
無脊髄脳〔症〕 amyelencephalia ······ 66
無脊椎動物 Invertebrata ······ 952
無脊椎動物 invertebrate ······ 953
無脊椎の invertebrate ······ 953
無責任 irresponsibility ······ 957
無舌〔症〕 aglossia ······ 38
無〔摂〕食〔症〕 aphagia ······ 114
無舌閉口体 aglossostomia ······ 38
無舌・無指〔症〕症候群 aglossia-adactylia syndrome ······ 1796
無線維素原血〔症〕 afibrinogenemia ······ 33
無線条の unstriated ······ 1968
無染性 anochromasia ······ 93
無腺性の eglandulous ······ 590
無ぜん動 aperistalsis ······ 112
無爪〔症〕 anonychia, anonychosis ······ 94
無装飾の inornate ······ 938
無窓毛細血管 continuous capillary ······ 289
無足合足体 sympus apus ······ 1792
無足の apodal ······ 116
無体奇形児 asoma ······ 160
無体腔 acelom ······ 10
無胎盤の aplacental ······ 115
無大網の anepiploic ······ 78
無唾液〔症〕 asialism ······ 160
ムターゼ mutase ······ 1206
無脱落膜哺乳類 indeciduate ······ 921
ムタロターゼ mutarotase ······ 1205
無炭酸水 carbon dioxide-free water ······ 2041
無胆汁〔症〕 acholia ······ 13
無胆汁色素尿〔症〕 acholuria ······ 13
無胆汁尿性黄疸 acholuric jaundice ······ 966
無胆汁の acholic ······ 13
無担体の carrier-free ······ 305
むち打ち whiplash ······ 2045
むち打ち後症候群 posttraumatic neck syndrome ······ 1816
むち打ち損傷(傷害) whiplash injury ······ 937
むち打ち網膜症 whiplash retinopathy ······ 1603
むち状ブジー whip bougie ······ 238
無秩序心 chaotic heart ······ 820
無秩序律動 chaotic rhythm ······ 1611
無窒素尿〔症〕 anazoturia ······ 74
ムチナーゼ mucinase ······ 1175
ムチノイド変性 mucinoid degeneration ······ 481

ム

無腸の anenterous ・・・・・・・・・・・・・・・・・・・・ 78
ムチン mucin ・・・・・・・・・・・・・・・・・・・・ 1175
ムチン凝塊試験 mucin clot test ・・・・・・・・・・ 1861
ムチン性脱毛〔症〕 alopecia mucinosa ・・・・・・ 53
ムチン沈着症 mucinosis ・・・・・・・・・・・・・・・・ 1175
無痛〔法〕 analgesia ・・・・・・・・・・・・・・・・・・・・ 69
無痛〔性〕横痃 indolent bubo ・・・・・・・・・・・・ 263
無痛潰瘍 indolent ulcer ・・・・・・・・・・・・・・・・ 1961
無痛覚〔症〕 analgesia ・・・・・・・・・・・・・・・・・・ 69
無痛覚計 analgesimeter ・・・・・・・・・・・・・・・・ 70
無痛覚症候群 indifference to pain syndrome ・・・・・・・・・・・・・・・・ 1808
無痛性黄疸 painless jaundice ・・・・・・・・・・・・ 967
無痛性狭心症 angina pectoris sine dolore 83
無痛性血尿 painless hematuria ・・・・・・・・・・・・ 827
無痛〔性〕の indolent ・・・・・・・・・・・・・・・・・・ 924
6つの紅斑疾患 the six erythematous diseases ・・・・・・・・・・・・・・・・ 540
無定位〔症〕 astasia ・・・・・・・・・・・・・・・・・・ 163
無定位運動症 athetosis ・・・・・・・・・・・・・・・・ 169
無定形〔性〕 amorphia, amorphism ・・・・・・・・ 63
無定形シリコン amorphous silicon ・・・・・・ 1685
無定形体 amorph ・・・・・・・・・・・・・・・・・・・・ 63
無定形の amorphous ・・・・・・・・・・・・・・・・・・ 63
無定形ヒドロキシアパタイト amorphous hydroxyapatite ・・・・・・・・・・・・・・・・ 875
無定形リン amorphous phosphorus, red phosphorus ・・・・・・・・・・・・・・・・ 1415
ムテイン mutein ・・・・・・・・・・・・・・・・・・・・ 1206
無動〔症〕 akinesia ・・・・・・・・・・・・・・・・・・・・ 41
無頭〔蓋〕症 acrania ・・・・・・・・・・・・・・・・・・ 17
無頭完全無心〔臓〕体 holoacardius acephalus ・・・・・・・・・・・・・・・・ 858
無動原体染色体 acentric chromosome ・・・・ 359
無動原体の acentric ・・・・・・・・・・・・・・・・・・ 10
無瞳孔〔症〕 acorea ・・・・・・・・・・・・・・・・・・ 16
無頭症 acephaly ・・・・・・・・・・・・・・・・・・・・ 11
無頭体 acephalus acormus ・・・・・・・・・・・・・・ 11
無頭体腹部内生奇形 gastroacephalus ・・・・・・ 757
無糖尿 aglycosuria ・・・・・・・・・・・・・・・・・・ 38
無頭の胎児 acephalus ・・・・・・・・・・・・・・・・ 11
無頭胞子 acephalocyst ・・・・・・・・・・・・・・・・ 11
無頭無胸症 acephalothoracia ・・・・・・・・・・・・ 11
無動無言〔症〕 akinetic mutism ・・・・・・・・・・ 1206
無頭無手症 acephalocheiria, acephalochiria ・・・・・・・・・・・・・・・・ 11
無頭無心症 acephalocardia ・・・・・・・・・・・・・・ 11
無頭無心体 acardius acephalus ・・・・・・・・・・ 8
無頭無脊柱症 acephalorrhachia ・・・・・・・・・・ 11
無頭無足症 acephalopodia ・・・・・・・・・・・・・・ 11
無頭無胴症 acephalogasteria ・・・・・・・・・・・・ 11
無頭類 Acrania ・・・・・・・・・・・・・・・・・・・・ 17
無糖練乳 evaporated milk ・・・・・・・・・・・・ 1158
無毒化 detoxification ・・・・・・・・・・・・・・・・ 501
無毒性の avirulent ・・・・・・・・・・・・・・・・・・ 183
無毒の atoxic ・・・・・・・・・・・・・・・・・・・・ 170
無トロンビン症 athrombia ・・・・・・・・・・・・・・ 169
無乳頭〔症〕 athelia ・・・・・・・・・・・・・・・・・・ 168
無乳房〔症〕 amastia ・・・・・・・・・・・・・・・・・・ 56
無尿〔症〕 anuria ・・・・・・・・・・・・・・・・・・・・ 111
無認識 unawareness ・・・・・・・・・・・・・・・・ 1963
無認知 imperception ・・・・・・・・・・・・・・・・ 914
むね breast ・・・・・・・・・・・・・・・・・・・・ 255
無熱 apyrexia ・・・・・・・・・・・・・・・・・・・・ 122
無熱性チフス apyretic typhoid ・・・・・・・・・・ 1957
無熱〔性〕の afebrile ・・・・・・・・・・・・・・・・ 33
胸の thoracic ・・・・・・・・・・・・・・・・・・・・ 1885
ムネメ mneme ・・・・・・・・・・・・・・・・・・・・ 1161
ムネメの仮説 mnemic hypothesis ・・・・・・・・ 898
胸焼け heartburn ・・・・・・・・・・・・・・・・・・ 821
胸焼け pyrosis ・・・・・・・・・・・・・・・・・・・・ 1535
無脳回〔症〕 agyria ・・・・・・・・・・・・・・・・・・ 39
無脳症 acranius ・・・・・・・・・・・・・・・・・・・・ 17
無能力 incompetence, incompetency ・・・・・・ 920
無嚢類〔線虫〕の nonbursate ・・・・・・・・・・・・ 1266
無肺〔症〕 apneumia ・・・・・・・・・・・・・・・・・・ 116
無配偶子生殖 agamogenesis ・・・・・・・・・・・・ 34
無配偶子生殖 agamogony ・・・・・・・・・・・・・・ 34
無配偶生殖 apogamia, apogamy ・・・・・・・・・・ 116
無排卵 anovulation ・・・・・・・・・・・・・・・・・・ 95
無排卵性 anovulatory ・・・・・・・・・・・・・・・・ 95
無排卵性月経 anovular menstruation ・・・・ 1131
無排卵性周期 anovulatory cycle ・・・・・・・・・・ 454
無排卵〔性〕の anovular ・・・・・・・・・・・・・・・・ 95
無排卵性卵胞 anovular ovarian follicle ・・・ 721
無発育 agenesis ・・・・・・・・・・・・・・・・・・・・ 35
無〔発〕汗〔症〕 anhidrosis ・・・・・・・・・・・・・・ 90
無〔発〕汗性外胚葉性形成異常(異形成) anhidrotic ectodermal dysplasia ・・・・・・・・ 575
無白血球症 aleukocytosis ・・・・・・・・・・・・・・ 46
無白血球性の aleukocytic ・・・・・・・・・・・・・・ 46
無白血症 aleukia ・・・・・・・・・・・・・・・・・・・・ 46
無白血性白血病 aleukemic leukemia ・・・・・ 1024
無白血病 aleukemia ・・・・・・・・・・・・・・・・・・ 46
無白血病性の aleukemic ・・・・・・・・・・・・・・ 46
無白血病様の aleukemoid ・・・・・・・・・・・・・・ 46
無発情期 anestrum ・・・・・・・・・・・・・・・・・・ 81
無発情期 anestrus ・・・・・・・・・・・・・・・・・・ 81
無発情排卵 anestrous ovulation ・・・・・・・・・・ 1329
無発病性の avirulent ・・・・・・・・・・・・・・・・ 183
無反射〔症〕 areflexia ・・・・・・・・・・・・・・・・ 130
無脾〔症〕 alienia ・・・・・・・・・・・・・・・・・・・・ 47
無脾〔症〕 asplenia ・・・・・・・・・・・・・・・・・・ 162
無脾症候群 asplenia syndrome ・・・・・・・・・・ 1797
無尾の acaudal, acaudate ・・・・・・・・・・・・・・ 9
無皮膚〔症〕 adermia ・・・・・・・・・・・・・・・・・・ 28
無皮膚症状性ペラグラ pellagra sine pellagra ・・・・・・・・・・・・・・・・ 1378
無病 nondisease ・・・・・・・・・・・・・・・・・・・・ 1266
無表情 amimia ・・・・・・・・・・・・・・・・・・・・ 59
無ファスミド aphasmid ・・・・・・・・・・・・・・・・ 114
無フィブリノ〔ー〕ゲン血〔症〕 afibrinogenemia ・・・・・・・・・・・・・・・・ 33
無腹 acelom ・・・・・・・・・・・・・・・・・・・・・・ 10
無副甲状腺症 aparathyreosis ・・・・・・・・・・・・ 112
無プリン食 purine-restricted diet ・・・・・・・・ 515
無分割〔性〕 amerism ・・・・・・・・・・・・・・・・・・ 58
無分節〔性〕 amerism ・・・・・・・・・・・・・・・・・・ 58
無分利の acritical ・・・・・・・・・・・・・・・・・・ 17
無柄の sessile ・・・・・・・・・・・・・・・・・・・・ 1668
無β-リポ蛋白血症 abetalipoproteinemia ・・・・ 2
無ペプシン〔症〕 apepsinia ・・・・・・・・・・・・・・ 112
無弁切断〔術〕 flapless amputation ・・・・・・・・ 65
無弁の avalvular ・・・・・・・・・・・・・・・・・・ 182
無弁の valveless ・・・・・・・・・・・・・・・・・・ 1986
無膀胱症 acystia ・・・・・・・・・・・・・・・・・・・・ 23
無胞子性の asporous ・・・・・・・・・・・・・・・・ 162
夢魔 incubus ・・・・・・・・・・・・・・・・・・・・ 921
無麻痺〔性〕の aparalytic ・・・・・・・・・・・・・・ 112
無味覚〔症〕 ageusia ・・・・・・・・・・・・・・・・・・ 37
無脈〔状態〕 acrotism ・・・・・・・・・・・・・・・・ 19
無脈の acrotic ・・・・・・・・・・・・・・・・・・・・ 19
無脈拍 asphygmia ・・・・・・・・・・・・・・・・・・ 162
無名窩 fossa innominata ・・・・・・・・・・・・・・ 732
無名窩 innominate fossa ・・・・・・・・・・・・・・ 732
無名質 innominate substance ・・・・・・・・・・ 1765
無名質 substantia innominata ・・・・・・・・・・ 1766
無名心〔臓〕静脈 innominate cardiac veins ・・・・・・・・・・・・・・・・ 1997
無名の innominate ・・・・・・・・・・・・・・・・・・ 937
無毛〔症〕 atrichia ・・・・・・・・・・・・・・・・・・ 171
無毛の glabrous, glabrate ・・・・・・・・・・・・ 771
無毛皮膚 glabrous skin ・・・・・・・・・・・・・・ 1691
無毛部白癬 tinea glabrosa ・・・・・・・・・・・・ 1894
夢遊〔症〕 somnambulism ・・・・・・・・・・・・・・ 1700
夢遊症〔患〕者 somnambulist ・・・・・・・・・・・・ 1700
夢遊症性てんかん somnambulic epilepsy 629
夢遊性トランス somnambulistic trance 1916
無遊離塩酸症 achlorhydria ・・・・・・・・・・・・ 13
無羊膜の anamnionic, anamniotic ・・・・・・・・ 71
無羊膜類 Anamniota ・・・・・・・・・・・・・・・・ 71
無葉緑素性 achlorophyllous ・・・・・・・・・・・・ 13
無欲性甲状腺中毒〔症〕 apathetic thyrotoxicosis ・・・・・・・・・・・・・・・・ 1891
無抑制性神経因性膀胱〔障害〕 uninhibited neurogenic bladder ・・・・・・・・・・・・・・・・ 218
無欲の apathetic ・・・・・・・・・・・・・・・・・・ 112
紫 purple ・・・・・・・・・・・・・・・・・・・・・・ 1528
ムラミン酸 muramic acid (Mur) ・・・・・・・・ 1178
無卵黄の alecithal ・・・・・・・・・・・・・・・・・・ 46
無卵黄卵 alecithal ovum ・・・・・・・・・・・・・・ 1330
無力 impotence, impotency ・・・・・・・・・・・・ 916
無力〔症〕 asthenia ・・・・・・・・・・・・・・・・・・ 164
〔筋〕無力〔症〕 adynamia ・・・・・・・・・・・・・・・・ 31
無力性眼瞼内反 atonic entropion ・・・・・・・・ 622
無力な torpid ・・・・・・・・・・・・・・・・・・・・ 1904
無リンパ alymphia ・・・・・・・・・・・・・・・・・・ 55
無リンパ球症 alymphocytosis ・・・・・・・・・・・・ 55
無涙液症 alacrima ・・・・・・・・・・・・・・・・・・ 41
無涙症 adacrya ・・・・・・・・・・・・・・・・・・・・ 23
群れ herd ・・・・・・・・・・・・・・・・・・・・・・ 841
ムレイン mureins ・・・・・・・・・・・・・・・・・・ 1178
ムレキシド murexide ・・・・・・・・・・・・・・・・ 1179
ムロクジ中毒 ackee poisoning ・・・・・・・・・・ 1455
無腕〔症〕 abrachia ・・・・・・・・・・・・・・・・・・ 4
無腕無頭〔症〕 abrachiocephaly, abrachiocephalia ・・・・・・・・・・・・・・・・ 4
ムンプス mumps ・・・・・・・・・・・・・・・・・・ 1178
ムンプスウイルス mumps virus ・・・・・・・・・・ 2027

メ

眼 eye ・・・・・・・・・・・・・・・・・・・・・・・・ 659
眼 oculus ・・・・・・・・・・・・・・・・・・・・・・ 1291
目 eye ・・・・・・・・・・・・・・・・・・・・・・・・ 659
メーオー(メーヨー)腱膜瘤切除〔術〕 Mayo bunionectomy ・・・・・・・・・・・・・・・・ 266
メーオー(メーヨー)手術 Mayo operation ・・・・・・・・・・・・・・・・ 1305
メーオー(メーヨー)バニオン切除〔術〕 Mayo bunionectomy ・・・・・・・・・・・・・・・・ 266
メーオー(メーヨー)-ロブソン体位 Mayo-Robson position ・・・・・・・・・・・・・・・・ 1469
メーオー(メーヨー)-ロブソン点 Mayo-Robson point ・・・・・・・・・・・・・・・・ 1454
メークハム(マーカム)仮説 Makeham hypothesis ・・・・・・・・・・・・・・・・ 898
メージュ病 Meige disease ・・・・・・・・・・・・・・ 537
メース Mace, MACE ・・・・・・・・・・・・・・・・ 1088
メースマンジストロフィ Meesmann dystrophy ・・・・・・・・・・・・・・・・ 579
メータ meter (m) ・・・・・・・・・・・・・・・・・・ 1141
メー-デュボイス(デュボワ)〔公〕式 Meeh-DuBois formula ・・・・・・・・・・・・・・・・ 730
メートル meter (m) ・・・・・・・・・・・・・・・・ 1141
メートル角 meter angle ・・・・・・・・・・・・・・ 89
メートルグラス graduate ・・・・・・・・・・・・・・ 794
メートル法 metric system ・・・・・・・・・・・・・・ 1832
メービウス症候群 Möbius syndrome ・・・・・ 1812
メービウス徴候 Möbius sign ・・・・・・・・・・・・ 1682
メーヨー(メーオー)腱膜瘤切除〔術〕 Mayo bunionectomy ・・・・・・・・・・・・・・・・ 266
メーヨー(メーオー)バニオン切除〔術〕 Mayo bunionectomy ・・・・・・・・・・・・・・・・ 266
〔明暗〕順応計 adaptometer ・・・・・・・・・・・・・・ 23
迷管 aberrant ducts ・・・・・・・・・・・・・・・・ 563
迷管 aberrant ductules ・・・・・・・・・・・・・・・・ 565
迷管 ductuli aberrantes ・・・・・・・・・・・・・・ 566
迷〔路状試験〕管 labyrinth ・・・・・・・・・・・・・・ 992
明期リズム diurnal rhythm ・・・・・・・・・・・・ 1611
メイグス(メグズ)症候群 Meigs syndrome

…… 1812
メイ-グリュンヴァルト染料 May-Grünwald stain …… 1733
明細胞 clear cell …… 320
〔透〕明細胞汗腺腫 clear cell hidradenoma …… 851
〔透〕明細胞腺癌 clear cell adenocarcinoma …… 24
名詞失語〔症〕 nominal aphasia …… 114
明順応 light adaptation …… 23
明順応眼 light-adapted eye …… 659
名称 term …… 1852
名称強迫 onomatomania …… 1301
名称恐怖〔症〕 onomatophobia …… 1301
名称失語〔症〕 anomia …… 94
明色の moniliaceous …… 1165
明所視 photopia …… 1418
明所視 photopic vision …… 2032
名祖 eponym …… 633
名祖 eponymic …… 633
迷走肝動脈 aberrant hepatic artery …… 141
迷走神経 vagus nerve [CN X] …… 1240
迷走神経 nervus vagus [CN X] …… 1243
迷走神経幹 truncus vagalis …… 1938
迷走神経幹 vagal (nerve) trunk …… 1939
迷走神経後胃枝 rami gastrici posteriores nervi vagi …… 1551
迷走神経後核 posterior nucleus of vagus nerve …… 1279
迷走神経向性の vagotropic …… 1983
迷走神経〔様〕作用の vagomimetic …… 1983
迷走神経三角 trigone of vagus nerve …… 1933
迷走神経三角 trigonum nervi vagi …… 1933
迷走神経三角 vagal (nerve) trigone …… 1933
迷走神経耳介枝 auricular branch of vagus nerve …… 243
迷走神経耳介枝 ramus auricularis nervi vagi …… 1548
迷走神経刺激 vagal nerve stimulation 1747
迷走神経性徐脈 vagal bradycardia …… 240
迷走神経〔性〕の vagal …… 1981
〔迷走〕迷走神経〔性〕の vagovagal …… 1983
迷走神経切除〔術〕 vagectomy …… 1981
迷走神経切断〔術〕 vagotomy …… 1983
迷走神経前胃枝 rami gastrici anteriores nervi vagi …… 1551
迷走神経内糸球 intravagal glomus …… 781
迷走神経内小体 glomus intravagale …… 781
迷走神経の咽頭枝 pharyngeal branch of vagus nerve …… 251
迷走神経の咽頭神経叢 pharyngeal (nerve) plexus of vagus nerve …… 1443
迷走神経の下頸心臓枝 inferior cervical cardiac branches of vagus nerve …… 247
迷走神経の下頸心臓枝 rami cardiaci cervicales inferiores nervi vagi …… 1548
〔迷走神経の〕下神経節 ganglion inferius nervi vagi …… 753
〔迷走神経の〕下神経節 inferior ganglion of vagus nerve …… 753
迷走神経の肝枝 hepatic branches of vagus nerve …… 247
迷走神経の肝枝 rami hepatici nervi vagi …… 1551
迷走神経の胸心臓枝 thoracic cardiac branches of vagus nerve …… 254
迷走神経の胸心臓枝 rami cardiaci thoracici nervi vagi …… 1548
迷走神経の硬膜枝 meningeal branch of vagus nerve …… 250
迷走神経の上頸心臓枝 superior cervical cardiac branches of vagus nerve …… 254
迷走神経の上頸心臓枝 rami cardiaci cervicales superiores nervi vagi …… 1548
迷走神経の上神経節 ganglion superius nervi vagi …… 754
迷走神経の上神経節 superior ganglion of vagus nerve …… 754
迷走神経の食道枝 esophageal branches of the vagus nerve …… 246
迷走神経の腎枝 renal branches of vagus nerve …… 253
迷走神経の腎枝 rami renales nervi vagi …… 1556
迷走神経の腹腔枝 celiac branches of vagus nerve …… 244
迷走神経の腹腔枝 rami celiaci nervi vagi …… 1549
迷走神経背側核 dorsal nucleus of vagus …… 1274
迷走神経背側核 nucleus dorsalis nervi vagi …… 1274
迷走神経剥離〔術〕 vagolysis …… 1983
迷走神経反射 vagovagal reflex …… 1582
迷走神経野 vagus area …… 130
迷走神経〔様〕作用の vagomimetic …… 1983
迷走神経抑制薬 vagolytic …… 1983
迷走性 ambiguity …… 56
迷走性神経節 aberrant ganglion …… 752
迷走性の erratic …… 637
迷走舌咽神経の vagoglossopharyngeal …… 1983
迷走束 aberrant bundles …… 265
迷走動脈 aberrant artery …… 141
瞑想病 rumination …… 1627
迷走副神経 vagoaccessorius …… 1983
迷走脈 vagus pulse …… 1525
〔迷走〕迷走神経〔性〕の vagovagal …… 1983
命題 thesis …… 1882
命題学習 propositional learning …… 1015
酩酊 drunkenness …… 562
酩酊 inebriation …… 925
酩酊薬 inebriant …… 925
明度差閾値 brightness difference threshold …… 1886
迷入 aberration …… 2
迷入乳房 mamma erratica …… 1097
迷入閉鎖動脈 aberrant obturator artery 141
明白な frank …… 739
明白な palpable …… 1339
メイ-ホワイト症候群 May-White syndrome …… 1811
命名強迫 onomatomania …… 1301
命名法 nomenclature …… 1265
命名法上のタイプ nomenclatural type …… 1957
明瞭度 acuity …… 22
命令概念 imperative conception …… 406
命令幻覚 command hallucination …… 812
迷路 labyrinth …… 992
迷路 labyrinthus …… 992
迷路 maze …… 1111
迷路炎 labyrinthitis …… 992
迷路〔性〕眼振 labyrinthine nystagmus …… 1286
迷路周囲炎 perilabyrinthitis …… 1388
迷〔路状試験〕管 labyrinth …… 992
迷路状の labyrinthine …… 992
迷路静脈 labyrinthine veins …… 1997
迷路静脈 venae labyrinthi …… 2006
迷路性斜頸 labyrinthine torticollis …… 1904
迷路性立直り反射 labyrinthine righting reflexes …… 1580
迷路切開〔術〕 labyrinthotomy …… 992
迷路切除〔術〕 labyrinthectomy …… 992
迷路卒中 labyrinthine apoplexy …… 118
迷路胎盤 labyrinthine placenta …… 1428
迷路摘出〔術〕 labyrinthectomy …… 992
迷路動脈 arteria labyrinthi …… 136
迷路動脈 artery of labyrinth …… 147
迷路動脈 labyrinthine artery …… 147
迷路動脈の蝸牛枝 cochlear branch of labyrinthine artery …… 244
迷路動脈の蝸牛枝 ramus cochlearis arteriae labyrinthi …… 1549
迷路動脈の前庭枝 vestibular branches of labyrinthine artery …… 255
迷路動脈の前庭枝 rami vestibulares arteriae labyrinthi …… 1557
迷路の labyrinthine …… 992
迷路反射 labyrinthine reflexes …… 1580
〔鼓室〕迷路壁 paries labyrinthicus cavi tympani …… 1356
〔鼓室〕迷路壁 labyrinthine wall of middle ear …… 2039
メインストリーミング mainstreaming …… 1093
雌ウシ cow …… 433
メガサイクル megacycle …… 1119
めがしら medial angle of eye …… 89
めがしら angulus oculi medialis …… 90
メガシン megacins …… 1119
メガダイン megadyne …… 1119
メカニズム mechanism …… 1114
メカノエレクトリック（機械電気）変換 mechanoelectric transduction …… 1917
メガヘルツ megahertz (MHz) …… 1119
メガポイエチン megapoietin …… 1120
メガポエチン megapoietin …… 1120
メガボルト megavolt …… 1120
メガボルト megavoltage …… 1120
メキシコ型メキシコリーシュマニア *Leishmania mexicana mexicana* …… 1017
メキシコセンニンショウ *Lophophora williamsii* …… 1069
メキシコチフス Mexican typhus …… 1958
メキシコ帽型細胞 Mexican hat corpuscle …… 426
メキシコリーシュマニア *Leishmania mexicana* …… 1017
メグオーム megohm …… 1120
メグズ（メイグス）症候群 Meigs syndrome …… 1812
盲 blindness …… 221
メクラアブ属 *Chrysops* …… 361
メグリチニド meglitinides …… 1120
メグルミン meglumine …… 1120
メグルミンアセトリゾエート meglumine acetrizoate …… 1120
メグルミンイオタラメート meglumine iothalamate …… 1120
メグルミンジアトリゾエート meglumine diatrizoate …… 1120
メコニン meconin …… 1115
メコメータ mecometer …… 1114
メコン肝吸虫症 schistosomiasis mekongi …… 1643
メコン酸 meconic acid …… 1115
メコン住血吸虫 *Schistosoma mekongi* …… 1643
メサ（タ）コリン吸入試験 methacholine challenge test …… 1861
メサンギウム mesangium …… 1134
メサンギウム細胞 mesangial cell …… 323
メサンギウム増殖性糸球体腎炎 mesangial proliferative glomerulonephritis …… 780
メサンギウム増殖性腎炎 mesangial nephritis …… 1229
メシストシルス属 *Mecistocirrus* …… 1114
メジナ虫 *Dracunculus medinensis* …… 559
メジナ虫症 dracunculiasis, dracunculosis 558
メジャーアフタ aphthae major …… 115
めじり lateral angle of eye …… 89
めじり angulus oculi lateralis …… 90
メス knife …… 987
メス scalpel …… 1640
雌イヌ bitch …… 217
メスカリン mescaline …… 1134
メスカルボタン mescal buttons …… 272
メズサ〔の〕頭 caput medusae …… 292
メズサ〔の〕頭 Medusa head …… 817
メスメリズム mesmerism …… 1135
メソイノシトール *meso*-inositol …… 938

メソ化合物 *meso* compounds …… 404
メソグリア mesoglia …… 1136
メソシスチン *meso*-cystine …… 462
メソセストイデス属 *Mesocestoides* …… 1136
メソソーム mesosome …… 1137
メソトリウム mesothorium …… 1137
メソナチオン mesognathion …… 1136
メソビラン mesobilane …… 1135
メソビリビオリン mesobiliviolin …… 1135
メソビリルビン mesobilirubin …… 1135
メソビレン mesobilene, mesobilene- …… 1135
メソポルフィリン mesoporphyrins …… 1137
メソメリー mesomerism …… 1136
メソメリズム mesomerism …… 1136
メタアナリシス metaanalysis …… 1138
メタアルデヒド metaldehyde …… 1139
メタクリプトゾイト metacryptozoite …… 1139
メタクリル酸 methacrylic acid …… 1142
メタクリル酸メチル methyl methacrylate …… 1146
メタクリル樹脂 methacrylate resin …… 1593
メタクレゾール metacresol …… 1139
m-クレゾール *m*-cresol …… 436
メタクロマジー metachromasia …… 1138
メタクロマチック染色〔法〕 metachromatic stain …… 1733
メタクローミング metachroming …… 1138
m-クロラール *m*-chloral …… 346
メタコニード metaconid …… 1138
メタゴニムス属 *Metagonimus* …… 1139
メタコニューレ metaconule …… 1139
メタコーヌス metacone …… 1139
メタ(サ)コリン吸入試験 methacholine challenge test …… 1861
メタコントラスト metacontrast …… 1139
メタ細動脈 metarteriole …… 1140
メタジオキシアゾベンゼン metadioxyazobenzene …… 1139
メタ重亜硫酸ナトリウム sodium metabisulfite …… 1696
メタ心理学 metapsychology …… 1140
メタスタチン metastatin …… 1141
メタセストード metacestode …… 1138
メタセルカリア metacercaria …… 1138
メタニルイエロー metanil yellow …… 1140
メタネフリン metanephrine …… 1140
メタノバクテリア科 Methanobacteriaceae …… 1142
メタノール固定液 methanol fixative …… 708
メタバイスルファイト試験 metabisulfite test …… 1861
メタプロテイン metaprotein …… 1140
メタヘルペス性角膜炎 metaherpetic keratitis …… 978
メタボノミクス metabonomics …… 1138
メタボリックシンドローム metabolic syndrome …… 1812
メタマー metamer …… 1139
メタマーの metameric …… 1139
メタメリー metamerism …… 1139
メタリン酸 metaphosphoric acid …… 1140
メタルインサート人工歯 metal insert teeth …… 1902
メタロイド metalloid …… 1139
メタロチオネイン metallothionein …… 1139
メタロドプシン metarhodopsin …… 1140
メタロドプシンI *meta*-rhodopsin I …… 1610
メタロドプシンII *meta*-rhodopsin II …… 1610
メタロドプシンIII *meta*-rhodopsin III …… 1610
メタロフラボデヒドロゲナーゼ metalloflavodehydrogenase …… 1139
メタロプロテイナーゼ metalloproteinase …… 1139
メタン methane …… 1142
メタン産生菌 methanogen …… 1142
メタンフェタミン塩基 methamphetamine base …… 199
メチオニルジペプチダーゼ methionyl dipeptidase …… 522
メチオニン methionine (Met, M) …… 1142
メチオニンアデノシルトランスフェラーゼ methionine adenosyltransferase …… 1142
メチオニン吸収不良症候群 methionine malabsorption syndrome …… 1812
メチオニンシンターゼ methionine synthase …… 1143
メチオニンスルホキシム methionine sulfoxime …… 1142
メチシリンナトリウム methicillin sodium …… 1142
メチスチクム methysticum …… 1148
メチニコフ説 Metchnikoff theory …… 1876
メチラポン metyrapone …… 1149
メチル methyl (Me) …… 1146
メチル-CCNU methyl-CCNU …… 1146
2-メチルアセトアセチルCoAチオラーゼ 2-methylacetoacetyl-CoA thiolase …… 1146
メチルアルコール methyl alcohol …… 44
メチルイソブチルケトン methyl isobutyl ketone …… 1146
メチルオレンジ methyl orange …… 1147
メチル化 methylation …… 1146
メチルキサンチン〔類〕 methylxanthines 1148
メチル基転移 transmethylation …… 1920
メチルクエン酸 methylcitrate …… 1146
メチルグリオキサル methylglyoxal …… 1147
メチルグリーン methyl green …… 1147
メチルグリーン-ピロニン染色〔法〕 methyl green-pyronin stain …… 1733
メチルグルカミン methylglucamine …… 1147
3-メチルグルタコニルCoAヒドラターゼ 3-methylglutaconyl-CoA hydratase …… 1147
3-メチルグルタコニン酸性尿症 3-methylglutaconic aciduria …… 1147
3-メチルクロトニルCoA 3-methylcrotonyl-CoA …… 1146
3-メチルクロトニルCoAカルボキシラーゼ 3-methylcrotonyl-CoA carboxylase …… 1146
3-メチルコラントレン 3-methylcholanthrene …… 1146
20-メチルコラントレン 20-methylcholanthrene …… 1146
メチルサリチレート methyl salicylate …… 1147
メチルジクロロアルシン methyldichloroarsine (MD) …… 1146
5-メチルシトシン 5-methylcytosine …… 1146
メチルセルロース methylcellulose …… 1146
メチルチオアデノシン methylthioadenosine …… 1148
メチルテストステロン methyltestosterone …… 1148
N^5-メチルテトラヒドロ葉酸 N^5-methyltetrahydrofolate …… 1148
N^5-メチルテトラヒドロ葉酸:ホモシステインメチルトランスフェラーゼ N^5-methyltetrahydrofolate: homocysteine methyltransferase …… 1148
メチルトコール methyltocol …… 1148
メチルトランスフェラーゼ methyltransferase …… 1148
メチルバイオレット methyl violet …… 1148
メチルパラベン methylparaben …… 1147
N-メチルヒスチジン *N*-methylhistidine 1147
メチル-*tert*-ブチルエーテル methyl-*tert*-butyl ether (MTBE) …… 1147
メチルブルー methyl blue …… 1146
メチルペントース methylpentose …… 1147
メチルマロニルCoA methylmalonyl-CoA …… 1147
メチルマロニルCoAエピメラーゼ methylmalonyl-CoA epimerase …… 1147
メチルマロニルCoAムターゼ methylmalonyl-CoA mutase …… 1147
メチルマロン酸 methylmalonic acid …… 1147
メチルマロン酸性尿症 methylmalonic aciduria …… 1147
メチルマロン酸セミアルデヒド methylmalonate semialdehyde …… 1147
メチルメルカプタン methyl mercaptan 1132
メチルレッド methyl red …… 1147
メチレン基 methylene …… 1146
N^5,N^{10}-メチレンテトラヒドロ葉酸レダクターゼ N^5,N^{10}-methylenetetrahydrofolate reductase …… 1147
メチレンブルー methylene blue …… 1147
メチレンブルー親和性の methylenophil, methylenophile …… 1147
メチロシン metyrosine …… 1149
メチローゼ methylose …… 1147
メチロール methylol …… 1147
メチロールリボフラビン methylol riboflavin …… 1612
滅菌 sterility …… 1744
滅菌〔法〕 sterilization …… 1744
滅菌器 sterilizer …… 1744
滅菌包帯 antiseptic dressing …… 560
メッケ試薬 Mecke reagent …… 1569
メッケル-グルーバー症候群 Meckel-Gruber syndrome …… 1811
メッケルスキャン Meckel scan …… 1640
メッケル帯 Meckel band …… 194
メッケル平面 Meckel plane …… 1430
メッセンジャー messenger …… 1137
メッセンジャーRNA messenger RNA (mRNA) …… 1613
メッセンジャーRNA様のRNA messengerlike RNA (mlRNA) …… 1613
メディエーター mediator …… 1115
メディエーター複合体 mediator complex 402
メディオトルージョン mediotrusion …… 1117
メテナミン methenamine …… 1142
メテナミン-銀 methenamine-silver …… 1142
メテナミン銀染色 methenamine silver stain …… 1733
メテニエル徴候 Metenier sign …… 1682
N^5,N^{10}-メテニルテトラヒドロ葉酸塩(エステル) N^5,N^{10}-methenyltetrahydrofolate 1142
メテン methene …… 1142
メトキシ methoxy- …… 1146
5-メトキシインドール-3-酢酸 5-methoxyindole-3-acetate …… 1146
メトキシクロル methoxychlor …… 1146
5-メトキシトリプタミン 5-methoxytryptamine …… 1146
3-メトキシ-4-ハイドロキシアンデリン酸 3-methoxy-4-hydroxymandelic acid …… 1146
メトキシル methoxyl …… 1146
メドーズ症候群 Meadows syndrome …… 1811
メトトレキサート methotrexate …… 1146
メトトレキセート methotrexate …… 1146
メトニウム化合物 methonium compounds …… 404
メトピオン metopion …… 1148
メトヘムアルブミン methemalbumin …… 1142
メトヘムアルブミン血症 methemalbuminemia …… 1142
メトヘモグロビン methemoglobin (metHb) …… 1142
メトヘモグロビン血症 methemoglobinemia …… 1142
メトヘモグロビン尿性 methemoglobinuria …… 1142
メトヘモグロビンレダクターゼ methemoglobin reductase …… 1142
メトミオグロビン metmyoglobin (metMb)

………………………………………………… 1148
メトリゾエートナトリウム metrizoate sodium ………………………………… 1148
メトルフィナン methorphinan ………… 1146
メトロノスコープ metronoscope ……… 1148
メトロパチー metropathy ……………… 1148
メナジオール二酢酸 menadiol diacetate 1128
メナジオール二リン酸ナトリウム menadiol sodium diphosphate …………………… 1128
メナジオン menadione …………………… 1128
メニエール病 Ménière disease …………… 537
メニスク〔ス〕レンズ meniscus lens …… 1019
メニール鞭毛虫症 chilomastigiasis ……… 344
メニール鞭毛虫属 *Chilomastix* …………… 344
メニン menin ……………………………… 1128
メネトリエ病 Ménétrier disease ………… 537
眼の ophthalmic ………………………… 1307
眼の optic, optical ……………………… 1309
メノケリス menocelis …………………… 1131
〔眼の〕水晶体質 lens substance (of eye) ………………………………………………… 1766
眼の調節 accommodation of eye ………… 10
メノトロピン menotropins ……………… 1131
眼の毛様体の ciliary …………………… 362
メバロネート mevalonate ……………… 1149
メバロン酸 mevalonic acid ……………… 1149
メバロン酸キナーゼ mevalonate kinase 1149
メバロン酸尿症 mevalonic aciduria …… 1149
メブ Mev ………………………………… 1149
メプロバメート meprobamate ………… 1132
めまい(眩暈) vertigo …………………… 2015
めまい感 dizziness ……………………… 553
めまい感 vertigo ………………………… 2015
メマプシン1 memapsin 1 ……………… 1124
メマプシン2 memapsin 2 ……………… 1124
目盛り付きの graduated ………………… 794
目盛り付きピペット graduated pipette 1426
目盛り付き容器 graduate ……………… 794
メラス MELAS …………………………… 1123
メラー舌炎 Moeller glossitis …………… 781
メラトニン melatonin …………………… 1123
メラニン melanin ………………………… 1121
メラニン芽細胞 melanoblast …………… 1121
メラニン含有の melaniferous …………… 1121
メラニン〔形成〕細胞 melanocyte ……… 1121
メラニン欠乏性黒色腫 amelanotic melanoma ……………………………… 1122
メラニン欠乏の amelanotic ……………… 58
メラニン細胞刺激ホルモン melanotropin ………………………………………………… 1123
メラニン細胞刺激ホルモン産生細胞 melanotroph ……………………………… 1122
メラニン細胞性髄芽腫 melanotic medulloblastoma ………………………… 1119
メラニン産生 melanogenesis …………… 1122
メラニン〔性〕の melanotic ……………… 1122
メラニン蛋白〔質〕 melanoprotein ……… 1122
メラニン沈着 melanism ………………… 1121
メラニン保有細胞 melanophore ………… 1122
メラノアカントーマ melanoacanthoma 1121
メラノゲン melanogen …………………… 1121
メラノゲン血〔症〕 melanogenemia ……… 1121
メラノサイト melanocyte ……………… 1121
メラノーシス melanosis ………………… 1122
メラノーシス(膿疱性黒皮症) pustular melanosis ……………………………… 1122
メラノスタチン melanostatin …………… 1122
メラノソーム melanosome ……………… 1122
メラノトロピン melanotropin …………… 1123
メラノパシー melanopathy ……………… 1122
メラノファージ melanophage …………… 1122
メラノーマ melanoma …………………… 1122
メラノリベリン melanoliberin ………… 1122
メラミン樹脂 melamine resin ………… 1593
メランコリー melancholia ……………… 1121
メランコリック melancholic …………… 1121
メリシン酸 melissic acid ……………… 1123
メリステムの meristematic …………… 1133
メリチン melittin ……………………… 1123
メリッサ melissa ……………………… 1123
メリビオース melibiose ……………… 1123
メリフィールド合成 Merrifield synthesis ………………………………………………… 1827
メリフィールドナイフ Merrifield knife … 987
メル mel ………………………………… 1121
メルカーソン-ローゼンタール症候群 Melkersson-Rosenthal syndrome ……… 1812
メルカプタール mercaptal …………… 1132
メルカプタン mercaptan ……………… 1132
メルカプツール酸 mercapturic acid …… 1132
メルカプツール酸経路 mercapturic acid pathway ………………………………… 1373
メルカプトエタノール mercaptoethanol 1132
2-メルカプトエタノール 2-mercaptoethanol ………………………………………………… 1132
3-メルカプト乳酸 3-mercaptolactate …… 1132
3-メルカプトピルビン酸 3-mercaptopyruvate …………………… 1132
3-メルカプトピルビン酸スルファートランスフェラーゼ 3-mercaptopyruvate sulfurtransferase ……………………… 1132
メルカプトプリン 6-mercaptopurine (Shy) ………………………………………………… 1132
メルカプトール mercaptol ……………… 1132
メルケル窩 Merkel fossa ………………… 733
メルケル筋 Merkel muscle ……………… 1189
メルケル細胞腫 Merkel cell tumor …… 1951
メルコクレゾール mercocresols ……… 1132
メルシェ正中稜 median bar of Mercier 196
メルシェゾンデ Mercier sound ………… 1702
メルシェ弁 Mercier valve ……………… 1985
メルツァーの法則 Meltzer law ………… 1007
メルツァー-ライオン(リヨン)試験 Meltzer-Lyon test ……………………… 1861
メルト melt ……………………………… 1124
メルナー試験 Mörner test ……………… 1861
メルニック-ニードルズ骨異形成〔症〕 Melnick-Needles osteodysplasty ……… 1321
メルブロミン merbromin ……………… 1132
メルミス属 *Mermis* ……………………… 1133
メレダ病 mal de Meleda ……………… 1093
メレトヤ症候群 Meretoja syndrome …… 1812
メレナ melena …………………………… 1123
メレニー潰瘍 Meleney ulcer …………… 1961
メレンディーノ法 Merendino technique 1844
メロクリン腺 merocrine gland ………… 773
メロゴニー merogony …………………… 1133
メロザイゴート merozygote …………… 1134
メロスポランギウム merosporangium … 1133
メロゾイト merozoite …………………… 1134
メロゾイト産生 merogony ……………… 1133
メロゾイト産生期 meront ……………… 1133
メロミオシン meromyosin ……………… 1133
メロレオストーシス melorheostosis …… 1123
メロント期 meront ……………………… 1133
面 aspect ………………………………… 161
面 face …………………………………… 661
面 facies ………………………………… 662
免疫〔性〕 immunity ……………………… 909
免疫〔法〕 immunization ………………… 910
免疫異常・多〔発性〕内分泌腺症・消化管障害・X連鎖症候群 immune dysregulation, polyendocrinopathy, enteropathy, X-linked syndrome ………………………………… 1808
免疫異常内耳疾患 immune-mediated inner ear disease ……………………………… 535
免疫遺伝学 immunogenetics …………… 912
免疫〔反応性〕インスリン immunoreactive insulin …………………………………… 942
免疫インターフェロン immune interferon ………………………………………………… 945
免疫応答 immune response …………… 1596
免疫応答遺伝子群 immune response genes ………………………………………………… 763
免疫応答性 immunocompetent ………… 911
免疫化学 immunochemistry …………… 911
免疫芽球 immunoblast ………………… 911
免疫学 immunology …………………… 913
免疫拡散〔法〕 immunodiffusion ………… 912
免疫学者 immunologist ………………… 913
免疫学的監視 immunosurveillance ……… 914
免疫学的寛容 immunologic tolerance … 1898
免疫学的寛容域 privileged site ………… 1690
免疫学的寛容部位 privileged site ……… 1690
免疫学的局在決定 immunolocalization … 913
免疫学的検出 immunodetection ………… 912
免疫学的検定〔法〕 immunoassay ……… 911
免疫学的シナプス immunologic synapse 1793
免疫学的聖域 privileged site …………… 1690
免疫学的大量寛容 immunologic high dose tolerance ………………………………… 1898
免疫学的妊娠試験 immunologic pregnancy test ……………………………………… 1859
免疫芽細胞 immunoblast ……………… 911
免疫活性化細胞 immunologically activated cell ……………………………………… 322
免疫監視機構 immune surveillance …… 1785
免疫機構 immune system ……………… 1831
免疫吸着 immune adsorption …………… 31
免疫吸着剤 immunosorbent …………… 913
免疫凝集 immunoagglutination ………… 911
免疫凝集反応 immune agglutination …… 37
免疫グロブリン immunoglobulin (Ig) … 913
免疫グロブリンG(IgG)欠損 immunoglobulin G subclass deficiency …………………… 913
免疫グロブリン生成不全も共存する細胞性免疫不全 cellular immunodeficiency with abnormal immunoglobulin synthesis … 911
免疫グロブリンドメイン immunoglobulin domains ………………………………… 913
免疫蛍光検査〔法〕 immunofluorescence … 912
免疫蛍光顕微鏡検査〔法〕 immunofluorescence microscopy ……… 1154
免疫蛍光染色〔法〕 immunofluorescent stain ………………………………………………… 1732
免疫蛍光法 immunofluorescence method 1144
免疫形成の immunifacient ……………… 909
免疫血液学 immunohematology ………… 913
免疫血清 immune serum ……………… 1668
免疫血清グロブリン immune serum globulin ………………………………… 779
免疫欠損 immunodeficiency …………… 911
免疫欠乏 immunodeficiency …………… 911
免疫減弱状態 immunocompromised …… 911
免疫原性 immunogenicity ……………… 913
免疫交感神経切除〔術〕 immunosympathectomy ………………… 914
免疫コングルチニン immunoconglutinin 911
免疫細胞 immunocyte …………………… 911
免疫細胞学 immunocytochemistry ……… 911
免疫細胞腫 immunocytoma ……………… 911
免疫細胞粘着 immunocytoadherence …… 911
免疫診断 immunodiagnosis ……………… 912
免疫性血小板減少〔症〕 immune thrombocytopenia ……………………… 1887
免疫性胎児水腫 immune fetal hydrops … 874
免疫生物学 immunobiology …………… 911
免疫〔性〕溶血素 immune hemolysin …… 834
免疫染色 immunostain ………………… 913
免疫選択 immunoselection ……………… 913
免疫増強 immunoenhancement ………… 912
免疫増強 immunopotentiation ………… 913
免疫増強物質 immunoenhancer ………… 912
免疫増強物質 immunopotentiator ……… 913
免疫増殖疾患 immunoproliferative disorders ………………………………………………… 545
免疫増殖性小腸疾患 immunoproliferative small intestinal disease ………………… 535

メ

免疫測定〔法〕 immunoassay 911
免疫組織化学 immunohistochemistry 913
免疫調節 immunomodulatory 913
免疫調節性の immunomodulatory 913
免疫調節薬 immunomodulator 913
免疫沈降〔反応〕 immunoprecipitation 913
免疫的機序 immunologic mechanism 1114
免疫電気泳動〔法〕 immunoelectrophoresis 912
免疫電気泳動法 electroimmunodiffusion 595
免疫電顕法 immune electron microscopy 1154
免疫電子顕微鏡法 immune electron microscopy 1154
免疫粘着 immune adherence 28
免疫粘着現象 immune adherence phenomenon 1405
免疫能 immunocompetence 911
免疫能力 immunologic competence 400
免疫反応 immunoreaction 913
免疫反応 immune reaction 1565
免疫反応細胞 immunologically competent cell 322
免疫反応性 immunoreactive 913
免疫〔反応性〕インスリン immunoreactive insulin 942
免疫病理学 immunopathology 913
免疫フェリチン immunoferritin 912
免疫複合体 immune complex 401
免疫複合体〔性〕腎炎 immune complex nephritis 1228
免疫複合体性糸球体腎炎 immune complex glomerulonephritis 780
免疫複合体病 immune complex disease 535
免疫不全 immunodeficiency 911
免疫不全 immunodeficient 912
免疫不全症候群 immunodeficiency syndrome 1808
免疫付着 immune adherence 28
免疫ブロット法 immunoblot, immunoblotting 911
免疫ペルオキシダーゼ法 immunoperoxidase technique 1844
免疫偏向 immune deviation 502
免疫麻痺 immune paralysis 1350
免疫輸血 immunotransfusion 914
免疫溶血〔反応〕 immune hemolysis 834
免疫抑制 immunosuppression 913
免疫抑制性 immunosuppressive 913
免疫抑制薬 immunosuppressant 913
免疫療法 immunotherapy 914
免荷 relief 1589
綿〔花〕状白斑 cotton-wool patches 1371
綿花肺 byssinosis 273
綿球 stype 1762
綿球 tampon 1840
免許准看護師 licensed practical nurse (LPN) 1283
メンゲペッサリー Menge pessary 1396
メンケベルク動脈硬化〔症〕 Mönckeberg arteriosclerosis 140
メンゴウイルス Mengo virus 2026
メンゴ脳炎 Mengo encephalitis 607
綿根皮 cotton-root bark 197
綿撒糸 tent 1851
綿実油 cottonseed oil 431
綿状試験 flocculation test 1857
綿状沈降物 flocculus 713
綿状〔沈降〕物 floc 713
綿状〔沈殿〕物 floc 713
綿状の floccular 713
綿状の flocculent 713
綿状反応 flocculation 713
綿状反応 flocculation reaction 1564
綿状〔沈降,沈殿〕物 floc 713
面積計 planimeter 1431
面接 interview 948
綿繊維塞栓症 cotton-fiber embolism 600
綿線維沈着〔症〕 byssinosis 273
メンタン menthane 1132
綿撤糸縫合 pledgetted suture 1788
メンデリズム mendelism 1128
メンデル遺伝 mendelian inheritance 933
メンデル遺伝学 mendelian genetics 765
メンデル形質 mendelian character 339
メンデル形質 mendelian trait 1915
メンデル説 mendelism 1128
メンデル足背反射 Mendel instep reflex 1580
メンデル比 mendelian ratio 1561
メンデレーエフの法則 Mendeléeff law 1007
メンデレビウム mendelevium (Md) 1128
メントール menthol 1132
メントン menton 1132
面の facial 662
綿肺〔症〕 byssinosis 273
綿棒 swab 1789
面ぽう(皰) comedo 396
面ぽう(皰) pimple 1424
面ぽう(皰)壊死 comedonecrosis 397
面ぽう(皰)癌 comedocarcinoma 397
面ぽう(皰)形成性の comedogenic 397
面ぽう(皰)非形成性 noncomedogenic 1266
面ぽう母斑 nevus comedonicus 1255
メンマ aspidium 162
綿密な仕上げ elaboration 592

モ

モーガンレンズ Morgan lens 1019
モーゲン鉗子 Mogen clamp 370
モーザー〔小〕体 Mooser bodies 228
モーズ化学的新鮮組織切除法 Mohs fresh tissue chemosurgery technique 1845
モーズ手術 Mohs chemosurgery 343
モーススケール Mohs scale 1639
モーゼンタール試験 Mosenthal test 1861
モーツァルト耳 Mozart ear 580
モード mode 1161
モートン趾 Morton toe 1897
モートン症候群 Morton syndrome 1813
モートン神経腫 Morton neuroma 1248
モートン平面 Morton plane 1430
モービッツ型房室ブロック Mobitz types of atrioventricular block 222
モービッツブロック Mobitz block 222
モーメント moment 1164
モーリシュ試験 Molisch test 1861
モーリーのコロイド鉄染色〔法〕 Mowry colloidal iron stain 1734
モール症候群 Mohr syndrome 1812
モールド mold 1163
モールドガイド mold guide 805
モーレン潰瘍 Mooren ulcer 1961
モイレングラハト食 Meulengracht diet 515
盲 blindness 221
網 meshwork 1135
網 net 1244
網 network 1244
網 omentum 1298
網 rete 1598
網 web 2043
毛渦 vortices pilorum 2038
毛渦 hair whorls 2045
毛外菌 ectothrix 586
毛幹 hair shaft 1670
盲管 cul-de-sac 447
毛〔細〕管炎 capillaritis 289
毛〔細〕管現象 capillarity 289
盲浣腸 blind enema 616
毛球 bulb of hair, hair bulb 264
毛球 bulbus pili 265
盲係蹄症候群 blind loop syndrome 1798
猛撃矯正〔法〕 brisement forcé 257
盲検 blank 218
盲検(マスク)研究 blind study 1760
盲検(マスク)法 blind test 1855
〔前頭骨の〕盲孔 blind foramen of frontal bone 724
〔前頭骨の〕盲孔 foramen cecum of frontal bone 724
〔前頭骨の〕盲孔 foramen cecum ossis frontalis 724
毛孔角化症 keratosis pilaris 981
毛孔拡大腫 dilated pore 1466
毛孔性紅色ひこう疹 pityriasis rubra pilaris 1427
毛孔性扁平苔癬 lichen planopilaris 1031
毛孔性扁平苔癬 lichen planus follicularis 1031
蒙古斑 mongolian spot 1725
蒙古ひだ mongolian fold 719
毛根 radix pili 1546
毛根 hair root 1621
毛根鞘 root sheath 1671
毛根鞘腫 tricholemmoma 1930
〔外〕毛根鞘腫 trichilemmoma 1928
毛根鞘小皮 cuticula vaginae folliculi pili 453
毛〔根鞘〕小皮 cuticle of root sheath 453
毛細管 capillary 289
毛細管 vas capillare 1989
毛細管 capillary vessel 2017
毛細管引力 capillary attraction 175
毛細〔血〕管拡張〔症〕 telangiectasia 1846
毛細管拡張症 telangiectasis 1846
毛細〔血〕管拡張〔症〕様の telangiectodes 1846
毛細〔血〕管拡張性運動失調 ataxia telangiectasia, ataxia-telangiectasia 167
毛細管拡張性癌 telangiectatic cancer 286
毛細〔血〕管拡張性象皮病 elephantiasis telangiectodes 599
毛細〔血〕管拡張様神経腫 neuroma telangiectodes 1248
〔皮膚〕毛細管血圧計 ochrometer 1290
毛細管顕微鏡検査〔法〕 capillarioscopy 289
毛細〔血〕管湖 capillary lake 995
毛細〔血〕管循環 capillary circulation 365
毛細〔血〕管症 capillaropathy 289
毛細〔血〕管障害 capillaropathy 289
毛細〔血〕管性母斑 capillary nevus 1255
毛細管単位 capillaron 289
毛細管ドレナージ capillary drainage 559
毛細血管 blood capillary 289
毛細血管拡張運動失調症様疾患 ataxia telangiectasialike disorder 544
毛細血管拡張性いぼ telangiectatic wart 2040
毛細血管拡張性グリオーム telangiectatic glioma, glioma telangiectodes 778
毛細血管拡張性血管腫 telangiectatic angioma 85
毛細血管拡張性血管腫症 telangiectatic angiomatosis 86
毛細血管拡張性神経膠腫 telangiectatic glioma, glioma telangiectodes 778
毛細血管拡張性線維腫 telangiectatic fibroma 694
毛細血管拡張性皮斑 livedo telangiectatica 1062
毛細血管間の intercapillary 943
〔毛細〕血管〔顕微〕鏡 angioscope 86
毛細血管腫 capillary angioma 85
毛細血管腫 telangioma 1846
毛細血管床 capillary bed 204

毛細血管症 telangiosis ········· 1846
毛細血管小動脈 capillary arteriole ········· 139
毛細血管性血管腫 capillary hemangioma 824
毛細血管ぜい弱性試験 capillary fragility test ········· 1855
毛細血管前の precapillary ········· 1476
毛細血管のぜい弱性 capillary fragility ···· 738
毛細血管脈 capillary pulse ········· 1525
毛細血管わな capillary loop ········· 1068
毛細線虫属 *Capillaria* ········· 288
毛細胆管 biliary canaliculus ········· 285
毛細胆管 bile capillary ········· 289
〔有〕毛細胞 hair cells ········· 322
毛細リンパ管 lymph capillary ········· 289
網索 rete cords ········· 422
毛質〔性上皮〕腫 pilomatrixoma ········· 1424
毛周期 hair cycle ········· 455
毛十字 hair crosses ········· 441
毛十字 cruces pilorum ········· 444
網状移植〔片〕 mesh graft ········· 795
網状顆粒状陰影 reticulonodular pattern 1374
網状管構造 tuboreticular structure ········· 1760
網状血管内皮腫 retiform hemangioendothelioma ········· 824
網状骨 woven bone ········· 234
毛硝子質 trichohyalin ········· 1930
網〔状〕赤血球 reticulated corpuscle ········· 426
網〔状〕赤血球 reticulocyte ········· 1599
網〔状〕赤血球減少〔症〕 reticulocytopenia 1599
網〔状〕赤血球増加〔症〕 reticulocytosis ···· 1599
網状層 reticular lamina ········· 998
網状層 enamel pulp ········· 1523
〔真皮〕網状層 reticular layer of corium 1013
〔真皮〕網状層 stratum reticulare corii ··· 1752
網状帯 zona reticularis ········· 2058
網状帯細胞 reticularis cell ········· 325
網状軟骨 reticular cartilage, retiform cartilage ········· 306
毛状乳酸杆菌 *Lactobacillus trichodes* ········· 994
網状粘質 magma reticulare ········· 1092
毛状の filariform ········· 698
毛状の floccose ········· 713
網状の cancellous ········· 286
網状の retiform ········· 1600
網状の textiform ········· 1872
網状瘢痕〔性〕紅斑性毛包(毛嚢)炎 folliculitis ulerythematosa reticulata ········· 722
毛小皮 cuticula pili ········· 453
毛〔根鞘〕小皮 cuticle of root sheath ········· 453
網状皮斑 livedo reticularis ········· 1062
〔海馬の〕網状分子層 lacunar-molecular layer ········· 1011
〔海馬の〕網状分子層 stratum moleculare et substratum lacunosum ········· 1752
網状変性 reticular degeneration ········· 481
〔ラセン器の〕網状膜 membrana reticularis organi spiralis ········· 1124
〔ラセン器の〕網状膜 reticular membrane of spiral organ ········· 1127
盲人用写字器 scotograph ········· 1650
毛髄 pith ········· 1427
毛髄質 medulla of hair shaft ········· 1118
毛ぜい弱〔症〕 fragilitas crinium ········· 738
盲癤 blind boil ········· 230
毛舌 hairy tongue ········· 1900
網〔状〕赤血球 reticulated corpuscle ········· 426
網〔状〕赤血球 reticulocyte ········· 1599
網〔状〕赤血球減少〔症〕 reticulocytopenia 1599
網〔状〕赤血球増加〔症〕 reticulocytosis ···· 1599
毛腺 pileous gland ········· 774
毛尖〔毛髪〕分裂〔症〕 schizotrichia ········· 1644
妄想 delusion ········· 485
毛瘡 sycosis ········· 1789
妄想型統合失調症 paranoid schizophrenia ········· 1644
妄想症 paranoia ········· 1352
妄想〔性〕障害 delusional disorder ········· 545
妄想症患者 paranoiac ········· 1352
妄想性人格障害 paranoid personality disorder ········· 546
毛巣の pilonidal ········· 1424
毛巣嚢腫(嚢胞) pilonidal cyst ········· 460
毛巣嚢胞 pilonidal sinus ········· 1688
毛瘡白癬菌 *Trichophyton mentagrophytes* ········· 1930
毛帯 lemniscus ········· 1018
毛帯交叉 decussatio lemnisci mediales ···· 476
毛帯交叉 decussatio sensoria ········· 476
毛帯交叉 decussation of medial lemniscus ········· 476
毛帯交叉 decussation of the fillet ········· 476
毛帯三角 trigone of lateral lemniscus ··· 1932
毛帯三角 trigonum lemnisci lateralis ···· 1933
毛帯上核 supralemniscal nucleus ········· 1280
毛帯層 stratum lemnisci ········· 1752
毛帯内核 endolemniscal nucleus ········· 1275
毛帯傍核 paralemniscal nucleus ········· 1278
盲端 cecum ········· 318
盲端の cecal ········· 318
毛端分裂 distrix ········· 550
毛虫眼炎 caterpillar-hair ophthalmia ····· 1307
盲腸 cecum ········· 318
盲腸 intestinum cecum ········· 949
盲腸 typhlon ········· 1957
盲腸S状結腸吻合〔術〕 cecosigmoidostomy 318
盲腸炎 cecitis ········· 318
盲腸炎 typhlitis ········· 1957
盲腸下陥凹 subcecal fossa ········· 734
盲腸拡張〔症〕 typhlectasis ········· 1957
盲腸下の subcecal ········· 1762
盲腸間膜 mesocecum ········· 1135
盲腸血管ひだ vascular fold of the cecum ········· 720
盲腸血管ひだ plica cecalis vascularis ···· 1445
盲腸結石〔症〕 typhlolithiasis ········· 1957
盲腸結腸吻合〔術〕 cecocolostomy ········· 318
盲腸後陥凹 retrocecal recess ········· 1572
盲腸後陥凹 recessus retrocecalis ········· 1573
盲腸後〔方〕の retrocecal ········· 1604
盲腸後膿瘍 retrocecal abscess ········· 6
盲腸後部結合織炎 epityphlitis ········· 633
盲腸後リンパ節 retrocecal lymph nodes 1080
盲腸固定〔術〕 cecopexy ········· 318
盲腸固定〔術〕 typhlopexy, typhlopexia 1957
盲腸周囲炎 paratyphlitis ········· 1355
盲腸周囲炎 perityphlitis ········· 1393
盲腸周囲の pericecal ········· 1386
盲腸周囲放線菌症 perityphlitis actinomycotica ········· 1393
盲腸手綱 habenula of cecum ········· 810
盲腸性膿腹膜症 typhloempyema ········· 1957
盲腸切開〔術〕 cecotomy ········· 318
盲腸切開〔術〕 typhlotomy ········· 1957
〔部分的〕盲腸切除〔術〕 cecectomy ········· 318
盲腸前リンパ節 prececal lymph nodes 1080
盲腸造壁〔術〕 cecoplication ········· 318
盲腸造瘻術 typhlostomy ········· 1957
盲腸動脈 cecal arteries ········· 143
盲腸捻転 cecal volvulus ········· 2037
盲腸の cecal ········· 318
盲腸ひだ cecal folds ········· 718
盲腸ひだ plicae cecales ········· 1445
盲腸肥大〔症〕 typhlectasis ········· 1957
盲腸フィステル形成〔術〕 cecostomy ········· 318
盲腸フィステル形成〔術〕 typhlostomy ··· 1957
盲腸ヘルニア cecal hernia ········· 842
盲腸縫合〔術〕 cecorrhaphy ········· 318
盲腸縫縮〔術〕 cecoplication ········· 318
盲腸瘻造設術 cecostomy ········· 318
盲点 punctum cecum ········· 1526
盲点 blind spot ········· 1725
網電図 electroretinogram (ERG) ········· 597
盲点中心暗点 cecocentral scotoma ········· 1650
毛頭虫症 capillariasis ········· 288
毛頭虫属 *Capillaria* ········· 288
毛内菌 endothrix ········· 616
網内系 reticuloendothelial system (RES) ········· 1833
〔細〕網内〔皮〕細胞 reticuloendothelial cell 325
〔細〕網内〔皮〕細胞 reticuloendothelium 1599
〔細〕網内〔皮〕細胞の reticuloendothelial 1599
網内の intrafilar ········· 950
毛乳頭 hair papilla ········· 1345
毛乳頭 papilla pili ········· 1345
毛尿〔症〕 pilimiction ········· 1423
盲の masked ········· 1106
盲嚢 cul-de-sac ········· 447
網嚢 bursa omentalis ········· 269
網嚢 omental bursa ········· 269
網嚢 omental sac ········· 1628
毛嚢 folliculus pili ········· 723
毛嚢炎 folliculitis ········· 722
網嚢下陥凹 inferior omental recess ········· 1571
網嚢下陥凹 inferior recess of omental bursa ········· 1571
網嚢下陥凹 recessus inferior omentalis 1573
毛嚢眼瞼炎 blepharitis follicularis ········· 220
網嚢孔 epiploic foramen ········· 724
網嚢孔 foramen epiploicum ········· 724
網嚢孔 omental foramen ········· 725
網嚢孔前縁リンパ節 lymph node of anterior border of omental foramen ········· 1077
網嚢孔リンパ節 foraminal lymph node 1078
網嚢孔リンパ節 foraminal node ········· 1260
網嚢孔リンパ節 nodus lymphoideus foraminalis ········· 1263
毛嚢(毛包)脂腺の pilosebaceous ········· 1424
毛嚢腫性の pilocystic ········· 1424
網嚢上窩孔 foramen of superior recess of omental bursa ········· 726
網嚢上陥凹 superior omental recess ········· 1572
網嚢上陥凹 superior recess of omental bursa ········· 1572
盲嚢症候群 blind loop syndrome ········· 1798
毛嚢(毛包)性丘疹 follicular papule ········· 1347
網嚢前庭 vestibule of omental bursa ···· 2018
網嚢前庭 vestibulum bursae omentalis 2018
毛嚢虫 *Demodex folliculorum* ········· 486
毛嚢虫眼瞼炎 demodectic blepharitis ········· 220
網嚢ヘルニア intraepiploic hernia ········· 843
毛髪 thrix ········· 1886
毛髪萎縮〔症〕 trichatrophia ········· 1928
毛髪移植 hair transplant ········· 1920
毛髪運動の pilomotor ········· 1424
毛髪栄養 trichotrophy ········· 1931
毛髪学 trichology ········· 1930
毛髪過少〔症〕 oligotrichia ········· 1297
毛髪過少〔症〕 oligotrichosis ········· 1297
毛髪下生症 catatrichy ········· 312
毛髪〔性〕感覚 trichoesthesia ········· 1929
毛髪乾燥〔症〕 xerasia ········· 2053
毛髪恐怖〔症〕 trichophobia ········· 1930
毛髪色素欠乏〔症〕 achromotrichia ········· 14
毛髪糸状菌症 trichomycosis ········· 1930
毛髪縦裂〔症〕 trichoptilosis ········· 1931
毛髪状白斑 hairy leukoplakia ········· 1028
毛髪植物胃石 trichophytobezoar ········· 1930
毛髪真菌症 trichomycosis ········· 1930
毛髪正常 eutrichosis ········· 649
毛髪痛 trichalgia ········· 1928
毛髪添加 hair apposition ········· 121
毛〔髪〕の pilar, pilary ········· 1423
毛髪排尿 pilimiction ········· 1423
毛髪鼻指節骨症候群 trichorhinophalangeal syndrome ········· 1823
毛髪病 trichopathy ········· 1930
毛髪病 trichosis ········· 1931
毛髪病恐怖〔症〕 trichopathophobia ········· 1930

モ

毛髪敏感症 trichosis sensitiva ………… 1931
毛髪様骨折 hairline fracture ………… 737
毛髪様の trichoid ………… 1930
盲斑 blind spot ………… 1725
毛盤腫 trichodiscoma ………… 1929
毛皮質 cortex of hair shaft ………… 428
毛筆状体 penicillus ………… 1381
毛筆状の penicillate ………… 1380
盲フィステル(瘻) blind fistula ………… 704
毛包 hair follicle ………… 721
毛包 folliculus pili ………… 723
毛胞 trichocyst ………… 1929
毛包炎 folliculitis ………… 722
毛包円板 hair disc ………… 525
毛包頸 collum folliculi pili ………… 392
毛包頸 neck of hair follicle ………… 1223
毛包(毛嚢)脂腺の pilosebaceous ………… 1424
毛包腫 folliculoma ………… 722
毛包腫 trichofolliculoma ………… 1929
毛包周囲炎 perifolliculitis ………… 1387
毛包周囲の perifollicular ………… 1387
毛包症 folliculosis ………… 722
毛包上皮腫 trichoepithelioma ………… 1929
毛包性角化症 keratosis follicularis ………… 981
毛包(毛嚢)性丘疹 follicular papule ………… 1347
毛包性魚鱗癬 ichthyosis follicularis ………… 903
毛包性膿痂疹 follicular impetigo ………… 914
毛包性ムチン沈着〔症〕 follicular mucinosis ………… 1175
毛包虫 *Demodex folliculorum* ………… 486
毛包虫症 demodectic mange ………… 1100
毛包毛包傍〔結合〕組織角質増殖〔症〕 hyperkeratosis follicularis et parafollicularis ………… 882
網膜 retina ………… 1600
網膜圧迫〔法〕 retinopiesis ………… 1603
網膜形成異常(異形成) retinal dysplasia 576
網膜異常対応 anomalous retinal correspondence ………… 427
網膜炎 retinitis ………… 1601
網膜円孔 hole in retina ………… 858
網膜黄斑ジストロフィ macular retinal dystrophy ………… 579
網膜下外側動脈 arteriola temporalis retinae inferior ………… 139
網膜下外側動脈 inferior temporal retinal arteriole ………… 139
網膜隔像野 fusion area ………… 129
網膜芽〔細胞〕腫 retinoblastoma ………… 1602
網膜下内側動脈 arteriola nasalis retinae inferior ………… 139
網膜下内側動脈 inferior nasal retinal arteriole ………… 139
網膜下の subretinal ………… 1764
網膜カメラ retinal camera ………… 281
網膜顆粒層 nuclear layers of retina ………… 1012
網膜境界線 raphe retinae ………… 1558
網膜競合 rivalry of retina ………… 1619
網膜虚血 ischemia retinae ………… 958
網膜血管 retinal blood vessels ………… 224
網膜血管 vasa sanguinea retinae ………… 1989
網膜血管狭窄 nicking ………… 1256
網膜虹彩部 pars iridica retinae ………… 1359
網膜虹彩部 iridial part of retina ………… 1365
網膜色素細胞 pigment cells of retina ………… 325
網膜色素上皮層 pigmented layer of retina ………… 1013
網膜色素上皮層 stratum pigmenti bulbi 1752
網膜色素線条〔症〕 angioid streaks ………… 1753
網膜色素部(層) pars pigmentosa retinae ………… 1360
網膜色素変性 retinitis pigmentosa (RP) 1601
網膜脂〔肪〕血症 lipemia retinalis ………… 1055
〔網膜〕視細胞層 neuroepithelial layer of retina ………… 1012
網膜視部 pars optica retinae ………… 1360
網膜視部 optic part of retina ………… 1366
網膜皺襞 rhytidosis retinae ………… 1612
網膜順応 retinal adaptation ………… 23
網膜症 retinopathy ………… 1602
網膜小窩 foveola of retina ………… 735
網膜小窩 foveola retinae ………… 735
網膜障害 retinopathy ………… 1602
網膜上外側動脈 arteriola temporalis retinae superior ………… 139
網膜上外側動脈 superior temporal retinal arteriole ………… 139
網膜硝子体牽引症候群 vitreoretinal traction syndrome ………… 1824
網膜上内側動脈 arteriola nasalis retinae superior ………… 139
網膜上内側動脈 superior nasal retinal arteriole ………… 139
網膜上膜 epiretinal membrane ………… 1125
網膜神経部 pars nervosa retinae ………… 1360
網膜振とう症 commotio retinae ………… 398
網膜錐体 cone ………… 409
網膜錐体 retinal cones ………… 409
網膜切開術 retinotomy ………… 1603
網膜切除 retinectomy ………… 1601
網膜線条 striae retinae ………… 1756
網膜前〔方〕の preretinal ………… 1480
網膜前膜 epiretinal membrane ………… 1125
網膜像 retinal image ………… 908
網膜チアノーゼ cyanosis retinae ………… 454
網膜中心窩 central retinal fovea ………… 735
網膜中心静脈 central retinal vein ………… 1994
網膜中心静脈 vena centralis retinae ………… 2004
網膜中心動静脈の眼球外部 extraocular part of central retinal artery and vein ………… 1364
網膜中心動脈 arteria centralis retinae ………… 134
網膜中心動脈 central artery of retina ………… 143
網膜中心動脈 central retinal artery ………… 143
網膜〔中心〕動脈塞栓症 retinal embolism 601
網膜中心動脈の眼球内部 intraocular part of central retinal vein ………… 1365
網膜電位図 electroretinogram (ERG) ………… 597
網膜電図記録〔法〕 electroretinography ………… 597
網膜電図検査〔法〕 electroretinography ………… 597
網膜動静脈血管狭窄 arteriovenous nicking ………… 1256
網膜内腔 intraretinal space ………… 1704
網膜内側静脈 medial venule of retina ………… 2012
網膜内側静脈 venula medialis retinae ………… 2012
網膜内側動脈 arteriola medialis retinae 139
網膜内側動脈 medial arteriole of retina 139
網膜内の intraretinal ………… 951
網膜の retinal ………… 1601
網膜脳層 cerebral layer of retina ………… 1009
網膜の境界線 demarcation line of retina ………… 1049
網膜の境界膜 limiting membrane of retina ………… 1126
網膜の神経節細胞 ganglion cells of retina ………… 321
網膜の水平細胞 horizontal cells of retina ………… 322
〔網膜の〕中心窩 central pit ………… 1426
〔視野〕網膜の等感度線 isopter ………… 962
網膜の乳頭部分の神経層 neural layer of optic part of retina ………… 1012
網膜剝離 retinal detachment, detachment of retina ………… 500
網膜剝離 retinodialysis ………… 1602
網膜ひだ retinal fold ………… 720
網膜復位術 retinopexy ………… 1603
〔網膜〕分子層 molecular layer of retina ………… 1011
網膜分離〔症〕 retinoschisis ………… 1603
網膜網状層 plexiform layers of retina ………… 1013
網膜盲部 pars ceca retinae ………… 1358
網膜毛様体部 pars ciliaris retinae ………… 1358
網膜毛様体部 ciliary part of retina ………… 1363
網膜様の retinoid ………… 1602
網膜離断 dialysis retinae ………… 509
網膜裂 retinal fissure ………… 704
網膜裂開 retinodialysis ………… 1602
網膜歪覚 retinal disparity ………… 547
網脈絡膜症 chorioretinopathy ………… 355
盲目継代 blind passage ………… 1370
盲目的経鼻気管内挿管 blind nasotracheal intubation ………… 951
〔視床〕網様〔体〕核 nucleus reticularis thalami ………… 1279
〔視床〕網様〔体〕核 reticular nucleus of thalamus ………… 1279
毛様細胞 hairy cells ………… 322
網様質 reticular substance ………… 1766
毛様〔体〕小帯 ciliary zonule ………… 2060
毛様〔体〕小帯 zonula ciliaris ………… 2060
毛様小帯炎 zonulitis ………… 2060
毛様小帯後腔 retrozonular space ………… 1705
毛様小体後隙 spatium retrozonulare ………… 1707
毛様小帯溶解 zonulolysis, zonulysis ………… 2060
毛様神経膠症 piloid gliosis ………… 778
毛様脊髄中枢 ciliospinal center ………… 330
毛様線虫 hairworm ………… 812
毛様線虫 trichostrongyle ………… 1931
毛様線虫科 Trichostrongylidae ………… 1931
毛様線虫症 trichostrongylosis ………… 1931
毛様線虫属 *Trichostrongylus* ………… 1931
網様体 formatio reticularis ………… 729
網様体 reticular formation (RF) ………… 729
毛様体 ciliary body ………… 226
毛様体 corpus ciliare ………… 425
毛様体炎 cyclitis ………… 456
〔虹彩の〕毛様体縁 margo ciliaris iridis 1104
毛様体解離(剝離)〔術〕 cyclodialysis ………… 456
毛様体冠 corona ciliaris ………… 424
毛様体冠 ciliary crown ………… 442
毛様体基底板 basal lamina of ciliary body ………… 997
毛様体強膜の cilioscleral ………… 362
毛様体筋 ciliary muscle ………… 1183
毛様体筋 musculus ciliaris ………… 1199
〔毛様体筋の〕経線状線維 meridional fibers of ciliary muscle ………… 689
〔毛様体筋の〕経線状線維 fibrae meridionales musculares ciliaris ………… 692
毛様体筋麻痺 cycloplegia ………… 457
毛様体筋麻痺薬 cycloplegic ………… 457
毛様体形成 ciliogenesis ………… 362
毛様体ジアテルミー cyclodiathermy ………… 456
毛様体色素上皮層 pigmented layer of ciliary body ………… 1013
毛様体色素上皮層 stratum pigmenti corporis ciliaris ………… 1752
毛様体条 striae ciliares ………… 1756
毛様〔体〕小帯 ciliary zonule ………… 2060
毛様〔体〕小帯 zonula ciliaris ………… 2060
毛様体神経節 ciliary ganglion ………… 753
毛様体神経節 ganglion ciliare ………… 753
毛様体神経節運動根 motor root of ciliary ganglion ………… 1621
毛様体神経節交感根 radix sympathica ganglii ciliaris ………… 1546
毛様体神経節交感根 sympathetic root of ciliary ganglion ………… 1622
毛様体神経節神経叢 ciliary ganglionic plexus ………… 1440
毛様体神経節神経叢 plexus gangliosus ciliaris ………… 1440
毛様体神経節動眼神経根 radix oculomotoria ganglii ciliaris ………… 1546
毛様体神経節の動眼神経根 radix nervi oculomotorii ad ganglion ciliare ………… 1546
毛様体神経節の鼻毛様体根 nasociliary root of ciliary ganglion ………… 1621
毛様体神経節副交感神経根 parasympathetic

root of ciliary ganglion …… 1621
毛様体静止の ciliastatic …… 362
毛様体脊髄の ciliospinal …… 362
網様体脊髄路 reticulospinal tract …… 1912
網様体脊髄路 tractus reticulospinalis …… 1915
網様体脊髄路の reticulospinal …… 1599
毛様体切開〔術〕 cyclotomy …… 457
網様体切開〔術〕 reticulotomy …… 1599
毛様体切除〔術〕 cyclectomy …… 455
毛様体毒性 ciliotoxicity …… 362
毛様体突起 ciliary process …… 1488
毛様体突起 processus ciliaris …… 1491
〔毛様体の〕基底板 lamina basalis corporis ciliaris …… 997
〔毛様体の〕基底板 basal layer of ciliary body …… 1009
毛様体の胎生期髄〔様〕上皮腫 embryonal medulloepithelioma …… 1119
毛様体破壊〔性〕の cyclodestructive …… 456
毛様体剝離(解離)〔術〕 cyclodialysis …… 456
毛様体光凝固〔術〕 cyclophotocoagulation 456
毛様体ひだ ciliary folds …… 718
毛様体ひだ plicae ciliares …… 1445
網様体賦活系 reticular activating system (RAS) …… 1833
毛様体ブドウ〔膜〕腫 ciliary staphyloma 1738
毛様体脈絡膜炎 cyclochoroiditis …… 456
毛様体網膜の cilioretinal …… 362
毛様体領域 ciliary zone …… 2059
毛様体輪 anulus ciliaris …… 111
毛様体輪 orbiculus ciliaris …… 1310
毛様体輪 ciliary ring …… 1617
毛様体冷凍療法 cyclocryotherapy …… 456
毛様突起の ciliary …… 362
毛様の ciliary …… 362
毛様の filiform …… 699
毛様の piloid …… 1424
毛様の pilose …… 1424
網様の reticular, reticulated …… 1599
網様の retiform …… 1600
毛流 flumina pilorum …… 715
毛流 hair streams …… 1753
盲瘻(フィステル) blind fistula …… 704
もうろう状態 twilight state …… 1739
もうろう〔状態〕の twilight …… 1955
もうろく dotage …… 558
モエシン moesin …… 1163
燃え尽き burnout …… 267
モキサラクタム moxalactam …… 1174
モキシシリート moxisylyte …… 1174
モキシデクチン moxidectin …… 1174
模擬装置 simulator …… 1686
模擬の mimic …… 1158
モギフォニー mogiphonia …… 1163
藻菌症 phycomycosis …… 1419
目(モク) order …… 1311
木契 orange wood …… 1310
モグサ moxa …… 1174
木材乾留の pyroligneous …… 1534
木酢 wood vinegar …… 2020
木酢の pyroligneous …… 1534
木質〔性〕結膜炎 ligneous conjunctivitis …… 412
木炭 charcoal …… 340
木炭 vegetable charcoal …… 340
目的論 teleology …… 1847
目的論説 teleonomy …… 1847
目的論的な teleonomic …… 1847
木皮 bark …… 197
目標 goal …… 790
〔目標〕実験群 experimental group …… 803
木様甲状腺炎(腺腫) ligneous thyroiditis 1891
沐浴 ablution …… 3
沐浴 bath …… 201
目録 inventory …… 952
模型 cast …… 308
模型 model …… 1161
模型 phantom …… 1400
模型の schematic …… 1642
モコラウイルス Mokola virus …… 2026
モザイク mosaic …… 1171
モザイク現象 mosaicism …… 1171
モザイク式遺伝 mosaic inheritance …… 933
モザイク状の tessellated …… 1853
モザイクパターン mosaic pattern …… 1374
モザイク様足底いぼ mosaic wart …… 2040
模式種 type species …… 1707
文字逆転症 reversal …… 1605
文〔字〕盲 letter blindness …… 221
モジュラス modulus …… 1163
モジュレーション modulation …… 1162
モス管 Moss tube …… 1941
モスキート鉗子 mosquito clamp …… 370
モスコウィッツ試験 Moschcowitz test 1861
モスマン熱 Mossman fever …… 685
モスラー徴候 Mosler sign …… 1682
モスラー糖尿病 Mosler diabetes …… 507
持ち上げ指数 lift-up index …… 922
持ち込みの peripatetic …… 1391
持ち込み物質 take-home …… 1839
モチリン motilin …… 1172
没食子 galla …… 750
没食子 nutgall …… 1284
モッソ血圧計 Mosso sphygmomanometer …… 1714
モッソ作業記録器 Mosso ergograph …… 636
没薬(もつやく) myrrh …… 1217
モツルスキー色素還元試験 Motulsky dye reduction test …… 1861
もつれ tangle …… 1840
モディファイアー遺伝子 modifier gene …… 764
モテー手術 Motais operation …… 1305
モデリング modeling …… 1162
モデリングプラスチック modeling plastic …… 1434
モデル model …… 1161
モデルゲーム model game …… 751
戻し交雑 backcross …… 188
戻し交配 backcross …… 188
モトル mottle …… 1172
モナーコヴ(モナーコフ)症候群 Monakow syndrome …… 1812
モニター monitor …… 1165
モニタリング monitoring …… 1165
モニリア科 Moniliaceae …… 1165
モニリア〔性〕の monilial …… 1165
モニリア属 *Monilia* …… 1165
モニリフォルミス属 *Moniliformis* …… 1165
モネラ moneran …… 1165
モネラ界 Monera …… 1165
モノアシルグリセロール monoacylglycerol …… 1165
モノアシルグリセロールアシルトランスフェラーゼ monoacylglycerol acyltransferase …… 1165
モノアシルグリセロールリパーゼ monoacylglycerol lipase …… 1165
モノアミド monoamide …… 1166
モノアミン monoamine …… 1166
モノアミンオキシダーゼ monoamine oxidase (MAO) …… 1166
モノアミンオキシダーゼ阻害薬 monoamine oxidase inhibitor (MAOI) …… 935
モノアミンオキシダーゼの可逆的阻害剤 reversible inhibitor of monoamine oxidase …… 935
モノアミン作用(作動)〔性〕の monoaminergic …… 1166
モノアミン尿〔症〕 monoaminuria …… 1166
モノアラガイ属 *Lymnaea* …… 1075
モノアングル monangle …… 1165
モノオキシゲナーゼ monooxygenases …… 1168
モノオクタノイン monooctanoin …… 1168
モノカイン monokine …… 1167
モノクローナル抗体 monoclonal antibody (MAB, MoAb) …… 101
モノクロメータ monochromator …… 1166
モノシストロニック monocistronic …… 1166
モノステアリン酸アルミニウム aluminum monostearate …… 54
モノステアリン酸グリセリン glyceryl monostearate …… 786
モノソミー monosomy …… 1168
モノテルペン monoterpenes …… 1169
モノニューロパシー mononeuropathy …… 1167
モノバクタム monobactam …… 1166
モノフェノールモノオキシゲナーゼ monophenol monooxygenase …… 1168
モノブロムの monobromated, monobrominated …… 1166
モノマー monomer …… 1167
モノマニー monomania …… 1167
モノメチルヒドラジン monomethylhydrazine …… 1167
ものもらい sty, stye …… 1761
モノヨードチロシン monoiodotyrosine (MIT) …… 1167
モノー-ワイマン-シャンジューモデル Monod-Wyman-Changeux model (MWC model) …… 1162
模倣衝動 philomimesia …… 1408
モミズム momism …… 1164
もものつけね inguen …… 932
モヤモヤ病 moyamoya disease …… 538
模様 pattern …… 1373
模様状の figuratus …… 697
モラクセラ属 *Moraxella* …… 1169
モラックス-アクセンフェルト菌 *Moraxella lacunata* …… 1169
モラレー髄膜炎 Mollaret meningitis …… 1129
モラン足 Morand foot …… 724
モリソー操作 Mauriceau maneuver …… 1099
モリブデン molybdenum (Mo) …… 1164
モリブデン酵素 molybdoenzymes …… 1164
モリブデン酸 molybdic acid …… 1164
モリブデン酸アンモニウム ammonium molybdate …… 61
モリブデン酸塩 molybdate …… 1164
モリブデンフラビン蛋白 molybdoflavoproteins …… 1164
モリブデン補因子 molybdenum cofactor 388
モリブデン99 molybdenum 99 (^{99}Mo) 1164
モリブデンX線管 molybdenum target tube …… 1941
モリブドプテリン molybdopterin …… 1164
モリミナ molimina …… 1164
モリャック症候群 Mauriac syndrome …… 1811
モリン morin …… 1170
モル mole …… 1163
モルイン酸ナトリウム morrhuate sodium …… 1171
モルガニー-アダムズ(アダムス)-ストークス症候群 Morgagni-Adams-Stokes syndrome …… 1813
モルガニー液 Morgagni liquor …… 1060
モルガニー球 Morgagni globules …… 778
モルガニー孔 Morgagni foramen …… 725
モルガニー症候群 Morgagni syndrome 1813
モルガニー脱〔出症〕 Morgagni prolapse 1496
モルガニー白内障 Morgagni cataract …… 311
モルガネラ属 *Morganella* …… 1170
モルガン morgan (M) …… 1170
モルキオ症候群 Morquio syndrome …… 1813
モル吸光係数 molar absorption coefficient (ε) …… 387
モルグ morgue …… 1170
モル行動 molar behavior …… 204
モル旋光度 molecular rotation …… 1623
モルティエラ属 *Mortierella* …… 1171

モ

モルの molar … 1163
モル濃度 molar concentration … 406
モル濃度 molar … 1163
モル濃度 molarity (M, ᴍ) … 1163
モルヒネ morphine … 1170
モルヒネ漸減療法 demorphinization … 486
モルヒネ注射性敗血症 morphine injector's septicemia … 1662
モル比率 mole fraction … 736
モルフィン morphine … 1170
モルフォゲン morphogen … 1170
モルモット *Cavia porcellus* … 315
モルモット guinea pig … 805
モレズ mores … 1170
モレル耳 Morel ear … 580
もろい friable … 741
モロニーウイルス Moloney virus … 2026
モロニー試験 Moloney test … 1861
門 gate … 760
門 hilum … 852
門 phylum … 1419
門 porta … 1468
門 pyla … 1531
〔リンパ節の〕門 hilum of lymph node … 852
門炎 hilitis … 852
〔侵入〕門戸 portal … 1468
門細胞 hilus cells … 322
門静脈左枝の尾状葉枝 caudate branches of left branch of portal vein … 243
門小葉 portal lobule of liver … 1065
モンセル液 Monsel solution … 1698
モンソンカーブ Monson curve … 451
問題 problem … 1486
問題志向型記録 problem-oriented record (POR) … 1574
モンタンろう montan wax … 2043
門調節説 gate-control theory … 1876
モンディーニ型内耳形成異常(異形成) Mondini dysplasia … 576
モンディーニ型難聴 Mondini hearing impairment … 820
モンテッジャ(モンテジア)骨折 Monteggia fracture … 738
モンテビデオ単位 Montevideo units … 1966
モントゴメリー結節 Montgomery tubercles … 1944
モンドール病 Mondor disease … 538
門の hilar … 852
門の portal … 1468
門脈 portal vein … 2000
門脈 vena portae hepatis … 2007
門脈 vena portalis … 2007
門脈圧亢進〔症〕 portal hypertension … 888
門脈域 portal area … 129
門脈右枝の後枝 posterior branch of right branch of portal vein … 252
門脈炎 pylephlebitis … 1531
門脈海綿状変化 cavernous transformation of portal vein … 1918
門脈下垂体循環 portal hypophysial circulation … 366
門脈管 portal canals … 284
門脈系 portal system … 1833
門脈系シャント portasystemic shunt … 1675
門脈血栓〔症〕 pylethrombosis … 1531
〔肝〕門脈左枝 ramus sinister venae portae hepatis … 1556
門脈左枝の横部 transverse part of left branch of portal vein … 1368
門脈左枝の臍静脈部 umbilical part of left branch of portal vein … 1368
門脈撮影(造影)〔法〕 portography … 1468
門脈三管 portal triad … 1926
門脈周囲炎 peripylephlebitis … 1392
門脈周囲性肝硬変 periportal cirrhosis … 367
門脈循環 portal circulation … 366
門脈性膿血〔症〕 portal pyemia … 1530
門脈全身静脈系交通 portal-systemic anastomoses … 73
門脈造影像 portogram … 1468
門脈体循環性脳障害(脳症) portal-systemic encephalopathy … 609
門脈大静脈シャント portacaval shunt … 1675
門脈体静脈の portosystemic … 1468
門脈大静脈吻合〔術〕 portacaval shunt … 1675
門脈胆管血管系の portobilioarterial … 1468
門脈の portal … 1468
門脈の pylic … 1531
門脈の右枝 right branch of portal vein … 253
文〔字〕盲 letter blindness … 221
紋理状網膜 leopard retina … 1600
モンロー法則 Monro doctrine … 554
モンロー-リヒター線 Monro-Richter line … 1051

ヤ

野 area (a) … 128
野 field … 697
ヤーダッソーン-ペリツァーリ皮膚萎縮〔症〕 Jadassohn-Pellizzari anetoderma … 81
ヤーヌスキナーゼ Janus kinase (JAK) … 985
ヤーヌスグリーンB Janus green B … 966
ヤーヌス体 janiceps … 966
ヤーネ(イエルネ)テクニック Jerne technique … 1844
ヤーネ(イエルネ)の溶血斑形成法 Jerne plaque assay … 163
ヤーンケ症候群 Jahnke syndrome … 1808
ヤヴォルスキー〔小〕体 Jaworski bodies … 227
夜間アルブミン尿〔症〕 noctalbuminuria … 1260
夜間遺尿症 nocturnal enuresis … 622
夜間近視 night myopia … 1215
夜間下痢 nocturnal diarrhea … 511
夜間周期性 nocturnal periodicity … 1390
夜間視力 night vision … 2032
夜間性呼吸困難 nocturnal dyspnea … 576
夜間多尿〔症〕 nycturia … 1285
夜間痛 nyctalgia … 1285
夜間痛 night pain … 1337
夜間てんかん nocturnal epilepsy … 628
夜間の nycterine … 1285
夜間病院 night hospital … 865
夜間頻尿 nocturia … 1260
夜間頻尿〔症〕 nycturia … 1285
夜間ミオクロ〔ー〕ヌス nocturnal myoclonus … 1212
夜間めまい nocturnal vertigo … 2016
焼入れ quenching … 1537
ヤギ気管支声 egobronchophony … 590
ヤギ声 egophony … 590
ヤギ声 tragophonia, tragophony … 1915
ヤギ小須毛 barbula hirci … 197
ヤギ痘ウイルス goatpox virus … 2024
ヤギ乳貧血 goat's milk anemia … 77
ヤギ跳ね様の caprizant … 290
野牛頸 buffalo neck … 1223
野球指 baseball finger … 700
夜驚〔症〕 night terrors … 1257
夜驚〔症〕 pavor nocturnus … 1374
薬 drug … 561
薬 medicament … 1116
薬 pharma … 1400
薬 physic … 1420
薬〔物〕 medicine … 1116
〔作用,作動〕薬 agent … 35
薬化学 pharmaceutical chemistry … 342
薬学の pharma- … 1400
軛脚 zygopodium … 2062
薬剤 drug … 561
薬剤 medicament … 1116
薬剤 medication … 1116
薬剤 medicine … 1116
薬剤〔誘発〕アレルギー drug allergy … 49
薬剤疫学 pharmacoepidemiology … 1400
薬剤学 pharmaceutics … 1400
薬剤師 chemist … 341
薬剤師 pharmacist … 1400
薬剤性甲状腺腫 struma medicamentosa … 1760
薬剤耐性 drug resistance … 1593
薬剤熱 drug fever … 684
薬剤誘発性エリテマトーデス drug-induced lupus … 1073
薬剤誘発性甲状腺機能亢進症 thyrotoxicosis medicamentosa … 1891
薬剤利用審査 drug utilization review … 1606
薬疹 drug eruption … 637
薬草 simple … 1686
薬品熱傷 chemical burn … 267
薬物 drug … 561
薬物 medicament … 1116
薬物 medication … 1116
薬物〔誘発〕アレルギー drug allergy … 49
薬物維持療法 maintenance drug therapy … 1879
薬物学 pharmacology … 1400
薬物間相互作用 drug interactions … 562
薬物狂 pharmacomania … 1400
薬物恐怖〔症〕 pharmacophobia … 1401
薬物〔性〕結膜炎 conjunctivitis medicamentosa … 412
薬物嗜好 pharmacophilia … 1401
薬物診断学 pharmacodiagnosis … 1400
薬物〔性〕じんま疹 urticaria medicamentosa … 1976
薬物性肝炎 drug-induced hepatitis … 839
薬物性強直 drug tetanus … 1870
薬物性クッシング症候群 Cushing syndrome medicamentosus … 1802
薬物性口内炎 stomatitis medicamentosa … 1749
薬物性痤瘡 acne medicamentosa … 16
薬物性疾患 drug-induced disease … 532
薬物精神病 pharmacopsychosis … 1401
薬物〔性〕精神病 drug psychosis … 1520
薬物性脱毛〔症〕 alopecia medicamentosa … 53
薬物性の medicamentosus … 1116
薬物性鼻炎 rhinitis medicamentosa … 1608
薬物〔性〕皮膚炎 dermatitis medicamentosa … 495
薬物速度論 pharmacokinetics … 1400
薬物耐性の drug-fast … 562
薬物適用 medication … 1116
薬物適用器 medicator … 1116
薬物動態〔学〕 pharmacokinetics … 1400
薬物動力学 pharmacokinetics … 1400
薬物内分泌学 pharmacoendocrinology … 1400
薬物病原〔論〕 drug pathogenesis … 1372
薬物無用論 therapeutic nihilism … 1257
薬物有害反応 adverse drug reaction (ADR) … 1563
薬物誘発性頭痛 drug-induced headache … 818
薬物乱用 drug abuse … 7
薬物乱用頭痛 medication-overuse headache … 818
薬物療法 pharmacotherapy … 1401
薬物論 pharmacography … 1400
薬名分量 inscription … 939
薬用過酸化亜鉛 medicinal zinc peroxide … 2058
薬用式重量 apothecaries' weights … 2043
薬用軟石けん medicinal soft soap … 1695

薬浴 immersion bath 202
薬理遺伝学 pharmacogenetics 1400
薬理学 pharmacology 1400
薬理(薬力)学 pharmacodynamics 1400
薬理学者 pharmacologist 1400
薬理学的ストレス試験 pharmacologic stress imaging 908
薬理学的な pharmacologic, pharmacological 1400
薬理学の pharmacologic, pharmacological 1400
薬量学 posology 1470
役割 role 1620
役割演技〔法〕 role-playing 1620
役割葛藤 role conflict 410
野鶏属 *Gallus* 751
火傷性皮膚炎 dermatitis combustionis 495
夜行性の nocturnal 1260
ヤコブソン反射 Jacobson reflex 1579
野菜 vegetable 1992
野獣性の theroid 1882
ヤスデ millipede 1158
やすり file 699
やすり雑音 bruit de lime 262
やせ emaciation 599
やせ syntexis 1827
野生型 wild type 1957
野生型〔菌〕株 wild-type strain 1751
野生酵母 wild yeast 2055
野性的な feral 680
やせ病 slim disease 541
薬局 pharmacy 1401
薬局方 *Pharmacopeia, Pharmacopoeia* 1401
〔薬〕局方注解 *Dispensatory* 547
薬局方のゲル pharmacopeial gel 761
やっとこ状爪 pincer nail 1220
ヤッフェ試験 Jaffe test 1859
ヤッフェ反応 Jaffe reaction 1565
野兎病 tularemia 1949
野兎病 Yato-byo 2055
野兎病菌 *Francisella tularensis* 739
野兎病菌 *Pasteurella tularensis* 1371
野兎病菌性下疳 tularemic chancre 339
野兎病菌性肺炎 tularemic pneumonia 1450
ヤドリギ viscum 2032
ヤナギ willow 2046
ヤナギクラゲ属 *Chrysaora* 360
柳葉刀 bistoury 217
屋根状の tectiform 1845
ヤバウイルス Yaba virus 2030
ヤブカ属 *Aedes* 31
ヤマカガシ科 Colubridae 395
山形切開〔術〕 chevron incision 918
山高帽〔子〕骨折 derby hat fracture 737
夜盲〔症〕 nyctalopia 1285
ヤラッパ jalap 966
ヤラッパ脂 jalap resin 1593
軟らかな食事 soft diet 515
ヤング症候群 Young syndrome 1825
ヤング前立腺牽引〔器〕 Young prostatic tractor 1914
ヤングの法則 Young rule 1626
ヤング-ヘルムホルツ色覚説 Young-Helmholtz theory of color vision 1877
ヤング-マンティ(モンティ)の導尿路造設 Yang-Monti catheterizable channel 2055
ヤング率 Young modulus 1163
ヤンゴナ yaqona 2055
ヤンスキー-ビールショースキー病 Jansky-Bielschowsky disease 535
ヤンスキー分類〔法〕 Jansky classification 371
ヤンゼン手術 Jansen operation 1305

ユ

ユーアルト徴候 Ewart sign 1680
ユーアルト法 Ewart procedure 1487
ユーイング腫〔瘍〕 Ewing tumor 1950
ユーイング徴候 Ewing sign 1680
ユーインゲラ属 *Ewingella* 650
ユーカシン eucasin 647
ユーカリ eucalyptus 647
ユーカリゴム eucalyptus gum 805
ユーカリ油 eucalyptus oil 647
ユーカリ油 oil of eucalyptus 1294
ユーグレナ属 *Euglena* 647
ユーコレウス属 *Eucoleus* 647
ユーサイロイド euthyroidism 649
ユージェニズム eugenism 647
ユージノール eugenol 647
ユーステニア eusthenia 649
ユートマー eutomer 649
ユーバクテリウム属 *Eubacterium* 647
ユーパラル euparal 648
ユーパリフィウム属 *Euparyphium* 648
ユーメラニン eumelanin 648
ユーリオン euryon 649
ユールカット(ジャーカット)細胞 Jurkat cells 322
ユーロピウム europium (Eu) 648
U字形の hyoid 878
U字縫合 mattress suture 1787
u値法 u-score method 1145
U波 U wave 2042
UDP-*N*-アセチルグルコサミン:リソソーマル酵素*N*-アセチルグルコサミニル-1-ホスホトランスフェラーゼ UDP-*N*-acetylglucosamine: lysosomal enzyme *N*-acetylglucosaminyl-1-phosphotransferase 1960
UDPキシロース UDPxylose 1960
UDPグルクロネート・ビリルビングルクロノシド・グルクロノシルトランスフェラーゼ UDPglucuronate-bilirubinglucuronoside glucuronosyltransferase 1960
UDPグルクロネート・ビリルビングルクロノシルトランスフェラーゼ UDPglucuronate-bilirubin glucuronosyltransferase 1960
UDPグルコース-ヘキソース-1-ホスフェートウリジリルトランスフェラーゼ UDPglucose-hexose-1-phosphate uridylyltransferase 1960
UDPグルコース4-エピメラーゼ UDPglucose 4-epimerase 1960
USP単位 USP unit 1967
唯我説 solipsism 1697
遺言 will 2046
優位 dominance 555
有意運動性失行〔症〕 ideokinetic apraxia, ideomotor apraxia 121
優位階層 dominance hierarchy 852
有閾〔値〕物質 threshold substance 1766
優位周波数 dominant frequency 740
優位性 preponderance 1480
優位〔大脳〕半球 dominant hemisphere 830
有意な significant 1685
誘引 attraction 175
誘因 exciting cause 315
誘因 incentive 918
誘因性胸水 sympathetic effusion 590
有益 utility 1977
優越感 superiority complex 402
有縁性紅斑 erythema marginatum 638
融解 colliquation 391
融解 fusion 746
融解 liquefaction 1060
融解 melt 1124
融解 resolution (Rs) 1594
融解 synchysis 1794
融解温度(ワイヤ法) fusion temperature (wire method) 1848
有蓋骨盤 pelvis obtecta 1379
融解剤 liquefacient 1059
ユウガイサシチョウバエ *Phlebotomus perniciosus* 1409
有害作用確認に必要な患者数 number needed to harm 1283
有害刺激除去〔法〕 anociassociation 93
有害事象 adverse event 650
有害事不実行 nonmaleficence 1266
有害〔性〕の deleterious 483
有害〔性〕の noxious 1270
有蓋の operculated 1306
有害反応 adverse reaction 1563
有害薬事象 adverse drug event 650
有殻アメーバ亜綱 Testacealobosia 1869
有隔菌糸〔体〕 septate mycelium 1207
有核原子 nuclear atom 170
有核赤血球血〔症〕 pyrenemia 1533
有郭乳頭 papillae vallatae 1345
有郭乳頭 vallate papillae 1345
有核の nucleated 1271
有郭の circumvallate 367
有郭の vallate 1983
雄核発生 androgenesis 75
有機栄養体 chemoorganotroph 342
有機化学 organic chemistry 342
有機化合物 organic compound 405
有機金属化合物の organometallic 1313
有機ゲル organogel 1313
有機光合成菌(株) photoheterotroph 1417
有気呼吸 aerobic respiration 1595
有機酸 organic acid 15
有機触媒 organic catalyst 310
有機親和性 organophilicity 1313
有機水銀化合物 organomercurial 1313
有機性鉄の organoferric 1313
有機ゾル organosol 1313
有機体 organism 1312
有機の organic 1312
優境学 euthenics 649
有機溶剤乱用 glue-sniffing 784
有響性ラ音 consonating rale 1547
有棘顎口虫 *Gnathostoma spinigerum* 790
有棘根管針 barbed broach 257
有棘細胞 prickle cell 325
有棘細胞 spur cell 326
有棘細胞癌 squamous cell carcinoma 299
有棘赤血球 acanthocyte 8
有棘赤血球増加〔症〕 acanthocytosis 8
〔表皮〕有棘層 stratum spinosum epidermidis 1752
有棘層肥厚 acanthosis 8
有棘層不整増殖 paracanthosis 1348
有棘層不整増殖性腫瘍 paracanthoma 1348
有棘の spinate 1716
遊戯療法 play therapy 1879
有機リン酸塩 organic phosphate 1412
有機リン酸類 organophosphates 1313
有茎性ポリープ pedunculated polyp 1463
有茎の pediculate 1376
有茎〔皮〕弁 pedicle flap 710
有効 utility 1977
有溝 director 524
融合 coalescence 383

ユ

融合 fusion ………… 746
融合閾値検査 fusion-inferred threshold test ………… 1857
融合遺伝 blending inheritance ………… 932
有効運動 effective stroke ………… 1758
融合運動 fusional movement ………… 1174
融合核 synkaryon ………… 1826
有鉤額嘴 armed rostellum ………… 1623
有鉤鉗子 mouse-tooth forceps ………… 728
有鉤鉗子 vulsella forceps, vulsellum forceps ………… 728
有効結合線 effective conjugate ………… 411
有鉤骨 hamate (bone) ………… 232
有鉤骨 hamatum ………… 814
有鉤骨 os hamatum ………… 1317
有鉤骨鉤 hamulus ossis hamati ………… 814
有鉤骨鉤 hook of hamate ………… 862
融合歯 fused teeth ………… 1902
有孔質 perforated space ………… 1704
有孔歯の diatoric ………… 512
融合収縮 fusion beat ………… 203
有鉤条虫 *Taenia solium* ………… 1838
融合腎 fused kidney ………… 984
有効腎血漿流量 effective renal plasma flow (ERPF) ………… 714
有効腎血流量 effective renal blood flow (ERBF) ………… 714
融合性奇形 symphysic teratosis ………… 1852
融合性構音 confluent articulation ………… 158
融合性痘瘡 confluent smallpox ………… 1693
融合性の confertus ………… 409
融合性の confluent ………… 410
有効成分 active principle ………… 1484
有口赤血球 stomatocyte ………… 1749
有口赤血球症 stomatocytosis ………… 1749
有鉤摂子 mouse-tooth forceps ………… 728
有構造幻視 formed visual hallucination ………… 812
融合阻害薬 fusion inhibitor ………… 934
有溝ゾンデ conductor ………… 408
融合体構造 cointegrate structure ………… 1760
有孔虫亜綱 Foraminifera ………… 726
有孔虫の foraminiferous ………… 727
有効度 effectiveness ………… 589
有効な valid ………… 1983
有効の eutherapeutic ………… 649
有孔の foraminiferous ………… 727
有孔の porous ………… 1467
有溝の sulcate ………… 1771
有鉤嚢〔尾〕虫 *Cysticercus cellulosae* ………… 461
有効(実効)半減期 effective half-life ………… 812
有効不応期 effective refractory period 1389
有効量 effective dose (ED) ………… 557
融剤 flux ………… 717
有細胞セメント質 cellular cement ………… 329
有酸素〔性〕の aerobic ………… 32
有資格公認麻酔看護師 certified registered nurse anesthetist (C.R.N.A.) ………… 1283
有糸〔核〕分裂像 mitotic figure ………… 697
有閾〔値〕物質 threshold substance ………… 1766
有軸仮足 axopodium ………… 185
有軸仮足綱 Actinopoda ………… 21
有軸皮弁 axial pattern flap ………… 709
有刺糸胞子虫亜門 Cnidosporidia ………… 382
有糸分裂 mitosis ………… 1160
有糸分裂後の postmitotic ………… 1471
有糸分裂指数 mitotic index ………… 922
〔有糸〕分裂促進剤 mitogen ………… 1160
有糸分裂の mitotic ………… 1160
〔有糸分裂〕紡錘体 mitotic spindle ………… 1716
有糸分裂誘発 mitogenesis ………… 1160
遊出 emigration ………… 603
遊出 infiltration ………… 928
遊出 transmigration ………… 1920
有消化管類 Entozoa ………… 622
有鞘性の vaginate ………… 1982
有色細胞 chromocyte ………… 358
有色体 chromoplastid ………… 358
有刃鉗子 labitome ………… 991
有針毛虫 stinging caterpillar ………… 313
有髄化 myelination ………… 1209
有水晶体眼 phakic eye ………… 659
有髄神経 myelinated nerve ………… 1237
有髄〔神経〕線維 myelinated nerve fiber 689
有髄の medullated ………… 1119
優性 dominance ………… 555
ゆうぜい(疣贅) verruca ………… 2013
ゆうぜい(疣贅) verruga ………… 2014
ゆうぜい(疣贅) wart ………… 2040
優性遺伝 dominant inheritance ………… 933
優性遺伝性視神経萎縮 dominant optic atrophy ………… 173
雄性化 virilescence ………… 2021
優生学 eugenics ………… 647
ゆうぜい(疣贅)癌 verrucous carcinoma 299
優性形質 dominant character ………… 339
優性形質 dominance of traits ………… 555
優性形質 dominant trait ………… 1915
ゆうぜい(疣贅)形成 verrucous vegetations ………… 1992
ゆうぜい(疣贅)形成 vegetation ………… 1992
優生主義 eugenism ………… 647
ゆうぜい(疣贅)症 verrucosis ………… 2014
ゆうぜい(疣贅)状血管腫 verrucous hemangioma ………… 825
ゆうぜい(疣贅)状(様)表皮発育異常症 epidermodysplasia verruciformis ………… 626
ゆうぜい(疣贅)状母斑 verrucous nevus 1256
有性生殖 sexual reproduction ………… 1591
有性生殖 syngenesis ………… 1826
ゆうぜい(疣贅)性肥厚 verrucous hyperplasia ………… 886
有性世代 sexual generation ………… 765
雄性前核 pronucleus ………… 1498
優性致死形質 dominant lethal trait ………… 1915
優成長 tachyauxesis ………… 1837
優性の dominant ………… 555
有性の gamic ………… 751
雄性の masculine ………… 1106
雄性の virile ………… 2021
雄性発生 androgenesis ………… 75
有生物質摂取 biophagism ………… 213
有生物質摂取の biophagous ………… 213
優先 preference ………… 1477
有線周〔囲〕皮質 peristriate cortex ………… 428
有線周野 peristriate area ………… 129
優先提供機関 preferred provider organization (PPO) ………… 1312
優先の法則 law of priority ………… 1007
有線傍皮質 parastriate cortex ………… 428
有線傍野 parastriate area ………… 129
有線野 striate area ………… 130
融像 fusion ………… 746
有窓鋭匙 curette, curet ………… 449
遊走肝 wandering liver ………… 1062
遊走器官 wandering organ ………… 1312
遊走甲状腺腫 wandering goiter ………… 791
有窓鞘 fenestrated sheath ………… 1670
遊走心 cor mobile ………… 421
遊走腎 floating kidney ………… 984
遊走性関節痛 migratory arthralgia ………… 154
遊走性丹毒 erysipelas migrans ………… 638
遊走性の fugitive ………… 743
遊走〔性〕の ambiguous ………… 56
遊走〔性〕の floating ………… 713
遊走〔性〕の wandering ………… 2040
遊走性肺炎 migratory pneumonia ………… 1450
遊走性ペースメーカ wandering pacemaker ………… 1334
遊走阻止因子 migration-inhibitory factor (MIF) ………… 668
遊走阻止因子試験 migration inhibitory factor test ………… 1861
有窓胎盤 placenta fenestrata ………… 1428
遊走脾 floating spleen ………… 1719
遊走脾 wandering spleen ………… 1720
有窓膜 fenestrated membrane ………… 1125
有窓毛細血管 fenestrated capillary ………… 289
有爪類 Unguiculata ………… 1964
有足突起 podocyte ………… 1452
幽体離脱体験 out-of-body experience ………… 655
有袋類 marsupial ………… 1106
誘致 induction ………… 924
融着 union ………… 1964
有痛〔性〕感覚(知覚)脱失(消失) anesthesia dolorosa ………… 79
有痛弧徴候 painful arc sign ………… 1682
有痛脂肪症 adiposis dolorosa ………… 29
〔有痛性〕陰核持続勃起〔症〕 clitorism ………… 375
有痛性血尿 painful hematuria ………… 827
有痛〔性〕青股腫 phlegmasia cerulea dolens ………… 1409
有痛性指〔端〕屈曲 dactylocampsodynia ………… 470
〔有痛性〕持続勃起〔症〕 priapism ………… 1484
有痛〔性〕知覚麻痺 anesthesia dolorosa ………… 79
有痛性排尿困難 strangury ………… 1751
有痛無動〔症〕 akinesia algera ………… 41
有蹄類 Ungulata ………… 1964
融点 melting point (m.p., T_m) ………… 1454
尤度 likelihood ………… 1047
誘導 derivation ………… 494
誘導 guidance ………… 805
誘導 induction ………… 924
誘導 lead ………… 1014
誘導型一酸化窒素(NO)合成酵素 inducible nitric oxide synthase ………… 1827
誘導期 induction period ………… 1389
誘導期 lag phase ………… 1402
誘導気道 conducting airway ………… 40
誘導酵素 induced enzyme, inducible enzyme ………… 623
有頭骨 capitate bone ………… 232
有頭骨 capitate ………… 289
有頭骨 os capitatum ………… 1317
有頭〔骨〕類 Craniata ………… 434
誘導刺激 counterirritation ………… 432
誘導刺激薬 counterirritant ………… 432
誘導針 introducer ………… 951
誘導染色体 derivative chromosome ………… 359
誘導装置 guidance ………… 805
誘導装置 guide ………… 805
誘導体 derivative ………… 494
誘導蛋白 derived protein ………… 1503
誘導適合 induced fit ………… 707
誘導適合性モデル induced fit model ………… 1162
誘導電気収縮性 faradocontractility ………… 671
誘導電流 faradism ………… 671
誘導物質 inducer ………… 924
誘導物質 inductor ………… 925
誘導面 guide plane ………… 1430
有毒アルブミン類 toxalbumins ………… 1905
有毒ガス damp ………… 471
有毒性 venenosity ………… 2008
有毒性の poisonous ………… 1456
有毒〔性〕の deleterious ………… 483
有毒な toxic ………… 1905
有毒な toxicant ………… 1905
有毒の virulent ………… 2021
尤度比 likelihood ratio ………… 1561
〔有〕熱性痙攣 febrile convulsion ………… 419
誘発 induction ………… 924
誘発因子 inducer ………… 924
誘発ヴァッセルマン(ワッセルマン)試験 provocative Wassermann test ………… 1863
誘(激)発活性 triggered activity ………… 22
誘発耳音響放射 evoked otoacoustic emission ………… 604
〔一過性〕誘発耳音響放射 transient evoked otoacoustic emission (TEOAE) ………… 604

誘発試験 provocative test …… 1863
誘発症状 induced symptom …… 1792
誘発食〔菌〕作用 induced phagocytosis … 1399
〔物質〕誘発性精神病〔性〕障害 induced psychotic disorder …… 545
誘発性石灰化 calcergy …… 276
誘発性チフス provocation typhoid …… 1957
誘発性トランス induced trance …… 1916
誘発性無呼吸 induced apnea …… 116
誘発電位 evoked potential …… 1473
誘発〔突然〕変異 induced mutation …… 1206
誘発反応 evoked response …… 1596
有帆陰茎 webbed penis …… 1381
有病率 prevalence …… 1483
有病割合 prevalence …… 1483
有柄の pediculate …… 1376
有柄の petiolate, petiolated …… 1397
有べん毛の flagellate …… 709
有べん毛の flagellated …… 709
遊歩線状角膜炎 keratitis linearis migrans …… 978
〔有〕毛細胞 hair cells …… 322
有毛虫門 Ciliophora …… 362
有毛の pilose …… 1424
有毛母斑 nevus pilosus …… 1255
幽門 pylorus …… 1531
幽門胃切除〔術〕 pylorogastrectomy …… 1531
幽門炎 pyloritis …… 1531
幽門横断平面 planum transpyloricum … 1431
幽門横断面 transpyloric plane …… 1431
幽門開大筋 dilator (muscle) of pylorus 1184
〔胃十二指腸〕幽門開大筋 musculus dilator pylori gastroduodenalis …… 1199
幽門下垂〔症〕 pyloroptosis, pyloroptosia 1531
幽門括約筋 sphincter muscle of pylorus 1194
幽門括約筋 musculus sphincter pylori … 1203
幽門括約筋 pyloric sphincter …… 1713
幽門下リンパ節 subpyloric lymph nodes …… 1081
幽門下リンパ節 subpyloric node …… 1261
幽門管 pyloric canal …… 284
幽門管 canalis pyloricus …… 286
幽門〔機能〕不全 pyloric incompetence …… 920
幽門〔機能〕不全 pyloric insufficiency …… 941
幽門狭窄 pyloric constriction …… 415
幽門狭窄〔症〕 pyloristenosis …… 1531
幽門狭窄〔症〕 pyloric stenosis …… 1742
幽門筋層切開〔術〕 pyloromyotomy …… 1531
幽門形成〔術〕 pyloroplasty …… 1531
幽門痙攣〔症〕 pylorospasm …… 1531
幽門口 pyloric orifice …… 1314
幽門口 ostium pyloricum …… 1325
幽門後括約筋 postpyloric sphincter …… 1713
幽門後リンパ節 retropyloric lymph nodes …… 1081
幽門後リンパ節 retropyloric nodes …… 1261
幽門周囲の peripyloric …… 1392
幽門十二指腸炎 pyloroduodenitis …… 1531
幽門上リンパ節 suprapyloric lymph node …… 1081
幽門上リンパ節 suprapyloric node …… 1261
幽門切開〔術〕 pylorotomy …… 1531
幽門切除〔術〕 pylorectomy …… 1531
幽門腺 pyloric glands …… 774
幽門腺 glandulae pyloricae …… 776
幽門前括約筋 prepyloric sphincter …… 1713
幽門前静脈 prepyloric vein …… 2000
幽門前静脈 vena prepylorica …… 2007
幽門前〔方〕の prepyloric …… 1480
幽門造瘻術 pylorostomy …… 1531
幽門痛 pyloralgia …… 1531
幽門洞 antrum …… 110
幽門洞 antrum pyloricum …… 111
幽門洞 pyloric antrum …… 110
幽門洞切除〔術〕 antrectomy …… 110
幽門洞の antropyloric …… 110
〔胃の〕幽門部 pars pylorica ventriculi … 1360
〔胃の〕幽門部 pyloric part of stomach 1367
幽門フィステル形成〔術〕 pylorostomy … 1531
幽門〔機能〕不全 pyloric incompetence …… 920
幽門〔機能〕不全 pyloric insufficiency …… 941
幽門輪温存膵〔頭〕十二指腸切除〔術〕 pylorus-preserving pancreaticoduodenectomy …… 1341
幽門リンパ節 pyloric lymph nodes …… 1080
有用 utility …… 1977
〔有〕羊膜類 Amniota …… 63
遊離 disengagement …… 542
遊離移植 free graft …… 795
遊離基 free radical …… 1542
遊離現象 release phenomenon …… 1405
遊離骨弁 free bone flap …… 710
遊離サイロキシン指数 free thyroxine index (FTI) …… 922
有利受容器 beneceptor …… 205
遊離水 free water …… 2041
遊離促進物質 liberator …… 1030
遊離体 loose body …… 228
遊離体 educt …… 588
遊離端ブリッジ cantilever bridge …… 257
遊離糖 free sugar …… 1769
遊離皮弁 free flap …… 710
遊離マクロファージ free macrophage … 1090
幽霊恐怖〔症〕 phasmophobia …… 1402
幽霊細胞 ghost cell …… 321
融和性 compatibility …… 399
輸液 infusion …… 932
油液ワクチン oil vaccine …… 1980
ゆがみ distortion …… 550
ゆがみ収差 distortion aberration …… 2
ユガーレ jugale …… 973
歪んだ分布 skew distribution …… 550
ユギエ輪 Huguier circle …… 364
雪靴野ウサギウイルス snowshoe hare virus …… 2029
雪だるま式標本 snowball sampling …… 1633
雪ダルマ状の奇形 snowman abnormality … 3
輸血 transfusion …… 1918
輸血腎炎 transfusion nephritis …… 1229
癒合 adhesion …… 28
癒合 coaptation …… 383
癒合 fusion …… 746
癒合 healing …… 818
癒合 knitting …… 988
癒合 union …… 1964
癒合骨盤 assimilation pelvis …… 1378
癒合性静脈炎 adhesive phlebitis …… 1408
癒合不全 dysraphism, dysraphia …… 576
癒合不全 faulty union …… 1964
癒合薬 consolidant …… 414
油剤注入療法 oleotherapy …… 1295
揺さぶられっ子症候群 shaken baby syndrome (SBS) …… 1819
油酸剤 oleate …… 1295
油重計 oleometer …… 1295
輸出管 vas efferens …… 1989
輸出管 efferent vessel …… 2017
輸出静脈 vena revehens …… 2007
輸出の deferent …… 478
輸出の efferent …… 589
輸出リンパ管 efferent lymphatic …… 1077
輸出リンパ管 vas efferens …… 1989
輸出リンパ管 efferent vessel …… 2017
油浸 oil immersion, water immersion …… 909
油浸レンズ immersion lens …… 1019
輸精索 seminiferous cords …… 422
油性障害 eleopathy …… 598
油性脂漏〔症〕 seborrhea oleosa …… 1652
油性停留浣腸 oil retention enema …… 616
油性肉芽腫 oily granuloma …… 798
輸精の seminiferous …… 1659
油性の oleaginous …… 1295
油性の oleosus …… 1295
油性嚢胞(嚢腫) oil cyst …… 460
輸送 transport …… 1921
〔細胞内〕輸送 trafficking …… 1915
輸送体 transporter …… 1921
輸送熱ウイルス shipping fever virus …… 2029
癒着 accretion …… 10
癒着 adhesio …… 28
癒着 adhesion …… 28
癒着 coalescence …… 383
癒着 concrescence …… 407
癒着 conglutination …… 410
癒着 syncretio …… 1794
癒着 synechia …… 1826
癒着症候群 adherence syndrome …… 1795
癒着性炎〔症〕 adhesive inflammation …… 928
癒着性〔角膜〕白斑 adherent leukoma …… 1028
癒着性関節包炎 adhesive capsulitis …… 291
癒着性クモ膜炎 adhesive arachnoiditis … 123
癒着性消化不良 adhesion dyspepsia …… 574
癒着性心膜炎 adhesive pericarditis …… 1386
癒着〔性〕腟炎 adhesive vaginitis …… 1982
癒着性中耳炎 adhesive otitis …… 1326
癒着性の adhesive …… 28
癒着〔性〕の desmoplastic …… 500
癒着性脳ヘルニア synencephalocele …… 1826
癒着性腹膜炎 adhesive peritonitis …… 1393
癒着性無気肺 adhesive atelectasis …… 168
癒着切断 adhesiolysis …… 28
癒着切離 adhesiolysis …… 28
癒着切離〔術〕 adhesiotomy …… 28
癒着胎盤 placenta accreta …… 1428
癒着短指症 symbrachydactyly …… 1790
癒着の conglutinant …… 410
癒着剝離〔術〕 adhesiotomy …… 28
癒着剝離〔術〕 synechiotomy …… 1826
癒着剝離刀 synechotome …… 1826
油糖剤 oleosaccharum …… 1295
ユニバーサル装置 universal appliance …… 121
ユニブルーA Uniblue A …… 1964
ユニポータ uniporter …… 1965
ユニポート uniport …… 1965
輸入管 vas afferens …… 1989
輸入管 afferent vessel …… 2017
輸入脚症候群 afferent loop syndrome … 1795
輸入静脈 vena advehens …… 2004
輸入の afferent …… 33
輸入リンパ管 afferent lymphatic …… 1077
輸入リンパ管 vas afferens …… 1989
指 dactyl …… 470
指 dactylus …… 470
指 digit …… 516
指 digitus …… 517
指 digitus manus …… 517
指 finger …… 700
指(趾) digitus pedis …… 518
指あんま pointillage …… 1455
ユビオール uviol …… 1978
ユビキチン ubiquitin …… 1960
ユビキチン-プロテアーゼ経路 ubiquitin-protease pathway …… 1373
ユビキチン-プロテアソーム系 ubiquitin-proteasome system (UPS) … 1834
ユビキノール ubiquinol (QH_2, H_2Q) …… 1960
ユビキノン ubiquinone …… 1960
ユビキノン6 ubiquinone-6 (-Q_6) …… 1960
ユビキノン10 ubiquinone-10 (-Q_{10}) …… 1960
指膠着〔症〕 ankylodactyly, ankylodactylia 92
油比重計 oleometer …… 1295
ユビテックッス2B uvitex 2B …… 1978
指の digital …… 517
指の永久屈曲 dactylocampsis …… 470
指の〔屈曲〕ひだ digital crease …… 435
指の掌側面 palmar surfaces of fingers 1782
指の静脈 digital veins …… 1995
〔指の〕爪 fingernail …… 701

指のみずかき web of fingers/toes ……… 2043
指鼻試験 finger-nose test ……………… 1857
指皮膚肥厚〔症〕pachydermodactyly …… 1335
指文字 finger spelling ……………………… 701
指癒着〔症〕ankylodactyly, ankylodactylia 92
指指試験 finger-to-finger test …………… 1857
指彎曲〔症〕dactylogryposis ………………… 470
弓なり緊張 opisthotonos, opisthotonus 1308
弓の arcual ……………………………… 127
夢 dream ……………………………… 559
夢学 oneirology ………………………… 1301
夢の oneiric …………………………… 1300
夢の作業 dream-work …………………… 559
夢の仕事 dream-work …………………… 559
夢連想 dream associations ……………… 163
油浴 oil bath …………………………… 202
ゆらぎ wobble ………………………… 2047
ゆらぎ仮説 wobble hypothesis …………… 899
輸卵の oviferous ………………………… 1329
ユリシーズ症候群 Ulysses syndrome ….. 1824
輸率 transport number ………………… 1282
ユング主義の jungian …………………… 974
ユング派精神分析〔学〕jungian
psychoanalysis ………………………… 1517

ヨ

ヨーク yoke ……………………………… 2056
ヨーグルト yogurt, yoghurt …………… 2056
ヨージメトリ iodimetry ………………… 953
ヨータラム酸 iothalamic acid …………… 955
ヨーチオウラシルナトリウム iothiouracil
sodium …………………………………… 955
ヨードアセトアミド iodoacetamide ……… 954
ヨードアメーバ *Iodamoeba bütschlii* ……. 953
ヨードアメーバ属 *Iodamoeba* …………… 953
ヨードアルフィオン酸 iodoalphionic acid
……………………………………………… 954
ヨード塩化ウンデコイリウム undecoylium
chloride-iodine ………………………… 1963
ヨード価 iodine number ………………… 1282
ヨード化コロジオン iodized collodion …. 391
ヨードカゼイン iodocasein ……………… 954
ヨード化油 iodized oil …………………… 954
ヨードキサム酸メグルミン iodoxamate
meglumine ……………………………… 954
ヨードキノール iodoquinol ……………… 954
ヨード好性 iodophilia …………………… 954
ヨード好性顆粒 iodophil granule ……… 797
ヨードゴルゴ酸 iodogorgoic acid ……… 954
ヨードサイロニン iodothyronine ……… 954
ヨード痤瘡 iodide acne ………………… 16
ヨード疹 iodine eruption ……………… 638
ヨード親和性 iodophilia ………………… 954
ヨード性皮疹 iododerma ………………… 954
ヨード染色〔法〕iodine stain …………… 1732
ヨード蛋白 iodoprotein ………………… 954
ヨード中毒 iodism ……………………… 954
ヨードチロシン iodotyrosine …………… 954
ヨードチロシン脱ヨード酵素障害
iodotyrosine deiodinase defect ……… 477
ヨードチンキ iodine tincture …………… 953
ヨード転送障害 iodide transport defect 477
ヨード-デンプン試験 starch-iodine test 1866
ヨードバゼドー〔病〕Jod-Basedow,
jodbasedow ……………………………… 968
ヨードバセドウ〔病〕Jod-Basedow,
jodbasedow ……………………………… 968
ヨードバセドウ病 Jod-Basedow phenomenon
……………………………………………… 1405
ヨードバーゼドー病 Jod-Basedow
phenomenon …………………………… 1405
ヨード馬尿酸ナトリウム iodohippurate
sodium …………………………………… 954
ヨードピラセト iodopyracet …………… 954
ヨードフォア iodophor ………………… 954
ヨードプシン iodopsin ………………… 954
ヨードフタレイン iodophthalein ……… 954
ヨードメタム酸ナトリウム iodomethamate
sodium …………………………………… 954
ヨードメトリー iodometry ……………… 954
ヨード有機化障害 organification defect … 477
ヨード療法 iodotherapy ………………… 954
ヨーニン johnin ………………………… 968
ヨーネ病 Johne disease ………………… 535
ヨーパン酸 iopanoic acid ……………… 955
ヨーフェノキシ酸 iophenoxic acid …… 955
ヨーフェンジラート iophendylate ……… 955
ヨーロッパタランチュラ European
tarantula ………………………………… 1841
ヨーロッパネズミノミ属 *Nosopsyllus* …. 1269
ヨーロッパヒラマキガイ属 *Planorbis* … 1431
夜明け恐怖〔症〕eosophobia …………… 625
良い対象 good object ………………… 1288
腰 loin ………………………………… 1068
腰 lumbus ……………………………… 1071
腰 waist ………………………………… 2039
葉 folium ………………………………… 721
葉 lobe ………………………………… 1063
葉 lobus ………………………………… 1066
陽 yang ………………………………… 2055
癰(よう) carbuncle …………………… 295
溶〔液〕圧 solution pressure …………… 1483
陽圧換気法 positive pressure ventilation
(PPV) …………………………………… 2010
陽イオン cation ………………………… 314
陽イオン原 cationogen ………………… 314
陽イオン交換 cation exchange ………… 314
陽イオン交換樹脂 cation-exchange resin 1592
陽イオン交換体 cation exchanger ……… 314
養育 breeding …………………………… 256
要因 factor ……………………………… 665
陽陰圧呼吸 positive-negative pressure
breathing (PNPB) …………………… 256
要因分析 factorial experiments ………… 655
溶液 liquor …………………………… 1060
溶液 solution (sol., soln.) …………… 1697
葉炎 lobitis …………………………… 1064
葉黄素 xanthophyll …………………… 2052
溶化 diffluence ………………………… 516
ヨウ化亜鉛 zinc iodide ………………… 2058
溶解 decomposition …………………… 475
〔細胞〕溶解〔現象〕lysis ……………… 1086
溶解血 laky blood ……………………… 223
溶解産物 lysate ………………………… 1086
溶解性結紮糸 soluble ligature ………… 1046
腰回旋筋 lumbar rotator muscles ……… 1189
腰回旋筋 rotatores lumborum (muscles)
……………………………………………… 1193
腰回旋筋 musculi rotatores lumborum 1203
溶解素 lysin …………………………… 1086
腰外側横突間筋 lateral lumbar
intertransversarii (muscles) ………… 1187
腰外側横突間筋 musculi intertransversarii
laterales lumborum …………………… 1201
腰外側横突間筋の背側部 dorsal part of
intertransversarii laterales lumborum
(muscles) ……………………………… 1364
腰外側横突間筋の腹側部 ventral part of
intertransversarii laterales lumborum
(muscles) ……………………………… 1369
溶解素原 lysinogen …………………… 1086
溶解度 solubility ……………………… 1697
溶解度試験 solubility test ……………… 1865
溶解熱 heat of solution ………………… 821
ヨウ化カゼイン casein iodine, iodinated
casein …………………………………… 308
ヨウ化銀コロイド colloidal silver iodide
……………………………………………… 1685
ヨウ化グリカミン酸 ioglycamic acid …… 954
ヨウ化グリセリル glyceryl iodide ……… 786
ヨウ化グリセロール iodinated glycerol … 786
ヨウ化第一水銀 mercurous iodide …… 1133
ヨウ化チモール thymol iodide ………… 1890
ヨウ化テトラメチルアンモニウム
tetramethylammonium iodide ………… 1871
ヨウ化ナトリウム sodium iodide ……… 1696
腰下の sublumbar ……………………… 1764
ヨウ化ビスマス bismuth iodide ………… 216
ヨウ化物 iodide ………………………… 953
ヨウ化ベーヘン酸カルシウム calcium
iodobehenate …………………………… 277
八日目ごとの octan …………………… 1291
葉間炎 interlobitis ……………………… 946
葉間胸膜炎 interlobular pleurisy ……… 1438
葉間導管 interlobar duct ……………… 564
葉間動脈 arteriae interlobares renis …… 135
葉間動脈 interlobar artery …………… 146
葉間動脈 interlobular arteries ………… 146
葉間の interlobar ……………………… 946
〔肺の〕葉間面 facies interlobares pulmonis
……………………………………………… 664
容器 cell ………………………………… 318
葉気管支 bronchi lobares, bronchus lobaris
medius, bronchus lobaris superior,
bronchus lobaris inferior ……………… 260
葉気管支 lobar bronchi ………………… 260
要求量 demand ………………………… 485
要求量子数 quantum requirement …… 1591
陽極 anode ……………………………… 93
陽極泳動 anaphoresis …………………… 71
腰棘間筋 interspinales lumborum (muscles)
……………………………………………… 1187
腰棘間筋 lumbar interspinal muscle …. 1189
腰棘間筋 musculus interspinalis lumborum
……………………………………………… 1201
陽極線 anode rays ……………………… 1561
陽極電気緊張 anelectrotonus ………… 76
陽極電気緊張の anelectrotonic ……… 76
葉切り〔術〕lobotomy ………………… 1064
溶菌 bacteriolysis ……………………… 190
腰筋炎 laparomyositis ………………… 1001
養禽家かゆみ〔症〕poultryman's itch …… 964
溶菌血清 bacteriolytic serum ………… 1668
溶菌現象 bacteriolysis ………………… 190
溶菌作用 bacteriolysis ………………… 190
溶菌性菌株 lysogenic strain …………… 1750
溶菌性〔バクテリオ〕ファージ virulent
bacteriophage ………………………… 190
溶菌素 bacteriolysin …………………… 190
溶菌素酵素 lysokinase ………………… 1086
腰筋膿瘍 psoas abscess …………………… 6
溶菌反応 bacteriolysis ………………… 190
幼形成熟 neoteny ……………………… 1228
溶血 lake ………………………………… 995
溶血 lysemia …………………………… 1086
溶血〔現象〕hemolyzation ……………… 835
溶血〔反応〕hemolysis ………………… 834
溶血ガス hemolytic gas ……………… 756
溶血クロストリジウム *Clostridium
haemolyticum* …………………………… 376
溶血血液 laky blood …………………… 223
溶血血液 hemolysate …………………… 834
溶血する hemolyze …………………… 835
溶血性黄疸 cythemolytic icterus ……… 903
溶血性黄疸 hemolytic jaundice ……… 966
溶血性巨脾〔症〕hemolytic splenomegaly 1720
溶血性尿毒症症候群 hemolytic uremic
syndrome ……………………………… 1807
溶血性の hemolytic …………………… 834
溶血性貧血 hemolytic anemia ………… 77

溶血素 hemolysin 834
溶血素原 hemolysinogen 834
溶血素単位 hemolysin unit, hemolytic unit 1966
溶血単位 hemolysin unit, hemolytic unit 1966
溶血反応 hemoclastic reaction 1565
溶血発作 hemolytic crisis 439
溶血連鎖球菌 hemolytic streptococci 1754
溶原 lysogen 1086
溶原化 lysogenization 1086
溶原菌 lysogenic bacterium 191
溶原菌 lysogen 1086
腰現象 hip phenomenon 1405
溶原性 lysogenicity 1086
溶原性 lysogeny 1086
溶原〔性〕の lysogenic 1086
溶原性誘導 lysogenic induction 925
用語の階級 hierarchy of terms 852
溶剤 solvent 1699
溶剤吸入 solvent inhalation 932
葉酸 folic acid 721
腰三角 inferior lumbar triangle 1927
腰三角 trigonum lumbale inferius 1933
葉酸拮抗薬 folic acid antagonists 96
葉酸欠乏性貧血 folic acid deficiency anemia 77
葉酸代謝拮抗薬 antifolic 102
葉酸抱合体 folic acid conjugate 411
羊脂 suet 1769
陽子 proton (p) 1508
様式 form 728
様式 method 1143
要式眼 schematic eye 659
腰式腎摘出〔術〕 lumbar nephrectomy 1228
様式変化 modal alteration 53
幼児自閉〔症〕 infantile autism 178
幼児性脚気 infantile beriberi 207
溶質 solute 1697
用指的拡大 digital dilatation 519
養子免疫 adoptive immunity 910
養子免疫療法 adoptive immunotherapy 914
幼若化 blastogenesis 219
幼若型骨盤 juvenile pelvis 1378
幼若好中球 juvenile neutrophil 1254
幼若赤芽球 protoerythrocyte 1507
幼若白血球増加〔症〕 hyperneocytosis 884
幼住血吸虫 schistosomulum 1643
用手呼吸 manual ventilation 2010
用手骨盤計測〔法〕 manual pelvimetry 1378
溶出 elution 599
溶出液 eluate 599
溶出剤 eluent 599
養生 regimen 1583
葉状魚鱗癬 lamellar ichthyosis 903
葉状口腔乳頭腫症 florid oral papillomatosis 1346
葉状腫瘍 phyllodes tumor 1951
葉状条虫 *Taenia quadrilobata* 1838
葉状植物 thallophyte 1873
葉状植物門 Thallophyta 1873
葉状性 thallic 1873
葉状体 thallus 1873
葉状突起 lamellipod 996
葉状乳頭 foliate papillae 1345
葉状乳頭 papillae foliatae 1345
葉状乳頭炎 foliate papillitis 1346
腰上の supralumbar 1779
葉状の foliaceous 721
葉状の lobate 1063
葉状の phyllode 1419
〔小〕葉状の foliate 721
葉状嚢肉腫 cystosarcoma phyllodes 463
養生法 regimen 1583
腰静脈 lumbar veins 1998
腰静脈 venae lumbales 2006
幼児良性発作性斜頸 benign paroxysmal torticollis of infancy 1904
痒疹 prurigo 1510
腰神経 lumbar nerves [L1-L5] 1236
腰神経 nervi lumbales 1242
腰神経後枝の外側枝 lateral branch of posterior rami of lumbar spinal nerves 248
腰神経後枝の内側枝 medial branch of posterior rami of lumbar spinal nerves 249
腰神経節 lumbar ganglia 753
〔交感神経幹の〕腰神経節 ganglia lumbalia 753
腰神経前枝 anterior rami of lumbar nerves 1548
腰神経前枝 rami anteriores nervorum lumbalium 1548
腰神経前枝 rami ventrales nervorum lumbalium 1557
腰神経前枝 ventral primary rami of lumbar spinal nerves 1557
腰神経前枝 ventral rami of lumbar nerves 1557
腰神経叢 lumbar (nerve) plexus 1441
用心原理 precautionary principle 1485
羊心小胞 amniocardiac vesicle 2016
羊水 amnionic fluid 714
羊水 liquor amnii 1060
羊水 waters 2041
羊水過少〔症〕 oligoamnios 1296
羊水過少〔症〕 oligohydramnios 1297
羊水過少症の異常 oligohydramnios sequence 1665
羊水過多〔症〕 hydramnios, hydramnion 869
羊水過多〔症〕 polyhydramnios 1460
羊水吸引 meconium aspiration 162
羊水鏡 amnioscope 62
羊水鏡〔検査〕法 amnioscopy 63
羊水腔 amnionic cavity 316
腰髄撮影図 lumbar myelogram 1210
腰髄撮影像 lumbar myelogram 1210
羊水指数 amnionic fluid index (AFI) 921
羊水症候群 amnionic fluid syndrome 1796
羊水穿刺 amniocentesis 62
腰髄造影図 lumbar myelogram 1210
腰髄造影像 lumbar myelogram 1210
羊水塞栓症 amnionic fluid embolism 600
羊水補充療法 amnioinfusion 62
羊水漏 amniorrhea 62
揚子江渓谷熱 Yangtze Valley fever 687
揚子江水腫(浮腫) Yangtze edema 587
幼生 larva 1001
養成 training 1915
陽性/陰性変時作用薬 positive/negative chronotrope 360
陽性/陰性変力 positive/negative inotrope 939
陽性アネルギー positive anergy 78
溶性塩基性サリチル酸アルミニウム aluminum salicylate, basic, soluble 54
陽性期 positive phase 1402
陽性元素 electropositive element 598
陽性後電位 positive afterpotential 34
陽性残像 positive afterimage 33
陽性支持反応 supporting reactions 1567
溶精子素 spermatolysin 1710
陽性周期変動 positive chronotropism 360
妖精症 leprechaunism 1020
陽性症状 positive symptom 1792
幼生生殖 pedogenesis 1376
陽性洗〔浄〕剤 cationic detergents 500
陽性染色〔法〕 positive stain 1734
陽性相 positive phase 1402
陽性像 hot nodule 1261
陽性造影剤による眼窩造影 positive contrast orbitography 1310
陽性走電性 positive electrotaxis 598
陽性転移 positive transference 1918
葉性ネフロニア lobar nephronia 1063
陽性白血球走性 leukocytotaxia 1027
容積 volume (*V*, V) 2036
容積計 volumenometer 2036
容積指数 volume index 923
容積測定の volumetric 2036
容積置換プレチスモグラフ volume-displacement plethysmograph 1437
容積調節呼吸器 volume-controlled respirator 1596
容積平均〔効果〕 volume averaging 2036
溶石薬 lithotriptic 1062
溶接工肺 welder's lung 1073
葉切除〔術〕 lobectomy 1064
葉切断〔術〕 lobotomy 1064
腰仙角 lumbosacral angle 89
腰仙骨関節 articulatio lumbosacralis 157
腰仙骨関節 lumbosacral joint 970
腰仙骨神経幹 truncus lumbosacralis 1938
腰仙骨神経幹 lumbosacral (nerve) trunk 1938
腰仙骨神経叢 lumbosacral (nerve) plexus 1441
腰仙骨連結 junctura lumbosacralis 974
腰仙の lumbosacral 1071
腰前弯 lumbar lordosis 1069
要素 element 598
要素 essence 643
要素 factor 665
ヨウ素 iodine (I) 953
ヨウ素123 iodine 123 953
ヨウ素125 iodine 125 953
ヨウ素127 iodine 127 953
ヨウ素131 iodine 131 953
ヨウ素132 iodine 132 954
腰槽 cisterna lumbalis 368
腰槽 lumbar cistern 368
ヨウ素価 iodine number 1282
ヨウ素価 iodine value 1984
要素学 stoichiology 1748
ヨウ素還元滴定 iodometry 954
葉足 lobopodium 1064
腰鼡径神経 lumboinguinal nerve 1236
腰鼡径の lumboinguinal 1071
ヨウ素酸 iodic acid 953
ヨウ素酸塩 iodate 953
ヨウ素酸化滴定 iodimetry 953
ヨウ素酸カルシウム calcium iodate 277
ヨウ素酸銀 silver iodate 1685
ヨウ素酸ジグリコラルヨード diglycocoll hydroiodide-iodine 518
ヨウ素試験 iodine test 1859
ヨウ素(^{131}I)摂取試験 ^{131}I uptake test 1859
ヨウ素中毒 iodism 954
ヨウ素滴定 iodometry 954
ヨウ素尿症 ioduria 954
ヨウ素の iodic 953
ヨウ素の有機化 organification 1312
ヨウ素(^{125}I)標識血清アルブミン iodinated ^{125}I serum albumin 43
ヨウ素(^{131}I)標識ヒト血清アルブミン iodinated ^{131}I human serum albumin 43
ヨウ素(^{131}I)標識ヨウ化ナトリウム sodium iodide iodine-131 953
溶体 solution (sol., soln.) 1697
幼態成熟 neoteny 1228
幼ダニ larva 1001
幼稚症 infantilism 925
幼虫 grub 803
幼虫 larva 1001
幼虫移行症 larva migrans 1001
幼虫性結膜炎 larval conjunctivitis 412
幼虫撲滅の larvicidal 1002
幼虫撲滅薬 larvicide 1002
羊跳脈 pulsus caprisans 1525
腰腸肋筋 iliocostalis lumborum (muscle)

…… 1186
腰腸肋筋 lumbar iliocostal muscle …… 1189
腰腸肋筋 sacrolumbalis …… 1630
腰椎 lumbar vertebrae［L1–L5］…… 2015
腰椎 vertebrae lumbales［LI–LV］…… 2015
腰椎化 lumbarization …… 1071
腰椎穿刺 lumbar puncture（LP）…… 1527
腰椎穿刺針 lumbar puncture needle …… 1225
腰椎穿刺針 spinal needle …… 1225
腰椎前彎 lumbar flexure …… 713
腰椎の lumbar …… 1071
〔腰椎の〕乳頭突起 mammillary process of lumbar vertebra …… 1489
〔腰椎の〕乳頭突起 processus mammillaris vertebrae lumbalis …… 1491
〔腰椎の〕副突起 accessory process of lumbar vertebra …… 1488
〔腰椎の〕副突起 processus accessorius vertebrae lumbalis …… 1491
〔腰椎の〕肋骨突起 costal process of lumbar vertebra …… 1488
腰痛〔症〕lumbago …… 1071
葉摘〔手術〕lobectomy …… 1064
陽電子 positron（β^+）…… 1470
陽電子断層撮影法 positron emission tomography（PET）…… 1899
揺動 titubation …… 1896
腰動脈 arteriae lumbales …… 136
腰動脈 lumbar arteries …… 148
腰動脈の背枝 dorsal branches of the lumbar arteries …… 246
養豚業者病 swineherd's disease …… 541
腰内臓神経 lumbar splanchnic nerves …… 1236
腰内臓神経 nervi splanchnici lumbales …… 1243
腰内側横突間筋 medial lumbar intertransversarii（muscles）…… 1189
腰内側横突間筋 musculi intertransversarii mediales lumborum …… 1201
葉内の intralobar …… 950
〔小〕葉の foliate …… 721
溶媒 solvent …… 1699
溶媒化 solvation …… 1699
溶媒化合物 solvate …… 1699
溶媒吸収 lyosorption …… 1086
溶媒抵抗 solvent drag …… 559
腰背の dorsolumbar …… 556
溶媒用エーテル solvent ether …… 645
溶媒和〔作用〕solvation …… 1699
羊皮紙〔様捻髪〕音 parchment crackling 1355
羊皮紙心 parchment heart …… 820
羊皮紙様皮膚 parchment skin …… 1691
用品 armamentarium …… 132
腰部 regio lumbalis …… 1584
腰部 lumbar region …… 1585
〔横隔膜〕腰部 lumbar part of diaphragm …… 1365
腰腹部の lumboabdominal …… 1071
腰部四角 tetragon lumbale …… 1871
腰部前凸彎曲 lumbar lordosis …… 1069
〔腰部〕多裂筋 musculus multifidus（lumborum）…… 1201
腰部虫垂炎 lumbar appendicitis …… 119
腰〔部〕の lumbar …… 1071
腰部ミエログラム lumbar myelogram …… 1210
〔栄〕養分 nutrient …… 1284
腰ヘルニア lumbar hernia …… 843
揺変性 thixotropy …… 1885
揺変性液 thixotropic fluid …… 715
揺変性の thixolabile …… 1885
揺変性の thixotropic …… 1885
容貌 aspect …… 161
腰方形筋 quadratus lumborum（muscle）…… 1192
腰方形筋 musculus quadratus lumborum …… 1202
腰方形筋滑液包 bursa quadrati femoris 269
用法指示 signature …… 1684
腰膨大 lumbosacral enlargement …… 618
腰膨大 intumescentia lumbosacralis …… 952
羊膜 amnion …… 62
羊膜 bag of waters …… 192
羊膜 caul, cowl …… 315
羊膜 indusium …… 925
羊膜炎 amnionitis …… 62
羊膜外妊娠 extraamniotic pregnancy …… 1478
羊膜外胚葉 amnionic ectoderm …… 585
羊膜管 amnionic duct …… 563
羊膜形成 amniogenesis …… 62
羊膜原細胞 amniogenic cells …… 319
羊膜鉤 amniohook …… 62
羊膜腫 amnioma …… 62
羊膜絨毛膜の amniochorial, amniochorionic …… 62
羊膜上〔方〕の epamniotic …… 625
羊膜性漏水症 hydrorrhea gravidae, hydrorrhea gravidarum …… 874
羊膜切開〔術〕amniotomy …… 63
羊膜切開器 amniotome …… 63
羊膜帯 amnionic band …… 194
羊膜帯による胎児異常 amniotic band disruption complex …… 400
羊膜帯による胎児異常 amniotic band sequence …… 1664
羊膜破裂 amniorrhexis …… 62
羊膜ひだ amnionic fold …… 718
羊膜縫線 amnionic raphe …… 1558
羊膜輪 amnion ring …… 1617
〔有〕羊膜類 Amniota …… 63
羊毛 lana …… 1000
羊毛 wool …… 2048
羊毛アルコール wool alcohols …… 2048
羊毛脂 adeps lanae …… 28
羊毛脂 lanolin …… 1000
羊毛脂 wool fat …… 2048
羊毛脂 yolk …… 2056
羊毛状母斑 woolly hair nevus …… 1256
羊毛状毛 woolly hair …… 812
腰卵巣の lumboovarian …… 1071
溶離 elution …… 599
溶離液 eluate …… 599
溶離液 eluent …… 599
容量 capacity …… 288
容量 load …… 1063
用量 dosage …… 556
〔適,服〕用量 dose …… 556
容量液 volumetric solution（VS）…… 1698
容量オスモル濃度 osmolarity …… 1319
用量決定 dosage …… 556
用量作用関係 dose-response relationship 1588
容量–時間曲線 volume-time curve …… 451
用量–反応曲線 dose-response curve …… 451
容量フラスコ volumetric flask …… 711
容量分析 volumetric analysis …… 71
葉緑素 chlorophyll …… 347
葉緑体 chloroplast …… 347
腰リンパ管叢 lumbar lymphatic plexus 1441
腰リンパ節 lumbar lymph nodes …… 1079
腰リンパ本幹 trunci（lymphatici）lumbales …… 1938
腰リンパ本幹 lumbar（lymphatic）trunks …… 1938
溶連菌性膿胸 streptococcal empyema …… 606
腰肋 lumbar rib …… 1612
腰肋三角 vertebrocostal trigone …… 1933
〔横隔膜の〕腰肋三角 lumbocostal triangle of diaphragm …… 1927
〔横隔膜の〕腰肋三角 trigonum lumbocostale diaphragmatis …… 1933
腰肋靱帯 lumbocostal ligament …… 1037
腰肋靱帯 ligamentum lumbocostale …… 1044
腰肋の lumbocostal …… 1071
腰肋腹三角 lumbocostoabdominal triangle …… 1927
ヨカスタコンプレックス Jocasta complex …… 402
予期 anticipation …… 102
翼 pinna …… 1425
翼 wing …… 2046
抑圧 repression …… 1591
抑圧 suppression …… 1778
抑圧〔突然〕変異 suppressor mutation …… 1206
抑うつ blues …… 224
抑うつ〔症〕depression …… 493
抑うつエピソード depressive episode …… 630
翼棘靱帯 pterygospinal ligament …… 1039
翼棘靱帯 pterygospinous ligament …… 1039
翼棘靱帯 ligamentum pterygospinale …… 1045
翼棘突起 pterygospinous process …… 1490
翼棘突起 processus pterygospinosus …… 1492
翼口蓋窩 fossa pterygopalatina …… 733
翼口蓋窩 pterygopalatine fossa …… 733
翼口蓋溝 sulcus pterygopalatinus …… 1774
翼口蓋神経 pterygopalatine nerves …… 1238
翼口蓋神経 nervi pterygopalatini …… 1243
翼口蓋神経節 ganglion pterygopalatinum 754
翼口蓋神経節 pterygopalatine ganglion … 754
翼口蓋神経節の咽頭枝 pharyngeal branch of pterygopalatine ganglion …… 251
翼口蓋神経節の咽頭枝 ramus pharyngeus ganglii pterygopalatini …… 1555
〔翼口蓋神経節の〕咽頭枝 pharyngeal nerve …… 1237
翼口蓋神経節の外側上後鼻枝 rami nasales posteriores superiores laterales ganglii pterygopalatini …… 1554
翼口蓋神経節の眼窩枝 orbital branches of pterygopalatine ganglion …… 250
翼口蓋神経節の眼窩枝 ramus orbitalis ganglii pterygopalatini …… 1554
翼口蓋神経節の後上外側鼻枝 posterior superior lateral nasal branches of pterygopalatine ganglion …… 252
翼口蓋神経節の後上内側鼻枝 posterior superior medial nasal branches of pterygopalatine ganglion …… 252
翼口蓋神経節の知覚根 radix sensoria ganglii pterygopalatini …… 1546
翼口蓋神経節の知覚根 sensory root of pterygopalatine ganglion …… 1622
翼口蓋神経節の内側上後鼻枝 rami nasales posteriores superiores mediales ganglii pterygopalatini …… 1554
抑止 suppression …… 1778
翼手目 Chiroptera …… 345
翼状 patagium …… 1371
翼上顎裂 fissura pterygomaxillaris …… 702
翼上顎裂 pterygomaxillary fissure …… 704
翼上顎裂 pterygomaxillary notch …… 1270
翼状頸 webbed neck …… 1223
翼状頸 pterygium colli …… 1521
翼状結節 pterygoid tubercle …… 1944
翼状肩甲〔骨〕〔症〕winged scapula …… 1640
翼状細胞 wing cell …… 328
翼状支柱 pterygoid buttress …… 272
翼状靱帯 alar ligaments …… 1032
〔蝶形骨の〕翼状突起 pterygoid process of sphenoid bone …… 1490
〔蝶形骨の〕翼状突起 processus pterygoideus ossis sphenoidalis …… 1492
翼状突起外側板 lateral plate of pterygoid process …… 1435
翼状突起外側板 lateral pterygoid plate 1435
〔蝶形骨の〕翼状突起外側板 lamina lateralis processus pterygoidei ossis sphenoidalis 998
翼状突起内側板 lamina medialis processus pterygoideus ossei …… 998
翼状突起内側板 medial plate of pterygoid process …… 1435

翼状突起内側板 medial pterygoid plate 1435
翼状突起板 pterygoid laminae 998
翼状の alar 42
翼状の aliform 47
翼状の pterygoid 1522
翼状ひだ alar folds of infrapatellar synovial fold 718
翼状片症候群 pterygium syndrome 1817
抑制 inhibition 933
抑制 repression 1591
抑制 restraint 1597
抑制 suppression 1778
抑制遺伝子 repressor gene 764
抑制因子 inhibitor 933
抑制因子 repressor 1591
抑制解除 derepression 494
抑制解除 disinhibition 543
抑制月経 suppressed menstruation 1131
抑制酵素 repressible enzyme 624
抑制弱視 suppression amblyopia 57
抑制消失 disinhibition 543
抑制神経 inhibitor 933
抑制神経 inhibitory nerve 1235
抑制性シナプス後電位 inhibitory postsynaptic potential (IPSP) 1473
抑制性接合部電位 inhibitory junction potential (IJP) 1473
抑制〔性〕線維 inhibitory fibers 689
抑制体 inhibitor 933
抑制的強迫観念 inhibitory obsession 1288
抑制の catastaltic 312
抑制物質 inhibitor 933
抑制薬 depressant 492
抑制薬 depressor 494
抑制薬 inhibitor 933
浴槽 bath 201
翼蝶形〔骨〕軟骨 alisphenoid cartilage 305
翼付カテーテル winged catheter 314
ヨクト yocto- (y) 2056
欲動 drive 561
翼突咽頭筋 musculus pterygopharyngeus 1202
翼突窩 fossa pterygoidea 733
翼突窩 pterygoid fossa 733
翼突下顎窩 pterygomandibular space 1705
翼突下顎の pterygomandibular 1522
翼突下顎縫線 pterygomandibular raphe 1558
翼突下顎縫線 raphe pterygomandibularis 1558
翼突管 pterygoid canal 284
翼突管 canalis pterygoideus 286
翼突管静脈 vein of pterygoid canal 2000
翼突管静脈 vena canalis pterygoidei 2004
翼突管神経 nerve of pterygoid canal 1238
翼突管神経 nervus canalis pterygoidei 1241
翼突管神経 radix facialis 1546
翼突管動脈 arteria canalis pterygoidei 134
翼突管動脈 artery of pterygoid canal 151
翼突管動脈の咽頭枝 pharyngeal branch of the artery of pterygoid canal 251
翼突棘筋 musculus pterygospinosus 1202
翼突筋窩 fovea pterygoidea 735
翼突筋窩 pterygoid fovea 735
翼突筋窩 pterygoid pit 1426
翼突筋静脈叢 pterygoid venous plexus 1443
翼突筋神経 pterygoid nerve 1238
翼突筋神経 nervus pterygoideus 1243
〔下顎骨の〕翼突筋粗面 tuberositas pterygoidea (mandibulae) 1947
〔下顎骨の〕翼突筋粗面 pterygoid tuberosity (of mandible) 1947
翼突鉤 hamulus pterygoideus 814
翼突鉤 pterygoid hamulus 814
翼突口蓋の pterygopalatine 1522
翼突鉤溝 groove of pterygoid hamulus 802
翼突鉤溝 sulcus hamuli pterygoidei 1772
翼突鉤溝 sulcus of pterygoid hamulus 1774
翼突硬膜動脈 pterygomeningeal artery 151
翼突上顎の pterygomaxillary 1522
翼突切痕 pterygoid fissure 704
翼突切痕 incisura pterygoidea 919
翼突切痕 pterygoid notch 1270
翼の alar 42
翼板 lamina alaris 996
翼板 wing plate 1436
〔神経管の〕翼板 alar lamina of neural tube 996
〔神経管の〕翼板 alar plate of neural tube 1434
欲望欠如 inappetence 918
予後 prognosis 1495
横顔 profile 1494
横型腹直筋 transverse rectus abdominus musculocutaneous flap 710
横緩和 transverse relaxation 1589
横緩和時間 T2 1836
横座標 abscissa 6
予後診断医 prognostician 1495
予後徴候 prognostic 1495
横痃(よこね) bubo 263
横の transversalis 1922
横の transverse 1922
横の transversus 1922
横幅拡大体型の eurysomatic 649
予後不定の acritical 17
よごれ細胞 smudge cells 326
四次構造 quaternary structure 1760
四次構造の quaternary (Q) 1537
余色 complementary colors 393
よじれ腰 tortipelvis 1905
予成ぞうげ質 predentin 1477
予成膜 membrana preformativa 1124
よせ運動 vergence 2013
予測価 predictive value 1984
予測的妥当性 predictive validity 1983
ヨタ yotta- (Y) 2056
よたつき staggers 1729
よたつき歩行 waddling gait 749
よたよた歩く waddle 2039
予知 precognition 1477
よちよち歩き骨折 toddler's fracture 738
四日熱〔マラリア〕 malariae malaria 1094
四日熱マラリア原虫 *Plasmodium malariae* 1433
四日熱マラリア三重感染 triple quartan malaria 1095
四日熱マラリア二重感染 double quartan malaria 1094
4日目ごとの quartan 1537
欲求 appetite 120
欲求 drive 561
欲求 impulse 917
欲求行動 appetitive behavior 204
欲求不満 frustration 743
欲求不満-攻撃性仮説 frustration-aggression hypothesis 898
欲求不満の耐性 frustration tolerance 1898
4つ組 tetrad 1871
四つ児 quadruplet 1537
予定〔発生〕運命 prospective fate 678
予定日超過妊娠 postdate pregnancy 1478
予定部位 presumptive region 1586
夜なき pavor nocturnus 1374
ヨハンソン-ブリザード症候群 Johanson-Blizzard syndrome 1809
予備 reserve 1592
予備意識の foreconscious 728
予備印象 preliminary impression 917
予備吸気量 inspiratory reserve volume (IRV) 2036
予備結紮 provisional ligature 1046
予備呼気量 expiratory reserve volume (ERV) 2036
予備力 reserve force 727
ヨヒンビン yohimbine 2056
予防 prevention 1483
予防〔法〕 prophylaxis 1499
予防医学 preventive medicine 1117
予防拡大 extension form 729
予防原則 Universal Precautions 1967
予防策 precautions 1476
予防歯〔科〕学 preventive dentistry 488
予防接種 vaccination 1979
予防的化学療法 chemoprevention 342
予防的拡充塡法 prophylactic odontotomy 1292
予防的治療 prophylactic treatment 1924
予防的薬剤投与 primary chemoprophylaxis 342
予防薬 prophylactic 1499
予防用量 preventive dose 557
予防療法 prophylactic treatment 1924
読み過し readthrough 1568
読み枠 open reading frame 1568
読み取り枠障害 blocked reading frame 1568
読み枠 reading frame 1568
読み枠〔突然〕変異 frameshift mutation 1206
読み枠〔突然〕変異 reading-frameshift mutation 1206
読み分け困難 crowding phenomenon 1404
ヨモギ油 oil of wormwood 1295
ヨリー反応 Jolly reaction 1565
ヨルケ自己溶解反応 Yorke autolytic reaction 1568
ヨレス試験 Jolles test 1859
よろい心 armored heart 820
よろい心 panzerherz 1344
よろめき titubation 1896
よろめき歩行 toppling gait 748
弱い遅脈 pulsus parvus et tardus 1526
弱さ weakness 2043
四塩基の quadribasic 1536
四価元素 tetrad 1871
IV型コラーゲン type IV collagen 390
四価の quadrivalent 1537
四価の基 tetrad 1871
四価モリブデン酸の molybdous 1164
四期梅毒 quaternary syphilis 1828
四級アンモニウムイオン amine 59
四級炭素原子 quaternary carbon atom 170
四級の quaternary (Q) 1537
四極の quadripolar 1537
4原子の quaternary (Q) 1537
4原子の tetratomic 1872
四重脈の tetracrotic 1871
四重盲検研究 quadruple-blind study 1761
四水素性の tetrahydric 1871
四段脈 quadrigeminal pulse 1525
四段脈 quadrigeminal rhythm 1611
IV度星状細胞腫 grade IV astrocytoma 166
四倍体 tetraploid 1872
四尾包帯 four-tailed bandage 195
四分子 tetrad 1871
四分〔の一〕半盲 quadrantanopia 1536
四分の一盲性暗点 quadrantic scotoma 1650
四連脈 quadrigeminal pulse 1525
四連脈 pulsus quadrigeminus 1526
四連脈 quadrigeminal rhythm 1611
四腕奇形体 tetrabrachius 1870

ヨ

ラ

ラージ(ラジ)細胞 Raji cell …… 325
ラージ(ラジ)細胞放射免疫測定〔法〕Raji cell radioimmune assay …… 163
ラーセン症候群 Larsen syndrome …… 1810
ラーター latah …… 1004
ラード adeps …… 28
ラード lard …… 1001
ラーナーのホメオスタシス Lerner homeostasis …… 859
ラーマン(ラマン)効果 Raman effect …… 589
ラーマン(ラマン)スペクトル Raman spectrum …… 1709
ラーモア周波数 Larmor frequency …… 741
ラーン-オーティス試料 Rahn-Otis sample …… 1633
らい〔病〕leprosy …… 1021
ライアン染色〔法〕Ryan stain …… 1735
ライオニゼーション lyonization …… 1086
ライオン顎状骨把持鉗子 lion-jaw bone-holding forceps …… 727
らい隔離病院 leprosarium …… 1021
らい患者 leper …… 1020
らいかん(癩癇)発作 fit …… 707
らい球 globi …… 778
らい菌 *Mycobacterium leprae* …… 1207
ライグラススタッガー rye grass staggers …… 1729
ライゲーション ligation …… 1046
ライサイセン筋 Reisseisen muscles …… 1192
らい細胞 lepra cells …… 323
らい腫 leproma …… 1021
らい集落 leprosery …… 1021
ライシュ管 Ruysch tube …… 1942
ライシュ筋 Ruysch muscle …… 1193
らい腫らい lepromatous leprosy …… 1021
蕾状期 bud stage …… 1727
ライ症候群 Reye syndrome …… 1818
らい疹 leprid …… 1021
ライス-トゥウィーン寒天〔培地〕rice-Tween agar …… 35
ライスナー線維 Reissner fiber …… 690
ライス-ビュックラース角膜ジストロフィ Reis-Bücklers corneal dystrophy …… 579
らい性結節性紅斑 erythema nodosum leprosum …… 639
らい性神経障害(ニューロパシー) leprous neuropathy …… 1251
らい性脱毛〔症〕alopecia leprotica …… 52
ライソザイム lysozyme …… 1087
ライソジェン lysogen …… 1086
ライソソーム lysosome …… 1087
ライソソーム(リソソーム)病 lysosomal disease …… 537
ライター試験 Reiter test …… 1863
ライター症候群 Reiter syndrome …… 1817
ライディヒ細胞 Leydig cells …… 323
ライディヒ細胞機能低下〔症〕hypoleydigism …… 894
ライディヒ細胞腫〔瘍〕Leydig cell tumor …… 1951
ライディール-ウォーカー係数 Rideal-Walker coefficient …… 387
ライデン神経炎 Leyden neuritis …… 1246
ライト回転〔術〕Wright version …… 2014
ライトグリーンSFイエローイッシュ light green SF yellowish …… 1047
ライト抗原 Wright antigens (Wr_a) …… 106
ライト呼吸計 Wright respirometer …… 1596
ライト染料 Wright stain …… 1736
ライトメロミオシン L-meromyosin, light-meromyosin …… 1133
ライトワイヤ装置 light wire appliance … 121
ライナー liner …… 1053
ライネッケ塩 Reinecke salt …… 1632
ライノウイルス rhinovirus …… 1609
ライノウイルス属 *Rhinovirus* …… 1609
ライバス-トレス病 Ribas-Torres disease 539
ライヒシュタイン物質 Reichstein substance …… 1766
ライフェンスタイン症候群 Reifenstein syndrome …… 1817
ライフサイクル life cycle …… 455
ライフスタイル lifestyle …… 1032
ライブラリー library …… 1031
ライブラリースクリーニング library screening …… 1031
ライ分類 Rye classification …… 371
ライヘルト-マイスル数 Reichert-Meissl number …… 1282
ライヘル-ポーリャ胃手術 Reichel-Pólya stomach procedure …… 1487
ライマーの三角 area of Laimer …… 129
ライム果 lime …… 1048
ライム関節炎 Lyme arthritis …… 155
ライム病 Lyme disease …… 536
雷鳴恐怖〔症〕brontophobia …… 261
雷鳴頭痛 thunderclap headache …… 818
ライリエンチヤ症 raillietiniasis …… 1546
ライル管 Ryle tube …… 1942
ライル帯 Reil band …… 194
ライン line …… 1048
ラインウィーヴァー-ブルク(バーク)式 Lineweaver-Burk equation …… 634
ラインケ腔 Reinke space …… 1705
ラインケ晶質 Reinke crystalloids …… 446
ラインケ浮腫 Reinke edema …… 587
ラインシュ試験 Reinsch test …… 1863
ラインベルク顕微鏡 Rheinberg microscope …… 1154
ラヴィボンド角 Lovibond angle …… 89
ラウシャー白血病ウイルス Rauscher leukemia virus …… 2028
ラウス関連ウイルス Rous-associated virus (RAV) …… 2029
ラウス肉腫 Rous sarcoma …… 1636
ラウス肉腫ウイルス Rous sarcoma virus (RSV) …… 2029
ラウダニン laudanine …… 1005
ラウダノシン laudanosine …… 1005
ラウバー層 Rauber layer …… 1013
ラウラー管 Laurer canal …… 283
ラウリル硫酸ナトリウム sodium lauryl sulfate …… 1696
ラウリン酸 lauric acid …… 1005
ラウルの法則 Raoult law …… 1008
ラウンドバー round bur …… 267
ラエネック肝硬変 Laënnec cirrhosis …… 367
ラ音 rale …… 1546
ラ音 rhonchus, sonorous rhonchus, sibilant rhonchus …… 1610
ラ音振とう音 rhonchal fremitus …… 740
ラカークラック lacquer cracks …… 433
ラ行吶 lambdacism …… 996
ラ行吶 paralambdacism …… 1349
ラ行吶 pararhotacism …… 1353
ラ行吶 rhotacism …… 1611
ラクヴェアーのアルコール性ヒアリン染色〔法〕Laquer stain for alcoholic hyalin …… 1732
酪酸 butyric acid …… 272
酪酸菌 *Clostridium butyricum* …… 376
酪酸CoAリガーゼ butyrate:CoA ligase … 272
烙刺法 ignipuncture …… 905
ラグスクリュー lag screw …… 1651
落屑 desquamation …… 500
落屑 exfoliation …… 653
落屑性紅皮症 erythroderma desquamativum …… 640
落屑性耳炎 otitis desquamativa …… 1326
ラクターゼ lactase …… 993
β-ラクタマーゼ β-lactamase …… 993
ラクタム lactam, lactim …… 993
β-ラクタム β-lactam …… 993
ラクチム lactam, lactim …… 993
ラクツロース lactulose …… 994
ラクツロース注腸 lactulose enema …… 616
ラクテニン lactenin …… 993
ラクトアシドーシス lactacidosis …… 993
ラクトアルブミン lactalbumin …… 993
ラクトイルグルタチオンリアーゼ lactoylglutathione lyase …… 994
ラクトグロブリン lactoglobulin …… 994
ラクトゲン lactogen …… 994
ラクトース lactose …… 994
ラクトースオペロン Lac operon …… 1306
ラクトースシンターゼ lactose synthase 994
ラクトナーゼ lactonase …… 994
ラクトバチル酸 lactobacillic acid …… 993
ラクトフェノール-コットンブルー染色 lactophenol cotton blue stain …… 1732
ラクトフェリン lactoferrin …… 994
ラクトフラビン lactoflavin …… 994
ラクトペルオキシダーゼ lactoperoxidase 994
ラクトン lactone …… 994
ラクナ状態 lacunar state …… 1739
酪農・卵・菜食主義者 lacto-ovo-vegetarian …… 1992
ラグビージャージー椎体 rugger jersey vertebra …… 2015
落陽現象 setting sun sign …… 1683
落葉状天疱瘡 pemphigus foliaceus …… 1379
ラクロスウイルス La Crosse virus …… 2026
ラクーン眼 raccoon eyes …… 659
ラケット形切断〔術〕racket amputation …… 66
ラケット状菌糸 racquet hypha …… 890
ラケット状爪 racket nail …… 1220
ラザホージウム rutherfordium (Rf) …… 1627
ラジアン radian (rad) …… 1541
ラジウム radium (Ra) …… 1545
ラジウムビーム療法 radium beam therapy …… 1879
ラジオアイソトープ radioactive isotope 963
ラジオアイソトープ radioisotope …… 1544
ラジオアイソトープカウ radioactive cow …… 1542
〔ラジオアイソトープ〕ジェネレータ radionuclide generator …… 765
ラジオイムノアッセイ radioimmunoassay (RIA) …… 1544
ラジオエレクトロフィジオログラフ radioelectrophysiolograph …… 1543
ラジオエレクトロフィジオログラフィ radioelectrophysiolography …… 1543
ラジオエレクトロフィジオログラム radioelectrophysiologram …… 1543
ラジオカルジオグラフィ radiocardiography …… 1542
ラジオカルジオグラム radiocardiogram 1542
ラジオ〔無線〕周波 radiofrequency …… 1543
ラジオテルミー radiothermy …… 1545
ラジオテレメータ用カプセル radiotelemetering capsule …… 291
ラジオパク radiopaque …… 1545
ラシオヘレア属 *Lasiohelea* …… 1004
ラジオマイクロメータ radiomicrometer 1544
ラジオメータ radiometer …… 1544
ラジオレセプタアッセイ radioreceptor assay …… 163

ラジカル radical ………… 1542
裸子嚢殻 gymnothecium ………… 807
ラシュコフ神経叢 Raschkow plexus ………… 1443
裸出 denudation ………… 490
ラシュトン〔小〕体 Rushton bodies ………… 229
ラステリー手術 Rastelli operation ………… 1306
ラスト〔法〕 radioallergosorbent test (RAST) ………… 1863
ラスムッセン動脈瘤 Rasmussen aneurysm 82
ラスムッセン脳炎 Rasmussen encephalitis ………… 607
ラセク LASEK ………… 1003
ラゼーグ症候群 Lasègue syndrome ………… 1810
ラゼーグ徴候 Lasègue sign ………… 1681
ラゼーグ(ラセーグ)テスト Lasègue test 1860
ラセフェミン racefemine ………… 1540
ラセマーゼ racemase ………… 1540
ラセミ化 racemization ………… 1540
ラセミ化合物 racemate ………… 1540
ラセミ体 raceme ………… 1540
ラセミ体の racemic (*r*) ………… 1540
ラセミの racemic (*r*) ………… 1540
らせん helix ………… 823
ラセン whorl ………… 2045
らせん(スパイラル)CT spiral computed tomography ………… 1899
ラセン蝸牛軸動脈 spiral modiolar artery 152
ラセン関節 cochlear joint ………… 969
ラセン器 spiral organ ………… 1312
ラセン器 organum spirale ………… 1313
〔環〕ラセン〔形〕器官 anulospiral organ 1311
ラセン器の内柱 stege ………… 1741
〔ラセン器の〕網状膜 membrana reticularis organi spiralis ………… 1124
〔ラセン器の〕網状膜 reticular membrane of spiral organ ………… 1127
らせん菌科 Spirillaceae ………… 1717
らせん菌糸 spiral hyphae ………… 890
らせん菌症 spirillosis ………… 1717
らせん菌状の spirillar ………… 1717
らせん形エナメル whorled enamel ………… 606
〔環〕ラセン〔形〕終末 anulospiral ending 611
らせん形の spiral ………… 1717
ラセン血管 vas spirale ………… 1989
ラセン孔列 spiral foraminous tract ………… 1913
ラセン孔列 tractus spiralis foraminosus 1915
らせん骨折 spiral fracture ………… 738
ラセン細管 spiral tubule ………… 1948
らせん状の helicoid ………… 823
らせん状の spiral ………… 1717
らせん状抜歯梃子 screw elevator ………… 599
らせん状縫合 spiral suture ………… 1788
ラセン神経節 cochlear ganglion ………… 753
ラセン神経節 ganglion spirale cochleae 754
ラセン神経節 spiral ganglion of cochlea 754
らせん体 spiral ………… 1717
ラセン動脈 screw arteries ………… 152
ラセン動脈 spiral artery ………… 152
らせんの helical ………… 822
ラセン板縁 limbus spiralis ………… 1048
ラセン板縁 spiral limbus ………… 1048
ラセン板縁前庭唇 labium limbi vestibulare laminae spiralis ossei ………… 991
ラセン板縁前庭唇 vestibular labium of limbus of spiral lamina ………… 992
ラセン板縁前庭唇 vestibular lip of limbus of spiral lamina ………… 1055
ラセン板縁前庭唇 vestibular lip of spiral limbus ………… 1055
ラセン板鉤 hamulus of spiral lamina ………… 814
〔ラセン板の〕鼓室唇 labium limbi tympanicum laminae spiralis ossei ………… 991
〔ラセン板の〕鼓室唇 labium limbi tympanicum limbi spiralis ossei ………… 991
〔ラセン板の〕鼓室唇 tympanic labium of limbus of spiral lamina ………… 992
〔ラセン板の〕鼓室唇 tympanic lip of limbus of spiral lamina ………… 1055
〔ラセン板の〕鼓室唇 tympanic lip of spiral limbus ………… 1055
〔胆嚢管〕ラセンひだ spiral fold of cystic duct ………… 720
〔胆嚢管〕ラセンひだ plica spiralis ductus cystici ………… 1445
らせん包帯 spiral bandage ………… 196
ラセン膜 membrana spiralis ………… 1124
らせん万力 jackscrew ………… 966
ラセン稜 crista spiralis ………… 440
ラタルジェ神経 Latarget nerve ………… 1235
ラチリスム lathyrism ………… 1004
ラチロゲン lathyrogen ………… 1004
ラッカーゼ laccase ………… 992
落花生油 peanut oil ………… 1295
楽観主義 optimism ………… 1309
ラックマン試験 Lachman test ………… 1860
ラツコ帝王切開〔術〕 Latzko cesarean section ………… 1653
ラッサ Lassa virus ………… 2026
ラッサ熱 Lassa fever ………… 685
ラッシュカゼイン血清水解物培地 Lash casein hydrolysate-serum medium ………… 1118
ラッシュ手術 Lash operation ………… 1305
ラッセルクサリヘビ Russell viper ………… 2021
ラッセルクサリヘビ毒 Russell viper venom ………… 2009
ラッセルクサリヘビ毒凝固時間 Russell viper venom clotting time ………… 1893
ラッセル牽引 Russell traction ………… 1914
ラッセル鉤状束 uncinate bundle of Russell ………… 266
ラッセル蛇毒 Russell viper venom ………… 2009
ラッセル症候群 Russell syndrome ………… 1818
ラッセル〔小〕体 Russell bodies ………… 229
ラッセル徴候 Russell sign ………… 1683
ラッセルペリオドンタルインデックス Russell Periodontal Index ………… 1627
ラット rat ………… 1559
ラッド手術 Ladd operation ………… 1305
ラッド帯 Ladd band ………… 194
ラップ wrap ………… 2050
ラップアラウンドアーチファクト wraparound artifact ………… 158
ラディキシン radixin ………… 1546
ラディノウイルス *Rhadinovirus* ………… 1606
ラテックス latex ………… 1004
ラテックス凝集試験 latex agglutination test ………… 1860
ラテブラ latebra ………… 1004
ラテロトルージョン laterotrusion ………… 1004
ラテン方格 Latin square ………… 1004
ラド rad ………… 1540
裸頭条虫属 *Anoplocephala* ………… 94
ラトケ裂溝嚢胞 Rathke cleft cyst ………… 460
ラド(ルド)症候群 Rud syndrome ………… 1818
ラドフォード計算図表 Radford nomogram ………… 1266
ラドン radon (Rn) ………… 1546
ラドン吸入室 emanatorium ………… 600
ラナトシドA lanatosides A ………… 1000
ラナトシドB lanatosides B ………… 1000
ラナトシドC lanatosides C ………… 1000
ラナトシドD lanatoside D ………… 1000
ラヌラ ranula ………… 1558
ラノステロール lanosterol ………… 1000
ラノリン lanolin ………… 1000
ラバーショッド鉗子 rubber-shod clamp 370
ラバーダム rubber dam ………… 471
ラバーダムクランプ rubber dam clamp 370
ラパポート分類〔法〕 Rappaport classification ………… 371
ラパロスコピー laparoscopy ………… 1001
ラビアルバー labial bar ………… 196
ラピックの法則 Lapicque law ………… 1007
ラファヌス中毒〔症〕 raphania ………… 1558
ラフィノース raffinose ………… 1546
ラフォラ〔小〕体 Lafora body ………… 227
ラフォラ病 Lafora body disease ………… 536
ラフコロニー rough colony ………… 393
ラフ集落 rough colony ………… 393
ラブディティス型幼虫 rhabditiform larva ………… 1001
ラブドウイルス科 Rhabdoviridae ………… 1606
ラフト過マンガン酸カリウム固定液 Luft potassium permanganate fixative ………… 708
ラフトン-ショランダー装置 Roughton-Scholander apparatus ………… 119
ラプラース鉗子 Laplace forceps ………… 727
ラプラースの法則 Laplace law ………… 1007
ラブラーレインフェリウス labrale inferius ………… 992
ラブラーレスーペリウス labrale superius 992
ラベー三角 Labbé triangle ………… 1927
ラベラン原虫属 *Laverania* ………… 1005
裸変形虫目 Gymnamoebida ………… 806
ラベンダー油 oil of lavender ………… 1294
ラポポート試験 Rapoport test ………… 1863
ラポポート-リューベリングシャント Rapoport-Luebering shunt ………… 1675
ラポール rapport ………… 1558
ラホレ潰瘍 Lahore sore ………… 1701
ラマーズ法 Lamaze method ………… 1144
ラマチャンドランプロット Ramachandran plot ………… 1446
ラマルク説 lamarckian theory ………… 1876
ラマン(レーマン,レーモン)症候群 Ramon syndrome ………… 1817
ラミナリア杆 laminaria ………… 999
ラミナリン laminarin ………… 999
ラミニン laminin ………… 999
ラミニンレセプタ(受容体) laminin receptor ………… 1571
ラミネクトミー laminectomy ………… 999
ラミン lamins ………… 999
ラム rum ………… 1627
ラム症候群 LAMB syndrome ………… 1809
ラムズデン接眼レンズ Ramsden ocular 1291
ラムゼー〔鎮静〕尺度 Ramsey scale ………… 1639
ラムゼースケール Ramsey scale ………… 1639
ラムダ Λ, λ ………… 991
ラムダ lambda ………… 996
ラムダ(λ)型軽鎖 lambda (λ) light chain 337
ラムダ字形の lambdoid ………… 996
ラムダ〔状〕縫合 sutura lambdoidea ………… 1786
ラムダ〔状〕縫合 lambdoid suture ………… 1787
ラムダファージ Lambda phage ………… 1398
ラムノキサンチン rhamnoxanthin ………… 1606
ラムノシド rhamnoside ………… 1606
L-ラムノース L-rhamnose (Rha) ………… 1606
ラムルス ramulus ………… 1547
ラメラ lamella ………… 996
ラメリポディウム lamellipodium ………… 996
ラロキシフェン raloxifene ………… 1547
ラロケジア lalochezia ………… 996
ラロワイエーヌ手術 Laroyenne operation ………… 1305
ラロン型小人症 Laron type dwarfism ………… 569
卵 egg ………… 590
卵 ovule ………… 1329
卵 ovum ………… 1329
ランヴィエ円板 Ranvier discs ………… 526
ランヴィエ絞輪 node of Ranvier ………… 1261
ランヴィエ十字 Ranvier crosses ………… 441
ランヴィエ神経叢 Ranvier plexus ………… 1443
卵円窩 fossa ovalis ………… 733
卵円窩 oval fossa ………… 733
卵円窩縁 limbus fossae ovalis ………… 1047
卵円窩縁 margin of fossa ovalis ………… 1103
卵円孔 oval foramen ………… 725

ラ

卵円孔静脈叢 plexus venosus foraminis ovalis ………… 1444
卵円孔静脈叢 venous plexus of foramen ovale ………… 1444
〔卵円孔の〕開存 probe patency (of oval foramen) ………… 1371
卵円孔弁 valve of foramen ovale ………… 1985
卵円孔弁 valve of oval foramen ………… 1985
卵円孔弁 valvula foraminis ovalis ………… 1986
卵円窓 oval window ………… 2046
卵円窓前裂隙 fissula ante fenestram ………… 701
卵黄 vitellus ………… 2034
卵黄 vitellus ovi ………… 2034
卵黄 yolk ………… 2056
卵黄管 vitelline duct, vitellointestinal duct ………… 565
卵黄管の omphalomesenteric ………… 1298
卵黄極 vitelline pole ………… 1456
卵黄茎 yolk stalk ………… 1736
卵黄形成 vitellogenesis ………… 2033
卵黄細胞 yolk cells ………… 328
卵黄索 vitelline cord ………… 422
卵黄質 deutoplasm ………… 501
卵黄質原 deutoplasmigenon ………… 501
卵黄質溶解 deutoplasmolysis ………… 501
卵黄周囲腔 perivitelline space ………… 1704
卵黄周囲の perivitelline ………… 1394
卵黄静脈 vitelline vein ………… 2003
卵黄静脈 vena vitellina ………… 2008
卵黄腺 vitellarium ………… 2033
卵黄素 vitellin ………… 2033
卵黄巣 vitellarium ………… 2033
卵黄動脈 arteria vitellina ………… 138
卵黄動脈 vitelline artery ………… 154
卵黄内の intravitelline ………… 951
卵黄嚢 yolk sac ………… 1628
卵黄嚢憩室 allantoic diverticulum ………… 551
卵黄嚢性嚢胞(嚢腫) vitellointestinal cyst ………… 461
卵黄の血管 vitelline vessels ………… 2018
卵黄胚 lecithoblast ………… 1015
卵黄膜 membrana vitellina ………… 1124
卵黄膜 vitelline membrane ………… 1127
卵黄膜 yolk membrane ………… 1127
卵黄様変性 vitelliform degeneration ………… 481
卵黄様網膜変性 vitelliform retinal dystrophy ………… 579
卵黄卵割 yolk cleavage ………… 373
ランオフ runoff ………… 1627
卵外の extraovular ………… 658
卵殻 eggshell ………… 590
卵殻状石灰化 eggshell calcification ………… 276
卵殻爪 eggshell nail ………… 1219
卵核胞 germinal vesicle ………… 2016
ランカスター赤緑試験 Lancaster red green test ………… 1860
卵割 cleavage ………… 373
卵割 cleavage division ………… 553
卵割 segmentation ………… 1656
卵割球 blastomere ………… 219
ランカマイシン lankamycin ………… 1000
卵管 gonaduct ………… 792
卵管 oviduct ………… 1329
卵管 salpinx uterina ………… 1632
卵管 tuba uterina ………… 1940
卵管 uterine tube ………… 1942
卵管炎 salpingitis ………… 1631
卵管開口術 salpingoneostomy ………… 1631
卵管開口術 salpingostomy ………… 1632
卵管外膜 perisalpinx ………… 1392
卵管外膜炎 perisalpingitis ………… 1392
〔卵管〕間質妊娠 interstitial pregnancy ………… 1478
卵管間膜 mesosalpinx ………… 1137
卵管〔鏡〕検査〔法〕 salpingoscopy ………… 1632
卵管峡部 isthmus of uterine tube ………… 964
卵管峡部 isthmus tubae uterinae ………… 964
卵管筋層 myosalpinx ………… 1215
〔卵管〕筋層 muscular coat of uterine tube ………… 383
〔卵管〕筋層 muscular layer of uterine tube ………… 1012
〔卵管〕筋層 tunica muscularis tubae uterinae ………… 1953
卵管筋層炎 myosalpingitis ………… 1215
卵管形成〔術〕 salpingoplasty ………… 1632
卵管結紮 tubal ligation ………… 1046
卵管血腫 hematosalpinx ………… 827
卵管固定〔術〕 salpingopexy ………… 1632
卵管采 fimbriae of uterine tube ………… 700
卵管采 fimbriae tubae uterinae ………… 700
卵管采形成〔術〕 fimbrioplasty ………… 700
卵管采切除〔術〕 fimbriectomy ………… 700
卵管采ヘルニア fimbriocele ………… 700
卵管撮影(造影)〔法〕 salpingography ………… 1631
卵管子宮口 ostium uterinum tubae uterinae ………… 1325
卵管子宮口 uterine ostium of uterine tubes ………… 1325
卵管子宮〔部〕妊娠 tubouterine pregnancy ………… 1479
卵管子宮の tubouterine ………… 1948
卵管子宮部 uterine part of uterine tube 1368
卵管周囲炎 perisalpingitis ………… 1392
卵管出血 salpingorrhagia ………… 1632
卵管腫瘍 salpingioma ………… 1631
〔卵管〕漿膜 serosa of uterine tube ………… 1667
〔卵管〕漿膜 tunica serosa tubae uterinae ………… 1954
卵管漿膜下組織 subserosa of uterine tube ………… 1765
卵管靱帯の tuboligamentous ………… 1948
卵管性月経困難〔症〕 tubal dysmenorrhea 573
卵管切開〔術〕 salpingotomy ………… 1632
卵管切除〔術〕 tubectomy ………… 1942
卵管仙痛 tubal colic ………… 389
卵管腟の tubovaginal ………… 1948
卵管通水法 hydrotubation ………… 874
卵管摘除〔術〕 salpingectomy ………… 1631
卵管内配偶子移植法 gamete intrafallopian transfer (GIFT) ………… 1918
卵管内膜炎 endosalpingitis ………… 615
卵管内膜症 endosalpingiosis ………… 615
卵管妊娠 tubal pregnancy ………… 1479
卵管粘膜 endosalpinx ………… 615
〔卵管〕粘膜 mucosa of uterine tube ………… 1177
〔卵管〕粘膜 tunica mucosa tubae uterinae ………… 1953
卵管の salpingian ………… 1631
卵管膿気腫 physopyosalpinx ………… 1421
卵管剝離〔術〕 salpingolysis ………… 1631
卵管ひだ folds of uterine tubes ………… 720
卵管ひだ plicae tubariae tubae uterinae 1445
卵管腹腔口 abdominal ostium of uterine tube ………… 1325
卵管腹腔口 ostium abdominale tubae uterinae ………… 1325
卵管腹腔妊娠 tuboabdominal pregnancy 1479
卵管腹腔の tuboabdominal ………… 1948
卵管腹膜炎 salpingoperitonitis ………… 1631
卵管腹膜の tuboperitoneal ………… 1948
卵管ヘルニア salpingocele ………… 1631
卵管傍〔結合〕組織炎 parasalpingitis ………… 1353
卵管縫合〔術〕 salpingorrhaphy ………… 1632
卵管膨大部 ampulla of uterine tube ………… 65
卵管膨大部 ampulla tubae uterinae ………… 65
卵管膨大部ひだ ampullary folds of uterine tube ………… 718
卵管膨大部ひだ plicae ampullares tubae uterinae ………… 1445
卵管膨大部流産 ampullar abortion ………… 4
卵管幼稚症 tubal infantilism ………… 926
卵管卵巣炎 tubo-ovaritis ………… 1948
卵管卵巣切除〔術〕 tuboovariectomy ………… 1948
卵管卵巣摘出〔術〕 salpingo-oophorectomy ………… 1631
卵管卵巣摘除〔術〕 salpingo-oophorectomy ………… 1631
卵管卵巣妊娠 tuboovarian pregnancy ………… 1479
卵管卵巣の tuboovarian ………… 1948
卵管卵巣膿瘍 tuboovarian abscess ………… 6
卵管卵巣ヘルニア salpingo-oophorocele 1631
卵管留血症 hematosalpinx ………… 827
卵管流産 tubal abortion ………… 4
卵管留水症 hydrosalpinx ………… 874
卵管留膿腫 pyosalpinx ………… 1532
卵管留膿症 pyosalpinx ………… 1532
卵管漏斗 infundibulum of uterine tube 932
卵管漏斗 infundibulum tubae uterinae ………… 932
卵丘 cumulus oophorus ………… 448
卵丘板 discus proligerus ………… 527
ランキン鉗子 Rankin clamp ………… 370
卵菌症 oomycosis ………… 1302
ランキン目盛り Rankine scale ………… 1639
ラングハンス細胞 Langhans cells ………… 323
ラングハンス線〔条〕 Langhans stria ………… 1756
ラングミュアートロフ Langmuir trough ………… 1937
ラングリー顆粒 Langley granules ………… 797
卵形 ovoid ………… 1329
卵形関節 articulatio ovoidalis ………… 157
卵形成腔 ootype ………… 1302
卵形束 oval fasciculus ………… 676
卵形の oval ………… 1327
卵形嚢 utricle ………… 1977
卵形嚢 utriculus ………… 1978
卵形嚢炎 utriculitis ………… 1978
卵形嚢管 utricular duct ………… 565
卵形嚢球形嚢の utriculosaccular ………… 1978
卵形嚢神経 utricular nerve ………… 1240
卵形嚢神経 nervus utricularis ………… 1243
卵形嚢斑 macula of utricle ………… 1091
卵形嚢斑 utricular spot ………… 1725
卵形嚢胞 utricular cyst ………… 461
卵形嚢膨大部神経 utriculoampullar nerve ………… 1240
卵形嚢膨大部神経 nervus utriculoampullaris ………… 1243
卵形フラスコ matrass ………… 1110
卵形マラリア ovale malaria, ovale tertian malaria ………… 1095
卵形マラリア原虫 *Plasmodium ovale* ………… 1433
卵形三日熱〔マラリア〕 ovale malaria, ovale tertian malaria ………… 1095
ランゲ〔溶〕液 Lange solution ………… 1698
ランケ角 Ranke angle ………… 89
ランケ〔公〕式 Ranke formula ………… 730
ランケ変化群 Ranke complex ………… 402
ランゲルハンス顆粒 Langerhans granule 797
ランゲルハンス細胞 Langerhans cells ………… 322
ランゲルハンス細胞組織球増殖症 Langerhans cell histiocytosis ………… 854
ランゲルハンス島 islets of Langerhans ………… 958
ランゲルハンス島 Langerhans islands ………… 958
ランゲルハンス島細胞腫瘍 islet cell tumor ………… 1951
卵原細胞 oogonium ………… 1302
ランゲンドルフ法 Langendorff method 1144
ランゲンベック三角 Langenbeck triangle ………… 1927
ラン抗原 Lan antigen ………… 104
藍〔色〕細菌門 Cyanobacteria ………… 453
卵菜食主義者 ovovegetarian ………… 1329
卵菜食主義者 ovo-vegetarian ………… 1992
卵細胞 egg cell ………… 321
卵細胞質 oosome ………… 1302
卵〔細胞〕質 ooplasm ………… 1302
卵細胞膜 oolemma ………… 1302
乱視 astigmatism ………… 165
乱刺〔法〕 scarification ………… 1641

卵子 egg ······ 590
卵子 ovum ······ 1329
卵子移行 ovular transmigration, external ovular transmigration, direct ovular transmigration, internal ovular transmigration, indirect ovular transmigration ······ 1920
卵子形成 oogenesis ······ 1302
卵〔子原形〕質 ovoplasm ······ 1329
卵子細胞質注入 cytoplasmic transfer ······ 1917
乱視数字盤 astigmatic dial ······ 509
乱視測定〔法〕 astigmatometry, astigmometry ······ 165
卵子の oval ······ 1327
卵子の ovular ······ 1329
卵子発生 oogenesis ······ 1302
乱視表 astigmatic dial ······ 509
卵子分裂 ookinesis, ookinesia ······ 1302
卵子論者 ovist ······ 1329
ランスフィールド分類〔法〕 Lancefield classification ······ 371
卵生 oviparity ······ 1329
藍青 blue ······ 224
乱切〔法〕 scarification ······ 1641
乱切試験 scarification test ······ 1865
ランセット lancet ······ 1000
乱切刀 lancet ······ 1000
藍藻 blue-green algae ······ 47
卵巣 ovarium ······ 1328
卵巣 ovary ······ 1328
卵巣炎 oophoritis ······ 1302
卵巣窩 fossa ovarica ······ 733
卵巣窩 ovarian fossa ······ 733
卵巣外側面 facies lateralis ovarii ······ 664
卵巣外側面 lateral surface of ovary ······ 1782
卵巣過剰刺激症候群 ovarian hyperstimulation syndrome ······ 1814
卵巣間膜 mesovarium ······ 1137
卵巣機能減退〔症〕 hypoovarianism ······ 895
卵巣機能亢進〔症〕 hyperovarianism ······ 884
卵巣形成〔術〕 oophoroplasty ······ 1302
卵巣睾丸(精巣) ovotestis ······ 1329
卵巣甲状腺腫 struma ovarii ······ 1760
卵巣固定〔術〕 oophoropexy ······ 1302
卵巣采 fimbria ovarica ······ 700
卵巣采 ovarian fimbria ······ 700
卵巣索 ligament of ovary ······ 1038
卵巣索 ovarian ligament ······ 1038
卵巣支質 stroma of ovary ······ 1759
卵巣支質 stroma ovarii ······ 1759
卵巣周囲炎 perioophoritis ······ 1391
卵巣周囲の periovular ······ 1391
卵巣自由縁 free border of ovary ······ 235
卵巣自由縁 margo liber ovarii ······ 1104
卵巣周期 ovarian cycle ······ 455
卵巣上体 epoophoron ······ 633
卵巣上体横小管 transverse ductules of epoophoron ······ 566
卵巣上体細管 ductuli transversi epoophori ······ 566
卵巣上体縦管 longitudinal duct of epoophoron ······ 564
卵巣静脈 ovarian veins ······ 1999
卵巣静脈瘤 ovarian varicocele ······ 1988
卵巣神経痛 ovariodysneuria ······ 1328
卵巣性月経困難〔症〕 ovarian dysmenorrhea ······ 573
卵巣性の ovariogenic ······ 1328
卵巣性無月経 ovarian amenorrhea ······ 58
卵巣切開〔術〕 ovariotomy ······ 1328
卵巣切除 spay ······ 1707
卵巣穿刺〔術〕 ovariocentesis ······ 1328
卵巣仙痛 ovarian colic ······ 389
卵巣造瘻術 ovariostomy ······ 1328
〔卵巣〕男性胚〔細胞〕腫 arrhenoblastoma 132
〔卵巣〕男性胚〔細胞〕腫 gynandroblastoma 807
卵巣痛 ovarialgia ······ 1327
卵巣提索 suspensory ligament of ovary 1041
卵巣提索 ligamentum suspensorium ovarii ······ 1045
卵巣摘出〔術〕 ovariectomy ······ 1327
卵巣導帯 gubernaculum ovarian ······ 805
卵巣動脈 arteria ovarica ······ 136
卵巣動脈 ovarian artery ······ 149
卵巣動脈神経叢 ovarian (nerve) plexus 1442
卵巣動脈の尿管枝 ureteric branches of the ovarian artery ······ 255
卵巣動脈の卵管枝 tubal branch of ovarian artery ······ 254
卵巣内側面 facies medialis ovarii ······ 664
卵巣内側面 medial surface of ovary ······ 1782
卵巣内の intraovarian ······ 950
卵巣妊娠 ovarian pregnancy ······ 1478
卵巣の ovarian ······ 1327
卵巣嚢 ovarian bursa ······ 269
卵巣嚢腫(嚢胞) ovarian cyst ······ 460
卵巣嚢腫形成 oophorocystosis ······ 1302
卵巣嚢腫切除〔術〕 oophorocystectomy ··· 1302
卵巣膿瘍 pyo-ovarium ······ 1532
卵巣の間質腺 interstitial gland of ovary 773
卵巣の間膜縁 mesovarian border of ovary ······ 235
卵巣の子宮端 uterine extremity of ovary 658
卵巣の卵管端 tubal extremity of ovary 658
卵巣白膜 tunica albuginea of ovary ······ 1952
卵巣発生障害 ovarian dysgenesis ······ 572
卵巣発生の ovariogenic ······ 1328
卵巣破裂 ovariorrhexis ······ 1328
卵巣皮質 cortex ovarii ······ 428
卵巣皮質 ovarian cortex ······ 428
卵巣病 ovariopathy ······ 1328
卵巣皮様嚢腫 dermoid cyst of ovary ······ 459
卵巣腹腔妊娠 ovarioabdominal pregnancy ······ 1478
卵巣ヘルニア ovariocele ······ 1328
卵巣崩壊の ovariolytic ······ 1328
卵巣縫合〔術〕 oophororrhaphy ······ 1302
卵巣傍組織炎 paroophoritis ······ 1357
卵巣傍体 paroophoron ······ 1357
卵巣傍体炎 paroophoritis ······ 1357
卵巣傍体細管 tubuli paroophori ······ 1949
卵巣傍体小管 ductuli paroophori ······ 566
卵巣傍の paraovarian ······ 1352
卵巣網 rete ovarii ······ 1598
卵巣網嚢胞 rete cyst of ovary ······ 460
卵巣門 hilum of ovary ······ 852
卵巣門 hilum ovarii ······ 852
藍藻様小体 *Cyanobacterium*-like bodies ··· 226
卵巣卵管炎 ovariosalpingitis ······ 1328
卵巣卵管周囲炎 perioophorosalpingitis ··· 1391
卵巣卵管摘除〔術〕 ovariosalpingectomy 1328
卵巣瘤 ovariocele ······ 1328
卵巣留水症 hydrovarium ······ 874
卵巣類皮嚢腫 dermoid cyst of ovary ······ 459
卵巣沪胞細胞 follicular ovarian cells ······ 321
ランソホフ徴候 Ransohoff sign ······ 1683
卵胎生の ovoviviparous ······ 1329
ランタニド lanthanides ······ 1000
ランターマン(ランテルマン)節 Lanterman segments ······ 1654
ランダム random ······ 1557
ランダム化 randomization ······ 1557
ランダム機構 random mechanism ······ 1114
ランダムコイル random coil ······ 388
ランダム抽出 random sampling ······ 1633
ランダム標本 probability sample ······ 1633
ランダル結石鉗子 Randall stone forceps 728
ランダル斑 Randall plaques ······ 1432
ランタン lanthanum (La) ······ 1000
ランチオニン lanthionine ······ 1000
ランチージ症候 Lancisi sign ······ 1681
ランチージ線〔条〕 striae lancisi ······ 1756
ランチビオティック lantibiotic ······ 1000
〔卵〕着床 nidation ······ 1257
乱調反応 hunting reaction ······ 1565
ランテス RANTES ······ 1558
ランドゥジー-グラセーの法則 Landouzy-Grasset law ······ 1007
ランドー-クレッフナー症候群 Landau-Kleffner syndrome ······ 1810
ラントシュッツ腫〔瘍〕 Landschutz tumor ······ 1951
ランドストレーム筋 Landström muscle 1187
ラントツェルト窩 Landzert fossa ······ 733
ラント病 runt disease ······ 540
ランドルフィ徴候 Landolfi sign ······ 1681
卵内の intraovular ······ 950
ランナウェイペースメーカ runaway pacemaker ······ 1334
ランナーズ膝 runner's knee ······ 987
卵嚢 ootheca ······ 1302
乱買癖 oniomania ······ 1301
卵白アルブミン ovalbumin ······ 1327
卵白症候群 egg-white syndrome ······ 1803
ランバート-イートン症候群 Lambert-Eaton syndrome ······ 1810
ランバート-イートン無筋力症症候群 Lambert-Eaton myasthenic syndrome (LEMS) ······ 1809
ランバート(ランベルト)の法則 Lambert law ······ 1007
ランプ ramp ······ 1547
ランプブラシ染色体 lampbrush chromosome, lamp-brush chromosome 359
ランブリヌーディ手術 Lambrinudi operation ······ 1305
ランブール染色〔法〕 Rambourg stains ··· 1735
ランブールの過ヨウ素酸-クロムメテナミン-銀染色〔法〕 Rambourg periodic acid-chromic methenamine-silver stain ······ 1735
ランブールのクロム酸-リンタングステン酸染色〔法〕 Rambourg chromic acid-phosphotungstic acid stain ······ 1735
ランブル鞭毛虫 *Giardia lamblia* ······ 769
ランブル鞭毛虫症 giardiasis ······ 769
ランペクトミー lumpectomy ······ 1071
ランベルト lambert ······ 996
ランベルト-ベールの法則 Beer-Lambert law ······ 1005
ランベール縫合 Lembert suture ······ 1787
卵片発生 merogony ······ 1133
卵胞 ovarian follicle ······ 722
卵胞液 liquor folliculi ······ 1060
〔月経周期の〕卵胞期 follicular phase of endometrial menstrual cycle ······ 1402
卵胞莢膜増殖〔症〕 hyperthecosis ······ 888
卵胞腔 follicular antrum ······ 110
卵胞口 follicular stigma ······ 1746
卵胞細胞 follicular ovarian cells ······ 321
卵胞子 oospore ······ 1302
卵胞刺激ホルモン follicle-stimulating hormone (FSH) ······ 863
卵胞水腫 hydrops folliculi ······ 874
卵胞内膜丘 theca interna cone ······ 409
卵胞閉鎖 atresia folliculi ······ 171
卵胞ホルモン estrogen ······ 644
卵胞膜 theca folliculi ······ 1874
卵胞膜黄体細胞 theca lutein cell ······ 327
〔卵胞膜〕外膜 tunica externa thecae folliculi ······ 1952
卵胞膜細胞腫 theca cell tumor ······ 1952
卵胞膜細胞腫症 thecomatosis ······ 1874
〔卵胞膜〕内膜 tunica interna thecae folliculi ······ 1953
卵母細胞 oocyte ······ 1302
卵母細胞移動 migration of oocyte ······ 1157
卵母細胞内の intraovular ······ 950

卵膜 egg membrane ······ 1125
卵膜 velamen ······ 2003
卵膜 velamentum ······ 2003
卵膜胎盤 placenta velamentosa ······ 1429
卵膜剝離 membrane stripping ······ 1757
〔臍帯の〕卵膜付着 velamentous insertion 940
卵門 micropyle ······ 1153
乱用 abuse ······ 7
乱流 turbulence ······ 1954

リ

リーウェイスペース leeway space ······ 1704
リーガー症候群 Rieger syndrome ······ 1818
リーガー-フェーデ病 Riga-Fede disease ······ 539
リーゲル脈 Riegel pulse ······ 1525
リーシュマニア試験 leishmanin test ······ 1860
リーシュマニア症 leishmaniasis ······ 1017
リーシュマニア属 *Leishmania* ······ 1016
リーシュマニア様症状 leishmanoid ······ 1018
リーシュマンクロム細胞 Leishman chrome cells ······ 323
リーシュマン染色〔法〕 Leishman stain 1732
リーシュマン-ドノヴァン〔小〕体 Leishman-Donovan body ······ 227
リー症候群 Leigh syndrome ······ 1810
リース-エッカー液 Rees-Ecker fluid ······ 715
リース撮影法 Rhese projection ······ 1496
リーゼガンク環 Liesegang rings ······ 1617
リーター国際作業スケール Leiter International Performance Scale ······ 1639
リーダー細胞 Rieder cells ······ 325
リーダー細胞性白血病 Rieder cell leukemia ······ 1025
リーダー配列 leader sequences ······ 1665
リーダーリンパ球 Rieder lymphocyte ··· 1082
リーチング leaching ······ 1014
リーディングエッジ leading edge ······ 587
リーデル甲状腺炎 Riedel thyroiditis ······ 1891
リーデル葉 Riedel lobe ······ 1064
リード基線 Reid base line ······ 1051
リード-スターンバーグ細胞 Reed-Sternberg cell ······ 325
リードタイムバイアス lead-time bias ······ 208
リード-フロストモデル Reed-Frost model ······ 1162
リード-フロスト理論 Reed-Frost theory of epidemics ······ 1877
リーバック皮膚開窓法 Rebuck skin window technique ······ 1845
リービッヒ説 Liebig theory ······ 1876
リー病 Leigh disease ······ 536
リーブ神経節 Ribes ganglion ······ 754
リー-フラウメニ癌症候群 Li-Fraumeni cancer syndrome ······ 1810
リーフレット leaflet ······ 1014
リーベルマイスターの法則 Liebermeister rule ······ 1626
リーベルマン-ブルヒャルト反応 Liebermann-Burchard reaction ······ 1565
リーボウ通常型間質性肺炎 usual interstitial pneumonia of Liebow (UIP) ······ 1450
リー-ホワイト法 Lee-White method ······ 1144
リーマー reamer ······ 1569
リール黒皮症(メラノーシス) Riehl melanosis ······ 1122
リアクタンス reactance (*X*) ······ 1562
リア〔ー〕コンプレックス Lear complex 402
リアーゼ lyase ······ 1074
リアノジン ryanodine ······ 1627
リアノジン受容体 ryanodine receptor ··· 1571
リアルタイム超音波検査法 real-time ultrasonography ······ 1962
リアル分類 REAL classification ······ 371
リヴァーズカクテル Rivers cocktail ······ 386
リヴァ-ロッチ血圧計 Riva-Rocci sphygmomanometer ······ 1714
リヴィヌス管 Rivinus canals ······ 284
リヴェロ-カルヴァロ効果 Rivero-Carvallo effect ······ 589
リウマチ rheumatism ······ 1607
リウマチ因子 rheumatoid factors (RF) 669
リウマチ〔病〕学 rheumatology ······ 1607
リウマチ学者 rheumatologist ······ 1607
〔関節〕リウマチ小〔結〕節 rheumatoid nodules ······ 1262
リウマチ疹 rheumatid ······ 1607
リウマチ〔性〕心疾患 rheumatic heart disease ······ 539
リウマチ性環状紅斑 erythema annulare rheumaticum ······ 638
リウマチ性紫斑病 purpura rheumatica 1528
リウマチ性心臓炎 rheumatic carditis ······ 301
リウマチ性心内膜炎 rheumatic endocarditis ······ 612
リウマチ性心膜炎 rheumatic pericarditis ······ 1386
リウマチ性多〔発性〕筋痛 polymyalgia rheumatica ······ 1461
リウマチ性動脈炎 rheumatic arteritis ······ 140
リウマチ性弁膜炎 rheumatic valvulitis 1986
リウマチ熱 rheumatic fever ······ 686
リウマチ肺炎 rheumatic pneumonia ······ 1450
リウマチ病 rheumatic disease ······ 539
リウマチ様疾患 rheumatoid disease ······ 539
リウマチ様動脈炎 rheumatoid arteritis ··· 140
リウマチ様の rheumatoid ······ 1607
離液 syneresis ······ 1826
利益調整 coordination of benefits ······ 205,420
リエントリー reentry ······ 1577
リエントリー機構 reentrant mechanism 1114
リオサイロニンナトリウム sodium liothyronine ······ 1696
リオラン(リョラン)筋 Riolan muscle 1192
リオラン(リョラン)弧 Riolan arcades ··· 125
リオラン(リョラン)骨 Riolan bones ······ 233
リオラン(リョラン)叢 Riolan bouquet ··· 238
リオラン(リョラン)吻合 Riolan anastomosis ······ 73
離解 ablation ······ 3
離解 décollement ······ 475
離解 disaggregation ······ 525
離開 dehiscence ······ 482
離開 separation ······ 1662
〔縫合〕離開 diastasis ······ 511
離開咬合 open bite ······ 217
離開の diastatic ······ 511
理解力 comprehension ······ 405
理解力欠如 asynesia, asynesis ······ 166
理解力欠如の anoetic ······ 93
理学的アレルギー physical allergy ······ 50
理学的検査 physical examination ······ 651
理学的診断 physical diagnosis ······ 508
理学的徴候 physical sign ······ 1683
理学療法 physiotherapy ······ 1420
理学療法 physical therapy (PT) ······ 1879
理学療法医 physiatrician ······ 1420
理学療法医 physiatrist ······ 1420
理学療法士 physiotherapist ······ 1420
リガーゼ ligase ······ 1046
リガーゼ連鎖反応 ligase chain reaction 1565
リガチャー ligature ······ 1046
リガチャーワイヤ ligature wire ······ 2047
リカート尺度 Likert scale ······ 1639
離間歯 spaced teeth ······ 1903
リガンド ligand ······ 1046
リガンド型チャネル ligand-gated channel ······ 339
リガンド結合部位 ligand-binding site ··· 1690
罹患密度 incidence density ······ 487
罹患率 morbidity ······ 1169
罹患率 incidence rate ······ 1559
罹患率 morbidity rate ······ 1560
罹患率測定〔法〕 nosometry ······ 1268
〔力〕価 titer ······ 1896
力学 dynamics ······ 570
力学 mechanics ······ 1114
力学的イレウス dynamic ileus ······ 906
力学的雑音 dynamic murmur ······ 1179
力学的受容器 mechanoreceptor ······ 1114
力学的な mechanical ······ 1114
リキシトール lyxitol ······ 1087
リキシュロース lyxulose ······ 1087
リキソース lyxose ······ 1087
リキソフラビン lyxoflavin ······ 1087
力点 power point ······ 1454
力動〔論〕 dynamics ······ 570
〔力〕動的心理学 dynamic psychology ······ 1518
リキュール liqueur ······ 1060
力量記録器 dynamograph ······ 570
力量計 dynamometer ······ 570
陸軍アルファテスト Army Alpha tests 1854
陸軍総配属試験 Army General Classification Test ······ 1854
陸水学 limnology ······ 1048
リクター症候群 Richter syndrome ······ 1818
リグニン lignin ······ 1047
リグノセリン酸 lignoceric acid ······ 1047
リゲイナー regainer ······ 1583
リケッチア症 rickettsiosis ······ 1615
リケッチア属 *Rickettsia* ······ 1614
リケッチア痘 rickettsialpox ······ 1615
リケッチア抑制薬 rickettsiostatic ······ 1615
リケニン lichenin ······ 1031
リコクトニン lycoctonine ······ 1075
利己的DNA selfish DNA ······ 491
リコフォラ lycophora ······ 1075
リコペン lycopene ······ 1075
リコペン血〔症〕 lycopenemia ······ 1075
リザズリン resazurin ······ 1591
リサーチ research ······ 1591
離散確率変数 discrete random variable 1987
離散〔性〕の discrete ······ 527
離散変数 discrete variable ······ 1987
リシニウム lysinium ······ 1086
リシノール酸 ricinoleic acid ······ 1614
リシノール酸ナトリウム sodium ricinoleate, sodium ricinate ······ 1696
離出分泌の ptyocrinous ······ 1522
離漿 syneresis ······ 1826
梨状陥凹 piriform fossa ······ 733
梨状陥凹 piriform recess ······ 1572
梨状陥凹 recessus piriformis ······ 1573
梨状筋 piriform muscle ······ 1191
梨状筋 piriformis (muscle) ······ 1191
梨状筋 musculus piriformis ······ 1202
梨状筋滑液包 bursa of piriformis ······ 269
梨状筋筋膜 piriformis fascia ······ 674
梨状筋神経 nerve to piriformis ······ 1237
梨状口 piriform aperture ······ 113
梨状口 piriform opening ······ 1303
梨状口結紮法 pyriform aperture wiring 2047
梨状装置 pyriform apparatus ······ 119
梨状の piriform ······ 1426
梨状皮質 piriform cortex ······ 428
リシル lysyl (K) ······ 1087
リシルオキシダーゼ lysyl oxidase ······ 1087
リシルヒドロキシラーゼ lysyl hydroxylase ······ 1087
リシン lysine (K, Lys) ······ 1086
リシン ricin ······ 1614

リジン lysine (K, Lys) …… 1086
リシン過剰血〔症〕 hyperlysinemia …… 883
リシン血〔症〕 lysinemia …… 1086
リシン結合抗体 ricin-blocked antibody … 101
リシン抗毒素 antiricin …… 108
離人症 depersonalization …… 492
離心性の eccentric …… 581
リジン蛋白不耐症 lysinuric protein intolerance …… 949
リシン中毒 ricinism …… 1614
リシンデカルボキシラーゼ lysine decarboxylase …… 1086
リシン尿〔症〕 lysinuria …… 1086
リスクファクター risk factor …… 669
リスター法 Lister method …… 1144
リスター包帯 Lister dressing …… 560
リスティング省略眼 Listing reduced eye 659
リスティングの法則 Listing law …… 1007
リステリア菌 *Listeria monocytogenes* …… 1060
リステリア症 listeriosis …… 1060
リステリア属 *Listeria* …… 1060
リストセチン ristocetin …… 1618
リストン刀 Liston knives …… 987
リストン鋏 Liston shears …… 1670
リスフラン切断術 Lisfranc amputation …… 66
リスプロインスリン lispro insulin …… 942
リズム rhythm …… 1611
リズム法 rhythm method …… 1145
リスレー回転プリズム Risley rotary prism …… 1485
理性 nous …… 1270
リセルグ酸 lysergic acid …… 1086
リセルグ酸アミド lysergic acid amide 1086
リセルグ酸ジエチルアミド lysergic acid diethylamide (LSD) …… 1086
リセルグ酸モノエチルアミド lysergic acid monoethylamide …… 1086
リセルゴル lysergol …… 1086
理想 ideal …… 904
離層 delamination …… 483
裏装 backing …… 188
裏装 lining …… 1054
裏装剤 intermediate …… 946
理想体重 ideal body weight (IBW) …… 2044
理想肺胞気 ideal alveolar gas …… 756
リソグリフォプシス属 *Lythoglyphopsis* 1087
リゾケファリン lysocephalin …… 1086
リソスタフィン lysostaphin …… 1087
リゾセファリン lysocephalin …… 1086
リソソーム lysosome …… 1087
リソソーム(ライソソーム)病 lysosomal disease …… 537
リソタイプ lysotype …… 1087
リゾチーム lysozyme …… 1087
リゾプテリン rhizopterin …… 1610
リゾプラスト rhizoplast …… 1610
梨巣ペスト sylvatic plague …… 1429
リゾホスファチジルコリン lysophosphatidylcholine …… 1087
リゾホスファチジルセリン lysophosphatidylserine …… 1087
リゾホスファチド酸 lysophosphatidic acid …… 1086
リゾホスホリパーゼ lysophospholipase 1087
リゾムコール属 *Rhizomucor* …… 1610
リソリン脂質 lysophospholipids …… 1087
リゾルバゾーム resolvasome …… 1594
リゾレシチン lysolecithin …… 1086
リゾレシチン:レシチンアシルトランスフェラーゼ lysolecithin:lecithin acyltransferase (LLAT) …… 1086
リソン-ダン染色〔法〕 Lison-Dunn stain 1733
リダウイルス Rida virus …… 2028
離脱 abstinence …… 7
離脱 weaning …… 2043
離脱現象 breakoff phenomenon, breakaway phenomenon …… 1404
離脱症候群 withdrawal syndrome …… 1825
離脱症状 withdrawal symptoms …… 1792
離脱症状 withdrawal …… 2047
離断 transection …… 1917
離断性骨軟骨炎 osteochondritis dissecans …… 1321
離断性子宮内膜炎 endometritis dissecans 614
利胆薬 cholagogue …… 348
リチウム lithium (Li) …… 1061
リチャーズ-ランデル症候群 Richards-Rundel syndrome …… 1818
率 coefficient …… 386
率 rate …… 1559
立位試験 standing test …… 1866
リックルズ試験 Rickles test …… 1864
リッコの法則 Ricco law …… 1008
リッサウイルス属 *Lyssavirus* …… 1087
リッシュ結節 Lisch nodule …… 1262
立体異性 stereoisomerism …… 1744
立体異性体 stereoisomer …… 1744
立体X線観察法 stereoradiography …… 1744
立体X線図形判読撮影〔法〕 radiostereoscopy …… 1545
立体化学 stereochemistry …… 1743
立体化学式 stereochemical formula …… 730
立体〔知〕覚消失〔症〕 stereoanesthesia …… 1743
立体〔知〕覚脱失〔症〕 stereoanesthesia …… 1743
立体鏡 stereoscope …… 1744
立体鏡 stereoscopy …… 1744
立体顕微鏡 stereoscopic microscope …… 1154
立体顕微鏡写真 stereophotomicrograph 1744
立体視 haploscopic vision …… 2032
立体視 stereoscopic vision …… 2032
立体シネ蛍光X線透視法 stereocinefluorography …… 1743
立体視野計 stereocampimeter …… 1743
立体写真 stereogram …… 1743
立体障害 steric hindrance …… 1744
立体視力 stereoscopic acuity …… 22
立体正視鏡 stereo-orthopter …… 1744
立体選択的 stereoselective …… 1744
立体的解析〔学〕 stereology …… 1744
立体的近接照射療法 stereotactic brachytherapy …… 240
立体特異的 stereospecific …… 1744
立体認知 stereognosis …… 1743
立体認知不能 stereoagnosis …… 1743
立体脳測定 stereoencephalometry …… 1743
立体配座 conformation …… 410
立体配置 configuration …… 409
立体配列 stereotaxis …… 1744
立体描写器 stereograph …… 1744
リッター開放強直 Ritter opening tetanus …… 1870
リッター-ロレット現象 Ritter-Rollet phenomenon …… 1405
リッチー指数 Ritchie index …… 923
リッツマン不正軸進入 Litzmann obliquity …… 1288
リッテンハウス-マノジャイアン(マヌリアン,マノギアン)法 Rittenhouse-Manogian procedure …… 1487
律動 rhythm …… 1611
律動異常 dysrhythmia …… 577
律動眼振 jerk nystagmus …… 1286
律動性舞踏病 rhythmic chorea …… 355
律動様小波 oscillatory potential …… 1473
リットゲン操作 Ritgen maneuver …… 1099
リットル liter (L, l) …… 1060
立腹 tantrum …… 1840
立方骨 cuboid (bone) …… 232
立方骨 os cuboideum …… 1317
〔踵骨の〕立方骨関節面 facies articularis cuboidea calcanei …… 663
〔踵骨の〕立方骨関節面 articular surface on calcaneus for cuboid …… 1780
〔踵骨の〕立方骨関節面 cuboidal articular surface of calcaneus …… 1781
立方骨粗面 tuberositas ossis cuboidei …… 1947
立方骨粗面 tuberosity of cuboid (bone) 1947
立方舟関節 cuboideonavicular joint …… 969
立方舟靱帯 cuboideonavicular ligaments 1034
立方舟靱帯 ligamentum cuboideonaviculare …… 1043
立方上皮 cuboidal epithelium …… 632
立方センチメートル cubic centimeter (cm^3, cc, c.c.) …… 331
立方体構図検査 block design test …… 1855
立毛 piloerection …… 1424
立毛運動線維 pilomotor fibers …… 690
立毛筋 arrector muscle of hair …… 1181
立毛筋 arrector pili muscles …… 1181
立毛筋 erector muscle of hair …… 1184
立毛〔筋〕の pilomotor …… 1424
立毛〔筋〕反射 pilomotor reflex …… 1581
リデル手術 Ridell operation …… 1306
利得 gain …… 748
リトコール酸 lithocholic acid …… 1061
リドック現象 Riddoch phenomenon …… 1405
リトマス litmus …… 1062
リトラクションポケット retraction pockets …… 1452
リトレヘルニア Littré hernia …… 843
リニアアクセルレータ linear accelerator (LINAC) …… 9
リニオン rhinion …… 1608
リニメント〔剤〕 liniment …… 1054
離乳 weaning …… 2043
離乳仔畜 weanling …… 2043
利尿 diuresis …… 550
利尿筋修正術 detrusorrhaphy …… 501
利尿の diuretic …… 551
利尿薬 diuretic …… 551
リニン linin …… 1054
リノエストラス症 rhinoestrosis …… 1608
リノクラディア *Rhinocladiella* …… 1608
リノスポリジウム症 rhinosporidiosis …… 1609
リノール酸 linoleic acid …… 1054
リノール酸塩 linoleate …… 1054
リノレン酸 linolenic acid …… 1054
リハーサル rehearsal …… 1587
リバーショッド鉗子 liver-shod clamp …… 370
リバースカーブ reverse curve …… 451
リパーゼ lipase …… 1055
リパーゼ試験 lipase test …… 1860
α-リバゾール α-ribazole …… 1612
リハビリテーション rehabilitation …… 1587
リハビリテーション管理 physiatrics …… 1420
離被架 cradle …… 433
リビチル ribityl …… 1612
リヒテンベルク図 Lichtenberg figure …… 697
リヒテンベルク花 Lichtenberg flower …… 714
リヒテンベルク模様 Lichtenberg figure 697
リビド〔ー〕 libido …… 1031
リピド lipid …… 1055
リピドA lipid A …… 1056
リピドーシス lipidosis …… 1056
リビトール ribitol …… 1612
リヒナー-ハンハルト(レヒナー-ハナート)症候群 Richner-Hanhart syndrome …… 1818
罹病期間によるバイアス(レングスバイアス) length bias …… 208
罹病率 morbidity …… 1169
罹病率 morbidity rate …… 1560
リビングウィル living will …… 2046
リフォーマット reformat …… 1583
リプシュタイン手術 Ripstein operation 1306
リフトバレー熱 Rift Valley fever …… 686
リフトバレー熱ウイルス Rift Valley fever virus …… 2028
リブマン-サックス心内膜炎 Libman-Sacks

endocarditis ………… 611
リフレクタンス reflectance ………… 1577
リプレシン lypressin ………… 1086
リプレッサー repressor ………… 1591
リブロース ribulose ………… 1614
リブロース-1,5-ビスリン酸カルボキシラーゼ ribulose-1,5-bisphosphate carboxylase ………… 1614
リブロースリン酸-3-エピメラーゼ ribulose-phosphate 3-epimerase ………… 1614
リベース rebase ………… 1569
リベチン livetin ………… 1062
リポアミド lipoamide ………… 1056
リポイド血症 lipoidemia ………… 1057
リポイド欠如の alipoid ………… 47
リポイド〔沈着〕症 lipoidosis ………… 1057
リポイド性肉芽腫 lipoid granuloma ………… 798
リポイドネフローゼ lipoid nephrosis ………… 1231
リポイド皮膚関節炎 lipoid dermatoarthritis ………… 496
リポイド類壊死〔症〕 necrobiosis lipoidica, necrobiosis lipoidica diabeticorum ………… 1223
リポ移入 lipofection ………… 1057
リポオキシゲナーゼ lipooxygenase ………… 1058
リボ核酸 ribonucleic acid (RNA) ………… 1613
リボ核酸干渉 ribonucleic acid interference (RNAi) ………… 944
リボ核酸テクトニクス RNA tectonics 1619
リボ核蛋白 ribonucleoprotein (RNP) ………… 1613
リポ核蛋白 liponucleoproteins ………… 1058
リポキシゲナーゼ lipoxygenase ………… 1058
5-リポキシゲナーゼ 5-lipooxygenase ………… 1058
5-リポキシゲナーゼ活性化蛋白 5-lipooxygenase-activating protein ………… 1505
リポクリット lipocrit ………… 1056
リポクロム lipochrome ………… 1056
リポコルチン lipocortin ………… 1056
リポコンドリア lipochondria ………… 1056
リボザイム ribozyme ………… 1614
リポ酸 lipoic acid ………… 1057
リポ酸塩 lipoate ………… 1056
リポジストロフィ lipodystrophy ………… 1056
リボシド riboside ………… 1613
リボシル ribosyl ………… 1614
リボシル化 ribosylation ………… 1614
リボース ribose (Rib) ………… 1613
リボスイッチ riboswitch ………… 1614
リボース尿〔症〕 ribosuria ………… 1614
リボース配糖体 riboside ………… 1613
リボース5-リン酸 ribose 5-phosphate ………… 1613
リボース5-リン酸イソメラーゼ ribose 5-phosphate isomerase ………… 1613
リボソーム ribosome ………… 1613
リポソーム liposome ………… 1059
リボソームRNA ribosomal RNA ………… 1613
リボソームデオキシリボ核酸 ribosomal DNA (rDNA) ………… 491
リボソーム-ラメラ複合体 ribosome-lamella complex ………… 402
リポ多糖体 lipopolysaccharide (LPS) ………… 1058
リポ多糖類 lipopolysaccharide (LPS) ………… 1058
リポ蛋白 lipoprotein ………… 1058
α_1-リポ蛋白 α_1-lipoprotein ………… 1058
β_1-リポ蛋白 β_1-lipoprotein ………… 1058
リポ蛋白X lipoprotein-X ………… 1059
リポ蛋白Lp(a) lipoprotein Lp(a) ………… 1058
リポ蛋白会合凝固インヒビター lipoprotein-associated coagulation inhibitor (LACI) ………… 935
リポ蛋白関連ホスホリパーゼA2 lipoprotein-associated phospholipase A2 (Lp-PLA2) ………… 1414
リポ蛋白性高脂血症 lipoprotein(a) hyperlipoproteinemia ………… 883
リポ蛋白電気泳動 lipoprotein electrophoresis ………… 597
リポ蛋白(リポプロテイン)リパーゼ lipoprotein lipase ………… 1059
リボチアミドピロリン酸 lipothiamide pyrophosphate ………… 1059
リボチド ribotide ………… 1614
リボチミジル酸 ribothymidylic acid (rTMP, TMP) ………… 1614
リボチミジン ribothymidine (T, Thd) 1614
リポー徴候 Ripault sign ………… 1683
リボットの記憶法則 Ribot law of memory ………… 1008
リポトロピン lipotropin ………… 1059
リボヌクレアーゼ ribonuclease (RNase) ………… 1612
リボヌクレアーゼ(枯草菌) ribonuclease (*Bacillus subtilis*) ………… 1613
リボヌクレアーゼ(膵臓) ribonuclease (pancreatic) ………… 1613
リボヌクレアーゼ(RNアーゼ)アルファ RNase α ………… 1612
リボヌクレアーゼ(RNアーゼ)I RNase I ………… 1612
リボヌクレアーゼ(RNアーゼ)II RNase II ………… 1612
リボヌクレアーゼ(RNアーゼ)III RNase III ………… 1612
リボヌクレアーゼD ribonuclease D (RNase D) ………… 1612
リボヌクレアーゼ(RNアーゼ)P RNase P ………… 1612
リボヌクレアーゼ(RNアーゼ)T_1 RNase T_1 ………… 1612
リボヌクレアーゼ(RNアーゼ)T_2 RNase T_2 ………… 1612
リボヌクレアーゼ(RNアーゼ)U_2 RNase U_2 ………… 1612
リボヌクレオシド ribonucleoside ………… 1613
リボヌクレオチド ribonucleotide ………… 1613
リボヌクレオチドレダクターゼ ribonucleotide reductase ………… 1613
リポビテリン lipovitellin ………… 1059
リボピラノース ribopyranose ………… 1613
リポフェクション lipofection ………… 1057
リポフェクチン lipofectin ………… 1057
リポフスチン lipofuscin ………… 1057
リポフスチン〔沈着〕症 lipofuscinosis ………… 1057
リボフラノース ribofuranose ………… 1612
リボフラビン riboflavin, riboflavine ………… 1612
リボフラビンキナーゼ riboflavin kinase 1612
リボフラビン欠乏〔症〕 ariboflavinosis ………… 131
リボフラビン欠乏症 hyporiboflavinosis ………… 896
リボフラビン単位 riboflavin unit ………… 1967
リポプロテイン多型 lipoprotein polymorphism ………… 1461
リポプロテイン(リポ蛋白)リパーゼ lipoprotein lipase ………… 1059
リポペプチド lipopeptid, lipopeptide ………… 1058
リボホリン ribophorins ………… 1613
リボリウス法 Liborius method ………… 1144
リポリーシス lipolysis ………… 1057
リポワクチン lipovaccine ………… 1059
リボン ribbon ………… 1612
リボンアーチ ribbon arch ………… 126
リボンアーチ装置 ribbon arch appliance 121
リボン状の tenioid ………… 1850
リミットデキストリン limit dextrin ………… 504
リムルス(カブトガニ)細胞分解産物試験 limulus lysate test ………… 1860
リモデリング remodeling ………… 1589
掠奪用麻酔薬 knock-out drops ………… 561
略胞子虫目 Haplosporidia ………… 815
リューコアライオーシス leukoaraiosis 1025
リューコトリエン leukotrienes (LT) ………… 1029
リューコノストック属 *Leuconostoc* ………… 1024
リュイの中心正中核 centre médian de Luys ………… 331
瘤 boss ………… 237
瘤 knob ………… 988
瘤 phyma ………… 1419
流域 catchment area ………… 128
流エキス剤 fluidextract ………… 715
硫化アリル allyl sulfide ………… 52
硫化鉛 lead sulfide ………… 1014
硫化水素 hydrogen sulfide ………… 872
硫化水素血〔症〕 hydrothionemia ………… 874
硫化水素尿〔症〕 hydrothionuria ………… 874
硫化セレン selenium sulfide ………… 1658
硫化物 sulfide ………… 1776
流〔行性〕感〔冒〕 influenza ………… 929
隆起 agger ………… 37
隆起 boss ………… 237
隆起 bosselation ………… 237
隆起 elevation ………… 599
隆起 eminence ………… 603
隆起 eminentia ………… 604
隆起 jugum ………… 973
隆起 prominence ………… 1497
隆起 prominentia ………… 1497
隆起 protuberance ………… 1509
隆起 protuberantia ………… 1509
隆起 swelling ………… 1789
隆起 torus ………… 1905
隆起 tuber ………… 1942
隆起 tubercle ………… 1942
隆起 yoke ………… 2056
隆起〔の〕 prominens ………… 1497
隆起核 tuberal nuclei ………… 1281
粒起革様皮 shagreen skin ………… 1691
隆起下の subtuberal ………… 1768
隆起形成 bosselation ………… 237
隆起性の torose, torous ………… 1904
隆起性皮膚線維肉腫 dermatofibrosarcoma protuberans ………… 496
隆起乳頭体核 tuberomammillary nucleus ………… 1281
隆起の bosselated ………… 237
硫苦水 bitter water ………… 2041
流グリセリン塩 fluidglycerates ………… 715
流行 epidemic ………… 626
流行曲線 epidemic curve ………… 451
流行性 epidemicity ………… 626
流向性 rheotropism ………… 1607
流行性胃腸炎ウイルス epidemic gastroenteritis virus ………… 2024
流行性壊疽性直腸炎 epidemic gangrenous proctitis ………… 1492
流行性嘔吐症 epidemic vomiting ………… 2037
流行性角結膜炎 epidemic keratoconjunctivitis ………… 978
流行性角結膜炎ウイルス epidemic keratoconjunctivitis virus ………… 2024
流〔行性〕感〔冒〕 influenza ………… 929
流行性胸膜痛 epidemic pleurodynia ………… 1438
流行性胸膜痛ウイルス epidemic pleurodynia virus ………… 2024
流行性筋炎 epidemic myositis, myositis epidemica acuta ………… 1216
流行性筋〔肉〕痛 epidemic myalgia ………… 1206
流行性筋痛性脳脊髄障害 epidemic myalgic encephalomyelopathy ………… 609
流行性血色素尿症 epidemic hemoglobinuria ………… 834
流行性口内炎 epidemic stomatitis ………… 1748
流行性耳下腺炎感受性試験 mumps sensitivity test ………… 1861
流行性耳下腺炎性髄膜脳炎 mumps meningoencephalitis ………… 1130
流行性耳下腺炎皮膚試験抗原 mumps skin test antigen ………… 104
流行性耳下腺炎ワクチン mumps virus vaccine ………… 1980
流行性しゃっくり epidemic hiccup ………… 851

流行性出血熱 epidemic hemorrhagic fever …… 684
流行性腫骨腫瘤 endemic hypertrophy …… 889
流行性神経筋無力症 epidemic neuromyasthenia …… 1248
流行性神経障害 neuropathia epidemica 1250
流行性腎症 nephropathia epidemica …… 1230
流行性じんま疹 urticaria endemica, urticaria epidemica …… 1976
流行性水腫 epidemic dropsy …… 561
流行性〔脳脊〕髄膜炎 cerebrospinal fever 683
流行性〔脳脊〕髄膜炎 epidemic cerebrospinal meningitis …… 1129
流行(伝染)性多発〔性〕関節炎 epidemic polyarthritis …… 1458
流行性脳炎 epidemic encephalitis …… 607
流行性発疹チフス epidemic typhus …… 1958
流行性非細菌性胃腸炎 epidemic nonbacterial gastroenteritis …… 758
流行性非細菌性小児胃腸炎 endemic nonbacterial infantile gastroenteritis …… 758
流行性めまい epidemic vertigo …… 2016
流行病 epidemic disease …… 532
流行病因子 genius epidemicus …… 766
流行病学 epidemiology …… 626
竜骨 carina …… 303
竜骨形の carinate …… 303
竜骨状腹 carinate abdomen …… 1
竜骨突起 keel …… 977
硫酸 sulfuric acid …… 1777
流産 abortion (AB) …… 4
流産 miscarriage …… 1159
硫酸亜鉛 zinc sulfate …… 2058
硫酸亜鉛浮遊遠心法 zinc sulfate flotation centrifugation method …… 1146
硫酸亜鉛浮遊濃縮法 zinc sulfate flotation concentration …… 406
硫酸アデニリルトランスフェラーゼ sulfate adenylyltransferase …… 1775
硫酸アデニン adenine sulfate …… 24
硫酸アルミニウム十八水和物 aluminum sulfate octadecahydrate …… 54
硫酸アルミニウムカリウム aluminum potassium sulfate …… 54
硫酸塩水 sulfate water …… 2041
硫酸化 sulfation …… 1775
硫酸カプレオマイシン capreomycin sulfate …… 289
硫酸カルシウム calcium sulfate …… 277
硫酸ゲル sulfogel …… 1776
硫酸呼吸 sulfate respiration …… 1595
硫酸コデイン codeine sulfate …… 1775
硫酸サリチル酸混濁試験 sulfosalicylic acid turbidity test …… 1866
流産児 abortus …… 4
硫酸ジメチル dimethyl sulfate …… 521
硫酸スカーレットレッド scarlet red sulfonate …… 1641
硫酸第二鉄 ferric sulfate …… 681
硫酸デキストラン dextran sulfate …… 504
硫酸鉄 iron sulfate …… 1775
硫酸銅 cupric sulfate …… 449
硫酸銅法 copper sulfate method …… 1143
硫酸ドデシル dodecyl sulfate …… 554
硫酸ナトリウム sodium sulfate …… 1696
硫酸ネオマイシン neomycin sulfate …… 1227
硫酸の sulfuric …… 1777
硫酸バリウム barium sulfate …… 197
硫酸ヒヨスチアミン hyoscyamine sulfate …… 878
硫酸ビンクリスチン vincristine sulfate 2020
硫酸ビンブラスチン vinblastine sulfate 2020
硫酸ブレオマイシン bleomycin sulfate …… 220
硫酸プロタミン protamine sulfate …… 1502
硫酸ヘパリン heparan sulfate …… 837
硫酸ポリスチレンナトリウム sodium polystyrene sulfonate …… 1696
硫酸マグネシウム magnesium sulfate (MS) …… 1092
硫酸モルヒネ morphine sulfate (MS) …… 1170
硫酸ラミナリン laminarin sulfate …… 999
流産率 abortion rate …… 1559
硫酸ロベニン lobeline sulfate …… 1064
粒子 particle …… 1369
〔細〕粒子 grain …… 796
〔細〕粒子 grains …… 796
粒子状磨耗破片 particulate wear debris 473
粒子放射線 corpuscular radiation …… 1541
流出 débouchement …… 473
流出 defluvium …… 479
流出 defluxion …… 479
流出 emission …… 604
留出液 distillate …… 549
流出比 flux ratio …… 1560
留出物 distillate …… 549
瘤〔腫〕様の phymatoid …… 1419
隆条 keel …… 977
粒状の particulate …… 1369
〔顆〕粒状の granular …… 796
硫水化物 sulfhydrate …… 1776
硫水化物 sulfydrate …… 1777
流水恐怖〔症〕 potamophobia …… 1472
隆線 ridge …… 1615
流ぜん salivation …… 1631
流ぜん(涎)〔症〕 sialism, sialismus …… 1676
流ぜん(涎)〔症〕 sialorrhea …… 1676
隆線下ポケット subcrestal pocket …… 1452
龍涎(りゅうぜん)香 ambergris …… 56
流線状過骨症 rheostosis …… 1607
流ぜん(涎)性の sialogenous …… 1676
隆線の pectineal …… 1375
流走性 rheotaxis …… 1607
流速 flux …… 717
流速計 flowmeter …… 714
流体 fluid …… 714
流体 liquor …… 1060
流体運動学 hydrokinetics …… 872
流体静力学の hydrostatic …… 874
流体測定〔法〕 rheometry …… 1607
流体力学 hydrodynamics …… 872
留置カテーテル indwelling catheter …… 313
流暢 fluency …… 714
隆椎 vertebra prominens …… 2015
流動 current …… 450
流動 drift …… 560
流動 drifting …… 560
流動細胞光度測定法 flow cytometry …… 465
流動細胞測光法 flow cytometry …… 465
流動パラフィン liquid paraffin …… 1349
流動モザイクモデル fluid mosaic model 1162
流動幼虫 larva currens …… 1001
流動率 fluidity …… 715
瘤発生 bosselation …… 237
瘤〔腫〕様の phymatoid …… 1419
流量 flow …… 713
流量計 flowmeter …… 714
流量計 stromuhr …… 1759
流量-容量曲線 flow-volume curve …… 451
流涙 watery eye …… 659
流涙 lacrimation …… 993
流涙〔症〕 epiphora …… 629
流涙反射 lacrimal reflex …… 1580
流漏 epiphora …… 629
リュタンバッシェ(ルタンバッシャー)症候群 Lutembacher syndrome …… 1811
リュッケウイルス Lucké virus …… 2026
リュッケ試験 Lücke test …… 1860
稜 bar …… 196
稜 crest …… 436
稜 crista …… 440
稜 ridge …… 1615
量 rate …… 1559
領 area (a) …… 128
良・悪性不明の(意義不明)異型腺細胞 atypical glandular cells of undetermined significance …… 319
良・悪性不明の(意義不明)異型扁平上皮細胞 atypical squamous cells of undetermined significance (ASCUS) …… 319
領域 domain …… 555
領域 field …… 697
領域 regio …… 1583
領域 region …… 1584
領域〔所属〕リンパ節 regional lymph nodes …… 1080
両腋窩の bisaxillary …… 216
両凹の biconcave …… 209
両凹〔面〕の amphicelous …… 63
両凹〔面〕レンズ biconcave lens …… 1019
梁下回 gyrus subcallosus …… 809
梁下回 subcallosal gyrus …… 809
両顎前突 bimaxillary dentoalveolar protrusion …… 1509
両顎前突 bimaxillary protrusion …… 1509
両顎(上下顎)前突咬合 bimaxillary protrusive occlusion …… 1289
両価性 ambivalence …… 56
梁下束 subcallosal fasciculus …… 676
梁下の subcallosal …… 1762
梁下野 area subcallosa …… 130
梁下野 subcallosal area …… 130
両眼外旋運動 excyclovergence …… 653
両眼窩角 biorbital angle …… 88
両眼隔離〔症〕 ocular hypertelorism …… 887
両眼共同運動 version …… 2014
両眼固視 binocular fixation …… 707
両眼視 binocular vision …… 2032
両眼視矯正学の orthoptic …… 1317
両眼視差 binocular parallax …… 1350
両眼上転 sursumversion …… 1785
両眼視力 binocular vision …… 2032
稜間の intercristal …… 944
両眼の binocular …… 211
両気性微生物 amphimicrobe …… 64
両頬骨〔弓〕の bizygomatic …… 217
両極回転〔術〕 bimanual version …… 2014
両極細胞 bipolar cell …… 319
両極性焼灼器 bipolar cautery …… 315
両極端指数(比) extremal quotient …… 1539
菱形窩 fossa rhomboidea …… 734
菱形窩 rhomboid fossa …… 734
菱形環椎筋 musculus rhomboatloideus 1203
菱形環椎の rhomboatloideus …… 1610
菱形溝 rhombic grooves …… 802
菱形靱帯 trapezoid ligament …… 1041
菱形靱帯 ligamentum trapezoideum …… 1046
菱形靱帯線 trapezoid line …… 1052
菱形靱帯線 linea trapezoidea …… 1053
利用係数 economic coefficient …… 387
両型性 amphitypy …… 64
菱形中手骨の trapeziometacarpal …… 1923
菱形洞 rhomboidal sinus, sinus rhomboidalis …… 1688
菱形の rhomboid, rhomboidal …… 1610
菱形の rhomboideus …… 1610
両肩甲間径 bisacromial diameter …… 509
両肩峰の bisacromial …… 216
猟犬様顔〔貌〕 hound-dog facies …… 663
良好 fitness …… 707
両向型 ambivert …… 56
両向性の amphoteric …… 64
量子 quantum …… 1537
〔両耳音の交代性大きさ〕バランス試験 binaural alternate loudness balance test (ABLB, BALB) …… 1855
両耳介の biauricular …… 208
両耳間 interaural …… 943
利用時間 utilization time …… 1893
両耳間減衰 interaural attenuation …… 175

リ

理容師痙攣 shaving cramp ………………… 433
量子限界 quantum limit ………………… 1048
量子収量 quantum yield (ϕ) ………… 2056
両耳〔性〕の binaural ………………… 211
両耳装用CROS(クロス)補聴器 binaural contralateral routing of signal hearing aid ………………… 819
両耳側半盲 bitemporal hemianopia ……… 828
両耳聴診器 binaural stethoscope ……… 1746
量子的落ち込み quantum sink ………… 1537
両耳同時刺激 diotic ………………… 521
量子ドット quantum dot ………………… 558
両耳複聴 diplacusis binauralis ………… 523
量子モトル quantum mottle ………… 1172
両種向性ウイルス amphotropic virus …… 2022
両受体 amboceptor ………………… 57
梁状突起 trabeculation ………………… 1908
稜上の supracristal ………………… 1779
両色反応の amphichromatic ………………… 63
量子論 quantum theory ………………… 1877
菱唇 rhombic lip ………………… 1055
両心室性の biventricular ………………… 217
両親媒性の amphipathic ………………… 64
両ステファニオンの bistephanic ………… 217
両星 amphiaster ………………… 63
両性イオン zwitterions ………………… 2062
両性イオン緩衝液 zwitterionic buffer …… 264
良性異常角化症 benign dyskeratosis …… 573
良性家族性ヒョレア benign familial chorea ………………… 354
良性家族性舞踏病 benign familial chorea ………………… 354
良性家族性慢性天疱瘡 benign familial chronic pemphigus ………………… 1379
両〔染色〕性顆粒 amphophil granule ……… 796
良性巨大リンパ節増殖症 benign giant lymph node hyperplasia ………………… 885
両性元素 amphoteric element ………… 598
良性高血圧〔症〕 benign hypertension …… 888
両性混合 amphimixis ………………… 64
良性昏迷 benign stupor ………………… 1761
両性産生単為生殖 deuterotocia ………… 501
良性腫瘍 benign tumor ………………… 1949
良性新生児痙攣 benign neonatal convulsions ………………… 419
両性洗浄剤 zwittergents ………………… 2062
両性選択 ampheclexis ………………… 63
良性先天性筋緊張低下症 benign congenital hypotonia ………………… 899
良性前立腺増殖症 benign prostatic hyperplasia (BPH) ………………… 886
良性前立腺肥大 benign prostatic hypertrophy (BPH) ………………… 889
良性体液性高カルシウム血症 humoral hypercalcemia of benignancy ………… 879
良性蛋白尿〔症〕 benign albuminuria ……… 43
両性電解質 ampholyte ………………… 64
両性電解質 amphoteric electrolyte ……… 595
良性頭位めまい(眩暈)症 benign positional vertigo ………………… 2016
良性糖尿 benign glycosuria ………………… 789
良性粘膜類天疱瘡 benign mucosal pemphigoid ………………… 1379
両性の ambisexual ………………… 56
両性の amphoteric ………………… 64
両性の bisexual ………………… 216
良性の benign ………………… 205
良性の innocent ………………… 937
両生・は虫類学 herpetology ………………… 846
両生・は虫類学者 herpetologist ………… 846
両性反応 amphoteric reaction ………… 1563
良性発作性頭位めまい症 benign paroxysmal positional vertigo ………………… 2015
良性三日熱〔マラリア〕 benign tertian malaria ………………… 1094
両性溶媒 amphiprotic solvent ………… 1699
良性リンパ上皮性病変 benign lymphoepithelial lesion ………………… 1022
良性労作性頭痛 benign exertional headache ………………… 818
両節の hecateromeric ………………… 821
両〔染色〕性顆粒 amphophil granule ……… 796
両染性細胞 amphophil, amphophile ……… 64
両染性の amphophil, amphophile ………… 64
両尖の bicuspid ………………… 209
両側アテトーシス double athetosis ……… 169
両側運動失調〔症〕 diataxia ………………… 512
両側顔面神経麻痺 facial diplegia ………… 523
両側検定 two-tail test ………………… 1867
両側咬筋麻痺 masticatory diplegia ……… 523
両足合足体 sympus dipus ………………… 1792
両側左側位 bilateral left-sidedness ……… 1015
両側上顎の bimaxillary ………………… 211
両側性安定状態 parastasis ………………… 1354
両側性胸膜炎 bilateral pleurisy ………… 1438
両側〔性〕の bilateral ………………… 210
両側性半陰陽 bilateral hermaphroditism 842
両側同期性 bilateral synchrony ………… 1794
両側頭骨間径 bitemporal diameter ……… 509
両側頭〔骨〕の bitemporal ………………… 217
両側の ambilateral ………………… 56
両側肺炎 double pneumonia ………………… 1449
両〔側〕麻痺 diplegia ………………… 523
両足無頭体 acephalus dipus ………………… 11
両側無味覚〔症〕 ambageusia ………………… 56
両側卵管卵巣摘出(摘除)〔術〕 bilateral salpingo-oophorectomy (BSO) ………… 1631
両大血管右室起始〔症〕 double outlet right ventricle ………………… 2010
両体側知覚〔症〕 syncheiria ………………… 1793
両大転子間径 bitrochanteric diameter …… 509
両大転子の bitrochanteric ………………… 217
両端針縫合糸 doubly armed suture …… 1787
両中心性の amphicentric ………………… 63
梁柱軟骨 trabeculae cranii ………………… 1908
両腸骨の bisiliac ………………… 216
両腸骨稜間径 bisiliac diameter ………… 509
量的遺伝学 quantitative genetics ……… 765
両手利き ambidexterity ………………… 56
量的視野測定〔法〕 quantitative perimetry ………………… 1388
量的変化 quantitative alteration ………… 53
両手不器用の ambilevous ………………… 56
両頭頂骨の biparietal ………………… 215
両凸の biconvex ………………… 209
両凸〔面〕レンズ biconvex lens ………… 1019
両乳突の bimastoid ………………… 211
両粘膜フィステル(瘻) fistula bimucosa 704
菱脳 rhombencephalon ………………… 1610
菱脳蓋 rhombencephalic tegmentum …… 1845
菱脳蓋 tegmentum of rhombencephalon 1845
菱脳蓋 tegmentum rhombencephali …… 1845
菱脳峡 isthmus rhombencephali ………… 964
菱脳峡 rhombencephalic isthmus ………… 964
両能性 bipotentiality ………………… 216
菱脳の神経小片 rhombomere ………… 1610
菱脳味覚核 rhombencephalic gustatory nucleus ………………… 1279
両鼻側半盲 binasal hemianopia ………… 828
療法 cure ………………… 449
療法 therapeutics ………………… 1877
療法 therapy ………………… 1877
療法 treatment (Tx) ………………… 1923
両方向性心室性頻拍(頻脈) bidirectional ventricular tachycardia ………………… 1837
両方向性の amphibolic ………………… 63
療法士 therapeutist ………………… 1877
療法士 therapist ………………… 1877
両房室弁両室挿入結合 double inlet atrioventricular connections ………… 413
両〔側〕麻痺 diplegia ………………… 523
両面フィステル(瘻) amphibolic fistula, amphibolous fistula ………………… 704
両毛菌の amphitrichate, amphitrichous …… 64
両毛〔性〕の amphitrichate, amphitrichous 64
療養所 sanatorium ………………… 1633
両腕無頭体 acephalus dibrachius ………… 11
緑〔色〕視〔症〕 chloropsia ………………… 347
緑〔色〕視〔症〕 green vision ………………… 2032
緑色弱 deuteranomaly ………………… 501
緑色盲 deuteranopia ………………… 501
緑色 green ………………… 800
緑色顔料 green ………………… 800
緑色歯 green tooth ………………… 1902
緑色腫 chloroma ………………… 347
緑色染色物 green stain ………………… 1732
緑〔色〕痰 sputum aeruginosum ………… 1726
緑〔色〕膿 green pus ………………… 1529
緑石けんチンキ green soap tincture …… 1894
力台 force platform ………………… 727
緑内障 glaucoma ………………… 777
緑内障性陥凹 glaucomatous cup ………… 449
緑内障性虹彩炎 iritis glaucomatosa ……… 957
緑内障性白内障 glaucomatous cataract … 311
緑内障毛様体炎の glaucomatocyclitic ….. 777
緑内障毛様体炎発症 glaucomatocyclitic crisis ………………… 439
緑内障輪 glaucomatous halo ………………… 813
緑膿菌 *Pseudomonas aeruginosa* ………… 1514
緑膿菌の pyocyanic ………………… 1531
緑膿菌溶血素 pyocyanolysin ………………… 1531
緑膿の pyocyanic ………………… 1531
緑膿発生の pyocyanogenic ………………… 1531
緑バン copperas ………………… 420
旅行医療専門家 emporiatrics ………………… 605
旅行恐怖〔症〕 hodophobia ………………… 856
旅行者下痢 traveler's diarrhea ………… 511
リョラン(リオラン)筋 Riolan muscle … 1192
リョラン(リオラン)弧 Riolan arcades …. 125
リョラン(リオラン)骨 Riolan bones …… 233
リョラン(リオラン)叢 Riolan bouquet … 238
リョラン(リオラン)吻合 Riolan anastomosis ………………… 73
リリー第一鉄染色〔法〕 Lillie ferrous iron stain ………………… 1733
リリーのアズール-エオシン染色〔法〕 Lillie azure-eosin stain ………………… 1733
リリーのアロクローム結合組織染色〔法〕 Lillie allochrome connective tissue stain ………………… 1733
リリー硫酸ナイルブルー染色〔法〕 Lillie sulfuric acid Nile blue stain ………… 1733
リロケーション試験 relocation test …… 1863
理論 theory ………………… 1875
輪 annulus ………………… 93
輪 anulus ………………… 111
輪 circle ………………… 364
輪 circulus ………………… 366
輪 halo ………………… 813
輪 loop ………………… 1068
輪 ring ………………… 1617
リン phosphorus (P) ………………… 1415
リン32 phosphorus 32 (^{32}P) ………… 1415
リン33 phosphorus 33 (^{33}P) ………… 1415
リン〔骨〕壊死 phosphonecrosis ………… 1414
鱗縁 squamosal border ………………… 236
鱗縁 squamous border ………………… 236
鱗縁 squamous margin ………………… 1103
鱗縁 margo squamosus ………………… 1105
リンカー linker ………………… 1054
リン化亜鉛 zinc phosphide ………………… 2058
臨界圧力 critical pressure ………………… 1482
輪回運動 circus movement ………………… 1173
臨界温度 critical temperature ………… 1848
臨界角 critical angle ………………… 88
臨界期 critical period ………………… 1389
臨界照明 critical illumination ………… 907
リン灰石 apatite ………………… 112

リン灰石結石 apatite calculus …………… 278
臨界点 critical point ……………………… 1454
臨界の critical ……………………………… 441
臨界フリッカー融合頻度 critical flicker fusion frequency ………………………… 740
臨界pH critical pH ……………………… 1398
臨界ミセル濃度 critical micelle concentration (cmc) ……………………… 406
リンガー液 Ringer injection ……………… 936
リンガー(リンゲル)〔溶〕液 Ringer solution …………………………………………… 1698
輪郭 contour ………………………………… 416
輪郭強調 edge enhancement ……………… 617
輪郭状角化性類弾性線維症 keratoelastoidosis marginalis …………… 979
輪郭状紅斑 erythema marginatum ……… 638
リンカースキャニング linker scanning 1054
リンカーDNA linker DNA ……………… 491
リン化物 phosphide ……………………… 1413
リンガルバー lingual bar ………………… 196
輪間節 internodal segment ……………… 1654
輪間節 segmentum internodale ………… 1656
リン含有の phosphorated ……………… 1415
リン含有の phosphorized ……………… 1415
淋菌 gonococcus (GC) ………………… 792
淋菌 *Neisseria gonorrhoeae* ……………… 1226
輪筋 orbicular muscle …………………… 1190
輪筋 orbicularis muscle ………………… 1190
輪筋 musculus orbicularis ……………… 1201
淋菌オプソニン gonoopsonin …………… 792
リンキング数 linking number (*L*) ……… 1282
淋菌性眼炎 gonorrheal ophthalmia ……… 1307
淋菌性関節炎 gonococcal arthritis ……… 154
淋菌性結膜炎 gonococcal conjunctivitis … 412
淋菌性口内炎 gonococcal stomatitis …… 1748
淋菌性尿道炎 gonorrheal urethritis ……… 1971
淋菌性の gonorrheal ……………………… 793
淋菌〔性〕の gonococcal ………………… 792
淋菌性卵管炎 gonorrheal salpingitis …… 1631
淋菌性リウマチ gonorrheal rheumatism 1607
輪筋層 circular layer of muscular coat 1009
輪〔筋〕層 circular layers of muscular tunics …………………………………………… 1009
〔胃筋層の〕輪〔筋〕層 stratum circulare tunicae muscularis ventriculi ………… 1751
〔結腸筋層の〕輪〔筋〕層 stratum circulare tunicae muscularis coli ……………… 1751
〔小腸筋層の〕輪〔筋〕層 stratum circulare tunicae muscularis intestini tenuis …… 1751
〔直腸筋層の〕輪〔筋〕層 stratum circulare tunicae muscularis recti ……………… 1751
淋菌中毒症 gonotoxemia ………………… 793
淋菌毒素 gonotoxin ……………………… 793
淋菌敗血症 gonococcemia ……………… 792
淋菌ファージ gonophage ………………… 792
リングィーニサイン linguine sign ……… 1682
リング状造影 ring enhancement ………… 617
リンクタス剤 lincture, linctus ………… 1048
リング法 Ling method …………………… 1144
鱗茎 bulb …………………………………… 264
リンケージ linkage ……………………… 1054
リンゲル液 Ringer injection …………… 936
リンゲル(リンガー)〔溶〕液 Ringer solution …………………………………………… 1698
リン光 phosphorescence ………………… 1415
リン光汗〔症〕 phosphorhidrosis ……… 1415
リン光性の phosphorescent …………… 1415
リン光体 phosphor ……………………… 1415
〔リン〕光尿〔症〕 photuria …………… 1418
リンコサミド lincosamide ……………… 1048
リンゴ酸 malic acid ……………………… 1096
リンゴ酸-アスパラギン酸シャトル malate-aspartate shuttle ……………… 1675
リンゴ酸シンターゼ malate synthase …… 1095
リンゴ酸デヒドロゲナーゼ malate dehydrogenase (MD) ………………… 1095
リンゴゼリー小結節 apple jelly nodules 1261
リン〔骨〕壊死 phosphonecrosis ………… 1414
リンコマイシン lincomycin ……………… 1048
リン酸 phosphoric acid ………………… 1415
リン酸亜鉛セメント zinc phosphate cement …………………………………………… 329
リン酸アセチルトランスフェラーゼ phosphate acetyltransferase …………… 1412
リン酸アルギニン phosphoarginine …… 1413
リン酸アルミニウム aluminum phosphate 54
リン酸アルミニウムゲル aluminum phosphate gel …………………………… 54
リン酸塩血〔症〕 phosphatemia ………… 1412
リン酸塩低下症 phosphopenia ………… 1414
リン酸塩テタニー phosphate tetany …… 1870
リン酸塩尿〔症〕 phosphaturia ………… 1413
リン酸塩の phosphatic ………………… 1412
リン酸化〔反応〕 phosphorylation ……… 1416
リン酸基転移 transphosphorylation …… 1920
^{32}P-リン酸クロムコロイド懸濁液 chromic phosphate ^{32}P colloidal suspension …… 1785
リン酸コデイン codeine phosphate …… 1412
リン酸三ナトリウム trisodium phosphate …………………………………………… 1412
リン酸水素二カリウム potassium phosphate …………………………………………… 1473
リン酸ダイヤベーテス phosphate diabetes …………………………………………… 507
リン酸銅セメント copper phosphate cement …………………………………………… 329
リン酸トリオルトクレシル triorthocresyl phosphate (TOCP) ………………… 1934
リン酸ナトリウム sodium biphosphate 1696
リン酸ナトリウム sodium phosphate …… 1696
^{32}P-リン酸ナトリウム sodium phosphate ^{32}P …………………………………………… 1696
リン酸ヒスタミン histamine phosphate … 854
リン酸プリマキン primaquine phosphate …………………………………………… 1484
リン酸プリマキン過敏 primaquine phosphate sensitivity ………………… 1484
リン脂質 phospholipid ………………… 1414
リン脂質症候群 phospholipid syndrome 1815
淋疾 gonorrhea (GC) …………………… 792
淋疾斑 macula gonorrhoica …………… 1091
鱗翅目 Lepidoptera ……………………… 1020
臨終〔の〕喉声 death-rattle ……………… 473
臨終に in extremis ……………………… 925
輪状暗点 anular scotoma ……………… 1650
輪状暗点 ring scotoma ………………… 1650
臨床医学 clinical medicine …………… 1116
臨床遺伝学 clinical genetics …………… 765
輪状咽頭アカラシア cricopharyngeal achalasia ………………………………… 13
輪状咽頭筋切開術 cricopharyngeal myotomy …………………………………………… 1216
輪状咽頭靱帯 cricopharyngeal ligament 1034
輪状咽頭靱帯 ligamentum cricopharyngeum …………………………………………… 1043
輪状咽頭の cricopharyngeal …………… 439
臨床疫学 clinical epidemiology ………… 626
臨床家 clinician ………………………… 374
鱗状化 squamatization ………………… 1726
臨床解剖学 clinical anatomy …………… 74
臨床解剖学 medical anatomy …………… 74
臨床化学 clinical chemistry …………… 341
輪状角膜ジストロフィ ringlike corneal dystrophy ………………………………… 579
輪状括約筋 anular sphincter …………… 1712
輪状気管靱帯 cricotracheal ligament …… 1034
輪状気管靱帯 ligamentum cricotracheale …………………………………………… 1043
臨床教育 clinic ………………………… 374
輪状狭窄〔症〕 anular stricture ………… 1757
輪状強膜炎 anular scleritis …………… 1646
臨床経過記録〔法〕 clinography ………… 374
輪状形成〔術〕 annuloplasty …………… 93
臨床計測学 clinimetrics ………………… 374
臨床講義室 clinic ………………………… 374
輪状虹彩癒着 anular synechia ………… 1826
輪状甲状関節 articulatio cricothyroidea 157
輪状甲状関節 cricothyroid articulation …. 158
輪状甲状関節 cricothyroid joint ………… 969
輪状甲状関節包 capsula articularis cricothyroidea ……………………………… 290
輪状甲状関節包 capsule of cricothyroid joint …………………………………………… 290
輪状甲状関節包 cricothyroid articular capsule …………………………………… 290
輪状甲状筋 cricothyroideus …………… 439
輪状甲状筋 cricothyroid muscle ……… 1183
輪状甲状筋 musculus cricothyroideus …. 1199
輪状甲状筋の斜部 oblique part of cricothyroid (muscle) ………………… 1366
輪状甲状筋の直部 straight part of cricothyroid muscle …………………… 1367
輪状甲状枝 cricothyroid artery ………… 144
〔上甲状腺動脈の〕輪状甲状枝 cricothyroid branch of superior thyroid artery ……… 245
輪状甲状軟骨切開〔術〕 cricothyroidotomy 439
輪状甲状の cricothyroid ……………… 438
輪状甲状膜 cricothyroid membrane …… 1125
輪状甲状膜切開〔術〕 cricothyrotomy …… 439
輪状視〔症〕 halo vision ………………… 2032
臨床歯冠 corona clinica ………………… 424
臨床歯冠 clinical crown ………………… 442
臨床試験 clinical trial ………………… 1926
臨床歯根 radix clinica dentis ………… 1545
輪状脂質 anular lipid ………………… 1056
臨床実用分類 Working Formulation for Clinical Usage (WF) ………………… 2048
臨床指標 clinical indicator …………… 924
鱗状重層〔術〕 imbrication …………… 909
臨床上の clinical ………………………… 374
輪状静脈洞 circular sinus ……………… 1687
輪状食道腱束 cricoesophageal tendon …. 1849
輪状食道腱束 tendo cricoesophageus …. 1849
輪状神経叢 anular plexus ……………… 1439
輪状神経叢 plexus anularis …………… 1439
輪状靱帯 anular ligament ……………… 1033
輪状靱帯 ligamentum anulare ………… 1042
臨床診断 clinical diagnosis …………… 508
臨床心理学 clinical psychology ……… 1518
輪状膵 anular pancreas ………………… 1341
輪状舌骨喉頭蓋固定術 cricohyoidoepiglottopexy (CHEP) ……. 439
輪状舌骨固定術 cricohyoidopexy (CHP) 439
輪状線維 circular fibers ……………… 688
輪状線維 fibrae circulares …………… 691
輪状線維群 circular fiber group ……… 688
臨床専門看護師 clinical nurse specialist 1283
〔鼓膜〕輪状層 circular layer of tympanic membrane ………………………………… 1009
〔鼓膜〕輪状層 stratum circulare membranae tympani …………………………………… 1751
〔筋層の〕輪〔状〕層 stratum circulare tunicae muscularis ………………………… 1751
輪状層板 annulate lamellae …………… 996
輪状胎児くる病 rachitis fetalis anularis 1540
輪状胎盤 anular placenta ……………… 1428
臨床代理医師 locum tenant …………… 1067
臨床的荷重 clinical burden …………… 267
臨床的感度 clinical sensitivity ……… 1661
臨床的健康状態 clinical fitness ……… 707
臨床的歯根 clinical root of tooth ……… 1621
臨床的致死〔性〕疾患 clinical lethal ……. 1023
臨床的な clinical ………………………… 374
臨床的萌出 clinical eruption …………… 637
輪状軟骨 anular cartilage ……………… 305
輪状軟骨 cricoid cartilage ……………… 305
輪状軟骨 cartilago cricoidea …………… 307
輪状軟骨弓 arch of cricoid cartilage …… 125

リ

輪状軟骨弓 arcus cartilaginis cricoideae 127
輪状軟骨切開〔術〕 cricotomy 439
輪状軟骨痛 cricoidynia 439
輪状軟骨の甲状軟骨関節面 facies articularis thyroidea cricoideae 663
輪状軟骨の甲状軟骨関節面 thyroid articular surface of cricoid (cartilage) 1784
輪状軟骨の披裂軟骨関節面 facies articularis arytenoidea cricoideae 662
輪状軟骨板 lamina cartilaginis cricoideae 997
輪状軟骨板 lamina of cricoid cartilage 997
輪状軟骨板の披裂軟骨関節面 arytenoid articular surface of lamina of cricoid cartilage 1781
輪状軟骨分割術 cricoid split operation 1304
輪状軟骨分離術 cricoid split 1722
輪状の annular 93
輪状の anular 111
輪状の orbicular 1310
鱗状の lepidic 1020
輪状脳半球癒着奇形 cyclencephaly, cyclencephalia 455
輪状膿瘍 ring abscess 6
輪状白内障 anular cataract 311
〔小腸の〕輪状ひだ circular folds of small intestine 718
臨床病理学 clinical pathology 1372
臨床病理の clinicopathologic 374
輪状披裂関節 articulatio cricoarytenoidea 157
輪状披裂関節 cricoarytenoid articulation 158
輪状披裂関節 cricoarytenoid joint 969
輪状披裂関節包 capsula articularis cricoarytenoidea 290
輪状披裂関節包 capsule of cricoarytenoid joint 290
輪状披裂関節包 cricoarytenoid articular capsule 290
輪状披裂筋 cricoarytenoideus 439
輪状披裂靱帯 ligamentum cricoartenoideum 1043
〔後〕輪状披裂靱帯 cricoarytenoid ligament 1034
輪状披裂の cricoarytenoid 439
臨床分光学 clinical spectroscopy 1708
鱗状縫合 squamoparietal suture 1788
鱗状縫合 squamous suture 1788
輪状網膜炎 circinate retinitis 1601
輪状網膜症 circinate retinopathy 1602
臨床薬学 clinical pharmacy 1401
臨床薬理学者 clinical pharmacologist 1400
輪生 verticil 2015
輪生 whorl 2045
鱗石魚 tridymite 1932
鱗屑 scale 1638
鱗屑 squama 1726
隣接 contiguity 416
隣接角 adjacent angle 88
隣接間隙 interproximal space 1704
隣接切離 solution of contiguity 1698
隣接縫合 approximation suture 1786
隣接面う歯 interdental caries 302
隣接面う食(蝕) proximal caries 303
隣接面頬面の proximobuccal 1509
隣接面唇面の proximolabial 1509
隣接面接触 proximal contact, proximate contact 415
隣接面舌面の proximolingual 1509
隣接面の approximate 121
隣接面の interproximal 947
隣接面の proximal 1509
輪癬 tinea 1894
輪〔筋〕層 circular layers of muscular tunics 1009
〔筋層の〕輪〔状〕層 stratum circulare tunicae muscularis 1751
〔胃筋層の〕輪〔筋〕層 stratum circulare tunicae muscularis ventriculi 1751
〔結腸筋層の〕輪〔筋〕層 stratum circulare tunicae muscularis coli 1751
〔小腸筋層の〕輪〔筋〕層 stratum circulare tunicae muscularis intestini tenuis 1751
〔直腸筋層の〕輪〔筋〕層 stratum circulare tunicae muscularis recti 1751
〔胃の〕輪走筋層 circular layer of muscular coat (of stomach) 1009
〔女性尿道の〕輪走筋層 circular layer of muscle coat (of female urethra) 1009
〔尿道前立腺部の〕輪走筋層 circular layer of muscle coat (of prostatic urethra) 1009
〔股関節の〕輪帯 zonular band 195
〔股関節の〕輪帯 ring ligament 1040
〔股関節の〕輪帯 zona orbicularis (articulationis coxae) 2058
リンタングステン酸 phosphotungstic acid (PTA) 1416
リンタングステン酸染色〔法〕 phosphotungstic acid stain 1734
リンタングステン酸ヘマトキシリン phosphotungstic acid hematoxylin (PTAH) 827
リン蛋白 phosphoprotein 1414
リンチ症候群 Lynch syndrome 1811
リン中毒 phosphorism 1415
鱗蝶形骨の squamosphenoid 1726
リンデマン〔住〕肉胞子虫 *Sarcocystis lindemanni* 1635
リン添加の phosphorized 1415
リント lint 1055
リン糖酸 phosphosugar 1416
リンドナー〔小〕体 Lindner bodies 228
リントフライシュひだ Rindfleisch folds 720
鱗乳突縫合 sutura squamosomastoidea 1786
鱗乳突縫合 squamomastoid suture 1788
リンネ式命名法体系 linnaean system of nomenclature 1832
リンネ試験 Rinne test 1864
輪の orbicularis 1310
リンパ lymph 1075
リンパ lympha 1075
リンパ咽頭輪 pharyngeal lymphatic ring 1618
リンパ陰嚢 lymph scrotum 1651
リンパうっ滞 lymphostasis 1084
リンパ運動 lymphokinesis 1083
リンパ栄養 lymphotrophy 1085
リンパ芽球 lymphoblast 1082
リンパ芽球症 lymphoblastosis 1082
リンパ芽球性白血病 lymphoblastic leukemia 1024
リンパ芽球性リンパ腫 lymphoblastic lymphoma 1084
リンパ学 lymphatology 1077
リンパ管 lymphoduct 1083
リンパ管 vasa lymphatica 1989
リンパ管 lymph vessels 2017
リンパ管炎 lymphangitis 1076
リンパ管学 lymphangiology 1076
リンパ管拡張 lymphorrhoid 1084
リンパ管拡張〔症〕 lymphangiectasis, lymphangiectasia 1076
リンパ管拡張性強皮(硬皮)症 pachyderma lymphangiectatica 1335
リンパ管形成〔術〕 lymphangioplasty 1076
リンパ管血管腫 lymphangiohemangioma 1076
リンパ管撮影(造影)〔法〕 lymphangiography 1076
リンパ管撮影(造影)〔法〕 lymphography 1083
リンパ管腫 lymphangioma 1076
リンパ管周囲炎 perilymphangitis 1388
リンパ管周囲の perilymphangial 1388
リンパ管腫ヒグローマ lymphangioma hygroma 1076
リンパ管症 lymphopathy 1084
リンパ管静脈炎 lymphangiophlebitis 1076
リンパ管性母斑 nevus lymphaticus 1255
リンパ管切開〔術〕 lymphangiotomy 1076
リンパ管切除〔術〕 lymphangiectomy 1076
リンパ管叢 lymphatic plexus 1441
リンパ管叢 plexus lymphaticus 1441
リンパ管造瘻術 lymphaticostomy 1077
リンパ管怒張 lymph varix 1989
リンパ管肉腫 lymphangiosarcoma 1076
リンパ管の lymphangial 1076
リンパ管脈管筋腫症 lymphangioleiomyomatosis 1076
リンパ管弁 lymphatic valvule 1986
リンパ管弁 valvula lymphatica 1986
リンパ球 lymph corpuscle, lymphatic corpuscle, lymphoid corpuscle 426
リンパ球 lymphocyte 1082
リンパ球機能関連抗原 lymphocyte function associated antigen (LFA) 104
リンパ球共通抗原 leukocyte common antigen 104
リンパ球系 lymphocytic series, lymphoid series 1665
リンパ〔球〕系の lymphoid 1083
リンパ球血症 lymphemia 1077
リンパ球減少〔症〕 hypolymphemia 894
リンパ球減少〔症〕 lymphopenia 1084
リンパ球コロニー形成細胞 colony forming unit-lymphocyte cells 320
リンパ球混合培養試験 mixed lymphocyte culture test 1861
リンパ球混合培養反応 mixed lymphocyte culture reaction 1565
リンパ球産生 lymphocytopoiesis 1083
リンパ球産生 lymphopoiesis 1084
リンパ球傷害性抗体 lymphocytotoxic antibodies 101
リンパ球除去 lymphocytapheresis 1082
リンパ球新生 lymphogenesis 1083
リンパ球性下垂体炎 lymphocytic hypophysitis 896
リンパ球性間質性肺炎 lymphocytic interstitial pneumonitis 1451
リンパ球生成 lymphogenesis 1083
リンパ球性腺下垂体炎 lymphocytic adenohypophysitis 25
リンパ球性脈絡髄膜炎 lymphocytic choriomeningitis (LCM) 355
リンパ球増加〔症〕 lymphocytosis 1083
リンパ球毒性 lymphotoxicity 1085
リンパ球媒介細胞傷害 lymphocyte-mediated cytotoxicity 469
リンパ球脈絡髄膜炎ウイルス lymphocytic choriomeningitis virus 2026
リンパ球様細胞 lymphoid cell 323
リンパ球様細胞 lymphoidocyte 1083
リンパ球幼若化〔現象〕 lymphocyte transformation 1918
リンパ〔球〕様の lymphoid 1083
リンパ腔 lymph space 1704
リンパ系 lymphoid system 1832
リンパ系 systema lymphaticum 1834
リンパ系細胞 lymphoid cell 323
リンパ形質細胞疾患 lymphoplasmacellular disorders 546
リンパ形質細胞性リンパ腫 lymphoplasmacytic lymphoma 1084
リンパ形成 lymphization 1077
リンパ形成不全〔症〕 alymphoplasia 55
リンパ〔球〕系の lymphoid 1083
リンパ血漿除去 lymphoplasmapheresis 1084
リンパ行性塞栓症 lymph embolism, lymphogenous embolism 601

リンパ行性転移 lymphogenous metastasis … 1141
リンパ〔行〕性の lymphogenous … 1083
リンパ細胞腫 lymphocytoma … 1082
リンパ支質 lymphatic stroma … 1759
リンパ腫 lymphoma … 1083
リンパ周囲の perilymphatic … 1388
リンパ腫症 lymphomatosis … 1084
リンパ腫様丘疹症 lymphomatoid papulosis … 1347
リンパ腫様肉芽腫症 lymphomatoid granulomatosis … 798
リンパ腫様ポリポ〔ー〕シス lymphomatoid polyposis … 1464
リンパ循環 lymph circulation … 366
リンパ循環 lymphokinesis … 1083
リンパ小節 folliculus lymphaticus … 723
リンパ小節 lymphoid nodule … 1262
〔直腸の〕リンパ小節 lymphatic follicles of rectum … 721
〔直腸の〕リンパ小節 folliculi lymphatici recti … 723
リンパ上皮嚢胞(嚢腫) lymphoepithelial cyst … 459
リンパシンチグラフィ lymphoscintigraphy … 1084
リンパ水腫(浮腫) lymphatic edema … 587
リンパ水腫(浮腫) lymphedema … 1077
リンパ性アンギナ lymphatic angina … 83
リンパ性〔細〕網内〔皮〕症 lymphoreticulosis … 1084
リンパ性白血病 lymphocytic leukemia 1024
リンパ性白血病 lymphemia … 1077
リンパ性皮膚病 lymphoderma … 1083
リンパ性フィラリア性肉芽腫 lymphatic filariasis granuloma … 798
リンパ性類白血病反応 lymphocytic leukemoid reaction 1025
リンパ節 lymph node … 1077
リンパ節炎 lymphadenitis … 1075
リンパ節型野兎病 glandular tularemia 1949
リンパ節腫脹〔症〕 lymphadenopathy … 1075
リンパ節症 lymphadenopathy … 1075
リンパ節症 lymphadenosis … 1075
リンパ節小柱 trabeculae of lymph node … 1908
リンパ節切除〔術〕 lymphadenectomy … 1075
リンパ節切除〔術〕 lymphoidectomy … 1083
リンパ節造影〔法〕 lymphadenography … 1075
リンパ節透過因子 lymph node permeability factor (LNPF) … 668
〔リンパ節の〕髄質 medulla of lymph node … 1118
〔リンパ節の〕門 hilum of lymph node … 852
リンパ節皮質 cortex nodi lymphoidei … 428
リンパ節皮質 cortex of lymph node … 428
リンパ節様の lymphadenoid … 1075
リンパ節瘤 lymphadenovarix … 1076
リンパ塞栓症 lymph embolism, lymphogenous embolism … 601
リンパ組織 lymphatic tissue, lymphoid tissue … 1895
リンパ組織球増多〔症〕 lymphohistiocytosis … 1083
リンパ洞 lymphatic sinus … 1688
リンパ肉芽腫 lymphogranuloma … 1083
リンパ肉芽腫症 lymphogranulomatosis 1083
リンパ尿〔症〕 lymphuria … 1085
リンパの lymphatic … 1077
リンパ嚢 lymph sacs … 1628
リンパ嚢腫 lymphocele … 1082
リンパフィステル(瘻) lymphatic fistula 705
リンパ浮腫(水腫) lymphatic edema … 587
リンパ浮腫(水腫) lymphedema … 1077
リンパプラスマフェレーシス lymphoplasmapheresis … 1084
リンパ噴門輪 cardiac lymphatic ring … 1617
リンパ本幹 lymphatic duct … 564
リンパ本幹 truncus … 1938
リンパ本幹 trunk … 1938
リンパ〔球〕様の lymphoid … 1083
リンパ様ポリープ lymphoid polyp … 1463
リンパ流出 lymphorrhea … 1084
リンパ漏 lymphorrhea … 1084
淋病 gonorrhea (GC) … 792
リンフォカイン lymphokine … 1083
リンフォトキシン lymphotoxin … 1085
輪壁性病変 ring-wall lesion … 1023
リンホカイン lymphokine … 1083
リンホトキシン lymphotoxin … 1085
輪紋状の areolar … 131
輪紋状脈絡膜炎 areolar choroiditis … 356
輪紋状脈絡膜症 areolar choroidopathy … 356
リン様の phosphorous … 1415
倫理学 ethics … 645
倫理調査委員会 institutional review board (IRB) … 224
倫理的菜食主義 ethical vegetarian … 1992
倫理的な ethical … 645

ル

ルークス-コリンズ分類〔法〕 Lukes-Collins classification … 371
ルース〔小〕体 Luse bodies … 228
ルー染色〔法〕 Roux stain … 1735
ルーツトリン lututrin … 1074
ルートヴィヒアンギナ Ludwig angina … 83
ルートヴィヒ神経節 Ludwig ganglion … 753
ルートヴィヒ流量計 Ludwig stromuhr 1759
ルーナー-イスハック染色〔法〕 Luna-Ishak stain … 1733
ルーバルシュ結晶 Lubarsch crystals … 446
ルービンスタイン-テービ症候群 Rubinstein-Taybi syndrome … 1818
ループ状病変 wire-loop lesion … 1023
ループス腎炎 lupus nephritis … 1229
ループス性抗凝固因子 lupus anticoagulant (LA) … 102
ループスバンド試験 lupus band test (LBT) … 1860
ループ切除 loop excision … 652
ループ利尿薬 loop diuretic … 551
ルーペ loupe … 1069
ルー(ロー)へら Roux spatula … 1707
ルー法 Roux method … 1145
ルーメン lumen … 1071
ルーY手術 Roux-en-Y operation … 1306
ルーY吻合〔術〕 Roux-en-Y anastomosis … 73
類 group … 803
類亜硝酸塩反応 nitritoid reaction … 1566
類亜硝酸性ショック nitroid shock … 1674
類アナフィラキシーショック anaphylactoid shock … 1673
類アリューロン〔性〕の aleuronoid … 46
類アルブミン albuminoid … 43
類遺伝子性の congenic … 410
涙液 lacrimal fluid … 715
涙液の lacrimal … 993
涙液分泌 lacrimation … 993
類壊死〔症〕 necrobiosis … 1223
類エプーリス epuloid … 634
類縁 relationship … 1588
類猿説 pithecoid theory … 1876
類猿の pithecoid … 1427
類縁の affinous … 33
類黄色板リンパ管腫 lymphangioma xanthelasmoideum … 1076
類音連合 clang association … 163
涙河 lacrimal pathway … 1373
涙河 rivus lacrimalis … 1619
類角化疹 keratoid exanthema … 651
類鼾音 rhonchus, sonorous rhonchus, sibilant rhonchus … 1610
類宦官症 eunuchoidism … 648
類宦官症状態 eunuchoid state … 1739
類癌腫 carcinoid tumor … 1949
類乾癬 parapsoriasis … 1353
涙〔管〕フィステル(瘻) lacrimal fistula, fistula lacrimalis … 705
涙管閉鎖〔症〕 dacryostenosis … 470
涙器 apparatus lacrimalis … 119
涙器 lacrimal apparatus … 119
類器官の organoid … 1313
涙丘 lacrimal caruncle … 308
涙丘異所発毛〔症〕 trichosis carunculae 1931
涙丘毛髪病 trichosis carunculae … 1931
類筋 myoid … 1214
類型 type … 1957
類系統性の systemoid … 1834
類結核の tuberculoid … 1945
涙〔結〕石 dacryolith … 470
涙〔結〕石 tear stone … 1749
涙〔結〕石症 dacryolithiasis … 470
類腱腫 desmoid … 499
類腱線維腫 desmoplastic fibroma … 694
涙湖 lacrimal lake … 995
涙湖 lacus lacrimalis … 995
涙骨 lacrimal bone … 232
涙骨 os lacrimale … 1318
類骨 osteoid … 1322
涙骨鉤 hamulus lacrimalis … 814
涙骨鉤 lacrimal hamulus … 814
涙骨甲介縫合 sutura lacrimoconchalis … 1786
涙骨甲介縫合 lacrimoconchal suture … 1787
類骨骨腫 osteoid osteoma … 1322
類骨腫 osteomatoid … 1323
涙骨上顎縫合 sutura lacrimomaxillaris 1786
涙骨上顎縫合 lacrimomaxillary suture … 1787
涙骨切痕 incisura lacrimalis … 919
涙骨切痕 lacrimal notch … 1270
類骨組織 osteoid tissue … 1896
ルイサイト lewisite … 1030
類細網症 reticuloid … 1599
類似遺伝子系統 congenic strain … 1750
類似化合物 analogue … 70
類似形態の homeomorphous … 859
類脂〔質〕血症 lipoidemia … 1057
類脂〔質〕〔沈着〕症 lipoidosis … 1057
類脂〔質〕皮膚関節炎 lipoid dermatoarthritis … 496
類似性形質 sympleisomorphy … 1791
類似〔性〕の analogous … 70
類似体 analogue … 70
類似的記号 iconic sign … 1681
類歯肉腫 epuloid … 634
類似物 analogue … 70
類ジフテリア diphtheroid … 522
類ジフテリア菌 diphtheroid … 522
類脂肪腫の lipomatoid … 1057
累乗 power … 1475
涙小管 canaliculus lacrimalis … 285
涙小管 lacrimal canaliculus … 285
涙小管膨大 ampulla of lacrimal canaliculus … 65
類晶質 crystalloid … 446
類症の法則 law of similars … 1008
類上皮血管内皮腫 epithelioid hemangioendothelioma … 824
類上皮細胞 epithelioid cell … 321
類上皮肉腫 epithelioid sarcoma … 1635

ル

類上皮の epithelioid …… 631
類似療法 homeotherapy, homeotherapeutics …… 859
類人猿 anthropoid …… 98
類人猿型骨盤 anthropoid pelvis …… 1378
類人の anthropoid …… 98
類水頭〔症〕 hydrocephaloid …… 871
ルイス塩基 Lewis base …… 199
ルイス血液型 Lewis Blood Group, Le Blood Group …… 1030
ルイス酸 Lewis acid …… 14
涙〔結〕石 dacryolith …… 470
涙〔結〕石 tear stone …… 1749
涙〔結〕石症 dacryolithiasis …… 470
累積の cumulative …… 448
累積分析 accumulation analysis …… 70
累積和 cusum …… 452
涙腺 lacrimal gland …… 773
涙腺 glandula lacrimalis …… 775
類線維腫 fibroid tumor …… 1950
類線維素 fibrinoid …… 693
類線維の fibroid …… 694
涙腺窩 fossa for lacrimal gland …… 732
涙腺窩 fossa glandulae lacrimalis …… 732
涙腺窩 lacrimal fossa …… 732
涙腺眼窩部 pars orbitalis glandulae lacrimalis …… 1360
涙腺眼瞼部 pars palpebralis glandulae lacrimalis …… 1360
涙腺眼瞼部 palpebral part of lacrimal gland …… 1366
類腺腫瘍 adenomatoid tumor …… 1949
涙腺静脈 lacrimal vein …… 1997
涙腺静脈 vena lacrimalis …… 2006
類染色質 chromatoid …… 357
涙腺神経 lacrimal nerve …… 1235
涙腺神経 nervus lacrimalis …… 1242
涙腺神経と頬骨神経の交通枝 communicating branch of lacrimal nerve with zygomatic nerve …… 244
涙腺動脈 arteria lacrimalis …… 136
涙腺動脈 lacrimal artery …… 147
涙腺嚢腫 dacryops …… 470
涙腺の眼窩部 orbital part of lacrimal gland …… 1366
涙腺の排出管 excretory ducts of lacrimal gland …… 563
〔涙腺の〕排出管 excretory ductules of lacrimal gland …… 565
〔涙腺の〕排出管 ductuli excretorii glandulae lacrimalis …… 566
るいそう emaciation …… 599
るいそう tabescence …… 1836
類臓器〔性〕の organoid …… 1313
るいそう症候群 wasting syndrome …… 1824
類属反応 group reaction …… 1565
類苔癬 lichenoid …… 1031
類丹毒 erysipeloid …… 638
類沈降原 precipitinogenoid …… 1477
類沈降素 precipitoid …… 1477
涙滴サイン teardrop sign …… 1684
涙点 lacrimal punctum …… 1527
涙点 punctum lacrimale …… 1527
類てんかんの epileptoid …… 629
類天疱瘡 pemphigoid …… 1379
類洞周囲腔 perisinusoidal space …… 1704
涙道切開〔術〕 lacrimotomy …… 993
類毒素 toxoid …… 1907
類内膜 endometrioid …… 614
類内膜癌 endometrioid carcinoma …… 297
類内膜腫瘍 endometrioid tumor …… 1950
類軟骨 chondroid …… 353
類肉腫 sarcoid …… 1635
類肉腫症 sarcoidosis …… 1635
類肉腫の sarcomatoid …… 1636
涙乳頭 lacrimal papilla …… 1345
涙乳頭 papilla lacrimalis …… 1345
類粘液腺癌 mucoid adenocarcinoma …… 24
類粘液変性 mucoid degeneration …… 481
涙嚢 lacrimal sac …… 1628
涙嚢 tear sac …… 1628
涙嚢 saccus lacrimalis …… 1629
涙嚢炎 dacryocystitis …… 470
涙嚢円蓋 fornix of lacrimal sac …… 731
涙嚢円蓋 fornix sacci lacrimalis …… 731
涙嚢窩 fossa for lacrimal sac …… 733
涙嚢窩 fossa sacci lacrimalis …… 734
涙嚢筋膜 lacrimal fascia …… 673
涙嚢溝 lacrimal groove …… 801
涙嚢溝 sulcus lacrimalis …… 1772
涙嚢切開〔術〕 dacryocystotomy …… 470
涙嚢切除〔術〕 dacryocystectomy …… 470
涙嚢前〔方〕の prelacrimal …… 1479
涙嚢造影〔法〕 dacryocystogram …… 470
涙嚢痛 dacryocystalgia …… 470
涙嚢鼻腔吻合〔術〕 dacryocystorhinostomy 470
涙嚢鼻涙管鼻腔吻合術 canaliculodacryocystorhinostomy …… 285
〔眼輪筋〕涙嚢部 pars lacrimalis musculi orbicularis oculi …… 1359
涙嚢ヘルニア dacryocystocele …… 470
類嚢胞 cystoid …… 463
類嚢胞黄斑水腫(浮腫) cystoid macular edema …… 587
涙嚢漏 dacryoblennorrhea …… 470
ルイの法則 Louis law …… 1007
類配偶子細胞 gametoid …… 751
類梅毒の syphiloid …… 1828
類白血病〔性〕の leukemoid …… 1025
類白血病反応 leukemoid reaction …… 1025
累犯 recidivism …… 1573
類皮腫 dermoid …… 498
類鼻疽 melioidosis …… 1123
類鼻疽菌 *Burkholderia pseudomallei* …… 267
類皮嚢腫 dermoid cyst …… 459
類表皮癌 epidermoid carcinoma …… 297
類表皮腫 epidermoid …… 626
類表皮嚢胞(嚢腫) epidermoid cyst …… 459
涙〔管〕フィステル(瘻) lacrimal fistula, fistula lacrimalis …… 705
類別 classification …… 370
類別交配 assortative mating …… 1110
類ペラグラの pellagroid …… 1378
類扁桃の amygdaloid …… 67
類メラニン melanoid …… 1122
類網膜の retinoid …… 1602
涙流過多 dacryorrhea …… 470
類リンパ球 lymphoid cell …… 323
類リンパ球 lymph corpuscle, lymphatic corpuscle, lymphoid corpuscle …… 426
類リンパ球 lymphoidocyte …… 1083
類狼瘡の lupoid …… 1073
ルヴィエール結節 node of Rouviere …… 1261
ルクス lux (lx) …… 1074
ルクソールファストブルー Luxol fast blue …… 1074
ルゴー固定液 Regaud fixative …… 708
ルゴー残余小体 residual body of Regaud …… 229
ルゴールヨウ素溶液 Lugol iodine solution …… 1698
ルコント術式 LeCompte maneuver …… 1099
ルジェ球 Rouget bulb …… 264
ルジェ-ノイマン鞘 Rouget-Neumann sheath …… 1671
ルシオらい Lucio leprosy …… 1021
ルシフェラーゼ luciferases …… 1070
ルシフェリン luciferins …… 1070
ル・シャトリエの法則 Le Chatelier law 1007
ルジャーンドル徴候 Legendre sign …… 1682
ルシュカ管 Luschka ducts …… 564
ルシュカ洞 Luschka sinus …… 1688
ルシュカ軟骨 Luschka cartilage …… 306
ルシー-レヴィ病 Roussy-Lévy disease …… 540
ルスト現象 Rust phenomenon …… 1406
ルタンバッシャー(リュタンバッシェ)症候群 Lutembacher syndrome …… 1811
ルチノース rutinose …… 1627
ルチン rutin …… 1627
ルツォミヤ属 *Lutzomyia* …… 1074
るつぼ crucible …… 443
ルテイン lutein …… 1074
ルテイン細胞 luteal cell, lutein cell …… 323
ルテオリジン luteolysin …… 1074
ルテオリン luteolin …… 1074
ルデー耳鳴 Leudet tinnitus …… 1894
ルテチウム lutetium (Lu) …… 1074
ルテニウム ruthenium (Ru) …… 1627
ルテニウムレッド ruthenium red …… 1627
ルド(ラド)症候群 Rud syndrome …… 1818
ルトロピン lutropin …… 1074
ルニョンのI群ミコバクテリア Runyon group I mycobacteria …… 1207
ルニョンのII群ミコバクテリア Runyon group II mycobacteria …… 1207
ルニョンのIII群ミコバクテリア Runyon group III mycobacteria …… 1207
ルニョンのIV群ミコバクテリア Runyon group IV mycobacteria …… 1207
ルニョン分類 Runyon classification …… 371
ルネーグル症候群 Lenègre syndrome …… 1810
ルネベルグ〔公〕式 Runeberg formula …… 730
ルノー〔小〕体 Renaut body …… 229
ルノワール小関節面 Lenoir facet …… 661
ルビウイルス属 *Rubivirus* …… 1625
ルビジウム rubidium (Rb) …… 1625
ルビー(フルビー)レンズ Hruby lens …… 1019
ルフィーニ小体 Ruffini corpuscles …… 426
ルフェヌロン lufenuron …… 1070
ル・フォール骨切り術 Le Fort osteotomy …… 1325
ル・フォール切断術 Le Fort amputation … 66
ル・フォールゾンデ Le Fort sound …… 1702
ルフト病 Luft disease …… 536
ルブナーの成長の法則 Rubner laws of growth …… 1008
ルブラウイルス *Rubulavirus* …… 1625
ルブラトキシン rubratoxin …… 1625
ルプリン lupulin …… 1073
ルブレドキシン rubredoxins …… 1625
ルベアン酸 rubeanic acid …… 1625
ルベオーシス rubeosis …… 1625
ルベリン rubellin …… 1625
ルベルトリン酸 ruberythric acid …… 15
ル・ベル-ファント・ホフの法則 Le Bel-van't Hoff rule …… 1626
ルポイド肝炎 lupoid hepatitis …… 839
ルミエール(レミエール)症候群 Lemierre syndrome …… 1810
ルミクロム lumichrome …… 1071
ルミステロール lumisterol …… 1071
ルミネセンス luminescence …… 1071
ルミノコッカス属 *Ruminococcus* …… 1627
ルミフラビン lumiflavin …… 1071
ルミロドプシン lumirhodopsin …… 1071
ルリーシュ症候群 Leriche syndrome …… 1810
ルリー(レリー)徴候 Leri sign …… 1682
ルリベリン luliberin …… 1071
ルロー rouleau …… 1624
ルンド食 Lundh meal …… 1112
ルンペル-レーデ現象 Rumpel-Leede phenomenon …… 1405
ルンメル止血帯 Rummel tourniquet …… 1905

レ

レー rhe 1607
レーヴェンシュタイン-ヤンセン培地 Lowenstein-Jensen culture medium 1118
レーヴェンタル反応 Loewenthal reaction 1565
レーヴェンベルク鉗子 Löwenberg forceps 727
レーザー laser 1003
レーザー角膜上皮形成術 laser-assisted epithelial keratoplasty (LASEK) 980
レーザー角膜内切削形成〔術〕 laser-assisted in situ keratomileusis (LASIK) 980
レーザー加工 lasering 1004
レーザー顕微鏡 laser microscope 1154
レーザー虹彩形成術 laser corepraxy 423
レーザー虹彩切開術 laser iridotomy 956
レーザー光(光)治療的角膜切除 phototherapeutic keratectomy (PTK) 977
レーザー砕石術 laser lithotripsy 1062
レーザー上皮角膜切除術 laser-assisted epithelial keratomileusis (LASEK) 980
レーザー処置 lasering 1004
レーザースキャンサイトメトリ laser-scanning cytometry 467
レーザー線維柱帯形成術 laser trabeculoplasty (LTP) 1908
レーザー-トレラー徴候 Leser-Trélat sign 1682
レーザー光凝固装置 laser photocoagulator 1416
レーザーピンセット laser tweezers 1955
レーザー捕捉 laser trap 1004
レーズ lathe 1004
レーダー傍三叉神経症候群 Raeder paratrigeminal syndrome 1817
レーデルマンの式 Ledermann formula 730
レートメータ rate meter 1142
レーニー小体 Rainey corpuscles 426
レーノー(レイノー)現象 Raynaud phenomenon 1405
レーノー(レイノー)症候群 Raynaud syndrome 1817
レーバー遺伝性視神経萎縮 Leber hereditary optic atrophy 173
レーバー視神経障害 Leber optic neuropathy 1251
レーバー静脈叢 Leber plexus 1441
レーバー先天性黒内障 amaurosis congenita of Leber 56
レーバー特発性星状網膜症 Leber idiopathic stellate retinopathy 1602
レーバンド症候群 Laband syndrome 1809
レーヒー(レイヒー)鉗子 Lahey forceps 727
レーフス胃管 Rehfuss stomach tube 1942
レーフス法 Rehfuss method 1145
レーブ脱落膜腫 Loeb deciduoma 475
レーマー試験 Römer test 1864
レーマック(レマーク)神経節 Remak ganglia 754
レーマック(レマーク)徴候 Remak sign 1683
レーマック(レマーク)反射 Remak reflex 1581
レーマン(レーモン,ラマン)症候群 Ramon syndrome 1817
レーラー指数 Röhrer index 923
レーリー均等 Rayleigh equation 634
レーリー試験 Rayleigh test 1863
レーリーの分解能 Rayleigh resolution limit 1048
レールミット徴候 Lhermitte sign 1682
レーン帯 Lane band 194
レアギン reagin 1569
零 zero 2057
〔虫〕齢 instar 940
霊 pneuma 1447
霊安室 morgue 1170
冷温交互試験 bithermal caloric test 1855
冷覚過敏 hypercryesthesia 880
冷〔感〕覚脱失(消失)〔症〕 cryanesthesia 444
〔寒〕冷感 psychroesthesia 1521
冷感の frigid 741
霊気 pneuma 1447
霊気医学 pneumatism 1447
霊気医学派 pneumatists 1447
励起状態 excited state 1739
励起スペクトル excitation spectrum 1709
霊気偏在論 psychism 1517
冷却機 condenser 407
冷却消息子 psychrophore 1521
冷却ナイフ法 cooled-knife method 1143
冷却の refrigerant 1583
励起レーザー pumped laser 1004
霊菌 *Serratia marcescens* 1667
鈴金性共鳴音 bellmetal resonance 1594
鈴形歯冠の bell-crowned 205
冷係蹄 cold snare 1694
冷血動物 cold-blooded animal 91
冷血の cold-blooded 389
冷獗マラリア algid malaria 1094
冷光 cold light 1047
冷光 luminescence 1071
冷硬直点 cold-rigor point 1454
零次反応 zero-order reaction 1568
冷浸 maceration 1088
冷静 ataraxia 167
霊長目 Primates 1484
霊長類 primate 1484
〔寒〕冷痛 psychroalgia 1521
零点 zero 2057
冷凍 freezing 740
冷凍 refrigeration 1583
冷凍学 cryogenics 444
冷凍外科〔学〕 cryosurgery 445
冷凍固定〔法〕 cryopexy 444
冷凍腐食器 cryocautery 444
冷凍腐食剤 cryocautery 444
冷凍麻酔 cryoanesthesia 444
冷凍融解 cryolysis 444
0°(零度)人工歯 zero degree teeth 1903
冷膿瘍 cold abscess 5
レイノー(レーノー)現象 Raynaud phenomenon 1405
レイノー(レーノー)症候群 Raynaud syndrome 1817
レイノーの五徴 Reynolds pentad 1381
レイノルズ数 Reynolds number 1282
霊媒 psychic 1517
礼拝形式 cult 448
冷パック cold pack 1335
レイヒー(レーヒー)鉗子 Lahey forceps 727
レイ-ホルムス社会適応評価尺度 Rahe-Holmes social readjustment rating scale 1639
レイル rayl 1562
レヴァディティ染色〔法〕 Levaditi stain 1733
レヴィウイルス科 Leviviridae 1030
レヴィー〔小〕体 Lewy bodies 228
レヴィン管 Levin tube 1941
レヴィーンシャント LeVeen shunt 1675
レヴェー抗原 Levay antigen 104
レヴ症候群 Lev syndrome 1810
レヴレー鉗子 Levret forceps 727
レオウイルス科 Reoviridae 1590
レオウイルス属 *Reovirus* 1590
レオエンセファログラフィ rheoencephalography 1607
レオエンセファログラム rheoencephalogram 1607
レオカルジオグラフィ rheocardiography 1607
レオグラム rheogram 1607
レオクリシジン rheochrysidin 1607
LEOPARD症候群 LEOPARD syndrome 1810
レオペクシー rheopexy 1607
レオポルト操作 Leopold maneuvers 1099
レオロジー rheology 1607
レカミエ手術 Récamier operation 1306
レガール試験 Legal test 1860
轢音顎 crackling jaw 967
歴史 history 856
〔歴史的〕相同の homogenous 860
暦年齢 chronologic age (CA) 35
レギュラーインスリン regular insulin 942
レギュロン regulon 1587
レクセの層 lamina of Rexed 998
レクチン lectin 1015
レクチン経路分子 lectin pathway molecule 1164
レクチン糖質組織化学 lectin glycohistochemistry 788
レグミン legumin 1016
レクルートメント recruitment 1574
レクレルシア属 *Leclercia* 1015
レコードリンケージ record linkage 1054
〔連続波〕レーザー continuous wave laser 1003
レザバー reservoir 1592
レジア redia 1575
レジオネラ症 Legionnaires' disease 536
レジオネラ属 *Legionella* 1016
レジオネラ・ニューモフィラ菌 *Legionella pneumophila* 1016
レジスチン resistin 1594
レシチナーゼ lecithinase 1015
レシチン lecithin 1015
レシチン-コレステロールアシルトランスフェラーゼ lecithin-cholesterol acyltransferase (LCAT) 1015
レシチンコレステロールトランスフェラーゼ lecithin-cholesterol transferase 1015
レシチン/スフィンゴミエリン比 lecithin/sphingomyelin ratio (L:S ratio) 1561
レシチン蛋白 lecithoprotein 1015
レジデュアルインヒビション residual inhibition 933
レジデュアルインヒビター residual inhibitor 935
レジデント resident 1592
レジネート resinates 1593
レジノール resinols 1593
レシピエント recipient 1573
レシプロカルアーム reciprocal arm 132
レ氏目盛り Réaumur scale 1639
レジン resin 1592
〔アクリル〕レジン歯 acrylic resin tooth 1902
レジンス resines 1593
レジンセメント resin cement 329
レシンナミン rescinnamine 1591
レスキュー療法 rescue therapy 1879
レスト rest 1597
レスト域 rest area 130
レストンウイルス Reston virus 2028
レスビアン lesbian 1022
レスピレータ respirator 1596
レスポンデント行動 respondent behavior 204
レスポンデント条件付け respondent conditioning 408
レスラー-ドレスラー〔型〕心筋梗塞

Roesler-Dressler infarct 926
レセプタ receptor 1570
レセプタ部位 receptor site 1690
レセプトソーム receptosomes 1571
レセルピン reserpine 1592
レゾルシノール resorcinol 1595
レソルシノール試験 resorcinol test 1864
レソルバーゼ resolvase 1594
レダクターゼ reductase 1575
レチクリン reticulin 1599
レチクロイド reticuloid 1599
レチナール retinal 1601
11-*cis*-レチナール 11-*cis*-retinal 1601
レチナールアルデヒド retinaldehyde 1601
レチナール〔デヒド〕イソメラーゼ retinal isomerase 1601
レチナール〔デヒド〕デヒドロゲナーゼ retinal dehydrogenase 1601
レチニルリン酸 retinyl phosphate 1603
レチネン retinene 1601
レチノイド retinoids 1602
レチノイドXレセプタ retinoid X receptor 1571
13-*cis*-レチノイン酸 13-*cis*-retinoic acid 1602
レチノイン酸症候群 retinoic acid syndrome 1818
レチノイン酸胎芽症 retinoic acid embryopathy 602
レチノイン酸レセプタ retinoic acid receptor 1571
レチノスコープ retinoscope 1603
11-*cis*-レチノール 11-*cis*-retinol 1602
レチノール retinol 1602
レチノール結合蛋白 retinol-binding protein 1505
レチノールデヒドロゲナーゼ retinol dehydrogenase 1602
レチン酸 retinoic acid 1602
列 column 395
列 series 1665
裂 cleft 373
裂 crack 433
裂 crena 436
裂 fissura 701
裂 gap 756
裂 hiatus 851
裂 rima 1617
裂 scissura 1646
裂〔溝〕 fissure 702
劣化 deterioration 500
裂開 dehiscence 482
裂開 divulsion 553
レックA RecA 1570
レッグ-カルヴェ-ペルテス病 Legg-Calvé-Perthes disease, Legg-Perthes disease, Legg disease 536
レッグ病 Legg-Calvé-Perthes disease, Legg-Perthes disease, Legg disease 536
レッグ-ペルテス病 Legg-Calvé-Perthes disease, Legg-Perthes disease, Legg disease 536
裂隙羊膜 schizamnion 1643
裂孔 gap 756
裂孔 hiatus 851
裂孔 lacuna 995
裂肛 anal fissure 702
裂溝 cleft 373
裂溝 scissura 1646
裂溝う食(蝕) fissure caries 302
裂孔開存奇形 ceasmic teratosis 1852
裂孔原性網膜剝離 rhegmatogenous retinal detachment 500
裂孔靱帯 lacunar ligament 1036
裂孔靱帯 ligamentum lacunare 1044
裂溝性足蹠角皮症 keratoderma plantare sulcatum 979
裂溝封鎖材 fissure sealant 1652
裂孔ヘルニア hiatal hernia, hiatus hernia 842
レッサー三角 Lesser triangle 1927
裂軸索 schizaxon 1643
裂手 cleft hand 814
裂手症候群 split hand syndrome 1821
レッシュ-ナイハン症候群 Lesch-Nyhan syndrome 1810
裂傷 laceration 992
裂傷 rupture 1627
裂傷 tear 1843
劣性遺伝 recessive inheritance 933
劣性形質 recessive character 339
劣性形質 recessive trait 1916
劣性度 recessitivity 1572
劣性の recessive 1572
裂生胞子 merispore 1133
裂創 laceration 992
裂爪症 schizonychia 1644
レッチウス回 Retzius gyrus 809
レッチウス静脈 Retzius veins 2000
レッチウス靱帯 Retzius ligament 1040
レッチウス石灰化線 calcification lines of Retzius 1049
レッチウス線〔条〕 Retzius striae 1756
レッチウス線維 Retzius fibers 690
レッチング retching 1598
レット Ret 1597
劣等感 inferiority complex 401
劣等感 inferiority 928
裂頭条虫症 diphyllobothriasis 522
裂頭条虫貧血 diphyllobothrium anemia 77
裂頭体性小頭〔蓋〕症 schizencephalic microcephaly 1150
レッドオイル red oil 1295
レット症候群 Rett syndrome 1818
裂肉歯 carnassial tooth 1902
裂肉性の carnassial 303
裂腹奇形 schistocelia 1642
裂片 scissura 1646
裂毛〔症〕 trichorrhexis 1931
裂毛症 trichothiodystrophy 1931
レテプラーゼ reteplase 1599
レテラー-ジーヴェ病 Letterer-Siwe disease 536
レドックス redox 1575
レトラクタ retractor 1603
レトリル laetrile 995
レトルト retort 1603
レトロウイルス retrovirus 1605
レトロウイルス科 Retroviridae 1605
レトロウイルス学 retrovirology 1605
レトロウイルス学者 retrovirologist 1605
レトロウイルスベクター retroviral vector 1992
レトロステロイド retrosteroid 1605
レトロトランスポゾン retrotransposon 1605
レトロポゾン retroposon 1604
レナートリンパ腫 Lennert lymphoma 1084
レニウム rhenium (Re) 1607
レニン renin 1589
レニン-アンギオテンシン-アルドステロン系 renin-angiotensin-aldosterone system 1833
レニン-アンギオテンシン系 renin-angiotensin system 1833
レネ鼻側階段 Rønne nasal step 1742
レノグラム renogram 1590
レノックス-ガストー症候群 Lennox-Gastaut syndrome 1810
レノトロフィン renotrophin 1590
レバー lever 1029
レバミゾール levamisole 1029
レバンスクラーゼ levansucrase 1029
レヒナー-ハナート(リヒナー-ハンハルト)症候群 Richner-Hanhart syndrome 1818
レビネ属 *Levinea* 1029
レビュー review 1606
レファトフ症候群 Refetoff syndrome 1817
レファレンス値 reference values 1984
レファレンス法 reference method 1145
レフスム(レフサム)病 Refsum disease 539
レプタンドラ leptandra 1021
レプチラーゼ reptilase 1591
レプチン leptin 1021
レプトスコープ leptoscope 1022
レプトスピラ leptospire 1022
レプトスピラ症 leptospirosis 1022
レプトスピラ性黄疸 leptospiral jaundice 967
レプトスピラ属 *Leptospira* 1022
レプトスピラ尿症 leptospiruria 1022
レプトテン〔期〕 leptotene 1022
レプトトリキア属 *Leptotrichia* 1022
レプトモナス leptomonad 1022
レプトモナス属 *Leptomonas* 1022
レフラー血液培地 Loeffler blood culture medium 1118
レフラー症候群 Löffler syndrome 1810
レフラー症候群 Löffler syndrome I 1810
レフラー症候群 Löffler syndrome II 1810
レフラー焼灼薬染色〔法〕 Loeffler caustic stain 1733
レフラー心内膜炎 Löffler endocarditis 611
レフラー染色〔法〕 Loeffler stain 1733
レフラーの壁側の線維形成性心内膜炎 Löffler parietal fibroplastic endocarditis 611
レフラーメチレンブルー Loeffler methylene blue 1147
レプリカ replica 1590
レプリカーゼ replicase 1590
レプリカ平板法 replica plating 1436
レプリケーター replicator 1591
レプリコン replicon 1591
レブリン酸 levulinic acid 1030
レブリン酸カルシウム calcium levulinate 277
レプロミン lepromin 1021
レプロミン試験 lepromin test 1860
レプロミン反応 lepromin reaction 1565
レペーネ-ピックワース染色〔法〕 Lepehne-Pickworth stain 1732
レベル level 1029
レポアーサラセミア Lepore thalassemia 1873
レボカルニチン levocarnitine 1030
レポーター蛋白 reporter protein 1505
レボチロキシンナトリウム sodium levothyroxine 1696
レボドパ levodopa 1030
レポリポックスウイルス属 *Leporipoxvirus* 1020
レマーク(レーマック)神経節 Remak ganglia 754
レマーク(レーマック)徴候 Remak sign 1683
レマーク(レーマック)反射 Remak reflex 1581
レミエール(ルミエール)症候群 Lemierre syndrome 1810
レミニッセンス reminiscence 1589
レミノレラ属 *Leminorella* 1018
レム roentgen-equivalent-man (rem) 1620
REM眼球運動 rapid eye movements (REM) 1174
レム行動疾患 REM behavior disorder 547
レム症候群 REM syndrome 1817
レム睡眠 rapid eye movement sleep, REM sleep 1692
レムナント remnant 1589
レモン lemon 1018
レモングラス油 oil of lemon grass 1294
レモン徴候 lemon sign 1682
レモン油 oil of lemon 1294

レラキシン relaxin … 1589
レリー(ルリー)徴候 Leri sign … 1682
レリーフ relief … 1589
レルゴトリル lergotrile … 1022
レルモワイエ症候群 Lermoyez syndrome … 1810
鎌 falx … 671
連 tribe … 1928
恋愛妄想性障害 erotomanic disorder … 545
連圏状白癬 tinea circinata … 1894
れんが職人貧血 brickmaker's anemia … 76
れんが粉状沈渣 brickdust deposit … 492
鎌下ヘルニア subfalcial herniation … 844
〔連〕環状紅斑 erythema circinatum … 638
連環状白癬 tinea circinata … 1894
レングスバイアス(罹病期間によるバイアス) length bias … 208
レンゲ属 *Astragalus* … 165
連結 articulatio … 157
連結 attachment … 174
連結 binding … 211
連結 connection … 413
連結 coupling … 432
連結 joint … 968
連結 junction … 973
連結 junctura … 974
連接 juncture … 974
連結回 interlocking gyri … 808
連結管 connecting tubule … 1948
連結間隔 coupling interval … 948
連結子 connector … 413
連結した jugal … 973
連結バー connector bar … 196
連圏状乾癬 psoriasis circinata … 1516
連圏状膿痂疹 impetigo circinata … 914
連圏状ひこう疹 pityriasis circinata … 1427
連合 association … 163
連合 syzygy … 1835
連合運動 associated movements … 1173
連合運動 syncinesis … 1794
連合運動 synkinesis … 1826
連合機能 association mechanism … 1114
連合系 association system … 1829
連合弛緩 loose associations … 163
連合弛緩 loosening of association … 1069
連合収縮 coupled beats … 203
連合(接合)修復 combination restoration 1597
連合主義 associationism … 163
連合〔神経〕路 association tract … 1910
連合説 associationism … 163
連合線維 association fibers … 688
連合の法則 laws of association … 1005
連合反射 allied reflexes … 1577
連合反応 associative reaction … 1563
連合皮質 association cortex … 427
連合吻合 conjoined anastomosis … 73
連合野 association areas … 128
連鎖 linkage … 1054
連鎖 sequence … 1664
連鎖〔反応〕 chain … 337
錬剤 mass (m) … 1107
連鎖〔感染〕間隔 serial interval … 948
連鎖杆菌属 *Streptobacillus* … 1753
連鎖球菌 streptococcus … 1754
連鎖球菌M抗原 Streptococcus M antigen 105
連鎖球菌感染症 streptococcosis … 1753
連鎖球菌血症 streptococcemia … 1753
連鎖球菌性 streptococcic … 1753
連鎖球菌性肺炎 streptococcal pneumonia … 1450
連鎖球菌性敗血症 streptosepticemia … 1755
連鎖球菌属 *Streptococcus* … 1753
連鎖球菌中毒性ショック症候群 streptococcal toxic shock syndrome … 1821
連鎖球菌発赤毒素 streptococcus erythrogenic toxin … 1906
連鎖球菌溶血素 streptolysin … 1754
連鎖群 linkage group … 803
連鎖形成 chaining … 337
連鎖した linked … 1054
連鎖状の concatenate … 405
連鎖体の hormogonal … 863
連鎖地図 linkage map … 1102
連鎖反射 chain reflex … 1578
連鎖反応 chain reaction … 1563
連鎖不平衡 linkage disequilibrium … 542
連鎖分析 linkage analysis … 70
連鎖マーカ linkage marker … 1105
レンジ range … 1558
練習 training … 1915
攣縮 contraction (C) … 416
攣縮 twitch … 1956
攣縮性蟻走感 crispation … 440
連珠毛 monilethrix … 1165
鎌状〔赤〕血球 sickle cell … 326
鎌状〔赤〕血球 meniscocyte … 1130
鎌状細胞 sickle cell … 326
〔仙結節靱帯の〕鎌状靱帯 falciform ligament … 1035
〔仙結節靱帯の〕鎌状靱帯 ligamentum falciforme … 1043
鎌状赤血球C症 sickle cell C disease … 540
鎌状赤血球化 sickling … 1676
鎌状赤血球形成傾向 sickle cell trait … 1916
鎌状赤血球形成試験 metabisulfite test … 1861
鎌状赤血球〔形成〕試験 sickle cell test … 1865
鎌状赤血球血症 sicklemia … 1676
鎌状赤血球貧血 sickle cell anemia … 78
鎌状赤血球ヘモグロビン sickle cell hemoglobin (Hb S) … 833
鎌状赤血球網膜症 sickle cell retinopathy … 1603
鎌状の falciform … 670
鎌状網膜ひだ falciform retinal fold … 719
レンショー細胞 Renshaw cells … 325
レンズ glasses … 776
レンズ lens … 1019
レンズ核 lentiform nucleus, lenticular nucleus … 1276
レンズ核外側髄板 lateral medullary lamina [TA] of lentiform nucleus … 998
レンズ核視索の lenticulooptic … 1020
レンズ核視床の lenticulothalamic … 1020
レンズ核性ジストニー dystonia lenticularis … 577
レンズ核線条体動脈 lenticulostriate arteries … 147
レンズ核線状体の lenticulostriate … 1020
レンズ核内側髄板 medial medullary lamina [TA] of lentiform nucleus … 998
レンズ核わな ansa lenticularis … 96
レンズ核わな lenticular ansa … 96
レンズ核わな lenticular loop … 1069
レンズ核わなの核 nucleus ansae lenticularis … 1273
レンズ下部 pars sublentiformis capsulae internae … 1361
レンズ形丘疹の lenticulopapular … 1020
レンズ形小刀 lenticular knife … 987
レンズ形の lenticular … 1020
レンズ形の lentiform … 1020
レンズ後部 pars retrolentiformis capsulae internae … 1361
レンズ状コロニー lenticular colony … 393
レンズ状集落 lenticular colony … 393
レンズ状乳頭 lenticular papillae … 1345
レンズ束 fasciculus lenticularis … 676
レンズ束 lenticular fasciculus … 676
レンズ測定計 lensometer … 1020
連接 juncture … 974
連銭 rouleau … 1624
連銭形成 rouleaux formation … 729
連銭形成 nummulation … 1283
連銭状の nummular … 1283
連銭痰 nummular sputum … 1726
連想 association … 163
連想検査 association test … 1854
連想時間 association time … 1893
連想反応 associative reaction … 1563
連続〔性〕 continuity … 416
連続4回刺激 train-of-four stimulus … 1747
連続X線 polychromatic x-ray … 2053
連続X線撮影〔法〕 serioscopy … 1666
連続確率変数 continuous random variable … 1987
連続携行式腹膜灌流 continuous ambulatory peritoneal dialysis (CAPD) … 509
連続継代 serial passage … 1370
連続鉤(バー)維持装置 continuous bar retainer … 1598
連続作業単位 run … 1627
連続撮影〔法〕 seriography … 1666
連続撮影法 serial radiography … 1544
連続スペクトル continuous spectrum … 1709
連続性言語 slurring speech … 1709
連続性雑音 continuous murmur … 1179
連続切片 serial section … 1653
連続相 continuous phase … 1401
連続的に per continuum … 1384
連続纏絡縫合 blanket suture … 1786
連続培養 continuous culture … 448
連続抜歯法 serial extraction … 657
〔連続波〕レーザー continuous wave laser … 1003
連続フロー型分析装置 continuous flow analyzer … 71
連続吻合 sequential anastomosis … 73
連続変位 continuous variation … 1988
連続変数 continuous variable … 1987
連続縫合 continuous suture … 1787
連続縫合 uninterrupted suture … 1788
連続毛細血管 continuous capillary … 289
連続離断 solution of continuity … 1698
連続梁 continuous beam … 203
連続ループ結紮法 continuous loop wiring … 2047
レンチウイルス lentivirus … 1020
レンチウイルス亜科 Lentivirinae … 1020
レンツロ lentula, lentulo … 1020
レントゲン roentgen (R, r) … 1620
レントゲン学 roentgenology … 1620
レントゲン単位 roentgen unit … 1967
レンドラムのフロキシン-タルトラジン染色〔法〕 Lendrum phloxine-tartrazine stain … 1732
練乳 condensed milk … 1157
レンニン rennin … 1590
鎌の falcial … 670
連嚢管 utriculosaccular duct … 565
連嚢管 ductus utriculosaccularis … 566
レンペニング症候群 Renpenning syndrome … 1817
レンホッシェーク突起 Lenhossék processes … 1489
連絡 communication … 398
連絡の internuncial … 947
連絡網 network … 1244
練和 malaxation … 1095

レ

ロ

炉 furnace …… 746
路 path …… 1371
路 tract …… 1910
路 tractus …… 1914
ロー ρ …… 1540
ロー rho (ρ) …… 1610
ロー因子 rho factor …… 669
ローガン弓 Logan bow …… 238
ロー-キリー鉗子 Rowe-Killey forceps …… 728
ローザー線 Looser lines …… 1051
ローザニリン rosanilin …… 1622
ローザニリン染料 rosanilin dyes …… 569
ローション剤 lotion …… 1069
ローズ体位 Rose position …… 1470
ローズヒップ rose hips …… 1623
ローズ-ブラッドフォード腎 Rose-Bradford kidney …… 984
ローズベンガル rose bengal …… 1623
ローズマリー油 rosemary oil …… 1623
ローズ油 oil of rose …… 1295
ローズ油 rose oil …… 1623
ロースレー牽引器 Lowsley tractor …… 1914
ローズ-ワーラー試験 Rose-Waaler test 1864
ローゼンタラー-ツルク試薬 Rosenthaler-Turk reagent …… 1569
ローゼンタール線維 Rosenthal fiber …… 690
ローゼンタール脳底静脈 basal vein of Rosenthal …… 1994
ローゼンバッハ徴候 Rosenbach sign …… 1683
ローゼンバッハの法則 Rosenbach law 1008
ローター症候群 Rotor syndrome …… 1818
ローダニルブルー rhodanile blue …… 1610
ロータマー rotamer …… 1623
ローターマーゼ rotamase …… 1623
ローダミンB rhodamine B …… 1610
ローデシアトリパノソーマ *Trypanosoma brucei rhodesiense* …… 1939
ローデシアトリパノソーマ症 Rhodesian trypanosomiasis …… 1940
ローテーション rotation …… 1623
ローテーターカフ rotator cuff of shoulder …… 447
ロートの迷管 vas aberrans of Roth …… 1989
ロート斑〔点〕 Roth spots …… 1725
ロートムント症候群 Rothmund syndrome …… 1818
ロープ傷 rope burn …… 267
ローフ症候群 Roaf syndrome …… 1818
ロー(ルー)へら Roux spatula …… 1707
ローマ熱 Roman fever …… 686
ローマン反応 Lohmann reaction …… 1565
ローライン-ベール病変 Lohlein-Baehr lesion …… 1023
ローランド(ロランド)てんかん rolandic epilepsy …… 628
ローリー蛋白分析 Lowry protein assay 163
ローリングサークル rolling circle …… 364
ロール roll …… 1620
ロールシャッハ試験 Rorschach test …… 1864
ロール線〔条〕 Rohr stria …… 1756
ロールプレイング role-playing …… 1620
ローレストンの法則 Rolleston rule …… 1626
ローレンシウム lawrencium (Lr, Lw) 1008
ローレンス-ムーン症候群 Laurence-Moon syndrome …… 1810
ローン-ギャノング-レヴァイン症候群 Lown-Ganong-Levine syndrome …… 1810
ロア糸状虫 *Loa loa* …… 1063
ロア糸状虫症 loiasis …… 1068
ロイキン leukin …… 1025
ロイコタキシン leukotaxine …… 1028
ロイコチジン leukocidin …… 1025
ロイコトキシン leukotoxin …… 1029
ロイコトリエン leukotrienes (LT) …… 1029
ロイコトリエン拮抗薬 leukotriene inhibitors …… 935
ロイコトリエン修飾剤 leukotriene modifiers …… 1162
ロイコトリエン受容体拮抗薬 leukotriene receptor antagonist …… 96
ロイコトリエン受容体拮抗薬 leukotriene receptor antagonists …… 96
ロイコノストック属 *Leuconostoc* …… 1024
ロイコパテントブルー leuco patent blue …… 1024
ロイコボリン leucovorin …… 1024
ロイコボリンカルシウム leucovorin calcium …… 1024
ロイコメチレンブルー leucomethylene blue …… 1024
ロイコリボフラビン leukoriboflavin …… 1028
ロイコン leukon …… 1028
ロイシン leucine (Leu, L) …… 1023
ロイシンジッパー leucine zipper …… 1024
ロイシン増加〔症〕 leucinosis …… 1024
ロイシン低血糖〔症〕 leucine hypoglycemia …… 893
ロイシンデヒドロゲナーゼ leucine dehydrogenase …… 1024
ロイシン尿〔症〕 leucinuria …… 1024
ロイシン誘発性低血糖 leucine-induced hypoglycemia …… 894
ロイス〔公〕式 Reuss formula …… 730
ロイス試験 Reuss test …… 1864
ロイド試薬 Lloyd reagent …… 1569
ロイペプチン leupeptin …… 1029
ろう(聾) anacusis …… 69
ろう(聾) deafness …… 472
ろう(蝋) cera …… 334
ろう(蝋) wax …… 2042
ろう(癆) tabes …… 1836
瘻 stoma …… 1748
瘻〔孔〕 fistula …… 704
鑞(ろう) solder …… 1697
ロヴェーン反射 Lovén reflex …… 1580
老化 aging …… 38
老化 senescence …… 1660
老化 senility …… 1660
ろう型 moulage …… 1172
ろう型 wax pattern …… 1374
老眼 presbyopia (Pr) …… 1480
瘻管形成 fistulation, fistulization …… 706
狼狂 lycanthropy …… 1075
ろう屈症 cerea flexibilitas …… 334
ろう屈症 flexibilitas cerea …… 712
ろう膏 cerate …… 334
瘻孔 burrow …… 267
瘻孔形成 fistulation, fistulization …… 706
瘻孔試験 fistula test …… 1857
瘻孔切開〔術〕 fistulotomy …… 707
瘻孔切開〔術〕 syringotomy …… 1829
瘻孔切開刀 fistulatome …… 706
瘻孔切開刀 syringotome …… 1829
瘻孔切除〔術〕 fistulectomy …… 707
瘻孔〔壁〕切除〔術〕 syringectomy …… 1828
瘻孔腸管吻合〔術〕 fistuloenterostomy …… 707
漏刻形椎 hourglass vertebrae …… 2015
労作狭心症 angina of effort …… 83
労作性呼吸困難 exertional dyspnea …… 576
労作性横紋筋融解〔症〕 exertional rhabdomyolysis …… 1606
老視 presbyopia (Pr) …… 1480
漏出 defluvium …… 479
漏出 defluxion …… 479
漏出 diapedesis …… 510
漏出 diapiresis …… 510
漏出 exsorption …… 656
漏出 transudation …… 1922
漏出液 transudate …… 1922
漏出分泌腺 merocrine gland …… 773
籠手包帯 gauntlet bandage …… 195
籠状核 basket nucleus …… 1273
ろう状指 waxy fingers …… 701
老人愛 gerontophilia …… 768
老人(老年)医学 geriatrics …… 768
老人(老年)医学 geriatric medicine …… 1117
老人環 arcus senilis …… 128
老人環 gerontoxon …… 768
老人(老年)〔性〕記憶 senile memory …… 1128
老人恐怖〔症〕 gerontophobia …… 768
老人〔性〕斑(局面) senile plaque …… 1432
ロヴシング徴候 Rovsing sign …… 1683
老人(老年)歯学 dental geriatrics …… 768
老人(老年)〔性〕振せん senile tremor …… 1925
老人(老年)性アミロイドーシス senile amyloidosis …… 68
老人(老年)性萎縮 senile atrophy …… 174
老人性いぼ senile wart …… 2040
老人(老年)性う食(蝕) senile dental caries …… 303
老人(老年)性壊疽 senile gangrene …… 756
老人(老年)性かゆみ(そう痒)〔症〕 pruritus senilis, senile pruritus …… 1510
老人(老年)性関節症 malum articulorum senilis …… 1097
老人(老年)性気腫 senile emphysema …… 605
老人(老年)性血管腫 senile hemangioma 825
老人性喉頭炎 presbylaryngitis …… 1480
老人(老年)性黒子 senile lentigo …… 1020
老人(老年)性黒皮症 senile melanoderma …… 1121
老人(老年)性骨軟化症 senile osteomalacia …… 1323
老人(老年)性小人症 senile dwarfism …… 569
老人(老年)性脂腺腺増生症 senile sebaceous hyperplasia …… 886
老人(老年)性紫斑病 purpura senilis …… 1528
老人(老年)性精神病 senile psychosis …… 1520
老人性脱毛〔症〕 alopecia senilis …… 53
老人(老年)性腟炎 senile vaginitis …… 1982
老人(老年)性動脈硬化〔症〕 senile arteriosclerosis …… 140
老人(老年)性難聴 presbyacusis, presbyacusia …… 1480
老人(老年)〔性〕白内障 senile cataract …… 312
老人(老年)〔性〕皮膚 geroderma …… 768
老人(老年)性皮膚萎縮〔症〕 senile atrophoderma, atrophoderma senilis …… 173
老人性平衡障害 presbyastasis …… 1480
老人(老年)〔性〕変性 senile degeneration 481
老人(老年)性網膜分離〔症〕 senile retinoschisis …… 1603
老人(老年)認知症 senile dementia …… 485
老人〔性〕斑(局面) senile plaque …… 1432
老人(老年)評価プログラム geriatric assessment program …… 1495
老人(老年)舞踏病 senile chorea …… 355
老人輪 senile halo …… 813
老衰 geromarasmus …… 768
老衰 insenescence …… 940
漏水症 hydrorrhea …… 874
ろう製模型製作〔法〕 ceroplasty …… 335
狼瘡 lupus …… 1073
狼瘡様症候群 lupuslike syndrome …… 1811
狼瘡様の lupoid …… 1073
ろう着 brazing …… 255
ろう着 soldering …… 1697
鑞着 soldering …… 1697

ろう付け soldering ………… 1697
鑞付け soldering ………… 1697
漏斗 funnel ………… 745
漏斗 infundibulum ………… 931
〔視床下部の〕漏斗 hypothalamic infundibulum ………… 932
〔視床下部の〕漏斗 infundibulum hypothalami ………… 932
ロウトウ属 *Atropa* ………… 172
漏斗陥凹 infundibular recess ………… 1571
漏斗陥凹 recessus infundibuli ………… 1573
漏斗胸 pectus excavatum ………… 1376
漏斗胸 trichterbrust ………… 1931
漏斗茎 infundibular stem ………… 1741
漏斗口 aditus ad infundibulum ………… 29
漏斗口 lura ………… 1074
漏斗骨盤 funnel-shaped pelvis ………… 1378
漏斗腫 infundibuloma ………… 931
漏斗状処女膜 infundibuliform hymen ………… 877
漏斗状の choanoid ………… 348
漏斗状プロット法 funnel plot ………… 1446
漏斗のある choanate ………… 348
漏斗部狭窄〔症〕 infundibular stenosis ………… 1742
漏斗部切除〔術〕 infundibulectomy ………… 931
漏斗部の infundibular ………… 931
ろう流れ止め剤 antiflux ………… 102
鑞流れ止め剤 antiflux ………… 102
老年(老人)医学 geriatrics ………… 768
老年(老人)医学 geriatric medicine ………… 1117
老年医学 gerontology ………… 768
老年期 senium ………… 1660
老年(老人)〔性〕記憶 senile memory ………… 1128
老年(老人)歯学 dental geriatrics ………… 768
老年者治療 gerontotherapy ………… 768
老年者治療学 gerontotherapeutics ………… 768
老年者の geriatric ………… 768
老年(老人)〔性〕振せん senile tremor ………… 1925
老年(老人)性アミロイドーシス senile amyloidosis ………… 68
老年(老人)性萎縮 senile atrophy ………… 174
老年(老人)性う食(蝕) senile dental caries ………… 303
老年(老人)性壊疽 senile gangrene ………… 756
老年(老人)性関節症 malum articulorum senilis ………… 1097
老年(老人)性かゆみ(そう痒)〔症〕 pruritus senilis, senile pruritus ………… 1510
老年(老人)性気腫 senile emphysema ………… 605
老年性嗅覚減退 presbyosmia ………… 1481
老年性嗅覚鈍麻 presbyosmia ………… 1481
老年(老人)性血管腫 senile hemangioma 825
老年(老人)性黒子 senile lentigo ………… 1020
老年(老人)性黒皮症 senile melanoderma ………… 1121
老年(老人)性骨軟化症 senile osteomalacia ………… 1323
老年(老人)性小人症 senile dwarfism ………… 569
老年(老人)性脂腺増生症 senile sebaceous hyperplasia ………… 886
老年(老人)性紫斑病 purpura senilis ………… 1528
老年(老人)性精神病 senile psychosis ………… 1520
老年性退化 senile involution ………… 953
老年(老人)性腟炎 senile vaginitis ………… 1982
老年(老人)性動脈硬化〔症〕 senile arteriosclerosis ………… 140
老年(老人)性難聴 presbyacusis, presbyacusia ………… 1480
老年(老人)〔性〕白内障 senile cataract ………… 312
老年(老人)〔性〕皮膚 geroderma ………… 768
老年(老人)性皮膚萎縮〔症〕 senile atrophoderma, atrophoderma senilis ………… 173
老年(老人)〔性〕変性 senile degeneration 481
老年(老人)性網膜分離〔症〕 senile retinoschisis ………… 1603
老年(老人)認知症 senile dementia ………… 485
老年(老人)評価プログラム geriatric assessment program ………… 1495
老年(老人)舞踏病 senile chorea ………… 355
ろう(聾)の deaf ………… 472
瘻の fistulous ………… 707
老廃物除去〔法〕の spodophorous ………… 1722
老廃物性の spodogenous ………… 1722
ろう引き waxing, waxing-up ………… 2043
ろう布 cerecloth ………… 335
ろう様円柱 waxy cast ………… 309
ろう様可撓性 flexibilitas cerea ………… 712
ろう様肝 waxy liver ………… 1062
ろう様腎 waxy kidney ………… 984
ろう様脾 waxy spleen ………… 1720
ろう様変性 waxy degeneration ………… 481
老齢化 aging ………… 38
老齢化 senescence ………… 1660
沪液 filtrate ………… 700
沪過 filtration ………… 700
ロカイ aloe ………… 52
沪過器 filter ………… 699
沪過器 percolator ………… 1384
沪過係数 filtration coefficient ………… 387
沪過細隙 slit pores ………… 1466
沪過手術 filtering operation ………… 1304
沪過する filter ………… 699
沪過する strain ………… 1750
〔沪過性〕ウイルス virus ………… 2021
沪過性窒素 filtrate nitrogen ………… 1258
沪過性の filtrable, filterable ………… 700
沪過性瘢痕 filtering cicatrix ………… 362
沪過の emulgent ………… 606
沪過板 filter ………… 699
沪過胞 filtering bleb ………… 220
沪過率 filtration fraction (FF) ………… 736
ロキタンスキー-アショフ洞 Rokitansky-Aschoff sinuses ………… 1688
ロキタンスキー-キュスター-ホイザー(ハウザー)病 Rokitansky-Küster-Hauser disease ………… 540
ロキタンスキーヘルニア Rokitansky hernia ………… 843
肋烏口の costocoracoid ………… 430
肋腋窩静脈 costoaxillary vein ………… 1995
肋横突関節 articulatio costotransversaria 157
肋横突関節 costotransverse joint ………… 969
肋横突孔 costotransverse foramen ………… 724
肋横突孔 foramen costotransversarium ………… 724
肋横突靱帯 costotransverse ligament ………… 1034
肋横突靱帯 ligamentum costotransversarium ………… 1043
肋横突の costotransverse ………… 430
肋下角 subcostal angle ………… 90
肋下動脈の背側枝 dorsal branch of the subcostal artery ………… 246
肋下面 planum subcostale ………… 1431
肋下面 subcostal plane ………… 1431
六価モリブデン酸の molybdic ………… 1164
肋胸骨形成〔術〕 costosternoplasty ………… 430
肋胸骨の costosternal ………… 430
肋頸動脈 truncus costocervicalis ………… 1938
肋頸動脈 costocervical (arterial) trunk 1938
肋肩甲の costoscapular ………… 430
肋剣状角 costoxiphoid angle ………… 88
肋剣の costoxiphoid ………… 430
6歳臼歯 sixth-year molar ………… 1163
肋鎖靱帯 costoclavicular ligament ………… 1034
肋鎖靱帯 ligamentum costoclaviculare ………… 1043
肋鎖靱帯圧痕 impressio ligamenti costoclavicularis ………… 916
肋鎖靱帯圧痕 impression for costoclavicular ligament ………… 917
肋鎖の costoclavicular ………… 430
六軸座標系 hexaxial reference system ………… 1831
六指症 hexadactyly, hexadactylism ………… 850
6指の sexdigitate ………… 1669
緑青 verdigris ………… 2013
六硝酸マンニトール D-mannitol hexanitrate ………… 1100
ロクソスセレス症 loxoscelism ………… 1070
ロクソスセレス属 *Loxosceles* ………… 1069
六胎 sextuplet ………… 1669
六炭糖 hexose ………… 850
肋椎角 costovertebral angle (CVA) ………… 88
肋椎関節 articulationes costovertebrales 157
肋椎関節 costovertebral joints ………… 969
肋椎の costovertebral ………… 430
肋軟骨 costal cartilage ………… 305
肋軟骨 cartilago costalis ………… 307
肋軟骨 costicartilage ………… 430
肋軟骨亜脱臼 slipping rib cartilage ………… 307
肋軟骨炎 costochondritis ………… 430
肋軟骨下の subchondral ………… 1762
肋軟骨症候群 costochondral syndrome 1801
肋軟骨の costochondral ………… 430
六倍数性 hexaploidy ………… 850
六フッ化ケイ酸ナトリウム sodium hexafluorosilicate ………… 1696
ログランク検定 log-rank test ………… 1860
六量体 hexamer ………… 850
六量体の hexameric ………… 850
ロクロニウム rocuronium ………… 1619
ロケット免疫電気泳動 rocket immunoelectrophoresis ………… 912
ロゲトロノグラフィ logetronography ………… 1068
ロゴテラピー logotherapy ………… 1068
沪紙 chromatography paper ………… 1344
沪紙 filter paper ………… 1344
ロシアインフルエンザ Russian influenza 930
ロシア春夏脳炎(西洋亜型) Russian spring-summer encephalitis (Western subtype) ………… 607
ロシア春夏脳炎(東洋亜型) Russian spring-summer encephalitis (Eastern subtype) ………… 607
ロシア春夏脳炎ウイルス Russian spring-summer encephalitis virus ………… 2029
ロジウム rhodium (Rh) ………… 1610
ロジェ雑音 Roger murmur ………… 1180
ロジェ病 Roger disease ………… 539
ロジェヘルニア Laugier hernia ………… 843
沪紙オートラジオグラフィ paper autoradiography ………… 181
沪紙クロマトグラフィ paper chromatography ………… 357
ロジスティック曲線 logistic curve ………… 451
ロジスティックモデル logistic model ………… 1162
ロジット logit ………… 1068
ロジット変換 logit transformation ………… 1918
ロジャー-アンダーソンピン固定装置 Roger Anderson pin fixation appliance ………… 121
ロジャーズ血圧計 Rogers sphygmomanometer ………… 1714
露出 denudation ………… 490
沪出 transudation ………… 1922
沪出液 transudate ………… 1922
露出歯髄 exposed pulp ………… 1523
露出症 exhibitionism ………… 653
〔性器〕露出症者 exhibitionist ………… 653
露出する expose ………… 656
露出性角膜炎 exposure keratitis ………… 978
沪出分泌の diacrinous ………… 508
ロシュミット数 Loschmidt number (n_0) ………… 1282
ロジン rhodin ………… 1610
ロジン rosin ………… 1623
露髄 exposure ………… 656
ロスサイクル Ross cycle ………… 455
ロス手術 Ross procedure ………… 1487
ロスリバーウイルス Ross River virus ………… 2029
ロゼット rosette ………… 1623
ロゼット形成細胞 rosette-forming cells ………… 326
ロゼット試験 rosette test ………… 1864

ロセラニトロプルシド試験 Rothera nitroprusside test ………… 1864
ロゼンジ lozenge ………… 1070
ロタウイルス rotavirus ………… 1624
ロ〔ー〕タメータ rotameter ………… 1623
ロ〔ー〕タメータ rotameter ………… 1623
ロチア属 *Rothia* ………… 1624
肋下筋 subcostal muscle ………… 1195
肋下筋 musculus subcostalis ………… 1204
鹿角状結石 staghorn calculus ………… 278
鹿角(ろっかく)精 hartshorn ………… 816
六価元素 hexad ………… 850
肋下静脈 subcostal vein ………… 2001
肋下神経 subcostal nerve ………… 1239
肋下神経 nervus subcostalis ………… 1243
肋下線 subcostal line ………… 1052
肋下線 linea subcostalis ………… 1053
肋下動脈 arteria subcostalis ………… 138
肋下動脈 subcostal artery ………… 152
肋下部反射 hypochondrial reflex ………… 1579
肋間隙 intercostal space ………… 1704
肋間隙 spatium intercostale ………… 1707
肋間静脈 intercostal veins ………… 1997
肋間静脈 posterior intercostal veins ………… 2000
肋間静脈 venae intercostales posteriores 2006
肋間静脈の背側枝 dorsal veins of posterior intercostal veins ………… 1995
肋間静脈背枝 dorsal branch of posterior intercostal veins ………… 246
〔第四—第十一〕肋間静脈背枝 dorsal branches of the posterior intercostal veins 4–11 ………… 246
肋間上腕神経 intercostobrachial nerves 1235
肋間上腕神経 nervi intercostobrachiales 1242
肋間上腕の intercostobrachial ………… 944
肋間上腕の intercostohumeralis ………… 944
肋間神経 intercostal nerves ………… 1235
肋間神経 nervi intercostales ………… 1242
肋間神経外側皮枝の外側乳腺枝 rami mammarii laterales ramorum cutaneorum lateralium nervorum intercostalium … 1553
肋間神経前皮枝の内側乳腺枝 rami mammarii mediales ramorum cutaneorum anteriorum nervorum intercostalium 1553
肋間神経痛 intercostal neuralgia ………… 1244
肋間神経の外側皮枝 lateral abdominal/pectoral cutaneous branches of intercostal nerves ………… 248
肋間神経の胸前皮枝 pectoral anterior cutaneous branch of intercostal nerves 251
肋間神経の前胸皮枝 anterior pectoral cutaneous branch of intercostal nerves 242
肋間神経の前皮枝 anterior cutaneous branches of intercostal nerves ………… 242
肋間神経の前腹壁皮枝 anterior abdominal cutaneous branch of intercostal nerve 242
肋間神経の側副枝 collateral branch of intercostal nerves ………… 244
肋間〔神経〕麻酔〔法〕 intercostal anesthesia 79
〔第一—第二〕肋間動脈 first and second posterior intercostal arteries ………… 145
〔第一—第二〕肋間動脈 posterior intercostal arteries 1-2 ………… 150
〔第三—第十一〕肋間動脈 posterior intercostal arteries 3-11 ………… 150
〔第三—第十一〕肋間動脈側副枝 collateral branches of posterior intercostal arteries 3-11 ………… 244
〔第三—第十一〕肋間動脈側副枝 ramus collateralis arteriarum intercostalium posteriorum III–XI ………… 1549
肋間動脈背枝 dorsal branches of first and second posterior intercostal artery ………… 246
〔第三—第十一〕肋間動脈背枝 dorsal branches of the posterior intercostal arteries 3–11 ………… 246
肋間動脈背枝の内側皮枝 medial cutaneous branch of dorsal branch of posterior intercostal arteries ………… 249
肋間動脈背枝脊髄枝の椎間板前枝 prelaminar branch of spinal branch of dorsal branch of posterior intercostal artery ………… 252
肋間動脈後枝の外側皮枝 ramus cutaneus lateralis ramorum posteriorum arteriae intercostalium ………… 1550
肋間動脈第三—第十一背枝の内側皮枝 ramus cutaneus medialis rami dorsalis arteriarum intercostalium posteriorum III–XI ………… 1550
肋間の intercostal ………… 944
肋間の動脈 intercostal arteries ………… 146
肋間膜 membranae intercostales ………… 1124
肋間膜 intercostal membranes ………… 1126
肋間リンパ節 intercostal lymph nodes 1078
ロッキー山〔紅斑〕熱 Rocky Mountain spotted fever ………… 686
ロッキー山紅斑熱ワクチン Rocky Mountain spotted fever vaccine ………… 1980
六脚類 Hexapoda ………… 850
ロック〔溶〕液 Locke solutions ………… 1698
ロックドバイト locked bite ………… 217
ロック-リンガー(リンゲル)〔溶〕液 Locke-Ringer solution ………… 1698
肋剣靭帯 costoxiphoid ligaments ………… 1034
肋剣靭帯 ligamenta costoxiphoidea ………… 1043
六鉤 hexacanth ………… 850
六鉤幼虫 hexacanth embryo ………… 601
六鉤幼虫 oncosphere ………… 1300
肋骨 costa ………… 430
肋骨 os costale ………… 1317
肋骨 pleurapophysis ………… 1438
肋骨 rib [I–XII] ………… 1612
肋骨横隔洞 costodiaphragmatic recess … 1571
肋骨横隔洞 recessus costodiaphragmaticus ………… 1573
肋骨横隔膜角 costophrenic angle ………… 88
肋骨横隔膜陥凹 costophrenic sulcus ………… 1772
肋骨横隔膜の costophrenic (CP) ………… 430
肋骨横突起切除〔術〕 costotransversectomy ………… 430
肋骨角 costal angle ………… 88
肋骨角 angle of rib ………… 89
肋骨角 angulus costae ………… 90
肋骨下神経痛 subcostalgia ………… 1762
肋骨下の infracostal ………… 931
肋骨下の subcostal ………… 1762
肋骨弓 costal arch ………… 125
肋骨弓 arcus costalis ………… 127
肋骨弓 costal margin ………… 1103
肋骨弓反射 costal arch reflex ………… 1578
肋骨鋏 costotome ………… 430
肋骨胸骨下の subcostosternal ………… 1763
肋骨胸膜 costal pleura ………… 1437
肋骨胸膜 pleura costalis ………… 1437
肋骨胸膜炎 costal pleurisy ………… 1438
肋骨挙筋 elevator muscle of rib ………… 1184
肋骨挙筋 levatores costarum (muscles) 1188
肋骨挙筋 musculus levator costae ………… 1201
肋骨切り costotome ………… 430
肋骨頸 collum costae ………… 392
肋骨頸 neck of rib ………… 1223
肋骨頸靭帯 ligamentum colli costae ………… 1042
肋骨頸稜 crest of neck of rib ………… 437
肋骨頸稜 crista colli costae ………… 440
肋骨欠如 apleuria ………… 115
肋骨結節 tubercle of rib ………… 1944
肋骨結節 tuberculum costae ………… 1946
肋骨結節関節面 articular facet of tubercle of rib ………… 661
肋骨結節関節面 facies articularis tuberculi costae ………… 663
肋骨溝 costal groove ………… 801
肋骨溝 sulcus costae ………… 1772
肋骨朵 costal fringe ………… 741
肋骨鎖骨症候群 costoclavicular syndrome ………… 1801
肋骨縦隔洞 costomediastinal recess ………… 1571
肋骨縦隔洞 recessus costomediastinalis 1573
肋骨小窩 costal facets ………… 661
肋骨上の supracostal ………… 1779
肋骨脊柱角 costovertebral angle (CVA) 88
肋骨切開〔術〕 costotomy ………… 430
肋骨切痕 incisurae costales ………… 919
肋骨切痕 costal notches ………… 1269
肋骨切痕化 rib notching ………… 1612
肋骨切除〔術〕 costectomy ………… 430
肋骨前〔方〕の precostal ………… 1477
肋骨粗面 costal tuberosity ………… 1947
肋骨体 body of rib ………… 229
肋骨体 corpus costae ………… 425
肋骨体稜 crest of body of rib ………… 437
肋骨痛 costalgia ………… 430
肋骨刀 costotome ………… 430
肋骨頭 caput costae ………… 291
肋骨頭 head of rib ………… 818
肋骨頭関節 articulatio capitis costae ………… 157
肋骨頭関節 joint of head of rib ………… 970
肋骨頭関節面 articular facet of head of rib ………… 661
肋骨頭関節面 facies articularis capitis costae ………… 662
肋骨頭稜 crest of head of rib ………… 437
肋骨頭稜 crista capitis costae ………… 440
肋骨突起 pleurapophysis ………… 1438
肋骨突起 processus costalis ………… 1491
〔腰椎の〕肋骨突起 costal process of lumbar vertebra ………… 1488
肋骨内面の intracostal ………… 950
〔横隔膜〕肋骨部 pars costalis diaphragmatis ………… 1358
〔横隔膜〕肋骨部 costal part of diaphragm ………… 1363
肋骨面 facies costalis ………… 663
肋骨面 costal surface ………… 1781
〔肺の〕肋骨面 facies costalis pulmonis ………… 663
〔肺の〕肋骨面 costal surface of lung ………… 1781
〔肩甲骨の〕肋骨面 facies costalis scapulae ………… 663
〔肩甲骨の〕肋骨面 costal surface of scapula ………… 1781
肋骨肋軟骨連結 articulationes costochondrales ………… 157
肋骨肋軟骨連結 costochondral joints ………… 969
肋骨肋軟骨連結 costochondral junctions 973
ロッソリーモ反射 Rossolimo reflex ………… 1581
ロッチ徴候 Rotch sign ………… 1683
ロッド値 lod score ………… 1068
ロッド法 lod method ………… 1144
6分間歩行テスト six-minute walk test 1865
ロテノン rotenone ………… 1624
露点 dew point ………… 1454
ロドコッカス属 *Rhodococcus* ………… 1610
ロドトキシン rhodotoxin ………… 1610
ロトトーム rototome ………… 1624
ロドニウス属 *Rhodnius* ………… 1610
ロドプシン rhodopsin ………… 1610
ロドプシンキナーゼ rhodopsin kinase … 1610
ロバストネス robustness ………… 1619
ロバーツ(ロバート)症候群 Roberts syndrome ………… 1818
ロバートショー管(チューブ) Robertshaw tube ………… 1942
ロバートソン転座 robertsonian translocation ………… 1919
ロビノー小人症 Robinow dwarfism ………… 569
ロビノー症候群 Robinow syndrome ………… 1818
ロビンソンカテーテル Robinson catheter 314

ロビンソン係数 Robinson index 923
ロブリー・ド・ブリュイアン-ファン・エーケンスタイン変換 Lobry de Bruyn-van Ekenstein transformation 1918
ロベクトミー lobectomy 1064
ロベリア lobelia 1064
ロベリン lobeline, lobelin 1064
沪胞〔性〕結膜炎 follicular conjunctivitis 412
沪胞周縁の parafollicular 1349
沪胞症 folliculosis 722
沪胞状癌 follicular carcinoma 297
沪胞上皮細胞 follicular epithelial cell 321
沪胞状膀胱炎 follicular cystitis 462
沪胞性外陰炎 follicular vulvitis 2038
沪胞性甲状腺腫 follicular goiter 790
沪胞性樹状細胞 follicular dendritic cells 321
沪胞性大細胞型リンパ腫 follicular predominantly large cell lymphoma 1084
沪胞性トラコーマ follicular trachoma 1909
沪胞性尿道炎 follicular urethritis 1971
沪胞性嚢胞 follicular cyst 459
沪胞性膿瘍 follicular abscess 5
沪胞性リンパ腫 follicular lymphoma 1083
沪胞付随性の parafollicular 1349
沪胞傍沪胞癌 follicular-parafollicular carcinoma 297
ロボ真菌 *Loboa loboi* 1064
ロボ真菌症 lobomycosis 1064
ロボットの robotic 1619
ロボトミー lobotomy 1064
ロマニャ徴候 Romaña sign 1683
ロマノ-ウォード(ワード)症候群 Romano-Ward syndrome 1818
ロマノフスキー血液染色〔法〕 Romanowsky blood stain 1735
ロムスチン lomustine 1068
ロラー核 Roller nucleus 1280
ロランド角 Rolando angle 89
ロランド細胞 Rolando cells 326
ロランド柱 Rolando column 395
ロランド動脈 Rolandic sulcal artery 152
ロランド裂後〔方〕の postrolandic 1471
ロレット支質 Rollet stroma 1759
ロレンツォ油 Lorenzo oil 1294
ロングインタースパーストエレメント long interspersed elements (LINES) 598
ロング〔公〕式 Long formula 730
ロングコーン法 long cone technique 1844
ロングマイアー手術 Longmire operation 1305
ロンバード音声反射試験 Lombard voice-reflex test 1860
ロンプロテアーゼ Lon protease 1502
ロンベルク徴候 Romberg sign 1683

ワ

輪 annulus 93
輪 anulus 111
輪 circle 364
輪 circulus 366
輪 halo 813
輪 loop 1068
輪 ring 1617
ワーウェライト whewellite 2045
ワーカー(ウォーカー)A配列とワーカー(ウォーカー)Bボックス Walker-A sequence and Walker-B box 1665
ワーカー(ウォーカー)Bボックス Walker-B box 239
ワーカホリック workaholic 2048
ワーキングストローク working stroke 1759
ワークステーション workstation 2048
ワース弱視鏡 Worth amblyoscope 57
ワームリー(ウォームリー)試験 Wormley test 1868
ワールデンブルヒ(ワールデンブルグ)症候群1・3 型遺伝子 Waardenburg types 1 and 3 syndrome gene 764
ワールデンブルヒ(ワールデンブルグ)症候群4型遺伝子 Waardenburg type 4 syndrome gene 764
ワールデンブルヒ症候群 Waardenburg syndrome 1824
y角 y-angle 90
Y軸 Y-axis 185
Y字軟骨 Y cartilage, Y-shaped cartilage 307
Y体 Y body 230
Y波(Y谷) y wave 2042
Y連鎖 Y-linkage 2056
Y連鎖遺伝 Y-linked inheritance 933
Y連鎖遺伝子 Y-linked gene 764
Y連鎖遺伝子座 Y-linked locus 1068
Yt_a抗原 Yt_a antigen 106
歪曲 distortion 550
歪曲収差 distortion 550
矮小エナメル nanoid enamel 606
矮小脂肪腫症 polymicrolipomatosis 1461
矮小症候群 runting syndrome 1818
矮小条虫フラテルナ変種 *Hymenolepis nana*, var. *fraterna* 877
矮小体型 hypomorph 895
矮小〔突然〕変異体 petite mutant 1205
淮水〔療法〕 suffusion 1769
ワイスマン(ヴァイスマン)説 weismannism 2044
歪成分耳音響放射 distortion-product otoacoustic emission (DPOAE) 604
歪像矯正 anamorphosis 71
ワイバーン-メーソン症候群 Wyburn-Mason syndrome 1825
ワイヤ wire 2047
ワイルダー細網〔線維〕染色〔法〕 Wilder stain for reticulum 1736
ワイルダー徴候 Wilder sign 1684
ワイルド帯 Wilde cords 422
ワイル(ヴァイル)病 Weil disease 542
ワイル(ヴァイル)-フェリックス反応 Weil-Felix test 1868
ワイン wine 2046
ワインバーグ(ヴァインベルク)反応 Weinberg reaction 1568
若返り rejuvenescence 1588
若木骨折 greenstick fracture 737
わきが hircismus 853
わきが tragomaschalia 1915
わきのした axilla 183
わきのした axillary fossa 731
わきのした fossa axillaris 731
わきばら latus 1005
枠 frame 739
ワクシニア vaccinia 1980
ワクシニアウイルス vaccinia virus 2030
ワクチン vaccine 1979
ワクチン vaccinum 1981
ワクチン後脳脊髄炎 postvaccinal encephalomyelitis 608
ワクチン後(種痘後)脊髄炎 postvaccinal myelitis 1209
ワクチン後の postvaccinal 1472
ワクチン再接種 revaccination 1605
ワクチン重接種 hypervaccination 889
ワクチン接種器 vaccinator 1979
ワクチン接種者 vaccinator 1979
ワクチン体 vaccine bodies 230
ワクモ *Dermanyssus gallinae* 494
鷲(ワシ)手 clawhand 372
ワセリン petrolatum 1397
綿 cotton 430
和田試験 Wada test 1868
渡りルート flyaway 718
ワックスアップ waxing, waxing-up 2043
ワックス酸 wax acid 15
ワックスタイン-マイセルのカルシウム-マグネシウム-ATP分解酵素染色〔法〕 Wachstein-Meissel stain for calcium-magnesium-ATPase 1736
ワックス膨張 wax expansion 655
ワッセルマン(ヴァッセルマン)抗体 Wassermann antibody 101
ワッセルマン(ヴァッセルマン)〔反応〕固定性 Wassermann-fast 2040
ワッセルマン(ヴァッセルマン)試験 Wassermann test 1868
ワット watt (W) 2041
ワトソン-クリックらせん Watson-Crick h 823
ワトソン-シュヴァルツ試験 Watson-Schwartz test 1868
輪止め縫合 locking suture 1787
わな ansa 96
わな loop 1068
わな snare 1694
ワニ口鉗子 alligator forceps 727
ワニの涙症候群 crocodile tears syndrome 1801
ワモンゴキブリ属 *Periplaneta* 1392
笑い発作 gelastic seizure 1657
ワラかゆみ〔症〕 straw itch, straw-bed itch 964
ワラぶとんかゆみ〔症〕 straw itch, straw-bed itch 964
割合 rate 1559
割合 ratio 1560
割当 allowance 52
ワルダイエル(ヴァルダイアー)鞘(層) Waldeyer sheath 1672
ワルダイエル(ヴァルダイアー)腺 Waldeyer glands 775
ワルファリンナトリウム warfarin 2040
ワレリアナ根 valerian 1983
和ろう Japan wax 2042
腕 arm 131
腕 brachium 239
腕回旋症候群 twiddler's syndrome 1823
腕間逆位 pericentric inversion 952
湾岸戦争症候群 Gulf War syndrome 1806
腕脚の brachiocrural 239
彎脚腹壁奇形 cyllosoma 457
彎曲 arcuation 127
彎曲 axioversion 183
彎曲 curvatura 450
彎曲 curvature 450
彎曲 curve 450
彎曲 flexure 712
彎曲 gryposis 804
彎曲陰茎 clubbed penis 1381
彎曲歯 dilaceration 519
彎曲肢症候群 camptomelic syndrome 1799
彎曲消息子 ankylomele 92
彎曲性近視 curvature myopia 1215
ワンゲンスティーン吸引器 Wangensteen suction 1769
ワンゲンスティーンドレナージ Wangensteen drainage 559
彎指〔症〕 clinodactyly 374
ワン試験 Wang test 1868
腕尺関節 articulatio humeroulnaris 157
腕尺関節 humeroulnar joint 970
腕尺〔骨〕の humeroulnar 867
彎手 clubhand 377

彎手 club hand ………………………………… 814
椀状ペッサリー cube pessary ………… 1396
腕神経叢 brachial plexus ………………… 1439
腕神経叢 plexus brachialis ……………… 1439
〔腕神経叢〕鎖骨下部 pars infraclavicularis plexus brachialis ……………………… 1359
〔腕神経叢〕鎖骨下部 infraclavicular part of brachial plexus ……………………… 1364
〔腕神経叢〕鎖骨上部 pars supraclavicularis plexus brachialis ……………………… 1361
〔腕神経叢〕鎖骨上部 supraclavicular part of brachial plexus ……………………… 1368
〔腕神経叢〕神経幹 trunci plexus brachialis ……………………………………………… 1938
〔腕神経叢〕神経幹 trunks of brachial plexus ……………………………………………… 1938
腕神経叢神経幹の後(伸側)部分 posterior divisions of (trunks of) brachial plexus ……………………………………………… 553
腕神経叢ニューロパシー(神経障害) brachial plexus neuropathy ……………………… 1250
腕神経叢損傷 brachial plexus injury …… 936
腕神経叢の外側神経束 lateral cord of brachial plexus ………………………… 421
〔腕神経叢の〕外側神経束 fasciculus lateralis plexus brachialis ………………………… 676
腕神経叢の下神経幹 inferior trunk of brachial plexus ……………………… 1938
腕神経叢の後神経束 posterior cord of brachial plexus ………………………… 422
〔腕神経叢の〕後神経束 fasciculus posterior plexus brachialis ………………………… 676
腕神経叢の上神経幹 superior trunk of brachial plexus ……………………… 1938
腕神経叢の〔神経幹〕前部 anterior divisions of (trunks of) brachial plexus ……… 552
腕神経叢の中神経幹 middle trunk of brachial plexus ……………………… 1938
腕神経叢の内側神経束 medial cord of brachial plexus ………………………… 421
〔腕神経叢の〕内側神経束 fasciculus medialis plexus brachialis ………………………… 676
彎足 pes ………………………………………… 1396
彎足 talipes …………………………………… 1839
腕肘の brachiocubital ……………………… 239
腕頭 brachiocephalic ……………………… 239
腕橈関節 articulatio humeroradialis ……… 157
腕橈関節 humeroradial articulation ……… 158
腕橈関節 humeroradial joint ……………… 970
腕橈骨筋 brachioradial muscle ………… 1182
腕橈骨筋 brachioradialis (muscle) ……… 1182
腕橈骨筋 musculus brachioradialis ……… 1199
腕橈骨筋反射 brachioradial reflex ……… 1578
腕橈骨の humeroradial …………………… 867
〔左または右〕腕頭静脈 venae brachiocephalicae (sinistrae et dextrae) ……………………………………………… 2004
〔左または右〕腕頭静脈 (left and right) brachiocephalic veins ………………… 1998
腕頭動脈 truncus brachiocephalicus …… 1938
腕頭動脈 brachiocephalic (arterial) trunk ……………………………………………… 1938
腕頭動脈炎 brachiocephalic arteritis …… 140
腕頭動脈蛇行症 buckled innominate artery ……………………………………………… 143
腕頭リンパ節 brachiocephalic lymph nodes ……………………………………………… 1077
彎入 indentation …………………………… 921

STEDMAN'S ENGLISH–JAPANESE MEDICAL DICTIONARY 6th EDITION
ステッドマン医学大辞典　第6版

1981年　3月20日　第1版発行
1985年　3月15日　第2版発行
1992年　5月10日　第3版発行
1997年　4月10日　第4版発行
2002年　2月20日　第5版発行
2008年　2月20日　第6版第1刷発行
2009年　7月20日　　　　第2刷発行

■編　集　ステッドマン医学大辞典編集委員会

■発行者　浅原実郎

■発行所　株式会社メジカルビュー社
〒162-0845 東京都新宿区市谷本村町2-30
電話　03(5228)2050(代表)
ホームページ　http://www.medicalview.co.jp/

営業部　FAX　03(5228)2059
E-mail　eigyo@medicalview.co.jp

編集部　FAX　03(5228)2062
E-mail　ed@medicalview.co.jp

■印刷所　(株)廣済堂

ISBN978-4-7583-0021-6　C3547